LE
PETIT ROBERT 2

DICTIONNAIRE
UNIVERSEL DES NOMS PROPRES
alphabétique et analogique

ILLUSTRÉ EN COULEURS

LE PETIT ROBERT 2

sous la direction de PAUL ROBERT

Rédaction générale :
Alain REY

SNL - Le Robert
107, avenue Parmentier, PARIS-XIe
– 1977 –

ISBN : 2-85036-003-1

3e édition revue, corrigée et mise à jour, 1977.

PRINCIPAUX COLLABORATEURS

Rédaction

Jaakko AHOKAS
Littérature finlandaise.

Françoise BEDIOU
Géographie de la France.

Christine de BELLEFONDS
Antiquité romaine; Antiquité égyptienne, etc.

Dominique BOUISSOU
Histoire de l'art.

Sabine BRAGADIR
Géographie : Europe centrale, Scandinavie, Turquie, etc.

Agnès BRAULT
Civilisations hispanique et portugaise.

Sophie CHANTREAU
Géographie de l'Europe occidentale.

Pierre DESCAZAUX
Théâtre; Danse; Poésie française moderne; Musique.

Olga DUDA
Civilisation polonaise; U.R.S.S.

Thiéri FOULC
Histoire des religions, mythologies; Moyen-Orient antique.

Louis FRÉDÉRIC
Civilisations d'Asie.

Laurence GRZEGACZ
Géographie de la France; Histoire du Ier Empire.

Claire JANON
Géographie de l'Afrique du Nord; Afrique noire; Océanie.

Annie JOURDAIN
Littératures de langue anglaise.

Marie-José JUGLAR
Histoire de l'Europe occidentale : XVIe-XVIIIe siècles.

Sophie LAFITE
Géographie de l'Amérique du Sud et du Proche-Orient.

Édith LANÇON
Art italien : XIVe-XVe siècles.

Liliane LÉOTARD
Musique.

Léon LESCAR
Circonscriptions d'action régionale françaises.

Véronique LINARÈS
Histoire contemporaine.

Claire LOPEZ
Littérature russe et littératures slaves du Sud.

Marianne MARÇOT
Histoire du Moyen Âge.

Gérard MARIÉ
Sciences exactes.

Abdelwahab MEDDEB
Histoire de l'art; Civilisation islamique.

Françoise MOREL
Littératures de langue française; Littérature italienne.

Anne-Françoise NESSMANN
Philosophie, Sciences humaines; Histoire de France : Révolution, XIXe et XXe siècles; Littérature allemande.

Daniel PÉCHOIN
Géographie de la France.

Maryvonne PÉREZ-PRAZNOWSKI
Littérature hongroise; Autriche-Hongrie.

Dimitri RAFTOPOULOS
Grèce; Empire byzantin.

Alain REY
Amérique du Nord; Linguistique.

Michèle SÉNÉCHAL-COUVERCELLE
Sciences exactes.

Aristotelis VASSILIADIS
U.R.S.S.

Ont également contribué à la rédaction : Frédéric THIECK *(art moderne)*, Laurence POLACK-LAPORTE.

Documentalistes : Brigitte DELÉTANG, Alice GEORGES, Jocelyne RANNOU.

Le secrétariat (Sylvette COMBES, Marie-Agnès FEDELICH, Lucette JOURDAN, Laurence MÉRAL, Françoise MILLET) a été dirigé par Andrée AKNIN.

Correction

Roger COPPEAUX
(Chef de service)

Gilles MATIVET
(Adjoint)

Patrice ANTONA, Serge BRICIANER, Colette JOUSSE, Nils LABADIE, Patricia LÉGER, Michèle LEMAITRE, Renée MAGNANI, Lila OPPENHEIM, Françoise PRÉVÔT, Jacqueline TRINQUET, Évelyne WALDMANN-DUCHEMIN.

Réalisation de la maquette

Direction :	Claude SCHAEFFNER
Assistante :	Anke HÉRUBEL
Directeur artistique :	Henri FROSSARD
Iconographe :	Hélène SCHAEFFNER
Maquettistes :	Alain BURGAUD
	Martine CHENAULT
	Régine GABET
	Martine SOULIÉ
	Élisabeth KOZMA
Géographes-cartographes :	Gérard CHENUET
	Gilbert MARTIN
	Marie-Thérèse MÉNAGER
	Jacques SABLAYROLLES
Secrétaires d'édition :	Stella CHTCHEGLOFF
	Marie-Claire IZARD
	Vincent DUVIVIER

PRÉFACE

par Paul ROBERT

L'accueil fait par le grand public au Petit Robert, *dictionnaire alphabétique et analogique de la langue française, devait m'encourager à mettre en chantier un ouvrage complémentaire embrassant, cette fois, les domaines de l'histoire et de la géographie, des arts, des lettres et des sciences.*

Un tel ouvrage, dont j'avais de longue date conçu l'idée avant d'en entreprendre la réalisation en 1968, m'apparaissait d'autant plus indispensable qu'il n'existait — et n'existe encore, à ma connaissance — aucun dictionnaire qui vise à englober en un corps unique l'histoire des lieux et des hommes dans leurs relations spatiales ou temporelles, de manière à en découvrir les noms par la voie analogique aussi bien que dans l'ordre alphabétique. Les lieux et les hommes s'identifiant par des noms propres, il nous a semblé finalement que le titre de Dictionnaire universel des noms propres *répondait le mieux au contenu de ce nouvel ouvrage, sans toutefois perdre de vue qu'un certain nombre de noms d'hommes et de lieux ont acquis droit de cité dans les dictionnaires de langue, par exemple Don Juan, Égérie, Tartuffe, Brandebourg...*

*Le titre d'*Aide-mémoire historique et géographique, *que j'avais tout d'abord choisi, marquait des ambitions plus modestes que le présent dictionnaire, au moment où je me déterminai à l'entamer seul, mes collaborateurs habituels étant alors absorbés dans l'achèvement du* Supplément *au* Grand Robert, *puis dans celui du* Micro-Robert. *Le concours d'une nouvelle collaboratrice, Madame Olga Duda-Ostrowska, me permit de recruter des auxiliaires et de premiers rédacteurs. Nous avions ensemble ébauché le canevas de l'ouvrage et rempli le quart des articles quand l'achèvement du* Micro-Robert *en 1971 libéra l'équipe du « Robert » de ses occupations les plus pressantes. Son secrétaire général, Alain Rey, se laissa convaincre de délaisser momentanément ses travaux linguistiques afin de m'apporter le renfort de son expérience lexicographique, forgée depuis une vingtaine d'années au sein de mon équipe rédactionnelle. Chargé de recruter, de former et de diriger de nouveaux collaborateurs venant d'horizons différents, il aboutit à la constitution d'une nouvelle équipe, assez compacte pour qu'il nous fût possible d'élargir mon projet initial en le fondant dans une œuvre de plus vaste portée, enrichie d'illustrations et de cartes géographiques.*

Dès lors que l'ouvrage prenait un tour collectif, je décidai de me montrer extrêmement libéral et d'accorder une grande latitude à mes collaborateurs dans la rédaction de leurs articles, sans aller toutefois jusqu'à la mention d'initiales après le point final, comme il est d'usage dans certaines encyclopédies. Mon rôle de directeur de publication s'est généralement borné à des retouches, hors quelques refontes d'une partie des textes, comme par exemple, celle concernant la période française en Algérie. Dans cette tâche délicate, j'ai trouvé auprès de mes amis Robert et Jacques Mengin et le général Albert Bonhoure une aide extrêmement efficace quoique, par le fait des circonstances, un peu tardive.

Faute de mentionner tous ceux de nos collaborateurs qui ont coopéré à cet immense travail avec un dévouement constant, je me dois de les remercier collectivement en invitant le lecteur à consulter la liste de leurs noms en tête de l'ouvrage.

Nulle œuvre n'est parfaite. Je dirai de celle-ci : « J'en connais mieux que personne les imperfections et les lacunes. » L'avenir devra lui apporter bien des corrections et des enrichissements et pour cela je compte sur la collaboration des spécialistes aussi bien que sur celle du grand public pour la préparation de futures publications.

Paul ROBERT

PRÉSENTATION

par Alain REY

LES NOMS PROPRES DANS LA LANGUE ET DANS LA CULTURE

Le dictionnaire, ouvrage dont l'utilité s'accroît avec la complexité d'une culture et la masse des connaissances à maîtriser, est un type de livre familier, à propos duquel on s'interroge peu. Pourtant, sa nature est ambiguë, puisqu'il répartit, généralement selon un ordre conventionnel et commode, à la fois des informations sur le monde et des données sur les signes du langage, indispensables à l'expression, à la formation même de la pensée. Le mélange de ces deux types d'informations, encyclopédiques et linguistiques, était de règle en Europe occidentale depuis le XVIIIe siècle. Mais les inconvénients de ce système sont évidents. Si l'on ne peut parler utilement des choses qu'en maîtrisant les mots, ce sont les mots qu'il faut d'abord décrire, avec le plus de précision possible. Il fallait donc définir dans sa spécificité le dictionnaire de langue. Depuis la parution du *Grand Robert,* puis de ses successeurs, on peut dire que le dictionnaire de langue a pris pour la première fois sur le marché intellectuel français la place qui lui revenait, à titre de recueil indispensable à l'expression et à la maîtrise linguistique sous une forme maniable et accessible. Un tel dictionnaire ne décrit, on le sait, que les mots communs de la langue, en analyse le contenu par des définitions, en illustre le fonctionnement par des exemples (1), mais laisse de côté les *noms propres,* qui désignent des individus ou des réalités individuelles. Celles-ci ne sauraient être définies; on peut seulement les décrire. En effet, elles ne correspondent pas à une idée générale, à un concept : *Louis XIV* désigne un homme et nul autre; *roi* désigne non seulement tous les rois existants, mais tous les rois imaginables. Pourtant, la maîtrise de la langue exige aussi celle des noms propres, dont la description, on s'en doute, serait une tâche interminable. Si le groupe social doit maîtriser un vaste vocabulaire pour manier les concepts élaborés par la culture (on le trouve dans le dictionnaire de langue), les noms propres, eux, sont impossibles à épuiser, car ils sont aussi nombreux que les phénomènes nommés du monde réel. Le besoin de nommer est fondamental : la nomination sépare, distingue, rend irremplaçable; le sens du mot *innommable* en dit long sur l'importance d'avoir un nom. Mais, indépendamment de l'intérêt linguistique et sociologique des noms propres — qui peut justifier des études sur les prénoms, l'étymologie des noms de lieux, la manière de désigner les êtres vivants —, un répertoire des noms propres les plus nécessaires repose sur la notion de *notoriété.*

(1) Voir le *Petit Robert,* sa présentation, et les ouvrages spécialisés sur la lexicographie.

Celle-ci est conférée par le groupe à certaines personnes ou à certains lieux dont le nom devient dès lors mémorable et significatif. Cette notoriété, qui peut aller de la mode passagère à la célébrité mondiale et durable, n'est pas entièrement assimilable à un jugement de valeur positif. Un tel jugement, pour les êtres humains, suppose la connaissance approfondie du système dans lequel l'activité s'est exercée. Peu de mathématiciens ou de logiciens accèdent à une large notoriété, alors que leur pensée, manifestant les qualités les plus rares, est susceptible de modifier profondément les structures de la connaissance. Au contraire, la célébrité soudaine et immense d'un chanteur à succès, d'un homme politique scandaleux, d'une vedette de cinéma ou d'un sportif peut fort bien s'accommoder de jugements esthétiques ou éthiques contradictoires, instables, parfois même d'une sévérité explicite et partagée. A la limite, la notoriété d'un criminel s'assortit de valeurs négatives quasi unanimement évoquées, et cette célébrité par la réprobation peut atteindre des personnages d'une importance considérable. Le caractère incertain et relatif du critère de notoriété – ce qui est notoire en France ne l'est pas forcément en Chine, ce qui l'est au XXe siècle ne le sera peut-être pas au XXIe, etc. – et le caractère subjectif du jugement d'importance rendent le choix toujours contestable, autant qu'ils le rendent difficile.

***

Un dictionnaire de noms propres se définit donc d'abord par une série de choix. Le premier choix concerne le nombre et la nature des articles, la nomenclature.

LA NOMENCLATURE DU PETIT ROBERT 2

Elle est adaptée aux possibilités d'un ouvrage maniable en un volume et aux besoins culturels, et l'on a visé un équilibre entre le nombre d'entrées, relativement élevé, et la taille des articles.

1) *Les noms de personnes.*

Les noms de personnes couvrent l'histoire mondiale, de l'Antiquité à nos jours, et les principales activités formatrices des civilisations, depuis les sciences jusqu'aux arts et aux littératures. La sélection repose sur un double principe : ne pas bouleverser la tradition culturelle et les décisions des institutions (Académies, prix tels que le Nobel), mais soumettre les éléments aux tendances actuelles des besoins collectifs. On ne s'étonnera donc pas de voir donner une importance relativement plus grande à des écrivains, à des peintres, etc. encore contestés ou récemment redécouverts, et même ignorés de la plupart des recueils (*par ex.* Olaf Stapledon), qu'à des gloires officielles. Bien entendu, les personnages dominants de l'histoire et des cultures ont reçu une place encore plus ample (*ex.* Bach, Michel-Ange, Molière...).

On peut adresser à toute nomenclature deux sortes de reproches : *1*) certains noms, si l'on adopte un point de vue particulier, mériteraient d'être traités et sont absents; certains noms, pour tel lecteur, « n'intéressent personne » ou sont des « fausses valeurs » et mériteraient d'être éliminés. Il est rappelé que les critères de choix doivent être appréciés : *a*) dans un domaine cohérent, et non pas dans l'absolu; *b*) en tenant compte des centres d'intérêt très variés et complémentaires. Ainsi, la présence assez abondante d'articles – d'ailleurs brefs – sur les personnages les plus marquants de l'histoire et de la culture arabe ou chinoise résulte d'un choix délibéré et vise à corriger le « francocentrisme » excessif de publications analogues. *2*) Notre nomenclature, comme celle des autres recueils du genre, présente une écrasante majorité d'hommes adultes : comme les enfants, mais pour des raisons beaucoup moins évidentes, les femmes sont mal représentées dans la valorisation culturelle. De même que la présence massive de la race blanche, il s'agit là d'une grave illusion d'optique dont le discours didactique du dictionnaire n'est pas responsable. Les choix sociaux et culturels, l'établissement de critères reconnus par ceux mêmes qu'ils défavorisent, dépendent de facteurs complexes et reflètent des rapports de force que les théoriciens de la société s'efforcent d'étudier. Pour être extrêmement générale, cette situation, souvent vécue dans l'inconscience absolue, méritait d'être notée. Il faut, me semble-t-il, insister sur ce fait : les dictionnaires encyclopédiques ne présentent pas une photographie de la réalité sociale et culturelle; il s'agirait plutôt d'une carte, systématiquement déformée par rapport au réel pour le rendre représentable, selon les lois arbitraires d'une représentation qu'imposent les conditions sociales. Des modifications par rapport à ce *statu quo* seront sans doute perceptibles au lecteur attentif, et constituent pour ses auteurs un des mérites de l'ouvrage.

2) *Les noms de lieux.*

Pour les lieux, le problème du choix est relativement simple.

Outre les noms des États actuels et des principales nations du passé, le dictionnaire présente une abondante sélection de *noms géographiques*. Bien entendu, l'optique n'est pas quelconque : la France et les pays francophones, ses voisins européens et méditerranéens, les grandes puissances (États-Unis, U.R.S.S., Chine) sont relativement mieux décrits que d'autres régions du globe. Mais nous avons tenté d'atténuer les disproportions, renonçant par exemple à réserver une rubrique à tous les chefs-lieux de canton français pour améliorer la description de l'Amérique du Sud, du Moyen-Orient, de l'Australie ou des Balkans.

Bien entendu, chaque secteur géographique a été traité selon des critères spécifiques : à l'intérieur de chaque domaine, une hiérarchie a été établie et respectée; d'un domaine à l'autre, les différences de critères font, par exemple, que des rivières d'Amazonie, plus importantes que des sous-affluents de fleuves français ici traités, peuvent être absentes du dictionnaire. D'une manière générale, toute unité géographique notable, chaîne montagneuse ou sommet, fleuve, baie ou mer, possède sa rubrique.

Quant aux *villes,* le premier critère est d'importance quantitative. Les agglomérations de plus de 100 000 habitants ont droit à une notice, où qu'elles se trouvent (ceci, évidemment, « sauf erreur ou omission »); le seuil est valable, par exemple, pour les États-Unis ou la Chine. On passe à un seuil de 50 000 habitants pour des pays moins peuplés, comme le Canada, seuil qui descend à 20 000 pour les pays d'Europe occidentale (Allemagne, Grande-Bretagne, Italie, etc.). Pour les pays culturellement proches (partiellement francophones, notamment), toutes les villes de 10 000 habitants et plus sont décrites (Suisse, Belgique). Pour la France, les chefs-lieux de cantons sont mentionnés aux articles consacrés aux départements; ceux de plus de 2 500 habitants sont traités à leur ordre alphabétique, ainsi que toutes les communes de plus de 5 000 habitants.

Mais ces données quantitatives, claires et rassurantes, ne sont pas d'égale valeur. Les chiffres disponibles sont, pour la France, ceux du recensement de mars 1968 (éventuellement corrigés), tels qu'ils sont enregistrés dans l'*Annuaire des communes*; pour les autres pays, ceux des recensements et évaluations reproduits par l'*Annuaire démographique (Demographic Yearbook)* des Nations unies. Ces chiffres valent ce que valent les méthodes d'investigation mises en œuvre dans les divers États. En outre, certaines données sont hypothétiques, en l'absence de chiffres officiels (le cas de la Chine est bien connu).

En revanche, les chiffres de population au delà desquels toutes les villes sont mentionnées ne suffisent pas à définir la nomenclature du dictionnaire. Il est clair que la commune du *Mont-Saint-Michel,* avec ses 105 habitants en 1968, ou celle d'*Austerlitz,* ne sauraient être omises. Les lieux (villes, villages ou lieux-dits) où un événement notable s'est déroulé, ceux qui possèdent un témoignage de culture, une curiosité naturelle ou une entité économique importantes ne sont soumis à aucun filtre quantitatif. Cette souplesse ne va pas sans de menus risques; mais il nous est apparu que la rigidité d'un critère administratif (comme le chef-lieu de canton, en France) ou statistique brut présentait des inconvénients plus graves. Certes, le « seuil d'intérêt » adopté pourra être discuté, et nous nous excusons par avance auprès des habitants ou des amoureux de lieux qui n'ont pas été décrits et qui peuvent présenter un véritable motif d'intérêt : nous sommes ouverts aux critiques.

3) *Les collectivités, groupes, institutions, dynasties.*

Ces articles, relativement peu nombreux, concernent des « noms propres par destination » et figurent sous des entrées qui peuvent correspondre à des expressions complexes *(groupe des Cinq, Cavalier bleu).*

4) *Les œuvres.*

Là encore, le lecteur trouvera des entrées en lettres minuscules comportant plusieurs « mots » graphiques, des expressions comportant ou non des noms propres *(A la recherche du temps perdu; Monsieur Teste)* ou des noms propres seuls *(Hamlet).* Ces entrées correspondent à des entités culturelles, à des « œuvres ». Les *œuvres littéraires* ne sont mentionnées en entrées que s'il s'agit de textes célèbres; de nombreux autres textes sont cités et souvent analysés dans les rubriques consacrées à leurs auteurs. Les textes non littéraires ne sont pas oubliés (Cf. les lois, codes, textes religieux, et les ouvrages scientifiques ou techniques, généralement cités sous le nom de l'auteur). La description des *œuvres musicales* et *artistiques* pose de plus difficiles problèmes. Dans ces domaines, les productions sont plus abondantes et aucun écrivain ne pourrait produire autant d'ouvrages que Picasso n'a réalisé de toiles, de dessins, de gravures, de céramiques, ou que J.-S. Bach n'a écrit de partitions; ce qui contraint à une sélection infiniment plus sévère et accroît le danger d'arbitraire, tant dans les textes consacrés aux auteurs que dans le choix d'entrées spécifiques. En outre, la notoriété des titres littéraires est en général plus évidente que celle des autres productions artistiques : toute personne cultivée peut citer sans effort des dizaines de romans ou de pièces de théâtre; l'opération est moins aisée pour les œuvres musicales ou plastiques, dont les désignations sont souvent techniques (sonate, ou symphonie en ut dièse, numéro d'opus, Kœchel n° tant pour Mozart, etc.) ou bien fictives *(Symphonie pastorale, sonate à Kreutzer).* Il ne pouvait être question de répertorier sous les noms communs *concerto* ou *sonate* une infinité d'œuvres : le lecteur se reportera spontanément aux noms des compositeurs. Quant aux œuvres plastiques, rarement désignées sous un nom reconnu et stable (la *Joconde,* inconnue dans les pays anglo-saxons, y est *Mona Lisa*), elles sont le plus souvent décrites ou évoquées dans les rubriques consacrées aux artistes.

Quant aux périodes antérieures – notamment en architecture – ni le nom des œuvres, à part quelques monuments très célèbres, ni celui des auteurs, le plus souvent inconnus, ne constituaient un repère convenable. On pensera donc à compléter l'information artistique par la consultation des noms de lieux (villes, sites).

5) *Les événements.*

Certains *noms communs* apparaissent enfin dans ce *Petit Robert 2* pour regrouper des informations historiques qui ne pouvaient trouver place sous le même éclairage dans les articles consacrés aux noms de personnes et de lieux (sous l'abréviation *Hist. :* histoire). Certains de ces articles renvoient explicitement ou implicitement à la partie langue du *Petit Robert*; mais l'information ajoutée ici est bien à propos d'un nom propre; *Coalition, Collaboration, Résistance, Révolution, Guerre mondiale* ne renvoient alors qu'à un événement ou à une série d'événements bien précis. Des entrées comme *Collier* (affaire du), bien que formées de noms communs, sont à mettre sur le même plan que affaire *Dreyfus* ou scandale de *Panamá.* Il en est de même des repérages temporels : *mai 1968, thermidor,* etc.

L'importance de la nomenclature, pour un ouvrage en un seul volume, différencie le *Petit Robert 2* de nombreuses encyclopédies, même beaucoup plus importantes. Des deux formules en concurrence – nombreux articles relativement courts ou petit nombre d'articles longs – la première a un avantage pratique incontestable : la facilité de consultation et le regroupement des informations autour de nombreux centres.

Son inconvénient, une répartition plus analytique, est dans une large mesure neutralisé par deux procédés qui tiennent à la nature du texte. Les articles clés, consacrés par exemple à un pays ou à un personnage de première importance, sont relativement développés. Si l'on tient compte de la concision des textes, la quantité d'informations regroupées à propos de ces noms est plus grande et le niveau plus élevé que dans tout autre ouvrage de référence en un volume.

Ce caractère fait du *Petit Robert 2* un ouvrage complémentaire du *Petit Robert* de langue, qu'on a voulu absolument homogène avec son aîné. C'est un dictionnaire de référence immédiatement utilisable et aisément maniable ; ses méthodes et ses intentions, dans un domaine différent, sont très comparables.

Les renvois analogiques permettent d'accéder à l'inconnu par le connu et de remédier à l'« éclatement » de l'ordre alphabétique. Les options du dictionnaire sont franches, dans un esprit universaliste et moderne. Le choix d'une typographie dense et l'emploi de la méthode analogique, ont permis de réunir beaucoup plus d'éléments qu'il n'est habituel de le faire par un volume unique.

D'une manière générale, comparé au *Petit Robert* de langue, le propos du *Petit Robert 2* est relativement modeste. Nous n'avons visé qu'à élaborer un complément fournissant un ensemble d'informations le plus riche possible, dans tous les domaines que le dictionnaire de langue ne pouvait décrire. Il ne s'agissait plus de proposer un nouveau type de dictionnaire, puisque la description des faits et des réalités que désignent les noms propres n'autorise guère d'innovations que pratiques, mais d'élaborer un recueil utile, adapté à des besoins en partie nouveaux.

Cependant, grâce au parti adopté et aux principales options prises, nous espérons avoir fourni au lecteur, malgré les innombrables difficultés de ce genre d'entreprise, un instrument de travail et de connaissance digne du dictionnaire de langue qui l'a précédé.

GUIDE DE L'UTILISATEUR

FORME DES ENTRÉES. Les noms français ne posent d'autre problème que celui des variantes, peu nombreuses.

Pour les *noms étrangers* provenant de *langues à écriture romane,* le cas serait le même que pour le français, si deux phénomènes n'intervenaient. D'abord, les systèmes graphiques ne sont pas identiques : certaines langues romanes (tels l'espagnol et le roumain), germaniques (notamment le danois et le suédois), les langues slaves (polonais, tchèque, serbe...), le hongrois, ainsi que des langues récemment romanisées (turc, vietnamien...) possèdent des signes inconnus en français : lettres accentuées, souscrites, suscrites, etc. Ces signes ont été utilisés, car leur absence entraînerait de graves bévues : le nom de la ville polonaise de *Wrocław* (à prononcer [vʀɔtswaf]) présente une lettre, ł, qui correspond au son [w] et non au son [l] ; l'écrire *Wroclau* est peu choquant pour un Français, mais équivaudrait exactement à écrire *Plassy* au lieu de *Poissy.* Par ailleurs, de nombreux noms de lieux et même de personnes ont été, notamment depuis le XVIe s. et jusqu'au XIXe s., modifiés pour être intégrés à la langue française. Cette coutume reflète à la fois la force d'assimilation d'une langue, en quoi on peut la considérer comme positive, et l'incapacité d'admettre la pluralité des systèmes phonétiques et graphiques. Ainsi *London* devint en français *Londres,* et *Firenze, Florence*; ainsi les prénoms royaux, qu'ils soient espagnols, allemands, anglais ou russes, sont-ils francisés, comme le sont les noms et les surnoms des grands peintres italiens (*Titien, le Caravage,* etc.). Mais ce phénomène disparut peu à peu : les grandes villes américaines gardent leur nom originel, comme les peintres italiens redécouverts au XIXe s. (*Piero della Francesca* qu'on eût probablement appelé au XVIIe s. *Pierre de la Françoise*; *Uccello,* etc.). Des villes peuvent, en outre, notamment dans les pays bilingues ou en situation de contacts linguistiques, posséder deux noms ou plus (par exemple en Belgique, en Pologne occidentale et en Allemagne orientale). Le *Petit Robert 2* donne les formes usuelles en français, francisées ou non. Aussi trouvera-t-on à *Cicéron* l'article consacré à *Marcus Tullius* dit *Cicero,* à *Gênes, Anvers, Cologne* et *Aix-la-Chapelle* les rubriques traitant de *Genova, Antwerpen, Köln* et *Aachen.* De même, les lieux de Belgique et de Suisse sont répertoriés sous leurs noms français, quand il est d'usage, alors même qu'ils se trouvent en terre flamande ou alémanique. Mais la forme originale du nom est indiquée, et un renvoi, pour les noms importants, permet la « version » (ex. **Aachen.** **V.** AIX-LA-CHAPELLE; **Aargau.** **V.** ARGOVIE; **Wien.** **V.** VIENNE).

Pour les *noms étrangers* provenant de *langues à écritures différentes,* mais *alphabétiques,* la difficulté des translittérations s'ajoute à celle des adaptations éventuelles. La plupart des noms grecs, transmis par une tradition culturelle solide et continue, sont francisés, souvent par l'intermédiaire d'une latinisation. A noter que les transcriptions en caractères latins, lorsqu'il n'y a pas de modification notable, peuvent donner lieu à des variantes arbitraires (*u* ou *y* pour upsilon, accents, etc.). De même, les noms russes célèbres ont été écrits selon les habitudes graphiques du français; ce qui correspond, lettre à lettre, à *Puškin* (ou *Pushkin*) devient chez nous *Pouchkine,* qui restitue, selon nos habitudes de prononciation, les sons de ce nom; pourtant, cette adaptation reste imparfaite et hybride. De même, le prénom russe translittéré en *Aleksandr* peut sans dommage être adapté en *Alexandre.* On a en général distingué les translittérations, données en caractères italiques, des formes originelles différentes (ex. **CLÉOBIS** et **BITON** [*Kleobis, Bitôn*] et **CLÉOBULE,** en gr. **Kleoboulos).**

Enfin, certains *noms* proviennent de *langues à écritures non alphabétiques* ou de *langues sans écriture,* transmises dans des notations phonétiques. Ces notations peuvent être de diverses origines : française (noms africains), anglaise. Les variantes deviennent dans ce cas fort nombreuses, selon les systèmes adoptés; pour le chinois, trois systèmes scientifiques sont en concurrence : celui de l'École française d'Extrême-Orient, le système anglais, dit *Wade,* et le système chinois dit *pin-yin* : on a signalé les trois transcriptions, auxquelles s'ajoutent parfois des adaptations traditionnelles *(Pékin, Canton)* et on a classé les noms selon le système Wade, plus proche de la phonétique chinoise et plus international que le système français, mais moins déconcertant et moins éloigné des habitudes européennes que le *pin-yin,* qui est à d'autres égards recommandable.

Les variantes graphiques, on s'en doute, deviennent de plus en plus nombreuses du premier cas au dernier. D'assez nombreux renvois permettent de passer de l'une à l'autre. Quand une graphie traditionnelle n'est pas rappelée, on se souviendra que le son [ʃ] est mieux transcrit *sh, ch* étant réservé à [tʃ], que ce qui est écrit *ou* en français l'est presque partout ailleurs *u* (le son que le français note *u* s'écrivant alors *ü*). Les variantes formelles, adaptation d'une langue à l'autre (*Gdańsk – Dantzig; Cieszyn* [polonais] – *Teschen* [allemand] – *Tešin* [tchèque]), ou changements à l'intérieur d'un même système *(Saint-Pétersbourg, Petrograd, Leningrad),* sont signalés. Sauf pour les termes consacrés sous leur adaptation francisée (voir ci-dessus), l'entrée est le nom actuel dans la langue du pays considéré. L'histoire et la géographie (description contemporaine) peuvent être ainsi réparties en deux entrées *(Dantzig* et *Gdańsk*; *La Nouvelle-Orléans* et *New Orleans).*

PRÉSENTATION DES NOMS

Les noms de personnes sont de structure variable selon les civilisations. Dans nos cultures et à notre époque, un nom patronymique légué en forme la partie essentielle : il est imprimé en capitales, alors que le ou les prénoms (personnels, mais imposés dans le cadre chrétien du baptême ou dans un cadre équivalent), placés entre parenthèses, sont en minuscules. Les souverains portent seulement un prénom, qui peut être employé seul (*ex.* CHRISTINE, reine de Suède) ou plus souvent avec un chiffre (LOUIS XIII); ces prénoms princiers sont imprimés en capitales. Si le nom connu d'un personnage est un pseudonyme (MOLIÈRE, VOLTAIRE...), le patronyme est signalé entre parenthèses avec les prénoms. ROMAINS (Louis Farigoule, dit Jules), signifie que l'écrivain français devenu célèbre sous le nom de Jules Romains s'appelait, selon l'état-civil, Louis Farigoule. Le nom principal peut aussi être un titre nobiliaire et, dans ce cas, le nom complet est signalé (*ex.* CINQ-MARS [Henri Coiffier de Ruzé d'Effiat, *marquis de*]). Dans les noms complexes (prénoms suivis d'une caractérisation : saints, souverains...), certains éléments sont imprimés en petits caractères lorsque le nom principal peut être employé sans eux (*ex.* ANDREA da Firenze). Les *femmes* qui ne portent pas de pseudonyme sont connues sous le patronyme de leur mari : cette coutume témoigne d'une dégradation de la nomination individuelle dans nos cultures. En effet, le prénom (individuel) d'une femme y est d'abord effacé par le nom de son père, puis, en cas de mariage, par le patronyme du mari. Encore les langues slaves marquent-elles le sexe de la personne nommée par une variation de suffixe; en revanche, elles imposent le prénom du père sous forme d'un second prénom suffixé (*ex.* Vera Nikolaïevna Figner; Vladimir Petrovitch Filatov). A d'autres époques (Moyen Âge) et dans d'autres sociétés (Islâm, Chine, Japon), un système complexe de surnoms, destiné à éviter les ambiguïtés entre homonymes nombreux, a le mérite de signifier : noms marquant l'origine géographique, noms de règne, noms de tombe chinois, surnoms d'activité, etc. Les civilisations occidentales ont réduit ou supprimé la valeur signifiante des noms propres et nos patronymes n'apportent plus d'information que sur un passé lointain (un Français nommé Febvre ou Lefebvre, Lefèvre, a sans doute eu un ancêtre artisan), sur une présomption d'origine linguistique (noms d'apparence russe, polonaise, anglaise, etc.), avec de nombreux risques d'erreur, ou sur la notoriété d'une famille. Les « connotations » du nom de famille sont souvent réduites à de mauvais calembours ou à des attitudes xénophobes, celles du prénom se réduisent à une affaire de mode (*Adolphe* ou *Ernest*, fort prisés au XIXe siècle en France, ne sont plus aussi bien acceptés, en attendant que la mode en revienne).

ORDRE DES ENTRÉES

L'ordre alphabétique est ici appliqué à la totalité de l'entrée (non compris les éléments entre parenthèses). Ainsi CLAUDE DE FRANCE, considéré pour la commodité du classement comme un nom complexe, est traité après le patronyme CLAUDE (Henri Claude, Georges Claude). Les entrées en minuscules sont classées elles aussi selon la totalité de leurs lettres : *A la recherche du temps perdu* est à chercher dans la série ALAR... et non sous A; *Comité français de libération nationale* après *Comité de...* et avant *Comités d'action des lycéens*.

L'ordre alphabétique ne perd ses droits que lorsqu'il s'agit d'homonymes : dans ce cas, les noms de personnes sont placés avant ceux de lieux : saint CÔME, associé à saint DAMIEN, avant CÔME en Italie, Stephen Grover CLEVELAND avant la ville de CLEVELAND, etc. Les noms de personnes homonymes sont rangés par ordre chronologique des dates de naissance, les noms de lieux et les titres référant à l'un de ces noms étant placés immédiatement après lui.

Les prénoms courants portés par de nombreux personnages (Charles, Jean, Louis, Henri, etc.) sont rangés par séries : les saints, puis les souverains de l'Antiquité et des temps modernes (par ordre alphabétique des pays et, à l'intérieur de cet ordre, par ordre chronologique); suivent les patronymes homonymes, et enfin les noms complexes (prénoms composés ou suivis d'un surnom, etc.). Un bref « chapeau » oriente le lecteur quand le nombre des homonymes est grand (*ex.* CHARLES). Dans le cas plus simple des ALEXANDRE, l'ordre adopté est donc : les saints, les papes (légitimes et illégitimes), les rois de Macédoine (parmi lesquels Alexandre le Grand), de Syrie, puis, pour l'histoire moderne, les souverains de Bulgarie, Grèce, Pologne, Russie et enfin les personnages portant un nom complexe : Alexandre Farnèse, Alexandre Jannée, Alexandre Nevski, etc.

Certains personnages sont traités à l'intérieur d'un article complexe, consacré à une famille ou à une dynastie. Le seul avantage de ce procédé est le gain de place, et dès que l'importance individuelle est jointe à une véritable autonomie dans l'activité, nous avons préféré traiter l'information en plusieurs articles; ainsi la famille BACH donne lieu à un article d'orientation suivi par des entrées séparées consacrées à ses principaux représentants.

Formes et place des noms complexes (titres, institutions, etc.). Les titres sont mentionnés sous leur forme française, avec un rappel du titre original (ex. *Fiancés* [*les*], en it. *I Promessi Sposi*). Pour le classement, seuls les déterminants (articles, démonstratifs, possessifs) ont été rejetés après le premier substantif ou adjectif (ex. *Colonel Chabert* [*le*]; *Comédie humaine* [*la*]; Cf. au contraire *A la recherche du temps perdu*). D'autres entrées complexes peuvent être traitées au substantif le plus significatif : ex. *Acclimatation* (jardin d').

TEXTE DES ARTICLES

La présentation matérielle des articles est constante. Le nom propre est imprimé en capitales grasses, éventuellement suivi de spécifications entre parenthèses (prénoms; caractère d'un lieu [*mont, massif de...,* etc.]), de variantes graphiques (*ex.* **ABOU SIMBEL, ABÛ SIMBEL** ou **IBSAMBOUL**), du terme équivalent dans la langue d'origine : ex. **ANVERS** (en flam. **Antwerpen**), de variantes de transcription (**CALAMIS,** [*Kalamis*]). Les noms de fleuves, montagnes, pays et, en général, ceux qui ont un *genre* en français, sont suivis de l'indication de ce genre *(n. m., n. f., n. m. pl., n. f. pl.)* selon les normes du *Petit Robert.* La prononciation, en alphabet phonétique international, n'est donnée que pour les termes *français* posant un problème par rapport aux normes de la prononciation française ou donnant lieu à des usages fautifs (ex. **BRUXELLES** [bʀysɛl]), parce que le *x* y est souvent prononcé *ks.*

Le signe ♦ correspond :

(a) au début du texte de l'article, et sert alors à isoler clairement le nom propre, avec ses caractéristiques;

(b) il sert à séparer les différentes parties d'un article complexe (ex. **CARINTHIE,** *n. f.,* en all. **Kärnten.** ♦ État fédéral d'Autriche... ♦ *Hist...);*

(c) il sert à séparer plusieurs noms sous une entrée unique (membres d'une famille, d'une dynastie).

Le texte des articles suit un ordre constant. Les *noms de personnes* contiennent entre parenthèses une ou deux dates et en général un ou deux lieux, séparés par un tiret, qui correspondent à la naissance et, éventuellement, à la mort du personnage. Ex. **BUFFON...** (Montbard, 1707 – Paris, 1788)... signifie « né à Montbard en 1707; mort à Paris en 1788 ». Pour les personnages régnant (papes, rois, empereurs...), les dates et lieux de naissance et de mort sont signalés en début d'article, immédiatement après le signe ♦. *Ex.* **ALEXANDRE Ier (PAVLOVITCH).** ♦ (Saint-Pétersbourg, 1777 – Taganrog, 1825). Ce procédé évite de confondre les dates de naissance et de mort avec les dates de règne, données dans le texte (dans le cas d'Alexandre Ier : « Empereur de Russie (1801-1825) », signifie : empereur de 1801 à 1825.

Le signe ~ précédant une date signifie « avant l'ère chrétienne ». Il a l'avantage, notamment, de ne pas situer par rapport à la date présumée de la naissance de Jésus des événements appartenant à d'autres civilisations (Indes, Extrême-Orient), qu'il est pour le moins étrange de noter par « av. J.-C. », comme on le fait souvent.

Les renvois internes sont signalés soit par **V.** (voir), introduisant un nom imprimé en gras, soit par le signe * placé après la partie du nom où on le trouvera à l'ordre alphabétique (*ex.* De* Chirico, traité à *D,* et non à *C*).

Les renvois d'un nom à un nom équivalent peuvent correspondre soit à un traitement détaillé à l'article de renvoi, soit à une simple information linguistique [*ex.* **ANTILLES** *(mer des)* ♦ **V.** Caraïbes (mer des), l'article CARAÏBES *(mer des)* ne faisant que signaler la synonymie, mais voisinant avec un texte sur les Indiens CARAÏBES]; l'information géographique étant donnée à ANTILLES, *n. f. pl.* D'une manière générale, les renvois sont destinés à attirer l'attention sur une information supplémentaire utile à la pleine compréhension du texte consulté; ils ne supposent pas qu'un rapport symétrique soit établi dans l'article de renvoi (notamment lorsque le renvoi fonctionne du moins au plus notoire).

Enfin, certains articles renvoient au *Petit Robert* (*ex.* « Antipape », Cf. *le Robert*) pour l'histoire et le sens du mot.

CONTENU

Les personnes. Le corps de l'article donne deux types d'information : des éléments biographiques, essentiels pour les personnes qui ont joué un rôle historique, relativement moins importants pour les penseurs, les savants, les créateurs, et des éléments descriptifs ou critiques concernant les activités, notamment dans ces derniers cas. Alors, les œuvres les plus importantes sont citées et datées, soit dans la langue originelle et en traduction, soit seulement sous la forme française la plus répandue. Il nous a semblé évident qu'il importait plus au lecteur de connaître les points essentiels de la philosophie de Kant, de Hegel ou de Sartre que le détail de leurs biographies, d'avoir une idée du style et de la pensée de Michel-Ange que de son apparence physique. D'une manière générale, l'anecdote a été réduite au profit d'informations de fond.

Les lieux sont décrits selon un programme simple : caractérisation spatiale, description sommaire de l'ensemble (richesses monumentales, aspect général, pour les villes) et de la fonction économique (activités industrielles et commerciales), culturelle ou religieuse. La liste des personnages célèbres nés en un lieu répond à une curiosité assez superficielle mais légitime (ces listes ont été omises lorsque leur importance aurait rendu l'information peu pertinente : c'est le cas pour Paris). Enfin l'abréviation *Hist.* pour les villes et les pays présente un aperçu des événements essentiels de leur histoire : systématique en ce qui concerne les pays et les grandes villes, ces informations historiques peuvent n'être que des repères, de simples notes, quand il s'agit d'autres villes ou de villages.

Pour les pays, les développements qui suivent les données initiales (surface, population, langues, villes principales, grandes divisions administratives...) concernent d'abord la géographie physique, puis la géographie humaine et économique : activités agricoles, richesses naturelles, industries, secteur tertiaire. On a voulu ces dernières données assez détaillées, car elles commandent les structures et l'évolution du monde actuel. L'information est répartie hiérarchiquement : ainsi les grandes unités politiques ou administratives (États des États-Unis, Républiques et territoires de l'U.R.S.S., Circonscriptions d'action régionale de France, comtés de Grande-Bretagne, etc.) donnent lieu à des notices relativement importantes évitant ainsi une surcharge quand il s'agit de traiter les pays auxquels elles appartiennent. Les renseignements rassemblés visent à fournir au lecteur des données précises et actuelles, autant que faire se pouvait. De nombreux chiffres sont fournis, empruntés à des sources nationales officielles, à des recueils tels que le *Statistical Yearbook* des Nations unies, le *Stateman's Yearbook,* les *Images économiques du monde.* Ce sont les plus récents disponibles, correspondant en général aux années 1971-1975. Quant aux chiffres de population, dont il a été question plus haut comme critère de sélection, ils proviennent soit de recensements officiels, et sont alors donnés exactement, soit d'estimation, et ils sont alors arrondis. En effet, si les chiffres non arrondis des recensements sont en principe préférables, il faut mettre en garde le lecteur contre une impression illusoire d'extrême exactitude : seul l'ordre de grandeur est pertinent, au plan socio-économique. De fait, les données trop anciennes ou incertaines doivent être remplacées par des estimations grossières, mais plus conformes à la réalité probable (*ex.* la Chine).

CARTES ET ILLUSTRATIONS

La légende des cartes, ne subissant pas de grandes modifications, est donnée en début d'ouvrage (carte de l'Afrique) et dans quelques cartes importantes (régions économiques de France) ou particulières (légendes des cartes historiques).

Les symboles et conventions sont des plus courants en cartographie. D'une manière générale, le relief du moins au plus élevé est figuré par des zones allant du plus clair au plus foncé et enfin au blanc, symbolisant les très hauts sommets; le bleu foncé, en mer, correspond aux profondeurs excédant 2 000 m; la couleur rose, dans les terres, correspond aux zones d'altitude négative (inférieures au niveau de la mer : dép. ou dépr. = dépression [1]), ou, parfois et selon l'indication de la légende, aux glaciers (Canada).

Les villes symbolisées par ■ ou par une zone étendue sont les plus peuplées (1 000 000 d'hab. sauf indication contraire : 100 000 hab. pour les cartes plus détaillées des régions de France) et le caractère et l'importance du symbole diminuent avec la population.

[1] Ne pas confondre avec dép. = département, dans le texte (voir abréviations).

Les routes sont figurées en rouge; un double trait correspond soit aux autoroutes, soit aux voies à chaussées séparées (mais à accès libre, voir par ex. la carte de la Bretagne); dans ce cas, le pointillé correspond aux voies en construction ou en projet (*ex.* routes transamazoniennes au Brésil; autoroutes en France).

Lorsqu'une carte présente des symboles différents ou supplémentaires, ils sont explicités dans un cartouche de légende (*ex.* les cartes historiques). De même, les différences de relief selon les pays ont conduit à adopter les teintes symbolisant les altitudes : c'est pourquoi leur signification est rappelée dans chaque carte. L'échelle, évidemment très variable, est aussi rappelée.

Les renseignements donnés par la carte sont destinés à visualiser les rapports topographiques et complètent le texte des articles de géographie ou d'histoire. Leurs dimensions parfois réduites et le désir de clarté limitent leur ambition : certaines schématisations sont dues à l'échelle adoptée, et des éléments présents dans le texte peuvent être absents, car leur présence aurait entraîné une charge excessive; inversement, pour les cartes d'États à la population clairsemée, des localités non décrites dans le dictionnaire ont pu être situées. Mais on ne saurait attendre d'une telle cartographie, au demeurant exceptionnellement complète pour ce type d'ouvrage, les services que rendent les cartes d'un atlas ou des cartes spécialisées (cartes routières, etc.).

Les *illustrations* (une ou deux par page) montrent principalement (a) les œuvres d'art, (b) certains personnages, (c) des sites et paysages donnant une idée plus concrète des lieux décrits. Les légendes, souvent très brèves, renvoient implicitement aux textes des articles pour complément d'information; le nom concerné y est imprimé en caractères gras, pour éviter les ambiguïtés. Les lieux mentionnés à propos d'un pays, comme illustration typique d'une entité plus générale, ne sont pas forcément traités à l'ordre alphabétique (*ex.* Maroua, localité du Nord-Cameroun, dont le marché pittoresque illustre l'article Cameroun, et qui est d'ailleurs situé, à la même page, sur la carte du pays).

A. REY

TABLE DES ABRÉVIATIONS

A

abrév. .... abréviation.
Acad. .... Académie.
adj. .... adjectif.
admin. .... administratif.
affl. .... affluent.
aggl. .... agglomération.
all. .... allemand.
alt. .... altitude.
altér. .... altération.
amér. .... américain.
anc. .... ancien, anciennement.
angl. .... anglais.
apr. .... après.
ar. .... arabe.
arch. .... archives.
Arch. nat. .... Archives nationales.
arr., arrond. .... arrondissement.
art. .... article.
auj. .... aujourd'hui.
autref. .... autrefois.
av. .... avant.
avr. .... avril.

B

b. .... bémol.
banl. .... banlieue.
bas lat. .... bas latin.
bx-arts .... beaux-arts.
bibl. .... bibliothèque.
Bibl. nat. .... Bibliothèque nationale.
bibliogr. .... bibliographie.
bret. .... breton.
byzant. .... byzantin.

C

°C .... Celsius (degré).
c.-à-d. .... c'est-à-dire.
cant. .... canton.
cap. .... capitale.
C.A.R. .... Circonscription d'action générale
celt. .... celtique.
Cf. .... *confer.*
CGS .... (système) centimètre, gramme, seconde.
ch., chap. .... chapitre.
ch. de fer .... chemin de fer.
chim. .... chimie.
ch.-l. .... chef-lieu.
Cie .... compagnie (raison sociale).
cin. .... cinéma.
class. .... classique.
coll. .... collection.
collab. .... collaboration.
comm. .... commune.
construc. .... construction.
cos .... cosinus.
coséc. .... cosécante.
cotg .... cotangente.

D

D. .... Dom.
déb. .... début.
déc. .... décembre.
démogr. .... démographie.
dens. .... densité.
dép. .... département.
distr. .... district.
dj. .... djebel.
doc. .... document.
Dr .... docteur.

E

E. .... est.
ecclés. .... ecclésiastique.
écon. .... économie.
éd. .... édition.
édit. .... éditeur.
égypt. .... égyptien.
encycl. .... encyclopédie.
env. .... environ.
ép. .... épouse.
esp. .... espagnol.
estim. .... estimation.
étym. .... étymologie.
etc. .... *et cætera.*
ex. .... exemplaire.
ex. .... exemple.

F

f. .... féminin.
F .... Fahrenheit (degré).
F. .... frère.
faub. .... faubourg.
fév. .... février.
fig. .... figure.
fl. .... fleuve.
flam. .... flamand.
fr. .... français.
frq. .... francique (langue).

G

gasc. .... gascon (langue).
gaul. .... gaulois (langue).
germ. .... germanique (langue).
got. .... gotique (langue).
gouv. .... gouvernement.
gr. .... grec.

H

h. H. .... hauteur.
hab. .... habitant
hébr. .... hébreux (langue).
Hist. .... histoire (partie d'un article consacrée à l'histoire).
holl. .... hollandais (langue).
hongr. .... hongrois (langue).
hydrogr. .... hydrographie.

I

ibid. .... *ibidem.*
id. .... *idem.*
inach. .... inachevé.
indon. .... indonésien (langue).
indus. .... industrie ou industriel (adj).
inscr. .... inscriptions et belles lettres.
invar. .... invariable.
irl. .... irlandais (langue).
it. .... italien.

J

jap. .... japonais.
janv. .... janvier.
J.-C. .... Jésus-Christ.
juil. .... juillet.

L

langued. .... languedocien (langue).
lat. .... latin.
littér. .... littérature.
liv. .... livre.
loc. princ. .... localités principales.

M

m. .... masculin.
magnit. .... magnitude.
maj. .... majorité.
max. .... maximum, al.
méd. .... médecine.
métall. .... métallurgie.
Mgr .... monseigneur.
Mgrs .... messeigneurs.
mil. .... milieu.
mill. .... millénaire.
min. .... minimum, al.
moy. .... moyenne.
ms. .... manuscrit.
mss. .... manuscrits.
MTS .... (système) mètre, tonne, seconde.
mus. .... musique.
mythol. .... mythologie.

N

n. .... nom.
N. .... nord.
N.-D. .... Notre-Dame.
néerl. .... néerlandais (langue).
norm. .... normand (langue).
norv. .... norvégien (langue).
Note hist. .... note historique.
nov. .... novembre.
N.-S. .... Notre-Seigneur.

O

O. .... ouest.
oct. .... octobre.
œuv. princ. ...... œuvres principales.
off. .... officiel.
op. .... opus.
orig. .... origine.
orogr. .... orographie.
orthogr. .... orthographe.

P

p. .... page.
P. .... père.
paragr. .... paragraphe.
par ex. .... par exemple.
part. .... partie.
pers. .... personnage.
phys. .... physique.
physiol. .... physiologie.
pl. .... pluriel.
polon. .... polonais.
pop. .... population.
port. .... portugais (langue).
posth. .... posthume.
PP. .... pères.
pp. .... pages.
préf., préfect. .... préfecture.
princ. V. .... principales villes.

P (suite)

prod., product. ... production, producteur.
prov. .... provençal (langue).
prov. .... province.
PROV. .... proverbe.
pseud. .... pseudonyme.
publ. .... publié.

R

r. .... rang.
R .... Réaumur (degré).
r. d. .... rive droite.
réal. princ. ...... réalisations principales
rel. .... religion.
REM. .... remarque.
r. g. .... rive gauche.
riv. .... rivière.
R. P. .... révérend père.
RR. PP. .... révérends pères.

S

s. .... siècle.
S. .... sud.
S.A. .... société anonyme (raison sociale).
sanscr. .... sanscrit.
sc. .... sciences.
scand. .... scandinave (langue).
secrét. perpét. ... secrétaire perpétuel.
sept. .... septembre.
sin .... sinus.
sing. .... singulier.
sous-préf. .... sous-préfecture.
sq. .... sequiturque (et suivant).
sqq. .... sequuntur que (et suivants).
suéd. .... suédois (langue).
suiv. .... suivant.
superf. .... superficie.
suppl. .... supplément.
symph. .... symphonie.

T

t .... tonne.
t. .... tome.
tch. .... tchécoslovaque.
tg .... tangente.
trad. .... traduction.

U

univ. .... université.

V

v. .... vers.
V. .... voir.
V. .... ville.
var. .... variante.
vol. .... volume.
V. princ. .... villes principales.

SYMBOLE

⁻ *devant une date* avant l'ère chrétienne.

Ph. Prato/Ricciarini

Aalborg. Vue d'ensemble.

AA. *n. m.* (mot germ. « eau »). ♦ Fl. côtier du nord de la France. 80 km. Il se jette dans la mer du Nord à Gravelines*.

AABENRAA. ♦ V. et port du Danemark, au fond d'un fjord de la côte S.-E. du Jutland*. Ch.-l. du dép. homonyme. 14 100 hab. – Centre commercial; indus. alimentaires, brasserie.

AACHEN. ♦ Nom allemand d'Aix*-la-Chapelle.

AALBORG ou **ALBORG.** ♦ V. et port du Danemark, au N. du Jutland*, sur le Limfjord. 85 800 hab. Ch.-l. du dép. homonyme. Évêché. Bâtiments commerciaux du XVIIe siècle. Église du XIVe s. *Aalborghallen* (vaste centre culturel construit en 1955); musée de peinture moderne. – Cimenteries, produits chimiques, distilleries, manufactures de tabac. **V.** *aussi* **Nørresundby.** – Important port de commerce, chantiers navals. Aéroport. – Patrie du roi Jean* de Danemark.

AALEN. ♦ V. d'Allemagne occidentale (Bade-Wurtemberg) au pied du Jura souabe. 33 000 habitants.

AALESUND. ♦ **V.** ÅLESUND.

AALSMEER. ♦ V. des Pays-Bas (Hollande septentrionale). 17 775 hab. Église du XVIe siècle. – Automobile. Premier marché floral d'Europe.

AALTO (Alvar). ♦ Architecte, dessinateur et urbaniste finlandais (Kuortane, 1898 – Helsinki, 1976). Il commença à travailler à Jyväskylä et à Turku, de 1927 à 1933. Son talent novateur s'affirma dans ses premières grandes réalisations : *(Théâtre de Turku; bibliothèque de Viipuri,* 1927-1935). S'intéressant aux arts décoratifs, il créa des modèles d'objets usuels et de meubles en bois laminés et courbés et joua un important rôle d'urbaniste en Finlande (plans d'aménagement et plans généraux de Rovaniemi*, Nynäsham et Imatra) après la guerre. Il a réalisé dans le domaine de l'architecture collective industrielle ou privée une œuvre abondante et très diverse (*dortoir du M.I.T.* à Cambridge, Mass. U.S.A., 1947-1949; *maison de la culture à Helsinki,* 1955-1958; etc.). Plus constructeur que théoricien, il a adopté des partis pris fonctionnels et utilisé des éléments standardisés, mais a surtout fait preuve d'une extrême liberté formelle : évitant le recours systématique aux orthogonales, il a souvent préféré les lignes courbes ou obliques en rapport avec un plan libre et asymétrique, engendrant un espace continu aux subtiles articulations; il s'est surtout préoccupé d'harmoniser ses constructions avec le site environnant et de l'adapter à la spécificité du programme. Sa démarche s'apparente à bien des égards à celle de F.L. Wright*.

AAMSARÎYA *(djebel).* n. m. ♦ Chaîne montagneuse de Syrie qui longe les plaines du littoral (province de Lattaquié*). Gisements d'asphalte.

AAR ou **AARE.** *n. m.* ♦ Riv. de Suisse (295 km) [cant. de Berne, Soleure et Argovie], affl. du Rhin (r. g.). Il prend sa source dans les Alpes bernoises, traverse les lacs de Brienz* et de Thoune*, arrose Berne*, Soleure*, Olten* et Aarau*, et se jette dans le Rhin à Waldshut.

AAR *(massif de l').* ♦ Massif des Alpes suisses constituant l'extrémité orientale des Alpes bernoises (Finsteraarhorn, 4 275 m; Jungfrau*, 4 166 m). Il se prolonge, à l'E. de la vallée de l'Aar*, par le massif du Saint-Gothard.

AARAU. ♦ V. de Suisse, au pied du Jura, sur la r. d. de l'Aar*, ch.-l. du canton d'Argovie*. 17 000 hab. Anc. place forte, Aarau a gardé son caractère médiéval. – Mécanique de précision, chaussures. ♦ *Hist.* Possession des Habsbourg* (château de *Habichtsburg,* au N.-E. d'Aarau) en 1277, la ville passa sous la domination de Berne en 1415. Après avoir été la cap. de la République helvétique (1798), elle devint le ch.-l. du canton d'Argovie en 1803.

AARGAU. ♦ **V.** ARGOVIE.

AARHUS ou **ÅRHUS.** ♦ V. et port du Danemark, cap. du Jutland*, sur la côte E., dans la baie de l'*Aarhus Å.* 111 266 hab.; aggl. 193 573 hab. (1969). Évêché (fondé au Xe s.). Importante université. Aéroport. V. anc. : cathédrale (XIIe s.). Musée de plein air (reconstitution d'anc. maisons danoises). – Indus. métallurgique et chimique. Important port de transit (trafic vers la Suède et la Norvège) et de commerce (4 200 000 t).

AARON. ♦ Personnage biblique, frère de Moïse* et premier grand prêtre des Hébreux.

AARSCHOT ou **AERSCHOT.** ♦ V. de Belgique située sur le Démer (prov. de Brabant, arr. de Louvain). 12 607 hab. Église Notre-Dame (chœur du XIVe s.). – Centre agricole.

AARTSELAAR. ♦ V. de Belgique, prov. d'Anvers. 5 300 hab.

ABA. ♦ V. du Nigeria. 131 000 hab. Pétrole. Indus. mécaniques et alimentaires.

ABADAN. ♦ V. et port de l'Iran (VIe province) dans une île du Chatt-al-Arab. 270 726 hab. Très importante raffinerie de pétrole. Aérodrome. ♦ *Hist.* Situé au bord de la mer, à l'embouchure du Tigre, Abadan était déjà un port important sous les Abbassides. Réduit au XIIIe s. à l'état de village, il se trouvait alors à 5 km du rivage du golfe Persique. La construction d'un port pétrolier par l'*Anglo-Iranian Oil Company* lui a donné un nouvel essor.

ABADIE (Paul). ♦ Architecte et restaurateur français (Paris, 1812 – Chatou, 1884). Il travailla à la restauration de *Notre*-Dame* de Paris. *Saint-Pierre* d'Angoulême et *Saint-Front* de Périgueux* et s'inspira de cette dernière lorsqu'il fournit les plans de la basilique du *Sacré-Cœur* de Montmartre (1876).

ABAKAN. ♦ V. de l'U.R.S.S. (R.S.F.S. de Russie) en Sibérie, ch.-l. de la région autonome des Khakass [env. 61 900 km^2. 468 000 hab.]. 68 000 hab. Minerai de fer.

ABATE ou **ABBATE (Nicolo Dell').** ♦ **V.** DELL'ABATE.

ABBACH ou **BAD ABBACH.** ♦ Bourg d'Allemagne (Bavière) sur le Danube, à 12 km de Ratisbonne. 2 300 hab. Station thermale.

'ABBÂDIDES. *n. m. pl.* ♦ Dynastie arabe qui régna à Séville* (1023-1091) après le démembrement du califat 'umayyade* de Cordoue. ♦ 'ABBÂD Ier *(Muhammad ibn Ismâ'îl), qâdi* (juge) de Séville, fort de l'appui de l'aristocratie de la ville, se déclara indépendant de Cordoue (1023) et fonda un royaume qu'il agrandit avant sa mort. ♦ 'ABBÂD II, son fils et successeur, plus connu sous le nom d'AL-MU'TADID, régna de 1042 à 1069. Il étendit son royaume en guerroyant contre les petites dynasties berbères de l'est de l'Andalousie. Poète, sanguinaire et sceptique, ce fut un personnage étonnant et sadique. ♦ 'ABBÂD III, son fils et successeur (1040 – 1095), connu sous le nom d'AL-MU'TAMID, hérita de son père le talent poétique et le caractère impitoyable. Il régna à partir de 1069 sur la plus grande partie du sud-ouest de l'Espagne. Mais il dut payer tribut à Alphonse* VI de Castille. Celui-ci devint menaçant et al-Mu'tamid fit appel au sultan almoravide* du Maroc, Yûsuf ibn Tâshfîn, qui vainquit Alphonse VI puis se retourna contre son protégé en s'emparant du royaume de Séville. Al-Mu'tamid finit sa vie exilé au Maroc (1091-1095).

ABBADIE (Antoine Thompson d'). ♦ Savant et voyageur français (Dublin, 1810 – Paris, 1897). Après une mission scientifique au Brésil en 1837, pour étudier les variations diurnes de l'aiguille aimantée, il explora l'Éthiopie (1838-1848). [Acad. sc., 1867.]

'ABBÂS. ♦ Oncle de Mahomet, mort v. 652, dont un des descendants, Abû-al-Abbas, a fondé la dynastie des Abbassides*.

'ABBÂS Ier le Grand. ♦ (1571 – Mâzandarân, 1629). Shah de Perse (1587-1628). Il fut le souverain le plus remarquable de la dynastie safavide*. Par ses victoires militaires sur les Ouzbeks (Uzbeks), les Ottomans et les Portugais, il renforça les frontières du N. et de l'O. et rétablit la suprématie iranienne sur le golfe Persique. Sa politique intérieure tendit à étouffer les particularismes locaux. Il unifia la communauté musulmane au profit du shî'isme*, s'efforça de moderniser le pays et fit d'Ispahan* la plus belle ville de Perse.

'ABBÂS Ier (Hilmî). ♦ Vice-roi d'Égypte (Djeddah, 1813 – Banha, près du Caire, 1854). Il succéda en 1848 à son oncle Ibrâhîm. Il s'opposa aux réformes modernistes de ses prédécesseurs, expulsa les conseillers européens et se rapprocha de la Turquie. Son armée participa, aux côtés des forces ottomanes, à la guerre de Crimée.

'ABBÂS II (Hilmî). ♦ (Alexandrie, 1874 – Genève, 1944). Khédive d'Égypte (1892-1914). Fils de Tawfîq*, il reçut une éducation occidentale. Il fut forcé de prendre pour ministre Mustafâ Fahmî Pacha, qui favorisa les intérêts anglais (1895). Pendant la Première Guerre mondiale, il appela les Égyptiens à lutter contre la Grande-Bretagne, qui décida de placer l'Égypte sous son protectorat et remplaça 'Abbâs par son oncle Husayn* Kamâl.

'ABBÂS (Farhât). ♦ Homme politique algérien (Taher, Algérie, 1899 –). Fondateur de l'Union populaire algérienne (1938), auteur du *Manifeste du peuple algérien* (1943), il quitta l'Algérie après le début de l'insurrection et fut le premier président du gouvernement provisoire de la République algérienne (1958-1961) au Caire. Il fut ensuite exclu du G.P.R.A. et, en 1963, du F.L.N.

'ABBÂS IBN AL-AHNAF (AL-). ♦ Poète arabe (v. 748 – v. 808). Issu d'une famille arabe établie dans le Khorassan, il fut le poète attitré d'Harûn* al-Rashîd. Auteur de poèmes chastes et délicats.

'ABBÂSSIDES. ♦ Dynastie de califes arabes fondée par Abû al-Abbâs al-Saffâh, descendant d'Al-Abbâs, oncle du prophète (750-1258). Quand les 'Abbâssides triomphèrent des 'Umayyades*, ils déplacèrent le pouvoir de la Syrie vers l'Iraq en fondant leur nouvelle cap., Baghdâd* (762). Afin d'assurer les alliances qui leur permirent de conquérir le pouvoir, ils voulurent imposer le retour à l'Islâm originel. Les juges *(qâdi)*, nommés par le calife, durent appliquer la loi religieuse *(sharî'a)*, unique norme admise. La création du poste de vizir (*wazîr* : « ministre ») facilita une meilleure organisation de l'administration grandissante. Sous cette dynastie, l'économie fut prospère; les villes se développèrent; les arts et les lettres atteignirent leur apogée. Mais les révoltes et les troubles ne cessèrent pas pour autant. Les premiers califes, Abû al-Abbâs (750-754), Abû Ja 'far al-Mansûr (754-775), al-Mahdî (775-785), Harûn* al-Rashîd (786-809) durent lutter contre les soulèvements extrémistes. Ils ne purent empêcher le détachement de l'Espagne (756) ni la persistance des troubles en Iran. En 803, Harûn al-Rashîd élimina les vizirs de la famille de Barmak qui savaient résoudre habilement les problèmes soulevés par l'agitation shî'ite*. Celle-ci s'accrût sous le règne de Ma'mûn (814-833) qui, après avoir défait son frère Amîn (809-814), favorisa les influences iraniennes, adopta le mu'tazilisme* et choisit un Alide* comme héritier afin de se rallier le shî'isme modéré. Mais cette alliance n'empêcha pas la révolte des mercenaires turcs ni les effets d'une profonde crise financière, qui amenèrent les 'Abbâssides à quitter Baghdâd et à s'installer dans la ville nouvelle de Sâmarrâ* (833-892). Mutawakkil (847-861) renonça au mu'tazilisme et réagit contre les shî'ites, les chrétiens et les juifs. L'unité de l'Empire ne fut pas préservée : les Tâhirides* (820-872), les Saffârides* (867-903), puis les Sâmânides* (874-999) en Iran; les Tûlûnides* (879-905), puis les Ikhshîdites* (935-969) en Égypte et en Syrie, furent en fait indépendants. En Iraq même, la révolte des esclaves noirs *(Zanj)* des plantations fut réprimée par Muwaffaq, frère du calife Mu'tamid (870-892). Les califes Mu'tadid (892-902) et Muqtafi (902-908) s'imposèrent en Iraq. Mais la révolte ismaélienne* (extrémistes shî'ites) remit l'autorité des 'Abbâssides en cause. En 909, un calife se réclamant de l'ismaélisme prit le pouvoir en *Ifriqyya* **(V. Fâtimides).** Les Bûyides*, shî'ites iraniens, fondèrent une dynastie en Iran (932-1055); le prince bûyide Mu'izz al-Dawla prit Baghdâd (945) et sans destituer le calife, il en obtint les pleins pouvoirs avec le titre de « Prince des Princes » *(Amîr al-umarâ)* [936]. Aussi, tout en conservant un pouvoir théorique sur l'Islâm sunnite, les califes furent-ils démunis de tout pouvoir réel. Les Bûyides furent écartés par les Turcs Saljuqides* (1055). Ils combattirent vigoureusement en faveur du sunnisme. L'immigration turque vers le Proche-Orient s'accentua. À part Mustadhir (1094-1118) et Nâsîr (1180-1225), les derniers califes 'abbâssides furent faibles. Les Mongols mirent fin à la dynastie 'abbâsside en s'emparant de Baghdâd (10 fév. 1258) et en exécutant le dernier vrai calife, Musta'sim. Les survivants 'abbâssides qui furent accueillis en Égypte par les sultans Mamelouks* perpétuèrent symboliquement leur dynastie.

Ph. Hétier

« Le Paradis d'Allah », période **'abbâsside.** (Faïence de Damas.)

Abbaye (groupe de l'). ♦ Groupe d'écrivains et d'artistes qui tentèrent en oct. 1906 une expérience communautaire dans une propriété de Créteil. Ch. Vildrac, G. Duhamel, puis Jules Romains, P.J. Jouve s'y réunirent jusqu'en nov. 1907.

Abbaye (prison de l'). ♦ Anc. prison abbatiale de Saint*-Germain-des-Prés, à Paris, construite par Gamart (1631). Elle fut le théâtre des massacres de Septembre* 1792.

ABBAYE-AUX-BOIS. ♦ Ancien couvent de Bernardines fondé à Paris (rue de Sèvres) en 1640 (démoli en 1907). Transformé en maison d'arrêt pendant la Révolution, il fut repris en 1815 par des religieuses de Notre-Dame. Mme Récamier* y vécut de 1819 à 1849 et y tint un salon que Chateaubriand* fréquenta.

ABBE (Ernst). ♦ Physicien et industriel allemand (Eisenach, 1840 – Iéna, 1905). Associé (1866), puis successeur de Zeiss* à la direction de la société fondée par ce dernier, il approfondit les connaissances sur le mécanisme de formation des images dans le microscope. Il établit la condition d'aplanétisme des systèmes centrés *(relation des sinus d'Abbe)*.

ABBEVILLE. ♦ Sous-préf. de la Somme*, ch.-l. d'arr. (11 cant. 173 comm. 128 563 hab.), sur la Somme*. 25 072 hab. [23 770 aggl.]. *(Abbevillois)*. Église gothique Saint-Wulfram (XVe-XVIe s.); beffroi (XIIIe s.); église Saint-Gilles (gothique flamboyant, XVe s.). Château du XVIIIe siècle. Musée. – *Indus. diverses :* serrurerie et robinetterie, confection, sucreries, brasserie. – Patrie de l'amiral Courbet*, du chevalier de La* Barre. ♦ *Hist.* Dépendance de l'abbaye de Saint-Riquier, ensuite cap. du Ponthieu*, la ville obtint sa charte en 1184; plusieurs fois occupée par les Anglais, elle redevint définitivement française en 1477. Son économie se développa par la création (1665) de la *Manufacture royale de Rames* (drap et tapis). Siège de plusieurs conférences franco-anglaises. Au cours de l'invasion 1939-1944, elle fut en partie détruite. – *Conférences d'Abbeville* (25 mars 1918), entre le maréchal Haig et les généraux Wilson et Foch : elle prépara la conférence de Doullens*. – Le 2 mai 1918, session du Conseil supérieur de la guerre : Foch y réclama l'autorité sur le front italien mais n'obtint qu'un pouvoir de coordination.

ABBON *(saint)*. ♦ (v. 945 – La Réole, 1004). Abbé de Fleury (auj. Saint*-Benoit-sur-Loire) en 988, conseiller d'Hugues Capet et de Robert II, il prit parti pour Arnulf, archevêque de Reims déposé pour trahison, et contre Gerbert* (Sylvestre II). Auteur de poèmes, de traités scolaires, d'une collection de textes juridiques. Fête le 13 novembre.

'ABD AL-AZÎZ IBN AL-HASSAN. ♦ Fils de Moulay Hassan (Marrakech, v. 1878 – Tanger, 1943). Sultan du Maroc en 1894, il fut détrôné par son frère Moulay 'Abd al-Hâfiz en 1908.

'ABD AL-'AZÎZ IBN SA'ÛD *(en Occident,* **Ibn Séoud)** (1887 – 1953). ♦ Émir du Nedjd (1902-1932), puis roi d'Arabie sa'ûdite (1932-1953). Succédant à son père 'Abd al-Rahmân comme émir du Nedjd en 1902, il reprit la capitale Riyad aux Ibn Rashîd, et organisa les districts de la région en installant dans des colonies agricoles les membres de la confrérie des *Ikhwân* (« Frères ») parmi lesquels il recrutait son armée. Après avoir détruit la puissance des Banî Rashîd, il attaqua le sharif de La Mecque, Husayn, qu'il chassa (1924). Il soumit ainsi le Hedjaz (1926) et fonda le royaume d'Arabie sa'ûdite dont il fut le premier roi. Grâce à l'exploitation des gisements pétroliers par des sociétés américaines, il devint l'un des hommes les plus riches du monde. Son fils Sa'ûd, désigné comme héritier dès 1932, lui succéda en 1953.

'ABD AL-HAMÎD IBN YAHYÂ. ♦ Écrivain arabe ([mort] 750). Maître d'école itinérant, il devint l'homme d'État du dernier calife 'umayyade*, Marwân ibn Muhammad (744-749). Il fut le premier styliste de la prose arabe et le créateur de l'épître ainsi que l'initiateur de l'*adab** qui sera précisé par Ibn* âl-Muqaffa'.

ABDALÎ. ♦ Émir afghân (Ahmad shâh Durâni, 1724 – 1773). Après avoir tué le sultan de Perse Nâdir* shâh en 1747, il se proclama shâh d'Afghânistan. Il conquit le Cachemire* (Kaśmîr), envahit six fois le Pañjab et pilla Delhi en 1756. Allié aux sultans moghols contre les Sikhs* et les Marâtha, il vainquit ceux-ci à Panipât en 1761, et établit sa capitale à Kâbul, fondant ainsi l'État afghân.

'ABD AL-KARÎM ou **ABD EL-KRIM.** ♦ Nationaliste marocain (Adjdir, 1882 – Le Caire, 1963). Il remporta sur les Espagnols la victoire d'Anoual en 1921, puis dirigea la guerre du Rif* contre le Maroc français. Les Français provoquèrent alors une action concertée franco-espagnole qui l'obligea à capituler (1926). Déporté à la Réunion, il s'échappa et se réfugia au Caire (1947) où il reprit sa propagande en faveur de l'indépendance de l'Afrique du Nord.

'ABDALLAH. ♦ Père de Mahomet (La Mecque, v. 545 – Médine, v. 570).

'ABD-ALLÂH IBN HUSAYN. ♦ Émir de Transjordanie (La Mecque, 1882 – Jérusalem, 1951). Fils de Husayn* ibn Ali et roi d'Iraq en 1920, il fut détrôné par Faysâl*, son frère, ex-roi de Syrie. Il se proclama roi de Transjordanie (1946), devenue en 1948 royaume hachémite de Jordanie.

'ABDALLÂH IBN-UMAR IBN-RABÎ. ♦ Premier conquérant arabe de l'Inde. Il débarqua entre 634 et 644 dans le Sind* et battit le gouverneur hindou de Mekram. Calomnié, il fut rappelé par le calife de Baghdâd.

'ABD AL-MÂLIK. ♦ Cinquième calife 'umayyade* de Damas (646 – 705). Fils et successeur de Marwân, il fit frapper le premier de la monnaie arabe en or que l'empereur byzantin refusa, ce qui entraîna la reprise de la guerre contre les Byzantins (692). Il fit édifier la mosquée du Rocher à Jérusalem*.

'ABD AL-MÂLIK. ♦ Sultan du Maroc en 1575, mort à Alcazar-Quivir (Ksar el Kébir) en 1578.

'ABD-AL-MÛMIN. ♦ Premier calife almohade (? – Salé, 1163). Disciple du Mahdi Ibn* Tûmart qui le désigna pour lui succéder après sa mort (1130), il conquit le Maroc sur les Almoravides*. **V. Almohades.**

'ABD AL-QÂDIR ou **ABD EL-KADER (ibn Muhyî al-Dîn al-Hasanî).** ♦ Émir arabe d'Algérie (Mascara, 1807 – Damas, 1883). Issu d'une famille chérifienne qui dirigeait une *zâwîya* (sorte de couvent) de la confrérie des Qâdariya, il reçut une éducation religieuse qui fit de lui un théologien. Mais la conquête de l'Algérie par les Français le transforma en guerrier. Proclamé sultan par quelques tribus de l'Oranie (22 nov. 1832), il imposa son autorité aux anciennes milices du bey et mena pendant quinze ans la guerre sainte *(Jihâd)* contre les Français. Jusqu'en 1838, les Français l'avaient aidé à affermir son autorité sur les deux tiers de l'Algérie dans l'espoir d'instaurer un protectorat. 'Abd al-Qâdir en profita pour organiser un État arabe fondé sur l'Islâm. Il recruta ses dirigeants parmi l'autocratie religieuse, entraînant ainsi l'opposition de la noblesse militaire et la méfiance des tribus berbères. Il constitua une armée composée de 10 000 réguliers (volontaires soldés), construisit des places fortes et fit de Tagdempt sa capitale. En nov. 1839 il envahit la Mitidja. Une grande guerre s'ensuivit. Vaincu après trois ans de combats (prise de la smalah par le duc d'Aumale, mai 1843), il réussit à entraîner le sultan marocain dans la guerre. Mais après les bombardements de Mogador et de Tanger et la défaite de l'armée marocaine sur les rives de l'Isly (14 août 1844), le sultan chassa 'Abd al-Qâdir qui, quelques mois plus tard, profita de nouveaux mouvements insurrectionnels pour reprendre la lutte. Mais, traqué il dut se réfugier au Maroc où il fut de nouveau pourchassé. Résigné, l'émir se rendit aux Français (23 déc. 1847). Prisonnier, puis libéré par Napoléon III (16 oct. 1852), il s'établit à Bursa (Brousse) [Turquie]. Il passa la seconde partie de sa vie au Proche-Orient où il se consacra à l'étude et à la méditation religieuse. À Damas où il vécut de 1855 à sa mort, il composa un ensemble d'œuvres mystiques (en cours d'édition).

'ABD AL-RAHMÂN (ibn 'Abd-Allâh). ♦ Général arabe (mort près de Poitiers, 732). Gouverneur d'Andalousie en 721, puis de 730 à 732, il dirigea une incursion en Gaule; arrêté près de Poitiers par Charles* Martel, il périt dans la bataille.

'ABD-AL-RAHMÂN Ier. ♦ Émir 'umayyade* de Cordoue (731 – Cordoue, 788). Il échappa au massacre de sa famille par les 'Abbâssides et fonda l'émirat 'umayyade de Cordoue (756). **V. Umayyades.** ♦ 'ABD AL-RAHMÂN II. Emir 'umayyade* de Cordoue (Tolède, 792 – Cordoue, 852). ♦ 'ABD AL-RAHMÂN III. Calife 'umayyade* d'Espagne (v. 889 – Cordoue, 961). Représentant de l'orthodoxie musulmane, il décida de s'affranchir définitivement de l'autorité politique et religieuse de Baghdâd* en s'attribuant les titres de calife (929), *Amûr al-Mu'minîn* (« prince des croyants ») et *al-Nâsir li-dîn Allâh* (« Le victorieux pour la religion de Dieu »). La transformation et l'embellissement de Cordoue* atteste l'importance de son règne **(V. 'Umayyades).**

'ABD AL-RAHMÂN. ♦ (v. 1778 – Meknès, 1859). Sultan du Maroc (1822-1859), il soutint et hébergea 'Abd* al-Qâdir (Abd el-Kader) durant la conquête de l'Algérie par la France, mais fut contraint de l'expulser après la défaite que lui infligea Bugeaud à la bataille de l'Isly* (1844). Abd el-Kader tenta en vain de le renverser en 1847.

ABD AL-RAHMAN (ou **Abdul** [Abdur]-**Rahman**). ♦ Noble malais (Alor-Star, 1903 –), élu en 1957 Premier ministre de la Fédération malaise, puis de la Malaysia (1963). Il fut surnommé *Bapak Malaysia* « le père de la Malaysia ». **V. Malaysia.** – Son neveu, ABD AL-RAHMAN, fut élu sultan de Malaysia en 1970.

'ABD AL-SAMÂD. ♦ Peintre persan originaire de Chiraz* [Shiraz] (*fin* XVIe s.), invité en Inde par Akbar* pour y enseigner l'art de la miniature.

ABD EL-KADER. ♦ V. 'ABD AL-QÂDIR.

ABD EL-KRIM. ♦ V. 'ABD AL-KARÎM.

ABDELWADIDES. *n. m. pl.* ♦ Dynastie berbère qui régna sur la région de Tlemcen* (1235-1554). Issus des Banû Zayyân, ils connurent leur apogée au XIIIe siècle. Au XIVe s., ils combattirent les Marinides* de Fès, qui prirent Tlemcen (1337-1359). Au XVe s., ils luttèrent contre les Hafsides* de Tunis. Ils furent vaincus enfin après les attaques des Espagnols, des Turcs d'Alger et des Sa'diens* du Maroc.

Ph. Giraudon

Reddition d'Abd Al-Qâdir (Abd El-Kader) le 23 déc. 1847, par A. Régis. (Musée Condé, Chantilly.)

ABDÈRE, en gr. **Abdéra**. ♦ Colonie grecque de la côte de Thrace*, sur la mer Égée, fondée v. ~656 par Clazomènes*. – Patrie d'Anaxarque, Démocrite*, Protagoras*. – Hab. *Abtéritains*.

ABDIAS ou **OBADIAH**. ♦ Prophète juif, postérieur à la déportation à Babylone (~587). – *Le livre d'Abdias :* livre biblique, un des douze petits prophètes (1 chapitre). Rédigé au ~ve siècle.

'ABDUH (Muhammad). ♦ Écrivain égyptien (1849 – 1905), pionnier de l'interprétation moderne de l'Islâm. Il combattit les influences de l'Europe et préconisa la fusion des quatre rites. Il procéda à une interprétation rationaliste du Coran, cherchant à accorder l'Islâm et la Science.

ABDÜL-AZIZ. ♦ (1830 – Istanbul, 1876). Sultan ottoman (1861-1876). Successeur de son frère Abdul*-Medjid Ier. Après des réformes inefficaces, son règne vit l'anarchie intérieure, la banqueroute financière et les soulèvements des peuples soumis à l'Empire (Bosnie - Herzégovine). Le sultan s'inféoda à la Russie et l'ambassadeur russe exerça sur lui une influence absolue. Mais il fut contraint d'abdiquer (par Midhat* Pacha et les Jeunes-Turcs) en faveur de son neveu Murat* V et fut trouvé mort cinq jours plus tard (4 juin 1876).

ABDÜL-HAMID Ier. ♦ (1725 – 1789). Sultan ottoman (1774-1789). Successeur de son frère Mustafa* III, il fut contraint de signer le traité de Kutchuk-Kaïnardji (1774) qui assura à la Russie de nombreux avantages en mer Noire.

ABDÜL-HAMID II. ♦ (Istanbul. 1842 – *id.*, 1918). Sultan ottoman (1876-1909). Fils d'Abdul*-Medjid Ier, il succéda à son frère Murat* V, devenu fou, en 1876. Ayant obtenu le soutien des Jeunes*-Turcs, il promulgua une constitution relativement libérale (1876) qu'il abandonna dès 1877 pour revenir à une politique autoritaire. Il dut accepter les traités qui morcelaient l'Empire ottoman (1877, 1878). Réduit à l'impuissance, il crut pouvoir mobiliser les pays d'islâm en prônant une idéologie panislamique, fanatique et mystique qui l'amena à lutter contre les minorités, parfois de manière sanguinaire (massacre des Arméniens, 1894-1896). La révolution des Jeunes*-Turcs (1908) le contraignit à revenir à la Constitution de 1876 ; mais il tenta une contre-révolution qui échoua. Le général Chevket, à la tête de l'armée de Macédoine, le força à abdiquer en 1909 en faveur de son frère Mehmet* V.

ABDÜL-MEDJID Ier ou **ABDÜLMECIT**. ♦ (Istanbul, 1823 – *id.*, 1861). Sultan ottoman (1839-1861). Fils et successeur de Mahmut* II. Il évita l'occupation russe, après la défaite turque devant l'armée égyptienne de Muhammad*-'Alî, grâce aux puissances occidentales. Il tenta de promouvoir la tolérance religieuse (1839). En 1853, menacé par les Russes, il bénéficia de l'alliance franco-anglaise (**V. Crimée**, guerre de). Père d'Abdül*-Hamid II, il eut pour successeur son frère Abdul*-Azîz.

ABÉCHÉ. ♦ V. de la république du Tchad* dans la région de l'Ouaddaï*. 25 000 hab. Marché de la viande.

ABE ISOO. ♦ Socialiste chrétien japonais (1865 – 1949). Pacifiste convaincu, il s'opposa en 1904-1905 à la guerre russo-japonaise et se réfugia aux États-Unis. Revenu au Japon, il fonda, en 1927, le parti d'opposition *Shakai Minshutô*.

ABE KÔBÔ. ♦ Écrivain, poète et auteur dramatique japonais (né en 1924). Après des études de médecine, il se consacra au roman psychologique. Ses œuvres, traduites à l'étranger, ont connu un grand succès, *Suna-no-Onna* (La Femme des sables); *Tanin-no-Kao* (La Face d'un autre).

ABEL. ♦ Personnage biblique (Genèse, 4). Second fils d'Adam et d'Ève, il est pasteur et offre au Seigneur un agneau. Son frère Caïn*, jaloux, l'assassine, et le sang répandu de l'innocent non vengé voue le fratricide à la colère divine. On a interprété le meurtre d'Abel comme une évocation du conflit entre l'économie pastorale archaïque (Abel) et la sédentarisation par l'agriculture (Caïn). La psychologie y voit la dramatisation des relations entre « bon » et « mauvais fils ».

ABEL (Karl Friedrich). ♦ Compositeur et virtuose allemand (Cöthen, 1723 – Londres, 1787). Issu d'une famille de musiciens, claveciniste de qualité, il fut aussi l'un des derniers grands virtuoses de la viole de gambe. Établi à Londres (1759), il s'associa à Jean-Chrétien Bach* et donna avec lui de nombreux concerts (Société des *Bach-Abel concerts)*.

ABEL (Niels Henrik). ♦ Mathématicien norvégien (île de Finnøy, 1802 – Arendal, 1829). Auteur de travaux sur les équations algébriques, il démontra (1824-1826) l'impossibilité de la résolution par radicaux d'une équation générale de degré supérieur à quatre; il étudia les fonctions algébriques, les séries, les intégrales définies et, surtout, réalisa l'inversion de l'intégrale elliptique de première espèce, découvrit (1828) la propriété fondamentale des intégrales dites de nos jours *abéliennes* et énonça le *théorème d'Abel*, relatif aux relations entre les intégrales prises sur la même courbe. **V. Jacobi, Le Gendre, Weierstrass.**

ABEL (*sir* Frederick Augustus). ♦ Chimiste anglais (Londres, 1827 – *id.*, 1902). Auteur de travaux sur les explosifs, il découvrit le traitement permettant de stabiliser les nitrocelluloses. Avec J. Dewar*, il mit au point la cordite. **V. Sprengel, Vieille.**

ABÉLARD ou **ABAILARD (Pierre)**. ♦ Philosophe et théologien français (Pallet, près de Nantes, 1079 – près de Chalon-sur-Saône, 1142). Élève de Roscelin*, de Guillaume* de Champeaux auquel il s'opposa, puis d'Anselme de Laon, il enseigna la théologie scolastique et la logique. Chanoine de Notre-Dame de Paris, il devint maître d'Héloïse qu'il séduisit et épousa en secret. L'oncle d'Héloïse, Fulbert, le fit émasculer. Abélard se retira à l'abbaye de Saint-Denis tandis qu'Héloïse prit le voile à Argenteuil. À la demande de ses disciples, il reprit son enseignement, mais l'Église condamna sa doctrine au concile de Soissons (1121). Il fonda alors le monastère de Paraclet près de Nogent-sur-Seine (où Héloïse deviendra abbesse) et se retira à Saint-Gildas-de-Rhuys où il devint abbé. Il continua son enseignement, mais saint Bernard obtint contre lui une nouvelle condamnation au concile de Sens (1140). Il joua un grand rôle dans la querelle des Universaux, critiquant le réalisme de Guillaume de Champeaux, sans être toutefois nominaliste comme Roscelin (on qualifie sa position de conceptualisme). Il fut un « dialecticien », réfléchissant en logicien au problème du langage (*Dialectique* et *Gloses sur Porphyre*). Il est également l'auteur de traités théologiques et d'un ouvrage autobiographique [Historia calamitatum] **(V. Arnaud de Brescia).**

Ph. Giraudon

Abélard et Héloïse, miniature du « Roman de la Rose », XVe s. (Musée Condé, Chantilly.)

ABELL (Kjeld). ♦ Auteur dramatique danois (Ribe, 1901 – Copenhague, 1961). Prônant l'anticonformisme, il écrivit une pièce, *La Mélodie qui disparut (Melodien der blev vaek, 1934),* attaque contre la vie bourgeoise sclérosée. *Anna Sophie Hedvig* (1939) est une pièce d'inspiration antifasciste.

ABENCÉRAGES, *n. m. pl.* (en ar. **Banû Sarrâj**). ♦ Membres d'une famille ou d'une faction qui aurait joué un rôle essentiel dans les intrigues de palais que connut le royaume arabe de Grenade* au XVe siècle. Le roman de Ginès Pérez de Hita, *Guerras civiles de Granada* (1595), célèbre la lutte que menèrent les Abencérages contre les Zegris. – *Les Aventures du dernier Abencérage.* Récit de Chateaubriand* (1826) qui conte le retour à Grenade du dernier descendant de cette famille.

ABE NO MANAO. ♦ Médecin japonais (VIIIe s.), surtout connu pour avoir compilé, v. 808, le premier traité de médecine japonaise, intitulé *Dàidô-rui-jûhô* et maintenant perdu.

ABE NO NAKAMARO. ♦ Noble japonais (v. 700 – v. 770). Parti en Chine avec une ambassade afin d'y étudier, il y devint, sous le nom chinois de *Ch'ao Heng*, l'un des grands conseillers de la cour des T'ang*, puis gouverneur du protectorat d'Annam. Il fut un poète renommé.

ABEOKUTA. ♦ V. du Nigeria (Rég. Ouest). 188 000 hab. Cimenterie. Indus. textiles et alimentaires.

ABERCROMBY (*sir* Ralph). ♦ Général britannique (Menstry, Clackmannanshire, 1734 – Aboukir, 1801). Il combattit les Français en Hollande (1793-1795) et remporta contre eux plusieurs victoires aux Antilles et en Égypte, dont celle d'Aboukir* où il fut mortellement blessé (1801).

ABERDARE. ♦ Cité minière et métallurgique du S.-O. du pays de Galles (Glamorganshire), sur un affl. du Taff. 39 050 habitants.

ABERDEEN (George Hamilton Gordon, 4e *comte d'*). ♦ Homme politique britannique (Edimbourg, 1784 – Londres, 1860). Diplomate, ministre des Affaires étrangères (1841-1846), puis Premier ministre en 1852, il s'efforça de régler pacifiquement les différends internationaux (entente avec Guizot* Metternich* et Nicolas* II, signature des traités Webster-Ashburton et Orégon* entre le Canada et les États-Unis). Malgré son opposition à la guerre de Crimée, il en fut rendu responsable et démissionna en 1855.

ABERDEEN. ♦ V. et port de la côte nord-orientale de l'Écosse, ch.-l. de comté, sur la mer du Nord, à l'embouchure de la Dee. 181 090 hab. Université. Premier port d'Écosse et troisième de Grande-Bretagne. Taille du granite. – Patrie d'Alexander Bain*.

ABERGAVENNY. ♦ Petite V. du S.-E. du pays de Galles (Monmouthshire). 9 630 habitants.

ABER-WRACH. [abɛʀʀak]. *n. m.* ♦ Fleuve côtier (34 km) et estuaire (aber) du Finistère dans le pays de Léon. Station balnéaire.

ABERYSTWYTH. ♦ V. du pays de Galles. ch.-l. du comté de Cardiganshire. 10 400 hab. Station balnéaire. Université d'été.

ABETZ (Otto). ♦ Homme politique allemand (Schwetzingen, près de Mannheim, 1903 — Langenfeld, 1958). Envoyé en France pour une mission de propagande, il noua des relations avec les milieux germanophiles, fut expulsé en 1939 mais revint après l'armistice de juin 1940 avec le titre d'ambassadeur, à Paris. Il s'efforça d'organiser la collaboration franco-allemande. Condamné par les Alliés en 1949, il fut libéré en 1954.

ABGAR. ♦ Nom de neuf rois ou toparques d'Édesse* de ~ 92 à 216; un dixième Abgar fut replacé sur le trône d'Édesse de 242 à 244. ♦ ABGAR V régna de ~ 4 à 7 et de 13 à 50. Selon la légende, il aurait reçu une lettre et un portrait de Jésus (le *mandylion,* attesté à partir du VIᵉ s.) ♦ ABGAR VIII *le Grand* (179-214) fut un allié de Septime Sévère et le premier roi chrétien d'Édesse. **V. Édesse.**

Abhidhamma. *n. m.* (terme pâli [sanskrit : *Abhidharma*] signifiant « Doctrine suprême »). ♦ Troisième recueil du canon bouddhique des écoles anciennes (Hinayâna*), concernant des textes attribués traditionnellement au Bouddha* lui-même. Ces textes furent vraisemblablement élaborés et réunis entre les ~ IVᵉ et ~ IIᵉ s., peut-être à Ceylan, et firent l'objet d'innombrables commentaires dont *l'Abhidharmakoṣaśâstra* de Vasubandhu*.

ABHINAVAGUPTA. ♦ Poète indien du Cachemire [Kaśmîr] (fin Xᵉ-XIᵉ s.) d'expression sanskrite, auteur d'œuvres nombreuses inspirées par le culte de Śiva, et de commentaires des textes traditionnels hindous. Ses premières œuvres étaient fondées sur les *âgama**; il commenta ensuite un traité de dramaturgie *(Bhâratîya)* et diverses strophes philosophiques, d'une manière originale.

ABIAM ou **ABIAH.** ♦ Roi de Juda (~ 914 — ~ 911), fils de Roboam* et père d'Asa*. Vainqueur de Jéroboam* d'Israël. Récits bibliques : *I Rois,* XV et *II Chroniques,* XIII.

ABIDJAN. ♦ Cap. de la Côte* d'Ivoire située sur une péninsule à l'intérieur de la lagune Ébrié, ouverte sur le golfe de Guinée par un canal. La construction en 1950 de son port en eau profonde a fortement contribué à l'accélération de la mise en valeur du pays. 500 000 hab. Université. — Centrales thermiques. Raffinerie de pétrole. Indus. de construction et métallurgie légère. Traitement du café et du cacao. Pêche industrielle.

ABIGAÏL. ♦ Femme du riche Nabal, qui, devenue veuve, devint la seconde femme de David. — ABIGAÏL, sœur de David.

ABILDGAARD (Nicolai). ♦ Peintre, dessinateur, décorateur et architecte danois (Copenhague, 1743 — près de Frederiksdal, 1809). Il compléta sa formation artistique en Italie (1772-1777) et joua un rôle important dans le développement du courant néoclassique au Danemark. Il manifesta des dons de coloriste et fit preuve d'un romantisme latent à travers une forme classicisante (portraits; esquisses de fresques).

ABILENE. ♦ V. des États-Unis, au centre du Texas. 88 443 hab. (zone urbaine : 112 168). Centre commercial d'une région d'élevage et de production pétrolière. Indus. variées (alimentaires, de l'habillement, etc.).

ABITIBI. ♦ Lac du Canada, situé à la limite du Québec et de l'Ontario, qui donne naissance à la *rivière Abitibi.* Cette dernière se jette dans la baie James, après avoir rejoint le fleuve Missinaibi. Aménagements hydro-électriques en cours. — Nom d'un comté de l'O. du Québec.

ABKHAZIE. *n. f.,* en russe **Abkhazskaja** A.S.S.R. ♦ République autonome de l'U.R.S.S., dépendance de la république fédérée de Géorgie* située au S. du Caucase en bordure de la mer Noire. 8 600 km². 481 000 hab. *(Abkhazes). Cap.* Soukhoumi*. — Région montagneuse au climat chaud et humide favorisant les cultures subtropicales (agrumes, thé, vignobles et surtout tabac). Stations balnéaires et climatiques (Gagra, Goudaouta, Soukhoumi). ♦ *Hist.* Identifiée à l'antique Colchide, l'Abkhazie, indépendante au VIIIᵉ s., avait fait partie de l'Empire romain, puis de l'Empire byzantin et de la Géorgie. Sous domination turque au XVIᵉ s., puis sous protectorat russe en 1810, elle fut annexée en 1864 et intégrée à la république soviétique de Géorgie en 1921.

ABLANCOURT. ♦ V. PERROT D'ABLANCOURT.

ABLON-SUR-SEINE. ♦ Commune du Val-de-Marne, arr. de Créteil, sur la Seine, au S. de Paris et non loin d'Orly. 5 795 hab. *(Ablonnais).*

ABNER. ♦ Général hébreu, cousin de Saül (~ XIᵉ s.). À la mort de Saül il fit proclamer roi Isboseth, fils de Saül, et lutta contre David* puis se rallia à lui. Il fut assassiné, victime de la jalousie de Joab*.

ÅBO. ♦ Nom suédois de Turku* (Finlande).

ABOMEY. ♦ V. du centre du Dahomey*. 40 000 hab. Vestiges de palais royaux. ♦ *Hist.* Anc. cap. du royaume de *Dan-Homé* (ou *Abomey*), traditionnellement fondée en 1625. Ce royaume militaire remarquablement organisé s'étendit vers la zone côtière (trafic des armes et des esclaves) et conquit le royaume d'Allada qui se reconstitua à Porto*-Novo. Hostile à la pénétration européenne malgré la cession de certains comptoirs dont Cotonou, le roi Glé-Glé (1854 — 1889) puis son fils Behanzin* luttèrent contre les expéditions françaises. *Abomey* fut finalement prise en 1892 par les troupes du colonel Dodds*.

ABONDANCE. ♦ Ch.-l. de cant. de Haute-Savoie*, sur la *Dranse d'Abondance,* arr. de Thonon*-les-Bains. 1 343 hab. (396 aggl.). Église, anc. abbatiale du XIIIᵉ s. et du XVIIᵉ s. Race bovine. Fromages.

ABOU DHABÎ. ♦ V. ABÛ DHABÎ.

ABOUKIR (en ar. **Abû Qîr**). ♦ Bourgade de la Basse-Égypte (province de Behara) sur la *presqu'île d'Aboukir.* ♦ *Hist.* L'amiral Brueys*, commandant l'escadre française, y fut vaincu par Nelson en 1798, mais Bonaparte rejeta les Turcs à la mer (1799). Le général anglais Abercromby* y débarqua et enleva la place aux Français (1801), lors de la campagne d'Égypte.

Ph. Carlo Bevilacqua/Ricciarini

Abou Simbel, le grand temple.

ABOU SIMBEL, ABÛ SIMBEL ou **IBSAMBOUL.** ♦ Site archéologique de Basse-Nubie sur la rive gauche du Nil dans la région d'Assouan*. De l'ancienne ville subsistent presque intacts deux temples que Ramsès* II (v. ~ 1250) fit creuser dans le grès de la montagne occidentale, face au Nil. Le grand temple, précédé de quatre colosses assis représentant le pharaon, était consacré à Rê*, Amon* et Ramsès. Le petit temple ou temple d'Hathor* est précédé de six statues debout figurant le pharaon et sa femme Néfertari*. Menacés d'être submergés en raison de la construction du barrage d'Assouan, ces temples ont été découpés en blocs et remontés 64 m au-dessus de leur emplacement primitif sur un escarpement artificiel (1963-1968) à la suite d'une campagne de protection lancée par l'U.N.E.S.C.O.

ABOUT (Edmond). ♦ Écrivain français (Dieuze, 1828 — Paris, 1885). About s'essaya au théâtre avant de connaître le succès avec un recueil de nouvelles inspirées des peintures de mœurs de Balzac, *Les Mariages de Paris* (1856), complété par *Les Mariages de province* (1868). Évoquant des situations imaginaires, souvent inspirées par les progrès de la science, narrations pleines d'entrain, *Le Roi des montagnes* (1857), *L'Homme à l'oreille cassée* (1862) et *Le Nez d'un notaire* (1862) ont le mérite durable d'un récit limpide et vif. Journaliste politique, également clair et incisif, About exprima des opinions anticléricales. (Acad. fr.)

ABQAYQ. ♦ V. d'Arabie Sa'ûdite, dans le Hassa*. Centre du principal gisement pétrolier exploité par l'*Aramco.*

ABRABANEL ou **ABRAVANEL.** ♦ Famille de financiers et d'hommes d'État juifs espagnols, répandus notamment en Italie après l'expulsion de 1492. Ses membres les plus célèbres furent : *Don* ISAAC (Lisbonne, 1437 — Venise, 1508), homme d'État, philosophe et exégète biblique, installé dans le royaume de Naples. ♦ JUDAH, son fils (Lisbonne, 1460 — en Italie, 1535), connu comme philosophe sous le nom italien de *Leone Ebreo* (« Léon l'Hébreu »).

ABRAHAM. ♦ Patriarche biblique (*Genese,* XI, 26 — XXV, 11), appelé *Abram* jusqu'au verset XVII, 5 où Iahvé change son nom (dans le Coran et la tradition musulmane : *Ibrahim*). Fils de Térakh, époux de Sara* puis de Cétura, père d'Ismaël* et d'Isaac*, oncle de Loth*. Il quitte Ur en Chaldée pour s'installer en Canaan*. Il reçoit à plusieurs reprises la bénédiction de Iahvé qui lui donne le pays, lui promet une nombreuse descendance et instaure la circoncision comme signe de cette alliance; cette bénédiction est doublée par celle que prononce Melchisédec* au nom du « Dieu Très-Haut » *(El 'Elyôn).* Sa descendance lui viendra par Ismaël, fils aîné qu'il a eu d'Agar*, et par Isaac, fils que lui donne Sara jusqu'alors stérile (c'est par eux qu'Abraham apparaît traditionnellement comme l'ancêtre des Arabes et des Juifs). L'intercession d'Abraham en

Ph. Carlo Bevilacqua/Ricciarini

Abraham écoutant la voix du Seigneur. (XVIe s.). (Musée de l'Œuvre du Dôme, Florence.)

faveur de Sodome* et le sacrifice d'Isaac qu'il accepte de faire par obéissance à Dieu (mais un bélier est substitué à son fils) sont l'occasion, entre Dieu et le patriarche, de deux dialogues d'une haute signification religieuse.

ABRAHAM *(plaines d').* ♦ Plateau dominant le Saint-Laurent à proximité de Québec (Canada). La bataille franco-anglaise qui s'y déroula en 1759 vit la victoire de Wolfe* sur Montcalm* et marqua la fin de la domination française au Canada.

ABRAHAM (Henri). ♦ Physicien français (Paris, 1868 – en déportation, 1943). Collaborateur de Ferrié*, il construisit et améliora la triode **(V. De Forest)**, conçut le premier tube électronique fabriqué en France et inventa en 1918, avec E. Bloch*, le *multivibrateur*, première « bascule électronique » (ouvrant la voie à l'introduction des tubes à vide dans les calculateurs arithmétiques).

ABRAHAM (Karl). ♦ Psychiatre allemand (1877 – 1925). Disciple de S. Freud*, il s'intéressa, ainsi que son élève M. Klein*, aux conflits des toutes premières années de l'enfance et à l'extension des principes psychanalytiques aux psychoses.

Abraham sacrifiant. ♦ Tragédie de Théodore de Bèze* (1550) qui marque le réveil du théâtre religieux à l'époque de l'humanisme.

ABRAMOVITZ ou **ABROMOVITZ (Chalom Yaacov**, dit **Mendele-Mocher-Sefa Rim).** ♦ Écrivain hébraïque (près de Kovno, 1836 – 1917). Dans des nouvelles qu'il écrivit en yiddish et traduisit lui-même en hébreu, il évoqua la vie des juifs d'Europe orientale. Son œuvre la plus connue, *Les Vagabondages de Benjamin III* (1878) est une parodie de *Don Quichotte*.

ABRANTÈS *(duchesse d').* ♦ **V.** Junot (Laure Permon, épouse de Junot).

ABRANTÈS. ♦ V. du Portugal, sur le Tage*, en Estrémadure. 8 800 hab. Fonderies. – Junot* s'empara de la ville en 1807 et reçut le titre de *duc d'Abrantès*.

ABRUZZES (les). *n. m. pl.,* en it. **Abruzzo,** *n. m.* ♦ Région montagneuse d'Italie, dans l'Apennin central, formant avec la Molise une seule unité administrative. 15 232 km². 1 690 000 hab. *(Abruzzais).* Elle comprend les provinces de l'Aquila, Campobasso, Chieti, Pescara et Teramo. – *Orogr.* On distingue une série de hauts blocs montagneux, plissés et faillés (Mte Velino, 2 487 m; massif de la Maiella : Mte Amaro, 2 796 m). Le point culminant est le Gran Sasso* (2 914 m). Dans les roches tendres, sillons et bassins se sont creusés (vallée de l'Aterno, de la Pescara, du lac Fucin). La côte, le long de l'Adriatique, est très étroite. – *Hydrogr.* Biferno, Pescara*, Tronto, Sangro. *V. princ.* L'Aquila*, Campobasso*, Chieti*, Pescara*, Sulmona*, Teramo*, Termoli*, – *Écon.* La région est aride et pauvre. De plus en plus, les habitants émigrent vers le nord. La vie pastorale est intense dans les montagnes (1/10 du cheptel ovin d'Italie). L'activité commerciale se localise dans les villes de plaine. Du pétrole a été découvert dans la région de Pescara.

ABSALON. ♦ (~ xe s.). Fils de David et de Maakah, il fit tuer son demi-frère Amnon pour venger le viol de sa sœur **(V. Thamar)** puis se révolta contre son père. La Bible le montre vaincu, retenu dans sa fuite aux branches d'un chêne où s'est prise sa chevelure, et mis à mort par Joab* (Cf. *II Samuel,* XIII-XVIII).

ABSTEMIUS (Lorenzo Bevilacqua, dit**).** ♦ Humaniste italien du xve s. (Macerata) qui publia à Venise en 1495 cent fables latines, l'*Hecatomythion* (recueil augmenté en 1499). Les fables d'Abstemius inspirèrent en partie La Fontaine.

ABÛ *(mont).* ♦ Colline de l'ouest de l'Inde, dans le Śaurâstra, sacrée pour les fidèles de la religion jaina*. Des temples et des bâtiments religieux appartenant à cette confession y furent élevés du XIIIe au XVIIIe siècle.

ABÛ AL-'ABBAS 'ABD ALLÂH, dit **al-Saffâh** (en ar. « le Sanguinaire »). ♦ Premier calife de la dynastie 'abbâsside* (? – al-Anbâr, 754). Il fut proclamé calife en 749 à Kûfa par Abû Muslîm, chef militaire, mais n'exerça effectivement ses fonctions qu'après la victoire du Grand Zâb (750) et le massacre des 'Umayyades*.

ABÛ AL-'ALÂ AL-MA 'ARRÎ. ♦ Écrivain et poète arabe (Ma 'arat al Nu 'mân, Syrie, 973 – *id.,* 1058). Il fut atteint de cécité dès l'âge de quatre ans. Son premier recueil de poèmes, le *Sagt al-Zand,* écrit dans un style conventionnel mais difficile, acquit une grande renommée, alors que ses *Luzûmiyyât* ou *Luzûm mâ lam yalzam* (« Obligation du non-obligatoire ») choquèrent les musulmans orthodoxes par leur scepticisme et leur pessimisme. Parmi ses textes en prose, la *Risâlat al-Ghufrâne* (« Épître du pardon ») présente des dialogues d'outre-tombe entre écrivains et poètes. Énigmatique et allusive, cette œuvre fut souvent interprétée comme une parodie du Coran*.

ABÛ AL-'ATAHIYAH *(Abû Ishâq Isma 'îl ibn Qâsîn al 'Anazi).* ♦ Poète arabe (Kûfa, 748 – Baghdâd, v. 828). Il fut le premier poète à rompre avec le style conventionnel des premiers poètes arabes du désert et à adopter le langage, plus simple et plus libre, des villes. Ses premiers poèmes illustrent le thème érotique. Il fut un des poètes préférés des califes Harûn* al-Rachîd et al-Ma 'mûn*.

ABÛ-AL-FARAJ AL-ISFAHÂNI. ♦ Écrivain arabe (Isfahân, 897 – Baghdâd, 967). Célèbre par son *Kitâb al-Aghânî* (« Livre des chansons »). Ce livre, par les informations rassemblées sur la vie et les coutumes des Arabes avant l'Islâm et en dépit d'inévitables erreurs, est d'une grande valeur documentaire.

ABÛ AL-FARAJ IBN AL-'IBRÎ (Grégoire). ♦ Historien, médecin et philosophe syriaque (Mélitène, 1226 – Marâgha, Azerbaïdjan, 1286). Juif converti au christianisme, surnommé *Bar Hebraeus,* il écrivit en syriaque une chronique dont il traduisit un abrégé en arabe, contenant des compléments sur l'histoire biblique et sur les textes philosophiques, médicaux et mathématiques des Arabes.

ABÛ AL-FIDÂ. ♦ Historien et géographe arabe (Damas, 1273 – Hamâh, 1331). Issu de la famille des Ayyûbides*, il abrégea l'*Histoire* d'Ibn* al-Athîr et la continua jusqu'à son époque.

ABUBACER. ♦ V. Ibn Tufayl.

ABÛ BAKR. ♦ Beau-père de Muhammad (Mahomet) [La Mecque, v. 573 – Médine, 634]. Surnommé *al-Siddik* (« le très véridique »), il fut le premier calife de 632 à 634. Il adhéra parmi les premiers à l'islam alors qu'il était marchand à La Mecque; il quitta cette ville avec Mahomet* pour s'installer à Médine (l'hégire, 622). Considéré comme le second du prophète, il conduisit le pèlerinage de La Mecque en 631 et dirigea les prières publiques pendant l'ultime maladie de Muhammad. À la mort de ce dernier (8 juin 632), Abû Bakr fut choisi par les musulmans de Médine pour diriger les croyants avec le titre de *« Khalîfat rasûl-Allah »* (successeur de l'envoyé de Dieu). La conquête islamique commença sous son règne.

ABÛ DHABÎ ou **ABOU DHABÎ.** ♦ V. et émirat de la « côte des Pirates » (Émirats* arabes unis), situés sur le golfe Persique au S.-E. de Qatar*. 65 000 km². Env. 25 000 hab. La principauté, qui vivait traditionnellement de la pêche et du commerce des perles, a été transformée par la découverte du pétrole, qui en a fait rapidement l'État possédant le revenu le plus élevé du monde par habitant. Projet de création d'une raffinerie de pétrole, d'une cimenterie, d'une usine électrique et de voies de communication. Les frontières de la principauté, fédérée avec l'émirat de Dubaï* depuis 1968, restent mal délimitées.

ABÛ FIRÂS AL-HAMDÂNÎ. ♦ Prince et poète arabe (932 – 968). Appartenant à la grande famille des Hamdanîdes* qui régna sur la haute Mésopotamie et la Syrie du N. au xe s., il fut d'abord un poète inscrit dans la tradition de bravoure et de générosité. Mais lorsqu'il fut captif dans le pays byzantin, chez les « Romains » *(rûm),* il écrivit un long recueil, le *Rûmiyyat,* où se mêlent la nostalgie, les reproches aux siens et la soif de liberté.

ABÛ HANÎFA. ♦ Théologien et législateur arabo-musulman (Kûfa, v. 696 – Baghdâd, 767). Fondateur de l'une des quatre écoles juridiques (ou « rites ») de l'orthodoxie sunnite* de l'Islâm. Il intégra dans le système juridique la méthode de l'« analogie » *(al-Qiyâs)* et, dans les cas d'exception, l'autorité du bon sens personnel.

ABULCASIS, en ar. *Abû Al-Kasim Ibn Abbas-az-Zahrawi.* ♦ Médecin arabe (Zahra, près de Cordoue, ? – 1013). Il exerça la chirurgie et a laissé un important traité de médecine et de chirurgie pratiques *(At-Tasrif, Exposition des matières).*

ABÛ-L FAIZÎ IBN-MUBARÂK. ♦ V. Faizî.

ABÛ-L FAZL ou **ABÛ-L FADL.** ♦ Imâm* musulman indien (1551-1603), entré en 1574 au service d'Akbar* comme conseiller et historiographe. Il compila, en langue persane, le *Aîn-i Akbarî** (« Histoire du règne d'Akbar ») et l'*Akbar-nâmâh* (« Gloire d'Akbar »). Lors de la réforme religieuse (Dîn*-i Ilâhî) préconisée par Akbar, il fut nommé grand-prêtre de cette nouvelle religion syncrétique. Il fut assassiné sur l'ordre d'un des fils d'Akbar, le futur Jâhangîr*, révolté contre son père.

ABUL-FIDÂ' (Ismâ'îl ibn 'Alî, connu sous le nom d'**).** ♦ Savant arabe (Damas, 1273 – 1331). Après avoir participé à la lutte contre les croisés, il entra au service du sultan d'Égypte. Il est surtout connu par ses travaux d'histoire et son ouvrage de géographie *Localisation des pays (Taqûîm al-buldân),* synthèse de la géographie littéraire et mathématique.

ABÛ-L HASAN QÛTB SHÂH. ♦ Huitième et dernier sultan indo-musulman (1672 – 1687) de Golkonda (Dekkan), de la dynastie des Qûtb Shâhî. Mécène et ami des arts, il favorisa les peintres et les écrivains et se montra tolérant dans le domaine religieux. Vaincu en 1687 par Aurangzeb*, il mourut en captivité.

ABÛ-L QÂIR. ♦ Qân türko-mongol du Kazakhstân et de Transoxiane (1430 – 1450), de la famille des Shaibanî. Il fonda le peuple Üzbek* mais fut tué, vers 1468, dans son soulèvement des Kazakh.

ABÛ MÂDHÎ (Îliyâ). ♦ Poète libanais (al-Muhaiditha, Liban, v. 1890 – 1957). Comme plusieurs de ses compatriotes, il émigra aux États-Unis en 1912, il y publia (à New York) une revue, *Mir 'ât al-Gharb* (« Miroir de l'Occident »). S'exprimant dans une langue simple, utilisant une technique qui reste classique en dépit de certaines libertés, il décrit le malaise des intellectuels arabes dépaysés.

ABÛ NUWÂS (Hassan ibn Hâni'). ♦ Poète arabe (Al-Ahwâz; Perse, 762 – Baghdâd, v. 813). De mère persane et de père arabe, considéré comme le plus grand poète de son époque, il devint le favori des califes Hârûn* al-Rashîd et al-Amin. Ses poèmes illustrent un genre intermédiaire entre celui de la poésie traditionnelle (Imru'* al-Qays) et celui de la poésie novatrice d'al-Mutanabbi*. Cynique et immoral, il acquit une grande célébrité avec les *Khamriyyat,* recueil de poèmes sur le thème du vin.

ABU SA'ID (Fadhl-Allah ebn Abi al-Khaïr). ♦ Mystique et poète persan (Maïhané-Khorassan, 967 – *id.,* 1403). Il fut un des premiers propagateurs du panthéisme mystique au Khorassan. Il est aussi considéré comme un des premiers poètes à avoir utilisé le *robâî* (pl. *robâîât*; quatrain formé non de quatre vers mais de quatre hémistiches). **V. Khayyâm.**

ABÛ SHÂMA (Shihâb al-Dîn Abû al-Qâsim Abd al-Rahmân). ♦ Historien arabe (Damas, 1203 – *id.,* 1268). Il écrivit *Le Livre des deux jardins* qui raconte l'histoire de Nûr* al-Dîn et celle de Saladin*, texte important pour la connaissance des croisades.

ABÛ TAMMÂM. ♦ Poète arabe (près de Tibériade, 804 – Mossûl, 845). Syrien d'origine chrétienne, il fut le poète panégyriste du calife Mu'tasim*. Son anthologie *Hamâsa* (« courage », titre du premier livre du recueil) lui assura la gloire.

ABUTSU-NI. ♦ Surnom (« nonne Abutsu ») d'une femme de lettres japonaise (? – 1283), fille de Taira no Norishige, noble de la cour impériale. Elle écrivit l'*Izayoi-nikki* en 1277, racontant un voyage fait à Kamakura, et quelques autres œuvres aristocratiques dans un style raffiné, émaillé de poèmes descriptifs délicats. Elle épousa un poète renommé en son temps, Fujiwara no Tameie (1197 – 1275).

Abwehr. *n. m.* (mot all. « défense »). ♦ Service de renseignements de l'état-major allemand de 1925 à 1944. Dirigé par l'amiral Canaris*, puis par Himmler*, cet organisme joua un rôle essentiel dans la lutte contre la Résistance dans l'Europe occupée.

ABYDOS, nom grec de l'égypt. **Abdou,** en copte **Ebot,** en ar. **Al-Arâbat al-Madfounèh.** ♦ Anc. V. de Haute-Égypte, au N.-O. de Thèbes. Située près de This*, elle servit de nécropole aux premiers pharaons. Avec le développement du culte osirien sous la Ve dynastie, Abydos devint la ville sainte d'Osiris*. Elle était censée renfermer les reliques de la tête du dieu démembré par Seth*. La ville fut désormais un célèbre lieu de pèlerinage et garda jusqu'à l'époque gréco-romaine une grande importance religieuse comme en attestent les temples de Séthi* Ier (le *Memnonium*) et de Ramsès* II (où l'on retrouva les *Tables d'Abydos* : liste des 76 prédécesseurs de Séthi Ier), et le cénotaphe de Séthi Ier (ou *Osiréion*).

ABYDOS. ♦ Anc. ville grecque d'Asie Mineure (Mysie), sur l'Hellespont. Elle fut colonisée par Milet* v. ~ 670. Xerxès y franchit le détroit en ~ 480. Elle opposa une vigoureuse résistance à Philippe V de Macédoine en ~ 200.

ABYMES (Les). ♦ Commune de La Guadeloupe (arr. de Pointe-à-Pitre). 36 362 hab. (6 579 aggl.). Marché agricole. – Distilleries.

ABYSSINIE. *n. f.* ♦ Anc. nom de l'Éthiopie*.

ACACE, en grec **Akakios.** ♦ Patriarche de Constantinople de 471 à 489 [mort]. Pour tenter une union entre catholiques et monophysites, il inspira l'*Hénotique* (482) de l'empereur Zénon, mais il fut excommunié par Félix* III (484). Le schisme d'Acace dura jusqu'en 519. **(V. Hormisdas).**

ACADÉMIE. *n. f.* ♦ École philosophique créée par Platon* en ~ 387. Elle était située à six stades d'Athènes, sur les jardins d'*Akadêmos,* héros mythique de l'Attique. Aristote* y fut l'élève de Platon*. À la mort de ce dernier, Xénocrate*, Speusippe*, Polémon, Cratès le Platonicien et Héraclide* du Pont en furent les directeurs. On y enseignait aussi les sciences.

ACADÉMIE (La Nouvelle). ♦ École de philosophie de la Grèce antique, fondée par Arcésilas* (~ IIIe s.). Ses représentants sont Carnéade*, Clitomachos, Philon de Larissa, Antiochos* d'Ascalon. On a donné le nom de probabilisme, parfois de scepticisme à la philosophie qui y était enseignée.

Académie des beaux-arts. ♦ Académie issue de la réunion, en 1816, de l'*Académie de peinture et sculpture,* fondée par Mazarin en 1648 et de l'*Académie d'architecture,* fondée par Colbert en 1671. Elle se compose auj. de 50 membres répartis en cinq sections : peinture, sculpture, architecture, gravure et musique. L'Académie des beaux-arts contrôle l'*Académie de France* à Rome, fondée en 1666 ; logée actuellement *villa Médicis**.

Académie des inscriptions et belles-lettres. ♦ Académie fondée par Colbert en 1663 et se composant de quarante membres. Elle se consacre à des travaux historiques, archéologiques et philologiques. Elle publie le *Journal des Savants.*

Académie des sciences. ♦ Académie fondée par Colbert* en 1666 sous le nom d'*Académie royale des sciences.* Elle compta parmi ses premiers membres Cassini*, Huygens*, Pecquet*, l'abbé Picard, Tournefort*, etc. Elle se compose auj. de 66 membres (et de deux secrétaires perpétuels) répartis en onze sections : géométrie, mécanique, astronomie, géographie et navigation, physique, chimie, minéralogie et géologie, botanique, zoologie, économie rurale, médecine et chirurgie.

Académie des sciences morales et politiques. ♦ Académie fondée en 1795 par la Convention nationale, et réunissant des philosophes, des juristes, des sociologues, des historiens et des géographes, au nombre de quarante.

Académie française. ♦ La plus ancienne des cinq académies qui forment l'Institut* de France. Fondée par Richelieu* en 1634, elle fut d'abord composée d'un groupe de lettrés auxquels se joignirent peu à peu des hommes d'État, des avocats, des médecins. Officialisée en 1635 par Louis* XIII, l'Académie tenait ses premières séances chez l'un de ses membres **(V. Conrart),** puis à la Chancellerie, enfin au Louvre jusqu'à la Révolution. Napoléon* l'installa au Collège des Quatre-Nations, auj. Institut de France. L'Académie française se compose de quarante membres chargés, notamment de la rédaction et de la mise à jour d'un «Dictionnaire de la langue française» (8e éd. 1935).

Académie Goncourt. ♦ Société littéraire fondée en 1902, en exécution du testament d'Edmond de Goncourt*. Elle se compose de dix membres chargés de décerner chaque année un prix. Elle a compté parmi ses membres Colette*, Judith Gautier*, Jean Giono*, Pierre Mac* Orlan, Raymond Queneau*.

ACADIE. *n. f.* ♦ Pays du Canada* (à l'E. de la province du Québec) qui correspond aujourd'hui aux provinces maritimes de la Nouvelle*-Écosse (Nova Scotia) et du Nouveau*-Brunswick (New Brunswick). Limitée à l'origine à la Nouvelle-Écosse, l'Acadie fut confiée d'abord à des gouverneurs entreprenants mais antagonistes (Razilly, Aulnay). Les Français y fondèrent Port-Royal (1604) et s'étendirent vers l'Ouest. L'Acadie fut l'objet d'incessants conflits entre l'Angleterre et la France qui perdit la Nouvelle-Écosse au traité d'Utrecht (1713) **V. Nouvelle-Écosse.** En 1755, les 10 000 Acadiens français, ayant refusé de prêter un serment d'allégeance à l'Angleterre, furent déportés et se réfugièrent notamment en Louisiane. L'Acadie tomba définitivement aux mains des Anglais au traité de Paris (1763). – L'*Évangéline* de Longfellow* évoque la détresse des Acadiens.

ACAPULCO. ♦ V. et port du Mexique dans l'Etat de Guerrero*, sur la côte du Pacifique. 234 866 hab. (1970). Centre touristique et station balnéaire de renommée mondiale.

ACARIE *(Mme).* ♦ **V.** Marie de l'Incarnation (B.J. Avrillot, ép. de J.P. Acarie).

ACARNANIE. *n. f.* en gr. **Akarnania.** ♦ Région de la Grèce centrale située entre la mer Ionienne, l'Épire et l'Étolie*. – Les *Acarniens* ou *Acarnans,* ne jouèrent qu'un rôle effacé dans l'histoire grecque. Soumise par les Macédoniens en ~ 225, l'Acarnanie passa aux Romains en ~ 197.

ACCIAIUOLI. ♦ Famille florentine qui dirigea une compagnie de commerce d'acier (d'où son nom) et d'armes. ♦ Niccolo Acciaiuoli. Grand sénéchal de Naples (Montegufoni, 1310 – Naples, 1366). Il contribua à établir la domination sur la Grèce. ♦ Nerio Acciaiuoli, son neveu ([mort] 1394), prit le titre de duc d'Athènes en 1394. ♦ Antonio Acciaiuoli, fils de Nerio ([mort] 1435). Il reprit en 1402 le duché d'Athènes, passé aux mains des Vénitiens en 1394. Sa famille s'y maintint jusqu'à la conquête turque (1456).

ACCIUS (Lucius) ou **Attius.** ♦ Auteur tragique latin. (Pisaurum, auj. Pesaro, ~ 170 – Rome, ~ 86).

Acclimatation (jardin d'). ♦ Jardin zoologique et parc d'attractions, situé au N.-O. du bois de Boulogne* (Paris). Ouvert au public en 1860 en tant que jardin de plantes et d'animaux exotiques, il a été depuis 1870 aménagé également en parc de divertissements. Depuis 1966 y a été ouvert le *Musée des arts et traditions populaires* (dû à J. Dubuisson).

ACCRA. ♦ Cap. du Ghâna. 380 000 hab. (aggl. 600 000 hab.). Port sur le golfe de Guinée*, formant avec celui de Tema* une conurbation de plus de 1 000 000 d'hab. Patrie de K. Nkrumah*. Évêché. Université. Centre commercial. – Anc. cap. de la Côte*

Ph. Hétier

Achéménides : bas-relief des archers, Persépolis, Iran.

de l'Or. En 1958, la *conférence d'Accra*, qui réunit divers représentants des pays arabes, décida de soutenir les mouvements d'indépendance en Afrique.

ACCRINGTON. ♦ V. d'Angleterre (Lancashire). 41 000 hab. Indus. textiles et mécaniques.

ACCURSE (François), en it. **Francesco Accursio.** ♦ Jurisconsulte italien (Bagnolo, Toscane, v. 1182 – Bologne, v. 1260). Il interpréta le droit romain.

ACHAB. ♦ Roi d'Israël (~ 873-~ 853), fils d'Omri*, père d'Ochozias* et Joram* d'Israël, ainsi que d'Athalie*. Son règne marque l'apogée du royaume du Nord. Il fut l'allié de Tyr (mariage avec la Tyrienne Jézabel*) et introduisit à Samarie le culte du Baal Melkart (ce qui lui valut l'hostilité du prophète Élie et celle du rédacteur biblique). Il reçut tribut des Moabites mais subit leur révolte **(V. Moab).** Il lutta contre les Araméens de Damas, fut cependant leur allié à la bataille de Qarqar contre l'Assyrie (~ 853) [**V. Bar Hadad II, Salmanasar III**], marcha à nouveau contre eux, allié à Josaphat* de Juda (il avait donné Athalie en mariage au fils de celui-ci, Joram*), mais fut tué devant Ramoth en Galaad. Récit biblique : *I Rois*, XVI, 29 - XXII, 40.

ACHAÏE, *n. f.*, en gr. **Akhaïa.** ♦ Contrée de l'anc. Grèce au N. du Péloponnèse*. Auj. *nome d'Achaïe.* 3 209 km². 239 600 hab. *Ch.-l.* Patras*. Les Achéens* s'y réfugièrent v. la fin du ~ IIe millénaire et lui laissèrent leur nom. Les douze cités d'Achaïe formèrent au ~ ve s. la *ligue achéenne*. – Au cours de la quatrième croisade (1205-1210), Guillaume* Ier de Champagne fonda la principauté d'Achaïe ou de Morée et prit le titre de *prince d'Achaïe.* Ses successeurs, Geoffroi* Ier de Villehardouin, Geoffroi* II, puis Guillaume* II de Villehardouin y régnèrent jusqu'en 1278.

Arch. Rencontre

La porte des Lionnes à Mycènes, qui fut l'un des centres du monde **achéen.**

ACHAIOS, en gr. **Akhaios.** ♦ Ancêtre mythique des Achéens*, fils de Xouthos* et demi-frère d'Ion* par sa mère Créüse*.

ACHAIOS, en gr. **Akhaios.** ♦ Roi Séleucide (v. ~ 270 – ~ 215). Soutenu par l'Égypte, il se révolta contre son cousin Antiochos* III et se fit proclamer roi en ~ 219, mais fut finalement mis à mort par ce dernier.

ACHANTIS ou **ASHANTIS.** *n. m. pl.* ♦ Peuple noir du Ghâna qui fonda au XVIIIe s. un royaume puissant, dont la cap. était Koumassi*.

ACHARD (Marcel). ♦ Auteur dramatique et scénariste français (Sainte-Foy-lès-Lyon, 1899 – Paris, 1974). Dans son théâtre, la tendresse et la désinvolture s'allient à une fantaisie clownesque. *Voulez-vous jouer avec moâ?* (1923), *Jean de la Lune* (1929), *Patate* (1957), *L'Idiote* [1960]. (Acad. fr., 1959.)

Acharniens (Les), en gr. **Akharnês.** ♦ Comédie politique d'Aristophane* (~ 425) qui développe une apologie de la paix remarquable par sa hardiesse.

ACHAZ. ♦ Roi de Juda (~ 736- ~ 716 env.), fils de Jotham, père d'Ézéchias*. Jérusalem étant assiégée par les forces d'Israël et d'Aram, il fit appel à Téglath*-Phalasar III d'Assyrie dont il devint le vassal. La Bible blâme ses pratiques idolâtriques (Cf. *II Rois*, XVI).

Achéenne (ligue). ♦ Confédération de douze villes d'Achaïe* fondée au ~ ve siècle. Réorganisée v. ~ 280, elle se dressa contre l'expansion macédonienne. Sous la direction d'Aratos de Sicyone* qui s'empara de Corinthe* en ~ 243, elle s'étendit dans tout le Péloponnèse* du Nord et s'allia à la ligue Étolienne **(V. Étolie)**, mais Sparte* fit échec aux tentatives d'union contre les Macédoniens. Battue par Cléomène* III à Megalopolis* (~ 227), la ligue chercha l'alliance de la Macédoine et. se retournant contre la ligue Etolienne, gagna la guerre de ~ 220-~ 217. Sous la direction de Philopoemen* (~ 208), elle soumit Sparte (~ 188) et atteignit son apogée. Les Romains écrasèrent définitivement la ligue à Leucopetra* en ~ 146. **V. Mummius; Polybe.**

ACHÉENS. *n. m. pl.*, en gr. **Akhaios.** ♦ Un des premiers peuples indo-européens qui s'installa en Grèce en refoulant les Pélasges*. **V. Ioniens.** Leur ancêtre mythique était Achaios*. Ils vinrent du N. vers le début ou dans la première moitié du ~ IIe millénaire, apportant notamment les armes en bronze et le cheval. L'Argolide* fut leur fief dans le Péloponnèse* où fleurirent leurs principaux centres : Mycènes*, Argos*, Tirynthe* et Pylos*, mais les limites de leur empire dans la Grèce continentale et insulaire restent incertaines. Homère appelle *Achéens* tous les Grecs participant à la guerre de Troie*. La civilisation mycénienne développée à partir de ~ 1580 et culminante entre ~ 1400 et ~ 1200, après la destruction de Cnossos*, apparaît essentiellement différente de celle du monde homérique, surtout quant aux institutions. Les Achéens, accoutumés à la mer, entretinrent des relations commerciales avec la Crète, l'Égypte et Chypre*. L'invasion des Doriens* les contraignit à se réfugier au N. du Péloponnèse **(V. Achaïe, Arcadie)** ou à émigrer en Asie* Mineure, à Chypre*, etc.

ACHÉLOOS. *n. m.*, en gr. **Akhelôos**, auj. **Aspropòtamos.** ♦ Fl. de Grèce (220 km) qui traverse l'Acarnanie* et se jette dans la mer Ionienne*. Centrale hydro-électrique. – Dans la mythologie, le dieu-fleuve Achéloos s'unit avec Melpomène* ou avec Terpsichore* et engendre les sirènes*. Rival d'Héraclès* pour la belle Déjanire, il est vaincu par le héros.

ACHÉMÉNIDES. *n. m. pl.* (« descendants d'Achéménès », qui aurait régné en Perse au ~ VIIe s.). ♦ Dynastie perse qui régna sur le pays d'Anshan **(V. Cyrus Ier, Cambyse Ier)**, se révolta contre ses suzerains mèdes et créa l'empire perse, le plus vaste de l'Antiquité, sur lequel elle régna jusqu'à la conquête d'Alexandre. **V. Perse; Cyrus II** le Grand (~ 550-~ 530), **Cambyse II** (~ 530-~ 522), **Bardiya** (~ 522), **Darios Ier** (~ 522-~ 486), **Xerxès Ier** (~ 486-~ 465), **Artaxerxès Ier** (~ 465-~ 424), **Xerxès II** (~ 424), **Darios II** (~ 423-~ 404), **Artaxerxès II** (~ 404-~ 358), **Artaxerxès III** (~ 358-~ 338), **Arsès** (~ 338-~ 336), **Darios III** (~ 336-~ 330).

ACHENWALL (Gottfried). ♦ Économiste allemand (Elbing, 1719 – Göttingen, 1772). Il fut un des fondateurs de la statistique et s'occupa principalement de démographie.

ACHÈRES. ♦ Comm. des Yvelines, arr. de Saint-Germain-en-Laye. 10 445 hab. *(Achérois).* Église (XIIIe s.). – Champs d'épandage. Cultures maraîchères.

ACHERNAR. ♦ Nom donné à l'étoile « α *Éridan* ». Magnitude 0,6; type spectral B5.

ACHÉRON. *n. m.*, en gr. **Akherôn.** ♦ Fleuve des Enfers, dans la légende grecque. Les morts le traversaient sur la barque de Charon* pour entrer au royaume d'Hadès.

ACHICOURT. ♦ Comm. du Pas*-de-Calais, dans l'agglomération d'Arras*. 5 188 hab. Fonderie.

ACHILLE, [aʃil], en gr. **Akhileus.** ♦ Héros homérique, roi des Myrmidons*, dépeint comme le plus brave et le plus puissant guerrier pendant le siège de Troie*. Fils de Thétis* et de Pélée*, il est élevé par le centaure Chiron*. À la suite d'une prédiction, afin de lui éviter la mort pendant la guerre de Troie, sa mère l'envoie dans l'île de Scyros chez le roi Lycomède*, où il séjourne déguisé en femme sous le nom de Pyrrha. Découvert par Ulysse*, il se laisse conduire au siège de Troie où, justifiant sa réputation, il se montre invincible. Mais, furieux contre Agamemnon* qui lui avait ravi sa

Ph. Carlo Bevilacqua/Ricciarini

L'**Acropole** d'Athènes, vue d'ensemble.

captive Briséis*, il se retire sous sa tente, refusant de continuer la guerre. La *colère d'Achille,* qui faillit coûter la défaite aux Grecs, est l'épisode central de l'*Iliade**. Achille ne revient au combat qu'après la mort de son ami Patrocle* qu'il venge en tuant Hector* mais il est lui-même tué par une flèche décochée par Pâris*, fils de Priam* et frère d'Hector, qui le blesse mortellement au talon, le seul point vulnérable de son corps. Après la mort d'Achille, Ulysse* et Ajax se disputent ses armes.

ACHKABAD. ♦ **V.** ASHKABAD.

ACIREALE. ♦ V. et port d'Italie (Sicile, prov. de Catane), au pied de l'Etna. 43 800 hab. Évêché. Cathédrale du XVIIe s., remaniée au XVIIIe siècle. Station thermale et climatique.

ACIS, en gr. **Akis.** ♦ Personnage mythique, berger sicilien aimé de Galatée*. Le cyclope Polyphème*, jaloux, l'écrase sous un rocher. — Sujet traité par Théocrite et Ovide.

ACKERMANN (Louise Choquet, *dame***).** ♦ Poète français (Paris, 1813 — Nice, 1890). Elle exprima dans des œuvres d'inspiration philosophique les « questions sans fin de son esprit déçu ». *Premières Poésies* (1862); *Poésies philosophiques* (1874); *Pensées d'une solitaire* (1883).

Acméisme, *n. m.* ♦ École littéraire russe. En réaction contre le symbolisme, v. 1910, ses deux plus brillants représentants sont Mandelstam* et Akhmatova*.

AÇOKA. ♦ **V.** AŚOKA.

ACOLIN, *n. m.* ♦ Affl. de la Loire*. Il traverse une partie de l'Allier et de la Nièvre.

ACONCAGUA, *n. m.* ♦ Volcan des Andes (Argentine), le plus haut sommet d'Amérique (6 959 m). — *Prov. d'Aconcagua,* au Chili, 1 024 km². 157 000 hab. *Ch.-l.* San Felipe. Minerais.

AÇORES, *n. f. pl.* ♦ Archipel portugais de l'océan Atlantique. 2 314 km². 350 000 hab. *(Açoréens).* Cap. Ponta* Delgada (île de São Miguel). L'archipel, d'origine volcanique, est formé de neuf îles, dont Flores*, São* Miguel et Terceira*. Cultures méditerranéennes et tropicales. Tourisme. — Patrie de Braga* et de Quental*. ♦ *Hist.* Exploré au XIVe s. par des navigateurs italiens, l'archipel fut occupé au XVe s. par les Portugais, qui lui donnèrent son nom (port. *açor :* « autour » [oiseau de proie]). Sous la domination espagnole (1580-1640), l'archipel fut un relais vers la route des Indes occidentales.

ACOSTA (Cristóvão). ♦ Médecin et naturaliste portugais (Mozambique, v. 1515 — Burgos, 1580). Il prit part aux voyages des conquistadors dans le Nouveau-Monde, dont ses traités décrivent la flore et la faune.

ACQUAPENDENTE (Fabricius *d'***), Gerolamo Fabrizzi,** dit. ♦ Naturaliste et anatomiste italien (Acquapendente, 1533 — Padoue, 1619). Élève de G. Fallope*, et maître de W. Harvey*, il fit de nombreuses observations anatomiques et des études embryologiques sur le poulet.

ACRE ou **AKKO,** anc. **Ptolémaïs.** ♦ V. de l'État d'Israël située sur la Méditerranée, au nord de Haïfa*, en Galilée*. 33 000 hab. (1969). Une ville moderne s'est édifiée à côté de la vieille ville. Indus. textiles, métallurgiques (Ire usine sidérurgique de l'État), chimiques. ♦ *Hist.* Phénicienne à l'époque hellénistique, disputée entre Latins et Musulmans (XIIe-XIIIe s.), elle fut soumise à la Turquie en 1517. Anc. forteresse des croisés **(V. Saint-Jean-d'Acre),** elle résista victorieusement à Bonaparte en 1799. Passée aux mains des Égyptiens de 1832 à 1840, elle redevint turque jusqu'en 1918.

ACRE, *n. m.* ♦ État du N.-O. du Brésil, situé au S.-O. de l'État d'Amazonas* aux frontières du Pérou et de la Bolivie. 152 589 km². 210 000 hab. *Cap.* Rio* Branco. Cultures vivrières; caoutchouc. ♦ *Hist.* D'abord bolivien (1898), le territoire fut cédé au Brésil en 1903 et constitué en État en 1962.

ACRISIOS, en gr. **Akrisios.** ♦ Roi mythique d'Argos*, père de Danaë* et grand-père de Persée*.

Acrocorinthe, *n. m.,* en gr. **Akrokorinthos.** ♦ Citadelle de l'anc. Corinthe* (auj. *Palaia Corinthos),* fortifiée v. la fin du ~ VIIe siècle. Soubassements du célèbre temple d'Aphrodite géré par une communauté de prêtresses, d'un temple de Déméter (~ VIe s.) et d'autres édifices.

Acropole, *n. f.,* en gr. **Akropolis.** ♦ Dans la Grèce antique, nom donné aux citadelles placées au sommet d'une ville. Les plus célèbres furent celles d'Athènes (ci-dessous), d'Argos, de Corinthe (Acrocorinthe*), de Mycènes, de Thèbes (Cadmée) et de Tirynthe. — *Acropole d'Athènes.* Située sur un plateau dominant la ville d'env. 165 m, elle fut dès le ~ IIe millénaire une forteresse abritant les palais des rois et les lieux de culte. Ornée de constructions et de statues, au ~ VIe s., par Pisistrate*, en l'honneur d'Athéna*, elle fut dévastée par les Perses en ~ 480. Au cours du ~ Ve s., l'Acropole cessa d'être une forteresse, mais resta le centre religieux des Athéniens. Les monuments classiques élevés à l'époque de Périclès* sous la direction du sculpteur Phidias* sont restés célèbres : Athéna* Niké, Parthénon* (construit par Ictinos* et Callicratès*), Propylées* (édifié par Mnésiclès*), Érechthéion*. Les monuments subirent de graves dommages pendant les occupations successives, notamment lors du siège d'Athènes par les Vénitiens. Une partie du Parthénon fut détruite par l'explosion d'une poudrière (1687). Un grand nombre d'antiquités enlevées par lord Elgin* se trouvent actuellement au British Museum. — Le site inspira à E. Renan une page célèbre, la *Prière sur l'Acropole.*

Acta sanctorum (« actes des saints »). ♦ Recueil de vies de saints, notamment celui des bollandistes. **V. Bolland** (Jean).

Acte additionnel aux constitutions de l'Empire. ♦ Constitution libérale promulguée par Napoléon* Ier, à son retour de l'île d'Elbe*, en vue d'établir une monarchie constitutionnelle. Rédigée par Benjamin Constant* elle était inspirée de la charte de Louis XVIII.

ACTÉON, en gr. **Aktaiôn.** ♦ Chasseur mythique de Thèbes. Ayant surpris Artémis* nue au bain, il fut métamorphosé en cerf par la déesse et dévoré par ses propres chiens, au Cithéron*.

Actes des Apôtres. ♦ Livre du Nouveau Testament*, placé après les Évangiles. Il relate les débuts de la première communauté chrétienne de Jérusalem et les voyages missionnaires de saint Paul. Ensemble composite, certainement remanié, de datation difficile (80-100 ?). La tradition l'attribue à saint Luc.

Action catholique. ♦ « Ensemble des mouvements apostoliques laïcs organisés et reconnus comme tels, nationalement et internationalement ». Sa mission fut définie par le pape Pie XI*.

Action française (l'). ♦ Quotidien d'un mouvement politique d'extrême droite, qui fut fondé en 1908 et animé par Ch. Maurras*, J. Bainville*, L. Daudet*. Lors de l'affaire Dreyfus, un Comité d'action française, nationaliste et anti-dreyfusard, fut créé par Pujo et Vaugeois et transformé ensuite en Ligue d'action française. Sous l'influence de Maurras ce mouvement se fit le défenseur du « nationalisme intégral », d'une monarchie « héréditaire, antiparlementaire et décentralisée », faisant de l'Église catholique la garante de l'ordre. Les vendeurs de *l'Action française* constituèrent rapidement de véritables organisations de combat royalistes, les camelots* du roi. L'Église avait condamné le mouvement (1926); la condamnation fut levée par Pie XII (1939). Ayant apporté son soutien au gouvernement de Vichy pendant la Deuxième Guerre mondiale, *l'Action française* fut interdite après la Libération. Ses partisans se regroupèrent autour d'*Aspects de la France* de P. Boutang.

ACTIUM, auj. **Akra Nikolaos.** ♦ Promontoire de la Grèce ancienne (Acarnanie*) sur la baie d'Ambracie*. Lieu de la victoire d'Octave (Auguste*) sur Antoine* et Cléopâtre* VII (~ 31).

ACTON PARK. ♦ Banlieue O. de Londres (Middlesex). 65 300 hab. – Patrie de George Jeffreys*.

Actor's Studio. ♦ École d'art dramatique fondée en 1935 à New York par Mme Flanagan. Selon elle, le théâtre devait s'adapter aux conditions géopolitiques et linguistiques des différentes populations et devenir un service public.

ACUÑA (Cristóbal *de*). ♦ Missionnaire jésuite espagnol (Burgos, 1597 – Lima, v. 1675). Il participa à l'expédition d'exploration du Napo et de l'Amazone (jusqu'à Belem-Para) avec Pedro Texeira (1639-1640). Sa relation (1641) fut traduite par Gomberville.

Adab. *n. m.* (« éducation », « bonnes manières », puis « littérature »). ♦ Nom désignant le code des usages d'une société policée, utilisé dans deux épîtres par Ibn* Muqaffa'. Au IXe s., avec les polygraphes Jâhiz* et Ibn* Qutaybah, ce terme s'identifia à la notion de « culture ». « L'adab est une forme prise par la pensée arabo-islamique pour constituer un humanisme qui ne doive point tout au Coran* et à la Loi qui en dérive » (R. Blachère).

ADAD. ♦ Dieu assyro-babylonien de l'atmosphère et plus spécialement de l'orage. Il est représenté sous l'aspect d'un taureau; son emblème est la foudre . Il correspond à l'ancien Ishkur sumérien.

ADAD-NIRÂRI II. ♦ Roi d'Assyrie* de ~ 909 à ~ 888. Il annexa le royaume araméen du Hanigalbat (région du Nisibe).

ADAD-NIRÂRI III. ♦ Roi d'Assyrie de ~ 810 à ~ 781, fils de Shamsi*-Adad V et de Sammuramat **(V. Sémiramis).** Son règne marqua une certaine stagnation de l'Assyrie*.

ADALBÉRON (? – 988). ♦ Archevêque de Reims (969-988). Il fit proclamer Hugues* Capet roi et le sacra à Reims en 987.

ADALBERT *(saint).* ♦ Archevêque de Prague (v. 956 – 997). Il contribua à la conversion des Magyars au christianisme. Martyr.

ADALGIS ou **ADALGISE.** ♦ (mort en 788). Prince lombard, fils du roi Didier* et beau-frère de Charlemagne*. Après la capitulation de son père devant Charlemagne (v. 774) il s'enfuit à Constantinople.

ADALRIC. ♦ Duc d'Alsace. Père de sainte Odile*, patronne de l'Alsace*.

ADAM. ♦ Dans la Bible (*Genèse,* I-IV) et dans les traditions juive, chrétienne et musulmane, le premier homme, créé par Dieu et installé dans le Paradis terrestre **(V. Éden).** À l'instigation d'Ève*, il mange le fruit, interdit, de l'arbre de la science du bien et du mal, faute pour laquelle il est chassé du Paradis et qui pèse sur tout le genre humain. Ses fils sont Abel, Caïn, Seth.

ADAM (Le Nouvel). ♦ Une des appellations du Christ*, considéré comme inaugurant le temps du salut de même qu'Adam avait inauguré le temps de la chute.

ADAM *(pic d'),* en angl. **Adam's peak.** ♦ Montagne sacrée du centre de l'île de Ceylan (2 250 m) au sommet de laquelle se trouve un temple ancien abritant une empreinte (celle du pied d'Adam, pour les Musulmans) sur le rocher.

ADAM *(pont d')* ou **pont de Râma.** ♦ Chaîne de récifs, longue de 50 km, entre Ceylan et l'Inde, édifiée, selon la légende, par Râma, et qui marque la séparation entre le golfe du Bengale et l'océan Indien.

ADAM de la halle ou **ADAM le bossu.** ♦ Trouvère et auteur dramatique français. (Arras, v. 1240 – v. 1285). D'inspiration souvent satirique, son œuvre raille les mœurs bourgeoises *(Le Jeu* de la feuillée)* ou idéalise avec grâce les mœurs paysannes *(Le Jeu* de Robin et Marion).*

ADAM (Lambert Sigisbert, dit **Adam l'Aîné).** ♦ Sculpteur et ornemaniste français (Nancy, 1700 – Paris, 1759). À Nancy, il fut l'élève de son père JACOB-SIGISBERT (Nancy, 1670 – Paris, 1747); il séjourna en Italie (1723-1733) où il subit l'influence du baroque romain. Son élégance et surtout sa façon d'animer les masses avec vivacité se révèlent dans le groupe de *Neptune et Amphitrite* (1740), dans le parc de Versailles, tandis que les statues de la *Marne* et de la *Seine* dénotent une recherche plus tempérée et réaliste dans le mouvement et l'expression.

ADAM (Nicolas Sébastien, dit **Adam le Jeune).** ♦ Sculpteur et ornemaniste français (Nancy, 1705 – Paris, 1778). Il exécuta à Montpellier des travaux de décoration, puis se rendit à Rome et fut jusqu'en 1740 le collaborateur de son frère. Son style ornemental en fait l'un des représentants caractéristiques du style rocaille (*hôtel Soubise* à Paris). Il travailla aussi à Nancy pour le roi Stanislas *(tombeau de Catherine Opalinska,* 1747-1749).

ADAM (François Gaspard). ♦ Sculpteur et ornemaniste français, frère des précédents (près de Nancy, 1710 – Paris, 1761). Il travailla d'abord avec ses frères, séjourna à Rome, puis accepta de diriger l'atelier de décoration de Frédéric II de Prusse, de 1742 à 1760 : il exécuta pour les *Jardins de Potsdam* et de *Sans-Souci* de nombreuses statues mythologiques et allégoriques *(La Musique)* animées et gracieuses.

ADAM (Robert). ♦ Architecte, décorateur, dessinateur et archéologue écossais (Kirkcaldy, 1728 – Londres, 1792). Fils de l'architecte WILLIAM ADAM (1688-1748), il travailla en étroite collaboration avec ses frères : JOHN, JAMES et WILLIAM. Ils donnèrent leur nom à un style ornemental *(Adam'style)* inspiré des motifs antiques et renaissants, qui correspond à l'époque du style Louis XVI en France. Robert se forma auprès de son père puis à Rome (1755-1757) où il rencontra Piranèse*; en compagnie de Clérisseau*, il visita l'Italie, fit un voyage archéologique en Dalmatie et publia en 1764 *Les Ruines du palais de Dioclétien à Spalato* (Split*). Revenu en Angleterre en 1758, il devint rapidement célèbre et, comme Chambers*, reçut la charge d'architecte du roi. Avec ses frères, il élabora un style de décoration intérieure (motifs ornementaux, mobilier, argenterie, etc.) caractérisé par une adaptation élégante, souvent très raffinée, des motifs romains, étrusques, grecs, mais aussi syriens et égyptiens, avec une prédilection pour les grotesques. Ce style se diffusa rapidement en Angleterre et en Russie et exerça une influence profonde sur le style Directoire en France. En architecture, les Adam évoluèrent vers un style néo-classique de tendance grecque, austère et monumental (*Église de Mistley,* Essex; *Université* et *Register House* à Edimbourg).

ADAM (Adolphe). ♦ Compositeur français (Paris, 1803 – *id.,* 1856). Élève de Boïeldieu*, il a fait représenter avec succès de nombreux opéras-comiques (*Le Chalet,* 1834; *Le Postillon de Longjumeau,* 1836; *Si j'étais roi,* 1852), des ballets (*Giselle,* 1841; *Le Corsaire,* 1856) et publié deux volumes de critique musicale (*Souvenirs d'un musicien,* 1857-1859).

ADAM (Juliette Lamber, *Mme***).** ♦ Femme de lettres française (Verberie, 1836 – Callian, 1936). Elle fonda la *Nouvelle Revue* (1879), et son salon fut fréquenté par des écrivains et des hommes politiques de la IIIe République *(Mes souvenirs).*

ADAM (Paul). ♦ Écrivain français (Paris, 1862 – *id.,* 1920). Successivement naturaliste (avec *Chair molle,* 1885), symboliste (*Soi,* 1886, et *Être,* 1888), puis romancier social (avec *Robes rouges,* 1891, ou *Le Trust,* 1910), il est l'auteur d'œuvres d'anticipation qui en font le précurseur de Wells (*Lettres de Malaisie,* 1897, *Cité prochaine,* 1908). La tétralogie *Le Temps et la Vie* est une œuvre où le souffle épique s'allie à l'analyse psychologique. Épopée d'une famille (celle de l'auteur) de 1800 à 1830, « cycle de l'énergie » qui prend place au sein des événements politiques et militaires de l'Empire et et de la Restauration, *La Force* (1899), *L'Enfant d'Austerlitz* (1901), *La Ruse* (1903) et *Au Soleil de juillet* (1903) évoquent les incertitudes de personnages qui balancent entre un idéal de liberté politique et les séductions d'une carrière brillante.

ADAMAOUA ou **ADAMAWA** (autref. **Fombina).** ♦ Plateau volcanique qui domine les plaines de la Bénoué*, au Cameroun* et au Nigeria*, plus relevé au N. et à l'O. (2 460 m), isolant le bassin du Tchad de celui du Congo. Château d'eau de ces régions **(V. Bénoué, Logone, Sanaga** et **Sangha).** Zone d'élevage bovin **(V. Ngaoundéré).** ♦ *Hist.* Anc. royaume peul* conquis par Adama, un des chefs d'Ousmane don Fodio **(V. Sokoto),** qui y établit la puissance de l'Islâm.

ADAM BILLAUT. ♦ V. BILLAUT.

ADAMCLISI ou **ADAMKLISSI (trophée d').** ♦ Vaste monument élevé en 109 par l'empereur Trajan* pour commémorer sa victoire sur les Daces (Tapae, 101). Une ville *Municipium Tropaneum Trajani* fut fondée au IIe s. non loin de là, aux environs de l'actuelle Constanța* (Dobroudja, Roumanie).

ADAMELLO, *n. m.* ♦ Massif alpin du N. de l'Italie, dans la région du Trentin*. 3 554 m. Nombreux glaciers.

ADAMOV (Arthur). ♦ Auteur dramatique français d'origine russo-arménienne (Kislovodsk, Russie, 1908 – Paris, 1970). Ayant subi l'influence du surréalisme, puis du marxisme, il se fit l'observateur sarcastique de la condition dérisoire à laquelle il estime qu'est réduit l'homme de notre temps. Princ. œuvres : *L'invasion* (1949), *La Grande et la Petite Manœuvre* (1950), *Le Ping-Pong* (1955), *Paolo Paoli* (1957), *Off Limits* (1969).

ADAMS (John). ♦ Homme d'État américain (Quincy, Massachusetts, 1735 – *id.,* 1826). Vice-président des États-Unis sous Washington*, il lui succéda comme deuxième président des États-Unis (1797-1801). Battu aux élections de 1800 par le républicain Jefferson*, il se retira de la vie politique. ♦ JOHN QUINCY ADAMS, son fils (Quincy, Massachusetts, 1767 – Washington, 1848). Il fut l'un des auteurs de la doctrine de Monroë* et devint le sixième président des États-Unis (1825-1829). Il se distingua par sa lutte contre l'esclavagisme.

ADAMS (Samuel). ♦ Pamphlétaire et homme politique américain (Boston, 1722 – *id.,* 1803). Diplômé de Harvard en 1740, il brigua la présidence en 1796, mais fut battu par Jefferson. Ses pamphlets dénonçaient l'injustice des taxations. À la tête des radicaux du Massachusetts en 1769, il fut parmi les premiers à dénoncer l'exploitation de l'Amérique par la Grande-Bretagne et signa la Déclaration d'indépendance.

ADAMS (John Couch). ♦ Astronome anglais (Lidcot, 1819 – Londres, 1892). En même temps que Le* Verrier, il fut conduit à expliquer par la présence d'une planète encore inconnue, Neptune, les perturbations du mouvement de la planète Uranus.

ADAMS (Henry Brooks). ♦ Historien et mémorialiste américain (Boston, Massachusetts, 1838 – Washington, 1918), petit-fils de John Quincy Adams. Il dirigea la *North American Review* et enseigna l'histoire à Harvard. Les hommes politiques qu'il fréquentait à Washington lui inspirèrent un roman, *Démocratie* (1880). Pour peindre la société new-yorkaise dans son roman psychologique *Esther* (1884), il prit le pseudonyme de Frances Snow Compton. Il préférait signer de son nom d'universitaire des études sur « l'unité au XIIIe siècle » et « la multiplicité au XXe siècle », telles que *Le Mont-Saint-Michel et Chartres* (1904) et *L'Éducation de Henry Adams* (1918) où il expose sa théorie dynamique de l'histoire. Outre une *Histoire des États-Unis sous les gouvernements*

Ph. Lauros-Giraudon

Marie-Adélaïde de France, dite Madame **Adélaïde,** par J.-M. Nattier. (Château de Versailles.)

de Jefferson et de Madison et une *Lettre aux professeurs d'histoire américaine* (1910) il a laissé une correspondance, publiée entre 1920 et 1938.

ADAMS (William). ♦ V. ANJIN.

ADAMS (Walter Sidney). ♦ Astronome américain (Antakya, 1876 – Pasadena, 1956). Il est l'auteur d'ouvrages sur le mouvement des astres et sur la spectroscopie; on lui doit notamment une méthode spectroscopique pour la détermination des distances stellaires (1916).

ADAMSON (Robert). ♦ Philosophe écossais (Édimbourg, 1852 – Glasgow, 1902). Réalisme critique, sa philosophie fait de la conscience de soi le produit d'une évolution spirituelle (*Le développement de la philosophie moderne,* 1903).

ADANA. ♦ V. de Turquie, en Asie Mineure (Cilicie) sur le Seyhan Nahr. Ch.-l. de province, centre commercial très actif; indus. 290 515 hab. Musée archéologique.

ADANSON (Michel). ♦ Botaniste français (Aix-en-Provence, 1727 – Paris, 1806). Il fit un voyage d'études au Sénégal au retour duquel il publia une *Histoire naturelle du Sénégal* (1757). Dans sa classification des plantes, il a mis l'accent sur la continuité des formes végétales, et annonce ainsi, par certaines de ses vues, la théorie de Lamarck*. (*Familles de Plantes,* 1763).

ADAPAZARI. ♦ V. du N.-O. de la Turquie, sur la Sakarya; ch.-l. de prov. 86 124 hab. (1965). Centre industriel : textiles, raffineries de sucre.

Adat, *n. m.* ♦ Droit coutumier utilisé en Indonésie et en Malaysia.

ADDA. *n. f.* ♦ Riv. d'Italie (313 km), affl. du Pô* (r. g.). Issue des Alpes (massif de la Bernina), elle draine la Valteline*, passe en Lombardie et vient aboutir au Pô près de Crémone.

ADDIS-ABEBA ou **ADDIS-ABABA.** ♦ Capitale de l'Éthiopie* (région de Choa), fondée par Ménélik* II en 1887, à 2 500 m d'alt. Près de 650 000 hab. (1967). Princ. ville indus. d'Éthiopie (textiles, café, indus. alimentaires). Djibouti* est devenu son principal débouché après la construction de la voie ferrée Addis-Abeba-Djibouti, en 1917. – Siège de l'Organisation* de l'unité africaine (O.U.A.).

ADDISON (Joseph). ♦ Journaliste, essayiste, poète, dramaturge et homme politique anglais (Milston, Wiltshire, 1672 – Londres, 1719). Fils d'un ecclésiastique, il étudia à Oxford, écrivit des vers latins et fit de 1699 à 1703 un voyage relaté dans *Remarques sur quelques contrées d'Italie* (1705). Rendu célèbre par un poème de circonstance *La Campagne* (*The Campaign,* 1704), il devint membre du Parlement en 1708. Il fit représenter avec succès sa tragédie *Caton* (1713) que Voltaire salua comme un chef-d'œuvre; mais sa comédie *Le Tambour* (*The Drummer,* 1715) échoua. Le plus grand titre littéraire d'Addison est sa collaboration (avec Steele*) au *Tatler* (« Le Babillard ») et au *Spectator* (fondé par eux en 1711). Addison s'y proposait de « raviver la moralité par l'esprit et de tempérer l'esprit par la moralité ». Montesquieu* s'inspira du *Spectator* pour ses *Lettres persanes* et Marivaux* l'imita *(Le Spectateur français).*

ADDISON (Thomas). ♦ Médecin anglais (Long Benton, près de Newcastle on Tyne, 1793 – Brighton, 1860). Il a donné la description de l'insuffisance des surrénales (*maladie d'Addison,* ou maladie bronzée).

ADEGEM. ♦ V. de Belgique (Flandre-Orientale, arr. d'Eeklo) 5 400 hab.

ADÉLAÏDE *(sainte).* ♦ Impératrice allemande (château d'Orb, v. 931 – Seltz, Alsace, 999). Elle fut l'épouse du roi d'Italie Lothaire* II (947), puis de l'empereur Othon* Ier le Grand. Elle exerça la régence sous Othon III.

ADÉLAÏDE. ♦ Reine de France, seconde femme de Louis* le Bègue, mère de Charles* III le Simple.

ADÉLAÏDE ou **ALIX DE SAVOIE.** ♦ (? – Montmartre, v. 1154). Reine de France. Elle épousa en 1115 Louis* VI le Gros et fonda l'abbaye de Montmartre (1133). Devenue veuve, elle épousa en secondes noces Mathieu de Montmorency*.

ADÉLAÏDE (Marie-Adélaïde de France, dite **Madame).** ♦ Princesse française (Versailles, 1732 – Trieste, 1800). Troisième fille de Louis XV, elle était très aimée de son père, et elle tenta d'exercer une influence politique systématiquement opposée à celle des favorites. Elle émigra en 1791 avec ses sœurs et se réfugia en Italie.

ADÉLAÏDE (Eugénie Louise, *princesse d'***Orléans,** dite **Madame).** ♦ Princesse française (Paris, 1777 – 1847), fille du duc d'Orléans, Philippe-Égalité, et sœur de Louis*-Philippe. Elle émigra en 1792 en compagnie de sa gouvernante, Madame de Genlis. Rentrée en France en 1817, elle contribua à placer son frère sur le trône et ne cessa de jouer à ses côtés le rôle de conseillère.

ADÉLAÏDE. ♦ V. d'Australie*, cap. de l'État d'Australie* méridionale, sur la côte E., dans le golfe de Saint-Vincent, au débouché d'une plaine fertile. 742 300 hab. Centre culturel, commercial et industriel. Le port *(Port-Adélaïde)* est situé à quelques kilomètres. Raffinerie de pétrole. Métallurgie. Produits chimiques. Indus. textiles (laine) et alimentaires.

ADÉLARD DE BATH ou **ADALARD.** ♦ Philosophe scolastique (v. 1070 – 1150). L'un des pionniers de la « Renaissance du XIIe siècle ». Outre son dialogue philosophique *De eodem et diverso* qui se rattache au platonisme et ses traités sur l'abaque et l'astrolabe, on lui doit surtout des versions latines de textes scientifiques arabes, des *Éléments* d'Euclide* et l'*Almageste* de Ptolémée*.

ADELBODEN. ♦ V. de Suisse (cant. de Berne), située dans l'Oberland* bernois. 2 900 hab. – Importante station de sports d'hiver.

ADÈLE *(sainte).* ♦ Abbesse de Pfalzel, près de Trèves, fille de Dagobert* II (v. 675 – v. 754).

ADÈLE (ou ALIX) DE CHAMPAGNE. ♦ (? – Paris, 1206). Fille de Thibaud* II, épouse de Louis* VII le Jeune et mère de Philippe* Auguste.

ADÉLIE *(terre).* ♦ Secteur de l'Antarctique* oriental. 900 000 km². Découverte par Dumont* d'Urville (1840) qui lui donna le prénom de son épouse, elle fait partie, avec les archipels Crozet et Kerguelen et les îles de la Nouvelle-Amsterdam et de Saint-Paul, des terres australes* et antarctiques françaises. Ce champ de glace se relevant vers l'intérieur (jusqu'à une altitude de 3 000 m) a fait l'objet d'explorations scientifiques (P.-É. Victor, 1950-1951, 1952).

Adelphes (Les) [« Les frères »]. ♦ Dernière comédie de Térence* (160), imitée de Ménandre et de Diphile. Deux frères s'opposent sur des principes d'éducation. Ce thème a été repris par Molière* dans *l'École des maris.*

ADÉMAR (ou ADHÉMAR) DE MONTEIL. ♦ Prélat français ([mort] Antioche, 1098). Évêque du Puy, il fut chargé par Urbain II de prêcher la 1re croisade à laquelle il participa (conquête d'Antioche). Il mourut de la peste après la prise d'Antioche.

ADEN [*'Adan*]. ♦ V. du Yémen* du Sud (Arabie), située non loin de l'entrée de la mer Rouge sur le *golfe d'Aden.* 280 000 hab. Marché commercial. Indus. (raffineries); artisanat. Le port était de première importance avant la fermeture du canal de Suez*. ♦ *Hist.* Aden fut une escale active sur la route des épices du début du ~ Ier millénaire au IIIe siècle. Les Portugais qui l'occupèrent en 1513 furent rapidement chassés par les Ottomans qui envahirent l'arrière-pays, mais se retirèrent dès 1636. Les Anglais découvrirent la valeur stratégique d'Aden pour préserver leur suprématie sur la route des Indes quand Bonaparte conquit l'Égypte (1799). En 1839, les Anglais occupèrent Aden qui était alors un village de 500 habitants et en firent une dépendance de l'Inde et un port franc (1850). La ville connut une ère de développement avec l'ouverture du canal de Suez (1869). En 1962, Aden, incluse dans la *Fédération du Sud arabique* comprenant les protectorats anglais de l'arrière-pays, bénéficia d'une mesure d'autonomie. Mais pendant la lutte pour l'indépendance, la ville fut le théâtre de luttes sanglantes **(V. Yémen du Sud,** *hist.).* L'indépendance fut acquise en nov. 1967 et Aden devint la capitale nationale de la République populaire du Yémen du Sud (1968).

ADEN *(golfe d').* n. m. ♦ Partie nord occidentale de l'océan Indien, comprise entre la mer d'Oman* et la presqu'île africaine des Somalis*. Il communique avec la mer Rouge par le détroit de Bâb* al-Mandab (Bab el-Mandeb).

ADENAUER (Konrad). ♦ Homme politique allemand (Cologne,

1876 – Rhöndorf, 1967). Avocat puis maire de Cologne (1917), il fut avant la guerre un membre influent du Centre catholique. Destitué par les nazis en 1933, il se retira. Après la guerre il se consacra à la fondation du Parti démocrate-chrétien (C.D.U.) dont il devint le président. À la proclamation de la République fédérale en 1949 il fut élu chancelier. Pendant quatorze années, où il fut réélu plusieurs fois, Adenauer mena une politique de relèvement économique, d'intégration de l'Allemagne dans l'Europe occidentale et de reconquête de ses droits sur le plan international. Sur le plan militaire, il obtint successivement le droit d'avoir une armée (la Bundeswehr*) et l'entrée de l'Allemagne à l'O.T.A.N. (1955). Il fut également l'un des principaux artisans de la réconciliation franco-allemande (traité de coopération de 1963), entretenant d'excellentes relations personnelles avec de Gaulle. Il démissionna, en octobre 1963, et céda la place à Ludwig Erhard.

ADENET le Roi (ADENET ou **ADAM** dit). ♦ Trouvère originaire du Brabant (XIIIe s.). Son œuvre influença l'évolution de l'épopée française en y introduisant le ton du récit. Il composa *Cléomadès,* d'après l'*Histoire d'Alexandre le Grand* (1100-1120), adapta en vers *Berthe au grand pied* et *Les Enfances Ogier.*

ADÉODAT ou **DEUSDEDIT** ou **DIEUDONNÉ Ier** *(saint).* ♦ 68e pape, (615-618 [mort]). Romain. Fête le 8 novembre.

ADÉODAT ou **DEUSDEDIT** ou **DIEUDONNÉ II.** ♦ 77e pape (672-676 [mort]). Romain.

ADER (Clément). ♦ Ingénieur et inventeur français (Muret, 1841 – Toulouse, 1925). Il réalisa un ballon (1870) et un appareil plus lourd que l'air (baptisé *avion*) qui parvint à voler (1890).

ADHERBAL. ♦ Général carthaginois (~ IIIe s.). Il vainquit le consul romain Claudius* Pulcher à Drepanum **(V. Trapani)** lors de la première guerre Punique* (~ 249).

ADHERBAL. ♦ Roi de Numidie (~ 118 – ~ 112), cousin de Jugurtha. **V. Jugurtha.**

ÂDI-BUDDHA. ♦ Divinité bouddhique, Bouddha « primordial » de certaines philosophies religieuses bouddhiques tibétaines et népalaises, considérée comme étant à l'origine des mondes créés et non créés, et d'où émaneraient les cinq Jina* (ou Dhyanî-buddha).

ADIGE. *n. m.* ♦ Fl. d'Italie qui prend sa source dans les Alpes au col de Resia, arrose Trente* et Vérone*, puis se jette dans l'Adriatique. 410 km. ♦ *Hist.* **V. Trentin** (Haut-Adige).

ÂDIL SHÂHÎ. *n. m. pl.* ♦ Dynastie indo-musulmane de Bijapur (Dekkan, Inde), fondée en 1489 par Yûsuf Âdil khân. Elle eut neuf sultans et fut éliminée en 1680 par Aurangzeb* qui annexa son territoire.

ADIRONDACKS *(monts).* n. m. pl. ♦ Massif cristallin des États-Unis (État de New York) dominant le lac Champlain* (1 628 m). Industrie du bois, hydro-électricité.

ADJARIE. *n. f.,* en russe *Adjarskaja* A.S.S.R. ♦ République autonome de l'U.R.S.S., dépendance de la République fédérée de Géorgie*. 3 000 km². 310 000 hab. *(Adjars). Cap.* Batoumi*. Cultures subtropicales (agrumes, thé, tabac).

ADLER (Victor). ♦ Homme politique autrichien (Prague, 1852 – Vienne, 1918). Fondateur et leader réformiste du Parti social-démocrate autrichien, il prit, comme député de Reichenberg (Bohême, 1905), une part active à la lutte pour le suffrage universel, joua un rôle important au sein de la IIe Internationale, et fut un adversaire des antisémites viennois. ♦ FRIEDRICH ADLER, son fils. Homme politique autrichien (Vienne, 1879 – Zurich, 1960). Leader du Parti social-démocrate autrichien, il assassina le Premier ministre autrichien, le comte Stürgkh (1916).

ADLER (Guido). ♦ Musicologue autrichien (Eibenschütz, 1855 – Vienne, 1941). Élève de Bruckner, puis professeur à Prague et à Vienne, il peut être considéré comme l'un des fondateurs de la musicologie moderne. Éditeur des *Monuments de l'histoire musicale en Autriche* (1894), il est aussi l'auteur d'un *Traité de l'art musical* (1924-1930).

ADLER (Alfred). ♦ Médecin et psychologue autrichien (Vienne, 1870 – Aberdeen, 1937). Élève et collaborateur de S. Freud* dont il se sépara en 1911, il dirigea l'Institut pédagogique de Vienne et enseigna la psychologie médicale aux États-Unis. Rejetant la théorie de l'étiologie sexuelle des névroses, il considéra celles-ci comme une exaltation de la personnalité (volonté de puissance) ayant pour but de compenser un « sentiment menaçant d'insécurité et d'infériorité » d'origine biologique, psychologique ou sociale. Sa psychologie individuelle veut être une analyse de la personnalité globale du sujet. (*La compensation psychique de l'état d'infériorité des organes,* 1933; *Le Tempérament nerveux,* 1912; *La Connaissance de l'homme,* 1927.)

ADLER (Max). ♦ Homme et écrivain politique autrichien (1873 – 1937). Représentant de la gauche du parti social-démocrate autrichien, il fut le théoricien des conseils ouvriers (*Démocratie et conseils ouvriers,* trad. fr. 1967). Si la lutte des classes est le résultat du développement des forces productives, elle consiste aussi, selon lui, dans un affrontement de jugements moraux.

ADLERCREUTZ (Kaarle Juhana, *comte d'*). ♦ Général suédois (Kiala, Finlande, 1757 – Stockholm, 1815). Il joua un rôle important au cours de la campagne de 1808 face aux Russes et fut l'un des chefs de la Révolution de 1809.

ADLISWIL. ♦ V. de Suisse (cant. de Zurich) à l'O. du lac de Zurich. 9 200 hab. Indus. textile.

ADMÈTE, en gr. **Admêtos.** ♦ Un des Argonautes*, roi légendaire de Phères* (Thessalie) qui accueillit Apollon* banni de l'Olympe. Sa femme Alceste* se sacrifia afin qu'il fût immortel.

Ph. Ian Berry/Magnum

Konrad Adenauer.

Adolphe. ♦ Roman de B. Constant* (Londres, 1816; écrit en 1806) qui peint la « relation terrible qui est celle d'un homme qui n'aime plus et d'une femme qui ne veut pas cesser d'être aimée » *(Journaux intimes).* Transposition du « perpétuel orage » que fut la liaison de l'auteur avec Mme de Staël*, ce récit à la première personne peint « le mal que font éprouver même aux cœurs arides les souffrances qu'ils causent ». Le héros, sensible et égoïste, est irrémédiablement conscient de l'inutilité de tout effort volontaire et, balançant entre la pitié et la lassitude, se détache d'Ellénore dont il cause la mort. B. Constant démonte le mécanisme de cette « incertitude » en une langue précise jusqu'à la sécheresse, n'évoquant le décor qu'en fonction des sentiments (X^e chap. : *dernière promenade d'Ellénore).*

ADOLPHE DE NASSAU. ♦ (v. 1250 – 1298). Empereur germanique (1292-1298). Allié à Édouard Ier d'Angleterre contre la France (1294), il fut battu et tué à la bataille de Göllheim par Albert* de Habsbourg (1298).

ADOLPHE-FRÉDÉRIC. ♦ (Gottorp, 1710 – Stockholm, 1771). Roi de Suède (1751-1771). Fils du duc de Holstein-Gottorp, il fut imposé comme héritier de Frédéric* Ier par la Russie, à la suite de la paix d'Åbo (Turku*), et ne sut pas imposer son autorité aux « Bonnets* » et aux « Chapeaux ».

ADONAÏ (en hébr. « mon seigneur »). ♦ Une des appellations du Dieu de la Bible. **(V. Iahvé, Jéhovah.)**

ADONIS (phénicien, *Adoni* « mon seigneur »). ♦ Divinité grecque d'origine phénicienne représentant le principe mâle de la reproduction. Selon la mythologie grecque, Adonis, jeune homme d'une grande beauté, aimé d'Aphrodite*, fut tué par un sanglier, mais Zeus, invoqué par cette dernière, le ressuscita et lui permit de passer une partie de l'année sur la terre et une autre partie aux Enfers près de Perséphone*. Il devint alors le symbole de la vie, de la nature. **V. Attis.**

Ph. Carlo Bevilacqua/Ricciarini

Vénus et **Adonis,** par Titien.
(Galerie Barberini, Rome.)

ADOR (Gustave). ♦ Homme politique suisse (Genève, 1845 – Cologny, 1928). Membre du Conseil national (de 1889 à 1917), président du Comité international de la Croix-Rouge, il fut président de la Confédération suisse (1919).

ADORF. ♦ V. de la République démocratique allemande (dans l'Erzgebirge*), district de Karl-Marx-Stadt. 8 000 hab.

ADORNO. ♦ Famille de Gênes, du parti gibelin*, qui disputa le pouvoir à la famille Fregoso* (du XIVe au XVIe s.). Elle donna à Gênes huit doges, dont : ANTOINE Ier, qui imposa à Gênes la suzeraineté du roi de France Charles* VI ; PROSPER, qui chassa les Français ; ANTOINE II, expulsé en 1528 par Andrea Doria*.

ADORNO (Theodor Wiesengrund). ♦ Philosophe allemand (Francfort-sur-le-Main, 1903 – Viège, 1969). Outre des travaux de musicologie (*Philosophie der neuen Musik,* 1949, sur Wagner ; *Moments musicaux,* 1964), il a publié des ouvrages de philosophie de la connaissance (*Zur Metakritik der Erkenntnistheorie,* 1956 ; *Negative Dialektik,* 1966 ;...).

ADOUA ou **ADWA.** ♦ V. d'Éthiopie, anc. capitale du Tigré*. 6 000 hab. ♦ *Hist.* Les troupes italiennes de Baratieri* y furent vaincues par Ménélik II en 1896.

ADOUR. *n. m.* ♦ Fl. du S.-O. de la France (335 km). Il prend sa source près du Pic du Midi de Bigorre dans les Pyrénées, traverse Bagnères*-de-Bigorre, Tarbes*, Dax*, Bayonne*, et se jette dans l'Atlantique.

ADRANO. ♦ V. d'Italie, en Sicile (province de Catane), au pied de l'Etna. 29 000 hab.

ADRAR. ♦ Oasis du Sahara algérien (dép. de la Saoura), située dans le Touat*.

ADRASTE, en gr. **Adrastos.** ♦ Roi mythique de Sicyone* et d'Argos*. Il accueille Polynice* chassé de Thèbes par Étéocle* et organise contre ce dernier la guerre des Sept* Chefs **(V. Tydée).**

Adresse (Droit d'). ♦ Acte par lequel le Parlement adresse au souverain l'expression de ses vœux dans les limites de ses droits constitutionnels. Il joua lors de la Restauration un rôle politique relativement important. L'adresse de 1830, en réponse au discours du trône **(V. Charles X),** appelée *Adresse des 221,* entraîna la dissolution de la Chambre des députés et constitua le prélude de la Révolution* de juillet 1830.

ADRETS (François de Beaumont, *baron des***).** ♦ Homme de guerre français (La Frette, Dauphiné, 1513 – *id.,* 1586). Il oscilla entre la réforme et le catholicisme, dévasta le Midi pour le compte des protestants, qu'il combattit ensuite avec le même acharnement.

ADRIA. ♦ V. d'Italie du N.-E., en Vénétie (prov. de Rovigo). 26 000 hab. Anc. port de mer, elle a donné son nom à la mer *Adriatique.* Les alluvions du Pô l'ont éloignée de la côte de 18 km.

ADRIAN (Edgard Douglas). ♦ Médecin anglais (Londres, 1889 –). Il obtint avec Sherrington* le prix Nobel de méd. (1932) pour ses travaux sur la physiologie du système nerveux et le fonctionnement des neurones.

ADRIATIQUE. *n. f.* ♦ Mer formée par la Méditerranée, entre l'Italie et la péninsule balkanique (Yougoslavie et Albanie). 131 500 km², 800 km de long et 220 km de large. Elle comprend au N. le golfe de Trieste, et au S. le golfe de Tarente et le canal d'Otrante. L'opposition entre l'O. et l'E. est très marquée. La côte italienne, excepté la saillie du Gargano, est rectiligne et plate. Le littoral yougoslave est découpé et bordé d'îles **(V. Dalmatie).** – *Fl. tributaires.* (Italie) **V. Adige, Brenta, Métaure, Ofanto, Piave, Pô, Reno, Tagliamento, Tronto.** *(Albanie)* **V. Drin.**

ADRIEN. ♦ V. HADRIEN.

ADRIEN *(saint).* ♦ Martyr à Nicomédie v. 303.

ADRIEN Ier. ♦ 95e pape (772-795 [mort]). Romain. Contre la menace lombarde, il fit appel à Charlemagne qui vainquit Didier (774), et renouvela, en l'étendant, la donation de Pépin **(V. Étienne II).** Il approuva, avec des restrictions, les décisions du concile de Nicée* (787) mettant fin à la première crise iconoclaste*.

ADRIEN II. ♦ 106e pape (867-872). Romain. Il réconcilia Lothaire II **(V. Nicolas Ier)** ; il accepta la liturgie slavonne des saints Cyrille* et Méthode* qu'il accueillit à Rome (867).

ADRIEN III *(saint).* ♦ 109e pape (884-885 [mort]). Romain. Fête le 8 juillet.

ADRIEN IV (Nicholas Breakspear). ♦ (Langley, Hertfordshire, v. 1100 – Anagni, 1159). 167e pape (1154-1159), anglais, ancien cardinal-évêque d'Albano. Il vainquit la commune de Rome et fit mettre à mort Arnaud* de Brescia, avec l'aide de Frédéric* Barberousse (1155). Il couronna ce dernier empereur (1156) mais se heurta à ses ambitions et dut fuir Rome (1159).

ADRIEN V (Ottobuono Fieschi). ♦ (? – Viterbe, 1276). 184e pape, en juillet-août 1276, Génois.

ADRIEN VI (Adrian Floriszoon). ♦ (Utrecht, 1459 – Rome, 1523). 216e pape, (1522-1523), ancien évêque de Tortosa et lieutenant de Charles* Quint pour l'Espagne. Flamand hostile au luxe, il tenta sans succès une réforme de la cour pontificale et de l'Église. Il est le dernier pape non italien.

ADRUMÈTE. ♦ V. HADRUMÈTE.

ADUATUQUES. *n. m. pl.,* en lat. **Aduatuci.** ♦ Peuple de la Gaule belgique issu des Cimbres* ou des Teutons*, établi dans la région de Namur* et de Liège*. Ils furent vaincus par César* en ~ 57.

ADUD AL-DAWLA. ♦ Prince de la dynastie bûyide* (Ispahan, 936 – Baghdâd, 983). Régnant en Perse à partir de 950, il domina ensuite l'Iraq.

ADULA. *n. m.* ♦ Massif des Alpes suisses à la limite des Grisons* et du Tessin*, culminant au Rheinwaldhorn (3 402 m).

Advaita, *n. m.* ♦ Doctrine hindoue védântique non dualiste (monisme qualifié), issue de l'enseignement des *Veda** et exposée principalement par Śankarâchârya* (v. 800), puis par le sage Râmânuja* au XIe siècle. Le texte majeur de cette philosophie est la *Bhagavad*-Gîtâ.*

ADWA. ♦ V. ADOUA (V. d'Ethiopie).

ADY (Endre). ♦ Poète hongrois (Erdmindszent, 1877 – Budapest, 1919). Né dans une famille de la petite noblesse calviniste, il fit des études de droit et fut pendant un certain temps journaliste. Il fit un voyage à Paris en compagnie d'Adel Brüll, femme d'une culture exceptionnelle, et subit alors l'influence de Baudelaire et Verlaine. Après la Première Guerre mondiale, il revint plusieurs fois à Paris. En 1906, il publia *Nouveaux Vers* qui apparut comme révolutionnaire ; les neuf volumes de poésie qu'Ady publia par la suite ne cessèrent de soulever des controverses. Ses poèmes d'amour sont pleins de sensualité, ses poèmes politiques, au lieu d'exalter le passé glorieux et la grandeur des Magyars, évoquent un petit pays isolé ; quant à ses poèmes religieux, ils parurent blasphématoires. La langue poétique d'Ady est d'une richesse exceptionnelle, empruntant des éléments au vocabulaire populaire, biblique, à la langue des Kuruc, créant des mots nouveaux, juxtaposant hardiment des archaïsmes et des néologismes, employant la métonymie de manière originale. Œuvres princ. : *Sang et Or* (1907), *Sur le char d'Élie* (1908), *J'aimerais que l'on m'aime* (1910), *À la tête des morts* (1918).

ADYGHÉENS (Territoire des), en russe **Adygheiskaïa Avtonomnaja Oblost'.** ♦ Région autonome de l'U.R.S.S., au sein de la R.S.F.S. de Russie*, au N. du Caucase occidental et en bordure de la mer Noire. 8 000 km². 379 000 hab. *Cap.* Maïkop*. Gisement de pétrole (près de Maïkop). Cultures céréalières, maraîchères et fourragères. Tabac, riz. Élevage bovin, porcin et ovin. Traitement du bois.

AEBA KÔSON. ♦ Journaliste et écrivain japonais (1885 – 1922), spécialiste des littératures japonaises de l'époque d'Edo (1615-1868), et critique de théâtre. Il est l'auteur de nombreuses œuvres d'analyse littéraire, de nouvelles et d'essais.

A.-É. F. *n. f.* ♦ V. AFRIQUE-ÉQUATORIALE FRANÇAISE.

AELFRIC (dit **Grammaticus,** *le grammairien*). ♦ Érudit anglo-saxon (v. 955 – Abbaye de Eynsham, v. 1020). Sa prose était faite non pour être lue mais scandée, et la fréquence des allitérations comme le rythme lui confèrent un caractère poétique. Ses *Homélies* (990-992), traduites des Pères de l'Église, commémorent les saints révérés par l'Église anglo-saxonne. Sa *Grammaire latine (Colloquium)* contient le premier dictionnaire latin-anglais. Aelfric écrivit encore des *Vies de Saints* et traduisit le *De Temporibus* de Bède*. Son œuvre (la première œuvre anglo-saxonne publiée) fut largement utilisée dans un but didactique lors du renouveau monastique au Xe s. ; on continua de l'étudier durant tout le Moyen Âge.

AELTRE, en néerl. **Aalter.** ♦ V. de Belgique (prov. de Flandre orientale, arr. de Gand). 7 900 hab. Indus. textiles.

AENEAS SILVIUS. ♦ V. PIE II.

AENÉSIDÈME, en gr. **Ainésidêmos.** ♦ Philosophe grec sceptique (Cnossos, Ier s.). Il enseigna la philosophie à Alexandrie. C'est lui qui ramena à dix les arguments des Sceptiques sur les motifs de douter (ou tropes).

AEPINUS (Franz Ulrich Hoch, dit**).** ♦ Physicien et médecin allemand (Rostock, 1724 – Dorpet, 1802). Il découvrit la pyroélectricité. Il passe pour avoir eu le premier l'idée de l'électrophore et du condensateur électrique.

AERØ. ♦ Île du Danemark, au S. de la Fionie*, à l'entrée S. du Petit-Belt*. 90 km². 10 700 hab. – Tourisme.

AERTSEN ou **AERTSZ (Pieter,** dit **Lange Pier** ou **Pierre le Long).** ♦ Peintre d'origine néerlandaise (Amsterdam, v. 1508 – *id.,* 1575). Maître à la gilde d'Anvers en 1535, il s'établit en 1556 à Amsterdam. Il réalisa des portraits et de grands retables aux accents héroïques qui s'apparentent au maniérisme nordique et se caractérisent par la richesse du chromatisme, la vigueur du modelé et l'importance accordée à la nature morte et à l'observation réaliste des types populaires. Contribuant à former un lien entre les écoles anversoise et néerlandaise, il joua un rôle décisif dans l'élaboration de la nature morte et de la scène populaire *(Les Crêpes, La Cuisinière, La Laitière).* Il figura des amoncellements de légumes, fruits et victuailles aux tons francs et carminés, d'un réalisme parfois trivial et cocasse *(Marchande de fruits et légumes,* 1562 ; *Étal de boucher).*

AETHELWEARD (ou Ethelwerd). ♦ Chroniqueur anglo-saxon (? – 998). Descendant du roi Alfred, il écrivit pour l'abbesse d'Essen des chroniques en un latin élaboré. Aethelweard fut le protecteur d'Aelfric*.

AETIUS. ♦ Général romain (Durostorum, *auj.* Silistrie, Mésie, v. 390 – 454). Il s'imposa à Galla* Placidia et dirigea l'Empire avec elle pendant la minorité de Valentinien* III. Il défendit l'Empire contre les Wisigoths, les Burgondes et les Francs, et écrasa les Huns aux champs Catalauniques*. Valentinien III le fit assassiner.

AFANASIEVO. ♦ Site éponyme sibérien d'une culture néolithique remontant au ~ IIIe millénaire, caractérisée par des tombes à dalles et un important mobilier funéraire (poteries « cordées »).

AFARS et des ISSAS (Territoire français des), anc. **Côte**

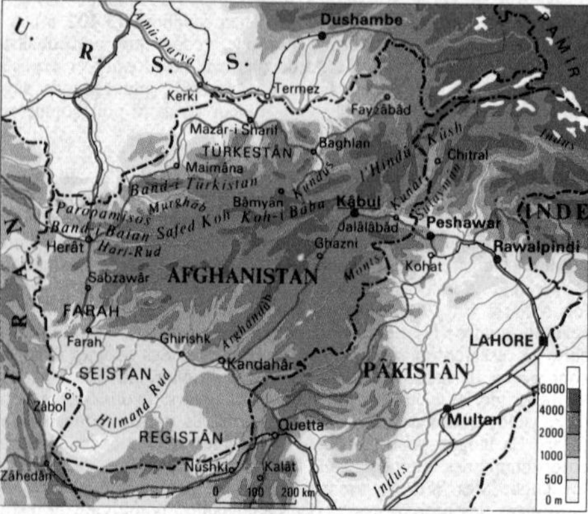

Afghânistân.

française des Somalis. ♦ Territoire de l'Afrique orientale limité au N. et à l'O. par l'Éthiopie*, au S. par la Somalie*, et à l'E. par le golfe d'Aden* (océan Indien). 21 700 km². 125 000 hab. *Ch.-l. :* Djibouti. *Langue :* français (off.). *Pop. :* Hamites (Afars, Issas et Somalis). *V. et localités princ.* **V. Obock, Tadjoura.** – Territoire d'une extrême aridité, au climat torride et à la végétation très éparse. L'économie du pays dépend du port libre de Djibouti*. ♦ *Hist.* L'implantation de la France a pour origine l'achat du poste d'Obock* en 1862. En 1884, le protectorat français fut étendu, puis le port de Djibouti fut créé. Colonie en 1886, puis territoire (d'outre-mer) de la *Côte française des Somalis* en 1946, le pays vota pour le maintien des liens avec la France aux référendums de 1958 et 1967, et prit le nom de *Territoire français des Afars et des Issas.* Un référendum décide de l'indépendance en 1977.

Affinités électives (Les), en all. **Die Wahlverwandschaften.** ♦ Roman de Goethe* (1808-1809). Écrite sous l'influence de son amour pour Minna Herzlieb et de la philosophie romantique de la nature, cette œuvre est la transposition psychologique d'une loi chimique (« attractio electiva duplex » – figurant dans le Dictionnaire de Physique de Gehler [1787-1795] et énoncée par le suédois Bergman). Elle raconte l'histoire d'un couple, apparemment uni et heureux (Charlotte et Édouard) dont les relations se défont sous l'influence de deux êtres : un de ses amis (le Capitaine) et une de ses nièces (Odile), pour former, selon la loi des affinités électives, deux nouvelles relations. Proche de Werther ou des œuvres romantiques par l'analyse de la passion, de ses progrès, ce roman est toutefois placé sous le signe du renoncement. Partagés entre la passion et le devoir, les personnages ne peuvent trouver le bonheur ni dans un abandon à leur inclination naturelle ni dans le respect de l'ordre éthique.

AFFRE (Denis Auguste). ♦ Prélat français (Saint-Rome-de-Tarn, 1793 – Paris, 1848). Archevêque de Paris en 1840, il fonda l'École des Carmes et laissa plusieurs ouvrages de théologie, dont une réfutation de l'ultra-montanisme (*Essai historique et critique sur la suprématie des papes et de l'Église,* 1829). Il fut tué faubourg Saint-Antoine lors de l'insurrection de juin 1848.

AFGHÂNISTÂN. *n. m.* ♦ État (république : juillet 1973) d'Asie centrale limité à l'O. par l'Iran*, au N. par l'Asie centrale soviétique, au S. et à l'E. par le Pâkistân, au N.-E. par le Hsin*-Kiang. 650 000 km². Env. 16 000 000 hab. *(Afghâns). Cap.* **V. Kâbul.** *V. princ. et sites* **V. Ghâzni, Herât, Kandahâr, Jalâlâbâd, Mazâr-i Sharîf; Bâmyân, Begram, Hadda, Mundigak.** *Religion princ.* Islâm (hindouisme : 100 000 personnes). *Langues :* pushtû, persan. *Monnaie :* afghânî. *Prov. historiques* **V. Nûristân, Kapisa, Seistan.** Pays montagneux (derniers contreforts de l'Hindûkûsh et du Pamîr à l'O.), au relief formé de chaînes orientées E.-O., séparées par de profondes vallées où coulent des fleuves affluents de l'Indus* ou de l'Amoû*-dariâ. La partie septentrionale du pays est aride (Türkestân* afghân), ainsi que celle du S.-O. où se trouvent des déserts salés, des steppes et des marécages dans lesquels se perd le fleuve Hilmand. – *Orogr.* **V. Fîrûz-kûh, Hindû-Kush ; Kûh-i Bâbâ, Sulaymân.** – *Hydrogr.* **V. Harî Rud, Hilmand Rud, Kunar, Kundus, Murghâb.** – La population est composée de peuples d'origine indo-européenne, d'Iraniens (Afghâns et Tadjiks*) cultivateurs sédentaires, et de Türko-mongols (Üzbek, Kirghiz et Hazâra) plus ou moins nomades, à côté de peuplades montagnardes telles que les Ḳâfir*. – Climat continental, à hivers très rudes et étés brûlants. – *Écon.* On y élève dans le N. des moutons Karakul. La culture du coton se fait principalement dans le Türkestân*, sur les bords de l'Amû-dariâ. Les autres régions cultivent fruits, céréales et légumes. Horticulture dans la région de Kabul et de Kandahâr. Le sous-sol contient des richesses (houille, fer, zinc, plomb, pétrole) peu exploitées, par manque de moyens de transport. Les seules indus. importantes sont les textiles et les cimenteries. En revanche, l'artisanat est très actif (soie, tapis, cuirs, bois). – *Communications.* Les chemins de fer sont inexistants et le réseau routier peu développé. Depuis 1955, des lignes aériennes relient les princ. villes. Aéroports internationaux (à Kâbul et à Kandahâr). – *Commerce.* Les échanges se font principalement avec les pays voisins (Pâkistân, U.R.S.S., Inde et Iran) et avec les États-Unis. ♦ *Hist.* Plaque tournante au carrefour des grandes routes reliant les mondes iranien, chinois et indien, l'Afghânistân fut souvent envahi. Une dynastie indo-grecque s'établit en Bactriane* (à Balkh, près de Mazâr-i Sharîf). Au Ier s., des Scythes **(V. Saka)** régnèrent en Afghânistân. Puis les Kusân, venus d'Asie centrale s'y installèrent. Vers la fin du Ve s., le pays fut partagé entre les Perses sassanides et les Huns hephtalites. Il fallut attendre le début du IXe s. pour que l'influence musulmane s'y fasse sentir **(V. Ghaznévides).** Conquis par Temüjin*, puis par les Timûrides, l'Afghânistân connut de nombreuses dynasties qui, presque toutes, tentèrent de conquérir l'Inde du Nord. L'une d'elles devint en Inde la dynastie des grands Moghols. La dernière dynastie, celle des Durânî*, venue au pouvoir en 1747, s'opposa sur ses frontières orientales aux Anglais qui tentaient de contrecarrer la progression de l'influence russe dans ce secteur, afin de protéger leur empire des Indes. Deux guerres anglo-afghânes **(V. Dust Muhammad, Roberts)** aboutirent à la délimitation des frontières et des influences étrangères. En 1921 enfin, après une troisième guerre, l'Angleterre reconnut l'indépendance de l'Afghânistân et, en 1923 l'émir Amân Allâh fut couronné roi. Son oncle Nâdir shâh lui succéda en 1929, mais fut assassiné en 1933 et son fils, Muhammad Zâhir shâh fut renversé en juillet 1973. Des tensions internes subsistent encore cependant (la province S.-E. du Pakhtûnistân, composée essentiellement de tribus nomades est partagée avec le Pâkistân et demande son indépendance). Patrie de Abdalî (émir), Amân-Allâh, Alfvardî Khân, Alptegîn, Amân Allâh Khân, Ayub Khân, Bacha Saqao, Bahlûl Lodî, Bihzâd, Dust Muhammad Khân, Habib Allâh Khân, Mahmûd de Ghaznî, Mîr Alî Shîr Newaî, Muhammad Zâhir Shâh, Nadir Shâh, Rumi (Jalal ud-Dîn), Timûr Shâh, Zahîr Shâh. – Dynasties afghânes de l'Inde **(V. Lodî, Muhammadzai).**

Ph. Nino Cirani/Ricciarini

Afghânistân : enfants mongols, dans la région de Bâmyân.

A.F.L. – C.I.O. ♦ Sigle de : *American Federation of Labour and Congress of Industrial Organisations.* La plus puissante centrale syndicale des États-Unis, formée en 1955 par la réunion de l'A.F.L. et de la C.I.O. – **L'A.F.L.** fut fondée en 1886 par S. Gompers* en vue d'adapter le capitalisme aux besoins des travailleurs : syndicat « de métier » très modéré, il rassemblait en 1918, 5 millions d'adhérents. Une scission se fit au sein de l'A.F.L. à partir de 1934 : John Lewis rassembla les ouvriers des secteurs clés de l'industrie (sidérurgie, automobiles) dans le **C.I.O.,** plus dynamique et politisé que son concurrent. Mais à partir de 1950, le C.I.O. exclut les syndicats à direction communiste, et la fusion put à nouveau avoir lieu avec l'A.F.L.

AFLOU. ♦ V. d'Algérie, ch.-l. d'arr. du dép. de Tagdempt, située sur le versant N. du dj. Amour*. 9 154 hab. Marché de moutons.

AFRANIUS (Lucius). ♦ Auteur comique romain (~ IIe s.). Il reste de son œuvre, inspirée de Ménandre et Térence, 43 titres et de brefs fragments.

AFRÎDÎ. *n. m. pl.* ♦ Ensemble de tribus de langue pushtû des frontières N.-O. du Pâkistân occidental, qui nomadisent dans les passes de Khaibar et du Kohat, et sur les monts Sulayman. Elles se rendirent célèbres pour leur résistance acharnée aux Anglais lors des deux guerres « afghânes » de la fin du XIXe siècle.

Afrikaans. *n. m.* ♦ Variété de néerlandais parlée par les Afrikaners, descendants des Boers*. **V. Afrique du Sud.**

AFRIKAKORPS. *n. m.* ♦ Forces allemandes envoyées en Libye* puis dans toute l'Afrique du Nord sous le commandement du maréchal Rommel*, en février 1941, pour aider les Italiens mis en difficulté par une offensive anglaise. À la suite de la défaite d'El-Ala-

Afrique politique.

mein* et du débarquement allié en Algérie, l'Afrikakorps dut capituler (mai 1943).

AFRIQUE. *n. f.* ♦ Une des cinq parties du monde, la plus étendue après l'Asie. 30 300 000 km² env. 390 000 000 hab. env. (y compris les îles voisines). Le continent africain est baigné au N. par la Méditerranée, à l'O. par l'océan Atlantique, au S. et à l'E. par l'océan Indien (canal de Mozambique*), au N.-E. par la mer Rouge; il est rattaché à l'Asie (péninsule du Sinaï*) par l'isthme de Suez*. Le continent, lourd et massif, est constitué par le vieux socle précambrien consolidé par la cristallisation; les zones plissées sont marginales. Au N.-O., s'élève la chaîne de l'Atlas*, au S. les reliefs du Cap qui culminent dans le Drakensberg*. À l'opposition qui existe entre l'Afrique méditerranéenne **(V. Maroc, Algérie, Tunisie, Libye, Égypte)** et l'Afrique du sud du Sahara, dont l'ensemble est constitué en majeure partie de plateaux et de dépressions, il faut souligner la distinction entre une basse Afrique occidentale et une haute Afrique orientale. En effet, l'*Afrique orientale* offre une suite de fossés d'effondrements *(Rift Valley)* et de volcans formant une grande fracture orientée selon une direction méridienne depuis les côtes du Mozambique jusqu'aux fossés tectoniques de la mer Rouge. Cette fracture forme deux branches, une branche orientale occupée par le lac Rodolphe*, le mont Kenya (5 194 m), le Kilimandjaro* [auj. Uhuru] (5 963 m, point culminant du continent) et le cratère éteint du N'Gorongoro* et une branche occidentale où se trouvent plusieurs grands lacs **(V. Albert, Édouard, Kivu, Tanganyika)** et l'ensemble montagneux du Ruwenzori*; les deux branches se rejoignent au S., au lac Malawi*. En outre, d'autres formations volcaniques existent sur le continent **(V. Hoggar, Cameroun** [mont]**)** et dans les îles de l'Atlantique et de l'océan Indien, en particulier à Madagascar* **(V. Tsaratanana).** Les côtes africaines, à l'exception de celles d'Afrique méditerranéenne offrent une succession de courbures convexes et concaves et des sections rectilignes comme la mer Rouge et la côte orientale de Madagascar, généralement ourlées d'un bourrelet montagneux (qui a fait dire du continent africain « qu'il tournait le dos à la mer »). Les courants établis sur la façade atlantique sont symétriques de part et d'autre de l'équateur : au N., le courant des Canaries*, au S. le courant de Benguela*; entre ces deux courants froids le contre-courant équatorial de Guinée*. Sur la façade de l'océan Indien, le courant chaud du Mozambique* progresse vers le S. et au N. de l'équateur les courants marins se renversent avec le changement saisonnier de la direction des vents. Le réseau hydrographique est caractérisé par l'existence de vastes bassins, de dépressions ou de fossés dont les eaux finissent en général par gagner la mer en traversant les bourrelets côtiers; la zone d'endoréisme se limite au bassin du Tchad*. Les plus vastes bassins se situent à l'O. **(V. Sénégal, Niger, Congo),** au N.-E. **(V. Nil)** et au S.-E. **(V. Zambèze).** Mais, « c'est le *climat* qui

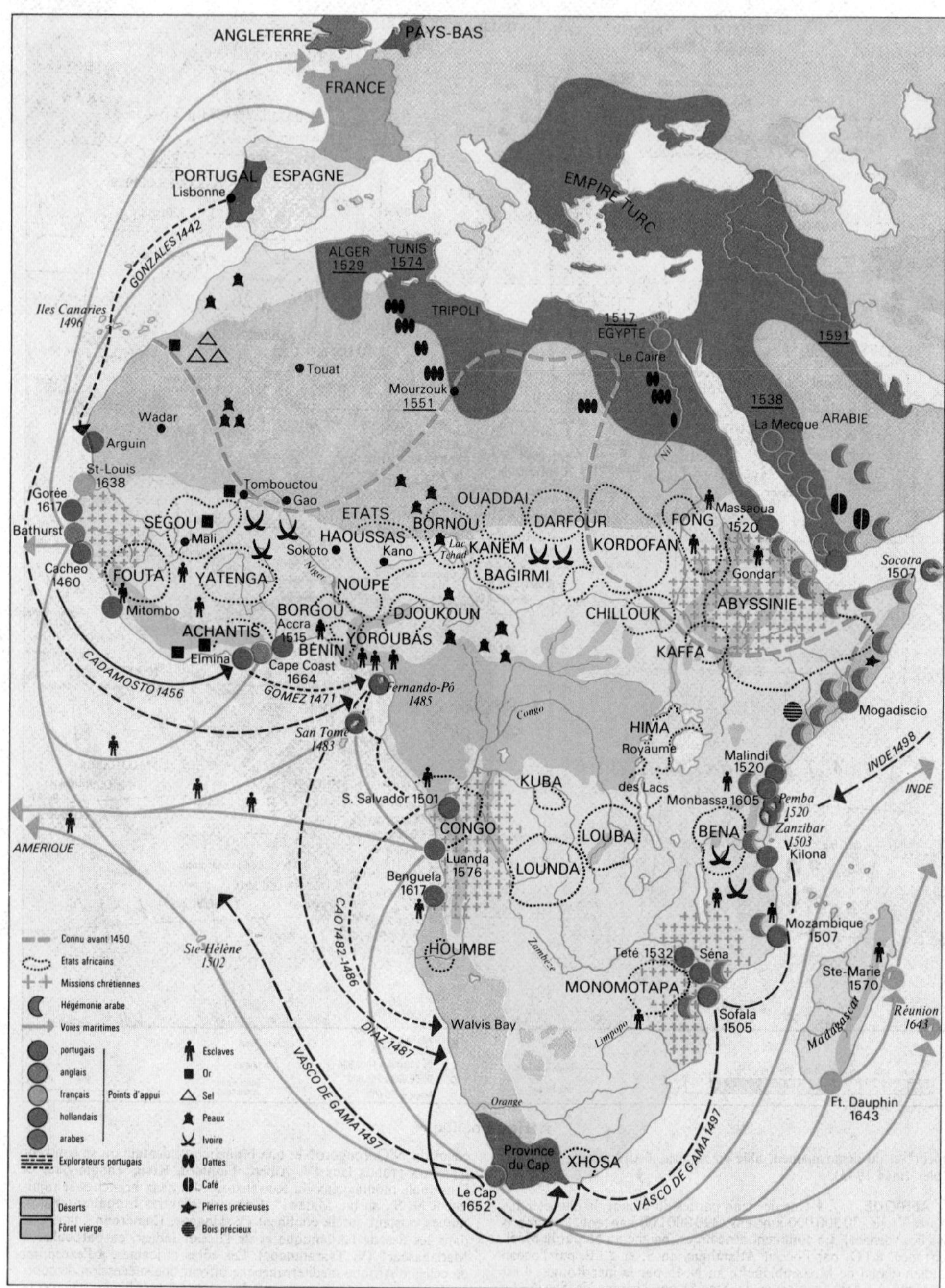

Exploration de l'**Afrique** par les Européens (XVe-XVIIe s.).

constitue le trait dominateur de ce vaste ensemble géographique. Le relief n'intervient de-ci, de-là, que pour ajouter des nuances » (H. Isnard). Coupée en deux moitiés à peu près égales par l'équateur, l'Afrique est en majeure partie comprise entre les deux tropiques, mais la moitié N., largement étalée d'O. en E., est plus continentale que la moitié S. qui se termine en pointe et subit plus facilement les influences océaniques. Une symétrie s'établit de part et d'autre de l'équateur, domaine du climat équatorial humide et de la forêt dense. Près de l'équateur, le climat est tropical avec une saison humide et une saison sèche, domaine de la savane aux hautes herbes dominée par quelques arbres qui fait place au S. et au N. à la brousse épineuse (climat subdésertique ou sahélien). Sur le tropique du Cancer au N. se situe le Sahara*, sur le tropique du Capricorne au S.-O., le désert du Kalahari*, tandis que les deux extrémités S. et N. de l'Afrique ont un climat et une végétation méditerranéens. — *Peuplement :* Deux zones principales sont à distinguer. L'AFRIQUE BLANCHE ou méditerranéenne s'étend jusqu'à la lisière S. du Sahara; elle est peuplée par des populations de race blanche **(V. Berbère)** et d'origine sémite **(V. Arabe),** et des populations fortement métissées aux abords du Sahara, souvent répandues au S. **(V. Peuls, Foulbés, Maures, Toubou**[s]**)**. En AFRIQUE NOIRE, on distingue généralement une race *mélano-africaine* qui se divise en un certain nombre de sous-races auxquelles on donne des appellations géographiques (Soudanais [Bambaras*, Haoussas*, Mandings*, Malinkés*, Ouolofs*], Guinéens, Congolais, Nilotiques, Sud-Africains [parmi lesquels certains Malgaches]). La région la plus orientale est occupée par la race éthiopienne, semi-kamite (Gollas et Abyssins). Dans la grande forêt équatoriale vivent les Négrilles ou Pygmées*. Enfin, à l'extrémité S.-O. du continent, vivent actuellement deux groupes humains en voie de disparition : les Bochimans* et les Hottentots* (race khoisan) refoulés par les Bantous*. Le cas très particulier de l'Afrique* du Sud a amené l'établissement d'Européens, les Boers* d'origine hollandaise parlant l'afrikaans*. Les langues africaines comprennent les langues soudanaises, nilotiques, les langues bantoues parlées de l'équateur au Cap. Les langues chamito-sémitiques comprennent les langues sémitiques, berbères et couchitiques. La pénétration de l'Islâm d'abord vers le N.-O. et le S.-E. **(V. Zanzibar, Comores)** s'est accentuée au cours des siècles jusqu'au golfe de Guinée et au massif de l'Adamaoua*, tandis que la colonisation européenne introduisait la chrétienté en pays animiste; le christianisme était représenté par les églises orientales *coptes,* implantées au Vᵉ s. en Égypte et en Éthiopie. Christianisme et Islâm se partageraient aujourd'hui 35 % de la population africaine, dont la majorité est animiste. — *L'économie* des pays africains dans leur ensemble pose tous les problèmes des pays « en voie de développement ». À l'exception du cas très particulier de l'Afrique* du Sud, la naissance d'industries est entravée par le manque de capitaux, lié au niveau mondial du prix des matières premières, et par la pauvreté du marché intérieur. L'Algérie* cependant, avec son potentiel énergétique (pétrole, gaz naturel) s'est lancée dans une politique d'industrialisation qui constitue le moteur de « décollement » économique du pays. Les autres pays du Maghreb* (Maroc*, Tunisie*) se heurtent, comme d'ailleurs l'Algérie et l'ensemble des pays d'Afrique méditerranéenne, aux problèmes suscités par une croissance démographique trop rapide et à ceux de l'emploi. La Libye*, aux neuf dixièmes saharienne, vit presque exclusivement de ses ressources pétrolières tandis que l'économie agricole de l'Égypte*, elle aussi en voie d'industrialisation, est étroitement liée à la présence du Nil*. En opposition à ces pays, l'Afrique du S. du Sahara, a une densité de population extrêmement faible, de l'ordre de 10 hab. au km². C'est le continent agraire par excellence et la vie pastorale y est sous la dépendance étroite des conditions naturelles; l'élevage est exclu de la zone équatoriale (épizooties), important dans la zone sahélo-désertique et la savane. Le troupeau bovin (bœufs, zébus) compte 60 à 70 millions de têtes. L'agriculture vivrière s'est diversifiée et donne un grand nombre de productions : millet, sorgho, igname, taro, manioc, maïs, haricot niébé, riz (introduit récemment et qui est la culture traditionnelle de Madagascar*). L'économie agricole moderne a été introduite en Afrique par la colonisation européenne, au XIXᵉ s., sous forme d'une agriculture de plantations destinée à l'exportation. Chaque zone climatique a les siennes : en milieu équatorial, exploitation des essences végétales de la zone forestière **(V. Gabon)**; en milieu subéquatorial, cacao, palmier à huile, hévéa; en milieu tropical sec, coton, arachide, sisal, canne à sucre. À ces productions de base, il faut ajouter les fruits tropicaux (bananes, ananas). La transformation sur place d'une partie de la production a fait naître une industrie moderne. Mais, parfois, la monoculture soumet dangereusement l'économie du pays aux fluctuations des cours internationaux, d'où les divers plans de diversification des produits agricoles prévus par les États africains (Sénégal, Dahomey, etc.). Le Ghana* possède des ressources minières importantes et forme, avec la Côte*-d'Ivoire, le pôle de développement de l'Afrique occidentale. En effet, les pays qui disposent de ressources minières, dont l'Afrique est riche dans son ensemble (or, diamant, cobalt, fer, cuivre, manganèse, bauxite, uranium, pétrole, gaz naturel), se trouvent dans une situation privilégiée. L'exploitation minière a suscité la construction de grands barrages **(V. Akosombo, Kariba, Sadd* el Ali)**. D'autre part, les pays africains et tout particulièrement ceux d'Afrique orientale **(V. Kenya, Tanzanie)** ont récemment développé leur industrie touristique. L'absence d'un réseau de transports suffisant est pour les États un facteur d'isolement et un frein à leur essor économique. En outre, la mise en valeur de l'Afrique tribale se heurte à la fragmentation du continent en nombreux États lors du partage colonial, et cela malgré les alliances économiques et commerciales (États riverains du Sénégal). « Avec ses trois secteurs juxtaposés : une agriculture vivrière assurant tant bien que mal la subsistance de chaque région, une agriculture de plantations et une industrie extractive, qui produisent pour l'exportation, l'économie du continent est davantage structurée pour le commerce extérieur que pour les échanges interafricains » (H. Isnard). ♦ *Hist.* Les découvertes récentes de fossiles africains font admettre à de nombreux spécialistes que c'est en Afrique que le rameau humain s'individualisa parmi les primates (découverte par le Dr Leakey, en 1959, dans Olduvai* Gorge [Tanzanie] du *Zinjanthrope,* hominidé en voie d'humanisation daté entre ~ 1 800 000 à ~ 800 000). Les sites préhistoriques du continent africain semblent privilégiés. Plusieurs découvertes d'Atlanthropes ont été faites au Maghreb (*Atlanthropus mauritanicus,* v. ~ 450 000, découvert par C. Arambourg* en Algérie). Les gravures ou peintures rupestres, œuvres de néolithiques de tradition capsienne, abondent au Maghreb et dans les massifs du Sahara central (Tassili* des Ajjers, Tibesti Ennedi, Fezzan. L'Est africain révèle des civilisations aussi importantes que celle des Sangoen en Tanzanie. Le Sud, particulièrement au Transvaal, offre des vestiges prébochimans, tandis qu'à l'O., la civilisation Nok **(V. Jos)** au Nigeria s'épanouit au ~ Iᵉʳ millénaire. Lorsqu'on aborde la période historique, on doit à nouveau faire une distinction entre l'*Afrique méditerranéenne* que l'on peut estimer connue et l'*Afrique subsaharienne,* qui fut longtemps la « terra incognita » des Européens. Leur unique lien fut, pendant longtemps, la vallée du Nil où se développa une brillante civilisation **(V. Égypte)**. Au ~ XIIᵉ s., les Phéniciens installèrent leurs premiers établissements et fondèrent Carthage*; c'est de là que partit Hannon* pour explorer la côte Atlantique de l'Afrique. Au ~ IIᵉ s., le N.-O. du continent fut conquis par les Romains **(V. Afrique** [province romaine d']). L'œuvre romaine devait être détruite par les Vandales* (Vᵉ s.) puis reprise par Byzance* (VIᵉ s.). L'arrivée des Arabes* (VIIᵉ s.) marqua l'unification religieuse de l'Afrique du Nord (et de l'Égypte) et la pénétration de l'Islâm jusqu'au centre du continent sous les Almoravides*, par le haut Nil et le Soudan, par les comptoirs arabes de la côte occidentale. De grands empires, établis près de la boucle du Niger, furent progressivement islamisés : empire du Ghana*, du Songhaï*, du Bornou*, du Kanem **(V. Tchad)**, du Mali*, des Yoroubas*, d'Oyo*, d'Achanti*, des Haoussas* et du Bénin*. D'autres peuples résistèrent, tels que les chrétiens d'Abyssinie **(V. Éthiopie)** et les Mossis*. C'est au XVᵉ s. que les Portugais, recherchant la route des Indes, progressèrent le long des côtes de l'Afrique. En 1488, B. Dias* doubla le cap de Bonne-Espérance; Vasco de Gama longea la côte orientale. Au XVIᵉ s. vint s'ajouter la traite des Noirs; celle-ci avait d'ailleurs toujours existé : les États soudanais participaient déjà à la traite transsaharienne. Le nombre des esclaves exportés en Amérique et aux Antilles progressa très vite en raison des besoins croissants en main-d'œuvre des plantations américaines. La traite ne se termina qu'au XIXᵉ s. Ce n'est qu'au milieu du XIXᵉ s. que les Européens commencèrent à explorer, puis à conquérir l'intérieur du continent africain : conquête de l'Algérie (1830-1847), pénétration au Sénégal (1854-1865) et en Afrique centrale, expéditions de Livingstone* et Stanley* (1850-1877) en Afrique australe et orientale, ouverture du canal de Suez* (1869), protectorat de la France sur la Tunisie* (1881), de l'Italie sur l'Abyssinie et la Somalie (1889). Bientôt commencèrent les luttes entre Européens pour la possession des territoires coloniaux : crise de Facho-

Ph. Nino Cirani/Ricciarini

Afrique : industrie du pétrole à Benghazi (Libye).

Ph. Ostuni-Diamante/Ricciarini

L'**Afrique** moderne :
Abidjan, capitale de la Côte-d'Ivoire.

da* (1898), rivalité franco-belge au Congo, réglée par la conférence de Berlin (1885), guerre du Transvaal entre Anglais et Boers **(V. Afrique du Sud,** *Hist.***)**, rivalité franco-allemande au Maroc (1905-1912). À la veille de la Première Guerre mondiale, l'Afrique était partagée entre la France (Maghreb, A.-O.F., A.-E.F., Madagascar, Côte des Somalis), l'Angleterre (Égypte, et tous les territoires entre le Soudan et le Cap sauf l'Afrique orientale allemande), l'Allemagne (Togo, Cameroun, Afrique orientale allemande), la Belgique (Congo), l'Espagne (Rio de Oro et Guinée), le Portugal (Angola et Mozambique), l'Italie (Somalie et Érythrée). Après la Première Guerre mondiale, les colonies allemandes passèrent sous contrôle français, anglais et belge. Les mouvements d'indépendance, amorcés avant la guerre (indépendance de l'Égypte, 1936) s'accélérèrent ensuite. Les Britanniques procédèrent peu à peu à partir de 1957 à une décolonisation, la République sud-africaine et la Rhodésie restant gouvernées par des minorités blanches. Du côté français, la conférence de Brazzaville (1944) énonça des principes nouveaux visant d'abord à l'intégration, et qui trouvèrent un début de réalisation dans la création de l'*Union française* devenue en 1958 la *Communauté* et qui fut de courte durée. À l'exception des présides espagnols **(V. Ceuta, Melilla)** et du Sahara* occidental (ancienne possession espagnole, jusqu'à l'accord de novembre 1975 entre l'Espagne, la Mauritanie et le Maroc), des Territoires français d'outre-mer (T.O.M. : Afars, Issas, Mayotte), du département français d'outre-mer (D.O.M.) de la Réunion*, les anciennes colonies africaines ont accédé à l'indépendance. Le continent africain s'efforce à présent de résoudre ses problèmes de développement économique, soit en maintenant ses rapports avec les anciennes métropoles, soit en s'engageant vers le socialisme. L'Afrique cherche aussi à trouver son équilibre en évitant la « balkanisation » et en s'unifiant. C'est vers ce but que tendent l'Organisation de l'unité africaine (O.U.A. créée à Addis-Abeba en 1963) et l'Organisation commune africaine et malgache (O.C.A.M. créée à Nouakchott en 1965).

AFRIQUE *(province romaine d'),* en lat. **Africa**. ♦ Province romaine correspondant à la Tunisie et à la Tripolitaine actuelles. Créée en ~ 146 après la destruction de Carthage*, l'*Africa* ne comprenait à l'origine que le territoire de Carthage et était limitée à l'O. par la *Fossa Regia,* fossé qui la séparait du royaume de Numidie. En ~ 46, après avoir vaincu Pompée et Juba* Ier à Thapsus*, César annexa la partie orientale de la Numidie qui prit le nom d'*Africa Nova* sous Auguste en 25. L'*Africa Nova* et l'*Africa Vetus* formaient la province d'*Afrique proconsulaire.* Sous Dioclétien* la partie de l'Africa située au N.-O. de la Petite Syrte, forma le *Byzacène (Byzacium)* avec pour capitale Hadrumète*. Devenue dès le IIIe s. l'un des plus importants foyers des lettres (Apulée*) et du christianisme (Tertullien*, Augustin*, Cyprien*), en Occident **(V. Carthage),** la région fut ruinée par les Vandales (429-439) puis reconquise par Bélisaire* pour les Byzantins en 533. La province d'Afrique survécut jusqu'à la conquête arabe **(V. Tunisie). V.** *aussi* **Numidie** et **Mauritanie.**

AFRIQUE DU NORD. ♦ Nom donné à l'ensemble des pays d'Afrique septentrionale formant le Maghreb* **(V. Algérie, Maroc, Tunisie)** et que l'on étend parfois à la Cyrénaïque* et à la Tripolitaine* **(V. Libye).**

AFRIQUE DU SUD. *n. f.,* ou **République sud-africaine**, en angl. **Republic of South Africa**, en afrikaans, **Republik van Suid-Afrika**. ♦ État fédéral de l'Afrique australe formé de quatre provinces et d'un territoire (voir *ci-dessous),* baigné à l'O. par l'océan Atlantique, à l'E. par l'océan Indien, limité au N.-O. par le Sud*-Ouest africain, au N. par le Botswana* et la Rhodésie* et à l'E. par le Mozambique* et le Ngwane* (ou Swaziland); l'État du Lesotho* y est totalement enclavé. L'Afrique du Sud est traversée au N. par le tropique du Capricorne. 1 221 037 km². 25 470 000 hab. *Cap.* Pretoria (cap. administrative), Le Cap* (cap. législative). *Langues :* afrikaans et anglais (off.); bantou. *Pop. :* Européens, Asiatiques (prov. du Natal), Métis (*Couloured :* métis des premiers colons et des Hottentots; prov. du Cap), Noirs. **V. Bantous, Bochimans, Hottentots.** *V. princ. :* **V.** prov. du **Cap.,** du **Natal,** de l'État libre d'**Orange,** du **Transvaal (V. Witwatersrand)** et **Transkei** (indépendant oct. 1976). — *Possessions extérieures :* **V. Prince*-Édouard** (îles du), **Marion** (île), **Walvis* Bay** et **Sud*-Ouest africain.** — *Orogr.* et *hydrogr.* L'Afrique du Sud est formée par un vaste plateau déprimé vers le centre (désert du Kalahari*) et relevé en escarpement vers la périphérie. Le centre et l'E. du pays sont constitués par des formations sédimentaires **(V. Karroo)** recouvrant un socle ancien, sauf à la périphérie. Le plateau présente des élévations, formées soit par des noyaux durs et des intrusions volcaniques (les *kopjes*), soit par des buttes témoins, dans les zones de sédimentation horizontale, ainsi que des vallées encaissées; en outre, de profondes crevasses (les *dongas*) sont dues à l'action humaine et à une érosion rapide. Mais son aspect général est tabulaire et assez monotone. L'escarpement, assez élevé à l'O. (monts Damara, dans le S.-O. africain), s'abaisse (monts Olifants) puis se relève fortement à l'E. **(V. Drakensberg).** L'escarpement limitant le plateau ou *veld,* tombe sur des plaines côtières étroites bordées par des côtes rectilignes, sauf dans la région du Cap où une chaîne intérieure est formée par les éléments soulevés du Karroo, alors que les chaînes côtières du S. sont des blocs primaires dégagés par l'érosion (montagnes de la Table, de Callendon). Le réseau hydrographique est formé principalement par l'Orange* et son affl. le Vaal*, et par le Limpopo*. — Le *climat* est, dans l'ensemble, du type tropical à saison sèche, hormis dans la région du Natal, au climat tropical chaud et humide, et dans celle du Cap*, au climat méditerranéen. — *Écon.* La République sud-africaine est le premier pays de l'Afrique au point de vue économique. Région agro-pastorale, elle possède le cheptel le plus important du continent avec un élevage (bovins et ovins) extensif dans le Veld*, tandis que les deux tiers du troupeau ovin (moutons à laine karakul et mérinos) vivent dans la prov. du Cap. Plus de 10 000 000 de bovins; près de 31 000 000 d'ovins. L'agriculture, comme l'élevage, est soumise à l'action de l'État, qui se manifeste par l'amélioration des races (croisements), une mécanisation poussée, des travaux d'irrigation et de conservation des sols, rendus nécessaires par des décennies d'exploitation anarchique. L'élevage (notamment pour la laine) et le maïs figurent au premier rang de la prod. agricole (9 516 000 t de maïs). On trouve également des cultures diversifiées, telles que les fruits, les agrumes et la vigne (près de 500 000 hl de vin en 1969), dans la zone du Cap. La pêche (sardines, langoustes) est en plein essor. La richesse du sous-sol fait de la République le premier pays minier et industriel d'Afrique. En effet, elle fournit 58 % de la prod. d'or mondiale, soit près de 800 t **(V. Witwatersrand** [Transvaal]**),** et est le premier prod. de diamant **(V. Kimberley** [Le Cap], **Pretoria** [Transvaal]**).** Elle possède d'importants gisements de charbon (Natal et Transvaal, prod. 69 000 000 t), de cuivre, de platine, de chrome, d'étain, d'uranium, etc. La sidérurgie (plus de 6 500 000 t d'acier), les diverses métallurgies, les industries mécaniques et la cimenterie, bien représentées, sont concentrées au Transvaal (Witwatersrand). Les industries chimiques, textiles et alimentaires sont plus dispersées. Si l'Afrique du Sud ne possède pas de pétrole, ses ressources houillères et en énergie hydraulique (projet Orange*) lui assurent la base énergétique d'une grande industrie. ♦ *Hist.* Les premiers habitants connus du pays sont les Bochimans* *(Bushmen),* peuple de chasseurs, puis, dans les premiers siècles de notre ère, les Hottentots* nomades. Au XVe s. les Arabes et les Européens atteignirent les côtes, sans s'y arrêter. B. Dias* découvrit le cap de Bonne-Espérance (1488) et Vasco* de Gama aborda près de Natal (1498). Après un naufrage qui décida du séjour forcé de quelques colons (1648), la Compagnie hollandaise des Indes orientales installa en 1652 un poste de ravitaillement dans la baie de la Table et, en 1657, J. Van Riebeeck organisa la colonie, formée de fonctionnaires de la compagnie et de colons libres *(free burghers).* En 1688, des Huguenots français rejoignirent les *Boers** du premier contingent; des esclaves noirs furent importés d'Angola et pris parmi les Hottentots. La population des colons s'accrut surtout par la natalité; des originaires de l'océan Indien (Malgaches, Indiens, Malais) furent également déportés en Afrique du Sud. Progressant vers l'intérieur, les colons se heurtèrent aux Bantous* qui venaient d'Afrique centrale (première et deuxième « guerres cafres », 1779, 1789). C'est alors que les Anglais, pour parer à la menace française (occupation de la Hollande, 1795) occupèrent Le Cap (1795). Après une révolte où les Boers s'allièrent un instant aux Noirs, et dont la répression provoqua la troisième guerre cafre (1799-1803), les Anglais restituèrent la colonie aux Hollandais (traité d'Amiens, 1803). Ils la réoccupèrent en 1806 et l'obtinrent en 1814 par le traité de Paris. L'immigration anglaise, le contrôle du régime de la propriété et la suppression de l'esclavage (1833) déterminèrent le départ en masse des Boers (entre 1837 et 1850). Ceux-ci avaient d'ailleurs étendu leur domaine, en dépossédant les indigènes (quatrième, cinquième et sixième « guerres cafres », de 1811 à 1835), puis en les soumettant à la ségrégation (réserve du Kaffirland, « pays des Cafres »). Cette politique, conçue comme une mesure de protection contre l'expulsion pure et simple, s'inscrivait, comme

Ph. Hétier

Conquête de l'**Afrique du Sud** par les Anglais : bataille entre Anglais et Zoulous (XIXe s.). (Musée historique, Durban.)

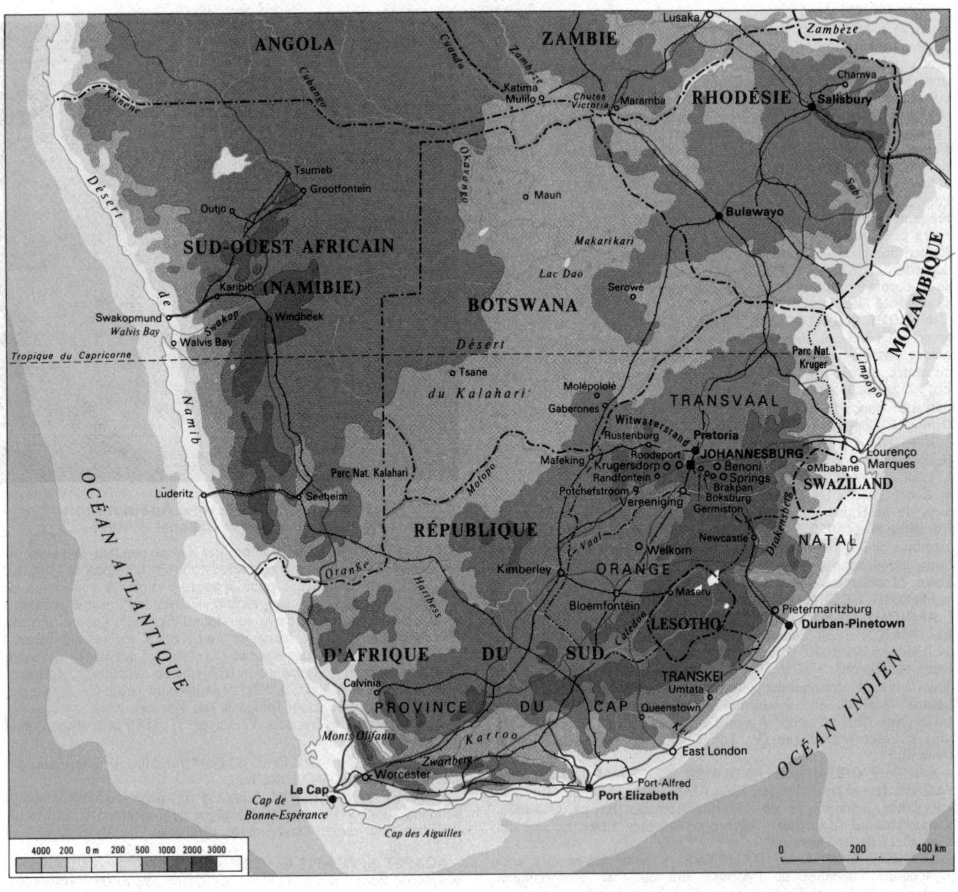

Afrique du Sud.

l'abolition de l'esclavage, dans la politique de la Société des Missions (le Dr Philip). Le grand départ des Boers (grand *Trek*) se fit vers le N.-E. (Basutoland, puis Transvaal actuel) avec une bifurcation vers l'actuel Natal (1834-1839). Cette diffusion des colons aboutit à la création de l'Orange*, du Natal* et du Transvaal* (voir ces noms). De son côté, la colonie du Cap, entièrement assujettie à Londres, obtint un conseil consultatif en 1825, puis un conseil législatif en 1834, et une véritable Constitution en 1854 (Parlement composé de deux Chambres). Mais le gouverneur anglais restait tout puissant, et ce n'est qu'après les progrès territoriaux (septième et huitième « guerres cafres », 1846, 1850) et économiques du Cap que Gladstone accorda l'établissement d'un Premier ministre responsable devant le parlement (1872). À cette époque, le Natal était une colonie séparée et l'Orange un État indépendant. Le Transvaal, indépendant lui aussi, connaissait des difficultés économiques et sociales et le gouvernement de Disraeli en profita pour en proclamer l'annexion (1877). Une première guerre anglo-boer **(V. Kruger, M. Pretorius)** aboutit à la défaite des Anglais (Majuba Hill, 1881, où le général anglais Colley fut tué) et à l'armistice; le Transvaal retrouvait son autonomie sous la suzeraineté nominale de l'Angleterre (conventions de Pretoria [1881] et de Londres [1884]). La guerre du Transvaal reprit, non seulement à cause de l'opposition des politiques et des hommes **(V. Rhodes** [Cecil] **; Kruger)** mais parce qu'elle s'inscrivait dans les luttes entre puissances impérialistes en Afrique australe : l'Angleterre, le Portugal — qui aurait voulu réunir en un empire l'Angola au Mozambique —, l'Allemagne de Bismarck* qui constitua le Sud-Ouest africain en protectorat (1884). Cecil Rhodes* fit placer le Bechuanaland sous protectorat britannique, étendit son action sur ce qui allait devenir la *Rhodésie,* fit occuper la rive gauche du Limpopo (1890). Enfin, pour faire pièce à la politique de Kruger (refus d'accorder des droits égaux aux immigrés récents, les *uitlanders;* politique minière hyperprotectionniste) qui était appuyé par l'Allemagne, Rhodes organisa l'intervention armée de Jameson*. Celui-ci fut cerné, fait prisonnier par les Boers; le gouvernement anglais désavoua Rhodes (1896), qui dut se retirer de la politique. Kruger, félicité par Guillaume II, semblait triompher. Mais Joseph Chamberlain*, représenté au Cap par le haut-commissaire Milner, négocia avec Guillaume II : l'Allemagne cessa de soutenir Kruger. Celui-ci, pour conserver son indépendance par rapport à la suzeraineté anglaise, que prévoyaient les conventions de 1881 et 1884, accepta de discuter sur les droits des *uitlanders;* mais les négociations échouèrent, sur un ultimatum de Kruger (oct. 1899). D'abord sévèrement battus, les Anglais se reprirent au début de 1900, les Boers furent défaits, Pretoria occupée (juin 1900). Un an de combats fut nécessaire à Kitchener pour venir à bout des guerillas boers. Enfin, la paix du 31 mai 1902, modérée et constructive grâce à J. Chamberlain, permit d'envisager l'union des quatre États, le Transvaal et l'Orange restant indépendants et les Boers étant devenus citoyens britanniques. Des conférences aboutirent à la Constitution commune signée par Édouard VII en sept. 1909. Quatre provinces autonomes, un gouvernement central dispersé (Pretoria, Johannesburg), un parlement siégeant au Cap, deux langues officielles assuraient le respect des particularités. Mais le vrai problème de l'Union restait les rapports entre Blancs tout-puissants (21 %) et plus de 70 % de Noirs et de métis appartenant à diverses ethnies, écartés de toute vie politique. La politique du nouveau dominion se partagea entre le Parti d'union des Blancs (Parti sud-africain, 1910) et le Parti nationaliste de Hertzog*, exclusivement boer. La naissance d'un parti bantou *(African National Congress,* 1912*)* ne pesait pas lourd, grâce aux mesures racistes (interdiction pour les Noirs d'acheter des terres hors des réserves, 1913). Après la guerre de 1914, à laquelle l'Union participa aux côtés de l'Angleterre **(V. Botha, Smuts),** le Sud-Ouest africain ex-allemand passa sous mandat de l'Afrique du Sud. En 1924, Hertzog battit Smuts aux élections. Sa politique ségrégationniste accrut le caractère particulier de l'Union, qui reçut son indépendance en 1931. En 1933, le Dr Malan rassembla les Afrikaners intransigeants dans un parti nationaliste « épuré ». L'entrée en guerre contre l'Allemagne fut obtenue par Smuts à une faible majorité. Après la guerre la rapide croissance économique déclencha un appel de la main-d'œuvre noire dans les villes, qui modifia la répartition soigneusement séparatiste des populations. Malan, élu en 1948, appliqua l'*apartheid* (« développement séparé des races ») : interdiction des relations sexuelles inter-raciales, ségrégation des habitats (*Group Areas Act,* 1951), restrictions aux droits politiques (lois de 1950, 1953, 1956). Les présidents Stridjom, Verwoerd, Vorster accentuèrent cette politique par le développement des régions autonomes bantoues (*Bantustans;* **V. Transkei**) et des universités noires (bantoues). Soutenue par l'Église réformée hollandaise, cette politique rencontra quelque opposition parmi les Blancs et les Noirs (*African National Congress,* A. Luthuli, 1952); des manifestations noires tournèrent à l'émeute (1960; près de Johannesburg) et la répression policière fut violente. Devant l'opposition internationale, Verwoerd fit transformer par référendum l'Union en une *République Sud-Africaine* (1961), qui se retira du Commonwealth. Après l'assassinat de Verwoerd (1966), Vorster maintint intégralement la politique d'*apartheid.* Avec ses dépendances et avec la Rhodésie*, la République forme le noyau de la dernière portion d'Afrique qui soit entièrement dirigée par sa minorité blanche.

AFRIQUE-ÉQUATORIALE FRANÇAISE (A.-E. F.). ♦ Gouvernement général qui, de 1910 à 1958, groupa en une fédération les quatre territoires français du Tchad au N., de l'Oubangui-Chari au centre, du Moyen-Congo et du Gabon au sud. *Cap.* Brazzaville. En 1958, ces territoires devinrent des pays membres de la Communauté française, puis des États indépendants. **V. Centrafricain** (Empire), **Congo-Brazzaville, Gabon, Tchad.**

AFRIQUE-OCCIDENTALE FRANÇAISE (A.-O. F.). ♦ Anc. fédération des colonies françaises de l'Ouest africain qui, de 1895 à 1958, groupait, outre la circonscription de Dakar, les territoires du Sénégal, de la Guinée, de la Côte-d'Ivoire, du Soudan, du Dahomey, de la Haute-Volta, de la Mauritanie et du Niger. Avec la Constitution de 1958, les territoires de l'A.-O.F. devinrent des États membres de la Communauté* (à l'exception de la Guinée*) puis des États indépendants. **V. Côte-d'Ivoire, Dahomey, Guinée, Haute-Volta, Mauritanie, Niger, Sénégal, Soudan.**

AFRIQUE-OCCIDENTALE PORTUGAISE. ♦ **V.** ANGOLA.

AFRIQUE-ORIENTALE ALLEMANDE ou **EST-AFRICAIN ALLEMAND,** en all. **Deutsch Ostafrika.** ♦ Anc. colonie allemande de l'Afrique orientale, correspondant à la Tanzanie* actuelle (cap. Dar* es Salaam). ♦ *Hist.* Placée durant la Première Guerre mondiale sous le commandement du général allemand Paul von Lettow*-Vorbeck, elle résista aux forces anglaises, belges et portugaises qui l'encerclaient. Après l'armistice de 1918, elle passa sous mandat britannique (**V. Tanganyika**) et belge (**V. Ruanda Urundi**).

AFRIQUE-ORIENTALE ANGLAISE ou **EST-AFRICAIN BRITANNIQUE,** en angl. **British East Africa.** ♦ Nom donné aux anc. possessions britanniques de l'Afrique orientale (Kenya, Ouganda, Tanganyika et Zanzibar) correspondant aux États actuels du Kenya* et de la Tanzanie*.

AFRIQUE-ORIENTALE ITALIENNE. ♦ Nom donné aux anc. possessions italiennes de l'Afrique orientale qui comprenaient jusqu'à la Deuxième Guerre mondiale, l'Éthiopie, l'Érythrée et la Somalie.

AFRIQUE-ORIENTALE PORTUGAISE. ♦ V. MOZAMBIQUE.

AFTALION (Albert). ♦ Économiste français (Ruse, Bulgarie, 1874 – Chambéry, 1956). De tendance réformiste, il a donné des études sur le cycle des affaires, expliquant les crises économiques par un accroissement de la demande des biens de production plus important que celle des biens de consommation (*Crises périodiques de surproduction,* 1913). Il a également analysé *Les Fondements du socialisme* (1922).

AFYON ou **AFYONKARAHISAR.** ♦ V. de Turquie, au S.-O. d'Ankara*. Ch.-l. de la province homonyme. 43 646 hab. (1965). Centre ferroviaire et commercial. Mosquées. – Manufactures de tapis.

AGADÉ. ♦ **V.** AKKAD.

AGADÈS ou **AGADEZ.** ♦ V. du Niger* dans le S. de l'Aïr. 7 000 hab. Mosquée (XVIᵉ s.).

AGADIR. ♦ V. et port du Maroc méridional, sur l'océan Atlantique. 34 000 hab. Ch.-l. de prov. Important centre touristique (station balnéaire). ♦ Hist. *Incident d'Agadir.* Le 1ᵉʳ juillet 1911, le gouvernement allemand envoya la canonnière *Panther* devant la ville, pour protester contre l'entrée des troupes françaises à Fès et à Meknès. La négociation s'étant engagée, Caillaux* obtint des Allemands, en échange d'une portion du Congo, que la France gardât les mains libres au Maroc (4 nov.). – En février 1960, un tremblement de terre a presque entièrement détruit la ville qui, depuis, a été reconstruite.

Aga Khân. *n. m.* ♦ Titre religieux et temporel du chef des musulmans de la secte des ismaëliens* de l'Inde et du Pâkistan, créé en 1880 par Hasan Alî shâh, un descendant du Prophète, lorsqu'il fut chassé de Perse par Fath Alî. L'AGA KHÂN III (Karachi, 1887 – Versoix, Suisse, 1957) fonda la ligue pan-musulmane de l'Inde (1906). Son petit-fils KARIM (Genève, 1936) lui succéda avec le titre d'AGA KHÂN IV.

Âgama. *n. m.* ♦ Terme générique sanskrit (« tradition ») désignant de nombreux textes vishnouites, tantriques et sivaïtes, dont les plus anciens pourraient remonter aux VIIᵉ et VIIIᵉ siècles.

AGAMEMNON. ♦ Roi légendaire d'Argos* et de Mycènes*, fils d'Atrée (**V. Atrides**) et, selon Homère, frère de Ménélas* et époux de Clytemnestre* dont il eut trois enfants : Électre*, Iphigénie* et Oreste*. Chef suprême des Grecs pendant la guerre de Troie et retenu à Aulis par des vents contraires, il immola Iphigénie sur le conseil de Calchas pour apaiser Artémis. A son retour de Troie, accompagné de son esclave Cassandre*, il fut assassiné avec elle par Clytemnestre et son amant Égisthe*. Oreste, son fils, le vengea. – Il est le héros de nombreuses œuvres littéraires : *L'Iliade* (Homère); *Agamemnon* (Eschyle; ci-dessous); *Iphigénie à Aulis* (Euripide); *Agamemnon* (tragédie de Sénèque*); *Agamemnon* (tragédie d'Alfieri*, 1783); *Agamemnon* (tragédie de Lemercier, 1797), etc. **V.** *aussi* **Iphigénie** (de Racine).

Arch. Rencontre

Masque funéraire en or dit d'**Agamemnon.** (Musée archéologique national d'Athènes.)

Agamemnon. ♦ Tragédie d'Eschyle* (~ 458), la première de la trilogie *L'Orestie.*

AGAÑA. ♦ Cap. de l'île de Guam* (archipel des Mariannes*) sur la côte O. de l'île. 2 131 hab.

AGAPET ou **AGAPIT Iᵉʳ** *(saint).* ♦ 57ᵉ pape (535-536 [mort]). Romain, mort à Constantinople alors qu'il intercédait auprès de Justinien pour éviter l'invasion de l'Italie par les Byzantins. Fête le 22 avril.

AGAPET ou **AGAPIT II.** ♦ 129ᵉ pape (946-955 [mort]). Romain. Il appuya les réformes d'Odon* de Cluny. **V.** *aussi* **Pornocratie.**

AGAR ou mieux, **HAGAR.** ♦ Personnage biblique (*Genèse,* XVI et XXI), esclave égyptienne d'Abraham* dont elle a un fils, Ismaël*. Elle est renvoyée avec celui-ci à la demande de Sara* après la naissance d'Isaac.

AGARTALA. ♦ Cap. du territoire de Tripura* (Inde), à l'E. de Dacca. 55 000 habitants.

AGASIAS D'ÉPHÈSE. ♦ Sculpteur grec (déb. ~ Iᵉʳ s.). Auteur du *Gladiateur Borghèse* (Louvre). Selon certains, un second sculpteur du même nom serait l'auteur du *Galate blessé* de Délos.

AGASSIZ (Louis). ♦ Naturaliste suisse (Motier, canton de Fribourg, 1807 – Cambridge, États-Unis, 1873). Il enseigna l'histoire naturelle à Neuchâtel, puis la zoologie et la géologie à Cambridge (1846). Il contribua par ses travaux à la constitution de l'histoire naturelle des poissons (*Recherches sur les poissons fossiles,* 1833-1842). Comme géologue, il fit admettre l'hypothèse d'une époque glaciaire (*Études sur les glaciers,* 1840; *Système glaciaire,* 1847). ♦ ALEXANDRE AGASSIZ, son fils, naturaliste suisse (Neuchâtel, 1835 – à bord du transatlantique Adriatic, 1910). Ses travaux portent essentiellement sur la faune marine (échinodermes, poissons, coelentérés). Il défendit les thèses du transformisme, contrairement à son père.

AGASTYA. ♦ Sage *(riṣi)* de l'Inde védique à qui la tradition attribue des hymnes du *Rig-Veda**. Il aurait également introduit le brâhmanisme dans le sud de l'Inde.

AGATHE *(sainte).* ♦ Vierge et martyre (Palerme, ? – Catane, 251).

AGATHOCLE, en gr. **Agathoklês.** ♦ Tyran de Syracuse* (Thermae, Sicile, v. ~ 361 – Syracuse, ~ 289). Il lutta contre le parti oligarchique et devint tyran v. ~ 317. Durant la guerre qu'il mena contre Carthage, il détruisit la ville de Ségeste*.

AGATHON *(saint).* ♦ 79ᵉ pape (678-681 [mort]), de Palerme. Il fit condamner le monothélisme au concile de Constantinople (680-681). Fête le 10 janvier.

AGAUNE *(abbaye d').* ♦ **V.** SAINT-MAURICE (Suisse).

AGAY. ♦ Station balnéaire et hivernale du Var, dans l'Esterel (comm. de Saint-Raphaël).

AGAZZARI (Agostino). ♦ Organiste et compositeur italien (Sienne, 1578 – *id.,* 1640). Son traité *Del sonare sopra il basso* a fait de lui un des premiers théoriciens de la basse continue.

AGDE. ♦ Ch.-l. de cant. de l'Hérault* (arr. de Béziers*), situé sur l'Hérault à son intersection avec le canal du Midi*. 8 893 hab. *(Agathois).* Anc. cathédrale Saint-Étienne (fin du XIIe s.; église fortifiée sans abside). Église Saint-Sever (abside du XVe s.). – Cabotage, pêche. Vins, distilleries. Indus. chim. Tourisme (cap d'Agde, ci-dessous). ♦ *Hist.* La ville fut une colonie phocéenne puis romaine. Elle appartint aux Albigeois*. Port principal du Languedoc* sous le Second Empire.

AGDE *(cap d').* ♦ Promontoire de la côte de l'Hérault. Station balnéaire englobant Marseillan, Marseillan-Plage, La Tamarissière, le grau d'Agde.

AGÉLADAS ou **HALGÉLAIDAS**. ♦ Sculpteur grec *(fin du* ~ VIe s. – *mil.* du ~ Ve s.). Maître de l'école d'Argos* et précurseur des grands sculpteurs du Ve siècle. Ses œuvres (disparues) figuraient à Olympie et Delphes. L'assouplissement des formes rigides de l'archaïsme dorien par les influences orientales caractérisait son art.

AGEN [aʒɛ̃]. ♦ Préf. du Lot*-et-Garonne, ch.-l. d'arr. (9 cant., 72 comm., 91 582 hab.). 37 470 hab. *(Agenais* ou *Agenois).* Cathédrale Saint-Caprais (abside et transept romans; nef gothique). Église des Jacobins ou N.-D. d'Agen (XIIIe s.); église Saint-Hilaire (XVe s.). Maisons anciennes. Évêché. – Marché agricole important; indus. alimentaires (pruneaux), machines agricoles, chaussures, confection. – Patrie de E. Lacépède*, B. Palissy*, G. Scaliger*.

AGENA [aʒɛna]. ♦ Étoile β du Centaure, de magnitude 0,9.

AGENAIS ou **AGENOIS**. *n. m.* ♦ Région d'Agen*. Anc. pays de France, comté (cap. Agen) qui appartint successivement aux comtes de Poitiers et de Toulouse et aux rois d'Angleterre avant d'être réuni à la couronne en 1592.

AGÉNOR, en gr. **Agênôr** *(le « Vaillant »).* ♦ Fils de Poseidon* et de Libye dans la mythologie grecque. Roi de Phénicie, père de Cadmos* et d'Europe*.

AGÉSILAS II, en gr. **Agêsilaos**. ♦ (~ 444 – Cyrène, v. ~ 360). Roi de Sparte* (~ v. 400-v. ~ 360). Fils d'Archidamos II et successeur d'Agis II, il vainquit les Perses* en Asie Mineure, puis la coalition d'Athènes, Thèbes, Corinthe et Argos à Coronée* en ~ 394. Il fut battu par Épaminondas à Mantinée* en ~ 362.

AGGABODHI, I à IX. ♦ Nom traditionnel de plusieurs rois de Ceylan qui régnèrent à Anurâd-hâpura* du VIe au IXe siècle.

AGGÉE, en hébr. **Haggaï**. ♦ Prophète juif (~ VIe s.) qui encouragea la reconstruction du Temple, sous Zorobabel*. Le livre biblique *d'Aggée* (2 chap.), classé parmi les douze petits prophètes, résume quatre oracles authentiques, datés de ~ 520.

AGHA KHÂN. ♦ V. AGA KHÂN.

AGHA MUHAMMAD SHÂH. ♦ Fondateur de la dynastie persane des Qâdjârs* (1742 – 1797). Il s'empara de Téhéran où il se déclara roi (1786). Il vainquit ensuite le dernier souverain zend (1794) et les Turcomans du nord du Khorassan et enleva cette région au petit-fils de Nâdir* shâh. Il fut assassiné en 1797 et son neveu Fath 'Ali shâh lui succéda.

AGHEILA (El-). ♦ Base germano-italienne de Libye, pendant la Deuxième Guerre mondiale. Elle fut prise par Montgomery en 1942.

AGHLABIDES. *n. m. pl.* ♦ Dynastie arabe d'Afrique du Nord (800-909). Fondée par Ibrâhîm* ibn al-Aghlab, elle régna, sous la suzeraineté nominale des califes 'abbâssides*, sur l'*Ifriqiyya* (actuelle Tunisie et Est algérien). Leur cap., Kairouan* *(al-Qayrawân),* connut un grand essor artistique et intellectuel. Ils furent vaincus par les Fâtimides*.

AGIDES ou **EURYSTHÉNIDES**. *n. m. pl.* ♦ Dynastie de Sparte, fondée par Agis* Ier.

AGINCOURT (François d'). ♦ Compositeur et organiste français (Rouen, 1684 – Paris, 1758). Organiste de la chapelle royale, à Paris, il a composé des ouvrages pour le clavecin et pour l'orgue.

AGIS. ♦ Nom de plusieurs rois de Sparte*. ♦ AGIS Ier (~ XIe s.). Roi à demi légendaire qui a donné son nom à la dynastie des Agides*. ♦ AGIS IV (mort à Sparte ~ 240). Dernier roi de la dynastie des Eurypontides, il régna avec Léonidas* II, de ~ 244 à ~ 240. Réformateur, il essaya d'appliquer les lois de Lycurgue et de réaliser un nouveau partage des terres malgré l'opposition de Léonidas, mais ce dernier, revenu d'exil, parvint à reprendre le pouvoir avec l'appui des éphores et fit étrangler Agis dans sa prison.

AGLAÉ, en gr. **Aglaïa** (la « Rayonnante de beauté »). ♦ L'une des trois Charites* ou Grâces.

Aglipayan. ♦ Secte religieuse philippine, formée de catholiques dissidents, fondée en 1898 par Gregorio Aglipay, prêtre révolutionnaire qui combattit pour l'indépendance aux côtés d'Aguinaldo*. Env. 2 000 000 de fidèles.

AGLY. *n. m.* ♦ Rivière du sud de la France, dans le Roussillon* (80 km). Née dans les Corbières, elle arrose Rivesaltes* et se jette dans le golfe du Lion.

AGNADEL. ♦ Localité d'Italie, au N.-E. de Lodi* (Lombardie). ♦ *Hist.* Le 14 mai 1509, Louis XII*, qui venait d'adhérer à la ligue de Cambrai*, remporta avec Bayard* la victoire sur les Vénitiens. En 1705, le prince Eugène* y fut battu par le duc de Vendôme*.

AGNÈS *(sainte).* ♦ Martyre romaine sous Dioclétien (304).

Agnès. ♦ Personnage de *L'École des femmes* de Molière*, type de l'ingénue.

AGNÈS DE FRANCE. ♦ Princesse française (1171 – 1220). Fille de Louis* VII le Jeune, elle devint à l'âge de neuf ans (1180) l'épouse de l'empereur byzantin Alexis* II Comnène puis, deux ans plus tard, celle d'Andronic* Ier Comnène, assassin de son premier mari.

AGNÈS DE MÉRAN. ♦ (? – Poissy, 1201). Reine de France. Fille de Berthold IV, duc de Méran (Tyrol). Philippe*-Auguste qui l'avait épousée en troisième noces (1196), après avoir répudié Isambour* de Danemark, fut obligé par le pape Innocent III de s'en séparer et de reprendre sa seconde femme.

AGNI [agni]. ♦ Divinité védique et brâhmanique du feu sacrificiel, gouvernant l'horizon du S.-E. Elle est chargée de transmettre aux autres divinités du panthéon brâhmanique les désirs et les prières des êtres. On le représente comme un homme corpulent, à trois têtes, barbu, tenant en main un rosaire et un pot. Sa monture est un bélier.

AGNIS. *n. m. pl.* ♦ Peuple noir de la Côte-d'Ivoire et du Ghâna (env. 500 000), réparti en une quinzaine de tribus.

AGNON (Samuel Joseph Tchatchkes, dit**)**. ♦ Écrivain israélien de langue hébraïque (Buczacz, 1888 - Rehovoth, 1970). Après une enfance dans un milieu juif très pieux, il s'installa en Palestine (1909); il se réfugia en Europe pendant la Première Guerre mondiale et retourna définitivement à Jérusalem en 1924. Il avait publié une nouvelle, *Agounot* (« Les Abandonnés »), d'où il tira son nom de plume : *Agnon.* Ses premiers romans évoquent la vie d'exil des juifs polonais, sur un mode réaliste et poétique. *L'Hôte d'une nuit* (1930; *Oréah nata laloun*), plus douloureux, exprime le désarroi et la misère morale des mêmes milieux, après la Première Guerre mondiale. Les récits de *Le Feu et le Bois (Haèsh vehaétsim),* désespérés et kafkaïens, évoquent le martyre des juifs exterminés par le nazisme. Outre ce cycle, consacré à la destinée tragique du peuple de la Diaspora, d'autres œuvres célèbrent le retour à la terre promise et la genèse de l'État d'Israël *(Bilvav Yamim, Au creux de l'océan; Tmol Shilshom, Cela se passait hier).* Ses œuvres complètes (jusqu'en 1964) ont été publiées à Jérusalem. – L'œuvre d'Agnon est tout entière fondée sur l'alliance du réalisme social, issu de la littérature occidentale, de Balzac à Th. Mann, et d'un symbolisme où la bonté, l'amour, la misère et la souffrance donnent accès à un ésotérisme religieux et onirique, reliant la représentation du destin juif à une réflexion très générale sur le temps (l'instant) et l'homme. Employant à la fois les ressources de la langue traditionnelle et celles de l'araméen populaire, jouant avec maîtrise des techniques du récit contemporain (relativisme temporel, métamorphoses, obscurité des repères), Agnon a donné une forme puissante et universelle aux thèmes essentiels du judaïsme. – Prix Nobel, 1966 (avec Nelly Sachs).

AGOBARD *(saint).* ♦ Archevêque de Lyon, né en Espagne (v. 779 – 840). Il participa à la révolte des fils de Louis* le Débonnaire (ou le Pieux), contribuant à sa déposition.

AGOSTINO DI GIOVANNI. ♦ Sculpteur et architecte siennois, connu de 1310 à 1348. Auteur avec Agnolo di Ventura du tombeau de l'évêque Guido Tarlati à Arezzo (Dôme, v. 1330), il continua avec moins de vigueur la tradition des Pisans **(V. G. Pisano).** Sienne* lui confia des travaux d'architecture civile avant de le nommer maître d'œuvre du Dôme (1338-1348) aux côtés de son fils Giovanni. On attribue parfois à Agostino et à Agnolo di Ventura l'église San Francesco.

AGOULT (Marie de Flavigny, *comtesse d'***)**. ♦ Écrivain français (Francfort-sur-le-Main, 1805 – Paris, 1876). Mariée au comte d'Agoult, elle fut ouvertement la compagne de Liszt* dont elle eut deux filles (Cosima épousa R. Wagner*). Recevant dans son salon les gens de lettres (Vigny*, Heine*), elle publia sous le pseudonyme de Daniel Stern, des *Lettres républicaines* (1848), une *Histoire de la Révolution de 1848* (1851-1853), et un roman semi-autobiographique, *Nelida* (1846). Très liée avec George Sand*, elle fut également l'amie de Sainte*-Beuve.

AGOUT. *n. m.* ♦ Riv. de France (180 km), affl. du Tarn*.

ÂGRA. ♦ Ville de l'Inde du Nord, sur la Yamunâ* (affluent du Gange*). Grand centre commercial et industriel. 628 000 hab. (1970). – Patrie d'Abûl Faizi. ♦ *Hist.* Elle fut, en 1501, la première capitale de Sikandar shâh Lodî*, puis devint au XVIIe s. la capitale de l'empire des Moghols*. Son fort en grès rouge contient de magnifiques œuvres d'art et d'architecture des époques d'Akbar*, Jâhangîr* et Shâh Jâhan*. La ville elle-même renferme de nombreux monuments indo-musulmans des XVIIe et XVIIIe siècles. Le plus célèbre est le Taj* Mahal, élevé de 1630 à 1652.

AGRAM. ♦ Nom allemand de Zagreb*.

AGRAMONTE Y SIMONDI (Aristides). ♦ Médecin et bactériologiste cubain (1869 – 1931). Il montra, après C.J. Finlay*, que la fièvre jaune est due aux piqûres de moustiques (en particulier du genre stegomya).

ÂGREDA (María Coronel, *de***)**. V. MARIE D'AGREDA.

AGRIATES *(désert des).* ♦ Région déserte de Corse*, à l'O. du golfe de Saint-Florent.

AGRICOLA, en lat. **Cnaeus Julius Agricola**. ♦ Général romain (Forum Julii, auj. Fréjus, 40 – 93). Préteur en 68, il fut envoyé par Vespasien* en Grande-Bretagne (77) dont il acheva la conquête en 84, sous Domitien*. Il accomplit la première circumnavigation du pays et reconnut que la Grande-Bretagne était une île. Tacite*, qui était son gendre, écrivit son éloge funèbre *(Vie d'Agricola).*

Ph. Hétier

Agrigente : le temple des Dioscures.

AGRICOLA (Martin Sore, dit **Martin).** ♦ Compositeur et théoricien allemand de la musique (Schwiebus, 1486 – Magdebourg, 1556). Auteur de nombreux cantiques luthériens, il a publié d'importants ouvrages théoriques, en illustration de la doctrine musicale de Josquin* des Prés.

AGRICOLA (Georg Bauer, dit**).** ♦ Minéralogiste allemand (Glauchau, Saxe, 1494 – Chemnitz, 1555). Il fut un des premiers à étudier systématiquement les minerais et les métaux (*De re metallica,* 1530) et à employer le terme de « fossile ».

AGRICOLA (Mikael). ♦ Réformateur religieux et écrivain finnois (Pernaja, province d'Uusimaa, v. 1510 – près de Viborg, 1557). Disciple de Luther*, il édita en 1542 le premier livre écrit en finnois, un *Abécédaire,* puis il traduisit le Nouveau Testament (1548).

AGRIGENTE, en it. **Agrigento** (Girgenti jusqu'en 1927). ♦ V. d'Italie située près de la côte S.-O. de la Sicile*. Ch.-l. de prov. 51 680 hab. Évêché. – Ruines de l'antique *Akragas,* notamment des temples doriques de la Concorde, de Junon, de Jupiter Olympien, de Castor et Pollux (~ Vᵉ s.), d'Hercule (~ VIᵉ s.), etc. ; quartier hellénistique et romain. Monuments médiévaux (Abbaye de S. Spirito, XIIIᵉ s., etc.). Centre touristique. – Patrie de Luigi Pirandello*. ♦ *Hist.* Colonie de Géla* (~ 582), *Akragas* connut son apogée sous le tyran Théron* (~ 488-472). **V.** *aussi* **Phalaris.** Prise par les Carthaginois (~ 406), elle déclina au profit de Syracuse. – Patrie d'Empédocle*.

AGRIPPA (Menenius). ♦ **V.** MENENIUS AGRIPPA.

AGRIPPA, en lat. **Marcus Vipsanius Agrippa.** ♦ Général et homme politique romain (~ 63 – ~ 12). Fidèle ami et conseiller d'Auguste*, il remporta à ses côtés les victoires de Nauloque* (~ 36) et d'Actium* (~ 31). Auguste, voulant assurer sa succession, lui fit épouser sa fille Julie* et adopta les deux fils, Caius et Lucius, issus de cette union. Édile en ~ 33, Agrippa inaugura à Rome l'œuvre monumentale de la période impériale ; administrateur en Gaule, il y organisa le réseau routier et fit exécuter pour Nîmes des travaux d'adduction d'eau (pont du Gard).

AGRIPPA VON NETTESHEIM (Heinrich Cornelius). ♦ Médecin, alchimiste et philosophe allemand (Cologne, 1486 – Grenoble, 1535). Il fut médecin de Louise* de Savoie et historiographe de Charles* Quint. Accusé de magie, il fut emprisonné. Son ouvrage *De occulta philosophia* expose les thèmes fondamentaux de l'alchimie **(V. Paracelse).**

AGRIPPINE l'Aînée. ♦ (v. ~ 14 – île de Pandateria, 33). Fille d'Agrippa* et petite-fille d'Auguste* par sa mère Julie*, elle épousa son cousin Germanicus*. Célèbre par sa beauté et ses vertus, elle demanda justice à Tibère* de la mort de son mari qu'elle accusa Pison* d'avoir assassiné. Mais l'empereur la fit déporter dans l'île de Pandateria* où elle mourut. Mère de Caligula* et d'Agrippine* la Jeune.

AGRIPPINE la Jeune. ♦ (Ara Ubiorum [qui prit d'elle le nom de *Colonia Agrippinensis,* auj. Cologne], 16 – 59). Fille de Germanicus* et d'Agrippine* l'Aînée, et sœur de Caligula*, elle épousa d'abord Domitius Ahénobarbus* dont elle eut Néron*. Restée veuve, elle devint la femme de l'empereur Claude*, son oncle, sur lequel elle exerça une emprise absolue. Intelligente et dominatrice, elle lui fit adopter Néron qu'elle maria à Octavie*, fille de Claude, écartant du trône Britannicus* ; puis, aidée de Locuste*, elle empoisonna son mari. L'accession de Néron au pouvoir permit à son autorité de s'exercer ; mais excédé par la tutelle de sa mère, l'empereur la fit assassiner.

Agrippine. ♦ Personnage de *Britannicus**, tragédie de Jean Racine* (1669). **V. Agrippine la Jeune.**

AGUADO (Alejandro Maria). ♦ Financier espagnol (Séville, 1784 – Gijón, 1842). Il soutint activement les Français durant la guerre d'Espagne et fonda une banque à Paris (1815). Grâce à ses opérations, il sauva l'Espagne de la banqueroute.

AGUADO (Y Gardia Dionisio). ♦ Guitariste espagnol (Madrid, 1784 – *id.,* 1849). Virtuose, il a contribué, par la publication de sa *Méthode de guitare* (1825) à fixer la technique moderne de cet instrument.

AGUASCALIENTES *(« eaux chaudes »).* ♦ V. du Mexique, située au N.-O. de Mexico sur le plateau central. 222 105 hab. *Cap.* de l'État du même nom. Évêché. Station thermale. – Métallurgie.

AGUESSEAU (Henri François *d'***).** ♦ Magistrat et homme politique français (Limoges, 1668 – Paris, 1751). Avocat général au parlement de Paris (1691), il fut nommé procureur général en 1700. Devenu chancelier en 1717, il fut exilé à Fresnes de 1718 à 1720 pour avoir combattu le système de Law* puis, de nouveau, de 1727 à 1737 pour son hostilité à Dubois*. On lui doit une réforme de la législation.

AGUINALDO (Emilio). ♦ Homme politique philippin (près de Cavite, 1869 – Manille, 1964), héros de l'indépendance des Philippines. En 1892, il organisa le parti nationaliste Katipunan, déclencha la révolte en 1896 **(V. Bonifacio** [Andrès]**)** et, en 1897, proclama la république. Battu par les Espagnols, il se réfugia à Hong* Kong et s'allia aux Américains. Il se battit contre ces derniers lorsqu'ils eurent acheté les îles aux Espagnols vaincus et, en 1899, proclama de nouveau la république. Fait prisonnier en 1901 par les Américains, il se retira de la vie politique. Il fit partie du gouvernement pro-japonais pendant la Deuxième Guerre mondiale. Emprisonné en 1945, il fut rappelé au gouvernement en 1950 par Quirino*.

AGUNG ou **GUNUNG** (« mont » **AGUNG).** ♦ Volcan du S.-E. de l'île de Bali* (Indonésie), culminant à 3 142 m, en activité. Sa dernière éruption, en 1963, fit plus de 20 000 victimes. Site de temples anciens, objets de fréquents pèlerinages.

AGYRION. ♦ Anc. V. de Sicile (*auj.* **Agira**). Patrie de Diodore* de Sicile.

Ahanânuru. *n. m.* ♦ Recueil de chansons épiques tamiles du S.-E. de l'Inde (v. Iᵉʳ-IIIᵉ s. ?).

AHASVÉRUS. (Cf. *Assvérus*) ♦ Personnage légendaire qui aurait maltraité le Christ et aurait ainsi été condamné à l'éternité et à une errance perpétuelle. Cette légende (le *Juif errant*), qui a alimenté un certain antisémitisme en milieu chrétien, a inspiré de nombreux écrivains dont Schiller, Goethe, Eugène Sue, ainsi que l'imagination populaire.

AHENOBARBUS, en lat. **Cneius Domitius Ahenobarbus.** ♦ (Iᵉʳ s.). Préteur et consul sous Tibère*, il épousa Agrippine* dont il eut Néron*, et mena une vie de débauche.

AHIDJO (Ahmadou). ♦ Homme d'État camerounais (Garoua, 1924 –). Président de la République fédérale du Cameroun* (1960).

Ahimsâ. *n. m.* ♦ Doctrine philosophique indienne de non violence envers toutes les créatures vivantes, qui prit naissance vers le ~ VIᵉ s. Elle constitue l'un des fondements des religions jaina* et bouddhique. Gandhi* en fit un dogme politique.

AHLMANN (Hans W.). ♦ Glaciologue et géographe suédois (Karlsberg, 1889). Il participa à des expéditions dans l'Arctique et l'Antarctique* et donna une classification des glaciers selon leurs formes.

AHMADÂBÂD ou **AHMEDABAD.** ♦ V. de l'Inde. 1 550 000 hab. (1970) sur la route ancienne de Bombay à Delhi (dans le Gujarât). Indus. textiles (coton). Mosquées des XVᵉ et XVIᵉ siècles.

AHMAD AL-MANSÛR. ♦ Sultan sa'dien du Maroc (Fès, 1549 – *id.,* 1603). Il succéda à son frère 'Abd al-Mâlik après sa mort à la bataille de Ksar el-Kébir et, ayant triomphé du roi du Portugal, Sébastien, prit le titre d'*al Mansûr* (« le victorieux »). Il régna de 1578 à 1603 et fut le seul souverain sa'dien qui exerçât une véritable influence sur la politique méditerranéenne.

Ph. Carlo Bevilacqua/Ricciarini

Buste d'**Agrippa.** (Musée du Louvre, Paris.)

AHMADNAGAR. ♦ Ville de l'Inde (Mahârâștra*, à l'est de Bombay). 133 500 hab. (1970). Marché du coton.

AHMADOU. ♦ Chef toucouleur, souverain du Soudan occidental, mort en 1898 dans la prov. de Sokoto (Nigeria) où il s'était réfugié après la prise de Ségou (1891) et de Djenné (1893) par Archinard.

AHMAR (Banû al-). ♦ Membres d'une famille arabe d'Espagne à laquelle appartenait Muhammad Ier (1232-1273), fondateur de la dynastie des Nasrides* de Grenade et promoteur de la construction de l'Alhambra*.

AHMEDABAD. ♦ **V.** AHMADÂBÂD.

AHMEDÎ. ♦ Poète turc (v. 1334 — Amasia, 1413). Outre l'adaptation d'épopées persanes, il écrivit une *Histoire d'Alexandre le Grand* versifiée, suivie d'un poème sur l'*Histoire des Ottomans,* riche en informations historiques.

AHMET. ♦ Nom de plusieurs sultans ottomans. ♦ AHMET Ier (Magnésie, 1590 — 1617). Fils et successeur de Mehmet* III, il régna de 1603 à 1617, et fit construire à Istanbul la mosquée qui porte son nom. Il soutint la Hongrie contre Rodolphe II. Il échoua dans son expédition contre la Perse (1612). ♦ AHMET II (1642 — Andrinople [Edirne], 1695). Appuyé par le vizir Fazil Mustafa Köprülü*, il succéda à son frère Süleyman* II et régna de 1691 à 1695. Son règne vit la défaite de Slankamen contre les Impériaux (1691) et la perte de Chio, pris par les Vénitiens. ♦ AHMET III (1673 — 1736). Il succéda à son frère Mustafa* II (déposé) et régna de 1703 à 1730. Il donna asile à Charles* XII, roi de Suède, après sa défaite à Poltava* et refusa de le livrer à Pierre le Grand. Il eut à lutter contre la Russie puis contre Venise (conquête de la Morée) et l'Autriche et dut conclure le traité de Passarowitz (1718). Déposé par les Janissaires en 1730, il mourut en prison, probablement assassiné.

AHMET MITHAT. ♦ Écrivain turc (Istanbul, 1841 — *id.*, 1912). Partisan du mouvement Jeunes-Turcs, il écrivit des romans influencés par Alexandre Dumas père.

AHMET VEFIK. ♦ Homme d'État et écrivain turc (Istanbul, 1819 — Roumeli Hisar, 1891). Il fut président du parlement institué par Abdül-Hamid II (1876), puis grand vizir (1880-1884). Il fut, par ailleurs, historien des lettres turques, lexicographe et traducteur.

AHMÔSÉ ou **AHMÔSIS Ier**. ♦ **V.** AMÔSIS.

AHMÔSÉ ou **AHMÔSIS II.** ♦ **V.** AMASIS.

AHO (Juhani). ♦ Romancier et nouvelliste finnois (Lapinlahti, 1861 — Helsinki, 1921). Il débuta dans le journalisme, se lia avec le groupe libéral *Jeune Finlande* et voyagea à l'étranger. Il publia entre 1891 et 1921 huit volumes de courtes proses qu'il appelle « copeaux » (choix de trad. fr., *Copeaux,* 1929), sur des sujets politiques, patriotiques, humoristiques; ses méditations lyriques sur la nature laissent son style raffiné et personnel se développer pleinement. Les romans *La Fille du pasteur* (1885) et *La Femme du pasteur* (1893, trad. fr. 1943) présentent une analyse pénétrante de l'âme féminine, *Panu* (1897) décrit la lutte du paganisme mourant et du christianisme, *Juha* (1911) présente un drame conjugal dans un milieu rural stylisé, *La Conscience* (1914) analyse avec sérieux et humour un problème moral.

AHRIMAN. ♦ Dans la religion mazdéenne, dieu principe du mal, opposé à son frère jumeau Ohrmazd*. Fils de Zurvan*

AHUN [aœ̃]. ♦ Ch.-l. de cant. de la Creuse, arr. de Guéret. 1 853 hab. (688 aggl.). Église romane.

AHURA MAZDÂ (en avestique, « Le Seigneur Sage »). ♦ Principal dieu du mazdéisme. C'est sur lui que Zarathoustra* fonda sa réforme. Il est le créateur universel et le guide de l'homme vers le bien. Il est entouré de six entités (les *Amesha Spenta*). Dans le zoroastrisme postérieur, sous le nom contracté d'Ohrmazd*, il mène le combat contre son frère jumeau, Ahriman*, principe du mal.

AHVENANMAA. ♦ Nom finnois des îles Åland*.

AHWÂZ. ♦ V. d'Iran, ch.-l. du Khouzestân, sur le Karun, à proximité de gisements pétroliers. 120 000 hab. Centre administratif.

AICARD (Jean François Victor). ♦ Écrivain français (Toulon, 1848 — Paris, 1921). Poète et auteur dramatique (*Le Père Lebonnard,* 1889), il écrivit des romans où revit sa Provence natale : *Le Roi de Camargue* (1890) et le populaire *Maurin des Maures* [1908]. (Acad. fr.)

AÏCHA. ♦ **V.** 'ÂISHA *(bint abî Bakr).*

AI CH'ING [Ngai Ts'ing, Ai Quing]. ♦ Poète et romancier chinois (né en 1916), professeur à l'université de Pékin, auteur de plusieurs recueils de poésies à tendances patriotiques (« Le Nord », « Mort pour la seconde fois », etc.).

AICHINGER (Gregor). ♦ Compositeur et organiste allemand (Ratisbonne, 1564 — Augsbourg, 1628). Élève de R. de Lassus* à Munich et d'A. Gabrieli à Venise, il reçut la prêtrise à Rome. Vicaire à la cathédrale d'Augsbourg, il a surtout composé de la musique d'église et introduit en Allemagne l'usage de la basse continue.

AICHINGER (Ilse). ♦ Femme de lettres autrichienne (Vienne, 1921). Femme de G. Eich* et membre du « Groupe* 47 », elle a écrit un roman sur les persécutions raciales contre les juifs dont elle eut elle-même à souffrir (*Le Grand Espoir,* 1947), et des nouvelles de style surréaliste (*L'Enchaîné,* 1957), exprimant dans ses œuvres l'angoisse et la solitude de l'homme moderne.

Aïda. ♦ Opéra en 4 actes de G. Verdi*, composé pour l'inauguration de l'Opéra du Caire (1871). Drame de caractère où l'élément symphonique tient un rôle étendu, l'œuvre rencontra un immense succès.

Aigle. ♦ Nom de différents ordres de chevalerie. — *Aigle blanc* (ordre de l'). Ordre polonais fondé en 1325. — *Aigle noir* (ordre de l'). Ordre prussien fondé en 1701 par Frédéric Ier. — *Aigle rouge* (ordre de l'). Ordre fondé en 1705 par le prince de Bayreuth*, devenu ordre prussien en 1790.

Aigle. *n. f. ou m.* ♦ Constellation de l'hémisphère boréal, comparable à un oiseau aux ailes étendues **(V. Altaïr).**

AIGLE. ♦ V. de Suisse (Vaud) au débouché de la vallée des Ormonts. 4 400 hab. Le château (XIIe-XVe s.) sert de prison. Raffinerie de pétrole. Vignobles (vins blancs).

AIGLE (L'). ♦ Anc. *Laigle.* Ch.-l. de cant. de l'Orne* (arr. de Mortagne*-au-Perche), sur la Risle*. 9 288 hab. Église Saint-Martin des XVe et XVIe siècles. Restes d'un château construit au XVIIe s. par Hardouin-Mansart*. — Tréfileries. Indus. du bois.

Aigle de Meaux. ♦ Surnom donné à Bossuet* après sa nomination à l'évêché de Meaux (1681).

Aiglon (L'). ♦ Drame en six actes, en vers, d'Edmond Rostand* (1900). La figure romantique du duc de Reichstadt, fils de Napoléon, victime de l'implacable Metternich et qui, dans l'épreuve, reçoit le secours du fidèle Flambeau, ancien grenadier de l'Empire, a inspiré cette œuvre dont le succès populaire ne s'est pas démenti.

AIGNAN *(saint)* ou **AGNAN**, en lat. **Anianus.** ♦ Évêque d'Orléans (391) [Vienne, Dauphiné, 358 — 453]. Il sauva Orléans assiégé par Attila* (451) avec l'aide d'Aetius*. — Fête le 17 novembre.

AIGNAN. ♦ Ch.-l. de cant. du Gers (arr. de Mirande); anc. cap. de l'Armagnac. 965 habitants.

AIGOS POTAMOS ou **AEGOS POTAMOS** (« Fleuve de la chèvre »). ♦ Petite riv. de la Chersonèse de Thrace (*auj.* **Indjélimen).** ♦ *Hist.* A son embouchure, Lysandre* infligea aux Athéniens **(V. Conon)** une défaite navale qui mit fin à la guerre du Péloponnèse* en ~ 405.

AIGOUAL (ou *mont Aigoual*). *n. m.* ♦ Massif ancien, au S. du Massif central, dans les Cévennes*, se présentant comme un bloc incliné, monotone et sableux (tourbières). Sa façade orientale est découpée en lanières ou « serres ». Il culmine à 1 567 m. L'Hérault* y prend sa source. Ses vastes étendues forestières, peuplées de hêtres et de châtaigniers, sont auj. reboisées en résineux. Le massif est intégré dans le parc des Cévennes*.

AIGREFEUILLE-D'AUNIS. ♦ Ch.-l. de cant. de Charente-Maritime, arr. de Rochefort. 2 032 hab. (1 431 aggl.) [*Aigrefeuillais*]. Église des XIIe et XIVe s., restaurée.

AIGUEBELETTE-LE-LAC. ♦ Comm. de Savoie*, arr. de Chambéry*, dans le Bugey, au N.-O. du *lac d'Aiguebelette.* 122 hab.

AIGUEBELLE. ♦ Ch.-l. de cant. de la Savoie*, arr. de Saint*-Jean-de-Maurienne, sur l'Arc*. 1 901 hab. *(Aiguebellains).* Électrométallurgie.

AIGUEPERSE. ♦ Ch.-l. de cant. du Puy*-de-Dôme, arr. de Riom*. 2 308 hab. *(Aiguepersois).* Église Notre-Dame (XIIIe et XIVe s.). Aux environs, château de la Roche et château d'Effiat, de style Louis XIII. — Engrais chimiques. Sucrerie. — Patrie de Jacques Delille* et de Michel de L'Hospital*.

AIGUES-MORTES. ♦ Ch.-l. de cant. du Gard* (arr. de Nîmes*) situé au milieu de lagunes, à l'O. de la Camargue*. Elle communique avec la mer par un canal de 6 km aboutissant au Grau-du-Roi* et par le canal du Rhône à Sète. 4 203 hab. (*Aiguesmortains,* ou *Aigues-Mortais*). La ville, bâtie sur le plan régulier des bastides médiévales, est entourée de remparts. La tour de Constance est un donjon massif édifié par Saint Louis au XIIIe s.; église Notre-Dame-des-Sablons (restaurée en 1968). Maisons anciennes. — Salines. Vins, jus de fruits. Conserveries. ♦ *Hist.* La ville doit son origine (1241) à Saint Louis, qui s'y embarqua pour l'Égypte en 1248 et pour Tunis* en 1270. Elle fut très florissante jusqu'au XIVe s., mais les canaux la reliant à la mer s'envasèrent et sa décadence fut rapide. Depuis, les alluvions ont considérablement éloigné le rivage.

AIGUES-VIVES. ♦ Comm. du Gard* (arr. de Nîmes*) dans les garrigues. 1 367 hab. — Distilleries. — Patrie de Gaston Doumergue*.

AIGUILHE. ♦ Comm. de la Haute-Loire*, arr. du Puy*. 1 137 hab. Sur un dyke volcanique de 85 m de haut, se trouve l'église *Saint-Michel d'Aiguilhe* des Xe et XIe siècles.

AIGUILLES *(cap des),* ou **AGULHAS** *(cap).* ♦ Promontoire le plus méridional de l'Afrique* du Sud, à l'E. du cap de Bonne*-Espérance.

AIGUILLES ou **AIGUILLES-EN-QUEYRAS.** ♦ Ch.-l. de cant. des Hautes-Alpes* (arr. de Briançon*). 249 hab. *(Aiguillons).* Station d'altitude (1 475 m) et de sports d'hiver.

AIGUILLES-ROUGES. *n. f. pl.* ♦ Massif des Grandes Alpes françaises du Nord, au N. du massif du Mont-Blanc, culminant à l'Aiguille du Belvédère (2 966 m) et au Brévent* (2 525 m).

AIGUILLON (Marie-Madeleine de Vignerot, *duchesse d'***).** ♦ Dame française (Glenay, 1604 — Paris, 1675). Nièce de Richelieu*, elle encouragea les œuvres de charité et les missions du Canada.

AIGUILLON (Emmanuel Armand de Vignerot, *duc d'***).** ♦ Homme d'État et ministre français, arrière-petit-neveu de Marie-Madeleine d'Aiguillon* (1720 — Paris, 1788). Gouverneur de

Bretagne (1753), il se heurta à l'opposition parlementaire et nobiliaire quand il voulut appliquer les mesures fiscales du gouvernement central, et son conflit avec La Chalotais aboutit à son rappel (1769). Après la chute de Choiseul*, il fut chargé des Affaires étrangères, formant un « triumvirat » avec Maupeou* et Terray*. Il ne sut pas sauvegarder l'œuvre de Choiseul et ne put empêcher le partage de la Pologne. Il fut destitué à l'avènement de Louis XVI. ♦ ARMAND DE VIGNEROT DU PLESSIS DE RICHELIEU, *duc d'*AIGUILLON. Fils du précédent (Paris, 1761 – Hambourg, 1800). Député de la noblesse aux États généraux (1789), hostile aux mesures de l'Assemblée législative, il fut décrété d'accusation après le 10 août 1792 et émigra en Allemagne.

AIGUILLON *(baie de l')*. ♦ Baie de la côte du Marais poitevin, au N. de La Rochelle, abritée du large par la *pointe de l'Aiguillon.*

AIGUILLON. ♦ Comm. du Lot*-et-Garonne, arr. d'Agen, sur le Lot*, près de son confluent avec la Garonne*, 3 938 hab. *(Aiguillonnais).* Ancien château des ducs d'Aiguillon (XVIIIe s.).

AIGUILLON-SUR-MER (L'). ♦ Comm. de Vendée, arr. de Fontenay-le-Comte. 1 951 hab. Station balnéaire. Mytiliculture.

AIGUN. ♦ Ville de Mandchourie* où fut signé, en 1858, un des « traités inégaux » entre la Chine et la Russie des tsars, donnant à cette dernière des territoires chinois et la souveraineté sur la rive gauche du fleuve Amour.

AIGURANDE. ♦ Ch.-l. de canton de l'Indre, arr. de La Châtre. 2 315 hab. *(Aigurandais).* Église du XIIIe siècle.

AIHOLE ou **AIHOLLI.** ♦ Site d'une ancienne capitale du royaume indien des Châlukya*, dans la province du Mysore, qui vit s'élaborer une brillante civilisation entre le milieu du Ve s. et le début du IXe siècle.

AILETTE ou **LETTE.** *n. f.* ♦ Riv. de France (63 km), au N. du Bassin parisien. Affl. de l'Oise* (r. g.). ♦ *Hist.* Les bords de l'Ailette furent le théâtre de violents combats en 1917 et 1918. **V. Chemin* des Dames.**

AILLANT-SUR-THOLON. ♦ Ch.-l. de cant. de l'Yonne, arr. d'Auxerre. 1 146 hab. – Église gothique édifiée sur les plans de Viollet-le-Duc.

AILLERET (Charles). ♦ Général français (Gassicourt, Yvelines, 1907 – île de la Réunion, 1968). Premier chef à être responsable du commandement des armes spéciales (1951-1960), il fut chargé de la recherche nucléaire militaire (fabrication de la première bombe atomique française expérimentée à Reggane, 1960).

AILLY (Pierre d'). ♦ Prélat et théologien français (Compiègne, 1350 – Avignon, 1420). Chancelier de l'Université de Paris, confesseur de Charles VI (1389), évêque du Puy (1395), puis de Cambrai (1397), cardinal (1411), il participa au concile de Constance et tenta de mettre fin au grand schisme d'Occident en proposant la réforme de la curie romaine et la création d'un concile général. Il est également l'auteur d'un ouvrage intitulé *Imago mundi,* qui le fait apparaître comme un précurseur de Copernic*.

AIME. ♦ Ch.-l. de cant. de la Savoie, arr. d'Albertville, sur l'Isère. 1 553 hab. *(Aimerains).* Vestiges romains.

AIN. *n. m.* ♦ Riv. de France (200 km), née dans le Jura au S. du plateau de Nozeroy, et qui rejoint le Rhône* en amont de Lyon (r. d.). *Affl. :* la Bienne.

AIN [01]. *n. m.* ♦ Dép. du S.-E. de la France, région (anciennement C.A.R.) Rhône*-Alpes. 5 826 km². Il est formé d'une partie de l'anc. Bourgogne* (Bresse*, Doubs*), et des anc. pays de Bugey*, Valromey* et Gex*. – *Orogr.* On y distingue trois régions : au nord-ouest, la Bresse*; au sud-ouest, la Dombes*, région parsemée d'étangs; à l'est, la partie jurassienne du département **(V. Jura).**

♦ (36 cant., 443 comm., 350 594 hab.) *Préf.* Bourg*-en-Bresse. *Sous-préf.* Belley*, Gex*, Nantua*. *Ch.-l. de cant.* Ambérieu*-en-Bugey, Bagé-le-Châtel (568 hab.), Bellegarde*-sur-Valserine, Brénod (524 hab.), Ceyzériat*, Chalamont (1 119 hab.), Champagne-en-Valromey (497 hab.), Châtillon*-sur-Chalaronne, Coligny*, Collonges (901 hab.), Ferney*-Voltaire, Izernore*, Lagnieu*, Lhuis (597 hab.), Meximieux*, Montluel*, Montrevel*-en-Bresse, Oyonnax*, Poncin*, Pont*-d'Ain, Pont*-de-Vaux, Pont-de-Veyle (1 144 hab.), Saint *-Rambert-en-Bugey, Saint-Trivier-de-Courtes (1 066 hab.), Saint-Trivier-sur-Moignans (1 140 hab.), Seyssel*, Thoissey*, Treffort (871 hab.), Trévoux*, Villars-les-Dombes (1 859 hab.), Virieu-le-Grand (879 hab.). *Autres comm. et localités* **V. Ars-sur-Formans, Brou, Culoz, Divonne-les-Bains, Génissiat, Miribel, Peronnas, Pérouges, Thoiry.**

AINAY-LE-CHÂTEAU. ♦ Comm. de l'Allier*, arr. de Montluçon*, dans le Bourbonnais. 1 613 hab. – Patrie d'A. Lwoff*.

AÏN-BEÏDA. ♦ **V.** DAOUD (Algérie).

AÏN-BENIAM, anc. **Guyotville.** ♦ Comm. d'Algérie (dép. et arr. d'Alger) sur la côte du Sahel* et d'Alger. 21 019 hab. Cultures maraîchères et fruitières.

AÏN-BESSEM. ♦ Comm. d'Algérie (dép. de Médéa, arr. d'Aumale) au pied de la chaîne des Bibans*. 13 594 hab. Vignobles.

AÏN DEFLA (anc. Duperré). ♦ V. d'Algérie, ch.-l. d'arr. du dép. d'El Asnam (Orléansville), dans la plaine du Chélif*. 12 404 habitants.

Aîn-i Akbarî (« Mémoires d'Akbar »). ♦ Ouvrage historique rédigé en persan par l'historiographe indo-musulman Abû*-l Fazl, (fin XVIe s.).

AÏN M'LILA. ♦ V. d'Algérie, ch.-l. d'arr. du dép. de Constantine, au S. de Constantine. 16 263 habitants.

AÏNOUS. ♦ **V.** AÏNU.

AÏN-SEFRA. ♦ V. d'Algérie, ch.-l. d'arr. du dép. de Saïda au pied des monts des Ksour*. 8 000 habitants.

Ainsi parlait Zarathoustra *(Also sprach Zarathoustra).* ♦ Poème philosophique de Nietzsche* (1883-1885). Exprimée en une prose lyrique et visionnaire où abondent les symboles, cette œuvre, tout en dénonçant les valeurs millénaires de la morale établie, issue surtout du christianisme, est le chant de la transmutation générale des valeurs, du dépassement de l'homme.

AÏN-TÉMOUCHENT. ♦ V. d'Algérie, ch.-l. d'arr. d'Ouahran (Oran) à l'O. des monts du Tessala. 34 100 habitants.

AÏNU (S) ou **AÏNOUS.** *n. m. pl.* (mot signifiant « homme » dans cette langue). ♦ Nom générique donné à diverses tribus de chasseurs et de pêcheurs d'origine paléo-sibérienne demeurant actuellement dans les îles de Sakhaline*, de Hokkaidô et des Kouriles* (Chishima). Les Aïnus sont trapus de stature et caractérisés par une pilosité abondante. Ils n'ont pas d'écriture, mais un riche folklore oral. Au nombre d'environ 10 000, métissés pour la plupart, ils semblent voués à une disparition prochaine.

AÏR ou **AZBINE.** ♦ Massif montagneux du Sahara* méridional (1 944 m au mont Greboun), dans le N. du Niger*, habité par des Touaregs*. Importants gisements de minerais. **V. Agadès** et **Arlit.**

AIRDRIE. ♦ V. du centre de l'Écosse, dans les Lowlands (Lanarkshire). 35 100 hab. Centre industriel.

AIRE. *n. f.* ♦ Riv. de Lorraine (dép. de la Meuse) [131 km], qui longe le massif forestier de l'Argonne* et se jette dans l'Aisne*.

AIRE. *n. f.* ♦ Riv. d'Angleterre, affl. (r. g.) de l'Ouse.

AIRE ou **AIRE-SUR-LA-LYS.** ♦ Ch.-l. de cant. du Pas*-de-Calais, arr. de Saint*-Omer, sur la Lys*. 9 581 hab. Églises (XVe-XVIe s.; XVIIe s.); maisons anc. – Indus. alimentaires; céramiques.

AIRE *(canal d')* ou **AIRE À LA BASSÉE** *(canal d').* ♦ Canal du Nord de la France, unissant la Lys* à la Deûle*. 40 km.

AIRE-SUR-L'ADOUR. ♦ Ch.-l. de cant. des Landes (arr. de Mont-de-Marsan), sur l'Adour. 6 814 hab. *(Aturins).* Cathédrale romane remaniée; église en brique du Mas-d'Aire (XIIIe et XVe s.). – Constructions aéronautiques. Foies gras.

Air France. ♦ Compagnie de navigation aérienne, nationalisée en 1945 après la fusion en 1933 et en 1942 de plusieurs compagnies françaises. Elle est régie par une loi du 16 juin 1948. Par son trafic international, Air France est la troisième compagnie mondiale et la première d'Europe continentale; elle dessert 73 pays.

AIRLANGGA ou **ERLANGA.** ♦ Roi de Java oriental (1019 – 1049), fils d'un souverain de Bali*. À partir de 1028, il entreprit la conquête de l'est de Java*. Son règne fut glorieux tant par les faits d'armes que par le développement qu'il donna aux lettres et aux arts. À sa mort, son royaume fut partagé entre ses deux fils.

AIROLO. ♦ V. de Suisse (Tessin) sur le Tessin*, à l'extrémité S. du tunnel du Saint*-Gothard. 2 000 habitants.

AIRVAULT. ♦ Ch.-l. de cant. des Deux-Sèvres, arr. de Parthenay. 2 208 hab. *(Airvaudais).* Église Saint-Pierre, ancienne abbatiale des XIIe et XIIIe s., remarquable spécimen du style roman poitevin. Vestiges de l'ancienne abbaye. – Matériaux de construction.

AIRY *(sir* **George Biddell).** ♦ Astronome anglais (Alnwick, Northumberland, 1801 – Londres, 1892). Il établit la théorie des anneaux de diffraction (1834), conçut (1850) un instrument méridien, donna une détermination de l'apex (1860) et, en géologie, esquissa une théorie de l'isostasie (1860).

AISÉN, ou **AYSÉN.** ♦ Prov. du Chili* méridional située face à l'archipel de Chonos*. 88 984 km². 42 000 hab. *Ch.-l.* Puerto Aisén.

AISEREY. ♦ Comm. de la Côte-d'Or, arr. de Dijon. 631 hab. Confiserie (sucreries de Bourgogne).

'Â'ISHA BINT ABÎ BAKR. ♦ Fille d'Abû* Bakr et épouse favorite du prophète Mahomet* (La Mecque, v. 614 – Médine, 678). Elle joua un rôle politique important du vivant du prophète et après sa mort. Elle intervint dans la controverse successorale en soulevant une partie des musulmans contre 'Ali* ibn Abî Tâlib quand il fut choisi comme calife. À la « bataille du chameau » (656, près de Basra) elle fut capturée par les partisans de 'Ali, ramenée à Médine et libérée sous condition de ne plus se mêler de politique. Vénérée surtout par les sunnites*, elle fut surnommée « mère des croyants ».

AISNE. *n. f.* ♦ Riv. du Bassin parisien (300 km), affl. de l'Oise*. Elle prend sa source dans l'Argonne* (dép. de la Meuse), arrose Sainte*-Ménehould, Rethel, Soissons, Rethondes. *Affl.* Aire, Suippes, Vesle.

AISNE *(batailles de l').* ♦ Lors de la Première Guerre mondiale, combats livrés aux abords de la rivière, notamment en 1917 **(V. Chemin des Dames)** et en 1918 au cours de l'offensive allemande qui créa la poche de Château*-Thierry seconde bataille de la Marne*). – En 1940, l'offensive allemande sur l'Aisne fut menée à partir du 6 juin par von Rundstedt et Guderian. Les Allemands atteignirent Château-Thierry le 9 et, malgré la résistance de De Lattre (Rethel), Châlons-sur-Marne et Vitry-le-François le 13, Belfort le 17.

AISNE. [02]. *n. m.* ♦ Dép. du N. de la France, aux confins de la Belgique, région (anciennement C.A.R.) de Picardie. 7 428 km². – *Orogr.* Au N., les plateaux boisés des Ardennes*

Ph. Lauros-Giraudon

Aix-en-Provence : la fontaine des Quatre-Dauphins.

dominent la dépression argileuse de la Thiérache*; plaines et plateaux recouverts de limons occupent le reste du dép. : à l'E. le Laonnois*, à l'O. et au S. le Vermandois*, le Soissonnais*, le Valois*, la Brie* champenoise.

♦ 37 cant. 830 comm. 540 329 hab. *préf.* Laon. *Sous-préf.* Château-Thierry, Saint-Quentin, Soissons, Vervins. *Ch.-l. de cant.* Anizy-le-Château (1 713 hab.), Aubenton*, Bohain*-en-Vermandois, Braine*, Capelle* (La), Catelet (Le) [243 hab.], Charly (2 093 hab.), Chauny*, Condé-en-Brie (592 hab.), Coucy*-le-Château-Auffrique, Craonne (140 hab.), Crécy-sur-Serre (1 598 hab.), Fère* (La), Fère*-en-Tardenois, Guise*, Hirson*, Marle*, Moy-de-l'Aisne (1 154 hab.), Neufchâtel-sur-Aisne (455 hab.), Neuilly-Saint-Front (1 664 hab.), Nouvion*-en-Thiérache (Le), Oulchy-le-Château (694 hab.), Ribémont (2 157 hab.), Rozoy-sur-Serre (1 212 hab.), Sains-Richaumont (1 225 hab.), Saint-Simon (564 hab.), Sissonne*, Soissons*, Vailly-sur-Aisne (1 830 hab.), Vermand (1 135 hab.), Vic-sur-Aisne (1 414 hab.), Villers*-Cotterêts, Wassigny (1 036 hab.). *Autres comm.* **V. Beautor, Belleau, Berry-au-Bac, Crépy-en-Laonnois, Ferté-Milon (La), Liesse, Prémontré, Saint-Gobain, Saint-Michel, Tergnier.**

AÏSSAOUAS, en ar. **'Îsâwiyya**. ♦ Nom donné aux membres d'une confrérie mystique musulmane répandue en Afrique du Nord et fondée à Meknès par Sidi Muhammad ibn 'Îsâ, mort en 1525. Ses membres s'adonnent aux pratiques des convulsionnaires et atteignent l'insensibilité physique au moyen de danses sur place autour d'un feu. Ils jouèrent un rôle politique au Maroc (XVe s.).

AISTOLF ou **ASTOLPHE**. ♦ (? — 756). Roi des Lombards (749-756). Il chassa les Byzantins de l'exarchat de Ravenne* en 752, mais fut battu en 754-756 par Pépin* le Bref, roi des Francs, que le pape Étienne II avait appelé à son aide.

AI TI [Ngai-ti, Aidi]. ♦ Dernier empereur chinois [sous le nom de Li Chu, (892-908)] de la dynastie des T'ang*. Il régna de 904 à 908 et fut tué par son ministre Chu Wen. Une ère d'anarchie s'instaura alors en Chine.

AIUN (EL-), **AAIUN (EL-)** ou **AJUN (EL-)**. ♦ Cap. du Sahara* espagnol, à proximité de l'Atlantique dans le N. de la prov., 5 800 habitants.

AIX *(île d')* [ɛ]. ♦ Île du littoral atlantique (dép. de la Charente-Maritime). 207 hab. Station balnéaire. — C'est à l'île d'Aix que Napoléon passa ses derniers jours en terre française avant d'embarquer sur le *Bellerophon,* navire qui devait le conduire en Angleterre (juillet 1815).

AIX-EN-OTHE. ♦ Ch.-l. de cant. de l'Aube, arr. de Troyes, au S.-O. de Troyes. 2 162 hab. *(Aixois).* Chapelle du XVIe s. Bonneterie, jouets.

AIX-EN-PROVENCE. ♦ Sous-préf. des Bouches*-du-Rhône, ch.-l. d'arr. (10 cant., 62 comm. 352 925 hab.), 93 671 hab. [74 948 aggl.]. *(Aixois).* Ville d'art. Cathédrale Saint-Sauveur (romane, rebâtie aux XIIIe-XIVe s. contenant le triptyque du Buisson ardent par Nicolas Froment*); eglise Saint-Jean-de-Malte (XIIIe s.); église Sainte-Marie-Madeleine (XVIIe-XVIIIe s.). Ancien palais de l'Archevêché (XVIIe s.), auj. musée des Tapisseries. Célèbre bibliothèque Méjanes. Musées d'art. Aix possède de nombreux hôtels anciens, des fontaines monumentales. Archevêché. Ville universitaire (disciplines littéraires, juridiques. **V.** *aussi* **Marseille).** Station thermale. Festival musical annuel. Tourisme. — Matériel vinicole. Indus. alimentaires, confiserie (calissons). Matériel électrique. — Patrie de l'abbé H. Brémond*, de A. Campra*, de A. Capus , de P. Cézanne*, de L. Colet*, de F. Granet*, de A. Mignet*, de D. Milhaud*, de Joseph Portalis*, de J.-B. Van* Loo, de Vauvenargues* (maison natale). ♦ Hist. *Aquae Sextiae,* fondée en ~ 122 par le consul Caïus Sextius Calvinus sur l'emplacement de ses sources thermales, devint colonie sous César. Au Moyen Âge, elle fut capitale de la Provence, gouvernée par les comtes et ducs d'Anjou, dont le célèbre roi René*. En 1409, Louis II d'Anjou (comte de Provence) y fonda une université. Louis XII, roi de France, y établit le parlement de Provence en 1501 et Aix fut rattachée à la France.

AIXE-SUR-VIENNE. ♦ Ch.-l. de cant. de la Haute-Vienne*, arr. de Limoges. 4 099 hab. *(Aixois).* Église romane fortifiée.

AIX-LA-CHAPELLE, en all. **Aachen.** ♦ V. d'Allemagne occidentale et ch.-l. de district de Rhénanie*-Westphalie, à 5 km des frontières belge et hollandaise. 176 800 hab. (1969). Évêché. Université renommée. Station thermale réputée depuis l'époque romaine, la ville possède d'importants monuments anciens ou restaurés. Le plus remarquable est la *chapelle Palatine,* bel exemple d'architecture carolingienne (d'inspiration à la fois byzantine et ravennate), érigée de 796 à 805 pour Charlemagne. Autour d'elle fut élevée une cathédrale gothique (XIIIe-XVe s.). Hôtel de ville gothique (milieu XIIIe s.). — Centre industriel (sidérurgie, constructions de machines, travail de la laine, verreries, pneumatiques, etc.). Endommagée pendant la dernière guerre mondiale, la ville a été en grande partie reconstruite et entourée de nombreux espaces verts. — Patrie de Delphine Gray, Mies Van der Rohe. ♦ *Hist.* L'ancienne *Aquae Grani* des Romains devint au IXe s. la résidence favorite de Charlemagne* qui y mourut en 814. Trente-six empereurs germaniques y furent couronnés de 813 à 1531. Du XVIIe au XIXe s., plusieurs traités y furent signés. Le plus important est celui du 2 mai 1668, paix conclue entre l'Espagne et Louis XIV sous la pression de la Triple-Alliance*. Elle mettait fin aux guerres de Dévolution*, la France gardant une partie de la Belgique mais devant abandonner la Franche-Comté. — 18 octobre 1748 : traité négocié par Kaunitz*, et qui mit fin à la guerre de la Succession* d'Autriche. — *Congrès d'Aix-la-Chapelle.* Il réunit du 29 septembre au 21 novembre 1818 les puissances de la Sainte-Alliance* qui, à la demande du gouvernement français de la Restauration, décidèrent la fin de l'occupation de la France par les troupes alliées (traités de Paris*). Après le début de l'évacuation (9 octobre), le plénipotentiaire français, le duc de Richelieu*, fut invité à participer au Congrès; ainsi, la France rentrait dans la Sainte-Alliance.

AIX-LES-BAINS. ♦ Ch.-l. de cant. de la Savoie*, arr. de Chambéry*, sur la rive E. du lac du Bourget*. 20 718 hab. *(Aixois).* Hôtel de ville dans un château du XVIe siècle. Vestiges romains. — Station thermale et climatique. Constructions électriques, chaudronnerie.

AIZAWA YASUSHI. ♦ Homme politique et historien japonais (1782 — 1863). Anti-occidental, il fut partisan de la restauration de l'empereur. Il exposa ses idées dans de nombreux ouvrages politiques.

AIZU-WAKAMATSU. ♦ V. du N. du Japon (préf. de Niigata). 106 000 hab. (1969). Indus. de la laque et du bois.

AJACCIO. ♦ Préf. de la Corse* du Sud, ch.-l. d'arr. (12 cant. 80 comm. 80 081 hab.), sur la côte occid. de l'île, au fond du *golfe d'Ajaccio.* 42 300 hab. [38 776 aggl.]. *(Ajacciens* ou *Ajacéens).* Cathédrale du XVIe s.; palais Fesch et chapelle impériale (sépultures des parents de Napoléon* Ier), construits sous Napoléon III. Évêché. — Centre commercial, grâce au port. Tourisme. — Patrie des Bonaparte* (maison natale de Napoléon* Ier), du cardinal Fesch*. ♦ *Hist.* Ville anc., évêché au VIIe s., la ville fut rebâtie par les Génois vers 1495. Elle devint française au traité de Versailles* en 1768.

Ph. Nino Cirani/Ricciarini

Le port d'**Ajaccio.**

Arch. Smeets

Ajantâ : couple de figures divines, milieu Ve s.

AJANTÂ. ♦ Site historique et archéologique de l'Inde occidentale au N.-O. d'Hyderâbâd*, célèbre pour son ensemble de vingt-neuf grottes bouddhiques creusées dans le roc et ornées de sculptures et de peintures, dont l'exécution se poursuivit presque sans interruption du ~ IIe s. jusqu'au VIIe siècle. Ces grottes sont célèbres pour la perfection des peintures murales et des sculptures qui les décorent et pour leur curieuse architecture « en creux », imitée de l'architecture en bois.

AJAX, en gr. **Aias.** ♦ Nom de deux héros homériques. Le premier est le roi de Salamine*, fils de Télamon *(Telamônios)* et demi-frère de Teucer. Dans l'*Iliade** il est le plus vaillant des Grecs après Achille*. Après la mort de celui-ci, il revendique ses armes, mais les autres chefs lui préfèrent Ulysse*. Devenu fou, il égorge alors un troupeau de moutons, croyant immoler les Grecs. Ayant reconnu son erreur, il se tue. – Le deuxième est roi des Locriens, fils d'Oïlée *(Oïleus)*. Ayant violenté la prêtresse Cassandre dans le temple d'Athéna*, après la prise de Troie, il périt dans un naufrage.

AJIMA NAONOBU. ♦ Mathématicien japonais (1733 – 1789) qui le premier au Japon, fit des calculs intégraux et différentiels et utilisa les logarithmes.

AJJER (S) [adʒɛʀ]. *n. m. pl.* ♦ Confédération de Touaregs du N., vivant dans la région du Tassili. **V. Tassili.**

AJLÛN. ♦ V. du N. de la Jordanie. 30 000 hab. env. (en majorité Palestiniens). De nombreux réfugiés Palestiniens ont dû s'y installer.

AJMAN. ♦ Le plus petit des États de la côte des Pirates*, proche du sultanat d'Oman*. 5 000 hab. env. Les timbres d'Ajman sont vendus dans le monde entier.

AJMER. ♦ V. de l'Inde, dans le N. du Râjasthân, au S.-O. de Delhi. 269 000 hab. (1970). Indus. pharmaceutiques, indus. de la laine et du cuir.

AJOIE. *n. f.,* en allem. **Elsgau.** ♦ Région située aux confins de la France (dép. du Doubs) et de la Suisse (cant. de Berne). *V. princ.* Boncourt*, Porrentruy*.

AKABA. ♦ **V.** 'AQABA.

AKADEMGORODSK (« Petite ville des savants »). ♦ V. d'U.R.S.S. (R.S.F.S. de Russie) créée en 1959 près de Novosibirsk en Sibérie occidentale. Env. 35 000 hab. Cité nouvelle consacrée à la recherche scientifique pure et appliquée. Université. Dix-sept instituts supérieurs de recherche.

AKAKIA (Martin Sans-Malice, dit en grec**).** ♦ Médecin de François Ier, mort v. 1551. Son petit-fils fut médecin de Louis XIII. – Nom sous lequel Voltaire ridiculisa Maupertuis.

AKASHI. ♦ V. du Japon dans le S. de Honshû (préf. de Hyôgo), à l'O. de Kôbe. 196 000 hab. (1969). Cité industrielle.

AKBAR (Jalâl ud-Dîn Muhammad Akbar). ♦ Empereur moghol des Indes (Umarkot, 1542 – Âgra, 1605), fils et successeur de Humâyun*. Il monta sur le trône en 1556, agrandit les domaines de son père, conquit le Gujarât (1573) et le Bengale (1576), fit de nombreuses réformes administratives et créa une ville nouvelle à Fatehpur-Sikri, non loin d'Âgra*. Il inaugura en Inde l'art de la miniature, protégea les lettrés (en particulier son historiographe Abû-l* Fazl) et fonda une nouvelle religion (Din-i* Ilâhî) syncrétisant l'islâm, le christianisme et les doctrines hindoues. Son fils Salîm se révolta en 1601, fit assassiner Abû-l Fazl (1603) et, à la mort d'Akbar, lui succéda sous le nom de Jâhangîr*.

AKECHI MITSUHIDE. ♦ Chef de clan japonais (1526 – 1582) et officier d'Oda* Nobunaga. Révolté contre ce dernier, il l'assiégea par surprise à Kyôto et le tua, se nommant lui-même shôgun. Mais il fut battu et tué treize jours plus tard par un autre général d'Oda Nobunaga, Hideyoshi*.

AKERSHUS. *n. m.* ♦ Comté de Norvège dont le ch.-l. est Oslo*. 4 909 km². 266 400 hab. – Patrie du roi de Danemark Olav* II Haakonsson.

AKHDAR *(djebel)* [« Montagne verte »]. *n. m.* ♦ Chaîne montagneuse du sultanat d'Oman (principautés d'Arabie*).

AKHETATON. ♦ **V.** TELL EL-AMARNA.

AKHISAR, anc. **Thyateira.** ♦ V. de Turquie, en Anatolie* occidentale, au N. de Manisa*. 46 167 hab. (1965). Centre commercial. Fabrication de tapis. ♦ *Hist.* Ce fut l'une des sept Églises de l'Apocalypse*.

AKHMATOVA (Anna, pseudonyme de **A. A. Gorenko)** [Axmatova]. ♦ Poétesse russe (près d'Odessa, 1889 – Leningrad, 1966). Elle fut une brillante représentante de l'école acméiste*. La poésie contenue dans ses recueils *Le Soir* (1912), *Le Rosaire* (1914), *La Volée blanche* (1917) et *Anno Domini* (1922) possède un caractère personnel de sentimentalité et de lyrisme. Ses poèmes sont courts et concis.

AKHNATON ou **AKHENATON,** (« le serviteur du disque solaire »). ♦ Nom que prit, dès le début de son règne, Aménophis IV, pharaon de la XVIIIe dynastie (v. ~ 1375- ~ 1354), fils d'Aménophis* III et époux de Néfertiti*. Cet être débile, aux hanches de femme, au masque prognathe, fut l'un des plus grands mystiques de l'histoire. Il bouleversa les destinées de l'Empire par l'audace de ses réformes. Il abolit le culte d'Amon* auquel il substitua celui d'*Aton**, le disque solaire, et prit le nom d'*Akhnaton;* puis il abandonna Thèbes pour fonder une nouvelle capitale, Akhet-Aton (l' « horizon du disque solaire », auj. Tell*-el-Amarna). Répudiant le vaste syncrétisme de la religion officielle, il engagea l'Égypte dans la voie du monothéisme, affirmant la bonté providentielle du Soleil qui chaque matin fait renaître la vie. Souhaitant une émancipation profonde des individus, le pharaon hérétique proclama l'abandon du passé au profit d'une nouvelle liberté. Cette révolution religieuse s'accompagna donc d'une révolution esthétique qui donna naissance à un art nouveau, réaliste jusqu'à la caricature **(V. Tell el-Amarna)** et à une littérature mystique à laquelle contribua le souverain lui-même par son *Grand Hymne* (que paraphraseront les *Psaumes*). Mais, absorbé par ses activités religieuses, le « roi ivre de Dieu » négligea la politique étrangère et laissa l'Égypte perdre toutes ses possessions extérieures (Mitanni, Syrie, Palestine). Son successeur Toutankhamon* rétablit l'ordre ébranlé.

AKHTAL (al-). ♦ Poète arabe (v. 640 – v. 710). Originaire de la tribu chrétienne de Taghlib, il fut un véritable propagandiste des 'Umayyades*.

AKIBA BEN JOSEPH. ♦ Docteur juif (en Judée, v. 50 – 135). Il établit un classement systématique de la Mishnah, développa une exégèse mystique interprétant la moindre lettre du texte biblique, participa au « synode » de Jamnia* où il fit admettre le *Cantique des cantiques* dans le canon biblique. Il fut le maître de Siméon* bar Yochai et d'Aquila. Emprisonné par les Romains lors de la révolte de Bar* Kocheba, il mourut sous la torture.

AKIHITO. ♦ Prince héritier du Japon (né en 1933), fils de l'empereur Hiro-Hito*.

AKITA. ♦ V. du N. du Japon (Honshû) et centre métallurgique important, sur la mer du Japon. 237 000 hab. Raffineries de pétrole, tissage de la soie. Célèbres élevages de chiens.

AKJOUJT (anc. Fort-Repoux). ♦ Localité de Mauritanie, cité minière (gisement de cuivre), reliée par piste à Nouakchott*. 2 500 habitants.

AKKAD ou **AGADÉ.** ♦ Ville non identifiée de l'anc. Mésopotamie, qui donna son nom à la région située au N.-O. de Sumer. La puissance d'Akkad commença avec Sargon* l'Ancien dit *Sargon d'Agadé* (v. ~ 2450), fondateur d'un empire sémitique qui domina la Babylonie et Sumer, s'étendit peut-être jusqu'en Anatolie (principaux souverains : Urumush, Manishtusu, Naram*-Sin), mais s'effondra sous les incursions des Goutéens (v. ~ 2250).

AKKAR ou **AQQAR.** ♦ Localité du Liban, située au N.-E. de Tripoli, dans une zone de riches cultures.

AKMOLINSK. ♦ **V.** TSELINOGRAD.

AKOLA. ♦ V. de l'Inde (Mahârâṣtra), 147 000 hab. (1970). Indus. textiles (coton).

AKOSOMBO. ♦ Barrage du Ghâna*, sur la Volta*, formant le plus grand lac artificiel du monde (lac Volta). Centrale électrique. Il a permis l'industrialisation de l'E. du pays et le traitement de l'aluminium à Tema*.

AKRON (mot grec « haut »). ♦ V. des États-Unis (Ohio*) au S. du lac Erié et de Cleveland. 273 266 hab. (zone urbaine 673 485 hab.). Le plus grand centre mondial de l'indus. du caoutchouc (pneus, etc.). Indus. chimiques, mécanique. Aéronautique. – Patrie de C.L. Hull*.

AKSAKOV (Sergueï Timofeievitch). ♦ Écrivain russe (Oufa, 1791 – Moscou, 1859). Il prit parti pour les slavophiles* et laissa une série de récits sur la nature et sur la vie des propriétaires terriens, dont le plus célèbre est *Chronique de famille* (1852).

AKŚOBHYA. ♦ Un des « grands Jina* » du panthéon bouddhique des écoles du Nord, hypostase ou manifestation du Bouddha Śâkyamuni Gautama*, correspondant au « Buddha prenant la terre à témoin des mérites acquis dans ses vies antérieures ». Il se nomme Ashuku Nyorai dans le bouddhisme japonais.

AKSOUM ou **AXOUM.** ♦ V. d'Éthiopie, dans le Tigré, au S.

Arch. Smeets

Akhnaton — Aménophis IV, la reine Néfertiti et leurs enfants. (Staatliches Museum, Berlin.)

d'Asmara. 10 000 hab. Célèbre obélisque. – Le *royaume d'Aksoum* fut la première puissance politique en terre éthiopienne (jusqu'au XIIIe s.). **V. Éthiopie** *(Hist.).*

AKTIOUBINSK ou **AKTIUBINSK.** ♦ V. d'U.R.S.S. (Kazakhstan*), 150 000 hab., ch.-l. de la région du même nom (299 800 km^2, 554 000 hab.). Indus. alimentaires. Matériel agricole. Appareils de radioscopie. Combinat chimique.

AKUREYRI. ♦ V. et port du N. de l'Islande, au fond de l'Eyja Fjordhur. *Ch.-l.* de la prov. de Nordurland. 10 136 hab. (1967). Important marché agricole et centre industriel. Principal port de la côte N. (morue, hareng).

AKUTAGAWA RYÛNOSUKE. ♦ Romancier et essayiste japonais (1892 – 1927). Ses nouvelles sont écrites dans une langue très pure, où le fantastique, l'étrange et le merveilleux tiennent une grande place. Parmi ses œuvres les plus connues, *Rashômon* (*La Porte de l'enfer,* 1915), *Hana* (*Le Nez,* 1916), *Akuma-no-Tabako* (*Le Tabac du diable,* 1916), *Haguruma,* 1927, *Imogayu,* 1931, etc.

AKYAB. ♦ V. et port de Birmanie, dans l'Arakan*, sur le golfe du Bengale. Env. 50 000 hab. Exportation de riz et de bois, pêche.

ALÂ AL-DÎN KHILJÎ. ♦ Sultan türk de Delhi (1296-1316). Conquérant hardi, d'une impitoyable cruauté, il conquit le Dekkan avec l'aide de son général Malik* Kâfûr et y fit de terribles destructions. Il repoussa les Mongols qui s'étaient installés en Inde. On pense qu'il fut empoisonné par Malik Kâfûr qui prit alors le pouvoir.

ALÂ AL-DÎN RIAJAT SJÂH AL-KAHAR. ♦ Sultan musulman du royaume d'Atjeh* (pointe nord de Sumatra) de 1537 à 1571. En 1563, attaqué par les Portugais, il envoya en vain une ambassade à Constantinople pour demander l'aide des Turcs contre ses agresseurs.

ALABAMA. *n. m.* ♦ Fleuve du S. des États-Unis, formé par le confluent de deux rivières en amont de Montgomery. Il traverse l'État d'Alabama* et se jette dans le golfe du Mexique (baie de Mobile*).

ALABAMA. ♦ État du S.-E. des États-Unis, limité au N. par le Tennessee*, au S. par la Floride* et le golfe du Mexique. 105 145 km^2. 3 517 000 hab. en 1960 (30 % de Noirs; en diminution). *Cap.* Montgomery. *V. princ.* **V. Birmingham, Gadsden, Huntsville, Mobile, Tuscaloosa.** — *Orogr.* La partie N. de l'Alabama est montagneuse : l'extrémité S.-O. des Appalaches* et du plateau du Cumberland pénètrent dans l'État après avoir traversé le Tennessee; la région contient de nombreux lacs (notamment lacs de barrages le long de la riv. Tennessee et de la Coosa). Le S. de l'État est formé par la plaine côtière du golfe du Mexique et s'abaisse jusqu'à la frontière de la Floride et, à l'O., jusqu'à la mer (baie de Mobile*). *Climat* tempéré chaud, assez humide. — *Écon.* L'agriculture était traditionnellement basée sur le coton, aujourd'hui dépassé en importance par l'élevage. Nombreux minerais, notamment charbon et fer. Gaz naturel et pétrole. L'État contient le plus grand gisement de marbre blanc connu au monde. Le développement indus. (sidérurgie, textiles, chimie, indus. alimentaires) va de pair avec la concentration urbaine qui s'accroît (plus de 45 % dans les 6 principales agglomérations). L'Alabama possède un des centres importants de la NASA (à Huntsville). — Patrie de Van* de Graaff, Jess Owens*. ♦ *Hist.* La région, explorée par Hernando de Soto* (1540), occupée par les Anglais (1763-1783) et par les Espagnols (1783-1813), devint un État en 1819.

À la belle vieille. ♦ Ode de François Maynard* (1646), dans laquelle il invoque sa longue fidélité, pour qu'on donne enfin de « beaux jours » à ses « derniers hivers ».

ALACOQUE. ♦ **V.** MARGUERITE-MARIE ALACOQUE (sainte).

ALADAĞ. ♦ Nom géographique, donné, en Turquie, à des localités, fleuves ou massifs montagneux. Parmi ces derniers, les principaux se trouvent au N.-O. du lac de Van* (3 551 m), au N.-O. de Konya* (2 339 m) et dans le Taurus* central (3 734 m).

Aladin, en ar. **'Alâ al-Dîn.** ♦ Personnage des *Mille et Une Nuits.* Fils d'un modeste tailleur, guidé par un sorcier, il trouve au centre de la Terre une lampe magique qui lui apporte la fortune. — Œuvre d'Adam Oehlenschläger, tirée des *Mille et Une Nuits* (1805).

ALADIN. en ar. **'Alâ al-Dîn.** ♦ Nom francisé d'un chef ISMAÉLIEN, surnommé comme Hasan* ibn al-Sâbbâh « le vieux de la montagne ».

ALAGHEZ. *n. m.* ♦ Massif volcanique de l'U.R.S.S. (Arménie) qui culmine au pic Aragats (4 095 m) et domine le lac Sevan* et la ville d'Erevan*.

ALAGNON. *n. m.* ♦ Riv. du Massif* central (80 km), affl. de l'Allier*.

ALAGOAS. *n. m.* ♦ Petit état côtier du Brésil (N.-E.), au S. de l'État de Pernambouc*. 27 731 km^2. 1 420 000 hab. *Cap.* Maceió*. Plantations de canne à sucre, culture du coton. Élevage extensif à l'intérieur (bovins). Pétrole.

ALAIN (Émile-Auguste CHARTIER, dit). ♦ Philosophe et essayiste français (Mortagne-au-Perche, Orne, 1868 – Le Vésinet, 1951). Élève de J. Lagneau*, il enseigna la philosophie en province et à Paris, tout en faisant paraître ses *Propos* (1908-1919) dans la *Dépêche de Rouen* puis dans la *Nouvelle Revue française.* Il a voulu redonner à la philosophie son sens premier d'« Éthique », c.-à-d. de « connaissance universelle » capable de conduire l'homme à la sagesse, à une maîtrise des passions, des désordres des sens, de l'imagination et du cœur par l'esprit. Le souci de sauver l'homme de toutes les tyrannies s'affirme dans ses positions politiques, son radicalisme libéral et démocratique. Plus qu'un créateur de système philosophique, Alain, à l'exemple de Socrate, a voulu être un maître à penser et un éducateur, et a donné de l'existence une approche quasi phénoménologique. *Système des Beaux-Arts,* 1920; *Mars ou la guerre jugée,* 1921; *Éléments d'une doctrine radicale,* 1925; *Souvenirs concernant Jules Lagneau,* 1925; *Les Idées et les Âges,* 1927; *Propos sur le Bonheur,* 1928; *Idées,* 1932; *Vigiles de l'esprit,* 1942; *Les Dieux,* 1947, etc.

ALAIN (Jehan). ♦ Organiste et compositeur français (Saint-Germain-en-Laye, 1911 – au combat [Saumur], 1940. Élève de Marcel Dupré, improvisateur d'une imagination féconde, il a laissé 24 compositions pour orgue, des pages pour le piano *(Suite monodique)* ainsi que des œuvres vocales (messes, motets).

ALAIN DE LILLE, en lat. **Alanus ab insulis.** ♦ Théologien et écrivain (Lille, entre 1115 et 1128 – Cîteaux, 1203). Appelé Docteur universel, il fut recteur de l'université de Paris, où il enseigna la théologie, cherchant à déterminer les règles de cette discipline par rapport à la dialectique et à la grammaire. Il est l'auteur d'une allégorie morale *De planctu naturae* (qui a influencé le *Roman* de la rose,* de Jean de Meung) et de *l'Anticlaudianus.*

ALAIN-FOURNIER (Henri Alban FOURNIER, dit). ♦ Romancier français (La Chapelle d'Angillon, 1886 – Les Éparges, 1914). Il quitta le Berry et la Sologne, où il avait passé ses premières années, pour venir à Paris préparer le concours d'entrée à Normale supérieure; lié avec son condisciple Jacques Rivière* (qui devait épouser sa sœur Isabelle), il engagea avec ce dernier une importante *Correspondance* (1905-1914, pub. 1926-1928) où le jeune homme analysait ses goûts littéraires : sensible au symbolisme, admirant Maeterlinck, J. Laforgue et F. Jammes, il se dit marqué également par les œuvres de Rimbaud et de Gide, puis par celles de Claudel. Son unique roman, *Le Grand Meaulnes* (1913), connaissait le succès quand l'écrivain fut tué en septembre 1914. « Mélange subtil de brume et de lumière » (Paul Archambault), ce roman poétique évoque une jeune fille, à peine entrevue par Alain-Fournier, souvenir qui devait alimenter sa vie « de ferveur, de tristesse et d'extase ». Le héros, Augustin Meaulnes (« Le Grand Meaulnes »), adolescent ardent et scrupuleux qui recherche l'infini de l'émotion à travers un amour humain, vit une grave aventure intérieure au cours d'une intrigue chargée d'un sens symbolique. Effort pour « atteindre, au milieu de la vie même, ce qui est le plus merveilleux de (soi-)même », ce récit limpide et mystérieux a exercé une grande influence.

ALAINS. *n. m. pl.* ♦ Peuple nomade d'origine iranienne établi dans le Caucase septentrional puis en Asie Mineure d'où il fut chassé par Probus* v. 280. Vaincus par les Huns* au IVe s., les Alains se dispersèrent; certains passèrent en Lusitanie* et furent anéantis par les Wisigoths*, d'autres en Afrique avec les Vandales*, d'autres en Gaule. Ils disparurent au Ve siècle.

ALAJUELA. ♦ V. du Costa-Rica (Amérique Centrale), ch.-l. de province, située sur le plateau central, au N.-O. de San* José. Plus de 70 000 hab. Évêché. Indus. alimentaires et textiles.

ALAMANS ou **ALÉMANS.** *n. m. pl.,* en lat. **Alamanni.** ♦ Groupement de tribus germaniques (dont les Suèves* et les Semnons*) établies d'abord sur le cours moyen et inférieur de l'Elbe. Apparus sur le Main en 213, les Alamans se heurtèrent aux empereurs romains Caracalla* (214). Sévère*-Alexandre (233) et Maximin* (237) qui réussirent à les contenir derrière le *limes* du Rhin. Mais dès 260 ils avancèrent jusqu'à Milan où ils furent écrasés par Gallien* (261) et s'installèrent dans les champs Décumates*, entre le Main et le lac de Constance, puis dans le N. de l'Helvétie. Poussés par les Huns en 406, ils franchirent le Rhin près de Mayence, mais furent refoulés par Aetius*. Ils étaient contenus au S. par les Burgondes* et au N. par les Francs*, qui devaient bientôt se rendre maîtres de toute la Gaule. Après avoir été vaincus par Clovis* à Tolbiac (496), ils acceptèrent la suzeraineté franque et formèrent le duché d'Alémanie*. Ils furent convertis à partir du VIIe s. par les moines irlandais saint Colomban* et saint Gall* et rédigèrent leur loi *(Pactus* ou *Lex Alamannorum)*. Après la suppression de leur duché par Charles Martel au VIIIe s., ils se rangèrent contre Louis le Pieux du côté de Louis le Germanique dont le traité de Verdun* les fit dépendre à partir de 843. — Les Français, appliquant à toute la Germanie le nom de leurs voisins *Alamans*, l'appelèrent *Allemagne*.

ALAMEIN (EL), en ar. **Al-Âlamayn**. ♦ Localité d'Égypte à l'O. d'Alexandrie. ♦ *Hist.* Point le plus avancé de l'offensive de Rommel* en juin 1942, elle fut la base de départ de la contre-attaque de Montgomery*.

ALAMÛT (Nid d'aigle). ♦ Forteresse de Perse au N.-O. de Qazvîn. Fondée en 868, elle fut la résidence du grand maître des Assassins* de 1090 à 1256.

ÅLAND *(îles d')*, en finnois **Ahvenanmaa**. ♦ Archipel de Finlande, à l'entrée du golfe de Botnie. 1 481 km². 6 500 îles et îlots (la plus grande, Åland, à 640 km²). 21 598 hab. (1969). *Ch.-l.* Mariehamn. Aéroport. La population, de langue suédoise, vit essentiellement de l'agriculture, de l'élevage et de la pêche (hareng).

ALAOUITES. ♦ **V. Alawites.**

ALARCÓN (Juan Ruiz de Alarcón y Mendoza). ♦ Auteur dramatique espagnol (Mexico, v. 1580 — Madrid, 1639). Œuvr. princ. : *La Vérité suspecte (La Verdad sospechosa*, 1630), comédie de caractère imitée par Corneille dans *Le Menteur*.

ALARCÓN Y ARIZA (Pedro Antonio *de*). ♦ Écrivain espagnol (Guadix, 1833 — Valdemoro, 1891). Après des études de droit et une formation religieuse, il se tourna vers la littérature et l'action politique. Il fut journaliste à Cadix, puis à Madrid *(El Latigo)*, défendant des positions libérales et anticléricales. En 1860, découragé, il s'engagea pour la campagne d'Afrique *(Journal d'un témoin de la guerre d'Afrique)*, puis voyagea *(De Madrid à Naples)*. Sa formation d'autodidacte, sa culture hétérogène et les désillusions de la vie se retrouvent dans ses romans qui marquent son retour à un catholicisme intransigeant. *Le Scandale (El escandalo*, 1875) évoque une crise et un sacrifice moral, dans un climat religieux. *Le Tricorne (El sombrero de tres picos*, 1874), rendu célèbre par le ballet de Manuel de Falla*, est un court récit dans la tradition picaresque où la poésie et la fraîcheur des sentiments, la gaieté et la pureté du style ne vont pas sans quelque moralisme.

ALARD. ♦ Personnage du roman de chevalerie *Les quatre* fils Aymon*, l'un des quatre fils du duc Aymes.

À la Recherche du temps perdu. ♦ Vaste œuvre romanesque de M. Proust*, publiée de 1913 à 1922 et après sa mort, composée de sept parties : *Du côté de chez Swann* (1913), *A l'Ombre des jeunes filles en fleurs* (1918), *Le côté de Guermantes* (1920), *Sodome et Gomorrhe* (1922) et, posthumes, *La Prisonnière* (1923), *Albertine disparue* (1925), *Le Temps retrouvé* (1927). À la fois confession et documentaire social, enquête psychologique et chronique poétique, ces livres sont « les enfants, non du grand jour et de la causerie, mais de l'obscurité et du silence ». Suivant une composition cyclique et une structure complexe qui trouve son unité dans l'emploi du *Je*, le narrateur entreprend d'évoquer par l'écriture l'évolution qui le conduisit, enfant nerveux et maladivement attaché à sa mère, puis jeune bourgeois esthète et mondain, fasciné par les « intermittences du cœur », à une découverte essentielle. Le seul moyen de « retrouver » le « temps perdu », en utilisant les éclairs de la mémoire involontaire, portés par les « correspondances furtives», est, pour l'écrivain, de se perdre dans la souffrance et la mort et de se transmuer en une œuvre d'art. Comprenant « qu'il existait autre chose, réalisable par l'art sans doute, que le néant », le narrateur entreprend, comme ses héros l'écrivain Bergotte, le peintre Elstir, le musicien Vinteuil, de « dégager l'essence de nos sensations en les réunissant, pour les soustraire aux contingences du Temps, dans une métaphore ». Évoquant la société qu'il fréquenta jusqu'à sa quarantième année, Proust fut amené à peindre le petit monde snob du début du XXe siècle, où bourgeoisie riche (le clan des Verdurin) et aristocratie (les Guermantes) finissent par fusionner et se niveler. Sensible aux altérations que le temps apporte dans le champ de la vie intérieure, Proust excelle à montrer comme, en un même individu, les désirs et les affections, soumis aux puissances inconscientes de l'imaginaire, restent relatifs et provisoires (Cf. *Un amour de Swann*). Le déroulement si ample et musical des phrases, l'utilisation subtile des images et des métaphores, l'impressionnisme du récit, « supporté en quelque sorte, pour imiter la mémoire involontaire..., par une grâce, un pédoncule de réminiscences » *(Lettre à René Blum)*, la technique du monologue intérieur, le caractère clos du texte qui transmue son objet apparent en l'essence de l'écriture font de cet ouvrage, mal accueilli, puis couronné par le prix Goncourt (1919), un des jalons principaux de l'histoire littéraire universelle.

ALARIC Ier. ♦ (delta du Danube, v. 370 — Cosenza, 410). Roi des Wisigoths (395-410). L'un des commandants des Goths au service de Théodose*, après la mort de ce dernier, il envahit une partie de l'Empire, dévastant la Thrace, la Macédoine (395),

Ph. Nino Cirani/Ricciarini

Alaska : le fleuve Yukon.

imposant un tribut à Athènes. Nommé gouverneur d'Illyrie par l'empereur Arcadius, qui espérait le neutraliser, il attaqua l'empire d'Occident (Honorius) et envahit l'Italie du Nord (402). Repoussé par Stilicon* (Vérone), il revint en Illyrie. Honorius ayant manqué à lui payer tribut, il envahit à nouveau l'Italie et réussit à s'emparer de Rome* qu'il pilla durant six jours (410). Avant de mourir il pilla l'Italie du Sud et tenta d'envahir la Sicile. ♦ ALARIC II. Roi des Wisigoths (484-507). Fils et successeur d'Euric, il régna sur la plus grande partie de l'Espagne et sur la Gaule au S. de la Loire. Il promulgua en 506 un code pour ses sujets gallo-romains, dit le *Code* (ou « Bréviaire ») *d'Alaric*. Il fut battu et tué par Clovis* à la bataille de Vouillé* en 507.

ALASKA. *n. m.*, d'un mot eskimo signifiant « le continent ». ♦ État des États-Unis d'Amérique, séparé des 48 États par le Canada. 1 518 700 km² (c'est le plus grand État de l'Union). 272 000 hab. en 1960 (Indiens, Eskimos, Blancs). *Cap.* Juneau. *V. princ.* **V. Anchorage, Fairbanks.** — *Orogr.* On peut diviser cet État, qui correspond à l'extrémité N.-O. des Rocheuses, en trois régions. Le S. comprend de très hautes montagnes (chaîne de l'Alaska, *Alaska range* et monts Wrangel, continuant la chaîne côtière canadienne) et notamment, le point le plus élevé de l'Amérique du Nord (mont McKinley* : 6 194 m), il se prolonge par la péninsule de l'Alaska, que prolongent les îles Aléoutiennes* et l'île Kodiak. La côte, surtout dans sa partie S.-E., où elle est longée par la frontière canadienne, présente de nombreuses îles, (archipel Alexander. etc.). L'intérieur, jusqu'à la chaîne de Brooks *(Brooks range)*, présente de larges vallées (notamment celle du Yukon*) et des montagnes moins élevées. Au N.-O., la péninsule de Seward borde le détroit de Bering et s'approche de la frontière soviétique. La zone arctique, enfin, marécageuse en été, est séparée du Yukon par les monts Brooks; elle est riche en pétrole et gaz naturel. — *Climat* océanique et relativement modéré au S.; l'intérieur a un climat continental et très froid l'hiver (jusqu'à −57 °C). — *Écon.* Richesses minières : l'or (en déclin), le cuivre, le pétrole sont exploités; le charbon, le fer forment d'énormes réserves. L'indus. de la pêche équivaut en importance économique à l'exploitation minière (saumon, flétan, crabe); conserveries. L'agriculture (surtout légumes et baies) est remarquablement développée, considérant la latitude. Commerce et indus. des fourrures, du bois. Les difficultés de communication entravent le développement économique. Trafic aérien considérable. ♦ *Hist.* Exploré par Béring* en 1741, l'Alaska fut racheté aux Russes par les Américains en 1867. Le pays se développe rapidement avec la ruée vers l'or (surtout de 1885 à 1907, **V.** *aussi* **Klondike**). La *route de l'Alaska*, reliant Fairbanks aux États-Unis par la Colombie britannique (2 500 km), fut construite en 1942 à la suite de l'occupation des îles Aléoutiennes par les Japonais. L'Alaska est devenu le 49e État des U.S.A. en 1959. Un très grave tremblement de terre a ravagé le S. de l'État en 1964.

ALAUNGPAYA. ♦ (?, — près d'Ava, 1760). Roi de Birmanie (1752-1760), connu des Européens sous le nom d'*Alompra*. Petit chef d'un village du centre de la Birmanie, il réussit à agrandir ses territoires et à unifier le pays. Il donna à Dagon le nom de Yankon (Rangoon), c'est-à-dire « fin de la lutte ». Il combattit les Français établis à Syriam, mais échoua dans une tentative de conquête du Siam et mourut lors de la retraite de ses armées.

ALAUNGSITHU. ♦ Roi birman de Pagan* (1112 — 1167), successeur de Kyanzittha. Il embellit sa cité et rédigea un code de lois. Son fils Narathu l'étouffa et lui succéda.

ÁLAVA. *n. m.* ♦ Prov. basque d'Espagne. 151 200 hab. Ch.-l. Vitoria*. Vignobles réputés *(Rioja alavesa)*.

ALAWITES ou **ALAOUITES**. *n. m. pl.* (*Alaui*, descendant d'*Ali*). ♦ Dynastie fondée au XVIIe s. par les chérifs marocains du Tafilalet* et qui règne encore sur le Maroc (**V. Maroc,** *Hist.*).

ALBA. ♦ V. d'Italie, dans le Piémont (prov. de Cuneo) sur le Tanaro*. 25 008 hab. Évêché. Centre agricole (vins).

ALBACETE. ♦ V. d'Espagne (Murcie*) sur un affluent du Júcar*. 79 000 hab. Ch.-l. de la *prov. d'Albacete* (371 000 hab.). Marché agricole.

ALBAIN *(mont)*, en lat. **Albanus Mons**, auj. **Monte Cavo**. ♦ Montagne de l'Italie anc. (Latium), au S.-E. de Rome, constituant le point culminant des *monts Albains* (auj. *Colli Albani*) qui dominaient Albe* (949 m). Oliviers et vignobles réputés (vin des Castelli).

ALBA JULIA, en hongr. **Gyula-Fehervar**, en all. **Weissenburg**. ♦ V. de Roumanie centrale (Transylvanie), sur le Mureş (région de Hunedoara). 20 200 hab. Cathédrale romano-gothique Saint-Michel (XIIe s.). Riche bibliothèque fondée en 1794 par le comte de Batthiany. ♦ *Hist.* L'union de la Transylvanie avec la Roumanie y fut proclamée le 1er déc. 1918.

ALBANI. ♦ Illustre famille italienne, originaire d'Albanie*, qui se réfugia en Italie au XVIe s. et qui a donné un pape, Clément* XI et plusieurs cardinaux dont ALESSANDRO ALBANI (Urbino, 1692 – Rome, 1779). Il rassembla dans son palais (la *villa Albani*) une importante collection d'antiquités.

ALBANI (Francesco, dit en fr. **L'ALBANE)**. ♦ Peintre, décorateur et dessinateur italien (Bologne, 1578 – *id.*, 1660). D'abord élève de Calvaert*, il entra à l'académie des Carrache* vers 1595. Il devint l'aide d'Annibal Carrache vers 1601-1602, notamment au *palais Farnèse**. Il travailla surtout à Rome et à Bologne où il s'établit définitivement à partir de 1625. Auteur de grandes décorations à fresque et de retables religieux (*chapelle majeure de Sainte-Marie de la Paix*, à Rome), il est surtout célèbre pour ses compositions mythologiques d'un style élégiaque et suave. (*Histoire de Vénus et de Diane*, 1621-1623).

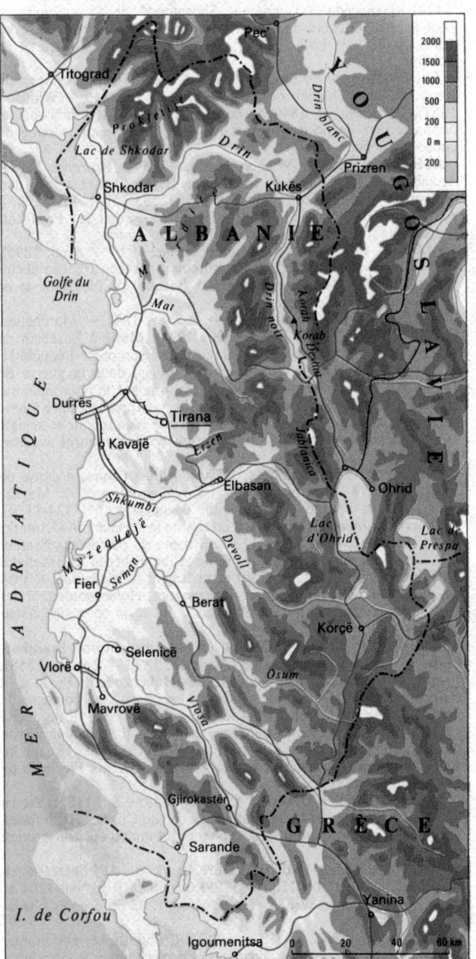

Albanie.

ALBANIE. *n. f.* (*République populaire* d'), en albanais **Shqipëria** ou **Shqiprija** : « le pays des aigles ». ♦ État de la péninsule balkanique, limité au N. et à l'E. par la Yougoslavie, au S. E. par la Grèce et à l'O. par la mer Adriatique. 29 000 km^2. 1 965 000 hab. *(Albanais)*. *Cap.* Tirana*. *Langue :* albanais (dialecte tosque). *Religions traditionnelles :* musulmane (65 %), orthodoxe (25 %), catholique (mais l'athéisme officiel proscrit tous les cultes). *V. princ.* Durrës* (Durazzo), Elbasan*, Korcë*, Shkodar* (Scutari), Tirana*, Vlorë* (Valona). – *Orogr.* L'Albanie est en grande partie montagneuse. Au N., entre le lac de Shkodar et le Drin, se dressent des chaînes d'une altitude de 2 000 m, orientées N.-E.-S.-O., prolongeant le système dinarique yougoslave, et les reliefs karstifiés du Prokletije*. Au centre s'élèvent de hautes chaînes parallèles, (Mirditë), orientées N.-S. et dominées par le Korab* (2 751 m). Au S., en Épire albanaise, s'élève la chaîne côtière de Himara, dominant les collines de la Riviera albanaise. La seule vallée transversale est celle du Shkumbi. La plaine côtière, de Shkodar à Vlorë, ne dépasse pas 30 km de large et se poursuit au S. par la Myzeqejë. Entre la montagne et la plaine s'élèvent des collines argileuses. – *Hydrogr.* Drin*, Erzen*, Mat*, Seman*, Shkumbi*, Vjosa. *Lacs* Ohrid*, Prespa*, Shkodar*. Le *climat*, méditerranéen, est à tendance continentale dans l'intérieur. – *Écon.* L'Albanie est traditionnellement un pays d'économie agricole et pastorale. Le gouvernement socialiste a entrepris depuis 1946 d'importantes réformes agraires. On cultive des céréales (blé, maïs), et des plantes industrielles (riz, betterave sucrière, tabac, coton). L'olivier et la vigne se développent sur la côte. Les forêts couvrent 1/3 du pays. Le cheptel (bovin, ovin, porcin) est encore modeste et s'accroît lentement. L'essor industriel date de 1946 grâce au financement par l'État (plans quinquennaux) et surtout à l'intervention de l'Union soviétique, puis de la Chine depuis 1960. Le pétrole (800 000 t) est extrait à Vlorë, Berat, Qyet* Stalin, raffiné à Cerrik* et à Fier*. Les réserves de cuivre, de ferro-nickel (Pogradec*, Elbasan) et surtout de chromite (127 000 t) sont importantes. La production d'énergie thermique et électrique est de 225 millions de kWh. L'électrification du pays est considérée comme achevée en 1971. Les secteurs industriels les plus développés sont les indus. de transformation des produits agricoles (sucreries, huileries, brasseries, minoteries, manufactures de tabac) et le textile (Berat, Tirana). Cependant, les indus. chimiques (engrais et phosphates à Laç et Fier) et la sidérurgie (Elbasan) se développent. La balance commerciale est déficitaire. Les échanges se font surtout avec la Chine et les pays du bloc communiste européen, mais aussi depuis 1963, avec la France et l'Italie. ♦ *Hist.* La région, colonisée par les Grecs dès le ~ VIIe s., fit partie des royaumes d'Épire, de Macédoine, puis de l'Empire romain (~ IIe s. : prov. d'Illyrie* au N., de Macédoine* au S.). Province de l'empire d'Orient (Épire*) au IVe s., le pays passa au IXe s. sous l'autorité des rois de Bulgarie. Au XIe s. il fut repris par Byzance; puis conquis par la Serbie au XIVe siècle. L'invasion turque (1435) fut retardée par la résistance du héros national Skanderbeg*, mais après sa mort les Turcs parvinrent à s'implanter (1479) et le pays commença à s'islamiser. À la même époque, la côte était contrôlée par les Vénitiens qui acquirent en 1467 la principauté de Croia (Krujë), mais durent céder aux Turcs leurs possessions (1479; 1502). Plusieurs tentatives pour se libérer des Ottomans échouèrent, dont celle d'Ali* pacha (1822). À la fin de l'empire turc, l'Albanie, après la révolte de 1912, fut reconnue comme principauté indépendante. Mais en 1914 les Autrichiens (au N.) et les Italiens (au S.) s'emparaient du pays. Le traité de Tirana (août 1919) reconnut son indépendance (entrée à la S.D.N., 1920). Ahmed Zogou (**V. Zog**) s'empara du pouvoir, se faisant proclamer roi en 1928. L'Italie fasciste, qui exerçait une influence politique et économique croissante sur l'Albanie, l'envahit en avril 1939. Victor-Emmanuel III s'arrogea le titre de roi d'Albanie, et le pays reçut des institutions fascistes; il devait servir de base de départ aux troupes italiennes pour leur tentative d'invasion de la Grèce (1940). La résistance s'organisa sous la direction de Enver Hoxha* et en liaison avec la résistance yougoslave. La république populaire fut proclamée en janv. 1946. D'abord strictement fidèle à la ligne soviétique (rupture avec Tito, 1948), le Parti communiste albanais a désavoué la déstalinisation, puis, rompant avec l'U.R.S.S. (1961), s'est aligné sur la Chine maoïste. Le IIIe plan quinquennal (1960-1965) a souffert du retrait de l'aide soviétique, qu'a partiellement remplacé l'aide chinoise (depuis 1962). Une campagne nationale de modernisation agricole et d'électrification a été mise en action.

ALBANO *(lac d')*. ♦ Lac d'Italie péninsulaire (Latium, prov. de Rome), occupant, au S.-E. de Rome, l'emplacement d'un ancien cratère des monts Albains* (6 km^2).

ALBANO LAZIALE. ♦ V. d'Italie (prov. de Rome), près du lac Albano*. 23 081 hab. Ruines romaines. – Patrie du pape Innocent* Ier.

ALBANY (Louise, *princesse de* **STOLBERG**, *comtesse d'***)**. ♦ Princesse allemande (Mons, 1752 – Florence, 1824). Elle fut l'épouse de Charles*-Édouard Stuart, comte d'Albany puis, à la mort de celui-ci (1788) du poète Alfieri* et tint à Florence un salon brillant.

ALBANY. ♦ V. des États-Unis, cap. de l'État de New* York, sur l'Hudson*. 113 857 hab. (zone urbaine 710 602). Centre indus., la ville conserve des spécimens d'architecture coloniale.

ALBARRACÍN. ♦ V. d'Espagne, dans l'Aragon* (Teruel), au pied de la *sierra de Albarracín.* 1 600 hab. Vestiges de remparts, belle cathédrale du XIVe siècle.

ALBARRAN (Joaquin). ♦ Chirurgien français (Sagua La Grande, Cuba, 1860 — Paris, 1912). Élève de Guyen*, il fut un des fondateurs de l'urologie.

ALBE (Fernando Alvarez de Tolède, DUC D'ALBE, en esp. *Alba*). ♦ Général et homme politique espagnol (Predrahita, 1507 — Lisbonne, 1582). Après s'être illustré contre les Français (1542) et les Barbaresques, il contribua à établir la puissance de Charles Quint en écrasant la ligue de Schmalkalden* à Mühlberg* (1547). Devenu vice-roi de Naples, il prit part à la guerre contre Philippe* II et la papauté, menaça Rome et contraignit Paul* IV à traiter. Il avait chassé les Français d'Italie et fut chargé de négocier le mariage de Philippe II et d'Élisabeth* de France (1559). Il fut ensuite nommé gouverneur des Pays-Bas (1567) où, avec l'appui d'une forte armée, il exerça une répression implacable. Le Conseil des troubles qu'il institua (surnommé *Bloedraad,* « conseil du sang »), prononça des milliers de sentences d'exécutions dont celles des comtes de Hoorne* et d'Egmont*. Cette politique de la terreur eut pour conséquence un soulèvement de la Hollande et de la Zélande, dirigé par Guillaume* le Taciturne. Faute de ressources et d'une flotte suffisante pour lutter contre celle des Gueux*, le duc d'Albe demanda son rappel (1573). Son fils, en se mariant contre la volonté du roi, provoqua la disgrâce du duc, qui fut encore chargé de réprimer l'insurrection du Portugal. Il mourut à Lisbonne après une campagne foudroyante.

ALBE LA LONGUE, en lat. **Alba Longa.** ♦ Anc. V. d'Italie (Latium) au S.-E. de Rome. Longtemps en lutte contre Rome *(V. Curiace),* elle fut détruite en ~ 665 par Tullus* Hostilius.

ALBENIZ (Isaac). ♦ Compositeur et pianiste espagnol (Camprodon, 1860 — Cambo, 1909). Enfant prodige, il fut un pianiste virtuose, mais peu d'œuvres intéressantes subsistent de cette partie de sa carrière. D'une tout autre importance se révèlent les œuvres de sa maturité, par lesquelles il s'affirma dans son pays comme le créateur d'un authentique style national : *Pepita Jimenez,* opéra comique (1896), *Catalonia,* suite symphonique (1899) et *Iberia* (4 cahiers de 3 pièces pour piano, 1905-1908) dont des transcriptions pour orchestre, riches de couleur et de poésie, ont assuré la célébrité. Albeniz est aussi l'auteur des *Chants d'Espagne,* d'une *Rhapsodie espagnole* et d'un oratorio, *Christus.* Son œuvre pianistique, d'une écriture originale, dépasse de loin en importance ses autres compositions.

ALBÈRES *(monts).* ♦ Massif de terrains anciens issu du dédoublement des Pyrénées* et s'achevant sur la Méditerranée*. Région de maquis et de forêts de chênes-lièges (bouchonnerie), sur des sols siliceux. **V. Boulou (Le).** — Carrières de granites, feldspaths potassiques.

ALBERONI (Giulio). ♦ Cardinal et homme politique espagnol d'origine italienne (près de Plaisance, 1664 — Plaisance, 1752). Il dut sa fortune au duc de Vendôme* qu'il suivit en Espagne. Négociateur du mariage de Philippe* V et d'Élisabeth* Farnèse, il fit disgracier sa protectrice, la princesse des Ursins*, et prit la direction de la politique espagnole. Il s'efforça de reconquérir les avantages perdus à la paix d'Utrecht*, de restaurer l'hégémonie espagnole et, dans ce but, renforça efficacement l'armée et la marine tout en déployant une intense activité diplomatique dans toute l'Europe, en particulier contre le Régent en France (conspiration de Cellamare*). Mais la formation de la Quadruple Alliance* et la politique de Dubois* aboutirent à son renvoi. Réfugié en Italie, où il fut d'abord accueilli, il put rentrer en grâce auprès d'Innocent XIII.

Ph. Giraudon

Albert le Pieux,
détail d'un tableau de Rubens et de Jan Breughel.
(Musée du Prado, Madrid.)

ALBERT *(saint).* ♦ Évêque de Liège en 1191 (Liège, v. 1166 — Reims, 1192). Il fut assassiné par des émissaires de l'empereur Henri VI à Reims. — Fête le 21 novembre.

ALBERT le Grand *(saint).* ♦ Théologien et philosophe allemand (Lauingen, v. 1193 — Cologne, 1280). Dominicain de formation, il fut maître de théologie à l'université de Paris où il eut saint Thomas* d'Aquin pour étudiant, puis enseigna à Cologne. Grand érudit, il introduisit dans son enseignement le péripatétisme ainsi que les idées de certains néoplatoniciens; fit connaître, tout en les critiquant, les penseurs arabes commentateurs d'Aristote; il ne parvint pas toujours à faire la synthèse d'éléments aussi divers, ni à accorder vraiment théologie et philosophie. Ses œuvr. princ. sont *Summa de creaturis; Commentaire des Sentences; Summa theologica* (inachevée); et un ouvrage contre « l'erreur des Arabes » écrit à la demande du pape Alexandre* IV *De unitate intellectus contra Averroistas.* — Fête le 15 novembre.

ALBERT Ier DE HABSBOURG. ♦ (v. 1250 — Königsfelden, Argovie, 1308). Empereur germanique (1298-1308). Fils de Rodolphe* Ier de Habsbourg, il vainquit et tua son rival Adolphe* de Nassau (1298). En butte à la résistance des cantons suisses et à l'hostilité des maisons de Thuringe et de Bohême, il ne parvint pas à restaurer l'autorité impériale. Il fut assassiné en 1308 par son neveu Jean de Souabe.

ALBERT II DE HABSBOURG. ♦ (1397 — Nezmély, Hongrie, 1439). Empereur germanique (1438-1439). Duc d'Autriche depuis 1404 sous le nom d'*Albert V*, roi de Hongrie (1437) et de Bohême (1438), il succéda à l'empereur Sigismond* de Luxembourg et périt l'année suivante en Hongrie lors d'une expédition contre les Turcs. — Père de Ladislas* V le Posthume, roi de Hongrie et de Bohême.

ALBERT *(prince* **de Saxe-Cobourg-Gotha).** ♦ Prince consort du Royaume-Uni (Château de Rosenau, Thuringe, 1819 — Windsor, 1861). Il épousa en 1840 sa cousine, la reine Victoria*, qui lui donna le titre de prince consort en 1857. Il fut pour la reine un conseiller écouté.

ALBERT le Pieux. ♦ (Wiener Neustadt, 1559 — Bruxelles, 1621). Archiduc d'Autriche, fils de Maximilien II, cardinal et archevêque de Tolède (1584), vice-roi du Portugal (1583-1596). En 1598, il épousa Isabelle, fille de Philippe II, qui possédait les Pays-Bas. Il y signa la trêve de 12 ans avec les Provinces-Unies.

ALBERT. ♦ Archiduc d'Autriche (Vienne, 1817 — Arco, 1895). Fils de l'archiduc Charles*, qui combattit Napoléon Ier, il se distingua en Italie en 1848, sous Radetzky* (victoire de Novarre), et en 1866 (victoire de Custozza).

ALBERT Ier (de Belgique). ♦ (Bruxelles, 1875 — Marche-les-Dames, 1934). Roi des Belges (1909-1934). Marié à Élisabeth de Bavière dont il eut trois enfants, il succéda à son oncle Léopold II. Il prit une part active (aux côtés des Alliés) dans la guerre de 1914-1918 tant sur le plan diplomatique que sur le plan militaire, ce qui lui valut le surnom de « roi-chevalier ». Après la guerre il joua dans son pays un rôle d'arbitre dans la crise économique et sociale et appuya la loi instituant le suffrage universel. Il mourut accidentellement.

ALBERT Ier de BALLENSTÄDT (dit **Albert l'Ours,** à cause de son courage). ♦ (Ballenstädt, v. 1100 — Stendal, près de Magdebourg, 1170). Premier margrave de Brandebourg* (1134-1170). L'empereur Lothaire* III l'ayant investi de la Lusace (ou Ostmark) en 1125, puis de l'Altmark (1134), il mena de pair évangélisation et colonisation des territoires à l'E. de l'Elbe. Il hérita le Havelland du prince slave Pribislav (1150) et prit alors officiellement le titre de margrave de Brandebourg. Protégé des Hohenstaufen, il les soutint fidèlement contre les Guelfes. Il fut le premier des Ascaniens*.

ALBERT DE BRANDEBOURG, en all. **Albrecht von Brandenburg.** ♦ Premier duc de Prusse (Ansbach, 1490 — Tapiau, 1568). Il appartenait à la branche cadette des Hohenzollern. Passé à la Réforme sous l'influence de Luther, il sécularisa le domaine de l'ordre Teutonique* dont il était le grand maître, et en fit un duché vassal de la Pologne (traité de Cracovie, 1525). Il fonda l'université de Königsberg. ♦ Son fils, ALBERT-FRÉDÉRIC (1553 — 1618), qui lui succéda, mourut sans héritier, et la Prusse passa aux Électeurs de Brandebourg (1618).

ALBERT Ier DE MONACO. ♦ (Paris, 1848 — *id.,* 1922). Prince de Monaco (1889-1922). Fils et successeur de Charles III, il fonda le musée océanographique de Monaco et promulgua la constitution de 1911.

ALBERT de *(von)* **BUXHÖVDEN et** *(und)* **APPELDERN.** ♦ Évêque de Livonie* (v. 1160 — 1229) qui fonda Riga* en 1201 et en devint le premier évêque. Il institua en 1202 l'ordre des chevaliers *Porte*-glaive.*

ALBERT DE SAXE. ♦ (1316 — 1390). Philosophe, astronome, mathématicien et géologue allemand. En mécanique, il introduisit la notion de centre de gravité; en astronomie, il affirma le mouvement de rotation de la Terre; enfin, en géologie, on lui doit une conception qui conduisit à celle des géosynclinaux.

ALBERT (Alexandre MARTIN, *dit* **l'ouvrier).** ♦ Homme politique français (Bury, Oise, 1815 – Mello, Oise, 1895). Socialiste, fondateur du journal *l'Atelier,* avec Buchez et Corbon, il prit part aux divers mouvements révolutionnaires (juillet 1830, mai 1839, révolution de 1848). Il fut, avec Barbès et Blanqui, un des instigateurs de l'insurrection du 15 mai 1848. Condamné, il fut amnistié en 1859.

ALBERT. ♦ Ch.-l. de cant. de la Somme (arr. de Péronne). 11 159 hab. *(Albertins).* Fonderie; machines-outils. Dans la banlieue S., à *Méaulte,* usines d'aviation fondées par Henry Potez*.

ALBERT *(canal).* ♦ Canal de Belgique (127 km) reliant la Meuse à l'Escaut (Liège-Anvers) [nommé d'après Albert Ier de Belgique]. Il dessert les régions sidérurgiques et houillères de la Campine.

ALBERT *(lac).* ♦ Lac d'Afrique centrale, traversé par le Nil formant la frontière entre le Zaïre (ex-Congo Kinshasa) et l'Ouganda. 4 500 km². Il a été découvert par Baker* en 1864 et reconnu distinct du lac Édouard* par Stanley*.

ALBERTA. *n. f.* ♦ Province de l'O. du Canada, située entre la Colombie* britannique et la Saskatchewan*. 661 161 km². 1 655 000 hab. (1972). *Cap.* Edmonton. *V. princ.* **V. Calgary, Lethbridge, Medicine Hat.** *Site.* **V. Banff.** – *Orogr.* La province, qui fait partie de la Prairie*, est formée de plaines inclinées de l'O. vers le N. et l'Est. Le S.-O. est formé de collines et, vers la frontière de la Colombie britannique, de chaînes appartenant aux Rocheuses (Parcs Nationaux de Jasper et de Banff*). Le N. est drainé vers l'océan Arctique par la riv. Mackenzie* **(V.** *aussi* **Athabasca, Paix** [riv. de la]**),** le centre et le S. vers la baie d'Hudson (à travers le lac Winnipeg) par les deux riv. Saskatchewan*. – *Écon.* La production de l'Alberta correspond à 9 % de celle du Canada. L'agriculture a diminué en importance relative, mais reste très importante : céréales; élevage (bovins, moutons, porcs). La forêt couvre 36 % de l'État. – Réserves minières : charbon (1re réserve du Canada : plus de 25 % de la production), pétrole (85 % de la prod. dans les années 1960) au S.-O. d'Edmonton et près de la frontière des États-Unis. Hydro-électricité sur la Bow river (au S.-O.). Indus. alimentaires, chimiques, dérivés du pétrole. – L'économie est tributaire des transports ferroviaires (*Canadian Pacific; Canadian National :* ligne Edmonton-Calgary, etc.) et routiers. Les transports aériens sont très actifs. ♦ *Hist.* Ancienne partie des territoires de la Compagnie de la baie d'Hudson, puis du dominion du Canada (1869), l'Alberta fut érigée en province en 1905.

ALBERTI (Leon-Battista). ♦ Humaniste et architecte italien (Gênes, 1404 – Rome, 1472). D'une grande famille florentine exilée, il fit ses humanités à Venise et Padoue, ses études de droit à Bologne, et reçut en 1431 une charge à la Chancellerie pontificale. Dans ses dialogues, son *Théogonius* et surtout son traité *De la Famille* (1437-1441), il proposa l'idéal d'équilibre et de mesure qu'il s'était lui-même efforcé d'atteindre, confiant dans la *virtú* humaine pour le réaliser. Il fut l'un des premiers à défendre la langue vulgaire, rédigeant v. 1443 la première grammaire italienne. Les sciences physiques et mathématiques l'intéressaient autant que la morale et la littérature, et l'architecture fut le point de convergence de ses diverses préoccupations. Il avait déjà composé un *Della Pittura,* dédié à Brunelleschi* (1436), et un *De Statua.* Ayant médité Vitruve*, il présenta l'architecture, dans son *De re aedificatoria* dédié à Laurent de Médicis (1485), comme l'art par excellence de la Cité; le monument lui-même est un tout organique où les éléments doivent s'accorder à l'ensemble et entre eux avec une rigueur musicale. Sous ses directives, on modernisa à Florence la façade de *Santa Maria Novella,* et B. Rossellino édifia le *palais Rucellai* (1446-1451); à Rimini, Matteo de' Pasti rénova *San Francesco,* « temple » des Malatesta *(tempio malatestiano;* 1447-1468). Il fournit les plans de deux églises mantouanes.

ALBERTI (Rafael). ♦ Poète et dramaturge espagnol (Cadix, 1902). Il débuta comme peintre cubiste puis connut le succès pour son recueil de poèmes *Marin à terre* (1925). Il traite des thèmes simples, d'inspiration populaire, avec une puissante imagination (*L'Aube de la giroflée, Chaux et Pierre,* 1929). Son recueil, *Sur les anges,* est un sommet du surréalisme espagnol. À partir de 1931, il mit son œuvre « au service du peuple et du prolétariat international », montrant la rébellion de l'homme contre toute force imposée par des valeurs politiques ou morales. Alberti s'est exilé en Italie.

ALBERTINA *(Graphische Sammlung Albertina).* ♦ Collection de plus de 30 000 dessins, d'environ 800 000 estampes et aquarelles, constituée par la réunion en 1922 de l'ancienne « Albertina » fondée par le duc Albert de Saxe-Teschen et du cabinet d'estampes de l'ancienne bibliothèque impériale, établie à l'origine par le prince Eugène de Savoie. On y conserve l'une des plus riches collections de dessins de Dürer et Rubens et de gravures de Dürer et Rembrandt **(V. Vienne).**

ALBERTINE *(ligne).* ♦ Branche cadette de la maison de Saxe*, fondée en 1485 lors du partage des États de l'électeur Frédéric II de Saxe, parallèlement à la ligne Ernestine*. Les électeurs de Saxe de la maison Albertine furent rois de Pologne de 1697 à 1763 **(V. Auguste II).**

ALBERTVILLE. ♦ Sous-préf. de la Savoie*, ch.-l. d'arr. (8 cant., 95 comm., 84 556 hab.) sur l'Arly près de son confluent avec l'Isère*. 16 356 hab. *(Albertvillois* ou *Albertvillains).* Nombreuses maisons anc. Château Rouge (XIIIe s.). – Machines agricoles, pâtes alimentaires, miroiteries, indus. métallurgiques. ♦ *Hist.* Conflans, anc. place militaire de la Savoie a été réuni à Albertville que créa en 1845 le roi *Charles-Albert.*

Ph. Hétier

Lac Louise, parc national de Banff, province de l'**Alberta.**

ALBI. ♦ Préf. du dép. du Tarn*, ch.-l. d'arr. (17 cant., 172 comm. 166 348 hab.), sur le Tarn. 46 613 hab. *(Albigeois).* [l'aggl. compte 57 048 hab.]. La vieille cité, appelée la « ville rouge », est bâtie en brique, car elle est située dans des régions de molasse argileuse. Cathédrale Sainte-Cécile, édifice en brique de style gothique méridional (1282) flanqué d'une tour (jubé). Palais de la Berbie, forteresse dominée par un donjon du XIIIe s., abritant auj. le musée Toulouse-Lautrec. Pont-Vieux (1010 à 1030). – La proximité du bassin houiller de Carmaux* a suscité le développement d'une activité industrielle, mais la crise charbonnière pose des problèmes de reconversion. Aciers spéciaux. Constructions mécaniques. Indus. chimiques. Filatures de laine et fabriques de soie artificielle (viscose); bonneterie. Indus. alimentaires; centre d'échanges agricoles. – Patrie de J.-F. de La* Pérouse, de Toulouse*-Lautrec, de P. Benoit*, d'Eugénie de Guérin*. ♦ *Hist.* La ville (*Albiga* à l'époque gallo-romaine) fut réunie au Xe s. à la maison de Toulouse et rattachée à la couronne en 1284. Centre actif de l'hérésie cathare aux XIIe et XIIIe siècles. **V. Albigeois.**

ALBIGEOIS. *n. m.* ♦ Région d'Aquitaine* située dans le dép. du Tarn* au N. de l'Agout*.

Albigeois. *n. m. pl.* ♦ Nom donné aux cathares de la région d'Albi et étendu à tous ceux du midi de la France (XIIe-XIIIe siècles). L'« hérésie » fut combattue par la prédication de cisterciens, par les voies ecclésiastiques normales (inquisition épiscopale), par la mission de saint Dominique* (1205) puis par l'Inquisition* (1229). Les principaux chefs albigeois furent Roger Trencavel, vicomte de Béziers, et Raymond VI, comte de Toulouse, malgré son attitude changeante. Après l'assassinat du légat Pierre de Castelnau (janv. 1208), le pape Innocent* III appela à la croisade. Celle-ci, dirigée par Simon de Montfort*, dégénéra en massacres et en appropriations. La lutte fut marquée par le sac de Béziers (juil. 1209), l'intervention de Pierre II d'Aragon en faveur de ses vassaux languedociens et sa mort à la bataille de Muret* (1213), le déclen-

Ph. de Gregorio/Ricciarini

L.-B. Alberti : façade de l'église Santa Maria Novella, Florence.

Ph. Giraudon

Alfonso d'Albuquerque. Manuscrit portugais du XVe s. (Bibliothèque nationale, Paris.)

chement d'une seconde croisade (1221), l'intervention de Louis VIII (1226) et le traité de Paris (1229) qui donnait à la couronne les terres conquises par les Montfort. Toutefois, la résistance se poursuivit; Montségur* ne tomba qu'en 1244 et des églises cathares subsistèrent en Languedoc après 1250.

ALBINONI (Tomaso). ♦ Compositeur italien (Venise, 1671 – *id.*, 1750). Ami et admirateur de Vivaldi*, disciple de Corelli*, il composa une cinquantaine d'opéras, mais c'est son œuvre instrumentale, oubliée, puis redécouverte au XXe s., qui en fait l'un des plus grands compositeurs italiens du XVIIIe siècle. Il annonce, par ses innovations formelles, le renouveau du romantisme musical. J.-S. Bach* a utilisé plusieurs de ses thèmes. – *Œuvr. princ.* Sonates à 3; Sonates d'église (violon et violoncelle); Sonates pour violon et violoncelle, dites *Trattenimenti armonici;* 6 *Sinfonie* à 4 parties; *Sinfonie et Concerti* à 5 (dont 12 avec hautbois); *Balletti* à 3. Le célèbre *Adagio* fait partie d'un concerto perdu.

ALBINUS, en lat. **Decimus Claudius Septimus Albinus.** ♦ Général romain (v. 140 ou 150 – près de Lyon, 197). Commandant en Bretagne, il se fit proclamer empereur à la mort de Pertinax* (193) en même temps que Septime* Sévère, mais vaincu près de Lyon par ce dernier, il se tua.

ALBION. *n. f.* (du lat. **Albus,** blanc). ♦ Nom celtique donné à la Grande-Bretagne, à cause du blanc de ses falaises. Il est parfois employé pour désigner péjorativement ou ironiquement l'Angleterre (la *perfide Albion*).

ALBION *(plateau d').* ♦ Plateau calcaire des Préalpes du S. de la France, à l'E. du Ventoux*. Base de missiles balistiques créée en 1966.

ALBITTE (Antoine-Louis). ♦ Homme politique français (né à Dieppe – Rosenié, Russie, 1812). Élu à l'Assemblée législative (1791), nommé commissaire dans le département de la Seine inférieure (*auj.* Seine-Maritime), il participa à la journée du 10 août 1792. Réélu à la Convention nationale, il contribua à organiser la Terreur. Après le 9 Thermidor, il prit encore une part active à la journée insurrectionnelle du 1er Prairial de l'an III (1794). Accusé comme terroriste, il réussit à s'enfuir, mais bénéficia de l'amnistie du 4 brumaire de l'an IV (1795).

ALBIZZI. ♦ Famille de Florence du parti aristocratique qui lutta contre les Médicis* et les Alberti (XIVe et XVe s.).

ALBO (Joseph). ♦ Philosophe et prédicateur juif espagnol de Daroca, province de Saragosse (*déb.* XVe s.), auteur du *Sefer ha-Ikkarim (Livre des principes)* où il établit les « dogmes » du judaïsme et combat le christianisme.

ALBOÏN. ♦ (? – 572). Roi des Lombards (561-572). Régnant en Pannonie, il combattit les Ostrogoths, puis les Gépides. Allié aux Avars, il les battit et épousa la fille de leur roi après l'avoir tué. Puis il envahit la Vénétie, l'Italie septentrionale et fonda un État dont la capitale était Pavie*, et qu'il administra avec sagesse et tolérance envers les catholiques. Il fut assassiné en 572 par son épouse Rosemonde*.

ALBONI (Marietta). ♦ Cantatrice italienne (Città di Castello, 1826 – Ville-d'Avray, 1894). Contralto à la riche tessiture, elle travailla le chant avec Rossini et connut une renommée mondiale.

ÅLBORG. ♦ V. AALBORG.

ALBORNOZ (Gil Alvarez Carrillo). ♦ Prélat et homme d'État espagnol (Cuenca, v. 1310 – Viterbe, 1367). Archevêque de Tolède (1337), il lutta contre les Maures. Fait cardinal par le pape d'Avignon Clément VI (1350), il assura l'autorité des papes sur Rome et les États pontificaux, auxquels il donna une Constitution.

ALBORZ. ♦ V. ELBURZ.

ALBRECHTSBERGER (Johann Georg). ♦ Compositeur autrichien (Klosterneuburg, 1736 – Vienne, 1809). Organiste à la cour de Vienne, il fut l'ami de Haydn et de Mozart. Pédagogue, il eut pour élèves Beethoven et Czerny. Il publia une *Méthode de composition* (1790) et une *Méthode de piano* (1808). Son œuvre comporte des préludes et fugues pour orgue, des quatuors à cordes, des trios pour alto, violon et violoncelle, 26 messes, un *Te Deum.*

ALBRET. *n. m.* ♦ Pays de Gascogne* qui s'étendait au N. de l'Armagnac* sur une partie du département actuel des Landes*. Cap. Albret, auj. Labrit. Ancienne seigneurie, érigée en duché au XVIe s., il fut réuni à la couronne sous Henri IV (1607).

ALBRET *(Maison d').* ♦ Famille illustre du Midi de la France, remontant au XIe siècle. Elle obtint par mariages le comté du Périgord*, le royaume de Navarre* ainsi que les comtés de Béarn* et de Foix*. Henri* IV, roi de France, qui descendait de la maison d'Albret par sa mère *Jeanne* III d'Albret,* réunit le duché à la Couronne en 1607. Frédéric Maurice de La Tour d'Auvergne, duc de Bouillon*, devint *duc d'Albret* sous Louis XIV (1651) en échange de l'abandon de Sedan. Le dernier titulaire du duché s'éteignit en 1676.

ALBUFERA. ♦ Lagune côtière d'Espagne, au S. de Valence (85 km²). Rizières. ♦ *Hist.* Suchet* y battit les Anglais en 1812, ce qui lui valut le titre de *duc d'Albufera.*

ALBUQUERQUE (Alfonso *de*). ♦ Navigateur et conquistador portugais (Villa Alhandra, près de Lisbonne, 1453 – Goa, 1515). Apres avoir participé à une expédition en Inde (1503), puis à Madagascar (1505), il prit Socotora et Ormuz, fut nommé vice-roi des Indes (1508) et contribua à l'extension de l'empire colonial portugais (Goa 1510, Malabar, côtes de Ceylan, et Malacca, 1511). Des *Commentaires* sur sa vie ont été rédigés et publiés par son fils naturel *Brás Alfonso d'Albuquerque* (Alhandra, 1500 – Lisbonne, 1580)

ALBUQUERQUE. ♦ V. des États-Unis, la plus importante du Nouveau-Mexique, située sur le Rio* Grande del Norte. 242 411 hab. (zone urbaine 313 829 hab.). – La ville conserve un quartier de style espagnol (la « vieille ville ») avec la mission Saint-Philippe de Neri (1706). – Centre commercial, Albuquerque a de nombreuses indus. légères Centre administratif et médical (sanatoriums) depuis les années 1920-30, la V. est devenue en 1949 un important centre de recherches atomiques **(V. *aussi* Los Alamos).** ♦ *Hist.* La ville fut fondée en 1706 et nommée d'après le vice-roi de la Nouvelle Espagne, le duc d'Alburquerque (le nom de la V. fut immédiatement altéré en Albuquerque).

ALCÁCER DO SAL. ♦ V. du Portugal (district de Lisbonne). – Patrie de Nonius (Pedro Nuñes).

Alcade de Zalamea (L'), en esp. **El Alcade de Zalamea.** ♦ Comédie de Calderón inspirée de Lope* de Vega (entre 1640 et 1650). Atteint dans son honneur par un capitaine qui a outragé sa fille, l'alcade du village, condamne l'offenseur à mort, non sans avoir tenté d'obtenir réparation par une proposition de mariage. Le roi d'Espagne approuve son jugement.

ALCALÁ DE HENARES. ♦ V. d'Espagne en Nouvelle-Castille. 25 100 hab. Patrie de Azaña* y Diaz, de Cervantès*, de Ferdinand* Ier de Habsbourg. Jiménez de Cisneros y fonda une université en 1500.

Alcalá *(bible d')* ou **Biblia complutensis.** ♦ Édition de la Bible imprimée en 1514-1517 à Alcalá de Henares sous la direction du cardinal Jiménez* de Cisneros, parue seulement en 1520-1522. C'est une bible polyglotte donnant l'Ancien Testament en hébreu, latin et grec, plus le targum araméen du Pentateuque; le Nouveau Testament y est imprimé en grec (pour la première fois) et en latin.

ALCALÁ LA REAL. ♦ V. d'Espagne en Andalousie (prov. de Jaén). 23 300 hab. Victoire du général Sébastiani* sur les Espagnols en 1810.

ALCALÁ ZAMORA (Niceto). ♦ Homme politique espagnol (Priego, 1877 – Buenos Aires, 1949). Membre des Cortès depuis 1905, ministre de la Guerre en 1922 sous le règne d'Alphonse XIII, il se déclara plus tard républicain et exigea, en tant que chef du comité révolutionnaire, l'abdication du roi (1931). Il devint peu après le premier président de la République espagnole. Déposé après la victoire du Front populaire en 1936, il s'exila en Argentine.

ALCAMÈNE, en gr. **Alkamenês.** ♦ Sculpteur athénien originaire peut-être de Lemnos (deuxième moitié du ~ Ve s.). Disciple de Phidias*, il se distingue par la finesse de ses lignes.

ALCÁNTARA. ♦ V. d'Espagne dans l'Estrémadure (prov. de Cáceres), sur le Tage. 3 600 hab.

ALCÁNTARA *(ordre d').* ♦ Ordre religieux et militaire fondé en 1156 sous le nom d'ordre de San Julián del Pereiro, à l'imitation des Templiers*, pour combattre les Maures. Ayant défendu Alcántara en 1217, l'ordre reçut la ville (d'Alphonse IX de León) et en prit le nom.

ALCÁZAR. n. m. ♦ Nom des palais fortifiés construits par les Maures en Espagne notamment à Tolède*. Ségovie, Séville* et Jerez de la Frontera.

ALCAZAR-QUIVIR, en ar. **Al Qasr al-Kabîr.** ♦ Graphie espagnole de Ksar* el-Kébir (forme francisée). V. du Maroc. En 1578, le roi Sébastien du Portugal y fut vaincu et tué par l'armée marocaine dirigée par le souverain sa'dien Ahmad* al-Mansûr.

ALCÉE, en gr. **Alkaios**. ♦ Roi mythique de Tirynthe*, fils de Persée* et père d'Amphitryon*. Il serait l'ancêtre d'Héraclès* ou celui des rois de Lydie *(Alcides)*.

ALCÉE, en gr. **Alkaios**. ♦ Poète grec (Mytilène, Lesbos, v. ~ 630-20). Ayant soutenu le parti aristocratique contre les tyrans, il dut s'exiler et voyagea en Égypte et à Syracuse, puis revint à Mytilène où il mourut très âgé. Il composa des chants satiriques et révolutionnaires, des hymnes, des chansons de table et érotiques, où il faisait l'éloge de la beauté féminine et masculine. Dans une de ces chansons, il exprimait son admiration pour Sappho*. Il inventa le vers dit *alcaïque*. Horace s'en inspira dans ses Odes*.

ALCESTE, en gr. **Alkêstis**. ♦ Fille de Pélias*, belle et vertueuse épouse d'Admète* (mythol. grecque). Elle consent à mourir à la place de son mari, mais est sauvée par Héraclès* qui l'arrache des Enfers. La légende d'Alceste, symbole de l'affection conjugale, a inspiré Euripide* (*Alceste*, ~ 438), Quinault (tragédie lyrique, musique de Lulli, 1674), Gluck*.

Alceste. ♦ Personnage principal de la comédie de Molière*, *Le Misanthrope** (1666). L'intransigeance de son jugement, la brutalité de sa franchise font de ce grand seigneur un homme du monde singulier. L'échec de son amour pour Célimène marque dans le même temps celui de ses relations avec ses semblables et la société.

ALCIAT (André), en it. **Andrea Alciati**. ♦ Jurisconsulte italien (Alzate, Milanais, 1492 – Pavie, 1550). Fondateur de l'école historique de droit, il chercha à éclairer l'étude de la jurisprudence latine en s'aidant à la fois de l'histoire et des lettres anciennes et des travaux des philologues, tels que Politien* et Laurent Valla*. Son enseignement, dont l'influence fut considérable, ouvrit la voie à Jacques Cujas* et F. Hotman*. Alciat a laissé de nombreux ouvrages concernant le droit, l'histoire et la littérature (publiés pour la plupart dans *Opera Omnia*, 1546), ainsi qu'un recueil de sentences morales, en distiques latins, *Les Emblèmes* (*Emblematum libellus*, 1522 et 1531).

ALCIBIADE, en gr. **Alkibiadês**. ♦ Général et homme politique grec (Athènes, v. ~ 450 – Melissa, Phrygie, ~ 404). De la famille des Alcméonides* du côté de sa mère, il fut élevé par son oncle Périclès*. Élève favori de Socrate* qui lui sauva la vie à la bataille de Potidée* (~ 432), brillant et ambitieux, il fascina et scandalisa ses concitoyens. Devenu chef du parti démocratique par une démagogie belliqueuse contre la paix de Nicias*, il entraîna les Athéniens dans la néfaste expédition de Sicile* en ~ 415. Accusé de sacrilège, il déserta et intrigua contre sa patrie. On le retrouve ensuite à Samos* mêlé d'abord au complot aristocratique qui instaura à Athènes le conseil des Quatre*-Cents (~ 411), puis chef du mouvement démocratique. Élu stratège par l'armée révoltée, il mena une campagne victorieuse **(V. Abydos, Byzance, Cyzique)** qui rétablit l'hégémonie athénienne en mer Égée. Il revint triomphalement à Athènes en ~ 407, mais l'année suivante dut s'exiler et fut assassiné en Phrygie.

ALCINOOS, en gr. **Alkinoos**. ♦ Personnage de l'*Odyssée**, roi des Phéaciens* et père de Nausicaa*. Il accueille Ulysse* après son naufrage.

ALCIRA. ♦ V. d'Espagne (prov. de Valence). 30 700 hab. Marché d'agrumes.

ALCMAN. ♦ Poète grec (Sardes, Lydie, début du ~ VIIᵉ s.) qui vécut à Sparte entre ~ 672 et ~ 612. Il est considéré comme le créateur du lyrisme choral dorien. Un des premiers poètes grecs à célébrer l'amour, il composa des *Parthénies*, chants pour des chorales de jeunes filles. Le sentiment de la nature, la netteté des images, les accents pathétiques et sensuels font le charme de cette poésie, à l'aube du lyrisme grec.

ALCMÈNE, en gr. **Alkmênê**. ♦ Princesse légendaire de Mycènes* et épouse d'Amphitryon*. Elle est séduite par Zeus* qui avait pris la forme de son mari absent ; de leur union naît Héraclès*. Héra* se vengea en prolongeant la grossesse d'Alcmène.

Ph. Lauros-Giraudon

Représentation d'**Alceste** de Lully. (Bibliothèque nationale, Paris.)

Ph. Carlo Bevilacqua/Ricciarini

Buste présumé d'Alcibiade.

ALCMÉON, en gr. **Alkmeôn**. ♦ Médecin et philosophe grec (Crotone, ~ VIᵉ s.). Il appartenait à la secte des pythagoriciens, s'occupa d'anatomie et de physiologie, et fut, dit-on, un des premiers à pratiquer la dissection d'animaux.

ALCMÉONIDES. *n. m. pl.*, en gr. **Alkmeônidai**. ♦ Illustre famille d'Athènes dont Alcibiade*, Clisthène* et Périclès* furent les principaux membres.

ALCOBAÇA. ♦ Localité du Portugal (district de Leiria). Abbaye cistercienne (XIIᵉ-XIIIᵉ s.) où se trouvent les tombeaux de Pierre* Iᵉʳ et d'Inès* de Castro. – Commerce de fruits.

ALCOFORADO (Mariana). ♦ Religieuse portugaise (Beja, 1640 – 1723), auteur supposé des *Lettres* portugaises* qui auraient été adressées au comte Noël de Chamilly (publiées à Paris, 1669).

Alcools. ♦ Œuvre poétique d'Apollinaire. **V. Apollinaire.**

ALCOTT (Louisa May). ♦ Romancière américaine (Germantown, Pennsylvanie, 1832 – Boston, Mass., 1888). Élevée par un père éducateur et philosophe et par H.-D. Thoreau, à Concord, elle eut aussi R.W. Emerson pour maître ; elle n'avait que seize ans quand elle écrivit son premier livre *Fables de fleurs* (*Flower Fables*, 1854). Son roman *Les Quatre Filles du Dr. March* (*Little Women*, 1868), tableau plein de charme de la vie américaine dans la seconde moitié du XIXᵉ s., remporta un si vif succès qu'elle en publia une suite en 1869.

ALCOY. ♦ V. d'Espagne dans la prov. d'Alicante*. 57 000 hab. Indus. textiles.

ALCUIN (Albinus Flaccus ou Ealwhire). ♦ Théologien anglo-saxon (York, v. 735 – Tours, 804). Originaire de Northumbrie, Alcuin représente avec éclat la culture et l'esprit des Angles. Collaborateur de Charlemagne à partir de 790, il le célébra dans ses vers. Il fut membre de l'Académie palatine où il prit le pseudonyme de *Flaccus* (Horace), dirigea l'école du palais d'Aix-la-Chapelle et celle de Tours, prit part à la réforme scolaire carolingienne en présentant la grammaire, la rhétorique, la dialectique, etc. sous forme de dialogues pédagogiques. Le tour en est souvent très voisin de l'énigme et témoigne du goût vif des Anglo-Saxons pour cet exercice rhétorique.

ALCYONÉ, en gr. **Alkuonê**. ♦ Fille d'Éole*, femme de Céyx. Les deux époux sont métamorphosés en alcyons pour avoir prétendu être plus heureux que Zeus et Héra.

ALDANOV (Marc, pseudonyme de **M.A. Landau)**. ♦ Romancier, juriste et chimiste russe (Kiev, 1889 – Nice, 1957). Il vécut à partir de 1919 en France et aux États-Unis. Profondément influencé par L. Tolstoï*, il écrivit une tétralogie sur la Révolution française et l'Empire de 1792 à 1821 : *Le Penseur* (1921-1927).

ALDE. ♦ V. MANUCE (Alde).

ALDEADÁVILA DE LA RIBERA. ♦ Localité d'Espagne, dans la prov. de Salamanque* ; important barrage hydro-électrique sur le Douro*.

ALDÉBARAN. ♦ Nom donné à l'étoile α Taureau*. Magnit. 1,1 ; type spectral K 5.

ALDEGREVER (Heinrich, probablement **TRIPPENMEKER)**. ♦ Graveur, dessinateur et peintre allemand (Paderborn?, 1502 – Soest, v. 1560). Il travailla surtout à Soest et adhéra à la Réforme. Il fut l'un des plus brillants suiveurs de Dürer*, dits les « petits maîtres » en raison du format réduit dans lequel ils travaillaient (les frères Beham, Georg Pencz). Sa production abondante comprend un grand nombre de motifs ornementaux, des portraits et surtout des scènes populaires d'une veine truculente et qui se distinguent par l'ampleur de leur composition (*Danseurs de mariage*, 1538).

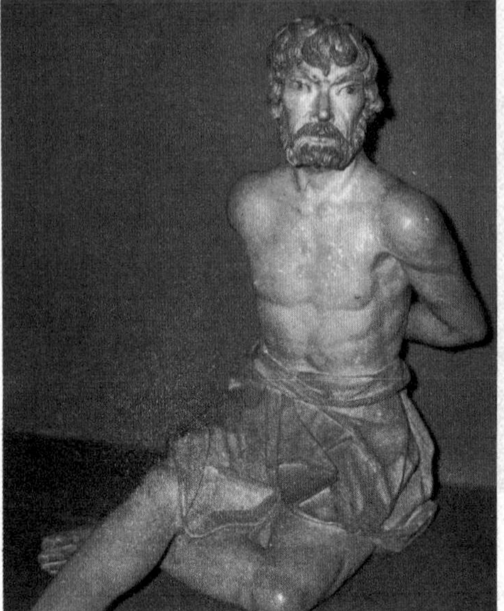

Arch. Smeets

« Le Mauvais Larron », par l'**Aleijadinho.** Bois polychrome. (Sanctuaire de Congonhas do Campo, Brésil.)

ALDENHOVEN. ♦ Localité d'Allemagne occidentale en Rhénanie-du-Nord-Westphalie. Victoire de Jourdan* sur les Autrichiens (1794).

ALDER (Kurt). ♦ Chimiste allemand (Königshütte, 1902 – Cologne, 1958). Prix Nobel de chimie, 1950. **V. Diels.**

ALDERNEY. ♦ **V.** AURIGNY.

ALDERSHOT. ♦ V. d'Angleterre (Hampshire). 36 000 hab. Important camp utilisé par les écoles militaires de Sandhurst et de Camberley.

ALDHELM *(saint).* ♦ Érudit anglo-saxon (dans le Vessex, v. 650 – Doulting, 709). Saxon de noble extraction, il devint évêque de Sherborne en 705. Il mettait lui-même en musique ses poèmes anglo-saxons (dont aucun n'est conservé) et mêlait les procédés de la rhétorique anglo-saxonne (allitérations, images et périphrases) à un latin d'une correction grammaticale rare en cette fin du VIIe siècle. Sa *Lettre à Arcicius* (Aldfrith, roi de Northumbrie), qui contient une série d'énigmes, est un véritable traité de prosodie latine. – Fête : 25 mai.

ALDOBRANDINI. ♦ Célèbre famille florentine dont les principaux membres sont : ♦ SILVESTRO ALDOBRANDINI. Jurisconsulte (Florence, v. 1499 – Rome, 1558). Son hostilité au Médicis* le contraignit à se réfugier à Pise. ♦ IPPOLITO ALDOBRANDINI, fils du précédent. Il devint pape sous le nom de Clément* VIII. ♦ CINZIO (ou CINTIO) ALDOBRANDINI, neveu du précédent. Cardinal italien (1560 – 1610), il fut, selon certains, le premier possesseur des *Noces* Aldobrandines.* ♦ PIETRO ALDOBRANDINI, neveu de Clément VIII. Prélat italien (Rome, 1572 – *id.,* 1621). Il fit construire la *villa Aldobrandini* à Frascati près de Rome.

ALDRICH (Henry). ♦ Architecte, professeur et théoricien anglais (Westminster, 1647 – Oxford, 1710). Après un long séjour en Italie, il construisit plusieurs édifices à Oxford. Son œuvre, comme le traité dont il est l'auteur témoigne de sa fidélité aux principes classiques et de son admiration pour Palladio* et Vitruve*.

ALDRICH (Robert). ♦ Réalisateur américain de cinéma (Cranston, Rhode Island, 1918). Il est l'auteur de quelques œuvres généreuses, d'une rare puissance de style, qui célèbrent l'héroïsme : *Bronco Apache, Vera Cruz* (1954), *Le Grand Couteau* (*The Big Knife,* 1955), *Attack* (1956), ou qui parodient avec humour des genres consacrés (*Kiss me Deadly,* 1955).

ALDROVANDI (Ulisse). ♦ Botaniste italien (Bologne, 1522 – 1605). Docteur en médecine (1553), il enseigna la botanique à Bologne où il créa le premier jardin botanique. Il a écrit de nombreux ouvrages d'histoire naturelle.

ALECHINSKY (Pierre). ♦ Peintre, dessinateur et poète belge (Bruxelles, 1927 –). Il étudia la lithographie et la gravure à Bruxelles puis à Paris où il s'est fixé. Il a subi l'influence de Klee* et des surréalistes, s'intéressant notamment au procédé de l'écriture ou du dessin « automatique ». Revendiquant avant tout la liberté créatrice, le pouvoir investigateur du geste impulsif, il a peint des œuvres où grouillent des formes véhémentes et de violentes torches colorées qui manifestent une tendance à l'expressionnisme abstrait et a toujours accordé une place importante à l'expression graphique et aux signes évocateurs d'un univers en constante métamorphose. Il a réalisé de nombreuses illustrations et écrit plusieurs textes poétiques *(Idéotraces; Roue libre).*

ALECSANDRI (Vasile). ♦ Poète et homme politique roumain (Bacău, 1821 – Mircesti, 1890). Il dirigea le théâtre de Iaşi (**V.** *aussi* **Kogălniceanu, Negruzzi**) et contribua au renouveau de la Moldavie* tant sur le plan politique (il participa au mouvement de 1848 et dut s'exiler un moment à Paris) que sur le plan littéraire, orientant la poésie nationale en publiant d'anciennes ballades et *doïnas* populaires. Il devint ministre des Affaires étrangères sous Alexandre* Cuza (1859-1866) et plus tard ministre plénipotentiaire à Paris (1885). Œuv. princ. : *Romances et fleurs de muguet* (Paris, 1853); *Pasteluri* (Pastels, 1875); *Fîntîna Blanduziei* (La Fontaine de Blandousie, poème dramatique, 1884).

ALECTO, en gr. **Alêktô.** ♦ Une des trois Érinyes* ou Furies.

ALEGRÍA (Ciro). ♦ Écrivain et homme politique péruvien (1909 – 1967). Il est avec Icaza* et Arguedas* un des représentants de l' « indigénisme » en Amérique latine. Ses romans décrivent dans un style populaire la vie, un peu idéalisée, des Indiens de son pays, dont il s'est toujours fait le défenseur : *Le Serpent d'or,* 1935; *Vaste est le monde,* 1941.

ALEIJADINHO (Antonio Francisco Lisbôa, dit **l').** ♦ Architecte et sculpteur brésilien (Ouro Preto, 1738 – *id.,* 1814). Fils d'un architecte portugais émigré et d'une esclave noire, il est l'un des représentants les plus originaux du baroque brésilien. Auteur de la façade de l'église de Saõ Francisco à Ouro Preto (1766) et de la chapelle des Carmes de Sabará et Saõ Francisco à Saõ Jaõ del Rey (1774), il préféra à la prolixité ornementale le dynamisme de la structure. Il réalisa du mobilier liturgique (*chaire* et *autel* de Saõ Francisco à Ouro Preto) et surtout les statues de *Prophètes* décorant l'escalier en terrasse de l'église du *Bóm Jesu de Matazinhos,* ainsi que les figures polychromes du chemin de croix qui se caractérisent par la rudesse du modelé, la robustesse des formes et l'intensité expressive des visages.

ALEIXANDRE Y MERLO (Vicente). ♦ Poète espagnol (1902). Il unit à la technique surréaliste un humanisme et un romantisme passionnés où s'exprime l'angoissant dilemme de l'être et du néant. *La Destruction de l'amour* (1934); *Après la mort; Sans lumière.*

ALEKSANDROVSK - SAKHALINSKI ou **ALEXANDROVSK - SAKHALINSKI.** ♦ V. et port d'U.R.S.S. (R.S.F.S. de Russie) sur la côte O. de l'île de Sakhaline* et le détroit de Tartarie. Env. 100 000 hab. Base navale. Pêcheries.

ALEMÁN (Mateo). ♦ Écrivain espagnol (1547 – 1614), auteur d'un roman picaresque (dans la veine du *Lazarillo* de Tormes), Guzmán de Alfarache* (v. 1599). C'est un récit autobiographique où le pícaro Guzmán, « observateur de la vie humaine », se montre un moralisateur marqué par l'esprit de la Contre-Réforme.

ALÉMANIE. *n. f.* ♦ Région de Germanie peuplée par les Alamans*. Elle s'étendait sur la Suisse alémanique, l'Alsace, le S. du pays de Bade, le Wurtemberg et la Souabe. Occupée par les Alamans au VIe s., elle fut érigée en duché et resta sous la suzeraineté mérovingienne. Le duché fut supprimé par Charles Martel en 739.

ALEMBERT (Jean LE ROND *d'***).** ♦ Philosophe, écrivain et mathématicien français (Paris, 1717 – *id.,* 1783). Fils naturel du chevalier Destouches* (Louis Camus) et de Mme de Tencin*, il fut avec Diderot* un des auteurs de l'Encyclopédie* (**V.** *aussi* **Bossut),** dont il rédigea le *Discours préliminaire* (1751). Son article *Genève* dans l'Encyclopédie lui valut les attaques de Jean-Jacques Rousseau* **(V. Lettre* à d'Alembert sur les spectacles).** Il publia un *Traité de dynamique* (1743) dans lequel, fondant la mécanique sur trois principes (l'inertie, le mouvement composé et l'équilibre entre deux corps), il obtint le principe essentiel qui porte son nom

Ph. Lauros-Giraudon

Portrait de d'**Alembert,** par L. Tocques. (Château de Versailles.)

(dans un système les forces internes d'inertie sont égales et opposées aux forces qui produisent l'accélération). Dans les ouvrages suivants (*Traité de l'équilibre et du mouvement des fluides*, 1744; *Théorie générale des vents*, 1745), l'application de ses principes le conduisit à fonder la nouvelle analyse des dérivées partielles; en 1747, il indiqua la solution générale de l'équation des cordes vibrantes; en mécanique céleste, il appliqua ses principes dans son mémoire sur la *Précession des équinoxes* (1749), dans lequel il établit les équations du mouvement de la Terre autour de son centre de gravité et posa la théorie mathématique de la précession (V. *aussi* **Laplace**). On lui doit encore des *Mélanges de littérature et de philosophie*, des *Éloges académiques*, etc. Sa correspondance avec Voltaire a été publiée par Condorcet. (Acad. des sc., 1741; Acad. fr., 1754 : secrét. perpét., 1772).

ALENCAR (José Martiniano *de***)**. ♦ Écrivain et homme politique brésilien (Mecejana, Ceará, 1829 – Rio, 1877). Député et ministre de la Justice (1868), il fut aussi le promoteur du roman historique national (*O guarani*, 1857).

ALENÇON (François, *duc d'***)**. ♦ V. ANJOU (François d').

ALENÇON. ♦ Préf. de l'Orne*, ch.-l. d'arr. (10 cant., 134 comm., 102 813 hab.) au confluent de la Sarthe* et de la Briante. 33 388 hab. *(Alençonnais)*. La ville est située au centre d'une plaine agricole : la *campagne d'Alençon*. Église Notre-Dame des XVe et XVIIIe siècles. Église Saint-Léonard de style flamboyant (XVe-XVIe s.). Hôtel de ville du XVIIIe siècle. Maisons et hôtels anciens. – Centre industriel : appareils électro-ménagers; indus. textiles, indus. du bois, indus. électriques. Dentelles à l'aiguille dites *point d'Alençon*. École dentellière. – Patrie de J. Hébert*, Thérèse* de l'Enfant-Jésus [sainte] (maison natale). ♦ *Hist.* Connue dès le VIIIe s., Alençon fut la capitale du *comté*, puis du *duché d'Alençon*, qui fut réuni à la couronne de France en 1549.

ALENTEJO. *n. m.* ♦ Province du Portugal au S. du Tage*, divisée en *Haut-Alentejo* (ch.-l. Evora*), 394 800 hab., et *Bas-Alentejo* (ch.-l. Beja*), 375 200 hab. La région est formée d'une vaste pénéplaine coupée de buttes (serra d'Orra, 645 m) et de masses montagneuses (serra de São Nomede, 1 025 m); sa côte est basse et sableuse. Elle est arrosée par le Tage et le Sado. L'agriculture, basée sur les céréales, est, avec l'élevage des ovins, la seule activité économique. Les villes (Beja, Evora, Portalegre) sont des marchés ruraux.

ALÉOUTIENNES *(îles)*, en angl. **Aleutian Islands.** ♦ Archipel des États-Unis (État d'Alaska*) qui prolonge la presqu'île de l'Alaska et sépare la mer de Béring* de l'océan Pacifique, reliant l'Asie septentrionale à l'Amérique. 150 îles et îlots. Env. 6 000 hab. en 1960 *(Aléoutes)*. Climat océanique, relativement tempéré et très pluvieux. ♦ *Hist.* Explorées par l'expédition de Béring et de Chirikov (1741), les îles furent occupées par les chasseurs de fourrure venus de Sibérie. La population indigène (Aléoutes) fut presque exterminée par les colons (de 25 000 env. à moins de 3 000 personnes en 1885). Les îles furent cédées par la Russie aux États-Unis en 1867. Deux des îles de l'archipel furent occupées par les Japonais de juin 1942 à mai 1943. – Des établissements humains datant de ~ 8 000 y furent récemment découverts, attestant le peuplement de l'Amérique par des hommes venus du continent asiatique.

ALEP, en ar. **Halab.** ♦ V. du N.-O. de la Syrie, *ch.-l.* de province. 573 300 hab. (1968). Archevêché. Évêché maronite. Célèbre bazar couvert, comprenant plusieurs magasins et mosquées des XVIe et XVIIe siècles. Mosquées anciennes (Jamî Zakariyah, début XIe s.; mosquée du Firdaws [« du Paradis »] : XIIIe s.). Citadelle dominant la V. – Important centre commercial et industriel (textiles; raffinerie d'huile d'olive; indus. mécanique, indus. du cuir, manufacture de tabac; cimenterie). Autrefois lieu de passage privilégié pour les caravanes du désert, la ville est aujourd'hui un carrefour routier et ferroviaire. ♦ *Hist.* Elle fit partie de l'Empire hittite (~ IIe millénaire). Rattachée à l'Assyrie en ~ 738, elle resta sous l'autorité des Achéménides jusqu'aux conquêtes d'Alexandre le Grand. Elle revint ensuite à Seleucos Nicator et les Séleucides* y fondèrent la nouvelle ville *(Beroia)*. Occupée par les Romains (~ 65), détruite par les Perses, elle devint musulmane à la suite de la conquête arabe et connut une période de prospérité sous les 'Umayyades*. Au Xe s., les Hamdanides* en firent une principauté indépendante et prospère (Sayf* al-Dawla). Après cet âge d'or, Alep tomba successivement sous la domination des Fâtimides* (1015), des Saljûqides* (1086-1117), des Zangides et des Ayyûbides*. Mutilée par le Mongol Hûlagû (1260), elle fut ensuite dirigée par les Mamelouks* avant d'être occupée par les Ottomans (1516). À part quelques années d'occupation égyptienne (XIXe s.), elle resta chef-lieu d'une province ottomane jusqu'en 1918. En 1920, elle acquit une courte indépendance (*État d'Alep*, 1920-1924) avant de faire partie de la Syrie sous mandat français.

ALÉRIA. ♦ Comm. de Corse* (arr. de Corte*). 1 810 hab. Cap. de l'île jusqu'au IXe siècle. Vestiges antiques.

ALÈS (Alais avant 1926**)**. ♦ Sous-préf. du Gard*. Ch.-l. d'arr. (11 cant., 102 comm., 141 688 hab.). Situé à la lisière des Cévennes*, sur une boucle du *Gardon d'Alès*. 44 607 hab. *(Alésiens)*. Anc. cathédrale Saint-Jean (XVIIIe s.). Hôtel de ville (1732). Fort construit par Vauban*. Musée de peintures. Réalisation d'un plan de rénovation de la vieille ville depuis 1958. – La ville produit des charbons variés, mais impropres à la sidérurgie. La réduction de l'extraction amena une crise en 1966. Électro-métallurgie; charpentes métalliques. Indus. chimiques. Chaussures. Indus. alimentaires. – Patrie de J.-B. Dumas*, L. Leprince-Ringuet*, Thierry Maulnier*. ♦ *Hist.* Alès fut au XVIe s. un grand centre protestant; l'édit de grâce mettant fin aux guerres de Religion y fut signé.

ALÉSIA. ♦ Ville forte de la Gaule sur le mont Auxois*, cap. des Mandubiens. Vercingétorix* y fit retraite avec son armée mais dut se rendre à César* après un siège de deux mois, mettant fin ainsi à la résistance gauloise (~ 52). On situe auj. la ville à Alise*-Sainte-Reine (Côte-d'Or).

ALESSANDRIA, en fr. **Alexandrie.** ♦ V. d'Italie du N. (Piémont) et ch.-l. de la prov. du même nom, sur le Tanaro. 98 100 hab. Évêché. Important carrefour de communications, centre commercial et industriel (indus. mécaniques, chaussures). – La *province d'Alessandria* a 3 560 km² et 475 000 hab. ♦ *Hist.* Position fortifiée construite à la hâte en 1168 par la ligue Lombarde* pour lutter contre Frédéric* II Barberousse, elle reçut son nom en l'honneur du pape Alexandre* III. Cédée par l'Autriche à la Savoie au début du XVIIIe s., elle fut comprise dans le territoire français en 1796 et fut le ch.-l. du dép. de Marengo* jusqu'en 1814.

ALESSI (Galeazzo). ♦ Architecte italien (Pérouse, v. 1512 – *id.*, 1572). Élève de G.-B. Caporali et sans doute, à Rome, de Michel*-Ange, il travailla dans sa ville natale puis, à partir de 1548, à Gênes où il marqua pour deux siècles le style local par son œuvre d'urbaniste (*Strada Nuova*, auj. via Garibaldi), ses églises, ses villas et surtout ses palais. À Milan, il admit dans ses édifices (*palais Marino*, 1558, *Santa Maria presso San Celso*, 1568-1572), la surcharge de l'ornementation lombarde.

ÅLESUND ou **AALESUND.** ♦ V. et port de l'O. de la Norvège, sur une presqu'île, au S.-O. de Trondheim*. 20 000 hab. (1960). Important port de pêche. Traitement des phoques chassés au Groenland*.

ALET (en lat. **Aletium**). ♦ Anc. ville de l'Armorique devenue Saint-Servan. Évêché remontant peut-être au VIe s. (V. **Maclou** [saint]), attesté au IXe s., passé à Saint-Malo au XIe.

ALET-LES-BAINS. ♦ Comm. du dép. de l'Aude sur la r. d. de l'Aude* (arr. de Limoux*). 590 hab. Églises du XIIe et de la fin du XIVe s. Vieux quartiers. Station thermale. ♦ *Hist.* Les eaux minérales (eaux rouges) étaient connues des Romains. Siège d'une abbaye dès 813, Alet fut érigé en évêché du XIVe au XVIIIe siècle. – À proximité se trouve un pittoresque défilé *(l'étroit d'Alet)*.

ALETSCH *(glacier d')*. ♦ Le plus grand glacier d'Europe, situé dans les Alpes suisses (Valais), au-dessus de Brigue*, au pied de l'*Aletschorn* dans le massif de l'Aar*. Long. 24 km, surface 170 km².

ALEXANDER (Samuel). ♦ Philosophe britannique (Sydney, Australie, 1859 – Manchester, 1938). Philosophe réaliste, il considéra l'espace, le temps et les catégories de substance, de cause, etc. comme des déterminations objectives du réel. Voyant dans la conscience une qualité nouvelle, irréductible à la réalité objective, il fut amené à une conception panthéiste, réaliste et évolutionniste du monde (*Espace, Temps et Déité*, 1920).

ALEXANDER (Harold George, *1er comte Alexander of Tunis***)**. ♦ Maréchal britannique (comté de Tyrone, Ulster, 1891 – Londres, 1969). Après avoir participé aux campagnes de Sicile et d'Italie (1943-1944), il fut nommé commandant en chef des forces alliées en Méditerranée en nov. 1944. Il occupa ensuite le poste de gouverneur général du Canada (1945-1951), puis devint ministre de la Défense (1952-1954).

ALEXANDRA. ♦ Reine juive asmonéenne, femme d'Aristobule* Ier puis d'Alexandre* Jannée auquel elle succéda (~ 78-~ 69), mère d'Hyrcan* II et d'Aristobule* II.

ALEXANDRA. ♦ (Copenhague, 1844 – Sandrigham, Norfolk, 1925). Reine de Grande-Bretagne (1901-1925). Fille de Chris-

Ph. Nino Cirani/Ricciarini

Alep. La citadelle.

Ph. Carlo Bevilacqua/Ricciarini

Alexandre III et le doge Ziani. Fresque de Spinello Aretino (XVᵉ s.). (Palazzo pubblico, Sienne.)

tian* IX, roi du Danemark, elle épousa le prince de Galles, futur Édouard* VII en 1863 et devint reine en 1901.

ALEXANDRA FEODOROVNA. ♦ (Darmstadt, 1872 – Iékaterinbourg, 1918). Impératrice de Russie. Fille du grand-duc de Hesse-Darmstadt Louis IV, née Alice de Hesse, elle épousa le tsar Nicolas* II en 1894. L'ascendant que prit sur elle Raspoutine*, à partir de 1905, contribua au discrédit de la monarchie. Elle fut assassinée par les bolcheviks avec son mari et ses enfants.

ALEXANDRE Iᵉʳ *(saint)*. ♦ 6ᵉ pape (105-115 [?]). Romain. Martyr (?). Fête le 3 mai.

ALEXANDRE *(saint)*. ♦ Patriarche d'Alexandrie de 313 à 328 [mort]. Il réunit un synode qui excommunia Arius* (323) et joua un rôle prépondérant lors de la condamnation de celui-ci au concile de Nicée* (325). Fête le 26 février.

ALEXANDRE II (Anselme de BAGGIO). ♦ 154ᵉ pape (1061-1073 [mort]). Milanais, ancien évêque de Lucques. Il résista à l'antipape Honorius* II. Il eut pour conseillers Pierre* Damien et Hildebrand qu'il désigna peut-être pour lui succéder **(V. Grégoire VII).**

ALEXANDRE III (Rolando BANDINELLI). ♦ (Sienne, ? – Civita Castellana, 1181). 168ᵉ pape (1159-1181). Il se vit opposer successivement quatre antipapes soutenus par Frédéric Barberousse : Victor* IV (ou V), Pascal* III, Calixte* III, Innocent* III. Son pontificat fut marqué par la lutte contre cet empereur : ravage de l'Italie par celui-ci, fuite du pape en France, à Sens (1163-1165) où il reçut Thomas* Becket alors aux prises avec Henri* II ; constitution de la ligue Lombarde (1165) dont le pape prit la tête (1168) après la prise de Rome (1167) par l'empereur et sa retraite devant la peste ; victoire de la ligue à Legnano (1176) et traité de Venise (1177) consacrant l'autorité du pape, qui accorda un large pardon aux schismatiques. En 1179, Alexandre III réunit le IIIᵉ concile du Latran.

Arch. Smeets

Buste d'**Alexandre le Grand.** Copie romaine d'une statue de Lysippe. (Musée du Louvre, Paris.)

ALEXANDRE IV (Rinaldo di SEGNI). ♦ (? – Viterbe, 1261). 179ᵉ pape (1254-1261). Il résida le plus souvent hors de Rome, tenue par le sénateur Brancaleone. Il lutta contre Manfred de Sicile.

ALEXANDRE V (Petron PHILARGÈS). ♦ (Candie, 1340 – Bologne, 1410). Franciscain grec, pape (illégitime) élu par le concile de Pise* (1409). **V. Schisme** (d'Occident).

ALEXANDRE VI (Rodrigo BORGIA). ♦ (Játiva, Espagne, 1431 – Rome, 1503). 212ᵉ pape (1492-1503). Neveu de Calixte* III qui le fit cardinal à vingt-cinq ans, il fut un objet de scandale, d'abord par les intrigues simoniaques qui favorisèrent son élection, ensuite par les enfants illégitimes qu'il eut de Rosa Vannozza Catanei (mère de César et de Lucrèce Borgia*), puis de Julie Farnèse. Il lutta contre les petits tyrans italiens, forma une ligue contre Charles* VIII de France devant qui il finit par s'incliner (traité du 15 janv. 1495) mais fut l'allié de Louis* XII à l'instigation de son fils César, que cette politique servait. L'assassinat de son fils Jean, duc de Candie (1497), lui fit songer « à son propre amendement et à celui de l'Église » mais sa bulle de réforme resta sans suite. La découverte de l'Amérique eut lieu sous son pontificat : par quatre bulles (1493) il soumit les conquêtes futures à l'évangélisation des indigènes et délimita, selon un méridien, les zones d'influence espagnole et portugaise. Il mourut peut-être empoisonné.

ALEXANDRE VII (Fabio CHIGI). ♦ (Sienne, 1599 – Rome, 1667). 235ᵉ pape (1655-1667). Il confirma la condamnation des cinq propositions tirées de l'*Augustinus** (1656 ; **V. Innocent X**), fit mettre les *Provinciales** à l'Index (1657), sévit contre les jansénistes (formulaire de 1665) [**V. Jansenius**]. Il fit élever la colonnade de la place Saint-Pierre par Le Bernin*. En fait, il laissait le soin des affaires aux congrégations et au cardinal Rospigliosi. **V. Clément IX.**

ALEXANDRE VIII (Pietro OTTOBONI). ♦ (Venise, 1610 – Rome, 1691). 239ᵉ pape (1689-1691). Mourant, il publia le bref *Inter multiplices* d'Innocent* XI, condamnant la *Déclaration* du clergé de France* et cassant l'édit de Louis XIV qui l'érigeait en loi. **V. Régale** (affaire de la).

ALEXANDRE. ♦ Nom de cinq rois de Macédoine. ♦ ALEXANDRE Iᵉʳ (~ 500-~ 462). Fils d'Amyntas Iᵉʳ, il fut l'allié des Grecs contre les Perses à la bataille de Platées* (~ 479). ♦ ALEXANDRE II (~ 369-~ 367). Fils d'Amyntas III, il mourut assassiné. Son frère Perdiccas* III lui succéda en ~ 365. ♦ ALEXANDRE III. V. ci-dessous **Alexandre le Grand.** ♦ ALEXANDRE IV AIGOS (~ 323), ([mort] ~ 311). Fils posthume d'Alexandre* III le Grand et de Roxane*, il fut proclamé roi dès sa naissance, mais mourut assassiné par l'ordre de Cassandre*. ♦ ALEXANDRE V (~ 298-~ 294). Troisième fils de Cassandre, il partagea le pouvoir avec son frère Antipatros, après la mort de leur aîné Philippe IV. Démétrios Iᵉʳ Poliorcète le fit massacrer et s'empara du trône.

ALEXANDRE LE GRAND (Alexandre III). ♦ Roi de Macédoine (Pella, ~ 356 – Babylone, ~ 323). Fils de Philippe* II et d'Olympias*, il fut l'élève d'Aristote*. Il fut associé très jeune aux responsabilités du pouvoir et il se distingua à la bataille de Chéronée*. Roi à l'âge de vingt ans (~ 336), il se fit nommer chef de la Confédération hellénique par le congrès de Corinthe* et réprima la révolte des villes grecques en détruisant Thèbes* et en soumettant Athènes*. Maître de la Grèce, il prépara la conquête de l'Asie, s'entoura de généraux compétents **(V. Antigonos, Antipatros, Eumène, Lysimaque, Parménion, Perdiccas, Ptolémée, Seleucos Iᵉʳ Nikator)** puis, ayant laissé la régence à Antipatros, il traversa l'Hellespont à la tête d'une armée puissante, et débarqua en Troade. Vainqueur des troupes de Darios* III au Granique* (~ 334), il occupa successivement toutes les villes côtières grecques de l'Asie* Mineure puis, après une halte à Gordion* (où il trancha le nœud gordien, acte qui lui promettait l'empire de l'Asie) et à Tarse (où il tomba malade après s'être baigné dans le Cydnus), il battit à nouveau les Perses à Issos (~ 333), occupa la Syrie, la Phénicie et s'empara de Tyr* en ~ 332. Après la prise de Gaza il pénétra en Égypte*, fonda *Alexandrie**, se dirigea vers la Mésopotamie où, après avoir franchi l'Euphrate et le Tigre, il dispersa la puissante armée de Darios dans la plaine de Gaugamèle*, près d'Arbèles* (~ 331). Enfin, il occupa Babylone*, Suse*, Persépolis* – qu'il fit incendier, dit la légende, pour complaire à sa maîtresse Thaïs* et venger la destruction d'Athènes par les Perses – Pasargade, Ecbatane, et prit le titre de roi d'Asie. Après la mort de Darios III, il conquit la Bactriane*, l'Hyrcanie*, la Sogdiane* **(V. Massagètes)** et y fonda des colonies militaires qui prirent toutes le nom d'*Alexandrie* (~ 329-~ 327). Devenu le maître de tout l'Empire perse, il se dirigea vers l'Inde, franchit l'Indus (~ 326), vainquit Poros* mais l'épuisement de ses soldats le força à rentrer à Babylone (~ 325) qu'il avait choisie pour capitale, tandis qu'il chargeait Néarque* d'une expédition maritime dans le golfe Persique. Alexandre tenta de continuer à Babylone sa politique de fusion raciale. Époux de Roxane* depuis ~ 333, il prit pour seconde femme Satira, fille de Darios III (~ 324) et mourut peu après (~ 323) alors qu'il formait des projets pour de nouvelles conquêtes. Son empire fut partagé entre ses généraux, les *Dia-*

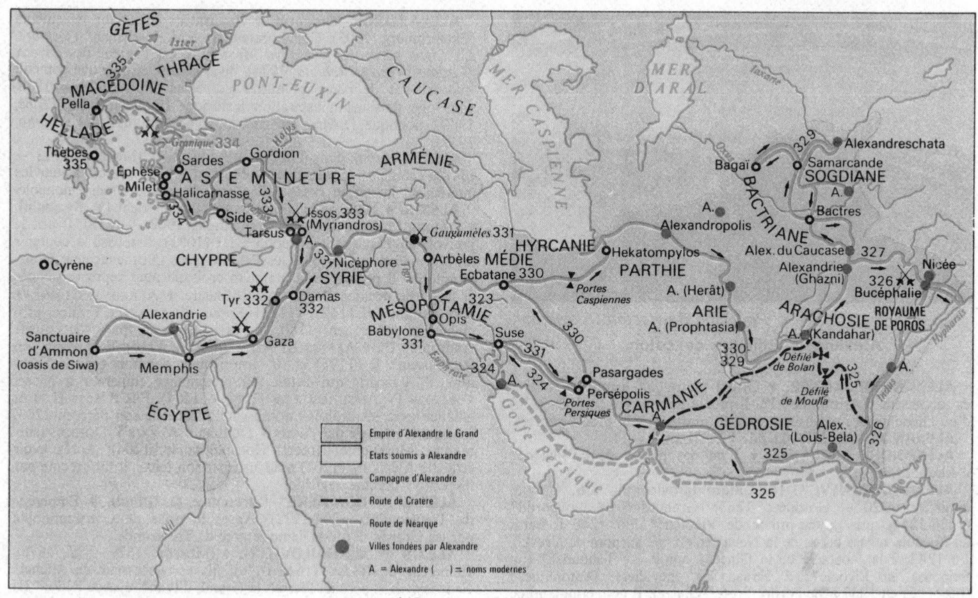

L'Empire d'**Alexandre**.

*doques**, qui ne tardèrent pas à se combattre, comme le firent leurs fils, les *Épigones**. Sa mère Olympias, sa femme Roxane et son fils Alexandre* IV périrent assassinés. – Dans l'Antiquité, le personnage d'Alexandre le Grand, ses conquêtes et sa politique ont été le sujet de plusieurs œuvres historiques et littéraires dont celles d'Arrien, Callisthène, Quinte-Curce et Plutarque *(Vies parallèles).* À part ses artistes officiels, le peintre Apelle* et le sculpteur Lysippe*, sa personnalité a inspiré les artistes jusqu'à l'époque moderne (Raphaël, Bazzi, Puget, etc.). Les littératures médiévale *(Roman d'Alexandre)* et moderne *(Alexandre le Grand,* de Racine, 1665*)* ont continué à le célébrer.

ALEXANDRE. ♦ Nom de rois de Syrie. ♦ ALEXANDRE Ier BALAS (~ 150-~ 145). Il détrôna et tua Démétrios* Ier Sôter en se faisant passer pour le fils d'Antiochos IV Épiphane, mais il fut lui-même renversé par Démétrios* II Nicator. ♦ ALEXANDRE II ZABINAS (~ 126-~ 122). Il se fit passer pour le fils d'Alexandre Ier Balas, renversa Démétrios* Nicator, mais fut finalement exécuté par le fils de ce dernier, Antiochos* VIII.

ALEXANDRE Ier DE BATTENBERG. ♦ (Vérone, 1857 – Graz, 1893). Prince de Bulgarie (1879-1886). Il annexa la Roumélie orientale (1885) et fut attaqué par la Serbie mais la battit. Après avoir tenté de s'affranchir de la tutelle des Russes, à qui il devait le pouvoir, il dut abdiquer pour éviter l'occupation de la Bulgarie.

ALEXANDRE Ier, en gr. **Alexandros.** ♦ Roi de Grèce (Athènes, palais du Tatoï, 1893 – Athènes, 1920). Fils cadet de Constantin* Ier qui avait abdiqué en sa faveur (1917), il fit entrer la Grèce dans la guerre, aux côtés des Alliés.

ALEXANDRE Ier (Jagellon). ♦ (1459 – Vilna, 1506). Roi de Pologne* (1501-1506). Fils de Casimir* IV, grand-prince de Lituanie depuis 1492, il succéda à son frère Jean* Ier Albert, et rétablit l'union polono-lituanienne.

ALEXANDRE Ier (PAVLOVITCH). ♦ (Saint-Pétersbourg, 1777 – Taganrog, 1825). Empereur de Russie (1801-1825), fils et successeur de Paul* Ier et petit-fils de Catherine* II. Son précepteur La* Harpe lui transmit des idées libérales. Dès son avènement il s'engagea dans une série de réformes (abolition de la torture, de la censure, droit pour les roturiers d'acquérir des terres, réorganisation de l'enseignement), fit la paix avec l'Angleterre (1801) et participa avec celle-ci à la troisième coalition contre Napoléon (1805). Vaincu à Austerlitz* (1805), Eylau* (1807), Friedland (1807), il fut contraint de demander la paix, qu'il signa au traité de Tilsit* (1807) après une entrevue avec Napoléon sur le Niémen*. Engagé dans le système du Blocus* continental, Alexandre Ier, après une seconde rencontre avec Napoléon à Erfurt* (1808), déclara la guerre à l'Angleterre et à la Suède et mit fin à la guerre avec la Turquie (1806-1812) par le traité de Bucarest* (1812). Mais, gêné par le Blocus, il renoua avec l'Angleterre et fut entraîné de nouveau dans un conflit avec Napoléon qui envahit la Russie en 1812 **(V. Russie** [hist.]**).** Après la défaite française il organisa la sixième coalition (1813), pénétra dans Paris (1814), qu'il protégea contre les Prussiens, et favorisa la restauration des Bourbons. Au congrès de Vienne (1815) il se fit attribuer la Pologne* orientale et centrale, mais après Waterloo*, influencé par les idées mystiques de la baronne Krüdener*, il fit conclure aux Alliés la Sainte-Alliance* et abandonna la politique extérieure à l'influence de Metternich. Son attitude réactionnaire valut à son successeur Nicolas* Ier la révolte des décabristes*.

ALEXANDRE II (NIKOLAÏEVITCH). ♦ (Moscou, 1818 – Saint-Pétersbourg, 1881). Empereur de Russie (1855-1881), fils et successeur de Nicolas* Ier, il fut l'élève de Joukovski*. Durant la décennie qui suivit la défaite de la guerre de Crimée* (traité de Paris*, 1856), Alexandre II, conscient du retard de la Russie par rapport à l'Occident, entreprit une série de réformes importantes (abolition du servage, 1861 ; réforme administrative et judiciaire, 1864 ; réforme de l'instruction publique) et donna un nouvel essor à la vie économique du pays en développant le réseau ferroviaire. Devenu l'allié de l'Allemagne, qui l'aida à réprimer l'insurrection polonaise de 1863, il entra en guerre contre la Turquie (1877 à 1878) mais, abandonné par Bismarck, dut signer le traité de Berlin* (1878) qui révisait profondément le traité de San* Stefano en limitant les ambitions russes. Parallèlement il acheva la conquête du Caucase (1859) et fit progresser la pénétration russe en Asie Centrale (prise de Tachkent, 1865 ; de Boukhara et Samarkand, 1868) tandis qu'à l'intérieur, face à sa nouvelle politique absolutiste, se développait dès 1870 un mouvement révolutionnaire populiste **(V. Narodniki)** dont une fraction extrémiste, dirigée par Jeliabov*, Vera Figner* et Sophia Perovskaïa, devait réussir, après plusieurs échecs, l'attentat dont il fut victime en 1881.

ALEXANDRE III (ALEXANDROVITCH). ♦ (Saint-Pétersbourg, 1845 – Livadia, 1894). Empereur de Russie (1881-1894), fils et successeur d'Alexandre II, il mena une politique de russification systématique dans les pays baltes **(V. Estonie, Lettonie, Lituanie).** En politique extérieure, il se rapprocha de la France et signa avec elle une convention militaire en 1892. – Un pont de Paris porte son nom.

ALEXANDRE Ier OBRÉNOVITCH. ♦ (Belgrade, 1876 – *id.,* 1903). Roi de Serbie (1889-1903). Fils de Milan* Ier, il renversa les régents supprima la constitution libérale. Il mourut assassiné, à la suite d'un complot militaire.

ALEXANDRE Ier KARAGEORGÉVITCH. ♦ (Cetinje, 1888 – Marseille, 1934). Roi de Yougoslavie (1921-1934). Fils de Pierre* Ier qui le nomma régent en 1914, il prit, dans le camp allié, une part active à la Première Guerre mondiale. Devenu roi en 1921, il se heurta au problème des nationalités. Il institua la dictature (1929) et, favorisant les Serbes, mécontenta les autres nationalités. Il s'allia avec les Tchèques et les Roumains dans la *Petite Entente.* Il fut assassiné à Marseille, en même temps que le ministre français Barthou, par des terroristes croates. – Père de Pierre* II.

ALEXANDRE FARNÈSE, *duc de* **Parme.** ♦ (Rome, 1545 – Saint-Vaast, près d'Arras, 1592). Fils du duc Octave et de Marguerite* de Parme, il fut un des plus brillants capitaines de son temps. Envoyé aux Pays-Bas en 1577, il devint gouverneur général à la mort de don Juan* d'Autriche (1578). Il réussit par son habileté à regagner à l'Espagne les provinces méridionales (union d'Arras*, 1579), mais reprit la lutte contre l'union d'Utrecht* et sa victoire la plus éclatante fut la prise d'Anvers (1583-1585). Il intervint en France pour soutenir la Ligue* et contraignit Henri IV* à lever le siège de Paris (1590), puis celui de Rouen. Il venait d'être destitué par Philippe II* quand il mourut des suites d'une blessure.

Ph. Carlo Bevilacqua/Ricciarini
Alexandrie : filature de coton.

ALEXANDRE JANNÉE. ♦ Grand prêtre juif asmonéen*, frère et successeur d'Aristobule* Ier. Il prit le titre de roi (~ 103- ~ 76) d'où l'hostilité des pharisiens, qu'il fit massacrer en grand nombre.

ALEXANDRE JEAN Ier CUZA. ♦ **V.** CUZA.

ALEXANDRE L'ÉTOLIEN. ♦ L'un des poètes de la Pléiade* d'Alexandrie (~ IIIe s.).

ALEXANDRE NEVSKI (Alexandre Iaroslavitch, *dit***).** ♦ (Vladimir, v. 1220 – Gorodets, 1263). Grand-duc de Novgorod* (1236-1251), puis grand-prince de Vladimir*. En 1240 il battit les Suédois sur les bords de la Neva* (d'où son surnom de *Nevski*). En 1242, à la « bataille de la Glace », sur le lac Tchoudsk* (ou Peïpous) en Livonie*, il écrasa les chevaliers Teutoniques* (fusionnés en 1237 avec l'ordre Porte*-Glaive). Il gouverna comme vassal des Mongols, mais en 1262 obtint une modération du tribut qu'il leur payait. Mourant, il légua la petite principauté de Moscou* à son fils cadet Daniel*. Alexandre fut canonisé par l'Église orthodoxe, et son nom fut donné à un ordre russe par Pierre* le Grand (1722), puis à un ordre militaire soviétique (1942). – En 1938, S.M. Eisenstein* réalisa le célèbre film *Alexandre Nevski,* dont Prokofiev* écrivit la musique.

ALEXANDRE SÉVÈRE. ♦ **V.** SÉVÈRE ALEXANDRE.

ALEXANDRETTE. ♦ Anc. nom d'Iskenderun* (Turquie).

ALEXANDRIA. ♦ V. et port des États-Unis, au N. de la Virginie*, à une dizaine de kilomètres de Washington. 91 023 hab. (1960). V. résidentielle possédant de nombreux bâtiments du XVIIIe siècle. – Centre commercial de la région. Indus. variées.

ALEXANDRIE (en ar. **Al-Iskandarîyah).** ♦ Seconde ville et port principal d'Égypte, à l'extrémité N.-O. du delta du Nil, sur une bande de terre entre la Méditerranée et le lac Mariout*. 2 032 000 hab. Université. Il ne reste pratiquement rien de la ville antique. D'abord centrée autour de l'île de Pharos*, la ville moderne s'est ensuite étendue le long de la côte (corniche). C'est l'un des plus grands centres commerciaux d'Égypte (marché du coton, siège de compagnies d'exportation). Le port, le troisième de la Méditerranée après Gênes et Marseille, a un trafic annuel de 8 millions de tonnes. Indus. textiles (coton), chimiques (raffinage du pétrole, savonneries), les constructions mécaniques et navales et les indus. alimentaires (conserveries). ♦ *Hist.* Fondée en ~ 332- ~ 331 par Alexandre* le Grand, la ville fut la réalisation la plus moderne de l'urbanisme antique. Capitale des Lagides*, ornée de monuments grandioses (Sérapéion, Pharos*, etc.), elle devint sous les premiers Ptolémées* le centre de la thalassocratie égyptienne (~ IIIe-~ IIe s.) et le grand foyer de la civilisation hellénistique. Son musée (université et académie) et sa bibliothèque, la plus célèbre de l'antiquité (700 000 volumes), rassemblèrent les savants et les lettrés du monde grec (Archimède, Callimaque, Euclide, Théocrite, etc.). La ville vit les déchirements dynastiques des derniers Lagides et le drame dont les protagonistes furent César*, Cléopâtre* VII, Marc Antoine*, Césarion* (Ptolémée* XV et Auguste* [~ 48- ~ 30]). Devenue résidence du préfet romain lors de l'annexion de l'Égypte, Alexandrie restait le centre d'une activité intellectuelle intense au début de l'ère chrétienne. L'Église d'Alexandrie devint le bastion de la lutte contre les hérésies. L'école des catéchumènes s'illustrait par Clément* et Origène*. Un important courant philosophique et littéraire manifesté dès le ~ IIIe s. (Septante), et dont Philon* le Juif fut le principal représentant au Ier s., précéda la formation de l'école néo-platonicienne qui y fleurit au IIIe s. Occupée tour à tour par les Perses en 616, par les Arabes en 642 **(V. Amr),** par les Turcs en 1517, la ville était l'une des « Échelles* du Levant » quand Bonaparte s'en empara en 1798. Lors de la révolte d'Arabi pacha en 1882, elle fut bombardée et occupée par les Anglais. Base navale et aérienne britannique, Alexandrie fut menacée en 1942 par l'offensive de Rommel stoppée à El Alamein* à 100 km de la ville. Une escadre française, immobilisée au port depuis l'armistice de 1940, rallia le combat en 1943.

ALEXANDRIE (Italie). ♦ **V.** ALESSANDRIA.

ALEXANDROUPOLIS, en turc **Dedeagatch.** ♦ V. et port de Grèce sur la mer Égée, en Thrace. 18 710 hab. Exportation de tabac.

ALEXANDROV (Gregory). ♦ Réalisateur soviétique de cinéma (Ekaterinburg, 1903). Collaborateur de S.M. Eisenstein* *(Octobre, La Ligne générale, Que Viva Mexico),* il est l'auteur des *Joyeux Garçons* (*Veselye Rebiata,* 1934), divertissante et poétique comédie musicale, et de plusieurs autres comédies (*Volga Volga,* 1938) ainsi que de films d'inspiration historique (*Rencontre sur l'Elbe,* 1949), politique (*Lénine en Suisse,* 1966) ou musicale (*Glinka,* 1952).

ALEXIS (*saint,* dans l'Église orthodoxe). ♦ (Moscou, 1293 – 1378). Troisième métropolite de Moscou (1354), il œuvra pour les intérêts de la nation russe à l'époque de la suprématie mongole.

ALEXIS. ♦ Nom de plusieurs empereurs d'Orient **(V. Byzantin).** ♦ ALEXIS Ier COMNÈNE (Constantinople, 1048 – 1118). Il prit le pouvoir en renversant Nicéphore III (1081). Il réussit à contenir les Normands et à écraser les Petchénègues qui menaçaient Constantinople. Il profita de la première croisade pour reprendre Nicée et la partie occidentale de l'Asie Mineure. ♦ ALEXIS II COMNÈNE (Constantinople, 1167 – 1183). Époux d'Agnès* de France, proclamé empereur en 1180, il périt étranglé par son tuteur Andronic* Ier. ♦ ALEXIS III ANGE (mort v. 1210). Il renversa son frère Isaac* II (1195) et fut emprisonné par son gendre Théodore Ier Lascaris qui s'était fait reconnaître empereur à Nicée. ♦ ALEXIS IV ANGE le JEUNE (1182 – 1204). Fils d'Isaac II, il fit alliance avec les croisés, monta sur le trône de son père en 1203, mais périt étranglé par Alexis V Doukas. ♦ ALEXIS V DOUKAS (surnommé Murzuphle) ([mort] Constantinople, 1204). Après avoir étranglé Alexis IV (1204) pour usurper son trône, il fut exécuté par les Latins comme régicide.

ALEXIS Ier COMNÈNE* (surnommé **le Grand).** ♦ Empereur de Trébizonde* (1204-1222). Après la prise de Constantinople par les Croisés, il fonda l'empire grec de Trébizonde.

ALEXIS Ier MIKHAILOVITCH. ♦ (Moscou, 1629 – *id.,* 1676). Empereur de Russie (1645-1676), fils et successeur de Michel* Fédorovitch et père de Pierre* le Grand, d'Ivan* V et de Fédor* III qui lui succéda. À la suite des émeutes populaires qui suivirent son avènement, il promulgua par le code de 1649 de nouvelles mesures économiques et sociales qui aboutirent à la fin de son règne à un schisme religieux provoqué par la réforme du métropolite Nikita Nikon* et à une grande insurrection paysanne dirigée par Stenka Razine* (1668-1671). Cependant, en politique extérieure, il se fit céder par les Polonais Smolensk* et l'Ukraine* orientale avec Kiev* (traité d'Androussovo, 1667) et paracheva la conquête de la Sibérie.

ALEXIS PETROVITCH. ♦ (Moscou, 1690 – *id.,* 1718). Fils aîné de Pierre* le Grand, et père de Pierre* II. Opposé à la politique de son père, il fut déchu de sa qualité d'héritier (1718) et mourut peu après en prison.

ALEXIS (Wilhelm HÄRING, dit **Willibald).** ♦ Journaliste et romancier allemand (Breslau, 1798 – Armstadt, 1871). Descendant de huguenots bretons du nom de Harenc (germanisé en Häring), il fut critique littéraire puis journaliste à Berlin (1827-1835). Libéral, anti-clérical, il dut sa réputation à des romans « patriotiques » (*Cabanis,* 1832 ; *La Culotte de M. de Bredow,* 1846-1848 ; *La paix est le premier devoir du citoyen,* 1852, etc.).

ALEXIS (Paul). ♦ Écrivain français (Aix-en-Provence, 1847 – Triel, 1901). Ami et disciple de Zola*, il participa au recueil collectif des *Soirées de Médan* (1880) avec une nouvelle très caractéristique du naturalisme *(Après la bataille).* Auteur de roman (*Le Journal de monsieur Mure ; La Fin de Lucie Pellegrin,* 1880), de pièces de théâtre (notamment *Celle qu'on n'épouse pas,* 1879), Paul Alexis a également composé une intéressante monographie : *Émile Zola, notes d'un ami...* (1882).

Ph. Lauros-Giraudon
A. **Algardi** : Innocent X. (Palais Doria Pamphili, Rome.)

Ph. Nino Cirani/Ricciarini

Le port d'**Alger**.

ALFANO (Franco). ♦ Compositeur italien (Naples, 1876 – San Remo, 1954). Marquée par le vérisme (*Resurrezione,* d'après Tolstoï, 1904), par l'impressionnisme (*La Leggenda di Sakuntala,* 1921) et le romantisme (*Il Dottor Antonio,* 1949), son œuvre est surtout celle d'un compositeur d'opéras.

ALFIERI (Vittorio). ♦ Poète et dramaturge italien (Asti, Piémont, 1749 – Florence, 1803). Au terme d'une jeunesse où il voyagea par toute l'Europe (1767 à 1772), connaissant des passions orageuses, il revint à Turin et se consacra définitivement à la poésie. Violemment hostile aux esclaves comme aux tyrans, il composa une œuvre littéraire qui contribua à la formation du climat intellectuel et affectif du Risorgimento. Outre divers traités (*De la Tyrannie,* 1779; *Du Prince et de la Littérature,* 1786), ses dix-neuf tragédies régulières (composées de 1774 à 1787) sont une apologie de la liberté et exhortent l'humanité à lutter contre un destin médiocre ou avilissant. Désireux de concentrer l'attention sur le drame moral, Alfieri recherche le maximum de densité dans la tension dramatique et dans le style, volontairement nerveux et sec, notamment dans *Philippe II* (*Filippo,* 1775), *Antigone* (1776), *Virginie* (1777) et *Saül* (1782), où la passion tyrannique du pouvoir trouve son expression la plus puissante. D'abord favorable à la Révolution française, il lui devint hostile et exprima ses sentiments antifrançais dans un ouvrage intitulé *Il Misogallo.* Enfin, Alfieri fit de son œuvre lyrique l'expression directe de sa vie sentimentale ou de ses incertitudes d'écrivain, à moins qu'il n'y définisse encore cette conception de l' « homme libre » qui fut accueillie avec enthousiasme par ses contemporains.

ALFÖLD. *n. m.* ou *f.* ♦ Plaine de Hongrie*, s'étendant sur un peu plus de la moitié du pays, à l'E. du Danube. La Tisza* la divise en deux. Les terres entre Danube et Tisza sont vouées au blé, au maïs, à la betterave. Au S., le Kiskunság est un pays de vignes et d'arbres fruitiers. – A l'E. de la Tisza se trouve le Nagykunság, la grande région céréalière de la Hongrie et la Puszta de Hortobágy.

ALFÖLDI (Andreas). ♦ Archéologue et historien hongrois (Pomáz, 1895). Professeur à Princeton, il s'est surtout spécialisé dans l'histoire romaine du Haut et Bas Empire.

ALFORTVILLE. ♦ Ch.-l. de cant. du Val-de-Marne, arr. de Créteil, dans la banlieue S.-E. de Paris. 35 023 hab. (*Alfortvillais*). Indus. alimentaires. Métallurgie. Très importante centrale gazière.

ALFRED LE GRAND *(saint).* ♦ (Wantage, Berkshire, v. 849 – ?, 899). Roi de Wessex (871-878) et des Anglo-Saxons (878-899). Fils d'Ethelwolf*, frère et successeur d'Ethelred* Ier, il lutta contre les Danois, reprit Londres (886) et soumit la Northumbrie*, préparant ainsi la souveraineté sur toute l'Angleterre. Homme cultivé, traducteur de divers ouvrages latins en anglo-saxon, notamment de l'*Histoire ecclésiastique* de Bède* et de la *Consolation* de Boèce, il favorisa l'instruction, la littérature et la réforme de l'Église. – Père d'Édouard* l'Ancien.

ALFVÉN (Hannes). ♦ Physicien suédois (Norrköping, 1908). Auteur de travaux sur les plasmas (**V.** *aussi* **Langmuir**) et de leur comportement dans les champs magnétique, électrique et gravitationnel, il montra en 1942, dans le cadre de la magnétohydrodynamique, que des ondes transversales à très basse fréquence pouvaient se propager dans le plasma en présence de champ magnétique *(ondes de Alfvén)* et aboutit à une synthèse de cette nouvelle science (*Magnetohydrodynamics,* 1948) particulièrement adaptée aux phénomènes astrophysiques. Il semble avoir été le premier à attribuer les émissions des radiosources au rayonnement synchrotron d'électrons relativistes de très haute énergie (1950). On lui doit encore une théorie selon laquelle il existerait dans l'univers actuel des nuages de matière et des nuages d'antimatière, sans annihilation catastrophique (prix Nobel de phys., 1970).

ALGARDI (Alessandro, dit en fr. **L'ALGARDE).** ♦ Sculpteur, décorateur, architecte et peintre italien (Bologne, v. 1595 – Rome, 1654). Formé à l'académie des Carrache*, il travailla ensuite quelque temps à Mantoue, puis s'établit à Rome. Il s'affirma surtout comme sculpteur, subit l'ascendant du Bernin*, mais trouva aussi son inspiration dans la statuaire antique. Il réalisa des statues et groupes pour les églises (*Saint-Philippe Neri; La Décollation de saint Paul,* après 1640) et excella dans les portraits où l'observation délicate et précise des physionomies s'allie à un sens de l'expression noble et solennelle. Son style, proche des Carrache et du Dominiquin* n'en présente pas moins des affinités avec le baroque berninesque dans sa recherche des effets picturaux, son goût du mouvement et de l'expression *(Relief d'Attila et de saint Léon).*

ALGAROTTI (Francesco). ♦ Savant et écrivain italien (Venise, 1712 – Pise, 1764). Intéressé par tous les domaines de la culture, il voyagea en France (1733), à Londres, en Prusse (1738-1739) où il se fit un puissant protecteur en la personne du futur Frédéric* II, à Saint-Pétersbourg, qu'il évoqua dans ses *Lettere sulla Russia,* devenues *Voyage en Russie (Viaggio in Russia).* Son abondante correspondance (avec Métastase*, la marquise du Châtelet*, Voltaire* surtout) est importante sur le plan de l'évolution des idées en Europe au XVIIIe siècle. Vulgarisateur habile, il sut exposer avec vivacité doctrines et idées dans ses écrits scientifiques, notamment le *Newtonianisme pour dames* (*Neutonianismo per le dame,* 1735), ou dans ses essais artistiques, *Sur l'architecture* (*Saggio sopra l'architettura,* 1753) et *Sur la peinture,* qui fut la grande passion de sa vie (*Saggio sopra la pittura,* 1762).

ALGARVE. *n. m.* (de l'ar. « pays du couchant »). ♦ Province traditionnelle du Portugal correspondant au district de Faro*. 328 000 hab. *Ch.-l.* Faro. Montagneuse au N. (Serras de Monchique et de Caldeirão), son relief s'abaisse progressivement jusqu'au littoral qui présente au S. un cap **(V. Saint-Vincent).** La douceur du climat permet de riches cultures de fruits et de légumes. La pêche est l'activité essentielle du littoral. Le tourisme s'y développe depuis peu. ♦ *Hist.* Alphonse* III de Portugal l'enleva aux Maures en 1250 et en céda une partie à Alphonse* X de Castille en 1254.

ALGAZEL. ♦ V. GHAZÂLÎ (AL-).

ALGER (en ar. **El-Djezaïr).** ♦ Cap. de l'Algérie*, port sur la Méditerranée, ch.-l. du dép. du même nom, située au centre de la côte algérienne, sur la *baie d'Alger,* adossée aux collines du Sahel* d'Alger bordant la Mitidja* qui forment un arrière-pays riche. 942 800 hab. *(Algérois).* – L'incorporation des communes de banlieue dans le *Grand Alger,* fait de l'agglomération algéroise la plus grande d'Afrique du N. après Casablanca. – Archevêché. Université. Grande mosquée malikite (XIe-XIVe s.). Mosquée hanafite de la pêcherie (XVIIe s.). Casbah. Musée des Beaux-Arts. Premier port d'Algérie (exportation de produits agricoles). Industries. – *Le dép. d'Alger* (1 207 800 hab.) a la plus forte densité de population sur la plus petite superficie départementale. *V. et loc. princ. :* **V. Aïn-Beniam, Arba (El-), Beni-Mered, Blida, Boudouaou, Boufarik, Boumerdes, Dar el-Beïda, Hadjout, Koléa, Rouïba, Sidi-Ferruch, Staoüeli** et **Tipasa.** ♦ *Hist.* Ancienne cité romaine *(Icosium),* Alger commença à prendre quelque importance à l'arrivée de Morisques* chassés d'Espagne (v. 1492). En 1510, les Espagnols occupèrent un îlot en face de la ville et les frères Barberousse*, appelés pour les en chasser, s'y installèrent au nom du sultan turc. Devenue la capitale des corsaires barbaresques, elle fut assiégée vainement par Charles* Quint en 1541. Remplie de captifs chrétiens **(V.** *par ex.,* **Cervantes, Regnard...),** la ville fut

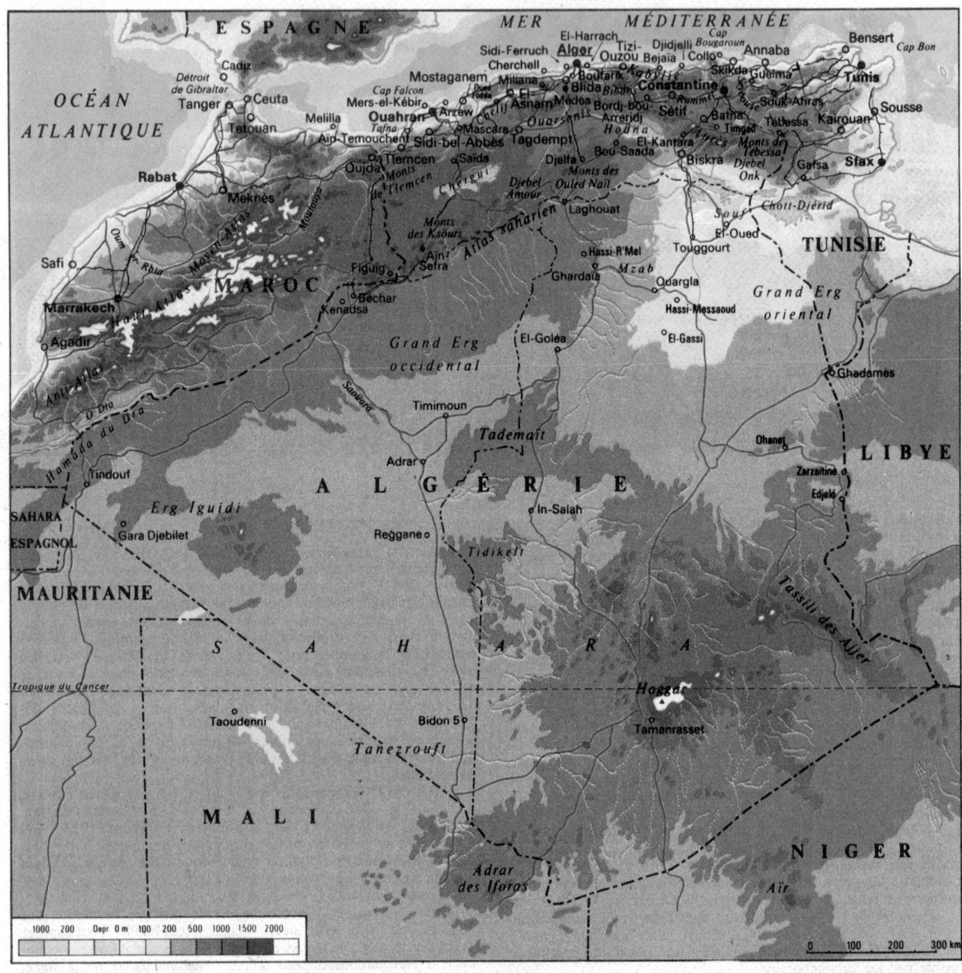

Algérie.

bombardée en 1683 et 1684 par une escadre française, puis anglaise **(V. Exmouth).** Prise par les Français le 5 juillet 1830, elle devint le siège du gouvernement général de l'Algérie et se développa. Au cours de la Deuxième Guerre mondiale, les Alliés y débarquèrent le 8 novembre 1942 et conclurent un armistice avec l'amiral Darlan*. Après l'assassinat de ce dernier (24 déc.), le pouvoir passa au général Giraud*, qui s'effaça dès 1943 devant le général de Gaulle*. Les événements politiques essentiels de la guerre d'Algérie se déroulèrent à Alger, où eut lieu l'opération militaire dite *bataille d'Alger*. **V. Algérie.**

ALGÉRIE. *n. f.* (République algérienne démocratique et populaire), en ar. **Al Djezaïr**. ♦ République d'Afrique* du Nord **(V. Maghreb)**, limitée au N. par la Méditerranée, à l'O. par le Maroc* et le Sahara* espagnol, à l'E. par la Tunisie* et la Libye*, au S. par le Niger*, le Mali* et la Mauritanie*. 2 376 400 km^2 (dont 2 081 400 km^2 de régions sahariennes). 16 780 000 hab. *(Algériens). Cap.* Alger. *Langues :* arabe (off.), dial. berbères, français. *V. princ.* et *ch.-l. de dép.* du même nom. **V. Alger, Annaba** (anc. Bône), **Asnam** (El-, anc. Orléansville), **Batna, Constantine, Médéa, Mostaganem, Ouahran** (anc. Oran), **Saïda, Sétif, Tagdempt** (anc. Tiaret), **Tizi-Ouzou** et **Tlemcen.** *Autres dép.* **V. Oasis** et **Saoura.** *Autres V., localités ou sites* **V. Aflou, Aïn-Beniam** (anc. Guyotville), **Aïn-Bessem, Aïn-Defla** (anc. Duperré), **Aïn-M'Lila, Aïn-Sefra, Aïn-Témouchent, Arba** (El), **Arris, Arzew, Barika, Bayadh** (El-, anc. Geryville), **Béchar** (anc. Colomb-Béchard), **Bejaïa** ou **Bijaïa** (anc. Bougie), **Beni-Mered, Beni-Saf, Blida, Bordj-bou-Arreridj, Bordj-Menaïel, Boudouaou** (anc. L'Alma), **Boufarik, Bouïra, Boumerdes** (anc. Rocher Noir), **Calle** (La), **Cherchell, Collo, Daoud** (anc. Aïn-Beïda), **Daŕ el-Beida** (anc. Maison-Blanche), **Dellys, Djelfa, Djemila, Djidjelli, Dra-el-Mizan, Eulma** (El-, anc. Saint-Arnaud), **Fedj M'zala, Frenda, Ghazaouet** (anc. Nemours), **Guelma, Hadjout** (anc. Marengo), **Hammaguir, Hammam-bou-Hadjar, Hammam-Mesjoutine, Harrach** (El-, anc. Maison-Carrée), **Hussein-Dey, Ighil Izane** (anc. Relizane), **Kantara** (El-), **Kenadsa, Khenchela, Koléa, Ksar-el-Boukari** (anc. Boghari), **Lakhda-ria** (anc. Palestro), **Larbaâ-Nath-Iraten** (anc. Fort-National), **Marnia** (anc. Lalla-Marnia), **Mascara, Mazagran, Mers-el-Kebir, Mila, Miliana, Mohammedia** (anc. Perrégaux), **Mondovi, Mostaganem, M'Sila, Oued Fodda, Rouïba, Sidi-bel-Abbès, Sidi-Ferrüch, Sig** (anc. St-Denis-du-Sig), **Skikda** (anc. Philippeville), **Souk-Ahras, Sour-el-Ghozlan** (anc. Aumale), **Staouéli, Tazoult** (anc. Lambèse), **Tebessa, Ténès, Timgad, Tipasa.** *Oasis* **V. Adrar, Biskra, Bou-Saada, Ghardaïa, Goléa** (El-), **In-Salah, Kantara** (El-), **Laghouat, Ouargla, Oued** (El-), **Tamanrasset, Tindouf, Touggourt**; *(groupes d'oasis)* **Gourara, Mzab, Reggane, Saoura, Souf, Tidikelt, Touat, Zab** ou **Ziban.** – *Orogr.* L'Algérie offre un relief très diversifié, de la zone méditerranéenne à la zone saharienne. La côte, découpée, présente des caps **(V. Bougaroun, Falcon, Matifou),** des baies **(V. Alger, Sidi-Ferruch)** et des golfes **(V. Bejaïa, Ouahran).** Le Tell* algérien est formé de massifs **(V. Atlas « tellien », Bibans, Dahra, Edough, Kabylie, Mascara, Miliana, Ouarsenis, Saïda, Tlemcen)** où s'encastrent les plaines côtières d'Annaba, drainées par l'oued Seybouse*, de Macta, de la Mitidja*, drainées par l'oued Harrach* ou plusieurs plaines intérieures **(V. Ighil Izane, Sidi-bel-Abbès, Sig).** Ces massifs sont entaillés par des vallées, le long des oueds côtiers **(V. Chelif, Tafna)** et des coteaux comme le Sahel* d'Alger. Puis s'étendent les hautes plaines (plaine de Constantine, où coule l'oued el-Kebir [Rummel*], et de Sétif) et les hauts plateaux qui présentent des dépressions **(V. Chergui, Hodna).** Enfin l'Atlas* saharien est formé d'une succession de monts : (d'O. en E.) monts de Ksour*, des Amour*, des Ouled*-Naïl, des Aurès*, du Zab* ou Ziban. Ces reliefs dominent le Sahara* et ses « vallées » **(V. Saoura** et **Oasis** [dép. de]), où se situent le Grand Erg occidental et oriental, les plateaux du Tademaït* et du Tassili*, le Hoggar*, et, à son confin méridional, le Tanezrouft*. – Le *climat* de l'Algérie va du type méditerranéen au type saharien, avec toutes les modifications dues au relief. — *Écon.* La vie agricole est liée à l'hydrographie, elle-même tributaire d'une pluviométrie dangereusement variable, un tiers seulement du pays recevant 400 mm de moyenne annuelle, mais d'une année à l'autre les chiffres varient de façon déconcertante. À cette irrégularité dans le temps, selon les régions, est associé le caractère torrentiel des précipitations, nuisibles du fait de leur abondance même. Plus grave encore est la mauvaise répartition des précipitations « utiles » dans l'année. Ce problème pluviométrique a entraîné la création de grands barrages réservoirs (Beni-Bahdel, Iril-Emda, Ghrib*, Oued* Fodda), permettant la création de périmètres irrigués en même temps que la production d'énergie hydro-électrique) (733 000 000 de kW sur 2 625 en 1973). Il a également nécessité un programme de travaux hydrauliques locaux, de lutte contre l'érosion par la restauration des sols, de défense contre les eaux nuisibles (assainissement des terres; **V. Annaba**). En outre, la culture extensive en terre sèche a permis l'extension de la culture du blé dans la zone semi-aride des hauts plateaux, domaine traditionnel des pasteurs nomades. À l'économie agricole moderne, établie sur les grandes surfaces des domaines autogérés et fortement mécanisés, s'oppose l'agriculture traditionnelle pratiquée par les fellahs sur de petites étendues avec un matériel archaïque. Les principales productions agricoles exportées sont les agrumes (product. 539 000 t en 1974), le vin (mais l'Algérie s'est engagée en 1972 dans la voie de la reconversion partielle de son patrimoine : 1955, 14 000 000 hl; 1974 : 7 400 000 hl) et les dattes. Les productions d'avoine, de blé dur et tendre (652 000 t), d'orge et d'olives sont nécessaires à la consommation locale. Le troupeau d'ovins est important. — Par nationalisations, la plus décisive ayant été, en 1971, celle des hydrocarbures, le gouvernement algérien s'est assuré le contrôle du patrimoine national. L'Algérie s'est orientée depuis 1967 vers un programme de croissance économique : la priorité a été donnée à l'industrialisation **(V. Alger, Annaba, Arzew, Sétif, Constantine).** Après celles de Ouenza* et Zaccar*, les ressources en fer de Gara Djebilet doivent être mises en valeur. D'autres secteurs miniers ne sont pas négligeables : phosphates, houille, plomb, zinc. La production de pétrole atteignait 45 050 000 de t en 1975. **(V. Edjelé, Gassi** [El-], **Hassi-Messaoud, Hassi-R'Mel, Ohanet, Zarzaïtine).** Ce programme d'industrialisation constitue le moteur du « décollement » économique du pays. La sidérurgie (El Hadjar; capacité 1 800 000 t d'acier), l'indus. automobile (tracteurs : Constantine; automobiles : Oran), la production de superphosphates et de ciment doivent se développer en priorité. — D'autre part, l'Algérie possède un important potentiel touristique relativement peu exploité encore (sites romains, Sahara, côte méditerranéenne, déjà aménagée en certains points. **V. Tipasa.)** ♦ *Hist.* ALGÉRIE ANTIQUE. Divers sites et vestiges préhistoriques (Ternifin, Machta al-Arbi) attestent que l'Algérie connut depuis une haute antiquité une fruste civilisation berbère. Mais l'histoire du pays commence à l'arrivée des Phéniciens, qui fondèrent dès les derniers siècles du ~ IIe millénaire des escales et des comptoirs commerciaux, repris par Carthage* après la décadence des cités mères. L'intérieur du pays, dominé par les Berbères ou Numides, connut la civilisation phénicienne et les dieux carthaginois, adoptés par les autochtones, furent célébrés après la domination romaine qui intervint à la suite de l'intermède des royaumes numides et de l'insurrection de Jugurtha* (~ 112-~ 105). La Maurétanie, annexée en ~ 40, fut divisée en deux provinces impériales : Maurétanie* tingitane et Maurétanie césarienne, tandis que l'Est algérien dépendait (jusqu'au IIIe s.) de la province proconsulaire d'Afrique. Les imposantes ruines de Timgad*, Lambèse*, Cuicul (Djamila) témoignent de la densité du peuplement et de la prospérité que connut le pays. — La région s'ouvrit tôt au christianisme; la latinisation du christianisme fut l'œuvre d'Africains, autochtones romanisés ou éléments allogènes. Le pays se couvrit de basiliques et le donatisme* divisa l'Église africaine. Cependant, les tribus berbères montagnardes, non latinisées, continuaient leurs attaques. Aux IVe et Ve s. l'insécurité s'étendit; les cités s'appauvrirent. Seule l'Église demeura organisée (**V. Augustin** [saint]). Et la fragile domination vandale (429-533) laissa se reconstituer des principautés berbères indépendantes. Les Byzantins, qui chassèrent les Vandales (533), ne reconquérirent que la partie orientale du pays. — LA CONQUÊTE ARABE ET LES DYNASTIES BERBÈRES (VIIe-XVIe s.). Les armées musulmanes avancèrent de l'Égypte vers l'O. en 647 et la conquête de la Berbérie (Afrique du Nord) fut achevée en 711. Dans la région E. de l'actuelle Algérie, dans l'Aurès, deux chefs berbères, Kusayla et la Kâhina, dirigèrent la résistance autochtone contre l'occupation arabe (*fin* VIIe s.). Très vite les Berbères adoptèrent l'islâm et, dès les premières années du VIIIe s., l'Afrique du Nord devint une province 'umayyade*. Mais en 742 une partie de la Berbérie s'affranchit de la domination orientale en optant pour le Kharijisme*, doctrine quasi hérétique prêchant l'égalitarisme absolu entre tous les musulmans et contestant l'hégémonie arabe au sein du pouvoir islamique. Plusieurs petits royaumes berbères et kharijites furent fondés dans l'Ouest algérien, le plus important étant celui des Rustémides* de Tahert (région de Ouahran [Oran]) tandis que l'E. algérien restait sous la souveraineté des gouverneurs aghlabides* de Kairouan, qui défendirent activement le califat d'Orient et l'orthodoxie de l'islâm (IXe-Xe s.). Mais, avec le soutien des Kabyles*, confédération des tribus berbères de l'E. algérien, la dynastie arabe et shi 'ite* des

Ph. Giraudon

Conquête de l'**Algérie.** Prise de la smala d'Abd Al-Qâdir, par Bellangé. (Musée Condé, Chantilly.)

Fâtimides* détrôna les Aghlabides, s'empara de Kairouan et renversa les Rustémides (Xe s.). Ziri et son fils Bulukkin fondèrent la dynastie berbère des Zirides*. Les Hammadides*, cousins des Zirides, s'affranchirent de leur tutelle et fondèrent une dynastie indépendante avec pour capitale La Qal 'â des Bani Hammad (dans le Constantinois); ils restaurèrent l'orthodoxie. Pour se venger, les Fâtimides envoyèrent contre l'Ifriqiyya (Tunisie, Est algérien) les tribus arabes des Bânu Hilâl, suivis des Banû Sulaym et Banû Maqtil, qui ravagèrent le pays et dont l'action fut déterminante pour l'arabisation de la région; en effet, dès le XIe s., l'arabe devint la langue majoritaire dans les plaines et les steppes. Dans la seconde moitié du XIe s., les Almoravides*, dynastie berbère orthodoxe venue du Sud marocain, envahirent l'Algérie jusqu'au delà d'Alger et firent pénétrer dans l'Ouest l'influence de la civilisation hispano-moresque, influence perpétuée par leurs successeurs les Almohades*. Sous ces derniers, l'ensemble des pays d'Afrique du Nord fut soumis à un pouvoir unique (milieu du XIIe s.). Au XIIIe s., à la chute des Almohades, la région fut partagée entre trois dynasties berbères : les Marinides* à Fès, les 'Abdalwadides* à Tlemcen et les Hafsides* à Tunis. — CONQUÊTE TURQUE. La reconquête chrétienne à l'Andalousie permit à l'Espagne d'occuper de nombreux sites et ports sur la côte algérienne (Mers-el-Kébir, Ouahran, Bejaïa et l'îlot du Pénon, en face d'Alger) et d'imposer des tributs à d'autres villes (*déb.* XVIe s.). Les 'Abdalwadides acceptèrent le protectorat espagnol. Mais la population musulmane demanda aux corsaires turcs (comme Barberousse) d'intervenir. Ceux-ci reçurent de puissants renforts envoyés par le sultan ottoman (1518), expulsèrent les Espagnols, résistèrent au siège de Charles Quint devant Alger et détrônèrent les 'Abdalwadides (1554). L'Algérie devint alors une Régence, dépendant de l'Empire ottoman. Les corsaires turcs et algériens firent d'Alger une cité prospère au XVIIe s. mais ils faiblirent au XVIIIe s. L'Algérie turque était théoriquement gouvernée par un dey nommé par les officiers de la Milice. Le pays était divisé en trois provinces dirigées par des beys tandis que le pouvoir local était assuré par les *caïds.* Beys et caïds jouissaient d'une autonomie telle que l'Algérie turque ne fut jamais vraiment unifiée sous le contrôle d'un gouvernement central. Vers 1830, le dey n'exerçait une autorité effective que sur une petite partie du pays. — LA PÉRIODE FRANÇAISE (1830-1962). 1° LA CONQUÊTE. Les corsaires turcs poursuivaient leur « course » en Méditerranée occidentale. Lord Exmouth*, après de vaines négociations, bombarda Alger à la tête d'une escadre anglo-hollandaise et provoqua la libération de plus de 3 000 captifs chrétiens (1816). Une autre escadre britannique revint devant Alger en 1824. La France intervint à son tour après le « coup d'éventail » donné par le dey Hussein (Hussayn*) au consul Deval lors d'une audience officielle visant au règlement de créances litigieuses (1827). Charles* X, en accord avec son ministre Polignac*, ordonna un blocus naval puis une expédition militaire décisive contre Alger. Sous les ordres de l'amiral Duperré* et du maréchal de Bourmont*, les troupes françaises débarquèrent à Sidi*-Ferruch le 14 juin 1830 avec un effectif de 37 000 hommes et s'emparèrent d'Alger le 5 juillet suivant, mettant ainsi fin à la domination turque, exercée depuis le XVIe s. par le dey, ses beys et ses janissaires, au nom du sultan de la *Sublime Porte.* Oran et Bône furent également occupés avant la chute de Charles X. Louis*-Philippe devenu roi des Français, Clauzel* remplaça Bourmont avec mission de maintenir une occupation restreinte. Cependant, en Oranie, la résistance s'organisa autour d'Abd*-al-Qadir (Abd-el-Kader) avec lequel Desmichels*, gouverneur d'Oran, se résolut à traiter (1834). Reconnu comme « émir des croyants » avec le droit d'acheter des armes, Abd-el-Kader vit s'accroître son prestige et infligea une grave défaite aux troupes du général Trézel dans les marais de la Macta* (1835). Après l'échec de Clauzel devant Constantine*, occupée par le bey Ahmad (1836), Bugeaud* signa le traité de la Tafna* avec Abd-el-Kader (1837) tandis que Damrémont* échouait dans ses négociations avec Ahmad et trouvait la mort devant Constantine, finalement emportée par le général Valée* (1837). De son côté, Abd-el-Kader, qui

Ph. Hétier

Algérie : Palestro (Kabylie).

avait mis sur pied une véritable armée au cours de la trêve, reprit les hostilités dès 1839 en proclamant la guerre sainte contre les Français. L'armée française d'Afrique (où se distinguèrent de nombreux officiers et soldats : **V.** *notamment* **Aumale** [duc d'], **Bosquet, Bugeaud, Cavaignac, Changarnier, Chanzy, Drouet d'Erlon, Lamoricière, Mac-Mahon, Pélissier, Randon, Saint-Arnaud, Valée, Yousouf**) allait mener la lutte jusqu'à l'occupation totale du pays. Sous Bugeaud, nommé gouverneur général en 1840, la prise de la smala d'Abd-el-Kader par le duc d'Aumale* (1843) contraignit l'émir à se réfugier au Maroc. Le sultan s'engagea à son tour dans la guerre, mais la défaite de l'armée marocaine à la bataille d'Isly* (1844) l'obligea à traiter avec la France. Cependant, de violentes insurrections éclatèrent encore à l'appel de divers *mahdī** dont le plus célèbre, Abû Ma'za, souleva le Dahra, le Chélif et l'Ouarsenis (1845). Franchissant la frontière, Abd-el-Kader remporta la victoire de Sidi*-Brahim puis s'efforça en vain de rallier les Kabyles à sa cause. Abandonné par le sultan, au moment où il songeait à se réfugier à nouveau au Maroc, il fit sa reddition au général Lamoricière dans les plaines de Sidi-Brahim (1847). La soumission des oasis du sud et de la Kabylie (1857) par le maréchal Randon* acheva la conquête du pays par l'armée d'Afrique. Une grande insurrection, animée par la confrérie des Rahmaniya, éclata encore en Kabylie (1871). Vite réprimée, elle entraîna un séquestre de terres affectées à la colonisation française. Les missions Flatters* (1880-1881) et Foureau-Lamy (1898-1899) allaient bientôt préparer l'occupation du Sahara* algérien jusqu'aux frontières du Niger*. — 2° La colonisation. À l'arrivée des Français en 1830, la population algérienne pouvait être évaluée à environ 2 millions d'habitants (1 500 000 d'après M. Mourre). Le recensement de 1872 donne les chiffres de 2 125 000 *indigènes* et de 245 000 *Européens* (y compris 35 000 israélites naturalisés par le décret Crémieux* du 21 octobre 1870). En 1954, l'Algérie comptait 9 530 000 habitants dont 8 450 000 musulmans et 1 080 000 non-musulmans. Les deux groupes de population avaient parallèlement quadruplé en quatre-vingts ans, mais leur taux d'accroissement annuel tendait depuis 1936 à accentuer considérablement leur écart relatif. À cette date, l'immigration avait pratiquement cessé de grossir le groupe européen, passé de quelque 35 000 âmes en 1840 à près d'un million en 1936 (pour moitié d'ascendance française et 30 % d'origine espagnole). Au début, le gouvernement de la Restauration n'avait nul projet de faire de la Régence une colonie française. L'établissement des premiers colons français aux environs d'Alger fut l'œuvre de l'initiative privée de quelques hommes entreprenants qui achetèrent leurs domaines aux propriétaires maures ou turcs. La première organisation de la colonisation officielle commença en 1836 à Boufarik* dans la marécageuse

Ph. Franco Lugli/Ricciarini

Algérie : mosquée de la Pêcherie, à Alger.

Mitidja*, infestée de moustiques anophèles. Interrompue par l'insurrection de 1839, elle ne reprit qu'en 1841. Bugeaud*, d'abord favorable à l'abandon de la « Régence d'Alger », devint rapidement partisan de la « colonisation auxiliaire de la conquête » (H. de Peyerimhoff). L'administration française, héritière du domaine du beylik, organisa la formation de nouveaux centres et la concession de lots de terres à des conditions qui firent l'objet d'une large publicité officielle dans tous les départements de la France afin d'attirer de nouveaux colons. Entre 1841 et 1850, 115 000 hectares furent ainsi distribués. Sous la République de 1848, 42 centres nouveaux furent créés pour accueillir d'anciens ouvriers, en majorité parisiens, des ateliers nationaux. La nouvelle constitution avait déclaré l'Algérie « territoire français », divisé en trois départements. La colonisation officielle se poursuivit sous le Second Empire, malgré un ralentissement sensible qui profita surtout aux grandes sociétés financières. Le séquestre consécutif à l'insurrection de 1871 vint enrichir le domaine de la Troisième République, ce qui lui permit d'attribuer une concession de 100 000 ha à de nombreux Alsaciens-Lorrains désireux de demeurer Français. Les crises du vignoble métropolitain, atteint par le phylloxéra à la fin du XIXe et au début du XXe s. poussa Paris à favoriser l'implantation de viticulteurs du Midi sur le sol algérien. On multiplia les affiches et brochures pour renseigner le public français sur les avantages offerts au futur colon. Le vignoble algérien passa de 17 000 ha en 1878 à 177 000 en 1907 pour atteindre 402 000 ha en 1938, avec une production record de plus de 21 millions d'hl. Cependant, l'Algérie, dotée par la loi du 19 décembre 1900 de la personnalité civile et d'une certaine autonomie financière avec une assemblée nouvelle, les *Délégations financières,* appelée à discuter et à voter un budget proposé par le gouverneur général, demeurait étroitement dépendante du gouvernement français pour ce qui concernait les problèmes politiques fondamentaux du présent et de l'avenir et ne disposait au Parlement que d'un petit nombre de députés et de sénateurs (15 députés et 8 sénateurs après la loi du 5 octobre 1946). Au lendemain de la guerre de 14-18, la colonisation officielle reprit, mais connut des échecs sur les Hauts-Plateaux où la moyenne annuelle des pluies est inférieure à 400 mm. En définitive, on estimait en 1930, après un siècle d'administration française, que sur 2 400 000 ha mis en valeur par les Européens, la colonisation officielle en avait fourni près de 1 700 000. Dans les années suivantes, le mouvement des échanges accrut encore le domaine européen (2 720 000 ha contre 7 612 000 aux musulmans en 1954), mais les terres incultes ou improductives couvraient encore plus de la moitié de la superficie de l'Algérie du Nord, les terres de culture s'étendant sur environ 6 500 000 ha seulement. L'aire des céréales n'avait guère augmenté depuis le début du siècle, en raison des faibles rendements obtenus à l'hectare (moins de 10 quintaux en terre européenne, 4 à 5 en terre musulmane). En revanche, le rendement du vignoble algérien, supérieur à celui de la métropole, poussait les colons européens à la culture de la vigne, sans pour autant négliger les cultures légumières et arbustives, notamment celle des agrumes dans les périmètres irrigués par les grands barrages-réservoirs. La viticulture fournissait du travail à une très nombreuse main-d'œuvre agricole et les exportations des vins algériens représentaient en 1938 une valeur égale à 51 % des ventes extérieures totales, contribuant ainsi à l'équilibre de la balance commerciale du pays. Par contre, les Européens s'étaient excessivement détournés de l'élevage du mouton et le nombre des ovins qui augmentait au début du siècle, tendait à revenir au niveau des années 1870-1880, ce qui n'était pas sans poser de graves problèmes en raison de l'accroissement considérable de la population. D'autre part, le pays demeurait fort peu industrialisé, malgré les progrès réalisés, notamment dans l'exploitation des mines de fer et des phosphates. Il fallut attendre les années 1959-1962 pour que le pétrole brut devienne la principale richesse du pays, annonçant l'essor industriel de l'Algérie. Cependant, en 1947, sept ans avant la guerre d'Algérie, Ferhat Abbas* pouvait déclarer au Conseil de la République. « Du point de vue de l'Européen, l'œuvre française pourrait inspirer des sentiments de fierté aux Français. L'Algérie possède aujourd'hui la structure d'un véritable État moderne : elle est peut-être la mieux outillée des pays nord-africains, elle peut même supporter la comparaison avec beaucoup de pays de l'Europe centrale. » — 3° La naissance du nationalisme. Dans un pays n'avait jamais constitué historiquement d'État indépendant et qui, durant des siècles, avait vécu divisé par les luttes tribales en dépit des progrès de l'islamisation et de l'arabisation, l'idée de nation algérienne parut longtemps inconcevable ou chimérique. « Si j'avais découvert la nation algérienne, je serais nationaliste... » écrivait encore Ferhat Abbas en 1936. Jusqu'à cette date, l'élite musulmane ne visait qu'à l'égalité des droits avec les Européens. Les tentatives d'évangélisation, ébauchées par le cardinal Lavigerie* à la fin du XIXe s., avaient été sans lendemain. Seuls quelques milliers de musulmans avait accédé à la citoyenneté française en abandonnant leur statut coranique (notamment matrimonial et judiciaire). Le projet Blum-Violette, prévoyant l'accès de certaines catégories de musulmans à cette citoyenneté, sans perte de leur statut personnel, recueillit à l'époque (1936) l'adhésion des élites, y compris celle des oulémas ('ulamas) dirigés par Ibn Bâdis, mais se heurta non seulement à l'opposition des colons mais encore à l'obstruction du parlement français. L'échec de la politique d'assimilation tourna ses partisans musulmans, malgré la loyauté des populations lors de la Seconde Guerre mondiale, vers l'idée d'une séparation hors du cadre de la souveraineté française, surtout après le débarquement allié en Afrique du Nord (1942) et la publication du *Manifeste du peuple algérien* de Ferhat Abbas (1943). Les promesses de réformes n'empêchèrent pas les émeutes de mai 1945 (Sétif et Guelma), suivies d'une violente répression et de la dissolution des partis à tendance nationaliste. Après l'amnistie de 1946, on vit Ferhat Abbas fonder l'*Union démocratique du Manifeste algérien* (U.D.M.A.) et Messali Hadj le *Mouvement pour le triomphe des libertés démocratiques* (M.T.L.D.), cependant que l'Assemblée nationale adoptait à Paris (1947) un nouveau statut de l'Algérie instituant une assemblée algérienne dont les membres étaient élus moitié pour moitié par deux collèges, le premier composé à l'origine pour 88 % d'Européens et pour 12 % de musulmans et, le second uniquement d'électeurs musulmans. Malgré la vocation fédéraliste de l'Union* française, l'Algérie restait, avec ses départements et son gouverneur général, étroitement dépendante du gouvernement central de Paris. Des militants du M.T.L.D. (parmi lesquels Aït Ahmad, Ben Bella et Khider) créèrent un Comité révolutionnaire d'unité et d'action en 1954. L'action insurrectionnelle se déclencla le 1er novembre. – *La guerre d'Algérie* (1954-1962). Les mouvements nationalistes se rallièrent pour la plupart au Front de la libération nationale (F.L.N., constitué au Caire pour coordonner l'action des chefs des cinq *wilayas* (circonscriptions militaires) d'Algérie, cependant que le gouvernement Mendès-France déclarait sa volonté de poursuivre une répression sans faiblesse. Le nouveau gouverneur général Jacques Soustelle* (1955) proposa des réformes visant à réaliser l'*intégration* par la reconnaissance de la pleine citoyenneté aux musulmans, mais fut rappelé en 1956 par Guy Mollet. Son successeur Robert Lacoste reçut pour mission d'obtenir un cessez-le-feu par la force des armes afin de négocier ensuite avec les représentants élus du peuple algérien. Une solution pacifique paraissait sur le point d'aboutir lorsqu'un avion frété par le gouvernement marocain fut détourné sur Alger et cinq chefs nationalistes arrêtés, dont Ben Bella, en octobre 1956. Les troupes parachutistes du général Massu vinrent difficilement à bout du terrorisme dans la « bataille d'Alger » (1957) cependant qu'aux frontières les insurgés étaient contenus par de solides lignes fortifiées. Le bombardement d'un village frontalier tunisien (Sâqiet sidi Yûsuf) en février 1958, généralement condamné par l'opinion internationale, ainsi que la conduite des opérations militaires, contribua à diviser l'opinion publique en France. La crainte de voir ses intérêts sacrifiés dans de futures négociations poussa la population européenne à se dresser contre le pouvoir central, entraînant derrière elle la « fraternisation » d'une partie de la communauté musulmane et le soutien des chefs militaires. Ce fut la manifestation du 13 mai 1958 et l'appel du général Salan* au général de Gaulle qui, dès son arrivée au pouvoir, proclama sa volonté de maintenir l'Algérie française en faisant de tous les Algériens, y compris les musulmans, des « Français à part entière » Mais, dès septembre 1959, il annonçait le « droit des Algériens à l'autodétermination » et entamait de premières négociations avec les représentants du gouvernement provisoire de la République algérienne (G.P.R.A.). Cependant, l'évolution de la situation militaire apparaissait favorable aux yeux de nombre de chefs de l'armée française, au moment où le chef de la wilaya 4 apportait à l'Élysée son consentement à un cessez-le-feu (juin 1960). Les généraux Challe, Salan, Jouhaud et Zeller tentèrent à Alger un putsch qui avorta (avril 1961) puis Salan prit la tête de l'Organisation armée secrète (O.A.S.), décidée à poursuivre la lutte à tout prix tandis que les négociations entre Paris et le G.P.R.A. aboutissaient aux accords d'Évian* et au cessez-le-feu (mars 1962). Après l'approbation, en France, des accords d'Évian par un référendum, auquel les Algériens français ou musulmans ne participaient pas (avril 1962), la poursuite des attentats provoqua l'exode vers la France de plus d'un million de Français d'Algérie. – *L'Algérie indépendante.* Devenue un État indépendant par le référendum algérien du 1er juillet 1962, l'Algérie connut immédiatement un conflit qui opposa le G.P.R.A. et le « bureau politique » formé autour de Ben Bella. Celui-ci imposa peu à peu son autorité; il organisa les élections à une Assemblée nationale constituante (20 sept. 1962) qui le désigna comme chef du premier gouvernement algérien. Il fut porté l'année suivante à la présidence de la République par référendum (15 sept. 1963). Des antagonismes internes furent évités pour affronter les conflits frontaliers avec le Maroc. Le premier congrès du F.L.N., devenu parti unique, permit aux diverses tendances de s'exprimer (avril 1964). Le coup d'État du 19 juin 1965, dirigé par Boumediene*, aboutit à l'éviction de l'extrême-gauche du F.L.N. et, malgré l'action dissidente du colonel Zbiri (1967), le régime, formé par une coalition de nationalistes, se maintint au pouvoir.

ALGÉROIS. *n. m.* ♦ Région d'Alger*.

ALGÉSIRAS, en esp. **Algeciras**. ♦ V. d'Espagne (Andalousie, prov. de Cadix), sur la *baie d'Algésiras* et le détroit de Gibraltar*. 83 500 hab. Raffinerie de pétrole. ♦ *Hist.* La conférence internationale de 1906, qui siégea à Algésiras en 1906, tout en confirmant l'indépendance de l'empire chérifien, reconnaissait à la France des droits spéciaux au Maroc*.

ALGHERO. ♦ V. et port de Sardaigne* (province de Sassari). 25 000 hab. Évêché. Cathédrale du XVIe siècle. Pêche au corail.

ALGONQUINS ou **ALGONKINS**. *n. m. pl.* (de *algumakin* « où

Ph. de Gregorio/Ricciarini

L'**Alhambra** de Grenade. Patio des Myrtes.

l'on pêche au harpon »). ♦ Indiens d'Amérique du Nord appartenant avec les *Wakash* à une vaste famille linguistique. On les répartit généralement en quatre groupes. Le premier était formé de tribus vivant au N.-E. (du Labrador à l'actuel Tennessee) et qui se diffusèrent vers l'O. (grandes plaines). *Princ. tribus :* les Cree, les Montagnais au N. (env. 25 000); les Ojibwa, Ottawa et *Algonquins* proprement dits (voir ci-dessous); les Menomini (entre lacs Supérieur et Michigan); le groupe Fox (« Renards ») et Sauk; les Shawnee, les Delaware, les Narraganset, les Massachusett, les Micmac (de nombreux toponymes d'Amérique du Nord viennent des noms de ces tribus). Les trois autres groupes étaient les Blackfoot (Pieds-Noirs) qui vivaient au XIXe s. au N.-O. des Grandes Plaines, les Cheyennes* et les Arapaho confédérés au XIXe s. avec les Blackfoot. – Les *Algonquins* proprement dits vivent au N.-O. du Saint-Laurent. Avec les Ojibwa et les Ottawa, ils forment un groupe de plus de 40 000 personnes.

ALGRANGE. ♦ Comm. de la Moselle, arr. de Thionville-Ouest. 8 658 hab. *(Algrangeois).* Centre minier.

ALHAMBRA (de l'ar. **al-Hamrâ**, « la rouge »). ♦ Ancienne cité de gouvernement des princes arabes de Grenade, dont la construction fut commencée par le premier souverain nasride* Muhammad al-Ahmar (1238), sur le plateau qui couronne la colline de la Sabika *(Cerro del sol).* Il ne subsiste de l'ancienne cité qu'al-Qasaba (forteresse), le palais construit par Yûsuf Ier (1332-1354) et qui s'ordonne autour du patio des Myrtes, occupé par un grand bassin allongé, et enfin le palais érigé autour de la cour des Lions par Muhammad V (1354-1358 et 1368-1392). Ces deux palais constituent l'unique œuvre bien conservée de l'architecture aulique du Moyen Âge islamique. De tous les jardins qui se trouvaient à l'Alhambra, seul le Généralife (jannat al-Arif) conserve les grandes lignes de son état originel. En 1526, Charles* V confia aux architectes Pedro et Luis Machuca la construction d'un palais à l'italienne auprès des édifices arabes.

ALHANDRA. ♦ Localité du Portugal (Ribatejo*) près de Lisbonne. 5 000 hab. Cimenterie. – Patrie d'Alfonso de Albuquerque*.

ALHAZEN. ♦ V. IBN AL-HAYTHAM.

ALHUCEMAS. ♦ V. HOCEIMA (AL).

'ALI (Ibn abi Tâlib). ♦ Quatrième calife musulman (La Mecque, v. 600 – Kûfa, 661). Cousin de Mahomet*, il fut l'un des premiers musulmans. En 622, il épousa Fatima*, fille du prophète; ils eurent deux enfants, Hassan* et Hussaïn. Après l'assassinat de 'Uthman* (656), il fut reconnu calife par les musulmans de Médine. Mais deux Mecquois, Talha et Zubayr, associés à 'A'isha*, fille d'Abû* Bakr et femme préférée du prophète, levèrent une armée pour s'opposer à la nomination de 'Ali. Celui-ci triompha d'eux en 656 (« bataille du Chameau »). Mu'awiyâ*, gouverneur de Syrie, ne reconnut pas le nouveau calife. Après l'arbitrage qui se substitua à la bataille de Siffin (658), 'Ali perdit le califat. En janvier 661, il fut assassiné par un Kharijite*. Les shi'ites* lui accordèrent un pouvoir semi-divin transmis par Muhammad et dont héritèrent Hassan et Hussayn ainsi que les descendants de ce dernier.

Ali Baba, en ar. **'Ali Bâbâ**. ♦ Héros des *Mille* et Une Nuits.* Pauvre artisan de Perse, il découvre par hasard le secret qui donne accès à la caverne où se sont entassés les trésors de quarante voleurs. En prononçant : « Sésame, ouvre-toi », la porte s'ouvre et Ali Baba s'empare d'une part des richesses accumulées. L'ayant découvert, les brigands veulent le tuer, mais ils périssent tous grâce à son esclave, Murjâne.

'ALÎ BEY. ♦ Bey d'Égypte (en Abkhazie, 1728 – Le Caire, 1773). Esclave caucasien affranchi, il devint bey en 1757 et s'assura la direction des mameloukss*. Il se déclara indépendant d'Istanbul et se fit nommer sultan par le chérif de La Mecque (1768). Il entreprit la conquête de la Syrie et d'une partie de l'Arabie. Mais il dut abandonner le pouvoir, même en Égypte,

Coll. Anke Hérubel

Alice au pays des merveilles. Illustration de John Tenniel pour une édition américaine de la fin du XIXe s.

après la trahison de son général Muhammad Bay. Essayant de reprendre son trône, il fut battu et fait prisonnier par Abû Dahab à Salahia (1773).

ALICANTE. ♦ V. d'Espagne, ch.-l. de prov., sur la côte méditerranéenne, au S. de Valence. 131 700 hab. Palmeraies. – La *prov. d'Alicante* compte 754 600 hab. *V. princ.* Alcoy*, Elche*, Orihuela*.

Alice au pays des merveilles, en angl. **Alice's Adventures in Wonderland.** ♦ Conte de Lewis Carroll* (1865). Alice, entraînée par un lapin semi-humain, sorti des *nursery rimes,* est précipitée dans un monde où les lois familières de l'espace, du temps et du langage sont subtilement transformées ; toujours fascinée ou amusée, elle n'ignore pas que « pour revenir à la réalité, il lui suffirait d'ouvrir les yeux ». Aussi, les métamorphoses qui menacent l'unité de sa personnalité (elle est tour à tour naine et géante) ne l'effraient pas, car « le fond même de sa nature est une confiance naïve et inaltérable » (Lucia Kramik). L'un des thèmes sous-jacents de l'œuvre est celui de la croissance psycho-physiologique de l'enfant. L'héroïne vit par anticipation, dans *Alice aux pays des merveilles,* « une crise d'opposition avec le monde adulte » (J. Gattegno). Au delà du thème psychologique, la mise en cause, dans et par le langage, des structures logiques de la raison et du bon sens pratique donne à *Alice* une actualité intellectuelle que son immense et universel succès en tant que récit enfantin ne saurait masquer.

ALICE SPRINGS. ♦ V. d'Australie* centrale, située au S. du Territoire* du Nord, dans les monts MacDonnel*. 6 634 hab. Gare de concentration du bétail. Or, cuivre, wolfram, mica dans les environs.

ALICUDI *(île).* ♦ L'une des îles Éoliennes* (ou Lipari*), à l'O. de l'île Lipari.

Ph. Hétier

Alkmaar : marché aux fromages.

ALIDES. *n. m. pl.* ♦ Descendants de Ali* ibn abî Tâlib et de sa femme Fâtima*, fille du Prophète. Ils luttèrent contre les 'Umayyades* et les 'Abbâssides*. Leurs révoltes aboutirent à la formation de la *shî'ia* **(V. Shî'ites)** qui divisa définitivement l'Islâm.

ALIÉNOR D'AQUITAINE (ou **Éléonore de Guyenne**). ♦ (v. 1122 – Fontevrault, 1204). Reine d'Angleterre. Fille du duc d'Aquitaine, elle épousa (1137) Louis* VII, roi de France, auquel elle apporta en dot l'héritage de la Guyenne, de la Gascogne, du Poitou, de la Marche, du Limousin, de l'Angoumois, du Périgord, de la Saintonge. Répudiée en 1152, malgré l'opposition de Suger*, elle se remaria quelques semaines plus tard avec Henri Plantagenêt, futur roi d'Angleterre **(V. Henri* II)** dont elle eut deux fils, Richard* (Cœur de Lion) et Jean* (sans Terre). Elle vécut bientôt séparée de son époux et tint sa propre cour à Poitiers, entourée d'artistes et de troubadours tels que Bernard* de Ventadour. Emprisonnée par son mari, contre lequel elle avait conspiré avec ses fils, puis libérée par Richard, elle finit ses jours à l'abbaye de Fontevrault*, où est son tombeau.

ALÎGARH. ♦ V. de l'Inde (Uttar pradesh). 238 000 hab. (1970). Université anglo-musulmane, fondée en 1920. Petites indus. textiles et mécaniques.

ALIGHIERI (Dante). ♦ **V.** DANTE.

ALIGRE (Étienne d'). ♦ Chancelier de France (Chartres, 1550 – La Rivière, près de Chartres, 1635). Garde des Sceaux en 1624, puis chancelier, deux ans plus tard, il fut disgracié par Richelieu.

'ALI IBN YÛSSUF IBN TÂSHFÎNE. ♦ Second souverain Almoravide* (Ceuta, 1084 – ?, 1143). Il régna dès 1106 sur l'Afrique du Nord de l'Atlantique à Bougie, sur l'Andalousie et les îles Baléares. **V. Almoravides.**

'ALI PACHA (Mehmet Emin). ♦ Homme politique turc (Istanbul, 1815 – Erenköi, 1871). Président du conseil du Tanzimat* et Grand Vizir en 1854, il signa le 30 mars 1856, au congrès de Paris, le traité de paix qui mettait fin à la guerre de Crimée. En 1869, il fit reconnaître par les Égyptiens la suzeraineté ottomane.

'ALI PACHA DE TEBELEN. ♦ Pacha de Jannina (Tebelen, v. 1741 – Jannina, 1822). Fils du bey de Tebelen, qui avait été dépossédé, il reconquit les possessions de son père, se débarrassa de son frère et de sa mère et soumit à son autorité l'Albanie et l'Épire. S'étant proclamé pacha de Jannina (1788), il réprima férocement la révolte des Souliotes. Il développa l'économie de la Roumélie et mena une politique indépendante qui fut tolérée par le sultan ottoman jusqu'en 1819. Par la suite, il fut assiégé dans Jannina et périt assassiné.

ALISCAMPS ou **ALYSCAMPS.** *n. m. pl.* (du lat. **Elysii campi,** (« Champs-Élysées »). ♦ Allée située près d'Arles*. Ancienne nécropole gallo-romaine, établie le long de la voie Aurélienne. Elle fut adoptée par les chrétiens au IVe siècle.

ALISE-SAINTE-REINE. ♦ Comm. de la Côte-d'Or (arr. de Montbard). 755 hab. – Source thermale. Musée renfermant les objets trouvés lors des fouilles faites sur le site d'Alésia*.

ALISJAHBANA (Sutan Takdir). ♦ Poète et homme politique indonésien (nord de Sumatra, 1908 –). Fondateur de revues littéraires, il fut un farouche partisan de l'indépendance de son pays. Son recueil de poésie, *Poeisi Baru,* parut en 1946.

ALÎVARDÎ KHÂN. ♦ Aventurier afghan devenu en 1740 gouverneur (nabâb) du Bengale*, en détrônant le nabâb Sarfaraz. Il se proclama indépendant et, malgré une guerre malheureuse contre les Marâtha, il réussit à se maintenir, favorisant l'installation anglaise à Calcutta. Son petit-fils Sirâj al-Daula lui succéda.

ALIX de Champagne. ♦ **V.** ADÈLE (de Champagne).

ALIX de Savoie. ♦ **V.** ADÉLAÏDE (de Savoie).

ALJUBARROTA. ♦ Localité du Portugal, en Estrémadure. ♦ *Hist.* Le roi Jean* Ier de Portugal y battit les Castillans en 1385, assurant ainsi l'indépendance de son pays.

ALKEN. ♦ V. de Belgique (Limbourg, arr. de Tongres). 7 900 hab. Indus. alimentaires (brasseries).

AL-KHALÎL. ♦ V. de Jordanie. **V. Hébron, Khalîl (al-).**

ALKMAAR. ♦ V. des Pays-Bas (Hollande-Septentrionale), sur le canal de Noord-Holland. 52 149 hab. Monuments : église Saint-Laurent (fin du XVe s.), hôtel de ville (déb. du XVIe s.). Très important marché des fromages. Indus. mécaniques. Constructions navales.

ALLAH (probablement de l'article *al* et de *ilâh* « Dieu », ou de l'araméen *Alaha*). ♦ Mot arabe pour désigner Dieu, utilisé tant par les chrétiens que par les musulmans et connu par les Arabes de l'époque préislamique. *Allah* est le dieu unique, pivot de la foi islamique. Le Coran*, parole d'Allah, prêche l'inaccessible mystère de Dieu, énumère ses noms et attributs, décrit ses actions. Il est créateur, juge et rédempteur. Il est unique *(ahad)* et un *(wâhid)* ; « il n'engendre pas et n'est pas engendré » (Coran). Il est omnipotent, omniscient et Maître des Mondes. Dieu parle aux hommes à travers ses Envoyés (prophètes-messagers) et la « remise à Dieu » **(V. Islâm)** est la religion *(Dîn)* elle-même.

ALLÂHÂBÂD. ♦ V. de l'Inde (Uttar pradesh), au confluent du Gange et de la Yamunâ. 534 600 hab. (1970). Centre administratif et commercial (cotonnades). – Patrie de Nehru*. ♦ *Hist.* Allâhâbâd fut réédifiée par Akbar* en 1583 sur le site d'un ancien lieu sacré hindou (Prâyâg) où se déroule encore, tous les douze ans, un important pèlerinage. Les Anglais y furent assiégés en 1857 par les troupes indiennes révoltées.

ALLAIS (Alphonse). ♦ Écrivain français (Honfleur, 1855 – Paris, 1905). Auteur d'œuvres humoristiques, notamment de recueils d'anecdotes comme *Vive la vie* (1892) et *On n'est pas des bœufs* (1896), il cultiva un humour qui repose sur la logique de l'absurde.

ALLAIS (Maurice). ♦ Ingénieur et économiste français (Paris, 1911). Économiste de formation mathématique et de tendance néo-libérale, il vit dans l'organisation de la concurrence le moyen de réaliser le rendement social maximum (*Traité d'économie pure,* 1943).

ALLAIS (Émile). ♦ Skieur français (Megève, 1912), champion du monde de 1936 à 1938. Il fut l'initiateur d'une méthode de ski réputée.

'ALLÂL AL-FÂSÎ. ♦ Homme politique marocain (Fès, v. 1906 –). Il fonda le parti appelé *Istiqlâl** et joua un rôle important pour l'indépendance du Maroc. Déporté au Gabon en 1937, il rentra au Maroc en 1946 puis s'exila au Caire où il mena une grande activité au sein du Comité de libération de l'Afrique du Nord. Après l'indépendance, il adopta une attitude de soutien critique envers le Palais royal avant d'entrer dans l'opposition.

ALLAUCH. ♦ Comm. des Bouches-du-Rhône (arr. de Marseille) au N.-E. de Marseille. 8 561 hab. *(Allaudiens).* Bauxite.

ALLEGHANYS, en angl. **Allegheny Mountains,** ou **The Alleghenies,** *n. m. pl.* ♦ Partie du massif des Appalaches formant le rebord du plateau appalachien en Pennsylvanie et en Virginie occidentale. **V. Appalaches.**

ALLEGHENY. ♦ Riv. des États-Unis, qui, en se réunissant à Pittsburgh* avec la Monongahela, forme l'Ohio*.

ALLÈGRE. ♦ Ch.-l. de cant. de la Haute-Loire*, arr. du Puy*. 1 660 hab. *(Allégras).* Ruines d'un château médiéval.

ALLÉGRET (Marc). ♦ Réalisateur français de cinéma (Bâle, Suisse, 1900 – Paris, 1973). Par leur facture élégante et l'interprétation de jeunes comédiens (Simone Simon, Jean-Pierre Aumont, Michèle Morgan, Gérard Philipe, Danièle Delorme) dont il dirigea les débuts, plusieurs de ses films ont recueilli un large succès : *Lac aux dames* (1934), *Gribouille* (1937), *Entrée des artistes* (1938), etc. Deux documentaires portent témoignage de l'amitié qui le lia à André Gide* : *Voyage au Congo* (1927) et *Avec André Gide* (1951).

ALLÉGRET (Yves). ♦ Réalisateur français de cinéma (Asnières, 1907). À l'encontre de son frère Marc, il s'est fait le spécialiste du « film noir ». *Dédée d'Anvers* (1948), *Une si jolie petite plage* (1949), *Manèges* (1950). *Les Orgueilleux* (1953) comporte une note lyrique moins désespérante.

ALLEGRI (Antonio). ♦ V. CORRÈGE (Le).

ALLEGRI (Gregorio). ♦ Compositeur italien (Rome, 1582 – *id.,* 1652). Chanteur à la chapelle pontificale, il composa de la musique religieuse qui fut publiée dans quatre livres (2 volumes de *concertini,* 1618-1619 ; 2 volumes de *moteti,* 1621). L'un de ces motets, le *Miserere* pour 9 voix et 2 chœurs, dont le pape avait interdit la copie sous peine d'excommunication, est celui que Mozart transcrivit de mémoire après l'avoir entendu une seule fois.

ALLEMAGNE. *n. f.,* en all. **Deutschland.** ♦ Pays d'Europe centrale, limité au N. par la mer du Nord, le Danemark et la Baltique, au S. par la Suisse et l'Autriche, à l'E. par la Tchécoslovaquie et la Pologne et à l'O. par les Pays-Bas, la Belgique, le Luxembourg et la France. 356 000 km². 75 500 000 hab. *(Allemands).* Depuis 1945, l'Allemagne est divisée politiquement en deux États (**V.** cidessous **Allemagne** [République fédérale d'Allemagne et République démocratique allemande]). – *Orogr.* Trois grandes régions naturelles. 1) *L'Allemagne du Nord,* fraction de la grande plaine nord-européenne comprise entre les Pays-Bas et l'Oural, est une vaste étendue monotone, fortement modelée par l'érosion glaciaire. À l'O., le long de la mer du Nord, s'étend jusqu'à l'Elbe une bande de terre sableuse, formant par endroits des polders ou *Marschen.* Entre l'Elbe et l'Oder, la côte est plus découpée (baies de Lubeck et de Poméranie, Oder Haff). L'intérieur *(Geest)* est un ensemble de sables et de tourbières, de marais et de lacs intérieurs. À l'O. (Mecklembourg) le relief s'élève en collines arrondies : les *croupes baltiques.* Au S., en bordure de l'Allemagne moyenne, s'étendent les *Börde**, collines de lœss. 2) *L'Allemagne moyenne* présente un ensemble assez peu homogène de massifs hercyniens et de bassins. A l'O., le *massif schisteux rhénan* (400 à 800 m) s'étend de l'Ardenne à la Hesse de part et d'autre de la vallée rhénane et se décompose en quatre massifs (**V. Taunus, Hunsrück, Eifel** et **Westerwald**). Au centre, s'étendent le *Bergland westphalien* (comprenant le Teutoburgerwald et le Wiehengebirge) et le *Bergland hessois* formé des massifs boisés du Spessart et du Meissmer et des massifs volcaniques du Rhön et du Vogelsberg, séparés par des dépressions (Wetterau, couloir de Hesse). À l'E. de la Weser, on distingue le massif du *Harz** et les grands blocs faillés du *Thüringerwald* (983 m) et du *Frankenwald* (785 m), de l'*Erzgebirge**, du *Böhmerwald* (ou forêt de Bohême, 1 457 m) et de la *forêt de Bavière,* disposés en étoile autour du *Fichtelgebirge** (1 501 m) et encadrant les plaines de Saxe et de Thuringe, vaste étendue déprimée d'où surgissent par endroits des collines (collines de Fläming et de Basse-Lusace). Au S.-O., la dépression longitudinale du *fossé rhénan* est bordée de massifs, les monts boisés de la *Hardt** et du *Palatinat**, prolongeant les Vosges, à l'E., les plateaux gréseux de l'*Odenwald** (599 m) et les hauteurs de la *Forêt*-Noire* (1 493 m au Feldberg) que sépare le *Kraichgau.* Au S.-E., entre la Forêt-Noire et le Böhmerwald, à l'intérieur du triangle formé par le Rhin (O.), le Danube (S.) et le Main (N.), s'étendent les deux grands bassins de Souabe et de Franconie, traversés par deux côtes : le *Jura souabe* et le *Jura franconien.* 3) L'*Allemagne du Sud* correspond aux zones alpine et subalpine et s'étend du Danube à la frontière méridionale (Suisse et Autriche). Au N., le *plateau bavarois* est une plaine monotone abondamment drainée par les affl. du Danube et de nombreux lacs (Ammersee, Chiemsee*, Stranberger See). La frange alpine, très étroite (30 km max.), s'étend à l'E. du lac de Constance. Elle suit la frontière et se décompose en trois unités, d'O. en E. l'*Allgau,* les *Préalpes de Bavière* et la partie occidentale des *Préalpes de Salzbourg* (partagées entre l'Allemagne et l'Autriche), 2 963 m au Zugspitze*. – *Hydrogr.* **V. Aller, Altmühl, Danube, Düssel, Eder, Eider, Elster, Elbe, Ems, Havel, Inn, Isar, Lech, Leine, Main, Moselle, Neckar, Neisse, Oder, Ohre, Regnitz, Rhin, Ruhr, Salle, Salzach, Sarre, Sprée, Sûre** et **Weser.** – *Climat.* À la fois exposé aux influences océaniques et alpines, le climat allemand est un climat de transition, continental tempéré. Doux dans la vallée rhénane, il devient plus rigoureux au S. (barrière alpine) et vers l'E. où les amplitudes thermiques s'accusent. Les précipitations sont assez abondantes (surtout à l'O.) avec un maximum l'été. ♦ *Hist.* On peut faire remonter l'histoire de l'Allemagne à celle des Germains*, dont les invasions au Vᵉ s. décidèrent de la chute de l'Empire romain d'Occident. **V. Germanie.** Les Mérovingiens*, qui s'avancèrent de Gaule jusqu'au Rhin avec Clovis*, continuèrent leur progression, et l'Austrasie* comprenait au VIᵉ-VIIᵉ s., outre ses territoires sur la r. g. du Rhin, la Thuringe*, l'Alémanie* et la Bavière*. Les Carolingiens* ajoutèrent à ces possessions l'Autriche et la Bohême, et menèrent notamment contre les Saxons*, une lutte qui accompagnait l'évangélisation de ces régions (saint Boniface*, VIIIᵉ s.). Du démembrement de leur empire naquit au IXᵉ s. le *royaume de Germanie**, rapidement menacé de l'extérieur, et intérieurement affaibli par la rivalité des puissants duchés qui le composaient. La maison de Saxe qui prit sa tête en 919 avec Henri* Iᵉʳ l'Oiseleur, allait régner jusqu'en 1024 et fonder le Saint Empire romain. ♦ LE SAINT EMPIRE ROMAIN (Xᵉ-XIIIᵉ s.). Lorsque Othon* Iᵉʳ le Grand se fit couronner à Rome en 962, le Saint Empire romain possédait déjà ses traits caractéristiques essentiels. Les périls qui l'entouraient lui donnaient les frontières fluctuantes, et le particularisme auquel il était voué en faisait une unité plus linguistique que politique. Particularisme et rivalités furent encore aggravés par le caractère électif du pouvoir impérial, que la courte durée des dynasties ne put que renforcer. Mais la plus grande faiblesse de ce pouvoir venait de l'orientation de ses préoccupations, à la fois mystiques et politiques : après la dynastie saxonne, les dynasties franconienne, ou salienne* (1024-1137), et des Hohenstaufen* (1137-1254), rêvèrent d'une monarchie universelle, placée sous le double gouvernement du pape et de l'empereur, et tournée vers l'Italie et le bassin méditerranéen. Cette aspiration entraîna l'empereur dans un mouvement incessant qui l'arrachait à sa lutte contre la papauté pour le confronter à la révolte de ses féodaux. Après une phase d'équilibre au cours de laquelle des victoires extérieures sur les Slaves, la Hongrie et l'Italie accompagnèrent une renaissance intérieure, artistique, intellectuelle et économique, éclata la querelle des Investitures* (XIᵉ-XIIᵉ s.). La puissance d'Henri* IV et d'Henri* V en sortit considérablement diminuée : la petite féodalité et le clergé qui s'étaient développés tout en s'émiettant, afin de pouvoir lutter contre les grands féodaux, s'étaient eux-mêmes détachés de l'empereur. Ce fut encore du même problème que naquit le conflit des guelfes* et des gibelins* (XIIᵉ-XIIIᵉ s.), qui opposa, en fait, à l'empereur partisan de la domination universelle, les partisans de l'expansion germanique vers l'E. et le N. Frédéric* Barberousse l'emporta sur Henri* le Lion, mais la lutte reprit à sa mort, et Frédéric* II, malgré son succès sur le parti adverse, provoqua par son désintérêt pour les affaires allemandes une rupture complète entre l'Allemagne et l'Italie. ♦ L'AVÈNEMENT

Coll. Rui Nogueira

Marc Allégret (à gauche) en compagnie de Jean Cocteau.

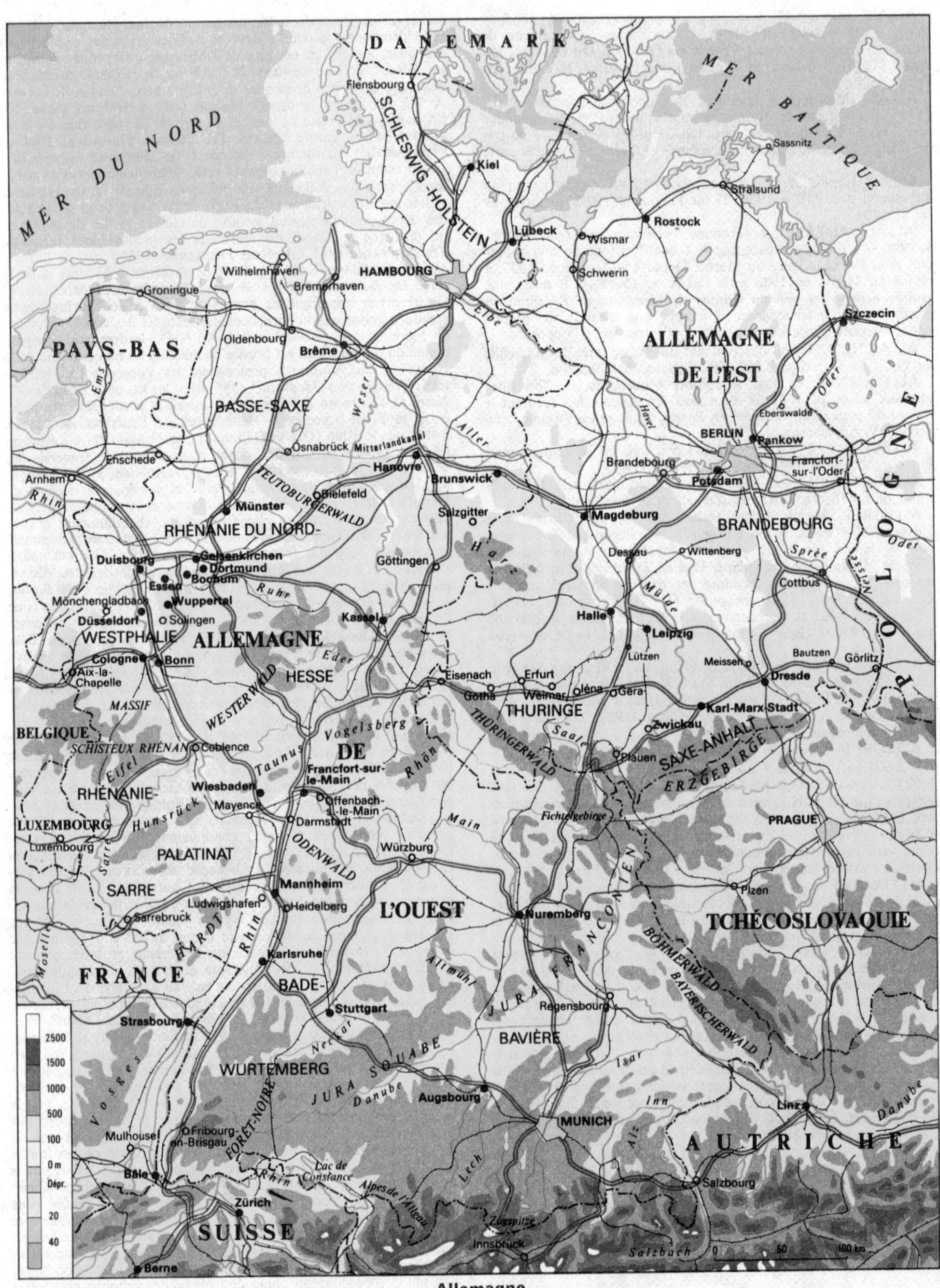

Allemagne.

DES HABSBOURG (XIIIe-XVe s.). La chute des Hohenstaufen fut suivie d'une période de totale anarchie : le Grand Interrègne* (1250-1308). La rivalité des grandes maisons entretenait une guerre civile permanente au milieu de laquelle la dynastie des Habsbourg* parut pour la première fois au pouvoir avec Rodolphe* Ier. Tandis que le morcellement s'aggravait et que s'accentuaient les périls extérieurs, les villes se développaient et prenaient leur indépendance, grâce à l'essor de l'économie et du commerce **(V. Hanse)**, favorisant une civilisation et un art proprement allemands qui trouvèrent leur plein épanouissement au XVe s. Avec la dynastie de Luxembourg* (1308-1437), l'Empire définit ses statuts (Bulle d'or de 1356) : il échappait définitivement à l'orbite romaine et restreignait ses ambitions. À la fin du Moyen Âge l'expression de *Saint Empire romain germanique* était née. L'empereur ne tirait plus son autorité que de sa propre puissance, et c'est grâce à leurs biens personnels que les Habsbourg purent garder le pouvoir de 1438 (élection d'Albert* Ier) à 1806 **(V. Habsbourg).** Les tentatives de Maximilien* Ier pour unifier et centraliser l'Empire restèrent en effet sans résultat décisif. D'autre part, à la querelle du sacerdoce et de l'Empire, les Habsbourg substituèrent celle de la maison d'Autriche et de la maison de France. ♦ LA RÉFORME *et ses conséquences* (XVIe-XVIIe s.). La Réforme* éclata avec Luther* et troubla tout le règne de Charles* Quint, entraînant une révolte non seulement féodale (ligue de Schmalkalden*), mais sociale (guerre des Paysans*). Les luttes religieuses reprirent plus violemment encore au XVIIe s. après la Contre-Réforme, opposant Union évangélique et Sainte Ligue

(V. Trente Ans [guerre de]**)**, et furent aggravées par l'intervention étrangère. Le traité de Westphalie* (1648) divisa l'Allemagne en 350 États, dont 8, puis 9 furent *électeurs.* Condamnée ainsi par son impuissance politique à n'être pour longtemps que le jouet de la politique internationale, elle était dans un état de dévastation qui contrastait avec la prospérité qu'elle avait atteinte au XVe et au XVIe s. ; elle ne devait s'en relever qu'au début du XVIIIe siècle. L'ingérence française dans ses affaires devint manifeste avec la Ligue* du Rhin (1658) et se fit oppressive avec les annexions et les campagnes de Louis* XIV (dévastation du Palatinat) Celles-ci eurent pour conséquence de détacher de la France les princes protestants et de favoriser ainsi la montée du Brandebourg*. ♦ LA PUISSANCE PRUSSIENNE *et la fin du Saint Empire.* En 1701, l'électeur de Brandebourg prit le titre de roi en Prusse et l'avènement de la puissance prussienne domina tout le siècle. Tandis que les intérêts de l'Autriche tendaient à se différencier de ceux de l'Allemagne proprement dite, et se tournaient vers l'Italie ou les régions balkaniques, la Prusse, protestante, héritière des victoires sur les Slaves, progressait vers le Rhin. Le conflit éclata lors de la guerre de la Succession * d'Autriche **(V. Frédéric II, Marie*-Thérèse).** À la vieille rivalité franco-autrichienne se substituait celle de la Prusse et de l'Autriche. Cependant, sous l'effet des ravages des armées étrangères et surtout françaises, renouvelés lors de la guerre de Sept* Ans, la culture brillante et cosmopolite, fidèle aux lumières et au despotisme éclairé (représenté aussi bien par Joseph* II que par Frédéric), fit place à la fin du siècle à un réveil de la conscience nationale, particulièrement sensible dans la littérature *(Sturm* und Drang).* Cette évolution fut accélérée par les victoires révolutionnaires et napoléoniennes **(V. Austerlitz)** qui amenèrent la dislocation du Saint Empire* romain germanique en 1806 : la Confédération* du Rhin, groupant 16 États allemands, fut placée sous la « protection » de Napoléon ; l'empereur François* II reçut le titre d'empereur d'Autriche sous le nom de François Ier et la Prusse, vaincue à Iéna* et à Auerstaedt*, devint contre son gré alliée de la France. Devant cet effondrement, se développa en Prusse un sentiment national anti-français **(V. Stein, Hardenberg)** qui, entraînant la Confédération dans la « guerre de libération », assura aux Prussiens une position prépondérante sur les autres Allemands. ♦ LA CONFÉDÉRATION* GERMANIQUE. Au congrès de Vienne* (1815) fut créée la Confédération germanique groupant 39 États allemands sous la présidence de l'Autriche et la vice-présidence de la Prusse. Prusse et Autriche s'allièrent alors pendant quelques décennies pour réprimer toute tentative de soulèvement **(V. Autriche, *Hist.;* Metternich)** ; mais la Prusse, en favorisant l'expansion économique allemande, détacha progressivement l'Autriche de la Confédération **(V. Zollverein).** La révolution de 1848, déclenchée à Berlin après l'annonce des soulèvements parisiens et viennois, échoua et ne fit qu'accentuer les tendances anti-autrichienne et unitaire de la Prusse et de beaucoup de petits États allemands. ♦ L'UNITÉ ALLEMANDE. Avec une armée et une économie modernes, le fils de Frédéric-Guillaume, Guillaume* IV, et Bismarck* avaient entre les mains les atouts nécessaires à la réalisation de l'unité allemande, aux dépens de l'Autriche, restée très traditionaliste : après avoir remporté la victoire de Sadowa* (1866) sur l'armée de l'empereur François-Joseph, le roi de Prusse groupa autour de lui les États au N. du Main dans la *Confédération* de l'Allemagne du Nord.* Il restait à sceller l'unité du Nord et du Sud : Bismarck entraîna tous les États allemands dans une guerre commune contre la France. La victoire de Sedan* consacra l'unité politique de l'Allemagne (Guillaume Ier est proclamé empereur allemand le 18 janvier 1871). Bismarck s'est employé alors pendant vingt ans à affermir « l'unification de l'Allemagne sous l'hégémonie de la Prusse » **(V. Bismarck).** Avec ce dernier et Guillaume* II, et malgré les problèmes posés par l'opposition constante des populations allogènes **(V. Alsace-Lorraine)** et des socialistes, la puissance allemande, sur le plan industriel, démographique et colonial, était telle, au début du XXe s., qu'elle accéléra le développement de l'idéologie pangermaniste. Ces ambitions inquiétèrent ses voisins européens qui l'isolèrent diplomatiquement **(V. Entente** [Triple-]**).** Après l'attentat de Sarajevo*, l'Europe fut entraînée dans la Première Guerre* mondiale. L'Allemagne en sortit vaincue, amputée d'une large partie de ses territoires et en pleine anarchie. ♦ LA RÉPUBLIQUE DE WEIMAR ET LE IIIe REICH. La république fut proclamée le 9 novembre 1919, dès l'annonce de l'abdication de Guillaume II. Une assemblée constituante formée de socialistes modérés élut Ebert* président de la République et promulgua une constitution après avoir écrasé la révolution spartakiste [janv. 1919] **(V. Spartakus).** Mais le nouveau régime ne put faire face aux difficultés croissantes de l'Allemagne de l'après-guerre : inflation accentuée par le coût des réparations **(V. Ruhr),** agitation ouvrière, progrès des mouvements nationalistes d'extrême droite, nés du refus du « diktat » de Versailles **(V. Versailles** [traité de]**).** À partir de 1923, la détente internationale et les facilités apportées au paiement des réparations par le plan Dawes* amorcèrent en Allemagne un retour à la stabilité, qui ne put cependant pas résister à la violence de la crise* économique de 1929 : l'impuissance du régime face au chômage et à la misère favorisa l'essor des mouvements extrémistes dont profita surtout le national*-socialisme. Le 30 janvier 1933, le président Hindenburg* appela Hitler au poste de chancelier **(V. Hitler).** Par étapes, Hitler et ses amis politiques établirent alors la dictature nazie, en éliminant tous les opposants au régime (communistes et socialistes après l'incendie du Reichstag*, épurations du parti nazi avec la « nuit des longs couteaux ») et en s'appuyant sur une police politique **(V. Gestapo).** Devenu *Reichsführer,* Hitler prépara l'Allemagne à la guerre par une politique de grands travaux (ce qui supprima le chômage) et par des actes agressifs envers ses voisins : remilitarisation de la Rhénanie*, Anschluss*, démembrement de la Tchécoslovaquie* puis invasion de la Pologne* le 1er septembre 1939, qui déclencha le conflit général **(V. Guerre**

Allemagne : l'empire des Hohenstaufen.

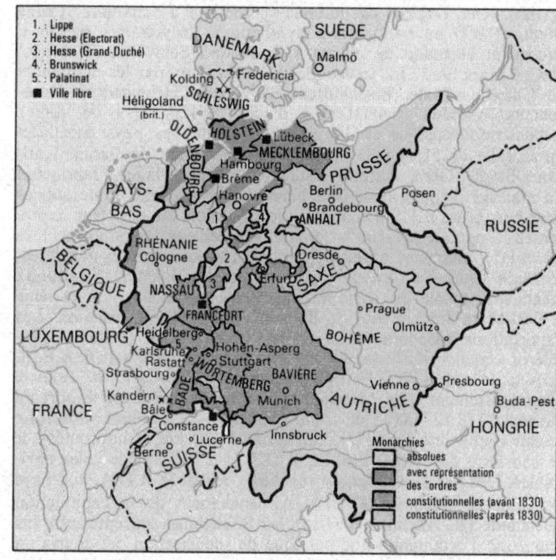

Allemagne : la Confédération germanique (1815-1848).

[Deuxième Guerre mondiale]). Au début de 1942, l'Axe*, victorieux sur tous les fronts, paraissait invincible. Mais l'échec de Stalingrad* et le débarquement en Afrique du Nord rompirent l'équilibre des forces et, le 8 mai 1945, l'Allemagne dut capituler. Elle paraissait anéantie, ses villes en ruine et sa population en grand désarroi. Partagée en 4 zones d'occupation très indépendantes (américaine, anglaise, française et soviétique), l'Allemagne perdit des territoires importants (Poméranie*, Silésie*, etc.) dont la population fut expulsée dans des conditions souvent dramatiques. Les Alliés, qui s'étaient entendus pour juger les anciens nazis (**V. Nuremberg** [procès de]) et entreprendre la dénazification, entrèrent progressivement en conflit sur l'orientation politique à donner à chaque zone, ce qui, après la réforme monétaire décidée par les Occidentaux, aboutit au blocus de Berlin* (juin 1948) par les Soviétiques. Un an plus tard, la Loi fondamentale promulguée à l'Ouest et ratifiée par les Alliés occidentaux, et la Constitution adoptée par la zone soviétique, confirmèrent la coupure de l'Allemagne en République fédérale d'Allemagne et République démocratique allemande (voir ces articles).

ALLEMAGNE. *n. f.* **République démocratique allemande** (R.D.A.), en all. **Deutsche Demokratische Republik** ou D.D.R., dite *aussi* **Allemagne de l'Est**. ♦ Etat d'Europe centrale, limité à l'O. par la République fédérale allemande, au S. par la Tchécoslovaquie, à l'E. par la Pologne et baigné au N. par la Baltique. 108 304 km². 16 850 000 hab. *(Allemands). Cap.* **Berlin*-Est** (Pankow). Quatorze districts *(Bezirke)* : **Cottbus, Dresde, Francfort-sur-l'Oder, Gera, Halle, Karl-Marx-Stadt, Leipzig, Magdebourg, Neubrandebourg, Potsdam, Rostock, Schwerin, Suhl.** *Autres villes* : **V. Altenburg, Apolda, Bautzen, Bernburg, Brandebourg, Dessau, Eberswalde, Eisenach, Eisenhüttenstadt, Eisleben, Erfurt, Francfort-sur-Oder, Freiberg, Freital, Görlitz, Gotha, Greifswald, Greiz, Halberstadt, Iéna, Lübbenau, Lützen, Meissen, Merseburg, Naumburg, Peenemünde, Plauen, Saalfeld, Schönebeck, Schwedt, Smalkalde, Stassfurt, Stralsund, Torgau, Weimar, Weissenfels, Wismar, Wittenberg, Zeitz, Zittau, Zwickau.** — *Orogr.* et *Hydrogr.* **V.** ci-dessus l'art. général **Allemagne.** — *Écon.* De type socialiste, elle est entièrement planifiée et se caractérise par la nationalisation de tous les secteurs de production. Le niveau de vie, inférieur à celui de la R.F.A., est supérieur à celui des autres pays d'Europe orientale. L'*agriculture* emploie 18 % de la population et n'est pas le secteur privilégié de l'économie. D'importantes réformes (expropriation des *junkers* ou grands propriétaires, morcellement des propriétés supérieures à 100 ha, formation de coopératives, collectivisation du matériel, « Charte de la révolution agraire » (1970) ont été effectuées depuis 1946, mais les résultats sont beaucoup moins spectaculaires que dans le secteur industriel. La surface arable est de 58,8 % et la forêt représente 27 % du territoire. La pomme de terre (13 404 000 t), le blé (2 900 000 t), le maïs, le seigle et la betterave sucrière sont les principales productions. La R.D.A. a un cheptel de 5 585 000 de bovins, de 1 847 000 d'ovins et de 11 519 000 porcs. Le *secteur industriel* tient la première place et emploie la moitié de la population active. Les ressources énergétiques sont représentées en premier lieu par le lignite (246 612 000 t en 1975) faisant de la R.D.A. le 1er producteur mondial. Il est exploité en Saxe et sa cokéfaction pallie l'insuffisance de la houille (bassin de Zwickau*, 539 000 t). L'énergie électrique, presque toute d'origine thermique, représente 84 530 000 000 kWh. Le pétrole arrive par oléoduc d'Union soviétique et est raffiné à Schwedt*, sur l'Oder. La R.D.A. est grande productrice de potasse (3 018 000 t) exploitée en Thuringe et autour de Stassfurt. La principale industrie est l'industrie chimique : carburants, colorants, engrais, matières plastiques à Merseburg, Bitterfeld, Wolfen* (gypse), Iéna, Leipzig, caoutchouc synthétique à Schkopau* (usine Buna, 30 000 ouvriers), fibres synthétiques (rayonne, « perlon », équivalent allemand de nylon) à Rudolstadt-Schwarza (Thuringe) et Karl-Marx-Stadt. La sidérurgie est représentée par les combinats de Calbe-sur-Saale, Eisenhüttenstadt, Riesa, Hennigsdorf, Brandebourg, Gröditz (6 480 000 t d'acier, 2 420 000 t de fonte). L'industrie mécanique est la plus importante des pays socialistes après celle de l'U.R.S.S. Magdebourg, la région de Berlin, Karl-Marx-Stadt, Gera, Leipzig, Suhl, Zwickau, Plauen, fabriquent du matériel d'équipement (machines-outils, véhicules [automobiles Wartburg], etc.). La mécanique de précision est très bien représentée : optique à Iéna*, appareils médicaux, photographiques (Dresde*), machines à écrire (Gotha). La construction navale est localisée dans les grands ports (Rostock, Wismar, Stralsund). L'industrie textile est surtout concentrée en Saxe (coton et laine à Karl-Marx-Stadt, Zwickau, Bautzen, Cottbus). — *Commerce.* Les exportations (produits finis) et les importations (matières premières, céréales) s'effectuent pour les 3/4 avec les pays du C.A.E.M. et pour le reste avec l'Europe occidentale (R.F.A., 15 %, France, Grande-Bretagne). Le principal débouché maritime est le port de Rostock* (13 123 000 t de trafic annuel). — *Communications.* Le réseau routier est de 48 000 km (dont 1 400 km d'autoroutes), le réseau ferré de 16 000 km. La R.D.A. a 2 518 km de voies navigables. Des liaisons aériennes régulières relient la R.D.A. aux pays de l'Europe orientale. ♦ *Hist.* Au lendemain de la capitulation allemande (**V. Allemagne,** *Hist.*), les Soviétiques entreprirent dans leur zone d'occupation une politique de socialisation qui creusa un fossé entre l'Est et l'Ouest (réforme agraire supprimant les grands domaines, réunion des différents partis socialistes en un seul, le

Ph. Ostuni-Diamante/Ricciarini

Allemagne : le centre de Berlin-Ouest.

parti socialiste unifié (S.E.D.), nationalisation ou déplacement des usines vers l'U.R.S.S. et planification quinquennale). Tandis que se renforçait le caractère soviétique du régime officiellement qualifié de centralisme démocratique, l'effort économique entrepris ne donna pas les résultats attendus. Les problèmes politiques et sociaux (notamment l'augmentation des normes du travail) déclenchèrent chez les ouvriers berlinois la révolte de juin 1953 qui se répercuta dans les principales villes. Un *Neue Kurs* (Nouveau cours) comparable à la N.E.P.*, fut alors instauré. Il donna la priorité pendant deux ans à la production des biens de consommation, réorganisa le parti S.E.D. avec Walter Ulbricht* comme premier secrétaire, tandis que l'U.R.S.S. acceptait l'arrêt des réparations. Mais l'exode massif des populations vers l'Ouest ralentissait l'essor économique ; ce fut le principal motif de la construction du mur de Berlin* (1961). Grâce à l'arrêt de l'exode et à de nouvelles méthodes de planification, l'Allemagne de l'Est devint la cinquième puissance européenne et la deuxième du monde socialiste derrière l'U.R.S.S. à laquelle elle est inconditionnellement liée. Les accords de 1972 (**V. Allemagne** [République fédérale allemande] *Hist.*) en consacrant la détente Est-Ouest libérèrent la République démocratique allemande du problème diplomatique (relations avec la R.F.A., réunification) qui pesait sur sa vie politique et économique depuis vingt-sept ans.

ALLEMAGNE. *n. f.* **République fédérale d'Allemagne** (R.F.A.), all. **Bundesrepublik Deutschlands**, dite *aussi* **Allemagne de l'Ouest, Allemagne fédérale.** ♦ État d'Europe centrale formé en 1949 après le partage de l'Allemagne (voir ci-dessus art. général). 248 542 km². 61 380 000 hab. (1970). *Cap.* Bonn. — Dix États fédérés *(Länder)* plus Berlin*-Ouest. **V. Bade-Wurtemberg** (ch.-l. **Stuttgart**), **Basse-Saxe** (ch.-l. **Hanovre**), **Bavière (Munich), Brême, Hambourg, Hesse (Wiesbaden), Rhénanie-Palatinat (Mayence), Rhénanie-Westphalie (Düsseldorf), Sarre (Sarrebruck), Schleswig-Holstein (Kiel).** *Villes princ.* **V. Aix-la-Chapelle, Augsbourg, Bielefeld, Bochum, Bottrop, Brunswick, Bremerhaven, Cologne (Köln), Coblence, Darmstadt, Dortmund, Duisbourg, Essen, Flensburg, Francfort-sur-le-Main, Fribourg-en-Brisgau, Gelsenkirchen, Göttingen, Hagen, Heidelberg, Herne, Karlsruhe, Kassel, Krefeld, Leverkusen, Lübeck, Ludwigshafen, Mannheim, Mönchengladbach, Mülheim an der Ruhr, Münster,**

Ph. Hétier

Allemagne : l'immeuble Thyssen à Düsseldorf.

Neuss, Nuremberg, Oberhausen, Offenbach-sur-le-Main, Oldenbourg, Osnabrück, Recklinghausen, Remscheid, Rheydt, Salzgitter, Solingen, Trier, Wanne-Eickel, Wilhelmshaven, Wuppertal et **Würtzburg**. – *Orogr.* et *Hydrogr.* **V. Allemagne** (art. général). – *Pop.* Contrairement à celle de la R.D.A., la population s'accroît rapidement, favorisée par d'amples mouvements migratoires de l'E. vers l'O. La densité est de 248 hab. au km². – *Écon.* À partir de 1949, la R.F.A. a largement bénéficié de l'aide américaine (plan Marshall) et a très vite rattrapé, puis dépassé le niveau d'avant 1939. De type « neo-libéral » (« économie sociale de marché »), elle laisse une large place à l'initiative privée, notamment aux grandes firmes auto-financées et à cycle productif complet, le gouvernement n'agissant que par « incitations » (sur le plan fiscal et de l'aide sociale, notamment). L'*agriculture,* secteur le moins favorisé, n'emploie que 14 % de la population. La taille des exploitations est généralement réduite (moins de 10 ha), la mécanisation poussée. Les principales productions sont, sur les sols pauvres du N., une maigre polyculture vivrière à base de seigle et de pommes de terre (3e producteur mondial), le blé, la betterave sucrière, le tabac sur les riches terres des Börde*. La forêt recouvre une bonne part de l'Allemagne moyenne, sauf les vallées du Rhin (arbres fruitiers, blé, houblon, tabac), la vallée de la Moselle et le couloir de Hesse (vigne, cultures arbustives). Les herbages et pâturages sont localisés surtout dans le N. (*Marschen* du Schleswig-Holstein) et la vallée du Danube. L'élevage porcin est prédominant. Le *secteur industriel,* privilégié, place la R.F.A. au 1er rang européen. Son développement a été servi par les énormes réserves de houille du bassin de la Ruhr* et par celles, moindres, des bassins de la Sarre* (11 % de la production nationale) et d'Aix-la-Chapelle. La production globale était de 92 393 000 t en 1975. La production de lignite (123 378 000 t) se localise surtout autour de Cologne*. Le minerai de fer de Basse-Saxe, le sel gemme et la potasse complètent les ressources du sous-sol. L'énergie électrique (301 milliards de kWh) est d'orig. thermique (à partir du lignite) et nucléaire. Le pétrole remplace peu à peu la houille. Extrait en quantité insuffisante (5 742 000 t), il est importé et raffiné dans les grands ports (Hambourg, Brême, Wilhelmshaven*). L'industrie lourde occupe une place fondamentale. La production d'acier (40 413 000 t) place le pays au 1er rang européen et au 4e rang mondial. Les grandes aciéries sont localisées dans la Ruhr. Les constructions mécaniques, plus disséminées, se localisent à proximité des grands ensembles industriels. La gamme des activités est très vaste : constructions de machines (Hambourg, Francfort, Brunswick, Hanovre, Augsbourg, Nuremberg), locomotives et matériel ferroviaire (Kassel, Esslingen, Hanovre, Munich), machines agricoles (Mannheim, Stuttgart). La construction automobile (3 194 000 véhicules en 1975) est la 4e du monde (après celle des U.S.A. et du Japon). Quatre grandes firmes (Volkswagen, Daimler-Benz-D.K.W., Opel-General Motors et B.M.W.) se partagent le marché. Les constructions navales sont représentées dans les ports d'Hambourg*, de Brême*, de Kiel*. L'optique et le matériel de précision se localisent surtout à Brunswick, Stuttgart, Schweinfurt* et Tuttlingen*. La vitalité de l'industrie électrique et électronique est attestée par l'importance de grandes firmes comme Siemens, A.E.G. Telefunken. Ces branches remplacent de plus en plus les industries vieillies **(V. Ruhr).** L'industrie chimique est la 4e du monde et se localise dans la Ruhr, en Rhénanie et autour de Cologne à Leverkusen (Bayer), Ludwigshafen (Badische Anilin) et Höchst. L'industrie textile (soie, laine, coton, textiles artificiels) est représentée en Rhénanie (Wuppertal, Krefeld, Mönchengladbach*, Aix-la-Chapelle) et dans la moyenne vallée du Neckar. – *Commerce.* La R.F.A. est la 2e nation commerçante du monde (11 % des échanges mondiaux). Ceux-ci se font avec la C.E.E. (30 %), l'A.E.L.E., le Comecon et les pays du tiers monde. L'Allemagne fédérale exporte des produits finis, importe des matières premières (pétrole, fer) et des denrées alimentaires. La balance commerciale est excédentaire. La flotte marchande jauge 8 517 000 tonneaux. Brême, Kiel, Hambourg, Wilhelmshaven et Duisbourg sont les principaux débouchés. Le réseau de communications de la R.F.A. est l'un des plus denses du monde. Le réseau comptait (1968) 159 651 km de routes (dont 6 700 km d'autoroutes), 34 687 km de voies ferrées (dont 7 396 électrifiés) et 4 021 km de voies navigables (dont 1 853 de canaux). Des liaisons aériennes régulières sont assurées par la Lufthansa depuis 1954 vers toutes les capitales du monde. ♦ *Hist.* Après la promulgation de la loi fondamentale en mai 1949 **(V. Allemagne,** *Hist.***)**, les premières élections du Bundestag* donnèrent la majorité au C.D.U.-C.S.U. dont le leader, Konrad Adenauer*, fut élu chancelier. Sous l'influence du ministre des Finances Ludwig Erhard*, champion du libéralisme, et grâce au plan Marshall*, l'économie fut rapidement reconstruite (on a parlé du « miracle allemand »), malgré les problèmes posés par les millions de réfugiés ; et l'Allemagne, cherchant à faire oublier la guerre, trouva sa place dans l'Europe (elle entra au Conseil de l'Europe* en 1950) et dans le monde occidental (OTAN* en 1955). Le traité de coopération de 1963 scella la réconciliation franco-allemande. Mais restaient en suspens le problème de Berlin* et la question des relations avec la R.D.A. dont le chancelier Adenauer avait refusé de reconnaître la souveraineté. Il fallut attendre l'arrivée du parti social-démocrate (S.P.D.*) au pouvoir, avec Willy Brandt* à la chancellerie, pour voir s'amorcer une politique de détente entre l'Est et l'Ouest. La première étape, le traité germano-polonais (1970) a marqué la fin des querelles sur la frontière Oder-Neisse. Puis fut signé en mai 1972 un accord bipartite par lequel les Allemands renonçaient à « modifier unilatéralement la situation ». La ratification de ce traité par le Bundesrat faillit déclencher en Allemagne de l'Ouest une crise gouvernementale (avril-mai) et coïncida avec une période d'agitation étudiante et une vague d'attentats anarchistes. Le traité fondamental du 8 novembre 1972 mit fin à vingt-sept années de controverses ; les deux Allemagne y reconnaissent mutuellement leur souveraineté. En mai 1974, le chancelier Willy Brandt dut démissionner (affaire de l'espion Guillaume) et fut remplacé par Helmut Schmidt*. Walter Scheel a succédé à Gustav Heinemann à la présidence de la République.

Ph. Hétier

Allemagne : usines à Duisbourg, dans la Ruhr.

Allemagne (De l'). ♦ Ouvrage de Mme de Staël* (1810) qui exerça une influence considérable en faisant connaître en France la pensée et la littérature allemandes (notamment Goethe, Schiller).

ALLEMANE (Jean). ♦ Socialiste français (Sauveterre, Haute-Garonne, 1843 – Herblay, Seine-et-Oise, 1935). Il participa à la Commune de Paris (1871), fut condamné aux travaux forcés à perpétuité et amnistié en 1880. Député, il créa le parti ouvrier socialiste révolutionnaire (1890), faisant de la grève générale le moyen essentiel de la lutte du prolétariat.

ALLEN (Edgar). ♦ (Canyon City, Colorado, 1892 – New Haven, Connecticut, 1943). Auteur, avec Doisy*, de recherches sur le conditionnement vaginal.

ALLEN *(bog of),* en irl. **Moi Almhaine.** ♦ Zone de tourbières de la plaine centrale d'Irlande (Eire, prov. de Leinster) 684 km². La tourbe alimente des centrales thermiques.

ALLENBY (Edmund Henry Hynman). ♦ Maréchal britannique (Brackenhurst, Nottinghamshire, 1861 – Londres, 1936). À la tête de la IIIe armée, il participa à la bataille d'Arras (avril 1917) puis reçut le commandement des forces anglaises en Égypte. Sa victoire de Meggido contre les Turcs en sept. 1917 provoqua la capitulation de l'Empire ottoman. Il fut ensuite nommé haut commissaire en Égypte (1919-1925).

ALLENDE (Salvador). ♦ Homme d'État chilien (Valparaiso, 1908 – Santiago, 1973). Médecin, marxiste, il fut plusieurs fois candidat socialiste à la présidence de la république du Chili où il fut élu en 1970 grâce à l'appui des communistes. Il institua un régime socialiste, mais fut tué le 11 septembre 1973 lors du coup d'Etat militaire dirigé par le général Pinochet **(V. Chili).**

ALLENTOWN. ♦ V. des États Unis (Pennsylvanie*), dans la zone urbaine de Bethlehem*. 210 301 hab. Centre agricole. Carrières. Indus. du ciment et indus. variées.

ALLEPPEY ou **ALLEPPI.** ♦ Port de l'Inde, sur la côte de Malabar*, dans l'État de Kerala*. 164 000 hab. (1970). Coprah, épices.

ALLER. *n.f* ♦ Rivière d'Allemagne, affl. de la Weser*. Née sur les contreforts des *collines de Fläming,* elle irrigue la grande plaine du Nord et rejoint la Weser près de Verden.

ALLEUR. ♦ V. de Belgique (prov. et arr. de Liège). 5 500 hab. Chocolateries.

ALLEVARD. ♦ Ch.-l. de cant. de l'Isère, arr. de Grenoble. 2 478 hab. *(Allevardais).* Station thermale. Métallurgie.

ALLIA, auj. **Fosso di Marcigliana.** ♦ Riv. de l'Italie anc. (Latium) se jetant dans le Tibre au N.-E. de Rome. Brennus* y vainquit les Romains en ~390.

Alliance (Quadruple-). ♦ Alliance conclue en 1718, entre la Hollande, l'Angleterre et la France auxquelles vint s'adjoindre l'Autriche, pour le maintien du traité d'Utrecht* contre l'Espagne. Philippe* V était reconnu par l'empereur, qui recevait la Sicile, la Sardaigne allait à la Savoie, et don Carlos, fils du roi d'Espagne, héritait des duchés de Parme et de Plaisance et du grand duché de Toscane. – **V.** *aussi* **Alliance** (Sainte-).

Alliance (Quadruple-). ♦ Traité conclu en avril et août 1834, entre la France, l'Angleterre, l'Espagne et le Portugal, pour éloi-

Arch. Smeets
« Judith », par **Cristofano Allori.** (Palais Pitti, Florence.)

gner don Carlos* du trône d'Espagne, au profit de la reine Isabelle* et soutenir doña Maria*, reine du Portugal. – Traité du 15 juillet 1840, dit aussi *traité de Londres**.

Alliance (Sainte-). ♦ Pacte mystique signé le 26 sept. 1815 par le tsar Alexandre* Ier, l'empereur d'Autriche François* Ier et le roi de Prusse Frédéric*-Guillaume III, « au nom de la Très Sainte et Indivisible Trinité », pour la défense des « préceptes de la justice, de la charité chrétienne et de la paix ». Metternich sut transformer ce « rien sonore » en un instrument d'union des puissances alliées contre les mouvements libéraux et nationalistes. Ce pacte fut prolongé par la Quadruple-Alliance conclue le 20 nov. 1815 entre l'Angleterre, l'Autriche, la Prusse et la Russie. Cette alliance renouvelait le pacte de Chaumont* qui avait uni ces pays contre la France.

Alliance (Triple-). ♦ Alliance conclue par Guillaume* d'Orange avec l'Angleterre et la Suède contre Louis* XIV lors de la guerre de Dévolution* (1668).

Alliance (Triple-) ou **Triplice** (1882). ♦ Alliance conclue à Vienne par l'Allemagne, l'Autriche et l'Italie, à l'instigation de Bismarck*. L'Italie, en 1914, estima que les clauses ne jouaient pas et demeura neutre; puis elle rompit la *Triplice* en entrant en guerre aux côtés des Alliés (1915).

Alliance pour le progrès, (angl. **Alliance for progress**; esp. **Alianza para el progreso**). ♦ Association inter-américaine, pour le développement économique et social de l'Amérique latine, fondée à la conférence de Punta* del Este en 1961. Elle groupe tous les États américains à l'exception de Cuba.

ALLIER. *n. f.* ♦ Riv. du Massif central (410 km) qui prend sa source dans le Gévaudan (Lozère), traverse les dép. de la Haute-Loire*, du Puy*-de-Dôme et de l'Allier* avant de rejoindre la Loire* au *bec d'Allier,* à 6 km en aval de Nevers*. Son cours est parallèle à celui de la Loire*. Elle arrose Brioude, Issoire, Moulins, Vichy.

ALLIER. [**03**]. *n. m.* ♦ Dép. du N. du Massif* central, région (anciennement C.A.R.) d'Auvergne*. 7 381 km². – *Orogr.* Au N.-E., la Sologne bourbonnaise, couverte de sables et d'étangs ; au S.-E., les monts du Bourbonnais. La plaine du centre est la Limagne bourbonnaise, région fertile traversée par l'Allier* et la Sioule*. À l'O. un plateau cristallin : le bocage bourbonnais avec la Combraille*. – *Hydrogr.* Allier*, Cher*, Loire*, Sioule*.
♦ 321 comm., 29 cant., 394 654 hab. *Préf. :* Moulins*. *Sous- préf. :* Montluçon*, Vichy*. *Ch.-l. de cant. :* Bourbon*-l'Archambault, Cérilly (1 958 hab.), Chantelle*, Chevagnes (785 hab.), Commentry*, Cusset*, Dompierre*-sur-Besbre, Donjon [Le] (1 512 hab.), Ébreuil*, Escurolles (623 hab.), Gannat*, Hérisson (1 043 hab.), Huriel*, Jaligny-sur-Besbre (827 hab.), Lapalisse*, Lurcy*-Lévis, Marcillat-en-Combraille (1 299 hab.), Mayet-de-Montagne [Le] (2 252 hab.), Montet [Le] (583 hab.), Montmarault (1 446 hab.), Neuilly-le-Réal (1 205 hab.), Saint*-Pourçain-sur-Sioule, Souvigny*, Varennes*-sur-Allier. *Autres comm. :* **V. Bellerive-sur-Allier, Cosne-d'Allier, Glozel, Néris-les-Bains, Saint-Germain-des-Fossés, Saint-Yorre, Yzeure.**

ALLOA. ♦ V. d'Écosse orientale. Ch.-l. du Clackmannanshire*, sur la r. nord du *Firth of Forth**. 13 900 hab. Centre administratif et industriel (brasseries).

ALLOBROGES. *n. m. pl.* ♦ Peuple celte de la Gaule transalpine établi entre le Rhône, l'Isère et le lac de Genève et dont les principaux centres étaient *Cularo* (Grenoble), *Vienna* (Vienne) et *Geneva* (Genève). Conquis au ~ IIe s. par les Romains, leur territoire fut compris au début de l'Empire dans la Narbonnaise*. Vers 360, il reçut le nom de *Sapaudia* (d'où est venu le nom de Savoie).

ALLONNES. ♦ Ch.-l. de cant. du Maine-et-Loire, (arr. de Saumur). 2 253 hab. (823 aggl.). Vestiges gallo-romains. – Viticulture.

ALLORI. ♦ Nom de deux peintres florentins aussi surnommés Bronzino, du nom d'A. Bronzino, leur oncle. ♦ ALESSANDRO (Florence, 1535 – *id.*, 1607) fut l'élève de Vasari* et le disciple de Michel*-Ange. Auteur de portraits (*Bianca Capello,* Offices), de tableaux religieux et mythologiques (*La Femme adultère,* 1577, Santo Spirito), de fresques (Santissima Annunziata, Santa Maria Novella), il cultiva particulièrement l'anatomie et la perspective, et publia en 1590 un *Traité sur l'art du dessin.* ♦ CRISTOFANO (ou *Cristoforo*), son fils et son élève (Florence, 1577 – *id.*, 1621), voulut comme ses maîtres Cardi da Cigoli et G. Pagani une peinture moins contrainte; sans renoncer aux raffinements du maniérisme, il ajouta à la solidité du dessin la somptuosité des couleurs (portraits : *Judith,* palais Pitti ; *Vie de San Manetto,* Santissima Annunziata ; *Isabelle d'Aragon aux pieds de Charles VIII,* Louvre).

ALLOS. ♦ Ch.-l. de cant. des Alpes*-de-Haute-Provence (arr. de Barcelonnette*), au pied du col d'Allos. 497 hab. *(Allosards).* Station de sports d'hiver.

ALLOUIS. ♦ Comm. du Cher, arr. de Bourges, 551 hab., sur le territoire de laquelle est situé l'émetteur radiophonique du même nom. Pylône émetteur de 308 m.

ALLPORT (Lloyd Henry). ♦ Sociologue américain (né en 1890). Il contribua au développement de la psychologie sociale aux États-Unis (*Social Psychology,* 1929). ♦ GORDON WILLARD ALLPORT, son frère. Psychologue americain (Montezuma, Indiana, 1897 – Cambridge, Massachusetts, 1967). Il fut un des principaux promoteurs de la psychologie clinique.

ALLSCHWIL. ♦ V. de Suisse (cant. de Bâle-Campagne) dans la banlieue O. de Bâle*. 14 900 hab. Céramique.

ALLUES (Les). ♦ Comm. de Haute-Savoie*. 812 hab. **V. Méribel-les-Allues.**

ALMA. *n. m.* ♦ Fl. côtier de Crimée* (U.R.S.S.) qui se jette dans la mer Noire*, au N. de Sébastopol. ♦ *Hist.* Menchikov* fut battu sur ses rives par les troupes franco-britanniques commandées par Saint*-Arnaud, lord Raglan* et Bosquet* (20 sept. 1854). La victoire ouvrit la guerre de Crimée*. Elle est commémorée à Paris par le *pont* et la *place de l'Alma.*

ALMA (L'). ♦ Ancien nom de Boudouaou* (Algérie).

ALMA-ATA. anc. **Almata** (en kazakh « le père des pommes »), puis de 1854 à 1921 **Viernyi.** ♦ V. d'U.R.S.S., cap. du Kazakhstan*, près de la frontière du Kirghizistan. 730 000 hab. Centre culturel et scientifique (université, important observatoire). Carrefour ferroviaire. Aéroport. Centrale thermique. Indus. alimentaires (vins fins et « champagne »), textiles (coton), chimiques et mécaniques. Métallurgie de l'aluminium. Indus. du cuir.

ALMADÉN. ♦ V. d'Espagne en Nouvelle-Castille, au S.-O. de Ciudad Real. 14 000 hab. Mines de cinabre (sulfure de mercure).

Almageste (L'). ♦ Traité d'astronomie de Ptolémée*, datant du règne d'Antonin le Pieux (IIe s.). Il renferme une liste de 1 022 étoiles, des calculs sur la distance du Soleil et de la Lune et sur les éclipses, ainsi que la description des instruments astronomiques alors employés.

ALMAGRO (Diego *de*). ♦ Conquistador espagnol (Almagro, prov. de Tolède, 1475 – Cuzco, 1538). Compagnon de F. Pizarro* dans la conquête du Pérou, il fut un des responsables du meurtre de l'Inca Atahualpa* (1533). Après avoir tenté une expédition au Chili, il entra en conflit avec Pizarro et fut mis à mort par le frère de ce dernier (Hernando). Il fut vengé par son fils DIEGO EL MONZO (Panamá, 1518 – Cuzco, 1542) qui tua F. Pizarro mais fut lui-

Ph. Giraudon
La Sainte-Alliance.

même décapité par Vaca de Castro, successeur de Pizarro.

ALMANSA. ♦ V. d'Espagne dans la prov. d'Albacete. 16 000 hab. Le duc de Berwick* y remporta la victoire (1707) qui établit Philippe* V sur le trône d'Espagne.

Almaviva *(comte).* ♦ Personnage de Beaumarchais* dans *Le Barbier de Séville, Le Mariage* de Figaro* et *La Mère coupable*. Type de gentilhomme élégant et spirituel, mais égoïste et imbu des préjugés de sa caste.

ALMEIDA (Francisco *de***).** ♦ Conquistador et amiral portugais (Lisbonne, v. 1450 – Cap Saldanha, Afrique du Sud, 1510). Il fut nommé premier vice-roi des Indes orientales (1505), agrandit les possessions du Portugal et établit sa suprématie dans l'océan Indien. Il fut tué par les Cafres de la région du Cap.

ALMEIDA. ♦ V. du Portugal dans l'anc. province de Beïra*, au N.-E. de Guarda*, près de la frontière espagnole. 1 600 habitants.

ALMEIDA GARRETT. ♦ **V.** Garrett.

ALMELO. ♦ V. des Pays-Bas (Overijssel), sur le canal d'Overijssel*. 58 611 hab. Indus. textiles.

ALMENDRALEJO. ♦ V. d'Espagne en Estrémadure (prov. de Badajoz) au S. de Mérida. 20 900 habitants.

ALMERÍA. ♦ V. d'Espagne en Andalousie, port sur la Méditerranée. 92 700 hab. Exportation de fruits et de minerai de fer.

ALMOHADES. *n. m. pl.,* en arabe *al-muwahhidûn.* ♦ Souverains berbères qui régnèrent sur la moitié de l'Espagne et la totalité du *Maghreb* de 1147 à 1269. Le fondateur de ce pouvoir fut Ibn* Tûmart, Berbère de l'Anti-Atlas. Réformateur religieux, il critiqua l'étroite observance du rite malikite* par les Almoravides* en proposant la remontée aux sources religieuses (Usûl). Le fond de sa doctrine était la croyance à l'unité divine absolue *(al-muwahhid,* de *tawhîd :* « unité divine »). S'inspirant des shi'ites*, il se proclama en 1121, *Mahdi** et *Imâm**; il prêcha la guerre sainte *(Jihâd)* contre les Almoravides*. À sa mort (1130), 'Abd-al-Mûmine lui succéda et prit Tlemcen*, Fès* et Marrakech* (1147). Il instaura son autorité en Espagne, conquit l'Afrique du Nord jusqu'à la Tripolitaine et s'attribua le titre de calife. Les Almohades commencèrent à décliner après la défaite contre les chrétiens du quatrième calife, Muhammad al-Nasîr (1199-1213) à Las Navas de Tolosa (1212). L'installation des Marinides* à Marrakech mit fin au règne des Almohades (1269).

ALMONACID DE ZORITA. ♦ Localité d'Espagne en Nouvelle-Castille (province de Guadalajara). 1 300 hab. Palais et couvent du XVIe siècle. Centrale nucléaire aux bords du Tage.

ALMONTE (Juan Nepomuceno). ♦ Homme politique et général mexicain (Valladolid, Michoacán, 1804 – Paris, 1869). Partisan de Maximilien*, il dut quitter le pays à la mort de l'empereur (1867).

ALMORAVIDES. *n. m. pl.,* en arabe *al-murâbitûn.* ♦ Souverains berbères de la tribu des Sanhâja (désert du Maroc) qui régnèrent sur l'ouest de l'Afrique du Nord et l'Espagne musulmane (*fin* XIe-*déb.* XIIe s.). Afin d'introduire l'Islâm dans l'empire du Ghâna, un des chefs Lamtûna (fraction des sanhâja) fit appel à Ibn* Yassîne qui installa un *ribât* (« couvent militaire ») au Sénégal (*al-murâbitûn :* « ceux de ribât »). En 1042, il prêcha l'islâm aux Berbères du Sahara et aux Noirs du Takrûn; il organisa une armée composée de nouveaux convertis, attaqua l'empire du Ghâna qui succomba vers 1076. Il partit à la conquête de l'Afrique du Nord pour y restaurer l'orthodoxie, sous la forme du rite malikite. À la mort d'Ibn Yassîne, Ibn* Tâshfine, fondateur de Marrakech, lui succéda. Sous sa direction, le Maroc et l'Ouest algérien furent unifiés (1063-1082). Quand Alphonse VI de Castille et León voulut reprendre Tolède (1085), les princes arabes d'Espagne firent appel à Ibn Tâshfine qui débarqua avec une armée et remporta la victoire à Zallaka (1086). Il engloba ainsi les émirats arabes d'Espagne dans les territoires conquis en Afrique du Nord. Sous 'Ali* ibn Yûssuf (1106-1142), successeur d'Ibn Tâshfine, l'union entre l'Espagne et le Maghreb fut consolidée et la civilisation d'Andalousie pénétra dans les cités africaines. La révolte des *Almohades** et leur victoire finale (1147) mit fin au règne des Almoravides.

ALMQUIST (Carl Jonas Love). ♦ Poète et romancier suédois (Stockholm, 1793 – Brême, 1866). Il fut à la fois un romantique et le premier des écrivains réalistes suédois. Rêveur mystique, esprit révolté, il aspirait à mettre en pratique l'évangile naturaliste de J.-J. Rousseau. Ses œuvres (drames, romans « noirs » ou sentimentaux, récits exotiques ou d'aventures, fantaisies en prose ou en vers, légendes, délicats poèmes) furent réunies sous le titre *Le Livre de l'églantine* (publié de 1832 à 1835).

ALOADES. *n. m. pl.,* en grec **Alôadai.** ♦ Les Géants Éphialtès et Otos, fils de Poséidon* et d'Iphimédie. Épris d'Artémis et d'Héra, ils entassent le mont Pélion* sur l'Ossa*, afin d'atteindre le ciel et de ravir les déesses, mais sont tués par Apollon*.

ALOMPRA. ♦ **V.** Alaungpaya.

ALONG *(baie d').* ♦ Baie du golfe du Tonkin* (Viêt-nam), caractérisée par d'innombrables rochers surgissant des eaux peu profondes (relief karstique) et composant un paysage caractéristique et admirable.

ALOR STAR. ♦ V. de Malaysia, cap. de l'État de Kedah. 66 600 hab. Ville moderne, aéroport et centre commercial.

ALOST, en néerl. **Aalst.** ♦ V. de Belgique (ch.-l. d'arr. de la prov. de Flandre-Orientale). 46 368 hab. Beffroi. Collégiale Saint-Martin du XVe s. – Commerce du houblon; brasseries. Indus. textiles. Carnaval réputé.

ALOXE-CORTON. ♦ Comm. de la Côte-d'Or, arr. de Beaune, à 385 m au flanc du talus de la « Côte de Beaune ». Vignobles de grands crus (vins rouges : corton).

Ph. Nino Cirani/Ricciarini

Vue du mont Rose dans les **Alpes** suisses : la pointe Nordend, la pointe Dufour et le glacier du mont Rose.

ALPE-DE-MONT-DE-LANS. ♦ **V.** Deux-Alpes (Les) [*Isère*].

ALPE-DE-VENOSC. ♦ **V.** Deux-Alpes (Les) [*Isère*].

ALPE D'HUEZ (L'). ♦ Station de sports d'hiver de l'Isère* (comm. de Huez, arr. de Grenoble*), dans l'Oisans*. La station a un équipement sportif très moderne.

ALPES. *n. f. pl.* ♦ Le plus vaste et le plus élevé des ensembles montagneux d'Europe, s'étendant sous la forme d'un arc de cercle de 1 000 km de long sur 250 km de large env., de la Méditerranée au Danube. Le versant intérieur de la chaîne alpine est orienté vers l'Italie*, le versant extérieur est partagé entre la France*, la Suisse*, l'Allemagne*, l'Autriche* et la Yougoslavie* (voir ces pays et aussi Rhône-Alpes, Provence-Côte d'Azur). – Une zone axiale cristalline constitue la partie la plus récemment soulevée, la plus élevée (massifs du mont Blanc*, point culminant a 4 807 m, de l'Aar*, de la Bernina*, des Tauern*) et la plus résistante des Alpes; à l'O. et au S. des couches, surtout calcaires, se sont détachées des massifs centraux pour former les *Préalpes*. Édifiées au tertiaire, les Alpes ont subi une intense érosion glaciaire quaternaire qui a modelé sommets et vallées (sillons longitudinaux de l'Isère*, du Rhin* supérieur, de l'Inn*, de la Drave*, val d'Aoste*). Les glaciers actuels n'occupent que 2 % de la surface alpine (glacier d'Aletsch*, le plus long); les anciennes dépressions glaciaires étant occupées par les lacs (lacs d'Annecy*, du Bourget*, lacs italiens et suisses). – L'altitude et le relief déterminent les variations de *climat* et de *végétation*. Les pluies, abondantes (sauf dans les Alpes françaises du Sud, à tendance méditerranéenne et dans les Alpes autrichiennes à tendance continentale) tombent sous forme de neige sur les hauteurs; la fonte des neiges (d'autant plus brutale qu'elle est causée par un vent chaud, le *fœhn*) détermine le régime des cours d'eau. Entre 1 000 et 2 000 m, la forêt succède aux cultures, l'alpage disparaît vers 2 000 m cédant la place aux régions d'éboulis et aux neiges éternelles. Le versant le plus ensoleillé, l'*adret* (par opposition à l'*ubac*), est réservé aux cultures et aux habitations. Les Alpes donnent naissance à quelques-uns des principaux fleuves européens ou les alimentent (Pô*, Adige*, Rhône*, Inn*, Drave*, Save*) dont l'écoulement est parfois réglé par des lacs subalpins (lac Léman* pour le Rhône, lac de Constance* pour le Rhin). – *Pop.* et *Écon.* Les Alpes ont eu un peuplement ancien : la révolution industrielle du XIXe s. (voies ferrées, hydro-électricité, nouvelles techniques agricoles, puis tourisme) a transformé les conditions de vie jadis fondées sur l'agriculture vivrière, l'élevage transhumant et l'artisanat. On a assisté à une diminution et à une redistribution de la population : celle des villes a augmenté (Grenoble* et Innsbruck* dépassant 100 000 hab.); la densité moyenne est de plus de 90 hab./km^2 dans le Vorarlberg*, de 70 dans le Tessin*; elle n'est vraiment faible que dans les Alpes françaises du Sud. L'électricité est à la base du renouveau industriel des Alpes : elle a rajeuni les vieilles industries et permis le développement de l'électrochimie et de l'électrométallurgie (Valais*, val d'Aoste, Alpes françaises du Nord, vallée de Bolzano* et de la Save yougoslave). Le développement des communications a favorisé ces nouvelles implantations : le premier tunnel ferroviaire, celui de Fréjus* fut achevé en 1871, le Saint-Gothard* en 1882, celui de l'Arlberg* en 1884, celui du Simplon* en 1906. L'effort routier alpestre date de la même époque : ouverture de cols internationaux, routes de la Furka* (1866), du Galibier* (1891), de l'Iseran (1937) récemment, tunnel du Grand-Saint-Bernard* et du Mont-Blanc. Enfin il faut citer le développement rapide du tourisme d'été et d'hiver qui a vivifié de nombreuses villes alpines, incorporé les Alpes aux courants économiques généraux et favorisé le repeuplement. Les stations thermales ont pris un grand essor, encore dépassé par celui des stations de sport d'hiver. L'industrie alpine restant contrainte par les difficultés de communication, on peut prévoir que le tourisme constituera de plus en plus le grand facteur d'évolution des Alpes.

ALPES AUSTRALIENNES, en angl. **Australian Alps**. ♦ Partie méridionale de la Cordillère* australienne, s'étendant vers le S.-E. dans le Victoria*. Cette chaîne possède le point culminant de l'Australie, le *mont Kosciusko* (2 230 m).

ALPES-DE-HAUTE-PROVENCE (anc. **Basses-Alpes**). [**04**]. *n.f. pl.* ♦ Dép. du S.-E. de la France, région (anciennement C.A.R.) Provence*-Côte d'Azur. 6 944 km². – *Orogr.* À l'E. du dép. se trouvent les hauts massifs alpins de la frontière italienne, au N.-E., la haute vallée de l'Ubaye* dominée par la chaîne de Parpaillon (2 925 m), par l'aiguille de Chambeyron (3 411 m) et le mont Pelat (3 053 m). Au centre, les Préalpes de Digne* et le plateau de Valensole*, vaste accumulation d'alluvions anciennes. À l'O., s'étend la chaîne calcaire de la montagne de Lure*. Le Verdon est célèbre par ses gorges profondes.
♦ 30 cant., 237 comm., 108 295 hab. *Préf.* Digne*; *sous-préf.* Barcelonnette*. Castellane*, Forcalquier*. *Ch.-l. de cant.* Allos*, Annot*, Banon*, Barrême (510 hab.), Colmars*, Entrevaux*, Javie [La] (257 hab.), Lauzet-Ubaye [Le] (253 hab.), Manosque*, Mées [Les] (2 063 hab.), Mèzel (346 hab.), Motte [La] (425 hab.), Moustiers*-Sainte-Marie, Noyers-sur-Jabron (252 hab.), Peyruis (1 604 hab.), Reillanne (602 hab.), Riez*, Saint*-André-les-Alpes, Saint-Étienne (478 hab.), Saint-Paul (232 hab.), Senez (174 hab.), Seyne*, Sisteron*, Turriers (230 hab.), Valensole*, Volonne* *Autres localités :* **V. Castillon, Château-Arnoux, Gréoux-les-Bains, Saint-Auban, Saint-Michel-de-Provence.**

ALPES (Hautes-). [**05**]. *n.f. pl.* ♦ Dép. du S.-E. de la France, région (anciennement C.A.R.) Provence*-Côte d'Azur. 5 520 km². – *Orogr.* L'E. du département constitue une région montagneuse élevée : (Pelvoux*, Champsaur*, Briançonnais*); des vallées sont creusées entre ces massifs : le pays de Queyras*, la vallée de la Durance*. À l'O. du dép., le Gapençais et le Dévoluy* sont séparés du Champsaur* par la haute vallée du Drac*. Des cols font communiquer les vallées entre elles et avec l'extérieur.
♦ 24 cant., 178 comm. 97 439 hab. *Préf.* Gap*, *sous-préf.* Briançon*. *Ch.-l. de cant.* Aiguilles*, Argentière*-la-Bessée (L'), Aspres-sur-Buëch (750 hab.), Barcillonnette (88 hab.), Bâtie-Neuve [La] (510 hab.), Chorges (1 173 hab.), Embrun*, Grave* (La), Guillestre (1 519 hab.), Laragne*-Montéglin, Monêtier*-les-Bains, Orcières*, Orpierre (258 hab.), Ribiers (481 hab.), Rosans (488 hab.), Saint-Bonnet (1 230 hab.), Saint-Étienne*-en-Dévoluy, Saint-Firmin (515 hab.), Savines*-le-Lac, Serres*, Tallard (1 063 hab.), Veynes*. – *Autres comm. et localités.* **V. Mont-Dauphin, Montgenèvre, Orcières-Merlette, Pelvoux, Saint-Véran, Serre-Chevalier-Chantemerle, Serre-Ponçon, Vallouise.**

ALPES MANCELLES. ♦ Nom donné parfois aux collines des Coëvrons*.

ALPES-MARITIMES. [**06**]. *n.f. pl.* ♦ Dép. côtier du S.-E. de la France, région (anciennement C.A.R.) Provence*-Côte d'Azur. 4 298 km². Il a été formé en 1860 par la réunion du comté de Nice* et d'une partie de la Provence*. – *Orogr.* La montagne occupe le N. et le centre du dép. (3 000 m aux monts Clapier et Tinibras). Les Préalpes niçoises à l'E., s'étendent presque jusqu'à la mer. De nombreuses vallées découpent ces montagnes. La côte ne présente pas de saillies importantes, sauf le cap d'Antibes* et le cap Ferrat*.
♦ 34 cant., 163 comm., 730 619 hab. *Préf.* Nice*, *sous-préf.* Grasse*, *Ch.-l. de cant. :* Antibes*, Bar*-sur-Loup (Le), Beausoleil*, Breil*-sur-Roya, Cagnes*-sur-Mer, Cannes*, Cannet* (Le), Coursegoules (134 hab.), Escarène [L'] (1 619 hab.), Guillaumes (594 hab.), Lantosque (1 104 hab.), Levens (1 299 hab.), Menton*, Puget*-Théniers, Roquebillière*, Roquesteron (422 hab.), Saint-Auban (211 hab.), Saint-Étienne*-de-Tinée, Saint-Martin*-Vésubie, Saint-Sauveur-sur-Tinée (400 hab.), Saint-Vallier-de-Thiey (558 hab.), Sospel*, Tende*, Vence*, Villars-sur-Var (491 hab.), Villefranche*. *Autres comm. et localités.* **V. Auron, Beaulieu-sur-Mer, Cap-d'Ail, Colle-sur-Loup (La), Daluis, Èze, Gaude (La), Golfe Juan, Juan-les-Pins, Mandelieu, Mougins, Napoule (La), Peïra-Cava, Roquebrune-Cap-Martin, Saint-Honorat, Saint-Jean-Cap-Ferrat, Saint-Laurent-du-Var, Saint-Paul (de Vence), Théoule-sur-Mer, Trinité (La), Turbie (La), Valberg, Vallauris.**

ALPES NÉO-ZÉLANDAISES [*n. f.*], en angl. **Southern Alps** « Alpes du Sud ». ♦ Chaîne de montagnes à l'O. de l'île du sud de la Nouvelle*-Zélande. Elle est constituée par des blocs de terrains très anciens (grès, schistes primaires) soulevés par des mouvements tectoniques, et possède de nombreux pics dépassant 3 000 m (mont Cook*). Relief glaciaire; le glacier de Tasman est plus long que ceux des Alpes européennes. Magnifiques lacs et fjords profonds.

ALPHAND (Jean-Charles). ♦ Ingénieur et administrateur français (Grenoble, 1817 – Paris, 1891). Sorti de l'École polytechnique (1837), il fut chargé en 1854 par Haussmann de l'administration des promenades de la capitale et contribua aux grands aménagements (bois de Boulogne*, parc Monceau*, boulevard Richard-Lenoir, bois de Vincennes, avenue de l'Observatoire, Buttes-Chaumont, parc Montsouris, etc.).

ALPHÉE. *n. m.*, en gr. **Alpheios**. ♦ Fl. de Grèce (Péloponnèse*) qui prend sa source dans le Taygète*, traverse l'Arcadie* et passe près d'Olympie* avant de se jeter dans la mer Ionienne. – *Mythol.* Le dieu-fleuve Alphée, ayant vu Aréthuse*, nymphe d'Artémis, se baigner, en tombe amoureux et la poursuit. Mais la déesse change la nymphe en fontaine et Alphée se transforme en fleuve pour rejoindre sa bien-aimée. Héraclès* le détourne de son cours ainsi que le Pénée* pour nettoyer les écuries d'Augias*.

Ph. Lauros-Giraudon
Alphonse VIII de Castille à la bataille de las Navas de Tolosa Gravure du XVIe s. (Bibliothèque nationale, Paris.)

ALPHEN AAN DEN RIJN. ♦ V. des Pays-Bas (Hollande-Méridionale) sur le Vieux-Rhin. 32 441 hab. Constructions mécaniques et navales. Indus. alimentaires.

ALPHONSE. ♦ Nom de cinq rois d'Aragon*. ♦ ALPHONSE Ier, *le Batailleur* (v. 1073 – 1134). Roi d'Aragon et de Navarre (1104-1134). Il combattit à plusieurs reprises contre les Maures, ce qui lui valut son surnom. ♦ ALPHONSE II RAIMOND, *le Chaste* (1152 – Perpignan, 1196). Roi d'Aragon (1164-1196). Prince lettré, il s'empara du Roussillon et du Béarn et régna sur la Provence (1166) sous le nom d'*Alphonse Ier*. ♦ ALPHONSE III, *le Bienfaisant* (1264 – Barcelone, 1291). Roi d'Aragon et de Sicile (1283-1291). Fils de Pierre* III le Grand, il accorda aux Aragonais d'importants privilèges. ♦ ALPHONSE IV, *le Débonnaire* (1299 – Barcelone, 1336). Roi d'Aragon (1327-1336). Il se ruina dans une guerre contre les Génois et se heurta à son fils le futur Pierre* IV. ♦ ALPHONSE V, *le Grand* ou *le Magnanime* (v. 1396 – Naples, 1458). Roi d'Aragon et de Sicile. Fils et successeur de Ferdinand* Ier le Juste, il prit pour la première fois le titre de « roi des Deux-Siciles » (royaume de Naples et de Sicile) et s'installa à Naples où il tint une cour brillante.

ALPHONSE. ♦ Nom de onze rois des Asturies*, du León et de Castille*. ♦ ALPHONSE Ier, *le Catholique* (v.693 – 757). Roi des Asturies (739-757), il conquit sur les Maures une partie de la Galice* et du León. ♦ ALPHONSE II, *le Chaste* (Cangas, v. 759 – Oviedo, 842). Roi des Asturies (783, puis 791-835). Il combattit les Maures, prit Lisbonne (797) et abdiqua en faveur de Ramire* Ier. Il avait établi sa cour à Oviedo*. ♦ ALPHONSE III, *le Grand* (v. 838 – Zamora, 910). Roi des Asturies. Petit-fils de Ramire* Ier, il conquit le León et une partie de la Vieille-Castille. Son règne vit deux révoltes; la seconde le contraignit à partager son royaume entre ses trois fils. ♦ ALPHONSE IV, *le Moine* (? – 932). Roi de León et des Asturies (924-927), il fut déposséde par son frère Ramire* II qui le fit aveugler et enfermer dans un monastère (d'où son surnom). ♦ ALPHONSE V, *le Noble* (994 – Viseu, 1027). Roi de León et des Asturies (999-1027), il périt au siège de Viseu, contre les Maures. ♦ ALPHONSE VI, *le Vaillant* (v. 1042 – Tolède, 1109). Roi de León et de Castille (1072-1109). Il combattit contre les Maures, auxquels il prit Tolède (1085). Sous son règne vécut le Cid*. ♦ ALPHONSE VII, *le Bon* (v. 1105 – Fresnada, 1157). Roi de Castille et de León (1126-1157). Il vainquit plusieurs fois les Maures et prit le titre d'*empereur des Espagnes*. Ses fils se partagèrent son royaume; Sanche* III prit la Castille, Ferdinand* II le León. ♦ ALPHONSE VIII, *le Noble* (1155 – Avila, 1214). Roi de Castille (1158-1214). Il agrandit son royaume de plusieurs provinces et remporta sur les Maures la victoire décisive de las Navas* de Tolosa (1212). ♦ ALPHONSE IX (1166 – Villaneva de Sarria, 1230). Roi de León (1187-1230). ♦ ALPHONSE X, *le Sage* (**V. *ci-dessous***). ♦ ALPHONSE XI, *le Vengeur* (1311 – Gibraltar, 1350). Roi de Castille et de León (1312-1350). Il s'allia à son beau-père Alphonse* IV de Portugal et vainquit les Maures à Tarifa (1340). Il mourut de la peste au siège de Gibraltar.

ALPHONSE X (en esp. **Alfonso el Sabio** « Alphonse le Savant » dit **Alphonse le Sage**). ♦ (Tolède, 1221 – Séville, 1284). Roi de Castille et de León (1254-1284). Il fut aussi empereur germanique (1267-1272), ce qui affaiblit sa position en Espagne. Mauvais politique, il doit sa gloire à son œuvre culturelle qui résume les courants divers (chrétien, arabe et juif) de la civilisation espagnole du XIIIe siècle. Il mit à jour un énorme travail de compilation et est considéré comme le fondateur de la langue nationale, le castillan, qu'il contribua à fixer. Écrivain, poète, il fut l'inspirateur de la *Crónica General* (premier essai d'une histoire d'Espagne). Astronome, il fit dresser les *tables Alphonsines* (1252). Son œuvre fondamentale est un code de lois, *Las Siete Partidas*.

ALPHONSE XII. ♦ (Madrid, 1857 – *id.*, 1885). Roi d'Espagne (1875-1885). Fils de la reine Isabelle* II, il fut appelé au trône par Martínez* Campos (1874). Il s'occupa de pacifier le royaume divisé par les guerres carlistes* et élabora une constitution qu'il respecta scrupuleusement.

ALPHONSE XIII. ♦ (Madrid, 1886 – Rome, 1941). Roi d'Espagne (1886-1931). Fils posthume d'Alphonse* XII, il fut placé sous la régence de sa mère Marie-Christine, tandis que le pays était assombri par la guerre hispano-américaine (1898) qui aboutit à la perte de Cuba, de Porto Rico et des Philippines. En 1902 il monta sur le trône, conclut l'entente franco-espagnole relative au Maroc, assura le fonctionnement de la monarchie constitutionnelle. Cependant, après quelques années de crise, il accepta la dictature de Primo* de Rivera (1923-1930). En 1931, la grande victoire électorale des républicains contraignit Alphonse XIII à s'exiler. Il abdiqua en faveur de son fils, don Juan, comte de Barcelone.

ALPHONSE II. ♦ (1448 – 1495). Roi de Naples (1494-1495). Fils de Ferdinand* Ier, il lui succéda au moment où Charles* VIII envahissait son royaume. Obligé d'abdiquer en faveur de son fils, il se retira en Sicile.

ALPHONSE Ier ENRIQUEZ, le Conquérant. ♦ (v. 1110 – Coimbre, 1185). Roi du Portugal (1143-1185). Fils d'Henri de Bourgogne et d'une fille naturelle d'Alphonse VI de Castille, il succéda à son père sous la tutelle de sa mère qu'il écarta du pouvoir en 1128. Vainqueur des Maures à la bataille d'Ourique (1139), il fut proclamé roi; mais ce n'est qu'en 1143 que le pape lui confirma ce titre et qu'il s'affranchit de la suzeraineté de la Castille. Il s'empara de Lisbonne (1147), de la Galice, de l'Estrémadure puis d'Elvas et organisa fortement son royaume. Son fils Sanche* Ier lui succéda.

ALPHONSE II, le Gros. ♦ (v. 1185 – 1223). Roi du Portugal (1211-1223). Fils et successeur de Sanche* Ier, il combattit avec succès les Maures et consolida la structure administrative du royaume. Il fut perpétuellement en lutte contre l'Église et mourut excommunié.

ALPHONSE III, le Boulonnais. ♦ (Coimbre, 1210 – Lisbonne, 1279). Roi du Portugal (1248-1279). Fils d'Alphonse* II, il répudia sa femme Mahaut II, comtesse de Boulogne, ce qui lui valut d'être excommunié. Il poursuivit la politique d'expansion portugaise et conquit l'Algarve* sur les Maures.

ALPHONSE IV. ♦ (Lisbonne, 1290 – *id.*, 1357). Roi du Portugal (1325-1357). Il poursuivit l'œuvre de son père Denis* Ier et s'allia avec Alphonse XI de Castille dans la lutte contre les Maures. C'est lui qui fit mettre à mort Inés* de Castro, que son fils Pierre* Ier avait secrètement épousée.

ALPHONSE V, l'Africain. ♦ (Cintra, 1432 – *id.*, 1481). Roi du Portugal (1438-1481). Il régna jusqu'en 1449 sous la tutelle de son oncle Pierre. Puis il combattit victorieusement en Afrique contre les Maures, mais échoua dans sa lutte contre la Castille.

ALPHONSE VI. ♦ (Lisbonne, 1643 – Cintra, 1683). Roi du Portugal (1656-1667). Fils de Jean* IV et de Louise de Guzmán, il laissa sa mère puis son frère (Pierre* II) gouverner. Ses troupes, victorieuses des Espagnols, assurèrent l'indépendance du Portugal (*traité de Lisbonne,* 1668). Malade et faible d'esprit, il fut déposé en 1667 et se retira dans l'île de Terceira.

ALPHONSE II DE FRANCE. ♦ (1220 – Savone [?], 1271). Comte de Poitiers et de Toulouse (1249-1271). Cinquième fils de Louis* VIII, roi de France, il épousa en 1237 Jeanne de Toulouse, fille du comte Raymond* VII, à la mort duquel (1243) il hérita du comté de Toulouse* et prépara son annexion à la France.

Ph. Giraudon

Le sceau d'**Alphonse X,** roi de Castille. (Archives nationales, Paris.)

ALPHONSE-MARIE DE LIGUORI *(saint).* ♦ Prédicateur et théologien napolitain (Marianella, 1696 – Nocera, 1787). Il se consacra à la rechristianisation des campagnes et fonda la congrégation des rédemptoristes* (1732). Il élabora un système de théologie morale connu sous le nom d'*équiprobabilisme,* dont les positions sont intermédiaires entre le rigorisme et le laxisme des probabilistes. – Docteur de l'Église. Fête le 1er août.

Alphonsines (Tables). ♦ Tables astronomiques dressées en 1252 sur l'ordre d'Alphonse* X le Sage, roi de Castille.

ALPILLES. *n. f. pl.* ♦ Massif montagneux situé entre la Durance* et le Rhône* au N. de la Crau*, 492 m. Site des Baux*-de-Provence.

ALPONE. *n. m.* ♦ Riv. d'Italie, affl. de l'Adige*, que traverse le célèbre pont d'Arcole*.

ALPTEGÎN. ♦ Mercenaire türk et gouverneur du Khorasân à Ghaznî* (actuel Afghânistân). Révolté contre les Samânides* en 961, il fonda la dynastie des Ghaznavides* et mourut en 963. Un de ses «esclaves» türk lui succéda et fonda la dynastie des Yamini, en 976.

ALPUJARRAS (Las). ♦ Région montagneuse d'Andalousie (Espagne) au S. de la sierra Nevada*. Les Maures s'y réfugièrent après la prise de Grenade* (1492).

ALQAZARQUIVIR. Nom espagnol de Ksar-el-Kébir (Maroc).

ALQUIÉ (Ferdinand). ♦ Philosophe français (Carcassonne, 1906). Dans la tradition cartésienne et kantienne, il affirme la séparation de la conscience et de l'Être vers lequel tend la Raison, s'opposant ainsi à tout monisme philosophique [idéaliste ou matérialiste]. (Acad. des sc. morales et politiques, 1975).

ALQUIER (Charles-Jean-Marie, *baron***).** ♦ Homme politique français (Talmont, près des Sables-d'Olonne, 1752 – Paris, 1826). Député à la Convention, puis ministre de la République auprès de l'Électeur de Bavière sous le Directoire, il se montra favorable au coup d'État du 18 Brumaire et fut chargé alors de nombreuses missions diplomatiques. Banni, il revint en France en 1818.

ALS. ♦ Île du Danemark, dans le S. du Petit-Belt*, reliée au Jutland* par un pont. 35 000 habitants.

ALSACE. *n. f.*, en dial. alsacien **Elsass.** ♦ Région de l'E. de la France qui s'étend entre les Vosges* **(V. Lorraine, Franche-Comté)** et le Rhin*, de la frontière allemande (Palatinat* rhénan) au N. de la frontière suisse et au Jura* au S. – Noms de régions **V. Hardt, Harth, Nordgau, Sundgau.** ♦ *Hist.* D'abord occupée par des Celtes, l'Alsace fut conquise en ~ 58 par César* et fit partie de la province romaine de Germanie* supérieure. Dès le VIe s. les Alamans* s'y établirent sous la suzeraineté franque après avoir été battus par Clovis en 496. L'Alsace dépendit alors du duché d'Alémanie ou de Souabe* et c'est la fille d'un duc d'Alsace qui fonda le monastère du mont Sainte*-Odile (VIIe – VIIIe s.). Pris par les Carolingiens en 744-746, le pays fut divisé en deux comtés (Nordgau* et Sundgau*). Au partage de l'empire de Charlemagne, l'Alsace fit d'abord partie de la Lotharingie* au traité de Verdun* (843) qui suivit le serment de Strasbourg* (842), mais échut à Louis* le Germanique au traité de Mersen* (870) qui allait associer pour près de huit siècles son destin à celui de l'Allemagne*. Les Habsbourg* dominaient la Haute-Alsace depuis le XIIIe s., quand dix villes impériales s'unirent dans la Décapole* d'Alsace en 1354, Strasbourg demeurant sous l'autorité de ses évêques jusqu'en 1439. Après la découverte de l'imprimerie par Gutenberg* (v. 1438), l'Alsace fut au XVe et XVIe s. l'un des principaux foyers de la Renaissance et de la Réforme. À la suite de la guerre de Trente* Ans et du traité du Münster-Westphalie (1648), elle passa de l'influence à la souveraineté française, après la victoire de Turenne* à Turckeim* (1675) et l'entrée triomphale de Louis* XIV à Strasbourg (1681) aux côtés de l'évêque Fürstenberg*. La province, complètement intégrée à la France sous la Révolution avec la création des départements du Haut-Rhin et du Bas-Rhin, fournit à la nation des hommes illustres tels que le baron de Dietrich*, maire de Strasbourg (chez qui Rouget* de Lisle chanta la future Marseillaise), Rewbell* et les généraux Kléber, Kellermann, Rapp, Lefebvre. Conservée à la France au traité de Vienne (1815), l'Alsace lui fut arrachée au traité de Francfort (1871) après la guerre franco-allemande de 1870-1871, en dépit des protestations de ses députés. Plus d'un dixième de la population quitta le pays pour se réinstaller en terre française, notamment en Algérie. Libérée en nov. 1918, l'Alsace fut de nouveau occupée par les troupes allemandes en juin 1940. La Ire armée française (de Lattre de Tassigny) reprit Mulhouse* le 21 nov. 1944 et la 2e D.B. du général Leclerc* fit son entrée dans Strasbourg* le 23 nov. La « poche » de Colmar* fut complètement éliminée en févr. 1945. Depuis 1949, Strasbourg*, capitale de l'Alsace, est devenue le siège du Conseil de l'Europe. – **V.** *aussi* **Alsace-Lorraine.**

ALSACE. ♦ Région française [anciennement C.A.R.] (dép. **V. Rhin** [**Haut-Rhin; Bas-Rhin**]) 8 310 km² (21e rang). 1 517 300 hab. (16e); 170 hab. au km² (3e rang). Coïncidant avec l'ancienne province, elle associe étroitement la plaine et un versant montagneux. La plaine, fraction occidentale du fossé d'effondrement rhénan, est inclinée sur 200 km, des abords du Jura (300 m) à la rivière Lauter (110 m). Le versant oriental des Vosges abaisse ses crêtes du ballon de Guebwiller (1 428 m) au Donon (1 000 m). Abrupt, creusé de vallées profondes, il fait écran aux vents d'ouest et vaut à l'Alsace un climat semi-continental, au lumineux printemps, dont bénéficient surtout les collines secondaires sous-vosgiennes (250 à 300 m), zone du vignoble. – Colmar est un

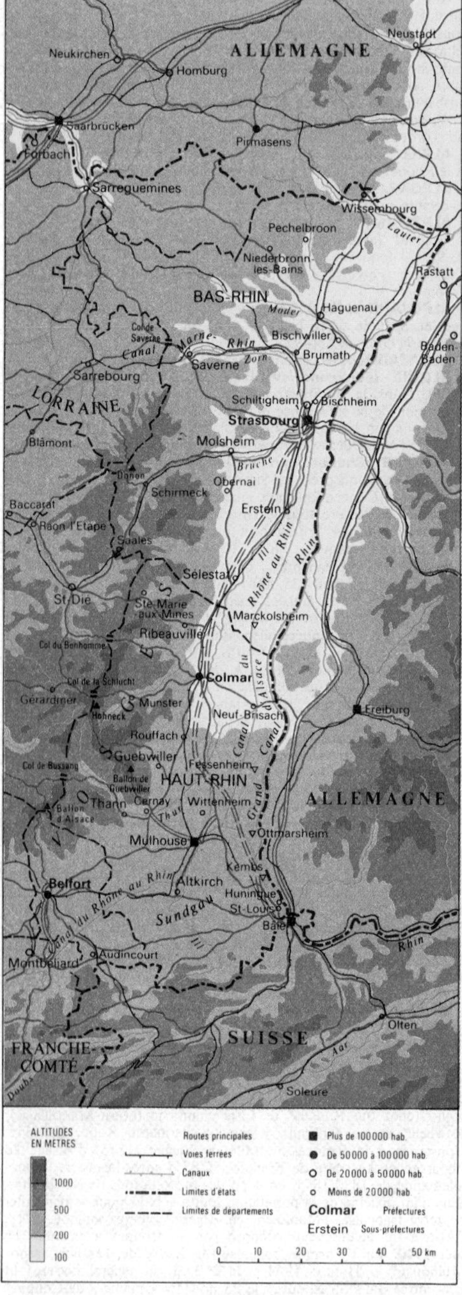

Alsace.

îlot de froid (janvier – 1°), de chaleur (juillet + 19 avec maxima + 30), de sécheresse (500 mm). Alimenté par la montagne, le réseau hydrographique est tributaire de l'Ill et du Rhin, détourné, au tertiaire, par l'affaissement de la plaine; une nappe phréatique abondante ajoute encore aux ressources en eau. – *Pop.* et *Écon.* D'une variété accueillante, avec ses villages opulents, l'Alsace a toujours été très peuplée, malgré les vicissitudes de son histoire. En 1911, elle comptait 1 219 000 hab.; en 1921, elle en avait perdu 100 000, récupérés en 1936; puis 75 000 en 1946, également récupérés en 1954. Dès lors, sa progression allait s'affirmer, avec 1 412 000 hab. en 1968 (13,7 % en 14 ans); et la structure d'âge très favorable, doublée d'un solde migratoire positif, en font prévoir 1 700 000 pour 1985. Cette population vit pour 30 % à la campagne où l'agriculture n'occupe plus que 11 % des actifs (60 000), proportion qui tombera à 5 % (35 000) en 1985. La surface moyenne des exploitations passera du même coup de 12 à 26 ha. Elle est, en fait, trois fois plus élevée dans la plaine (16 ha) que dans la montagne (5,6 ha) où les conditions de plus en plus difficiles de l'élevage bovin appellent l'appoint d'activités industrielles, artisanales et touristiques pour freiner l'exode; là se trouvent, il est vrai, les deux tiers des forêts (35 % du territoire; 1 500 000 m³ de bois par an). L'ancienne polyculture intensive poursuit ainsi sa mutation; mais le parcellement, très poussé, y fait obstacle et le remembrement reste lent. Les céréales viennent en tête de la production, suivies par d'autres cultures (houblon, chou à choucroute, tabac...) et par l'horticulture florale et fruitière. De Thann à Saverne, le vignoble règne, avec ses quelque 400 000 hl de vins fins au bouquet original : domaine traditionnel de la très petite exploitation autarcique (5 ha), il devient vignoble de cru de haute qualité, en vue de l'exportation. Son peuplement et sa position sur la grande voie de circulation méridienne devenue, avec l'intégration de l'Alsace à la France, carrefour de routes puis de voies ferrées et navigables (canaux du Rhône et de la Marne au Rhin; grand canal d'Alsace), expliquent l'essor industriel de la région. C'est le textile, aux XVIIIe et XIXe s., qui en fut l'origine; après 1918, allait s'y ajouter la potasse (3e productrice du monde). En Basse-Alsace, restée plus rurale, l'industrie s'est concentrée à Strasbourg, sauf, au Nord, les ateliers de Niederbronn et les pétroles de Pechelbronn. L'électricité, d'origine hydraulique (7 600 000 000 kWh) et thermique (1 300 000 000) dépasse la consommation locale (3 500 000 000 kWh environ). Avec 400 nouveaux établissements en quinze ans, cette industrie (244 000, 44,5 % des actifs) s'est considérablement diversifiée. De 54 000 en 1936, le textile n'en occupe plus que 20 000 en 1975, mais avec une productivité accrue (filatures : 37 000 t; tissages : 20 000 t). La métallurgie, par contre, extrêmement variée, exportatrice, connaît une extension rapide (+ 44 % depuis 1954 avec 70 000). 22 000 travailleurs animent une gamme d'industries alimentaires liées à la réputation gastronomique de la région, tandis que grandit l'industrie pétrolière et chimique et que prospèrent d'autres activités. Les petites et moyennes entreprises prédominent. – Concentré pour 41 % de ses actifs à Strasbourg, où il occupe près des 2/3 des travailleurs, le secteur tertiaire (44,3 %) est en pleine ascension (+ 40 % prévus pour 1985 contre 10 à 15 % dans l'industrie); transports, notamment fluviaux et aériens (Bâle-Mulhouse), commerce international, hôtellerie, banques, universités, vocation européenne de la métropole. Outre Mulhouse* et Colmar*, le tissu urbain est très dense (70 % de la population) et de qualité (logement et équipements) : 109 comm. de plus de 2 000 hab., 133 de 1 000 à 2 000. – L'Alsace, région forte dans l'ensemble français, est d'un poids insuffisant en face de ses concurrentes étrangères dont l'attraction entretient un solde négatif de plus en plus marqué de migrants frontaliers (– 21 500 en 1971). Très conscients de la nécessité d'un effort continu d'industrialisation, les Alsaciens réclament en outre le progrès des liaisons transversales (autoroute Paris-Strasbourg prévue pour 1979), une ouverture sur Belfort et Montbéliard, ainsi que l'avènement de l'axe « mer du Nord-Méditerranée », clé de l'avenir : autant de conditions du développement qu'exige la situation de l'Alsace dans le bassin rhénan, centre de gravité économique de l'Europe occidentale.

ALSACE (ballon d'). ♦ Sommet du massif du même nom à l'extrémité sud de la chaîne des Vosges dans le Haut-Rhin, au N. de Belfort. 1 250 m.

ALSACE (grand canal d'). ♦ Canal latéral du Rhin (entre Bâle et Strasbourg) dont les eaux déviées par le barrage de Kembs* au N. de Bâle, alimentent huit centrales hydro-électriques **(V. Kembs, Ottmarsheim, Fessenheim, Vogelgrün, Marckolsheim, Rhinau, Gerstheim, Strasbourg).**

Ph. Hétier

Alsace : maison typique, non loin de Strasbourg.

ALSACE (plaine d'). ♦ Plaine qui s'étend, entre les collines sous-vosgiennes et le Rhin, de la Lauter* (frontière allemande) au N. jusqu'aux collines du Sundgau* et du Jura* au S. **V. Rhin (Bas-), Rhin (Haut-).**

ALSACE (vignobles d'). ♦ Ils s'étagent sur les collines sous-vosgiennes dominant la plaine, de la région de Marlenheim* au N. à celle de Thann* au S. *Princ. vins :* gewurztraminer, muscat, pinot, riesling, sylvaner, traminer.

ALSACE-LORRAINE. ♦ Ensemble formé par les territoires alsaciens et lorrains annexés à l'Empire allemand en 1871 *(Reichland Elsass-Lothringen).* Il comprenait les dép. du Bas-Rhin et du Haut-Rhin (territoire de Belfort excepté), le dép. de la Moselle (sauf le bassin de Briey) et une partie de l'anc. dép. de la Meurthe (Château-Salins et Sarrebourg). On évalue à 158 000 (sur une population de 1 500 000 hab.) le nombre d'Alsaciens-Lorrains qui optèrent pour la nationalité française avant le 1er nov. 1872 et se réfugièrent en France et en Algérie. Gouvernée par un *statthalter* **(V. Manteuffel, Hohenlohe),** l'Alsace-Lorraine ne cessa de résister aux efforts d'assimilation des pangermanistes jusqu'à son retour à la France en nov. 1918. Réoccupée par les Allemands en juin 1940, rattachée au pays de Bade, l'Alsace fut traitée en terre allemande, soumise à l'enrôlement forcé dans la Wehrmacht et au régime des camps de concentration **(V. Schirmeck, Struthof)** et des déportations pour les réfractaires et les résistants. La libération de l'hiver 1944-1945 rendit l'Alsace-Lorraine à la France. **V. Alsace, Lorraine.**

ALTAÏ. *n. m.* (« doré », en mongol). ♦ Système montagneux d'Asie centrale, situé à la frontière de l'U.R.S.S.*, de la Mongolie* extérieure et de la Chine*, s'étendant au S. de la Sibérie et à l'E. du Kazakhstan soviétique, en Mongolie et au N. de la région autonome du Hsin-chiang-Uighur (Chine). — On peut le diviser en quatre chaînes. À l'O., l'*Altaï du Sud,* séparant l'Irtych et la Bukhtarma ; sa partie occidentale est appelée chaîne de Narym. L'*Altaï central* (au N.-O.) est formé de chaînes parallèles. L'*Altaï oriental* (au N.-E.) sépare les bassins de l'Ob et de l'Ienissei. L'*Altaï mongol,* au S.-E. s'étend sur la Mongolie extérieure et s'abaisse en chaînes secondaires vers le désert de Gobi. — La majeure partie de l'Altaï s'étend sur la région autonome de Gorno-Altaï (*cap.* Gorno-Altaïsk), sur la république de Touva [Tuva] et sur la région autonome des Khakass (*cap.* Abakan*). Le Kouzbass* [Kuzbass] se trouve au N. de l'Altaï oriental. — *Territoire de l'Altaï.* Territoire de l'Union soviétique (R.S.F.S. de Russie) situé au N. du Kazakhstan et de Gorno-Altaï au pied du massif de l'Altaï, et traversé par l'Ob. 261 700 km². 2 701 000 hab. *Ch.-l.* Barnaoul*.

ALTAÏR. ♦ Nom donné à l'étoile α Aigle*. Magnit. 0,9 ; type spectral A 5.

ALTAMIRA *(grottes d').* ♦ Site préhistorique d'Espagne, dans les monts cantabriques (prov. de Santander*), célèbre pour ses peintures du magdalénien. Découvertes en 1879 par Marcelino de Sautuola, ces peintures représentent des bisons, des faons, des sangliers dont la taille varie entre 1,40 m et 2 m ; leur forme générale épouse les accidents de la roche et les couleurs ont conservé tout leur éclat.

ALTDORF. ♦ V. de Suisse, ch.-l. du canton d'Uri*, au S. du lac des Quatre*-Cantons. 7 500 hab. Maisons anc. Station touristique. ♦ *Hist.* **V. Guillaume Tell.**

ALTDORFER (Albrecht). ♦ Peintre, dessinateur, graveur et architecte allemand (Ratisbonne, v. 1480 — *id.,* 1538). Il obtint des fonctions officielles à Ratisbonne et fut nommé architecte de la ville. En 1511, il voyagea dans la vallée du Danube et a parfois été considéré comme le principal initiateur de l'école dite danubienne. Il accorda une place prépondérante au paysage en réduisant notamment l'échelle des personnages qui semblent se perdre dans une végétation touffue rendue avec une extrême minutie (*Saint Georges dans la forêt,* 1510). Il chercha à tirer des effets expressifs de la lumière *(Retable de Saint-Florent ; Nativité).* Dans son chef-d'œuvre, *La Bataille d'Arbelles,* dite aussi *Bataille d'Alexandre* (1529), commandée par Guillaume V de Bavière, la vue plongeante et panoramique, la description miniaturiste des armées, animées de mouvements tourbillonnants, le ciel nuageux, l'éclairage crepusculaire, les couleurs denses d'un brillant d'émail concourent à donner à la scène un caractère fantastique. Il fut aussi un dessinateur et un graveur remarquable. Malgré certains emprunts à la peinture italienne, sa vision relève du gothique tardif et révèle des composantes spécifiquement germaniques.

ALTENBURG ou **ALTENBOURG.** ♦ V. d'Allemagne orientale (Saxe, province de Leipzig). Env. 50 000 hab. Indus. mécaniques (machines à coudre) et textiles.

ALTENKIRCHEN. ♦ Village d'Allemagne occidentale (Rhénanie-Palatinat). Mines de plomb. ♦ *Hist.* Kléber* y battit les Autrichiens (1796) et Marceau* y fut mortellement blessé en protégeant la retraite de Jourdan (1796).

ALTHEN (Jean). ♦ Agronome arménien (1711 — 1774). Ayant obtenu l'autorisation de Louis XV, il introduisit en France la culture de la garance.

ALTHUSIUS (Johannes). ♦ Jurisconsulte allemand (v. 1556 — v. 1637). Ses deux ouvrages *Jurisprudentiae romanae methodice digestae* et *Politica methodice digesta,* font de lui un des représentants de la théorie du droit naturel et d'une conception démocratique du gouvernement. Il affirma assez nettement l'idée de souveraineté du peuple.

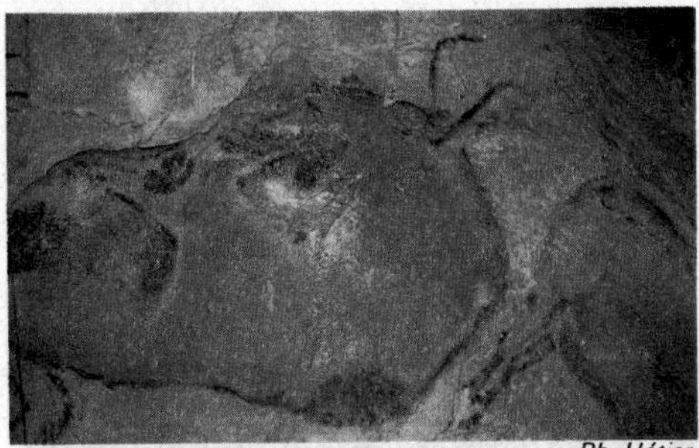

Ph. Hétier

Altamira : bisons. (Magdalénien moyen.)

ALTIS. *n. m.* ♦ Bois sacré de Zeus à Olympie.

ALTKIRCH. ♦ Sous-préf. du Haut-Rhin*, ch.-l. d'arr. (116 comm., 4 cant., 50 010 hab.) dans le Sundgau*. 5 826 hab. Hôtel de ville du XVIIIe siècle. Indus. textiles, métallurgiques ; matériaux de construction.

ALTMARK. *n. m.* (en fr. « Ancienne Marche »). ♦ Région du N. de l'Allemagne, s'étendant sur la partie supérieure de la Saxe-Anhalt (R.D.A., district de Magdebourg), comprise entre la frontière des deux Allemagne et l'Elbe. C'est une région de moraines sableuses à médiocre économie rurale (seigle, pomme de terre). Salzwedel et Stendal, centres commerciaux, en sont les principales agglomérations. ♦ *Hist.* Donnée en 1134 à Albert Ier de Ballenstädt, l'Altmark devint le noyau de la province de Brandebourg* (Brandenburg) et le point de départ de son expansion vers l'est.

ALTMUHL. *n. m.* ♦ Riv. d'Allemagne occidentale qui prend sa source dans le Jura souabe et rejoint le Danube. 195 km.

ALTONA. ♦ Anc. V. d'Allemagne, sur la r. d. de l'Elbe. Cet ancien village de pêcheurs *(Altwasser)* devint danois en 1640 et concurrença Hambourg. Prussienne en 1866, la ville fut rattachée à Hambourg* en 1937. Sartre y a situé l'action de sa pièce *Les Séquestrés d'Altona.*

ALTOONA. ♦ V. des Etats-Unis (Pennsylvanie*), dans les Alleghanys. 62 385 hab. Centre ferroviaire, fondé par la *Pennsylvania Railroad Company* en 1849.

ALTSTÄTTEN. ♦ V. de Suisse (Saint-Gall) dans la vallée du Rhin. 9 000 hab. Maisons anc. — Vignobles. Indus. textile.

ALTYN-TAGH. *n. m.* ♦ Massif montagneux de Chine, séparant le Tibet* du Hsin*-chiang, d'une hauteur moyenne de 4 000 à 5 000 m. Il s'étend sur une longueur de 800 km de l'Asie centrale aux Nan-shan. Point culminant à 5 300 m.

ÂLVÂR. *n. m. pl.* (mot tamil « les profonds »). ♦ Groupe de douze saints adorateurs de Viṣnu*, poètes de l'Inde du Sud (VIe-XIe s.), dont les œuvres sont réunies dans une anthologie de 4 000 hymnes religieux intitulés *Nâlâyiram.*

ALVARADO (Pedro *de***).** ♦ Conquistador espagnol (Badajoz, 1485 — Guadalajara, Mexique, 1541). Après avoir participé à la conquête de Cuba, il devint lieutenant de Cortés* dans celle du Mexique (1518-1521) ; il tenta ensuite une expédition dans l'actuel Salvador et au Guatemala (1523) où il vainquit les Indiens et fonda Santiago de Los Caballeros. Il fut tué dans un combat contre les Indiens.

ÁLVARES (Francisco). ♦ Voyageur portugais (Coïmbre, 1465 — mort après 1540). Il fit partie de l'ambassade envoyée par le roi Emmanuel du Portugal auprès du négus d'Abyssinie (1520-1527). Sa relation de voyage, publiée en 1540, est le premier document possédé en Occident sur cette région du monde (en fr. *Description de l'Éthiopie,* 1556).

ALVAREZ (Luis Walter). ♦ Physicien américain (San Francisco, 1911). Spécialiste de la physique des particules élémentaires, notamment de celles qui ont reçu le nom de *résonances* et pour l'étude desquelles il créa plusieurs dispositifs facilitant le dépouillement des photos prises dans les chambres à bulles, il découvrit une forme de radioactivité dite par capture d'électron (capture K, 1937), mesura avec F. Bloch* le moment magnétique du neutron en utilisant la méthode de Rabi* (1940) et étudia les accélérateurs linéaires. **V.** *aussi* **Cockcroft.** (Prix Nobel de phys., 1968.)

ALVARO (Corrado). ♦ Poète et romancier italien (près de Reggio de Calabre, 1895 — Rome, 1956). Il débuta par les *Poésies en gris-vert* (1917) d'inspiration réaliste, puis évoqua la vie difficile des paysans de sa Calabre natale dans son roman *Gens d'Aspromonte* (1930), avant de se montrer préoccupé par l'actualité sociale dans *Le Maître du déluge* (1935) et *L'Homme est fort* (1938). Certains ouvrages traitent de problèmes moraux (*Vingt ans,* 1930) ou abordent avec subtilité le domaine de la psychologie (*L'Homme dans le labyrinthe,* 1926).

ALVEAR (Carlos María *de***).** ♦ Général argentin (Santo Angel, Uruguay, 1788 — Washington, 1852). Il fut l'un des chefs de l'indépendance argentine et se distingua en enlevant Montevideo* aux Espagnols.

ALVER (Betti). ♦ Poète estonien (né en 1906). Il renoua avec

Arch. Smeets
Giovanni Amadeo : la chartreuse de Pavie.

le mouvement culturel de la « Jeune Estonie » lancé par Suits*, dans des vers d'une grande beauté classique.

ALYATTE, en gr. **Aluattês**. ♦ Roi de Lydie (~ 617 – ~ 561) de la dynastie des Mermnades, père de Crésus. Il résista à l'invasion mède, repoussa les Cimmériens et conquit Smyrne.

ALYSCAMPS (Les). ♦ **V.** ALISCAMPS.

ALZETTE. *n. f.* ♦ Affl. de la Sûre. 65 km. L'Alzette prend sa source en France et traverse le grand-duché de Luxembourg.

ALZON (Emmanuel *d'*). ♦ Prêtre français (Le Vigan, 1810 – Nîmes, 1880). Il fonda en 1843 le collège de l'Assomption, origine de la congrégation des assomptionnistes* (1845).

AMADE (Albert *d'*). ♦ Général français (Toulouse, 1856 – Fronsac, 1941). Il s'illustra au Maroc de 1908 à 1913. Au cours de la Première Guerre mondiale, il commanda le contingent français aux Dardanelles (1915).

AMADEO ou **AMADEI (Giovanni Antonio)**. ♦ Sculpteur et architecte lombard (Pavie ou Milan, v. 1447 – Milan, 1522). Il travailla dès 1466 à la chartreuse de Pavie dont il devait plus tard diriger les travaux (1490-1498) et entre temps à Bergame et Crémone. Sur la demande de Ludovic le More, il participa, à Milan, à l'œuvre de la cathédrale (après 1481). Influencé par le Filarète et Bramante (palais Bottigella, Pavie), il multiplia à la manière lombarde les éléments décoratifs (reliefs, incrustations polychromes).

Amadis de Gaule. ♦ Roman de chevalerie espagnol dont le texte original remonte au début du XIVe s. mais qui fut refondu et publié

Arch. Smeets
Amarâvatî : médaillon du stûpa. (Bouddha domptant l'éléphant Nalagiri, musée de Madras.)

en 1508 par Montalvo. Amadis est le type du chevalier accompli qui, après de multiples aventures, réussit à épouser sa dame, Oriane. Ce roman connut un succès considérable. Don Quichotte* prend Amadis comme modèle.

AMADO (Jorge). ♦ Romancier brésilien (Pirangi, 1912 –). Membre du parti communiste brésilien, il a écrit une œuvre humaine, sociale, riche en éléments populaires et folkloriques : *Cacao* (1933), *Mer Morte* (1949), *Gabrielle, œillet et cannelle* (1958). *Les Chemins de la faim* évoquent avec puissance le drame des migrateurs du prolétariat agricole dans le Sertão.

AMAGASAKI. ♦ V. du Japon (Honshû, préf. de Hyôgo) sur la baie d'Ôsaka. 539 000 hab. (1969). Centre industriel (textiles, indus. chimiques, verreries).

AMAGAT (Émile). ♦ Physicien français (Saint-Satur, Cher, 1841 – 1915). Il réalisa d'importantes études expérimentales des phénomènes thermiques.

AMALARIC. ♦ (501 – Barcelone, 531). Roi des Wisigoths (507-531). Fils et successeur d'Alaric* II, il gouverna d'abord sous la tutelle de Théodoric* le Grand. Il épousa Clotilde, fille de Clovis*, à laquelle il voulut imposer la foi arienne, ce qui amena la guerre avec le frère de celle-ci, Childebert*, roi des Francs. Vaincu à Narbonne, Amalaric fut assassiné peu après à Barcelone.

AMALASONTE ou **AMALASWINTHE**. ♦ (? – Bolsena, 535). Fille de Théodoric* le Grand, roi des Ostrogoths, et mère d'Athalaric*, elle gouverna durant la minorité de son fils, qui mourut en 524 à l'âge de dix-huit ans. Son cousin et mari Théodat* partagea le pouvoir avec elle, puis la fit assassiner.

AMALÉCITES. *n. m. pl.* ♦ Tribu sémitique nomadisant dans le Néguev. La Bible les montre barrant le passage aux Hébreux venus d'Égypte, puis battus par Saül et par David (~ XIe s.).

AMALFI. ♦ V. d'Italie méridionale (Campanie, prov. de Salerne) et importante station balnéaire sur la mer Tyrrhénienne, dans un très beau site, sur la r. nord du *golfe de Salerne*. 7 200 hab. Archevêché. Cathédrale du XIe s., remaniée au XVIIIe s. en style baroque. ♦ *Hist.* Mentionnée dès le IVe s., Amalfi fut, à partir du IXe s., une république maritime florissante, rivale de Gênes et de Pise.

AMALRIC Ier, II *(de Lusignan)*. ♦ **V.** AMAURY.

AMALRIC (Arnaud). ♦ Abbé de Cîteaux (? – 1225). Légat du pape, il prêcha en 1204 la guerre contre les Albigeois et accompagna Simon IV de Montfort* durant la croisade. Archevêque de Narbonne en 1212, il combattit les Maures en Espagne.

AMALTHÉE, en gr. **Amaltheia**. ♦ Dans la mythologie grecque, nom de la chèvre qui allaita Zeus* enfant.

AMAMI GUNTO. ♦ Groupe d'îles au N. de l'archipel des Ryû-Kyû. Env. 200 000 hab. *Ch.-l.* Naze.

AMAN. ♦ Personnage biblique du livre d'*Esther* ([mort] v. ~ 474). Ministre d'Assuérus*, hostile aux juifs, il est destitué au profit de Mardochée* et pendu. **V. Esther.**

AMÂN ALLÂH KHÂN. ♦ Souverain afghân (1919-1929), fils et successeur d'Habîb Allâh. Il réussit à obtenir l'indépendance totale de son pays et entreprit de moderniser celui-ci. Le peuple se souleva et un usurpateur le chassa. Le cousin d'Amân Allâh, Nâdir* shâh, tua l'usurpateur et s'empara du trône.

AMAND *(saint)*. ♦ [Dans le Poitou, v. 584 – monastère d'Elno, près de Tournai, v. 679]. Évêque itinérant (628), puis évêque de Maëstricht (647), apôtre des Flandres et du Hainaut. Fête le 6 février.

AMANGKURAT (Amangkurat I, II, III, IV). ♦ Nom de quatre sultans javanais du royaume de Mâtaram, qui régnèrent de 1645 à v. 1743. Ils s'allièrent aux Hollandais et parfois les combattirent. Le dernier fut déposé par les Hollandais qui soutenaient ses neveux.

Amants magnifiques (Les). ♦ Comédie en 5 actes de Molière* (1670). Pour l'amour d'une même maîtresse, deux princes offrent une suite de fêtes galantes et fastueuses, sous la forme de divertissements et de ballets.

AMAPÁ. *n. m.* ♦ Territoire côtier de l'extrême N. du Brésil*, à la frontière de la Guyane française, il est limité au S. par les bouches de l'Amazone, qui le séparent de l'État de Parà* et couvert par le massif des Guyanes (Guyane brésilienne). 140 276 km². 112 000 hab. *Cap.* Macapá*. Ressources minières : fer, manganèse.

AMAPALA. ♦ Port du Honduras, situé dans la baie de Fonseca* (Pacifique).

AMAR (Jean-Baptiste André). ♦ Avocat et homme politique français (Grenoble, 1750 – Paris, 1816). Avocat au parlement de Grenoble, puis député montagnard à la Convention, il vota la mort du roi.

'AMÂRA. ♦ V. d'Iraq, sur le cours inférieur du Tigre* (r. g.). *Ch.-l.* de province. Plus de 100 000 hab. Marché agricole (dattes, riz, millet,...).

AMARAPURA. ♦ Anc. cap. birmane, située non loin de Mandalay* dans la plaine bien irriguée de Kyaukse. Env. 10 000 hab. Elle fut fondée en 1782 par le roi Bodawpaya, et succéda à Ava*. Abandonnée peu après, elle fut désertée.

AMARÂVATÎ. ♦ V. indienne (Ândhra* pradesh, près de Guntur) 181 000 hab. (1970). Grand stûpa (30 m de haut) maintenant détruit. Site éponyme d'une forme d'art bouddhique qui eut une très grande influence sur les arts indiens et du S.-E. asiatique. ♦ *Hist.* La ville a été la capitale de la dynastie des Ândhra* et un grand centre bouddhique, du ~ IIe au IVe siècle.

AMARILLO. ♦ V. des États-Unis, au N.-O. du Texas, sur le

Ph. Nino Cirani/Ricciarini

Rives de l'**Amazone**.

Llano* Estacado. 123 973 hab. Centre agricole d'une région irriguée. Indus. chimique (hélium), base aérienne, usine atomique.

AMARNA. ♦ V. TELL EL-AMARNA.

AMASIS. ♦ Nom grec d'**Ahmôsé** ou **Aahmès II**, avant-dernier pharaon de la XXVIe dynastie saïte (v. ~ 568-~ 526). Général des armées d'Apriès*, il organisa un soulèvement xénophobe contre le pharaon accusé de soutenir les étrangers et usurpa son trône. Mais une fois au pouvoir il entretint d'excellents rapports avec les Grecs et fut considéré comme le roi philhellène par excellence. Bien qu'il fut allié à Crésus*, il eut une politique prudente à l'égard des Perses. Il s'empara de Chypre v. ~ 565. Il mourut quelques mois avant l'invasion perse **(V. Psammétique III).**

AMASYA. ♦ V. de Turquie, en Asie Mineure, sur le Yesil Irmak, au S.-O. de Samsun. Ch.-l. de province, centre commercial. 33 130 hab. Monuments musulmans (XIIIe-XVe s.). ♦ *Hist.* L'antique *Amaseia*, résidence des rois du Pont* à l'époque hellénistique, fut la patrie du géographe Strabon*.

AMATERASU ÔMIKAMI. ♦ Divinité principale de la religion shintô du Japon, personnification du Soleil et ancêtre légendaire de la lignée impériale japonaise. Elle est vénérée principalement dans son sanctuaire « national » d'Ise*.

AMATHONTE, en gr. **Amathous**. ♦ Anc. V. sur la côte méridionale de Chypre, près de l'actuelle Limassol*. — Le *vase d'Amathonte* (Louvre) y a été découvert au XIXe siècle.

AMATI. ♦ Célèbre famille de luthiers, originaires de Crémone (XVIe-XVIIIe s.). Un de ses membres, Niccolo (1596 — 1684), fut le maître de Guarnerius* et de Stradivarius*.

AMATITLÁN. *n. m.* ♦ Lac du Guatemala, situé sur les hauts plateaux du S.-O., à 2 350 m d'altitude.

AMAURY Ier ou **AMALRIC Ier.** ♦ (1135 — Jérusalem, 1174). Roi de Jérusalem (1163-1174). Fils de Foulques* V le Jeune et successeur de Baudouin* III, il entra en lutte contre les vizirs d'Égypte et fut battu par Nûr* al-Dîn et par Saladin*.

AMAURY II ou **AMALRIC II de Lusignan.** ♦ (v. 1144 — 1205). Roi de Chypre (1194-1205) et de Jérusalem (1198-1205). Successeur de son frère Gui de Lusignan* comme roi de Chypre, il devint roi de Jérusalem par son mariage avec la veuve du roi Henri* II de Champagne, mais ne put prendre possession de ses États.

AMAURY-DUVAL (Eugène Emmanuel PINEUX, dit). ♦ Peintre français (Paris, 1808 — *id.*, 1885). Disciple d'Ingres dont il voulut suivre fidèlement les préceptes, il s'inspira aussi des « primitifs » italiens, à l'exemple des Nazaréens. Il est l'auteur de portraits *(Rachel)*, de scènes mythologiques et de grandes décorations religieuses à *Saint*-Germain-l'Auxerrois, Saint-Merry*, etc., où l'inspiration idéaliste s'exprime dans une forme académique, souvent sèche et terne.

AMAY. ♦ V. de Belgique (Liège, arr. de Huy). 7 400 hab. Céramiques. Fonderies de zinc. Charbonnages.

AMAYA (Carmen). ♦ Danseuse et chorégraphe espagnole (Grenade, 1909 — Bagur, 1963); elle incarna l'art populaire gitan.

AMAZONAS. *n. m.* ♦ Vaste État du Brésil (Ouest) qui forme frontière avec la Colombie et le Pérou. 1 564 445 km^2. Entièrement recouvert par la forêt amazonienne **(V. Amazonie)**, il est traversé d'O. en E. par l'Amazone* et par ses affl. Sa pop. (931 000 hab. en 1969) est surtout groupée autour de la capitale Manaus*.

AMAZONAS. *n. m.* ♦ Grand territoire fédéral du Venezuela (175 750 km^2. Env. 12 600 hab., très faible dens.) qui confine avec la Colombie à l'O. et le Brésil au S. et au S.-E. *Ch.-l.* Puerto Ayacucho (env. 5 500 hab.).

AMAZONE. *n. f.* en esp. et en port. **Amazonas**. ♦ Fleuve d'Amérique du Sud, tributaire de l'Atlantique*, le premier du monde par la superficie de son bassin **(V. Amazonie)** et par son débit (entre 70 000 et 200 000 m^3/s). le second (après le Nil) pour sa longueur (6 400 km); navigable sur 3 100 km env. au Brésil. Selon la plupart des géographes, sa branche mère serait le Marañón* qui prend sa source au Pérou et reçoit en amont d'Iquitos l'Ucayali*, dont l'une des branches mères, l'Apurimac*, serait d'après d'autres géographes la source véritable du fleuve (long, dans ce cas, de 7 025 km). Après la confluence de l'Ucayali, l'Amazone se dirige vers l'E., longe la frontière colombienne, traverse l'État d'Amazonas* sous le nom de Solimões jusqu'au confluent du río Negro* (en amont duquel se trouve Manaus), puis l'État de Pará* où elle arrose Santarém* avant de se jeter dans l'Atlantique par un vaste estuaire ramifié (large de 100 km) parsemé d'îles, qui sépare au N. du Brésil, le territoire de l'Amapá*. Au S., l'île de Marajó* sépare les bouches de l'Amazone de l'estuaire du Tocantins*, le rio Para où est situé Belém*. *Princ. affl.* (ou *branches*) : r. d. **V. Javari, Juruà, Madeira, Marañón, Purus, Tapajos, Ucayali, Xingu ;** r. g. **V. Japurà, Napo, Negro** (qui relie l'Amazone à l'Orénoque par le Cassiquiare*), **Putumayo.** ♦ *Hist.* L'embouchure de l'Amazone, découverte par Vicente Pinzón* en 1500, fut probablement explorée par Vespucci* la même année, mais c'est le navigateur Orellana qui aurait donné ultérieurement son nom au fleuve, par allusion aux combats menés sur ses rives contre les femmes guerrières (Amazones) ou des Indiens à longue chevelure.

AMAZONES. *n. f. pl.* ♦ Peuple fabuleux de femmes vivant dans le Caucase ou dans le N. de l'Asie Mineure ou encore en Scythie. Chasseresses et guerrières farouches vivant de pillage, elles se brûlaient un sein *(mazos)* pour ne pas être gênées dans le tir à l'arc ou dans le maniement de la lance. Ne tolérant pas la présence des hommes, elles tuaient leurs enfants mâles à la naissance ou les mutilaient et les gardaient comme esclaves. **V.** *aussi* **Hippolyte, Penthésilée.**

AMAZONIE. *n. f.* ♦ Vaste bassin couvert de forêts, drainé par l'Amazone* et ses affluents. Plus de 6 000 000 de km^2. Adossé au plateau des Guyanes* au N. et à celui du Mato* Grosso au S., il s'étend du pied des Andes, à l'O. jusqu'à l'Atlantique, à l'E. Il comprend une partie de la Bolivie **(V. Beni, Madre de Dios, Mamoré)**, du Pérou **(V. Marañón, Ucayali)**, de la Colombie **(V. Putumayo, Japura, Negro)**, du Venezuela, où il rejoint le bassin de l'Orénoque* **(V. Cassiquiare, Negro)** et sur plus des deux cinquièmes du Bresil. De climat chaud et humide l'Amazonie reste une des régions les plus inexplorées du monde. Les principales voies de pénétration restaient les fleuves que parcourent les tribus d'Indiens qui vivent de chasse et de pêche (**V.** notamment **Jivaros**). — Cependant, deux grandes routes relient Brasília* à Rio Branco (Acre) et Belém (Pará); d'autres sont en construction et la région semble devoir se transformer rapidement, non sans dommage pour l'équilibre écologique et sans drames pour les populations indiennes. — La production de caoutchouc naturel fut la grande richesse de la région jusqu'en 1912, mais s'est vue supplantée sur le marché mondial par les plantations de Malaisie. Outre quelques cultures vivrières (manioc, riz, maïs) l'élevage bovin **(V. Marajó)** et l'exploitation forestière, les richesses minières (minerai de fer, manganèse, étain, pétrole) sont encore peu exploitées, à l'exception du manganèse dans l'État d'Amapá* et de l'étain de Rondônia*. — Les aventuriers espagnols des XVIe et XVIIe s. situaient l'Eldorado* entre l'Amazonie et l'Orénoque.

AMBALÂ. ♦ V. de l'Inde dans l'État du Pañjâb, chef-lieu de district. La ville proprement dite compte 87 750 hab. et l'aggl. dépasse 200 000 hab. (1970). Centre commercial et industriel.

AMBARD (Léon). ♦ Médecin français (Marseille, 1876 — Paris, 1962). Fondateur de la néphrologie, il a établi les lois de la sécrétion urinaire [*lois d'Ambard*].

AMBARÈS-ET-LAGRAVE. ♦ Comm. de la Gironde, située entre la Garonne et la Dordogne [**V. Entre-Deux-Mers**] (arr. de Bordeaux). 7 245 habitants.

AMBARTZOUMIAN (Victor Amazaspovitch). ♦ Astrophysicien russe (Tbilissi, 1908). Auteur de découvertes relatives aux amas et aux associations d'étoiles.

AMBATO. ♦ V. de l'Équateur, cap. de prov. dans les Andes, au S. de Quito. 53 800 hab. Indus. alimentaires et textiles.

AMBAZAC. ♦ Ch.-l. de cant. de la Haute-Vienne*, arr. de Limoges, près des *monts d'Ambazac*. 3 767 hab. Église des XIIe et XVe s. — Aux env. gisements d'uranium.

AMBEDKAR (Bhimrâo Ramji). ♦ Homme politique et juriste

Ph. Carlo Bevilacqua/Ricciarini

Amazone à cheval.
(Art romain : musée archéologique de Naples.)

indien (1892 – 1956) qui consacra sa vie à l'abolition de la ségrégation des « intouchables » ou hors-castes de l'Inde.

AMBERG. ♦ V. d'Allemagne du S.-E. (R.F.A., Bavière), sur la Vils, au N. de Ratisbonne. 41 000 hab. Église et hôtel de ville du XVe siècle. – Extraction de fer; sidérurgie, fonderies, mécanique lourde, verreries.

AMBÉRIEU-EN-BUGEY. ♦ Ch.-l. de cant. de l'Ain*, arr. de Belley*, dans le Bugey*, sur l'Albarine. 9 520 hab. *(Ambarrois)*. Nœud ferroviaire. Indus. électrique; soie.

AMBERT. ♦ Sous-préf. du Puy*-de-Dôme, ch.-l. d'arr. (8 cant., 55 comm., 36 944 hab.), sur la Dore*. 7 778 hab. *(Ambertois)*. Église (*fin* XVe s., *déb.* XVIe s.); maisons anc. – Bonneterie, chapelets, dentelles, papiers de luxe. – Patrie de E. Chabrier (monument).

AMBÈS. ♦ Comm. de la Gironde*, arr. de Bordeaux* sur la Dordogne*. 2 243 hab. (1 486 agglom.). – Le *bec d'Ambès* est une pointe de terre au confluent de la Dordogne et de la Garonne*. Vignobles, raffinerie de pétrole, centrale électrique.

AMBIGU *(théâtre de l')*. ♦ Construit en 1827, non loin du boulevard du Crime, ce théâtre fut l'un des hauts lieux du mélodrame, entre 1830 et 1900. Il a été détruit en 1966.

AMBIORIX. ♦ Roi des Éburons* (~ Ier s.). Au moment de la conquête de la Gaule par les Romains, il vainquit des lieutenants de César*, mais il fut battu par César lui-même (~ 54) et s'enfuit dans les Ardennes.

AMBLETEUSE. ♦ Comm. du Pas*-de-Calais, arr. de Boulogne*-sur-Mer, sur la Manche. 1 226 hab. Station balnéaire.

AMBLÈVE. ♦ Riv. de Belgique (85 km), affl. de l'Ourthe.

AMBOINE. ♦ Petite île du sud de l'archipel des Moluques*, appartenant à l'Indonésie, autrefois célèbre pour son poivre et ses girofliers. Elle fut découverte en 1512 par les Portugais et prise en 1605 par les Hollandais qui en firent le centre de leur monopole des épices. Elle fut évangélisée dès le début du XVIIe siècle.

AMBOISE (Georges d'). ♦ Prélat et homme politique français (Chaumont-sur-Loire, 1460 – Lyon, 1510). Archevêque de Narbonne en 1492 et de Rouen en 1494, il devint Premier ministre de Louis* XII et cardinal en 1498. Son administration habile et honnête fut un facteur de la popularité de Louis XII, mais ses ambitions au trône pontifical furent tenues en échec par Jules*II, ce qui devait amener Louis XII à convoquer le concile schismatique de Pise (1511). – Son neveu, GEORGES D'AMBOISE (1488 – 1550) fut cardinal (1545).

AMBOISE. ♦ Ch.-l. de cant. de l'Indre-et-Loire, arr. de Tours, sur la Loire. 8 899 hab. Château construit par Charles VIII (fin du XVe s.). Églises (XIIe et XVe s.). *Chapelle Saint-Hubert* (gothique flamboyant); *Clos-Lucé*, manoir du XVe s., où mourut Léonard de Vinci. – Transformation des métaux. Articles de pêche. Matériel d'optique. Chaussures. ♦ Hist. *Conjuration d'Amboise* (1560). Conspiration huguenote inspirée par le prince de Condé* et dirigée par La* Renaudie, qui visait à soustraire le jeune François II à l'influence des Guise. Découverte alors que les conjurés marchaient sur Amboise où se trouvait la cour, elle fut réprimée avec une extrême rigueur : la plupart des conjurés furent exécutés à l'intérieur même du château. – *Édit d'Amboise*. Promulgué en 1563 dans un but d'apaisement, cet édit accordait aux protestants une amnistie complète et la liberté de leur culte dans certaines limites territoriales.

AMBOSELI *(réserve de)*. ♦ Réserve du Kenya* située au N. du Kilimandjaro*, gérée par les Masaïs*. 362 000 hectares.

AMBRACIE, en gr. **Ambrakia**, auj. **Árta***. ♦ Anc. V. d'Épire (Grèce) près du *golfe d'Ambracie* (*auj.* golfe d'Arta), à l'entrée duquel se trouvait Actium*. – Colonie de Corinthe* (~ VIIe s.), elle fut alliée de Sparte contre les Athéniens.

AMBROISE *(saint)*, en lat. **Aurelius Ambrosius**. ♦ (Trèves, v. 330-340 – Milan, 397). Haut fonctionnaire de l'Empire romain, il fut nommé évêque de Milan par acclamation populaire alors qu'il n'était que catéchumène (374). Il fut l'adversaire du païen Symmaque, son parent (384), baptisa saint Augustin (387), contraignit l'empereur Théodose à une expiation publique après le massacre de Thessalonique (390). Son œuvre vise à l'efficacité plus qu'à la littérature : sermons, oraisons funèbres (celle de Théodose), traités moraux *(Sur les devoirs des clercs)*, hymnes dites *ambrosiennes*,

Ph. Hétier

Amboise : le château.

Arch. Smeets

Aménophis III, masque funéraire (~ 1370). (Staatliches Museum, Berlin.)

dont quatre seulement semblent authentiques parmi toutes celles qui nous sont parvenues. Père et docteur de l'Église. Fête le 7 décembre.

Ambrosienne *(bibliothèque)*. ♦ Bibliothèque fondée à Milan en 1602 par le cardinal Frédéric Borromée et ainsi nommée en mémoire de saint Ambroise*. Elle contient de précieux manuscrits dont un Virgile annoté par Pétrarque.

AMBRYM *(île)*. ♦ V. NOUVELLES-HÉBRIDES.

AMÉDÉE. ♦ Nom de plusieurs comtes et ducs de Savoie*. ♦ AMÉDÉE VI (Chambéry, 1334 – San Stéfano, 1383). Comte de Savoie (1343-1383), fondateur de l'ordre de l'Annonciade*. ♦ AMÉDÉE VIII (Chambéry, 1383 – château de Ripaille, 1451). Comte (1391-1416) puis duc de Savoie (1416-1440), il réunit le Piémont à la Savoie en 1429. Élu pape par les schismatiques de Bâle en 1439, il prit le nom de Félix V, mais fit sa soumission à Nicolas* V (1449), qui le nomma cardinal et légat en Savoie. Ce fut le dernier antipape.

AMÉDÉE de Savoie. ♦ (Turin, 1845 – *id.*, 1890). Roi d'Espagne (1870-1873). Fils de Victor* Emmanuel II d'Italie, il fut, après le renoncement de Léopold de Hohenzollern Sigmaringen, élu roi d'Espagne par les cortès (1870), à l'instigation du général Prim*. Impuissant devant la lutte des partis, il abdiqua en 1873 et retourna en Italie.

AMÉLIE-LES-BAINS-PALALDA. ♦ Comm. des Pyrénées-Orientales (arr. de Céret*) dans le Vallespir*, sur le Tech. 3 700 hab. *(Améliens* ou *Paladéens)*. Station thermale sur le versant S. du mont Canigou. – Papeterie.

AMENEMHET ou **AMENEMHAT.** ♦ V. AMMÉNÉMÈS.

AMENHOTEP. ♦ V. AMÉNOPHIS.

AMÉNOPHIS. ♦ Nom grec de quatre pharaons de la XVIIIe dynastie (Nouvel Empire), en égypt. *Amenhotep*. ♦ AMÉNOPHIS Ier. (Règne v. ~ 1550-~ 1530). Fils d'Amôsis* Ier et père de Touthmôsis Ier, il entreprit la construction du temple d'Amon* à Karnak* et fut plus tard adoré comme le protecteur de la nécropole thébaine. ♦ AMÉNOPHIS II. Fils de la reine Hatchepsout* et de Touthmôsis* III auquel il succéda (v. ~ 1450-~ 1425), il amorça le rapprochement de l'Égypte et du Mitanni (Arménie, etc.) et laissa le trône à son fils Touthmôsis* IV. Sa tombe, découverte en 1898 dans la Vallée des Rois*, est le type classique des hypogées royaux de la XVIIIe dynastie. ♦ AMÉNOPHIS III. Fils et successeur de Touthmôsis* IV (v. ~ 1410-~ 1375). Il mena l'Égypte à l'apogée de sa puissance malgré la menace grandissante des Hittites*. Il fit construire le temple de Louxor* et, en face de Thèbes* sur la rive gauche du Nil, un immense temple funéraire dont il ne reste que les colosses de Memnon*. Il fut introducteur de la religion d'Aton* qu'allait suivre son fils Aménophis IV. ♦ AMÉNOPHIS IV. Fils et successeur d'Aménophis III, mieux connu sous le nom d'Akhnaton **(V. Akhnaton)**.

AMÉRIC VESPUCE. ♦ Nom francisé d'Amerigo Vespucci*.

AMÉRIQUE. *n.f.* ♦ Une des cinq parties du monde. 42 000 000 km². 500 000 000 hab. Le continent américain s'étire sur 18 000 km, depuis les régions arctiques jusqu'aux abords du cercle polaire antarctique; il est baigné à l'E. par l'océan Atlantique, à l'O. par l'océan Pacifique. – L'Amérique est constituée par deux grandes masses continentales (AMÉRIQUE DU NORD, AMÉRIQUE DU SUD), reliées par un isthme (AMÉRIQUE CENTRALE). Un immense bourrelet montagneux occupe l'O., plus large au N. (montagnes Rocheuses*), plus élevé au S. et jalonné de volcans (les Andes*). Plus à l'E., se trouvent des montagnes et des terrains anciens érodés : Appalaches*, bouclier* canadien, massif des Guyanes*, plateau de Patagonie*. Le centre du continent est formé de vastes plaines sédimentaires où s'écoulent les principaux fleuves (Mississippi*, Orénoque*, Amazone*, Paraguay* et Paraná*). L'Amérique centrale est constituée de montagnes jeunes (volcans, grande sismicité) et d'un vaste plateau, le Yucatán*. Ces traits caracté-

Amérique du Sud.

risent aussi l'arc insulaire des Antilles*. – L'extension en latitude explique la diversité des *climats* et de la végétation. La quasi-totalité de l'Amérique du Nord est située entre la zone froide et la zone tempérée ; la végétation passe de la toundra (au N.) à la forêt de conifères, qui fait place plus au S. aux pinèdes et aux steppes. Le centre est le domaine des prairies et des steppes, tandis qu'à l'E. du Mississippi on trouve des forêts de type atlantique. – *Climat.* L'Amérique centrale, dans son ensemble, et une partie de l'Amérique du Sud, ont un climat de type tropical. Les Andes traversent toutes les zones climatiques : équatoriale, tropicale, désertique (Pérou et Chili septentrional), limitant l'influence du climat océanique. En Amérique du Sud, s'étend la forêt tropicale puis la savane. Au sud du Brésil et en Argentine, ces formations font place à des prairies (pampa), des brousses et des steppes (Patagonie). – Le *peuplement* de l'Amérique, peu dense et épars, a été transformé par l'arrivée des Européens. Au N., les Amérindiens ont été repoussés ou exterminés et remplacés au XIXe et au XXe s. par des immigrants européens (Anglais, Germaniques, Méditerranéens), auxquels les Noirs, descendants des esclaves importés d'Afrique, ne se sont pas assimilés **(V. États-Unis).** L'Amérique centrale est peuplée d'Indiens et de métis ; dans les îles, les Noirs et les mulâtres prédominent (sauf à Cuba et à Porto Rico). En AMÉRIQUE dite LATINE (par opposition à l'*Amérique anglo-saxonne*), la première phase de la colonisation espagnole (et portugaise)

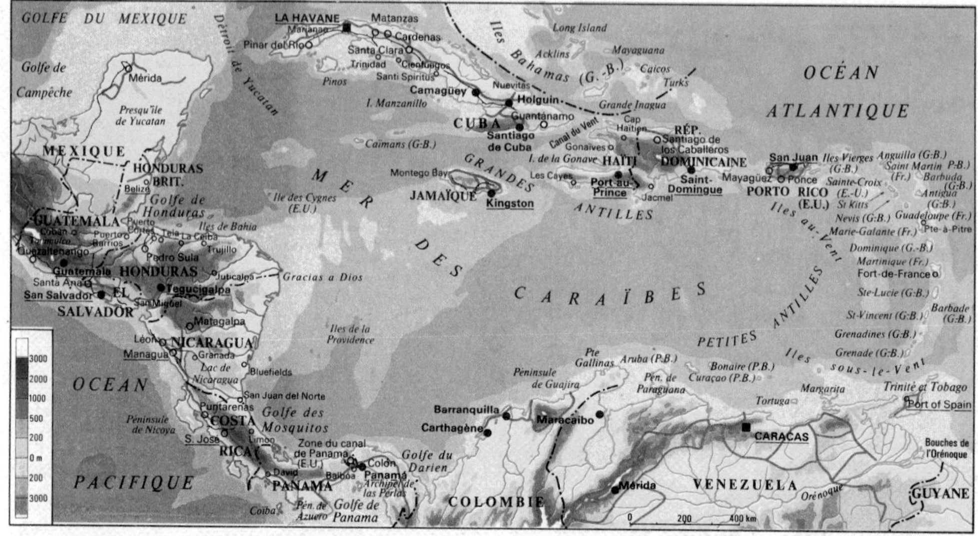

Amérique centrale.

s'est traduite par la destruction de brillantes civilisations **(V. Mayas, Aztèques, Incas)** et l'exploitation des Indiens autochtones (Caraïbes*, Quechuas*, Araucans*,...). Le brassage ethnique n'intervint qu'au XIXe s. avec l'arrivée massive d'Espagnols, de Portugais, d'Italiens (Argentine et Brésil) et d'Allemands. – *L'économie* de l'Amérique du Nord, extrêmement développée, repose sur une agriculture à haute productivité et d'énormes ressources naturelles alimentant une puissante industrie **(V. États-Unis, Canada).** La recherche des débouchés, mais aussi de certaines matières premières, conduit les États-Unis à renforcer leur emprise sur l'Amérique latine. L'économie de cette dernière est caractérisée par la prédominance du secteur agricole (coton, café, fruits, élevage) et par la faiblesse relative du domaine industriel. L'accession à l'indépendance, au XIXe s., n'a pas modifié les structures de l'économie, dont les richesses restent concentrées dans les mains d'une classe sociale privilégiée. Certains pays **(V. Cuba, Chili)** ont réalisé la réforme agraire. Les industries de transformation n'ont une certaine importance qu'en Argentine*, au Brésil*, au Mexique* et au Chili*, autour des grandes villes qui connaissent une croissance extrêmement rapide. Mais la faiblesse de l'infrastructure, le manque de techniciens et une démographie « galopante » posent à l'Amérique latine de graves problèmes liés au développement économique. ♦ *Hist.* Plusieurs siècles après les expéditions des Scandinaves, qui avaient atteint le Canada actuel, l'Amérique caraïbe fut découverte en 1492 par C. Colomb*. Le continent était alors très inégalement évolué. Aux régions fortement peuplées (Andes septentrionales, Amérique centrale), s'opposaient des régions à la population éparse et organisée en unités plus limitées (Hurons et Sioux au N., Indiens d'Amazonie au S.). Les conquérants **(V. Cortès, Pizarro)** s'emparèrent de l'Amérique latine qui fut partagée entre Espagnols et Portugais par le traité de Tordesillas* (1494); ils administrèrent leurs possessions par l'intermédiaire d'un *Conseil des Indes* où l'Église catholique et les jésuites jouèrent un rôle déterminant. La mainmise européenne sur l'Amérique du Nord, plus tardive, fut le fait des Anglais, qui se fixèrent en Nouvelle-Angleterre et fondèrent le Massachusetts (1620), et des Français qui s'établirent à Terre-Neuve et en Nouvelle-France (Canada*). Les premiers temps de la colonisation furent marqués par la lutte pour la possession de ces régions. Les Français perdirent le Canada qui devint possession anglaise en 1763. Treize ans plus tard, les colonies anglaises se révoltèrent : ce fut la guerre d'Indépendance des États-Unis (1776-1783). L'esprit de révolte se propagea à l'Amérique latine : San* Martín libéra les régions andines, Iturbide* le Mexique, Bolívar* et Sucre* le nord de l'Amérique du Sud (bataille d'Ayacucho, 1824). En 1822, le Brésil se déclara indépendant du Portugal. Tandis que l'Amérique du Nord se stabilisait en deux États (États-Unis et Canada), le premier définissant clairement sa politique par la formule de Monroe : « L'Amérique aux Américains », l'Amérique latine se scindait en une vingtaine d'États en proie à l'instabilité politique. Ceci allait faciliter l'ingérence, mal tolérée, des États-Unis d'Amérique du Nord dans les affaires (politiques et économiques) des républiques du Sud. Depuis 1948 a été créée une organisation qui groupe 20 États d'Amérique latine; le but de cette organisation, où l'influence des États-Unis est grande, est le maintien de l'équilibre actuel sur le continent américain, notamment contre les mouvements nationalistes d'inspiration marxiste.

Ph. Lauros-Giraudon

Amérique : les principaux peuples. (Gravure du XVIIIe s.)

AMERONGEN. ♦ Comm. des Pays-Bas (prov. d'Utrecht). 5 587 hab. Château.

AMERSFOORT. ♦ V. des Pays-Bas (prov. d'Utrecht*) sur l'Eem. 77 493 hab. Église (XVe-XVIe s.); maisons anciennes. Constructions mécaniques et navales, indus. chimiques et alimentaires. – Patrie de P. Mondrian*.

AMESBURY. ♦ V. d'Angleterre (Wiltshire), au N. de Salisbury, sur l'Avon. 22 600 hab. Ruines d'une abbaye du Xe s. et d'une église. Aux environs, vestiges mégalithiques de Stonehenge*. Patrie de J. Addison (Milston).

Âmes mortes (Les aventures de Tchitchikov ou **Les).** ♦ Roman de N. Gogol'* (1842). Tchitchikov, petit propriétaire terrien, parcourt la Russie pour acheter à bas prix des serfs morts depuis le dernier recensement (leur décès n'est pas enregistré) qui lui serviront de gage pour emprunter de l'argent. Dans cette œuvre, suite de portraits typiques et colorés, Gogol brosse un sombre tableau de la vie provinciale russe à l'époque du servage.

AMHARA. *n. m.* ♦ Région de l'O. de l'Ethiopie (anc. prov.) où se trouvent le lac Tana et Gondar.

AMHERST (Jeffrey, *baron***).** ♦ Maréchal anglais (Sevenoaks, Kent, 1717 – Montreal, Kent, 1797). Il commanda l'armée qui acheva la conquête du Canada (prise de Louisbourg et de Montréal, 1758-1760).

AMIATA *(mont).* ♦ Massif d'Italie dans l'Apennin, au S.-E. de Sienne. 1 739 m. Mines de mercure.

AMICI (Giovanni Battista). ♦ Opticien, astronome et naturaliste italien (Modène, 1786 – Florence, 1863). Il fit progresser sensiblement le microscope en réalisant des combinaisons de lentilles achromatiques (1825) et en inventant l'objectif de microscope à immersion [1850] **(V. Abbe).** Il effectua d'importants travaux sur la fécondation des plantes à fleurs (1823-1830 et 1846).

AMIDA NYORAI. ♦ Nom japonais du Bouddha Amitâbha* appelé parfois Mida.

Ami du peuple (l'). ♦ Une des feuilles les plus célèbres et les plus violentes de la Révolution française, rédigée par Marat*. Le premier numéro (*Le Publiciste parisien* [...]) parut le 12 septembre 1789. Du 16 septembre 1789 au 21 septembre 1792, la feuille fut publiée sous le titre *l'Ami du peuple ou le Publiciste parisien;* elle devint ensuite, jusqu'en 1793, le *Journal de la République française,* qui, dirigé contre les Girondins, se fit le porte-parole des sans-culottes.

Ami du roi (l'). ♦ Nom de deux feuilles royalistes de l'époque de la Révolution française; l'une fut publiée par l'abbé Royou* (de sept. 1790 à mai 1791), l'autre par Crapart-Montjoie (de juin 1790 au 10 août 1792).

AMIEL (Henri Frédéric). ♦ Écrivain suisse d'expression française (Genève, 1821 — 1881). De famille protestante, il revint s'établir à Genève après un séjour en Italie et cinq années d'études (1843 à 1848) dans des universités allemandes. Titulaire d'une chaire d'esthétique (1849) puis de philosophie (1854), il se consacra à son enseignement tout en faisant paraître divers recueils de critique et des vers où s'exprime sa nature sensible et peu sociable. — Esprit curieux, mais que la vie inquiète, Amiel fut très attiré par la philosophie idéaliste allemande du XIXe s. (Hegel* et Schelling*); il connut des « états de sympathie universelle » où il s'abandonna à un panthéisme idéaliste. Les fragments (1883 et 1923) de son *Journal intime* (1847-1881) montrent la lucidité de son esprit critique et l'absolue sincérité de son introspection.

AMIÉNOIS. *n. m.* ♦ Anc. pays de France, en Picardie, correspondant approximativement aux actuels dép. de l'Oise* et de la Somme*. *Cap.* Amiens*.

AMIENS. ♦ Préf. de la Somme*, ch.-l. d'arr. (17 cant. 339 comm. 264 603 hab.) sur la Somme*. 122 844 hab. [116 107 aggl.]. *(Amiénois).* Anc. cap. de la Picardie*. Évêché; académie; université. La cathédrale gothique, du XIIIe s., construite par Robert de Luzarches, est la plus vaste de France; sa façade aux célèbres sculptures (le « beau Dieu » d'Amiens), ses proportions en font un des exemples majeurs de l'apogée du gothique. Églises des XVe et XVIe s.; maisons anc. — Important nœud de communications, centre industriel (fonderies, laminages, pneumatiques, machines agricoles, textiles, etc.). — Patrie de P. Bourget*, É. Branly*, H. Debray*, J.-B. Delambre*, R. Dorgelès*, Pierre* l'Ermite, Voiture*. ♦ *Hist.* Réunie à la couronne avec l'Amiénois en 1185, Amiens joua un rôle important au XVIe s. durant les guerres de Religion. Prise par les Espagnols en 1597, elle fut délivrée six mois plus tard par Henri IV. ♦ *Traité* (ou *trêve) d'Amiens,* conclu le 25 mars 1802 entre la France (Joseph Bonaparte) et l'Angleterre (Cornwallis) à la suite des préliminaires de Londres (octobre 1801). L'Égypte était évacuée et rendue à la Turquie; l'Angleterre restituait à la France et à ses alliés la plupart de leurs colonies. L'Angleterre ne reconnaissait ni les frontières naturelles de la France ni les républiques vassales. Cette paix fut rompue dès 1803.

AMILCAR ♦ V. HAMILCAR.

AMIN DADA (Idi). ♦ Homme d'État et maréchal ougandais (Koboko, 1925). Commandant en chef de l'armée depuis 1964, il renversa le président Obote (1971). Président de la rép. et chef du gouvernement, il a été nommé président à vie en 1976. Personnage fantasque et inquiétant de la scène politique africaine, il a instauré un régime autoritaire, réprimant férocement les complots et massacrant par milliers ses opposants. Il soutient la cause arabe et a expulsé les Israéliens d'Ouganda.

Arch. Rencontre

Amiens : la cathédrale.

AMINDIVI. ♦ Îles de l'Inde formant avec les îles Laccadives et Minicoy un territoire de l'Union indienne. **V. Laccadive.**

AMÎN RAYHÂNI. ♦ Écrivain libanais (1879-1940). Vivant en exil, il utilisa non sans talent le vers libre et le poème en prose.

AMIRANTES *(îles).* ♦ Archipel corallien de l'océan Indien, au N.-E. de Madagascar, et qui fait partie des Seychelles*.

AMIRAUTÉ *(îles de l'),* en angl. **Admiralty Islands.** ♦ Archipel d'env. quarante îles de la Mélanésie* (Océanie), dans l'océan Pacifique du S.-O., extension de l'archipel Bismarck*. 2 000 km², dont plus de 1 600 km² pour l'île Manus*. ♦ *Hist. :* Découvertes par les Hollandais en 1616, les îles furent protectorat allemand en 1884, puis occupées par les Australiens en 1914 et placées sous mandat de l'Australie* en 1920. Pris par les Japonais en 1942, l'archipel fut conquis par les Américains en 1944, et placé sous tutelle de l'Australie en 1946.

AMÎR KHUSRÛ. ♦ Poète indien d'expression persane (1253 — Dehli, 1324). Dans ses ghazals il s'inspira de Sa'di*; dans ses *qasidas,* il suivit la voie des poètes du XIIe s., et il imita Nezâmi* dans ses *masnavis.* Il écrivit aussi divers ouvrages en prose.

AMIS (Kingsley). ♦ Romancier, critique et poète anglais (Clapham, 1922). Il s'adonna très tôt à la poésie et fit paraître avec James Mickie une anthologie (*Oxford Poetry,* 1949). A partir de 1963, il se consacra au roman. En 1954, son *Jim la Chance (Lucky Jim)* introduisait en littérature, mais sur un ton dérisoire, le monde des « jeunes gens en colère » *(angry young men)* en lutte contre le système social.

AMIS *(île des).* ♦ V. TONGA (Polynésie).

Amis de l'ordre. ♦ Association créée en 1796 par l'abbé Brotier (ou Brottier). De tendance royaliste constitutionnelle, cette association était secrètement animée par le groupe des Fils légitimes, partisan d'une restauration de la monarchie absolue.

Amis des Noirs (société des). ♦ Filiale d'une société londonienne créée en 1787; elle fut fondée à Paris, par Brissot* en 1788. Ses membres souhaitaient l'abolition de la traite des Noirs et de l'esclavage.

AMITÂBHA. ♦ Grand Bouddha de méditation des sectes bouddhiques du Mahâyâna* (appelé Amida au Japon), symbolisant le soleil couchant, et émettant de son corps la lumière spirituelle. C'est la divinité principale des sectes dites « amidistes » en Chine et au Japon.

AMITERNE, en lat. **Amiternum.** auj. **San Vittorino.** ♦ Anc. V. d'Italie (Sabine). Patrie de Salluste*.

'AMMÂN. ♦ Cap. de la Jordanie, située sur le wadi Amman à 850 m dans le N.-O. du pays, au pied du *dj. Ajlûn.* Ch.-l. de la province du même nom. 600 000 hab. env. (réfugiés inclus). Siège du gouvernement. Centre culturel. Principal centre commercial et industriel du pays (indus. alimentaires, textiles; savonneries, manufacture de tabac). Raffinerie de pétrole à Zarqa*. ♦ *Hist.* Site de la biblique *Rabbath Ammon,* cap. des Ammonites*, la ville fut prise et reconstruite par Ptolémée Philadelphe (~ 283-~ 246) qui la nomma *Philadelphia,* nom qu'elle conserva aux époques romaine et byzantine. Elle devint la capitale de la Transjordanie quand 'Abd* Allâh ibn Husayn y établit son gouvernement. — Ruines romaines : théâtre de 6 000 places, temple et nymphée.

AMMÉNÉMÈS. ♦ Nom grec de plusieurs pharaons de la XIIe dynastie (Moyen Empire), en égypt. *Amenemhet.* ♦ AMMÉNÉMÈS Ier, fondateur de la XIIe dynastie (v. ~ 2000 — ~ 1970). Il transféra la capitale de Thèbes* à Licht*. Son fils Sésostris* Ier lui succéda. ♦ AMMÉNÉMÈS II, troisième pharaon de la XIIe dynastie (v. ~ 1930), petit-fils d'Ammenemes Ier. ♦ AMMÉNÉMÈS III (v. ~ 1850 — ~ 1800). Fils et successeur de Sésostris* III, il entreprit l'exploitation économique du Fayoum*, fit creuser le lac Moeris (*auj.* lac Karoun*) et construire la pyramide et le temple de Haouârah (le Labyrinthe). **V. Karoun.** ♦ AMMÉNÉMÈS IV, dernier pharaon de la XIIe dynastie (v. ~ 1800-~ 1792).

AMMIEN MARCELLIN (Ammianus Marcellinus). ♦ Historien latin d'origine grecque (Antioche, v. 330 — v. 400). Son œuvre *(Rerum gestarum libri XXXI),* dont les 13 premiers livres sont perdus, continuait celle de Tacite*.

AMMON. ♦ Personnage biblique, fils de Loth*, éponyme des Ammonites*.

AMMON. ♦ **V.** AMON (égypt.).

AMMONIOS SACCAS, en lat. **Ammonius.** ♦ Philosophe grec (Alexandrie, *fin* IIe s. — *déb.* IIIe s.). Ayant abandonné le christianisme, il fut le fondateur du néo*-platonisme à Alexandrie* où Plotin*, Origène* et Longin* furent ses disciples.

AMMONITES. *n. m. pl.* (« Fils d'Ammon »). ♦ Ancien peuple sémite établi à l'E. du Jourdain, connu surtout par la Bible. Souvent en guerre avec Israël, les Ammonites furent battus par Jephté, David et plus tard Judas Macchabée. Leur capitale, Rabbath-Ammon, devint Philadelphie **(V. 'Ammân).**

AMNÉVILLE. ♦ Comm. de la Moselle, arr. de Metz-Campagne, sur l'Orne. 7 879 hab. Constructions métalliques.

AMOGHAVARṢA. ♦ Nom de trois rois indiens de la dynastie des Râṣtrakûṭa*, de confession jaina, qui régnèrent dans le S.-O. de l'Inde de v. 815 à v. 940. AMOGHAVARSA Ier fut également un poète renommé de langue kannara.

AMON, égypt. **Amun** ou **Amana,** gr. **Ammon,** « le [dieu] caché ». ♦ Dieu égyptien représenté sous l'aspect d'un homme, tantôt à tête de bélier ou d'oie, tantôt à visage humain portant des cornes de bélier, tantôt la tête coiffée du disque solaire surmonté de deux

Ph. Giraudon

Amon protégeant Aménophis III. (Musée égyptien, Le Caire.)

longues plumes. Il était à l'origine l'un des huit grands dieux d'Hermopolis* et personnifiait l'indétermination spatiale. Son culte gagna Thèbes* au début du Moyen Empire et la personnalité d'Amon s'enrichit d'emprunts aux autres divinités, notamment au dieu-soleil d'Héliopolis*, Rê*, auquel il fut identifié sous le nom d'*Amon-Rê*. On lui adjoignit Mout et Khonsou*. Dieu des rois thébains qui repoussèrent les Hyksos*, il devint bientôt le dieu suprême de l'Empire libéré et le patron du Nouvel Empire. La révolution religieuse d'Akhnaton* (v. ~ 1370), qui tenta d'imposer le culte d'Aton*, fut en partie dirigée contre la puissance grandissante des prêtres d'Amon. Mais, rétabli par Toutânkhamon* (v. ~ 1350), le culte d'Amon reprit de l'importance avec la construction du grand temple de Karnak*. Il ne décrut qu'avec la destruction de Thèbes par les Assyriens (v. ~ 664) pour laisser la première place au culte d'Osiris*. Les Grecs l'identifièrent à Zeus*.

AMON. ♦ Roi de Juda (~ 642 – ~ 640), fils de Manassé*, père de Josias*. (Cf. *II Rois*, XXI, 19 sqq.).

AMONTONS (Guillaume). ♦ Physicien français (Paris, 1663 – *id.*, 1705). Inventeur de thermomètres à mercure et à gaz, il montra que la loi de Boyle-Mariotte* est seulement liée à une température constante (1702) et, définissant la température sous forme de grandeur mesurable (et non plus seulement repérable), introduisit la notion de température absolue.

AMORITES ou **AMORRHÉENS.** *n. m. pl.* ♦ Peuple sémitique, nomade, installé dès le ~ IIIe s. dans le pays d'Amourrou (le désert de haute Syrie). Ils s'infiltrèrent en Mésopotamie et fondèrent à Babylone une dynastie (v. ~ 1830 – ~ 1530) dont les rois les plus célèbres furent Hammurabi* et son fils Samsu*-Iluna. **V. Babylone.**

Amour à la ville (L') *(L'amore in Citta).* ♦ Film italien réalisé en 1953 par Antonioni*, Fellini*, Lattuada*, Lizzani, Maselli, Risi (scénariste Zavattini). Six histoires « vraies » y sont reconstituées, mais les personnalités très différentes des réalisateurs fait échapper le film au vérisme. L'œuvre se situe à la fin de l'époque du cinéma néo-réaliste italien, à la veille du « cinéma-vérité ».

AMOS. ♦ Prophète juif (de Juda), berger qui prophétisa en Israël au ~ VIIIe s. Prophète de malheur, il se heurta à la religion officielle. – *Livre d'Amos.* Livre biblique, un des douze petits prophètes (9 chapitres).

AMOSIS, nom grec d'**Ahmôsé** ou **Aahmès Ier**. ♦ Premier pharaon de la XVIIIe dynastie (v. ~ 1580 – ~ 1558). Il acheva l'œuvre de son frère Kamôsis* et libéra l'Égypte des Hyksos*. Son fils Aménophis* Ier lui succéda.

AMOU. ♦ Ch.-l. de cant. des Landes, arr. de Dax dans la Chalosse. 1 400 hab. *(Amollais).*

AMOU-DARIA ou **ÂMU-DARIÂ.** *n. m.* (*Oxus* des Anciens, **V. Bactriane**). ♦ Fl. d'U.R.S.S. (2 620 km avec le Vakhdjir), né en Afghānistān (Pamīr méridional) appelé d'abord *Vakhdjir* (jusqu'à sa confluence avec le Pamîr) et *Piandj* (jusqu'à sa confluence avec la Vakhsh). Il baigne le Türkmenistân* et l'Ouzbékistan* et se déverse dans la mer d'Aral* par un vaste delta (11 000 km^2).

AMOUR. *n. m.* (mot buriat, « sale, boueux »), en chinois **Heilung chiang** (« fleuve du Dragon noir »). ♦ Fl. de l'Extrême-Orient (4 354 km) formé par la réunion de la Chilka et de l'Argun (issu du grand Khingan), il sert de frontière entre l'U.R.S.S. (Sibérie) et la Chine du N.-E. (Mandchourie) sur la majeure partie de son cours et se jette dans le golfe de Sakhaline, au N. du détroit de Tartarie. *Princ. affl. :* Zeïa, Soungari [Sungari], Oussouri [Ussuri]. Il arrose Blagoveshtchensk*, Khabarovsk*, Komsomolsk*, Nikolaïevsk*. Importante voie navigable de l'Extrême-Orient soviétique en dépit de la durée de l'embâcle et des hautes eaux d'été. L'équipement hydro-électrique du fleuve a permis l'industrialisation de son bassin (1 843 000 km^2).

AMOUR *(djebel).* ♦ Massif montagneux de l'Algérie méridionale, partie de l'Atlas saharien entre les monts des Ksour* et ceux des Ouled* Naïl.

Amour (De l'). ♦ Œuvre de Stendhal*, publiée en 1822, qui se veut un essai de psychologie concrète (souvenirs d'un amour déçu) et théorique. Le premier livre étudie la naissance de l'amour et ses caractères naturels. Distinguant quatre sortes d'amour (l'amour-passion ; l'amour-goût ; l'amour-vanité ; l'amour physique), Stendhal s'intéresse surtout à l'amour-passion et analyse les sept étapes de sa naissance (dont le phénomène de la « cristallisation »). Le deuxième livre étudie les rapports de l'amour avec la vie sociale dans différents pays.

Amour et la vie d'une femme (L') *(Frauenliebe und Leben).* ♦ Suite de 8 mélodies de Schumann* (Op. 42) composées sur des poèmes de Chamisso (1840).

Amour médecin (L'). ♦ Comédie-ballet en trois actes de Molière*, musique de Lulli* (1665). Satire des médecins de la cour et de leur prétentieuse ignorance.

Amours (Les). ♦ Recueil des vers publiés par P. de Ronsard* entre 1552 et 1556, puis en 1578. Dédiés à Cassandre Salviati, fille d'un seigneur florentin et aimée alors qu'il l'avait à peine

Ph. Giraudon

André Marie Ampère. (Bibliothèque nationale, Paris.)

entrevue, les *Amours de Cassandre* (1552) sont des œuvres d'inspiration pétrarquiste, ingénieuses et charmantes (l'ode célèbre « Mignonne, allons voir si la rose... »). Une paysanne tourangelle inspira les *Amours de Marie* (1552), sonnets et chansons imités de Catulle*, puis les *Sonnets sur la mort de Marie* (1578), poèmes délicats et émouvants. Dans les *Amours d'Hélène* (1578), le poète vieillissant lance à Hélène de Surgères un pressant appel à jouir de la vie (« Quand vous serez bien vieille... »).

Amours de Tristan (Les). ♦ Recueil de poésies de Tristan* l'Hermite (1638).

Amours du poète [**Les**] *(Dichterliebe).* ♦ Cycle de 16 mélodies composé par Schumann* (Op. 48) sur des poèmes de H. Heine* et publié en 1840. L'une des œuvres les plus achevées de la musique vocale romantique.

Amour sorcier [**L'**] *(El amor brujo).* ♦ Ballet pantomime en un acte, musique de M. de Falla, argument de G. Martinez Sierra, chorégraphie de la Argentina (Madrid, 1915). La *Danse rituelle du feu* est la page la plus célèbre de la partition.

AMOY. ♦ V. HSIA*-MEN, SZU-MING.

AMPER. *n. m.* ♦ Riv. d'Allemagne occidentale [Bavière], affl. de l'Isar (175 km). Née dans les Préalpes de Bavière, elle traverse le plateau bavarois.

AMPÈRE (André Marie). ♦ Physicien et mathématicien français (Lyon, 1775 – Marseille, 1836). Auteur de travaux de mathématiques (*Considérations sur la théorie mathématique du jeu,* 1802) et de chimie (en 1814, il émit la même hypothese qu'Avogadro*, sans connaître les travaux de celui-ci), il se rendit surtout célèbre à partir de 1820, après l'expérience d'Oersted*, par ses découvertes dans le domaine de l'électromagnétisme et de l'électrodynamique. Inventeur du galvanomètre, du télégraphe électrique et, avec Arago*, de l'électro-aimant, il édifia une théorie électrodynamique du magnétisme, dans laquelle il introduisit les « courants particulaires », donna la formule de l'action réciproque des courants, fut le premier à avoir l'idée de l'intensité des courants et utilisa dans ses calculs une grandeur qui annonce la notion de champ magnétique. On lui doit également une règle simple pour déterminer le sens de déviation de l'aiguille aimantée par rapport à un observateur (le « bonhomme d'Ampère ») couché dans le sens du courant (*Mémoire sur la théorie des phénomènes électrodynamiques, uniquement déduits de l'expérience,* 1827). Son grand ouvrage sur la classification des connaissances, *Essai sur la philosophie des sciences,* est resté inachevé. (Acad. des sc., 1814.)

AMPÈRE (Jean-Jacques). ♦ Écrivain et historien français (Lyon, 1800 – Pau, 1864), fils d'André-Marie. Esprit enthousiaste et curieux, il s'intéressa d'abord aux littératures du nord de l'Europe *(Eddas, Sagas* et *Nibelungen).* Professeur au Collège de France (1833 à 1864), il publia une *Histoire littéraire de la France avant le XIIe siècle* (1839) et l'*Introduction à l'histoire de la littérature française au Moyen Âge* (1841). Après plusieurs grands voyages, il se consacra à son *Histoire romaine à Rome* (1858), suivie de l'*Empire romain à Rome* (posth., 1867). Il a laissé également une intéressante correspondance, notamment avec Mme Récamier. [Acad. fr., 1848].

Amphictyonies, en gr. **Amphiktuoniai**. *n. f. pl.* ♦ A l'origine, assemblées religieuses puis politiques de l'anc. Grèce. La plus célèbre fut l'amphictyonie pylaio-delphique (~ VIIe-~ IVe s.) qui réunissait deux fois par an, à Delphes* ou aux Thermopyles*, les députés de douze peuples de la Grèce continentale. Elle fut érigée en sorte de tribunal international. **V.** *aussi* **Délos.**

AMPHION. ♦ Fils de Zeus* et d'Antiope*, poète et musicien. Pour venger sa mère, maltraitée par Dircé*, il la tue, puis bâtit les remparts de Thèbes* en jouant de la flûte et de la lyre.

AMPHIPOLIS. ♦ Anc. V. de Macédoine (Edonide*), sur le Strymon. Colonie d'Athènes*, fondée en ~ 437, elle fut prise à Thucydide*, chargé de sa défense, par le général lacédémonien Brasidas* en ~ 424. Philippe* II de Macédoine la conquit en ~ 357. – Patrie de Zoïle*.

AMPHISSA ou **SÁLONA.** ♦ V. de Grèce (Phocide), à l'O. du Parnasse. 6 100 habitants.

AMPHITRITE, en gr. **Amphitritê.** ♦ Déesse de la mer, épouse de Poséidon* et mère de Triton*. **V. Néréides.**

AMPHITRYON. ♦ Roi légendaire de Tirynthe*, fils d'Alcée*. Zeus revêtit son apparence pour séduire sa femme Alcmène* qu'il rendit mère d'Héraclès*.

Amphitryon. ♦ Comédie de Molière* en trois actes et en vers libres (1668). En l'absence d'Amphitryon, général des Thébains, Jupiter séduit Alcmène son épouse après avoir pris l'apparence du mari. Simultanément, la métamorphose de Mercure en Sosie, valet d'Amphitryon, et le retour inopiné de ce dernier entraînent une succession joyeuse de quiproquos. Inspirées de l'Amphitryon de Plaute* (~ IIe s.), plusieurs comédies modernes développent le même thème. Les plus célèbres ont pour auteurs Dryden (1690), Kleist (1807) et Jean Giraudoux (1929).

AMPLEPUIS. ♦ Ch.-l. de cant. du Rhône* (arr. de Villefranche*-sur-Saône) dans les monts du Beaujolais. 5 455 hab. *(Amplepuisiens).* Indus. textiles.

AMPURIAS. ♦ V. d'Espagne (Catalogne), au N.-E. de Gérone, sur le golfe de Rosas. Site archéologique. Dans l'Antiquité, Emporion*, colonie fondée au ~ VIe s. par les Massaliotes eut, au temps des Romains, une très grande activité commerciale (Cf. *Emporium*).

'AMR IBN AL-AS. ♦ Général arabe, conquérant de l'Égypte (La Mecque, v. 580 – Fustât, 664). Converti à l'islâm en 629, il devint un des compagnons du Prophète. Il fut chargé par Abû* Bakr, successeur de Mahomet*, de la direction de l'une des trois armées qui envahirent la Palestine (633). Il acheva pratiquement la conquête de l'Égypte avec la prise d'Alexandrie (642). Il fonda Fustât, qui devint la capitale de la province égyptienne dont Amr fut gouverneur jusqu'à sa mort.

'AMR IBN KULTHÛM. ♦ Poète arabe chrétien de l'époque antéislamique (VIe s.) auteur d'une des Mu'allaqat* qui manifeste une grande fougue guerrière et décrit la bravoure des femmes de sa tribu pendant les combats.

AMRITSAR. ♦ V. du N.-O. de l'Inde, dans le Pañjâb. 430 000 hab. (1970). Cité sainte des Sikhs* où se trouve le célèbre « Temple d'or » élevé du XVIe au XVIIIe siècles. Grand centre commercial et artisanat. Artisanat important.

Amshaspends ou **Amesha Spenta.** ♦ **V.** AHURA-MAZDÂ.

AMSTERDAM (« digue [dam] sur l'*Amstel*). ♦ V. et port des Pays-Bas, cap. politique du pays – la cap. administrative est La Haye* –, sur l'Ijselmeer*, l'Amstel et le canal de la mer du Nord. 845 821 hab. *(Amstellodamois)*; l'aggl. dépasse 1 000 000 d'hab. Harmonieusement construite sur un important réseau de canaux, délimitant plus de 100 îlots et qui la font nommer « la Venise du Nord ». Amsterdam est une des grandes villes d'art et l'un des princ. centres touristiques d'Europe (1 500 000 visiteurs

Ph. Leigheb/Ricciarini

Amritsar : le Temple d'or.

annuels). Nombreux monuments : palais royal de J. van Campen (XVIIe s.), *Nieuwe Kerk,* (XVe-XVIIe s.), *Oudekerk,* gothique et Renaissance, hôtel de ville du XVIe s., synagogue portugaise (1675). Au S. de la ville historique, des quartiers résidentiels se sont développés, comme la ville nouvelle d'Amstelveen (65 000 hab.). – Université, importante bibliothèque, maisons d'édition. Nombreux musées, dont le Rijksmuseum, la maison de Rembrandt (qui y vécut de 1630 à sa mort), le musée d'Art moderne. Centre administratif et bancaire. – Enrichi dans le commerce avec les Indes néerlandaises, le port est le deuxième du pays (loin derrière Rotterdam). Amsterdam est aussi un centre industriel : constructions navales, indus. alimentaires (brasseries), chimiques, mécaniques, textiles, électroniques; taille du diamant. Aéroport international à *Schipol.* – Patrie de M. Hobbema*, Spinoza*, J. Swammerdam*. ♦ *Hist.* Village de pêcheurs au XIIe s., Amsterdam se développa après son entrée dans la ligue hanséatique (1369) et devint rapidement un centre commercial important. Elle fut en relation d'affaires prospères avec Lisbonne. En 1578, elle se révolta contre l'Espagne et fit partie des Provinces-Unies. Au XVIIe s., sa prospérité s'accrut grâce à la fondation de la Compagnie des Indes orientales en 1602 et de la *banque d'Amsterdam* (1609). La compagnie des Indes occidentales fut à l'origine de la fondation de la *Nouvelle-Amsterdam* **(V. New York)** et de l'achat de Manhattan; ses bâtiments (1621) existent encore. Le déclin d'Anvers, l'afflux de réfugiés protestants et juifs des territoires espagnols et de huguenots français après la révocation de l'édit de Nantes (1685) accrut sa prospérité et ses activités. Prise par les Prussiens en 1787, puis par les Français de Pichegru en 1795, la ville devint la cap. du nouveau royaume de Hollande (1808-1810), puis le ch.-l. du dép. du Zuyderséé (1810-1813). Elle fut occupée par les Allemands, de mai 1940 au début de 1945, et fut libérée par les Canadiens. Un des résultats de l'occupation nazie fut la disparition de l'importante colonie juive.

Amsterdam au Rhin *(canal d').* ♦ Canal reliant Amsterdam au Rhin et à la mer du Nord.

ÂMU-DARIÂ. ♦ **V.** AMOU-DARIA.

AMUL, AMOL ou **AMOUL.** ♦ V. d'Iran (Mazandaran) au pied de l'Elbourz, sur le Haraz Rud. 14 000 hab. Mosquée. Monuments du XIIIe et du XIVe s. – Vergers, rizières. Réserves de charbon et de fer.

AMUNDSEN (Roald). ♦ Explorateur norvégien (Borge, Østfold, 1872 – dans l'Arctique, 1928). Après avoir participé à l'expédition De Gerlache dans l'Antarctique (1897-1898), il acheta le *Gjøa,* sloop de 47 tonneaux à bord duquel, parti le 17 juin 1903 de Norvège, il longea les côtes du Groenland, franchit les détroits de Barrow et Lancaster et aborda à la Terre du Roi-Guillaume (IV) où il séjourna près de deux ans faisant des observations scientifiques. Après avoir passé par le détroit de Dease et atteint la baie qui porte son nom, il longea la côte de l'Alaska où il hiverna avant de parvenir en 1906 au détroit de Béring. En 1910, il entreprit à bord du *Fram* une expédition d'exploration de l'Antarctique et du pôle Sud (1911). Il mourut dans un avion envoyé au secours de l'Italien Nobile*.

AMYNTAS. ♦ Nom de huit rois de Macédoine dont : AMYNTAS III (v. ~ 389-~ 369), père de Philippe* II. ♦ AMYNTAS IV (~ 360-~ 359). Fils de Perdiccas* III, il lui succéda sous la régence de son oncle Philippe* II, qui ne tarda pas à le déposer.

Ph. Gino Begotti/Ricciarini

Amsterdam.

AMYOT (Jacques). ♦ Humaniste français, (Melun, 1513 – Auxerre, 1593). Sa traduction de *Théagène et Chariclée* d'Héliodore* (1547) lui valut la faveur de la cour. Devenu précepteur des enfants de Henri II, puis grand aumônier de France et évêque d'Auxerre, il publia en 1559, la traduction de *Daphnis* et Chloé* de Longus*. Il traduisit aussi les *Œuvres* morales* (1572) et les *Vies des hommes illustres* ou *Vies parallèles* (1559) de Plutarque*.

AMYRTÉE. ♦ Fondateur et unique pharaon de la XXVIIIe dynastie saïte (v. ~ 404-~ 398).

AN. ♦ Principal dieu de Sumer, souverain du ciel, désigné par une étoile et vénéré à Uruk* et Lagash*. **V.** *aussi* **Enlil, Enki.**

Anabaptistes. *n. m. pl.* (Cf. Le Robert). ♦ Secte allemande formée en Saxe v. 1521 autour de Thomas Münzer*. Pour appliquer strictement l'Évangile, elle exigeait que les adultes, après conversion profonde, soient baptisés à nouveau (par immersion). Elle réclamait l'extension de la Réforme* sur le plan social (communauté des biens). En opposition violente avec Luther et persécutés, les anabaptistes portèrent leur action en Allemagne du Sud où ils animèrent la guerre des Paysans mais furent écrasés en 1525. Les survivants occupèrent Münster où ils formèrent un « royaume de Sion » communautaire (1532-1535, **V. Jean de Leyde**); mais ils durent capituler et subirent une répression féroce. Sur le plan religieux, leur mouvement se prolongea chez les mennonites (**V. Simonsz** [Menno]) et les baptistes.

ANABAR. *n. m.* ♦ Fl. d'U.R.S.S. (897 km) qui prend sa source sur le plateau du même nom en Sibérie centrale et se jette dans la mer de Laptev*.

Anabase (L'). ♦ Œuvre de Xénophon. **V. Xénophon.**

ANACHARSIS, en gr. **Anakharsis.** ♦ Philosophe d'origine scythe (~ VIe s.). De retour dans sa patrie, il fut tué pour impiété, ayant voulu y introduire le culte de Déméter. Il est considéré comme le précurseur des cyniques*.

ANACLET ou **CLET** *(saint).* ♦ Traditionnellement, 3e pape (79-89 ?), martyr. Fête le 26 avril.

ANACLET II (Pietro Pierleoni, en fr. **Pierre de Léon).** ♦ Antipape (1130-1138 [mort]), contre Innocent* II. Il eut l'appui de Roger* II de Sicile. Le *schisme d'Anaclet* se termina avec la soumission de Victor* IV.

ANACONDA. ♦ V. des États-Unis, au S.-O. du Montana dans les Rocheuses. 12 054 hab. (1960). Mines et fonderie de cuivre (fondée par Marcus Daly en 1884; devenue l'une des plus grandes du monde). Phosphates.

ANACRÉON. ♦ Poète grec (Téos, Lydie, v. ~ 570). Il vécut à la cour des tyrans Polycrate* de Samos et Hipparque* d'Athènes*, puis en Thessalie. Il serait mort à l'âge de 85 ans. Un des plus grands représentants du lyrisme personnel en dialecte ionien, il composa des chansons d'amour et de table caractérisées par une légèreté gracieuse et brillante. Il nous reste quelques fragments de son œuvre, mais les *Anacreonteia* (env. 60 courts poèmes), publiés en 1554 par Henri Estienne*, appartiennent vraisemblablement à des imitateurs alexandrins du IIe siècle. Adaptés par Rémi Belleau*, ils ont inspiré la poésie dite *anacréontique*. **V. Chaulieu, Ronsard.**

ANADYR'. *n. m.* ♦ Fl. d'U.R.S.S. (1 145 km) qui naît dans les monts du même nom en Sibérie nord-orientale et se jette dans le *golfe d'Anadyr* (mer de Béring).

ANAGNI. ♦ V. d'Italie dans le Latium (province de Frosinone). 16 246 hab. – Patrie des papes Innocent III, Grégoire IX et Boniface VIII. ♦ Hist. *Attentat d'Anagni.* Le 7 sept. 1303, Guillaume de Nogaret*, envoyé par Philippe IV le Bel pour se saisir du pape Boniface* VIII, força les portes de la résidence pontificale d'Anagni avec une troupe de sbires recrutés par Sciarra Colonna. Le pape ne rentra à Rome que pour mourir des suites de ce choc. **V.** *aussi* **Benoît XI.**

ANAHEIM. ♦ V. des États-Unis (Californie*) au S.-E. de Los Angeles. 166 000 hab. Centre indus. et agricole (agrumes). La zone métropolitaine compte 1 409 335 hab. Le parc d'attractions de *Disneyland* y fut ouvert en 1955.

ANÁHUAC. *n. m.* ♦ Plateau volcanique du bassin de Mexico, dominé par le Popocatepetl*. Les lagunes d'origine (Chalco, Texcoco, ...) ont à peu près totalement disparu. – Pays de l'ancienne capitale aztèque Tenochtitlán*, dont le nom s'étendit à l'ensemble de l'« Empire aztèque » avant la conquête espagnole.

ANAIZA. ♦ V. d'Arabie Sa'ûdite, située au S. de Burayda* dans une oasis du Nedjd*. 50 000 hab. (1970). Grand marché de dattes.

Analytiques (Les). ♦ Traité logique d'Aristote* sur le raisonnement (ou *syllogisme*). La première partie de l'ouvrage traite de la théorie formelle du syllogisme; la seconde, du syllogisme démonstratif. Aristote y montre le rôle de l'expérience et de l'induction dans l'élaboration de la connaissance.

ÂNANDA (mot sanskrit signifiant « béatitude », « épanouissement », « bonheur parfait »). ♦ Nom sous lequel est connu un des dix grands disciples du Bouddha, son cousin.

ÂNANDA MAHIDOL (Heidelberg, 1925 - Bangkok, 1946). ♦ Roi de Thaïlande (Râma VIII, 1935-1946). Après des études en Suisse, il fut appelé à succéder à son oncle Prachadhipok et demeura sous la tutelle d'un conseil de régence jusqu'en 1940. Il fut assassiné et son frère, Bhumibol* Adulyadej, fut mis sur le trône.

ANÂRKALÎ. ♦ Veuve d'Humâyun* et concubine favorite d'Akbar*, morte en 1615 à Lahore (Pâkistân) où elle avait été exilée. Poétesse et femme d'esprit réputée, elle aurait été enterrée vivante pour avoir été aimée du prince Salîm (le futur empereur Jâhangir*).

Ph. Carlo Bevilacqua/Ricciarini

Anatolie : région d'Urgüp.

ANASTASE Ier *(saint).* ♦ 39e pape (399-401 [mort]), romain. Fête le 19 décembre. – ANASTASE II *(saint).* 50e pape (496-498 [mort]), romain. – ANASTASE III. 120e pape, romain (911-913 [mort]). **V.** *aussi* **Pornocratie.** – ANASTASE IV *(Conrad).* 166e pape (1153-1154 [mort]), romain.

ANASTASE. ♦ Nom de deux empereurs d'Orient : ANASTASE Ier, dit *le Silenciaire* (430 – 518). Empereur de 491 à 518. ♦ ANASTASE II. Empereur de 713 à 715.

ANASTASE le Bibliothécaire. ♦ Homme d'église (Rome, v. 815 – v. 878). Antipape (candidat de l'empereur) contre Benoît* III. Il devint le principal collaborateur de Nicolas* Ier et de ses successeurs.

ANAT. ♦ Anc. déesse sémitique connue chez les Amorites de Mari et surtout dans les poèmes d'Ougarit (~ XIVe s.) où elle est la sœur de Baal. Déesse guerrière et déesse de la fertilité, elle est associée à Ashtart*; elle lui est même assimilée en Égypte (~ XIVe-~ XIIe s.).

ANATOLIE. [*n. f.*], en gr. **Anatolê** (« le Levant »). ♦ Nom donné par les Byzantins à l'Asie* Mineure et désignant depuis 1923 la Turquie d'Asie (Arménie et Kurdistan compris). **V. Turquie.**

ANATOM *(île).* ♦ NOUVELLES-HÉBRIDES.

ANAU. ♦ Village d'U.R.S.S. (Türkmenistân) où furent découverts en 1903 des vestiges d'une civilisation néolithique (tumuli) apparentée à celle des débuts de Suse* (Iran).

ANAUKPETLUN. ♦ Roi birman d'Ava (1605-1628), petit-fils du roi Bayinnaung. Il agrandit ses possessions et prit les villes de Prome (1607) et de Taungou (1610). En 1619, il noua des relations commerciales avec la Compagnie anglaise des Indes orientales et lui concéda des comptoirs.

ANAWRATHA. ♦ Premier grand souverain de Birmanie (1044-1077). Petit chef du village de Pagan, sur l'Irawady, il conquit la plaine de Kyaukse, y fit faire de grands travaux d'irrigation. Après s'être converti au bouddhisme des écoles du Sud, il conquit la Basse-Birmanie tenue par les Môn*. Ayant pris la ville de Thatön, il en rapporta, outre des Saintes Écritures, des artisans, artistes et écrivains qui lui permirent de transformer Pagan* en capitale. Grand chasseur, il fut tué par un buffle sauvage. Son fils Sawlu lui succéda.

ANAXAGORE, en gr. **Anaxagoras.** ♦ Philosophe et savant grec de l'école ionienne (Clazomènes, v. ~ 500 – Lampsaque, v. ~ 428). Il enseigna à Athènes où Archelaos*, Périclès* et peut-être Socrate* suivirent ses leçons; il fut ensuite exilé pour impiété. Biologiste, il aurait pratiqué des dissections. Bien qu'il ait introduit dans sa cosmogonie l'idée d'une intelligence ordonnatrice, sa pensée reste matérialiste et mécaniste.

ANAXIMANDRE, en gr. **Anaximandros.** ♦ Philosophe et savant de l'école ionienne (Milet, ~ 610 – mort après ~ 546). Pline lui attribue la découverte de l'obliquité de l'écliptique et il fut un des premiers savants grecs à dresser des cartes géographiques. Son œuvre principale *De la Nature* explique l'univers en faisant de la matière infinie et éternelle le principe (en gr. *archê*) de tous les éléments et de tous les êtres finis. Il y a un pressentiment de transformisme dans sa théorie de la genèse des êtres vivants.

ANAXIMÈNE, en gr. **Anaximenes.** ♦ Philosophe grec de l'école ionienne (Milet, v. ~ 550 – v. ~ 480). Disciple d'Anaximandre*, sa cosmogonie fait de l'air le principe de l'univers.

ANCEL (Paul). ♦ Biologiste français (Nancy, 1873 – Paris, 1961). Ses travaux portèrent sur la tératogenèse expérimentale et l'endocrinologie sexuelle.

ANCENIS. ♦ Sous-préf. de la Loire-Atlantique, ch.-l. d'arr. sur la Loire [L'arr. a 5 cant., 29 comm., 39 630 hab.]. 5 966 hab. *(Anceniens).* Vestiges d'un château. Maisons anciennes. – Matériel électrique. ♦ *Hist.* Le *traité d'Ancenis* signé en 1468 par Louis XI et François II, duc de Bretagne, préparait le rattachement de la Bretagne à la France.

ANCERVILLE. ♦ Ch.-l. de cant. de la Meuse*, arr. de Bar-le-Duc. 2 560 hab. Constructions mécaniques.

ANCHISE, en gr. **Agkhisês.** ♦ Berger légendaire de Troie*, amant d'Aphrodite* qui lui donne un fils, Énée*. Ayant commis l'indiscrétion de parler de cette union, il est puni par Zeus qui le rend boiteux (ou aveugle) d'un coup de foudre. Lors du sac de Troie, il est sauvé par son fils.

ANCHORAGE. ♦ La plus grande V. d'Alaska*. Port de pêche et de commerce sur le golfe d'Alaska. Plus de 53 000 hab. Aérodrome important (escale des lignes polaires Europe-Japon, notamment). La ville a été éprouvée par le tremblement de terre de 1964.

Anciens (Conseil des). ♦ Assemblée législative qui, avec le Conseil des Cinq*-Cents, fut instituée par la Constitution de l'an III, adoptée par la Convention thermidorienne le 23 août 1795 et mise en application le 23 septembre. Siégeant aux Tuileries, il fut chargé d'approuver ou de rejeter les résolutions du Conseil des Cinq-Cents. En 1799, il décida de transporter les Assemblées à Saint-Cloud, ce qui facilita le coup d'État de Bonaparte, après lequel il fut supprimé. **V. Brumaire** (18 brumaire an VIII).

Anciens et des Modernes (Querelle des). ♦ Polémique littéraire qui opposa à la fin du XVIIe s. et au début du XVIIIe s. les tenants de la supériorité des auteurs modernes aux partisans des auteurs de l'Antiquité. Elle commença en 1670 avec la publication d'un ouvrage de Desmarets* de Saint-Sorlin *(Traité pour juger des poèmes grecs, latins et français)* affirmant la supériorité du merveilleux chrétien sur le merveilleux païen, opinion critiquée par Boileau* dans son *Art* poétique* (1674). Mais la véritable querelle fut déclenchée par Charles Perrault* en 1687 avec la lecture à l'Académie de son poème *Le Siècle de Louis le Grand,* qui tend à souligner la prééminence des Modernes, thèse à nouveau soutenue dans ses *Parallèles des Anciens et des Modernes* (1688). À la suite de Boileau *(Réflexions sur Longin),* Racine*, La* Fontaine et La* Bruyère prirent la défense des Anciens, tandis que Fontenelle* et le *Mercure galant* se rangeaient dans le camp des Modernes. Un moment apaisée, la querelle rebondit avec Houdar* de la Motte, du côté des Modernes, et Mme Dacier*, du côté des Anciens.

ANCÔNE, en ital. **Ancona.** ♦ V. et port d'Italie centrale, dans les Marches*. Ch.-l. de province. 110 000 hab. *(Anconitains).* Archevêché, arc de Trajan, cathédrale du XIIIe siècle. – Constructions navales, raffineries de pétrole. ♦ *Hist.* Grecque, puis romaine et byzantine, Ancône fut occupée à la fin du VIe s. par les Lombards qui en firent une marche. Les Malatesta* y régnèrent du XIIIe au XVe s. – Prise par Napoléon en 1805, la V. fut rendue au pape en 1815. Les Français y tinrent une garnison de 1832 à 1838 pour défendre les États pontificaux contre les Piémontais.

ANCRE (maréchal *d'*). ♦ **V.** CONCINI.

ANCRE. *n. m.* ♦ Riv. de Picardie qui se jette dans la Somme* près de Corbie*.

ANCUS MARTIUS. ♦ Quatrième roi légendaire de Rome (v. ~ 640 – v. ~ 616). Sabin, neveu de Numa*, il déporta en grand nombre les Latins sur l'Aventin, agrandit Rome en lui annexant le Janicule et l'Aventin et étendit l'influence maritime de la Cite en créant le port d'Ostie*.

ANCY-LE-FRANC. ♦ Ch.-l. de cant. de l'Yonne, arr. d'Avallon, sur l'Armançon, dans le Tonnerrois. 1 059 hab. Château Renaissance (1556); la décoration intérieure fut exécutée par le Primatice. – Carrière; matériaux de construction (cimenterie).

ANCYRE, en gr. **Agkura** (« l'ancre »), auj. **Ankara*.** ♦ Anc. V. phrygienne sur le plateau anatolien. Prise par Alexandre le Grand (~ 334) elle échut aux Séleucides. Après l'invasion des tribus

Ph. Nino Cirani/Ricciarini
Anchorage : le port.

Ph. Hétier
Andalousie : potier à Guadix.

gauloises, elle devint cap. du royaume des Galates Tectosages (~ 230). Annexée à l'Empire romain en ~ 25, elle passa aux Byzantins. Elle fut prise par les Arabes (871) et par les Saljuqides (Seldjoukides) [*fin* du XIe s.] qui y laissèrent d'importants monuments. **V. Ankara.** – *Monument d'Ancyre.* Inscription en grec et en latin sur les murs du temple d'Ancyre, sorte de testament politique d'Auguste rédigé par l'empereur en 13.

ANDALOUSIE, *n. f.,* en esp. **Andalucía.** ♦ Région historique de l'Espagne méridionale, limitée au N. par l'Estrémadure* et la Nouvelle-Castille*. 87 510 km^2. 6 036 100 hab. *(Andalous).* – *Prov.* **V. Almería, Cadix, Cordoue, Grenade, Huelva, Jaén, Málaga, Séville.** – *Princ. V.* **V. Alcalá la Real, Algésiras, Almería, Antequera, Bailén, Cadix, Carmona, Cordoue, Ecija, Grenade, Guadix, Huelva, Jaén, Jérez de la Frontera, Linares, Linea** (La), **Málaga, Minas de Río Tinto, Morón de la Frontera, Motril, Penarroya, Puerto de Santa-María, Ronda, San Fernando, Sanlucar de Barrameda, Séville, Tarifa, Torremolinos, Ubeda.** – *Orogr.* Le relief est en grande partie montagneux. Une chaîne de 600 km de long, orientée du S. à l'O., est formée de la sierra Morena au N. du Guadalquivir et de la cordillère Bétique au S. Dans la partie méridionale s'étendent de hauts massifs : sierra Nevada, au S.-E. de Grenade, sierra de Ronda (défilé de Despeñaperros). Entre ces massifs se trouvent des plaines (Almería, Málaga) et des dépressions (Guadix, Baza, Vega de Grenade). Entre les chaînes Bétiques et la sierra Morena s'étend un pays de collines appelé *basse Andalousie* ou *Andalousie du Guadalquivir* qui se termine en une vaste plaine alluviale : *las Marismas.* La côte est élevée et rocheuse (cap Trafalgar, détroit et rocher de Gibraltar*). – *Hydrogr.* **V. Genil, Guadalquivir, Tinto** (río). – *Écon.* L'Andalousie est essentiellement rurale. La grande propriété y prédomine. On y cultive principalement : les olives (prov. de Jaén, Cordoue et Séville), le blé et le coton (rég. de Séville et de Cordoue) et la betterave sucrière (Vega de Grenade). La production vinicole, réputée, est importante (Xérès [Jérez], Málaga). Les *marismas* (2 000 km^2), inondées et stériles jusqu'en 1930, ont été mises en valeur (rizières). Les richesses du sous-sol : pyrite de cuivre (Huelva), plomb argentifère (Jaén) n'ont pas développé de centres industriels notables. Séville est la seule ville industrielle. La pêche s'est développée sur la côte atlantique (Huelva, Algésiras et Cadix qui possède les chantiers navals les plus importants d'Espagne). Le tourisme est en grand essor. ♦ *Hist.* L'Andalousie connut dès le IIe millénaire les plus anciennes civilisations. Les Phéniciens établirent des comptoirs sur les côtes, (Bartulos, *auj.* Almeria*; Gadès, *auj.* Cadix*) et furent chassés par les Carthaginois qui en firent la plus riche province de leur empire (~ VIe-~ IIe s.). Puis elle devint la florissante colonie romaine de Bétique*. – Au Ve s., les Vandales* l'envahirent et lui donnèrent son nom actuel *(Vandalusia).* En 711, le chef maure Târiq débarqua pres de la montagne qui reçut son nom (*Djabal Târiq,* Gibraltar*) et chassa les Wisigoths. Ce fut le début de la conquête arabe, qui connut son apogée avec la fondation du califat de Cordoue* (VIIIe-Xe s.). À la chute de ce dernier (XIe s.), l'Andalousie fut divisée en plusieurs royaumes maures indépendants dont celui de Grenade* qui devait connaître, pendant deux siècles, une éclatante civilisation. Au XIIIe s., après la défaite de Las Navas* de Tolosa (1212), les chrétiens reprirent successivement Cordoue (1236), Jaén (1246), Séville (1248), Jérez et Cadix. Le royaume de Grenade résista seul pendant plus de deux siècles. **V. Grenade.** En 1492, la prise de Grenade par les Rois Catholiques chassa les Maures et l'Andalousie fut désormais rattachée au royaume d'Espagne.

ANDAMAN *(îles).* ♦ Archipel montagneux du golfe du Bengale,

Ph. Hétier

La Seine aux **Andelys.**

continuation océanique de la chaîne birmane des Arakan* Yoma dont il n'est séparé que par le détroit des îles Préparis. Quatre îles principales : *Andaman du Nord, Andaman du Milieu, Andaman du Sud* (où se trouve la capitale, Port-Blair) et *Petite Andaman.* Le « passage du 10e parallèle » sépare ces îles de l'archipel des Nicobar. Ces îles déterminent entre elles et la péninsule malaise la *mer d'Andaman,* et sont sous juridiction indienne. Population très faible, divisée en nombreuses tribus, parlant une langue isolée, peut-être apparentée au groupe des langues môn-khmer (elle a été étudiée par Radcliffe*-Brown). ♦ *Hist.* Occupées par les Anglais de 1789 à 1796, puis abandonnées par eux, les îles Andaman leur servirent, à partir de 1858 de lieu de déportation et de base navale. Prises par les Japonais durant la Deuxième Guerre mondiale et libérées par les Alliés, elles font auj. partie de l'Union indienne.

ANDÉCAVES ou **ANDES.** *n. m. pl.,* en lat. **Andecavi.** ♦ Ancien peuple de la Gaule qui était établi en Lyonnaise IIIe. Leur chef Dumnâc tenta de résister aux Romains après la défaite de Vercingétorix, mais son armée fut écrasée près de Poitiers.

ANDELLE. *n. f.* ♦ Riv. de Normandie (54 km) qui naît près de Forges*-les-Eaux et se jette dans la Seine*.

ANDELOT. ♦ Ch.-l. de cant. de la Haute-Marne, arr. de Chaumont. 874 hab. Église du XIIe siècle. ♦ *Hist.* Gontran*, Brunehaut* et Childebert* II y conclurent, en 587, un traité d'alliance contre les leudes révoltés.

ANDELYS (LES). ♦ Sous-préf. de l'Eure*, ch.-l. d'arr. (8 cant., 158 comm., 85 609 hab.), au confluent de la Seine* et du Gambon. 7 438 hab. *(Andelysiens).* Ruines du Château-Gaillard construit au XIIe s. par Richard Cœur de Lion. Église du XIIe s. – Indus. de la soie, verrerie. – Patrie de J.-P. Blanchard*, de N. Poussin*, de A. Turnèbe*.

ANDENNE. ♦ V. de Belgique, prov. de Namur, sur la Meuse. 8 160 hab. Céramique. ♦ *Hist.* La ville fut fondée au VIIe s. par sainte Begge, aïeule de Charles Martel, qui y naquit. – Un combat meurtrier eut lieu au *pont d'Andenne* en 1914.

ANDÉOL *(saint).* ♦ Apôtre du Vivarais*, vénéré à Bourg-Saint-Andéol où il aurait été martyr en 208.

ANDERLECHT. ♦ Comm. de Belgique (prov. de Brabant) dans l'aggl. bruxelloise **(V. Bruxelles).** 104 157 hab. Église des Saints-Pierre-et-Guidon (crypte du XIe s.). Béguinage ancien. Maison d'Érasme. – Indus. chimiques, textiles, alimentaires.

ANDERLUES. ♦ V. de Belgique (prov. du Hainaut, arr. de Thuin). 13 100 hab. Église (tour romane). – Brasserie. Métallurgie. Houille.

ANDERMATT. ♦ V. de Suisse (Uri) sur la r. d. de la Reuss* au pied du Saint*-Gothard. 1 500 hab. Importante station d'été et de sports d'hiver. *Alt.* 1 500-2 386 m.

ANDERNOS-LES-BAINS. ♦ Comm. de la Gironde*, arr. de Bordeaux*, sur le bassin d'Arcachon*. 4 867 hab. *(Andernoisiens).* Station balnéaire, ostréiculture.

ANDERSCH (Alfred). ♦ Romancier et nouvelliste allemand (Munich, 1914). Membre de la jeunesse communiste de Bavière, il fut déporté à Dachau sous le régime nazi. Cofondateur du « Groupe* 47 », il a donné un ouvrage autobiographique sur sa désertion en 1944-1945 (*Les Cerises de la liberté,* 1952). Dans son roman *La Rousse* (*Die Rote,* 1960), il pose le problème de la liberté individuelle face aux tyrannies.

ANDERSEN (Hans Christian). ♦ Écrivain danois (Odense, 1805 – Copenhague, 1875). Il écrivit des récits de voyage (*Reflets d'un voyage dans le Harz,* 1831), des pièces de théâtre (*Amour sur la tour de Saint-Nicolas),* des poèmes (*Fantaisies et Esquisses,* 1831), des romans (*L'Improvisateur,* 1835; *Rien qu'un violoneux,* 1837; *Les Deux Baronnes,* 1848; *Être ou ne pas être,* 1857). Mais son œuvre essentielle, qui lui valut la célébrité mondiale, est constituée par ses *Contes.* S'inspirant des récits populaires, empruntant ses personnages et ses intrigues à la légende, à l'histoire, à la vie quotidienne ou à sa propre vie, il écrivit 164 contes (les quatre premiers furent publiés en 1835). Destinés aux enfants, ils s'adressent aussi aux adultes par leur imagination poétique et surtout par le sens moral ou philosophique caché derrière l'anecdote. Andersen interpréta sa propre vie à la manière d'un conte dans l'*Histoire de ma vie* (Mit Livs Eventyr, 1855).

ANDERSEN-NEXØ (Martin). ♦ Romancier danois (Kristianshavn, 1869 – 1954). Ouvrier et autodidacte, il voyagea en Italie et en Espagne (1894) et écrivit les *Jours de soleil* (1903). Impressionné par la misère du prolétariat, il devint marxiste et publia *Pellé le Conquérant* (1906-1910), où il évoque sa confiance dans l'avènement de la justice sociale. Après la révolution russe, il s'inscrivit au parti communiste et publia *Ditte, fille de l'homme* (*Ditte, Menneskebarn,* 1917-1921), hymne à la bonté naturelle de la femme. Il laissa aussi une autobiographie en quatre volumes et des romans : *Martin le rouge* (1945), et *La Génération perdue* (*Den fortabte Generation,* 1948).

ANDERSON (Johan Gunnar). ♦ Géologue suédois (né à Knista, 1874). Il fut le premier à décrire et à étudier le phénomène d'écoulement de boue et de blocs dans les climats froids (ou solifluxion) aux îles Falkland (1906).

ANDERSON (Sherwood). ♦ Romancier américain (Camden, Ohio, 1876 – Colón, Panamá, 1941). Comme son père qu'il dépeint «grand raconteur d'histoires» *(Le Fils de McPherson le Bavard : Windy McPherson's Son,* 1916, et *Mon Père et Moi : A Storyteller's story,* 1924), Sherwood Anderson se considéra toujours comme un simple conteur. À Chicago, il fut « pigiste » à *La petite Revue,* rencontra Dreiser et publia son premier succès *Winesburg, Ohio* (1919), recueil de nouvelles critiquant les préjugés de la société américaine et comparables à celles de Sinclair Lewis. Avec *De nombreux mariages* (*Many Marriages,* 1923), il aborde les problèmes sexuels. Dans *Pauvre Blanc* (*Poor White,* 1920), il évoque la transformation en centre industriel d'une région agricole. Parmi ses autres œuvres, on peut citer : *Les Manifestants* (*Marching Men,* 1917), *Rire noir* (*Dark Laughter,* 1925). Il écrivit aussi des *Mémoires* (1942). Il fut très lié avec Faulkner*.

ANDERSON (Maxwell). ♦ Auteur dramatique et scénariste américain (Atlantic City, 1888 – Stamford, 1959). Marqué par le désir de redonner vie à un théâtre poétique, son œuvre s'inspire des grands personnages de l'histoire (*Élisabeth la reine,* 1930) ou de sujets modernes, tel le drame de Sacco et Vanzetti (*Winterset,* 1935).

ANDERSON (Carl David). ♦ Physicien américain (New York, 1905). Il découvrit dans les rayons cosmiques l'existence d'électrons positifs (1932) et de mésons μ (1937). [Prix Nobel de phys., 1936.] **V. Dirac, Blackett, Yukawa.**

ANDES. *n. f. pl.* ♦ Ensemble de chaînes massives de caractère volcanique, qui s'étendent en une barrière montagneuse du N. au S. de l'Amérique du Sud dans sa partie O. **(V. Colombie, Équateur, Pérou, Bolivie, Argentine, Chili),** couvrant le tiers de ce continent. Env. 8 000 km de long. C'est en Bolivie que les Andes atteignent leur plus grande largeur (4 à 500 km), et en Argentine qu'elles culminent avec l'Aconcagua*. Elles se dressent en trois cordillères (occidentale, centrale et orientale) disposées en faisceaux S.-O.-N.-E., et séparées par de hauts plateaux steppiques (jusqu'à 4 000 m d'alt.). Ces hauts plateaux encadrent sur plus de 400 km des hautes plaines *(altiplanos)* enfermées entre les cordillères orientale et occidentale. Les Andes chiléno-argentines, qui s'étendent sur près de 4 000 km, déclinent vers le S. et se fragmentent, ne formant plus, en Patagonie*, que d'étroits plateaux arides qui se terminent dans le Pacifique par la cordillère de la côte. À l'E., le contact avec les grandes plaines d'Amazonie*, du Chaco* et de la Pampa* se fait en pente douce *(sierras pré-andines).* – Le *climat,* qui va du climat équatorial au climat tempéré, est fonction de la latitude, de l'altitude et de l'orientation des pentes. La pluviosité est réduite sur la face Pacifique, en bordure des grandes Andes *(Andes sèches),* et abondante sur le versant E., qui reçoit les vents de l'Atlantique *(Andes humides).* Les piémonts andins sont arides. Les cours d'eau, nombreux et torrentiels, descendent vers le Pacifique ou constituent vers l'E. les branches mères de grands fleuves, comme le Marañón* et l'Apurimac*.– *Pop.* et *Écon.* Du point de vue démographique, les Andes tropicales sont le plus ancien foyer de

Ph. Nino Cirani/Ricciarini

Les Andes : région de l'Aconcagua. (Prov. de Mendoza, Argentine.)

peuplement d'Amérique du Sud, et le berceau de l'expansion de l'empire des Incas* (XIIIᵉ s.). De nos jours, un exode important conduit les paysans vers les villes, mais la densité de population reste assez élevée sur les terres arables (notamment dans les Andes centrales). Les cultures sont celles des régions tropicales et tempérées : canne à sucre dans le piémont, café (Colombie), fruits et vignobles sur les pentes ensoleillées (Argentine : région de Mendoza*), céréales et pommes de terre en altitude. L'élevage est extensif sur les hauts plateaux de la Puna et dans les hauts bassins (ovins, bovins). Les forêts qui couvrent les versants produisent quebracho, hévéa, balsa. L'*Altiplano* possède de grandes richesses minérales (étain, cuivre, plomb, zinc), et on trouve du N. au S. de nombreux gisements de pétrole, notamment dans le nord de l'Argentine. Mais toutes ces richesses, ainsi que le potentiel hydraulique, sont peu ou insuffisamment exploitées. Les procédés agraires restent archaïques, l'accès des régions difficile. Hormis les voies utilisées par les quatre transandins qui, du Chili, gagnent l'Argentine et le Pérou (le premier fut construit au XIXᵉ s.), le passage vers l'E. se fait par des brèches situées à près de 3 000 m. Il n'existe aucun col dans le S. Les capitales de plusieurs pays andins sont construites à plus de 2 500 m (Bogotá, Quito, La Paz, 3 700 m).

ÂNDHRA. *n. m. pl.* ♦ Dynastie indienne du Dekkan qui contrôla la partie S.-E. de l'Inde du ~ Iᵉʳ s. jusque v. 225. Elle aurait eu trente rois qui furent, semble-t-il, de fervents adeptes du bouddhisme (**V. Amarâvati**). ♦ ÂNDHRA. *n. m.* nom du royaume dravidien des Ândhra. Il était situé entre la Godavarî* et la Kistnâ inférieure.

ÂNDHRA PRADESH. *n. m.* ♦ État du S.-E. de l'Inde, comprenant la côte du Coromandel, une partie du Dekkan et l'ancien État de Madras. 275 174 km²; 39 000 000 hab. *Cap.* **V. Haidarâbâd.** *Princ. V.* Bandar (Masulipatnam), Kokanada, Ellore, Guntur, Kurnool, Nellore, Vijayavada, Warangal. — *Écon.* L'agriculture est la princ. ressource : coton, arachides, millet (lorsque l'irrigation n'est pas possible), riz, canne à sucre, jute (en quantité limitée); tabac (les 2/5 de la production nationale). La forêt est exploitée dans les massifs peu élevés des Ghâts orientales.

ANDIJAN. ♦ V. d'U.R.S.S. (Ouzbékistan*), ch.-l. de la région du même nom (8 900 km². 1 033 000 hab.), dans le Fergâna*. 188 000 hab. Centre industriel d'une riche région agricole et pétrolifère (indus. alimentaires et cotonnières). Machines Diesel. La ville fut en grande partie détruite par un tremblement de terre en 1902.

ANDLAU. ♦ Comm. du Bas-Rhin (arr. de Sélestat). 1 714 hab. Église du XIIᵉ s.; sculptures et frises intéressantes sur le portail. Maisons anciennes. Indus. textile.

ANDO (Kaigetsudô). ♦ Peintre japonais, actif v. 1700-1714, spécialisé dans les études de figures féminines, réputé pour ses estampes (Ukiyo-e*) représentant de jolies femmes. Ses nombreux disciples formèrent l'école artistique *Kaigetsudô-ryû.*

ANDOCIDE, en gr. **Andokidês.** ♦ Orateur et homme d'État athénien (v. ~440 — après ~391). Accusé ainsi qu'Alcibiade de la mutilation des statues d'Hermès, il s'exila à Chypre.

ANDORRE. *n. f.* ♦ Principauté des Pyrénées, située aux confins de la France et de l'Espagne, entre Foix et Urgel dans le grand Valira. 465 km². 17 200 hab. *(Andorrans). Langue :* catalan. *Cap.* Andorre-la-Vieille. — La principauté vit de l'élevage et surtout du tourisme (on y trouve beaucoup de produits importés en franchise). ♦ *Hist.* Au XIIIᵉ s., Andorre fut placée sous la suzeraineté commune des évêques d'Urgel et des comtes de Foix. Aujourd'hui, le président de la République française est *coprince d'Andorre* avec l'évêque d'Urgel.

ANDÔ SHÔEKI. ♦ Écrivain japonais (v. 1701 — v. 1750) et médecin réputé, auteur de nombreux ouvrages dans lesquels il exprime des vues utopiques sur une société égalitaire et critique avec un rare courage les usages féodaux de son époque. Œuvres princ. : *Shizen Shin'eidô* et *Tôdô shinden.*

ANDRADE (Antonio de). ♦ Jésuite portugais (Oleiros, Alentejo, v. 1580 — Goa, 1634). Missionnaire aux Indes orientales, il visita le Thibet (1624) où il fut un des premiers à pénétrer dans la ville de Lhassa*, se rendit au Cachemire et en Chine, et mourut empoisonné à son retour à Goa. La relation de son voyage fut traduite en français en 1627.

ANDRADE (Olegario). ♦ Poète argentin (Concepción, 1841 — Buenos Aires, 1882). Auteur de poèmes historiques, sociaux ou philosophiques de style épique (*Prométhée,* 1877; *Atlantide,* 1881).

ANDRAL (Gabriel). ♦ Médecin français (Paris, 1797 — 1876). Professeur de pathologie et de thérapeutique à la faculté de méd. à la suite de Broussais, il contribua au développement de l'anatomie pathologique et de la clinique [Acad. sc., 1843.]

ANDRÁSSY (Gyula, dit *l'Aîné*). ♦ Homme politique hongrois (Kassa, 1823 — Bolocsa, 1890). Il fut condamné à mort pour avoir participé à la révolution de 1848, et dut se réfugier en Angleterre, puis en France. Amnistié en 1858, il revint en Hongrie et fut élu à la Diète en 1860. L'un des artisans du compromis de 1867, il fut président du conseil hongrois (1867-1871) puis ministre des Affaires étrangères de l'Empire (1871-1879). Il fit occuper la Bosnie-Herzégovine (1878) et réalisa l'alliance de l'Autriche-Hongrie et de l'Allemagne (1879). ♦ GYULA ANDRASSY, dit *le Jeune,* fils de Gyula l'Aîné (Töketerebes, 1860 — Budapest, 1929). Il fut ministre de l'Intérieur de l'Empire (1906-1910), puis ministre des Affaires étrangères en 1918. Il resta fidèle aux Habsbourg et soutint la tentative de Charles Iᵉʳ pour reprendre la couronne de Hongrie (1921).

Arch. Smeets

Ando Kaigetsudô. Courtisane et jeune servante, 1713. Détail. (Collection privée.)

ANDRÉ *(saint).* ♦ Un des douze apôtres, un des deux premiers à suivre Jésus, auquel il amène son frère Simon Pierre (*Jean,* I, 35 sqq). Des traditions postérieures en font l'apôtre des Scythes ou celui de la Grèce (il aurait été martyr à Patras); il aurait été crucifié sur une croix en X *(croix de Saint-André).* Fête le 30 novembre.

ANDRÉ Iᵉʳ. ♦ (? — 1060). Roi de Hongrie (1047-1060). Petit-fils de saint Étienne*, André Iᵉʳ combattit les aristocrates restés attachés au paganisme et repoussa les attaques d'Henri* III. Il fut tué dans la guerre que mena contre lui Béla* Iᵉʳ, son frère.

ANDRÉ II. ♦ (1175 — 1235). Roi de Hongrie (1205-1235), fils de Béla* III. Après avoir disputé la couronne à son frère Émeric, il dut faire face à des complots. À son retour de la croisade de Saint-Jean-d'Acre (1217-1218), il trouva le pays en pleine révolte. L'ampleur du mouvement l'obligea à accorder la Bulle d'or (1222) qui garantissait à la noblesse une réunion annuelle ou Diète, des immunités d'ordre fiscal et lui réservait la perception des impôts. Les Saxons de Transylvanie obtinrent un statut d'autonomie en 1224.

ANDRÉ III. ♦ Roi de Hongrie (1290-1301). Il dut lutter pour conserver sa couronne contre Albert de Habsbourg. Avec lui disparut la dynastie des Arpad*.

ANDRÉ (Louis). ♦ Général et homme politique français (Nuits-Saint-Georges, 1838 — Dijon, 1913). Ancien élève de l'École polytechnique qu'il commanda de 1893 à 1896, il fut nommé ministre

Ph. Hétier

Andorre : la vallée.

Le condottiere Niccolo da Tolentino, par **Andrea del Castagno.** Fresque. (Cathédrale de Florence.)

de la Guerre en remplacement de Galliffet dans le cabinet Waldeck-Rousseau (1901). Il conserva ce portefeuille dans le gouvernement de Combes*. Son nom est resté attaché à l'institution, peu après l'affaire Dreyfus, de fiches sur lesquelles les opinions politiques et religieuses des officiers étaient notées. L'affaire des fiches entraîna un scandale, la démission d'André et hâta la chute du ministère Combes (1904).

ANDREA da Firenze (Andrea di Bonaiuto, dit). ♦ Peintre florentin, connu de 1343 à 1377. Il exécuta les célèbres fresques de la *chapelle des Espagnols* à Florence (v. 1366, *Sainte-Marie-Nouvelle*) et une *Vie de saint Renier* au *Campo Santo* de Pise (v. 1367-1377).

ANDREA DEL CASTAGNO (Andrea di Bartolo di Bargilla, dit). ♦ Peintre italien (Corella, v. 1423 – Florence, 1457). Il travailla à Venise (1442, San Zaccaria) avant de s'établir définitivement à Florence en 1444. Il y décora le réfectoire de San'Apollonia (1445-1450), *Cène, Crucifixion, Mise au tombeau, Résurrection.* Ses portraits d'*Hommes et de Femmes illustres* sont la réunion très humaniste de héros de la Bible, de l'Antiquité et de la société contemporaine (v. 1450). Il donna un vis-à-vis au *John Hawkwood* d'Uccello* avec l'effigie équestre de *Niccolo da Tolentino* (1456, Dôme). Il fut emporté par la peste. L'influence de Masaccio* et de Donatello* a marqué son style, si austère dans l'ordonnance, le dessin et la couleur, si puissant aussi que le monde du peintre semble minéral ou métallique dans la lumière implacable qui sculpte visages, corps et drapés, et qui renforce l'effet dramatique de la mise en scène.

ANDREA DEL SARTO. ♦ V. DEL SARTO.

ANDREA PISANO. ♦ V. PISANO.

ANDRÉE (Salomon August). ♦ Explorateur suédois (Gränna, 1854 – Spitzberg, 1897). Il disparut lors d'une expédition en ballon vers le pôle Nord en 1897.

ANDREÏEV [Leonid Nikolaïevitch] (Andreev). ♦ Conteur et auteur dramatique russe (Orel, 1871 – Kuokkala, Mustamäggi, Finlande, 1919). Issu d'une famille de la petite intelligentsia de province sans argent, il reçut pourtant une éducation classique. Après une brève carrière juridique, il se mit à écrire, encouragé par Gorki*. Sa première nouvelle, *Il y avait une fois...,* le rendit célèbre. Deux nouvelles publiées en 1902 : *Le Gouffre* et *Dans le brouillard,* traitant avec réalisme les sujets sexuels, lui attirèrent des critiques violentes. Ces trois nouvelles, avec celle du *Gouverneur* (1906), révèlent l'influence de Gorki* pour leur réalisme et de Tolstoï* pour leur dimension tragique avec une prise de conscience du ridicule absurde de la vie. Avec les nouvelles *Le Rire rouge* (1904), *Obscurité* (1907) et *Les Sept Pendus* (1908), Andreïev développa d'une façon plus conventionnelle des thèmes sociaux sur l'héroïsme des terroristes. À partir de 1908, il publia principalement des pièces de théâtre dont les unes traitent avec réalisme des scènes de la vie russe : *Anfissa* (1904), et les autres sont des drames symboliques : *La Pensée* (1902) sur le thème de la folie, *La Vie d'un homme* (1907) et *Celui qui est giflé* (1914).

ANDRES (Stefan). ♦ Écrivain allemand (Breitwies, près de Trèves, 1906 –). Auteur de nouvelles (*Wir sind Utopia* [1942] qui se situe dans la cadre de la guerre civile espagnole), de romans (*Le Chevalier de justice,* 1948 ; *Déluge,* 1949, etc.), de poèmes (*La Grenade,* 1950), il fut, après guerre, un des représentants de l'humanisme chrétien.

ANDRÉSY. ♦ Comm. des Yvelines, arr. de Saint-Germain-en-Laye, sur la Seine. 4 971 hab. Église (XIIIe, XIVe, XVIe s.). Barrage-écluse sur la Seine.

ANDREWS (Thomas). ♦ Physicien irlandais (Belfast, 1813 – *id.,* 1885). Étudiant la physique des changements d'états, il mit en évidence et détermina l'isotherme critique (1869) et, sur cette courbe, les coordonnées du « point critique » (pression et volume). **V. Cagniard de La Tour, Cailletet.**

ANDRÉZIEUX-BOUTHÉON. ♦ Comm. de la Loire (arr. de Montbrison), au S. des monts du Forez, au confluent de la Loire et du Furens. 3 952 hab. Petite métallurgie.

ANDRIA. ♦ V. d'Italie péninsulaire, dans les Pouilles (province de Bari). 74 000 hab. Grand marché agricole. Indus. alimentaires.

ANDRIĆ (Ivo). ♦ Écrivain yougoslave (Dolac [Bosnie], 1892 – Belgrade, 1975). Il prit une part active au mouvement national yougoslave. Ses romans décrivent pour la plupart le monde pittoresque de sa Bosnie natale : *Le Pont sur la Drina* (1945), *Mademoiselle* (1945), *La Chronique de Travnik* (1945). Sa langue est d'une grande richesse et d'une grande pureté. (Prix Nobel, 1961.)

ANDRIEU (Jean-François d'Andrieu ou **DANDRIEU).** ♦ Organiste et compositeur français (Paris, 1682 – *id.,* 1738). Auteur d'une suite de symphonies, *Les Caractères de la guerre,* de sonates pour violon et surtout d'œuvres pour clavier (orgue ; 3 livres pour clavecin), il écrivit un ouvrage sur les *Principes de l'accompagnement au clavecin.*

ANDRIEU (Jules). ♦ Homme politique français (1820 – 1884). Employé à la préfecture de la Seine, affilié à la Ire Internationale, il fut élu membre de la Commune de Paris (16 avril 1871). Il fut condamné à mort par contumace.

ANDRIMONT. ♦ V. de Belgique (Liège, arr. de Verviers) sur la Vesdre. 7 100 hab. Indus. textiles (laine).

ANDRINOPLE, en gr. *Hadrianopolis,* auj. *Edirne** en Turquie. ♦Anc. V. grecque (Thrace), embellie par Hadrien*. La victoire des Goths sur l'empereur Valens, mort dans le premier combat remporté par des Barbares sur des Romains (378), fit prendre conscience aux contemporains du péril barbare. Le sultan Murat* Ier s'en empara en 1361 et en fit la cap. de l'Empire ottoman. Le traité reconnaissant l'indépendance de la Grèce y fut signé en 1829. Attribuée à la Grèce en 1920, elle fut restituée à la Turquie par le traité de Lausanne (1923).

ANDROCLÈS. ♦ Esclave romain (Ier s.) qui, selon Aulu* Gelle (Nuits attiques, V., 14), fut livré aux bêtes pour s'être enfui de la maison de son maître. Le lion qu'il avait naguère soigné le reconnut et se coucha à ses pieds, ce qui valut à Androclès la grâce de l'empereur. – L'épisode a inspiré une pièce à B. Shaw *(Androclès et le Lion).*

ANDROGÉE, en grec **Androgeôs.** ♦ Athlète mythique, fils de Minos* et de Pasiphaé*. Il est tué à l'instigation d'Egée*, roi d'Athènes*, jaloux des victoires de l'athlète crétois aux Panathénées. Zeus dépêche sur la cité la peste et la famine et Minos envahit Athènes. Pour racheter leur crime, les Athéniens sont alors contraints d'envoyer tous les neuf ans en Crète sept jeunes hommes et sept jeunes filles destinés à être dévorés par le Minotaure*.

ANDROMAQUE, en grec **Andromakê.** ♦ Princesse légendaire de Troie*, héroïne de l'*Iliade**, femme d'Hector* et mère d'Astyanax*. Après la prise de Troie, elle devint l'esclave puis la femme de Pyrrhos*, fils d'Achille*.

Andromaque, en grec **Andromakê.** ♦ Tragédie d'Euripide* (v. ~ 426). Femme de Pyrrhos, Hermione éprouve une vive jalousie pour Andromaque, veuve d'Hector et captive du prince, qui lui a donné un fils. Elle s'apprête à faire périr sa rivale et l'enfant quand l'intervention du vieux Pélée les sauve. Hermione prend la fuite avec Oreste, son premier fiancé, qui a fait tuer Pyrrhos.

Andromaque. ♦ Tragédie de Racine*, en cinq actes et en vers (1667), inspirée d'un passage de l'Énéide, de Virgile. Captive de Pyrrhus (Pyrrhos), roi d'Épire, Andromaque ne sauvera son fils Astyanax d'une mort certaine qu'en épousant son vainqueur. Ambassadeur des Grecs, Oreste est venu à la cour de Pyrrhus pour que l'enfant lui soit remis. Mais l'amour de Pyrrhus pour Andromaque et celui qu'Oreste éprouve pour Hermione, fiancée délaissée de Pyrrhus, font obstacle au vœu des Grecs. La crise se dénouera par l'assassinat de Pyrrhus, dicté à Oreste par Hermione, le suicide d'Hermione et la folie d'Oreste.

Andromède (en lat. **Andromeda).** ♦ Constellation de l'hémisphère boréal. – C'est dans cette constellation qu'on observe la nébuleuse spirale (la seule visible à l'œil nu) dite *Nébuleuse d'Andromède* (2 000 000 d'années-lumière).

ANDROMÈDE, en grec **Andromeda**. ♦ Princesse légendaire d'Éthiopie. Sa mère Cassiopée* s'est vantée d'être plus belle que les Néréides. Pour se venger de cette insulte, Poséidon envoie un monstre marin ravager le pays. Andromède est livrée au monstre attachée sur un rocher pour apaiser le dieu offensé, après le conseil d'un oracle, mais Persée* la délivre.

ANDRONIC, en gr. **Andronikos**. ♦ Nom de plusieurs empereurs byzantins. ♦ ANDRONIC Ier COMNÈNE (v. 1100 – 1185). Petit-fils d'Alexis Ier Comnène, il épousa Agnès* de France. Il s'empara du trône en 1183 en faisant étrangler Alexis* II et fut lui-même renversé en 1185 par Isaac* II Ange. ♦ ANDRONIC II PALÉOLOGUE (Nicée, 1258 – Constantinople, 1332). Monté au trône en 1282, il associa au pouvoir son fils Michel* IX Paléologue, lutta contre les Turcs et fut renversé par son petit-fils Andronic* III en 1328. ♦ ANDRONIC III PALÉOLOGUE (Constantinople, 1295 – *id.*, 1341). Fils de Michel* IX, il détrôna son grand-père Andronic* II et lutta contre les Turcs, qui achevèrent sous son règne la conquête de l'Asie Mineure. ♦ ANDRONIC IV PALÉOLOGUE (v. 1348 – 1385). Aidé par les Turcs et les Génois, il détrôna son père Jean* V en 1376, mais dut lui restituer le pouvoir trois ans plus tard.

ANDRONICUS (Lucius ou **Titus Livius)**. ♦ Auteur et acteur d'origine grecque né à Tarente v. ~ 270, créateur de la tragédie latine. Œuvr. princ. : *Achille* (Achilles), *Égisthe* (Aegisthus), *Andromède** (Andromeda), *Danaé*, dont il ne reste que les titres et une trentaine de fragments.

ANDROS. ♦ Île grecque de la mer Égée, la plus septentrionale des Cyclades*. 380 km². 12 928 hab. *V. princ.* Andros. 2 032 hab. – Vins, agrumes. – Restes des remparts vénitiens, vestiges de l'ancienne ville.

ANDROUET DU CERCEAU. ♦ Famille d'architectes français dont les principaux représentants sont JACQUES Ier. Dessinateur, graveur et architecte (Paris, v. 1510 – Annecy ou Genève, v. 1585). Il fit deux séjours en Italie (1530 à 1537 et 1541). En France, il éleva le *château de Verneuil-sur-Oise* (1565-1575), dont l'ordonnance fut souvent reprise au XVIIe s. et pour Henri III le *château de Charleval* (détruit); il y adopta des formes courbes, un décor plein de fantaisie ainsi que l'ordre colossal. Il publia plusieurs recueils de gravures : *Arcs et Monuments antiques* (1549-1560), *Livre des édifices antiques et romains* (1584) et *Livres de grotesques* (1566) où s'affirme son goût pour le décor luxuriant. ♦ BAPTISTE (v. 1545 – 1590). Fils de Jacques Ier. Il dirigea les travaux à *Charleval* de 1572 à 1576, succéda à Lescot* comme architecte du Louvre en 1578, devint en 1586 architecte en chef des bâtiments du roi Henri III et donna notamment les plans du *Pont-Neuf* à Paris (achevé en 1599 après certaines modifications). ♦ JACQUES II. Frère de Baptiste (v. 1550 – 1614). Architecte du duc d'Anjou, puis de Henri IV, il acheva la grande *galerie du Louvre** et le *pavillon de Flore*, aux Tuileries*. ♦ JEAN Ier. Fils de Baptiste (1585 – 1649). Architecte de Louis XIII en 1617, il édifia la terrasse et l'escalier dit en fer à cheval du *château de Fontainebleau** (1632-1634); à Paris, l'*hôtel Gallet* (Sully) en 1624.

ANDROUSSOVO. [**Andrusovo**] ♦ Localité de Russie, près de Smolensk, où fut signé le traité polono-russe, par lequel Casimir V céda Smolensk* et une grande partie de l'Ukraine* (sur la r. g. du Dniepr) à la Russie (1667).

ANDÚJAR. ♦ V. du S. de l'Espagne, en Andalousie (province de Jaén), sur le Guadalquivir. 32 200 hab. Églises et palais de styles gothique et Renaissance, tour mozarabe. – Céramiques. Traitement de minerais radio-actifs.

Arch. Rencontre
La nébuleuse d'**Andromède**.

Ph. CFL-Giraudon
Le « Couronnement de la Vierge », par **Fra Angelico**. (Musée du Louvre, Paris.)

ANDUZE. ♦ Ch.-l. de cant. du Gard* (arr. d'Alès), sur la r. d. du Gardon, à la sortie d'une cluse. 3 066 hab. La ville est dominée par le mont Saint-Julien où se trouvent les ruines d'un anc. château fort. Tour de l'horloge (1320). Château (XVIe-XVIIe s.). Halle et fontaine (1648). – Poteries, fonderie. Indus. textiles. Exploitation de minerai de zinc. ♦ *Hist.* Place forte au Moyen Âge, elle fut l'un des centres du protestantisme cévenol.

Âne d'or (L'). ♦ **V. Métamorphoses** (d'Apulée).

ANESAKI MASAHARU. ♦ Écrivain japonais (1873 – 1949) et philosophe de l'histoire des religions. Il tenta dans ses écrits et conférences de concilier les vues bouddhiques et chrétiennes. Ses œuvres manifestent une tendance au romantisme.

ANET. ♦ Ch.-l. de cant. d'Eure-et-Loir, arr. de Dreux. 1 473 hab. *(Anétais)*. Célèbre château construit par Philibert Delorme et décoré par Jean Goujon pour Diane de Poitiers.

ANFINSEN (Christian Boehmer). ♦ Biochimiste américain (né en 1916). Par ses recherches sur une enzyme, la ribonucléase, il contribua à en élucider la structure. **V. Moore, Stein.** (Prix Nobel de chim., 1972.)

ANGARA. *n. m.* ♦ Riv. d'U.R.S.S. (Sibérie orientale) [1 826 km], émissaire du lac Baïkal*, elle arrose Irkoutsk* (Irkutsk) et Angarsk* puis se déverse dans le lac d'Angara et arrose Bratsk* avant de prendre le nom de Toungouska (Tungunska) supérieure et de se jeter dans l'Ienisseï. Grands complexes hydro-électriques (dont Bratsk*, Bogoutchany, Irkoutsk).

ANGARSK. ♦ V. d'U.R.S.S. (R.S.F.S. de Russie), sur l'Angara*. 204 000 hab. Indus. chimiques et pétrolo-chimiques. Indus. alimentaires (brasseries, produits laitiers).

ANG CHAN II. ♦ Roi du Cambodge (1796-1834), fils et successeur d'Ang Eng. Attaqué par les Siamois et par ses deux frères qui briguaient le trône, il s'allia avec les Vietnamiens. Vaincu, il erra de capitale en capitale, cependant que les Vietnamiens devenaient pratiquement maîtres du pays.

ANG DÜONG. ♦ Roi du Cambodge (v. 1842-1859), fils d'Ang* Chan II. S'étant allié aux Siamois contre les Vietnamiens, il reconquit son territoire et se fit couronner en 1845. Il rechercha l'aide européenne, réorganisa l'État et fit commencer la construction d'un réseau routier. Son fils Norodom lui succéda à sa mort en 1859.

ANGÈLE MERICI *(sainte)*. ♦ [Desenzano, lac de Garde, 1474 – Brescia, 1540]. Religieuse italienne, fondatrice de l'ordre des Ursulines*. Fête le 27 janvier.

ANGELICO (Guido di PIETRO, en religion **Fra Giovanni da Fiesole**, dit **Il Beato** et **Fra)**. ♦ Peintre italien (Vicchio [Mugello], v. 1400 – Rome, 1455). Entré au couvent dominicain de Fiesole, il fut ordonné v. 1427, et eut pour confrère et prieur le futur saint Antonin*. Lui-même fut prieur de San Domenico à Fiesole de 1449 à 1452. Il remplit sa vocation de frère prêcheur en peignant, exécutant ou faisant exécuter par son atelier où travailla Gozzoli*, fresques et retables pour Fiesole, Brescia, Florence, Cortone, Pérouse, Rome (1447-1449, *chapelle de Nicolas V* [*Vatican**]) et Orvieto (1447-1449, cathédrale). Le couvent florentin de San Marco dont Cosme de Médicis lui confia la décoration en 1436, est devenu son musée. Par leur destination et leur dépouillement *(Christ aux outrages)*, les fresques qu'il y a peintes rendent encore plus manifeste le symbolisme religieux qui ordonne dans toutes ses œuvres le choix des éléments et leur mise en scène (*Annonciation* de Cortone, v. 1436, musée du Gesù). Joint à la clarté de la composition, le système chromatique original élaboré par Fra Angelico invite à voir dans sa peinture autant un solide essai d'esthétique thomiste que le résultat « emparadisé » d'une pure intuition; l'espace, les ombres sont rendus par une couleur toujours franche, qui semble un mode de la lumière; celle-ci, fondamentale mais autrement que chez Masaccio*, forme à la fois le milieu et la matière des objets représentés; elle illumine plutôt qu'elle n'éclaire les figures des hommes et des anges, la belle nature, les architectures nouvelles imitées de l'antique (*Couronnement de la Vierge,* v. 1432, Louvre; *Retable des Linaiuoli,* 1433, San Marco). Angelico, qui avait pu hériter de sa formation de miniaturiste la fraîcheur et la vivacité de ses tons, et certains traits de ses paysages, ne resta pourtant pas étranger au nouvel humanisme.

Angélique *(la Belle).* ♦ Princesse du Cathay, héroïne du *Roland* furieux* de l'Arioste*. Épouse de Médor.

ANGÉLIQUE *(la Mère).* ♦ **V.** ARNAULD (Angélique).

ANGELUS SILÉSIUS (Johannes SCHEFFLER, dit). ♦ Théologien et poète allemand (Breslau, 1624 — 1677). Médecin du duc de Wurtemberg (1649), lecteur des mystiques allemands (Tauler, Böhme, etc.), il abjura le luthéranisme dans lequel il avait été élevé (1653) et entra dans l'ordre des Franciscains. Plus que les passages apologétiques de son œuvre, ce sont les accents mystiques d'une spiritualité proche de celle du Moyen Âge qui contribuèrent à en assurer le succès. Écrit en distiques, *Le Pèlerin chérubinique (Der cherubinische Wandersmann* , 1674), décrit, à travers une grande abondance d'images, le cheminement de l'âme du renoncement au monde et à la personnalité à la connaissance de Dieu.

ANGENNES (Julie *d'*). ♦ Épouse de Charles de Montausier*

ÅNGERMANÄLVEN. *n. m.* ♦ Fl. de Suède septentrionale (450 km) tributaire du golfe de Botnie*.

ANGERS. ♦ Préf. du Maine-et-Loire, ch.-l. d'arr. (13 cant., 116 comm., 269 769 hab.), sur la Maine. 134 959 hab. [127 415 aggl.] *(Angevins).* Évêché. Le *château,* construit par Saint-Louis de 1228 à 1240, est un remarquable spécimen de l'architecture militaire du XIIIe siècle. Son enceinte englobe la chapelle Sainte-Geneviève, le logis du roi, le logis du gouverneur et le châtelet (XVe s.). La *cathédrale Saint-Maurice* (XIIe et XIIIe s.) présente une intéressante façade ornée de sculptures des XIIe et XIIIe s., surmontée de trois tours. Sa nef unique est couverte de voûtes d'ogives du type angevin, bombées en coupoles (vitraux des XIIe, XIIIe et XVe s.). Anc. *hôpital Saint-Jean,* gothique. Églises gothiques. Abbayes du XVIIIe s. *Logis Barrault* du XVe s. (œuvres de David* d'Angers). Hôtels et maisons anc. — Centre commercial et industriel actif. Indus. alimentaires, distillerie de liqueurs. Métallurgie, mécanique, machines agricoles, machines-outils. Indus. chimique; produits pharmaceutiques, engrais, peintures, matières plastiques, caoutchouc. Important secteur électronique. Textile, confection, chaussures. Activités artisanales réputées. — Patrie de Marie* d'Anjou, René et Hervé Bazin*, Jean Bodin*, Eugène Chevreul*, David* d'Angers, Falloux*, Gilles Ménage*, Louis Proust*. ♦ *Hist.* L'antique cité des Celtes andécaves devint après la conquête romaine l'une des grandes villes de la Lyonnaise IIIe sous le nom de JULIOMAGUS. Au IXe s., elle fut la cap. d'un comté héréditaire sur lequel régna, de 870 à 1205, la première maison d'Anjou d'où sont issus les Plantagenêt. L'histoire de la ville se confond alors avec celle du comté **(V. Anjou).** Lors du soulèvement de la Vendée, Angers prit le parti républicain et les 3 et 4 déc. 1793, repoussa l'armée royaliste.

ANGES *(baie des).* ♦ Baie de la Méditerranée, au fond de laquelle est située la ville de Nice*.

ANGILBERT ou **ENGILBERT.** ♦ Abbé laïc de Saint-Riquier et duc de Ponthieu (v. 740 — Saint-Riquier, 814).

ANGIOLINI (Gasparo). ♦ Danseur et chorégraphe italien (Florence, 1731 — Milan, 1803). Disciple de Hilferding*, il appliqua la formule du ballet pantomime en collaborant avec Gluck* (*Don Juan ou le Festin de pierre,* 1761), réglant aussi les danses dans d'autres ouvrages du musicien *(Cythère assiégée, Orphée* et *Sémiramis).* Il devait poursuivre ses activités à Saint-Pétersbourg, Venise et Milan.

ANGKOR. ♦ Site monumental et archéologique du Cambodge, au N.-O. du Tonle*-sap, et anc. cap. des rois Khmers*, du IXe au XVe siècle. La ville, probablement fondée au IXe s., fut déplacée et reconstruite plusieurs fois, ayant toujours un « temple-montagne » pour centre, généralement sur un plan rectangulaire. La ville actuelle d'*Angkor Thom* (« la grande ville ») fut construite par Jayavarman VII* après qu'elle eut été pillée par les Cham* en 1177. Elle comprend un très grand nombre de monuments en grès et latérite et englobe des « temples-montagnes » ayant appartenu aux capitales antérieures. Son temple central est le Bayon*. Les grandes douves et bassins entourant la cité servaient à l'irrigation et à la navigation. Le temple funéraire d'*Angkor Vat* (« la ville temple »), situé au sud de la cité, fut élevé par Sûryavarman II (1113-1152) et est indépendant d'Angkor Thom. Abandonnée par les rois khmers à la suite de l'occupation siamoise de 1431, *Angkor* fut redécouverte au XIXe s. et explorée à partir de 1898 par l'école française d'Extrême-Orient.

ANGLEBERT (Jean Henri *d'*). ♦ Compositeur français (Paris, 1628 — *id.,* 1691). Élève de Chambonnières, il lui succéda en qualité de claveciniste de la chambre de Louis XIV. *Pièces de clavecin* (1689), d'après Lully*.

ANGLES. *n. m. pl.* ♦ Peuple germanique originaire du S. du Schleswig*, qui envahit l'Angleterre vers la fin du Ve s. et forma les royaumes de Northumbrie* (au N.), d'Est*-Anglie (à l'E.) et de Mercie* (au centre). **V. Angleterre,** *Hist.*

ANGLES (Les). ♦ Comm. des Pyrénées-Orientales (arr. de Prades*) 277 hab. Station de sports d'hiver à 1 600 m d'altitude.

ANGLÈS ou **ANGLÈS-DU-TARN.** ♦ Ch.-l. de cant. du Tarn* (arr. de Castres*). 934 hab. Château du XVe siècle. Élevage de bœufs (race d'Anglès).

ANGLESEY (« l'île des Angles »), en gallois **Môn.** ♦ Île de Grande-Bretagne, située au N. du pays de Galles, en mer d'Irlande. 715 km². 56 700 hab. — *Ch.-l.* Beaumaris. *V. princ.* Holyhead (10 000 hab.). — Colonisée par les Celtes au cours du ~ Ier s., l'île devint un haut lieu du culte druidique. De nos jours, Anglesey pratique l'élevage bovin et exploite les mines locales de cuivre et de plomb. Une centrale nucléaire a été édifiée à Wylfa*-Head. Un pont enjambant le *détroit de Menai** relie Anglesey au continent gallois.

ANGLET. ♦ Comm. des Pyrénées*-Atlantiques, arr. de Bayonne*. Sur la route de Bayonne à Biarritz, à quelques kilomètres de l'Océan. 21 965 hab. *(Angloys).* Indus. aéronautiques. Station balnéaire.

ANGLETERRE. *n. f.* ♦ Partie méridionale et centrale de la Grande-Bretagne, limitée au N. par l'Écosse* et à l'O. par le pays de Galles*, baignée à l'E. par la mer du Nord, au S.-E. par le pas de Calais, au S. par la Manche et à l'O. par la mer d'Irlande. C'est

Ph. Hétier

Angkor Vat : vue générale.

la plus grande (131 760 km²) et la plus peuplée (47 884 000 hab., *Anglais*) des régions de Grande-Bretagne. *Cap.* Londres*. *Langue :* anglais. – Elle est formée de 49 comtés *(counties* ou *shires) :* V. **Bedford** (Bedford), **Berkshire** (Reading), **Buckinghamshire** (Aylesbury), **Cambridgeshire** (Cambridge), **Cheshire** (Chester), **Cornouailles** [Cornwall] (Truro), **Cumberland** (Carlisle), **Derbyshire** (Derby), **Devon** (Exeter), **Dorset** (Dorchester), **Durham** (Durham), **Ely** [Isle of] (March), **Essex** (Chelmsford), **Gloucestershire** (Gloucester), **Hampshire** (Winchester), **Herefordshire** (Hereford), **Hertfordshire** (Hertford), **Huntingdonshire** (Huntingdon, Peterborough), **Kent** (Maidstone), **Lancashire** (Preston), **Leicestershire** (Leicester), **Lincolnshire** (Boston, Lincoln, Sleaford), **Middlesex** (Brentford), **Norfolk** (Norwich), **Northamptonshire** (Northampton), **Northumberland** (Newcastle-upon-Tyne), **Nottinghamshire** (Nottingham), **Oxfordshire** (Oxford), **Rutland** (Oakham), **Shropshire** (Shrewsbury), **Somerset** (Taunton), **Staffordshire** (Stafford), **Suffolk** (Ipswich, Bury-Saint-Edmunds), **Sussex** (Lewes, Chichester), **Warwickshire** (Warwick), **Westmorland** (Appleby), **Wiltshire** (Salisbury), **Worcestershire** (Worcester), **Yorkshire** (Beverley, Northallerton, Wakefield). – *Orogr.* Le relief peut se décomposer en 2 grands ensembles. *La zone sédimentaire,* qui s'étend sur toute la partie méridionale et à l'O., entre la chaîne Pennine et la mer du Nord, forme une vaste cuvette argilo-calcaire, correspondant au prolongement du Bassin parisien et d'où émergent des éminences : au S.-E., les collines des *North* et *South Downs**, qui encadrent la boutonnière du *Weald**, au centre, les *White* Horse Hills,* prolongées au N. par les chaînes parallèles des *Cotswold** et des *Chiltern* Hills.* A l'E., à l'intérieur du golfe du Wash, s'étendent les marécages des *Fens**. Au delà se trouve la zone déprimée des Midlands, qui se prolonge à l'O. entre la chaîne Pennine et la mer du Nord par la plaine du Cheshire-Lancashire. L'extrémité S.-O. est formée de plaines (Somerset, plateau de Cornouailles), hérissées de petits massifs (Exmoor*, Dartmoor*). – *La zone montagneuse* commence au N. de la vallée de la Trent et est occupée principalement par *la chaîne Pennine**, de direction N.-S., qui constitue l'ossature de l'Angleterre (*Cross* Fell,* 893 m) et est prolongée à l'E. par les *Yorkshire* Moors,* à l'O. par les *monts du Cumberland** (pt culminant : *Scafell* Pike,* 989 m) où l'empreinte glaciaire est très forte **(V. Lake district),** enfin au N. par les *monts Cheviot**, à la frontière anglo-écossaise. – *Les côtes* anglaises sont généralement assez élevées et découpées au sud. Vers le N., elles s'ouvrent en larges estuaires **(V. Severn, Mersey, Ribble, Morecambe** [baie de]) à l'O.; **Tamise, Humber, Tees,** à l'E.). Sur la côte S., les Scilly*, Wight* et les Anglo*-Normandes sont les princ. îles. – *Hydrogr.* **V. Aire, Avon, Derwent, Don, Eden, Medway, Mersey, Ouse, Severn, Tamise, Trent, Tweed, Tyne, Wear.** – *Le climat* anglais est dans l'ensemble océanique, caractérisé par une faible amplitude thermique, des précipitations et nébulosités abondantes, mais connaît d'importantes variations locales : la côte S. est plutôt ensoleillée, mais l'intérieur (Midlands) et les hauts reliefs ont une nuance continentale. – *Écon.* L'agriculture, favorisée par l'humidité du climat, occupe une place importante, surtout depuis la Deuxième Guerre mondiale, grâce à l'intervention de l'État (*Agricultural Act,* de 1947). Les exploitations sont généralement petites (moins de 20 ha) et fortement mécanisées. Les céréales (orge, blé et avoine), associées à l'élevage, sont produites en abondance sur les riches terroirs du S. et de l'O. L'E. et le centre (Lancashire, Yorkshire, Fens) y adjoignent la culture de plantes fourragères. La pomme de terre est cultivée dans le Yorkshire et les Fens et la betterave à sucre dans l'E. (Worcestershire, Herefordshire). Le S. (Kent, Cornouailles, Hampshire), la banlieue londonienne et celle des grandes villes des Midlands produisent des fruits et légumes. Les cultures florales sont localisées surtout en Cornouailles. L'élevage est très développé. Presque tous les comtés pratiquent l'élevage bovin (lait et viande). L'élevage ovin est localisé sur les sols les plus pauvres et l'aviculture dans le Lancashire-Yorkshire. *La forêt* représente 8 % du sol. *La pêche* est surtout pratiquée en mer du Nord et à Fleetwood*, en mer d'Irlande. *L'industrie,* qui s'est développée très fortement dès le XIXe s., fournit l'essentiel des revenus. Elle s'est trouvée favorisée par d'importantes ressources minières et énergétiques. Les réserves de charbon, considérables, sont localisées dans 3 zones princ. : au centre (Derbyshire-Nottinghamshire-Yorkshire), à l'O. (Lancashire-Cumberland) et au N.-E. (Durham-Northumberland). Les gisements de fer, très importants au XIXe s., sont en déclin (East Midlands, Yorkshire). L'électricité, presque toute d'origine thermique, est produite à proximité des bassins houillers. Pourtant, assez récemment, plusieurs centrales nucléaires **(V. Berkeley, Calder Hall, Dungeness, Oldbury)** ont été mises en marche. La sidérurgie anglaise (15 millions de t par an) représente 60 % de la production britannique **(V. Teeside, Scunthorpe, Corby, Sheffield et Birmingham).** La gamme des indus. mécaniques est très variée : construction navale (Teeside, Tynedise, Mersey, Wear, Barrow-in-Furness), matériel ferroviaire (Darlington, Derby, Doncaster, Swindon), automobiles (Birmingham, Coventry, Dagenham, Luton), constructions aéronautiques (Bristol, Chester, Coventry, Derby, Leeds, Londres, Manchester, Preston, Wolverhampton et Yeovil), machines textiles (Lancashire, Cheshire, Derbyshire, Leicestershire, Northamptonshire), matériel électrique (Manchester, Stafford, Tyneside, Rugby). L'indus. textile, de développement traditionnel, est fondamentale : laine (Yorkshire, West Riding, East Anglia et Cotswold Hills), coton (Lancashire, surtout Manchester et Leeds), bonneterie, tapis et confection (Lancashire, Dewsbury, Durham, Halifax et Kidderminster). La chimie couvre un certain nombre d'activités : fabrication d'acides et de savons (Cheshire, Teeside, Lancashire, estuaires de la Severn et de la Tamise, Humber), pétrolochimie (Isle-of-Grain-Londres, Fawley, Heysham, Liverpool, Shellhaven, Stanlow), verreries (Saint-Helens, dans le Lancashire), poteries (Stoke-on-Trent), caoutchouc synthétique (Midlands, Manchester) et papeteries (Lancashire, Cheshire, Cumberland). **V.** *aussi* **Grande-Bretagne.** ♦ *Hist.* Peuplée de Celtes mêlés au fond primitif (« ibérique »), la région connut une civilisation agricole et les métaux (culture attestée au ~ IIe s.). Après l'expédition de César* (~ 55), l'île fut colonisée sous Claude (43), constituant la province de Bretagne* *(Britannia).* Sous Hadrien et Antonin, l'Empire romain s'étendait jusqu'en Écosse **(V. Ecosse,** *Hist.***).** Vers la fin du IIIe s., les raids scandinaves, puis saxons, accélérèrent la décadence de la domination romaine, qui s'acheva en 411. Les envahisseurs germaniques **(V. Angles, Jutes, Saxons)** refoulèrent les Celtes vers l'O. (pays de Galles, Cornouailles) ou les contraignirent à s'exiler en Armorique **(V. Bretagne).** Du Ve au IXe s., ils s'établirent en « nations » organisées en sept royaumes **(V. Heptarchie; Kent** [Jutes], **Essex, Sussex, Wessex** [Saxons], **Northumbrie, Est-Anglie** [East-Anglia], **Mercie** [Angles]), effaçant les traces de l'organisation romaine et substituant la terre des Angles (*Engle-land :* England : *Angleterre*) et des Saxons (d'où *Anglo*-Saxons*) à la *Britannia.* Du VIe au VIIIe s., après la christianisation des Gallois (saint Germain, Ve s.), des Irlandais (saint Patrick*) et des Écossais (saint Colomba*) les royaumes saxons furent évangélisés sous le pape Grégoire* Ier le Grand **(V. Augustin de Canterbury** [conversion du Kent]). L'action conjointe du christianisme romain et du monachisme irlandais aboutit à une Église prospère, centre de culture dans un milieu resté très fruste **(V. Bède, Boniface, Wilfrid, Willibrod).** – Les invasions scandinaves (IXe-XIe s.) firent disparaître les royaumes saxons, sauf le Wessex, qui avait pris sous Egbert* le Grand la prépondérance, et qui résista sous Alfred* le Grand. Le royaume danois d'Angleterre orientale (Danelaw) s'opposa

Ph. Carlo Bevilacqua/Ricciarini

Angleterre : Biddenden (Kent).

Ph. Hétier

Angleterre : Ullswater, dans la région des lacs.

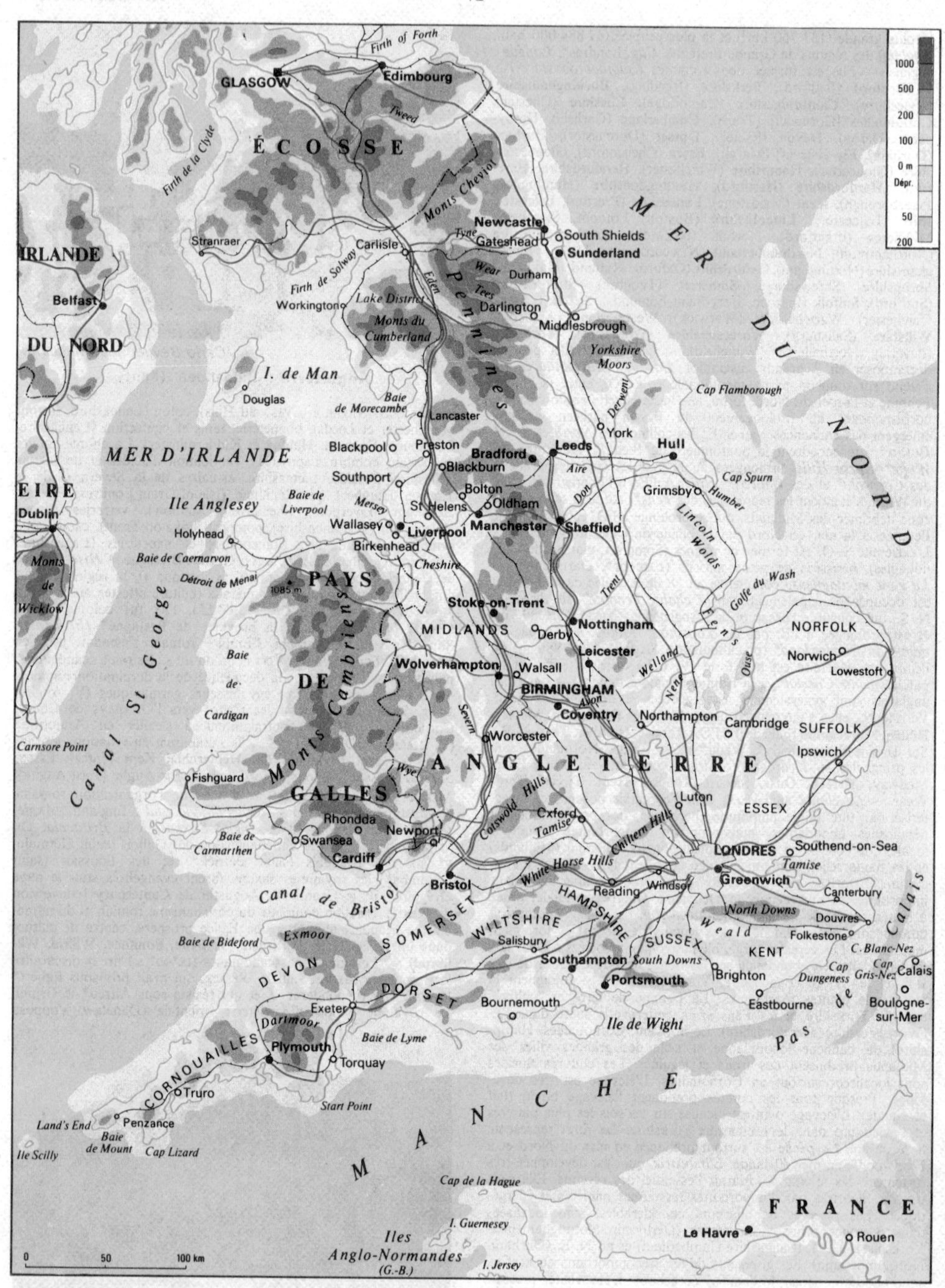

Angleterre.

au Wessex, premier véritable royaume d'Angleterre. Les successeurs d'Alfred* (Édouard* l'Aîné, Edmond Ier, Edgar*) absorbèrent peu à peu le royaume danois, tout en adoptant ses méthodes administratives (comtés, etc.). Mais le pouvoir y était faible et partagé (couronne élective, aristocratie). Après Ethelred II, la couronne fut conquise par le prince danois Canut* le Grand (Knud). Édouard* le Confesseur (fils d'Ethelred) restaura la dynastie saxonne, établissant des relations avec la Normandie. Le successeur d'Édouard, Harold, fut attaqué et vaincu en 1066 **(V. Hastings)** par Guillaume le Bâtard, duc de Normandie **(V. Guillaume** le Conquérant**)**, qui écarta de la succession le prince Edgar* Atheling. Les effets du changement politique furent immenses : organisation à la fois féodale et centralisée, concession de fiefs à des barons (par expropriation des Saxons), mais aussi unités administratives *(shires)* contrôlées par un *sheriff;* droit civil unifié *(common law),* finances et cadastre précis (*Domesday Book,* 1086); enfin, francisation de la langue (l'anglo-normand) et de la culture. Les successeurs du Conquérant, Guillaume* le Roux, Henri* Ier Beauclerc, malgré les efforts de ce dernier ne purent préserver son œuvre, menacée par les féodaux. Mathilde, fille d'Henri, fut écartée du trône par Étienne* de Blois, mais celui-ci reconnut le fils de Mathilde et du comte d'Anjou, Geoffroi* Plantagenêt, pour héritier de son trône. Henri Plantagenêt, héritier de l'Anjou, du Maine, de la Touraine, du Poitou et, par sa femme Aliénor, de l'Aquitaine, devint en 1154 roi d'Angleterre. – LES PLANTAGENÊTS*. Le règne d'Henri* II, souverain d'un immense domaine franco-anglais, vit l'organisation administrative et judiciaire de l'Angleterre et la lutte du pouvoir temporel avec l'Église **(V. Thomas Becket).** Sous Richard Cœur de Lion (1189-1199), fils d'Henri et d'Aliénor d'Aquitaine, le conflit avec la France se précisa **(V. Philippe II Auguste).** Il en fut de même sous Jean* sans Terre (1199-1216), contre qui Philippe Auguste soutenait Arthur* de Bretagne. Le domaine français des Plantagenêts fut attaqué et réduit par le roi de France, qui battit les alliés de Jean à Bouvines*. À l'intérieur, le conflit avec l'Église **(V. Langton),** la montée des barons et de la bourgeoisie limitaient le pouvoir royal. **V. Charte** *(Grande).* Le long règne d'Henri* III (1216-1272), qui s'opposa en France à Louis* IX (Saint Louis; **V. Saintes, Taillebourg),** puis traita avec lui (traité de Paris), récupérant la Guyenne*, fut marqué par la guerre civile (1258-1265), la victoire politique des barons **(V. Oxford** [Provisions d']**)** et celle de Simon de Montfort sur le roi (Lewes, 1264; Parlement de Londres, 1265), qui reprit le dessus en 1266. Mais l'évolution politique était acquise; sous Édouard* Ier (1272-1307) les institutions parlementaires féodales se précisèrent; le pays de Galles* fut conquis, l'Écosse momentanément assujettie. Édouard* II (1307-1327) connut des revers en Écosse (Bannockburn; **V. Robert Bruce);** le roi fut éliminé par sa femme **(V. Isabelle; Mortimer),** puis assassiné. Édouard III, proclamé roi par le Parlement, déposa sa mère en 1330. — LA GUERRE DE CENT ANS. De 1330 à 1337 Édouard III prépara la guerre avec la France, politiquement et militairement. Ralliant à sa cause la Flandre où il débarqua, il remporta une succession de victoires (L'Écluse, Crécy) et prit Calais (1347). En 1356 le prince de Galles battit Jean le Bon à Poitiers. Le traité de Brétigny* (1360) scella le partage de la France. La guerre reprit sous Charles* V de France **(V. Du Guesclin)** et le domaine anglais commença à se restreindre. La fin du règne d'Édouard III, qui laissa le pouvoir à son second fils le duc de Lancastre (1376), fut marquée par l'agitation politique. Sous Richard* II, roi à dix ans (1377), révolte sociale (1381 : John Ball, Wat Tyler*), écrasée un an plus tard, et difficultés religieuses **(V. Lollards; Wycliff).** D'abord conciliant, Richard II tenta de reprendre un pouvoir absolu; il fut vaincu et déposé par Henri de Lancastre au retour d'une expédition en Irlande (1399). Lancastre, devenu Henri* IV, prépara la reprise de la guerre en France, profitant de la rivalité entre Armagnacs et Bourguignons. C'est Henri* V (1413-1422) qui débarqua en Normandie et battit les Français **(V. Azincourt).** Il était soutenu par la Bourgogne et par Isabeau de Bavière (traité de Troyes*). Il épousa Catherine de Valois, devint régent de France, entra à Paris et repoussa le dauphin (futur Charles VII) qui dut se replier au sud de la Loire. À sa mort, il laissa le pouvoir royal à un enfant, Henri* VI (1422). Le régent Bedford* remporta de nouvelles victoires sur « le roi de Bourges », Charles VII et notamment attaqua Orléans. L'action de Jeanne* d'Arc (1429 : sacre de Charles VII à Reims) et le retournement de la Bourgogne (1435) conduisirent pourtant au recul progressif des Anglais. Charles VII reconquit la Normandie puis, plus difficilement, la Guyenne **(V. Talbot).** — En Angleterre, les députés provoquèrent une crise grave **(V. Roses** [guerre des Deux-]**)** entre les Lancastre et les York. Le fils de Richard d'York fut porté au trône par le duc de Warwick **(V. Édouard IV),** puis écarté, avant de reprendre le pouvoir. À sa mort son frère usurpa le trône **(V. Richard III),** mais Buckingham lui opposa un parent des Lancastre, Henri Tudor. Celui-ci vainquit et tua Richard (Bosworth, 1485); il épousa la fille d'Édouard IV, réconciliant les deux partis, et devint roi. — LES TUDORS (1485-1603). La restauration d'un pouvoir monarchique fort, sous Henri* VII (1485-1509), alla de pair avec l'essor économique et une politique extérieure active et habile (traité d'Étaples*; mariage de sa fille avec Jacques IV Stuart d'Écosse; découvertes par J. et S. Cabot en Amérique). Henri VIII (1509-1547) gouverna d'abord avec le cardinal Wolsey* qui menait une politique d'équilibre européen et, à l'intérieur, soutenait l'absolutisme. L'affaire du divorce d'avec Catherine d'Aragon, refusé par Clément VII, conduisit le roi au schisme, vaste affaire plus politique que religieuse et où l'anecdote personnelle (remariages avec Anne Boleyn*, Jeanne Seymour*, etc.) reste historiquement secondaire. **V. Henri VIII.** Sous Édouard* VI, le pouvoir réel fut exercé par Edward Seymour, son oncle. Ayant écarté la prétendante Jeanne Grey, Marie* Tudor (1553-1558) épousa le futur Philippe II d'Espagne et consacra le retour au papisme, en réprimant cruellement les protestants. Sa demi-sœur Elizabeth lui succéda (1558), menant une politique habile et autoritaire et laissant la réaction anti-catholique se développer. Les complots catholiques, les difficultés avec l'Écosse* la conduisirent à emprisonner puis à faire exécuter son héritière présomptive, Marie Stuart. L'Espagne tenta alors en vain d'attaquer l'Angleterre **(V. Armada),** qui connaissait une prospérité remarquable et qui entreprit une politique de découvertes et d'expansion maritimes **(V. Drake, Cavendish, Raleigh** [Walter], **Frobisher).** Malgré les difficultés sociales et religieuses (l'anglicanisme était menacé par le puritanisme de tendance calviniste) l'époque élisabéthaine fut pour l'Angleterre une extraordinaire apogée culturelle et artistique. — LES STUARTS ET LES RÉVOLUTIONS (1603-1714). Jacques VI d'Écosse, fils de Marie Stuart, devint roi d'Angleterre à la mort d'Elizabeth; avec son règne la *Grande-Bretagne* devenait une réalité politique. Absolutiste et strictement anglican, il se heurta à l'hostilité des catholiques (conspiration des Poudres, 1605)

Arch. Rencontre

Élisabeth Ire d'Angleterre, par Federico Zucchero. (Pinacothèque, Sienne.)

et des puritains. Charles* Ier, aidé par Strafford*, gouverna d'abord sans Parlement mais, son absolutisme religieux étant battu en brèche en Écosse, il fut contraint de convoquer le Parlement en 1640. **V. Parlement** (Court et Long). Le conflit éclata après la révolte de l'Irlande (1641) : remontrance du Parlement, coup de force manqué du roi. La guerre civile (1642-1646) opposa les bourgeois puritains parlementaristes (Têtes rondes; **V. Pym)** et l'ordre anglican traditionnel **(V. Cavaliers).** Battu en Écosse à plusieurs reprises, Charles fut livré par les Écossais, jugé par un Parlement «épuré» **(V. Parlement** [*croupion*] et exécuté. Le règne de Cromwell commençait; ayant éliminé royalistes et parlementaristes, il était le maître. **V. Cromwell.** Sa république (1649-1658) fut marquée par la soumission de l'Écosse*, l'écrasement de l'Irlande* catholique, la liquidation du Parlement, la guerre avec la Hollande, la lutte contre l'empire colonial espagnol (conquête de la Jamaïque, 1655). L'œuvre de Cromwell ne lui survécut pas, du moins au niveau des événements politiques; la lutte entre les généraux **(V. Monk; Lambert)** aboutit au retour du fils de Charles Ier. Charles II (1660-1685), sous l'apparence de l'absolutisme, mena une politique habile et retorse à l'intérieur **(V. Clarendon).** À l'extérieur, l'Angleterre, d'abord en conflit avec la Hollande, s'allia avec elle (Triple-Alliance, 1668) avant d'être sollicitée par Louis XIV (traité de Douvres) et de s'allier à la France, alliance désapprouvée par l'opinion anglaise. Menacé par les whigs* (Parlement de 1679), le roi finit par l'emporter grâce aux tories*. Jacques II (1685-1688), absolutiste et catholique intransigeant, s'aliéna les dirigeants politiques qui sollicitèrent le prince Guillaume d'Orange, mari de l'héritière du trône, fille de Jacques II (Marie) [1688]; Guillaume débarqua, convoqua un Parlement et Jacques II dut s'enfuir en France. La royauté de droit divin cédait la place à une royauté politique et nationale, par une révolution de nature aristocratique (sacre de Guillaume* III et de Marie). La lutte contre les jacobites d'Écosse et l'Irlande (la Boyne, 1690) se traduisit par la répression anglaise **(V. Irlande).** Le Parlement et les leaders de sa majorité, choisis comme ministres de la Couronne en 1694, devinrent encore plus puissants. Les successions furent réglées (acte d'Établissement, 1701) au bénéfice d'Anne Stuart, puis de Sophie Électrice de Hanovre, qui transmettait ses droits à son fils (futur George Ier). À l'extérieur, le règne de Guillaume III fut marqué par la guerre avec la France. **V. Augsbourg** *(ligue d').* Sous Anne (1702), dans la guerre de Succession d'Espagne (Grande Alliance anglo-hollando-impériale) l'Angleterre l'emporta d'abord **(V. Marlborough);** mais en 1710, la France et l'Espagne se redressaient et, Marlborough ayant été écarté, l'Angleterre traita avec la France (traité d'Utrecht*, 1713), obtenant d'immenses avantages politiques et commerciaux. À l'intérieur, l'acte d'Union de 1707 remplaça l'association personnelle des royaumes d'Angleterre et d'Écosse par un *Royaume-Uni de Grande-Bretagne,* avec un Parlement unique. Les tories gouvernèrent **(V. Bolingbroke)** jusqu'à la mort de la reine. — LE XVIIIe SIÈCLE (1714-1815). Sous George* Ier et George* II (1714-1760), rois étrangers, les structures politiques modernes se définissent : le Premier ministre, chef de la majorité parlementaire, forme un cabinet responsable qui élabore les grandes décisions **(V. Stanhope, Sunderland, Walpole, Pitt** [William]**).** La chambre des Communes, où siègent les cadets des grandes familles représentées aux Lords, était formée par les membres de la *gentry* (système des bourgs pourris; les nouvelles villes industrielles n'étant pas représentées). Le jacobitisme fut vaincu **(V. Charles-Édouard),** l'Écosse anti-anglaise réprimée. À l'extérieur, l'Angleterre s'opposait à la France au Canada, aux Indes

Ph. Hétier

Angleterre : Tower Bridge.

(V. Dupleix, La Bourdonnais) et, après 1759, remporta des succès définitifs (prise de Québec, 1759; de Pondichéry, 1761, **V. Lally-Tollendal).** En Europe, alliance avec la Prusse, contre la France. Sous George* III (1760) le traité de Paris constituait pour l'Angleterre un immense domaine colonial en Amérique du Nord, en Inde et en Afrique. **V. Canada, Indes** (et **Clive** [Robert], **Hastings** [Warren]). Le roi parvint à remplacer Pitt, qui avait dominé la politique anglaise de 1746 à 1761 (puis de 1766 à 1769), par lord North*. En butte à l'hostilité des whigs (affaire Wilkes), puis à la révolte des colonies d'Amérique **(V. États-Unis;** 1776) et à l'échec dans la guerre américaine (traité de Versailles, 1783), le roi dut céder devant le Parlement. En 1784, le pouvoir revint aux tories, **V. Pitt** (le second Pitt) malgré l'alliance des whigs et des radicaux **(V. Fox).** La peur de la Révolution française et la guerre contre la France (1793) aidant, les mouvements populistes **(V. Paine, Cobbett)** furent neutralisés. Contre Napoléon, l'action de Nelson **(V. Trafalgar)** puis de Wellington fut décisive, **V. Waterloo.** Envoyant Napoléon à Sainte-Hélène, s'assurant des points stratégiques, l'Angleterre tempéra cependant l'esprit de revanche contre la France. Mais l'évolution agricole (au bénéfice de la grande propriété) et la révolution industrielle, qui profitait à la bourgeoisie montante, engendrèrent une crise sociale (émeutes de 1811, 1812). Les réformateurs **(V. Bentham, Brougham)** furent moins entendus que l'apôtre méthodiste John Wesley*. L'Angleterre aristocratique du XVIIIe s. allait disparaître. — L'ÉPOQUE VICTORIENNE (1815-1914). D'abord régent puis roi (1820-1830), George IV, frivole et scandaleux, comme Guillaume IV, insignifiant (1830-1837), laissèrent le gouvernement aux tories (Liverpool*, Wellington*, Castlereagh*, puis Canning*, Robert Peel*). Ceux-ci réprimèrent violemment, puis tentèrent d'apaiser par des réformes, l'agitation sociale. En 1830 Wellington fut remplacé par le whig Grey* (réforme de 1832), puis par lord Melbourne*; un libéralisme timide se faisait jour. Les *Trade Unions* (autorisées en 1824) se développèrent et le chartisme ouvrier **(V. O'Connor)** commença à s'organiser. Le début du règne de Victoria* (1837) vit avec Peel* (conservateur) la victoire du libre-échange (1846). L'abrogation des *Corn Laws,* réclamée par les classes moyenne et ouvrière et rendue indispensable par la famine d'Irlande*, stimula l'économie. Pendant que le syndicalisme s'organisait (congrès de 1868; *Trade Union Act* de 1871), les ministères Palmerston* (1845-1855) et Russel-Gladstone firent place aux conservateurs, **V. Derby, Disraeli.** Ce dernier fit voter en 1867 un *acte de réforme* favorisant la classe moyenne et les ouvriers les plus aisés. Le premier ministère Gladstone **(V. Gladstone)** [1868-1874] réforma l'administration, la justice, l'armée et l'enseignement, dans un sens démocratique. Disraeli lui succéda (1874-1880), puis Gladstone revint au pouvoir. Sa loi de réforme (1884) élargissait le suffrage, qui restait limité. Après un ministère Salisbury, Gladstone revint encore au pouvoir (1886), mais tomba sur la question du *Home Rule* irlandais; il devait reprendre le projet en 1893, mais échoua devant les Lords (1894; **V. Irlande).** — En Europe, l'Angleterre victorienne cherchait à ménager ses intérêts, Canning soutenant les indépendances nationales (1822-1829), Palmerston défendant la Turquie contre la Russie. Alliée un temps à la France **(V. Crimée** [guerre de]**),** l'Angleterre, hostile à la politique de Napoléon III, hésita face à la Prusse de Bismarck. Après 1874, sa politique fut plus active; c'est l'impérialisme qui la commandait. Déjà, la guerre de l'Opium lui avait ouvert la Chine (1841), l'Inde était devenue une colonie d'exploitation prospère (Victoria devint impératrice des Indes en 1877), le Canada, l'Australie, la Nouvelle-Zélande et l'Afrique du Sud colonies de peuplement, se développant rapidement (V. ces pays). — AVANT LA PREMIÈRE GUERRE MONDIALE. Sous les gouvernements Salisbury-Joseph Chamberlain (1886-1892; 1895-1902), la question sociale s'aggrava : grèves de 1888-1889; élargissement des trade-unions, mouvements socialistes **(V. Fabiens; Hardie** [Keir]**)** et l'évolution politique allait aboutir à la fondation du *Labour Party* (1904). À l'extérieur, l'impérialisme anglais triomphait; après l'Égypte, où Disraeli était parvenu à supplanter l'influence française, ce fut le Soudan, l'Afrique du Sud **(V. Rhodes** [Cecil], **Boers** [guerre des]**),** et une bonne part de l'Afrique noire qui entrèrent dans la zone d'influence britannique **(V.** *aussi* **Fachoda).** Sous Édouard VII (1901-1910) et Balfour, devant le péril allemand, l'Angleterre régla son contentieux avec la France (accord de 1904; seconde « Entente cordiale »). Entre 1905 et 1914, de nombreuses réformes politiques et sociales furent adoptées **(V. Asquith, Lloyd George),** tandis que l'Angleterre, aux côtés de la France et de la Russie (triple entente) allait être entraînée dans la guerre. — LA GUERRE DE 1914. L'action de la Grande-Bretagne fut déterminante sur mer (îles Falkland, Jutland; lutte sous-marine, **V. Beatty**) et sur terre (bataille de la Somme; recul de mars 1918, participation à l'offensive de Foch). Lloyd George joua un rôle essentiel dans les négociations (1918-1920) et mena une politique active en Europe (Russie, Pologne) et au Moyen-Orient. À l'intérieur, le suffrage universel pour les hommes et les femmes fut voté en janvier 1918. Mais la question irlandaise se posait de nouveau et les difficultés économiques et sociales divisaient les conservateurs. Stanley Baldwin* chercha à réintroduire le protectionnisme, mais les élections (1923) donnèrent pour la première fois le pouvoir à un travailliste (Ramsay Macdonald); puis Baldwin, renonçant au protectionnisme, prit des mesures économiques et sociales, mais le chômage restait grand. L'Angleterre adhéra aux accords de Locarno* en 1925. Le retour de Macdonald (1929) conduisit à un gouvernement d'Union (1931), après la crise mondiale **(V. Baldwin).** Le libre-échange fut abandonné (système de la préférence impériale), l'agriculture réorganisée et, après 1932, le chômage diminua. George V mourut en 1936 et le prince de Galles (Édouard VIII) dut pour pouvoir se marier avec une Américaine divorcée, renoncer au trône. Son frère (George VI) lui succéda. N. Chamberlain* prit la succession de Baldwin, rendu impopulaire par son intransigeance dans l'affaire du prince de Galles. Anthony Eden, aux Affaires étrangères, préconisait la fermeté à l'égard de l'Italie fasciste, mais Chamberlain reconnut la conquête de l'Éthiopie en avril 1938. Avec l'Allemagne, Chamberlain temporisa et négocia (1938); après Munich, l'attaque d'Hitler contre la Tchécoslovaquie détermina l'Angleterre à accorder sa garantie à la Pologne (mars 1939), puis à entrer en guerre le 3 septembre, un jour avant la France. — Pendant la guerre elle dut faire face seule aux attaques aériennes allemandes, déchaînées contre toutes les grandes villes, et à une guerre sur mer impitoyable. Churchill*, au pouvoir à partir du 10 mai 1940, symbolisa la résolution du pays. Aidée par les États-Unis (août 1940) puis soutenue par eux dans la guerre (déc. 1941), la Grande-Bretagne fut le centre européen des Alliés (entraînement des pilotes, siège des gouvernements libres, etc.). — APRÈS 1945. Churchill fut battu aux élections en 1945 et son cabinet remplacé par un cabinet travailliste **(V. Attlee)** comprenant E. Bevin*, Stafford Cripps et A. Bevan*. De nombreuses nationalisations, un plan d'austérité, la réorganisation étatique de la médecine (1946), l'organisation d'une sécurité sociale (1948) modifièrent profondément l'organisation économique et sociale. La décolonisation volontaire (indépendance de l'Inde et du Pakistan, etc.) évita à l'Angleterre les guerres coloniales **(V. Commonwealth).** Les travaillistes, battus en 1951, abandonnèrent le pouvoir aux conservateurs (Churchill, A. Eden, Macmillan, Douglas-Home) de 1951 à 1964. La sidérurgie fut dénationalisée (1953), mais les autres réformes travaillistes furent maintenues. Elisabeth* II avait succédé à George VI en 1953. L'économie se développa, mais des difficultés financières (inflation) amenèrent la chute des conser-

Ph. Sandro Prato/Ricciarini

Angleterre : Carnaby Street, à Londres, symbole de la modernité anglaise.

vateurs. Avec H. Wilson* la Grande-Bretagne fit pour la seconde fois acte de candidature au Marché commun. Le gouvernement travailliste dut procéder à la dévaluation de la livre (fin 1967) et ramener les forces militaires qu'elle avait au Proche-Orient ; sa popularité baissait et il était en conflit avec les trade unions (grèves). Malgré un rétablissement apparent de la situation, les travaillistes perdirent les élections de juin 1970. Edward Heath, devenu Premier ministre, négocia avec succès l'accession de la Grande-Bretagne au Marché commun, mais obtint difficilement, en 1971, aux Communes et dans le pays, l'approbation des conditions de cette accession. Il provoqua en février 1974 des élections qui ne donnèrent la majorité absolue à aucun des deux grands partis. Harold Wilson constitua un gouvernement travailliste minoritaire. Le référendum de juin 1975 portant sur le maintien du pays dans la C.E.E. remporta plus de 67 % de «oui». J. Callaghan* remplaça H. Wilson démissionnaire (mars-avril 1976) et eut pour première tâche la lutte contre l'inflation aggravée par la chute de la livre.

ANGLEUR. ♦ Comm. de Belgique (prov. et arr. de Liège), sur l'Ourthe. 13 100 hab. Métallurgie. Imprimerie.

Anglicanisme. *n. m.* ♦ Ensemble des doctrines et institutions de l'Église anglicane, église officielle de l'Angleterre. ♦ *Hist.* Dès le XIVe s., le Parlement avait limité la dépendance de l'Angleterre à l'égard de la papauté. Ces tendances s'étaient renforcées avec l'action de Wyclif* et l'hérésie des lollards. Mais c'est par un acte arbitraire d'Henri* VIII que le schisme fut déclaré **(V. Angleterre, *Hist.*).** Le roi prit personnellement la tête de l'Église d'Angleterre (*Acte de Suprématie,* 1534). La réforme se développa, avec l'aide de Thomas Cromwell*, vicaire général : confession de foi des *Dix Articles* (1536) de tendance luthérienne, puis réaction catholique, exécution de Th. Cromwell et persécution des protestants. Sous Édouard VI, furent promulgués un *Prayer Book* (1552) et une confession de foi en *Quarante-deux articles* (1553, calvinistes). Marie* Tudor, catholique, ramena l'Angleterre dans la communion romaine (1554) et persécuta les protestants (273 exécutions, **V. Cranmer**). L'Église d'Angleterre prit sa forme définitive sous Elisabeth Ire qui restaura, avec quelques modifications, le *Prayer Book* et les *Quarante-deux* devenus *Trente-neuf articles* (1563) ; la théologie fut de tendance calviniste, la liturgie et la hiérarchie conservèrent des traits catholiques. L'influence du catholicisme s'accentua au XIXe siècle **(V. Oxford,** mouvement d').

ANGLO-NORMANDES *(îles)*, en angl. **Channel Islands.** ♦ Archipel britannique de la Manche, situé à 15 km à l'O. de la presqu'île du Cotentin*, à l'entrée du golfe de Saint-Malo et à 80 km des côtes anglaises. Il est formé d'un grand nombre d'îlots et récifs inhabités (Brechnou, Lihou, les Casquets, les Roches Douvres, les Minquiers), des îles Chausey* qui appartiennent à la France, et de 4 grandes îles. **V. Jersey, Guernesey, Aurigny** (Alderney), **Sercq** (Sark) qui sont sous administration britannique et divisées en 2 baillages (Jersey et Guernesey). 195 km². 115 000 hab. *Langue :* anglais ; dialecte français (normand) en cours d'extinction.

ANGLO-SAXONS. *n. m. pl.* ♦ Nom donné aux peuples germaniques qui envahirent la Grande-Bretagne vers le milieu du Ve s. (441). **V. Angles, Jutes, Saxons** et *aussi* **Angleterre,** *Hist.*

ANGLURE. ♦ Ch.-l. de cant. de la Marne, arr. d'Épernay, sur l'Aube*. 700 hab. Église (XVIe s., restaurée après 1940).

ANGO ou **ANGOT (Jean).** ♦ Armateur français (Dieppe, v. 1480 – 1551). Capitaine de la ville et du château de Dieppe, il fit envoyer de nombreux navires aux Indes orientales, en Amérique, en Afrique **(V. Verrazano** [G. *da*]), aida François Ier à s'armer contre l'Angleterre, mais perdit une bonne partie de sa fortune à la mort de ce dernier. – *Manoir d'Ango* (commune de Varangeville).

ANGOLA. *n. m.* (anc. *Afrique-Occidentale portugaise*). ♦ Anc. prov. portugaise d'outre-mer, en Afrique équatoriale. 1 246 700 km². 5 225 000 hab. *(Angolais)* dont env. 200 000 Portugais. *Cap.* Luanda. *Langue off. :* portugais. *Population :* Bantous, Boschimans, Portugais, etc. – *Dépendance :* enclave de Cabinda*. *V. princ.* Benguela, Lobito, Nova Lisboa. – *Hydrogr.* **V. Congo, Kasaï, Zambèze.** – À une étroite plaine côtière, fertile et cultivée, succèdent des plateaux cristallins au climat tropical chaud. L'économie de l'Angola repose sur l'agriculture (café) et l'extraction minière (diamants ; gisements de pétrole aux environs de Luanda). ♦ *Hist.* Découvert en 1482 par Diogo Cam* (ou Caõ), l'Angola devint possession portugaise sur toute sa région côtière dès 1484. La domination du Portugal ne s'étendit vers l'intérieur du pays qu'au XIXe siècle. Serpa* Pinto tenta vainement de le réunir au Mozambique. Devenu *territoire* en 1951, puis *province* en 1955, l'Angola a été dès 1961 le théâtre d'une rébellion nationaliste, principalement animée par le Mouvement populaire de libération de l'Angola (M.P.L.A.). Le pays devient indépendant en 1975.

ANGORA. ♦ V. ANKARA.

Angot (Mme). ♦ Personnage populaire créé sous le Directoire par Maillot et repris par Lecocq dans *La Fille de Mme Angot* (1873).

ANGOULÊME (Louis Antoine de BOURBON, *duc d'*). ♦ Dernier dauphin de France (Versailles, 1775 – Göritz, Autriche, 1844). Fils du comte d'Artois (futur Charles* X), il émigra avec son père au début de la Révolution (1789) et épousa en exil (1799) sa cousine Marie-Thérèse *(V. ci-dessous).* Attaché à l'armée de Wellington, il entra dans Bordeaux (mars 1814), puis tenta en vain de soulever le Midi de la France contre Napoléon Ier pendant les Cent-

Ph. Ostuni/Ricciarini

Angola : femme Huila.

Jours. Membre de l'expédition d'Espagne (1823) envoyée au secours du roi Ferdinand VII, il participa à la prise du Trocadéro*. Devenu dauphin à l'avènement de son père (1824), il renonça au trône après la révolution de juillet 1830. ♦ MARIE-THÉRÈSE CHARLOTTE, *duchesse d'*ANGOULÊME (Versailles, 1778 – Frohsdorf, 1851). Fille de Louis* XVI et de Marie*-Antoinette, et appelée *Madame Royale,* elle fut enfermée au Temple en 1792, puis échangée en 1795 contre les commissaires français livrés aux Autrichiens par Dumouriez*. En 1799 elle épousa son cousin, le duc d'Angoulême **(V. *ci-dessus*).** Revenue en France en 1814, elle se rendit assez impopulaire en appuyant les mesures de réaction cléricale.

ANGOULÊME. ♦ Préf. de la Charente, ch.-l. d'arr. (16 cant., 258 comm., 206 603 hab.), sur la Charente. 50 883 hab. [46 584 aggl.] *(Angoumois* ou *Angoumoisins).* Évêché. La *cathédrale Saint-Pierre,* construite pendant la seconde moitié du XIIe s. et excessivement remaniée par Abadie au XIXe s., offre une remarquable façade décorée dans le style poitevin ; le reste de l'édifice appartient à l'école périgourdine : l'unique nef présente trois travées couvertes de trois coupoles sur pendentifs ; la croisée du transept est également surmontée d'une coupole. Abadie construisit également l'*hôtel de ville* dans le style néo-gothique. – Papeteries renommées. Imprimerie. Matériel pour la fabrication du papier.

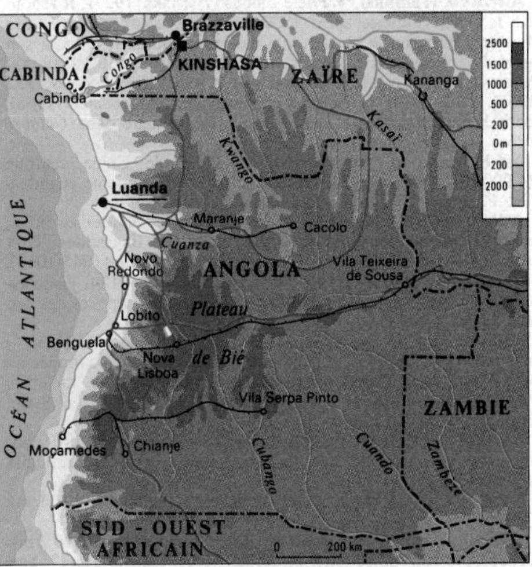

Angola.

Poudrerie nationale. Métallurgie, constructions mécaniques. Matériel électrique et frigorifique. Indus. textile, confection, chaussures. Distilleries. Matériaux de construction. — Patrie de Marguerite* de Valois (ou d'Angoulême), Guez de Balzac, René de Montalembert*, Coulomb. ♦ *Hist.* Au IXe s., la V. devint la capitale de l'Angoumois (**V. Angoumois**). Calvin y propagea ses thèses dès 1527 et de sanglants combats y opposèrent catholiques et réformés.

ANGOUMOIS. *n. m.* ou **Comté** (puis **duché**) **d'ANGOULÊME**. ♦ Anc. région de France qui englobait l'actuel dép. de la Charente* (à l'exception de quelques cantons autour de Barbezieux) et une partie du dép. de la Dordogne. *Cap.* Angoulême*. ♦ *Hist.* Réuni à la couronne sous Philippe* le Bel (1308), le comté fut cédé à l'Angleterre par le traité de Brétigny* (1360) et reconquis par Charles* V (1373). François* Ier, qui avait porté le titre de comte d'Angoulême, érigea l'Augoumois en duché pour sa mère Louise* de Savoie (1515) et le réunit à nouveau à la couronne en 1531.

ANGRA DO HEROÏSMO. ♦ Ch.-l. de l'île de Terceira* (archipel portugais des Açores*). 13 800 hab.

ANGROK. ♦ Souverain javanais (1222-1227), fondateur du royaume de Singhasâri dans l'E. de Java. D'origine paysanne (selon une tradition, voleur de grands chemins), il assassina le gouverneur de sa province, épousa sa veuve, réunit une armée et battit le roi Kritajaya de Kadiri. Le fils du gouverneur assassiné, Anûsapathi, le tua et lui succéda.

ÅNGSTRÖM (Anders Jonas). ♦ Physicien suédois, (Lödgö, 1814 — Uppsala, 1874). Il est connu par ses recherches sur le spectre solaire (1868) et sur les spectres des gaz simples. **V.** *aussi* **Kirchhoff.**

ANGUIER (François). ♦ Sculpteur français (Eu, 1604 — Paris, 1669). Élève de Simon Guillain, il séjourna à Rome de 1641 à 1643, puis exécuta des travaux de décoration au Louvre. Il travailla avec son frère Michel au *mausolée de Henri II de Montmorency* (1651-1658). *La statue agenouillée* élégante et pleine de retenue de *Gaspard de Montmorency,* destinée au *tombeau de J.A. de Thou,* est considérée comme son chef-d'œuvre.

ANGUIER (Michel). ♦ Sculpteur français (Eu, 1612 — Paris, 1686). Frère de François, il fut comme lui l'élève de Simon Guillain, puis resta dix ans à Rome, étudiant notamment auprès de l'Algarde*. Il travailla pour Fouquet à Saint-Mandé et à Vaux, orna de stucs les appartements d'Anne d'Autriche au *Louvre** (1654-1655) et participa largement à la décoration sculptée du *Val-de-Grâce* (*groupe de la Nativité*, 1662-1667). Il exécuta ensuite les reliefs de la *porte Saint-Denis* (1671-1677) d'après les dessins de Le* Brun. Il travailla le marbre, l'ivoire, le bronze et l'argent, réalisa de nombreux groupes et des statues religieuses qui portent la marque des modèles baroques italiens.

ANGUS. *n. m.* (anc. *Forfarshire)*. ♦ Comté d'Écosse, sur la mer du Nord. 2 262 km². 278 400 hab. *Ch.-l.* Forfar*. *V. princ.* Brechin, Dundee*. Élevage bovin et ovin, céréales, fruits, pêche.

AN GYEON. ♦ Peintre coréen (v. 1400 — v. 1470) de la cour du roi Se-Jong de la dynastie des Yi*, célèbre pour ses peintures de sujets historiques et ses paysages inspirés des œuvres chinoises de la dynastie des Yüan*.

ANHALT. *n. m.* ♦ Anc. principauté d'Allemagne, formée de plusieurs enclaves de la Saxe*. Elle fut créée par le morcellement des possessions des Ascaniens* (1170 et 1212). L'Anhalt se divisa au XVIe s. en quatre domaines. *L'Anhalt-Dessau* entra en 1866 dans la Confédération de l'Allemagne du Nord et fut intégré à l'Empire allemand. Il devint État libre en 1918 et fait auj. partie de la République démocratique allemande. **V. Allemagne.**

ANHAVA (Tuomas). ♦ Poète finnois (Helsinki, 1927). Il renouvela la poésie finnoise après 1950 avec Haavikko* et Eeva-Liisa Manner*, et devint le plus en vue des jeunes auteurs, grâce à son talent de polémiste et d'orateur incisif. Il déclare que le poète doit s'abstenir de tout engagement politique et social dans *Poèmes 1955* (1955), s'inspire de la sagesse chinoise dans *36 poèmes* (1958), décrit la vie quotidienne avec humour et nostalgie dans *Octobre* (1965) et *Le Sixième Livre* (1966).

AN-HUI. n. m. *(Ngan-houei)*. ♦ Prov. de Chine centrale (34 000 000 hab.), capitale Hofei. Grand centre agricole et industriel. *V. princ. :* Peng-pu, Huai-nan, Ch'i-men, Wu-hu.

ANI. ♦ Anc. V. d'Arménie* située en Turquie. Fondée au IXe s., ce fut la capitale de la dynastie arménienne des Bagratides (Xe et XIe s.). Elle fut prise tour à tour par les Byzantins (1045-1064), les Saljûqides* (1064-1124), les Géorgiens (de 1124 jusqu'au milieu du XIIIe s.), qui la perdirent à plusieurs reprises, et les Mongols*.

ANIANE. ♦ Ch.-l. de cant. de l'Hérault* (arr. de Montpellier*) près de Gignac. 1 794 hab. *(Anianais)*. Ancienne abbaye fondée au VIIIe s. par saint Benoît d'Aniane. — Distilleries, vins, huileries.

ANICET *(saint)*. ♦ 11e pape (155-166 [?], d'Émèse en Syrie, martyr (?). Fête le 17 avril.

ANICHE. ♦ Comm. du Nord*, arr. de Douai*. 10 190 hab. (aggl. de plus de 20 000 hab.). Houille, verreries, produits chimiques.

ANIE *(pic d')*. ♦ Sommet des Pyrénées*-Atlantiques (2 504 m), il domine la vallée d'Aspe*.

ANIENE. [*n. m.*], anc. **Anio**. ♦ Riv. d'Italie centrale (99 km), qui arrose Tivoli* et se jette, au N. de Rome, dans le Tibre*. Son cours inférieur est jalonné de centrales hydro-électriques.

ANIMUCCIA (Giovanni). ♦ Compositeur italien (Florence, v. 1500 — Rome, 1571). Maître de chapelle à Saint-Pierre de Rome, il fut l'ami de saint Philippe Neri et composa, pour la congrégation de l'Oratoire, des *Madrigali spirituali* et des *Laudi spirituali* (1563-1570), recueils de cantiques en langue italienne qui marquent les débuts de l'oratorio.

ANIO. ♦ Anc. nom de l'Aniene*.

ANJERO-SOUDJENSK (ou **SUDJENSK**). ♦ V. d'U.R.S.S. (R.S.F.S. de Russie), située à l'extrême N. du Kuzbass (Kouzbass) en Sibérie. 106 000 hab. Indus. houillères, chimiques et métallurgiques.

ANJIN (mot jap. « Pilote »). ♦ Nom japonais donné au navigateur anglais WILL. ADAMS (mort en 1620) qui, pilotant un navire hollandais, s'échoua en 1600 sur les côtes du Japon. Retenu prisonnier, il créa au Japon, à Hirado, le premier comptoir commercial anglais et construisit des navires pour le compte du shôgun Tokugawa* Ieyasu.

ANJIRÔ. ♦ Nom japonais (pour *Angelo*) du premier chrétien japonais (v. 1512 — 1551). Ayant commis un meurtre, il s'enfuit sur un navire portugais et arriva à Malacca où il fut converti par François-Xavier. Revenu avec celui-ci au Japon en 1549, il y prêcha mais fut de nouveau obligé de s'enfuir et devint corsaire.

ANJOU. *n. m.* ♦ Région de l'O. de la France, correspondant aux départements de Maine*-et-Loire (en totalité), Mayenne*, Sarthe*, Indre*-et-Loire et Vienne*. (*Cap.* Angers. *Hab.* Angevins). Le territoire de l'Anjou est, du point de vue géologique, partagé entre les formations du Massif armoricain à l'O. dans l'*Anjou noir,* et celles du Bassin parisien à l'E. dans l'*Anjou blanc. L'Anjou noir* comprend au N. de la Loire, le *Segréen* ou *Craonnais*, pays de plateaux peu élevés aux sols de schistes et de grès, et au S. les *Mauges.* Le bocage y domine. *L'Anjou blanc* englobe les régions du *Baugeois* au N. de la Loire (forêts, lande ; prairies d'élevage dans les vallées) et le *Saumurois*, au S. Entre Baugeois et Saumurois, le long des cours de la Loire et de l'Authion s'étend le fertile *val d'Anjou* (horticulture; vignoble). ♦ *Hist.* Peuplé par les Celtes Andécaves, conquis par les Romains, puis par les Francs, l'Anjou passa à Robert* le Fort en 864 et fut érigé en comté en 870. Foulques* V, descendant des premiers comtes d'Anjou et roi de Jérusalem, régna jusqu'en 1131, date où Geoffroi* V le Bel, surnommé Plantagenêt, lui succéda. Ce dernier, par son mariage avec Mathilde*, reine d'Angleterre, acquit le duché de Normandie. Son fils Henri devint roi d'Angleterre en 1154 (**V. Henri II**). L'Anjou, quoique possession anglaise, continuait à relever de la couronne française. Philippe* Auguste le confisqua à Jean* sans Terre et le plaça sous son autorité immédiate (1203), mais Louis* VIII le donna avec le Maine, en apanage à son dernier fils Charles. Celui-ci, sous le nom de Charles* Ier (1246-1285), fonda la *seconde maison d'Anjou*, acquit par mariage la Provence et conquit le royaume de Naples (1266). Sa petite-fille apporta l'Anjou en dot à Charles* de Valois, frère de Philippe* le Bel (1290) et fut la mère du futur Philippe* VI de Valois qui, à son avènement (1328), réunit le comté d'Anjou à la Couronne. Il en fut à nouveau détaché par Jean* II le Bon qui l'érigea en duché au profit de son second fils Louis Ier (1360), chef de la *troisième maison* d'Anjou. Cette dynastie fit connaître à l'Anjou, avec Louis* II, Yolande* d'Aragon et le roi René* Ier une période extrêmement brillante. La dynastie s'éteignit et l'Anjou fut rattaché définitivement à la Couronne par testament en 1482. ♦ Le titre de DUC D'ANJOU fut encore porté par plusieurs princes (Henri* III, François [ci-dessous], Philippe* V). ♦ Hors de la province, des princes capétiens et valois d'Anjou ont régné sur la Sicile, Naples et la Provence (notamment *Charles* d'Anjou,* Robert* le Sage, Louis* Ier, Louis* II, René* Ier le Bon), sur la

Ph. Carlo Bevilacqua/Ricciarini

Ankara : la vieille ville.

Hongrie (Charles* Ier Robert) et la Pologne et sur l'empire latin de Constantinople (branche de Tarente).

ANJOU (François, *duc d'***).** ♦ Quatrième fils d'Henri* II et de Catherine* de Médicis (Saint-Germain-en-Laye, 1554 – Château-Thierry, 1584). Il fut d'abord appelé duc d'Alençon. D'une ambition dangereuse, il intrigua avec les protestants, rejoignit le prince de Condé* et se mit à la tête des rebelles. Après la paix de Monsieur* (1576), il intrigua avec Guillaume* d'Orange, se rendit aux Pays-Bas à son appel, mais devint rapidement impopulaire. Sa mort laissa à Henri* de Navarre la succession au trône.

ANJOU *(duc d').* ♦ **V. Philippe V d'Espagne.**

ANJOUAN ou **JOHANNA.** ♦ Île de l'archipel des Comores*. 424 km².

ANKARA. *anc.* **Ancyre** ou **Angora.** ♦ Cap. de la Turquie, dans la partie occidentale du plateau anatolien. Ch.-l. de la province homonyme. C'est la deuxième ville de Turquie après Istanbul* 905 660 hab. (1965). Aéroport international d'Ankara-Esenboğa, à 27 km. Deux universités. Les nouveaux quartiers, édifiés le long d'un axe N.-S., sont dominés par la vieille ville groupée au N.-E. autour de la citadelle et où se trouvent des ruines de l'époque romaine et la mosquée Arslanhane (*déb.* XIIIe s.). Remarquable musée hittite; musée ethnographique. – Ankara a un rôle essentiellement politique et administratif. ♦ *Hist.* Située à l'O. d'Hattousas* (auj. Boğazkale*), *Ancyre* était déjà une cité importante sous l'Empire hittite* (~ XVIe-~ XIIIe s.) et sous les Celtes Tectosages* qui s'établirent en Asie* Mineure. Les Romains en firent la capitale de la province de Galatie* et le temple d'Auguste y fut édifié. **V. Ancyre** (monument d'). Saint Paul y fonda une communauté chrétienne à laquelle s'adressait son *Épitre aux Galates.* Prise par les Perses, puis par les Arabes et par les Turcs, *Ancyre* fut en 1402 le théâtre d'une bataille qui se termina par la victoire de Tîmur*-i Lang sur Bâyazid Ier. Appelée *Angora* au XIXe s., la ville prit une nouvelle importance en devenant le siège du gouvernement de Mustafa* Kémal (1919), puis la capitale de la Turquie en 1923.

ANKLAM, anc. **Anclam.** ♦ V. et port d'Allemagne nord-orientale (R.D.A., district de Neubrandebourg). 25 000 hab. Constructions mécaniques.

AN LU-SHAN *(Ngan Lou-chan).* ♦ Général chinois (? – 757) commandant les Marches du Nord, sous l'empereur Hsüan-Tsung. Il se rebella en 755 et se proclama lui-même empereur à Ch'ang-an; il fut rapidement vaincu (757) et tué. – Son fils prit la tête de la rébellion et se proclama empereur, mais fut assassiné en 759.

ANNABA (anc. **Bône).** ♦ V. et port de l'Algérie orientale, ch.-l. du dép. et de l'arr. du même nom, au pied du versant O. du massif de l'Edough*. 164 000 hab. À proximité se trouve le site d'Hippone*. Deuxième port d'Algérie. Complexe sidérurgique. – *Le dép. d'Annaba* (749 000 hab.) longe la frontière tunisienne et s'étend jusqu'aux abords du Sahara. *V. et localités princ.* : **V. Calle (La), Guelma, Hammam-Meskoutine, Mondovi, Souk-Ahras, Tebessa.**

ANNA IVANOVNA. ♦ (Moscou, 1693 – Saint-Pétersbourg, 1740). Impératrice de Russie (1730-1740), fille d'Ivan* V et nièce de Pierre* le Grand. Après la mort de son cousin Pierre* II, D.M. Galitzine* (Golitsyn) l'aida à monter sur le trône, mais chercha à restreindre son pouvoir et fut emprisonné dans la forteresse de Schlüsselbourg*. Son règne fut marqué par la guerre de la Succession de Pologne (1733-1735) et une guerre contre les Turcs (1736-1739). Elle adopta et désigna comme successeur Ivan* VI.

Anna Karénine. ♦ Roman de L. Tolstoï (1873-1877). Anna Karénine, femme d'un haut fonctionnaire, quitte son mari, se perd aux yeux de la société par amour pour son amant Vronski, et finit par se suicider. À cet amour coupable et passionné, Tolstoï oppose le calme bonheur familial de Kitty et Lévine. Dans ce roman psychologique qui décrit fidèlement la société russe à l'époque de Tolstoï, on voit s'ébranler le vitalisme de l'auteur devant une morale pessimiste envahissante.

Annales. ♦ Œuvre de Tacite* composée de 16 ou 18 livres parus entre 115 et 117. Récit de l'histoire de Rome de la mort d'Auguste à celle de Néron. Il reste les livres I à IV, XI à XVI, ainsi que des fragments des livres V et VI.

ANNAM. *n. m.* ♦ Partie du Viêt-nam central constituée par une longue plaine côtière orientée N.-S., délimitée à l'O. par la Cordillère annamitique, à l'E. par la mer de Chine méridionale, au N. par le Tonkin et au S. par la Cochinchine. Ce nom désignait, avant 1803, le royaume vietnamien tout entier, signifiant surtout, aux yeux des Chinois le « Sud pacifié ». Population dense, en majorité agriculteurs (riz principalement, maïs, canne à sucre, noix de coco) et pêcheurs. *Villes princ.* Huê*, Da* Nang et Qui* Nhon. **V. Viêt-nam.** ♦ *Hist.* Le nom d'Annam s'est appliqué à un royaume formé par le Tonkin au centre de l'Indochine, puis à l'empire de Nguyên Anh, devenu empereur d'Annam sous le nom de Gia Long en 1802. Celui-ci parvint à unifier l'ensemble du Viêt-nam (Tonkin, Annam, Cochinchine). L'un de ses successeurs, Tu Duc, empereur d'Annam de 1847 à 1883, provoqua l'intervention de la France par ses persécutions contre les chrétiens. Devenu protectorat français (1883), inclus dans l'Union indochinoise (1887, **V. Indochine**), l'Annam conserva son empereur jusqu'à l'abdication de Bao* Daï et la proclamation de la république par Hô* Chi Minh (1945). Pendant la séparation des deux Viêt-nam (1954-1976), la ligne du 17e parallèle partageait l'Annam en deux régions.

ANNAMITIQUE *(Cordillère).* ♦ Chaîne montagneuse de l'Indochine* orientale qui sépare le Laos* du Viêt*-nam et domine les plaines côtières de l'Annam. Des tribus montagnardes **(V. Cham, Thaïs)** habitent cette zone, couverte de forêts et de pénétration relativement difficile, culminant à 2 598 m au S.-O. de Da Nang (Tourane).

Ph. Carlo Bevilacqua/Ricciarini

Anne d'Autriche par Rubens. (Musée du Prado, Madrid.)

ANNAPOLIS. ♦ V. et port des États-Unis, sur une riv. à proximité de la baie de Chesapeake*, cap. de l'État de Maryland*. Env. 26 500 hab. (1968). Ville historique possédant des bâtiments du XVIIIe siècle. Port de plaisance.

ANNAPPES. ♦ Localité de la banlieue de Lille, sur la Marcq*, intégrée à la nouvelle comm. de Villeneuve-d'Ascq et abritant certains éléments de la faculté de Lille. 13 806 hab. *(Annappois).*

ANNAPÛRNÂ. ♦ Divinité hindoue de la Plénitude de la nourriture, aspect particulier de la śakti* de Śiva*.

ANNAPÛRNÂ. *n. m.* (voir le précédent). ♦ Sommet de l'Himalâya (8 078 m) conquis le 3 juin 1950 par une équipe d'alpinistes français dirigés par Maurice Herzog.

ANN ARBOR. ♦ V. des États-Unis (Michigan) située à l'O. de Détroit*. 98 414 hab.; zone urbaine, plus de 230 000 hab. Indus. diverses (outils, instruments électroniques, photographie...). Siège de l'université du Michigan.

ANNAY. anc. **Annay-sous-Lens.** ♦ Comm. du Pas-de-Calais, dans la banlieue de Lens. 5 236 hab. Houillères.

ANNE *(sainte).* ♦ Dans les Évangiles apocryphes et la tradition chrétienne, épouse de saint Joachim* et mère de la Vierge Marie*. Fête le 26 juillet.

ANNE BOLEYN. ♦ (1507 – Londres, 1536). Reine d'Angleterre. Dame d'honneur de Catherine* d'Aragon, elle s'attira les faveurs d'Henri* VIII, et, après le divorce de celui-ci et de Catherine, elle fut couronnée en grande pompe à Westminster et mit au monde la future Élisabeth* Ire. Le roi s'étant bientôt détaché d'elle, elle fut condamnée à mort pour adultère par un tribunal où siégeait son propre père, tandis que le roi épousait le lendemain Jeanne* Seymour.

ANNE D'AUTRICHE. ♦ Reine de France (Valladolid, 1601 – Paris, 1666). Fille de Philippe III d'Espagne, elle épousa Louis XIII en 1615 et lui donna deux fils (Louis XIV et Philippe d'Orléans), après vingt-trois ans d'un mariage peu heureux. Compromise par l'amour du duc de Buckingham*, elle prit part aux intrigues menées contre Richelieu* et fut même accusée de trahison pour avoir correspondu secrètement avec son frère le roi d'Espagne. À la mort de Louis XIII, elle devint régente (1643-1661) et gouverna avec Mazarin* avec qui elle contracta peut-être un mariage secret. Elle sut faire preuve de fermeté pendant la Fronde* et se retira, lorsque son fils prit le pouvoir, au Val*-de-Grâce.

ANNE DE BRETAGNE. ♦ Reine de France (Nantes, 1476 – Blois, 1514). Fille de François* II, dernier duc de Bretagne, auquel elle succéda en 1488, elle fut mariée par procuration (1490) à l'empereur allemand Maximilien* Ier, mais épousa finalement le roi de France Charles* VIII (1491). Devenue veuve en 1498, elle se remaria en 1499 avec Louis* XII qui avait fait casser son mariage avec Jeanne* de France. Elle eut deux filles de ce second mariage : Claude* de France, future épouse de François* Ier, et Renée* de France, future duchesse de Ferrare.

ANNE DE CLÈVES. ♦ (1515 – Chelsea, 1557). Reine d'Angleterre. Fille de Jean III, duc de Clèves, elle fut la quatrième femme d'Henri* VIII qui la répudia au bout de six mois, mais la laissa mener une existence paisible.

ANNE DE FRANCE, dite **la dame de Beaujeu**. ♦ Princesse capétienne (1462 – Chantelle, 1522). Fille de Louis* XI, elle épousa à l'âge de douze ans Pierre* II de Beaujeu, duc de Bourbon. Régente durant la minorité de son frère Charles* VIII, elle gouverna avec compétence, convoqua les états généraux (1484), lutta contre les « grands ». Lors de la « guerre* folle », ses armées battirent le duc d'Orléans (futur Louis* XII) et François* II, duc de Bretagne, à Saint-Aubin-du-Cormier en 1488.

ANNE DE GONZAGUE *(princesse Palatine)*. ♦ V. GONZAGUE.

ANNE JAGELLON. ♦ (1522 – 1596). Reine de Pologne (1576-1587). Fille de Sigismond* Ier, roi de Pologne, elle épousa Étienne* Báthory, qui devint roi de Pologne en 1576.

ANNE STUART. ♦ (Londres, 1665 – 1714). Reine d'Angleterre, d'Écosse et d'Irlande (1702-1714). Fille de Jacques* II, elle succéda à son beau-frère Guillaume* III. Elle avait épousé en 1683 Georges de Danemark qui mourut en 1708. D'abord influencée par les Marlborough et les whigs*, elle laissa Marlborough* combattre la France et remporter d'éclatantes victoires dans la guerre de Succession* d'Espagne. Il perdit sa faveur en 1710 et elle gouverna désormais avec les tories, signant l'avantageuse paix d'Utrecht* (1713). Elle réalisa l'union de l'Écosse et de l'Angleterre, qui connut sous son règne une grande prospérité, favorisée par l'équilibre intérieur. Malgré sa sympathie pour le fils de Jacques II, son demi-frère, ses convictions protestantes l'emportèrent, et elle désigna pour successeur l'Électeur de Hanovre.

Anneau de Nibelung (L'). ♦ Œuvre de Richard Wagner*. **V. Tétralogie.**

ANNEBAUT (Claude *d'*). ♦ Maréchal et amiral de France ([mort] 1552). Il fut fait prisonnier avec François* Ier à la bataille de Pavie* (1525) et défendit Turin* contre Charles* Quint.

ANNECY. ♦ Préf. de la Haute-Savoie*, ch.-l. d'arr. (7 cant., 98 comm., 138 610 hab.), sur le lac d'Annecy. 56 689 hab. *(Annéciens)*. Cathédrale Saint-Pierre du XVIe s., dans laquelle saint François* de Sales officia comme évêque. Château des XIIe, XIVe et XVe siècles. Palais de l'Isle. – Évêché. Station climatique et centre de tourisme. Indus. alimentaires, indus. textiles; électrométallurgie; indus. mécaniques et électroniques; papeteries, imprimeries; bijouterie. Travail du bois, du cuir. ♦ *Hist.* Cap. du comté de Genevois, la V. passa en 1401 à la Savoie. À partir de 1535 elle devint le siège de l'évêché de Genève. François de Sales, évêque de Genève, y résida et fonda en 1622 avec Jeanne de Chantal le premier monastère de la Visitation (nouveaux bâtiments du XXe s.). – Annecy fut rattachée à la France avec la Savoie en 1860.

ANNECY *(lac d')*. ♦ Lac de Haute-Savoie*, long de 14 km, large de 3 km au maximum. Il est alimenté par de petits cours d'eau (l'Eau-Morte, etc.). Annecy* est situé au N. du lac.

Année littéraire (l'). ♦ Revue publiée de 1754 à 1776 par Élie Fréron* en vue de combattre Voltaire* et les encyclopédistes.

ANNEMASSE. ♦ Ch.-l. de cant. de la Haute-Savoie*, arr. de Saint*-Julien-en-Genevois, situé à la frontière suisse, à 7 km de Genève. 17 401 hab. *(Annemassiens)*. Métallurgie, horlogerie, appareillage électrique, indus. textiles, fabrique de meubles; fromagerie.

ANNENSKI [Inokenti Fiodorovitch] *(Annenski)*. ♦ Poète russe (Omsk, 1856 – Saint-Pétersbourg, 1909). Dans son premier recueil de vers, *Chants à voix basse* (1904), on sent l'influence des symbolistes français, et son deuxième recueil *Le Coffret de cyprès* (posthume, 1910), révèle une profonde connaissance du monde antique.

ANNIBAL. ♦ V. HANNIBAL.

ANNOBÓN. ♦ Île de la Guinée* équatoriale dans le golfe de Guinée. – Appelée auj. PAGALU.

ANNŒULLIN. ♦ Comm. du Nord (arr. de Lille). 6 319 hab. *(Annœullinois)*. Filatures.

ANNON. ♦ Archevêque et écrivain allemand du XIe s. (? – 1075). Archevêque de Cologne à partir de 1056, il joua un rôle politique important pendant la minorité d'Henri IV et se retira à la fin de sa vie au couvent de Siegberg. Canonisé en 1083, il est l'auteur d'un poème hagiographique de près de 900 vers *(Annonlied)*.

ANNONAY. ♦ Ch.-l. de cant. de l'Ardèche*, arr. de Tournon*, au confluent de la Dêume et de la Cance. 21 567 hab. *(Annonéens)*. C'est la seule ville industrielle importante du dép. : papeteries, tanneries, mégisseries. Indus. textiles. Carrosseries d'automobiles. – Patrie des frères Montgolfier*.

Annonce faite à Marie (l'). ♦ Drame en quatre actes de Paul Claudel* (1912). Dans l'atmosphère d'un Moyen Âge finissant, où les grands voyages des navigateurs vont imposer une vision nouvelle du monde, c'est le conflit des passions terrestres qui s'incarnent en Mara, âme noire et disgraciée, et du surnaturel, dont rayonne sa sœur Violaine, âme pure et victime volontaire qui, par son sacrifice, fait triompher l'ordre de Dieu.

Annonciade *(ordre de l')*. ♦ Congrégation féminine fondée à Bourges en 1501 par Jeanne* de France.

ANNOT. ♦ Ch.-l. de cant. des Alpes* de Haute-Provence (arr. de Castellane*) sur la Vaire*. 915 hab. *(Annotains)*. Église romane et gothique; maisons des XVIe et XVIIe siècles.

ANNUNZIO (D'). ♦ V. D'ANNUNZIO.

ANOR. ♦ Comm. du Nord (arr. d'Avesnes-sur-Helpe). 3 622 hab. Indus. (textiles; aciers spéciaux).

ANOU. ♦ Dieu du ciel chez les Sumériens. Il est uni à Innana, déesse de la fécondité.

Ph. Lauros-Giraudon

Anne de France, par le Maître de Moulins.

ANOUAL. ♦ Localité du Maroc oriental, à l'O. de Melilla*. Défaite des Espagnols par les Rifains en 1921 **(V. 'Abd al - Karîm).**

ANOUILH (Jean). ♦ Auteur dramatique et metteur en scène français (Bordeaux, 1910). Aussi abondante que diverse son œuvre développe, avec maîtrise, un ensemble de thèmes critiques. Hésitant entre le désespoir et l'ironie meurtrière, ce pessimisme fondamental a inspiré à l'auteur une suite de réquisitoires contre la famille, les idéaux de pureté, l'amour, l'amitié. L'œuvre a été rassemblée en *Pièces noires* (*Le Voyageur sans bagages,* 1937; *La Sauvage,* 1938; *Eurydice,* 1942; *Antigone,* 1944), *Pièces roses* (*Le Bal des voleurs,* 1938; *Le Rendez-vous de Senlis,* 1939; *Léocadia,* 1939), *Pièces brillantes* (*L'Invitation au château,* 1947; *La Répétition ou l'Amour puni,* 1950), *Pièces grinçantes* (*Pauvre Bitos,* 1956), *Pièces costumées* (*L'Alouette,* 1953; *Becket ou l'Honneur de Dieu,* 1959; *La Foire d'empoigne,* 1962).

ANQUETIL-DUPERRON (Abraham Hyacinthe). ♦ Orientaliste français (Paris, 1731 – 1805). Passionné par la langue et la religion de l'ancienne Perse, il se rendit aux Indes (Pondicherry, 1755-Surate, 1758), où, entré en relation avec une communauté de parsis, il put étudier les livres sacrés de Zoroastre et être initié au culte du feu. En 1771, il publia une traduction en latin du *Zend Avesta*.

ANS. ♦ Comm. de Belgique (prov. et arr. de Liège). 16 500 hab. Houillères. Métallurgie.

ANSBACH ou **ANSPACH**. ♦ V. d'Allemagne occidentale (Bavière), ch.-l. de la Moyenne-Franconie, sur la Rezat. 34 000 hab. Église gothique. Château des margraves de Brandebourg-Ansbach (XVIIIe s.). – Indus. mécaniques, matières plastiques. Festival Bach. ♦ *Hist.* La *principauté d'Ansbach* échut aux Hohenzollern dès 1331, forma en 1398 le margraviat de *Brandebourg-Ansbach,* puis de *Bayreuth-Ansbach* (XVIIIe s.), passa à la Prusse en 1791, puis à la Bavière (1806).

ANSCHAIRE ou **OSCAR** *(saint)*, en lat. **Ansgarius**. ♦ « L'apôtre des peuples du Nord » (Amiens, 801 – Brême, 865). Moine de l'abbaye de Corbie, évêque de Hambourg (831) puis de Brême (845), il évangélisa le Danemark et la Suède. Fête le 3 février.

Anschluss. *n. m.* (mot allemand « réunion, rattachement »). ♦ Rattachement de l'Autriche à l'Allemagne nazie, proclamé le 15 mars 1938. Les groupes nazis dirigés par Seyss*-Inquart luttaient depuis longtemps pour ce rattachement. L'opposition de la France et de l'Angleterre avait empêché l'union économique entre les deux pays, et après l'assassinat de Dollfuss*, la mobilisation italienne sur la frontière autrichienne empêcha Hitler d'annexer l'Autriche. Malgré la résistance de Schuschnigg*, Hitler imposa la nomination de Seyss-Inquart au ministère de l'Intérieur et enfin à l'annonce d'un référendum sur la question de l'Anschluss, Hitler exigea la démission de Schuschnigg et la formation d'un ministère Seyss-Inquart (10 mars). Le même soir, les blindés allemands pénétrèrent en Autriche, le 12 Vienne fut occupée, le 14 Hitler y fit son entrée, le 15 l'Anschluss fut proclamé. Le 10 avril 1938, les Autrichiens se prononcèrent à 99,73 % pour le rattachement au Reich.

ANSE. ♦ Ch.-l. de cant. du Rhône* (arr. de Villefranche*-sur-Saône) sur l'Azergues*, près de son confluent avec la Saône. 2 630 hab. – Vins.

A.N.S.E.A. *n. f.* (*Association des nations du Sud-Est asiatique,* en angl. **SEANA**, *South-East Asia Nations Association*). ♦ Association groupant, sous l'égide américaine, depuis 1967, la Malaysia*, les Philippines*, la Thaïlande*, l'Indonésie* et Singapour*, pour le développement agricole, industriel et culturel de ces pays.

ANSÉGISE *(saint)*. ♦ Abbé de Fontenelle (Saint-Wandrille) en Normandie (v. 770 – 833). Intendant des bâtiments sous Charlemagne et Louis le Pieux, il réunit en un recueil les capitulaires de ces deux empereurs.

ANSÉGISEL. ♦ Ancêtre des Carolingiens (mort en 679). Maire d'Austrasie*, il épousa la fille de Pépin* l'Ancien et fut le père de Pépin* le Jeune.

ANSELME *(saint)*. ♦ Théologien et philosophe (Aoste, 1033 –

Canterbury, 1109). Il enseigna à l'abbaye du Bec où il avait d'abord suivi les leçons de Lanfranc*. En 1093, il fut nommé archevêque de Canterbury. Il a tenté de comprendre la foi chrétienne à la lumière de la raison ; tel est le thème de *Monologium*, puis du *Proslogium* intitulé d'abord *« Fidens quaerens intellectum »* qui contient ce qui est devenu le célèbre argument ontologique de l'existence de Dieu (attaqué ensuite par Gaunilon*) ; enfin dans son *Cur Deus homo*, il cherche à interpréter rationnellement le dogme de l'Incarnation. L'influence de Platon et de saint Augustin est assez sensible dans son œuvre. Fête le 21 avril.

ANSELME (Pierre Guibours dit *le Père*). ♦ Historien français, augustin déchaussé (Paris, 1625 – *id.*, 1694). Auteur d'une *Histoire généalogique et chronologique de la Maison de France*.

ANSELME DE LAON. ♦ Théologien scolastique (Laon, v. 1050 – 1117). Élève d'Anselme* de Canterbury, il fut le maître de Guillaume de Champeaux et d'Abélard.

ANSERMET (Ernest). ♦ Chef d'orchestre suisse (Vevey, 1883 – Genève, 1969). Professeur de mathématiques, puis critique musical de la *Gazette de Lausanne*, il dirigea pour ses débuts le *Kursaal Konzerte* de Montreux (1910) avant d'être appelé par Diaghilev* à la tête de l'orchestre des « Ballets russes ». Fondateur de l'orchestre de la Suisse romande (1918), il a dirigé en première audition quelques-unes des œuvres les plus importantes de la musique contemporaine. Il fut aussi un théoricien de la musique et un compositeur.

AN SHAN [Ngan Chan]. ♦ V. de Chine, dans la partie N.-E. du pays (prov. de Liao-Ning, ancienne Mandchourie). 805 000 hab. (1957). C'est le plus grand centre sidérurgique de Chine et l'un des douze plus importants du monde (prod. 4 500 000 t d'acier en 1958).

ANSON (George, *baron*). ♦ Amiral anglais (Shugborough, Staffordshire, 1697 – Moor Park, Hertfordshire, 1762). De 1740 à 1744, il fit le tour du monde dans une expédition contre les Espagnols. Entré à l'Amirauté en 1745, il contribua au développement de la puissance navale britannique et battit l'amiral La Jonquière au cap Finisterre (1747).

ANSONGO. ♦ Localité du Mali*, sur la r. g. du Niger*, navigable depuis Koulikoro*, proche de la frontière nigérienne. Gisements de manganèse non exploités.

ANTAKYA. ♦ V. ANTIOCHE.

ANTALCIDAS, en gr. **Antalkidas.** ♦ Général spartiate ([mort] après ~ 367). Pendant le règne d'Agésilas* II, il conclut avec Artaxercès* II Mnénom la *paix du roi* ou *paix d'Antalkidas* (~ 386) qui imposait aux Grecs l'abandon et l'autonomie des villes d'Asie* Mineure et des îles. Portant ainsi un coup sévère à l'empire athénien, Sparte espérait imposer sa propre hégémonie, mais la division de la Grèce ne profitait qu'aux Perses.

ANTALYA. ♦ V. de Turquie, en Asie Mineure (Pamphylie) sur la Méditerranée *(golfe d'Antalya)*. Ch.-l. de province, port de pêche et station touristique. 72 000 hab. Vestiges romains et musulmans. ♦ *Hist.* Fondée au ~ IIe s. par le roi de Pergame Attale* II, l'anc. *Attaleia* fut fortifiée par les Romains (IIe s.).

'ANTARA (Ibn Shaddâd ibn Qurâd Al-'Absî). ♦ Guerrier et poète arabe antéislamique (*fin* du VIe s. – 615). Rangé parmi les « corbeaux des Arabes » parce qu'il était le fils d'une esclave noire, il acquit, par sa bravoure, le rang d'homme libre. Ce poète, héros

Ph. Radino/Ricciarini

An Shan : aciérie.

Ph. Suinot/Jacanat

Antarctique : la terre Adélie.

d'un récit populaire à l'allure épique *(Sîrat 'Antar)*, est l'auteur d'un *Dîwân* (recueil de poèmes) où il chante l'amour pour sa belle, ses exploits guerriers.

ANTARCTIQUE ou **ANTARCTIDE.** *n. f.* ♦ Continent de l'hémisphère austral, approximativement centré sur le pôle Sud, ceinturé par l'océan glacial Antarctique* et isolé des autres terres par des distances très importantes (3 600 km de l'Afrique du Sud, 1 000 km de l'Amérique du Sud, « détroit » de Drake*). D'une superficie de 14 millions de km^2 env., il est contenu avec ses îles bordières (Adélaïde, Alexandre, Déception, Pierre-Ier, Orcades* et Shetlands* du Sud, Ross*) à l'intérieur du 60e parallèle S. environ. Entre 60° et 40° S., sont dispersées les terres subantarctiques ou australes*. L'*Antarctique orientale* (terres Adélie*, Coats, de la Reine Maud, Victoria, Wilkes) est un ensemble d'âge primaire, plissé en deux phases, dont les chaînes côtières dépassent 4 000 m (monts Kirkpatrick et Markham sur la côte longeant la mer de Ross), et comportent quelques massifs volcaniques (monts Erebus* et Terror). L'*Antarctique occidentale* (terre Marie Byrd, plateau d'Ellsworth, isthme des monts Sentinelles, péninsule antarctique, terre de Graham*), profondément bouleversée au tertiaire, se prolonge vers l'Amérique du Sud par un arc dont la courbure est l'amorce de l'arc de la Scotia ; elle porte le point culminant du continent (mont Vinson, 5 140 m). À l'exclusion de 2 % env. de sa surface (comportant des monts [nunataks], des vallées en U et quelques côtes basses), le continent est entièrement couvert de glaces, formant l'*inlandsis* qui culmine à plus de 4 000 m en Antarctique orientale et se prolonge par des plates-formes de glace qui s'achèvent en falaises, comme la Grande Barrière de Ross*. La rigueur du climat antarctique, le plus froid (moyennes annuelles de – 49,3° au pôle, de – 55,5° à Vostok, Antarctique orientale) et le plus venteux (vents atteignant 320 km/h au cap Denison à 142° E.) du globe, explique la pauvreté de la flore et de la faune terrestres : champignons, lichens ; protozoaires, insectes. ♦ *Hist.* Au XVIIIe s., Bouvet* de Loziers et Cook* ne purent atteindre le continent lui-même. Les expéditions se multiplièrent dans la première moitié du XIXe siècle (W. Smith, Bransfield, Palmer, Bellingshausen*, Davis qui fut le premier à débarquer sur le continent en 1821, Weddell*, Dumont* d'Urville, Wilkes*, Ross*). Après plus d'un demi-siècle sans découvertes importantes, les expéditions reprirent vers la fin du XIXe siècle : Gerlache* de Gomery (premier hivernage en Antarctique, 1898), Scott*, Nordenskjöld*, Charcot*, Shackleton*, Amundsen* qui atteignit le pôle Sud (déc. 1911) suivi par Scott, Filchner, Wilkins*, Byrd*, Ellsworth*, Ritscher, Ablmann, P.-E. Victor*, etc. Plusieurs pays, appliquant la théorie de la « découverte », revendiquèrent la souveraineté sur certains secteurs de l'Antarctique (Australie, France [terre Adélie], Grande-Bretagne, Norvège, Nouvelle-Zélande [conférence de 1934]) ; à ceux-ci s'ajoutèrent bientôt l'Argentine et le Chili, l'U.R.S.S. (1948-1949) et les États-Unis, puis l'Afrique du Sud, la Belgique et le Japon. Ces pays décidèrent d'unir leurs efforts pour l'exploration scientifique de l'Antarctique lors de l'Année géophysique internationale (1957-1958) et signèrent le traité de Washington (1959). Depuis 1952, 66 stations (19 pour la Grande-Bretagne, 11 pour l'U.R.S.S., 10 pour l'Argentine, 8 pour les États-Unis, 6 pour le Chili, 3 pour l'Australie et la France), dont 39 situées en Antarctique occidentale fonctionnent, certaines en permanence.

ANTARCTIQUE (*océan* **Glacial** –, ou *océan* **Austral**). Océan entourant le continent Antarctique* au S. des océans Atlantique, Indien et Pacifique, dont il forme la réunion et provoque, par l'émission de ses eaux de fond « la plupart des mouvements d'eaux océaniques » (J.-P. Pinot). Le long des côtes antarctiques continentales, il est recouvert de glaces flottantes permanentes (mers de Weddell et de Ross). Du continent Antarctique vers le large, l'étude du relief sous-marin permet de distinguer : la plate-forme continentale (large en moyenne de 120 km), le talus continental en pente plus raide (500 à 3 000 m), enfin, les grands bassins océaniques (Valdivia ou Africain, 5 872 m ; Knox ou Australien, 5 455 m ; Bellingshausen ou Pacifique, 6 414 m) de formations volcaniques,

Ph. Giraudon

Héraclès étouffant **Antée,** par A. del Pollaiolo. (Musée des Offices, Florence.)

basaltiques, souvent recouverts de sédiments et limités par des crêtes sous-marines, souvent volcaniques.

ANTARÈS. ♦ Nom donné à l'étoile α Scorpion*, étoile supergéante rouge dont le diamètre est plus de 400 fois celui du Soleil*. Magnit. 1,2 ; type spectral composite M1 + A3 ; distance 250 années-lumière.

ANTÉE, en gr. **Antaios.** ♦ Dans la mythologie grecque, nom d'un géant, fils de Poséidon* et de Gaia (la Terre). Il reprenait force chaque fois qu'il touchait le sol. Héraclès* l'étouffa dans ses bras en le maintenant en l'air.

ANTÉNOR. ♦ Sculpteur athénien (~ VIe s.), l'un des plus originaux de son époque. Auteur du groupe les *Tyrannoctones* (œuvre disparue), il est surtout connu par sa *Coré* (musée de l'Acropole d'Athènes). Assouplissant les formes rigides de l'archaïsme, Anténor introduisit une plastique adaptée à la structure du corps humain.

ANTEQUERA. ♦ V. d'Espagne, en Andalousie (province de Málaga). 42 000 hab. Vestiges préhistoriques. — Centre industriel (indus. textiles : tissages ; métallurgie).

ANTÈRE *(saint).* ♦ 19e pape (21 nov. 235-3 janv. 236 [mort]). Fête le 3 janvier.

ANTHEIT. ♦ Comm. de Belgique (prov. de Liège, arr. de Huy). 3 459 hab. Vestiges de l'abbaye du Val-Notre-Dame. Palais abbatial (1741). — Métallurgie (zinc). — Patrie de Paul Delvaux.

ANTHELME *(saint).* ♦ (Château de Chignin, Chambéry, 1107 — Belley, 1178). Premier général des chartreux (1139), évêque de Belley (1163). Fête le 26 juin.

ANTHÉMIOS DE TRALLES. ♦ Architecte byzantin (Tralles, Lydie — Constantinople, v. 534). Chargé par Justinien Ier de la reconstruction de la basilique de Sainte-Sophie*, détruite par une émeute, il établit les plans ajoutant à la basilique hellénistique la coupole et commença l'édification (532) que continua après sa mort son collaborateur Isidore* de Milet. Il fut aussi un ingénieur et mathématicien remarquable, auteur de recherches sur les coniques et en optique (phénomènes de catoptrique, première mention de miroirs paraboliques).

Ph. Hétier

Antilles : plantation d'ananas à la Martinique.

ANTHÉMIUS, en lat. **Procopius Anthemius.** ♦ ([mort] Rome, 472). Empereur romain d'Occident (467-472). Proclamé empereur par Léon* Ier, il fut déposé et tué par Ricimer*.

ANTHÉOR. ♦ Station balnéaire du Var* (comm. de Saint*-Raphaël), dominée par le Cap-Roux, sur la côte de l'Esterel*.

ANTHOINE (François Paul Nicolas). ♦ Homme politique français (Boulay, Lorraine, 1720 — Metz, 1793). Il prit une part active à l'insurrection du 10 août 1792. Membre de la Convention, il se prononça pour la mort du roi.

Anthologie grecque. ♦ Ensemble des collections d'épigrammes grecques compilées à l'époque byzantine. Constantin Céphalas* composa v. la fin du IXe s. une première grande collection basée sur les anthologies antérieures (~ Ier-VIe s.). De ce recueil, révisé et enrichi v. 980, dériva l'*Anthologie palatine* qui contient 5 300 épigrammes, env. 22 500 vers.

ANTI-ATLAS. *n. m.* ♦ Chaîne montagneuse du Maroc* méridional, qui s'étend de la côte d'Ifni* au Tafilalet*, séparée à l'O. du Haut Atlas* par la plaine du Sous*.

ANTIBES. ♦ Ch.-l. de cant. des Alpes*-Maritimes (arr. de Grasse*), à la base de la presqu'île du cap d'Antibes. 48 013 hab. *(Antibois).* Église du XVIIe s. avec abside romane. Fort et château du XVIe s. renfermant un musée Picasso (peintures, dessins, céramiques) ; port fortifié aménagé au XVIIe siècle. — Production de fleurs. Céramique. Station balnéaire. — Patrie de J. Audiberti*. ♦ *Hist.* Ancienne colonie grecque *(Antipolis)* fondée par les Massaliotes, elle devint ensuite une ville romaine (restes de l'enceinte gallo-romaine).

ANTIBES *(cap d').* ♦ Presqu'île de la Méditerranée, dép. des Alpes*-Maritimes, sur laquelle sont situées Antibes* et Juan*-les-Pins.

ANTICOSTI *(île d').* ♦ Île du Canada (Québec), dans le golfe du Saint-Laurent et à l'embouchure du fleuve, au N.-E. de la Gaspésie. 8 400 km². 700 habitants.

Anti-Dühring (L'). ♦ Ouvrage d'Engels. Contre le matérialisme positiviste et le socialisme réformiste de Dühring*, Engels* publia une série d'articles dans *Vorwärts* (En Avant), ensuite imprimés sous le titre : *M.E. Dühring bouleverse la science* (1877). Cet ouvrage est un exposé des principes fondamentaux du matérialisme dialectique et historique.

ANTIER (Benjamin). ♦ Auteur dramatique français (Paris, 1787 — *id.,* 1870). Il composa, seul ou en collaboration, un grand nombre de vaudevilles et de mélodrames. Il est l'un des auteurs de l'*Auberge des Adrets* et de *Robert Macaire.*

ANTIFER *(cap d').* ♦ Promontoire de la côte du pays de Caux (Seine-Maritime), près d'Étretat, 110 m de hauteur.

ANTIGONE, en gr. **Antigonê.** ♦ Fille d'Œdipe* et de Jocaste*, sœur de Polynice*, d'Étéocle* et d'Ismène*. Méprisant les ordres du roi Créon*, elle rendit les honneurs funéraires à son frère Polynice, tué devant Thèbes. Condamnée par Créon à être enterrée vivante, elle se pendit dans le tombeau. La légende inspira de nombreux auteurs (**V.** *ci-dessous*).

Antigone. ♦ Tragédie de Sophocle* (v. ~ 442), l'une des expressions les plus hautes de la conscience individuelle en révolte contre les lois humaines. — Après Sophocle, le drame d'Antigone a été traité par plusieurs auteurs modernes dont Rotrou* (1638), Alfieri* (1776), Cocteau* (1927), Brecht, Jean Anouilh* (1944).

ANTIGONOS. ♦ Fils d'Aristobule* II et dernier des Asmonéens*, il prit le titre de « grand-prêtre et roi des juifs » (~ 40-~ 37) mais fut vaincu et mis à mort par Hérode* Ier et Marc Antoine.

ANTIGONOS MONOPHTHALMOS (« le Borgne »). ♦ Général macédonien (~ 384 — ~ 301). Lieutenant d'Alexandre* le Grand, il fut l'un des principaux diadoques. Satrape de Phrygie, il tenta de reconstituer à son profit l'unité de l'empire d'Alexandre. Aidé par son fils Démétrios* Ier Poliorcète, il combattit les autres diadoques, vainquit et fit tuer Eumène*, satrape de Cappadoce*, imposa son pouvoir à une partie de la Grèce, en Asie* Mineure et en Syrie, puis se proclama roi d'Asie en ~ 307. Il fut vaincu et tué à la bataille d'Ipsos* (~ 301) **V. Cassandre.** ♦ ANTIGONOS Ier GONOTAS. (Gonos, Thessalie, v. ~ 320 — ~ 239). Roi de Macédoine. Fils de Démétrios Ier Poliorcète, il chassa les Galates et fut proclamé roi en ~ 276. Il ne put rétablir l'hégémonie macédonienne sur la Grèce. ♦ ANTIGONOS II DOSON. (~ 263 — ~ 220). Roi de Macédoine. Petit-fils de Démétrios Ier Poliorcète, il gouverna la Macédoine comme régent, puis comme roi de ~ 229 à ~ 221. Il combattit les Dardaniens et remporta de grands succès dans la lutte contre les Spartiates.

ANTIGUA. ♦ Île des Petites Antilles* britanniques *(Leeward Islands),* située au N. de la Guadeloupe. 280 km². 62 000 hab. (1968). *Cap.* Saint-John's. — Canne à sucre, coton. Tourisme.

ANTI-LIBAN. *n. m.* ♦ Chaîne montagneuse du Liban, située à l'E. du pays, séparée de la *chaîne du Liban* par la plaine de la Békaa*. Sa ligne de faîte marque la frontière libano-syrienne. La chaîne s'abaisse vers le S. puis se relève dans le massif de l'Hermon* où elle culmine à 2 760 mètres.

ANTILLES. *n. f. pl.* ♦ Archipel de l'Amérique centrale qui s'étend en arc de cercle de l'entrée du golfe du Mexique (détroit de Yucatán*) aux côtes du Venezuela*, près du delta de l'Orénoque*, sur 2 000 km du N. au S. L'archipel délimite la *mer des Antilles* (ou mer des Caraïbes) et la sépare de l'Atlantique. Le N. de l'archipel est constitué par les *Grandes Antilles* (Porto Rico, Hispaniola, Jamaïque, Cuba), proche des côtes de l'Amérique du Nord; l'E. et le S. par les *Petites Antilles,* dites îles Sous-le-Vent ou au-Vent, selon leur orientation. 236 500 km². Env. 23 000 000 d'hab. – L'archipel est dans une zone de climat chaud, aux pluies de caractère cyclonique; la végétation est luxuriante. – *Écon.* La culture type est celle de la canne à sucre dont les produits (sucre et rhum) couvrent plus de 50 % des exportations (20 % de la production mondiale). Puis viennent les fruits tropicaux (bananes, ananas), le tabac, le café, le cacao. Le tourisme permet, grâce à l'afflux des Américains des États-Unis, un équilibre relatif de la balance commerciale. L'industrie est, dans l'ensemble, peu développée, sauf à Porto Rico et à la Trinité. La Jamaïque possède l'un des plus importants gisements de bauxite du monde. – DIVISIONS POLITIQUES. *Républiques.* **V. Cuba, Dominicaine, Haïti.** – *Antilles américaines.* **V. Porto Rico, Vierges** (îles) **: Sainte-Croix, Saint John, Saint Thomas.** – *Antilles britanniques.* (Colonies) **V. Caïmans, Montserrat, Vierges** (îles). (États associés ou membres du Commonwealth). **V. Antigua, Barbade, Dominique, Grenade, Grenadines, Jamaïque, Saint Kitts** (- Nevis - Anguilla), **Sainte-Lucie, Saint Vincent, Tobago, Trinité.** – *Antilles françaises* (départements). **V. Guadeloupe** (dépend. Désirade, Marie-Galante, Saint-Barthélemy, Saintes, Saint-Martin), **Martinique.** – *Antilles néerlandaises.* **V. Aruba, Bonaire, Curaçao, Saba, Saint-Eustache, Saint-Martin** (Sud). ♦ *Hist.* Découvertes par Christophe Colomb (1492), les Antilles, appelées longtemps Indes* Occidentales, étaient habitées par des Indiens Arawaks* et Caraïbes*. Elles furent d'abord colonisées par les Espagnols puis, dès le XVIe s., après de nombreux combats **(V. Ducasse** [J.-B.], **Estrées** [Jean d'], **Forbin, Labat),** par les Français, les Anglais et les Hollandais, et devinrent un centre de traite des Noirs. À partir du XIXe s. se développa un processus de décolonisation dans la plus grande partie des Antilles.

ANTILLES *(mer des).* ♦ **V.** CARAÏBES *(mer des).*

ANTIN (Louis Antoine de Pardaillan de Gondrin, *duc d'***).** ♦ Fils légitime de Mme de Montespan* (Paris, v. 1665 – 1736). Surintendant des Bâtiments du roi, il fut le type du parfait courtisan. Il refit sa fortune dans les spéculations de Law*. Un quartier de Paris porte son nom *(La chaussée d'Antin).*

ANTINOË ou **ANTINOOPOLIS**, auj. **Cheik Abadèh.** ♦ V. de l'anc. Égypte, sur le Nil, fondée par l'empereur Hadrien* (130) en mémoire d'Antinoüs* à l'emplacement de l'anc. Besa (cap. du dieu Bès*). Elle devint à partir de Dioclétien* la cap. de la Thébaïde*.

ANTINOÜS, en gr. **Antinoos.** ♦ Jeune Grec d'une grande beauté, originaire de Bithynie*, favori de l'empereur Hadrien*. Il se noya dans le Nil près de Besa, en 122. L'empereur le plaça au rang des dieux, lui fit élever un temple, et fonda en sa mémoire Antinoë. – Il a inspiré de nombreuses statues antiques dont la plus célèbre est l'*Antinoüs du Belvédère* (Vatican).

ANTIOCHE. ♦ Nom de plusieurs villes antiques fondées par les Séleucides. – L'une des plus célèbres est *Antioche de Pisidie,* colonie romaine sous Auguste, patrie de sainte Marguerite*.

ANTIOCHE (*auj.* **Antakya).** ♦ V. de Turquie, ch.-l. de la prov. de Hatay sur l'Oronte* inférieur, près de la frontière syrienne. 45 850 hab. *(Antiochéens).* Marché agricole. – Patrie d'Ammien* Marcellin, d'Archias*, de Jean* Chrysostome de Libanios. Adémar* de Monteil y mourut de la peste. ♦ *Hist.* Fondée v. ~ 300 par Séleucos* Nicator, *Antiokheia* (« la ville d'Antiochos », père de Séleucos) devint la capitale de l'Empire séleucide et grand centre de l'Orient hellénistique. Conquise par les Romains (~ 64), conservant son statut de cité libre, elle fut la troisième ville de l'empire après Rome et Alexandrie, et compta jusqu'à 500 000 hab. Évangélisée par les chrétiens de Jérusalem (saint Barnabé, saint Paul), elle devint une métropole religieuse dont saint Pierre aurait été le premier évêque. **V. Ignace** (saint), **Théophile d'Antioche, Jean Chrysostome.** Siège d'un patriarcat **(V. Anastase),** elle fut le centre de nombreuses controverses religieuses (arianisme, monophysisme, nestorianisme). Prise par les Perses (540) puis par les Arabes (636), elle fut reconquise par les Byzantins (969) et tomba aux mains des Saldjuqides en 1084. Assiégée, lors de la première croisade* (1098), Antioche devint le siège d'une principauté franque **(V. Bohémond, Tancrède),** mais fut reprise par les Mamelouks en 1268, et par les Ottomans en 1516. Placée sous mandat français en 1920, elle redevint turque en 1939.

ANTIOCHE *(pertuis d').* ♦ Détroit de l'Atlantique séparant l'île de Ré* de l'île d'Oléron* en face de La Rochelle.

ANTIOCHOS, en gr. **Antiokhos.** ♦ Nom de treize rois séleucides* de Syrie. ♦ ANTIOCHOS Ier SÔTER [« Sauveur »] (~ 324 – ~ 261). Il succéda à son père Séleucos* Nicator (~ 281) et vainquit les Galates en ~ 277, ce qui lui valut le surnom de *Sauveur.* ♦ ANTIOCHOS II THÉOS [« Dieu »] (v. ~ 287 – v. ~ 247). Fils du précédent, il lui succéda en ~ 261. Il conquit les cités grecques d'Asie Mineure et fonda Laodicée*. ♦ ANTIOCHOS III MÉGAS [« le Grand »] (v. ~ 242 – ~ 187). Proclamé roi en ~ 223, il réprima la révolte des satrapes des provinces orientales **(V. Achaios)** et constitua un immense empire continental et maritime en Orient. Hannibal* fut son conseiller contre les Romains. Vaincu aux Thermopyles* en ~ 191, il subit une défaite décisive à Magnésie* du Sipyle (~ 189) devant

Ph. Nimatallah/Ricciarini

Antiochos III, buste romain, (~200).
(Musée du Louvre, Paris.)

Scipion*. ♦ ANTIOCHOS IV ÉPIPHANE [« l'Illustre »] (v. ~ 215 – ~ 163). Fils du précédent, il succéda à son frère Séleucos IV en ~ 175 après avoir renversé et exécuté l'usurpateur du trône Héliodore*. Sa politique d'hellénisation et le pillage du temple de Jérusalem provoquèrent une révolte des Juifs dirigée par Mattathias Macchabée* et son fils Judas. ♦ ANTIOCHOS V EUPATOR [« né d'un bon père »] (~ 173 – ~ 162). Fils et successeur du précédent, il monta sur le trône à l'âge de neuf ans. Ses lieutenants continuèrent la guerre contre les Juifs. **V. Éléazar.** ♦ ANTIOCHOS VI DIONYSOS ([mort] ~ 142). Fils d'Alexandre Ier Balas, monté au trône en ~ 144. ♦ ANTIOCHOS VII SIDÊTÊS ou EVERGÈTE [« Bienfaiteur »] (Sidê, Pamphylie, v. ~ 164 – ~ 129). Fils de Démétrios Ier Sôter, monté au trône en ~ 138, il fut tué en combattant les Parthes. ♦ ANTIOCHOS VIII PHILOMÉTOR (~ 141 – ~ 96). Fils de Démétrios II Nicator, il régna de ~ 125 à ~ 96. Il chassa et mit à mort l'usurpateur Alexandre* II Zabinas. Il eut à lutter contre son frère Antiochos IX de Cyzique. ♦ ANTIOCHOS IX de Cyzique, dit PHILOPATOR [« celui qui aime son père »] (~ 135 – ~ 95). Fils d'Antiochos VII, frère utérin du précédent. Roi de Coélésyrie (~ 114) puis de Syrie (~ 96), il fut tué par Séleucos VI Épiphane. ♦ ANTIOCHOS X EUSÉBÈS [« le Pieux »] ([mort] v. ~ 75). Fils du précédent, il chassa Séleucos VI en ~ 94 mais fut détrôné par les fils d'Antiochos VIII en ~ 92. ♦ ANTIOCHOS XI PHILADELPHE [« celui qui aime son frère »] ([mort] ~ 90). Fils d'Antiochos VIII, il prit avec son frère Philippe le titre de roi en ~ 93 et vengea son frère Séleucos VI, brûlé vif, en massacrant les habitants de Mopsueste. Il se noya dans l'Oronte. ♦ ANTIOCHOS XII DIONYSOS. Fils d'Antiochos VIII, il succéda à Démétrios III en ~ 83, mais périt peu après en combattant les Arabes. ♦ ANTIOCHOS XIII ASIATIKOS [« l'Asiatique »]. Fils d'Antiochos X, d'abord exilé, il fut rétabli sur le trône par Licinius Lucullus en ~ 69, puis détrôné par Pompée (~ 64) qui réduisit la Syrie en province romaine.

ANTIOCHOS. ♦ Nom de quatre rois de Commagène* à l'époque romaine.

ANTIOCHOS D'ASCALON. ♦ Philosophe grec ([mort] ~ 69). Disciple de Philon*, il dirigea avec ce dernier la nouvelle Académie vers un retour au platonisme.

ANTIOPE, en gr. **Antiopê.** ♦ Fille du roi de Thèbes, Nyctée, elle est séduite pendant son sommeil par Zeus* qui avait pris les traits d'un satyre, et devient mère d'Amphion* et de Zéthos. – La légende a inspiré de nombreux peintres : Le Corrège *(Le Sommeil d'Antiope),* Titien *(Jupiter et Antiope),* Watteau *(Antiope).*

Antipape. *n. m.* ♦ Pape illégitime. (Cf. le Robert.) Il n'y a pas de liste des antipapes : la régularité ou l'irrégularité d'une élection n'est pas toujours claire, surtout pour le Moyen Âge, où violences et pressions étaient fréquentes; lors du grand schisme* d'Occident, Urbain VI et Clément VII (Robert de Genève), élus successivement par les mêmes cardinaux, furent reconnus chacun par une importante partie de la chrétienté et certains n'admettent pas l'illégitimité du second. Principaux antipapes : **V. Hippolyte** (saint), **Novatien, Félix II, Ursinus, Eulalius, Constantin II, Anastase le Bibliothécaire, Christophe, Benoît V, Boniface VII** (Francon), **Jean XVI** (Johannes Philagathos), **Benoît X** (Jean Mincius), **Honorius II** (Cadalus Pallavicinus), **Clément III** (Guibert de Ravenne), **Sylvestre IV** (Maginulf), **Grégoire VIII** (Maurice Bourdain), **Anaclet II** (Pietro Pierleoni), **Victor IV** (Gregorio Conti), **Victor IV** (Ottaviano de Monticello), **Pascal III** (Guido da Crema), **Calixte III** (Jean de Struma), **Innocent III** (Lando Frangipane), **Nicolas V** (Pietro Rainalducci), **Clément VII** (Robert de Genève), **Benoît XIV** (Bernard Garnier), **Alexandre V** (Petros Philargès), **Jean XXII** (Baldassare Cossa), **Félix V** (Amédée* VIII de Savoie).

ANTIPATROS ou **ANTIPATER**. ♦ Général macédonien (v. ~ 397 – ~ 319). Lieutenant de Philippe* II de Macédoine puis d'Alexandre* le Grand, régent pendant l'expédition du conquérant en Asie. Après la mort d'Alexandre, il dut faire face à une rébellion des villes grecques alliées d'Athènes* (soulevées par Démosthène* et Hypéride*). Assiégé à Lamia* en ~ 323, il réussit à se dégager et, victorieux à Cranon* (~ 322), soumit les Athéniens, fit mettre à mort Hypéride et poursuivit Démosthène qui s'empoisonna. Antipatros, choisi par les diadoques, fut nommé régent à la mort de Perdiccas (~ 321). Son fils Cassandre s'assura le pouvoir après lui. – ANTIPATROS ou ANTIPATER ([mort] ~ 294). Petit-fils du précédent et fils de Cassandre. Roi de Macédoine de ~ 296 à ~ 294.

ANTIPHANE, en grec **Antiphanês**. ♦ Poète comique grec (v. ~ 405 – v. ~ 330), un des principaux représentants de la « comédie moyenne », auteur de nombreuses comédies (300 selon Suidas) dont il ne reste que des fragments.

ANTIPHON. ♦ Orateur athénien (Rhamnos, Attique, v. ~ 480 – Athènes, ~ 411). Maître de Thucydide*, il fut l'un des instigateurs du coup d'État qui porta au pouvoir les Quatre*-Cents (~ 411), et fut condamné à boire la ciguë après la chute de ce gouvernement. Il nous reste de lui 15 discours.

Antiquités de Rome (Les). ♦ Recueil de sonnets, publié par Joachim du Bellay* à son retour de Rome (1558). Le spectacle de ces ruines entraîne l'admiration du poète pour la grandeur passée de Rome et la « déploration » de sa déchéance actuelle, due au travail du temps et à la vanité des œuvres humaines. Cette méditation mélancolique s'exprime en des descriptions pittoresques, des comparaisons souvent saisissantes et des périodes rythmiques d'une grande ampleur.

Antiquités judaïques. ♦ Ouvrage historique de Flavius* Josèphe (20 livres, en grec). Il relate l'histoire du peuple juif depuis la Création jusqu'en 66 (époque de la révolte juive contre Rome). Utilisé avec précaution, il demeure la principale source pour l'histoire de la Palestine romaine. Jean Fouquet illustra un manuscrit de l'ouvrage (v. 1474).

ANTISTHÈNE, en gr. **Antisthenês**. ♦ Philosophe grec cynique (Athènes, v. ~ 444 – ~ 365). Après avoir suivi les leçons de Gorgias* et de Socrate*, il fonda l'école cynique. **V. Cyniques.**

ANTI-TAURUS. *n. m.* ♦ Chaîne montagneuse de Turquie, prolongeant à l'E. le Taurus central.

ANTIUM. ♦ Anc. V. d'Italie *(Latium)*. **V. Anzio.**

ANTOFAGASTA. ♦ V. portuaire du Chili, située dans le *Norte Grande*, ch.-l. de prov. 120 000 hab. (1969). Capitale du nitrate et du cuivre. Port de pêche. Université. Évêché. – La *province d'Antofagasta*, formée par l'anc. Atacama* bolivien, fut intégrée au Chili* après la guerre du Pacifique (1884). 123 063 km². 240 000 habitants.

ANTOINE LE GRAND *(saint)*. ♦ Anachorète égyptien (Qeman, près de Beni-Souef, 251 – mont Qolzum, près de la mer Rouge, 356). Il fut, près de Qeman, dans un fortin à Pispir, puis au mont Qolzum (actuel monastère Saint-Antoine), le fondateur de l'érémitisme chrétien. Sa *Vie* par saint Athanase* (v. 360) dépeint ses visions (ou *tentations)*. – Fête le 17 janvier.

ANTOINE DE PADOUE *(saint)*. ♦ Religieux franciscain (près de Lisbonne, 1195 – Arcella, près de Padoue, 1231). Il prêcha en Afrique, en Italie et en France. Docteur de l'Église. Fête le 13 juin. – La dévotion populaire a entouré sa vie de légendes; elle l'invoque pour retrouver les objets perdus.

ANTOINE DANIEL *(saint)*. ♦ Jésuite français (Dieppe, 1601 – Saint-Joseph, Huronie, 1648). Missionnaire au Canada (1632), il fut massacré par les Iroquois. **V. Canada** *(martyrs du)*.

ANTOINE (Marc), en lat. **Marcus Antonius**. ♦ Homme politique romain (v. ~ 83 – Alexandrie, ~ 30). Lieutenant de César* en Gaule, il fut un de ses auxiliaires les plus actifs contre l'oligarchie et participa à la bataille de Pharsale* (~ 48). Maître de Rome après l'assassinat de César (~ 44), il dut faire face à Octave (**V. Auguste**) désigné comme successeur; voulant s'assurer un commandement militaire, il décida de prendre celui de la Gaule cisalpine. Mais, vaincu à Modène, il se rapprocha d'Octave et forma avec Lépide* et lui le deuxième triumvirat (~ 43). Les triumvirs éliminèrent le parti républicain par de sanglantes proscriptions (assassinat de Cicéron*), écrasèrent Brutus* et Cassius* à Philippes* (~ 42) et se partagèrent le monde romain (paix de Brindisi* ~ 40); Antoine obtint l'Orient et épousa Octavie, sœur d'Octave. Puis, entièrement soumis aux intérêts de l'Égypte par sa passion pour Cléopâtre* VII, il se détourna de l'idée romaine et nourrit l'ambition de créer un empire cosmopolite, à la fois hellénique et oriental; régnant sur l'Orient en roi plus qu'en général romain, il livra à l'Égypte toutes les conquêtes romaines d'Asie (Judée, Phénicie, Cœlésyrie, Chypre). Vaincu sur mer par Octave à Actium* (~ 31) et assiégé dans Alexandrie (~ 30), il n'opposa aucune résistance à Octave qui avançait en Asie et se donna la mort sur la fausse annonce du suicide de Cléopâtre.

ANTOINE DE BOURBON. ♦ (1518 – Les Andelys, 1562). Roi de Navarre (1555-1562). Duc de Vendôme, il devint roi de Navarre par son mariage avec Jeanne* III d'Albret (1548) qui lui donna un fils, le futur Henri* IV. Converti au catholicisme, il prit part aux guerres de Religion, combattit les protestants commandés par son

Arch. Smeets

Saint **Antoine de Padoue** : bois polychrome lithuanien. (Musée de l'Homme, Paris.)

frère Louis Ier de Condé*, mais fut mortellement blessé pendant le siège de Rouen*.

ANTOINE (Jacques Denis). ♦ Architecte français (Paris, 1733 – *id.*, 1801). À la suite d'un concours où il rivalisa, notamment avec Boullée*, il fut chargé de la construction de l'*hôtel des Monnaies** à Paris (1771 à 1777). Cet édifice constitue l'un des premiers exemples du style Louis XVI dans l'architecture civile parisienne. A partir de 1776, il réalisa de nombreux édifices à Paris, notamment l'*hôtel de Fleury (École des ponts et chaussées)*. Il est aussi l'auteur des châteaux de *Herces* (Yvelines) et de *Mussy-l'Évêque* (Haute-Marne), de l'*hôtel des Monnaies* à Berne (1790) et de l'*hôtel de Berwick* à Madrid.

ANTOINE (André). ♦ Metteur en scène, acteur et directeur de théâtre français (Limoges, 1858 – Le Pouliguen, 1943). Fondateur du *Théâtre-Libre* (1887), il se réclama d'abord de Zola et du naturalisme. Son goût pour la spontanéité et la vérité devait l'inciter à choisir, parmi les auteurs de son temps, ceux qui témoignaient du même souci de reproduire à la scène la réalité de la vie quotidienne. Devenu directeur de l'Odéon (1906), Antoine devait réaliser, dans un style bien différent, de fastueuses mises en scène de Shakespeare et de Molière.

Antoine et Cléopâtre (Anthony and Cleopatra). ♦ Drame de Shakespeare* (v. 1606) inspiré par un épisode fameux de l'histoire romaine (**V. Antoine** [Marc]), et traité sur un mode romanesque et poétique. Subjugué par la beauté de Cléopâtre, reine d'Égypte artificieuse et dépravée, l'honnête et généreux Antoine succombe, vaincu par l'amour.

ANTOINETTE D'ORLÉANS. ♦ Religieuse française (château de Trie, près de Rouen, 1572 – Poitiers, 1618). Elle fonda avec l'aide du père Joseph la congrégation des *Filles du calvaire* (1617).

ANTOKU-TENNÔ. ♦ (1177 – 1185). Empereur du Japon (1180-1185), âgé de trois ans lors de son avènement. Apparenté aux Taira*, il dut s'enfuir lors de la défaite de ceux-ci par les Minamoto*. Il périt noyé lors de la bataille navale de Dan-no-ura (1185).

ANTOMMARCHI (Francesco). ♦ Médecin français (Morsiglia, Corse, 1780 – Cuba, 1838). Médecin de Napoléon Ier à Sainte-Hélène, il publia ses mémoires (*Mémoires du docteur Antommarchi ou les derniers moments de Napoléon*, 1825) et présenta un masque qu'il prétendait avoir moulé sur la tête de l'empereur (1830); accusé de faux, il alla pratiquer la médecine à Cuba.

ANTONELLE (Pierre, Antoine, *marquis d'***)**. ♦ Officier, journaliste et homme politique français (Arles, 1747 – ?, 1817). Auteur d'un *Catéchisme du Tiers Etat* (1789), il fut juré au Tribunal révolutionnaire lors du procès de Marie-Antoinette. Acquitté après la conjuration de Babeuf (1796), à laquelle il avait pris part, il vécut ensuite à l'écart de la vie politique.

ANTONELLI (Giacomo). ♦ Cardinal et homme politique italien

(Sonnino, 1806 – Rome, 1876). Nommé irrégulièrement cardinal par Pie* IX en 1847, il devint secrétaire d'État (1848-1850) menant une politique libérale et suivit à Gaète le pape réfugié. Mais de retour à Rome, il réorganisa l'État pontifical par des mesures réactionnaires.

ANTONELLO DA MESSINA [**DE MESSINE**] **(Antonio di Salvatore,** *dit***).** ♦ Peintre italien (Messine, v. 1430 – *id.*, 1479). Confronté en Sicile et à Naples à la diversité des styles européens, il fut très sensible à l'influence des Flamands (dont J. Van Eyck), manifeste dans ses premières œuvres (*Crucifixion,* v. 1456, Sibiu, Roumanie; *Saint Jérôme,* Reggio de Calabre). Il les étudia à Naples et à Milan, et contribua largement à la diffusion en Italie de la technique à l'huile, d'origine flamande. Imprégnée du réalisme septentrional, sa peinture gagna en simplicité, en ampleur, mais resta toujours plus humaine, plus « incarnée » que celle de l'abstrait Piero della Francesca, quand il puisa aussi des enseignements chez celui-ci, réalisant, selon L. Venturi, la synthèse de l'art du Nord avec l'art du Sud (*Salvator Mundi,* 1465, Londres; *polyptyque de San Gregorio,* 1473, Messine; *Saint Sébastien,* Dresde). On date de son séjour très productif à Venise (1474-1476), qui devait donner une impulsion nouvelle à la tradition locale **(V. G. Bellini),** le *retable de San Cassiano* (Vienne), la *Crucifixion* d'Anvers et le *Condottiere* du Louvre, un de ses nombreux portraits d'hommes.

ANTONESCU ou **ANTONESCO (Ion).** ♦ Maréchal et homme politique roumain (Piteshti, Valachie, 1882 – Bucarest, 1946). Chef d'état-major de l'armée en 1933, il fut ministre de la Guerre en 1938 mais s'opposa au roi et démissionna en 1940. À l'arrivée au pouvoir du roi Michel* Ier, il se proclama *conducator* (équivalent de *führer* ou de *duce*). Après avoir gouverné en s'appuyant sur la Garde de fer fasciste, il l'élimina avec l'aide de l'armée allemande. Il fit participer la Roumanie à la guerre contre la Russie ce qui lui permit de reprendre les provinces cédées en 1940 (la Bessarabie et la Bucovine) mais en 1944, les Russes entrèrent en Roumanie. Antonescu fut jugé par un tribunal populaire et exécuté.

ANTONIN *(saint).* ♦ Dominicain et prélat italien (Florence, 1389 – *id.*, 1459). archevêque de Florence en 1445. Il fut le prieur et l'ami de Fra Angelico*. Fête le 10 mai.

ANTONIN le Pieux, en lat. **Titus Aurelius Fulvius Antoninus Pius.** ♦ (Lanuvium, 86 – Lorium, 161). Empereur romain (138-161). Adopté par Hadrien* en 138 à condition qu'il adoptât lui-même Lucius Verus* et le futur Marc* Aurèle, il s'était fait remarquer pour ses qualités d'administrateur : proconsul en Asie, membre du Conseil impérial, il devait rester après son accession au pouvoir un empereur civil. Il n'entreprit aucune conquête, pacifia les frontières et fit édifier (v. 140) entre le Forth et la Clyde le *mur d'Antonin.* Il fut honoré du titre de « pieux » pour sa piété filiale envers Hadrien à qui le Sénat refusait l'apothéose. Son règne fut le moment du meilleur équilibre économique et social, et, pour ces raisons, fut qualifié d'apogée de l'Empire. Un temple fut consacré à Antonin et à sa femme Faustine sur la Voie sacrée.

ANTONINS (les). ♦ Nom donné aux empereurs romains qui succédèrent aux Flaviens de 96 à 192 : Nerva* (96-98), Trajan* (98-117), Hadrien* (117-138), Antonin* le Pieux (138-161), Marc* Aurèle (161-180), Commode* (180-192). La continuité dynastique fut assurée entre ces empereurs selon les modes romains d'adoption ou d'association à l'empire.

ANTONIONI (Michelangelo). ♦ Réalisateur italien de cinéma (Ferrare, 1912 –). Un style dépouillé, dont le raffinement égale la rigueur, caractérise son œuvre qui dresse le constat de l'incommunicabilité entre les êtres. *Réal. princ.* : Le Cri (*Il Grido,* 1957), sur un thème de critique sociale; L'Aventure (*l'Avventura,* 1960), La Nuit (*La Notte,* 1961), L'Éclipse (*L'Eclisse,* 1961), Le Désert rouge (*Il Deserto rosso,* 1964) et, hors d'Italie, *Blow Up* (1967), *Zabriskie Point* (1969).

ANTONY. ♦ Sous-préf. des Hauts-de-Seine, ch.-l. d'arr. (10 cant., 12 comm., 399 202 hab.) dans la banlieue S. de Paris. 58 878 hab. *(Antoniens).* – Produits chimiques.

ANTRAIGUES ou **ANTRAIGUES-SUR-VOLANE.** ♦ Ch.-l. de cant. de l'Ardèche*, arr. de Privas*. 521 hab. *(Antraiguins).* Eaux minérales.

ANTRAIN. ♦ Ch.-l. de canton d'Ille-et-Vilaine, arr. de Fougères, sur le Couesnon*. 1 521 hab. *(Antrainois).* Aux environs, château de Bonne-Fontaine (XVIe s.).

ANTRIM. ♦ Comté d'Irlande du Nord (Ulster) occupant le coin N.-E. de l'Irlande, le long du *canal du Nord,* jusqu'au *Belfast Lough.* 2 845 km^2. 313 700 hab. *Ch.-l.* **V. Belfast.** *V. princ.* **V. Ballycastle, Ballymena, Carrickfergus, Larne, Lisburn, Newtownabbey.**

ANTSIRABÉ. ♦ V. de Madagascar*, sur l'Imerina*, reliée à Tananarive* par voie ferrée. 30 000 habitants. Ville thermale et industrielle (oxyde d'uranium). Marché et centre administratif.

AN-TUNG *(Ngân-Tong, Andong).* ♦ V. de Chine et port de Mandchourie, à l'embouchure du fleuve Yalu (frontière de Corée du N.). Plus de 400 000 hab. (360 000 en 1953). Centre industriel (chantiers navals, métallurgie).

ANTWERPEN. ♦ Nom néerlandais d'Anvers*.

ANTYLLUS. ♦ Médecin romain IIIe siècle. Il a donné les premières descriptions d'opérations pour la cataracte et les anévrismes artériels.

ANU. ♦ Dans la religion babylonienne, dieu du ciel, issu de l'ancien An* sumérien.

ANUBIS, nom grec de **Inpou.** ♦ Dieu égyptien, représenté sous

Arch. Smeets

Antonello da Messina : crucifixion. (Musée des Beaux-Arts, Anvers.)

la forme d'un homme à tête de chacal. Adoré au début de l'Ancien Empire comme le grand dieu des morts participant au jugement des âmes, il fut bientôt supplanté par Osiris*, mais garda un rôle dans le monde souterrain : il devint dieu de l'embaumement, rite qu'il avait pratiqué pour la première fois sur Osiris et par lequel il l'avait ressuscité. Il fut considéré plus tard comme le « conducteur des âmes »; dans ce rôle les Grecs l'assimilèrent à Hermès* et en firent l'hybride Hermanubis.

ANURÂDHAPURA. ♦ Ancienne capitale de l'île de Ceylan (alors appelée Lankâ) fondée selon la tradition au ~ Ve s. et qui atteignit son apogée au ~ IIIe siècle. Elle demeura la capitale de l'île jusqu'en 846 et fut abandonnée au profit de Polonnaruva. L'invasion des Chola* de l'Inde du Sud, en 1215, la détruisit.

ANVARI. ♦ Poète persan ([mort] v. 1187). Il fut un des plus grands panégyristes de la poésie persane. Si son style s'avère diffi-

Arch. Smeets

Anubis : trésor de Toutankhamon, XVIIIe dynastie. (Musée égyptien, Le Caire.)

Ph. Hétier

Anvers : Le Grote Markt.

cile dans les *qasidas** centrées autour d'un panégyrique, sa langue se révèle plus accessible dans ses *ghazals* (poèmes érotiques).

ANVERS (en néerl. **Antwerpen**). ♦ V. de Belgique (ch.-l. de la province homonyme), à quelques km de la Hollande. 673 040 hab. *(Anversois)* y compris la pop. des faubourgs. La V. est située à 88 km de la mer du Nord, sur le canal Albert* et sur l'Escaut*, dont la rive droite est reliée à la rive gauche par deux tunnels (1933) passant sous le fleuve. Le style architectural du vieil Anvers est original : maisons très hautes à façades vitrées, pignons à redans et à volutes. Place : *Grote Markt.* Monuments : *cathédrale Notre-Dame,* la plus grande église gothique de Belgique (œuvres de Rubens*); églises gothiques; maison de Rubens (musée), etc. Musée royal des beaux-arts. Musée Mayer Van Der Bergh. Le musée Plantin-Moretus, dans l'imprimerie d'origine (XVIe s), retrace l'histoire de l'imprimerie. Important jardin zoologique. — Second centre indus. de la Belgique, Anvers doit son essor à sa situation géographique : ses indus. sont liées au commerce portuaire (raffineries de pétrole, indus. chimiques, fonderies de plomb, cuivre, zinc). Le port est le quatrième du monde, après Rotterdam, New York et Londres (60 481 000 t [1975]. Il assure les 4/5 du commerce belge et son arrière-pays s'étend jusqu'à l'Europe centrale, grâce au réseau rhénan. **V. Rhin.** La ville a gardé les indus. qui firent sa renommée : textile, taille de diamants, manufacture de tabac. Indus. automobile (usines de montage Ford, Chrysler); indus. chimique et pharmaceutique (Bayer). — Patrie de Jordaens*, Metsys*, Permeke*, Pourbus*, Teniers*, Van* Dyck. ♦ *Hist.* L'origine d'Anvers remonte au VIIe s. (saint Amand, 660), début de l'assèchement des polders par des bénédictins irlandais. En 837, les Normands envahirent la ville. Son blason, présentant des mains (*Handwerpen* « main détachée »), apparaît au XIIe siècle. Après la domination des ducs de Brabant au XIIIe s., une charte institua la commune démocratique (Kortenberg, 1312). La décadence de Bruges*, au XVe s., provoqua l'essor d'Anvers; la première bourse de commerce d'Europe y fut fondée en 1460. Centre commercial et de transport pour le nord de l'Europe, Anvers était au XVIe s. la plus grande ville du monde. La paix relative du XVIIe s. accrut encore la prospérité de la ville, notamment dans le domaine des arts : c'est l'époque de l'apothéose de Rubens*. Mais, en 1648, le traité de Westphalie (fermeture des bouches de l'Escaut) causa la décadence du port. Napoléon comprit l'importance stratégique de ce « pistolet braqué au cœur de l'Angleterre » et y créa un arsenal de marine. Carnot défendit la place en 1814. Les Pays-Bas (1815) et la Hollande (1830) se disputèrent Anvers, mais les Hollandais quittèrent la ville à l'arrivée des troupes françaises de Gérard* (1832). Sa résistance en 1914 permit aux troupes belges de se replier sur l'Yser. Bombardements de V1 et de V2 en 1944.

ANVERS *(province d').* ♦ Prov. de la Belgique septentrionale, à la frontière des Pays-Bas dans la Campine*. Trois arrondissements : Anvers*, Malines*, et Turnhout*. *Comm. princ.* Boom*, Herentals*, Mol*, Oølen. 2 861 km². 1 530 000 hab. — *Écon.* C'est une région de petites propriétés, à faire valoir direct. Les meilleures terres sont arrosées par l'Escaut*. Sidérurgie; indus. alimentaire (produits tropicaux) tributaire du port d'Anvers. Les indus. chimiques (pétrolochimie, textiles synthétiques, produits photographiques) prennent de l'extension. Indus. du bois, des métaux non-ferreux.

ANVILLE (Jean-Baptiste BOURGUIGNON *d'*). ♦ Géographe et cartographe français (Paris, 1697 — 1782). Géographe du roi, il est l'auteur d'un *Atlas de la Chine* (1727), d'une *Analyse géographique de l'Italie* (1744), d'une *Géographie ancienne,* éditée en plusieurs langues. Sa collection de 10 000 cartes se trouve actuellement à la Bibliothèque nationale.

ANWAR (Chairil). ♦ Poète indonésien (1922 — 1947), originaire de Sumatra, et patriote. Il fonda en 1945 un mouvement littéraire et artistique et traduisit en *Bahasa indonesia* (langue indonésienne dérivée du malais) de nombreux poètes anglais, néerlandais et français (dont A. Gide). Princ. œuvr. : *Aku* (Je suis) et *Deru Tjampur Debu* (Tumulte et Poussière), publiées en 1949.

ANXUR. ♦ **V.** TERRACINA.

AN-YANG [Ngan-yang, Anyang]. ♦ V. de Chine (Ho-nan), ancienne capitale de la dynastie des Shang*. Centre houiller et textile. Env. 150 000 habitants.

ANYÂTHA. ♦ Site éponyme de deux cultures superposées (paléolithique moyen I et II) de Birmanie, datées approximativement de v. ~ 500 000 à v. ~ 400 000, et caractéristiques des industries paléolithiques de l'Asie du S.-E.

ANYTOS, en gr. **Anutos.** ♦ Homme politique athénien (~ IVe s.). Il contribua à la chute des Trente* et fut avec Mélitos et Lycon un des accusateurs de Socrate*.

ANZENGRUBER (Ludwig). ♦ Écrivain autrichien (Vienne, 1839 — 1889). Acteur ambulant, puis chanteur dans les auberges de Vienne, il composa plusieurs pièces sur les problèmes du jour. Elles expriment une morale populaire, teintée de sentiments libéraux et anticléricaux (*Le Curé de Kirchfeld,* 1870; *Le Paysan parjure, Der Meineidbauer,* 1871).

ANZIN. ♦ Comm. du Nord*, arr. de Valenciennes*, sur l'Escaut*. 15 634 hab. *(Anzinois).* Houillères, sidérurgie, constructions mécaniques.

ANZIO. ♦ V. d'Italie centrale, dans le Latium (province de Rome), sur la mer Tyrrhénienne, au N. de Latina. 16 000 hab. Station balnéaire, pêche. ♦ *Hist.* L'anc. *Antium,* capitale des Volsques*, fut définitivement soumise par les Romains en ~ 338. Coriolan* exilé s'y réfugia. Patrie de Caligula*, Néron*. — Les Alliés débarquèrent à Anzio en 1944.

A.-O. F. ♦ **V.** AFRIQUE*-OCCIDENTALE FRANÇAISE.

AOMORI. ♦ V. du Japon, sur la baie du même nom, au nord de l'île de Honshû. 255 000 hab. (1969). Ch.-l. de la préfecture homonyme (1 430 000 hab.). Important port de pêche, liaison avec Hakodate (Hokkaidô).

AOSTE (la prononc. [ost] n'est plus guère utilisée), en it. **Aosta.** ♦ V. du N. de l'Italie et ch.-l. du val d'Aoste*, sur la Doire Baltée. 33 150 hab. *(Valdotains).* Métallurgie. Vestiges romains. Patrie de saint Anselme* de Canterbury.

AOSTE (val d'Aoste, officiellement *Région autonome de la vallée d').* ♦ Région du N.-O. de l'Italie, bordée au N. par la Suisse, à l'O. par la France, au S. et à l'E. par le Piémont. C'est la plus petite (3 260 km²) et la moins peuplée des régions italiennes. 105 800 hab. *(Valdotains). Ch.-l.* Aoste*. *Langues :* italien et français. — *Orogr.* La région, qui correspond à la haute vallée de la Doire Baltée, est entourée de hauts sommets dont plusieurs dépassent 4 000 m : mont Blanc*, Grand Combin*, Cervin* et mont Rose* au N., Grivola et Grand Paradis* au S. C'est un important carrefour de communications transalpin relié à la France et à la Suisse par le tunnel du Mont-Blanc, les cols du Grand et du Petit Saint*-Bernard. — *Hydrogr.* **V. Doire Baltée** et ses affl. — *Écon.* Les nombreux pâturages de haute montagne permettent l'élevage bovin (fromages). Les cultures de céréales, d'arbres fruitiers et de vigne sont pratiquées sur les pentes les mieux exposées. La production hydroélectrique est importante (autour de 2 milliards de kWh) et le val d'Aoste alimente en électricité le Piémont. Le gisement houiller de La* Thuile et le fer de Cogne* ont aidé au développement

Ph. Hétier

Val d'**Aoste.**

d'une petite sidérurgie. La chimie (Châtillon*, Saint-Marcel) et l'indus. textile complètent ces activités. Toutefois le tourisme demeure la principale ressource. **(V. Breuil-Cervinia, Courmayeur, Gressoney-Saint-Jean, Cogne, Saint-Vincent).** ♦ *Hist.* Le *val d'Aoste,* qui fit partie de la France de 1800 à 1814, forme depuis 1948 une région autonome de la République italienne.

Août 1789 (nuit du 4). ♦ Après la révolution parisienne du 14 juillet 1789 **(V. Bastille** [prise de la]**),** alors que la révolte (Grande Peur*) secouait les provinces françaises, l'Assemblée* constituante, sur la proposition de nobles libéraux, abolit les privilèges (suppression des exemptions fiscales, des corvées seigneuriales, mainmortes, etc., et des rentes seigneuriales contre indemnité). Louis XVI était proclamé « restaurateur de la liberté française ». « La féodalité fut détruite dans sa forme institutionnelle et juridique, elle fut maintenue dans sa réalité économique » (A. Soboul).

Août 1792 (journée du 10). ♦ Journée révolutionnaire qui marqua en France la chute de la royauté. Face à la menace extérieure (le 11 juillet, l'Assemblée* législative avait proclamé la patrie en danger) et à la monarchie, accusée de pactiser avec l'ennemi, se développa un mouvement patriotique; sous l'impulsion de Robespierre, diverses sections de Fédérés présentèrent à l'Assemblée des pétitions exigeant la déchéance du roi (17, 23 juillet), alors que les Girondins tentaient de négocier avec la cour. Le manifeste de Brunswick*, connu à Paris le 1er août, attisa l'indignation des patriotes. Dans la nuit du 9 au 10 août, une Commune insurrectionnelle, dirigée par Pétion*, Manuel* et son substitut Danton*, prit la place de la Commune légale **(V. Commune de Paris)** à l'Hôtel de Ville. Le 10 août, les Fédérés, en particulier la section de Marseille dirigée par Barbaroux*, donnèrent l'assaut aux Tuileries. Le roi et la famille royale s'étaient placés sous la protection de l'Assemblée législative. Celle-ci, lorsque l'insurrection fut victorieuse, prononça la suspension de Louis* XVI (13 août) et vota ensuite la convocation d'une Convention.

AOYAMA NOBUYUKI. ♦ Lettré japonais (1776-1843) et historien de l'école néo-confucianiste de Mito. Il participa avec Tokugawa Mitsukuni à la rédaction de « l'histoire du Grand Japon » *(Dai-Nihonshi)* et écrivit de nombreux ouvrages historiques.

APACHES. *n. m. pl.* ♦ Indiens du S.-O. des États-Unis (groupe ethnique et linguistique des Athapascans). Ils luttèrent farouchement contre les Espagnols, puis contre les colons des États-Unis, notamment en Arizona (1881-1886). Autrefois nomades et chasseurs, ils vivent pour la plupart dans des réserves du Nouveau-Mexique ou de l'Oklahoma et ont tendance à s'intégrer de plus en plus à la vie du pays.

APAMÉE, en gr. **Apameia.** ♦ Nom de plusieurs villes de l'Orient antique, dont la plus connue, *Apamée sur l'Oronte,* en Syrie, est la patrie de Posidonios*.

A-PAO-CHI [*A-pao-ki*]. ♦ Qân mongol de la famille Yeh-lü des Khitan* [*Chi-tan*] (v. 872 – 926). Il régna de 907 à sa mort, organisa l'empire des Chi-tan dans le Jehol (nord de la Chine) et fonda à Yen-tsing (Pékin) la dynastie des Liao*, prenant le titre chinois d'empereur T'aitsu en 916.

Apartheid. ♦ Mot afrikaans désignant la politique de ségrégation raciale pratiquée en république d'Afrique du Sud, à partir de 1948 par Malan* et renforcée par ses successeurs Verwoerd et Vorster. **V. Afrique du Sud** *(Hist.).*

APCHÉRON *(presqu'île d').* ♦ Presqu'île de l'U.R.S.S. (Azerbaïdjan*) qui prolonge le versant S.-E. du Grand Caucase dans la mer Caspienne. Importants gisements pétrolifères exploités à Bakou* et en haute mer.

APELDOORN. ♦ V. des Pays-Bas (dans le Gueldre*). 120 946 hab. Ville résidentielle. Aux environs : musee Kröller*-Müller avec une collection de peintures et un parc de sculptures. – Fabrication de papiers, de colorants et de produits pharmaceutiques, matières plastiques et indus. textiles.

APELLE, en gr. **Apellês.** ♦ Peintre grec (~ IVe s.), le plus célèbre de l'Antiquité. Ionien de Cos (ou de Colophon ou d'Éphèse), il devint l'ami et le portraitiste officiel d'Alexandre* le Grand. Aucune de ses œuvres n'est conservée. On reconnaît ses thèmes et sa manière dans des œuvres sans doute inspirées de ses fresques, telle la mosaïque de Pompéi représentant Alexandre sous les traits de *Zeus tonnant* ou la *Bataille d'Issos* (musée de Naples). *La Calomnie, Aphrodite anadyomène, Artémis* sont parmi les titres les plus connus de ses œuvres disparues.

APENNIN ou **APENNINS.** *n. m.* (en it. **Apennino** ou **Apennini**). ♦ Chaîne montagneuse de l'Italie qui s'étend sur env. 1 300 km et forme l'arête dorsale de la péninsule. Elle sépare le versant tyrrhénien du versant adriatique. L'*Apennin septentrional,* formé de roches argilo-gréseuses, est assez peu élevé mais abrupt (Alpes apuanes, Apennin ligure). Il se soude aux Alpes ligures au col d'Altare (ou Cadibone). L'*Apennin central* contourne la plaine du Pô (Apennin toscan) et se poursuit par les monts calcaires des Abruzzes où se trouvent les sommets les plus hauts (Gran Sasso, 2 914 m). Enfin, l'*Apennin méridional* ou *calabrais,* sur le côté tyrrhénien, est une masse assez hétérogène de massifs cristallins assez élevés (Mte Sila, 1914 m). **V.** (du N. au S.), **Ligurie, Émilie, Toscane** (anc. Étrurie), **Marche, Ombrie, Latium, Abruzzes, Pouilles, Campanie, Basilicate, Calabre.**

APERT (Eugène). ♦ Médecin français (1868 – 1940). Il a donné

Ph. Giraudon

Journée du 10 **Août** 1792, estampe d'époque. (Bibliothèque nationale, Paris.)

son nom à l'acrocéphalosyndactylie (*maladie d'Apert,* 1906) et au syndrome génito-surrénal, dû à un fonctionnement excessif de la cortico-surrénale, d'origine tumorale (*syndrome d'Apert et Gallais,* 1910-1912).

APHAIA. ♦ Temple dorique en Égine (Grèce), construit v. ~ 480 et consacré à Aphaia, divinité indigène identifiée plus tard avec Athéna. Ses sculptures se trouvent à la glyptothèque de Munich.

APHRODITE, en gr. **Aphroditê.** ♦ Déesse grecque de l'amour et de la fécondité, assimilée à la Vénus* romaine. D'origine orientale, elle présente certaines analogies avec la divinité sémitique Ashtart* et l'égyptienne Hathor*. Elle est fille de Zeus* et de Dioné* ou, selon la version hésiodique, elle naît de l'écume de la mer fécondée par le sang d'Ouranos lors de sa mutilation (d'où son nom « née de l'écume »). Sortie du creux d'une vague, elle est portée à Cythère*, puis sur les rivages de Chypre*, d'où son surnom de *Cypris.* Les Heures (Saisons) l'accueillent et la conduisent au ciel, drapée et parée. Le pouvoir sensuel féminin qu'elle symbolise est représenté comme une force corruptrice et maléfique. Sa légende, tardivement grossie par les Alexandrins, est composée d'épisodes divers concernant ses unions, en général avec des dieux, ses interventions miraculeuses, son action conforme à ses attributions. Épouse infidèle d'Héphaïstos*, elle est surprise par celui-ci et immobilisée dans un filet magique avec son amant Arès* dont elle a Harmonie*, Éros* et Antéros. De Dionysos* elle a Priape*, d'Hermès* elle a Hermaphrodite*. Son idylle passionnée avec Adonis* l'associe aux cultes orientaux. De même son union avec le mortel Anchise*, le berger troyen dont elle a Énée*, et ses affinités avec les Troyens la rattachent à la terre asiatique. À l'origine de la guerre de Troie* pour avoir aidé Pâris* à enlever Hélène*, elle défend dans les combats ses héros préférés, son fils Énée et Pâris, mais elle prend lâchement la fuite devant le mortel Diomède* qui lui perce la main de sa lance. Elle favorise le mariage et l'amour en dehors de toute loi, et comble Pygmalion* pour l'amour qu'il portait à Galatée*. – De nombreux temples étaient consacrés à son culte. Source d'inspiration des poètes, dont Sapho*, et des artistes, Aphrodite figure notamment dans les célèbres statues de Callimaque*, Lysippe*, Praxitèle* (à qui Phryné* servit de modèle), Scopas*.

APIA. ♦ Cap. et port des Samoa* occidentales sur la côte N. de l'île Upolu*. 26 600 hab. (1968). Exportation de coprah et de cacao.

APIAN ou **APIANUS (Peter BENNEWITZ** ou **BIENEWITZ,** *dit*). ♦ Mathématicien, astronome et géographe allemand (Leisnig, Saxe, 1495 – Ingolstadt, 1552). Il a indiqué la manière de déterminer les différences de longitude par l'observation des mouvements de la Lune (*Cosmographia, seu descriptio totius orbis,* 1524) et donné une des premières tables de sinus pour toutes les minutes *(Instrumentum sinuum sine primi mobilis,* 1534).

Arch. Smeets

Naissance d'**Aphrodite,** partie centrale du triptyque Ludovisi. Rome. Marbre. Vers ~470 ~460. (Museo nazional, Rome.)

APIS. [apis], nom grec de **Hape** ou **Hapi.** ♦ Dieu égyptien représenté sous l'aspect d'un taureau portant parfois le disque solaire entre ses cornes (lorsqu'il est assimilé à Rê*). Adoré à Memphis, il était sans doute à l'origine dieu de la fécondité. Il fut très vite associé à Ptah*, la divinité souveraine de Memphis, dont il devint la manifestation, puis fusionna avec Osiris* sous le nom d'*User-Hapi* : Osiris-Apis, et fut honoré comme dieu des morts et du monde souterrain. Un taureau sacré, reconnaissable à des marques particulières (taches noires sur son pelage blanc), incarnait le dieu. Il était élevé dans une étable près du temple de Ptah. À sa mort on l'enterrait en grande pompe dans la nécropole de Saqqarah* **(V. Sérapeum)** et on le remplaçait par un jeune taureau.

Apocalypse. *n. f.* (Cf. Petit Robert). ♦ Le dernier livre du Nouveau Testament (22 chapitres, en grec). Il contient des visions prophétiques et eschatologiques : les sept sceaux, les quatre cavaliers, la chute de Babylone (Rome), la Jérusalem céleste. L'auteur s'appelle lui-même Jean; il semble être originaire du Moyen-Orient et écrire vers 96; la tradition l'identifie avec saint Jean*. — Beaux-arts : *Apocalypse de Saint-Sever,* commentaire de Beatus, miniatures de Garsia Placidus (1028, Bibl. nat.); *Apocalypse d'Angers,* ensemble de 90 tapisseries (dont 69 subsistent) réalisées par Nicolas Bataille (*fin* XIVe s.); *Apocalypse* de Dürer, suite de 14 gravures sur bois (1498); l'*Apocalypse,* exemplaire unique orné de peintures par B. Buffet, S. Dali, L. Fini, Foujita, G. Mathieu, P.-Y. Trémois, O. Zadkine (1958-1961).

Apocryphes. *n. m. pl.* (Cf. Le Robert). ♦ Livres apparentés à la littérature biblique mais exclus du canon (quel que soit le canon reconnu). Les protestants appellent spécialement *apocryphes* les livres inclus dans la bible juive de langue grecque **(V. Septante)** mais non dans la bible hébraïque. ♦ ANCIEN TESTAMENT. Livres ne figurant pas dans la bible hébraïque, appelés souvent pseudépigraphes : *Apocalypse de Baruch* (syriaque, *déb.* IIe s.), *Assomption de Moïse* (fragments latins, *déb.* Ier s.), *Lettre d'Aristée* (légende de la rédaction de la Septante, en grec, ~ Ier s.), *IIIe et IVe Livres d'Esdras**, *Livre d'Hénoch**, *Livre des Jubilés**, *IIIe et IVe Livres des Macchabées**, *Martyre* ou *Vision d'Isaïe* (fragments éthiopiens, Ve s.), *Psaumes de Salomon* (18 psaumes, en grec), *Testament des douze patriarches* (grec, v. ~ Ier-Ier s.). Livres ne figurant pas non plus dans la bible hébraïque, généralement exclus des bibles protestantes, mais admis par le canon catholique : **V. Deutérocanoniques.** ♦ NOUVEAU TESTAMENT. Ouvrages tardifs (IIe-VIe s.), faisant une large part au merveilleux, souvent destinés à fonder l'autorité des diverses tendances ou hérésies des débuts du christianisme : *Évangiles des Hébreux, des Égyptiens, de Pierre, de Nicomède* (comprenant les *Actes de Pilate* et la *Descente du Christ aux enfers*), *de Thomas* (gnostique, **V. Nag Hammadi**), plusieurs *Évangiles de l'Enfance* (dont le *Protévangile de Jacques,* gnostique); *Actes de Paul et de Thècle, de Thomas, d'André; Épîtres aux Laodiciens, IIIe aux Corinthiens, de Barnabé,* etc.

APOLDA. ♦ V. d'Allemagne [R.D.A.] (Thuringe, district d'Erfurt), au N.-E. de Weimar. 29 754 hab. (1964). Centre industriel (bonneterie, teinturerie, chimie).

APOLLINAIRE (Wilhelm Apollinaris *de* Kostrowitsky, dit **Guillaume).** ♦ Poète français (Rome, 1880 — Paris, 1918). Fils naturel d'un officier italien, et d'Angelica de Kostrowitsky, fille d'un noble polonais camérier du pape, il poursuivit d'irrégulières études aux lycées de Cannes puis de Nice. À l'issue d'un séjour d'été à Stavelot, en Wallonie, il quitta précipitamment cette ville, en compagnie de son frère, faute de pouvoir régler sa note d'hôtel (1899). Parvenu à Paris, il n'y trouva que de médiocres emplois, mais un poste de précepteur en Rhénanie lui permit d'effectuer de nombreux voyages à travers l'Allemagne et l'Autriche-Hongrie (1901-1902), où son œuvre poétique puisera de précieux thèmes d'inspiration. De retour dans la capitale, il publia ses premières œuvres dans des revues littéraires, *La Revue blanche, La Plume,* et se lia d'amitié avec Alfred Jarry*, Eugène Montfort* et André Salmon* (1903). À Paris, il publia son premier livre, *L'Enchanteur pourrissant.* Sa rencontre avec Marie Laurencin* (1908) exerça une influence durable sur sa sensibilité. Devenu l'ami de Picasso, de Derain, de Vlaminck, du douanier Rousseau, Apollinaire célébra l'art nouveau. Il publia une anthologie du marquis de Sade, un recueil de contes, l'*Hérésiarque et Cie* et une charmante fantaisie poétique, *Le Bestiaire* ou *Cortège d'Orphée* (1911). Ne cessant d'approfondir sa réflexion sur la peinture moderne *(Les Peintres cubistes, méditations esthétiques),* il publia *Alcools,* recueil de ses meilleurs poèmes; il y renouvelait véritablement la poésie française, l'acheminant d'un coup « aux frontières de l'illimité et de l'avenir » (1913). Apollinaire composa encore des « poèmes conversations » et des « idéogrammes lyriques » dont le tracé dessine l'objet que le mot signifie, œuvres d'une fantaisie précieuse qu'il rassembla quelques années plus tard dans les *Calligrammes* (1918). Quand il décide de s'engager dans l'armée française pour la durée de la guerre (déc. 1914), il vient de vivre, avec Louise de Coligny-Châtillon (Lou) une brève aventure amoureuse qui s'acheminera bientôt vers une douloureuse rupture (*Ombre de mon amour,* 1947). Dans sa correspondance avec Madeleine Pagès, sa fiancée, publiée plus tard (*Tendre comme le souvenir,* 1952), le poète livre d'intéressantes confidences sur son art et sur ses lectures. Affecté au 96e régiment d'infanterie avec le grade de sous-lieutenant, il fut blessé d'un éclat d'obus à la tempe (17 mars 1916), évacué et bientôt trépané. Publié par les soins de ses amis, un nouveau recueil de

Ph. Hétier

Le dieu **Apis.** (Musée égyptien, Le Caire.)

ses contes et de ses nouvelles parut alors sous le titre *Le Poète assassiné.* Apollinaire obtint, dès sa guérison, d'être détaché dans divers services de l'arrière; il reprit une féconde activité littéraire. Il fit représenter un « drame surréaliste » *Les Mamelles de Tirésias* et prononça une conférence sur l'« esprit nouveau » (1917). Ayant épousé Jacqueline Kolb, il redevint le collaborateur actif de nombreux journaux, publia encore un recueil de chroniques poétiques, *Le Flâneur des deux rives,* conçut de nouveaux projets littéraires. Atteint par l'épidémie de « grippe espagnole », il mourut prématurément (9 nov. 1918). — Tenu longtemps pour un génie fantaisiste et mystificateur, Apollinaire a vu croître sa gloire avec les années. Il a pressenti hardiment, dans la compagnie des peintres, par quelles voies il fallait que s'engageât l'art des précurseurs du surréalisme*. On peut le considérer, à ce titre, comme l'un des initiateurs les plus perspicaces de l'art moderne. Issu du symbolisme, il s'est affranchi très tôt de toute influence d'école pour enrichir l'univers de la poésie de modulations d'une résonance unique, d'images insolites et neuves, et lui rendre le sens du mystère mis en œuvre par un Nerval. L'œuvre d'Apollinaire, entre les attraits d'un réel captivant et les sollicitations de la mémoire, traduit l'inoubliable confidence d'un cœur désespéré.

APOLLODORE D'ATHÈNES, en grec **Apollodôros.** ♦ Grammairien athénien (v. ~ 180), élève d'Aristarque*. Auteur d'une chronologie en vers iambiques couvrant la période de la guerre de Troie jusqu'en ~ 144. On lui a attribué à tort la *Bibliothèque d'Apollodore,* précieuse compilation mythologique bien postérieure.

APOLLODORE DE DAMAS, en gr. **Apollodôros.** ♦ Architecte et ingénieur grec (Damas, v. 60 — 129). Appelé par Trajan*, il construisit le pont des Portes de fer ou Pont sur le Danube (104), et à Rome le forum de Trajan.

APOLLON. ♦ Dieu grec de la lumière, appelé aussi **Phébus**

Arch. Smeets

Guillaume Apollinaire, par Max Jacob.

(*Phoibos* « le brillant »). Il est fils de Zeus* et de Léto*, frère jumeau d'Artémis*. Ses attributions se multiplient au cours des siècles. Dieu de la divination, de la musique et de la poésie, protecteur des Muses* *(Musagète)*, il est en même temps guerrier et pasteur. Purificateur et guérisseur en tant que dieu solaire, il est aussi vindicatif et violent, souvent emporté par la colère. Symbole de la clarté, il devint le dieu de la religion orphique **(V. Orphée).** Devenu adulte sept jours après sa naissance, il quitte Délos* sur un char attelé de cygnes, présent de son père, et se rend d'abord chez les Hyperboréens, peuple pieux et heureux habitant une contrée inaccessible aux mortels communs. Après avoir instauré là son culte, il retourne en Grèce. Parvenu à Delphes*, en Phocide, il tue le serpent Python* qui rendait des oracles de la Terre, instaure en son honneur les Jeux Pythiques et fonde ses propres oracles : de Delphes, le plus prestigieux, de Délos, de Claros*. Malgré sa beauté et sa gloire, Apollon est malheureux en amour. Les nymphes et les mortelles fuyant ses ardeurs trouvent la mort ou sont violées par lui. Cassandre*, ayant reçu le don de divination pour consentir, le refuse et encourt sa vengeance : ses prophéties seront accompagnées d'incrédibilité. Ses vengeances sont terribles. Après la mort de son fils Asclépios, foudroyé par Zeus pour avoir ressuscité un mort, Apollon tue de ses flèches les Cyclopes* qui fabriquaient la foudre de Zeus. Il perce avec ses flèches les Aloades*, massacre, avec sa sœur, les enfants de Niobé*, écorche vif le satyre Marsyas* qui osait le défier comme musicien et fait pousser des oreilles d'âne à Midas*. Pendant la guerre de Troie, il frappa de peste le camp grec pour venger son prêtre Chrysès*, dont Agamemnon avait pris la fille comme captive; d'autre part, il envoie deux serpents monstrueux qui enlacent et étouffent le prêtre troyen Laocoon*, qui l'avait offensé, et ses fils. Son image n'est pas pour autant toujours aussi terrible dans la légende. C'est lui qui égaie les festins des Olympiens avec les mélodies incomparables de sa lyre. Incarnation de l'idéal grec de la beauté, Apollon a inspiré de nombreuses statues antiques dont *Apollon de Piombino* (v. ~ 500), *Apollon sauroctone* de Praxitèle*, *Apollon à l'omphalos* attribué à Calamis*, *Apollon de Kassel* attribué à Phidias*, *Apollon du Tibre* (~ 450), *Apollon du Belvédère* (~ IIIᵉ s.), le *Colosse de Rhodes*.

APOLLONIA. ♦ Anc. V. d'Illyrie (Albanie), colonie de Corinthe* fondée en ~ 588. Centre intellectuel de l'époque gréco-romaine.

APOLLONIOS D'ATHÈNES. ♦ Sculpteur grec (~ Iᵉʳ s.), auteur du *torse du Belvédère* (musée du Vatican) et du *Pugiliste* (musée des Thermes, Rome).

APOLLONIOS DE PERGA. ♦ Mathématicien grec (Perga, v. ~ 262 – v. ~ 180). Son traité relatif aux sections coniques (cercle, ellipse, parabole, hyperbole) est l'une des grandes œuvres des mathématiques grecques.

APOLLONIOS DE RHODES. ♦ Poète et grammairien grec (Alexandrie, v. ~ 295). Disciple, puis rival de Callimaque*, il vécut pendant quelque temps à Rhodes* où il fonda une école de rhétorique, puis revint à Alexandrie* et dirigea la fameuse bibliothèque. Il composa les *Argonautiques**, longue épopée très appréciée à l'époque hellénistique.

APOLLONIOS DE TYANE, en lat. **Apollonius.** ♦ Philosophe néopythagoricien d'Asie Mineure (Tyane? – Éphèse, 97). Il a écrit une *Vie de Pythagore* qui fut utilisée par Porphyre* et Jamblique* et un *Traité sur la divination*.

Apologie de Socrate (l'), en gr. **Apologhia Sôkratous.** ♦ Dialogue de Platon* qui présente le discours que Socrate* aurait prononcé devant ses juges, pour se défendre contre la double accusation d'impiété et de corruption de la jeunesse.

Apologie de Socrate. ♦ Œuvre de Xénophon*.

APOPIS. ♦ Dieu égyptien représenté sous la forme d'un serpent gigantesque, image du chaos toujours vaincu mais toujours renaissant qui menaçait chaque matin et chaque soir d'arrêter le soleil dans sa marche. Il fut tardivement identifié à Seth*.

APOSTEL (Léo). ♦ Logicien belge (1925 –). S'intéressant aux régions frontières entre la logique et la psychologie, il a cherché à fonder une interprétation de l'apprentissage des structures linguistiques et logiques sur certaines théories du comportement (Hull, Tolman, etc.) *Logique, langage et théorie de l'information*, 1957, en coll. avec B. Mandelbrot et A. Morf.

Apôtre. *n. m.* ♦ Les douze apôtres, disciples de Jésus. **V. André, Barthélemy, Jacques le Majeur, Jacques le Mineur, Jean, Judas Iscariote** (remplacé par Mathias*), **Jude, Matthieu, Philippe, Pierre, Thomas, Simon le Cananéen.** – **V.** *aussi* **Andéol** (saint), **Anschaire** (saint), **Augustin de Canterbury** (saint), **Barnabé** (saint), **Bénigne** (saint), **Boniface** (saint), **Brunon de Querfurt** (saint), **Cyrille** (saint), **Denis** (saint), **François-Xavier** (saint), **Grégoire l'Illuminateur** (saint), **Martial** (saint), **Martin** (saint), **Médard** (saint), **Méthode** (saint), **Patrick** (saint), **Paul** (saint), **Remi** (saint), **Séverin** (saint), **Timothée** (saint), **Tite** (saint), **Ulfilas, Wilfrid** (saint), **Willibrord** (saint).

Apoxyomène (l'). ♦ Réplique romaine en marbre d'une statue de Lysippe* de la fin du ~ IVᵉ s. (musée du Vatican).

APPALACHES. *n. m. pl.* ♦ Ensemble montagneux de l'E. des États-Unis qui s'étend, avec ses prolongements, du N.-E. (au S. de l'embouchure du Saint-Laurent, Canada) au S.-O. (plaine côtière du golfe du Mexique) sur les États de la Nouvelle-Angleterre, New* York, la Pennsylvanie*, les Virginies*, l'O. des Carolines*, l'E. du Tennessee*. On y distingue d'O. en E. un plateau, table de sédiments primaires, qui correspond au S. au Cumberland*, une zone plissée dite *vallée appalachienne (Great Valley)*, une chaîne cristalline formée des chaînes des *Blue Ridge* (montagnes bleues) qui s'élèvent de 1 500 à 2 000 m (2 037 m au mont Mitchell), enfin un plateau (Piedmont) qui se termine par une ligne de faille *(Fall Line)* au-dessus de la plaine atlantique. – L'Ohio*, le Tennessee* y prennent leur source. Les montagnes sont en général très boisées.

Arch. Smeets

Apollon du Belvédère : copie romaine d'une statue en bronze attribuée à Léocharès, fin ~ IVᵉ s. Marbre. (Musée du Vatican, Rome.)

ÂPPAR. ♦ Poète indien d'expression tamil (VIIᵉ s.), auteur d'hymnes religieux śivaïtes d'une haute élévation de pensée. Il est un des 63 « saints » du śivaïsme du sud de l'Inde (Nayannar), et l'un des plus vénérés.

APPAYA-DÎKṢITA. ♦ Philosophe religieux indien (1552 – 1624 ou 1520 – 1593 selon les sources), d'expression sanskrite. Il aurait vécu à la cour du roi Venkata Iᵉʳ de Vijayanagar où il écrivit des commentaires réputés des œuvres religieuses classiques et des traités vedântiques qui font autorité.

APPEL (Karel). ♦ Peintre néerlandais (Amsterdam, 1921 –). Il étudia à l'Académie royale d'Amsterdam de 1940 à 1943. Décidé à rompre avec l'abstraction géométrique héritée du *Stijl*, il fonda avec Corneille* et Constant le *Groupe expérimental* et la revue *Reflex* (1948), puis il adhéra au groupe international *Cobra* et se fixa à Paris (1950). Opposant la spontanéité de la création aux contraintes et aux conventions plastiques, il chercha à faire prévaloir le geste impulsif et pratiqua une peinture véhémente en travaillant la couleur en pleine pâte ou en l'éjectant directement du tube. Il aboutit à une peinture fortement expressionniste où les formes sommaires présentent souvent un caractère truculent, parfois grotesque ou dramatique *(La Rencontre)*.

APPELL (Paul). ♦ Mathématicien français (Strasbourg, 1855 – Paris, 1930). Auteur de nombreux traités sur la mécanique rationnelle et les fonctions elliptiques. (Acad. des sc., 1892.)

APPENZELL. ♦ V. du N.-E. de la Suisse sur la r. g. de la Sitter, affl. de la Thur*, ch.-l. du demi-canton des Rhodes*-Intérieures (cant. d'Appenzell). 5 100 hab. en majorité de langue allemande et de religion catholique. Maisons à pignons aux façades peintes. – Manufacture de dentelle et de broderie. ♦ Le *canton d'Appenzell* ou APPENZELL, *n. m.*, situé au S. du lac de Constance*, est entièrement enclavé dans le canton de Saint*-Gall au N.-E. 415 km². 64 000 hab. (de langue allemande). Depuis la Réforme (1597), le canton est divisé, pour des raisons religieuses, en deux demi-cantons. – Les *Rhodes-Extérieures (Ausser Rhoden)* au N. et à l'O. 242,6 km². 50 500 hab. (en majorité de langue allemande et

Arch. Smeets

Apsaras dansant, fin XIIe s. (Musée Guimet, Paris).

de religion protestante), *ch.-l.* Trogen. *V. princ.* Herisau*. — Les *Rhodes-Intérieures (Inner Rhoden)* au S. 172,3 km². 13 500 hab. (en majorité de langue allemande et de religion catholique), *ch.-l.* Appenzell. La région, plus montagneuse, culmine au Säntis*. Son économie est essentiellement pastorale (fromage réputé : *appenzell*). Cette partie du canton est connue pour son extrême conservatisme.

APPERT (Nicolas). ♦ Industriel français (Châlons-sur-Marne, 1749 — Massy, 1841). Son invention d'un procédé de conservation des aliments par la chaleur (*appertisation,* 1795) fait de lui le créateur de l'industrie des conserves alimentaires. **V. Pasteur, Tellier.**

APPIEN, en grec **Appianos.** ♦ Historien grec (Alexandrie, fin du Ier s. — après 180) qui vécut longtemps à la cour des empereurs romains et accéda aux plus hautes dignités. Son *Histoire romaine* en 24 livres est essentiellement composée des monographies sur les guerres entre Rome et les pays qui devinrent provinces de l'Empire, et sur les guerres civiles. Compilation des renseignements empruntés à d'autres historiens grecs, contenant même quelques erreurs géographiques grossières, cet ensemble vaut pour le choix des sources, le sens politique et l'impartialité de l'auteur. La partie intitulée « guerre civile » est la plus complète histoire politique de Rome de ~ 133 à ~ 35.

Appienne *(voie),* en lat. *via* **Appia.** ♦ Voie romaine qui allait de Rome à Brindisi en passant par Capoue. Commencée par le censeur Appius Claudius* v. ~ 312, elle fut achevée par Auguste*. Elle était bordée de tombeaux dont il reste des vestiges. Le plus célèbre est celui de Caecilia Metella.

APPLEBY. ♦ Bourgade du N.-O. de l'Angleterre, ch.-l. du Westmorland*, à 30 km au N.-E. de Kendal. 1 755 hab. (1961). Château normand (XIIe s.) reconstruit au XVIIe siècle.

APPLETON (*sir* Edward Victor). ♦ Physicien anglais (Bradford, 1892 — Édimbourg, 1965). Auteur d'études sur la propagation des ondes radioélectriques, il donna avec Barnett* la preuve expérimentale de l'existence de l'ionosphère (1925) et, avec Hartree*, en établit la théorie magnéto-ionique (1927-1932), en négligeant le mouvement des ions et l'agitation thermique des électrons *(approximation d'Appleton-Hartree).* Prix Nobel de physique, 1947.

APPOMATTOX. ♦ Localité des États-Unis (Virginie) où le général sudiste Lee* se rendit à Grant*, chef des troupes nordistes, mettant fin à la guerre de Sécession* (9 avril 1865).

APPONYI. ♦ Famille de magnats hongrois à laquelle appartinrent plusieurs hommes politiques et diplomates. ♦ ALBERT APPONYI (Vienne, 1846 — Genève, 1933). Chef du parti national à la Chambre, il lutta contre les mouvements visant à faire de l'Empire un état multinational. Il fut l'auteur d'une loi scolaire (*loi Apponyi,* 1907) imposant l'assimilation des groupes ethniques non hongrois. Il dirigea la délégation hongroise à la Conférence de la Paix (1919-1920) puis représenta la Hongrie à la S.D.N.

Apprenti sorcier (L'). ♦ Poème symphonique de Paul Dukas* (1897). Ce scherzo, l'un des plus célèbres de la musique descriptive, est inspiré d'une ballade de Goethe (1797).

Après-midi d'un faune. ♦ Églogue de Stéphane Mallarmé* (1876) dont le thème fut emprunté par Claude Debussy* pour son poème symphonique *Prélude à l'après-midi d'un faune* (1894).

APRIÈS, nom gr. d'**OUAHIBRI** ou **Hâibria** (en hébreu : **Hophra).** ♦ Pharaon de la XXVIe dynastie saïte (v. ~ 588 — ~ 568), fils et successeur de Psammétique* II. Il reprit la lutte contre Nabuchodonosor* II qui s'était emparé à nouveau de Jérusalem (troisième déportation des Juifs à Babylone) et soutint Tyr dans sa résistance aux Babyloniens. Accusé de favoriser les mercenaires grecs, il fut renversé et assassiné par l'armée d'Amasis*.

APSARA. *n. f.* ♦ Semi-divinité féminine du panthéon hindou, généralement représentée comme une danseuse céleste. Les apsaras peuvent prendre des aspects divins ou terrestres, inspirant l'amour et troublant les ascètes, réjouissant les dieux de leurs chants et de leurs danses.

APT. ♦ Sous-préf. du Vaucluse*, ch.-l. d'arr. (6 cant., 56 comm., 70 840 hab.) sur le Coulon. 10 013 hab. *(Aptésiens* ou *Aptois).* Église Sainte-Anne de style roman provençal. — Confiseries, ocres. ♦ *Hist.* Ancienne cité gauloise des Vulgientes, elle devint *Apta Julia,* colonie romaine. Au XIe s., elle fut la capitale d'un comté. Le baron des Adrets l'assiégea vainement pendant les guerres de Religion.

APULÉE, en lat. **Lucius Apuleius Theseus.** ♦ Écrivain latin (Madaure, *auj.* M'daurûsh, dép. de Constantine, v. 125 — Carthage, après 170). Africain originaire de Madaure, Apulée vint de bonne heure à Carthage pour y apprendre l'éloquence. Mais, attiré par tout ce qui se réclamait d'un spiritualisme mystique, il se rendit à Athènes où il se fit l'adepte du platonisme puis parcourut une partie de l'Asie pour s'y faire initier aux cultes orientaux : mystères d'Éleusis*, de Mithra*, d'Isis*, culte des Cabires, espérant y trouver le « secret des choses » et s'abandonnant à tous les démons de la curiosité jusqu'aux confins du sacrilège. Il rentra ensuite à Carthage où il devint un avocat et un rhéteur célèbre. Outre de petits traités philosophiques, des fragments de discours, les *Florides,* et un plaidoyer, l'*Apologie* ou *De Magia,* que l'écrivain, accusé d'avoir séduit une riche veuve par magie, composa pour sa défense, l'ouvrage le plus remarquable d'Apulée est son roman des *Métamorphoses** (appelé parfois *l'Âne d'or).* Il nous donne l'image d'une sensibilité puissante avec son mysticisme, son imagination, sa gaîté, son goût de la parodie et son souci du bien dire poussé parfois jusqu'à la préciosité.

APULIE. *n. f.,* en lat. **Apulia.** auj. **Pouilles*.** ♦ Anc. province du S.-E. de l'Italie divisée en deux parties : au N. l'*Apulie italique* formée par l'*Apulie propre,* la Daunie et le mont Garganus, au S. l'*Apulie grecque* ou Iapygie*. Colonisée par les Grecs qui y fondèrent Tarente*, elle fut soumise par Rome en ~ 317.

APURÍMAC. ♦ Riv. du Pérou (885 km) dans les Andes méridionales, branche mère de l'Ucayali*, affl. de l'Amazone. Elle a donné son nom au *dép. d'Apurimac,* 20 654 km². 337 900 hab. Ch.-l. *Abancay.*

'AQABA ou **AKABA** (anc. **Ezion* Gaber).** ♦ Port de Jordanie (province de Ma'am*), situé au fond du *golfe d'Akaba,* face au port israélien d'Elath*. 18 000 hab. env. (1969). Raffinerie de sucre et raffinerie de pétrole. Port relié aux régions minières par un réseau routier.

Aquitaine.

'AQABA ou **AKABA** *(golfe d')*. n. m. ♦ Golfe du N. de la mer Rouge*, dans le prolongement de la mer Morte, et qui sépare l'Arabie Sa'ûdite de la presqu'île du Sinaï*. L'extrémité nord du golfe est partagée entre la Jordanie et Israël. – La décision de Nasser* de fermer le golfe d''Aqaba à toute navigation en direction ou en provenance d'Élath, fut à l'origine du conflit Israélo-Arabe de 1967.

'AQQAD ('Abbas Mahmûd al-). ♦ Écrivain égyptien (Aswân, 1889 – 1964). Critique, poète, biographe, essayiste, journaliste et homme politique, il fut influencé par les écrivains français et anglais du XIXe s. ainsi que, plus tard, par les romantiques allemands. À la fin de sa vie, il devint l'apologiste des grands personnages de l'Islâm.

AQUILA (L'). ♦ V. d'Italie, dans les Abruzzes, et ch.-l. de la prov. du même nom. 58 700 hab. Fondée au XVIIIe s. par l'empereur Frédéric II, sur les ruines de l'anc. *Amiternum*, la ville possède deux belles églises. – Centre agricole et commercial, indus. textiles.

AQUILÉE, en it. **Aquileia**. ♦ V. et port d'Italie en Vénétie (prov. d'Udine) sur l'Adriatique. 3 600 hab. Vestiges romains, basilique romane du XIIe s. remaniée (pavement de l'église primitive du IVe siècle). ♦ *Hist.* Colonisée par Rome en ~ 181, la ville devint sous Auguste un important centre commercial. En 167, Marc* Aurèle en fit une place forte contre les invasions des Barbares. Détruite par les Huns* en 452, elle fut reconstruite par Narsès* et finalement annexée par les Lombards* (VIe s.). Elle était le siège d'un évêché depuis le milieu du IIIe siècle. Après la condamnation des « Trois Chapitres » par le pape Vigile* au troisième concile de Constantinople (553), l'évêque d'Aquilée se sépara de Rome et prit le titre de patriarche. Le schisme prit fin sous le pontificat de Serge* Ier (687–701), mais la ville resta le siège d'un patriarcat qui ne fut aboli qu'en 1751 par Benoît* XIV.

AQUIN (Antoine D'). ♦ Médecin français (?, 1620 – Vichy, 1696). Médecin de Marie-Thérèse d'Autriche, puis de Louis XIV lui-même, il fut disgracié en 1693.

AQUIN (Louis Claude d'Aquin ou **DAQUIN)**. ♦ Organiste et compositeur français (Paris, 1694 – *id.*, 1772). Successivement organiste de Saint-Paul, de la chapelle royale, puis de Notre-Dame de Paris (1755), il fut réputé pour la virtuosité de son jeu autant que pour la qualité de son goût musical. Il a laissé de nombreuses œuvres vocales (messes, motets, cantates, divertissements) ainsi que des pièces pour orgue et clavecin.

AQUITAINE [*n. f.*], en lat. **Aquitania** « pays des eaux ». ♦ Une des quatre provinces de la Gaule romaine constituées par Auguste*, limitée par le Poitou au N., la Garonne à l'E., les Pyrénées au S. et le golfe de Gascogne à l'ouest. À l'époque de la conquête romaine, les principaux peuples de l'Aquitaine étaient : les Arvernes*, les Cadurques*, les Lémovices*, les Bituriges*, les Pictaves* et les Santons*. Au IVe s., l'Aquitaine fut divisée en trois provinces : l'AQUITAINE Ire (ch.-l. *Avaricum :* Bourges*), l'AQUITAINE IIe (ch.-l. *Burdigala :* Bordeaux*), l'AQUITAINE IIIe ou *Novempopulanie* (ch.-l. *Lugdunum Convenarum :* Saint-Bertrand-de-Comminges, puis *Ausci :* Auch*). Les Wisigoths s'emparèrent (418) mais, Clovis* ayant vaincu Alaric* II à Vouillé (507), elle fut rattachée au royaume franc et gouvernée par Caribert* (628-632). Pépin* le Bref y établit son autorité (768) et Charlemagne* en fit un royaume pour son fils Louis* le Pieux, qui le

Ph. Hétier

Aquitaine : vallée de la Dordogne à Montfort.

légua à Pépin* Ier. Elle fut alors gouvernée par Pépin* II (838-848), Charles* le Chauve (848-855), Charles* l'Enfant (855-867), Louis* II le Bègue (867), puis Louis* III qui la donna à son frère Carloman* (879). Erigée en duché, elle revint au xe s. à la maison de Poitiers, après avoir été âprement disputée. Agrandie de la Gascogne (1070), l'Aquitaine passa à l'Angleterre à la suite du mariage d'Aliénor* avec Henri* II Plantagenêt [1154] **(V. Guyenne)**. Disputée entre l'Angleterre et la France, elle fut reconnue à l'Angleterre par Louis* IX (1259), revint à la France et fut cédée de nouveau aux Anglais par le traité de Brétigny (1360). Elle fut définitivement reconquise par Charles* VII après la victoire de Castillon* (1453).

AQUITAINE. *n.f.* ♦ Région française [anciennement C.A.R.]. (Dép. **V. Dordogne, Gironde, Landes, Lot-et-Garonne, Pyrénées-Atlantiques).** 42 431 km² (8 % de la superficie de la France, 3e rang). 2 550 300 hab. (5 % de la population française, 7e rang), 59 hab./km² (15e rang). — Correspondant à la partie occidentale de l'ancienne province de Guyenne*-Gascogne* et à celle du Béarn*, elle n'occupe que la façade atlantique du Bassin aquitain. Son relief s'organise de part et d'autre de la vallée de la Garonne* (47 m à Agen) qui, à l'exception du petit réseau de l'Adour*, draine l'ensemble des cours d'eau, descendus du Massif central et des Pyrénées vers l'estuaire de la Gironde*. De là, les sols tertiaires dessinent, vers le nord, un glacis aux paysages très divers, agrémenté d'amples vallées, qui s'élève peu à peu jusqu'aux plateaux crétacés du Périgord* (200 m), entaillés par l'Isle*, la Vézère* et la Dordogne*. À l'O., l'immense nappe triangulaire du sable des Landes* (1 500 000 ha) descend en pente douce du pays d'Albret* (120 m) vers l'Océan : la côte, rectiligne sur 200 km, bordée de dunes et d'étangs, ne s'ouvre que sur le bassin d'Arcachon*. Au delà de l'Adour* et des pâturages de Chalosse*, le Béarn* fait transition avec la haute montagne pyrénéenne (pic du Midi* d'Ossau, 2 885 m) qui s'abaisse par degrés jusqu'à la côte rocheuse du Pays Basque*. — Variété et fertilité des sols, chaleur et humidité, peuplement dense, civilisation rurale très élaborée fondée sur une polyculture de subsistance très diversifiée, commerce extérieur florissant valurent jadis à cette région une prospérité qui fit en 1787, l'admiration d'A. Young. Mais au XIXe s., cet équilibre s'est désagrégé sous le choc de la révolution industrielle. La région connut alors une régression démographique dont les effets (faiblesse numérique et vieillissement) constituent aujourd'hui encore le frein essentiel à son développement. Sa population souffre toujours d'une insuffisance de l'excédent naturel due à des taux de natalité trop bas (14,7 %) et de mortalité trop élevés (12,3 %) : le principal facteur de son relatif accroissement, amorcé vers 1930, accentué depuis [1962] (+ 148 000 = + 6 %), reste le solde positif des mouvements migratoires extérieurs (plus de 60 000 rapatriés d'Algérie), dominé d'ailleurs par les éléments âgés. Mais l'évolution 1962-1968 reflète à la fois la diminution du nombre des actifs agricoles (plus de 25 %) et la croissance urbaine (42,8 % en 1954; 49 % en 1962). — L'*agriculture* émerge de ses formes traditionnelles; le remembrement progresse ainsi que la mécanisation et la consommation des engrais. Les exploitations inférieures à 20 ha comptent encore pour plus de 80 % du total mais l'effort de concentration se précise au bénéfice des « 20-50 ha ». Les productions végétales l'emportent (53 %) : l'essor du maïs est spectaculaire en Pyrénées*-Atlantiques, Lot*-et-Garonne et Landes* (de 2 à 16 000 000 de q); le vignoble (200 000 ha dont 110 000 pour le Bordelais* et ses annexes) fournit quelque 6 000 000 d'hl dont environ 3 d'appellations d'origine contrôlées prestigieuses [bordeaux]. De 5 200 ha en 1929 à 15 000 en 1956 et 26 000 en 1968 avec une production de 4 000 000 q, les cultures fruitières se concentrent dans la vallée de la Garonne*, du Lot* et de la Dordogne*; de même que les cultures légumières (5 000 000 de q) et le tabac (45 % de la production nationale). L'élevage bovin (plus de 1 000 000 de têtes) se développe, surtout en Dordogne* et Pyrénées*-Atlantiques où se trouvent également près de la moitié des ovins. Animaux de basse-cour : poulets, oies (foie gras). Une meilleure organisation commerciale de la profession s'impose pour orienter l'agriculture vers l'exportation. — Conversion et modernisation des industries traditionnelles, agricoles ou artisanales, création d'industries nouvelles, sont les deux problèmes d'un secteur secondaire encore insuffisant (32 %). Bâtiment et travaux publics y occupent un tiers des effectifs, ce qui témoigne d'une sous-industrialisation réelle. L'exploitation récente du pétrole (Parentis*, Cazaux*... 2,2 millions de t/an), avec le développement du raffinage (Pauillac*, Ambès*, 5 000 000 de t) et celle du gaz naturel (Lacq* : plus de 7 milliards de m³/an) ont transformé les possibilités énergétiques locales, fait surgir une ville nouvelle **(V. Mourenx)** et suscité d'importants complexes chimiques (Lacq, Ambès, Bassens) et une usine d'aluminium (105 000 t) à Noguères. Mais ces implantations n'ont pas profondément modifié la physionomie traditionnelle de la région. Comme les autres industries, métallurgiques et mécaniques, électriques et électroniques ou aéronautiques, elles se concentrent en Gironde et Pyrénées-Atlantiques. Le potentiel industriel est, dans son ensemble, lié aux trois agglomérations urbaines de Bordeaux* (550 000 hab. + 11,4 % de 1962 à 1968; prévisions dès 1975 : 630 000 hab.), Bayonne* (110 000 hab. + 14,1 %; prévisions dès 1975 : 128 000) et Pau* (110 400 hab. + 27,7 %; prévisions dès 1975 : 146 000) où domine toutefois la fonction administrative et tertiaire. L'agglomération de Périgueux* n'a augmenté que de 4,4 % et celle d'Agen* n'a atteint 60 000 hab. qu'en 1975. — Une industrialisation plus poussée et mieux répartie est cependant la condition d'un meilleur équilibre régional qui doit être recherché en liaison avec Midi*-Pyrénées, et surtout de l'emploi des jeunes : la distorsion est trop forte entre demande et offre. Le progrès du tourisme qui appelle celui des communications internes, devra également contribuer au développement de la région.

Arabe (Ligue). ♦ Association basée sur la solidarité des pays arabes, constituée en 1945 entre l'Arabie sa'ûdite, l'Égypte, l'Iraq, la Jordanie, le Liban, la Syrie et le Yémen, à laquelle adhérèrent ensuite la Libye (1953), le Soudan (1956), la Tunisie et le Maroc (1958), le Kuweit (1961), l'Algérie (1962), la Somalie (1974), les Comores (1975) et l'O.L.P. (1976).

Arabe (République arabe unie). ♦ **V.** RÉPUBLIQUE ARABE UNIE.

Arabes. *n.m.pl.* ♦ Nom des autochtones de la péninsule d'Arabie (env. 15 000 000) et par extension, des populations arabophones du Proche-Orient (env. 15 000 000; **V. Iraq, Syrie, Liban, Jordanie)** et du nord de l'Afrique (env. 65 000 000; **V. Égypte, Soudan, Libye, Tunisie, Algérie, Maroc, Sahara occidental, Mauritanie).** Les Arabes forment une ethnie caractérisée principalement par l'usage d'une même langue, l'arabe, aux nombreuses variantes locales. — La présence des Arabes dans la péninsule arabique est attestée depuis au moins la seconde moitié du ~ Ier millénaire. Ils débordèrent très tôt sur les pays limitrophes (Syrie, Palestine), mais ne commencèrent à envahir les pays voisins et à élargir leur conquête qu'à la suite de l'apparition de l'Islâm (VIIe siècle). De très nombreuses populations soumises et islamisées s'assimilèrent aux Arabes en devenant clientes de certaines de leurs tribus. Plusieurs langues furent progressivement évincées [VIIIe s.-XIVe s.] (araméen, copte, syriaque, certains dialectes berbères) au profit de l'arabe, langue liturgique, administrative et véhicule du savoir. Si les Perses* jouèrent à l'origine un rôle très important dans la formation de la culture arabo-musulmane, ils s'exprimèrent dans leur propre idiome dès que la conjoncture politique leur fut favorable (xe s.) et formèrent ainsi une culture relativement spécifique malgré le cadre islamique dans lequel elle se manifesta. — Les Arabes, actuellement au nombre de 95 000 000, ne forment pas une race. Ils partagent avec d'autres ethnies de nombreuses caractéristiques ethnographiques et sociologiques. La conscience unitaire contemporaine n'a été acquise que par le refus latent de la domination turque (XVIe-XIXe s.) et par l'expression politique et culturelle opposée au colonialisme (*nahdha,* « renaissance »). ♦ *Hist. Période antéislamique* (av. 613). **V. Arabie; Abraham, Agar, Ismaël; Lat (al), Manât (al), Uzzâ (al); Mecque (La), Ka'ba. Ghassanides, Lakhmides.** — *Naissance de l'Islâm* (613-632). **V. Allâh, Coran, Mahomet; Badr, Mecque (La), Médine; Qurayshites; Islâm.** — *Création du premier État arabo-musulman et soumission de l'Arabie* (632-634). **V. Abû Bakr.** — *Débuts de la conquête* (634-644). **V. 'Umar, Amr ibn al-'As.** Conquête de Damas (635), Jérusalem (637), Yarkmuk (635). Néhavend (642), Mossoul (642), Alexandrie (642). **V. Arménie, Cyrénaïque, Hadramaout, Memphis, Mésopotamie, Perse, Syrie, Tripolitaine.** — *Crise de succession dans le califat* (644-661). **V. 'Uthman, 'Ali (ib Abi-Tâlib); Shî'isme, Sunnites.** — *Extension de la conquête arabe en Afrique, en Asie et en Europe* (661-750). **V. 'Umayyades, Mu'âwiyya;** conquête de Kaboul (662), du Béluchistan. **V. Maghreb;** Tunisie, Algérie, Maroc, Andalousie; Taraq ibn Ziyâd, Musâ ibn Nusayr,

'Abd al-Rahmân ibn 'Abd-Allâh, Charles Martel. – *Vers le morcellement du califat.* **V. Berbères, Khârijites; 'Abbâssides (750-1258), Abû al-'Abbas, Mansûr Abû Ja'far, Harûn al-Rashid, 'Abd al-Rahmân Ier, II, III, Mansûr ibn Abî-'Âmir. V.** *aussi* **Cordoue, Baghdâd, Kairouan, Caire (Le), Samarra.** – *Provinces autonomes et dynasties indépendantes.* **V. Algérie** (Tahut; Rustumides). **Tunisie** (Aghlabides). **Maroc** (Idrisides, Idris Ier; Almoravides; Almohades). **Égypte** (Tulûmides, Ahmad ibn Tûlûn; Fatimides, Ubayd Allah al-Mahdi; Ayyubides, Saladin). **Perse** (Samanides). – *Du* XIIe *au* XIXe *siècle.* **V.** histoire de chaque pays arabe. – *Nationalisme arabe contemporain.* **V. Nasser, Ba'ath, Frères musulmans.** – *Culture arabe.* **V. Adab, Maqâmâ, Mu'allaqât, Qasîda, Salafiya, Shu'ubiyya;** Abû'al-Alâ **al-Ma'arri, Abû al-Faraj ali al-Isfahani, Abû al-Fida, Abû Hanifa, Abû Nuwâs, Akhtal, 'Amr ibn Kulthûm, 'Antara, 'Arabî Pacha, Ash'arî, Avenzoar, Averroès, Birûni, Bukhâri, Farabi, Farazdaq, Frères de la pureté, Ghazâlî, Hammad al-Râwiyya, Hamadhâni, Harîri, Harîth (al-), Jâbir, Jâhiz, Jarîr, Ibn al-Athîr, Ibn al-Farîd, Ibn Duraïd, Ibn Hanbal, Ibn Hazm, Ibn Khaldûn, Kindî, Mâlik ibn Anas, Mas'ûdi, Mut-anabbî, Mu'tazilites, Shâfi'î, Sibawayh, Soufisme, Tabari, Tawhidi, Ziryâb.**

Arabes (Émirats arabes unis). ♦ V. ÉMIRATS ARABES UNIS (ÉTAT DES).

ARABIE. *n. f.* (en ar. **Jazirat al-'Arab,** « l'île des Arabes »). ♦ Vaste péninsule de l'extrémité S.-O. de l'Asie, limitée au N. par la Jordanie et l'Iraq, à l'O. par le golfe d'Aqaba et la mer Rouge, à l'E. par le golfe Persique. 3 000 000 km² env.; 15 000 000 hab. env. (en majorité *Arabes*). – *Division politique.* **V. Arabie sa'ûdite, Kuweit** (Kuwayt), **Yémen, Yémen du Sud.** ♦ *Hist.* 1) *L'Arabie anté-islamique.* Divers textes akkadiens et hébraïques du IXe s. situent dans le désert syro-mésopotamien et le nord-ouest de l'Arabie une population dénommée en akkadien *Aribi, Arabu, Arubu* et en hébreu *Arab.* Plus tard, les annales assyriennes rapportent les luttes des Assyriens contre les Arabes qui, malgré leurs défaites, se trouvaient toujours en rébellion. Les Perses exercèrent ensuite une certaine influence : l'armée de Xerxès comprenait un contingent d'Arabes (481). Si les populations des franges nordiques de l'Arabie furent touchées par les événements de l'Orient ancien (hébreu, babylonien, perse), la zone sud-arabique, peuplée par des groupes parlant des dialectes sémitiques, connut une civilisation particulière. L'existence d'un État de Saba est attestée par un texte hébraïque dès le IXe siècle. En ~ 24, Auguste envoya le préfet d'Égypte conquérir la région. L'expédition n'aboutit pas. L'Arabie du Sud vivait des produits d'une agriculture avancée grâce aux techniques du terrassement et de l'irrigation. Dans le reste de l'Arabie, le mode de vie était différent. Les Bédouins vivaient d'élevage et, dans les oasis, les populations sédentaires pratiquant l'agriculture et l'élevage étaient toujours menacées par les razzias des tribus nomades. Cependant, dans les régions limitrophes de la Mésopotamie, de la Syrie et de la Palestine, vivaient aussi des Arabes. Le royaume arabe de Nabatène (capitale Pétra) s'allia à Rome. En 106, Trajan l'annexa et en fit la *Provincia Arabia.* Des Arabes de Syrie (Elagabal, 218; Philippe de Shahba, 248) purent accéder à la tête de l'Empire romain. À la fin du IIIe s., les Lakhmides* issus de la tribu de Tanûkh exercèrent leur pouvoir sur tout le désert syrien, s'allièrent à Rome, puis aux Sassanides. Ils abritèrent des nestoriens, chassés par les Byzantins. Une autre dynastie arabe, les Ghassanides*, s'allia à Byzance (v. 500) et adopta le christianisme monophysite. Au moment de la naissance de l'Islâm, outre le polythéisme arabe, le christianisme monophysite, le christianisme nestorien et le judaïsme étaient connus et pratiqués dans la péninsule arabique. – 2) *La période islamique.* Au VIIe s., Mahomet* put unifier les tribus arabes de la péninsule dans le nouvel Etat musulman de Médine. **V. Islâm.** Dès la désignation du quatrième calife et la guerre civile qui s'en suivit, le centre du pouvoir arabo-musulman se déplaça en dehors de l'Arabie. Des gouverneurs furent nommés à Médine et à La Mecque pour administrer l'Arabie

Ph. Hétler
Arabie : Kuweit.

occidentale, l'Arabie orientale étant dirigée à partir de Basra. À cette époque, les villes saintes (Médine et La Mecque) devinrent de grands centres intellectuels et religieux. Sous la dynastie 'abbasside*, Baghdâd* devint la capitale du monde musulman. Cependant l'Arabie connaissait des troubles : les Ibadites de la secte Kharijite* installèrent un pouvoir indépendant dans la province d'Oman ('Umân) qu'ils purent défendre pendant quatre siècles. Au IXe s., les villes de Médine et de La Mecque connurent une intense propagande des partisans de 'Ali contestant la légitimité du calife. Au Xe s., l'agitation des Qarmates ismaëliens* se propagea en Arabie où ils fondèrent leur capitale (al-Ahsâ). Dès le milieu du Xe s., s'institua le sharifat de La Mecque qui dirigea de fait les villes saintes et la quasi-totalité de Hijâz (Hedjaz*) successivement rattaché à l'autorité nominale des Fâtimides*, Saljûqides*, Ayyubides*, Mamelouks*. Au Yémen, l'importante dynastie des Rasûlides (1228-1446) exerça un pouvoir indépendant, et, en 1506, Sharaf al-dîn Yahyâ fonda la dynastie des Imâms zaydites qui subsista jusqu'à nos jours (capitale : San'â). Après la conquête de l'Égypte par Selim Ier (1517), les Turcs Ottomans* dominèrent l'Arabie. – 3) *Le mouvement wahhabite et les Banî-Sa'ûd (mil.* XVIIIe*-*XXe *s.).* La diffusion, au milieu du XVIIIe s., de la doctrine de Muhammad ibn 'Abd al-Wahhâb **(V. Wahhabites)** qui prônait un Islâm purifié, fut à l'origine des grandes modifications que connut l'Arabie. En effet, Muhammad ibn Sa'ûd devint le grand défenseur de cette doctrine au nom de laquelle son fils soumit le Najd (Nedjd) et attaqua le Hedjaz où il affronta le sharif de La Mecque; il occupa la Ville sainte (1803) et étendit son pouvoir sur la quasi-totalité de l'Arabie. Mais le sultan ottoman chargea le pacha d'Égypte Muhammad*-Ali de rétablir l'autorité ottomane dans la région. Les troupes égyptiennes mirent fin à cette première tentative d'État sa'ûdien. Cependant les wahhâbites et les Banî Sa'ûd se réfugièrent dans le centre de l'Arabie. En ce début du XIXe s., l'Arabie n'était pas à l'abri du développement du colonialisme : 'Adan (Aden) devint colonie britannique (1839). Seul, le Hijâz resta sous l'autorité ottomane. Mais au début du XXe s., le sa'ûdien 'Abd* al-'Aziz réorganisa le mouvement wahhabite en créant les communautés des *Ikhwân* (« Frères »), base d'une organisation militaire disciplinée. Pendant la Première Guerre mondiale, les Anglais dressèrent les Arabes contre les Turcs. Ils s'appuyèrent sur les Bâni Sa'ûd (en envoyant auprès d'eux H. St John Philby) et sur le sharif de La Mecque, Husayn* ibn 'Ali (de la famille hashémite) auprès de qui ils déléguèrent T.E. Lawrence*. Plus tard, les Anglais soutinrent le sharif Husayn qu'ils proclamèrent roi des Arabes,

Ph. Leigheb/Ricciarini.
Vieux sheik Bani Assad (Iraq.)

Ph. Hétier
Types **arabes.** Enfant tunisien

Ph. Leigheb/Ricciarini.
Fille arabe des bords de l'Euphrate.

Arabie Sa'ûdite.

puis calife (1924). Mais 'Abd al-'Aziz ibn Sa'ûd ne désarma pas. Il prit la région de l'Asir (1920), fit reconnaître son autorité sur le Najd, attaqua le Hedjaz; La Mecque et Djeddah furent prises en 1925. En 1932, il proclama la naissance du royaume d'Arabie Sa'ûdite comprenant le Hedjaz, le Najd et d'autres dépendances. **V. Arabie Sa'ûdite.**

ARABIE DU SUD *(Fédération de l')*. ♦ Fédération formée graduellement de 1959 à 1963 par les territoires de l'ancienne colonie britannique d'Aden* et l'ancien protectorat britannique sur divers sultanats voisins. Elle est devenue en 1967 la République Populaire du Sud Yémen. **V. Yémen du Sud.**

ARABIE SA'ÛDITE (ou **SAOUDITE**). ♦ Le plus important des États de la péninsule arabique **(V. Arabie).** Trois fois plus vaste que la France, le pays atteint ses frontières actuelles en 1932 sous le règne d'Abd* al-'Aziz ibn Sa 'ûd (Ibn Séoud) dont la famille a donné son nom au pays **(V. Arabie,** ***Hist.*****).** Les frontières du Sud restent contestées et ont provoqué des incidents avec le Yémen du Sud ainsi qu'avec les émirats et le sultanat d'Oman*. De 1 750 000 km² à env. 2 200 000 km² (selon les appréciations). Env. 7 000 000 hab. *(Arabes). Cap.* Riyad*. *Langue off.* arabe. *Rel.* Islâm : sunnite **(V. Wahhabites).** *Unité monét.* le rial. V. princ. **V. Abqayq, Anaiza, Burayda, Damman, Dharân, Djeddah, Hufûf, La Mecque, Médine, Ras Tanura, Tayf.** — *Orogr. et Hydrogr.* Quatre régions naturelles. *1)* Une plaine sablonneuse en bordure de mer, que surplombe la barrière montagneuse du Hijâz (Hedjaz), prolongée jusqu'au Yémen du Nord par l'Asîr*. *2)* Un massif central, le Najd ou Nedjd de caractère désertique, entrecoupé de quelques oasis et traversé d'O. en E. par les reliefs du Toweiq* où se situe la capitale. *3)* Une plaine de près de 500 km de long qui forme la majeure partie de la province de Hassa* en bordure du golfe Persique et que prolongent les émirats des principautés d'Arabie. *4)* Deux immenses déserts recouverts de dunes et séparés par le Najd : au nord le Grand Nafûd et au sud le Rub al-Khali qui borde le Yémen du Sud et que prolonge sur le golfe la côte désertique d'Oman. À ces quatre régions naturelles, s'ajoutent à la frontière septentrionale, *deux zones neutralisées* en 1922. exploitées en commun, l'une avec l'Iraq* (7 000 km²) et l'autre avec le Kuweit* (5 800 km²) — *Hydrogr.* Les cours d'eau *(Wadi,* pl. *widân)* se perdent dans les sables ou des dépressions de terrain, tels l'Al Rûmma qui arrose Anayza et Burayda, l'Al Dawassir qui conduit au désert de Rub al-Khâli à travers le Toweiq, l'Al Sirhân à la frontière O. de la Jordanie, le Hamdh au N. de Médine qui débouche en un large lit sur le littoral de la mer Rouge. — *Écon.* Le cheptel (chameaux, ovins, caprins) est la grande ressource des Bédouins nomades. L'élevage de bovins et d'ânes est moins répandu. Les chevaux d'Arabie sont en voie de disparition, ainsi que les fauves et la faune du désert, victimes de la chasse. L'agriculture se ressent du manque d'eau, la terre cultivée est généralement irriguée à main d'homme. Arbres fruitiers (figuiers, bananiers, abricotiers, melons, et surtout palmiers-dattiers des oasis qui alimentent l'exportation). Céréales, légumes divers (tomates, aubergines, courgettes; millet des oasis et des vallées). Plantations de café dans le Sud **(V. Asîr).** Vigne. Récolte de gomme arabique. — Peu de ressources minérales : fer (mer Rouge et côte Persique), cuivre, plomb, zinc, or et argent (centre), ciment (à Hûfûf), salines des bords de la mer Rouge. Peu d'industries : tanneries, savonneries, fabriques de matériel de construction, conserveries (poissons de la mer Rouge); usine d'engrais (Damman). Aciérie à Djeddah. Pêche de perles, dans le golfe Persique. Artisanat actif : poterie, tapis. La grande ressource du pays est le pétrole dont la découverte remonte à 1933. L'Arabie Sa 'ûdite est le premier producteur de pétrole du Moyen-Orient et le quatrième du monde (après États-Unis, U.R.S.S. et Venezuela). L'*Aramco* (Arabian American Oil Company) qui monopolise la quasi-totalité des exploitations, tient une place prépondérante dans la vie économique du pays. On lui doit la construction de la *Tapline (Trans-Arabian pipeline)* chargée de l'acheminement du pétrole du Hassa vers la Méditerranée (Saïda*) à travers l'Arabie Sa 'ûdite, la Jordanie, la Syrie et le Liban. Le pétrole est également transporté par oléoduc vers le golfe Persique (Ras Tanûra et îles Bahrayn) où il est en partie raffiné, ainsi que vers les raffineries de Djeddah* sur la mer Rouge. – Le rigorisme religieux du pays **(V. Wahhabites)** l'aurait conduit à l'isolement sans la découverte du pétrole, dont l'exploitation représente 80 % des recettes de l'État, grâce auxquelles il a pu se moderniser et apporter un sérieux soutien financier à la cause arabe. (**V.** ci-dessous *Hist.*). – *Commerce.* C'est aussi grâce au pétrole que la balance commerciale est excedentaire. Export. de pétrole brut et raffiné (États-Unis, Japon, Italie, Grande-Bretagne) ainsi que de dattes. Import. de produits finis (des États-Unis, Japon, Liban, Grande-Bretagne). Les pèlerinages contribuent aussi à la prospérité du pays. *Communications.* La principale route relie le golfe Persique à la mer Rouge (Djeddah), via Riyâdh (1 200 km). Deux autres routes partent de Djeddah, l'une en direction de La Mecque et l'autre de Médine. Une quatrième route, à l'est, mène de Dharân à Qatar. L'unique voie ferrée part de Riyâdh en direction de Damman, desservant la région pétrolière. L'avion est le moyen de transport le plus usité entre les villes. L'*Aramco* relie Dharân à New York. ♦ *Hist.* Les frontières actuelles du pays furent acquises en 1932 à la suite de l'action continue et énergique de Abd* al 'Azîz ibn Sa 'ûd qui régna de 1902 à 1953. Il appartenait à la secte rigide et puritaine des Wahhabites*, et toute intervention de réformes s'avéra en contradiction avec les principes de la doctrine, fondée sur l'interprétation la plus restrictive et la plus littérale du Coran*. Cependant, il put mettre fin aux guerres tribales, entreprendre de sédentariser les nomades, et imposer un pouvoir central fort. Les énormes ressources qu'il s'assura après la découverte du pétrole lui permirent de mener une gestion patriarcale et autoritaire. Néanmoins, son fils et successeur, Sa 'ûd (1953-1964) réussit à créer des départements administratifs dirigés par des ministres, à établir un système monétaire et bancaire moderne et à former un personnel diplomatique lui permettant d'intervenir plus efficacement dans les activités internationales. Mais le système judiciaire reste toujours fondé sur le *shari 'â** (lois religieuses et statut personnel). Sa 'ûd se révéla très prodigue. Une crise économique et financière due aux dépenses exagérées et au gaspillage permit à son frère Faysal* de le démettre et de se proclamer roi (nov. 1964) après avoir exercé un pouvoir de fait depuis 1962. Autoritaire, énergique, relativement austère, il essaya de redresser la situation et de développer le pays prudemment. Il abolit l'esclavage, mais refusa l'élaboration d'une constitution. Conservateur, il réprima les timides oppositions qui se manifestèrent, et entreprit de limiter les influences du socialisme arabe. Au panarabisme prôné par Le Caire et les Baath* de Syrie et d'Iraq, il opposa un panislamisme militant rassemblant tous les pays musulmans alliés aux États-Unis d'Amérique. Il contrecarra Nasser* en soutenant le camp royaliste dans la guerre civile du Yémen. Se voulant le gardien vigilant de l'ordre dans toute la péninsule arabique, il surveilla de près le régime progressiste d'Aden et aida à endiguer le mouvement de guerilla installé dans la province du Dhofar*. Il fut assassiné en mars 1975 par un de ses neveux. Son frère Khaled* lui succéda, le prince héritier devenant alors Fahd.

'ARABÎ PACHA (Ahmad 'Arabî al-HUSAYNÎ). ♦ Officier égyptien (Hârya-Ruzna, Basse-Égypte, 1839 – Le Caire, 1911). Fils d'un paysan, il était colonel quand il décida d'organiser le « parti national » pour lutter contre l'hégémonie occidentale en Égypte. Il exigea la création d'un parlement et obtint le portefeuille de la guerre en 1881. Fort de l'appui de l'armée et des *'ulamâ* (« théologiens »), il interdit aux flottes anglaise et française de mouiller à Alexandrie. Les troupes anglaises occupèrent Alexandrie et 'Arabi fut battu à Tall al-Kabîr (sept. 1882). Prisonnier et condamné à mort, il fut déporté à Ceylan. Il retourna en Égypte en 1901.

ARABIQUE *(désert)* ou *désert oriental,* en ar. **Al-Sahra Al-Sharqîyah.** ♦ Désert du N.-E. de l'Afrique (Égypte) s'étendant entre le Nil et la côte de la mer Rouge. Autour d'Hourghada* se localisent des champs pétrolifères.

ARABIQUE *(golfe).* ♦ **V.** PERSIQUE (golfe).

ARACAJÚ. ♦ V. et port du Brésil, sur l'océan Atlantique, cap. de l'État de Sergipe*. 156 200 hab. Industries textiles (coton).

ARACHNÉ, en gr. **Arakhnê** (« l'araignée »). ♦ Jeune fille de Lydie experte en l'art du tissage, dans la mythologie grecque.

ARAD. ♦ V. de l'État d'Israël, située dans le Neguev*, au sud d'Hébron*. Ville nouvelle créée dans une région minière (phosphates) près de la vieille ville.

ARAD. ♦ V. de Roumanie occidentale, près de la frontière hongroise (Banat*), sur la r. d. du Mures*. 136 910 hab. Centre commercial et industriel (construction de wagons, indus. textiles et alimentaires).

ARAFAT (Yasser). ♦ Homme politique palestinien (Jérusalem, 1929 –). Chef du mouvement de résistance palestinienne al-Fatah* (1968) et président (1969) de l'Organisation de libération de la Palestine (O.L.P.). **V. Palestine.**

ARAFURA *(mer d').* ♦ Mer peu profonde, entre le N. de l'Australie* et la Nouvelle-Guinée, comprenant le golfe de Carpentarie*.

ARAGO (Dominique François dit François). ♦ Savant et homme politique français (Estagel, Pyrénées-Orientales, 1786 – Paris, 1853). Nommé secrétaire du Bureau des longitudes grâce à Laplace, il participa en 1806, avec Biot, à la mesure de l'arc de méridien terrestre en Espagne. Membre de l'Acad. des sciences (1809), professeur à l'École polytechnique, directeur de l'Observatoire, puis du Bureau des longitudes, il siégea comme député de gauche de 1830 à 1848. Membre du gouvernement provisoire après la révolution* de février 1848, il contribua comme ministre de la Guerre et de la Marine à l'abolition de l'esclavage dans les colonies. Élu à l'Assemblée constituante, membre de la commission* exécutive et député à l'Assemblée législative (mai 1849), il quitta la vie politique après le coup d'État du 2 décembre 1851. – Ses travaux scientifiques portèrent notamment sur la polarisation chromatique **(V.** *aussi* **Brewster),** la chromosphère solaire, la vitesse du son, la réfraction des gaz, l'électromagnétisme (découverte de l'aimantation du fer par un courant électrique) **V.** *aussi* **Ampère.** ♦ (Ses frères) : JEAN ARAGO (Estagel, 1788 – Mexico, 1836). Il participa à la guerre d'indépendance du Mexique où il fut nommé général. – JACQUES ÉTIENNE ARAGO (Estagel, 1790 – Brésil, 1855). Il a laissé le récit du *Voyage autour du monde* qu'il fit sur l'Uranie avec de Freycinet (1817-1821). – ÉTIENNE ARAGO. Écrivain et homme politique français (Estagel, 1802 – Paris, 1892). Après avoir participé au mouvement révolutionnaire de juillet 1830, il fit partie de l'opposition au régime de la monarchie de Juillet, prit part à la révolution de 1848, puis à la journée de juin 1849 après laquelle il dut vivre en exil pendant dix ans. FRANÇOIS VICTOR EMMANUEL, dit EMMANUEL ARAGO, fils de Dominique François. – Homme politique français (Paris, 1812 – 1896). Ministre de la Guerre, puis de l'Intérieur, après la chute de l'Empire (1870).

Ph. Picou/AsiePhoto

Arabie Sa'ûdite : Djeddah, rue marchande.

ARAGÓN. *n. m.* ♦ Riv. d'Espagne (Aragon et Navarre), née dans les Pyrénées. Affl. de l'Èbre* (r. g.). 167 km.

ARAGON (esp. Aragón). *n. m.* ♦ Région du nord-est de l'Espagne, limitée au N. par les Pyrénées, au S. par la chaîne Ibérique, à l'E. par la Catalogne et à l'O. par la Navarre et la Vieille-Castille. Elle comprend les provinces de Huesca*, Saragosse*, Teruel*. 47 609 km². 1 107 000 hab. *(Aragonais).* – V. princ. **V. Albarracín, Calatayud, Huesca, Saragosse, Teruel.** – *Orogr.* La vallée de l'Èbre constitue la partie centrale de la région, encadrée au N. et au S. par deux grands ensembles montagneux. Au N., le versant méridional des Pyrénées (50 km de large) où se trouvent les plus hauts

Ph. Hétier

Aragon : environs de Jaca.

Ph. Giraudon

Ferdinand II, roi d'**Aragon** et sa femme recevant Christophe Colomb à son retour d'Amérique. Représentation du XVIIe s. (Musée de l'Amérique, Madrid.)

sommets des Pyrénées espagnoles (mont Perdu*, 3 555 m; massif de la Maladetta*). Ces massifs sont entaillés de profondes vallées et de cañons (Ordesa). Des cols périphériques (Somport*, 1640 m) communiquent avec le versant français. Dans la partie centrale, on observe une dépression longitudinale (canal de Berdún) et des « sierras pré-pyrénéennes » (au N. de Huesca). Au S. de l'Èbre, les monts Ibériques* forment un haut plateau d'env. 1 000 m d'alt. et sont coupés de bassins (Teruel, Calatayud). L'Aragon occupe dans sa partie méridionale une partie du massif de la Meseta*. **V. Castille** (Vieille-). – *Hydrogr.* **V. Aragon, Èbre, Galego, Segre.** Le *climat* est continental, le peuplement très faible (15 hab./km^{2} dans les régions de Teruel et Huesca). – *Écon.* La zone pyrénéenne vit de l'élevage et de maigres cultures vivrières (orge, avoine). Seul le bassin de l'Èbre, bien irrigué, cultive la vigne, l'olivier, la luzerne, la betterave sucrière. L'extension des zones irriguées a permis le développement de cultures arbustives (vigne, olivier) au delà de la zone initiale. On extrait du lignite (Teruel), brûlé dans la centrale thermique d'Escatron, et du fer (Ojos Negros). Seule Saragosse* a une importante fonction industrielle. ♦ *Hist.* Comprise dans la prov. de Tarraconaise sous la domination romaine (~ 100), la région fut soumise par les Wisigoths* (470), puis par les Sarrasins* (714). Le berceau de l'*Aragon* est au IXe s. un petit comté chrétien indépendant de la vallée du rio Aragon. Rattaché par mariage à la Navarre* (925), il échut en héritage à l'un des fils de Sanche* III *le Grand* et devint royaume indépendant sous la dynastie navarraise : Ramire* Ier (1035-1063), Sanche* Ier Ramirez (1063-1094), Pierre* Ier (1094-1104), Alphonse* Ier *le Batailleur* (1104-1134), Ramire* II *le Moine* (1134-1137). Une fille de Ramire II ayant épousé Bérenger*, comte de Barcelone, l'*Aragon* s'accrut de la Catalogne et la dynastie catalane, issue de Raymond* Bérenger IV (1137-1162), y régna jusqu'en 1410. **V. Alphonse II** (1162-1196), **Pierre II** *le Catholique* (1196-1213), **Jacques Ier** *le Conquérant* (1213-1276), **Pierre III** *le Grand* (1276-1285), **Alphonse III** *le Magnifique* (1285-1291), **Jacques II** *le Juste* (1291-1327), **Alphonse IV** *le Débonnaire* (1327-1336), **Pierre IV** *le Cérémonieux* (1336-1387), **Jean Ier** (1387-1395), **Martin Ier** *l'Humain* ou *le Vieux* (1395-1410). Ces règnes furent marqués par l'acquisition du Roussillon* (1172), la victoire de Las Navas* de Tolosa sur les Maures (1212), la conquête des Baléares* (1229-1230), du royaume de Valence* (1238), de la Sicile* (1282) et de la Sardaigne (1325), ainsi que par l'échec des prétentions du roi de France Philippe* III *le Hardi* dans sa « croisade » contre l'Aragon. – L'extinction de la dynastie catalane avec la mort de Martin Ier (1410) fut suivie, après un interrègne de deux ans, par l'élection du prince Ferdinand de Castille. – La nouvelle dynastie castillane : **V. Ferdinand Ier** *le Juste* (1412-1416), **Alphonse V** *le Magnifique* (1416-1458), **Jean II** (1458-1479), **Ferdinand II** *le Catholique* (1479-1516), s'illustra au XVe s. par la conquête du royaume de Naples* sur les Angevins (1442). Le mariage de Ferdinand II avec Isabelle* de Castille (1469) allait préparer l'unité espagnole. Après la mort de Ferdinand, qui avait été déclaré régent de Castille sous le règne de sa fille Jeanne* *la Folle*, veuve de Philippe* *le Beau*, son petit-fils Charles* Quint fut proclamé roi d'Espagne sous le nom de Charles Ier, roi des Espagnes (1516). – L'Aragon est la patrie de Goya*, Palafox*, Villena*, et de Luis Buñuel*.

ARAGON (Jeanne *d'*). ♦ Princesse sicilienne (v. 1500 – 1577). Fille naturelle d'un bâtard de Ferdinand* Ier, elle épousa Ascanio Colonna* et fut mêlée à des intrigues contre le pape Paul IV. Elle inspira des poèmes et son portrait par Raphaël se trouve actuellement au Louvre.

ARAGON (Catherine *d'*). ♦ V. CATHERINE D'ARAGON.

ARAGON (Louis). ♦ Écrivain français (Paris, 1897). La rencontre d'André Breton* et de Philippe Soupault*, avec lesquels il fonda la revue *Littérature* (1919), confirma sa vocation d'écrivain. Ses premiers poèmes seront recueillis plus tard dans *Feu de joie* (1920) et *Mouvement perpétuel* (1925). Mêlé un temps à l'aventure du dadaïsme, le groupe, auquel vint se joindre Paul Éluard*, s'en détacha (1921), pour fonder le mouvement surréaliste (premier numéro de la *Revue surréaliste :* 1923). Par leur élégance souvent proche de la préciosité, leur humour, leur violence et leur lyrisme, les textes d'Aragon se distinguaient déjà de ceux des autres surréalistes *(Anicet ou le Panorama,* 1921; *Le Paysan de Paris,* 1926; *Traité du style,* 1928*)*. Cependant la promesse de justice qui s'incarnait dans la révolution soviétique conduisit Aragon à adhérer au parti communiste (1927). Il évoquera cette période dans *Les Yeux et la Mémoire* (1954). La rencontre d'Elsa Triolet*, belle-sœur de Maïakovski* l'achemina vers une conception militante du rôle de l'intellectuel au service de la révolution. Trois voyages en U.R.S.S. (1930, 1931, 1932) lui inspirèrent alors des poèmes (*Persécuté persécuteur,* 1930-1931, *Hourra l'Oural,* 1934) célébrant sur le mode lyrique l'édification du socialisme en Russie soviétique. Déterminé à illustrer les thèses du réalisme socialiste dans une ample entreprise romanesque, *Le Monde réel,* il publie *Les Cloches de Bâle* (1934), *Les Beaux Quartiers* (1936), *Les Voyageurs de l'impériale* (1942), *Aurélien* (1945), suite d'ouvrages aux nombreux personnages dont l'action se situe entre les années d'avant 1914 à 1940. Plusieurs de ces héros se retrouveront dans la vaste fresque (5 volumes) des *Communistes* d'où sont bannies les recherches d'écriture au profit d'un militantisme ingrat, et par laquelle s'achève ce cycle du « Monde réel » (1949-1951). Mobilisé en 1939, Aragon participa à toute la campagne; démobilisé, installé à Nice, il prit contact avec le parti communiste devenu clandestin (1941). Il présida avec Jean Paulhan* et Elsa Triolet à la fondation du *Comité national des écrivains,* et, avec Jacques Decour, à celle du journal *Les Lettres françaises.* Les épreuves de l'Occupation et de la Résistance devaient être, pour Aragon, par un retour aux thèmes de la poésie de circonstance et aux règles de la prosodie traditionnelle, l'occasion de révéler sa vocation de grand poète populaire. Dans *Le Crève-Cœur* (1941), le *Cantique à Elsa* (1942), *Les Yeux d'Elsa* (1942), *Brocéliande* (1942), *Le Musée Grévin* (1943), *La Diane française* (1946), s'exhalent, non parfois sans quelque facilité de forme, des sentiments que le poète est assuré de partager avec le peuple de France : l'amour, la colère et l'espérance. – Dans les années de l'après-guerre, mêlé à tous les combats du parti communiste français (il devint membre du comité central en 1954), Aragon y poursuivit longtemps une activité militante (*Le Nouveau Crève-Cœur,* 1948; *Élégie à Pablo Néruda,* 1966). Il publia *Littératures soviétiques* (1955) et *Introduction aux littératures soviétiques* (1956), et reçut le Prix Lénine de la Paix (1957). Cependant, s'il fait retour vers son passé (*Le Roman inachevé,* 1956), s'il ne cesse de célébrer l'amour de sa compagne (*Elsa,* 1959) il va dresser un monument de la poésie lyrique avec *Le Fou d'Elsa* (1963), hommage à la civilisation arabe. Il redevint aussi romancier avec une fresque historique sur les Cent-Jours, *La Semaine sainte* (1958), un poignant récit, *La Mise à mort* (1965), et une œuvre qui développe, par le recours aux techniques de la littérature nouvelle et à celles du cinéma, une méditation sur le langage et l'art du roman, *Blanche ou l'oubli* (1967). Journaliste, il assuma la direction des *Lettres françaises* jusqu'à la disparition de cet hebdomadaire (1972). Créateur aux multiples visages, romancier, essayiste, critique d'art et polémiste, Aragon demeure un poète d'une inépuisable diversité. Poète maître d'un art à la fois savant et populaire et dont les œuvres ont inspiré plusieurs compositeurs de chansons, ses dons éclatants lui ont valu une admiration quasi unanime. Son activité politique a été diversement appréciée. Les uns ont vu en lui l'apo-

Ph. Louis Monier Crédit Photo

Louis Aragon.

logiste de Staline. Les autres, le poète de la colère et de la révolution, qui invite l'homme à tourner son regard vers un temps où il sera délivré de ses chaînes.

ARAGUAIA. ♦ Riv. du Brésil (2 640 km), principal affl. du Tocantins*. Ses alluvions renferment de l'or et des diamants.

ARAI HAKUSEKI. ♦ Historien japonais (1657 – 1725), philosophe néo-confucéen et homme d'État qui inspira en grande partie la politique sociale des shôgun Tokugawa*.

ARÂK, anc. **Soltânâbâd.** ♦ V. d'Iran (Gilan) au pied du Zagros, près du lac Tusti. 59 000 hab. Sucreries. Distilleries. Fabriques de tapis.

ARAKAN. *n. m.* ♦ Partie orientale de la Birmanie*, constituée par d'étroites plaines et des vallées enserrées entre le golfe du Bengale et la chaîne des *Arakan-yoma* (culminant à 4 000 m) qui la sépare de la vallée de l'Irawady. *Port princ.* Akyab. De très nombreuses îles parsèment son littoral qui, aux XVIIe et XVIIIe s., étaient le repaire des pirates infestant le golfe du Bengale. Son histoire est celle d'une lutte perpétuelle contre les royaumes birmans et ceux du Bengale oriental.

ARAKI SADAO. ♦ Général japonais (né en 1877). Ministre de la Défense en 1932, et ministre de l'Éducation en 1937-1938, il fut un des artisans de la guerre sino-japonaise et de la guerre à outrance contre les États-Unis.

ARAL *(lac* ou *mer d').* ♦ Mer intérieure d'U.R.S.S., située à 52 m au-dessus du niveau de la mer, dans une zone désertique, au N.-E. du plateau d'Oust-Ourt (Ust-Urt) qui la sépare de la mer Caspienne, et au N. du Türkestan. Elle est partagée entre les républiques soviétiques du Kazakhstân* au N. et d'Üzbekistân (Ouzbékistan) au sud. Elle est peu profonde (68 m) et sa superficie, variable (64 à 68 000 km^2), tend à diminuer en raison de la sécheresse et des alluvions apportées par les fleuves Syr*-Daria et Amû-Dariâ (Amou*-Daria). Nombreuses îles. Gisements de salpêtre. Pêcheries (esturgeons). *Port princ.* Aralsk (19 600 hab. en 1959).

ARAM. ♦ Nom biblique de la Syrie. **V. Araméens.**

ARAMBOURG (Camille). ♦ Paléontologue français (Paris, 1885). On lui doit la découverte d'hommes fossiles en Algérie [Atlanthrope]. (Acad. sc., 1961.)

Araméens, *n. m. pl.* **(V. Aram).** ♦ Peuple sémite, installé au ~ XIIIe s. en Mésopotamie du N. et répandu ensuite en Syrie et au Liban. Des Araméens furent parmi les nomades qui ravagèrent la Babylonie lors du « temps de la confusion » **(V. Babylone).** Au ~ Xe s., ils formèrent des royaumes dont les plus puissants furent le Bît Adini, dans la boucle de l'Euphrate, et celui de Damas qui domina ses voisins, notamment Israël, et tint l'Assyrie en respect au ~ IXe s. **(V. Bar Hadad).** Au ~ VIIIe s. ils furent soumis par l'Assyrie **(V. Téglath-Phalasar III)** et déportés en masse, ce qui assura la diffusion de leur langue : celle-ci devint la langue courante de l'ancien Orient puis la langue officielle de l'Empire achéménide avant de se scinder en nombreux dialectes à l'époque hellénistique.

ARAMIS. ♦ Nom de l'un des quatre héros des romans d'Alexandre Dumas* (*Les Trois* Mousquetaires,* etc.).

ARAMON. ♦ Ch.-l. de cant. du Gard* (arr. de Nîmes*). 1 454 hab. *(Aramonais).* Église romane provençale. – Produits chimiques.

ARAN *(val d').* ♦ Haute vallée de la Garonne* dans les Pyrénées espagnoles, prov. de Lérida (Catalogne). *Ch.-l.* Viella. La Garonne y prend ses sources.

ARAN ou **ARRAN** *(îles).* ♦ Groupe de trois îles *(Inishmore, Inishmaan* et *Inisheer)* situées au large des côtes occidentales d'Irlande (Eire, comté de Galway). 1 650 hab. La rude vie des pêcheurs d'Aran a été évoquée dans un film de Flaherty. – Petite île de la côte du Donegal.

ARANDA (Pedro Pablo Abarca y Bolea, *comte d'***).** ♦ Diplomate et ministre espagnol (en Aragon, 1718 – Epila, 1798). Il fut l'un des grands introducteurs des « lumières » en Espagne. Ministre de Charles* III, il eut une grande part à sa politique réformatrice et expulsa les jésuites (1767). Il revint un moment au pouvoir en 1792, mais fut évincé par Godoy*.

ARANJUEZ. ♦ V. d'Espagne au S. de Madrid*, sur le Tage*, 27 300 hab. Palais royal commencé sous Philippe II (1561) et reconstruit au XVIIIe s. Azulejos. Important nœud ferroviaire et centre industriel. ♦ *Hist.* Charles* IV y abdiqua en faveur de son fils qui devint Ferdinand VII (1808).

ARANY (János). ♦ Poète hongrois (Nagyszalonta, 1817 – Budapest, 1882). Né dans une famille paysanne, il fut d'abord instituteur, acteur ambulant puis petit fonctionnaire. Son épopée satirique, *La Constitution perdue,* obtint le prix de l'Académie en 1846. Il devint célèbre avec *Toldi* (1847), poème épique racontant les exploits et les tribulations d'un personnage, Toldi Miklos, doté d'une force surhumaine et dont les hauts faits sont placés au XIVe s. Arany devint l'ami de Petőfi* ; bouleversé par la mort de ce dernier et par l'échec de la révolution de 1848, il exprima dans ses œuvres son amertume, bien qu'il fût alors comblé d'honneurs. En 1854, il publia *Le Soir de Toldi* décrivant les conflits du héros avec le Roi et en 1879 *Les Amours de Toldi.* Il publia un autre poème épique *Bolond Istok (Étienne le fou)* en 1850 et la première partie d'une épopée nationale, *La Mort de Bude* (1864) d'après des légendes populaires hongroises. Ses derniers poèmes, *Öszikèk,* sont d'une inspiration plus personnelle, pleins d'amertume et du sentiment de sa solitude. Il écrivit également plusieurs essais sur la littérature et traduisit des œuvres de Shakespeare et d'Aristophane. ♦ LÁSZLÓ ARANY, son fils. Poète hongrois (Nagyszalonta, 1844 – Budapest, 1898), il est l'auteur de poèmes épiques, satiriques et amers. *Lé Héros des mirages* (1873) est un poème de l'échec. *La Bataille des Huns* (1872).

ARANZI ou **ARANZIO** ou **ARANTIUS (Giulio Cesare).** ♦ Anatomiste italien (Bologne, 1530 – 1589). Élève de Vésale, il fit de nombreuses descriptions anatomiques dont celles du fœtus et du placenta, des ventricules du cerveau, des noyaux fibreux de l'artère pulmonaire *(nodules d'Arantius).*

ARARAT *(mont),* en turc **Ağri dag.** ♦ Massif volcanique de Turquie, près des frontières de la République arménienne et de l'Iran. 5 165 m. C'est là que la Bible (*Genèse,* VIII, 4) fait s'arrêter l'arche de Noé* à la fin du déluge.

Araucana (l'). ♦ Poème épique de l'Espagnol Alonso de Ercilla* racontant assez imparfaitement la lutte des Espagnols et des Indiens araucans au Chili, à laquelle l'auteur participa activement. L'œuvre eut les éloges de Voltaire* *(Essai sur la poésie épique)* et de Chateaubriand* *(Le Génie du christianisme).*

ARAUCANIE. *n. f.* ♦ Anc. pays des Indiens Araucans*, situé au S. du rio Bio*-Bio, entre les Andes et le Pacifique.

ARAUCANS. *n. m. pl.* ♦ Indiens du Chili central vivant principalement au sud du rio Bio*-Bio. Farouches adversaires des conquérants espagnols, ils ne furent pacifiés qu'au XIXe siècle. La tribu la plus nombreuse est celle des Mapuches (env. 200 000 personnes). Les Araucans, aujourd'hui pacifiques, sont un peuple d'agriculteurs et d'habiles artisans.

ARAUCO. ♦ V. et port du Chili* central, sur le *golfe de Arauco.*

ARAVALLI *(monts).* ♦ Chaîne montagneuse de l'Inde, orientée N.-O.–S.-E., au sud de Delhi* où elle constitue le rebord nord-ouest du Dekkan, à l'E. du désert de Thar. Formation calcaire (exploitations de marbres).

ARAVIS *(chaîne des).* ♦ Chaîne calcaire des Alpes faisant partie du massif des Bornes* aux confins des dép. de la Savoie* et de la Haute-Savoie*. Point culminant 2 752 m. Le *col des Aravis* la franchit à 1 498 mètres.

ARAWAKS. *n. m. pl.* ♦ Indiens d'Amérique dont les nombreuses tribus sont disséminées au sud de la Floride, aux Antilles, au bassin de l'Orénoque et au littoral péruvien. Ils se rattachent tous à une famille linguistique importante, l'arawak, qui, aux Antilles, s'est opposé au caraïbe*. Aujourd'hui le groupe le plus nombreux se trouve dans les bassins de l'Amazone et de l'Orénoque.

ARAXE ou **ARAKS.** *n. m.* ♦ Riv. d'Asie occidentale (994 km) qui prend sa source en Turquie orientale au S. d'Erzuroum et sert de frontière entre la Turquie et l'U.R.S.S. (Arménie soviétique) puis entre l'Iran et l'U.R.S.S. (Nakhitchevan et Azerbaïdjan). Elle reçoit par le Razdan* les eaux du lac Sevan* en Arménie et se jette dans la Koura (Kura) en Azerbaïdjan*.

ARBA (El-). ♦ Comm. d'Algérie (dép. d'Alger) située dans la Mitidja*. 21 701 hab. Vignes. Agrumes. Tabac.

ARBÈLES ou **ARBELLES** (auj. **Erbil**, Irak). ♦ Anc. V. de l'Assyrie*, située au pied du Zagros et près de laquelle Alexandre* le Grand remporta en ~331, contre Darios* III, roi des Perses, une victoire éclatante qui mit fin à la dynastie des Achéménides et permit au vainqueur de se proclamer roi de l'Asie.

ARBOGAST. ♦ Général d'origine franque (en Aquitaine, v. 340 – en Vénétie, 394). Officier de Théodose*, nommé général et tuteur de Valentinien* II, il fit sans doute étrangler ce dernier pour le remplacer par le rhéteur Eugène* sur le trône de l'empire d'Occident (392) et amorça une réaction païenne. Poursuivi et vaincu par Théodose, près d'Aquilée, il se suicida.

ARBOIS. ♦ Ch.-l. de cant. du Jura, arr. de Lons-le-Saunier, sur la Cuisance. 4 495 hab. *(Arboisiens).* Église Saint-Just à trois nefs (XIIe s.); ruines du château Bontemps qui fut une résidence des ducs de Bourgogne. Maison de Pasteur. Vins les plus renommés du vignoble jurassien. Machines-outils. – Patrie de Pichegru*.

ARBON. ♦ V. de Suisse (Thurgovie) sur le lac de Constance*. 13 100 hab. Château (XVIe s.). Station balnéaire. Indus. mécanique.

Arch. Rencontre

Aranjuez : vue générale.

ARBRESLE (L'). ♦ Ch.-l. de cant. du Rhône* (arr. de Lyon*), dans les monts du Lyonnais. 4 392 hab. *(Breslois).* Église des XIIIe et XVIe s., maisons du XVIe siècle. Indus. textiles.

ARBUTHNOT (John). ♦ Médecin et écrivain écossais (Arbuthnot, Kincardineshire, 1667 – Londres, 1735). Il fut le médecin de la reine Anne, et l'ami de Swift et de Pope. Doué d'une étonnante verve satirique doublée d'une grande érudition, il popularisa le personnage de John Bull : *Le Procès sans fin ou Histoire de John Bull* [1712] (contre le duc de Marlborough).

ARC (Jeanne d'). ♦ **V.** JEANNE D'ARC.

ARC. *n. m.* ♦ Riv. des Alpes françaises (Savoie*), affl. de l'Isère*. 150 km. L'Arc forme la vallée de la Maurienne*. De nombreuses centrales hydro-électriques sont aménagées sur son cours.

ARC *(pont d').* ♦ **V.** VALLON-PONT-D'ARC.

ARCACHON. ♦ Ch.-l. de cant. de la Gironde*, arr. de Bordeaux*, sur le *bassin d'Arcachon,* dans la région des Landes*. 15 755 hab. *(Arcachonnais).* Station balnéaire et climatique réputée. Ostréiculture. Conserveries, construction de navires.

ARCADELT (Jacques ou **Jacob).** ♦ Compositeur flamand (?, v. 1515 – Paris, 1568). Il vécut longtemps en Italie, puis en France où il fut maître de chapelle du cardinal de Lorraine. Il est l'auteur de nombreuses œuvres vocales, dont 250 madrigaux (surtout à 4 voix) d'une grande pureté d'écriture. Son style contribua à former la génération de Palestrina*.

ARCADIE [*n. f.*], en gr. **Arkadia.** ♦ Région de l'anc. Grèce au centre du Péloponnèse*, correspondant à peu près à l'actuel *nome d'Arcadie.* 4 419 km². 135 042 hab. *(Arcadiens). Ch.-l.* Tripolis*. – *Mythol.* et *Littér.* Refuge des Pélasges*, puis des Achéens* qui résistèrent aux Doriens*, cette région montagneuse peuplée de pasteurs maintint longtemps les traditions patriarcales et nourrit la mythologie grecque. Dans le mythe, ses montagnes Érymanthe* et Lycée* étaient fréquentées par les dieux **(V. Artémis)** et hantées par la présence de Pan*, ses fleuves-dieux Alphée* et Ladon* voyaient se baigner les nymphes **(V. Aréthuse, Syrinx)**; Héraclès* y exécuta quelques-uns de ses travaux **(V. Érymanthe, Stymphale, Centaures).** Son roi mythique Lycaon* y affronta Zeus et Callisto*, sa fille, séduite par le dieu, donna naissance à Arcas qui laissa son nom à la région. – Dans la poésie bucolique grecque et latine, l'Arcadie est représentée comme le pays du bonheur calme et serein. La littérature de la Renaissance a renouvelé cette fiction, prolongée dans l'art classique. ♦ *Hist.* Les Arcadiens résistèrent longtemps à l'hégémonie lacédémonienne et formèrent en ~ 371 une confédération avec Megalopolis* comme capitale. **V. Mantinée, Orchomène, Tégée.** L'Arcadie participa plus tard à la ligue achéenne* (~ 234). Devenue romaine en ~ 146, elle partagea depuis le sort du Péloponnèse.

ARCADIUS, en lat. **Flavius Arcadius.** ♦ (Espagne, 377 – 408). Premier empereur d'Orient. Fils aîné de Théodose* Ier, il reçut à la mort de son père (395) le gouvernement de l'empire d'Orient tandis que son frère Honorius* obtenait l'empire d'Occident. Il se laissa gouverner par ses ministres Rufin et Eutrope et par sa femme Eudoxie*. Son fils Théodose* II et sa fille Pulchérie* lui succédèrent.

Arc de triomphe de l'Étoile. ♦ Monument de Paris, érigé sur l'ordre de Napoléon Ier en 1806 et inauguré en 1836. Construit d'après les plans de Chalgrin* en style néo-classique, il domine de ses proportions colossales (50 m de haut et 45 m de large) les douze avenues rayonnantes de la place de l'Étoile* (auj. *place Charles-de-Gaulle*) et se situe dans l'axe des Champs*-Élysées. Hauts-reliefs de Rude*, Pradier*, Cortot, Étex*. La grande arcade abrite, depuis 1920, la pierre tombale du Soldat inconnu et la flamme qui y brûle en permanence.

Ph. Simion/Ricciarini

L'arc de triomphe de l'Étoile, à Paris.

ARC-EN-BARROIS. ♦ Ch.-l. de cant. de la Haute-Marne, arr. de Chaumont. 801 hab. *(Arquois).* Château.

ARCÉSILAS, en gr. **Arkesilaos.** ♦ Philosophe grec de la Nouvelle Académie* (Pitane, Éolide, v. ~ 316 – ~ 241). Fondateur de la Nouvelle Académie*, il utilisa la méthode dialectique comme arme contre le dogmatisme des stoïciens. Pour lui, il n'y a pas de vérité mais des opinions plus ou moins probables.

ARC-ET-SENANS. ♦ Comm. du dép. du Doubs, sur la Loue, arr. de Besançon. 1 236 hab. Une saline royale y fut construite par l'architecte Ledoux* (1775-1779). Abandonnée en 1890, elle fut récemment prise en charge par les Monuments historiques. L'ensemble du projet, un des plus monumentaux du XVIIIe s., prévoyait toute une cité industrielle autour de la fabrique elle-même. Bien qu'imprégné par « l'idéologie du bonheur » de la fin du XVIIIe s., cet ensemble est fonction des impératifs hiérarchiques et sociaux propres à l'organisation du travail du capitalisme naissant.

ARCHÉLAOS, en gr. **Arkhèlaos.** ♦ Roi de Macédoine (? – ~ 399). Fils naturel de Perdiccas II, il usurpa le trône (~ 413) en faisant disparaître les héritiers légitimes. Ami des lettres et des arts, il accueillit Euripide* à sa cour.

ARCHÉLAOS. ♦ Général grec (? – ~ 81). Commandant une armée de Mithridate VI, il souleva la Grèce contre les Romains mais fut battu par Sylla à Chéronée* (~ 86) et à Orchomène* (~ 85). Il se rallia ensuite à Rome.

ARCHÉLAOS, en lat. **Herodes Archelaus.** ♦ Ethnarque de Judée, Samarie, Idumée de ~ 4 à 6, fils d'Hérode le Grand et de Malthace. Il fut destitué par Auguste et exilé à Vienne (Gaule) où il mourut.

ARCHÉLAOS DE MILET. ♦ Philosophe grec de l'école ionienne (Milet, ~ Ve s.). Il fut le disciple d'Anaxagore* et est considéré comme le précurseur de Socrate en raison de ses préoccupations morales.

ARCHÉLAOS DE PRIÈNE. ♦ Sculpteur grec (~ IIIe s.). Auteur du bas-relief l'*Apothéose d'Homère* (British Museum).

ARCHERMOS, en gr. **Arkhermos.** ♦ Sculpteur grec (~ VIIe s. – ~ VIe s.) représentant, avec ses fils Boupalos et Athénis, le style raffiné des ateliers de Chio*. Il excella surtout dans le drapé féminin.

ARCHES. ♦ Comm. du dép. des Vosges, sur la Moselle, arr. d'Épinal. 1 675 hab. Tissages ; papeterie fondée au XVe siècle.

ARCHIAS, en gr. **Arkhias.** ♦ Tyran grec (? – ~ 378). Imposé à Thèbes par les Spartiates en ~ 382, il fut assassiné, au cours d'un banquet, par ordre de Pélopidas*.

ARCHIAS (Aulus Licinius). ♦ Poète grec (Antioche, v. la fin du ~ IIe s.). Il se rendit à Rome où il chanta les victoires de Lucullus contre Mithridate. Accusé d'avoir usurpé le titre de citoyen romain, il fut défendu par Cicéron *(Pro Archia),* et acquitté (~ 62).

ARCHIDAMOS, en gr. **Arkhidamos.** ♦ Nom porté par plusieurs rois de Sparte*. ♦ ARCHIDAMOS II. Pendant son règne (~ 469- ~ 427) commença la guerre du Péloponnèse*. Il s'empara de Platées et bloqua Athènes (~ 431- ~ 428).

ARCHILOQUE, en gr. **Arkhilokhos.** ♦ Poète grec (Paros, v. ~ 712 – après ~ 648), le plus ancien représentant connu du lyrisme personnel. Enfant naturel d'un noble Parien, colon de Thrace, et d'une esclave, condamné à une carrière misérable de mercenaire, il chanta la vie du guerrier, sa brutalité et ses brèves joies. Vivant et gai, mélancolique et dédaigneux, frondeur et passionné, il reste essentiellement individualiste. Ses invectives impitoyables contre la belle Néoboulé et son père qui lui avait refusé sa main les auraient conduits tous deux au suicide. Quoi qu'il en soit, il est considéré comme un des plus grands lyriques ioniens, un des initiateurs de la lyrique monodique, et comme l'inventeur de l'*ïambe* (Cf. Le Robert). Il nous reste des fragments de ses *Élégies* et ses *Ïambes* satiriques.

ARCHIMÈDE, en gr. **Arkhimêdês.** ♦ Savant grec (Syracuse, ~ 287 – ~ 212). On lui doit une œuvre scientifique considérable : en mathématiques il perfectionna le système de numération des Grecs, permettant d'exprimer un nombre d'une grandeur quelconque, si importante soit-elle ; il compléta les livres d'Euclide* sur la géométrie dans l'espace, étudiant les quadriques de révolution et démontrant le théorème sur le rapport de 2/3 entre le volume de la sphère et celui du cylindre dans lequel elle est inscrite *(Sur la sphère et le cylindre; Sur les conoïdes et sphéroïdes).* En géométrie plane, il étudia surtout les courbes déterminées par le lieu d'un point qui se déplace d'un mouvement uniforme sur une droite qui tourne d'un mouvement uniforme autour d'un point (spirales). Il obtint, par la méthode des périmètres et des iso-périmètres, un procédé de calcul de la valeur de π avec une approximation aussi grande que l'on veut ; dans sa « méthode mécanique », il dépassa les simples considérations infinitésimales sur lesquelles repose la méthode d'exhaustion (dont le principe figurait déjà dans les *Éléments* d'Euclide) et procéda à de véritables intégrations, dont la conception est analogue à celle des « indivisibles » de Cavalieri*. En physique, on lui doit le premier traité scientifique de statique *(Sur l'équilibre des plans),* dans lequel figure le principe du levier et les premières bases d'une hydrostatique scientifique *(Des corps flottants),* établie sur le principe fondamental qui porte son nom (voir *ci-dessous*). Ces dernières recherches, qu'il aurait entreprises

Arch. Rencontre

Archimède : gravure du XVIIIe s.

pour répondre à Hiéron, roi de Syracuse, qui lui avait demandé de déterminer si sa couronne était bien en or pur, le conduisirent à la découverte de la notion de poids spécifique (en prenant son bain, de joie, il se serait élancé tout nu dans la rue en criant « Eurêka », c'est-à-dire « j'ai trouvé ! »). Dans le domaine de la mécanique pratique, il imagina entre autres la vis sans fin qui porte son nom, un *planetarium* pour la représentation du mouvement des astres, des machines de guerre pour résister à l'assaut des Romains qui faisaient le siège de la ville, siège qui dura ainsi trois ans et à l'issue duquel, lors du sac de la ville, Archimède fut tué par un des soldats, contrevenant aux ordres du consul Marcellus. – *Principe ou théorème d'Archimède.* L'un des principes fondamentaux de l'hydrostatique s'énonçant : Tout corps plongé dans un liquide subit une poussée verticale, dirigée de bas en haut, égale au poids du fluide déplacé et appliquée au centre de gravité de ce corps. **V.** *aussi* **Conon de Samos, Pacioli, Regiomontanus, Théon d'Alexandrie.**

ARCHINARD (Louis). ♦ Général français (Le Havre, 1850 – Villiers-le-Bel, 1932). Il succéda à Gallieni* au commandement du Haut-Sénégal et du Niger (1888), vainquit le chef Ahmadou* et assura la domination française au Soudan (1891).

ARCHIPEL. *n. m.*, en gr. **Arkhipelagos.** ♦ Nom archaïque de la mer Égée*. Le mot archipel (Cf. Le Robert) en est tiré par métonymie.

ARCHIPENKO (Alexandre). ♦ Sculpteur et peintre américain d'origine russe (Kiev, 1887 – New York, 1964). Après avoir étudié à l'École des beaux-arts de Kiev, il se rendit à Paris où il fréquenta les artistes de La Ruche*. Ses premières sculptures laissent transparaître l'influence de l'Art nouveau et de l'expressionnisme, puis des cubistes (formes géométriques faisant jouer alternativement angles et volumes convexes et concaves). Délaissant les principes traditionnels de stabilité et de compacité, il ménagea des espaces creux dans ses œuvres (*La Femme marchant,* 1912; *Le Gondolier,* 1914; *La Boxe,* 1913). Il séjourna à Berlin de 1921 à 1923, et, installé ensuite aux États-Unis (1924), créa notamment des toiles animées par un moteur *(Archipentures).* Il fit aussi des recherches d'ordre cinétique mais développa surtout dans un esprit plus décoratif ses idées de 1912-1914.

Archives nationales. ♦ Elles furent créées par l'Assemblée nationale constituante (1789) pour centraliser les titres, chartes et documents concernant l'histoire de la France. Ouvertes à tous les citoyens à partir du 7 messidor an II, elles furent placées sous Napoléon Ier au palais Soubise* en 1808, et se virent annexer l'hôtel de Rohan* en 1927.

ARCHYTAS DE TARENTE. ♦ Philosophe pythagoricien (Tarente, v. ~ 430 – v. ~ 348). Mathématicien, astronome, homme d'État et général, il trouva la solution du problème de la duplication du cube **(V. Ménéchme),** inventa, dit-on, la vis, la poulie, et construisit de nombreux automates dont un pigeon volant. Il fut élu six fois stratège de sa ville natale qu'il mena chaque fois à la victoire.

ARCIMBOLDO ou **ARCIMBOLDI (Giuseppe).** ♦ Peintre italien (Milan, v. 1527 – Prague, 1593). Noble milanais, il dessina des blasons, des cartons de vitraux et de tapisseries avant d'employer ses talents artistiques à divertir les princes de Habsbourg, Ferdinand Ier, Maximilien II et Rodolphe II, à la cour de Vienne (v. 1565-1587). Il excella surtout dans les tableaux fantastiques alors fort appréciés, et réunis dans des cabinets de curiosités : souvent des « têtes composées », assemblages étudiés et parfois réversibles (*Le Jardinier,* Suède) de végétaux, d'animaux ou d'objets (*Le Printemps, L'Été, L'Automne, L'Hiver,* Louvre; *L'Amiral; Le Bibliothécaire*). Ces exercices *(ghiribizzi)* au sûr effet décoratif séduisent et inquiètent l'imagination par leur caractère à la fois ludique et étrange ; ils ont plu aux surréalistes.

ARCIS-SUR-AUBE. ♦ Ch.-l. de cant. de l'Aube, sur l'Aube*, arr. de Troyes. 3 259 hab. *(Arcisiens*).* Église Saint-Étienne (XVe-XVIe s.). – Centre agricole. Bonneterie. Sucrerie. – Patrie de Danton*. – *Hist.* Une bataille indécise s'y engagea entre Napoléon Ier et Schwarzenberg* (1814).

ARCO. ♦ V. de l'Italie, dans la région du Trentin, sur la Sarca, près du lac de Garde. 10 200 hab. Sports d'hiver.

ARCOAT ou **ARGOAT.** *n. m.* ♦ Mot celtique « pays des bois », désignant l'intérieur de la Bretagne, en opposition à *Armor.* **V. Bretagne.**

ARCOLE. ♦ V. de l'Italie, en Vénétie, sur l'Alpone. 4 700 hab. ♦ *Hist.* Bonaparte* et Augereau* emportèrent brillamment le *pont d'Arcole* (15 nov. 1796) et vainquirent les Autrichiens (17 novembre).

ARCOUEST *(pointe de l').* ♦ Promontoire en face de l'île de Bréhat* (Côtes-du-Nord). Ligne maritime desservant Bréhat.

ARCS (Les). ♦ Complexes de sports d'hiver, à proximité de Bourg*-Saint-Maurice (Savoie).

ARCTIQUE. *n. m.* ♦ Vaste région continentale et insulaire qui s'étend au delà du cercle polaire arctique (66° 33' lat. N.) et qui environne le pôle Nord, englobant le nord de l'Amérique* (Canada*, Alaska), de l'Europe et de la Sibérie* soviétique (presqu'île de Taïmyr), le Groenland*, l'île Jan* Mayen, le Spitzberg*, les archipels François*-Joseph, de la Nouvelle* Zemble, de la Terre du Nord, de la Nouvelle Sibérie et l'archipel Arctique* canadien. ♦ *Hist.* À part la tentative de colonisation viking au Groenland, entreprise v. 982 par Erik le Rouge, la découverte des régions arctiques ne commença que vers le XVIe s., à l'occasion de la recherche des passages conduisant au Pacifique, soit par l'E. au N. de l'Europe-Asie (passage du Nord*-Est), soit par l'O. au N. de l'Amérique (passage du Nord*-Ouest). **V. Willoughby, Frobisher, Davis** (John), **Barents, Hudson, Baffin, Béring, Parry, Kotzebue** (Otto), **Ross** (John et James), **Franklin** (John), **M'Clintoch, Nordenskjold, Nansen, Amundsen, Peary, Rasmussen, Byrd** (Richard), **Nobile, Papanine, Charcot** (Jean), **Victor** (Paul-Emile), **Ellsworth.**

ARCTIQUE *(océan)* ou *océan* **GLACIAL ARCTIQUE.** ♦ Ensemble des mers comprises entre le pôle Nord et le cercle polaire arctique (66°33′ lat. N.), comprenant notamment la mer Blanche*, la mer de Barents*, la mer de Kara*, la mer de Beaufort, la mer du Groenland et la mer de Béring*. Limité par les côtes septentrionales de l'Asie, de l'Amérique et de l'Europe, l'océan Arctique s'étend sur 1 400 000 km². Il est en grande partie recouvert par la banquise, dont l'extension varie selon les mois de l'année : février connaît la plus forte concentration de glaces, juin la plus faible avec 4/10 de la surface de l'océan libre. Ce sont les convois allant des États-Unis en U.R.S.S. pendant la Deuxième Guerre mondiale qui ont montré l'importance stratégique de cette zone.

Arcturus. ♦ Nom donné à l'étoile α Bouvier*, située dans le prolongement de la queue de la Grande Ourse*. Magnit. 0,2; type spectral K 0; distance 41 années-lumière.

ARCUEIL. ♦ Ch.-l. de cant. du Val-de-Marne, à la limite S. de Paris et au N. de Cachan* (arr. de Créteil). 22 082 hab. Église du XIIIe s. Aqueduc. – Indus. alimentaires. Métallurgie, constructions mécaniques. Électricité, électronique. ♦ *Hist.* Au XVIIIe s., la *Société d'Arcueil* fondée par Berthollet et Laplace regroupait des savants comme Gay-Lussac, Arago, Chaptal. – En 1920, de jeunes musiciens formèrent autour d'Érik Satie* qui y résidait, *l'école d'Arcueil.*

ARCULF. ♦ Évêque franc du VIIe siècle. Premier voyageur chrétien en Orient après les débuts de l'Islâm (680-690), il visita la Palestine, la Crète et l'Égypte. Le récit de son voyage fut utilisé par Bède.

Ph. Nino Cirani/Ricciarini

Arctique : le Yukon au cercle polaire.

Ardèche : vallée de la Baume.

ARCY-SUR-CURE. ♦ Comm. de l'Yonne (arr. d'Auxerre) sur la Cure, face à des falaises calcaires creusées de grottes. 518 hab. Château de Chatenay. – *Les grottes d'Arcy :* station préhistorique du paléolithique moyen et supérieur (ensemble culturel du Chatelperronien). Elles ont livré un important outillage : pointes de silex, outillage en os, et révélé l'emploi de l'ocre.

ARDA. *n. f.* ♦ Riv. de Bulgarie, affl. de la Marica* (r. d.).

ARDACHÊR ou **ARDACHIR Ier** (transformation du nom d'Artaxerxès*). ♦ Roi de Perse (v. 224-v. 240). Prince sassanide d'une famille féodale, il se souleva contre le roi Artaban* V, le vainquit et fonda la dynastie des Sassanides* de Perse. Il étendit ses conquêtes jusqu'à l'Indus. Il restaura la puissance nationale perse, en la fondant sur une administration centralisée et sur la religion mazdéenne.

ARDANT DU PICQ (Charles). ♦ Officier et écrivain militaire français (Périgueux, 1821 – près de Gravelotte, 1870). Auteur d'écrits militaires influents. Il participa aux campagnes de Crimée (1854-1855) et de Syrie (1860-1861).

ARDEA. ♦ Anc. V. d'Italie (Latium). Cap. des Rutules* dont Turnus* était le roi légendaire, elle fut conquise par les Romains en ~ 442.

ARDÉBIL ou **ARDABÎL.** ♦ V. d'Iran (Azerbaïdjan) à la frontière soviétique, près de la mer Caspienne (altitude 1 100 m). 66 000 hab. Mausolée de Cheikh Séfi. – Grains et fruits séchés. Tapis. – Patrie d'Ismaïl* Ier. ♦ *Hist.* Fondée par Firouz v. 457, la ville s'appela *Firouzgerd, Bâzânfirouz.* Prise par les Arabes en 638, Ardébil fut ch.-l. de l'Azerbaïdjan sous les califes ʿumayyades. Pillée au cours de l'invasion mongole (XIIIe s.), la ville atteignit son apogée sous les Séfévides. Nâder Châh y fut couronné roi en 1736.

ARDÈCHE. *n. f.* ♦ Riv. de France (dép. de l'Ardèche) 120 km, qui prend sa source dans les Cévennes, passe près d'Aubenas* et se jette dans le Rhône.

ARDÈCHE. [07]. *n. f.* ♦ Dép. du S. de la France, région (anciennement C.A.R.) Rhône*-Alpes, constituant la bordure S.-E. du Massif central et formé par l'anc. Vivarais*. 5 556 km². – *Orogr.* Le dép. s'étend à l'O. sur le Vivarais* et les Cévennes*, reliefs bordés par des plateaux : au N., le plateau d'Annonay, au S., le bas Vivarais, au centre, la coulée basaltique du Coiron*. Le dép. est limité à l'E. par le Rhône.
♦ (31 cant., 349 comm., 265 395 hab.) *Préf.* Privas*, *Sous-préf.* Largentière*. Tournon*. *Ch.-l. de cant.* Annonay*, Antraigues*, Aubenas*, Bourg*-Saint-Andéol, Burzet*, Cheylard* (Le), Chomérac*, Coucouron (756 hab.), Joyeuse*, Lamastre*, Montpezat*-sous-Bauzon, Rochemaure*, Saint*-Agrève, Saint-Étienne de Lugdares (620 hab.), Saint-Félicien (1 311 hab.), Saint-Martin-de-Valamas (1 625 hab.), Saint*-Péray, Saint-Pierreville (606 hab.), Satillieu*, Serrières (1 651 hab.), Thueyts*, Valgorge (435 hab.), Vallon*-Pont-d'Arc, Vans* (Les), Vernoux*-en-Vivarais, Villeneuve*-de-Berg, Viviers*, Voulte*-sur-Rhône (La). *Autres comm.* **V. Cruas, Louvesc** (La), **Neyrac-les-Bains, Teil** (Le), **Vals-les-Bains.**

Arden de Faversham. ♦ Drame anglais d'auteur inconnu (1580). Arden, riche bourgeois, est assassiné par Alice, sa femme, et l'amant de celle-ci. Œuvre exceptionnelle par la vigueur du réalisme, la vérité des caractères et la tension tragique.

ARDENNE. *n. f.* ♦ Région de Belgique (**V. Luxembourg** [prov. de]), de France (dép. des Ardennes) et du grand-duché de Luxembourg (N.), s'étendant sur plus de 10 000 km² et culminant à 692 m au signal de Botrange (Hautes-Fagnes). La région géographique comprend la partie O. des hautes terres du bassin du Rhin. C'est un massif de grès et de schistes primaires, pénéplané, entaillé par les vallées de la Meuse et des affluents de la Moselle. Tourbières, landes marécageuses (**V. Fagnes** [**Hautes**]) et forêts (chênes, hêtres et sapins) occupent la majeure partie du sol. Les villes principales sont des marchés : Bastogne, Bovigny, Bullange, Butgenbach, Libramont, Saint-Vith, en Belgique ; Charleville-Mézières, en France ; Wiltz, au Luxembourg. L'activité industrielle se limite à l'exploitation des carrières et des forêts (Malmédy, Stavelot). Tanneries. Indus. textiles (laine) dans le nord-est. Tourisme (**V. Spa**). ♦ *Hist.* L'Ardenne couvre une partie de l'ancienne forêt des Ardennes, *Ar-Denn* ou *Ar-Tann* signifiant « les chênes » en celtique. César délimita cette région : du Rhin et du pays des Trévires* à celui des Nerviens. Après la division de l'empire de Charlemagne (pacte de Verdun, 843), d'importantes abbayes se fondèrent dans le *pagus Arduensis* (Orval, Saint-Hubert, Echternach...). Au cours de la Première Guerre mondiale, les forces allemandes et françaises s'opposèrent à Neufchâteau, Ethe et Virton (bataille des Frontières). En 1940, le front français de la Meuse y fut percé par les blindés allemands de von Kleist (campagne de France). En 1944, l'aviation américaine y enraya une contre-offensive allemande de von Rundstedt (bataille de la ligne Siegfried).

ARDENNES *(Dép. des)* **[08].** ♦ Dép. du N.-E. de la France, région (anciennement C.A.R.) Champagne*-Ardenne, limité au N. par la Belgique. – *Orogr.* Le dép. s'étend au N.-E. sur une partie des Ardennes*, à l'E. sur des plateaux recouverts de forêts et drainés par la Meuse*, au S. sur la partie septentrionale de l'Argonne* et de la Champagne* pouilleuse, à l'O. sur les plateaux calcaires du Porcien*.
♦ 31 cant., 485 comm., 316 072 hab. *Préf.* Charleville*-Mézières. *Sous-préf.* Rethel*, Sedan*, Vouziers. *Ch.-l. de cant.* Asfeld (803 hab.), Attigny*, Burancy*, Carignan*, Château*-Porcien, Chaumont-Porcien (382 hab.), Chesne* (Le), Flize*, Fumay*, Givet*, Grandpré*, Juniville*, Machault (575 hab.), Mézières, Monthermé*, Monthois (417 hab.), Mouzon*, Novion-Porcien (573 hab.), Omont (61 hab.), Raucourt*-et-Flaba, Renvez*, Rocroi*, Rumigny*, Signy*-l'Abbaye, Signy*-le-Petit, Tourteron (245 hab.). *Autres comm. et localités.* **V. Bazeilles, Blagny, Bogny-sur-Meuse, Chooz, Mohon, Nouzonville, Revin, Rimogne.**

ARDENNES *(batailles des).* ♦ En 1914, bataille qui eut lieu le 22 août, entre la IVe armée française (de Langle de Cary), attaquant sur le Luxembourg belge, et les forces allemandes. Le lendemain, les troupes françaises faisaient retraite sur la Meuse. ♦ En 1940 (10-12 mai), percée allemande (von Kleist) à travers les Ardennes en direction de la Meuse (« trouée de Sedan »). ♦ En 1944, ultime et violente contre-attaque allemande menée par von Rundstedt à partir du 16 déc., tandis que Himmler faisait de même en Alsace. L'objectif (Anvers) ne fut pas atteint et, à partir du 24 l'aviation américaine, à partir du 5 janv. 1945 la contre-offensive de Montgomery, contraignirent les Allemands à la retraite. Les pertes, notamment en matériel moderne, interdirent désormais à la Wehrmacht toute opération d'envergure. **V. Guerre mondiale** (Deuxième).

ARDENTES. ♦ Ch.-l. de canton de l'Indre, arr. de Châteauroux. 2 720 hab. *(Ardentais).* Église du XIIe siècle.

ARDES ou **ARDES-SUR-COUZE.** ♦ Ch.-l. de cant. du Puy*-de-Dôme, arr. d'Issoire*. 812 hab. *(Ardoisiens).* Église du XVe siècle. Élevage de moutons.

ARDOISE (L'). ♦ Écart de la comm. de Laudun (Gard*). Port sur le Rhône. Usines de ferro-alliages.

ARDRES. ♦ Ch.-l. de cant. du Pas*-de-Calais, arr. de Saint*-Omer. 3 341 hab. *(Ardrésiens).* Église (XIVe-XVe s.). Raffinerie de sucre ; bonneterie. ♦ *Hist.* Non loin eut lieu l'entrevue du Camp* du Drap d'or (1520).

À rebours. ♦ Roman de J.K. Huysmans* (1884), véritable « bréviaire de la décadence » prônant une esthétique raffinée. À l'instar de son maître Baudelaire*, le héros, Jean Des Esseintes, persuadé que le propre de la civilisation est de s'éloigner toujours de la nature, s'est constitué un univers entièrement artificiel où il cultive ses obsessions libertines et ses hantises mystiques.

AREF ('Abd al-Salâm). ♦ Maréchal et homme politique irakien (Baghdâd. 1921 – Basra, 1966). Président de la République (1963-1966), il orienta son pays vers une étroite collaboration avec l'Égypte et la Syrie – Son frère ABD AL-RAHMÂN, né à Baghdâd en 1916 lui succéda et fut renversé en 1968.

ARENA. ♦ Nom donné à la place de Padoue où s'élève la chapelle Scrovegni, construite en 1303 et décorée par Giotto*.

ARÉNA (Joseph). ♦ Officier corse (L'Île-Rousse, 1772 – Paris, 1801). Membre du corps législatif sous le Directoire, il affirma son opposition au coup d'État du 18 Brumaire*. Impliqué dans un complot visant à assassiner le Premier consul (Bonaparte) à l'Opéra, il fut arrêté et exécuté. ♦ BARTHÉLEMY ARÉNA, son frère. Homme politique corse (L'Île-Rousse ? – Livourne, 1829). Député à l'Assemblée législative, où il vota les mesures les plus révolutionnaires, il revint en Corse après le 9 Thermidor, fut élu député au Conseil des Cinq-Cents, où, comme son frère, il se montra hostile à Bonaparte et au coup d'État du 18 Brumaire*. Il réussit à s'enfuir à Livourne.

ARENBERG (Auguste, *comte de* **LA MARCK,** *prince d').* ♦ Général et diplomate (Bruxelles, 1753 – 1833). Après avoir combattu aux Indes, il fut élu député de la Noblesse aux États généraux (1789), participa au mouvement révolutionnaire des Pays-Bas, puis servit d'intermédiaire entre Mirabeau* et la cour. Ayant tenté de passer au service de l'Autriche en 1793, il ne revint en Belgique qu'en 1815, et fut nommé lieutenant général par Guillaume Ier de Nassau, roi des Pays-Bas, auquel il s'était rallié. *(Correspondance entre le comte de Mirabeau et le comte de La Marck, prince d'Arenberg, pendant 1789, 1790 et 1791).*

ARENDAL. ♦ V. et port de Norvège, au S.-E. du pays, sur le

Skagerrak*. 11 800 hab. Ville commerciale (exportations de bois, fer et cuivre). Brasseries. — Centre touristique.

ARENDONK. ♦ V. de Belgique (prov. d'Anvers, arr. de Turnhout). 8 900 hab. Indus. chimiques (matières plastiques et explosifs).

ARENENBERG *(château de)*. ♦ Château de Suisse (Thurgovie) sur le lac de Constance*. Construit au XVIe s., il fut acquis en 1817 par la reine Hortense qui y séjourna pendant son exil avec son fils, le futur Napoléon* III.

Aréopage [*n. m.*], en gr. **Areios Pagos.** ♦ Conseil politique, puis tribunal d'Athènes* qui siégeait sur la colline d'Aréopage (Cf. Le Robert). Il était composé d'archontes ayant rendu honorablement leurs comptes. Jusqu'au milieu du ~ Ve s., il assumait sûrement les responsabilités de gardien des lois et de surveillant des magistrats. Malgré les réformes de Solon (~ 594), l'Aréopage gardait le droit de *veto* sur les décisions des assemblées populaires. Au moment de l'invasion perse, il assuma tous les pouvoirs. Opposé aux réformes démocratiques d'Éphialte* et de Périclès* (~ 461), il fut dépouillé de ses attributions politiques. Il subsista sous l'Empire romain jusqu'au IVe s. **V. Denys l'Aréopagite.**

AREQUIPA. ♦ Deuxième V. du Pérou, située à 2 300 m dans une oasis des Andes méridionales. 180 000 hab. Université. Archevêché. Grand centre commercial (marché de la laine). Indus. textiles et alimentaires. — Ch.-l. du *département d'Arequipa* (63 527 km². 410 900 hab. env.). ♦ *Hist.* La ville fut fondée par Pizarro* en 1540.

ARÈS. ♦ Dieu grec de la guerre, fils de Zeus* et d'Héra*. D'une taille énorme et d'une voix tonitruante, il était peu aimé des autres dieux à cause de sa cruauté. Seule Aphrodite* tomba éperdument amoureuse de lui et trompa Héphaïstos*. — Il fut identifié à Mars* par les Romains.

ARÈS. ♦ Comm. de la Gironde (arr. de Bordeaux). 2 900 hab. Centre producteur d'huîtres et station balnéaire sur le bassin d'Arcachon.

Aréthuse, en gr. **Arethousa.** ♦ Fontaine célèbre de l'île d'Ortygie, près de Syracuse*. Selon la légende, la nymphe Aréthuse, poursuivie en Arcadie* par le dieu Alphée*, se réfugia jusque dans l'île d'Ortygie, où Artémis la changea en fontaine.

ARÉTIN (l'), en it. **Pietro Bacci,** dit **l'Aretino.** ♦ Écrivain italien (Arezzo, 1492 — Venise, 1556). Au cours d'une vie mouvementée, il séjourna à Pérouse, à Sienne, à Rome, fut protégé par les Médicis*, par Clément* VII, admiré et craint par les souverains les plus puissants d'Europe; le nombre de ses ennemis fut si important qu'il dut se réfugier à Venise (1527) où il mena une vie fastueuse et licencieuse et composa l'essentiel de son œuvre. — Il se montra un observateur impitoyable de la société de son temps dans ses comédies, *La Courtisane* (*La Cortigiana*, 1525), *Le Maréchal* (*Il Marescallo*, 1527), *L'Hypocrite* (*L'Hipocrito*, 1543) et *Le Philosophe* (*Il Filosofo*, 1546). Se flattant « par la louange et par l'infamie [de régler] leur compte à la majeure partie des mérites et des démérites d'autrui », l'Arétin dénonça l'hypocrisie de la vie sociale dans *Le Dialogue des cours* (*Dialogo delle corti*, 1538) et dans ses *Pasquinades* (*Pasquinate*, 1520), poèmes bouffons et satiriques où il « déchire les noms des grands avec les crocs de la

Ph. Carlo Bevilacqua/Ricciarini

L'Arétin par Titien. (Palais Pitti, Florence.)

Ph. Carlo Bevilacqua/Ricciarini

Arezzo : l'église de Sainte-Marie-des-Grâces, de Giuliano da Maiano, XVe s.

vérité ». Hymne à la vie libre, les *Ragionamenti* (1536 et 1556) énoncent, en six dialogues cocasses, désinvoltes sinon obscènes, un véritable code de l'existence galante, mais se doublent aussi d'un savoureux tableau satirique des mœurs de l'époque. « Secrétaire du monde », selon lui (ses *Lettres volantes — Lettere volanti*, 1537-1557, furent même publiées par ses soins) ou « fléau des Princes » (l'Arioste), l'Arétin fut un pamphlétaire et un conteur talentueux, se forgeant une langue savoureuse, vivante, et pratiquant avec adresse l'art du sous-entendu. (Célèbre portrait par Titien*.)

AREZZO (anc. **Arretium**). ♦ V. d'Italie centrale, en Toscane. Ch.-l. de la prov. du même nom, sur l'Arno. 82 000 hab. *(Arétins).* Les monuments médiévaux sont nombreux : église San Francesco (fresques de Piero* della Francesca), palais de la Fraternité des Laïques (XIVe-XVe s.). — Constructions ferroviaires, dentelles. — Patrie de l'Arétin*, Gui* d'Arezzo, Mécène*, Pétrarque*, Vasari*.

Argan. ♦ Personnage principal de la comédie de Molière* *Le Malade* imaginaire* (1673).

ARGAND (Émile). ♦ Géologue suisse (Genève, 1879 — Neuchâtel, 1940). Ses recherches portèrent principalement sur les modalités des plissements. On lui doit des travaux sur les Alpes et sur la tectonique de l'Asie (1922).

ARGELANDER (Friedrich). ♦ Astronome allemand (Memel, 1799 — Bonn, 1875). Il établit un atlas stellaire, le *Bonner Durchmusterung,* donnant les positions et les magnitudes (jusqu'à la neuvième grandeur) de 324 188 étoiles.

ARGELÈS-GAZOST [-gazost]. ♦ Sous-préf. des Hautes-Pyrénées, ch.-l. d'arr. (5 cant., 90 comm., 42 366 hab.), sur le gave d'Azun. 4 085 hab. *(Argelésiens).* Station thermale.

ARGELÈS-SUR-MER. ♦ Ch.-l. de cant. des Pyrénées-Orientales (arr. de Céret) à 2,5 km de la Méditerranée. 5 022 hab. *(Argelésiens).* — Église gothique. — Station balnéaire à *Argelès-Plage,* intégrée avec sa voisine du Racou *(Argelès-le-Racou)* dans la nouvelle unité touristique qui englobe Canet*-Plage et Saint*-Cyprien.

ARGENLIEU (Georges THIERRY d'). ♦ Amiral français (Brest, 1889 — Carmel de Relecq-Kerhuon, 1964). Officier de marine, il entra dans l'ordre des Carmes en 1920. En 1940, il rejoignit à Londres De Gaulle, qui le nomma haut-commissaire pour le Pacifique en 1941. Commandant des Forces navales françaises libres en 1943, puis, en 1945, haut-commissaire en Indochine. Il reprit ensuite la vie monastique.

ARGENS [aʀʒɑ̃s] **(Jean-Baptiste de Boyer,** *marquis d'***).** ♦ Écrivain français (Aix-en-Provence, 1704 — près de Toulon, 1771). Retiré en Hollande, il y publia une série de pamphlets contre le christianisme, puis fut appelé par Frédéric II de Prusse dont il devint le chambellan. — Œuv. princ. : *Lettres juives* (1754), *chinoises* (1755) et *cabalistiques* (1769).

ARGENS [aʀʒɛ̃s]. *n. m.* ♦ Fl. côtier de Provence* (Var*), qui se jette dans la Méditerranée près de Fréjus*. (116 km).

ARGENSON *(de* **Voyer** *d')*. ♦ Famille française originaire de Touraine dont les membres les plus connus sont : ♦ RENÉ *de* VOYER, *comte d'*ARGENSON (1596 — Venise, 1651). Homme d'État sous Richelieu* et Mazarin*, il administra la Catalogne. ♦ MARC-RENÉ, *marquis d'*ARGENSON, petit-fils du précédent (Venise, 1652 — Paris, 1721). Lieutenant général de police (1697), président du Conseil des Finances et Garde des Sceaux (1718), il démissionna en 1720 après s'être en vain opposé au système de Law*. Membre de l'Acad. des sc. (1716) et de l'Acad. fr. (1718). ♦ RENÉ-LOUIS, *marquis d'*ARGENSON (surnommé *Argenson la Bête*), fils du précédent, (Paris, 1694 — 1757). Ministre des Affaires etrangères de 1744 à 1747, il poursuivit une politique anti-autrichienne. Ami de Voltaire*, il a laissé des *Mémoires.* ♦ MARC-PIERRE, *comte d'*ARGENSON, frère du précédent (Paris, 1696 — *id.*, 1764). Il remplaça son père Marc-René d'Argenson comme lieutenant général de police en 1720, mais s'opposa lui aussi à Law*. Ministre de la Guerre en 1742, il fonda l'École militaire (1751) et réorganisa l'armée. ♦ MARC-ANTOINE RENÉ *d'*ARGENSON, *marquis de* PAULMY, fils de René-Louis (Valenciennes, 1722 — Paris, 1787). Ambassadeur en Suisse, en Pologne et à Venise. Il laissa une magnifique bibliothèque qui forma le fonds de celle de l'Arsenal. (Acad. fr., 1748.)

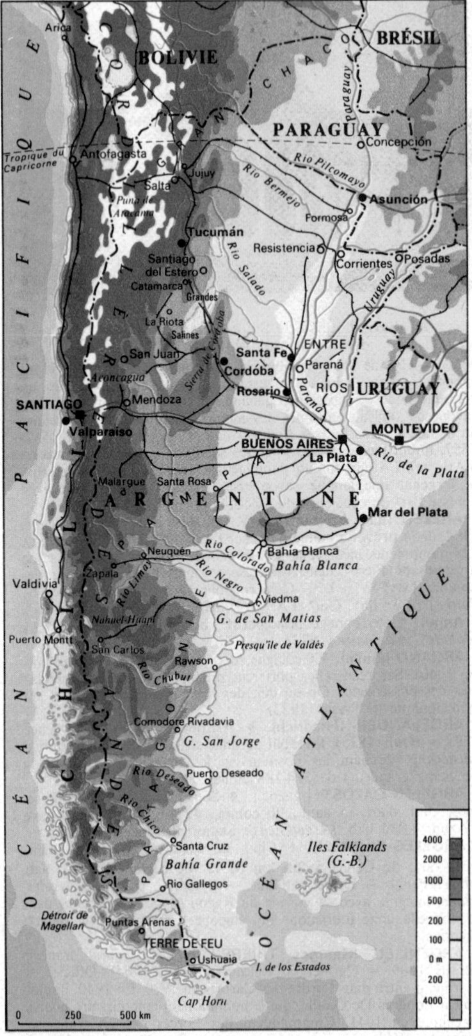

Argentine.

ARGENTAN. ♦ Sous-préf. de l'Orne*, ch.-l. d'arr. (15 cant., 227 comm., 123 488 hab.) sur l'Orne* dans la *plaine* ou *campagne d'Argentan.* 15 269 hab. *(Argentanais).* Églises des XVe et XVIe s. Château du XIVe siècle. — Indus. électriques, appareils électroménagers, dentelles. — Patrie de F. Léger*.

ARGENTAT. ♦ Ch.-l. de cant. de la Corrèze, arr. de Tulle, sur la Dordogne*, dans le S.-E. du Limousin*. 3 579 hab. *(Argentaçois).* Maisons anciennes. — Indus. du bois. À 2 km en amont d'Argentat, barrage et centrale hydro-électrique.

ARGENTEUIL. ♦ Ch.-l. de cant. du Val-d'Oise, ch.-l. d'arr. (5 cant., 7 comm. 171 842 hab.) sur la Seine. 82 458 hab. *(Argenteuillais).* Ancien hôpital (XVIIe s., musée). — Cultures maraîchères. Indus. métallurgiques et chimiques; indus. textiles; indus. électronique; imprimerie. — Patrie de G. Braque. ♦ *Hist.* Un monastère de femmes y fut créé au VIIe siècle. Au début du XIIe s., Héloïse s'y réfugia. Au XIXe s., Argenteuil fut un lieu de séjour pour les peintres (Monet, Manet, Degas y travaillèrent).

ARGENTIÈRE. ♦ V. LARCHE (col de).

ARGENTIÈRE. ♦ Station de sports d'hiver de la Haute-Savoie*, près de Chamonix*-Mont-Blanc. Altitude 1 253 m.

ARGENTIÈRE-LA-BESSÉE (L'). ♦ La ville doit son nom à d'anciennes mines de galène argentifère. Ch.-l. de cant. des Hautes Alpes* (arr. de Briançon*), surplombant la Durance*. 2 547 hab. *(Argentiérois).* Chapelle romane, église du XVe s., château ruiné du XIIIe s. — Centrale électrique; électro-métallurgie (aluminium); appareils sanitaires et de chauffage.

ARGENTINA (Antonia MERCÉ Y LUQUE, dite la). ♦ Danseuse et chorégraphe espagnole (Buenos Aires, v. 1888 — Bayonne, 1936). Ses interprétations de *Triana* (Albeniz) et de l'*Amour sorcier* (De Falla) sont restées célèbres.

ARGENTINE (République), en esp. **República Argentina.** ♦ État fédéral d'Amérique du Sud limité au N. par la Bolivie et le Paraguay, au N.-E. par le Brésil, à l'E. par l'Uruguay et l'océan Atlantique, et à l'O. par le Chili. 2 778 417 km^2 (8e rang dans le monde). 25 380 000 hab. *(Argentins)* en majorité d'origine espagnole et italienne, 2 % de métis et d'Indiens **(V. Quechuas, Guaranis, Araucans).** *Cap.* Buenos* Aires. *Langue :* Espagnol. *Religion :* 90 % env. de catholiques. *Unité monétaire :* peso argentin. — Le territoire s'étire du N. au S. sur 3 700 km, du Chaco* à la Terre de Feu (du 22e au 55e parallèle S.). Le pays est situé entre les Andes* à l'O. et l'océan Atlantique à l'E., qui présente sur 4 000 km de côte quelques vastes indentations dont le rio de La* Plata, la baie de Bahia Blanca et les golfes de San Matias, San Jorge et Bahía Grande. *Provinces et ch.-l. :* **V. Buenos Aires** (La* Plata), **Catamarca, Chaco** (Resistencia), **Chubut** (Rawson), **Córdoba, Corrientes, Entre Ríos** (Paraná), **Formosa, Jujuy, Pampa** (Santa Rosa), **La Rioja, Mendoza, Misiones** (Posadas), **Neuquén, Río Negro** (Viedma), **Salta, San Juan, San Luis, Santa Cruz** (Río Gallegos) **Santa Fé, Santiago del Estero, Tucumán.** — *Hydrogr.* **V.** *ríos* **Bermejo, Chubut, Colorado, Negro, Paraná, Saladó, Uruguay.** Lac **V. Nahuel Huapi.** L'Argentine revendique en outre des îles de l'Atlantique Sud (Falklands, etc.). — En dépit de l'accroissement des naissances, le pays reste faiblement peuplé par suite de l'aridité des 2/3 de son territoire (1 850 000 km^2 de steppe et de brousse en font un pays semi-désertique). En revanche, le climat et l'irrigation de la Pampa* et de la Mésopotamie* argentine ont permis une mise en valeur de la production agricole. — *Écon.* Dans ce pays essentiellement agricole, le 1/10 des terres seulement est cultivé. Les céréales viennent en tête de production (froment, maïs, orge...), et l'Argentine occupe le premier rang des pays d'Amérique latine pour la production du blé (prov. de Buenos Aires, Córdoba, Pampa, Santa Fé). L'important vignoble des provinces andines (Mendoza, San Juan, La Rioja, Catamarca), né au temps de la domination espagnole, s'est développé vers la fin du XIXe s. grâce aux colons italiens. Cultures subtropicales dans le Nord (prov. de Jujuy, Salta, Tucumán, Santiago et Corrientes), canne à sucre, coton, tabac, maté (la boisson nationale); tempérées dans le Centre et dans le Sud : plantes fourragères (luzerne), industrielles (premier producteur de graines de lin du monde), arbres fruitiers, agrumes; sel des cuvettes salines des Andes. Richesses forestières, mais mal exploitées, des régions andines tropicales et subtropicales (tanin du *quebracho*). Importance de l'élevage (près de la moitié des terres en pâturages), dans les riches plaines de la Pampa et sur les plateaux de Patagonie (bovins, ovins, chevaux, porcs). L'insuffisance des capitaux ne permet pas la modernisation des techniques de cultures et d'élevage pratiquées dans les grands domaines terriens *(haciendas)*; elle ne permet, par ailleurs, qu'une exploitation réduite des ressources minières et minérales : acier (depuis la Deuxième Guerre mondiale), quelques gisements de fer, étain, plomb, zinc, cuivre, manganèse; pétrole, notamment dans les prov. de Jujuy, Neuquén, Chubut **(V. Comodore, Rivadavia),** deuxième producteur sud-américain après le Venezuela; gaz naturel. Un vaste réseau de pipe-lines alimente les raffineries. Importante production électrique (29 milliards de kWh en 1975), mais le potentiel hydro-électrique des Andes est à peine mis en valeur. Le *développement industriel* se ressent lui aussi du manque de capitaux : indus. de transformation (textiles, cuir, papier...) localisées, pour la plupart, entre Santa Fé et La Plata, indus. sidérurgiques (Rosario*), grâce au charbon de Patagonie* (rio Turbo, **V. Santa Cruz**). — *Commerce.* Essentiellement exportatrice de grains et de viandes (celles-ci ont suscité une grande industrie frigorifique), l'Argentine exporte, en outre, des produits agricoles et laitiers, et des oléagineux (Italie, Grande-Bretagne...). Les U.S.A. viennent en tête pour les importations (machines, métaux, produits chimiques et pharmaceutiques, minerais, ...). Le commerce intérieur est très actif, grâce à un important réseau routier (plus de 135 000 km), ferroviaire (44 000 km), maritime (Buenos Aires, Bahía Blanca) et fluvial (Rosario, Santa Fé), qui intéresse essentiellement la région pampéenne. ♦ *Hist.* Avant l'arrivée des Espagnols, l'Argentine n'était habitée que par de rares tribus indiennes. Ce fut Díaz* de Solis qui, le premier, débarqua au Río* de la Plata en 1516. Le territoire de Buenos* Aires, ville fondée en 1536, demeura longtemps soumis à la vice-royauté du Pérou. À partir de 1776 il devint la *vice-royauté du Río de la Plata.* Le monopole commercial de l'Espagne éveilla bientôt chez les créoles un mécontentement qui prit la forme d'un mouvement d'émancipation favorisé par l'Angleterre. En 1810 une junte insurrectionnelle chassa le vice-roi et proclama l'indépendance des *« Provinces unies du Río de la Plata ».* Les troupes espagnoles furent battues par Belgrano* et San* Martín en 1816. Au XIXe s., l'histoire de l'Argentine fut marquée par la lutte entre les « unitaires » comme Rivadavia*, et les « caudillos », défenseurs des particularismes provinciaux. De 1829 à 1852 ce fut la dictature centralisatrice de Rosas* qui posa les bases de l'État argentin. Après sa chute, le congrès de Santa Fé établit la constitution fédérale de la République argentine (1853), qui est encore en vigueur. Grâce à l'arrivée de capitaux étrangers et de nouveaux immigrants le pays connut un développement économique important (exportation de la viande frigorifiée), mais fut troublé par des problèmes

Ph. Nino Cirani/Ricciarini
Argentine : Buenos Aires, place du Congrès et palais du Congrès.

frontaliers et la guerre du Paraguay. Un coup d'État militaire, en 1943, préluda à la prise de pouvoir par Juan Perón* (1946). Celui-ci appuya son pouvoir sur le prolétariat ouvrier des villes (« *descamisados* ») en dépit du mécontentement des classes moyennes et rurales. À l'extérieur, il mena une politique d'indépendance vis-à-vis des États-Unis et de la Grande-Bretagne. Dès 1950 une crise entraîna une baisse de sa popularité et surtout l'hostilité de l'Église et de l'armée. Perón fut renversé (1955), une période d'austérité commença (Frondizi), suivie de coups d'État militaires successifs : général Ongania (1966), général Lanusse (1971). En 1973, les élections redonnèrent le pouvoir au parti justicialiste de Perón, réfugié en Espagne. Le président de la République H. Campora (mars-juillet 1973) céda la place à Perón, qui mourut un an plus tard. Sa troisième femme, qui lui succéda, fut renversée par le général J. Videla (mars 1976) et inculpée de détournement de fonds publics.

ARGENTON-CHÂTEAU. ♦ Ch.-l. de cant. des Deux-Sèvres, arr. de Bressuire. 1 174 hab. *(Argentonnais).* Église (portail du XIIe s.).

ARGENTON-SUR-CREUSE. ♦ Ch.-l. de cant. de l'Indre, arr. de Châteauroux. 6 921 hab. *(Argentonnais).* Église du XVe siècle. Château en ruine. – Matériel aéronautique. Imprimerie. Confection. – Vestiges d'un théâtre et de thermes gallo-romains aux environs.

ARGENTRÉ-DU-PLESSIS. ♦ Ch.-l. de cant. de l'Ille-et-Vilaine, arr. de Rennes. 2 422 hab. *(Argentréens).* Aux environs, château du Plessis (XVe, XVIIe, XIXe s.). Carrières.

ARGENT-SUR-SAULDRE. ♦ Ch.-l. de canton du Cher, arr. de Bourges, sur la Sauldre, aux confins de la Sologne et du Sancerrois. 2 614 hab. *(Argentais).* Château (XVe et XVIIIe s.). – Laiterie. Appareils de levage. Confection. Chaussures. Meubles.

ARGEȘ. *n. m.* ♦ Riv. de Roumanie, affl. du Danube (r. g.). 340 km. Né en Valachie, sur le versant méridional des Carpates, l'Argeș reçoit à gauche la Dimbovița qui arrose Bucarest. Il a donné son nom au *district d'Argeș* en Roumanie méridionale (15 800 km², 1 200 000 hab. *Ch.-l. :* Pitești*).

ARGHEZI (Ion N. Teodorescu, dit **Tudor).** ♦ Poète roumain (Bucarest, 1880 – 1967). Il fut moine dans sa jeunesse, fut arrêté sous le régime nazi (1941), et se rallia au régime communiste après la guerre. Auteur de poèmes d'un lyrisme vigoureux où interrogations métaphysiques et élans mystiques voisinent avec l'évocation du monde quotidien : *Cuvinte potrivite* (« Paroles assorties », 1927); *Flori de mucigai* (« Fleurs de moisissure », 1931); *1907-Peizaje* (1955); *Cintare omului* (1956). Il fut également pamphlétaire, romancier, traducteur (Baudelaire, Rimbaud, La Fontaine).

ARGINUSES [*n. f. pl.*], en gr. **Arginoussai.** ♦ Groupe de petites îles de la mer Égée*, entre Lesbos et les côtes de l'Asie Mineure. Durant la guerre du Péloponnèse*, les Athéniens y remportèrent une victoire navale sur les Spartiates en ~ 406.

Argo (du nom du navire Argo) ou **Navire Argo** ou **Navire.** *n. m.* ♦ Groupe de constellations de l'hémisphère austral, composé des Voiles*, de la Poupe*, et de la Carène*.

ARGOAT. ♦ **V.** ARCOAT.

ARGOLIDE [*n. f.*], en gr. **Argolis.** ♦ Anc. région de la Grèce, au N.-E. du Péloponnèse*, entre les golfes d'Égine et de Nauplie. Auj. *nome d'Argolide.* 2 214 km². 90 145 hab. *Ch.-l.* Nauplie*. *V. et localités princ.* **V. Argos, Épidaure, Mycènes, Tirynthe, Trézène.** ♦ *Hist.* Foyer de la civilisation mycénienne au ~ IIe millénaire, avec pour principaux centres Argos, Mycènes et Tirynthe, l'Argolide fut conquise par les Doriens* au ~ XIIe s. et morcelée en cités qui se rangèrent aux côtés d'Athènes dans la guerre du Péloponnèse*. Réunie à la ligue achéenne* en ~ 223, elle passa avec celle-ci sous domination romaine en ~ 146.

ARGONAUTES. *n. m. pl.*, en gr. **Argonautai.** ♦ Héros de la mythologie grecque, qui à bord du navire *Argo* et sous le commandement de Jason* partent en Colchide* (où ils auraient débarqué à Dioscurias, *auj.* Soukhoumi), à la conquête de la Toison* d'or, afin de la rapporter à Pélias*. Jason réussit à s'en emparer avec l'aide de Médée*. Les plus célèbres parmi leurs compagnons sont Admète*, Atalante* (la seule femme de l'équipage), Augias*, les Dioscures **(V. Castor et Pollux),** Héraclès*, Lyncée, Méléagre*, Orphée*, Pélée*, Thésée* et Télamon*. – On a voulu voir dans cette légende dont Apollonios de Rhodes a donné le récit le plus complet, le reflet des expéditions coloniales dans le Pont-Euxin et la Méditerranée.

Argonautiques (Les) en gr. **Argonautika.** ♦ Poème épique en quatre livres d'Apollonios* de Rhodes, qui raconte l'expédition des Argonautes* (v. ~ 250).

ARGONAY, anc. **Argonnex.** ♦ Comm. de Haute-Savoie (arr. d'Annecy). 762 hab. Indus. aéronautique.

ARGONNE. *n. f.* ♦ Région de collines boisées, située sur les confins des dép. des Ardennes, de la Marne et de la Meuse, entre la vallée supérieure de l'Aisne à l'O. et la vallée de l'Aire à l'est. Cette zone est difficilement franchissable, en dehors de ses défilés : Chalade, Chesne, Croix-aux-Bois, Grandpré, Islettes. ♦ *Hist.* Dumouriez*, lors de la campagne de 1792, y remporta la victoire de Valmy*. ♦ En 1914, après la bataille de la Marne, violents combats en Argonne où le front se stabilisa. À partir du 26 sept. 1918, dans le cadre de l'offensive générale organisée par Foch, les Allemands furent peu à peu rejetés au N., par les troupes américaines. **V. Guerre mondiale** (Première).

ARGOS. ♦ V. de Grèce en Argolide* (Péloponnèse*), près de Nauplie*. 16 712 hab. *(Argiens).* Vestiges importants : théâtre (~ IVe-~ IIIe s.), agora, odéon, bains romains, citadelle médiévale sur l'anc. acropole de Larissa. Musée (antiquités exhumées par l'école française d'Athènes). – *Mythol.* La ville considérée comme la plus ancienne de la Grèce, est associée à un grand cycle mythologique : la légende d'Inachos*, d'Io* et d'Argus*, le mythe d'Acrisios*, de Danaé* et de Persée*, celui de Danaos* et des Danaïdes* sont liés à ses origines et témoignent de l'infiltration des croyances égyptiennes et phéniciennes dans la religion grecque. Sous le nom d'*Argos achaïque,* Homère désignait tout l'empire des Achéens* et sous le nom d'*Argos pélasgique* le royaume des Myrmidons en Thessalie. Par les récits homériques **(V. Agamemnon, Diomède),** par la légende d'Oreste, dont le règne marque l'apogée d'Argos, et par celle d'Adraste*, son roi mythique qui organisa la guerre des Sept Chefs contre Thèbes, l'histoire fabuleuse d'Argos se prolonge jusqu'à l'époque historique. **V.** *aussi* **Cléobis et Biton.** ♦ *Hist.* Éclipsée par Mycènes* et Tirynthe* (~ 1650), Argos se releva avec l'invasion dorienne (*fin* du ~ XIIe s.) pour dominer l'Argolide, puis tout le Péloponnèse (milieu du ~ VIIe s.). Rivale de Sparte*, elle dut lui céder l'hégémonie dès le début du ~ Ve s., s'abstint de la coalition grecque contre les Perses et détruisit Mycènes et Tirynthe en ~ 468 pour se venger de leur participation. Elle fit partie de toutes les alliances anti-lacédémoniennes et participa à la guerre du Péloponnèse, puis à la guerre de Corinthe* (~ 395-~ 387). Pyrrhus* l'attaqua et y périt en ~ 272. Soumise aux Macédoniens, elle fit partie de la ligue achéenne (~ 229). Sous les Romains, puis sous les Byzantins elle garda son importance. Prise par les Goths en 267 et en 395, elle déclina sous la principauté franque d'Achaïe (1204). La première assemblée nationale grecque s'y réunit en 1821.

ARGOSTOLI, en gr. **Argostolion.** ♦ V. et port de Grèce, ch.-l. de l'île et du nome de Céphalonie* (îles Ioniennes). 9 000 hab.

ARGOUT (Apollinaire Maurice Antoine, *baron d'***Argout,** dit *le comte d'*). ♦ Homme politique français (Château de Veyssilieu, Dauphiné, 1782 – Paris, 1858). Receveur principal d'Anvers (1806), directeur général de la navigation du Rhin (1812), il se rallia à la Restauration, fut chargé de plusieurs postes dans l'admi-

Ph. Carlo Bevilacqua/Ricciarini
Le navire des **Argonautes,** par L. Costa. (Musée municipal, Padoue.)

nistration et entra à la Chambre des pairs en 1819. Après avoir obtenu, trop tard, de Charles X le retrait des ordonnances de Saint-Cloud du 25 juillet 1830, qui suscitèrent l'insurrection des 27, 28, 29 juillet, il se rallia à Louis-Philippe.

ARGOVIE *(canton d'),* en allem. **Aargau.** ♦ Canton du N. de la Suisse, limité au N. par le Rhin qui le sépare de l'Allemagne, 1 403,6 km². 423 000 hab. *(Argoviens),* en majorité de langue allemande et de religion protestante. *Ch.-l.* Aarau*. *V. princ.* Baden*, Wettingen*, Zofingen*. — Le canton est formé par l'extrémité N.-E. du plateau suisse entre les Alpes et le Jura ; il est drainé par l'Aar* (d'où son nom), la Reuss* et la Limmat. Son économie est essentiellement rurale : élevage laitier, cultures maraîchères ; arbres fruitiers. Indus. textile, métallurgie, mécanique de précision. Cigares. Mines de sel. — Patrie de Rachel* (Mumpf). ♦ *Hist.* Occupé par les Alamans au Vᵉ s., le pays fut divisé au Moyen Âge en *Bas-Argovie* et *Haut-Argovie.* Le Bas-Argovie, possession des Habsbourg* depuis le XIIIᵉ s., fut conquis en 1415 par les Confédérés et administré par Lucerne, Zurich et Berne qui avait déjà acquis le Haut-Argovie au XIVᵉ siècle. Le pays fut unifié en 1803 pour former le canton d'Argovie.

ARGUEDAS (José María). ♦ Écrivain péruvien (1911 — 1969). Il eut une enfance entièrement indienne et s'intéressa toute sa vie à l'ethnologie. Ses romans « indigénistes » sont l'expression de la réalité andine et décrivent les représentants de deux mondes irrémédiablement séparés : les propriétaires blancs et les Indiens. *Yawar Fiesta* (1941), *Les Fleuves profonds* (1958), *Tous sangs mêlés* (1964). Écartelé entre son idéalisme généreux et un pessimisme de plus en plus lucide, Arguedas s'est suicidé en 1969.

ARGUS ou **ARGOS,** surnommé *Panoptès* (« celui qui voit tout »). ♦ Prince argien de la mythologie, géant aux cent yeux, dont cinquante restaient toujours ouverts. Il fut chargé par Héra de surveiller Io* mais s'endormit au son de la flûte d'Hermès qui, ensuite, lui trancha la tête.

ARGUS ou **ARGOS.** ♦ Nom du chien d'Ulysse dans l'Odyssée.

ARGYLL (Archibald Campbell, *8ᵉ comte,* puis *1ᵉʳ marquis d').* ♦ Général écossais (1598 — Édimbourg, 1661). Il prit la tête du parti presbytérien contre Charles* Iᵉʳ (1638) et fut défait par Montrose*. Il s'opposa cependant à l'exécution du roi. Contraint par Cromwell* à la soumission, il fut condamné à mort lors de la restauration de Charles II.

ARGYLL. *n. m.* ♦ Comté du N.-O. de l'Écosse, correspondant à l'anc. royaume de *Dalriada.* 8 091 km². 60 400 hab. *Ch.-l.* Inverary (500 hab.). *V. princ.* **V. Oban.** — L'Argyll, qui s'étend au S. des Grampians, présente des côtes très découpées (loch Fyne) et s'étend sur un grand nombre d'îles **(V. Mull, Jura, Islay).**

ARHAT. *n. m.* ♦ Titre donné dans la religion bouddhique aux cinq cents sages qui auraient réalisé en eux le « fruit » de la doctrine bouddhique. On ne vénère en pratique que seize ou dix-huit d'entre eux. Ils sont considérés comme des protecteurs et des mainteneurs de la Loi bouddhique (Dharma).

ÅRHUS. ♦ **V.** Aarhus.

ARIANE, en gr. **Ariadnê.** ♦ Fille de Minos* et de Pasiphaé*, sœur de Phèdre*. Éprise de Thésée* venu en Crète pour combattre le Minotaure, elle lui donne une pelote de fil à dérouler dans le Labyrinthe* pour en retrouver la sortie lorsqu'il aurait tué le

Ph. Carlo Bevilacqua/Ricciarini

L'Arioste, portrait anonyme, XVIᵉ s. (Musée des Offices, Florence.)

monstre. Enlevée par Thésée, elle est abandonnée par lui dans l'île de Naxos*. Dionysos*, enchanté par sa beauté, l'épousa. — La légende a inspiré à Thomas Corneille* sa tragédie *Ariane* (1672).

Ariane à Naxos. ♦ Opéra de Richard Strauss* (1912) sur un livret de Hugo von Hofmannsthal.

Ariane et Barbe-Bleue. ♦ Opéra en 3 actes de Paul Dukas*, livret de Maurice Maeterlinck (1907). Résolue à délivrer les cinq femmes dont Barbe-Bleue a fait ses victimes, Ariane a épousé l'épouvantable monstre. Mais, devenues libres, les captives témoignent d'un tel attachement à leurs chaînes qu'Ariane les abandonne à leur sort. Œuvre d'une orchestration riche et originale.

Arianisme. *n. m.* ♦ Hérésie chrétienne (IVᵉ-VIᵉ s.) issue de la doctrine d'Arius* condamnée au concile de Nicée (325, **V. Alexandre** [saint], **Athanase** [saint], **Constantin Iᵉʳ**). Cette doctrine, niant la consubstantialité *(homoousia)* du Fils avec le Père, se divisa après Arius en plusieurs tendances : *homoiousiens* (admettant une substance semblable mais non identique), *homéens* (similitude non substantielle), *anoméens* (différence radicale entre le Père et le Fils). L'Occident conserva généralement l'orthodoxie nicéenne, malgré les pressions exercées sur les papes **(V. Jules Iᵉʳ, Libère),** mais l'Orient fut longtemps agité, orthodoxes et ariens alternant sur les sièges épiscopaux. L'arianisme parut triompher lors des conciles de Sirmium (357-359) et de Rimini (359). Il fut soutenu par les empereurs Constance* II, Valens*, Valentinien* II, mais combattu par les défenseurs de l'orthodoxie (**V. Basile** [saint], **Grégoire de Naziance** [saint]. **Grégoire de Nysse** [saint], **Hilaire de Poitiers** [saint]). À l'avènement de Théodose* Iᵉʳ, le concile de Constantinople* (381) renouvela la condamnation de l'arianisme. Celui-ci s'était pourtant répandu hors de l'empire parmi les peuples barbares, grâce à la mission d'Ulfilas*. En Gaule, des évêques comme Césaire* d'Arles eurent encore à y faire face au VIᵉ s. et il ne disparut d'Espagne qu'après la conversion de Récarède* Iᵉʳ **(V. Léandre** [saint]).

ARICA. ♦ V. portuaire du Chili* septentrional (prov. de Tarapaca). 47 000 hab. Indus. mécaniques. Le port, qui fut exportateur des mines d'argent de Potosí* (Bolivie), est auj. un port franc. ♦ *Hist.* Située à la frontière du Pérou dont elle fit partie jusqu'en 1883, la ville passa au Chili après la guerre du Pacifique (1879-1883).

ARICH (EL) ou **ARISH (AL).** ♦ V. et port d'Égypte, sur la Méditerranée, à l'E. de Port-Saïd. 4 000 habitants. ♦ *Hist.* Les Français, qui l'avaient prise en 1799, y signèrent en 1800 un traité de capitulation par lequel ils s'engageaient à évacuer l'Égypte. Les Israéliens l'occupent depuis juin 1967.

ARICIE. ♦ Princesse athénienne qui aurait donné son nom à Aricia*. Cf. *Hippolyte et Aricie* (de Rameau*).

ARIÈGE. *n. f.* ♦ Riv. de France (170 km), née dans les Pyrénées*-Orientales, et qui rejoint la Garonne* en amont de Toulouse*. Elle arrose Tarascon*-sur-Ariège, Foix, Pamiers.

ARIÈGE. [**09**]. ♦ Dép. des Pyrénées, région (anciennement C.A.R.) Midi*-Pyrénées. — *Orogr.* C'est une région de montagnes. Le sud du dép. s'étend sur les Pyrénées* centrales (3 141 m au pic d'Estats) ; les vallées communiquent mal entre elles et isolent ainsi les régions. Au N. du dép., les collines sont traversées par des rivières. La vallée de l'Ariège constitue un sillon longitudinal. ♦ (20 cant. 339 comm. 141 768 hab.). *Préf.* Foix*. *Sous-préf.* Pamiers*, Saint-Girons*. *Ch.-l. de cant.* Ax*-les-Thermes, La Bastide de Sérou, 962 hab. ; Cabannes* (Les), Castillon-en-Couserans, 475 hab. ; Fossat (Le), 656 hab. ; Lavelanet*, Mas*-d'Azil (Le), Massat, 746 hab. ; Mirepoix*, Oust, 441 hab. ; Quérigut, 336 hab. ; Sainte-Croix-Volvestre, 502 hab. ; Saint-Lizier*, Saverdun*, Tarascon*-sur-Ariège, Varilhes, 1 938 hab. ; Vicdessos, 585 hab. *Autres comm.* **V. Aulus-les-Bains, Hospitalet (L'), Laroque d'Olmes, Luzenac, Montségur, Niaux, Sentein-les-Bains.**

Ariel. ♦ Génie aérien, personnage de *La Tempête** de Shakespeare* (1611). Il est opposé à Caliban* et symbolise l'esprit de l'air.

ARIMATHIE, en grec **Arimathaia** (correspondant peut-être à l'hébr. **Ha-Ramathaïm,** mentionné dans *I Samuel,* I, 1). ♦ Dans les Évangiles (Matthieu, XXVII, 57 et parallèles), patrie du juif qui ensevelit Jésus **(V. Joseph d'Arimathie).** — On l'identifie souvent à l'actuel bourg de Rentis, à 30 km au N.-O. de Jérusalem.

ARIOBARZANE. ♦ Nom iranien de plusieurs satrapes perses et de rois du Pont et de Cappadoce. ♦ Ariobarzane III. Roi du Pont* (~ 265-~ 255). Il fit appel aux Galates pour repousser l'armée de Ptolémée. ♦ Ariobarzane Iᵉʳ Philoromaios (« ami des Romains »). Roi de Cappadoce (~ 95-~ 63). Détrôné deux fois par Mithridate VI du Pont, il fut rétabli par les Romains. ♦ Ariobarzane III. Roi de Cappadoce (v. ~ 52-~ 42). Protégé de Cicéron et de César, il fut tué par ordre de Cassius.

ARION. ♦ Poète lyrique et musicien grec (Méthymne, Lesbos, ~ VIIᵉ s.). Son œuvre est totalement perdue. Il aurait été l'inventeur du *dithyrambe.* Hérodote a rapporté la légende selon laquelle Arion, de retour à Corinthe* après un voyage en Sicile*, fut dépouillé de sa fortune et jeté à la mer par les marins ; mais un dauphin, charmé par le chant et les sons de la lyre du poète, le sauva.

ARIOSTE (Ludovico Ariosto, dit *l').* ♦ Poète italien (Reggio d'Émilie, 1474 — Ferrare, 1533). Attaché au service du cardinal Hippolyte d'Este*, puis du duc, son frère, il dut effectuer des voyages inhérents à sa charge, mais vécut surtout à Ferrare, aspirant à la liberté et s'échappant par son œuvre des servitudes de ses fonctions. Cette aspiration à une vie calme et simple apparaît dans ses sept *Satires* (*Satire,* 1517 à 1525; publ. posth.), souvent autobiographiques, et inspirées d'Horace*. De même, ses *Poèmes* latins (*Carmina*; de 1493 à 1503), d'inspiration amoureuse, évoquent, par leur délicatesse et leur grâce, les élégiaques latins. Dans son œuvre dramatique, l'Arioste s'inspira également des Latins (Plaute* et Térence*) pour ses comédies *Les Quiproquos* (*I Suppositi,* 1509) et *Le Nécromancien* (*Il Negromante,* 1520). Mais *Le Coffret* (*La Cassaria,* 1508), première œuvre du théâtre régulier italien, et surtout *L'Entremetteuse* (*La Lena,* 1528) sont d'originales comédies de caractère et de mœurs, tirées de la société contemporaine. C'est surtout dans le long poème héroï-comique du *Roland* furieux* (*Orlando furioso,* v. 1502 – publ. 1516 et 1532) qu'apparaît l'aisance souriante de l'Arioste et la richesse de sa langue, poétique et pittoresque. Cette savoureuse synthèse du récit chevaleresque et du roman d'aventures fut une des œuvres les plus célèbres de la Renaissance.

ARIOVISTE. ♦ Chef germain de la tribu des Suèves* (~ Ier s.). Appelé par les Séquanes* contre les Éduens* (~ 72), il vainquit ces derniers, s'installa en Alsace et opprima les deux peuples. Mais César*, à la demande des Éduens, battit Arioviste qui s'enfuit et repassa le Rhin (~ 58).

ARISTAGORAS. ♦ Tyran de Milet* ([mort] en Thrace, ~ 497). Il souleva les cités grecques d'Ionie contre Darios* Ier (~ 500) mais fut vaincu, malgré l'aide d'Athènes*. Sa révolte servit de prétexte à la première guerre Médique*.

ARISTARQUE DE SAMOS. ♦ Astronome grec (Samos, v. ~ 310 – v. ~ 230). Précurseur de Copernic*, il fut l'un des premiers à concevoir l'idée de la rotation de la Terre sur elle-même et autour du Soleil, ce qui le fit accuser d'impiété; on lui doit également une méthode de mesure des distances relatives de la Terre au Soleil et à la Lune.

ARISTARQUE de SAMOTHRACE, en grec **Aristarkhos.** ♦ Grammairien et critique grec (~ 220 – ~ 143) l'un des plus célèbres de l'Antiquité. Élève d'Aristophane* de Byzance, il dirigea la fameuse bibliothèque d'Alexandrie* et eut, lui-même, de nombreux disciples qui formèrent l'école philologique des *Aristarchéens.* C'est à lui et à son maître qu'on a attribué le fameux *canon alexandrin,* classement par ordre de mérite des œuvres littéraires grecques, considérées comme modèles dans chaque genre. Mais il est surtout célèbre pour ses travaux critiques sur Homère* et la recension des poèmes homériques. Partant de la conception d'une unité poétique, Aristarque y retrancha des passages et des chants comme apocryphes et en signala d'autres comme suspects d'interpolation. (Il introduisit dans son édition les signes critiques.) Cette édition, découverte par Villoison à Venise en 1781, fut à l'origine de la *question homérique.*

ARISTÉE, en gr. **Aristaios.** ♦ Fils d'Apollon* et de Cyrène*. Il aurait appris aux hommes à élever les abeilles. Épris d'Eurydice*, il provoque involontairement sa mort. Virgile* s'est inspiré de sa légende dans les *Géorgiques*.*

ARISTIDE, en gr. **Aristeidês**, surnommé *le Juste.* ♦ Général et homme politique athénien (v. ~ 550 – v. ~ 467). Il fut l'un des stratèges de la bataille de Marathon* (~ 490) mais, à l'instigation de Thémistocle*, son rival, il fut frappé d'ostracisme (~ 482). Rappelé lors de l'invasion perse, il combattit à Salamine* (~ 480) et à Platées* (~ 479) et fut le protagoniste de la fondation de la Confédération de Délos* (~ 477). Chargé d'administrer les finances d'Athènes il se rendit célèbre par son intégrité. Par ses réformes, l'accès à l'archontat fut ouvert à des couches plus larges de la population, Cimon* lui succéda.

ARISTIDE DE MILET. ♦ Écrivain grec (prob. ~ IIe s.) initiateur du conte érotique en prose. Ses *Fables milésiennes,* très appréciées par les Romains, donnèrent le modèle d'un genre où règne un esprit licencieux. De ces six volumes de fables, il nous reste des fragments traduits en latin.

ARISTION, en gr. **Aristiôn.** ♦ Philosophe grec péripatéticien (Athènes, ~ Ier s.). Il fut surtout célèbre pour avoir décidé les Athéniens à dénoncer l'alliance romaine, et fut tué lorsque Sylla prit Athènes.

ARISTIPPE, *(le Cyrénaïque)* en gr. **Aristippos.** ♦ Philosophe grec (Cyrène, ~ IVe s.). Élève de Socrate*, il fonda l'école cyrénaïque (ou hédonistique). Il aurait passé une partie de sa vie à la cour des deux Denys de Syracuse.

ARISTIPPE *(le Jeune).* ♦ Philosophe grec, petit-fils d'Aristippe* le Cyrénaïque (Cyrène, v. ~ 360). Il continua à enseigner la morale hédoniste et fit la distinction entre le plaisir négatif (du repos) et positif (de l'action et du mouvement).

ARISTOBULE Ier surnommé **Philhellène.** ♦ Grand-prêtre juif asmonéen, fils et successeur d'Hyrcan* Ier, il prit le titre de roi de Judée (~ 105-~ 104). ♦ ARISTOBULE II, roi de Judée, fils d'Alexandre* Jannée et d'Alexandra*; il détrôna son frère Hyrcan* II (~ 69 à ~ 63). Vaincu dans Jérusalem par Pompée* (~ 63) et emprisonné à Rome, il fut libéré par César (~ 50) et assassiné peu après.

Aristocrates. *n. m. pl.* ♦ Nom donné sous la Révolution française (1789) aux membres de la noblesse et à toutes les personnes favorables à l'Ancien Régime et au maintien des privilèges. Les principaux représentants à l'Assemblée* nationale constituante furent Cazalès*, Maury* et Montesquiou*.

Ph. Nimatallah/Ricciarini

Aristide le Juste : copie romaine d'un buste grec. (Musée du Capitole, Rome.)

ARISTOGITON, en gr. **Aristogeitôn.** ♦ Jeune Athénien qui, avec Harmodios*, assassina le tyran Hipparque*. Pris par Hippias*, il fut torturé et exécuté en ~ 514.

ARISTOMÈNE, en gr. **Aristomenês.** ♦ Chef semi-légendaire des Messéniens, héros de la résistance contre Sparte*. Après ses victoires initiales, les Spartiates furent obligés par un oracle de demander un général à leurs adversaires Athéniens (Tyrtée). Mais ensuite, trahi par ses alliés Arcadiens et battu par les Lacédémoniens, Aristomène résista pendant onze ans sur le mont Ida.

ARISTON *(de Chio)*, en gr. **Aristôn.** ♦ Philosophe grec de l'école stoïcienne (Chio, v. ~ 270). Il fut surnommé la Sirène à cause de son éloquence. La formule stoïcienne « Vivre en conformité avec la Nature » apparaît chez lui teintée de cynisme.

ARISTOPHANE, en grec **Aristophanês.** ♦ Auteur comique grec (Athènes v. ~ 450 – ~ 386). Apparaissant un demi-siècle après la tragédie, la comédie grecque a trouvé en Aristophane son véritable fondateur. Polémiste vigoureux, dédaigneux des convenances sociales, ennemi de la démagogie, de la violence et de la dictature, il célébra avec une verve jusqu'alors inégalée des valeurs toujours sûres : la sagesse, la nature, la paix. Un mélange permanent de grossièreté et de poésie a fait le succès populaire de ce théâtre, adapté au goût et à la pensée d'un public méfiant, égoïste et irréligieux. Les guerres du Péloponnèse et la défaite athénienne le disposaient à apprécier le pragmatisme et le non-conformisme du poète. Des 44 comédies qui sont attribuées à Aristophane, 11 seulement nous sont parvenues : *Les Acharniens** (~ 425), *Les Cavaliers* (~ 424), *Les Nuées** (~ 423), *Les Guêpes** (~ 422), *La Paix** (~ 421), *Les Oiseaux** (~ 414), *Lysistrata** (~ 411), *Les Thesmophories* (~ 411), *Les Grenouilles** (~ 405), *l'Assemblée* des Femmes* (~ 392), *Plutus** (~ 388).

ARISTOPHANE DE BYZANCE, en grec **Aristophanês.** ♦ Grammairien et critique grec (v. ~ 257 – ~ 180). Continuateur de Zénodote* (pour la constitution des textes d'Homère*) et de Callimaque* (pour les travaux biographiques sur la littérature grecque), il dirigea le musée et la bibliothèque d'Alexandrie* (~ 195) et fut le maître d'Aristarque*. Il donna aussi des éditions critiques des poèmes homériques d'Alcée, Pindare, Sophocle, Euripide, Aristophane, Ménandre. Ses monographies, désignées sous le titre général de *Lexique,* traitaient des mots archaïques et usuels des synonymes, des termes techniques, des proverbes, etc.

ARISTOTE, en gr. **Aristotelês.** ♦ Philosophe grec, appelé le Stagirite, (Stagire, Macédoine, *auj.* Stavro, ~ 384 – Chalcis, Eubée, ~ 322). Après avoir été disciple de Platon* (de ~ 367 à ~ 347), il séjourna à Atarnée auprès d'Hermias*, puis à Lesbos, avant de devenir le précepteur d'Alexandre* le Grand, dont il fut aussi l'ami (jusqu'au meurtre de Callisthène en ~ 325). De retour à Athènes (~ 335), il fonda le Lycée* où il enseigna pendant douze ans. À la mort d'Alexandre (~ 323), voulant éviter une condamnation pour impiété par l'Aréopage, il se rendit à Chalcis où il mourut l'année suivante. – D'une intelligence encyclopédique, Aristote voit dans la philosophie la totalité ordonnée du savoir humain. Sa théorie du syllogisme et son analyse des différentes parties et formes du discours, font de lui le père de la logique; réunies sous le titre d'*Organon**, ses œuvres logiques sont le premier corpus de ce genre. Aristote fut également naturaliste : la « Physique » est l'étude des

Ph. Nimatallah/Ricciarini
Aristote : copie romaine d'un buste grec. (Musée national des Thermes, Rome.)

êtres naturels dans leur devenir. *(Physique**; Du ciel; De la Génération et de la corruption; Histoire des animaux; Les Parties des animaux; De la génération des animaux; De l'âme).* Ses observations et expériences sur les espèces animales les plus variées, lui permirent d'en ébaucher une classification et d'en décrire les habitudes. Pour rendre compte de leur structure et de leur fonctionnement, il fut amené à distinguer, en tout être, une « matière » (être en puissance) et une « forme » (Entéléchie, être en acte) qui, contrairement à l'Idée platonicienne **(V. Platon),** est un principe immanent d'organisation de la matière. La conception aristotélicienne de la Nature est finaliste : chaque être est organisé et tend vers sa perfection (forme); et il y a un ordre hiérarchique des espèces animales jusqu'à l'homme, être doué de raison. Enfin, la « physique » débouche directement sur la *Métaphysique** (ou philosophie première) qui lui donne son fondement : en effet, l'existence du changement, conduit Aristote à affirmer celle d'un premier moteur, immobile, Acte et Pensée purs (Dieu). L'œuvre d'Aristote comporte également des traités de morale *(Éthique* à Nicomaque; à Eudème)* et de politique *(Politique*; Constitution* d'Athènes)* et une étude sur la création et les genres littéraires *(La Poétique*; la Rhétorique*).* — Les textes du « prince des philosophes » eurent une influence considérable sur la formation de la pensée arabo-islamique et le développement de la scolastique et du thomisme, et par là, sur toute la pensée occidentale.

ARISTOXÈNE, en gr. **Aristoxênos.** ♦ Philosophe grec (Tarente, v. ~ 350). Disciple d'Aristote*, il est surtout connu par deux ouvrages *(Éléments harmoniques* et *Sur le rythme),* qui sont les plus anciens traités de musique de la Grèce antique.

ARITA. ♦ V. du Japon (Kyûshû, préf. de Saga), env. 10 000 hab. Elle est réputée pour ses fours à porcelaine créés au XVIIe siècle.

ARIUS. ♦ Hérésiarque (Alexandrie, v. 280 — v. 336). Prêtre, il fut le fondateur de l'arianisme, hérésie chrétienne condamnée au concile de Nicée (325) puis de Constantinople (381). **V. Arianisme.**

ARIWARA NO NARIHIRA. ♦ Célèbre poète japonais (825 — 879) et prince impérial. Sa vie amoureuse fournit probablement le thème de l'*Ise-monogatari,* roman courtois dont il serait l'un des auteurs. Peintre renommé et poète dont les œuvres chantent l'amour et la nature.

ARIZONA. *n. m.* ♦ État du S.-O. des États-Unis, limité au S. par la frontière mexicaine. 295 014 km². Env. 1 650 000 hab. (en 1968), dont env. 10 % d'Indiens, Navajo, Apaches, Hopi... *V. princ.* **V. Phœnix** (la cap.), **Tucson*** (Tempe, Yuma, Flagstaff atteignent ou dépassent 20 000 hab.) — *Orogr.* Le N. de l'État est occupé par le plateau du Colorado*, coupé de canyons grandioses (dont le Grand Canyon) et où se trouvent des déserts parsemés de reliefs abrupts très pittoresques, mais aussi des forêts. Une région de montagnes (volcans éteints) vient ensuite, formée de chaînes parallèles à l'escarpement du plateau. Le S.-O. est occupé par une plaine désertique, traversée par des chaînes plus basses. Le *climat* est en général aride ou semi-aride. — *Écon.* L'agriculture, du fait du climat, dépend de l'irrigation : le barrage Roosevelt, sur la Salt River, et le barrage Coolidge ont permis la mise en culture ou en prairies de vastes territoires (coton, agrumes, céréales; élevage). Ressources minérales très importantes : cuivre (1er producteur des États-Unis; traité à Clifton, dans l'E.), zinc (2e prod.), plomb (3e). ♦ *Hist.* Exploré par les Espagnols dès 1539, l'*Arizona* fut cédé par le Mexique aux États-Unis en 1848. Organisé en territoire fédéral en 1863, il ne fut pacifié qu'après de longues luttes contre les Apaches* (1881-1886) et devint le 48e État de l'Union en 1912.

ARJUNA (mot sanskrit « Blanc »). ♦ Héros du *Mahâbhârata,* le troisième et le chef des cinq frères Pandava et interlocuteur de la divinité dans le passage de la *Bhâgavad-gîtâ.* Il conduit le char de Kriṣna. La légende en fait le fils du dieu Indra*.

ARJUN DEV. ♦ Cinquième chef (guru) de la secte indienne des Sikhs* (de 1581 à 1606), fils cadet et successeur du guru Râm Dâs. Il fit élever à Amritsar (Pañjâb) le « temple d'or », centre sacré de la religion des Sikh* et compila le livre sacré de la secte, l'*Âdi guru Granth.* Ayant accueilli le fils révolté de Jâhangîr*, il fut arrêté et mis à mort par ce dernier. Poète fécond, il écrivit un grand nombre de vers religieux.

ARJUZANX. ♦ Comm. des Landes*, arr. de Mont-de-Marsan. 294 hab. Lignite. Centrale thermique.

ARKANSAS. *n. m.* ♦ Riv. des États-Unis, affl. de d. du Mississippi. Elle prend sa source dans les montagnes Rocheuses* (Colorado) où elle forme de profonds canyons (l'un d'eux est traversé par l'audacieux *Royal George Bridge*), traverse les États du Kansas*, de l'Oklahoma*, et de l'Arkansas*. 2 334 km.

ARKANSAS. *n. m.* ♦ État du Centre-Sud des États-Unis, 137 539 km². 1 955 000 hab. (22 % de Noirs). — *Cap.* **V. Little Rock.** *V. princ.* **V. Fort Smith, Hot Springs, Pine Bluff.** — *Orogr. et Hydrogr.* Situé dans le bassin du bas Mississippi*, l'État est traversé du N.-O. au S.-E. par son affl. l'Arkansas*. L'E. et le S. de l'État correspondent à la plaine alluviale du Mississippi et aux collines qui la bordent; l'O. et le N. à une zone montagneuse **(V. Ozarks)** et à la province de Ouachita* (collines). — *Écon.* Agriculture en développement : soja (1er producteur du pays), coton (culture traditionnelle), riz, fruits. Élevage et volailles. Richesses minérales : pétrole et gaz naturel, bauxite (1er producteur du pays), etc. Indus. relativement récentes (bois, indus. alimentaires, chaussures, métaux, électricité). ♦ *Hist.* L'Arkansas, déjà visité par Hernando de Soto* (XVIe s.), fut exploré par Marquette* et Cavelier de La* Salle au XVIIe siècle. Après avoir fait partie de la Louisiane française, il fut cédé aux États-Unis en 1803, devint territoire en 1819 puis État de l'Union en 1836. Sécessionniste en 1861, il fut réintégré à l'Union en 1868. Une grave crise, déterminée par la volonté de ségrégation raciale dans les écoles, opposa le gouverneur de l'Arkansas, Faubus, soutenu par la population blanche, au pouvoir fédéral (1957-1959).

ARKHANGELSK. ♦ V. et port du N. de l'U.R.S.S. (R.S.F.S. de Russie), ch.-l. de la région du même nom. (587 400 km². 1 397 000 hab.), à l'embouchure de la Dvina* septentrionale, sur la mer Blanche. 343 000 hab. Constructions navales. Centrale thermique. Indus. du bois (cellulose). Point de départ des expéditions polaires. — Patrie de Choubine*, de Lomonossov*.

ARKWRIGHT (*sir* **Richard).** ♦ Mécanicien anglais (Preston, Lancashire, 1732 — Cromford, Derbyshire, 1792). Il mit en pratique une *mule Jenny* perfectionnée, machine semi-mécanique à filer le coton, contribuant ainsi à fonder l'industrie cotonnière anglaise. **V. Hargreaves.**

ARLANC [arlɑ̃]. ♦ Ch.-l. de cant. du Puy*-de-Dôme, arr. d'Ambert*. 2 476 hab. *(Arlançois).* Église romane. Musée de la dentelle.

ARLAND (Marcel). ♦ Écrivain français (Varennes-sur-Amance, 1899). Il fut d'abord attiré par le dadaïsme et le surréalisme. Il collabora à la N.R.F. dont il devint en 1952 le codirecteur avec Jean Paulhan. Il a repris une analyse *Sur un nouveau mal du*

Ph. A. Rey
Arizona : Monument Valley.

Ph. Lauros-Giraudon

Arlequin, école vénitienne du XVIIIᵉ s. (Musée Carnavalet, Paris.)

siècle (1924) dans *L'Ordre* (Prix Goncourt, 1929), roman dont les personnages, solitaires et condamnés, sont guidés « avant tout, toujours, (par) le refus d'être heureux » (*Monique,* 1926; *Les Âmes en peine,* 1927 et 1947). Moraliste, conscient d'être touché par « la grâce d'écrire », Arland tente dans ses romans (*Antarès,* 1932) et surtout dans ses recueils de nouvelles (*Les plus beaux de nos jours,* 1937; *Il faut de tout pour faire un monde,* 1947) d'analyser d'une manière toute classique la complexité de l'âme humaine, recourant au thème de l'enfant-témoin (*Zélie dans le désert,* 1944) ou évoquant avec subtilité les instants privilégiés où l'homme « se penche sur son propre drame... avec l'enivrante misère de penser et d'être ému ». Ses études littéraires comprennent : *Essais* et *Nouveaux essais critiques* (1931 et 1952). *Anthologie de la poésie française* (1941), *Marivaux* (1950). [Acad. fr.]

ARLANDES (François, *marquis d'***).** ♦ Aéronaute français (Anneyron, Dauphiné, 1742 – ?, 1809). Avec Pilâtre de Rozier, il effectua la première ascension en ballon libre (21 nov. 1783).

ARLBERG. *n. m.* ♦ Col des Alpes de l'Allgäïr (Autriche) à 1 802 m, unissant les bassins de l'Inn* et du Rhin*. Un tunnel de 10 250 m, ouvert en 1883, permet les relations entre la Suisse, le Voralberg et le reste de l'Autriche.

ARLEQUIN, en it. **Arlecchino** (Cf. *in* Robert). ♦ Personnage fameux de la comédie italienne, introduit depuis le début du XVIIᵉ s. sur presque tous les théâtres européens. Vêtu d'un habit polychrome, le visage dissimulé sous un masque noir, il fut d'abord un bouffon cynique et grossier. Le personnage se modifie avec Regnard*, Lesage* et surtout Marivaux* (*Arlequin poli par l'amour; Le Jeu* de l'amour et du hasard,* etc.), finissant par incarner un type de valet à la fois sensible et naïf.

ARLES. ♦ Sous-préf. des Bouches*-du-Rhône, ch.-l. d'arr. (9 cant., 36 comm., 134 983 hab.) sur le Rhône*, 46 136 hab. y compris les écarts **(V. Montmajour).** [*Arlésiens*]. Ville d'art. L'église Saint-Trophime, ancienne cathédrale (XIᵉ, XIIᵉ, XVᵉs.) avec un portail du XIIᵉ s., chef-d'œuvre de l'école romane provençale; célèbre cloître du XIIᵉ-XIVᵉ s., dont les chapiteaux romans sont remarquables. L'ancienne église Sainte-Anne du XVIIᵉ s. abrite un musée. Hôtel de ville du XVIIᵉ s. (plans de Mansart*). Musées Arlaten et Réattu. Restes de remparts romains; arènes du début du IIᵉ s.; théâtre antique du Iᵉʳ s. en partie ruiné. Les Aliscamps* ont été de l'époque romaine à la fin du Moyen Âge l'une des plus célèbres nécropoles du monde occidental. – Centre agricole, commerce du riz. Indus. chimiques, mécaniques, fabriques de matériel pétrolier, papeteries, indus. alimentaires. Important centre ferroviaire. – Patrie de saint Ennodius*. Saint Aurélien et saint Césaire furent évêques d'Arles. Van Gogh y vécut. ♦ *Hist.* Ville très ancienne issue d'un comptoir créé par les Grecs, d'abord colonisée par Marseille, *Arelate* devint sous Jules César (~ 46) un centre important de la Gaule romaine. Dès le IVᵉ s., elle joua un grand rôle religieux et fut le siège de nombreux conciles, dont le plus important (314) condamna le donatisme **(V. Donat).** Conquise par les Wisigoths (480), puis par les Sarrasins (730), la ville conserva son prestige, devint en 879 la capitale du *royaume d'Arles,* passa aux XIIᵉ-XIIIᵉ s. à la dynastie des comtes catalans **(V. Raimond Bérenger)** et jouit d'une large autonomie jusqu'en 1251, date à laquelle elle fut avec les autres villes de Provence sous la domination de la maison d'Anjou. En 1944, la ville a été endommagée.

ARLES *(royaume d').* ♦ Nom donné au royaume de Bourgogne* Provence formé au Moyen Âge par la réunion de la Bourgogne transjurane et de la Bourgogne cisjurane (934-1032) avec Arles pour capitale.

Arlésienne (l'). ♦ Drame en trois actes d'Alphonse Daudet*, tiré d'un conte des *Lettres* de mon moulin* (musique de Georges Bizet*, 1872). Frédéri, jeune paysan de Fontvieille, se donne la mort pour l'amour d'une Arlésienne dont il a appris l'infidélité.

ARLES-SUR-TECH. ♦ Ch.-l. de cant. des Pyrénées-Orientales (arr. de Céret*), sur le Tech*, dans le Vallespir*, à 270 m d'alt. 2 690 hab. – Son abbaye, fondée en 778, fut dévastée par les Normands en 858, puis réédifiée. Église Saint-Sauveur (clocher roman). Cloître gothique (1261-1303). – Centre commercial. Indus. alimentaires (biscuiterie). Tissages de toile. Mine de fer.

ARLEUF. ♦ Comm. de la Nièvre (arr. de Château-Chinon), à 630 m d'alt., dans le massif forestier du Folin (S. du Morvan*). 1 166 hab. Château de la Tournelle (XVIIIᵉ s.). – Conserveries.

ARLEUX ou **ARLEUX-DU-NORD.** ♦ Ch.-l. de cant. du Nord*, arr. de Douai*. 2 219 hab. *(Arleusiens).* Cycles. – Arleux se trouve à la jonction du canal du Nord* et de la Sensée.

ARLINGTON (Henry Bennet, *comte d'***).** ♦ Homme politique anglais (Arlington, 1618 – Euston, 1685). Chef de l'opposition à Clarendon*, il fut membre du ministère de la Cabale* et l'un des artisans du traité de Douvres* (1670).

ARLIT. ♦ Localité du Niger*, située dans l'Aïr*, au N. d'Agadès*. Important gisement d'uranium.

ARLON, en néerl. **Aarlen.** ♦ V. de Belgique, ch.-l. de la prov. de Luxembourg, sur la Semois, à 126 km de Liège. 14 254 hab. Indus. et commerce liés au tourisme.

ARLY. *n. m.* ♦ Torrent des Alpes* françaises (Savoie*) qui draine le *Sillon* alpin* et arrose Albertville* avant de se jeter dans l'Isère* (r. d.). Il forme le *val d'Arly.*

Armada (l'Invincible). ♦ Nom qui aurait été imprudemment donné par Philippe II d'Espagne à la flotte qu'il envoya en 1588 avec mission de débarquer une armée en Angleterre, afin de punir la reine Élisabeth de l'exécution de Marie* Stuart et de rétablir le catholicisme. La mort du marquis de Santa Cruz qui devait la commander, laissa cette flotte considérable à l'inexpérience du duc de Medina* Sidonia. Les tempêtes, les attaques harcelantes des marins anglais (Drake*, Hawkins*, Frobisher, Raleigh*) joints à l'incapacité de Medina Sidonia et au retard d'Alexandre Farnèse* qui, avec l'armée stationnée aux Pays-Bas espagnols, devait le rejoindre, firent échouer l'expédition. On ne put débarquer; et seuls 63 vaisseaux sur 130 rallièrent l'Espagne. Ce désastre marqua la fin de la suprématie maritime espagnole.

ARMAGH. ♦ V. d'Irlande du Nord (Ulster) et ch.-l. de comté, au S. du *lough Neagh.* 11 920 hab. (1968). Cap. religieuse d'Irlande du Nord, c'est le siège d'un archevêché catholique et d'un archevê-

Arch. Rencontre

Intérieur des arènes d'**Arles.**

ché protestant. — Indus. textiles (lin, coton). ♦ Hist. *Ard Macha* (« la colline de Macha ») fut fondée au IVe s. à côté de l'anc. camp d'*Emain Macha*. En 445, saint Patrick* y fonda un évêché. Dès lors, la ville devint rapidement la capitale religieuse (célèbre école monastique) et politique de l'Irlande. Envahie par les Scandinaves au IXe s., Armagh connut jusqu'au XVIIIe s. une longue période de déclin. — *Comté d'Armagh* (1 266 km², 125 000 hab.). Cultures de fruits et de fleurs, sur les terres alluviales du lough Neagh. Indus. textiles et alimentaires (conserveries).

ARMAGNAC. *n. m.* ♦ Région de France située dans le bassin d'Aquitaine entre la Gélise à l'O. et la Save à l'E., et comprenant le dép. du Gers* ainsi qu'une partie des dép. des Landes* et du Lot*-et-Garonne. Polyculture. Elle produit la célèbre eau-de-vie dont les appellations contrôlées sont *Armagnac, Bas-Armagnac, Ténarèze* (région située entre Nérac et Vic-Fezensac), *Haut-Armagnac. — Centres de distillation.* **V. Condom, Eauze, Montréal, Nogaro, Valence-sur-Baïse, Vic-Fezensac.**

ARMAGNAC *(comté d').* ♦ Ancien pays de France, en Gascogne, correspondant approximativement à l'actuel dép. du Gers*, et qui eut pour capitales successives Aignan*, Auch*, Lectoure et Nogaro. Compris d'abord dans l'Aquitaine, il fut érigé en comté en 960, s'agrandit du Fézensac* v. 1140, et s'étendit peu à peu, au N. et au S. de la Garonne **(V. Charolais, Comminges).** L'extension du comté, malgré d'incessantes querelles avec la maison de Foix **(V. Gaston de Foix)** connut son apogée sous Bernard* VII d'*Armagnac,* mais la rivalité de ce dernier avec la Bourgogne provoqua la querelle des Armagnacs et des Bourguignons **(V. Armagnacs).** Réuni à la couronne en 1481, l'*Armagnac* fut définitivement annexé par Henri IV en 1607.

Armagnacs. *n. m. pl.* ♦ Faction qui défendait les intérêts des Orléans contre les Bourguignons*, pendant la guerre de Cent* Ans sous Charles* VI, Isabeau* de Bavière et Charles* VII. Son nom lui vint de Bernard* VII d'Armagnac, beau-père de Charles Ier d'Orléans*, qui prit la tête des Armagnacs à la suite de l'assassinat du père de son gendre, Louis Ier d'Orléans*, par les partisans de Jean* sans Peur en 1407. La rivalité qui opposa les deux partis dégénéra en guerre civile, et eut pour résultat la victoire des Anglais sur les Armagnacs à Azincourt* (1415). Bernard VII d'Armagnac et Jean sans Peur furent tour à tour assassinés, le premier par la population parisienne (1418), le second par Duchâtel*, l'un des chefs des Armagnacs (1419). Le traité d'Arras (1435) entre Charles VII et Philippe le Bon mit fin à la *guerre des Armagnacs et des Bourguignons,* mais des bandes armées continuèrent à se livrer au pillage pendant quelques années encore.

Armance ou **Quelques scènes d'un salon de Paris en 1827**. ♦ Roman de Stendhal* (1827) publié sans nom d'auteur, qui insère l'étude d'un cas psychologique (l'ambiguïté du comportement du héros est due à l'impuissance sexuelle) dans un tableau des milieux aristocratiques sous la Restauration. Malgré la finesse de l'analyse et l'ironie cruelle de la peinture, cet ouvrage ne connut aucun succès.

ARMANÇON. *n. m.* ♦ Riv. de Bourgogne, affl. de l'Yonne* prenant sa source dans l'Auxois* (Côte-d'Or). 174 km.

ARMAND (Sophie). ♦ V. BLANCHARD (Jean-Pierre).

ARMAND (Louis). ♦ Ingénieur et administrateur français (Cruseilles, 1905 — Villers-sur-Mer, 1971). Président de la S.N.C.F. (1955-1958), puis de l'Euratom (1958-1959). On lui doit la mise au point du traitement intégral des eaux d'alimentation des chaudières. (Acad. des sc. morales et polit., 1960; Acad. fr., 1963.)

Armand *(aven).* ♦ Gouffre du causse Méjean* (Lozère). « Forêt vierge » de 400 stalagmites. Il fut exploré par Édouard Martel*, en 1897, avec l'aide de Louis Armand, un artisan de la région.

Armatoles [*n. m. pl.*], en gr. **Armatoloi** (« hommes armés »). ♦ Gendarmes grecs, pendant l'occupation ottomane (XVIe-XIXe s.). Les *Armatoles* furent avec les *Klephtes* — insurgés contre les occupants — le noyau de la résistance contre les Turcs.

ARMAVIR. ♦ V. de l'U.R.S.S. (R.S.F.S. de Russie), au pied du Caucase*, sur le Kouban*. 146 000 hab. Nœud ferroviaire. Indus. alimentaires. Constructions mécaniques.

ARMENIA. ♦ V. de Colombie* à 160 km à l'O. de Bogotá* 162 837 hab. (1969). Culture de café dans la région.

ARMÉNIE. [*n. f.*] en arm. **Hayastan**. ♦ Région d'Asie* occidentale qui s'étend entre l'Anatolie* et le plateau iranien. Formée par un vaste haut plateau et traversée de hautes chaînes montagneuses (Caucase, Taurus, Kurdistan) où domine le massif volcanique d'Ararat* (5 165 m), elle est partagée politiquement entre l'U.R.S.S.* **(V.** *ci-dessous*), l'Iran* et la Turquie* qui en possède la majeure partie (régions du N.-E. et du S.-E.). — *Hydrogr.* **V. Araxe, Euphrate, Koura, Tigre.** Lacs **V. Van** (Turquie), **Sevan** (U.R.S.S.). ♦ Hist. *L'Arménie* primitive ou royaume d'Urartu* (Ourartou), formée autour du lac de Van* vers le ~ XIIIe s., fut pendant des siècles attaquée par les Assyriens (Téglath-Phalasar, Sargon, Sennachérib) jusqu'à l'invasion, au ~ VIIe s., d'un peuple indo-européen qui, fondu avec la population autochtone, constituera le peuple arménien. Le nouvel Etat, tour à tour vassal des Mèdes et des Perses, fut incorporé dans l'empire d'Alexandre*, puis passa sous la domination des Séleucides*. Antiochos* III l'annexa, mais deux de ses généraux se partagèrent l'Arménie en la divisant en *Grande Arménie* et *Petite Arménie* (~ 189). Après la conquête de celle-ci par les Romains (v. ~ 75) le pays retrouva momentanément son unité sous Tigrane*, qui dut bientôt reconnaître la suzeraineté romaine. Le roi Tiridate Ier reçut l'investiture de Néron (66), mais Trajan* réduisit à nouveau l'Arménie au rang de province romaine. Sous Tiridate III (294-324), l'Arménie devint chrétienne avec saint Grégoire* dit l'Illuminateur comme premier évêque. Conquise par les Arabes à partir de 636, elle conserva quelque temps une certaine autonomie jusqu'à ce que les luttes incessantes entre Byzantins et Turcs saljûqides* contraignissent une partie de la population à fuir en Crimée, en Galicie et en Cilicie*, où fut fondé un État de *Petite Arménie* qui prit part aux Croisades*. Au XVIe s., Turcs et Perses se partagèrent le pays, les premiers s'installèrent à l'O., les autres à l'E. Au XIXe s., la Russie s'empara de la région d'Erivan* (1828), mais Erzerum* demeura à la Turquie. La résistance arménienne à la domination turque entraîna de terribles répressions et des massacres, notamment en 1894-1896 et en 1915-1916. On estime à près de deux millions le nombre des disparus durant la Première Guerre mondiale. Le traité de Sèvres (1920) prévoyait une *Arménie* indépendante, mais il ne fut pas appliqué. Tandis que Mustafa* Kemal réoccupait les régions de Kars* et d'Ardahan, les bolcheviks proclamaient, avec l'appui de Mikoïan*, la *république socialiste soviétique d'Arménie.* On évalue à cinq millions le nombre d'Arméniens dans le monde.

Arménie.

ARMÉNIE *(République socialiste fédérative soviétique* d'*)*, en russe **Armanskaja S.S.R.** ♦ Une des républiques fédérées de l'U.R.S.S. (la plus petite : 29 800 km²). Elle s'étend dans la partie occidentale de la Transcaucasie* sur le plateau d'Arménie, au S. du Caucase. Près de 2 500 000 hab. [1970] (88 % d'Arméniens). *Cap.* Erevan*. *V. princ.* Leninakan*, Kirovakan*. — Entièrement située sur de hauts plateaux hérissés de massifs volcaniques (Alaghez, 4 095 m), l'Arménie soviétique compte peu de terres arables et son *économie* agricole est surtout concentrée dans les vallées de l'Araxe (autour d'Erevan) et de l'Akhourian (autour de Leninakan), et dans la plaine d'Ararat où le climat chaud et sec permet la culture irriguée de la vigne, des arbres fruitiers. Céréales, betteraves à sucre, tabac, coton, cultures maraîchères. L'élevage ovin et bovin constitue également une ressource importante. L'aménagement hydroélectrique du lac Sevan* a permis un essor économique important par l'augmentation des surfaces irriguées et la production d'énergie (installation de nombreuses indus.). Extraction et traitement de minerais : cuivre (Alaverdi, Kafan), aluminium, plomb argentifère ; de matériaux de construction (marbre, tuf, pierre ponce). Indus. de

Ph. Hétier

Arménie : petit monastère au bord du lac Sevan.

transformation (caoutchouc synthétique, machines-outils, constructions mécaniques et électriques), indus. textiles (laine, coton) et alimentaires (conserves de fruits, vins, cognacs).

ARMENTIÈRES. ♦ Ch.-l. de cant. du Nord*, arr. de Lille*, sur la Lys*. 28 469 hab. *(Armentiérois).* Chaudronnerie, fonderies. Centre textile **(V. Nord** [région]**).**

Armide. ♦ Tragédie lyrique en cinq actes de Lully*, livret de Quinault (1686). — Sur ce même livret, Gluck* a composé une « Armide » qui fut jouée à l'Opéra avec un grand succès (1777). — Emprunté à la *Jérusalem délivrée* du Tasse* (1575), le sujet évoque les amours de la magicienne Armide et du chevalier français Renaud devenu son prisonnier. D'abord animée par la haine, Armide, victime de son propre jeu, s'abandonne bientôt à l'amour de Renaud. Lorsque celui-ci, délivré des sortilèges qui le retenaient loin de ses compagnons, se dispose à la quitter, Armide ensevelit sa douleur sous les ruines de son palais enchanté.

ARMINIUS, en allem. **Hermann.** ♦ Chef germain de la tribu des Chérusques* (v. ~ 18-21). Il vainquit Varus* (9) mais fut battu par Germanicus* à Idistaviso* (16) et périt empoisonné par des conspirateurs. Il est resté vénéré en Allemagne comme un héros national.

ARMINIUS (Jacobus) ou **HARMENSEN** ou **HERMANNS (Jacques).** ♦ Théologien protestant hollandais (Oudewater, 1560 — Leyde, 1609). Après des études à Rotterdam et Leyde, il se rendit à Genève auprès de Théodore de Bèze* (ses idées y furent déjà jugées peu conformes à l'orthodoxie calviniste), puis en Italie. Revenu en Hollande, il fonda l'arminianisme qui réside essentiellement dans une critique du dogme calviniste de la prédestination. Critiquée par Gomar* qui y vit un nouveau « pélagianisme », sa doctrine fut condamnée en France et en Hollande. Les adeptes d'Arminius furent appelés arminiens ou remontrants.

ARMONVILLE (Jean-Baptiste). ♦ Homme politique français (Reims, 1757 — 1808). Cardeur de laine de son métier, il fut élu député à la Convention (1792), où il siégea avec les Montagnards, se lia avec Marat et fut surnommé *Bonnet rouge* en raison des positions révolutionnaires extrémistes qu'il adopta.

ARMOR ou **ARVOR.** *n. m.* ♦ Nom celtique de la Bretagne maritime (« sur la mer »). L'Armor est opposé à l'Arcoat*. **V. Bretagne.**

ARMORICAIN *(massif).* ♦ Région géographique de l'O. de la France, entre l'océan Atlantique et le Bassin parisien, la Manche et l'Aquitaine; elle englobe la Bretagne*, la Vendée*, l'Anjou*, le Bas-Maine*, la Normandie* occidentale. C'est une pénéplaine rajeunie à l'ère tertiaire, de faible altitude (monts d'Arrée*, 384 m; Avaloirs*, 417 m; Montagnes* Noires, 326 m; forêt d'Écouves*, 417 m). Les villes princ. sont Rennes*, Brest*, Nantes*, Angers*, Alençon*. Le massif est irrigué par la Loire, la Mayenne, la Sarthe, la Sèvre Nantaise, l'Orne, la Vilaine.

ARMORIQUE. *n. f.* ♦ Nom de la Bretagne actuelle avant le VIIe s. **(V. Bretagne).**

ARMSTRONG (Louis), dit **Satchmo.** ♦ Trompettiste et chanteur de jazz noir américain (La Nouvelle-Orléans, 1900 — New York, 1971). Formé à La Nouvelle-Orléans, il tint à Chicago le second cornet dans l'orchestre de King Oliver* (1922-1924), joua avec Fletcher Henderson à New York, enregistra avec Bessie Smith*, et créa, à Chicago, un orchestre (les *Hot Five,* 1925, devenus *Hot Seven* en 1927) qui porta à sa perfection le style Nouvelle-Orléans en même temps qu'il créait déjà le jazz « classique ». Armstrong mena alors une carrière internationale où le jazz le plus pur voisina avec la chanson de variétés, le music-hall, le cinéma. Parmi ses princ. enregistrements : *Saint Louis blues* (1925, avec Bessie Smith); *Wild man blues* (1927, avec les *Hot Seven*); *West End blues, Tight like this* (1928, avec les seconds *Hot Five*), *Weather Bird* (1928, en duo avec Earl Hines).

ARMSTRONG (Neil). ♦ Astronaute américain (Wakaponeta, Ohio, 1930). Avec la mission Apollo 11, il fut le premier homme à mettre pied sur la Lune (21 juillet 1969).

ARNAUD DE BRESCIA. ♦ Réformateur religieux et politique italien (Brescia, v. 1090 — Rome, 1155). Disciple d'Abélard*, prêchant la pauvreté évangélique, il souleva en 1145 les Romains, chassa le pape Eugène* III et entreprit de restaurer la république romaine. Excommunié en 1148 il garda le pouvoir pendant dix ans, mais il fut vaincu par Frédéric* Barberousse et brûlé sur son ordre.

ARNAUD DE VILLENEUVE. ♦ Médecin et alchimiste catalan (Villeneuve, près Montpellier, v. 1235 — 1313). Il enseigna à Paris et Montpellier et a laissé de nombreux traités où les observations médicales sont mêlées à des considérations astrologiques et alchimiques.

ARNAULD (Antoine). ♦ Avocat français (Paris, 1560 — 1619), membre du parlement de Paris, avocat général puis conseiller d'État. Il plaida pour la Sorbonne contre les jésuites (1594). Il restaura l'abbaye de Port*-Royal à l'histoire de laquelle sa famille ne cessa d'être liée. Il eut vingt enfants, dont R. Arnauld d'Andilly, la mère Angélique, la mère Agnès, le Grand Arnauld (voir *ci-dessous*).

ARNAULD D'ANDILLY (Angélique). ♦ Religieuse française, dite *mère Angélique de Saint-Jean* (1624 — Port-Royal, 1684). Fille de R. Arnauld d'Andilly, prieure (1669-1678) puis abbesse (1678-1684) de Port-Royal des Champs.

ARNAULD D'ANDILLY (Robert). ♦ Fils d'Antoine Arnauld (Paris, 1589 — 1674). L'aîné des Arnauld, il se retira à Port*

Ph. Pic

Louis Armstrong.

Royal en 1646. Il a laissé des *Mémoires,* un *Journal* et une traduction des *Vies des Pères du désert.*

ARNAULD (Jacqueline Marie Angélique). ♦ Religieuse française, en religion *mère Angélique* (Paris, 1591 — 1661), sœur d'Arnauld d'Andilly et du Grand Arnauld. Abbesse de Port-Royal dès 1602, elle réforma son monastère (1609), fonda l'institut du Saint-Sacrement, avec Zamet, évêque de Langres, confia à Saint*-Cyran la direction spirituelle de ses religieuses (1635), introduisant ainsi le jansénisme à Port-Royal. **V. Jansénisme, Port-Royal.**

ARNAULD (Jeanne Catherine Agnès). ♦ Religieuse française, en religion *mère Agnès* (Paris, 1593 — 1671), sœur d'Arnauld d'Andilly et de la mère Angélique Arnauld*, Abbesse de Port-Royal (Paris) de 1636 à 1642 et de 1658 à 1661. Elle refusa la signature du *formulaire* de 1661 et fut enfermée au couvent de la Visitation en 1663-1665. **V. Port-Royal, Jansénisme.**

ARNAULD (Antoine), dit **le Grand Arnauld.** ♦ Théologien français (Paris, 1612 — Bruxelles, 1694), frère d'Arnauld d'Andilly. Sous l'influence de Saint*-Cyran, il adopta, sur la grâce, les thèses les plus rigoureuses de l'augustinisme **(V. Augustin** [saint]**)** et devint le chef du parti janséniste **(V. Jansénisme).** Exclu de la Sorbonne en 1656, il passa quelque temps dans la clandestinité, documentant Pascal pour les *Provinciales,* puis se retira à Port*-Royal. À la reprise de la persécution antijanséniste (1679) il s'exila en Flandre puis aux Pays-Bas. Œuvres princ. : *De la fréquente communion* (1643), *Apologie pour les Saints-Pères* (1651), *Lettre à une personne de condition* et *Seconde Lettre à un duc et pair,* où il formule sa position sur les cinq propositions attribuées à Jansénius (1655); *Grammaire générale et raisonnée* (1660. avec Lancelot*), *Logique de Port-Royal* (1662, avec Nicole*); *La Perpétuité de la foi* (1669-1679, avec Nicole) et autres ouvrages contre le protestantisme. — Outre son rôle éminent dans l'histoire du christianisme, Antoine Arnauld est une figure majeure de la logique et de la philosophie du langage; dans sa théorie, d'essence cartésienne, la syntaxe des langues naturelles est la réalisation d'une analyse rationnelle et universelle par le sujet pensant.

ARNAY-LE-DUC. ♦ Ch.-l. de cant. de la Côte-d'Or (arr. de Beaune), situé dans le S. de l'Auxois*, dominant la vallée de l'Arroux. 2 269 hab. *(Arnétois).* Église Saint-Laurent (XVe — XVIe s.). Manoir de Sully. — Indus. du bois. Constructions mécaniques. Indus. alimentaires. — Patrie de Des* Périers. ♦ *Hist.* Vers 1570, fut livrée près de la ville la bataille opposant Henri de Navarre aux catholiques.

ARNDT (Ernst Moritz). ♦ Écrivain et poète allemand (près de Garz, île de Rügen [alors suédoise], 1769 — Bonn, 1860). Il étudia la théologie, la philosophie et surtout l'histoire, voyagea en Europe et se trouva très tôt mêlé aux problèmes politiques de son temps. Auteur de *L'Esprit du temps* (*Geist der Zeit,* 1806), réfugié en Suède et en Angleterre en raison de son opposition à l'occupation française, il revint en Prusse en 1812, prit une part active à la guerre de libération de son pays contre les armées de Napoléon Ier et publia ses *Poésies* (1813) dont le lyrisme et l'ardeur contribuèrent à exalter le sentiment patriotique de ses contemporains. Devenu professeur d'histoire de l'université prussienne de Bonn (1818), il fut suspecté de libéralisme. Il a laissé des *Souvenirs de la vie publique* (1840).

ARNE (Thomas). ♦ Compositeur anglais (Londres, 1710 — *id.,* 1778). Son œuvre abondante illustra tous les genres, notamment l'opéra et la musique de scène (Shakespeare). Le finale de son ballet masqué, *Alfred* (1740) est devenu célèbre sous le nom de *Rule, Britannia!*

ARNHEM. ♦ V. des Pays-Bas, ch.-l. de la prov. de Gueldre*, sur

Ph. Carlo Bevilacqua/Ricciarini

L'**Arno** à Florence.

le Rhin. 134 252 hab. Hôtel de ville du XVIe s.; musée néerlandais de plein air. — Constructions de navires, indus. textiles, fonderie d'étain, colorants. — Patrie de H. A. Lorentz. ♦ *Hist.* Anc. *Arenacum* des Romains, elle adhéra à la Hanse et fut la résidence des ducs de Gueldre (1233-1538). Place forte importante, elle fut prise plusieurs fois aux XVIIe et XVIIIe siècles. Elle fut le théâtre de la *bataille d'Arnhem* (17-27 sept. 1944), opération déclenchée par Montgomery et qui fut un échec pour les Alliés.

ARNHEM *(terre d')*. ♦ Presqu'île du N. de l'Australie* baignée par la mer de Timor*, la mer d'Arafura* et le golfe de Carpentarie*. Elle appartient au Territoire* du Nord. Sur sa côte O. se situe Darwin*. Elle n'est occupée que par quelques milliers d'aborigènes.

ARNIM (Ludwig Joachim, dit **Achim** *von*). ♦ Poète et romancier allemand (Berlin, 1781 — Wiepersdorf, 1831). Il fit partie du « Cénacle romantique » de Heidelberg avec Görres, Creuzer et C. Brentano* dont il fut l'ami et le beau-frère (par son mariage avec B. Brentano, *ci-dessous*). Auteur avec ce dernier du *Cor enchanté de l'enfant* (*Des Knaben Wunderhorn*, 1806-1808, mis en musique par G. Mahler), recueil de Volkslieder allemands qui exerça une influence considérable sur la poésie lyrique en Allemagne (Eichendorf, Heine), il a laissé plusieurs romans (*La Comtesse Dolorès*, 1810; *Isabelle d'Égypte*, 1811; et *Les Gardiens de la couronne*, évocation du Moyen Âge allemand, 1817) et des nouvelles. Romantique « qui n'est pas chez lui dans le monde » (T. Mann), il fut le poète de la solitude et de l'errance, dont l'originalité et le fantastique parurent souvent touffus, sinon confus.

ARNIM (Elizabeth, dite **Bettina Brentano**, *von*). ♦ Femme de lettres allemande (Francfort-sur-le-Main, 1785 — Berlin, 1859). Sœur de C. Brentano* et femme d'A. von Arnim, elle fut la « Muse du second romantisme », admiratrice de Goethe (*Correspondance de Goethe avec une enfant*, 1835), de Beethoven. Elle a su évoquer son amie *Caroline de Günderode* (1840) et son frère (*Clemens Brentano; Frühlingskranz* [couronne printanière]). Elle fut une des premières à se pencher sur le problème du prolétariat industriel *(Ce livre appartient au roi)*.

ARNO. *n. m.* ♦ Fl. d'Italie (Toscane*) [241 km], qui prend sa source dans l'Apennin, au Monte Falterona, passe à Arezzo* en décrivant une large boucle (le *val d'Arno*), traverse Florence*, Empoli* et Pise* et se jette dans la Méditerranée au N. de Livourne*. — Ses eaux inondèrent périodiquement Florence (notamment en 1966).

ARNOBE, en lat. **Arnobius**. ♦ (2e moitié du IIIe s.). Rhéteur latin de Sicca Veneria (*auj.* Le Kef, Tunisie) tardivement converti au christianisme. Son *Adversus nationes* (*Contre les païens*, v. 300) utilise l'argument du « pari » (II, 4), que Pascal* reprendra.

ARNOLD (Benedict). ♦ Général américain (Norwich, Connecticut, 1741 — Londres, 1801). Pendant la guerre d'Indépendance* il servit d'abord sa patrie puis la trahit (1780) et passa dans les rangs des Anglais.

ARNOLD (Matthew). ♦ Poète et critique anglais (Laleham, 1822 — Liverpool, 1888). Fils du directeur de la *Public school* de Rugby, modèle des écoles privées de l'époque, Arnold fut inspecteur des écoles et professeur de poésie à Oxford. Humaniste et grand voyageur, il voulait faire connaître aux Anglais « tout ce qui s'était dit et pensé de mieux dans le monde ». Dans son premier recueil, *Le Viveur égaré* (*The Strayed Reveller and Other Poems*, 1849), Arnold définissait le poète comme devant « voir comme un dieu et souffrir comme un homme », dichotomie des exigences intellectuelles et de l'inspiration poétique propre à l'ère victorienne. Il s'essaya au genre dramatique avec *Mérope*, 1858, et *Empédocle sur l'Etna*, 1852 qui unissent réflexion philosophique et sereine poésie. L'intimisme de ses *Poèmes*, 1853, rapproche Arnold des romantiques (*L'Étudiant bohémien, Sohrab et Rustum, Thyrsis)*. Pourtant, comme critique, il ne sut pas apprécier Shelley*, bien qu'il reconnut Wordsworth* (*Essais critiques*, 1865 et 1888). On lui doit encore une *Étude de la littérature celtique* (1867), des *Essais sur l'Église et la Religion* (1877), des *Réflexions sur les États-Unis* (1885), et *Sur la traduction d'Homère* (1861).

ARNOLD (Georges). ♦ Architecte et homme politique français (1839 — 1912). Il appartint au comité central de la Garde nationale, fut élu membre de la Commune de Paris (16 avril 1871) et condamné à la déportation après l'échec de celle-ci.

ARNOLD (Henry Harley). ♦ Général américain (Gladwyne, Pennsylvanie, 1886 — près de Sonoma, Californie, 1950). Après une carrière consacrée au développement de l'aviation militaire, dont il fut le véritable créateur aux États-Unis, il devint le chef suprême de l'armée de l'air américaine pendant la Deuxième Guerre mondiale (1942).

ARNOLFO DI CAMBIO (di Firenze). ♦ Architecte et sculpteur italien (Colle di Val d'Elsa, v. 1245 — Florence, 1302). Il travailla à Bologne et Sienne sous la direction de Nicola Pisano* puis, passé au service de Charles d'Anjou (av. 1277), exerça son activité à Rome surtout et à Pérouse, Assise, Orvieto (tombeau mural du cardinal de Braye, v. 1282). Il se fixa en 1296 à Florence où il dirigea les premiers travaux du *Dôme* (1300), et où *Santa Croce* et, traditionnellement, *le Palazzo Vecchio* lui sont attribués. Une perception ample et claire de l'espace domine son architecture comme ses sculptures, tombeaux et tabernacles. Il a mêlé, souvent subordonné, les éléments gothiques aux éléments latins anciens et modernes : paléo-chrétiens, toscans, romains, cosmatesques (il fit venir les Cosmates à Florence), jouant ainsi un rôle important dans la naissance de l'art italien.

ARNOUL *(saint)*. ♦ (v. 580 — v. 640). Sacré évêque de Metz quoique laïc (v. 612), il fut le précepteur de Dagobert* Ier, puis se fit ermite. Par son fils Anségisel* et son petit-fils Pépin* de Herstal, il est l'ancêtre des Carolingiens*. Fête le 18 juillet.

ARNOUL DE CARINTHIE ou **ARNULF**. ♦ (v. 850 — Ratisbonne, 899). Roi carolingien de Germanie* (887-899) et empereur d'Occident (896-899). Fils naturel de Carloman*, roi de Bavière, il fut élu roi de Germanie après la déposition de son oncle Charles* III le Gros (887), puis couronné empereur d'Occident à Rome par le pape Formose* (896). — Père de Louis* IV l'Enfant.

ARNOULD (Sophie). ♦ Cantatrice française (Paris, 1740 — *id.*, 1802). Soprano lyrique de grande réputation, elle fut la créatrice de plusieurs opéras de Rameau *(Castor et Pollux, Dardanus)* et de Gluck *(Iphigénie en Aulide, Orphée)*. Femme d'esprit, elle a laissé de savoureux mémoires (*Arnouldiana*, 1813).

ARNOUVILLE-LÈS-GONESSE. ♦ Comm. du Val-d'Oise (arr. de Montmorency). 11 233 hab. Église moderne Notre-Dame-de-la Paix. Château (XVIIIe siècle).

ARNOUX (Alexandre). ♦ Écrivain français (Digne, 1884 — Paris, 1973). Après avoir publié trois recueils de vers (1906 à 1909), Arnoux a donné *Cabaret* (1919), recueil de récits inspirés de la guerre. Créateur d'un « pays de chimère » sur lequel brille un « soleil froid », l'écrivain a composé de nombreux romans dont l'atmosphère fantastique trahit une double obsession, la science et la musique. S'inspirant de la technique moderne, du fonctionnement mystérieux des machines, il a dressé le décor à la fois étrange et familier de *La Nuit de Saint-Barnabé* (1921), de *Le Chiffre* (1926), de *Poésie du hasard* (1934), avant d'évoquer la destinée du mathématicien Évariste Galois* dans *Algorithme* (1948). Autour du mystère de la création musicale s'organise le récit du *Rossignol napolitain* (1937), tandis que *Merlin l'Enchanteur* (1931) et *Flamenca* (1965) s'inspirent de la légende ou du passé (comme la pièce *Huon de Bordeaux*, 1923). Après avoir célébré *Paris-sur-Seine* (1939), il a peint la Provence et Lyon dans les récits poétiques de *Rhône mon fleuve* (1944).

AROLLA. ♦ Localité de Suisse (Valais) dans le val d'Hérens* à 40 km de Sion*. Station estivale dans un site admirable. Alt. 1 900-2 100 mètres.

ARON (Raymond). ♦ Philosophe et sociologue français (Paris, 1905). Rédacteur en chef de la *France Libre* à Londres (1940-1944), fondateur avec J.-P. Sartre des *Temps modernes*, puis éditorialiste au *Figaro*, il devint professeur, fut nommé au Collège de France. Auteur d'une étude sur *La Sociologie allemande contemporaine* (1935), il expose une philosophie critique de l'histoire, relativiste et pluraliste où il met en question les explications monistes (idéalistes et matérialistes) et déterministes du devenir historique (*Introduction à la philosophie*, 1938; *La Philosophie critique de l'histoire*, 1938 et 1950; *Dimensions de la conscience historique*, 1962). Il est considéré comme l'un des théoriciens de l'idéologie technocratique et l'un des principaux critiques du marxisme par ses analyses économiques, sociales et politiques du monde contemporain (*Le Grand Schisme*, 1948; *L'Opium des intellectuels*, 1957; *La Société industrielle et la guerre*, 1959, etc.).

AROSA. ♦ Village de Suisse (Grisons) au S.-E. de Coire*. 2 800 hab. Importante station d'été et de sports d'hiver. Alt. 1 750-2 650 mètres.

AROUET. ♦ Nom de famille de Voltaire*, d'origine poitevine.

ARP (Jean ou **Hans)**. ♦ Sculpteur, peintre, dessinateur et poète français (Strasbourg, 1887 — Locarno, 1966). Il étudia aux Arts décoratifs de Strasbourg puis à Weimar (1904), suivant aussi des cours à l'Académie Julian à Paris (1908). En 1912, il entra en contact avec Kandinsky* et exposa au *Blaue Reiter*. A la déclaration de guerre, il se réfugia à Zurich. En 1915, il rencontra Sophie Taeuber et réalisa avec elle des broderies et papiers collés basés sur le rectangle et le carré, dont les formes simples, la rigueur

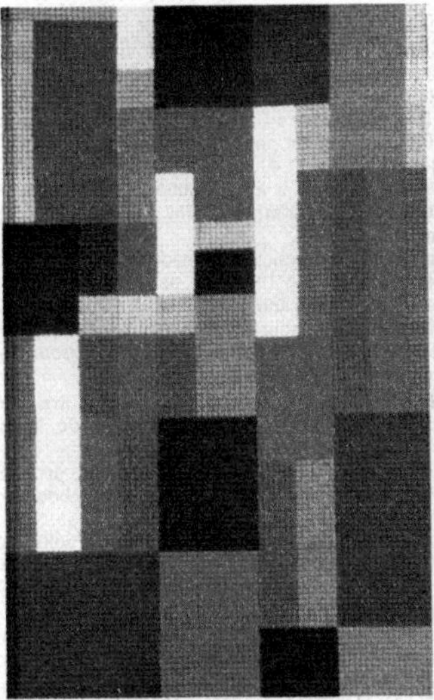

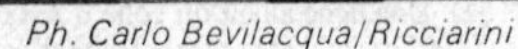

Ph. Carlo Bevilacqua/Ricciarini

H. Arp : Composition horizontale, verticale. Broderie. (Coll. privée, Paris.)

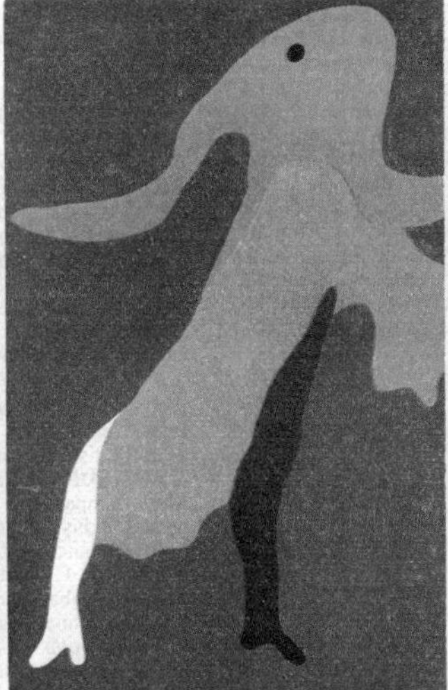

Arch. Smeets

Le danseur. (Collection privée.)

Ph. Nimatallah/Ricciarini

Le Berger des Nuages, sculpture. (Musée d'Art moderne, Paris.)

et l'impersonnalité « agirent comme une purification ». Cette volonté de rompre avec les conventions artistiques se manifesta lorsqu'il créa *Dada* avec Ball, Janco, Huelsenbeck et Tzara*. Déployant alors une activité protéiforme, il créa notamment des encres abstraites aux lignes ou masses souples et irrégulières, ces « ovales mouvants, symboles de la métamorphose et du devenir des corps », qu'on trouve dès ses premiers reliefs en bois découpés, collés et peints au ripolin (*formes terrestres,* 1917). Il écrivit aussi des poèmes où règne une absolue liberté d'expression. « S'en remettant à une exécution automatique », il créa ses papiers collés déchirés « suivant la loi du hasard » (*Fatagada,* avec Ernst*). Il adhéra ensuite au surréalisme (de 1926 à 1930), et entretint de bons rapports avec le mouvement de *Stijl.* En 1931, il aborda la ronde-bosse, travaillant de préférence le plâtre (série de *Torses,* 1930-31; *Concrétions humaines,* 1933-1935; *Constellations,* etc.), multipliant sans cesser de se renouveler des œuvres aux dimensions réduites ou monumentales, harmonieuses et sensuelles, aux volumes lisses, arrondis, flexueux, qui semblent procéder de formes primordiales (l'œuf, le galet) et évoquent un univers en gestation préalable à la distinction des règnes minéral, végétal et animal (*Interregnum,* 1949). Par la maîtrise, mais aussi l'humour et la spontanéité, il s'est affirmé comme l'un des principaux protagonistes de l'art moderne. Ses poèmes en allemand ont été publiés en 1955 et ses textes en français en 1966 *(Jours effeuillés).*

ÁRPÁD. ♦ Grand prince de Hongrie (?-907). D'après la tradition, les sept tribus hongroises fuyant les Petchénègues élirent prince Árpád, le chef de la tribu la plus puissante des Magyars. Sous sa conduite, les Hongrois pénétrèrent en 896 dans le bassin des Carpathes. Il combattit les Bulgares, les Valaques et les Moraves. — Il fut l'ancêtre de la dynastie des Árpád (ou Arpadiens), qui régnèrent en Hongrie avec le titre de prince, puis de roi, jusqu'à la mort d'André* III en 1301.

ARPADIENS. *n. m. pl.* ♦ V. ARPAD (dynastie des).

ARPAJON. ♦ Ch.-l. de cant. de l'Essonne, arr. de Palaiseau, sur l'Orge*, au S. de Paris. 6 576 hab. *(Arpajonnais).* Église Saint-Clément (XIIIe-XVe siècles). Halles du XVIIe siècle. — Cultures maraîchères, foire aux haricots. Matières plastiques.

ARQUES. *n. f.* ♦ Riv. côtière de Normandie* [6 km] (Seine-Maritime), formée par la réunion de la Béthune* et de la Varenne, et qui arrose Arques*-la-Bataille et dont l'embouchure forme le port de Dieppe*.

ARQUES. ♦ Comm. du Pas-de-Calais (arr. de Saint-Omer). 8 738 hab. *(Arquais).* Château du XVIIe siècle. Indus. (filature, verrerie).

ARQUES-LA-BATAILLE. ♦ Comm. de la Seine*-Maritime (arr. de Dieppe*), sur l'Arques*. 2 735 hab. *(Arquais*).* Église des XVIe et XVIIe s.; ruines d'un château du XIIe siècle. Textiles artificiels. ♦ *Hist.* La commune doit son nom à la victoire d'Henri* IV sur le duc de Mayenne* en 1589.

ARRABAL (Fernando). ♦ Auteur dramatique et cinéaste espagnol d'expression française (Melilla, Maroc, 1932). Un sentiment de révolte et le goût de la profanation caractérisent son théâtre comme ses films. «Cérémonial panique», le drame doit instituer entre les personnages et le spectateur un lien de nature sado-masochiste comme il en existe entre la victime et le bourreau. Œuv. princ. : *Fando et lis* (1955), *Le Cimetière des voitures* (1957), *Le Grand Cérémonial* (1965), *L'Architecte et l'Empereur d'Assyrie* (1967), *Le Jardin des délices* (1967). Au cinéma, notamment *¡ Viva la muerte!* (1970), *J'irai comme un cheval fou* (1973).

ARRACHART (Ludovic). ♦ Officier aviateur français (Besançon, 1897 — Étampes, 1933). Pionnier des raids intercontinentaux, il s'illustra par des records de distance (Paris-Bassora, 1926; Paris-Madagascar, 1931).

ARRADON. ♦ Comm. du Morbihan, arr. de Vannes, près du golfe de Morbihan. 2 176 hab. (352 aggl.). Petite station balnéaire.

ARRAN *(île d').* ♦ Petite île montagneuse de l'Écosse occidentale (Buteshire), à l'entrée de l'estuaire de la Clyde. 3 705 hab. Pêche, élevage, tourisme.

ARRAS [aʀas]. ♦ Préf. du Pas*-de-Calais, ch.-l. d'arr. (16 cant., 402 comm., 295 891 hab.), sur la Scarpe*. 53 574 hab. *(Arrageois).* — Cathédrale, anc. abbatiale, restaurée (XVIIIe s.). Hôtel de ville avec beffroi (XVIe s.; reconstruit après 1918); citadelle, forteresse (XVIIe s.). Belle place à arcades; maisons anciennes. — Évêché. Centre administratif. Marché agricole. Indus. : ferblanterie, constructions métalliques, constructions mécaniques; indus. alimentaires. — Patrie de Adam* de la halle, de J. Bodel* (dit d'Arras), de R. Huyghe*, de P.J. Jouve*, de M. et A. de Robespierre*, de Fr. Vidocq*. ♦ *Hist.* Anc. cap. des Atrébates* **(V. Artois),** la ville fut détruite en 407, relevée par saint Vaast* en 500, ravagée par les Normands* en 880, puis restaurée à nouveau. Elle resta sous l'autorité des comtes de Flandre jusqu'au XIIe s., et devint un centre de tapisserie de renommée mondiale *(arazzi).* Intégrée à la France à la suite du mariage de Philippe* Auguste avec Isabelle* de Hainaut (1180), elle passa à la Bourgogne* en 1384. Louis* XI la reprit (1477) mais les Arrageois se rallièrent à Maximilien* d'Autriche (1493). Louis XIII la conquit en 1640. Le Grand Condé*

Ph. Lauros-Giraudon

Tapisserie de la manufacture d'**Arras** : « L'Offrande du Cœur », XVe s. (Musée de Cluny, Paris.)

et les Espagnols l'assiégèrent, mais furent repoussés par Turenne* (1654). Le traité des Pyrénées* la céda définitivement à la France et Vauban* la fortifia (1659). Très disputée en raison de sa situation stratégique, Arras résista aux Allemands pendant la Première Guerre mondiale. Occupée en mai 1940, elle fut libérée en sept. 1944. — *Traités d'Arras.* Celui de 1414, signé par Charles* VI et Jean* sans Peur pour mettre fin à la guerre entre les Armagnacs* et les Bourguignons, resta sans effet. Celui de 1435 entre Charles* VII et Philippe* III le Bon, qui dut abandonner l'alliance anglaise. Celui de 1482 entre Louis* XI et Maximilien* d'Autriche concluait au mariage du dauphin Charles* et de Marguerite*, fille de Maximilien*. Celui de 1579 entre les délégués du Hainaut*, d'Artois et des Flandres* avec Alexandre Farnèse*, par lequel les provinces se soumettaient à l'Espagne, provoqua l'union d'Utrecht*.

ARRÉE *(monts d').* ♦ Chaîne de hauteurs granitiques de Bretagne* (Finistère et Côtes-du-Nord) entre le pays de Léon* et le bassin de Châteaulin*. 384 m au signal de Toussaines, point culminant de la Bretagne. Centre nucléaire des monts d'Arrée. **V. Brennilis.**

ARRHENIUS (Svante). ♦ Physicien et chimiste suédois (Wyjk, près d'Uppsala, 1859 — Stockholm, 1927). Créateur (1887) de la théorie de la dissociation électrolytique basée sur l'existence d'ions dans la solution et d'après laquelle le coefficient de dissociation peut être déduit de mesures de conductibilité. (Prix Nobel de chimie, 1903.) **V. F. Kohlrausch, Debye, Ostwald, Nernst.**

ARRIEN, en gr. **Arrhianos**, en lat. **Flavius Arrianus.** ♦ Historien et philosophe grec (Nicomédie, Bithynie, v. 95 — Athènes, v. 175). Après avoir participé à la lutte contre les Alains, il obtint la citoyenneté romaine, devint consul, puis gouverneur de Cappadoce avant de se retirer à Athènes. Disciple d'Épictète*, c'est lui qui rédigea et publia l'enseignement de son maître (*Entretiens** et *Manuel**). Historien, il écrivit une *Anabase.*

ARRIS. ♦ V. d'Algérie, ch.-l. d'arr. du dép. de Batna dans l'Aurès*. 8 150 habitants.

ARROMANCHES (-les-Bains). ♦ Comm. du Calvados* (arr. de Bayeux*), sur la Manche. 339 hab. Station balnéaire et petit port de pêche. ♦ *Hist.* Lors du débarquement allié en Normandie (6 juin 1944), un port artificiel y fut construit, qui resta bientôt le seul en état de fonctionner et permit de débarquer quelque 6 000 t de matériel par jour. Musée du débarquement.

ARROS. *n. m.* ♦ Riv. de France (100 km), affl. de l'Adour* (r. d.). Née dans la Bigorre (Hautes-Pyrénées), elle passe dans le dép. du Gers* et se jette dans l'Adour*.

ARROUX. *n. m.* ♦ Riv. de France, affl. de la Loire* (r. d.). Elle prend sa source au N.-E. d'Arnay*-le-Duc (Côte-d'Or), arrose en Saône-et-Loire Autun*, Toulon-sur-Arroux, reçoit la Bourbince* et se jette dans la Loire à Digoin*. 120 km.

ARS *(le curé d').* ♦ **V.** JEAN-MARIE BAPTISTE VIANNEY *(saint).*

ARSACE, en gr. **Arsakês.** ♦ Chef parthe, fondateur v. ~ 250 de la dynastie des Arsacides. **V.** *aussi* **Parthes.**

Arsacides. *n. m. pl.* ♦ Dynastie de souverains parthes descendants d'Arsace. Elle régna de ~ 250 env. à ~ 224, sur la Parthie, mais aussi l'Iran, la Perside, la Mésopotamie, l'Arménie (**V. Parthes**). Elle fut renversée par les Sassanides perses. Principaux représentants : **V. Artaban, Mithridate, Orode, Phraate, Vologèse.**

Arsenal (bibliothèque de l'). ♦ Bibliothèque de Paris (4e arr.), une des plus importantes de France après la *Bibliothèque* nationale.* Elle est logée dans les bâtiments construits en 1594 pour le grand maître de l'Artillerie (Sully y habita), d'où son nom ; embelli au XVIIIe s. par Germain Boffrand*, l'édifice a été remanié au XIXe siècle. — Bibliothèque constituée dès 1757 par Paulmy d'Argenson, puis achetée par le comte d'Artois et enrichie à la Révolution des archives de la Bastille*, l'Arsenal a été ouvert au public en 1797. Saint*-Simon, Charles Nodier* (de 1824 à 1844 ; **V. Cénacle**), A. Mickiewicz* (1845), J.M. de Hérédia* (v. 1900) en furent notamment les administrateurs.

ARSÈNE *(saint).* ♦ Diacre de l'Église romaine (Rome, v. 350 — désert de Scété [Égypte], v. 445). Il fut précepteur d'Arcadius, empereur d'Orient.

Arsène Lupin. ♦ Personnage des romans policiers de Maurice Leblanc* incarnant le gentleman cambrioleur.

ARS-EN-RÉ [aʀsɑ̃ʀe]. ♦ Ch.-l. de cant. de la Charente-Maritime, arr. de La Rochelle. Station balnéaire et port de pêche dans l'île de Ré. 998 hab. *(Arsais),* hors saison. Église Saint-Étienne, formée de deux édifices accolés, l'un du XIIe, l'autre du XVe siècle. Maisons anciennes. — Conserverie de poissons. Ostréiculture. Marais salants.

ARSÈS. ♦ Roi de Perse (~ 338-~ 336), fils d'Artaxerxès* III. Il fut porté au trône par l'eunuque Bagoas*, meurtrier de son père. Son règne vit la révolte de l'Égypte et l'invasion de l'Asie Mineure par Philippe de Macédoine (~ 336). Il fut empoisonné par Bagoas qui le remplaça par Darios* III.

ARSINOÉ. ♦ Nom de quatre princesses égyptiennes de la dynastie des Ptolémée. ♦ ARSINOÉ Ire, fille de Lysimaque*, roi de Thrace (déb. ~ IIIe s.), elle fut la première femme de Ptolémée* II dont elle eut trois enfants, parmi lesquels Ptolémée* III. ♦ ARSINOÉ II, fille de Ptolémée* Ier et de Bérénice* (v. ~ 316 — ~ 270), elle épousa Lysimaque*, roi de Thrace (v. ~ 298) qui fut tué par Séleucos* Ier. Son demi-frère Ptolémée* Kéraunos la contraignit alors à l'épouser et tua ses deux plus jeunes fils. Elle s'enfuit en Égypte où elle épousa son frère Ptolémée II (v. ~ 278) qui fonda en son honneur plusieurs villes qui portent son nom. Les Grecs la divinisèrent en tant que *Thea Philadelphos* (« déesse qui aime son frère »). ♦ ARSINOÉ III, fille de Ptolémée* III et de Bérénice (fin ~ IIIe s.), elle épousa son frère Ptolémée* IV Philopatôr et eut pour fils Ptolémée* V. ♦ ARSINOÉ IV, fille de Ptolémée XII (m. ~ 41) et sœur de Cléopâtre* VII. Reconnue comme reine d'Égypte par les Alexandrins, elle fut vaincue par César* dont elle orna le triomphe (~ 46), puis mise à mort sur l'ordre d'Antoine*.

ARSONVAL (Arsène d'). ♦ Physicien et médecin français (La Porcherie, Haute-Vienne, 1851 — 1940). Il perfectionna divers appareils électriques dont le galvanomètre à cadre mobile (**V. Deprez**), mais il est surtout connu pour ses recherches sur les applications en médecine des courants de haute fréquence *(darsonvalisation).* [Acad. de méd., 1888 ; Acad. des sc., 1894.]

ARS-SUR-FORMANS [aʀs]. ♦ Comm. de l'Ain*, arr. de Bourg*-en-Bresse, 518 hab. Pèlerinage au sanctuaire de saint Jean-Baptiste Marie Vianney, le *curé d'Ars.*

ARS-SUR-MOSELLE. ♦ Ch.-l. de cant. de la Moselle, arr. de Metz-Campagne. 5 404 hab. Sidérurgie, forges ; explosifs, boulonneries ; indus. alimentaires.

ÁRTA, anc. *Ambracie.* ♦ V. de Grèce (Épire), près du golfe du même nom. Ch.-l. du *nome d'Árta* (1 612 km², 82 630 hab.). Centre agricole : tabac, vins, agrumes. 16 900 hab. — Ruines d'une forteresse byzantine ; églises et monastères (XIIIe-XVIIe s.).

ÁRTA *(golfe d').* ♦ Anc. golfe d'*Ambracie**, sur la côte O. de la Grèce, formé par la mer Ionienne et isolé de la haute mer par le promontoire d'Actium*. ♦ *Hist.* La bataille d'Actium se déroula à l'entrée de ce golfe (~ 31). Une ligne allant du golfe d'Árta au golfe de Vólos définit, au sud, la Grèce libérée par le traité d'Andrinople (1829).

ARTABAN. ♦ Nom de plusieurs rois parthes arsacides. ♦ ARTABAN Ier ([mort] ~ 191) s'empara d'Ecbatane et de la Médie ; il contraignit Antiochos III de Syrie à le reconnaître comme roi. ♦ ARTABAN II fut tué v. ~ 123, en Bactriane où il repoussait les Tokhariens (Yue-tche ?). ♦ ARTABAN III, roi de 12 à 44, incarna une réaction nationale contre les influences helléniques, chaldéennes et romaines. Il dut céder le trône à Tiridate (35), le reprit en 36. ♦ ARTABAN V, dernier des Arsacides, lutta avec succès contre Caracalla et Macrien (216) mais fut vaincu et tué dans la révolte d'Ardachêr* [Ardachir] (224).

ARTABAN. ♦ Héros de roman de La* Calprenède *(Cléopâtre)* dont la fierté est passée en proverbe.

ARTAGNAN (Charles de Batz, *comte de* **Montesquiou,** *seigneur* **d').** ♦ Gentilhomme gascon (1611 — Maëstricht, 1673). Il servit brillamment Louis XIII et Louix XIV. Capitaine des mousquetaires, il fut chargé d'arrêter Fouquet* à Nantes en 1661. Maréchal de camp en 1662, il fut tué au siège de Maëstricht. — Alexandre Dumas* père immortalisa son personnage dans sa trilogie, en compagnie des mousquetaires Athos, Porthos et Aramis. **V. Trois* Mousquetaires (Les).**

ARTAGNAN (Pierre de Montesquiou, *comte* **d').** ♦ **V.** MONTESQUIOU.

ARTAUD (Antonin). ♦ Écrivain français (Marseille, 1896 — Ivry-sur-Seine, 1948). Son œuvre poétique est le compte rendu d'une bouleversante expérience, sorte de suicide intellectuel par lequel il voulait accéder aux sources profondes de la pensée. En cultivant un déséquilibre mental dont il eut à souffrir dès sa jeunesse, il aspirait, par une ascèse rigoureuse, à l'état pur du voyant. Il rejoignit quelque temps le groupe surréaliste (*L'Ombilic des limbes,* 1925 ; *Le Pèse-Nerfs,* 1927), puis s'orienta vers le théâtre. Acteur dans la troupe de Charles Dullin, il fonda, avec Roger Vitrac, le théâtre Alfred-Jarry (1930) et publia deux essais, *Le Théâtre de la cruauté* (1932) et *Le Théâtre et son double* (1938) dont l'influence devait être profonde sur des metteurs en scène

Ph. Giraudon

Les bâtiments de l'**Arsenal** vus de l'Île-Saint-Louis par P. Bout, XVIIe s. (Musée Carnavalet, Paris.)

Ph. Nino Cirani/Ricciarini
Tombeau d'**Artaxerxès II,** Persépolis (Iran).

comme Roger Blin, Jean-Louis Barrault et Julian Beck *(Living Theatre)*. Selon une esthétique empruntée pour une grande part au théâtre de Bali, il définit la spécificité du théâtre par le geste, appelant auteur, comédien et spectateur à la libération de leurs instincts élémentaires, parmi lesquels la cruauté, gage absolu, selon Artaud, de la sincérité du comédien. Ce jeu dramatique, dont le cérémonial nécessite l'usage de masques et de fétiches, s'accompagne d'une musique primitive. Fête de la violence ponctuée de cris et d'onomatopées, il fait appel à la totalité des ressources physiologiques de l'acteur. En application de ses théories, Artaud a fait représenter les *Cenci*, d'après Shelley et Stendhal (1935). Acteur de talent, il a interprété au cinéma de nombreux rôles, dans des films d'Abel Gance, de Dreyer, de Pabst et de Raymond Bernard. À la publication de ses *Œuvres complètes* (1956) a été jointe une importante *Correspondance*.

ARTAXERXÈS. ♦ Nom de plusieurs rois perses. ♦ ARTAXERXÈS Ier MAKROCHEIR (« Longue main »). Fils et successeur de Xerxès* Ier, il régna de ~ 465 à ~ 424. Bien qu'au début de son règne il eût fait assassiner ses frères pour s'assurer le trône, il a laissé le souvenir d'un prince généreux pour avoir accueilli Thémistocle* exilé et autorisé les Juifs à rentrer à Jérusalem **(V. Néhémie).** Battu par Cimon, il fut contraint de signer la paix avec les Grecs (~ 449-~ 448). Ses fils Xerxès II puis Darios* II Ochos, lui succédèrent. ♦ ARTAXERXÈS II MNÉMON (« qui a de la mémoire »). Petit-fils du précédent, il succéda à Darios II Ochos et régna de ~ 404 à ~ 358. Le début de son règne fut marqué par l'échec d'une expédition en Égypte et la perte d'une partie de Chypre, de la Phénicie et de la Syrie. Son jeune frère Cyrus* s'étant révolté avec l'aide de mercenaires grecs, il le battit et le tua à Cunaxa* (~ 401). Il chargea ensuite son général Tissapherne* de conduire les Dix* Mille jusqu'aux côtes du Pont-Euxin **(V. Xénophon).** S'imposant comme arbitre entre Athènes et Sparte, il dicta la paix d'Antalcidas* ou *paix du roi* (~ 386). Son fils lui succéda. ♦ ARTAXERXÈS III OCHOS. Fils et successeur du précédent, il régna de ~ 358 à ~ 338. Comme Artaxerxès Ier, il fit tuer ses frères pour s'assurer le pouvoir. Il reconquit l'Égypte malgré la résistance de Nectanibis* II, puis la Phénicie et Chypre (~ 345-~ 341). Il périt assassiné.

ARTAXERXÈS. ♦ Fondateur de la dynastie des Sassanides. **V. Ardachêr.**

Art de la fugue (L'). ♦ Titre de la dernière œuvre polyphonique de J.-S. Bach* (1749-1750). Monumentale par ses proportions (15 fugues et 4 canons sur un thème unique en ré mineur), elle a pu longtemps passer pour l'exercice d'une étonnante virtuosité avant de figurer comme l'un des accomplissements de la musique tonale. Non orchestrée, elle est généralement interprétée par un orchestre à cordes ou à l'orgue.

ARTÉMIS. ♦ Divinité grecque identifiée plus tard à la Diane* des Romains*. Fille de Zeus* et de Léto*, sœur jumelle d'Apollon*, née dans l'île de Délos*, elle est déesse de la Lune **(V. Phébé, Hécate)** et de la chasse. Munie d'arcs et de flèches, escortée de nymphes elle hante nuitamment les bois à la poursuite des fauves. Vierge et chaste, elle est vindicative et cruelle; elle fait périr Actéon*, Orion*, Callisto*. Elle aide Apollon à venger l'injure faite par Niobé* à leur mère. Courroucée contre Agamemnon*, elle le force à sacrifier Iphigénie*. En revanche, elle exauce la prière d'Aréthuse* qu'elle transforme en fontaine. Elle était particulièrement vénérée en Arcadie*. Les temples d'Épidaure, d'Éphèse (qu'Érostrate* incendia) lui étaient consacrés.

ARTÉMISE. ♦ Nom de deux reines d'Halicarnasse* en Carie*. ♦ ARTÉMISE Ire (~ Ve s.). Alliée de Xerxès* Ier contre les Grecs, elle fut battue avec lui à Salamine* (~ 480). Désespérée par un amour déçu, elle fit volontairement le « saut de Leucade* ». ♦ ARTÉMISE II (~ IVe s.). Elle fit élever pour son frère et époux, Mausole*, un magnifique tombeau (le *Mausolée)*.

ARTÉMISION. ♦ Cap situé au N. de l'île Eubée* au large duquel la flotte de Xerxès* Ier fut vaincue par les Grecs (~ 480). **V. Eurybiade.**

ARTENAY. ♦ Ch.-l. de cant. du Loiret, arr. d'Orléans. 1 547 hab. Sucreries.

ARTEVELDE (Van). ♦ **V.** VAN ARTEVELDE.

ARTH AM SEE. ♦ V. de Suisse (cant. de Schwyz) à l'extrémité S. du lac de Zoug*. 6 400 hab. Église Saint-Georges (XVIIe s.). Distilleries de kirsch.

ARTHAŚĀSTRA. *n. m. pl.* (nom sanskrit « Enseignement du profit »). ♦ Traités hindous (v. ~ IVe s.) se référant aux actes de la vie pratique, aux sciences et aux techniques et dont les textes de base sont attribués traditionnellement au sage de l'Inde antique Kautilya.

ARTHUR. ♦ **V.** ARTUS.

ARTHUR Ier. ♦ (Nantes, 1187 – Rouen, 1203). Duc de Bretagne*. Fils posthume de Geoffroi* II d'Anjou, lui-même fils du roi d'Angleterre Henri* II et de Constance*, duchesse de Bretagne. À la mort de Richard* Cœur de Lion (1199) et malgré le soutien de Philippe* II Auguste, roi de France, il disputa vainement le trône d'Angleterre à son oncle Jean* sans Terre qui l'emprisonna à Rouen et le fit sans doute assassiner. ♦ ARTHUR II (1262 – La Roche-Bernard, 1312). Duc de Bretagne (1305-1312). ♦ ARTHUR III (près de Vannes, 1393 – Nantes, 1458). Comte de Richemont. Duc de Bretagne (1457-1458). Prisonnier des Anglais après la bataille d'Azincourt*, il devint connétable de France en 1424, fut compagnon de Jeanne* d'Arc et l'un des plus fidèles serviteurs de Charles* VII.

ARTHUR (Chester Alan). ♦ Homme politique américain (Fairfield, Vermont, 1830 – New York, 1886). L'un des fondateurs du parti républicain, il fut le 21e président des États-Unis (1881-1885).

ARTIGAS (José Gervasio). ♦ Général uruguayen (Montevideo, 1764 – Asunción, 1850). Partisan de l'indépendance, il fut un farouche adversaire des Espagnols. Il reconquit l'Uruguay sur les Argentins et se trouva maître du pays en 1814. Vaincu en 1820 par les Argentins et les Brésiliens, il se réfugia au Paraguay.

ARTIX. ♦ Comm. des Pyrénées*-Atlantiques, arr. de Pau*. 2 949 hab. Grande centrale thermique alimentée par le gaz de Lacq.

Art moderne (musée national d'). ♦ Musée de Paris, installé au palais de New York à l'occasion de l'Exposition universelle de 1937. Il est consacré, suivant une présentation très mobile, aux œuvres modernes et contemporaines en peinture et en sculpture.

ARTOIS. *n. m.* ♦ Anc. province de la France septentrionale (correspondant à l'actuel dép. du Pas*-de-Calais, le Boulonnais excepté), formé au XXe s. d'une région détachée de la Flandre*. Sa cap. était Arras* (hab. : *Artésiens*). ♦ *Hist.* Occupé au début

Ph. Carlo Bevilacqua/Ricciarini
Artémis, art grec. (Musée du Louvre, Paris.)

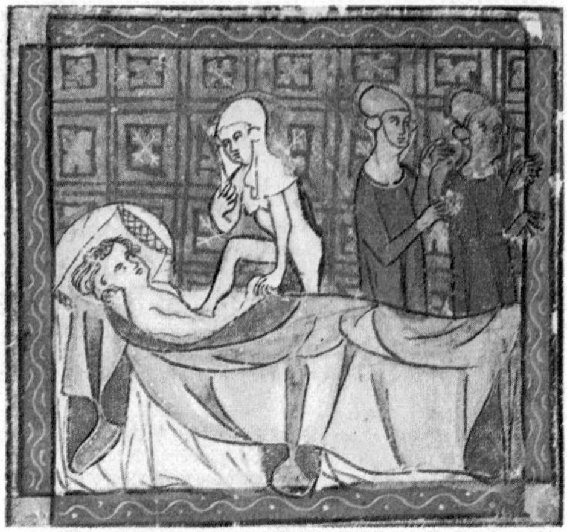

Ph. Giraudon

Roman d'**Artus** : nuit de noces du roi Arthur, manuscrit français du XIVe s. (Bibl. Inguimbertine, Carpentras.)

de l'ère chrétienne par les Celtes Atrébates*, l'Artois fut conquis par les Francs* au Ve siècle. Passé aux comtes de Flandre* par le mariage de la fille de Charles* le Chauve avec Baudouin* dit Bras de Fer en 863, réuni à la couronne en 1180 par Philippe* II Auguste, qui le recevait en dot d'Isabelle* de Hainaut, il fut érigé en comté par Louis* IX et donné en apanage à son frère Robert* Ier le Vaillant **(V. Robert II, Mathilde, Robert III)**. Par le mariage de Marguerite* de Flandre, héritière du comté, avec Philippe* II le Hardi, l'Artois passa à la maison de Bourgogne* pour échoir en 1477 à la maison d'Autriche* lors du mariage de Marie* de Bourgogne avec Maximilien* Ier. Repris par la France en 1482, il fut rendu à l'Autriche en 1493. La paix de Crépy*-en-Laonnais le donna aux Habsbourg* d'Espagne, mais Louis* XIII le reconquit en 1640, et il fut définitivement reconnu à la France par le traité des Pyrénées* (1659) sous Philippe* IV d'Espagne. Le dernier titre de *comte d'Artois* fut porté par le futur Charles* X. – De nombreux combats se sont déroulés en Artois pendant la Première Guerre* mondiale.

ARTOUSTE *(lac d')*. ♦ Lac des Pyrénées*, à l'E. de la vallée d'Ossau*, au fond d'un cirque. Un barrage permet d'alimenter plusieurs centrales hydro-électriques (Artouste, Castet, etc.).

Art poétique d'Horace* (L'). ♦ Titre donné à l'*Épître aux Pisons,* troisième du Livre II des *Épîtres* (v. ~ 14). S'adressant à L. Calpurnius Piso* et à ses deux fils, Horace traite sans aucun dogmatisme des rapports multiples entre l'art et l'artiste.

Art poétique (l'). ♦ Poème didactique en quatre chants de Nicolas Boileau* (1674). Imitant Horace* et aussi, selon certains, Vauquelin* de la Fresnaye, l'auteur dégage les principes de son idéal littéraire en y joignant des critiques souvent acerbes à l'égard de ses contemporains.

Art poétique français (l'). ♦ Ouvrage de Thomas Sebillet*, divisé en deux livres, dont le titre complet est *L'Art poétique français pour l'instruction des jeunes étudiants et encore peu avancés en la poésie* (1548).

Art poétique français. ♦ Ouvrage de Jacques Peletier*, divisé en deux livres (1555).

Art poétique français. ♦ Long poème en trois parties de Jean Vauquelin* de la Fresnaye (1605). L'auteur y traite des problèmes de l'art en suivant les règles de la Pléiade*.

Arts décoratifs (musée des). ♦ Musée de Paris, situé depuis 1905 dans le *pavillon de Marsan* **(V. Tuileries** et **Louvre)** et qui renferme de très riches collections d'art concernant le décor intérieur en France et à l'étranger, ainsi qu'une importante bibliothèque. – En 1969, un *Centre de création industrielle* (C.C.I.) y a été établi.

Arts et Lettres *(Ordre des)*. ♦ Ordre français, institué en 1957, décerné aux Français ou aux étrangers qui se sont illustrés dans le domaine artistique et littéraire, sur proposition d'un Conseil de l'ordre. Il comprend 3 grades (commandeur, officier, chevalier).

Arts et métiers (Conservatoire national des). ♦ Établissement public parisien d'enseignement supérieur technique, pour l'application des sciences à l'industrie. – D'abord *Cabinet des machines de Vaucanson**, le Conservatoire des arts et métiers fut fondé par la Convention (1794) à l'instigation de l'abbé Grégoire*. En 1799, le Conservatoire fut installé dans l'anc. prieuré de Saint-Martin-des-Champs (dont subsistent l'église des XIIe-XIIIe s. et l'admirable réfectoire, dû à Pierre* de Montreuil, XIIIe s.), dont les bâtiments avaient été reconstruits au XVIIIe s. par J.D. Antoine*. Les collections du *musée national des techniques* offrent un grand intérêt scientifique et historique. La *Haute École d'application de la science au commerce et à l'industrie* fut fondée en 1819 (J.-B. Say* y professa). En 1901 a été créé un *laboratoire d'essais* et en 1919 une *section de métrologie.*

ARTSYBACHEV [Michel Petrovitch] (Artsybašev). ♦ Romancier et auteur dramatique russe (Achtyrka, gouvernement de Kharkov, 1878 – Varsovie, 1927). Après avoir écrit quelques nouvelles sur la révolution de 1905, Artsybachev publia son roman *Sanine* (1907) qui le rendit aussitôt célèbre pour son encouragement à la liberté par rapport à la morale établie. Avec son second roman *À l'extrême limite* (1911), il reprit la thèse d'Andreiev* sur l'absurdité de la vie. Puis il écrivit quelques pièces de théâtre sur les mêmes thèmes : *Jalousie* et *Les Ennemis* (1913). Il fut expulsé d'Union soviétique en 1923. – Artsybachev est représentatif de son époque par la lutte qu'il mena pour l'amour libre et la description qu'il fit de la dépression morale de l'intelligentsia après la révolution de 1905.

ARTUS ou **ARTHUR.** ♦ Roi des Bretons (Britons) du S. de l'Écosse (basses-terres du Strathclyde*), devenu légendaire. Il aurait réuni plusieurs tribus celtes pour lutter contre les Angles (en réalité les Britons, divisés, étaient déchirés par les luttes intérieures). – Chantée par les bardes gallois puis par divers auteurs de chroniques (Nennius, Geoffrey de Monmouth), sa geste fut développée en France par Wace et aboutit au *cycle de la Table ronde* **(V. Chrétien de Troyes).**

ARUBA. ♦ Île des Antilles* néerlandaises, la plus occidentale des îles Sous*-le-Vent, située dans la mer des Caraïbes face à la péninsule de Paraguana* (Venezuela). 193 km^2. 66 000 hab. Raffinerie de pétrole (Oranjestad).

ARUDY. ♦ Ch.-l. de cant. des Pyrénées*-Atlantiques, arr. d'Oloron*-Sainte-Marie, sur le gave d'Ossau*. 2 952 hab. Église du XVe siècle. – Travail du bois, constructions mécaniques, carrières.

ARUNACHAL PRADESH. *n. m.* ♦ **V.** N.E.F.A.

Arundel *(marbres d')*. ♦ Collection de plaques de marbre gravées d'inscriptions contenant notamment la *chronique de Paros* qui relate l'histoire de la Grèce depuis la fondation d'Athènes jusqu'à ~ 354. Découvertes à Paros*, elles furent acquises en 1624 par le comte d'Arundel, amenées en Angleterre et données par son petit-fils à l'université d'Oxford en 1667.

ARVE. ♦ Riv. torrentielle des Alpes (Haute-Savoie*) 100 km. Elle traverse Chamonix*-Mont-Blanc, Cluses*, Bonneville*, Annemasse*, pénètre en Suisse et se jette dans le Rhône. Le col du Bonhomme* fait communiquer les vallées de l'Arve et de l'Isère*.

ARVERNES. *n. m. pl.*, en lat. **Arverni.** ♦ Peuple de la Gaule établi en Auvergne et dont la cap. était Gergovie*. Vers le début du ~ IIe s., ils unifièrent presque toute la Gaule sous leur domination mais la constitution de la province romaine de Narbonnaise* (~ 120) les refoula dans le Massif central. Ce fut le chef arverne Vercingétorix* qui dirigea en ~ 52 le soulèvement de la Gaule contre César*.

ARVERS (Alexis Félix). ♦ Poète et auteur dramatique français (Paris, 1806 – *id.*, 1850). Il écrivit plusieurs pièces de théâtre, dont certaines en collaboration avec Scribe*. Il doit surtout sa renommée à un sonnet du recueil *Mes heures perdues* (1833), écrit pour Marie Nodier et commençant par ce vers : « Ma vie a son secret, mon âme a son mystère... »

ARVIDA. ♦ V. industrielle du Canada (Québec) sur le Saguenay*, proche de Chicoutimi*. 14 500 hab. – Usine d'aluminium traitant la bauxite (importée de Guyane anglaise, de Jamaïque et de Guinée et transportée par le Saguenay), grâce à l'hydro-électricité (centrales de Shipshaw, chute des Passes).

ÂRYA (*adj.* sanskrit « Fidèle, noble »). ♦ Populations de langues indo-européennes d'Iran et de l'Inde du Nord, et qui n'implique aucune race particulière. On en a tiré l'adj. *aryen,* qui fut utilisé à des fins politiques pour qualifier des caractéristiques raciales imaginaires.

ÂRYABHATA ou **ARJABAHR.** ♦ Mathématicien et astronome indien (v. 499). L'un des auteurs les plus originaux de la science indienne ; en astronomie, il étudia le globe terrestre, les positions de la Lune et du Soleil, affirmant la rotation de la Terre ; il développa considérablement la théorie des épicycles. En géométrie, il donna la valeur de π avec quatre décimales.

ÂRYASAMÂJ. *n. m.* ♦ Mouvement socio-religieux indien créé en 1875 par Dayânanda Sarasvatî. Fondé sur les *Veda**, il se montrait partisan d'une profonde réforme de l'hindouisme, mais s'opposait violemment à l'islâm et au christianisme.

ARYENS. *n. m. pl.* ♦ **V.** ÂRYA.

ARZAL. ♦ Comm. du Morbihan, arr. de Vannes. 883 hab. Barrage sur la Vilaine, long de 380 m et dont le lac de retenue (60 000 000 m^3) est l'estuaire même. Il doit permettre d'alimenter la région en eau potable, d'aménager un vaste plan d'eau et de rendre au port de Redon* son ancienne activité.

Arzamas. *n. m.* ♦ Groupe littéraire russe (1815-1818) et dont firent partie entre autres : Joukovski*, Tourgueniev* et Pouchkine*. Ils défendaient les idées occidentalistes de Karamzine* et introduisirent le romantisme en Russie. Ce mouvement précéda celui des occidentalistes* et des slavophiles*.

ARZEW [aʀzœ]. ♦ Comm. et port d'Algérie (dép. d'Ouahran, [Oran]), sur le *golfe d'Arzew.* 11 500 hab. Terminus du gazoduc d'Hassi*-R'Mel et de l'oléoduc d'Hassi*-Messaoud. Usine de liquéfaction du gaz naturel.

ARZON. *n. m.* ♦ Riv. de la Haute-Loire* qui traverse Craponne-sur-Arzon et conflue avec la Loire* à Vorey.

ARZON. ♦ Comm. du Morbihan, arr. de Vannes, dans la presqu'île de Rhuys*, à l'entrée du golfe de Morbihan. 1 352 hab. **V. Port-Navalo.**

ARZOUMANIAN ou **ARZUMANIAN (Anouchavan Agafonovitch).** ♦ Économiste soviétique (1904). Sous-directeur de l'Institut économique de l'Académie des sciences soviétique (1952-1956), il a publié la *Théorie marxiste-léniniste de la paupérisation du prolétariat...* (1959), *Le Capitalisme moderne et la lutte des classes* (1963).

ASA. ♦ Roi de Juda de ~ 911 à ~ 870 env., fils d'Abiam. Il lutta contre l'idolâtrie, aurait vaincu les « Éthiopiens » (Égyptiens?), fut en guerre contre Baasa d'Israël. Récit biblique : *I Rois*, XV, 11-24; *II Chroniques*, XIV-XVI.

ASADA GÔRYÛ. ♦ Astronome et médecin japonais (Ôsaka, 1734 – 1799). Il inventa de nouveaux instruments d'observation astronomique et refit des mesures précises afin d'établir le calendrier. Il fut également un des premiers médecins japonais à écrire une thèse sur l'anatomie du corps humain.

ASADI (Abû Nasr Ali ebn Ahmad Tussi). ♦ Écrivain persan (Tous, Khorassan – [mort] 1072). Il rédigea le plus ancien dictionnaire de langue persane *(Loghat-è-Fors)*, composé de mots rares et poétiques, accompagnés de citations. Grand poète, il est surtout célèbre par son *Garshâsp-nâmé*, la meilleure épopée persane après le « Livre des Rois » de Firdûsi*.

ASAHIGAWA. ♦ V. du Japon au centre de l'île de Hokkaidô. 297 000 hab. (1969). Indus. du papier. Menuiserie. Indus. mécaniques et chimiques. Saké.

ASAI RYÔI. ♦ Écrivain japonais (Edo, 1612 – 1691), auteur fécond de romans populaires, de guides, de récits édifiants, de contes fantastiques et de poésies.

ASAM (Cosmas Damian). ♦ Peintre, décorateur et architecte allemand (Benediktbeuren, 1686 – Weltenburg, 1739). EGID QUIRIN ASAM. Architecte, sculpteur et stucateur allemand (Tegernsee, 1692 – Mannheim, 1750). Les frères Asam travaillèrent en étroite collaboration, ils séjournèrent à Rome de 1712 à 1714, subirent l'influence de P. de Cortone, et surtout des techniques illusionnistes du Père Pozzo* puis des Bibiena*. Ils travaillèrent à de très nombreuses décorations en Bavière, Tyrol, Bohême et Silésie, Egid Quirin éleva sans doute *l'église de Rohr* (1717-1719) et les deux frères les églises de *Weltenburg* près de Ratisbonne (1717-1721) et de *Saint-Jean Népomucène* à Munich (1733-1746). Parvenant à une fusion totale de l'architecture et du décor, ils manifestèrent un goût prononcé pour l'exubérance ornementale et les matériaux polychromes; ils recherchèrent les effets de lumière indirecte, multiplièrent les trompe-l'œil sculptés et peints, et recherchèrent les mises en scène mouvementées et théâtrales.

ASAMA *(mont)*. ♦ Volcan du Japon (Honshû), en activité, culminant à 2 542 m. Sa dernière éruption date de 1783.

ASANGA. ♦ Religieux bouddhiste indien (actif v. 550) originaire du Gandhâra, et frère aîné de Vasubandhu*. Il fonda l'école mystique Hogâchâra et traduisit de nombreux textes religieux. Il est vénéré en Chine et au Japon (où il est nommé Muchaku).

ASANO NAGANORI. ♦ Seigneur japonais (1665-1701) du château d'Akô. Chargé par le shôgun de recevoir l'envoyé de l'empereur, il se disputa avec le maître des cérémonies, le blessa d'un coup de sabre et fut condamné à se donner la mort pour avoir répandu le sang dans le palais shôgunal. Ses vassaux décidèrent de le venger : deux ans après, ils assaillirent le maître des cérémonies dans sa maison d'Edo et le décapitèrent. Cet épisode historique illustrant le code chevaleresque japonais du Bushidô, et appelé « Vengeance des 47 Rônin », fut rendu célèbre par les adaptations au théâtre Kabuki* et par les nombreux romans qui en furent tirés par la suite.

ASANSOL. ♦ V. de l'Inde* (Bengale), sur la Damodâr* à 180 km N.-O. de Calcutta. 137 700 hab. L'agglomération compte 291 500 hab. (1970). Mines de charbon.

ASBESTOS. ♦ V. du Canada (Québec). 11 100 hab. Mines d'amiante (ou asbeste).

ASBJØRNSEN (Peter Christen). ♦ Écrivain norvégien (Christiania, auj. Oslo, 1812 – id., 1885). Il recueillit avec Jörgen Moe* les légendes populaires norvégiennes et les publia dans plusieurs livres de 1842 à 1871 *(Recueil de contes populaires norvégiens, Légende des esprits de la montagne en Norvège, Contes norvégiens de la Huldre)*. Il laissa parler le paysan, donnant aux parlers et aux contes populaires une place d'honneur dans la littérature norvégienne.

ASCAGNE ou **IULE.** ♦ Fils d'Énée* et de Créüse*. Selon Virgile* (Énéide), après la prise de Troie*, emmené par son père en Italie, il fonda Albe* la Longue. Il fut considéré comme l'ancêtre de la famille romaine *Julia** **(V. César).**

ASCALON ou **ASHKELON.** ♦ Anc. ville et port de Palestine entre Jaffa et Gaza (*auj.* dans l'État d'Israël). Elle fut une des cinq « satrapies » des Philistins*. Le dieu Dagon **(V. Dagan)** y était vénéré. Après avoir subi la domination de l'Assyrie (~ VIIIe s.), de l'Égypte (~ VIIe s.), elle devint autonome sous Hérode le Grand qui y était né. Prise par les Arabes (638), elle fut le théâtre de nombreux combats pendant les croisades.

ASCANIENS. *n. m. pl.* ♦ Nom d'une dynastie de l'Allemagne du Nord qui tirait son nom du château d'*Ascanie* (Saxe) et dont la puissance fut établie par Albert Ier l'Ours. Elle régna sur le Brandebourg* jusqu'en 1319 **(V. Waldemar)**, sur la Saxe électorale

Ph. Ostuni-Diamante/Ricciarini

Le mont **Asama** (Japon).

jusqu'en 1423, sur le duché de Saxe-Lauenburg jusqu'en 1689, sur l'Anhalt*, enfin, jusqu'en 1918.

ASCELIN ou **ANSELME (Nicolas).** ♦ Dominicain du XIIIe s. qui fut envoyé par le pape Innocent IV auprès du qân mongol qui refusa de le recevoir (1247).

ASCENSION *(île de l')*. ♦ Petite île anglaise de l'océan Atlantique austral, dépendant administrativement de Sainte*-Hélène. 88 km^2. 475 habitants. ♦ *Hist.* Elle fut découverte par le Portugais Juan de Nova*, le jour de l'Ascension en 1501 (d'où son nom).

ASCHAFFENBURG. ♦ V. d'Allemagne occidentale, en Bavière (Franconie), au confl. du Main et de l'Aschaff. 54 500 hab. Église gothique (XIIIe-XVe s.), château Renaissance de Johannisburg, basilique romane à trois nefs (Xe s.). Principal centre de confection pour hommes en R.F.A. – Patrie de Louis Kirchner* et de Hans Memling*.

ASCHEIM (Selmar). ♦ Gynécologue et endocrinologue français d'origine allemande (Berlin, 1878 – Paris, 1965). Il fit des recherches sur les hormones œstrogènes (*réaction* ou *méthode d'Ascheim-Zondek* pour le diagnostic biologique de la grossesse).

ASCHERSLEBEN. ♦ V. d'Allemagne orientale (Saxe, district de Halle), au N.-E. du Harz, sur un important gisement de potasse. 35 641 hab. (1964). Centre industriel (machines, papeteries, confection). – Patrie de von Rundstedt*.

ASCLÉPIADE, en gr. **Asklêpiadês.** ♦ Médecin grec (Pruse, Bithynie, v. ~ 124 – ~ 40). Il combattit les méthodes d'Hippocrate* et se réclama d'Épicure*.

ASCLÉPIADE. ♦ Médecin grec (*fin* du Ier s.). Surnommé « Pharmacien » en raison de ses traités de pharmacologie, appréciés par Galien.

ASCLÉPIADE DE SAMOS, en gr. **Asklêpiadês.** ♦ Poète grec (~ IIIe s.). Il utilisa, dans ses épigrammes amoureuses, le vers choriambique appelé depuis vers *asclépiade*.

ASCLÉPIADES. *n. m. pl.* ♦ Nom d'une antique famille de médecins grecs qui prétendaient descendre du dieu de la médecine, Asclépios*. **V. Praxagoras, Hérophile.**

ASCLÉPIOS. ♦ Dieu grec de la médecine, fils d'Apollon* et de la nymphe Coronis, adopté par les Romains sous le nom d'Esculape*. Dans la légende, son père le confie au centaure Chiron* qui lui enseigne la médecine. Asclépios ne se contente pas de guérir les malades, il ressuscite aussi les morts. Inquiet de ce renversement de l'ordre de la nature, Zeus* le foudroie. Son culte se répandit dans toute la Grèce, autour des sanctuaires dont le plus célèbre se trouvait à Épidaure*. Sa fille Hygie* était la déesse de la Santé.

ASCOLI (Graziado Isaia). ♦ Linguiste italien (Gorizia, 1829 – Milan, 1907). Il fut l'un des philologues les plus marquants de sa génération, tant par l'importance qu'il donna à la phonétique comparée *(Phonologie* [phonétique] *comparée du sanskrit, du grec et du latin*, 1870) que par son souci méthodologique (*Études critiques de linguistique*, de 1861 à 1877).

ASCOLI PICENO. ♦ V. d'Italie, dans les Marches* et ch.-l. de prov., 54 540 hab. Cathédrale des XVe-XVIe siècles. Manufactures de soie.

ASCOLI SATRIANO. ♦ V. d'Italie (Pouilles) au N.-E. de Naples. 12 200 hab. ♦ *Hist.* C'est l'anc. *Asculum Apulum* où Pyrrhus* vainquit les Romains (~ 279).

ASCONA. ♦ V. de Suisse (Tessin) sur la r. N.-O. du lac Majeur*. 3 100 hab. Station climatique.

ASCOT. ♦ Localité d'Angleterre (Berkshire) à l'O. de Londres. Célèbre champ de courses.

ASCQ. ♦ Localité du Nord (arr. de Lille), intégrée à *Villeneuve-*

d'Ascq, et située sur la Marcq. 4 033 hab. *(Ascquois)*. Église du XVe siècle. ♦ *Hist.* En représailles du sabotage d'un train militaire les Allemands y massacrèrent 86 otages le 2 avril 1944.

ASCRA, en gr. **Askra**. ♦ Anc. V. de Grèce qui se trouvait au N. du mont Hélicon*, en Béotie. – Patrie d'Hésiode*.

ASDRUBAL. ♦ V. HASDRUBAL.

ASELLI (Gaspare). ♦ Médecin italien (Crémone, v. 1581 – Milan, 1626). Il fit en 1622 la découverte des vaisseaux chylifères.

ASÉNIDES. *n. m. pl.* ♦ Dynastie de tsars de Bulgarie*, fondée en 1186 par Jean* Ier Asen et qui s'éteignit dans la seconde moitié du XIIIe siècle.

ASER, en hébr. **Asher** « heureux ». ♦ Personnage biblique (*Genèse*, XXX, 13), fils de Jacob et de Zilpah, servante de Léa. Ancêtre éponyme d'une des tribus d'Israël.

Ases. *n. m. pl.* ♦ Myth. germanique. Une des familles de dieux germaniques où figurent Odin*, Thor*, Balder*. Elle s'oppose à celle des Vanes*, avec qui elle lutte puis se réconcilie. Elle semble reflèter, au plan mythologique, la classe des chefs et des guerriers opposée aux cultivateurs.

ASH'ARÎ (Abû Burda 'Amîr al-). ♦ Théologien musulman, fondateur de la scolastique orthodoxe (Basra, 873 – *id.*, 935). Se situant entre le rationalisme des Mu'tazilites* et le fidéisme des Sunnites*, il combattit les Mu'tazilites avec leur propre arme, la dialectique, et défendit les principes de l'orthodoxie. Il affirma ainsi la transcendance de Dieu, la réalité des attributs divins distincts de l'essence, détermina la responsabilité directe et absolue de Dieu dans tout acte humain. Enfin, il considéra le Coran* comme la parole éternelle de Dieu sans début et sans fin. Le ministre Saljuqide* Nizam al-Mulk en fit la grande autorité religieuse du sunnisme.

ASH'ARITES. *n. m. pl.* ♦ Nom donné aux disciples d'Al-Ash'ari* qui firent quelques concessions à la pensée rationaliste et à la science spéculative.

ASHBURNHAM (*lord* John). ♦ Pair d'Angleterre, bibliophile anglais (1797 – 1878). Il forma une très importante collection de livres rares et de manuscrits précieux comportant 4 000 pièces dont une partie avait été achetée en 1847 à Libri Carruci Dalla Sommaia (1803 – 1869). Un autre lot fut acheté en 1849 à Barrois. Léopold Delisle réussit à prouver qu'une partie des œuvres acquises avait été volée à l'insu de lord Ashburnham.

ASHBY (William Ross). ♦ Neurologue et cybernéticien anglais (Londres, 1903 –). Auteur de travaux sur le problème de l'ultrastabilité, il assimile les centres nerveux à des circuits électriques autogouvernés (*Introduction to cybernetics*, 1956). **V.** *aussi* **Shannon.**

ASHDOD (anc. Asdod). ♦ Port de l'État d'Israël, situé sur la Méditerranée à une vingtaine de kilomètres au sud de Tel* Aviv. 32 000 hab. (1969). Port commercial (exp. des fruits et des minerais du Néguev*, port pétrolier, à proximité de l'oléoduc Elath-Haïfa). Indus. textiles.

ASHER BEN YECHIEL, dit **Asheri** ou **Rosh**. ♦ Docteur juif allemand (v. 1250 – 1327). Il fonda une école rabbinique à Tolède (1305). Son *Piskei ha-Rosh* constitue une somme des talmudistes précédents et marque l'introduction en Espagne de la méthode tosafiste issue de Rashi*.

ASHFORD. ♦ V. d'Angleterre (Kent). 28 000 hab. Matériel ferroviaire, cycles. Indus. alimentaires (brasseries). – Église (1350-1475) de style perpendiculaire, maisons du XVIIIe siècle. – Patrie de John Wallis*.

ASHIKAGA. ♦ Famille de guerriers japonais descendant du clan des Minamoto*, qui, à partir de 1336, donna au Japon quinze shôgun. Ashikaga Takauji, ayant détruit le shôgunat de Kamakura, s'établit en 1334 à Kyôto et, imposant les empereurs, établit sa loi sur tout le pays. Le shôgunat des Ashikaga fut marqué par des

Ph. Rémy

Asie : torrent et glacier du Lang-Tang au Népal.

Ph. Nino Cirani/Ricciarini

Asie : un cours d'eau dans la forêt à Ceylan.

guerres incessantes entre les seigneurs (daimyô), par des révoltes paysannes et religieuses et par une véritable transformation sociale. De nombreuses formes d'art virent le jour, arts martiaux, arrangement de fleurs, art de la cérémonie du thé et spectacles de Nô. Cette période fut témoin de l'arrivée des premiers Européens, du christianisme, des armes à feu et de la construction des premiers châteaux. Les guerres incessantes favorisèrent les transports et le commerce et les seigneurs commencèrent à perdre de leur puissance, la classe marchande devenant de plus en plus influente. Le Japon se transforma de fond en comble. Un homme du peuple, Oda Nobunaga, allait profiter de l'affaiblissement du shôgunat pour éliminer le dernier shôgun Ashikaga (1573), affermir son autorité et devenir une sorte de dictateur.

ASHIKAGA. ♦ V. du Japon, dans l'île de Honshu (préf. de Tochigi). 155 000 hab. (1969). Centre textile important (soie).

ASHKÂBÂD ou **ACHKABAD**. ♦ V. de l'U.R.S.S., cap. de la république du Türkmenistân* située dans une oasis, près de la frontière de l'Iran. 253 000 hab. Université. Aéroport. Centre politique et culturel. Indus. alimentaires, mécaniques et textiles (coton, soie). Centrale électrique. Moteur solaire. – Un grave séisme détruisit la V. en 1948.

ASHQELON. ♦ V. de l'État d'Israël située dans la plaine côtière et formant un triangle avec Hébron* (E.) et Beersheba* (S.-E.). 38 900 hab. (1969). Le premier gisement de pétrole du pays (Kokhav) est à proximité. Sidérurgie. – Sites archéologiques d'Ascalon*.

ASHTART, en gr. **Astarté**. ♦ Déesse phénicienne de la fécondité, correspondant à l'Ishtar babylonienne. **V. Ishtar.**

ASHTON (Frederik). ♦ Danseur et chorégraphe anglais (Guayaquil, 1906). Attaché au *Royal Ballet*, il a signé les chorégraphies de nombreuses œuvres dont *Symphonic Variations* (1946), *Sinfonietta* (1967). Il a collaboré avec Roland Petit (1949).

ASIE. *n. f.* ♦ La plus grande partie (centrale et orientale) du continent eurasiatique **(V. Eurasie)**. Sa surface totale, y compris ses prolongements du Moyen-Orient (que l'on rattache traditionnellement à l'Asie), est de 44 000 000 de km². Elle abrite plus d'un tiers (env. deux milliards) de la population du globe. Elle est séparée géographiquement de son prolongement européen par les monts de l'Oural*, de ses extensions du Moyen-Orient par les plateaux iraniens (dont elle est séparée par le Caucase* et la Caspienne*) de l'Amérique par le détroit de Behring (Béring*). Elle constitue près d'un tiers des terres émergées et se situe presque entièrement dans l'hémisphere Nord. On y rattache les archipels du Japon*, de l'Indonésie* et l'archipel malais **(V. Insulinde, Océanie)**. – *Orogr.* La masse compacte de ce continent s'articule sur deux grands ensembles qui déterminent sa morphologie : au centre, le « bouclier de l'Angara », socle massif archéen ; au S., la chaîne de l'Himalâya*. Le bouclier sibérien **(V. Sibérie)** est formé de plateaux relativement peu élevés que séparent les profondes vallées des grands fleuves tributaires de l'océan Glacial Arctique, l'Ob*, l'Iénisséi*, la Lena*. Incliné vers le N.-O., ce plateau ancien détermine la grande plaine de la Sibérie* occidentale au N.-O., et celles de l'*Asie centrale* soviétique à l'ouest. Il est bordé à l'E. et au S.-E. par une série de chaînes allant de Mongolie* au détroit de Béring* en formant un grand arc de cercle (monts Yablonovyi, Stanovoi*, de la Kolyma*), centré sur le grand plateau de Sibérie orientale. Au S., le gigantesque soulèvement tertiaire de la chaîne himalâyenne a repoussé les terrains au N. qui butèrent sur le bouclier de l'Angara, formant de nombreux plissements et un exhaussement général de la région formant le Tibet, avec ses chaînes orientées E.-O. et presque parallèles, Transhimalâya, Thangla, Kun-lun, Altyn-Tagh, T'ien-shan, Nanshan, et, en Mongolie. l'Altaï et le Khingan. Ces chaînes sont séparées, soit par des hauts plateaux (Tibet, Tsaidam), soit par des dépressions

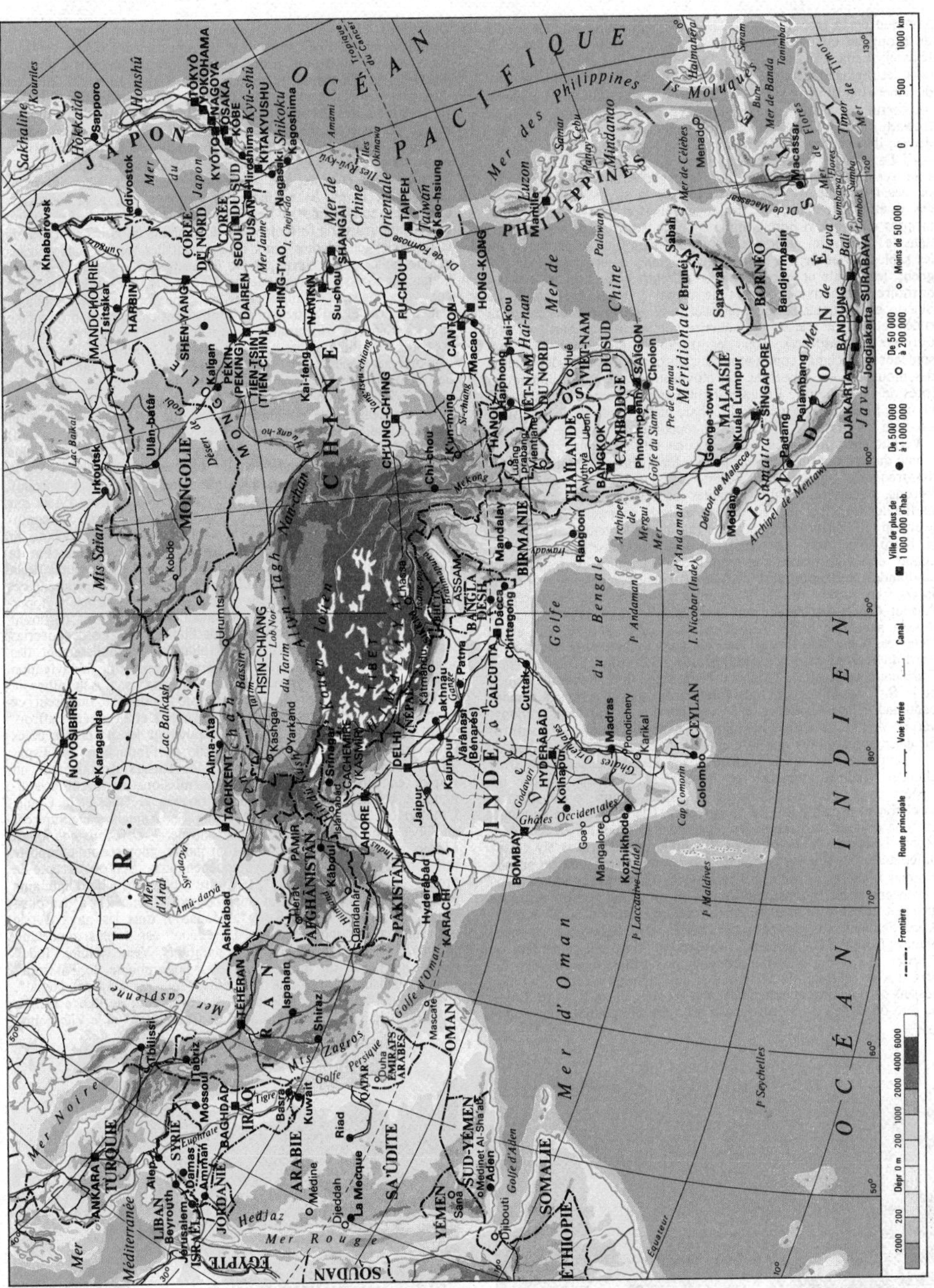

Asie.

désertiques (Takla-makan du Turkestan oriental, Gobi, Turfân, Dzungarie). Le massif himalâyen se prolonge à l'O. par une série de hauts massifs (Hindû-kûch, monts de Kirghizie et du Tajikistân) et à l'E. par le haut plateau du Yunnan dont les chaînes ramifiées forment la péninsule indochinoise et se prolongent par les îles de la Sonde. Le versant S. de l'Himalâya, abrupt, domine la plaine gangétique qui le sépare des terrains anciens du Dekkan dans l'Inde, vaste plateau incliné d'O. en E. et de faible hauteur. Toute la partie orientale de l'Asie est bordée d'arcs volcaniques formant des cordons d'îles et de presqu'îles (du N. au S., le Kamchatka, les îles Kuriles et le Japon, les Ryûkyû, Taiwan et les Philippines), séparées de l'océan Pacifique par des profondes fosses marines (atteignant plus de 11 000 m à l'E. de Mindanao). Les îles du S.-E. asiatique ont émergé récemment et forment les rebords E. et S. d'un vaste plateau continental situé à moins de 200 m sous le niveau de la mer. Toutes les îles de cette frange orientale de l'Asie appartiennent à la « ceinture de feu » du Pacifique et sont d'origine volcanique. Les plaines de la côte orientale de l'Asie sont presque toutes alluviales (Chine du Nord, Cambodge, plaines indo-gangétiques), ou constituent d'étroites bandes entre les montagnes et la côte (Annam, Malaisie, Sumatra, Coromandel, Bornéo). Profondément découpée, la côte orientale est composée de nombreuses baies, golfes, îles et presqu'îles qui ont favorisé la dispersion du peuplement. – *Hydrogr.* La distribution du relief de l'Asie a déterminé quatre grands systèmes hydrographiques. *1)* Au N., le système sibérien dans lequel tous les fleuves se dirigent vers l'océan Glacial

Arctique ou la mer d'Okhotsk, prenant leur source sur les monts de Mongolie ou dans les chaînes de l'arc oriental sibérien, (Ob, Iénisséi, Lena, Amour). – *2)* Le système tibétain, dans lequel tous les fleuves prennent naissance sur les hauteurs du plateau du Tibet et se dirigent vers la Chine ou le S.-E. asiatique en longeant de tortueux défilés (Huang-ho, Yang-tsê, Mekong, Saluen, Irawady). – *3)* Le système sub-himalâyen, constitué par des fleuves de plaine issus des hauteurs de l'Himalâya (Indus, Gange). – *4)* Le système aralien, comprenant essentiellement l'Amû-dariâ et le Syr-dariâ, qui se jettent dans la mer d'Aral, venant du Pamir ou des monts de Kirghizie et traversant la steppe. En dehors de ces quatre ensembles, on trouve des systèmes hydrographiques propres à chaque région, comme celui du Tarim et de ses affluents dans le Türkestân, celui des fleuves afghâns (qui se perdent dans les sables) et les fleuves côtiers, aux régimes divers selon leur longueur, leur pente et leur latitude. – *Climat.* L'Asie est un si vaste territoire que tous les genres de climat y sont représentés. La Sibérie a un climat continental accentué, aux hivers extrêmement rudes, et au sol gelé en permanence sur une bonne partie de son territoire *(permafrost).* Tous les territoires du centre de l'Asie sont aussi de climat continental. Sur sa partie méridionale, l'action des moussons est très forte. La pluviosité y atteint son maximum (près de 11 m) dans le Bengale oriental et en Assam. La chaleur est la plus forte dans le désert de Thar, entre l'Inde et le Pâkistân. Le pôle du froid, à l'inverse, se rencontre en Sibérie orientale, à Verkhoïansk (moins 66 °C). Les côtes de l'Asie du S.-E. et de la Chine du Sud ont un climat tropical à forte pluviosité, influencé par des fréquents typhons. Les îles de la Sonde ont un climat sans saisons, équatorial. Enfin, certaines parties possèdent un climat particulier (le Tibet du fait de son altitude supérieure à 4 500 m, le Japon qui bénéficie d'un courant marin chaud venu de l'équateur, le Kuro-shio, etc.). La végétation est directement fonction du climat et de l'altitude. Les zones de végétation se répartissent en bandes horizontales suivant approximativement les méridiens E.-O. : en partant du N., la toundra glacée le long des côtes de l'océan Glacial Arctique, puis la grande forêt de conifères de la Sibérie avec une bande méridionale de forêts de bouleaux et de trembles. Vient une longue zone de steppes herbeuses (Mongolie, nord du Kazakhstân) que souligne une zone aride allant de la mer Caspienne au désert de Gobi. Le Tibet a une flore d'altitude. L'Inde et le S.-E. asiatique ont des forêts tropicales d'arbres à feuilles caduques : la Malaisie et la Sonde, des forêts tropicales toujours vertes. À l'E., la Chine méridionale bénéficie d'une forêt subtropicale humide, tandis que la Chine du Nord possède des paysages de steppes entrecoupés de forêts. Le Japon participe de trois climats, sibérien, tempéré et subtropical. Presque toutes les espèces de plantes se rencontrent en Asie. La faune y est adaptée au climat et à l'altitude. – *Ethnographie.* L'apparition de l'homme en Asie remonte aux temps les plus anciens (sinanthrope de Pékin, Homo soloensis de Java), mais il semble que les races s'y soient différenciées assez tardivement. On y rencontre quatre grands groupes humains : les Paléo-Sibériens, les Türko-Mongols, les Indo-Européens et les Indonésiens, divisés en un grand nombre de sous-groupes qui se sont très fortement mélangés au cours des siècles. Appartiennent au groupe paléosibérien des ensembles de peuplades (Tungus [Toungouzes], Samoyèdes, Ainu) qui demeurent en Sibérie, aux groupes türko-mongols, les tribus mongoloïdes ou türk d'Asie centrale, de Mongolie et de Chine du Nord. Les Indonésiens se rencontrent principalement en Asie du S.-E. et en Chine du Sud où ils se sont mélangés aux groupes mongoloïdes. Les Indo-Européens enfin ont fait souche principalement dans le subcontinent indien, l'Afghânistân et certaines parties d'Asie centrale. Gravitent autour de ces grands groupes des populations à l'origine encore mal déterminée : les Dravidiens de l'Inde du Sud, les Japonais, les Tibéto-Birmans, les Môn-Khmer, et, dans les îles de la Sonde, des groupes peut-être mélanésiens. Invasions, mouvements de peuples, migrations ont brassé ces ethnies. Cependant, l'élément dominant dans la partie orientale de l'Asie semble être constitué par les races de type mongoloïde, caractérisées par des cheveux noirs et plats, une pigmentation allant du blanc ivoire au brun-jaune, le pli épicanthien des paupières et, à la naissance une tache congénitale sur les reins, dite « mongole ». La stature des Asiatiques varie fortement : si les Chinois du Nord sont grands et fortement charpentés, ceux du Sud ont des formes plus graciles et une taille moins élevée. Il est fréquent, surtout dans les montagnes ou en Asie centrale, de rencontrer des types indo-européens aux yeux clairs. Certaines races ont une forte vitalité (Chinois, Indiens) alors que d'autres au contraire sont en régression ou même sur le point de disparaître complètement (Veddas de Ceylan, Negritos des Philippines, Ainu du nord du Japon). La pénétration des diverses races s'est faite principalement en suivant le cours des fleuves, allant des montagnes vers la mer ou en suivant les côtes. L'intérieur des terres, fief des nomades, n'a jamais connu de fortes densités de population, alors que les plaines côtières ou fluviales (vallée du Gange, collines et vallées de la Chine du Sud) abritant des populations d'agriculteurs sédentaires, voient les plus fortes concentrations humaines : ce sont des régions fertiles où la civilisation se développa très tôt (Inde gangétique, Chine centrale). – *Rapports entre l'Europe et l'Asie.* Les contacts avec l'Asie ont été fréquents dès avant notre ère : les Romains avaient des comptoirs dans le sud de l'Inde et probablement jusqu'en Indochine du Sud. Les Grecs d'Alexandre pénétrèrent jusqu'à l'Indus. Par la suite, l'Asie ne fut connue que par les caravanes des routes de la soie arrivant en Iran, à Baghdâd et à Byzance. Les expéditions des Türko-Mongols jusqu'en Russie et au cœur de l'Europe y apportèrent les rudiments de la connaissance de l'Asie. Puis ce furent Marco Polo et les voyages de Jean de Plan-Carpin, les découvertes maritimes des Portugais et des Hollandais, l'établissement des jésuites à la cour de Chine. Avec le développement de la navigation à vapeur et l'ère des grands voyages au XIXe s., l'Asie attira la curiosité : des guerres de conquête ou d'influence ouvrirent ce continent à l'avidité des Européens : Anglais et Français s'affrontèrent en Inde, plusieurs pays se disputèrent les ports des côtes chinoises, la France conquit une partie de l'Indochine, les Espagnols s'installèrent aux Philippines, les Russes se taillèrent un empire en Sibérie. De militaires, les missions devinrent scientifiques et religieuses : le père Huc* traversa le Tibet et la Chine, Doudart de Lagrée explora le Mekong, les Anglais s'aventurèrent au Tibet, Paul Pelliot étudia l'Asie centrale. – *Divisions politiques.* L'Asie, après avoir été longtemps en partie colonisée ne comporte maintenant plus que des pays indépendants. Si l'on excepte la presque totalité de la Sibérie*, territoire à peu près vide d'habitants et exploité par les Russes, et quelques ports concédés à des puissances étrangères (Hong-Kong*, Macao*), tous les pays d'Asie ont conquis leur indépendance. La Chine* est le plus important, en superficie comme en nombre d'habitants. Vient ensuite l'Inde* et, faisant partie du même ensemble géographique, le Pâkistân* et l'Afghânistân* ainsi que les petits États himalâyens, Népal*, Sikkim* et Bhûtan*. L'Asie du S.-E. comprend, de l'O. à l'E., la Birmanie*, la Thaïlande*, le Laos*, le Cambodge* et le Viêt-nam*.

Ph. Nino Cirani/Ricciarini

Asie : rizières près d'Islamabad (Cachemire).

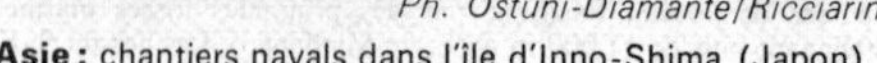

Ph. Ostuni-Diamante/Ricciarini

Asie : chantiers navals dans l'île d'Inno-Shima (Japon).

Ph. Sandro Prato/Ricciarini

Asie : Femme à Balikpapan (Bornéo).

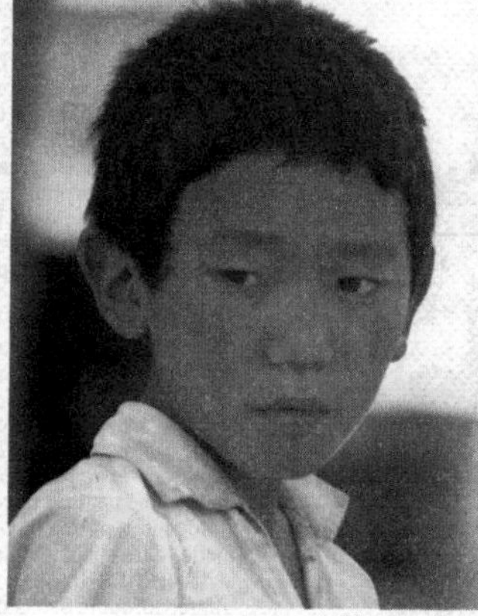

Ph. A. Rev

Enfant tibétain.

Ph. Hétier

Homme à Samarkand (Ouzbekistan).

En Asie centrale occidentale, quatre républiques socialistes soviétiques : Kazakhstân*, Tadjikistan*, Ouzbékistan* et Türkmenistân* se partagent la région se trouvant entre la mer Caspienne et le Hsin-Chiang chinois. La République populaire de Mongolie* se trouve enclavée dans les montagnes séparant la Sibérie soviétique de la Chine. La Corée* occupe une péninsule dépendante de la Mandchourie. Enfin parmi les États insulaires, citons Ceylan*, au S. de l'Inde, les îles Andaman* et Nicobar entre la Birmanie et Sumatra, la fédération de Malaysia*, comprenant la péninsule malaise et le N. de l'île de Bornéo, l'Indonésie* réunissant Sumatra, Java, Bali, les îles de la Petite Sonde et la plus grande partie de Bornéo (Kalimantan) ainsi que les îles Célèbes (Sulawesi), des Moluques (Maluku) et la partie occidentale de la Nouvelle-Guinée (Irian). L'archipel des Philippines* forme un État à part, d'influence hispano-américaine et qui a peu de points communs avec le reste de l'Asie, sinon avec le monde malais. Le Japon* enfin, composé de quatre grandes îles volcaniques, se trouve être le territoire le plus oriental de l'Asie. L'île de Taiwan*, bien qu'actuellement le siège d'un gouvernement indépendant, fait en droit partie de la Chine. L'instabilité politique de certains États et l'influence étrangère ont abouti à des partitions arbitraires au sein de pays géographiquement et ethniquement homogènes : c'est ainsi que la Corée s'est vue partagée (en 1953) en République populaire de Corée du Nord et République démocratique de Corée du Sud, le Viêt-nam a été divisé (en 1954) en République populaire du Viêt-nam (au N. du 17e parallèle) et en République du Viêt-nam (au S.), que l'île de Taiwan est, depuis 1949, la continuatrice de la République de Chine alors que la Chine continentale est devenue une République populaire, que l'Inde s'est, en 1947, partagée en trois parties dont celles de l'extrême ouest et de l'extrême est (Bengale*) appartinrent à un même État **(V. Pâkistân)**, jusqu'en 1971 **(V. Bangla Desh)**. Le Tibet*, autrefois autonome, est passé sous le contrôle de la Chine. Tous les pays d'Asie s'efforcent de rattraper le retard industriel qu'ils avaient pris au siècle précédent et, pratiquant, selon leurs options, une économie de type socialiste ou libéral, se sont lancés dans la voie du développement. Le Japon et la Chine sont les deux grands « leaders » de ce mouvement.

ASIE ANTÉRIEURE. ♦ Expression désignant l'Asie occidentale ancienne ou Proche*-Orient antique (Mésopotamie, Asie Mineure, Arménie, Perse, Syrie et Arabie). **V. Asie.**

ASIE MINEURE. ♦ Nom donné à la péninsule formant l'extrémité O. de l'Asie, limitée au N. par la mer Noire* et la mer de Marmara*, à l'O. par la mer Egée* et au S. par la Méditerranée. Les détroits des Dardanelles* et du Bosphore* la séparent de la Turquie* d'Europe et des Balkans*. Conventionnellement délimitée à l'E. par la chaîne de l'Anti-Taurus, elle constitue la majeure partie de la Turquie* d'Asie. Le nom d'Asie Mineure (en grec *Mikra Asia*) date du xe s. byzantin, le pays étant appelé antérieurement (ve s.) Anatolie*. Place avancée du grand foyer humain d'Asie vers l'Europe, la péninsule fut un carrefour des migrations indo-européennes et le point de rencontre des premières civilisations méditerranéennes. Les grands empires de l'Antiquité se disputèrent son territoire. Les civilisations néolithiques et chalcolithiques (~ VIe, ~ Ve, ~ IVe millénaires), attestées par les fouilles (Çatal* Höyük) ont donné lieu à de nombreuses hypothèses sur les échanges culturels avec la Grèce* préhellénique (Thessalie*), le monde égéen, la Mésopotamie et les civilisations continentales. A l'âge de l'Ancien Bronze (~ IIIe millénaire), Troie*, à l'avant-garde de la civilisation métallurgique et du commerce maritime, attirait déjà les envahisseurs. Les Sumériens étendaient leur domination de l'Euphrate aux plaines côtières de la Cilicie* après avoir soumis les Hourrites*, tandis que sur le plateau anatolien le peuple indigène de Hatti* développait une civilisation importante. — Vers le début du ~ IIe millénaire, l'afflux des peuples indo-européens bouleversa la péninsule. Pour les Lydiens, Indo-Européens, mêlés d'éléments sémites, il n'existe que des hypothèses. Les Hittites* soumirent le royaume de Hattousa (V. actuelle de Boğazkale) au centre de l'Anatolie, se mêlèrent aux Hattites — appelés *proto-hittites* — et fondèrent l'*Ancien Empire hittite* (~ xviii s.). En déclin à la suite de morcellements et des conflits internes, cet empire recouvrit un nouvel essor au milieu du ~ xve s. en luttant au S. contre le royaume de Mitanni **(V. Hourrites)**. Le *Nouvel Empire hittite*, ayant repoussé les envahisseurs venus d'Arménie, s'étendait, à son apogée (~xive s.) sur toute l'Asie Mineure, la Syrie et la Palestine, menaçant l'Égypte. — Au début du ~ xiie s., l'Empire hittite fut détruit par les Moushki, un des *Peuples* de la Mer* (Indo-Européens), qui créa le puissant royaume de la Phrygie*. Dans le même mouvement de migrations, les Achéens*(Mycéniens) organisèrent l'expédition contre Troie, poste-clé du trafic intercontinental sur l'Hellespont*. La guerre de Troie* aurait opposé une coalition grecque (principalement Achéens et Éoliens) aux peuples occupant l'Asie Mineure occidentale et centrale : Troyens, Phrygiens, Pélasges, Léléges, etc. Dans cette période de grands bouleversements, aurait eu lieu la migration des Étrusques*, rameau probablement lydien, vers l'Italie. **V. Étrurie.** — Les siècles qui suivent sont marqués par la colonisation grecque. Fuyant l'invasion de la Grèce, les Éoliens* et les Ioniens* peuplaient les côtes de la Mysie* **(V. Troade, Éolide)** et de la Lydie* **(V. Ionie)**, suivis de près par les Doriens* **(V. Carie)**. Les cités ioniennes à leur tour amorçaient une nouvelle vague de colonisation sur les côtes septentrionales (Hellespont, Propontide*, Pont*-Euxin) **V. Bithynie, Paphlagonie, Pont.** Une grande part de la civilisation grecque est due à l'épanouissement économique et culturel des avant-postes asiatiques de l'hellénisme, dont les plus importants furent Milet*, Smyrne*, Éphèse*, Phocée*, Halicarnasse*. — L'invasion des Cimmériens*, qui traversèrent l'Asie Mineure vers la fin du ~ viiie s., entraîna la chute du royaume de Phrygie. Après une période de suprématie lydienne (~ 687-~ 546), l'Anatolie fut submergée par de nouveaux envahisseurs, les Mèdes de Cyrus* II le Grand. Sous l'Empire perse* achéménide, elle connut une phase de stabilité interrompue par la révolte des cités ioniennes (~ 499) et les guerres Médiques* (~ 490-~ 468). **V. Eurymédon.** L'autonomie des cités grecques dura jusqu'à la paix d'Antalcidas* (~ 386) offerte par les Spartiates au Grand Roi. — Un demi-siècle plus tard, la conquête d'Alexandre* le Grand qui défit Darios* Codoman **(V. Granique, Issos)** mettait fin à la domination achéménide et ouvrait une nouvelle époque d'éclat mais aussi de troubles pour l'Asie antérieure. Après la mort du conquérant (~ 323), la péninsule fut partagée plusieurs fois selon les différentes phases de la guerre des diadoques dont la bataille décisive fut livrée à Ipsos* (~ 301). **V. Antigonos Monophthalmos, Eumène, Lysimaque, Ptolémée, Séleucos.** Les régions du N., alors gouvernées par des satrapes perses, s'érigeaient en États indépendants **(V. Bithynie, Cappadoce, Paphlagonie, Pont)** et les Séleucides* de la Syrie **(V. Seleucos, Antiochos)**, ayant dépossédé Lysimaque, contrôlaient la majeure partie de l'Anatolie, remplaçant progressivement les Lagides* dans leurs possessions (Ionie, Pamphylie, Cilicie, Carie). Tandis que des tribus galates **(V. Tectosages)** fondaient le royaume de la Galatie* à l'E. de la Phrygie, Pergame*, révoltée contre l'Empire séleucide et érigée en royaume (~ 260), reconquit les territoires de Lysimaque (Mysie, Lydie), puis s'allia avec les Romains et, après leur victoire de Magnésie* du Sipyle (~ 189), s'étendit sur toutes les possessions des Séleucides en Asie Mineure. Centre brillant de la civilisation hellénistique, grâce à sa richesse, Pergame ouvrit aussi l'ère romaine en Orient. En effet

Ph. Nino Cirani/Ricciarini

Asmara.

Attale* III légua son vaste royaume à Rome* (~ 133). Ayant créé la *province d'Asie* (Anatolie O.), les Romains entreprirent la conquête des royaumes indépendants du N., mais se heurtèrent à la farouche résistance des Cappadociens et aux ambitions du roi du Pont Mithridate* VI, secondé par son allié Tigrane*, roi d'Arménie. **V. Sylla, Lucullus, Pompée, César.** De nouvelles provinces romaines furent ainsi créées au cours du ~ Ier s. : Bithynie, Cilicie, Galatie (englobant l'Isaurie*, la Lycaonie* et la Pisidie*), Pamphylie (avec la Lycie), enfin Cappadoce, toutes réunies ensuite dans le *Diocèse d'Asie* et la *Préfecture d'Orient*. L'Anatolie connut une période de prospérité pendant la paix romaine qui fut troublée par la guerre contre les Parthes. Évangélisée par saint Paul*, elle fut un des premiers foyers du christianisme. — À partir du IVe s., la péninsule partagea le sort de l'empire d'Orient (**V. Byzantin** [empire]) dont elle fit partie. Les Perses sassanides (VIe, VIIe s.), puis les Arabes (VIIe-Xe s.) harcelèrent les territoires byzantins. **V. Héraclius, Léon III, Nicéphore Phocas, Basile II.** Ensuite vinrent les Saljûqides* (XIe-XIIIe s.) qui fondèrent le puissant sultanat de Roum, d'autres tribus turques et enfin les Ottomans* (XIVe s.). Dans cette période trouble, les Arméniens fondaient en Cilicie le royaume de la *Petite Arménie**, les Mongols, conduits par Tîmûr, ravageaient le pays et les croisades* y amenaient de nouveaux libérateurs-conquérants. Deux Empires byzantins, celui de Nicée* (1204-1261) et celui de Trébizonde* (1204-1461), se constituèrent en Asie Mineure lors de la prise de Constantinople par les Latins. Enfin, la vague turque (milieu du XVe s.) balaya l'Anatolie qui fit désormais partie de l'Empire ottoman. **V. Turquie.**

ASINIUS POLLION, en lat. **Caius Asinius Pollio.** ♦ Homme politique et écrivain latin (Rome, ~ 76 — 4 ou 5). Compagnon de César puis d'Antoine, il fut nommé consul et gouverneur de la Gaule cisalpine en ~ 40. Après avoir vainement tenté de réconcilier Octave et Antoine, il abandonna la vie politique et mena une vie retirée à Tusculum. Il établit en ~ 38 la première bibliothèque publique de Rome et fonda un cercle littéraire dont firent partie Virgile* et Horace*. Il écrivit des tragédies et une *Histoire des guerres civiles* qui resta inachevée.

'ASÎR ou **ASSIR.** ♦ Barrière montagneuse d'Arabie Sa 'ûdite qui fait suite au Hedjaz* et culmine au mont Sarah (2 700 m). ♦ Province du sud arabique à la frontière du Yémen du Nord. *Ch.-l.* Abba. 1 390 000 km². 2 000 000 d'hab. env. Céréales (blé). Plantations de café.

Ph. Giraudon

Le pont d'**Asnières,** par Signac. (Collection particulière, Londres.)

AŠKERC (Anton). ♦ Poète slovène (Globoko, 1856 — Ljubljana, 1912). Il se fit le défenseur de la liberté, de l'égalité et de la justice dans ses *Ballades et Romances* (1890). Dans ses poèmes épiques : *Primož Trubar* (1905), *Les Martyrs* (1906), *Les Héros* (1907), il chante la gloire des protestants persécutés.

ASMARA. ♦ V. d'Éthiopie. Cap. de l'Érythrée*, à 2 400 m d'alt. 178 537 hab. (1967). Indus. textiles et alimentaires.

ASMODÉE, en grec **Asmodaios** (correspondant à l'*Aschmedaï* du Talmud et probablement à l'*Ashma Daeva* de l'Avesta). ♦ Démon vaincu par Tobie dans le livre biblique de Tobie*.

ASMON. ♦ Personnage juif, ancêtre éponyme des Asmonéens*.

Asmonéens. *n. m. pl.* ♦ Descendants d'Asmon, famille sacerdotale juive qui dirigea, à partir de ~ 167, la résistance aux Séleucides. Elle comprend Mattathias et ses fils (**V. Maccabée**) puis leurs descendants ou rois asmonéens : Jean Hyrcan, Aristobule* Ier, Alexandre* Jannée, Aristobule* II, Hyrcan II.

'ASNAM (EL) [anc. **Orléansville**]. ♦ V. d'Algérie, ch.-l. du dép. et de l'arr. du même nom, située dans la plaine du Chélif*. 44 650 hab. ♦ *Hist.* Fondée en 1843 par Bugeaud* sur le site de l'antique *Castellum Tingitanum, Orléansville* connut en sept. 1954 un tremblement de terre qui fit de nombreuses victimes. — Les villes et localités princ. du *dép. d'El-Asnam* (727 800 hab.) sont Aïn*-Defla, Cherchell*, Miliana*, Oued* Fodda et Ténès*.

ASNIÈRES [ɑnʃɛʀ]. ♦ Ch.-l. de cant. des Hauts-de-Seine (arr. de Nanterre), sur la Seine, dans la banlieue N.-O. de Paris. 80 530 hab. *(Asniérois).* Ancien château (XVIIIe s.). — Important centre métallurgique; constructions automobiles (Citroën), Produits pharmaceutiques. Indus. alimentaires. — Patrie d'H. Barbusse*.

ASNIÈRES-SUR-OISE. ♦ Comm. du Val-d'Oise (arr. de Montmorency). 1 462 hab. *(Asniérois).* Église (XIIe et XIIIe s.). — Matières plastiques. — Royaumont* en dépend.

ASO *(mont).* ♦ Volcan actif du Japon, dans l'île de Kyûshû*. Son cratère se signale par ses dimensions (caldeira de près de 20 km de diamètre) et ses cinq sommets.

AŚOKA. ♦ Empereur indien (v. ~ 273 — v. ~ 237) de la dynastie des Maurya, à Pâtaliputra (aujourd'hui Patna, dans le Bihâr). Il agrandit ses États jusqu'au Gandhâra (Afghânistân) et jusque dans l'Inde centrale. Il entretint des relations amicales avec le monde oriental grec et, sympathisant du bouddhisme, envoya en Asie du Sud-Est et dans l'Ouest des missionnaires. Il convoqua en ~ 253 un concile bouddhique. Ayant unifié l'Inde, il s'en fit le moralisateur et instaura la sécurité sur tout le territoire. Selon une tradition, il serait mort à Taxila (actuel Pâkistan). Ses fils lui succédèrent mais ne purent maintenir l'intégrité de l'empire qu'il avait édifié.

ASPASIE, en gr. **Aspasia.** ♦ Femme grecque célèbre par sa beauté et son esprit. Originaire de Milet*, elle s'établit à Athènes (~ Ve s.). Étrangère, elle ne put épouser Périclès* qui avait répudié sa femme. Leur maison devint le rendez-vous des intellectuels d'Athènes. La vie privée d'Aspasie et son influence sur la vie politique alimentaient la polémique contre Périclès et étaient tournées en dérision dans la comédie attique.

ASPE *(gave d').* ♦ Torrent des Pyrénées*-Atlantiques qui arrose la vallée du même nom; il rejoint le gave d'Ossau* à Oloron*-Sainte-Marie pour former le gave d'Oloron*.

ASPE *(vallée d').* ♦ Vallée pittoresque des Pyrénées*-Atlantiques (formée par le *gave d'Aspe*), qui descend du col du Somport vers Oloron.

ASPIN *(col d').* ♦ Col des Hautes-Pyrénées* (1 489 m), entre Sainte-Marie-de-Campan et Arreau. Il offre un panorama étendu (table d'orientation).

ASPINWALL. ♦ Anc. nom de Colón* (Panamá).

ASPLUND (Erik Gunnar). ♦ Architecte suédois (Stockholm, 1885 — *id.*, 1940). Après avoir débuté dans un style traditionnel d'esprit classique et dépouillé (*Cinéma Skandia,* 1922-1923; *Bibliothèque municipale de Stockholm,* 1924-1927), il s'inséra dans le courant de l'architecture moderne internationale d'une façon radicale en édifiant le *Pavillon de l'exposition* de Stockholm (1930). Devenu en Suède le chef de file du fonctionnalisme, il donna une impulsion décisive au développement de l'architecture moderne dans son pays (*Laboratoire bactériologique d'État* à Stockholm, 1933-1937; *Crématorium en forêt,* 1935-1940).

ASPRES. *n. m. pl.* ♦ Terrasses caillouteuses du Roussillon, entre le Tech* et la Têt*, surtout en bordure des Corbières*. Vigne; arbres fruitiers.

ASPROMONTE. *n. m.* ♦ Massif granitique d'Italie*, à la pointe de la Calabre*, à l'E. de Reggio*. 1 956 m au Montalto. ♦ *Hist.* Garibaldi* y fut vaincu et fait prisonnier en 1862 par les troupes de Victor*-Emmanuel II.

ASPROPOTAMOS. *n. m.* (« fleuve blanc »). ♦ **V.** ACHÉLOOS.

ASQUITH (Herbert Henri, *1er comte d'Oxford et Asquith*). ♦ Homme politique britannique (Morley, Lancashire, 1852 — Londres, 1928). D'origine modeste, il entra en 1886 à la Chambre des communes après avoir entamé une brillante carrière d'avocat. Ministre de l'Intérieur de 1892 à 1895, il se fit remarquer par ses talents d'administrateur, puis en 1902 par sa position impérialiste dans la guerre des *Boers* (**V. Afrique du Sud,** *Hist.*). Chancelier de l'Échiquier (1905-1908), puis Premier ministre (1908-1916), il orienta la politique des libéraux dans un sens plus social, fut le principal artisan du *Parliament* Act* et défendit le *Home* Rule.* Il fit résolument entrer la Grande-Bretagne dans la guerre, en 1914, après la violation de la neutralité belge. Accusé ensuite de manquer

Ph. Leigheb/Ricciarini

Assam : femme de la tribu Mikir travaillant sur un métier à tisser.

de fermeté dans la conduite de la guerre, déçu par les divergences au sein de son parti et sa mésentente avec Lloyd* George, il démissionna et ne joua plus qu'un rôle politique secondaire. Il fut anobli en 1925 et entra à la Chambre des lords. Il écrivit ses *Mémoires et réflexions* (1928).

ASSAM. *n. m.* ♦ État de l'Inde, région montagneuse et boisée, tropicale, à l'extrémité orientale de l'Inde, entre le Yunnan chinois et l'Himalâya* au N., la Birmanie au S. et à l'E., et le Bengale à l'ouest. Elle est traversée par le cours inférieur du Brahmâputra*. *V. princ.* Gauhati*, Shillong*. – *Econ.* La forêt, encore peu exploitée, fournit du bois d'œuvre destiné à l'exportation. Culture du riz (près de 2 millions de t), du jute, du thé, de la canne à sucre ; moutarde ; orangers. L'État est peu industrialisé. Il existe cependant une raffinerie de pétrole à Digboi. Élevage du ver à soie. – Cette province indienne, peuplée d'environ 12 000 000 d'habitants d'origine tibéto-birmane, divisés en nombreuses tribus (dont les Nâga, **V. Nâgaland**) assez isolées, est difficilement accessible. Ses principales tribus (Nâga) réclament leur indépendance et combattirent farouchement les troupes indiennes. La partie N. de cette région est réclamée par la Chine (N. E. F. A.). C'est la région la plus arrosée du monde (11 000 mm/an).

ASSARHADDON. ♦ Roi d'Assyrie de ~ 681 à ~ 669, fils de Sennachérib*. Contre la politique de son père, il rebâtit Babylone (~ 680). Il lutta aux frontières contre les Cimmériens, les Scythes, les Élamites et conquit l'Égypte (~ 671, **V. Taharko**). Pour lui succéder, il imagina une double royauté sur l'Assyrie et Babylone, confiée à ses fils Assurbanipal* et Shamash-shumukîn.

ASSAS [asas] *(le chevalier d').* ♦ Officier français (Le Vigan, 1733 – près de Clostercamp, 1760). Capitaine au régiment d'Auvergne, il tomba sur une colonne ennemie qui s'apprêtait à surprendre les Français, donna l'alerte et fut tué. Voltaire a rapporté ce trait d'héroïsme dans son *Récit sur le siècle de Louis XV*.

ASSASSINS. *n. m. pl.* (ar. **Hashâshîn** : fumeurs de hachisch » Cf. Assassin *in* Robert). ♦ Secte shi'ite* ismaïlienne* (1090-1272). Organisée en société secrète, cette secte fut fondée par Hasan* ibn al-Sâbbâh, qui prit parti, au Caire, pour l'héritier légitime, Nizar ibn al-Mustansîr, écarté du pouvoir par le vizir Afdal (d'où leur nom de Nizarites). Il repartit ensuite pour la Perse où il prit la forteresse d'Alamût, près de Qazvîn (1090). Son successeur, Buzurg Ummîd Rûdbâri (1124-1138) constitua une dynastie qui dura jusqu'à l'exécution du dernier grand maître des Assassins par le khan mongol Hulagu à la suite de la chute d'Alamût (1256). Il semble que l'ordre était dirigé par une élite intellectuelle qui disposait d'agents fanatisés : on les appelait *Fidâ iyyûn* (« ceux qui se sacrifient »). La secte s'organisait autour d'un réseau de cellules secrètes dirigées par un chef régional *(al-Da'i al-Kabîr)* et au sommet se trouvait le grand maître *(Da'i al-Du'ah)*. Plusieurs personnalités furent victimes de leur activisme dont le grand Saljuqide Nidhâm al-Mulk (1092), Raymond de Tripoli (1152), Conrad de Montferrat (1192).

ASSE. ♦ Comm. de Belgique, prov. de Brabant, arr. de Hal-Vilvorde. 12 600 hab. Ruines romaines. Église Saint-Martin (gothique). – Indus. chimiques et textiles.

ASSEBROUCK, en néerl. **Assebroek.** ♦ V. de Belgique, prov. de Flandre-Occidentale, sur le canal de Bruges à Gand. 15 000 hab. Indus. textiles.

Assemblée des femmes (l'), en grec **Ekklêsiasousai.** ♦ Comédie d'Aristophane* (~ 392). Sous l'impulsion de l'éloquente Praxagora, les femmes d'Athènes s'emparent du pouvoir et établissent le communisme absolu. Satire d'un système politique dont diverses écoles philosophiques recommandaient l'application.

Assemblée (nationale) constituante. ♦ Nom que prirent les États* généraux le 9 juillet 1789 **(V. Révolution française),** mettant fin à l'absolutisme royal au profit d'une monarchie constitutionnelle. L'Assemblée comptait 745 députés élus pour deux ans au suffrage restreint et divisés en aristocrates*, monarchiens*, patriotes constitutionnels. Elle siégea du 9 juillet 1789 au 20 septembre 1791 : à Versailles, puis dans la salle du manège des Tuileries après les journées des 5 et 6 octobre* 1789. Si la Constitution ne fut définitivement adoptée que le 3 septembre 1791, ses principes avaient été votés dès la fin de 1789, après l'abolition de la féodalité dans la nuit du 4 août* 1789 et l'adoption de la Déclaration des droits* de l'homme et du citoyen (26 août 1789). Elle dota la France de nouvelles institutions politiques et juridiques, visant à en faire une nation « une et indivisible ». Sur la base de la souveraineté nationale et de la séparation des pouvoirs (art. 3 et 6 de la Déclaration), elle organisait « un système représentatif caractérisé en fait par la prédominance de l'Assemblée législative » (A. Soboul). Les réformes adoptées par la Constitution portèrent sur la réorganisation de l'administration locale (décentralisation par division de la France en 83 départements), de la justice (juges élus), des finances (égalité fiscale, suppression des impôts indirects, mise à la disposition de l'État des biens du clergé gagés par les assignats, 2 nov. 1789). L'Église était régie par la Constitution* civile du clergé (12 juillet 1790). La Constituante contribua au développement du libéralisme économique sous l'impulsion de la bourgeoisie (suppression des douanes intérieures, etc.), mais sa politique agraire restait incertaine. Affirmant l'universalité des droits de l'homme et du citoyen et de la nation, la Constitution de 1791 était l'expression des intérêts de la bourgeoisie montante. Trop libérale pour un temps de crise économique, sociale et politique, elle fut ébranlée, avant même son adoption définitive par la fuite (manquée) du roi **(V. Varennes)**. Le 20 septembre 1791, l'Assemblée constituante fut remplacée par l'Assemblée* législative. Les débats étaient publiés par le *Moniteur* universel*.

Assemblée constituante. ♦ Assemblée élue au suffrage universel (23 avril 1848) après la révolution* de Février 1848. Formée d'une majorité de républicains modérés et d'une minorité de monarchistes et de socialistes, elle siégea du 4 mai 1848 au 26 mai 1849. Elle fut chargée de l'élaboration de la Constitution de la IIe République*. Après les journées de juin* 1848, la crainte de l'essor du mouvement socialiste favorisa la formation du parti de l'ordre*, qui soutint la candidature de Louis-Napoléon* Bonaparte à la présidence (décembre 1848).

Ph. Lauros-Giraudon

L'**Assemblée constituante :** première séance du 4 mai 1848. (Musée Carnavalet, Paris.)

Assemblée constituante (de 1945 ; de 1946). ♦ Assemblée élues au suffrage universel après la Libération. La première, qui fut élue le 21 octobre 1945, entra rapidement en conflit avec le général de Gaulle ; son projet de Constitution fut rejeté par le référendum du 15 mai 1946. La seconde, élue le 2 juin 1946, élabora la Constitution du 13 octobre 1946 qui devint celle de la Quatrième République.

Assemblée consultative provisoire. ♦ Assemblée créée à Alger le 17 sept. 1943, par le général de Gaulle*, pour donner au *Comité* français de libération nationale* la base juridique d'un gouvernement démocratique. Composée de représentants des mouvements de résistance et des partis de la République, elle resta en fonction jusqu'à la fin d'octobre 1945, date où elle fut remplacée par la première Assemblée constituante.

Assemblée des notables. ♦ Nom donné au XVIIIe s. à un conseil extraordinaire composé de personnalités représentatives choisies par le roi dans les trois ordres. Ce conseil obtint le renvoi de Calonne*. Réuni de nouveau par Necker* en vue de la préparation des États* généraux, il dut accepter la double représentation du Tiers État (1er juin 1789).

Assemblée législative (l'). ♦ Élue au cours de l'été 1791, au suffrage censitaire, elle succéda à l'Assemblée* nationale constituante et siégea pour la première fois le 1er octobre 1791. **(V. Révolution française).** Formée d'hommes nouveaux, car les Constituants s'étaient déclarés inéligibles, elle comportait une aile droite (Feuillants*), un centre, une gauche (136 députés inscrits au Club des jacobins ou à celui des cordeliers). Elle eut à faire face aux difficultés économiques et sociales et à l'agitation religieuse et contre-révolutionnaire entretenue par le clergé réfractaire. Formée essentiellement de représentants de la bourgeoisie, elle se montra hésitante dans sa politique économique et sociale, refusant l'abolition intégrale des droits féodaux demandée par Robespierre (29 février 1792). Voulue par la cour, la guerre était aussi souhaitée par la

Ph. de Gregorio/Ricciarini

Assise : vue générale.

plupart des députés, spécialement par les brissotins (**V. Girondins**). Le 20 avril 1792, Louis XVI proposa à l'Assemblée de déclarer la guerre au « roi de Hongrie et de Bohême » (à l'Autriche seule); la déclaration fut votée à l'unanimité moins une dizaine d'opposants. Après les journées révolutionnaires du 20 juin* et surtout du 10 août* 1792, l'Assemblée vota la suspension du roi, et convoqua une nouvelle Assemblée constituante, la Convention*.

Assemblée législative de 1849. ♦ Élue au suffrage universel le 13 mai 1849, elle succéda à l'Assemblée* constituante le 28 mai. Composée d'une majorité de représentants du parti de l'Ordre, elle pratiqua une politique conservatrice, décida de l'expédition de Rome, adopta la loi Falloux*, limita le suffrage universel et la liberté de presse (juillet 1850). Cette politique impopulaire permit au président Louis-Napoléon Bonaparte de procéder au coup d'État du 2 décembre* 1851.

Assemblée nationale. ♦ Élue le 8 février 1871, après la signature de l'armistice (guerre franco*-allemande) qu'elle ratifia, et composée d'une majorité de conservateurs et de monarchistes (400 contre 200 républicains et 30 bonapartistes), elle succéda au gouvernement de la Défense* nationale. Réunie à Bordeaux (12 février), elle choisit Thiers pour chef de l'Exécutif (17 février), et, bien que celui-ci prît le titre de président de la République française, décida de laisser en suspens la question des institutions de la France avant la réorganisation du pays (pacte de Bordeaux*). Installée à Versailles (20 mars), elle prit position contre la Commune* insurrectionnelle de Paris, ratifia les préliminaires de paix, puis le traité de Francfort* (10 mai 1871). Après les élections partielles de juillet 1871, différentes tendances politiques se dégagèrent au sein de l'Assemblée : à gauche, l'Union républicaine de L. Gambetta* et l'ancienne gauche du Corps législatif (Ferry, Grévy, Simon), à droite les légitimistes, au centre-droite les orléanistes (Audiffret-Pasquier, Decazes, duc de Broglie), au centre-gauche les républicains modérés, alliés de Thiers, plus quelques bonapartistes et monarchistes modérés. Après le renversement de Thiers* par la coalition monarchiste (Ordre moral, le 24 mai* 1873), son remplacement par Mac*-Mahon et la vaine tentative de restauration de la monarchie avec le comte de Chambord*, l'Assemblée adopta l'amendement Wallon attribuant au chef de l'État le titre de président de la République (janvier 1875), se prononçant ainsi pour le régime républicain. Elle vota les lois constitutionnelles (24-25 février, 16 juillet 1875) qui servirent de fondements à la Troisième République* (amendées en 1879 et 1884). Dissoute le 31 décembre 1875, elle fut remplacée par la Chambre* des députés des départements, qui allait partager le pouvoir législatif avec le Sénat*.

Ph. Hétier

Indien **Assiniboin** de l'Alberta (Canada).

Assemblée nationale. ♦ Nom donné à la Chambre* des députés par les constitutions de 1946 (IVe République) et de 1958 (Ve République). L'Assemblée nationale est élue pour 5 ans au suffrage universel direct (scrutin uninominal à deux tours). Ses membres (députés) votent les lois et peuvent renverser le gouvernement par une motion de censure à la majorité constitutionnelle. Après 1958, l'Assemblée nationale de la Ve République s'est caractérisée par une majorité du parti de l'Union pour la défense de la République (U.D.R.), anciennement parti U.N.R. (gaulliste).

ASSEN. ♦ V. des Pays-Bas, ch.-l. de la prov. de la Drenthe*. 37 800 hab. Métallurgie et constructions mécaniques. – Aux environs, nombreux monuments mégalithiques.

ASSENÈDE. ♦ V. de Belgique (Flandre-Orientale, arr. d'Eeklo) à la frontière des Pays-Bas. 5 500 hab. Brasserie.

Assermentés. ♦ Nom donné aux prêtres qui, lors de la Révolution française, prêtèrent serment à la Constitution civile du clergé (1790). **V. Constitutionnels.** Ceux qui refusèrent ce serment furent appelés « réfractaires » ou insermentés.

ASSI (Adolphe Alphonse). ♦ Révolutionnaire français (Roubaix, 1840 – Nouméa, 1886). Ouvrier mécanicien, affilié à la Ire Internationale, il prit une part active aux grèves du Creusot (1870). Il fut condamné à la déportation en Nouvelle-Calédonie pour sa participation à la Commune de Paris (1871).

ASSINIBOINE. *n. f.* ♦ Riv. du Canada (960 km). Elle traverse les prov. du Manitoba* et de la Saskatchewan*, puis conflue avec la rivière Rouge *(Red river)*, à Winnipeg*.

ASSINIBOINS [*Asinibwan*]. *n. m. pl.* ♦ Indiens appartenant à la famille Siou (Sioux) et au groupe dit de la vallée du Mississippi. Linguistiquement apparentés aux Indiens Dakota, ils s'en séparèrent anciennement. D'abord installés près du lac Winnipeg, ils émigrèrent vers l'Ouest, dans les plaines canadiennes (riv. Saskatchewan et Assiniboine). Ils ont été rassemblés dans les réserves de l'Alberta (Canada) et du Montana (États-Unis).

ASSIOUT ou **ASSIUT** (en ar. **Asyût**, anc. **Lycopolis**). ♦ V. de Haute-Égypte, sur le Nil. 175 700 hab. Ch.-l. de la province d'Assiut où se trouve le village de Beni-Mor, patrie de Nasser*. Grand barrage sur le Nil. – Patrie de Plotin*.

ASSIS (Joaquim Maria Machado *de*). ♦ Poète et romancier brésilien (1839 – 1908). Il fut successivement romantique et parnassien. Ses romans, analyse cruelle de la société et de l'âme humaine, sont écrits dans un style pur, dépouillé qui révèle sa tristesse profonde. Œuvre princ. : *Don Casmurro* (1900).

ASSISE, en it. **Assisi.** ♦ V. de l'Italie centrale (Ombrie), dans la prov. de Pérouse. 25 380 hab. La ville, très pittoresque avec ses rues étroites et ses édifices anciens, présente un grand intérêt artistique. La célèbre basilique *San Francesco*, édifiée sur le tombeau de saint François par le frère Élie* (1228), est formée de deux églises superposées, décorées par Cimabue*, Giotto* (fresques sur la vie de saint François) et P. Lorenzetti*. La cathédrale San Rufino (1140-1228), l'église gothique S. Chiara (1257-1265) et le couvent S. Damiano (XIe s.) sont les autres monuments les plus remarquables. Assise est un grand centre de pèlerinage (pèlerinage du Pardon); c'est la patrie de saint François* et de sainte Claire*.

Assises de Jérusalem. ♦ Réunions des seigneurs croisés, tenues à Jérusalem à la fin du XIIe siècle. Godefroy* de Bouillon y fit élaborer des chartes conçues dans l'esprit du droit féodal. Destinées au royaume de Jérusalem, elles se répandirent par la suite dans le royaume de Chypre. – Le titre d'*Assises de Jérusalem* a été donné aux recueils des textes parvenus jusqu'à nous.

ASSOLLANT (Alfred). ♦ Écrivain français (Aubusson, 1827 – Paris, 1896). Après avoir enseigné l'histoire, il entreprit un voyage aux États-Unis, puis réunit ses souvenirs dans les *Scènes de la vie des États-Unis* (1858). Il est l'auteur de romans pour la jeunesse, spirituels et appréciés (*La Mort de Roland, fantaisie épique*, 1860; *Aventures merveilleuses mais authentiques du capitaine Corcoran*, 1867; *Montluc le Rouge*, 1878).

ASSOLLANT (Jean Bernache, dit Jean). ♦ Aviateur français (Versailles, 1903 – Diego-Suarez, 1942). Il fut un des pionniers de la traversée de l'Atlantique, réalisant avec Lefèvre* et Lotti, sur l'*Oiseau canari*, le premier vol français sans escale dans le sens Amérique-Europe (13 juin 1929).

Assommoir (l'). ♦ Roman d'Émile Zola* (1877), qui fait partie des Rougon*-Macquart et prend pour thème la vie des ouvriers parisiens. Autour de l' « Assommoir », cabaret où trône l'Alambic, apparaissent les personnages de Gervaise et de Coupeau, dont la déchéance est le symbole de la misère de toute une classe. « Premier roman sur le peuple [...] qui ait l'odeur du peuple », cet ouvrage frappe par son réalisme cruel et la vigueur de son style qui emprunte de nombreux éléments à la langue populaire.

Assomptionnistes [*n. m. pl.*], ou **Pères augustins de l'Assomption.** ♦ Membres d'une congrégation religieuse, fondée à Nîmes en 1850 par le P. d'Alzon. D'abord consacrée à l'apostolat (prédication, presse, charité), elle se livra, dans les dernières années du XIXe s., à une action politique (conservatisme catholique) qui entraîna sa dissolution en janvier 1900. Reconstituée, elle s'est spécialisée dans l'information religieuse (journal *La Croix*).

Ph. Nino Cirani/Ricciarini

Le Nil à **Assouan.**

ASSOUAN ou **ASSUÂN** (anc. **Syène**). ♦ V. de la Haute-Égypte, sur la r. d. du Nil. Ch.-l. de gouvernorat face à l'île Éléphantine*, a proximité de la première cataracte et du premier *barrage d'Assouan,* construit en 1902 par les Anglais (lac de 5 300 000 000 m³). Un second barrage gigantesque **(V. Sadd* el-Ālī),** à 6,5 km en amont, a été construit avec l'aide soviétique. Assouan est l'un des plus grands centres touristiques de Haute-Égypte. Centre industriel : centrale hydro-électrique, usine d'engrais azotés (Kima). Un centre sidérurgique et une usine d'aluminium y sont prévus. ♦ *Hist.* L'anc. *Syène* (forme gr. de l'égypt. *Souânit* : « le marché ») était à l'origine le marché de l'île Éléphantine*. Elle était célèbre par ses carrières de granit rose *(syénite).* Poste militaire important jusqu'à l'époque romaine, elle fut abandonnée, au moment de la conquête arabe, par ses habitants qui se réfugièrent dans des quartiers plus élevés bâtis par les Sarrasins.

ASSOUCI ou **ASSOUCY (Charles Coypeau** *d'*). ♦ Musicien et poète français (Paris, 1605 — *id.,* 1677). Ami de Molière*, de Chapelle*, de Cyrano* de Bergerac, il composa avec une grande verve comique et caricaturale des poèmes burlesques : *Le Jugement de Pâris* (1648), *L'Ovide en belle humeur* (1650), *Le Ravissement de Proserpine* (1653). *Les Amours d'Apollon et de Daphné* (1650) font de d'Assouci un des précurseurs du genre de l'opéra-comique. Il connut en Italie les prisons de l'Inquisition (1667-1669), avant de subir une seconde incarcération, à Paris (1673); ses malheurs sont contés dans *Les Aventures du sieur d'Assouci* (1677).

ASSUÉRUS (transcription latine de l'hébreu **'Akhashwêrosh**). ♦ Nom biblique correspondant à Xerxès (en perse *Khshayarsha*). Dans le *Livre d'Esther,* Assuérus est roi de Perse, évocation littéraire de Xerxès Iᵉʳ. **V. Esther.**

ASSUR. ♦ Anc. ville d'Assyrie (ruines à Qal'at Chergât, sur la r. d. du Tigre. Occupée dès la première moitié du ~ IIIᵉ millénaire. elle devint la capitale de l'Assyrie, jusqu'au ~ IXᵉ s. où elle fut remplacée par Kalkhu **(V. Nimrud)** puis Ninive. Elle tomba devant les Mèdes en ~ 614 **(V. Assyrie).** — Fouilles par W. Andrae (1903-1914).

ASSURBANIPAL. ♦ Roi d'Assyrie de ~ 669 à ~ 631 (?). Fils d'Assarhaddon*, il acheva le siège de Tyr (~ 667) et continua la guerre en Égypte (reprise de Memphis, prise de Thèbes). Il eut à lutter contre l'Élam, les Mèdes **(V. Phraorte)** et contre son frère Shamash-shumukîn, roi de Babylone, qu'il accula au suicide en incendiant la ville (~ 648). Il vainquit l'Élam (sac de Suse, ~ 640). Il célébra un triomphe à Ninive*, sans avoir pourtant pris personnellement part aux guerres : monarque raffiné, il s'occupait plus volontiers de ses chasses et de sa bibliothèque, retrouvée à Ninive (*auj.* au British Museum). Légende : **V. Sardanapale.**

ASSUR-DÂN II. ♦ Roi d'Assyrie de ~ 932 à ~ 909. **V. Assyrie.**

ASSURNAZIRPAL II. ♦ Roi d'Assyrie de ~ 883 à ~ 859. Il étendit le royaume vers le haut Tigre et, au S., au delà du Petit Zab, et affirma sa puissance par une constante politique de prélèvement de tributs sur les États voisins. Il inaugura une nouvelle capitale à Kalkhu (~ 879, **V. Nimrud**).

ASSY. ♦ Loc. de Haute-Savoie (comm. de Passy), au-dessus de l'Arve. Église, construite en 1950 (architecte : Novarina) et décorée par des maîtres de l'art contemporain (Bonnard, Chagall, Léger, Matisse, Rouault,...). Sanatoriums construits par Pol Abraham et H.J. Le Même (station dite du *Plateau d'Assy*).

ASSYRIE. *n.f.* ♦ Anc. empire de l'Asie occidentale, dont le centre fut le pays d'Assur, en Haute-Mésopotamie. ♦ *Hist.* Peuple sémitique, les Assyriens furent d'abord vassaux de Sumer et conquirent leur indépendance au ~ XXᵉ siècle. Au ~ XVIIIᵉ s., un premier empire assyrien culmina sous le roi Shamshi*-Adad Iᵉʳ qui domina toute la Haute-Mésopotamie et le royaume de Mari*, et qui semble avoir créé la première administration centralisée. Le commerce assyrien rayonnait alors jusqu'en Anatolie. Soumise à l'Empire babylonien (v. ~ 1690, **V. Hammurabi**) puis au Mitanni* (av. ~ 1450), l'Assyrie se releva aux ~ XIVᵉ-XIIIᵉ s., soumit à son tour le Mitanni, lutta contre les Hittites* et contre Babylone. Mais à partir de ~ 1200 env. elle dut faire face aux invasions barbares (Moushki, Araméens*, Soutéens). Plus de deux siècles de lutte en firent une nation militaire dont l'ascension reprit au ~ Xᵉ s. sous Assur*-dân II, Adad*-nirâri II, Tukulti*-ninurta II, Assurnazirpal* II, Salmanasar* III (~ 932 — ~ 824). Elle se heurta pourtant aux royaumes d'Aram* à l'O. et de l'Urartu* au N., alors au sommet de leur puissance, tandis qu'à l'intérieur le pouvoir croissant des nobles entraînait guerre civile et contre-révolutions sous Salmanasar* III, Shamshi*-Adad V, Adad*-Nirâri III, et que Babylone, ville sainte dont on adoptait les dieux, était traitée avec égards. L'accession au trône de Teglath*-phalasar III (~ 746-~ 727) marqua le début de l'Empire assyrien. Ce roi brisa les nobles, réforma l'administration, transforma l'armée et surtout remplaça la politique de ses prédécesseurs (rapines, prélèvement de tributs) par une véritable politique d'annexion, d'abord en Syrie puis à Babylone, dont il respecta fictivement l'indépendance en s'y faisant couronner sous le nom de Poulou (~ 729). Après Salmanasar* V, l'Empire atteignit son apogée sous Sargon* II (~ 721-~ 705) : celui-ci acheva l'annexion d'Israël (prise de Samarie [~ 721] et déportation de la

Arch. Smeets

Chasse d'**Assurnazirpal II,** art assyrien, ~ IXᵉ s.
(British Museum, Londres.)

Ph. Leigheb/Ricciarini

Art d'Assyrie : taureau androcéphale provenant de Dur Sharrukin, Iraq, (Khorsabad.)

population), s'imposa sous son nom comme roi de Babylone (~ 709), vassalisa les cités phéniciennes et philistines, le royaume de Juda et jusqu'à Chypre. L'empire, étendu du golfe Persique au Taurus et du Zagros à la Méditerranée, comportait alors plus de 70 provinces où se répandaient les mœurs et l'art assyriens, la langue araméenne (dont l'alphabet remplaçait l'écriture cunéiforme) et la religion chaldéenne. On élevait une nouvelle capitale, Dur-Sharrukin **(V. Khorsabad).** Les Sargonides **(V. Sennachérib, Assarhaddon, Assurbanipal)** durent lutter contre l'Égypte, l'Élam et les révoltes de Babylone, et l'empire finit par succomber sous les coups des Mèdes **(V. Cyaxare)** qui prirent Assur puis Ninive (~ 614 et ~ 612), permettant à leurs alliés néobabyloniens de fonder un nouvel empire **(V. Nabopolasar).** — *V. princ.* **V. Assur, Khorsabad, Nimrud, Ninive.** — *Arts.* Les Assyriens furent des constructeurs (palais de Khorsabad, de Ninive; travaux d'adduction d'eau) et de remarquables sculpteurs animaliers (scènes de chasse en bas-relief de Ninive, au British Museum). — *Religion.* Assur (dieu national), Marduk*, Dagan*. — *Pers. légendaires.* **V. Nemrod, Sardanapale, Sémiramis.**

ASTAFFORT. ♦ Ch.-l. de cant. du Lot*-et-Garonne, arr. d'Agen, sur le Gers. 1 808 hab. Vieux bourg fortifié.

ASTAIRE (Frédéric Austerlits, dit Fred). ♦ Danseur américain (Nebraska, États-Unis, 1899 —). Interprète virtuose de la danse à claquettes, il a paru dans de nombreux films à succès, avec Ginger Rogers *(Gay Divorce, Top-Hat, Swing Time),* Eleanor Powell *(Broadway Melody)* et Judy Garland *(Easter Parade).*

ASTARTÉ. ♦ **V.** ASHTART.

ASTI. ♦ V. d'Italie du N. (Piémont) et ch.-l. de la prov. du même nom, sur le Tanaro. 68 400 hab. La ville a conservé de nombreux édifices médiévaux (baptistère du XIe s., tour du XIIIe, cathédrale gothique du XIVe s., avec un campanile roman). — Patrie d'Alfieri*. — La *province d'Asti* (1 511 km^2, 216 000 hab.) produit un célèbre vin mousseux, l'*asti.*

ASTIER DE LA VIGERIE (Emmanuel d'). ♦ Homme politique et écrivain français (Paris, 1900 — Paris, 1969). Officier de marine, puis journaliste, il fonda en 1941, en zone sud, le mouvement de résistance *Libération,* ainsi que le journal *Libération.* Rallié à De Gaulle, il joua un rôle important dans l'unification des mouvements de résistance. Il eut la charge de l'Intérieur d'abord comme commissaire du *Comité français de libération nationale* (1944) puis comme ministre dans le gouvernement provisoire. Il fut député de 1945 à 1958.

ASTOLPHE. ♦ **V.** AISTOLF.

ASTON (Francis William). ♦ Physicien anglais (Harbone, 1877 — Londres, 1945). Assistant de J.J. Thomson*, il reprit les travaux de celui-ci, établissant l'existence d'isotopes stables (1919). **V. Soddy.** Il réalisa le premier spectrographe de masse, basé sur le passage successif des ions dans les champs électrostatique et magnétique. (Prix Nobel de chimie, 1922.)

ASTORGA. ♦ V. du N.-O. de l'Espagne (province de León), au S.-O. de León, sur la r. d. du Tuerto. 10 100 habitants. Évêché (dep. le IIIe s.). Hôtel de ville Renaissance. Cathédrale gothique (1471-1693).

ASTRAKAN ou ASTRAKHAN. ♦ V. et port d'U.R.S.S. (R.S.F.S. de Russie), ch.-l. de la région du même nom (44 100 km^2. 831 000 hab.), situé dans le delta de la Volga* près de son embouchure, sur la mer Caspienne. 411 000 hab. Port maritime et fluvial. Constructions navales et mécaniques. Raffinerie de pétrole. Indus. textiles et alimentaires. Pêche (esturgeon; caviar). Conserveries de poissons. Tanneries (moutons astrakan). ♦ *Hist.* Un des centres de l'État mongol de la Horde d'Or (XIIIe s.), puis cap. d'un khânat tatar, la ville fut conquise par Ivan* IV le Terrible en 1556.

ASTRÉE, en gr. **Astraia.** ♦ Fille de Zeus* et de Thémis*, elle se retira du monde des mortels, à la fin de l'âge d'or, pour se fixer dans les cieux, sous le nom de *Virgo.* **V. Vierge** *(constellation de la).*

Astrée *(L'Astrée où par plusieurs histoires et sous personnages de bergers et autres sont déduits les divers effets d'une honnête amitié).* ♦ Roman pastoral d'Honoré d'Urfé*, publié en cinq parties (trois par l'auteur : 1607, 1610, 1619; deux par son secrétaire Balthazar Baro : 1627 et 1628). Située dans le pays du Forez, où vécut d'Urfé*, cette épopée amoureuse au temps des Gaulois et des Druides « n'est véritablement que l'histoire de sa jeunesse » devenue fiction pastorale. Au milieu d'aventures et d'intrigues, l'auteur y peint les amours d'Astrée et de Céladon*, berger de la vallée du Lignon. Cette œuvre prolixe, qui peint en un style simple et pur toutes les manifestations de l'amour, connut un succès considérable et assura le goût de la préciosité au XVIIe s. pour l'analyse des sentiments.

ASTRID. ♦ Princesse de Suède et reine des Belges (Stockholm, 1905 — Küssnacht, Suisse, 1935). Épouse du roi Léopold* III, et mère de Baudouin* Ier, elle fut très populaire; elle mourut victime d'un accident d'automobile.

ASTRUC (Alexandre). ♦ Réalisateur français de cinéma (Paris, 1923). Il a défini la théorie de la « caméra stylo » avant de devenir, avec des œuvres marquées par le souci de la rigueur, le précurseur de la « Nouvelle Vague » : *Le Rideau cramoisi* (1953), d'après Barbey d'Aurevilly, *Les Mauvaises Rencontres* (1955), *Une Vie* (1958), d'après Maupassant.

ASTURIAS (Miguel Ángel). ♦ Écrivain et poète guatémaltèque (Ciudad de Guatemala, 1899 — Madrid, 1974). Après des études de droit, Asturias séjourna à Paris où il fréquenta les milieux surréalistes et étudia les religions précolombiennes. En 1930, il publia les *Légendes du Guatemala.* Indien par sa mère, il puise une partie de son inspiration dans les traditions du passé maya (selon lesquelles les Indiens seraient issus du maïs) : *Hommes de maïs,* 1949; *Une certaine mulâtresse,* 1963. Dans d'autres œuvres à caractère politico-social, il dénonce l'injustice et la misère qui sévissent dans son pays. *Monsieur le Président* (1946) est la peinture hallucinante d'une dictature créole. *Le Pape vert* (1959) décrit l'emprise des trusts américains. — Le style très personnel, audacieux et lyrique, donne à l'œuvre une allure de « rêve poème » tout à fait propre à décrire la terre de légende « puissante et convulsive » où l'auteur est né. (Prix Nobel de littérature en 1967.)

ASTURIES, *n. f. pl.* en esp. **Asturias.** ♦ Région historique de l'Espagne, limitée au N. par le golfe de Biscaye, à l'O. par la Galice, à l'E. par la Vieille-Castille, au S. par le León et qui forme la province actuelle d'Oviedo* et d'une partie de la prov. de Santander*. *V. Princ.* **V. Avilés, Gijón, Langréo, Mieres, Oviedo, Siero.** — *Écon.* Le climat océanique fortement arrosé a permis l'extension de prairies cultivées ou plantées de pommiers à cidre. Mais les principales richesses proviennent du sous-sol. On extrait le fer et surtout la houille (Gijón, bassin de la Nervión : les 2/3 du charbon extraits dans la péninsule). L'indus. sidérurgique (Avilés, Gijón, Mieres, Moreda) et les autres indus. basées sur la houille (verreries, céramique) se sont développées dans la région de Gijón. Les petites villes côtières vivent de la pêche. ♦ *Hist.* Conquises par les Romains sous Auguste (v. ~ 22), les Asturies servirent de refuge aux Wisigoths* qui continuaient à combattre les Arabes après la mort de Rodéric* (ou Rodrigue) en 711. Pélage* y constitua un royaume qui eut Oviedo pour capitale sous Alphonse* Ier. Ce fut le point de départ de la Reconquista* **(V. Alphonse* II** le Chaste). Sous Alphonse* III le Grand, le royaume s'agrandit de la Galice* et du León*, avec León pour capitale (v. 914). Le titre de prince des Asturies, porté par le futur roi de Castille Henri III, fut depuis lors (1388) réservé aux héritiers du trône d'Espagne.

ASTYAGE, en gr. **Astuagês** (iranien **Ishtuvegu**). ♦ Dernier roi des Mèdes, de ~ 584 à ~ 550, fils de Cyaxare*. Il fut vaincu et déposé par son petit-fils et vassal Cyrus* II le Grand. **V. Mèdes.**

ASTYANAX, en gr. **Astuanax.** ♦ Fils d'Hector* et d'Andromaque*. Il fut, d'après l'*Iliade**, jeté du haut des remparts de Troie* par Ulysse.

ASUKA. ♦ Nom d'un village japonais situé entre Nara et Ôsaka (Honshu), et qui fut, aux Ve et VIe s., la résidence des empereurs de l'ancien Japon (Yamato). Le bouddhisme y fut apporté vers 538 par des Coréens et, de là, conquit progressivement le pays. *Période d'Asuka,* période allant de 538 à 645, qui vit l'épanouissement des premières manifestations artistiques et architecturales du bouddhisme.

ASUNCIÓN, en fr. **Assomption.** ♦ Capitale du Paraguay*, au confluent du Paraguay* et du Pilcomayo*. 410 000 hab. en 1968. Archevêché. Université. Port fluvial actif. Indus. textiles, alimentaires, conserveries de viande, tabac. ♦ *Hist.* La ville fut fondée en 1537 par les Espagnols; les Brésiliens l'investirent en 1869 (guerre du Paraguay).

ASURA. *n. m. pl.* ♦ Dans les mythologies hindoues et bouddhiques, divinités védiques devenues plus tard démoniaques, en lutte continuelle contre les *Deva* ou dieux véritables. On les représente toujours avec des crocs menaçants et de gros yeux globuleux.

AŚVAGHOSA. ♦ Ministre indien du roi Kuṣân Kaniṣka (Ier-IIe s.) et « docteur de la Loi » bouddhique. Philosophe, musicien, poète et dramaturge, on lui attribue de nombreuses œuvres d'inspiration religieuse, telles que *Buddhacharita* (Vie du Bouddha) et *Sâriputra*. Il fut déifié au Japon sous le nom de Memyô Bosatsu et est considéré en Chine comme un des dix-huit Lo-han (**V. Arhat**) particuliers à ce pays.

AŚVIN. *n. m. pl.* ♦ Dieux jumeaux de l'Inde védique, comparables aux Dioscures* des Grecs. Ils personnifieraient les étoiles du matin et du soir. Ce sont des divinités guérisseuses.

ATACAMA. *n. m.* ♦ Région désertique du *Norte Grande* chilien, qui s'étend le long de l'océan Pacifique, jusqu'à la frontière péruvienne (prov. de Tarapaca*, Antofagasta*, et le N. de la prov. d'Atacama). Cuvettes salines dans les steppes du désert. Nitrate de sodium et cuivre. Au N. l'anc. *Atacama* bolivien cédé au Chili après la guerre du Pacifique (1884) forme auj. la prov. d'Antofagasta*, au S. la *province d'Atacama*, compte 79 883 km². 130 000 hab. *Ch.-l.* Copiapó*. Cuivre à El* Salvador.

ATAHUALPA (quichua *atahu* « viril » et *allpa* « doux »). ♦ Dernier empereur inca, fils de Huayna Copac et demi-frère de Huascar, empereur légitime (1525). Après une guerre civile, il le battit et devint Inca (1532). Pizarro*, sur son refus de se convertir et de reconnaître le roi d'Espagne pour maître, le captura par traîtrise. Malgré le versement d'une énorme rançon, il fut condamné à mort et, quoiqu'il eût accepté le baptême, fut étranglé (août 1533).

ATAKPAMÉ. ♦ V. de l'O. du Togo*, reliée par voie ferrée à Lomé*. 3 000 hab. Indus. textiles. Patrie de Grunitsky*.

Atala ou **Les amours de deux sauvages dans le désert**. ♦ Roman de Chateaubriand* (1801), détaché des *Natchez**, comme *René**, pour être englobé dans *Le Génie* du christianisme*. L'Indien Chactas fait à René le récit de son idylle tragique avec Atala, consacrée par sa mère à la religion chrétienne; partagée entre son vœu et sa passion, la jeune fille se donnera la mort. Dans cette trame sont insérés de pénétrantes analyses des troubles de l'amour, des passages descriptifs d'une grande perfection *(Les Funérailles d'Atala)* et l'évocation des splendeurs de la nature exotique *(Les Rives du Meschacebé)*. Cette sorte de poème, « moitié descriptif, moitié dramatique » connut un immense succès auprès des Romantiques.

ATALANTE, en gr. **Atalantê**. ♦ Héroïne qui excellait à la course et promettait d'épouser celui qui la vaincrait. Hippomène y parvient en jetant sur la piste trois merveilleuses pommes d'or que sa belle concurrente ne peut se défendre de ramasser. Elle prend part à la chasse au sanglier de Calydon* et à l'expédition des Argonautes*.

ATARGATIS. ♦ Nom grec de la déesse sémitique, dame des eaux et des sources, appelée *Atar'ateh* en araméen, *Dercéto* en phénicien. Son culte continue, au ~ Ier millénaire, celui de l'antique Anat*.

ATATÜRK. ♦ Surnom (« père des Turcs ») donné à Mustafa* Kemal.

'ATBARAH. *n. m.* ♦ Riv. de l'Éthiopie et du Soudan (1 100 km env.). Née au N. du lac Tana* (Éthiopie), elle rejoint le Nil*, dont elle est le dernier affl. avant la Méditerranée, un peu au S. de Berber.

ATCHINSK. ♦ V. de l'U.R.S.S. (R.S.F.S. de Russie), en Sibérie* centrale, à l'O. de Krasnoïarsk. 60 000 hab. (1962). Carrefour ferroviaire. Cimenterie. Centre d'extraction houillère (lignite). Alumine.

Atelier (L'). ♦ Troupe d'acteurs constituée par Charles Dullin* en 1921. Établie au théâtre Montmartre, la troupe de l'Atelier révéla notamment au public français : Pirandello, Salacrou, Romains, Zimmer, Achard.

Ateliers nationaux. ♦ Chantiers créés après la révolution de février 1848 à Paris et dans plusieurs grandes villes de province par le Gouvernement provisoire afin de réduire le chômage. Si la reconnaissance du droit au travail et l'institution des Ateliers nationaux avaient été adoptées sous la pression des socialistes (**V. Blanc [Louis]**), la réalisation fut quelque peu dénaturée par les républicains modérés (en particulier le ministre des Travaux publics, Marie*). Leur fermeture provoqua les journées insurrectionnelles des 23 au 26 juin* 1848.

Ph. Nino Cirani/Ricciarini

Atacama : les Andes aux confins de l'Argentine, habitations à haute altitude.

Ph. Lauros-Giraudon

Athalie de J. Racine, jouée par Mlle Dumesnil, milieu XVIIIe s. (Bibl. de l'Arsenal, Paris.)

ATELLA. ♦ V. de l'Italie anc. (Campanie), entre Naples et Capoue, qui possédait une forme de spectacle improvisé et masqué, les *atellanes*, d'où dérive sans doute la *Commedia dell'Arte*. **V. Novius, Pomponius.**

ATERNO. *n. m.* ♦ Nom donné au cours supérieur de la Pescara* (Italie).

ATH, en néerl. **Aat**. ♦ V. de Belgique, ch.-l. d'arr. du Hainaut, sur la Dendre. 11 000 hab. Nombreux monuments. Ducasse renommée, en août (mannequins géants). Indus. alimentaire. Tissage. Mobilier. Céramique.

ATHABASKA ou **ATHABASCA**. *n. m.* ♦ Riv. du Canada qui prend sa source dans les Rocheuses* au S. du parc de Jaspers, traverse l'Alberta* et se jette dans le *lac Athabasca* (11 500 km²). Celui-ci, partagé entre l'Alberta et la Saskatchewan, est relié au Grand Lac des Esclaves *(Great Slave Lake)* par la rivière des Esclaves *(Slave river)*. **V. Mackenzie**, *n. m.* — Minerai d'uranium *(Uranium City)*. Les sables bitumineux de la région renferment une énorme réserve de pétrole.

ATHALARIC. ♦ (v. 516 — 534). Roi des Ostrogoths* d'Italie (526-534). Petit-fils de Théodoric* le Grand, il lui succéda en 526 sous la tutelle de sa mère Amalasonte*.

ATHALIE, en hébr. **Athalyah**. ♦ Reine de Juda de ~ 842 ou 841 à ~ 834, fille d'Achab* d'Israël et de Jézabel*, épouse de Joram* de Juda, mère d'Ochozias*. Après la mort de ce dernier, elle fit massacrer les descendants royaux et régna sur le pays. Mais son petit-fils Joas*, sauvé par Joad* et Josabeth*, fut plus tard proclamé roi, tandis qu'Athalie était mise à mort à l'instigation de Joad. Récit biblique : *II Rois*, XI; *II Chroniques*, XXIII.

Athalie. ♦ Tragédie de Racine*, en cinq actes et en vers, avec chœurs, la dernière des œuvres de son auteur, composée pour les demoiselles de Saint*-Cyr, à la demande de Mme de Maintenon* (1691). Le grand prêtre Joad a élevé dans le temple de Jérusalem le petit-fils d'Athalie sous le nom d'Eliacin. Dans un songe qui l'a profondément troublée, un enfant est apparu à la reine, l'air menaçant. Faisant visite au temple, elle reconnaît cet enfant dans Eliacin et décide de s'emparer de lui. Mais Joad le sait; il arme les lévites et lorsque la reine revient au temple, elle y découvre Joas que le grand prêtre vient de proclamer roi. Entraînée hors du temple, Athalie est mise à mort.

ATHAMAS. ♦ Roi légendaire de Béotie, époux d'Ino*. À l'instigation de celle-ci, il voulut sacrifier Phrixos* et Hellé, les enfants qu'il avait de sa première femme, Néphélé.

ATHANAGILD. ♦ Roi des Wisigoths (v. 554-567). Il parvint au trône en s'alliant avec les Byzantins puis se tourna vers l'alliance franque en mariant ses filles Brunehaut* et Galswinthe* en Austrasie et en Neustrie.

ATHANASE *(saint)*. ♦ Patriarche et docteur de l'Eglise (Alexandrie, 295 – 373). Il participa au concile de Nicée, devint évêque d'Alexandrie (328), mais son intransigeance à l'égard des ariens l'exila cinq fois de son siège épiscopal. Il est l'auteur d'œuvres polémiques et dogmatiques. Fête le 2 mai.

ATHAULF. ♦ Roi des Wisigoths (410-415). Successeur d'Alaric*, il épousa Galla* Placidia, sœur de l'empereur Honorius. Après s'être emparé de la Provence et de l'Aquitaine il envahit l'Espagne, mais fut assassiné à Barcelone par un de ses officiers.

ATHÉNA. ♦ Déesse grecque identifiée avec *Minerva* par les Romains. Zeus*, craignant l'enfant qui lui naîtrait de Mêtis, avale celle-ci sur le point d'accoucher. Athéna sort tout armée du crâne de Zeus, qu'Héphaïstos fend d'un coup de hache. Déesse guerrière, armée de la lance et de l'égide, elle aide son père à vaincre les Géants* **(V. Encelade, Pallas).** Mais elle est également la déesse de la raison, ayant hérité de sa mère sagesse et ingéniosité; elle devient ainsi la conseillère des dieux et des mortels. Disputant à Poséidon* la souveraineté sur l'Attique, elle l'emporte en faisant pousser l'olivier, symbole de paix et de prospérité, et donne son nom à Athènes*. **V. Cécrops.** Protégeant les héros dans leurs luttes pour le bien, elle aide Hèraclès* à accomplir ses travaux et Persée* à tuer Méduse*. De même, elle conseille à Cadmos* de semer les dents du dragon qu'il a tué et l'aide à devenir roi. Après le jugement de Pâris*, qui lui a préféré Aphrodite*, elle défend les héros grecs dans la guerre de Troie **(V. Diomède, Ulysse)** contre Arès et Aphrodite. Elle guide aussi leurs enfants : elle emprunte les traits de Mentor* pour accompagner Télémaque* et apaise les colères vengeresses des Euménides*, puis elle fait acquitter Oreste* par l'Aréopage*. Elle est toutefois terrible dans sa colère **(V. Ajax, Oïleus, Arachné).** Déesse de l'intelligence, elle préside à la littérature et aux arts, protège les sciences et l'industrie (spécialement les travaux féminins), veille sur la prospérité des cités. Vierge et chaste *(Parthénos)*, elle est majestueuse, grande, aux « yeux pers », représentant une sorte de féminité virile. Elle porte aussi le surnom de *Pallas*, en mémoire de sa compagne de jeux Pallas* qu'elle avait tuée involontairement. Ses autres surnoms évoquent ses attributions : *Promachos* (Combattant au premier rang), *Niké* (Victoire), *Ergané* (Laborieuse), *Hygieia* (Santé), etc., mais elle est surtout l'*Athéna Polias* (Protectrice de la cité), vénérée à Athènes où on célébrait en son honneur les *Panathénées*; des temples magnifiques sur l'Acropole* lui étaient consacrés (Parthénon*, Érechthéion*, Athéna Niké). Athéna demeure le symbole de la civilisation grecque.

ATHÊNAGORAS. ♦ Prélat grec (Ioannina, 1886 – Constantinople, 1972). Archevêque des Grecs orthodoxes d'Amérique en 1931, il fut élu ensuite patriarche œcuménique de Constantinople* en 1948. Partisan de l'unité chrétienne, il rencontra le pape Paul* VI.

ATHÉNAGORE, en grec **Athênagoras.** ♦ « Philosophe chrétien d'Athènes » (IIe s.), auteur d'une *Supplique pour les chrétiens* (v. 177) adressée à Marc Aurèle et à Commode, et de la *Résurrection des morts.*

ATHÉNÉE, en grec **Athênaios.** ♦ Rhéteur et grammairien grec (Naucratis, Égypte, IIe-IIIe s.). Son *Banquet des sophistes* ou *Deipnosophistes* (30 livres, réduits ensuite à 15) est une sorte d'encyclopédie. L'ouvrage est précieux pour les renseignements et les citations qu'il contient.

ATHÉNÉE. *n. m.* ♦ À Athènes, temple d'Athéna où se réunissaient les philosophes et les orateurs. – À Rome, sorte d'université fondée par l'empereur Hadrien* v. 133.

ATHÈNES, en gr. **Athênai.** ♦ Cap. de la Grèce et ch.-l. du *nome d'Attique**. 627 564 hab. *(Athéniens)*; aggl. 1 852 709 hab. avec le Pirée*, son port et les faubourgs. Elle est située dans une plaine bordée par les montagnes de l'Hymette* à l'E., du Pentélique* et du Parnès* au N. et drainée par le Céphise* et l'Ilissos*. La ville, dominée par les collines ou rochers de l'Acropole* et du Lycabette* s'étend, avec ses faubourgs, jusqu'aux bords du Saronique (baie de Phalère). Centre politique, économique et culturel de la Grèce, elle rassemble, avec la région industrielle de l'Attique, les trois quarts du potentiel industriel du pays. Archevêché; université. – L'Acropole, avec ses monuments **(V. Parthénon, Érechthéion, Propylées)** et son musée, constitue le centre de l'anc. ville autour duquel, dans un rayon d'un km, se situent ses monuments les plus importants. Sur le versant S. de l'Acropole, le théâtre de Dionysos (~ IVe s.), l'Asclépieion (~ Ve-~ IVe s.), le portique d'Eumène* (~ IIe s.), l'odéon d'Hérode* Atticus (161). Au S.-O., la colline des Muses avec le tombeau de Philopappos (114). À l'O., la Pnyx* et l'Aréopage*. Au N.-O., l'Agora, centre de la vie publique de la cité, avec plusieurs monuments classiques et hellénistiques, dont le portique d'Attale* (~ IIe s.), reconstruit (musée de l'Agora). Le Théséion ou Héphaisteion (~ Ve s.) limite au N.-O. l'Agora. Le quartier du Céramique*, qui comprenait l'Agora, s'étend au delà, séparé par le Dipylon (double porte) du Céramique extérieur qui se prolongeait avec sa nécropole le long de la voie Sacrée jusqu'aux jardins de l'Académie*. Au N., l'Agora romaine, la bibliothèque d'Hadrien* (IIe s.) et la tour des Vents (~ Ier s.). À l'E., le monument chorégique de Lysicrate (~ IVe s.). Au S.-E., le sanctuaire de Zeus olympien construit par Antiochos* IV de Syrie (~ IIe s.) à l'emplacement d'un temple gigantesque du VIe s. qui resta inachevé, et la porte d'Hadrien (IIe s.). – Églises byzantines : Kapnikaréa (XIe s.), Petite Métropole (XIIe s.), Saint-Théodore (XIe s.), Métamorphose (XIVe s.). Dans la banlieue O., Daphni : couvent du Ve s. et église du XIe s., remarquable spécimen d'architecture byzantine avec de belles mosaïques. – Musées : National archéologique (trésors de Mycènes, sculpture archaïque et classique, céramique, etc.); Byzantin; Bénaki (arts byzantin, copte, musulman, chinois; costumes grecs); Épigraphique; Numismatique; Historique et Ethnologique, etc. ♦ Hist. *Les temps légendaires*. Le premier habitat attesté sur l'Acropole remonte à la fin du néolithique. Athéna*, divinité introduite par les Pélasges*, l'emporta sur Poséidon* et donna son nom à la ville. Mais la composition ethnique d'Athènes et de l'Attique, ainsi que l'organisation en tribus, fut le fait de l'afflux des Ioniens* au début du ~ IIe millénaire. La tradition des rois mythiques d'Athènes illustre sa préhistoire. Les Athéniens, se croyant autochtones, relièrent Cécrops*, le roi fondateur de leur ville, et Érichtonios* aux croyances chthoniennes. **V. Pandion, Érechthée.** Des légendes rapportent les relations avec Cnossos **(V. Dédale),** le siège d'Athènes par Minos* **(V. Androgée)** et la servitude de la ville durant le règne d'Egée*, puis sa libération par Thésée* **(V. Minotaure)** et le combat contre les Amazones*. Codros*, son dernier roi, serait le héros de la résistance aux Doriens*. Le rempart cyclopéen dit pélasgique (traces sur l'Acropole) pouvait être destiné à la défense contre les envahisseurs. Athènes et l'Attique, préservées de l'invasion dorienne, reçurent des réfugiés éoliens de Béotie* et des Ioniens **(V. Ion),** dont plu-

Arch. Smeets

Athéna Parthénos, par Phidias. Marbre, copie réduite trouvée au Varvakeion, ~ IIe s. (Musée national, Athènes.)

Ph. Hétier

Athènes : vue générale.

sieurs émigrèrent ensuite vers les îles et l'Asie Mineure. — *Gouvernement aristocratique, tyrannie et réformes.* Ayant évité le recul qui fut appelé « Moyen Âge grec », Athènes connut une prospérité ininterrompue, dont témoigne sa poterie à décoration géométrique (~ Xᵉ-~ VIIIᵉ s.), répandue dans toute la Grèce. Sa structure sociale maintenue (4 tribus ioniennes, chacune subdivisée en 3 *phratries*, chaque phratrie en plusieurs *genos*) favorisa l'avènement d'une aristocratie terrienne très puissante, les Eupatrides*, qui supprima progressivement la royauté et instaura le gouvernement aristocratique (~ VIIᵉ s.). **V. Archonte, Aréopage.** Mais la formation d'une riche classe de marchands qui pénétra dans les phratries et surtout la crise agraire qui conduisait les petits propriétaires à l'appauvrissement et à l'esclavage entraînèrent des bouleversements sociaux. Après la tentative de tyrannie de Cylon en ~ 632 s'ouvre une période de vastes réformes : lois écrites de droit privé de Dracon* v. ~ 621, réforme politique et sociale de Solon* v. ~ 594 (abolition des dettes, droit de succession libéral, *boulê* [« conseil »] des Quatre*-Cents, Prytanée*, tribunal populaire d'appel — Héliée* — abolition du monopole des magistratures par les Eupatrides, etc.). L'impulsion donnée par ces réformes contribua à l'essor économique et culturel, mais l'abandon de certaines d'entre elles suscita de nouveau l'agitation sociale. La tyrannie (~ 560-510), appuyée sur les classes inférieures, affermit la Constitution de Solon, étendit l'empire athénien, éclipsant sur mer Corinthe* et Syracuse*, s'imposant à Délos* et à Chalcis*, colonisant la Chersonèse*. **V. Pisistrate, Hipparque, Hippias, Aristogiton, Harmodios.** L'essor culturel est encore plus important : édifices monumentaux, grandes Panathénées, grandes Dionysies et constitution de la tragédie **(V. Thespis, Phrynichos)**, première édition d'Homère, séjour de grands poètes lyriques **(V. Anacréon, Simonide de Céos)** et des philosophes **(V. Anacharsis)**, développement de la sculpture **(V. Anténor)** et de la céramique. — Après la chute de la tyrannie, les tendances démocratiques s'imposèrent malgré l'intervention de Sparte*. La réforme de Clisthène*, un Alcméonide* porté au pouvoir en ~ 508 par l'*ecclésia* (assemblée du peuple), détruisit la structure des tribus et constitua la démocratie athénienne. — *Guerres Médiques et impérialisme athénien.* L'aide athénienne aux cités grecques d'Ionie*, révoltées contre le Grand roi en ~ 498 **(V. Milet, Aristagoras)**, marqua le début des guerres Médiques*. La première se termina par la défaite de Darios* Iᵉʳ à Marathon (~ 490). **V. Miltiade.** Les Athéniens se tournèrent vers la mer sous l'influence de Thémistocle* : construction d'une grande flotte et des « longs murs » unissant la ville au Pirée. **V.** *aussi* **Phalère.** Ainsi, la deuxième guerre Médique (~ 480-479) malgré la prise d'Athènes par Xerxès* Iᵉʳ est encore plus désastreuse pour la Perse*. **V. Salamine, Platées, Mycale, Aristide, Xanthippe.** Athènes se fait déjà le champion de l'hellénisme en mer Égée. Dominant la confédération maritime de Délos* (~ 477) — Cyclades* — elle en tire des avantages économiques et militaires. La victoire décisive d'Eurymédon (~ 468) et la paix de Callias* (~ 449) consolident son empire. **V. Cimon.** Mais l'impérialisme athénien, supprimant l'autonomie des alliés et menaçant ses antagonistes, ouvre une période de graves déchirements : soumission des alliés révoltés Naxos* et Thasos* (~ 468-~463), prise d'Égine* (~ 456), défaite de Coronée* (~ 447), révolte de Mégare* et d'Eubée* (~ 445), colonisation militaire de Samos* (~ 439). La fondation de Thurium* (~ 443) et d'Amphipolis* (~ 436) est un autre aspect de cet impérialisme. — *L'apogée : le « siècle de Périclès ».* Le développement harmonieux de la prospérité économique et de la démocratie, l'éveil de la conscience civilisatrice de l'hellénisme sont à l'origine du grand épanouissement qui fit d'Athènes le foyer de la civilisation classique. Ses institutions démocratiques, achevées par les nouvelles réformes d'Aristide, d'Éphialte* (~ 461) et de Périclès* (~ 443-~ 429) créèrent le modèle inégalé de la « polis » (cité) gérée par tous les citoyens, sur les principes de la vertu politique et civique. Dans le domaine de la pensée, il faut mentionner l'enseignement des sophistes **(V. Gorgias, Prodicos, Protagoras)**, celui d'Anaxagore* et de Socrate*, puis la philosophie platonicienne (**V. Platon, Académie,** et *aussi* **Diogène** le Cynique, **Timon** le Misanthrope. **Méton** [astronome]). Dans les lettres, c'est l'essor de l'histoire **(V. Hérodote, Thucydide, Xénophon)** et de la dramaturgie **(V. Eschyle, Sophocle, Euripide, Cratinos, Aristophane, Ménandre).** L'idéal classique de l'art se réalise avec la construction des monuments et la décoration de l'Acropole*, de l'Agora*, du Céramique*. **V. Alcamène, Calamis, Callicratès, Callimaque, Ictinos, Mnésiclès, Myron, Parrhasios, Phidias, Polyclète, Polygnote, Scopas, Zeuxis.** — L'Athènes de Périclès, métropole prestigieuse du monde ionien, devient alors « l'école de la Grèce » qui rayonne dans tout le monde antique. Pourtant, cet édifice grandiose est basé sur un empire maintenu par la force et sur une structure de société esclavagiste : sur 400 000 hab. de l'Attique, 200 000 esclaves et 70 000 *métèques* (étrangers), ainsi que les femmes, sont privés des droits politiques. — *Guerre du Péloponnèse et déclin d'Athènes.* Devant l'impérialisme athénien, Sparte* se fait le champion de l'autonomie et de la liberté **(V. Étolie).** Le secours athénien à Corcyre **(V. Corfou)** contre Corinthe*, leur rivale commune, et la riposte de celle-ci lors de la révolte de Potidée* ouvrirent la guerre du Péloponnèse* (~ 431). Dans la première phase, terminée par la paix de Nicias* (~ 421), les Athéniens surent maintenir leur empire malgré les pertes (Potidée, Amphipolis) et les épreuves : pillage de l'Attique, peste (~ 430),

Ph. Mario Russo/Ricciarini
Athènes : le Théséion.

mort de Périclès. **V. Cléon.** Mais après la défaite de Mantinée* (~ 418), les Athéniens, entraînés par les démagogues **(V. Alcibiade)**, entreprirent l'ambitieuse expédition de Sicile (~ 415-~ 413) qui aboutit à un désastre. Il s'ensuivit la révolte de l'Ionie (~ 412), le coup d'État qui instaura le Conseil oligarchique des Quatre*-Cents (~ 411) puis la victoire d'Alcibiade à Cyzique* et le rétablissement de la démocratie (~ 410). Contre Sparte, après une dernière victoire aux îles Arginuses* (~ 406), Athènes perdit sa flotte à Aigos*-Potamos **(V. Conon)** et capitula en ~ 404. Les Spartiates **(V. Lysandre)** lui imposèrent le conseil oligarchique des Trente* **(V. Critias, Théramène).** Thrasybule*, ayant renversé la tyrannie (~ 403), obtint des alliances. Après quelques victoires lors de la guerre de Corinthe* **(V. Iphicrate)** et en mer Égée, une nouvelle confédération maritime (~ 377-~ 357) se dégrada avec la révolte des alliés, tandis que Thèbes* éclipsait la force militaire d'Athènes et de Sparte. **V. Épaminondas, Mantinée.** — *L'ère macédonienne et romaine.* La chute de l'empire maritime d'Athènes profita à Philippe* II de Macédoine* qui s'empara d'Olynthe* (~ 348) et imposa la paix de Philocrate (~ 346) ; écrasant les forces alliées à Chéronée* en ~ 338 **(V. Charès)**, il devint le maître de la Grèce. Après la mort d'Alexandre* le Grand, Athènes, protagoniste de la guerre lamiaque **(V. Lamia)**, fut vaincue par Antipatros* à Crannon*, puis, prise par Cassandre*, connut le sage gouvernement de Démétrios* de Phalère. Proie des diadoques, elle tenta en vain des alliances et des révoltes. — Malgré son déclin, Athènes resta le grand foyer de la civilisation grecque. Fréquentée par les philosophes **(V. Aristote, Xénocrate, Épicure, Zénon, Théophraste, Chrysippe, Carnéade,** et *aussi* **Apollodore)** et les artistes **(V. Protogénès)**, elle fut surtout l'école de la grande éloquence attique **(V. Andocide, Isée, Isocrate, Lysias)** qui, sortant sur la place publique, donne l'image la plus élevée des conflits de la cité démocratique. **V. Démosthène, Eschine, Hypéride, Démade, Dinarque, Lycurgue, Phocion.** — Après quelques faveurs des Romains (~ 166), Athènes, alliée de Mithridate, roi du Pont, fut prise et pillée par Sylla* en ~ 86. Visitée par saint Paul* v. 56 **(V. Denys l'Aréopagite)**, elle resta un centre d'études païennes et connut même une renaissance,

Ph. Carlo Bevilacqua/Ricciarini
Athènes : l'Agora romaine.

Ph. Esperto/Ricciarini

Mont **Athos** : monastère Saint-Grégoire (cour intérieure et église).

prolongée jusqu'au ve s., dont témoignent Cicéron, Aulu*-Gelle, Pausanias. **V. Lucien, Longin, Sextus Empiricus, Libanios, Clément d'Alexandrie, Julien l'Apostat, Proclos.** Les Goths ravagèrent la ville en 276. – *Duché latin* – *Athènes moderne*. Sous l'Empire byzantin*, Athènes ne joua aucun rôle. **V. Eudoxie, Chalcocondyle.** Prise par les Latins en 1205 (quatrième croisade), elle devint la capitale d'un duché franc et passa ensuite aux Catalans. Réduite à un village insignifiant pendant l'occupation turque (1456-1822), elle subit de graves dommages lors de la guerre de l'indépendance grecque (1827). Elle devint capitale de la Grèce en 1835.

Athènes (École française d'archéologie d'). ♦ École fondée sous la monarchie de Juillet (1846) pour développer l'étude de la langue et de la civilisation helléniques. Elle est spécialisée dans les fouilles.

ATHIS-DE-L'ORNE. ♦ Ch.-l. de cant. de l'Orne, arr. d'Argentan. 2 016 hab. *(Athisiens)*. Appareils de radio; produits laitiers.

ATHIS-MONS [atismõs]. ♦ Ch.-l. de cant. de l'Essonne, près d'Orly (arr. de Palaiseau). 28 160 hab. *(Athégiens* ou *Athémonsois)*. Constructions métalliques; aliments pour bétail.

ATHLONE. ♦ V. de la république d'Irlande et princ. centre économique du comté de Westmeath*, sur le Shannon. Pont et château des XIIe-XIIIe siècles. – Centre textile (laine, coton).

ATHOS *(mont)* ou **Haghion oros** (« montagne sainte »). *n. m.* ♦ Montagne de Grèce (Macédoine), à l'extrémité S. de la péninsule la plus orientale de la Chalcidique* (2 033 m). Une vingtaine de monastères s'y établirent à partir du xe s., constituant le foyer le plus important de l'Église orthodoxe. Les couvents actuels d'Athos, groupant env. 1 500 moines, constitués en république monastique, bénéficient depuis 1926 d'un statut d'autonomie administrative. L'accès de la montagne est interdit aux femmes depuis 1060.

Athos. ♦ Personnage de roman d'Alexandre Dumas*, l'un des *Trois* Mousquetaires.*

ATÎŚA. ♦ Religieux bouddhiste indien (v. 980 – v. 1054), originaire du Bengale, qui se rendit au Tibet vers 1042 pour y réformer le bouddhisme. Il y créa des monastères et fonda la secte des bKa-gDams-pa. Il est considéré dans les monastères tibétains comme étant la 46e incarnation d'Avalokiteśvara*.

ATITLÁN *(lac)*. *n. m.* ♦ Lac du Guatemala, situé sur les hauts plateaux du S.-O. de la cordillère centrale au nord du volcan Atitlán (3 453 m).

ATJEH. *n. m.* ♦ Région montagneuse située à l'extrême nord de l'île de Sumatra (Indonésie), de pénétration difficile (entre 2 000 et 3 000 m), peuplée de nombreuses tribus issues de métissages entre Malais et Batak. Agriculture du riz et des épices. Industrie du coprah.

ATLAN (Jean). ♦ Peintre, lithographe et poète français (Constantine, 1913 – Meudon, 1960). Après des études de philosophie, il se consacra à la poésie *(Initiation des mortes, Sang profond)* puis à la peinture, passant d'une figuration violemment expressionniste à la création de formes schématisées et souples où priment des effets de matières violemment expressifs. Ces formes tendent ensuite (vers 1950) à s'organiser selon des rythmes plus calmes, élaborés à partir de larges cernes noirs soulignant des accords de couleurs sourdes ou intenses et qui forment des signes inspirés en partie par les arts primitifs et archaïques (*Calipso*, 1956).

ATLANTA. ♦ V. des États-Unis, cap. et v. princ. de la Géorgie*. 487 553 hab. (la zone urbaine compte 1 373 000 hab.), dont plus de 40 % de Noirs. Capitale financière et commerciale du S.-E. des États-Unis, c'est la ville la plus peuplée entre Washington et la Nouvelle-Orléans. Centre de communications. Indus. (textiles, chimie, meubles, etc.). Siège de plusieurs universités. – Patrie de Martin Luther King*, de Margaret Mitchell*. ♦ *Hist.* La ville, centre des Confédérés pendant la guerre de Sécession, fut prise (sept. 1864) puis incendiée (nov. 1864) par Sherman*.

ATLANTIC CITY. ♦ V. des États-Unis (New Jersey), sur la côte de l'Atlantique. 45 386 hab. (zone urbaine 170 000). Grande station balnéaire.

ATLANTIDE [*n. f.*], en gr. **Atlantis***. ♦ Île fabuleuse qui aurait existé, selon Platon* *(Critias ou de l'Atlantide)*, environ 9 000 ans auparavant, au delà des colonnes d'Hercule dans l'océan Atlantique*, et qui se serait engloutie à la suite d'un cataclysme. La légende de l'*Atlantide* a inspiré de nombreux récits et poèmes, entre autres ceux de F. Bacon* *(Nouvelle Atlantide)*, de J. Verdaguer* *(Atlàntida)*, d'O. de Andrade et de Pierre Benoît*. De récentes découvertes la situent à l'emplacement de l'île de Santorin (Grèce, mer Égée).

ATLANTIQUE *(océan)*. *n. m.* ♦ Océan qui s'étend sur 14 000 km de long entre l'Europe* et l'Afrique* à l'E. et les deux Amériques* à l'O.; il est limité au N. par l'océan Arctique*, au S. par l'océan Antarctique* et se prolonge par des mers adjacentes (mer du Nord*, Manche*, Baltique*, Méditerranée*, mer des Caraïbes ou des Antilles). Sa superficie totale est d'environ 100 000 000 de km² (2e rang après le Pacifique). L'océan Atlantique a la forme générale d'un vaste et large S, ce qui résulterait d'une fracture entre les continents d'Afrique et d'Amérique (jadis emboîtés); il est constitué par de grandes cuvettes séparées par une chaîne montagneuse sous-marine, la *dorsale médio-atlantique* dont certaines parties émergent, formant des îles, souvent volcaniques (Açores*, Tristan* da Cunha, Asunción, Sainte*-Hélène...). D'autres îles appartiennent à la plate-forme littorale : îles Britanniques **(V. Angleterre, Écosse, Galles** [pays de], **Irlande)**, Antilles*, Canaries*. Parmi les très nombreux cours d'eau tributaires de l'Atlantique, figurent de très grands fleuves (surtout en Amérique et en Afrique) : Amazone, Río de La Plata, Mississippi, Orénoque, Saint-Laurent, Congo, Gabon, Niger, et, en Europe, Garonne, Loire, Tage, etc. – La salinité des eaux est en moyenne de 35 ‰. La profondeur de 3 000 m en moyenne peut atteindre 8 000 m (fosse de Porto Rico). – L'océan Atlantique est le siège de mouvements variés : les marées ont une ampleur maximale dans les baies et les détroits. La persistance des hautes pressions tout au long de l'année entraîne la formation de vents constants : les alizés. L'existence de courants froids (courants de Binguela, des Canaries, du Labrador, du Groenland) et chauds (courant du Brésil, courants sud et nord équatorial, contre-courant de Guinée et surtout Gulf* Stream) expliquent les différences de climat sur les côtes E. et O., à latitudes égales. – L'océan Atlantique est le plus fréquenté des océans. Ses eaux sont très poissonneuses : les plus fructueuses pour la pêche industrielle sont

Arch. Smeets

J. Atlan, « Samba Zapothèque », 1957. (Collection privée.)

Ph. Nino Cirani/Ricciarini

L'**Atlantique** au Brésil : la pointe de Munduba.

Ph. Hétier

L'**Atlantique** en Irlande : falaise de Moher.

la mer du Nord*, les côtes de Terre*-Neuve et du Canada, les côtes N.-O. et S.-O. de l'Afrique. L'océan Atlantique (surtout l'Atlantique Nord) est sillonné de voies de navigation maritime et aérienne ; le long des côtes de l'Océan et de la mer du Nord se sont développés les plus grands complexes portuaires du monde (Rotterdam, New York, Londres, Anvers, Le Havre, etc.). La ligne aérienne reliant New York aux capitales européennes connaît le trafic le plus dense du monde. ♦ *Hist.* Bien que l'océan Atlantique ait été connu des Vikings*, il ne fut véritablement exploré, par les Portugais et les Espagnols, qu'au XVIe siècle. Les Ibériques abordèrent le continent américain et découvrirent les principales îles **(V. Amérique ; Colomb, Vespucci).** Depuis lors, un courant d'émigration d'E. (Europe) en O. (Amérique) s'établit pendant plusieurs siècles **(V. Amérique,** *hist.*). En 1927, l'américain Lindbergh* effectua la première traversée aérienne sans escale New York-Paris. En 1930, Mermoz* relia le Sénégal au Brésil. Pendant la Seconde Guerre mondiale, l'océan Atlantique fut l'enjeu d'une lutte entre les sous-marins allemands et les flottes alliées (bataille de l'Atlantique). Politiquement, l'Atlantique Nord est devenu un symbole d'union entre pays riverains regroupés au sein du pacte de l'Atlantique **(V. O.T.A.N.).**

ATLANTIQUE (pacte) ou **pacte de l'Atlantique Nord.** ♦ **V.** O.T.A.N.

ATLAS. ♦ Géant, fils du Titan Japet* et de Clyméné*, frère de Prométhée et d'Épiméthée*. Ayant combattu les dieux, avec les Géants, il est condamné par Zeus* à porter la voûte du ciel sur ses épaules. Il aide Héraclès à enlever les pommes des Hespérides*. Pléioné lui donne sept filles, les Pléiades*.

ATLAS. *n. m.* ♦ Système montagneux de l'Afrique* du Nord, qui s'étend de l'embouchure de l'oued Sous*, au S.-O. du Maroc* jusqu'au cap Bon et au golfe de Gabès en Tunisie et qui forme une barrière entre la côte méditerranéenne et le Sahara*. Le *Haut Atlas* ou *Grand Atlas* est la chaîne la plus importante de l'Afrique du Nord, au Maroc, séparée du Moyen Atlas au N. par la Moulouya* et de l'Anti*-Atlas au S. par la plaine du Sous*. Elle culmine au djebel Toubkal* (4 165 m). – *Atlas saharien* ou *présaharien.* Chaîne qui s'étend entre les hauts plateaux d'Algérie* et le Sahara*, de la frontière marocaine (Figuig) à Batna*. Elle comprend d'O. en E. les monts des Ksour*, le djebel Amour*, les monts des Ouled* Naïl et les monts du Zab*. *Atlas tellien.* Ensemble montagneux qui, selon certains géographes, s'étend de Tanger à Bizerte en englobant le Rif* marocain à l'O. et la Kroumirie* tunisienne à l'E. et qui, pour d'autres, se limite aux chaînes bordant la côte algérienne.

Âtman. *n. m.* ♦ Terme sanskrit de philosophie hindoue désignant l'ultime réalité en tant qu'âme individuelle, ou Soi identifié à l'Un suprême (et parfois avec le concept du Brahman). Le bouddhisme nie l'existence de cet âtman.

ATOMISTES. *n. m. pl.* ♦ **V. Leucippe, Démocrite, Nausiphanès, Épicure.**

ATON « le disque solaire ». ♦ Dieu égyptien représentant le soleil dans sa totalité astrale. Par opposition à Rê*, Amon*-Rê, Osiris* ou Seth*, approches diverses du soleil, qui avaient pris un corps d'homme et s'étaient parés d'attributs individuels pour s'offrir à l'adoration des humains, Aton, signe d'une réalité physique immédiate, n'avait ni mythe ni statue. Son culte, instauré par Aménophis IV - Akhnaton* (v. ~ 1370) pour remplacer le culte d'Amon, fut une des plus belles manifestations du monothéisme dans la haute Antiquité **(V. Tell el-Amarna).**

ATOUM. ♦ Divinité égyptienne. Dieu créateur selon la très ancienne tradition d'Héliopolis*, il aurait créé le monde en donnant naissance aux neuf dieux primordiaux (l'Ennéade) : outre lui-même, Chou (dieu de l'air) et Tefnout (déesse des eaux), puis Geb (dieu de la terre), Nout (déesse du ciel), Osiris*, Isis*, Seth* et Nephtis*. Selon la tradition de Memphis*, le démiurge Atoum était devenu le dieu artisan Ptah* en se pensant lui-même. Il fut identifié à Rê* sous la forme d'*Atoum-Rê.*

ATRÉBATES. *n. m. pl.* ♦ Peuple de la Gaule belgique établi en Artois et dont la cap. était *Nemetacum* ou *Nemetocenna* (Arras*).

Après la conquête romaine (~ 56), l'Artois fut compris dans la Belgique IIe.

ATRÉE, en gr. **Atreus.** ♦ Roi légendaire de Mycènes*, fils de Pélops* et d'Hippodamie. Pour Homère, il est simplement le père d'Agamemnon* et de Ménélas* (Atrides). La tragédie (*Orestie* d'Eschyle, *Thyeste* et *Atrée* de Sophocle, etc.) a greffé à la légende initiale un grand nombre d'épisodes sanglants. Ainsi la malédiction de Tantale* est à l'origine de la longue série de déchirements et de crimes atroces qui ensanglantèrent les *Atrides* jusqu'à la purification d'Oreste. Chassés par leur père pour avoir tué leur demi-frère, Atrée et Thyeste* se disputent avec des fourberies et des bassesses inouïes le trône de Mycènes. Atrée, l'ayant finalement emporté, met à mort deux fils de Thyeste et les lui sert au cours d'un festin. Égisthe*, autre fils de Thyeste, assassine Atrée et, plus tard, Agamemnon, mais il tombe à son tour sous le glaive d'Oreste. – *Atrée et Thyeste,* tragédie de Prosper Crébillon (1707).

ATRIDES. *n. m. pl.* ♦ **V.** ATRÉE, AGAMEMNON, MÉNÉLAS, ORESTE, ÉGISTHE.

ATROPOS. ♦ L'une des Moires*.

ATTALE, en gr. **Attalos.** ♦ Nom de trois rois de Pergame*. Sous la dynastie des Attalides **(V. Eumène),** cette ville soumit une grande partie de l'Asie Mineure et devint un des grands centres de la civilisation hellénistique. ♦ ATTALE Ier SÔTER [« Sauveur »] (~ 269 – ~ 197). Il succéda à son oncle Eumène* Ier en ~ 241 et prit le titre de roi après sa victoire sur les Galates v. ~ 230. Il s'allia avec les Romains contre Philippe V de Macédoine. Il fonda la fameuse bibliothèque de Pergame. ♦ ATTALE II PHILADELPHE [« qui aime son frère »] (~ 220 – ~ 138). Fils du précédent, il succéda à son frère Eumène* II v. ~ 159. Élève du philosophe Carnéade, il fonda à

Arch. Smeets

Atoum donnant l'accolade à Sésostris Ier.
Karnak, XIIe dynastie,
vers ~ 1900. (Musée égyptien, Le Caire.)

Ph. Mario Russo/Ricciarini

L'**Attique** : colonnes de l'Olympiéion (temple de Zeus Olympien), Athènes.

Athènes* le portique qui porte son nom. Il battit et détrôna Prusias II, roi de Bithynie* en ~ 149, soumit la Pamphylie et y fonda Attaleia, l'actuelle Antalya*. ♦ ATTALE III PHILOMETOR [« qui aime sa mère »] (~ 171 – ~ 133). Fils du précédent, il lui succéda en ~ 138. Il légua son royaume aux Romains.

'ATTÂR (Farîd al-Dîn). ♦ Poète persan (Nishâpûr, v. 1150 – v. 1220). Son œuvre comprend un important texte en prose, mais il est célèbre par son œuvre poétique. Il écrivit plusieurs *masnavis* dont les plus connus sont *Le Livre des préceptes* qui rassemble des sentences morales concises et *Le Colloque des oiseaux* (Mantiq al-Tayr) qui raconte le voyage des oiseaux à la recherche du Phénix à travers les sept vallées merveilleuses. Cette forme allégorique est la plus claire expression poétique de l'itinéraire mystique du sûfisme iranien.

ATTERBOM (Per Daniel Amadeus). ♦ Poète suédois (Azbo, Ostergötland, 1790 – Uppsala, 1855). Romantique et mystique, il écrivit, inspiré par Novalis* et Tieck*, deux « féeries » poétiques, *L'Oiseau bleu* (1814) et *L'Île de la félicité* (1824-1827). Son œuvre critique, *Voyants et poètes suédois* (1841-1855), est influencée par Sainte-Beuve.

ATTICUS (Titus Pomponius). ♦ Chevalier romain (Rome, ~ 109 – ~ 32). Son séjour à Athènes (de ~ 85 à ~ 65) lui valut son surnom. Bien qu'extrêmement riche, il vécut en disciple d'Épicure, se tenant éloigné des affaires politiques et menant une vie frugale. Il est surtout célèbre par son amitié avec Cicéron* (396 lettres *Ad Atticum*).

ATTIGNY. ♦ Ch.-l. de cant. des Ardennes, arr. de Vouziers, sur l'Aisne. 1 536 hab. Église (XVe, XVIe s.) restaurée. Sucrerie. – Patrie de Victor Noir*.

ATTILA. ♦ (v. 395 – 453). Roi des Huns* (v. 434-453). Il succéda à Rugas en même temps que son frère Bléda qu'il fit assassiner (445). Régnant en Pannonie (près de l'actuelle Györ, Hongrie), il rassembla les tribus. Il attaqua l'empire d'Orient, imposa un tribut à Théodose* II, envahit les Balkans, rançonnant de nouveau Théodose II pour épargner Constantinople. Soumettant Germains et Slaves, il envahit la Gaule*, pilla Metz (451) mais évita Lutèce* où sainte Geneviève* encourageait la résistance. Devant Orléans, Aetius* et le roi wisigoth Théodoric le firent échouer. Il épargna également Troyes à la suite de l'intervention de l'évêque saint Loup. Il fut vaincu aux Champs catalauniques* près de Troyes (été ou automne 451) par Aetius, Mérovée* et Théodoric* Ier. Après avoir regroupé des forces, il se dirigea vers l'Italie, dévastant Aquilée, Milan, Padoue, mais se laissa convaincre par le pape Léon* Ier de regagner la Pannonie* movennant tribut. Il y mourut peu après. Son empire s'écroula après sa mort. **V. Huns.**

ATTIQUE. *n. f.*, en gr. **Attikê.** ♦ Péninsule à l'extrémité S.-E. de la Grèce centrale au S.-E. de la Béotie*, entre le golfe Saronique et le golfe d'Eubée. Le *nome d'Attique,* correspondant à peu près à l'anc. région, est plus étendu qu'elle vers l'O. (Mégaride). En revanche, le Pirée* et les îles du Saronique qui lui appartenaient en sont détachés et forment un autre nome. Le *nome* actuel *d'Attique* a 2 879 km². 1 597 236 hab. *Ch.-l.* Athènes. *V. et sites hist.* **V. Athènes, Colone, Éleusis, Laurion, Marathon, Mégare.** – L'Attique est composée de petits massifs, dont le Cithéron* et le mont Parnès* qui la séparent de la Béotie; le Pentélique* et l'Hymette* qui limitent à l'E. une plaine centrale en la séparant de la plaine Mésogée qui s'étend jusqu'à l'extrémité S.-E. de la péninsule, le cap Sounion*. Le Céphise* et l'Ilissos*, son affluent, traversent la plaine centrale. Cultures : oliviers, vignes, légumes. Minerais de plomb argentifère de Laurion; carrières de marbre blanc du Pentélique. Région industrielle : constructions navales de Skaramagas, raffinerie d'Aspropyrgos, métallurgie, cimenterie. ♦ *Hist.* Habitée primitivement par les Pélasges*, l'Attique fut envahie au début du ~ IIe millénaire par les Ioniens*. **V. Ogygès.** Son premier roi mythique Cécrops* fonda Athènes. Dans les temps reculés, il existait, semble-t-il, plusieurs domaines indépendants (douze, selon la tradition ionienne), dont Athènes, Éleusis et Marathon étaient les centres principaux. C'est Triptolème*, roi mythique d'Éleusis, qui aurait enseigné aux habitants de l'Attique l'agriculture et Athéna* la culture de l'olivier. Thésée* aurait unifié l'Attique qui, préservée de l'invasion des Doriens*, devint le refuge des Éoliens et des Ioniens. **V. Athènes.**

ATTIS ou **ATYS.** ♦ Divinité de la fertilité, d'origine phrygienne. Berger jeune et beau, aimé de Cybèle*, il trahit le vœu de chasteté fait à la déesse, ou il repousse ses avances. Frappé de folie par la déesse irritée, il se mutile. Son culte, de caractère asiatique, passé en Grèce puis à Rome, y prit la forme de drame mystique. Attis fut identifié par certains au dieu sémitique Adonis*.

ATTLEE (Clement Richard, *Premier comte***).** ♦ Homme politique britannique (Londres, 1883 – *id.*, 1967). Issu de la bourgeoisie (études à Oxford, inscription au barreau de Londres), il fit une guerre brillante dans les chars. Le « major Attlee » fut élu à la Chambre des communes comme membre du parti travailliste en 1922. Chef de ce parti (Labour Party) en 1935, il entra dans le cabinet de coalition de Churchill* (1940) comme Vice-Premier ministre. Il devint Premier ministre après la victoire travailliste de 1945. Son gouvernement fut marqué par une plus grande mainmise de l'État sur l'économie (nationalisations, développement de l'assistance sociale) et par l'émancipation d'une grande partie de l'empire britannique, Inde, Ceylan, Pakistan. Après le retour des conservateurs (1951), Attlee continua de diriger le parti travailliste jusqu'en 1955.

ATUANA ou **ATUONA.** ♦ Centre administratif des îles Marquises* (Polynésie* française) sur la côte S. de l'île Hiva-Oa. 500 hab. environ.

ATWOOD (George). ♦ Physicien anglais (Londres, 1746 – *id.*, 1807). Inventeur d'une machine pour l'étude de la chute des corps (1784), dite *machine d'Atwood.*

ATZCAPOTZALCO. ♦ Ville du Mexique, faubourg indus. de Mexico*. 545 513 hab. Raffineries de pétrole. – Site ancien qui fut la cap. d'un royaume au XVe siècle.

AUBAGNE. ♦ Ch.-l. de cant. des Bouches*-du-Rhône (arr. de Marseille*), sur l'Huveaune*. 28 146 hab. [17 055 aggl.]. *(Aubains* ou *Aubaniens).* Céramiques, faïences, tannerie. – Patrie de F. Barthélemy* et de M. Pagnol*.

AUBANEL (Théodore). ♦ Poète français de langue d'oc (Avignon, 1829 – *id.*, 1886). Un des fondateurs du Félibrige (Cf. Robert) avec F. Mistral* et J. Roumanille* (1854), Th. Aubanel collabora à l'*Armana Prouvençau,* almanach savoureux et familier qui devait propager l'amour de la Provence et la connaissance de sa langue. Poète au « cœur tendre et fou », il manifesta son tempérament passionné dès le recueil de poésies lyriques, *La Grenade entr'ouverte* (*La Miougrano entreduberto,* 1860). En 1878, il donna un drame shakespearien, *Le Pain du péché* (*Lou Pan dou pecat,* traduit en vers français par P. Arène*), que suivirent *Le Pâtre* (*Lou Pastre,* publ. posth., 1928) et *Le Rapt* (*Lou Raubatori,* publ. posth., 1944). Son second recueil lyrique où une ardente sensualité s'allie au thème de la mort, *Les Filles d'Avignon* (*Li Filio d'Avignoun,* 1885), fut condamné par les autorités religieuses. Peintre au coloris puissant, âme sincère et passionnée, Th. Aubanel apparaît comme le grand poète lyrique de la littérature provençale renaissante.

AUBAZINES. ♦ Comm. de la Corrèze*, arr. de Brive-la-Gaillarde. 669 hab. La comm. est située en face des gorges du Coiroux. Église romane de plan cistercien édifiée au XIIe s.; tombeau de saint Étienne d'Aubazines (XIIIe s.).

AUBE. *n. f.* ♦ Riv. du Bassin parisien, affl. de la Seine* (248 km). Née sur le plateau de Langres*, elle arrose Bar*-sur-Aube et Arcis*-sur-Aube avant de se jeter dans la Seine.

AUBE *(dép. de l')* **[10].** ♦ Dép. de l'E. du Bassin Parisien, région (anciennement C.A.R.) de Champagne*-Ardenne. 6 026 km². – *Orogr.* D'E. en O., le dép. s'étend sur le Barrois*, la Champagne* humide, la Champagne* pouilleuse et au S.-O. sur le pays d'Othe*. Les villes sont concentrées dans les vallées de la Seine et de l'Aube. ♦ (26 cant., 441 comm., 275 389 hab.). *Préf.* Troyes. *Sous-préf. :* Bar*-sur-Aube, Nogent*-sur-Seine. *Ch.-l. de cant. :* Aix*-en-Othe, Arcis*-sur-Aube, Bar*-sur-Seine, Bouilly*, Brienne*-le-Château, Chaource*, Chavanges*, Évry*-le-Châtel, Essoyes (741 hab.), Estissac*, Lusigny*-sur-Barse, Marcilly-le-Hayer (464 hab.), Méry*-sur-Seine, Mussy*-sur-Seine, Piney (1 025 hab.), Ramerupt (348 hab.), Riceys* (Les), Romilly*-sur-Seine, Soulaines-Dhuys (311 hab.), Vendeuvre*-sur-Barse, Villenauxe*-la-Grande. *Autres comm. et localités.* **V. Bassigny, Bayel, Chapelle-Saint-Luc (La), Clairvaux, Mailly-le-Camp, Saint-André-les-Vergers, Saint-Martin-de-Bossenay, Sainte-Savine, Ville-sous-la-Ferté.**

AUBENAS. ♦ Ch.-l. de cant. de l'Ardèche*, arr. de Privas*, au-dessus de l'Ardèche. 12 292 hab. *(Albenassiens).* Moulinage de la soie, confection. Indus. alimentaires.

AUBENTON. ♦ Ch.-l. de cant. de l'Aisne (arr. de Vervins). 1 088 hab. Patrie de Jean Mermoz*.

AUBER (Daniel François Esprit). ♦ Compositeur français (Caen, 1782 – Paris, 1871). Élève de Cherubini, il choisit Scribe* pour librettiste et composa près d'une cinquantaine d'opéras (*Le Maçon,* 1825; *Fra Diavolo,* 1830; *Le Domino noir,* 1837; *Manon Lescaut,* 1856) dont la facilité mélodique fit longtemps le succès. Son chef-d'œuvre demeure *La Muette de Portici* (1828), *opera seria* d'esprit naturaliste dont la représentation à Bruxelles, en 1830, donna le signal du soulèvement belge contre les Pays-Bas. Il fut directeur du Conservatoire de Paris (1842).

AUBERGENVILLE. ♦ Ch.-l. de cant. des Yvelines, arr. de Mantes-la-Jolie. 7 513 hab. Église (XVe s.). Château d'Acosta. – Automobiles (à Flins).

Auberges de la jeunesse (A.J.). ♦ Centres d'accueil hébergeant les jeunes (de 15 à 30 ans) pour une somme modique. Les premières furent créées dès le début du siècle en Allemagne ; introduites en France en 1929, elles connurent un grand développement grâce à Marc Sangnier. Depuis 1945, elles sont groupées dans une fédération internationale.

AUBERIVE. ♦ Ch.-l. de cant. de la Haute-Marne, arr. de Langres, sur l'Aube*. 330 hab. – Anc. abbaye cistercienne, auj. colonie de vacances.

AUBERT (Jean). ♦ Architecte, dessinateur et ornemaniste français (mort à Paris, 1741). Élève de Jules Hardouin Mansart*, il est l'auteur des *Grandes Écuries de Chantilly* (1719-1735), commandées par le duc de Bourbon ; l'une des œuvres majeures du style Régence, elle se caractérise par l'ampleur de la conception d'ensemble, l'utilisation d'un décor à refend, l'adoption de combles séparés et un original manège circulaire. Il édifia aussi les *monuments abbatiaux* de Chaalis (1736), à Paris, plusieurs hôtels particuliers et fut l'un des architectes du *Palais-Bourbon.*

AUBERT (Jacques). ♦ Violoniste et compositeur français (Paris, 1689 – *id.,* 1753). Premier violon à l'Opéra (1728), il se produisit au *Concert spirituel* et publia plus de 30 livres de sonates, trios et concertos (dont les 10 sonates pour 4 violons et basse, les premières qui furent écrites par un Français, 1735).

AUBERT (Louis). ♦ Compositeur français (Paramé, 1877 – Paris, 1968). Une sensibilité délicate, teintée d'impressionnisme, caractérise son œuvre, d'une grande diversité d'aspects. Auteur d'un opéra-comique *(La Forêt bleue),* d'œuvres instrumentales *(Fantaisie pour piano et orchestre),* de poèmes symphoniques *(Habanera, Offrandes, Le Tombeau de Chateaubriand),* il a composé aussi des mélodies *(Six poèmes arabes),* et des ballets *(La Nuit ensorcelée, Cinéma).*

AUBERT-DUBAYET (Jean-Baptiste Annibal). ♦ Général et homme politique français (Louisiane, 1757 ? – Constantinople, 1797). Après avoir participé à la guerre d'Indépendance américaine, il siégea comme député à l'Assemblée législative (1793), puis prit part à la défense de Mayence contre les Autrichiens. Nommé général en chef des armées en Vendée et s'étant fait battre à Clisson, il fut emprisonné peu avant le 9 Thermidor (27 juillet 1794).

AUBERVILLIERS. ♦ Ch.-l. de cant. de la Seine-Saint-Denis (arr. de Bobigny) à la limite N. de Paris, sur le canal Saint-Denis, au N.-E. de Paris. 73 808 hab. *(Albertvilliariens).* Église Notre-Dame-des-Vertus (XVe-XVIe s., restaurée au XIXe siècle). Horticulture. – Indus. chimiques, engrais artificiels, peintures, vernis, allumettes, parfums.

AUBETERRE-SUR-DRONNE. ♦ Ch.-l. de cant. de la Charente, arr. d'Angoulême. 449 hab. *(Aubeterriens).* L'église Saint-Jean, remarquable sanctuaire monolithe du XIIe s., comporte une chapelle du VIe siècle. Église Saint-Jacques (façade romane). – Confection.

AUBIÈRE. ♦ Comm. dans les faubourgs de Clermont-Ferrand. 7 844 hab. Église romane.

AUBIGNAC (François Hédelin, *abbé d'***).** ♦ Théoricien français du théâtre (Paris, 1604 – Nemours, 1676). Neveu du cardinal de Richelieu, il s'exerça comme dramaturge sans connaître le succès. Dans sa *Pratique du théâtre,* il définit la vraisemblance comme l'essence de la tragédie et le tragique comme une méditation sur la condition humaine, le rôle attribué au discours l'emportant sur l'action. Par là comme par l'importance qu'il confère aux trois unités, il se sépare de Corneille* et annonce Racine*.

AUBIGNÉ (Agrippa *d'***).** ♦ Écrivain français (Pons, Saintonge, 1552 – Genève, 1630). Attaché au service du futur Henri IV, calviniste intransigeant marqué par le souvenir de la conjuration d'Amboise (1560), puis par celui de la Saint-Barthélemy (1572), massacre auquel il échappa, humaniste érudit autant que vaillant guerrier, Agrippa d'Aubigné composa une œuvre littéraire ardente et diverse à l'image de sa vie passionnée. Il fut d'abord poète lyrique, célébrant Diane Salviati (qu'il ne put épouser en raison de la différence de religion) dans les vers pétrarquisants du *Printemps du sieur d'Aubigné* (composé de 1568 à 1575). Il manifesta ensuite son zèle religieux et son tempérament satirique dans *Les Tragiques** (entrepris en 1576, publiés en 1616), épopée puissante où les attaques contre les catholiques alternent avec les appels éloquents à la justice divine en faveur des protestants persécutés. Retiré, à l'abjuration de Henri IV, dans son gouvernement de Maillezais (Vendée), d'Aubigné y composa en s'astreignant désormais à l'impartialité une *Histoire universelle depuis 1550 jusqu'en 1601* (publiée de 1616 à 1620). Cet ouvrage est consacré en fait au parti réformé en France et lui valut l'exil à Genève, retraite durant laquelle il rédigea une savoureuse autobiographie, *Sa vie à ses enfants* (posth., 1729). Auparavant, son esprit caustique s'était manifesté dans des pamphlets en prose, réalistes et burlesques, où il stigmatisait les abjurations intéressées (*Confession du très catholique sieur de Sancy;* posth., 1660) et ridiculisait la cour de Marie de Médicis (*Les Aventures du baron de Fœneste;* publié de 1617 à 1620). La fin de sa vie fut assombrie par le recul du parti protestant, et l'abjuration de son fils Constant (le père de Françoise d'Aubigné, marquise de Maintenon*). « L'une des plus expressives figures » du XVIe s. (Sainte-Beuve) par ses « études, passions, vertus, croyances, préjugés », Agrippa d'Aubigné est également, par

Ph. Stella

Monts d'**Aubrac** : pâturages.

son art où le réalisme le plus osé s'allie à une rhétorique élaborée, riche en métaphores, un des grands représentants du baroque littéraire en France.

AUBIGNY (Robert Stuart, *comte d'***).** ♦ Maréchal de France, d'origine royale écossaise (v. 1470 – 1544). Il s'illustra dans les guerres d'Italie (Marignan*, Pavie*) et défendit la Provence contre Charles* Quint.

AUBIGNY-SUR-NÈRE. ♦ Ch.-l. de cant. du Cher, arr. de Bourges, aux confins du Sancerrois. 5 325 hab. *(Albiniens).* Château (XVe-XVIIe s.), ancienne résidence des Stuart. Vestiges des remparts du XIVe siècle. Maisons anciennes. – Confection, lingerie. Moteurs électriques.

AUBIN. ♦ Ch.-l. de cant. de l'Aveyron (arr. de Villefranche-de-Rouergue). 6 816 hab. Anc. houillère du bassin de Decazeville*.

AUBISQUE *(col d').* ♦ Col des Pyrénées-Atlantiques, entre Eaux-Bonnes (val d'Ossau*) et Argelès-Gazost (val d'Azun*), à 1 704 m d'altitude.

AUBOUÉ. ♦ Comm. de Meurthe-et-Moselle, arr. de Briey, sur l'Orne. 5 040 hab. Centre métallurgique : hauts fourneaux.

AUBRAC *(monts d').* ♦ Plateau du Massif* central au S. de l'Auvergne*, entre les gorges de la Truyère* et la vallée du Lot*, culminant au Signal de Mailhebiau (1 471 m). Il s'étend sur les confins de l'Aveyron* *(forêt domaniale d'Aubrac),* du Cantal* (Chaudes-Aigues) et de la Lozère* (Aumont-Aubrac ; Nasbinals).

AUBRAIS (Les). ♦ Écart de la commune de Fleury-les-Aubrais (Loiret) dans la banlieue nord d'Orléans*. Grand centre ferroviaire (Les Aubrais-Orléans).

AUBRIOT (Hugues). ♦ Édile et administrateur français (Dijon, ? – 1382). Prévôt de Paris (1364-1381). Il fit construire la Bastille*, le Petit Châtelet, le pont Saint-Michel et le pont au Change. Emprisonné pour impiété (à cause de mesures humanitaires envers les Juifs), il fut délivré par les Maillotins*.

AUBRY (Pierre). ♦ Musicologue français (Paris, 1874 – Dieppe, 1910). Ses recherches érudites sont à l'origine de la renaissance de la musique médiévale.

AUBUSSON (Pierre *d'***).** ♦ Grand maître de l'ordre de Saint-Jean-de-Jérusalem (Monteil-au-Vicomte, 1423 – Rhodes, 1503). Il s'illustra pendant la défense de Rhodes contre les Turcs et fut nommé cardinal (1489).

AUBUSSON. ♦ Sous-préf. de la Creuse*, ch.-l. d'arr. (12 cant., 120 comm., 56 552 hab.) sur la Creuse, 6 761 hab. *(Aubussonnois).* – Ruines du château des comtes d'Aubusson ; maisons anciennes. Ville célèbre par ses manufactures de tapisserie que Colbert* déclara manufactures royales, elle possède auj. un musée historique de la tapisserie et une école nationale des Arts décoratifs.

AUBY. ♦ Comm. du Nord (arr. et aggl. de Douai). 9 090 hab. Indus. chimiques.; Fonderie de zinc.

Aucassin et Nicolette. ♦ Chantefable française (région picarde) du XIIIe s., composée de morceaux en prose et de parties lyriques en vers assonancés, soutenues d'une mélodie. Le récit, coupé de monologues et de dialogues, raconte, en trois étapes, les amours contrariées du fils du comte de Beaucaire et d'une captive sarrasine, décidée et fine, qui s'avère être la fille du roi de Carthage (ce qui rend possible le mariage). – Spectacle vraisemblablement mimé, ce divertissement évoque avec une grande fraîcheur les décors naturels, les personnages (seigneurs ou manants), et les manèges de l'amour. On y sent, cependant, la parodie discrète des fictions romanesques courtoises.

AUCH [oʃ]. ♦ Préf. du dép. du Gers*, ch.-l. d'arr. (10 cant., 155 comm., 72 410 hab.), sur le Gers. 23 718 hab. *(Auscitains).* La ville est traversée par le Gers* ; sur la r. d. s'étend la ville moderne, sur la r. g. s'érige en amphithéâtre la vieille ville, aux rues tortueuses (dites *pousterles*). Cathédrale Sainte-Marie, de style flamboyant (stalles et vitraux du XVIe s.). Musée. – Indus. alimentaires : eaux-de-vie d'Armagnac, vins, vinaigre ; minoteries, biscuiterie ; foie gras. Chaussures ; cartonnages. Matériaux de construction, constructions métalliques. – Patrie de l'amiral Louis Thomas Villaret* de Joyeuse. ♦ *Hist.* D'origine ibérique, Auch devint un centre important de la Gaule romaine, puis au IVe s., évêché. Elle subit de nombreux sièges meurtriers avant de devenir, sous l'Ancien Régime, la capitale de la Gascogne.

AUCHEL. ♦ Comm. du Pas-de-Calais, dans l'aggl. de Bruay*-en-Artois. 14 091 hab. *(Auchellois).* Houillère.

AUCKLAND. ♦ V. et port de Nouvelle*-Zélande situé dans l'île du Nord sur un isthme étroit à la base de la péninsule d'Auckland. Deux ports, Waitemata à l'O., Manukau à l'E. (ce dernier, face à l'Australie, est réservé à la navigation côtière). L'agglomération d'*Auckland* comprend la ville proprement dite, et vingt-et-une zones administratives. La ville, qui s'étend sur de basses terrasses, est dominée par une série de cônes volcaniques transformés en parcs. 603 500 hab. (forte concentration de Maoris*). Université. Premier port et premier centre commercial et économique du pays. Aéroport international. Métallurgie, sidérurgie. Constructions mécaniques (montage d'automobiles) et navales. Indus. textiles, chimiques et alimentaires. Indus. du bois et du cuir (chaussures). Briqueteries, cimenteries. Raffinerie de sucre. La plus importante turbine à gaz du monde (dans la banlieue) est alimentée par le gazoduc de New* Plymouth **(V. Kapuni).** Patrie de Ed. Hillary. ♦ *Hist.* Fondée en 1840, la ville fut capitale de la Nouvelle-Zélande jusqu'en 1865 **(V. Wellington).**

AUCKLAND *(îles).* ♦ Archipel inhabité volcanique de l'océan Pacifique S., au S.-O. de la Nouvelle-Zélande. Elles furent découvertes en 1806 par le capitaine Bristow. Elles appartiennent à la Nouvelle*-Zélande qui y entretient un dépôt de nourriture et de vêtements pour les marins naufragés.

AUDE. *n. m.* ♦ Fl. de France, qui donne son nom au dép. de l'Aude. Il prend sa source à 2 377 m dans le massif de Carlit ou de Carlitte* (Pyrénées-Orientales), traverse le Capcir*, franchit les gorges de l'Aude et de Saint-Georges, le défilé de Pierre-Lys, arrose Limoux* et Carcassonne*, puis coule dans une large vallée avant de se jeter dans la Méditerranée, au N.-E. de Narbonne*.

AUDE. [**11**]. *n. m.* ♦ Dép. du S. de la France, région (anciennement C.A.R.) de Languedoc*-Roussillon. 6 342 km². 285 657 hab. *(Audois).* – *Orogr.* Au N., se trouve le rebord méridional de la Montagne Noire (pic de Nore, 1 211 m); au S. le pays de Sault et le Razès, couverts de forêts et d'herbages. Les confins du Lauragais, par la prédominance de la polyculture, appartiennent déjà au Bassin aquitain. Les Corbières, plus au S., forment un ensemble de reliefs localisés entre la vallée de l'Aude à l'O. et au N., la Méditerranée à l'E., et s'achèvent sur les Pyrénées au Puy de Bugarach (1 231 m); domaine de la garrigue; dans les vallées, culture de la vigne.
♦ (439 comm., 31 cant., 285 657 hab.). *Préf.* Carcassonne*. *Sous-préf.* Limoux*, Narbonne*. *Ch.-l. de cant. :* Alaigne, 385 hab., Alzonne, 1 177 hab., Axat*, Belcaire*, Belpech*, Capendu*, Carcassonne*, Castelnaudary*, Chalabre*, Conques*-sur-Orbiel, Couiza*, Coursan*, Durban*-Corbières, Fanjeaux*, Ginestas, 981 hab., Lagrasse*, Lézignan*-Corbières, Mas-Cabardès, 388 hab., Montréal*, Mouthoumet, 92 hab., Peyriac-Minervois, 1 054 hab., Quillan*, Saint*-Hilaire, Saissac*, Salles-sur-l'Hers, 538 hab., Sigean*, Tuchan, 862 hab. – *Autres comm. et sites.* **V. Alet-les-Bains, Cuxac-d'Aude, Caunes-Minervois, Esperaza, Fabrezan, Fleury, Fontfroide** (abbaye), **Gruissan, Leucate, Malvezy, Port-la-Nouvelle, Rennes-les-Bains, Salsigne, Saint-Papoul, Trèbes.**

Aude *(la belle).* ♦ Personnage de la *Chanson de Roland**, sœur d'Olivier* et fiancée de Roland*. Elle meurt en apprenant la mort de celui-ci.

Au-delà des forces humaines. ♦ (1883, remanié en 1895). Drame de B. Bjørnson*, en deux parties (deux actes, puis quatre actes). Deux mondes s'y affrontent : celui de la libre pensée et celui de la foi. La première aboutit à l'affirmation que la foi est contraire à la vie, étant au-dessus des forces humaines, et la seconde partie émet le même doute envers l'évangile terrestre du socialisme.

AUDEN (Wystan Hugh). ♦ Poète et dramaturge américain (York, 1907). Né citoyen britannique, il enseigna aux États-Unis. Il épousa la fille de Thomas Mann. Vers 1930 il fonda un groupe de poètes *(Auden group)* qui réunissait S. Spender, Christopher Isherwood, Cecil Day-Lewis et Louis MacNeice*, et dont l'un des objectifs était la renaissance du théâtre en vers. (*The Dog beneath the Skin,* 1935; *The Ascent of F. 6 :* 1936; *On the Frontier :* 1938). Devenu citoyen américain en 1946, Auden revint régulièrement en Europe et fut professeur de poésie à Oxford. Il écrivit quatre longs poèmes d'inspiration religieuse, influencés par Kierkegaard* : *Lettres du Nouvel An* (*New Year Letter* ou *The Double Man;* 1941); *For the Time Being,* 1944; *The Age of Anxiety,* 1947 et *Nones,* 1951. Auden s'adonne à un brillant jeu verbal, en particulier dans *Le Bouclier d'Achille* (*The Shield of Achilles,* 1955), *Hommage à Clio* (*Homage to Clio,* 1960). On lui doit aussi des ouvrages de critique et des essais comme *The Dyer's Hand* (1962) où « au delà des opinions, on découvre une personnalité complexe, ondoyante, se plaisant à des boutades, des formules désinvoltes, mais intensément sérieuse au fond » (Albert J. Farmer).

AUDENARDE, en néerl. **Oudenaarde.** ♦ V. de Belgique, ch.-l. d'arr. de la Flandre-Orientale, sur l'Escaut*. 21 800 hab. – Hôtel de ville du XVIe s., églises des XIIIe et XVe siècles. – Patrie de Marguerite* de Parme. ♦ *Hist.* Pendant la guerre de la Succession* d'Espagne, le duc de Vendôme y fut vaincu par Eugène* de Savoie (prince Eugène) et le duc de Marlborough* (1708).

Coll. Monique Pantel

J. Audiberti.

AUDENGE. ♦ Ch.-l. de cant. de la Gironde*, arr. de Bordeaux. 2 234 hab. *(Audengeois).* Station balnéaire du bassin d'Arcachon*. Ostréiculture.

AUDERGHEM, en néerl. **Oudergem.** ♦ V. de Belgique (prov. de Brabant, arr. de Bruxelles), à l'orée de la forêt de Soignes. 32 100 hab. Vestiges du prieuré de Rouge-Cloître (XVIe s.). Indus. alimentaires (brasseries...).

AUDIBERTI (Jacques). ♦ Écrivain français (Antibes, 1899 – Paris, 1966). Les influences conjuguées de Mallarmé* et du surréalisme se sont exercées sur lui sans tarir la source d'un lyrisme exalté, amoureux des mots et des images jusqu'à la déraison. Mais cette passion pour le langage dissimule mal chez Audiberti l'angoisse du néant qui en est à l'origine, de même que la robustesse de son optimisme ne parvient guère à l'aveugler sur les pouvoirs du mal et la fragilité du bien. Poète, il a publié *L'Empire et la Trappe* (1930), *Des Tonnes de semence* (1941), *La Nouvelle Origine* (1942), *Toujours* (1944), *Rempart* (1953). Romancier, il demeure poète dans des œuvres foisonnantes d'invention verbale, de péripéties et d'aventures : *Abraxas* (1938), *Des Jardins et des Fleuves* (1954), *La Poupée* ou plus proches, par la forme et le fond, de la rigueur classique : *Le Maître de Milan* (1950), *Marie Dubois* (1952). – Il est enfin le créateur d'un univers dramatique où le mot, plus que la logique des caractères et l'ingéniosité des situations, crée l'enchantement du spectateur, devenu auditeur de concert. Musique tour a tour tumultueuse, insolite et séduisante, dont les modulations et le pouvoir d'envoûtement ne vont pas sans évoquer celle des grands drames romantiques de Victor Hugo* à qui Audiberti est toujours demeuré fidèle (*L'Ampélour,* 1928; *Quoat-Quoat,* 1946; *Le mal court,* 1947; *La Hoberaute,* 1957; *L'Effet Glapion,* 1959; *La Logeuse,* 1960).

AUDIERNE. ♦ Comm. du Finistère, arr. de Quimper, sur le Goyen. 3 951 hab. *(Audiernais).* Station balnéaire et port de pêche (crustacés, thon) sur la baie d'Audierne. Fabrication de boîtes de conserves; salaisons. – *Baie d'Audierne.* Baie très ouverte du Finistère, entre la pointe du Raz* et la pointe du Penmarch*.

AUDINCOURT. ♦ Ch.-l. de cant. du Doubs, arr. de Montbéliard, sur le Doubs. 13 597 hab. *(Audincourtois).* Église moderne du Sacré-Cœur (1949) décorée par Bazaine, Léger, Le Moal,... Métallurgie; construction mécanique; automobiles; indus. textile.

AUDOUX (Marguerite). ♦ Écrivain français (Sancoins, 1863 – Saint-Raphaël, 1937). Elle raconta dans *Marie-Claire* (1910) sa vie de bergère et de servante en Sologne, après une enfance triste à l'orphelinat, et son existence solitaire à Paris où elle vivait comme couturière en chambre, avant qu'une maladie des yeux ne l'incitât à écrire. Cette autobiographie romancée, émouvante de simplicité et de vérité, fut publiée sur les conseils de Ch.-Louis Philippe et d'Octave Mirbeau. Elle devait être suivie de *L'Atelier de Marie-Claire* (1920) et de contes, réunis dans *La Fiancée* (1931). Malgré la faveur du public, Marguerite Audoux mourut pauvre et oubliée.

AUDOVÈRE. ♦ Première femme de Chilpéric Ier, roi de Neustrie, qui la répudia pour épouser Galswinthe*. Elle périt étranglée (580), sans doute à l'instigation de Frédégonde*.

AUDRAN. ♦ Dynastie de graveurs, ornemanistes, peintres ou sculpteurs français des XVIIe et XVIIIe s., dont seize membres eurent une activité notable, dont deux au moins sont célèbres. ♦ GÉRARD II AUDRAN. Graveur français (Lyon, 1640 – Paris, 1703). Il séjourna à Rome où il fut élève de Carlo Maratta. Membre de l'Académie en 1674 et graveur de Le* Brun, il obtint un succès considérable en reproduisant ses *Batailles d'Alexandre* (1672-1678) avec une rare maîtrise technique. Il reproduisit aussi des œuvres des peintres bolonais ainsi que des tableaux de Poussin* et de Le* Sueur et publia *Les proportions du corps humain d'après les plus belles statues de l'Antiquité* (1693). ♦ CLAUDE III AUDRAN. Peintre, dessinateur et ornemaniste français (Lyon, 1657 – Paris,

1734). Neveu de Gérard II, il se spécialisa dans la peinture d'ornement et exécuta des travaux de décoration aux châteaux de Sceaux. Marly, la Muette, Meudon et à la ménagerie de Versailles. Déployant une verve et une fantaisie pleines d'inventions bizarres, il utilisa dans ses arabesques, grotesques et rinceaux des motifs chinois, animaux savants, scènes de cirque, de comédie, dans lesquels comme chez Berain* règne une animation qui est en général encore contenue dans un cadre symétrique et régulier. Concierge du Luxembourg, il employa Watteau* comme collaborateur, donna aux Gobelins les cartons des huit portières dites *des Dieux* (1708). Par la grâce contournée de ses motifs, il est considéré comme l'un des créateurs du style rocaille qui s'épanouit sous Louis XV.

AUDRAN (Edmond). ♦ Compositeur français (Lyon, 1842 – Tierceville, 1901). Il est l'auteur de plusieurs opérettes qui furent longtemps populaires par leur grâce aimable et leur gaieté : *Le Grand Mogol* (1876), *Miss Helyett* (1890), *La Poupée* (1896), et surtout *La Mascotte* (1880).

AUDRUICQ. ♦ Ch.-l. de cant. du Pas*-de-Calais, arr. de Saint*-Omer. 3 606 hab. *(Audruicquois).* Matériel de chemin de fer ; fonderie.

AUDUBON (John James). ♦ Naturaliste américain (1785 – New York, 1851). Il a donné la description de la flore et de la faune d'Amérique du Nord.

AUDUMLA. ♦ Dans la mythologie scandinave, vache primordiale, nourrice du géant Ymer*.

AUDUN-LE-ROMAN. ♦ Ch.-l. de cant. de Meurthe-et-Moselle. arr. de Briey. 2 421 hab. *(Audunois).* Carrefour routier.

AUDUN-LE-TICHE. ♦ Comm. de la Moselle, arr. de Thionville-Ouest. 7 698 hab. Mines, hauts fourneaux.

AUENBRUGGER ou **AVENBRUGGER (Léopold).** ♦ Médecin autrichien (Graz, 1722 – Vienne, 1809). Élève de Van Swieten* à Vienne, il introduisit la méthode de percussion pour le diagnostic des maladies internes du thorax *(Inventum Novum,* 1761).

AUER (Karl, *baron von* **Welsbach).** ♦ Chimiste autrichien (Vienne, 1858 – château de Welsbach, Carinthie, 1929). Il inventa le manchon à oxyde de thorium de la lampe à gaz, dit *bec Auer* (1885) et découvrit les propriétés pyrophoriques du ferrocérium.

AUERBACH (Berthold). ♦ Écrivain allemand (Nordstetten, sur le Neckar, 1812 – Cannes, 1882). Après des études de théologie hébraïque et de philosophie à Tübingen et à Heidelberg, il renonça au rabbinat pour se consacrer à la littérature. Auteur d'une biographie romancée de *Spinoza* (1837), ce libéral, patriote volontiers moraliste, est surtout connu par ses *Récits villageois de la Forêt-Noire* (en all. *Schwarzwälder Geschichte,* 1846, 1858, 1876) qui, au delà du romantisme, marquent une étape importante vers le réalisme.

AUERSPERG *(comte von).* ♦ **V.** GRÜN (Anastasius).

AUERSTEDT ou **AUERSTAEDT.** ♦ Village d'Allemagne, en Saxe (district de Halle). ♦ *Hist.* Davout* y remporta une victoire sur les Prussiens commandés par le duc de Brunswick*, le jour même où Napoléon les battait à Iéna (14 oct. 1806). Cette victoire lui valut le titre de *duc d'Auerstedt.*

Aufklärung. *n. m.* (Zeitalter der; « siècle des Lumières » ou « siècle philosophique »). ♦ Mouvement caractérisant la pensée et la culture allemandes du XVIIIe s. (1700-1780), particulièrement en Prusse sous le règne de Frédéric II (despotisme éclairé). Ce mouvement philosophique, dont les principaux représentants furent C. Thomasius, C. Wolff qui se réclamait du rationalisme optimiste de Leibniz, se répandit rapidement dans la bourgeoisie par l'intermédiaire de revues, de sociétés dont celles des Amis de la Vérité ou Aletophiles que réunit le comte Christophe Manteuffel à Berlin. C'est en réaction à l'*Aufklärung* que se développa le mouvement pré-romantique du *Sturm* und Drang.*

AUGE *(pays d').* ♦ Région de Normandie qui s'étend entre les vallées de la Touques* et de la Dives* (celle-ci dite *vallée d'Auge*) sur une partie des dép. du Calvados* et de l'Orne*. Produits laitiers notamment fromages : camembert, livarot, pont-l'évêque. Pommiers (cidre, calvados).

AUGER (Pierre Victor). ♦ Physicien français (Paris, 1899). Spécialiste de physique nucléaire, il découvrit les gerbes photoélectriques de l'air *(gerbes d'Auger,* 1938). **V. Heitler.** – *Effet Auger :* transition d'un état d'excitation d'un atome à un autre état, par émission d'un électron.

AUGEREAU (Pierre François Charles). ♦ Général français (Paris, 1757 – La Houssaye, 1816). Engagé volontaire à 17 ans, il déserta, servit dans les troupes prussiennes et napolitaines, puis se rallia à la Révolution française en 1792 et fut nommé général de division en déc. 1793. Pendant la campagne d'Italie, sous Bonaparte*, il remporta la victoire de Millesimo (14 avr. 1796), se distingua à Lodi* et à Castiglione* et prit une part décisive dans la victoire d'Arcole* (15-17 nov.). De retour à Paris, il exécuta pour le Directoire* le coup d'État du 18 Fructidor (4 sept. 1797). Nommé maréchal (1804) et duc de Castiglione (1806), il participa à toutes les campagnes de l'Empire (Iéna*, Eylau*, Espagne, Leipzig*) mais fut en 1814 l'un des premiers à se rallier à Louis XVIII qui le fit pair de France. Il refusa, cependant, de siéger comme juge au procès de Ney*.

AUGIAS. ♦ Roi légendaire d'Élide, fils d'Hélios et l'un des Argonautes*. Héraclès* chargé du nettoyage de ses écuries, s'en acquitta en une journée en y faisant passer les eaux de l'Alphée* et du Pénée*. Augias ayant, malgré sa promesse, refusé de lui livrer la dixième partie de son troupeau, Héraclès le tua au cours d'une seconde expédition en Élide.

Arch. Smeets

J. J. Audubon : illustrations pour « Oiseaux d'Amérique ».

AUGIER (Émile). ♦ Auteur dramatique français (Valence, 1820 – Croissy-sur-Seine, 1889). Ses comédies de mœurs reflètent avec fidélité la pensée bourgeoise du Second Empire. Œuv. princ. : *Le Gendre de Monsieur Poirier* (1854), *Le Mariage d'Olympe* (1855), *Les Lionnes pauvres* (1858), *Les Effrontés* (1861), *Le Fils de Giboyer* [1862]. (Acad. fr., 1857.)

AUGSBOURG, en all. **Augsburg.** ♦ V. d'Allemagne du S.-O. (Bavière) et principal centre administratif de la Souabe*, au confl. de la Lech et de la Wertach. 213 000 hab. (1969). Belle cathédrale romane remaniée en gothique (923-1430) avec des portes de bronze et des vitraux du XIe siècle. Église gothique Sankt-Anna abritant la chapelle funéraire des Fugger. La *Fuggerei,* groupe de 53 maisons ouvrières réparties sur 6 rues, fut élevée à partir de 1519 par Ulrich et Georg Fugger pour les familles nécessiteuses. –

Arch. Smeets

Panneau de la porte de la cathédrale d'**Augsbourg** (1050-1060).

Arch. Smeets

Auguste en Pontifex Maximus. Marbre. (Musée national romain, Rome.)

Augsbourg est l'un des principaux centres industriels de l'Allemagne méridionale. Vouée depuis le Moyen Âge à l'indus. textile (laine), elle est devenue un important centre d'indus. mécaniques (véhicules, matériel de précision) et chimiques. – Patrie de Bertolt Brecht*, Hans Burgkmair*, Fugger* (famille des), Holbein* le Jeune, Holbein* le Vieux. ♦ *Hist.* Fondée vers l'an ~ 15 par les Romains *(Augusta Vindelicorum),* saccagée par les Huns au ve s., siège d'un évêché au VIe s., *Augsbourg* dépendit successivement des ducs de Souabe et de Bavière. Décrétée ville libre impériale en 1276 par Rodolphe de Habsbourg*, elle devint dès le xve s. un grand centre commercial et bancaire **(V. Fugger, Welser)** et joua un grand rôle dans l'histoire de la Réforme en Allemagne (*Confession d'Augsbourg,* 1530 ; *Intérim d'Augsbourg,* 1548 ; *Paix d'Augsbourg,* 1555). La ville, dévastée par la guerre de Trente* Ans (1618-1648), fut le siège de la coalition contre Louis XIV (1686, *Ligue d'Augsbourg*). Elle fut annexée à la Bavière en 1806.

Augsbourg (Confession d'). ♦ Formulaire exposant la profession de foi des luthériens. Rédigé par Melanchton*, avec la collaboration de Camerarius*, il fut présenté à Charles* Quint à la diète d'Augsbourg (25 juin 1530) que l'empereur avait décidé de réunir afin de mettre un terme aux dissensions religieuses soulevées par la Réforme*. Le rejet de la *Confession d'Augsbourg* par les théologiens catholiques provoqua la formation de la ligue de Schmalkalden* (1531).

Augsbourg (intérim d'). ♦ Texte promulgué par Charles Quint en 1548 « en attendant » *(interim)* que le concile de Trente mène à bien la réforme de l'Église **(V. Contre-Réforme).** Il mécontenta catholiques et protestants et ne fit guère que ressouder l'unité de ces derniers qui reprirent la lutte peu après. **V. Réforme.**

Augsbourg (paix d'). ♦ Paix de religion signée à Augsbourg (1555) entre Ferdinand* Ier et les Électeurs germaniques. Elle partageait l'Empire entre les deux confessions catholique et luthérienne, selon le principe *cujus regio ejus religio.*

Augsbourg (ligue d'). ♦ Coalition qui s'opposait à la politique agressive menée par Louis* XIV depuis la paix de Nimègue* (1686-1697). La révocation de l'édit de Nantes acheva d'y rallier les protestants sous l'impulsion de Guillaume* III d'Orange. Elle comprenait l'Angleterre et l'Espagne, certaines principautés allemandes, la Hollande, la Suède. Malgré la dévastation du Palatinat (1689) et nombre de victoires françaises, elle ne se termina que par l'épuisement des adversaires, et Louis XIV dut signer en 1697 un traité peu avantageux. **V. Ryswick.**

AUGUSTA. ♦ V. et port d'Italie, en Sicile (province de Syracuse). 28 000 hab. Important centre de raffinage et de pétrolochimie. – Victoire de Duquesne* sur les Hollandais commandés par Ruyter* (1676), qui trouva la mort au cours du combat.

AUGUSTA. ♦ V. des États-Unis, à l'E. de la Géorgie, sur la Savannah*. 58 483 hab. (en diminution); zone urbaine : 250 000. La ville contient des monuments du XVIIIe s. et du déb. du XIXe siècle. Port fluvial important. Indus. textiles (coton); porcelaine; usine atomique aux environs. ♦ *Hist.* Poste de commerce dès 1735, la ville fut la cap. de la colonie de 1786 à 1795.

AUGUSTA. ♦ V. du N.-E. des États-Unis, cap. du Maine, sur la Kennebec, à env. 60 km au N. de la côte. 21 680 hab. en 1960. Indus. (papier, bois, ...). Centre de vacances.

AUGUSTE, en lat. **Caius Julius Caesar Octavianus Augustus.** ♦ (Rome, ~ 63 – Nole, 14). Empereur romain (~ 27-14). Petit-neveu de César* (qui l'adopta en ~ 45), connu d'abord sous le nom d'Octave* puis d'Octavien*, il se posa à la mort de César comme son héritier désigné, devenant ainsi le rival d'Antoine*. Mais après la défaite de celui-ci à Modène* (avr. ~ 43), il forma avec Lépide* et lui le deuxième triumvirat (nov. ~ 43). Ensemble, ils éliminèrent l'oppositon républicaine par de sanglantes proscriptions, battirent Brutus* et Cassius* à Philippes* (~ 42) et, en dépit d'une entente difficile, se partagèrent le monde romain (paix de Brindisi* ~ 40). Octave reçut l'Occident, Antoine l'Orient, Lépide l'Afrique. Le mariage d'Antoine avec Octavie*, sœur d'Octave, scellait cette paix. Reconduit en ~ 37, le triumvirat devait assurer sept ans de paix relative entre ~ 40 et ~ 33. Octave avec l'aide d'Agrippa* vainquit Sextus Pompée* en Sicile (~ 36) et confisqua les possessions africaines de Lépide, tandis qu'Antoine abandonnait peu à peu à Cléopâtre* toutes les possessions romaines. En Italie la popularité d'Octave, restaurateur de la paix et du bien-être dans le respect des traditions nationales, ne cessait de croître. La guerre déclarée à Cléopâtre aboutit à la victoire d'Octave à Actium* (~ 31). Il annexait l'Égypte et refaisait l'unité du monde méditerranéen romain. Maître incontesté de l'État romain, il avait reçu en ~ 38, le titre d'*Imperator* (dépositaire de la souveraineté et chef de guerre victorieux). On lui décerna également, en ~ 28, le titre de *princeps senatus* (le premier à dire son avis dans les délibérations sénatoriales), puis en ~ 27, le cognomen d'*augustus* (terme religieux qui consacrait sa mission divine et que les empereurs suivants devaient reprendre). Sans bouleverser radicalement la Constitution romaine, il substitua à la République un nouveau régime, le *principat,* par lequel il assurait donner au Sénat (et au peuple) un rôle équivalent à celui de l'empereur dans la direction de l'Empire. Mais le régime restait fragile et jusqu'à sa mort, Auguste fut tourmenté par le problème de sa succession. N'ayant eu qu'une fille, Julie*, il la donna en mariage à son neveu Marcellus* en qui il crut trouver un héritier, puis à Agrippa* dont les fils moururent très jeunes et qui mourut aussi (~ 12), enfin à son beau-fils Tibère* qu'il obligea à adopter Germanicus* petit-fils d'Octavie. À l'intérieur, il divisa l'État en provinces sénatoriales et en provinces impériales. Dès ~ 38, il avait entrepris de restaurer les traditions religieuses, plaçant son autorité sous le signe d'Apollon ; grand pontife en ~ 12, il devint le chef religieux de l'Empire, et le culte du *Genius Augusti* (de la force divine incarnée dans l'empereur) gagna bientôt toutes les provinces et fut consacré par des jeux publics. À l'extérieur, il s'employa plus à affermir les frontières qu'à satisfaire son désir de conquêtes qu'il savait nuisibles à l'Empire. Il fixa la frontière de l'Empire parthe et de l'Empire romain sur l'Euphrate ; au Nord, il recula les frontières jusqu'au Danube ; puis il tenta d'atteindre l'Elbe, mais malgré la victoire de Drusus*, ne réussit pas à annexer la Germanie (défaite de Varus*, 9) et reporta la frontière sur la rive gauche du Rhin. Parallèlement à cette œuvre de réorganisation, il s'appliqua, avec l'aide d'Agrippa et de Mécène*, à protéger les arts (maison d'Auguste [ou de Livie] sur le Palatin, thermes et Panthéon) et les lettres (Virgile*, Horace*, Tibulle*, Ovide*), faisant de son règne, le *siècle d'Auguste,* l'âge d'or du classicisme romain.

AUGUSTE Ier, dit *Le Pieux.* ♦ Electeur de Saxe (Freiberg, 1526 – Dresde, 1586). Il passa du calvinisme au luthéranisme avec une égale intolérance et persecuta les partisans de Mélanchton*.

Il sut cependant donner à la Saxe une nouvelle impulsion.

AUGUSTE II ou **Frédéric-Auguste Ier**. ♦ (Dresde, 1670 – Varsovie, 1733). Électeur de Saxe (1694-1733). Élu roi de Pologne* (1697-1733) à la mort de Jean* III Sobieski, avec l'aide de Flemming*, il signa le traité de Karlowitz* (1699), s'allia au tsar Pierre* le Grand et à Frédéric* IV de Danemark contre Charles* XII de Suède, mais fut détrôné par ce dernier en 1704, au profit de Stanislas* Leszczyński. Après la défaite du roi de Suède à Poltava* (1709) il envahit la Pologne, reprit la couronne et tenta d'en assurer la succession pour son fils Auguste* III. De sa liaison avec Aurore de Kœnigsmark naquit Maurice* de Saxe.

AUGUSTE III ou **Frédéric-Auguste II**. ♦ (Dresde, 1696 – *id.*, 1763). Électeur de Saxe. Fils du précédent, compétiteur de Stanislas* Leszczyński, il fut élu roi de Pologne avec l'appui de la Russie en 1733, mais ne fut définitivement reconnu qu'après la guerre de la Succession* de Pologne en 1736. À sa mort, la Russie imposa Stanislas* II Auguste Poniatowski comme successeur. Sa fille Marie-Josèphe de Saxe (1731 – 1767), mariée au dauphin Louis, fils de Louis XV en 1747, fut la mère de Louis* XVI, de Louis* XVIII et de Charles* X.

AUGUSTIN *(saint),* en lat. **Aurelius Augustinus**. ♦ Évêque africain, docteur et père de l'Eglise (Thagaste, *auj.* Souk-Ahras, 354 – Hippone, 430). D'abord professeur de rhétorique (Carthage, Rome, Milan), il adhéra au manichéisme (373-383), mais se convertit au christianisme après sa découverte de la philosophie néo-platonicienne et sous l'influence de sa mère (sainte Monique*) et de saint Ambroise* de Milan (386). Rentré en Afrique (388), il mena la vie monastique, fut ordonné prêtre à Hippone en 391 et acclamé évêque de cette ville en 395. Il y déploya une activité efficace (prédication, réfutation apologétique, justice, assistance) sans abandonner l'idéal monastique (il organisa les clercs de son église en communauté conventuelle). À l'extérieur, il devint une des principales personnalités de l'Occident chrétien, affirmant sa doctrine face aux hérésies. Contre les donatistes **(V. Donat),** il proclame la vocation universelle de l'Église; contre les pélagiens **(V. Pélage, Julien d'Eclane),** il affirme, dans le même temps, l'incapacité de l'homme à mériter son salut et la toute-puissance de la grâce; contre les manichéens enfin, il argumente ainsi : l'absolu du mal et l'absolu du bien constituent une erreur. Le bien et le mal se lient, au niveau de l'agir, à la manière de l'ombre et de la lumière. Cependant le mal est subordonné au bien qui, seul, procède de l'énergie divine; le mal n'est donc efficient que par le bien qu'il recèle. Princ. œuv. : *Soliloques* (386-387), *De magistro* (389), *Enarrationes in psalmos* (394 ?-424 ?), *De doctrina christiana* (396-426), *Confessions* (397-401), *De Trinitate* (399-422), *La Cité de Dieu* (413-424), *Rétractations* (426-427). – Fête le 28 août. – L'*augustinisme* est une doctrine complexe qui accorde tout son rôle à la foi sans rien abandonner de la raison (croire et comprendre ce qu'on croit). Il est une méditation sur Dieu, saisi dans un acte intérieur qu'on a rapproché du *cogito* cartésien. Contre le pessimisme manichéen, il affirme la bonté de la Création, œuvre de Dieu; contre l'optimisme pélagien, il montre le péché de l'homme, plus attaché aux créatures qu'au Créateur et incapable de faire son salut par lui-même (l'orthodoxie catholique, ici, ne suit pas le système augustinien dans toute sa rigueur). – L'influence de saint Augustin domina la pensée occidentale jusqu'à l'avènement de la scolastique à la fin du XIIIe siècle. Ses premiers disciples furent son fils Adéodat, saint Alypius, Orose* · son influence rayonna surtout aux XVIe et XVIIe s. où la Réforme, le baïanisme **(V. Baïus)** et le molinisme **(V. Molina),** le jansénisme **(V. Jansénius)** rouvrirent les débats sur la grâce et la prédestination. **V.** *aussi* **Gottschalk**. – En outre, saint Augustin occupe une place importante dans l'histoire de la philosophie en général, notamment de la philosophie de la connaissance et de la théorie sémantique *(De magistro).* Sa théorie du signe est la plus élaborée depuis celle des stoïciens grecs. Enfin, les Confessions*, œuvre lucide et sincère, ont exercé une immense influence sur les esprits durant toute la période classique. – *Règle de saint Augustin :* règle de vie monastique issue de préceptes figurant dans une lettre d'Augustin et plusieurs fois remaniée au Moyen Âge. Elle inspira singulièrement saint Benoît; puis les canonistes de saint François et de saint Dominique, puisèrent à la fois chez saint Augustin et saint Benoît. Les Instituts séculiers postérieurs n'inventèrent rien de mieux pour l'esprit de leurs règles. **(V. Augustins).**

Ph. Giraudon

Saint **Augustin** par Juste de Gand.
(Musée du Louvre, Paris.)

AUGUSTIN DE CANTERBURY *(saint).* ♦ Apôtre de l'Angleterre (? – 604). Prieur de Saint-André du Coelius à Rome, il fut envoyé en Angleterre par le pape Grégoire* le Grand (596) pour évangéliser les Anglo-Saxons. Sacré évêque (597), il fonda le siège épiscopal de Canterbury*. Fête le 27 mai.

Augustins. *n. m. pl.* ♦ Religieux suivant la règle dite *de saint Augustin**. Cette règle, issue de préceptes remontant à saint Augustin, régit de nombreuses congrégations de chanoines réguliers à partir du XIIe s. (« chanoines noirs »). L'*ordre de Saint-Augustin* comprend diverses familles : *ermites de saint Augustin,* dits *« grands augustins »,* 1256; *ermites récollets,* 1588; *augustins déchaussés,* XVe s., dont la branche française, XVIIe s., fut surnommée « petits pères ». – Les Assomptionnistes*, les chevaliers de Malte*, les chevaliers teutoniques*, les frères hospitaliers de Saint-Jean* de Dieu, les rédemptoristes* sont apparentés aux augustins.

Augustinus. ♦ Ouvrage de Jansenius* (posth., 1640). Il y donnait son interprétation de la doctrine de saint Augustin* sur la grâce. L'ouvrage fut condamné par l'Inquisition (1641), puis par le pape Urbain* VIII (1642-1643). **V. Jansénisme.**

AUKRUST (Olav). ♦ Poète norvégien (Gudbrandsdal, 1883 – Lom, 1929). Poète visionnaire d'inspiration religieuse, il écrivit en néo-norvégien de grands poèmes tels que *Jalon du Ciel* (1916) sur la lutte angoissante entre le bien et le mal, *Crépuscule* (1930), quête de l'extase. Très attaché à sa province natale, il prôna le retour aux sources populaires.

ÂU-LAC. *n. m.* ♦ Nom du Viêt-nam du Nord de ~ 257 à ~ 207, territoire de la région de l'actuel Cô-loa. Il fut conquis par les Chinois et annexé par le général chinois Triêu-Da (v. 207) qui s'y rendit indépendant et créa le royaume du Nam-Viêt avec pour capitale une petite cité près de Canton. L'occupation chinoise du Viêt-nam du Nord devait durer plus de mille ans.

AULERQUES. *n. m. pl.,* en lat. **Aulerci**. ♦ Peuple de la Gaule établi en Normandie entre la Loire et la r. g. de la Seine et comprenant les *Aulerci Eburovices* avec *Mediolanum* (Évreux*) pour cap., les *Aulerci Cenomani* avec *Suindinum* (Le Mans*) pour cap. et les *Aulerci Brannovices* dans la région de Brienne.

AULIDE. *n. f.* ♦ Nom de la région qui entourait Aulis* (Cf. *Iphigénie en Aulide*, de Racine).

AULIS. ♦ Anc. port de Grèce, en Béotie* sur l'Euripe. Selon la légende, les Achéens s'y embarquèrent pour Troie* et Iphigénie* y fut sacrifiée par Agamemnon*.

AULNAT. ♦ Comm. du Puy-de-Dôme. 2 978 hab. Aérodrome de Clermont*-Ferrand, à l'E. de la ville.

AULNAY ou **AULNAY-DE-SAINTONGE** [onɛ] ou [olnɛ]. ♦ Ch.-l. de cant. de Charente-Maritime, arr. de St-Jean-d'Angély. 1 478 hab. L'église Saint-Pierre-de-la-Tour, construite pendant la seconde moitié du XIIe s., est un des plus intéressants spécimens du style roman poitevin et présente un remarquable ensemble de sculptures. Donjon du XIIIe siècle.

AULNAY-SOUS-BOIS [onɛ] ou [olnɛ]. ♦ Ch.-l. de cant. de la Seine-Saint-Denis, arr. du Raincy, au N.-E. de Paris. 61 758 hab. *(Aulnaisiens).* Église XIIe, XVIIIe siècles. Appareils de chauffage central.

AULNE [on]. ♦ Fl. de Bretagne né dans les Côtes-du-Nord. (140 km). Il traverse le Finistère et arrose Châteaulin avant de se jeter dans la rade de Brest*.

AULNOY [onwa] **(Marie Catherine Le Jumel de Barneville,** *comtesse d').* ♦ Écrivain français (Barneville, v. 1650 – Paris,

1705). Contrainte, pour avoir tenté de se débarrasser de son époux, à séjourner en Espagne, puis en Angleterre (de 1669 à 1685), elle fit paraître en 1690 ses *Mémoires de la cour d'Espagne,* suivis de la *Relation du voyage en Espagne* (1691), et des *Mémoires de la cour d'Angleterre* (1695), chroniques inexactes mais vivantes. De retour en France (1685), elle ouvrit un salon littéraire fréquenté par la société mondaine et publia un récit romanesque qui connut un immense succès, *Histoire d'Hippolyte, comte de Douglas* (1690). Ses *Contes de fées* (ou *Les Fées à la mode,* 1697) offrent des récits charmants, destinés aux enfants *(L'Oiseau bleu; Gracieuse et Percinet; La Chatte blanche),* tandis que *Les Illustres Fées* (1698) évoquent une société galante plus qu'un univers merveilleux.

AULNOYE-AYMERIES [onwaɛmʀi]. ♦ Comm. du Nord (arr. d'Avesnes-sur-Helpe), sur la Sambre*. 9 949 hab. *(Aulnésiens* ou *Aulnoyens).* Métallurgie.

AULT [o] ou [olt]. ♦ Ch.-l. de cant. de la Somme* (arr. d'Abbeville). 2 104 hab. *(Aultois).* Station balnéaire sur la Manche.

AULU-GELLE (Aulus Gellius). ♦ Érudit latin (Rome, v. 130). Élève de Fronton* et auteur des *Nuits attiques.* L'ouvrage est présenté comme une série d'entretiens vespéraux entre amis érudits, sur la grammaire, la critique littéraire et l'histoire; il est précieux par les renseignements qu'il nous transmet sur les écrivains archaïques.

Aulularire (L') *(Aulularia :* La comédie de la marmite). ♦ Comédie de Plaute (v. ~ 190). La découverte par Euclion, dans sa propre demeure, d'une marmite remplie d'or, bouleverse l'existence du vieux paysan. Molière s'en est inspiré dans *L'Avare.*

AULUS-LES-BAINS. ♦ Comm. de l'Ariège* (arr. de Saint-Girons*), sur le Garbet. 227 hab. Station thermale et hydrominérale (traitement de l'arthritisme et de certaines maladies nerveuses). Aux environs, gisement de plomb et de zinc.

AUMALE (Charles de Lorraine, *duc d'***).** ♦ Gentilhomme français (1556 – Bruxelles, 1631). Il fut un des chefs de la Ligue*. Gouverneur de Paris (1589), il força Henri IV à lever le siège de la capitale. Condamné à mort par contumace (1595) pour son alliance avec les Espagnols, il se réfugia aux Pays-Bas.

AUMALE (Henri Eugène Philippe Louis *d'***ORLÉANS,** *duc d'***)** ♦ Quatrième fils de Louis*-Philippe et de Marie-Amélie (Paris, 1822 – Zucco, Sicile, 1897). Il fit ses études au collège Henri IV, puis, entré dans l'armée, participa à la campagne d'Algérie et aurait enlevé la smala d'Abd*-al-Qâdir [Abd el-Kader] (mai 1843). Il reçut la soumission de ce dernier, après avoir été nommé gouverneur de l'Algérie (1847). Après la révolution de février 1848, il remit son commandement à Cavaignac et se retira en Angleterre. Il s'y consacra à des travaux historiques (*Histoire des princes de Condé,* 1869) et publia des pamphlets contre le Second Empire et Napoléon III. Lors de la guerre de 1870, il proposa en vain ses services à la France. Il y revint néanmoins en 1871 et fut élu à l'Assemblée nationale. Réintégré dans ses fonctions au sein de l'armée il présida le conseil de guerre qui condamna Bazaine* (1873), puis contribua au renversement de Thiers. Inspecteur général de l'armée en 1883, il fut proscrit par décret en 1886. Il légua son domaine de Chantilly* avec ses collections à l'Institut; il fut autorisé à rentrer en France en 1889. Auteur d'un ouvrage sur les *Institutions militaires de la France* (1868), il a laissé d'importantes collections réunies au musée de Chantilly. (Acad. fr., 1871.)

AUMALE. ♦ Ch.-l. de cant. de la Seine*-Maritime, arr. de Dieppe*, sur la Bresle*. 3 156 hab. *(Aumalois).* Église et hôtel de ville des XVIe et XVIIe siècles. – Verrerie, décolletage, produits laitiers. ♦ *Hist.* Érigée en comté par Guillaume le Conquérant (1070), Aumale appartint à la maison de Lorraine (1471), devint duché-pairie en 1547 et passa au XVIIIe s. (1769) à la maison d'Orléans. Le titre de duc d'Albemarle (forme anglaise d'Aumale) fut conféré au général Monck* et celui de duc d'*Aumale,* porté par plusieurs membres de la maison de Lorraine, fut rétabli par Louis-Philippe au profit de son fils Henri Eugène Philippe (V. *ci-dessus*).

AUMALE. ♦ Anc. nom de Sour el-Ghozlan (Algérie).

AUMANCE. *n. f.* ♦ Riv. de l'Allier*, affl. du Cher*, (58 km). Elle passe près de Cosne-d'Allier et arrose Hérisson.

AUMETZ. ♦ Comm. de la Moselle, arr. de Thionville-Ouest. 2 465 hab. Mines de fer.

AUMONT-AUBRAC*. ♦ Ch.-l. de cant. de la Lozère* (arr. de Mende), sur le plateau de Gévaudan*. 1 118 hab. Station estivale à 1 043 m.

AUNAY-SUR-ODON. ♦ Ch.-l. de cant. du Calvados* (arr. de Vire*). 3 180 hab. *(Aunais).* Indus. alimentaires.

AUNEAU. ♦ Ch.-l. de cant. d'Eure-et-Loir, arr. de Chartres. 2 374 hab. *(Alnélois* ou *Aunéliens).* Château des XIVe et XVIIIe s. avec donjon du XIe. – Machines agricoles. Matières plastiques. – Victoire d'Henri de Guise sur les protestants (1587).

AUNG SAN. ♦ Homme politique birman nationaliste (mort en 1947). Opposé aux Anglais, il fut emprisonné par eux, puis, en 1940, se réfugia au Japon. Il revint en Birmanie avec les Japonais et aida ceux-ci à combattre les Britanniques. Après la fin de la guerre, en 1945, il tenta d'obtenir de la Grande-Bretagne l'indépendance de son pays mais fut assassiné en 1947 avec d'autres membres de son gouvernement par un groupe de partisans. U Nu lui succéda comme Premier ministre de l'Union birmane. Aung San est considéré comme le héros de l'indépendance birmane.

AUNIS [onis]. *n. m.* ♦ Anc. province française du littoral atlantique, entre le Poitou* au N. et la Saintonge* au S. et à l'E. Elle chevauchait les limites actuelles de la Charente-Maritime et des Deux-Sèvres (*princ.* **La Rochelle).** Intégrée à l'Aquitaine IIe au IIIe s., elle fut réunie au domaine royal en 1260, puis passa à l'Angleterre par le traité de Brétigny de 1360 à 1373, date à laquelle Charles V la réintégra à la couronne. A l'époque de la Réforme, l'Aunis fut un foyer calviniste des plus actifs jusqu'à la prise de La Rochelle (1628).

AUNIS. *n. m.* ♦ Région de l'O. de la France qui s'étend de la Saintonge, au S., au Marais poitevin, au N., dans les départements de la Charente-Maritime et des Deux-Sèvres (*Cap.* La Rochelle. *Hab.* Aunisiens). Élevage. Pêche. Tourisme.

AUPS (anc. **Aulps)** [ops]. ♦ Ch.-l. de cant. du Var* (arr. de Brignoles*). 1 488 hab. *(Aupsois).* Église gothique provençale. – Fabrication de miel. – Patrie de la famille Blancas d'Aulps.

AURANGÂBÂD. ♦ V. indienne du Dekkan (Mahârâṣtra). Env. 100 000 habitants. Nombreux monuments bouddhiques et hindous (grottes) du IIe au VIIe s., tombes et monuments islamiques des XVIIe et XVIIIe siècles. Les sites d'Ajanta* et d'Ellora* se trouvent dans la région. Tourisme. ♦ *Hist.* La ville fut fondée en 1610 par un gouverneur musulman, Malik Ambar, sur le site d'une ancienne cité (Khidki). Elle fut la capitale du Dekkan sous Aurangzeb*, qui a sa tombe non loin, à Khultâbâd.

AURANGZEB. ♦ (Dohad, Gujarât, 1618 – Ahmednagar, 1707). Empereur moghol (1658-1707), fils et successeur de Shâh* Jahân. Il fut tout d'abord gouverneur du Gujarât, puis de Balkh (actuel Afghânistân) et du Dekkan. Révolté en 1657 contre son père et ses frères, il fit exécuter ces derniers et emprisonna Shâh Jâhan dans le fort d'Âgra. Son règne fut un contraste total avec celui de Shâh Jâhan. Intolérant, il fit détruire quantité de temples hindous et persécuta les tenants de l'hindouisme. Les Râjput et les râja du Dekkan se soulevèrent et il fut obligé d'entretenir des guerres continuelles afin de maintenir son autorité. Ses fils eux-mêmes se rebellèrent contre sa tyrannie. Il fit pourtant des conquêtes dans le Dekkan et détruisit les royaumes de Bijapur et de Golkonda* (1687). Sous son règne les arts et la littérature déclinèrent : ce fut le début de la décadence des grands moghols. Son fils, Bahâdur Shâh, lui succéda en 1707. – François Bernier, lors de son voyage aux Indes, fut son médecin.

AURAY *(rivière d').* ♦ Cours d'eau du Morbihan qui porte le nom de Loch, de sa source, dans les landes de Lanvaux, jusqu'à Auray* où il forme un estuaire et prend le nom de rivière d'Auray. Celle-ci débouche à 40 km au sud d'Auray, dans le golfe du Morbihan.

AURAY. ♦ Ch.-l. de cant. du Morbihan, arr. de Lorient, sur l'estuaire du Loch ou riv. d'Auray*. 8 369 hab. *(Alréens).* Église Saint-Gildas (XVIIe s.), de style gothique et Renaissance, chapelle du XVIIe s., hôtel de ville (fin XVIIIe s.), maisons anciennes. – Petit port, centre touristique. Indus. du meuble, ostréiculture, conserves alimentaires. – Patrie de G. Cadoudal*. ♦ *Hist.* Pendant la guerre de la Succession de Bretagne, bataille décisive (1364) entre Jean* de Montfort et Charles* de Blois qui y trouva la mort et où Du Guesclin fut fait prisonnier. Aux environs, l'anc. chartreuse d'Auray (XVIIe-XVIIIe s.), en partie détruite par un incendie en 1968, était occupée depuis 1812 par une institution de sourdes-muettes et d'aveugles.

AURE *(vallée d').* ♦ Vallée des Pyrénées centrales, constituée par le cours de la *Neste d'Aure,* qui va se jeter dans la Garonne à Montréjeau. Hydro-électricité. Dans la haute *vallée d'Aure,* Saint-Lary-Soulan, centre de sports d'hiver.

Ph. Prato/Ricciarini

Aurangâbâd : mausolée de Bibi-qa-Maqbora, inspiré du Taj Mahâl.

AURELIA *(via)* ou *voie aurélienne.* ♦ Voie romaine qui reliait Rome à la Ligurie par Pise et Gênes et qui fut par la suite prolongée jusqu'à Arles par Nice, Antibes, Fréjus et Aix.

AURÉLIEN, en lat. **Lucius Domitius Aurelianus.** ♦ (Sirmium, Illyrie, v. 212 – Cénophrurion, Thrace, 275). Commandant en chef de la cavalerie de Claude* II, il fut proclamé empereur par l'armée à la mort de ce dernier. Il se donna pour but de rétablir l'unité de l'Empire disloqué depuis la mort de Sévère* Alexandre. Il refoula les Vandales et les Alamans, triompha de la reine de Palmyre, Zénobie* (273), et de Tétricus*, maître de l'empire des Gaules (274), mais dut abandonner définitivement la Dacie (275). « Restaurateur du monde (romain) », il voulut l'être aussi de l'unité morale de l'Empire en instituant à Rome le culte du Soleil; il créa temple et clergé, fixa au 25 décembre la fête annuelle du *Sol Invictus* (« soleil invaincu ») et se fit lui-même appeler dieu *(deus)* et invaincu *(invictus),* représentant du Soleil parmi les hommes.

AURÉLIEN *(saint).* ♦ Évêque d'Arles (499 – Lyon, v. 551).

AURELIUS VICTOR. ♦ Historien latin (IVe s.) originaire d'Afrique, préfet de Rome (392-393) et auteur d'une histoire abrégée des empereurs, d'Auguste* à Julien* *(Liber de Caesaribus).*

AURELLE DE PALADINES (Louis Jean Baptiste *d'***).** ♦ Général français (Le Malzieu, 1804 – Versailles, 1877). Il servit en Algérie (1844-1848), puis participa à la guerre de Crimée (1855). Nommé commandant de la Ire armée de la Loire lors de la guerre franco-allemande (1870-1871), il remporta sur von der Thann la victoire de Coulmiers* (9 nov. 1870), mais fut battu en décembre. Élu député à l'Assemblée nationale (1871), puis sénateur inamovible (1875), il a laissé un ouvrage sur la Ire armée de la Loire.

AURÈS. *n. m.* ou *n. m. pl.* ♦ Massif montagneux d'Algérie, situé à l'E. de l'Atlas* saharien, dans le dép. de Batna entre les monts du Hodna* au N.-O., les monts du Zab* ou des Ziban* au S.-O. et les monts de Tebessa* à l'est. Il culmine au djebel Chelia* (2 328 m). L'Aurès est peuplé par des Berbères, des Zénètes et des Chaouïas. – *V. et localités princ.* **V. Arris, Batna, Khenchela, Tazoult** (anc. Lambèse). *Oasis.* **V. Biskra** et **Kantara** (El). – *Site.* **V. Timgad.**

AURIC (Georges). ♦ Compositeur français (Lodève, 1899). Élève de Caussade et de Vincent d'Indy, il affirma très vite un esprit d'indépendance et un goût de la fantaisie par lesquels il marquait son refus de toute influence d'école. Ami de Darius Milhaud* et d'Erik Satie*, il appartint au *groupe des Six* (1918). En réaction contre le wagnérisme, il a élaboré une œuvre caractérisée par la clarté de sa construction et la grâce de sa mélodie, « art qui va droit à l'intelligence de l'auditeur et touche discrètement sa sensibilité » (André Cœuroy). On en détachera des ballets (*Les Fâcheux,* 1923; *Les Matelots,* 1925; *Les Enchantements d'Alcine,* 1929; *Phèdre,* 1950); de la musique de chambre (*Sonate pour piano et violon,* 1937); de la musique chorale (*Quatre Chansons françaises sur des poèmes du XVe s.,* 1950); des mélodies (*Cinq Poèmes de Gérard de Nerval,* 1926); et de très nombreuses partitions de musique de scène ou de film.

AURICH. ♦ V. d'Allemagne occidentale (Basse-Saxe), ch.-l. de district de la Frise-Orientale. 10 900 hab. Marché agricole (bestiaux). – Patrie de Rudolf Eucken*. – Le distric d'*Aurich* compte 385 100 habitants.

AURIGE. *n. m.* ♦ Conducteur de char dans l'Antiquité romaine. – *Aurige de Delphes* (l'). Statue grecque en bronze (~ 474) conservée au musée de Delphes*. Représentant un tyran de Géla, vainqueur aux jeux Pythiques (sur son quadrige qui est perdu), l'Aurige fut attribué à tort au sculpteur samien Pythagoras* et, plus vraisemblablement, à Critios*.

AURIGNAC. ♦ Ch.-l. de cant. de la Haute-Garonne (arr. de Saint-Gaudens). 1 203 hab. *(Aurignaciens).* La découverte d'une grotte à ossements préhistoriques sur le site d'Aurignac en 1860 fit donner le nom d'*Aurignacien* à une culture du paléolithique supérieur qui s'étendrait entre ~ 30 000 et ~ 25 000. Cette culture, marquée par la présence de l'*homo sapiens,* est caractérisée par l'emploi d'un outillage de pierre très perfectionné et la première apparition en Occident de l'art figuratif (peinture pariétale et sculpture).

AURIGNY *(île d'),* en angl. **Alderney.** ♦ La plus septentrionale des îles anglo-normandes, séparée de la côte du Cotentin par un chenal de 15 km. 1 350 hab. *Ch.-l.* Sainte-Anne. Cultures maraîchères, élevage bovin réputé (race alderney) et tourisme balnéaire. L'île fut occupée par les Allemands durant la Deuxième Guerre mondiale.

AURILLAC. ♦ Préf. du Cantal*, ch.-l. d'arr. (8 cant., 97 comm., 82 566 hab.), sur la Jordanne, dans le bassin d'Aurillac. 31 143 hab. *(Aurillacois).* Église Notre-Dame-des-Neiges, XVIe siècle. Château Saint-Étienne avec un donjon du XIe siècle. Maisons anc. – Marché de bestiaux; fabrique de parapluies, bonneterie. Chaudronnerie, meubles métalliques. – Patrie de É. Duclaux, de P. Doumer*. ♦ *Hist.* Aurillac fut la cap. de la Haute-Auvergne.

AURIOL (Georges Huyot, dit **George).** ♦ Poète, chansonnier, peintre et graveur français (Beauvais, 1863 – Paris, 1938), secrétaire de rédaction du *Chat noir* (1885), créateur du caractère typographique qui porte son nom.

AURIOL (Vincent). ♦ Homme politique français (Revel, 1884 – Paris, 1966). Avocat, il milita dans les rangs du parti socialiste et devint l'expert financier de la S.F.I.O. Il fut ministre des Finances dans le gouvernement Blum* du Front populaire (1936), puis ministre de la Justice dans le cabinet Chautemps* (1937). Ayant

Arch. Smeets

L'**Aurige** de Delphes (détail).

refusé d'appuyer le régime de Pétain, il gagna Londres en 1943. Après la Libération, il fut président des deux Assemblées constituantes. Élu président de la IVe République, il exerça pendant toute la durée de son mandat (1947-1954) une influence réelle sur le régime, en favorisant une voie moyenne entre les tendances communiste et gaulliste.

AUROBINDO GHOSE. ♦ Philosophe indien (Calcutta, 1872 – Pondicherry, 1950). Originaire du Bengale, directeur de l'Instruction publique de l'État de Baroda. En 1910, il se retira de la vie publique et se fixa à Pondicherry afin de chercher à établir une synthèse religieuse universelle. Ses écrits philosophiques, en anglais et en bengali, connurent un grand retentissement dans le monde entier (*La Vie divine, La Synthèse des Yoga, Commentaire de la Bhâgavad-gîtâ,* etc.). Ayant de nombreux disciples, il fonda (1926) un aśram dont l'importance n'a cessé de croître et qui constitue l'un des principaux centres d'intérêt de Pondicherry. Son nom a été donné à une ville nouvelle. **V. Auroville.**

AURON. *n. m.* ♦ Riv. de France (84 km), dans le dép. du Cher. Elle traverse Dun*-sur-Auron et se jette à Bourges dans l'Yèvre*.

AURON. ♦ Station de sports d'hiver des Alpes*-Maritimes (comm. de Saint*-Étienne-de-Tinée). Altitude 1 608-2 300 mètres.

AURORA *(île).* ♦ **V.** NOUVELLES-HÉBRIDES.

Aurore (L'). ♦ Quotidien républicain socialiste, fondé à Paris en octobre 1897 par Ernest Vaughan avec la collaboration de G. Clemenceau et Francis de Pressensé. C'est ce journal qui publia le manifeste *J'accuse* d'Émile Zola, relançant la polémique sur l'Affaire Dreyfus*.

Aurores *(Morgenröte).* ♦ Réflexions sur les préjugés moraux de Nietzsche* (1881). Ce livre annonce la « transmutation générale des valeurs par quoi l'homme s'affranchira de toutes les valeurs morales, dans un « oui » confiant à tout ce qui, jusqu'ici, a été interdit, méprisé et maudit ».

AUROVILLE. ♦ Cité expérimentale, créée à 6 km de Pondicherry (1968) et destinée à abriter les disciples d'Aurobindo* Ghose, qui doivent y vivre selon les principes de son dédicatoire (vie communautaire, absence de monnaie, non distinction des races et des nationalités). Divisée en quatre zones fonctionnellement distinctes et centrée sur un temple, elle sera formée d'îlots architecturaux isolés dans un cadre naturel respecté.

AUSCHWITZ, en polon. **Oświecim*.** ♦ Un des plus grands camps de concentration de Pologne* aménagé par les nazis entre 1940 et 1945 (sur 42 km²) et où furent tués, dans des chambres à gaz et des fours crématoires conçus à l'échelle industrielle et qui en font la plus horrible entreprise d'extermination de l'histoire, env. 4 millions de Polonais et de juifs de tous les pays occupés.

AUSEKLIS (Mikelis). ♦ Poète letton (1850 – 1879). Sa poésie, inspirée de Schiller*, marqua le réveil national de la Lettonie.

AUSONE, en lat. **Decimus Magnus Ausonius.** ♦ Poète latin (Bordeaux, v. 310 – *id.,* v. 385). Rhéteur et grammairien à Bordeaux, maître et ami de Paulin* de Nole, il devint précepteur du futur empereur Gratien* v. 367 et vécut à la cour de Trèves jusqu'en 385. Chrétien sans conviction, Ausone fut avant tout un habile versificateur dont les œuvres sont tout imprégnées de rhétorique. Il est l'auteur de courtes pièces (éloges de sa famille, des membres de l'Université), d'*Épîtres* et d'*Idylles* dont la plus célèbre est la *Moselle,* récit de son voyage sur la Moselle de Trèves au Rhin.

AUSSIG. ♦ Nom allemand d'Ústi* Nad Labem (Tchécoslovaquie).

AUSTEN (Jane). ♦ Romancière anglaise (Steventon, Hampshire, 1775 – Winchester, 1817). Benjamine de cinq enfants, elle perdit

Australie.

son père, le Rév. Austen, en 1805, et se mit à écrire pour distraire sa nombreuse famille. Après *Amour et Amitié (Love and Friendship), Raison et sensibilité ou les deux manières d'aimer* (1811), elle fit paraître *Orgueil et Préjugés* (*Pride and Prejudice*, 1813), chef-d'œuvre d'humour d'inspiration domestique. Ennemie du romantisme exacerbé prôné par Anne Radcliffe*, émule de Richardson*, elle créa *Catherine Morland ou l'Abbaye de Northanger* (1818), écrit juvénile et farceur. *Le Parc de Mansfield ou Les Trois Cousines* (1814), *Emma* (1816) et *Persuasion* (1818) n'ont plus la vivacité et la finesse de ses premiers romans.

AUSTERLITZ (en tchèque **Slavkov**). ♦ Localité de Moravie* (Tchécoslovaquie) près de Brno*. ♦ *Hist.* Napoléon y remporta une brillante victoire sur l'armée austro-russe commandée par Alexandre* Ier et François* II [2 déc. 1805] *(Bataille des Trois Empereurs)*. La victoire mit fin à la troisième coalition par le traité de Presbourg* (26 déc. 1805).

AUSTIN (Stephen Fuller). ♦ Fondateur de l'État du Texas* qui fut déclaré autonome en 1836 (Austinville, Virginie, 1793 – Columbia, Texas, 1836).

AUSTIN. ♦ V. des États-Unis, cap. du Texas*, située dans le centre de l'État, sur le Colorado*. 246 904 hab. Centre administratif, industriel (électronique, imprimerie, indus. du meuble, etc.), financier et culturel de la région. Principal campus de l'Université du Texas.

AUSTRAL *(océan)*. ♦ Autre nom de l'océan Antarctique*.

AUSTRALASIE. *n. f.* ♦ Ensemble géographique formé par l'Australie*, la Nouvelle*-Zélande et la Nouvelle*-Guinée.

AUSTRALES *(îles)*. ♦ V. TUBUAÏ *(îles)* [Polynésie* française].

AUSTRALES (*terres* **Australes** ou **Subantarctiques**). ♦ Vingt îles ou groupes d'îles dispersées dans les eaux australes (entre 60° et 37° S.), au large de l'Antarctique*. Le secteur Atlantique comprend les îles Tristan* da Cunha et Gough, Bouvet*, Falkland* ou Malouines, les îles de l'arc de la Scotia : Géorgie* du Sud, Sandwich* du Sud, Orcades* du Sud ; le secteur Indien, les îles de la Nouvelle*-Amsterdam et de Saint*-Paul, les archipels Crozet* et Kerguelen*, les îles du Prince*-Édouard et Heard* ; le secteur Pacifique, avec les îles Antipodes, Auckland*, Bounty, Campbell, Macquarie. De dimensions très variables, ces îles sont pour la plupart montagneuses, souvent volcaniques, parfois d'origine continentale.

AUSTRALES et ANTARCTIQUES françaises *(terres)*. ♦ Ensemble de territoires français comprenant les archipels Crozet* et Kerguelen*, les îles de la Nouvelle*-Amsterdam et de Saint*-Paul *(terres Australes)* et un secteur de l'Antarctique* oriental **(V. Adélie*** [terre]**)**.

AUSTRALIE. *n. f.*, en angl. **Australia.** ♦ État fédéral d'Océanie* et d'Australasie*, membre du Commonwealth britannique et formant, à son tour, un Commonwealth comprenant le continent australien (Australie proprement dite, la plus grande île du monde. 7 631 668 km², soit quatorze fois la superficie de la France), l'île de Tasmanie* (68 332 km²) et des territoires extérieurs. L'Australie proprement dite est traversée par le tropique du Capricorne, séparée de l'Indonésie* par la mer de Timor*, de la Nouvelle*-Guinée par la mer d'Arafura* (détroit de Torres*, golfe de Carpentarie*), limitée à l'O. et au S. par l'océan Indien* (Grande Baie australienne), au S.-E. par le détroit de Bass* (qui la sépare de la Tasmanie) et à l'E. par l'océan Pacifique (mer de Corail* et mer de Tasman*, qui la sépare de la Nouvelle*-Zélande). Elle constitue, avec la Tasmanie*, une fédération de six États autonomes **(V. Australie-Méridionale, Australie-Occidentale, Nouvelle-Galles du Sud, Queensland, Tasmanie, Victoria)** à laquelle s'ajoutent le Territoire de la capitale fédérale **(V. Canberra)** et le Territoire* du Nord (avec l'île de Melville*) administré directement par le pouvoir exécutif de *Canberra*. 13 580 000 hab. (Australiens, dont env. 108 000 aborigènes). *Cap. fédérale :* **V. Canberra.** *Langue :* anglais. *V. princ. :* **V.** aux différents États et Territoires. – *Territoires extérieurs :* Nouvelle*-Guinée sous tutelle australienne, territoire du Nord-Est (sous tutelle de l'O.N.U.) ainsi que ses dépendances : archipel

Bismark* (Nouvelle*-Bretagne), îles de l'Amirauté* et Salomon* (dont Bougainville*); Nouvelle-Guinée australienne ou Papouasie*; Christmas (îles); Cocos (îles); Norfolk (île de); Antarctique* australien. — *Orogr.* L'Australie est un continent massif, de forme quadrangulaire, à peine échancré, sauf au N.-E. (péninsule d'York*). Il est le moins élevé des continents, son altitude moyenne étant de 210 mètres. Les hautes terres sont presque toutes localisées en bordure de la côte orientale **(V. Cordillère australienne).** Les plaines centrales s'étendent du golfe de Carpentarie* jusqu'au S.-E. d'Adélaïde* : au S., une première cuvette est drainée par le Murray* et le Darling*; au N., la Grande Cuvette s'étend du lac Eyre* au golfe de Carpentarie; cette dépression est souvent appelée « Grand Bassin artésien » et contient d'énormes quantités d'eau dans des couches de terrains perméables. La moitié occidentale du pays est constituée par un plateau couvert de latérite et de grès, plus élevé au N. (**V. Kimberley** [*District de*] et **Arnhem** [*Terre d'*]); le centre est un désert de pierres ou de sable (**V. Gibson** [*Désert de*], **Sable** [*Grand Désert de*], **Victoria** [*Grand Désert de*]) avec des hauteurs (**V. Macdonnel** [*monts*], **Musgrave** [*monts*], **Flinders** [*monts*]) tandis qu'à l'extrémité S.-O. s'étend une petite plaine, richesse de l'Australie* occidentale. — Le *climat* est chaud dans l'ensemble avec un aspect continental brutal, offrant des contrastes violents. L'Australie est un continent aride, dans une position symétrique à celle du Sahara. Les pluies tropicales tombent dans la zone N. en été, tandis qu'au S. il pleut surtout en hiver. Au S.-O. (région de Perth*) et dans la région d'Adélaïde, le climat est de type méditerranéen, alors que le S.-E. et la Tasmanie* sont tempérés. Ce climat explique la pauvreté du réseau hydrographique; sa brutalité favorise l'érosion des sols. Le problème de l'approvisionnement et de la conservation des eaux est essentiel : env. 7 500 puits artésiens sont en activité. Les centrales hydrauliques sont localisées dans les « Alpes* australiennes » et en Tasmanie (le projet des « Snowy* Mountains » reliera la riv. Snowy au bassin de Murray*). — *Écon.* Malgré le rapide essor de l'industrie, l'économie australienne reste avant tout fondée sur l'élevage. L'Australie possède le premier troupeau ovin du monde (153 070 000 têtes en 1974-1975); essentiellement formé de mérinos, il varie fortement selon les années, les grandes sécheresses tuant des milliers de bêtes; celles-ci sont concentrées dans les régions peu arrosées et au S.-E., mêlées aux bovins. L'Australie fournit plus du quart de la production lainière commercialisée dans le monde (788 300 t). Les bovins sont localisés dans les plaines et les plateaux du N. Les cultures sont extrêmement variées. Dans la zone tempérée, le blé est la plus importante des plantes cultivées (l'Australie est l'un des quatre grands vendeurs de blé du monde); il est cultivé par *dry farming,* surtout au S.-E., au pied O. de la Cordillère* australienne, formant un croissant *(Wheat belt)* et à l'E. (région de Perth*). Le *mixed farming,* système de culture qui associe l'élevage et la culture du blé et de la luzerne, est très répandu. Les autres céréales (orge, avoine) n'ont qu'un rôle secondaire. Le riz est cultivé avec de forts rendements dans les zones irriguées. Les cultures tropicales, en particulier dans l'État du Queensland*, placent l'Australie au troisième rang mondial pour la canne à sucre. La vigne est devenue une importante source de revenus (exp. de raisin de table; vins). Grande variété de fruits : pommes de Tasmanie, pêches, prunes, agrumes, fruits tropicaux (bananes, ananas), et de légumes. Les *forêts* sont constituées presque exclusivement par des eucalyptus qui donnent des bois durs et des essences distillées pour la parfumerie et la pharmacie. La *pêche* reste peu importante : huîtres perlières sur la côte N., crustacés et baleines en Australie* occidentale. — Les richesses minières du pays sont considérables, plomb (2e prod. mondiale), zinc (4e prod. mondiale), fer, cuivre, tungstène, uranium, charbon, lignite, argent, or, bauxite. D'autre part, la découverte de gisements de pétrole et de gaz naturel complète la remarquable gamme des produits du sous-sol australien. — *L'industrialisation* a été facilitée par l'accroissement rapide de la population, l'élévation du niveau de vie et d'importants investissements étrangers. La fabrication de l'acier (7 848 000 t) et de la fonte (7 635 000 t) est concentrée dans les quatre centres **(V. Newcastle, Port Kembla, Wollongong** et **Whyalla).** La métallurgie des métaux non ferreux est surtout représentée par le raffinage du cuivre à Port* Kembla et du plomb à Port* Pirie. La plupart des industries de transformation sont localisées à proximité des grandes villes (Sydney, Melbourne); constructions navales, aéronautiques, matériel agricole et surtout indus. automobiles (des filiales de firmes américaines, anglaises et depuis peu japonaises construisent entièrement leurs véhicules, alors que d'autres se contentent de monter les pièces importées). — *Les transports* sont handicapés par un réseau ferroviaire à écartement non normalisé; le réseau routier est dense en Nouvelle*-Galles du Sud et au Victoria*. L'essentiel du commerce des marchandises lourdes se fait par cabotage. L'immensité du pays favorise l'essor de l'aviation (passagers, marchandises légères). — *Le commerce* extérieur est très actif : exportations de produits alimentaires et de minerais vers la Grande-Bretagne et le Japon. Importations (produits fabriqués, biens d'équipement) de la Grande-Bretagne, des États-Unis et du Japon. Le commerce se fait principalement par les ports de Sydney, Melbourne, Fremantle (port de Perth) et Adélaïde. L'Australie commence à exporter des produits manufacturés. ♦ *Hist.* Peuplé depuis des millénaires par des tribus aborigènes d'origine controversée, le continent australien fut abordé en 1605 par le Hollandais Willem Janszoon (golfe de Carpentarie*); l'année suivante, l'Espagnol Luis Vaez de Torres* franchit le détroit qui porte son nom, entre la Nouvelle-Guinée et l'Australie. En 1642-1643, le Hollandais Tasman* découvrit l'île qui porte aujourd'hui son nom, et qui s'appela d'abord Nouvelle-Hollande. Ce n'est qu'en 1770 que commença la colonisation européenne de l'Australie quand Cook* eut pris possession d'une baie proche de l'actuel port de Sydney au nom du roi d'Angleterre et eut exploré la côte E. du continent. Une première colonie de convicts fut installée en 1788 en Nouvelle-Galles du Sud et l'Australie ne cessa de servir de pénitencier à l'Angleterre jusqu'en 1840, pendant que se poursuivaient l'exploration du pays **(V.** *notamment* **Eyre)** et l'installation de nouvelles colonies. Après s'être vu reconnaître un début d'autonomie en 1850 par l'*Australian Colonies Act* (**V.** aux différents États), ces colonies se réunirent en une convention fédérale qui aboutit à la création du *Commonwealth d'Australie,* approuvée par le Parlement britannique (1er janv. 1901). Durant les deux guerres mondiales, l'Australie a apporté à la Grande-Bretagne et aux Alliés un concours important, notamment au cours de la deuxième, dans la reconquête du Pacifique*. Elle fait partie de l'O.N.U. ainsi que de l'Organisation* du traité pour la défense de l'Asie du Sud-Est (O.T.A.S.E.), fondée en 1954.

Ph. Prato/Ricciarini

Australie : les monts Macdonnel

AUSTRALIE-MÉRIDIONALE, en angl. **South Australia**. ♦ État du centre du Commonwealth d'Australie*, baigné par l'océan Indien (une partie de la Grande Baie australienne* à l'O.). 984 377 km². 1 144 000 hab. — *Cap.* Adélaïde. *V. et localités princ. :* **V. Port Pirie, Whyalla, Woomera.** — *Orogr.* L'Australie-Méridionale constitue un ensemble assez plat à l'exception du S.-E. **(V. Flinders** [*monts*]**),** aux côtes à larges échancrures, et à l'extrême N., où les monts Musgrave* dominent les régions déser-

Ph. Prato/Ricciarini

Australie : la capitale fédérale, Canberra (Anzac Road).

tiques (**V. Victoria** [*Grand Désert de*]). L'O. forme un bouclier, et on peut distinguer à l'E. les deux principaux bassins sédimentaires : le *Grand bassin artésien* du N.-E. est occupé au S. par la dépression du lac Eyre* entourée par d'autres dépressions formant des lacs boueux et marécageux ; le *Bassin du Murray** occupe le S.-E. de l'État. Le climat est méditerranéen au S. (900 mm de moyenne annuelle), désertique et chaud au nord. L'économie est dominée par l'élevage des moutons et la culture des céréales (blé, orge) soumise à l'alimentation en eau (puits artésiens) ; élevage laitier autour d'Adélaïde. Vignes : les 3/4 de la production australienne en vin. Dans la zone irriguée du Murray, on cultive des fruits (agrumes, pêches, abricots, pommes, amandes). – Les produits miniers sont principalement le fer et le cuivre, des opales et du gypse. Les sols offrent de la pierre à chaux et une grande variété d'argiles. L'État satisfait les 4/5 de la consommation de sel d'Australie. Gisement de gaz naturel au N. de l'État. L'Australie-Méridionale est à la tête de la production d'appareils ménagers du pays. ♦ *Hist.* Colonie anglaise fondée en 1836, explorée par E.J. Eyre* (1839-1840), rattachée à la Nouvelle*-Galles du Sud, elle devint autonome après 1850 et membre du Commonwealth australien en 1901.

AUSTRALIENNE *(Grande Baie)*. ♦ Baie de l'océan Indien*, au S. de l'Australie*, formant une courbe à grand rayon.

AUSTRALIENS. *n. m. pl.* ♦ Habitants ou originaires de l'Australie. – Se dit notamment des aborigènes d'Australie, dont on estime le nombre à 108 000 environ. Leur origine reste discutée, mais on admet généralement que leur présence sur le continent australien remonte à plus de dix millénaires.

AUSTRALIE-OCCIDENTALE, en angl. **Western Australia**. ♦ État de l'O. du Commonwealth d'Australie*. Il est baigné par l'océan Indien au S. et à l'O. et par la mer de Timor* au N. 2 527 621 km² (1/3 de la fédération et son plus grand État). 946 000 hab. *Cap.* Perth. *V. princ.* Fremantle, Kalgoorlie. – L'État s'étend sur le plateau archéen occidental australien (granit et gneiss), recouvert en certains endroits de roches sédimentaires d'origine plus récente. Les reliefs principaux se situent au N., dans le district de Kimberley*, et la moitié orientale de l'État est désertique (Désert de Gibson*, Grand Désert de Sable* et Grand Désert de Victoria*). Les lacs intérieurs sont le plus souvent secs (lac du Désappointement.) – *Écon.* Basée sur l'élevage, elle est tributaire du régime des pluies. Le Kimberley est le domaine de l'élevage bovin, de la canne à sucre et du riz. Dans le centre, l'aridité ne permet l'élevage des moutons que sur quelques zones. Sur la côte, au centre (région de Carnavon) l'irrigation autorise la culture des bananes et des légumes. Mais la seule partie où a pu se développer une véritable agriculture céréalière (blé) et fruitière à côté de l'élevage bovin et ovin (mérinos) est le Sud-Ouest. La production de laine reste l'indus. rurale la plus étendue de l'État. Le sous-sol est riche en or, houille, nickel, uranium, pétrole et, dans le N., argent, manganèse, amiante, étain. Les indus. sont concentrées au S.-O. où se rassemble la plus grande partie de la population. ♦ *Hist.* Le premier établissement britannique date de 1826, mais la colonisation fut tardive et se limita longtemps à la région de Perth (Swanland). Colonie autonome en 1890, l'Australie-Occidentale entra dans le Commonwealth australien en 1901.

AUSTRASIE. *n. f.* (« royaume de l'Est », opposé à *Neustrie*). ♦ Royaume de la Gaule mérovingienne constitué à la mort de Clovis* (511) dont les quatre fils se partagèrent l'héritage. Échue à Thierry*, l'*Austrasie*, avec Metz* pour cap., comprenait à l'origine l'Alémanie*, la Bavière* et les pays situés entre le Rhin, la Meuse

Ph. Mirella Prato/Ricciarini

Australie, flore : Xanthorrhea arborea, dits « Black Boys ».

Ph. Pic

Claude Autant-Lara.

et l'Escaut, auxquels il joignit l'Auvergne*, le Limousin*, le Quercy*, puis la Thuringe* (531). Après lui, Théodebert* Ier et Théodebald régnèrent sur l'Austrasie. Après Childebert* Ier (558), Clotaire* Ier, roi de Neustrie, réunifia momentanément le royaume franc, qui, à sa mort (561), fut à nouveau partagé. L'Austrasie fut gouvernée par Brunehaut* pendant la minorité de Childebert* II et celle de Théodebert* II, puis par Thierry* II et Clotaire* II, qui régna aussi sur la Neustrie. De nouveau séparée sous les successeurs de Dagobert* Ier (**V. Sigebert II, Clovis II, Childebert II, Dagobert II**), l'Austrasie fut aux mains des maires du palais (Pépin de Landen, Pépin de Herstal, Charles Martel, Carloman) qui luttèrent contre ceux de Neustrie et l'emportèrent avec Pépin* le Bref (751).

Autant en emporte le vent *(Gone with the Wind*, 1936*)*. ♦ Unique roman de Margaret Mitchell (Atlanta, Géorgie, 1900 – *id.*, 1949) passionnée d'histoire américaine et collaboratrice au *Journal d'Atlanta*. Cette œuvre qui évoque la guerre de Sécession, dut à un sentimentalisme facile et à des descriptions colorées un immense succès populaire (traduction en seize langues).

AUTANT-LARA (Claude). ♦ Réalisateur français de cinéma (Luzarches, 1903). Le refus du conformisme bourgeois, la dénonciation vigoureuse de l'hypocrisie sociale ont inspiré le meilleur d'une œuvre inégale. Réal. princ. : *Douce* (1943), *Le Diable au corps* (1947), *L'Auberge rouge* (1951), *Le Rouge et le Noir* (1954), *Le Bon Dieu sans confession, La Traversée de Paris* d'après Marcel Aymé.

AUTELS (Guillaume des). ♦ V. DES AUTELS.

AUTERIVE. ♦ Ch.-l. de cant. de la Haute-Garonne* (arr. de Muret*), sur l'Ariège*. 4 471 hab. *(Auterivains)*. Ateliers de confection.

AUTEUIL. ♦ Anc. village situé près de Paris, entre le bois de Boulogne* et la Seine, et rattaché en 1860 à la capitale (XVIe arr.). Il connut une grande vogue au XVIIe siècle : Boileau* (qui y avait sa « maison des champs »), Molière et La Fontaine y séjournèrent souvent. Au XVIIIe s., Mme Helvétius et la comtesse de Boufflers y tinrent des salons très fréquentés. Au XIXe s., les Goncourt y recevaient dans leur « Grenier ». – Hippodrome.

AUTHIE. *n. m.* ♦ Fl. côtier de Picardie (100 km), il prend sa source dans les collines de l'Artois, arrose Doullens* et se jette dans la Manche (baie d'Authie).

AUTHION. *n. m.* ♦ Riv. de l'Anjou, affl. de la Loire (r. d.). Elle prend naissance dans l'Indre-et-Loire, mais la plus grande partie de son cours est située dans le Maine-et-Loire. Elle longe la Loire* dans le Val d'Anjou sur plus de 60 km avant de s'y jeter en aval de Ponts*-de-Cé.

AUTRICHE. *n. f.*, en allemand **Österreich**. ♦ République fédérale d'Europe centrale, limitée par la Suisse et le Liechtenstein à l'O., par la Hongrie à l'E., par l'Italie et la Yougoslavie au S., l'Allemagne au N.-O. et la Tchécoslovaquie au N.-E. 83 849 km². 7 520 000 hab. *(Autrichiens)*. *Langue* : allemand. *Religions* : 89 % de catholiques, 6,2 % de protestants. *Cap.* Vienne. – L'Autriche est formée de 9 États confédérés ou *Länder*. **V. Autriche** [**Basse**-] (Vienne) ; **Autriche** [**Haute**-] (Linz) ; **Burgenland** (Eisenstadt), **Carinthie** (Klagenfurt), **Salzbourg** (Salzbourg), **Styrie** (Graz), **Tyrol** (Innsbruck), **Vorarlberg** (Bregenz), **Vienne.** – *Orogr.* L'Autriche est un pays alpestre ; Alpes et Préalpes s'étendent au sud et au centre du pays. Au N. et au N.-E., une succession de plaines et de bassins bordent le Danube, limités au nord par l'extrémité méridionale du massif de Bohême. Dans la partie orientale de l'Autriche, le Burgenland forme l'extrémité occidentale de la plaine hongroise. Alpes et Préalpes couvrent 80 % de la superficie du pays. Limitées au nord par les vallées de l'Inn, de la Salzach* et de l'Enns, et au sud par la vallée de la Drave*, les *Alpes autrichiennes* sont massives et cristallines, couvertes de glaciers et leur altitude décroît d'O. en E. Elles se composent de plusieurs massifs. De l'O. vers le N.-E. on distingue le massif de l'Ötztal (3 774 m au Wildspitze), les Alpes du Zillertal, les *Hohe Tauern* (Grossglockner, 3 797 m, point culminant du pays) et *Niedere Tauern* (Hoch Gölling, 2 863 m), les Alpes de Fischbach (Wechsel, 1 743 m). Au sud des *Niedere Tauern* se trouvent les Alpes Noriques (Eisenhut, 2 441 m). Le col du Brenner* fait communiquer les vallées de l'Inn et de l'Adige, tandis que la route du Grossglockner et le tunnel Felber Tauern permettent de franchir les Hohe Tauern. Les *Préalpes* doublent les Alpes sur toute leur longueur, au nord. Du lac de Constance à Vienne, les *Préalpes du Nord* forment une série de massifs distincts, séparés par de larges vallées : Vorarlberg, Préalpes de Bavière, Préalpes de Salzbourg, Préalpes d'Autriche. Pour les *Préalpes du Sud,* les Alpes Carniques et les Karawanken ne sont autrichiennes que pour leur versant nord. La vallée du Danube est une région de passage, très peuplée, et forme une succession de plaines et de bassins fertiles séparés par des collines. Au N. du Danube se trouve la retombée méridionale du *massif bohémien,* d'origine hercynienne, aux formes lourdes et couvert de forêts. Le Burgenland, autour du lac de Neusiedl, est une région de plaines sableuses ou argileuses recouvertes de riches lœss. – *Hydrogr.* **V. Danube, Enns, Gail, Ill, Inn, Lech, Leitha, Morava, Mur, Salzach, Traun, Ybbs.** Lacs de Constance*, de Neusiedl. – *Climat.* Du fait de sa situation géographique, l'Autriche a un climat continental avec des amplitudes thermiques assez élevées et des précipitations abondantes, surtout en été. L'altitude reste cependant le facteur climatique déterminant; elle introduit une grande variété régionale et donne lieu à de nombreux microclimats. La pluviosité, partout abondante, tend à diminuer d'O. en E. Les chaînes alpines, de direction E.-O constituent une barrière climatique qui arrête les vents chauds méditerranéens, et dans les chaînes septentrionales, la limite des neiges éternelles est plus basse. Dans les vallées longitudinales, les versants exposés au S. sont plus chauds que les versants au nord. Les cuvettes et les bassins situés au cœur de la montagne, surtout à l'est, connaissent un climat continental plus accentué (très grandes amplitudes) avec des phénomènes d'inversion des températures : vallées beaucoup plus froides en hiver que les sommets ensoleillés. Certaines vallées (la haute vallée de l'Inn, par ex.) profitent en automne du fœhn chaud et sec. Le Burgenland et le Bassin de Vienne connaissent un climat typiquement continental. – *Écon.* Les vicissitudes de l'histoire créèrent au XXe s. de graves difficultés pour l'économie autrichienne. Autrefois élément d'un empire économiquement équilibré, l'Autriche, après la guerre de 1914-1918, se trouva privée de régions industrielles vitales pour l'Empire. Elle était dotée d'une capitale trop importante (2 000 000 d'hab. pour un total de 6 500 000). La crise de 1929, l'*Anschluss,* puis les destructions de la guerre ne firent qu'accroître ces difficultés. Depuis la dernière guerre, grâce à l'aide du plan Marshall et aux efforts nationaux, l'économie a été rééquilibrée. Le relief montagnard de l'Autriche n'est pas très favorable à l'*agriculture.* 20 % du sol sont utilisables pour les cultures. Ces sols cultivables se situent pour l'essentiel en Haute et Basse-Autriche et accessoirement dans les vallées. Aux facteurs physiques

Ph. Hétier

Autriche : vue de Salzbourg

s'ajoutent les difficultés structurelles : plus de 30 % des propriétés ont moins de 5 ha. Les productions sont variées : blé (945 000 t); orge (1 006 000 t); avoine, maïs, betterave à sucre. La vigne (46 200 ha) et l'arboriculture se concentrent également dans ces régions favorisées. La faible surface occupée par les terres arables est compensée par une grande proportion de prairies et de pâturages (28,8 % de la superficie), surface qui tend à augmenter. Les pâturages se trouvent dans la région alpine au-dessus des forêts. On y pratique le système de l'alpage. Dans les vallées, les plaines et les collines, on pratique un élevage intensif de bovins (2 581 000 têtes) produisant 3 272 000 t de lait, dont on tire notamment du fromage et du beurre. La productivité agricole ne cesse d'augmenter et permet de couvrir 90 % des besoins; les secteurs d'élevage offrent des excédents exportables. Cependant, l'Autriche doit importer des fruits, des légumes, et surtout des oléagineux. Les *forêts* couvrent 3 500 000 ha (36,8 % de la superficie, 3e rang en Europe) et jouent un rôle important dans l'économie autrichienne. La région alpine est la plus riche à ce point de vue. 87 % du boisement est en résineux. Le reste est constitué de bois dur (chênes, hêtres, châtaigniers). 20 % de la population active vit de la forêt. Le bois représente le 4e article d'exportation. – *Indus.* et *énergie.* L'indus. emploie 47 % de la population active, elle est servie par la variété des ressources en matières premières et en énergie. Le fer, d'excellente qualité (1 288 000 t) est tiré de l'Erzberg, et de Huttenberg en Carinthie. On trouve quelques mines de cuivre au Tyrol et dans la région de Salzbourg

Autriche.

Ph. Hétier

Autriche : les aciéries de Donawitz.

(2 000 t). Le plomb (6 100 t), le zinc (20 800 t) sont exploités en Carinthie. Le graphite de Basse-Autriche et de Styrie place le pays au 2e rang mondial. On trouve enfin en abondance kaolin, talc et magnésite (Styrie, Carinthie, 1,81 Mt). L'extraction du sel, très importante dans l'Antiquité et au Moyen Âge, ne joue plus qu'un rôle secondaire. *Sources d'énergie.* L'Autriche ne tire de son sol que les 2/5 des combustibles solides dont elle a besoin (anthracite et surtout lignite [3 627 000 t]); elle doit importer 3 700 000 t de charbon et 1 000 000 t de coke. Des nappes de pétrole ont été découvertes en 1935 près de Vienne, à Zisterdorf. L'extraction systématique fut entreprise par les Allemands puis par les Soviétiques. En 1955, la gestion du pétrole fut transférée à l'État autrichien qui ralentit l'exploitation (2 037 000 t en 1975). Aujourd'hui les forages principaux se trouvent à Matzen et aussi à Ried (près de Linz). Les ressources en gaz naturel, plus modestes, se localisent dans le bassin de Vienne. La production ne couvre pas les besoins et l'Autriche importe du pétrole (oléoduc Trieste-Vienne, gazoduc de Bratislava). La princ. raffinerie est à Schwechat. L'hydro-électricité est une des grandes richesses du pays. Des centrales à haute pression se trouvent dans les Alpes centrales d'Achensee et Gerlos (Tyrol), Reisseck en Carinthie et de Kaprun (Salzbourg). Des usines de basse chute équipent l'Enns, la Mur, la Drave et le Danube (Jochenstein, Aschach). Les exportations en électricité ne cessent d'augmenter. La plupart des industries se localisant dans les pays tchèques à l'époque impériale, il fallut reconstruire tout l'appareil productif afin de préserver l'indépendance du pays. Après 1945, le Parlement nationalisa de grandes branches de l'industrie. La sidérurgie est une activité ancienne en Styrie. Les usines les plus importantes se trouvent à Leoben, Donawitz et Linz. C'est une sidérurgie très moderne (procédé de l'acier soufflé) qui produit plus de 4 400 000 de t d'acier. L'industrie de l'aluminium est en essor (Raushofen, Haute-Autriche). Les industries mécaniques, héritières d'une tradition ancienne, se localisent à côté de la capitale et des grands centres sidérurgiques (Krems, Linz, Leoben). Le matériel électrique est fabriqué à Vienne et à Klagenfurt. L'industrie chimique se développe et profite des ressources naturelles du pays (Graz, Salzbourg, Vienne, Linz [azote], Lensing [fibres synthétiques]). Les industries textiles sont représentées dans le Vorarlberg, à Vienne, en Basse-Autriche. Mais elles doivent faire face à une concurrence de plus en plus vive des importations à bas prix. Les industries traditionnelles s'orientent vers les productions de luxe et connaissent un certain essor (porcelaine, verrerie [lustres viennois], instruments de musique). Les difficultés de l'industrie autrichienne viennent essentiellement de la trop grande dispersion et de la petite taille des entreprises (74 % ont moins de 100 salariés). De plus, l'importance de l'industrie lourde nécessite des importations coûteuses, dues à la situation géographique du pays. — *Transports.* Le relief détermine le tracé des voies de communications routières et ferroviaires qui suivent le fond des vallées et franchissent les cols. L'Autriche a hérité du système ferroviaire et routier de l'Empire, conçu pour relier toutes les régions de l'Empire à la capitale. Vienne reste toujours un nœud routier et ferroviaire fondamental reliant Europe de l'Ouest et Europe de l'Est, le nord et le sud. 6 500 km de voies ferrées desservent le pays, l'électrification se poursuit et de grands travaux ont été réalisés, notamment sur la ligne de l'Arlberg. Le réseau routier a été modernisé et des autoroutes sont en construction (vers Villach, de la Bavière à la frontière italienne vers Innsbruck). 1 735 km de voies d'eau sont navigables, dont la plus importante est le Danube* avec les ports de Linz et de Vienne. L'Autriche privée de débouchés maritimes, doit passer par Trieste* pour son commerce avec l'outre-mer. Les aérodromes sont nombreux, notamment dans les Alpes (Innsbruck). L'aérodrome de Vienne est une grande escale internationale. L'Autriche possède une compagnie d'aviation : l'A.V.A. — *Commerce.* Les échanges extérieurs se font pour l'essentiel avec la C.E.E. (60 % des importations et 40 % des exportations), mais des liens avec l'Europe de l'Est existent (10 % des importations, 15 % des exportations). La balance commerciale est déficitaire (les importations sont couvertes à 80 % environ par les exportations), mais le tourisme permet d'équilibrer la balance des comptes. Près de 7 000 000 d'étrangers viennent chaque année en Autriche et ce nombre tend à augmenter (tourisme d'été et, de plus en plus, tourisme d'hiver). Le Tyrol est la province touristique par excellence : les régions de Salzbourg et de Vienne connaissent également un afflux d'étrangers. ♦ *Hist.* LES ORIGINES. Les territoires composant l'Autriche sont peuplés depuis la préhistoire. La civilisation de Hallstatt* s'épanouit entre ~ 1000 et ~ 450. A partir du ~ IVe s., le pays connut les invasions celtes. Au ~ Ier s., les Romains occupèrent la région et créèrent les provinces de Rhétie*, Norique*, Pannonie*, où des camps de légionnaires donnèrent naissance à des villes importantes : Vindobona (Vienne), Lentia (Linz), Claudia (Klagenfurt). Le Danube devint une artère commerciale importante. Du IIIe au VIe s., les invasions se succédèrent : Vandales, Goths, Huns, Alamans. La région fut englobée dans l'empire des Avars*. Au début du IXe s., l'empire des Avars fut détruit et, pour prévenir de nouvelles invasions, Charlemagne* constitua l'*Ostmark* (marche de l'Est). Soumis d'abord aux ducs de Bavière, l'Ostmark fut ravagé par les invasions hongroises jusqu'à ce qu'Othon* le Grand les écrase à la bataille de Lechfeld (955). La maison de Babenberg* hérita de la marche en 976 et la garda jusqu'en 1246. Le nom d'Autriche (*Österreich* « royaume de l'Est ») apparut pour la première fois dans un document signé par Othon III. — LE DUCHÉ D'AUTRICHE (XIIe-XVe s.). En 1156, Henri II Babenberg obtint de l'empereur Frédéric Ier la transformation de la marche en duché héréditaire, dont la capitale devint Vienne. Ses successeurs ajoutèrent la Styrie et une partie de la Carniole à leurs États. À la mort du dernier Babenberg, l'Autriche fut éphémèrement réunie à la Bohême. Mais Rodolphe* Ier de Habsbourg, seigneur de la Suisse alémanique, élu empereur, la reprit au roi de Bohême (Dürnkrut, près de Vienne, 1278) et en fit une possession héréditaire. Grâce à leur politique matrimoniale, ses successeurs acquirent la Carinthie (1335) et le Tyrol (1363). L'empire échappa aux Habsbourg pendant un siècle (1308-1438). De cette date jusqu'au XIXe s., la dynastie fut régulièrement élue à l'empire. **V. Habsbourg.** Frédéric V d'Autriche, devenu l'empereur Frédéric* III, obtint la reconnaissance du titre d'archiduc pour la maison d'Autriche et prépara la puissance des Habsbourg en mariant son fils Maximilien à Marie de Bourgogne, qui apporta en dot les Pays-Bas et la Franche-Comté. La formule qu'il adopta *Austriæ est imperare orbi universo* (AEIOU) montre la volonté d'expansion des Habsbourg. — XVIe et XVIIe s. Maximilien* Ier réorganisa l'empire en créant une cour de justice impériale chargée d'arbitrer les conflits entre princes et de limiter leur indépendance. Mais il se consacra surtout à la réorganisation de ses propres domaines. Il unifia ses possessions par la création d'un conseil de

Ph. Tétrel

Assassinat de François-Ferdinand d'**Autriche** à Sarajevo.

gouvernement pour l'Autriche, de conseils communs aux provinces, par l'augmentation du nombre des fonctionnaires. Il développa les ressources de ses domaines (exploitations des mines, notamment). Il acquit de nouveaux domaines dans le Trentin et le Tyrol et prépara la future puissance des Habsbourg en mariant son fils Philippe* le Beau à Jeanne* la Folle, héritière d'Aragon et de Castille et ses petits-enfants Ferdinand et Marie avec les héritiers de Wenceslas Jagellon, roi de Bohême et de Hongrie. À la mort de Maximilien, Charles de Habsbourg, déjà roi d'Espagne, maître des Pays-Bas, de la Franche-Comté, de la Sicile ainsi que des colonies espagnoles, hérita des domaines des Habsbourg et se fit élire empereur. Charles* Quint, occupé par les affaires de l'empire et la guerre contre la France, confia dès 1522 l'administration de ses possessions autrichiennes à son frère Ferdinand. Celui-ci, à la mort de son beau-frère Louis II Jagellon, tué à Mohacs par les Turcs, devint roi de Bohême et d'une partie de la Hongrie, [**V. Ferdinand Ier**] (la Transylvanie restait indépendante et la vallée danubienne était aux mains des Turcs). Ces royaumes restèrent entre les mains des Habsbourg jusqu'en 1918. Les XVIe et XVIIe s. furent pour l'Autriche des siècles de lutte, lutte contre la Réforme et lutte contre les Turcs. Ferdinand (devenu empereur après l'abdication de Charles Quint en 1556), ainsi que ses successeurs, notamment Rodolphe* II, favorisèrent l'implantation de la compagnie de Jésus et luttèrent contre le protestantisme. L'Autriche devint le bastion de la contre-réforme. La lutte contre les protestants, Tchèques essentiellement, donna naissance à la guerre de Trente* Ans (Défenestration* de Prague, 1618-traité de Westphalie*, 1648), qui devint un conflit européen. Les Tchèques révoltés furent écrasés à la Montagne* Blanche (1620) et subirent une dure répression tant sur le plan religieux que politique (langue et civilisation allemandes furent imposées, l'hérédité de la couronne bohémienne dans la maison d'Autriche fut reconnue). Pourtant, la guerre de Trente Ans ne se termina pas au profit des Habsbourg et ils durent abandonner leurs possessions en Alsace. La lutte contre les Turcs connut de nombreuses péripéties (siège de Vienne, 1529; offensive des Turcs à Saint Gothardt, 1664; second siège de Vienne, 1683) se termina par la victoire du Prince Eugène* à Zenta et par les traités de Karlowitz (1699) et de Passarowitz (1718) qui reconnaissaient à l'Autriche la Hongrie, une partie de la Valachie et de la Serbie. — LE XVIIIe SIÈCLE. L'indivisibilité des États autrichiens fut affirmée par la pragmatique* sanction de 1713, acte par lequel Charles VI assurait à sa fille Marie-Thérèse l'héritage des Habsbourg. **V. Marie-Thérèse.** Celle-ci dut cependant faire face, à son avènement, à la guerre de Succession* d'Autriche. Malgré sa fermeté, elle dut céder à la Prusse la Silésie qu'elle ne put reprendre lors de la guerre de Sept* Ans, pourtant précédée du renversement des alliances (traité de Versailles*). Cependant, elle sut agrandir les possessions de l'Autriche au premier partage de la Pologne (1772). À l'intérieur, l'impératrice fortifia la monarchie, en renforçant la centralisation et la germanisation. Son fils Joseph II, despote éclairé (il abolit le servage), continua son œuvre, mais c'est dans le domaine religieux qu'il prit les mesures les plus révolutionnaires (le système dit *joséphisme*). Ses mesures arbitraires étaient mal adaptées aux traditions et aux coutumes des différents pays composant son royaume, et l'échec de sa politique marqua profondément l'évolution de l'empire. **V. Joseph II.** — LA LUTTE CONTRE LA FRANCE RÉVOLUTIONNAIRE ET IMPÉRIALE (1790-1815). Durant cette période, l'Autriche prit le caractère catholique, autoritaire et traditionnel face aux idées nouvelles nées de la Révolution française, caractère que l'empire conserva jusqu'en 1914. La mort de Joseph II fut suivie d'une politique de réaction (Léopold* II), accentuée sous François* II. La police et la censure prirent une place primordiale, les réformes agraires furent abandonnées. À partir de 1792 (déclaration de guerre de la France à l'Autriche), l'Autriche apparut comme le rempart de la légitimité, le défenseur des monarchies et des nobles. Elle participa à toutes les coalitions contre la France (sauf la quatrième, 1806-1807). Les Autrichiens furent battus à Jemmapes* (1792), Marengo* (1800), Hohenlinden. L'accession de Napoléon Ier au pouvoir impérial, ses victoires, contraignirent l'Autriche à demander la paix. François II dut renoncer à son titre de chef du Saint-Empire romain germanique et devint empereur d'Autriche sous le nom de François Ier; il dut abandonner ses possessions italiennes. La révolte du Tyrol amena l'Autriche à reprendre la lutte mais, après la bataille de Wagram*, la paix de Vienne (1809) enleva à l'Autriche la Carniole, la Carinthie, Trieste, Fiume et la Galicie. Napoléon épousa en 1810 Marie-Louise, fille de François Ier. Le nouveau chancelier, Metternich*, profita des difficultés de la campagne de Russie pour réaliser une sixième coalition contre la France, qui amena la défaite de Napoléon et la restitution de toutes ses provinces perdues à l'Autriche. Vienne qui, avec Metternich, était l'âme de la résistance à Napoléon, fut alors le siège d'un congrès général des puissances européennes pour établir un système d'équilibre durable *(congrès de Vienne*)*. — LA PRÉPONDÉRANCE AUTRICHIENNE (1815-1848). L'Autriche était alors à l'apogée de son prestige. L'empereur d'Autriche était le président à titre héréditaire de la Confédération* germanique. L'Empire autrichien comprenait, outre l'Autriche, la Hongrie*, la Bohême*, la Galicie*, le nord de l'Italie, la Croatie*, la Slavonie*. Considérée comme l'arbitre de la politique européenne, l'Autriche organisait la coalition de toutes les puissances contre les forces d'évolution où qu'elles se manifestent. À l'intérieur, c'était le règne de l'absolutisme, de la police et de la bureaucratie. Cependant des faiblesses se faisaient déjà sentir. L'absolutisme centralisateur des Habsbourg n'empêcha pas le réveil des nationalités. En 1833, la Hongrie obtint que le magyar soit autorisé dans les débats parlementaires puis dans l'administration et dans l'enseignement. Dans les autres régions de l'empire autrichien, se manifestait partout un renouveau des langues nationales, des coutumes et du folklore, une aspiration à une certaine autonomie. D'autre part, la constitution du Zollverein* en 1834, qui exclut l'Autriche, préparait l'élimination des Habsbourg des affaires allemandes. — PERTE D'INFLUENCE DE L'AUTRICHE ET ÉVOLUTION VERS LE DUALISME (1848-1867). Au lendemain des événements de France (**V. Révolution** de 1848), la révolution éclata en Hongrie avec Kossuth*, à Prague, en Italie et à Vienne même. Metternich fut obligé de s'enfuir. La plupart des pays réclamaient une constitution fédéraliste et une évolution libérale du régime. Le gouvernement dut faire de nombreuses concessions, mais le soutien de l'armée et du tsar permit de réduire provisoirement les mouvements de révolte de 1849 et l'empire d'Autriche sortit intact de la crise, au moins sur le plan territorial. En Allemagne également, l'Autriche conservait son influence en empêchant la constitution d'une « union restreinte » avec le roi de Prusse à sa tête (entrevue d'Olmütz, en nov. 1850). Une période de réaction suivit les révolutions, avec l'avènement de François-Joseph. **V. François-Joseph.** Celui-ci écarta tous les ministres suspects de libéralisme, abrogea la Constitution accordée en 1849 et gouverna de façon absolue avec l'aide de Bach*. L'allemand fut déclaré langue obligatoire et les diètes cessèrent d'être convoquées. Cependant les échecs extérieurs s'accumulaient. La Lombardie se libéra avec l'aide du Piémont et de la France, en 1859. Vaincue à la bataille de Sadowa* par la Prusse (1866), l'Autriche perdit la Vénétie et dut laisser la prépondérance en Allemagne à la Prusse. Ainsi, malgré un demi-siècle de luttes, l'Autriche fut définitivement exclue de l'Allemagne et de l'Italie, son armée était détruite, ses finances ruinées. Elle dut faire des concessions à l'intérieur, et notamment à la nation la mieux organisée, la Hongrie. Les négociations aboutirent au compromis de 1867. François-Joseph reconnaissait l'indépendance de la Hongrie et se faisait couronner roi de Hongrie, avec le pouvoir exécutif, qu'il exerçait assisté d'un ministre hongrois responsable devant la Diète. L'Autriche et la Hongrie avaient cependant des ministères communs. — LA MONARCHIE AUSTRO-HONGROISE (1867-1914). L'histoire du pays, depuis le compromis de 1867 jusqu'à la guerre de 1914, est celle de la lutte des nations pour la reconnaissance de leurs droits historiques et de la lutte pour la libéralisation du régime. La monarchie, reposant sur l'armée, l'Eglise catholique, la bureaucratie et la police, réprimait tout mouvement d'indépendance. La lutte devint de plus en plus violente, prenant un caractère terroriste chez les Serbo-Croates qui, soutenus par la Serbie, rêvaient d'un État slave du Sud. En 1908, en pleine paix, François-Joseph prononça l'annexion de la Bosnie*-Herzégovine. Mais l'attraction de la Serbie sur les peuples slaves du Sud constituait un grave danger pour l'empire et l'Autriche était prête à la guerre pour anéantir la Serbie. Aussi, lorsque l'archiduc héritier François*-Ferdinand et sa femme furent assassinés à Sarajevo* (juin 1914), l'Autriche se saisit de l'occasion et déclara la guerre à la Serbie (28 juillet). Ce fut le début de la Première Guerre mondiale, qui au lieu de sauver l'empire, amena sa dislocation. — LA RÉPUBLIQUE D'AUTRICHE (1918-1938). Malgré le « Manifeste du 18 Octobre » de Charles* Ier, successeur de François-Joseph, promettant la constitution d'un État fédéral, les traités de Saint-Germain et de Trianon* sanctionnaient la disparition de l'empire des Habsbourg et la constitution d'États nationaux. Sans abdiquer, Charles Ier renonça au pouvoir. Après une tentative de rattachement à l'Allemagne, qui se heurta à l'opposition des Alliés, la République fédérale d'Autriche fut constituée le 1er octobre 1920; elle était composée de 9 *Länder* ayant une autonomie administrative. L'Autriche fut gouvernée jusqu'à l'Anschluss par des chanceliers chrétiens-sociaux **(V. Seipel, Dollfuss, Schuschnigg).** Ces chanceliers durent

Ph. Hétier

Autriche : l'abbaye de Melk, sur le Danube.

Arch. Rencontre
Autriche : l'église Saint-Charles-Borromée à Vienne.

faire face tout d'abord à la reconstitution économique de la république. Ils luttèrent contre les socialistes groupés en milices ouvrières (février 1927, février 1934). Le gouvernement du chancelier Dollfuss s'attaqua également aux nazis mais un complot aboutit à son assassinat. Son successeur, Schuschnigg, continua cependant sa politique. Le problème des relations avec l'Allemagne devenait de plus en plus grave. Une certaine sympathie pour l'Allemagne avait fait place au désir d'indépendance de l'Autriche sous Dollfuss et Schuschnigg. Mais celui-ci dut cependant céder à l'ultimatum d'Hitler (Berchtesgaden, 1938) et accepter Seyss*-Inquart, pro-allemand et pro-nazi, comme ministre de l'Intérieur. Schuschnigg dut, sur l'ordre d'Hitler, donner sa démission (11 mars 1938) en même temps que l'armée allemande envahissait l'Autriche. Le 15 mars, le rattachement de l'Autriche à l'Allemagne fut proclamé. **V. Anschluss.** Ce rattachement fut approuvé à 99,73 % par un plébiscite. Sous le nom d'*Ostmark,* l'Autriche n'était plus qu'une province du Reich allemand, exploitée au profit de l'Allemagne et de la guerre. L'opposition subsistait cependant dans certains milieux catholiques et dans les organisations ouvrières clandestines. En 1945, les troupes soviétiques et occidentales entrèrent en Autriche. Un gouvernement national fut formé et l'Autriche fut divisée en quatre zones d'occupation. – APRÈS 1945. La seconde République autrichienne bénéficia du soutien populaire qui avait manqué à la première République. Bien que le rétablissement d'une Autriche indépendante ait été proclamé aux conférences de Moscou et de Téhéran (1943), le pays dut attendre douze ans pour y parvenir. Le Conseil allié, instauré en 1945, était condamné à l'impuissance par le système du droit de veto. Les élections de 1945 aboutirent à la victoire des populistes et à l'élection à la présidence de la République de Karl Renner. Une série de conférences commença alors, mais l'Autriche, victime de la guerre froide, dut attendre 1955 pour voir son sort définitivement éclairci. En mai 1955, le traité de paix lui rendit son indépendance, sous condition d'une neutralité permanente. En décembre 1955, elle fut admise à l'O.N.U. L'Autriche fut gouvernée pendant vingt ans par une coalition de populistes et de socialistes. Cependant, de 1966 à 1970, le parti populiste eut la majorité et gouverna seul. En 1971, les élections donnèrent la majorité absolue aux socialistes et le président de la République put former un gouvernement socialiste (Bruno Kreisky). En 1974, Rudolf Kirchschlaeger remplaça le président Franz Jonas. Sur le plan extérieur, deux problèmes graves se posent à l'Autriche. Membre de l'*Association européenne de libre échange,* l'Autriche désire être associée au Marché commun mais l'opposition de l'Union soviétique y fait obstacle. Le second problème est celui du Tyrol* du Sud, enlevé à l'Autriche en 1919. En 1946, de difficiles négociations ont cependant donné aux habitants de cette région le statut d'autonomie dans la République italienne et les relations entre l'Autriche et l'Italie sont devenues plus cordiales.

AUTRICHE (Basse-), en all. **Niederösterreich.** ♦ État confédéré *(Bundesland)* de la République autrichienne, situé dans le N.-E. du pays. 19 170 km². 1 374 000 hab. *Cap.* **V. Vienne** (qui constitue une ville province indépendante). 21 arrondissements. Au N. de la province se trouve le versant S. du massif de Bohême, au S. les derniers contreforts du Massif alpin. Ces deux régions montagneuses sont séparées par la vallée du Danube, qui s'élargit dans le bassin de Vienne. La Basse-Autriche est la plus grande et la plus peuplée (après Vienne) des provinces autrichiennes. Ce fut le berceau de la nation autrichienne. C'est une riche région agricole notamment dans la vallée du Danube (céréales, betteraves à sucre, prairies artificielles, fruits, vigne). La province renferme les gisements de pétrole de la République (exploitations à Zistersdorf, Matzen; raffineries à Drösing) et possède d'importants centres industriels. **V. Sankt Pölten, Wiener Neustadt.**

AUTRICHE (Haute-), en all. **Oberösterreich.** ♦ État confédéré *(Bundesland)* de la République autrichienne, situé au centre et au N. du pays à la frontière allemande et tchécoslovaque. 11 978 km². 1 311 600 hab. *Cap.* **V. Linz.** Divisé en 15 arrondissements. Cet État se partage entre les Préalpes de Salzbourg au S., une partie du Massif bohémien au N. et la vallée du Danube au centre. Forêts et alpages couvrent une partie importante de la région, mais l'agriculture est prospère dans la vallée du Danube et à l'ouest. Les mines de sel, de lignite et la production d'énergie hydro-électrique (barrages sur le Danube) ont donné naissance à de grandes industries. **V. Linz, Steyr.**

AUTUN. ♦ Sous-préf. de la Saône-et-Loire, ch.-l. d'arr. [9 cant., 84 comm., 104 692 hab.], sur un versant montagneux dominant l'Arroux. 20 002 hab. *(Autunois).* La cathédrale Saint-Lazare, édifiée de 1120 à 1132, est surtout remarquable par l'intérieur, de pur style roman bourguignon (clunisien), et par ses chapiteaux, formant l'un des principaux ensembles de statuaire romane. Au portail, le tympan redécouvert en 1837 (il avait été plâtré au XVIIIᵉ s.) [*Jugement dernier*], aux formes allongées et à la composition savante, est l'une des rares œuvres signées de l'époque. **V. Gislebert.** Anc. palais épiscopal (XVIIIᵉ s.).Musée Rolin* (Nativité du Maître de Moulins, Vierge d'Autun, en pierre polychrome; objets archéologiques provenant des fouilles de Bibracte*). Ruines gallo-romaines; enceintes, portes, théâtre, temple de Janus. – De l'usine d'hydrocarbures, il ne reste que les imposants terrils aux Telots. Indus. métallurgiques, tôleries, charpentes métalliques, tracteurs, appareils de chauffage. Usine d'aviation. Meubles; chaussures. Confection. – Patrie de N. Changarnier*, P. Jeannin*, Ch. Naudin*, saint Symphorien. ♦ *Hist.* La ville succéda à Bibracte* comme capitale des Éduens*, et fut nommée *Augustodunum* au début de la conquête romaine. Centre culturel, elle fut rapidement célèbre par ses écoles de rhétorique. Saccagée par les invasions barbares, elle devait au Xᵉ s. être englobée dans le duché de Bourgogne*.

AUTUNOIS. *n. m.* ♦ Région boisée entre la dorsale du Beaujolais*-Charolais* et le Morvan*; elle est articulée autour d'un horst cristallin (le massif d'Uchon) flanqué de deux dépressions permiennes : le bassin d'Autun au N., drainé par l'Arroux (gisement d'Epinac) et le bassin de la Dheune-Bourbince au sud. – Région industrielle fournissant le combustible au Creusot.

AUVELAIS. ♦ V. de Belgique (prov. et arr. de Namur), sur la Sambre. 8 400 hab. Houille. Amiante. Construction mécanique. Indus. chimiques. Brasseries.

AUVERGNE (Antoine d'Auvergne ou **DAUVERGNE).** ♦ Violoniste et compositeur français (Moulins, 1713 – Lyon, 1797). Directeur du *Concert spirituel,* surintendant de l'Opéra (1769), il est l'auteur des premiers opéras-comiques français : *Les Troqueurs,* texte de Vadé (1753), *La Coquette trompée,* texte de Favart (1753). Il a composé des *Sonates pour violon* (1739) et quatre *Concerts de symphonie* (1751).

AUVERGNE. *n. f.* ♦ Région du centre du Massif* central, qui s'étend sur les dép. du Cantal* et du Puy*-de-Dôme et sur une petite partie de l'Allier*, de l'Aveyron* (Cantal) et de la Haute-Loire* (arr. de Brioude*). **V. Combrailles, Forez, Gévaudan, Limagne, Livradois, Margeride, Velay.** ♦ *Hist.* Anc. province française qui doit son nom aux Arvernes*, l'Auvergne fit partie de l'Aquitaine* première à partir du IVᵉ s. **(V. Aquitaine).** Devenue comté (979), vassale des ducs d'Aquitaine, elle passa avec eux sous domination anglaise **(V. Henri II Plantagenêt),** puis fut divisée en deux seigneu-

Arch. Rencontre
Autun : le tympan de la cathédrale (XIIᵉ s.).

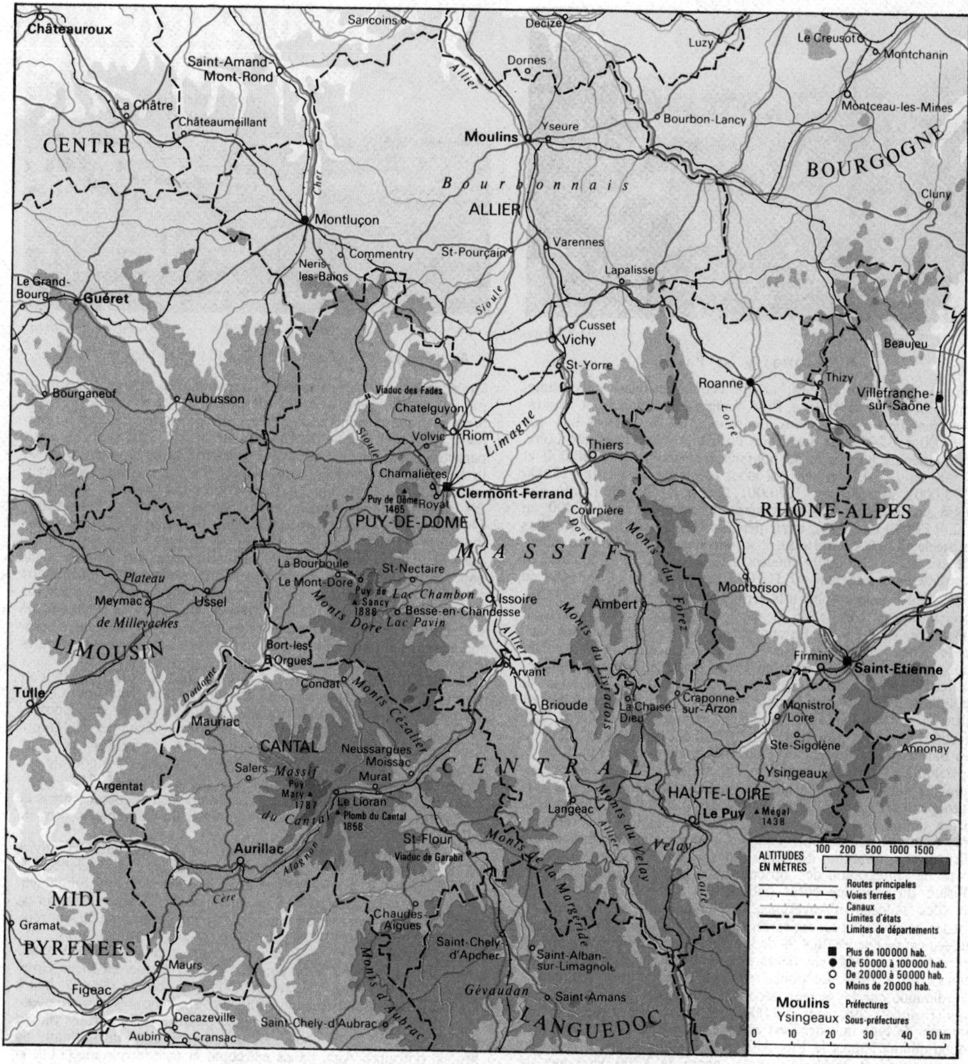

Auvergne.

ries (1155) : le *Dauphiné d'Auvergne* (qui se composait d'une partie de la Limagne* et de la moitié de la ville de Clermont et dont la dernière héritière fut la Grande Mademoiselle, duchesse de Montpensier*) et le *comté d'Auvergne.* Ce dernier fut partagé par saint Louis* en deux comtés (1241) : la *Terre d'Auvergne* (cap. Riom) qui, arrachée aux Plantagenêt par Philippe* Auguste (1198-1201) et qui, devenue duché en 1360 **(V. Jean de Berry),** fut réunie à la couronne en 1531, et le *comté d'Auvergne,* passé à la maison de La* Tour d'Auvergne (XIIIe s.), enfin rattaché à la couronne en 1610. Il existait, en outre, un comté épiscopal de Clermont qui disparut en 1557. Louis XIV fit tenir à Clermont les Grands Jours d'Auvergne (1665-1666) pour mater les seigneurs locaux coupables, depuis la Fronde*, de tyrannie envers le peuple. – *Pers. célèbres.* **V. Assas** (chevalier d'), **Carrier** (Jean-Baptiste), **Couthon** (Georges), **Desaix** (Louis C.A.), **Estaing** (Jean-Baptiste d'), **Gilbert de Neuffonts** (saint), **Grégoire de Tours, La Fayette** (Louise Motier de), **La Fayette** (Marie-Joseph), **La Tour d'Auvergne** (famille), **L'Hospital** (Michel de), **Pascal** (Blaise), **Pascal** (Gilberte, Jacqueline), **Peire Cardenal, Sidoine Apollinaire, Sylvestre II.**

AUVERGNE. *n. f.* ♦ Région française (anciennement C.A.R.). Dép. **V. Allier, Cantal, Haute-Loire, Puy-de-Dôme.** 26 000 km^2 (4,8 % du territoire, 10e rang). 1 330 500 hab. (2,6 % de la pop. française, 17e rang). 51 hab. au km^2 (16e rang). Elle englobe, outre l'anc. prov. d'Auvergne (Cantal, Puy-de-Dôme, arr. de Brioude), la majeure partie du Bourbonnais* (Allier) et l'extrême nord du Languedoc (Velay*). – *Orogr.* Située au cœur du Massif* central, dans une zone bouleversée par les dislocations de l'ère tertiaire, elle présente une grande variété d'aspects. Les surfaces cristallines, plus ou moins élevées (plateaux de Combrailles* 700 m, identiques à ceux du Limousin ; horsts du Forez* 1 600 m, du Livradois* 1 200 m, de la Margeride* 1 400 m) y contrastent à la fois avec les plaines d'effondrement (bassins d'Ambert, Aurillac, Montluçon, Le Puy ; profond sillon médian des plaines de l'Allier : Limagne* 400 m, Bourbonnais* 260 m) et avec les hauts reliefs « postiches », fruit d'une activité éruptive intense du miocène au quaternaire. Ceux-ci comprennent les monts du Velay* 1 400 m, Mézenc 1 754 m, Gerbier de Jonc 1 550 m, les monts d'Auvergne, aux vastes appareils, démantelés par l'érosion : monts du Cantal* (1 858 m) et des Dore* (1 886 m au Puy de Sancy*), les coulées basaltiques du Cézalier, les silhouettes cratériformes de la chaîne des Dômes dont le puy **(V. Puy-de-Dôme)** culmine à plus de 1 000 m au-dessus de Clermont. Amples vallées rajeunies, traversées par des viaducs audacieux (Sioule, Garabit...), belles futaies des plateaux de l'E., lacs d'origine volcanique ou glaciaire (Aydat, Chambon, Pavin...) ajoutent à la diversité des paysages. – Le *climat*, soumis aux influences atlantiques mais teinté de continentalisme, épouse les contrastes de l'orographie. À la Limagne, abritée et sèche (500 à 700 mm), s'opposent, de part et d'autre, l'écran très arrosé des monts d'Auvergne et celui du Forez (de 1 000 à 1 500 mm et plus). Au-dessus de 700 m, l'hiver se fait de plus en plus rude : l'enneigement prédomine avec ses « tourmentes » et ses « redoux ». – *Pop.* et *écon.* L'appoint des migrations temporaires

Ph. Gilbert Martin

Auvergne : le lac Pavin.

Ph. Gilbert Martin

Auvergne : la chaîne des Dômes et le puy de Dôme.

avait, au cours des siècles, assuré l'équilibre relatif du peuplement rural; puis, de 1886 à 1954, émigration définitive et dénatalité allaient faire perdre à ces quatre dép. 20 % de leurs hab. (de 1 558 000 à 1 247 000). Le déclin du Cantal et de la Haute-Loire, continu depuis un siècle, se poursuit (respectivement 160 000 et 201 000 en 1975). L'Allier, qui avait reculé de 12 % (de 425 000 à 373 000), se redresse (394 000). Quant au Puy-de-Dôme qui, malgré les progrès de l'agglomération clermontoise (37 000 en 1872, 112 000 en 1926), avait perdu 19 % de ses hab. en moins d'un siècle (479 000 en 1946), il a retrouvé, en 1975, son maximum de 1851 (598 000), concentrant, avec la quasi-totalité de l'accroissement régional (1 312 000 en 1968 et 1 352 000 en 1975) — dû beaucoup plus à la reprise du solde migratoire qu'à un excédent naturel très faible — 45 % de la pop. totale, soit avec l'Allier, près de 75 %. — En contraste avec le peuplement des plaines, le dépeuplement accéléré de « la montagne » (— 4 % l'an, depuis 1954; de 2 à 10 hab. au km²) constitue, avec le vieillissement de l'ensemble de la pop. agricole, le handicap majeur de la « politique de rénovation rurale » maintenant engagée (sauf en Allier, où les exploitations atteignent en moyenne 29 ha). Les objectifs poursuivis posent parfois de difficiles problèmes, compliqués par un morcellement excessif et, Limagne mise à part, de la dispersion de l'habitat : maintien des agriculteurs sur des exploitations rentables et modernisées; soutien d'organismes tels que le groupement laitier du Cantal (4 500 000 hl) et le Comité de la fourme d'Ambert; implantation d'industries agricoles et alimentaires (viande, notamment) conçues comme élément moteur du milieu rural; promotion des villes moyennes et des villages-centres, en vue de l'intégration des agriculteurs à la vie sociale urbanisée; diffusion du tourisme rural (villages de vacances, plans d'eau, parc des volcans d'Auvergne...). Globalement, l'agriculture — dont les productions animales représentent plus des 3/4 du revenu brut — occupe encore 26,4 % de la pop. active (139 000 personnes) contre 42 % en 1954; elle devra perdre encore de 25 à 30 000 personnes d'ici à 1985. Le poids relatif de l'agriculture a, d'ores et déjà, diminué car le secteur secondaire compte auj. 26,3 % des actifs (France : 39), soit 138 000 personnes : le passage à une économie de type industriel est amorcé, expliquant l'actuel progrès démographique; mais le Puy-de-Dôme et l'Allier concentrent respectivement 54 et 26 % de l'emploi, accru de 7 200 personnes de 1962 à 1968, au bénéfice des entreprises de plus de 50 salariés. Tandis que reculent la sidérurgie et les houillères, les indus. traditionnelles —, textiles, habillement, cuirs — occupent encore 18 000 personnes, dépassées par les indus. mécaniques, électriques, automobiles et les constructions aéronautiques (23 000) et surtout par la chimie, avec le caoutchouc (28 000), qui l'emporte. Bâtiment et travaux publics sont en expansion rapide. Le secteur tertiaire (37,1 %), accru de 16 000 emplois de 1962 à 1968, reste caractérisé par la dispersion de l'hôtellerie et du commerce et par la faiblesse des services économiques. Le thermalisme doit poursuivre sa modernisation. — Ces progrès ont coïncidé avec celui des zones de peuplement industriel et urbain : Montluçon* (96 000 hab.), Vichy* (68 000 hab.), Le Puy* (42 000 hab.), Aurillac* (33 000 hab. + 13 %) et surtout Clermont-Ferrand dont Michelin a fait une grande ville industrielle, auj. doublée d'une cap. agricole et commerciale, administrative et universitaire (300 000 hab.). Mais le développement exige, pour s'affermir, un effort plus poussé d'industrialisation et, selon le vœu de la C.O.D.E.R., le désenclavement de la région par de meilleures communications internes et son ouverture sur l'extérieur (autoroutes Clermont-Lyon et Clermont-Paris).

Arch. Smeets

Vue d'**Auvers-sur-Oise,** par Paul Cézanne. (Art Institute, Chicago.)

AUVERS-SUR-OISE. ♦ Ch.-l. de cant. du Val-d'Oise (arr. de Pontoise). 5 214 hab. *(Auversois).* Église Notre-Dame (XIIe-XIIIe s.) sujet d'un célèbre tableau de Van Gogh. — Séjour de nombreux peintres à la fin du XIXe s. (Cézanne, Corot, Daubigny, Daumier, J. Dupré, Guillemin, Harpignies, Morisot, Pissarro) et surtout de Van* Gogh qui s'y donna la mort en 1890; il y est enterré à côté de son frère Théo. Monument de Van Gogh par Zadkine (1961).

AUVOURS *(camp d').* ♦ Camp militaire dans le département de la Sarthe, sur le territoire de la commune de Champagné (arr. du Mans).

AUWERS (Georg Friedrich Julien *von***).** ♦ (Göttingen, Hanovre, 1838 — Berlin, 1915). Astronome à l'Académie des sciences de Berlin (1866) il est l'auteur d'un catalogue d'étoiles fondamentales (1879). **V.** aussi **Gill.** Son calcul des orbites et ses observations de Sirius et Procyon ont confirmé l'hypothèse de Bessel relative à l'existence des satellites invisibles de ces astres.

AUXERRE [osɛʀ]. ♦ Préf. de l'Yonne, ch.-l. d'arr. (18 cant., 212 comm., 160 667 hab.) sur la r. g. de l'Yonne, en Basse-Bourgogne*. 38 066 hab. *(Auxerrois)* [l'aggl. compte 39 492 hab.]. La cathédrale Saint-Étienne (XIIIe-XIVe s.), repose sur quatre édifices antérieurs. Sa façade principale possède trois portails datant des XIVe et XVe s.; le chœur est un pur spécimen du gothique du XIIIe s. (vitraux). Anc. palais épiscopal et galerie romane (1119 et 1136). Église Saint-Germain (peintures murales carolingiennes). Tour romane (XIIe s.). Tour de l'Horloge. Vestiges de remparts encerclant la ville bâtie sur un plan hexagonal irrégulier. — Indus. du bois. Transformations des métaux, constructions mécaniques et électriques (accumulateurs). Imprimerie, reliure. Indus. alimentaires. Commerce des vins. — Patrie de Paul Bert*, de Fourier*, de saint Germain* (dit l'Auxerrois), de Soufflot*. ♦ *Hist.* La ville fut fondée par les Romains à proximité d'un site celtique; elle devint au IIIe s. une cité et subit ensuite de nombreuses invasions. L'abbaye bénédictine devint célèbre au Moyen Âge par ses écoles créées au IXe siècle. Elle fut rattachée à la couronne de France en 1476. La *paix d'Auxerre* (1412) réconcilia Armagnacs* et Bourguignons*.

AUXERROIS [osɛʀwa]. *n. m.* ♦ Région de plateaux calcaires en Basse-Bourgogne, entaillée par les vallées de l'Yonne* et du Serein. Forêts, prairies, cultures se développent sur le plateau, tandis que le vignoble couvre les coteaux bien exposés.

AUXI-LE-CHÂTEAU. ♦ Ch.-l. de cant. du Pas*-de-Calais, arr. d'Arras*, sur l'Authie*. 3 099 hab. *(Auxilois).* Église (XVIe s.); hôtel de ville (XVIe s., restauré). — Chaussures.

AUXOIS [oswa] ou **AUSSOIS.** *n. m.* ♦ Région au N.-E. du Morvan*, en Bourgogne, constituant une auréole liasique entre le Morvan cristallin et les plateaux calcaires de Bourgogne. Sur les sols argileux, élevage de bovins et du cheval de trait. Des buttes calcaires annoncent les plateaux bourguignons. C'est l'ancien *pagus Alesiensis,* pays d'Alésia*.

AUXOIS *(mont).* ♦ Butte calcaire (418 m) couronnée d'un plateau, dans la plaine de l'Auxois*, en bordure du plateau de Langres. Site probable d'Alésia*.

AUXONNE [osɔn]. ♦ Ch.-l. de cant. de la Côte-d'Or, arr. de

Dijon, sur la Saône*. 6 137 hab. *(Auxonnois)*. Église Notre-Dame, de style gothique bourguignon (XIIIe-XVIe s.). Musée. – Indus. métallurgique, et électronique. Conserveries (légumes et volailles déshydratés). Cultures maraîchères. – Patrie de Prieur*-Duvernois. ♦ *Hist.* La ville fut réunie en 1237 à la Bourgogne ; en 1526, elle résista à Charles Quint, à qui elle fut cédée par le traité de Madrid. En 1788, Bonaparte y tint garnison.

AUZANCES. ♦ Ch.-l. de cant. de la Creuse*, arr. d'Aubusson. 1 574 hab. *(Auzançais)*.

AUZON. ♦ Ch.-l. de cant. de la Haute-Loire (arr. de Brioude). 1 007 hab. *(Auzonnais)*. Église romane avec porche (sculptures ; peintures du XIVe s.). Produits chimiques.

AUZOUT (Adrien). ♦ Astronome français (Rouen, 1622 – Rome, 1691). Avec Jean Picard*, il perfectionna le micromètre à fils mobiles qui sert à mesurer les diamètres apparents des corps célestes et substitua des lunettes aux simples alidades à pinnules dans les instruments de mesure angulaire (1667), introduisant ainsi en astronomie la précision des mesures. (Acad. des sc., 1666.)

AVA. ♦ Anc. cap. birmane (non loin de Mandalay), créée en 1364 sur une île artificielle, le long du cours de l'Irawady. Plusieurs fois prise et reprise au cours des siècles, elle fut maintes fois saccagée et finalement abandonnée au profit d'Amarâpura* ou d'autres capitales temporaires. Seuls quelques vestiges de stûpa* marquent son emplacement. Elle eut une telle renommée que la Birmanie fut longtemps connue comme étant le *Royaume d'Ava*.

AVALLON. ♦ Sous-préf. de l'Yonne, ch.-l. d'arr. (10 cant., 153 comm., 52 102 hab.) ; située sur un promontoire dominant la vallée du Cousin, la ville s'étend vers la dépression de la Terre-Plaine. 7 330 hab. Ancienne collégiale Saint-Lazare (nefs du XIIe s. ; portails de style roman bourguignon). Porte de l'Horloge (1456-1460). Vestiges de remparts, tours et bastions. Musée. – Centre commercial et industriel ; pneumatiques, fabriques de fusains. Indus. mécaniques. Indus. alimentaires. – Aux environs, sont nés Vauban* et Davout*. ♦ *Hist.* Station romaine, Avallon fut érigée en commune au XIIIe siècle.

AVALLONNAIS. *n. m.* ♦ Petit pays de France en Bourgogne (Yonne) comprenant Avallon* et ses environs.

AVALOIRS *(mont* ou *signal des)*. ♦ Sommet du Bas-Maine* (417 m), constituant avec la forêt d'Écouves* le point culminant du Massif armoricain.

AVALOKITEŚVARA. ♦ Divinité du bouddhisme du Mahâyâna* (*Kuan-yin* des Chinois, *Kan-non* des Japonais), hypostase d'Amitâbha*, Bodhisattva* de compassion infinie, capable de prendre toutes les formes imaginables afin de sauver les humains du péril de l'erreur. Bodhisattva sauveur par excellence, forme divine peut-être la plus vénérée des bouddhistes, on lui prête souvent un aspect féminin (alors que les Bodhisattva n'ont pas de sexe défini) afin de mettre l'accent sur sa bonté, sa douceur et sa compassion. Ses attributs essentiels sont le lotus épanoui et le vase à eau (pour abreuver ceux qui ont soif et qui souffrent). On lui prête trente-trois formes en Chine, au Tibet et au Japon, en dehors de nombreux aspects symboliques de ses pouvoirs. Il possède autant de noms que de formes différentes et constitue à lui seul un panthéon.

AVALON. ♦ Péninsule du S.-E. de Terre-Neuve, à laquelle elle est rattachée par l'*isthme d'Avalon*. Saint John's (Saint-Jean), capitale de la prov. de Terre*-Neuve, se trouve au N.-E. de cette péninsule.

AVALOS (Fernando Francisco de Avalos, *marquis de* **Pescara).** ♦ Général espagnol d'origine italienne (Naples, 1490 – Milan, 1525). Il servit Charles Quint avec fidélité et éclat. Prisonnier à Ravenne (1512), il s'empara ensuite de Padoue (1513), avant de remporter la victoire de La Bicoque* (1522) et s'illustra à Pavie* (1525). Il avait épousé Vittoria Colonna*. ♦ ALFONSO DE AVALOS, *marquis del Vasto*, en fr. *du Guast* (Ischia, 1502 – Vigevano, 1546). Gouverneur du Milanais, il fut vaincu à Cérisoles* (1544).

Avare (L'). ♦ Comédie de Molière* en cinq actes et en prose (1668), inspirée de Plaute* (L'Aululaire*). Bourgeois riche et avare, Harpagon impose à ses domestiques et à ses propres enfants des conditions d'existence indignes. Mauvais maître et mauvais père, il est aussi amoureux, mais se montre fermement résolu à épouser à moindres frais la jeune Mariane. Sa fureur éclate quand il découvre un rival en son fils Cléante. Habilement machiné par son valet La Flèche, le vol d'une cassette de dix mille écus déclenche chez Harpagon un véritable accès de folie. Riche en péripéties et en personnages fortement construits, la comédie s'achève par une réconciliation générale et le retour de l'avare à ses seules amours, sa « chère cassette ». **V. Harpagon.**

AVARICUM. ♦ Nom de Bourges* à l'époque gallo-romaine. Cap. des *Bituriges* Cubi*.

AVARS. *n. m. pl.* ♦ L'une des tribus proto-mongoles appartenant à la confédération des Juan*-Juan (ou Jouan-Jouan). Ayant émigré d'Asie centrale vers l'Ouest, ils atteignirent la Russie du Sud vers le milieu du VIe s., envahirent la Hongrie où ils détruisirent le royaume des Gépides (567 ?). Leur empire, qui contrôlait une partie de la Hongrie (Pannonie) et de l'Autriche actuelles, attaqua la Bavière, l'Illyrie et tenta des raids vers Constantinople. Ils furent contenus par les Bulgares, puis réduits par Charlemagne (791-796). Leur puissance politique disparut au IXe siècle.

AVARUA. ♦ Centre administratif des îles Cook*, dans l'île de Rarotonga.

Avatâra. *n. m.* (mot sanskrit, « Incarnation brâhmanique d'une divinité », naissance par transformation de cette divinité afin de réaliser une tâche terrestre destinée à sauver les êtres humains d'un péril. Cf. Avatar *in* Robert. ♦ Les *avatâra* des divinités sont au nombre de 29 (ou de 39 selon certaines sources), mais on désigne généralement par ce terme les dix *avatâra* de Viṣnu* les plus connus et les plus souvent représentés : en tortue, en poisson, en

Arch. Smeets

Avalokiteśvara, art cinghalais du XIIe s. Monastère de Jevatana, Polonnaruva, Ceylan.

Ph. Giraudon

Grandménil dans le rôle d'Harpagon, de l'**Avare** de Molière. Gravure fse. (Bibl. de l'Arsenal).

Arch. Smeets

H. Avercamp : scène d'hiver. (Musée Wallraf-Richartz, Cologne.)

sanglier, en homme-lion, en nain, en ascète armé d'une hache, le Râma du *Râmâyana,* en tant que Krișna, en Balarâma et enfin, incarnation à venir, en Kalki ou homme-cheval. D'autres textes attribuent à Vișnu 32 *avatâra.* En réalité, le nombre de ceux-ci est théoriquement incalculable.

AVAUX (Claude de Mesmes, *comte d'***).** ♦ Diplomate français (1595 – Paris, 1650). Il fut avec Servien* un des principaux négociateurs du traité de Westphalie*.

AVED (Jacques André Joseph). ♦ Peintre français d'origine flamande (Douai, 1702 – Paris, 1766). Formé à Amsterdam et admirateur de Rembrandt*, il entra en 1724 dans l'atelier de Simon Belle à Paris, se lia avec Boucher* et Carle Van* Loo, puis devint l'ami de Chardin*. Auteur de portraits d'apparat *(L'Ambassadeur de Turquie),* il devint surtout le portraitiste de la bourgeoisie et des milieux artistiques *(J.-J. Rousseau*).* Son goût pour les effets d'éclairage et une gamme de tonalités chaudes semble dériver de la tradition flamande, mais il partage avec ses contemporains une tendance à la vérité individuelle et à l'expression passagère *(Mme Crozat à son métier).*

AVEIRO. ♦ V. et port du Portugal (Beira*), ch.-l. de district au S. de Porto*, sur une *« ria »* formée par l'embouchure de la Vouga. 24 000 hab. Le district compte 547 000 hab. Pêche à la morue. Salines. Céramique.

AVELINE (Albert). ♦ Danseur et chorégraphe français (Paris, 1883 – *id.,* 1968). Premier danseur, partenaire de Carlotta Zambelli, il est l'auteur de plusieurs ballets demeurés au répertoire de l'Opéra (*La Grisi,* 1935, *Elvire,* 1937, *Le Festin de l'araignée,* 1939). Il fut directeur de l'École de danse de l'Opéra (1934-1955).

AVELLANEDA. ♦ V. indus. d'Argentine, dans les faubourgs de Buenos* Aires, sur le río de La* Plata. 330 000 hab. Raffineries de pétrole. Indus. textiles et chimiques. Chantiers navals.

AVELLINO. ♦ V. d'Italie méridionale, en Campanie, ch.-l. de la prov. du même nom. 47 100 hab. Évêché. Cathédrale fondée au XIIe s., mais reconstruite au XIXe siècle. Centre agricole et commercial. – Patrie du général Umberto Nobile*. – La *province d'Avellino* a 2 802 km^2 et 427 200 habitants.

AVEMPACE. ♦ **V.** IBN BÂDJDJA.

AVENARIUS (Richard). ♦ Philosophe allemand (Paris, 1843 – Zurich, 1896). Il fut avec E. Mach* le fondateur de l'empirio-criticisme. Basée chez lui sur des considérations biologiques, cette théorie de la connaissance se caractérise par le refus de la dualité et de l'opposition du psychique (subjectif) et du physique (objectif) et tente de montrer leur coordination dans l'expérience (*Critique de l'expérience pure,* 1888-1890). Empiriste et idéaliste, cette doctrine fut critiquée par Lénine dans *Matérialisme* et Empirio-Criticisme* (1909).

AVENAY-VAL-D'OR. ♦ Comm. de la Marne, arr. de Reims, sur la Livre. 1 065 hab. Église (XIIIe, XVe s). Château du Breuil. – Patrie de Paulin et Gaston Paris*.

Avenir (l'). ♦ Quotidien parisien fondé le 16 octobre 1830 par Gerbet, Lacordaire*, Lamennais* et Montalembert*. Principal organe du catholicisme libéral, hostile à la politique d'alliance de l'Église et de l'État qu'avait pratiquée le régime de la Restauration (1814-1830), il fut suspendu le 15 novembre 1831 et ses thèses furent condamnées par l'encyclique *Mirari vos* de 1832. **V. Grégoire XVI.**

Avenir de la science (l'), ou **Pensées de 1848.** ♦ Œuvre d'Ernest Renan*, écrite en 1848 et publiée en 1890.

AVENTIN *(mont),* en lat. **Aventinus Mons.** ♦ Une des sept collines de Rome, la plus méridionale de la ville, située entre le Tibre, le Coelius* et le Palatin. Ancus* Martius y aurait fait déporter les Latins vaincus. Une partie de la plèbe révoltée contre le patriciat s'y retira en ~ 494 et ~ 450 (l'expression *se retirer sur l'Aventin* est restée proverbiale).

Aventures de Simplicius Simplicissimus (Les). ♦ Roman « baroque » de H.J.C. Grimmelshausen* dont la première édition parut en 1668-1669. Évocation à la fois autobiographique et historique de l'Allemagne de la guerre de Trente Ans.

AVENZOAR (Aboû Marwân ibn Zuhr, connu sous le nom d'**).** ♦ Médecin et philosophe arabe (Peñaflor, Andalousie, 1073 – 1162), il fut le maître d'Averroès*.

AVERCAMP (Hendrik). ♦ Peintre et dessinateur hollandais (Amsterdam, 1585 – Kampen, 1634). Surnommé le Muet de Kampen, il subit l'influence du paysagiste G. Van Coninxloo et surtout celle des paysages d'hiver et des compositions à multiples personnages de P. Bruegel* le Vieux. Avec un esprit miniaturiste et dans un style archaïsant, il traita avec prédilection les paysages glacés des polders hollandais sur lesquels évoluent avec vivacité d'élégants petits personnages. Coloriste délicat, il exalte avec quelques touches de couleurs vives l'atmosphère aux gris argentés ou rosés dans laquelle baignent ses paysages *(L'Hiver; Les Plaisirs du patinage).*

AVERESCU (Alexandre). ♦ Maréchal et homme politique roumain (Ismaïl, 1859 – Bucarest, 1938). Ministre de la Guerre, il réprima une révolte paysanne (1907). Il fut un des commandants de la Première Guerre mondiale et fut deux fois chef de gouvernement (1920-1921 et 1926).

AVERNE *(lac d'),* en lat. **lacus Avernus,** auj. **Averno.** ♦ Lac d'Italie en Campanie, près de Naples*. Les Anciens y plaçaient l'entrée des Enfers en raison des marais aux exhalaisons sulfureuses qui l'entouraient. Virgile* l'a décrit dans l'*Énéide*, ainsi que l'antre de la sibylle de Cumes*, situé dans le voisinage.

AVERROÈS (Abû al-Walîd Muhammad ibn Ahmâd ibn Muhammad ibn Rushd, connu sous le nom d'). ♦ Philosophe arabe (Cordoue, 1126 – Marrakech, 1198). Après des études complètes (disciplines islamiques, sciences et philosophie), il devint câdî de Séville puis de Cordoue, voyageant fréquemment entre l'Espagne et le Maroc. Ses positions philosophiques lui valurent les attaques des théologiens « littéralistes ». En effet, si ses œuvres se composent de commentaires d'Aristote*, il en développa surtout les aspects matérialistes et rationalistes. On lui a même attribué la doctrine de la « double vérité » (selon laquelle il peut y avoir distinction et même opposition entre les vérités rationnelles et révélées). On lui doit aussi *Tahâfut al-Tahâfut* (« Incohérence de l'incohérence ») qui est une réponse critique à un ouvrage de Ghâzâlî*. Sa philosophie (averroïsme) fut enseignée à l'Université de Paris par Siger* de Brabant, puis critiquée par saint Thomas* d'Aquin et condamnée par l'Église en 1240 et en 1513 par Léon* X.

AVERSA. ♦ V. d'Italie, en Campanie (prov. de Caserte). 39 860 hab. Évêché. Cathédrale du XIe s. reconstruite au XVIIIe siècle. Centre agricole. Patrie des compositeurs Cimarosa* et Jommelli*.

AVESNES-LÈS-AUBERT [avɛn]. ♦ Comm. du Nord (arr. de Cambrai). 4 355 hab. Église (clocher XVIe s.). Indus. textile (mouchoirs).

AVESNES-SUR-HELPE. ♦ Sous-préf. du Nord*, ch.-l. d'arr. (12 cant., 151 comm., 249 880 hab.), sur l'Helpe. 6 936 hab. *(Avesnois).* Ville pittoresque, au centre d'une agréable région, l'*Avesnois*. Anc. place fortifiée par Vauban; église (XIIIe et XVIe s.). Filature de laine, meubles, imprimerie. – Patrie de Prisse* d'Avennes.

Avesta. *n. m.* ♦ Recueil des textes sacrés de la religion mazdéenne (Iran antique), écrit en langue *avestique* ou *zend*. Le texte original en aurait été détruit lors de la conquête d'Alexandre le Grand et reconstitué, sur la tradition orale, à l'époque sassanide (IIIe-IVe s.; **V. Shâhpuhr II**); il aurait alors formé 21 livres. Le texte qu'Anquetil-Duperron recueillit chez les Parsis* en 1758 et qu'on possède aujourd'hui en représente peut-être le quart. La partie la plus ancienne est formée par les *gâthâ*, strophes traditionnellement attribuées à Zarathoustra* et où le prophète interroge et prie Ahura* Mazdâ; ces *gâthâ* sont réparties dans le livre du *Yasna* (« sacrifice »). La suite, en dialecte plus récent, comporte plusieurs livres dont les Yasht, hymnes à d'anciennes divinités réintroduites dans le zoroastrisme postérieur et formant avec d'autres textes le *Petit Avesta*. – Une partie du texte fut étudiée et traduite par E. Burnouf.

AVEYRON. *n. m.* ♦ Riv. de France (250 km), affl. du Tarn*. Née dans le causse de Séverac*, à 2 km au S. de Séverac*-le-Château (Aveyron), au N. du Lévezou*, elle traverse le dép. de l'Aveyron*, arrose Rodez* et Villefranche*-de-Rouergue, pénètre dans le dép. de Tarn*-et-Garonne et se jette dans le Tarn* en aval de Montauban*.

AVEYRON [12]. Dép. du S. du Massif* central, région (anciennement C.A.R.) Midi*-Pyrénées, formé par le Rouergue* et une petite partie du Quercy*, aux confins du dép. du Lot*. 8 771 km². – *Orogr.* Au N., les monts volcaniques de l'Aubrac*, les plateaux cristallins de la Viadène entaillés en gorges par les vallées du Lot* et de la Truyère*. Au S. de l'Aveyron* (riv.), le Ségala*, composé de roches primaires et cristallines entaillées par la vallée de l'Aveyron. À l'E., le plateau de Lévezou* (1 090 m) et les Grands Causses* (Causse Noir et Causse de Larzac*). ♦ (43 cant. 306 comm. 293 328 hab.). *Préf.* Rodez*. *Sous-préf.* Millau*, Villefranche*-de-Rouergue. *Ch.-l. de cant.* Aubin*, Belmont-sur-Rance, 1 014 hab.; Bozouls, 1 701 hab., Camarès*, Campagnac, 544 hab.; Capdenac*-Gare, Cassagnes-Bégonhès, 1 284 hab.; Conques*, Cornus, 513 hab.; Decazeville*, Entraygues-sur-Truyère, 1 563 hab.; Espalion*, Estaing, 737 hab.; Laguiole, 1 344 hab.; Laissac, 1 275 hab.; Marcillac-Vallon, 1 505 hab.; Montbazens, 1 171 hab.; Mur-de-Barrez, 1 540 hab.; Najac, 1 029 hab.; Nant, 1 016 hab.; Naucelle, 2 459 hab.; Peyreleau, 95 hab.; Pont-de-Salars, 1 496 hab.; Requista, 2 904 hab.; Rieupeyroux*, Rignac, 1 907 hab.; Saint*-Affrique, Saint-Amans-des-Cots, 1 020 hab.; Saint-Beauzely, 439 hab.; Saint-Chély-d'Aubrac, 728 hab.; Sainte-Geneviève-sur-Argence, 1 145 hab.; Saint-Geniez*-d'Olt, Saint-Rome-de-Tarn, 729 hab.; Saint-Sernin-sur-Rance, 716 hab.; Salles-Curan, 1 579 hab., Salvetat-Payralès (La), 1 676 hab.; Sauveterre-de-Rouergue, 964 hab.; Séverac*-le-Château, Vézins-de-Lévezou, 1 013 hab.; Villeneuve, 1 480 hab. *Autres comm.* **V. Cavalerie (La), Cransac, Graufesenque (La), Roquefort-sur-Soulzon, Viviez.** Site naturel de Montpellier-le-Vieux.

AVICEBRON (Salomon ibn Gabirol ou **Gebirol**, connu sous le nom d'). ♦ Philosophe juif (Málaga, v. 1020 – Valence, v. 1058). Sa philosophie mystique, d'inspiration néo-platonicienne nous est connue par son œuvre *Source de Vie (Fons Vitae)* écrite primitivement en arabe et traduite en latin par Dominique Gondissalvi* au XIIIe siècle.

AVICENNE (Abû 'Alî Husayn ibn Abdallâh Ibn Sinâ, connu sous le nom d'). ♦ Médecin, philosophe et mystique arabo-islamique [d'origine iranienne] (Afshana, près de Boukhara, 980 – Hamadhan, 1037). Il fut l'élève de Fârâbi*. Plusieurs de ses traités nous sont parvenus. Son *Canon de la médecine* (abrégé en vers dans le *Poème de la médecine)* fut longtemps la base des études médicales tant en Orient qu'en Occident. Ses œuvres philosophiques *(Livre de la Guérison – Al-Shifa)* témoignent d'un aristotélisme d'inspiration souvent néo-platonicienne. Sa *Philosophie orientale* (ou illuminative), dont il ne reste que des esquisses et fragments, et ses trois *Récits mystiques* influencèrent Sohrawardi*.

AVIGNON. ♦ Préf. du Vaucluse*, ch.-l. d'arr. (8 cant., 37 comm., 213 866 hab.) sur le Rhône* et à 4 km au N. du confluent de la Durance* et du Rhône. 88 958 hab. *(Avignonnais).* C'est une ville d'art, entourée de remparts du XVIIe siècle. Le palais des Papes, forteresse et palais, est un spécimen de l'architecture gothique du XIVe s., que firent construire Benoît XII, Clément VI, Innocent VI. Cathédrale romane Notre-Dame des Doms, sur la colline des Doms. Église Saint-Pierre (XIVe au XVIe s.), église Saint-Agricol (XIVe s.), église Saint-Didier (XIVe s.). Pont Saint-Bénezet, dit *pont d'Avignon*, du XIIe s., restauré au XIIIe s., et dont il ne reste que trois arches depuis le XVIIe siècle. Nombreux musées. Archevêché. – Grand marché de fruits, de légumes, de vins. Indus. alimentaires (biscuiteries, conserveries), indus. chimiques, indus. métallurgique (constructions mécaniques, cycles), mécanique de précision; textiles, papeterie, imprimerie. Tourisme très développé; festival d'Avignon. – Patrie de Th. Aubanel*, de Y. Delage*, de Mme Favart*, de A. Le* Moiturier, de saint Maïeul* ou Mayol, O. Messiaen*, J.-J. Mouret*, P. Parrocel*, A. Trial*, J. Vernet*, J.-A. Viala*. ♦ *Hist.* Ville gauloise, à l'origine comptoir des Massaliotes, Avignon devint colonie romaine sous Auguste *(Avenio)*, puis fit partie de la province viennoise. Vainement assiégée par Clovis* (500), elle passa néanmoins sous domination franque en 536. Ayant fait alliance avec les Sarrasins, elle fut saccagée par Charles Martel (736 et 737). Elle appartint plus tard successivement au royaume d'Arles*, aux comtes de Provence* et de Toulouse*. Lors de la croisade contre les Albigeois, ses habitants persécutèrent les catholiques; Louis VIII mit le siège devant la ville qui capitula en 1226. Les troubles d'Italie et l'influence de Philippe IV le Bel amenèrent la papauté à s'installer en Avignon, acte que les papes, après le retour à Rome, considérèrent comme une « seconde captivité de Babylone ». En 1348, Clément* VI acquit la ville de Jeanne* Ire de Naples, comtesse de Provence. En soixante-huit ans, sept papes se succédèrent à Avignon : Clément V, Jean* XXII, Benoît* XII, Clément VI, Innocent* VI, Urbain* V et Grégoire* XI. Ce dernier ramena la papauté à Rome (1377), sur les instances de sainte Catherine* de Sienne. À la suite

Arch. Rencontre

Avignon : le palais des Papes.

Ph. Rémy

Avignon : le pont Saint-Bénezet.

Ph. Hétier

Ávila : vue générale ; l'enceinte.

du schisme* d'Occident, Avignon devint le siège des anti*-papes, Clément* VII et Benoît* XIII (Pedro de Luna). La papauté gouverna la ville jusqu'à la Révolution par l'intermédiaire de légats (parmi lesquels Pierre d'Ailly* sous Martin V). Dès le début de la Révolution française (1789), la ville s'opposa à l'autorité du pape et le 12 juin 1790 vota son annexion à la France ; celle-ci fut confirmée par le décret du 14 septembre 1791 et par le traité de Tolentino* (1797).

ÁVILA. ♦ V. d'Espagne (Vieille-Castille), ch.-l. de la prov. du même nom, sur l'Adaja, affl. du Douro, à 1 121 m d'altitude. 29 300 hab. Siège épiscopal. Ávila a été surnommée « ville des saints et des pierres » à cause de son aspect mystique et sévère. Organisée autour d'une enceinte du XIIe s., la ville possède de nombreuses églises anciennes : l'église romane San Pedro (XIIe s.) achevée au XIIIe s. en gothique, San Vicente (XIIe-XVe s.), la plus belle, abritant les tombeaux de saint Vincent et de ses sœurs, l'église gothique Santo Tomás, la chapelle Renaissance de Mosén Rubí de Bracamonte et les couvents de Santa Teresa (1638) et de la Encarnación (1499). La cathédrale (XIIe-XIIIe s.) allie le roman au gothique. — Centre d'indus. mécaniques (usines Alfa Romeo). — Patrie de sainte Thérèse* et du compositeur Tomás Luis de Victoria. — La *province d'Ávila* (8 048 km², 253 000 hab.) est surtout agricole.

AVILER (Charles D'). ♦ **V. DAVILER.**

AVILÉS. ♦ V. du N. de l'Espagne, dans les Asturies (prov. d'Oviedo), au fond d'une *ria* du golfe de Biscaye. 90 750 hab. C'est un port important et le plus grand centre sidérurgique de la péninsule Ibérique.

AVION. ♦ Comm. du Pas-de-Calais (arr. d'Arras) dans l'aggl. de Lens. 22 422 hab. — Mines de charbon. Brasserie.

AVIOTH. ♦ Comm. de la Meuse, arr. de Verdun. 152 hab. Église gothique Notre-Dame du Luxembourg (XIVe s.).

AVIT *(saint)*, en latin **Alciminius Ecdicius Avitus.** ♦ Prélat gallo-romain (prov. d'Auvergne, v. 450 — Vienne, Dauphiné, v. 518). Évêque de Vienne v. 494, il convertit au catholicisme Sigismond, roi des Burgondes, jusqu'alors arien. Fête le 5 février.

AVITUS, en lat. **Eparchius Avitus.** ♦ (mort après 456). Empereur romain d'Occident (455-456). Successeur de Maxime* Pétrone, il ne fut pas reconnu par l'empereur d'Orient et fut vaincu par Ricimer*.

AVIZ. ♦ V. du Portugal (Province de Portalegre). — *L'ordre d'Aviz*, ordre de chevalerie fondé en 1145 pour lutter contre les Maures, par Alphonse Ier. — *Dynastie d'Aviz*, nom de la deuxième dynastie des rois du Portugal, qui régna de 1385 à 1580 ; elle doit ce nom à son chef Jean Ier, qui était grand maître de l'ordre d'Aviz à son avènement. **V. Jean Ier, Édouard Ier, Alphonse V, Jean II, Manuel Ier, Jean III, Sébastien, Henri** (le Cardinal).

AVIZE. ♦ Ch.-l. de cant. de la Marne, arr. d'Épernay. 2 194 hab. *(Aviçois)*. Église (XIIe, XVe s.). — École de viticulture ; vignobles renommés.

AVNERY (Uri). ♦ Homme politique israélien (en Allemagne, 1923 —). Venu en Palestine en 1933, il fut membre de l'Irgoun, et fut blessé lors de la première guerre israélo-arabe (1948). Après avoir défendu dès 1947 l'idée d'une Fédération sémitique groupant les peuples du Moyen-Orient, il devait fonder le journal et le parti politique *Forces-Nouvelles (Haolam Hazeh)* qu'il représente à la Knesset. Ce parti a pris la défense du nationalisme arabe et s'est fait le champion de la « désionisation » de l'État d'Israël qui doit devenir, selon lui, « un État pluraliste moderne qui ne fasse pas de discrimination entre Hébreux, Arabes ou autres habitants » *(Israël sans sionisme)*.

AVOGADRO (Amedeo DI QUAREGNA E CERETTO, *comte***).** ♦ Chimiste italien (Turin, 1776 — *id.*, 1856). Ayant interprété les lois des rapports volumétriques de Gay*-Lussac par la théorie moléculaire, il formula l'hypothèse selon laquelle des volumes égaux de gaz différents contiennent le même nombre de molécules (*hypothèse d'Avogadro*, 1811). — *Loi d'Avogadro :* loi selon laquelle la masse molaire M et la densité d d'un corps gazeux sont reliées par la formule : $M = 29\ d$. *Nombre d'Avogadro :* nombre N de molécules contenues dans une molécule-gramme (mole) : $N = 6{,}023.10^{23}$. — **V. Cannizzaro.**

AVOINE. ♦ Commune d'Indre-et-Loire. 1 212 hab. près de Chinon. Centrale électrique à énergie nucléaire utilisant la filière uranium naturel-graphite (610 000 kW en trois unités de production indépendantes).

AVON. *n. m.* ♦ Nom de plusieurs cours d'eau d'Angleterre. ♦ L'AVON ORIENTAL ou AVON du HAMPSHIRE (89 km), né dans les White Horse Hills, arrose Salisbury* et se jette dans la Manche. ♦ L'AVON INFÉRIEUR ou AVON de BRISTOL (139 km), issu des Cotswold Hills, arrose Bath* et Bristol* et se jette dans l'estuaire de la Severn. ♦ L'AVON SUPÉRIEUR ou AVON du WARWICKSHIRE (177 km), né dans le Northamptonshire, arrose Rugby*, Leamington, Warwick*, Stratford* upon Avon (V. natale de Shakespeare), Evesham et rejoint la Severn en aval de Gloucester.

AVON. ♦ Comm. de la Seine-et-Marne, arr. de Melun, faubourg de Fontainebleau*. 13 844 hab. *(Avonnais)*. Église (XIIe-XVIIIe siècle). — Fabrique de meubles.

AVORD. ♦ Comm. du Cher, arr. de Bourges. 3 095 hab. (1 629 aggl.). Camp militaire.

AVORIAZ. ♦ Station de sports d'hiver en Haute-Savoie, dépendant de la comm. de Morzine*. Station très en vogue, ouverte en hiver 1966, représentant une tentative d'architecture mimétique réalisée par J. Labro. Alt. 1 800-2 400 m.

Avoué du Saint-Sépulcre. ♦ Titre décerné à Godefroy* de Bouillon après la prise de Jérusalem par les croisés.

AVRANCHES. ♦ Sous-préf. de la Manche*, ch.-l. d'arr. (16 cant., 186 comm., 128 372 hab.), près de l'estuaire de la Sée. 11 102 hab. [9 751 aggl.] *(Avranchins)*. Ancien palais des Évêques, dont le musée abrite les manuscrits du Mont-Saint-Michel (VIIIe-XVIe s.). — Indus. alimentaires (biscuiterie). ♦ *Hist.* Siège d'un évêché dès le VIe s., Avranches fut un centre intellectuel au XIe siècle. Henri* II d'Angleterre y fit amende honorable pour le meurtre de Thomas* Becket en 1172. La ville souffrit beaucoup de la guerre de Cent Ans et des guerres de religion. — Le 31 juill. 1944, la *percée d'Avranches*, réalisée à l'aile gauche du front allemand par les chars blindés du général Patton* commandant la 3e armée américaine, fut le point de départ de la grande offensive alliée vers Paris.

AVRE. ♦ Riv. de France (72 km) qui prend sa source dans le S.-O. de la forêt du Perche* près de Tourouvre*, arrose Verneuil*-sur-Avre et Nonancourt* avant de se jeter dans l'Eure* près de Dreux*. Ses eaux captées près de Verneuil sont transportées à Paris par l'*aqueduc de l'Avre* (134 km).

AVRE. ♦ Riv. du Bassin parisien (59 km), affl. r. g. de la Somme.

Avril 1834 (journées d'). ♦ Insurrection contre la monarchie de Juillet, organisée par les corporations mutuellistes d'ouvriers et la Société des Droits de l'Homme. Elle se déroula à Lyon (9 au 12 avril), puis à Paris (13 avril). Thiers*, ministre de l'Intérieur, fit appel à l'armée pour réprimer le mouvement révolutionnaire. Sous le commandement du général Bugeaud*, les soldats massacrèrent de nombreux sectionnaires rue Transnonain à Paris (14 avril).

Avril 1848 (journée du 16). ♦ Manifestation ouvrière fomentée par les clubs socialistes après la révolution de 1848. Trop peu organisée, elle fut rapidement réprimée par le gouvernement provisoire qui fit appel à la Garde nationale et à la Garde mobile.

AVVAKOUM [*Avvakum*]. ♦ Archiprêtre et écrivain russe (Grigorovo, 1620 – Poustozersk, 1682). Il fut le chef des premiers « raskolniki » (vieux-croyants) qui s'opposèrent aux réformes du patriarche Nikon*. Son autobiographie, *Vie d'Avvakoum par lui-même,* est une œuvre riche et émouvante où la langue populaire se mêle à l'éloquence.

AWAJI. ♦ Petite île de la mer intérieure du Japon, commandant l'entrée de la baie d'Ôsaka, peuplée d'env. 200 000 hab. Culture du riz et industrie de la faïence.

AXAT. ♦ Ch.-l. de cant. de l'Aude* (arr. de Limoux*), sur l'Aude*. 1 016 hab., à la lisière des forêts du pays de Sault (scieries). Usine hydro-électrique. À proximité, le défilé de Saint-Georges.

Axe. *n. m.* (L'axe Rome-Berlin). ♦ Nom donné par Mussolini, le 1er nov. 1936, au protocole d'amitié germano-italienne signé en octobre par le comte Ciano* et Hitler. Une alliance offensive (pacte* d'acier) le confirma en mai 1939.

Axël. ♦ Poème dramatique en prose (1890) de Villiers* de l'Isle-Adam. Les titres des quatre parties désignent les épreuves successives que les héros, Sara de Maupers et Axël d'Auersperg, traversent dans leur ascension vers l'absolu, le « monde astral ». Tandis que Sara refuse la foi *(Le Monde religieux),* Axël rejette le savoir, puis la richesse *(Le Monde tragique).* Envahi, un moment, par le désir de vivre, de connaître la réalité *(Le Monde occulte),* Axël, devant Sara, connaît la tentation d'aimer, de souffrir « du mal des humains » *(Le Monde passionnel).* Pourtant, au terme d'une nuit d'amour, il invite Sara à la mort qui peut préserver la plénitude de leur possession (« La seule fièvre dont il faille nous guérir est celle d'exister »). Ce drame où s'affirme et s'exalte l'idéalisme de Villiers de l'Isle-Adam, fut publié par les soins de Mallarmé* et de Huysmans*, et représenté en 1894.

AXELROD (Pavel Borissovitch). ♦ Homme politique russe (1850 – 1925 ou 1928). Il fit partie avec Plekhanov* et V. Zassoulitch* du groupe « Libération du travail » qui propagea le marxisme en Russie. Avec eux et Lénine*, il participa à la création de *l'Iskra.* Au IIe congrès du parti ouvrier social-démocrate russe (1903), il se rallia à la fraction menchevique (dirigée par Martov), se déclara contre la révolution socialiste d'octobre 1917 et émigra.

AXELROD (Julius). ♦ Biochimiste américain (New York, 1912 –). Il obtint le prix Nobel de méd. (1970) avec U. von Euler* et B. Katz* pour ses recherches sur la transmission de l'influx nerveux.

AX-LES-THERMES. ♦ Ch.-l. de cant. de l'Ariège*, arr. de Foix*, sur l'Ariège. 1 688 hab. *(Axéens).* Station thermale dont les eaux sulfurées sodiques sont employées contre les rhumatismes, l'arthrose, les maladies respiratoires. Centre d'excursions, à 702 m d'alt.

AXOUM. ♦ V. AKSOUM.

AY ou **AŸ** [ai]. ♦ Ch.-l. de cant. de la Marne, arr. de Reims, sur la Marne, au centre d'un des vignobles les plus réputés de la Champagne. 4 884 hab. *(Agéens).* Église (XVe-XVIe s.; endommagée en 1940); maisons anciennes. – Production de champagne.

AYACUCHO. ♦ V. du Pérou, au S.-E. de Lima. 27 000 hab. Indus. textiles. Exploitations de plomb et d'argent. ♦ *Hist.* Fondée par Pizarro en 1539, et d'abord appelée Hucimanga, elle vit la victoire décisive du général Sucre* sur les Espagnols (1824), qui assura l'indépendance de l'Amérique du Sud.

AYDAT *(lac d')* [ɛda]. ♦ Lac d'Auvergne, non loin de Clermont*-Ferrand, à 825 m d'alt. (superf. 60 ha). – La comm. d'Aydat (810 hab.) est un petit centre touristique.

AYDIN. ♦ V. de Turquie, en Asie Mineure, dans la vallée du Buyuk Menderes (l'anc. Méandre). Ch.-l. de province, important centre commercial. 43 480 hab. Vestiges de l'antique Tralles. – *Province (il) d'Aydin :* 8 071 km². 524 920 hab. ♦ *Hist.* L'anc. *Tralles,* ville de Lydie*, fondée peut-être par des colons argiens ou thraces, fut prise par les Perses au ~ VIe siècle. Après la conquête

Arch. Rencontre

Les journées d'Avril 1834,
évocation du massacre de la rue Transnonain, par Daumier.

Ph. Gilbert Martin

Le lac d'**Aydat** et le puy de Dôme.

d'Alexandre, échue en partage aux Séleucides, elle prit le nom de *Séleucie* sur le Méandre *(Seleukia).* Elle fit ensuite partie du royaume de Pergame (~ IIIe s.) et passa aux Romains (~ 133). Détruite par un tremblement de terre en ~ 27, elle fut reconstruite par Auguste et prit en son honneur le nom de *Césarée (Kaisareia).* Siège d'un évêché important sous les Byzantins, elle fut prise par les Seldjoukides (*fin* du XIIe s.) et par les Ottomans en 1389.

AYGALADES (Les). ♦ Agglomération de la banlieue de Marseille, au pied du massif de l'Étoile*. Elle tient son nom de la rivière côtière qui la traverse. – Patrie de Méry*.

AYLESBURY. ♦ V. d'Angleterre méridionale et ch.-l. du Buckinghamshire, au N. des Chiltern Hills, dans une riche région agricole. 27 925 hab. Maisons du XVe siècle. Laiteries, élevage de canards, imprimerie, indus. mécaniques et alimentaires. – Aux environs, *Hartwell House,* où Louis XVIII, alors comte de Provence, résida de 1808 à 1814.

AYLMER (Matthew Whitworth, *lord***).** ♦ Haut fonctionnaire anglais (1775 – 1850). Nommé gouverneur général du Canada en 1830, il fut jugé trop favorable aux Canadiens français et se vit rappeler à Londres en 1835. – Une localité du Québec (6 300 hab.), près de Hull*, porte son nom.

Coll. Éditions Gallimard

Marcel Aymé.

AYMARAS. *n. m. pl.* ♦ Indiens du Pérou et de Bolivie (région du lac Titicaca). Ils furent les fondateurs de Tiahuanaco*, et leur civilisation connut son apogée au XIe siècle. Elle se caractérisait par une architecture grandiose. Vaincus par les Incas*, puis par les Espagnols (XVIe s.), ils ont conservé leur langue et leurs traditions, et restent de remarquables artisans.

AYMARD (André). ♦ Historien français (Saint-Denis, 1900 – Oradour-sur-Glane, 1964). Il s'est consacré à des recherches sur la civilisation hellénistique. (*L'Orient et la Grèce antique,* 1953; *Rome et son Empire,* 1954, avec Auboyer).

AYMÉ (Marcel). ♦ Écrivain français (Joigny, 1902 – Paris, 1967). Après une enfance campagnarde, il vint à Paris (1925), exerça divers métiers et fut journaliste. Après le succès d'un récit où la sexualité est source d'un comique satirique, *La Jument verte* (1933), il put se consacrer à la littérature. Peinture de mœurs, savoureuse et volontiers satirique, l'œuvre romanesque de M. Aymé est souvent le constat désabusé d'un monde médiocre où domine une « vigilante hypocrisie... trop consciente pour qu'on la puisse habiller du nom honorable de conformisme ». Ce pessimisme discret apparaît dans *Travelingue* (1941) et surtout *Le Chemin des écoliers* (1946), *Uranus* (1948), *Le Vin de Paris* (1947), témoignages ironiques sur la période de l'occupation et de la Libération. Pour pallier l'ennui du monde moderne, Marcel Aymé recourt à l'émerveillement : personnages pittoresques et désopilants (*Le*

Ph. Simion/Ricciarini
Ayuthyâ, temple.

Bœuf clandestin, 1939; *La Table-aux-crevés,* 1929), rapports familiers entre le réel et l'imaginaire (*La Vouivre,* 1943), verve ou impassibilité paradoxale du ton. Son goût du langage populaire savoureux, qu'il soit parisien ou campagnard, son art du récit bref et incisif, son sens parodique en font un des prosateurs les plus originaux de son époque. — Un réalisme fantastique colore les récits du *Passe-Muraille* (1943) et les délicieux *Contes du chat perché* (1934; augmentés en 1950 et 1958), « histoires simples, sans amour et sans argent » qui combinent, avec une naïveté savante, le merveilleux et le quotidien rustique. — Intéressé par le cinéma qui transposa souvent ses romans et ses nouvelles, Marcel Aymé a écrit également pour le théâtre : *Lucienne et le Boucher* (1932) et *Clérambard* (1950) sont de truculentes comédies de mœurs tandis que *La Tête des autres* (1952) est une satire amère de la justice bourgeoise. On lui doit deux adaptations : *Les Sorcières de Salem* (1954) et *Vu du pont* (1958) d'Arthur Miller*.

Aymeri de Narbonne (ou **Aimeri de Narbonne**). ♦ Titre d'une chanson de geste du cycle de Garin* de Monglane, attribuée à Bertrand de Bar-sur-Aube qui l'aurait composée entre 1210 et 1220. Victor Hugo* en emprunta le thème pour son *Aymerillot* de la *Légende des siècles.*

AYMON (Les Quatre Fils). ♦ **V.** QUATRE FILS AYMON (Les).

AYODHYÂ. ♦ Anc. cité indienne et cap. de l'anc. État du Koṡala, plus connue sous le nom d'Oudh (Inde du Nord, Uttar* Pradesh) qui fut aux XVIIIe et XIXe s. un royaume indépendant. La tradition rapporte que cette cité aurait été fondée par Manu*. Elle est également associée à la légende du *Râmâyana,* Râma en ayant été un des souverains. Au VIIe s., elle fut le siège d'un important monastère bouddhique. **V. Ayuthyâ.**

Arch. Rencontre
Azay-le-Rideau : vue aérienne.

AYOLAS (Juan Pedro *de***).** ♦ Capitaine espagnol (Briviesca, 1510 — dans le Chaco, 1538). Après avoir participé à l'exploration du Río de La Plata avec P. de Mendoza*, il fonda la ville d'Asunción (1536) et le port de Candelaria (1537); certains prétendent toutefois qu'il ne fit que les visiter. Il fut tué par les Indiens.

AYR. ♦ Port d'Écosse, sur le canal du Nord, à l'embouchure de l'Ayr. Ch.-l. du comté d'Ayrshire. 46 690 hab. (1966). — Patrie de Mac* Adam.

AYRSHIRE. *n. m.* ♦ Comté du S.-O. de l'Écosse, s'étendant sur les *Lowlands* et les *Southern Uplands,* le long du Firth of Clyde. 2 932 km². 346 080 hab. (1966). *Ch.-l.* Ayr. *V. princ.* Girvan et Kilmarnock.

AYTRÉ. ♦ Comm. de la Charente-Maritime, arr. et aggl. de La Rochelle (6 197 hab.). Église fortifiée. — Métallurgie.

AYÛB KHÂN. ♦ Émir d'Afghânistân (1880-1881), successeur de Sher Alî. Il s'opposa aux Anglais, fut battu et chassé en Perse où il demeura prisonnier. L'émir Abd ur-Rahmân, allié des Anglais, lui succéda.

AYUTHYÂ. ♦ V. de Thaïlande, au N. de Bangkok. 16 000 hab. environ. — De nombreux monuments marquent son emplacement, appartenant à un style particulier qui a pris le nom de *style d'Ayuthyâ,* et dans lequel on reconnaît au moins deux périodes principales : dans la première, les monuments et images bouddhiques sont influencés par l'art khmer; la seconde, à partir de la fin du XVe s., est plus typiquement siamoise. ♦ *Hist.* Capitale d'un royaume thaï créé en 1347 par le roi Râmadhibodhi, elle demeura la capitale du Siam jusqu'en 1767, et fut abandonnée pour Thon Buri et Bangkok. Trente-trois rois s'y succédèrent qui combattirent contre les royaumes du Nord, ceux du Laos et surtout contre les dynasties birmans. Prise plusieurs fois par ces derniers, elle fut souvent pillée et incendiée. **V. Ayodhyâ.**

AYYÛBIDES. *n. m. pl.* ♦ Dynastie musulmane qui renversa les Fâtimides* en Égypte (1171) et les atabeks zingides en Syrie. Elle fut fondée par Salâh al-Dîne al-Ayoubi (Saladin*) qui se proclama sultan sous la suzeraineté des califes 'abbâssides*. En imposant son autorité sur les territoires qui s'étendaient de la Tripolitaine au Tigre et des côtes de l'Arabie méridionale à l'Arménie, Saladin menaça les États chrétiens installés dans la région (reconquête de Jérusalem, 1187). À sa mort (1193), le sultanat fut partagé entre ses trois fils et son frère : la dynastie se divisa en quatre branches dont la principale, celle d'Égypte (1171-1250), fut destituée par les Mamelouks* bahrites. Les deux branches syriennes, celle de Damas (1186-1260) et celle d'Alep (1183-1260), furent renversées par les Mongols. Malgré l'éphémère réunification des possessions ayyûbides, réalisée par le frère de Saladin, al-Mâlik* al-Âdil (1191-1218) et la tentative de réunification entreprise par Mâlik al-Sâlih, les Ayyûbides ne surent résoudre leurs contradictions internes. Ils furent néanmoins de remarquables administrateurs et de grands bâtisseurs. Ils nouèrent un commerce fructueux avec les cités marchandes d'Italie. Enfin, en matière religieuse, ils furent des défenseurs zélés du sunnisme*.

AYYÛB KHÂN. ♦ Maréchal pâkistânais et homme politique (prov. du N.-O., 1908 — Islâmâbâd, 1974). En 1958, il fomenta un coup d'État, renversa le président Iskandar Mirzâ et prit la tête du gouvernement, imposant une dictature militaire. En 1969, il abandonna le pouvoir au général Yahiâ* Khân.

AZAMBUJA (Diego *de***).** ♦ Navigateur portugais du XVe s. qui vers 1482 atteignit la Côte-de-l'Or (en angl. Gold Coast), *auj.* Ghana.

AZAÑA Y DÍAZ (Manuel). ♦ Homme politique espagnol (Alcalá de Henares, 1880 — Montauban, 1940). Président du Conseil en 1931, il épura l'armée, engagea la lutte anticléricale. L'agitation du mouvement ouvrier anarchiste et la répression dont on le rendit responsable l'amenèrent à se retirer (1933). Acquis à la politique du Front populaire, il fut élu président de la République en 1936. En 1939, il se réfugia en France.

AZARIAS ou **OZIAS.** ♦ Roi de Juda (~ 789 — ~ 738).

AZARQUIEL. ♦ **V.** ZARQALI.

AZAY-LE-RIDEAU. ♦ Ch.-l. de cant. d'Indre-et-Loire, arr. de Chinon. 2 755 hab. (1 716 aggl.). Célèbre château édifié de 1518 à 1529 sur un îlot de l'Indre pour le financier Gilles Berthelot. Rappelant encore par sa silhouette la forteresse féodale flanquée de tours, Azay appartient à la Renaissance par le gracieux dessin de ses façades, la symétrie de son ordonnance et le fouillé de sa décoration, directement inspirée de l'Italie.

AZEGLIO (Massimo TAPARELLI, *marquis d'***).** ♦ Homme politique, peintre et auteur italien (Turin, 1798 — *id.,* 1866). Gendre de Manzoni, il exalta à travers des romans historiques la résurrection nationale italienne, autour du roi de Sardaigne **(V. Risorgimento*).** Blessé pendant la guerre contre l'Autriche (1848), il fut choisi par Victor-Emmanuel II pour former le premier cabinet après la victoire. Il promulgua avec Cavour* des réformes judiciaires et mena une politique extérieure active. Mais il entra en conflit avec ce dernier, dont il jugeait les idées trop avancées, et s'effaça devant lui en 1852. Il ne remplit plus que quelques missions diplomatiques.

AZERBAÏDJAN. *n. m.* ♦ Région de l'Asie occidentale divisée

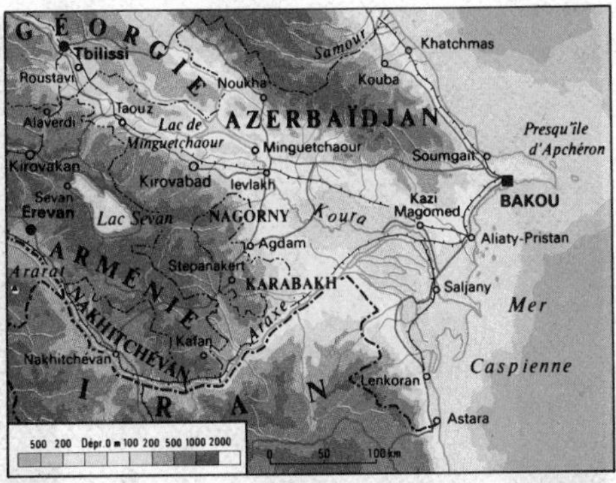

Azerbaïdjan.

Ph. Hétier

Azerbaïdjan : pétrole à Bakou sur la mer Caspienne.

entre l'U.R.S.S. et l'Iran. **(V.** *ci-dessous***).** ♦ *Hist.* Après avoir fait partie du royaume d'Urartu* (Ourartou), l'Azerbaïdjan fut intégré à la province médique de l'empire achéménide (Médie Atropatène). Au VIIIe s., il fut occupé par les Arabes et converti à l'islâm. Passée à la Perse au XVIe s., et longtemps disputée entre Turcs et Perses, la région, dont le N., occupé par les Russes en 1828, devint république socialiste soviétique en 1920, fut dans sa partie méridionale divisée en deux provinces d'Iran (1938).

AZERBAÏDJAN. ♦ Région de l'Iran*, à l'extrémité N.-O. du pays, entre l'Azerbaïdjan* soviétique au N., la Turquie* et l'Iraq* à l'O., la Caspienne* à l'est. La région est formée par un haut plateau au relief accidenté culminant au cône de Savalan (4 812 m). Elle est divisée en deux provinces : l'*Azerbaïdjan oriental* [ch.-l. Tabriz*] (73 683 km^2. 2 312 500 hab.), l'*Azerbaïdjan occidental* [ch.-l. Rezaye*] (35 381 km^2. 878 800 hab.). – Élevage ovin. Dans les vallées, culture de blé, orge, coton. Vergers.

AZERBAÏDJAN (République socialiste fédérative de l'), en russe **Azerbaidjanskaja S.S.R.** ♦ République fédérée de l'U.R.S.S. située dans la partie orientale de la Transcaucasie entre la Géorgie* au N.-O., l'Arménie* à l'O. et au S.-O., l'Iran au S. et la mer Caspienne à l'est. 86 600 km^2. 5 100 000 hab. *(Azerbaïdjanais). Cap.* Bakou*. Elle englobe à l'O. la région autonome de Nagorny* Karabakh et au S.-O. la république autonome de Nakhitchevan*. Formé dans sa partie centrale par le bassin moyen et inférieur de la Koura* qui y reçoit l'Araxe*, l'Azerbaïdjan est couvert au N. par le versant S.-E. du Grand Caucase qui se prolonge jusqu'à la mer Caspienne par la presqu'île d'Apchéron*, à l'O. par les contreforts du Petit Caucase et au S. par les monts Talych (2 477 m). — L'*économie*, essentiellement concentrée dans les bassins de la Koura et de l'Araxe et dans la presqu'île d'Apchéron, est surtout représentée par les cultures irriguées et l'indus. pétrolière. Outre l'exploitation du pétrole (4e rang en U.R.S.S.), localisée dans la presqu'île d'Apchéron, à Bakou* et dans la mer Caspienne (env. 60 % du pétrole de la rép.), l'industrie, auj. très diversifiée, assure 75 % du revenu national. L'exploitation des ressources minières (alunite, minerai de fer, cuivre), et l'implantation d'indus. métallurgiques, chimiques (fibres synthétiques, pneumatiques, engrais,...), mécaniques (outillages pour l'indus. pétrolière), textiles et alimentaires **(V. Soumgaït, Kirovabad)** dépendent en grande partie de l'aménagement hydro-électrique de la Koura **(V. Minghetchaour)** qui joue parallèlement un rôle capital pour l'irrigation et la culture cotonnière. Le tabac et surtout le coton sont les principales cultures industrielles. Les cultures fourragères, les céréales, le thé, la vigne, les vergers, les agrumes et le riz sont, avec l'élevage bovin et ovin et la pêche (esturgeon), en plein développement.

AZERGUES. *n. f.* ♦ Riv. de France qui naît dans les monts du Beaujolais*, traverse Lamure*-sur-Azergues et Anse* et se jette dans la Saône, à 6 km au S. de Villefranche-sur-Saône. 64 km.

AZHAR (al-) (« La [mosquée] splendide »). ♦ Mosquée-université du Caire, fondée par les Fâtimides* en 973. Elle fut rebâtie au XIVe siècle. Les étudiants qui la fréquentent viennent de tout le monde musulman. Elle joua un rôle très important dans l'Orient islamique et fut, pendant des siècles, l'arbitre de la pensée musulmane. On y enseignait toutes les matières, mais surtout les sciences religieuses et juridiques. Menacée au XIXe s. et au début du XXe par la concurrence des formules occidentales d'enseignement, elle sut renouveler son programme et s'engager dans la voie des réformes (1936); elle retrouve ainsi une relative importance qui manque aux autres grandes universités historiques du monde de l'Islâm (la *Zitûna* de Tunis, la *Qarawîn* de Fès,...).

AZINCOURT. ♦ Comm. du Pas-de-Calais, arr. d'Arras. 227 hab. ♦ *Hist.* Durant la guerre de Cent*-Ans, Henri* V d'Angleterre vainquit le parti français des Armagnacs* faisant de nombreux prisonniers dont le maréchal Boucicaut* et Charles d'Orléans* (1415).

Ph. René Burri/Magnum

Mosquée d'**al-Azhar** au Caire.

Arch. Rencontre
Tlaloc et Quetzalcóatl, dieux **aztèques**.

Cette victoire, suivie de la conquête de la Normandie, permit à Jean* sans Peur de rentrer dans Paris.

AZORÍN (José Martínez Ruiz, dit). ♦ Écrivain espagnol (Province d'Alicante, 1873 – Madrid, 1967). Ce fut lui qui donna son nom à la « génération de 98 », mouvement qui rassembla des écrivains soucieux du sort de l'Espagne dont ils recherchaient l'âme dans le passé lointain, dans les paysages. Après des débuts dans le journalisme où il fit figure de libéral, il écrivit *L'Âme castillane,* 1900. *Les Confessions d'un petit philosophe* et *Antonio Azorín* (1903), personnage auquel il s'assimila et dont il prit le nom. Visant avant tout la limpidité du style, Azorín essaya de saisir la vie profonde de son peuple : *La Route de Don Quichotte* (1905), *Espagne* (1909). Écrivain intimiste, il évoque avec toute sa sensibilité un pays dont il a senti les difficultés mais aussi le dynamisme latent.

AZOV. ♦ V. et port d'U.R.S.S. (R.S.F.S. de Russie), sur la mer d'Azov près de l'embouchure du Don*. 39 900 hab. Pêcheries. Constructions navales. Bonneterie. ♦ *Hist.* Fondée par des Génois au XIIe s., sous le nom de *Tana,* à l'O. du site de l'anc. colonie grecque de Tanaïs, la ville, conquise par les Turcs en 1471, assiégée par Pierre le Grand en 1696 et 1711, devint définitivement russe en 1739.

AZOV *(mer d')*. ♦ Mer bordière de la mer Noire* enclavée dans le territoire de l'U.R.S.S., entre l'Ukraine* méridionale au N. et à l'O., la Crimée* au S.-O. et la dépression du Kouban* à l'E. ; elle est ouverte sur la mer Noire au S. par le détroit de Kertch*. Débouché maritime de Donbass*, elle reçoit au N.-E. le Don*, au S.-E. le Kouban*, et baigne les ports de Berdiansk*, Jdanov*, Taganrog* au N., Rostov*-sur-le-Don (port principal à l'estuaire du Don) et Azov* au N.-E., et Kertch* au Sud. Pêcheries actives.

AZPEITIA. ♦ V. d'Espagne du N.-O., dans la prov. basque de Guipúzcoa. 9 000 hab. Église gothique S. Sebastien, église N.-D. de la Soledad (XVIe s.). Fabriques d'espadrilles. Centre de pèlerinage. – Patrie de saint Ignace* de Loyola.

AZRAËL, en arabe **'Izrâ'îl**. ♦ L'ange de la mort;dans la tradition musulmane. Il joue le rôle d'intercesseur pour les âmes qui doivent comparaître devant Allah.

Arch. Smeets
Art **aztèque** : bouclier de plumes. (Württembergisches Landesmuseum, Stuttgart.)

Arch. Rencontre
La déesse **aztèque,** Coatlicue. (Musée national, Mexico.)

AZTÈQUES. *n. m. pl.* (de *Aztlán,* leur lieu d'origine). ♦ Indiens d'une tribu nahuatl venus du N. du Mexique et fixés au XIVe s. dans la région marécageuse où s'éleva leur cap., Tenochtitlán (Mexico*). Les Aztèques dépendaient de cités plus puissantes, jusqu'à ce que les Tépanèques, ayant vaincu leurs ennemis chichimèques, fussent gouvernés par un usurpateur (1425) qui chercha à dominer tyranniquement les cités voisines. Le roi aztèque Itzcoatl* s'unit alors à un prince chichimèque exilé et ils battirent ensemble le nouveau souverain tépanèque. Une ligue groupant notamment Mexico et Texcoco, cap. des Chichimèques, permit aux Aztèques de dominer progressivement tout le centre du Mexique actuel. Parmi les souverains, Itzcoatl, Moctezuma Ier (1440-1469), Axayacatl (1469-1481), Avitzotl (1486-1503) furent les plus remarquables. Influencée par les Toltèques* et une variante des civilisations « classiques », la culture aztèque constitue une synthèse. La religion (avec le panthéon toltèque : Quetzalcóatl*, Tezcatlipoca, Huitzilopochtli, dieu de la guerre et du soleil, Tlaloc, dieu de la pluie) dominait la vie et l'organisation sociale ; ses traits cruels, bien connus, (sacrifices humains) ne doivent pas cacher le raffinement intellectuel et moral d'une culture étonnamment développée : architecture, sculpture, écriture picto-idéographique, poésie, etc. L'organisation économique au déb. du XVIe s. a pu être jugée par certains supérieure à celle de l'Europe contemporaine. – L'hétérogénéité de cet « empire », où les dynasties totonaques, mixtèques, zapotèques, etc. se sentaient brimées et où les diverses populations avaient peu d'intérêts communs, explique la rapide victoire de Cortés* sur Moctezuma, puis la chute de Mexico (1521). Le dernier souverain aztèque, Cuauhtémoc*, fut assassiné sur ordre de Cortés en 1524.

AZUCHI-MOMOYAMA. ♦ Période historique et artistique du Japon (1573-1598) coïncidant avec les dictatures d'Oda* Nobunaga et de Toyotomi* Hideyoshi, ainsi appelée du nom des lieux des deux demeures principales que ces hommes d'État se firent construire. Cette époque vit le triomphe d'une forme d'art très élaborée, caractérisée par le souci de la richesse du décor et de la grandeur, lequel se retrouve dans les cérémonies et les arts mineurs. Les nouvelles écoles se multiplient, les demeures s'ornent de peintures et d'œuvres d'art, la céramique connaît un grand développement. La peinture de l'école des Kanô* marque un des sommets de l'art japonais.

AZUELA (Mariano). ♦ Écrivain mexicain (Mexico, 1873 – *id.,* 1952). Il est l'auteur du plus connu des récits inspirés par la révolution mexicaine : *Ceux d'en bas* (1916). Ses autres romans évoquent la vie du peuple mexicain.

AZUERO *(péninsule d')*. n. f. ♦ Péninsule de la république de Panamá*, située en bordure du Pacifique et délimitant le golfe de Panamá à l'ouest.

'AZZA-T AL-MAYLA. ♦ Célèbre chanteuse arabe du VIIe s. qui, avec sa contemporaine Jamîla, marque le début de l'école musicale arabe, sous l'influence persane.

Ph. Nino Cirani/Ricciarini

Temple de **Baal** à Palmyre (Syrie).

B

BAADE (Walter). ♦ Astronome américain d'origine allemande (Schröttinghausen, Westphalie, 1893 – Göttingen, 1960). Il a montré qu'il existait deux types de populations stellaires. Il a pu résoudre en étoiles différentes galaxies, et notamment le noyau de la nébuleuse d'Andromède.

BAADER (Franz Xaver *von***).** ♦ Théologien et philosophe allemand (Munich, 1765 – 1841). Sa pensée est une philosophie mystique où l'étude de la nature voisine avec les spéculations ésotériques, une vision du monde qui n'est pas sans rappeler celles de Böhme ou de Saint-Martin. Elle influença Schelling, Novalis, Stephens.

BAAL (dans les langues sémitiques occidentales **ba'al** « maître, seigneur »; *plur.* **ba'alim**). ♦ Titre cananéen, phénicien, araméen, donné à de nombreux dieux locaux, protecteurs d'un site ou d'une ville, généralement divinités agraires de la fertilité, de l'orage (Cf. Hadad). Le culte des Baals se déroulait sur des hauts-lieux ou dans des bosquets et comportait des sacrifices, parfois humains **(V. Cananéens).** Dans les poèmes d'Ougarit, Baal conquiert la royauté parmi les dieux avec l'aide de sa sœur Anat; il est le dispensateur des bienfaits aux hommes. Dans la Bible, Juges et prophètes luttent contre les cultes de Baal adoptés par les Israélites **(V. Elie)**; Baal en vient à représenter tout culte jugé idolâtrique. ♦ BAAL HAMMON (« seigneur de l'autel des parfums »?) : dieu de Carthage, associé à Tanit. À la suite de Diodore de Sicile, les historiens classiques ont insisté sur les sacrifices humains qui lui étaient adressés. Mais il semble bien que, sauf résurgence exceptionnelle, comme en ~310 (défaite devant les Grecs siciliens), l'usage cananéen d'immoler les premiers-nés royaux ait été adouci en sacrifices d'animaux. ♦ BAAL PEOR (« seigneur du mont Peor ») : dieu moabite, **V. Belphégor.** ♦ BAAL SAPHON (« seigneur du nord »), BAAL SHAMEM (« seigneur des cieux ») : dieux phéniciens. ♦ BAAL DE TYR : **V. Melkart.** ♦ BAAL ZEBUB (« seigneur des mouches ») : dieu philistin d'Eqron, **V. Belzébuth.**

BAALBEK (anc. **Héliopolis**). ♦ V. du Liban située dans la plaine de la Békaa* au pied du versant occidental de l'Anti*-Liban. *Ch.-l.* de province. 18 000 hab. Archevêchés catholiques. Culture de fruits et élevage. ♦ *Hist.* Cité phénicienne, puis grecque *(Héliopolis),* la ville devint colonie romaine sous le règne d'Auguste. Des temples dont on a conservé les vestiges y furent élevés à la gloire du soleil (temples de Jupiter, de Mercure, de Bacchus). Baalbek, centre archéologique, est le haut-lieu du tourisme libanais. Festival international de musique et de théâtre.

BAARN. ♦ V. des Pays-Bas (Utrecht), sur l'Eem. 23 742 hab. Constructions mécaniques et métallurgie. Jardin botanique de l'université d'Utrecht dans le Cantonpark.

BAASA. ♦ Roi d'Israël (~909-~886). Usurpateur, il mit à mort Danab et toute la maison de Jéroboam* Ier. Récit biblique : *I Rois,* XV, 27 – XVI, 7.

Baath ou **Ba'th** ou **Baas.** ♦ Parti de la « Résurrection » (ou « Renaissance ») arabe, né en 1952 de la fusion du parti fondé en 1940 par M. Aflak et Sâlah Al-Bîtâr et du parti socialiste arabe (d'Akram Hawrâmî). Ce parti, tout à la fois nationaliste panarabe et socialiste, tenta de former des groupes dans divers pays arabes. Les Baath irakien et syrien détiennent les leviers de commande du pouvoir **(V. Iraq, Syrie),** malgré des tensions internes entre ceux qui mettent essentiellement l'accent sur l'unité arabe et les partisans plus intransigeants du socialisme.

BÂB (Mirza 'Ali Muhammad). ♦ Chef religieux iranien (Shirâz, 1819 ou 1820 – Tabriz, 1850). Il fonda en 1844 une secte religieuse musulmane et s'attribua le titre de *Bâb* (« porte [menant à la vérité] »). Le concept du *bâb* qui permet l'accès à la voie divine est familier dans l'islâm shi'ite* : selon cette croyance, il est possible de pénétrer le secret du dernier imâm* caché par l'intermédiaire d'un maître appelé le *bâb.* Cependant, Mirza Ali se proclama comme le mahdi* attendu par les shi'ites. Un puissant mouvement populaire le suivit. Les musulmans sunnites* condamnèrent la secte *babiste* et le gouvernement perse la réprima. Le fondateur fut arrêté et exécuté et ses disciples persécutés. Avant de mourir, Mirza 'Ali passa son autorité spirituelle à son jeune disciple Mirza Yahya, surnommé Subh-i-Azal (« L'Aurore de l'Éternité »).

BABA Tatsui. ♦ Philosophe et sociologue japonais (1850 – 1888). Il fit ses études en Angleterre où il publia des traductions d'œuvres japonaises. De retour au Japon, il publia un *Traité des droits de l'homme* (1883) et s'exila aux États-Unis où il mourut.

BÂB AL-MANDAB ou **BAB EL-MANDEB.** (« La porte des pleurs »). ♦ Détroit qui fait communiquer la mer Rouge* et le golfe d'Aden*, entre le Yémen (Arabie) et le N. de la Côte des Somalis. Env. 30 km de large. Avant la fermeture du canal de Suez tous les navires en provenance d'Europe l'empruntaient pour gagner l'Extrême-Orient, d'où son importance économique et stratégique. *Île princ.* **V. Perim.**

BABAUD-LARIBIÈRE (Léonide). ♦ Homme politique français (Confolens, Charente, 1819 – Perpignan, 1873). Avocat à Limoges, il collabora à plusieurs journaux de tendance républicaine, puis participa à la campagne réformatrice des Banquets* (1847-1848). Nommé commissaire de la République après la révolution de février 1848, il fut élu député à l'Assemblée constituante (avril 1848), prit rapidement position contre la politique de Louis Napoléon Bonaparte, et rentra dans la vie privée après l'instauration du Second Empire. Grand Maître de la franc-maçonnerie (1870), il fut nommé préfet par le gouvernement de Défense nationale après l'abdication de l'empereur. Il a laissé une *Histoire de l'Assemblée nationale constituante* (1850).

BABBAGE (Charles). ♦ Mathématicien anglais (Teignmouth, 1792 – Londres, 1871). Auteur du *Traité de l'économie des machines et des manufactures* (1832), il participa à l'essor de la logique mathématique en Grande-Bretagne ; il imagina deux machines à calculer, l'une à *différences* (1811) et l'autre, *analytique* (1833 ou 1840) qui devait combiner les possibilités d'une calculatrice et celle des cartes perforées. **V. Pascal, Hollerith.**

BABEL. ♦ Nom hébreu de Babylone*. *La tour de Babel,* dans la *Genèse,* XI, 1-9, est un haut édifice que les hommes bâtissent pour se rapprocher des cieux. Dieu, jaloux de sa suprématie, introduit la diversité des langues, l'entreprise échoue et les races se dispersent. On reconnaît là une allusion aux tours à étages babyloniennes *(ziggourats).*

BABEL (Isaak Emmanouilovitch). ♦ Nouvelliste soviétique (Odessa, 1894 – 1941). D'origine juive, il analysa avec une sensibilité pénétrante la vie de son époque, évoquant la guerre civile dans *Cavalerie rouge* (1927) et décrivant la petite bourgeoisie israélite d'Odessa dans *Contes juifs* (1927). Il fut exécuté en 1941, et réhabilité en 1954.

BABENBERG. ♦ Famille qui reçut de l'empereur Othon le Grand, en 976, la Marche autrichienne transformée en 1157 en duché héréditaire. La dynastie régna sur le duché jusqu'à son extinction, à la mort de Frédéric II le Batailleur (1246).

BÂBER. ♦ V. BÂBUR.

BABEUF (François Noël, dit Gracchus). ♦ Révolutionnaire français (Saint-Quentin, 1760 – Vendôme, 1797). Alors qu'il était administrateur du district de Montdidier, il écrivit sur le problème de la répartition des terres et la loi agraire. Venu à Paris (1793), il passa une partie de la Terreur en prison. Après le 9 Thermidor, il fonda le journal *le Tribun du peuple* où il exposa ses théories communistes (influencées par le *Code de la Nature* de Morelly*) visant à l'établissement de la société des Égaux. Rallié aux positions de Robespierre (1795), il tenta en 1796 avec ses adeptes et amis (parmi lesquels Buonarroti*, Darthé* et Maréchal*) de renverser le Directoire *(conspiration des Égaux).* Dénoncée à Carnot, la tentative échoua ; Babeuf fut arrêté et condamné à mort. Le babouvisme eut de nombreux adeptes (néo-babouvisme : Dézamy*, Lahautière*, Laponneraye*).

BABILÉE (Jean Gutmann dit Jean). ♦ Danseur et chorégraphe français (Paris, 1923). Ses interprétations de l'*Oiseau de feu,* de *Giselle* et du *Spectre de la rose,* autant que ses créations *(Le Jeune Homme et la Mort, La Rencontre)* lui ont valu un succès international. Il est l'auteur de plusieurs ballets (*L'Amour et son amour,* 1948 ; *Till Eulenspiegel,* 1949 ; *Le Caméléopard,* 1956).

BABINET (Jacques). ♦ Physicien et astronome français (Lusignan, Vienne, 1794 – Paris, 1872). Inventeur d'un hygromètre, d'un polariscope à compensateur [1841] **(V. Nicol)** et d'un goniomètre à réflexion. (Acad. des sc., 1840.)

BABINSKI (Joseph). ♦ Médecin français d'origine polonaise (Paris, 1857 – 1932). Ses travaux sur la pathologie nerveuse l'amenèrent à isoler, à décrire et à étudier de nombreux signes et syndromes caractérisant des maladies de la moelle épinière, du cerveau et du cervelet (*signe de Babinski :* altération du réflexe plantaire due à une lésion du faisceau pyramidal).

Arch. Smeets

La construction de la Tour de **Babel.**
Enluminure du XIe s. (British Museum, Londres.)

Bâbisme. *n. m.* ♦ Doctrine enseignée par le Bâb* Mirza 'Ali et ses successeurs. La littérature sacrée de cette doctrine comportant le *Bayân* (« exposition ») et le *Kitâbi-Aqdas* (« le livre très saint ») s'insurge contre la tyrannie du clergé shi'ite* et s'applique à réformer l'islâm. Le bâbisme prône la libération de la femme et prêche un amour fraternel entre les hommes par-delà les races et les classes dans un esprit de tolérance religieuse. Cette doctrine fut remplacée par le Bahâ'isme*.

BABITS (Mihály). ♦ Poète hongrois (Szekszárd, 1883 – Budapest, 1941). Après des études de littérature à l'université de Budapest, il enseigna dans différents lycées. Il dut quitter son poste pendant la Première Guerre mondiale du fait de son pacifisme et se consacra à la littérature, dirigeant la revue *Nyugat.* Babits est un poète intellectuel, un humaniste profondément religieux, au style très concis. Outre des recueils de poésie, *Feuilles de la couronne d'Iris* (1909), *Prince peut-être arrivera, l'hiver aussi* (1911), *Récitatif* (1916), *La Vallée de l'inquiétude* (1920), il publia des romans à thème religieux *Le Fils de Virgile Thimar* (1922), *Les Fils de la mort* (1920) ainsi qu'une *Histoire de la littérature européenne.* Il traduisit des œuvres de Sophocle, la *Divine Comédie* de Dante, des œuvres de Shakespeare.

BABORS *(chaîne des).* ♦ V. KABYLIE [Petite] (Algérie).

BABRIAS ou **BABRIOS,** latinisé en **Babrius.** ♦ Fabuliste grec du IIe ou IIIe s., versificateur des fables d'Ésope*.

BABUL, anc. **Barfuruch.** ♦ V. de l'Iran, dans le Mazandéran, près de la mer Caspienne. 39 100 hab.

BÂBUR (Zahir al-Dîn Muhammad). ♦ Souverain türk, descendant de Tîmûr*-i Lang, originaire du Türkestân* (Ferghâna, 1483 – Âgra, 1530) et roi de Kâbul* (1504). Il conquit Samarkand* (Samarqand) en 1511 et, invité par des sultans indo-musulmans, pénétra en Inde. En 1526, il battit à Panipât le sultan de Delhi*, occupa toute la vallée du Gange et fonda l'Empire moghol* après avoir abattu la puissance des chefs afghâns du Bihâr* **(V. Âgra).** Son fils Humâyûn* lui succéda et fut le premier souverain effectif de la dynastie fondée par son père. Ce dernier laissa des « *Mémoires* » écrits en türkî, utiles à l'histoire de son temps. Son fils les transcrivit en persan.

BABYLONE (sémitique **Bab-Ili,** « la porte du dieu » ; dans la Bible, **Babel**). ♦ Anc. V. de Mésopotamie, sur l'Euphrate. Auj. ruines à 160 km de Baghdâd (fouilles par Koldewey*, 1899). ♦ *Hist.* Peuplée de Sémites (langue akkadienne) et mentionnée dès le ~ XXIIIe s. où elle se révolta contre la dynastie d'Akkad, Babylone fut gouvernée par la dynastie amorrhéenne **(V. Amorites)** établie vers ~ 1830. Celle-ci atteignit son apogée sous Hammurabi* (vers ~ 1730-~ 1687) qui imposa sa domination à la Mésopotamie méridionale (pays de Sumer) et à l'Assyrie*, et sous son successeur Samsu*-Iluna. Babylone, capitale de l'empire, fut alors le foyer d'une civilisation qui resta celle de l'Asie antérieure pendant quinze siècles (jusqu'à l'importation de l'hellénisme par Alexandre le Grand). Pillée par les Hittites* (~ 1530), elle fut dominée ensuite par les Kassites*, dont le dernier souverain fut déposé en ~ 1160 par les Élamites **(V. Shutruk-Nahhunté Ier).** Elle retrouva son indépendance sous Nabuchodonosor* Ier (vers ~ 1137) puis traversa le « temps de la confusion » avant de tomber sous la domination des Assyriens aux ~ VIIIe-~ VIIe s. **(V. Teglath-Phalasar III, Sargon II, Sennachérib, Assarhadon, Assurbanipal).** L'Empire néo-babylonien **(V. Chaldée)** fut fondé par Nabopolosar* en ~ 625. Allié aux Mèdes qui prirent Ninive en ~ 612, il se libéra de l'Assyrie en dépit de l'intervention de Néchao* II, roi d'Égypte, vaincu à Karkemish par Nabuchodonosor* II (~ 605). Celui-ci étendit ses conquêtes en Syro-Palestine et en Phénicie ; le royaume de Juda* s'étant soulevé à l'instigation de l'Égypte, il prit Jérusalem (~ 597 puis ~ 587), déportant chaque fois une partie de la population et annexant le pays (exil ou captivité de Babylone, **V. Daniel, Ezéchiel, Joachin, Sédécias).** Parallèlement il rendit son éclat à la ville en élevant les édifices que nous connaissons par les fouilles et qui furent célèbres dans l'Antiquité (récit d'Hérodote) : double enceinte et porte d'Ishtar, canal de l'Euphrate au Tigre, palais royal, temple de Bel-Marduk, ou *Esagil,* et sa ziggourat Étemenanki **(V. Babel),** jardins suspendus considérés par les Anciens comme une des Sept Merveilles du monde (attribués parfois à la légendaire Sémiramis)*. Sous Nabonide* et Balthasar*, l'empire déclina et devint province perse après la conquête de Cyrus* II (~ 539). Ce dernier autorisa le retour des Juifs en Judée **(V. Esdras, Néhémie)** et fit de Babylone la capitale de l'empire des Achéménides*. Darios* Ier et surtout Xerxès* Ier en ~ 482 précipitèrent le déclin de la ville en réprimant des révoltes. Alexandre* le Grand s'en empara en 331 et tenta de la reconstruire après l'avoir choisie pour capitale, mais y mourut en ~ 323. Séleucos Ier l'abandonna pour Séleucie, nouvelle capitale fondée en ~ 300. ♦ *La civilisation de Babylone* est connue non seulement par les écrivains classiques (Hérodote), mais par l'archéologie et par des centaines de milliers de tablettes en caractères cunéiformes représentant tous les aspects de la vie intellectuelle et quotidienne : textes religieux et littéraires, formules divinatoires et magiques, observations astronomiques (à fonction essentiellement religieuse), diagnostics médicaux (la médecine restant à la fois empirique et magique), problèmes mathématiques (comportant la théorie de l'équation du second degré et de systèmes à plusieurs inconnues),

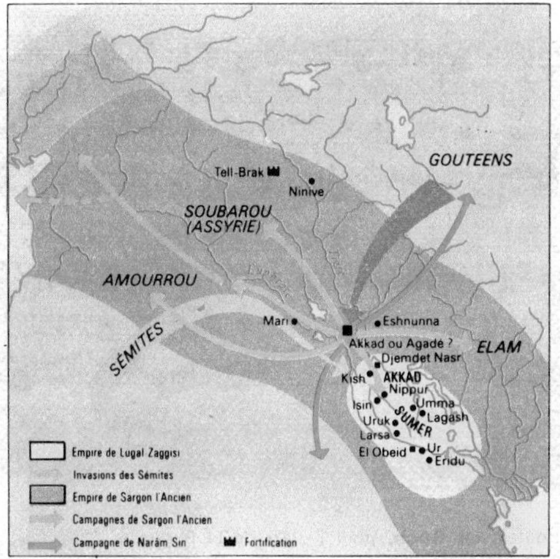

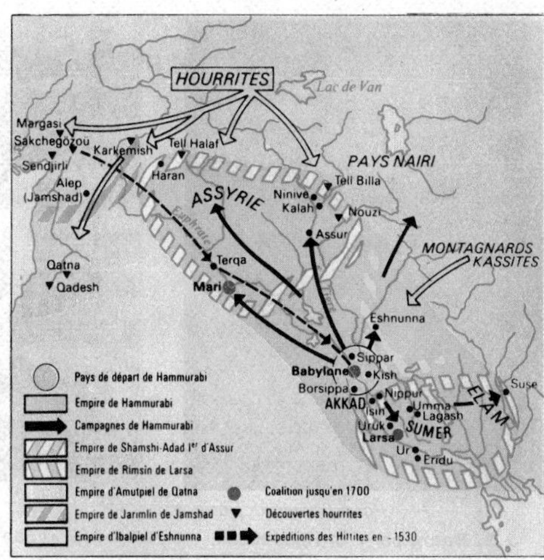

Babylone.

contrats entre particuliers nous renseignant sur l'activité commerciale et attestant la toute-puissance des marchands). Le droit et les institutions sont connus par plusieurs « codes,» ou recueils d'arrêts, le plus célèbre étant celui de Hammurabi*. L'économie reposait principalement sur l'agriculture, favorisée par la fertilité naturelle de la Mésopotamie et les techniques d'irrigation, et sur la propriété foncière ; l'artisanat, privé ou d'État, constituait une activité complémentaire ; le commerce laissait libre cours à l'initiative individuelle et, en période d'unité politique, opérait dans toute la Mésopotamie et à l'étranger (premières « banques d'affaires » à l'époque néo-babylonienne). ♦ *La religion* et la *littérature,* essentiellement religieuse, héritèrent des conceptions sumériennes, réinterprétées selon le génie propre des Sémites, moins abstrait, plus organisateur, plus pieux ; les textes classiques *(Poème de la Création*, Épopée de Gilgamesh*, Descente d'Ishtar* aux enfers),* mis en forme au cours du premier Empire babylonien, se transmirent pendant plus d'un millénaire et gagnèrent l'Assyrie où ils nous furent conservés par la bibliothèque de Ninive*. L'importance de la religion était telle que Babylone devint une terre sainte, respectée même de l'ennemi assyrien **(V. Assyrie).** La principale fête était celle du Nouvel An (akitu), renouvelant la victoire de Marduk sur les forces du chaos (récitation du *Poème de la Création).* Panthéon : **V. Adad, Anu, Ishtar, Marduk (V.** *aussi* **Bêl), Nabu, Shamash, Sin, Tammuz.**

BABYLONIE. *n. f.* ♦ Anc. contrée de l'Asie antérieure, située dans la Mésopotamie inférieure. **V. Sumer, Akkad, Babylone, Chaldée.**

BACALOD (ou **Bacolod).** ♦ **V.** BACOLOD.

BACĂU. ♦ V. de Roumanie, en Moldavie*. 66 000 hab. Centre industriel très actif (produits alimentaires, fabrique de cellulose).

BACCARAT. ♦ Ch.-l. de cant. de Meurthe-et-Moselle, arr. de Lunéville, sur la Meurthe. 5 961 hab. *(Bachâmois).* Église moderne. Célèbre cristallerie fondée au XVIIIe siècle. Constructions métalliques ; brasseries.

BACCELLI (Guido). ♦ Médecin italien (Rome, 1832 – 1916). Il fit des recherches sur la pathologie du cœur et de l'aorte, la malaria, le traitement du tétanos, etc.

BACCHANTE. *n. f.* ♦ Femme du cortège de Dionysos* (Bacchus*). Les Bacchantes (ou Ménades, Thyades) sont représentées sur les céramiques ou les sculptures antiques, échevelées et fougueuses, vêtues de peaux de bêtes ou de robes légères et transparentes. Ce thème a été repris par les artistes de la Renaissance et des temps modernes (*Bacchanales* de Titien, de Poussin).

Bacchantes (Les), *en gr.* **Bakkhai.** ♦ Tragédie posthume d'Euripide* (~405). Pour l'hostilité dont il a témoigné envers le culte de Dionysos, Penthée, roi de Thèbes, est mis en pièces par les Bacchantes. Animée par le mépris de la religion olympienne au bénéfice de la religion dionysiaque, l'œuvre est riche de lyrisme et de tension dramatique.

BACCHELLI (Riccardo). ♦ Écrivain italien (Bologne, 1891). Un des fondateurs de la *Ronda* (1919-1922), Bacchelli se fit connaître par ses *Poèmes lyriques* (1914), que suivirent *Amour de la poésie* (1930) et *Paroles d'amour* (1935), à l'inspiration sentimentale ou sensuelle. Son œuvre dramatique (*Spartacus et les Esclaves,* 1920 ; *Hamlet,* 1923 ; *Bellamonte,* 1928) le montre sensible à l'influence de Claudel*. Soucieux d'élaborer des œuvres moralement engagées et qui restent populaires, Bacchelli s'engagea dans la voie du roman historique avec *Le Diable à Pontelungo* (*Il diavolo al Pontelungo,* 1927), « chronique imaginaire fondée sur des faits historiques », les mouvements sociaux et marxistes à Bologne, en 1874. Puis ce fut une vaste trilogie romanesque, *Les Moulins du Pô* (*I Mulini del Po,* 1938-1940) dont les personnages (les membres d'une famille, à travers quatre générations) sont des figures symboliques du destin du peuple italien, de 1812 à 1918.

BACCHUS [bakys]. ♦ Nom latinisé de *Bacchos,* autre appelation de Dionysos **(V. Dionysos).**

BACCHYLIDE, en gr. **Bakkhulidês.** ♦ Poète lyrique grec (*Céos,* ~518 ou ~510 – ~450). Neveu et élève de Simonide*

Ph. Nino Cirani/Ricciarini

Babylone : ruines des ~ VIIe et ~ VIe s.

Ph. Nino Cirani/Ricciarini

Babylone : statue de lion.

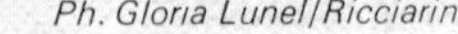

Ph. Gloria Lunel/Ricciarini

J.S. Bach, par E.G. Haussmann.

Ph. Gloria Lunel/Ricciarini

Partition originale de **Bach,** pour l'« Art de la Fugue ».

il vécut à la cour d'Hiéron, tyran de Syracuse, en même temps que Pindare*, dont il fut le rival et parfois l'imitateur. Un papyrus découvert en 1897 comprend 14 de ses *Épinicies* (ou *Odes triomphales)* et des fragments de 6 autres poèmes (env. 1 400 vers au total). Cette poésie ne manque pas de force d'inspiration, de lucidité et d'éclat de style.

BACCIOCHI (Félix Pascal). ♦ Officier français (Ajaccio, 1772 – Bologne, 1841). Époux d'Élisa Bonaparte* (1797), il fut couronné prince de Lucques* et de Piombino* en 1805. ♦ Son neveu, FÉLIX BACCIOCHI (mort en 1886) fut chargé de missions diplomatiques en 1852 et nommé premier chambellan par Napoléon III.

BACH. ♦ Célèbre dynastie de musiciens originaires de Thuringe, dont les membres ont exercé durant deux siècles et demi, dans les villes et les villages de cette province, les fonctions d'organistes et de chantres. Clavecinistes, violonistes, ils furent souvent des professeurs et des facteurs d'instruments. Luthériens fervents, attachés à leur sol et à leurs traditions, succédant le plus souvent à leur père ou à leur beau-père, épousant la fille d'un confrère ou même la femme d'un frère quand celui-ci mourait jeune, ils fondèrent des familles toujours nombreuses. De cette importante lignée qui essaima dans les duchés de Saxe (Weimar-Eisenach, Gotha-Cobourg, Meiningen) et la principauté d'Arnstadt, Johann Sebastian Bach (1685 – 1750) est le représentant le plus illustre *(V. ci-dessous).* Une quarantaine d'autres noms s'en détachent qui furent ceux de musiciens d'un honorable mérite ou d'un grand talent, comme plusieurs des fils de J.S. Bach. L'ancêtre de la famille le plus anciennement connu est HANS BACH (né v. 1520) dont un fils, VEIT (Weimar, v. 1550 – 1619), meunier, boulanger et musicien, fut le trisaïeul de Johann Sebastian. Son fils, JOHANNES ou HANS (v. 1580 – Vechmar, 1626), ménétrier et joyeux drille, eut trois fils, JOHANNES, CHRISTOPH et HEINRICH (1615 – 1692), dont deux des fils, JOHANN CHRISTOPH (1642 – 1703) et JOHANN MICHAEL (1648 – 1694), tous deux organistes, ont laissé un nom dans l'histoire de la musique. C'est la fille de Johann Michael, MARIA BARBARA (1684 – 1720), cousine de Johann Sebastian, qui fut sa première femme. Second fils de Johannes (ou Hans) CHRISTOPH (Wechmar, 1613 – Arnstadt, 1661), musicien de cour et de ville à Weimar, Prettin, Erfurt, Arnstadt, d'humeur relativement vagabonde et de caractère indépendant, eut trois fils, GEORG CHRISTOPH (1642 – 1697), JOHANN CHRISTOPH (1645 – 1693) et JOHANN AMBROSIUS (Erfurt, 1645 – Eisenach, 1695). Frère jumeau de Johann Christoph, violoniste et altiste à Erfurt, ce dernier épousa (1668) Elisabeth Lämmerhirt (1644 – 1694), fille d'un pelletier de la ville. Elle lui donna six fils et deux filles, et leur dernier enfant, né à Eisenach où ils s'étaient établis en 1671, fut Johann Sebastian. Des frères de J. S. Bach, on retiendra les noms de JOHANN CHRISTOPH (1671 – 1721), qui fut organiste à Ohrdruf et JOHANN JACOB (1682 – 1732), hautboïste au service de l'armée suédoise. Bien que nombreuse, la descendance de J. S. Bach (sept enfants de Maria Barbara et treize enfants de Anna Magdalena, dont beaucoup moururent jeunes) s'éteignit dans les mâles avec WILHELM FRIEDRICH ERNST BACH (1759 – 1845).

BACH (Johann Sebastian). ♦ Compositeur allemand (Eisenach, 1685 – Leipzig, 1750). Fils du musicien Johann Ambrosius Bach (1645 – 1695), il devint orphelin à dix ans et fut élevé à Ohrdruf par son frère aîné Johann Christoph Bach (1671 – 1721), élève de Pachelbel. Tout en poursuivant ses études au lycée de la ville, il apprit le clavecin et l'orgue avec son frère. D'abord choriste à Ohrdruf, il quitta cette ville pour Lünebourg (1700) où il travailla la composition sous la direction de l'organiste G. Boehm*. Reçu au château de Celle, proche de Lünebourg, il eut la révélation de quelques musiciens français du XVIIe s. (Marchand, Couperin*, Corrette). – Nommé organiste à Arnstadt, il y composa sa première cantate (1704) et se fit rapidement une réputation de virtuose et d'improvisateur. Pour rencontrer le grand organiste danois Buxtehude* à Lubeck, il entreprit un long voyage à pied (1705) mais, au retour, il perdit sa tribune. Ainsi, chez Bach, l'esprit d'indépendance, l'humeur intransigeante et l'ambition déçue, tour à tour, se trouvent à l'origine de ses nombreux déplacements, durant une vingtaine d'années. On le retrouve alors organiste à Mülhausen, en Thuringe (1707); il épouse, la même année, sa cousine Maria Barbara (1684-1720) qui lui donnera sept enfants. C'est à Mülhausen qu'il fit exécuter plusieurs cantates nouvelles (dont *Actus tragicus* et *Gott ist mein König,* 1708). Il se rendit ensuite, à l'invitation du duc Wilhelm Ernst, à Weimar, où il devait séjourner neuf années (1708-1717) exerçant les fonctions d'organiste puis de 1er violon solo (1714). Durant cette période heureuse, il composa de nombreuses œuvres pour orgue *(Toccata en ré mineur, en ré majeur,* 1709; *Alla breve en re mineur,* 1709; *Grande Passacaille en ut mineur,* 1716; *Orgelbüchlein.* 1717), des cantates, des pièces pour clavecin, des concertos pour clavecin dont plusieurs sous l'influence des maîtres italiens. – À la suite d'une déception, il quitta Weimar pour la cour de Léopold d'Anhalt-Coëthen (1717). Ce prince calviniste et fin musicien lui témoigna une vive amitié dont profita son génie qui atteignait alors la maturité. De cette époque datent de nombreuses œuvres instrumentales qui comptent parmi les plus importantes de sa production dans ce genre : *Fantaisie chromatique et fugue pour clavecin, Suites anglaises, Suites françaises; Clavierübung,* premier livre du *Clavecin bien tempéré (Das wohltemperierte Klavier),* pièces à caractère didactique, et diverses pièces (sonates, partitas) pour la flûte, le clavecin ou le violon; 2 concertos de violon (en *la min.* et *mi maj.*), 1 concerto pour deux violons en *ré min.*; 2 suites en *do maj.* et *si min.*: enfin, les *Six Concertos brandebourgeois* que Bach dédia au margrave Christian Ludwig de Brandebourg (1721), chefs-d'œuvre du genre. En 1720, Maria Barbara mourut et, quelques mois plus tard, Jean-Sébastien se remariait avec la chanteuse Anna-Magdalena Wülken (1701-1760) dont il aura treize enfants. – Enfin, il est nommé *cantor* à l'église Saint-Thomas de Leipzig (1723) où il se voit étroitement soumis au Conseil de la Ville, devant enseigner la musique aux élèves de la *Thomasschule* et fournir, hebdomadairement, et pour toutes les fêtes, de la musique à quatre églises, sans pouvoir la faire interpréter autrement que par une chorale formée d'élèves turbulents et un médiocre orchestre. J. S. Bach remplit scrupuleusement sa fonction mais ne peut éviter les tracasseries de ses employeurs, tentant en vain de faire rendre justice à ses compositions. Celles-ci correspondent à cinq séries annuelles complètes pour tous les dimanches et toutes les fêtes (environ 300 cantates, dont près de 200 seulement nous sont parvenues, fruit d'un travail extraordinairement régulier et rapide). Cependant, ni les contraintes de son emploi ni de sérieux soucis de famille, ni les voyages (séjour à Potsdam, à la cour de Frédéric II, qui lui inspirera l'*Offrande musicale,* 1747) ne le distraient de la composition de quelques-uns parmi ses chefs-d'œuvre : *Magnificat* (1723), *Passion selon saint Jean* (1723), *Passion selon saint Matthieu* (1729), *Passion selon saint Marc* (1731), *Messe en si mineur* (1732-1737), *Oratorio de Noël* (1734), 21 chorals (1739), second livre du *Clavecin bien tempéré* (1740-1744). *Clavierübung,* 4 livres (1726-1742). – Alors qu'il entreprenait l'*Art de la fugue* (1749), sa santé s'altéra gravement : souffrant de troubles oculaires, il fut opéré par un célèbre chirurgien anglais, mais sans succès, et perdit complètement la vue. Il mourut le 28 juillet 1750. – Virtuose universellement admiré mais compositeur discuté, réputé difficile ou démodé de son vivant même, J. S. Bach n'a commencé à susciter l'intérêt des connaisseurs que près d'un siècle après sa mort. Pour le tirer d'un injuste oubli, il a fallu l'initiative du jeune F. Mendelssohn* révélant successivement au public allemand *La Passion selon saint Matthieu* (1829) et *La Passion selon saint Jean* (1833). Il a fallu aussi l'enthousiasme de Hegel et de Schumann pour inspirer aux éditeurs Peters (pour la musique d'orgue et les chorals) et Breitkopf (pour les cantates) l'idée d'une publication de l'œuvre complète. C'est le but que se fixa la première Société Bach (*Bach Gesellschaft*, 1850). Elle l'atteindra à la fin du siècle (46 vol. publiés en 1900). Par ailleurs, les travaux érudits de Philipp Spitta (J.S. Bach, 1873-1880), l'action militante de nombreuses sociétés musicales en Allemagne *(Bachvereine)* et en France (*Schola Cantorum* de Vincent d'Indy et *Société J.S. Bach* de Gustave Bret), l'apostolat de grands artistes (C.M. Widor, G. Fauré, C. Franck) ont préparé un juste retour du public à l'œuvre monumentale de l'auteur des *Passions*. — Cette œuvre est celle d'un artisan respectueux des traditions de sa profession, rempli d'humilité devant ceux qu'il tient pour ses modèles et qui souvent lui sont inférieurs, qu'il soient allemands, italiens ou français. Œuvre d'un architecte pour qui toute construction procède de la raison mathématique et s'accomplit dans un heureux équilibre des proportions. Œuvre enfin d'un croyant à la foi robuste, dont la conception de l'homme et de l'univers est inséparable de la vérité révélée par la religion luthérienne. Tendant avec l'âge vers des formes d'expression toujours plus abstraites et plus épurées, J.S. Bach a réalisé avec force la synthèse de la tradition musicale du Nord et du Midi, du passé médiéval et d'un avenir dont il a su inventer les premiers éléments du langage. Synthétisant et portant à leur pleine expression toutes les possibilités de la musique tonale *(Clavecin bien tempéré, Art de la fugue)*, il en prépara la transgression, germe des évolutions futures de la musique occidentale. Tour à tour ou simultanément polyphoniste et monodiste, il a élaboré un art que caractérisent tantôt une austérité rigoureuse tantôt l'invention la plus élégante. Maître du contrepoint et de l'harmonie, doué d'une féconde imagination mélodique, il est aussi un grand poète visionnaire qui tire la puissance de ses accents de la prodigieuse richesse de sa vie intérieure.

BACH (Wilhelm Friedemann). ♦ Compositeur allemand (Weimar, 1710 — Berlin, 1784). Fils aîné de J.S. Bach et de Maria Barbara. Élève de son père qui composa pour lui des œuvres pour orgue et pour clavier, il acquit rapidement une réputation de virtuose. Des études de droit (Leipzig, 1729) ne l'éloignèrent pas de la musique puisqu'on le retrouve successivement organiste à Dresde (1733), à Halle (1746), à Brunswick (1770) puis à Berlin (1774). D'humeur ombrageuse, inapte à se fixer, vivant d'expédients (il mit en gage des manuscrits de son père), il mourut dans la misère. — Auteur d'une messe, de cantates, d'œuvres pour orgue, il a surtout composé pour le clavier (12 sonates, 11 fugues, 42 polonaises, 11 fantaisies, une dizaine de concertos). Il est le premier musicien à avoir fixé la forme sonate ainsi que celle du concerto pour piano moderne.

BACH (Carl Philipp Emanuel). ♦ Compositeur allemand (Weimar, 1714 — Hambourg, 1788). Second fils de J.S. Bach et de Maria Barbara. Filleul de Telemann, il fut l'élève de son père pour la composition et le clavecin. Dès 1734, à Francfort-sur-Oder, il enseigna cet instrument en même temps qu'il dirigea des concerts. Appelé à la cour du prince héritier de Prusse (1738), il fut nommé par celui-ci, devenu le roi Frédéric II (1740), cymbalier et professeur de musique. Virtuose du clavecin et brillant improvisateur, théoricien du clavier, il publia durant son séjour à Berlin un important traité sur l'art de cet instrument (*Versuch über die wahre Art das Klavier zu spielen*, 1753-1762). Appelé ensuite à Hambourg pour succéder à Telemann* (1767), il y poursuivit jusqu'à sa mort la composition d'une œuvre qui compte parmi les plus significatives de la période pré-romantique. De cet imposant ensemble se détachent près de 700 œuvres de musique vocale (passions, oratorios, magnificats, cantates, lieder), instrumentale (6 symphonies), pour le clavier (*Preussische sonaten;* 6 recueils de sonates, fantaisies et rondos « pour les amateurs », 1779-1787). Comme son frère Wilhelm Friedemann, il a contribué à faire évoluer la sonate et le concerto vers leur forme moderne.

BACH (Johann Christoph Friedrich). ♦ Compositeur allemand (Leipzig, 1732 — Bückeburg, 1795). Neuvième enfant de J.S. Bach et d'Anna Magdalena, il reçut toute son éducation musicale de son père. Entré au service du comte de Bückeburg, il fit carrière à la cour de ce prince. De son œuvre volumineuse se détachent des oratorios et des cantates qu'il composa en collaboration avec le poète J.G. Herder*, 14 symphonies, des concertos pour clavier et orchestre (*Concerto grosso en mi bémol*, l'un des chefs-d'œuvre de l'art classique) et des compositions de musique de chambre (sonates de clavier, de flûte, de violoncelle). Maître d'un art personnel et de qualité, J.C.F. Bach marque la transition entre le style de son père et le classicisme mozartien.

BACH (Johann Christian). ♦ Compositeur allemand (Leipzig, 1735 — Londres, 1782). Dernier fils de J.S. Bach et d'Anna Magdalena, il reçut sa formation musicale à Berlin, de son frère Carl Philipp Emanuel, puis à Bologne du Père Martini* (1756). Converti au catholicisme, il devint organiste à la cathédrale de Milan (1760) et composa des opéras dans le goût italien. Il gagna ensuite l'Angleterre (1762) où il fut nommé professeur de musique de la reine. Compositeur attitré du *King's Theater* de Londres, il fonda avec K.F. Abel l'une des premières organisations de concerts par abonnements, « Les *Bach Abel Concerts* » (1764). Bien accueilli par la haute société, il entretint des relations avec le poète Sheridan et les peintres Reynolds et Gainsborough. Il rencontra Mozart* (1764) qu'il devait retrouver plus tard à Paris (1778) et son influence fut certaine sur le jeune musicien. De son œuvre que gâte parfois un certain maniérisme mais dont l'inspiration préromantique est souvent puissante et originale, il convient de détacher, outre de nombreux opéras, de la musique religieuse *(requiem)*, des symphonies, ouvertures et concertos ainsi que de nombreuses compositions de musique de chambre (sonates pour le clavier).

BACH (Alexander, *baron von*). ♦ Homme politique autrichien (Loosdorf, Basse-Autriche, 1813 — Schönberg, Basse-Autriche, 1893). Avocat, il devint ministre de l'Intérieur (1849) dans le cabinet de Schwarzenberg*. À la mort de ce dernier, il dirigea la politique autrichienne. Malgré son libéralisme initial, il institua un système (le *système de Bach*) plus sévère encore que celui de Metternich, fondé sur la centralisation absolutiste : les minorités nationales furent impitoyablement soumises à une germanisation forcée et les mesures policières d'exception systématiquement appliquées. Il s'appuya sur l'Église, à laquelle il accorda le concordat de 1855. L'inefficacité de ces mesures se révéla lors de la guerre d'Italie (1858-1859) et Bach fut renvoyé avant même la paix de Munich et remplacé par le libéral Goluchowski*.

BACHA SAQAO. ♦ Brigand afghân, fils d'un porteur d'eau qui, à la tête d'émeutiers outrés par les réformes modernistes de l'émir Habib Allâh Khân, força celui-ci à abdiquer, en 1928, et se proclama roi de Kâbul*. Battu en 1929 par Nâdir* shâh, il fut fusillé.

BACHAUMONT (François Le Coigneux, dit *de*). ♦ Écrivain français (Paris, 1624 — *id.*, 1702). Il composa avec son ami Chapelle* un savoureux récit où la prose est mêlée de vers, *Le Voyage en Languedoc* (1663).

BACHAUMONT (Louis Petit *de*). ♦ Écrivain français (Paris,

Ph. Gloria Lunel/Ricciarini

Carl Philipp Emanuel Bach : gravure.

Ph. Gino Begotti/Ricciarini

Johan Christoph Friedrich Bach : gravure. (Scala de Milan.)

Ph. Gloria Lunel/Ricciarini

Johann Christian Bach, portrait anonyme. (Maison de Bach, Eisenach.)

Arch. Smeets
Porte de l'hôtel de Bagis, à Toulouse, par **N. Bachelier.**

1690 – *id.*, 1771). Ses *Mémoires secrets* (posth., 1777), dont les trente-six volumes couvrent les années 1762-1787, offrent un précieux document sur la vie mondaine et littéraire du XVIIIe siècle.

BACHELARD (Gaston). ♦ Philosophe français (Bar-sur-Aube, 1884 – Paris, 1962). Fonctionnaire aux P. et T., il étudia successivement les sciences et la philosophie et enseigna à la faculté des lettres de Dijon (1930-1940), puis à la Sorbonne. Analysant les conditions de la connaissance scientifique, il soutint qu'elle ne progresse que par une victoire sur les obstacles épistémologiques (perception immédiate, opinion, résultats considérés comme définitifs), qu'il tenta de déceler, cherchant « à fonder les rudiments d'une psychanalyse de la raison ». Philosophie ouverte (dialectique), capable d'intégrer les grandes révolutions du savoir, la philosophie des sciences peut ainsi se définir comme un rationalisme appliqué (*Le Nouvel Esprit scientifique*, 1934; *La Formation de l'esprit scientifique*, 1938; *Le Rationalisme appliqué*, 1948; *Le Matérialisme rationnel*, 1953). Au monde de la rationalité s'oppose l'univers complémentaire de l'imagination poétique et de ses symboles, qu'inspirent les éléments naturels (feu, eau, air et terre) et dont G. Bachelard a essayé de faire la psychanalyse (*La Psychanalyse du feu*, 1937; *L'Eau et les Rêves*, 1941; *L'Air et les Songes*, 1943; *La Terre et les rêveries de la volonté; La Terre et les rêveries du repos*, 1948; *La Poétique de l'espace*, 1957; *La Poétique de la rêverie*, 1960).

BACHELET (Alfred). ♦ Compositeur français (Paris, 1864 – Nancy, 1944). Outre diverses pièces instrumentales et vocales, il est l'auteur de trois drames lyriques, *Scemo* (1914), *Quand la cloche sonnera* (1923), *Un Jardin sur l'Oronte* (1931).

BACHELIER (Nicolas). ♦ Architecte, sculpteur et décorateur français (Toulouse?, v. 1485 – *id.*, 1556). Il séjourna en Italie et, revenu à Toulouse vers 1510, introduisit dans la région les principes constructifs et les motifs ornementaux de la Renaissance italienne. On lui attribue notamment les plans de l'*hôtel de Bernuy* (v. 1530) dont le décor abondant semble révélateur d'influences espagnoles, et surtout l'*hôtel d'Assezat* (v. 1555) où la superposition des trois ordres est appliquée avec rigueur. Les décorations sculptées qu'il réalisa pour de nombreux édifices privés et religieux *(Retable de la naissance du Christ)* révèlent son goût pour la profusion ornementale.

BACHELIN (Olivier). ♦ **V.** BASSELIN.

BACHKIRIE. *n. f.* (*République socialiste soviétique autonome de;* en russe **Bachkirskaja A.S.S.R.**). ♦ Une des seize républiques autonomes de la R.S.F.S. de Russie*, s'étendant sur l'Oural méridional. 143 600 km². 3 818 000 hab. Population multinationale Bachkirs, 22 %; Russes, 42 %; Tatars, 23 %; Tchouvaches, Mariis, Ukrainiens). *Cap.* Oufa. *V. princ.* **V. Bieloretsk, Ichimbaï, Salavat, Sterlitamak.** – Plaine à l'O., montagneuse à l'E., la Bachkirie est l'une des régions pétrolifères de l'U.R.S.S. **(V. Bakou [Second]).** Riche en minerais (fer et manganèse dans la région de Bieloretsk), cuivre et or. Extraction de la houille. Indus. métallurgiques, mécaniques, chimiques et alimentaires. L'activité agricole est représentée par la culture des céréales (4 297 000 ha cultivés en 1961), et l'élevage ovin et porcin. Centrale hydro-électrique sur l'Oufa* (Ufa). ♦ *Hist.* Dominés par les Russes au début du XVIIe s. les Bachkirs participèrent à la révolte de Pougatchev* (1773) et furent massacrés. Le 8 nov. 1917, le régime soviétique fut instauré à Oufa. Disputée entre les bolcheviks et les Russes blancs, la Bachkirie fut proclamée R.S.S.A. en 1919.

BACHMANN (Ingeborg). ♦ Femme de lettres autrichienne (Klagenfurt, 1926-1973). Spécialiste de la philosophie de Heidegger et membre du « Groupe* 47 », elle composa des pièces radiophoniques (*Le Bon Dieu de Manhattan*, 1958), de brefs récits (*La Trentième Année*, 1961) et surtout des recueils de poèmes lyriques (*Le Temps mesuré, Die gestundete Zeit*, 1953).

BACICCIA ou **BACICCIO (Giovanni Battista Gaulli,** dit **Il).** ♦ Peintre et décorateur italien (Gênes, 1639 – Rome, 1709). Formé par les œuvres génoises de Perino del Vaga, Baroccio*, Rubens* et Van* Dyck, il se rendit à Rome en 1657, il étudia ensuite à Parme les œuvres de Corrège*. Auteur de nombreux retables et de portraits qui révèlent son art de saisir l'expression mobile des visages *(Clément IX)*, il s'affirma comme le successeur du Bernin* et de P. de Cortone* dans le domaine de la grande décoration baroque avec ses fresques de *Sainte Agnès* (v. 1668-1672) et surtout du Gesù* (*Triomphe du nom de Jésus*, 1672-1685) et des *Saints Apôtres* (1707) à Rome. Exploitant avec virtuosité les effets illusionnistes, il créa avec des éclairages obliques des clairs-obscurs contrastés, décentrant la composition et animant d'un mouvement tourbillonnant des formes proliférantes aux gestes théâtraux. Par son sens de la grâce et la fraîcheur de son coloris, il annonce l'art du XVIIIe siècle.

BACILLY (Bénigne *de***).** ♦ Musicien français (Normandie, v. 1625 – Paris, 1690). Auteur d'airs de cour et éditeur de chansons populaires, il a publié des *Remarques curieuses sur l'art de bien chanter* (1668).

BACK (*Sir* **George).** ♦ Amiral et navigateur anglais (Stockport, 1796 – Londres, 1878). Après un voyage au Spitzberg (1818), il participa aux expéditions arctiques de Franklin et de Richardson (1825 et 1826), puis explora le nord-ouest canadien (1829-1835) et découvrit le fleuve qui porte son nom. En 1836, il fut envoyé en mission dans l'archipel arctique.

BAC LIÊU. ♦ V. du Sud Viêt-nam, dans la péninsule de Ca*-Mau, prov. de Ba Xuyên, sur la côte de la mer de Chine. 24 500 hab. Important centre commercial.

BAC NINH. ♦ V. du Nord Viêt-nam, ch.-l. de prov., au N.-E. de Hanoï. 10 000 hab. Centre industriel sur le Sông Kôi. La *province de Bac Ninh* compte 600 400 hab. ♦ *Hist.* Prise de Bac Ninh par les Français (1884).

BACOLOD. ♦ V. des Philippines, sur la côte N.-O. de l'île Negros. 146 800 hab. Exportation de produits agricoles (coprah, sucre, riz, tabac).

BACON (Roger). ♦ Théologien et philosophe anglais (Lichester, Somerset, 1214 – Oxford, 1294). Il fut surnommé Docteur admirable. Les études qu'il fit à Paris le détournèrent de la dialectique. À Oxford, où il fut l'élève de Grosseteste*, il s'orienta vers les sciences mathématiques et naturelles sur les conseils de son maître. Il entra vers 1250 dans l'ordre des Franciscains. De retour à Paris, son enseignement et la publication de ses œuvres furent interdits par les autorités ecclésiastiques. C'est sous le pontificat de Clément IV qu'il écrivit ses principaux traités : *l'Opus majus, l'Opus minus* et *l'Opus tertium* (1265-1271). En 1277, ses thèses philosophiques et ses conceptions astrologiques (en particulier son *Speculum astronomiae*), furent condamnées et il fut emprisonné jusqu'en 1292. L'un des premiers à s'affranchir de la scolastique, il contribua à l'avènement de la méthode expérimentale (dont certains en font un pionnier) et, surtout, insista sur la place que doivent prendre les mathématiques dans les sciences de la nature **(V. Pierre de Maricourt).** Auteur de divers traités d'acoustique et d'optique (*Des miroirs, La Perspective, Miroirs mathématiques*) et de l'*Opus majus* composé à la demande de son protecteur devenu pape (Clément IV), il donna la détermination exacte du foyer dans les miroirs sphériques, étudia l'arc-en-ciel; il fut le premier à s'apercevoir que le calendrier julien était erroné. Ses idées philosophiques – mise en question des notions reçues, souci de ne pas s'en remettre uniquement à l'autorité mais à l'expérience – font de lui un précurseur de la pensée moderne.

BACON (Francis, *lord* **Verulam).** ♦ Homme d'État et philosophe anglais (Londres, 1561 – 1626). Après une formation juridique, il entra à la Chambre des communes (1584) et atteignit, sous Jacques Ier, les plus hautes charges judiciaires (avocat puis procureur général, garde des Sceaux, grand chancelier, créé lord Verulam, 1618, et vicomte de Saint-Albans, 1621). Personnage intrigant et sans scrupule, il perdit ses fonctions à la suite d'une accusation de concussion (1621). Sa carrière politique ne l'empêcha pas de travailler à son « grand œuvre » de réforme des sciences, l'*Instauratio Magna* (qu'il ne put achever). Cherchant à rompre avec la tradition aristotélicienne et scolastique, il renouvela l'ordre des sciences, proposant une classification basée sur la distinction des facultés de l'âme : histoire (mémoire), poésie (imagination) et philosophie (raison). Après avoir analysé toutes les formes d'erreurs, toutes les « idoles » de la « tribu », dues à l'anthropomorphisme naturel de l'esprit humain, de la « caverne » (nature propre de chaque individu, éducation, habitudes, etc.), du « forum » (verbalisme et langage commun) et du « théâtre » (illusion des systèmes philosophiques), Bacon indiqua les principes d'une méthode inductive et expérimentale. Refusant l'empirisme spontané tout autant que le rationalisme abstrait, il fit de la connaissance scientifique la recherche des causes naturelles des faits et la détermination de leur forme (ou essence). Sa philosophie fut diversement jugée ; certains virent en lui le dernier penseur de la Renaissance dont l'univers reste à maints égards préscientifique et qui méconnut le rôle des mathématiques dans les sciences de la nature ; d'autres l'ont considéré comme le véritable initiateur de la science moderne. Toujours est-il que « l'élan contagieux qui inspire ses écrits contribua à lancer l'homme à la conquête de la nature » (P.M. Schuhl) ainsi qu'à voir dans le développement des sciences un moyen pour perfectionner l'ordre éthique et politique. Œuv. princ. : *Essais de morale et politique,* 1597; *Novum Organum,* 1620; *De dignitate et augmentis scientiarum,* 1623; la *Nouvelle Atlantide,* 1627, roman philosophique traçant le projet d'organisation de la Cité gouvernée par des Savants, et une *Histoire d'Henri VII,* 1622. On a, par ailleurs, périodiquement attribué à Bacon la paternité des drames de Shakespeare.

BACON (Francis). ♦ Peintre britannique (Dublin, 1909 –). Il s'installa à Londres vers 1929 et débuta comme décorateur. S'intéressant à la peinture, il fut sensible au surréalisme, à Picasso, mais aussi à l'expressionnisme de Van Gogh et de Soutine. Il détruisit nombre de ses premières toiles et trouva son style avec *trois études* pour des personnages au pied d'une crucifixion. Il réalisa ensuite des portraits d'après des tableaux ou des photos et plusieurs œuvres avec personnages ou êtres zoomorphes (qui rappellent Ernst*) : séries de papes, crucifixions, juges, hommes d'affaires, etc., situés dans un espace clos délimité par quelques diagonales et verticales ainsi que par de larges plages de couleurs claires uniformément étalées. Cet espace scénographique concourt à accroître le sentiment de malaise que communiquent ces individus étalés, rétractés ou convulsés. La décomposition flasque des personnages, réalisée au moyen de larges et sinueux coups de pinceaux, leur confère un aspect monstrueux et caricatural et semble s'inspirer de photos tremblées. Par des moyens plastiques qui lui sont personnels, Bacon évoque inlassablement un univers morbide d'où sourd un sentiment de solitude et d'angoisse (*Personnage allongé,* 1966).

BACOT (Jacques). ♦ Géographe et voyageur français (Saint-Germain-en-Laye, 1877 – Paris, 1965). Il explora la vallée du Yang-tsê (1907), le nord de l'Indochine (1909-1910) et l'Himâlaya (1913-1914, 1930-1931). Ses ouvrages contribuèrent à la connaissance des pays et populations asiatiques (en particulier du Tibet, *Dans les marches tibétaines,* 1909).

Arch. Smeets
Autoportrait, par **F. Bacon.** (Collection privée.)

Ph. Rémy
Caravane en **Bactriane.**

BACOVIA (Gheorghe dit Vasiliu). ♦ Poète roumain (Bacău, 1881 – 1957). Son œuvre, brève et de facture symboliste, exprime l'obsession d'une désagrégation fondamentale : *Plomb* (1916), *Morceaux de nuit* (poèmes en prose, 1926), *Poésies* (1934).

BAC-SÖN. ♦ Village du massif montagneux du Tonkin (Viêt-nam du Nord) et site éponyme d'une culture préhistorique caractérisée par des pierres polies et taillées, une céramique « au panier » et des outils en os, répandue dans toute l'Indochine au ~ IIe millénaire.

BACTRES, *auj.* **Balkh.** ♦ Anc. ville de l'Asie centrale, cap. de la Bactriane*.

BACTRIANE. *n. f.* ♦ Anc. contrée de l'Asie centrale, correspondant au N. de l'Afghânistan actuel. Elle s'étendait entre la chaîne montagneuse Hindû-kûsh (anc. Paropamisus), et la rivière Amou-Daria (anc. Oxus). *Cap.* Bactres (auj. Balkh). ♦ *Hist.* Il n'est pas certain que la Bactriane fît partie de l'empire des Mèdes. Soumise par Cyrus, elle devint l'une des satrapies de l'Empire perse achéménide (~ VIe-~ IVe s.). Conquise par Alexandre* le Grand (~ 329-~ 327), elle passa peu après sa mort sous la domination de Séleucos, roi d'Asie. Les Séleucides (surtout Séleucos Ier et son fils Antiochos) fondèrent plusieurs villes peuplées de colons macédoniens, et vers ~ 250, le gouverneur Diodote fonda le royaume indépendant grec de Bactriane qui atteignit son apogée sous Démétrios Ier (~ 189-~ 166). Attaqué par le roi des Parthes Mithridate Ier, qui occupa sa partie O., puis par les Scythes, le royaume fut annexé par l'empire indoscythe des Kouchanes (~ Ier-IIIe s.). Au Ve s., la contrée subit les invasions des Sassanides et des Huns Hephtalites, qui ravagèrent Bactres.

BACULARD D'ARNAUD (François *de*). ♦ Écrivain français (Paris, 1718 – 1805). Auteur de romans et du mélodrame *Le Comte de Comminges* (1790).

BAD ABBACH. ♦ V. ABBACH.

BADAJOZ. ♦ V. d'Espagne (Estrémadure*), ch.-l. de prov. sur le Guadiana, près de la frontière portugaise. 106 800 hab. – La *prov. de Badajoz* compte 840 200 hab. – Patrie de Pedro de Alvarado*, Garcilaso* de la Vega, Godoy*, Luis de Morales*. ♦ *Hist.* Ancienne cité romaine, devenue cap. d'un petit royaume musulman fondé au XIe s., *Badajoz* fut conquise par les Almoravides, puis par les Almohades et passa aux rois de León*, en 1228. La ville fut prise par Soult en 1811, puis par Wellington en 1812.

BADALONA. ♦ V. d'Espagne (prov. de Barcelone), sur la côte méditerranéenne en Catalogne. 120 014 hab. Indus. métallurgiques, chimiques, textiles.

BÂDÂMI. ♦ Bourgade de l'Inde du Sud-Ouest (Maisûr*), ancienne capitale d'une dynastie des Châlukya*, du VIe au milieu du VIIIe siècle. Groupe de quatre grottes brâhmaniques sculptées ; petits temples dont la décoration est d'une grande finesse.

BADÂÛNI (Abd al-Qâdir al-). ♦ Poète et historien indo-musulman d'expression persane qui vécut à la cour d'Akbar* (seconde moitié du XVIe s.). Il traduisit en persan, en 1589, le *Râmâyana** hindou.

BAD CANNSTADT ou **CANNSTADT.** ♦ Faubourg oriental de Stuttgart (R.F.A., Bade-Wurtemberg), sur la r. g. du Neckar. Station thermale réputée.

BADE (Max ou **Maximilien).** ♦ V. MAXIMILIEN.

BADE (Josse, dit **Jodocus Badius).** ♦ Imprimeur belge (Asch, près de Bruxelles, 1462 – Paris, 1535). Il fonda à Paris (v. 1500) une imprimerie où furent édités un grand nombre d'ouvrages classiques grecs et latins (Érasme*, Budé*, Ange Politien*).

BADE [*n. m.*] en all. **Baden.** ♦ Anc. État de l'Allemagne du S.-O. qui s'étendait sur la plaine rhénane de Bâle à Mannheim, le versant occidental de la Forêt*-Noire et une partie du bassin de Souabe* et de Franconie*. *Cap.* Karlsruhe. ♦ *Hist.* Occupé par les Romains puis par les Alamans*, le pays de Bade, partie du duché d'Alémanie ou de Souabe*, fut érigé en margraviat v. 1100. Déchiré, pendant

Ph. Ostuni-Diamante/Ricciarini

Bade-Wurtemberg : Ulm, maisons à pignons.

la guerre de Trente Ans, entre la ligue catholique de Baden-Baden et la ligue protestante de Baden-Durlach, il fut réunifié par Charles-Frédéric de Baden-Durlach, et en 1806, constitué en grand-duché (dont le dernier héritier fut Maximilien* de Bade). Il adhéra à la Confédération* du Rhin (1806) et à la Confédération* germanique (1815), puis entra dans l'Empire allemand (1870). La Constitution de 1919 fit du Bade une république. Après la fondation de la République fédérale allemande, le Bade et le Wurtemberg* furent réunis pour former le *Land de Bade-Wurtemberg* **(V.** *ci-dessous***).**

BAD EMS. ♦ **V.** Ems.

BADE-WURTEMBERG [*n. m.*] en all. **Baden-Württemberg.** ♦ État de la République fédérale allemande. *Land* formé en 1952 par la réunion de l'anc. pays de Bade*, du Wurtemberg* et de l'anc. principauté de Hohenzollern*. Il occupe toute la partie sud-occidentale de la R.F.A. 35 750 km². 8 548 700 hab. *Cap.* Stuttgart. *V. princ.* **V. Aalen, Baden-Baden, Constance** (Konstanz), **Esslingen, Fribourg-en-Brisgau, Friedrichshafen, Geislingen, Göppingen, Heidelberg, Heidenheim, Heilbronn, Karlsruhe, Kehl, Lörrach, Ludwigsburg, Mannheim, Neckarsulm, Obrigheim, Offenburg, Pforzheim, Philippsburg, Rastatt** (ou **Rastadt**), **Ravensburg, Reutlingen, Sasbach, Schwäbisch Gmünd, Sigmaringen, Sindelfingen, Stuttgart, Tübingen, Tuttlingen, Ulm, Villingen.** – *Orogr.* et *hydrogr.* Le Bade-Wurtemberg s'étend sur plusieurs régions naturelles : le *fossé rhénan*, qui forme un étroit couloir s'allongeant de Bâle à Mannheim, est bordé à l'E. par la *Forêt-Noire* (1 494 m au Feldberg) et au N. par l'*Oldenwald* (626 m). Le *bassin de Souabe* au S. (correspondant à l'O. du plateau de Souabe-Franconie) s'étend entre le Danube et la Forêt-Noire, est fermé au S.-E. par le *lac de Constance* et se relève au N. pour former le bourrelet montagneux du *Jura souabe* (600 à 1 015 m). La *plaine de Bade* au N. et la vallée du Neckar juxtaposent plusieurs types de paysage (dépression, collines boisées, plaines fertiles). Le Danube* (et son affl. l'Ill*), le Rhin* et le Neckar* drainent la région. Le lac de Constance* est partagé entre l'Allemagne, la Suisse et l'Autriche. – *Écon.* L'agriculture revêt une grande importance et les sols sont presque partout fertiles : céréales, houblon (plaine du Rhin), vigne (vallée du Neckar). L'élevage bovin est pratiqué dans la Forêt-Noire et le bassin de Souabe. La région est assez fortement industrialisée, surtout entre Karlsruhe (mécanique, pétrochimie) et Stuttgart (constructions mécaniques, automobiles). Mannheim est un important port fluvial sur le Rhin. Le Bade-Wurtemberg est une grande région touristique (Forêt-Noire, lac de Constance) et thermale (Baden-Baden). ♦ *Hist.* **V. Bade** et **Wurtemberg.**

BADEN. ♦ Nom allemand du Bade*.

BADEN. ♦ Ville d'Autriche située au sud de Vienne. 23 550 hab. Importante station thermale (affections rhumatismales). – Patrie de Max Reinhardt*. ♦ *Hist.* Déjà connue et appréciée comme station thermale à l'époque romaine, la ville devint le lieu de séjour d'été de la cour impériale autrichienne. Marie-Louise et le duc de Reichstadt y séjournèrent. Beethoven y vint plusieurs fois, y travailla à la 9e symphonie et y termina la *Missa solemnis*. De 1945 à 1955, la ville fut le quartier général des troupes d'occupation soviétiques.

BADEN. ♦ V. de Suisse (Argovie) sur la Limmat. 15 100 hab. Ville ancienne : ruines du château de Stein (XIVe s.). À quelques kilomètres, abbaye de *Königsfelden* (XIVe s.) et ruines de l'anc. *Vindonissa* romaine. Importante station thermale déjà connue à l'époque romaine *(Aquae Helveticae* ou *Verbigenae).* Appareillage électrique, métallurgie, matériel ferroviaire. ♦ *Hist.* Le prince Eugène* y signa avec la France la paix de Bade qui complétait le traité de Rastadt* et mettait fin à la guerre de Succession d'Espagne (7 sept. 1714).

BADEN-BADEN. ♦ V. d'Allemagne occidentale (Bade-Wurtemberg), dans la plaine du Rhin, au pied N.-O. de la Forêt-Noire, au débouché de l'Oostal. 40 800 hab. Station thermale aux eaux alcalines radio-actives, connue déjà sous les Romains *(Aurelia Aquensis)*, et qui eut une grande vogue en Europe au milieu du XIXe siècle. Anc. église collégiale du VIIe s. remaniée en style gothique au XVe siècle. Château Renaissance *(Neues Schloss).*

BADEN-POWELL (Robert Stephenson Smyth, *1er baron de***).** ♦ Général anglais (Londres, 1857 – Nyéri, Kenya, 1941). Il fit une carrière militaire en Inde, en Afghânistân et en Afrique du Sud. Il fonda les boy-scouts en 1908, inspirés des jeunes éclaireurs qu'il avait formés pendant le siège de Mafeking (guerre des Boers*) où il s'était particulièrement distingué.

BADGASTEIN. ♦ Ville d'Autriche, située sur le versant Nord des Tauern (prov. de Salzbourg). Station thermale. ♦ *Hist.* Déjà connue à l'époque des Romains, Badgastein fut au XIXe s., une ville d'eau fort mondaine. L'empereur Guillaume Ier d'Allemagne y séjourna plusieurs fois. François-Joseph d'Autriche et le roi de Prusse y signèrent en 1865 la *Gasteiner Konvention*, réglant l'intervention des deux pays dans l'affaire des Duchés. Schubert* y écrivit la *Symphonie du Gastein* (1825).

BAD GODESSBERG ou **GODESBERG.** ♦ V. d'Allemagne occidentale (Rhénanie du Nord-Wesphalie), dans la banlieue S. de Bonn*, sur la r. g. du Rhin. 68 800 hab. Station thermale (eaux ferrugineuses). Centre administratif (siège du gouvernement fédéral, ambassades) et touristique.

BAD HOMBURG VOR DER HÖHE. ♦ V. d'Allemagne occidentale et ch.-l. du *Land* de Hesse, au pied du Taunus, à 16 km au N. de Francfort. 37 340 hab. Station thermale réputée (sources salines). Anc. château des landgraves (1680). Le landgrave Frédéric II (le « prince de Homburg ») y vécut.

Badinguet. ♦ Nom du maçon dont Louis-Napoléon Bonaparte emprunta les vêtements pour s'enfuir du fort de Ham (1846) où il fut emprisonné après la tentative manquée de Boulogne* (1840), et qui devint le surnom que ses ennemis politiques attribuèrent à l'ancien conspirateur devenu l'empereur Napoléon* III.

BAD KISSINGEN. ♦ V. d'Allemagne occidentale (Bavière, Basse-Franconie), sur la Saale. 12 800 hab. Station thermale (eaux chlorurées sodiques).

BAD KREUZNACH. ♦ V. d'Allemagne occidentale (Rhénanie-Palatinat). 36 100 hab. Station thermale (eaux chlorurées, sodiques, ferrugineuses radio-actives). – Patrie d'Hans Driesch*.

BAD NAUHEIM ou **NAUHEIM.** ♦ V. d'Allemagne occidentale (Hesse) dans le Taunus (vallée de la Wetterau), sur l'Usa. 14 400 hab. Station thermale renommée pour le traitement des affections cardiaques et circulatoires.

BADOGLIO (Pietro). ♦ Maréchal et homme politique italien (Grazzano Monferrato, 1871 – *id.*, 1956). Chef d'état-major général (1919-1921 et 1925-1928), gouverneur de Libye (1928-1933), il commanda les forces italiennes pendant la guerre d'Éthiopie* (1935-1936) et reçut le titre de vice-roi de ce pays. Pendant la Seconde Guerre mondiale, il tenta vainement de freiner Mussolini. Après la chute du dictateur il devint chef du gouvernement, négocia avec les Alliés et déclara la guerre à l'Allemagne. Il se retira de la vie politique en 1944.

BADONVILLER [badɔ̃vile]. ♦ Ch.-l. de cant. de la Meurthe-et-Moselle, arr. de Lunéville, en bordure des Vosges. 2 081 hab *(Badonvillais).* Église (XVIIIe s.; restaurée). Faïencerie; carrières de grès; scieries. – La ville fut détruite en partie en 1914.

BADR. ♦ Localité au S.-O. de Médine. Lieu d'une victoire remportée par les musulmans dirigés par Mahomet* sur une caravane de Qurayshites* qui revenait de Syrie et dont le chef était Abu Sufyân (an 2 de l'hégire; 623).

BAD RAGAZ, en fr. **Ragaz-les-Bains.** ♦ V. de Suisse (Saint-Gall) au confl. de la Tamina et du Rhin (r. g.). 2 700 hab. Station thermale et climatique très fréquentée.

BADUILA. ♦ **V.** Totila.

BAEDEKER (Karl). ♦ Libraire et éditeur allemand (Essen, 1801 – Coblence, 1859). Encouragé par le succès du *Guide des voyageurs sur les bords du Rhin*, il créa une célèbre collection de guides de voyage, qui furent bientôt traduits dans toutes les langues et appréciés pour l'abondance et l'exactitude des renseignements donnés.

BAEGJE [*Paekche, Päk-dje*]. ♦ Ancien royaume coréen du nord de la péninsule, qui dura de ~ 18 jusqu'en 660 et compta 31 souverains. Il fut finalement vaincu par les forces chinoises des T'ang* et du royaume coréen de Silla*.

BAEKELAND (Leo Hendrik). ♦ Chimiste belge naturalisé américain (près de Gand, 1863 – Beacon, New York, 1944). Inventeur d'un papier photographique, il découvrit la première résine synthétique [bakélite, 1906] **(V. Staudinger).**

BAER (Karl Ernst *von***).** ♦ Anatomiste et embryologiste russe d'origine allemande (Gut-Piep, Estonie, 1792 – Dorpat, 1876). Connu pour ses travaux d'anatomie comparée, il fut surtout l'un des fondateurs de l'embryologie moderne. Il découvrit en même temps que Prévost* et Dumas* les ovules dans les vésicules ovariennes chez la chienne; ses études sur le développement embryonnaire lui permirent de mettre en évidence la division de l'œuf en plusieurs couches de tissus (ou feuillets germinatifs, **V. Remak**), et la corde dorsale de l'embryon. Il fut enfin le premier à formuler la loi biogénétique fondamentale, reprise par Haeckel*.

BAESRODE, en néerl. **Baasrode**. ♦ V. de Belgique (Flandre-Orientale, arr. de Termonde) sur l'Escaut* (r. d.). 6 900 hab. Église Saint-Ursmer (1677).

BAEYER (Adolf *von***)**. ♦ Chimiste allemand (Berlin, 1835 – Starnberg, Bavière, 1917). Il réussit en 1880 la synthèse de l'indigo. (Prix Nobel de chimie, 1905.)

BAFFIN (William). ♦ Navigateur anglais (Londres, 1584 – Ormuz, 1622). Il fut le premier à pénétrer par le détroit de Davis dans la mer ou baie qui porte son nom et explora les régions arctiques. Il périt au siège de l'île d'Ormuz (golfe Persique) prise aux Portugais par les Anglais.

BAFFIN *(mer de* ou *baie de)*. ♦ Mer polaire, comprise entre le Groenland*, la terre d'Ellesmere*, l'île Devon* et la terre de Baffin* (elle se prolonge au S. par le détroit de Davis). Elle communique au S. avec l'océan Atlantique* par le détroit de Davis* et au N. avec l'océan Arctique* par le détroit de Smith*.

BAFFIN *(terre de)*. ♦ Immense île de l'archipel arctique canadien (territoires du Nord-Ouest : district Franklin) qui s'étend entre le bassin de Foxe* (au N. de la baie d'Hudson*) et la mer de Baffin*, qui la sépare du Groenland* à l'Est. 476 066 km². Elle est limitée au N. par le détroit de Lancaster* (qui la sépare de l'île Devon*), à l'O. par le golfe de Boothia* et au S. par le détroit d'Hudson* (qui la sépare de l'Ungava et du Labrador*). 2 000 hab. env. (Eskimos). *V. princ.* Frobisher* Bay. – La côte E., très découpée, présente deux profondes indentations, le détroit de Cumberland (Cumberland Sound) et la baie de Frobisher.

BAFING. *n. m.* ♦ Riv. de la Guinée et du Mali*, qui prend sa source dans le sud du Fouta*-Djalon (Guinée) et rejoint le Bakhoy* à Bafoulabé* pour former le Sénégal*. 450 km.

BAFOULABÉ. ♦ V. du Mali, au confluent du Bakhoy* et du Bafing*, 2 800 hab. – Arachides.

BAGANDAS. *n. m. pl.* ♦ Peuple bantou établi il y a plus de trois siècles en Ouganda*. Les Bagandas constituent des groupes hiérarchisés, dotés d'organisations politiques et sociales avancées, dont la principale était constituée par le royaume de Bouganda.

Bagatelle. ♦ Château situé à Paris à la lisière du bois de Boulogne*. Construit en 1777 par Bélanger* pour le comte d'Artois (le futur Charles X), préservé sous la Révolution, acquis en 1806 par Napoléon Ier, puis rendu au duc de Berry à la Restauration, il appartient depuis 1905 à la Ville de Paris. Exemples caractéristiques des « folies » appréciées au XVIIIe s., le *château* et le *Trianon* sont entourés d'un beau parc (24 ha ; roseraie).

BAGAUDES. *n. m. pl.* ♦ Paysans gaulois qui se révoltèrent contre la domination romaine au IIIe siècle. Écrasés par Dioclétien*, puis par Maximien*, ils reparurent au Ve s. en Espagne et en Gaule où ils se mêlèrent aux Barbares.

BAGEHOT (Walter). ♦ Économiste et publiciste britannique (Langport, Somerset, 1826 – 1877). Dans son ouvrage sur l'organisation du marché financier de Londres (*Lombard Street,* 1873), il a donné une des premières études sur les crises économiques, qu'il explique par les mauvaises récoltes. Il est également l'auteur des *Lois scientifiques du développement des nations* (1869) et d'un ouvrage fondamental sur la Constitution anglaise (*The English Constitution,* 1867).

BÂGH. ♦ Site archéologique de l'Inde (Mâdhya* Pradesh) où se trouvent une dizaine de grottes bouddhiques du VIe siècle.

BAGHDÂD ou **BAGDAD**. ♦ Capitale de l'Iraq, située en Mésopotamie*, sur la r. g. du Tigre. 1 745 000 hab. (1969). Archevêchés (nombreuses sectes chrétiennes). Universités. La ville doit son développement à sa situation hors de la plaine marécageuse de Mésopotamie, qui permet le franchissement aisé du Tigre et de l'Euphrate. La construction du barrage de Samarra* en 1955 mit fin aux inondations de la ville (1931 ; 1954) en détournant les eaux des crues. Monuments 'abbassides et jalayrides (XIVe s.) [V. ci-dessous, *Hist.*]. – Centre administratif et commercial important. Sur le plan indus., Mossoul* aurait tendance à la supplanter, mais la

Ph. Leigheb/Ricciarini
Baghdâd : vue générale.

Ph. Hubert Josse
Entrée des troupes britanniques à **Baghdâd** en 1917.

découverte du pétrole a donné à la capitale un nouvel essor. Indus. alimentaires (huileries), textiles (laine et coton), mécaniques et métallurgiques ; indus. du cuir, cimenterie, manufacture de tabac, et surtout raffinage du pétrole acheminé de Kirkuk*. La voie ferrée reliant la Turquie à Basra traverse la ville. Aérodrome international. – *Province de Bagdad*. 2 500 000 hab. (1970), soit une forte densité de population, mais qui n'a pas de signification économique car il s'agit d'une population en grande partie inactive. Bien irriguée, la région permet la culture du coton, de palmiers dattiers qui alimentent l'exportation, d'arbres fruitiers, et l'élevage notamment de moutons. La main-d'œuvre est en majorité d'origine kurde. ♦ *Hist.* En 750, le califat fut établi en Iraq avec la fondation de la dynastie 'abbasside* par Abû* al-'Abbâs dont le frère et successeur al-Mansûr* décida en 762 de construire une nouvelle capitale sur le site du village sassanide de Baghdâd. La cité ronde d'al-Mansûr, nommée *Madinat al-Salâm* (« ville de la Paix »), s'étendait sur la rive O. du Tigre ; mais il n'en reste pas trace et on n'a pu la localiser avec exactitude. D'un diamètre de 2 km, elle était entourée de trois enceintes concentriques percées par quatre portes, débouchés des quatre larges avenues qui rayonnaient du centre de la ville, occupé par le palais califal et la mosquée. Le quartier commercial fut construit à al-Karkh, en dehors de la ville. Sous le calife al-Mahdi, la ville s'élargit sur la rive E. du fleuve (quartiers de : al-Rusâfa, al-Shammasiya, al-Mukharrim). Baghdâd connut sa plus grande prospérité sous le règne d'Harûn* al-Rashîd, fils d'al-Mahdi, qui accumula dans sa capitale les richesses matérielles et culturelles du monde connu. À la mort d'Harûn, la guerre civile qui opposa ses deux fils endommagea sérieusement la ville circulaire qui ne fut jamais complètement restaurée. Entre 836 et 892, les califes durent abandonner Baghdâd pour s'installer dans la ville nouvelle de Samarra* en raison de l'impopularité de leurs troupes turques. À leur retour, ils s'installèrent dans le quartier al-Mukharrim, sur la rive est. En 1095 une nouvelle enceinte entoura la partie orientale de la ville, qui subsista jusqu'au XIXe siècle. Une des deux portes qui survécurent fut détruite à la suite de la retraite des troupes turques en 1917 (« la porte du Talisman »). De la période 'abbasside subsistent encore les fondations du palais califal et la Mustansiriya, grand collège de droit construit par le calife al-Mustansir (1232). En dépit du déclin du pouvoir 'abbasside, Baghdâd resta un grand centre commercial et culturel. Le sac de la ville par le Mongol Hulagu marqua la chute de Baghdâd (1258). Et malgré l'effort de la dynastie locale des Jalayrides (XIVe s.), la ville ne retrouva jamais sa splendeur. Néanmoins, de cette époque datent la mosquée et le collège de Mirjan ibn 'Abd-Allâh (1358). En 1401, Baghdâd fut de nouveau détruite par le dernier envahisseur mongol, Tîmûr*-i Lang. Au XVIe s., elle fut alternativement soumise au pouvoir ottoman* et au pouvoir safavide*. Au XVIIe s., elle resta sous l'autorité ottomane. Pendant le XVIIIe et le début du XIXe s., elle fut dirigée d'une manière autonome par des mamelouks. Baghdâd fut occupée en 1917 par les forces britanniques et devint la capitale du royaume indépendant d'Iraq en 1921. La ville connut une tentative de révolte anti-anglaise en 1942 et vit la réussite du coup d'État de 1958 qui instaura la république.

BAG JEONG HUI [*Park Chung Hee*]. ♦ Général coréen qui, le 16 mai 1961, fit un coup d'État et remplaça à la présidence de la république de Corée du Sud le président Yun Bo Seon démissionnaire. Il fut élu constitutionnellement en 1963 et réélu en 1967 et 1971.

BAGLIVI (Georges). ♦ Médecin italien (Raguse, 1668 ou 1669 – Rome, 1707). Docteur en philosophie et en médecine de l'université de Salerne, il poursuivit des études d'anatomie à Bologne où il eut Malpighi* pour maître. Il enseigna la médecine théorique au collège de Sapience et se montra partisan de l'iatromécanisme **(V. Borelli)**. Il fut surtout un bon observateur des maladies et un bon praticien.

BAGNÈRES-DE-BIGORRE. ♦ Sous-préf. des Hautes-Pyrénées*, ch.-l. d'arr. (9 cant., 164 comm., 51 060 hab.), sur l'Adour*. Importante station thermale et climatique. 11 122 hab. *(Bagnérais)*. Indus. électriques. Confection (bonneterie). – Patrie de Pierre Latécoère*.

BAGNÈRES-DE-LUCHON ou **LUCHON**. ♦ Ch.-l. de cant. de la

Haute-Garonne* (arr. de Saint-Gaudens*). 4 139 hab. *(Luchonnais).* Station thermale et climatique (rhumatismes et affections des voies respiratoires). Station de sports d'hiver à Superbagnères*.

BAGNEUX. ♦ Ch.-l. de cant. des Hauts*-de-Seine, arr. d'Antony, dans la banlieue sud de Paris, 42 021 hab. *(Balnéolais).* Église Saint-Hermeland (XIIe-XIIIe s.) remaniée au XIXe siècle. Laboratoire national de radioélectricité. Carrières de pierres. Fonderies d'aluminium. Tannerie; reliure industrielle. – Combats pendant le siège de Paris (1870).

BAGNOLES-DE-L'ORNE. ♦ Comm. de l'Orne* (arr. d'Alençon*). 642 hab. *(Bagnolais).* Elle forme avec Tessé-la-Madeleine une station thermale (affection du système veineux, phlébites).

BAGNOLET. ♦ Ch.-l. de cant. de la Seine-Saint-Denis, arr. de Bobigny, à la limite E. de Paris. 34 039 hab. Immeubles résidentiels. Centre commercial. Indus. chimique. Mécanique de précision.

BAGNOLI IRPINO. ♦ Comm. d'Italie en Campanie (province d'Avellino). 4 400 hab. Aciéries.

BAGNOLS-LES-BAINS. ♦ Comm. de la Lozère* (arr. de Mende*), sur le Lot*. 242 hab. *(Bagnolais).* Petite station thermale à 912 m d'altitude (affections cutanées et respiratoires).

BAGNOLS-SUR-CÈZE. ♦ Ch.-l. de cant. du Gard* (arr. de Nîmes*). 13 031 hab. *(Bagnolais).* Hôtel de ville (1675) renfermant un musée d'art moderne. Ensemble résidentiel au S. de la vieille ville, construit à la suite de l'essor consécutif à l'édification du centre de Marcoule*. – Centre agricole et commercial. Vins; distilleries. Électro-métallurgie. – Patrie de Rivarol*, J.B. Teste*.

BAGOAS. ♦ Eunuque égyptien, homme de confiance d'Artaxerxès* III, il empoisonna son souverain et le remplaça par Arsès* (~ 338). Il empoisonna ensuite Arsès, fit périr sa famille et porta au trône Darios* III Codoman (~ 336). Il s'apprêtait encore à empoisonner celui-ci mais fut contraint de boire lui-même le poison.

BAGOT (*sir* Charles). ♦ Administrateur colonial britannique (Staffordshire, 1781 – 1843). Il fut gouverneur général du Canada de 1841 à 1843.

BAGRATION (Piotr Ivanovitch, *prince*). ♦ Général russe (Kisljar, Caucase, 1765 – Simi, gouv. de Vladimir, 1812). Issu d'une famille princière de Géorgie, il combattit aux côtés de Souvorov* en Pologne (1794) et en Italie (1799), avant de prendre part à la campagne contre la France (1805) sous les ordres de Koutouzov. Il s'illustra à Austerlitz*, Eylau* (auj. *Bagrationovsk*), et Friedland* (1807). Durant l'invasion de la Russie par Napoléon* (1812), il fut défait à Moghilev* et à Smolensk*, et fut mortellement blessé à la bataille de la Moskova*

BAG YEONG HEUI [*Pak Yŏng Hui*]. ♦ Écrivain coréen (1901 –), poète d'inspiration symboliste et patriotique. Il est l'auteur de nombreux romans et de pièces de théâtre (*Le Pays du rêve,* 1920; *Le Chien de chasse,* 1925).

BAGYIDAW. ♦ Roi de Birmanie* (1784 – 1848). En 1819, il succéda à son grand-père Bodawpaya*. Il établit sa capitale à Ava, envahit l'Assam* dont il déporta 30 000 hab. et fit des incursions au Bengale, ce qui provoqua la riposte des Anglais qui, en 1824, débarquèrent à Rangoon*. Devenu fou, il fut déposé par son frère Tharrawady* qui lui succéda.

BAHÂDUR SHÂH Ier. ♦ Empereur moghol de Delhi* (1643 – 1712), fils et successeur (1707) d'Aurangzeb*. Sous le règne de son père, il avait été emprisonné de 1687 à 1694 pour avoir pris le parti du râja de Bijâpur*. À la mort d'Aurangzeb, il disputa le trône à son frère Azam qu'il battit et tua. L'année suivante, il tua son autre frère. Ses quatre fils s'étant entretués après sa mort, ce fut un de ses neveux, Farrukhsiyar*, qui lui succéda.

BAHÂDUR SHÂH II. ♦ Dernier souverain moghol de l'Inde (1775 – Rangoon, 1862), successeur en 1837 d'Akbar Shâh II. Il fut déposé par les Anglais après la mutinerie des Cipayes* (1857), et exilé à Rangoon où il mourut quatre ans plus tard. Il fut un excellent poète sous le surnom de Zafar.

Bahâ 'isme. ♦ Religion fondée au XIXe s. par Bahâ* U'llah (« gloire de Dieu »). Le principe de base de cette religion est que le Bâb* et Bahâ'* U'llah sont des manifestations de Dieu dont on ignore l'essence. Le troisième grand personnage du bahâ 'isme est 'Abd-al-Bahâ' (« le serviteur de la Gloire », 1844-1921), fils aîné de Bahâ 'U'llah et infaillible interprète de son enseignement. Les écrits et les paroles de ces trois figures forment la littérature sacrée de cette religion syncrétiste. Le bahâ 'isme appelle à l'instauration d'une foi universelle fondée sur le dépassement des conflits raciaux, religieux et sociaux. Il enseigne des préceptes moraux appelant à la paix universelle et refusant toute pratique rituelle. À ses débuts, le bahâ 'isme ne recruta ses adeptes qu'en Iran, mais il fut introduit en 1890 en Occident et en 1920 aux États-Unis. De nos jours, cette religion a des adeptes partout dans le monde et sa littérature est traduite en 370 langues.

BAHAMAS (*îles*), anc. **îles Lucayes.** ♦ Archipel anc. britannique, dans l'Atlantique, au N. des Grandes Antilles. Constitué par plus de 700 îles ou îlots, dont une vingtaine sont habités en permanence, il s'étend des côtes de Floride* à celles d'Haïti sur plus de 1 200 km. 11 409 km². Env. 177 000 hab., dont 80 % de Noirs (1968). *Cap.* Nassau* (sur la petite île de *New Providence*). *Langue off.* anglais. *Îles princ.* Andros (4 144 km²), les deux Abaco, Inagua, la Grande Bahama (**V.** ci-dessous), Eleuthera. Ces îles, entourées d'une mer peu profonde, sont en général plates (alt. max. 63 m). Elles sont baignées par le Gulf Stream et le climat y est très doux (moyenne d'hiver 21 à 24 °C), les pluies abondantes, mais brèves et l'ensoleillement important. Les forêts, en grande partie détruites, couvrent encore 30 % du territoire. Les ressources de l'économie sont faibles : une agriculture et un élevage de subsistance (on exporte cependant des légumes : tomates), la pêche (crustacés), l'exploitation du sel marin. Mais la principale ressource est le tourisme (plus de 800 000 visiteurs en 1965). La majorité des visiteurs vient des États-Unis. – La *Grande Bahama* abrite un port en eau profonde, *Free Port,* et une zone industrielle et commerciale hors taxes. La zone touristique de *Lucaya* (casino, port de plaisance, plage) s'est développée à partir de 1965. Aéroport modernisé en 1964. ♦ *Hist.* Découvertes par Christophe Colomb* (1492), les îles *Bahamas,* soumises d'abord par les Espagnols, occupées par les Anglais (1629), disputées entre l'Espagne, l'Angleterre et la France, furent attribuées à l'Angleterre en 1783. Colonie britannique, membre du Commonwealth*, pourvues d'un gouvernement autonome en 1964, elles sont devenues indépendantes en 1973.

Ph. Lauros-Giraudon

P.I. Bagration, par Aubin. (Bibl. nationale, Paris.)

BAHÂR. ♦ Poète iranien considéré comme le plus grand poète de l'époque moderne (Meched, 1880 – 1951). Il fut membre du mouvement réformateur en tant qu'écrivain et homme politique. Il dirigea à partir de 1916 la société littéraire *« Dâneshkadé »* qui entreprit de renouveler la poésie persane, et contribua, comme professeur à l'université de Téhéran, à développer l'histoire littéraire. Sa thématique s'inspire des problèmes sociaux, politiques et moraux modernes; il utilise simultanément la forme classique de la *qasida* et des formes plus souples inspirées de la prosodie occidentale. Il combine aussi dans son vocabulaire les ressources de la langue classique et les richesses du parler moderne. Cet élargissement du champ poétique lui permit d'exercer une grande influence sur la poésie du XXe siècle.

BAHARIÉH, BAHARIAH, en ar. **Al-Wâhat al-Bahriyah** « l'oasis maritime ». ♦ Oasis d'Égypte, dans une dépression au milieu du désert libyque. La population (6 000 hab.) est répartie dans quatre villages. Sources d'eau chaude. Culture de dattes, vergers.

Bahasa (mot malais, « langue »). ♦ On distingue la *Bahasa Indonesia,* langue officielle de l'Indonésie depuis 1928, la *Bahasa Halus,* ou langue malaise pure, la *Bahasa Kasar* ou lingua franca des îles de la Sonde (« malais de bazar ») et la *Bahasa Malaysia* qui est la langue officielle de la Malaysia. Toutes ces *Bahasa* dérivent de la langue malaise.

BAHA'U'LLAH (Mirza Husayn 'Ali Nuri). ♦ Fondateur du bahâ 'isme* (Téhéran, 1817 – Acre, 1892). Il fut dans sa jeunesse un ardent disciple du Bâb* et, quelques années après l'exécution du Bâb, il devint le chef d'une des fractions du bâbisme*. En 1867, il déclara publiquement qu'il est « celui en qui Dieu devrait se manifester », celui qui est annoncé par le Bâb. Ses disciples voient en lui une figure divine, la nouvelle révélation de cet âge après celles des grandes figures prophétiques du monde sémitique et du monde indo-européen.

BAHÂWALPUR. *n. m.* ♦ Province du Pâkistân, dans une région désertique mais fertilisée par des travaux d'irrigation et de dérivation des eaux de la Satlej. – Ville située dans cette province. Env. 150 000 hab. Filatures et tissages du coton.

BAHIA. *n. f.* ♦ Groupe d'îles situées dans la mer des Antilles au large des côtes du Honduras dont elles dépendent, et à proximité du golfe du Honduras. La population, noire en majorité, parle anglais. Exportation de noix de coco.

BAHIA. *n. m.* ♦ État de l'E. du Brésil*, situé sur le littoral atlantique. 561 026 km². 7 054 000 hab. *Cap.* Salvador* (anc. *Bahia*). *V. princ. :* Feira* de Santana, Ilhéus*. L'État est traversé par la serra do Espinhaço* qui y prend le nom de Chapada Diamantina (1 850 m) et du S. au N. par le São* Francisco. Élevage extensif de bovins. Cultures de canne à sucre, tabac, maïs, coton et surtout cacao, notamment autour d'Ilhéus. Exploitation de manganèse.

Importants gisements de pétrole qui fournissent 82 % de la production du pays. Barrage hydro-électrique à Paulo Afonso, sur le São Francisco. ♦ *Hist.* Ce fut la première région colonisée par les Portugais **(V. Cabral)**, et sa capitale *Bahia*, fut la première cap. du Brésil.

BAHÍA BLANCA. ♦ V. et port d'Argentine, dans le S. de la province de Buenos* Aires, proche de la baie de Bahía Blanca sur la côte atlantique. 150 000 hab. Centre industriel (indus. alimentaires, textiles) et débouché commercial de la Pampa* et du N. de la Patagonie. Le port est un grand exportateur de blé.

BAHLÛL LODÎ. ♦ Gouverneur afghân du Pañjâb*, de la tribu des Lodî* (? – 1489). En 1451, il détrôna 'Alam shâh Sayyîd, sultan de Delhi (Inde) et se proclama sultan, fondant la dynastie des Lodî. À sa mort, son fils Sikandar Lodî fut choisi par les nobles pour lui succéder.

BAHMANÎ. ♦ Dynastie indo-musulmane du Dekkan fondée en 1347 à Gulbargâ (Mysore, Inde) par Hasan* Zafar Khân. Elle se maintint au pouvoir jusqu'en 1527, et fut ensuite partagée entre les sultans de la dynastie des Shâhî après l'éclatement du royaume en principautés. Elle compta seize sultans.

BAHRÂM. ♦ Nom de plusieurs rois sassanides de Perse. ♦ BAHRÂM I, roi de 273 à 277, fit exécuter Mani*. ♦ BAHRÂM II, roi de 277 à 293, lutta contre Rome **(V. Carus)**. ♦ BAHRÂM IV, roi de 388 à 399. ♦ BAHRÂM V GÔR, roi de 421 à 438, repoussa une invasion des Huns (Hephtalites ou Khionites). En 422, à la suite d'une intervention byzantine, il toléra les chrétiens en Perse. ♦ BAHRÂM VI TCHOBÊN, général destitué après sa défaite contre Byzance, se révolta contre Ormizd* IV (589), se fit reconnaître comme roi (590) mais fut vaincu par Khosrô* II allié à l'empereur byzantin Maurice (591).

BAHRDT (Karl Friedrich). ♦ Théologien et pédagogue allemand (Bischofswerda, 1741 – Halle, 1792). La traduction laïcisée du Nouveau Testament qu'il publia sous le titre *Die neuesten Offenbarungen Gottes in Briefen und Erzählungen* (1772-1775), suscita une telle hostilité de la part de l'Église qu'il fut contraint de s'exiler en Suisse où il dirigea une école. Revenu en Allemagne, il tenta d'appliquer les principes pédagogiques de J.B. Basedow* dans une école modèle qu'il fonda à Heidesheim (Palatinat). Outre le récit de ses voyages et de ses querelles théologiques, il a laissé un traité d'éducation (*Philanthropinischer Erziehungsplan*, 1775).

BAHREÏN (ar. **al-Bahrayn**, « les deux mers »). ♦ Archipel et émirat indépendant du golfe Persique situé entre la côte orientale d'Arabie Sa'ûdite et la péninsule de Qatar*, et qui est constitué par six petites îles (Muharrak, Nahib Salih, Sitra, Umm al-Subbân, Djida et Umm Nasan), outre l'île de Bahrein qui a donné son nom à l'archipel. ♦ L'ÎLE DE BAHREÏN a une superficie de 600 km² env. Sa population, en progression (220 000 hab. en 1970) est en majorité arabe, avec des minorités indiennes, noires, persanes. *Relig.* musulmane (rite sunnite dans les villes, shi'ite dans les campagnes). *Cap.* Manama*. *Autre V. :* Muharrak. *Langue off.* arabe. *Unité monét.* dinar bahreïni (qui a remplacé la roupie indienne depuis 1965). – L'île a un climat chaud et humide et sa végétation est abondante; cultures du riz, d'arbres fruitiers (palmiers-dattiers). La pêche des perles, activité traditionnelle, est concurrencée par le commerce des perles de culture. Artisanat (poterie, tissage). Pêche et mise en conserve de crevettes (exportées aux États-Unis et au Japon). Bahreïn tire le plus clair de ses revenus du pétrole dont la découverte en 1932 amena les prospecteurs à explorer les territoires d'Arabie Sa'ûdite et du Koweit, et ultérieurement ceux de la côte des Pirates. Un oléoduc achemine le pétrole de l'île vers les ports méditerranéens de Saïda et Tripoli* (Liban) à travers l'Arabie Sa'ûdite du Nord. Un autre oléoduc, sous-marin, achemine depuis Damman* le brut d'Arabie Sa'ûdite à raffiner dans l'île. L'importance des ports a diminué depuis que l'Arabie Sa'ûdite, le Koweit et Dubaï ont leurs propres débouchés sur le golfe. ♦ *Hist.* Occupée par la Perse de 1602 à 1783, l'île fut détachée de l'Empire perse après la prise du pouvoir par Ahmad ibn Khalifa qui fonda la dynastie actuelle. À partir de 1820, les souverains signèrent un traité avec l'Angleterre pour se protéger des attaques venant de Mascate et de la côte des Pirates. L'Angleterre dirigea ainsi jusqu'en août 1971 – date à laquelle le pays accéda à l'indépendance totale – les affaires étrangères de Bahreïn et y entretint la présence de troupes britanniques laissant au souverain le gouvernement interne du pays.

Ph. Nino Cirani/Ricciarini
Bahia (Brésil) : partie ancienne de la ville de Salvador.

BAHR EL-ABIAD (« le fleuve blanc ») ou **NIL BLANC.** *n. m.* ♦ Nom donné au Nil du Soudan, entre le lac Nô* et sa jonction avec le Bahr* el-Azrak ou Nil bleu, à Khartoum.

BAHR EL-ARAB ou **BAHR AL 'ARAB** (le « fleuve des Arabes »). *n. m.* ♦ Fl. du Soudan sud-occidental, qui, par sa réunion avec le Djour*, forme le Bahr* el-Ghazal. 800 km.

BAHR EL-AZRAK ou **NIL BLEU.** ♦ Riv. d'Éthiopie et du Soudan (1 600 km) issue du lac Tana*. Elle conflue à Khartoum* avec le Bahr* el-Abiad pour former le Nil*.

BAHR EL-DJEBEL ou **BAHR AL JABAL.** *n. m.* (« le fleuve du désert »). ♦ Nom donné au Nil*, du lac Albert à sa jonction avec le Bahr* el-Ghazal.

BAHR EL-GHAZÂL ou **BAHR EL-GHAZAL** (le « fleuve des gazelles »). *n. m.* ♦ Fl. du Soudan (240 km). Né à la frontière soudano-congolaise, il traverse une vaste zone marécageuse formée par l'apport du Bahr* el-Arab et du Djour*, puis rejoint successivement le Bahr el-Djebel, au niveau du lac Nô, et le Nil* dont il est l'un des principaux affluents (r. g.). La *région soudanaise de Bahr el-Ghazal* (cap. Ouaou*) compte 1 274 000 habitants.

BAHRITES. *n. m. pl.* ♦ Nom de la première dynastie des Mamelouks* turcs qui régnèrent sur l'Égypte de 1250 à 1382 **(V. Mamelouks)**.

BAHR YÛSUF, BAHR YOUSSEF (« le fleuve de Joseph »). *n. m.* ♦ Canal d'irrigation de la Moyenne-Égypte, utilisant les eaux dérivées du Nil et arrosant la région du Fayoum*.

BAHYA IBN PAQUDA. ♦ Philosophe juif espagnol (de Saragosse?) [XIe s.], auteur, en arabe, de l'*Introduction aux devoirs des cœurs (Kitâb al-Hidâya ilâ Farâ'id al-Qulûb*, v. 1080), méditation sur le *Shema'* **(V. Écoute, Israël)** et l'un des chefs-d'œuvre de la spiritualité juive.

BAIA MARE (« la grande mine »). ♦ V. de Roumanie septentrionale, ch.-l. de la région des Maramureş, dans le bassin du Someş. 48 540 hab. Important centre d'industries métallurgiques et chimiques à proximité de gisements métallifères (or, argent, plomb et zinc). Sources minérales.

BAIE COMEAU. ♦ V. industrielle du Canada (Québec), fondée en 1937, sur la rive N. de l'estuaire du Saint-Laurent et sur le Manicouagan. 12 200 hab. Centrale hydro-électrique. Papier. Fonderie d'aluminium.

BAIERL (Helmut). ♦ Auteur dramatique allemand (Rumburg, 1926). Il introduit dans son œuvre des effets humoristiques par lesquels il tempère le didactisme politique de son théâtre. Œuvre princ. : *Madame Flinz* (*Frau Flinz*, 1961).

BAIES, en lat. **Baiae**, en it. **Baia.** ♦ V. d'Italie en Campanie sur le golfe de Pouzolles. 3 500 hab. – Dans l'Antiquité. *Baiae* était un lieu de résidence très fréquenté par les riches Romains et par les empereurs. C'est là que Néron fit assassiner Agrippine. Il reste actuellement les vestiges de thermes et de plusieurs temples.

BAÏF (Lazare *de***).** ♦ Diplomate et humaniste français (Les Pins, près de La Flèche, 1496 – Paris, 1547). Attaché au cardinal de Lorraine, il devint conseiller de François Ier et ambassadeur à Venise (1529), puis en Allemagne. Il avait fait ses études à Rome, avait été l'élève de Jean Lascaris, et était devenu l'un des plus grands hellénistes de son temps (traduction de quatre *Vies* de Plutarque, et, en vers français, de l'*Électre* de Sophocle). Il publia des ouvrages d'archéologie qui firent longtemps autorité (*De re vestiaria*, 1526; *De re navali*, 1536).

BAÏF (Jean Antoine *de***).** ♦ Écrivain français, fils naturel du précédent (Venise, 1532 – Paris, 1589). Élève de Dorat*, helléniste fervent, condisciple de Du Bellay* et de Ronsard*, il fit partie de la Brigade (qui allait devenir la Pléiade*) et montra son admiration pour la culture antique en adaptant les dramaturges grecs et latins (*Antigone*, 1573, d'après Sophocle; *Le Brave*, 1567, d'après Plaute). – Poète érudit, il donna les poèmes pétrarquisants des *Amours de Méline* (1552), puis les pièces plus spontanées des *Amours de Francine* (1555), enfin les *Mimes, enseignements et proverbes* (1576, 1581 et, posth., 1597), suite de réflexions morales et satiriques d'une grande variété. – Réformateur et théoricien hardi, Baïf préconisa l'adoption d'une orthographe phonétique, et d'une prosodie imitée de l'antique, tenant compte de la quantité vocalique, par laquelle il tentait de soumettre aux mêmes lois mélodiques la poésie et la musique (ce qui le conduisit à fonder, avec l'appui de Charles IX, une académie de musique, devenue plutôt littéraire sous Henri III). « Inventeur à la pointe extrême de la recherche poétique » (Jean Baillon), Baïf échoua dans son entreprise, en tentant d'imposer à la prosodie française des règles étrangères à ses possibilités phonétiques.

BAIGNEUX-LES-JUIFS. ♦ Ch.-l. de cant. de la Côte-d'Or (arr. de Montbard). 452 hab. – Une colonie juive s'y établit aux XIIIe et XIVe siècles.

BAÏHAQI. ♦ Historien persan (996? – 1077?). Il écrivit une histoire de la dynastie des Ghaznévides dont il ne reste que la partie réservée au règne de Mas'ûd Ier. Cet ouvrage, comportant des informations précises, est écrit dans une langue simple et dépouillée.

BAÏKAL. ♦ Lac d'U.R.S.S. en Sibérie orientale (R.S.S. Autonome de Bouriatie*), orienté du N.-E. au S.-O., situé entre les monts Iablonovyi* (E.), les monts Baïkal* (O.) et le plateau des Stanovoyi (N.), à une altitude d'env. 455 m. 31 500 km² (longueur 636 km; largeur moyenne 48 km). C'est le lac le plus profond du globe (1 741 m). Il possède une grande île, Olkhon (près de la côte N.-O., 730 km², 1 276 m d'alt.). Il est couvert de glace de janvier à mai. Ses eaux saumâtres sont extrêmement riches en poissons et en espèces animales anciennes qui ne se trouvent que dans ce lac (phoque de Sibérie). Nombreux tributaires, dont le plus important est la Selenga*; un seul émissaire, l'Angara* (centrale hydro-électrique près d'Irkutsk, à 80 km env. du lac). Pêcheries. *Ports princ.* Baïkal, Listvianka, Turka, Ust-Bargouzine, Nijne-Angarsk.

BAÏKAL *(monts)*. ♦ Chaîne montagneuse au N.-O. et en bordure du lac Baïkal*. Alt. maximale 2 572 m, longueur env. 275 km. La Lena* y prend sa source.

BAÏKONOUR ou **BAÏKONUR**. ♦ V. d'U.R.S.S. (Kazakhstan*). Principale base soviétique de lancement d'engins spatiaux (« cosmodrome »).

BAILE ATHA CLIATH. ♦ Nom irlandais de Dublin*.

BAILÉN ou **BAYLEN**. ♦ V. d'Espagne (prov. de Jaén) en Andalousie. 11 250 hab. ♦ *Hist.* Le général Dupont* de l'Étang y fut contraint de signer (1808) la capitulation de son armée dont une partie fut internée dans des conditions humiliantes à Cabrera*. Le général victorieux, Castaños, fut fait duc de *Bailén;* pour la première fois, les armées de Napoléon s'étaient montrées vulnérables.

BAILLAIRGÉ ou **BAILLARGÉ**. ♦ Famille de sculpteurs et architectes canadiens des XVIIIe et XIXe siècles. ♦ JEAN (Villaret, Poitou, 1726 – Québec, 1805). Auteur des plans de reconstruction de la cathédrale de Québec. ♦ FRANÇOIS (Québec, 1759 – *id.*, 1830). Fils de Jean, il étudia à Paris et fut l'introducteur du style Louis XVI au Canada. Il travailla au mobilier et à l'ornementation de la cathédrale ainsi qu'à de nombreuses églises. ♦ THOMAS (Québec, 1791 – *id.*, 1859). Fils de François. Il éleva le *Palais épiscopal* de Québec (1844).

BAILLARGER (Jules Gabriel François). ♦ Médecin aliéniste français (Montbazon, 1806 – Paris, 1891). Élève de Bretonneau*, il fut un aliéniste de renom et fonda les *Annales médico-psychologiques*.

BAILLAUD. ♦ Famille d'astronomes français dont le plus célèbre est BENJAMIN BAILLAUD (Chalon-sur-Saône, 1848 – Toulouse, 1934). Directeur de l'observatoire de Paris (1908-1925), il participa à l'établissement de la carte du ciel (Acad. sc., 1908).

BAILLEUL. ♦ Ch.-l. de cant. du Nord*, arr. de Dunkerque*, sur la Becque. 13 328 hab. *(Bailleulois)*. Architecture de briques rouges de type flamand. Filatures de coton, toiles; meubles; conserves alimentaires. – Patrie d'Edmond de Coussemaker*.

BAILLIOL, BALLIOL ou **BAILLEUL**. ♦ Famille noble de Grande-Bretagne, originaire de Normandie, dont le fondateur GUI DE BAILLEUL fut compagnon de Guillaume le Conquérant. Guillaume II le Roux lui donna des fiefs dans le Northumberland. – Son petit-fils JOHN BALLIOL fonda le collège *Balliol* à Oxford (1263). ♦ JOHN (DE) BALLIOL, fils du précédent (v. 1249 – Château-Gaillard, 1314). Il devint roi d'Écosse en 1292 peu après la mort de Marguerite de Norvège (1290) sur le choix d'Édouard* Ier d'Angleterre, dont il dut subir divers affronts; il se révolta en 1295. Vaincu en 1296, il resta prisonnier jusqu'en 1302, date à laquelle il put quitter l'Angleterre pour la Normandie. ♦ EDWARD BALLIOL, son fils (mort à Wheatlen, près de Doncaster, 1364) lutta contre Robert* Ier Bruce et se fit couronner roi d'Écosse (1332). Malgré le soutien d'Édouard III d'Angleterre, il fut renversé et remplacé par David* II (1341).

BAILLON (Henri). ♦ Botaniste français (Calais, 1827 – Paris, 1895). Il est l'auteur d'un *Dictionnaire de botanique* (1876-1885) et d'une importante *Histoire des plantes* (1867-1885).

BAILLOT (Pierre). ♦ Violoniste et compositeur français (Passy, 1771 – Paris, 1842). Virtuose de réputation européenne, il a publié *L'Art du violon* (1834), méthode pour l'enseignement de cet instrument qui a longtemps fait autorité. Il est l'auteur d'une œuvre abondante (concertos, quatuors, thèmes et variations, préludes).

BAILLY (Jean-Sylvain). ♦ Savant et homme politique français (Paris, 1736 – *id.*, 1793). Membre de l'Académie des sciences (1763) pour ses travaux d'astronomie, puis de l'Académie française (1783), il fut député du Tiers État aux États généraux (1789) et, en tant que président de l'Assemblée nationale, fut le premier à prêter le serment du Jeu* de Paume (20 juin). Nommé maire de Paris (15 juillet 1789) après la prise de la Bastille*, il joua, avec La Fayette, un rôle important sous l'Assemblée nationale constituante, mais perdit sa popularité et démissionna après avoir proclamé la loi martiale et fait tirer sur les manifestants venus déposer au Champ*-de-Mars une pétition exigeant la déchéance et le jugement du roi (17 juil. 1791). Arrêté en 1793, il fut condamné à mort et exécuté sur le Champ-de-Mars.

BAILLY (Anatole). ♦ Helléniste français (Orléans, 1833 – *id.*, 1911) à qui l'on doit un remarquable *Dictionnaire grec-français* (1894).

BAIN (Alexander). ♦ Philosophe et psychologue écossais (Aberdeen, 1818 – 1903). Reprenant les thèses de l'atomisme et de l'associationnisme de Hume, Condillac, etc., il tenta de faire de la psychologie une science expérimentale et influença les travaux de Taine* sur l'intelligence (*Les Sens et l'Intelligence,* 1855; *Les Émotions et la Volonté,* 1859). Ses recherches en pédagogie témoignent d'un même souci de positivité (*Science de l'éducation,* 1874).

Ph. Hétier

Bakou : vue générale.

Bain (ordre du), en angl. **Knights of the Bath**. ♦ Ordre de chevalerie anglais qui aurait été fondé par Henri* IV en 1359. Il fut repris par Georges* Ier en 1725 et devint en 1815 une récompense militaire.

BAIN-DE-BRETAGNE. ♦ Ch.-l. de cant. d'Ille-et-Vilaine, arr. de Redon. 4 573 hab. *(Bainois)*. Maisons anciennes; château (XVe s.). Objets en métal; matériel électrique.

BAINS-LES-BAINS. ♦ Ch.-l. de cant. des Vosges, arr. d'Épinal. 1 705 hab. *(Balnéens)*. Église Saint-Colomban (XVIIIe s.). Station thermale (maladies artérielles); petite métallurgie.

BAINVILLE (Jacques). ♦ Historien français (Vincennes, 1879 – Paris, 1936). Disciple de Barrès*, puis de Ch. Maurras* avec lequel il collabora à l'*Action française*, il fit porter sa réflexion sur les rapports entre la France et l'Allemagne. Conservateur et nationaliste, il exalta la politique monarchique dans son *Histoire de France* (1924) et *Napoléon* (1931). *Les Dictateurs* (1935) et *La Troisième République* (idem) le montrent également préoccupé de l'avenir de la France dont la politique démocratique lui paraît une faible sauvegarde contre le pangermanisme renaissant (Cf. aussi l'*Histoire de trois générations;* 1934). Ce pessimisme se retrouve dans ses chroniques de la *Revue universelle* (qu'il dirigea, depuis 1920, avec Henri Massis* et Jacques Maritain*), où il réfléchit sur le caractère des Français (réunies dans *Filiations*). Acad. fr. (1935).

BAIRD (John Logie). ♦ Ingénieur et physicien écossais (Helensburgh, 1888 – Bexhill, 1946). Pionnier de la télévision en Grande-Bretagne, il réalisa le disque de Nipkow* (1923) et fit sa première démonstration de transmission d'image en 1926. **V. Barthélémy.**

BAIRE (René). ♦ Mathématicien français (Paris, 1874 – Chambéry, 1932). On lui doit des travaux relatifs à la théorie des fonctions en relation avec la théorie des ensembles. **V. Cantor, Lebesgue.**

BAÏSE. *n. f.* ♦ Riv. de Gascogne* (190 km), affl. de la Garonne*. Elle est formée par la *Grande Baïse,* qui arrose Trie-sur-Baïse et Mirande* et la *Petite Baïse.* Elle traverse Valence*-sur-Baïse, Condom*, Nérac* et Lavardac* où elle reçoit la Gélise, avant de se jeter dans la Garonne* près d'Aiguillon* (Lot-et-Garonne).

BAISY-THY. ♦ Comm. de Belgique (Brabant, arr. de Nivelles) sur la route de Bruxelles à Charleroi. 2 137 hab. – Patrie de Godefroi de Bouillon.

BAIXAS. ♦ Comm. des Pyrénées-Orientales (arr. de Perpignan). 2 057 hab. *(Bachanenchs)*. Église romane (retable). – Carrières (chaux).

BAJA. ♦ V. de Hongrie, située au S. du pays, sur un bras du Danube. 32 000 hab. Important centre ferroviaire et routier.

BAJA CALIFORNIA. ♦ V. CALIFORNIE (BASSE-).

BAJAZET. ♦ Francisation de Bâyazîd*.

Bajazet. ♦ Tragédie de Racine* (1672). Avant de partir à la guerre, le sultan Amurat a donné l'ordre à sa favorite Roxane d'exécuter son propre frère Bajazet. Roxane révèle à Bajazet le projet du sultan et lui promet la vie sauve s'il consent à diriger une révolte contre Amurat et à l'épouser. Mais Bajazet aime Atalide, cousine d'Amurat. Roxane consentira à le laisser en vie s'il accepte de voir périr Atalide. Son refus entraîne sa perte. Tandis qu'il succombe, Roxane elle-même est tuée par un messager d'Amurat; désespérée, Atalide se donne la mort.

BAJOCASSES. *n. m. pl.* ♦ Nom de peuplades gauloises qui occupaient la région nord-ouest du Calvados (ch.-l. *Augustodurum,* auj. Bayeux*).

BAKÉLÉ(S) ou **BAKALAI**. *n. m. pl.* ♦ Population noire du Gabon*, région de Lambaréné (Moyen-Ogooué).

BAKER (*sir* **Samuel White**). ♦ Explorateur anglais (Londres, 1821 – Sandford Orleigh, Devonshire, 1893). Après avoir exploré la région du Haut-Nil et découvert le lac Albert* (1864), il entra au service du khédive Ismâ'îl et lutta contre le brigandage et la traite des Noirs dans le Soudan égyptien.

BAKHOY (fleuve blanc). *n. m.* ♦ Riv. d'Afrique Occidentale qui, en confluant avec le Bafing* (fleuve noir) à Bafoulabé* (Mali*), donne naissance au fleuve Sénégal*.

BAKÎ (Mahmut Abdül). ♦ L'un des plus grands poètes classiques turcs (Istanbul, 1526 – *id.*, 1600). Il écrivit des *ghazals*, des *qasidé* et des oraisons funèbres *(mersiyé)*, dont celle de Suleyman* le Magnifique, qu'il rassembla dans un *Divan*.

BAKIN *(Takizawa Bakin)*. ♦ Écrivain japonais (1767 – 1848), auteur de romans populaires qui connurent une très grande audience au Japon. Trop audacieux, il se fit interdire en 1842 par le gouvernement shôgunal d'Edo*. Parmi ses œuvres, *Les Huit Chiens de Satomi* (1814-1841), en 106 feuilletons, est considérée comme la plus importante. Hokusai a illustré ses ouvrages.

BAKONY. *n. m.* ♦ Chaîne boisée, dont une partie est située en Hongrie, notamment dans le komitat de Veszprèm, s'étendant sur 90 km de long et env. 40 km de large. Il culmine à 800 m. Ses pentes sont couvertes des vignobles de Somlai. Mines de bauxite. – Abbaye bénédictine fondée par le roi Étienne (Pannon Halma).

BAKOU ou **BAKU.** ♦ V. d'U.R.S.S., cap. de la République fédérée d'Azerbaidjan*, située à l'extrémité orientale du Caucase, dans la presqu'île d'Apchéron* sur la mer Caspienne. 847 000 hab. (l'aggl. compte 1 261 000 hab.). Important centre intellectuel (université), scientifique et artistique. Anc. forteresse. Monuments musulmans. – Grand centre pétrolier (4e en U.R.S.S.), raffineries, pétrolochimie. Indus. chimique, métallurgique, mécanique, textile et alimentaire (80 % de l'indus. de l'Azerbaidjan). Tête du pipeline qui conduit le pétrole à Batoumi*, sur la mer Noire. ♦ *Hist.* Anc. ch.-l. d'un khanat indépendant, la ville fut occupée par les Turcs, puis les Persans avant d'être cédée à la Russie en 1806.

BAKOU (Second), appelé en russe **Ouralskii neftianoï basseïn** (« Bassin pétrolier d'Oural »). ♦ Nom donné à la grande région pétrolière d'U.R.S.S. située entre la Volga* et l'Oural*, exploitée depuis 1935 (le premier sondage date de 1929). Les bassins sont répartis sur plus de 1 000 km du N. au S., principalement dans la Bachkirie* (plus de 50 gisements le long du cours moyen de la Biélaïa* et de son affl. l'Oufa* [*Ufa*]), la république autonome des Tatars* (depuis 1948; gisement s'étendant sur 3 500 km², 90 000 000 de t par an), et la région de Kouïbychev (à Syzran* depuis 1936; et à Kouïbychev* depuis 1956, plus de 10 000 000 de t). Raffineries et points de départ de longs oléoducs. La région est riche aussi en gaz naturel (15 % de la production globale de l'U.R.S.S.).

BAKOUBAS. *n. m. pl.* ♦ Peuple du Zaïre* (Congo-Kinshasa) vivant entre les fleuves Kasaï* et Sankuru et dont l'art est caractérisé par une décoration géométrique raffinée (vases, masques, étoffes).

BAKOUNINE (Mikhaïl Alexandrovitch). ♦ Révolutionnaire anarchiste russe (Gouvernement de Tver, 1814 – Berne, 1876). Émigré en 1846, il séjourna à Paris lors de la révolution de 1848 et y rencontra Marx*, Proudhon et Herzen. Il participa ensuite au mouvement insurrectionnel de Dresde (1849); condamné à mort en Saxe, il fut livré par l'Autriche au gouvernement russe qui le déporta en Sibérie, d'où il réussit à s'évader en 1861. Après l'insurrection de la Pologne contre l'Empire tsariste (1863-1864) et sous l'influence de Proudhon* qu'il revit à Paris (1864), Bakounine s'orienta définitivement vers l'anarchisme. En Italie, il fonda une société secrète, l'Alliance des révolutionnaires socialistes (1864); il participa au congrès de la ligue de la Paix et de la Liberté des démocrates bourgeois (Genève, 1867) dans l'espoir d'y faire voter des résolutions socialistes; n'ayant pas réussi, il créa, avec J.P. Becker*, l'Alliance internationale de la démocratie socialiste (1868) dont il rédigea le programme et qui devint une des sections (Genève) de la Ire Internationale*. Bakounine prit également une part active au développement du mouvement révolutionnaire russe, rédigeant avec Joukovsky le journal contenant le programme de la démocratie socialiste russe (*Narodnoé Diélo*, à Genève), puis, sous l'influence de S. Netchaieff*, un appel intitulé *Quelques mots aux jeunes frères de Russie* et une nouvelle série du *Kolokol* (*La Cloche*, **V. Herzen**). Il défendit la Commune de Paris dans ses écrits (*La Commune de Paris et la notion d'État*, 1871). Au congrès de La Haye (1872), Bakounine et ses partisans furent exclus de la Ire Internationale par Marx et les représentants du socialisme autoritaire. Partisan du coopératisme (*De la Coopération*, 1869) et du fédéralisme anti-autoritaire, prônant la suppression immédiate et radicale de l'État par la révolution socialiste, Bakounine apparaît comme un des grands théoriciens de l'anarchisme (*Étatisme et Anarchie*, 1873).

BAKRI (Abû 'Ubayd Abd Allâh al-). ♦ Géographe arabe (Cordoue, 1040 – *id.*, 1094). Il écrivit un dictionnaire géographique concernant surtout l'Arabie, où les noms sont classés par ordre alphabétique. Il est aussi l'auteur d'une *« Description géographique du monde connu »*, sorte de compilation dont il reste des fragments, notamment les parties qui décrivent l'Afrique du Nord et le Soudan et celle qui reprend l'ambassade du juif andalou Ibrâhîm ibn Ya'qûb envoyé par le calife 'Umayyade* de Cordoue à la cour d'Othon* le Grand (v. 965).

Bakufu. *n. m.* (« gouvernement sous la tente »). ♦ Au Japon, gouvernement militaire dirigé par un shôgun. Les bakufu se substituèrent au gouvernement impérial, de 1192 à 1858.

BALAGNE. *n. f.* ♦ Plaine du N.-O. de la Corse* entre Calvi* et l'Ile*-Rousse, surnommée le « jardin de la Corse » en raison de sa fertilité et de la douceur de son climat (oliviers, vergers, figuiers, cédratiers et autres arbres fruitiers). *V. princ.* **V. Belgodère, Calenzana.**

BALAGUER (Victor). ♦ Écrivain et homme politique catalan (Barcelone, 1824 – Madrid, 1901). Député, puis ministre, il lutta pour l'autonomie de la Catalogne* et se consacra à la renaissance de sa langue natale. Il écrivit une importante *Histoire de la Catalogne* (1885-1889).

BALAÏTOUS *(mont)*. ♦ Massif granitique des Hautes-Pyrénées* (3 146 m), qui se dresse sur la frontière franco-espagnole entre les gaves d'Ossau et d'Arrens. C'est un site protégé du Parc national des Pyrénées.

BALAKIREV (Mily Alexeïevitch). ♦ Compositeur russe (Nijni Novgorod, 1837 – Saint-Pétersbourg, 1910). Il fut l'un des promoteurs de l'École nationale russe. Fondateur de l'École libre de musique (1862), directeur des concerts de la Société impériale de musique russe (1867), il a édité les œuvres de Glinka* et composé des ouvrages dont les plus remarquables sont : un poème symphonique, *Thamar;* une fantaisie orientale pour piano, *Islamey;* deux symphonies et deux recueils de chansons populaires. C'est comme animateur, conseiller et guide du « groupe des Cinq* » qu'il a joué un rôle de premier plan dans la vie musicale de son pays.

Balaklava *(bataille de)*. ♦ Elle fut livrée le 25 octobre 1854 par les troupes russes sous le commandement du général Liprandi aux forces anglaises [de lord Cardigan] (**V. Crimée** [guerre de]).

BALAKOVO. ♦ V. d'U.R.S.S. (R.S.F.S. de Russie), dans la région de Saratov, sur la Volga*. 103 000 hab. Chantier naval. Indus. mécaniques (machines agricoles). Combinat de fibres artificielles.

BALAN. ♦ Comm. de l'Ain (arr. de Bourg-en-Bresse). 2 293 hab. Pétrolochimie.

Balance. *n. f.*, en lat. **Librarae.** ♦ Constellation zodiacale de l'hémisphère austral. Septième signe du zodiaque (23 sept.-24 oct.).

BALANCHINE (Georgh Melitonovitch Balanchivadze, dit **George).** ♦ Danseur et chorégraphe russe d'origine géorgienne, naturalisé américain (Saint-Pétersbourg, 1904). Fils et frère de musiciens, il débuta en Russie (Petrograd 1923) puis se rendit en Allemagne, à Londres et à Paris où il fut engagé par Serge de Diaghilev* (1925). Devenu maître de ballet et chorégraphe, il composa pour les Ballets russes *Le Triomphe de Neptune* (1926), *La Chatte* (1927), *Apollon musagète* (musique de Stravinski*, 1928) et *Le fils prodigue* (musique de Prokofiev*, 1929). À la mort de Diaghilev, il fut engagé en qualité de maître de ballet à Copenhague, puis passa aux Ballets russes de Monte-Carlo (1932), où il créa *Concurrence* (musique de G. Auric) et *Cotillon* (musique d'E. Chabrier). Revenu à Paris, il fonda sa propre compagnie, Les Ballets

Ph. Louis Monier

Bakounine.

Ph. Mario Russo

Le lac **Balaton**.

1933, avec laquelle il présenta *Les Sept Péchés capitaux* (musique de K. Weil), *Mozartiana* (musique de Mozart). Appelé aux États-Unis pour y diriger l'École de l'American Ballet (1934), il séjourna quelque temps au Metropolitan Opera avant d'assurer la direction de plusieurs compagnies indépendantes. Naturalisé américain (1939) il fut placé à la tête du New York City Ballet (1948), troupe avec laquelle il effectua de nombreuses tournées en Europe. George Balanchine peut être considéré comme le fondateur d'un authentique ballet américain. – Princ. chorégraphies : *Bourrée fantasque, L'Oiseau de feu* (1949), *La Valse* (1951), *Agon* (musique de Stravinski, 1957).

BALARÂMA. ♦ Dans la mythologie hindoue, frère aîné de Krisna*, parfois considéré, à l'égal de ce dernier, comme une des dix incarnations majeures de Visnu*. Il incarne la force et le courage des cultivateurs, son emblème étant un soc de charrue.

BALARD (Antoine Jérôme). ♦ Chimiste français (Montpellier, 1802 – Paris, 1876). Il est surtout célèbre pour sa découverte du brome (1826) qu'il réussit à isoler des sels dissous dans l'eau de mer. (Acad. sciences, 1844.)

BALARUC-LES-BAINS. ♦ Comm. de l'Hérault* (arr. de Montpellier*), sur l'étang de Thau*. 1 838 hab. – Vestiges de thermes antiques. Chapelle Notre-Dame-des Eaux (XIIe s.). Station thermale aux eaux chlorurées et sodiques. Centre nautique. – Raffinerie de pétrole, indus. des produits chimiques et engrais.

BALASSA (B'álint). ♦ Écrivain hongrois (Kekko, 1554 – Esztergom, 1594). Né dans une famille protestante du nord de la Hongrie, il mena une vie aventureuse, participant à la guerre contre les Turcs et mourut en héros au siège d'Esztergom. En 1580, il publia son œuvre la plus importante, un cycle de poèmes à Julia. Il chanta les joies qu'il éprouvait dans la vie guerrière, les beautés du printemps et de l'amour. Il créa une nouvelle forme poétique composée de vers de six à huit syllabes *(strophe de Balassa)*.

BALATON *(lac)*. ♦ Lac le plus large d'Europe centrale, situé dans l'O. de la Hongrie*. S'étendant du N.-E. vers le S.-O., il mesure 80 km de long sur 10 à 15 km de large. La rive nord est bordée par les côteaux viticoles de Bakony; les sources thermales y sont nombreuses ainsi que les stations thermales (Balatonfüred). La rive sud est plate, parsemée de villages de pêcheurs. Lieu de villégiature favori des habitants de Budapest.

BALBEK. ♦ V. BAALBEK.

BALBIN, en lat. **Decimus Caelius Calbinus Balbinus**. ♦ (v. 178 – 238). Empereur romain (238). Élu à la mort de Gordien* II pour partager le pouvoir avec Pupien*, il fut massacré avec ce dernier après trois mois de règne par les cohortes prétoriennes et remplacé par Gordien* III.

BALBO (Cesare, *comte de* **Vinadio)**. ♦ Patriote et homme politique italien (Turin, 1789 – *id.*, 1853). Fidèle à la monarchie piémontaise, il persuada Charles*-Albert en 1821 de prendre la tête du mouvement constitutionnel. Après cet échec **(V. Italie,** *Hist.***)**, il se retira pendant quelques années de la vie politique et devint l'un des grands écrivains du *Risorgimento** avec *Speranza d'Italia* (1844). Nommé Premier ministre en mars 1848 par Charles-Albert, il n'accepta pas l'orientation démocratique de l'insurrection et démissionna.

BALBO (Italo). ♦ Maréchal et homme politique italien (Ferrare, 1896 – Tobrouk, 1940). Il fut l'un des *quadrumvirs* fascistes qui organisèrent avec Mussolini* la marche sur Rome en 1922. Promoteur de l'aviation italienne, ministre de l'Air, il dirigea personnellement plusieurs raids de prestige à travers le monde. Jaloux de sa popularité, Mussolini l'éloigna en le nommant gouverneur de Libye. Il mourut au début de la guerre, son avion ayant été abattu par erreur par la D.C.A. italienne.

BALBOA (Vasco NÚÑEZ *de***)**. ♦ Navigateur espagnol (Jerez, Estrémadure, 1475 – Acla, Panamá, 1517). Chef des Espagnols du Darién, il contribua à la fondation de Santa Maria el Antigua. Il fut le premier à franchir le détroit de Darién et à découvrir l'océan Pacifique, avec F. Pizarro* (1513). Il fut décapité sur l'ordre de son successeur le gouverneur du Darién, Pedro Arias Dávila.

BALBOA. ♦ Port d'Amérique centrale, à l'extrémité S.-E. du canal de Panamá, situé tout près de la ville de Panamá, dans la zone administrée par les États-Unis. Il contrôle avec Colón* (à l'autre extrémité du canal), la quasi-totalité du trafic maritime.

BALBUS (Lucius Cornelius). ♦ Poète tragique latin né au ~ Ier siècle. Il fit construire un théâtre près du Tibre, inauguré en ~ 13. ♦ CORNELIUS BALBUS *minor* ou *le Second*, né à Gadès (~ Ier s.). Devenu citoyen romain, il dirigea une expédition contre la tribu africaine des Garamantes (~ 32, ~ 19) et fut nommé proconsul d'Afrique.

BALCHIN (Nigel). ♦ Romancier anglais (né en 1908 –). Ingénieur et officier, il mit en scène dans ses romans les milieux scientifiques et industriels : *La Mort apprivoisée (Small back room,* « Une petite pièce à l'arrière », 1943) s'attaque à la rouerie et à la routine administrative. « Mon propre bourreau » (*Mine own Executioner,* 1945) expose le drame d'un psychanalyste. « Un chemin dans le bois » (*A way through the wood,* 1951) a pour thème la jalousie et *Entrevue avant l'aube* (*Seen dimly before dawn,* 1962) décrit un amour d'adolescent. Avant tout conteur (« Teller of tales »), Nigel Balchin met un style d'une grande sobriété au service du récit et d'une action. On l'a comparé à son contemporain Herbert Bates*.

BALDER ou **BALDR**. ♦ Dieu scandinave, fils d'Odin* et de Frija*, de la famille des Ases*. C'est un dieu de lumière, de justice et de beauté. Sa mort explique le malheur du monde : sa mère a fait jurer à tous les éléments de ne pas attenter à sa vie; les dieux font l'essai de son invulnérabilité, mais une pousse de gui a été omise et l'astucieux Loki* convainc l'aveugle Hödhr d'en frapper Balder, qui meurt; Loki parvient ensuite à empêcher sa résurrection. On l'a souvent rattaché au cycle de la fertilité, mais cette mort définitive semble y contredire.

BALDOVINETTI (Alesso ou **Alessio)**. ♦ Peintre et mosaïste florentin (Florence, v. 1425 – *id.*, 1499). Étroitement lié par son maître Domenico Veneziano* aux grands peintres toscans de la première Renaissance italienne (Angelico, Andrea* del Castagno, dont il fut parfois le collaborateur, et Piero della Francesca), il peignit des portraits (*Dame en jaune,* v. 1460, Londres), des retables (*Madone,* v. 1460, Paris), et surtout de belles fresques (*Nativité* à la Santissima Annunziata, 1460-1462; *Annonciation* à San Miniato al Monte, 1466-1473) dont plusieurs sont perdues (Santa Trinita, 1470-1471). Par la clarté ample de la composition, la place accordée aux paysages, la délicatesse des couleurs dans le rendu de la lumière et de l'espace, ces œuvres placent l'artiste dans la succession de Piero* della Francesca. Curieux d'innovations techniques et dessinateur très apprécié, Baldovinetti fut chargé de surveiller les travaux de décoration et de réfection du baptistère San Giovanni et mena, parallèlement à sa carrière de peintre, une activité de mosaïste (baptistère de Florence, 1453-1455; cathédrale de Pise, 1462).

BALDUCCI PEGOLOTTI (Francesco). ♦ Marchand florentin (mort v. 1347), auteur d'un ouvrage qui fournit de précieux rensei-

Ph. Carlo Bevilacqua/Ricciarini

Baldovinetti : « Annonciation ».

gnements sur le commerce international de son epoque *(Pratica della mercatura).*

BALDUNG (Hans, dit **Baldung Grien)**. ♦ Peintre, dessinateur et graveur allemand (Gmünd, v. 1484 – Strasbourg, 1545). Formé à Strasbourg, il devint ensuite à Nuremberg l'élève de Dürer* et résida probablement à Halle dès 1507. Il séjourna à Strasbourg de 1509 à 1512, travailla cinq ans à Fribourg (retable de la cathédrale, 1516), puis se fixa définitivement à Strasbourg où il fréquenta le milieu humaniste et réformateur. Ses estampes sont en partie tributaires de l'art de Dürer*, mais il affirma son indépendance, notamment dans son œuvre picturale : il exécuta des retables religieux, des portraits où dominent les tons vifs (son surnom est dû à sa prédilection pour les verts) et traita, notamment après la révolte iconoclaste, de nombreux thèmes mythologiques et allégoriques (*Pyrame et Thisbée,* 1530) qui présentent des tendances maniéristes (modelé lisse et uni des nus). Représentant caractéristique de la renaissance germanique, il reste à bien des égards attaché à l'esprit du gothique tardif, notamment par son goût du démoniaque et du macabre qui s'épanouit dans le thème de la femme et de la mort (*La Beauté et la Mort,* 1509-1511 ; *Les Trois Âges de la femme et la Mort,* 1511). En tant que coloriste, il semble avoir profité de la leçon de Grünewald*.

BALDWIN (Robert). ♦ Homme d'État canadien (Toronto, 1804 – *id.,* 1858). Avocat, chef des libéraux, il forma avec Louis Lafontaine*, représentant des Canadiens français, deux ministères (1842-1843 et 1848-1851). Le second procéda à d'importantes réformes administratives (pour l'Ontario) et judiciaires.

BALDWIN (James Mark). ♦ Psychologue et sociologue américain (Columbia, Caroline du Sud, 1861 – Paris, 1934). Il fonda l'*American Journal of Psychology* et l'American psychological Association (1892, avec G.S. Hall*). Ses recherches portèrent principalement sur la psychologie de l'enfant et la psychologie sociale (*Individu et Société,* 1910).

BALDWIN (Stanley, *comte* **Baldwin de Bewdley)**. ♦ Homme politique britannique (Bewdly, Worcestershire, 1867 – Stourport, 1947). Élu député conservateur en 1908, il fut chancelier de l'Échiquier dans le gouvernement de A. Bonar Law, auquel il succéda comme Premier ministre en 1923. Après une brève éclipse, il revint au pouvoir de 1924 à 1929. Il brisa la grève générale de 1926. Il fut de nouveau Premier ministre de 1935 à 1937 (**V. Angleterre,** ***Hist.***). Il démissionna en 1937 à la suite du mariage et de l'abdication d'Édouard VIII qu'il avait désapprouvés.

BALDWIN (James). ♦ Romancier américain (New York, 1924 –). Fils d'un pasteur noir, il prêcha lui-même entre quatorze et dix-sept ans, dans une petite église de Harlem. Pendant plusieurs années, il vécut à Paris, ville qui sert de décor à son second roman *Mon ami Giovanni* (*Giovanni's Room,* 1956), histoire d'un jeune Américain incapable d'amour. C'est d'ailleurs en France qu'il termina un premier roman dont le succès fut immédiat : *Les Élus du Seigneur* (*Go Tell it to the Mountain,* 1953). Il y met en scène des êtres humains emprisonnés dans leur négritude et à qui l'on a tout fait pour arracher leur individualité. « Un autre pays » (*Another Country,* 1962) évoque aussi le problème noir. Dans *La prochaine fois, le feu (The Fire, next time,* 1963), Baldwin prône la réconciliation par l'amour, sous la forme du mariage interracial.

BÂLE, en all. **Basel**. ♦ V. du N.-O. de la Suisse, sur le Rhin, aux frontières de la France et de l'Allemagne, ch.-l. du canton de *Bâle-Ville.* 213 200 hab. Aggl. 364 800 hab. *(Bâlois).* Carrefour ferroviaire. Aéroport de Bâle-Mulhouse (Blotzheim). Université. Le Rhin divise la ville en deux parties : sur la r. d. le Petit-Bâle, quartier industriel et port sur le Rhin (trafic : 5 000 000 de t), sur la r. g. le *Grand-Bâle,* centre commercial et culturel : cathédrale gothique (XIVe s.), église Saint-Martin *(Martinskirche)* des XIe-XIVe s., hôtel de ville (XVIe s.), église Saint-Antoine par Karl Moser* (1931). Le musée des Beaux-Arts *(Kunstmuseum)* abrite des œuvres de Witz*, Holbein* le Jeune, et Böcklin* ainsi qu'une très importante collection de peintures contemporaines. Grand centre industriel : industries chimique, métallurgique, alimentaire et textile. Patrie de K. Barth*, Jacques et Jean Bernoulli*, A. Böcklin*, J. Burckhardt*, L. Euler*, A. Piccard*. – Érasme*, Holbein* et Witz* y séjournèrent. ♦ *Hist.* L'anc. *Basilia* romaine, fondée au IVe s., fit partie du royaume de Bourgogne au Xe s. et passa sous la domination du Saint-Empire en 1032. L'Université fut fondée en 1460. En 1501, la ville entra dans la Confédération. Depuis le Ve s., Bâle était gouvernée par ses évêques ; lorsque Œcolampade* y introduisit la Réforme, les évêques abandonnèrent leur évêché pour se retirer à Porrentruy* (1528). La présence d'Érasme à l'Université fit de la ville un des principaux centres du protestantisme. Devenue toute puissante au XVIIIe s. – la ville était le centre de l'industrie de la soie –, la bourgeoisie de Bâle se comporta en véritable suzeraine à l'égard de la campagne. Des dissensions s'élevèrent entre la ville et la campagne et une guerre civile éclata en 1831 qui aboutit à la création des deux cantons de *Bâle-Ville* et *Bâle-Campagne* (1833). – *Concile de Bâle, Ferrare, Florence.* 17e concile œcuménique, convoqué par le pape Martin V qui mourut avant son ouverture. L'assemblée siégea à Bâle de 1431 à 1437, à Ferrare (1437-1439), à Florence (1439-1442) et à Rome (1443). Une fraction du concile restée à Bâle déposa le pape Eugène IV et élut l'antipape Félix V. Une union (éphémère) fut réalisée avec l'Église d'Orient. –

Ph. Carlo Bevilacqua/Ricciarini

Baldung Grien : « Les Trois Âges de la femme et la Mort ». (Musée du Prado, Madrid.)

Traités de Bâle. Signés sous la Convention* thermidorienne, ils mirent fin, avec le traité de La Haye*, à la première coalition*. Par le premier, (4-5 avril 1795), la Prusse, représentée par Hardenberg, s'engageait à reconnaître la République française (Barthélemy), dont les troupes évacueraient les possessions prussiennes de la r. d. du Rhin, mais se maintiendraient sur la r. g. La Prusse et la France s'engageaient par ailleurs à observer une stricte neutralité. Le second fut signé le 22 juillet 1795, entre la France (Barthélemy) et l'Espagne (Yriarte). En échange de la partie espagnole de Saint-Domingue, la France évacuait les régions espagnoles conquises peu avant par Moncey (Bilbao*, Vittoria). Le traité fut prolongé par celui de Saint-Ildefonse (août 1796).

BÂLE *(canton de).* ♦ Il est divisé en deux demi-cantons : Bâle-Ville *(Basel-Stadt),* ch.-l. Bâle, comprenant la ville de Bâle et la partie du canton située au N. du Rhin, dont Riehen*. 37 km². 228 700 hab. en majorité de langue allemande et de religion protestante. Bâle-Campagne *(Basel-Land),* ch.-l. Liestal. 428 km². 200 200 hab. en majorité de langue allemande et de religion

Les **Baléares.**

Ph. Hétier

Les **Baléares :** cultures en terrasse, Majorque.

protestante. *V. Princ.* **V. Liestal, Muttenz, Pratteln.**

BALÉARES (îles). *n. f. pl.* ♦ Archipel méditerranéen formant une région et province de l'Espagne, à l'est de la côte catalane et du golfe de Valence*. *Îles princ.* Majorque* (la grande *Baléare*), Minorque (la petite *Baléare*), Ibiza*, Formentera* et de nombreux îlots dont Cabrera*. 5 014 km². 453 000 hab. *(Baléares).* Cap. *Palma* de Majorque.* Les îles vivent de l'agriculture (fruits, légumes). Le tourisme y a pris un grand essor en raison de la douceur du climat et des stations balnéaires. **V. Palma, Formentor, Ibiza, Mahon, Pollensa, Soller.** ♦ *Hist.* Peuplées dès la préhistoire, les Baléares ont connu successivement la domination phénicienne, carthaginoise, romaine, vandale, puis, de la fin du VIIIe au début du XIIIe s., arabe, avec des intermittences d'occupation franque ou génoise. Après la reconquête de Jacques* Ier d'Aragon (1229), elles firent partie du royaume de Majorque*, puis à nouveau de l'Aragon* et enfin de l'Espagne. Au XVIIIe s., Minorque* fut tour à tour occupée par les Anglais, les Français et les Espagnols. Les îles eurent fréquemment à se défendre contre les incursions barbaresques jusqu'à la prise d'Alger par les Français en 1830.

BALEN-NEET. ♦ V. de Belgique (Anvers, arr. de Turnhout) sur le canal de Hasselt. 14 956 hab. Métallurgie du plomb, du zinc. Poudres et explosifs.

BALES (Robert Freed). ♦ Psycho-sociologue américain (Ellington, Missouri, 1916). Ses recherches ont porté sur l'interaction sociale (*Interaction Process Analysis : a Method for the Study of Small Groups,* 1950; *Family, Socialization and Interaction Process,* 1955, etc.).

BALETTI (Giuseppe). ♦ Acteur du théâtre italien (Munich, 1692 – Paris, 1762). Interprète de Marivaux et époux de Rosa Benozzi, créatrice du personnage de Silvia.

BALFOUR (Arthur James, *1er comte de***).** ♦ Homme politique britannique (Whittingehame, Écosse, 1848 – Woking, Surrey, 1930). Élu député en 1874 dans les rangs des conservateurs, il vit les débuts de sa carrière politique facilités par ses liens de parenté avec lord Salisbury* qui lui confia le secrétariat de l'Irlande (1887-1892). Chef des conservateurs aux Communes en 1891, il devint Premier ministre (1902-1905) et fit une politique active : réforme de l'enseignement public (1902), réorganisation de l'Afrique du Sud après la guerre, création d'un Comité de défense impériale, signature des accords de l'Entente cordiale avec la France et renouvellement de l'alliance anglo-japonaise (1904). Comme il s'était rallié au protectionnisme sous la pression de Chamberlain* et qu'il n'avait pu empêcher le vote du Parliament* Act, il subit deux grandes défaites électorales (1906 et 1911). Son rôle se limita alors à la politique extérieure : en tant que ministre des Affaires étrangères (1917-1919), il proposa la création d'un foyer national juif en Palestine (déclaration Balfour, le 2 novembre 1917). Ayant signé le traité de Versailles et participé à la conférence de Washington, il s'intéressa au règlement des dettes de guerre.

Balfour (déclaration). ♦ Déclaration publiée par le gouvernement britannique (nov. 1917) sous la forme d'une lettre adressée par lord Balfour* (alors ministre des Affaires étrangères) à lord Rothschild*. Il y était affirmé que « le gouvernement de Sa Majesté envisage favorablement l'établissement en Palestine d'un Foyer national pour le peuple juif [...], étant clairement entendu que rien ne sera fait qui pourrait porter préjudice aux droits civils et religieux des communautés non juives en Palestine, ainsi qu'aux droits et au statut politique dont les Juifs pourraient jouir dans tout autre pays ».

BALHAE. ♦ Nom coréen du royaume de Po* Hai.

BALI. ♦ Île indonésienne de la Sonde, située immédiatement à l'E. de celle de Java* *(détroit de Bali)* et à l'O. de Lombok, de nature volcanique (l'éruption du Gunung* Agung en 1963 fit des milliers de victimes), constituant une province de l'Indonésie* (*ch.-l. :* Singaradja [port : Buleleng]). 5 560 km², près de 2 000 000 d'hab. *(Balinais).* L'île, de climat équatorial, est très fertile. Ses habitants, qui ont gardé la religion hindoue pratiquée à Java avant le XVe s., sont renommés pour leur amabilité, leurs chants et danses, leurs spectacles de théâtre religieux et leur sens artistique. – Les ingénieux systèmes d'irrigation et les cultures en terrasses permettent l'exploitation des rizières. Cultures sèches : ignames, patates douces, maïs. – Aérodrome à Denpasar, dans le S. de l'île. Tourisme actif.

BALIKESIR. ♦ V. de Turquie, dans la région de la mer Égée*. Ch.-l. de la province homonyme. 69 341 hab. (1965). Indus. alimentaires.

BALIKPAPAN. ♦ Ville de Bornéo* (Kalimantan*, Indonésie), sur la côte E. de l'île et le détroit de Makasar*. 91 700 hab. Centre pétrolier important, la ville fut l'enjeu d'intenses combats entre le Japon et les États-Unis pendant la guerre de 1942-1945.

BALIOL. ♦ **V.** BAILLEUL.

BALINT (Michael). ♦ Psychiatre britannique d'origine hongroise (Budapest, 1896). Sous l'influence de la psychanalyse **(V. S. Freud)**, il a été amené à étudier la première phase des relations affectives et son importance dans le développement de l'individu (*Primary Love and Psycho-Analytic Technique,* 1952). Il s'est également consacré à l'étude des problèmes conjugaux.

BALKAN *(mont),* en bulg. **Stara Planina** (« Vieille Montagne »). ♦ Chaîne montagneuse de la Bulgarie centrale, s'étendant en arc de cercle sur 500 km, des Portes de Fer à la mer Noire. Son altitude moyenne est de 2 000 m. On distingue d'O. en E. : les chaînes cristallines du *Balkan occidental,* le long de la frontière bulgaro-yougoslave, entre les Portes de Fer et l'Isker et du Grand Balkan culminant au Botev* (2 376 m). Un réseau de vallées, dont la plus connue est la vallée des Roses (Kazanlăk*) isole le Grand Balkan des petits massifs de la *Stredna Gora* (la montagne des Cerfs) et de la *Sarnena Gora* (la montagne moyenne) qui le doublent au sud. Enfin, le *Petit Balkan* s'étend du Grand Balkan à la mer Noire. Le Balkan est bordé au N. et au S. de collines pré-balkaniques de 6 à 700 m d'altitude. De nombreux affl. bulgares du Danube (Isker*, Osum, Vit, Jantra*) et de la Marica (Tundža*) prennent leur source dans la *Strara Planina.*

BALKANS [*n. m. pl.*] ou **Péninsule balkanique.** ♦ La plus orientale des trois péninsules méridionales de l'Europe*. Limitée au N. par le Danube* et son affluent la Save, elle est baignée par la Méditerranée* et la mer Noire*. Le canal d'Otrante* la sépare de l'Italie, les détroits des Dardanelles* et du Bosphore* de l'Asie

Ph. Piero Oliosi/Ricciarini

Bali : cultures en terrasse.

Mineure. Elle comprend presque toute la Yougoslavie*, l'Albanie*, la Bulgarie*, la Grèce* et la Turquie* d'Europe, soit env. 550 000 km^2 et 40 000 000 hab. Trois systèmes montagneux forment l'ossature de la péninsule. Les Alpes dinariques se prolongent du N.-O. vers le S.-E. par les chaînes de l'Albanie, du Pinde, du Péloponnèse et celles de l'arc insulaire de la mer Égée. La chaîne du Balkan rejoint au N.-E. l'arc des Carpates et sépare la plaine danubienne des plaines de Plovdiv et de Thrace. Le massif de Rhodope, enfin, sépare ces plaines orientales de la Macédoine. Le sillon de la Morava et du Vardar* traverse du N. au S. le centre montagneux de la péninsule. ♦ *Hist.* Dans l'Antiquité, l'histoire des Balkans se confond avec celle de la Grèce*, de l'Illyrie*, des royaumes de la Macédoine* et de l'Épire*. Conquise par les Romains à partir du ~ IIe s., la péninsule fit partie de l'empire Byzantin* (395). Après les invasions des Goths, des Huns et des Avars, l'expansion slave, à partir du VIIe s., détermina la composition ethnique de la partie N. des Balkans. **V. Bulgarie, Serbie, Croatie, Slovénie, Bosnie** et **Herzégovine, Monténégro, Macédoine.** Conquise par les Turcs (XIVe-XVe s.), la péninsule ne reparaît dans l'histoire qu'au début du XIXe s. avec les soulèvements des peuples asservis. L'intervention des forces européennes intéressées au partage de l'empire ottoman fait alors surgir la *question d'Orient**, qui s'aggrave avec la guerre russo-turque de 1877-1878. **V. San Stefano** (traité de); **Berlin** (congrès de); **Bulgarie, Serbie, Russie, Autriche.** — Les *guerres balkaniques* (1912-1913) marquent une nouvelle phase de la crise, où les efforts russes pour le contrôle des détroits jouèrent un rôle décisif. La première se termina par la victoire de l'entente balkanique (Serbie-Bulgarie-Grèce-Monténégro) sur la Turquie; le traité de Londres (1913) acheva le démembrement de l'Empire ottoman d'Europe et ratifia l'indépendance de l'Albanie*. La seconde guerre balkanique opposa la Bulgarie à la Serbie et à la Grèce pour le partage du territoire conquis. Après l'intervention de la Roumanie* et de la Turquie, la Bulgarie vaincue dut, par le traité de Bucarest (1913), renoncer à la Macédoine, qui fut partagée entre la Serbie et la Grèce, céder Andrinople à la Turquie et la Dobroudja septentrionale à la Roumanie. — La péninsule fut l'un des théâtres de la Première Guerre* mondiale : offensive autrichienne et bulgare contre la Serbie, débarquement des Alliés à Salonique (1915), échec de l'opération des Dardanelles* et offensive alliée en Macédoine (1916, 1918). **V. Bulgarie, Grèce, Yougoslavie.** Elle fut durement éprouvée pendant la Seconde Guerre* mondiale : occupation de l'Albanie par les Italiens (1939), offensive italienne contre la Grèce (1940), occupation de la Yougoslavie et de la Grèce par les forces de l'Axe (1941-1944). — La carte politique des Balkans après la guerre est marquée par les grands conflits du monde actuel : Grèce et Turquie membres de l'O.T.A.N., Bulgarie associée au pacte de Varsovie, Yougoslavie entre les influences des deux blocs et les tendances du tiers monde, Albanie alignée sur la politique chinoise.

BALKHACH ou **BALKHASH.** *n. m.* ♦ Lac d'U.R.S.S., au S. de Karaganda* (Kazakhstan*). 17 000 à 19 000 km^2. Il reçoit les eaux de l'Ili* et du Karatal (372 km). Ses eaux sont douces à l'O., saumâtres à l'est. Importants gisements de cuivre sur la rive N., où s'est établie la ville de Balkhash. 64 000 hab. (1962). Exploitation des salines, fonderies de cuivre.

BALKIS. ♦ Nom que les auteurs arabes depuis le Coran donnent à la reine de Saba*.

BALLÀ (Giacomo). ♦ Peintre, dessinateur et sculpteur italien (Turin, 1871 — Rome, 1958). Il peignit d'abord dans un style académique puis, ayant admiré lors d'un séjour à Paris les œuvres impressionnistes et divisionnistes, il adopta cette dernière technique picturale et la transmit à Severini* et Boccioni*. À la suite de sa rencontre avec Marinetti*, il signa en 1910 le *Manifeste des peintres futuristes* et, sans abandonner l'intérêt qu'il portait à la décomposition de la lumière (*Lampe à arc,* 1909; *Compénétrations iridescentes*), il chercha à exprimer le mouvement en en présentant simultanément les phases successives (*Chien en laisse,* 1912). Puis, tendant à abandonner les références au monde extérieur, il suggéra le dynamisme en établissant des interprétations de formes colorées selon des schémas généralement géométriques (*Vitesse abstraite,* 1913). Il réalisa des œuvres peintes ou en relief en juxtaposant des matériaux et des objets divers. Son rôle de précurseur dans le domaine de l'abstraction, du collage et de l'assemblage n'a été compris que tardivement.

BALLANCHE (Pierre Simon). ♦ Écrivain français (Lyon, 1776 — Paris, 1847). Ami de Mme de Récamier*, il s'installa auprès d'elle à Paris (1813), et fut, avec Chateaubriand*, un familier de l'Abbaye au Bois. Il donna une signification religieuse à l'histoire (« épopée de la pensée »), s'efforçant de saisir l'apport de chaque peuple dans le développement de l'humanité (*Essai sur les institutions sociales,* 1818; *Essais de Palingénésie sociale,* 1827-1829). Son influence fut importante sur l'idéologie romantique. (Acad. fr., 1842).

BALLANCOURT-SUR-ESSONNE. ♦ Comm. de l'Essonne (arr. d'Évry), près de l'Essonne. 3 477 hab. Carrières, tourbières. Papeterie.

BALLARAT. ♦ V.de l'État de Victoria* (Australie), au S.-O. de la Cordillère* australienne et au cœur de l'anc. district aurifère; elle est reliée par voie ferrée à Melbourne*. 54 800 hab. Métallurgie, constructions mécaniques, brasseries, filatures de laine.

BALLARD. ♦ Famille d'imprimeurs et éditeurs français qui, de 1551 à 1792, eut le monopole de l'édition musicale à Paris.

BALLEROY. ♦ Ch.-l. de cant. du Calvados (arr. de Bayeux). 757 hab. Château bâti par Mansart* (1626-1636).

Ballets russes. ♦ Célèbre compagnie de ballets dirigée par Diaghilev. **V. Diaghilev.**

BALLIF (Claude). ♦ Compositeur français (Paris, 1924). Il fut assistant au Groupe des recherches musicales de l'O.R.T.F. de 1959 à 1961. Il est également le créateur de la « métatonalité » qui réconcilie la tonalité et l'atonalité, le chromatisme et le diatonisme.

BALLIN (Claude). ♦ Orfèvre français (Paris, 1615 — *id.,* 1678). Il fut l'un des orfèvres préférés de Louis XIV et exécuta de nombreux et fastueux ouvrages pour le château de Versailles (mobilier, candélabres, grands vases d'argent) mais ils furent envoyés à la fonte en 1689. — Son neveu, *Claude Ballin II* (1661-1754) exécuta notamment la *couronne du sacre de Louis XV,* travailla pour les cours d'Espagne et de Russie. Il adopta le style rocaille, dont la vogue se répandit sous le règne de Louis XV.

BALLIOL. ♦ V. BAILLEUL.

BALLU (Théodore). ♦ Architecte et restaurateur français (Paris, 1817 — *id.,* 1885). Élève d'Hippolyte Lebas et prix de Rome en 1840, il continua l'édification de l'église néogothique *Sainte-Clotilde* de Paris d'après les plans de Gau. Représentant caractéristique du style éclectique en vogue sous Napoléon III, il mêla dans l'église de la *Trinité* (1861-1867) les formes et les motifs décoratifs de style roman aux réminiscences de la Renaissance et du baroque italien. En 1872, il fut chargé avec Deperthes de reconstruire l'*Hôtel* de Ville* de Paris (1873). Il restaura l'église *Saint-Germain-l'Auxerrois* et la *tour Saint-Jacques.*

BALLY (Charles). ♦ Linguiste suisse (Genève, 1865 — *id.,* 1947). Philologue spécialiste du grec, puis du sanskrit, il devint l'élève de F. de Saussure* à Genève et s'orienta vers une linguistique descriptive et structurale. Il renouvela la « science des moyens d'expression », ou *stylistique (Précis de stylistique,* 1905; *Traité de stylistique française). Linguistique générale et linguistique française* (1932) constitue une synthèse de ses idées sur le signe linguistique et sur la chaîne syntaxique, aboutissant à une caractérisation du français (notamment par rapport à l'allemand).

BALLY ou **BALLYGANJ** ou **BALLYGUNGE.** ♦ V. de l'Inde (Bengale, district de Burdwân) sur l'Hooghly. 262 000 hab. Grand faubourg résidentiel de Calcutta.

BALLYCASTLE. ♦ Station balnéaire et port de pêche d'Irlande du Nord (comté d'Antrim); sur le *canal du Nord,* en face de l'*île de Rathlin.* 2 645 hab. (1961).

BALLYMENA. ♦ V. d'Irlande du Nord (comté d'Antrim), sur la Braid, en bordure du *plateau d'Antrim.* 16 000 hab. Marché agricole et centre de villégiature. Indus. textiles et électriques.

BALLYSHANNON, en irl. **Béal Átha Seanaigh.** ♦ Localité du N. de la république d'Irlande (prov. d'Ulster, comté de Donegal) et station balnéaire sur l'estuaire de l'Erne*. 2 235 hab. (1966). Installations hydro-électriques *(Cathleen's Fall).*

BALMAT (Jacques). ♦ Guide français (Chamonix, 1762 — vallée de Sixt, 1834). Il réalisa avec le Dr Paccard, en 1786, la première ascension du mont Blanc et en atteignit le sommet, l'année suivante, avec l'expédition de H.-B. de Saussure*.

BALME *(col de).* ♦ Col de Haute-Savoie* qui relie la vallée de l'Arve* au N.-O. de Chamonix à celle de Trient* (Valais). 2 191 m.

BALMER (Johann Jakob). ♦ Physicien suisse (Lausen, 1825 —

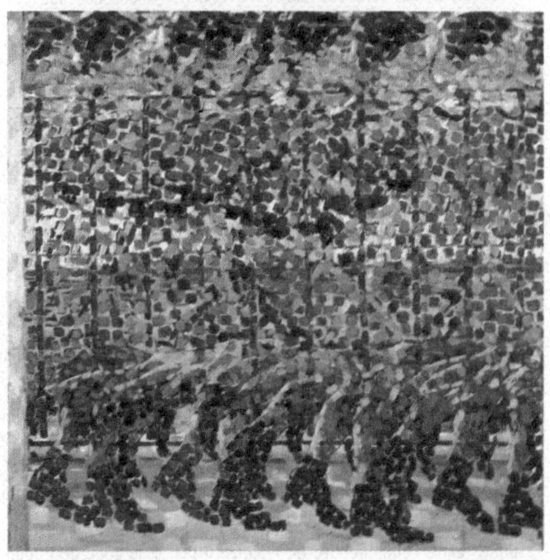

Arch. Smeets

G. Ballà : « Petite fille courant sur un balcon ». (Galerie d'Art moderne, Milan.)

Pays **Baltes.**

Bâle, 1898). Il établit empiriquement une formule de récurrence reliant les longueurs d'onde des neuf raies alors connues du spectre d'émission de l'atome d'hydrogène et qui est à la base des connaissances modernes de la spectroscopie atomique. La formule de Balmer a servi de modèle à l'expression d'autres lois des séries spectrales expérimentales (Paschen*) et a contribué à l'élaboration du modèle atomique de Bohr* et au principe des combinaisons de Ritz*. Elle s'exprime par :

$$\frac{1}{\lambda} = Rh\left(\frac{1}{2^2} - \frac{1}{m^2}\right)$$

où λ est la longueur d'onde ; Rh, la constante de Rydberg* et m un nombre entier égal ou supérieur à 3 ; elle doit être rangée parmi les formules de la physique dont la vérification atteint le plus haut degré de précision.

BALMONT (Constantin Dimitrievitch) [Balmont]. ♦ Poète russe (Ivanovo-Voznesensk, 1867 – Paris, 1942). Il écrivit de nombreux recueils de vers qui l'apparentent principalement aux symbolistes : *Sous le ciel nordique* (1894), *Édifices en flammes* (1900), *Soyons comme le Soleil* (1903), *Rien que l'amour* (1904), etc. Sa poésie, d'une grande richesse formelle, possède un caractère « occidental ». Il émigra en 1920.

BALMORAL *(château de)*. ♦ Résidence d'été des souverains britanniques, en Écosse septentrionale *(Aberdeenshire)*, dans les monts Grampians, sur la Dee. Érigé en 1855 sur les plans de William Smith, ce fut la résidence préférée du prince Albert, de la reine Victoria, et d'Édouard VII comme prince de Galles.

BALQA (al). ♦ Province orientale de la Jordanie, à l'E. du Jourdain, en bordure du plateau désertique de la Chamiya*. Plus de 100 000 hab. Ch.-l. Al-Salt (kaolin).

BALSAS (río de las). *n. m.* ♦ Fl. du Mexique qui délimite au S. la vallée de Mexico. Il prend sa source dans l'Etat de Puebla* et traverse la Sierra Madre* del Sur avant de se jeter dans le Pacifique. 720 km. Aménagements hydro-électriques.

BALTARD (Victor). ♦ Architecte, restaurateur et aquarelliste français (Paris, 1805 – *id.*, 1874). Élève du peintre Lethière et grand prix d'architecture en 1833, il séjourna en Italie, puis dirigea à Paris la restauration de plusieurs églises (St-Eustache, St-Étienne-du-Mont). Dans les *Halles centrales* (1854-1870) de Paris, dont les plans sont parfois attribués à l'ingénieur Horeau (1801-1872), il osa utiliser le fer d'une façon fonctionnelle, le bâtiment ayant une destination strictement utilitaire. Il allégea au maximum les supports, remplaça les murs par des surfaces vitrées et laissa l'armature apparente. Le succès de cet ouvrage contribua à imposer l'usage des matériaux modernes. Cependant, dans ses autres œuvres, notamment dans l'*église St-Augustin* (1860-1871), il resta fidèle au style éclectique et ne tirant pas les conséquences esthétiques de l'emploi du fer, il imita le style gothique et Renaissance et masqua sous la pierre l'armature métallique.

BALTES *(pays)*. ♦ Nom donné aux provinces qui bordent la Baltique* entre l'embouchure du Niémen à l'O. et le golfe de Finlande à l'est. Elles forment auj. les républiques soviétiques d'Estonie*, Lettonie* et Lituanie*. ♦ *Hist.* La population des pays Baltes se rattache à l'origine à deux grands groupes ethniques différenciés par leurs langues. Le *groupe finno-ougrien* comprend les Lives (Livonie*), les Ingriens (Ingrie*) et les Estes (Estonie*). Sa langue s'apparente au finnois. Le *groupe balte* correspond à trois rameaux ethniques indo-européens dont les langues très anciennes, proches des langues slaves, comprennent le lette (Lettonie*), le lituanien (Lituanie* ; fortement représenté aux États-Unis par plus de 400 000 émigrants) et le vieux-prussien parlé jusqu'au XVIIIe s. en Prusse* orientale. Le peuple balte, très tôt en relations maritimes et commerciales avec les Scandinaves, les Slaves et les Germaniques, conserva longtemps une civilisation et une organisation politique très primitive. Christianisés et germanisés à partir du XIIIe s. par les chevaliers teutoniques* et les Porte*-Glaive, contrôlés par la Hanse, les pays Baltes passèrent sous la domination de la Pologne, de la Suède et de la Russie. Slavisés dès le début du XVIIIe s., en partie cédés à la Russie au traité de Nystad (1721 ; **V. Ingrie, Livonie, Estonie, Lettonie**), ils furent annexés à la Russie au troisième partage de la Pologne (1795 ; **V. Courlande, Lituanie**). Convoités et occupés par les Allemands et les Soviétiques au cours des deux guerres mondiales, les pays Baltes, après une brève période d'indépendance (1920-1940) furent incorporés à l'U.R.S.S. avec le statut de Républiques socialistes soviétiques. Les réactions nationalistes de la population balte contre la russification provoquèrent des mesures de répression accompagnées de déportations et d'exils. Le rattachement des anc. États baltes à l'U.R.S.S. n'a été reconnu ni par les nations d'Europe occidentale ni par les États-Unis.

BALTHASAR ou **BALTHAZAR**. ♦ Nom donné, d'après la Bible, à *Bêl-Shar-Usur*, fils de Nabonide* et régent de Babylone en l'absence de son père. Il fut tué lors de la prise de la ville par Cyrus (~ 539). ♦ FESTIN DE BALTHASAR : dans la Bible (*Daniel*, V) ce personnage, donné comme roi et fils de Nabuchodonosor, voit, lors d'un festin, une main tracer sur le mur l'inscription *Mané**, *Thécel, Pharès :* Daniel* l'interprète comme le signe de la fin prochaine du roi et de son royaume.

BALTHAZAR. ♦ Un des rois mages de la légende chrétienne, représentant généralement la race noire. **V. Mages.**

BALTIMORE (George Calvert, *1er baron***)**. ♦ Homme d'État anglais (Kipling, Yorkshire, v. 1580 – Londres, 1632). En 1621, il fonda une colonie à Terre-Neuve, puis, en 1629, dans la région de Chesapeake et du Delaware. – CECILIUS BALTIMORE, 2e baron (1603-1676). Il obtint en 1632 la Charte lui accordant la propriété de la colonie qui fut appelée Maryland*.

BALTIMORE. ♦ V. des États-Unis (Maryland*). 895 222 hab. (en diminution). La zone urbaine compte plus de 2 000 000 d'hab. Port sur un estuaire au fond de la baie de Chesapeake*. Plusieurs monuments du déb. du XIXe siècle. Importants musées d'art. – Port commercial très actif. Constructions navales. Centre indus. : sidérurgie (usine de la *Bethlehem Steel Corporation*), indus. chimiques, alimentaires, etc. – Université Johns Hopkins, célèbre notamment pour son centre de recherche médicale. – Patrie de Philippe Ricord*, d'Upton Sinclair*. ♦ *Hist.* La ville fut en partie détruite par un grand incendie en 1904.

BALTIQUE. *n. f.* ♦ Mer d'Europe septentrionale, comprise entre la Suède, la Finlande, l'U.R.S.S., la Pologne, l'Allemagne et le Danemark. Elle forme deux golfes importants, au N. le golfe de Botnie* et à l'E. le golfe de Finlande*. Au S.-O., elle s'ouvre sur le Kattégat* par une série de détroits (Øresund*, Grand-Belt*, Petit-Belt*).

BALTISTÂN. *n. m.* ♦ Région montagneuse du nord du Cachemire* (Kaśmîr), appartenant en presque totalité au Pâkistân* occidental depuis 1949, sur la haute vallée de l'Indus*, englobant les petites principautés des vallées de Gilgit et de Hunza*. Elle est dominée au N. par le massif du Nanga-parbat (8 126 m). Env. 50 000 hab., de souche tibétaine mêlée d'Indo-Européens musulmans. *Cap.* Skardu.

BALTRUSAÏTIS (Jurgis). ♦ Poète lituanien (1873-1944). Il fut l'un des chefs de file du symbolisme lituanien.

BALUBAS ou **BALOUBAS**. *n. m. pl.* ♦ Peuple noir du Congo méridional qui compte environ 500 000 individus ayant apparemment des origines diverses. Leurs formes d'art présentent une unité très nette.

BALUCHISTÂN ou **BÉLOUCHISTAN**. *n. m.* ♦ Région aride (env. 350 000 km²) s'étendant sur le Pâkistân* et l'Iran, en bordure de la mer d'Oman, peuplée de nomades Baluchî ou Pashtû* (env. 1 500 000 hab.). Plateau très sec, d'une altitude moyenne de 1 000 m, de climat sub-désertique. Quelques oasis permettent de cultiver des vignes, du blé et du coton. Élevage (bovins et ovins). Gisements de charbon et de fer. ♦ *Hist.* La region, nommée Gedrosie* par les Grecs, fit partie de l'Empire perse achéménide. Le *Baluchistân* fut conquis par les Arabes au VIIIe s., puis passa sous la domination de la Perse* et de l'Afghânistân*. Le territoire occupé par les Anglais lors des guerres afghanes (1839-1840), devint protectorat britannique en 1877 avant d'être annexé à l'Empire indo-britannique en 1887. Rattaché au Pâkistân* en 1947, il forma une province de ce pays jusqu'en 1958, puis fut divisé en province de Quetta (137 552 km² ; 650 000 hab.) et province de Kalat (188 903 km² ; 550 000 hab.). La partie iranienne, après avoir eu Kerman* pour capitale, forme aujourd'hui, avec le Seistan*, la province de Seistan-et-Belouchistan (177 832 km² ; près de 500 000 hab. ; cap. Zahedan*).

BALUE (*cardinal* **Jean**). ♦ V. LA BALUE.

BALZAC (Jean Louis GUEZ, *seigneur de*). ♦ Écrivain français (Angoulême, v. 1595 – *id.*, 1654). Condisciple de Théophile de Viau* à l'université de Leyde, puis secrétaire du duc d'Épernon à Metz, il suivit le cardinal de La Valette à Rome (1621-1622). Ses premières *Lettres*, vibrantes d'enthousiasme pour l'Antiquité, furent accueillies avec faveur à l'hôtel de Rambouillet*, et le recueil publié en 1624 connut un succès prodigieux dans toute l'Europe. Choyé par Richelieu* (qui en fit l'un des premiers membres de l'Académie), Guez de Balzac se retira pourtant sur ses terres de l'Angoumois et se consacra aux belles-lettres. Après *Le Prince* (1631), peinture du souverain idéal et panégyrique voilé de Louis XIII, il composa *Aristippe ou de la Cour* (posth., 1658), réflexion sur le machiavélisme en politique, et *Le Socrate chrétien* (1652), essai de doctrine et de morale religieuses. Considéré comme « le plus éloquent homme » du temps, il donnait tous ses soins à ses *Lettres* (publiées de 1624 à 1654), attendues par les milieux littéraires et mondains de la capitale (ses correspondants préférés restant Chapelain* et Conrart*) et qui manifestent un jugement littéraire très sûr (Cf. celles sur *Le Cid* ou *Cinna*), une grande piété et un vif sentiment de la nature. Vivantes et variées, elles sont remarquables par l'aisance, et une maîtrise (confinant parfois à la préciosité) qui ne détruit jamais la pureté du style. Soucieux de rigueur et d'harmonie dans sa phrase, Guez de Balzac contribua pour la prose à la réforme entreprise par Malherbe*.

BALZAC (Honoré de). ♦ Écrivain français (Tours, 1799 – Paris, 1850). À vingt ans, d'accord avec sa famille, il abandonna ses études de droit (poursuivies en travaillant chez un notaire) pour se consacrer à la littérature. Sans succès, il publia sous divers pseudonymes des romans « noirs » ou sentimentaux, et plusieurs « Physiologies ». Mme de Berny, rencontrée en 1822, l'introduisit dans la société aristocratique et, surtout, l'aida matériellement. Des tentatives financières hasardeuses (achat d'une imprimerie, etc.), des dépenses inconsidérées entraînant des dettes énormes rejetèrent Balzac vers les lettres. Dès lors, parallèlement à de multiples aventures sentimentales, à la correspondance très suivie (*Lettres à l'Étrangère*) qu'il entretint avec Mme Hanska, riche admiratrice polonaise qu'il épousa en mars 1850, et à sa vie mondaine, il s'adonna, durant vingt années de labeur, à une création littéraire intense. Dès 1829, *La Physiologie du mariage*, essai signé de son nom, puis un roman historique, *Le Dernier Chouan* (devenu, en 1841, *Les Chouans*), lui assurèrent la notoriété. Bientôt, il conçut, et appliqua dans *Le Père* Goriot* (1834) d'abord, le système du retour de ses personnages d'un roman à l'autre, procédé assurant à son œuvre une organisation synthétique qui en fera « comme un monde complet ». Ainsi, outre trente contes (Les *Contes drolatiques*, 1832-1837), et cinq pièces de théâtre (dont *Mercadet* ou le Faiseur*, représenté en 1851), Balzac écrivit quelque quatre-vingt quinze romans rangés sous le titre d'*Études sociales* (devenu, en 1841, *La Comédie* humaine*). Balzac a voulu aussi rendre compte des « principes naturels » régissant les sociétés humaines, à partir de l'évocation de son époque. Persuadé de l'existence d'interférences constantes entre le matériel et l'immatériel, comme entre le milieu et l'homme, le physique et le moral, il s'attache notamment à peindre les « ravages de la pensée », lorsqu'elle s'assimile à une passion si extrême qu'elle condamne l'être qui la nourrit avec ses proches (Cf. Balthazar Claës). On trouve chez Balzac de ces personnages monomanes qui évoluent au sein d'une société qui les suscite et les explique (Cf. Lucien de Rubempré ou Eugène de Rastignac*). Pour Balzac, en effet, « une génération est un drame » : c'est essentiellement la volonté de puissance, servie par l'énergie, qui assure le triomphe d'individus comme Vautrin* ; de même que, dans cette « réunion de dupes et de fripons » que sont

Ph. Nino Cirani/Ricciarini
Baluchistân : lac salé en Iran.

Ph. de Gregorio/Ricciarini
H. de Balzac, par L. Boulanger. (Musée des Beaux-Arts, Tours.)

les différentes classes sociales, le moteur est l'argent, instrument des puissances de la bourse, de la politique et du journalisme. Pour brosser ce tableau de la société française (de 1789 à 1848), Balzac adopte l'esthétique réaliste : « l'auteur croit fermement que les détails constitueront désormais le mérite des ouvrages improprement appelés romans ». D'où le soin minutieux donné aux descriptions et aux portraits, préparation lente qui devance le travail de l'imagination de ce « visionnaire passionné » (Baudelaire) : l'observation rend seule possible l'intuition qui donne à Balzac « la faculté de vivre de la vie » du personnage créé. Ainsi s'est élaborée, en dépit d'une expression parfois jugée lourde et emphatique, une œuvre romanesque puissante « qui est l'observation et qui est l'imagination; qui prodigue le vrai [...] et laisse tout à coup entrevoir le plus sombre et le plus tragique idéal ». (V. Hugo).

BAM ou **BAMM**. ♦ V. d'Iran (VIIIe province) dans le Kirman. 14 000 hab. Cité médiévale. Palmeraie (dattes renommées). Oranges, citrons. Coton. Henné. ♦ *Hist.* Occupée par les Arabes v. 642, la ville fut fortifiée; elle était réputée imprenable au Xe s. Loft Ali Khân Zend s'y réfugia après la prise de Kermân, mais on le livra. La ville moderne fut construite v. 1860.

BAMAKO. ♦ Cap. de la république du Mali*, au S. du pays, sur la r. g. du Niger*, reliée à Kayes* et à Dakar* par voie ferrée qui se prolonge jusqu'à Koulikoro*. 170 000 hab. Centrale thermique. Centre de recherches zootechniques. Abattoirs. Rizeries. Huileries. Patrie de Modibo Keita*.

BAMBARAS. *n. m. pl.* ♦ Peuple noir **(V. Mandings)** vivant principalement au Mali* et au Sénégal*. Ils constituèrent le puissant royaume de Segou*. Leur art (statuettes stylisées) est inspiré par leur conception mythique de l'agriculture.

BAMBERG. ♦ V. d'Allemagne occidentale (Bavière), ch.-l. de district de la Haute-Franconie et port fluvial sur la Regnitz. 73 900 hab. Archevêché. Riche en monuments médiévaux et baroques, Bamberg possède une cathédrale gothique, chef-d'œuvre de l'architecture allemande du XIIIe siècle. Églises baroques, ancien hôtel de ville (XVIIIe s.) bâti sur une île artificielle, palais Renaissance de l'*Ancienne Résidence*, *Nouvelle Résidence* (XVIIIe s.) de style baroque. — Indus. textiles (coton, confection), indus. du cuir, produits alimentaires (brasseries). — Patrie de J. Camerarius*, de J. Döllinger, d'A. von Wassermann*. ♦ *Hist.* La ville, qui doit son nom aux comtes de Babenberg, fut érigée par l'empereur Henri II en évêché souverain (1007), rattaché à la Bavière en 1802.

Bamboche ou **Bamboccio**. ♦ Surnom de Pieter Van* Laar.

BAMBYCE, en gr. **Bambukê**. ♦ Anc. V. grecque de Syrie, située à l'O. de l'Euphrate (auj. *Membidj*). Elle reçut des Séleucides qui la restaurèrent, le nom d'*Hiérapolis*.

BAMILÉKÉS. *n. m. pl.* ♦ Population habitant la région dite *pays bamiléké* dans le S.-O. du Cameroun, vaste zone surpeuplée. Les Bamilékés émigrent facilement vers les villes principalement pour y faire du commerce.

Ph. Nino Cirani/Ricciarini

Bâmyân : statue colossale de Bouddha (Ve s.).

BÂMYÂN. ♦ Petite ville de l'Afghânistân, à l'O de Kâbul*. Env. 8 000 hab. Elle est située dans une vallée bordée de hautes falaises dans lesquelles sont creusées des centaines de cellules monastiques bouddhiques et deux gigantesques statues de Bouddha debout (53 m et 35 m) datant des ve et vie siècles. Les cellules sont parfois agrémentées de peintures murales d'inspiration iranienne et indienne. Les grands Bouddha furent défigurés à coups de canon par l'iconoclaste Aurangzeb*. Quant à la ville ancienne, elle fut détruite en 1222 par Temüjin*.

BÂNABHATTA. ♦ Écrivain indien (606 — v. 647?), historiographe et poète de la cour du roi indien Harṣa* de Kanauj, auteur de nombreux poèmes, de pièces de théâtre et d'une histoire du roi Harṣa, en sanskrit très pur.

BANAT. *n. m.* ♦ Région naturelle d'Europe centrale, partagée depuis 1919 entre la Hongrie, la Yougoslavie et la Roumanie. Elle est limitée à l'E. par la Transylvanie et la Valachie, à l'O. par le Tizsa, au N. par le Mureş, et au S. par le Danube. La Hongrie n'en possède qu'une faible part, située autour de Szeged*. Le *Banat yougoslave* autour de Vršac, est une riche région agricole. Le *Banat roumain* (21 800 km²) compte 1 242 840 hab. *Cap.* Timişoara* (anc. Temesvar). *V. princ.* Arad*, Reşita*, Lugoj* et Caranşebes*. La plaine, autour du bassin du Timiş*, est très fertile (céréales, pommes de terre, fruits) et on y pratique l'élevage. Les monts du Banat recèlent du charbon, du fer, du manganèse, du chrome, du cuivre et du marbre. ♦ *Hist.* La région fut occupée par les Turcs après 1526 (victoire de Mohacs). Après les victoires du prince Eugène sur l'Empire ottoman, le Banat revint aux Habsbourg (traité de Passarowitz, 1718). D'abord région militaire, il fut intégré à la Hongrie en 1779. Il fut partagé entre la Hongrie, la Yougoslavie et la Roumanie en 1920 (traité de Trianon).

BANBURY. ♦ V. d'Angleterre *(Oxfordshire)* au N. d'Oxford, sur la Cherwell. 21 000 hab. Nœud ferroviaire. Usine d'aluminium et produits alimentaires.

BANCO ou **BANQUO.** ♦ Gouverneur d'une province du N. de l'Écosse, sous Duncan* Ier (xie s.), il aurait assisté au meurtre du roi par Macbeth (1040) qui l'aurait assassiné plus tard. — Shakespeare, dans *Macbeth,* fait apparaître à l'assassin le spectre de Banco.

BANCROFT (George). ♦ Historien et homme politique américain (Worcester, Massachusetts, 1800 — Washington, 1891). Il fonda l'Académie navale d'Annapolis (1845). Partisan de la libération des esclaves noirs, il soutint Lincoln* durant la guerre de Sécession. Il est l'auteur d'une *Histoire des États-Unis* (1834-1874).

BANDA *(îles).* ♦ Archipel indonésien des Moluques (Maluka), au sud de l'île de Seram*, au nord-est de la mer de Banda. Env. 13 000 hab. Il fut découvert en 1512 et devint un grand marché aux épices (noix de muscade). ♦ La mer de *Banda,* fosse marine, atteint 7 360 m de profondeur.

BANDANARAIKE SIRIMAVO. ♦ Femme d'État cinghalaise, épouse et successeur, en 1959, de son mari Bandanaraike Salomon, comme Premier ministre de l'État de Ceylan*. Écartée du pouvoir en 1965 par le ministre Senanayake, elle y revint en 1970 pour entreprendre une révolution sociale.

BANDAR. ♦ V. MASULIPATAM (Masulipatnam).

BANDAR ABBAS ou **BENDER ABBAS.** ♦ V. et port d'Iran (VIIIe province) entre la mer d'Oman et le golfe Persique, sur le détroit d'Ormuz, face aux îles d'Ormuz et de Qeshm. 14 300 hab. Conserveries de sardines et de crevettes. Filatures de coton. ♦ *Hist.* Après la prospérité d'Ormuz (près de Minâb), de l'île de Djarem, au xive s., puis de Gomrom, Bandar Abbas devait prendre la relève, mais l'inexpérience des Iraniens en matière de navigation et la fondation du port de Bouchher empêchèrent son développement.

BANDAR CHÂH, BENDER CHAH ou **BANDAR SHÂH.** ♦ V. et port d'Iran (IIe province) sur la mer Caspienne. 5 000 hab. Terminus N. du Transiranien. Aérodrome.

BANDAR CHÂHPOUR, BENDER CHAHPOUR ou **BANDAR SHÂHPUR.** ♦ V. et port d'Iran (IIe province) sur le Khor Musa. 5 000 hab. Tête de ligne du Transiranien **(V. Ahwâz).**

BANDELLO (Matteo). ♦ Conteur italien (P. de Tortona, Piémont, 1485 — Agen, 1561). Frère dominicain, homme de cour, soldat, il fut, après une vie aventureuse, exilé en France où Henri II le fit évêque d'Agen (1550). Auteur notamment d'une traduction en italien de l'*Hécube* d'Euripide, d'un *Canzoniere* de deux cents poèmes pétrarquisants dédiés à Marguerite de France (1544), il est surtout connu par ses *214 Nouvelles (Novelle),* dont trois séries parurent en 1554, et la quatrième (posth.) en 1573. Inspirées de récits anciens ou contemporains, italiens ou étrangers, ces nouvelles sont d'une variété extrême dans leurs sujets. Conduits avec rapidité, d'une intéressante justesse psychologique, illustrant une sagesse pleine de bon sens, ces récits à la prose simple et aisée furent très lus au xvie et au xviie s.; après Shakespeare* (qui y puisa le sujet de *Roméo et Juliette*), ils inspirèrent Stendhal*, Byron* et Musset* *(Barberine).*

BANDIAGARA. ♦ V. du Mali*. 3 800 hab. — Le *plateau de Bandiagara* est limité à l'E. par des falaises au flanc desquelles se trouvent les villages des Dogons*.

BANDINELLI (Baccio). ♦ Sculpteur italien (Florence, 1488 — *id.,* 1560). Fils d'un orfèvre, il étudia auprès de son père, puis dans l'atelier de G. Rustici*. Cellini et Vasari l'ont décrit comme un artiste soucieux d'honneurs, jaloux et faible imitateur de Michel-Ange. Il obtint de la faveur des Médicis la plupart de ses commandes, exécutées dans un langage classique, ferme et équilibré, souvent plus savant qu'inspiré (copie du groupe de *Laocoon,* 1525, Offices; *Hercule et Cacus,* 1534, place de la Seigneurie: bas-reliefs et statues pour Santa Maria del Fiore, 1547, musée de l'Œuvre).

BANDJARMASIN. ♦ V. de l'île de Bornéo* et chef-lieu de la province du Kalimantan* (Indonésie), sur la côte S.-E. Env. 270 000 hab. Port important exploitant les gisements pétrolifères de la région. La ville fut conquise en 1756 par les Hollandais.

BANDOL. ♦ Comm. du Var* (arr. de Toulon*) sur la côte méditerranéenne. 4 899 hab. Station balnéaire.

BANDUNG ou **BANDOENG.** ♦ V. de l'île de Java* (Indonésie), centre administratif et universitaire. Aéroport. Plus de 1 100 000 hab. Indus. textiles, chimiques, mécaniques; caoutchouc. Institut de recherche en céramique. ♦ *Hist.* Cette ville hébergea, du 18 au 24 avril 1955, une conférence internationale entre les représentants de 29 pays du Tiers-Monde (Asie et Afrique) réunis afin d'inaugurer une politique commune de coopération économique, sociale et culturelle et de définir une attitude anticolonialiste. Les orateurs les plus écoutés furent le pandit Nehru* (Inde), Chou* En-lai (Chine) et Sukarno* (Indonésie).

BANÉR (Johan Gustafsson). ♦ Général suédois (Djursholm, près de Stockholm, 1596 — Halberstadt, 1641). Il commanda à partir de 1634 les armées suédoises en Allemagne lors de la guerre de Trente Ans. Il vainquit les Saxons à Chemnitz (1639) et conquit la Bohême et la Silésie.

BANERJÎ (Surendranâth). ♦ Homme politique indien (1848 — 1925), surnommé le « père du nationalisme indien » et fondateur, en 1885, du « parti du Congrès » dont le but était le gouvernement de l'Inde par elle-même (Svarâj).

BANERJÎ (Bibhûti Bhûsan). ♦ Écrivain indien (Bengale, 1896 — 1950) d'expression bengali, et instituteur. Ses romans sociaux *(Pather Panchali, Aparajito)* eurent un grand retentissement en Inde et à l'étranger, surtout après avoir été portés à l'écran par le metteur en scène indien Satyajit Ray.

BANFF. ♦ V. de la côte N.-E. de l'Écosse, sur la mer du Nord, à l'embouchure du Deveron. 3 460 hab. (1966). Demeures des xviie et xviiie s., château du xviiie siècle. Pêche, constructions navales. Le *comté de Banff* [Banffshire] (1 631 km²), le long de la mer du Nord, compte 51 000 hab.

BANFF. ♦ Petite V. du Canada, dans le S.-O. de l'Alberta, centre de villégiature dans les Rocheuses* canadiennes, dans la haute vallée de la *Bow river.* 4 101 hab. — *Parc national de Banff,* créé en 1887.

BANGALORE. ♦ V. de l'Inde et ch.-l. de l'État du Maisûr (Mysore*). 1 042 000 hab. (1970). L'aggl. compte 1 809 000 hab.

Ville moderne, fondée en 1537, réputée pour ses soieries. Indus. chimiques, aéronautiques et centre de recherches scientifiques. Université. Aéroport (lignes intérieures).

BANGE (Charles RAGON *de*). ♦ Officier français (Balignicourt, Aube, 1833 – Chesnay, 1914). Inventeur d'un système d'artillerie qui porte son nom.

BANGKA. ♦ Île d'Indonésie, au S.-E. de Sumatra* dont elle est séparée par le *détroit de Bangka.* 300 000 hab. (Malais et Chinois). *V. princ.* Pang-kalpinang. Un des centres les plus importants de l'extraction de l'étain.

BANGKOK (offic. **Krung-thep**). ♦ Cap. du royaume de la Thaïlande, sur le cours inférieur du Menam Chao Phraya, près du golfe du Siam. 1 800 000 hab. Universités renommées (Chulalongkorn et Thammasat). Aéroport international. La ville, sillonnée de canaux, a un aspect moderne et aéré (espaces verts). Elle possède de nombreux monuments du XVIIIe s. (palais royal) et surtout du XIXe s. (plusieurs centaines de temples bouddhiques). Marché flottant à Thonburi. C'est le centre culturel du pays (enseignement, édition des journaux, etc.) et le siège d'organismes internationaux (O.T.A.S.E., C.E.A.E.O.). Son rôle économique est primordial : la quasi-totalité des indus. de Thaïlande y sont concentrées (rizeries, scieries, indus. légère). C'est le seul port important du pays (95 % des importations et 75 % des exportations).

BANGLA DESH. *n. m.* (« pays du Bengale »). ♦ État formé par l'ancienne province du Pâkistân oriental. Il est limité par l'Inde à l'O., au N. et à l'E., par la Birmanie au S.-E., par le golfe du Bengale au sud. 142 776 km². 76 820 000 hab. *Cap.* Dacca*. Sa population est de type indo-malais, utilisant les langues bengali et urdu. Le pays, plat, alluvionnaire, est recouvert d'une luxuriante végétation tropicale. Au N., le Barind (région entre le Gange et le Brahmapoutre) est une savane. La mangrove croît dans les marais du S., les Sundarbans. De climat sub-tropical, le pays reçoit la mousson en juillet et août où des pluies violentes se déversent sur les côtes du Bengale. La saison froide est courte et peu prononcée (18 °C en janv.). Le Gange, qui a des crues catastrophiques, ne possède pas de période de basses eaux. Des tentatives ont été faites pour régulariser son régime ainsi que ceux de ses affluents, la Meghna, la Jamunâ, et celui du Brahmapoutre. L'agriculture intensive est consacrée à la production du riz, de la canne à sucre et du jute. La pêche est pratiquée dans le delta et les estuaires. – La naissance du pays comme Etat fut le résultat de la guerre qui opposa, en décembre 1973, l'Inde et le Pâkistân, à propos de la répression, ordonnée par le gouvernement de Karâchi*, de la révolte au Bengale. Les forces indiennes, alliées aux insurgés, l'emportèrent sur le Pâkistân qui perdit sa souveraineté sur sa province orientale. Celle-ci se constitua en rép. populaire puis en « rép. islamique du Bangla Desh » après la chute de Mujibur Rahman (1975). Après des coups d'État successifs, le pays est gouverné depuis nov. 1975 par le général Ziaur Rahman (président : Abu Mohamed Sayem).

BANGOR. ♦ Station balnéaire et port de pêche du N. du pays de Galles (Carnarvonshire), à l'extrémité du *détroit de Menai,* face à l'île d'Anglesey. 23 870 hab. (1961). Cathédrale gothique (XVe-XVIe s.) remaniée au XIXe siècle.

BANGOR. ♦ V. d'Irlande du Nord (comté de Down), sur la r. sud de la *baie* (ou *lough*) de *Belfast.* 23 865 hab. (1961). Importante station balnéaire. ♦ *Hist.* En 559, saint Comgall y fonda une abbaye qui devint jusqu'au IXe s. l'un des princ. centres religieux et culturels d'Irlande. Saint Colomban*, saint Colomba* et saint Gall* y étudièrent.

BANGUI. ♦ Cap. de l'Empire Centrafricain*, au S.O. du pays, sur l'Oubangui*. 238 000 hab. Archevêché. Centre commercial. Manufacture de cigarettes.

BANGWEULU ou **BANGOUÉLO** *(lac).* ♦ Lac marécageux du N.-O. de la Zambie*, au sud du lac de Tanganyika. Env. 5 000 km².

BÂNIYÂS. ♦ Port syrien sur la Méditerranée, exportateur des pétroles de Kirkuk* (Iraq), raffinés à Homs*, et des pétroles de Karatchôk*.

BANJA LUKA. ♦ V. de Yougoslavie (Bosnie*), sur le Vrbas. 57 000 hab.

BANKS (*sir* **Joseph**). ♦ Naturaliste anglais (Londres, 1743 – Isleworth, 1820). Il participa au premier voyage de J. Cook au cours duquel il étudia la faune et la flore d'Australie et de Nouvelle Zélande. De 1778 à 1820, il présida la Royal Society.

BANKS *(île* ou *terre de).* ♦ Île de l'archipel Arctique* canadien, à l'O. de la terre Victoria* *(Victoria Island).*

BANKS *(îles).* ♦ **V.** NOUVELLES-HÉBRIDES.

BANN. *n. m.* ♦ La plus grande des riv. d'Irlande du Nord (158 km). Née au pied des monts Mourne*, elle coule vers le N. et se jette dans le canal du Nord. Pêcheries de saumon et d'anguilles.

BANNALEC. ♦ Ch.-l. de cant. du Finistère, arr. de Quimper. 5 464 hab. Conserves alimentaires. Aux environs, château de Quimerc'h.

BANNOCKBURN. ♦ Petite V. d'Écosse (Stirlingshire). 4 522 hab. ♦ *Hist.* Victoire de Robert* Ier Bruce sur l'armée anglaise d'Édouard* II (1314).

BANON. ♦ Ch.-l. de cant. des Alpes* de Haute-Provence (arr. de Forcalquier*). 767 hab. Fromage de chèvre dit *banon.*

Banque de France. ♦ Le 13 février 1800, la Caisse des comptes courants, créée en 1796 et réorganisée sur l'initiative de Bonaparte, devint la Banque de France. C'était une banque privée formée par l'association de plusieurs financiers; elle fut peu à peu contrôlée par l'État. Le 14 avril 1803, elle obtint le privilège exclusif de l'émission des billets de banque. Elle fut nationalisée le 2 décembre 1945.

Ph. Mirella Prato/Ricciarini

Bangkok : le palais royal.

Banquet *(le),* en gr. *Sumposion.* ♦ Dialogue de Platon*, sur l'amour. Réunis chez Agathon, afin de fêter sa victoire au concours dramatique, plusieurs convives (Phèdre, Pausanias, Éryximaque, Aristophane et Socrate) vont prononcer chacun un discours sur l'Amour. Socrate*, rapportant ce que lui aurait dit Diotime, prêtresse de Mantinée, décrit l'amour comme un être intermédiaire entre les mortels et les immortels, entre l'ignorance et la science, comme désir d'immortalité et aspiration au Beau-en-soi. La dialectique est la méthode qui par degrés successifs doit permettre de l'atteindre.

Banquet (Le). ♦ Œuvre de Xénophon*.

Banquets *(campagne des).* ♦ Nom donné à l'ensemble des banquets réformistes organisés à la fin de la monarchie de Juillet, 1847-1848 (à l'instigation d'O. Barrot*, de Duvergier* de Hauranne, etc.). Favorable à une réforme électorale et parlementaire, cette campagne fut interdite par Guizot* (février 1848), interdiction qui fut le prélude de la révolution de 1848.

BANQUO. ♦ V. BANCO.

BANSKÁ BYSTRICA. ♦ V. de Tchécoslovaquie, sur le Hron, ch.-l. de la Slovaquie centrale. 36 500 hab. Belles maisons des XVe et XVIe siècles. Château. – Indus. métallurgique.

BANTING (*sir* **Frederick GRANT**). ♦ Médecin et physiologiste canadien (Alliston, Ontario, 1891 – Musgrave, Harbor, 1941). Il obtint avec Macleod* le prix Nobel de méd. (1923) pour la découverte de l'insuline.

BANTOCK (*sir* **Granville**). ♦ Compositeur anglais (Londres, 1868 – Londres, 1946). Professeur à l'université de Birmingham, il est l'auteur d'une œuvre abondante et variée, inspirée dans sa majeure partie par le folklore écossais *(Pilgrim's Progress, Bonnie Scotland).*

BANTOUS ou **BANTU.** *n. m. pl.* ♦ Ensemble des populations africaines (env. 60 000 000) vivant au sud d'une ligne proche de l'équateur, entre Douala (Cameroun) et l'embouchure du Tana (Kenya), et parlant des langues apparentées, dites langues *bantoues,* différentes de celles appartenant au groupe linguistique bochiman-hottentot. Ils ne présentent pas d'unité ethnique. **V. Bagandas, Kikouyous, Zoulous.** – Les « foyers bantous » d'Afrique* du Sud sont appelés bantoustan (bantusdan); le principal est le Transkei.

BANVILLE (Théodore *de***).** ♦ Poète français (Moulins, 1823 – Paris, 1891). Opposé à la fois au matérialisme de son époque, « apothéose de l'épicerie », et aux excès de lyrisme romantique, ce disciple de Th. Gautier* prôna le culte de la Beauté, identifiée à la perfection formelle (conception qui annonçait celle du Parnasse). Ses premiers recueils, *Les Cariatides* (1842) et *Les Stalactites* (1846), le montrent sensible à l'idéal de beauté sculpturale de la Grèce et soucieux, avant tout, de technique (La rime « est tout le vers »...). « Acrobate » du vers, il manifesta sa virtuosité dans les *Odes funambulesques* (1857); il y remettait en honneur les recherches formelles, notamment d'ordre rythmique, qu'il allait défendre dans son *Petit Traité de poésie française* (1872). Mais le recueil manifestait surtout cette sensibilité teintée de sensualisme à laquelle Baudelaire*, puis Mallarmé* allaient rendre hommage, et qui se retrouve dans *Les Exilés* (1867). Au théâtre, Th. de Banville donna notamment une comédie historique, *Gringoire*

Arch. Smeets

Stûpa bouddhique de **Bârâbudur.**

(dédiée à V. Hugo*, 1866), défense nuancée et pleine de fraîcheur de la condition du poète. Au recueil de causeries *Mes Souvenirs* (1882), succédèrent des contes groupés dans *Madame Robert* (1887). Enfin, ses chroniques littéraires ont été réunies dans *Critiques* (posth., 1917) qui exaltent à nouveau « la noble passion » qui anima le poète : « vouloir enfermer ses idées dans une forme parfaite et précise ».

BANYULS-SUR-MER [bɑɲjuls]. ♦ Comm. des Pyrénées-Orientales (arr. de Céret). Située sur la Côte Vermeille*, en bordure des Albères*. 4 786 hab. *(Banyulencs* ou *Banyulais).* Port de pêche (anchois, sardines) et de plaisance. Station balnéaire. Laboratoire de recherche océanographique. — Vins liquoreux renommés. — Patrie de Maillol*, auteur du monument aux morts de la ville.

BAO-DAI. ♦ (Hue, 1913 —). Nom de règne et d'ère du souverain viêtnamien Nguyên* Vinh Thuy (1925-1945). Ayant fait ses études en France, il régna en œuvrant à la modernisation de son pays. Il proclama l'indépendance de l'Annam en 1945 mais dut abdiquer quand Ho Chi Minh proclama la république du Viêt-nam (sept. 1945), participant au nouveau gouvernement. Il tenta de former un gouvernement du Viêt-nam associé à la France (1949), puis se retira en France. En 1954, il désigna Ngo Dinh Diêm comme chef du gouvernement et fut déposé par un référendum en 1955.

BAOUR-LORMIAN (Pierre). ♦ Écrivain français (Toulouse, 1770 — Paris, 1854). Après avoir adapté *La Jérusalem délivrée* du Tasse* (1795), il connut le succès avec sa traduction en vers des *Poésies d'Ossian** (1801), puis avec une tragédie, *Omasis* (1806). La faveur de Napoléon Ier l'incita à composer de nombreux poèmes de circonstance. Admis à l'Acad. fr. en 1815, il se rallia à la Restauration et défendit les thèses conservatrices du néo-classicisme contre le romantisme *(Le Classique et le Romantique,* dialogue en vers, 1825).

BAPAUME. ♦ Ch.-l. de cant. du Pas*-de-Calais, arr. d'Arras*. 4 114 hab. *(Bapalmois).* Bonneterie. — Faidherbe* y remporta une victoire sur les Prussiens de Goeben en 1871.

BAR ou **BARROIS.** *n. m. (comté,* puis *duché de).* ♦ Région de l'E. du Bassin parisien formant une partie du dép. de la Meuse* ; sa cap. était Bar-le-Duc. ♦ *Hist.* Érigé en comté vers le milieu du Xe s., le *Barrois* (anc. *Barrensis pagus)* entra, pour la partie située à l'O. de la Meuse, dans la mouvance du roi de France dès 1301. On distingua alors le *Barrois mouvant* et le *Barrois non mouvant* (comtal puis ducal en 1354). René* Ier le Bon, duc de *Bar* (1430-1480), devenu duc de Lorraine en 1431, réunit les deux États, le Barrois passa, avec la Lorraine*, à la couronne de France, après la mort de Stanislas* Ier Leszczyński en 1766.

BAR. ♦ V. de l'U.R.S.S., située en Podolie* où fut formée en 1768, une union de patriotes polonais, dite *Confédération du Bar,* qui s'insurgea contre l'immixtion de la Russie en Pologne après l'élection de Stanislas* II Auguste Poniatowski. Les confédérés proclamèrent en 1770 la déchéance du roi, mais vaincus, ne purent empêcher le premier partage de la Pologne* en 1772.

BARA ou **BARRA (Joseph).** ♦ Soldat français (v. 1779 — près de Cholet, 1793). Tambour dans les troupes républicaines, il tomba dans une embuscade en Vendée et mourut héroïquement. — M.-J. Chénier l'a évoqué dans *Le Chant du départ.*

BARABBAS. ♦ Dans les Évangiles, voleur condamné à mort et gracié à l'occasion de la Pâque, sur la demande de la foule, alors que Pilate proposait de libérer Jésus.

BÂRÂBUDUR. ♦ Célèbre stûpa bouddhique du centre de Java* (Indonésie), de dimensions gigantesques (140 m de côté et 52 m de hauteur), construit au sommet d'une colline et comportant huit galeries pourtournantes ornées de bas-reliefs remarquables illustrant les vies antérieures du Bouddha*, de stûpa* creux contenant des statues du Bouddha* assis, le tout sommé d'un grand stûpa. Ce monument, appartenant au Mahâyâna, fut élevé vers le milieu du VIIIe s. par les souverains de la dynastie des Śailendra*, sur le principe des mandala*.

BARACALDO. ♦ V. d'Espagne près de Bilbao (Biscaye) 99 100 hab. Important centre minier et métallurgique. Chantiers navals.

BARADÉE. ♦ V. JACQUES BARADÉE.

BĂRĂGAN *(steppe* ou *plaine de). n. m.* ♦ Région steppique de la Roumanie méridionale, entre le Siret, le Danube et la Dîmbouita, et formant la partie orientale de la plaine de Valachie. Primitivement vouée aux pâturages, la terre, riche en lœss, a permis d'y cultiver des céréales et du tournesol.

BARAGUEY-D'HILLIERS (Achille, *comte***).** ♦ Maréchal de France (Paris, 1795 — Amélie-les-Bains, 1878). Après avoir servi lors de l'expédition d'Espagne (1823) et de la conquête d'Alger (1830), il fut nommé lieutenant général. Élu député à l'Assemblée constituante (1848), puis à l'Assemblée législative (1849), il se rallia à Louis Napoléon Bonaparte et se distingua pendant les campagnes du Second Empire, en particulier au cours de la guerre de Crimée (1854-1855) et la campagne d'Italie, où il battit les Autrichiens à Marengo (juin 1859).

BARAN (Paul A.). ♦ Économiste américain. Dans une perspective marxiste, il s'est efforcé d'analyser l'avenir du système capitaliste, soulignant en particulier la façon dont l'impérialisme a donné naissance au sous-développement (*L'Économie politique de la croissance,* 1957 ; *Le Capital monopoliste,* en collaboration avec P. Sweezy*, 1966).

BARANAGAR. ♦ V. de l'Inde (Bengale) sur l'Hooghly, banlieue de Calcutta. 150 000 hab. Indus. textiles et chimiques.

BARANOVITCHI. ♦ V. d'U.R.S.S. (Biélorussie), dans la région de Brest-Litovsk. 102 000 hab. Indus. mécaniques, textiles et alimentaires. Nœud ferroviaire.

BARANTE (Prosper Brugière, *baron de***).** ♦ Historien et homme politique français (Riom, 1782 — Barante, Puy-de-Dôme, 1866). Après avoir connu Mme de Staël* à Genève (1802), il se lia avec Mme Récamier* (1807) dont il fut un fidèle ami. Sa carrière administrative fut brillante ; d'opinions libérales, il occupa de hauts postes sous l'Empire et la Restauration, fut nommé pair de France en 1819, et devint ambassadeur en Russie en 1835 *(Souvenirs de Russie).* Il abandonna la carrière diplomatique en 1848. Déjà connu par son *Tableau de la littérature française au XVIIIe s.* (1805 ; publ. 1808), Barante acquit la notoriété littéraire avec les douze volumes de l'*Histoire des ducs de Bourgogne, de la maison de Valois* (1824-1826) où, s'appuyant sur des sources sûres, il donne une chronique vivante et colorée, exempte de doctrines politiques. Il groupa ses autres ouvrages dans les *Études historiques et biographiques,* ainsi que dans ses *Études littéraires et historiques* (1857-1858), laissant, par ailleurs, huit volumes de *Souvenirs* [posth., 1889-1901]. (Acad. fr.)

BÁRÁNY (Robert). ♦ Médecin autrichien (Vienne, 1876 — Uppsala, 1936). Il obtint le prix Nobel de méd. (1914) pour ses travaux sur le nystagmus vestibulaire (spasme des muscles de l'œil) provoqué par l'injection d'eau froide ou chaude dans le conduit auditif.

BARATIER (Albert). ♦ Général français (Belfort, 1864 — sur le front, 1917). Il participa à plusieurs expéditions coloniales, et notamment à la mission Marchand (1896) par laquelle il explora les marais du Soudan, permettant ainsi l'accès du lac Nô.

BARATIERI (Oreste). ♦ Général italien (Condino, 1841 — Sterzing, 1901). Gouverneur de l'Érythrée, il attaqua l'Ethiopie mais fut battu à Adoua (1896).

BARATYNSKI (Eugène Abramovitch) [Baratynski]. ♦ Poète russe (Viejlo, gouvernement de Tambov, 1800 — Naples, 1844). Envoyé à douze ans dans une école militaire aristocratique, il y commit un vol et dut servir comme simple soldat à Saint*-Pétersbourg, puis en Finlande. Il en garda toujours une sorte de mélancolie. Grand admirateur de Pouchkine*, il se mit à écrire des contes en vers dans un style précis et réaliste. Dans le premier, *Éda* (1824-1826), il analyse avec délicatesse la psychologie d'une jeune Finlandaise séduite par un officier de hussards et décrit admirablement le paysage finlandais. Avec ses poèmes *Le Bal* (1828) et *La Concubine* (1829-1830), il devient plus romantique. Plus tard, il écrivit dans le même style *La Gitane* (1842). Sa meilleure œuvre de jeunesse reste son long poème *Festins* (1826), où la joie se mêle à la mélancolie. En sa maturité, Baratynski devint un poète philosophique et quelque peu hermétique : *La Dernière Mort* (1827), *Mort* (1829), *Sur la mort de Goethe* (1832 ; le plus célèbre), *L'Automne* (1837), *Rime* (1841), *Plantation d'une forêt* (1842). Dans toute son œuvre, Baratynski a exprimé sa douloureuse sensation de désunion entre l'enfant de la nature qu'est le poète et l'homme de la société industrialisée.

BARAY. *n. m. pl.* ♦ Nom donné au Cambodge aux immenses bassins artificiels creusés par les souverains Khmer* du IXe au XIIe s., afin de régulariser l'irrigation et de bonifier les terres. Ils sont nombreux aux environs d'Angkor*.

BARBADE (La), en angl. **Barbados.** ♦ Ile des Petites Antilles*, située dans l'Atlantique, à l'E. des îles du Vent*. 430 km². 253 000 hab. en 1968 *(Barbadiens),* dont 50 % de Noirs. *Cap.* Bridgetown*. *Langue off.* anglais. C'est la moins tropicale des îles de l'archipel. La campagne cultivée s'étend jusqu'à la côte; le sol est fertile grâce à un climat doux et à des pluies abondantes. Cultures de maïs, fruits, agrumes, et surtout canne à sucre (introduite à la fin du XVIIe s.) qui permet une industrie (sucreries, distilleries de rhum) sur laquelle repose l'économie (export. vers la Grande-Bretagne, les Antilles, les États-Unis). Tourisme prospère. Élevage. Pêche. ♦ *Hist.* Découverte en 1519 par les Espagnols, l'île devint colonie britannique en 1627, obtint son autonomie en 1961 puis son indépendance en 1966 dans le cadre du Commonwealth*.

Barbares. *n. m. pl.*, en gr. **barbaros.** ♦ Nom sous lequel les Grecs, dès Homère et Hérodote*, désignaient tous les non-Grecs. À leur tour, les Romains l'appliquèrent aux peuples n'appartenant pas à la romanité *(romanitas),* particulièrement aux peuples germaniques qui, à partir du ~ IIe s., menaçaient Rome **(V. Cimbres, Teutons, Suèves)** et qui, à l'époque impériale, accentuèrent leur pression. Pour les contenir, le *limes* germanique, commencé sous Domitien, fut renforcé par Hadrien* et de longues opérations furent menées contre les Germains* par Marc*-Aurèle **(V. Marcomans).** Aux infiltrations et migrations qui germanisaient l'armée romaine **(V. Alains, Alamans, Goths, Francs)** succédèrent les grandes invasions qui submergèrent le monde romain (IVe-VIe s.). **V. Invasions** *(grandes)* **: Angles, Avars, Burgondes, Huns, Jutes, Lombards, Ostrogoths, Saxons, Vandales.** Pour de nombreux historiens, les victoires de Narsès* et l'établissement des Lombards* en Italie marquent la fin des migrations *barbares* en Europe. **V. Germains.**

BARBARI (Jacob Walch, dit **Iacopo** *de*). ♦ Peintre et graveur vénitien, d'ascendance germanique (Venise ?, 1440-1450 – Bruxelles ?, 1516). On l'identifie généralement avec le *Maître au caducée,* Jacob Walch, que Dürer* rencontra lors de son premier voyage en Italie (1494-1495) et qui l'initia ensuite à Nuremberg, de 1500 à 1504, aux techniques italiennes de la gravure, aux recherches d'anatomie, de géométrie, de perspective, à la beauté selon Vitruve. Sa carrière se déroula jusque v. 1500 dans le milieu vénitien animé par Mantegna, A. Vivarini, G. Bellini et Antonello de Messine. Il voyagea ensuite en Allemagne et aux Pays-Bas, s'arrêtant dans les cours princières de Maximilien, de Frédéric III de Saxe, de Marguerite d'Autriche. Sa vue de Venise, une xylographie, reste son œuvre la plus célèbre (1500, Venise, musée Correr) avec une série de gravures à sujets allégoriques et mythologiques *(Apollon archer).* Dans sa peinture, encore mal connue, l'esprit septentrional domina bientôt la manière vénitienne *(Madone dans un paysage,* Berlin; portrait d'*Henry de Mecklembourg,* La Haye; *Christ,* Weimar; plusieurs natures mortes, Munich, Augsbourg, Monaco).

Barbarie. *n. f.*, ou **États barbaresques.** ♦ Nom donné jusqu'au début du XIXe s. aux pays d'Afrique du Nord, en raison de leurs populations berbères autochtones. Les corsaires algériens notamment ramenaient et vendaient à Alger* des chrétiens comme esclaves. Cervantès, Regnard furent ainsi tenus en esclavage. Contre cette piraterie, des marins européens, tel le duc de Beaufort* combattirent en Méditerranée ou, comme Duquesne et lord Exmouth, commandèrent le bombardement d'Alger.

BARBARINA (Barbara Campanini, dite **la).** ♦ Danseuse italienne (Parme, 1721 – Barschau, 1799). Parvenue très tôt à la célébrité par sa grâce et l'éclat de sa technique, elle excella dans des opéras-ballets de Rameau et des ouvrages de Moncrif et de Colin de Blamond. Engagée à Berlin par Frédéric II, dont elle devint la maîtresse, elle renonça très jeune à la danse afin de poursuivre la brillante carrière d'une favorite.

BARBARO (Giosaphat ou Josaphat). ♦ Marchand et voyageur vénitien (Venise, 1413 – 1494). Il a parcouru la Russie méridionale et le Caucase (1436-1451), puis la Perse (1473-1477) et laissa une relation de ses voyages.

BARBAROUX (Charles Jean Marie). ♦ Homme politique français (Marseille, 1767 – Bordeaux, 1794). Avocat, acquis aux idées révolutionnaires, il dirigea la section des Fédérés marseillais lors de la prise des Tuileries le 10 août 1792. Élu député des Bouches-du-Rhône à la Convention, il se rapprocha des Girondins, et, lorsque ceux-ci furent éliminés du pouvoir par les Montagnards, il tenta d'organiser la résistance en Normandie avec Buzot* et Pétion* de Villeneuve (Caen, 1793); il échoua et fut condamné à mort et guillotiné après s'être réfugié à Bordeaux.

BARBAZAN (Arnauld Guilhem, *seigneur de*). ♦ Capitaine français (1360 – 1431) qui s'illustra contre les Anglais sous Charles VI et Charles VII.

BARBAZAN. ♦ Ch.-l. de cant. de la Haute-Garonne (arr. de Saint-Gaudens). 516 hab. Petite station thermale (eaux sulfatées calciques). – Ruines d'un château qui appartint à Savary, duc de Rovigo.

Arch. Smeets
Barbare, détail d'un sarcophage, art romain. (Musée national romain, Rome.)

BARBE *(sainte).* ♦ Vierge et martyre légendaire. Patronne des artilleurs, des mineurs, des pompiers, etc. Fête le 4 décembre.

Barbe-Bleue. ♦ Conte de Charles Perrault*, paru dans les *Histoires ou Contes* du temps passé* (1697). Pour avoir pénétré, malgre la défense de Barbe-Bleue, son redoutable mari, dans un cabinet mystérieux où sont enfermés les corps des six épouses qu'il a tuées, une jeune femme serait punie de sa curiosité et égorgée, si ses deux frères n'intervenaient au dernier moment. Le personnage terrifiant de Barbe-Bleue, créé vraisemblablement à partir de celui de Gilles de Rais*, inspira de nombreux artistes, notamment Maeterlinck* *(Ariane et Barbe-Bleue,* 1902; mis en musique par Paul Dukas*, en 1907), et des musiciens comme Grétry* *(Raoul Barbebleue,* 1789), Offenbach* (1866) et Béla Bartók* *(Le Château de Barbe-Bleue,* 1911).

BARBER (Samuel). ♦ Compositeur américain (West Chester, Pennsylvanie, 1910). Auteur d'une symphonie (1936) et de diverses œuvres de facture et d'inspiration traditionnelles, il a renouvelé sa manière avec un *Concerto pour violon* (1940), un *Concerto pour violoncelle* (1945), un poème symphonique, *Medea suite* (1947) et une *Sonate pour piano* (1948). Dans cette dernière œuvre, il s'affirme comme un adepte du dodécaphonisme. Il est encore l'auteur d'un opéra *(Vanessa)* et d'un ouvrage pour chœurs et orchestre *(Prayers for Kierkegaard,* 1954).

BARBERINI. ♦ Famille romaine, originaire de Barberino, près de Florence. L'un de ses membres, MAFFEO BARBERINI, fut pape sous le nom d'Urbain VIII. Ses neveux FRANCESCO (1597 – 1679) et ANTONIO (mort en 1671) furent cardinaux en 1623 et en 1627. Le premier fit construire le *Palazzo Barberini* (1624) où il fonda en 1627 la *Bibliothèque Barberini.* Ils se battirent contre les Farnèse pour Castro en Ronciglione (1641-1644). – On leur reprocha d'avoir détruit des monuments antiques pour en extraire des matériaux *(Quod non fecerunt Barbari, fecerunt Barberini).*

BARBERINO (Francesco da). ♦ Poète italien (Barberino, 1264 – Florence, 1348). Ami de Dante* et de Cavalcanti*, il composa (et illustra) un Art d'aimer symbolique et moral, les *Documents d'amour* (1309-1310) au style raffiné et précieux, où, suivant la conception du « Dolce stil nuovo », l'amour est considéré comme un moyen d'élévation morale. – Poète didactique, Barberino fit dialoguer deux personnages allégoriques, Éloquence et Habileté, qui dictent au poète des règles *« De la conduite et des coutumes des femmes »* (v. 1308 à 1320). À ces préceptes s'ajoutent de plaisantes digressions et des contes réalistes qui montrent en l'auteur un observateur curieux de la vie contemporaine.

BARBEROUSSE. ♦ Nom donné en Europe à deux frères turcs d'origine sicilienne qui fondèrent la régence d'Alger au XVIe s. : ARUDJ (Mytilène, v. 1474 – Tlemcen, 1518) et KHAYR AL-DÎN (Mytilène, v. 1476 – Istanbul, 1546). Ce dernier, vassal du sultan ottoman, fut l'allié de la France contre Charles* Quint.

BARBÈS (Armand). ♦ Révolutionnaire français (Pointe-à-Pitre, Guadeloupe, 1809 – La Haye, 1870). Venu à Paris en 1830, il fit immédiatement partie de l'opposition républicaine à la monarchie de Juillet. Emprisonné après les journées d'avril 1834, puis après l'attentat de Fieschi* (1835), il organisa et dirigea avec A. Blanqui* et Martin-Bernard, l'insurrection du 12 mai* 1839. Sa condamnation à mort fut commuée en peine de prison à perpétuité, en partie grâce à l'intervention de Victor Hugo* (Cf. *Deux Jours de condamnation à mort,* 1847). Libéré lors de la révolution de février 1848, il siégea à l'Assemblée comme député d'extrême gauche. Ayant été un des principaux instigateurs de la journée du 15 mai* 1848, il fut à nouveau condamné à la prison. Incarcéré à Doullens puis à Belle-Île-en-Mer, il refusa la grâce accordée par Napoléon III (1854) et, libéré contre son gré de prison, s'exila volontairement.

BARBEY d'AUREVILLY (Jules-Amédée). ♦ Écrivain français (Saint-Sauveur-le-Vicomte, 1808 – Paris, 1889). Issu de la noblesse normande, habité de l'exigence d'une vraie grandeur, il manifesta son mépris pour la médiocrité d'un siècle bourgeois par la provocation aristocratique du dandysme *(Du dandysme et de George Brummel).* Suivant un chemin inverse de celui de son ami, Maurice de Guerin*, il se convertit, vers 1841, à un catholicisme intransigeant et, polémiste féroce dans sa *Revue du monde catholique,* défendit l'ultramontanisme et l'absolutisme. Ses critiques littéraires (réunies dans *Les Œuvres et les Hommes,* 1860-1909), également mordantes et dogmatiques, manifestent cependant l'indépendance d'esprit de Barbey d'Aurevilly. Sa célébrité tardive lui vint de son œuvre romanesque, captivante par l'alliance du réalisme, de l'actualité des décors et de la présence du surnaturel, et particulier satanique. *Le Chevalier Des Touches* (1864) comme *L'Ensorcelée* (1854) évoquent les superstitions de la Vendée et l'héroïsme des Chouans, tandis qu'*Une vieille maîtresse* (1851) et *Les Diaboliques** (1874) se présentent comme de sombres et extravagantes histoires où des caractères tourmentés éprouvent des passions invincibles. Cette littérature de l'insolite, dont le style brillant et précis sert la violence contenue, suscita l'admiration de jeunes écrivains, comme Léon Bloy* et Paul Bourget*, pour celui qu'ils baptisèrent le « Connétable des Lettres », et eut une grande influence sur l'œuvre de Bernanos*.

BARBEZIEUX (Louis Le Tellier, ***marquis de*****).** ♦ Ministre français (Paris, 1668 – Versailles, 1701). Fils de Louvois, il lui succéda au secrétariat à la Guerre en 1691.

BARBEZIEUX. ♦ Ch.-l. de cant. de la Charente, arr. de Cognac. 5 205 hab. [4 078 aggl.]. *(Barbeziliens).* Église Saint-Mathias, nef du XIe s. et façade du XVIIIe s. avec portail gothique. Château du XVe s., auj. musée et théâtre. Viticulture. Matériel viticole. Usine de confiserie. Papeterie. Race de poule réputée. – Patrie de Jacques Chardonne* qui prit sa ville natale pour cadre d'un de ses romans, *Le Bonheur de Barbezieux.*

BARBIER (Auguste). ♦ Poète français (Paris, 1805 – Nice, 1882). Auteur d'une œuvre abondante et diverse (poèmes, nouvelles, traductions), il composa notamment, au retour d'un voyage en Italie, *Il Pianto* (1833), évocation mélancolique d'un passé glorieux, puis évoqua et déplora la misère des ouvriers anglais dans *Lazare* (1837). Ses *Souvenirs personnels et Silhouettes contemporaines* (posth., 1883) sont un document précieux sur l'époque romantique. Mais A. Barbier reste essentiellement le poète des *Iambes* (1830-1831), recueil de satires qui fit sensation; avec une véhémente indignation, l'auteur y dénonce les opportunistes et les profiteurs de la révolution de Juillet en des vers d'une éloquence vigoureuse et qui renferment des métaphores souvent saisissantes. (Acad. fr.)

BARBIER (Jules). ♦ Auteur dramatique français (Paris, 1825 – 1901). On lui doit de nombreux livrets d'opéras, notamment celui du *Faust** de Gounod*, en collaboration avec Michel Carré.

BARBIERI (Niccolo). ♦ Acteur de la Commedia dell'Arte, théoricien de l'art comique (Vercelli, 1567 – Modène, 1641). Créateur du masque milanais Beltrame, il est aussi l'auteur d'une comédie, *L'Inavvertito,* dont Molière* s'est inspiré dans *L'Étourdi.*

BARBIZON. ♦ Comm. de Seine-et-Marne, arr. de Melun, à la lisière occidentale de la forêt de Fontainebleau. 1 113 hab. – Le village fut le lieu de séjour favori des peintres paysagistes dont le style, procédant notamment de Corot (qui fréquenta Barbizon), joua un rôle dans la genèse de l'impressionnisme : Théodore Rousseau*, Millet*, Dupré*, Diaz*, Daubigny*, Troyon *(école de Barbizon).* Ils se réunissaient à l'auberge du Père Ganne. Lieu de villégiature très fréquenté aujourd'hui.

BARBOSA (Duarte). ♦ Voyageur portugais (Lisbonne, v. 1480 – Cébu, 1521). Après un séjour aux Indes, il entra au service de l'Espagne, accompagna Magellan lors de son expédition de circumnavigation et périt avec lui aux Philippines. Sa relation de voyage publiée à Lisbonne en 1813 contient d'intéressants renseignements ethnographiques sur les peuples des côtes du Natal jusqu'au Bengale.

BARBOTAN-LES-THERMES. ♦ Petite station thermale du Gers (comm. de Cazaubon), à la lisière de la forêt landaise.

BARBU (Eugen). ♦ Romancier roumain (Bucarest, 1924), auteur de *Groapa* (« La Fosse », 1957) retraçant la vie sordide de la banlieue de Bucarest, *Soseava nordului* (« La Route du nord », 1959), *Facerea lumii* (« La Création du monde », 1964).

BARBUSSE (Henri). ♦ Écrivain français (Asnières, 1873 – Moscou, 1935). Il débuta dans le journalisme à seize ans, se mêla aux milieux littéraires du symbolisme (il deviendra le gendre de Catulle Mendès*) et fit paraître des poèmes, *Les Pleureuses* (1895), où se manifeste une grande délicatesse. Sensible, mais clairvoyant devant la dureté du monde, H. Barbusse publia ensuite une étude de mœurs, *L'Enfer* (1908), dont le réalisme direct, parfois brutal, fit scandale. Engagé volontaire en 1914, il donna de son expérience de la guerre un récit saisissant par sa vérité sans concession, *Le Feu, Journal d'une escouade* (1916; prix Goncourt, 1917). Ce roman souleva de nombreuses protestations; document terrible sur la vie des tranchées, évocation puissante d'un cauchemar monotone, l'ouvrage exprimait les aspirations pacifistes de Barbusse, fondateur avec R. Rolland* du groupe *Clarté.* Ayant transposé sa rébellion sur le plan social, idéaliste exalté par la révolution russe, il milita, après 1920, en faveur du communisme (Cf. *Paroles d'un combattant,* 1921; *Les Judas de Jésus,* 1927; *Staline,* 1935), et séjourna fréquemment en Russie, où il mourut.

Ph. Ostuni/Ricciarini

Barcelone : vue générale.

BARCARÈS (Le). ♦ Comm. et station balnéaire des Pyrénées-Orientales (arr. de Perpignan) près de l'embouchure de l'Agly*. 1 197 habitants.

BARCELONA. ♦ V. côtière du Venezuela, *ch.-l.* de l'État d'Anzoategui (43 000 km²). Env. 460 000 hab.) proche de la mer des Antilles et de Puerto* La Cruz. 51 000 hab. Centre commercial. Aéroport.

BARCELONE, en esp. **Barcelona.** ♦ Cap. et ch.-l. de prov. de la Catalogne* (Espagne), grand port sur la Méditerranée, au nord du delta de Llobregat* et de la colline de Montjuich*. 1 755 600 hab. *(Barcelonais).* Cathédrale ou *basílica de Santa Eulalia* (XIVe s.) et cloître (XVe s.); église *Santa Maria del Mar* (XIVe s.); église de la *Sagrada Familia,* commencee par Gaudi* en 1884. – Patrie de Victor Balaguer*, Dujardin*-Beaumetz, Manolo*, Joan Miró*, Ors* y Rovira, Requesens*, Sabunde*, Antoine de Sartine*. – Première ville industrielle d'Espagne, c'est un grand centre textile (coton, laine, textiles synthétiques). La métallurgie de transformation est très importante (construction automobile, usines SEAT). Son port jadis important est en déclin (5e rang d'Espagne). ♦ *Hist.* La ville tire son nom des Carthaginois qui, v. ~237, l'appelèrent *Barcino,* en l'honneur de la famille d'Hamilcar. Devenue romaine, elle fut prise par les Wisigoths du roi Athaulf* en 415 de notre ère. Les Arabes s'en emparèrent en 712, mais elle fut libérée par Charlemagne* (801) qui fit de la Catalogne* une marche de l'Empire franc. Les *comtes de Barcelone* se rendirent indépendants dès la fin du IXe s. et devinrent également comtes de Provence après le mariage de Ramon* Berenguer **(V. Raimond Bérenger III)** avec l'héritière de Provence en 1112. Son successeur **(V. Raimond Bérenger IV)** ayant épousé la fille de Ramire* II, Pétronille*, en 1137, l'Aragon* et la Catalogne se trouvèrent réunis à l'avènement de leur fils Alphonse* II, comte de *Barcelone.* L'union de l'Aragon **(V. Ferdinand II)** et la Castille **(V. Isabelle Ire la Catholique)** fit perdre à Barcelone ses prérogatives de capitale au profit de Madrid, à partir de 1474. Ce déclin encouragea les sentiments particularistes des Catalans, qui se donnèrent à Louis XIII en 1640. Louis de Bourbon, duc de Mercœur **(V. Vendôme),** régna à *Barcelone* comme vice-roi et commandant militaire de Catalogne et son père César de Bourbon, duc de Vendôme* battit une escadre espagnole devant la ville (1655). Cependant, *Barcelone* fit retour à l'Espagne, avec la Catalogne, au traité des Pyrénées (1659). Elle accueillit les Français en 1687 et fut prise par les Anglais en 1705 **(V. Peterborough).** Les Français l'occuperent à nouveau en 1714 **(V. Berwick)** et, sous Napoléon* Ier, de 1808 à 1814. Durant la guerre civile d'Espagne (1936-1939), elle résista aux nationalistes jusqu'au 26 janvier 1939 **(V. Catalogne).** – La *prov. de Barcelone* compte 3 291 700 hab. *V. princ.* **V. Badalona, Hospitalet, Mauresa, Sabadell, Tarrasa, Villanueva y Geltru.** – **V.** *aussi* **Montserrat.**

BARCELONNETTE. ♦ Sous-préf. des Alpes* de Haute-Provence, ch.-l. d'arr. (4 cant., 19 comm., 6 732 hab.) sur l'Ubaye*, 2 795 hab. *(Barcelonnets* ou *Barcelonnettais).* Tour du XVe siècle. Station d'été et de sports d'hiver (1 132 m). – Patrie de J.A. Manuel* et de P. Reynaud*. ♦ *Hist.* La ville, appelée d'abord *Barcelone,* en l'honneur de Raimond* Bérenger V, comte de Provence, issu des comtes de Barcelone, connut au XIXe s., ainsi que toute la vallée de l'Ubaye, un mouvement d'émigration vers le Mexique. – Aux environs, station de sports d'hiver de Sauze.

BARCLAY DE TOLLY (Mikhaïl Bogdanovitch, ***prince*****).** ♦ Maréchal russe (Luhde-Grosshoff, Livonie, 1761 – Insterburg, 1818).

D'origine écossaise, il prit part aux campagnes contre la Turquie (1788-1789), la Suède (1790), la Pologne (1792-1794), puis contre Napoléon en Prusse où il fut blessé à Eylau (1807). Ministre de la Guerre en 1810, il adopta, lors de l'invasion française (1812), un plan de repli, fut battu à Smolensk*, se vit remplacé par Koutouzov*, et combattit sous ses ordres à la bataille de la Moskova*. Après la retraite de Napoléon, il participa à la campagne d'Allemagne (1813) où il contribua a la victoire de Leipzig*, commanda l'armée d'occupation russe en France, et fut nommé feldmaréchal.

BARDEEN (John). ♦ Physicien et technicien américain (Madison, Wisconsin, 1908). Auteur de travaux de physique des solides. Ses recherches sur les semi-conducteurs l'amenèrent à l'invention, avec Brattain*, du transistor à pointes (1948). **V. Schrockley.** Il donna, en 1957, avec L.N. Cooper* et J.R. Schrieffer*, une théorie des supraconducteurs faisant intervenir simultanément les interactions électrons-phonons et les interactions coulombiennes entre électrons (théorie B C S) et qui permet notamment de retrouver l'existence d'une bande d'énergie interdite. **V. Kamerlingh* Onnes.** (Prix Nobel de phys., 1956 et 1972.)

BARDEM (Juan Antonio). ♦ Réalisateur espagnol de cinéma (Madrid, 1922). Observateur satirique et lucide de la réalité sociale espagnole, il fut le coscénariste de son ami Luis Garcia Berlanga : *Bienvenue M. Marshall (Bienvenida Mr Marshall,* 1952) avant de réaliser lui-même plusieurs œuvres d'une riche signification : *Mort d'un cycliste (Muerta de un ciclista,* 1954) et *Grand Rue (Calle Mayor,* 1956).

BARDHI (Frang). ♦ Écrivain albanais (XVIIe s.). Auteur du premier *Lexique latin-albanais* (1635).

BARDILI (Christoph. Gottfried). ♦ Philosophe allemand (Blaubeuren, Wurtemberg, 1761 – Mergelstetten, 1808). Adversaire de l'idéalisme critique de Kant **(V. Kantisme),** il adopta un réalisme rationnel qui présente des analogies avec la pensée de Hegel. *(Précis de logique, purifié des erreurs de la logique antérieure, particulièrement de celle de Kant,* 1800).

BARDIYA, appelé en grec **Smerdis.** ♦ Prince perse, fils de Cyrus* II le Grand et frère de Cambyse* II. Il usurpa le trône en l'absence de ce dernier mais fut tué au bout de six mois par la conjuration de Darios Ier (~ 522). Selon d'autres, il aurait été assassiné par ordre de Cambyse et c'est un mage nommé Gaumâta qui, sous son nom, aurait pris le pouvoir en ~ 522.

BARDO (Le). ♦ Comm. de Tunisie*, dans la banlieue de Tunis. 16 000 hab. Ancien palais des beys où fut signé en 1881 le *traité du Bardo* par lequel Muhammad* al-Sâdiq, bey de Tunis, concédait à la France un protectorat sur la Tunisie qui fut confirmé par le traité de la Marsa* en 1883.

BARDONNÈCHE, en it. **Bardonecchia.** ♦ V. d'Italie (province de Turin) dans le Piémont. Station de villégiature et de sports d'hiver (alt. 1 310 m) au débouché du tunnel du Fréjus* à l'O. du mont Cenis* 2 845 hab.

BARDOT (Brigitte). ♦ Vedette française de cinéma (Paris, 1934). L'originalité de sa personnalité de comédienne a moins contribué à la formation du mythe dont elle est la figure centrale, que les mouvements secrets d'une attraction dont seule la sociologie pourrait rendre compte. Elle a conquis la faveur du public avec une œuvre de Roger Vadim : *Et Dieu créa la femme* (1956).

Bardo Thödol (« Guide des voyageurs dans l'au-delà »). ♦ Célèbre livre ésotérique tibétain, écrit vers le VIIIe s. et souvent remanié par la suite, décrivant le voyage de l'âme du défunt dans les régions intermédiaires entre la mort et la renaissance et ses luttes contre les démons de l'inconscient.

BARÈGES. ♦ Comm. des Hautes-Pyrénées (arr. d'Argelès-Gazost), station thermale. Sports d'hiver dans la vallée du gave de Bastan (alt. 1 230 m). 377 habitants.

BARELI ou **BAREILLY.** ♦ V. de l'Inde (Uttar pradesh), à l'E. de Delhi*. 300 900 habitants.

BARENTIN. ♦ Comm. de la Seine-Maritime (arr. de Rouen). 10 411 hab. *(Barentinois).* La ville est ornée d'un grand nombre de statues (Bourdelle, etc.). Indus. du coton.

BARENTS ou **BARENTSZ (Willem).** ♦ Marin et explorateur néerlandais (île Terschelling, v. 1550 – La Nouvelle*-Zemble, 1597). À la recherche d'un passage maritime au nord-est vers la Chine, il entreprit deux expéditions dans les mers arctiques, découvrit la Nouvelle-Zemble (Novaïa Zemlia, 1594), puis l'île aux Ours et le Spitzberg* (1596).

BARENTS *(mer de).* ♦ Partie de l'océan Arctique* baignant les côtes de Norvège et d'U.R.S.S. et s'étendant sur 1 300 000 km^2. Importantes pêcheries.

BARÈRE DE VIEUZAC (Bertrand). ♦ Homme politique français (Tarbes, 1755 – Paris, 1841). Avocat à Toulouse, il fut élu député du Tiers État aux États généraux (1789). Constitutionnel modéré sous la Constituante, il fut réélu à la Convention où il se rallia rapidement aux Montagnards. Il dirigea, comme président de l'Assemblée, le procès de Louis XVI et vota pour la mort sans appel ni sursis. Membre du Comité de salut public, il fut un des organisateurs de la Terreur, au point d'être surnommé l'Anacréon de la guillotine; il s'opposa toutefois à Robespierre et contribua à sa chute le 9 Thermidor (27 juillet 1794). Déporté en 1795, amnistie après le 18 Brumaire, il fut pair pendant les Cent-Jours. Proscrit comme régicide en 1816, il ne revint en France qu'après la révolution de 1830.

BARETTI (Giuseppe). ♦ Critique et poète italien (Turin, 1719 – Londres, 1789). Il enseigna en Italie, en France, en Espagne, avant de devenir directeur du théâtre italien de Londres. De retour en Italie (1760), il fit paraître un périodique à la verve acérée, le *Fouet littéraire* (*Frusta litteraria,* 1763-1765) où il portait des jugements féroces sur les préjugés littéraires et contre l'artifice de la poésie de son temps. Il se fit tant d'ennemis qu'il dut retourner en Angleterre, où il mourut. Premier critique italien d'importance, il contribua à faire connaître Shakespeare* en Europe.

BARFLEUR. ♦ Comm. de la Manche*, arr. de Cherbourg* à 4 km de la pointe de Barfleur. 874 hab. Église du XVIIe siècle. Vestiges du « mur de l'Atlantique ». Port de pêche et de cabotage. Petite station balnéaire.

BARGELLO. *n. m.* (*palazzo del* ou *del Podesta*). ♦ Palais du magistrat suprême de Florence (XIIIe-XIVe s.), auj. siège du Musée national qui possède une magnifique collection de sculptures.

BARGER (George). ♦ (1878 – 1939). Il réalisa la synthèse de la thyroxine (1927). **V. Kendall.**

BAR HADAD, dans la Bible **Ben Hadad.** ♦ Nom de trois rois de Damas au ~ IXe s. **(V. Araméens).** ♦ BAR HADAD Ier. Il intervint contre Israël à la demande d'Asa, roi de Juda. ♦ BAR HADAD II. Fils du précédent, il vainquit Salmanasar* III d'Assyrie (bataille de Qarqar, ~ 853) et domina Achab* d'Israël. ♦ BAR HADAD III. Fils de l'usurpateur Hazaël. Sa puissance déclina dans les dernières années du ~ IXe siècle.

BAR-HILLEL (Yehoshua). ♦ Logicien israélien d'origine polonaise (Vienne, 1915). Professeur de logique et de philosophie des sciences à l'université de Jérusalem depuis 1961, il s'est surtout consacré à l'étude des structures logiques du langage et aux relations entre logique et linguistique ainsi qu'à la théorie de la traduction et de la documentation automatiques *(Foundations of Set-Theory,* avec A.A. Fränkel, 1958; *Language and Information,* 1964, etc.).

BARI ou **Bari delle Puglie.** ♦ V. et port d'Italie du Sud, capitale de la Pouille*. 335 000 hab. Archevêché, basilique de Saint-Nicolas (XIe-XIIe s.). Centre industriel important : industrie alimentaire (minoteries), raffinage du pétrole (Stanic) et pétrolochimie, centrale thermique. Foire annuelle. – Patrie de Niccolo Piccini*. ♦ *Hist.* Anc. Barium, occupée par les Arabes (841) puis par les Byzantins (875), elle fut conquise en 1071 par le Normand Robert* Guiscard. L'un des principaux ports d'embarquement des croisés, très prospère au Moyen Âge, elle fut la possession des Sforza* au XVe s. et fut annexée au royaume de Naples (1558). Murat y fit exécuter de grands travaux.

BARIKA. ♦ V. d'Algérie, ch.-l. d'arr. du dép. de Batna*, dans la plaine du Hodna*. 11 845 habitants.

BARING (Maurice). ♦ Romancier, poète et journaliste anglais (Londres, 1874 – Beauly, Écosse, 1945). Fils d'un banquier, il fit ses études à Eton, puis à Cambridge. Il fut attaché d'ambassade à Paris, Copenhague, Rome (1899-1905) et devint correspondant du *Morning Post* en Mandchourie, à Constantinople, en Russie (*Le Peuple russe,* 1911, *Les Origines de la Russie,* 1914). Il fit la guerre dans l'aviation (1914-1918) et envoya alors des articles au *Times.* Après la guerre, ses romans-fleuves lui valurent la célébrité : *C* (1924), *La Princesse blanche* (*Cat's Cradle,* 1926). *Daphne, Adeane* (1926). Baring composa aussi des *Poèmes* (1925) et de courtes pièces de théâtre réunies dans *Diminutive Dramas* (*Drames en raccourci,* 1925). Son style sobre évoque des personnages intuitifs aux sentiments complexes. Baring représente avec ses amis Hilaire Belloc* et Chesterton*, l'école catholique anglaise.

BARJAC. ♦ Ch.-l. de cant. du Gard* (arr. d'Alès*). 1 056 hab. Château. – Filature de soie. Lignite. – À proximité se trouve l'aven d'Orgnac*

BARJOLS. ♦ Ch.-l. de cant. du Var* (arr. de Brignoles*). 2 150 hab. Église du XVe siècle. Tanneries.

Coll. Rui Nogueira

B. Bardot dans le film de L. Malle " Viva Maria ".

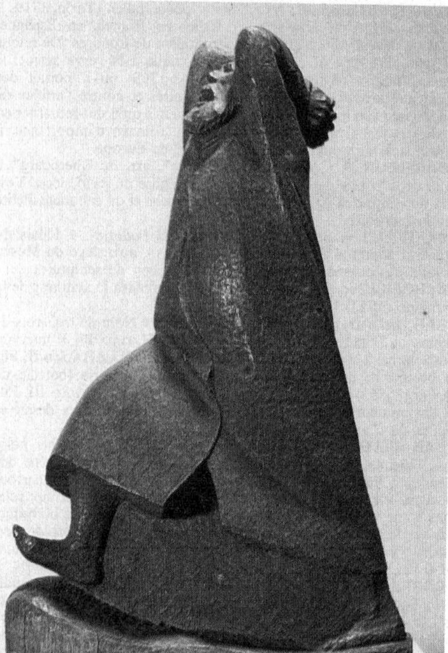

Arch. Smeets

E. Barlach : l'Extatique, bois. (Musée des Beaux-Arts, Zurich.)

BARKLA (Charles Glover). ♦ Physicien anglais (Widnes, Lancashire, 1877 – Edimbourg, 1944). Auteur de recherches sur les rayons X [polarisation et pouvoir pénétrant]. (Prix Nobel de phys., 1917.) **V. Röntgen.**

BAR KOCHEBA ou **BAR KOKHEBA** (« Fils de l'étoile »). ♦ Surnom de Simon, chef de la dernière révolte juive contre Rome (132-135).

BARLACH (Ernst). ♦ Sculpteur, peintre, dessinateur et écrivain allemand (Wedel, 1870 – Rostock, 1938). Après des études à Hambourg, Dresde et une année à Paris, il travailla comme dessinateur à la revue *Jugend*, puis fit un voyage en Russie (1906). Il se consacra alors surtout à la sculpture : s'inspirant de la sculpture médiévale et des formes cubistes, il réalisa en bronze et surtout en bois des statues ou groupes aux formes compactes et tendues, taillées par larges pans géométriques traitant de sujets humanitaires et dramatiques et qui témoignent de fortes tendances expressionnistes (*Terreur panique*, 1912; *Les Abandonnés*, 1913; *Vengeur*, 1914; *Fugitif*, 1920; *La Mort*, 1925). Les nazis, qui l'accusèrent de faire de l'art dégénéré, détruisirent ses monuments aux morts de Kiel et de Güstrow et confisquèrent ses œuvres. Auteur dramatique et poète, il illustra souvent ses ouvrages par des gravures sur bois.

BAR-LE-DUC. ♦ Préf. du dép. de la Meuse, ch.-l. d'arr. (8 cant., 130 comm., 69 264 hab.) sur l'Ornain*. 20 834 hab. *(Barrois* ou *Barrisiens)*. Église Saint-Pierre (XVe s.) avec la célèbre statue de Ligier Richier* dite « Le Squelette ». Église romane Notre-Dame, restaurée; maisons anc. Foires, marchés; métallurgie, fonderies, constructions mécaniques, indus. textiles, confection, chimiques; horlogerie, travail du bois. Confitures de groseilles. – Patrie de E. Bréhier*, R.I. Exelmans*, François de Guise*, E. Laguerre*, Oudinot*, R. Poincaré*. ♦ *Hist.* L'anc. cap. du duché de Bar* fut, durant la bataille de Verdun (1916), le point de départ de la *Voie* sacrée*.

BARLETTA. ♦ Port et station balnéaire d'Italie méridionale, dans les Pouilles (province de Bari), au S. du golfe de Manfredonia, près de l'embouchure de l'Ofanto. 73 347 hab. Église San Sepolcro (XIIIe s.) statue en bronze (IVe s.), dite « le Colosse ». À proximité, le champ de bataille de Cannes*.

BARLIN. ♦ Comm. du Pas-de-Calais (arr. et aggl. de Béthune). 8 907 hab. Houillère.

BARLOW (Joel). ♦ Poète, pamphlétaire et diplomate américain (Redding, 1754 – Pologne, 1812). Il résida longtemps en France et fut fait citoyen français à la suite de sa *Lettre à la Convention* (1792). Sa meilleure œuvre, *Le Pudding vite fait* (1796), poème héroï-comique, évoque les mœurs de la Nouvelle-Angleterre.

BARLOW (Peter). ♦ Mathématicien et physicien anglais (Norwich, 1776 – Woolwich, 1862). Il imagina en 1828 un appareil, dit *roue de Barlow*, considéré comme le premier moteur électrique. **V. Faraday, Gramme.**

BARMAKIDES ou **BARMÉCIDES**, *n. m. pl.* ♦ Membres d'une famille persane qui fournit les premiers ministres persans dans le khalifat arabo-musulman. Le premier *barmak* connu dans le monde arabo-musulman vivait à la fin de l'époque 'umayyade*. Son fils KHÂLID fut musulman et combattit contre les 'Umayyades afin d'amener au pouvoir les 'Abbassides*. Il fut ensuite vizir, ou premier secrétaire des finances, sous le premier calife 'abbasside, Abû* al-Abbâs et conserva sa charge sous le règne d'Al Mansûr*. Le fils de Khâlid, YAHYÂ (né v. 738) fut le précepteur du futur Hârun* al-Rashîd et devint vizir avec de grands pouvoirs quand ce dernier prit les charges de calife (786). Il gouverna l'ensemble du territoire abbasside avec l'aide de ses fils FADL et JA'FAR. Ce dernier, compagnon inséparable du calife, fut chargé de l'éducation de Ma'mûm*, fils d'Harûn. Après dix-sept années de très grande prospérité, les Barmakides furent bannis (803). Ja'far fut mis à mort; Yahyâ et Fadl moururent en prison.

BARMEN. ♦ Anc. V. d'Allemagne, qui forme auj. un quartier de Wuppertal*. – Patrie de Friedrich Engels*.

BARMOUTH, en gallois **Abermaw**. ♦ V. et station balnéaire de la côte O. du pays de Galles (Merionethshire), dans la *baie de Cardigan*. 2 310 hab. (1961).

BARNABÉ *(saint)*. ♦ Un des premiers apôtres du christianisme [traditionnellement l'un des soixante-douze disciples] (Ier s.), compagnon de saint Paul* puis de Jean surnommé Marc*. Il fonda une église à Chypre, sa patrie. Fête le 11 juin.

BARNABITES, *n. m. pl.* ♦ Congrégation de clercs réguliers fondée en 1530 par saint Antoine Marie Zaccaria et qui s'établit dans le cloître Saint-Barnabé à Milan.

BARNAOUL ou **BARNAUL.** ♦ V. d'U.R.S.S. (R.S.F.S. de Russie), ch.-l. du territoire de l'Altaï* sur l'Ob. 439 000 hab. Indus. alimentaires, chimiques et textiles (coton). Constructions mécaniques, machines-outils. Centrale thermique. Tête de ligne d'une voie ferrée reliée au Transsibérien.

BARNARD (Edward Emerson). ♦ Astronome américain (Nashville, 1857 – Observatoire Yerkes, Wisconsin, 1923). On lui doit les premières études systématiques portant sur la nature des nébuleuses obscures, dont il publia un catalogue. Il découvrit (1892) le cinquième satellite de Jupiter, Amalthée.

BARNARD (Christian). ♦ Médecin et chirurgien sud-africain (Beaufort West, Le Cap, 1922). Après des études aux États-Unis, il introduisit en Afrique du Sud les opérations « à cœur ouvert » et tenta en 1967 la première greffe du cœur (Hôpital Groote Schur au Cap).

BARNAVE (Antoine). ♦ Homme politique français (Grenoble, 1761 – Paris, 1793). Avocat au parlement de Grenoble, membre des États du Dauphiné réunis à Vizille (1788), il fut élu député du Tiers État aux États généraux (1789). Porte-parole de la bourgeoisie libérale montante, il fut un des orateurs les plus brillants de l'Assemblée nationale constituante où, avec A. Duport* et A. de Lameth* (le triumvirat), il s'opposa à maintes reprises à La Fayette et à Mirabeau*, surtout lorsque celui-ci défendit les prérogatives royales. Toutefois, après la fuite manquée du roi **(V. Varennes)** et l'affaire du Champ-de-Mars (juillet 1791), il se rallia à La Fayette et aux monarchistes constitutionnels du Club des Feuillants* et, se rapprochant de la cour, tenta de jouer le rôle de conseiller secret. Il fut condamné à mort et guillotiné sous la Terreur. Auteur d'une *Introduction à la Révolution française* (écrite en 1792 et publiée en 1843), « Barnave, le premier, a formulé, plus d'un demi-siècle avant Marx, la théorie de la révolution bourgeoise » (A. Soboul), posant que les progrès des techniques et du commerce et le développement de la propriété industrielle constituent la préparation à « une révolution dans les lois politiques ». **(V. Révolution* française.)**

BARNES (Ralph). ♦ Ingénieur américain (Clifton Mills, Virginie-Occidentale, 1900), auteur d'ouvrages sur les mouvements et les temps et sur la technique de l'observation instantanée.

BARNET. ♦ V. résidentielle de la banlieue N. de Londres* (Hertfordshire). 28 000 hab. ♦ *Hist.* Pendant la guerre des Deux-Roses, une bataille entre lancastriens et partisans des York y fut livrée et vit périr le comte de Warwick* (14 avril 1471).

BARNETT (Samuel Jackson). ♦ (1873 – 1956). Il découvrit, indépendamment de Einstein* et de Haas*, les effets gyromagnétiques (1914) et prouva expérimentalement, avec Appleton*, l'existence de l'ionosphère (1925).

BARNEVELD. ♦ V. des Pays-Bas (Gueldre). 29 001 hab. Centre d'élevage de volailles. Indus. alimentaires et mécaniques.

BARNEVELDT (Jan van Olden). ♦ **V. OLDEN BARNEVELDT.**

BARNEVILLE-CARTERET. ♦ Ch.-l. de cant. de la Manche* (arr. de Cherbourg*). 1 924 hab. *(Barnevillais)*. Église romane flanquée d'une tour du XVe siècle. À 2 km, station balnéaire.

BARNSLEY. ♦ V. d'Angleterre (Yorkshire, West Riding). 75 500 hab. Centre sidérurgique et textile sur un bassin houiller.

BARNUM (Phineas Taylor). ♦ Entrepreneur de spectacles américain (Bethel, Connecticut, 1810 – Bridgeport, Connecticut, 1891). Il exhiba des curiosités telles que la prétendue nourrice de Washington (qui aurait été âgée de plus de 150 ans) et à l'American Museum, créé en 1841, un nain appelé Tom Thumb. Le cirque Barnum, fondé en 1871, fut rapidement une entreprise prospère et célèbre.

BAROCCIO ou **BAROCCI (Federigo**, *dit* **LE BAROCHE** en fr.). ♦ Peintre, dessinateur, pastelliste et aquarelliste italien

(Urbino, v. 1533 – *id.*, 1612). Fils d'un sculpteur, il compléta sa formation artistique à Rome, où il séjourna de nouveau v. 1557-1558, mais il travailla surtout en Émilie. Son style, en grande partie tributaire du Corrège*, s'inscrit dans le courant maniériste et révèle les influences de Rosso* et D. de Volterra. Ses compositions religieuses, qui se caractérisent par un modelé très doux et fondu, des effets précieux d'éclairage et une gamme de tons aux harmonies rares, souvent claires, parfois acides, expriment une piété dont le sentimentalisme tombe parfois dans la mièvrerie *(L'Annonciation).* Baroccio anime l'espace avec une ampleur et une maîtrise qui annoncent l'art baroque; il a laissé des études au pastel et des dessins d'une facture sensible et nerveuse.

BAROCHE (Pierre Jules). ♦ Homme politique français (Paris, 1802 – Jersey, 1870). Avocat, il défendit à plusieurs reprises des conspirateurs républicains sous la monarchie de Juillet et prit position contre la politique de Guizot. Après la révolution de février 1848, il fut élu à l'Assemblée constituante (avril 1848) et ne cessa dès lors de voter avec les conservateurs. Nommé ministre de l'Intérieur par le prince-président, Louis Napoléon Bonaparte (1850), il contribua à faire adopter la loi du 31 mai 1850 sur la limitation du suffrage universel.

BARODA. ♦ V. du N.-O. de l'Inde (Gujarât) et anc. cap. d'un petit État indépendant. 404 000 hab. (1970). École de danse classique indienne. Petites indus. chimiques et textiles (coton), manufactures d'huile de ricin. Exportation de produits pharmaceutiques.

BAROJA (Pío). ♦ Écrivain espagnol d'origine basque (St-Sébastien, 1872 – Vera di Bidassos, 1956). Il publia une œuvre abondante et s'essaya dans tous les genres. Représentant de la « génération de 98 », il décrivit la mentalité espagnole, créant une multitude de personnages, étonnamment vivants, empruntés à la vie des bas-fonds ou des milieux anarchistes : *La lutte pour la vie* (1904). *Terre basque* et *Zalaçain l'aventurier* évoquent l'atmosphère de son pays natal. *Les Mémoires d'un homme d'action* (1911-1935) relèvent de la tradition picaresque. Il s'interrogea sur le destin de l'Espagne et, comme Madariaga*, sur la psychologie des peuples, souhaitant pour son pays une plus grande ouverture vers l'Europe. Cette même tendance se fait jour dans ses travaux sur les courants artistiques. Son style est incisif, aisé et les générations ultérieures ont été sensibles à sa vision subtile de la réalité.

BAROM REACHEA. ♦ Titre de cinq rois du Cambodge* qui régnèrent de vers 1556 à vers 1640, et qui eurent à combattre à la fois les Siamois et les Viêtnamiens. Ils furent aidés par des aventuriers espagnols venus des Philippines* et réussirent à repousser les Siamois, mais furent obligés de subir l'influence des Viêtnamiens.

BARON (Michel Boyron, *dit*). ♦ Acteur et auteur comique français (Paris, 1653 – *id.*, 1729). Élève et ami de Molière, l'un des meilleurs comédiens de son temps, il a laissé une douzaine de pièces dont *L'Homme à la bonne fortune* (1686).

BARONG. ♦ Bon génie du folklore et des légendes de l'île de Bali* (Indonésie*) représenté par un lion. Il s'oppose dans les danses et les drames au génie du Mal, la sorcière Rangda.

BARONNIES. *n. f. pl.* ♦ Région des Alpes* du Sud. Elle tire son nom de trois baronnies (dont celle de Montbrun*) qui furent incorporées au Dauphiné au XIVe s. et s'étend sur le sud de la Drôme* (cant. de Nyons, Buis-les-Baronnies, Rémuzat, Sédéron) et sur le cant. de Rosan dans les Hautes-Alpes*. La vallée de l'Aygues* la limite au N. et celle de l'Ouvèze* la traverse d'E. en O. avant de déboucher sur Vaison-la-Romaine.

Arch. Smeets

Baroccio : « Naissance du Christ ». (Musée du Prado, Madrid.)

Ph. Lauros-Giraudon

Barras, par Bonneville. (Bibl. nationale, Paris.)

Barons (guerre des). ♦ Guerre menée par les barons anglais sous la conduite de Simon de Montfort*, contre Henri* III qui refusait d'observer les *provisions d'Oxford**. Elle se termina par la victoire d'Édouard, fils du roi (1265).

BARQUISIMETO. ♦ V. du Venezuela, *ch.-l.* de l'État de Lara (19 800 km². Env. 558 000 hab.), située au N. de la cordillère de Mérida*. 262 000 hab. Centre commercial d'une région riche en produits tropicaux (canne à sucre, café...), exportés par Puerto* Cabello (ch. de fer).

BARR. ♦ Ch.-l. de cant. du Bas-Rhin*, arr. de Sélestat*. 4 459 hab. *(Barrois).* Château (1640) transformé en hôtel de ville, maisons anciennes. Vins, indus. textiles, constructions mécaniques.

BARRA (Joseph). ♦ V. BARA (JOSEPH).

BARRANQUILLA. ♦ V. et port du N. de la Colombie, ch.-l. du dép. de l'Atlántico (3 452 km². 750 000 hab. env.) à l'embouchure du Magdalena* sur la mer des Caraïbes*. 600 000 hab. env. Évêché, Aéroport. Premier port colombien et centre industriel important. Industries textiles, alimentaires, métallurgiques (aluminium). Cimenteries.

BARRAS (Paul, *vicomte de*). ♦ Homme politique français (Fox-Amphoux, Provence, 1755 – Chaillot, 1829). Il participa comme officier à la campagne des Indes. Élu député à la Convention où il siégea avec les Montagnards, il fut envoyé comme représentant en mission à l'armée d'Italie et dans le sud-est de la France où il organisa la répression après le siège de Toulon (19 déc. 1793). Il fut, avec Tallien et Fouché, l'un des principaux responsables de la chute de Robespierre* (9 Thermidor*), et, sous la Convention thermidorienne, réprima l'insurrection royaliste contre la Convention (5 octobre 1795-13 vendémiaire* an IV) comme commandant en chef de l'armée de l'Intérieur. Directeur (1795), il fut un des instigateurs du coup d'État du 18 Fructidor* an V (4 septembre 1797) et devint le premier personnage de l'État jusqu'au coup d'État du 18 brumaire* an VIII (9 novembre 1799). Bonaparte l'obligea à démissionner. Exilé en 1810, puis interné à Montpellier, il ne fut pas inquiété sous la Restauration. Ses *Mémoires* donnent une description intéressante de la vie politique, sociale et des mœurs sous le Directoire.

BARRAUD (Henry). ♦ Compositeur français (Bordeaux, 1900). Cofondateur avec P.-O. Ferroud, J. Rivier et E. Bondeville du groupe *Le Triton*, il est l'auteur d'une œuvre d'une grande diversité d'inspiration : drames lyriques (*La Farce de maître Pathelin*, 1938; *Numance*, 1950), pages symphoniques (*Poème*, 1933; *Concerto da camara*, 1935; *Offrande à une ombre*, 1941), ballets (*L'Astrologue dans le puits*, 1948), musique religieuse (*Le Mystère des Saints Innocents*, 1947, sur un poème de Charles Péguy; *Te Deum*, 1955).

BARRAULT (Jean-Louis). ♦ Acteur et metteur en scène (Le Vésinet, 1910). Élève de Charles Dullin (1931-1935), il étudia le mime

Coll. Rui Nogueira

J.-L. Barrault, dans les « Enfants du Paradis ».

et recueillit d'Antonin Artaud* la conception de l'acte théâtral comme cérémonial. La rencontre de Paul Claudel, celle de Madeleine Renaud*, sa future femme, son entrée à la Comédie-Française (1940) constituent les trois événements marquants des débuts de sa carrière. Après sa réalisation du *Soulier de satin* (1943), il fonda, avec Madeleine Renaud, une compagnie qui se fixa d'abord au théâtre Marigny (1946-1956), puis devint directeur de l'Odéon, devenu Théâtre de France (1958-1968, date où, à cause de sa sympathie pour le mouvement de contestation de mai, il fut écarté de cette fonction). Metteur en scène d'avant-garde (*Le Procès*, 1947), il a monté ensuite avec le même bonheur *La Vie parisienne* (1958), quelques-uns des chefs-d'œuvre du théâtre universel (*Hamlet,* 1946; *L'Orestie,* 1955; *Tête d'or,* 1959), réalisant parfois la synthèse des esthétiques dramatiques des quatre fondateurs du Cartel (*La Double Inconstance,* 1946; *Pour Lucrèce,* 1953), et confirmé la consécration de Ionesco (*Rhinocéros,* 1960), de Beckett (*Oh! les beaux jours,* 1963), de Genet (*Les Paravents,* 1966) et révélé au public les œuvres d'auteurs moins connus. J.-L. Barrault, connu du grand public par ses interprétations au cinéma, est directeur du Théâtre des Nations depuis 1971.

BARRE (Raymond). ♦ Économiste et homme politique français (Saint-Denis-de-la-Réunion, 1924). Professeur agrégé de droit et sc. économiques. Président de la commission de réforme du financement de la construction. Il devint Premier ministre en août 1976, après la démission de J. Chirac* et établit un plan de lutte contre l'inflation.

BARRE-DES-CÉVENNES. ♦ Ch.-l. de cant. de la Lozère (arr. de Florac). 201 hab. *(Barrois).* Église romane et gothique. Château féodal.

BARREIRO. ♦ V. du Portugal, face à Lisbonne, au S. de l'embouchure du Tage. 29 200 hab. Constructions navales et principal centre d'indus. chimiques du pays (produits pharmaceutiques, savonneries, traitement du jute). Tête de ligne des voies ferrées vers le S. du pays.

BARRÈS (Maurice). ♦ Écrivain et homme politique français (Charmes, Vosges, 1862 – Paris, 1923). Sa carrière littéraire commença à peu près en même temps que sa vie politique. Les deux premiers volumes de sa trilogie. *Le Culte du moi (Sous l'œil des barbares,* 1888, et *Un homme libre,* 1889), affirmation de son individualisme moral et social, venaient de paraître quand il fut élu député boulangiste de Nancy (1889). *Le Jardin de Bérénice* (1891) termine ce cycle. Antidreyfusard, défenseur de l'armée, préoccupé par la menace germanique, il exposa les principes de son nationalisme (qui enrichit le « moi » en l'enracinant socialement et géographiquement) dans une nouvelle trilogie, *Le Roman de l'énergie nationale* (1897-1902) [*Les Déracinés, L'appel au soldat, Leurs Figures*] et, conscient désormais de la nécessité de l'action, ne cessa d'exalter le patriotisme de la revanche jusqu'à la guerre qui fit de lui l'un des champions de l'Union sacrée (*Colette Baudoche,* 1909; *La Colline inspirée,* 1913; **V. Sion**). Député de Paris depuis 1906, il était entré la même année à l'Académie. *Mes cahiers* (posth. 1930-1956), son journal intime, sont des mémoires intellectuels d'une grande sincérité, où Barrès exprime aussi les « mélodies qui sont en lui » et traduisent ses complexités intimes, « un sang qui demande l'action, un esprit qui veut rester libre » (H. de Montherlant).

BARRETO (Francisco). ♦ Capitaine portugais (Faro, 1520 – en Abyssinie, 1573 ou 1574). Gouverneur de l'Inde (1555-1559), puis du Mozambique (1569-1570), il tenta une expédition dans l'actuelle Rhodésie mais ne put s'y maintenir.

Barricades (Journées des). ♦ Nom donné à plusieurs insurrections parisiennes. – Lors de la première (12 mai 1588), le duc de Guise* brava la défense du roi et se rendit à Paris, appelé par les Seize*. Le roi voulut répliquer avec ses troupes mais la population se souleva, barrant les rues avec des barriques remplies de terre (**Cf. Barricade,** in Rob.). Le roi dut s'enfuir, laissant la place à Henri de Guise. – La seconde ouvrit la Fronde (26 août 1648) : le peuple se souleva, à la suite de l'arrestation de Broussel*, Charton et Blancmesnil, pour réclamer la libération de Broussel qu'il obtint. ♦ Journées de JUILLET* 1830, de FÉVRIER* 1848 et celles de JUIN* 1848 (où fut tué Mgr Affre). ♦ Le 3 DÉCEMBRE* 1851, journée révolutionnaire en protestation contre le coup d'État fomenté par Louis Napoléon Bonaparte (2 décembre* 1851) et qui vit la mort de Baudin sur une barricade du faubourg Saint-Antoine. ♦ Journées de la COMMUNE* de 1871 au cours desquelles le ministre de la Guerre Delescluze fut tué (25 juin). ♦ Les journées d'AOÛT 1944 pour la libération de Paris*. ♦ Semaine des BARRICADES D'ALGER (24 janvier-1er février 1960) en protestation contre la politique du général de Gaulle. ♦ Journées de mai 1968, marquées par l'agitation universitaire.

BARRIE (*sir* James Matthew). ♦ Romancier et auteur dramatique écossais (Kiriemuir, 1860 – Londres, 1937). Ses débuts dans le journalisme furent couronnés par la parution, sous un pseudonyme, de *Quand un homme est célibataire,* 1888. Mais son premier succès fut *Le Petit Ministre,* 1891, suivi par trois autres romans de mœurs écossaises : *Ogilvy* (1896), *Tommy le sentimental* (1896) et *Tommy et Grizel* (1900), dans la tradition de Dickens. Barrie appliqua avec succès au théâtre son inspiration fantaisiste : *L'Admirable Crichton* (1903), caricature les hiérarchies sociales et son œuvre la plus populaire, *Peter* Pan ou le petit garçon qui ne voulait pas grandir* (1904), évoque le monde de l'imagination enfantine. Mais l'univers enchanté qu'il avait inventé se transforma peu à peu en un autre plus douloureux, peuplé d'infirmes (*Cher Brutus,* 1917; *Mary Rose,* 1920). On a dit de Barrie qu'il était un « Peter Pan » vieilli, inconsolé de son enfance.

BARRIÈRE (Grande). ♦ Chaîne de récifs coralliens de la mer de Corail*, qui borde la côte N.-E. de l'Australie* **(V. Queensland)** sur 2 400 km environ.

BARRIOS (Justo Rufino). ♦ Homme d'État guatémaltèque (San Lorenzo, 1835 – Chachualpa, 1885). Devenu président de la République en 1873, il gouverna en despote éclairé et entreprit la mise en valeur du pays. Il tenta de réunir les républiques d'Amérique centrale en un seul État, ce qui l'entraîna dans une guerre où il mourut.

BARROIS (Charles). ♦ Géologue français (Lille, 1851 – Sainte-Geneviève-en-Caux, Seine-Maritime, 1939). Il est connu pour ses travaux sur le carbonifère du bassin houiller franco-belge, le crétacé de France, d'Angleterre et d'Irlande, etc. (Acad. sc., 1904).

BARROIS. ♦ **V.** BAR (France).

BARROT (Camille Hyacinthe Odilon). ♦ Homme politique français (Villefort, Lozère, 1791 – Bougival, 1873). Avocat en 1811, il prit rapidement position contre le régime de la Restauration à laquelle il s'était d'abord rallié. Monarchiste constitutionnel de tendance libérale, il défendit lors de la révolution de juillet 1830 l'idée d' « une royauté entourée d'institutions républicaines ». Il devint sous la monarchie de Juillet, le chef de l'opposition dynastique (monarchistes constitutionnels de gauche : parti du Mouvement). Organisateur de la « campagne des Banquets » (1847) pour la réforme électorale, il fut dépassé par les forces démocratiques lors de la révolution de 1848, et fut malgré lui l'un des artisans de la chute de la royauté. Rallié quelque temps à Louis Napoléon qui le nomma ministre de la Justice et chef du premier ministère (1848-1849), il passa peu après à l'opposition orléaniste, et fut arrêté (2 décembre 1851). En 1872, Thiers le nomma président du Conseil d'État. Ses *Mémoires* furent publiées en 1875-1876.

BARROW (Isaac). ♦ Mathématicien et théologien anglais (Londres, 1630 – *id.,* 1677). Maître de Newton*, il est considéré comme l'un des précurseurs du calcul différentiel.

BARROW [*n. m.*] en irl. **An Bearbha.** ♦ Riv. d'Irlande [Eire] (150 km). Né dans la plaine centrale (massif du Slieve Bloom), il coule vers le S., arrose les comtés d'Offaly, de Leix, de Kilkenny et de Waterford et se jette dans la mer d'Irlande en formant un long estuaire : le *Waterford Harbour.* Il est relié par canal à la Liffey*, jusqu'à Dublin et au Shannon. *Princ. affl.* la Nore.

BARROW IN FURNESS. ♦ V. d'Angleterre (Lancashire), port sur la mer d'Irlande. 64 600 hab. Importants chantiers de constructions navales. Métallurgie du fer. – Aux environs, ancien couvent de bénédictines de *Furness Abbey,* fondé en 1127 par Étienne de Blois.

BARRY (*sir* Charles). ♦ Architecte et dessinateur anglais (Londres, 1795 – *id.,* 1860). Après des études à Londres, il entreprit en 1817 un voyage en Europe et en Orient. Revenu en Angleterre, il s'affirma comme l'un des représentants de l'architecture éclectique, imitant soit l'architecture antique et italienne de la Renaissance (*Traveller's club de Pall Mall,* 1831, le premier bâtiment londonien dérivant du style florentin) soit du style Tudor (*King Edward's School* de Birmingham, 1833-1836). Il acquit une renommée européenne en élevant avec Augustus W. Pugin (1812-1852) le nouveau *Palais de Westminster* (« Houses of Parliament ») à Londres à partir de 1839, dans un style néo-gothique inspiré du gothique perpendiculaire anglais. ♦ EDWARD MIDDLETON BARRY, son fils (Londres, 1830 – *id.,* 1880). Il termina le palais de Westminster, restaura de nombreuses églises gothiques et éleva notamment l'opéra de *Covent Garden.*

BARRY. ♦ Port charbonnier du S. du pays de Galles (Glamorganshire), sur le canal de Bristol. 42 040 hab. Indus. mécaniques.

BARSAC. ♦ Comm. de la Gironde (arr. de Bordeaux), sur la Garonne. 2 298 hab. *(Barsacais)*. Église du XVIIIe siècle. Vins blancs renommés.

BARSACQ (André). ♦ Décorateur, metteur en scène et directeur de théâtre français (Théodosie, Crimée, 1909 – Paris, 1973). Il fut l'assistant de Jacques Copeau au Mai Florentin (1935). Directeur de l'Atelier (1940), il a monté des œuvres d'Anouilh*, Aymé* et Félicien Marceau.

BARSBAY (al-Mâlik al-Ashraf Sayf al-Dîn). ♦ Sultan de la dynastie des mamelouks* circassiens (1422-1438). Il mena une expédition contre Chypre, obtint une victoire facile et captura le roi Janus qu'il libéra moyennant un tribut annuel.

BAR-SUR-AUBE. ♦ Sous-préf. de l'Aube, ch.-l. d'arr. (5 cant., 104 comm., 33 727 hab.) sur l'Aube. 6 179 hab. *(Baralbins* ou *Barsuraubois)*. Église Saint-Pierre (*fin* XIIe s.); église Saint-Maclou. Château du Jard (XVIIIe s.). Marché local. Métallurgie; bonneterie. – Patrie de G. Bachelard*, de M. Emmanuel*, de P. Gouthière*, de A. du Sommerard*. ♦ *Hist.* Bar-sur-Aube fut réuni à la France avec la Champagne au XIVe siècle. – Les Autrichiens y furent battus par le maréchal Mortier en 1814.

BAR-SUR-LOUP (Le). ♦ Ch.-l. de cant. des Alpes*-Maritimes (arr. de Grasse*). 1 647 hab. *(Barois)*. Parfumerie. – Patrie de l'amiral comte de Grasse*.

BAR-SUR-SEINE. ♦ Ch.-l. de cant. de l'Aube, arr. de Troyes, sur la Seine. 3 010 hab. *(Barséquanais)*. Église Saint-Étienne (XVIe-XVIIe s.). – Travail du bois, des métaux; papeteries, bonneterie. – Patrie de Jeanne* Ire de Navarre, de P. Portier*. ♦ *Hist.* Bar-sur-Seine fut réuni à la Bourgogne en 1435 et définitivement rattaché à la couronne en 1529 par le traité de Cambrai.

BART (Jean). ♦ Marin français (Dunkerque, 1650 – *id.*, 1702). Il passa du service de la Hollande (sous Ruyter*) à celui de Louis XIV, et remporta, comme corsaire, de nombreux succès sur les Hollandais et les Anglais.

BARTAS (Guillaume de Salluste, *seigneur du***)** [bartas]. ♦ Poète français (Montfort, près d'Auch, 1544 – Paris, 1590). Huguenot et guerrier courageux, il se mit au service d'Henri de Navarre et remplit pour le roi différentes missions diplomatiques en Angleterre et au Danemark. Son œuvre littéraire, abondante, se compose surtout de poèmes religieux, où il apparaît comme un moraliste austère : *Uranie, Le Triomphe de la foi* (1583), *Judith* (1583). Son principal ouvrage, qui connut un succès prodigieux, est *La Sepmaine ou La Création du monde* (1578-1584), poème en sept chants inspiré de l'Ancien Testament, que suivit *La Seconde Sepmaine* (inachevée, 1585), évoquant l'histoire de l'humanité. Bien qu'entaché parfois d'enflure ou de préciosité, ce poème est porté par un souffle épique incontestable.

BARTET (Jeanne-Julia Regnault, *dite* **Julia).** ♦ Sociétaire de la Comédie-Française (Paris, 1854 – 1941). Elle excella dans l'interprétation des rôles d'Antigone, d'Andromaque et de Bérénice.

BARTH (Heinrich). ♦ Explorateur et géographe allemand (Hambourg, 1821 – Berlin, 1865). De 1850 à 1855, il explora le nord et le centre de l'Afrique et parvint jusqu'à Tombouctou. (*Voyages et découvertes dans le nord et le centre de l'Afrique,* 1857-1859).

BARTH (Karl). ♦ Théologien protestant suisse (Bâle, 1886 – *id.*, 1968). Son œuvre inspirée par la réforme calviniste tend à préserver la pureté de la théologie par le retour à la Bible et à la parole du Christ. Il a exposé sa « théologie dialectique » dans son ouvrage *Kirchliche Dogmatik* (1927-1932-1951), en fr. *Dogmatique.*

Ph. Hétier

Ch. Barry : le palais de Westminster.

BARTHE (Félix). ♦ Magistrat et homme politique français (Narbonne, 1795 – Paris, 1863). Affilié à la Charbonnerie, il se fit connaître comme avocat (1827) en prenant la défense des adversaires des Bourbons. Il fut sous la monarchie de Juillet, ministre de l'Instruction publique, garde des Sceaux (1831), président de la Cour des comptes et pair de France (1834), puis ministre de la Justice, dans le cabinet Molé. Révoqué de ses fonctions à la Cour des comptes lors de la révolution de février 1848 et rappelé en 1849, il devint sénateur (1852).

BARTHÉLEMY ou **BARTHOLOMÉ** *(saint)*. ♦ Dans les Évangiles synoptiques, un des douze disciples de Jésus. On l'identifie habituellement avec le Nathanaël de l'Évangile de Jean (I, 45-51 et XXI, 2). Des traditions en font l'apôtre de diverses régions (Phrygie, Pont, Inde); il serait mort écorché vif en Arménie (scène représentée par plusieurs peintres, dont Ribera). Fête le 24 août.

BARTHÉLEMY (*abbé* **Jean-Jacques).** ♦ Écrivain et érudit français (Cassis, 1716 – Paris, 1795). Orientaliste, directeur du cabinet des Médailles (1754) dont il enrichit la collection, ami de Choiseul* qui le combla de faveurs, Barthélemy consacra sa vie à l'étude de l'Antiquité. Arrêté comme suspect en 1793, il fut par la suite réintégré dans sa charge. – Outre des mémoires d'archéologie, il composa (de 1757 à 1787) un ouvrage évoquant la Grèce du temps de Démosthène, le *Voyage du jeune Anacharsis en Grèce vers le milieu du IVe siècle avant l'ère vulgaire* (1788). Mine de documentation archéologique et philologique, l'œuvre avait l'ambition de « rassembler [...] une infinité de détails concernant les sciences, les arts, les coutumes, les visages [...], que l'histoire néglige entièrement »; elle connut un succès considérable, et son influence sur la littérature du début du XIXe s. (Chateaubriand, etc.) est incontestable.

BARTHÉLEMY (François, *marquis de***).** ♦ Homme politique français (Aubagne, 1747 – Paris, 1830). Ministre des Affaires étrangères sous Choiseul, ambassadeur de la République en Suisse jusqu'en 1797, il négocia et signa les deux traités de Bâle* avec la Prusse et l'Espagne. Membre du Directoire* (1797), il fut éliminé après le coup d'Etat du 18 Fructidor (4 septembre 1797) en raison de ses relations avec les royalistes, déporté en Guyane d'où il s'évada. De retour en France après le 18 Brumaire (9 novembre 1799), sénateur et comte d'Empire, il se rallia à Louis XVIII, qui le nomma ministre d'État (1815-1819) et le fit pair de France.

BARTHÉLEMY (Auguste Marseille). ♦ Poète satirique français (Marseille, 1796 – 1867). En collaboration avec Méry*, il créa une gazette satirique contre la monarchie de Juillet, *La Némésis* (1831-1832).

BARTHÉLEMY (René). ♦ Physicien français (Nangis, 1889 – Antibes, 1954). Ses travaux contribuèrent au progrès de la télévision. **V. Baird.** (Acad. sc., 1946.)

BARTHÉLEMY SAINT-HILAIRE (Jules). ♦ Érudit et homme politique français (Paris, 1805 – *id.*, 1895). Collaborateur au *Globe* sous la Restauration et au *National* et au *Constitutionnel* sous la monarchie de Juillet, il fut nommé secrétaire du gouvernement provisoire après la révolution de février 1848 et siégea comme républicain modéré aux Assemblées constituante et législative (1848, 1849). Retiré de la vie politique après le coup d'État du 2 décembre 1851 et opposé à l'Empire, il fut élu membre du Corps législatif en 1869, puis député à l'Assemblée nationale (1871), et, nommé ministre des Affaires étrangères dans le cabinet J. Ferry (1880-1881), signa le traité du Bardo, par lequel la Tunisie devint protectorat français. Ami de Littré, il a laissé des traductions d'Aristote, des ouvrages de philosophie et d'histoire religieuse, en particulier sur le bouddhisme.

BARTHES (Roland). ♦ Critique et sémiologue français (Bayonne, 1915). Après des études classiques et une expérience théâtrale (Groupe de théâtre antique de la Sorbonne, 1936), il fut frappé par la sclérose de la critique universitaire, puis influencé par la lecture de Marx et de Sartre, après 1945. La lecture de *L'Étranger* de Camus l'amena à l'idée d'un « type d'écriture qui essaie de dépasser les signes du style, de la littérature, pour arriver à une sorte d'écriture neutre » (ou « blanche »). *Le Degré zéro de l'écriture* (1953), réflexion sur le langage littéraire et sur ses conditions historiques, veut témoigner « d'une certaine *difficulté* de la littérature, condamnée à se signifier elle-même à travers une écriture qui ne peut être libre ». L'essai fut considéré comme le manifeste d'une « nouvelle critique », immanente, soucieuse du texte seul et de ses significations (et non des phénomènes extérieurs à sa production). Des travaux sur *Michelet* (1954), sur *Racine* (1963), etc. illustrent cette méthode critique, où la psychanalyse freudienne joue un grand rôle. C'est la critique sociale qui domine dans *Mythologies* (1957), réflexion sur les mythes de la vie quotidienne, par quoi la société donne pour naturels les produits historiques de son idéologie. Cette réflexion conduisit Barthes à la linguistique structurale (**V. Saussure** [Ferdinand de]). *Éléments de sémiologie* (1964), *Système de la mode* (1967), analyse d'énoncés concernant la mode féminine et du « code » qu'ils manifestent, contribuent, par une méthode rigoureuse empruntée notamment à L. Hjelmslev*, à la connaissance des lois de la signification. Revenant à l'étude du texte littéraire, Barthes a publié l'exégèse minutieuse d'une nouvelle de Balzac, qui met notamment en scène le thème de l'ambiguïté sexuelle et de la castration (*S/Z*; 1970) et des essais sur *Sade, Fourier, Loyola* (1971), manifestant un intérêt accru pour le signifiant en tant que

Ph. Erich Hartmann/Magnum
F.A. Bartholdi : « La Liberté éclairant le monde ». (Détail.)

symptôme de l'inconscient (Freud, Lacan) et pour la pluralité des codes comme révélateurs de l'épaisseur historique (Marx) des textes. Proches des recherches du groupe *Tel Quel,* les travaux de Barthes dépassent les positions de la « Nouvelle Critique » pour reconnaître les lois fonctionnelles de la signification ; ils tendent à abolir la mythologie historique de l'« auteur » et de l'« œuvre » comme la distinction entre œuvre et critique, et à rechercher avec plus de rigueur les rapports profonds entre les signes et l'homme (*Plaisir du texte,* 1973).

BARTHEZ (Paul-Joseph) [baʀtɛz]. ♦ Médecin et philosophe français (Montpellier, 1734 – Paris, 1806). Successivement rédacteur au *Journal des savants,* collaborateur à *l'Encyclopédie,* chancelier à l'université de Montpellier (1785) et médecin du Gouvernement (1802), il est le fondateur du vitalisme [**V. Bordeu**] (*Nouveaux Éléments de la science de l'homme,* 1778 ; *Nova doctrina naturae humanae,* 1774).

BARTHOLDI (Frédéric Auguste). ♦ Sculpteur français (Colmar, 1834 – Paris, 1904). Son premier succès fut la statue du général Rapp* (1853) ; puis, pour des commandes officielles, il chercha à exprimer dans un style marqué par la tradition académique ses sentiments patriotiques. *La liberté éclairant le monde,* de 33 m de haut (inaugurée en 1886), dans le port de New York (réduction à Paris, pont de Grenelle), fut exécutée en lames de bronze montées sur une armature d'acier due à Gustave Eiffel. *Le Lion de Belfort* (réduction à Paris, place Denfert-Rochereau) fut taillé à même le roc (1880).

BARTHOLIN (Erasmus Bertelsen, dit). ♦ Savant danois (Roskilde, 1625 – Copenhague, 1698). Il fut le premier à remarquer la double réfraction dans le spath d'Islande (1669). **V. Huygens.**

BARTHOLOMÉ (Paul-Albert). ♦ Sculpteur et peintre français (Thiverval, 1848 – Paris, 1928). D'abord peintre, il se consacra ensuite (1886) à la sculpture et resta toute sa vie très lié avec Degas*. Il acquit une grande renommée comme sculpteur funéraire et fut chargé du *Monument aux morts* du *cimetière du Père*-Lachaise,* 1899, ainsi que de nombreux *Monuments aux morts* de la guerre de 1914-1918.

BARTHOU (Louis). ♦ Homme politique français (Oloron-Sainte-Marie, 1862 – Marseille, 1934). Député du centre droit en 1884, il fut plusieurs fois ministre sous la IIIe République (1894-1895, 1896-1898, 1906-1909, 1909-1910 puis 1921, 1922, 1926, 1930). Président du Conseil (mars-déc. 1913), il fit adopter la loi dite des trois ans sur le service militaire, s'attirant l'hostilité des radicaux et des socialistes. Sénateur (1922), ministre des Affaires étrangères dans le cabinet Doumergue (1934), il travailla à réaliser la politique d'alliance avec l'Est (en particulier l'U.R.S.S.), mais fut victime de l'attentat contre Alexandre Ier de Yougoslavie qu'il était allé accueillir à Marseille. Auteur de plusieurs ouvrages historiques. (Acad. fr., 1918.)

BARTÓK (Béla). ♦ Compositeur hongrois (Nagysent-miklós, 1881 – New York, 1945). Il s'orienta de bonne heure vers la carrière musicale, étudiant d'abord à Bratislava puis à Budapest où il allait bientôt devenir professeur (1907). Il y enseigna le piano jusqu'à 1935. Influencé à ses débuts par la musique de tradition allemande, il reçut la révélation de Debussy (1905) et cette rencontre allait marquer une partie de son œuvre à venir. Simultanément, il entreprit avec son ami Kodály* des voyages d'études à travers de nombreuses régions d'Europe centrale (Hongrie, Slovaquie, Roumanie) et plus tard, d'Afrique, afin d'y recueillir et d'y enregistrer plusieurs dizaines de milliers de chants folkloriques. Ces recherches, dont sa musique bénéficia, ne l'empêchèrent pas de faire de nombreuses tournées à l'étranger comme pianiste. Fondamentalement hostile au nazisme, il s'expatria quand le régime dictatorial hongrois pactisa avec Hitler. Installé définitivement aux États-Unis (1940), l'incompréhension, la gêne et la maladie hâtèrent sa fin. L'œuvre de Bartók se ressent des diverses influences que le compositeur a reçues tout au long de sa carrière. Marquée d'abord par le romantisme de Liszt (*Symphonie Kossuth,* 1903) puis par l'impressionnisme de Debussy (*Images,* 1911), elle devait aboutir à une phase de recherches où l'expressionnisme de Stravinski voisine avec le chromatisme de Berg et de Schönberg. Sans cesser toutefois d'être imprégné d'influences folkloriques, caractérisé tour à tour par une intense vivacité de coloris, une violence sauvage et une sereine douceur propice au rêve poétique, l'art de Bartók exprime un effort de synthèse et d'assimilation dont ses meilleurs ouvrages portent témoignage. En même temps, ils constituent l'affirmation d'une puissante personnalité de mélodiste, de rythmicien et d'orchestrateur. Art tout à la fois savant et populaire, d'un généreux lyrisme, au contrepoint incisif, à la polytonalité toujours plus complexe. Outre des œuvres vocales (*Vingt Chansons populaires hongroises,* 1911 ; *Le Mandarin merveilleux,* 1919), ses réussites les plus achevées sont des compositions pour piano, traité pour la première fois par Bartók en instrument de percussion (*Allegro barbaro,* 1911 ; *Sonatine,* 1915 ; *Trois Concertos,* 1926, 1931, 1945 ; *Sonate pour deux pianos et percussion,* 1937), pour instruments à cordes (*Deux Sonates pour violon et piano,* 1921, 1922 ; *Concerto pour violon et orchestre,* 1938 ; *Les Six Quatuors à cordes,* 1906, 1940 ; *La Musique pour cordes, percussion et célesta,* 1936). Son œuvre la plus populaire demeure *Le Concerto pour orchestre* (1943). De cet effort incessant de renouvellement dans la rigueur qui caractérise l'œuvre de Bartók, une suite de 156 pièces, *Mikrokosmos* (1938), que le musicien composa pour suivre les progrès pianistiques de son fils, apporte un édifiant témoignage.

BARTOLI (Adolfo). ♦ (1851 – 1896). Appliquant les principes de la thermodynamique au rayonnement noir, il établit en 1876 l'existence d'une *pression de radiation* (prévue par Maxwell*) et montra qu'en conséquence de la loi de Stefan* cette pression est égale, pour un rayonnement complètement diffusé, au tiers de la densité d'énergie de ce rayonnement. **V. Lebedev.**

BARTOLO. ♦ Jurisconsulte italien (Sassoferrato, duché d'Urbino, 1314 – Pérouse, 1357). Il jouit d'une renommée considérable auprès de ses contemporains et fut comblé d'honneurs par l'empereur Charles IV. Se tenant à l'écart des rivalités entre guelfes et gibelins, il enseigna le droit romain à Pérouse et composa d'importants traités de droit public, criminel et privé et de procédure (réunis, pour la plupart, dans l'édition de 1588). Poursuivant un but pratique, il s'efforça de répondre aux besoins de son temps en conciliant les principes de la législation romaine avec le droit canonique et le droit féodal. Son influence, très grande en Allemagne, fut combattue en Italie et en France, dès le XVIe s., par l'école historique fondée par Alciat* et illustrée par Jacques Cujas*.

BARTOLO DI FREDI. ♦ Peintre siennois (Sienne, v. 1330 – *id.,* v. 1409). Il assura avec les peintres de sa « bottega » le maintien de la tradition siennoise dans la seconde moitié du Trecento.

BARTOLOMEO ou **BARTOLOMMEO (Bacio della Porta,** dit **Fra).** ♦ Peintre italien (Soffignano, 1472 – Florence, 1517). Il ouvrit en 1494 une « bottega » avec Mariotto Albertinelli, élève comme lui de Cosimo Rosselli* (*Annonciation,* 1497, dôme de Volterra) mais, devenu disciple de Savonarole* dont il a laissé un portrait célèbre (Florence, San Marco), il brûla ses œuvres profanes dans les « bruciamenti delle vanità » et se fit dominicain (1500), laissant inachevé un *Jugement dernier* à Santa Maria Novella. Ordonné à San Marco, et chargé en 1505 de diriger l'atelier du monastère (*Vision de saint Bernard,* 1504-1507, Académie), il devait reprendre une collaboration moins étroite avec Albertinelli (1508-1512). Un voyage à Venise (1508), un autre à Rome (1514), l'aidèrent à conjuguer techniques et styles nouveaux dans ses compositions largement organisées, aux grandes figures drapées : il en tempéra l'austérité par le coloris et le sfumato (*Mariage de sainte Catherine,* v. 1512, Louvre, Offices ; *Salvator Mundi, Pietà,* v. 1516, palais Pitti).

BARUCH [baʀyk]. ♦ Personnage biblique, disciple et secrétaire de Jérémie* qui lui aurait dicté ses prophéties (*Jérémie,* XXXVI).

BARUCH (livre de). ♦ Livre deutérocanonique de l'Ancien Testament (5 chapitres) ; prière de pénitence et poèmes divers adressés aux juifs de la Diaspora (~ IIe s. ?). – *Allus. litt. :* « Avez-vous lu Baruch ? C'est un bien beau génie ! », question que La Fontaine allait répétant après avoir lu la prière du livre de Baruch.

BARYE (Antoine-Louis). ♦ Sculpteur et aquarelliste français (Paris, 1796 – *id.,* 1875). Fils d'orfèvre, élève de Bosio*, puis de Gros*, il se fit remarquer comme animalier avec un *Tigre dévorant un gavial* (1831) puis un *Lion écrasant un serpent* (1833). Le non-conformisme de ses œuvres fut violemment critiqué ; il reçut cependant des commandes officielles (*Lion en marche de la colonne de Juillet,* 1840) et exécuta parfois des œuvres d'un esprit plus classique (*Le Lapithe et le Centaure,* 1850). Il avait le sens du mouvement, le goût des masses animées, exaltait le caractère épique et dramatique de ses sujets, avec une prédilection marquée pour le thème romantique du combat de fauves. Observateur attentif, il allait souvent peindre à Barbizon* : ses aquarelles et dessins rehaussés de gouaches sont d'une grande puissance expressive.

BÂRZÂNÎ (Mustafâ al-). ♦ Chef kurde (Barzou, 1903). Commandant en chef des troupes de la République kurde (1945), il dut se replier en Iran, puis en U.R.S.S. En 1958, il revint en Iraq et devint chef du Parti du Kurdistân irakien, devenu légal : mais il se révolta en 1961 réclamant l'autonomie. Le maréchal Aref dut négocier avec lui (1963), et, après une reprise de la lutte, signer la paix (1966) en reconnaissant l'autonomie du pays kurde.

BASDEVANT (Jules). ♦ Juriste français (Anost, Saône-et-Loire, 1877 – *id.*, 1968). Professeur de droit international à la faculté de droit de Paris, il fut président de la Cour internationale de justice de La Haye (1949-1952).

BASEDOW ou **BASEDAU (Johann Bernhard).** ♦ Pédagogue allemand (Hambourg, 1723 – Magdebourg, 1790). Fervent lecteur de J.-J. Rousseau, il formula dans son *Manuel élémentaire d'éducation* (1774) les principes d'une réforme de l'enseignement qui s'inspire en partie de *L'Émile*. Basedow s'y est montré soucieux de rendre l'étude vivante pour l'enfant, d'en graduer les difficultés, tout en y introduisant l'éducation physique et l'apprentissage de la vie collective. Avec l'appui du prince Léopold de Dessau, il créa en 1774 le *Philantropinum*, école modèle destinée aussi à la formation des maîtres. Bien que des difficultés administratives l'aient obligé à en abandonner peu après la direction à J.H. Campe*, les principes pédagogiques qu'il avait énoncés furent repris dans plusieurs tentatives du même genre à l'époque **(V. K.F. Bahrdt).**

BASEDOW (Karl). ♦ Médecin allemand (Dessau, 1799 – Marsenburg, 1854). Il a donné la description de l'hyperthyroïdie et de ses symptômes *(maladie de Basedow,* syn. de goitre exophtalmique).

Bas-Empire. *n. m.* ♦ Terme utilisé par Camille Lebeau (en 1752) pour désigner l'histoire de Byzance du IVe au XVe siècle. Aujourd'hui, le terme, souvent évité par les historiens, peut désigner la période de la « décadence » de l'Empire romain : de l'avènement de Dioclétien* (284) au sac de Rome (476) pour l'Empire d'Occident, et jusqu'à la mort de Justinien* Ier (565) pour l'Empire d'Orient (G.J.B. Palanque, *Le Bas Empire*).

BAS-EN-BASSET. ♦ Ch.-l. de cant. de la Haute-Loire*, arr. d'Yssingeaux, dans le N. du Velay sur la r. g. de la Loire*. 2 335 hab. *(Bassois).* Dentelles. Soieries.

BASHŌ Matsuo. ♦ Célèbre poète et moine bouddhiste japonais (Iga, 1644 – 1694), auteur de poèmes courts et expressifs *(haiku)* composés lors de ses errances à travers le pays. Il est considéré comme le plus grand maître du genre et eut un très grand nombre de disciples. Il était également un bon peintre (lavis à l'encre).

BASHSHAR IBN BURD. ♦ Poète d'expression arabe (v. 693 – 783). D'origine persane, aveugle de naissance, il fut le panégyriste des 'Umayyades*, puis des 'Abbâssides*. Dans la satire comme dans l'éloge, il suivit ses prédécesseurs, mais fut personnel dans ses poèmes d'amour qui expriment une sensualité parfois perverse ou obscène révélant une intention blasphématoire.

BASIE (William Bill, dit Count). ♦ Pianiste, compositeur et chef d'orchestre de jazz noir américain (Red Bank, New Jersey, 1904). Installé à Kansas City en 1926, il y forma, en 1936, un orchestre qui, à travers ses remaniements (1940, 1952), reste l'un des plus parfaits représentants du *middle jazz.* Princ. enregistrements : *One o'clock jump* (1937), *Tickle toe* (avec Lester Young*, 1940) *The Kid from Red Bank* (1957).

BASILAN. ♦ Petite île des Philippines, au S. de la presqu'île de Moro dans l'île de Mindanao (prov. de Zamboanga del Sur); île montagneuse culminant à 1 000 m. Exploitations de bois semi-précieux, pêche. – Le groupe d'îles portant ce nom est peuplé d'env. 200 000 personnes.

Arch. Smeets

A.-L. Barye : « Thésée combattant le Minotaure ». (Musée du Louvre, Paris.)

BASILDON. ♦ V. d'Angleterre, dans la banlieue N.-O. de Londres (Essex). 122 800 hab. Fondée en 1949 pour décongestionner Londres, c'est une ville résidentielle et un centre d'industries légères.

BASILE le Grand *(saint),* en gr. **Basileios.** ♦ Père et docteur de l'Église (Césarée de Cappadoce, 330 – 379). Après des études à Constantinople et Athènes, il visita les ascètes d'Orient et fonda une communauté monastique en Cappadoce. Prêtre puis évêque de Césarée (370), il lutta contre l'arianisme de l'empereur Valens. Princ. œuvres : deux *Règles* monastiques et les *Ascétiques;* le *Contre Eunomios* (contre l'arianisme); des homélies *(Sur la Genèse* ou *Hexaméron, Sur les Psaumes);* des lettres. Frère de Grégoire* de Nysse et ami de Grégoire* de Naziance. Fête le 2 janvier.

BASILE Ier le Macédonien, en gr. **Basileios.** ♦ Empereur byzantin (Andrinople, v. 813 – 886). Favori de Michel* III *l'Ivrogne* qui l'associa au trône (866), il l'assassina et fonda la dynastie macédonienne (867). Destituant Photios*, patriarche de Constantinople (qu'il devait d'ailleurs rétablir en 877), il mit provisoirement fin au schisme de l'Église d'Orient, repoussa les Arabes d'Asie Mineure (863) et rétablit l'autorité de l'Empire byzantin en Italie du Sud (880). Sous son règne fut constitué le recueil de lois appelé les *Basiliques*.*

BASILE II surnommé **le Bulgaroctone** (« tueur de Bulgares »). ♦ Empereur byzantin (v. 958-1025). Coempereur avec son frère Constantin* VIII, il fut placé sous la régence de Nicéphore* II Phokas, puis de Jean* Ier Tzimiskès auquel il succéda (976) conjointement avec Constantin VIII, qui lui laissa toute autorité. Il rétablit la prospérité de l'Empire en dépit de la révolte des nobles, et favorisa l'influence de Byzance sur la Russie par son alliance avec Vladimir* grand-prince de Kiev. Menacé par l'Empire bulgare, il mena contre celui-ci une guerre d'extermination (989-1018). Après la bataille victorieuse de Stoumitza (1014), il donna l'ordre de crever les yeux aux 15 000 prisonniers, à l'exception de 150 d'entre eux (qui furent éborgnés) pour être les guides au chemin du retour auprès de leur tsar Samuel. Celui-ci mourut de chagrin deux jours après. Il annexa encore l'Arménie, le Caucase et la Géorgie et combattit les Arabes en Asie* Mineure. Son règne marqua l'apogée de l'Empire byzantin.

BASILE VALENTIN. ♦ Alchimiste du Moyen Âge, peut-être moine bénédictin (né v. la fin du XIVe s.). Auteur d'un ouvrage sur l'antimoine, il a été le premier à l'utiliser comme médicament. Il décrivit la préparation de l'esprit de sel (acide chlorhydrique) et la distillation de l'eau-de-vie.

BASILICATE [*n. m.*] en it. **Basilicata.** ♦ Région de l'Italie méridionale (Mezzogiorno*). Elle correspond à peu près à l'ancienne Lucanie* et groupe auj. les provinces de Matera* et de Potenza*. 9 988 km². 645 000 hab. *Cap.* Matera*. – *Orogr.* Relief très bouleversé. L'intérieur, sauvage et montagneux, est fait de blocs calcaires et de bassins argileux ravinés par l'érosion. La côte marécageuse du Metaponte, le long du golfe de Tarente, a été bonifiée. *V. princ.* Matera*, Potenza*. – *Écon.* Très pauvre et trop peuplée, la région vit surtout de l'élevage ovin et caprin. L'agriculture est variée (céréales, raisin, olives, agrumes), mais le rendement est très faible. Les abords du Vulture sont plantés de vignobles. L'émigration vers l'Amérique, très forte au début du siècle est encore importante, et c'est souvent grâce aux subsides des « Américains » que vivent bon nombre de familles. ♦ *Hist.* Le Basilicate connut successivement la domination des Grecs, des Romains, des pirates sarrasins, puis des Bourbons avant de se soulever contre ce dernier joug et d'adhérer à la république.

BASILIDE, en gr. **Basileidês.** ♦ Gnostique d'Alexandrie (1re moitié du IIe s.), fondateur d'un culte à mystères. Ses spéculations cosmologiques (365 cieux et ordres d'anges entre Dieu et l'homme) sont connues à travers les réfutations d'Irénée et d'Hippolyte.

Basiliques (Les), en gr. **Basilikai.** ♦ Recueil des lois de l'Empire byzantin* constitué sous le règne de Basile* Ier le Macédonien et de ses successeurs Léon* VI et Constantin* VII Porphyrogénète. Publié en 905 et révisé en 945 (divisé alors en 60 livres), il recomposait le Code de Justinien qu'il mettait dans un nouvel ordre et en langue grecque.

BASIN (Thomas). ♦ Prélat et chroniqueur français (Caudebec-en-Caux, 1412 – Utrecht, 1491). Évêque de Lisieux (1447-1474), membre du conseil privé de Charles* VII, il fut contraint à l'exil par Louis XI pour avoir participé à la ligue du Bien Public. On lui doit une *Histoire de Charles VII et de Louis XI* et un *Mémoire* justificatif pour la réhabilitation de Jeanne* d'Arc.

BASINGSTOKE. ♦ V. d'Angleterre (Hampshire) au N.-O. de Winchester. 30 000 hab. Centre commercial et industriel (machines agricoles, matériel de précision, produits pharmaceutiques).

BASKERVILLE (John). ♦ Imprimeur anglais (Wolverley, 1706 – Birmingham, 1775). Il grava le caractère qui porte son nom; les poinçons en furent achetés par Beaumarchais pour l'édition de Kehl des œuvres de Voltaire.

BASNAGE (Jacques). ♦ Théologien protestant (Rouen, 1653 – La Haye, 1723). Pasteur à Rouen, il se réfugia en Hollande lors de la révocation de l'édit de Nantes et contribua à la Triple-Alliance* de 1717.

BASQUE *(Pays).* ♦ Ensemble géographique, formé sur les deux versants des Pyrénées* occidentales par une région d'Espagne* – comprenant les *provincias vascongadas* (provinces basques) ainsi que la province de Navarre – et le *Pays Basque français*, auj. inclus dans le département des Pyrénées*-Atlantiques, cet ensemble tire son nom de la communauté d'origine et de la langue d'une partie de ses habitants *(Basques)*. Sur une superficie de 20 000 km² env. (Navarre espagnole comprise) un tiers de la population totale parle le *basque* ou des dialectes *basques* (env. 600 000 personnes en Espagne et 80 000 en France), sans compter quelques milliers d'émigrés à travers le monde (en Amérique du Sud, notamment). – *V. et localités princ.* (Espagne) **V. Bilbao, Fontarabie, Guernica y Luno, Irún, Pampelune, Roncevaux, Tolosa, Vitoria.** – (France) **V. Anglet, Bayonne, Biarritz, Bidart, Cambo, Ciboure, Espelette, Guéthary, Hasparren, Hendaye, Mauléon-Licharre, Saint-Étienne-de-Baïgorry, Saint-Jean-de-Luz, Saint-Jean-Pied-de-Port, Tardets-Sorholus, Ustaritz.** – *Orogr.* **V. Cantabriques** (monts), **Pyrénées.** ♦ *Hist.* On ignore encore l'origine ethnique des Basques, mais l'on admet généralement que leur langue, antérieure aux invasions indo-européennes en Europe occidentale, provient initialement de la zone caucasienne. Salluste les mentionne sous le nom de *Vascones* **(V. Vascons)** v. ~ 40 et l'histoire médiévale les retrouve franchissant les Pyrénées et donnant leur nom à la Gascogne* (VIe-VIIe s.), combattant Dagobert*, infligeant une défaite à l'arrière-garde de Charlemagne* en 778 à Roncevaux*, puis s'installant sur le trône de Navarre* à partir du Xe s. **(V. Sanche Ier Garcia).** Cependant, l'unité basque s'effrita dès le XIe s. et se désagrégea du XIIe au XVIe s. avec l'annexion du Guipúzcoa*, de l'Álava*, de la Biscaye* et de la plus grande partie de la Navarre* à la Castille*. En Aquitaine*, après trois siècles de domination anglaise l'annexion à la France de la Soule* et du Labourd* au XVe s., puis celle de la Basse-Navarre* sous Henri* IV achevèrent le partage du *Pays Basque* entre la France et l'Espagne, avant même que le traité des Pyrénées* eût fixé la frontière franco-espagnole (1659). La politique centralisatrice de Madrid, face aux aspirations des Basques espagnols à l'autonomie, les entraîna au XIXe s. vers les Carlistes* et vers l'émigration en Amérique du Sud. La guerre civile espagnole de 1936-1939 les divisa en deux camps jusqu'à la victoire des nationalistes de Franco*.

BASQUE *(Pays Basque français)*. ♦ Région qui s'étend à l'O. du pic d'Anie*, sur l'avant-pays des Pyrénées dans le dép. des Pyrénées*-Atlantiques; il groupe les anciens pays de la Soule*, Labourd (Bayonne et Ustaritz) et la basse Navarre*. La partie montagneuse n'est en général pas très élevée, 900 m à la Rhune*, mais atteint 2 017 m au pic d'Orhy*. Nombreux cours d'eau. Collines. Paysage de bocages. Climat doux et humide. La population basque est essentiellement paysanne. Les principales ressources sont l'agriculture (maïs, pommes) et l'élevage (brebis, production laitière, indus. fromagère). Les indus. sont localisées dans les centres urbains, **V. Bayonne, Boucau (Le), Mauléon, Saint-Jean-de-Luz.** Le tourisme se développe considérablement notamment sur la côte (Côte d'Argent. **V. Biarritz, Hendaye.**)

BASQUES *(Provinces basques espagnoles)*, en esp. **Provincias Vascongadas.** ♦ Ensemble formé par les prov. de Biscaye* *(Viscaya), Guipúzcoa** et *Álava**. Elles sont formées d'une étroite bande côtière *(Ribeira)* surplombée par des montagnes (Pyrénées* et partie orientale des monts Cantabriques*) ne dépassant pas 1 500 m. Climat humide. La région est fortement peuplée. – *Écon.* La vie rurale est basée sur une polyculture fondée sur le maïs et sur l'élevage bovin. L'implantation industrielle est ancienne (bois, papeteries, utilisant l'énergie hydraulique). L'indus. lourde (forges, sidérurgie) est concentrée à Bilbao*, l'électro-sidérurgie à Elgoïbar. L'indus. textile est importante. La pêche est active sur la côte. Bilbao est le deuxième port d'Espagne. Le tourisme, qui avait acquis un grand essor dès le début du XXe s. (Saint*-Sébastien), n'a plus la même importance. L'émigration (surtout vers l'Amérique du Sud) est très forte. ♦ *Hist.* **V. Basque** (Pays). À partir du VIIIe s., les Basques formèrent des petites principautés d'où émergèrent les royaumes des Asturies* et de Navarre*, annexés par la Castille du XIIIe au XVe siècle. Dès lors, ces provinces basques obtinrent des privilèges particuliers *(fueros)* dont bénéficièrent aussi les provinces basques françaises. Ceux-ci leur furent retirés au XIXe s. car les Basques espagnols s'étaient dressés violemment contre la politique centralisatrice de Madrid et étaient devenus d'ardents partisans du carlisme. De cette époque date leur émigration vers l'Amérique latine. À l'avènement de la République (1931), le nationalisme basque fut plus vivace que jamais, mais ses partisans se trouvèrent divisés par la guerre civile : les uns (carlistes*) se rallièrent à Franco* et formèrent le corps des *requetes*, d'autres, même catholiques, mais autonomistes, combattirent aux côtés des républicains. Les provinces basques restent un foyer d'opposition au régime post-franquiste, opposition qui s'exprime par des actes terroristes revendiqués par l'organisation secrète E.T.A. et par l'attitude réservée de nombreux milieux (notamment le clergé) à l'égard du gouvernement.

BASRA ou **BASSORA.** ♦ Deuxième ville d'Iraq et ch.-l. de province, située sur le Shatt* al-'Arab, à 150 km à l'intérieur des terres, en aval du confluent du Tigre et de l'Euphrate. 430 000 hab. (1969). Université. Troisième centre indus. du pays (indus. textiles, mécaniques, raffinerie de pétrole), elle en est le port essentiel par où se fait la quasi-totalité des exportations, sauf en ce qui concerne le pétrole, exporté par Fao*. Terminus de la voie ferrée qui relie la Turquie au golfe Persique via Baghdâd*. – Patrie d'Ibn* al-Haytham et d'al-Harîrî*. ♦ *Hist.* La ville originelle, qui fut fondée par le troisième calife 'Umar* (636) se trouve à Al-Zubayr, à une dizaine de km de la ville moderne. Elle fut très célèbre au VIIIe et au IXe s. par ses activités commerciales et intellectuelles (enseignement du droit, de la théologie et surtout de la grammaire : *l'école de Basra* s'opposait à celle de Kufa). Mais elle déclina avec l'affaissement de l'autorité 'abbâsside. Les canaux furent négligés, et la vase s'accumulant, sa communication avec le golfe Persique fut réduite. Entre 1720 et 1752, la *East India Company* s'y établit et durant le XIXe s. Basra connut un grand développement, comme débouché du trafic fluvial vers Baghdâd. Pendant la Première Guerre mondiale, la ville devint de plus en plus le port de liaison entre la Mésopotamie et l'Inde.

BASS *(détroit de)*. ♦ Bras de mer qui sépare l'Australie* et la Tasmanie* (200 km de large). Gisements de gaz naturel et de pétrole.

BASSAC. ♦ Nom donné au bras N.-O. du Mekong* dans son delta. – Ancien nom de la province actuelle de Champassak*, dans le sud du Laos*.

BASSÆ, en gr. **Bassai.** ♦ Localité de la Phigalie, dans le S.-O. de l'Arcadie (Péloponnèse), célèbre par les ruines du temple d'Apollon Epicourios *(secourable)*. Ce temple, construit par Ictinos (v. ~ 440), d'ordre dorique extérieurement, mais avec une colonnade ionique à l'intérieur est l'un des plus beaux de Grèce. Fragments de sa frise (l'*Amazonomachie*) au British Museum.

BASSAN (le). ♦ Nom francisé de *Il Bassano*, surnom de Jacopo da Ponte l'Aîné. **V. Bassano** *(les)*.

BASSANI (Giovanni Battista). ♦ Compositeur et organiste italien (Padoue, v. 1657 – Bergame, 1716). Auteur d'opéras, de ballets et de plusieurs ouvrages de musique instrumentale, *(Douze Sonates à deux violons et basse)*, il a excellé dans les genres de l'oratorio et de la cantate.

Arch. Smeets

Bataille des Lapithes et des Centaures, fragment de frise, temple d'Apollon Epicourios de **Bassæ**, Grèce, début ~ IVe s. (British Museum, Londres.)

Arch. Smeets

Jacopo Bassano : « l'Adoration des bergers ». (Palais Barberini, Galerie nationale, Rome.)

BASSANO *(les)*. ♦ Famille de peintres italiens des XVIe et XVIIe s., issus de FRANCESCO DA PONTE, dit l'Ancien (1470 ? – 1530 ?), peintre provincial à *Bassano*, le village de Vénétie d'où provient leur surnom. ♦ Fils de Francesco, JACOPO DA PONTE dit *l'Aîné* et aussi *le Bassan* (Bassano, 1510-1518 – *id.*, 1592), ne quitta Bassano pour Venise qu'entre 1534 et 1549. Sensible aux influences successives de Véronèse et Titien, il influença lui-même le Greco. Il quitta progressivement les formes et les couleurs recherchées du maniérisme (*Décollation de saint Jean-Baptiste*, Copenhague) pour un réalisme original (après 1560), recourant à de fantastiques effets de lumière pour faire surgir les formes (*Crucifixion*, 1562, Trévise). Il joua de ce luminisme dans les scènes agrestes, les paysages dont il fit un élément essentiel de ses tableaux religieux ou profanes (*Adoration des bergers*, 1568, Bassano; *Saint Jérôme*, Venise, Académie; *Martyre de saint Laurent*, 1571, Belluno; *Prédication de saint Paul*, 1574, Marostica). – Quatre de ses fils poursuivirent la tradition de la pastorale inaugurée par leur père. ♦ FRANCESCO (Bassano, 1549 – Venise, 1592) fut son plus proche collaborateur. Il travailla à Venise, au palais des Doges. ♦ LEANDRO (1557 – 1622) a donné de beaux portraits.

BASSANO DEL GRAPPA. ♦ V. du N.-E. de l'Italie (Vénétie, province de Vicence), sur la Brenta*. 30 910 hab. Évêché. Céramique. Production d'une eau-de-vie de raisin, la *grappa*. Patrie de Jacopo da Ponte, dit il Bassano* (ci-dessus). ♦ *Hist.* Bonaparte y remporta une victoire sur les Autrichiens commandés par le général Wurmser (1796). La ville fut érigée en duché par Napoléon en 1809 en faveur de son ministre Maret*.

BASSÉE (La). ♦ Ch.-l. de cant. du Nord*, arr. de Lille*, sur le canal de La Bassée (ou d'Aire à La Bassée). 5 665 hab. *(Basséens)*. Tissage: toiles; confection; constructions mécaniques. – Théâtre de violents combats pendant la Première Guerre mondiale (1914-1915-1918).

BASSELIN ou **BACHELIN (Olivier)**. ♦ Écrivain français normand (Vire, *déb.* XVe s.). La tradition en fait l'inventeur des *Vaux de Vire* (v. 1430-1440), chansons à boire rendues populaires par la tradition orale, puis remaniées et publiées par Jean Le* Houx, à la fin du XVIe s. Poésie gaie, de forme très libre, tour à tour bachique, satirique et patriotique (Basselin y exprima sa haine de l'Anglais), le *Vau de Vire* subsista jusqu'au XVIIIe s. comme genre populaire s'opposant à la romance. **V. Le Houx.**

BASSENS [basɛ̃s]. ♦ Comm. de la Gironde, dans la comm. urbaine de Bordeaux, située dans l'Entre*-Deux-Mers. 4 841 hab. Vins réputés. Indus. chimiques.

BASSES-ALPES. *n. f. pl.* ♦ **V.** ALPES DE-HAUTE-PROVENCE (dép.).

BASSES TERRES. ♦ **V.** LOWLANDS.

BASSE-TERRE. ♦ V. des Petites Antilles, ch.-l. du dép. français de la Guadeloupe*, située sur la côte S.-O. de l'île de *Basse-Terre*. 15 833 hab. *(Basse-Terriens)*. Évêché. Centre urbain et commercial. – Patrie de Nicolas Léonard*. – *L'île de Basse-Terre*, malgré son nom, est plus élevée que *Grande-Terre* (le volcan de la Soufrière atteint 1 467 m). **V. Guadeloupe** *(la)*.

BASSE-YUTZ. ♦ Comm. de la Moselle, arr. et aggl. de Thionville-Est. 11 327 hab. Métallurgie; construction métallique et mécanique; brasserie.

BASSIGNY. *n. m.* ♦ Région de la Haute-Marne* et de la haute Meuse, aux confins de la Champagne et de la Lorraine, entre le plateau de Langres* au S. et le Barrois* au nord. La Meuse* y prend sa source. Comprise en majeure partie dans le dép. de la Haute-Marne (où se trouvent *Chaumont-en-Bassigny* et *Nogent-en-Bassigny*), elle déborde à l'E. sur le dép. des Vosges* et au N. sur celui de la Meuse*. C'est une région de prairies et d'élevage. ♦ *Hist.* Le *Bassigny* relevait au Moyen Âge du comte de Champagne* (dont quelques châtellenies étaient tenues par le comte de Bar*) à l'exception d'une partie du *Bassigny barrois* situé à l'E. de la Meuse, qui releva des empereurs d'Allemagne avant de passer aux ducs de Lorraine*.

BASSIN (Grand), en angl. **Great Basin**. ♦ Région de l'O. des États-Unis, située entre la Sierra Nevada* (Californie, Nevada) et les monts Wasatch* (Utah). Il est formé par un ensemble de cuvettes *(horsts)* semi-désertiques, séparées par des chaînes montagneuses. Des coulées de lave y ont formé des plateaux arides *(mesas)*. Des lagunes, tel le Grand Lac* Salé, s'y trouvent. – Région minière, d'élevage extensif et localement de cultures irriguées.

BASSIN ROUGE. *n. m.* ♦ Région de la Chine* centrale, couvrant l'E. de la prov. du Szu*-ch'uan. Elle est limitée à l'O. par les Alpes du Szu-ch'uan et le rebord du Tibet*, au N. par les Tai-pai-shan et les monts Tsang-shan, au S. par les plateaux du Yun*-nan et du Kui-chou et à l'E. par les montagnes des Wu-shan. *V. princ.* **V. Ch'êng-tu, Ch'ung-ch'ing.** – *Hydrogr.* **V. Yang-tsê kiang** (ou fleuve Bleu).

BASSOMPIERRE (François *de***)**. ♦ Maréchal de France, (Haroué, Lorraine, 1579 – Provins, 1646). Entré au service de Henri IV, colonel général des Suisses (1614), ambassadeur en Espagne (1621), en Suisse (1625) puis en Angleterre (1626), il fut nommé maréchal de France en 1622. Richelieu*, l'accusant de complot, le fit enfermer à la Bastille en 1631 à la suite de son mariage secret avec la princesse de Conti*. Il en sortit en 1643 après y avoir écrit ses *Mémoires*.

BASSORA. ♦ **V.** BASRA.

BASSOU. ♦ Comm. de l'Yonne (arr. d'Auxerre), sur la r. g. de l'Yonne. 504 hab. – Conserveries.

BASSOV (Nikolaï Gennadievitch). ♦ Physicien soviétique (Ousman, 1922). Il découvrit, avec A.M. Prokhorov*, en même temps que Townes*, le principe du maser [1952]. (Prix Nobel de phys., 1964.)

BASTELICA. ♦ Ch.-l. de cant. de Corse* (arr. d'Ajaccio*), sur la Prunelli, 2 089 hab. Patrie de Sampiero d'Ornano* (ou Sampiero Corso).

BASTET. ♦ Déesse égyptienne représentée sous l'aspect d'une femme à tête de chat, et honorée à Bubastis*.

BASTIA. ♦ Préf. de la Haute-Corse*, ch.-l. d'arr. (20 cant. 94 comm. 90 819 hab.), sur la côte N.-O. de l'île. 50 100 hab. *(Bastiais)*. Anc. cathédrale Sainte-Marie (XVIIe s.), église Saint-Jean-Baptiste (XVIIe-XVIIIe s.; stucs et marbres précieux), nombreuses autres églises; enceinte de la citadelle (XVe-XVIe s.); anc. palais des gouverneurs génois (XIVe-XVIe s.). – Grâce à son port, qui effectue une grande partie du commerce de la Corse et reçoit de nombreux touristes, Bastia est le princ. centre commercial de l'île. Indus. alimentaires, manufacture de tabac. – À 6 km de la ville, *Bastia-Plage* est un important complexe touristique. – Patrie de V. Benedetti*. ♦ *Hist.* Fondée en 1383 par les Génois, Bastia fut la cap. de la Corse sous la domination génoise, jusqu'en 1767, et le ch.-l. du dép. du Golo de 1793 à 1811, avant la formation du département de la Corse.

BASTIAN (Adolf). ♦ Anthropologue et médecin allemand (Brême, 1826 – Port of Spain, 1905). Grand voyageur, il visita l'Australie, la Nouvelle-Zélande, l'Amérique du Sud, la Chine (1851-1859), la Birmanie (1861). Fondateur de la *Zeitschrift für Ethnologie* (1862), auteur d'un important ouvrage sur les civilisations de l'Amérique pré-colombienne (*Kulturländer des alten Amerikas*, 1878-1889), il a affirmé l'homogénéité de la mentalité et du stock culturel des différents peuples, se différenciant sous l'action des facteurs extérieurs (*Der Völkergedanke in Aufbau einer Wissenschaft von Menschen*, 1881).

BASTIAT (Frédéric). ♦ Économiste français (Bayonne, 1801 – Rome, 1850). Ayant eu connaissance des tentatives réformistes de Cobden*, il fonda en 1846, une Association pour la liberté des échanges, et publia une série de pamphlets : les *Sophismes économiques*, où il s'insurge contre la législation douanière. Ainsi, contre le protectionnisme, mais aussi contre le socialisme de Proudhon, il apparaît comme un partisan d'un libéralisme « optimiste » (con-

Ph. Nino Cirani/Ricciarini

Bastia.

traireme à Malthus et Ricardo) fondé sur une croyance en un ordre providentiel, comme le suggère le titre de ses *Harmonies économiques*.

BASTIDE (Jules). ♦ Publiciste et homme politique français (Paris, 1800 – 1879). Affilié à la Charbonnerie sous la Restauration, il prit part à la révolution de juillet 1830 et fut nommé commandant de la garde nationale. Condamné à mort pour sa participation aux journées insurrectionnelles de juin 1832, il réussit à se réfugier à Londres. Rentré en France en 1834 et acquitté, il prit la direction du journal *Le National* (1836), puis collabora à la *Revue nationale*. Après la révolution de février 1848, il fut secrétaire général puis ministre (10 mai 1849) des Affaires étrangères. Il quitta la vie politique en raison de son opposition au coup d'État du 2 décembre 1851. Il a publié des ouvrages historiques et politiques (*La République française et l'Italie en 1848*, 1865).

BASTIDE-PUYLAURENT (La). ♦ Comm. de la Lozère (arr. de Mende). 345 hab. Station de sports d'hiver (1 025 m).

BASTIÉ (Maryse). ♦ Aviatrice française (Limoges, 1898 – Lyon, 1952, au cours d'un meeting aérien). Détentrice de dix records internationaux de distance et de durée, elle fit seule la traversée de l'Atlantique Sud, de Dakar à Natal (1936).

BASTIEN-THIRY (Jean). ♦ Officier français (Lunéville, 1927 – Montrouge, 1963). Ardent partisan de l'Algérie française, il organisa contre le général de Gaulle un attentat au Petit-Clamart (1962). Arrêté, il fut condamné à mort et fusillé.

Bastille (la). ♦ Anc. forteresse située à Paris à la porte Saint-Antoine. Construite sous Charles V (1370), cette citadelle militaire, flanquée de huit tours massives, devint prison d'État sous Richelieu. Ses prisonniers les plus illustres furent Jacques d'Armagnac, Bernard Palissy, Bassompierre, Fouquet, le Masque de fer, Latude, Voltaire, Lally-Tollendal, Sade, etc. Rasée en 1790 (**V. Bastille** [*prise de la*]), c'est désormais une vaste place au centre de laquelle se dresse la *colonne de Juillet*, en bronze et surmontée d'un génie de la Liberté, qui fut érigée de 1833 à 1840 pour commémorer les combattants de juillet 1830. – Nom du quartier environnant.

Bastille *(prise de la)*. ♦ Elle marque, le 14 juillet 1789, le passage de la révolution parlementaire à la révolution populaire parisienne (**V. Révolution française**). Les concessions faites par Louis XVI au Tiers État (**V. États généraux**) furent désapprouvées par la cour et la menace d'un complot aristocratique précipita les événements. Dès le 26 juin, des régiments suisses et allemands avaient été concentrés autour de Versailles et de Paris. « Tocsin d'une Saint-Barthélemy des patriotes » (C. Desmoulins), le renvoi de Necker*, remplacé par le baron de Breteuil* provoqua la fermeture de la Bourse. Avec l'appui des banquiers (Delessert, Boscary) fut constituée une milice bourgeoise, en même temps qu'était nommé un Comité permanent (« municipalité insurrectionnelle ») à l'Hôtel de Ville. La milice et la foule furent armées. Comme le gouverneur de la Bastille, Jourdan de Launay*, avait refusé de livrer des armes et qu'une députation y avait été accueillie à coups de fusil, la prison d'État, symbole de l'arbitraire de l'Ancien Régime, fut assiégée, prise et détruite par le peuple. Launay, sa garnison et le prévôt des marchands, Flesselles, furent massacrés. Cet acte révolutionnaire eut pour conséquence le renvoi des troupes de Paris, le rappel de Necker, et la nomination de Bailly* comme maire de la nouvelle municipalité et de La* Fayette comme commandant de la garde nationale. La Révolution s'étendit aux grandes villes du royaume en même temps que se propageait dans les campagnes une révolte (la Grande Peur*) qui aboutit à la nuit du 4 août*. Le 14 Juillet est la fête nationale de la France depuis 1880.

BASTOGNE, en néerl. **Bastenaken.** ♦ V. de Belgique, ch.-l. d'arr. (prov. du Luxembourg*), à 150 km de Bruxelles, sur un plateau de l'Ardenne* (alt. 515 m) où naît la Wiltz, affl. de la Sûre. 6 545 hab. Église Saint-Pierre, en gothique mosellan (1535). Porte de Trèves (XIIIe s.). Monument du Mardasson (mosaïques de Léger). Filatures. Indus. mécaniques (matériel agricole) et alimentaires (jambons d'Ardenne). Tourisme.

BASUTOLAND ou **BASOUTALAND**. *n. m.* ♦ **V.** LESOTHO.

BAT'A (Tomás). ♦ Industriel tchèque (Zlín, 1876 – Otrokovice, 1932). Fondateur d'une importante manufacture de chaussures à Zlín (auj. Gottwaldov*), il fut un des premiers grands industriels à faire participer son personnel aux bénéfices de l'entreprise.

BATA. ♦ Port de Guinée* équatoriale (Río* Muni). 30 000 hab. Exportation de cacao, de café et de bois d'okoumé.

BATAAN. ♦ Péninsule montagneuse de l'île de Luçon* (Philippines), située au sud de la baie de Manille*. – De violents combats s'y déroulèrent en 1942 entre Japonais et Américains.

BATAILLE (Nicolas). ♦ Tapissier français du XIVe siècle. **V. Apocalypse** *(Tenture de l')*.

BATAILLE (Gabriel). ♦ Compositeur et luthiste français (v. 1575 – Paris, 1630). Maître de la Musique de la reine (1617-1630), il composa des airs pour des ballets de cour et publia six livres d'*Airs de différents auteurs mis en tablature de luth* (1608-1615). Il est aussi l'auteur de dix psaumes sur des poèmes de Desportes.

BATAILLE (Henry). ♦ Poète et auteur dramatique français (Nîmes, 1872 – La Malmaison, 1922). Son théâtre propose la peinture complaisante de mœurs décadentes dans un style qui évoque le symbolisme finissant. Œuv. princ. : *Maman Colibri* (1904), *La Marche nuptiale* (1905), *La Femme nue* (1908), *La Vierge folle* (1910).

Ph. Leigheb/Ricciarini

Village **Batak** du lac Toba.

BATAILLE (Georges). ♦ Écrivain français (Billon, Puy-de-Dôme, 1897 – Orléans, 1962). Persuadé que « la littérature authentique est prométhéenne », G. Bataille fit de son œuvre « la mise en question (à l'épreuve), dans la fièvre et l'angoisse, de ce qu'un homme sait du fait d'être ». Converti au catholicisme, puis au marxisme, attiré par la sociologie et la psychanalyse, empruntant leur technique ascétique aux mystiques de l'Extrême-Orient, G. Bataille axa sur l'idée de transgression son interprétation de la société et de l'histoire (Cf. *Lascaux, ou la Naissance de l'art*, 1955), son expérience mystique et sa conception de la littérature (Cf. *La Littérature et le Mal*, 1957). Considérant la mort et la sexualité comme facteurs de désordre, la société les a frappés d'interdit, appelant ainsi la transgression dans les religions (par le sacrifice et l'orgie) ou la révolte chez les individus (la notion de plaisir chez Sade* ou Gilles de Rais). Cf. *La Part maudite*, 1947 et 1949. Dès lors, Bataille choisit « la voie ardue, mouvementée, celle de l'homme entier, non mutilé » : une trilogie, *Somme athéologique* (*L'Expérience intérieure*, 1943 ; *Le Coupable*, 1944 ; *Sur Nietzsche*, 1945), rend compte de cette expérience qui récuse toute présupposition morale, religieuse ou mystique (Cf. « l'hypermorale » de *L'Abbé C.*, 1950). Or « l'homme ignorant de l'érotisme n'est pas moins étranger, au bout du possible, qu'il ne l'est sans expérience intérieure ». Recherchant « l'outrance du désir..., la joie suppliciante » (*Histoire de l'œil*, 1928) jusqu'à cet extrême où la volupté et le dégoût coïncident et s'annulent (*Anus solaire*, 1927 ; *Alleluiah*, 1947 ; *Le Bleu du ciel*, 1935 et 1937 ; *Madame Edwarda*, 1937), Bataille demande à l'écriture d'être un moyen de provocation, une violence nécessaire, tendant à la limite à « substituer au langage une contemplation silencieuse, [celle] de l'être au sommet de l'être ». (Cf. *L'Impossible*, nouveau titre – 1962 – de *La Haine de la poésie*, 1947).

BATAK(S). *n. m. pl.* ♦ Groupe de peuples de langue indonésienne du nord de l'île de Sumatra* (Indonésie), dans la région du lac Toba (env. 1 300 000 hab.) composés d'agriculteurs sédentaires et itinérants. Leurs villages sont caractérisés par une architecture en bois particulière, à grands toits débordants.

BATALHA. ♦ V. du Portugal, en Estrémadure. 7 000 hab. Abbaye dominicaine de Santa Maria de Vittoria fondée en 1388 par Jean* Ier de Portugal pour célébrer sa victoire d'Aljubarrota* (1385).

BATANGAS. ♦ V. des Philippines, sur la baie du même nom à 90 km au S. de Manille (île de Luzon). 100 000 hab. Petites indus. agricoles et alimentaires.

BATAVE (République). ♦ Nom donné aux Pays*-Bas après la conquête par Pichegru* (1794-1795). Constituée en république démocratique, alliée de la France, elle fut officiellement proclamée indépendante par le traité de Presbourg* (1805). Napoléon Ier l'érigea en royaume de Hollande* en faveur de Louis Bonaparte* (1806-1810).

BATAVES. *n. m. pl.* ♦ Peuple germanique établi avant le ~ Ier s. dans l'île formée par les deux bras du Rhin à son embouchure, appelée *île des Bataves (insula Batavorum)*. Alliés des Romains, ils se révoltèrent pourtant contre Rome sous la conduite de leur chef Civilis* (69-70), mais furent vaincus par Vespasien*. Ils s'assimilèrent aux Francs* à la fin du IIIe siècle.

BATAVIA. ♦ Ancien nom donné par les Hollandais en 1619 au fort qu'ils élevèrent sur le site de la ville indonésienne de Djakarta*. Elle garda ce nom jusqu'en 1945, puis le reprit de 1946 à 1949.

Bateau-Lavoir *(Le)*. ♦ Nom donné à un ensemble de bâtiments situé à Montmartre et démoli en 1970. Habité par de nombreux artistes : Max Jacob*, A. Salmon*, Van Dongen*, P. Reverdy*, Modigliani*, Juan Gris*, Picasso* (de 1904 à 1909) et fréquenté par Apollinaire, M. Laurencin, M. Raynal, Vlaminck*, Dufy*, Gertrude et Léo Stein, Kahnweiler, on considère le Bateau-Lavoir comme l'un des centres d'éclosion du cubisme, car Picasso y peignit en 1907 les *Demoiselles d'Avignon* et son atelier devint vers 1908 le lieu de réunion des défenseurs du jeune mouvement.

BATÉKÉS. *n. m. pl.* ♦ Population noire des deux républiques du Congo (Congo-Brazzaville, Zaïre [ex-Congo-Kinshasa]) établie entre l'Alima et l'Ogooué*.

BATES (Herbert). ♦ Romancier anglais (né en 1905). Après avoir exploité le thème de la vie rurale (*The Poacher,* 1935), Bates écrivit des histoires de guerre : « Le plus grand peuple du monde » (*The Greatest people in the world,* 1942), « Comment dorment les héros » (*How sleep the Brave,* 1943). « La Noce » (*The Wedding Party,* 1965) fait songer à Tchekhov. Herbert Bates fait partie, avec Nigel Balchin*, du groupe des « conteurs d'histoires » *(tellers of tales).*

BATESON (William). ♦ Biologiste et généticien anglais (Whitby, 1861 – Merton, Surrey, 1926). Promoteur de la génétique en Angleterre, il vit dans les variations discontinues la cause essentielle de la formation d'espèces nouvelles (1894). Il redécouvrit et vérifia les lois de l'hérédité de Mendel par le croisement de plantes et d'animaux domestiques, étudia le phénomène des groupes de liaison de chromosomes *(linkage)* et introduisit en génétique les notions fondamentales d'allélomorphe, d'homozygote et d'hétérozygote (*Mendel's Principles of Heredity,* 1909).

BATESON (Gregory). ♦ Ethnologue américain (1904). Comme ceux de M. Mead, ses travaux furent marqués par l'influence de la psychanalyse (**V. Freud**).

BATH. ♦ V. d'Angleterre (Somerset) sur l'Avon. 82 800 hab. Station thermale connue depuis l'époque romaine *(Aquae Sulis)* dont il subsiste des bains du Iᵉʳ s. (découverts en 1755). Église abbatiale du XVIᵉ s. de style perpendiculaire. Au XVIIIᵉ s., Bath devint une ville d'eau à la mode. Les monuments de cette époque sont l'œuvre de John Wood et de son fils *(Pump Room, Royal Circus, Royal Crescent)* et de Robert Adam *(Pulteney Bridge).* Aujourd'hui, Bath demeure une station thermale fréquentée et un centre culturel (festival annuel). Patrie de William Perry* et d'Edgeworth*.

BÂTHIE (La). ♦ Comm. de Savoie (arr. d'Albertville), près de la r. dr. de l'Isère, en Tarentaise*. 1 690 hab. Centrale hydro-électrique souterraine, reliée au barrage de Roselend.

BATHILDE ou **BALTHILDE** *(sainte).* ♦ Esclave anglo-saxonne en Angleterre, v. 635 – abbaye de Chelles, 680). Elle devint, en 649, l'épouse de Clovis II dont elle eut trois fils : Clotaire III, Childéric II et Thierry III. Veuve en 657, elle fut nommée régente pendant la minorité de Clotaire III. Elle fonda l'abbaye de Corbie et l'abbaye de Chelles*, où elle se retira en 665.

BÁTHORY. ♦ Anc. famille hongroise de laquelle sont issus des princes de Transylvanie et Étienne* Iᵉʳ, roi de Pologne. ♦ CHRISTOPHE BÁTHORY (1530 – 1581). Prince de Transylvanie de 1575 à 1581. ♦ SIGISMOND BÁTHORY (1572 – Prague, 1613). Prince de Transylvanie (1581 à 1602). Reconnu prince héréditaire par l'empereur Rodolphe II en 1594, il abandonna la Transylvanie à l'empereur en 1596 puis la reprit en 1601 avant de la remettre définitivement aux Habsbourg en 1602. ♦ GABRIEL BÁTHORY (1589 – 1613). Prince de Transylvanie de 1608 à 1613. Il fut assassiné.

BATHURST. ♦ V. du Canada (Nouveau-Brunswick), au S. de la baie des Chaleurs. 10 292 hab. – Cathédrale catholique. Indus. du bois. Mines de cuivre, plomb, zinc (exploitées depuis 1963).

BATHURST. ♦ Cap. de la Gambie*, port sur l'Atlantique à l'entrée de l'estuaire de la Gambie*, situé sur une île reliée artificiellement à la terre ferme. 42 800 hab. Exportations d'arachides et d'huile de palme. – Appelée auj. BANJUL.

BATINAH (al) («le pays bas»). ♦ Plaine côtière du sultanat d'Oman (Etat des Émirats* arabes unis), située entre Mascate et Oman en bordure du golfe d'Oman* et au pied du massif montagneux du Hajar*. De climat chaud et humide, c'est néanmoins une région peu fertile.

Arch. Smeets

Masque peint **Batéké,** Congo. (Collection privée.)

BATIOUCHKOV (Constantin Nikolaievitch) [Batjuškov]. ♦ Poète russe (Vologda, 1787 – *id.,* 1855). Membre de l'Arzamas*, disciple de Karamzine*, il fut également très sensible à l'esprit « latin ». Il publia quelques élégies : *Le Tasse mourant* (1817), *À l'ombre d'un ami.* Il devint fou en 1822.

BATISTA (Fulgencio Batista y Zaldivar). ♦ Officier et homme politique cubain (Banès, Cuba, 1901 – 1973). Il joua un rôle prédominant dans le coup d'État militaire de 1933 et devint chef d'état-major, exerçant en fait le pouvoir. Élu président, évincé (1944), il organisa un nouveau coup d'État en 1952, se fit réélire président en 1954 et établit sa dictature. Il fut renversé par le mouvement révolutionnaire de Fidel Castro* en 1959.

BATLLE Y ORDOÑEZ (José). ♦ Homme politique uruguayen (Montevideo, 1856 – *id.,* 1929). Journaliste démocrate, chef du parti *colorado* (libéral), il fut président de la République de 1903 à 1907 et de 1911 à 1915. Ayant mis fin à la guerre civile (1904), il fut le modèle de l'homme d'État créole, probe et efficace, favorisant le progrès social et économique de son pays. Il réforma les institutions dans un sens démocratique et exerça une grande influence sur la vie politique de l'Uruguay.

BATNA. ♦ V. d'Algérie, ch.-l. du dép. et de l'arr. du même nom au pied du massif de l'Aurès*, 48 000 hab. Aux environs, célèbres ruines romaines. **V. Tazoult** (anc. Lambèse) et **Timgad.** *Dép. de Batna* (607 800 hab.) ou *des Aurès.* **V. Aurès.**

BATON ROUGE (nom donné par les Français d'après un cyprès rouge servant de bornage aux indiens). ♦ V. des États-Unis, capitale de la Louisiane* (depuis 1849), sur le Mississippi. 161 783 hab. Zone urbaine : 276 763 hab. *Centre indus. :* très importantes raffineries de pétrole *(Standard Oil);* caoutchouc synthétique, etc. – Université *(Louisiana State University).*

BATOUMI ou **BATUMI** ou **BATOUM.** ♦ V. d'U.R.S.S. (Géorgie), cap. de la République autonome d'Adjarie* et important port pétrolier sur la mer Noire, relié à Bakou* par chemin de fer et pipe-line. 101 000 hab. Raffinage de pétrole. Centrale électrique. Constructions mécaniques. Chantier naval. Indus. alimentaires. Terminus du chemin de fer transcaucasien. ♦ *Hist.* Anc. comptoir grec, puis station militaire romaine, disputée entre Géorgiens et Turcs (XVᵉ-XVIIIᵉ s.), Batoumi fut restitué à la Russie au traité de San* Stephano (1878).

BATROÛN. ♦ V. côtière du Liban, située au sud de Tripoli*. Port de pêche. Vestiges de l'époque romaine. Raffinerie de pétrole.

BATTAMBANG. ♦ V. du Cambodge*, située à l'O. du Tonle-sap* (30 000 hab.), ch.-l. de la prov. du même nom. (18 550 km²; plus de 550 000 hab.). Elle fut cédée au Siam en 1867 par le traité de Paris, rendue à la France en 1907, cédée par les Japonais au Siam en 1941 et finalement restituée au Cambodge en 1946. Centre commercial actif (bois, produits agricoles).

BATTERSEA. ♦ Quartier de l'O. de Londres, sur la r. d. de la Tamise, en face de Chelsea, en bordure du *Battersea Park.* Centrale thermique fournissant de l'électricité à la capitale.

BATTHYÁNY (Lajos, *comte de* **Németujvar).** ♦ Homme politique hongrois (Presbourg, 1806 – Budapest, 1849). Militant du Mouvement national hongrois, Batthyány ne souhaitait pas la rupture avec l'Autriche. Il fut président du Conseil du premier ministère hongrois de mars 1848, mais devant la politique anti-autrichienne de Kossuth*, il démissionna. Bien qu'il ait tenté de ménager une voie moyenne à la diète, il fut fusillé par les Autrichiens après l'échec de la révolution hongroise.

BATTÛTA. ♦ **V.** IBN BATTÛTA.

BATÛ QÂN. ♦ Chef mongol (v. 1207 – 1255), petit-fils de Temüjin* et fils de Jöchi* auquel il succéda comme qân de la Horde d'Or, de 1241 à 1245. Il conquit la Russie, l'Ukraine (Kiev*) et la Pologne et prit la ville de Pest en 1241 pour le compte d'Ögödei*.

BATY (Gaston). ♦ Directeur, metteur en scène et théoricien du théâtre (Pelussin, 1885 – *id.,* 1952). Disciple et associé de Firmin Gémier dans les débuts de sa carrière, il dirigea le théâtre Montparnasse (1930-1947). Influencé par l'expressionnisme allemand, il a très tôt affirmé la suprématie du décor et des éclairages, contestant aussi bien la primauté de l'acteur que celle du texte. Ses tentatives de réactualisation des classiques (*Phèdre,* 1940; *Bérénice,* 1946) le font apparaître comme un précurseur de Planchon, de Bourseiller et de Lavelli. Fondateur avec Dullin, Jouvet et Pitoëff du *Cartel des quatre* (1926), il a consacré les dernières années de sa vie aux théâtres de marionnettes.

BAT YAM. ♦ V. côtière d'Israël située dans la banlieue de Tel*-Aviv. 68 900 hab. en 1969. Ville en expansion.

BATZ [ba] *(île de).* ♦ Île de la Manche* formant une comm. du Finistère, arr. de Morlaix, en face de Roscoff. 965 hab. *(Batziens).* Station balnéaire. Cultures de primeurs; récolte du goémon, pêche.

BATZ-SUR-MER [ba]. ♦ Commune de la Loire-Atlantique (arr. de St-Nazaire). Station balnéaire à l'O. de Saint-Nazaire. 2 227 hab., hors saison. [*Batziens*]. Église Saint-Guénolé de style gothique flamboyant (XVᵉ-XVIᵉ s., restaurée au XIXᵉ s.). – Marais salants.

BAUCHANT (André). ♦ Peintre français (Château-Renault, 1873 – Montoire, 1958). Fils de vigneron, lui-même horticulteur, il commença à peindre durant la guerre et exposa au Salon d'automne en 1921. Remarqué par Le* Corbusier, Lipchitz* et Lurçat*,

Ph. Telarci/Giraudon

Baudelaire, par G. Courbet. (Musée Fabre, Montpellier.)

il eut droit à sa première exposition en 1927 et Diaghilev lui confia les décors du ballet de Stravinsky *Apollon musagète* (1927). Représentant de l'art naïf, classé comme peintre de la réalité populaire, il s'adonna au « grand genre », transposant avec ingénuité et fantaisie des sujets bibliques, mythologiques et historiques traités souvent dans une gamme de coloris clairs. Il peignit aussi des bouquets, paysages, scènes agrestes et portraits dans des tonalités plus vives. Son amour de la nature, une vision familière et aimable, le goût du détail minutieux, la maladresse du dessin et le sens des compositions ordonnées et amples concourent chez Bauchant à l'élaboration d'un univers poétique plein de saveur.

BAUCIS. ♦ V. PHILÉMON.

BAUD. ♦ Ch.-l. de cant. du Morbihan, arr. de Pontivy. 5 165 hab. *(Baudais).* Chapelle Notre-Dame-de-la-Clarté (XVIe s.); calvaire (XVIe s.). Conserves alimentaires. Aux environs, restes du château de Quinipily; chapelle Saint-Adrien (XVe s.), lieu de pèlerinage. Au sud de Baud, la forêt de Camors renferme des vestiges d'un camp romain et des mégalithes.

BAUDEAU (*abbé* Nicolas). ♦ Économiste français (Amboise, 1730 – Paris, 1792). Fondateur du recueil périodique *Éphémérides du citoyen* (1765), d'abord hostile aux physiocrates, il en adopta les thèses, développa et expliqua le système de Quesnay* dans *Première Introduction à la philosophie économique ou Analyse des États policés* et se fit défenseur de Turgot.

BAUDELAIRE (Charles). ♦ Écrivain français (Paris, 1821 – 1867). Sa mère s'étant remariée avec le commandant Aupick, alors qu'il n'avait que sept ans, l'enfant fut mis en pension et ressentit déjà un « sentiment de destinée éternellement solitaire ». Révolté contre sa bourgeoise famille qu'il scandalisait par sa vie de bohème, l'adolescent fut d'abord embarqué, pour dix mois, sur un voilier (rapportant de ce voyage à l'île Bourbon la nostalgie de l'exotisme), puis doté (1845) d'un conseil judiciaire. Dès lors, son dégoût du monde contemporain et un « spleen » profond (aggravé par l'angoisse morbide de l'impuissance créatrice et l'obsession de la vieillesse, puis de la mort) poussèrent le poète à rechercher l'évasion sous toutes ses formes, affichant « la supériorité aristocratique de son esprit » par un dandysme délibéré ou s'adonnant aux excitants et aux drogues. À la liaison avec la « Vénus noire », Jeanne Duval (dont maints poèmes célèbreront la « ténébreuse » beauté), répondit l'amour mystique pour Marie Daubrun, puis pour Mme Sabatier, « l'Ange gardien, la Muse, et la Madone ». Cependant, découragé, miné par la maladie et en proie aux difficultés matérielles, il partit pour la Belgique (1864) où le terrassèrent des troubles nerveux; après une année de paralysie et d'aphasie, il mourut à quarante-six ans. À sa mort furent publiés les *Petits Poëmes en prose* (ou *Le Spleen de Paris,* 1869) tentative originale pour adapter une prose « musicale sans rythme et sans rime [...] aux mouvements lyriques de l'âme », et un choix de ses articles, *L'Art romantique.* Des notes éparses furent groupées dans les *Journaux intimes* (*Fusées,* 1851; *Mon Cœur mis à nu,* 1862-1864). – C'est l'art surtout que Baudelaire chargea d'exprimer le conflit de l'âme moderne, déchirée par l'antagonisme de la chair et de l'esprit. Après avoir su, dans ses *Salons* (1845, 1846 et 1859) et divers articles réunis dans les *Curiosités esthétiques* (1868), défendre Delacroix* ou Constantin Guys*, comprendre le génie musical de R. Wagner*, et révéler Th. de Quincey* (*Les Paradis artificiels,* 1860), il découvrit en Edgar Poe* un génie fraternel et traduisit ses œuvres d'une manière admirable (1852-1865). – Mûri depuis quinze ans, son recueil poétique, *Les Fleurs* du mal* (1857; condamné par la justice impériale après un célèbre procès), manifesta le mieux « cet admirable, cet immortel instinct du beau qui nous fait considérer la terre et ses spectacles comme un aperçu, comme une correspondance du ciel ». Engagement mystique en même temps qu'esthétique, la démarche du poète est de retrouver dans la vie de tous les jours l'insolite, les signes sensibles d'un monde à la fois antérieur et idéal qui n'est pas soumis, comme le réel, c'est-à-dire la nature, à la fatalité du péché et à la nécessité de la souffrance. D'où cette œuvre obéissant, comme l'amour, à une double postulation satanique et angélique, où les images et les symboles sont renouvelés par le subtil réseau d'associations, de « correspondances », qu'ils portent. – Au service de cet « art pur », spirituel, Baudelaire met la « magie suggestive » d'un langage et d'une métrique très rigoureux, aussi étrangers pourtant au culte parnassien de la forme qu'à l' « art positif » des réalistes. Solitaire, mais solidaire des autres hommes qu'il convie « par la poésie et à travers la poésie » à entrevoir « les splendeurs situées derrière le tombeau », Baudelaire a énoncé les principes créateurs de la poésie moderne du symbolisme au surréalisme.

BAUDELOCQUE (Jean-Louis). ♦ Médecin accoucheur français (Heilly, Picardie, 1746 – Paris, 1810). Il contribua par ses travaux à faire de l'obstétrique une discipline scientifique (*L'Art des accouchements,* 1782). – LOUIS AUGUSTE BAUDELOCQUE, son neveu. Médecin accoucheur français (Paris, 1799 ou 1800 – 1863 ou 1864). Il mit au point un procédé opératoire pour la césarienne. – CÉSAR AUGUSTE BAUDELOCQUE, cousin germain de Louis-Auguste. Médecin français (Heilly, Picardie, 1795 – Paris, 1851). On lui doit des *Études sur les causes, la nature et le traitement de la scrofule (1833).* ♦ BAUDELOCQUE. Maternité parisienne (XIVe arr.) qui possède une chaire de clinique obstétricale.

BAUDIN (Nicolas). ♦ Marin et explorateur français (île de Ré, 1750 – Port-Louis, île de France, 1803). Le récit de son *Voyage de découverte aux terres australes* (Nouvelle-Hollande, Nouvelle-Galles du Sud, etc., 1800) à l'occasion duquel Gérando* formula un des premiers guides d'enquête ethnologique, fut publié par Péron et L. de Freycinet (1807).

BAUDIN (Alphonse). ♦ Médecin et homme politique français (Nantua, 1811 – Paris, 1851). Affilié à la Franc-Maçonnerie, député à l'Assemblée législative (1849), il fut tué sur une barricade le 3 décembre 1851 (disant, d'après la tradition, « Vous allez voir, citoyens, comme on meurt pour 25 francs par jour »).

BAUDIN (Louis). ♦ Économiste français (Bruxelles, 1887 – Paris, 1962). Il contribua à faire connaître la civilisation inca (*L'Empire socialiste des Incas,* 1928; *Les Incas du Pérou,* 1947). Représentant du néo-libéralisme, il a surtout étudié *La Monnaie et la formation des prix* (1947). Autres œuvres : *Précis d'histoire des doctrines économiques, Traité d'économie politique* (1947).

BAUDOIN DE COURTENAY (Jan). ♦ Linguiste polonais (Radzywin [Varsovie], 1845 – Varsovie, 1929). Il enseigna notamment à Cracovie (1893-1899) puis à Petersbourg (*auj.* Leningrad) [1900-1918]. Développant les acquisitions et montrant les limites de la phonétique expérimentale, il proposa de distinguer la phonétique « physique » (acoustique et physiologique) de la phonétique « psychologique » (fonctionnelle). Cette dernière ouvrait la voie à la phonologie, qu'allaient élaborer Troubetskoy* et Jakobson*.

BAUDOT (Anatole *de*). ♦ Architecte et théoricien français (Sarrebourg, 1834 – Paris, 1915). Élève de Labrouste, puis de Viollet*-le-Duc, il travailla à des restaurations de monuments anciens (château de Blois, cathédrales de Clermont, du Puy) et défendit les théories rationalistes et l'utilisation des techniques modernes. Il adopta le béton armé et, dans *Saint-Jean de Mont-*

Ph. Giraudon

A. Baudin à la barricade du Faubourg, par E. Pichio. (Musée Carnavalet, Paris.)

martre, premier édifice religieux construit entièrement selon cette technique, il créa des formes qui, bien qu'inspirées par l'architecture gothique, sont en partie dictées par le matériau (supports légers, surfaces unies, évidement des murs). En 1909, à Tulle, il édifia le premier théâtre en béton armé. Il publia *L'Architecture : le passé, le présent* et *L'Architecture et le béton armé.*

BAUDOT (Émile). ♦ Ingénieur français (Magneux, Haute-Marne, 1845 – Sceaux, 1903). Il fit breveter en 1874 le système de télégraphe multiple, rapide et imprimeur, qui porte son nom. **V. Hughes.**

BAUDOUIN. ♦ Nom de cinq rois de Jérusalem. ♦ BAUDOUIN Ier (1058 – el-Arich, 1118). Premier roi de Jérusalem (1100-1118). Frère de Godefroy* de Bouillon, il participa à la 1re croisade et devint comte d'Edesse (1098). À la mort de son frère, il devint roi de Jérusalem. Il prit Saint-Jean-d'Acre (1104), Beyrouth (1109) et Sidon (1110). ♦ BAUDOUIN II DU BOURG (mort en 1131), comte d'Édesse (1100-1118) et roi de Jérusalem (1118-1131). Cousin de Baudouin Ier, il vainquit plusieurs fois les musulmans devant Antioche, mais fut emprisonné par les Turcs (1124-1128) après la prise de Tyr. Il permit l'établissement des Templiers, gouverna la principauté d'Antioche à la mort de son gendre Bohémond* II (1129) et légua son royaume à son autre gendre Foulques* V d'Anjou. ♦ BAUDOUIN III (1129 – Beyrouth, 1163). Roi de Jérusalem (1143-1163). Fils de Foulques* V, il régna d'abord sous la régence de sa mère. Il défendit le royaume de Damas contre Nûr al-Dîn et épousa Théodora, nièce de Manuel Ier Comnène (1158). Il fit appel à Louis* VII de France et à Conrad* III de Germanie, ce qui aboutit à la 2e croisade (1147-1149). Il eut pour successeur son frère Amaury* Ier. ♦ BAUDOUIN IV, dit *le Roi lépreux* (1160 – 1185). Roi de Jérusalem (1174-1185). Fils d'Amaury* Ier, il vainquit Saladin* par deux fois (1176 et 1177) puis fit la paix en 1180. Il tenta d'associer au trône son beau-frère Guy de Lusignan en 1183, mais associa par la suite son neveu Baudouin V. ♦ BAUDOUIN V (v. 1179 – Acre, 1186). Fils de Guillaume de Montferrat et de Sybille, sœur de Baudouin IV, il succéda à ce dernier sous la tutelle de Jocelin III, comte d'Édesse.

BAUDOUIN. ♦ Nom de six comtes de Hainaut* dont BAUDOUIN Ier (Baudouin VI de Flandre), BAUDOUIN V (Baudouin VIII de Flandre) et BAUDOUIN VI (Baudouin IX de Flandre, empereur d'Orient sous le nom de Baudouin Ier).

BAUDOUIN. ♦ Nom de neuf comtes de Flandre* dont le premier fut BAUDOUIN Ier *Bras-de-Fer*, mort en 878. Il reçut de son beau-père Charles* le Chauve le comté de Flandre et fonda Bruges*. ♦ Son fils BAUDOUIN II *le Chauve* (mort en 919) fit assassiner Foulques*, archevêque de Reims. ♦ BAUDOUIN V *le Pieux* ou *de Lille*, comte de Flandre (1036 – 1067), gendre de Robert* le Pieux, fut le tuteur du jeune roi de France, Philippe* Ier. Son fils, BAUDOUIN VI *de Mons* réunit pendant trois ans (1067-1070) le Hainaut (où il régna sous le nom de Baudouin Ier) à la Flandre. ♦ BAUDOUIN IX, comte de Flandre (1194-1206). **V. Baudouin Ier**, empereur latin d'Orient.

BAUDOUIN Ier. ♦ (Valenciennes, 1171 – en Orient, v. 1206). Comte de Flandre sous le nom de Baudouin IX (1194-1206) et empereur latin d'Orient (1204-1206). Fils de Baudouin* VIII de Flandre (Baudouin V de Hainaut), il hérita à la mort de ce dernier (1195) de la Flandre et du Hainaut, puis en 1196 de Namur. Prince cultivé, il encouragea les lettres. Il participa à la quatrième croisade*, devint empereur de Constantinople et conféra à son rival Boniface de Montferrat*, le royaume de Thessalonique. Favorisant les Latins dans le gouvernement et l'administration, il se fit des ennemis des Grecs, qui se révoltèrent en 1205 avec l'aide des Bulgares. Vaincu et fait prisonnier à la bataille d'Andrinople (1205), il mourut peut-être prisonnier. Son frère Henri de Hainaut devint régent.

BAUDOUIN II DE COURTENAY. ♦ (1217 – 1273). Dernier empereur latin d'Orient (1228-1261). Fils de Pierre II de Courtenay, il succéda à son frère Robert de Courtenay, mais régna d'abord sous la tutelle de Jean* de Brienne qui devint son beau-père. Il chercha en vain des protections en Europe et fut chassé par Michel* VIII Paléologue.

BAUDOUIN Ier. ♦ (Bruxelles, 1930). Roi des Belges. Fils de Léopold* III, il devint roi en 1951, à la suite de l'abdication de son père. Il a épousé Fabiola* de Mora y Aragón en 1960.

BAUDOUR. ♦ V. de Belgique (Hainaut, arr. de Mons). 6 000 hab. Église (1515-1521). Houillères. Métallurgie. Faïencerie. Sources minérales.

BAUDRICOURT (Robert *de*). ♦ Capitaine royal de Vaucouleurs au temps de Jeanne* d'Arc, il lui donna une escorte pour se rendre à Chinon auprès du roi.

BAUDRIER (Yves). ♦ Compositeur français (Paris, 1906). Cofondateur, avec O. Messiaen*, A. Jolivet* et D. Lesur* du groupe *Jeune France* (1936), qui préconisait un « retour à l'humain » dans la musique, il est l'auteur d'une œuvre d'une grande fraîcheur de coloris, fréquemment inspirée par la Bretagne : poèmes symphoniques (*Raz de Sein,* 1935; *Le Grand Voilier,* 1939; *Le Musicien dans la cité,* 1946), une *Symphonie* (1945), mélodies et musiques de films (*La Bataille du rail,* 1946).

BAUDRIMONT (Alexandre Édouard). ♦ Chimiste français (Compiègne, 1806 – Bordeaux, 1880). On lui doit les premiers travaux sur les colloïdes.

Ph. Giraudon

Baudouin Ier : premier roi de Jérusalem. (Bibliothèque nationale, Paris.)

BAUER (Bruno). ♦ Critique et philosophe allemand (Eisenberg, 1809 – Rixdorf, près de Berlin, 1882). Représentant de la « gauche hégélienne » (**V. Hégélianisme**) par ses travaux de critique historique du christianisme (*Critique des faits contenus dans l'Évangile de saint Jean,* 1840; *Critique de l'histoire évangélique des synoptiques,* 1841; *Le Christianisme dévoilé,* 1843), ses thèses furent mises en question par Marx* et Engels*. Il est également l'auteur de nombreux ouvrages d'histoire.

BAUER (Otto). ♦ Homme politique autrichien (1882 – 1950). Leader réformiste du parti social-démocrate autrichien, il refusa pour son pays le modèle bolchevique, et admit la possibilité d'une révolution progressive dans la légalité constitutionnelle.

BAUGÉ. ♦ Ch.-l. de cant. du Maine-et-Loire, arr. de Saumur, dans le Baugeois*. 4 001 hab. Château de Yolande* d'Aragon, bâti en 1430, auj. hôtel de ville. Hôpital Saint-Joseph, abritant une pharmacie du XVIIIe siècle. Hôtels et maisons anc. – Marché agricole. Matériaux de construction. Matériel agricole.

BAUGEOIS. *n. m.* ♦ Petite région de l'O. de la France, pays de Baugé (**V. Anjou**).

BAUGES *(massif des).* n. m. pl. ♦ Plateau de Savoie* qui s'étend à l'E. d'Aix*-les-Bains. Limité à l'O. par le mont Revard*, il culmine à l'E. au sommet de l'Arcalod (2 217 m). Le massif est traversé du S.-E. au N.-O. par le Chéran*.

BAUHAUS (Das Staatliche Bauhaus) [« la maison de la construction »]. ♦ École d'architecture et d'art constituée en 1919 à Weimar par W. Gropius*, par la fusion et l'entière réorganisation de l'Académie des beaux-arts et de l'École des arts décoratifs. Elle fut transférée à Dessau en 1925 dans les bâtiments construits de 1925 à 1926 par Gropius. L'arrivée au pouvoir des nazis dans la province provoqua son déménagement à Berlin (1932) et finalement sa fermeture. Elle fut dirigée successivement par W. Gropius, H. Meyer (1927-1930) et Mies* Van der Rohe (1930-1933) et des artistes comme J. Itten, L. Feininger*, A. Meyer (dès 1919), P. Klee*, O. Schlemmer* (à partir de 1921), W. Kandinsky* (à partir de 1922), Moholy*-Nagy (1923) y enseignèrent. L'enseignement dispensé visait à intégrer l'architecture aux autres arts « majeurs » et « appliqués » en établissant une étroite collaboration entre l'artiste et l'artisan, il préconisait la création collective. S'appuyant sur un idéal socialiste, il tendait à remettre en cause la fonction de l'art par rapport à l'ordre social et à l'intégrer à la civilisation industrielle. Le Bauhaus accordait une grande place à l'expérimentation et à la création de prototypes d'objets usuels destinés à la standardisation. La liberté esthétique y était prônée mais ce furent l'abstraction géométrique, le rationalisme et le fonctionnalisme qui s'imposèrent, sous l'influence du constructivisme russe et du *stijl* hollandais. Les principes et les réalisations du Bauhaus jouèrent un rôle important dans le développement de l'art contemporain, notamment aux États-Unis, où plusieurs de ses anciens membres émigrèrent.

BAUHIN (Jean). ♦ Médecin et naturaliste suisse d'origine française (Bâle, 1541 – Montbéliard, 1613). Médecin du duc Ulrich de Wurtemberg, il lui dédia une *Encyclopédie botanique.* – Son frère, GASPARD BAUHIN, botaniste et anatomiste suisse (Bâle, 1560 – 1624) est surtout connu par ses travaux de botanique; il fut un des premiers à tenter de donner une classification naturelle des plantes. Il n'est pas certain que ce soit lui qui ait découvert la valvule iléo-cæcale (dite « valvule de Bauhin »).

BAULE-ESCOUBLAC (La). ♦ Comm. de la Loire-Atlantique, arr. de Saint-Nazaire, à l'O. de Saint-Nazaire. 13 528 hab. (11 962 aggl.) hors saison *(Baulois).* La Baule est l'une des grandes stations balnéaires de la côte atlantique, en voie de développement rapide. Port de plaisance.

BAULIG (Henri). ♦ Géographe français (Paris, 1877 – Ingwiller, 1962). Il s'est surtout spécialisé en géographie physique et affirma l'importance des variations eustatiques sur les formes du relief. (Tome XIII de la *Géographie universelle* de Vidal de La Blache; *Essais de géomorphologie,* 1950.)

BAUM (Vicki). ♦ Romancière américaine d'origine autrichienne (Vienne, 1888 – Hollywood, 1960). Elle passa toute son enfance à

Ph. Hétier

Les **Baux-de-Provence.**

Vienne et se destinait à la musique quand le succès d'un roman (1919) la fit se tourner définitivement vers la littérature. Auteur d'une œuvre abondante, facile et populaire, elle connut une notoriété considérable avec *Grand Hôtel* (*Menschen im Hotel*, 1929; porté à l'écran en 1930, avec Greta Garbo) et *Lac aux Dames* (1932) notamment. Elle quitta l'Allemagne en 1933 et s'installa à Hollywood (1939), adoptant la nationalité américaine. Nourris des souvenirs de ses nombreux voyages, des romans comme *Bombes sur Shanghaï, Sang et Volupté à Bali* et *Le Bois pleureur* (1943) présentent un agréable mélange de réalisme et d'humour.

BAUMANN (Oskar). ♦ Voyageur autrichien (Vienne, 1864 – 1899). Entre 1887 et 1893, il entreprit trois expéditions en Afrique-Orientale (en particulier d'Ousoumboura au Kilimandjaro) et découvrit la source de la rivière Kagera*.

BAUMÉ (Antoine). ♦ Pharmacien et chimiste français (Senlis, 1728 – Paris, 1804). Il inventa en 1768 l'aréomètre qui porte son nom. (Acad. sc., 1785.)

BAUMEISTER (Willi). ♦ Peintre et dessinateur allemand (Stuttgart, 1889 – *id.*, 1955). Condisciple de Schlemmer* à Stuttgart, il séjourna ensuite à deux reprises à Paris. D'abord influencé par le cubisme, il se rapprocha ensuite du constructivisme et du courant abstrait. Ses premières peintures murales (1919) attestent l'intérêt porté aux recherches d'effets plastiques, tirés des contrastes de texture et du mélange de matériaux (sable, colle, plâtre, éléments en relief). Dans son œuvre, aux orientations très diverses, on peut déceler une oscillation entre une abstraction rigoureusement géométrique et une expression plus libre qui s'apparente parfois à Klee*, Kandinsky* et Miró* : le recours à des symboles élémentaires, à des signes inventés où affleure le souvenir de caractères cunéiformes, instaure une écriture personnelle et sensible, où l'élégance du dessin se conjugue à un jeu limité d'harmonies colorées et de textures (*Deux Lanternes*, 1955). Classé par les nazis comme « artiste dégénéré », il poursuivit son œuvre dans la clandestinité et devint après la guerre professeur à Stuttgart.

BAUME-LES-DAMES. ♦ Ch.-l. de cant. du Doubs, arr. de Besançon, sur la r. d. du Doubs. 5 444 hab. *(Baumois).* Abbaye de Bénédictines fondée au VIIIe s. pour recevoir les femmes nobles; anc. église abbatiale (XVIe, XVIIe s.). Église Saint-Martin (XVIIe s.); hôpital de la Croix (XVIIIe s.); maisons anc. – Filature; tissage; fabrique de pipes.

BAUME-LES-MESSIEURS. ♦ Comm. du Jura, arr. de Lons-le-Saunier. 231 hab. Anc. abbaye fondée au VIe s. par saint Colomban (12 de ses moines fondèrent Cluny* en 910). Église abbatiale romane (XIIe s.).

BAUMGARTEN (Alexander Gottlieb). ♦ Philosophe allemand (Berlin, 1714 – Francfort, 1762). Il enseigna la philosophie à Halle et Francfort-sur-Oder. Disciple de Wolff*, il compléta le système de celui-ci par une *Esthétique.*

BAUMGARTNER (Wilfrid). ♦ Financier et homme politique français (Paris, 1902). Entré dans l'administration (1932), président-directeur général du Crédit national (1937), gouverneur de la Banque de France (1949), il fut nommé ministre des Finances et des Affaires économiques (cabinet Debré, 1960-1962), puis devint président-directeur général de Rhône-Poulenc (1963).

BAUNE (Eugène). ♦ Homme politique français (Montbrison, 1799 – Bâle, 1880). Ingénieur et journaliste, il fit partie de l'opposition républicaine sous la Restauration, adhérant à la Charbonnerie, puis sous la monarchie de Juillet. Il prit part aux journées insurrectionnelles d'avril 1834; emprisonné, il réussit à s'évader et passa en Belgique. Revenu en France, il joua un rôle actif au cours de la campagne des Banquets et de la révolution de 1848, et fut élu député à l'Assemblée constituante. Hostile à la politique de Louis Napoléon, il fut proscrit après le coup d'État du 2 décembre 1851 et vécut à Bruxelles puis en Suisse.

BAUR (Christian). ♦ Théologien protestant allemand (dans le Wurtemberg, 1792 – Tübingen, 1860). Influencé par Schleiermacher puis Hegel, il fut le chef de l'école de Tübingen, qui chercha à faire une analyse critique des premiers siècles de l'Église chrétienne *(Traité d'histoire dogmatique chrétienne,* 1847; *Histoire de l'Église aux trois premiers siècles,* 1853).

BAURÚ. ♦ V. du Brésil*, située dans l'État de São* Paulo. 110 900 hab. Industries textiles, alimentaires et mécaniques.

BAUTZEN. ♦ V. d'Allemagne orientale (R.D.A., Lusace, district de Dresde), sur la haute Sprée (r. d.). 43 853 hab. (1964). Centre industriel développé autour d'un bassin de lignite : métallurgie lourde, textiles. – Patrie du philosophe Lotze. ♦ *Hist.* Napoléon y défit les Russes et les Prussiens (20-21 mai 1813) après une bataille où se distingua Oudinot*.

BAUWENS (Lievin). ♦ Industriel belge (Gand, 1769 – Paris, 1822). Ayant réussi à passer en fraude d'Angleterre la nouvelle *mule-jenny* **(V. Crompton),** il installa à Gand plusieurs usines pour la filature du coton. Il devint maire de sa ville natale avec l'appui de Bonaparte.

BAUX-DE-PROVENCE (Les). ♦ Comm. et site des Bouches*-du-Rhône (arr. d'Arles*), sur un promontoire abrupt des Alpilles*. 295 hab. Ruines d'une cité médiévale dont les seigneurs jouèrent un grand rôle dans l'histoire de la Provence du Xe au XVe siècle. Plusieurs maisons Renaissance, église Saint-Vincent romane Manoir de la Tour de Brau (XIVe s.). – La *bauxite* fut découverte sur le territoire des *Baux* en 1821, d'où son nom.

BAVAY. ♦ Ch.-l. de cant. du Nord*, arr. d'Avesnes*-sur-Helpe. 3 592 hab. Vestiges d'une cité romaine qui fut l'une des plus importantes de la Belgique. Engrais; amiante; confiserie. – Patrie de Lemaire* des Belges.

BAVIÈRE [*n. f.*] en all. **Bayern.** ♦ Le plus étendu des *Länder* de l'Allemagne fédérale, dont il forme l'extrémité S.-E. 70 549 km². 10 058 600 hab. *Cap.* Munich*. Le *Land* de Bavière est formé des 7 districts de : Haute-Bavière (ch.-l. Munich), Basse-Bavière (ch.-l. Landshut), Souabe (ch.-l. Augsbourg), Haute-Franconie (ch.-l. Anspach), Basse-Franconie (ch.-l. Würzburg), Moyenne-Franconie (ch.-l. Nuremberg), et Haut-Palatinat (ch.-l. Ratisbonne). *V. princ.* **V. Amberg, Aschaffenburg, Bad-Kissingen, Bamberg, Bayreuth, Berchtesgaden, Cobourg, Dachau, Dettingen, Eckmühl, Ensheim, Erlangen, Freising, Furth, Garmisch-Partenkirchen, Höchstädt, Hof, Ingolstadt, Kempten, Lindau, Memmingen, Nördlingen, Nuremberg, Oberammergau, Passau, Schweinfurt, Weiden.** – *Orogr.* La Bavière est partagée en deux par le Danube qui la traverse d'O. en est. Au S. du Danube, on distingue les *Alpes de Bavière* comprenant le massif de l'Allgaü, les préalpes de Bavière, et les Alpes de Berchtesgaden, le long de la frontière suisse, se prolongeant en Autriche par les préalpes de Salzbourg. Larges de 15 km au maximum, elles s'étendent sur 250 km de long et culminent à 2 964 m au *Zugspitze** (point culminant de l'Allemagne) et sont coupées par des vallées (Iller) et des bassins (Garmisch, Berchtesgaden). Plus au S. se trouve le *plateau souabe-bavarois,* glacis traversé par les affl. r.d. du Danube (Iller, Lech, Isar, Inn) formant des vallées en éventail et des lacs (Ammersee, Starnbergsee, Chiemsee). La vallée du Lech (Lechfeld) marque la frontière avec la Souabe (incluse dans la Bavière jusqu'à l'Iller). Au N. du Danube, le *bassin souabe-franconien,* entre le Main et les affl. r. g. du Danube (Altmühl, Regen, Naab), est traversé par le *Jura franconien* et limité au N.-O. par les massifs hercyniens de *Spessart* et du *Rhön.* Le coin N.-E. de la Bavière est occupé par les massifs anciens du *Frankenwald* et du *Fichtelgebirge* (1 051 m au Schneegerb). À l'E., la *forêt de Bavière (Bayerischer Wald)* est prolongée le long de la frontière tchécoslovaque par la *forêt de Bohême (Böhmerwald)* et s'élève jusqu'à 1 400 m. – *Écon.* La vie agricole et pastorale a une grande importance : élevage laitier dans la zone alpine et sur le plateau bavarois, céréales et pommes de terre de la vallée du Danube et des plateaux du N., fruits et légumes, houblon, betterave sucrière de la vallée du Danube, vigne de la vallée du Main (autour de Würzburg) Raffineries de pétrole à Ingolstadt*. L'indus. de transformation mécanique, textile, chimique, alimentaire (brasseries), est localisée dans les grands centres urbains de Nuremberg, Munich, Augsbourg, Würzburg. Le tourisme est très développé dans les Alpes (Garmisch-Partenkirchen, Berchtesgaden), les lacs du S. de Munich et Bayreuth. ♦ *Hist.* Peuplée à l'origine de Celtes, occupée à partir de ~ 15 par les Romains, la région fut conquise au Ve et au VIe s. par des envahisseurs venus de Bohême* (Marcomans, Quades, Boïens*) qui constituèrent un État sous domination franque et prirent le nom de *Bajuvares.* Leur duc Tassilon* III tenta de s'affranchir de la tutelle de Pépin le Bref, mais Charlemagne le déposa en 788 et la *Bavière,* érigée en royaume en 814 par Louis* le Pieux, passa à Louis* II le Germanique en 817, puis à son fils Carloman* (865), qui eut à la défendre contre les ducs de Moravie. Redevenue un duché à la suite de l'extinction des Carolingiens allemands (911), elle entra en 947 dans la maison de Saxe* (qui lui donna notamment pour souverain [995] le futur empereur Henri* II le Saint), dans celle de Franconie, puis dans la maison des Guelfes* qui connut son apogée avec Henri* le Lion (*duc de Bavière* de 1156 à 1180). Ce dernier, mis au ban de l'Empire, fut dépossédé de son duché au profit du comte palatin Otton de Wittelsbach* dont la dynastie devait régner sur le pays jusqu'en 1918. La Bavière s'accrut en 1214 du Palatinat* rhénan et, sous l'empereur Louis* IV de Bavière (1314-1347), de considérables possessions qui se dispersèrent entre ses fils. L'un d'eux, ayant reçu en partage les comtés de Hollande et de Hainaut, fut le père de Jacqueline* de Bavière (1401-1436). Au XVIIe s., Maximilien* Ier le Grand (1573 – 1651), duc et électeur de Bavière, prit la tête de la Sainte Ligue* et combattit aux côtés de l'empereur contre les princes protestants durant la guerre de Trente* Ans. Le traité de Westphalie (1648), le maintint dans sa dignité d'électeur et lui conserva le Haut-Palatinat. Son petit-fils Maximilien* II Emmanuel se fit l'allié de Louis XIV dans la guerre de la Succession* d'Espagne. Battu à Blenheim* (1704) et à Ramillies* (1706), il se vit confisquer ses États jusqu'au traité de Rastatt (1714). Charles*-Albert eut l'appui de la France dans la guerre de Succession* d'Autriche (1740-1748) et se fit couronner empereur en 1742, mais, après la défaite de Dettingen* (1743), il fut chassé de ses États (1745). L'extinction de la ligne directe des Wittelsbach provoqua la guerre de Succession* de Bavière. La première coalition contre la France (1791-1797) porta la guerre en territoire bavarois en 1796 : Moreau* et Jourdan* s'avancèrent en plein cœur de la Bavière, mais durent battre en retraite après les victoires de l'archiduc Charles* d'Autriche. La victoire de Moreau à Hohenlinden* (1800), à l'E. de Munich, brisa la seconde coalition et poussa Maximilien* Ier Joseph de Bavière à s'attacher plus étroitement à la France à partir de 1801, ce qui lui valut, après les victoires de Soult et de Ney à Donauwörth* et à Elchingen* (1805), de s'accroître considérablement (traité de Presbourg*) et de recevoir le titre de *roi de Bavière*. En 1806, la Bavière entra dans la Confédération* du Rhin. La victoire d'Eckmühl* (1809) renforça encore l'alliance franco-bavaroise. Cependant, à la suite des désastres napoléoniens de 1813, la Bavière se rangea du côté des Alliés. Le traité de Vienne (1815) la confirma dans ses possessions et lui permit de s'agrandir à nouveau du Palatinat* rhénan. Après l'abdication de Louis* Ier, son fils aîné Maximilien* II monta sur le trône de Bavière (1848) tandis que le second, Othon*, était roi de Grèce depuis 1832. La Bavière fut du côté de l'Autriche dans la guerre austro-prussienne (1866) et alliée de la Prusse dans la guerre franco-prussienne. Par le traité de Versailles de nov. 1870, le *royaume de Bavière* entrait dans l'Empire allemand en conservant une certaine autonomie, mais la monarchie s'effondra le 7 nov. 1918 et, sous la république de Weimar, le pays, devenu *Land*, avait perdu la plupart de ses droits réservés. Il les perdit totalement lorsque le nazisme, né à Munich, triompha et que Hitler proclama l'avènement du IIIe Reich (1933). L'autorité y était désormais exercée par un *Statthalter*. Occupée par les Américains en 1945, la Bavière est devenue en 1949 l'un des dix *Lander* de la République fédérale allemande.

Ph. Gino Begotti/Ricciarini

Bavière : château de Linderhof.

BÂVILLE (Nicolas de Lamoignon, *de***).** ♦ Intendant français (Paris, 1648 – *id.*, 1724). À la tête de la généralité de Montpellier pendant plus de trente ans (1685-1718), il y acquit la réputation d'un administrateur efficace, mais il fut pour les protestants le « tyran du Languedoc », surnom mérité par sa férocité après la révocation de l'édit de Nantes* et pendant la guerre des Cévennes.

BAVON *(saint)*. ♦ Moine flamand (près de Liège, v. 589 – v. 657). Il a donné son nom à un ancien monastère qui fut le berceau de la ville de Gand*.

BAYAD (El-), anc. **Geryville.** ♦ Ch.-l. d'arr. d'Algérie (dép. de Saïda) au pied du versant N. du dj. Amour* en contact avec les hauts plateaux. 15 932 hab. Important marché de moutons.

BAYAR (Celâl). ♦ Homme d'État turc (Umurbey, près de Brousse, 1884 –). Spécialisé en économie, cadre de la *Deutsche Orient Bank*, il participa au gouvernement de Mustafa* Kemal après la Première Guerre mondiale. Il fut ministre de l'Économie nationale (1921-1937) et fonda la Banque Iş (1924) avant de devenir Premier ministre (1937-1939). Après avoir été vice-président du *Parti républicain du peuple* pendant la présidence de Mustafa Kemal, il le quitta et fonda le *Parti démocratique* (1945-1946). Élu à la présidence de la république (1950), réélu (1954), il fut renversé en mai 1960.

BAYARD (Pierre du Terrail, *seigneur de***).** ♦ Gentilhomme français (Bayard, près de Grenoble, v. 1475 – sur les bords de la Sesia*, Milanais, 1524). Après s'être distingué dès l'âge de vingt ans à Fornoue* (1495) sous Charles* VIII, il contribua, sous Louis* XII, à la conquête du Milanais (1499-1500), s'illustra en défendant le pont du Garigliano* contre les Espagnols (1503), et en battant les Vénitiens à Agnadel* (1509). Blessé au siège de Brescia* (1512), il fut pris par les Anglais en Picardie (1513); mais, bientôt relâché, il accompagna François* Ier en Italie et prit une part décisive à la victoire de Marignan* (1515). Après les défaites de l'amiral de Bonnivet*, Bayard fut mortellement blessé en couvrant la retraite au passage de la Sesia à Romagnano (1524). Il est passé dans la légende sous le surnom de *chevalier sans peur et sans reproche*.

BAYARD *(col)*. ♦ Passage des Alpes dauphinoises entre la vallée du Drac* (Champsaur*) et celle de la Durance* à 7 km au nord de Gap* (Hautes-Alpes*). 1 249 m.

BÂYAZÎD. Nom de sultans ottomans (en fr. **Bajazet**). ♦ BÂYAZÎD Ier (1354 – 1403). Sultan ottoman (1389-1402). Fils et successeur de Murat* Ier, il acheva la conquête de la Serbie, de la Thessalie et de la Bulgarie (1394). Il vainquit à Nicopolis* l'armée des croisés occidentaux envoyés au secours des Byzantins (1396). Il prit Athènes et semblait prêt à s'attaquer à Constantinople, mais fut attaqué à son tour, battu et fait prisonnier par Tamerlan (Tîmûr*i Lang à Ankara en 1402. ♦ BÂYAZÎD II (1447 – 1512). Arrière-petit-neveu du précédent, il fut sultan de 1481 à 1512. Battu en Égypte et en Hongrie, il battit à son tour les Vénitiens avant de signer la paix avec eux (1502). Son fils Sélim* le fit déposer par les janissaires.

BAYBARS Ier (Al-Malik al-Zâhir Rukn al-Dîn al-Sâlihi). ♦ Sultan mamelouk* bahrite d'Égypte (Kiptchak, Turkestan, 1223 – Damas, 1277). Esclave vendu à Damas, il fut envoyé en Égypte où il fit partie de la garde personnelle du sultan ayyubide* Malik* al-Sâlih. Il retourna en Syrie où il remporta sur les Mongols la victoire d'Ain Djalût (1260). Revenu en Égypte, il exécuta le sultan Qutuz et se fit proclamer sultan par les chefs militaires. Pour légitimer son ascension au pouvoir il fit appel à un descendant 'abbâside et le reconnut comme calife. Celui-ci le proclama à son tour sultan. Après une activité diplomatique qui lui assura la neutralité de Byzance et des Saljuqides* d'Anatolie, il mena l'offensive contre les croisés en Syrie. Il prit successivement Césarée (1265), la forteresse des Templiers à Safad (1266), Jaffa (1268) et le Crac des Chevaliers (1271). Les croisés durent appeler à l'aide les Mongols. Baybars se résigna alors à signer une trêve de dix ans (1272) et s'appliqua à soumettre la secte des Assassins*. En Égypte, il installa une administration efficace, restaura plusieurs forteresses, améliora le réseau routier et le système d'irrigation. Il est le héros d'un roman populaire, la *Sirat al-Malik al-Zâhir*.

BAYDHAWI ('Abd Allâh ibn 'Umar). ♦ Écrivain persan (Baydhâ, région de Chîrâz – [mort] à Tabriz, 1286). Qadhî (juge) à Chîrâz, il écrivit en arabe un des plus célèbres commentaires du Coran (*Anwâr al-Tanzîl wa asrâr al-ta 'wil* « les lumières de la Révélation et les secrets de l'interprétation »). Il rédigea en persan un important précis d'histoire universelle (*Nizâm al-Tawârikh*, « l'ordre dans les annales »).

BAYEL. ♦ Comm. de l'Aube, arr. de Bar-sur-Aube. 1 353 hab. Église en partie du XIIe siècle. Verrerie fondée au XVIIe s. *(cristalleries de Champagne)*.

BAYEN (Pierre). ♦ Chimiste français (Châlons-sur-Marne, 1725 – Paris, 1798). Organisateur de la pharmacie militaire française, il combattit, avant Lavoisier*, la théorie du phlogistique (V. Stahl) et, avant Priestley*, prépara, sans le savoir, de l'oxygène en chauffant l'oxyde rouge de mercure [1774]. (Acad. sc., 1795.)

BAYERN. ♦ V. BAVIÈRE.

BAYET (Albert). ♦ Professeur et publiciste français (Lyon, 1880 – Paris, 1961). Professeur de sociologie à la Sorbonne, auteur d'ouvrages où il tenta d'établir une science des faits moraux (*Le Suicide et la Morale*, 1922; *La Science des faits moraux*, 1925), il fut un des animateurs de la presse radicale-socialiste, en particulier lors de la Deuxième Guerre mondiale où il fut président de la Fédération de la presse clandestine. Président de la Fédération nationale de la presse après la Libération, et de la ligue de l'Enseignement (1945-1959).

BAYEUX. ♦ Sous-préf. du Calvados*, ch.-l. d'arr. (6 cant., 133 comm., 58 761 hab.), sur l'Avre. 12 871 hab. (*Bayeusins* ou *Bajocasses*). Ville ancienne aux nombreux monuments. La cathédrale Notre-Dame, en grande partie du XIIIe s., est très représentative du style gothique normand; la tour centrale de style flamboyant est du XVe siècle. La bibliothèque, dans un bâtiment du XVIIIe s., renferme la broderie de la reine Mathilde* (dite *tapisserie de Bayeux)*. Exécutée sur une bande de toile longue de 70,34 m, haute de 50 cm environ, elle représente la conquête de l'Angleterre par les Normands en 58 scènes d'une grande beauté plastique: elle daterait de 1077. Évêché. – Marché agricole, indus. alimentaires. – Patrie de A. de Caumont*, A. Chartier*, Mlle George*. ♦ *Hist.* Bayeux fut la capitale gauloise des Bajocasses, puis une ville romaine et un évêché important; c'est l'ancienne capitale du Bes-

Ph. Hétier

Une tour du temple de **Bayon.**

sin*. Ce fut la première ville de France à être libérée par les Alliés le 7 juin 1944, et l'une des moins éprouvées par la guerre.

BAYLE [bɛl] **(Pierre).** ♦ Critique et philosophe français (Carlat-Bayle, Ariège, 1647 — Rotterdam, 1706). Élevé dans la religion calviniste, converti au catholicisme en 1668, il revint à la foi protestante dès 1670 et émigra à Genève. Professeur de philosophie à Sedan (1675), il s'installa à Rotterdam en 1681 et y enseigna également l'histoire. Dans ses *Pensées diverses* [*sur*] *la Comète de 1680* (1682) il abordait, sous prétexte de récuser la superstition, des questions de métaphysique et de théologie, et séparait nettement la morale de la religion, réclamant la liberté de conscience et même celle d'être athée. Après s'être attaqué aux adversaires de la Réforme dans sa *Critique de l'histoire du calvinisme du P. Mainbourg* (1682) et avoir lancé un journal littéraire mensuel (publié en Hollande), les *Nouvelles de la république des lettres* (1684 à 1687), il publia un pamphlet en faveur de la liberté civile, *La France toute catholique sous le règne de Louis le Grand* (1685), qui lui aliéna les protestants eux-mêmes, notamment son ancien ami Pierre Jurieu*, et le contraignit à quitter sa chaire. Il se consacra désormais à son monumental *Dictionnaire historique et critique* (4 vol.; 1695-1697), conçu au départ pour corriger celui de Moreri*, et qui devint un examen critique des dogmes et des traditions. Bayle y mettait sa prodigieuse érudition au service d'une argumentation habile en faveur de la tolérance (la hardiesse de sa pensée s'exprimant indirectement sous forme de commentaires, méthode reprise dans *L'Encyclopédie*). Adoptant une conception rationaliste de la religion, il critiquait l'autorité et légitimait le libre examen, puis la liberté de pensée. Cette apologie de la tolérance connut un énorme succès et exerça une forte influence sur la pensée philosophique du XVIIIᵉ s.; elle fait de P. Bayle un précurseur de la critique historique moderne.

BAYLE (Gaspard Laurent). ♦ Médecin français (Vernet, Provence, 1774 — 1816). Ses travaux sur la tuberculose contribuèrent aux progrès de la médecine clinique et de l'anatomie pathologique. — Antoine Laurent Jessé BAYLE, son neveu. Médecin français (Vernet, 1799 — Paris, 1858). Élève de Laennec, il travailla à la Maison des aliénés de Charenton. Il décrivit les symptômes de la paralysie générale progressive *(maladie de Bayle).*

Bayon. *n. m.* ♦ Immense temple central de la cité d'Angkor*-thom, au Cambodge*, élevé à la fin du XIIᵉ s. par Jayavarman* VII, caractérisé par de nombreuses « tours à visages », et des galeries aux murs ornés de splendides bas-reliefs illustrant les conquêtes du roi et des scènes de la vie quotidienne. L'édifice est construit en grès sans ciment.

BAYONNE. ♦ Sous-préf. des Pyrénées*-Atlantiques, ch.-l. d'arr. (13 cant., 125 comm., 209 050 hab.) au confluent de l'Adour* et de la Nive*, 45 175 hab. *(Bayonnais).* — Cathédrale Sainte-Marie (XIIIᵉ-XVIᵉ s.), cloître du XIVᵉ s., château; maisons anciennes, remparts construits par Vauban. Musée basque, musée Bonnat*. Évêché. — Sur une distance de 6 km entre l'embouchure de l'Adour* et la ville, s'étend le port de Bayonne **(V. *aussi* Boucau),** dont le développement a été accéléré par l'exploitation du gaz naturel de Lacq (trafic annuel de 1 917 000 tonnes, 12ᵉ port français); exportation de soufre, de maïs, importation de fer, de houille, de manganèse. Les indus. s'échelonnent entre Bayonne et le Boucau*. Indus. métallurgique, chimique, constructions navales, indus. du bois, du cuir. Jambon renommé. Centre de tourisme important. — Patrie de Fr. Bastiat*, L. Bonnat*, Fr. Cabarrus*, J. Delay*, J. Du Vergier* de Hauranne, J. Garat*, J.B. Jauréguiberry*, J. Laffitte*, Ch. Lavigerie*. ♦ *Hist.* Ancien *Lapurdum* des Gallo-Romains, quartier général de la prov. de Novempopulanie, *Bayonne* (« rivière bonne ») fut un temps la capitale de la vicomté de Labourd*, vassale du duc de Gascogne* puis du duc de Guyenne*. Après le mariage d'Aliénor*, duchesse d'Aquitaine, avec Henri Plantagenêt (1154), elle vécut trois siècles sous la domination anglaise jusqu'à la prise de la ville par Dunois en 1451. Au XVIIᵉ s., la ville est un centre de fabrication d'armes blanches et donne son nom à la *baïonnette.* En 1808, une *entrevue* y eut lieu entre Napoléon Iᵉʳ et les souverains espagnols qui abdiquaient en faveur de Jérôme, frère de l'empereur. L'affaire Stavisky* (1934) débuta à Bayonne.

BAYREUTH. ♦ V. d'Allemagne occidentale (Bavière, Haute-Franconie), sur le Roter Main, au fond d'une vallée située entre le Fichtelgebirge et le Frankenwald. 62 600 hab. Porcelaines. ♦ *Hist.* Au XVIIIᵉ s., Bayreuth eut un certain éclat comme résidence des margraves de *Brandebourg-Bayreuth* qui firent construire l'opéra margravial, le Nouveau Château, l'Ermitage. Le rayonnement de Bayreuth s'estompa en 1791 avec son rattachement à la Prusse. Mais la ville connut un nouveau rayonnement grâce à Richard Wagner* qui y fit construire, avec l'aide du roi Louis II de Bavière, un théâtre modèle, inauguré en 1876 avec l'*Anneau des Niebelungen.* Depuis 1882, Bayreuth est devenu le centre international de l'opéra wagnérien (festival annuel).

BAZAINE (François Achille). ♦ Maréchal de France (Versailles, 1811 — Madrid, 1888). Après avoir servi en Algérie et en Espagne contre les carlistes, il fut promu général, se distingua lors de la guerre de Crimée* (prise de Sébastopol), puis au cours de la campagne d'Italie (victoire de Solférino, juin 1859). En 1862, il fut envoyé au Mexique* où il fut nommé commandant en chef en remplacement de Forey* et fait maréchal (1864). Ayant épousé une Mexicaine, il intrigua, en partie sous son influence, pour évincer l'empereur Maximilien. Disgracié quelque temps à son retour en France, il fut néanmoins nommé commandant de la Garde impériale par Napoléon III (1869). Commandant en chef de l'armée française en Lorraine lors de la guerre de 1870 contre la Prusse, il se replia sur Metz* sans tenter d'établir la jonction avec l'armée de Châlons, commandée par Mac-Mahon. Voulant exploiter la reddition de Napoléon III et la chute de l'Empire (4 sept. 1870), il tenta de négocier avec Bismarck et l'impératrice; mais il fut finalement contraint de capituler (27 oct. 1870). En 1873, il fut condamné à mort pour trahison par le conseil de guerre. Mais sa peine fut commuée en 20 ans de prison; ayant réussi à s'évader de Sainte-Marguerite, il passa en Espagne où il termina sa vie (*Épisodes de la guerre de 1870 et blocus de Metz,* 1883).

BAZAINE (Jean). ♦ Peintre français (Paris, 1904). Sa première exposition personnelle eut lieu en 1932 et en 1941 il organisa l'exposition *Jeunes Peintres de tradition française* dont les répercussions furent importantes. Malgré leur titre descriptif ou anecdotique, ses œuvres perdirent progressivement tout aspect identifiable. Cependant, il a toujours refusé l'étiquette d'« abstrait » (*Notes sur la peinture d'aujourd'hui,* 1948-1953 et 1955). Soucieux de se référer au réel, il affirme : « ... Ce que je peins est l'aboutissement d'une émotion que j'ai éprouvée devant la nature ». Transposant celle-ci, il crée un jeu de rythmes plus ou moins serrés établis à partir de « lignes de force » et d'éléments colorés peu modelés qui forment un réseau irrégulier, leur caractère graphique tendant à disparaître progressivement au profit d'un jeu de touches de couleurs denses, morcelées, juxtaposées ou fondues (*La Clairière,* 1951). S'intéressant à l'art monumental, il a aussi réalisé des vitraux (*chapelle d'Assy,* 1944-1946) et des mosaïques.

BAZARD (Armand). ♦ Socialiste français (Paris, 1791 — Courtry, 1832). Fondateur de la Charbonnerie* en France, il devint avec Enfantin* (dont il se sépara en 1831) un des principaux propagateurs du saint-simonisme **(V. Saint-Simon)** dont il exposa et développa les thèmes dans *Le Producteur* et *Le Globe.*

BAZAS. ♦ Ch.-l. de cant. de la Gironde*, arr. de Langon*. 5 199 hab. *(Bazadais).* Anc. cathédrale Saint-Jean-Baptiste (XIIIᵉ-XVIIᵉ s.). Maisons anciennes.

BAZEILLES. ♦ Comm. des Ardennes, arr. de Sedan. 1 379 hab. *Château de Bazeilles* (XVIIIᵉ s.). Une division d'infanterie de marine y fut vaincue par les Bavarois, qui s'en emparèrent le 1ᵉʳ sept. 1870, exerçant de terribles représailles sur la population.

BAZILLE (Frédéric Jean). ♦ Peintre et dessinateur français (Montpellier, 1841 — Beaune-la-Rolande, 1870). À Paris, il abandonna ses études de médecine pour se consacrer à la peinture. Dans l'atelier de Gleyre, il se lia avec Monet*, Renoir*, Sisley* et alla peindre avec eux à Fontainebleau. Il soutint financièrement ses amis et se trouva lié à la formation de l'impressionnisme. Son art doit beaucoup à Manet*. Dans ses portraits et scènes familières, il a le goût des couleurs claires, des formes nettes et le sens du volume. Il témoigne d'une certaine naïveté dans son dessin un peu sec et dans le caractère de ses expressions mais son sens très subtil de la lumière le fait considérer comme un des initiateurs de l'impressionnisme (*Réunion de famille,* 1867).

BAZIN (René). ♦ Écrivain français (Angers, 1853 — Paris 1932). Il fut professeur de droit à la faculté catholique d'Angers (1875-1890), collabora à la *Revue des Deux-Mondes* (1890) par des articles qui montrent son inquiétude devant le destin des civilisations et acquit une grande notoriété auprès de la bourgeoisie française catholique par des romans marqués de son attachement aux valeurs traditionnelles. *Le Blé qui lève* (1907) et *Davidée Birot* (1912) connurent un vif succès; et plus encore les ouvrages qui évoquent avec sensibilité la vie des paysans et les liens qui les unissent à leur propriété (*La Terre qui meurt,* 1899) ou aux traditions religieuses et patriotiques de leur terroir [*Les Oberlé,* 1901; *Les Nouveaux Oberlé,* 1919]. (Acad. fr.)

BAZIN (Jean-Pierre HERVÉ-BAZIN, dit **Hervé).** ♦ Écrivain français (Angers, 1911). Petit-neveu de René Bazin*, il se désolidarisa de la bourgeoisie dont il était issu. Auteur de nombreux recueils de poèmes, dont *Jour* (prix Apollinaire 1947), Hervé Bazin a acquis la notoriété avec son œuvre romanesque, réquisitoire corrosif contre la société bourgeoise ou manifestation pudique de la « secrète sympathie [qui l'] unit à tous les irréguliers » (G. Raillard). Révolté contre tous les pouvoirs sociaux de coercition (*La Tête contre les murs,* 1949), féroce pour attaquer l'autorité maternelle (*Vipère au poing,* 1948, et *La Mort du petit cheval,* 1950), audacieux dans sa peinture de l'inceste (*Qui j'ose aimer,* 1956), il évoqua aussi avec émotion l'énergie morale d'une jeune paralytique (*Lève-toi et marche,* 1952) et, surtout, les rapports de l'enfant et de l'adulte (*Au nom du fils,* 1961).

BAZIN (André). ♦ Critique français de cinéma (Angers, 1918 – Nogent-sur-Marne, 1958). Fondateur, avec Jacques Doniol-Valcroze, des « Cahiers du cinéma » (1952), il a exercé, jusqu'à l'extrême limite de ses forces, par la parole et par l'action, une influence féconde sur la jeune génération de cinéastes (Truffaut, Godard, Resnais, Chabrol) qui allait former la « Nouvelle Vague ». Théoricien passionné, il a publié de nombreux articles et quelques livres (*Qu'est-ce que le cinéma?* 1958-1961).

BAZOIS. *n. m.* ♦ Région de plaine, entre le Morvan* et les plateaux bourguignons, dégagée dans les marnes liasiques. Dans la dépression qu'emprunte le canal du Nivernais*, coule l'Aron*. Pays d'élevage associé souvent à la culture.

BAZY (Pierre). ♦ Chirurgien français (Sainte-Croix-de-Volvestre, Ariège, 1853 – Paris, 1934). Auteur de nombreux travaux sur les maladies des voies urinaires. *Maladie de P. Bazy* : hydronéphrose congénitale intermittente (Acad. sc., 1921). ♦ LOUIS BAZY, son fils. Chirurgien français (Paris, 1883 – 1960). Président de la Croix-Rouge française, il fut également un des promoteurs de la vaccination antitétanique. (Acad. sc., 1952.)

B.B.C. (Sigle de la *British Broadcasting Corporation*). ♦ Office national qui a reçu en 1927 le monopole de la radiodiffusion britannique. La B.B.C. est responsable devant le Parlement mais elle jouit en réalité d'une très grande indépendance vis-à-vis des pouvoirs publics. Elle a été pendant la Seconde Guerre mondiale l'organe officiel de la propagande alliée et a apporté un soutien permanent à la Résistance contre l'occupation allemande dans les pays conquis par Hitler.

BEACHY HEAD, en fr. **Béveziers** (côte sud de l'Angleterre, Sussex). ♦ Tourville* y remporta une victoire sur la flotte anglaise (1690); mais celle-ci parvint à prendre la fuite.

BEADLE (Georges Wells). ♦ Biochimiste américain (Wahoo, Nebraska, 1903 –). Ses travaux de génétique lui valurent, ainsi qu'à E.L. Tatum* et J.L. Lederberg, le prix Nobel de méd. (1958). Opérant sur une variété de champignon *(Neurospora),* il découvrit l'action chimique régulatrice des gènes dont chacun assure la formation d'un enzyme commandant une réaction (*Genetic control of biochemical reactions in Neurospora,* 1941, avec E.L. Tatum).

BEARDSLEY (Aubrey Vincent). ♦ Dessinateur, graveur, affichiste, peintre et écrivain anglais (Brighton, 1872 – Menton, 1898). En 1891, il fut encouragé par Burnes-Jones*. Jeune dandy, atteint de tuberculose, il acquit vite une grande réputation dans les milieux décadents : il illustra *La Mort d'Arthur,* de Malory (1892), la *Salomé* d'O. Wilde (1894), réalisa de nombreuses affiches et devint le directeur artistique du *Yellow Book,* magazine symboliste voué à l'Art Nouveau, puis collabora au *Savoy Magazine.* Il illustra de dessins érotiques *Lysistrata* et l'œuvre de Juvénal et écrivit *L'Histoire de Vénus* et *Tannhäuser*. Inspiré par les estampes japonaises, il avait un sens original de la composition, faisant souvent dominer les masses noires uniformes et jouer en de savantes arabesques un trait elliptique proche de la préciosité, au service d'une imagination sensuelle, parfois morbide. Il eut une profonde influence sur les dessinateurs de l'époque 1900.

BÉARN. *n. m.* ♦ Anc. prov. du S.-O. de la France qui a formé, avec le Pays basque*, le dép. des Basses-Pyrénées (auj. Pyrénées*-Atlantiques). Cap. *Pau.* Hab. *Béarnais.* Limitée au N. par les Landes* (Chalosse*) et l'Armagnac*, au S. par l'Espagne, à l'O. par la Soule* et à l'E. par la Bigorre*, elle couvre l'arr. de Pau* et celui d'Oloron*-Sainte-Marie (à l'exception des cant. de Mauléon et de Tardets). **V. Pyrénées-Atlantiques.** ♦ *Hist.* Après avoir subi les invasions des Wisigoths, des Francs et des Vascons, le *Béarn* fut érigé en vicomté v. 820 et eut successivement pour capitale Lescar*, Morlaas* (v. 841), Orthez* (1194) et enfin Pau* (1464). Vassal du duc de Gascogne*, puis du duc de Guyenne*, le Béarn parvint à se rendre à peu près indépendant du roi d'Angleterre au XIIIᵉ siècle. Passé par mariage (1290) au comte de Foix*, il ne cessa de lutter contre l'Armagnac*, durant tout le XIVᵉ s., notamment sous Gaston* III, dit Phébus. L'union de l'héritière de Foix-Béarn avec Archambault de Grailly* (1381) allait bientôt faire du vicomte de Béarn un roi de Navarre* : Gaston* IV de Foix ayant épousé (1436) Éléonore* d'Aragon, future reine de Navarre, leur petit-fils monta sur le trône en 1479. Sa sœur, Catherine, lui succéda en 1483 et épousa Jean d'Albret* (1484), qui devint roi de Navarre sous le nom de Jean* III. La maison d'Albret conserva le titre royal durant tout le XVIᵉ s., malgré l'annexion de la haute Navarre à la Castille. Henri II d'Albret, roi de Navarre, épousa en 1527 Marguerite* d'Angoulême, sœur de François Iᵉʳ, et du mariage (1548) de sa fille Jeanne* d'Albret avec Antoine* de Bourbon, descendant de Saint-Louis, naquit Henri, dit le *Béarnais,* futur roi de Navarre (1572) et, sous le nom d'Henri* IV, roi de France (1589-1610). Cependant, le *Béarn* ne fut réuni à la Couronne qu'en 1594 et la publication de l'édit de réunion n'eut lieu qu'en 1620 sous Louis XIII.

Béatitudes (Les). ♦ Oratorio de César Franck (1869-1879) composé sur un livret de Mme Colomb. Exécutée pour la première fois à Dijon (1891), cette œuvre se présente sous la forme de huit cantates liées entre elles par un leitmotiv qui apparaît dès le prologue. D'une inspiration généreuse, orchestrée avec maîtrise, elle exprime une foi candide et rayonnante.

BEATNIKS. *n. m. pl.* ♦ Membres d'un mouvement de révolte spontanée contre l'« american way of life», apparu à San Francisco et à Los Angeles après 1950. Ce mouvement, qui prône l'exaltation du moi, se réclame d'Henry Miller*, D.H. Lawrence*, Rimbaud*, Faulkner* et a pour précepte : « Lâchez tout! Partez sur les routes! ». Il est représenté en littérature par Allen Ginsberg* et Jack Kerouac*.

BÉATRICE (Beatrice PORTINARI). ♦ Dame italienne (Florence, v. 1265 – *id.,* 1290). Dante* la rencontra « presque au commencement de sa neuvième année... » et elle lui inspira un amour durable. Il la célébra dans *La Vita nuova* et dans les sonnets des *Canzoniere.* Mariée en 1288, la *Gentilissima* mourut en 1290. Concevant désormais sa passion comme une source de dépassement mystique, le poète fit de Béatrice son intercesseur dans la quête du salut : elle apparaît aux Chants XXX et XXXI du *Purgatoire* de *La Divine* Comédie* comme l'emblème de la sagesse guidant l'âme vers le domaine divin.

BEATTIE (James). ♦ Poète et philosophe écossais (Laurencekirk, Écosse, 1735 – Aberdeen, 1803). Auteur du poème *Le Ménestrel* (2 vol. 1771-1774) qui contient de beaux passages descriptifs,

Arch. Smeets

A.V. Beardsley : Isolde, illustration publiée dans «The Studio ».

il dut sa réputation comme philosophe à un ouvrage dirigé contre Hume*, *L'Essai sur la vérité* (1770).

BEATTY (David). ♦ Amiral britannique (Borodale, Irlande, 1871 – Londres, 1936). Il s'illustra à la bataille du Jutland* (1916). Il devint premier lord de l'Amirauté (1919-1927).

BEAUBOURG *(le Plateau).* ♦ Espace, situé dans le quartier des Halles à Paris, où est édifié le *Centre national d'art et de culture G. Pompidou* (musée d'art moderne, centre de recherches acoustiques [IRCAM], cinémathèque, théâtre, salle de lecture, centre de création industrielle), inauguré le 31 janvier 1977.

BEAUCAIRE. ♦ Ch.-l. de cant. du Gard* (arr. de Nîmes*) à la jonction du Rhône et du canal du Rhône à Sète. 12 856 hab. [l'aggl. compte 23 693 hab. avec Tarascon]. *(Beaucairois).* Le château, bâti aux XIIIe et XIVe s. sur un promontoire escarpé, entaillé de carrières, a été démantelé par Louis XIII (chapelle romane, donjon). Église Saint-Paul (XVe s.). Hôtel de ville (1679 à 1683). – Commerce du vin; distilleries. Indus. alimentaires (brasseries). Bonneterie. Cimenterie. Exploitation de pierre de taille. Indus. liée à l'aménagement hydro-électrique sur le Rhône. ♦ *Hist.* Au Moyen Âge la ville appartint aux comtes de Toulouse, en 1271 elle fut réunie à la couronne avec le Languedoc*. La *foire de Beaucaire* fut instituée en 1277 par Raymond VI, comte de Toulouse.

BEAUCE. *n. f.* ♦ Région du Bassin parisien, entre la vallée de l'Eure au N., les dépressions du Hurepoix* et du Gâtinais* à l'E., le Val de Loire au S. et les collines du Perche* à l'O. (hab. : *Beaucerons*). Elle couvre une grande partie de l'Eure*-et-Loir, le N. et le N.-E. du Loiret* et une partie du Loir*-et-Cher. Vaste plateau recouvert d'une épaisse couche limoneuse, la Beauce a une vocation essentiellement céréalière (blé, maïs, orge) mais d'autres types de culture (betterave à sucre, pomme de terre) prédominent dans certaines exploitations. – On appelle *petite Beauce* la région située entre les vallées de la Loire et du Loir et qui comprend le Dunois (Châteaudun), le Blésois (Blois) et le Vendômois (Vendôme). *V. princ.* **V. Artenay, Auneau, Blois, Bonneval, Brétigny, Brou, Chartres, Châteaudun, Étampes, Illiers, Janville, Loigny-la-Bataille, Maintenon, Marchenoir, Mer, Patay, Pithiviers, Vendôme, Voves.**

BEAUCE. *n. f.* ♦ Comté du Québec (Canada) en bordure de l'État du Maine (États-Unis). 62 300 hab. Anc. seigneurie dont les premiers colons venaient de la Beauce orléanaise. Ch.-l. *Beauceville.*

BEAUCHAMP (Charles Louis). ♦ Danseur, maître de ballet et chorégraphe français (Versailles, 1636 – Paris, 1719). Issu d'une famille de musiciens et de danseurs, il fut nommé directeur de l'Académie royale de danse et régla les divertissements de plusieurs œuvres de Molière *(La Princesse d'Élide, Monsieur de Pourceaugnac, Le Bourgeois gentilhomme).* Il composa la partition de la première comédie de Molière, *Les Fâcheux**, ainsi que sa partie chorégraphique. Surintendant des ballets du roi, il régla les parties dansées des principaux opéras et tragédies lyriques de Lully* (*Cadmus et Hermione*, 1672; *Alceste*, 1674; *Thésée*, 1682). Maître à danser de Louis XIV, il parut aux côtés du roi dans *Le Triomphe de l'Amour.* Il a fixé les règles de la danse française noble.

BEAUCHAMP. ♦ Ch.-l. de cant. du Val-d'Oise, arr. de Pontoise. 6 324 hab. Constructions mécaniques; matières plastiques.

BEAUCHASTEL. ♦ Comm. de l'Ardèche (arr. de Privas), au S. de Valence. 1 146 hab. Usine hydro-électrique.

Beaucoup de bruit pour rien *(Much ado about nothing).* ♦ Comédie en cinq actes de Shakespeare*, écrite v. 1598, dont le titre est passé en proverbe. La pièce, basée sur le thème de la substitution de personnes, repose plus sur les jeux verbaux que sur une intrigue habilement construite. Du naturel à la recherche et de la farce au lyrisme, elle construit l'univers déconcertant propre à la comédie shakespearienne.

BEAUCOURT. ♦ Comm. du Territoire de Belfort*, près de la frontière suisse. 4 924 hab. Constructions mécaniques; horlogerie.

BEAU DE ROCHAS (Alphonse). ♦ Ingénieur français (Digne, 1815 – mort en 1893). Inventeur du cycle à quatre temps qui porte son nom (1862) applicable à un moteur consommant un mélange carburé air-essence enflammé en vase clos. **V. Lenoir, Otto.**

BEAUDIN (André). ♦ Peintre, dessinateur, graveur et sculpteur français (Mennecy, 1895). Il étudia à l'École des arts décoratifs, voyagea en Italie, subit l'influence de Matisse* et fut surtout profondément marqué par le cubisme à la suite de sa rencontre avec Juan Gris. En effet, il rechercha toujours une organisation spatiale élaborée. Il traita des thèmes très variés : *natures mortes, dormeurs, chevaux, oiseaux, plantes, ponts de Paris, fleuves,* mais dans ces œuvres l'objet et la figure humaine tendent à disparaître ou sont réduits à un ensemble de lignes de force, de contours décoratifs, de plans colorés avec finesse. Il a décoré le plafond de l'église Saint-Jean-Marie-Vianney à Rueil et a illustré de nombreux ouvrages (de Ponge, Éluard, etc.).

BEAUDOUIN (Eugène). ♦ Architecte et urbaniste français (Paris, 1898). Il réalisa avec Lods* la *cité du champ des oiseaux* (Bagneux, 1931-1932) et l'*école de plein air* de Suresnes (1935) où furent utilisés systématiquement les éléments préfabriqués. Il éleva de nombreux bâtiments administratifs collectifs (*résidence universitaire d'Antony,* 1954) ainsi que des grands ensembles d'habitations économiques. Il conçut divers plans d'urbanisme et des plans régionaux d'aménagement du territoire et est l'un des auteurs du plan d'ensemble de *Maine-Montparnasse* à Paris.

BEAUFORT. ♦ Branche de la maison de Lancastre*. ♦ JEAN DE BEAUFORT (mort en 1409), fils de Jean* de Gand. ♦ HENRI (en angl. *Henry*) BEAUFORT (v. 1374-1377 – Winchester, 1447) fils également de Jean de Gand et frère d'Henri* IV d'Angleterre. Après avoir été lord-chancelier (1403-1404), il fut évêque de Winchester (1405) et cardinal (1426). Il participa au concile de Constance et fit élire Martin V (1417). Ce fut lui qui couronna Henri VI roi de France et d'Angleterre à Paris (1431). ♦ MARGARET BEAUFORT, nièce d'Henry comtesse de Richmond et Derby (Bletslhoe, Bedford, 1443 – ? 1509). Elle épousa Edmond Tudor et fut la mère d'Henri* VII.

BEAUFORT. ♦ Famille française issue de Gabrielle d'Estrées* faite duchesse de *Beaufort* par Henri* IV. Son petit-fils FRANÇOIS DE BOURBON-VENDÔME, *duc de Beaufort,* fils cadet de César de Vendôme* (Paris, 1616 – Candie, 1669), fut l'un des chefs de la Fronde*. Sa popularité lui valut le sobriquet de *roi des Halles.* S'étant soumis, il se vit confier le commandement d'une flotte contre les Barbaresques qu'il battit deux fois (1665). Il périt lors du siège de Candie* (1669).

BEAUFORT ou **BEAUFORT-SUR-DORON.** ♦ Ch.-l. de cant. de la Savoie*, arr. d'Albertville*, sur le Doron. 2 072 hab. [685 aggl.] *(Beaufortains).* Centrale hydro-électrique. À proximité, barrage de Roselend. – *Massif de Beaufort,* situé au N. de la Tarentaise.

BEAUFORT-EN-VALLÉE. ♦ Ch.-l. de cant. du Maine-et-Loire arr. d'Angers, dans le Val d'Anjou. 3 623 hab. (224 aggl.). [*Beaufortais*]. Vestiges d'un château (XIVe-XVe). Église des XVe-XVIe s.

BEAUFORTIN. *n. m.* ♦ Partie de la vallée du Doron située autour de Beaufort.

BEAUGENCY. ♦ Ch.-l. de cant. du Loiret, arr. d'Orléans, sur la r. d. de la Loire. 5 904 hab. *(Balgenciens). Abbatiale Notre-Dame* (XIIe s., remaniée au XVIIe s. et au début du XXe) et vestiges des bâtiments conventuels. *Église Saint-Étienne,* romane. Château du XIIIe s. Hôtel de ville (XVIe s.) Vestiges de l'enceinte. Pont sur la Loire, en partie du XIIIe siècle. – Patrie de Jacques-Alexandre Charles*.

BEAUHARNAIS (Alexandre, *vicomte de*). ♦ Général français (Fort-Royal, Martinique, 1760 – Paris, 1794). Il épousa en 1779 Joséphine* Tascher de La Pagerie dont il eut deux enfants : Eugène et Hortense. Il participa à la guerre d'Indépendance américaine, puis, député de la noblesse aux États* généraux, il fut président de l'Assemblée* constituante. Général en 1792, il refusa d'être nommé ministre de la Guerre. Accusé d'avoir mal défendu Mayence en 1793, il fut condamné à mort et guillotiné.

BEAUHARNAIS (Eugène *de*). ♦ (Paris, 1781 – Munich, 1824). Fils d'Alexandre et de Joséphine, il accompagna Bonaparte, son beau-père depuis 1796, dans ses campagnes d'Italie et d'Égypte. Il devint général en 1804, prince d'Empire et vice-roi d'Italie en 1805. Il se distingua en Russie et à Lützen* (1813); puis, après avoir défendu jusqu'au bout l'Italie contre les Alliés, il se réfugia à Munich chez Maximilien Ier de Bavière dont il avait épousé la fille Augusta en 1809; en 1817, son beau-père le fit duc de Leuchtenberg et prince d'Eichstätt.

BEAUHARNAIS (Hortense *de*). ♦ Reine de Hollande (Paris, 1783 – Arenenberg, 1837). Fille d'Alexandre et de Joséphine, elle fut mariée contre son gré par son beau-père Bonaparte à Louis Bonaparte en 1802. L'union fut malheureuse. Elle devint reine de Hollande en 1806; après l'abdication de son mari en 1810, elle se sépara de lui et tint un brillant salon à Paris. Lors de la Première Restauration, Louis* XVIII la fit duchesse de Saint-Leu; exilée lors de la Seconde Restauration, elle s'installa en Suisse (1817) au château d'Arenenberg. De son union avec Louis naquirent Napoléon-Charles en 1802, Napoléon-Louis en 1804, Charles-Louis Napoléon en 1808; ce dernier, seul survivant, devint Napoléon III D'une liaison avec le comte de Flahaut, elle eut un fils en 1811, le futur duc de Morny*. Elle a laissé des « Mémoires ».

BEAUHARNOIS. ♦ Petite V. (8 125 hab.) et comté du Canada (Québec). Indus. du papier, de l'aluminium. – À proximité, grande centrale hydro-électrique sur le Saint-Laurent.

BEAUJEU (Anne *de*). ♦ **V.** ANNE DE FRANCE.

BEAUJEU. ♦ Ch.-l. de cant. du Rhône*, arr. de Villefranche*-sur-Saône. 2 372 hab. *(Beaujolais).* Anc. cap. du Beaujolais*.

Arch. Smeets

A. Beaudin : « Les oiseaux crient », 1933. (Musée d'Art moderne, Paris.)

BEAUJOLAIS. *n. m.* ♦ Région qui forme la bordure orientale du Massif central, entre la Loire* et la Saône*, au S. des monts du Charolais* et du Mâconnais* et au N. des monts du Lyonnais*. On y distingue la *côte,* pays de vignoble qui surplombe la vallée de la Saône, et la *montagne,* elle-même divisée en deux zones, les *monts du Beaujolais,* dominés au N. par le mont Saint-Rigaud (1 012 m) et, à l'O. de l'Azerguès*, les *monts de Tarare*,* qui s'étendent des Écharmaux* aux sources de la Brévenne, près de Chazelles*-sur-Lyon. Le Beaujolais couvre une partie des dép. du Rhône* (arr. de Villefranche*-sur-Saône) et de la Loire*. Vins renommés : brouilly, chénas, chiroubles*, fleurie*, juliénas*, morgon, moulin-à-vent (Romanèche*-Thorins), saint-amour. etc. — *V. et localités princ.* **V. Amplepuis, Anse, Beaujeu, Belleville, Lamure-sur-Azergues, Tarare, Thizy, Villefranche-sur-Saône.** ♦ *Hist.* Le Beaujolais forma à partir du Xe s. une seigneurie indépendante, fief des sires de Beaujeu*, vassaux directs du roi. Cédé à la maison de Bourbon* en 1400, il échut en 1456 à Pierre, sire de Beaujeu, qui épousa Anne* de France (1474), fille de Louis XI et devint le 7e duc de Bourbon* en 1488 sous le nom de Pierre II. Leur fille, épouse du connétable Charles III de Bourbon*, étant morte sans enfant (1521), le *Beaujolais* fut attribué à Louise* de Savoie, mère de François Ier, puis aux Bourbon-Montpensier* (1560) et enfin à la maison d'Orléans*, à la mort de la Grande Mademoiselle **(V. Montpensier).** Villefranche*-sur-Saône en était devenue la capitale en 1532. Le comté faisait partie du gouvernement du Lyonnais* à la veille de la Révolution.

BEAUJOYEUX (Baldassarino di Belgioioso, dit **Balthazar** *de*). ♦ Danseur, maître de ballet et chorégraphe français d'origine italienne (Piémont, déb. XVIe s. — 1587). Introduit avec sa troupe par le maréchal de Brissac, il fit à la Cour de France une brillante et longue carrière. Violoniste et chorégraphe, il est l'auteur du célèbre *Ballet comique de la reine* (1581), premier ballet de Cour où se conjuguent les influences du goût italien et de l'humanisme lettré des poètes de la Pléiade.

BEAULIEU-LÈS-LOCHES. ♦ Comm. de l'Indre-et-Loire, (arr. de Loches) sur la r. d. de l'Indre. Anc. église abbatiale du XVe s., avec clocher du XIIe siècle. Anc. bâtiments abbatiaux (XVIe-XVIIIe s.). Anc. église Saint-Laurent (XIIe s.). — Confection, chaussures.

BEAULIEU-SUR-DORDOGNE. ♦ Ch.-l. de cant. de la Corrèze*, arr. de Brive-la-Gaillarde, sur la Dordogne*. 1 794 hab. *(Bellocois).* Église romane, anc. abbatiale bénédictine.

BEAULIEU-SUR-MER. ♦ Comm. des Alpes*-Maritimes (arr. de Nice*). 4 050 hab. *(Berlugans).* Station balnéaire.

BEAUMANOIR (Philippe de Rémi, *sire de*). ♦ Célèbre jurisconsulte français (Beauvaisis, 1246 — Pont-Sainte-Maxence, 1296). Bailli de Clermont (Oise), puis sénéchal de Poitou, il est l'auteur d'un grand ouvrage juridique sur les *Coutumes de Beauvaisis* et de plusieurs œuvres poétiques.

BEAUMANOIR (Jean *de*). ♦ Maréchal de Bretagne (? — 1366 ou 1367). Partisan de Charles* de Blois, il combattit contre les Anglais durant la guerre de la Succession de Bretagne (1341-1364) et fut l'un des héros du combat des Trente*, près de Ploermel (1351). Fait prisonnier avec Du Guesclin à la bataille d'Auray (1364), il négocia ensuite le traité de Guérande* qui mit fin à la guerre (1365).

BEAUMARCHAIS (Pierre Augustin CARON *de*). ♦ Écrivain et auteur dramatique français (Paris, 1732 — *id.,* 1799). Fils d'un horloger, professeur de harpe des filles de Louis XV, juge des délits de braconnage sur les terres royales, il est introduit, grâce à la protection du financier Paris-Duverney, dans le monde de la finance et des affaires. Un procès qui l'oppose au comte de La Blache, héritier de Paris-Duverney, lui vaut une subite notoriété, car il lui offre l'occasion d'accuser publiquement de vénalité un de ses juges, le conseiller Goëzmann. Fondateur de la Société des auteurs dramatiques (1777), il fait publier à Kehl une édition monumentale des œuvres de Voltaire. Devenu marchand d'armes au bénéfice des insurgés d'Amérique, il quitte la France durant la Terreur pour n'y rentrer qu'en 1796. Aventurier sans scrupules, libertin, sa réputation littéraire serait médiocre si elle ne se fondait que sur deux drames bourgeois, *Eugénie** (1767) et *Les Deux Amis* (1770), une comédie-ballet orientalisante, *Tarare* (1787), et une « comédie larmoyante » plus originale, *La Mère coupable* (1792). Deux chefs-d'œuvre où l'auteur est tout entier présent par le génie de l'intrigue, celui de la réplique étincelante, l'allégresse du rythme, lui assurent une gloire durable, *Le Barbier de Séville* (1775) et *Le Mariage* de Figaro* (1784). Demeurée six ans interdite par la censure, la seconde de ces comédies devait, à la veille de la Révolution, apparaître comme la manifestation la plus éclatante de la primauté longtemps méprisée du Tiers État, de son intelligence et de son bon droit. Avec Figaro*, la revendication des opprimés est formulée pour la première fois sur une scène française. Elle sonne le glas d'une société établie sur des hiérarchies et des privilèges de classe.

BEAUMARIS. ♦ Ch.-l. du comté d'Anglesey* (pays de Galles). 2 000 hab. Station balnéaire à l'entrée du *détroit de Menai.* Château de la fin du XIIIe siècle. Aux environs, vestiges du culte druidique, ruines préhistoriques et restes d'une abbaye bénédictine du XIIIe siècle.

BEAUMES-DE-VENISE. ♦ Ch.-l. de cant. du Vaucluse* (arr. de Carpentras*). 1 484 hab. *(Balméens).* Muscat réputé.

BEAUMESNIL [bomɛnil]. ♦ Ch.-l. de cant. de l'Eure* (arr. de Bernay*), dans le pays d'Ouche*. 588 hab. — Château du XVIIe siècle.

BEAUMETZ (Jean de) [bomɛ]. ♦ Peintre originaire de la Flandre (sans doute de Cambrai, connu de 1370 à 1396). Il travailla à Paris au service du roi à partir de 1371, puis fut appelé à la cour de Bourgogne et devint le peintre de Philippe le Hardi en 1376. Il fut notamment chargé de diriger les travaux décoratifs de la *Chartreuse de Champmol,* peignit sans doute la voûte de la chapelle (1388) et entreprit l'exécution des tableaux de chevalet destinés aux vingt-six cellules des moines. Deux *crucifixions* sur fond d'or où figure un chartreux agenouillé feraient partie de cet ensemble : on y dénote les influences conjuguées de l'art siennois, des miniaturistes parisiens et de l'art flamand (recherche de l'expression dramatique). Il influença les peintres travaillant dans la région et fut l'un des premiers représentants de l'école bourguignonne.

BEAUMONT (Francis). ♦ Dramaturge anglais (Grâce-Dieu, Leicestershire, 1584 — Londres, 1616). Collaborateur de John Fletcher*, il est le créateur d'une forme dramatique proche du mélodrame, où l'ingéniosité de l'intrigue et la fantaisie charmante du romanesque portent rarement atteinte à la qualité très fine de la psychologie. Œuv. princ. : *La Tragédie de la jeune fille* (*The Maid's Tragedie,* 1609), *Un roi sans être roi* (*A King and no King,* 1610), *Le Chevalier au pilon ardent* (*The Knight of the Burning Pestle,* 1611), *La Belle Dédaigneuse* (*The Scornful Lady,* 1616).

BEAUMONT (Christophe *de*). ♦ Prélat français (château de La Roque, près de Sarlat, 1703 — Paris, 1781). Archevêque de Paris en 1746, il lutta contre les jansénistes et les philosophes. Son mandement contre l'*Émile* de J.-J. Rousseau* lui attira de ce dernier la *Lettre à M. de Beaumont* (1762) où Rousseau revendique avec force la liberté d'examen à l'égard de la religion.

Ph. Hétier

Beaune : hospice.

BEAUMONT. ♦ V. et port fluvial des États-Unis (Texas). 155 716 hab.; zone urbaine 313 100 hab. C'est le second port pétrolier du Texas et le principal centre pétrolochimique (raffineries parmi les plus grandes du monde). Constructions navales.

BEAUMONT. ♦ Comm. du Puy*-de-Dôme, dans l'aggl. de Clermont-Ferrand. 6 930 hab. Église Saint-Pierre (XIIe-XIIIe s.).

BEAUMONT ou **BEAUMONT-DU-PÉRIGORD.** ♦ Ch.-l. de cant. de Dordogne*, arr. de Bergerac*. 1 220 hab. *(Beaumontois).* Église du XIIIe siècle.

BEAUMONT-DE-LOMAGNE. ♦ Ch.-l. de cant. du Tarn*-et-Garonne (arr. de Castelsarrasin*), sur la Gimone. 4 038 hab. [2 951 aggl.]. *(Beaumontois).* Église fortifiée du XIVe siècle. Halles du XVe siècle. Place à arcades. Confection. — Patrie de P. de Fermat*.

BEAUMONT-LE-ROGER. ♦ Ch.-l. de cant. de l'Eure*, sur la Risle* (arr. de Bernay). 2 903 hab. Église Saint-Nicolas des XIVe, XVe et XVIe siècles. Ruines du prieuré de la Trinité (XIIIe s.). — Frappe de monnaie.

BEAUMONT-SUR-OISE. ♦ Ch.-l. de cant. du Val-d'Oise, arr. de Pontoise, sur l'Oise. 7 644 hab. (l'aggl. dépasse 20 000 hab. avec Persan*, etc.). Église Saint-Laurent (XIIe, XIIIe s.) avec une tour Renaissance. Vestiges d'un château du XIIIe siècle. — Cimenterie, confection.

BEAUMONT-SUR-SARTHE. ♦ Ch.-l. de cant. de la Sarthe, arr. de Mamers. 2 098 hab. (1 682 aggl.) [*Belmontais*]. Château en ruine. Hôtel des gouverneurs (XVIe s.). Vestiges de l'ancienne enceinte.

BEAUNE. ♦ Sous-préf. de la Côte-d'Or, ch.-l. d'arr. (10 cant., 197 comm., 83 608 hab.) en bordure de la côte de Beaune, en Bourgogne. 17 377 hab. *(Beaunois).* Beffroi. Hôtel de la Rochepot (1522). Célèbre hôtel-Dieu, fondé en 1443 par le chancelier Rolin*, magnifique spécimen d'architecture civile bourguignonne (art burgondo-flamand); musée contenant des œuvres flamandes dont le célèbre polyptyque du *Jugement dernier* de Van der Weyden*. Église Notre-Dame (XIIe-XVe s.) de style roman clunisien. Tapisseries de la vie de la Vierge. Musée du vin de Bourgogne dans l'hôtel des ducs de Bourgogne. — Capitale viticole de la Bourgogne (vente aux enchères des vins des Hospices). Station œnologique. Fabrique de matériel vini-viticole; tonnellerie. Matières plastiques. Indus. électroniques. Imprimeries. — Patrie de É.-J. Marey*, de G. Monge*. ♦ *Hist.* Ch.-l. du *Pagus Belnensis* sous la domination romaine, la ville fut rattachée à la Bourgogne en 1227 et à la Couronne en 1478. Elle fut au XVIe s. une place forte de la Ligue **(V. Bourgogne,** *hist.***).**

BEAUNE *(côte de).* ♦ Région de grands crus de la Bourgogne, qui s'étend en Côte*-d'Or, au S. de la côte de Nuits. Elle comprend les communes d'Aloxe*-Corton, Pernand, Savigny, Beaune*, Pommard*, Volnay*, Monthélie, Auxey-le-Grand, Meursault*, Puligny*-Montrachet, Chassagne*-Montrachet, Santenay. **V. Bourgogne** *(vins de).*

BEAUNE-LA-ROLANDE. ♦ Ch.-l. de cant. du Loiret, arr. de Pithiviers, sur les rives de la Rolande. 1 878 hab. *(Beaunois).* Église (XIIIe-XVIe s.). — Sucrerie; distillerie.

BEAUNEVEU (André). ♦ Sculpteur, peintre et miniaturiste (Valenciennes, v. 1330 — Bourges, entre 1403 et 1413). Il fut l'un des artistes les plus célèbres de son époque. Après avoir travaillé en Flandre (v. 1360), puis à Valenciennes, il fut chargé par le roi Charles V des tombeaux de *Philippe VI* et de *Jean le Bon* pour Saint-Denis; il sculpta leur visage d'après les moulages pris sur leur cadavre et pour le *Gisant de Charles V* manifesta le même souci réaliste en prenant comme modèle le roi âgé de vingt-sept ans. Il travailla aussi en Angleterre (1366), à Courtrai pour le comte de Flandre (de 1374 à 1376) et se fixa à Bourges à partir de 1368, travaillant pour Jean de Berry (décoration du *château de Mehun-sur-Yèvres* et *Psautier de Jean de Berry,* v. 1384). Ce dernier comporte vingt-quatre figures en grisaille; les visages y sont modelés avec finesse et se détachent sur des fonds colorés à caractère décoratif. On attribue à Beauneveu les statues du pilier d'Amiens aux formes amples et nobles.

BEAUPRÉAU. ♦ Ch.-l. de cant. du Maine-et-Loire, arr. de Cholet, en Anjou. 5 317 hab. (3 897 aggl.). Château des XVe-XVIe s., remanié au XVIIIe, Maisons anc. — Aliments pour animaux. Importante manufacture de chaussures. Industrie du bois.

BEAUREPAIRE. ♦ Ch.-l. de cant. de l'Isère* (arr. de Vienne*). 3 709 hab. *(Beaurepairois).* Emballages métalliques; laiterie.

BEAUSOLEIL. ♦ Ch.-l. de cant. des Alpes*-Maritimes (arr. de Nice*). 14 144 hab. *(Beausoleillais).* Station hivernale.

BEAUSSET (Le). ♦ Ch.-l. de cant. du Var* (arr. de Toulon*). 2 722 hab. *(Beaussetans).* Chapelle romane Notre-Dame-de-Beauvoir. Vignobles. — Patrie de Portalis*.

BEAUTÉ *(château de).* ♦ Anc. résidence royale construite vers 1375 au lieu dit Beauté-sur-Marne (entre Nogent*-sur-Marne et Vincennes*) par Charles V qui y mourut en 1380. Charles VII l'offrit à Agnès Sorel* (1448) qui prit ainsi le surnom de *dame de Beauté.* Louis XIII le fit raser en 1622.

BEAUTEMPS-BEAUPRÉ (Charles François). ♦ Ingénieur hydrographe français (La Neuville-au-Pont, Marne, 1766 — Paris, 1854). Il fit partie de l'expédition d'Entrecasteaux* (1791) au cours de laquelle il releva et dressa les plans des côtes de l'océan Pacifique*. Les travaux dont il fut chargé sous l'Empire et la Restauration lui valurent le surnom de *père de l'hydrographie.* [Acad. sc., 1810.]

BEAUTOR. ♦ Comm. de l'Aisne* (arr. de Laon*), sur l'Oise. 3 870 hab. Centrale thermique. Sidérurgie (laminage).

BEAUVAIS. ♦ Préf. de l'Oise*, ch.-l. d'arr. (13 cant. 258 comm. 152 233 hab.) sur le Thérain*. 49 347 hab. *(Beauvaisiens).* Évêché. Nombreux monuments : cathédrale Saint-Pierre (XIIIe-XIVe s.) dont le chœur est un des plus beaux spécimens du gothique (tapisseries, horloge astronomique); église Saint-Étienne (roman du XIIe s. et gothique flamboyant du XVIe s.; vitraux Renaissance), bombardée en 1940 et restaurée. L'aggl. de Beauvais est devenue une zone industrielle importante (indus. textiles et chimiques: brosserie, fonderies, fabriques de meubles, de matériel ménager et agricole; huiles industrielles). Centrale thermique. Aérodrome. — Patrie d'Antoine Caron*, de J.-B. Dubos*, de Jeanne Hachette*, de H. Lebesgue*, de Philippe de Villiers* de l'Isle Adam. Pierre Cauchon*, Odet de Coligny et saint Lucien* y furent évêques. ♦ *Hist.* Cap. gauloise des Bellovaques*, Beauvais (en lat. *Caesaromagus*) fit partie sous la domination romaine de la Belgique première. Comté-évêché à partir de 1015, elle fut assiégée en vain par les Anglais en 1443, puis par Charles* le Téméraire (1472), qui se heurta à une héroïque résistance animée par Jeanne Hachette*. En 1664, Colbert* y fonda la Manufacture royale des tapisseries qui prit un grand essor au XVIIIe s. sous la direction de J.-B. Oudry* (1734-1753). [Détruite en 1940, elle n'a pas été reconstruite. Ses métiers ont été transférés aux Gobelins]. — Une conférence alliée, provoquée par Clemenceau à la demande de Foch, s'y tint le 3 avril 1918. Foch y reçut la « direction stratégique » des armées alliées.

BEAUVAISIS. *n. m.* ♦ Pays du Bassin parisien aux confins de la Picardie* et de l'Île-de-France. Peuplé à l'origine par les Bellovaques*, avec Beauvais* pour cap., il fut incorporé au domaine royal sous Louis XI. Le nom de l'anc. prévôté de *Beauvaisis* (ch.-l. Granvilliers) s'est conservé dans celui de quelques comm. de l'Oise (*ex. :* Marseille*-en-Beauvaisis).

Arch. Smeets

D. Beccafumi : « L'Archange Michel ».
(Santa Maria del Carmine, Sienne.)

BEAUVALLON. ♦ Station balnéaire du Var*, comm. de Cogolin, dans les Maures*, sur la rive N. du golfe de Saint*-Tropez.

BEAUVILLE. ♦ Ch.-l. de cant. du Lot-et-Garonne, arr. d'Agen. 579 hab. Anc. bastide. Église gothique.

BEAUVILLIER (François Honorat *de, duc de* **Saint-Aignan).** ♦ Homme de guerre français (Saint-Aignan, 1607 — Paris, 1687). Gouverneur de la Touraine, il gagna par ses qualités militaires la faveur de Louis* XIV. Protecteur des gens de lettres et membre de l'Académie française (1663). ♦ Son fils PAUL, *duc de* BEAUVILLIER (Saint-Aignan, 1648 — Vaucresson, 1714), fut nommé par Louis XIV gouverneur du duc de Bourgogne en 1689 puis du duc d'Anjou en 1690 **(V. Philippe V d'Espagne)** et du duc Charles de Berry* en 1693. Ami de Fénelon et de Saint-Simon, il fut nommé ministre d'État en 1691.

BEAUVOIR (Simone *de***).** ♦ Écrivain français (Paris, 1908). Agrégée (1929) et professeur de philosophie (à Marseille, 1931. Rouen, 1932-1937, puis Paris), S. de Beauvoir quitta l'enseignement en 1943 quand parut son premier roman, *L'Invitée.* Depuis, elle a fait de nombreux voyages qui lui ont inspiré des essais sociopolitiques (*L'Amérique au jour le jour,* 1948; *La Longue Marche,* sur la Chine contemporaine, 1957). Romancière existentialiste dont la vie et la pensée sont liées à celles de J.-P. Sartre*, Simone de Beauvoir a voulu écrire avant tout des œuvres « signifiantes » et, quelle que soit la forme adoptée (roman, essai, ou récit autobiographique), son propos reste moral et philosophique. Privés de transcendance, « tous les hommes sont mortels » (titre d'un roman, 1946) et placés devant les problèmes de la liberté et de la responsabilité. Voulant faire sentir que nous ne jouissons pas d'une liberté absolue, mais vivons dans le monde de l'intersubjectivité, l'écrivain s'attache à décrire les difficiles relations de réciprocité (*L'Invitée,* 1943; ou l'essai *Pyrrhus et Cinéas*) et tente de définir une relation authentique entre l'homme et la femme dont elle affirme, indépendamment de la sexualité et de la situation sociale privilégiée de l'homme, la « structure ontologique commune » (*Le Deuxième Sexe,* qui analyse *Les Faits et les Mythes*, puis *L'Expérience vécue*, 1949). « Jamais fixé [le sens de la vie humaine], doit sans cesse se conquérir. » *Les Mandarins* (1954) pose le problème de l'engagement et indique qu'en politique comme en morale il faut « confronter le sens de l'acte avec son contenu » (de même, l'essai *Pour une morale de l'ambiguïté,* 1947). Cette recherche d'une morale authentique, qui est le thème de son œuvre romanesque, s'exprime également dans la remarquable suite de récits autobiographiques où Simone de Beauvoir dépeint son « projet d'englober le monde dans l'expérience de [sa] vie » : *Les Mémoires d'une jeune fille rangée* (1958), *La Force de l'âge* (1960) et *La Force des choses* (1963), auxquels a succédé *Une mort très douce* (1964) et *Tout compte fait* (1972). Ces ouvrages évoquent avec force sa réflexion critique à l'égard des traditions et du conformisme comme son amour violent de « la multiple splendeur de la vie », confronté à l'angoisse de la vieillesse et au scandale de la mort.

BEAUVOIR-SUR-MER. ♦ Ch.-l. de cant. de la Vendée, arr. des Sables-d'Olonne. 2 798 hab. (1 411 aggl.). Église en partie du XIIIe siècle. — Importants marais salants.

BEAUVOIS-EN-CAMBRÉSIS. ♦ Comm. du Nord, arr. de Cambrai. 2 286 hab. *(Beauvoisiens).* Indus. textile.

BEBEL (August). ♦ Homme politique allemand (Cologne, 1840 – Passugg, Suisse, 1913). Ouvrier tourneur, il adhéra à la Ire Internationale (1865) sous l'influence de W. Liebknecht* avec qui il fonda le parti ouvrier social-démocrate (Eisenach, 1869). Député au Reichstag depuis 1867, il fut condamné à la prison en raison de son opposition à la guerre franco-allemande. Il joua un rôle prépondérant au sein de la IIe Internationale (constituée en 1889). Chef incontesté du parti social-démocrate allemand, Bebel devint centriste en 1908 pour en préserver l'unité. (*Christianisme et Socialisme,* 1874; *La Femme et le Socialisme,* 1879; *Ma Vie,* 1910-1914.)

Be-bop ou **bop** [onomatopée] (Cf. Petit Robert). ♦ Style de jazz né à partir de 1942, à New York, des expériences de jeunes musiciens réagissant contre le jazz classique. Principaux représentants : Charlie Christian, Kenny Clarke, Miles Davis*, Dizzy Gillespie*, Thelonious Monk*, Fats Navarro, Charlie Parker*, Bud Powell, Max Roach.

BECCAFUMI (Domenico di Pace, dit **Domenico).** ♦ Peintre et sculpteur italien (env. de Sienne, v. 1486 – Sienne, 1551). Actif à Sienne, il séjourna à Rome (1510-1512, 1519), Gênes (1533-1535), Pise et Florence, et put connaître la peinture du Pérugin*, de Michel*-Ange, de Raphaël*, de Fra Bartolomeo* et Sodoma*. Considéré comme un des principaux initiateurs du maniérisme (fresques du palais public de Sienne, v. 1535), il introduisit dans la richesse des coloris siennois de fantastiques contrastes d'ombre et de lumière, contenant pourtant par l'ampleur solide de la construction le caractère visionnaire de ce luminisme (*L'Archange Michel,* 1524-1530, Santa Maria del Carmine, Sienne; *Naissance de la Vierge,* 1543, et *Christ aux limbes,* pinacothèque de Sienne).

BECCARIA (Cesare Bonesana, *marquis de***).** ♦ Juriste italien (Milan, 1738 – 1794). Il proposa des réformes juridiques et un adoucissement du droit pénal dans son *Traité des délits et des peines* qui connut un grand succès en Europe.

BÉCHAR, anc. **Colomb-Béchar.** ♦ V. d'Algérie, ch.-l. du dép. de la Saoura, située au N.-O. du Sahara sur le versant O. du *dj. Béchar.* 7 000 hab. Nœud ferroviaire à proximité d'exploitations minières dont Kenadsa*. À proximité était installé le « centre (français) interarmées d'essais d'engins spéciaux ». **V. Hammaguir.**

BEC-HELLOUIN (Le). ♦ Comm. de l'Eure (arr. de Bernay). 566 hab. Abbaye bénédictine (abbaye du Bec), fondée en 1034 par saint Herluin (ou Hellouin) et devenue sous l'impulsion de Lanfranc* et de saint Anselme* un des grands foyers intellectuels de l'Europe au Moyen Âge.

BECHER (Johann Joachim). ♦ Alchimiste allemand (Spire, 1635 – Londres, 1682). Il fut l'un des derniers à soutenir la thèse de la transmutation des métaux et découvrit l'éthylène en 1669.

BECHER (Johannes). ♦ Poète lyrique et auteur dramatique allemand (Munich, 1891 – Berlin, 1958). D'inspiration expressionniste, ses premières œuvres (*De profundis Domine,* 1913; *À L'Europe,* 1916; *Péan contre notre époque,* 1918) dénoncent le monde moderne dans un langage pathétique, violent, voire outrancier. Membre du parti communiste allemand il lutta au côté des spartakistes (1918-1919). Émigré en U.R.S.S. en 1935, il donna à cette époque des poèmes d'un lyrisme plus simple, plus populaire, qui s'accordait avec les exigences du « réalisme socialiste » (*Poèmes du temps de l'exil*). Après la guerre, il devint ministre de l'Éducation de la R.D.A.

BÉCHEREL. ♦ Ch.-l. de cant. d'Ille-et-Vilaine, arr. de Rennes. 626 hab. (*Bécherellais*). Restes de fortifications, maisons anciennes. Aux environs, château de Caradeuc (XVIIIe s.).

BECHET (Sydney). ♦ Musicien de jazz noir américain (La Nouvelle-Orléans, 1897 – Garches, 1959). Clarinettiste, il fut l'un des plus célèbres représentants du style « Nouvelle-Orléans ». Il évolua, utilisant le saxophone soprano, vers un style personnel, lyrique et parfois facile, mais toujours inspiré par la pure tradition du blues.

BECHTEREV (Vladimir Mikhaïlovitch). ♦ Psycho-physiologiste russe (près de Viatka, 1857 – Leningrad, 1927). Dans *La Psychologie objective* (1913), il tenta d'expliquer l'ensemble du comportement humain à partir des réflexes conditionnés qu'il étudia avec Pavlov* **(V. Kostyleff).**

BECHUANALAND. *n. m.* ♦ **V.** BOTSWANA.

BECK (Karl). ♦ Poète hongrois de langue allemande (1817-1879). Poète politique de tendance libérale, il est l'auteur de *Chants cuirassés* (1838) et du *Beau Danube bleu,* popularisé par la musique de J. Strauss.

BECK (Ludwig). ♦ Général allemand (Biebrich, près de Wiesbaden, 1880 – Berlin, 1944). Il joua un rôle important dans la création de la Wehrmacht mais, opposé à Hitler, il démissionna en 1938. Principal chef du complot qui élabora l'attentat contre Hitler le 20 juillet 1944, il fut, après l'échec, arrêté et abattu par Fromm qui avait changé de camp.

BECKE (Friedrich). ♦ Minéralogiste autrichien (Prague, 1855 – Vienne, 1931). Il est surtout connu pour avoir mis au point une méthode permettant de déterminer l'indice de réfraction des sections cristallines contiguës.

BECKER (Johann Philip). ♦ Socialiste allemand (Frankenthal, Bavière, 1809 – Genève, 1886). Socialiste révolutionnaire dès 1830, il participa à l'insurrection de Bade (1848-1849), après laquelle il émigra en Suisse. Fondateur avec Bakounine* de la section genevoise de la Ire Internationale et rédacteur de la revue

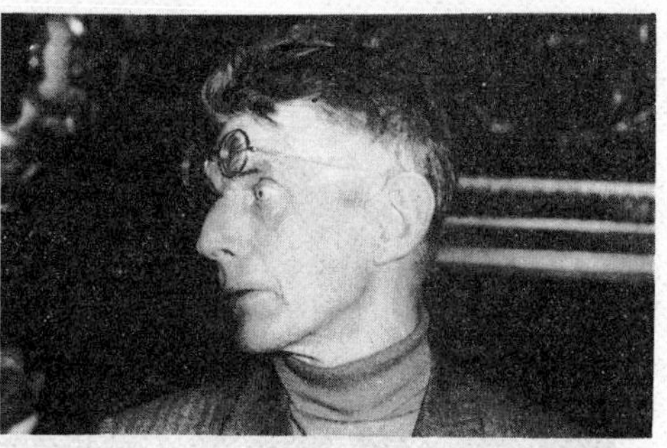

Ph. Pic

S. Beckett.

Der Vorbote (*Le Précurseur,* 1866-1871, puis à partir de 1877), il prit position en faveur de la tendance marxiste contre les anarchistes au congrès de La Haye (1872).

BECKER (Jacques). ♦ Réalisateur français de cinéma (Paris, 1906 – *id.,* 1960). Faite de logique et d'honnêteté, son œuvre est née d'une observation attentive de la réalité sociale française, dans les années qui vont de la fin de l'Occupation à 1960. Réal. princ. : *Goupi-Mains rouges* (1943), *Antoine et Antoinette* (1947), *Le Rendez-vous de juillet* (1949), *Édouard et Caroline* (1951), *Touchez pas au grisbi* (1954), *Le Trou* (1960). A cette chronique des temps contemporains, il convient d'ajouter une œuvre exceptionnellement sensible, *Casque d'Or* (1952), dont l'action se situe chez les apaches parisiens, en 1900.

BECKET. ♦ **V.** THOMAS BECKET (saint).

BECKETT (Samuel). ♦ Romancier et dramaturge irlandais (Dublin, 1906). Fixé en France depuis 1938, il écrit principalement en français depuis 1945, composant une œuvre influencée par celles de Kafka* et de Joyce*, dont il fut le traducteur et l'ami. Son expérience se poursuit de livre en livre : de *Murphy* (angl., 1938; fr., 1947) à *Molloy* (fr., 1951), *Malone meurt* (1952), *L'Innommable* (1953) et *Comment c'est* (1961), l'écrivain présente une humanité qui se dégrade jusqu'à un état larvaire, image d'une vie réduite à sa pauvreté essentielle et reflet d'une réduction ontologique. Dans une grisaille indéterminée, « dans la tranquillité de la décomposition physique », c'est bientôt « une grande bouche idiote... [qui se vide] inlassablement... des mots qui l'obstruent », et qui parle en vain (*Textes pour rien,* 1955); car « nommer, non, rien n'est nommable; dire, non, rien n'est dicible ». L'œuvre théâtrale de Beckett, sous la forme d'une bouffonnerie sinistre et exténuée, donne la même vision dérisoire de l'activité humaine. Espérant, sans doute vainement, en un Dieu mystérieux (*En* attendant Godot,* 1953), soumis aux ordres du « consortium » (image de la société, abstraite), affublé d'un misérable compagnon qu'il tyrannise (*Fin de partie,* 1956), le plus souvent « seul au monde avec [sa] voix » (*La Dernière bande* et *Cendres,* 1958), un être agonisant s'accroche à de pitoyables joies (*Oh! les beaux jours,* 1961) ou se livre à une interminable confession (*Comédie et actes divers,* 1964).

BECKMANN (Max). ♦ Peintre et dessinateur allemand (Leipzig, 1884 – New York, 1950). Il étudia à Weimar où il subit surtout l'ascendant de Hans von Marées*; il séjourna ensuite à Paris (1903) et fit un voyage en Italie. D'abord marqué par les impressionnistes, il révéla ensuite un tempérament profondément expressionniste en peignant des compositions sombres aux sujets dramatiques (*Le Naufrage du Titanic*). Le bouleversement provoqué par la guerre laissa une profonde empreinte sur son art : évoluant vers un style plus dur, un dessin sec et appuyé, il peignit des portraits, prétextes à un jeu d'expressions dont le registre s'étend de l'ennui à la peur (*Autoportrait,* 1919) et des scènes brutales, peintes dans des harmonies de couleurs crues ou ternes, dans lesquelles le choix de la mise en page et l'utilisation de formes anguleuses apparaissent comme un lointain écho des découpages cubistes. Après une période plus sereine (v. 1923), il s'installa en Hollande (1938-1947) pour fuir le nazisme, puis aux États-Unis, et réalisa de grandes compositions symboliques au dessin sommaire et rude.

BÉCLARD (Pierre Augustin). ♦ Chirurgien et anatomiste français (Angers, 1785 – Paris, 1825). On lui doit la mise au point de techniques opératoires et une méthode de guérison de la fistule du canal de Sténon.

BÉCLÈRE (Antoine). ♦ Médecin français (Paris, 1856 – 1939). Créateur de l'enseignement de la radiologie médicale, auteur d'importants travaux de technique radiologique, de radiodiagnostic, de radiothérapie.

BECQUE (Henry). ♦ Auteur dramatique français (Paris, 1837 – *id.,* 1899). Ce fut un observateur réaliste et satirique de la société bourgeoise des débuts de la IIIe République. Son exigence morale et son intransigeance ont généralement nui au succès de ses pièces. Œuv. princ. : *Les Corbeaux** (1882), *La Parisienne** (1885).

BÉCQUER (Gustavo Adolfo). ♦ Poète et prosateur espagnol (Séville, 1836 – Madrid, 1870). Négligé par une époque où l'on aimait l'emphase, Bécquer influença certains poètes ultérieurs.

Ph. Hétier

Bédouins.

Poète de l'irréel et de l'amour délicat continuellement blessé, il crée un monde musical, magique, où se mêlent le mystère des légendes germaniques et l'obsession de la mort. (*Rimes,* 1860). On l'a souvent comparé à Heine*. Dans son œuvre en prose, il introduisit un genre alors peu connu : l'essai d'introspection (*Légendes espagnoles,* 1871 posthume).

BECQUEREL (Antoine). ♦ Physicien français (Châtillon-Coligny, 1788 — Paris, 1878). Il entrevit le phénomène du diamagnétisme mais il est surtout connu pour ses travaux sur les piles, notamment pour son invention de la pile impolarisable à deux liquides [1829]. (Acad. sc., 1829.) **V. Daniell, Leclanché.**

BECQUEREL (Edmond). ♦ Physicien français (Paris, 1820 — *id.,* 1891), fils d'Antoine Becquerel. Auteur d'une étude photographique du spectre solaire mettant en évidence l'existence de raies de Fraunhofer* dans sa partie ultraviolette (1842), il participa également à la mise au point des couples thermo-électriques **(V. Seebeck),** étudia les propriétés magnétiques des minéraux et les phénomènes de luminescence. (Acad. sc., 1863.)

BECQUEREL (Henri). ♦ Physicien français (Paris, 1852 — Le Croisic, 1908), fils d'Edmond Becquerel. Étudiant les phénomènes de fluorescence sur des sels d'uranium, il découvrit la radioactivité [1896]. (Acad. sc., 1889; prix Nobel de phys., 1903.) **V. P.** et **M. Curie.**

BÉDARIEUX. ♦ Ch.-l. de cant. de l'Hérault* (arr. de Béziers*), sur l'Orb*. 7 831 hab. *(Bédariciens).* Église Saint-Alexandre (XVe-XVIe s.) et pont ancien sur l'Orb (XVIe s.). — Extraction de bauxite, métallurgie de l'aluminium. Indus. chimiques ; céramiques. Indus. alimentaires (biscuiterie). Confection, bonneterie. Mégisseries. — Patrie de F. Fabre*.

BÉDARRIDES. ♦ Ch.-l. de cant. du Vaucluse* (arr. d'Avignon*). 2 986 hab. *(Bédarridais).* Indus. alimentaires.

BEDAUX (Charles). ♦ Ingénieur français (Paris, 1888 — Miami, États-Unis, 1944). Il mit au point un système de mesure du temps de travail, applicable dans l'exécution de toute espèce de tâche, l'unité de mesure étant le point-minute ou *point-Bedaux.*

BEDDOES (Thomas Lowell). ♦ Poète anglais (Clifton, 1803 — Bâle, 1849). Il a laissé un drame et des poèmes lyriques, écrits pour la plupart en vers blancs (*Improvisatore,* 1821 ; *La Tragédie d'une épouse,* 1822). Son goût du macabre et du surnaturel se retrouve dans son œuvre principale, *Recueil de bons mots de la Mort,* écrite en 1825 et publiée après son suicide.

BÈDE ou **BEDA** (dit *le Vénérable, saint*). ♦ Érudit et historien anglo-saxon (Wearmouth, Durham, 673 — Jarrow, Durham, 735). Orphelin, il passa son enfance et sa jeunesse dans l'abbaye de Wearmouth et le monastère de Jarrow, devenant diacre, puis prêtre. Sa vie se passa à écrire et enseigner : « semper aut discere aut docere, aut scribere dulce habuit ». La variété de ses connaissances et de ses curiosités est reflétée par ses principaux ouvrages : un traité de métrique, une histoire naturelle, une chronologie universelle calculée sur l'ère chrétienne et fondée sur de sérieuses études astronomiques, un martyrologue, une vie de saint Cuthbert et surtout une *Histoire ecclésiastique des Angles* (*Historia Ecclesiastica Gentis Anglorum,* 731) qui va de la conquête de Jules César à 73. Ce texte contient un très beau passage sur l'étrangeté de la vie à propos de la conversion de la Northumbrie, en 633. De formation celtique et gaélique, sa conception et son style impersonnels, clairs et simples, le mettent au-dessus de ses contemporains. **(V. Aldhelm*.)** — Fête le 27 mai.

BEDEAU (Marie Alphonse). ♦ Général français (Vertou, 1804 — *id.,* 1863). Il se distingua en Algérie à partir de 1836 et y fut nommé gouverneur général en 1847. Ministre de la Guerre dans le gouvernement provisoire de 1848, puis commandant militaire de Paris, il fut exilé après le coup d'État du 2 décembre 1851 et amnistié en 1859.

BEDFORD. ♦ V. d'Angleterre, ch.-l. de comté, dans une boucle de l'Ouse. 67 300 hab. Constructions mécaniques (chaudières, matériel agricole) et aéronautiques. — *Le comté de Bedford* ou *Bedfordshire* (1 234 km², 131 580 hab.) a pour V. princ. Luton* et Dunstable*. L'agriculture y tient une grande place (plantes fourragères et blé). — Patrie de l'architecte J. Praxton*.

BÉDIER (Joseph). ♦ Médiéviste français (Paris, 1864 — Le Grand-Serre, Drôme, 1938). Élève de Gaston Paris*, il lui succéda à la chaire de littérature française du Moyen Âge (1903-1936) au Collège* de France (dont il devint l'administrateur en 1929). Déjà connu par des travaux sur les *Fabliaux* (1895) et son adaptation de *Tristan et Iseult* (1900), Bédier renouvela totalement les thèses concernant la formation de l'épopée française avec son ouvrage *Les Légendes épiques* (1908-1915). Après avoir donné une édition critique de la *Chanson de Roland* (1921), il publia avec Paul Hazard une *Histoire illustrée de la littérature française* [1923-1924]. (Acad. fr.)

BÉDOUINS. *n. m. pl.,* en ar. **al-Bad'n al-ruhhal.** ♦ Nom donné aux Arabes nomades répandus dans l'Afrique septentrionale depuis le Maroc jusqu'en Égypte ainsi qu'en Syrie et en Arabie.

BÉDRIAC, en lat. **Betriacum.** ♦ V. anc. d'Italie du N. en Gaule cisalpine à l'E. de Crémone*. Vitellius* y battit Othon* (69) mais y fut peu de temps après vaincu par Vespasien*.

BEEBE (William). ♦ Explorateur et naturaliste américain (New York, 1877 — La Trinité, 1962). Il fit plusieurs plongées sous-marines en batysphère (atteignant la profondeur de 923 mètres [1934]), photographia et décrivit la faune abyssale.

BEECHAM (*sir* Thomas). ♦ Chef d'orchestre anglais (Liverpool, 1879 — Londres, 1961). Fondateur du *London Philharmonic Orchestra* (1934) et du *Royal Philharmonic Orchestra* (1946) il fut l'un des principaux animateurs de la vie musicale en Angleterre et mena une brillante carrière internationale.

BEECHER-STOWE (Harriet Elizabeth Beecher, Mrs **Stowe)** ♦ Romancière américaine (Litchfield, Connect., 1811 — Hartford, Connect., 1896). En dépit d'une formation puritaine — elle avait pour père un pasteur congréganiste de la tradition de Jonathan Edwards — elle n'était ni prude, ni bigote. La loi de 1850, qui obligeait à dénoncer les esclaves fugitifs, lui inspira un feuilleton qui parut en 1851 dans *The National Era : La Case de l'Oncle Tom ou la Vie des Humbles (Uncle Tom's Cabin...).* Cet ouvrage suscita des controverses passionnées qui eurent une influence déterminante sur la guerre civile. Traduit en trente-deux langues, on en fit une pièce qui fut jouée jusqu'en 1930. *Dred, histoire du grand marécage désolé (Dred, a tale of the Great Dismal Swamp,* 1856) est de la même veine, alors que *La Fiancée du ministre* raconte l'histoire très cornélienne d'une parole donnée. Le succès de Mme Stowe est moins dû à la valeur littéraire de son œuvre qu'à l'actualité qu'elle eut au moment où le problème de l'esclavage déchirait l'Amérique. Pour Abraham Lincoln, elle fut « la jeune femme qui gagna la guerre ». Mais l'ironie de l'histoire a voulu que son œuvre généreuse devint le symbole du paternalisme colonialiste le plus inacceptable pour la communauté noire.

BEECKMANN (Isaac). ♦ Physicien hollandais (1588 — 1637). Il formula, dès 1613, la loi de conservation du mouvement, énonça des règles exactes concernant les chocs des corps inélastiques **(V.** *aussi* **Huyghens, Wallis),** étudia avant Galilée* la chute des corps. Il exerça une influence sur la pensée scientifique de Descartes*.

BEER (Wilhelm). ♦ Astronome allemand (Berlin, 1797 — *id.,* 1850). Il établit avec Mädler* une carte de la Lune (1834-1837) et participa à la construction d'une carte de la planète Mars.

BEERNAERT (Auguste). ♦ Homme politique belge (Ostende 1829 — Lucerne, 1912). Avocat, plusieurs fois ministre de 1873 à 1884, il fut Premier ministre de 1884 à 1894. Il fit voter la reconnaissance de l'État indépendant du Congo et de la souveraineté africaine du roi Léopold* II. (Prix Nobel de la paix, 1909.)

BEERSE. ♦ V. de Belgique (Anvers, arr. de Turnhout), à 37 km d'Anvers. 9 495 hab. Raffineries de plomb et d'antimoine. Cimenterie et briqueterie. Taille du diamant.

BEERSHEBA ou **BE'ER SHEVA.** ♦ V. de l'État d'Israël située dans le N. du Néguev*, au centre du pays dans sa plus grande largeur. Ch.-l. du district sud, elle fut construite dans le désert en 1950. 74 500 hab. (1970). Centre administratif et commercial (indus. du bois et du bâtiment, matières plastiques, indus. chimiques). Nœud routier (routes en direction de la mer Morte et de la mer Rouge, de Tel-Aviv, Gaza, Jérusalem,...). Passage de l'oléoduc Elath-Haïfa*. ♦ *Hist.* La ville, dont le nom signifie en hébreu « le puits du serment » marquait la limite méridionale de la Terre promise. Les trad. françaises de la Bible la nomment *Bersabée.*

BEETHOVEN (Ludwig *van*). ♦ Compositeur allemand (Bonn, 1770 — Vienne, 1827). Petit-fils du maître de chapelle de l'Électeur de Cologne, originaire du Brabant et venu se fixer sur les bords du Rhin (1733) (Ludwig van Beethoven, 1712 — 1773), fils de *Johann,* ténor à la chapelle princière, et de Marie-Magdeleine Keverich, fille d'un chef-cuisinier de l'Électeur de Trèves, il reçut très tôt de son père une éducation musicale sévère. Brutal, obtus, résolu à exploiter son fils comme enfant prodige, Johann lui fit donner son premier concert à Cologne (1778) et entreprit avec lui une tournée en Hollande (1781). D'heureuses influences allaient cependant s'exercer sur l'enfant, celle de l'organiste Christian Gottlieb Neefe, esprit ouvert, curieux de nouveauté et nature généreuse, qui l'initia à J.S. et C.P.E. Bach, celle aussi de la famille Von Breuning, milieu hospitalier et très cultivé qui l'aida à oublier sa misère. Devenu l'auxiliaire de Neefe, non seulement à l'orgue mais aussi au théâtre de la Cour, le jeune Ludwig fut nommé second organiste et altiste dans l'orchestre du théâtre. Ainsi lui fut révélée la musique lyrique, française et italienne, et surtout celle de Mozart* (1784). Déjà Neefe avait fait publier ses premières œuvres (dont 3 sonates pour le clavier) mais, si sa précocité musicale était étonnante, il ne reçut qu'une instruction générale sommaire. C'est plus tard que sa ferveur d'autodidacte le conduisit à la découverte d'Homère, de Platon, de Plutarque, de Shakespeare et des romantiques allemands. – Encouragé par le comte Waldstein, il partit pour Vienne, y rencontra Mozart, mais la maladie de sa mère le contraignit à rentrer à Bonn. Il y revint pour la voir mourir (1787). Dès lors, son père, perdu par la boisson, lui abandonna la direction du foyer et Ludwig dut prendre en charge l'éducation de ses jeunes frères Johann et Karl. Cependant, sans cesser de composer *(Cantates pour la mort de Joseph II, pour l'avènement de Léopold II)*, il s'inscrivit à l'université (1789) où, sous l'impulsion du jeune archiduc Maximilian Franz, favorable aux idées nouvelles, un enseignement largement libéral était donné. Sur l'avis bienveillant de Haydn, de passage à Bonn, et après une seconde intervention du comte Waldstein, Beethoven retourna alors à Vienne. Il quittait pour toujours les rives du Rhin (1793). – Tandis que la capitale de François II (qui venait de succéder à Léopold) devenait celle d'un gouvernement policier, les leçons de Haydn n'eurent pas pour Beethoven le succès escompté. Il recourut alors à l'enseignement de Albrechtsberger pour le contrepoint et à celui de Salieri pour l'écriture vocale. Adopté bientôt par la haute société mélomane (princes Lichnowsky, Lobkowitz, comte Razumovsky, baron Swieten), il commença une carrière de pianiste virtuose et d'improvisateur. Il devait étonner et souvent déconcerter ses admirateurs par l'originalité et la fougue de son invention. De cette période datent les trois *trios pour piano*, trois *sonates*, des *variations, menuets, danses allemandes*, un *quintette à cordes*, et des *lieder* qui firent de lui, en peu de temps, l'une des personnalités dominantes du monde musical viennois. Les tournées qu'il entreprit alors comme pianiste (1796-1798), à Prague, Leipzig, Dresde, Budapest et Berlin (où il joua devant Frédéric-Guillaume II), furent triomphales. S'il renonça à revenir à Bonn, devenue sous-préfecture française et où son père était mort (1793), c'est que le succès, l'amitié (le médecin Wegeler, le violoniste Schuppanzigh, le pasteur Amenda, Stephan von Breuning) autant que la rente annuelle que lui allouait le prince Lichnowsky (1800) le retenaient désormais à Vienne. Dans le groupe de ses amis, il convient encore de mentionner, parmi les plus chers, la famille von Brunswik (Franz, Thérèse, Joséphine et Charlotte) qui communiera longtemps avec lui dans le culte de la musique. À cette époque brillante appartiennent ses premiers chefs-d'œuvre (*sonates pour piano*, dont la sonate dite *Pathétique*, 1799 ; les *six premiers quatuors à cordes*, 1800 ; *Sonate quasi una fantasia*, dite *Clair de lune*, 1802 ; *Sonate pour piano et violon*, dite *Sonate à Kreutzer*, 1802, où l'allégresse la plus joyeuse cède parfois la place à la détresse et au désespoir). Un premier amour malheureux, pour la frivole Giulietta Guicciardi, l'épreuve de l'infirmité dont il était atteint depuis 1796, cette surdité qui devait s'aggraver jusqu'à devenir totale (1819), lui dictent le pathétique *Testament d'Heiligenstadt* (1802) que l'on ne connaîtra qu'après sa mort. Cependant il compose la joyeuse *Deuxième Symphonie* (1803) si proche de Haydn et de Mozart, et déjà si profondément beethovenienne. – Justement contestée de

Ph. Giraudon

Le masque tragique de **Beethoven,** par A. Bourdelle. (Musée Bourdelle, Paris.)

nos jours pour ce qu'elle offre d'arbitraire, la théorie des *trois manières* de Beethoven, soutenue par W. de Lenz (*Beethoven et ses trois styles*, 1854), ne résiste guère à une étude attentive des œuvres. « Continue dans son ensemble et en même temps discontinue d'une œuvre à l'autre, l'évolution de Beethoven se poursuit dans tous les domaines selon des cheminements irréductibles à la classification stricte. » (A. Boucourechliev). Il demeure toutefois que dans la période de dix années qui s'ouvre avec la *Troisième Symphonie (Eroica)* entreprise dès 1802, et s'achève avec la *Huitième Symphonie* (1812), la pensée de Beethoven marque un épanouissement dont la fécondité et la richesse de sa production portent l'éclatant témoignage. Dans cette période, illuminée par des amitiés amoureuses (Thérèse et Joséphine von Brunswik, Maria von Erdödy, Bettina Brentano) ou assombrie par des déceptions sentimentales (Amalia von Sebald, Thérèse Malfatti), où les soucis matériels ne se font pas encore pressants pour Beethoven, grâce aux commandes de ses protecteurs et à l'éphémère mécénat des princes Lobkowitz, Kinsky et de l'archiduc Rodolphe, de nombreux chefs-d'œuvre voient le jour. Citons entre autres ouvrages de première importance : le *Triple Concerto pour piano, violon, violoncelle et orchestre* (1804), la *Sonate* op. 57 dite *Appassionata* (1804), *Fidelio*, unique opéra du compositeur, représenté d'abord sans succès (1805) puis, remanié (1806), accueilli avec faveur (1814), la *Quatrième Symphonie* (1806), le *Quatrième Concerto pour piano* (1806), l'ouverture de *Coriolan* (1807), la *Fantaisie pour chœurs, orchestre et piano* (1808), les *Cinquième* et *Sixième Symphonies* (cette dernière dite *Pastorale*, 1808), la *sonate* op. 81 dite *Les Adieux* (1809), le *Cinquième Concerto pour piano* (1810), l'Ouverture d'*Egmont* (1810), le *Trio pour piano, violon et violoncelle* op. 97, dit *À l'archiduc* (1811), les *Septième* et *Huitième Symphonies* (1812). – Après l'été 1812 où Beethoven fait la décevante rencontre de Goethe à Toeplitz et rédige la bouleversante et énigmatique lettre à l'*Immortelle Bien-Aimée*, le musicien entre dans une période de silence. Malade, hanté par l'idée de la mort, contraint par la gêne, il a accepté de diriger l'éducation de son neveu Karl dont son frère mourant lui a confié la tutelle (1815) et qui va devenir pour lui le sujet d'un inépuisable tourment. Tandis qu'il perd peu à peu la faveur du public viennois gagné à Rossini et à la musique italienne, il semble s'abandonner au désespoir. Cependant, il va tirer de tant d'épreuves accumulées une nouvelle leçon de courage et de foi en son art. Résolu désormais à ne plus composer que pour les hommes de l'avenir, muré dans sa surdité et dans sa solitude, il va écrire dans ses dernières années quelques-unes des œuvres les plus grandioses de toute l'histoire de la musique, renouvelant plus qu'il ne l'avait encore fait l'écriture pianistique et orchestrale, et préparant l'évolution musicale du XIXe siècle. À cette période appartiennent les cinq dernières *sonates*, dont la *Grande Sonate* op. 106 (*Hammerklavier*, 1818), la *Messe solennelle* (1822), les *33 variations sur une valse de Diabelli* (1823), la *Neuvième Symphonie* (1824) et les six derniers *quatuors* (1824-1826). Assombrie par les soucis domestiques, par le délabrement physique, la dernière année de Beethoven fut tragique. Il mourut le 26 mars 1827. Vienne lui fit de grandioses funérailles. ♦ De cette œuvre immense dont le catalogue a été établi par G. Kinsky (Munich, 1955) on retiendra qu'elle comporte 137 numéros d'opus, et 205 numéros d'œuvres non classées. Œuvre qui connut une gloire presque immédiate et qui n'a cessé, depuis la mort du compositeur, d'être examinée, commentée, sollicitée. « Vous me faites l'impression d'un homme qui a plusieurs têtes, plusieurs cœurs, plusieurs âmes » : ce propos de Haydn au jeune Beethoven peut aussi s'appliquer à son œuvre. Ni classique ni romantique, inclassable selon les canons de l'esthétique traditionnelle, rebelle à toute interprétation qui lui refuse cette autonomie que l'homme a revendiquée pour lui-même tout au long de sa vie. Nourrie d'inquiétude, elle témoigne d'une permanente remise en question des formes, d'une interrogation toujours ouverte sur la validité du langage, et toute réponse n'y est jamais que provisoire. Expression d'une indomptable force morale, célébrant tour à tour le triomphe de la volonté, de l'héroïsme et de la joie sur les forces du chaos et de la nuit, elle impose une idée optimiste de l'homme, en marche sur les chemins de la liberté

BÉGARD. ♦ Ch.-l. de cant. des Côtes-du-Nord, arr. de Guingamp. 5 454 hab. Ruines d'une abbaye cistercienne du XIIe siècle.

BEGLES. ♦ Comm. de la Gironde (arr. et comm. urbaine de Bordeaux). 27 330 hab. *(Béglais)*. V. indus. : papeterie, indus. chimiques et mécaniques, etc.

BEG-MEIL [bɛgmɛj]. ♦ Écart de la comm. de Fouesnant*, arr. de Quimper, dans le Finistère. Station balnéaire en face de Concarneau.

BEGOVIĆ (Milan). ♦ Romancier, poète et auteur dramatique croate (1876 – 1948). Successivement disciple de Maeterlinck, de D'Annunzio, des naturalistes allemands et de Pirandello, il écrivit des pièces de théâtre telles que *L'Homme de Dieu* (1924), *Un yacht américain dans la baie de Split* (1929), *Sans tiers* (1934), des romans, dont *Le Coing dans le coffre* (1921), *Les Désirs inassouvis* (1942), et des recueils de vers : *Poèmes* (1896), *Le Chant croate* (1901), *La Source* (1912).

BEGRÂM. ♦ Célèbre site archéologique du N. de Kâbul* (Afghânistân) où avaient lieu de constants échanges entre le monde hellénistique et le monde indien, site d'une « Alexandrie » et d'une capitale des Kusân* (antique Kapiśa). On y a retrouvé de nom-

Arch. Smeets
Plaque d'ivoire représentant une scène de chasse imaginaire, trouvée à **Begrâm,** IIe s. (Musée national d'Afghânistân, Kâbul.)

breux ivoires sculptés (Ier-IIIe s.) d'un style apparenté à celui d'Amarâvati*.

BEHAÏM (Martin). ♦ Navigateur et cosmographe allemand (Nuremberg, 1459 – Lisbonne, 1507). Géographe de l'expédition africaine de Diogo Cam* (1484), il est surtout connu pour avoir construit un globe terrestre (1492), le plus ancien qui nous soit parvenu, et introduit l'usage de l'astrolabe sur les vaisseaux.

BEHALA. ♦ Quartier S. de la V. de Calcutta* (Inde, Bengale), aussi appelé *South Suburban.* 500 000 hab.

BEHAN (Brendan). ♦ Auteur dramatique et nationaliste irlandais (Dublin, 1923 – 1964). Emprisonné durant onze années, il trouva dans l'alcool un moyen d'évasion et fit du théâtre une projection de son univers d'interné. L'emploi fréquent de la langue gaélique, provocateur pour le spectateur anglais, le réalisme de l'observation, la rigueur de la construction dramatique ont fait de son théâtre l'un des témoignages les plus éloquents de la révolte irlandaise. Œuvr. princ. : *Gibier de potence* (*The Quare Fellow,* 1956) et *Deux Otages* (*The Hostage,* 1959).

BEHANZIN. ♦ (1844 – 1906). Dernier roi du royaume d'Abomey* **(V. Dahomey),** il s'opposa fortement à la pénétration française. Plusieurs expéditions furent engagées contre lui, dont celle de Dodds* qui aboutit à l'annexion du royaume (1894). Déchu de son trône, il fut banni de son pays et mourut en exil à Alger.

BEHBEHÂN ou **BEHBAHAN.** ♦ V. d'Iran (VIe province) à l'E. de la plaine alluvionnaire du Khouzestan. 30 000 hab. Tells renfermant des vestiges préhistoriques. – Centre commercial. ♦ *Hist.* Succédant v. le XIIe s. à l'antique ville d'Arradjân, Behbehân fit partie de la province du Fârs*. Autrefois prospère grâce à ses relations avec Ispahan, la ville s'est appauvrie à cause de son éloignement des grandes voies de communication.

BÉHÉRA ou **BEHEIRA,** en ar. **Al-Buhayrah.** ♦ Gouvernorat de la Basse-Égypte, à l'extrémité N.-O. du delta du Nil. 1 978 890 hab. (1966). *Cap.* Damanhour*.

BÉHISTÛN, BISITUN ou BISOTUN, anc. **Bagistana** (« séjour des dieux »). ♦ Village et site d'Iran (Kurdistân) dans le massif du Zagros entre Kermânchâh et Hamadan, sur l'ancienne route d'Ecbatane à Babylone. Sur la paroi de la falaise dominant la route, Darios* Ier fit sculpter un bas-relief et graver des inscriptions célébrant son triomphe sur Gaumâta. Le texte était rédigé en écriture cunéiforme et en trois langues : vieux perse, babylonien et élamite. La découverte du texte et le déchiffrement (1835-1850) du vieux perse puis du babylonien par Rawlinson* aidé par Hincks, Talbot et Oppert fournit la base essentielle à l'étude des civilisations babyloniennes.

BEHREN-LÈS-FORBACH. ♦ Comm. de la Moselle, arr. de Forbach. 12 512 hab. – Cité ouvrière de mineurs.

BEHRENS (Peter). ♦ Architecte et dessinateur allemand (Hambourg, 1868 – Berlin, 1940). Il débuta comme peintre et graveur; s'orientant vers les arts appliqués, il subit d'abord l'emprise du *Jugendstil* et s'intéressa dès 1898 à l'esthétique industrielle. Sa participation au groupe des Sept de Darmstadt, en 1899, son rôle de directeur à l'École des arts et métiers de Düsseldorf (de 1903 à 1907), son adhésion au *Werkbund* de Munich, et surtout le rôle qu'il joua comme conseiller artistique de la firme industrielle A. E. G. à partir de 1907 témoignent de sa volonté de s'éloigner de l'esthétique passéiste et de rénover les arts décoratifs en instaurant des relations entre les diverses disciplines plastiques, l'architecture et la production industrielle et en tenant compte des nouvelles données techniques. Pionnier de l'architecture moderne en Allemagne, il prôna un strict fonctionnalisme : visibilité de la structure, emploi systématique du béton, du fer et du verre, clarté et dépouillement des formes (*usine de turbines de l'A. E. G.,* Berlin, 1909) tout en manifestant dans plusieurs de ses réalisations des tendances expressionnistes : recherche de l'effet de puissance, insistance sur la plasticité des volumes (*ambassade d'Allemagne* à Saint-Pétersbourg, 1911-1912; *bâtiments des Farbwerke* à Höchst, Francfort, 1920-1925).

BEHRING. ♦ V. BÉRING.

BEHRING (Emil *von*). ♦ Médecin et bactériologiste allemand (près de Deutsch-Eylau, 1854 – Marburg, 1917). Il découvrit les antitoxines (1889) et leurs applications en sérothérapie (prix Nobel de méd., 1901).

BEÏDA (El). ♦ V. de Libye*, sur la côte de l'anc. prov. de Cyrénaïque*, au pied du dj. Akhdar. 35 100 hab. Centre administratif, future capitale de la Libye. Centre religieux (université théologique).

BEIDERBECKE (Leon Bix). ♦ Trompettiste de jazz américain (Davenport, Iowa, 1903 – New York, 1931). Vedette de l'orchestre des Wolverines en 1923, il fut le meilleur musicien blanc de jazz classique. Princ. enregistrements : *Jazz me blues* (1924), *Singin' the blues* (1927).

BEIRA. *n. f.* ♦ Anc. prov. du Portugal central, comprise entre le Douro* et le Tage*. La province a été divisée en cinq districts (Aveiro, Coimbra, Viseu, Guarda et Castelo Branco) et trois nouvelles provinces ont été créées en 1936. La *Beira Alta* (Haute Beira), au N. de la serra da Estrela est une région montagneuse, coupée par le Mondego*. *Cap.* Viseu*. On y pratique une polyculture intensive basée sur le seigle, la pomme de terre et le maïs. La *Beira Baixa* (Basse Beira), au S. de la précédente, est un plateau planté de forêts et voué aux pâturages. *Cap.* Castelo* Branco. La *Beira Litoral,* en bordure de l'Atlantique. *Cap.* Coimbra. La région est plantée de pins.

BEIRA. ♦ V. et port du Mozambique*, qui dessert les pays intérieurs voisins, relié par voie ferrée à Blantyre* (Malawi), Lusaka* (Zambie), Salisbury* (Rhodésie) et Lumumbashi* (Zaïre). 100 000 hab. Centre industriel et commercial.

BEIT SHEAN. ♦ Site d'Israël, au S. du lac de Tibériade*. Importants vestiges de cités remontant au ~ IVe millénaire.

BEJA. ♦ V. du Portugal, ch.-l. de district, dans le sud de l'Alentejo*. 20 000 hab. Siège d'une base aérienne germano-portugaise depuis 1966. Le district (10 240 km²) compte 275 500 habitants.

BÈJA. ♦ V. de Tunisie, ch.-l. de gouvernorat, 282 500 hab. dans la vallée de la Medjerda, au pied du versant S. des monts de Kroumirie*. 22 700 hab. Raffinerie de sucre et traitement de la betterave. Région céréalière (un des anciens greniers de l'Ifrîqiyya).

BEJAIA ou **BIJAIA** (anc. **Bougie**). ♦ V. d'Algérie, ch.-l. d'arr. du dép. de Sétif, sur le *golfe de Bejaia,* à l'O. de la Grande Kabylie*. Port pétrolier au débouché du pipe-line d'Hassi*-Messaoud. 63 000 hab. ♦ *Hist.* Anc. ville romaine, prise par les Vandales en 439, elle fut successivement occupée par les Arabes (708), les Espagnols (1509), les Turcs d'Alger (1555) et les Français en 1833 **(V. Trézel).**

BÉJAR. ♦ V. d'Espagne (prov. de Salamanque*). 16 387 habitants.

BÉJART *(Les)*. ♦ Famille de comédiens, enfants d'un huissier à la maîtrise des Eaux et Forêts, qui signa en 1644 avec Molière* l'acte de constitution de l'*Illustre Théâtre.* – JOSEPH BÉJART (1616 – 1659) appartint à la première troupe de Molière. – LOUIS BÉJART (1630 – 1678) fut l'interprète de Molière durant les années parisiennes de la compagnie. – MADELEINE BÉJART (1618 – 1672), directrice de l'Illustre Théâtre, y interpréta le plus souvent les rôles de soubrette. – ARMANDE BÉJART (1642 – 1700), fille (ou sœur) de Madeleine, y créa le rôle de Célimène. Elle avait épousé Molière en 1662

BÉJART (Maurice). ♦ Danseur et chorégraphe français (Marseille, 1928). Il débuta à l'opéra de Marseille (1945) et fonda quelques années plus tard, avec Jean Laurent, les ballets de l'Étoile (1954) qui devinrent le Ballet-Théâtre de Maurice Béjart (1957). Nommé directeur de ballets au théâtre royal de la Monnaie, à Bruxelles (1960), il prit la direction du Ballet du XXe siècle, compagnie avec laquelle il réalisa quelques-unes de ses plus audacieuses chorégraphies. Insatisfait des corps de ballet formés à l'école d'une tradition qu'il juge périmée, Maurice Béjart entend apporter par le moyen de la danse, une image des rêves, des révoltes et des espoirs de son public. Metteur en scène autant que danseur, il a réalisé, par la synthèse du chant, de la parole et de la danse, des œuvres originales où prédomine souvent une recherche de nature ésotérique. Puisant son rajeunissement dans un retour aux sources orientales, la danse devient avec lui spectacle total et prétexte pour le spectateur à une libre méditation métaphysique. – Princ. réal. : *Symphonie pour un homme seul* (musique de P. Henry et P. Schaeffer, 1955), *Le Sacre du printemps* (1960), *La Damnation de Faust* (1964), *La Neuvième Symphonie* (1965), *Messe pour le temps présent* (1966).

BEKAA. *n. f.* ♦ Haute plaine du Liban, située dans une dépression longitudinale qui s'étend entre les chaînes escarpées du Liban et de l'Anti*-Liban. Longue de 120 km et large au plus de 12 km, elle est coupée en deux à hauteur de Baalbek* par les bassins fluviaux de l'Oronte* au N. et du Litani* au S., et séparée de la dépression de Ghor* qui lui fait suite jusqu'à la mer Morte par les derniers chaînons du massif de l'Hermon*. – Dans la *province de la Bekaa* (*Ch.-l.* Baalbek), une communauté musulmane *(Shiites*)* pratique la culture des céréales, de légumes, de fruits et même de coton sur les terres bien irriguées du sud.

BÉKÉSCSABA. ♦ V. de Hongrie, ch.-l. du comitat de Békés, située dans le S.-E. du pays, à 30 km env. de la frontière roumaine. 50 000 hab. – Centre agricole et industriel (indus. alimentaires traitant les produits de la région).

BÉKÉSY (Georg *von***).** ♦ Acousticien américain (Budapest, 1899 – Honolulu, 1972). Il découvrit le rôle de transformateur d'énergie du limaçon de l'oreille (prix Nobel de méd., 1961).

BÊL (akkadien **bêlu**, « seigneur », correspondant au sémitique **ba'al**. **V. Baal**). ♦ Titre donné au dieu Marduk* lors de son élévation au sommet du panthéon babylonien où il supplanta Enlil*. Temples de Bêl : **V. Babylone, Palmyre.** ♦ *L'Idole de Bêl,* épisode biblique : **V. Daniel** *(Livre de).*

BÉLA. ♦ Nom de plusieurs rois de Hongrie. ♦ BÉLA Ier. Roi de Hongrie (1061-1063). Il monta sur le trône après avoir vaincu son frère André* Ier. Roi chrétien, Béla Ier s'employa à affermir le christianisme. Il dut céder le trône à Salomon* Ier, fils d'André Ier, soutenu par les Allemands. Père de Géza* Ier. ♦ BÉLA II, *l'Aveugle.* Roi de Hongrie (1134-1141). Son oncle le roi Koloman* lui fit crever les yeux, mais le fils de Koloman, Étienne* II abdiqua en sa faveur. ♦ BÉLA III. Roi de Hongrie (1172-1196), fils d'Étienne* III. Imitant les monarchies occidentales, il tenta d'améliorer l'organisation du pays : création d'une chancellerie, création de nouveaux impôts. Il se tourna vers l'Occident, se maria avec Marguerite de France, sœur de Philippe* Auguste, appela des religieux cisterciens de France et combattit les Byzantins. ♦ BÉLA IV. Roi de Hongrie (1235-1270), fils d'André* II. Ses tentatives de restauration de l'autorité royale furent arrêtées par l'invasion mongole. Vaincu à la bataille de Mohi (11 avril 1241), il dut se réfugier dans l'archipel dalmate. À son retour en Hongrie, Béla IV fortifia le pays, organisa une cavalerie lourde et s'appuya sur les plus grands féodaux. Il octroya des privilèges aux villes afin de ranimer la vie économique. Son fils Étienne* V lui succéda.

Bel-Ami. ♦ Roman de Guy de Maupassant* (1886), satire d'un « certain journalisme » et de « certains milieux » politiques et mondains de Paris. Georges Duroy pallie son origine et son instruction modestes par son charme et son absence de scrupules. Il fera son ascension dans le monde de la presse en s'aidant des femmes, et deviendra un homme influent et considéré. Cet ouvrage scandalisa par son cynisme apparent, mais connut un grand succès. Selon Sartre, le personnage de Bel-Ami n'y est qu'un « ludion » dont l'ascension révèle les tares d'une société capitaliste.

BÉLANGER (François Joseph). ♦ Architecte et décorateur français (Paris, 1745 – *id.*, 1818). Il construisit de nombreux hôtels particuliers, des « fabriques », des « folies » et aménagea des parcs. Le *pavillon de Bagatelle,* élevé en 1777 pour le comte d'Artois, trahit l'influence du palladianisme **(V. Palladio)** mais l'emploi de motifs pompéiens dans la *Folie Saint James*-annonce le style Directoire. En 1811, Bélanger reconstruisit la *Halle au blé* (Bourse du commerce) dans un style antiquisant et utilisa pour la coupole une structure en fer.

Ph. Pic

M. Béjart.

BELAVAL (Yvon). ♦ Philosophe français (Sète, 1908). Auteur d'essais d'esthétique (*La Recherche de la poésie,* 1947 ; *L'Esthétique sans paradoxe de Diderot,* 1950), de philosophie et de psychologie (*Les philosophes et leur langage,* 1952 ; *Les Conduites d'échec,* 1953), il a consacré sa thèse à la philosophie de Leibniz (*Leibniz, critique de Descartes,* 1960).

BELCAIRE. ♦ Ch.-l. de cant. de l'Aude* (arr. de Limoux*), dans le pays de Sault*, à 1 002 m d'alt. 504 hab. *(Belcairois).*

BELCELE, en néerl. **Belsele.** ♦ V. de Belgique (Flandre-Orientale, arr. de Saint-Nicolas). 5 700 hab. Cultures maraîchères.

BELÉM. ♦ V. du Portugal, faubourg de Lisbonne*. Monastère hiéronymite de style manuélin (XVIe s.) construit par Manuel* Ier, et où se trouvent les tombeaux de plusieurs rois et princes du Portugal.

BELÉM (anc. Pará). ♦ V. et port du N. du Brésil, cap. de l'État de Pará, située sur le rio Pará, estuaire du Tocantins*. 571 000 hab. Université. Institut de recherches scientifiques renommé. Grand centre commercial relié par la route à Brasilia, à travers la forêt amazonienne.

BÉLÉNOS. ♦ Divinité gauloise. Dieu des sources, des sanctuaires prophétiques et de la médecine, que les Romains identifiaient à Apollon*.

BELFAST. ♦ Cap. et princ. port de l'Irlande du Nord. Ch.-l. du comté d'Antrim*, sur le *Belfast lough* (baie de Belfast), s'ouvrant sur le *canal du Nord.* 385 900 hab. (aggl., env. 550 000 hab. [**V. Newtonabbey**]). Princ. centre urbain et industriel de l'Irlande du Nord, groupant la moitié des travailleurs de l'Ulster, Belfast a ajouté aux activités traditionnelles (textiles, notamment travail du lin, constructions navales), des indus. mécaniques et aéronautiques, des raffineries de pétrole, des manufactures de tabac et des indus. alimentaires. Patrie de Thomas Andrews* et de William Thompson*. ♦ *Hist.* La forteresse qui se trouvait sur son site fut détruite par Edouard Bruce (1316). La ville moderne, fondée au XVIIe s. devint au XVIIIe s. un centre industriel important (textiles). – Belfast fut le siège de nombreux troubles, dans l'affrontement des communautés catholique et protestante. **V. Irlande.**

BELFORT [bɛfɔʀ ou bɛlfɔʀ]. ♦ Préf. du Territoire de Belfort, ch.-l. d'arr. (11 cant., 106 comm., 121 552 hab.) sur la Savoureuse*. 55 833 hab. *(Belfortains).* Château au pied duquel se trouve le *Lion de Belfort* (1875-1880), symbole de la résistance de la ville en 1870-1871 ; il a été taillé à même le roc par Bartholdi*. Église Saint-Christophe (XVIIIe s.) en grès rouge ; Monument des Trois Sièges (de Bartholdi) ; hôtel de ville (XVIIIe s.) ; porte de Brisach, construite par Vauban ; citadelle. – Indus. mécanique ; fonderies ; indus. électrique ; indus. textile ; produits chimiques ; fumisterie industrielle ; serrurerie ; indus. textiles ; bonneterie ; indus. alimentaires. – Patrie de A. Baratier*, A. Dubail*, général Négrier. ♦ *Hist.* La ville appartint à l'Autriche de 1350 à 1636 ; assiégée pendant la guerre de Trente Ans, elle devint française au traité de Westphalie* (1648) et Vauban la fortifia. En 1814, Belfort soutint un long siège contre les Autrichiens et ne capitula qu'après l'abdication de Napoléon. La conspiration de Belfort organisée par des officiers avec l'appui de membres influents de la Charbonnerie* (Bazard, La Fayette, Carrel, Koechlin) prévue pour les 1er et 2 janvier 1822, fut l'un des principaux épisodes de la lutte des libéraux contre le régime de la Restauration ; dénoncée, elle échoua. Pendant la guerre de 1870, la ville, défendue par le colonel Denfert*-Rochereau, résista pendant 103 jours aux Allemands (nov. 1870-18 février 1871), ce qui lui valut de rester française ainsi qu'au Territoire lorsque l'Alsace fut cédée à l'Allemagne au traité de Francfort* en 1871. Belfort fut libérée de l'occupation allemande le 20 nov. 1944.

BELFORT (Territoire de). [90]. ♦ Dép. du N.-E. de la France, région (anciennement C.A.R.) de France-Comté ; il est limité au N. par le dép. des Vosges, au N. et à l'E. par le dép. du Haut-Rhin, au S. par le dép. du Doubs et la Suisse, à l'O. par la Haute-Saône. Anc. partie du dép. du Haut-Rhin, conservée à la France après l'annexion de l'Alsace à l'Allemagne en 1871, et qui a reçu depuis 1922 le statut de département. 609 km². – *Orogr.* Le Territoire s'étend au N. sur les Vosges et le ballon d'Alsace, et se prolonge à l'E. de la *trouée de Belfort* *.

♦ 11 cant., 106 comm., 121 552 hab. *Préf.* Belfort*. *Ch.-l. de cant.* Châtenois*-les-Forges, Danjoutin*, Delle*, Fontaine (291 hab.), Giromagny*, Rougemont-le-Château (1 436 hab.), Valdoie*. *Autres comm. :* **V. Beaucourt, Grandvillars.**

BELFORT *(trouée de)* ou **BOURGOGNE** *(porte de).* ♦ Dépression d'une trentaine de km de large séparant les Vosges, au N., du Jura au S. et qui est traversée par le canal du Rhône au Rhin, des routes et une voie ferrée. Région industrielle.

BELGAUM. ♦ V. de l'Inde (Mahârâstra), à l'E. de Goa, autrefois ville frontière entre la colonie portugaise de Goa* et l'Inde. 160 000 hab. Indus. textiles, chimiques et métallurgiques (aluminium).

BEL GEDDES (Norman). ♦ Décorateur et producteur américain

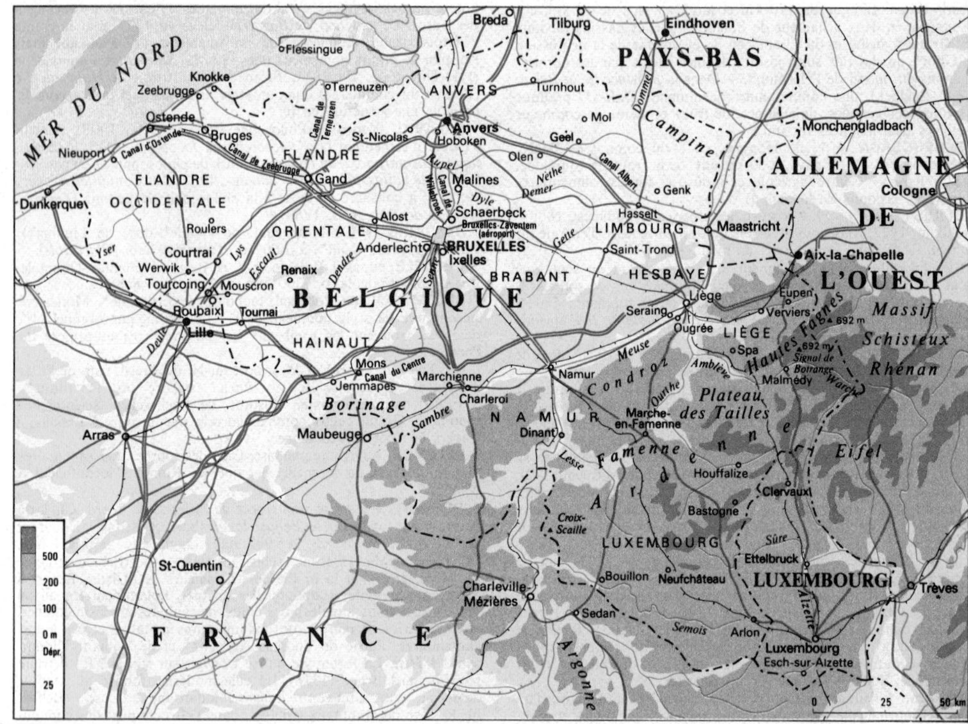

Belgique.

(Adrian, Michigan, 1893). Fondateur avec Lee Simonson du *Theatre Guild* (1920) qui fit connaître aux États-Unis le théâtre européen d'avant-garde. Animé du même esprit de recherche, l'*Actor's Studio* poursuit une tâche semblable depuis 1950.

BELGIOJOSO *(marquise* **Cristina Trivulzio**, *princesse de)*. ♦ Patriote et femme de lettres italienne (Milan, 1808 – *id.*, 1871). Soutenant avec enthousiasme et romantisme le *Risorgimento**, elle dut s'exiler à Paris où son salon devint le lieu de rencontre des partisans de la cause italienne. Elle participa en 1848 et en 1849 au soulèvement de son pays contre l'Autriche.

BELGIQUE [*n. f.*], en néerl. **België**. ♦ État (royaume) de l'Europe occidentale, limité par la mer du Nord et les Pays-Bas au N., la République fédérale allemande à l'E., le grand-duché de Luxembourg au S.-E., la France au S. et à l'O., 30 507 km². 9 790 000 hab. *(Belges)*. *Langues :* néerlandais (56 %) en Flandres-Occidentale et Orientale, province d'Anvers et Limbourg, trois quarts du Brabant (Bruxelles étant officiellement bilingue, mais en large majorité francophone); français (32,9 %) dans les autres provinces **(V. Wallonie);** allemand à la frontière allemande. Le problème linguistique wallon-flamand est aigu. *Cap. :* Bruxelles. La Belgique est formée de neuf provinces. **V. Anvers** (ch.-l. Anvers), **Brabant** (Bruxelles), **Flandre-Occidentale** (Bruges), **Flandre-Orientale** (Gand), **Hainaut** (Mons), **Limbourg** (Hasselt), **Liège** (Liège), **Luxembourg** (Arlon), **Namur** (Namur). – *Orogr.* La Belgique correspond à une partie de la plaine de l'Europe du Nord s'élevant vers le S.-E. et dominée par l'Ardenne*. La Famenne et la Fagne séparent l'Ardenne du Condroz*. La Lorraine belge appartient au Bassin parisien. Au N., le tracé de la frontière néerlandaise n'est marqué par aucun accident de relief. Le bassin belgo-néerlandais s'incline vers la mer à partir des bas-plateaux bordant le sillon Sambre-Meuse et est divisé en trois zones : celle des polders, plaine maritime parallèle à la côte et se prolongeant le long de l'Escaut inférieur et jusqu'à Anvers; une zone sablonneuse s'étendant en Flandre intérieure et en Campine, et dont le paysage (*Houtland,* ou bocage) s'oppose à celui des polders *(Blote)*; une zone limoneuse formant le Hainaut, le Brabant wallon et la Hesbaye* et qui varie de moins de 20 m à l'O. à 200 m à l'E. Les vallées de la Haine, de la Sambre et de la Meuse constituent un « sillon » industriel **(V. Borinage)**, qui se prolonge vers l'E. dans la vallée de la Vesdre. – *Hydrogr.* **V. Amblève, Bruxelles** *(canal de)*, **Centre** *(canal du)*, **Damme** *(canal de)*, **Démer, Dendre, Dommel, Durme, Dyle, Escaut, Haine, Heule, Lesse, Lisseweghe** *(canal de)*, **Lys, Mandel, Meuse, Nèthe, Ostende** *(canal d')*, **Ourthe, Rupel, Semois, Senne, Sûre, Terneuzen** *(canal de)*, **Vesdre, Vire, Willebroek** *(canal de)*, **Yperlée, Yser, Zeebrugge** *(canal de)*. La Belgique possède un climat océanique plus rude en Ardenne. – *Écon.* Pays plat, aux sols ingrats, la Belgique n'a pu développer son agriculture que par l'ingéniosité et le travail des hommes. Mais au XXe s., la désaffection de la main-d'œuvre pour le secteur primaire laisse une place modeste à ce dernier (6,5 % du produit national brut). Les surfaces cultivées couvrent 54 % de la superficie totale (763 000 ha de céréales, 815 000 ha de pâturages, 87 000 ha de cultures maraîchères, notamment autour de Malines, Roulers, Saint-Trond, et florales [Wass*]). Concurrencés par les blés canadiens et australiens, les agriculteurs belges ont fait porter leurs efforts sur l'élevage bovin (près de 3 000 000 de têtes) : productions laitières et fromagères (lait condensé, chocolat au lait), sur l'élevage (y compris celui des chevaux de trait, chevaux brabançons). Orge et seigle. Blé, en alternance avec la betterave sucrière. Les cultures industrielles sont restées importantes : houblon, chanvre, tabac; la Flandre est en outre le premier producteur mondial de chicorée et de lin (vallée de la Lys). Près de 20 % du territoire sont recouverts par la forêt, activement exploitée (bois d'œuvre). La pêche, malgré les fonds poissonneux de la mer du Nord, est peu développée (49 000 t de poissons et 9 000 t de crustacés par an à Ostende, Nieuport, Zeebrugge-Bruges). – *Indus.* 33,4 % de la population active travaille dans l'industrie qui procure 45 % du revenu national brut. « Pays noir » (Borinage, le bassin du Centre, la Campine), la Belgique souffre de la crise charbonnière mondiale : la production des gisements wallons ne cesse de décroître depuis 1952. La production d'électricité est surtout d'origine thermique. L'uranium importé du Katanga fait fonctionner les réacteurs nucléaires de Mol*. D'autres centrales se trouvent sous l'égide de l'Euratom. Exportatrice de pétrole raffiné, la Belgique reçoit son gaz naturel des Pays-Bas (canal Gand-Terneuzen). Disposant du minerai de fer du grand-duché de Luxembourg, la Belgique développe son industrie sidérurgique (aciéries de Seraing, Ougrée, Charleroi, Marchienne...; 9e place dans le monde : 11 585 000 t d'acier). La métallurgie du zinc se situe dans la région liégeoise, le long du canal Albert et dans le nord de la Campine. Le cuivre du Congo est raffiné à Olen et Hoboken. Occupant une place importante (du 5e au 9e rang mondial) pour la métallurgie des non-ferreux (étain : 4 600 t), la Belgique se place en tête de la production européenne de métaux rares (germanium). Traditionnelle, l'industrie textile se modernise (textiles artificiels et synthétiques; 14e place mondiale). L'industrie cotonnière (Flandre), lainière (Mouscron, Verviers; la 9e du monde : plus de 71 000 t), celle du jute (4e rang mondial) et du lin (8e) restent florissantes, de même que celle du diamant qui a fait la réputation d'Anvers. Produits pharmaceutiques et photographiques (Anvers, Bruxelles). L'industrie chimique (caoutchouc synthétique, engrais azotés, etc.) est en expansion. Industries alimentaires; nombreuses brasseries (11e rang mondial) produisant une bière de haute qualité. – Voie de transit depuis le Moyen Âge, la Belgique a une vocation commerciale soutenue par un bon réseau routier et autoroutier (Ostende-Bruxelles-Namur; Anvers-Bruxelles; Anvers-Liège; Anvers-Lille; Liège-Mons-Lille). Le réseau navigable (canal Albert, etc.) est l'un des plus denses du monde, ainsi que le réseau ferré. La Belgique possède trois grands ports de mer : Anvers*, Bruges*, Gand*. Les liaisons aériennes se font par l'aéroport de Bruxelles-Zaventem, d'où la compagnie aérienne Sabena dessert tous les continents, sauf l'Océanie. La Belgique possède également un excellent réseau de transport par hélicoptères. – Le tourisme intéresse les plages de la mer du Nord, les villes d'art (Bruges, Gand, Bruxelles...), l'Ardenne. – L'économie est liée à celle du Benelux*, qui occupe la quatrième place dans le commerce international, après les États-Unis, le Royaume-Uni et la République fédérale allemande, et qui possède le très puissant complexe portuaire formé par Rotterdam (premier port du monde), Amsterdam, Anvers et Gand. ♦ *Hist.* De peuplement ancien, les territoires formant l'actuelle Belgique avaient une population plus dense au Néolithique que pendant la période romaine. À l'époque de César*, la *Gaule belgique, Belgica,* qui s'étendait de la Seine au Rhin, était habitée par des peuples d'origine celte et germanique : les Atrébates*, les Bellovaques*, les Éburons*, les Morins*, les Aduatuques*, les Trévires*, les Rèmes*. Conquise par César en ~ 57 malgré une résistance farouche **(V. Ambiorix),** elle fut divisée sous l'Empire en 4 provinces : la *Germanie Ire* ou supérieure (ch.-l. *Mogontiacum :* Mayence), la *Germanie IIe* ou inférieure (ch.-l. *Colonia Agrippinensis :* Cologne), la *Belgique Ire* (ch.-l. *Augusta Treverorum :* Trèves), la *Belgique IIe* (ch.-l. *Durocortorum :* Reims). Mise en valeur sur le plan économique et urbain, elle joua un grand rôle dans l'Empire romain. Ses deux principales cités étaient *Turnacum* (Tournai) et *Aduatuca* (Tongres). Au milieu du IIIe siècle, les invasions de Germains (Francs, Saxons, Frisons) obligèrent les villes à se fortifier alors que le christianisme pénétrait en Belgique (343, évêché de Tongres). La *Belgique Ire* était sous la domination franque dès le ve siècle. Les territoires du Nord (correspondant à la Flandre, au Brabant, à la Campine) furent très marqués par l'influence germanique, alors que la future Wallonie assimila les Francs par la culture latine. Après la conquête de toute la Gaule par Clovis, la Belgique resta à la périphérie (Neustrie, à l'O., Austrasie à l'E.) des royaumes francs. Mais Pépin *le Bref* et Charlemagne (maires du palais et dynastie carolingienne) redonnèrent son importance à la région arrosée par la Meuse. C'est à partir du VIIe s. qu'eut lieu l'évangélisation des campagnes (saint Hubert en Ardenne, saint Lambert à Liège, saint Amand dans la vallée de l'Escaut), et que les grandes abbayes furent fondées. Du IXe au XIVe s., se situe l'époque des principautés et des villes. La frontière se stabilise sur l'Escaut en 843 (traité de Verdun) : la Flandre passait à Charles *le Chauve,* le Hainaut et le Brabant à Lothaire (Lotharingie*). La Lotharingie fut rattachée à l'Allemagne en 925 et l'Escaut sépara la France de l'Empire. Des principautés se formèrent : Brabant* (autour de la maison de Louvain), Liège (gouvernée par un prince-évêque), Hainaut*. En Flandre*, l'autorité du roi de France fut supplantée par celle du comte. C'est aux Xe et XIe s. que furent gagnées sur la mer les zones côtières. Les villes (Louvain, Malines, Ypres, Bruges) enrichies par le commerce, notamment avec l'Angleterre, obtinrent les privilèges nécessaires pour se gouverner (révolte des tisserands de Gand au XIVe s.). Le corporatisme triomphant dut alors compter avec la domination des ducs de Bourgogne (XIVe-XVe s.) : Philippe *le Hardi,* Jean *sans Peur,*

Ph. Hétier

Belgique : dunes de la mer du Nord.

Ph. Hétier

Belgique : Namur.

Philippe *le Bon,* Charles *le Téméraire* réunirent par des héritages, des achats, des mariages, la plupart des États. En épousant Maximilien d'Autriche, Marie de Bourgogne mit la Belgique sous l'égide des Habsbourg. Maximilien signa avec Louis XI le traité d'Arras qui laissait à la France la Bourgogne ducale et la Picardie. C'est à cette époque que disparut le particularisme urbain malgré les soulèvements (Bruges, Gand, 1492-1495). En 1493, Philippe *le Beau* devint maître des Pays-Bas puis épousa l'héritière de la maison d'Espagne. Son fils Charles Quint domina donc les Pays-Bas et les Espagnes (1516) avant d'être élu roi des Romains (1519). C'est lui qui compléta le bloc des Pays-Bas, dix-sept provinces groupées en un cercle de Bourgogne (1548), qui dota le pays d'une administration centralisée, mais écrasa ses sujets d'impôts, alors qu'épices, or et diamants affluaient d'Amérique. Luthéranisme et calvinisme provoquèrent à la même époque le rétablissement de l'Inquisition. En 1555, Charles Quint abdiqua en faveur de Philippe II, qui provoqua le mécontentement par sa politique catholique. Gouverneur (1567), le duc d'Albe appliqua ses mesures draconiennes (les comtes d'Egmont* et de Hoorne* en furent les victimes les plus connues). En conséquence, la Zélande et la Hollande, refuge des calvinistes, firent sécession avec Guillaume d'Orange (1572). Il faudra attendre la pacification de Gand (1576) pour retrouver un moment l'unité des Pays-Bas. Flandre et Hainaut devinrent alors calvinistes et Juan d'Autriche devra évacuer les provinces du Sud (Édit perpétuel, 1577). Les catholiques formèrent la confédération d'Arras pour lutter contre les orangistes qui lui opposèrent l'union d'Utrecht, acte de naissance des Provinces-Unies. Alexandre Farnèse négocia toutefois la paix d'Arras avec les provinces catholiques et réussit à s'emparer d'Anvers (1585). Avec la trêve de Douze Ans (1609), l'existence autonome des Provinces-Unies fut entérinée. Isabelle, fille de Philippe II, favorisa à partir de 1621 (mort de l'archiduc Albert) un catholicisme intransigeant qui eut pour résultat la naissance de foyers de la contre-réforme à Bruges, Ypres, Malines et Louvain. L'Espagne céda le Brabant septentrional et la Flandre zélandaise aux Provinces-Unies en 1648, alors que les Hollandais contrôlaient les bouches de l'Escaut. En 1713, le traité d'Utrecht* remit les Pays-Bas à la maison d'Autriche qui fit la prospérité du sud du pays, région la plus peuplée (100 hab. au km²). L'essor de l'industrie wallonne et la paupérisation du prolétariat datent de cette époque. Charles VI (1711-1740) et Marie-Thérèse (1740-1780) réduisirent les biens du clergé au nom du despotisme éclairé, politique poursuivie par Joseph II. En 1786, deux séminaires d'État, à Louvain et Luxembourg, remplacèrent les séminaires épiscopaux. Organisateur, Joseph II remplaça les provinces par neuf cercles et supprima les corporations, ce qui créa des réactions révolutionnaires (Hendrik Van* der Noot) et la crise économique de 1788 provoqua l'union des classes populaires. Les troupes autrichiennes furent chassées en 1789, avec l'annulation de la « Charte de la Joyeuse Entrée » (qui engageait les Habsbourg à respecter les droits de la Belgique), mais réoccupèrent le pays l'année suivante, à l'avènement de Léopold II, bientôt supplantées par les troupes françaises de Dumouriez (Jemappes*, 1792). Reprise par l'Autriche en 1793 (Neerwinden*), la Belgique fut annexée à la France après la victoire de Fleurus (1794). Le pays fut alors divisé en neuf départements : Lys (Bruges); Escaut (Gand); Jemappes (Mons); Deux-Nèthes (Anvers); Dyle (Bruxelles); Meuse-Inférieure (Maastricht); Ourthe (Liège); Sambre-et-Meuse (Namur); les Forêts (Luxembourg); et le traité de Campoformio (1797) déclara la Belgique française. Le Blocus continental que Napoléon infligea à l'Angleterre fut bénéfique pour Anvers, bien que la présence française fût plus proche de l'exploitation que de la collaboration. Ce fut en Belgique (Waterloo, 1815) que se joua le sort de l'Empire français. L'Angleterre conçut alors l'idée d'un État-tampon, destiné à contenir la France, constitué (1815) par un royaume dirigé par le prince d'Orange et comprenant la Belgique et la Hollande. Mais le clergé belge accusa les Hollandais de calvinisme étroit et en 1830 la révolution française de Juillet fit prendre conscience à la Belgique de son existence en tant que nation. Les États Généraux proclamèrent la séparation du N. et du S. et, le 4 octobre 1830, l'indépendance et la neutralité de la Belgique, à l'encontre de la décision du congrès de Vienne*. Cette indépendance fut ratifiée par la conférence de Londres (1831) et Léopold de Saxe-Cobourg-Gotha, proposé par Lebeau*, devint roi des Belges. L'intervention française empêcha en 1832 une tentative de reconquête hollandaise (prise d'Anvers). L'indépendance belge fut reconnue par Guillaume Ier en 1839 et ce fut l'avènement de Léopold II en 1865. C'est en 1908 que l'État indépendant du Congo*, propriété personnelle du roi, fut légué par Léopold à la Belgique, en 1894 que le suffrage universel fut établi. Dans les années 1890-1914, le renouveau artistique alla de pair avec la prospérité économique. Une monarchie libérale et éclairée s'établit avec Albert Ier (1909-1934), qui refusa le libre passage des troupes allemandes en 1914 (front de l'Yser*). 1919 marqua la fin de la neutralité belge, et, en 1921, les troupes franco-belges occupèrent la Ruhr. Après les accords de Locarno (1925), le Pacte rhénan garantit l'inviolabilité des frontières belges. Le nationalisme flamand s'affirma en 1934 à l'avènement de Léopold III. En 1936, la Belgique adopta la politique des « mains libres », après l'occupation allemande de la Rhénanie; l'invasion allemande eut lieu en 1940. Le roi fut fait prisonnier et la Résistance s'organisa. Le territoire fut libéré en 1945. C'est à La Haye, en 1947 (14 mars), que fut signé le protocole d'union douanière avec la Hollande et le Luxembourg (Benelux*). La Belgique participa, à Washington, à la signature du traité de l'Atlantique Nord (O.T.A.N.) en 1949. Après les troubles de 1950, Léopold III abdiqua en faveur de son fils Baudouin. Le traité de la C.E.C.A. fut signé à Paris en 1951 et celui du Marché commun (C.E.E.) à Rome en 1957. Le gouvernement belge joua un grand rôle dans l'essor donné à la Communauté **V. P.-H. Spaak.** C'est à la même époque que la Belgique adhéra à l'Euratom*. Après les troubles du Congo, l'indépendance de ce dernier fut proclamée en 1960. Centre politique européen, la Belgique possède la capitale de la C.E.E., puis de l'O.T.A.N., et le roi Baudouin maintient son prestige monarchique malgré des problèmes linguistiques qui purent faire craindre une scission.

BELGODÈRE. ♦ Ch.-l. de cant. de la Corse* (arr. de Calvi*) dans la Balagne*, au S.-E. de l'Ile* Rousse. 511 hab. Église de style jésuite. Fort du XIIIe siècle.

BELGRADE, en serbe **Beograd.** ♦ « La ville blanche », capitale de la Serbie* et de la Yougoslavie*, au confl. de la Save* et du Danube*. 678 000 hab. (env. 1 000 000 hab. avec les faubourgs [**V. Novi Beograd**]). Archevêché catholique. Université. Port fluvial actif. Grand centre industriel et commercial. Patrie des rois Alexandre* Ier de Serbie, Pierre* Ier et Pierre* II de Serbie et de Yougoslavie. ♦ *Hist.* Fondée par les Celtes, puis place forte romaine, Belgrade fit partie de l'empire serbe au XIVe s. et de la Hongrie au XVe siècle. Aidé de saint Jean* de Capistran, Jean Hunyadi* la défendit victorieusement en 1456 contre les Turcs, mais ceux-ci finirent par s'en emparer en 1521 sous Süleyman* II. A partir de 1688, elle leur fut disputée par les Autrichiens et les Serbes jusqu'à l'évacuation finale des Ottomans en 1867. Elle fut occupée au cours de la Première Guerre mondiale par les Autrichiens et prise, au cours de la Seconde, par l'armée de von Kleist* (1941). Le maréchal Tolboukine* la libéra en octobre 1944.

Ph. Giraudon

Portrait équestre de Henri II de Montmorency, par **J. de Bellange.** (Musée Condé, Chantilly.)

BELGRANO (Manuel). ♦ Général argentin (1770 – 1820). Capitaine dans les milices qui chassèrent les Anglais de Buenos Aires (1806), il fut général dans l'armée du Paraguay et dans celle du Pérou qui vainquirent les Espagnols à Tucumán* en 1812. Il contribua avec San Martin à la victoire sur les Espagnols en Argentine*.

BÉLIAL (hébr. **beli-ya'al**, « vaut-rien »). ♦ Dans l'Ancien Testament, personnification du principe du mal, des tentations du paganisme. Dans le Nouveau Testament (*II Cor.*, VI, 15), surnom du diable.

BÉLIER. *n. m.*, en lat. **Aries.** ♦ Constellation zodiacale de l'hémisphère boréal. Premier signe du zodiaque (21 mars-20 avril).

BELIN (Édouard). ♦ Inventeur français (Vesoul, 1876 – Territet, Suisse, 1963). Il conçut, en 1907, le *bélinographe.* **V. Korn.**

BELIN. ♦ Ch.-l. de cant. de la Gironde, arr. de Bordeaux*. 1 657 hab. L'aggl. compte 2 745 hab.

BÉLISAIRE, en gr. **Belisarios.** ♦ Général byzantin, originaire de Thrace ou d'Illyrie (v. 500 – 565). Il réprima la sédition Nika* à Constantinople en 532. L'empereur Justinien* lui ayant confié le commandement d'une expédition contre les Vandales, il battit Gélimer près de Carthage et reconquit l'Afrique du Nord (533-534). En Italie, il vainquit Vitigès, roi des Ostrogoths, en 540. Procope*, qui fut son secrétaire, le représente sous un aspect peu flatteur dans son *Histoire secrète.*

BELITUNG ou **BILLITON.** ♦ Île de l'Indonésie*, entre Bangka et Bornéo. 80 000 hab. Minerai d'étain (cassitérite).

BELIZE, en esp. **Belice.** ♦ Anc. cap. du Honduras britannique, sur la mer des Antilles. 45 000 hab. (1965). Évêché. Le port assure le trafic vers les pays voisins. La ville fut détruite par un cyclone en 1932. – Patrie d'Henry Léauté*. – Nouveau nom du Honduras britannique. *Cap.* Belmopan. **V. Honduras britannique.**

BELL (sir Charles). ♦ Physiologiste britannique (Édimbourg, 1774 – près de Worcester, 1842). Frère de John Bell*, il fit la découverte de la double conduction des nerfs rachidiens, dont les racines ventrales ont une fonction motrice et les racines dorsales une fonction sensitive (*Esquisse d'une nouvelle anatomie du cerveau*, 1811; *Sur les nerfs*, 1821).

BELL (Alexander Graham). ♦ Inventeur et physicien américain d'origine anglaise (Édimbourg, 1847 – près de Baddeck, Canada, 1922). Après avoir enseigné le langage par signes aux sourds-muets, ses recherches dans le but de faire entendre les sourds lui permirent de mettre au point une oreille artificielle qui enregistrait les sons et aboutirent en 1876 à l'invention du *téléphone* équipé d'un *microphone à liquide.* **V. Gray, Hughes.**

BELLAC. ♦ Sous-préf. de la Haute-Vienne*, ch.-l. d'arr. (8 cant., 65 comm., 53 069 hab.) 5 804 hab. (*Bellacquais* ou *Bellachons*). Importante église à deux nefs, l'une romane, l'autre gothique. Mairie dans un petit château du XVIIe s.; dans la cour, fontaine érigée à la mémoire de Jean Giraudoux en 1951. – Indus. du cuir, chaussures. – Patrie de J. Giraudoux, qui y situa sa pièce, l'*Apollon de Bellac.*

BELLANGE (Jacques *de*). ♦ Peintre, graveur et dessinateur lorrain (né v. 1575 – Nancy, 1616). Son œuvre peinte, notamment ses portraits, et les travaux de décoration qu'il exécuta au palais ducal de Nancy lorsqu'il était au service de Charles III de Lorraine, de 1602 à 1616, ont pratiquement disparu. Mais ses gravures et ses dessins parfois légèrement rehaussés dénotent un talent très personnel, d'une inspiration mystique et étrange, souvent sensuelle. Les formes étirées, les poses recherchées, la tension et l'élégance de son graphisme, l'apparentent au maniérisme florentin et à l'école de Fontainebleau, dont il semble prolonger le style.

BELLANO (Bartolomeo). ♦ Sculpteur italien (Padoue, v. 1434 – *id.* v. 1497). Élève de Donatello, il accentua la manière de son maître et obtint un style expressif et rapide dans ses panneaux de reliefs en bronze (décoration du *Santo* dans la *basilique Saint-Antoine*, Padoue).

BELLARMIN. ♦ **V.** ROBERT BELLARMIN (saint).

BELLAY (Guillaume *du*). ♦ Seigneur de Langey, homme de guerre, diplomate et écrivain français (Glatigny, Sarthe, 1491 – Saint-Symphorien, Rhône, 1543). Fait prisonnier à Pavie*, puis libéré, il réussit à se rendre à Madrid auprès du roi François* Ier, captif de Charles* Quint. Il a laissé des *Mémoires* complétés par son frère Martin (v. 1495-1559). – BELLAY (*Jean du*). Cardinal et diplomate, frère du précédent (1492 – Rome, 1560). Protecteur des lettres, il eut Rabelais* pour médecin et lui fit obtenir la cure de Meudon.

BELLAY (Joachim *du*). ♦ Poète français (Liré, 1522 – Paris,

Arch. Smeets

H. Bellechose :
« Communion et Martyre de saint Denis », vers 1410-1415.
(Musée du Louvre, Paris.)

1560). Ayant renoncé à la carrière militaire, il décida, sous l'influence de Peletier* du Mans, de s'adonner à la poésie. Partageant la ferveur humaniste de Ronsard* (qu'il avait rencontré en 1547), il suivit les leçons de l'helléniste Jean Dorat*, au collège de Coqueret (1547-1549), puis signa le programme de *La Brigade* (qui deviendra *La Pléiade* en 1556), la *Défense* et Illustration de la langue française* (1549). S'inspirant lui-même de l'exemple italien (particulièrement de Pétrarque*), il donna la même année les sonnets de *L'Olive* (anagramme, peut-être, de Mlle Viole) où, adhérant à l'idéalisme platonicien, il exhortait son âme à « reconnaître l'Idée – De la beauté, qu'en ce monde [elle] adore ». Tombé gravement malade, en 1550, atteint de surdité, il suivit néanmoins son oncle, le cardinal Jean du Bellay, à Rome où il resta quatre ans ; à son exaltation de voir « les sept coteaux romains, sept miracles du monde » succéda le dégoût de sa charge et des mœurs romaines, comme la nostalgie de la France. Les sonnets des *Regrets** (publiés à son retour ; 1558) font alterner les gracieuses pièces mythologiques et les satires amères (le « rire sardonien »). *Les Antiquités* de Rome* (1558), d'un ton plus grave, évoquent le travail du temps sur ces ruines glorieuses. En 1558 parurent aussi les *Divers Jeux rustiques,* contenant sur des rythmes d'une extrême variété des poèmes à la savante simplicité *(Vœu d'un vanneur de blé ; L'Hymne à la surdité).* En proie à des tracas domestiques, mal en cour (malgré l'admirable *Discours au Roi*, 1559, et à cause peut-être d'une véhémente satire, *Le Poète courtisan,* 1559), de plus en plus malade, Du Bellay mourut subitement au début de 1560. Poète qui s'enorgueillit d'avoir introduit en France le sonnet amoureux, parvenu à une grande maîtrise de l'alexandrin (adopté après le décasyllabe), il sut être tour à tour élégiaque et satirique, pleurant ses « ennuis » avec un charme prenant qui annonce le lyrisme romantique.

BELLEAU (Rémi). ♦ Érudit et poète français (Nogent-le-Rotrou, 1528 – Paris, 1577). Protégé par la puissante maison de Lorraine, il put s'adonner à sa vocation poétique et compta, dès 1554, parmi les sept membres de la Pléiade*. Après avoir suscité l'admiration de Ronsard* pour sa traduction d'Anacréon* (1556), Belleau se montra un interprète sensible de la nature dans *La Bergerie* (1565 ; augmentée en 1572), œuvre mêlée de vers et de prose où il chante les beautés des paysages champêtres ou les plaisirs de l'amour. Il évoqua également avec grâce les mythes de l'Antiquité dans ses *Amours et Nouveaux Échanges de pierres précieuses* (1576).

BELLEAU. ♦ Comm. de l'Aisne* (arr. de Château-Thierry*) 117 hab. – Grand cimetière national américain, au pied de la butte du *bois de Belleau,* enlevé par les Américains le 29 juin 1918.

Belle au bois dormant (La). ♦ Conte de Ch. Perrault*, parut dans les *Histoires ou Contes* du temps passé* (1697). Une jeune princesse devra attendre cent ans le baiser du prince charmant qui doit la réveiller du sommeil magique dans lequel l'a plongée une méchante fée. Ce récit qui, outre ses valeurs psychologiques, symbolise sans doute l'engourdissement hivernal de la nature, inspira notamment un ballet de Marius Petipa*, mis en musique par Tchaïkovski* (1890), puis *La Pavane de la Belle au bois dormant* de Maurice Ravel* (Cf. *Ma mère l'Oye,* 1908), enfin un conte musical d'O. Respighi* (1920).

BELLECHOSE (Henri). ♦ Peintre et enlumineur originaire du Brabant (v. 1380 – Dijon ?, 1440-1444). Il succéda à Malouel* comme peintre de Jean sans Peur (1415) et exécuta des peintures pour les résidences du duc de Bourgogne et pour la *Chartreuse de Champmol. Le Martyre de saint Denis* (v. 1410-1416) qu'on lui attribue (sans doute commencé par Malouel) est révélateur de la tendance franco-flamande du « gothique international ». On y décèle l'attachement à la conception narrative médiévale, la marque de l'art italien (paysage, fond d'or), l'influence des miniaturistes parisiens (gestes élégants, coloris) auxquels s'ajoute une recherche de réalisme dans l'expression et le modelé qui apparaît comme un apport d'origine flamande.

BELLEDONNE *(massif de).* ♦ Chaîne des Alpes françaises (Isère*) qui s'étend, à l'E. du Grésivaudan*, de la vallée de la Romanche jusqu'au delà d'Allevard*. 2 981 m au *Grand pic de Belledonne.* 2 253 m à la *Croix-de-Chamrousse.*

BELLE-ÉPINE. ♦ Carrefour situé dans la banlieue sud de Paris, sur la comm. de Rungis (Val-de-Marne). Important centre commercial (supermarché, galerie marchande).

BELLEGAMBE (Jean). ♦ Peintre de retable (Douai, v. 1470 – *id.,* 1534). Il se forma sans doute à Valenciennes dans l'atelier de S. Marmion*. Il travailla exclusivement dans la région de Douai, excepté un bref séjour à Anvers en 1510. Fervent croyant, il produisit de nombreux retables dont l'iconographie savante, parfois novatrice, exprime le souci de défendre la tradition du dogme catholique. Ces vastes compositions au caractère statique, souvent monumental, révèlent un attachement à l'art flamand du XVe s. (Van* Eyck, R. van* der Weyden), notamment le *polyptyque d'Anchin*

(v. 1508-1513), *L'Immaculée Conception* (1526). Il aimait les coloris clairs et brillants, se révélant un observateur plein de finesse dans le traitement des visages des donateurs et des paysages.

BELLEGARDE *(maison de)*. ♦ Famille originaire de Saint-Lary (Haute-Garonne), ayant pris le nom d'une terre acquise en Bourgogne. Ses principaux membres furent : ♦ ROGER Ier ([mort] 1579), favori du roi Henri III, qui le fit maréchal de France en 1574. ♦ ROGER II (v. 1565 – 1646) qui fut, avant Henri IV, l'amant de Gabrielle d'Estrées*. Louis XIII le fit duc et pair en 1620.

BELLEGARDE. ♦ Comm. du Gard* (arr. de Nîmes*). 3 052 hab. *(Bellegardais)*. Tour en ruine.

BELLEGARDE ou **BELLEGARDE-DU-LOIRET.** ♦ Ch.-l. de cant. du Loiret, arr. de Montargis. 1 124 hab. *(Bellegardois)*. Église du XIIe s., romane. Château (XIVe s.- XVIIe s.-XVIIIe s.). – Horticulture.

BELLEGARDE-SUR-VALSERINE. ♦ Ch.-l. de cant. de l'Ain* (arr. de Nantua*) au confluent du Rhône et de la Valserine*. 9 690 hab. *(Bellegardiens)*. Indus. textiles; indus. chimiques; électrométallurgie; cartonnage; bonneterie. – La mise en eau du barrage de Génissiat* a submergé en amont du Rhône les gorges du fleuve et le célèbre site de la « perte » du Rhône, proche de la ville.

Belle Hélène (La). ♦ Opéra bouffe en trois actes de Meilhac et Halévy, musique de J. Offenbach* (1864).

BELLE-ÎLE ou **BELLE-ÎLE-EN-MER.** ♦ La plus grande des îles bretonnes (8 461 ha), 17,5 km de long sur 5 à 9 km de large, située dans l'Atlantique au large de Quiberon. 4 712 hab. *(Bellilois)*. Elle forme un canton du dép. du Morbihan. C'est un plateau de 40 m d'alt. en moyenne (point culminant 63 m). Elle regroupe 4 communes : Le Palais, ch.-l. de canton. 2 961 hab., capitale de l'île; port; citadelle (XVIe s.) renforcée par Fouquet et par Vauban. Sauzon (621 hab.); Bangor (550 hab.; aérodrome); Locmaria (580 hab.). Stations balnéaires. Tourisme très important. Pêche, conserveries. Moutons de pré-salé. Cultures. L'émigration est importante. Patrie du général Trochu*.

BELLE-ISLE (Charles Louis Auguste Fouquet *de*) [bɛlil]. ♦ Maréchal de France, (Villefranche-de-Rouergue, 1684 – Paris, 1761). Petit-fils de Nicolas Fouquet*, il combattit sur le Rhin durant la guerre de Succession de Pologne et fut nommé maréchal en 1741. Il soutint Charles-Albert de Bavière dans la guerre de Succession d'Autriche et contribua à le faire élire empereur d'Allemagne contre Marie-Thérèse (1742). Fait duc de Gisors en 1742, il conduisit avec succès, la même année, la retraite de Prague. Élu à l'Académie française en 1749, il fut ministre de la Guerre de 1758 à 1760.

BELLE-ISLE *(détroit de)*. ♦ Détroit qui relie le golfe du Saint*-Laurent à l'Atlantique entre le Labrador* et Terre*-Neuve.

BELLE-ISLE-EN-TERRE. ♦ Ch.-l. de cant. des Côtes-du-Nord, arr. de Guingamp. 1 234 hab. Papeterie.

BELLÊME. ♦ Ch.-l. de cant. de l'Orne*, arr. de Mortagne*-au-Perche, près de la forêt de Bellême. 1 740 hab. *(Bellémois)*. Église Saint-Sauveur des XVIIe-XVIIIe s.; porte fortifiée du XVe s. – Confection. – Patrie de A. Boucicaut*. R. Martin* du Gard y résida et y mourut.

Belle Meunière (La) [*Die Schöne Müllerin*]. ♦ Cycle de lieder inspirés à Schubert* (1823) par un recueil de poésies de Wilhelm Müller (1823). L'insouciance et la gaieté y alternent avec la mélancolie et le désespoir, dans une forme simple et parfaite à laquelle la richesse rythmique et harmonique de l'accompagnement (piano) apporte d'admirables prolongements.

Ph. Carlo Bevilacqua/Ricciarini

Jacopo Bellini : « Madone et Enfant ». (La Brera, Milan.)

BELLENCOMBRE. ♦ Ch.-l. de cant. de la Seine-Maritime (arr. de Dieppe). 654 hab. Château de *la Grande Heuze*.

BELLERIVE-SUR-ALLIER. ♦ Comm. de l'Allier*, arr. de Vichy*, sur la r. g. de l'Allier. 5 953 hab. Fabrique de munitions.

BELLÉROPHON. ♦ Héros, fils de Poséidon* ou de Glaucos* et petit-fils de Sisyphe. Ayant réussi à dompter le cheval Pégase*, il tua la Chimère* et vainquit les Amazones. Le roi de Lycie, enfin convaincu de l'origine divine du héros, lui donna sa fille en mariage et lui légua son trône.

Bellerophon. *n. m.* ♦ Nom du navire anglais sur lequel Napoléon, après avoir volontairement quitté l'île d'Aix* (15 juill. 1815), s'embarqua pour Plymouth, première étape avant Sainte-Hélène.

BELLEVILLE. ♦ Quartier de Paris (XXe arr.), situé au N.-E., sur des collines. Ancienne commune annexée à Paris en 1860, ce fut longtemps un quartier ouvrier **(V. Ménilmontant)** aux rues populaires et animées, dont les cabarets étaient déjà célèbres au XVIIIe siècle. Durant le second Empire, Belleville se donna pour député L. Gambetta* (voir ci-dessous, *programme de Belleville)* et la population du quartier joua un rôle important durant la Commune.

Belleville (programme de). ♦ Présenté en avril 1869 par L. Gambetta*, alors candidat aux élections du Corps législatif, ce programme, la première charte du radicalisme, exigeait « l'application la plus radicale du suffrage universel », la liberté individuelle, les libertés de presse, de réunion et d'association, la séparation de l'Église et de l'État, l'instruction primaire gratuite et obligatoire, la suppression des armées permanentes et la disparition de l' « antagonisme social » par une recherche de la justice et de l'égalité.

BELLEVILLE ou **BELLEVILLE-SUR-SAÔNE.** ♦ Ch.-l. de cant. du Rhône, arr. de Villefranche*-sur-Saône, sur la Saône, dans le Beaujolais*. 6 125 hab. *(Bellevillois)*. Église du XIIe siècle. – Centre viticole du Beaujolais. Indus. métallurgique, tannerie, confection. – Patrie de G. Voisin*.

BELLEVUE. ♦ Section de la comm. de Meudon (Hauts-de-Seine). Le *château de Bellevue* fut construit pour Mme de Pompadour en 1748. De nombreux artistes contribuèrent à sa décoration : Coustou, Falconet, Pigalle, Boucher, Van Loo. Le château fut endommagé pendant la Révolution; en 1823, le parc fut mis en lotissement.

BELLEY. ♦ Sous-préf. de l'Ain*, ch.-l. d'arr. (9 cant., 112 comm., 68 194 hab.) dans le Bugey*. 7 653 hab. *(Belleysans)*. Cathédrale reconstruite au XIXe s.; chœur et transept du XVe siècle. Palais épiscopal construit par Soufflot* (XVIIIe s.). Centre commercial; confection; tanneries, maroquinerie; constructions mécaniques; imprimerie; joints métallo-plastiques. – Patrie de Brillat*-Savarin (maison natale).

BELLINGSHAUSEN (Fabian *von*). ♦ Officier de la marine russe (île d'Ösel, 1778 – Kronstadt, 1852). Lors d'une expédition dans l'Antarctique (1819-1821), il découvrit les îles Pierre Ier et Alexandre Ier.

BELLINI (Les). ♦ Membres d'une famille de peintres italiens qui jouèrent un rôle très important dans l'évolution de l'école vénitienne. ♦ JACOPO (Venise, v. 1400 – *id.*, v. 1471). Il fut, avec son maître Gentile da Fabriano* et avec Pisanello*, parmi les peintres septentrionaux qui tentèrent de s'affranchir du gothique international ou de l'enrichir (*Christ en Croix*, Vérone; *Saint-Jérôme*, Vérone; *Annonciation*, Brescia). Ses œuvres monumentales ont disparu. Toutefois, ses deux recueils de dessins (Londres, Paris), composés de morceaux à l'antique et de représentations architecturales complexes, révèlent une volonté de contribuer aux recherches nouvelles. ♦ GENTILE (Venise, v. 1429 – *id.*, 1507). Fils de Jacopo, il apprit à peindre dans l'atelier de son père. Sa première œuvre signée date de 1465. Excellent dans le portrait, il devint peintre officiel de Venise (portraits du *Doge Francesco Foscari*, de l'*Empereur Frédéric III*). Envoyé à Istanbul, il y peignit le *portrait de Mehmet* II* et dut ensuite séjourner en Égypte. À son retour, il introduisit l'orientalisme et l'exotisme dans la peinture vénitienne (*Prédication de saint Marc à Alexandrie*, Milan). Ses qualités de peintre narratif sont confirmées dans ses représentations précises et anecdotiques du milieu urbain de sa ville (*Procession sur la Piazza San Marco*, 1496; *Miracle de la croix au pont San Lorenzo*, 1500). De ce fait, il influença Carpaccio*. ♦ GIOVANNI dit GIAMBELLINO (Venise, v. 1430 – *id.*, 1516). Fils naturel de Jacopo, il suivit à ses débuts les formules proposées par son père et ses premières madones, aux coloris clairs et au ciel lumineux, rappellent les icônes byzantines par leur forte spiritualité. Il subit ensuite l'influence de son beau-frère Mantegna*; aussi ses œuvres des années 1465-1470 présentent-elles des lignes aiguës et des paysages vigoureusement taillés (*Madone*, Berlin; *Transfiguration*, Venise; le *Précieux Sang*, Londres; *Christ après la résurrection*, Louvre). Cependant, en donnant à la lumière un aspect diffus, il élabora des paysages dégageant une intense irréalité différente de celle de Mantegna (*Prière au jardin des Oliviers*, Londres; *Christ mort*, Milan). Le passage d'Antonello* de Messine à Venise (1475) lui permit de renouveler son style et de l'adapter aux possibilités qu'offre la peinture à l'huile. Il arriva ainsi à résoudre par l'effet tonal l'accord entre les personnages et l'espace dans lequel

Arch. Smeets

Giovanni **Bellini** : « Transfiguration ».
(Museo di Capodimonte, Naples.)

ils sont figurés (*Transfiguration*, 1480-1485, Naples), sa préoccupation principale restant le traitement de la lumière. Dans la *Pala San Giobbe* (1486-1487, Venise), l'architecture sombre et solide renforce le jeu vibrant de la lumière se déployant sur les corps. Les effets de réverbération sont multipliés dans l'*Allégorie sacrée* (1490, Florence) où une atmosphère diaphane unifie une rythmique chromatique complexe, alors que les personnages – arrachés à leurs contextes dramatiques habituels – forment une condensation symbolique analogue à celle du rêve. Jusqu'à un âge avancé, Giambellino conserva une grande inventivité ; il sut adapter certaines trouvailles de son élève Giorgione* à sa propre manière (*Portrait du Doge Loredan*, Londres). Ses dernières œuvres (*Sacra conversazione*, Venise ; *Assomption*, Murano ; *Saint Jérôme avec saint Christophe et saint Augustin*, Venise) renforcent les effets d'irréalité par un traitement plus dense de la lumière et une organisation chromatique plus accentuée. Ses grandes productions profanes furent détruites (incendie du palais des Doges en 1577), mais ses tableaux mythologiques (*Fête des Dieux*, Washington), bibliques (*Ivresse de Noé*, Besançon) et allégoriques (Venise) montrent un style fantaisiste et libre. Giovanni, en assimilant les grandes nouveautés (Mantegna, Antonello, Piero della Francesca) et en les intégrant dans la tradition spirituelle de Venise, ouvrit la voie aux rénovations de Giorgione* et de Titien*.

BELLINI (Vincenzo). ♦ Compositeur italien (Catane, 1801 – Puteaux, 1835). La pureté de la mélodie et la richesse du lyrisme, en dépit de la médiocrité de leur orchestration, ont fait le durable succès de deux de ses opéras, *La Somnambule* et *Norma* (1831), tous les deux composés pour la Scala de Milan (1831). Il est aussi l'auteur des *Puritains* (Paris, 1835), de plusieurs ouvrages de musique religieuse (*Magnificat*, 1818), de cantates et de mélodies.

BELLINZONA. ♦ V. de Suisse, ch.-l. de cant. du Tessin* au débouché de la route du Saint*-Gothard, au N.-E. du lac Majeur*. 15 700 hab. Maisons anciennes, remparts. Église collégiale (XVIe s.) à ornementation intérieure baroque. La ville est dominée par trois châteaux : le *castello Grande* ou château d'Uri, le *castello di Montebello* ou château de Schwyz (début XIVe s.) et le *castello di Sasso Corbaro* ou château d'Unterwald (1479).

BELLMAN (Carl Michael). ♦ Poète suédois (Stockholm, 1740 – *id.*, 1795). Dédaignant la littérature mystique et didactique pratiquée à l'époque, il célébra sur le mode burlesque la vie des cabarets. Ses poèmes, composés pour être chantés sur des airs connus, furent rassemblés en recueil (*Épîtres et chansons de Fredman*, 1790) et lui valurent un prix de 50 thalers d'argent, décerné par l'Académie suédoise. Ses chansons à boire sont toujours populaires en Scandinavie. Chaque année, le 26 juillet, une fête célèbre à Stockholm la *journée de Bellman*.

BELLO (Andrés). ♦ Poète, philosophe, juriste et grammairien vénézuélien (Caracas, 1781 – Santiago du Chili, 1864). Patriote, ami de Bolivar, il contribua à l'épanouissement culturel du continent hispano-américain dont il fut l'un des maîtres à penser. Il rédigea les textes de loi du Chili ainsi qu'une grammaire espagnole où il se montre partisan de l'élargissement du castillan par l'incorporation des américanismes.

BELLOC (Joseph Hilaire Peter). ♦ Historien, poète et romancier anglais (La Celle-Saint-Cloud, 1870 – Londres, 1953). Étudiant à Oxford, il écrivit *Vers et Sonnets* (1895). Il composa ensuite des poèmes fantaisistes pleins de charme (*Le Livre de bêtes pour méchants enfants*, 1896, etc.), outre des ouvrages d'érudition historique (*Danton*, 1899 ; *Robespierre*, 1901 ; *Napoléon*, 1932 ; *Cromwell*, 1934). On lui doit des romans (*Emmanuel Burden*, 1904) et des livres de voyages (*Le Chemin de Rome*, 1902 ; *La Croisière du Nona...*). Hilaire Belloc figure parmi les représentants les plus typiques du mouvement catholique en Angleterre.

BELLONE. ♦ Déesse romaine de la Guerre*, considérée parfois comme la femme de Mars*.

BELLONTE (Maurice). ♦ Aviateur français (Méru, Oise, 1896). Il accomplit avec Dieudonné Costes* la première liaison aérienne sans escale Paris-New York (1930).

BELLOT (Joseph René). ♦ Marin français (Paris, 1826 – mers arctiques, au Nord de l'Amérique, 1853). Il participa à l'expédition de Kennedy à la recherche de J. Franklin (1851) puis à celle d'Inglefield au cours de laquelle il trouva la mort. On a donné son nom au détroit situé entre l'île Somerset et la presqu'île Boothia (franchi pour la première fois en 1937).

BELLOTTO (Bernardo, dit Canaletto le Jeune). ♦ Peintre, dessinateur et graveur italien (Venise, 1721 – Varsovie, 1780). Neveu d'Antonio Canal (**V. Canaletto**), il choisit le même surnom que lui si bien que leurs œuvres furent souvent confondues, car il fut lui aussi peintre de « vedute ». Il fit de nombreux voyages en Italie. Appelé à Dresde en 1746, il y devint peintre de la cour en 1748. Il travailla ensuite à Vienne pour l'impératrice Marie-Thérèse, puis à la demande du roi Stanislas Poniatowski, s'installa définitivement en Pologne. Il imita d'abord de très près Canaletto, puis préféra souvent un chromatisme plus sombre et contrasté à tonalité froide. Dans ses œuvres de Dresde, de Vienne et de Varsovie, il affirma mieux sa personnalité, détachant les formes avec une grande netteté sur des ciels aux couleurs denses. Très soucieux du rendu objectif des choses, il fit preuve d'une facture solide et précise (*Vue de Varsovie; Élection de Stanislas-Auguste,* 1764).

BELLOVAQUES. *n. m. pl.,* en lat. **Bellovaci.** ♦ Peuple de la Gaule belgique établi autour de *Bratuspantium* plus tard *Caesaromagus* (Beauvais*).

BELLOW (Saul). ♦ Romancier américain (Lachine, Québec, 1915 –). Issu d'une famille d'émigrants israélites, il campe des exilés errants, humiliés, presque tous marqués par les problèmes de la minorité judéo-américaine (*Au jour le jour : Seize the Day,* 1956, *La Victime,* 1947). Plus optimiste est son grand roman picaresque *Les Aventures d'Augie March* (1953) qui se termine sur ces mots : « Je suis une sorte de Colomb pour tous ceux qui sont à portée de la main et je crois fermement qu'on peut les rejoindre dans cette *terra incognita* immédiate qui s'étend devant chaque regard... » *La dernière analyse* (*The last Analysis,* 1967) est l'histoire de l'échec d'une psychanalyse. (Prix Nobel de litt., 1976).

BELLOY (Pierre Laurent Buirette, dit **Dormont** *de*). ♦ Auteur dramatique français (Saint-Flour, 1727 – Paris, 1775). Destiné à une carrière judiciaire, il préféra se faire comédien et suivit une troupe théâtrale; très bien reçu à la Cour de Russie (où il bénéficia de la faveur de l'impératrice Élisabeth), il revint en France pour faire jouer ses pièces, notamment *Le Siège de Calais* (1765), une des premières pièces historiques à sujet national qui conquit le public par ses accents patriotiques. Dormont de Belloy est l'auteur de *Gaston et Bayard* (1771) et de *Gabrielle de Vergy* [posth., 1777]. (Acad. fr.)

BELLUNO. ♦ V. du N.-E. de l'Italie (Vénétie) et ch.-l. de prov., sur la Piave, dans le massif des Dolomites*. 33 720 hab. (1968). Cathédrale du XVIIe s. avec un campanile baroque du XVIIIe s., par Juvara. Station de sports d'hiver. ♦ *Hist.* Masséna y défit les Autrichiens en 1797. La province de Belluno a 223 200 hab.

BELMONT-DE-LA-LOIRE. ♦ Ch.-l. de cant. de la Loire (arr. de Roanne). 1 659 hab. Tissages.

BELMONTE Y GARCÍA (Juan). ♦ Matador espagnol (Séville, 1892 – Utrera, 1962), devenu célèbre en 1912. Il reçut l'alternative en 1913. Desservi par un certain manque de force, il inventa un art du combat entièrement nouveau. Avant lui, toute la course était subordonnée à la réussite de la mise à mort, jugée seule importante. Belmonte dramatisa les autres moments du combat. Il atteignit le pathétique par son immobilité presque absolue, la simplicité et la beauté de ses passes. La valeur esthétique du spectacle en fut rehaussée, l'intérêt de la course et le goût du public déplacés. Les spectateurs vinrent désormais aux arènes pour apprécier le jeu d'un homme sachant imposer à la bête un comportement et un rythme. L'art de Belmonte est à l'origine de la tauromachie moderne.

BELOCH (Julius). ♦ Historien allemand (Nieder-Peschkendorf, Silésie, 1854 – Rome, 1929). Ses études portèrent principalement sur l'histoire économique, sociale, démographique, politique, etc. de la Grèce antique.

BELO HORIZONTE. ♦ Troisième V. du Brésil, cap. de l'État de Minas* Gerais. 1 232 700 hab. (avec l'aggl.). Située à 800 m d'alt. au milieu d'une riche zone minière et agricole, c'est un centre métallurgique et sidérurgique important. Indus. textiles, mécaniques, cuir, cimenteries, tabac. Un oléoduc la relie à Rio* de Janeiro. Université.

BELOMORSK. ♦ V. et port d'U.R.S.S. (R.S.F.S. de Russie), en Carélie*, sur la mer Blanche*, à l'extrémité du canal mer Baltique-mer Blanche. 13 600 hab. (1959). Exportation de bois. Pêcheries.

BÉLON ou **BELON.** *n. m.* ♦ Rivière du Finistère (Bretagne) qui forme un estuaire sur lequel se trouve le petit port de Bélon (hameau de Moëlan-sur-Mer), renommé pour ses huîtres. Elle rejoint l'estuaire de l'Aven* et débouche dans l'Atlantique.

BÉLOUCHISTAN. ♦ V. BALUCHISTÂN.

BELPECH. ♦ Ch.-l. de cant. de l'Aude (arr. de Carcassonne). 1 224 hab. Ruines gallo-romaines. Château. Église (XIVe siècle).

BELPHÉGOR (de *Béelphégor,* transcription dans les bibles grecque et latine, de l'hebreu *Ba'al Pe'or*). ♦ Dieu moabite, Baal* du mont Pe'or, mentionné dans la Bible (*Nombres,* XXV, 3, etc.).

Ph. Nino Cirani/Ricciarini
Belo Horizonte : avenida Amazonas.

BÊL-SHAR-USUR. ♦ V. BALTHASAR.

BELSUNCE DE CASTELMORON (Henri François-Xavier *de*). ♦ Prélat français (Saint-Eutrope-de-Born, Périgord, 1670 – Marseille, 1755). Évêque de Marseille, il fit preuve d'un dévouement héroïque pendant la peste de 1720-1721.

BELT (GRAND-), en danois **Store Baelt.** ♦ Détroit danois reliant la mer Baltique* au Cattégat*, entre les îles de Fionie* et de Sjaelland*. ♦ PETIT-BELT, en danois *Lille Baelt,* reliant la Baltique au Cattégat, entre la Fionie et le Jutland*.

BELTRAFFIO. ♦ V. BOLTRAFFIO.

BELTRAMI (Eugenio). ♦ Mathématicien italien (Crémone, 1835 – Rome, 1900). Après avoir montré que la théorie des invariants différentiels permet les conceptions de Gauss* et de Riemann* sur la géométrie (1864-1868), il donna, suivant l'exemple de Riemann*, une interprétation de la géométrie hyperbolique à deux dimensions sur une surface de révolution à courbure négative constante, la pseudosphère (1868), participant ainsi à la diffusion des géométries non euclidiennes. **V. Bolyai, Lobatchevski, Riemann.**

BELTSY ou **BIELTSY,** en roum. **Baltsi.** ♦ V. d'U.R.S.S. (Moldavie*), au N. du plateau de Bessarabie. 102 000 hab. Centrale thermique. Centre important d'indus. alimentaires (combinats d'huile et de viande, sucrerie, distillerie). Constructions mécaniques. Pelleteries, confection.

BELVÉDÈRE. *n. m.* (Cf. Robert). ♦ Villa de la cité du Vatican, bâtie au N. de la basilique pour Innocent VIII (fin XVe s.). Plus tard, sous Jules II, Bramante* le relia au palais apostolique par deux longues ailes enserrant une magnifique perspective en terrasses de plus de 300 m (perspective brisée lors de l'adjonction, en transversale, de la Bibliothèque vaticane, sous Sixte V, puis du Braccio Nuovo, au XIXe s.). Le Belvédère donne aujourd'hui sur le *Cortile della Pigna* (cour de la pomme de pin). Il abrite quelques salles du musée Pie-Clémentin et les cabinets qui s'ouvrent en son centre sur la *cour du Belvédère* ou *cour octogonale* renferment des chefs-d'œuvre de la statuaire antique : *Laocoon, Apollon, Torse* « du Belvédère ».

BELVÈS. ♦ Ch.-l. de cant. de la Dordogne (arr. de Sarlat). 1 882 hab. *(Belvésois).* Maisons anc., église (XIVe-XVIe s.), beffroi, anciennes halles en bois. Château (XVe s.).

BELZ [bɛls]. ♦ Ch.-l. de cant. du Morbihan, arr. de Lorient, sur la rivière d'Étel. 3 353 hab. Petit port.

BELZÉBUTH (de *Béelzéboul* « seigneur du fumier » ou « seigneur de la maison suprême » c.-à-d. de l'enfer, désignant le chef des démons dans le Nouveau Testament, *Matthieu,* XII, 24, etc.; ce nom est une déformation péjorative de *Baal* Zébub* « seigneur des mouches », dieu philistin mentionné dans l'Ancien Testament, *II Rois,* I, 2). ♦ Un des noms du diable.

BEŁZEC. ♦ Anc. camp d'extermination nazi créé en Pologne* (voïévodie de Poznań) en 1941, où furent exterminées env. 600 000 personnes jusqu'en 1943.

BEMBO (Pietro). ♦ Cardinal et humaniste italien (Venise, 1470 – Rome, 1547). Ayant appris le grec avec C. Lascaris* et latiniste éminent, il séjourna notamment à Florence, puis à Rome comme secrétaire de Léon X, avant de s'établir à Padoue où il fut historiographe de la république de Venise (1530). En 1539, Paul III le nomma cardinal; il mourut à Rome, alors qu'on le considérait comme candidat au trône pontifical. Ami de l'Arioste* et de Tebaldeo, il manifesta lui aussi son admiration pour Pétrarque* dans ses *Poésies* (*Rime,* 1530) d'une inspiration pétrarquiste, mais renouvelée par la savante harmonie des sons. Dans *Les Azolains* (*Gli Asolani,* v. 1497; publ., 1505 et dédiés à Lucrèce Borgia*) est exaltée la nécessité d'un amour pur, force vitale, en des dialogues inspirés du *Banquet* de Platon*. Persuadé que les classiques grecs et latins restent des modèles à suivre, Bembo démontra néanmoins dans les *Proses sur la langue vulgaire* (*Prose della volgar lingua,* v. 1525) que l'italien devait être préféré, comme langue, au latin. — Prosateur et poète de talent, Bembo garde surtout une importance historique pour avoir fixé l'usage littéraire de la langue italienne, et inauguré la mode du pétrarquisme.

BENALCÁZAR ou **BELALCÁZAR (Sebastián Moyano,** dit *de*). ♦ Conquistador espagnol (Belalcázar, Cordoue, 1480 – Carthagène, Colombie, 1551). Après avoir exploré l'isthme de Panamá, il participa à la conquête du Pérou par F. Pizarro, puis entreprit une expédition en Colombie* où il fonda Santiago de Guayaquil avant de retourner au Pérou.

BÉNARÈS. ♦ V. VÂRÂNASI.

BENAVENTE Y MARTINEZ (Jacinto). ♦ Auteur dramatique espagnol (Madrid, 1866 – *id.,* 1954). Benavente a traité tous les genres : pièces fantastiques, fantaisistes ou drame paysan (*Le mal aimé,* 1913; *Roses d'automne,* 1905). Son chef-d'œuvre, *Los intereses creados* (« Les affaires sont les affaires », 1909) est la satire d'une société sacrifiant tout à l'argent. (Prix Nobel, 1922.)

BEN BARKA (El Mehdi). ♦ Homme politique marocain (Rabat, 1920 – ? , 1965). Membre de l'aile gauche de l'Istiqlal, il la quitta pour l'*Union nationale des forces populaires* (U.N.F.P.), dont il fut le secrétaire. Exilé et condamné à mort par contumace par le gouvernement marocain, il s'occupait de la coordination des mouvements révolutionnaires du Tiers-Monde. En oct. 1965, il fut enlevé à Paris par deux policiers français et fut probablement assassiné peu après. Le général Oufkir, ministre de l'Intérieur du

Maroc, fut accusé d'être l'instigateur de l'enlèvement. Les magistrats français le condamnèrent par contumace à la réclusion criminelle à vie. L'affaire compromit momentanément les relations franco-marocaines (1967).

BEN BELLA (Mohammed). ♦ Homme politique algérien (Marnia, dép. de Tlemcen, 1916 –). Ancien sous-officier de l'armée française, devenu l'un des chefs de l'insurrection algérienne, il fut interné en France de 1956 à 1962. Libéré après les accords d'Évian*, il fut président du Conseil, puis président de la République algérienne (1963). Renversé par le coup d'État de Boumédiene en 1965, il fut emprisonné.

BENDA (Julien). ♦ Écrivain français (Paris, 1867 – Fontenay-aux-Roses, 1956). Après s'être formé aux mathématiques et à l'histoire, il débuta à la *Revue blanche* (1898) avec des articles où il se proclamait « dreyfusard par raison » (*Dialogues à Byzance,* 1900). Il se lia un moment avec Péguy* et collabora aux *Cahiers de la Quinzaine,* puis – se baptisant lui-même « l'homme libre », Éleuthère – défendit désormais la connaissance rationnelle liée au jeu d'une liberté qui restât souveraine. Ses romans et surtout ses essais, au ton volontiers polémique, condamnèrent tout ce qui ressort du domaine de l'émotion et de l'intuition. Après avoir dénoncé la philosophie du sentiment avec *Le Bergsonisme, ou une philosophie de la mobilité* (1912), il s'attaqua à la « critique pathétique » dans un pamphlet littéraire, *La France byzantine* (1945), qui défendait un classicisme strict, sinon étroit. Reprise du thème de *Belphégor* (1919), l'ouvrage capital de J. Benda, *La Trahison des clercs* (1927), dénonçait la démission des intellectuels, traîtres à leur mission d' « officiants de la justice abstraite » et de défenseurs du rationalisme démocratique, succombant à la tentation d'un engagement qui les soumettait aux pouvoirs temporels ou spirituels. Enfin, une trilogie autobiographique, *La Jeunesse d'un clerc, Un régulier dans le siècle* et *Exercice d'un enterré vif* (1946), développe longuement les mêmes thèses.

BENDERY ou **BENDER,** anc. en roum. **Thigina.** ♦ V. de l'U.R.S.S. (Moldavie*) sur la r. d. du Dniestr*. 60 000 hab. Combinat de soie naturelle. Construction de machines électriques. Porcelaine. ♦ *Hist.* Après la défaite de Poltava* (1709), Mazeppa* y mourut. Charles* XII y soutint aux environs un siège contre les Turcs (1713). Durant les guerres russo-turques, les Russes s'emparèrent de la ville en 1770 (massacre de 30 000 musulmans), en 1789, en 1806, et se la firent céder par les Turcs en 1812. Devenue roumaine en 1919, elle fut rétrocédée à l'U.R.S.S. en 1945.

BENDIGO. ♦ V. de l'État de Victoria* (Australie), située sur la bordure intérieure de la Cordillère* australienne, reliée par voie ferrée à Melbourne*. 41 600 hab. Expédition de fruits et légumes (tomates) vers Melbourne. Blé; marché du bétail; fonderies; poteries; indus. alimentaires et textiles. ♦ *Hist.* Le développement de Bendigo, créée en 1871, date de la découverte des champs aurifères.

BENDOR. ♦ Petite île de la Côte d'Azur, située en face de Bandol* (Var). Station balnéaire.

BENE BRAK. ♦ V. de l'État d'Israël dans les faub. de Tel*-Aviv. 67 000 hab. (1969). Centre en expansion. Études talmudiques.

BENEDEK (Ludwig Auguste, *von***).** ♦ Général autrichien (Ödenburg, 1804 – Gratz, 1881). S'étant distingué pendant la guerre contre la Lombardie* (1848) et l'Italie (Solferino*, 1859), il commanda l'armée autrichienne à Sadowa*-Königgrätz (1866) et dut démissionner après la victoire des Allemands sous les ordres de Moltke*.

BENEDETTI (Vincent). ♦ Diplomate français (Bastia, 1817 – Paris, 1900). Chargé dès 1855 de la direction des affaires politiques au ministère des Affaires étrangères, il négocia avec les Italiens la cession de Nice et de la Savoie à la France (traité de Turin de 1860). Ambassadeur en Italie (1861-1862), puis à Berlin (1864), il tenta, sans succès, d'obtenir de la Prusse le Luxembourg et la Belgique en échange de la neutralité française dans le conflit austro-prussien. Après le retrait de la candidature de Charles-Antoine de Hohenzollern au trône d'Espagne (1870), il demanda de la part du gouvernement français à Guillaume Ier des garanties sûres contre toute nouvelle candidature d'un Hohenzollern (entrevue d'Ems du 13 juillet 1870). Volontairement déformée dans un sens insultant pour la France par Bismarck*, Moltke* et Roon, la réponse négative du roi de Prusse (dépêche d'Ems*) fut l'occasion de la déclaration de la guerre à l'Allemagne par la France (17 juillet).

BENEDETTO DA MAIANO. ♦ **V. MAIANO.**

BENEDICT (Ruth). ♦ Ethnologue américaine (New York, 1887 – 1948). Elle s'est consacrée à des études d'ethnologie comparée sur les Indiens du S.-O. des États-Unis, cherchant à mettre en évidence les relations entre les formes de culture propres à chaque société et les habitudes individuelles qu'elles déterminent. Elle opposa ainsi la culture des Indiens Zuñi, caractérisée par un esprit d'équilibre, de modération, à celle des Indiens Kwakiutl, marquée par des instincts agressifs, individualistes (*Patterns of Culture,* 1934; *Continuities and discontinuities in cultural conditioning,* 1938; etc.).

BÉNÉDICTINS. *n. m. pl.* ♦ Religieux qui suivent la règle de saint Benoît* de Nursie. Codifiée par saint Benoît* d'Aniane (817), la règle s'imposa aux nombreux monastères de l'ordre, parmi lesquels celui de Cluny* joua un rôle capital aux Xe et XIe siècles. De

Ph. Nino Cirani/Ricciarini

Golfe du **Bengale** : Mahabalipuram.

nouveaux ordres apparurent dans le cours du Moyen Âge : Camaldules, Célestins, Chartreux, Cisterciens, Olivétains. Au XVIIe s., la congrégation de Saint*-Maur regroupa en France un grand nombre de monastères bénédictins. Après l'abolition des vœux de religion et la confiscation des biens monastiques sous la Révolution, l'ordre fut restauré en France grâce à l'action de dom Guéranger*. La Confédération bénédictine, créée par Léon* XIII en 1893, est soumise à un règlement de Pie XII (1952). – *Principales abbayes :* Cassin (Mont-), Chèvetogne, Cluny, Farnborough, Fleury (Saint-Benoît-sur-Loire), Fontevrault, Fontgombault, Hautecombe, Jouarre, Ligugé, Maredsous, Montserrat, Orval, Pierre-qui-Vire (La), Saint-Wandrille, Solesmes, Subiaco, Valmont, Wisques. – BÉNÉDICTINES. Les religieuses de l'ordre reconnaissent pour patronne sainte Scholastique*, sœur de saint Benoît. Au Moyen Âge, sainte Hildegarde*, sainte Gertrude* la Grande et sainte Françoise* Romaine furent parmi les plus célèbres. L'une de leurs congrégations, les Filles du Calvaire, date du XVIIe siècle. – *Principales abbayes :* Clervaux, Disibodenberg, Faremoutiers Fontevrault, Jouarre.

BENELUX (BElgique-NEderland-LUXembourg). *n. m.* ♦ Groupement constitué par l'union économique de la Belgique, des Pays-Bas et du Luxembourg (1958), déjà liés depuis 1944 par une convention d'union douanière. C'est à partir de 1960 que le traité de 1958 fut effectivement appliqué, les trois pays coordonnant leur politique également sur le plan social et financier, malgré des difficultés suscitées par la politique agricole. **V. C.E.E.** Bien que membre des Communautés européennes, les trois pays continuent d'appliquer les accords relatifs au développement du Benelux même. Son organisation est dirigée par un conseil de ministres, assisté d'un conseil économique et social, et d'un conseil inter-parlementaire. Le secrétariat général siège à Bruxelles.

BENEŠ (Edvard). ♦ Homme politique tchécoslovaque (Koslany, Bohême, 1884 – Sezimovo-Usti, 1948). Professeur à l'université de Prague (1914), il lutta aux côtés de Masaryk* pour l'indépendance de la Tchécoslovaquie. Ministre des Affaires étrangères de 1918 à 1935, il assura les bases du nouvel État en adhérant à la *Petite Entente* (avec la Yougoslavie et la Roumanie). À la suite des accords de Munich (1938), Beneš, qui avait succédé à Masaryk comme président de la République, donna sa démission. Président du gouvernement tchécoslovaque en exil à Londres (1941), il rentra à Prague en 1945, redevint président de la République mais se retira de la vie politique après le coup de force communiste de 1948.

BÉNÉVENT, en it. **Benevento.** ♦ V. du S.-O. de l'Italie (Campanie) et ch.-l. de province sur le Calore, affl. du Volturno. 58 400 hab. *(Bénéventins).* Église Sainte-Sophie (VIIIe s.) avec un cloître arabe du XIIe siècle. Centre agricole (tabac). La province de Bénévent compte 314 000 hab. ♦ *Hist.* D'abord appelée *Maleventum* (ou *Maluentum*), cette anc. cité samnite fut rebaptisée *Beneventum* par les Romains en ~ 268, après leur victoire sur Pyrrhus d'Épire en ~ 275. Au VIe s., elle fut enlevée à la domination byzantine par les Goths (545), puis par les Lombards (589) qui en firent la capitale d'un puissant duché. Conquise par les Normands en 1047, elle tomba alors aux mains de l'empereur Henri III qui la céda au pape Léon IX (1052). Bénévent fit partie du domaine pontifical jusqu'à l'orée du XIXe s. Charles Ier d'Anjou y vainquit Manfred (1266), qui trouva la mort dans la bataille. Elle fut occupée par les Français en 1799, puis Napoléon Ier l'érigea en principauté en faveur de Talleyrand (1806). Rendue au pape en 1814, elle fut annexée par le royaume d'Italie en 1860.

BÉNÉVENT-L'ABBAYE. ♦ Ch.-l. de cant. de la Creuse, arr. de Guéret. 1 074 hab. *(Bénévents).* Église romane (XIIe s.), anc. abbatiale.

BÉNÉZET *(saint).* ♦ Berger de la tradition provençale qui, avec l'aide de disciples, aurait construit au XIIe s. le célèbre pont d'Avignon*.

BENFELD. ♦ Ch.-l. de cant. du Bas-Rhin* (arr. d'Erstein). 3 564 hab. (5 485 avec Huttenheim). Hôtel de ville du XVIe siècle.

BENGALE. *n. m.* ♦ Région orientale de l'Inde, entre l'Himalâya* et le delta combiné du Gange* (Gangâ) et du Brahmâputra*.

Arch. Smeets

Art du **Bénin,** léopard, bronze.
(Josse Museum, Nigeria.)

Env. 250 000 km². Près de 100 000 000 d'hab. Région tropicale très arrosée, formée de plaines souvent marécageuses parcourues par de nombreuses rivières. On y cultive principalement le riz et le jute. Cette région a été divisée en 1947 en deux pays séparés (l'Inde* et le Pâkistân*) dont elle constituait des provinces distinctes (*Bengale occidental* à l'Inde, et Pâkistân oriental, puis Bangla* Desh). Les deux villes principales (capitales de province) sont, en Inde, Calcutta*, et au Bangla Desh, Dacca*. Alors que les Bengali indiens sont en majorité hindous, ceux du Pâkistân oriental sont musulmans. Ils parlent cependant la même langue, le bengalî — laquelle possède une littérature très riche — et ont le même genre de vie. – *Bengale occidental.* État de l'Union indienne. 87 612 km²; 34 926 000 hab. *Cap.* Calcutta. *V. princ.* **V. Asansol, Bally, Baranagar, Burdwân, Chandernagor, Darjeeling, Garden Reach, Howrah, Kamarhati, Kharagpur, Raniganj, South Dum Dum, South Suburban.** ♦ *Golfe du Bengale.* Golfe de l'océan Indien entre l'Inde*, le Bangla* Desh et la Birmanie*, au N. du 10ᵉ parallèle. Le Brahmâputra et le Gange s'y jettent.

BENGHAZI ou **BENGAZI**, en it. **Bengasi.** ♦ V. et port de Libye, une des cap. du pays, située sur la côte orientale du golfe de la Grande Syrte*, au pied du versant O. du dj. Akhdar, en Cyrénaïque*. 137 300 hab. Université (lettres et droit). – Industries alimentaires. ♦ *Hist. :* Au cours de la Seconde Guerre mondiale, Benghazi fut occupée par les Anglais en fév. et en déc. 1941. Deux fois reprise par l'Afrikakorps elle fut définitivement conquise par Montgomery* le 20 nov. 1942.

BEN GOURION (David). ♦ Homme politique israélien (Płońsk, Pologne, 1886 – Tel-Aviv, 1973). À la suite des pogroms, il s'établit en Palestine (1906). Porte-parole du sionisme, il travailla dès 1917 à l'union des diverses tendances socialistes qu'il réalisa par la création de l'Histadrouth (1921) puis du Parti social démocrate (Mapai) dont il devint secrétaire général. Devant l'opposition britannique, il favorisa l'immigration juive en Palestine (1936). Devenu l'un des principaux chefs de la Haganah*, il proclama l'établissement de l'État d'Israël en mai 1948. Premier ministre de 1948 à 1953 et de 1955 à 1963, il se retira du pouvoir (Lévi Eskhol lui succéda), puis du Mapai (1964) et fonda le parti Rafi. Depuis 1968 les partis Mapai, Rafi et Achdut Haavoda se sont unis pour former le « Parti travailliste israélien » (majoritaire à la Knesseth).

BENGUELA. ♦ V. et port de l'Angola, sur l'Atlantique. 40 282 hab. ♦ *Courant de Benguela* : courant marin froid dirigé vers l'équateur, le long des côtes de l'Angola, du Congo et du Gabon.

BENHA, en ar. **Banhâ.** ♦ V. de la basse Égypte, au N. du Caire, sur une branche du Nil. Ch.-l. du gouvernorat de Kalioubiéh*. 35 000 hab. Nœud ferroviaire et centre agricole (coton, céréales, agrumes, fabrique d'essence de rose).

BENI. *n. m.* ♦ Département du N. de la Bolivie. 213 564 km². 175 000 hab. (1968). Ch.-l. Trinidad. Plaines subtropicales, arrosées par les affl. du rio Madeira. Élevage extensif des bovins. – Le *rio Beni*, issu du versant E. des Andes, conflue avec les rios Madre* de Dios et Mamoré* pour former le Madeira* (1 700 km).

BÉNIGNE *(saint).* ♦ Apôtre légendaire de la Bourgogne, qui aurait subi le martyre vers 178.

BENI-MELLAL. ♦ V. du Maroc (28 900 hab.), ch.-l. de prov. (476 000 hab.), située au pied du Moyen Atlas dans la plaine du Tadla*. Centre commercial et agricole.

BENI-MERED. ♦ Comm. d'Algérie, dép. d'Alger, dans la plaine de la Mitidja*. 1 700 hab.

BÉNIN. *n. m.* ♦ Anc. royaume d'Afrique occidentale situé à l'O. du delta du Niger. Il fut sans doute fondé au Moyen Âge par un prince yorouba*, originaire d'Ife*. Caractérisé par une organisation urbaine remarquable, il connut son apogée aux XVIᵉ et XVIIᵉ s., s'étendant des confins du Dahomey jusqu'au delà du delta du Niger. Cette civilisation donna naissance à un art extrêmement complexe et varié (statues, bas-reliefs en bronze; sculptures d'ivoire). – Nom pris par le Dahomey le 30 juillet 1975. **V. Dahomey.**

BÉNIN *(golfe de).* ♦ Golfe qui baigne la côte des Esclaves*, à l'O. du delta du Niger, partie du golfe de Guinée*.

BENIN CITY. ♦ V. du Nigéria, ch.-l. de la région Moyen-Ouest. 100 694 hab. Elle fut la capitale de l'anc. *royaume du Bénin.*

BENI-SAF. ♦ V. et port d'Algérie, dép. de Tlemcen. 21 900 hab. Exploitation de minerai de fer. Conserveries de poisson.

BENI-SOUEF, en ar. **Banî Suwayf.** ♦ V. de la Haute-Égypte sur la r. g. du Nil, ch.-l. de la province du même nom. 78 829 habitants.

BENJAMIN. ♦ Personnage biblique (*Genèse*, XXXV, 16-20). Dernier fils de Jacob* et de Rachel, ancêtre éponyme d'une tribu d'Israël qui resta fidèle à Roboam*, roi de Juda, après la mort de Salomon.

BENJAMIN de TUDELA. ♦ Voyageur et rabbin du XIIᵉ siècle (mort à Tudela, Navarre espagnole, v. 1173). Il entreprit pour des motifs politiques, commerciaux et religieux, un long périple afin « de visiter et de dénombrer tous les juifs d'obédience mosaïque répandus sur la surface du globe ». Bien qu'il n'ait pas toujours évité le merveilleux et la légende, son récit contient de nombreux renseignements sur les mœurs et les coutumes, les croyances et pratiques religieuses des pays qu'il traversa et sur la situation des juifs (en particulier à Rome et Constantinople).

BEN MAYMON (Mosheh). ♦ **V.** MAÏMONIDE.

BENN (Gottfried). ♦ Écrivain allemand (Mansfeld, Prusse, 1886 – Berlin, 1956). Expressionnistes, ses premiers recueils poétiques (*Morgue,* 1912; *Les Fils,* 1914; *Chair,* 1917; *Déblai,* 1919; *Le Je moderne,* 1919) décrivent avec violence et cynisme un monde absurde, déchiré, et dénoncent le mythe du progrès auquel ils opposent le spectacle d'une civilisation décadente. Disciple de Nietzsche, G. Benn tenta de dépasser le nihilisme. Il adhéra jusqu'en 1937 au national-socialisme, pensant y trouver une « rénovation » qui « hors du rationalisme et du fonctionnalisme » serait capable d'arracher « le pays à l'ankylose ». (*Après le nihilisme,* 1931; *L'État nouveau et les Intellectuels,* 1933; *Art et Puissance,* 1934). C'est dans une recherche purement formelle qu'il crut pouvoir affirmer en définitive le dépassement du pessimisme et du nihilisme (*Poèmes statiques,* 1948).

BENNETT (James Gordon). ♦ Journaliste américain (New Mill, Écosse, 1795 – New York, 1872). Fondateur du *New York Herald,* il fut un pionnier du journalisme moderne et le premier utilisateur du télégraphe pour les besoins journalistiques. Il envoya Stanley* à la recherche de Livingstone. Son fils lui succéda à la direction du journal et organisa le voyage polaire malheureux de la *Jeannette* (1879).

BENNETT (Enoch Arnold). ♦ Journaliste, dramaturge et romancier anglais (Hanley, Staffordshire, 1867 – Londres, 1931). Bennett étudia le droit avant de diriger la revue *Woman* (« Femme ») et de publier son premier roman, *Un homme du Nord,* 1898. Il épousa une Française et vécut plusieurs années à Paris et à Fontainebleau avant d'être nommé conseiller au ministère anglais de l'Information (1918). Influencé par Dostoïevsky et les naturalistes, Bennett évoqua le milieu pauvre de sa province : *La Famille Clayhanger,* 1925, *Anna des cinq villes,* 1902 (sa patrie : Hanley, faisait partie des cinq villes groupées dans Stoke*-on-Trent). De son *Histoire de vieilles femmes* (*The Old Wives' Tale,* 1908), roman linéaire et sans événements violents, se dégage un tragique né de la discrétion même. Bennett écrivit aussi des comédies et des romans humoristiques ou à sensation (*L'Enterré vivant,* 1908; *La Belle Dame,* 1918), mais il est surtout considéré comme un maître du roman régionaliste.

BENNETT (Richard Bedford). ♦ Homme politique canadien (Hopewell, New Brunswick, 1870 – Micklehan, Surrey, 1947). Chef du parti conservateur (1927), Premier ministre (1930), il dut céder la place à Mackenzie* King après la victoire des libéraux en 1935.

BEN NEVIS. *n. m.* ♦ Point culminant des îles britanniques dans les monts Grampians* (Inverness, Écosse). 1 343 m.

BENNIGSEN (Levin August Gottlieb, en russe **Léonti Léontievitch).** ♦ Général russe (Brunswick, 1745 – Banteln, Hanovre, 1826). Il entra au service de la Russie dès 1773. Commandant de l'armée du Nord (1806), il combattit Napoléon à Eylau* (fév. 1807) où, ayant résisté à l'adversaire, il revendiqua la victoire, mais fut battu à Friedland* (juin 1807). Après avoir pris part à la bataille de la Moskova* (1812), il contribua à la victoire de Leipzig* (1813).

BÉNODET. ♦ Comm. du Finistère, arr. de Quimper sur l'estuaire de l'Odet*. 1 922 hab. Petit port, station balnéaire, navigation de plaisance.

BENOIS (Aleksandr Nikolaïevitch, en fr. **Alexandre).** ♦ Peintre, décorateur et critique russe d'origine française (Saint-Pétersbourg, 1870 – Paris, 1960). Il fonda avec Diaghilev* le groupe *Mir Iskousstva* (Le monde de l'art); trouvant souvent son inspiration dans l'opéra français du XVIIᵉ s., la commedia dell'arte, le décor rococo ou la tradition folklorique russe, il réalisa de nombreux décors, notamment ceux de *Giselle* (1910) et de *Petrouchka* (1911).

BENOÎT Iᵉʳ, dit **Bonose.** ♦ 62ᵉ pape (575-578 [mort]), Romain.

BENOÎT II *(saint).* ♦ 81ᵉ pape (684-685 [mort]), Romain. Fête le 8 mai.

BENOÎT III. ♦ 104ᵉ pape (855-858), Romain, élu contre l'antipape Anastase* le Bibliothécaire.

BENOÎT IV. ♦ 117e pape (900-903 [mort]), Romain.

BENOÎT V *(le Grammairien).* ♦ Antipape (964-966 [mort]), élu par les Romains à la mort de Jean* XII et contre Léon* VIII. Othon Ier l'exila à Hambourg. Certains le regardent comme pape légitime.

BENOÎT VI. ♦ 133e pape, élu en 972, consacré en 973, Romain. Il fut étranglé (974) par Boniface* VII, antipape.

BENOÎT VII. ♦ 134e pape (974-983 [mort]), de la famille des comtes de Tusculum, ancien évêque de Sutri. Il anathématisa l'antipape Boniface* VII et, avec l'appui d'Othon II, calma l'agitation féodale en Italie.

BENOÎT VIII (*Théophylacte* des comtes de Tusculum). ♦ 142e pape (1012-1024 [mort]). Il eut l'appui de l'empereur Henri II contre l'antipape Grégoire (de la lignée des Crescentii), réunit le synode de Pavie (1022) pour réformer les mœurs du clergé, laissa le pouvoir temporel à son frère Romanus **(V. Jean XIX).**

BENOÎT IX (*Théophylacte,* des comtes de Tusculum). ♦ Pape de 1032 à 1044, vingt jours en avril 1045, et huit mois en 1047-1048 ([mort] 1055). Enfant débauché élu à douze ans, il fut chassé au profit de Sylvestre* III (fin 1044), se rétablit par la force mais abdiqua, contre argent, en faveur de Grégoire* VI (1er mai 1045), revint après la mort de Clément* II et fut chassé au profit de Damase* II (1048). Un concile (Rome, 1046) prononça sa déposition. Il figure généralement deux fois sur les listes pontificales (144e et 148e pape).

BENOÎT XI *(bienheureux)* [*Niccolo Boccasini*]. ♦ (près de Trévise, 1240 – Pérouse, 1304). 192e pape, en 1303-1304, ancien général des dominicains (1296), cardinal-évêque d'Ostie (1298). Il renoua avec Philippe IV le Bel, ne maintenant l'excommunication que contre les auteurs de l'attentat d'Anagni* **(V. Boniface VIII),** G. de Nogaret et Sciarra Colonna. Il quitta Rome, aux mains des Colonna, pour Pérouse et y mourut, sans doute empoisonné.

BENOÎT XII *(Jacques Fournier).* ♦ (Saverdun, pays de Foix – Avignon, 1342). 195e pape (1334-1342), cistercien, ancien abbé de Fontfroide. Il commença l'édification du palais des papes en Avignon.

BENOÎT XIII *(Pedro de Luna).* ♦ (Illueca, 1324 – Peñiscola, Espagne, 1423). Antipape (1394-1423) élu pour succéder à l'antipape d'Avignon Clément* VII. Il refusa d'abdiquer malgré sa promesse, résista à la pression française (retrait de la France hors de son obédience, 1398-1403, puis 1408), aux tentatives de conciliation de Grégoire* XII et à sa déposition par les conciles de Pise* (1409) et de Constance* (1417). Il avait fui Avignon dès 1409 et s'était réfugié (1415) dans la forteresse de Peñiscola où il dirigea une curie de trois cardinaux. **V. Schisme** (grand schisme d'Occident).

BENOÎT XIII *(Vincenzo Maria Orsini).* ♦ (Gravina, royaume de Naples, 1649 – Rome, 1730). 243e pape (1724-1730), dominicain, ancien évêque de Bénévent. Moine austère, peu compétent en politique, il se laissa gouverner par l'indigne cardinal Niccolo Coscia.

BENOÎT XIV *(Bernard Garnier).* ♦ (1430? [mort]). Sacriste de Rodez, antipape élu en 1425 à Peñiscola contre Clément VIII (Gil Sánchez de Muñoz), par un seul cardinal.

BENOÎT XIV *(Prospero Lambertini).* ♦ (Bologne, 1675 – Rome, 1758). 245e pape (1740-1758). Au prix de concessions, il fut le pape de la conciliation, avec le Portugal, l'Espagne, les Deux-Siciles, la Prusse même dont il reconnut enfin l'érection en royaume. Canoniste et érudit réputé, il promut l'enseignement des sciences historiques et naturelles dans un sens libéral, fit réviser l'*Index* (d'où Galilée et Copernic devaient être retirés en 1759), entretint une vaste correspondance avec le monde savant et s'attira l'estime des protestants et des déistes eux-mêmes.

BENOÎT XV *(Giacomo della Chiesa).* ♦ (Pegli, près de Gênes, 1854 – Rome, 1922). 256e pape (1914-1922), ancien archevêque de Bologne (1907) et cardinal (1914). Il fut le pape de la Première Guerre mondiale, se refusa à condamner l'un ou l'autre des adversaires, maintenant, dans la neutralité, une grande activité humanitaire et diplomatique; mais ses propositions de paix (1er août 1917) n'aboutirent pas et l'Italie obtint que le Saint-Siège fut exclu de la Conférence de la Paix. Il travailla à un rapprochement avec les Églises séparées d'Orient.

BENOÎT (René). ♦ Docteur en méd. et physicien français (Montpellier, 1844 – Courbevoie, 1922). Inventeur, avec C.E. Guillaume*, du métal *invar,* il participa, avec Michelson* puis avec Pérot* et Fabry*, à l'évaluation de la longueur du mètre en longueurs d'onde lumineuse.

BENOIT (Pierre). ♦ Romancier français (Albi, 1886 – Ciboure, 1962). Écrivain très lu et très fécond que son premier roman, *Kœnigsmark* (1918), consacra, Pierre Benoit composa une quarantaine d'ouvrages où sa maîtrise du récit linéaire traditionnel, ses intrigues adroites et pleines de péripéties, son art de créer une atmosphère, font merveille. Héros idéalistes et sentimentaux, héroïnes (dont le nom commence par la lettre A) dominatrices et cruelles, décors dépaysants où subsiste toujours une part de mystère assurèrent le succès de *L'Atlantide* (Grand prix du roman de l'Acad. fr., 1919), de *Mademoiselle de la Ferté* (1923), de *La Châtelaine du Liban* [1924]. (Acad. fr.)

BENOÎT BISCOP *(saint).* ♦ Moine northumbrien (629 – Wearmouth, 690). Ayant séjourné à Lérins et à Rome, il accompagna Théodore* de Canterbury en Angleterre et, comme abbé de St. Augustin de Canterbury, l'aida à organiser l'Église d'Angleterre. Il fonda les monastères de Wearmouth et de Jarrow, sous des observances semi-bénédictines, et introduisit livres et usages romains et gaulois. Fête le 12 janvier.

Ph. Harlingue-Viollet
P. Benoit.

BENOÎT D'ANIANE *(saint).* ♦ Bénédictin français (v. 750 – près d'Aix-la-Chapelle, 821). Fondateur de l'abbaye d'Aniane* (Hérault), il fut, sous l'égide de Louis le Pieux qui le chargea de réformer les monastères de l'empire, le commentateur et le codificateur de la règle de saint Benoît* de Nursie.

BENOÎT DE NURSIE *(saint).* ♦ Fondateur de l'ordre Bénédictin (Norcia, Pérouse, v. 480 – Mont-Cassin, v. 547). Sa vie n'est connue qu'à travers le récit, empreint de légende, de Grégoire le Grand (*Dialogues,* II). On en retient qu'après avoir mené une vie érémitique puis cénobitique à Subiaco*, il fonda v. 529 l'abbaye du Mont-Cassin*. Il y rédigea v. 540 une *Règle* qui, reprise par saint Benoît* d'Aniane, se répandit à l'époque carolingienne et reste la règle fondamentale des bénédictins*. Sainte Scholastique* était sa sœur. Il aurait eu pour disciple saint Maur*. Saint Benoît est traditionnellement vénéré comme « patriarche des moines d'Occident ». Fête le 11 juillet.

BENOÎT DE SAINTE-MAURE ou **DE SAINTE-MORE.** ♦ Trouvère anglo-normand, d'origine tourangelle (XIIe s.). En faveur auprès d'Aliénor d'Aquitaine et de Henri II Plantagenêt, il triompha de son rival R. Wace* et continua, sur l'ordre du roi, la *Chronique des ducs de Normandie* (43 000 octosyllabes, v. 1180). Il est l'auteur d'un des premiers *romans antiques* (*Le Roman* de Troie,* v. 1165).

BENOÎT-JOSEPH LABRE *(saint).* ♦ Mystique français (Amettes, Artois, 1748 – Rome, 1783). Il parcourut les routes d'Europe en pèlerin mendiant. Il a été canonisé en 1881. Fête le 16 avril.

BÉNOUÉ. *n. f.* ♦ Riv. d'Afrique occidentale (1 400 km). Née dans l'Adamaoua*, elle se jette dans le Niger* (r. g.), dont elle constitue le princ. affluent. Navigable jusqu'à Garoua (Cameroun) en période de crue, son cours est utilisé principalement pour le transport des arachides et du coton.

BENOZZI (Rosa). ♦ Comédienne d'origine italienne (Toulouse, 1701 – Paris, 1758). Entrée dans la compagnie Riccoboni en 1716, elle fut l'interprète de Marivaux* et la créatrice du personnage de Silvia.

BENSERADE [bɛ̃sʀad] **(Isaac** *de***).** ♦ Poète français (Paris?, v. 1613 – Gentilly, 1691). Bien accueilli à l'hôtel de Rambouillet*, protégé de Richelieu, puis de Mazarin, il composa des tragédies (*Cléopâtre,* 1635; *Méléagre,* 1640), mais il doit le meilleur de sa réputation aux livrets des ballets qu'il écrivit pour la cour de Louis XIII d'abord, puis pour celle de Louis XIV, notamment avec Lully* (*Ballet de la nuit,* 1653; *La Naissance de Vénus,* 1665). Son *Sonnet de Job* (1648) le posa en rival de Voiture* *(Sonnet d'Uranie).* Homme à la mode, il vit son succès décliner après sa transcription en rondeaux des *Métamorphoses* d'Ovide (1676).

BENSHEIM-AUERBACH. ♦ V. d'Allemagne occidentale (Hesse), au pied de l'Odenwald. 24 000 hab.

BENTHAM (Jeremy). ♦ Philosophe et jurisconsulte anglais (Londres, 1748 – 1832). Disciple de Hobbes et d'Helvétius, il est le fondateur de l'utilitarisme moral. Le principe d'utilité ou « principe du plus grand bonheur du plus grand nombre d'individus » consiste en une recherche calculée des plaisirs (l' « arithmétique des plaisirs ») et sert de base au gouvernement et au droit pénal. La philosophie de Bentham fit école (James Mill*, John Stuart Mill*) et eut un rôle important dans la vie politique en Angleterre (1824-1832); elle peut être considérée comme une des bases de l'idéologie bourgeoise du XIXe siècle. Ses œuvres : *Introduction aux principes de la morale et de la législation,* 1789; *Traité des peines et des récompenses,* 1811; *Déontologie,* publiée en 1834, furent en partie traduites en français par E. Dumont*.

BENTINCK. ♦ Famille anglaise d'origine hollandaise. ♦ WILLIAM BENTINCK, 1er comte de Portland (Schoonheeten, Gueldre, 1649 – Bulstrode, Buckinghamshire, 1709). Il suivit en Angleterre Guillaume* d'Orange dont il était un ami d'enfance. Très impopulaire auprès des tories, il fut l'un des artisans du traité de Ryswick*. ♦ WILLIAM HENRY CAVENDISH BENTINCK, 3e duc de Portland (Oxford, 1738 – Bulstrode, Buckinghamshire, 1809). Chef du ministère Fox*-North, il fut bientôt renversé et revint au pouvoir dans le gouvernement Pitt*, puis comme Premier ministre (1807-1809). Il laissa gouverner Burke*, Caning*, Castlereagh* et Fox*.

BENTIVOGLIO. ♦ Famille de la noblesse italienne qui régna à Bologne* de 1401 à 1506.

BENVENISTE (Émile). Linguiste français (Alep, 1902 – Paris, 1976). Dans le domaine de la grammaire comparée indo-européenne, où il s'est rapidement imposé (*Essai de grammaire sogdiane,* avec Gauthiot, 1929; *Les Infinitifs avestiques,* 1935, etc.), il a proposé une théorie de la racine (formée de trois éléments : consonne-voyelle-consonne, auxquels des élargissements peuvent s'appliquer). En lexicologie, il a étudié du point de vue structural **(V. Saussure)** les *Noms d'agent et noms d'actions en indo-européen* (1948), puis le *Vocabulaire des institutions* (cours au Collège de France). – Ses principaux travaux théoriques ont été regroupés dans *Problèmes de linguistique générale* (1966), ouvrage où sont notamment étudiés le problème des cas, celui des personnes verbales, des temps verbaux et à travers eux les relations entre fonctions (ou sémantique) et formes. Benveniste a discuté la théorie de l'arbitraire du signe (Saussure) et enrichi la syntaxe de considérations sur les rapports entre le locuteur et son discours. Enfin, il a proposé d'importantes hypothèses théoriques en sémiologie.

BENZ (Carl). ♦ Ingénieur allemand (Karlsruhe, 1844 – Ladenburg, 1929). Après avoir créé une petite usine pour la construction de machines à gaz à deux temps (1879), il mit au point son premier véhicule à trois roues et l'équipa en 1886 d'un moteur à essence à quatre temps et à une seule vitesse. **V. Beau de Rochas, Otto, Daimler.**

BEOGRAD. ♦ **V.** BELGRADE.

BÉOTIE, *n. f.*, en grec **Boiôtia**. ♦ Région de la Grèce centrale, bordée au S.-E. par l'Attique*, au S. par le golfe de Corinthe, à l'O. par la Phocide*, au N. par la Locride* (*auj.* Phthiôtide*) et le golfe d'Eubée. L'actuel *nome de Béotie,* plus étendu que l'anc. région, comprend une partie de la Phocide : 3 211 km²; 114 256 hab. *(Béotiens). Ch.-l.* Lévadhia : 12 609 hab. *V. princ.* **V. Thèbes.** – L'Hélicon* et le Cithéron* avec leurs contreforts séparent les principales dépressions : au N. une plaine qui comprend le bassin du lac Copaïs* (auj. asséché), drainée par le Céphise* et par un système de canaux, au S. la plaine de Thèbes et la vallée d'Asopos. ♦ *Hist.* Les premiers occupants de cette contrée étaient deux races pélasgiques mal connues : les Minyens*, installés autour d'Orchomène*, et les Cadméens, autour de Thèbes et de sa citadelle Cadmée*. La légende de Cadmos* et de son rôle civilisateur pourrait trouver un fondement historique dans l'hypothèse de l'origine phénicienne de ces derniers. Terrain fécond de la mythologie, la Béotie est rattachée à un grand nombre de légendes, dont celles d'Ogygès* et du déluge, de la naissance d'Héraclès* et de Dionysos*, du cycle thébain, etc. Berceau, avec l'Argolide, de la civilisation mycénienne, la Béotie fut envahie par les *Béotiens,* race éolienne de Thessalie (~ XIIIe ou ~ XIIe s.), qui lui donnèrent son nom. – La *Ligue béotienne,* sous la direction de Thèbes, réunit v. ~ 550 les cités principales. **V. Aulis, Chéronée, Coronée, Leuctres, Orchomène, Platées, Tanagra, Thespies.** Pendant la seconde guerre Médique (~ 480), la ligue, à l'exception de Platées et de Thespies, se rallia aux Perses et fut dissoute par les autres Grecs après leur victoire. Réorganisée par Sparte*, elle fut de nouveau dissoute par Athènes qui imposa des gouvernements démocratiques aux cités béotiennes en ~ 457. Aux côtés de Sparte pendant la guerre du Péloponnèse*, puis contre elle pendant la guerre de Corinthe* (~ 395-386), elle fut dissoute par les Lacédémoniens. Par les victoires d'Épaminondas* et de Pélopidas* **(V. Leuctres),** Thèbes et la Béotie s'assurèrent une suprématie provisoire en Grèce et la Ligue se réorganisa sur des bases démocratiques. Alliée d'Athènes contre les Macédoniens, la Béotie subit, après la défaite de Chéronée (~ 338), de graves représailles. **V. Thèbes.** – En dépit de la réputation de lourdeur et de grossièreté faite aux Béotiens par les Athéniens, la Béotie donna à la Grèce Hésiode* (seul survivant d'une longue tradition épique), les grands lyriques Corinne* et Pindare*, puis Plutarque*, ainsi que des réalisations remarquables dans la musique et l'art. **V. Tanagra.**

Ph. Hétier

Béotie : monastère Hosios Loukas.

Beowulf (lai de). ♦ Poème anglo-saxon (3 000 vers assonancés), anonyme, de l'époque préchrétienne, remanié entre le VIIIe et le Xe siècle. Il concerne les rapports entre les Danois et les Goths de Suède méridionale. Le manuscrit (British Museum) ne fut pas connu avant la fin du XVIIIe siècle. Par sa rédaction, c'est la plus ancienne des épopées du monde teutonique. On y voit la défaite que les Francs infligèrent aux Goths conduits par Hygelac vers 512. Dans ce combat, se serait distingué le vaillant Beowulf, un Goth (« Geat ») de Seeland (île danoise) dont l'histoire est à rapprocher de la saga islandaise de *Grettir.* Les deux parties – *Victoire de Beowulf* et *Mort de Beowulf* – de ce poème dominé par Wyrd, la déesse de la Fatalité, sont composées dans un langage archaïque et elliptique.

BEPPU. ♦ V. du Japon, dans le nord de l'île de Kyûshû*, célèbre pour ses sources thermales. 146 000 hab. (1969). Port de pêche.

BERAIN. ♦ Famille de dessinateurs, graveurs et ornemanistes français du XVIIe s. dont le plus brillant représentant fut JEAN Ier, dit *Jean le Vieux* (Saint-Mihiel, 1639 – Paris, 1711). Dessinateur de la chambre du roi en 1674, il dessina les décors et costumes des carnavals, ballets, opéras, spectacles et cérémonies du règne de Louis XIV. Auteur de décorations intérieures et de cartons de tapisserie *(Tentures à grotesques, Triomphes marins)* pour la manufacture de Beauvais, il exerça une influence notable en Hollande, Angleterre et Allemagne (« style Berain »). Il annonce par la finesse, l'élégance de son graphisme et la fantaisie de ses motifs le style rocaille du règne de Louis XV

BERANGER (Pierre Jean *de*). ♦ Poète et chansonnier français (Paris, 1780 – *id.,* 1857). Typographe, commis dans la banque fondée par son père (1796), puis expéditionnaire aux bureaux de l'Université (1809); il écrivit très tôt ses premiers vers, une comédie satirique, un poème épique, etc., et devint membre de la Société du Caveau (1813). Avec la Restauration (1814, 1815-1830), il devait trouver son genre propre « la chanson libérale et patriotique qui fut et restera sa grande innovation » (Sainte-Beuve). Évoquant à l'occasion le temps passé (notamment l'épopée napoléonienne), ses satires anticléricales, ses pamphlets politiques, aux rythmes simples, dont beaucoup restèrent très longtemps populaires (*Le Roi d'Yvetot, Le Vieux Sergent, Le Dieu des bonnes gens, Le Sacre de Charles le Simple, La Sainte-Alliance des peuples,* etc.), lui valurent la prison à deux reprises (1815, 1828). Ses *Chansons* furent publiées en quatre recueils (1815, 1821, 1828, 1830), sa *Biographie* parut en 1857, sa *Correspondance* en 1860.

BÉRARD (Victor). ♦ Helléniste français (Morez, 1864 – Paris, 1931). Auteur d'une traduction de l'*Odyssée,* il proposa un itinéraire des voyages d'Ulysse et une géographie odysséenne, basés sur des recherches scientifiques qui firent autorité.

BÉRARD (Christian). ♦ Peintre et décorateur français (Paris, 1902 – *id.,* 1949). Il mit la délicatesse et l'originalité de son goût au service du théâtre en collaborant avec Louis Jouvet* dans la réalisation de *L'École des femmes* (1936), *La Folle de Chaillot* (1945), *Dom Juan* (1947).

BÉRARDE (La). ♦ Hameau de la commune de Saint-Christophe-en-Oisans (Isère). 1 711 hab. Centre d'alpinisme.

BERAT, en it. **Berati.** ♦ V. d'Albanie*, ch.-l. de district sur l'Osum. 15 000 hab. Marché agricole. Travail du coton. Mosquée du XVe siècle.

BÉRAUD (Henri). ♦ Journaliste et écrivain français (Lyon, 1885 – île de Ré, 1958). Prix Goncourt (1922) pour son roman *Le Martyre de l'obèse,* il se lança dans le journalisme, fut en particu-

Ph. Nino Cirani/Ricciarini

Femme nomade **berbère** à Kairouan (Tunisie).

lier éditorialiste de *Gringoire*. Auteur de pamphlets politiques contre l'Angleterre (*Faut-il réduire l'Angleterre en esclavage?* 1935), contre la démocratie (*Popu-roi*, 1937), il fut condamné à mort pour « intelligence avec l'ennemi » après la Libération; sa peine fut commuée en travaux forcés.

BERBERA. ♦ V. et port du N. de la Somalie* sur le golfe d'Aden. 30 000 hab. Centre commercial. Exportation de cuirs et de gomme. Pêche.

BERBÈRES. *n. m. pl.* ♦ Ensemble des populations d'Afrique du Nord qui parlent un des dialectes berbères : Marocains, env. 4 000 000 **(V. Chleuhs, Rifains),** Algériens, env. 2 000 000 **(V. Chaouïas, Aurès, Kabyles),** 500 000 Touaregs*, les habitants du Mzab*, de l'île de Djerba, etc., ainsi que des îlots libyens et égyptiens (Siwa). – On distingue trois groupes fondamentaux de dialectes berbères : masmuda, sanhaja, zanata. ♦ *Hist.* Les Berbères occupaient l'Afrique du Nord dès la préhistoire. Les Grecs et les Phéniciens établirent des comptoirs commerciaux et des postes stratégiques sur la côte. Leur présence eut une certaine influence sur les populations qui occupaient le littoral. La fondation de Carthage et le développement de la civilisation punique marquèrent une partie de la région. Après la destruction de Carthage et la colonisation romaine de la Tunisie, de l'est et du nord de l'Algérie, de l'ouest et du nord du Maroc, certains Berbères adoptèrent le christianisme et la langue latine. Cependant, diverses colonies juives s'installèrent dans la région et les actuels juifs berbérophones des montagnes en sont les descendants. Après la première invasion arabe, au VIIe s., l'islâm remplaça le christianisme et l'arabe le latin dans les zones romanisées, à la suite du prosélytisme de missionnaires musulmans; des villes arabo-musulmanes, telles Fès et Kairouan, furent fondées. Au XIIe s., intervint la seconde vague d'invasion arabe (Banû Hilâl, Banû Sulaym, puis Banû Maqil) qui contribua à arabiser les Berbères des steppes et des franges désertiques. Aussi, l'élément berbère fut-il préservé seulement dans les montagnes et dans les déserts d'est en ouest, l'arabisation suivit-elle une courbe décroissante : près de la moitié de la population du Maroc reste berbère tandis qu'en Algérie les Berbères deviennent minoritaires pour disparaître en Tunisie en tant que population spécifique.

BERBEROVA (Nina Nikolaieva). ♦ Romancière russe (née en 1901). Ses romans et ses contes évoquent la vie des ouvriers russes émigrés : *La Souveraine* (1930), *Les Derniers et les Premiers* (1950).

BERCHEM ou **BERGHEM (Claes Pieter).** ♦ Peintre et graveur hollandais (Haarlem, 1620 – Amsterdam, 1683). Fils du peintre de natures mortes Pieter Claesz*, il fut notamment l'élève de Van* Goyen. Inscrit à la gilde d'Haarlem en 1642, il résida à Rome probablement de 1642 à 1645 et y subit l'influence des bambochades de P. Van* Laar. Il travailla ensuite à Haarlem, puis se fixa en 1677 à Amsterdam. Auteur de paysages animés par des personnages, chevaux et troupeaux, il fut l'un des principaux représentants du courant italianisant dans le domaine du paysage *(Le Gué italien)*. Mêlant le détail pittoresque et la fable, les éléments italiens et hollandais, il représenta des scènes pastorales et idylliques aux coloris vifs et baignant souvent dans une lumière dorée qui furent très appréciées et influencèrent au XVIIIe s. notamment Oudry* et Boucher*.

BERCHEM. ♦ V. de Belgique, faub. S. d'Anvers*. 49 600 hab. Métallurgie différenciée. Instruments de précision. Savonneries. Brasseries. ♦ *Hist.* Ce fut le quartier général français pendant le siège d'Anvers* (1832).

BERCHEM-SAINTE-AGATHE, en néerl. **Sint-Agatha-Berchem.** ♦ V. de Belgique (Brabant, arr. de Bruxelles-Capitale). 17 200 hab. Métallurgie. Caoutchouc. Confection. Céramique.

BERCHET (Giovanni). ♦ Poète italien (Milan, 1783 – Turin, 1851). Traducteur de Th. Gray, d'O. Goldsmith, de Schiller et de Burger, il se fit le zélateur de la littérature du Nord dans sa *Lettre mi-sérieuse de Chrysostome* (*Lettera semiseria di Grisostomo*, 1816) qui, posant le principe de la liberté de l'art, fut considérée comme le manifeste des romantiques italiens. Ami de Manzoni*, collaborateur (1818-1819) au journal *le Conciliateur* qui regroupait romantiques et patriotes, il dut s'exiler à Paris (1821), puis en Angleterre (1822). Il y publia *Les Réfugiés de Prague* (*I Profughi di Praga*, 1822), poème patriotique. Après avoir traduit une partie du *Romancero* espagnol, il composa ses *Romances* (*Romanze*, 1822-1827) et *Les Fantaisies* (*Le Fantasie*, 1829), poésies lyriques inspirées par la situation politique en Italie et que leur patriotisme rendit très populaires. Rentré triomphalement en Italie en 1847, Berchet dut, après l'échec de la révolution de 1848, gagner le Piémont où il mourut.

BERCHTESGADEN. ♦ V. d'Allemagne fédérale (Bavière), dans les Alpes bavaroises, sur l'Achen. 6 000 hab. Station climatique et de sports d'hiver. Salines exploitées depuis le Moyen Âge. Au sommet d'une des montagnes entourant la ville (l'Obersalzberg), Hitler avait installé son fameux « nid d'aigle » ou *Berghof*, sa résidence favorite, où se tinrent plusieurs conférences diplomatiques. le *Berghof* fut occupé par la division Leclerc le 4 mai 1945.

BERCK. ♦ Comm. du Pas*-de-Calais, arr. de Montreuil*-sur-Mer. 16 739 hab. *(Berckois)*. – À 2 km du centre, *Berck-Plage*, station balnéaire, climatique et médicale (maladie des os).

BERDIAEFF ou **BERDIAEV (Nicolas)** [Berdjaev]. ♦ Philosophe russe (Kiev, 1874 – Clamart, 1948). Exclu de l'université en raison de ses opinions révolutionnaires, il poursuivit ses études à Heidelberg. De retour en Russie, il se sépara du marxisme, après être revenu à la foi chrétienne, sans perdre de vue la nécessité des réformes sociales. D'abord toléré par le régime soviétique (après la révolution d'oct. 1917), il fut expulsé de Russie en 1922 et se fixa à Paris. Contrairement à ses compatriotes en exil, il ne condamna jamais le nouveau régime en U.R.S.S. Se rattachant à l'existentialisme chrétien, sa pensée est centrée sur le problème de la liberté humaine. Il chercha le sens de l'histoire dans l'ordre spirituel et dans la relation de l'homme et de Dieu. Sa philosophie est aussi une théosophie eschatologique (*Philosophie de la Liberté*, 1911; *De la destination de l'homme*, 1935; *Cinq méditations sur l'existence*, 1936; *Essai de métaphysique eschatologique*, 1946).

BERDIANSK. ♦ V. et port d'U.R.S.S. (Ukraine*) sur la côte N. de la mer d'Azov*. 100 000 hab. Indus. mécaniques.

BERDITCHEV. ♦ V. d'U.R.S.S. (Ukraine) dans la région de Jitomir. 57 000 hab. Indus. mécaniques et alimentaires. Traitement du cuir. Nœud ferroviaire.

BÉRENGER Ier. ♦ (?, – Vérone, 924). Roi d'Italie (888-924), empereur d'Occident (915-924). Petit-fils, par sa mère Gisèle, de l'empereur Louis* le Pieux, il fut battu près de Plaisance (923) par son compétiteur Rodolphe* II de Bourgogne et périt assassiné par les Véronais révoltés.

BÉRENGER II. ♦ (?, – Bamberg, 966). Roi d'Italie (950-961). Petit-fils du précédent, il lutta contre Lothaire* II, roi d'Italie, le fit empoisonner et lui succéda, gardant prisonnière sa veuve Adélaïde. Celle-ci appela à son secours Othon* Ier, qui la délivra et l'épousa (951). Obligé de se reconnaître vassal du souverain allemand, Bérenger ne tarda pas à se révolter à nouveau, mais vaincu par Othon, il perdit son trône et mourut en prison.

BÉRENGER de Tours. ♦ Théologien, archidiacre d'Angers (Tours, v. 1000 – *id.*, 1088). Sa doctrine sur l'eucharistie, niant la présence réelle, fut combattue par Hildebrand **(V. Grégoire VII)** et condamnée par plusieurs conciles (1050-1054).

BÉRENGÈRE. ♦ (1181 – 1244). Reine de Castille (1217). Fille d'Alphonse* VIII *le Noble*, elle fut mariée en 1197 à son cousin Alphonse* IX, roi de León. Régente de Castille après la mort de son père (1214), elle monta sur le trône après celle de son frère Henri Ier (1217), mais abdiqua en faveur de son fils Ferdinand* III.

BÉRÉNICE, en gr. **Phérénikê,** « porteuse de victoire ». ♦ Nom de plusieurs princesses égyptiennes de la famille des Ptolémée* et de deux princesses juives d'Idumée. ♦ **Égypte.** BÉRÉNICE, femme de Ptolémée* Ier Sôtêr (fin ~ IVe s.) et mère d'Arsinoé* II et de Ptolémée* II. ♦ BÉRÉNICE, fille de Ptolémée* II et d'Arsinoé* Ire, elle épousa Antiochos* II de Syrie (v. ~ 252) et fut assassinée, à la mort de celui-ci, par sa première femme Laodice (~ 246). ♦ BÉRÉNICE, fille de Magas, roi de Cyrène (? – ~ 221); elle épousa Ptolémée* III (~ 247). Elle consacra une boucle de ses cheveux à Aphrodite pour obtenir que son mari revienne sain et sauf d'une expédition en Syrie. Ces cheveux ayant disparu du temple où ils avaient été placés, l'astronome Conon de Samos affirma qu'ils avaient été changés en astre et donna à une constellation le nom de *Chevelure de Bérénice*. D'où le poème de Callimaque* que Catulle* adapta quelques siècles plus tard. ♦ **Idumée.** BÉRÉNICE, fille de Salomé, sœur d'Hérode* Ier le Grand (~ Ier s.), elle épousa d'abord son cousin Aristobule, fils d'Hérode* Ier et Mariamne. ♦ BÉRÉNICE, fille d'Hé-

Ph. Carlo Bevilacqua/Ricciarini

Tête de **Bérénice,** fille d'Hérode Agrippa Ier (Musée archéologique, Naples.)

rode* Agrippa Ier (v. 28 – 79) et sœur d'Hérode* Agrippa II avec lequel on l'accusait d'avoir des relations incestueuses. C'est devant elle et son frère que saint Paul présenta sa défense à Césarée en 59. Après le siège de Jérusalem (70), Titus* qui avait vingt ans de moins qu'elle s'en éprit passionnément, l'emmena à Rome, mais renonça à l'épouser devant l'opposition publique romaine. – Sujet d'une tragédie de Racine* **(V.** *ci-dessous* **Bérénice)** et de *Tite et Bérénice* de Corneille*.

Bérénice. ♦ Tragédie de Racine* (1670). Amoureux de la reine Bérénice qu'il a emmenée à Rome après le siège de Jérusalem, l'empereur Titus la renvoie, aux premiers jours de son règne, au mépris de ses promesses et de leur passion commune, devant l'hostilité du peuple romain à son projet de mariage. Prince oriental lié à Bérénice par un amour malheureux, Antiochus s'éloigne à son tour, désespéré de n'avoir pu l'émouvoir.

BERENSON (Bernhard). ♦ Amateur et critique d'art américain (près de Vilius, Lituanie, 1865 – Florence, 1959). Il se spécialisa dans la peinture de la Renaissance italienne et joua un rôle important dans le choix des acquisitions par les grands collectionneurs et musées américains. Il s'imposa comme un expert d'une grande compétence et rassembla lui-même une riche collection et bibliothèque dans sa villa florentine *I Tatti*, léguée à l'université d'Harvard. Il a écrit de nombreux ouvrages historiques, théoriques et esthétiques ainsi que des souvenirs (*Drawings of the Florentine Painters. The Italian Painters of the Renaissance*, etc.). Bien que ses méthodes et les *a priori* esthétiques sur lesquels elles se fondent soient très discutés et ses attributions remises en cause, il n'en manifesta pas moins une remarquable intuition et exerça un rôle important dans la diffusion des œuvres du Quattrocento, notamment aux États-Unis.

BERESFORD (John Davys). ♦ Romancier anglais (Castor, Peterborough, 1873 – Bath, 1947). Architecte, puis journaliste, il composa de brillantes fantaisies philosophiques : *Le Prodige du Hampdenshire*, 1911; *Oisons*, 1913. Adepte de Freud, il se tourna ensuite vers le roman psychanalytique : *Le Contrepoint de Dieu*, 1918 : *L'Illusion de l'amour*, 1930; *L'Étrange Rival*, 1940. Ses écrits autobiographiques sont empreints de révolte amère (*Un candidat à la vérité*, 1912; *Jacob Stahl*, 1911; *L'Événement invisible*, 1915). L'œuvre de Beresford a été rapprochée de celle de S. Butler.

BERETTA (Caterina). ♦ Danseuse italienne (Milan, 1839 – *id.*, 1910). La perfection de sa technique, sa virtuosité, ont justifié le succès ininterrompu de sa carrière. Maîtresse de ballet au théâtre Marie de Saint-Pétersbourg (1877) puis à la Scala de Milan (1902). Devenue professeur, elle a compté parmi ses élèves Anna Pavlova et Tamara Karsavina.

BEREZINA ou **BÉRÉZINA.** *n. f.* ♦ Rivière d'U.R.S.S. (613 km) en Biélorussie. Elle arrose Bobruisk* avant de se jeter dans le Dniepr*. – Lors de la retraite de Russie, la Grande Armée la franchit (27-29 nov. 1812) grâce aux pontonniers du général Éblé* et aux troupes qui couvraient le passage, parmi lesquelles celles de Ney et de Victor et la légion polonaise de Dąbrowski

BEREZNIKI. ♦ V. d'U.R.S.S. (R.S.F.S. de Russie), dans la région de Perm, sur la Kama*. 145 000 hab. Indus. chimiques (potassium, magnésium, bicarbonate de sodium). Gaz naturel.

BERG (Max). ♦ Architecte allemand (Stettin, 1870 – Baden-Baden, 1947). Architecte-urbaniste de la ville de Breslau, il réalisa la *salle du centenaire (Jahrhunderthalle)* 1912-1913, de plan circulaire et couverte par une vaste coupole dont la structure en béton (nervures et anneaux concentriques) reste apparente. Dans cette œuvre, l'une des plus audacieuses de l'époque, s'affirment à la fois une conception strictement fonctionnelle et une recherche de l'effet plastique de caractère expressionniste qui préfigurent certains des partis adoptés dans la construction en béton, notamment par Nervi*.

BERG (Alban). ♦ Compositeur autrichien (Vienne, 1885 – *id.*, 1935). Issu de la haute bourgeoisie viennoise, il entreprit ses études musicales avec A. Schönberg* (1904-1910) auprès de qui il rencontra A. von Webern*. Le maître et ses élèves ne tardèrent pas à se lier d'une solide amitié. Les premières compositions de Berg, une *Sonate pour piano* (1907-1908) et *Quatre Mélodies* (1908-1909), œuvres intensément lyriques, sont marquées chez le musicien par le souci de rester fidèle à la tonalité. Mais dès le premier *Quatuor à cordes* (1909), elle est rejetée. Mobilisé en 1914, affecté à un poste administratif, Berg put poursuivre ses tâches. La révélation de l'œuvre de Büchner*, *Woyzeck*, lui inspira le désir d'en tirer un opéra. Il procéda à un remaniement du texte dont il concentra la teneur dramatique puis en écrivit la musique; la partition fut achevée en 1919. Donné d'abord en fragments, l'ouvrage ne sera représenté à Berlin qu'en 1925 et déchaînera les sarcasmes et la fureur d'une critique incompréhensive. L'importance du *Wozzeck* de Berg est considérable dans l'histoire de la musique dramatique au XXe siècle. Si le musicien y respectait la structure de l'opéra classique, il y utilisait le leitmotiv dans une structure sérielle, donnant à chaque séquence une rigoureuse unité, et y introduisait aussi le « chanté parlé » *(Sprechgesang)* schönbergien, synthétisant tous ces éléments grâce à un puissant dynamisme, une rare intensité dramatique et une étonnante richesse d'orchestration. De la même période créatrice datent le concerto de chambre (*Kammerkonzert*, 1923-1925), œuvre radicalement sérielle, et un autre grand chef-d'œuvre, la *Suite lyrique pour quatuor à cordes* (1926) où, pour la première fois, Berg utilise exclusivement la technique dodécaphonique. Dans une dernière période de sa carrière (1927-1935), il s'attacha à la composition d'un nouvel opéra, *Lulu* (d'après deux drames de F. Wedekind), mais cet ouvrage expressionniste et violent, demeura inachevé et le public n'en connaîtra longtemps que des fragments (*Lulu symphony*, 1935). Berg composa encore une cantate pour soprano et orchestre, *Le Vin*, sur trois poèmes de Baudelaire (1927). Le concerto pour violon (*À la mémoire d'un ange*, 1935), hommage funèbre rendu à la fille d'Alma Malher et de Walter Gropius, morte à dix-huit ans, marque un retour au romantisme et à la tonalité. Il ne saurait faire oublier la rutilance d'un style atonal porté par Berg à son plus haut point d'expression.

BERG *(duché de)*. ♦ Anc. État d'Allemagne situé sur la r. d. du Rhin (actuellement en République fédérale allemande). *Cap.* Düsseldorf. Cédé en 1806 à Napoléon Ier, qui l'étendit pour en faire un grand-duché, il fut attribué par l'Empereur à son beau-frère Murat*, puis, en 1815, par le congrès de Vienne à la Prusse.

BERGAMA. ♦ V. de Turquie. **V. Pergame.**

BERGAME, en it. **Bergamo.** ♦ V. d'Italie du Nord, en Lombardie. Ch.-l. de la province homonyme, au pied des Alpes* bergamasques. 121 000 hab. *(Bergamasques).* Cathédrale du XVe siècle. Chapelle Colleoni (construite par Amadeo*, fresques de Tiepolo*). Très ancien centre textile, la ville possède aussi d'importantes aciéries et des indus. mécaniques. Patrie de Calepino*, Colleoni*, Donizetti* et de Pietro Locatelli*. ♦ *Hist.* Anc. cité romaine, capitale d'un duché lombard au XIIe s., Bergame passa sous la domination de Venise de 1428 à 1797. Rattachée à la République cisalpine, elle devint en 1806, ch.-l. du département de Serio. Attribuée à l'Autriche en 1815, elle passa au Piémont après la paix de Villafranca, en 1859.

BERGEDORF. ♦ V. d'Allemagne occidentale (Hambourg) sur un bras de l'Elbe, dans la banlieue E. de Hambourg*. 90 000 hab. Cultures maraîchères (polder des Vierlande). – Patrie de Johann Adolf Hasse.

BERGEN. ♦ V. et port du S.-O. de la Norvège, sur le Vågen Fjord, au N. de Stavanger*. Ch.-l. du comté d'Hordaland et troisième ville du pays. 115 964 hab. (1969). Importante université. École supérieure de commerce. Aéroport de Hjellestad, à 23 km. Construite sur une plaine côtière et dominée par des montagnes granitiques, la ville s'est étendue autour du fjord et vers le nord. Musée des Arts décoratifs, musée de plein air. – Importantes activités portuaires : Bergen est un port de pêche, de commerce et de voyageurs (vers la Grande-Bretagne, le nord de la Norvège et le reste de l'Europe). Centre indus. : chantiers navals, conserveries, textiles, électrochimie, électrométallurgie, indus. mécaniques et alimentaires. – Patrie d'E. Grieg*, L. von Holberg*, J.S. Welhaven*. ♦ *Hist.* Fondée en 1070 par Olaf Kyrre, Bergen devint une résidence royale au XIIIe s. et la première ville de Norvège. De 1350 à 1559, ce fut une importante cité hanséatique, dominée par les marchands allemands. La ville fut détruite par des incendies à plusieurs reprises.

BERGEN. ♦ V. des Pays-Bas (Hollande-Septentrionale). 12 432 hab. – Victoire de Brune* sur les Anglo-Russes (1799), commandés par le duc d'York et Abercromby*.

BERGEN. ♦ Nom néerlandais de Mons*.

BERGEN-BELSEN. ♦ Camp de concentration établi par les nazis près de Celle* (Hanovre) en 1943 et libéré par les Anglais, qui y découvrirent l'affreux spectacle de dizaines de milliers de mourants et de cadavres décharnés (1945).

BERGEN OP ZOOM. ♦ V. des Pays-Bas (Brabant septentrional)

sur l'Escaut oriental. 38 369 hab. Métallurgie, constructions mécaniques, indus. chimiques et alimentaires. – Patrie d'Obrecht*. ♦ *Hist.* La ville fut prise par les Français que commandait Loewendal (1747), puis en 1795 par Pichegru.

BERGER (Gaston). ♦ Philosophe et psychologue français (1896 – 1960). Parti d'une réflexion sur les problèmes psychologiques et logiques de la connaissance, il fut amené à une étude critique de la phénoménologie (plus particulièrement du sujet transcendental, ou cogito) de Husserl*; puis il s'orienta vers des recherches plus concrètes de psychologie (*Traité pratique d'analyse du caractère,* 1951; *Caractère et Personnalité,* 1954). **V. Heymans.**

Berger *(étoile du).* ♦ Nom populaire donné à la planète Vénus*.

BERGERAC. ♦ Sous-préf. de la Dordogne, ch.-l. d'arr. (13 cant., 170 comm., 98 345 hab.) sur la Dordogne. 28 015 hab. *(Bergeracois).* Église Saint-Jacques. Maison des XVIe et XVIIe s., dite château Henri-IV. – Marché agricole, à proximité des vignobles de Monbazillac*. Indus. alimentaires et du tabac. Institut expérimental des tabacs, unique en France. Allumettes; fonderie, constr. mécaniques; maroquinerie; poudrerie nationale (fabrication de nitrocellulose). – Patrie de Maine* de Biran, de Paul Mounet, de Mounet-Sully* et de Samuel Pozzi. ♦ *Hist.* Citadelle des calvinistes au XVIe s. (paix de Bergerac 1577). Avec l'édit de Nantes (1598) Bergerac fut une des places de sûreté des Calvinistes. En 1621, Louis XIII fit raser les fortifications.

BERGERET (Jules). ♦ Homme politique français (Paris, 1839 – New York, 1905). Ouvrier typographe, il fut membre du Comité central de la garde nationale et de la 1re Commission exécutive de la Commune de Paris (qui le révoqua). Après la Semaine sanglante (22-28 mai 1871), il se réfugia à Jersey, puis à New York.

BERGERON (Pierre). ♦ Historien et géographe français de la fin du XVIe et du déb. du XVIIe siècle. Auteur d'un *Traité de la navigation et des voyages de decouvertes et de conquêtes modernes* (1629), d'une *Histoire de la première découverte et conquête des Canaries* (1630, **V. J. de Béthencourt**).

BERGERY (Gaston). ♦ Avocat et homme politique français (Paris, 1892 – *id.,* 1974). Député radical (1928), il fonda le Front commun contre le fascisme (1933) et le journal *la Flèche.* Après avoir voté les pleins pouvoirs à Pétain, il fut ambassadeur du gouvernement de Vichy à Moscou (1940) puis Ankara (1942-1944), ce qui lui valut d'être traduit devant la Haute Cour de justice, qui l'acquitta, au lendemain de la Libération.

Ph. Gino Begotti/Ricciarini
Bergame : la ville haute.

BERGÈS (Aristide). ♦ Ingénieur français (Lorp, Ariège, 1833 – Lancey, Isère, 1904). Il a été le promoteur de la houille blanche comme source d'énergie (1869).

BERGIUS (Friedrich). ♦ Industriel et chimiste allemand (Goldschmiedan, 1884 – Buenos Aires, 1949). Il mit au point le premier procédé de synthèse industrielle des carburants, fondé sur l'hydrogénation catalytique de la lignite (*berginisation,* 1921). [Prix Nobel de chimie, 1931.] **V. F. Fischer.**

BERGMAN (Torbern Olof). ♦ Chimiste suédois (Katrineberg, 1735 – Medevi, 1784). Auteur de recherches sur les affinités dont il établit une table, il introduisit le concept d'attraction élective, remarqua la différence des résultats obtenus par voie sèche et par voie humide et se montra un précurseur de la notation symbolique *(Traité des affinités chimiques).* On lui doit également des travaux en électricité (théorie des deux fluides de Symmer*-Bergman) et une théorie réticulaire des cristaux. (Acad. sc., 1782.)

BERGMAN (Ingmar). ♦ Réalisateur suédois de cinéma (Uppsala, 1918). Longtemps scénariste, devenu très tôt et demeuré metteur en scène de théâtre, il est le créateur d'une œuvre cinématographique importante où prédominent les thèmes métaphysiques majeurs de l'angoisse, de la solitude, du vieillissement, de l'amour et de la mort. Réal. princ. *La Prison* (*Fangelse,* 1948), *Jeux d'été* (*Sommarlek,* 1950), *La Nuit des forains* (*Glyclarnas Afton,* 1953), *Sourires d'une nuit d'été* (*Sommarnattens Leende,* 1955), *A travers le miroir* (*Sasom I en Spiegel,* 1961), *Le Silence* (1963). De cet ensemble, il convient de détacher deux chefs-d'œuvre : *Le Septième Sceau* (*Det Sjunde Inseglet,* 1956) et *Les Fraises sauvages* (*Smulstronstallet,* 1958) interprété par Victor Sjöström*.

BERGOGNONE ou **BORGOGNONE (Ambrogio da Fossano,** dit**).** ♦ Peintre lombard, né v. 1455, connu de 1481 à 1522. Inscrit en 1481 au registre des peintres milanais, il travailla aussi à Pavie (1488-1494 et 1512-1514), où il exécuta des fresques à la Chartreuse, à Lodi (1498-1500), où il décora l'abside de l'Incoronata, et à Marignan (*Baptême du Christ,* 1506) et Bergame (*Polyptyque* de S. Spirito, 1508). Influencé dans sa formation par V. Foppa et les artistes français et flamands, il ne se laissa pas très profondément toucher par la Renaissance quand il connut Vinci, et demeura attaché à la tradition lombarde qu'il adoucit cependant par le lyrisme délicat des coloris, le rendu de l'atmosphère, et moins de sévérité dans la composition (*Pietà,* 1480, Gazzada; *Miracle de saint Benoît,* 1490, Nantes; *Madone,* 1490-1494, Bergame).

BERGSLAGEN. *n. m.* ♦ Région minière et forestière de Suède centrale, au N.-E. du lac Vänern*. Elle produit principalement du fer, mais aussi des minerais de toutes sortes (or, argent, cuivre, plomb, zinc). Jusqu'au XVIIIe s. le Bergslagen fournit le tiers de la production mondiale de fer, puis fut concurrencé par l'Angleterre (fonte au coke). Il se spécialise maintenant dans la transformation des métaux.

BERGSON [bɛʀksɔn] **(Henri).** ♦ Philosophe français (Paris, 1859 – 1941). Professeur au Collège de France (1900-1914), président de la Commission internationale de coopération intellectuelle à Genève (jusqu'en 1925), il a laissé une œuvre philosophique abondante (*Essai sur les données immédiates de la conscience,* 1889; *Matière* et Mémoire,* 1896; *Le Rire,* 1900; *L'Évolution* créatrice,* 1907; *L'Énergie spirituelle,* 1919; *Durée et Simultanéité,* 1922; *Les deux sources* de la morale et de la religion,* 1932; *La Pensée et le Mouvant,* 1934). Hostile à l'intellectualisme formaliste, en particulier à Kant et au néo-kantisme, ainsi qu'au positivisme scientiste et matérialiste, il a élaboré sa pensée tout en faisant une analyse critique des méthodes et des résultats scientifiques de son époque (particulièrement en biologie et en psychologie). Spiritualiste, sa philosophie veut être « un retour conscient et réfléchi aux données de l'intuition ». Contrairement à l'intelligence dont la destination première est pratique (fabricatrice d'outils) et dont les notions et principes ne peuvent s'appliquer qu'à la matière, l'intuition nous permet de coïncider avec la durée pure (par opposition au temps spatialisé), avec le mouvement libre et créateur de la vie et de l'esprit. Philosophie de la compréhension, attentive à l'expérience immédiate (et proche en ceci de la phénoménologie), le bergsonisme connut un certain succès jusqu'à la Deuxième Guerre mondiale et influença bien des écrivains et philosophes [E. Le Roy*, H. Massis, C. Péguy, M. Proust, J.E. Rodó]. (Acad. fr., 1914; prix Nobel, 1927.)

BERGUES. ♦ Ch.-l. de cant. du Nord*, arr. de Dunkerque*. 4 858 hab. *(Berguois).* Fortifications de Vauban*. Malgré les dommages subis lors de la Deuxième Guerre mondiale, la ville conserve le Mont-de-Piété (XVIIe s.) qui abrite un musée, et deux tours du XIe siècle. – Joaillerie.

BERIA (Lavrenti Pavlovitch). ♦ Homme politique soviétique (Merkheouli, Géorgie, 1899 – Moscou, 1953). Membre du parti bolchevik dès 1917, chef de la Tcheka en Géorgie (1921-1931), chef suprême de la police politique et ministre de l'Intérieur (1942-1946), promu maréchal de l'Union soviétique (1945), il devint vice-président du Conseil des ministres en 1946. Après la mort de Staline* (mars 1953), il fut, avec Malenkov* et Molotov*, l'un des chefs du triumvirat qui dirigea l'U.R.S.S., mais, bientôt arrêté, il fut exécuté après un procès secret.

BÉRING ou **BEHRING (Vitus).** ♦ Navigateur et explorateur danois (Horsens, Jylland, 1681 – île d'Avatcha, *auj.* île Béring, 1741). Entré au service de la Russie sous Pierre le Grand, puis sous l'impératrice Catherine, il dirigea une première expédition au Kamtchatka dont il longea la côte septentrionale (1725-1728), afin de savoir si l'Amérique et la Sibérie étaient unies. Mais ce n'est que lors de la troisième tentative (1741) qu'il découvrit le détroit qui porte aujourd'hui son nom, atteignit l'Alaska, les Aléoutiennes et l'île Kodiak, avant d'aborder à l'île d'Avatcha. Le résultat immédiat de sa découverte fut le développement du commerce des fourrures.

BÉRING ou **BEHRING** *(détroit de).* ♦ Bras de mer qui relie l'océan Arctique* (mer des Tchouktches) et l'océan Pacifique *(mer de Béring)* et sépare l'Alaska* (États-Unis) de la Sibérie* nord-orientale (U.R.S.S., Asie). Découvert par Béring en 1728, il fut exploré par Cook* en 1778, puis emprunté par McClure* (1850, **V. Passage du Nord*-Ouest**) et par Nordenskjöld* (1879, **V. Passage du Nord*-Est**).

BÉRING ou **BEHRING** *(île de),* anc. **île Avatcha.** ♦ Île de la mer de Béring, la principale des îles du Commandeur*. Elle fut découverte par Béring (1740) qui y mourut l'année suivante.

BÉRING ou **BEHRING** *(mer de)*. ♦ Mer de l'océan Pacifique*, entre l'Asie du N.-E. et l'Amérique du Nord. Elle borde à l'E. la côte de l'Alaska, au N. et à l'O., les côtes de l'Anadyr* et du Kamtchatka*, au S. les îles Aléoutiennes et les îles du Commandeur*. Elle communique avec l'océan Arctique par le détroit de Béring. — *Îles princ.* **V. Aléoutiennes, Commandeur** (îles du), **Pribilof, Saint-Laurent, Saint-Mathieu.**

BERINGEN ou **BEERINGEN**. ♦ V. de Belgique (Limbourg, arr. d'Hasselt). 5 000 hab. Machines agricoles. Houille.

BÉRIOT (Charles Auguste *de***)**. ♦ Violoniste belge (Louvain, 1802 — Bruxelles, 1870). Virtuose, il fit une brillante carrière européenne. Devenu professeur au Conservatoire royal de Bruxelles (1843), il compta Vieutemps* parmi ses élèves et composa de nombreuses pages pour le violon. Il avait épousé la Malibran* en 1836.

BERKELEY (George). ♦ Théologien et philosophe irlandais d'origine anglaise (Dysert, 1685 — Oxford, 1753). Entré dans les ordres, il enseigna le grec, l'hébreu et la théologie à Dublin, voyagea en France, en Italie et en Sicile (1713-1720), puis fut nommé doyen de Derry (Irlande, 1723). Désirant propager le christianisme, il partit pour Rhode Island; mais, faute de moyens financiers pour réaliser son projet, revint en Angleterre en 1732. — Critiquant l'importance habituellement accordée à la vue dans le sens de la profondeur et du relief, le *Traité de la vision* (1708-1709) met en évidence la nature symbolique de la perception visuelle et constitue ainsi le point de départ d'une théorie de la perception, dont Berkeley développa les implications métaphysiques dans le *Traité sur les principes de la connaissance* (1710) et les *Dialogues entre Hylas et Philonoüs* (1713). Refusant la distinction faite par Locke* entre les qualités secondes (sensibles) et les qualités premières (étendue et mouvement) des objets, Berkeley paraît nier toute réalité extérieure à la pensée. Ainsi sa thèse centrale : « Être, c'est être perçu ou percevoir », fut habituellement considérée comme la base d'une philosophie immatérialiste (ou idéalisme empirique et nominaliste). Toutefois, en ramenant les objets à des idées, Berkeley n'entend pas mettre en question leur réalité telle qu'elle est admise par le sens commun, mais tente de faire apparaître leur valeur de signe. Ainsi le monde est, pour lui, « un système de relations signifiantes » (P. Trotignon) dont Dieu, auquel participent les esprits humains, est la source créatrice.

BERKELEY. ♦ Localité d'Angleterre (Gloucestershire), au S.-O. de Gloucester. Centrale nucléaire. Cultures de fruits dans la région. — Château où Édouard* II fut assassiné en 1327. — Patrie d'Edward Jenner*.

BERKELEY. ♦ V. des États-Unis (Californie*), à l'E. de la baie de San Francisco. 111 268 hab. (1960). Indus. légères. — La ville doit son nom et son renom à l'université qui fut fondée en 1858 *(College of California)* et nommée d'après George Berkeley en 1866.

BERKMAN (Alexandre, dit **Sacha)**. ♦ Anarchiste d'origine juive russe (1870 — Nice, 1936). Émigré aux États-Unis (1886), il participa à Pittsburgh à la lutte des grévistes des usines sidérurgiques. Condamné à la prison (1893-1907), il est déporté en Russie soviétique en 1919. Après la répression de Kronstadt (1921), il s'installa en Allemagne, puis en France, à Nice où il se suicida. (*Mémoires de prison d'un anarchiste,* 1912; *Le Mythe bolchévique,* 1922).

BERKSHIRE. ♦ Comté du sud de l'Angleterre. 1 877 km². 504 200 hab. *Ch.-l.* Reading*.

BERLAER, en néerl. **Berlaar**. ♦ V. de Belgique (Anvers, arr. de Malines). 9 500 hab. Indus. alimentaires (minoteries, brasseries). Mobilier. Dentelle. Taille du diamant.

BERLAGE (Hendrick Petrus). ♦ Architecte et théoricien néerlandais (Amsterdam, 1856 — La Haye, 1934). Il fut un adepte des théories rationalistes de Viollet*-le-Duc. Au cours d'un voyage aux États-Unis en 1897, il s'intéressa aux nouvelles méthodes de construction de l'école de Chicago*. *La Bourse d'Amsterdam* (1897-1903), d'apparence austère, avec son toit d'acier et verre, sa structure métallique apparente, ses grands murs nus pratiquement dépouillés d'ornements, apparaît, malgré certaines réminiscences des formes romanes, comme l'un des premiers bâtiments modernes construit en Hollande. Fonctionnaliste convaincu, partisan de l'utilisation des qualités spécifiques des matériaux (notamment de la brique), Berlage exerça une influence profonde sur de nombreux architectes hollandais.

BERLAIMONT. ♦ Ch.-l. de cant. du Nord*, arr. d'Avesnes*-sur-Helpe, sur la Sambre*. 4 038 hab. Métallurgie, fonderie.

BERLARE, en néerl. **Berlaere**. ♦ V. de Belgique (Flandre-Orientale, arr. de Termonde). 6 200 hab. Indus. textile.

BERLICHINGEN (Götz ou **Gottfried** *von***)**, dit *Main de fer*. ♦ Chevalier allemand (Jagsthausen, Wurtemberg, v. 1480 — Château de Hornberg, 1562). Homme de guerre, il participa aux luttes seigneuriales de son temps, combattit les Suisses, les Turcs et les Français. Son autobiographie a inspiré Goethe* (*Götz von Berlichingen,* 1773) et Jean-Paul Sartre* en a fait le personnage principal de sa pièce *Le Diable* et le Bon Dieu* (1951).

BERLIER (Jean-Baptiste). ♦ Ingénieur français (Rive-de-Gier, 1843 — Deauville, 1911). Inventeur d'un système de transmission pneumatique des cartes-télégrammes, il est l'auteur d'un projet de tramway souterrain utilisé lors de la construction du métropolitain de Paris. **V. Bienvenüe.**

Ph. Ostuni-Diamante/Ricciarini

Berlin-Ouest : Europa Center.

BERLIN (Isidore Baline dit **Irving)**. ♦ Compositeur russo-américain (né à Temun, 1888). Il est l'auteur de chansons et d'airs de danse que la comédie musicale et le film ont rendu populaires dans le monde entier.

BERLIN. ♦ V. d'Allemagne orientale et anc. cap. du Reich allemand jusqu'en 1945, divisée depuis en deux parties distinctes que matérialise un mur érigé en 1961. *Berlin-Ouest* (479 km², 2 135 100 hab.) forme un *land* isolé mais administrativement rattaché à la R.F.A. et correspond aux anciens secteurs d'occupation anglais, français et américain. *Berlin-Est* (403 km², 1 083 173 hab.) correspond au secteur d'occupation soviétique. *(Berlinois).* La ville, située au centre de la grande plaine allemande de l'ancien Brandebourg, bâtie d'abord sur une île de la Sprée, s'est étendue peu à peu vers l'O. et le S.-O. (englobant la ville voisine de Kölln) sur la r. d. de la Sprée. L'agglomération actuelle du Grand-Berlin occupe 884 km² et est traversée par un réseau de cours d'eau (l'Havel, la Sprée, reliées par canaux à l'Elbe et à l'Oder). ♦ BERLIN-OUEST, entièrement entourée par la R.D.A., regroupe les quartiers de la Reinickendorf (secteur français), de Spandau, Tiergarten, Charlottenburg, Wilmersdorf (secteur britannique), Zehlendorf, Steglitz, Tempelhof (aéroport), Kreuzberg et Neukölln (secteur américain). L'axe de Berlin-Ouest est constitué par la vaste artère, fort animée, du *Kurfürstendamm.* Très endommagée lors de la Seconde Guerre mondiale, Berlin-Ouest n'a conservé de son passé que le *château de Charlottenburg* (construction baroque du XVIIIe s.). La porte de Brandebourg est située à la frontière de Berlin-Est. Une grande partie de Berlin-Ouest a été reconstruite dans une optique résolument moderne par de célèbres architectes contemporains (quartier de la Hanse ou *Hansaviertel, Europa Center,* ville de Gropius). Des espaces verts ont été aménagés *(Tiergarten).* Berlin-Ouest est depuis le XIXe s. un grand centre industriel spécialisé dans la construction mécanique et l'électrotechnique (A.E.G., Siemens), l'édition et les arts graphiques (impri-

Ph. Gino Begotti/Ricciarini

Berlin-Est : le mur.

meries, cartonnages). La fonction culturelle est représentée par l'*Université Libre,* d'importants musées (*Die Brücke,* musée de Dahlem, l'Opéra, l'orchestre philharmonique). ♦ BERLIN-EST (officiellement *Berlin, Hauptstadt der D.D.R.,* Berlin, cap. de la République démocratique allemande) s'est étendue de l'île de la Sprée aux communes avoisinantes de Pankow (siège du gouvernement de la R.D.A.), Weissensee, Lichtenberger, Treptow, Köpenick, Schönefeld (aéroport). La large avenue d'*Unter den Linden,* reconstruite dans un style moderne, la *Karl-Marx Allee,* bordée d'immeubles dans le style en honneur à l'époque stalinienne, en sont les artères les plus connues. La célèbre *Alexanderplatz* a été entièrement modifiée et constitue une réplique au modernisme urbanistique de Berlin-Ouest. Tous les monuments anciens (du XVIIIe s., pour la plupart) qui ont échappé aux bombardements aériens de la Seconde Guerre mondiale sont groupés dans le quartier du *Linden-Forum.* La cathédrale Sainte-Edwige (1747-1773), l'église Sainte-Marie, l'Opéra national sont les plus représentatifs. Les édifices modernes, tour de télévision haute de 250 m, *Interhotel Stadt Berlin, Alexanderplatz,* etc. sont de plus en plus nombreux. Berlin-Est est un important centre industriel au cœur de la grande plaine brandebourgeoise (sidérurgie et métallurgie, mécanique, constructions électriques, indus. chimiques et alimentaires); la ville possède une importante université *(université Humboldt),* un opéra, des théâtres (notamment celui qui abrite le célèbre *Berliner Ensemble* fondé par Brecht) et de riches musées regroupés dans l'*île des Musées :* Galerie nationale (peintures du XXe s.) et surtout le très beau *musée de Pergame* (abritant l'une des plus belles collections mondiales d'objets antiques (art mésopotamien, égyptien, hellénistique, etc.). Berlin est la patrie de L.J. von Arnim*, A. von Baeyer*, A. Baumgarten, W. von Brauchitsch*, E.B. Chain*, K. Dönitz, E. Du* Bois-Reymond, E. Dühring*, Frédéric* II *le Grand,* Frédéric*-Charles, Frédéric*-Guillaume *(le Grand Électeur),* Frédéric*-Guillaume Ier, Frédéric*-Guillaume II, W. Furtwängler*, W. Gropius*, Guillaume* Ier, K. Gutzkow*, E. von Hartmann*, A. von Humbold*, K. Koffka*, M. Liebermann*, E. von Manstein*, A. Marggraf*, V. Meyer*, J.-B. Meyerbeer*, P.S. Pallas*, W. Ratheneau*, N. Sachs*, M. Schlick*, A. von Schlieffen*. G. Simmel*, W. Stoph*, G. Stresemann*, L. Tieck*, B. Walter*. ♦ *Hist.* Fondée probablement v. 1237, la ville, issue de deux bourgs, connut une certaine importance commerciale en adhérant à la Hanse au début du XIVe s., puis politique comme capitale du Brandebourg* (1486). Au XVIIe s., elle devint le refuge de nombreux émigrés, en particulier de protestants français après la révocation de l'édit de Nantes (1685). **V. Frédéric-Guillaume** (*le Grand Électeur*). Centre intellectuel et industriel important, capitale de la Prusse en 1701 **(V. Frédéric Ier),** elle prit un grand essor sous les règnes de Frédéric*-Guillaume Ier et Frédéric* II *le Grand,* en dépit de l'occupation par les Autrichiens (1757) et les Russes (1760). L'édification de la porte de Brandebourg (1788) et le tracé de l'avenue *Unter den Linden* contribuèrent à faire de Berlin l'une des plus belles villes d'Europe. Sous Frédéric*-Guillaume III, elle fut occupée par les Français, après la bataille d'Iéna* (1806-1808). Siège d'une université célèbre fondée en 1810 **(V. Humboldt [W. *von*])** où enseignèrent notamment Fichte, Hegel, Fr. Bopp, Schleiermacher, elle devint en 1871 la capitale de l'Empire allemand. Un congrès y réunit les principales puissances européennes du 13 juin au 13 juillet 1878, qui modifia le traité de San* Stefano. À la fin de la guerre de 1914-1918, la révolution éclata à Berlin, entraînant l'abdication de Guillaume* II, la proclamation de la République **(V. Weimar)** et la réinstallation du Reichstag* dans la capitale. Violemment bombardée durant la Seconde Guerre mondiale, Berlin fut le théâtre de combats acharnés entre les dernières troupes hitlériennes et les Russes de Joukov (22 avril-2 mai 1945). Après le suicide de Hitler et de Goebbels, la capitulation allemande y fut signée par Keitel* le 8 mai 1945. Les accords de Potsdam* confirmèrent la division de la ville en quatre secteurs d'occupation, russe, américain, anglais et français, sous autorité interalliée. Mais, bientôt, la tension entre Américains et Russes entraîna le blocus de Berlin-Ouest par ces derniers (1948-1949) et l'organisation par les Occidentaux d'un pont aérien destiné à ravitailler leurs secteurs. En 1949, *Berlin-Ouest* devint un *land* de la République fédérale allemande, divisé en trois secteurs (américain, anglais, français) tandis que *Berlin-Est* était englobé dans la république de Pankow* **(V. Allemagne).** L'état de siège qui suivit les manifestations ouvrières (1953) de Berlin-Est, l'abolition du statut quadripartite (1958) et l'émigration massive des habitants de l'Allemagne de l'Est vers Berlin-Ouest aboutit en 1961 à la construction par les autorités de R.D.A. d'un mur de séparation et à un strict régime de séparation des deux parties de la ville. – *Décret de Berlin.* **V. Blocus continental.**

BERLINER (Emile). ♦ Technicien américain d'origine allemande (Hanovre, Allemagne, 1851 – Washington, 1921). Il imagina le gramophone, en remplaçant le cylindre d'Edison* par le disque (1877), et construisit un microphone. **V.** ***aussi*** **Cros, Scott de Martinville.**

BERLINGHIERI. ♦ Famille de peintres italiens, actifs à Lucques au XIIIe siècle. De BERLINGHIERO (Milan, ? – Lucques, v. 1242) on ne connaît qu'un *Crucifix,* traité dans le mode byzantin. – L'un de ses fils, BONAVENTURA (connu de 1215 à 1274), signa en 1235 un intéressant *Retable de saint François* (Pescia).

BERLIOZ (Hector). ♦ Compositeur français (La Côte-Saint-André, Isère, 1803 – Paris, 1869). Issu d'un milieu cultivé, il vint à Paris (1821) et y commença des études de médecine qu'il abandonna bientôt pour entrer au Conservatoire (1826). L'enthousiasme qu'il éprouvait alors pour Virgile, Shakespeare et Goethe, Beethoven et Weber, sut se conjuguer en lui avec son application à recueillir l'enseignement de deux maîtres éminents, Lesueur et Reicha. De cette époque datent ses premiers ouvrages : *Ouverture des Francs-Juges,* 1828; *Huit scènes de Faust,* 1829; *Sardanapale,* cantate pour laquelle il obtint le Grand Prix de Rome, 1830, et son premier chef-d'œuvre, la *Symphonie fantastique,* 1830, prestigieuse réussite de la musique romantique par sa couleur mélodique et ses hardiesses rythmiques et harmoniques. Au retour d'Italie (séjour à la villa Médicis, 1831-1832), il épousa l'actrice anglaise Harriett Smithson (1833) dont il eut un fils, Louis (1834). Malgré le succès qui accueillit sa symphonie concertante, *Harold en Italie* (1834), la carrière de critique musical (au *Journal des débats*) allait être, sa vie durant, sa principale source de revenus (1835-1864). Déjà aux prises avec de multiples difficultés matérielles, et malgré l'hostilité déclarée de la critique et les sarcasmes d'une grande partie du public, il poursuivit son activité de compositeur avec la grande messe des Morts (*Requiem,* 1837), *Benvenuto Cellini,* opéra (1838), et *Roméo et Juliette,* symphonie dramatique (1839). Si le *Requiem,* œuvre grandiose et visionnaire, connut le succès, ces deux derniers ouvrages, en dépit de leur foisonnante richesse orchestrale et vocale, furent un demi-échec. Cependant, Berlioz était nommé sous-bibliothécaire du Conservatoire. Il y reçut l'hommage public de Paganini* (1838) et le gouvernement de Louis-Philippe le fit chevalier de la Légion d'honneur (1839). Composée pour la commémoration du dixième anniversaire de la révolution de Juillet, la *Symphonie funèbre et triomphale* (1840) eut à pâtir d'une exécution en plein air. Sa vie conjugale était devenue insupportable. Il décida de s'enfuir en Belgique avec une jeune chanteuse espagnole, Marie Recio (1842), qu'il devait épouser quelques années plus tard, après la mort de sa première femme (1854). Ainsi commença pour lui une carrière européenne (Allemagne, Autriche, Europe centrale, Russie et Angleterre) qui comporta, jusqu'à 1867, des tournées annuelles souvent triomphales, parfois aussi vouées à l'insuccès. Durant ces années, il bénéficia de l'amitié et du soutien de Mendelssohn, Wagner, Meyerbeer et Liszt, et de l'enthousiasme des publics de Berlin, de Weimar, de Vienne, de Prague et de Saint-Pétersbourg. Mais le désastre de la *Damnation de Faust,* légende dramatique (Paris, 1846), l'échec de la « Société philharmonique » (1849-1851), les succès sans lendemain de l'*Enfance du Christ,* trilogie sacrée (1854), du *Te Deum* (1855), de *Beatrix et Benedict,* opéra-comique créé à Bade (1862), et de son opéra *Les Troyens à Carthage* (Paris, 1864), conjugués à la douleur de voir disparaître peu à peu tous les siens, enfin l'usure d'un combat dont il ne voyait pas la fin eurent raison de sa santé. Frappé de congestion cérébrale à Nice, il revint à Paris pour y mourir (11 mars 1869). Il avait été élu membre de l'Institut en 1856. ♦ Outre des ouvertures (*Waverley,* 1828; *Les Francs-Juges,* 1828; *Le Roi Lear,* 1834; *Benvenuto Cellini,* 1844; *Carnaval romain,* 1844; *Le Corsaire,* 1855; *Beatrix et Benedict,* 1862), Berlioz a composé des mélodies

Ph. Gino Begotti/Ricciarini

H. Berlioz. (Musée de la Scala de Milan.)

Bermejo : « La Descente du Christ aux enfers ». (Musée des Beaux-Arts, Barcelone.)

(*Nuits d'été,* 1834-1841) et une harmonisation de la Marseillaise (1830). Il est aussi l'auteur des récitatifs du *Freischütz** de Weber (1841), il a préparé la reprise de deux opéras de Gluck, *Orphée** (1859) et *Alceste* (1861). Théoricien, il a publié un *Traité d'instrumentation et d'orchestration* (1844). Voyageur et critique, son œuvre littéraire comprend : *Voyage musical en Allemagne et en Italie* (1844), *Les Soirées de l'orchestre* (1852), *Les Grotesques de la musique* (1859), *À travers chants* (1861). Il a laissé des *Mémoires* (1870). – Considéré trop longtemps, et dans son pays même, comme un excentrique de la musique, Berlioz apparaît aujourd'hui comme le créateur d'un univers sonore inouï. Mélodiste d'une inspiration toujours généreuse, rénovateur de l'harmonie, il est aussi l'inventeur d'un style polyphonique dont l'influence s'est exercée jusqu'à nos jours. Tenu « non seulement comme le plus grand mais aussi comme le seul représentant authentique du romantisme musical français » (H. Barraud), il est, dans la multiplicité de ses styles, un maître de liberté, aussi incomparable coloriste que voyant inspiré.

BERMEJO (Bartolomé de CÁRDENAS). ♦ Peintre espagnol originaire de Cordoue (connu de 1474 à 1495). Formé probablement à Naples, il séjourna peut-être dans les Flandres, travailla en Aragon entre 1475 et 1477 et en Catalogne entre 1486 et 1498. Il adopta la technique de la peinture à l'huile et subit l'influence de R. van* der Weyden. Dans le *Saint Dominique* de Silos, le goût du décor somptueux (costume chargé d'or, trône de style flamboyant) s'allie à un sens monumental : traitement vigoureux du visage, modelé par larges plans, et pose hiératique. Dans la *Pieta du chanoine Despla* (1490) s'affirme l'originalité d'un talent profondément hispanique : l'intensité expressive atteint au pathétique, le paysage agencé avec ampleur est éclairé par un ciel d'orage, les formes âpres ont des contours incisifs et les tons saturés dominent.

BERMEJO (río). *n. m.* ♦ Riv. d'Argentine qui prend sa source dans les Andes de Bolivie, traverse le Chaco* argentin et sépare les prov. de Formosa* et Chaco*, avant de se jeter dans le Paraguay*. 1 500 km. Culture de coton dans sa vallée.

BERMUDES *(Îles),* en angl. **Bermuda.** ♦ Archipel britannique situé dans l'Atlantique au N.-E. des Bahamas* (32e parallèle), et qui peut être rattaché à l'archipel antillais. Il est composé de plus de 300 îles de nature corallienne (dont une vingtaine seulement sont habitées), la plus importante étant la *Grande Bermude (Main Island).* 53 km². 55 000 hab. en 1969 (60 % de Noirs et de mulâtres). *Cap.* Hamilton. *Langue off.* anglais. Baignées par le *Gulf Stream,* les Bermudes ont un climat doux et leur végétation est riche. Culture de tomates, betteraves, café, bananes, tabac. Pêche (langoustes). Tourisme important. ♦ *Hist.* Découvertes au XVIe s. par l'Espagnol Juan Bermúdez, les Bermudes sont une colonie britannique depuis 1612. Une base aéronavale américaine s'y trouve depuis 1940.

BERNADETTE SOUBIROUS [subiʀus] *(sainte).* ♦ Paysanne française (Lourdes, 1844 – Nevers, 1879). Les visions qu'elle eut de la Vierge à l'âge de quatorze ans sont à l'origine du pèlerinage de Lourdes*. Entrée chez les Sœurs de Charité de Nevers en 1866, elle fut canonisée en 1933. Fête le 18 février.

BERNADOTTE. ♦ V. CHARLES XIV, roi de Suède.

BERNANOS [bɛʀnanɔs] **(Georges).** ♦ Écrivain français (Paris, 1888 – Neuilly, 1948). Ayant débuté dans le journalisme comme militant de l'*Action française,* il se livra bientôt à la critique morale de la politique, dénonçant avec véhémence la faillite de la bourgeoisie française (*La Grande Peur des bien-pensants,* 1930). D'abord favorable aux insurgés franquistes, il s'éleva cependant contre la collusion de l'Église avec Franco et Maurras (*Les Grands Cimetières sous la lune,* 1938; *Nous autres Français,* 1939), puis contre l'imposture de Vichy (*Lettre aux Anglais,* 1941; écrit durant son séjour au Brésil, 1940-1945), devenant ainsi un des animateurs spirituels de la Résistance. Il devait encore séjourner en Tunisie (1946-1948), y achevant la pièce *Dialogues des carmélites* (posth., 1949), ultime illustration du motif de l'angoisse et du thème de la réversibilité des mérites. – Venu tard à la littérature (1926), Bernanos composa en dix ans l'essentiel de son importante œuvre romanesque (surtout durant son séjour à Palma de Majorque, 1934-1937). À la fois réaliste et visionnaire, placée sous le signe d'un drame surnaturel qui donne ses dimensions au monde quotidien, elle dépeint le « combat des âmes » contre les entreprises du démon, lutte dont le prêtre est le lieu privilégié. Dotés de « la divine ignorance des saints », les personnages ont le douloureux pouvoir de percer le mal (*Sous le soleil de Satan,* 1926; *La Joie,* 1929) et de racheter l'excès d'orgueil des « possédés » par une atroce agonie spirituelle (*L'Imposture,* 1928; *Le Journal d'un curé de campagne,* 1936). Le pire des péchés est l'indifférence au salut (*Monsieur Ouine,* 1933-1946) et le mal suprême, l'absence de Dieu; car si « le blasphème [...] engage dangereusement l'âme (du moins), il l'engage ». (Cf. *La Nouvelle Histoire de Mouchette,* 1937). – Violemment pathétique, reposant toute sur l'ambiguïté des événements, cette œuvre appelle une lecture sur deux plans; car « le monde du péché fait face au monde de la grâce ainsi que l'image reflétée d'un paysage au bord d'une eau noire et profonde ».

BERNARD. ♦ (797 – Aix-la-Chapelle, 818). Roi d'Italie (813-817). Fils de Pépin*, roi d'Italie, il se révolta, à la suite du nouveau partage de l'Empire carolingien (817), contre son oncle, l'empereur Louis* Ier le Pieux, qui le vainquit et lui fit crever les yeux.

BERNARD (Samuel). ♦ Financier français (Sancerre, 1651 – Paris, 1739). Il fonda la compagnie de Guinée et prêta des sommes importantes à Louis XIV et à Louis XV.

BERNARD (Claude). ♦ Physiologiste français (Saint-Julien, Rhône, 1813 – Paris, 1878). Préparateur en pharmacie à Lyon, puis étudiant en médecine à Paris (1834-1843), il travailla avec Magendie*, avant de lui succéder à la chaire de médecine expérimentale au Collège de France (1855). Ses premiers travaux portèrent sur le rôle du suc gastrique (1843) et du suc pancréatique (1849) dans la digestion. Mais il est surtout connu par la découverte capitale de la fonction glycogénique du foie (*Recherches sur une nouvelle fonction du foie considéré comme producteur de matière sucrée chez l'homme et les animaux,* 1853); il put isoler le glycogène, et donna une explication de la pathogénie du diabète sucré. Il compléta les travaux de Lavoisier par ses recherches sur la chaleur animale et le mécanisme de sa régulation. Ses études sur la physiologie du système nerveux l'amenèrent à montrer l'influence du nerf pneumo-gastrique sur la respiration et l'action vaso-motrice du grand sympathique. Il analysa enfin les effets de certains produits toxiques (oxydes de carbone, curare, strychnine) sur le système nerveux. Ses travaux convergent vers la notion fondamentale de milieu intérieur de l'être vivant, constitué par le sang et la lymphe et dont l'équilibre et la fixité sont la condition d'une vie organique autonome. C. Bernard fit de la physiologie « une science indépendante ayant ses méthodes et son but » (Dastre); et il en exposa dans *L'Introduction à l'étude de la médecine* expérimentale* (1865) la méthode et les principes fondamentaux : celui du déterminisme des phénomènes biologiques, de la spécificité des fonctions vitales, de l'identité des lois du fonctionnement normal et pathologique de l'organisme. Il tenta de formuler l'esquisse d'une théorie générale de la biologie dans *La Science expérimentale* (1876) et les *Leçons sur les phénomènes communs aux animaux et aux végétaux* (posthumes). Il eut de nombreux élèves : Dastre, Bert*, d'Arsonval, Morat, Créhant, Ranvier*, Renaut.

BERNARD (Paul, dit Tristan). ♦ Romancier et auteur dramatique français (Besançon, 1866 – Paris, 1947). Dans son théâtre l'humour, une douce ironie et le goût du bon mot se teintent d'une tendre indulgence. Œuvr. princ. : *L'Anglais tel qu'on le parle* (1899), *Triplepatte* (1905), *Le Petit Café* (1911).

BERNARD (Émile). ♦ Peintre, dessinateur et écrivain français. (Lille, 1868 – Paris, 1941). À partir de 1884, il étudia à l'atelier Cormon* où il rencontra Toulouse-Lautrec. Il se lia ensuite avec Van* Gogh, Gauguin*, Cézanne* et Odilon Redon*, avec lesquels il entretint une correspondance suivie. Esprit curieux, cultivé et profondément religieux, ennemi de l'académisme, il alla travailler à Pont*-Aven où il rencontra Gauguin en 1886. Il avait alors déjà peint : *Le Christ jaune* et *Le Pouldu.* Dans ses écrits, il revendiqua la paternité du « cloisonnisme » et du « synthétisme », alors que l'histoire veut que Gauguin et lui élaborèrent cette technique, qui est à l'origine du mouvement symboliste pictural, en 1888 à Pont-Aven. Pratiquant une peinture sans profondeur, aux formes schématisées, il prônait l'emploi des couleurs pures et l'abandon des empâtements et de la juxtaposition des tons *(La Gardeuse d'oies)*. En 1893, il voyagea en Italie, puis en Égypte, où il resta six ans ; prenant comme modèle les peintres de la Renaissance, il modifia profondément son style. Son œuvre semble ne pas se hisser au niveau de ses écrits théoriques (publiés de 1905 à 1910) et de sa correspondance qui constitue un témoignage important sur les artistes de son époque.

BERNARD (Henry). ♦ Architecte et urbaniste français (Albertville, 1912). Admirateur de Mies* Van der Rohe, et partisan d'un strict fonctionnalisme, il est notamment l'auteur de l'*université de Caen* et de la *maison de la Radio* à Paris (1959-1963), conçue selon un anneau avec au centre une tour quadrangulaire.

BERNARD DE CLAIRVAUX *(saint)*. ♦ (Château de Fontaine, près de Dijon, 1091 – Clairvaux, 1153). Moine à Cîteaux* en 1112, il fut le fondateur et le premier abbé de Clairvaux* (1115). En 1128, il fit reconnaître l'ordre des Templiers* dont il rédigea les statuts. Il devint alors une des principales personnalités de l'Occident chrétien, intervenant dans les affaires publiques et conseillant les papes. Au concile d'Étampes (1131), il trancha en faveur d'Innocent* II, déterminant l'attitude de plusieurs souverains. Hostile au rationalisme d'Abélard*, il obtint sa condamnation au concile de Sens (1140). En 1146, à la demande du pape Eugène* III, son disciple, il prêcha la 2e croisade (à Vézelay, à Spire). Il soutint des polémiques contre l'ordre de Cluny **(V. Pierre** le Vénérable**).** Plus homme d'action et de spiritualité que théologien, il est l'auteur de traités polémiques, de sermons, de poèmes (à la gloire de la Vierge). – Docteur de l'Église. Fête le 20 août.

BERNARD (ou BERNHARD) DE LIPPE-BIESTERFELD. ♦ Prince consort des Pays-Bas (Iéna, 1911). D'origine allemande **(V. Lippe),** naturalisé hollandais (1936), il épousa Juliana* en 1937. Compromis dans « l'affaire Lockheed », il dut démissionner de ses fonctions publiques (1976).

BERNARD DE MENTHON *(saint)*. ♦ Prêtre puis archidiacre d'Aoste (Menthon-Saint-Bernard, près d'Annecy, 923 – *id.*, 1008). Il fonda les hospices du Grand et du Petit-Saint-Bernard dans les Alpes. Fête le 28 mai.

BERNARD DE SAXE-WEIMAR. ♦ (Weimar, 1604 – Nuremberg, 1639). Général allemand. Après s'être distingué sous Gustave*-Adolphe, durant la guerre de Trente* Ans, il lui succéda à la tête de l'armée suédoise en Allemagne du Sud et subit la défaite de Nördlingen* (1634). Il entra alors au service de la France, toujours contre les Impériaux (victoire de Rheinfelden en 1638, prise de Fribourg et de Brisach).

BERNARD (ou BERNART) de VENTADOUR. ♦ Troubadour limousin (v. 1150 – Abbaye de Dalon, v. 1200). D'origine plébéienne, il vécut au château de Ventadour, puis à la cour d'Aliénor d'Aquitaine, pour laquelle il composa bon nombre de ses *Chansons.* Persuadé que « le chant qui ne vient pas du fond du cœur n'a pas de valeur », Bernard de Ventadour sut allier dans ses poèmes la virtuosité formelle à la sincérité du sentiment. Dans la quarantaine de *Chansons* qui nous restent, il s'est montré avant tout le poète de l'amour; sur des rythmes d'une subtile variété, il a livré de mélancoliques confidences sur sa passion pour la Dame de Ventadour ou pour Éléonore et a su traduire, en de splendides images symboliques, les désirs ou les désillusions de tous les « fous amants ».

BERNARDIN DE SAINT-PIERRE (Jacques Henri). ♦ Écrivain français (Le Havre, 1737 – Éragny-sur-Oise, 1814). D'abord officier, puis ingénieur des Ponts et Chaussées, il fut poussé par son caractère brusque et instable, mais aussi par ses rêves utopiques (fonder une république idéale; Cf. *L'Arcadie,* 1781) à de nombreux voyages (à Malte, en Russie, en Pologne et en Allemagne) qui lui fournirent ses « observations sur la nature et sur les hommes ». Après un long séjour à l'île de France (actuellement île Maurice), de 1768 à 1770, il revint à Paris où il se fit le disciple de J.-J. Rousseau*. Affirmant dès lors que « notre bonheur consiste à vivre suivant la nature et la vertu » et prônant l'abandon au sentiment, « faculté plus propre à découvrir la vérité que notre raison, instinct sublime qui est en nous l'expression des lois naturelles, et qui est invariable chez toutes les nations », il exprima sa nostalgie d'un paradis perdu dans le *Voyage à l'Isle de France* (1773), puis dans ses *Études* de la nature* (1784), qui lui valurent d'un coup la célébrité. Ce succès considérable s'accrut avec la publication de *Paul* et Virginie* (1787), auquel succédèrent *La Chaumière indienne* (1790), puis les *Harmonies de la nature* (1796). Nommé intendant du Jardin des plantes (1792), reçu à l'Institut en 1795, Bernardin de Saint-Pierre fut également comblé d'honneurs par l'Empire. Si son ambition scientifique paraît aujourd'hui illusoire, Bernardin de Saint-Pierre s'est montré un remarquable précurseur du romantisme, en particulier de Chateaubriand*, dont il a annoncé les thèmes (goût de la « mélancolie voluptueuse » au sein d'une nature amie; plaisir de la solitude) et préparé la rhétorique : soucieux de « peindre un sol et des végétaux différents de ceux de l'Europe », il a créé un style précis et expressif, destiné à évoquer les aspects variés du monde extérieur dans sa « magnificence singulière ».

BERNARDIN DE SIENNE *(saint)*. ♦ Prédicateur italien (Massa Maritima, près de Sienne, 1380 – Aquila, 1444). Il entra en 1402 chez les franciscains de l'Observance et fut l'un des plus grands prédicateurs populaires de la fin du Moyen Âge. Fête le 20 mai.

BERNARDIN DE SIENNE (Bernardino Ochino). ♦ Prédicateur et réformateur italien (Sienne, 1487 – Slavkov, Moravie, 1564). Entré d'abord dans l'ordre des Franciscains de l'Observance, il choisit en 1534 celui des Capucins. Converti au protestantisme, il devint un violent détracteur du catholicisme.

BERNAY ou **BERNAY-DE-L'EURE.** ♦ Sous-préf. de l'Eure*, ch.-l. d'arr. (14 cant., 241 comm., 112 261 hab.) sur la Charentonne. 10 776 hab. *(Bernayens).* Églises Sainte-Croix et Notre-Dame-de-la-Couture du XVe siècle. Ancienne église abbatiale du XIe s. – Centre agricole; indus. textile, chimiques, meubles, etc. Patrie de R. Lindet*. ♦ *Trésor de Bernay.* On découvrit en 1830 à Berthouville, près de Bernay, des vases d'argent de facture hellénistique datant de l'époque d'Auguste* (Bibliothèque nationale).

BERNBURG. ♦ V. d'Allemagne orientale (Saxe-Anhalt, district de Halle), sur la Saale, à 50 km au S. de Magdebourg. 46 700 hab. Extraction de potasse. Indus. mécaniques et chimiques. – La ville fut la capitale de l'anc. duché d'*Anhalt-Bernburg.*

BERNE, en all. **Bern.** ♦ V. de Suisse sur l'Aare, ch.-l. du canton de Berne et capitale de la Confédération helvétique. 166 800 hab. *(Bernois)* en majorité de langue allemande et de religion protestante. Agglomération 258 000 hab. Aéroport de Belpmoos. Université. La ville a gardé son aspect médiéval : rues à arcades, fontaines du XVIe s., cathédrale gothique *(Münster)* des XVe-XVIe s., hôtel de ville (XVe s.), hôtel des Monnaies par Antoine* (XVIIIe s.), tour de l'Horloge *(Zeitglockenturm)*, tour des Prisons *(Käfigturm)*, célèbre fosse aux ours. Musée des beaux-arts, musée historique bernois. Siège du gouvernement fédéral et de nombreux organismes internationaux : Union postale universelle, Commission internationale pénale et pénitentiaire, Office central des transports internationaux par chemin de fer. Important centre industriel : indus. alimentaire (chocolat), mécanique, textile et chimique. Patrie de C.V. Bonstetten*, F. Hodler*, J.D. Wyss*. ♦ *Hist.* Fondée en 1191 par Berthold V, duc de Zähringen*, Berne devint ville libre en 1218, vainquit Rodolphe de Habsbourg (1288) et entra dans la Confédération en 1353. Ralliée à la Réforme dès 1528, elle se porta au secours de Genève* et conquit le pays de Vaud* (1536). Extrêmement puissante au XVIIIe s., la ville fut amputée en 1798 par les Français d'une partie de ses territoires et sa suprématie prit fin en 1831. En 1848, Berne devint la capitale fédérale de la Suisse. – Le *canton de Berne* est le plus peuplé des cant. suisses et le plus vaste après celui des Grisons, 6 886,9 km². 1 006 000 hab. en majorité de langue allemande et de religion protestante. Il est drainé par l'Aare* et ses affl., l'Emme* et la Sarine*. L'Aare y forme les lacs de Brienz* et de Thoune* et communique avec le lac de Bienne*. On divise le canton de Berne en trois grandes régions : l'*Oberland* bernois,* au S. (tourisme, élevage, énergie électrique); le *Mitteland,* au centre, formé par les vallées de l'Aare et de l'Emme de Thoune à Bienne, région vivant aussi bien de l'élevage (Emmental*) que de l'agriculture et de l'industrie; le *Jura,* au N.-O. de Bienne à Porrentruy, dont la population est en majorité de langue française et de religion catholique et dont l'économie repose essentiellement sur l'industrie horlogère. Un référendum (1974) a décidé

Ph. Lauros-Giraudon

Sarah Bernhardt, dans le rôle de Marion Delorme photo Nadar. (Musée Carnavalet, Paris.) (V. page. 220)

Arch. Smeets

Le Bernin : baldaquin (1624-1633). Bronze. (Saint-Pierre, Rome.)

de son autodétermination. Le *Jura suisse* doit former le 23e canton suisse en 1977. Patrie de F. Dürrenmatt* (Konolfingen), Grock*, Paul Klee* (Münchenbuchsee). *V. princ.* **V. Bienne, Boncourt, Brienz, Burgdorf, Delémont, Interlaken, Langnau, Moutier, Porrentruy, Thoune, Saint-Imier.** *Stations de sports d'hiver :* **V. Abelboden, Grindelwald, Gstaad, Kandersteg, Lauterbrunnen, Mürren, Wengen.**

BERNERIE-EN-RETZ (LA). ♦ Comm. de la Loire-Atlantique (arr. de Saint-Nazaire). Station balnéaire dans la baie de Bourgneuf. 1 703 hab., hors saison.

BERNHARDI (Friedrich *von*). ♦ Général allemand (Saint-Pétersbourg, 1849 – Kunesdorf, Silésie, 1930). Théoricien militaire du pangermanisme, il présenta la guerre comme un devoir moral.

BERNHARDT [bɛʀnaʀ] **(Rosine BERNARD, dite Sarah).** ♦ Tragédienne française (Paris, 1844 – *id.*, 1923). Après un passage à la Comédie-Française, elle excella au Boulevard avant de fonder son propre théâtre. Ses interprétations de *Phèdre*, de *La Dame aux camélias* et de *L'Aiglon* sont demeurées fameuses.

BERNHEIM (Hippolyte). ♦ Médecin français (Mulhouse, 1837 – Paris, 1919). Agrégé de méd. (1868), il enseigna à Nancy. Ses travaux sur l'hypnotisme et la suggestion furent connus de Freud*.

BERNI (Francesco). ♦ Poète italien (Lamporecchio, Toscane, v. 1497 – Florence, 1535). Longtemps au service de différents prélats, puis dataire du pape Clément VII jusqu'en 1532, il gagna ensuite Florence et s'attacha aux Médicis; il aurait été emprisonné sur l'ordre du duc Alexandre. Après avoir refait le *Roland* amoureux* de Boiardo* dans un savoureux poème héroï-comique, *Orlando innamorato* (1531; publ. 1541), il créa la *maniera bernesca* avec ses poésies, violemment satiriques et pleines de verve, qui mêlent avec brio le ton comique et le style noble. Les *Capitoli* sont des pièces burlesques en tercets, remarquables par la vivacité du mouvement et le réalisme du langage; dans les *Sonnets (Sonetti)*, Berni fait une fine parodie des œuvres pétrarquisantes.

BERNIER (François). ♦ Voyageur et médecin français (Joué-Étiau, Anjou, 1620 – Paris, 1688). Il fut pendant plusieurs années médecin d'Aurangzeb en Inde (Aurangâbâd), et donna, à son retour en France, le récit de ses voyages en Orient, ouvrant ainsi la voie à l'orientalisme. Précurseur de l'anthropologie physique, il a esquissé une typologie des races humaines.

BERNIER (Nicolas). ♦ Compositeur français (Mantes, 1664 – Paris, 1734). Attaché au service de la duchesse du Maine, il composa de la musique pour les célèbres *Nuits de Sceaux*. Il fut aussi conseiller musical du régent et chef des chœurs à la Sainte-Chapelle. C'est son œuvre de musicien religieux (cantates et motets) d'une rare noblesse d'inspiration qui lui assura une durable réputation.

BERNIER (Étienne Alexandre). ♦ Prélat français (Daon, Anjou, 1762 – Paris, 1806). Curé de Saint-Laud au début de la Révolution, il refusa de prêter serment à la Constitution civile du clergé et prit une part active à l'insurrection vendéenne. Rallié à Bonaparte (1800), il joua alors en Vendée le rôle de pacificateur, fut un des négociateurs du Concordat et devint évêque d'Orléans (1802)

BERNIER (Louis Stanislas). ♦ Architecte français (Valenciennes, 1845 – Paris, 1915). Prix de Rome en 1872, il fut chargé de reconstruire l'*Opéra-Comique* détruit par un incendie en 1887. Cette troisième *salle Favart* (auj. *Opéra Studio*), au décor surabondant et pompeux et de style éclectique, fut inaugurée en 1898.

BERNIN (le) ou **BERNINI (Gian Lorenzo)**, dit parfois en franç. *le Cavalier Bernin*). ♦ Sculpteur, architecte, décorateur, peintre, dramaturge et poète italien (Naples, 1598 – Rome, 1680). Formé auprès de son père Pietro Bernini (1562 – Rome, 1628), sculpteur florentin marqué par le maniérisme et installé à Rome depuis 1605, il manifesta des dons précoces pour la sculpture (buste de *G.B. Santoni*, v. 1615). Ayant assimilé avec aisance l'art de Michel-Ange et de la sculpture hellénistique (*Jupiter et la chèvre Amalthée, Saint Sébastien, Énée et Anchise*, 1618-1619), il obtint la protection du cardinal Scipion Borghèse et s'imposa avec *L'Enlèvement de Proserpine*, 1621-1622; *David*, 1623; *Apollon et Daphné*, 1622-1624. Outre une rare virtuosité technique perceptible dans l'art de suggérer les différentes textures (tissus, chairs, cheveux, etc.), ces œuvres révèlent l'adoption d'un point de vue unique de vision en même temps qu'une composition ouverte visant à traduire la véhémence du mouvement et la tension du geste et de la mimique. À partir de 1624, grâce à la faveur des papes, excepté les brèves années de disgrâce sous Innocent X (v. 1644-1646), et l'appui des grandes familles romaines, sa personnalité domina le milieu romain. Déployant une activité multiple, il se fit aider par de nombreux collaborateurs. Il ne cessa de réaliser des portraits dans lesquels la mobilité de l'expression peut s'allier à la précision rigoureuse de l'observation (*Scipion Borghèse*, 1622; *Constanza Buonarelli*, 1635; *Urbain VIII*, 1623, 1644) ou tendre à la recherche d'un effet dynamique de caractère héroïque qu'accentuent les effets de drapés et de chevelure (*Buste de Louis XIV*, 1665). Il n'exécuta plus que rarement de grandes statues isolées (*La Vérité; Statue équestre de Louis XIV*, 1665) mais s'affirma surtout comme le grand créateur du décor baroque par son art d'agencer de vastes ensembles décoratifs où la sculpture tend à s'intégrer à l'architecture. Il réalisa d'abord le colossal *baldaquin de Saint-Pierre* (1624-1633), commandé par Urbain VIII, communiqua un caractère à la fois puissant et dynamique à cette structure en adoptant des colonnes torses, un couronnement de statues et de *putti* mis en valeur par le jeu contrasté de matière. Son goût des effets scénographiques s'épanouit dans des ensembles tels que la *chapelle Cornaro de Sainte-Marie-de-la-Victoire* (1644 à 1657), conçue comme un théâtre et où est placé le groupe de *Sainte Thérèse en extase*, ses monuments funéraires, notamment *la tombe d'Urbain VIII* (1642 à 1648), celle d'*Alexandre VII* (après 1671), la *chapelle Altieri* à *San Francesco, à Ripa* avec la *Bienheureuse Ludovica Albertoni*, 1671-1674, caractérisés par le goût de la pompe, le maniement illusionniste de la lumière, la recherche du mouvement convulsif par le jeu des draperies, la torsion des poses, l'expression spasmodique (yeux levés, bouche ouverte). Ainsi, il sut traduire plastiquement un mysticisme sensuel de caractère dramatique et spectaculaire dans lequel on a vu l'expression de la phase triomphale de la Contre-Réforme. Ses réalisations architecturales : travaux au *palais Barberini*, églises à plan central de Castelgandolfo, 1658-1662, d'Arricia, 1662-1664, et surtout *Saint-André du Quirinale*, 1658-1670 au portail convexe, colonnade de la *place Saint-Pierre* aux ailes légèrement convergentes, révèlent une certaine fidélité aux partis de la Renaissance, en général amplifiés dans un sens grandiose et fastueux avec une predilection pour les effets illusionnistes (*escalier* de la *Scala Regia* avec la *statue de Constantin*, 1654-1670). En tant qu'urbaniste, il anima surtout les places d'une façon théâtrale et pittoresque en concevant des fontaines sculptées (*fontaine au Triton, place Barberini*, 1640; *des Quatre-Fleuves, place Navone*, (1647-1652). Ses projets pour *le Louvre*, violemment critiqués par les tenants du classicisme français, furent finalement abandonnés. Considéré comme le créateur de la sculpture baroque, il fut aussi « par ses multiples aptitudes et son rôle de metteur en scène de toute une époque, une personnalité proche de Rubens » (Chastel).

BERNINA. *n.f.* ♦ Massif des Alpes suisses (Grisons) à la frontière de l'Italie, entre les vallées de l'Inn* et de l'Adda*. Il culmine au *Piz Bernina* (4 052 m). – Le *col de la Bernina* relie l'Engadine* (Suisse) à la Valteline* (Italie) à 2 323 m d'altitude.

BERNIS [bɛʀnis] **(François Joachim de Pierre *de*).** ♦ Prélat et homme politique français (Saint-Marcel-d'Ardèche, 1715 – Rome, 1794). Il commença sa carrière en gagnant la faveur de Mme de Pompadour* par ses vers légers et ses talents de causeur. Ambassadeur à Venise, puis ministre des Affaires étrangères, il fut l'auteur du renversement des alliances qui préluda à la guerre de Sept* Ans. Disgracié pour avoir conseillé la paix après Rossbach* et Leuthen (1758), il devint archevêque d'Albi (1764), puis ambassadeur à Rome (1768), où il demeura pendant la Révolution. Il est l'auteur d'une *Correspondance* avec Voltaire, de *Mémoires*, et l'on a pu voir en lui le type de l'homme d'esprit libertin.

BERNISSART. ♦ V. de Belgique (Hainaut, arr. d'Ath). 5 900 hab.

Ses houillères ont livré en 1878 des squelettes d'iguanodons qui se trouvent à l'institut des sciences naturelles de Bruxelles.

BERNOULLI ou **BERNOUILLI**. ♦ Famille de mathématiciens et physiciens suisses, originaires d'Anvers et réfugiée à Bâle au XVIe s. Ses plus illustres membres furent : JACQUES (Bâle, 1654 – 1705). Disciple de Leibniz*, il s'initia au calcul infinitésimal qu'il développa; auteur d'importants travaux sur les séries (1689), il résolut le problème de la ligne isochrone (1690), détermina les tangentes aux spirales paraboliques et logarithmiques et à la loxodromie, en effectua la quadrature et la rectification (1691) et publia la première intégration d'une équation différentielle; dans sa solution du problème des isopérimètres (1701), il jeta les bases de la première méthode de calcul des variations et en étendit les principes et les applications au calcul des probabilités auquel il apporta d'importantes contributions **(V.** *aussi* **Laplace, Poisson),** établissant notamment la *loi des grands nombres* (ou *théorème de Bernoulli*); on doit encore le considérer comme le père du calcul exponentiel. (Acad. sc., 1699.) ♦ JEAN (Bâle, 1667 – 1748). Initié par son frère Jacques au calcul de Leibniz (1690), il s'associa à une grande part de ses travaux; il détermina les tangentes, les inflexions et les rayons de courbure de nombreuses courbes planes et donna l'un des premiers exemples d'emploi de coordonnées polaires (1691); étudiant la résolution des équations différentielles, il utilisa un facteur intégrant [1691] **(V. Euler),** ainsi que la méthode de variation des constantes (1693); après avoir été conduit au concept de logarithme d'un nombre imaginaire (1702) à l'occasion de l'intégration des fractions rationnelles, ses travaux importants sur la fonction exponentielle l'amenèrent à montrer que la fonction logarithmique était l'inverse de cette nouvelle fonction aux propriétés particulièrement simples **(V. Newton, Wallis).** Il participa également à l'amélioration de la méthode de calcul des variations et donna une solution au problème de la *brachistochrone* [1696]. (Acad. sc., 1699.) ♦ DANIEL (Groningue, 1700 – Bâle, 1782), fils de Jean. Auteur de la première théorie cinétique des gaz [1727] **(V. Maxwell),** il fut l'un des créateurs de l'hydrodynamique qu'il fonda sur la conservation des forces vives, transposant en mécanique des fluides les idées énergétiques de Huyghens* et formulant l'*hypothèse des tranches* (*Hydrodynamica*, 1738). Étudiant simultanément les problèmes d'hémastatique et d'hémadynamique, il fut le premier a exposer le principe d'un calcul correct du travail cardiaque, comme produit du poids de l'ondée ventriculaire par le déplacement systolique **(V. Passavant).** On lui doit également un *Traité sur les marées* [1748]. (Acad. sc., 1748.)

BERNSTEIN (Eduard). ♦ Écrivain et homme politique allemand (Berlin, 1850 – 1932). Militant dès 1870 au sein du parti social-démocrate allemand qu'il dirigea avec Kautsky*, il fut d'abord marxiste orthodoxe, mais s'orienta rapidement vers un socialisme réformiste. Il prévoyait une transformation graduelle et sans heurt de la société capitaliste en société socialiste (*Le Socialisme théorique et le Socialisme pratique*, 1899). Ses thèses réformistes s'imposèrent dans la politique du parti social-démocrate allemand.

BERNSTEIN (Henry). ♦ Auteur dramatique français (Paris, 1876 – *id.*, 1953). Le succès de son théâtre, considérable dès l'avant-guerre de 1914, put se maintenir jusqu'aux années de l'après-guerre de 1939. Il décrit les mœurs d'une société où l'argent et la vie sensuelle constituent d'essentielles raisons de vivre. Œuvr. princ. : *La Rafale* (1905), *Samson* (1907), *Le Secret* (1913), *Mélo* (1929), *La Soif* (1949).

BERNSTORFF (Johann Hartwig Ernst, *comte***).** ♦ Homme politique danois originaire du Mecklembourg (Hanovre, 1712 – Hambourg, 1772). Il fut appelé au pouvoir par Frédéric* V et appliqua les principes du despotisme éclairé. Artisan de la paix pour le Danemark pendant la guerre de Sept* Ans, il favorisa le commerce (création d'une marine marchande) et entreprit des réformes, notamment en faveur des paysans (lois agraires, 1763). Il fut évincé par Struensee*.

BERNSTORFF (Andreas Peter, *comte***).** ♦ (Hanovre, 1735 – Copenhague, 1797). Neveu du précédent, il fut ministre des Affaires étrangères de 1773 à 1780 et de 1784 à 1797. Il participa à la libération des paysans en 1788.

BERNSTORFF (Johann Heinrich *comte***).** ♦ Diplomate allemand (Londres, 1862 – Genève, 1939). Il fut ambassadeur à Washington (1908-1917). Il tenta en vain d'obtenir de son gouvernement la limitation de la guerre sous-marine dans l'intention d'éviter l'entrée en guerre des États-Unis.

BÉROUL. ♦ Trouvère anglo-normand (XIIe s.), auteur d'un poème en vers octosyllabiques sur la légende de *Tristan et Iseult* (v. 1190), dont subsistent les épisodes centraux (env. 3 000 vers). Différent du poème « courtois » composé à la même époque par Thomas*, le texte de Béroul évoque avec un réalisme direct la violence douloureuse de la passion des deux amants **(V.** *aussi* **J. Bédier).**

BERQUE (Jacques). ♦ Sociologue et orientaliste français (Molière, Algérie, 1910). Titulaire de la chaire d'histoire sociale de l'Islâm contemporain au Collège de France et directeur d'études de l'École pratique des hautes études, il est l'auteur de plusieurs ouvrages consacrés surtout à la sociologie du monde arabe actuel (*Structures sociales du Haut-Atlas*, 1955; *Les Arabes d'hier à demain*, 1960; *Le Maghreb entre deux guerres*, 1962; *Égypte. Impérialisme et révolution*, 1967; *L'Orient second*, 1970 et, en collaboration, *L'Ambivalence dans la culture arabe*).

BERQUIN (Arnaud). ♦ Écrivain français (Langoiran, 1747 – Paris, 1791). D'abord poète, Berquin connut un succès considérable avec ses *Idylles* (1775) et ses *Romances* (1776). Puis il composa des œuvres, notamment de brèves comédies, à l'intention de la jeunesse (*L'Ami des enfants*, 24 vol., 1782-1783; *L'Ami des adolescents, Le Livre de famille*, etc., 1784 à 1791). Illustrant une leçon morale, d'un optimisme un peu fade, ces histoires donnèrent naissance au terme, légèrement péjoratif, de *berquinades*.

BERR (Henri). ♦ Historien et philosophe français (Lunéville, 1863 – Paris, 1954). Fondateur de la *Revue de synthèse historique* (1900), il tenta de réaliser un vaste programme de synthèse historique des connaissances humaines, étudiées par des spécialistes des différentes disciplines.

BERRE *(étang de)*. ♦ Étang des Bouches*-du-Rhône, relié à la Méditerranée (golfe de Fos*) par le canal de Caronte* (entre Martigues* et Port*-de-Bouc) et à Marseille par le tunnel du Rove*. 15 530 ha. La zone de l'étang de Berre est une annexe industrielle de Marseille* pour la réception et la transformation du pétrole brut qui est débarqué à Lavera*. Sur les rives de l'étang trois groupes de raffineries dont la capacité annuelle est : La Mède* 10 235 000 tonnes; Lavera* 4 440 000 tonnes, Berre*-l'Étang 7 500 000 t. Usines pétrolochimiques. Un pipe-line conduit les produits raffinés à Lyon et à Genève. Exploitation des marais salants.

BERRE-L'ÉTANG. ♦ Ch.-l. de cant. des Bouches*-du-Rhône (arr. d'Aix*-en-Provence) sur l'étang de Berre*. 11 628 hab. *(Berratins)*. Raffinerie de pétrole. Indus. chimiques.

BERRUGUETE (Pedro). ♦ Peintre espagnol (Paredes de Nava, v. 1450 – Ávila, v. 1504). Il travailla d'abord en Castille et subit l'emprise de l'art flamand. On sait qu'il séjourna en Italie vers 1477, travaillant notamment à Urbino pour le duc Federigo da Montefeltro; il aurait succédé à Juste* de Gand et on lui attribue, quoique sans certitude, une grande partie des portraits des *Hommes illustres* destinés au « studiolo » ainsi que les *Arts libéraux (La Rhétorique* et *La Musique)* et le *Portrait du duc et de son fils*. À la mort de Federigo (1482), il revint en Espagne, réalisant des commandes destinées à la cathédrale de Tolède (disparues) et travaillant ensuite à Paredes de Nava *(Retable de la vie de la Vierge* à *Santa Eulalia)*. À la demande de l'inquisiteur Torquemada, il exécuta pour le *couvent de Santo Tomás* à Ávila les retables consacrés à saint Dominique, saint Thomas et saint Pierre-Martyr. Il conserva le goût des étoffes luxueuses et des fonds d'or, traditionnels en Espagne, mais assimila profondément les principes de la Renaissance italienne. La sérénité de l'expression, l'organisation spatiale et surtout le traitement de la lumière et des volumes en témoignent. Cependant, plusieurs de ses scènes présentent un caractère pathétique qui semble prendre sa source dans un mysticisme spécifiquement espagnol.

BERRUGUETE (Alonso). ♦ Sculpteur, peintre et architecte espa-

Arch. Smeets

Alonso Berruguete : « Eve », bois, stalle du chœur, cathédrale de Tolède.

Ph. Hétier

Berry : abbaye de Noirlac.

gnol (Paredes de Nava, v. 1490 – Tolède, 1561). Fils de Pedro *Berruguete**, il fut sans doute l'élève de son père, puis poursuivit sa formation à Rome et à Florence, où il fit la connaissance de Bramante* et de Michel*-Ange. Revenu en Espagne v. 1517, il travailla comme peintre pour Charles Quint, puis finit par abandonner ses ambitions dans ce domaine. Comme sculpteur, il exécuta des travaux à Valladolid, à Salamanque et à Tolède. Il pratiquait une sculpture polychrome d'inspiration dramatique; sa recherche réaliste tend avant tout au pathétique et est associée à un sens plastique qui porte la marque du maniérisme italien. La tension des formes, leur agitation vise à l'expression d'une spiritualité véhémente (*Retable de San Benito y Real de Valladolid*, 1526-1532; *Retable du collège des Irlandais*, 1529).

BERRY. *n. m.* ♦ Région du centre de la France entre la Loire* et la Creuse*, au N. du Massif central. Elle couvre la plus grande partie des dép. du Cher* et de l'Indre* et quelques parcelles de la Creuse et du Loiret. Hab. *Berrichons.* — On y distingue au centre, la *Champagne* berrichonne*, plaine qui s'étend sur 600 000 ha entre l'Indre et la Loire **(V. Bourges, Châteauroux, Issoudun, Vierzon)**; au N.-E. les collines crayeuses du *Sancerrois** **(V. Sancerre)**; à l'E. le *val de Germigny*, parcouru par l'Aubois, affluent de la Loire **(V. Guerche-sur-l'Aubois [La], Sancoins)**; au S.-O. le *Boischaut** (Bocage) à la limite du Massif central **(V. Argenton-sur-Creuse, Châtre [La])**; à l'O. la *Brenne** entre la Creuse et son affluent, la Claise **(V. Blanc [Le]).** ♦ *Hist.* Pays des *Bituriges Cubi* à l'époque gauloise, avec Avaricum (Bourges) pour capitale, le *Berry* fut englobé dans l'Aquitaine après la conquête romaine (~ 52). Devenu comté héréditaire indépendant sous les Carolingiens, il fut vendu vers 1100 à Philippe Ier, roi de France, puis érigé en duché-pairie (1360) par Jean* le Bon, qui le donna en apanage à son fils Jean, duc de Berry (**V.** *ci-dessous*). Pendant la guerre de Cent Ans, Charles* VII s'y réfugia (1418), ce qui lui valut le titre de *roi de Bourges.* Le *Berry* fut définitivement réuni à la couronne en 1601, mais le titre de *duc de Berry* fut encore porté par le futur Louis* XVI, par le fils de Charles X (**V.** *ci-dessous* CHARLES-FERDINAND, *duc de* BERRY), puis par la duchesse de Berry.

BERRY *(canal du).* ♦ Canal aujourd'hui désaffecté, qui unissait la Loire* au Cher*.

BERRY (Jean de France, *duc de***).** ♦ Prince capétien (Vincennes, 1340 – Paris, 1416). Troisième fils de Jean* II le Bon et frère de Charles* V, il fut l'un des tuteurs de son neveu Charles* VI et gouverneur du Languedoc (1380). Destitué de ses charges par les Marmousets* (1388), il retrouva son autorité quand Charles VI devint fou. Fastueux mécène, il commanda à Beauneveu* le *Psautier de Jean de Berry*, puis à Jacquemart* de Hesdin les *Très Belles Heures* et les *Grandes Heures* et aux frères Limbourg* les *Très Riches Heures du duc de Berry*, l'un des plus beaux manuscrits enluminés de son époque.

BERRY (Charles de France, *duc de***).** ♦ Petit-fils de Louis XIV et troisième fils de Louis de France (1686 – Marly, 1714). Il eut pour gouverneur Paul de Beauvillier* et épousa la fille aînée du régent, Marie-Caroline. ♦ BERRY (MARIE-CAROLINE ÉLISABETH D'ORLÉANS, *duchesse de*). Fille aînée du régent Philippe d'Orléans (Saint-Cloud, 1695 – La Muette [Paris], 1719). Épouse de Charles de France, duc de Berry, veuve dès 1714, elle fut célèbre par son esprit et ses débauches. Elle fut soupçonnée d'inceste avec son père.

BERRY (Charles Ferdinand, *duc de***).** ♦ (Versailles, 1778 – Paris, 1820). Deuxième fils du comte d'Artois (futur Charles* X), et de Marie-Thérèse de Savoie, il émigra avec son père dès les débuts de la Révolution, servit dans l'armée de Condé (1792), puis passa en Angleterre où il épousa Anna Brown dont il eut deux filles. De retour en France, lors de la première Restauration, il suivit son oncle Louis XVIII à Gand (Cent*-Jours). Son premier mariage n'ayant pas été reconnu par sa famille, il épousa en 1816, la princesse Marie-Caroline de Bourbon-Sicile, dont il eut une fille et un fils posthume, le comte Henri de Chambord*. Ultra-royaliste **(V. Ultras)**, il s'attira rapidement l'hostilité des libéraux et fut assassiné à la sortie de l'Opéra (février 1820) par Louvel*. Sa mort eut pour conséquence la chute du cabinet Decazes*. ♦ BERRY (MARIE-CAROLINE DE BOURBON-SICILE, *duchesse de*) [Palerme, 1798 – Brünnsee, Autriche, 1870], femme du précédent. Fille de François Ier, roi des Deux-Siciles, elle épousa en 1816, le duc de Berry. Après la chute des Bourbons (juillet 1830), elle suivit Charles X en exil. Revenue en France en 1832, elle tenta de soulever la Provence puis la Vendée contre Louis-Philippe **(V.** *aussi* **Berryer)**; arrêtée, elle fut emprisonnée à la citadelle de Blaye, où elle donna naissance à une fille (1833) qu'elle prétendit être l'enfant d'un mariage secret avec le comte Ettore Carlo Lucchesi-Palli. Le scandale contribua à discréditer la branche légitimiste.

BERRY-AU-BAC. ♦ Comm. de l'Aisne* (arr. de Laon*), sur l'Aisne. 350 hab. Engrais. ♦ *Hist.* Près de ce village, les premiers chars d'assaut français furent mis en action au cours de la Première Guerre mondiale (16 avril 1917).

BERRYER [bɛʀje] **(Pierre Antoine).** ♦ Avocat et homme politique français (Paris, 1790 – Angerville-la-Rivière, Loiret, 1868). Célèbre par ses plaidoiries au cours des procès de Ney, Cambronne, Lamennais, Chateaubriand et Louis-Napoléon (après la tentative de Boulogne), il fut élu député en 1830. Catholique et légitimiste, il tenta de détourner la duchesse de Berry de ses projets; considéré néanmoins comme complice, il fut jugé et acquitté. Il siégea encore à l'Assemblée nationale (1848) et fut membre du Corps législatif (1863) bien qu'ayant pris position en 1851 contre le coup d'État et le Second Empire. [*Discours parlementaires*, 1872-1874, *Plaidoyers*, 1875-1878]. (Acad. fr., 1854.)

BERSABEE. ♦ **V.** BEERSHEBA.

BERT (Paul). ♦ Physiologiste et homme politique français (Auxerre, 1833 – Hanoï, 1886). Élève de C. Bernard*, il fit des recherches sur les greffes animales, la physiologie de la respiration et ses variations en fonction de la pression atmosphérique, les

Ph. Giraudon

Les Très Riches Heures du **duc de Berry** : le mois de juillet. (Musée Condé, Chantilly.)

anesthésiques, etc. Il abandonna les sciences pour la politique. Ministre de l'Instruction publique (cabinet de Gambetta, 1881-1882), il contribua aux réformes sur l'enseignement. En 1886, il fut nommé gouverneur général de l'Annam et du Tonkin.

BERTAUT (Jean). ♦ Poète français (Donnay, Normandie, 1552 – Séez, 1611). Encouragé à ses débuts par Ronsard* et introduit à la cour par Desportes*, J. Bertaut gagna la faveur de Henri III, puis celle de Henri IV; il célébra dans des poèmes officiels tous les événements de la cour et déplora en particulier les deuils royaux (Cf. *Recueil des Œuvres poétiques*, 1601). Dans son *Recueil de quelques vers amoureux* (1602) figurent les *Élégies* où, développant des thèmes pétrarquistes, le poète chante en alexandrins harmonieux les souffrances de l'amant.

BERTE, BERTHE ou **BERTRADE.** ♦ (?, – Choisy-au-Bac, 783). Fille du comte de Laon, Caribert, elle épousa (749 ?) Pépin* le Bref. Mère de Charlemagne* (né en 742, ce qui en ferait un enfant naturel légitimé) et de Carloman*. – Elle a inspiré au trouvère brabançon Adenet* un poème en alexandrins *(Li Roumans de Berte aus grans piés)*, où l'héroïne, une princesse de Hongrie, se voit substituer une rivale lors de son mariage avec Pépin. La fausse reine ressemble étonnamment à Berte, sauf quant aux pieds, qu'elle a plus petits. Après diverses péripéties, Pépin reconnaît sa vraie femme, qui devient la mère de Charlemagne.

Bertha [*n.f.*] ou **Grosse Bertha**, en all. **Dicke Bertha.** ♦ Surnom donné, en l'honneur de Mme Bertha Krupp, à un obusier géant allemand, produit par les usines Krupp* et employé au début de la Première Guerre mondiale. Il fut appliqué, par extension, aux canons à longue portée qui bombardèrent Paris en 1918.

BERTHE. ♦ Fille de Charlemagne*, elle épousa secrètement Angilbert* et lui aurait donné deux fils, dont l'historiographe Nithard*.

BERTHE. ♦ Princesse de Bourgogne (?, – v. 1024). Fille de Conrad*, roi de Bourgogne, elle épousa Robert* II le Pieux en 996. Mais le mariage fut cassé par le pape Grégoire V pour cause de parenté, en 999.

BERTHE DE HOLLANDE. ♦ Reine de France (?, – 1094). Épouse de Philippe* Ier qui la répudia (1092) pour épouser Bertrade* de Montfort. Elle était la mère de Louis* VI le Gros.

BERTHELOT (Marcelin). ♦ Chimiste et homme politique français (Paris, 1827 – *id.*, 1907). Il fut élu sénateur inamovible en 1881 et devint ministre de l'Instruction publique (1886-1887) puis des Affaires étrangères (1895-1896). Ses travaux scientifiques portèrent notamment sur la chimie de synthèse dont il se fit l'apôtre (acide formique, 1856; méthane, 1858; acétylène, 1860; etc.); sur la thermochimie, dont il fut le promoteur **(V. Thomsen).** Il perfectionna le calorimètre (1865) et créa la bombe calorimétrique. Il étudia l'évolution des systèmes chimiques, et, en physiologie, les enzymes **(V. Payen, Persoz).** Il énonça les lois de l'énergétique animale (*Essai de mécanique chimique*, 1879) et étudia la fixation de l'azote libre par les sols nus [**V. Winogradsky**]. (Acad. de méd., 1863; Acad. sc., 1873; Acad. fr., 1901.)

BERTHIER (Louis Alexandre). ♦ Maréchal français (Versailles, 1753 – Bamberg, 1815). Major général de la garde nationale en 1789, il protégea la famille royale. Chef d'état-major de l'armée d'Italie* (1796), il s'empara de Rome (1798) et, sur ordre du Directoire, procéda à l'arrestation et à la déportation du pape Pie* VI. Ministre de la Guerre (1800-1807), il fut promu maréchal en 1804, puis major général de la Grande Armée (1805-1814). Collaborateur immédiat de Napoléon*, il reçut la principauté de Neuchâtel (1806) et le titre de *prince de Wagram* (1809). En 1814, il se rallia à Louis XVIII qui le nomma pair de France. Réfugié en Bavière durant les Cent*-Jours, il mourut accidentellement.

BERTHOLLET (Claude Louis, *comte***).** ♦ Chimiste français (Talloires, 1748 – Arcueil, 1822). Il decouvrit (1789) les propriétés décolorantes du chlore qu'il appliqua au blanchiment des toiles sous la forme d'hypochlorite de potassium (appelée alors *eau de Javel*) [**V. Labarraque**], prépara les chlorates avec lesquels il réalisa des explosifs, étudia la composition des acides, participa à l'édification d'une nomenclature chimique rationnelle (avec Lavoisier*, Fourcroy* et Guyton de Morveau*) et énonça les lois dites de Berthollet sur la double décomposition des sels, acides et bases (*Essai de statique chimique*, 1803). Il fut également, avec Laplace*, le cofondateur de la « Société d'Arcueil » qui rassemblait les plus grands savants de l'époque. (Acad. sc., 1780.)

BERTHOUD (Ferdinand). ♦ Horloger suisse (Plancemont, princip. de Neuchâtel, 1727 – Groslay, 1807). Inventeur de l'*horloge marine* pour la détermination de la longitude en mer [**V. Le Roy**]. (Acad. sc., 1795.)

BERTHOUD. ♦ V. BURGDORF.

BERTIER DE SAUVIGNY (Louis Bénigne). ♦ Administrateur français (Paris, 1737 ou 1742 – 1789). Adjoint à l'Intendance de Paris (1768), nommé intendant en 1776, il tenta d'introduire certaines réformes. Chargé de l'approvisionnement de l'armée de siège au début de la Révolution, il prit des mesures qui le rendirent impopulaire. Accusé, entre autres, de spéculations sur les grains, il fut tué, après Foullon*, par les émeutiers révolutionnaires le 22 juillet 1789.

BERTILLON (Adolphe). ♦ Médecin, démographe et statisticien français (Paris, 1821 – Neuilly, 1883). Maire socialiste du Ve arrondissement (Paris), il contribua à la création de l'École d'anthropologie de Paris **(V. Broca)**, où il s'occupa de démographie et de géographie médicale (*Démographie figurée de la France*, 1874). ♦ JACQUES BERTILLON, son fils, Médecin, démographe et statisticien français (Paris, 1851 – Valmondois, 1922). On lui doit des recherches sur la baisse de la natalité en France (*La Dépopulation de la France*, 1911). ♦ ALPHONSE BERTILLON, frère du précédent. Administrateur français (Paris, 1853 – 1914). Créateur de l'anthropométrie (ou *bertillonnage*), il utilisa sa méthode pour l'identification des criminels dans ses fonctions de chef du service de l'identité judiciaire à la préfecture de police de Paris (1882).

BERTIN. ♦ Famille de journalistes français. ♦ FRANÇOIS BERTIN, dit *l'Aîné*. Journaliste français (Paris, 1766 – *id.*, 1841). Secrétaire du duc de Choiseul, il devint propriétaire du *Journal* des débats* après le 18 Brumaire (1799). Suspect de royalisme, incarcéré, puis exilé (1801-1804), il put reprendre la publication de son journal sous le titre *Journal de l'Empire*. Sous la Restauration, le *Journal des débats* devint un des organes du royalisme constitutionnel et, après 1830, se montra favorable à la monarchie de Juillet. Portrait par Ingres (1832). ♦ LOUIS FRANÇOIS BERTIN DE VAUX (Paris, 1771 – *id.*, 1842), frère du précédent. Codirecteur du *Journal des débats*, il fut secrétaire au ministère de la Police (1815-1818), député (1820) et conseiller d'État (1827). Il résigna ses fonctions lors de la formation du cabinet conservateur de Polignac. Nommé ambassadeur aux Pays-Bas au début de la monarchie de Juillet, il entra à la Chambre des pairs en 1832.

BERTON (Jean-Baptiste BRETON, dit). ♦ Général français (près de Sedan, 1769 – Poitiers, 1822). Sorti des écoles militaires de Brienne et de Châlons, il participa aux différentes campagnes de l'Empire et se distingua en particulier à Austerlitz, Friedland et en Espagne (prise de Málaga). Après la défaite de Waterloo *(Précis historique de la bataille de Waterloo)*, il s'affilia sous la Restauration à la Charbonnerie et fut désigné pour diriger l'insurrection de Saumur; celle-ci ayant échoué (février 1822), Berton fut arrêté et guillotiné.

BERTRADE DE MONTFORT. ♦ Reine de France (v. 1070 – abbaye de Fontevrault, v. 1118). Épouse de Foulques IV, comte d'Anjou, elle fut enlevée par Philippe* Ier, roi de France (1092) qui répudia Berthe* de Hollande pour l'épouser.

BERTRAND *(saint)*. ♦ Prélat français (L'Isle-Jourdain, ? – Comminges, 1123). Évêque de Comminges (1073), il fit bâtir la cathédrale romane et le palais épiscopal, auprès desquels se forma une nouvelle ville qui prit son nom. **V. Saint-Bertrand-de Comminges.**

BERTRAND (Henri Gratien, *comte***).** ♦ Général français (Châteauroux, 1773 – *id.*, 1844). Fidèle compagnon de Napoléon Ier, il le suivit à l'île d'Elbe*, puis à Sainte-Hélène (1815-1821) où il retourna en 1840 avec le prince de Joinville pour ramener en France les cendres de l'Empereur. Il repose à ses côtés aux Invalides.

BERTRAND (Louis, dit Aloysius). ♦ Poète et narrateur français (Piémont, 1807 – Paris, 1841). Ardent disciple de V. Hugo*, il tenta en vain sa chance à Paris. Ses « poèmes en prose », *Gaspard de la nuit, fantaisies à la manière de Rembrandt et de Callot* (posth., 1842), furent salués par Baudelaire* dans la dédicace de son *Spleen de Paris* et ont inspiré trois ballades pour piano à M. Ravel*. « Peinture de la vie ancienne, si étrangement pittoresque », ces poèmes en prose qui témoignent d'une grande maîtrise stylistique, manifestent un goût très romantique pour une vision pittoresque et fantastique du Moyen Âge. Mais la recherche des images étranges et les résonances secrètes de certains textes font également d'Aloysius Bertrand un précurseur du surréalisme*.

BERTRAND (Alexandre). ♦ Archéologue français (Paris, 1820 – Saint-Germain-en-Laye, 1902). Il contribua à la création du musée des Antiquités nationales (Saint-Germain). On lui doit des *Études de mythologie et d'archéologie grecque* (1863), d'*Archéologie celtique et gauloise* (1876), etc.

BERTRAND (Joseph). ♦ Mathématicien français (Paris, 1822 – 1900), frère d'Alexandre Bertrand. Spécialiste de physique mathématique, il est l'auteur de travaux sur les séries (1842) et énonça, en théorie des nombres, un postulat qui porte son nom (pour tout n supérieur à 6, il existe au moins un nombre premier compris entre n/2 et n-2) [1845]. (Acad. sc., 1856; Acad. fr., 1884.)

BERTRAND (Marcel). ♦ Géologue français (Paris, 1847 – 1907). Ses travaux sur les plis couchés et les charriages des régions plissées (en particulier des Alpes et du bassin houiller franco-belge) font de lui un des fondateurs de la tectonique moderne (Acad. sc., 1896). **V. Élie de Beaumont, Heim.**

BERTRAND (Gabriel). ♦ Chimiste et biologiste français (Paris, 1867 – *id.*, 1962). Ses travaux ont mis en évidence le rôle des enzymes (1897) et des oligo-éléments (1903) dans la matière vivante. Il mit aussi au point la vaccination anti-venimeuse. (Acad. sc., 1923.) **V. Buchner.**

BERTRAND DE MOLEVILLE (Antoine François, *marquis de***).** ♦ Homme politique francais (Toulouse, 1746 – Paris, 1818). Maître de requête sous Maupeou, il fut nommé intendant du parlement de Rennes (1784), et, chargé de sa dissolution (1788), fut vivement critiqué et démissionna. Appelé par Louis XVI comme ministre de la Marine (1789-1790), il fut accusé de favoriser l'émigration des officiers et dut donner sa démission. Décrété d'accusation (1792), il émigra en Angleterre où il resta jusqu'en 1814, écrivant ses *Mémoires secrets pour servir à l'histoire de la dernière année du règne de Louis XVI* (1797-1816) et son *Histoire de la Révolution française* (1801-1803).

BERTRAN DE BORN. ♦ Troubadour périgourdin (v. 1140 –

Ph. Giraudon

Le cardinal de **Bérulle,** par Ph. de Champaigne. (Collection Séminaire Saint-Sulpice, Paris.)

abbaye de Dalon, v. 1215). D'humeur belliqueuse (et « semeur de discorde » [Dante]), Bertran de Born, seigneur de Hautefort, fut mêlé aux luttes qui opposèrent la féodalité provençale au roi d'Angleterre, Henri II, puis à Philippe Auguste; il prit parti pour Jean sans Terre, puis en 1183 pour Richard Cœur de Lion, donnant, dans ses poésies violentes, le reflet des conflits politiques de son époque. De l'œuvre de Bertran de Born, il reste une quarantaine de poèmes, essentiellement des *sirventès* satiriques et moraux, remarquable tableau de la société féodale : qu'il s'agisse de peindre la vie fastueuse des cours ou d'évoquer les spectacles guerriers, Bertran de Born atteint un réalisme intense par son style rapide et violent.

BERTRUDE. ♦ Seconde épouse de Clotaire* II (? — 610). Elle fut la mère de Dagobert Ier.

BÉRULLE (Pierre *de*). ♦ Cardinal français (château de Sérilly, près de Troyes, 1575 — Paris 1629). Il établit en France l'ordre des Carmélites avec l'aide de Mme Acarie **(V. Marie de l'Incarnation)** [1604] et fonda la congrégation séculière de l'Oratoire* (1611). Cardinal en 1627, il a profondément marqué l'école française de spiritualité du XVIIe siècle (Saint-Cyran, Condren, saint Vincent de Paul).

BERWALD (Franz). ♦ Compositeur suédois (Stockholm, 1796 — *id.*, 1868). Il appartient à une famille qui illustra longtemps la musique suédoise. Il a composé des symphonies, de la musique de chambre et deux opéras.

BERWICK (James Stuart Fitz-James, *duc de*). ♦ Maréchal de France (Moulins, 1670 — Philippsburg, 1734). Fils naturel de Jacques* II et de la sœur de Marlborough*, il fut élevé en France et passa à son service, tout en prenant part à toutes les tentatives jacobites. Après avoir commandé en Espagne, il fut envoyé contre les camisards* (1705) et fut fait maréchal de France. Retourné en Espagne, il remporta sur les Anglais la victoire d'Almansa* (1707) et consolida le trône de Philippe* V par la prise de Barcelone (1714). Il prit ensuite la tête des armées du Rhin et fut tué à Philippsburg.

BERWICKSHIRE ou **BERWICK.** *n. m.* ♦ Comté du S.-E. de l'Écosse, bordé au S.-E. par la Tweed, à la limite de l'Angleterre, et au N.-E. par la mer du Nord. 1 184 km². 23 500 hab. *Ch.-l.* Duns (1 840 hab.). Élevage ovin et bovin.

BERWICK-UPON-TWEED. ♦ V. du N. de l'Angleterre (Northumberland), à l'embouchure de la Tweed, près de la frontière écossaise. 12 600 hab. Vestiges d'un château du XIIIe s., érigé par Édouard Ier, et de remparts du XVIe siècle. — Houille. ♦ *Hist.* Poste frontière entre l'Angleterre et l'Écosse, Berwick fut au Moyen Âge âprement disputée, puis finalement annexée par l'Angleterre en 1482.

BERZÉ-LA-VILLE. ♦ Comm. de la Saône-et-Loire, arr. de Mâcon, dans le Mâconnais*. 341 hab. Chapelle romane du prieuré (fresque des ateliers clunisiens).

BERZELIUS (Jöns Jacob, *baron*). ♦ Chimiste suédois (Väfversunda Sörgard, près de Linköping, Ostergotland, 1779 — Stockholm, 1848). Auteur de la théorie du dualisme électrochimique qui influença toute la théorie chimique jusqu'à la fin du XIXe s.; il adopta les vues de Dalton* sur les proportions multiples et établit un tableau d'équivalents en choisissant l'oxygène comme élément de base (1818); il introduisit la notation symbolique moderne, utilisant des lettres pour représenter les éléments et des exposants numériques dans les formules; il définit les notions fondamentales d'isomérie, de polymérie et d'allotropie **(V. Mitscherlich)** et étudia la catalyse. Il obtint également de nombreux corps simples dont le calcium (1808), le silicium (1823) et le zirconium (1824) et découvrit le sélénium (1817) et le thorium.

BÈS. ♦ Dieu égyptien représenté sous l'aspect d'un nain difforme, tirant la langue, vêtu d'une peau de lion et portant une barbe hirsute. Dieu de la gaîté, son aspect grotesque faisait naître la bonne humeur et repoussait les esprit maléfiques.

BESANÇON. ♦ Préf. du Doubs, ch.-l. d'arr. (13 cant., 336 comm., 203 475 hab.), sur le Doubs. 119 471 hab. *(Bisontins).* Cathédrale Saint-Jean (XIe, XIIIe, XVIIIe s.), horloge astronomique; église Saint-Pierre (XVIIIe s.); église Saint-François-Xavier (XVIIe s.); église Sainte-Madeleine (XVIIIe s.). Anc. église des Grands-Carmes (XVe s.) en partie occupée par le muséum jurassien. Hôtel de ville (XVIe s.; restauré au XXe s.); palais de justice avec façade Renaissance. Le palais Granvelle (XVIe s.) abrite le musée d'histoire et d'ethnographie de la Franche-Comté; bibliothèque fondée au XVIIe s.; square archéologique Castan sur l'emplacement d'un théâtre romain. Porte Noire (arcade romaine). Théâtre de Ledoux*, incendié en 1958 et restauré; préfecture dans un hôtel du XVIIIe s.; hôpital Saint-Jacques (XVIIe-XVIIIe s.). Citadelle construite par Vauban. Très riche musée d'archéologie et des beaux-arts. Nombreux hôtels anciens. — Université, cité universitaire; archevêché. Établissement des bains salins de la Mouillère, dont les eaux sont utilisées en gynécologie et en pédiatrie. Centre de tourisme; festival musical annuel. Centre industriel : grand centre de l'indus. horlogère (École nationale d'horlogerie); métallurgie, indus. textiles, soie artificielle, bonneterie; indus. alimentaires (confiseries, brasseries); papeteries; instruments de précisions; moteurs; manufacture de céramique, de faïence; travail du cuir, tanneries; exploitation de gisements salifères. Centre commercial du fromage, du bois. — Patrie de L. Arrachart*, Tristan Bernard*, M. Blavet*, du comte de Chardonnet*, J.-B. Clésinger*, Ch. Fourier* (maison natale), C. Goudimel*, A. de Granvelle*, Victor Hugo* (maison natale), C. Lecourbe*, A. et L. Lumière*, J. Mairet*, Ch. Nodier*, P.J. Proudhon*, J.-B. Suard*. ♦ *Hist.* Cap. des Séquanes*, *Vesontio* fut soumise par César (~ 58) et devint métropole de la Grande Séquanaise. Conquise par les Burgondes* en 456, elle fit partie des divers royaumes de Bourgogne* jusqu'en 1032, puis devint ville libre impériale

Ph. Lauros-Giraudon

Le siège de **Besançon** (XVIIe s.), par J.-B. Martin (1659-1735). (Musée Jourdain, Morez.)

sous tutelle épiscopale. Cédée à l'Espagne en 1649, conquise par Louis XIV en 1668, puis en 1674, elle fut définitivement rattachée à la France par le traité de Nimègue* (1678) et devint la capitale de la Franche*-Comté; elle fut fortifiée par Vauban. Au XVIIIe s. des horlogers suisses bannis de leur pays vinrent se réfugier à Besançon, favorisant ainsi le développement de leur industrie

BESBRE. *n. f.* ♦ Riv. du Bourbonnais*, née dans les monts des Bois Noirs. Elle arrose Lapalisse*, Jaligny*-sur-Besbre, Dompierre*-sur-Besbre, traverse le canal latéral à la Loire* et se jette dans cette dernière en Sologne* bourbonnaise.

BESCHERELLE [bɛʃʀɛl] *(les frères).* ♦ Grammairiens et lexicographes français. ♦ LOUIS-NICOLAS, *dit* BESCHERELLE AÎNÉ (Paris 1802 — *id.*, 1883). Hostile à la création des règles arbitraires, il s'appuya sur l'usage des grands écrivains pour rédiger sa *Grammaire nationale* (1834-1836), puis donna le *Dictionnaire national* ou *Dictionnaire universel de la langue française* (1843-1846) plusieurs fois édité jusqu'à la fin du XIXe siècle. ♦ HENRI *dit* BESCHERELLE LE JEUNE (Paris, 1804 — *id.*, 1852) collabora aux premiers tra vaux de son frère et fut l'auteur d'un *Cours complet de langue française* (1852).

BESKIDES ou **BESKYDES**, en polon. **Beskidy**, en tchèque **Beskydy**. ♦ Chaîne de montagnes formée par la partie N.-O. des Carpates* et qui s'étend sur une partie de la Tchécoslovaquie* et sur le S. de la Pologne*, entre la porte de Moravie* et la frontière polono-soviétique au N. de la Slovaquie*. – Les *Beskides occidentales* dominées au S. par les hautes Tatras* culminent dans les massifs de Babia Góra (1 725 m) et Barania Góra (1 220 m) où se trouvent les sources de la Vistule*, en haute Silésie*.

BESLAY [bɛlɛ] **(Charles)**. ♦ Ingénieur et homme politique français (1795 – 1878). Député de Pontivy après 1830, représentant du peuple à la Constituante en 1848, et affilié à la Ire Internationale, il fut membre de la Commune de Paris (1871) et délégué à la Banque de France dont il soutint les intérêts.

BESME (Charles Yanowitz, *dit***)**. ♦ Spadassin à la solde du duc de Guise (Bohême, ? – Bertranville, 1575). Durant la nuit de la Saint-Barthélemy, il se montra particulièrement acharné et participa à l'assassinat de Coligny* (1572). Fait prisonnier par les protestants, il périt lors d'une tentative d'évasion.

BESNARD (Albert). ♦ Peintre, décorateur et dessinateur français (Paris, 1849 – *id.*, 1934). Élève de Cabanel* et prix de Rome en 1874, il devint à Londres de 1880 à 1884 un portraitiste mondain apprécié en poursuivant la tradition de Reynolds*, Gainsborough* et Lawrence*. Sa carrière fut ensuite jalonnée de récompenses officielles et il fut chargé de plusieurs décorations monumentales (*École de pharmacie*, 1884; *Hôtel de Ville* de Paris, *Sorbonne*, 1896; *Petit Palais*, 1909; *Théâtre français*, 1910-1913; *Palais de la Paix* de la Haye). Fortement marqué par la tradition académique, il n'en fut pas moins perméable à certains courants modernistes (Art Nouveau, symbolisme d'esprit préraphaélite). Faisant preuve d'une certaine liberté de facture, il recourait à une gamme de tonalités claires et rechercha des effets d'éclairage audacieux (*Femme qui se chauffe*).

BESSAN. ♦ Comm. de l'Hérault* (arr. de Béziers), au N. d'Agde. 2 972 hab. *(Bessanais)*. Chapelle romane. – Vins et eaux-de-vie.

BESSANS. ♦ Comm. de Savoie*, arr. de Saint*-Jean-de-Maurienne, sur l'Arc*. 604 hab. L'église contient d'intéressantes sculptures en bois du XVIIe siècle. Chapelle Saint-Antoine du XVIe s. (restaurée). – L'artisanat local fabrique des figurines grimaçantes dites *diables de Bessans*. – La commune a été incendiée en 1944 par les Allemands, et inondée par une crue en 1957.

BESSARABIE. *n. f.* ♦ Région d'Europe orientale comprise entre le Dniestr* au N. et à l'E., le Prout* (Prut) à l'O., le delta du Danube au S. et la mer Noire au S.-E. Elle est auj. partagée entre les républiques soviétiques de Moldavie* et d'Ukraine* (dans l'extrême N. [Khotin] et dans sa partie méridionale). – *V. princ.* (Moldavie). Kichinev*, Bieltsy, Bendery*. – (Ukraine). Bielgorod*, Dniestrovski, Izmaïl*, Khotine*. ♦ *Hist.* Partie de la Dacie* romaine sous Trajan, la Bessarabie fut successivement envahie par les Wisigoths, les Huns et les Bulgares, les Avars, les Hongrois et les Petchenègues, puis réunie à la Moldavie* v. 1367. À la fin du XVe s. elle passa sous domination ottomane, mais les Russes l'envahirent à plusieurs reprises entre 1711 et 1812 et l'occupèrent entièrement après le congrès de Berlin* (1878). Par le plébiscite de 1920, toute la région fut annexée à la Roumanie* qui la céda à l'U.R.S.S. en 1940, la reconquit de 1941 à 1944 et l'abandonna définitivement à la Russie par le traité de Paris en 1947.

BESSARION (Jean). ♦ Humaniste et théologien byzantin (Trébizonde, v. 1400 – Ravenne, 1472). Moine à Constantinople, il se rendit à Mistra et se lia d'amitié avec le platonicien Gémiste Pléthon. Archevêque de Nicée (1437), il accompagna Jean* VIII Paléologue en Italie pour requérir l'aide de l'Occident contre l'invasion turque; il s'illustra au concile de Florence (1439, **V. Bâle-Ferrare-Florence** [concile de]) comme partisan de l'union des deux Églises. L'union étant rejetée par les Grecs, il se fixa à Rome. Cardinal en 1439, nommé patriarche latin de Constantinople (1463), il fut chargé de plusieurs missions diplomatiques en Allemagne, dans les États italiens et en France. Son action d'humaniste contribua à la renaissance des lettres en Italie. Il protégea les érudits grecs et forma une importante bibliothèque comprenant des manuscrits qu'il légua à Venise (premier fonds de la future Marciana). Afin de défendre la philosophie platonicienne, il publia la polémique *In calomniatorem Platonis* contre l'aristotélicien Georges de Trébizonde.

BESSE-EN-CHANDESSE. ♦ Ch.-l. de cant. du Puy*-de-Dôme, arr. d'Issoire*, dans le massif du Mont*-Dore. 1 479 hab. *(Bessois)*. Anc. collégiale Saint-André (nef romane, XIIe s.). Beffroi du XVe s., maisons des XVe et XVIe siècles. Station d'altitude et de sports d'hiver. – Station de ski à Super-Besse (1 300-1 850 m). – Fromages.

BESSÈGES. ♦ Ch.-l. de cant. du Gard* (arr. d'Alès*), sur la Cèze*. 5 421 hab. *(Bességeois)*. [L'aggl. compte 8 427 hab.] – Centre du bassin houiller de la Cèze. Usines de tubes d'acier. – À proximité, prieuré de Saint-Laurent (XIIe et XVe siècles). – Patrie du mathématicien É. Jouguet.

BESSEL (Friedrich). ♦ Astronome allemand (Minden, 1784 – Königsberg, 1846). Directeur de l'observatoire de Königsberg où il observa plus de 75 000 étoiles jusqu'à la magnitude 9 (1824-1833), il calcula la première valeur précise de la constante de précession (1815) et fit les premières évaluations significatives de parallaxes (1838). Il fut également l'un des premiers à croire à l'existence des Compagnons de Sirius et de Procyon (1844). **V. J.-C. Adams, Le Verrier.** (Acad. sc., 1840.)

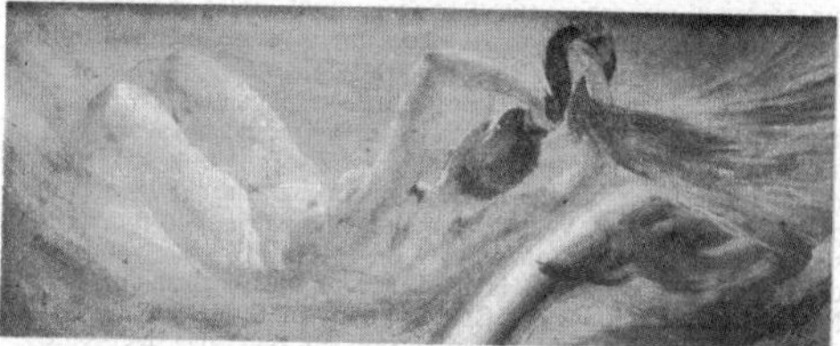

Ph. Garanger-Giraudon

A. Besnard : plafond du salon des Arcades. (Hôtel de Ville, Paris.)

BESSEMER (*sir* **Henry)**. ♦ Ingénieur anglais (Charlton, Hertfordshire, 1813 – Londres, 1898). Auteur de nombreuses inventions, on lui doit surtout la mise au point d'une méthode nouvelle de production de l'acier au moyen d'un convertisseur qui porte son nom [1855] **(V. Thomas)**; il mit son procédé en application dans ses usines de Sheffield.

BESSENYEI (György). ♦ Écrivain hongrois (Berczel, 1747 – Kovácsipuszta, 1811). Il naquit dans une famille protestante appauvrie, et, à l'âge de 18 ans, entra dans la garde à Vienne. Autodidacte, il apprit le français, l'allemand, s'intéressa à la littérature et à la philosophie. Il fut un grand admirateur de Gottsched* et Sonnenfels* et surtout de Voltaire. Il écrivit des tragédies *Agis* (1772) *Buda* (1773). Admirant les comédies de Marivaux et de Destouches*, il s'inspira de ce dernier dans le *Philosophe* (1771) et *Laïs* (édité en 1889). Bessenyei fit connaître en Hongrie les idées et les formes nouvelles venues de l'étranger.

BESSIÈRES (Jean-Baptiste, *duc* **d'Istrie)**. ♦ Maréchal de France (Prayssac, Lot, 1768 – Rippach, Saxe, 1813). Il participa à l'expédition d'Égypte. Promu maréchal en 1804, il prit part à toutes les campagnes de l'Empire à la tête de la cavalerie de la garde impériale et fut tué lors d'une reconnaissance à la veille de la bataille de Lützen* (1813).

BESSIN. *n. m.* ♦ Petite région de Normandie* qui s'étend autour de Bayeux, au N.-O. du Calvados*, entre le Cotentin* à l'O., la campagne de Caen* à l'E., la Manche* au N. et le Bocage* normand au sud. Hab. *Bessins*. Élevage bovin, produits laitiers (beurre d'Isigny). – **V. Port-en-Bessin.**

BESSINES-SUR-GARTEMPE. ♦ Ch.-l. de cant. de la Haute-Vienne*, arr. de Bellac, sur la Gartempe*. 2 990 hab. Château de Monime (XVe s.). Traitement du minerai d'uranium. – Patrie de Suzanne Valadon*.

BEST (Charles Herbert). ♦ Physiologiste et médecin canadien (West Pembroke, Maine, 1899). Il fit des recherches sur l'histamine, l'héparine, la choline et participa à la découverte de l'insuline avec Banting.

BÉTANCOURT (Rómulo). ♦ Homme politique vénézuélien (dans le Miranda, 1908). Chef d'un parti de gauche non communiste, *Accion Democrática*, il fut l'auteur du coup d'État de 1945 qui le porta au pouvoir jusqu'en 1948. Élu président de la République en 1958, il lutta contre les partisans communistes. L'hostilité de la droite jointe à celle des castristes causa son renversement (1964). **V. Venezuela.**

BÉTELGEUSE. ♦ Nom donné à l'étoile α Orion*. Magnit. variable de 0,4 à 1,3; type spectral M 2.

BÉTHANIE. ♦ Dans les Évangiles, bourg proche de Jérusalem, du côté du mont des Oliviers, résidence de Marthe* et Marie*, et de leur frère Lazare*. – On l'identifie habituellement à l'actuelle *El-Azarieh*.

BÉTHARRAM. ♦ Lieu de pèlerinage des Pyrénées*-Atlantiques (comm. de Lestelle*-Bétharram). Église du XVIIe s., pont du XVIIe siècle.

BETHE (Hans Albrecht). ♦ Physicien américain d'origine allemande (Strasbourg, 1906). Auteur de recherches sur les rayons cosmiques, il donna avec Heitler*, en 1934, la théorie des gerbes-cascades (ou gerbes photo-électroniques). **V. Blackett;** mais il est surtout connu pour la découverte du cycle du carbone qui porte son nom (1938) et qui, précisant le détail des réactions au sein des étoiles actuelles **(V. Gamow, Teller)**, peut expliquer l'origine de l'énergie du soleil et des étoiles chaudes. On lui doit également des études sur les composés intermétalliques. (Prix Nobel de phys., 1967.)

BÉTHEL (en hébr. « maison de Dieu »). ♦ Anc. localité de Palestine (auj. *Beitîn*, env. 20 km au N. de Jérusalem). Sanctuaire cananéen* vénéré également par les Israélites, elle fut après le schisme un des principaux hauts lieux du royaume du Nord (Israël); Jéroboam Ier y institua le culte du veau d'or. – Dans la *Genèse*, c'est un des premiers campements d'Abraham* qui y bâtit un autel à Iahvé, et le lieu du songe de Jacob* (l'échelle).

BÉTHENCOURT (Jean de). ♦ Gentilhomme et navigateur normand (Grainville-La-Teinturière, pays de Caux, v. 1360-1425). Il se fit nommer seigneur des îles Canaries* par Henri III de Castille après les avoir conquises, avoir converti les habitants au christianisme et avoir fondé la première colonie européenne (1402-1404). En 1406, il laissa le commandement à son neveu (Maciot) qui transmit ses droits aux Portugais; ceux-ci les cédèrent aux Espagnols. La relation de cette découverte et de cette conquête fut rédigée et publiée par Bergeron* (1630).

BETHLÉEM, en ar. **Bayt Lahm** (« maison du pain »). ♦ V. de Jordanie (prov. de Jérusalem), dans les territoires occupés par Israël à la suite de la « guerre de Six Jours ». 22 453 hab. – À l'époque biblique, elle fut le berceau de la famille de David **(V. Jessé)**; une prophétie de *Michée*, V, I, la donne comme patrie d'un futur messie; les Évangiles de *Matthieu*, II, 1-6 et *Luc*, II, 4-15, rappellent ces données et y relatent la naissance de Jésus. Basilique de la Nativité, élevée, dit-on, par Constantin et sainte Hélène* (à partir de 326), restaurée par Justinien (VIe s.) puis par les croisés (XIIe s.). Séjour de saint Jérôme* qui y fonda des monastères (IVe s.).

BETHLEHEM. ♦ V. des États*-Unis (Pennsylvanie*) au N.-O. de Philadelphie. 75 408 hab. (1960). Centre sidérurgique (l'un des plus importants des États-Unis); la *Bethlehem Steel Company* (1904) est le 2e producteur d'acier du pays. Avec Allentown* et Easton, la zone urbaine compte près de 500 000 habitants.

BETHLEN (Gabriel ou **Gábor)**. ♦ Prince de Transylvanie* (Illye, 1580 – Alba Julia, 1629). Ayant chassé Gabriel Báthory*, avec l'aide des Turcs, il entra en lutte, aux côtés de la Bohême, contre l'empereur Ferdinand* II, et ceignit la couronne de Hongrie, à laquelle il dut bientôt renoncer. Il conduisit la Transylvanie à son apogée politique et culturelle.

BETHLEN (Istvan, *comte*). ♦ Homme politique hongrois (Gernyeszeg, 1874 – U.R.S.S., ?). Il fut le chef du parti de la résistance au gouvernement de Béla Kun. Il devint Premier ministre de Horthy* de 1921 à 1931. Il mena une politique conservatrice à l'intérieur; en politique extérieure, il s'efforça de gagner la confiance des grandes puissances et chercha à faire réviser le traité de Trianon*; il conclut pour cela un accord avec l'Italie (1927). La crise économique l'obligea à démissionner en 1931. Il s'opposa ensuite à l'évolution dictatoriale du gouvernement de Horthy et surtout aux mesures antisémites de 1938. Il se cacha pendant la guerre, mais les Russes l'arrêtèrent et le déportèrent en 1944. On ignore la date de sa mort.

BETHMANN-HOLLWEG (Théobald *von*). ♦ Homme politique allemand (Hohenfinow, Brandebourg, 1856 – *id.*, 1921). Administrateur appliqué, il se heurta, dès sa nomination à la tête de la chancellerie d'Empire (1909), à la tension internationale. Hostile à la guerre, il s'était efforcé d'améliorer les relations de l'Allemagne avec la Russie et la Grande-Bretagne, mais il fut trop faible pour s'opposer aux ambitions de Guillaume II et de son état-major (l'amiral von Tirpitz*, en particulier). Il dut, pendant la guerre, céder peu à peu de son pouvoir devant la pression des autorités militaires et, partisan d'une paix qui maintiendrait le statu quo de l'Allemagne, il dut démissionner en juillet 1917. Sa politique intérieure (instauration du suffrage universel en Alsace-Lorraine, suppression du système électoral des trois classes en Prusse) l'avait mis en conflit avec le parti conservateur.

BETHMONT (Eugène). ♦ Homme politique français (Paris, 1804 – 1860). Avocat, il prit la défense des républicains sous la monarchie de Juillet, fut élu à la Chambre des députés (1842) où il siégea dans l'opposition d'extrême gauche, hostile à la politique de Guizot. Ministre de l'Agriculture et du Commerce, puis garde des Sceaux après la révolution de février 1848, il fut élu à l'Assemblée constituante. Hostile au coup d'État du 2 décembre 1851, il rentra dans la vie privée et reprit ses fonctions d'avocat.

BÉTHONCOURT. ♦ Comm. du Doubs, arr. et aggl. de Montbéliard. 10 996 hab. Indus. textile.

BETHSABÉE (en hébr. **Bath-Sheba'**). ♦ Femme israélite d'une grande beauté, épouse d'Urie*. L'ayant surprise au bain, David* l'enleva et l'épousa après avoir fait périr Urie, ce qui lui valut le blâme du prophète Nathan*. Elle lui donna quatre fils dont Salomon*. Récit biblique : *II Samuel*, XI-XII. – Le *Bain de Bethsabée* a inspiré de nombreux peintres, notamment Raphaël* et Rembrandt*.

BETHSAÏDE. ♦ Anc. localité de Palestine (Galilée) située près de Capharnaüm* au N.-E. du lac de Génésareth*. Patrie des apôtres André, Jacques le Majeur, Jean, Philippe et Pierre.

BÉTHUNE. *n. f.* ♦ Rivière de Normandie* (52 km), qui prend sa source dans le pays de Bray*, arrose Neufchâtel*-en-Bray et se réunit à la Varenne* près d'Arques*-la-Bataille pour former l'Arques*.

BÉTHUNE. ♦ Sous-préf. du Pas*-de-Calais, ch.-l. d'arr. (7 cant., 104 comm., 277 317 hab.), près du canal d'Aire. 28 379 hab. *(Béthunois)*. Beffroi du XIVe siècle. – Indus. alimentaires, chaussures, horlogerie, confection, bascules, pâtes à papier. – Patrie de J. Buridan*. ♦ *Hist.* La ville a souffert de la Première Guerre mondiale.

BÉTIQUE. *n. f.*, en lat. **Baetica**. ♦ Anc. province romaine de l'Espagne* méridionale, correspondant approximativement à l'Andalousie* actuelle et qui tirait son nom du fl. *Betis* (auj. Guadalquivir*). Elle faisait partie de l'Espagne ultérieure *(Hispania ulterior)* avant d'être organisée en province par Auguste. – *V. princ.* Córdoba (Cordoue*), Hispalis (Séville*), Italica* (patrie de Trajan*, Hadrien* et Théodose* Ier).

Bétique *(chaîne* ou *cordillère)*. ♦ Chaîne montagneuse qui s'étend en Espagne méridionale, le long de la côte méditerranéenne, sur 500 km, du détroit de Gibraltar au cap de la Nao sur les provinces d'Andalousie*, de Murcie* et d'Alicante*. *Point culminant* **V. Mulhacén** (3 481 m), dans la sierra Nevada*. Au N. la zone sub-bétique correspond à des sierras fragmentées comme au S. le long de la *Costa del Sól.*

BETSILÉO. *n. m.* ♦ Partie du plateau central de Madagascar*, au S.-E. de l'île et de l'Imérina*. *V. princ.* **V. Fianarantsoa.** – BETSILÉOS, population qui vit dans cette région.

BETTELHEIM (Bruno). ♦ Psychiatre américain d'origine autrichienne (Vienne, 1903). Sous l'influence de la théorie psychanalytique **(V. S. Freud)**, il s'intéressa très tôt aux psychoses infantiles, notamment à l'autisme. À Dachau, puis à Buchenwald où il fut déporté en 1938, il étudia les réactions (déshumanisation) de certains individus face à des « situations extrêmes » éprouvées par eux comme radicalement destructrices et établit un parallèle avec celles qui, selon lui, sont à l'origine de l'autisme. Émigré aux États-Unis, il y dirigea et y réforma l'École orthogénique (Chicago) dont il fit un centre de thérapeutique pour les enfants psychotiques, de formation d'éducateurs et de recherches. *(La Forteresse vide, Les Blessures symboliques.)*

BETTELHEIM (Charles Oscar). ♦ Économiste français (Paris, 1913). S'inspirant des positions marxistes, il a surtout étudié la planification socialiste et posé en particulier la problématique du sous-développement *(Problèmes théoriques et pratiques de planification*, 1946; *L'Économie soviétique*, 1950; *L'Inde indépendante*, 1962; *Planification et croissance accélérée*, 1964. 1967; *La Construction du socialisme en Chine*, 1971, en collaboration avec J. Charrière et H. Marchisio).

BETTEMBOURG. ♦ Comm. du Luxembourg* (cant. d'Esch-sur-Alzette). 6 527 hab. Indus. chimiques.

BETTI (Ugo). ♦ Poète, romancier et auteur dramatique italien (Camerino, 1892 – Rome, 1953). La langue des personnages de ce dramaturge, qui fut aussi magistrat, est l'une des plus pures et des plus rigoureuses du théâtre italien contemporain. Son œuvre est un théâtre d'accusation, soucieux de justice et d'amour dans un monde d'abjection; ennemi de tous les machiavélismes, il reflète le drame d'une conscience à jamais déchirée. Œuv. princ. : *Corruption au Palais de Justice* (1949), *L'Île des chèvres (Delitto all'isola delle capre*, 1950), *La Reine et les Insurgés* (1951).

BETTIGNIES (Louise *de*). ♦ (Saint-Amand-les-Eaux, 1880 – Cologne, 1918). Agent de renseignements de l'armée anglaise, dans le Nord (1914), sous le nom d'Alice Dubois, elle fut arrêtée par les Allemands à Tournai en 1915 et mourut en captivité à Cologne.

BETUWE. *n. f.* ♦ Plaine des Pays-Bas **(V. Gueldre)** formée par les alluvions de la Meuse et du Rhin, et aux sols argileux fertiles. Cultures maraîchères et fourragères. Céréales. Fruits. *V. princ.* Tiel.

BEUDANT (François). ♦ Minéralogiste français (Paris, 1787 – *id.*, 1850). On lui doit les premiers travaux d'ensemble sur l'isomorphisme des composés chimiques (1818). **V. Mitscherlich.** (Acad. sc., 1924.)

BEUGNOT (Jacques Claude, *comte*). ♦ Homme politique français (Bar-sur-Aube, 1761 – Bagneux, 1835). Député inscrit au Club des feuillants* sous la Législative, emprisonné sous la Terreur, il fut préfet de Rouen sous le Consulat, ministre des Finances du royaume de Westphalie (1807) et gouverneur du grand-duché de Berg (1808) sous l'Empire. Rallié aux Bourbons, il assuma encore diverses fonctions au sein du gouvernement. Ses *Mémoires* furent publiées en 1866.

BEURNONVILLE (Pierre Riel, *comte* puis *marquis de*). ♦ Maré-

Ph. Hétier

La Sierra Nevada dans la chaine **Bétique.**

chal de France (Champignolle, Champagne, 1752 – Paris, 1821). Général de la République, il participa aux batailles de Valmy et de Jemappes (1792), fut nommé ministre de la Guerre (1793) et chargé d'enquêter sur la conduite de Dumouriez par la Convention (mars 1793). Livré aux Autrichiens par ce dernier, il resta prisonnier jusqu'en 1795. Membre du gouvernement provisoire en 1814, il fut fait pair de France, maréchal et marquis sous la Restauration.

BEUST (Friedrich Ferdinand, *comte von***).** ♦ Homme politique saxon et autrichien (Dresde, 1809 – château d'Altenberg, près de Vienne, 1886). Président du Conseil de Saxe depuis 1858, il s'efforça de constituer avec les petits États allemands une 3e force entre l'Autriche et la Prusse. Après la défaite de Sadowa*, il démissionna et passa au service de François*-Joseph comme ministre des Affaires étrangères. Il négocia avec le Hongrois Deak le compromis austro-hongrois de 1867, puis, après 1871, il se résigna au rapprochement de l'Autriche et de l'Empire allemand.

BEUVRAY *(mont).* ♦ Sommet du Morvan*, au S.-O. d'Autun, près de Saint*-Léger-sous-Beuvray. 810 m. Oppidum de Bibracte*.

BEUVRON. *n. m.* ♦ Riv. de Sologne, affl. de la Loire (r. g.). Elle prend naissance dans le Loiret, mais la plus grande partie de son cours est située dans le Loir*-et-Cher. Elle traverse Lamotte*-Beuvron.

BEUVRY. ♦ Comm. du Pas*-de-Calais (arr. et aggl. de Béthune*), sur le *canal de Beuvry,* qui la relie au canal d'Aire. 7 916 hab. *(Beuvrygeois).* Indus. des métaux.

BEUZEVILLE. ♦ Ch.-l. de cant. de l'Eure* (arr. de Bernay*) dans le Lieuvin*. 2 392 hab. *(Beuzevillais).*

BEVAN (Aneurin). ♦ Homme politique britannique (Tredegar, Monmouthshire, 1897 – Asheridge Farm, Chesham, Buckinghamshire, 1960). Député travailliste (1929), il fut ministre de la Santé et de la Reconstruction dans le gouvernement Attlee* (1945). Il fut l'un des artisans de la création des assurances-maladie *(national health service).* Ministre du Travail (1951), il s'opposa à la majorité de son propre parti **(V. Bevin)** lui reprochant d'abandonner ses options pacifistes et socialistes, et devint l'un des dirigeants de la gauche travailliste.

BEVELAND *(îles).* ♦ Anc. îles des Pays-Bas (Zélande) situées dans la mer du Nord à l'embouchure de l'Escaut* (entre l'Escaut occidental et l'Escaut oriental). À la suite du plan Delta, les deux îles de *Noord-Beveland* et *Zuid-Beveland* (Beveland N. et S.) ont été réunies en 1960, constituant une presqu'île, rattachée à l'E. au continent et à l'O. à l'ancienne île de Walcheren.

BEVEREN-WAAS. ♦ V. de Belgique (Flandre-Orientale, arr. de Saint-Nicolas), dans les polders du pays de Waas. 15 300 hab. Château (déb. du XVIe s.). Église (XIIe s. et XVe s.). Dentelles. ♦ *Hist.* Les polders furent inondés en 1914 pour la défense d'Anvers.

BEVERIDGE (*lord* **William Henry).** ♦ Économiste et administrateur britannique (Rangpur, Bengale, 1879 – Oxford, 1963). Il est surtout connu par son plan de réformes des assurances sociales britanniques (1941) qu'il compléta en 1944 par un ouvrage intitulé *Du travail pour tous dans une société libre.* Tout en préservant les libertés fondamentales, l'État a, selon lui, pour rôle de lutter contre la misère, le chômage et la maladie.

BEVERLEY. ♦ V. d'Angleterre, ch.-l. du comté du Yorkshire* East Riding. 16 031 hab. Collégiale gothique (XIIIe et XVe s.). – Patrie de saint Jean* Fisher.

BEVERLO. ♦ Comm. de Belgique (Limbourg, arr. de Hasselt) 6 300 hab. Chapelle Saint-Antoine (retable anversois du XVe s.). Indus. du meuble. – Camp militaire (créé en 1850 par Léopold Ier).

BEVERLY HILLS. ♦ V. résidentielle du centre de Los* Angeles (Californie), enclavée dans Los Angeles, et où vivent les personnalités de l'industrie du cinéma **(V. Hollywood).**

BEVERWIJK. ♦ V. des Pays-Bas (Hollande-Septentrionale). 41 566 hab. Fabriques de conserves. – Station balnéaire à Wijk aan Zee (mer du Nord).

BEVIN (Ernest). ♦ Homme politique britannique (Winsford, Somerset, 1887 – Londres, 1951). Issu d'une famille prolétarienne, il eut une activité syndicale qui le conduisit au poste de secrétaire général adjoint du syndicat des dockers puis à celui de président du Conseil général des syndicats *(Trade Unions Councils)* en 1937. Il devint ministre du Travail dans le gouvernement de coalition de Churchill* (1940) puis ministre des Affaires étrangères dans le gouvernement travailliste d'Attlee* (1945-1951). Il représenta la Grande-Bretagne à la conférence de Potsdam* (1945) et s'employa à renforcer les liens entre son pays et les États-Unis. Devenu très méfiant à l'égard de la politique extérieure de Staline, il fut l'un des principaux artisans du traité de l'Atlantique Nord (1949).

BEX [bɛ]**-LES-BAINS.** ♦ V. de Suisse (Vaud) dans la plaine du Rhône à 9 km au S.-E. d'Aigle*. Alt. 414 m. 4 800 hab. Mines de sel. Station thermale.

BEXON (abbé **Gabriel-Léopold-Charles-Aimé).** ♦ Naturaliste et historien français (Remiremont, 1748 – Paris, 1784). Collaborateur à l'*Histoire naturelle* de Buffon, il a publié divers ouvrages dont un *Catéchisme d'agriculture* (1773), une *Histoire de Lorraine* (1777).

BEYDTS (Louis). ♦ Compositeur français (Bordeaux, 1895 – Caudéran, 1953). Dans la veine élégante et spirituelle d'André Messager et de Reynaldo Hahn qui furent ses maîtres, il est l'auteur d'opérettes (*Moineau,* 1931; *La S.A.D.M.P.,* 1931; *À l'aimable Sabine,* 1947), d'une suite d'orchestre, *A travers Paris*

Ph. Hétier

Beyrouth.

(1937) ainsi que de nombreuses mélodies. Il a composé de la musique de films (*La Kermesse héroïque* de Feyder*, 1935).

BEYLE (Henri). ♦ **V.** STENDHAL.

BEYNAT [bɛna]. ♦ Ch.-l. de cant. de la Corrèze (arr. de Brive-la-Gaillarde). 1 403 hab. *(Beynatois).* Dolmen dit la *Cabane des fées.*

BEYNE-HEUSAY. ♦ Comm. de Belgique (prov. et arr. de Liège). 7 400 hab.

BEYNES. ♦ Comm. des Yvelines, arr. de Rambouillet. 2 317 hab. Réservoir de gaz souterrain de la région parisienne. – Vestiges d'un château fort du XIVe siècle.

BEYROUTH [bɛʀut]. ♦ Cap. du Liban située en bordure de la Méditerranée, et qui s'adosse aux derniers contreforts de la chaîne du Liban. 700 000 hab. Elle groupe, à elle seule, le tiers de la population du pays. Archevêchés. Centre culturel de première importance (3 universités : libanaise, américaine et française) et le plus grand centre financier de l'Orient méditerranéen. Fréquemment dévastée par des tremblements de terre, elle offre l'aspect d'une ville moderne au caractère cosmopolite. Important centre industriel (cimenteries). Aéroport international (à Khaldé). Port franc où aboutissent les marchandises d'un vaste arrière-pays, c'est le port le mieux équipé du Levant pour la réception, la transformation et l'exportation de ces marchandises (céréales, textiles, phosphates de Jordanie,...). Tourisme (importante hôtellerie, célèbre Casino du Liban). ♦ *Hist.* Anc. ville de Phénicie* mentionnée sous le nom de *Béryte* ou *Bérytos* au milieu du ~ IIe millénaire, elle devint colonie romaine sous Auguste* (~ 15). Conquise à l'Islām* en 635, prise par les croisés en 1110, enlevée par Saladin* en 1187, elle fut réoccupée par les croisés de 1197 à 1291. Elle passa ensuite, tour à tour, sous la domination des mamelouks d'Égypte, des émirs druzes, puis des Turcs. Elle fut l'une des « échelles du Levant » avant de devenir en 1920 la capitale du nouvel État du Liban*, proclamé indépendant en 1941.

BÈZE (Théodore *de***).** ♦ Disciple de Calvin (Vézelay, 1519 – Genève, 1605), il a mis le théâtre au service de sa foi religieuse dans une tragédie biblique : *Abraham* sacrifiant* (1553).

BÉZIERS. ♦ Sous-préf. de l'Hérault, ch.-l. d'arr. (17 cant., 152 comm., 234 426 hab.); situé au croisement de l'Orb* et du canal du Midi, en Languedoc. 82 260 hab. *(Biterrois).* L'église Saint-Nazaire, sur une colline dominant l'Orb, est une anc. cathédrale fortifiée (XIIIe et XIVe s.). Église Saint-Jacques (abside romane du XIIe s.). Église Saint-Aphrodise (nef et bas-côtés romans, chœur gothique). Musées. Pont-Vieux sur l'Orb (XIIIe s.). Vestiges d'arènes romaines. – Centre vinicole assurant le commerce des vins et alcools du Languedoc. Centre bancaire. Indus. en relation avec le vignoble (produits antiparasitaires, engrais; tracteurs; futailles). Constructions mécaniques. Jus de fruits et apéritifs. Centre ferroviaire (embranchement sur la ligne Bordeaux-Marseille). – Patrie d'Edgar Faure*, Jean Moulin*, P. Pélisson*, P.-P. de Riquet*. ♦ *Hist.* D'abord appelée *Beterris,* la ville, d'origine celtibère, fut conquise par les Romains et reçut le nom de *Julia Baeterrae.* Lors de la croisade des albigeois* elle fut dévastée par Simon de Montfort (1209); rattachée à la couronne (1229), elle devint le siège de plusieurs conciles contre les albigeois.

BEZONS. ♦ Ch.-l. de cant. du Val-d'Oise, arr. d'Argenteuil, sur la Seine, au N.-O. de Paris. 24 604 hab. Église (XVe s.). Indus. métallurgiques et chimiques. Textiles artificiels; matériaux de construction; constructions mécaniques; chaudronnerie; ascen-

Ph. Prato/Ricciarini

Bhubaneśvar : le temple Mukteswar.

seurs. Caoutchouc; matières plastiques. Matériel électrique.

BÉZOUT (Étienne). ♦ Mathématicien français (Nemours, 1730 – Basses-Loges, près de Fontainebleau, 1783). Auteur d'une *Théorie générale des équations algébriques* (1779), il démontra notamment que deux courbes algébriques de degrés *m* et *n* ont *mn* points communs. (Acad. sc., 1758.)

BEZRUČ (Petr, pseudonyme de **Vladimir Vašek).** ♦ Poète tchèque (Opava, 1867 – Olomouk, 1958). Il chanta avec un âpre et sobre réalisme la misère et l'oppression nationale des mineurs de Silésie dans une grande œuvre poétique : *Les Chants de Silésie* (1899-1909).

BEZWADA. ♦ **V.** VIJAYAVADA (Inde).

BHADRÂVATI. ♦ V. de l'Inde* (Mysore) située au N.-O. de Bangalore. 68 000 hab. Aciéries et indus. chimiques.

BHÂGALPUR. ♦ V. de l'Inde (Bihâr) sur le Gange*. 156 600 hab. Université. Indus. textiles (soie).

Bhagavad-gîtâ, *n. m.* (« le chant du Seigneur »). ♦ Poème philosophique sanskrit inclus dans le grand poème épique du *Mahâbhârata**, et texte capital du Vedânta, dans lequel le dieu Krisna* expose à Arjuna une doctrine de l'action. L'un des textes fondamentaux de la philosophie hindoue.

BHÂRAT. ♦ Nom officiel hindî de l'Inde*, depuis le 15 août 1947.

BHARTRIHARI. ♦ Poète et philosophe indien du VIIe s., et grammairien, de style moralisateur, auteur de trois *centuries* en vers et d'un traité de philosophie du langage. Sa langue, un sanskrit très pur, est caractérisée par une « extrême appropriation de la forme à la pensée » (L. Renou). Ce nom correspond peut-être à deux personnages différents, le poète et le grammairien, bien que la tradition affirme qu'il s'agit du même. D'après le pèlerin chinois Iching, il serait mort en 651.

BHÂSA. ♦ Poète indien et dramaturge fécond (vers les IIIe-IVe s.), dont l'intense dévotion à Visnu* transparaît à travers toutes les œuvres. Celles-ci, de valeur inégale, sont généralement tirées de thèmes appartenant aux grands poèmes épiques indiens et des *Upanisad**.

BHÂTGAON ou **BHADGAON.** ♦ V. du Népal, à 12 km au S.-E. de Kâtmându*, centre religieux hindou fondé au IXe siècle. 85 000 hab.

BHATPARA. ♦ V. de l'Inde (Bengale-Occidental) au N. de Calcutta, sur l'Hûghlî*. 153 000 hab. Usines de jute.

BHAVABHÛTI. ♦ Poète indien d'expression sanskrite, de la cour du roi Yaśovarman* de Kanauj (v. 730-740) et auteur de pièces de théâtre en vers sur la légende de Râma*, dont trois titres nous sont parvenus.

Bhâvakavitvam. *n. m.* ♦ École indienne de poésie moderne (XXe s.) d'expression *telugu,* influencée par le lyrisme de Keats et de Shelley, et qui eut et a encore de nombreux adeptes.

BHAVE (Achârya Vinobha). ♦ Homme politique et philosophe indien, né en 1895. Disciple de Gandhi*, il créa le mouvement du *Bhûdan* (« don des terres ») destiné à promouvoir une plus juste répartition des terres, en demandant aux riches de se dessaisir volontairement d'une partie de leurs propriétés en faveur des déshérités.

BHAVNAGAR. ♦ V. de l'Inde (Gujarât), port principal de la presqu'île du Kathiâwar* sur le golfe de Cambay*. Exportations de cotonnades et d'arachides. 200 000 hab. La ville fut fondée en 1723.

BHILAI. ♦ Localité de l'Inde* (Madhya pradesh) près de Raipur*. Centre métallurgique.

BHOJA. ♦ Roi indien du Mâlva (ouest du Dekkan) qui régna de v. 1018 à v. 1060. Sa haute culture, son esprit poétique, sa bravoure et sa générosité le firent considérer comme l'idéal hindou du prince. On lui attribue de nombreuses pièces de théâtre et des poèmes en sanskrit.

BHOPÂL. ♦ V. de l'Inde*, cap. de l'État du Madhya* Pradesh, dans le N. du Dekkan*. Plus de 300 000 hab. Gros marché agricole et artisanal. Indus. électriques. – L'anc. *État de Bhopâl* (cap. Bhopâl) fondé en 1723 fut incorporé à l'État du Madhya Pradesh en 1956.

BHOUTAN. ♦ **V.** BHUTÂN.

BHUBANEŚVAR. ♦ V. et ch.-l. de l'État d'Orissâ en Inde (sur la côte E.). Env. 50 000 hab. Centre touristique et administratif. Université. Aéroport (liaisons avec Calcutta et Madras). ♦ *Hist.* Fondée vers le Ve s., ce fut une capitale religieuse hindoue de grande importance du VIe au XIIIe siècle. Elle compta jusqu'à 7 000 temples et sanctuaires dont il reste encore environ 500.

BHUMIBOL ADULYADEJ (parfois **Phumipol Aduldej).** ♦ Roi de Thaïlande (Cambridge, États-Unis, 1928 –). Il accéda au trône en 1946, succédant à son frère aîné Ânanda* Mahidol. Il est l'époux de la reine Sirikit depuis 1949. – Son titre de règne est Râma IX.

BHÛTÂN [Drug-yul]. *n. m.* ♦ État himalâyen, situé entre la Chine*, la Birmanie* et l'Inde*. 47 000 km^2. Env. 800 000 hab. Pays de hautes montagnes coupées par de profondes vallées isolées entre elles et couvertes de forêts denses. Le grand Himalâya*, à la frontière du Tibet, atteint 7 000 m; le moyen Himalâya s'élève à 3 000 m env.; des hauteurs bordent au S. la plaine de l'Assam*. Ce « pays du dragon » est une royauté appuyée par un système de seigneurs religieux et laïcs qui gouvernent les vallées. La population, d'origine tibéto-birmane, parle un dialecte tibétain (le dzong-ka) et pratique une forme particulière de bouddhisme lamaïque. Elle vit dans les vallées au climat tropical atténué. Bien qu'indépendant, le Bhûtân dépend de l'Inde pour sa défense et ses relations extérieures. Il n'existe encore que peu de routes et aucun chemin de fer. Très fermé, ce pays demeure encore en partie inconnu. Deux capitales, Punakha et Thimbu (3 000 hab. env. chacune) se répartissent, l'été et l'hiver, les édiles du pays. Dans les vallées, culture de riz, maïs, orge, fruits et légumes. Élevage (moutons, chèvres, yacks). Aucune industrie, quelques petits artisanats pour les besoins locaux (vannerie, tissage). ♦ *Hist.* L'histoire ancienne du Bhûtân nous est à peu près inconnue. Au VIIe s., le pays se convertit au bouddhisme (construction de forteresses et de monastères). La secte lamaïste tantrique devint la plus importante. En 1720, les Mandchous, régnant sur la Chine, annexèrent nominalement le territoire. Des incidents frontaliers opposèrent, à la fin du XVIIIe et au début du XIXe s., les Britanniques et les Bhûtânais, et le pays devint un protectorat anglais. L'Union indienne se substitua aux Britanniques en 1949.

BIAFRA *(république du).* ♦ Nom pris par l'anc. région orientale de la République fédérale du Nigeria*, habitée surtout par les Ibos*, auj. divisée en trois États fédérés dont les cap. sont : Calabar*, Enugu* et Port*-Harcourt. *Autres V.* : **V. Aba** et **Onitsha.** Cet ensemble possède les principaux gisements houillers (zinc, plomb, fer...) et pétrolifères du Nigeria. ♦ *Hist.* Après la sécession de 1967 et la proclamation de l'indépendance du Biafra, le pays fut engagé dans une guerre civile cruelle, qui aboutit en 1970 à la défaite des séparatistes biafrais.

BIAŁOWIEZA *(Forêt de),* en polon. **Puszcza Białowieska.** ♦ Grande forêt d'Europe centrale, située de part et d'autre de la frontière polono-soviétique qui la partage entre la Podlachie* et la Biélorussie* (128 991 hab. dont 58 000 env. en Pologne). Réserve de bisons.

BIALYSTOK. ♦ V. de Pologne* orientale, ch.-l. de voïévodie. 160 800 hab. Palais du XVIIIe siècle. Foyer culturel et scientifique. Important nœud ferroviaire et grand centre d'industries textiles. – Patrie de M. Litvinov* et de L. Zamenhof*.

BIANCOLELLI (Giuseppe). ♦ Comédien italien (Bologne, 1636 – Paris, 1688). Le plus fameux des interprètes du personnage d'Arlequin*.

BIAR (El). ♦ Anc. commune d'Algérie*, incorporée auj. dans la comm. d'Alger*, située sur les collines du Sahel. Agglomération résidentielle.

BIARD ou **BIART (Pierre).** ♦ Sculpteur, architecte, dessinateur et graveur français (Paris, 1559 – *id.,* 1609). Élève de son père, sculpteur sur bois qui travailla au Louvre* et à Fontainebleau*, il séjourna en Italie où il subit notamment l'influence de Michel*-Ange et de Jean de Bologne*. En 1590, il succéda à B. Androuet* du Cerceau comme intendant des bâtiments du roi. Il réalisa notamment le *mausolée* commandé par le *duc d'Épernon* à Candillac dont subsiste une statue en bronze (*La Renommée,* au Louvre) et travailla à la décoration sculptée du *Jubé de Saint-Étienne-du-Mont,* à Paris. ♦ Son fils PIERRE, dit LE JEUNE (Paris, 1592 – *id.,* 1661), nommé sculpteur du roi en 1609, travailla à la *Petite Galerie* du *Louvre** et réalisa une statue équestre de Louis XIII (détruite en 1793) pour la *place Royale.*

BIARRITZ [bjaritz]. ♦ Ch.-l. de cant. des Pyrénées*-Atlantiques, arr. de Bayonne, sur le golfe de Gascogne* et dans le Pays Basque*. 26 985 hab. *(Biarrots).* Importante station balnéaire et climatique.

BIART ou **BYART (Colin** ou **Nicolas).** ♦ Maître maçon et architecte français (Amboise, v. 1460 – v. 1516). Principal représentant d'une dynastie de maîtres d'œuvre français des XVe et XVIe s., il participa aux grands chantiers de l'époque. On trouve son nom mentionné aux châteaux d'Amboise* (vers 1495-1496), du Verger, de Blois* et de Gaillon, ainsi qu'à la *Tour de Beurre* de la cathédrale de Rouen, à la tour nord de la cathédrale de Bourges et à la reconstruction du pont Notre-Dame à Paris. La part exacte qui lui revient est difficile à préciser, mais il semble avoir largement adopté les motifs décoratifs de la Renaissance, sans pour autant abandonner la structure architectonique gothique.

BIAS. ♦ Un des Sept Sages* de la Grèce (Priène, Ionie, v. ~ 570). Législateur, avocat ou arbitre entre ses concitoyens en discorde, il fut très respecté pour sa modération. Les aphorismes qu'on lui attribue traditionnellement sont des sentences morales pleines de sens commun.

BIBANS *(chaîne des).* ♦ Chaîne de l'Atlas* tellien (Algérie), au S. de la Grande Kabylie*. **V. Portes* de Fer.** *V. princ.* : **V. Aïn Bessem.**

BIBBIENA (Cardinal Bernardo Dovizi, dit). ♦ Lettré et auteur dramatique italien (Bibbiena, 1470 – Rome, 1520). Avec *La Calandria* (1513), comédie d'intrigue et de caractères où le travestissement joue un rôle essentiel, il a donné au théâtre italien sa première comédie, dans l'esprit réaliste et enjoué du Décaméron*.

BIBER ou **BIBERN (Heinrich Ignaz Franz** *von***).** ♦ Compositeur autrichien (Wartenberg, 1644 – Salzbourg, 1704). Violoniste virtuose, il fut maître de chapelle à la cour de l'archevêque de Salzbourg. Il a composé des sonates pour violon et clavecin, de la musique religieuse et des opéras.

BIBESCU ou **BIBESCO (Gheorghe Dimitrie).** ♦ (Nicopolis, 1804 – Paris, 1873). Hospodar de Valachie* (1842-1848). Il succéda à Alexandre Ghika* qu'il avait renversé, mais dut céder le pouvoir en 1848 à son frère Dimitrie Barbu Bibesco, prince de Ştirbei (Craïova 1801 – Nice, 1869), qui tenta, comme lui, d'unir les pays danubiens.

BIBIENA *(Les).* ♦ Famille d'architectes, de décorateurs de théâtre, de peintres et de dessinateurs italiens dont le premier représentant fut *Giovanni Maria Galli,* dit *Bibiena* (1625-1665). Ils furent célèbres pour leurs inventions scénographiques et leurs architectures de théâtre. Obtenant un immense succès dans la plupart des cours européennes, ils y répandirent les décors fastueux et savants et des constructions provisoires destinées aux cérémonies et fêtes. La grande majorité de leurs œuvres a disparu, mais les multiples dessins et gravures qu'ils laissèrent témoignent de leur richesse inventive et de leur science de la perspective. Ils influencèrent ainsi, non seulement les décorateurs de théâtre, mais les architectes et peintres de grandes décorations baroques. Les deux principaux représentants de cette famille furent : ♦ FERDINANDO (Bologne, 1657 – *id.,* 1743). Peintre, architecte et scénographe, il innova dans ce domaine en utilisant la « scène d'angle » à nombreuses perspectives obliques permettant de multiplier les effets illusionnistes (au lieu d'une perspective à point de fuite central définissant un espace triangulaire). Il publia deux ouvrages importants *Paradossi per praticare la prospettiva* (1675) et *Architectura civile* (1711). ♦ FRANCESCO (Bologne, 1659 – *id.,* 1739) travailla en étroite collaboration avec son frère et il est l'auteur de plusieurs réalisations architecturales (*théâtre de Nancy,* 1707-1709, détruit en 1747; *théâtre de Vérone,* détruit par un incendie mais reconstruit d'après les plans initiaux).

Bible. *n.f.* (Cf. Robert). ♦ Recueil de textes tenus pour sacrés par les religions juive et chrétienne. ♦ La BIBLE JUIVE. La Bible hébraïque (avec quelques passages en araméen) rassemble des textes dont les plus anciens peuvent remonter au ~ XIe s. (cantique de Déborah, *Juges,* V), les plus récents datant du ~ IIe s. (pour le détail, **V. Pentateuque** et **les articles sur chacun des livres bibliques,** Cf. *ci-dessous*). Le canon se fixa à partir du ~ Ve s. et définitivement au synode de Jamnia* (fin ~ Ier s.). Le texte lui-même fut fixé, quant aux consonnes, dans les premiers siècles de l'ère chrétienne (av. 500); sa révision critique et la fixation des voyelles fut l'œuvre des massorètes **(V. Massore),** achevée au déb. du Xe s. La Bible hébraïque est appelée *TaNaK,* mot forgé à partir des initiales des trois parties qui la composent. Ces parties sont : *1)* la *Loi (Torah),* comprenant *Genèse*, Exode*, Lévitique*, Nombres*, Deutéronome*; 2)* les *Prophètes (Nebi'im)* répartis en *Prophètes antérieurs : Josué*, Juges*, Samuel* I* et *II, Rois* I* et *II,* et *Prophètes postérieurs : Isaïe*, Jérémie*, Ezéchiel** et les douze petits prophètes (*Osée*, Joël*, Amos*, Abdias*, Jonas*, Michée*, Nahum*, Habacuc*, Sophonie*, Aggée*, Zacharie*, Malachie*); 3)* les *Écrits (Ketoubim),* comportant les trois livres poétiques : *Psaumes*, Proverbes*, Job*,* les cinq *megilloth* (« rouleaux ») : *Cantique* des cantiques, Ruth*, Lamentations*, Ecclésiaste*, Esther*,* et *Daniel*, Esdras*, Néhémie*, Chroniques* I* et *II.* – Outre la Bible hébraïque, les juifs de l'Antiquité utilisèrent des traductions : version grecque dite des Septante* (notablement différente de la Bible hébraïque, à laquelle elle ajoute *III Esdras**, les quatre livres des *Macchabées*, Tobie*, Judith*, Prière* de Manassé, Baruch*, Lettre de Jérémie*, Ecclésiastique*, Sagesse* de Salomon.* additions à *Daniel** et à *Esther**); *targums* (« traductions ») araméens qui sont plutôt des paraphrases (à partir du Ier s.). – Dieu de la Bible : **V. Adonaï, Iahvé, Jéhovah.** Religion de la Bible : **V. Hébreux, Israël, judaïsme.** Commentaires de la Bible. **V. Mishnah, Talmud.** ♦ La BIBLE CHRÉTIENNE. À la Bible juive, utilisée généralement dans la version des Septante, les premiers chrétiens ajoutèrent des textes propres à la religion nouvelle; ils distinguèrent les deux séries par les noms d'*Ancien* et *Nouveau Testament**. Les livres du *Nouveau Testament,* tous en grec, furent écrits entre 50 et 150 env.; ce sont : les quatre *Évangiles* (Matthieu, Marc, Luc, Jean),* les *Actes* des Apôtres,* les vingt et une *Épîtres**, l'*Apocalypse** (canon fixé fin IVe s.). La Bible chrétienne (Ancien et Nouveau Testament) fut traduite de bonne heure : versions syriaque **(V. Peschitto),** coptes (fin IIe et déb. IIIe s.), gothique **(V. Ulfilas),** latines (*Vetus Itala,* désignation collective pour les traductions latines antérieures à la révision de saint Jérôme; et, issue de cette révision, la *Vulgate**), slave **(V. Cyrille** le Philosophe**).** La *Vulgate* s'imposa dans l'Occident chrétien au cours du Moyen Âge. Face à la Réforme qui retournait aux textes originaux, hébreu et grec, le concile de Trente* (1546) la consacra comme texte officiel de la Bible catholique (en ordonnant une édition révisée, **V. Vulgate)** et en fixa définitivement le canon, soit : les 39 livres du canon hébraïque, mais dans un ordre différent et augmentés de *Tobit*, Judith*, Sagesse de Salomon, Ecclésiastique*, Baruch*, Lettre de Jérémie*, I* et *II Macchabées**, additions à *Daniel** et à *Esther** (livres dits deutérocanoniques*, rejetés par les protestants), et les 27 livres du *Nouveau Testament.* Luther* traduisit la Bible en allemand (1534). En français, les principales traductions sont pour les catholiques, celles de Lemaistre* de Saci (à partir de 1672), de Crampon (1894), de l'École biblique de Jérusalem (1948-1954); pour les protestants, celles d'Olivétan (1535) révisée et devenue « version synodale » (1910), de L. Segond (1874), la Bible du Centenaire (sous la direction d'A. Lods et M. Goguel, 1916-1948); une traduction dite œcuménique (catholiques et protestants) a commencé à paraître (*Nouveau Testament,* 1972); une traduction indépendante a été publiée par E. Dhorme (*Ancien Testament,* 1956-1959). ♦ Les plus célèbres éditions anciennes sont la Bible « à 42 lignes » attribuée à Gutenberg* (Mayence, v. 1454-1456), la *Biblia complutensis* (1522, **V. Alcalá** [Bible d']), la *Biblia regia* (Anvers, 1569-1572, **V. Plantin** [Christophe]). ♦ Livres juifs ou chrétiens non canoniques : **V. Apocryphes.**

Ph. Hétier
Biarritz.

Biblia regia ou **Biblia polyglotta.** ♦ Célèbre bible publiée par Christophe Plantin* (1569-1572). Elle se trouve au musée Plantin à Anvers.

Bibliothèque nationale. ♦ Établissement public, situé à Paris, à proximité de l'Opéra et des Jardins du Palais-Royal (IIe arr.). Anc. bibliothèque royale, la Bibliothèque nationale fut installée rue Vivienne en 1666, puis annexa une partie de l'anc. *palais Mazarin* (notamment la *galerie Mazarine,* élevée par Mansart* en 1645), enfin l'hôtel de Chiry et l'hôtel Tubeuf (dû à Le* Muet, 1633). De 1854 à 1875, des remaniements importants furent effectués par H. Labrouste* (utilisation hardie du fer dans la salle des imprimés); les travaux d'aménagement et d'agrandissement sont toujours nécessaires, car la Bibliothèque s'accroît sans discontinuer (dépôt légal; legs; acquisitions et échanges). Divisée en huit départements, elle renferme plus de 6 millions de volumes *(imprimés),* un fonds très riche de *périodiques,* de *cartes* et *plans,* d'*estampes,* de *manuscrits,* de *médailles* et d'ouvrages se rapportant à la *musique* que le département des *Entrées* centralise.

BIBRACTE. ♦ Anc. V. de Gaule, cap. et oppidum des Éduens* sur

Ph. Giraudon

Fable de **Bidpai :** Le Corbeau et le Renard, ms. arabe. (Bibliothèque nationale, Paris).

le mont Beuvray*. Elle fut abandonnée après la conquête romaine (~ Iᵉʳ s.) pour *Augustodunum* (Autun*). Vestiges archéologiques à Autun (musée Rolin).

BICÊTRE *(hospice de)*. ♦ Hospice de la commune du Kremlin*-Bicêtre, construit par Louis XIII pour les soldats estropiés.

BICHAT (Marie François Xavier). ♦ Médecin, anatomiste et physiologiste français (Thoirette, Jura, 1771 – Paris, 1802). Élève et ami de Desault*, il est surtout connu par son traité d'*Anatomie générale,* où il précise la notion de tissu dont il définit les deux propriétés fondamentales : sensibilité et contractilité; mais il fut aussi anatomo-pathologiste et contribua aux progrès de l'embryologie. Physiologiste, il élabora une doctrine des propriétés vitales, définissant la vie comme « l'ensemble des fonctions qui résistent à la mort » (*Recherches physiologiques sur la vie et la mort,* 1800). – Un hôpital de Paris porte son nom.

BICKFORD (William). ♦ Ingénieur britannique (Bickington, 1774 – Camborne, Cornouailles, 1834). Inventeur du *cordeau Bickford,* mèche de sûreté pour les mines (1831).

BICOQUE (LA), en it. **Bicocca**. ♦ Village et villa d'Italie, près de Milan. Prospero Colonna s'y était retranché en 1522. Attaqué par Lautrec*, il le défit, contraignant les Français à abandonner définitivement le Milanais.

BIDACHE. ♦ Ch.-l. de cant. des Pyrénées*-Atlantiques, arr. de Bayonne. 1 067 hab. Ruines de l'anc. château des ducs de Gramont* qui portèrent le titre de *princes de Bidache*.

BIDART. ♦ Comm. des Pyrénées-Atlantiques, arr. de Bayonne. 2 920 hab. *(Bidartois)*. Station climatique et balnéaire.

BIDASSOA, *n. f.* ♦ Rivière qui prend sa source en Navarre espagnole et porte le nom de Baztán dans son cours supérieur. Formant la frontière entre la France et l'Espagne sur quelques kilomètres, avant de se jeter dans le golfe de Gascogne, elle arrose Irún*, Béhobie, Hendaye* et Fontarabie*. Près du pont de Béhobie, au milieu de la rivière, se trouve l'île des Faisans* où fut signé le traité des Pyrénées* en 1659.

BIDAULT (Georges). ♦ Homme politique français (Moulins, 1899). Professeur agrégé d'histoire, il entra dans la Résistance sous l'Occupation et succéda à Jean Moulin* comme président du Conseil national de la Résistance (1943). Fondateur du Mouvement républicain populaire (M.R.P.) après la guerre, il devint président du gouvernement provisoire en 1946. Plusieurs fois ministre des Affaires étrangères sous la IVᵉ République, il fut l'un des promoteurs de la politique d'union européenne. Il entra dans l'opposition en 1954, et devint l'un des principaux partisans de l'Algérie française s'opposant violemment à la politique algérienne du général de Gaulle. Il se réfugia à l'étranger en 1963, et ne rentra en France qu'en 1968.

BÎDEL. ♦ Poète d'expression persane ([mort] 1720). Il est considéré par les intellectuels de l'Inde qui connaissent la langue persane comme le meilleur poète persan de ce pays après Amîr* Khusrû. Dans sa poésie, les pensées mystiques sont exprimées à travers des images compliquées et ambiguës.

BIDPAI [*Pilpay*]. ♦ Brâhmane* indien légendaire (v. le IIIᵉ s.?) et poète à qui la tradition attribue de très nombreuses fables en sanskrit. Ses fables et apologues furent repris par la suite (VIᵉ s.) dans d'autres ouvrages indiens *(Pañcatantra*)* et traduits en persan *(pehlevî)* et en arabe. Ils sont à l'origine de nombre de nos fables européennes.

BIEDERMANN (Aloys Emmanuel). ♦ Théologien protestant et philosophe suisse (Bendlikon, 1819 – Zurich, 1885). Il tenta de concilier la philosophie de Hegel **(V. Hégélianisme)** et le christianisme (*Christliche Dogmatik,* 1869).

BIEDNY (Damian, pseudonyme de **Pridvorov)** [*Bednyi*]. ♦ Poète soviétique (Goubovka, gouvernement de Kherson, 1883 – 1945). Il fut le poète le plus populaire de la N.E.P. Influencé par Krylov*, il écrivit des fables de formes folklorique et à tendance satirique, dans lesquelles il défend le sort des pauvres et des faibles : *À propos de la terre, de la liberté, et du sort des travailleurs* (1917).

BIELAÏA, (*Bielaïa Rieka,* « Rivière blanche »). ♦ Riv. d'U.R.S.S. (1 420 km). Née dans l'Oural*, elle arrose la Bachkirie*, la Tatarie*, les villes de Bieloretsk*, Ishimbaï*, Oufa*, Salavat*, Sterlitamak*, et se déverse dans la Kama* (r. g.). Elle est navigable jusqu'à Oufa pendant l'été, et jusqu'à Sterlitamak au printemps.

BIELAÏA TSERKOV (« Église blanche »). ♦ V. d'U.R.S.S. (Ukraine) dans la région de Kiev. 109 000 hab. Indus. mécaniques (machines agricoles). Traitement du bois (meubles) et du cuir. Indus. alimentaires (fruits et légumes).

BIELEFELD. ♦ V. d'Allemagne occidentale (Rhénanie-du-Nord-Westphalie) au N. du Teutoburger* Wald. 168 700 hab. Église du XIVᵉ s. et hôtel de ville Renaissance. Important centre industriel : constructions mécaniques (machines-outils, cycles, machines à calculer), indus. chimiques (produits pharmaceutiques) et textiles (tissage de soie, confection). – Patrie de F.W. Murnau*.

BIELGOROD ou **BELGOROD**. ♦ V. d'U.R.S.S. (R.S.F.S. de Russie), ch.-l. de la région du même nom (27 100 km², 1 240 000 hab.), sur le Donets* du Nord, près de la frontière de l'Ukraine, au N. de Kharkov. 151 000 hab. Centre d'exploitation du minerai de fer. Indus. mécaniques. Cimenteries. Nœud ferroviaire.

BIELINSKI ou **BELINSKI (Vissarion Grigoriévitch)**. ♦ Philosophe et critique littéraire russe (Sveaborg, *auj.* Suomenlinna, île de Susisaari, 1811 – Saint-Pétersbourg, 1848). Il débuta comme journaliste et réunit dans ses *Rêveries littéraires* (1834) une série d'articles véhéments le plaçant aussitôt comme chef de file des Occidentalistes*. Il fit ensuite une série d'études sur Pouchkine*, Shakespeare*, Tourguéniev*, Dostoïevski*, Gogol*, etc., et ses jugements furent le plus souvent ratifiés. Il écrivit enfin un *Aperçu de la littérature russe* (1847) qui témoigne de son évolution. Ses théories esthétiques critiquant « l'art pour l'art » au nom du réalisme, ses conceptions philosophiques qui le rapprochent du matérialisme et politiques (socialisme utopique) marquèrent la pensée russe du XIXᵉ siècle.

BIELLA. ♦ V. du N.-O. de l'Italie (Piémont, prov. de Verceil), sur le Cervo, à 72 km de Turin. 50 210 hab. Divisée en deux parties distinctes : *Biella Piano* (ou ville basse) et *Biella Piazzo* (sur la colline). Biella a conservé un baptistère du Xᵉ s. et une cathédrale du XVᵉ siècle. C'est le plus grand centre lainier d'Italie et le point de départ de nombreuses excursions alpines. À proximité, sanctuaire d'Oropa.

BIELOÏARSK ou **BELOÏARSK**. ♦ Localité de l'U.R.S.S. (R.S.F.S. de Russie), dans l'Oural. Importante centrale nucléaire.

BIELORETSK. ♦ V. d'U.R.S.S. (R.S.F.S. de Russie) en Bachkirie*, sur la Bielaïa*. 62 000 hab. (1962). Fonderies et indus. métallurgiques.

BIÉLORUSSIE. *n. f.*, en russe **Belorussija** (République socialiste soviétique de Biélorussie, en russe *Belorouskaja S.S.R.*) ou **Russie Blanche**. ♦ Une des quinze républiques fédérées de l'U.R.S.S. Au N. et à l'E., elle confine avec la R.S.F.S. de Russie*, au N.-O. avec la Lettonie* et la Lituanie*, à l'O. avec la Pologne*, et au S.-E. avec l'Ukraine*. 207 600 km². 8 897 000 hab. (dont env. 7 100 000 *Biélorusses*). *Cap.* Minsk. *V. princ.* **V. Brest, Baranovitchi, Bobruisk, Gomel, Grodno, Moghilev, Orcha, Vitebsk.** – Une ligne de collines (200 à 340 m d'alt.), orientée de l'E. à l'O., sépare la plaine de Biélorussie en deux bassins, celui de la moyenne Dvina* occidentale au N., et celui du haut Dniepr* et de son affl. le Pripet* au S., où la plaine se transforme graduellement, formant la dépression marécageuse de Polésie*. Le Dniepr et ses affl. (la Soj* et la Berezina*) arrosent les parties orientales et méridionales du pays. Les cours supérieurs de la Dvina occidentale et du Niémen* arrosent les parties septentrionale et occidentale. – *Écon.* Les forêts couvrent 30 % env. du territoire. Le sous-sol est riche en tourbe, calcaires, argile et phosphorites. L'activité agricole est surtout représentée par les cultures industrielles (pomme de terre, lin, chanvre, betterave à sucre, tabac) et par l'élevage porcin et bovin

Ph. A.P.N.

Biélorussie : la place de la gare à Minsk.

(l'assèchement des marais de la Polésie permet l'extension des cultures fourragères). L'industrie (produits alimentaires, allumettes, papier, maisons préfabriquées, contre-plaqué, textile) utilise les matières premières de provenance locale, mais la Biélorussie se fait livrer aussi la houille et l'acier d'autres républiques pour ses usines de transformation des métaux (machines-outils, tracteurs, camions). Les besoins de la Biélorussie en énergie électrique sont couverts par des centrales thermiques (Orekhovsk, Jodino, Chatilki, Beriosa). – Patrie de Makarenko*, Mickiewicz*, Milosz*, Weizmann*. ♦ *Hist.* Du IXᵉ s. au XIᵉ s., la Biélorussie actuelle appartenait au duché de Kiev. Envahie par les Tatars de Crimée au XIIIᵉ s., soumise à la Lituanie* au début du XIVᵉ s., la Biélorussie fut annexée avec elle par la Pologne au traité de Lublin* (1569). Disputée ensuite entre Pologne et Russie (État de Moscou), et malgré sa grande révolte contre les Polonais (1648-1654), elle resta sous la domination polonaise jusqu'au premier partage de la Pologne (1772), date à laquelle sa partie orientale (y compris Vitebsk, Moghilev et Gomel) fut annexée par la Russie. Au deuxième partage (1793), la partie centrale et la ville de Minsk passèrent à la Russie, et au troisième partage, ce qui restait de la Biélorussie actuelle fut annexé par l'empire russe (1795). – Après la révolution d'Octobre (nov. 1917), le régime soviétique fut instauré en Biélorussie, mais les Allemands occupèrent une grande partie du pays (févr. 1918). Après le traité de Brest*-Litovsk, la retraite des troupes allemandes et la proclamation de la R.S.S. de Biélorussie (1ᵉʳ janv. 1919), les Polonais continuèrent les hostilités, et le pays fut partagé au traité de Riga (mars 1921) entre l'U.R.S.S. et la Pologne (la frontière était celle de 1772). Le 30 déc. 1922, la R.S.S. de Biélorussie devint une république fédérée de l'U.R.S.S. Les régions de Polotsk, Vitebsk, Orcha et Moghilev, puis la région de Gomel, furent rattachées à la Biélorussie (1924 et 1926). Après l'invasion allemande en Pologne (1939), l'U.R.S.S. occupa les régions polonaises de la Biélorussie, jusqu'à la rivière Bug*, y compris la région de Białystok. Occupée par les Allemands en 1941, la Biélorussie fut ravagée pendant leur retraite de 1944. Au traité de 1945 entre l'U.R.S.S. et la Pologne, la Biélorussie occidentale fut annexée par la Russie, sauf la région de Białystok, restituée à la Pologne. Dès la fondation de l'O.N.U. (juin 1945), la Biélorussie y obtint un siège.

BIELOVO ou **BELOVO**. ♦ V. d'U.R.S.S. (R.S.F.S. de Russie), en Sibérie occidentale, dans le bassin du Kouzbass*. 108 000 hab. Extraction houillère. Indus. métallurgique (combinat du zinc).

BIELSKO-BIAŁA. ♦ V. de Pologne* (voïévodie de Katowice) en Haute-Silésie*. 82 000 hab. Grand centre d'industries textiles. Métallurgie.

BIELY (Boris Nikolaievitch Bougaiev, dit **André)** [*Belyï*]. ♦ Écrivain russe (Moscou, 1880 – *id.*, 1934). Fils d'un éminent mathématicien, il grandit au milieu de l'élite intellectuelle de Moscou. En 1902 parut son premier essai, *La Seconde Symphonie dramatique*, dont il dit : « Cet ouvrage a trois sens : un sens musical, un sens satirique et un sens philosophico-symbolique ». On peut en dire de même des trois essais qui suivirent : *La Première Symphonie héroïque* (1904), *La Troisième Symphonie (Le Retour)* [1905], *La Quatrième Symphonie (La Coupe des tempêtes de neige)* [1908]. En 1909, il publia deux recueils de vers, *Cendres* et *L'Urne*, qui reflètent tous deux la déception qu'éprouva Biély devant l'échec de la révolution de 1905. La même année sortit son premier roman, qui évoque Gogol* : *Le Pigeon d'argent*, qui raconte l'histoire d'un intellectuel se mêlant aux paysans de la Russie centrale. En 1913 parut *Pétersbourg*, puis en 1917, *Kotik Létaiev* suivi du *Crime de Kotik Létaiev* où Biély parle de ses souvenirs d'enfance. Après la révolution de 1917, Biély ne perdit jamais sa foi dans la renaissance mystique de la Russie. Il écrivit à cette époque ses *Souvenirs sur Blok*, livre précis et passionnant sur Blok* et l'histoire du symbolisme* russe. Puis dans *L'Art de Gogol* (1932) il analysa l'œuvre du grand auteur qu'il admirait. Il laissa encore trois tomes de *Mémoires* et commença une tétralogie sur la vie russe pendant et après la révolution. Ce fut un écrivain original, un symboliste qui voyait la vie comme un rêve où l'incohérence se mêlait à l'absurde. Sa prose, d'un rythme savant et de sonorités étudiées, est souvent ambiguë et confuse.

BIÊN HOA. ♦ V. du Viêt-nam du Sud, au N.-E. de Saigon. Env. 87 000 hab. Centre industriel. Importante base militaire créée en 1966 par les Américains.

BIENNE. *n. f.* ♦ Riv. du Jura (55 km) qui passe à Morez* et à Saint-Claude avant de se jeter dans l'Ain (r. g.).

BIENNE *(lac de)*, en all. **Bielersee**. ♦ Lac de Suisse (cant. de Berne) au pied du Jura. 39,2 km². Il est relié par la Thièle* au lac de Neuchâtel* et reçoit l'Aare* par le canal de Hagneck. Vignobles sur la r. ouest. J.-J. Rousseau résida dans l'île Saint-Pierre (1765) qu'il décrivit dans les *Rêveries du promeneur solitaire*.

BIENNE, en all. **Biel**. ♦ V. de Suisse (cant. de Berne) à l'extrême N. du lac de Bienne. 67 600 hab. en majorité de langue allemande (la ville est sur la frontière linguistique) et de religion protestante. Fondée au XIIᵉ s., la ville a gardé en partie son caractère médiéval : maisons anciennes à arcades, église Saint-Benoît (XVᵉ s.). Musée Schwab. Important centre industriel : horlogerie, métallurgie, industrie mécanique (matériel ferroviaire).

BIENVENÜE (Fulgence). ♦ Ingénieur français (Uzel, 1852 – Paris, 1936). Surnommé le « père du métro », il dressa les plans et dirigea les premiers travaux du métro de Paris.

Ph. Temple

Bigorre : le lac d'Aratille (Hautes-Pyrénées).

BIERUT (Bolesław). ♦ Homme politique polonais (près de Lublin, 1892 – Moscou, 1956). Militant communiste, il fut condamné à sept ans de prison (1933-1940) et se réfugia en Union soviétique dès sa libération. Rentré clandestinement en Pologne en 1943, il fut président du Conseil national de Lublin* (1945) avant d'être élu président de la République en 1947. Cette fonction ayant été abolie et remplacée par un Conseil d'État en 1952, il devint président du Conseil des ministres (1952-1954) en remplacement de Cyrankiewicz*, puis premier secrétaire du parti des travailleurs polonais unifié.

BIET (Antoine). ♦ Prêtre et voyageur français du XVIIᵉ s. (près de Senlis, v. 1620 – ?). Il participa à l'expédition de Royville en Guyane (1652-1654); il a relaté les débuts de la colonisation et publié un dictionnaire de la langue galibi.

BIÈVRE. *n. f.* ♦ Riv. née près de Saint-Cyr (Yvelines) dans la plaine de Trappes (40 km), anc. affl. de la Seine. Elle traverse Jouy*-en-Josas, Bièvres*, Villejuif*, Gentilly* et se perd dans les égouts de Paris.

BIÈVRES. ♦ Ch.-l. de cant. de l'Essonne, arr. de Palaiseau, dominant la Bièvre, à la lisière du bois de Verrières. 3 400 hab. – Victor Hugo, qui séjourna à Bièvres, l'a évoqué dans les *Feuilles d'automne*.

BIGANOS. ♦ Comm. de la Gironde, arr. de Bordeaux, près du bassin d'Arcachon. 4 213 hab. Indus. du bois.

BIGORRE. *n. f.* ♦ Région du S.-O. de la France, qui s'étend sur le bassin supérieur de l'Adour* et forme la majeure partie du dép. des Hautes-Pyrénées* *(Bigourdans)*. – *V. princ.* : **V. Tarbes, Bagnères-de-Bigorre, Rabastens-de-Bigorre, Saint-Pé-de-Bigorre, Vic-en-Bigorre.** ♦ *Hist.* Comté dépendant du duché d'Aquitaine, la Bigorre passa à Philippe* le Bel à la suite de son mariage avec Jeanne* de Navarre, mais, cédée en 1425 au comte de Foix, elle ne fut définitivement réunie à la couronne qu'en 1607 par Henri IV.

BIGOT DE PRÉAMENEU (Félix). ♦ Homme politique français (Rennes, 1747 – Paris, 1825). Avocat, il fut député à l'Assemblée* législative. Conseiller d'État sous le Consulat* il fit partie de la commission nommée par Bonaparte en 1800 pour l'élaboration du Code* civil. Il fut ministre des Cultes de 1807 à 1814.

BIHÂR. *n. m.* ♦ Anc. État indien et région de l'E. de l'Inde*, limitrophe du Népal*. 180 632 km². Plus de 50 000 000 d'hab. *Cap.* Patna*. *V. princ.* Baghalpur, Darbangha, Jamshedpur, Muzaffarpur, Ranchi. Le N. de la région est formé par la plaine du Gange et de ses affluents (Gandah, Son*), contrastant avec le plateau du Chhota Nâgpur et ses collines arrondies, au sud. Les mines de charbon, région de Dhanbâd fournissent 23 000 000 t/an, soit les deux tiers de la production nationale. La présence de mines de fer dans la même région a permis la construction du centre sidérurgique de Jamshedpur*. La région est une grosse productrice de riz, maïs, jute, canne à sucre, tabac. Quelques mines de chrome, manganèse, bauxite, cuivre. ♦ *Hist.* Ce fut l'un des premiers grands États de l'Inde et le centre de la dynastie des Maurya. Il demeura indépendant jusqu'en 1525 puis fut englobé dans l'empire des Moghol*. La région compte de nombreux vestiges datant des premiers temps du bouddhisme, car c'est au Bihâr que vécut et prêcha le Bouddha*.

BIHOR ou **BIHAR**. *n. m.* ♦ Massif montagneux de la Roumanie, à l'O. du plateau de Transylvanie. 1 848 m au mont *Bihorul* (« le Bihor »). Bauxite.

BIHOREL ou **BIHOREL-LÈS-ROUEN**. ♦ Comm. de la Seine-Maritime, dans la banlieue de Rouen*. 7 563 hab. *(Bihorellais)*. Textiles.

BIHZÂD. ♦ Célèbre miniaturiste afghân (Harât, v. 1470 – Khorâsan, v. 1507), appelé parfois le « Raphaël de l'Orient ». Son œuvre, assez peu abondante, eut une très grande influence sur le développement ultérieur de la peinture afghâne et indienne.

BIISK. ♦ V. d'U.R.S.S. (R.S.F.S. de Russie), en Sibérie méridionale, au confluent de la Biia (306 km) et de la Katoun (665 km) qui forment l'Ob*. 186 000 hab. Indus. mécaniques et alimentaires.

BIJAIA. ♦ **V.** BEJAIA.

BIJÂPUR. ♦ V. indienne du Dekkan (Maisûr). 50 000 hab. Elle fut fondée au début du XIe s. et devint la capitale de la dynastie indo-musulmane des Adil-Shâhî en 1489. Capitale du Dekkan* jusqu'au déb. du XVIIIe siècle.

BÎKANER. ♦ Anc. État de l'Inde et V. du Râjasthân* (191 000 hab.) [1970]. La ville est un important centre agricole. Aux XVIIe et XVIIIe s., elle eut un grand renom pour son école de peinture de style râjput*.

BIKINI. ♦ Atoll du N.-O. de l'archipel Marshall (groupe Ralik) où eurent lieu (ainsi qu'à Eniwetok) des expériences atomiques américaines à partir de 1946. Première explosion atomique sous-marine (1946) et première explosion d'une bombe à hydrogène lancée d'un avion (1956).

BILBAO. ♦ V. d'Espagne, cap. de la province basque* de Biscaye*, sur l'estuaire du Nervión* à une douzaine de kilomètres de la côte cantabrique (golfe de Biscaye). 342 800 hab. Grand port et entrepôt minier. Industries métallurgiques et chimiques. Patrie de M.L. Urquijo* et de M. de Unamuno*. ♦ *Hist.* Bastion de la résistance républicaine durant la guerre civile, Bilbao fut enlevée par les franquistes en juin 1937.

BILL (Max). ♦ Architecte, peintre, sculpteur et essayiste suisse (Winterthur, 1908 –). Il étudia à Zurich puis au Bauhaus* (1927-1929). Installé à Zurich en 1930 comme architecte, il pratiqua aussi bien la sculpture et la peinture que l'esthétique industrielle ou le graphisme publicitaire. Ainsi fidèle à l'idéal de synthèse des arts, il dirigea de 1951 à 1956 le centre de la *Hochschule für Gestaltung* d'Ulm dont il avait donné les plans. De 1932 à 1936, il participa au mouvement *Abstraction création* à Paris et, pour ses sculptures, trouva une source d'inspiration dans les mathématiques, établissant des formes selon des schèmes géométriques et

Arch. Rencontre

M. Bill : Construction avec cube suspendu, 1935-1936 (hauteur 120 cm).

Ph. Louis Monier

F. Billetdoux.

des rythmes de plus en plus souples et complexes; il chercha aussi à mettre en valeur les qualités plastiques spécifiques des matériaux utilisés (*Ruban sans fin*, 1935-1953; *Unité tripartite*, 1951).

BILLAUD-VARENNE (Jean-Nicolas). ♦ Homme politique français (La Rochelle, 1756 – Port-au-Prince, 1819). Avocat au parlement de Paris, acquis aux idées révolutionnaires et inscrit au Club des jacobins, il avait fait paraître dès 1789 une violente critique du *Despotisme des ministres de France*, puis un pamphlet, *Acéphalocratie* (1792), où il affirmait ses convictions républicaines. Membre de la Commune insurrectionnelle de Paris après le 10 août 1792, il prit une part active aux massacres de septembre 1792. Député montagnard à la Convention, puis membre du Comité* de salut public (juillet 1793), il contribua à faire adopter par l'Assemblée les bases d'un gouvernement révolutionnaire (28 brumaire an II). Bien que proche des ultra-révolutionnaires (hébertistes), il participa à la lutte de Robespierre contre les factions (les hébertistes, les indulgents, Danton, C. Desmoulins, etc.), avant de devenir l'un des instigateurs du 9 Thermidor (27 juillet 1794). Déporté néanmoins en Guyane (1795), il refusa de bénéficier de l'amnistie de Bonaparte, et passa à Haïti après le retour des Bourbons. Ses *Mémoires* furent publiés en 1893.

BILLAUT (Adam), dit **Maître Adam**. ♦ Menuisier, poète et chansonnier français (Nevers, 1602 – 1662). Son recueil *Les Chevilles* (1644) connut un grand succès.

BILLÈRE. ♦ Comm. des Pyrénées-Atlantiques, dans la banlieue de Pau. 13 501 hab. Indus. électroniques.

BILLÈRES (René). ♦ Homme politique français (Ger, près de Lourdes, Hautes-Pyrénées, 1910). Membre de la deuxième Assemblée constituante (1946), élu député radical à l'Assemblée nationale (1946), ministre de l'Éducation nationale (1956-1958), président du parti radical-socialiste (1965). Sénateur en 1974.

BILLETDOUX (François). ♦ Auteur dramatique français (Paris, 1927). Déroulant au fil d'une intrigue qui l'apparente au vaudeville traditionnel ses péripéties poético-policières, ce théâtre veut aussi être celui de l'aliénation et de l'incommunicabilité. Œuvr. princ. : *Tchin-Tchin* (1958), *Va donc chez Torpe* (1962).

BILLINGHAM. ♦ V. d'Angleterre (Durham), sur le Billingham, affl. de la Tees, au N. de Stockton. 32 140 hab. Tour du Xe s. – Fonderies et indus. chimiques (Imperial Chemical Industries).

BILLOM [bijɔ̃]. ♦ Ch.-l. de cant. du Puy*-de-Dôme, arr. de Clermont*-Ferrand. 3 979 hab. Église Saint-Cerneuf (chœur roman). Église Saint-Loup (XIVe-XVe s.). Façade de l'anc. université (XVe s.). Beffroi du XVe s.; maisons anc. – Vêtements; minoterie. ♦ *Hist.* La ville eut un important collège de jésuites au XVIIe s., il fut affecté, au XIXe s., à une école militaire.

BILLOTTE (Gaston Henri). ♦ Général français (Sommeval, Aube, 1875 – près d'Ypres, 1940). Sorti de Saint-Cyr, il servit surtout en Indochine, où il commanda les troupes françaises (1930). Gouverneur militaire de Paris (après Gouraud, 1937), il fut nommé à la tête du groupe d'armées du Nord (1939). ♦ PIERRE GASTON BILLOTTE, son fils. Général et homme politique français (Paris, 1906). Chef d'état-major du général de Gaulle, membre du Comité de défense nationale (1942-1944), il participa à la campagne de 1944-1945 à la tête de la 10e division. Chef de la délégation militaire française à l'O.N.U. (1946-1950), il fut élu à l'Assemblée nationale (1951) et nommé ministre de la Défense (cabinet E. Faure, 1955). Réélu député (U.N.R.-U.D.T.), il devint ministre d'État pour les départements et territoires d'outre-mer (1966-1968).

BILLROTH (Theodor). ♦ Chirurgien allemand (Bergen, 1829 – Abbazia, 1894). Partisan de la méthode antiseptique (**V. Lister**), il fit des travaux en histologie, pathologie générale et chirurgie.

BILLY (André). ♦ Écrivain français (Saint-Quentin, 1882 – Fontainebleau, 1971). Romancier et critique littéraire, il a également publié des études sur Balzac, Sainte-Beuve, Diderot, etc. (Acad. Goncourt, 1943.)

BILLY-MONTIGNY. ♦ Comm. du Pas-de-Calais, dans l'aggl. de Lens. 10 028 hab. Centre minier.

BILOXI (nom d'une tribu d'Indiens Sioux). ♦ V. et port des États-Unis (Mississippi) sur le golfe du Mexique. 47 814 hab.; zone urbaine 131 000 (1970). Port de pêche et station balnéaire. ♦ *Hist.* Fort Maurepas, sur la baie de Biloxi, fut le premier établissement français de la région (1699), et Biloxi fut par trois fois capitale du territoire français (av. 1722).

BILSEN, en néerl. **Bilzen**. ♦ Comm. de Belgique (Limbourg, arr. de Tongres), sur le Demer. 6 900 hab. Église gothique. Maison communale (1685). – Indus. alimentaires.

BILSTON. ♦ V. d'Angleterre (Staffordshire) dans la banlieue de Wolverhampton. 33 500 hab. Houille. Indus. mécaniques.

BIMBISÂRA. ♦ Roi du Magadha* (actuel Bihâr*, Inde) de la dynastie des Siśunaga, qui régna de ~ 543 à v. ~ 491. Il fut le contemporain et l'ami du Bouddha*. Son fils Ajâtaśatru l'assassina et lui succéda.

BINCHE. ♦ V. de Belgique (Hainaut, arr. de Thuin), sur la Haine. 10 400 hab. *(Binchois).* Hôtel de ville gothique, modifié par Du Broeucq au XVIe siècle. Athénée (XVIIIe s.). Remparts (XIIe-XIVe s.). Collégiale Saint-Ursmer (XIIe s.). Musée du Masque et du Carnaval. – Indus. textiles (dentelle de Binche). Confection pour homme. ♦ *Hist.* Quintus Cicéron y établit un camp dont Ambiorix s'empara en ~ 54. César vint le reprendre. – Résidence des comtes de Hainaut au XIIe s., son château fut la demeure favorite de Marie de Hongrie. La ville fut ruinée en 1554 par le roi de France, Henri II. – La tradition du carnaval binchois (Mardi gras) remonte au XIVe siècle.

BINCHOIS (Gilles). ♦ Compositeur franco-flamand (Mons, 1400 – Soignies, 1460). Soldat et prêtre, il fut d'abord au service du duc de Suffolk puis, après 1430, de Philippe le Bon. Contemporain de Guillaume Dufay*, il a composé, sur des poèmes de Charles d'Orléans, Alain Chartier, Christine de Pisan, une musique dont la qualité de l'invention mélodique égale souvent celle de l'harmonie. Il est aussi l'auteur d'œuvres religieuses (motets, hymnes, magnificat, fragments de messes).

BINDUSÂRA. ♦ Roi du Magadha* (actuel Bihâr*, Inde) qui aurait régné de ~ 297 à v. ~ 274. Il entretint avec les Grecs (qui le nommaient Amitrochatos) d'amicales relations. Son fils Aśoka* lui succéda.

BIN EL-OUIDANE. ♦ V. du Maroc (prov. de Beni-Mellal). 6 600 hab. Grand barrage sur l'oued el-Abid.

BINET (Alfred). ♦ Physiologiste et psychologue français (Nice, 1857 – Paris, 1911). Élève de Charcot*, fondateur, avec Beaunis*, de *l'Année psychologique,* il contribua au progrès de la psychologie expérimentale (*Introduction à la psychologie expérimentale,* 1894). Il est surtout connu par ses travaux (en collaboration avec Simon*) sur la mesure du développement de l'intelligence chez les jeunes enfants. Son échelle métrique de l'intelligence établie en 1905 fut révisée par Terman*.

BINET (Léon). ♦ Médecin et physiologiste français (Saint-Martin, Seine-et-Marne, 1891 – Paris, 1971). On lui doit des travaux sur la physiologie pulmonaire, les hémorragies aiguës, les occlusions intestinales et des études sur divers procédés de réanimation [transfusion, sérum, etc.]. (Acad. sc., 1942.)

BINGEN. ♦ V. d'Allemagne occidentale (Rhénanie-Palatinat) entre la r. g. du Rhin et la r. d. de la Nahe. 24 000 hab. Église gothique (XVe s. avec crypte du XIe s.). Château féodal (burg Klopp). Commerce de vins mousseux. – Patrie de Stefan George. ♦ *Hist.* C'est l'ancienne *Bingium* fondée par Drusus sur le *limes* du Rhin.

BINGER (Louis Gustave). ♦ Officier, explorateur et administrateur français (Strasbourg, 1856 – L'Isle-Adam, 1936). De 1887 à 1889, il explora la boucle du Niger et la Côte-d'Ivoire dont il devint gouverneur en 1893 avant de prendre la direction des Affaires d'Afrique au ministère des Colonies en 1897.

BINGHAM. ♦ Localité des États-Unis (Utah) près du Grand Lac Salé. Très importante mine de cuivre, à ciel ouvert.

BINGHAMTON. ♦ V. des États-Unis (New* York) au S.-O. d'Albany. 63 229 hab.; la ville forme avec Endicott et Johnson City une aggl. de près de 300 000 hab. Centre agricole (produits laitiers) et indus.

BINH DINH. ♦ V. du Sud Viêt-nam, cap. de la prov. du même nom. 25 000 hab. Port de Qui Nhon. Important centre archéologique des XIIe et XIIIe s. (art *cham*).

BINIC. ♦ Comm. des Côtes-du-Nord, arr. de Saint-Brieuc. 2 229 hab. *(Binicais).* Petit port de plaisance et station balnéaire proche d'Étables*-sur-Mer.

BÍO BÍO. ♦ Fl. du Chili. Issu des Andes*, il se jette dans l'océan Pacifique en amont de Concepción* et délimite, au N., le pays Araucan* (384 km). – La *prov. de Bio Bio* (11 248 km². 188 000 hab. *Ch.-l.* Los* Angeles) jouit du climat et de la fertilité du Chili central. Cultures maraîchères.

BIOT (Jean-Baptiste). ♦ Physicien français (Paris, 1774 – *id.,* 1862). Il reconnut l'origine céleste des météorites (chute de l'Aigle, Orne, 1803) [**V. Chladni**], étudia la conduction thermique (1804), effectua avec Arago* les premières mesures précises sur la densité des gaz (1806). Étudiant les propriétés optiques de nombreux cristaux (**V. Brewster**), il reconnut que la polarisation rotatoire consistait, pour une lumière monochromatique, en une rotation de la vibration lumineuse (1812) et établit les lois du phénomène; en 1815, il découvrit le pouvoir rotatoire de certains liquides et reconnut que la rotation produite est proportionnelle à l'épaisseur de liquide traversée puis, en 1835, ayant découvert avec Persoz* un moyen simple de suivre l'*inversion* du sucre de canne en observant les variations d'une solution de sucre acidifiée, il inventa le saccharimètre (**V. Wilhelmy**); à la suite de l'expérience d'Œrsted*, il effectua avec Savart* l'étude quantitative complète des interactions entra aimants et courants [1820]. (Acad. sc., 1803; Acad. fr., 1856.) – *Loi de Biot et Savart :* loi formulée par Laplace* à la suite des expériences et des résultats obtenus par Biot et Savart et qui donne l'expression du champ magnétique créé par un élément de courant électrique.

BIRAGUE (René *de*). ♦ Cardinal et homme politique français, d'origine italienne (Milan, 1510 – Paris, 1583). Il se réfugia en France pour échapper à Ludovic* Sforza, devint garde des Sceaux et chancelier, et fut l'un des instigateurs de la Saint-Barthélemy*. Il contribua à répandre en France la pensée de Machiavel*.

BIRDJAND. ♦ V. d'Iran (IXe province) dans le Khurasan, à la frontière afghane (altitude 1 490 m). 23 500 hab. Oasis. Travail de la laine; tapis. ♦ *Hist.* La ville était au XIVe s. la plus importante du Kouhestân.

BIRGER. ♦ Homme politique suédois (v. 1210 – 1266). Conseiller du roi Eric XI, il délivra Lübeck assiégée par les Danois (1236) et conquit la Finlande. À la mort d'Éric, la dynastie étant éteinte, il fit nommer roi son fils Valdemar et exerça la régence. Il fortifia Stockholm et s'entendit avec la Hanse. ♦ BIRGER II MAGNUSSON (1280 – 1321), petit-fils de Birger. Roi de Suède (1290-1318). Il régna sous tutelle puis fut chassé par un soulèvement.

BIR HAKEIM. ♦ Point d'eau du désert de Cyrénaïque* à 60 km de Tobrouk (Libye). La résistance des Français Libres à Bir Hakeim (mai-juin 1942) contre les assauts des troupes de Rommel* permit la retraite des Britanniques jusqu'à El Alamein* d'où repartit en octobre 1942 la reconquête alliée de la Libye*.

BIRKENAU, en polon. **Brzezinka**. ♦ Localité de Pologne, à 3 km à l'O. d'Auschwitz*. Camp de concentration où les nazis firent périr des millions de juifs durant la Deuxième Guerre mondiale.

BIRKENFELD. ♦ Petite V. d'Allemagne occidentale (Rhénanie-Palatinat). 5 300 hab. Cap. de l'anc. principauté du même nom qui, rattachée à l'Oldenburg* en 1817, fut incorporée à la Rhénanie-Palatinat en 1945.

BIRKENHEAD. ♦ V. d'Angleterre (Cheshire), port important sur l'estuaire de la Mersey*, en face de Liverpool, ville à laquelle elle est reliée par un tunnel. 142 000 hab. Important centre industriel abritant des chantiers navals et des constructions mécaniques. C'est le plus grand centre minotier d'Europe.

BÎRLAD ou **BÂRLAD.** ♦ V. de Roumanie, en Moldavie* (région de Iaşi), sur le *Bîrlad,* affl. du Siret. 37 670 hab. Centre industriel (usine de roulements à billes). – Patrie de Gheorghiu*-Dej.

BIRMANDREIS. ♦ Anc. comm. d'Algérie, située sur les collines du Sahel et incorporée auj. dans le Grand Alger*.

Ph. Nino Cirani/Ricciarini

Le fleuve **Bío Bío,** Concepción, (Chili).

Birmanie.

BIRMANIE. *n. f.* (en angl. **Burma**). ♦ Etat (République fédérale) de l'Asie du S.-E. L'union birmane est constituée par une région de vallées et de chaînes de montagnes orientées N.-S., prolongement naturel des plissements du Yunnan, limitée par le golfe du Bengale* et la vallée du Brâhmaputra* (Bangla-Desh) à l'O., la Chine* au N. et au N.-E., le Laos* et la Thaïlande* à l'E. 678 000 km²; 28 000 000 d'hab. *(Birmans). Cap.* Rangoon. *V. princ.* Lashio, Mandalay*, Martaban, Mogok, Moulmein, Pagan, Pegu, Sagaing. *Site :* Anyatha. *Langue off. :* Birman. De l'O. à l'E., on rencontre tout d'abord l'étroite plaine côtière de l'Arakan*, frangée d'îles, puis la chaîne montagneuse de l'Arakan-yoma culminant au Pakokku dans le N. (2 816 m). Entre celle-ci et la petite chaîne des Pegu-yoma, l'Irawady* allonge son cours sans recevoir l'apport de grands affluents (princ. affl. Chindwin). Le fleuve Hlaing coule parallèlement. Plus à l'E., se trouve la vallée de la Sittang* et enfin celle de la Saluen* qui traverse le plateau Shan. Ce système orographique simple dans le S. se complique dans le N. par les vallées des divers affluents de ces fleuves majeurs : au N.-O., celle du Chindwin* que vient grossir le Manipur et dont les eaux se déversent dans l'Irawady à l'entrée de la grande vallée qui mène celui-ci à la mer; au centre N., les gorges profondes des petits affluents montagnards du cours supérieur de l'Irawady; au N.-O. enfin et sur le plateau Shan, les petits affluents torrentueux de la Saluen, tous orientés N.-S. comme les montagnes. La partie S.-E. du pays est constituée par une étroite bande de terre qui s'allonge (toujours en direction N.-S.) le long du pied de la péninsule malaise; elle est bordée par une côte déchiquetée longée par une grande quantité d'îles rocheuses formant l'archipel des Mergui*. La population est divisée en ethnies parfois très différentes (tibétaines, birmanes, thaï) formant chacune des États que l'Union birmane tend à réunir sous un même gouvernement. Si l'Arakan et la vallée de l'Irawady sont peuplés en majorité de Birmans (race tibéto-birmane), les Kachin occupent les montagnes de l'extrême N., les Chin la partie septentrionale de l'Arakan, les Shan (thaï) les hauts plateaux orientaux, les Karen (en majorité chrétiens) les confins frontaliers avec la Thaïlande. Les langues parlées par ces peuples sont très nombreuses. Le birman, langue officielle de l'Union, est parlé par la majorité birmane de la plaine centrale de Mandalay, de la vallée de l'Irawady et des principales villes. – Le *climat* se différencie suivant les régions : côtes, chaudes et humides, tropicales (mousson); montagnes du N. et de l'E. à climat tempéré, aux hivers très secs. – Les vallées sont occupées par des rizières, des plantations de canne à sucre; les montagnes permettent la culture du tabac, du thé, des arachides, de l'hévéa (dans le Tenasserim) et les forêts qui les couvrent, l'exploitation de bois (teck) destinés à l'exportation. L'artisanat de la laque y est prospère. La pêche est en développement sur les côtes, et les ports y sont nombreux et souvent importants : Rangoon*, Moulmein, Akyab, Bassein. Le sous-sol est, du fait de la nature montagneuse du pays, relativement riche : pétrole dans la moyenne vallée de l'Irawady (à Chauk*), jade dans l'extrême N., mines de rubis à Mogok, plomb, zinc, argent, un peu de wolfram. Mais les routes sont relativement difficiles et la navigation fluviale supporte avec peine l'augmentation du trafic. La population est en majorité bouddhiste (des écoles du S.), bien qu'il existe quelques importantes fractions chrétiennes (Karen) et animistes (extrême N.). – Les échanges commerciaux se font avec les pays voisins (Pâkistân, Inde, Ceylan), le Japon, le Royaume-Uni, les États-Unis, l'U.R.S.S., etc. Exportation de riz, teck, légumes. Importation de machines et de produits manufacturés. ♦ *Hist.* La Basse-Birmanie semble avoir été occupée dès la préhistoire, mais les premiers royaumes hindous et bouddhistes n'ont dû se constituer que vers les premiers siècles de notre ère. Existaient cependant une multitude de petits royaumes birmans dans le centre, qui furent peu à peu conquis par celui de Pagan* (presque au confluent de l'Irawady et du Chindwin) au début du XIᵉ siècle. Une fois les royaumes des Pyû* et des Môn* de Thatön éliminés, la Birmanie commença de naître en tant que pays. L'histoire de ses souverains est dominée par les luttes intestines pour la prééminence politique et la possession de la plaine centrale, et par les guerres contre le Siam. Les Chinois interviendront peu en Birmanie, sauf à la fin du XIIIᵉ s., époque à laquelle les troupes mongoles envahiront le royaume de Pagan. Au cours des siècles se constituèrent de nombreuses hégémonies, comme celles de l'Arakan, du Pégu, de la plaine centrale, des plateaux Shan. En 1824 les Anglais (alors souverains en Inde), pour protéger leurs possessions du Bengale et faire échec à la progression française en Asie du S.-E., envahirent la Basse-Birmanie et en firent une province rattachée à la couronne des Indes. En 1855, ils occupèrent tout le pays. Pendant la Deuxième Guerre mondiale, le pays fut, dès 1942, envahi par les troupes japonaises désireuses de s'approprier les puits de pétrole et de couper la route de Birmanie* qui permettait aux Alliés de ravitailler le gouvernement de Ch'ung-ch'ing. La guerre terminée, les peuples de Birmanie éprouvèrent de la difficulté à s'unir, certaines minorités réclamant leur autonomie. L'union ne put finalement se faire que par une fédération d'États, indépendante depuis le 17 octobre 1947 (en fait, le 4 janv. 1948). – *Patrie de* (souverains et hommes célèbres) : Alaungpaya, Anawratha, Aung San, Bodowpaya, Bayinnaung, Hsinbyûshin, Htilominlo, Mindôn Min, Nawade, Ne Win, Nu (U), Pagan Min, Ponnya (U), Razadarit, Śilawamśa, Tabinshweti, Thant (U), Thibaw Min, Wareru, Ne* Win Bo.

Ph. Sandro Prato/Ricciarini

Birmanie du Sud : jeune paysan.

Birmanie *(route de).* ♦ Route stratégique construite par les Chinois durant la guerre sino-japonaise (1937-1939). et reliant Ch'ung-Ch'ing (prov. du Yunnan) à Lashio (Birmanie). Les Alliés lui joignirent en 1944 la route Stilwell. de Ledo (Assam) à Lashio.

BIRMINGHAM. ♦ V. d'Angleterre, dans le N.-O. du Warwickshire, sur la Rea. C'est, dans les Midlands et, au cœur du « pays noir » *(Black Country),* la deuxième V. de Grande-Bretagne pour la population : 1 086 000 hab. (2 400 000 avec les banlieues). C'est l'un des plus grands centres industriels d'Europe. Dès le XVIe s., Birmingham était célèbre pour ses forges; son développement est étroitement lié à la révolution industrielle de la fin du XVIIIe et du début du XIXe s. qui permit l'exploitation rationnelle des bassins de houille et de fer. Le soutien des banques, les efforts de maîtres de forge comme A. Darby (qui, le premier, utilisa le coke dans les hauts fourneaux), de Watt et Boulton et des inventeurs Priestley et Stephenson, donnèrent à l'industrie lourde sa véritable impulsion. L'épuisement du bassin de fer à la fin du XIXe s. n'a pas tari le dynamisme de Birmingham, dont le champ d'activité est extrêmement vaste : métallurgie lourde et fonderies, fabriques d'armes, d'appareils électriques, matériel ferroviaire, moteurs d'automobiles (Austin), quincaillerie, verreries, produits chimiques, matières plastiques, caoutchouc synthétique et pneumatique, chocolateries. Birmingham est en outre un centre culturel (université, musées, bibliothèque consacrée à Shakespeare). — Patrie de Burne*-Jones, Auston, Chamberlain*, A.R. Radcliffe*-Brown.

BIRMINGHAM. ♦ V. des États-Unis (Alabama*). 297 364 hab. (la zone urbaine atteint 730 000 hab.). Une des plus grandes villes industrielles du S. des États-Unis, à proximité d'énormes gîtes minéraux (charbon, fer, etc.). Sidérurgie, textile, indus. chimiques, alimentaires, etc. Importants collèges.

BIROBIDJAN. *n. m.* ♦ Anc. État autonome de l'U.R.S.S., au N. du confluent de l'Amour et de la Sungari, devenu région autonome des Juifs. *Ch.-l.* Birobidjan*. Exploitation de bois. Mines de cuivre et de fer.

BIROBIDJAN. ♦ V. d'U.R.S.S. (R.S.F.S. de Russie), ch.-l. de la région autonome des Juifs (36 000 km², 179 000 hab., comprise dans le Territoire de Khabarovsk), sur la Bolchaïa Bira (288 km), et le Transsibérien, dans l'Extrême-Orient soviétique, à l'O. de Khabarovsk*. 42 000 hab. (1962). Exportation de minerais de cuivre et de fer. Indus. mécaniques et alimentaires. Traitement du bois. ♦ *Hist.* La ville fut fondée et la région créée en 1928, pour y héberger les juifs chassés de Russie ou apatrides.

BIRON (Armand de Gontaut, *baron de***).** ♦ Maréchal de France (1524 — Épernay, 1592). Il combattit dans les rangs catholiques pendant les guerres de Religion*, mais se rallia très vite à Henri* IV, et prit part à la bataille d'Arques*. Il mourut au siège d'Épernay. ♦ CHARLES DE GONTAUT, *duc de Biron,* son fils (1562 — Paris, 1602). Favori de Henri IV en raison de ses brillants services, il devint amiral puis maréchal de France et gouverneur de Bourgogne. Ayant conspiré avec l'Espagne et la Savoie, il refusa d'avouer et fut exécuté. ♦ ARMAND LOUIS DE GONTAUT, *duc de Lauzun,* puis *duc de Biron,* dit *le Beau Lauzun* (Paris, 1747 — 1793). Après avoir défrayé la chronique scandaleuse de la cour, il s'engagea pour l'Amérique. Député aux États généraux, aigri contre la cour, il passa au service de la Révolution, mais fut guillotiné en 1793.

BIRON. ♦ Comm. de la Dordogne*, arr. de Bergerac*. 123 hab. Château célèbre dont les parties les plus anciennes remontent au XIe siècle.

BIROT (Pierre). ♦ Géographe français (Meudon, 1909). Spécialiste de géographie physique, et particulièrement de géomorphologie, il a publié *Les Méthodes de la morphologie* (1955), *Morphologie structurale* (1958), *Précis de géographie physique générale* (1959).

BIRSHEBA. ♦ V. BEERSHEBA.

BÎRÛNÎ (Abû Rayhân Muhammad ibn Ahmâd al-). ♦ Savant et philosophe arabo-islamique [d'origine iranienne], (Kâth, Khârezm, 973 — Ghaznî, Afghânistân, 1048). Grand voyageur, il visita l'Iran et l'Inde avant de séjourner à Ghaznî. Il s'est illustré dans les domaines les plus divers : histoire (*Livre sur l'Inde* dont il étudia les religions et philosophies, *Chronologie des anciens peuples*), mathématiques, astronomie et astrologie, minéralogie et surtout cosmographie et géographie (*Qanun al-Mas'ûdî*). Ses ouvrages philosophiques sont perdus, mais on peut néanmoins trouver chez lui une philosophie de l'histoire. En mathématiques, il donna des démonstrations originales de formules relatives aux aires du triangle et des quadrilatères inscriptibles. Il détermina, avec une remarquable précision, les poids spécifiques de nombreuses substances.

BISCAROSSE. ♦ Comm. des Landes, arr. de Mont*-de-Marsan, au N. de l'*étang de Biscarosse* et de Parentis, 7 781 hab. (5 469 aggl.). Église du XVe s., château du XVIe siècle. À 8 km, station balnéaire de *Biscarosse-plage.*

BISCAYE [biskaj], *n. f.* en esp. **Vizcaya.** ♦ L'une des prov. basques* d'Espagne, bordée au N. par le golfe de Biscaye (ou de Gascogne*). 876 000 hab. *(Biscaïens).* Cap. Bilbao*. *V. princ.* Baracaldo*, Guernica* y Luno. Mines de fer. ♦ *Hist.* Seigneurie indépendante jusqu'en 1379, date à laquelle elle fut rattachée à la Castille, elle jouit de nombreux privilèges. De sanglants combats s'y déroulèrent pendant la guerre civile espagnole, en 1937.

BISCEGLIE. ♦ V. et port d'Italie, dans les Pouilles (prov. de Bari) sur l'Adriatique. 41 700 hab.

Ph. Lauros-Giraudon

Bismarck et Guillaume Ier. Image d'Epinal.

BISCHHEIM. ♦ Comm. du Bas-Rhin (arr. de Strasbourg-Campagne), dans la comm. urb. de Strasbourg. 14 383 hab. Indus. du bois (meubles).

BISCHWILLER. ♦ Ch.-l. de cant. du Bas-Rhin* (arr. de Haguenau), sur la Moder. 9 137 hab. (8 687 aggl.). Ancienne ville fortifiée. Indus. textiles, métallurgiques, papeterie, chaussures.

BISKRA. ♦ V. d'Algérie, ch.-l. d'arr. du dép. de Batna, au pied du massif de l'Aurès*. 55 400 hab. Centre principal du groupe des oasis du Zab* ou du Ziban. Important centre de culture et de commercialisation des dattes. Station touristique.

BISKUPIN. ♦ Localité de Pologne* (voïévodie de Bydgoszcz). Cité fortifiée de civilisation lusacienne, datant d'env. 400 ans avant notre ère. Découverte en 1934, elle a permis de connaître l'évolution de la civilisation des proto-slaves.

BISMARCK (Otto Eduard Léopold Bismarck-Schönhausen). ♦ Homme d'État allemand (Schönhausen, Brandebourg, 1815 — Friedrichsruh, 1898). D'une famille de *junkers* luthériens, il fit des études de droit sans assiduité à Göttingen puis, plus sérieusement, à Berlin, et entra dans l'administration prussienne. N'acceptant pas la monotonie de ses fonctions, il démissionna en 1839 et vécut quelque temps sur ses terres en Poméranie sans se désintéresser de la vie politique. Élu au *landtag* de Prusse en 1847, dans les rangs de l'extrême droite, il refusa la faiblesse de Frédéric*-Guillaume IV pendant la révolution de mars 1848 et le décida à organiser la répression. Son conservatisme le fit envoyer comme plénipotentiaire prussien à la diète de Francfort (1851-1858) où il prit une attitude antiautrichienne de plus en plus marquée. Il fut alors nommé à l'ambassade de Saint-Pétersbourg (1859-1862) et de Paris (1862) et, rappelé par Guillaume Ier, il devint Premier ministre le 23 septembre 1862. Avec la confiance de son souverain, il put établir une véritable dictature (budget voté par la seule Chambre haute, limitation de la liberté de la presse) qui devait lui donner les moyens de réaliser son unique objectif : la grandeur de la Prusse. Sûr de son armée, devenue la première du monde, il poussa habilement l'Autriche à la guerre afin de l'exclure de l'Allemagne, après avoir réglé la question des duchés (**V. Duchés** [guerre des]) et s'être assuré de la neutralité des autres pays européens (entrevue avec Napoléon III à Biarritz). La victoire prussienne contre l'Autriche à Sadowa le 3 juillet 1866, suivie du traité de Prague, aboutit à la création de la Confédération de l'Allemagne du Nord sous la tutelle de la Prusse, dont furent exclus les Habsbourg. Pour la première fois, le territoire de la Prusse était d'un seul tenant. Ce succès éclatant rallia une partie des libéraux à Bismarck, qui avait assoupli sa politique intérieure. Pour réaliser la seconde phase de son programme, il lui fallait le soutien des États du Sud. Par la ruse, il signa avec eux une alliance offensive et défensive en prenant le prétexte des ambitions territoriales de Napoléon III (ce que Bismarck appelait la politique des « pourboires »). Puis il les entraîna dans une guerre contre la France, à la suite d'une habile falsification diplomatique (**V. Ems** [dépêche d']). La défaite des troupes impériales à Sedan* rallia aussitôt à Bismarck les États de l'Allemagne du Sud, y compris la Bavière, et le 18 janvier 1871 fut signé l'acte de fondation de l'Empire allemand. Devenu chancelier du Reich et président du Conseil de Prusse, son seul souci fut dès lors de consolider l'empire, en réduisant toute force hostile à l'unitarisme prussien. À 56 ans, il avait entre les mains des pouvoirs immenses : il n'était responsable que devant l'empereur (Guillaume Ier était âgé et de plus en plus conciliant); mais il lui fallait tenir compte de la tendance majoritaire du Reichstag. Usant de compromis, il gouverna donc en s'appuyant successivement sur les

Ph. Sandro Prato/Ricciarini

Archipel **Bismarck** : art mélanésien, sculpture Malanggam. (Musée de Sydney, Australie.)

différents partis. Tout d'abord allié aux nationaux-libéraux, il engagea le *Kulturkampf** contre le centre catholique qu'il soupçonnait d'être plus fidèle à Rome qu'à Berlin : il fit voter contre ce parti les « lois de mai » (1873 à 1875 : mariage civil, surveillance et nomination du clergé). Ce fut un échec car le parti du centre avec Windthorst s'en trouva consolidé et, à partir de 1880, devant la montée du socialisme, Bismarck, ayant abandonné une partie des « lois de mai », gouverna avec le centre et les conservateurs. Il commença par rétablir le protectionnisme réclamé par les agriculteurs et les métallurgistes. Puis, prenant le prétexte de deux attentats contre l'empereur, il interdit toute propagande socialiste tout en mettant sur pied la première législation sociale d'Europe (système des assurances maladies, accidents, vieillesse, de 1883 à 1889). Cet ensemble de lois n'empêcha pas les progrès du socialisme. Il rencontra le plus grand échec de sa carrière avec l'opposition systématique des minorités annexées contre leur gré (Danois du Schleswig, Polonais et surtout Alsaciens-Lorrains). Ni la politique de germanisation, ni les mesures d'intimidation (emprisonnements) ne vinrent à bout de leur résistance. La question de l'Alsace-Lorraine, en entretenant en France un esprit de revanche, accrut la tension entre les deux pays. Pour isoler diplomatiquement son voisin, Bismarck mit en place l'Entente des trois empereurs (Allemagne, Autriche-Hongrie et Russie, 1872), renouvelée en 1881 puis en 1884, et la Triple-Alliance*. Par ces systèmes d'alliance, il manœuvra pendant vingt ans toute la diplomatie européenne, se plaçant lui-même en arbitre au centre des rivalités (congrès de Berlin, 1878; conférence de Berlin, 1884-1885, seul moment où il accepta que l'Allemagne s'engageât dans la voie coloniale). C'est d'ailleurs en partie sur cette question de politique coloniale qu'il entra en conflit avec Guillaume II et qu'il dut à contrecœur quitter le pouvoir le 20 mars 1890. Il se retira en Poméranie où il acheva la rédaction de ses mémoires en critiquant avec amertume ses successeurs et Guillaume II.

BISMARCK *(archipel)*. ♦ Groupe d'îles de la Mélanésie* (Océanie), appelé parfois *archipel de la Nouvelle-Bretagne* (du nom de l'île principale), dans l'océan Pacifique du S.-O. L'archipel dessine une concavité ouverte vers le N.-O., où se situe la *mer de Bismarck*; il est baigné au S. par la mer des Salomon*. Il est formé du S.-O. au N.-O. par (îles principales) : Nouvelle*-Bretagne, Nouvelle*-Irlande, Lavongaï*, et à l'extrémité, par les îles de l'Amirauté*. 49 620 km². 200 000 hab. env. (Mélanésiens et env. 9 000 Européens). *V. princ.* **V. Rabaul** (Nouvelle-Bretagne). – Les îles sont en général volcaniques; leurs côtes sont bordées de récifs coralliens. Le climat est équatorial, chaud et humide. Forêts denses. La ressource économique essentielle est le coprah, avec quelques bois de charpente. Récemment, développement du cacao. ♦ *Hist.* L'archipel, avec le N.-E. de la Nouvelle*-Guinée, fut annexé par les Allemands en 1844, et occupé par les Australiens en 1914. Cette zone fut le théâtre d'une campagne militaire et navale pendant la Deuxième Guerre mondiale, qui aboutit à la destruction de Rabaul*, forteresse japonaise. L'archipel est depuis 1946 placé sous tutelle de l'Australie* *(territoire du nord-est de la Nouvelle*-Guinée,* en angl. *New Guinea Trust Territory).*

BISMARCK (du nom du *chancelier Bismarck*). ♦ V. des États-Unis, cap. du Dakota du Nord, au centre de cet État, sur la r. d. du Missouri. 27 670 hab. (1960). Centre agricole (commerce du blé et du bétail).

BISSAGOS *(îles)* ou **BIJAGOS**. ♦ Archipel bordant la Guinée*-Bissau et dépendant de son territoire. 16 000 hab. Elevage. Palmiers à huile.

BISSAU. ♦ Cap. de la Guinée* portugaise. 25 000 hab. Exportation d'arachide, d'huile de palme et de bois tropicaux.

BISSIÈRE (Roger). ♦ Peintre, dessinateur et graveur français (Villeréal, 1888 – Marminiac, 1964). Après des études à l'École des beaux-arts de Bordeaux, il s'installa à Paris, fréquentant notamment A. Lhote*, J. Gris* et se liant à partir de 1922 avec G. Braque*. Il collabora aussi à la revue de Le* Corbusier et d'Ozenfant* *l'Esprit nouveau* et devint professeur à l'académie Ranson de 1925 à 1938. Installé dans le Lot à partir de 1939, malade des yeux, il abandonna la peinture jusqu'en 1945. Il exécuta cependant des tentures murales faites de chiffons cousus. Après sa guérison il peignit des œuvres non figuratives, abandonnant le cubisme et peignant par touches de couleurs aux nuances subtiles formant un canevas plus ou moins serré donnant à l'ensemble une unité tonale originale. Ces œuvres, où la couleur tend à devenir le véhicule privilégié de l'émotion, procèdent souvent d'une contemplation soutenue de la nature (*Le Jardin cette nuit,* 1962) et visent, a-t-il dit, « à satisfaire à un besoin d'effusion ». Il a aussi exécuté de nombreuses gravures et conçu des vitraux pour la cathédrale de Metz.

BISSING (Moritz, *baron von***)**. ♦ Général allemand (Bellmannsdorf, 1844 – Bruxelles, 1917), gouverneur de la Belgique occupée de 1914 à sa mort. Pour préparer l'annexion de la Belgique, ou du moins de sa partie flamande, il favorisa le mouvement flamingant.

BISSON (Alexandre). ♦ Auteur comique français (Briouze, 1848 – Paris, 1912). Œuv. princ. : *Le Député de Bombignac* (1884), *Le Contrôleur des wagons-lits* (1892).

BISSORTE. *n. f.* ♦ Torrent des Alpes qui se jette dans l'Arc*, à l'O. de Modane (Savoie). Un barrage, qui retient ses eaux à 2 050 m d'alt., alimente l'usine hydro-électrique de La Praz.

BISSY-SUR-FLEY. ♦ Comm. de Saône-et-Loire, arr. de Chalon-sur-Saône. 129 hab. Château du XVᵉ s. où naquit Pontus* de Tyard, seigneur du lieu.

BISTÂMÎ (Abû Yazîd al-). ♦ Sûfî (soufi) musulman (Bistâm, Perse, ? – 874). Après des études de droit islamique (école hanéfite), il se tourna vers le sûfisme et fut un ascète solitaire. Il n'a rien rédigé; des fragments et des sentences ont été recueillis bien après sa mort par ses disciples. Le but qu'il cherchait à atteindre par l'ascèse était « l'esseulement de l'âme devant l'Essence de Dieu ».

BISTRIȚA. ♦ Riv. de la Roumanie nord-orientale (280 km). Issue des Carpates, elle irrigue la Moldavie, passe à Piatra* Neamt, à Bacău* et se jette dans le Siret. 12 centrales sont prévues sur son cours (soit une puissance de 450 000 kWh). 7 ont déjà été réalisées (Pingarasti, Bicaz, etc.).

BITCHE. ♦ Ch.-l. de cant. de la Moselle, arr. de Sarreguemines. 6 358 hab. Citadelle construite par Vauban en 1679. Porcelainerie; cristallerie; céramique; matières plastiques. ♦ *Hist.* Importante place-forte commandant le passage des Vosges, elle résista aux Autrichiens en 1744, aux Prussiens en 1793 et, durant la guerre franco-allemande de 1870-1871, jusqu'à la signature de la paix. Camp militaire à l'E. de la ville jusqu'à la frontière allemande.

BITERROIS. *n. m.* ♦ Région de Béziers*, dans le bas Languedoc*, constituée de plaines que baignent les cours inf. de l'Orb et de l'Hérault. Vignes.

BITHYNIE. *n. f.* ♦ Anc. région du N.-O. de l'Asie Mineure appartenant auj. à la Turquie. Elle était limitée par le Pont*-Euxin au N., la Paphlagonie* à l'E., la Galatie* et la Phrygie* au S., la Propontide* et la Mysie* à l'O. *V. princ.* Nicomédie*, Prousa*, Nicée*, Héraclée*. D'origine thrace, les Bithyniens formèrent d'abord un État indépendant et n'entrèrent en contact avec le monde hellénique que sous le règne de Nicomède* Iᵉʳ (~281-~250). Ils eurent ensuite pour souverains Prusias* Iᵉʳ qui voulait livrer Hannibal* (~183), Prusias* II qui fut détrôné par Attale* II, roi de Pergame, au profit de Nicomède* II (~149-~91), et Nicomède* III qui légua son royaume à Rome. En ~74, la Bithynie devint alors province romaine. Les Turcs ottomans s'en emparèrent à la fin du XIIIᵉ siècle.

BITOLA ou **BITOLJ**, anciennement en turc **Monastir**. ♦ V. de Macédoine* comprise dans la Yougoslavie* depuis 1918. 54 000 hab. La ville et ses environs furent l'enjeu de violents combats durant la Première Guerre mondiale.

BITON. ♦ **V.** CLÉOBIS et BITON.

BITONTO. ♦ V. de l'Italie (Bari) dans les Pouilles. 37 395 hab. ♦ *Hist.* Cathédrale romane du XIIᵉ siècle. Centre agricole (vins). Patrie de Giordani. Durant la guerre de la Succession* de Pologne, les Espagnols y remportèrent une victoire sur les Autrichiens en 1734.

BITURIGES. *n. m. pl.* ♦ Peuple de la Gaule qui se divisait en deux familles : les *Bituriges Cubi* qui avaient pour cap. Avaricum* (Bourges*) et les *Bituriges Vivisci* dont le centre était *Burdigala* (Bordeaux*). Ils tinrent un rôle important lors du soulèvement de la Gaule contre César* **(V. Bourges).**

BIWA *(lac)*. ♦ Grand lac du Japon, au N. de Kyôto, qui tire son nom de la ressemblance de sa forme avec le *biwa,* sorte de luth japonais piriforme. Allongé du N. au S. et traversant l'île de Honshû* dans sa partie médiane étranglée, il mesure 64 km de longueur et a une surface de 675 km². Sa profondeur maximale est de 95 m seulement, bien qu'il soit entouré de montagnes. Ses eaux, très poissonneuses, se déversent dans la mer intérieure du Japon (baie d'Ôsaka) par le fleuve Yodo.

BIXIO (Jacques Alexandre). ♦ Médecin, agronome et homme politique français (Chiavari, anc. dép. des Apennins, 1808 – Paris, 1865). Il participa à la révolution de 1830, puis au mouvement réformiste qui aboutit à celle de 1848. Fondateur d'une librairie agricole et du *Journal d'agriculture pratique et de jardinage* (1837), il fut membre de la Constituante et de la Législative en 1848. En 1853, il organisa des dîners où se retrouvaient savants et hommes de lettres.

BIZERTE. ♦ V. et port de Tunisie, ch.-l. de gouvernorat. 268 700 hab. au débouché du *lac de Bizerte,* sur le détroit de Sicile en Méditerranée. 46 700 hab. Raffinerie de pétrole. La base navale aménagée par la France à partir de 1881 a été remise à la Tunisie en 1963. – Au S.-O. **V. Menzel-Bourguiba** (anc. Ferryville).

BIZET (Georges). ♦ Compositeur français (Paris, 1838 – Bougival, 1875). Entré au Conservatoire à dix ans, il se vit attribuer au terme de brillantes études, le premier grand prix de Rome (1857). Des nombreux ouvrages, de qualité très inégale, qu'il a composés pour le théâtre, se détachent des opéras-comiques et des opéras : *Les Pêcheurs de perles* (1863), *La Jolie Fille de Perth* (1866), *Djamileh* (1871) et surtout *Carmen* (1874), chef-d'œuvre du drame lyrique français, où la musique se fait la plus éloquente interprète de la psychologie. D'une œuvre que la mort interrompit prématurément et que l'insuccès accueillit presque toujours, il convient de retenir encore *La Symphonie en ut,* charmante œuvre de jeunesse, (1855), les *Jeux d'enfants,* 12 pièces pour piano à quatre mains (1871) et la célèbre musique de scène de l'*Arlésienne* (1872).

BJÖRLING (Gunnar Olof). ♦ Poète finlandais de langue suédoise (Helsinki, 1887 – *id.,* 1960). Il représente avec Södergran*, Diktonius* et Enckell* le modernisme finlandais d'après 1920. Après des recueils d'apparence quelquefois dadaïste comme *Kiri-ra !* (1930), il développa un style allusif et fragmentaire, moins ésotérique pourtant qu'on ne le dit souvent et qui recompose un monde nouveau avec les débris de l'ancien. Découvert en Suède après 1940, sa renommée n'a cessé de grandir. Il est l'auteur de nombreux recueils aux titres peu conventionnels comme *Mais souffle des violettes sur la mer* (1936), *Que la griffe bleue du péché* (1936), *Les Heures de notre vie de chat* (1949), *Toi terre et jour* (1957).

BJØRNSON (Bjørnstjerne). ♦ Auteur dramatique et écrivain norvégien (Kvikne, 1832 – Paris, 1910). Contemporain, ami et rival d'Ibsen*, il prit la succession de Wergeland* en tant que chef du nationalisme norvégien. Sa première œuvre fut un conte paysan : *Synnöve Solbaken* (1857) qui décrit la beauté de la nature norvégienne et les problèmes d'un jeune paysan. Il écrivit en même temps ses deux premiers drames : *Entre les batailles* (1858) et *Halte Hulda* (1858). Puis se succédèrent des contes paysans : *Arne* (1859), *Un Joyeux Garçon* (1860), et des drames : *Le Roi Sverre* (1861), *Sigurd Slembe* (1862), grande trilogie inspirée par l'histoire de la Norvège. Il voyagea en Italie en 1859, revint en Norvège en 1863 et écrivit un drame lyrique, *Marie Stuart* (1864). En 1866, il finit la comédie *Les Nouveaux Mariés,* puis en 1868 publia un nouveau conte : *La Fille de la Pêcheuse.* En 1870 parut le cycle épique : *Arnljot Gelline* et en 1872 un drame : *Sigurd Jorsalfar* (mis en musique par Grieg*), ainsi qu'un petit recueil de vers d'une rare perfection musicale. Après un nouveau voyage de deux ans en Italie, il publia en 1875 deux pièces plus réalistes, le célèbre drame de mœurs : *La Faillite,* et *Le Rédacteur.* À cette époque, le christianisme optimiste de Bjørnson évolua sous l'influence des théories nouvelles lancées par Brandes*. La foi de sa jeunesse fit place à un idéal humaniste, optimiste et moral, et il s'attaqua aux problèmes de son temps. En 1879 parurent successivement un drame, *Le Roi,* un roman, *Magnhild* et deux autres drames, *Le Nouveau Systeme* et *Leonarda.* Enfin, après un court roman : *Poussière* (1882), parut sa grande tragédie sociale *Au*-delà des forces humaines* (1883, remaniée en 1895). Il fit preuve d'humour et d'optimisme dans ses deux dernières comédies : *Amour et Géographie* (1885) et *Lorsque la vigne fleurit* (1909). Avec son drame *Le Gant* (1884), il lança une nouvelle morale du mariage et souleva une discussion qui fut reprise par de nombreux auteurs dont A. Skram* et Garborg*. Il laissa encore deux romans : *On pavoise* (1884) et *Les Voies de Dieu* (1889) ainsi qu'un drame psychologique : *Paul Lange et Tora Parsborg* (1898) que lui inspira le suicide d'un ami. L'œuvre abondante et variée de Bjørnson témoigne de sa vitalité optimiste, de son esprit batailleur, de son caractère humain et généreux, de son talent de poète et de dramaturge. Il fut par sa vie et son œuvre, comme l'a dit Ibsen*, « une grande âme royale ». (Prix Nobel, 1903.)

Ph. M. Pedone/Ricciarini
Bitonto : la cathédrale.

BLACAS d'AULPS (Pierre Jean Casimir, *comte* puis *duc de*). ♦ Homme politique français (Vérignon, Provence, 1771 – Autriche, 1839). Émigré dès les débuts de la Révolution, il fut un des conseillers du comte de Provence (futur Louis XVIII). À la première Restauration (1814), il fut nommé secrétaire d'État et ministre de la Maison du roi. Après la révolution de juillet 1830, il suivit la famille royale en exil.

BLACHÈRE (Régis). ♦ Orientaliste français (Montrouge, 1900 – Paris, 1973). Titulaire de la chaire de philosophie arabe à la Sorbonne et directeur de l'Institut des études islamiques à Paris, il a publié une *Grammaire de l'arabe classique* (avec Gaudefroy*-Demombynes), une *Histoire de la littérature arabe* (1952), *Le Problème de Mahomet* (1952), une traduction du Coran (1949-1950 et 1957) ainsi qu'une *Introduction au Coran* (1959).

BLACK (Joseph). ♦ Physicien et chimiste écossais (Bordeaux, 1728 – Édimbourg, 1799). Après avoir découvert la magnésie (1755), il effectua des travaux sur les carbonates de magnésie et de chaux et décela l'existence du gaz carbonique dans l'atmosphère. Il conceptualisa les notions modernes de quantité de chaleur, de capacité calorifique, de chaleur spécifique et de chaleur latente, de changement d'état (1757-1762) et fonda la calorimétrie **(V. Berthelot)** en réalisant par la méthode des mélanges les premières déterminations de ces grandeurs.

BLACKBURN. ♦ V. d'Angleterre (Lancashire), sur le *Blackburn.* 100 000 hab. Grand centre cotonnier (tissage, filature). Machines textiles. En 1764, James Hargreaves* y inventa une nouvelle machine à filer, la « spinning jenny ».

BLACK COUNTRY (« Pays noir »). *n. m.* ♦ Nom donné à partir du XIXe s. à la zone industrielle du centre de l'Angleterre correspondant à l'O. des Midlands*, s'étendant au N. et au N.-O. de Birmingham sur le bassin houiller du Sud Staffordshire* et du Nord Worcestershire*. C'est une des régions les plus caractéristiques de l'Angleterre industrielle, avec plus de 20 agglomérations.

BLACKETT (Patrick Maynard). ♦ Physicien anglais (Londres, 1897 –). Auteur, en 1923, de la première transformation d'une espèce d'atome (azote) en une autre espèce (oxygène) [**V. Rutherford**], il étudia particulièrement les rayons cosmiques : en 1932, avec Occhialini*, il confirma l'existence du positon **(V. Anderson)** et la « matérialisation » du photon; ces observations, faites dans les particules de gerbes, permirent d'interpréter le phénomène des gerbes-cascades. **V. Bethe, Heitler, Rossi.** (Prix Nobel de phys., 1948.)

BLACKPOOL. ♦ V. d'Angleterre (Lancashire), sur la mer d'Irlande. 167 167 hab. Station balnéaire, très fréquentée par une clientèle populaire. Camps de vacances. Indus. aéronautiques, mécaniques et alimentaires (biscuiteries, confiseries).

BLACKWATER. *n. m.* ♦ Nom de plusieurs cours d'eau d'Irlande. Le plus important draine le S.-O. de la république d'Irlande (prov. de Munster) et marque la frontière entre les comtés de Kerry et de Cork.

BLAEU (Willem Janszoon). ♦ Géographe et cartographe hollandais (Uitgeest, 1571 – Amsterdam, 1638). Élève de Tycho-Brahé, il établit une carte du monde en 1605, des cartes géographiques et marines (1617) et publia *Theatrum mundi* (1619).

BLAGA (Lucian). ♦ Poète roumain (Lancrăm din Sibiu, Transylvanie, 1895 – Cluj, 1961). Sa poésie s'attache à exprimer le « mystère du monde » : *Paşili Profetului* (« Les Pas du Prophète », 1921); *Lauda somnului* (« Eloge du sommeil », 1929). Ouvrages philosophiques : *Trilogie de la connaissance* (1931-1934), *Trilogie de la culture* (1936-1937).

BLAGNAC. ♦ Comm. de la Haute-Garonne (arr. et aggl. de Toulouse), sur la r. g. de la Garonne. 8 605 hab. *(Blagnacais).* Église (XIVe-XVe s.). Au S.-O., aéroport de *Toulouse-Blagnac.* Indus. aéronautiques.

BLAGNY. ♦ Comm. des Ardennes, arr. de Sedan. 1 745 hab. Forges.

BLAGOVESHTCHENSK. ♦ V. d'U.R.S.S. (R.S.F.S. de Russie), ch.-l. de la région de l'Amour (363 700 km², 796 000 hab.), au confluent du fleuve Amour* et de la Zeya (1 208 km), dans l'Extrême-Orient soviétique, à la frontière chinoise. 128 000 hab. Construction et réparation de bateaux. Indus. mécaniques et alimentaires. Traitement du bois (meubles, allumettes).

BLAIN. ♦ Ch.-l. de cant. de la Loire-Atlantique (arr. de Châteaubriant), sur la r. d. de l'Isac canalisé. 7 181 hab. (3 016 aggl.)

Arch. Smeets

W. Blake : « la Lapidation d'Achan ». (Tate Gallery, Londres.)

[*Blinois*]. Vestiges d'un château fort des XIVe-XVIe s., démantelé sur l'ordre de Richelieu. – Forêt.

BLAINVILLE (Henri Ducrotay *de*). ♦ Naturaliste français (Arques, 1777 – Paris, 1850). Élève de Cuvier*, dont il combattit les théories (en particulier le fixisme), il enseigna l'anatomie et la zoologie au Muséum. Ses idées exercèrent une grande influence sur la pensée d'A. Comte* (*Physiologie générale et comparée; Prodrome d'une nouvelle distribution du règne animal*, 1816; *De l'organisation des animaux*, 1822). (Acad. sc., 1825.)

BLAINVILLE-SUR-L'EAU. ♦ Comm. de la Meurthe-et-Moselle, arr. de Lunéville. 4 836 hab. (*Blanvillois*). Confections; indus. textile.

BLAINVILLE-SUR-ORNE. ♦ Comm. du Calvados (arr. de Caen). 2 735 hab. Constructions automobiles.

BLAIS (Marie-Claire). ♦ Écrivain canadien d'expression française (Québec, 1939). Née dans une famille ouvrière, elle dut abandonner ses études pour travailler, alors même qu'elle commençait à écrire (son premier roman, *La Belle Bête*, parut en 1959). Ayant obtenu une bourse Guggenheim en 1963, elle est partie aux États-Unis où elle s'est installée. Auteur de recueils poétiques (*Pays voilés*, 1963; *Existences*, 1964), M.-Cl. Blais a surtout élaboré un univers romanesque où le ton gouailleur ne peut dissimuler la noirceur de la peinture; d'abord puissamment onirique dans *Tête blanche* (1960) et *Le jour est noir* (1962), ce monde s'est rapproché de la réalité avec *Une saison dans la vie d'Emmanuel* (1964), où l'écrivain, soucieux d' « unir l'humour à la tragédie [a voulu] montrer comment les individus (...) sont gouvernés par des instincts absurdes qui en font des héros ou des criminels ». – Galerie impitoyable de personnages, affublés de vices ou d'anomalies, cet ouvrage évoque sur un ton cocasse et grinçant la vie d'une pauvre famille paysanne du Québec « effroyable descente aux enfers [où l'] on découvre une certaine douleur d'être au monde ».

BLAKE (Robert). ♦ Amiral anglais (Bridgewater, 1599 – Plymouth, 1657). Ami de Cromwell*, il détruisit la flotte du prince Rupert* (1649), puis tint tête à Tromp* et à Ruyter* (1652). Plus tard, en Méditerranée, il tint en respect les flottes barbaresques et détruisit l'escadre espagnole aux Canaries (1657).

BLAKE (William). ♦ Poète, peintre et graveur anglais (Londres, 1757 – *id.*, 1827). À partir de 1772, il étudia chez le graveur J. Basire et s'intéressa à l'art du Moyen Âge. À l'Académie royale, il rencontra Flaxman*, puis Füssli*, et fut influencé par leurs conceptions du dessin; il garda de l'enseignement de Reynolds un profond mépris pour la peinture s'inspirant de la nature. En 1783, parut son premier volume de vers au lyrisme intense et de caractère visionnaire. En 1784, il fonda un atelier de gravure et y travailla avec son frère. La mort de celui-ci en 1787 lui causa des hallucinations et développa ses tendances visionnaires; il inventa alors un procédé original de gravure (*illuminated painting*) qui lui permettait de graver en relief, en même temps, le texte et l'illustration qu'il rehaussait ensuite d'aquarelle; il illustra ainsi la plupart de ses ouvrages. En 1789, il publia *Chants d'innocence*, le *Livre de Thel*, puis la *Révolution française*, en 1791, le *Mariage du Ciel et de l'Enfer* (1793) et, en 1794, *Les Chants de l'expérience*. Il y affirme sur un ton prophétique l'intérêt qu'il porte à l'idéal révolutionnaire, sa haine de la morale chrétienne dont il souligne le caractère répressif, son refus du dogmatisme religieux et élabore une mythologie personnelle au symbolisme complexe, imprégnée d'un profond humanisme (inspiré par la lecture de la Bible et de Swedenborg). Il y proclame avec véhémence la supériorité de l'imagination poétique et le pouvoir de l'énergie créatrice, seule susceptible de reconquérir le divin. En 1795, dans une série de douze planches en couleur, peintes à la détrempe et à l'aquarelle (il méprisait la peinture à l'huile), il s'inspira du dessin de Michel-Ange et de Füssli, ne reculant pas devant les déformations pour concrétiser sa vision et employant des harmonies de couleurs stridentes (*Newton; Nabuchodonozor*). Dans ses écrits suivants : *Le Livre d'Urizen, Le Chant de Los* (1795), il forge une cosmogonie complexe à partir de symboles bibliques détournés. Il illustra aussi les *Pensées nocturnes* de Young (1797), la *Bible*, la *Divine Comédie* et les *Pastorales* de Thornton qui exercèrent une influence décisive sur Palmer* et Calvert.

BLAMONT. ♦ Ch.-l. de cant. de Meurthe-et-Moselle, arr. de Lunéville. 1 521 hab. (*Blâmontais*). Ruines d'un château fort. La ville fut endommagée en 1914.

BLANC (Jean Joseph Louis). ♦ Homme politique et historien français (Madrid, 1811 – Cannes, 1882). Fils d'un inspecteur général des Finances du roi Joseph Bonaparte, il connut une enfance difficile après la chute du Premier Empire. Journaliste à Paris (1834), il fonda *La Revue du progrès* (1839), se fit connaître par son ouvrage sur *L'Organisation du travail* (1839), où il exposait un programme de réformes socialistes qu'il ne cessa de défendre ultérieurement. Il publia peu après un violent pamphlet contre la monarchie de Juillet, *Histoire de dix ans* (1841). Membre du gouvernement provisoire constitué lors des journées de février 1848 (**V. Révolution française de 1848**), il présida la Commission du Luxembourg, affirmant le *Droit au travail* (1848) de chaque citoyen et proposant la formation d'ateliers sociaux, associations ouvrières de production qui seraient largement financées par l'État et dont les travailleurs auraient un salaire égal. Son projet, déformé par le gouvernement donna naissance aux Ateliers* nationaux, dont la fermeture provoqua les journées révolutionnaires de juin 1848. Considéré comme responsable, bien que n'y ayant pas pris part directement, L. Blanc émigra en Angleterre où il resta jusqu'à la chute du Second Empire (sept. 1870). Député d'extrême gauche à l'Assemblée nationale (1871-1876), il prit position contre la Commune de Paris (1871). Il a laissé une *Histoire de la Révolution française* écrite entre 1847 et 1862. ♦ BLANC (Charles). Critique d'art français (Castres, 1813 – Paris, 1882), frère de Louis Blanc. Auteur d'une *Histoire des peintres français du XIXe siècle* (1845), il fut nommé directeur de l'administration des beaux-arts (1848-1850), puis se consacra à la rédaction de son *Histoire des peintres de toutes les écoles* [en 14 volumes, 1876]. (Acad. fr., 1876.)

BLANC (*cap*). ♦ Nom de plusieurs caps, notamment en Afrique du Nord. En Tunisie*, au N. de Bizerte. – Au Maroc*, au S. d'El-Jadida. – En Mauritanie*, près de Nou*-adhibou*.

BLANC (mont). ♦ Point culminant des Alpes* et du massif du Mont-Blanc à 10 km au S. de Chamonix* (Haute-Savoie*) tout près de la frontière italienne dominant Courmayeur*. 4 807 m. Il fut conquis pour la première fois en 1786 par le Dr Paccard* et le guide Jacques Balmat* puis, l'année suivante, par H.B. de Saussure*. – Le *massif du Mont-Blanc*, orienté S.-O. – N.-E., est compris entre la vallée supérieure de l'Arve* (Chamonix*) qui le sépare des Aiguilles* Rouges, le val Ferret* (Suisse et Italie) et la Doire* Baltée (Italie). **V. Argentière, Balme** (col de), **Contamines, Glace** (mer de), **Jorasses** (Grandes), **Midi** (aiguille du). – Le *tunnel du Mont-Blanc*, percé de 1959 à 1965 sous le massif, relie la vallée de Chamonix* au Val d'Aoste*. 11 600 mètres.

BLANC (Le). ♦ Sous-préf. de l'Indre, ch.-l. d'arr. (6 cant., 56 comm., 41 661 hab.), sur la Creuse. 7 350 hab. [5 734 aggl.] (*Blancois*). – Églises (XIIe-XVe s.). Maisons anciennes. – Aliments pour animaux. Confection. Matières plastiques. – Aux environs, abbaye bénédictine de Fontgombault. Bâtiments monastiques du XVe siècle. Église abbatiale (XIe s.).

BLANCHARD (Jacques). ♦ Peintre et dessinateur français (Paris, 1600 – *id.*, 1638). Il peignit des sujets religieux (*Sainte Famille*) et surtout des scènes mythologiques qui révèlent une prédilection pour les nus sensuels aux chairs opulentes et le souvenir des formes étirées des maniéristes. La richesse de son chromatisme et sa façon de traiter la lumière lui valurent le surnom de « Titien français » (*Cimon surprenant Éphigène*, v. 1631-1633).

BLANCHARD (Jean-Pierre). ♦ Aéronaute français (Les Andelys, 1753 – Paris, 1809). Il réalisa la première traversée de la Manche en ballon (1785) et fut, la même année, le premier à expérimenter le parachute (avec des animaux) **V. Garnerin.** ♦ Sa femme, SOPHIE ARMAND (La Rochelle, 1778 – Paris, 1819), trouva la mort dans l'explosion d'un ballon d'où elle lançait des artifices.

BLANCHARD (Raoul). ♦ Géographe français (Orléans, 1877 – Paris, 1965). Auteur de travaux sur les Alpes occidentales (1938-1953), sur l'Amérique du Nord, il collabora à la *Géographie universelle* de Vidal* de La Blache.

BLANCHART (*raz*). ♦ Détroit qui sépare le cap de la Hague* et le nez de Jobourg* de l'île d'Aurigny*. 16 km.

BLANCHE (Jacques-Émile). ♦ Peintre, écrivain et critique d'art français (Paris, 1861 – Offranville, 1942). Il subit l'influence de Manet* et des impressionnistes et peignit des bouquets de fleurs et des scènes de sports en pratiquant une facture lâche, par larges coups de pinceau. Il devint un portraitiste mondain célèbre, fréquentant les milieux artistiques et littéraires et prenant de nombreux écrivains pour modèle (*Jean Cocteau,* 1912). Critique d'art brillant, parfois acerbe, il écrivit aussi des romans et laissa de nombreux témoignages sur son époque (*Propos dans l'atelier; Dates; De Gauguin à la Revue nègre; Cahiers d'un artiste; Manet).*

BLANCHE *(mer).* ♦ Dépendance de l'océan Arctique* s'étendant sur une surface de 95 000 km² au N.-O. de l'U.R.S.S. Elle est libre de glaces de mai à septembre. Importantes pêcheries.

BLANCHE D'ARAGON-NAVARRE. ♦ Reine de Castille (1424 – Orthez, 1464). Fille de Jean* II d'Aragon, elle épousa en 1440 le futur Henri* IV de Castille, qui la répudia en 1453.

BLANCHE DE BOURGOGNE. ♦ (1296 – abbaye de Maubuisson, 1326). Fille du comte de Bourgogne, elle épousa en 1308 le futur roi de France Charles* IV le Bel, qui la répudia pour cause d'adultère en 1322.

BLANCHE DE CASTILLE. ♦ (Palencia, Vieille-Castille, 1188 – Paris, 1252). Reine de France. Fille d'Alphonse* VIII de Castille, elle épousa le futur Louis* VIII de France (1200) et assura la régence à la mort de ce dernier (1226) pour son fils Louis IX. Après avoir maté la révolte des grands féodaux **(V. Thibaud IV de Champagne),** elle conclut la guerre contre les Albigeois* par le traité de 1229. La France obtenait la moitié du comté de Toulouse et Alphonse* II de France, frère de Louis IX, épousait la fille de Raymond* VII de Toulouse. Lors de la VIIe croisade, la reine redevint régente et mit fin à la révolte des Pastoureaux* (1249-1252).

BLANCHOT (Maurice). ♦ Essayiste et romancier français (Quain, Saône-et-Loire, 1907). À la recherche de voies nouvelles pour le roman comme pour la critique, M. Blanchot traduit dans son œuvre une expérience-limite, celle de la mort conçue comme « l'épreuve de l'absence de fin ». Pour lui, *L'Espace littéraire* (1955) est l'espace même de la mort : « cette négation idéale, cet assassinat différé » qu'est le langage, et sa « tension vers un horizon dangereux où il cherche en vain à disparaître » (le silence essentiel), se confondent avec l'expérience originelle de l'« éternel ressassement de la vie dans la mort ». Nouvel Orphée dans sa recherche démesurée d'une mort inaccessible, l'écrivain « n'a rien à dire », mais il « doit dire ce rien ». Les récits de M. Blanchot évoquent des mondes clos, des doubles mystérieux, les thèmes de la proximité et de l'absence. Avec *Thomas l'Obscur* (1941 et 1950), *Aminadab* (1942), *Le Très-Haut* (1948), *Celui qui ne m'accompagnait pas* (1953) et *Le Dernier Homme* (1957), il crée un langage simple et difficile, transparent et énigmatique, qui illustre bien l'ambition de l'écrivain (« le propre du roman, c'est d'avoir pour forme son fond même ») et la réflexion du critique; consacrés à *Lautréamont et Sade* (1949), à Mallarmé* dont il procède (*Faux Pas,* 1943), à Kafka, Rike et Hölderlin (*La Part du feu,* 1949; *Le Livre à venir,* 1959), les essais critiques de M. Blanchot se présentent comme la même quête des formes littéraires de l'absence.

BLANC-MESNIL [mɛnil] **(Le).** ♦ Ch.-l. de cant. de la Seine-Saint-Denis, arr. du Raincy, au N.-E. de Paris. 48 519 hab. *(Blancmesnilois).* Constructions mécaniques, métallurgie.

BLANC-NEZ *(cap).* ♦ Cap aux falaises de marne et de craie, dans le Boulonnais, à l'O. de Calais*, entre Sangatte* et Wissant*. Site pittoresque.

Blancs. *n. m. pl.* ♦ Nom donné, durant les guerres de Vendée*, sous la révolution, aux royalistes qui avaient le drapeau blanc pour emblème. **V. Bleus.**

Blancs et Noirs. ♦ Partis rivaux de Florence au début du XIVe siècle. Les Noirs, conduits par les Donati étaient des extrémistes à la différence des Blancs modérés groupés autour des Cerchi. En 1300, les chefs des deux partis furent exilés. En 1302, aidés par Charles d'Anjou, les Noirs expulsèrent les Blancs parmi lesquels figurait Dante*.

BLANDINE *(sainte).* ♦ Martyre à Lyon, en même temps que saint Pothin* (177). Fête le 2 juin.

BLANGY-LE-CHÂTEAU. ♦ Ch.-l. de cant. du Calvados (arr. de Lisieux). 532 hab. *(Castelblangeois).* Ruines d'un château (XIIe s.).

Ph. A. Rey

Cap **Blanc-Nez.**

BLANGY-SUR-BRESLE. ♦ Ch.-l. de cant. de la Seine*-Maritime (arr. de Dieppe*). 3 398 hab. *(Blangeois).* Station préhistorique de Campagny. Verrerie, fonderie.

BLANKENBERGE. ♦ V. de Belgique (Flandre occidentale) sur la mer du Nord, à 21 km d'Ostende. 10 300 hab. Église Saint-Antoine (gothique). Hôtel de ville (1532). Port de pêche et importante station balnéaire.

BLANQUEFORT. ♦ Ch.-l. de cant. de la Gironde, arr. et aggl. urbaine de Bordeaux. 5 673 hab. *(Blanquefortais).* Ruines du Château-Duras (XIVe s.).

BLANQUI (Louis Auguste). ♦ Théoricien socialiste et révolutionnaire français (Puget-Théniers, 1805 – Paris, 1881). Frère d'Adolphe Blanqui, il étudia le droit à Paris et participa dès 1827 aux mouvements antimonarchiques; il se familiarisa avec les théories de Saint-Simon, de Fournier et surtout de Babeuf*. A partir de 1831, il organisa des sociétés secrètes (républicaines puis socialistes) et tenta plusieurs conspirations. Arrêté en 1831, la *Défense* qu'il prononça devant ses juges est un violent réquisitoire contre la société capitaliste bourgeoise. Emprisonné à nouveau avec Barbès* (1839) après une insurrection contre le gouvernement de Louis-Philippe, il reprit à sa libération (1847) la tête du mouvement prolétarien à Paris, mais fut incarcéré une troisième fois après un coup de force contre l'Assemblée (1848). Pendant la guerre de 1870, il fonda le journal *la Patrie en danger;* arrêté par le gouvernement de Versailles, il ne fut amnistié qu'en 1877 et reprit alors son activité d'organisateur du mouvement socialiste publiant le journal *Ni Dieu ni Maître.* Lecteur des œuvres de Marx, il critiqua le communisme utopique et préconisa l'action révolutionnaire. Sa doctrine (blanquisme) constitue « le lien nécessaire entre la première pensée socialiste française et le marxisme » (Gian Mario Bravo). ♦ Son frère JÉRÔME ADOLPHE (Nice, 1798 – Paris, 1854) fut un économiste de l'école libérale.

BLANTYRE-LIMBE. ♦ V. du Malawi* au S. du pays, reliée par voie ferrée au lac Malawi et à Beira* (Mozambique). 150 000 hab. Centre commercial et industriel.

BLANZAC. ♦ Ch.-l. de cant. de la Charente, arr. d'Angoulême. 902 hab. Église Saint-Arthémy (XIIe et XIIIe s.). Vestiges d'une forteresse du XIIe siècle.

BLANZY. ♦ Comm. de la Saône-et-Loire, arr. d'Autun, sur la Bourbince et le canal du Centre*, dans la dépression de « Dheune-Bourbince ». 4 502 hab. *(Blanzynois).* – Houillères (en récession; 1 798 000 t); reconversion industrielle envisagée grâce au barrage sur la Sorme.

BLASCO IBÁÑEZ (Vicente). ♦ Romancier espagnol (Valence, 1867 – Menton, 1928). Anticlérical et républicain, Blasco Ibañez mena une vie agitée et publia une œuvre assez inégale. Dans ses premiers romans, d'un réalisme haut en couleur, il se consacra au régionalisme valencien, illustrant parfois une thèse sociale ou politique : *Arènes sanglantes* (qui connut un grand succès international), *Boue et Roseaux, Parmi les orangers* (1894-1902). Ce style de roman populiste, avant-coureur du roman social, l'a fait comparer à Zola*. Il évolua vers une prise de conscience plus large du monde et fut très attiré par le continent américain (*Les Argonautes,* 1914). Nombre de ses romans – qui eurent toujours plus de succès à l'étranger – furent portés à l'écran.

BLASIS (Carlo). ♦ Danseur, chorégraphe et théoricien de la danse italien (Naples, 1795 – Cernobbio, près de Côme, 1878). Formé à l'école française **(V. Gardel** [*Pierre*]**),** il débuta à l'opéra de Marseille (1807), devint premier danseur à la Scala de Milan, puis directeur de l'Académie impériale de danse (1837). Il se produisit ensuite à Londres, puis à Saint-Pétersbourg. Théoricien, il a publié un *Traité élémentaire théorique et pratique de l'art de la danse* (1820) et surtout un *Manuel complet de la danse* (1830), ouvrage dans lequel il définit les principes de la danse académique.

Blaue Reiter. ♦ V. CAVALIER BLEU.

BLAVET (Michel). ♦ Compositeur et flûtiste français (Besançon, 1700 – Paris, 1768). Musicien de la cour, il fut un temps au service de Frédéric II. Il a composé de la musique de chambre (sonates pour flûte, concerto pour flûte, violons et basse) ainsi que des opéras bouffes d'inspiration populaire.

BLAVET. *n. m.* ♦ Fl. de Bretagne (140 km), qui prend sa source dans les Côtes-du-Nord, rejoint à Gouarec le canal de Nantes à Brest dont il se sépare après avoir formé avec lui le lac de Guerlédan* près de Mur*-de-Bretagne, puis, canalisé, coule de Pontivy* vers Hennebont* et s'unit en rade de Lorient* (Morbihan) avec le Scorff pour déboucher dans l'Atlantique devant Port-Louis.

BLAYAIS. *n. m.* ♦ Région viticole du Bordelais qui s'étend sur les cant. de Blaye, Saint-Ciers-sur-Gironde et Saint-Savin (Gironde).

BLAYE [blaj], anc. **BLAYE-ET-SAINTE-LUCE.** ♦ Sous-préf. de la Gironde, ch.-l. d'arr. (4 cant., 56 comm. 46 071 hab.) sur la r. d. de la Gironde*. 4 571 hab. *(Blayais).* Citadelle achevée par Vauban en 1689. Port pétrolier. Vins réputés du Blayais*.

BLAYE-LES-MINES. ♦ Comm. du Tarn (arr. d'Albi et aggl. de Carmaux). 5 526 hab. *(Blayais).* Mines de houille.

BLEIBTREU (Karl). ♦ Écrivain allemand (Berlin, 1859 – Locarno, 1928). Auteur d'un drame historique, de romans où il prétendit concilier romantisme et réalisme (*Dies irae,* 1882), il fonda avec M.G. Conrad* un « hebdomadaire réaliste pour la littérature, l'art et la vie publique » (*Die Gesellschaft,* 1885), publia un essai critique (*Révolution littéraire,* 1886).

Ph. Giraudon

Avion de **L. Blériot.** (Musée des Arts et Métiers, Paris.)

BLENDECQUES. ♦ Comm. du Pas-de-Calais (arr. de Saint-Omer), dans la banlieue d'Arques, sur l'Aa. 4 487 hab. – Restes d'une abbaye cistercienne du XIIe siècle.

BLÉNEAU. ♦ Ch.-l. de cant. de l'Yonne (arr. d'Auxerre), sur la r. d. du Loing 1 555 hab. *(Blénaviens).* Château du XVIe siècle. ♦ *Hist.* Durant la Fronde*, en 1652, Condé* y battit les troupes royales commandées par d'Hocquincourt, mais fut vaincu dès le lendemain par Turenne*.

BLENHEIM. ♦ **V.** HÖCHSTÄDT.

BLÉNOD-LÈS-PONT-À-MOUSSON. ♦ Comm. de la Meurthe-et-Moselle, dans l'arr. de Nancy et l'aggl. de Pont*-à-Mousson. 3 802 hab. Fonderies. Centrale thermique. Fabrique de cartons.

BLÉRÉ. ♦ Ch.-l. de cant. d'Indre-et-Loire, arr. de Tours. 3 832 hab. (2 463 aggl.). – Église (XIIe, XIVe, XVe siècles). Maisons anciennes. – Viticulture. Fonderie. Outillage agricole et industriel.

BLÉRIOT (Louis). ♦ Aviateur et constructeur français (Cambrai, 1872 – Paris, 1936). Il réalisa, le premier, la traversée de la Manche en avion de Calais à Douvres, le 25 juillet 1909. Il construisit également le *Spad* utilisé par Guynemer* et tous les as de 1914-1918.

BLESLE [blɛl]. ♦ Ch.-l. de cant. de la Haute-Loire*, arr. de Brioude. 881 hab. Donjon du XIIIe siècle. Église romane, anc. abbatiale du XIIe siècle.

BLÉSOIS ou **BLAISOIS**. *n. m.* ♦ Région de la petite Beauce*, englobée dans le département du Loir-et-Cher. Capitale Blois*.

BLESSINGTON (Marguerite Power, ***comtesse de*****).** ♦ Écrivain irlandais (Knockbrit, Tipperary, 1789 – Paris, 1849). Amie du comte d'Orsay*, elle publia *Conversations avec lord Byron* (1834), et quelques romans où elle fait avec humour la satire de la pruderie anglaise.

BLEST GANA (Alberto). ♦ Écrivain chilien (1829 – 1905). Il est l'auteur notamment d'un des meilleurs romans historiques et réalistes de l'Amérique latine, *Durant la reconquête.*

BLEU *(fleuve).* ♦ **V.** YANG-TSÊ KIANG.

BLEUES *(montagnes).* ♦ **V.** BLUE MOUNTAINS (Australie); BLUE RIDGE (États-Unis).

BLEULER (Eugen). ♦ Psychiatre suisse (Zollikon, près de Zurich, 1857 – 1939). Influencé par la psychanalyse **(V. S. Freud),** il tenta d'en tirer des applications au traitement des psychoses, en particulier de la *schizophrénie,* terme qu'il employa pour désigner les états pathologiques dont le syndrome essentiel est la « rupture » (gr. *schizo-*) du contact avec la réalité et la dissociation des fonctions psychiques (1911).

Bleus. *n. m. pl.* ♦ Nom donné aux soldats républicains, portant un uniforme *bleu,* pendant les guerres de Vendée*. **V. Blancs** *et aussi* **Vendée** (guerres de).

BLEUS et VERTS. ♦ Factions de l'hippodrome et groupements politiques de Constantinople* et d'autres villes byzantines. Les deux plus importants des quatre groupes de concurrents dans les courses de chars, surnommés *Bleus* et *Verts,* d'après la couleur des casques des cochers, partagèrent dès le VIe s. la population urbaine en véritables partis politiques et religieux retranchés dans quatre quartiers (dèmes) de composition sociale distincte : les *Bleus* (et les *Blancs*) représentant les quartiers riches à tendances aristocratiques et d'une orthodoxie intransigeante, les *Verts* (et les *Rouges*) les quartiers populaires à tendances démocratiques et aisément portés vers l'hérésie.

BLEYMARD (Le). ♦ Ch.-l. de cant. de la Lozère* (arr. de Mende*), sur la r. g. du Lot*, au pied du mont Lozère*. 359 hab. Église du XIIIe siècle. – Jadis, exploitation de plomb et zinc. Station d'alt. à 1 070 m.

BLIDA. ♦ V. d'Algérie, ch.-l. d'arr. du dép. d'Alger*, au pied de l'*Atlas de Blida,* et au S. de la plaine de la Mitidja*. 93 200 hab. – Patrie de Victor Margueritte*.

BLIGH (William). ♦ Amiral et administrateur anglais (Tyntam, Cornouailles, 1754 – Londres, 1817). Après avoir participé au deuxième voyage de Cook, il dirigea lui-même deux expéditions dans le Pacifique; en 1788, il découvrit les îles de Bounty (nom de son navire), séjourna quelque temps à Tahiti, et, abandonné par son équipage, échoua aux îles qui portent son nom. (*Voyages dans la mer du Sud,* 1790.)

BLIXEN (Karen). ♦ Nouvelliste danoise (Rungsted, 1885 – *id.,* 1962). Sous le pseudonyme d'Isak Dinesen, elle publia en anglais *Sept Contes gothiques* (1934), et sous le nom de Pierre Andrézel un pastiche du roman noir, *Les Voies du châtiment.* D'une tout autre facture sont les simples et émouvants récits de *Ma ferme africaine* (1937), évocations de l'Afrique, où elle a séjourné de 1914 à 1931, *Contes d'hiver* (1942), et *Les Derniers Contes* (1957), publiés simultanément en anglais et en danois. Elle écrivit aussi *Ombres sur la prairie* (1960).

bLo-bZang dPal lDan Ye-śes [*Lobzang Paldang Yeshes*]. ♦ Panchem-lama tibétain (1738-1780) qui négocia la paix avec le gouverneur anglais de l'Inde, Warren Hastings. Il fut invité à la cour de Pékin et écrivit un grand ouvrage sur la géographie mystique de l'Asie.

bLo-bZang rGya-mCho [*Lobzang Gyatso*]. ♦ Quatrième dalaï-lama (Tibet) d'origine tibétaine (1617 – 1682). Il fit appel aux Mongols afin de réduire une rébellion et s'installa à Lhassa* où il donna au palais du Potala* son apparence actuelle.

Bloc des gauches ou **bloc républicain.** ♦ Regroupement des forces de gauche (radicaux et socialistes) sous la direction de Waldeck*-Rousseau au lendemain de l'affaire Dreyfus (1899). Avec l'appui des républicains modérés de l'Alliance démocratique, le bloc des gauches remporta les élections législatives de 1902 et mena, avec les cabinets Waldeck-Rousseau et Combes*, une politique anticléricale et hostile au mouvement nationaliste. Mais la victoire de la tendance guesdiste **(V. J. Guesde)** contribua à provoquer la dislocation du bloc.

BLOCH (Eugène). ♦ Physicien français (1878 – mort en captivité, 1944). Inventeur, avec H. Abraham*, du multivibrateur (1918).

BLOCH (Ernest). ♦ Compositeur helvéto-américain (Genève, 1880 – Portland, Oregon, 1959). Violoniste, élève d'Ysaye* puis chef d'orchestre à Lausanne, il quitta l'Europe pour l'Amérique (1916) où il devint professeur à l'université de Californie. Il y enseigna jusqu'à 1930. Outre un opéra (*Macbeth,* 1909) et de nombreuses compositions de musique de chambre, il est l'auteur d'une œuvre à la fois profonde et claire, au style généreux, où prédomine l'inspiration hébraïque *(Israël,* symphonie; *Poèmes juifs).*

BLOCH (Jean-Richard). ♦ Écrivain français (Paris, 1884 – *id.,* 1947). Après des études d'histoire et une carrière universitaire, il se consacra à la politique et à la littérature, conçue comme des *Essais pour mieux comprendre* [*son*] *temps* (1920). Créateur de spectacles dramatiques où s'expriment ses convictions politiques (*Le Dernier Empereur,* 1926; *Naissance d'une cité,* 1937; *Danton,* 1946), J.-R. Bloch met en œuvre sa recherche d'une culture révolutionnaire dans ses romans, où la peinture des mœurs et une analyse psychologique d'une grande acuité s'allient à l'appel à la justice sociale : *Lévy* (1912), recueil de nouvelles évoquant des milieux israélites; *Et Cie* (1914, publ. 1917), fresque balzacienne de l'ascension d'une famille juive en Alsace; enfin *La Nuit kurde* (1925). Fondateur de la revue *L'Effort libre* (1910) où il refuse la gratuité de l'art, puis de la revue *Europe* (avec Romain Rolland, 1923), J.-R. Bloch se rallia au communisme, collabora à l'hebdomadaire *Clarté,* puis, à partir de 1942, fut annonceur de Radio-France à Moscou. Son œuvre littéraire, dans le cadre apparent du roman de tradition balzacienne, manifeste un renouvellement des moyens d'expression et témoigne d'une grande maîtrise dans l'enrichissement stylistique.

BLOCH (Ernst). ♦ Philosophe allemand (Ludwigshafen, 1885). Attiré très tôt par le socialisme, il publia dès 1918 un ouvrage sur l'*Esprit de l'Utopie,* puis sur *Thomas Münzer, comme théologien de la révolution* (1922). Exilé aux États-Unis lors de la montée du nazisme, il s'installa à Leipzig après la guerre, et poursuivit ses travaux sur la fonction sociale de l'utopie comme conception globale du devenir historique des sociétés (*Das Prinzip Hoffnung,* 1954-1956; *Abriss der sozialen Utopien,* 1946-1961).

BLOCH (Marc). ♦ Historien médiéviste français (Lyon, 1886 – près de Trévoux, 1944). Fils de Gustave Bloch, professeur d'histoire romaine à la Sorbonne, il soutint une thèse en Sorbonne traitant des rapports entre les rois de France et leurs serfs (1920). Après avoir fondé avec L. Febvre* les *Annales d'histoire économique et sociale* (1929), il fut nommé professeur d'histoire économique à la Sorbonne (1936) puis entra dans la Résistance en 1942 et mourut fusillé par les Allemands. – Auteur de : *Les Rois thaumaturges* (1924); *Les Caractères originaux de l'histoire rurale française* (1931); *La Société féodale* (1939-1940). Son livre posthume (*Apologie pour l'histoire,* édité en 1952), où il définit sa conception de l'histoire, contribue à faire de M. Bloch l'un des historiens les plus marquants de sa génération.

BLOCH (Félix). ♦ Physicien américain d'origine suisse (Zurich, 1905 –). Il est notamment connu par ses travaux sur la physique des solides et ses études sur les phénomènes magnétiques observés au niveau de l'atome et du noyau atomique. **V.** ***aussi*** **Alvarez, Purcell.** (Prix Nobel de phys., 1952.)

BLOCH (Konrad). ♦ Biochimiste américain d'origine allemande (Neisse, 1912 –). Il obtint avec F. Lynen* le prix Nobel de méd. (1964) pour la biosynthèse du cholestérol.

Bloc national. ♦ Formation politique constituée en France au lendemain de la Première Guerre mondiale (1919) groupant modérés et conservateurs, face aux radicaux-socialistes et socialistes. Victorieux aux élections législatives (16 novembre 1919 : constitution de la Chambre bleu horizon), le Bloc national gouverna la France pendant quatre ans **(V. Millerand, Leygues, Briand, Poincaré)**, puis fut battu par le Cartel* des gauches en mai 1924.

Blocus continental. *n. m.* ♦ Ensemble des mesures prises par Napoléon Ier pour répondre au blocus maritime déclaré par l'Angleterre contre l'Empire français. L'objectif de Napoléon était d'empêcher l'Angleterre d'écouler ses produits et les denrées coloniales dont elle faisait un commerce de transit. Il espérait ainsi déclencher une crise économique qui conduirait l'Angleterre à réclamer la paix. Le 21 novembre 1806, le décret de Berlin déclarait les îles Britanniques en état de blocus, et interdisait tout commerce avec elles. L'Angleterre riposta en n'accordant la libre circulation sur mer qu'aux navires qui auraient payé des droits de douane dans les ports britanniques. Les décrets de Fontainebleau (13 oct. 1807) et de Milan (23 nov. 1807) déclarèrent que tout navire visité par la flotte anglaise serait dénationalisé et saisi. Pour assurer l'efficacité du blocus, Napoléon fut poussé à de nouvelles conquêtes et il intervint en Espagne et au Portugal. La Russie ayant adhéré au blocus à Tilsit*, se retira en 1811, ce qui amena Napoléon à faire la campagne de Russie. Les exportations anglaises diminuèrent et l'Angleterre connut le chômage, mais elle renforça son commerce avec les colonies espagnoles d'Amérique. Dès 1809, des assouplissements furent apportés au blocus ; le 3 juillet 1810, le décret de Saint-Cloud laissa entrer les denrées coloniales d'origine britannique.

BLOEMAERT (Abraham). ♦ Peintre et graveur hollandais (Gorinchem, 1564 – Utrecht, 1651). Auteur d'œuvres très diverses, portraits, natures mortes, paysages, fleurs, tableaux bibliques et mythologiques, il établit avec maîtrise des effets lumineux contrastés et fit preuve de force expressive dans ses portraits (*Allégorie de l'Hiver,* 1622). Son œuvre, tout en présentant des caractères spécifiquement hollandais, n'en révèle pas moins la persistance d'un fort courant romaniste aux Pays-Bas. Il eut quatre fils peintres et graveurs. Les plus connus sont *Hendrick* (1601 – 1672), dont l'œuvre s'inscrit dans le courant caravagesque, et *Adriaen,* auteur de nombreux paysages.

BLOEMENDAAL. ♦ V. des Pays-Bas (Hollande septentrionale). 19 716 hab. Théâtre de plein air. Cultures de fleurs. Constructions mécaniques. – Aux environs, ruines imposantes du château de Brederode (XIIIe-XVIe s.).

BLOEMFONTEIN. ♦ V. d'Afrique* du Sud, ch.-l. de l'État d'Orange*, reliée par voie ferrée à Maseru* (Lesotho) et à Kimberley*. 145 273 hab. Siège de la Cour suprême de la République. Grand centre de la confection.

BLOIS. ♦ Préfecture du Loir-et-Cher, ch.-l. d'arr. (10 cant., 139 comm.. 146 077 hab.) dans la vallée de la Loire. 44 762 hab. [39 279 aggl.] *(Blésois).* Évêché. Le *château,* construit aux XIIIe-XIVe s. par la famille de Châtillon sur l'emplacement d'une ancienne forteresse, fut profondément remanié du XVe au XVIIe siècle. Trois corps de logis, d'époques différentes, entourent la vaste cour d'honneur : l'aile Louis XII, construite de 1498 à 1503 dans le style gothique finissant, à laquelle s'appuie la chapelle Saint-Calais, de la même époque. L'aile François Ier, où l'influence de la Renaissance italienne se lit dans l'architecture du monumental escalier à cage octogonale et dans l'exubérance de la décoration. L'aile Gaston d'Orléans, de style classique, construite par Mansart au début du XVIIe siècle. Église Saint-Nicolas, romane et gothique. Anc. abbaye bénédictine Saint-Laumer (XVIIe-XVIIIe s.). Cathédrale Saint-Louis (XVIIe s.). Hôtel de ville (XVIIIe s.). Maisons anc. – Chocolaterie. Industries mécaniques. Matériel aéronautique. Moteurs à injection. Équipement électrique. Charpente métallique. Robinetterie industrielle. Chaussures. Imprimerie. – *Patrie de* Antoine Boesset*, Jacob Bunel*, Favras*, Bernard Lorjou*, Louis* XII, Denis Papin*, Renée* de France, Jean-Eugène Robert*-Houdin, Augustin Thierry*. ♦ *Hist.* La ville de Blois n'apparaît que tardivement dans l'histoire : Grégoire de Tours est le premier chroniqueur qui en fasse mention, au VIe siècle. Après avoir été aux XIe-XIIe s. le centre d'un puissant comté qui s'étendit jusqu'à la Champagne, Blois passa à la maison d'Orléans à la fin du XIVe siècle. Louis XII y séjourna souvent au début de son règne. Anne de Bretagne y mourut en 1514. Les états généraux s'y réunirent à deux reprises, en 1576 et en 1588. Pendant les états généraux de 1588, Henri* III, se sentant dangereusement menacé par les complots des ligueurs et près d'être déposé, fit assassiner au château le chef de la Ligue*, Henri* de Guise, et son frère Louis*, cardinal de Lorraine. – La ville subit d'importantes destructions en juin 1940.

BLOK (Aleksandr Aleksandrovitch). ♦ Poète russe (Saint-Pétersbourg, 1880 – Petrograd, 1921). Il fut élevé dans le milieu cultivé de l'élite intellectuelle russe et épousa en 1903 la fille du grand chimiste Mendeleiev*. Son premier recueil de vers parut en 1904 : *Vers à la Belle Dame,* chef-d'œuvre du symbolisme romantique. La « Belle Dame » symbolise et incarne la Sagesse divine désirée, attendue, puis épousée. Mais cette attente est déçue et l'œuvre du poète fut dès lors imprégnée d'un réalisme pessimiste. Son second volume de vers (1904-1908) a pour décors les faubourgs populaires de Saint-Pétersbourg ; la poésie y est plus humaine et réaliste en restant toujours romantique. L'échec de la révolution de 1905, qu'il avait accueillie avec joie, le déçut amèrement. Il écrivit alors une trilogie dramatique (1906-1907) : *La Baraque foraine,* satire de ses espérances ; *Le Roi sur la place ;* et enfin *L'Inconnue,* devenue une obsession immatérielle après avoir remplacé la « Belle Dame ». Un troisième volume de vers écrits entre 1908 et 1916 marque la pleine maturité de Blok ; peu à peu son symbolisme a évolué vers un patriotisme mystique, et son amour pour la Russie a remplacé son amour pour la « Belle Dame » ou pour « l'Inconnue » : *Russie, Au champ de Koulikovo* (1910), *Châtiment* (1911), poème narratif sur le peuple russe et son destin, *La Rose et la Croix* 1913), tragédie lyrique. En 1917, il se rangea du côté des bolcheviks* et en 1918 il écrivit son poème le plus admiré, *Les Douze** où il exprime sa conception de la révolution. En même temps, il écrivit son dernier poème, *Les Scythes* contre l'occidentalisme. Ayant perdu son enthousiasme pour la révolution, il se laissa mourir dans le désespoir (1921). – Il fut le plus grand des symbolistes, mais son œuvre est aussi marquée par un mysticisme profondément pessimiste et une angoisse tragique. Sa poésie est inspirée et l'élément musical y domine.

BLONDEL (François). ♦ Mathématicien, ingénieur militaire, diplomate, architecte et théoricien français (Ribemont, 1618 – Paris, 1686). Il fit de solides études scientifiques et littéraires, voyagea en Europe, fut chargé de missions diplomatiques, notamment en Égypte et à Constantinople. Il construisit des fortifications aux Antilles (1666), donna les plans d'urbanisme de Rochefort, restaura le *pont antique* de Saintes. Il entra à l'Académie des sciences, fut protégé par Colbert et contribua à la fondation de l'Académie royale d'architecture (1671). Il fit élever, en s'inspirant

Arch. Smeets

A. Bloemaert : « Saint Jean-Baptiste prêchant ». (Rijksmuseum, Amsterdam.)

librement des modèles romains, l'arc de triomphe de la *porte Saint-Denis* à Paris (1671-1672). Il fut l'un des principaux théoriciens du dogme classique, prôna l'imitation des « Anciens » et de l'architecture de la Renaissance italienne et condamna les « fantaisies et les dérèglements » des baroques italiens. Sa conception d'une Beauté en soi, universelle et rationnelle (*Cours d'architecture,* 1675) fut combattue au sein de l'Académie par Cl. Perrault*.

BLONDEL (Jacques François). ♦ Architecte, urbaniste et théoricien français (Rouen, 1705 – Paris, 1774). Il joua un rôle important dans l'élaboration du style Louis XVI en ouvrant une école privée d'architecture (1734) et en publiant plusieurs ouvrages théoriques et pratiques : *De la distribution des maisons de plaisance et de la décoration en général,* 1737 ; *L'Architecture française,* 1752-1756 ; *Cours d'architecture civile,* 1771-1777, etc. Condamnant l'utilisation du décor rocaille, il prônait la simplicité ornementale, la perfection des proportions, le respect des règles et manifesta son admiration pour les maîtres français du XVIIe s. (Mansart*) et pour l'Antiquité. Il conçut des plans d'aménagement de Metz et y éleva *le parlement, le palais de l'archevêché* et surtout *l'hôtel de ville* (à partir de 1765).

BLONDEL (Maurice). ♦ Philosophe français (Dijon, 1861 – Aix-en-Provence, 1949). Élève d'Ollé*-Laprune, il a tenté par une réflexion sur l'*Action* (*Essai d'une critique de la vie et d'une science de la pratique,* 1893) de résoudre le problème des rapports de la spéculation et de la pratique, d'affirmer « la synthèse du vouloir, du connaître et de l'être ». Penseur religieux, il a voulu concilier la raison et la foi, l'immanence et le surnaturel. Son œuvre tint une place importante dans la crise intellectuelle de l'Église catholique **(V. Laberthonnière, Le Roy, Tyrrell).** D'abord discutée par les philosophes et les théologiens, elle influença le développement de la philosophie catholique (*Vers un réalisme intégral,* 1898 ; *La Philosophie et l'Esprit chrétien,* 1944-1947).

BLONDEL (André). ♦ Physicien français (Chaumont, 1863 – Paris, 1938). Technicien et théoricien de l'électronique, il inventa divers instruments de mesure, dont un oscillographe galvanométrique (1900) et jeta les bases du calcul des machines électriques. Son nom a été donné à l'usine-barrage de Donzère-Mondragon. (Acad. sc., 1913.)

BLONDEL (Charles). ♦ Psychologue et médecin français (Lyon, 1876 – Paris, 1939). Affirmant le rôle du milieu social dans la formation des fonctions psychologiques normales (sentiment, mémoire, intelligence, volonté), il caractérisa la maladie mentale comme un débordement dans la conscience d'impressions organiques et affectives individuelles (« le psychologique pur ») irréductibles aux influences sociales (*La Conscience morbide,* 1914; *La Mentalité primitive,* 1926; *Introduction à la psychologie collective,* 1928; *Le Suicide,* 1937).

BLONDEL DE NESLE. ♦ Trouvère picard originaire de Nesle (fin du XIIe s.). Il est l'auteur d'une trentaine de *Chansons* ayant pour sujet l'amour. À son nom se rattache la légende reproduite dans les *Anciennes chroniques de Flandre* et qui inspira l'opéra de Sedaine*, *Richard Cœur de Lion* (1784) : grâce à une chanson connue d'eux seuls, le trouvère aurait retrouvé son roi, prisonnier en Autriche, et aurait permis sa délivrance.

BLOOMFIELD (Robert). ♦ Poète anglais (Honington, Suffolk, 1766 – Shefford, Bedfordshire, 1823). Auteur du *Petit Fermier,* long poème pastoral (1800), il écrivit des *Contes campagnards* (1802), *Fleurs sauvages* (1806), *Jour de mai avec les muses* (1822), toujours inspirés par son enfance rurale.

BLOOMFIELD (Leonard). ♦ Linguiste américain (Chicago, 1887 – New Haven, Conn., 1949). Élève du linguiste Edward Prokosch à Chicago, il commença en 1909 une longue carrière universitaire. Après des travaux de phonologie et de morphologie indo-européenne, il publia une *Introduction à l'étude du langage* (1914) influencée par Wundt et étudia des langues amérindiennes. Devenu un adepte de la psychologie du comportement, il fit paraître en 1933 une importante œuvre de synthèse, *Language.* Cet ouvrage devint rapidement le classique de la linguistique descriptive, inductive et fonctionnelle qui domina aux États-Unis jusqu'en 1955 (école *post-bloomfieldienne :* Bloch, Smith, Trager, Z. Harris*). Contre le « mentalisme », Bloomfield voulut faire de la linguistique une science positive par l'étude objective du comportement.

BLOOMSBURY. ♦ Quartier de Londres (West End) où sont rassemblées un grand nombre de maisons d'édition. – De 1907 à 1930, des artistes et des intellectuels (L. et W. Wolfe*, Aldous Huxley*, T.S. Eliot*, E.M. Forster*, John M. Keynes*, Bertrand Russel*), qui formaient le *groupe de Bloomsbury,* se réunissaient dans ce quartier.

BLOW (John). ♦ Organiste et compositeur anglais (North Collingham, 1649 – Londres, 1708). Titulaire de l'orgue à l'abbaye de Westminster (1668) puis maître de musique de la chapelle royale (1674), il eut Purcell* pour élève; celui-ci lui succéda à Westminster (1679). Célèbre surtout pour sa musique religieuse (anthems, psaumes, odes) il a composé un opéra dans le goût de Lully, *Vénus et Adonis* (v. 1682).

BLOY (Léon). ♦ Écrivain français (Périgueux, 1846 – Bourg-la-Reine, 1917) qui connut une vie de misère indescriptible, entouré d'une véritable conspiration du silence entretenue par sa volonté de « se rendre insupportable ». Journaliste de combat (en littérature, il attaqua toute l'école naturaliste, et notamment Zola* dans *Je m'accuse,* 1900), catholique ardent qui fustigea le conservatisme du Vatican (exaltant par contre, dans son *Brelan d'excommuniés,* Barbey* d'Aurevilly, Hello et Verlaine*) comme le matérialisme, la démocratie et le positivisme par ses invectives violentes, Léon Bloy écrivit une œuvre romanesque, en partie autobiographique, qui exprime ses tourments personnels, ses angoisses et ses illuminations spirituelles. *Le Désespéré* (1886) et *La Femme pauvre* (1897) notamment, suivant une mystique de la Pauvreté, relatent son « éternelle montée furibonde... vers l'Absolu ». Ouvrage à la violence également apocalyptique, le journal intime de Bloy (paru en huit volumes, sous des titres divers : *Le Mendiant ingrat; Mon journal; Le Pèlerin de l'Absolu,* etc.) traduit aussi ce qui fut son désespoir : « Il n'y a qu'une tristesse, c'est de n'être pas des saints ». Cette œuvre polémique peut être contemplative et, à l'invective, mêler l'effusion mystique (*Le Salut par les Juifs,* 1892; *Celle qui pleure,* 1908). L'écrivain, au style habituellement tendu et vigoureux, au vocabulaire d'une richesse baroque, atteint alors par ses métaphores hyperboliques à une dimension de visionnaire.

BLÜCHER (Gebhard Leberecht, *prince* **Blücher** *von* **Wahlstatt).** ♦ Général prussien (Rostock, 1742 – Krieblowitz, Silésie, 1819). À la tête de l'armée de Silésie, il prit une part décisive à la victoire de Leipzig* (1813) et fut fait feld-maréchal. Durant la campagne de France, il fut vaincu par Napoléon à Champaubert, Montmirail et Ligny en 1814 et une seconde fois à Ligny* en 1815. Son arrivée sur le champ de bataille de Waterloo* décida de la victoire des Alliés.

BLUEFIELDS. ♦ V. et port du Nicaragua, ch.-l. de dép., situé sur la côte des Mosquitos* (mer des Antilles). Plus de 20 000 hab. Elle fut le centre des tribus Mosquitos au XVIe siècle.

BLUE MOUNTAINS (« Montagnes Bleues »). ♦ Plateaux de grès de la Cordillère* australienne, dont les vallees très encaissées forment de véritables canyons. Forêts d'eucalyptus. Zone touristique.

BLUE RIDGE *(« chaînes des montagnes bleues »).* ♦ L'une des chaînes principales des Appalaches*, aux États-Unis. De nature métamorphique, elle forme une crête d'alt. continue (entre 1 500 et 2 000 m) sur plus de 1 000 kilomètres.

BLUM (Léon). ♦ Écrivain et homme politique français (Paris, 1872 – Jouy-en-Josas, 1950). Ancien élève de l'École normale supérieure, entré au Conseil d'État en 1895, il se fit d'abord connaître par des articles de critique littéraire et de chronique théâtrale. Son ouvrage, *Nouvelles Conversations de Goethe avec Eckermann* (1901), fut suivi en 1907 d'un essai critique sur *Le Mariage.* Il s'était inscrit dès 1902 au parti socialiste, et collaborait, depuis 1904, avec Jaurès à *l'Humanité.* De 1914 à 1916, il fut le chef de cabinet de Marcel Sembat* dans le gouvernement d'Union sacrée. Rédacteur du programme socialiste, il fut élu député en 1919. Après le congrès de Tours (1920), il fit partie de la minorité socialiste, hostile au bolchevisme et fidèle à la IIe Internationale. Fondateur du journal *le Populaire,* chef de la S.F.I.O., il présida le premier gouvernement de Front populaire (juin 1936-juin 1937), dont la politique de réformes sociales **(V. Front populaire)** suscita l'hostilité des conservateurs sans toutefois satisfaire pleinement les forces révolutionnaires, déçues par la non-intervention de la France dans la guerre civile d'Espagne et par la pause sociale annoncée à la suite de la crise économique et financière (mars 1937). Après la démission de son cabinet, Blum fut vice-président du cabinet Chautemps* (juin 1937-janvier 1938), puis tenta de constituer un grand ministère d'Union nationale (Thorez, L. Marin, ...) en mars 1938 (à la suite de l'Anschluss); mais celui-ci dut se retirer dès avril face à l'opposition des modérés. Il fut, peu après l'armistice de juin 1940, interné administrativement et rédigea en prison son ouvrage *À l'échelle humaine* (1941, publ. 1945), exposant sa conception du socialisme dans ses différences avec le communisme et exhortant son parti à la résistance. Après avoir comparu au procès de Riom (1942), il fut livré aux Allemands et déporté à Buchenwald (1943-1945). Libéré, il reprit la direction du *Populaire* en 1946, et constitua un gouvernement socialiste homogène (déc. 1946-janv. 1947) qui décida une baisse autoritaire des prix et mit en place les institutions de la IVe République.

BLUMENBACH (Johann Friedrich). ♦ Médecin et naturaliste allemand (Gotha, 1752 – Göttingen, 1840). Fondateur de l'anthropologie physique, c'est lui qui est à l'origine de la division de l'espèce humaine en cinq races (blanche, noire, jaune, rouge et malaise). *De generis humani varietate nativa* (1803).

BLUNTSCHLI (Johann-Kaspar). ♦ Jurisconsulte et historien suisse (Zurich, 1808 – Karlsruhe, 1881). Professeur à Zurich dès 1833 et mêlé activement à la vie politique comme chef du gouvernement conservateur-libéral du canton de Zurich (1839 à 1846), il alla s'établir en Allemagne après la guerre de Sonderbund* et enseigna à Munich (1848 à 1861), puis à Heidelberg (1861 à 1881). Un des promoteurs de la Société des juristes allemands (1860) et de l'Institut de droit international (1873), il a composé de nombreux ouvrages consacrés au droit privé (origine du code civil de Zurich) et au droit public international.

BLYTH. ♦ V. du N.-E. de l'Angleterre (Northumberland) et port sur la mer du Nord, à l'embouchure de la Blyth. 36 000 hab. Exportation de houille (6 millions de t/an) et importation de bois de charpente. Pêche.

BO. ♦ V. de Sierra* Leone à l'E. de laquelle se situent les prospections de diamants. 30 000 habitants.

BOABDIL (Abû Abd-Allâh Muhammad XI, connu en Occident sous le nom de). ♦ Dernier roi arabe de Grenade* (1482-1492). Il accéda au trône en renversant son père (1482), mais fut capturé l'année suivante par les Castillans, qui le relâchèrent après qu'il eût promis de leur livrer Grenade. Une fois libre, il refusa d'abdiquer, et Ferdinand* II mit le siège devant Grenade, où il entra le

Ph. Prato/Ricciarini

Blue Mountains.

2 janvier 1492. Boabdil se réfugia au Maroc où il aurait trouvé la mort en combattant pour le sultan marinide* de Fès (1527).

BOADICÉE ou **Boudicca.** ♦ Reine des Icènes (Ier s.), établie dans l'actuel Norfolk, en Grande-Bretagne. Elle déclencha une révolte contre les Romains (60) et, vaincue par Paulinus Suetonius, s'empoisonna.

BOAS (Franz). ♦ Anthropologue et ethnologue américain d'origine allemande (Minden, Westphalie, 1858 – 1942). Après une expédition chez les Esquimaux de la terre de Baffin (1883), il se consacra essentiellement à l'étude des Indiens d'Amérique, faisant porter ses recherches sur l'anthropologie physique (variations des races sous l'influence du milieu) et culturelle (mythes et traditions orales). Aux grandes synthèses ethnologiques, il opposa un effort d'analyse précise et rigoureuse des différentes formes de culture [École analytique]. (*The Central Eskimo*, 1888 ; *The Social Organization and Secret Societies of the Kwakiutl Indians*, 1897 ; *The Mind of the Primitive Man*, 1911 ; *Général Anthropology*, 1938, etc.).

BOBADILLA (Francisco *de*). ♦ Gouverneur espagnol de la seconde moitié du XVe siècle. Chargé d'enquêter sur la situation à Hispaniola (Haïti), il fit emprisonner et renvoyer en Espagne C. Colomb* auquel il succéda comme gouverneur des Indes occidentales avant d'être lui-même destitué par N. De Ovando* ; il mourut lors de son retour en Espagne (1502).

BOBBIO. ♦ Petite V. d'Italie en Émilie (prov. de Plaisance, sur la Trébie). 5 884 hab. Célèbre abbaye fondée en 612 par saint Colomban* qui y mourut en 615.

BOBÈCHE (Mandelard, dit**).** ♦ Pitre des théâtres de la Foire, célèbre sous l'Empire et la Restauration.

BOBIGNY. ♦ Préf. de la Seine-Saint-Denis, ch.-l. d'arr. (23 cant., 24 comm., 897 348 hab.) sur le canal de l'Ourcq dans la banlieue N.-E. de Paris. 40 221 hab. *(Balbyniens).* La préfecture, très moderne, comprend trois bâtiments. Hôpital franco-musulman. – Gare de triage, métallurgie, mécanique de précision; travaux publics.

BOBO-DIOULASSO. ♦ V. du S.-O. de la Haute*-Volta. Centre agricole et économique dont l'importance tend à diminuer, reliée par voie ferrée à Ouagadougou* et à Abidjan*. 70 000 hab. Abattoirs frigorifiques.

BOBRUISK ou **BOBROUÏSK.** ♦ V. d'U.R.S.S. (Biélorussie*), dans la région de Moghilev, sur la Bérézina*. 138 000 hab. Indus. alimentaires. Traitement du bois. Tanneries. Fabrication de pompes destinées à l'extraction hydraulique de la houille. Équipements pour l'indus. du pétrole, de machines agricoles. Caoutchouc industriel.

BOCAGE NORMAND. *n. m.* ♦ Région de Normandie qui s'étend, au S. du Cotentin* et du Bessin* et à l'O. de la Campagne de Caen*, sur une partie des dép. du Calvados*, de la Manche* et de l'Orne*. On l'appelle aussi Suisse normande. C'est la région la plus élevée et l'une des plus pittoresques de l'Ouest de la France (417 m). Élevage.

BOCCACCINO (Boccaccio). ♦ Peintre italien (Crémone, v. 1465 – *id.*, v. 1525). Les peintres ferrarais, lombards, ombriens, eurent un rôle dominant dans sa formation; il rechercha ensuite auprès des Vénitiens (Bellini*), puis auprès des Toscans et des Romains, les éléments renaissants (organisation de l'espace, architectures) qu'il introduisit dans son naturalisme (*Scènes de la vie de Marie*, v. 1506-1507, Dôme de Crémone). ♦ Son fils CAMILLO (Crémone, 1501 – *id.*, 1546), plus fidèle à la tradition locale, s'inspira de Romanino* et de Pordenone* dans ses fresques du Dôme de Crémone, puis se tourna, à Parme, vers les contrastes chromatiques et les rythmes compositionnels du maniérisme (*Madone avec des saints*, 1532, Brera).

BOCCACE (Giovanni Boccaccio, dit**).** ♦ Écrivain italien (Paris ?, 1313 – Certaldo, Toscane, 1375). De père toscan et de mère française, il passa son enfance à Florence, puis fut envoyé à Naples où il suivit les cours de droit civil donnés par Cino* da Pistoia, avant de se consacrer à la littérature. Il participa à la vie raffinée et voluptueuse de la cour de Robert d'Anjou, dont il aima la fille naturelle, Marie d'Aquino. Il devait célébrer cette passion dans ses *Rime (Poésies)*, inspirées du Stil Nuovo, dans le *Filocolo* (*L'Amoureux de l'amour*, v. 1336), écrit en prose littéraire toscane, puis dans un roman psychologique et semi-autobiographique, l'*Elegia di Madonna Fiammetta* (1343). De retour à Florence (v. 1340), tout en remplissant des charges administratives importantes, il composa des fables pastorales (Le *Ninfale d'Ameto*, v. 1341 ; l'*Amorosa visione*, v. 1342) et une idylle mythologique en vers, le *Ninfale fiesolano* (*Le Nymphée de Fiesole*, v. 1344-1346). Vers 1350-1353, il publia son chef-d'œuvre, *Le Décaméron**, savoureux recueil de nouvelles dont le raffinement d'écriture fit de Boccace le fondateur de la prose littéraire italienne. Dès 1354, avec *Il Corbaccio (Le Corbeau ou Le Labyrinthe d'amour)*, violente satire contre les femmes, se manifesta dans l'œuvre de Boccace une évolution en un sens humaniste et religieux. Écrivant dès lors en latin, il composa des *Églogues*, un traité de mythologie classique et le fameux *De claris mulieribus* (*Des dames de renom*, v. 1360). Commentateur de Dante*, il fut aussi influencé par Pétrarque avec lequel il échangea une correspondance ininterrompue, depuis 1350. À la fin de sa vie, il contribua à faire de Florence un foyer de l'humanisme naissant.

BOCCADOR (Domenico Bernabei, dit **Domenico da Cortona** ou **le).** ♦ Architecte, ingénieur et décorateur italien (Cortona, ? – Paris, v. 1549). Il travailla en France après 1496 au service de Louis XII, puis de François Ier. On lui attribue les premiers projets pour le château de Chambord* (1530), ainsi que les plans de l'Hôtel* de Ville de Paris (1533). Tout en se référant à la tradition locale française, il utilisa le répertoire ornemental italien et peut être considéré comme l'un des initiateurs de la Renaissance française.

Ph. Carlo Bevilacqua/Ricciarini
Boccace, par Andrea del Castagno.

BOCCANEGRA. ♦ Famille génoise qui lutta contre les nobles aux XIIIe et XIVe siècles. ♦ GUGLIELMO BOCCANEGRA fut capitaine de Gênes de 1257 à 1262. ♦ SIMONE BOCCANEGRA, son petit-fils, fut le premier doge de Gênes (1339).

BOCCATI (Giovanni di Piermatteo, dit **Giovanni).** ♦ Peintre italien, né à Camerino, actif à Pérouse entre 1445 et 1480. Originaire des Marches, il s'établit à Pérouse, fit un séjour à Padoue en 1448, et décora, à Urbino, le palais des Montefeltro (v. 1455). Auteur d'une *Pietà* (1479, Pérouse), il peignit surtout de gracieuses madones entourées d'anges, de saints, de fleurs, qui révèlent un talent délicat de coloriste, influencé par les maîtres toscans, Filippo Lippi* et Domenico Veneziano* : la *Madone à la Pergola*, avec ses beaux paysages de prédelle, 1447, Pérouse ; le polyptyque de Belforte del Chienti, près d'Ancône, 1468 ; la *Madone à l'Orchestre*, Pérouse ; la *Madone aux fraises*, Settignano ; la *Vierge aux anges musiciens*, musée d'Ajaccio.

BOCCHERINI (Luigi). ♦ Compositeur italien (Lucques, 1745 – Madrid, 1805). Violoncelliste virtuose, il entreprit avec son ami le violoniste Manfredi de nombreuses tournées à travers l'Europe, menant en même temps une carrière de compositeur. Établi à Madrid, au service de l'infant d'Espagne (1769), il ne quitta cette capitale que pour un séjour à Berlin (1787) où Frédéric-Guillaume II lui décerna le titre de compositeur de la Chambre du roi. Cependant il devait mourir dans la plus grande misère. Abondante et variée, son œuvre comporte des opéras, des symphonies, un *Stabat Mater* et de très nombreuses pièces de musique de chambre (sonates, menuets). Créateur du quatuor et du quintette à cordes, il est aussi un mélodiste d'une inspiration toujours élégante et claire.

BOCCHORIS, nom grec de **Bokenrenef.** ♦ Fondateur et unique pharaon de la XXIVe dynastie saïte (~ 720-~ 715).

BOCCHUS. ♦(~ IIe – ~ Ier s.). Roi de Mauritanie. Beau-père de Jugurtha*, il s'allia d'abord avec lui contre les Romains, puis le livra à Sylla* (~ 105). Il reçut en récompense la Numidie orientale et le titre d'allié et ami du peuple romain.

BOCCIONI (Umberto). ♦ Peintre, sculpteur et théoricien italien (Reggio de Calabre, 1882 – Sorte [Vérone], 1916). Établi à Rome de 1898 à 1902, il rencontra Ballà* qui l'initia à la peinture divisionniste. Il se lia ensuite avec Marinetti* (1908) et signa le *Manifeste de la peinture et de la sculpture futuriste* en 1910. Marqué par le symbolisme, il exécuta des œuvres empreintes de réminiscences du style Art Nouveau et d'un expressionnisme procédant de Munch*. À la suite d'un voyage à Paris (1911), il emprunta aux cubistes certains de leurs procédés (décomposition des objets

Arch. Smeets

U. Boccioni : « Dynamisme d'un joueur de football », 1913. (Musée d'Art moderne, New York.)

par l'intersection et la compénétration des plans) mais, s'opposant violemment au caractère statique et intellectuel de cet art, il chercha à exprimer le dynamisme de la civilisation moderne et à suggérer le mouvement (*Élasticité,* 1912). Il publia en 1912 le *Manifeste technique de la sculpture futuriste,* affirmant qu'il voulait renouveler « le rapport forme-espace » par l' « abolition de la ligne finie et de la statue fermée ». Il disloqua les formes de ses sculptures en créant des volumes où « chaque profil porte en soi l'indication des autres profils précédents et suivants », les décomposant, non pas selon des procédés rigoureux mais selon l' « ambiance émotive » qu'il désire créer (*Forme unique de continuité dans l'espace,* 1913).

BOCHIMANS. *n. m. pl.,* en angl. *Bushmen.* ♦ Peuple nomade du S.-O. africain, qui vit dispersé dans le désert du Kalahari* (env. 60 000 individus). — Les dialectes *bochimans* (répartis en trois groupes : Sud, Centre et Nord) font partie des langues khoin, comme le hottentot.

BOCHOLT. ♦ V. de Belgique (Limbourg, arr. de Maaseik). 5 500 hab. Église gothique (XVe s.) Brasserie.

BOCHOLT. ♦ V. d'Allemagne occidentale (Rhénanie-Westphalie), sur l'Aa, au N.-O. du bassin de la Ruhr et près de la frontière hollandaise. 48 000 hab. Église gothique (XVe s.) et *rathaus* de style Renaissance hollandais (1618-1621). Centre industriel (travail du coton, métallurgie et mécanique).

BOCHUM. ♦ V. d'Allemagne occidentale (Rhénanie-du-Nord-Westphalie), dans la Ruhr*. 346 000 hab. (1969); elle en comptait 5 000 en 1850. Université de la Ruhr. Très important centre industriel (extraction de houille; sidérurgie, construction automobile [usines Opel], indus. alimentaires, etc.). — Musée de l'indus. minière *(Bergbau Museum)* comptant 18 km de galeries.

BOCK (Fedor *von***).** ♦ Feld-maréchal allemand (Küstrin, 1880 — Lehnsahn, Holstein, 1945). D'une famille d'officiers, il se rallia très tôt à Hitler malgré ses idées monarchistes. En 1938, il reçut le commandement des troupes qui envahirent l'Autriche, puis en 1939 d'une des armées qui anéantirent la Pologne en quelques semaines. Nommé maréchal en juin 1940, à la suite de la campagne de France, il prit la tête d'une des armées qui entra en U.R.S.S. en juin 1941. Après son échec à 30 km de Moscou, il prit un commandement en Ukraine puis franchit le Don avec ses troupes (1942); en désaccord avec Hitler à propos de Stalingrad, il démissionna en novembre 1942.

BÖCKLIN (Arnold). ♦ Peintre, dessinateur et sculpteur suisse (Bâle, 1827 — Fiesole, 1901). De 1845 à 1847, il étudia à Düsseldorf puis séjourna à Bruxelles, Anvers, Paris et Rome. À Bâle, il se lia avec l'écrivain d'art J. Burckardt qui encouragea sa passion pour l'art italien. À Rome, de 1850 à 1858, il s'intéressa à la littérature antique et au paysage classique et exécuta de nombreux paysages idylliques et mythologiques d'où se dégage un sentiment de violence et d'étrangeté. Il recherchait souvent, par souci d'expressivité, les tonalités intenses et les contrastes d'une certaine crudité. Il fut professeur à Weimar (1858-1861) et obtint à Munich un grand succès avec *Le dieu Pan dans les roseaux,* 1859. Après de longs séjours en Italie, il s'installa définitivement à Fiesole. Exaltant le caractère dionysiaque de ses scènes mythologiques (*Combat de centaures, Triton et Néréide,* 1873), il chargea sa peinture de préoccupations idéalistes et exécuta vers la fin de sa vie des vues calmes à la composition géométrique, et aux tons saturés, d'une grande puissance onirique (*L'Île des morts,* 1880). Peu apprécié en France, il fut admiré dans les milieux idéalistes et symbolistes allemands, considéré comme un précurseur par les expressionnistes du groupe Die Brücke et il éveilla l'intérêt des surréalistes.

BOCOGNANO. ♦ Ch.-l. de cant. de la Corse* (arr. d'Ajaccio*) situé dans le centre de l'île. 650 hab. *(Bocognaniens).*

BOCSKAY (István). ♦ (Kolozsvár, 1577 — Kassa, 1606). Prince de Transylvanie (1605-1606). Conseiller des Báthory*, Bocskay se tourna contre les Habsbourg par fidélité au protestantisme. Chef des Haïdouks, maître de la Hongrie orientale, il fut élu en 1605 prince de Hongrie et de Transylvanie. L'empereur dut consacrer en 1606 l'indépendance de la Transylvanie, et accorder une certaine autonomie à la Hongrie royale avec l'autorisation du culte protestant. Bocskay favorisa la conclusion de la paix entre Allemands et Turcs (1606) et prit d'importantes mesures sociales en faveur des paysans. Il mourut en 1606. Son chancelier Katay, accusé de l'avoir empoisonné, fut tué par la foule.

BODAWPAYA. ♦ Roi de Birmanie (1745 — 1819). Venu au pouvoir en 1782, il fit massacrer toute sa famille et établit sa capitale à Amarâpura. Il envahit l'Arakan* d'où il rapporta l'image sacrée du Bouddha appelée Mahâmuni, puis se lança à la conquête du Siam, mais échoua. Il fit élever de nombreuses pagodes, dont une, immense (elle devait avoir 150 m de hauteur), ne put être achevée. Il passa des traités commerciaux avec les Anglais. Il eut 122 enfants, mais ce fut son petit-fils Bagyidaw* qui lui succéda.

BODE (Johann Elert). ♦ Astronome allemand (Hambourg, 1747 — Berlin, 1826). La loi qui porte son nom a permis de calculer approximativement les distances relatives des planètes par rapport au Soleil (1778). **V. Titius.**

BODEL (Jehan). ♦ V. JEAN BODEL.

BODENSEE. ♦ Nom allemand du lac de Constance*.

BODHAYANA. ♦ Auteur comique indien (VIIe s.?) à qui est attribuée une farce pleine de saveur : *L'Ascète transformé en courtisane (Bhagavadajjukiya).*

BODH GAYÂ [*Boddh-Gayâ*]. ♦ Bourgade du Bihâr* (Inde) où le Bouddha*, assis sous un arbre pippal devint « éveillé » et médita sur la doctrine qu'il allait enseigner au monde. Un temple élevé par Aśoka* et plusieurs fois réédifié signale l'endroit où se produisit cet événement.

Bodhi. *n. m.* ♦ Selon la philosophie bouddhique, « Eveil » suprême, atteinte au monde de la Connaissance, conduisant à l'état de non-désir du Nirvâna.

BODHIDHARMA. ♦ Moine bouddhiste indien (VIe s.) qui prêcha en Chine et fonda la secte du Ch'an* (Zen* en japonais). La légende assure qu'il demeura neuf ans assis la face tournée vers un rocher, perdant ainsi l'usage de ses jambes et de ses yeux.

Bodhisattva. *n. m.* ♦ Dans les religions bouddhiques, classe de divinités supérieures représentant les entités spirituelles (ou essence de la Connaissance) qui ont volontairement refusé de devenir Bouddha* afin d'aider les êtres vivants a progresser sur la voie du salut. Le plus vénéré (et le plus connu) est Avalokiteśvara* (le Kuan-yin des Chinois, le Kannon des Japonais).

BODIN (Jean). ♦ Économiste et philosophe français (Angers, 1529 ou 1530 — Laon, 1596). Il fut avocat au Parlement de Paris avant de devenir lieutenant général puis procureur du roi au baillage de Laon. Dans son traité *Methodus ad facilem historiarum cognitionem,* il a montré l'importance de la connaissance de l'histoire pour la compréhension du droit et de la politique. Économiste, il a analysé le phénomène de la montée des prix au XVIe s. en relation avec l'apport des métaux précieux d'Amérique *(Réponse aux paradoxes de Malestroit).* Enfin, auteur de *La République**, il se fit en politique, le théoricien de la monarchie absolue.

BODIN DE BOISMORTIER. ♦ V. BOISMORTIER.

BODLEY (*sir* **Thomas).** ♦ Diplomate et érudit anglais (Exeter, 1545 — Londres, 1613). À partir de 1598, il se consacra à la restauration et à l'enrichissement de la fameuse bibliothèque d'Oxford* qui prit le nom de *bibliothèque Bodléienne.*

BODMER (Johann Jakob). ♦ Écrivain et critique suisse d'expression allemande (Greifensee, 1698 — près de Zurich, 1783). Il reste célèbre pour la polémique qui l'opposa à Gottsched*, le tenant du classicisme français en littérature. Influencé par Addison *(Le Spectator)* et surtout par Milton (*Le Paradis perdu,* dont il donna une traduction en prose, 1723), il publia un hebdomadaire littéraire et moral *Discours des peintres* (1721-1723, avec J.J. Breitinger*) et un *Traité critique du merveilleux* (1740) où il affirme le rôle prépondérant de l'imagination et du merveilleux en art. Il fut également un des premiers à reconnaître le génie de Klopstock*, de Wieland*, et à redécouvrir la poésie allemande médiévale, publiant *Le Chant des Nibelungen** (1757) et une collection de *Minnesänger* (1758-1759).

BODØ. ♦ V. et port du N. de la Norvège, à l'entrée du Saltfjord. Ch.-l. du comté de Nordland. Aéroport. Terminus de la voie ferrée venant de Trondheim*. Port de pêche. Indus. métallurgiques et mécaniques. Détruite par les bombardements allemands en 1940, la ville a été entièrement reconstruite.

BODONI (Giambattista). ♦ Imprimeur italien (Saluces, 1740 — Padoue, 1813), qui travailla pour le grand-duc de Parme. Créateur du caractère qui porte son nom, auteur d'un *Manuel typographique* (1818, posth.), il publia d'importantes éditions de classiques grecs, latins, italiens et français.

BODRUM. ♦ V. de Turquie, dans la province de Mugla (Carie*), sur le golfe de Cos*, à l'emplacement de l'anc. Halicarnasse* Env. 6 000 habitants.

BOÈCE, en lat. **Anicius Manlius Severinus Boetius**. ♦ Philosophe et homme politique latin (Rome, 480 – 525). Après avoir achevé des études scientifiques et philosophiques à l'école d'Athènes, il devint consul (510) sous Théodoric. Mais, accusé de complot et de magie, il fut emprisonné; il écrivit alors son œuvre principale *La Consolation* de la philosophie* avant d'être exécuté. Héritier de la culture grecque, il souhaitait la transmettre au monde occidental. Il commença à traduire et à commenter en latin les traités d'Aristote dont il voulait accorder la philosophie avec celle de Platon. Sa place dans l'histoire de la logique est importante, entre Aristote et les stoïciens d'une part, et le Moyen Âge.

BOECHOUT. ♦ V. de Belgique, dans la banlieue S.-E. d'Anvers. 7 700 hab. Château du XVIIe siècle. – Métallurgie. Taille du diamant.

BOEGNER (Marc). ♦ Pasteur et homme de lettres français (Épinal, 1881 – Paris, 1970). Président du Conseil* œcuménique des Églises (1948-1954) et président d'honneur de la Fédération protestante de France depuis 1961. (Acad. fr., 1962.)

BOEHM (Georg). ♦ Organiste et compositeur allemand (Hohenkirchen, 1661 – Lünebourg, 1733). Titulaire de l'orgue à l'église Saint-Jean de Lünebourg (1698), il composa de nombreuses œuvres pour cet instrument (préludes et fugues) ainsi que des cantates et des pièces pour le clavecin. Il exerça sur J.-S. Bach, jeune choriste à Lünebourg, une influence certaine.

BOËLY (Alexandre). ♦ Compositeur et organiste français (Versailles, 1785 – Paris, 1858). Organiste de Saint-Germain-l'Auxerrois, il a composé de nombreuses pièces pour l'orgue et le piano, dans un style qui rappelle à la fois la manière de Bach et l'inspiration du premier Beethoven.

BOËN [bɔɛ̃] ou **BOËN-SUR-LIGNON**. ♦ Ch.-l. de cant. de la Loire* (arr. de Montbrison*), sur le Lignon. 3 693 hab. Château (XVIIIe s.). – Indus. métallurgique; bonneterie. – Patrie de l'abbé Terray*.

BOERHAAVE (Hermann). ♦ Médecin et chimiste hollandais (Voorhout, près de Leyde, 1668 – Leyde, 1738). Docteur en méd., il enseigna à Leyde où sa renommée attira les étudiants de toute l'Europe. Il est connu par ses travaux de méd. (*Institutiones medicas in usum annuae exercitationis,* 1708), et de botanique. Il fut un des partisans de l'iatromécanisme **(V. Borelli)**.

Boers [buʀ]. *n. m. pl.* (mot néerl. « paysans »). ♦ Nom donné aux descendants des colons néerlandais qui s'établirent au Cap* puis dans toute l'Afrique australe et, *par ext.,* aux émigrés allemands, scandinaves et français qui les rejoignirent. Les descendants des Boers, *Afrikaanders* ou *Afrikaners,* forment aujourd'hui la majorité de la population blanche d'Afrique du Sud et l'afrikaans*, forme dialectale du néerlandais, est langue officielle au même titre que l'anglais. – *Guerre des Boers* ou guerre du Transvaal. Guerre menée par les *Boers* contre la suzeraineté anglaise [1899-1902] **(V. Afrique du Sud,** ***Hist.*)**.

BOESSET ou **BOYSSET (Antoine,** ***sieur de*** **Villedieu)**. ♦ Compositeur français (Blois, 1586 – Paris, 1643). Surintendant de la musique sous Louis XIII (1623), il a collaboré à de nombreux ballets de cour et publié plusieurs livres d'airs qui le font considérer comme un des maîtres de la musique vocale au XVIIe siècle. Il entretint des relations avec Descartes, le père Mersenne et Huyghens.

BOÉTIE (La). ♦ **V.** La Boétie.

BOFFRAND (Germain). ♦ Architecte et décorateur français (Nantes, 1667 – Paris, 1754), élève de Girardon* et de J.H. Mansart*. Tout en conservant l'esprit classique de ses prédécesseurs, il intégra avec mesure et raffinement le décor rocaille à ses constructions. Il éleva à Paris de nombreux hôtels particuliers (*hôtel Amelot de Gournay,* 1695). Nommé à partir de 1708 architecte du duc de Lorraine, il construisit les châteaux de Craon et d'Haroué, l'église Saint-Jacques de Lunéville (1730-1747), des résidences princières pour les cours étrangères (plan de la *« Favorite »* pour l'Électeur de Mayence), contribuant ainsi à propager l'art français en Europe. Décorateur élégant et inventif, il aménagea les *appartements de l'Arsenal* (1718-1728) et l'*hôtel Rohan-Soubise* (1735-1740), caractéristiques du style rocaille ou rococo.

BOĞAZKALE, anc. **Boğazköy**. ♦ Site archéologique de Turquie, à l'E. d'Ankara*, à l'emplacement de l'anc. capitale hittite Hattousas*.

BOGDAN (Peter). ♦ Écrivain albanais (XVIIe s.). Auteur d'un célèbre traité religieux, le *Cuneus Prophetarum.*

BOGDANOV (Alexandre Alexandrovitch Malinovski, dit**)**. ♦ Philosophe, économiste et sociologue russe (?, 1873 – Moscou, 1928). Bolchevik jusqu'en 1907, il fut, à partir de 1908, un des principaux représentants du mouvement de mise en question et de révision du matérialisme dialectique et historique de Marx et d'Engels et créa « l'empiriomonisme », variété de l'empiriocriticisme **(V. Avenarius, E. Mach)**, dont les positions idéalistes furent vivement critiquées par Lénine*.

BOGHARI. ♦ Nom ancien de Ksar* el-Boukhari.

BOGNY-SUR-MEUSE. ♦ Comm. des Ardennes, arr. de Charleville-Mézières, sur la Meuse*. 6 715 hab. Église de Braux, de fondation ancienne, remaniée aux XVIIe et XVIIIe siècles.

BOGOMILES [*n. m. pl.*] (rapporté à *Bogomil,* « l'ami de Dieu » en bulgare, nom du fondateur, probablement légendaire). ♦ Hérétiques dualistes apparus en Bulgarie au Xe siècle. S'appuyant sur les doctrines manichéennes **(V. Mani)**, le *bogomilisme* se répandit au XIIe s. dans les pays balkaniques et l'empire byzantin. Son influence semble être l'une des causes du mouvement cathare*.

Ph. Nino Cirani/Ricciarini

Bogotá : vue générale.

BOGOR. ♦ V. de Java* (Indonésie*), au S. de Djakarta*, appelée autrefois Buitenzorg, « Sans-souci », par les Hollandais. Env. 175 000 hab. Très beau jardin botanique et nombreux instituts scientifiques. C'est essentiellement une ville résidentielle.

BOGOTÁ. ♦ Capitale de la Colombie* et ch.-l. du dép. de Cundinamarca (23 140 km²; 3 000 000 d'hab. env.), situé sur un vaste plateau de la Cordillère orientale à 2 650 m d'alt., dans une riche région agricole de climat tempéré. 2 200 000 hab. env. (600 000 hab. en 1951). Archevêché. Université. Aéroport internat. Métropole administrative et culturelle (Musée de l'or). Centre commercial et industriel (indus. textiles, alimentaires; pneumatiques). ♦ *Hist.* Fondée en 1538 sous le nom de *Santa Fé de Bogotá,* par Quesada* sur le site de l'anc. *Bacatá;* centre de la civilisation des Indiens Chibchas, la ville fut la capitale de la vice-royauté espagnole de Nouvelle-Grenade (1598-1819) avant de devenir celle de la République colombienne.

BOGOUTCHANY ou **BOGUCHANY**. ♦ Localité de l'U.R.S.S. (R.S.F.S. de Russie) en Sibérie. Grande centrale hydro-électrique sur l'Angara*.

BOHAIN-EN-VERMANDOIS. ♦ Ch.-l. de cant. de l'Aisne* (arr. de Saint-Quentin*) dans le Vermandois. 7 157 hab. Centre industriel (indus. textiles, brasserie, sucrerie).

BOHÊME. *n. f.,* en tchèque **Český**. ♦ Partie occidentale de la Tchécoslovaquie. 52 766 km², 6 145 550 hab. (1968). La Bohême est divisée administrativement en cinq régions (kraj) : *Bohême centrale, méridionale, occidentale, septentrionale* et *orientale. Villes princ.* **V. České Budějovice, Chomutov, Děčín, Hradec Králové, Jablonec nad Nisou, Karlovy Vary, Kladno, Liberec, Lidice, Mariánské, Lázně, Mladá Boleslav, Most, Pardubice, Plzeň, Prague, Tábor, Teplice, Usti nad Labem.** – *Orogr.* La Bohême se présente comme un vaste quadrilatère entouré de massifs hercyniens rajeunis : au N.-E. et à l'E. les monts des Sudètes*, au N. (entre la Neisse et la trouée de l'Elbe) les Lužické Hory (1 010 m), au N.-O. les Krušné Hory ou monts Métallifères (en all. Erzgebirge*) flanqués de deux massifs volcaniques (les České Stredohoří à l'E. et le Doupovské Hory à l'O.), au S.-O. les Český Les (forêt de Bohême, culminant au Čerchov, 1 039 m) et la Šumava*, enfin au S.-E. les collines tchéco-moraves (837 m) au relief peu marqué du côté de la Bohême. L'intérieur de la région, formé essentiellement de plateaux, comprend trois bassins : le bassin marécageux de České Budějovice drainé par la Vltava*; le bassin de Plzen, séparé du précédent par les crêtes gréseuses des Brdy, est drainé par la Berounka et hautement industrialisé; la plaine limoneuse du Polabí* est, au N.-E., la région la plus riche de Bohême. – *Écon.* **V. Tchécoslovaquie.** ♦ *Hist.* Peuplée à partir du ~ Ve s. par les Celtes Boïens, occupée par les Marcomans* (Ier s.), puis par les Slaves Tchèques qui devinrent les vassaux de Charlemagne à la fin du VIIIe s., la Bohême, évangélisée à partir de 863 par Cyrille* et Méthode, fit partie du royaume de Grande-Moravie à la fin du IXe siècle. Celui-ci engloba à un moment donné la Moravie et la Slovaquie occidentale, mais à partir de 894, la Moravie fut séparée de la Bohême pour un siècle. **V. Moravie.** Quant à la Slovaquie, elle tomba sous le joug magyar en 905. L'État tchèque, fondé par les Premyslides, reconnut la suzeraineté des rois allemands après l'assassinat de saint Wenceslas*, duc de Bohême (924-929) par son frère Boleslav* le Cruel (929-967). Sous Vratislav (1061-1092), le duché fut élevé au rang de royaume, lequel devint héréditaire en 1198. Le règne de Premysl Ottokar* II (1253-1278) fut marqué par une série de conquêtes (la Silésie, la Slovaquie, la Lusace, l'Autriche, la Styrie, la Carinthie et la Carniole) qui furent abandonnées sous la contrainte de l'empereur Rodolphe* Ier de Habsbourg. La dynastie des Prémyslides s'éteignit en 1306 lors de l'assassinat de Wenceslas* III. Elle fut remplacée en 1310 par celle des Luxembourg. À Jean* Ier de Luxembourg (1310-1346) succéda Charles* IV (1346-1378), empereur du Saint-Empire, qui porta la Bohême à son apogée et agrandit considérablement le royaume. Sous le règne de son fils Wenceslas* IV (1378-1419), le mouvement de réforme dirigé par Jan Hus* provoqua une crise à la fois religieuse, nationale et sociale qui aboutit à la guerre civile sous Sigismond* de Luxembourg (1419-1437). Après une période confuse, la couronne de Bohême passa successivement à Georges* de Podĕbrady (1458-1471) dont le règne vit reparaître des traces de hussisme (fondation de l'Unité des Frères Tchèques), aux Jagellons* (Ladislas VI [1471-1516] et Louis* II [1516-1526] qui unit les couronnes de Bohême et de Hongrie), puis à la maison des Habsbourg avec Ferdinand* Ier (1526-1564). Les Habsbourg gardèrent le trône jusqu'en 1918. La politique de germanisation et le non-respect des libertés religieuses reconnues en 1609 par Rodolphe* II (1576-1611) provoquèrent en 1618 l'insurrection des protestants nationalistes (défenestration* de Prague) et marquèrent le début de la guerre de Trente Ans. Les insurgés, refusant le trône à Ferdinand* II, élirent l'électeur palatin Frédéric* V (1619-1620), mais la défaite protestante de la Montagne*-Blanche (8 nov. 1620) marqua la fin de l'autonomie de la Bohême. La Constitution de 1627 institua l'hérédité de la couronne de Bohême dans la maison de Habsbourg. Le souverain s'appropriait le pouvoir législatif détenu jusqu'alors par la Diète. À partir de cette époque, l'étouffement du protestantisme et la politique de germanisation à outrance (à peine adoucie par quelques concessions sous Charles* VII [1711-1740], qui restèrent lettre morte) éveillèrent de plus en plus le sentiment national. Le règne de Joseph* II (1780-1790) fut marqué à la fois par un accroissement de la centralisation des États habsbourgeois et une détente sur le plan religieux (édit de tolérance de 1781). Le mouvement de renaissance culturelle et nationale tchèque, soutenu par les Éveilleurs (J. Dobrovsky, J. Jungmann, P.J. Šafarik*, F. Palacký* [défenseur de l'austro-slavisme]) se développa surtout après 1815 et aboutit à l'émeute de Prague (juin 1848), durement réprimée par Windischgraetz*. Le règne de François*-Joseph (1848-1916) vit apparaître, à côté de l'austro-slavisme des Vieux-Tchèques (qui préconisait l'autonomie de la Bohême dans le cadre de l'Empire habsbourgeois), le néoslavisme des Jeunes-Tchèques (qui penchait vers le séparatisme). Un parti social-démocrate fut fondé en 1870 et s'implanta rapidement au sein du monde ouvrier. Diverses institutions renforcèrent les bases du nationalisme tchèque (la Matice, destinée à promouvoir l'enseignement de la langue, le Sokol, société de gymnastique, etc.). La Première Guerre mondiale cristallisa l'opposition tchèque à la monarchie austro-hongroise et aboutit à la création d'une Tchécoslovaquie indépendante en 1918. **V. Tchécoslovaquie.** La Bohême, amputée du territoire des Sudètes, forma, avec la Moravie, de 1939 à 1945, un protectorat allemand. Depuis la Constitution d'octobre 1968, la Bohême et la Moravie constituent l'un des deux États fédérés (l'État tchèque) de la République tchécoslovaque.

Ph. Lauros-Giraudon

Illustration pour « La Dame Blanche » de **Boieldieu.** (Bibl. de l'Opéra, Paris.)

BOHÊME *(forêt de),* en all. *Böhmerwald.* ♦ Ensemble de massifs s'étendant le long de la frontière germano-tchécoslovaque, de la vallée de l'Ohre au N. à la vallée du Danube au S. Les principaux massifs sont, sur le versant tchécoslovaque : le *Český Les* et le *Šumava. L'Arber* (1 457 m) et le *Plechy* (ou *Plöckenstein,* 1 378 m) en sont les points culminants.

BOHÉMOND. ♦ Nom porté par plusieurs princes francs d'Antioche et comtes de Tripoli. ♦ BOHÉMOND Ier (?, v. 1057 – Canossa, Pouilles, 1111). Prince d'Antioche (1098-1111). Fils de Robert* Guiscard, il fut l'un des chefs de la 1re croisade* (1095-1099) et prit Antioche (1098). Après avoir été prisonnier de 1100 à 1103, il remit le gouvernement d'Antioche aux soins de son neveu Tancrède pour venir demander de l'aide en Occident. Il épousa alors Constance, fille de Philippe Ier de France. Il se reconnut ensuite vassal d'Alexis Ier Comnène, empereur d'Orient. ♦ BOHÉMOND II, fils de Bohémond Ier. Prince d'Antioche (1126-1131). ♦ BOHÉMOND III, prince d'Antioche (1163-1201), petit-fils de Bohémond II. ♦ BOHÉMOND IV, fils de Bohémond III. Prince d'Antioche (1201-1233). ♦ BOHÉMOND V, petit-fils du précédent, prince d'Antioche (1233-1251). ♦ BOHÉMOND VI, fils du précédent, perdit Antioche. ♦ BOHÉMOND VII, fils de Bohémond VI, fut comte de Tripoli (1275-1287) et mourut sans postérité.

BÖHM-BAWERK (Eugen Böhm *von* **Bawerk,** dit). ♦ Homme politique et économiste autrichien (Brünn [Brno], 1851 – Vienne, 1914). Trois fois ministre des Finances, il fut un des principaux représentants de l'école marginaliste de Vienne **(V. C. Menger).** Il est surtout connu pour sa théorie de l'intérêt qui repose sur le principe de la productivité marginale et sur le facteur psychologique de la « dépréciation du futur » (selon laquelle un bien actuel vaut plus que le même bien futur), ainsi que pour sa critique des conceptions marxistes de l'exploitation de la force de travail de l'ouvrier par le capitalisme et de la baisse tendancielle du taux de profit (*Kapital und Kapitalzins,* 1884-1889, *Grundzüge der Theorie des Wirtschaftlichen Guterwertes,* 1886).

BÖHME ou **BOEHME (Jakob).** ♦ Mystique allemand de confession luthérienne, surnommé « philosophus teutonicus » (Altseidenberg, Görlitz, 1575 – *id.,* 1624). Cordonnier de son métier, il écrivit plusieurs ouvrages mystiques : *L'Aurore à son lever; Des trois principes de l'essence divine; De la triple vie de l'homme.* Contrairement à la métaphysique néo-platonicienne, qui, partant de l'UN, de la Perfection, décrit les degrés successifs de sa dégradation, la mystique de Boehme tente de montrer la genèse de l'être parfait à partir des êtres imparfaits.

BOHR (Niels). ♦ Physicien danois (Copenhague, 1885 – 1962). Faisant appel à la théorie des quanta **(V. Planck),** il donna en 1913 une représentation électronique planétaire de l'atome basée sur deux postulats (états stationnaires quantifiés et *loi des fréquences de Bohr)* **[V. Rutherford, Sommerfeld];** cette théorie permit notamment d'interpréter les lois donnant la fréquence des raies spectrales émises par les atomes et d'apercevoir la nature essentiellement quantique des phénomènes d'excitation et d'ionisation des atomes et molécules par des chocs **(V. Franck** et **G. Hertz);** en 1916, il améliora sa théorie en énonçant le « principe de correspondance »; en 1927, il introduisit le concept de « complémentarité » selon lequel le corpuscule et l'onde sont deux aspects complémentaires de la réalité. On lui doit encore le modèle nucléaire de la « goutte liquide » (1936) à l'aide duquel, avec Wheeler*, il expliqua la fission (1939) **[V. Frisch, Meitner, Hahn].** (Prix Nobel de phys., 1922.)

BOIARDO (Matteo Maria). ♦ Poète italien (Scandiano, v. 1441 – Reggio Emilia, 1494). Issu d'un milieu cultivé, humaniste (il traduisit des œuvres grecques et latines, et composa des poèmes latins), Boiardo qui était attaché à la famille d'Este, à Ferrare, se délassa des servitudes de sa charge en écrivant son *Canzoniere* (1472-1476). Inspirés de Pétrarque*, ces poèmes amoureux expriment une mélancolie sincère. Le chef-d'œuvre de Boiardo reste l'*Orlando innamorato* (*Roland* amoureux,* 1476 à 1494, inachevé) où, avec une verve éblouissante, il mêle le cycle breton au cycle carolingien, et crée des types bien marqués, popularisés pendant des siècles.

BOIELDIEU [bɔjɛldjø] **(François Adrien).** ♦ Compositeur français (Rouen, 1755 – Jarcy, 1834). Auteur de mélodies et de pièces pour le piano, il connut la célébrité avec une quarantaine d'opéras-comiques et d'opéras, ensemble d'œuvres de qualité inégale d'où se détachent *Le Calife de Bagdad* (1800) et *La Dame blanche* (1825). Directeur de la musique à l'Opéra impérial de Saint-Pétersbourg (1803-1810), il fut aussi professeur de composition au Conservatoire de Paris.

BOÏENS ou **BOÏES.** *n. m. pl.,* en lat. *Boii.* ♦ Peuple celte établi dans le S.-O. de l'Allemagne et qui se divisa au ~ Ve s. en deux groupes. Le premier se fixa en Italie du Nord dans la région de Bologne et fut soumis par les Romains en ~ 191. Le deuxième s'installa dans la région qui prit plus tard le nom de Bohême*. Mais, chassés par les Marcomans au ~ Ier s., ces Boïens émigrèrent soit vers la Pannonie*, soit vers la Gaule où ils s'établirent dans la région de Bordeaux et dans l'Allier.

BOILEAU ou **BOILLESVE (Étienne).** ♦ Prévôt de Paris sous Saint Louis en 1261 (mort à Paris en 1270). À la demande du roi, il rédigea en 1268, un recueil des statuts des corporations parisiennes *(Le Livre des métiers).*

BOILEAU (Nicolas, dit **Boileau-Despréaux).** ♦ Écrivain français (Paris, 1636 – *id.,* 1711). Issu de la bourgeoisie parlementaire parisienne, il fut élève au collège d'Harcourt. Il se montra un combattant plein de fougue dans ses premières *Satires** (1660-1667), inspirées de celles d'Horace, de Juvénal et de Mathurin Régnier; portant des attaques virulentes contre ceux qu'il estimait coupables de mauvais goût, donc de mauvais style (Chapelain*, Cotin*, Scudéry*), il louait ses amis Chapelle* et Molière*, comme il soutiendra plus tard La* Fontaine et Racine*. Introduit dans une société moins libertine (chez le président de Lamoignon*, qui lui présenta notamment le grand Arnauld*), Boileau allait se tourner vers le genre plus serein des Épîtres* (1669 à 1695), volontiers nourries de réflexions morales. Il donna parallèlement en 1674 une traduction du *Traité du sublime* de Longin*, les premiers chants du *Lutrin**, et son *Art* poétique* qui résume en formules vigoureuses la doctrine classique déjà illustrée par de nombreux chefs-d'œuvre. Historiographe du roi en 1677, entré à l'Académie en 1684, installé dans sa « retraite » d'Auteuil*, Boileau poursuivit la composition des *Satires*, des *Épîtres* et du *Lutrin*. Il retrouva en 1693 contre Perrault* la fougue du polémiste dans ses *Réflexions sur Longin (Querelle des Anciens* et des Modernes)*, en s'élevant contre les mœurs modernes dans la *Satire X* (*Contre les femmes*, 1694), puis en se rangeant aux côtés des jansénistes contre les jésuites et leur casuistique dans l'*Épître XII* (sur *L'Amour de Dieu*, 1695). Cette protestation contre *l'équivoque* (titre d'un texte que Louis XIV interdit de publier), en littérature comme en morale ou en théologie, et cette passion de la vérité sont le fondement de la critique et de l'esthétique de Boileau : poète capable de réussites dans la peinture réaliste de la vie quotidienne, artiste exigeant au niveau de la forme, il fut un critique violent mais sincère, chez qui « la raison n'était pas [...] distincte du sentiment; c'était son instinct » (Vauvenargues).

BOILLY (Louis Léopold). ♦ Peintre et graveur français (La Bassée, 1761 – Paris, 1845). Auteur de portraits, d'images galantes et de quelques peintures d'histoire, il est surtout célèbre comme peintre de genre (*L'Arrivée d'une diligence*, 1803). Ses multiples scènes de mœurs d'une facture assez sèche et conventionnelle et d'une composition parfois habile constituent autant de documents sur son époque.

BOIS *(lac des)*, en angl. **Lake of the Woods**. ♦ Lac du Canada (S.-O. de l'Ontario, à la frontière du Manitoba), situé en partie aux États-Unis (Minnesota). 3 500 km².

BOISCHAUT (« bocage »). *n. m.* ♦ Région géographique du S. du Berry*, qui s'étend de part et d'autre de la haute vallée de l'Indre, entre le Cher et la Creuse, en bordure du Massif central, sur une partie des dép. de l'Indre* et du Cher*. V. princ. **V. Argenton-sur-Creuse, Châteaumeillant, Lignières.** – C'est la Vallée Noire de George Sand*.

BOISCHOT, en néerl. **Booischot**. ♦ V. de Belgique (Anvers, arr. de Malines). 5 400 hab. Marché agricole. Minoteries, tanneries.

BOIS-COLOMBES. ♦ Ch.-l. de cant. des Hauts-de-Seine (arr. de Nanterre), dans la banlieue N.-O. de Paris. 29 014 hab. Constructions aéronautiques.

BOIS-DE-LA-CHAIZE. ♦ Écart de la commune de Noirmoutier, dans l'île de Noirmoutier. Station balnéaire.

BOISE ou **BOISE CITY** (du fr. *boisé)*. ♦ V. des États-Unis, cap. de l'Idaho*, située dans la partie O. de la plaine de la *Snake River*. 73 330 hab.; zone urbaine 109 400. Protégée par les montagnes au N. et à l'E., la ville possède un climat doux pour la région. Trois barrages importants lui fournissent l'eau. Centre commercial; indus. du bois.

BOISGUILBERT ou **BOISGUILLEBERT (Pierre Le Pesant,** *sieur de***).** ♦ Économiste français (Rouen, 1646 – 1714). Lieutenant général du baillage de Rouen, il fut frappé par les difficultés économiques des campagnes à la fin du règne de Louis XIV, chercha à en étudier les causes et proposa comme remèdes la liberté du commerce et une réforme fiscale. Son ouvrage *Factum de la France* (1707), comme *La Dîme royale* de son parent Vauban (1707), fut interdit par un arrêté du Conseil du roi et Boisguilbert exilé en Auvergne. Il publia ses autres écrits sous le titre *Testament politique du maréchal de Vauban* (1714).

BOIS-GUILLAUME. ♦ Comm. de la Seine*-Maritime (arr. et aggl. de Rouen*). 8 782 hab., dans la banlieue de Rouen.

BOIS-LE-DUC (nom fr. de **'S Hertogenbosch**). ♦ V. des Pays-Bas, ch.-l. du Brabant septentrional, au confluent de l'Aa* et de la Dommel* et sur le canal Guillaume. 81 498 hab. La ville conserve la cathédrale Saint-Jean (XIVᵉ-XVIᵉ s.), la plus belle église gothique de la Hollande. Indus. textiles, chimiques et alimentaires. Aciéries, pneumatiques. – Patrie de Jérôme Bosch*. ♦ *Hist.* La ville tire son nom de Henri Iᵉʳ, duc de Brabant qui l'érigea en cité en 1185. Elle fut prise par les Impériaux en 1629 puis donnée à la Hollande en 1648. Prise par Pichegru, elle fut française jusqu'en 1814.

BOIS-LE-ROI. ♦ Comm. de Seine*-et-Marne (arr. de Melun), à la lisière N. de la forêt de Fontainebleau*. 2 940 hab. Lieu de villégiature.

BOISMORTIER (Joseph Bodin *de***).** ♦ Compositeur français (Perpignan, 1691 – Paris, 1755). Auteur de nombreuses compositions de musique de chambre (sonates, trios, concertos pour flûte, violon, violoncelle), de cantates et de motets, il fut, dans le domaine de l'opéra-ballet (*Daphnis et Chloé*, 1747) un rival, souvent inspiré, de Rameau*.

BOISROBERT (François Le Métel, *seigneur de***).** ♦ Poète et abbé de cour français (Caen, 1592 – Paris, 1662). « Célèbre par sa faveur auprès du cardinal de Richelieu et par sa fortune » (Voltaire), il écrivit des pièces de théâtre, et composa *Les Nouvelles héroïques et amoureuses* (1667). Il contribua à la création de l'Académie* française dont il fut un des premiers membres (1634). À ce titre, il prit part à la querelle du *Cid**.

Arch. Smeets

F. Bol : « Garçon en costume polonais ». (Musée Boymans-Van Beuningen, Rotterdam.)

BOISSIÈRE (Jean-Baptiste). ♦ Lexicographe français (Valognes, 1806 – Paris, 1885). On lui doit un *Dictionnaire analogique de la langue française* (1862).

BOISSY D'ANGLAS [-glas] **(François Antoine,** *comte de***).** ♦ Homme politique français (Saint-Jean-Chambre, Ardèche, 1756 – Paris, 1826). Député du Tiers État aux États généraux (1789), il vota généralement avec les constitutionnels. Réélu à la Convention, il en fut le président après le 9 thermidor an II (27 juillet 1794). Membre du Conseil des Cinq-Cents, après avoir participé à la rédaction de la Constitution de l'an III, il fut proscrit lors du coup d'État du 18 Fructidor (4 septembre 1797), mais réussit à échapper à la déportation. Membre du Tribunat après le 18 brumaire an VIII (9 novembre 1799), sénateur et comte d'Empire, il fut fait pair sous la Restauration.

BOISSY-SAINT-LÉGER. ♦ Ch.-l. de cant. du Val-de-Marne (arr. de Créteil) au S.-E. de Paris. 5 188 hab. Château du Piple. Cultures de fleurs. Aux environs, château de Gros-Bois (XVIᵉ, XVIIᵉ s.) qui appartint successivement à Barras, au général Moreau, à Fouché puis à Berthier qui le décora et le meubla somptueusement.

BOITO (Arrigo). ♦ Compositeur et écrivain italien (Padoue, 1842 – Milan, 1918). Auteur de deux opéras, *Mefistofele* (1868) et *Nerone* (représenté en 1924), il a composé les livrets de l'*Otello* et du *Falstaff* de Verdi*, d'après Shakespeare, et traduit en italien le *Tristan et Isolde*, de Wagner.

BOJADOR. ♦ Cap d'Afrique nord-occidentale, dans le Sahara* espagnol.

BOJER (Johan). ♦ Conteur et romancier norvégien (Orkanger, près de Trondheim, 1872 – Asker, 1959). Enfant du peuple, autodidacte, il fut un grand admirateur de Maupassant*. Narrateur de talent, il décrivit la vie populaire dans un style direct mais avec poésie dans des contes (*Sur le chemin de l'église*, 1897 : *Oiseaux blancs*, 1904). Ses romans, plus célèbres, furent souvent traduits : *La Grande Faim* (1916) où il confronta les tendances réalistes et religieuses de l'époque, *Le Dernier des Vikings* (1921) où il retraça la vie rude des pêcheurs de morue au large des îles Lofoten. *Gens de la côte* (1929) où il peignit la pauvreté des gens simples.

BOKÉ. ♦ V. de Guinée, proche de la côte. Important gisement de bauxite dont le traitement est prévu grâce à l'aménagement du Konkouré* et à la construction d'une voie ferrée (138 km) reliée au port minéralier de Kamsar en voie de création.

BOKENRENEF. V. BOCCHORIS.

BOKSBURG. ♦ V. d'Afrique* du Sud (Transvaal) dans le Witwatersrand*. 70 000 hab. Or. Houille.

BOL (Ferdinand). ♦ Peintre et graveur hollandais (Dordrecht, 1616 – Amsterdam, 1680). Ami et élève de Rembrandt, il subit fortement son influence, assimilant notamment sa manière de traiter le clair-obscur, et certaines de ses œuvres (portraits et surtout eaux-fortes) ont longtemps été considérées comme des œuvres du maître. La fermeté de sa facture apparaît notamment dans ses portraits collectifs *(Quatre régentes de l'hôpital des lépreux)*. Ayant acquis une rapide renommée, son inspiration devint plus superficielle, sa facture plus minutieuse.

BOLBEC. ♦ Ch.-l. de la Seine*-Maritime (arr. du Havre), dans le pays de Caux*. 13 053 hab. *(Bolbécais)*. – Église du XVe siècle. – Indus. textile (coton); fonderie, minoterie.

Bolchevik. *n. m.* ♦ Nom adopté par les partisans de Lénine* pour désigner l'aile gauche du parti social-démocrate russe qui obtint la majorité au IIe Congrès de ce parti en 1903 contre les *mencheviks*. **V. Russie, U.R.S.S.,** *Hist.* Après l'échec de la révolution de 1905, la lutte des deux tendances s'aggrava. Plekhanov* se sépara de Lénine et les bolcheviks fondèrent en 1912 un parti politique indépendant. Rentrés en Russie après la révolution de mars 1917, leurs chefs visèrent aussitôt la conquête du pouvoir et Lénine* s'en empara effectivement en novembre en prenant la présidence du Conseil des commissaires du peuple avec Trotski* aux Affaires étrangères et Staline* aux Nationalités. Kerenski* s'enfuit de Russie, mais Kornilov, puis Denikrine et Wrangel menèrent la lutte contre la révolution. Après les défaites des armées blanches et l'exécution ou l'exil de nombre de leurs chefs, tels l'amiral Koltchak et l'Ukrainien Petlioura, la guerre civile se termina en 1920 par la victoire complète des bolcheviks. – L'épithète de *bolchevik* resta accolée jusqu'en 1952 au parti communiste de l'U.R.S.S. (P.C.B.).

BOLDINI (Giovanni). ♦ Peintre italien (Ferrare, 1845 – Paris, 1931). Il étudia à Florence, fit preuve d'un talent précoce et se lia avec le groupe des Macchiaioli (« tachistes »), dont le chef de file était Adriano Cecioni. À Londres en 1869, il devint rapidement un portraitiste mondain très prisé. Il s'établit à Paris vers 1872 et devint notamment l'ami de Degas*. Auteur de quelques vues de Paris au rendu précis, il peignit des scènes de genre *(Lavandière sur la Seine)* et des scènes d'intérieur où apparaît son audace technique et chromatique : taches colorées étalées d'un pinceau léger et nerveux. Devenu le portraitiste favori du Paris mondain, il multiplia les portraits rapides au pastel et à l'huile où l'élégance désinvolte et sensuelle, le maniérisme des poses, la vivacité de l'expression sont rendus d'une touche virevoltante et lâche (*Cléo de Mérode, Robert de Montesquiou, la marquise Casati,* 1909).

BOLDREWOOD (Thomas Alexander Browne, dit **Rolf).** ♦ Écrivain australien (Londres, 1826 – Melbourne, 1915). Ses romans décrivent l'époque aventureuse de la ruée vers l'or en Australie. Le plus connu est *Vol à main armée* (1888).

Boléro. ♦ Ballet en un tableau, musique de Maurice Ravel*, chorégraphie de B. Nijinskaïa (Opéra de Paris, 1928). L'œuvre évoque la danse d'une gitane et l'exaltation rythmique qui se communique à la foule qui la regarde. Commandée au musicien par Mme Ida Rubinstein, cette œuvre envoûtante, dont le titre initial était *Obsession d'un rythme,* a été définie par C. Lévi-Strauss comme « une sorte de fugue 'mise à plat', c'est-à-dire où les différentes parties [...] se suivent bout à bout au lieu de se poursuivre et de se chevaucher ».

BOLESLAS, en polon. **Bolesław.** ♦ Nom de plusieurs souverains de Pologne* de la dynastie des Piast* dont les plus importants sont : BOLESLAS Ier, dit *le Vaillant* (v. 966 – 1025). Fils de Mieszko* Ier, duc de Pologne en 992, il soumit la Bohême*, la Lusace*, la Moravie*, une grande partie de la Slovaquie*, et devint en 1025 le premier roi de Pologne. ♦ BOLESLAS II, dit *le Généreux* ou *le Hardi,* (1039 – Hongrie, 1081). Fils de Casimir Ier, duc (1058) puis roi de Pologne (1076), il fut excommunié et déposé pour avoir assassiné

Ph. Nino Cirani/Ricciarini

Bolivie : Indiens à La Paz.

saint Stanislas* en 1079. Il s'exila en Hongrie. Son frère Ladislas* Ier Herman lui succéda. ♦ BOLESLAS III dit *Bouche-torse,* (1086 – 1138). Fils et successeur de Ladislas* Ier Herman, duc de Pologne de 1102 à 1138, il soumit la Poméranie* occidentale qu'il fit évangéliser par Othon* de Bamberg, et rétablit l'ordre et l'unité de la Pologne. À sa mort, le pays fut livré à une longue période d'anarchie, due au partage des États entre les fils de Boleslas III. **(V. Ladislas II, Boleslas IV, Mieszko III, Casimir II).** ♦ BOLESLAS IV dit *le Crépu* (1125 – Cracovie, 1173). Fils du précédent, duc de Pologne (1146-1173) il succéda à son frère Ladislas* II.

BOLESLAV Ier. ♦ Duc de Bohême (929 – 967). Il monta sur le trône après avoir assassiné son frère Wenceslas* et fonda l'État tchèque. ♦ BOLESLAV II, fils et successeur du précédent, fut duc de Bohême de 967 à 999. ♦ BOLESLAV III, fils et successeur du précédent (mort en 1037). Duc de Bohême de 999 à 1003, il fut ensuite prisonnier de Boleslas* Ier de Pologne.

BOLINGBROKE (Henry Saint John, *1er vicomte*). ♦ Homme politique et écrivain anglais (Battersea, 1678 – 1751). Sa carrière politique prit un essor rapide dans les rangs tory, sous Guillaume* III et Anne* Stuart. Il négocia le traité d'Utrecht* qui mit fin à l'impopulaire guerre de la Succession* d'Espagne. Il perdit son influence à l'avènement des Hanovre et dut s'exiler du fait de ses sympathies pour le prétendant Jacques* III. Réconcilié avec la nouvelle dynastie, il s'opposa à Walpole*. De 1727 à 1731, il collabora au *Craftsman* (organe d'opposition à Walpole) où il publia notamment une *Dissertation sur les partis*. Cynique et déiste, Bolingbroke a fourni à Pope* les lignes générales de la philosophie religieuse de l'*Essai sur l'homme.* Son style « lui assure une place parmi les exemples brillants de la prose classique » (Cazamian).

BOLÍVAR (Simón José Antonio). ♦ Général et homme d'État sud-américain (Caracas, 1783 – Santa Marta [Colombie], 1830). Après avoir rallié le mouvement d'indépendance du Venezuela* (1810; **V. Miranda**), il fut envoyé en mission à Londres par la junte révolutionnaire. Là, il décida Miranda à retourner à Caracas. Il servit sous ses ordres, puis se brouilla avec lui. Les Espagnols s'étant emparé de Miranda, Bolívar s'exila en Nouvelle-Grenade (1812) et prit le commandement du corps expéditionnaire qui devait libérer le Venezuela. Dès 1813, il entrait dans Caracas et recevait le titre de « libertador », mais l'année suivante, battu par les Espagnols, il dut à nouveau s'exiler. De retour au Venezuela (1817), il organisa une nouvelle armée et remporta en 1819 la victoire décisive de Boyacá*, qui lui permit d'entrer à Bogotá*. Président et dictateur, il fit proclamer la république de Grande Colombie *(Republica de Colombia)*. En 1821, la victoire de Carabobo* lui ouvrit les portes de Caracas. Il entreprit une action pour la libération de l'Équateur* avec le concours de son lieutenant Sucre*. Après la chute de Quito* (1822), il rencontra San* Martin, protecteur du Pérou*, qui abandonnant les pouvoirs, lui laissait le champ libre. Battus à Junín* et à Ayacucho*, les Espagnols du Bas-Pérou capitulèrent (1824) et les victoires de Sucre* dans le Haut-Pérou amenèrent la création de l'État de Bolivie* (1825), ainsi nommé en l'honneur de *Bolívar*. Désormais maître d'une grande partie de l'Amérique du Sud, Bolívar réunit à Panamá* (1826) un congrès panaméricain, mais il ne réussit pas à empêcher la guerre entre la Colombie et le Pérou ni la sécession du Venezuela (1829). Il se décida à abandonner le pouvoir en mai 1830 et mourut quelques mois plus tard, désespéré.

BOLÍVAR *(État).* n. m. ♦ État le plus étendu du Venezuela (238 000 km^2), compris entre l'Orénoque* au N., la Guyane anglaise à l'E. et le Brésil (territoire de Roraima) au sud. Couvert de savanes et très faiblement peuplé (env. 310 000 hab. concentrés en bordure du moyen et du bas Orénoque), il inclut la portion vénézuélienne de la Guyane **(V. Venezuela).** *Cap.* Ciudad* Bolivar. Importants gisements de minerai de fer (Cerro Bolívar, El Pao). Complexe sidérurgique (Matanzas). Important aménagement hydro-électrique sur le Caroní*.

BOLIVIE, en esp. **Bolivia.** ♦ République de l'Amérique du Sud, limitée au N. et à l'E. par le Brésil*, à l'O. par le Pérou* et le Chili*, au S. par l'Argentine* et le Paraguay*. 1 098 581 km^2. (superf. réduite de moitié en un siècle, **V.** ci-dessous *Histoire*). Près de 5 000 000 d'hab. en 1969. *(Boliviens)*. 55 % d'Indiens (plus de 85 % dans la région andine). *Langue :* Espagnol (off.), langues indiennes (Aymara, Guarani, Quechua). *Unité monétaire :* peso bolivien. *Cap. gouvern.* La* Paz, *constitut.* Sucre*. *V. princ.* **V. Camiri, Cochabamba, Oruro, Potosí, Santa Cruz.** *9 départements* **V. Beni** (ch.-l. Trinidad), **Chuquisaca** (Sucre), **Cochabamba, Oruro, Pando** (Cobija), **La Paz, Potosi, Santa Cruz, Tarija.** Le territoire, privé de façade maritime, est formé au N. et à l'E. d'une vaste plaine et de bas plateaux (70 % de la superf. totale) drainés par les affl. de l'Amazone **(V. Beni, Madre de Dios, Mamoré)** et du Paraguay **(V. Pilcomayo)**; et à l'O. d'une région montagneuse (Bolivie andine) qui se présente en deux chaînes parallèles : la *Cordillère occidentale,* en bordure du Norte Grande chilien, qui culmine au Sajama (6 520 m), la *Cordillère orientale,* entaillée de profondes vallées, qui comprend au N. la Cordillère royale où se situent l'Illampú (6 421 m) et l'Illimani (6 322), et se prolonge au S. par la cordillère de Cochabamba. Entre les deux cordillères s'étendent à près de 4 000 m les *Altiplanos*, hautes plaines où s'étendent des lagunes salées **(V. Coipasa, Uyuni)**, une partie du lac Titicaca*, et le lac Poopo*. – En dépit des richesses minières

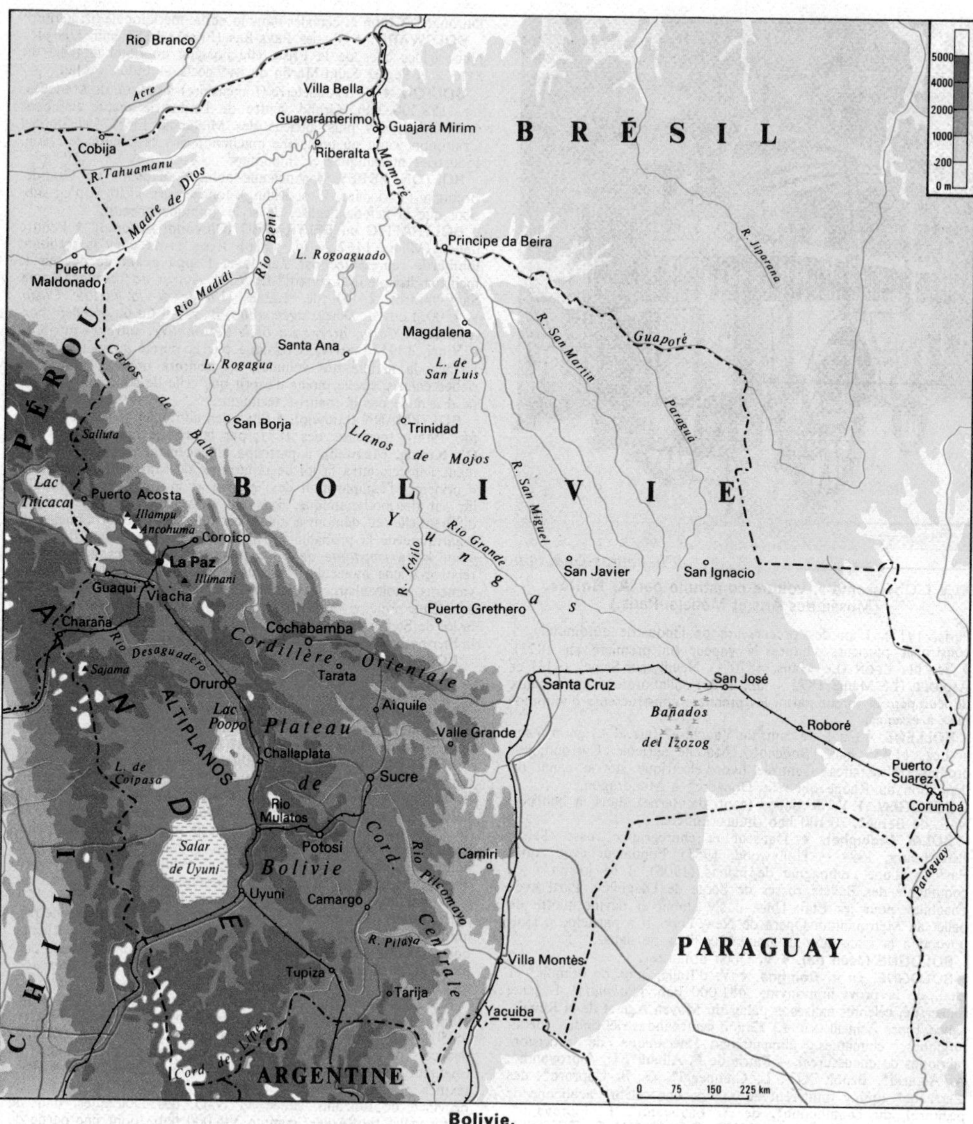

Bolivie.

(3e producteur mondial d'étain, de wolfram, et d'antimoine : argent, cuivre, zinc, etc.) et de l'exploitation du pétrole qui constituent les principales ressources du pays, l'économie reste entravée par les difficultés de transport (réseau ferroviaire 3 745 km [Transandin], réseau routier 16 000 km env.) et le manque d'industries de transformation. La Bolivie qui détient avec le Pérou le monopole de la coca, a une productivité agricole très faible (cultures vivrières et tropicales : riz, agrumes, canne à sucre, café, coton, caoutchouc ; élevage d'ovins, bovins, caprins, alpagas, vigognes) et équilibre son budget grâce aux subventions des États-Unis. Le niveau de vie est très bas. ♦ *Hist.* Peuplée à l'origine principalement par les Aymaras* **(V. Tiahuanaco),** les Chiquitos*, les Quechuas*, la région du Haut-Pérou*, qui forme aujourd'hui la Bolivie fit partie de l'empire des Incas*. Conquise par Pizarro*, elle passa sous domination espagnole en 1538, fut rattachée à la vice-royauté du Pérou (1543-1776) puis à la vice-royauté du Rio de La* Plata. La victoire de Sucre* à Ayacucho* (1825) lui apporta l'indépendance et la nouvelle république se donna le nom de Bolivie en l'honneur de Bolívar*, qui en rédigea lui-même la constitution. L'échec de la tentative bolivienne pour réunir la Bolivie et le Pérou (1839) fut suivi par une succession de coups d'État, de guerres civiles et de conflits de frontières qui aboutirent à la guerre du Pacifique (1879-1883). La Bolivie dut abandonner la province d'Atacama* (1884) au profit du Chili, se privant ainsi de son unique accès à la mer **(V. Antofagasta).** Après avoir cédé la région de l'Acre* au Brésil en 1903, la Bolivie fut encore amputée d'une grande partie du Chaco*, annexée par le Paraguay* à l'issue de la guerre du Chaco (1932-1935). Un gouvernement révolutionnaire présidé par Paz Estenssoro (1952-1964) réalisa d'importantes réformes, surtout dans le domaine agraire. Le régime militaire qui le remplaça fut mis en cause par un mouvement révolutionnaire dont un des chefs, Che Guevara*, fut tué dans un combat de guérilla (1967).

BÖLL (Heinrich). ♦ Nouvelliste et romancier allemand (Cologne, 1917 –). Représentant de la génération d'après-guerre qui fut victime du nazisme, dont il dénonça la bêtise et l'horreur, membre du « Groupe* 47 », il a exprimé dans ses œuvres un profond humanisme qui doit beaucoup à sa double formation catholique et socialiste (*Le Train était à l'heure,* 1949 ; *Où étais-tu Adam ?,* 1951 ; *À neuf heures et demie, billard,* 1959 ; *Journal d'Irlande,* 1957, *Gruppenbild mit Dame,* 1971). [Prix Nobel de littérature, 1972.]

BOLLAND (Jean), latinisé en **Bollandus.** ♦ Jésuite belge (Julémont, 1596 – Anvers, 1665). Il fut chargé, après le père Héribert Rosweyde, de la publication des *Acta* sanctorum* (premiers volumes parus en 1643). – Les *bollandistes* forment une société, composée essentiellement de jésuites, qui a poursuivi et étendu cette œuvre dans le sens de la critique la plus érudite. Elle assure diverses publications savantes, dont la revue *Analecta bollandiana* (depuis 1882).

BOLLÉE (Amédée). ♦ Constructeur français (Le Mans, 1844 –

Ph. Lauros-Giraudon

« L'Obéissante », voiture construite par **A. Bollée.** (Musée des Arts et Métiers, Paris.)

Paris, 1917). L'un des précurseurs de l'industrie automobile, il construisit plusieurs voitures à vapeur (la première en 1873). ♦ Ses fils LÉON (Le Mans, 1870 – Neuilly-sur-Seine, 1913) et AMÉDÉE (Le Mans, 1872 – *id.*, 1926) collaborèrent aux travaux de leur père et furent parmi les premiers constructeurs d'automobiles à essence.

BOLLÈNE. ♦ Ch.-l. de cant. du Vaucluse* (arr. d'Avignon*) sur le Lez. 11 555 hab. *(Bollénois).* Marché agricole. Cartonnages, produits réfractaires. Centrale hydro-électrique sur le canal de dérivation du Rhône qui relie Donzère* à Mondragon.

BOLLIGEN. ♦ V. de Suisse (cant. de Berne), dans la banlieue N.-E. de Berne*. 20 100 hab. Indus. laitière.

BOLM (Adolphe). ♦ Danseur et chorégraphe russe (Saint-Pétersbourg, 1884 – Hollywood, 1951). Fondateur avec Anna Pavlova d'une compagnie de ballets (1908), il se joignit à la compagnie des Ballets russes de Serge de Diaghilev. Parti avec Diaghilev pour les États-Unis, il s'y établit et devint maître de ballet au Metropolitan Opera de New York. Il a participé à Hollywood à la réalisation de nombreux films de danse.

BOLOGNE (Jean de). ♦ **V.** GIAM BOLOGNA.

BOLOGNE, en it. **Bologna.** ♦ V. d'Italie, cap. de l'Émilie* et ch.-l. de la prov. homonyme. 481 000 hab. *(Bolonais).* Évêché, université, célèbres églises et palais du Moyen Âge et de la Renaissance, tours Asinelli (XIIe s.). Grand centre industriel (indus. métallurgiques, chimiques, alimentaires; mécanique de précision, fabriques de chaussures). – Patrie de F. Albani*, U. Aldrovandi*, A. Algardi*, Benoît XIV, L. Campeggi*, G. B. Caprara*, des Carrache* (qui y fondèrent au XVIe s. une célèbre académie de peinture), du Dominiquin*, de A. Fieravanti*, L. Fioravanti*, Francia, L. Galvani, Grégoire* XIII, Grégoire XV, G. Guinizelli*, Innocent IX, Lucius* II, G. Mezzofanti*, P. Pasolini*, Primatice*, M. A. Raimondi*, O. Respighi*, Ruggieri* *(famille),* S. Serlio*, L. Spada*. Séjours de F. Accurse, Dominique *(saint),* Enzo, le Guerchin, le Guide, G. Marconi, Vignola. ♦ *Hist.* Anc. ville étrusque *(Felsina),* elle fut colonie romaine *(Bononia)* v. 189. Ville libre au XIIe s. où fut fondée l'université (1119) spécialisée dans le droit, elle fut ensuite la possession des Bentivoglio au XVe s. puis fut annexée aux États pontificaux par Jules II (1513). Des mouvements libéraux réprimés par les Autrichiens éclatèrent au XIXe s.; en 1860 Bologne passa au royaume d'Italie. Lors de la Deuxième Guerre mondiale elle fut délivrée par les Américains le 21 avril 1945.

BÖLSCHE (Wilhelm). ♦ Écrivain et critique allemand (Cologne, 1861 – Oberschreiberhau, 1939). Auteur d'ouvrages de vulgarisation sur les théories de Darwin, dont il donna une biographie, il composa également un ouvrage sur les fondements scientifiques de la poésie (*Les Sciences naturelles, fondements de la poésie,* 1886-1887), qui s'inscrit dans le courant du naturalisme littéraire.

BOLSENA. ♦ V. d'Italie dans le Latium (province de Viterbe*) sur les bords du lac Bolsena. 4 250 hab. Centre agricole. Patrie de Séjan*. – L'enceinte de l'anc. *Volsinies* étrusque a été retrouvée sur les collines dominant la ville, ainsi qu'une nécropole villanovienne (~ VIIe s.). Église Sainte-Christine. Château du XIIIe s. – *Lac de Bolsena :* lac de cratère, au N.-O. de Viterbe, 100 km².

BOLSÓN DE MAPIMÍ. *n. m.* ♦ Région quasi désertique du N. du Mexique, à cheval sur les États de Chihuahua*, Coahuila* et Durango*. Coton et céréales dans la partie méridionale (irrigation).

BOLSWARD. ♦ V. des Pays-Bas (Frise). 9 159 hab. Une des plus vieilles cités de la Frise, elle possède un hôtel de ville du XVIIe s. et l'église Saint-Martin du XVe siècle. – Indus. du lait.

BOLTON. ♦ V. d'Angleterre (Lancashire) au N.-O. de Manchester. 152 500 hab. Grand centre de l'industrie textile (laine et coton), l'un des plus anciens des Midlands. En 1779, Samuel Crampton y mit au point une machine à filer la laine et le coton. Industries mécaniques et chimiques.

BOLTON ABBEY. ♦ Ancienne abbaye augustine de Grande-Bretagne (Yorkshire, West Riding), fondée vers 1120. Il n'en subsiste que la nef de l'église, de style gothique primitif.

BOLTRAFFIO ou **BELTRAFFIO (Giovanni Antonio).** ♦ Peintre italien (Milan, 1467 – *id.*, 1516). Il se forma dans la tradition lombarde représentée par Zenale et Foppa avant de devenir le meilleur disciple de Léonard* de Vinci. Auteur de fresques (Rome, Sant'Onofrio, 1515), de retables (*Vierge de la famille Casio,* v. 1500, Louvre; *Dévots agenouillés,* Brera), il fut un excellent portraitiste (*J. Casio,* Brera; *La Belle Ferronnière,* autrefois attribuée à Vinci, 1495, Louvre). Classique par la pureté géométrique des formes, la netteté des volumes, sa peinture précise, animée de riches coloris, révèle moins d'esprit que celle de son maître, si elle ne dissimule pas la maîtrise technique.

BOLTZMANN (Ludwig). ♦ Physicien autrichien (Vienne, 1844 – *id.*, 1906). Intéressé, dès 1871, par la théorie cinétique des gaz **(V. Krönig, Maxwell),** il participa efficacement à son développement : il démontra la loi de répartition de Maxwell* et, de là, le « principe d'équipartition de l'énergie »; introduisant la probabilité en thermodynamique, il établit sa célèbre équation intégro-différentielle et démontra que l'entropie est proportionnelle au logarithme de la probabilité (1877), le facteur de proportionnalité étant k, la *constante de Boltzmann* (constante des gaz parfaits relative à une molécule); faisant intervenir le désordre des mouvements moléculaires, il donna une explication mécanique au deuxième principe de la thermodynamique; il retrouva également la loi de Stefan* à la suite de développements théoriques basés sur la thermodynamique. **V.** *aussi* **Clausius, Gibbs.**

BOLYAI (János). ♦ Mathématicien hongrois (Kolozsvár, 1802 – Marosvasarhely, 1860). Il découvrit (1831) un système de géométrie non euclidienne (« géométrie absolue », basée sur l'hypothèse qu'on peut mener une infinité de parallèles par un point à une droite), ignorant les idées équivalentes (géométrie hyperbolique) déjà développées par Gauss* et Lobatchevski*.

BOLZANO (Bernhard). ♦ Mathématicien, logicien et philosophe tchèque d'origine italienne (Prague, 1781 – *id.*, 1848). Précurseur de la théorie des ensembles **(V. Cantor)** par ses travaux sur la notion d'infini (*Paradoxien des Unendlichen,* 1851), il fut aussi un des principaux critiques de l'idéalisme post-kantien (Fichte, Schelling, Hegel) auquel il opposa une conception scientifique de la philosophie. Distinguant les processus psychologiques empiriques des vérités logiques, il fut un des fondateurs de la logique pure, systématique, comme base de l'épistémologie. Son ouvrage *Wissenschaftlehre* (*Théorie de la connaissance,* 1837) exerça une profonde influence sur Husserl*. Rénovateur de l'analyse mathématique, où il introduisit plus de rigueur, il donna une nouvelle définition de la continuité des fonctions (*Rein analytischer Beweis...,* 1817).

BOLZANO, en all. **Bozen.** ♦ V. de l'Italie du Nord (Trentin-Haut-Adige) et ch.-l. de prov. au confl. de l'Adige et de l'Isarco. 98 500 hab. Carrefour de voies de communication au débouché des cols de Resia et du Brenner. Centre touristique et industriel (métallurgie de l'aluminium, du fer et du magnésium, industries textiles et alimentaires : conserveries). Église du XIe siècle. La province de Bolzano, située au N.-O. des Dolomites, dans la haute vallée de l'Adige, compte 396 000 hab. (dont une partie de langue allemande). ♦ *Hist.* L'anc. *Bauzanum* fut successivement romaine puis lombarde, appartint jusqu'au XIe s. aux évêques de Trente, devint autrichienne en 1531 et fut durant tout le Moyen

Ph. Nino Cirani/Ricciarini

Province de **Bolzano,** le lac de Carezza et les Dolomites.

Âge une importante place financière (ville de banquiers et de changeurs). Prise par les Français en 1809, elle appartint à l'Autriche de 1815 à 1919, et à l'Italie depuis lors.

BOMA. ♦ V. du Zaïre* (Congo-Kinshasa), port sur l'embouchure du Congo*. Exportation d'huile de palme, de bananes et de bois. ♦ *Hist.* Anc. cap. de l'État indépendant du Congo depuis 1885, puis du Congo belge avant Léopoldville **(V. Kinshasa).**

BOMBAY. ♦ Port de la côte occidentale de l'Inde et cap. de la prov. du Mahârâṣtra. Deuxième ville de l'Inde. 5 700 000 hab. (1970). Université (fondée en 1857). Aéroport international Bombay-Santa Cruz. La ville s'est développée sur l'*île de Bombay* (constituée de sept îlots basaltiques réunis artificiellement), qui présente l'aspect d'une plaine flanquée à l'O. et à l'E. de collines peu élevées se prolongeant au S. par les pointes de Malabar et de Colaba. Les anciens quartiers, aux nombreux bâtiments de style victorien, s'y sont groupés autour du fort. À l'O., la célèbre *Marine Drive,* sur la Black Bay, large avenue bordant la mer, limite un riche quartier résidentiel. À l'E. se trouve le port avec ses équipements très développés et une partie de la zone industrielle qui se prolonge au N. L'île est reliée au continent et à l'île de Salsette (au N.) avec laquelle elle forme le *Grand Bombay.* La surpopulation, l'afflux de ruraux ont créé une zone de bidonvilles, notamment à proximité de l'aérodrome. En revanche, parcs et espaces verts font du centre une agréable cité résidentielle aux nombreux édifices modernes. Ville de prédilection des Anglo-Indiens et des Parsis. — Le climat est doux et humide (24 à 27 °C ; pluies : 800 mm/an). — Grand centre indus. : c'est le premier centre textile de l'Inde ; indus. chimiques, mécaniques ; raffineries de pétrole ; travail du cuir. — Bombay est le premier port de l'Inde pour les importations (blé, machines). C'est aussi un port de voyageurs et un port de pêche. — Patrie de R. Kipling*. ♦ *Hist.* La ville fut conquise par les musulmans du Gujarât, puis cédée aux Portugais en 1534. Par le mariage de Catherine de Bragance avec Charles II (1661), elle devint possession britannique. Le roi la céda en 1668 à la Compagnie des Indes orientales. À partir de cette date, la ville commença à se développer rapidement. Elle revint à l'Angleterre en 1783. — L'anc. *État de Bombay* fut partagé le 1er mai 1960 entre le Gujurât et le Mahârâstra.

BOMBELLI (Raffaele). ♦ Mathématicien italien (près de Bologne, 1522 — ?, 1572). Il fut le premier, dans l'étude des équations, à calculer en utilisant les racines imaginaires (*Algebra,* 1572).

BOMI HILLS. ♦ Localité du Liberia*, située au N. de Monrovia* à laquelle elle est reliée par voie ferrée. Exploitation de minerai de fer (le plus ancien).

BON *(presqu'île du cap).* ♦ Péninsule de Tunisie qui ferme au N. le golfe de Tunis*, au S. celui de Hammamet* **(V. Nabeul)** et se termine par un promontoire. Région montagneuse (637 m) qui domine la dépression de Grombalia*, ch.-l. du gouvernorat du *cap Bon.* Nombreuses stations balnéaires et hivernales. Vignes. Oliviers. Pêche. Gisement de gaz. Le 12 mai 1943, capitulation des forces italo-allemandes d'Afrique (général von Arnim) devant les Alliés.

BONACOLSI. ♦ Famille italienne qui régna sur Mantoue (1276-1328). Elle fut renversée par les Gonzague*.

BONAIRE. ♦ L'une des plus grandes îles des Antilles* néerlandaises, située à l'E. de Curaçao dans la mer des Caraïbes, au large des côtes vénézuéliennes *(îles Sous*-le-Vent).* 288 km². 27 534 habitants.

BONAIUTO (Andrea *di*). ♦ **V.** ANDREA DA FIRENZE.

BONALD *(vicomte* **Louis** *de).* ♦ Écrivain politique français (Millau, 1754 — 1840). Attaquant violemment le matérialisme empiriste et athée ainsi que les idées démocratiques, il se posa en défenseur des principes monarchiques et du catholicisme (*Essai analytique sur les lois naturelles de l'ordre social,* 1800 ; *Législation primitive...,* 1802). [Acad. fr., 1816].

BONAMPAK. ♦ Site archéologique du S.-E. du Mexique (Chiapas). Les ruines contiennent de remarquables peintures mayas.

BONAPARTE ou **BUONAPARTE.** ♦ Famille française d'origine italienne établie en Corse au XVIe s. et dont est issu Napoléon Ier. ♦ CHARLES MARIE, père de Napoléon Ier (Ajaccio, 1746 — Montpellier, 1785). Avocat à Ajaccio, il lutta aux côtés de Paoli* pour l'indépendance de la Corse, puis se rallia au gouvernement royal en 1764. ♦ MARIE LETIZIA RAMOLINO. Celle-ci (Ajaccio, 1750 — Rome, 1836) fut la mère de Napoléon Ier. Sous l'Empire, elle reçut le titre de *Madame Mère.* De caractère énergique, elle mena une vie modeste à l'écart de la cour ; après la chute de l'Empire, elle se retira à Rome. Elle avait eu treize enfants, dont huit survécurent. ♦ JOSEPH, frère aîné de Napoléon, (Corte, 1768 — Florence, 1844). Député de la Corse au Conseil des Cinq-Cents (1796), il participa à la préparation du coup d'État du 18 Brumaire*. Chargé de missions diplomatiques, il signa en 1801 le traité de Lunéville*, la paix d'Amiens* et le Concordat*. Il fut fait par son frère *roi de Naples* (1806-1808), puis *roi d'Espagne* (1808-1813). Il vécut aux États-Unis après Waterloo. Il avait épousé Julie Clary en 1794. ♦ NAPOLÉON, deuxième fils de Charles-Marie. **V. Napoléon Ier.** ♦ LUCIEN (Ajaccio, 1775 — Viterbe, 1840). Intelligent et d'esprit indépendant, il fut membre (1797) puis président du Conseil des Cinq-Cents. Il prépara le 18 Brumaire et fut l'artisan de son succès. Ministre de l'Intérieur (1799), ambassadeur en Espagne (1800), il fut membre du Tribunat après son retour en France. En désaccord avec Napoléon sur le pouvoir autoritaire que celui-ci s'arrogeait, il se réfugia à Rome

Ph. Prato/Ricciarini

Bombay : D. Naoroji Road, près de la gare Victoria.

(1804), puis à Canino qui fut érigé en principauté en sa faveur par le pape Pie VII. Il se reconcilia avec l'Empereur au moment des Cent-Jours. Il eut deux filles de son premier mariage avec Christine Boyer (1795). Malgré l'hostilité de Napoléon, il épousa en secondes noces Marie Alexandrine de Bleschamp, veuve d'un agent de change. Il en eut neuf enfants dont *Pierre Napoléon* Bonaparte, qui tua d'un coup de revolver le journaliste Victor Noir* (1870). ♦ MARIA-ANNA, dite *Élisa,* princesse de Lucques et de Piombino, grande-duchesse de Toscane (Ajaccio, 1777 — Trieste, 1820). Epouse (1797) de Félix Bacciochi* dont elle vécut séparée à partir de 1805, elle se montra une femme énergique, active et une très bonne administratrice de ses États. Après la chute de l'Empire, elle vécut à Bologne, puis en Allemagne. ♦ LOUIS (Ajaccio, 1778 — Livourne, 1846). Il fut aide de camp de Napoléon pendant les campagnes d'Italie et d'Egypte. Il epousa contre son gré Hortense de Beauharnais* en 1802. Napoléon le fit roi de Hollande en 1806. Il n'en refusa pas moins l'application du Blocus continental, afin de ne pas léser ses sujets. Entré en conflit avec l'Empereur, il abdiqua en 1810. Il eut trois enfants, dont Louis Napoléon, le futur Napoléon* III. ♦ MARIE PAULETTE, dite *Pauline* (Ajaccio, 1780 — Florence, 1825). Veuve en 1802 du général Leclerc*, elle épousa en 1803 le prince Camille Borghèse (devenant ainsi Pauline, princesse Borghèse) ; mais bientôt elle vécut séparée de lui, menant une existence libre et indépendante. Elle était célèbre pour sa beauté. Napoléon la fit duchesse de Guastalla (1806). Éloignée de la cour en 1810 pour avoir manqué de respect envers l'impératrice Marie-Louise, elle resta toujours très attachée à Napoléon qu'elle rejoignit à l'île d'Elbe (1814) ; elle demanda à le suivre à Sainte-Hélène. — Canova* a laissé d'elle une statue célèbre, en *Vénus Victrix.* ♦ MARIE-ANNONCIADE, dite *Caroline* (Ajaccio, 1782 — Florence, 1839). Elle épousa Murat* en 1800. Très ambitieuse, elle exerça une forte influence sur son mari. *Reine de Naples* (1808), elle favorisa les arts et la vie culturelle dans son royaume ; après la mort de son mari, elle prit le titre de comtesse de Lipona. ♦ JÉRÔME (Ajaccio, 1784 — Château de Villegenis, Seine-et-Marne, 1860). Marié en secondes noces à la princesse Catherine de Wurtemberg (1807), il devint *roi de Westphalie* la même année, mais, incapable de gouverner, il perdit son trône en 1814. Après Waterloo, il se réfugia auprès de son beau-père. Rentré à Paris en 1848, il profita de l'ascension de son neveu Louis-Napoléon, le futur Napoléon III, ce qui lui valut les titres de gouverneur des Invalides (1848), maréchal de France (1850), président du Sénat (1852). Il eut trois enfants de son second mariage, parmi lesquels MATHILDE LETIZIA WILHELMINE, dite *la princesse Mathilde* (Trieste, 1820 — Paris, 1904). Sous le Second Empire puis sous la IIIe République, elle tint à Paris un salon tres brillant. — NAPOLÉON JOSEPH CHARLES PAUL, dit *le prince Jérôme* (Trieste, 1822 — Rome, 1891). Sénateur du Second Empire, puis ministre des Colonies (1858) il épousa en 1859 la princesse Clotilde*, fille de Victor-Emmanuel II. De cette union naquit NAPOLÉON-VICTOR, dit *le prince Victor* (Meudon, 1862 — Bruxelles, 1926) ; prétendant impérial (1879), il fut expulsé de France (1886) et se réfugia à Bruxelles. Son fils, LOUIS NAPOLÉON JÉRÔME (Bruxelles, 1914) est l'actuel prétendant.

BONAPARTE (Marie). ♦ Psychanalyste française (1882 —). Comme K. Horney, elle insista sur le rôle des facteurs socio-culturels dans les névroses.

BONAVENTURE *(saint)* [Giovanni di Fidanza], surnommé le *Docteur séraphique.* ♦ Théologien italien (Bagnorea, Toscane, 1221 — Lyon, 1274). Entré chez les franciscains en 1243, il enseigna à Paris, fut élu général de son ordre en 1256 et en rédigea les constitutions (1260) ; il définit une voie moyenne entre les interprétations rigoriste et laxiste de la règle franciscaine et, par son action, retarda la scission de l'ordre. Il contribua à l'élection de Grégoire* X qui le nomma évêque d'Albano et cardinal (1273) et le désigna comme légat au concile de Lyon* (1274) où il mourut. Philosophe et mystique, il s'inscrit dans la lignée augustinienne. Princ. œuvres : *Commentaires sur les Sentences de Pierre Lombard, Itinéraire de l'âme vers Dieu, Méditations sur la vie de Jésus-*

Christ, Vie de saint François. – Docteur de l'Église. Fête le 15 juillet.

BONCERF (Pierre François). ♦ Économiste et publiciste français (Chassaulx, Franche-Comté, 1745 – Paris, 1794). Premier commis de Turgot en 1774, il publia en 1776, sous un pseudonyme, un ouvrage sur les *Inconvénients des droits féodaux,* qui, condamné par le Parlement à être brûlé, devait, par ses idées, contribuer à l'abolition de la féodalité lors de la nuit du 4 août 1789. Il est également l'auteur de plusieurs mémoires sur l'émigration des gens des campagnes, sur les moyens de mettre en culture des terres stériles, etc.

BONCHAMP ou **BONCHAMPS (Charles,** *marquis de***).** ♦ Chef vendéen (près de Châteauneuf, Anjou, 1759 ou 1760 – Saint-Florent-le-Vieil, 1793). Il participa à l'insurrection vendéenne sous les ordres de d'Elbée. Blessé à la bataille de Cholet (17 octobre 1793), il aurait, avant de mourir, réussi à obtenir des insurgés la grâce de 4 000 prisonniers républicains détenus à l'abbaye de Saint-Florent.

BONCOURT. ♦ V. frontière de Suisse (cant. de Berne) dans l'Ajoie*, à 2 km de Delle*. 1 500 hab. Manufacture de tabac.

BOND (William Cranch). ♦ Astronome américain (Portland, Maine, 1789 – Cambridge, Massachusetts, 1859). Il découvrit (1848) Hypérion, huitième satellite de Saturne, et fut le premier à photographier la Lune* (1850) et une étoile, Véga*.

BONDOL (Jean *de,* dit **Hennequin** ou **Jean de Bruges).** ♦ Peintre français, actif à Paris (1367-1381), auteur des cartons de la tenture de l'Apocalypse* d'Angers.

BONDY. ♦ Ch.-l. de cant. de la Seine-Saint-Denis (arr. de Bobigny), au S. du canal de l'Ourcq, à l'E. de Paris. 51 962 hab. – Sa grande forêt, dont il ne subsiste plus que des parcelles près de Clichy*-sous-Bois, passait autrefois pour un repaire de brigands.

BÔNE. ♦ **V.** ANNABA (Algérie).

BONER ou **BONERIUS (Ulrich).** ♦ Dominicain et fabuliste bernois du XIVe siècle. Auteur d'un recueil de cent fables, *La Pierre précieuse,* dont le succès se maintint jusqu'au XVIIIe siècle.

BONGARS (Jacques). ♦ Diplomate et érudit français (Orléans, 1554 – Paris, 1612). Il fut agent d'Henri* IV auprès du Saint Empire romain germanique. On lui doit un important recueil des historiens des croisades (1611).

BONHEIDEN. ♦ V. de Belgique (Anvers, arr. de Malines). 6 412 hab. Cultures maraîchères. Minoteries.

BONHŒFFER (Dietrich). ♦ Théologien protestant allemand (Breslau, 1906 – camp de concentration de Sachsenhausen, 1945). Assistant de théologie à Berlin, il y soutint ses thèses, influencées à la fois par Hegel, par la sociologie religieuse de Trœltsch et par la dogmatique de K. Barth (*Communio Sanctorum, Recherche dogmatique pour la sociologie de l'Église* et *Acte et Être,* 1927-1930). À l'arrivée de Hitler au pouvoir (janvier 1933), Bonhœffer s'engagea dans le combat de l'Église confessante face au « christianisme positif » de l'idéologie nazie et publia alors *Le Prix de la Grâce* (1937) et *La Vie communautaire* (1938), où il affirmait l'exigence de la foi et la responsabilité de l'Église dans le monde. Après un bref séjour aux États-Unis, il fut arrêté en avril 1943 pour avoir participé au mouvement d'opposition à Hitler dirigé par von Stauffenberg, et pendu deux ans plus tard, laissant une *Éthique* (inachevée) et des lettres de prison (*Résistance et Soumission,* 1951). L'œuvre de Bonhœffer a surtout valeur d'un témoignage : celui d'un chrétien engagé dans un monde abandonné de Dieu (a-théiste).

BONHOMME *(col du).* ♦ Col des Alpes (Haute-Savoie*) qui fait communiquer, entre Saint-Gervais et Bourg-Saint-Maurice, les vallées de l'Arve* et de l'Isère* (2 329 m).

BONIFACE *(saint).* ♦ **V.** BRUNON DE QUERFURT.

Ph. Nino Cirani/Ricciarini

Bonifacio.

BONIFACE Ier *(saint).* ♦ (419-422 [mort]). 42e pape. Romain. Il lutta contre le pélagianisme. Fête le 4 septembre.

BONIFACE II. ♦ (530-532 [mort]). 55e pape. Romain.

BONIFACE III. ♦ 66e pape, de février à novembre 607. Romain.

BONIFACE IV. ♦ 67e pape, de 608 à 615, de Valérie des Marses, bénédictin. Il transforma le Panthéon* en église : Sainte-Marie *ad martyres.*

BONIFACE V. ♦ (619-625 [mort]). 69e pape. Napolitain.

BONIFACE VI. ♦ 112e pape, quinze jours en 896, de Gallese (Rome).

BONIFACE VII *(Francon).* ♦ Antipape en 974 et 984-985 [mort]. Il prit la place de Benoît* VI qu'il fit étrangler mais s'enfuit à Constantinople avec le trésor du Vatican à l'arrivée d'Othon II. Après la mort de ce dernier, il revint accompagné d'une armée byzantine, fit enfermer et peut-être assassiner Jean* XIV. Certains le considèrent comme indigne mais légitime.

BONIFACE VIII *(Benedetto Caetani).* ♦ [Anagni, 1235 ? – Rome, 1303]. 191e pape, de 1294 à 1303. Canoniste réputé, cardinal (1281), légat en France (1290), il s'imposa comme successeur de Célestin* V qu'il avait poussé à abdiquer. Il porta à l'extrême la doctrine de la souveraineté spirituelle et temporelle du pape et se heurta à la politique très « séculière » de Philippe* IV le Bel. L'objet du conflit fut d'abord (1296) la prétention d'interdire au roi de lever des impôts sur les gens d'Église. Philippe IV répliqua en interdisant toute sortie d'argent notamment vers Rome. Puis, après une accalmie (canonisation de Louis IX en 1297, célébration triomphale du premier jubilé à Rome, 1300), le procès de l'évêque de Pamiers, Bernard Saisset (1301), déclencha une violente polémique entre légistes et théologiens des deux camps, avec convocation d'un synode d'évêques français à Rome, proclamation de la bulle *Unam sanctam* (affirmation de la suzeraineté du pape sur tous les souverains, 1302), excommunication de Philippe le Bel (1303) et finalement, attentat d'Anagni* : Guillaume de Nogaret* et Sciarra Colonna brutalisèrent et arrêtèrent le pape (7-9 sept. 1303), qui en mourut un mois plus tard.

BONIFACE IX *(Pietro Tomacelli).* ♦ (1389-1404 [mort]). 201e pape. Napolitain. Il prit des mesures financières extraordinaires pour pallier le déficit dû à l'existence des papes schismatiques d'Avignon.

BONIFACIO (Andrès). ♦ Homme politique et révolutionnaire philippin qui déclencha en 1896, en même temps qu'Aguinaldo*, la révolte contre la domination espagnole. À la suite d'un désaccord avec ce dernier, il fut exécuté par les partisans d'Aguinaldo, le 10 mai 1897.

BONIFACIO. ♦ Ch.-l. de cant. de la Corse* (arr. de Sartène*) à l'extrême pointe méridionale de l'île, en face de la Sardaigne, dont elle est séparée par le *détroit* ou *Bouches de Bonifacio,* large de 12 km. 3 015 hab. *(Bonifaciens).* – La ville haute est entourée d'une enceinte fortifiée du XVIe siècle. Église romane remaniée Sainte-Marie-Majeure ; église Saint-Dominique (XIIIe-XIVe s.). Dans le quartier de la « Marine » se trouve le port de pêche et de voyageurs.

BONIN (Charles-Eudes). ♦ Explorateur français (Poissy, 1865 – Barcelone, 1929). Lors d'une première expédition (1895-1896), il explora les frontières de la Chine du Tonkin à la Sibérie, puis il traversa l'Asie centrale d'Est en Ouest (1898). Pour revenir en Europe (1900), il emprunta l'itinéraire de Marco Polo.

BONIN *(îles).* ♦ **V.** OGASAWARA.

BONINGTON (Richard Parkes). ♦ Peintre, aquarelliste et lithographe anglais (Arnold, près de Nottingham, 1802 – Londres, 1828). Sa famille s'installa à Calais en 1817 ; il étudia alors chez l'aquarelliste L. Francia, disciple de Girtin*. En 1821, il travailla dans l'atelier de Gros*. Delacroix admirait la spontanéité de ses aquarelles, d'une grande légèreté de facture. Au Salon de 1824, il obtint lui-même un vif succès. En 1825, il se rendit à Londres avec Delacroix* et fut frappé par la manière de Turner*, et après un voyage à Venise (1826), il donna à sa palette plus d'éclat *(Vue de Venise).* Son penchant pour le Moyen Âge et pour les sujets historiques aux détails pittoresques *(François Ier et Marguerite de Navarre),* l'intérêt qu'il porta à l'Orient (*Odalisque au palmier,* 1827), en font l'un des initiateurs du style troubadour et de l'orientalisme. Sa technique fluide, sa touche large, sa prédilection pour les tonalités claires influencèrent les paysagistes français et peuvent le faire considérer comme un lointain précurseur de l'impressionnisme. Il parvint en très peu de temps (il mourut à 26 ans) à exprimer une sensibilité très personnelle dans le paysage.

BONIVARD ou **BONNIVARD (François** *de***).** ♦ Patriote suisse (Seyssel, Savoie, v. 1496 – Genève, 1570). Prieur de Saint-Victor de Genève, il défendit l'indépendance de Genève contre Charles* III, duc de Savoie, et fut emprisonné au château de Chillon*. Délivré par les Bernois en 1536, il rédigea ses *Chroniques de Genève.* Byron* l'a immortalisé dans son poème *Le Prisonnier de Chillon.*

Bon Marché (Au). ♦ Établissement commercial fondé au début du Second Empire (1852) par A. Boucicaut* qui y appliqua des méthodes de vente modernes (réduction des marges bénéficiaires, rotation rapide des stocks, etc.), parvenant ainsi en moins de dix ans à décupler son chiffre d'affaires. Cette évolution du commerce a été évoquée par Zola *(Au Bonheur des Dames).*

BONN. ♦ V. d'Allemagne occidentale (Rhénanie du Nord-Westphalie), sur la r. g. du Rhin, et cap. de l'Allemagne fédérale (depuis 1949). 300 400 hab. (depuis le rattachement en 1969 des aggl.

voisines, Beuel, Bad* Godesberg, de part et d'autre du Rhin). Bonn possède l'une des plus belles collégiales romanes *(Münster)* des bords du Rhin (XIe-XIIIe s., cloître du XIIe s.), un hôtel de ville du XVIIIe s., une célèbre université fondée en 1788 (et installée dans l'anc. palais des princes-électeurs). Maison natale de Beethoven. Peu industrialisée, Bonn est surtout un centre administratif (siège de l'administration fédérale, des ambassades), culturel (musées d'art et d'histoire naturelle) et scientifique (observatoire). — Patrie de Beethoven*, de W. Hittorf*. ♦ *Hist.* Anc. camp romain (*Bonna* ou *Castra Bonnensis*) sur la grande voie rhénane, Bonn devint au XIIIe s. la résidence des princes-électeurs de Cologne. Elle fut annexée par la France (1801), puis par la Prusse (1815) et fut très éprouvée par les bombardements de la Deuxième Guerre mondiale.

BONNANO. ♦ Sculpteur et architecte pisan (2e moitié du XIIe s.). Auteur de portes de bronze pour les cathédrales de Pise (v. 1180; **V. Pisano** [Andrea]) et Monreale (1186), il a appliqué dans ses reliefs une technique d'origine rhénane à des thèmes iconographiques byzantins. Vasari lui attribue un rôle dans l'édification de la Tour penchée.

BONNARD (Pierre). ♦ Peintre, aquarelliste, dessinateur, graveur et affichiste français (Fontenay-aux-Roses, 1867 — Le Cannet, 1947). Fils de fonctionnaire, il poursuivit des études de droit et fréquenta à partir de 1888 l'académie Julian où il fit la connaissance de Sérusier*, Denis*, Ranson*, Roussel* et Vuillard*, qui allait devenir son meilleur ami. Il devint membre du groupe des *nabis.* Cependant les théories symboliques et mystiques de Denis et Sérusier le touchèrent peu; étranger à toute préoccupation d'ordre littéraire, il était surtout fasciné par les estampes japonaises. À partir de 1889, le succès de l'affiche *France-Champagne* le décida à se consacrer exclusivement à la peinture. Il créa alors de nombreuses affiches (*La Revue blanche,* 1894), des modèles de meubles, exécuta des séries de lithographies en noir et en couleurs et fit des décors pour le théâtre de l'Œuvre de Lugné*-Poe. Dans ses premiers tableaux, les tons sont plats, le modelé réduit, l'espace sans profondeur, la composition linéaire et sinueuse (*Le Peignoir,* 1892). Il utilisait alors une gamme chromatique souvent assourdie, à dominante froide, et traitait de préférence des scènes de rue (*Le Fiacre de Paris,* 1898), des portraits de femmes et d'enfants, des nus, (*L'Indolente,* 1899) aux mises en page audacieuses. Il réalisa aussi des illustrations de livres (*Parallèlement* de Verlaine, 1900; *Daphnis et Chloé,* 1902). S'éloignant progressivement du cercle nabi, il se consacra plus souvent au plein air et traita des scènes de la vie familière et des paysages avec des couleurs plus riches et vibrantes, étalées par masses fluides qui révèlent une reconsidération de l'art des impressionnistes. Après de nombreux voyages en Belgique, Hollande (1907), Espagne, Tunisie, Algérie, Bonnard entreprit une série de nus à la toilette où s'affirment ses dons exceptionnels de coloriste, la spontanéité de sa facture et son sens des compositions vigoureuses et originales (*Nu à contre-jour,* 1908). En 1909, il séjourna auprès de Manguin*. Il développa alors les qualités expressives de la couleur, recherchant les harmonies intenses de couleurs pures où dominent les tons chauds (*Paysage de St-Tropez,* 1911). Jusqu'à 1920 environ, il cherchait à donner à ses œuvres une structure ferme (*Nu devant la cheminée,* 1919), puis il poursuivit ses recherches chromatiques recourant à des harmonies plus audacieuses. Il créait ainsi un univers lyrique et sensuel qui prend souvent un caractère onirique. Dans les dix dernières années de sa vie, les références au réel disparaissent presque entièrement au profit d'un jeu subtilement varié de couleurs incandescentes. Peu touché par les révolutions picturales qui secouèrent son époque, il resta attaché aux pures valeurs plastiques. Il n'en fut pas moins admiré par des peintres poursuivant des visées diamétralement opposées et exerça une forte influence sur les adeptes de l'abstraction lyrique.

BONNARD (Abel). ♦ Écrivain et journaliste français (Poitiers, 1883 — Madrid, 1968). Auteur d'essais sur *L'Enfance* (1927), *L'Amitié* (1929), il se tourna vers la politique dans sa critique des *Modérés* (1937). Partisan de la collaboration et ministre de l'Éducation nationale dans le gouvernement de Vichy (1942-1944), il se réfugia en Allemagne puis en Espagne. D'abord condamné à mort par contumace, il revint à Paris, où la Haute Cour de justice le condamna à dix ans de bannissement. (Exclu en 1944 de l'Acad. fr.)

Arch. Smeets
R. P. Bonington : « Vue de Venise ». (Louvre, Paris.)

Ph. Nino Cirani/Ricciarini
Cap de **Bonne-Espérance :** vue aérienne.

BONNAT (Léon). ♦ Peintre et dessinateur français (Bayonne, 1833 — Mouchy-Saint-Éloi, Oise, 1922). Il fut à Madrid élève de Federico de Madrazo puis, à Paris, de Léon Cogniet. Après avoir exécuté des œuvres religieuses, il devint sous la IIIe République le portraitiste favori des milieux officiels *(Thiers, Jules Ferry)* et représenta la plupart des célébrités de l'époque. Orientant dans un sens conventionnel le « réalisme » de Courbet*, il se montra soucieux d'atteindre une objectivité quasi photographique et développa un style peu personnel où s'affirme surtout sa maîtrise technique, représentatif de la peinture académique et bourgeoise que soutenaient l'Académie et l'École des beaux-arts. Il a légué à l'État une remarquable collection de dessins (*musée Bonnat,* à Bayonne; Louvre).

BONNE DE LUXEMBOURG. ♦ Fille de Jean* Ier de Luxembourg, épouse de Jean* II le Bon (1332) et mère de Charles* V le Sage (1338).

BONNE-ESPÉRANCE *(cap de),* en angl. **Cape of Good Hope,** autref. **cap. des Tempêtes.** ♦ Cap du S. de l'Afrique du Sud, anc. îlot rocheux rattaché au continent. Il fut découvert en 1488 par Bartholomeu Dias* qui devait trouver la mort dans les parages en 1500. Vasco de Gama* le doubla en 1497. **V. Cap (Le).**

BONNEFOY (Yves). ♦ Poète français (Tours, 1923). Critique d'art, spécialiste des fresques romanes, traducteur de Shakespeare, il développe, dans une œuvre poétique d'accès difficile, la méditation d'un philosophe métaphysicien sur les thèmes de l'inertie de la matière et des pouvoirs du langage. Reconnaissant au verbe une action vivifiante sur les choses, il lui confie son espoir d'un retour à l'innocence du monde, recréé par la poésie. Marquée par l'influence de la philosophie allemande (Hegel, Heidegger), sa pensée traduit une angoisse de nature aussi tragique que celle d'un P.J. Jouve*, dans une langue riche en litotes et en sous-entendus, qui suggère plutôt qu'elle ne décrit. Princ. recueils : *Du Mouvement et de l'Immobilité de Douve* (1953), *Hier, régnant désert* (1958), *Pierre écrite* (1959), et essais sur la poésie, *L'Improbable* (1959), *L'Affirmation et l'Écume* (1967).

BONNET (Charles). ♦ Naturaliste et philosophe suisse (Genève, 1720 — 1793). Auteur d'ouvrages de botanique et de zoologie (son *Traité d'insectologie,* 1745, expose ses découvertes sur la parthénogénèse des pucerons), il admit le préformationnisme (*Considérations sur les corps organisés,* 1762; *Contemplation de la nature,* 1764). Ses analyses psychologiques sont proches de celles de Condillac*, mais en diffèrent par la distinction qu'il établit entre la sensation « passive » et « l'activité » de l'âme capable de choix (*Essai analytique des facultés de l'âme,* 1760).

BONNET (Ossian). ♦ Mathématicien français (Montpellier, 1819 — Paris, 1892). Son œuvre porte notamment sur la géométrie infinitésimale. (Acad. sc., 1862.)

BONNET (Georges). ♦ Homme politique français (Bassilac, Dordogne, 1889 — Paris, 1973). Député rad.-soc., ministre des Finances dans le cabinet Chautemps, il reçut le portefeuille des Affaires étrangères (1938-1939) et signa les accords de Munich (sept. 1938), puis le portefeuille de la Justice jusqu'à la chute du cabinet Daladier (mars 1940). Retiré peu après de la vie politique, exclu du parti radical, il créa en 1955 le groupe des radicaux dissidents et fut réélu député (1956). *De Washington au Quai d'Orsay,* 1947, *Fin d'une Europe,* 1948.

BONNÉTABLE. ♦ Ch.-l. de cant. de la Sarthe, (arr. de Mamers), dans le Maine. 3 685 hab. (2 666 aggl.). [*Bonnétabliens*]. Château des XVe et XVIIe s., restauré au XIXe s. Église du XVIIe s. — Confection.

Bonnets et **Chapeaux** (en suéd. **Mossorna** et **Hattar**). ♦ Nom des deux partis politiques qui se disputèrent le pouvoir en Suède entre 1738 et 1772. Les *Bonnets* (bonnets de nuit), étaient partisans de la paix et prêts aux concessions envers la Russie et l'Angleterre, tandis que les *Chapeaux,* francophiles, voulaient reprendre la politique belliqueuse de Charles* XII. Leur action cessa avec Gustave* III.

BONNEUIL-SUR-MARNE. ♦ Ch.-l. de cant. du Val-de-Marne

(arr. de Créteil) au S.-E. de Paris. 14 049 hab. L'ancien château de Rancy (XVIIIe s.) abrite une école pour inadaptés. – Port fluvial sur la r. g. de la Marne. Constructions métalliques; ameublement; matériaux de construction.

BONNEVAL (Claude Alexandre, ***comte de*****).** ♦ Général français (Coussac-Bonneval, Limousin 1675 – Constantinople, 1747). Disgracié pour avoir offensé Mme de Maintenon, il passa au service de l'Autriche et combattit contre la France. Il se réfugia ensuite en Turquie, se convertit à l'islâm (1730) et prit le nom d'*Ahmet pacha.* Il y acquit une grande influence.

BONNEVAL. ♦ Ch.-l. de cant. d'Eure-et-Loir, arr. de Châteaudun. 5 031 hab. [3 587 aggl.] *(Bonnevalais).* Église Notre-Dame, gothique (XIIIe s.). Anc. abbaye (XIIIe-XVe s.). Vestiges de l'enceinte fortifiée. – Chaudronnerie.

BONNEVAL-SUR-ARC. ♦ Comm. de la Savoie* (arr. de Saint*-Jean-de-Maurienne) au pied du col de l'Iseran*. 139 hab. Station d'altitude (1 835 m). Artisanat.

BONNEVILLE (Nicolas ***de*****).** ♦ Écrivain et publiciste français (Évreux, 1760 – Paris, 1828). Lors de la Révolution, il fonda, avec C. Fauchet*, le Cercle* social et les journaux la *Bouche de Fer* et la *Chronique du jour.* Révolutionnaire à tendance mystique, partisan de l'illuminisme du philosophe Saint-Martin, il fut emprisonné sous la Terreur, puis persécuté sous l'Empire. On lui doit une *Histoire de l'Europe moderne* (1789-1792), et un ouvrage intitulé *De l'esprit des religions* (1791).

BONNEVILLE. ♦ Sous-préf. de la Haute-Savoie*, ch.-l. d'arr. (9 cant., 65 comm., 109 511 hab.), sur l'Arve*. 6 148 hab. *(Bonnevillois).* Métallurgie de l'aluminium; horlogerie. – Anc. cap. du Faucigny*.

BONNEVILLE *(Barrage de)*, en angl. **Bonneville Dam.** ♦ Grand barrage situé sur la Columbia* (États-Unis; frontière de l'Oregon et du Washington).

BONNIER (Gaston). ♦ Botaniste français (Paris, 1853 – 1922). Auteur de flores remarquables par leur précision (dont la *Flore complète illustrée*), il a montré l'influence du milieu sur la structure et la fonction des organes chez les végétaux, reprenant ainsi les vues transformistes de Lamarck et il réalisa la synthèse du lichen (symbiose d'une algue et d'un champignon). [Acad. sc., 1897.]

BONNIÈRES-SUR-SEINE. ♦ Ch.-l. de cant. des Yvelines (arr. de Mantes-la-Jolie), sur la Seine. 2 848 hab. Allée sépulcrale néolithique. – Machines à coudre; métallurgie, indus. électrique.

BONNIVET (Guillaume Gouffier, ***seigneur de*****).** ♦ Amiral français (v. 1488 – Pavie, 1525). Favori de François Ier, nommé chef de l'armée d'Italie (1523), il fut inférieur à sa tâche et fut battu et tué à la bataille de Pavie (1525).

BONNOT (Jules Joseph). ♦ Anarchiste français (Pont-de-Roide, Doubs, 1876 – Choisy-le-Roi, 1912). Chef d'un groupe d'anarchistes, connu sous le nom de *bande à Bonnot,* qui se livra à de nombreuses attaques de banques (dont plusieurs avec meurtres), il fut abattu alors qu'il allait être arrêté. Les autres membres de la bande furent jugés en 1913 (4 condamnations à mort, 11 peines de travaux forcés).

BONO. ♦ Comm. du Morbihan, arr. de Lorient, sur le Bono, affl. de la rivière d'Auray. 1 555 hab. Petit port de pêche. Ostréiculture.

BONONCINI (Giovanni Battista). ♦ Compositeur italien (Modène, 1670 – Vienne ?, v. 1750). Fils de Giovanni Maria (1642 – 1678) et frère d'Antonio Maria Bononcini (1677 – 1726), l'un et l'autre compositeurs et instrumentistes réputés, il fit une brillante carrière européenne, recueillant les plus grands succès, particulièrement à Vienne (1699-1711) et à Londres (1720-v. 1732). Auteur de nombreuses œuvres de musique religieuse et de musique de chambre, il composa une trentaine d'opéras dont un avec Haendel, *Muzio Scevola.* Devenu le rival du grand compositeur et malgré la protection du duc de Marlborough, il dut s'effacer devant lui.

BONPLAND (Aimé Goujaud, dit**).** ♦ Médecin et naturaliste français (La Rochelle, 1773 – Argentine, 1858). Avec Alexandre von Humboldt*, il explora l'Amerique du Sud dont il rapporta de nombreuses espèces de plantes inconnues. Il est l'auteur de plusieurs traités de botanique (dont l'un en collaboration avec Humboldt).

Bon-po. ♦ Religion chamanique primitive du Tibet*, antérieure à l'introduction du bouddhisme (VIIe s.), teintée d'animisme et (plus tardivement) de pratiques tantriques indiennes.

BONSTETTEN (Charles Victor ***de*****).** ♦ Écrivain suisse (Berne, 1745 – Genève, 1832). Après des études en Hollande et en Angleterre, il voyagea en France et en Italie, puis vint s'établir à Genève où il se lia avec Mme de Staël* et Gismondi*, composant dès lors (1803) ses ouvrages en français : ses *Études de l'homme ou Recherches sur les facultés de sentir et de penser* (1821) ainsi que *L'Homme du Midi et l'Homme du Nord ou l'influence des climats* (1824) notamment, sont très représentatifs de la tendance cosmopolite, européenne du XIXe s. débutant. On a publié ses *Lettres à Mathisson* (1827) et ses *Lettres à Fréderike Brun* (1829).

BONTEMPELLI (Massimo). ♦ Écrivain et auteur dramatique italien (Côme, 1878 – Rome, 1960). Il fonda avec Malaparte* la revue *XXe Siècle (Novecento),* écrite en français et qui accueillit Mac Orlan et James Joyce. À ses premiers poèmes dont la forme classique évoque Carducci*, succédèrent d'autres recueils, dont *Pur-Sang* (1933), manifestant une inspiration plus inquiète et le désir de retrouver le magique sous le quotidien. Acquis, avec Landolfi* et Buzzati*, au « réalisme magique », Bontempelli s'opposa

Arch. Smeets

P. Bontemps : Claude de France, marbre, tombeau de François Ier et Claude de France. (Abbaye de Saint-Denis.)

au vérisme comme à l'esthétisme dans un ouvrage théorique *L'Aventure du XXe siècle* (1928), préconisant un délire lucide, où le fantastique s'allie à l'humour. À cette veine appartiennent les nombreux romans de cet écrivain fécond : *Le Fils de deux mères* (*Il Figlio di due Madri,* 1929), *Vie et mort d'Adria et de ses fils* (*Vita e morte di Adria e dei suoi figli,* 1930) et *Des gens dans le Temps* (*Gente nel Tempo,* 1937), dont le fantastique inquiétant contraste avec la rigueur glaciale du langage. Le théâtre de Bontempelli, d'abord futuriste, puis néo-classique, est imprégné de métaphysique et d'authentique poésie; ses tragédies, *Notre Déesse* (*Nostra Dea,* 1928) et *Nuée* (*Nembo,* 1938), offrent également une atmosphère fantastique. – Musicien et critique musical, conférencier. Bontempelli a également traduit en italien Molière, Stendhal, Gautier et Taine.

BONTEMPS (Pierre). ♦ Sculpteur français (?, v. 1505-1510 – ?, v. 1568-1570). Il fit partie de l'équipe travaillant à Fontainebleau sous la direction de Primatice* (stucs de la *chambre de la reine,* à partir de 1536) et fut aussi chargé de la restauration des antiques de la collection royale. Fixé ensuite à Paris, il collabora au tombeau de François Ier sous la direction de Philibert Delorme* (1548-1559), réalisant probablement les deux *gisants* : cadavres en état de décomposition d'un esprit encore caractéristique de la fin du Moyen Âge, et *priants* d'une inspiration plus classique. Il est aussi l'auteur des cinquante-quatre bas-reliefs représentant des épisodes des guerres d'Italie ainsi que de l'*Urne du cœur de François Ier* (1550-1556) dont le répertoire thématique (allégories de l'Architecture, la Sculpture, la Peinture, etc.) et décoratif, la finesse du modelé, le goût des effets de perspective se rattachent à l'esthétique de la première école de Fontainebleau. On lui attribue aussi le *Tombeau de l'amiral Philippe de Chabot* (représenté accoudé) et la *Statue assise de Charles de Maigny.*

BONVALOT (Gabriel). ♦ Explorateur français (Espagne, 1853 – Paris, 1933). De 1880 à 1882, il explora l'Asie centrale (Turkestan, Perse, Afghânistân, Cachemire), puis se rendit de Sibérie au Tonkin par le Tibet avec le prince Henri d'Orléans* (1889-1890). [*De Paris au Tonkin à travers le Tibet inconnu,* 1892].

BOOLE (George). ♦ Logicien et mathématicien anglais (Lincoln, 1815 – Cork, 1864). Créateur de la logique symbolique moderne (*The Mathematical Analysis of Logic,* 1847), il réduisit la logique à un type d'algèbre simple et pratique *(algèbre booléienne),* préparant l'unification de la logique et de la mathématique. **V. Babbage, De Morgan, Hankel, Jevons, Peano, Peirce.**

BOOM. ♦ Comm. de Belgique (prov. et arr. d'Anvers) sur le Rupe*, à 32 km de Bruxelles. 17 400 hab. Briqueteries. Métallurgie (acier, zinc, plomb). Chantiers navals. Brasseries.

BOORSBEEK. ♦ V. de Belgique (prov. et arr. d'Anvers). 5 800 hab. Cultures maraîchères. Taille du diamant.

BOOTH (William). ♦ Réformateur religieux britannique (Nottingham, 1829 – Londres, 1912). Prédicateur méthodiste, il fonda l'Armée du salut et en devint le général.

BOOTH (John Wilkes). ♦ Acteur américain (Bel-Air, Maryland, 1838 – Bowling Green, Virginie, 1865). Partisan de la cause sudiste, il assassina le président Lincoln*.

BOOTHIA *(péninsule de).* ♦ Péninsule du N. du Canada, dans l'Arctique (territoires du N.-O.); elle est séparée au S.-O. de l'île du Roi-Guillaume et bordée à l'E. par le profond *golfe de Boothia* qui la sépare de l'extrémité O. de la terre de Baffin. Elle se prolonge au N. par l'île de Somerset.

BOOTLE. ♦ V. d'Angleterre (Lancashire) et port sur la Mersey, au N. de Liverpool. 82 800 hab. Métallurgie.

BOOZ, en hébreu **Bo'az.** Personnage biblique *(Livre de Ruth),* époux de Ruth, père d'Obed et, par lui, bisaïeul de David. – *Booz endormi,* célèbre poème de V. Hugo (1859) inclus dans *La Légende des siècles.*

BOPP (Franz). ♦ Linguiste allemand (Mayence, 1791 – Berlin, 1867). Après de fortes études à Aschaffenburg, il vint étudier le sanskrit à Paris (1812), notamment avec Chézy. Il publia dès 1816 un traité sur le *Système de conjugaison en sanskrit.* Après un séjour à Londres, il alla à Göttingen (1818) et devint professeur à Berlin (1821) où il fut appelé par W. von Humboldt. Il mena dès lors une vie calme et studieuse, publiant plusieurs mémoires importants. Il est l'auteur de plusieurs grammaires et d'un glossaire du sanskrit. Sa grande œuvre, la *Grammaire comparée du sanskrit, du zend, du latin, du lithuanien, du vieux slave, du gothique et de l'allemand,* parut en six parties, de 1833 à 1852. – Mû par l'intérêt philologique pour l'histoire des cultures et des religions (Schlegel, l'école « symboliste » de Heidelberg), Bopp, voulant découvrir la raison commune et profonde à l'ensemble des langues indo-européennes (leur « organisme »), sut se tenir à l'écart des interprétations romantiques et des généralisations de ses grands contemporains allemands et découvrir dans la morphologie du verbe et du nom un véritable système de formes fonctionnelles. Il est par-là le père incontesté de la linguistique moderne.

BOR (Matej). ♦ Poète et auteur dramatique yougoslave de Slovénie (1913 –). Influencé par Maïakovski*, il écrivit des poèmes d'une vie intense qu'il allait réciter aux maquisards pour les soutenir dans leur résistance contre les fascistes : *Poèmes* (1946). Puis il publia deux recueils : *Le Lierre au-dessus du lac* (1951) et *La Trace de nos ombres,* ainsi que des ballades : *Les Rencontres, Ses yeux.* Dans son théâtre, il traite de sujets actuels : *L'Heure difficile* (1944). *La Joie dans l'aquarium, Les étoiles sont éternelles.*

BOR. ♦ V. de Yougoslavie (Serbie). 18 496 hab. Aux env. sont exploités de riches gisements de cuivre.

BORA (Catherine *de*), en all. **Katharina von Bora.** ♦ Religieuse allemande (Lippendorf, Saxe, 1499 – Torgau, 1552). Après s'être enfuie de son couvent, elle épousa Luther* (1525) et en eut six enfants.

BORA BORA. ♦ Île volcanique occidentale des îles Sous*-le-Vent appartenant à l'archipel de la Société* (Polynésie* française). 2 500 hab. env. – Tombeau d'A. Gerbault*.

BORÅS. ♦ V. de Suède méridionale, à l'E. de Göteborg*. 70 643 hab. (1968). Centre de l'indus. textile suédoise. Constructions mécaniques.

BORCHARDT (Rudolf). ♦ Poète et écrivain allemand (Königsberg, 1877 – près d'Innsbruck, 1945). À l'encontre des mouvements littéraires de l'époque (naturalisme, impressionnisme, etc.), il a voulu être le défenseur de la tradition et donna, dans une langue et un style aux formes recherchées et difficiles, des poèmes (*L'Ode à la grenade,* 1907, en strophes saphiques; *Magnolia d'automne, Del Durant,* 1920, poème épique), un roman (*Jonction par-delà les lignes ennemies,* 1937) et de nombreuses traductions (en particulier de la *Divine Comédie* de Dante).

BORCHERT (Wolfgang). ♦ Écrivain allemand (Hambourg, 1921 – près de Bâle, 1947). Son destin et son œuvre sont ceux de toute une génération massacrée. Condamné à mort pour défaitisme et antinazisme, puis gracié, Borchert passa les années de guerre entre la prison et le front, et mourut peu après la défaite allemande, de maladie et d'épuisement. Auteur de nouvelles et de poèmes, il est surtout célèbre pour son drame *Dehors, devant la porte* (1947) : histoire d'un sergent qui revient de guerre dans un Hambourg dévasté où il ne retrouve ni foyer, ni parents, cette œuvre donne de la « lutte entre le désespoir et la volonté tenace de vivre une image pathétique, de forme tout expressionniste » (H. Plard).

BORCHGREVINK (Carsten Egeberg). ♦ Explorateur norvégien (Oslo, 1864-1934). À bord du *Southern Cross,* il explora les régions antarctiques et parvint jusqu'à Cap Adare (Terre Victoria) [1898-1899]. (On a donné son nom à une île située dans la mer de Ross.)

BORDA (Jean Charles *de,* dit **le Chevalier de Borda).** ♦ Mathématicien, physicien et marin français (Dax, 1733 – Paris, 1799). Auteur de recherches sur la balistique, il découvrit l'importance de la résistance de l'air sur la trajectoire des projectiles puis trouva une méthode pratique d'étude des phénomènes de résistance des fluides qu'il appliqua au cas de l'eau; il participa également, avec Méchain* et Delambre*, à la mesure de l'arc du méridien terrestre pour l'établissement du système métrique et inventa à ce propos le cercle répétiteur et la règle bimétallique. Son nom fut donné au vaisseau qui porta l'École navale de 1840 à 1913. (Acad. sc., 1772.)

BÖRDE. *n. m. pl.* ♦ Région d'Allemagne, riche en lœss, qui s'étend entre Minden et Dessau, en bordure de la plaine du Nord et du massif hercynien, de la lisière du Harz* à celle de la Haute-Lusace. La fertilité du sol permet des cultures variées (blé, betterave à sucre, plantes fourragères, lin, tabac, cultures maraîchères) associées à l'élevage bovin et porcin. Le sous-sol est riche en potasse (Hanovre, Stassfurt), en sel (Brunswick), en fer (Peine) et en lignite, base de l'industrialisation (sidérurgie, mécanique, chimie, indus. textiles et alimentaires).

BORDEAUX *(duc de).* ♦ **V.** CHAMBORD.

BORDEAUX (Henry). ♦ Écrivain français (Thonon-les-Bains, 1870 – Paris, 1963). Il débuta dans les lettres par des études critiques (réunies dans *Âmes modernes,* 1894), puis aborda en 1900 le roman, qui allait constituer désormais l'essentiel d'une œuvre très féconde. Se reconnaissant pour maître Paul Bourget*, H. Bordeaux s'attacha à exalter l'ordre moral, incarné dans l'esprit de famille et dans une foi traditionnelle. – Dans *Les Roquevillard* (1906), *La Robe de laine* (1910), *La Neige sur les pas* (1911) et *La Peur de vivre* (1921), il reprit le « vieux thème des tragédies domestiques », au sein de sa Savoie natale, pour livrer l'analyse d'une certaine société provinciale et se montrer l'avocat des sentiments « naturels », des vertus bourgeoises et traditionalistes. Auteur de pièces de théâtre, de recueils de nouvelles, H. Bordeaux a également donné *Histoire d'une vie* [9 vol.; 1946-1963]. (Acad. fr.)

BORDEAUX. ♦ Préf. de la Gironde*, ch.-l. d'arr. (21 cant., 158 comm., 747 283 hab.), sur la Garonne* à 98 km de l'océan Atlantique. 270 996 hab. pour la ville elle-même. 564 888 hab. pour la communauté urbaine. *(Bordelais).* La ville possède de nombreuses églises : cathédrale St-André (nef du XIIe s., transept et chœur du XIVe s.). Église Ste-Eulalie (XIIe au XVIe s.), église Ste-Croix (XIIe-XIIIe s.), église St-Michel (XIVe-XVIe s.) et la tour St-Michel haute de 109 m, qui est la pointe la plus élevée du S. de la France. Église St-Séverin (XIIe-XVe s.), église Notre-Dame (XVIIe-XVIIIe s.). Ruines du palais Gallien (IIIe s.). On doit à l'architecte V. Louis le Grand Théâtre (1773-1780), trois hôtels qui abritent la préfecture. La place de la Bourse est un bel ensemble architectural du XVIIIe s., œuvre de Gabriel*. L'hôtel de ville est situé dans l'anc. évêché (XVIIIe s.). Le monument des Girondins par Dumilâtre et Rich (1895) se trouve sur la fameuse place des Quinconces (XIXe s.). Le « Jardin public », célèbre promenade, a été créé par Tourny* au XVIIIe siècle. Porte de la Grosse Cloche (XIIIe-XVe s.), porte de Bourgogne et porte d'Aquitaine du XVIIIe siècle. Nombreux musées, maisons et hôtels anciens. Siège d'un archevêché. – Bordeaux est la métropole économique du S.-O. de la France, c'est avant tout un grand port de commerce qui expédie les fameux *vins de Bordeaux* **(V. Bordelais).** Des travaux ont permis la modernisation du port qui est le 6e de France (trafic de 11 248 t [1975]). Aérodrome de Mérignac. Raffineries de pétrole (Bec d'Ambès*, Pauillac*), constructions navales, indus. métallurgique, électrique, aéronautique, moteurs d'avion, indus. alimentaires, indus. du bois, indus. chimique. – Patrie de J. Anouilh*, Ausone*, N. Beaujon*, A. Berquin*, J. Black*, E. Colonne*, J. Decoux*, R. Desèze*, J.-F. Ducos*, T. Ducos*, A. Gensonné*, Ch. Lamoureux*, J.-M. de Laubardemont*, A. Lhote*, E. Mac* Avoy, F. Magendie*, A. Marquet*, J.-B. Gay de Martignac*, F. Mauriac*, C. Mendes*, saint Paulin* de Nole, J.-E. et I. Pereire*, Ch. de Peyronnet*, G. de Porto*-Riche, O. Redon*, Richard* II, J. Rivière*, J. Roger* Ducasse, B. Sarrette*, F. de Sourdis*, J. Thibaud*, Ch. Tournemire*, A. Vernet* (dit Carle), H. Vincent*. – Montesquieu* y fut président au parle-

Ph. Lauros-Giraudon

Bordeaux : la cathédrale Saint-André.

ment de Guyenne. – La société des Marianistes y fut fondée en 1817 par l'abbé Chaminade*. ♦ *Hist.* Cap. des Bituriges* Vivisques sous le nom de *Burdigala,* elle devint, après la conquête de la Gaule* par les Romains, cap. de l'Aquitaine* IIe (370-508). Possession anglaise à la suite du mariage d'Alénior* d'Aquitaine avec Henri* II en 1154, elle revint à la France après la bataille de Castillon* (1453) et Louis XI y installa le parlement de Guyenne*. Bordeaux connut à nouveau une grande prospérité au XVIIIe s. grâce au commerce avec les Antilles et avec la traite des Noirs. Capitale des Girondins durant la Révolution, la ville souffrit beaucoup de la Terreur (Ch. Barbaroux* y fut décapité en 1794). Elle fut l'une des premières villes à se rallier aux Bourbons en 1814, d'où le nom de *duc de Bordeaux* donné par Louis XVIII au futur comte de Chambord*. Le gouvernement français y siégea en 1870, 1914, et 1940.

BORDELAIS. *n. m.* ♦ Région autour de Bordeaux* et, particulièrement, celle du vignoble bordelais qui couvre environ 120 000 ha dans le dép. de la Gironde*, de part et d'autre de la Garonne depuis les environs de La Réole* au S.-E. jusqu'à la pointe de Grave* au N.-O., sur les deux rives de la basse Dordogne des abords de Sainte*-Foy-la-Grande au bec d'Ambès* et sur la r. d. de la Gironde jusqu'à la limite de la Charente-Maritime. On y distingue plusieurs secteurs vinicoles : le *Médoc** au N.-O., lui-même subdivisé en *Haut-Médoc,* de la banlieue N. de Bordeaux (Blanquefort*) à Saint*-Seurin-de-Cadourne **(V. Castelnau-de-Médoc, Margaux** [Château-Margaux], **Pauillac,** [Château-Lafite, Château-Lagrange, Château-Latour, Château-Mouton-Rothschild...], **Saint-Estèphe, Saint-Julien, Saint-Laurent-de-Médoc)** et le *Bas-Médoc* entre Saint-Seurin et Soulac*-sur-Mer **(V. Lesparre-Médoc, Saint-Vivien-de-Médoc,...).** – Les *Graves** entre Blanquefort au N. de Bordeaux et Langon* au S. **V. Pessac** (Château-Haut-Brion), **Labrède...,** auxquelles se rattachent les « Graves méridionales » du *Sauternais* **(V. Barsac, Sauternes, Château-Yquem),** les « petites » ou « secondes » *Graves (Cérons, Podensac*)* et le *Bazadais* **(V. Bazas).** – Les vignobles des *Côtes* dominant la r. d. de la Garonne et de la Gironde comprenant le *Libournais* **(V. Libourne, Pomerol, Saint-Emilion, Castillon-la-Bataille),** le *Fronsadais* **(V. Fronsac),** le *Cubzadais* **(V. Saint-André-de-Cubzac),** le *Bourgeais* **(V. Bourg**[-sur-Gironde]**),** le *Blayais** **(V. Blaye)** ainsi que la région de Coutras* et de Guîtres* et, entre Garonne et Dordogne, l'*Entre*-Deux-Mers* **(V. Carbon-Blanc, Créon, Sainte-Foy-la-Grande,...).**

BORDES (Charles). ♦ Compositeur français (Rochecorbon, 1863 – Toulon, 1919). Élève de César Franck*, il fut maître de chapelle à Saint-Gervais. Fondateur de l'association des *Chanteurs de Saint-Gervais,* il a contribué à la renaissance de la musique polyphonique des XVe, XVIe et XVIIe siècles. En association avec Alexandre Guilmant et Vincent d'Indy*, il participa aussi à la fondation de la *Schola Cantorum* (1894). Il a publié les *Archives de la tradition basque,* l'*Anthologie des maîtres religieux primitifs,* les *Chansonniers du XVIe siècle.* Il est aussi l'auteur de quelques compositions musicales, dont *18 mélodies pour chant et piano* (1914).

BORDES. ♦ Comm. des Pyrénées-Atlantiques (arr. de Pau). 1 397 hab. Usine aéronautique.

BORDET (Jules). ♦ Médecin et microbiologiste belge (Soignies, 1870 – Bruxelles, 1961). Il découvrit avec Gengou* le bacille de la coqueluche (1906). Il écrivit un *Traité de l'immunité dans les maladies infectieuses* (1920), enseigna à l'université de Bruxelles et dirigea l'institut Pasteur du Brabant. (Prix Nobel de médecine, 1919.)

BORDEU (Théophile *de***).** ♦ Médecin français (Izste, Béarn, 1722 – Paris, 1776). Docteur en méd. de l'université de Montpellier, il est connu par ses travaux sur les eaux thermales (en particulier du Béarn) et sur les glandes. Il collabora à l'Encyclopédie, et fut, avec Barthez*, un des fondateurs du vitalisme.

BORDIGHERA. ♦ V. d'Italie, en Ligurie (prov. d'Imperia), sur la Riviera di Ponente près de la frontière française, réputée pour la douceur de son climat et ses cultures florales. 12 163 hab. Station balnéaire et hivernale.

BORDJ-BOU-ARRÉRIDJ. ♦ V. d'Algérie, ch.-l. d'arr. du même nom, dans le dép. de Sétif. 36 300 habitants.

BORDJ-MÉNAÏEL. ♦ V. d'Algérie, ch.-l. d'arr. dans le dép. de Tizi-Ouzou (Grande Kabylie*). 20 600 habitants.

BORDONE (Pâris). ♦ Peintre italien (Trévise, 1500 – Venise, 1571). Il travailla en Lombardie (1535-1540), à la cour de France, à Augsbourg, invité par les Fugger, puis s'établit à Venise. Influencé dans sa manière et ses sujets par Giorgione* et Titien*, il se montra bon coloriste, se plut surtout à représenter les jeux de la lumière sur des étoffes somptueuses (*L'Anneau de saint Marc,* v. 1535, Venise), trouva quelque grandeur dans ses compositions (*Baptême du Christ,* Milan), mais ne sut pas toujours garder la rigueur formelle et la force expressive de ses œuvres de jeunesse dans ses scènes bibliques, allégoriques ou mythologiques (*Bethsabée,* Cologne; *Vertumne et Pomone,* Louvre). Il exécuta de beaux portraits (*La Nourrice,* palais Pitti).

BORÉE, en grec **Boreas**. ♦ Dieu grec du vent du nord, fils du Titan Astraeos et d'Éos (l'Aurore), il fut particulièrement célébré à Athènes.

BOREL (Petrus Borel d'Hauterive). ♦ Poète français (Lyon, 1809 – Mostaganem, 1859), surnommé le *Lycanthrope,* (l'« homme-loup »). Républicain véhément, il écrivit un roman, *Madame Putiphar* (1839), où un sentimentalisme exacerbé soutient de grandes revendications égalitaires. Ses tendances antisociales apparaissent dans le recueil poétique des *Rhapsodies* (1832), et sa hantise de la mort dans *Champavert, contes immoraux* (1833), nouvelles où la truculence se mêle à l'horrible. Ce maître de l'humour noir « auquel s'applique comme à aucun autre l'épithète « frénétique » (A. Breton*) fit l'objet d'une étude de Baudelaire*.

BOREL (Émile). ♦ Mathématicien et homme politique français (Saint-Affrique, Aveyron, 1871 – Paris, 1956). Auteur de travaux en analyse et sur le calcul des probabilités; en analyse, il étudia particulièrement les fonctions de variables complexes, créant une publication spécialisée *(Collection de monographies sur la théorie des fonctions)* et s'intéressa aux équations aux dérivées partielles; en calcul des probabilités, il donna la définition rigoureuse de la probabilité et jeta les premières bases de la théorie des jeux stratégiques **V. Neumann.** Il fut député (1924) et ministre de la Marine [1925]. (Acad. sc., 1921.)

BORELLI (Giovanni Alfonso). ♦ Physicien et physiologiste italien (Naples, 1608 – Rome, 1679). Professeur de mathématiques (à Pise), il chercha à les appliquer à l'étude du mouvement et des faits biologiques. Il fut le fondateur de l'iatromécanisme, conception mécaniste de l'être vivant et de ses activités, inspirée du mécanisme cartésien **(V. Perrault, Baglivi** et **Boerhaave).**

BORGERHOUT. ♦ Comm. de Belgique, faubourg d'Anvers. 50 500 hab. Indus. du métal et du bois. Indus. chimiques et alimentaires. Taille du diamant. Tapisserie. – Des tombes gallo-romaines ont été découvertes dans le voisinage.

BORGES (Jorge Luis). ♦ Écrivain argentin (Buenos Aires, 1899 –). Borges se situe en marge de ses compatriotes par l'originalité et la sobriété de son style, son mépris des systèmes littéraires et son refus de toute obédience politique ou idéologique. Intellectuel cosmopolite, il tint néanmoins à justifier son « argentinité » en dédiant à sa ville natale un recueil de poèmes : *Ferveur de Buenos Aires* (1923). Parallèlement, dans ses premiers essais, *Inquisitions* (1925) et *Discussion* (1932) il s'orienta vers un humanisme sceptique en laissant percer l'idée que la vérité philosophique n'est le privilège d'aucune nation. Nommé directeur de la bibliothèque nationale de Buenos Aires en 1945, il n'écrivit que quelques poèmes tandis qu'il perdait progressivement la vue. Il atteignit la renommée mondiale avec *Fictions* (1941) et surtout l'*Aleph* (1949), récits insolites où se mêlent rêve et réalité, présent et passé en un âge et un lieu lointains et indéterminés. Ses contes graves, parfois relevés d'humour, lui ont valu la réputation de « conteur métaphysique ». Mais Borges s'y révèle avant tout un poète, créateur d'un langage « qui tient à la fois de l'exubérance baroque et de la gouaille populaire » et dont la curiosité intellectuelle est sans bornes. Il a fait du genre policier une quête du sens caché de l'existence (*Six Problèmes pour don Isidro Parodi,* en collaboration avec A. Bioy Casares) et on retrouve dans son dernier recueil de contes, *Le Rapport de Brodie* (1971); « le va-et-vient constant entre l'interrogation sur l'identité et l'attachement à une mythologie argentine du courage ». Souvent accusé d'aristocratisme intellectuel et de non-engagement, Borges montre avant tout « qu'écrire est la plus grande raison d'exister et que la valeur suprême est le Livre », rejoignant certaines attitudes du symbolisme (Mallarmé).

BORGHÈSE, en it. **Borghese**. ♦ Famille noble d'Italie, originaire de Sienne, et qui s'établit à Rome au XVIe s., quand le cardi-

Arch. Smeets

P. Bordone : « Bethsabée au bain ». (Musée Wallraf-Richartz, Cologne.)

nal Camille Borghèse devint pape **(V. Paul V).** Les Borgnèse firent construire le palais qui porte leur nom par Lunghi et di Ponzio (1590-1607). Le cardinal Scipion Cafarelli-Borghèse fit édifier dans le parc appelé *villa Borghèse,* le *casino* qui abrite la *galerie Borghèse* où sont réunies de très importantes œuvres d'art. ♦ CAMILLE BORGHÈSE [Camillo Borghese]. (Rome, 1775 – Florence, 1832) épousa la sœur de Napoléon, Pauline Bonaparte*. Il fut gouverneur du Piémont sous le Premier Empire (1808-1814).

Borghèse *(palais).* ♦ Commencé pour le cardinal Dezza en 1590, il fut terminé à Rome en 1607 pour Paul V (Camille Borghèse). – Le *casino Borghèse,* résidence d'été construite dans la *villa* – ou parc – *Borghèse,* à Rome au déb. du XVIIe s. pour le cardinal *Scipion Cafarelli Borghèse,* neveu du pape Paul* V. Le *casino,* devenu *galerie Borghèse,* renferme un musée de sculpture (œuvres du Bernin*, buste de *Pauline Borghèse* par Canova) et une importante galerie de peinture.

BORGHI (Armando). ♦ Syndicaliste et anarchiste italien (1882 – 1968). Secrétaire de l'Union syndicale italienne (centrale anarcho-syndicaliste) et auteur d'un ouvrage sur l'anarchisme (*Mezzo scolo di Anarchie,* 1898-1945).

BORGIA. ♦ Famille romaine, originaire de *Borja,* près de Saragosse (Espagne). ♦ ALONSO BORGIA fut pape. **V. Calixte III.** ♦ RODRIGO LANÇOL Y BORGIA fut pape. **V. Alexandre VI.** ♦ SAINT FRANÇOIS BORGIA. **V. François Borgia.** ♦ CÉSAR BORGIA (Rome, 1476 – près de Viana [Navarre], 1507). Fils du futur pape Alexandre VI, il fut cardinal à l'âge de seize ans. Il abandonna la vie religieuse et succéda comme capitaine général de l'Église à son frère Giovanni, qui venait d'être assassiné (peut-être avec sa complicité). Nommé duc de Valentinois (1498) par Louis XII, puis duc de Romagne (1501) par son père, il se débarrassa de ses principaux ennemis en les faisant assassiner. Il chassa Malatesta de Rimini (1500) et conquit toute la Romagne et le duché d'Urbino (1502). La mort du pape, son père, ruina sa puissance (1503); il ne put empêcher l'élection du pape Jules* II qui le força à livrer ses forteresses. Réfugié auprès de Gonzalve de Cordoue qui l'arrêta, il s'évada et rejoignit son beau-frère le roi de Navarre, et mourut lors d'une expédition en Espagne. Il inspira Machiavel dans son œuvre *Le Prince.* ♦ LUCRÈCE BORGIA (Rome, 1480 – Ferrare, 1519). Fille du futur pape Alexandre VI, elle fut un instrument aux mains de son père et de son frère, elle épousa en troisièmes noces (1501) Alphonse d'Este*, duc de Ferrare, et se fit la protectrice des arts et des lettres. Elle inspira à Victor Hugo le drame *Lucrèce Borgia.*

BORGNE. *n. f.* ♦ Riv. de Suisse, née dans les Alpes du Valais, qui arrose le val d'Herens* et reçoit la Dixence avant de se jeter dans le Rhône un peu en amont de Sion*.

BORGO. ♦ Ch.-l. de cant. de la Corse* (arr. de Bastia*) au S. de Bastia. 1 600 hab. *(Borgiens).*

BORGOU. *n. m.* ♦ Plaine élevée du N.-E. du Dahomey*, qui se prolonge sur le Nigeria, drainée par les rivières du bassin du Niger. Coton.

BORINAGE. *n. m.* ♦ Bassin houiller de Belgique qui s'étend à l'O. de Mons jusqu'à la frontière franco-belge [Hainaut*]. (hab. *Borins*). *V. princ. :* **V. Boussu, Dour, Flénu, Frameries, Ghlin, Jemappes, Mons, Quaregnon, Wasmes.** Le N. du Borinage est une plaine traversée par le canal de Mons à Condé et la Haine*. Le S., ou Haut-Pays, présente un relief plus accidenté. Cette région, qui fut la plus riche et la plus industrielle de Belgique, souffre de la récession générale des charbonnages : les mines (60 % de la production belge) produisent à perte. Les Borins doivent se reconvertir (indus. de transformation). – Le Borinage inspira nombre de toiles à Constantin Meunier* et à Van* Gogh. ♦ *Hist.* Le bassin houiller fut exploité dès le XIIe s. et son développement fut tel que les seigneurs s'en attribuèrent le droit de concession et de surveillance (chartes de 1248 et 1251).

BORIS III. ♦ (Sofia, 1894 – *id.,* 1943). Roi de Bulgarie (1918-1943), fils et successeur de Ferdinand* Ier. Après l'adhésion de la Bulgarie à l'Axe (1941), il autorisa les troupes allemandes à pénétrer sur son territoire (1941) et mourut au retour d'une entrevue avec Hitler. Son fils, Siméon* II, lui succéda.

BORIS GODOUNOV [*Godunov*]. ♦ (v. 1551 – Moscou, 1605). Tsar de Russie (1598-1605). Beau-frère de Fédor* Ier, il exerça la régence (1588-1598) avant de se faire proclamer tsar à la mort de Fédor, et à la suite de l'assassinat de l'héritier légitime du trône. Dimitri, fils d'Ivan IV, crime dont il fut accusé (1591). Il émancipa l'Église russe de la tutelle de Constantinople (création du patriarcat de Moscou, 1589), organisa la colonisation de la Sibérie et s'efforça de rapprocher la Russie de l'Occident. La famine qui ravagea le pays vers la fin de son règne entraîna une insurrection, sur laquelle s'appuya le faux Dimitri, un usurpateur soutenu par la Pologne, qui fit massacrer Fédor* II, fils et successeur de Godounov, et s'empara du trône. – Son histoire a inspiré Moussorgski (voir ci-dessous).

Boris Godounov. ♦ Chronique dramatisée de Pouchkine* (1825), inspirée d'une légende de la fin du XVIe s. et construite sur le modèle des drames shakespeariens. Issu de la petite noblesse, Boris Godounov a fait assassiner Dimitri, fils d'Ivan le Terrible et son propre beau-frère. Élu tsar, il doit, avant de mourir, mener un double combat, contre un imposteur, le faux Dimitri et contre son peuple. Moussorgski en a tiré un opéra.

Boris Godounov. ♦ Drame musical en 4 actes et 9 tableaux de Moussorgski, d'après la tragédie de Pouchkine (Saint-Pétersbourg, 1874). Œuvre d'un puissant lyrisme où l'emploi hardi du style modal, la couleur sonore et l'art du récitatif se conjuguent en une magistrale synthèse de la pensée, de la mélodie et du verbe. – Le nom de Féodor Chaliapine demeure attaché à l'interprétation du rôle de Boris.

Ph. Louis Monier

Bormes-les-Mimosas.

BÖRLIN (Jean). ♦ Danseur et chorégraphe suédois (Härnosänd, 1893 – New York, 1930). Animateur principal de la troupe des Ballets suédois, fondée par Rolf de Maré (1920), il a laissé le souvenir d'un créateur original, puisant dans sa fréquentation des peintres et des musiciens modernes de nouvelles sources d'inspiration pour la danse.

BORMA (El), en arabe **al-Burma.** ♦ Gisement de pétrole du Sahara tunisien à proximité de la frontière algérienne. Oléoduc qui rejoint celui d'Edjelé et aboutit à Skhira*.

BORMANN (Martin). ♦ Homme politique allemand (Halberstadt, Saxe-Anhalt, 1900 – Berlin, 1945 ?). Entré à vingt-cinq ans dans les rangs du national-socialisme, il succéda comme chef de la chancellerie du parti nazi à Rudolf Hess* (mai 1941). Devenu secrétaire particulier de Hitler en 1943, il encouragea ses projets les plus extrêmes concernant l'extermination des juifs et des Polonais. Il devait être son exécuteur testamentaire mais disparut le 2 mai 1945 à Berlin sans que, dans l'état actuel des recherches, aucune preuve de son décès n'ait pu être établie.

BORMES-LES-MIMOSAS. ♦ Comm. du Var* (arr. de Toulon*). 2 974 hab. Ruines d'un château des XIIe-XIIIe siècles. Centre touristique dans le massif des Maures*, station climatique. – Aux environs, se trouve le fort de Brégançon, XVIe siècle.

BORMIDA. *n. f.* ♦ Riv. d'Italie formée de deux branches nées dans les Alpes ligures et qui se joignent en amont d'Acqui Terme (50 km). Elle se jette dans le Tanaro* en aval d'Alessandria.

BORN (Bertran *de***).** ♦ **V.** BERTRAN DE BORN.

BORN (Max). ♦ Physicien anglais d'origine allemande (Breslau, 1882 – Göttingen, 1970). Il quitta l'Allemagne à l'avènement du nazisme. Auteur de travaux en physique des solides, il étudia avec von Kármán* les propriétés thermiques des cristaux (ondes d'agitation thermique, 1912) et établit une théorie de la chaleur spécifique des solides (1912) [**V.** *aussi* **Debye**]; il s'intéressa au problème de la liaison chimique dont il montra la nature électrique **(V. Pauling, Slater);** il énonça (1921) le premier principe de la thermodynamique en donnant une définition précise de la quantité de chaleur **(V. Haber).** À l'origine de la théorie des collisions en physique nucléaire, il introduisit en 1926 l' « approximation de Born ». Il développa (1927) une théorie probabiliste de la physique quantique, interprétant la fonction d'onde de l'équation de Schrödinger* (en la reliant à la probabilité de localiser le corpuscule en un point et un instant donnés) [**V. Heisenberg**]. Depuis 1946, il s'est intéressé également à la théorie microscopique des plasmas par l'étude statistique des mécanismes et a établi une théorie cinétique générale des liquides avec Green [1949]. (Prix Nobel de phys., 1954.)

BORN. ♦ V. des Pays-Bas (Limbourg). 5 462 hab. Importantes usines d'automobiles (DAF).

BÖRNE (Löb Baruch, dit **Ludwig).** ♦ Publiciste allemand (Francfort-sur-le-Main, 1786 – Paris, 1837). Israélite converti au christianisme en 1818, monarchiste et patriote avant de devenir républicain, il vint à Paris en 1822 et fit partie avec Heine* (bien que leurs relations n'aient pas été des meilleures) du groupe des libéraux allemands émigrés sous l'influence duquel se développa le mouvement « Jeune-Allemagne ». Observateur précis et minutieux de la vie parisienne dans ses *Tableaux de Paris* (*Schilderungen aus Paris,* 1822-1823) et surtout ses *Lettres de Paris* (*Briefe aus Paris,* 1832-1835), il s'est montré par moments précurseur du socialisme, mais resta néanmoins attaché aux principes du libéralisme bourgeois.

BORNÉO. ♦ Île du S.-E. asiatique (Insulinde), la troisième au monde pour la superficie (736 000 km^2) traversée par l'équateur. Elle est baignée par la mer de Chine* (qui la sépare des Philippines au N.), la mer des Célèbes* au N.-E., le détroit de Makasar* (qui la sépare de l'île de Sulawesi [Célèbes] à l'E.), la mer de Java* (qui la sépare de l'île de Java* au S.) et le détroit de Karimata* (qui la sépare de l'île de Sumatra au S.-O.). Très montagneuse (**V. Kapuas,** sommets dépassant 4 000 m dans le N., Kinabalu 4 175 m), l'île est couverte de forêts denses et humides et entourée de plaines côtières difficilement accessibles (mangrove). Dans ces forêts mal connues vivent, le long des fleuves **(V. Mahakam),** des populations de souche indonésienne, les Dayaks*, divisées en très nombreuses tribus, et qui, autrefois, pratiquaient rituellement la « chasse aux têtes ». Elle est partagée entre l'Indonésie, la Malaysia (Sarawak*, Sabah*) et le Brunei*. L'ensemble de l'île est très peu peuplé (de 6 à 9 hab. au km^2), soit 6 130 000 hab. (1968). La ville la plus importante est, sur la côte S., Bandjarmasin*. *Autres villes :* **V. Balikpapan, Brunei, Jesselton, Kuching, Pontianak.** Les Dayaks, semi-nomades, pratiquent le *ladang* (culture sur brûlis), la culture du riz ; le poivre et le tabac sont cultivés en petite quantité sur la côte est. Plantations d'hévéa dans le nord. Les ressources pétrolifères sont encore peu exploitées (puits à Tarakan et à Banju. Raffinerie à Balikpapan). La production de charbon (de médiocre qualité) décroît. ♦ *Hist.* Les Européens s'installèrent sur les côtes de Bornéo à partir du XVIe siècle. L'île fut l'enjeu de luttes entre la Compagnie hollandaise des Indes orientales, les Espagnols et les Anglais. L'ancien *Bornéo hollandais* (auj. Kalimantan. 539 400 km^2) fut occupé par les Japonais entre 1942 et 1945 et fait actuellement partie de l'Indonésie*. L'ancien *Bornéo septentrional* (auj. Sabah*) et l'État de Sarawak* ont adhéré en 1963 à la fédération de Malaysia*. Le sultanat de Brunei* reste sous protectorat britannique.

BORNES *(massif des).* ♦ Massif des Alpes* françaises, en Haute-Savoie*, compris entre l'Arve* au N. et le Fier* près du lac d'Annecy* au S., les monts du Genevois à l'O. et la crête de la chaîne des Aravis* à l'est. *Point culminant :* Pic de Jallouvre* (2 438 m). – Au centre du massif, entre Thorens*-Glières et le Grand*-Bornand, se trouve le plateau des Glières*.

Ph. Prato/Ricciarini

Bornéo : famille dayak, région du fleuve Mahakam.

BORNHEM, en néerl. **Bornem.** ♦ V. de Belgique (Anvers, arr. de Malines), en amont du confluent de l'Escaut et du Rupel. 10 200 hab. Église romane (crypte du XIIe s.). – Indus. textiles (chanvre, lin). Mobilier.

BORNHOLM. ♦ Île du Danemark, dans la Baltique*, à 169 km au S.-E. de Copenhague* et 36 km au S.-E. de la Scanie* suédoise. 588 km^2. 48 750 hab. (1965). *Ch.-l.* Rønne*. *V. princ.* Neksø, Rønne. Ses côtes ont un aspect abrupt et rocheux au N., plus sablonneux au S., l'intérieur étant surtout formé de collines (point culminant : 162 m). – Culture de céréales (blé, avoine), important élevage de bovins et de porcs. Les gisements de kaolin permettent la fabrication de faïences et de poteries. Pêche (saumon, morue, hareng). – Tourisme. ♦ *Hist.* Bornholm fut contrôlée successivement par les archevêques de Lund, la Hanse, les Danois, la ville de Lübeck et finalement reconquise par les Danois en 1660.

BORNOU. ♦ Anc. Empire africain du Soudan* central, au S. du lac Tchad, à l'intersection des grandes voies de communication Méditerranée-Soudan (commerce transsaharien) et Afrique E.-O Issu du royaume du Kanem (XVIe s. **V. Tchad**), gouverné par un Maï, son organisation était de type féodal et l'armée y jouait un rôle essentiel. Il tenta de dominer les États voisins (Haoussa*) et connut son apogée au XVIe s. sous le sultan Idriss III (1580-1603). Il s'étendait alors sur le Niger* (Zinder, Aïr), le N. du Cameroun* et le Kanem reconquis. Foyer de l'islâm, il convertit le Baguirmi et l'Ouddaï*. Après l'invasion peule du début du XIXe s. **(V. Sokoto),** sous l'impulsion de chefs originaires du Fezzan, il se reconstitua peu après, mais fut vaincu en 1900 par les Français et son territoire partagé entre la France (Niger, Tchad), l'Angleterre (Nigéria) et l'Allemagne (Cameroun). – Auj. district de Nord-Nigeria*.

BORNY. ♦ Anc. comm. de la Moselle, auj. rattachée à Metz*. Théâtre d'un combat entre l'arrière-garde de Bazaine et les Prussiens de Steinmetz le 14 août 1870.

BOROBUDUR. ♦ V. BARABUDUR.

BOROCHOV ou **BOROKHOV (Ber).** ♦ Sociologue et essayiste polonais (1881 – 1917). Dans son ouvrage *Classe et Nation* (1905), il a tenté de donner une analyse « objective » de la société juive, en montrant qu'à travers l'histoire, celle-ci avait reposé sur une majorité de membres exerçant des professions libérales, artisanales, intellectuelles, occupant une place importante dans les sphères périphériques de l'activité économique, et qu'il était donc nécessaire de la « socialiser » en créant un État national s'appuyant sur une large base prolétarienne, afin que puisse s'amorcer une véritable transformation révolutionnaire. Le « borochovisme », tentative pour expliquer et justifier d'un point de vue marxiste les aspirations nationalistes de l'idéologie sioniste **(V. Sionisme),** a inspiré la gauche sioniste, mais sa valeur fut mise en question par A. Léon *(La Conception matérialiste de la question juive)*.

BORODINE (Alexandre). ♦ Compositeur russe (Saint-Pétersbourg, 1833 – *id.*, 1887). Descendant des princes Imérétinsky, il fut médecin militaire puis professeur de chimie et apprit la musique en autodidacte auprès de son ami Balakirev*. Il adhéra au groupe des Cinq dès sa fondation (1862) et devait consacrer près d'une vingtaine d'années à la composition de son œuvre maîtresse, *Le Prince Igor,* qu'il laissa cependant inachevée et que terminèrent Rimski-Korsakov et Glazounov (1890). Si l'inspiration thématique de Borodine est toujours d'essence folklorique, sa mélodie demeure imprégnée d'italianisme. D'une œuvre relativement peu étendue quelques pages maîtresses subsistent, dont un poème symphonique, *Dans les steppes de l'Asie centrale* (1880), une *Petite Suite pour piano* (1885) ainsi que les célèbres *Danses polovtsiennes du Prince Igor*. Outre de la musique de chambre et des mélodies, Borodine a composé trois symphonies (1867-1876-1887) dont la dernière fut achevée par Glazounov.

BORODINO. ♦ Village de Russie, à l'O. de Moscou, où se déroula le 7 sept. 1812, la sanglante *bataille de la Moskova* (appelée par les Russes bataille de Borodino). La victoire de l'armée de Napoléon (Davout, Murat, Ney, Poniatowski) sur les Russes commandés par Koutouzov*, permit la prise de Moscou* (14 sept.). Bagration* y fut mortellement blessé.

BOROMORÂJA. ♦ Nom de règne de plusieurs rois d'Ayuthyâ* (Thaïlande*) qui se succédèrent de 1370 à 1523, embellissant la ville de monuments, agrandissant leur territoire vers le nord aux dépens des autres principautés thaï, et luttant sans cesse contre les Birmans.

BORRASSÁ (Luís). ♦ Peintre catalan (Gérone, dernier quart du XIVe s. – ?, v. 1424). Fils de peintre, il dirigea un important atelier de peinture à Barcelone, produisant de nombreux retables (*Polyptyque de Santa Clara,* de *San Pedro de Tarrasa,* 1411). Maître de la tendance catalane du style gothique international, il manifesta son goût pour le réalisme anecdotique, pour les détails pittoresques et fastueux, donnant à ses personnages un aspect familier, parfois caricatural, et employant des coloris éclatants et saturés (rouges vifs, verts foncés). Son style influença les peintres aragonais et avignonnais.

BORROMÉE (*saint* **Charles).** V. CHARLES BORROMÉE.

BORROMÉE (Frédéric). ♦ Cardinal, archevêque de Milan (Milan, 1564 – *id.*, 1631). Fondateur de la bibliothèque Ambrosienne*.

BORROMÉES *(îles),* en it. **Isole Borromee.** ♦ Groupe de quatre îles : *Isola Madre, Isola dei Pescatori, Isolino San Giovanni et Isola Bella,* abritant le palais du comte Borromeo (XVIIIe s.), la plus

Ph. Prato/Ricciarini

Bornholm.

connue, située dans la pointe occidentale du lac Majeur*, entre Stresa et Pallanza. Elles sont réputées pour la douceur de leur climat et leurs cultures florales.

BORROMINI (Francesco Castelli ou **Castello**, dit). ♦ Architecte, décorateur et dessinateur italien (Bissone, près de Lugano, 1599 – Rome, 1667). Apprenti sculpteur ornemaniste dès neuf ans à Milan, il se rendit probablement à Rome (1615) et fut initié à l'architecture par Maderna*. Il travailla d'abord à *Saint-Pierre*, puis avec le Bernin* au *palais Barberini*, mais leurs tempéraments ne s'accordèrent pas. Il révéla sa forte personnalité en édifiant le couvent et l'église *Saint-Charles-aux-Quatre-Fontaines* en 1634 (façade : 1662-1667) : le plan ovoïde, le jeu raffiné des lignes en ellipse, les articulations singulières concourent à créer un effet dynamique. Dans la galerie à perspective accélérée du *palais Spada* (1634-1636), il manifesta sa prédilection pour les recherches illusionnistes. On lui confia ensuite la construction de nombreux édifices religieux, notamment l'*oratoire de Saint-Philippe-Neri* (1637-1642) et surtout l'église *Saint-Yves-de-la Sapience* (1642-1661) dans laquelle il chercha à suggérer l'idée d'un volume unique et mouvant en adoptant un plan complexe, un jeu savant d'entablements courbés, un décor aux fines nervures et une flèche hélicoïdale. De 1647 à 1649, il aménagea la nef de *Saint-Jean-de-Latran*. En faveur sous le pontificat d'Innocent X, il éleva notamment la façade concave de *Sainte-Agnès* (1654-1655) et commença l'église de *Saint-André-delle-Fratte* (1653-1657), au campanile d'une ingénieuse fantaisie. Puis il bâtit le *Collège de la propagation de la foi* (1662-1666) à la façade ondulée. Il contribua avec force à infléchir le caractère colossal, symétrique et stable du baroque romain dans un sens plus nerveux et dynamique où l'effet de surprise, l'irrégularité, la recherche de la grâce prime sur l'effet de puissance. Il recourut pour cela à des rythmes complexes et à des effets en trompe l'œil. Déployant une rare science stéréotomique, il utilisa courbes, contre-courbes et obliques, encorbellements en porte à faux, préférant les articulations nerveuses, les volumes souples et adoptant un décor en blanc et or. Il fut l'architecte le plus inventif de son époque, mais son art savant et tendu eut un retentissement plus tardif (style rococo) grâce notamment à son ouvrage *Opus Architectorum* et au parti qu'en tira Guarini*.

BORT-LES-ORGUES. ♦ Ch.-l. de cant. de la Corrèze, arr. d'Ussel, sur la Dordogne*. 5 328 hab. *(Bortois)*. Barrage et usine hydro-électrique en amont de la ville, qui tire son surnom des colonnes phonolitiques en forme d'orgues dominant le vieux quartier. – Patrie de Marmontel*.

BORUTA (Kazys). ♦ Poète lituanien (1905). Il voulut par son œuvre poétique d'un symbolisme transparent, apporter une révolution dans le langage poétique. Conscient de son échec, il chercha alors à créer dans un roman, *Le Moulin de Baltaragis*, un langage populaire qui exprime la vérité tout en intégrant le symbole.

BORY DE SAINT-VINCENT (Jean-Baptiste Marcellin, *baron*). ♦ Général, géographe et botaniste français (Agen, 1778 – Paris, 1840). Il participa comme naturaliste au voyage de Baudin (1800) puis à l'expédition scientifique de Morée (1829) [*Voyage dans les quatre principales îles des mers d'Afrique*, 1803; *Dictionnaire classique d'histoire naturelle; L'Homme, essai zoologique sur le genre humain*, 1827, etc.].

BORZAGE (Frank). ♦ Réalisateur de cinéma américain (Salt Lake City, Utah, 1893 – Hollywood, 1962). Poète romantique dans la description qu'il fait du couple (*Je vous ai toujours aimé; I've always loved you*, 1946), il possède un sens aigu de la réalité sociale qui lui fait dénoncer, dans les années de la grande crise économique, la détresse du prolétariat américain : *Ceux de la zone* (*Man's Castle*, 1933), *Mannequin* (1938), et décrire avec une rigoureuse exactitude les premiers symptômes de la fièvre totalitaire : *Et maintenant ?* (*Little Man what now*, 1934). Chez Borzage, la lucidité de la vision n'exclut pas un idéalisme généreux (*Strange Cargo*, 1940; *Moonrise*, 1948), ni une certaine poésie de l'insolite : *La Sœur de son valet* (*His Butler's Sister*, 1943).

BOSANQUET (Bernard). ♦ Philosophe anglais (Rock Hall, Northumberland, 1848 – Londres, 1923). Comme celle de Bradley*, sa philosophie est un idéalisme d'inspiration hégélienne (**V. Hégélianisme**) qui, à travers l'expérience de l'unité du monde physique, de la vie en société, des valeurs esthétiques, morales et religieuses, tente de saisir la réalité comme une totalité cohérente (*Connaissance et Réalité*, 1885; *Logique*, 1888; *Histoire de l'esthétique*, 1892; *Ce qu'est la religion*, 1920, etc.).

BOSCÁN (Juan). ♦ Poète catalan (1490 – 1550), il introduisit en Espagne les formes et les mètres italiens (vers hendécasyllabes, forme de sonnet, canzone) désormais adoptés par la poésie ibérique. Il prépara la voie au grand poète lyrique Garcilaso* de la Vega. Il traduisit en espagnol le *Courtisan* de Castiglione.

BOSCAWEN (Edward). ♦ Amiral anglais (Cornouailles, 1711 – Guildford, 1761). Envoyé aux Indes contre les Espagnols et les Français, il ne put s'emparer de Madras ni de Pondichéry (1748) mais prit ensuite Cap-Breton et Louisbourg (1758), et vainquit l'escadre de Toulon à Lagos (1759).

BOSCH (Jheronimus ou **Hieronymus** [en fr. Jérôme] **Van Aken** ou **Aeken**, dit). ♦ Peintre et dessinateur flamand (Bois-le-Duc ['s Hertogenbosch], v. 1450 – *id.*, 1516). Issu d'une famille de peintres installée à 's Hertogenbosch (d'où le choix de son pseudonyme) et probablement originaire d'Aix-la-Chapelle, il était membre de la confrérie Notre-Dame, qui s'occupait notamment d'organiser les représentations théâtrales et les processions. Son activité à Bois-le-Duc est attestée à partir de 1480-81 et sa renommée en Europe fut très grande; en Espagne Philippe II acquit nombre de ses œuvres. Dès le milieu du XVIe s., de nombreux faux et des répliques circulaient. Aujourd'hui on lui attribue une trentaine de tableaux et autant de dessins. Ainsi la chronologie de ses œuvres est surtout fondée sur des critères stylistiques et thématiques. Son style qui apparaît d'emblée comme très personnel, présuppose la connaissance des grands maîtres flamands (notamment Bouts*). On a aussi fait des rapprochements avec Geertgen tot sint Jans, et les graveurs rhénans (Schongauer*) et plusieurs caractéristiques de son art ont fait supposer une formation auprès d'un peintre de miniature : graphisme insistant et élégant, goût des compositions foisonnantes, abondant répertoire de « diableries » et « drôleries », animaux fabuleux, proches des figures marginales des manuscrits à peintures des XIVe et XVe siècles. On place à ses débuts : *Les Sept Péchés capitaux, L'Opération de la pierre de folie, L'Escamoteur, La Nef des fous*, œuvres d'inspiration populaire, satiriques et moralisatrices. De sa maturité on date de grandes compositions comme *Le Jardin des délices; La Charrette de foin; Le Jugement dernier; La Tentation de saint Antoine; Saint-Jean à Paturos; Le Vagabond* ou l'*Enfant prodige*, dans lesquelles se manifeste un rare sens de la composition, grâce auquel Bosch unifie ses visions fantastiques, grouillantes d'êtres hybrides, où faune, flore, formes humaines et objets se mêlent et se juxtaposent avec une imagination délirante et un sens narratif inépuisable (scènes infernales et démoniaques, détails cruels et érotiques). On situe plus tard les œuvres traitant de la Passion du Christ *(Couronnement d'épines)*, compositions ramenées à un plan unique, d'un chromatisme plus sombre présentant souvent des têtes de profil violemment caricaturales. L'œuvre de Bosch, redécouverte vers la fin du XIXe s., a donné lieu à des exégèses et commentaires multiples. Les symboles ésotériques qui abondent, et dont beaucoup semblent être d'origine alchimique, ont été aussi rapprochés de la littérature et de l'hagiographie populaire, de la tradition scénique, de la littérature mystique, etc. On a replacé son œuvre dominée par le thème de la Folie, du Péché et de la Mort, dans le climat de crise spirituelle de l'époque. On a rangé Bosch soit parmi les défenseurs de l'orthodoxie, soit parmi les hérétiques. Qu'il ait puisé aux sources de l'imaginaire de son époque ou fait émerger ses phantasmes les plus personnels, il a manifesté de grands dons plastiques, comme le révèle sa facture légère et fluide, la finesse des nuances, le rapport des tons intenses et des harmonies pâles, la sensibilité avec laquelle il a rendu l'atmosphère, le paysage, comme l'expression humaine. Ses scènes d'enfer et de tentation furent souvent imitées au XVIe s., mais seul Bruegel* peut apparaître comme l'héritier de ce génie singulier.

BOSCH (Carl). ♦ Chimiste et industriel allemand (Cologne, 1874 – Heidelberg, 1940). Il réalisa avec Haber*, en 1909, la synthèse industrielle de l'ammoniac [procédé *Haber-Bosch*]. (Prix Nobel de chimie, 1931.)

BOSCO (Jean). ♦ V. JEAN BOSCO *(saint)*.

BOSCO (Henri). ♦ Écrivain français (Avignon, 1888 – Nice, 1976). Provençal fixé pour un temps au Maroc où il enseigna. Bosco a célébré les paysages méditerranéens dans une œuvre où le réalisme se double de fantastique. Il en est ainsi dans ses poésies : *Églogues de la mer* (1928), *Bucoliques de Provence* (1944) et *Des sables à la mer* (1950), qui chantent la terre marocaine. – Dès son premier roman, *Pierre Lampedouze* (1924), apparaît cette alternance du mystère et de la réalité quotidienne, au sein d'un monde paysan régi par des croyances ancestrales. La Provence montagneuse, pour Bosco, est le « lieu où l'esprit souffle, un site orienté », imprégné de correspondances mystérieuses : *L'Âne Culotte* (1937),

Le Jardin d'Hyacinthe (1941) et *Le Mas Théotime* (1945) sont des histoires baignées de surnaturel où même les éléments – quand ils sont déchaînés – peuvent permettre de « communiquer avec le divin ». Élaborant un syncrétisme poétique où fusionnent les mystères païens, une philosophie ésotérique (Cf. *L'Antiquaire*, 1954) et la mystique chrétienne, Bosco recherche une sagesse fondée sur le « respect du mystère ». Il publia *Malicroix* (1948), *Un Rameau de la nuit* (1950), *Sabinus* (1957) et un essai, *Sites et Mirages* (1951). « Je n'écris pas – dit-il – : je transcris – et ce sont des hallucinations que je transcris ». (Grand Prix national des Lettres, 1953.)

BOSCO REALE ou **BOSCOREALE**. ♦ V. d'Italie en Campanie (province de Naples), au pied du Vésuve. 17 215 hab. – *Trésor de Boscoreale*. On y découvrit en 1895 de la vaisselle d'argent de forme hellénique mais de décor romain, ainsi que des fresques, datant de l'époque augustéenne (musée du Louvre).

BOSCOVICH ou **BOCHKOVITCH** ou **BOŠKOVIĆ (Roudjer Yossif)**. ♦ Savant et philosophe serbe (Raguse, 1711 – Milan, 1787). Entré chez les jésuites, il enseigna les mathématiques et la philosophie en France et en Italie; s'occupa d'astronomie et d'optique (il inventa le diasporamètre, prisme à angle variable destiné à l'étude de l'achromatisme). Vulgarisateur de la physique de Newton, il formula lui-même une théorie de la nature à la fois dynamiste et atomiste *(Philosophiae naturalis theoria redacta ad unicam legem virium in natura existentium)*.

BOSE (*sir* Jagadish Chandra). ♦ Botaniste et physicien indien (Mymensigh, Bengale, 1858 – Giridith, Bengale, 1937). Auteur de travaux sur les phénomènes moléculaires, il inventa un cohéreur d'ondes et un « crescographe », appareil indiquant le rythme de croissance des plantes; on lui doit de nombreux ouvrages de biologie végétale.

BOSE (Satyendranâth). ♦ Physicien indien (Calcutta, 1894 –). Auteur de travaux sur les hyperfréquences, il est surtout connu comme le créateur d'une statistique quantique qui fut perfectionnée par Einstein*, applicable notamment aux phénomènes concernant les photons et certains mésons *(statistique de Bose-Einstein)*. **V. Fermi** et **Dirac**.

BOSE (Subâsh Chandra). ♦ Homme politique indien (Cuttack, 1897 – Taïwan, 1945). Disciple de Gandhi*, il fut emprisonné plusieurs fois pour son activité nationaliste. En 1942, par haine des Anglais, il se fit le complice des Japonais et forma un gouvernement de « l'Inde libre » à Singapour en 1943. Réfugié à la fin de la guerre à Taïwan, il mourut dans un accident d'avion.

BOSIO (François Joseph, *baron*). ♦ Sculpteur monégasque (Monaco, 1768 – Paris, 1845). D'abord élève de Pajou*, il subit surtout l'influence de son maître Canova*. À partir de 1808, il devint sculpteur officiel sous l'Empire et le resta à la Restauration. Il exécuta des sujets mythologiques style néo-classique empreints d'un certain lyrisme, de nombreux bustes et des statues monumentales (*Louis XIV équestre de la place des Victoires*, 1822, et *Quadrige du Carrousel*, 1828).

BOSKOOP. ♦ V. des Pays-Bas (Hollande-Méridionale). 11 153 hab. Horticulture et pépinières.

BOSNIE. *n. f.* ♦ Région des Balkans*, auj. en Yougoslavie, limitée à l'O. et au N. par la Croatie*, au N. et à l'E. par la Serbie*, au S. par l'Herzégovine*. Elle doit son nom à la Bosna, affl. de la Save*. *(Bosniaques* ou *Bosniens)*. ♦ *Hist.* Après avoir fait partie de la province romaine d'Illyrie, elle fut peuplée par les Serbes et les Croates. Incluse dans l'Empire ottoman en 1463, elle fut cédée aux Habsbourg avec la Herzégovine en 1718 (traité de Passarowitz), puis restituée à l'Empire ottoman en 1739. Elle passa avec la Herzégovine sous administration austro-hongroise en 1878. **(V.** *ci-dessous* **Bosnie-Herzégovine.)**

BOSNIE-HERZÉGOVINE. *n. f.* ♦ L'une des six républiques de la République fédérale socialiste de Yougoslavie*, dans les Balkans*, entre la Croatie* au N.-O. et au N., la Serbie* à l'E., le Montenegro* au S. et l'Adriatique à l'O. 51 129 km². 3 594 000 hab. (Serbes et Croates). *Cap.* Sarajevo. *V. princ.* **V. Banja Luka, Mostar, Sarajevo, Travnik, Tuzla, Zenica.** – *Orogr.* C'est une région assez diversifiée, formée de hauts massifs (plus de 2 000 m) appartenant au système dinarique, s'abaissant et se couvrant de forêts dans le sud (Bosnie), et de reliefs karstiques (poljés). Elle est drainée par la Neretva, la Save et ses affl. (Bosna, Drina*, Vbras, Una). – *Écon.* C'est un pays d'élevage et de cultures (seigle, pomme de terre), où l'industrie a connu récemment un fort développement autour du bassin de Sarajevo* et dans la vallée de la Bosna, grâce à la variété et à l'importance des ressources du sous-sol (charbon de Banovici, lignite de Kreka, manganèse, fer, sel gemme de Tuzla*). Zenica* et Varès sont d'importants centres sidérurgiques. ♦ *Hist.* Incluses dans l'Empire ottoman, la Bosnie (voir *ci-dessus*) et la Herzégovine* se soulevèrent en 1875. Le congrès de Berlin* (1878) et l'occupation de leur territoire par l'Autriche-Hongrie aboutirent à l'annexion de la Bosnie-Herzégovine en 1908. Le problème bosniaque fut une des causes de la Première Guerre mondiale (assassinat de l'archiduc François*-Ferdinand de Habsbourg à Sarajevo*, le 28 juin 1914). En 1918, la Bosnie-Herzégovine proclama son union au nouvel État de Yougoslavie. **V. Yougoslavie.**

BOSON. ♦ (?, – 887). Roi de Bourgogne-Provence (879-887). Beau-frère de Charles le Chauve, il eut à lutter contre les rois carolingiens. Son fils Louis* III l'Aveugle, adopté par l'empereur Charles le Gros, fut élu roi de Provence (890).

BOSPHORE, en grec **Bosporos** (« passage de la vache »), en turc **Karadeniz Boğazi**. *n. m.* ♦ Détroit (anc. appelé détroit de Constantinople) qui sépare, en Turquie, l'Europe (Balkans*) de l'Asie et fait communiquer la mer Noire* avec la mer de Marmara*. Sa longueur est d'une trentaine de km et sa largeur de 550 à 3 000 mètres. Istanbul* est située sur l'extrémité S. de la rive européenne qui forme la Corne* d'Or. ♦ *Hist.* **V. Détroits.**

BOSPHORE CIMMÉRIEN. ♦ Nom antique du détroit de Kertch*. – Les Grecs établirent des colonies dans cette région dès les ~ VIIe et ~ VIe siècles. Le royaume du *Bosphore*, fondé v. ~ 480 sur les rives du Bosphore cimmérien et presque toute la Crimée* avec Panticapée pour capitale (*auj.* Kertch), tomba aux mains de Mithridate VI, roi du Pont, v. ~ 107. Il régna jusqu'à sa mort en ~ 63. Son fils Pharnace II, d'abord allié des Romains, se rebella et fut vaincu par César en ~ 47. L'État du Bosphore se maintint sous protectorat romain jusqu'au IVe siècle.

BOSQUET (Pierre Jean François). ♦ Maréchal de France (Mont-de-Marsan, 1810 – *id.*, 1861). Après avoir participé à la conquête de l'Algérie (1839-1853), il se distingua en Crimée, contribua aux victoires de l'Alma (1854), d'Inkermann, à la prise de Sébastopol et fut blessé à l'assaut de Malakoff (1855). Il fut promu maréchal et fait sénateur à son retour en France (1856).

BOSQUET (Anatole Bisk, dit Alain). ♦ Écrivain français (Odessa, 1919). Marqué très tôt par les bouleversements de l'histoire, voué à l'aventure et au voyage, il a gardé de ses rencontres avec les événements et les hommes le sens d'une relativité universelle. Tour à tour journaliste, essayiste, traducteur, polémiste et romancier (*Ni singe ni Dieu*, 1953; *Le Mécréant*, 1960; *Les Petites Éternités*, 1964), il n'a cessé de demeurer fidèle à la poésie. Il a recueilli du surréalisme le goût de la violence verbale et de la lucidité, mais non celui d'un langage libéré des contraintes de l'écriture traditionnelle. En même temps qu'elle constitue l'aveu d'une solitude tragique et qu'elle établit le désastreux bilan des temps atomiques (*À la mémoire de ma planète*, 1948; *Premier Testament*, 1957; *Deuxième Testament*, 1959), son œuvre développe l'affirmation d'une unicité du monde, rendue évidente dès que cesse la tyrannie conventionnelle des mots (*Quel royaume oublié*, 1955).

BOSS (Médard). ♦ Psychiatre et psychanalyste suisse (1903). Partisan d'une méthode et d'une théorie psychosomatique élargie.

BOSSE (Abraham). ♦ Dessinateur, graveur, peintre et théoricien français (Tours, 1602 – Paris, 1676). Il s'initia à l'eau-forte à Tours, puis s'établit à Paris; il y rencontra en 1628 J. Callot* qui lui fit connaître le procédé de l'eau-forte sur vernis dur; l'utilisant dans un esprit très différent, il chercha à produire l'effet du burin. Il fut nommé professeur de perspective lors de la fondation de l'Académie (1648) mais, intransigeant et polémiste, il en fut exclu à la suite d'une controverse avec Le* Brun au sujet de la perspective. Il fonda alors une école libre que le roi fit fermer et écrivit de nombreux libelles pour sa défense. Une grande partie de sa production (plus de 1 500 planches) constitue un document sur les mœurs de la première moitié du XVIIe s. en France, exceptionnellement varié et riche de détails. Ses descriptions méticuleuses révèlent un esprit rigoureux et sobre et une facture manquant parfois d'aisance *(La Galerie du palais; La Saignée; Les Cris de Paris)*. Ses ouvrages, notamment : *Traité des manières de graver en taille-douce*, 1645; *Leçon de géométrie et de perspective pratique*, 1648, obtinrent un grand succès auprès des graveurs.

BOSSUET (Jacques Bénigne). ♦ Prélat, théologien et écrivain français (Dijon, 1627 – Meaux, 1704). Ordonné prêtre en 1652 et archidiacre de Metz jusqu'en 1658, il fut orienté vers la prédication par saint Vincent* de Paul dont il soutint les missions populaires. Souvent envoyé à Paris, il y conquit une grande autorité par ses *Sermons** (en 1662, il prêcha le *Carême du Louvre* devant le roi et la cour). Il illustrait les mêmes leçons dans les *Oraisons* funèbres* qu'il prononça de 1667 à 1687. Évêque de Condom en

Ph. Lauros-Giraudon

A. Bosse : « L'Automne ».
(Musée des Beaux-Arts, Tours.)

1669, il subordonna ses activités d'homme d'Église à la tâche de précepteur du Dauphin **(V. Louis de France)** qui lui fut confiée de 1670 à 1680 : pour son élève, il se fit philosophe et historien, notamment dans le *Discours* sur l'histoire universelle* (1681) où il tentait de faire la synthèse de l'ordre divin et de l'activité humaine. Nommé évêque de Meaux (1681), il s'adonna avec activité à sa tâche pastorale, reprit sa lutte de théologien contre les protestants (polémiques avec Pierre Jurien* et Jean Claude*) et, véritable chef de l'Église de France, rédigea la *Déclaration* du clergé de France* (1682) où, à la demande de Louis XIV, il conciliait l'autorité papale avec les libertés gallicanes. Aux controverses avec les protestants où il fit preuve d'une extrême partialité (*Histoire des variations des Églises protestantes,* 1688; *Défense de l'Histoire des variations,* 1681) puis à sa correspondance avec Leibniz* sur la réunification des Églises (1690-1693), succéda le combat contre le quiétisme*, qui opposa Bossuet à Fénelon* jusqu'au pamphlet (*Relation sur le quiétisme,* 1698) précédant la condamnation à Rome de la doctrine de Mme Guyon*. C'est au milieu de la lutte qu'il entreprit contre Richard Simon*, à propos de l'exégèse des Écritures, que Bossuet mourut. — Mystique préoccupé par la recherche d'un ordre significatif qui permît la coïncidence de l'exigence religieuse et de l'exigence rationnelle, « intelligence guidée par la foi », Bossuet se montra fidèle à l'orthodoxie, dans son œuvre théologique, morale et politique. Persuadé que, dans l'ordre du monde, « la balance est juste, et l'équilibre parfait », les causes secondes, historiques, étant assujetties au mystère de la Providence divine, Bossuet rattacha de même « les secrets de la politique, les maximes du gouvernement (... aux) exemples de la Sainte Écriture » « Puissance (...) divine et salutaire au genre humain », le pouvoir des rois les « charge devant Dieu d'un plus grand compte » et les soumet à de plus grands périls dans leur exigence de salut. Seule la Justice, et son premier devoir, la Charité, peut légitimer les « prospérités » des Grands de ce monde, chargés d'incarner les valeurs morales du christianisme. Orateur soucieux de combler à la fois le cœur et l'esprit, nourri des auteurs de l'Antiquité mais soumettant étroitement l'éloquence à l'enseignement du christianisme, soutenant par sa rigueur formelle une démonstration rhétorique et frappant la sensibilité par des visions grandioses issues de la Bible et de l'Apocalypse, Bossuet a su conférer à sa prédication l'intensité dramatique ou le souffle lyrique. Dans ses œuvres parlées, une période puissamment rythmée, aux accents expressifs, un vocabulaire riche et adapté à l'auditoire et le lyrisme des images donnent au discours un pouvoir poétique indiscutable.

BOSSUT (*abbé* **Charles**). ♦ Mathématicien français (Tartaras, Haut Forez, 1730 — Paris, 1814). Auteur de divers traités de mathématique, de mécanique et d'hydrodynamique, il collabora avec d'Alembert*, à la partie mathématique de l'*Encyclopédie**. (Acad. sc., 1779.)

BOSTON. ♦ V. et port d'Angleterre (Lincolnshire; Holland) sur la Witham. 25 000 hab. Église St.-Bothoph (XIVᵉ s.) de style gothique perpendiculaire. — Constructions navales, conserveries. ♦ *Hist.* Bâtie au IXᵉ s. autour d'un monastère, Boston fut au XIIIᵉ s. le plus grand port d'Angleterre, mais déclina au XIVᵉ siècle. En 1630, un groupe de pèlerins s'y embarqua et fonda la ville américaine de Boston* (Massachusetts).

BOSTON. ♦ V. et port des États-Unis, en Nouvelle*-Angleterre, cap. du Massachusetts*, à l'embouchure de la Charles River sur la *baie de Boston* et l'océan Atlantique. 628 215 hab. *(Bostoniens);* la zone urbaine compte env. 2 700 000 hab. **(V. Cambridge, Lynn, Newton).** Archevêché catholique. Musées (notamment arts d'Extrême-Orient). Plusieurs bâtiments du XVIIIᵉ s. (*Christ Church,* le Capitole) subsistent. La *Bibliothèque* et le *Musée* furent décorés par J. Sargent. — Centre commercial (1ᵉʳ marché de la laine aux États-Unis) et indus. (mécanique, électricité, indus. alimentaires, imprimeries...). Laboratoires de recherche (électronique, ordinateurs, chimie). Port très actif (trafic de 21 000 000 de t). Constructions navales. — Patrie de R.W. Emerson*, B. Franklin*, J.F. Kennedy* (Brookline), G.R. Minot*, E.A. Poe*, L.H. Sullivan*. Charles Munch* y dirigea le célèbre *Boston Symphonic Orchestra* (1946-1963). ♦ *Hist.* Fondée en 1630 par des colons britanniques, la ville devint rapidement un grand centre intellectuel et un foyer de puritanisme. Les premières insurrections qui eurent lieu en 1770, puis en 1773 à Boston (destruction des cargaisons de la Compagnie des Indes en réponse aux taxes instituées par Charles Townshend) aboutirent à la guerre d'Indépendance (1775-1776). En 1879 y fut ouverte la première église de la Science* chrétienne. La ville fut au XIXᵉ s. la capitale intellectuelle du pays : Emerson, Hawthorne, Thoreau, Longfellow, y vécurent.

BOSWELL (James). ♦ Mémorialiste anglais (Edimbourg, Écosse, 1740 — Londres, 1795). Fils de lord Auchinleck, riche aristocrate, il étudia le droit à Édimbourg, se consacra au journalisme et fréquenta les clubs littéraires de Londres où il connut Samuel Johnson qui le convertit à un « christianisme rationnel ». D'un voyage sur le continent (1763), il rapporta la *Relation sur la Corse, journal d'un voyage à cette île, avec les Mémoires de Pascal Paoli* (1768). Son Journal (*Boswell's London Journal,* pub. 1951), que Gide admirait, soutient la comparaison avec celui de Pepys*. Boswell y décrit le début de son amitié pour Johnson* dont il nota pendant vingt ans (1763-1783) tous les propos fidèlement reproduits dans ce « chef-d'œuvre biographique » (Macaulay) qu'est la *Vie de Samuel Johnson,* 1791. Ce dernier avait publié un *Voyage aux îles occidentales de l'Ecosse,* 1775, que Boswell désirait compléter par un véritable document sociologique : *Voyage dans les îles Hébrides,* 1785, auquel Voltaire avait été invité à collaborer.

Ph. Giraudon

J. B. Bossuet, par H. Rigaud. (Musée des Offices, Florence.)

BOSWORTH. ♦ Localité d'Angleterre (Leicestershire), près de laquelle Richard III, meurtrier des enfants d'Edouard IV, fut tué le 22 août 1484 par Henri Tudor, ce qui mit fin à la guerre des Deux-Roses et au règne des Plantagenêts.

BOTANY BAY. ♦ Baie de la côte orientale de l'Australie* (Nouvelle-Galles du Sud) au S. de Sydney*. — Découverte par Cook* en 1770, elle fut choisie comme centre d'une colonie pénitentiaire (1788).

BOTERO (Giovanni, surnommé **Benisius).** ♦ Écrivain italien (Bêne, Piémont, 1540 — Turin, 1617). Secrétaire de saint Charles de Borromée (archevêque de Milan), puis précepteur des enfants de Charles Emmanuel (1599), il a critiqué les théories politiques de Machiavel et fut, avec Serra, un des principaux représentants du mercantilisme en Italie (*Della ragione di Stato,* 1583; *Della cause della grandezza della città,* 1589).

BOTEV (Hristo). ♦ Écrivain et patriote bulgare (Kalofer, 1848 — région de Vraca, 1876). Arrivé en Roumanie en 1867, il joua un rôle déterminant au Comité central révolutionnaire bulgare de Bucarest. Il exprima dans ses vers son idéal patriotique et révolutionnaire ainsi que son anticléricalisme *(Hadži Dimiter).* Sa mort, lors de l'« Insurrection d'avril » contre les Turcs, en fit un héros national.

Botev *(pic).* anc. **Jumruk-čal.** ♦ Point culminant de la chaîne du Balkan* (ou Stara Planina), en Bulgarie (2 376 m).

BOTHA (Louis). ♦ Général et homme d'État boer d'Afrique du Sud (Greytown, Natal, 1862 — Prétoria, 1919). Durant la deuxième guerre des Boers* (1899-1902), il réorganisa leur armée et combattit les Anglais, poursuivant la lutte après 1900 sous forme de guérilla. Il fut Premier ministre du Transvaal* de 1907 à 1910 puis de l'Union sud-africaine de 1910 à 1919.

BOTHE (Walther Wilhelm). ♦ Physicien allemand (Oranienburg, 1891 — Heidelberg, 1957). Inventeur de la technique des coïncidences (1925-1929) dans l'utilisation du compteur de Geiger*-Müller, il découvrit en 1930, avec H. Becker, les rayonnements de neutrons **V. Chadwick.** (Prix Nobel de phys., 1954.)

BOTHWELL (James Hepburn, *4ᵉ comte de***).** ♦ Gentilhomme écossais (v. 1536 — Dragsholm, 1578). Il fut acquitté après l'assassinat de Darnley*. Mais lorsqu'il épousa Marie* Stuart, le mécontentement de l'aristocratie fut tel qu'il fut contraint de s'enfuir au Danemark.

BOTNIE. *n. f.* en suéd. **Botten,** en finnois **Pohja** ou **Pohjola.** ♦ Région du N. de l'Europe, baignée par le *golfe de Botnie* et partagée entre le N.-E. de la Suède* (comtés de Norrbotten, Västerbotten) et le N.-O. de la Finlande* (comtés de Lappi, Oulu, Vaasa).

BOTNIE *(golfe de).* ♦ Golfe de l'extrémité septentrionale de la mer Baltique, situé au N. des îles Åland*, entre la Suède à l'O. et la Finlande à l'E. — *Princ. ports,* **V. Oulu, Pori, Vaasa** (Finlande); **Gävle, Luleå, Sundsvall, Umeå** (Suède).

BOTOCUDOS. *n. m. pl.* ♦ Indiens du Brésil, appartenant à la famille linguistique des Aymorés et en voie de disparition.

BOTOŞANI. ♦ V. de Roumanie, en Moldavie septentrionale (région de Suceava). 31 670 hab. Église du XVe siècle. Centre commercial et industriel (textiles).

BOTRANGE *(signal de)*. ♦ Point culminant de la Belgique, dans le plateau des Hautes Fagnes*, en Ardenne*. 692 m.

BOTREL (Théodore). ♦ Chansonnier français (Dinan, 1868 – Pont-Aven, 1925). Une inspiration qui allie la tendresse à une mélancolie délicate caractérise les nombreux recueils de chansons qui firent sa popularité, bien au delà de sa Bretagne natale, aux premières années du siècle. On lui doit, entre autres œuvres : *Le Petit Grégoire, Lilas blanc, Fleur de blé noir, La Paimpolaise*.

BOTSWANA, anc. **Bechuanaland**. [*n. m.*]. ♦ État de l'Afrique australe, limité à l'O. et au N. par le Sud*-Ouest Africain et la Rhodésie*, à l'E. et au S. par la République d'Afrique* du Sud (le fl. Limpopo traçant une partie de sa frontière). Il est traversé au S. par le tropique du Capricorne. 569 581 km². 600 000 hab. *Cap.* Gaberones. *Langues :* anglais (off.), tswana (groupe bantou). *Pop.* Bantous, Bochimans. *V. princ.* **V. Serowe.** – *Orogr.* et *Climat.* Le Botswana est en grande partie constitué par le désert du Kalahari*, et forme un territoire aride au climat subtropical. – *Écon.* Elle est uniquement agro-pastorale. Les terres de cultures étant concentrées dans la bande orientale, la production agricole reste aléatoire (sorgho, millet, maïs, agrumes); l'activité essentielle est en fait l'élevage transhumant pratiqué sur une végétation de savanes sèches à buissons épineux. Des richesses minières y ont été récemment découvertes (amiante, manganèse). ♦ *Hist.* Sous protectorat britannique sous le nom de *Bechuanaland* depuis 1885, le Botswana devint une république indépendante, associée au Commonwealth, en 1966.

BOTTA (Carlo). ♦ Médecin, homme politique et historien italien (San Giorgio Canavese, Piémont, 1766 – Paris, 1837). Représentant du Parti français en Italie, il fut exilé en France où il prit position contre Napoléon Ier. Il est l'auteur d'une *Histoire de l'Italie*. ♦ PAUL-ÉMILE BOTTA, son fils. Archéologue français (Turin, 1802 – Achères, 1870). Consul de France à Alexandrie, Mossoul, Tripoli, il entreprit des fouilles à Khursabâd, Ninive, etc.

BOTTICELLI (Sandro di Mariano Filipepi, dit **Sandro).** ♦ Peintre, dessinateur et graveur italien (Florence, 1445 – *id.*, 1510). Il étudia l'orfèvrerie avant d'entrer chez Filippo Lippi* puis chez Verrocchio*, qui eurent avec A. Pollaiuolo* une grande influence sur la formation de son style (*La Fortezza, Judith*, Offices). Très en faveur auprès des Médicis, qu'il représenta dans une de ses *Adoration des Mages* (v. 1475, Offices), il connut à leur cour, avec l'élite florentine, cette réunion du politique, du religieux et de l'humanisme néo-platonisant qui inspira ses sujets : une « peinture d'exécration » après la conjuration des Pazzi (1478, perdue), un *Saint Augustin* pour l'Ognissanti (1480), des *Madone* (plusieurs « tondi » et le *Retable de saint Barnabé*, v. 1487, Offices), enfin, les célèbres allégories où il chercha parfois à retrouver des exemples antiques à travers les textes d'Apulée ou de Lucien; *Le Printemps* (*La Primavera*, 1478, Offices), *La Naissance de Vénus* (v. 1485, Offices), les fresques de la villa Lemmi (1486, Louvre) et, plus tard, la *Calomnie d'Apelle* (v. 1494, Offices). Appelé entre-temps à Rome pour décorer la Sixtine – comme Ghirlandajo, Rosselli et Le Pérugin –, il y avait donné trois fresques (1481, *Scènes de la vie de Moïse, Tentation de Jésus, Châtiment des Lévites*). C'est après le départ des Médicis et la mort de Savonarole, dont il fut peut-être un disciple tardif, qu'il exécuta les *Mise au tombeau* (v. 1500, Milan, Munich), la *Nativité mystique* (1500, Londres, National Gallery), la *Crucifixion* (après 1500, Cambridge, É.-U.), les *Épisodes de la vie de saint Zénobe* (après 1500, Londres, National Gallery). L'exaspération de la courbe, les effets expressionnistes ou les traits archaïsants accusent dans les dernières œuvres l'incidence nécessaire des événements florentins sur un art nourri moins de réalité sensible que d'idées, et dont l'originalité avait isolé le peintre de ses contemporains (**V. Léonard* de Vinci**). Maître incontesté de la ligne en Occident, Botticelli l'utilisa, dans ses dessins, comme l'ultime frontière entre le visible et l'intelligible (illustrations pour la *Divine Comédie*, après 1480); en peinture, il en fit l'expression subtile de ce qui l'engendre, qu'elle unit et sépare : lumière, matière, mouvement. Ses enlacements fluides enchaînent rythmiquement les uns aux autres les centres multiples de compositions où paysages et architectures servent plus de décor que d'espace à des figures sans épaisseur, comme de bas-relief, et l'on a pu dire, de cet art de « présentation », qu'« il était à la représentation ce que la musique est à la parole » (Berenson). Vite oublié, Botticelli fut redécouvert par les préraphaélites.

BOTTIN (Sébastien). ♦ Statisticien et administrateur français (Grimonwiller, Lorraine, 1764 – Paris, 1853). Il publia l'*Annuaire statistique du Bas-Rhin* (le premier en France) et édita l'*Almanach du commerce de Paris, des départements et de l'étranger* (fondé en 1797 par J. de Latynna) auquel il donna en 1819 le titre de l'*Almanach-Bottin*. En 1857, cette publication fut fondue avec l'*Annuaire général du commerce*, édité depuis 1838 par Firmin-Didot*, pour être continuée par la société anonyme de l'*Annuaire du commerce Didot-Bottin* (depuis 1882).

BOTTROP. ♦ V. d'Allemagne occidentale (Rhénanie-du-Nord-Westphalie) dans la Ruhr. 108 200 hab. Mines de houille. Sidérurgie, mécanique lourde et indus. chimique.

BOTZARIS ou **BÓTSARIS** (Márkos). ♦ Patriote grec (Souli, v. 1789 – 1823). Un des principaux chefs de la guerre de l'Indépendance grecque, il s'illustra dans la défense de Missolonghi* (1822-1823) et fut tué en combattant les Turcs près de Karpenisi.

Ph. de Gregorio/Ricciarini

F. Boucher : « Sylvie fuit le loup qu'elle a blessé ». (Musée des Beaux-Arts, Tours.)

BOUAKÉ. ♦ V. de la Côte-d'Ivoire, au centre du pays 105 000 hab. Industries textiles. Égrenage du coton. Manufacture de tabacs. Université (1978). – Gisement de tantale à l'ouest.

BOUCAU (Le). ♦ Comm. des Pyrénées*-Atlantiques, arr. de Bayonne*, sur l'Adour. 5 947 hab. *(Boucalais)*. Centre industriel, formant avec Bayonne et son port une unité économique.

BOUCHAIN. ♦ Ch.-l. de cant. du Nord*, arr. de Valenciennes*, dans le Cambrésis*, sur l'Escaut. 3 916 hab. Produits chimiques. Faïences.

BOUCHARD (Charles). ♦ Médecin et biologiste français (Montier-en-Der, 1837 – Sainte-Foy-lès-Lyon, 1915). Il fut un des premiers à montrer l'importance de la microbiologie en médecine *(Traité de pathologie générale*, 1895-1897).

BOUCHARDON (Edme). ♦ Sculpteur et dessinateur français (Chaumont-en-Bassigny, 1698 – Paris, 1762). Élève de son père, puis de Guillaume Ier Coustou*, il séjourna à Rome de 1722 à 1732 et y exécuta de nombreux bustes. À Paris, il dessina d'abord des médailles et les pierres gravées du cabinet du roi. Il travailla pour les jardins de Versailles *(Bassin de Neptune, Protée)*. Admirateur de la sculpture antique, il s'opposa à la mode rocaille alors en vogue et amorça la tendance « alexandrine » de la réaction néoclassique (copie pour le roi du *Faune Barberini*, 1726-1730; *L'Amour taillant son arc*, 1739-1750). Il conçut l'ordonnance architecturale et sculpta *La Fontaine des Quatre Saisons*, rue de Grenelle à Paris (1739-1750) et la *Statue équestre de Louis XV*, habillé à l'antique (1748-1762), chargeant Pigalle* de la terminer. Il exécuta aussi de nombreux dessins à la sanguine et les *Études prises dans le bas peuple* ou *Les Cris de Paris* gravés par Caylus*.

BOUCHE D'OR. ♦ Trad. du grec *Chrysostome*. – **V. Dion Chrysostome, Jean Chrysostome.**

BOUCHER (Jean). ♦ Théologien français (Paris, v. 1548 – Tournai, v. 1645). Recteur de l'université de Paris, curé de Saint-Benoît à Paris, il fut l'un des instigateurs de la Ligue* et de l'assassinat de Henri III. Il quitta Paris à l'arrivée de Henri IV (1594).

BOUCHER (Pierre). ♦ Gouverneur français (Mortagne, 1622 – Trois-Rivières [Canada] 1717). Lieutenant général de la Nouvelle-France et gouverneur des Trois*-Rivières, il publia un ouvrage sur le Canada (1665) et laissa son nom à une localité du pays : *Boucherville*.

BOUCHER (François). ♦ Peintre, dessinateur, décorateur et graveur français (Paris, 1703 – *id.*, 1770). Il fut l'élève de Lemoine, puis du graveur F. Cars pour lequel il reproduisit cent vingt-cinq œuvres de Watteau. Il séjourna en Italie de 1727 à 1731, et y subit l'influence du Corrège* et de Tiepolo*. Par ses multiples travaux de décoration (*Chambre de la Reine* à Versailles, 1734; *premier étage de l'hôtel Rohan-Soubise* à Paris), cartons de tapisseries pour Beauvais et les Gobelins (*Fêtes chinoises*, 1743), modèles de « biscuits » pour Sèvres, scènes mythologiques (*Le Triomphe de Vénus*, 1740), pastorales, scènes libertines et nus (*Odalisque*, 1754), il fut le maître de la peinture galante et rococo. Il créa un univers sensuel et gracieux, fait de formes ondulantes, de compositions en spirale, de couleurs claires et vives (particulièrement les tonalités bleues) et peignit les chairs nacrées. Il obtint un succès considérable; protégé de Mme de Pompadour, il fut nommé premier peintre du roi Louis XV en 1765. Il fut beaucoup imité, n'évita pas toujours la facilité et refléta dans son art les goûts de la société aristocratique et bourgeoise éprise d'un art léger et galant. Il exécuta de nombreux dessins à la sanguine, notamment des nus d'une facture raffinée mais vigoureuse. Diderot, blâmant son art licencieux, s'acharna contre lui.

BOUCHER (Hélène). ♦ Aviatrice française (Paris, 1908 –

Guyancourt, Seine-et-Oise, 1934). Elle accomplit seule le raid Paris-Saigon (1929), conquit successivement sept records mondiaux mais fut mortellement blessée au cours d'un vol d'entraînement. – Un lycée parisien porte son nom.

BOUCHER de PERTHES (Jacques Boucher *de* **Crèvecœur** *de* **Perthes.** ♦ Préhistorien français (Rethel, 1788 – Abbeville, 1868). La découverte d'instruments de silex dans les alluvions de la Somme près d'Abbeville (1844) l'amena à affirmer l'existence de l'homme antédiluvien; il fut ainsi un des fondateurs de la science préhistorique, mais fut critiqué par Élie* de Beaumont. (*Antiquités celtiques et antédiluviennes,* 1846).

BOUCHEROT (Paul). ♦ Ingénieur français (1869 – 1943). On lui doit notamment la distribution du courant électrique à intensité constante **(V.** *aussi* **Deprez, Tesla)** et des recherches sur les phénomènes transitoires de la mise en court-circuit et du couplage des alternateurs et sur l'utilisation de l'énergie thermique des mers.

BOUCHES-DU-RHÔNE. [**13**].*n. f. pl.* ♦ Dép. côtier du S.-E. de la France, région (anciennement C.A.R.) Provence*-Côte d'Azur. 5 248 km². Le dép. comprend plusieurs régions : à l'O. la Camargue* et la Crau*, de part et d'autre du Grand Rhône*; au N.. l'extrémité du riche Comtat* Venaissin; à l'E., l'extrémité des Alpes de Provence, dont les petites chaînes calcaires, séparées par des bassins, sont les Alpilles* (492 m), la Sainte-Victoire* (1 011 m), la chaîne de l'Étoile* (781 m) au N. de Marseille*, prolongée à l'O. par l'Estaque*, la chaîne de Saint-Cyr* (646 m). ♦ 34 cant., 119 comm., 1 483 946 hab. *Préf.* Marseille*; *sous-préf. :* Aix*-en-Provence, Arles*. *Ch.-l. de cant. :* Aubagne*, Berre*-l'Étang, Châteaurenard*, Ciotat* (La), Eyguières (2 742 hab.), Gardanne*, Istres*, Lambesc (2 822 hab.), Martigues*, Orgon*, Peyrolles-en-Provence (2 249 hab.), Port*-Saint-Louis-du-Rhône, Roquevaire*, Saint-Rémy*-de-Provence, Saintes-Maries*-de-la-Mer, Salon*-de-Provence, Tarascon*, Trets (3 256 hab.). *Autres localités et sites :* **V. Allauch, Aygalades** (Les), **Baux-de-Provence** (Les), **Carry-le-Rouet, Cassis, Fontvieille, Fos-sur-Mer, If, Lavera, Maillane, Miramas, Montmajour, Noves, Port-de-Bouc, Pennes-Mirabeau, Roquefavour, Rouc** (Le), **Saint-Chamas, Salin-de-Giraud.**

BOUCHET (Le). ♦ Localité de l'Essonne, écart de la comm. de Vert-le-Petit. Poudrerie (usine chimique du Commissariat à l'Énergie atomique).

BOUCHIR ou **BANDAR BOUCHIR.** ♦ V. et port d'Iran (VIIIᵉ province) sur le golfe Persique. 30 500 hab. – Filatures et tissage de coton. Pétrole. ♦ *Hist.* La presqu'île sur laquelle s'élève Bouchir serait la Mésambrie d'Aryan, où Néarque*, lieutenant d'Alexandre le Grand jeta l'ancre au ~ IVᵉ siècle. C'est au temps de Nâdir Shâh (1736-1747) que la ville et son port prirent de l'importance.

BOUCHOTTE (Jean-Baptiste Noël). ♦ Homme politique français (Metz, 1754 – Ban-Saint-Martin, Moselle, 1840). Ministre de la Guerre sous la Convention (1793), organisateur de la défense nationale, il était lié aux révolutionnaires extrémistes (hébertistes). Il fut arrêté, puis amnistié, en 1794.

BOUCICAUT (Jean Iᵉʳ *Le Meingre,* dit). ♦ Maréchal de France (?, – Dijon, 1367). Il se distingua sous Jean II le Bon et Charles V et fut l'un des négociateurs du traité de Brétigny (1360). ♦ JEAN II BOUCICAUT. Maréchal de France, fils du précédent (Tours, v. 1365 – Londres, 1421). Après avoir contraint les Turcs à lever le siège de Constantinople* (1399), il devint gouverneur de Gênes de 1401 à 1407. Fait prisonnier par les Anglais à Azincourt* (1415), il mourut en captivité.

BOUCICAUT (Aristide). ♦ Négociant et philanthrope français (Bellême, 1810 – Paris, 1877). Ayant acquis en 1852 le Bon Marché, il en fit rapidement le plus grand magasin de Paris sous le Second Empire, et se consacra également à de nombreuses activités philanthropiques.

BOUCLIER CANADIEN. *n. m.* ♦ Nom donné à la vaste zone de terrains précambriens formant toute la partie N.-E. du Canada, vaste pénéplaine s'étendant en demi-cercle entre l'Atlantique à l'E., les plaines du Saint-Laurent, les Grands Lacs, les grandes plaines de l'intérieur **(V. Prairie)** au S., et l'archipel arctique. Déprimé au centre, il est envahi par la mer (baie d'Hudson) tandis qu'il est relevé sur sa bordure orientale, au N.-E. du Labrador et au S., dans les Laurentides*. 4 144 000 km². Immenses réserves de minerais métallifères **(V. Canada; Labrador, Québec, Ontario, Manitoba, Nord-Ouest** [*territoires du*]**).**

BOUDDHA [*Buddha*] (mot sanskrit, « l'Éveillé »). ♦ Surnom donné à Siddharta Gautama*, fils d'un souverain de la tribu des Śâkya* (v. ~ 556 – v. ~ 480). Ce prince (appelé aussi Śâkyamuni*, « Sage des Śâkya ») naquit à Kapilavastu, dans le S.-E. du Népal, au lieu dit Lumbinî* (aujourd'hui Rumindei), vers ~ 556. A l'âge de vingt-neuf ans, il quitta subrepticement le palais royal pour aller sur les chemins en quête de la Vérité. Il ne la trouva qu'assez tardivement, après avoir renoncé aux austérités, un jour qu'il s'était assis sous un figuier pippal pour méditer, à Bodh*-Gayâ. C'est là qu'il reçut l'Éveil et de là qu'il partit vers Bénarès (Vârânasi) pour y enseigner ses anciens compagnons. Philosophe pragmatique plutôt que religieux, il prêchait que toute vie est douleur et enseignait un moyen de se libérer de cette douleur en suivant un chemin *(le noble octuple sentier)* tracé en huit points. Ses adeptes furent nombreux et il fonda une communauté monastique (Sangha*). Ses doctrines furent par la suite transformées en dogmes religieux, ce qu'il ne concevait pas. Il mourut âgé de 80 ans, et ses reliques furent disputées, selon la légende, par huit souverains. Ses doctrines de renoncement, de compassion infinie envers tous les êtres, d'oubli de soi, allaient bouleverser l'Asie tout entière et la vie de six cents millions d'êtres humains : il reste pour l'Asie le plus grand maître à penser avec K'ung*-tzu, son contemporain.

BOUDICCA. ♦ **V.** BOADICÉE.

BOUDIN (Eugène). ♦ Peintre aquarelliste, pastelliste et dessinateur français (Honfleur, 1824 – Deauville, 1898). Découvert par Troyon* et Millet*, il alla étudier à Paris auprès d'E. Isabey*. Il voyagea en Belgique, en Hollande et dans le nord de la France, travailla surtout sur la côte normande, et vers 1856, fonda à Honfleur avec Courbet* et Jongkind* l'école de St-Siméon. Il peignit sur le motif des marines, vues de ports, scènes de plages, études de ciels, avec une palette claire, des tons vibrants et fluides, traduisant avec délicatesse la lumière frémissante, les reflets dans l'eau, et représentant ses personnages par quelques touches rapides de couleurs en évitant les détails. La spontanéité et la vivacité de sa facture sont surtout évidentes dans ses petites ébauches. Il fut le maître de Monet*, et son attitude devant la nature comme sa technique en font le précurseur direct des impressionnistes avec lesquels il exposa en 1874 (*Plage à Trouville,* 1863; *La Jetée à Deauville,* 1869).

BOUDOUAOU, anc. *L'Alma.* ♦ Comm. d'Algérie (dép. d'Alger) sur la bordure orientale de la Mitidja*. 12 800 hab. Gros marché. Culture de tabac.

BOUÉ. ♦ Comm. de l'Aisne (arr. de Vervins et aggl. d'Étreux), en Thiérache. 1 224 hab. Indus. alimentaires (lait).

BOUFARIK. ♦ V. d'Algérie située dans le dép. d'Alger, au centre de la plaine de la Mitidja*. 33 100 hab. Vignobles. Agrumes. Jus de fruits.

BOUFFIOULX. ♦ V. de Belgique (Hainaut, arr. de Charleroi). 5 700 hab. Métallurgie. Produits réfractaires.

BOUFFLERS [buflɛʀ] **(Louis François,** *duc de***).** ♦ Maréchal de France (dans le Beauvaisis, 1644 – Paris, 1711). Vaincu à Lille par le prince Eugène* (1708), il permit la retraite de l'armée après la défaite de Malplaquet* (1709).

Arch. Smeets

Bouddha dans le geste du premier prêche, grès, Vᵉ s. (Musée archéologique, Sârnâth.)

BOUFFLERS (Stanislas Jean, *chevalier de***).** ♦ Poète français (Nancy, 1738 – Paris, 1815). Maréchal de camp (1784) puis gouverneur du Sénégal (1785-1788), il est surtout connu par ses poésies légères et ses contes. (Acad. fr., 1788.)

Bouffons (Querelle des). ♦ Querelle qui partagea le monde musical parisien au XVIIIe s., opposant les partisans de la musique italienne et ceux de la musique française, et qui éclata à l'occasion des débuts de la troupe italienne des bouffons, avec la représentation de *la Serva Padrona* (« La Servante maîtresse ») de Pergolèse*, le 1er août 1752. – « Les Bouffons firent à la musique italienne des sectateurs très ardents. Tout Paris se divisa en deux partis plus échauffés que s'il se fût agi d'une affaire d'État ou de religion » (Rousseau).

BOUG ou **BUG.** *n. m.* ♦ Fleuve de l'U.R.S.S. (Ukraine) qui prend sa source sur le plateau de Volhynie, arrose Khmelnitski, Vinnitsa et Nikolaïev et se jette dans la mer Noire*. 856 km.

BOUGAINVILLE (Louis Antoine, *comte de***).** ♦ Navigateur français (Paris, 1729 – 1811). Après des études de mathématiques (*Traité du calcul intégral,* 1749-1756) et de droit, il fit une carrière militaire. Il accompagna Montcalm* au Canada (1756). Entré dans la marine (1763), il tenta (sans succès) de fonder une colonie aux Malouines (Falkland) avant d'entreprendre avec P. Commerson* une expédition scientifique autour du monde (1766-1769). Après avoir franchi le détroit de Magellan, il traversa l'océan Pacifique, atteignit Tahiti (début avril 1768), puis les Samoa et les Grandes Cyclades (ou Nouvelles-Hébrides), découvrit un groupe d'îles qu'il nomma Louisiade (au sud-est de la Nouvelle-Guinée), longea les Salomon et la côte de la Nouvelle-Guinée, et revint par le cap de Bonne-Espérance, l'Ascension et le cap Vert. Nommé capitaine de vaisseau, membre de l'Académie de marine, secrétaire de la Chambre et du Cabinet du roi à son retour, il fit publier en 1771 la relation de son *Voyage autour du monde.*

BOUGAINVILLE *(île).* ♦ La plus grande des îles Salomon*, en Mélanésie* (Océanie), baignée par l'océan Pacifique et séparée de l'île Choiseul* au S.-E. par le *détroit de Bougainville.* 10 000 km². 40 000 hab. env. (*Mélanésiens;* dix langues différentes sont parlées dans l'île). *V. princ.* Kieta. – L'île a un relief accidenté et montagneux, et possède deux volcans actifs (mont Balbi et mont Bagana); elle est couverte par une forêt dense, son climat est équatorial. Sur sa côte E., se situe une plaine étroite à proximité de Kieta. Cocotiers; coprah. ♦ *Hist.* L'île doit son nom à l'explorateur Bougainville* qui longea ses côtes en 1768. Elle appartint à l'Allemagne, avec l'île Buka* (1899-1914). Placées sous mandat australien en 1921, occupées par les Japonais en 1942, les îles furent en vain attaquées par les Américains en 1943. À la fin du second conflit mondial, elles furent placées par l'O.N.U. sous tutelle de l'Australie*. **(V. Nouvelle-Guinée,** territoire du Nord-Est, en angl. New Guinea Trust Territory).

BOUGAROUN *(cap).* ♦ Cap d'Algérie (dép. de Constantine) formant l'extrémité N. de la Kabylie* de Collo, sur la Méditerranée.

BOUGIE. ♦ V. d'Algérie. **V. Bejaia.**

BOUGIVAL. ♦ Comm. des Yvelines (arr. de Saint-Germain-en-Laye), sur la Seine. 8 486 hab. *(Bougivalais).* C'était un lieu de villégiature pour les Parisiens au XIXe s. et de nombreux artistes y séjournèrent, dont Corot, Turner, Renoir, Bizet, Ivan Tourguéniev. Église Notre-Dame (XIIe, XIIIe s.) restaurée.

BOUGLÉ (Célestin). ♦ Sociologue français (Saint-Brieuc, 1870 – Paris, 1940). Disciple d'E. Durkheim* et représentant de l'esprit de l'Université laïque de la IIIe République, il a publié notamment *Les Idées égalitaires* (1899), *La Démocratie devant la science* (1904), *Leçons de sociologie sur l'évolution des valeurs* (1922), *Bilan de la sociologie française* (1935).

BOUGOULMA ou **BUGULMA.** ♦ V. d'U.R.S.S. (République des Tatars*). 64 000 hab. (1964). Centre d'indus. pétrolière. Indus. mécaniques et alimentaires. Matériaux de construction. Nœud ferroviaire.

BOUGUENAIS. ♦ Commune de la Loire-Atlantique, arr. de Nantes, dans la banlieue nantaise. 10 137 hab. (2 316 aggl.) [*Bouguenaisiens*]. Constructions aéronautiques.

Ph. Nino Cirani/Ricciarini
Boukhara : le grand minaret.

BOUGUER (Pierre). ♦ Astronome, hydrographe et mathématicien français (Le Croisic, 1698 – Paris, 1758). Il fut membre de l'*expédition du Pérou* (1735) chargée de mesurer un arc de méridien sur l'équateur même **(V. La Condamine).** Ses travaux sur la « gradation de la lumière » (facteurs de transmission et de réflexion, méthodes correctes de mesure), publiés en 1729 et 1760, en font le créateur de la photométrie **(V. Lambert);** il inventa en 1748 le photomètre et l'héliomètre. (Acad. sc., 1735.)

BOUGUEREAU (Adolphe William). ♦ Peintre et dessinateur français (La Rochelle, 1825 – *id.,* 1905). Prix de Rome en 1850, il se voulut le disciple de Raphaël et acquit rapidement une grande célébrité. Combattant avec acharnement les recherches nouvelles, il contribua avec Cabanel* à maintenir le Salon dans un strict académisme. Il réalisa des portraits fermement dessinés, méticuleusement peints et peu expressifs, reçut la commande de grandes décorations au *Grand-Théâtre* de Bordeaux, à *Saint-Augustin* et *Sainte-Clotilde* de Paris et réalisa des tableaux religieux qui attestent l'influence des préraphaélites (*Vierge consolatrice,* 1877). Il est surtout l'auteur de compositions allégoriques et mythologiques peintes dans des tons amortis et avec une facture léchée : prétexte à représenter dans un décor visant à la reconstitution archéologique des nus féminins aux chairs pâles et lisses *(Les Oréades; Bacchante sur une panthère).*

BOUHOURS (le *père* **Dominique).** ♦ Jésuite, grammairien et critique français (Paris, 1628 – *id.,* 1702). Bel esprit, ami de Boileau et de Racine, il se fit connaître par des écrits proposant une doctrine du bon usage plus souple que celle de Vaugelas, et cherchant à définir des règles d'expression exacte (*Entretiens d'Ariste et d'Eugène,* 1671; *Manières de bien penser dans les ouvrages d'esprit,* 1687).

BOUIDES. ♦ V. BUYIDES.

BOUILHET [bujɛ] **(Louis).** ♦ Poète et auteur dramatique français (Cany, 1822 – Rouen, 1869). Ami et condisciple de Flaubert* depuis son enfance, il abandonna la médecine pour s'adonner aux lettres, connaissant un certain succès avec *Mélaenis, conte romain* (1851), poème qui tentait une savante reconstitution de la Rome de la décadence, puis avec *Les Fossiles* (1854), alliance de la poésie et de la science moderne. Il s'illustra aussi dans la poésie « artiste » avec *Festons et Astragales* (1858). Au théâtre, *Madame de Montarcy* (1856) reçut un accueil triomphal; *La Conjuration d'Amboise* (1866), au lyrisme exubérant, fut aussi fort admirée. En collaboration avec Flaubert (Cf. la *Correspondance* de ce dernier), il composa une féerie, *Le Château des cœurs* (publié en 1880).

BOUILLAUD (Jean). ♦ Médecin français (Garat, 1796 – Paris, 1881). Il étudia les maladies cardiaques et décrivit notamment l'endocardite rhumatismale et ses lésions (rhumatisme articulaire ou *maladie de Bouillaud*). Ses travaux sur les lésions des lobes antérieurs du cerveau et les troubles du langage qu'elles occasionnent, préparent ceux de Broca* (*Sur le siège du sens du langage articulé,* 1839-1848). On lui doit enfin un *Essai sur la philosophie médicale* (1836) où il expose la méthode expérimentale, préparant ainsi Claude Bernard*. (Acad. sc., 1868.)

BOUILLÉ (François Claude Amour, *marquis de***).** ♦ Général français (Cluzel-Saint-Eble, 1739 – Londres, 1800). Colonel en 1761, gouverneur aux colonies (Guadeloupe, 1768 – îles du Vent, 1777), il participa à la guerre d'Indépendance américaine. Lieutenant général en 1782, il était commandant militaire des Trois-Évêchés, de l'Alsace, de la Lorraine et de la Franche-Comté en 1789. Général en chef de l'armée de Meuse et de Moselle, il réprima la révolte de la garnison contre les officiers, en particulier à Nancy (1790). Il participa ensuite à l'organisation de la fuite de Louis* XVI **(V. Varennes)** et dès le 22 juin passait la frontière. Après deux voyages aux Antilles (1796 et 1797), il termina ses jours en Angleterre. *(Mémoires sur la Révolution française.)*

BOUILLON (Godefroi *de***).** ♦ **V.** GODEFROI IV.

BOUILLON (Henri de La Tour d'Auvergne, *vicomte de* **Turenne,** *duc de***).** ♦ Maréchal de France (Joze, 1555 – Sedan, 1623). Il servit Henri IV et fut un des chefs du parti protestant. Il fut le père de Turenne* et de FRÉDÉRIC MAURICE DE LA TOUR D'AUVERGNE, *duc de Bouillon* (Sedan, 1604 – Pontoise, 1652) qui ne cessa de conspirer sous Richelieu (allié aux Espagnols, il fut vainqueur des Français à la Marfée), et pendant la Fronde*.

BOUILLON. ♦ V. de Belgique (Luxembourg), sur la Semois*. 3 100 hab. Château des ducs de Bouillon (entrepris vers l'an mille par Godefroy le Barbu). Musée. ♦ *Hist.* Le territoire de Bouillon, situé aux confins de la France, du Luxembourg et de la Belgique, fut érigé en *duché de Bouillon* (ch.-l. *Bouillon*) en 1093 en faveur de Godefroi* de Bouillon. Il fut cédé par ce dernier aux évêques de Liège en 1095 et passa en 1483 à la maison de La Marck, puis en 1591 aux seigneurs de La Tour d'Auvergne. Annexé par la France en 1795, il fut réuni aux Pays-Bas en 1814 et passa à la Belgique en 1831.

BOUILLOUSES *(lac des).* ♦ Lac des Pyrénées-Orientales, au pied du Carlitte. Situé sur le cours du Têt, il a été transformé par un barrage en réservoir qui alimente des centrales hydro-électriques. 2 013 m d'altitude.

BOUILLY. ♦ Ch.-l. de cant. de l'Aube, arr. de Troyes, en Champagne. 806 hab. *(Bouillerants).* Église Saint-Laurent (XVIe s.) renfermant de très belles œuvres d'art.

BOUIN (Jean). ♦ Athlète français (Marseille, 1888 – sur le front, 1914). Champion de course à pied, recordman du monde des

10 000 m. Un stade de Paris porte son nom.

BOUIRA. ♦ V. d'Algérie, ch.-l. d'arr. de Tizi-Ouzou, au pied du Djurdjura*, sur la Soummam*. 18 174 hab.

BOUISSON (Fernand). ♦ Homme politique français (Constantine, 1874 – Antibes, 1959). Député (1909) et membre du Parti socialiste, il présida la Chambre (1927-1936) et fut à la tête d'un éphémère gouvernement de « large concentration » en juin 1935.

BOUKHARA ou **BUKHÂRÂ.** ♦ V. d'U.R.S.S. (Ouzbékistan*), ch.-l. de la région du même nom (143 200 km², 904 000 hab.), dans la vallée de la Zeravshan. 112 000 hab. Mosquées du Xe-XIIe s., citadelle médiévale. – Indus. textiles (coton, soie), indus. du cuir (astrakhan), artisanat du tapis. – Aux env. Afshana, patrie d'Avicenne*. ♦ *Hist.* Au IXe-Xe s., elle fut cap. de l'état des Sâmânides*, et fut prise par Temüjin* en 1220. Du XVIe au début du XXe s., elle fut cap. du khânat de Bukhârâ. – KHÂNAT DE BUKHÂRÂ. Fondé par les Uzbeks au début du XVIe s., dans l'Ouzbékistan* (Üzbékistân) actuel, il englobait jusqu'au XIXe s. la Karakalpakie*. et une partie du Tadjikistan*. En 1868, le khânat de Bukhârâ se reconnut vassal de l'Empire russe. Proclamée république populaire soviétique de Bukhârâ en 1920, puis R.S.S. du même nom, elle fut partagée entre l'Ouzbékistan*, le Tadjikistan*, et le Türkmenistan*, après la délimitation territoriale de l'Asie centrale (1924).

BOUKHARINE (Nikolaï Ivanovitch). ♦ Homme politique russe (Moscou, 1888 – 1938). Bolchevik dès 1906, membre du bureau politique du Comité central du Parti communiste et du Comité exécutif du Komintern (IIIe Internationale) après la révolution d'octobre 1917, il écrivit plusieurs ouvrages sur le marxisme (*Théorie du matérialisme historique,* 1921 ; *Impérialisme et accumulation du capital,* 1925). Devenu leader de l'opposition de droite, il fut exclu du Parti (1937) et condamné à mort comme opposant au régime.

BOULAINVILLIERS (Henri *de, comte de* **Saint-Saire).** ♦ Historien français (Saint-Saire, Normandie, 1658 – Paris, 1722). Admirateur du régime féodal, il a développé une théorie sur la descendance franque de la noblesse française (*Histoire de l'ancien gouvernement de la France,* 1727 ; *Essai sur la noblesse,* 1732).

BOULANGER (Louis Candide). ♦ Peintre et lithographe français (Verceil, Piémont, 1806 – Dijon, 1867). *Le Supplice de Mazeppa,* exposé en 1827, lui valut la notoriété et l'admiration de Victor Hugo. Il exécuta des peintures d'histoire et des sujets littéraires d'une composition mouvementée ou d'une sécheresse classicisante. Il illustra les œuvres de Victor Hugo et fit les portraits de nombreux écrivains romantiques (*Hugo, Balzac,* etc.).

BOULANGER (Georges). ♦ Général et homme politique français (Rennes, 1837 – Ixelles, Belgique, 1891). Sorti de Saint-Cyr, il servit en Kabylie, en Italie et en Cochinchine, participa à la guerre franco-allemande (1870-1871), devint directeur de l'infanterie au ministère de la Guerre, puis général de division des troupes de Tunisie (1884). Bénéficiant de l'appui de Clemenceau, mais aussi du duc d'Aumale, il fut nommé ministre de la Guerre dans le cabinet de Freycinet (1886). Les réformes de l'armée qu'il entreprit (loi d'exil des princes, frappant, entre autres, le duc d'Aumale son protecteur; suppression du tirage au sort) et son attitude hostile à l'Allemagne dans l'affaire Schnæbelé (avril 1887) le firent écarter du ministère par Rouvier, alors que déjà s'était cristallisée autour de lui une grande partie de l'opposition avec des nationalistes désireux de revanche, des bonapartistes, voire des monarchistes **(V. Boulangisme).** Son départ pour Clermont-Ferrand, où il avait été nommé commandant du 13e corps d'armée, donna lieu à une importante manifestation populaire (gare de Lyon). Mis à la retraite par le gouvernement (1888), il se présenta aux élections alors que l'affaire Wilson avait aggravé l'opposition au régime parlementaire. Soutenu par ses partisans (Déroulède, Naquet, Rochefort) qui avaient constitué la *Ligue des Patriotes,* il fut élu par quatre départements, puis par Paris (janv. 1889). Mais, en partie sous l'influence de sa maîtresse, Mme de Bonnemain, il renonça à marcher sur l'Élysée, laissant au gouvernement le temps de prendre des mesures contre lui. L'accusant de complot contre l'État, le ministre de l'Intérieur, Constans, le menaça d'arrestation et prononça la dissolution de sa Ligue. Boulanger, qui s'était enfui à l'étranger, fut condamné par contumace à la détention perpétuelle. Il séjourna en Belgique (avril 1889), passa quelque temps en Angleterre avant de se suicider, en Belgique, sur la tombe de sa maîtresse, morte depuis peu.

BOULANGER (Nadia). ♦ Compositeur et professeur français (Paris, 1887). Sœur de Lily Boulanger (1893 – 1918) qui fut une remarquable musicienne (première femme grand prix de Rome, 1913) à la trop brève carrière, elle a consacré sa vie à l'enseignement musical. Parmi ses élèves, il faut citer Jean Françaix, Igor Markevitch, Aaron Copland.

Boulangisme (Le). ♦ Du nom du général Boulanger* (surnommé le général La Revanche) autour duquel se regroupa de 1886 à 1889 l'opposition au régime parlementaire, d'où le nom de « syndicat des mécontents » donné au boulangisme. Le mouvement s'effondra après le suicide de Boulanger.

BOULAQ ou **BÛLÂQ.** ♦ Faubourg du Caire* (Égypte) où A.E. Mariette* fonda le musée du Caire.

BOULAY DE LA MEURTHE (Antoine Claude Joseph, *comte***).** ♦ Homme politique français (Chaumousey, Vosges, 1761 – Paris, 1840). Avocat à Paris au début de la Révolution, engagé comme volontaire peu après et nommé capitaine à l'armée du Rhin (1792), il fut membre du Conseil des Cinq-Cents en 1797, et prit parti pour le coup d'État du 18 Brumaire*. Conseiller d'État, il participa à l'élaboration du Code* civil. Ministre d'État pendant les Cent-Jours, il rédigea l'Acte additionnel. Il fut destitué et proscrit lors de la Seconde Restauration.

Ph. Pic

P. Boulez.

BOULAY-MOSELLE. ♦ Sous-préf. de la Moselle, ch.-l. d'arr. (3 cant., 101 comm., 67 026 hab.). 3 360 hab. *(Boulageois).* Fonderies, chaudronnerie, fabrication d'instruments de musique, construction électrique. Pâtisserie (macarons). ♦ *Hist.* La ville fut occupée au cours de la dernière guerre par les Allemands et détruite en partie.

BOULDER. ♦ V. des États-Unis (Colorado*), située au pied des Rocheuses, au N.-O. de Denver. 37 718 hab. (1960). – Siège de l'université du Colorado, dans un très beau site.

BOULDER *(barrage de),* en angl. **Boulder Dam.** ♦ Anc. nom du barrage Hoover* *(Hoover Dam).*

BOULE (Marcellin). ♦ Paléontologue français (Montsalvy, Cantal, 1861 – 1942). Fondateur de l'Institut de paléontologie humaine (1920), il est connu par ses travaux de géologie sur le Massif central, et de paléontologie (mammifères, hommes fossiles) ; il a donné en particulier la description de l'homme néandertalien de La Chapelle-aux-Saints (Corrèze, 1913). [*Essai de paléontologie stratigraphique de l'homme,* 1888-1889].

Boulè. *n. f.* ♦ Institution politique des cités grecques. La boulè d'Athènes, fondée selon la tradition par Solon* en ~ 594 était un conseil composé à l'origine de quatre cents (les Quatre* Cents) et, à partir des réformes de Clisthène (~ 508), de cinq cents citoyens représentants des dix tribus. La boulè préparait le travail législatif de l'assemblée du peuple *(ecclésia),* surveillait et contrôlait la magistrature. À la fin de son mandat annuel, elle en rendait compte à l'*ecclésia.*

BOULEZ (Pierre). ♦ Compositeur et chef d'orchestre français (Montbrison, 1925). Élève de Messiaen et de Leibowitz, il a renoncé à une carrière scientifique pour s'orienter vers la musique. Fondateur des concerts du *Domaine musical* (1954), il s'est appliqué à réaliser la synthèse des enseignements de Schönberg*, de Berg* et de Webern* qu'il fit mieux connaître en France, renouvelant en même temps l'esthétique de Debussy. Chef incontesté de l'école dodécaphonique française, il exerce une profonde influence sur la musique contemporaine. De sa détermination à décomposer la matière sonore en ses éléments simples sont nées des œuvres qui ont assuré sa réputation internationale : *Le Visage nuptial,* pour chœur et orchestre (1946-1950), *Le Soleil des eaux,* pour violon et orchestre (1948), *Polyphonie,* pour 18 instruments (1951), *Le Marteau sans maître,* pour alto et 6 instruments (1955), *Pli selon pli,* pour soprano et orchestre (1960). Animateur de festivals, chef d'orchestre, directeur musical du New York Philharmonic et de l'orchestre de la B.B.C. (1971). Pierre Boulez, après une brillante carrière à l'étranger assume d'importantes responsabilités dans la vie musicale en France (I.R.C.A.M., centre Beaubourg*).

BOULGAKOV (Serge). ♦ Théologien russe (près d'Orel, 1871 – Paris, 1944). Son œuvre est dominée par le souci d'unir l'exigence de justice sociale et les aspirations métaphysiques de l'homme, et par l'affirmation de la valeur absolue de la personne humaine destinée à la vie spirituelle. Il est l'auteur de deux « trilogies » théologiques : *Le Buisson ardent,* 1927 ; *L'Ami de l'époux,* 1928 et *L'Échelle de Jacob,* 1929, d'une part, et d'autre part, *La Sagesse divine et la Théanthropie.*

BOULGAKOV (Michel Afanassievitch) [Bulgakov]. ♦ Romancier et auteur dramatique soviétique (Kiev, 1891 – 1940). En 1924 parurent en même temps son célèbre roman réaliste *La Garde blanche* et un recueil de contes fantastiques formant une satire de la bureaucratie : *La Sataniade.* Dans *La Garde blanche* et dans son adaptation à la scène (*Les Jours des Tourbine,* 1926), Boulgakov évoque la défaite des troupes blanches, thème évoqué également dans une pièce, *La Fuite* (1928, jouée en 1957). Dans une comédie (*L'Île de Pourpre,* 1928), il mit encore en scène la bureaucratie.

Arch. Rencontre

Un meuble de **A.C. Boulle.**

Enfin, c'est après sa mort que fut publié son grand roman fantastique : *Le Maître et Marguerite.*

BOULGANINE (Nikolaï Alexandrovitch) [*Bulganin*]. ♦ Homme politique soviétique (Nijni-Novgorod, 1895 – Moscou, 1975). Membre du parti bolchevik dès 1917, directeur de la Banque d'État (1938-1941), puis commissaire politique de l'armée de Joukov pendant la Deuxième Guerre mondiale, il remplaça le maréchal Vorochilov au Conseil suprême de la défense (1944). Ministre des forces armées et maréchal de l'Union soviétique (1947), successeur de Malenkov à la présidence du Conseil des ministres (1955), il fut remplacé par Khrouchtchev* en 1958.

BOULIGNY. ♦ Comm. de la Meuse, arr. de Verdun-sur-Meuse. 4 647 hab. Mines de fer.

BOULLE (André Charles). ♦ Ébéniste français (Paris, 1642 – *id.*, 1732). Il travailla pour Le* Brun, fut protégé par Colbert et devint l'un des plus importants fournisseurs du roi et de la cour à partir de 1672. Il évolua d'un style chantourné, influencé par Bérain* *(commode mazarine)* à une conception plus monumentale et géométrique. Bien qu'il ne fût ni l'inventeur ni le seul auteur de meubles en ébène et bois précieux incrustés de cuivre, étain, écaille, ivoire et nacre, richement ornés de bronze doré et ciselé, il a laissé son nom à ce type de meubles (cabinets, bureaux et surtout commodes). Ses quatre fils l'imitèrent. La vogue des meubles Boulle durant le Second Empire eut pour conséquence la multiplication des copies. ♦ BOULLE *(École).* Nom donné en 1891 à l'École municipale d'ameublement fondée à Paris en 1886 et devenue un collège destiné à la formation de cadres techniques et artistiques.

BOULLÉE (Étienne Louis). ♦ Architecte et dessinateur français (Paris, 1728 – Paris, 1799). Élève de Legeay, il édifia des hôtels particuliers (*hôtel de Brunoy,* 1774) et des châteaux (*Chaville,* 1764) qui s'inscrivent dans le courant d'une architecture sobre et dépouillée, caractéristique du style Louis XVI. Sous l'influence des recueils de Piranèse* et des documents sur l'architecture archaïque grecque, orientale et égyptienne publiés à la suite des nombreux voyages archéologiques, il imagina des projets de monuments colossaux (*cénotaphe de Newton,* 1784) et de bâtiments civils (*amphithéâtre* pour 300 000 spectateurs). Développant un symbolisme en rapport avec les idéaux révolutionnaires, il prônait une esthétique fondée sur l'imitation de l'architecture antique et surtout l'adoption de formes géométriques inspirées de la nature (*Essai sur l'Art,* 1783-1793). Certains de ses monuments révolutionnaires semblent préfigurer ceux de l'avant-garde russe des années 20 **(V. Tatlin).**

BOULLIAU (Ismaël). ♦ Astronome français (Loudun, 1605 – Paris, 1694). Il donna la première explication vraisemblable des variations lumineuses de certaines étoiles et détermina en 1665 la période de l'étoile Mira Ceti (333 jours).

BOULLONGNE ou **BOULOGNE.** ♦ Famille de peintres et graveurs français. ♦ LOUIS BOULLONGNE, *le Père* ou *le Vieux* (Paris, 1609 – *id.*, 1674). Élève de J. Blanchard* et lié avec S. Bourdon*, il participa à la décoration peinte du Louvre et de Versailles ; il fut l'un des membres fondateurs de l'Académie. Il réalisa notamment une série de planches pour le *Livre de portraicture* (1648). ♦ BON, *l'Aîné* (Paris, 1649 – *id.*, 1717). Peintre et dessinateur, fils et élève du précédent. Il fut protégé par Colbert et passa cinq ans à l'Académie de Rome, travaillant ensuite à Versailles et, après 1680-1685, réalisant des tableaux mythologiques pour le Trianon, Meudon, Saint-Cloud, etc. À l'église des Invalides, il travailla à la décoration des chapelles Saint-Jérôme et Saint-Ambroise. ♦ LOUIS *le Jeune* (Paris, 1654 – *id.*, 1733). Frère du précédent et élève de son père, il copia à Rome les fresques de Raphaël pour la manufacture des Gobelins*. De retour en France (1680), il collabora aussi à la décoration du château de Versailles, du Trianon (1688-1701), de Meudon et de Fontainebleau ; il peignit de nombreuses œuvres religieuses *(chapelle Saint-Augustin à l'église des Invalides).* Reçu à l'Académie en 1681 et devenu son directeur en 1722, il eut la charge de premier peintre du roi. Ses œuvres, qui dénotent les influences conjuguées de Poussin*, des Bolonais, de Le* Brun et aussi du Corrège, se caractérisent par la fraîcheur du coloris, l'habileté des compositions en oblique, la souplesse des lignes (*Le Repos de Diane,* 1707).

Boulogne (Bois de). ♦ Parc public à l'O. de Paris (16e arr.) qui s'étend sur 846 ha entre Neuilly*-sur-Seine et Boulogne*-Billancourt. Partie de l'anc. forêt de Rouvray, il doit son nom à un sanctuaire qu'y dédia Philippe IV ; Notre-Dame-de-Boulogne (v. 1315) ; au XIIIe s. y fut fondée l'abbaye de Longchamp. Possession de la Couronne (comme terrain de chasse), le bois de Boulogne devint au XVIIIe s. une promenade à la mode quand Louis XVI l'ouvrit au public. En 1852, il fut cédé à la Ville de Paris, Haussmann en confia l'aménagement à Alphand*, puis à Davioud* et Hittorf* : création des deux lacs et de la cascade, des allées cavalières et des chemins forestiers. L'*hippodrome de Longchamp** y fut inauguré en 1857, celui d'*Auteuil** en 1873 ; le *Jardin d'acclimatation** fut ouvert en 1860 ; en 1905 fut acquis le *parc de Bagatelle**. Promenade très élégante au XIXe s., le bois de Boulogne est toujours très fréquenté ; pour le garantir d'un déséquilibre écologique et de l'excès de la circulation automobile, il est l'objet de mesures de protection.

BOULOGNE-BILLANCOURT ou **BOULOGNE-SUR-SEINE.** ♦ Ch.-l. de cant. des Hauts-de-Seine (arr. de Nanterre), au S. du bois de Boulogne, dans une boucle de la Seine à la limite S.-O. de Paris. 109 380 hab. *(Boulonnais).* Au N. quartiers résidentiels ; au S., centre industriel. Église (XIVe s., restaurée au XIXe s.). Usine de la Régie Renault (automobiles) dans le quartier de Billancourt sur une île de la Seine. Constructions aéronautiques ; indus. chimiques ; machines-outils ; matériel téléphonique ; emballages métalliques ; caoutchouc ; imprimerie.

BOULOGNE-SUR-GESSE. ♦ Ch.-l. de cant. de la Haute-Garonne*, arr. de Saint-Gaudens*. 2 050 hab. *(Boulonnais).* Église du XVe siècle.

BOULOGNE-SUR-MER. ♦ Sous-préf. du Pas*-de-Calais et port sur la Manche, ch.-l. d'arr. (5 cant., 75 comm., 154 427 hab.), situé dans le Boulonnais*, à l'embouchure de la Liane. 50 138 hab. *(Boulonnais).* Bâtie dans un site pittoresque sur les hauteurs dominant la mer, la ville possède plusieurs monuments : enceinte fortifiée et château du XIIIe s. ; église Saint-Nicolas, de style classique (XVIe et XVIIIe s.) ; beffroi ; hôtel de ville (XVIIIe s.) ; basilique Notre-Dame (XIXe s.). La partie la plus proche de la mer, détruite pendant la Deuxième Guerre mondiale, est moderne. – Boulogne est le premier port de pêche de France (115 710 t ; pêche du hareng, notamment) ; port de transit des automobiles entre la France et l'Angleterre. La gare maritime et les installations portuaires sont très modernes. Fonderies (ferromanganèse) à Outreau* ; constructions navales ; constructions mécaniques ; indus. textiles ; crayons. Conserveries de poissons, salaison. Ciment. Station balnéaire. – Patrie des frères Coquelin*, de Daunou*, de Duchenne* de Boulogne, de Mariette*, de Sainte*-Beuve, de Sauvage. ♦ *Hist.* Port des Morins* dans l'Antiquité, la ville suivit au Moyen Âge l'histoire du Boulonnais dont elle fut le chef-lieu. Napoléon Ier y forma le camp de Boulogne (1803) et le futur Napoléon* III y tenta de renverser Louis*-Philippe Ier en août 1840 (affaire dite de Boulogne) ; arrêté et emprisonné au fort de Ham, il s'évada en 1846, sous le nom de Badinguet.

BOULONNAIS. *n. m.* ♦ Région du Pas*-de-Calais, constituée par un plateau crayeux, creusé d'une dépression argileuse et humide : la *fosse du Boulonnais.* Élevage de chevaux et de bœufs. ♦ *Hist.* Tout d'abord peuplée par les Morins*, la région fut, après la conquête romaine, comprise dans la Belgique* IIe (avec la Picardie*) puis s'érigea en comté au Moyen Âge, avec pour cap. Boulogne*-sur-Mer. Passée sous la domination de Philippe* III le Bon, duc de Bourgogne, (1422), elle fut définitivement rattachée à la Couronne en 1478.

BOULOU (Le). ♦ Comm. des Pyrénées*-Orientales (arr. de Céret*) sur la r. g. du Tech*, au pied des Albères*. 2 921 hab. Église avec un portail roman (XIe-XIIe s.). - Indus. du liège. Station thermale.

BOULOURIS-SUR-MER. ♦ Station balnéaire du Var* (arr. de Draguignan*) à l'E. de Saint-Raphaël*, sur le littoral de l'Esterel*.

BOUMEDIENE (Houari). ♦ Militaire et homme d'État algérien (Guelma, 1925 –). L'un des principaux artisans de l'indépendance algérienne, sur le plan militaire, puis politique, il prit une part décisive aux événements qui écartèrent Ben Bella (1965) et fut élu président de la République algérienne la même année.

BOUMERDES [bumɛrdɛs] anc. **Rocher Noir.** ♦ Localité d'Algérie (dép. d'Alger) sur le littoral. Cité administrative qui abrita avant l'indépendance les services de l'Algérie.

BOUNINE (Ivan Alexeïevitch) [bunin]. ♦ Poète et romancier russe (Voronej, 1870 – Paris, 1953). En 1903, ses œuvres poétiques lui firent obtenir le prix Pouchkine. Puis, il rallia le groupe Gorki* et écrivit son premier roman : *Le Village* (1910). Il y décrit objectivement à travers deux frères, Tikhon et Kouzma Krasov, la dure vie du peuple russe dans un village de la Russie centrale, insistant sur la misère du moujik et la dureté du koulak. Écrit dans un style relâché, sans construction narrative, ce roman précède quatre livres de nouvelles d'un style plus dense qui placent Bounine au premier rang des prosateurs russes de la première moitié du XXe s. : *Soukhodol* (1912) où la nouvelle de ce nom raconte la chute d'une grande famille vue par une servante et reprend le thème de la cruauté de la vie en Russie ; *Jean qui pleure* (1913) ; *La Coupe de la vie* (1914) qui contient surtout des nouvelles pessimistes ; et *Le Monsieur de San Francisco* (1916) où la nouvelle de ce nom, connue pour être son chef-d'œuvre, raconte comment un milliardaire américain rencontre la mort en cherchant la fortune. Parmi les diverses nouvelles que contiennent ces quatre recueils, il faut retenir les nouvelles exotiques ou portant sur l'étranger, que Bounine écrivit lors de ses voyages dans les pays méditerranéens et tropicaux (Algérie, Palestine, Ceylan) avant la Première Guerre mondiale : *Le Songe de Tchang, Les Frères.* Après 1917, adoptant une attitude antibolchevique, Bounine quitta la Russie soviétique (1920) et devint l'un des principaux écrivains de l'émigration russe. En 1923-1924, il écrivit une longue nouvelle appréciée pour ses qualités lyriques : *L'Amour de Mitia.* En 1933, il reçut le prix Nobel de littérature. En 1943, il publia un recueil de nouvelles sur Paris : *Sombres Allées.* Enfin il a laissé un roman autobiographique inachevé : *La Vie d'Arseniev* (1930). En 1950, il publia ses *Mémoires.* — Les qualités du style de Bounine font de lui un très grand écrivain. Dans la lignée de Tolstoï* et de Tourgueniev*, il est resté un classique, à l'inverse de ses contemporains les symbolistes*. La poésie de Bounine peut être qualifiée de présymboliste. Ses romans et ses nouvelles sont écrits dans un style lyrique qui reste réaliste et concis, donnant à sa prose un aspect magique.

BOURASSA (Henri). ♦ Journaliste et homme politique canadien (Montréal, 1868 – *id.*, [Outremont], 1952). Petit-fils de Louis Papineau*, il fonda un journal d'inspiration catholique, consacré à la défense des Canadiens français (*Le Devoir,* 1910). Il s'opposa à la politique anglo-canadienne, et à la conscription en 1917.

BOURASSA (Robert). ♦ Homme politique canadien (Montréal. 1933 –). Chef du parti libéral et Premier ministre du Québec* (1970-1976). En 1974, il a proclamé le français langue officielle du Québec.

BOURBAKI (Charles Denis Sauter). ♦ Général français d'origine grecque (Pau, 1816 – Cambo, 1897). Après avoir servi en Algérie et en Crimée, il fut nommé commandant de la Garde impériale au début de la guerre franco-allemande (1870-1871). À la tête de l'armée de l'Est, il remporta sur les Prussiens la victoire de Villersexel* (1871) ; mais ayant perdu peu après la bataille de Lisaine **(V. Héricourt),** il fut contraint de se replier sur la frontière suisse où il tenta de se suicider.

BOURBAKI (Nicolas). ♦ Auteur polycéphale formé (1933) de jeunes mathématiciens de l'École normale supérieure, et dont les membres fondateurs furent H. Cartan*, C. Chevalley*, J. Delsarte, J. Dieudonné* et A. Weill. Outre quelques articles, Bourbaki fait paraître depuis 1940 un gigantesque ouvrage de référence : *Les Éléments de mathématiques,* publiés sous forme de monographies avec des notices historiques rassemblées dans les *Éléments d'histoire des mathématiques* (1969). Bourbaki reprend la mathématique moderne dans ses fondements pour l'édifier sur des bases axiomatiques rigoureuses selon la pensée de Hilbert ; codifiant et clarifiant le langage mathématique à l'aide de la logique formelle et de la théorie des ensembles **(V. Cantor, Dedekind),** il unifie cette science par l'établissement de structures communes à ses diverses branches.

BOURBINCE. *n. f.* ♦ Riv. de Saône-et-Loire qui se jette dans l'Arroux près de Digoin*. 72 km. Sa vallée, empruntée par le canal du Centre*, est le site de nombreuses industries.

BOURBON *(maison de).* ♦ Famille française qui doit son nom à la seigneurie de Bourbon*-l'Archambault et du Bourbonnais*, et dont les membres régnèrent sur la Navarre, la France, l'Espagne, Naples et le duché de Parme. La *maison de Bourbon* remonte au XIe siècle. Son héritage passa par mariage à la maison de Dampierre (XIIe s.) et échut au XIIIe s. à la première maison capétienne de Bourgogne* et, enfin, à Robert de Clermont*, fils de Saint Louis, par son mariage avec l'héritière Béatrice de Bourgogne-Bourbon (1272). De ce mariage naquit Louis Ier le Grand, comte de Clermont et de la Marche et premier duc de Bourbon après la transformation du Bourbonnais en duché (1327). Il laissa deux fils, dont Pierre Ier qui devint le chef de la branche aînée et Jacques, comte de la Marche, chef de la branche cadette. — La branche aînée s'éteignit avec Pierre II de Beaujeu* (1503) et son gendre, le connétable de Bourbon* ([mort] 1527). — La branche cadette, après avoir acquis le titre de *Marche-Vendôme* et hérité en 1527, sous Charles, duc de Vendôme (1489-1537), du titre de Bourbon à l'extinction de la branche aînée, parvint au trône de Navarre par le mariage d'Antoine* de Bourbon (1555) avec Jeanne* d'Albret, puis au trône

Ph. Giraudon

Charles de **Bourbon,** duc de Vendôme, portrait attribué à J. H. Fragonard. (Musée Condé, Chantilly.)

de France par l'avènement de leur fils, Henri* IV (1589). Le frère d'Antoine, Louis Ier de Bourbon, donna naissance à la maison de Condé*. ♦ **France.** Le fils d'Henri IV, Louis* XIII, eut deux fils : Louis* XIV qui devint le chef de la ligne aînée. Celle-ci régna en France jusqu'en 1792 et de 1814 à 1830 (Louis* XV, Louis* XVI, Louis* XVIII et Charles* X). Cette branche s'éteignit en 1883 avec le comte de Chambord*, petit-fils de Charles* X et fils posthume du duc de Berry*. — La ligne cadette est issue du second fils de Louis XIII, Philippe Ier, duc d'Orléans. Celui-ci est à l'origine de la branche BOURBON-ORLÉANS à laquelle appartint le Régent*, et qui régna en France avec Louis*-Philippe Ier (fils de Philippe*-Égalité) et dont le représentant actuel est Henri, comte de Paris*. — Trois branches bâtardes se rattachent également à la maison française : la branche de Vendôme*, issue de César, aîné des enfants naturels d'Henri IV et de Gabrielle d'Estrées* ; la branche du Maine, issue de Louis-Auguste de Bourbon, duc du Maine*, fils légitimé de Louis XIV et de Mme de Montespan* ; la branche de Penthièvre, issue de Louis-Alexandre, comte de Toulouse*, fils cadet légitimé des mêmes. ♦ **Espagne** (BOURBON-ANJOU). Cette branche est issue de Philippe, duc d'Anjou, petit-fils de Louis XIV, devenu roi d'Espagne sous le nom de Philippe* V (1700). Elle régna sur l'Espagne avec Ferdinand* VI, Charles* III, Charles* IV, Ferdinand* VII, Isabelle* II, Alphonse* XII et Alphonse XIII et est à l'origine des maisons des Bourbons de Naples **(V.** *ci-dessous)* et de Parme*. La légitimité de la succession au trône d'Isabelle* II (reine de 1833 à 1868), contestée par Charles de Bourbon **(V. Carlistes),** provoqua des guerres civiles. La monarchie abolie en 1931, fut rétablie en 1975. — **(Naples** ou **Deux-Siciles).** Cette branche est issue de Ferdinand* Ier de Bourbon, fils de Charles* III (roi d'Espagne en 1759) et frère cadet de Charles* IV. Elle régna à Naples jusqu'en 1860 avec François Ier, Ferdinand* II et François* II. — **(Parme).** Maison ducale, issue des Bourbons d'Espagne, fondée en 1748 par un des fils de Philippe* V et d'Élisabeth Farnèse. Elle régna à Parme jusqu'en 1859. Une fille du dernier duc régnant, Zita de Bourbon-Parme, fut impératrice d'Autriche (1916-1918). ♦ BOURBON-BUSSET. Branche des Bourbons qui eût été la branche aînée légitime si Louis XI n'avait pas refusé de reconnaître le mariage de Louis, évêque de Liège, frère cadet de Pierre II, sire de Beaujeu*. Son fils épousa une dame de Busset et la branche des Bourbon-Busset est aujourd'hui la seule survivante de la famille aînée. ♦ BOURBON-CONDÉ. Branche des Bourbons. **V. Condé.** ♦ BOURBON-CONTI. Branche cadette des Condé*. **V. Conti.** ♦ BOURBON-MONTPENSIER. Branche des Bourbons, issue de la ligne aînée par le mariage du petit-fils de Pierre Ier de Bourbon* avec l'héritière du comte de Montpensier*. Cette branche s'éteignit avec le connétable Charles III de Bourbon* en 1527. Le titre échut à la maison de Bourbon*-Orléans par le mariage (1626) de Gaston, duc d'Orléans* (frère de Louis* XIII) avec la duchesse de Montpensier*, héritière de la deuxième branche de Bourbon-Montpensier. Cette branche s'éteignit avec la Grande Mademoiselle* qui légua le duché à son cousin Philippe d'Orléans (1640-1701). ♦ BOURBON-ORLÉANS. V. **Orléans.** ♦ BOURBON-VENDÔME. Branche des Bourbons, issue de la ligne cadette de la Marche*-Vendôme. À la mort du connétable Charles III de Bourbon* (1527), Charles, duc de Vendôme, grand-père du futur Henri* IV, devint chef de la maison de Bourbon.

BOURBON (Charles III, *8ᵉ duc de),* dit **le Connétable de Bourbon.** ♦ (Montpensier, 1490 – Rome, 1527). Comte de Montpensier* (1501), duc de Bourbon et d'Auvergne (1503), héritier du comté de Montpensier (Cf. Bourbon*-Montpensier), il épousa en 1505 sa cousine, fille de Pierre II de Beaujeu*, et réunit les immenses domaines des deux lignes de la maison de Bourbon. Il participa brillamment à la bataille d'Agnadel* (1509), reçut le titre de connétable (1514) et contribua décisivement à la bataille de Marignan* (1515). Après la mort de sa femme (1521), il refusa la main (1523) de Louise* de Savoie, mère de François*Iᵉʳ. Cette dernière lui réclama l'héritage des Bourbons. Le connétable passa alors au service de Charles* Quint et contribua à la défaite française de Pavie* (1525). Il fut tué au siège de Rome (1527). La ligne aînée de Bourbon s'éteignit avec lui et François Iᵉʳ confisqua ses domaines.

BOURBON (Charles *de***).** ♦ Cardinal français (La Ferté*-sous-Jouarre, 1523 – prison de Fontenay*-le-Comte, 1590). Frère puîné d'Antoine* de Bourbon et archevêque de Rouen (1550), il reçut de la Sainte Ligue* le titre de roi (1589) sous le nom de Charles X. Emprisonné par Henri III, il reconnut ensuite la légitimité d'Henri IV.

Bourbon *(palais).* ♦ Monument de Paris, siège de l'*Assemblée nationale.* Édifié pour la duchesse de Bourbon (fille de Louis XIV et de Mme de Montespan) par Giardini, puis P. Lassurance*, Aubert* et Gabriel* (1722 à 1728), cet hôtel particulier s'ouvrait rue de l'Université. Acheté par Louis XV (1756), puis par le prince de Condé (1764) qui lui annexa l'hôtel de Lassay (devenu depuis hôtel de la présidence), il fut confisqué en 1790 et attribué au *Conseil des Cinq-Cents* (salle des séances, par Gisors* et Leconte*). Napoléon Iᵉʳ fit élever par Poyet* la façade à l'antique tournée vers la Concorde* (1804 à 1807) : un portique de douze colonnes corinthiennes, surmonté d'un fronton sculpté par Cortot* et flanqué de deux bas-reliefs par Pradier* et Rude*. En 1830, le palais fut aménagé pour le *Corps législatif* (cour d'honneur; salle des séances actuelle; bibliothèque décorée par Delacroix*; 1838 à 1847). De 1879 à 1940, ce fut le siège de la *Chambre des députés.* Aujourd'hui siège de l'Assemblée nationale (on écrit alors PALAIS-BOURBON).

BOURBON *(île).* ♦ Anc. nom de la Réunion*.

BOURBON-LANCY. ♦ Ch.-l. de cant. de la Saône-et-Loire (arr. de Charolles), sur une colline dominant la plaine du Bourbonnais. 6 263 hab. *(Bourbonnais).* Église Saint-Nazaire. Hospice d'Aligre. À proximité, anc. prieuré Saint-Martin. – Station thermale. Matériel agricole. – À proximité, mines de pyrites (Chizeuil) et d'uranium (vers Grury).

BOURBON-L'ARCHAMBAULT. ♦ Ch.-l. de cant. de l'Allier*, arr. de Moulins*, dans le Bourbonnais*. 2 615 hab. *(Bourbonnais).* Anc. cap. de la seigneurie puis du duché de Bourbon. Ruines du château des premiers ducs de Bourbon. Eaux thermales.

BOURBONNAIS. *n. m.* ♦ Anc. province du centre de la France occupant une partie de la bordure septentrionale du Massif* central et correspondant approximativement au dép. de l'Allier* et à quelques fractions du dép. du Cher*. – *Orogr.* et *hydrogr.* **V. Allier.** ♦ *Hist.* Issu de la seigneurie de Bourbon*, d'abord cantonnée autour de l'abbaye de Souvigny*, puis du château de Bourbon*-l'Archambault, agrandie peu à peu jusqu'aux limites de l'actuel dép. de l'Allier, le fief fut érigé en duché (1327) pour Louis Iᵉʳ, duc de Bourbon*. Moulins* en devint la capitale. Revendiqué par Louise* de Savoie, le *Bourbonnais* fut réuni à la Couronne après la confiscation des domaines du connétable Charles III, duc de Bourbon*-Montpensier, par François Iᵉʳ (1527) et le titre de Bourbon, désormais dépourvu d'apanage, fut transmis à la branche de Marche-Vendôme.

BOURBONNE-LES-BAINS. ♦ Ch.-l. de cant. de la Haute-Marne, arr. de Langres. 3 105 hab. *(Bourbonnais).* Église (XIIIᵉ s.). Station thermale (rhumatismes, maladies des os).

BOURBOTTE (Pierre). ♦ Homme politique français (Avallon, 1763 – Paris, 1795). Député montagnard à la Convention, il fut envoyé comme représentant en mission en Vendée puis à l'armée de Rhin-et-Moselle (1794). Lors de la réaction thermidorienne, il fut un des chefs du mouvement d'opposition populaire et appuya l'insurrection du Iᵉʳ prairial* an III. Condamné à mort, il attenta à ses jours.

BOURBOULE (La). ♦ Comm. du Puy*-de-Dôme, arr. de Clermont*-Ferrand, sur la Dordogne*. 2 544 hab. *(Bourbouliens).* Station hydrominérale très fréquentée. Ses eaux chaudes sont les plus arsenicales connues, elles sont employées dans les maladies des bronches, les dermatoses, etc. Station de repos. Tourisme (casino).

BOURBOURG. ♦ Ch.-l. de cant. du Nord*, arr. de Dunkerque*, en Flandre*. 6 136 hab. *(Bourbourgeois).* Indus. alimentaires. Marché agricole (volailles). Teillage du lin.

BOURBRE. *n. f.* ♦ Riv. du bas Dauphiné (Isère*), affl. du Rhône* (65 km).

BOURBRIAC. ♦ Ch.-l. de cant. des Côtes-du-Nord, arr. de Guingamp. 2 978 hab. Mausolée de Saint-Briac (XVIᵉ s.) dans l'église.

Ph. Nimatallah/Ricciarini

A. Bourdelle : « Héraclès archer ». (Musée national d'Art moderne, Paris.)

BOURDALOUE (Louis). ♦ Prédicateur français (Bourges, 1632 – Paris, 1704). Après avoir enseigné chez les jésuites, à la société desquels il appartenait, Bourdaloue fit ses débuts de prédicateur en 1666, vint à Paris en 1669 et acquit une grande notoriété auprès de la cour devant laquelle il prêcha très souvent pour le carême et l'avent (de 1670 à 1693). Après la révocation de l'édit de Nantes (1685), il fut envoyé par Louis XIV enseigner les nouveaux convertis du Languedoc; après 1696, il se voua essentiellement aux œuvres de charité. Prédicateur le plus suivi du XVIIᵉ s., Bourdaloue frappait son auditoire par la morale exigeante et le style austère de ses sermons : suivant une démarche d'une extrême rigueur, s'appuyant sur des analyses psychologiques minutieuses, il n'hésitait pas à fustiger les péchés dans des portraits « à clefs » (Cf. le *Sermon sur la médisance,* où l'on évoque Pascal; l'allusion au Grand Arnauld dans le *Sermon sur la sévérité chrétienne*; à Molière et *Tartuffe* dans le *Sermon sur l'hypocrisie*). Ses *Sermons et Œuvres diverses* (posth., 1707-1734) ont été repris dans une édition (moins contestée) de 1822-1826.

BOURDEILLES. ♦ Comm. de la Dordogne*, arr. de Périgueux*. 721 hab. – Château comprenant un édifice du XIVᵉ s. et un édifice de la Renaissance. Patrie de Brantôme*.

BOURDELLE (Antoine). ♦ Sculpteur, peintre et dessinateur français (Montauban, 1861 – Le Vésinet, 1929). Fils d'un ébéniste, il se forma à Montauban puis à Paris dans l'atelier de Falguière* à partir de 1885. Devenu l'aide de Rodin* (1893 à 1903), il subit fortement son ascendant. Il réalisa dans une veine héroïque et pathétique le *monument aux morts* de Montauban (1893 à 1902) où s'affirment par-delà un naturalisme et un modelé bosselé, une volonté simplificatrice, le goût des volumes massifs et des déformations expressives. En se référant à la sculpture romane, gothique et grecque archaïque, il s'engagea dans une voie plus personnelle (*Tête d'Apollon,* 1900; *Héraclès archer,* 1900, inspiré du fronton d'Égine). S'attachant à définir les structures essentielles (*relief* du *théâtre des Champs-Élysées,* 1912), il chercha les rythmes puissants, l'effet de masse, le caractère monumental sans abandonner l'expression dynamique. Tempérament lyrique, il visait à l'expression épique (*monument à Alvear* à Buenos Aires, 1914-1919, *monument à Mickiewicz* à Paris, 1928, etc.) et tomba parfois dans l'emphase. Il contribua à libérer la sculpture du rendu strictement naturaliste.

BOURDET (Édouard). ♦ Auteur dramatique français (Saint-Germain-en-Laye, 1887 – Paris, 1945). Observateur incisif des mœurs de la société bourgeoise de l'entre-deux-guerres, il en composa le portrait sans complaisance dans *Le Sexe faible* (1929) et *Les Temps difficiles* (1934). Nommé administrateur général de la Comédie-Française en 1936, il y obtint la collaboration de Jacques Copeau, Charles Dullin, Louis Jouvet et Gaston Baty.

BOURDICHON (Jean). ♦ Peintre et miniaturiste français (Tours ?, v. 1457 – *id.* ? 1521). Il fut en faveur auprès de Louis XI puis de Charles VIII dont il devint le peintre attitré en 1484; il fut chargé par François Iᵉʳ de la décoration du Camp du Drap d'or. Il dirigea un important atelier d'enluminures et exécuta de multiples travaux de décoration. Il est l'auteur des *Grandes Heures d'Anne de Bretagne* (v. 1500-1507) : les marges décorées de fleurs, fruits et insectes révèlent un talent délicat. Bourdichon cherchait surtout à rendre la grâce des gestes et des visages. On lui attribue aussi les *Heures de Ferdinand d'Aragon*, les *Heures de Charles VII* et celles de *François Vendôme* (v. 1485).

BOURDIN (Charles). ♦ Ingénieur français (1790 – 1873). Inventeur de la turbine hydraulique (1824). **V. Fourneyron, Francis.**

BOURDON (Sébastien). ♦ Peintre et dessinateur français (Montpellier, 1616 – Paris, 1671). Fils d'un peintre verrier, il se forma à Paris puis se rendit en Italie vers 1634 où, pour vivre, il pasticha les paysages de Claude Lorrain* et les scènes de Bamboche **(V. Van Laar).** Revenu à Paris en 1637, il exécuta des travaux de décoration et peignit de nombreux tableaux de genre, inspirés des Le* Nain. Il fut l'un des membres fondateurs de l'Académie (1648) et devint en 1653 premier peintre de la reine Christine de Suède *(portraits de la reine, du prince héritier).* En France (1654), il entreprit des grandes décorations, notamment pour l'*hôtel de Bretonvilliers* (1663, détruites). Peintre éclectique, il est l'auteur de compositions mythologiques agencées avec une rigueur toute classique et qui portent la marque de Poussin* *(Moïse sauvé des eaux),* de scènes de genre aux détails réalistes et pittoresques et de portraits où l'aisance de sa facture apparaît avec le plus de force *(L'Homme aux rubans noirs).*

BOU REGREG *(oued).* ♦ Fleuve du Maroc* occidental qui prend sa source dans la Meseta* marocaine et se jette dans l'Atlantique, après avoir formé l'estuaire qui sépare Rabat* de Salé* (179 km).

BOUREÏA ou **BUREYA.** *n. f.* ♦ Rivière d'U.R.S.S. (R.S.F.S. de Russie) en Extrême-Orient soviétique (630 km). Née dans la chaîne montagneuse de *Bourei* (en russe *Bureyinski Khrebet*), elle arrose les régions de Khabarovsk et de l'Amour, et se jette dans l'Amour* (r. g.). Navigable en avril-oct. jusqu'à sa confluence avec le Niman. Dans son bassin, gisements de houille et de fer.

BOURG ou **BOURG-SUR-GIRONDE.** ♦ Ch.-l. de cant. de la Gironde, arr. de Blaye, dans le Bordelais*, sur la r. d. de la Dordogne, près de son confl. avec la Garonne. 2 560 hab. *(Bourquais).* Vignobles des côtes de Bourg et du Bourgeais. – Patrie de Jean de Labadie* et de Léo Lagrange*.

BOURGANEUF. ♦ Ch.-l. de cant. de la Creuse, arr. de Guéret. 4 010 hab. *(Bourganiauds).* Restes de l'anc. grand prieuré d'Auvergne de l'ordre de Malte, églises Saint-Pierre (XIIe s.) et Saint-Jean (XIIIe-XVe s.). – Meubles, literie, papier.

BOURG-ARGENTAL. ♦ Ch.-l. de cant. de la Loire* (arr. de Saint-Étienne*) dans le haut Vivarais. 3 256 hab. *(Bourguisans).* Tissages de soieries.

BOURGAS. ♦ **V.** BURGAS (Bulgarie).

BOURG-DE-PÉAGE. ♦ Ch.-l. de cant. de la Drôme* (arr. de Valence*) en face de Romans* sur l'Isère*. 8 857 hab. *(Péageois).* Machines agricoles, chaussures, chapellerie.

BOURG-D'OISANS (Le). ♦ Ch.-l. de cant. de l'Isère* (arr. de Grenoble*) sur la Romanche*. 2 409 hab. *(Bourcats).* Centre touristique, centre commercial, foires, marchés.

BOURGELAT (Claude). ♦ Vétérinaire français (Lyon, 1712 – *id.*, 1779). Il fonda à Lyon la première école vétérinaire d'Europe (1761) et dirigea celle d'Alfort créée en 1765.

BOURG-EN-BRESSE [buʀkɑ̃bʀɛs]. ♦ Préf. de l'Ain*, ch.-l. d'arr. (18 cant., 228 comm., 198 093 hab.), sur la Reysouze. 40 407 hab. *(Bressans).* Église Notre-Dame (XVe-XVIe s.); église et monastère de Brou **(V. Brou).** Maisons anciennes. Important marché agricole : beurre, volailles de Bresse, œufs, fruits et légumes. Constructions mécaniques; maroquinerie, meubles, lingerie, émaux. – Patrie de J.-J. de Lalande*, E. Quinet*.

BOURGEOIS (Léon). ♦ Homme politique français (Paris, 1851 – Château d'Oger, Marne, 1927). Préfet de police (1887), député et sous-secrétaire d'État (1888), il fut plusieurs fois ministre et président du Conseil (nov. 1895-avril 1896) sous la IIIe République. Membre du Sénat (1905) qu'il présida de 1920 à 1923, il est l'auteur d'un *Essai d'une philosophie de la solidarité* (1902) qui fit de lui un des théoriciens du radicalisme. Promoteur de la S.D.N. il obtint le prix Nobel de la paix (1920).

BOURGEOIS (Robert). ♦ Général et savant français (Sainte-Marie-aux-Mines, 1857 – Paris, 1945). Il participa comme géographe à une mission scientifique pour la mesure d'un arc de méridien en Équateur. Il est l'auteur de travaux de géodésie, de topographie et d'astronomie.

Bourgeois gentilhomme (Le). ♦ Comédie-ballet, en 5 actes et en prose, de Molière* (1670). Marchand de drap enrichi, M. Jourdain n'a d'autre souci que de passer pour un gentilhomme. Il s'applique à imiter la noblesse en entretenant sous son toit des maîtres d'armes, de musique, de danse, de philosophie. Flatté par l'amitié que lui porte Dorante, un gentilhomme décavé, il ne voit pas qu'il est la dupe de ce dernier qui n'en veut qu'à sa fortune. Amoureux de Dorimène et lui faisant une cour coûteuse, il ignore que Dorante se dispose à épouser la jeune femme. Cependant, la sagesse l'emportera lorsque Covielle, valet de Cléonte, aura imaginé, pour faire triompher les amours contrariées de son maître et de la jeune Lucile, fille de M. Jourdain, une extravagante mascarade en sabir méditerranéen, où le bourgeois recevra la dignité de « grand mamamouchi ».

BOURGES (Élémir). ♦ Écrivain et journaliste français (Manosque, 1852 – Paris, 1925). Outre plusieurs romans, on lui doit un drame, *La Nef* (1904-1922).

BOURGES. ♦ Préf. du Cher*, ch.-l. d'arr. (18 cant., 174 comm., 233 063 hab.), anc. cap. du Berry, au confluent de l'Yèvre* et de l'Auron*, en Champagne berrichonne. 73 998 hab. [67 137 aggl.] *(Berruyers). Archevêché.* La *cathédrale Saint-Étienne* (fin XIIe-début XIVe s.) est un des plus grands édifices gothiques de France, remarquable par sa quintuple nef ouvrant sur la façade par cinq portails sculptés, par ses doubles bas-côtés et ses vitraux anciens (du XIIIe au XVIe s.). Le *palais Jacques-Cœur* (XVe s.) offre un intéressant exemple de l'architecture civile gothique. Maisons et hôtels anciens. – Bourges constitue avec Vierzon* un pôle de développement régional. Indus. alimentaires. Fonderies et aciers spéciaux. Indus. mécaniques. Aéronautique. Armement. Appareils de levage. Appareils ménagers. Pneumatiques. Confection. Papeterie, imprimerie. – Patrie de Bourdaloue*, Jacques* Cœur, Émile Deschamps*, Albert de Lapparent*, Louis XI*, Nicolas Leblanc*, Pierre Martin*, Berthe Morisot, Daniel Mornet*, Geoffroy Tory*. ♦ *Hist.* Anc. *Avaricum**, capitale gauloise des Bituriges* Cubi, conquise par César en ~ 52, elle devint métropole de l'Aquitaine* Ire au IVe siècle. Au Moyen Âge, elle connut un essor économique et culturel important. Charles VII « le roi de Bourges » en fit sa résidence : il y promulgua la pragmatique* sanction (1438). Son fils Louis XI y fonda une célèbre université (1463) où devaient enseigner Alciat* (1529-1533) et Cujas* (1559-1566). De nombreux conciles s'y tinrent entre 1031 et 1584.

BOURGET (Paul). ♦ Romancier français (Amiens, 1852 – Paris, 1935). Connu d'abord pour ses poésies, Paul Bourget, avec ses *Essais de psychologie contemporaine* (1883 et 1885), se proposa d'analyser, selon le procédé scientifique et naturaliste, les « maladies morales » de son époque. Romancier traditionaliste et didactique, hostile au naturalisme de Zola*, P. Bourget prôna le retour au spiritualisme (*Le Disciple,* 1889) et au catholicisme (*Un divorce,* 1904 ; *Le Sens de la mort,* 1915) et voulut du « pathétique qui [fit] penser » (*André Cornélis,* 1887 ; *Mensonges,* 1887). Puis il s'orienta vers des études sociales (*Cosmopolis,* 1892 ; *L'Étape,* 1902) et des ouvrages à thèse, il s'attacha à démontrer notamment que *Nos actes nous suivent* (1927) que la *Némésis* divine (1918) veille. Doté de « l'imagination des sentiments », il subordonna son art à une rigoureuse « anatomie morale », mettant à peindre les caractères une clarté et une minutie qui évoquent Stendhal* ou Benjamin Constant* auxquels il avait consacré certains de ses *Essais.* On lui a reproché d'avoir été le peintre à la mode de la société riche de son époque, et de l'avoir flattée. Son œuvre par là même constitue un document. (Acad. fr.)

BOURGET (Le). ♦ Ch.-l. de cant. de la Seine-Saint-Denis (arr. de Bobigny), dans la banlieue N.-E. de Paris. 9 797 hab. Second aéroport de Paris après Orly (jusqu'à la mise en service de Roissy*). Le Salon international de l'Aéronautique s'y tient tous les deux ans. Constructions aéronautiques et mécaniques. ♦ *Hist.* Pendant la guerre franco-allemande, des combats s'y déroulèrent les 28-30 octobre et le 21 décembre 1870. **V. Siège de Paris*.**

BOURGET *(lac du).* ♦ Lac des Alpes* françaises dans le dép. de la Savoie*. Relié au Rhône par le canal de Savières à son extrémité N., il reçoit la Leysse à son extrémité S. Long. 18 km. Larg. 1,5 à 3 km. (44 km²). Prof. max. 145 mètres. Aix*-les-Bains se trouve sur la rive orientale, Le Bourget*-du-Lac à la pointe S.-O. et l'abbaye de Hautecombe* sur la rive occidentale. – Le lac du Bourget a inspiré Lamartine*, en particulier dans une de ses *Méditations, Le Lac.*

BOURGET-DU-LAC (Le). ♦ Comm. de la Savoie*, arr. de Chambéry*, à l'extrémité S.-O. du *lac du Bourget**. 2 221 hab. Église des XIe, XIIIe, XVe siècles. Château-prieuré (XIe-XVe siècles). Station estivale à l'embouchure de la Leysse.

Ph. Hétier

Bourges : la cathédrale.

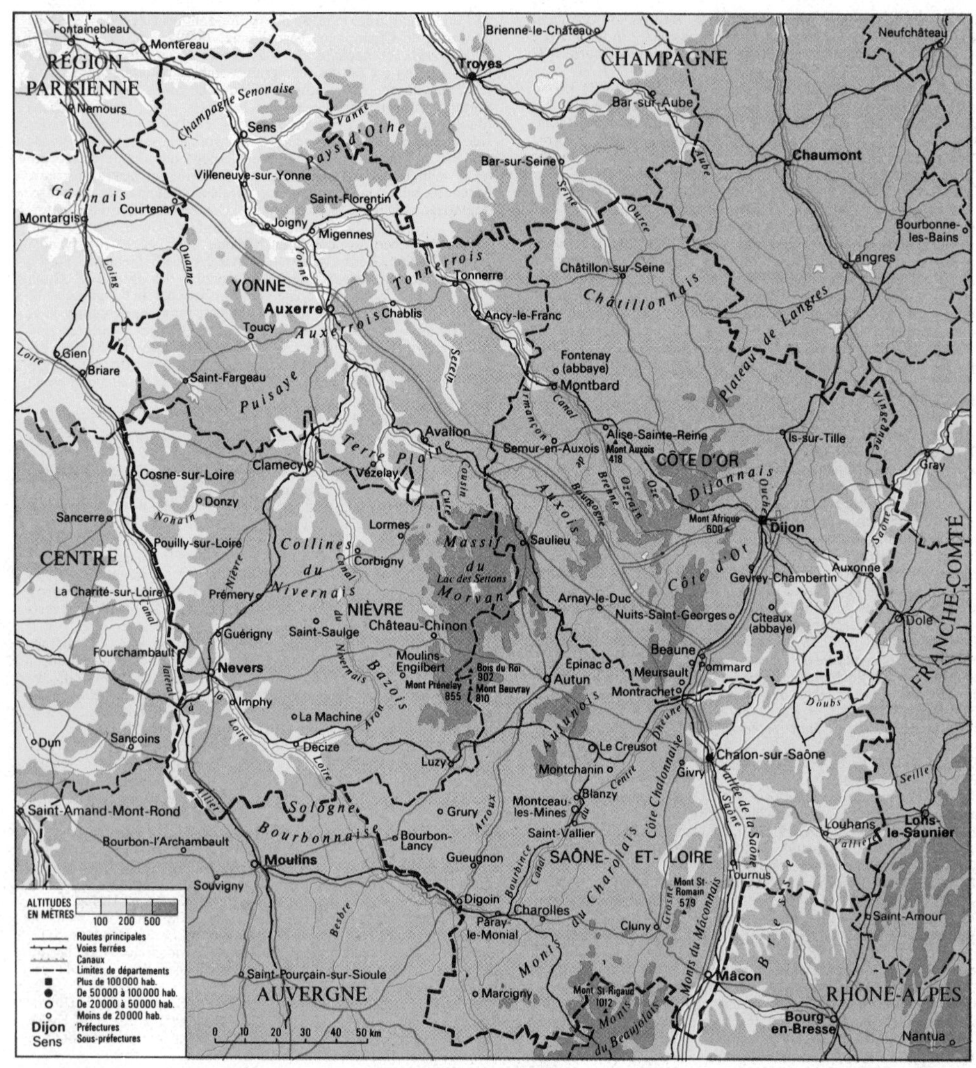

Bourgogne.

BOURG-LA-REINE. ♦ Ch.-l. de cant. des Hauts-de-Seine, arr. d'Antony, sur la Bièvre, dans la banlieue S. de Paris. 18 990 hab. (*Burgo-Réginiens* ou *Réginaborgiens*). – Patrie d'Évariste Galois*.

BOURG-LASTIC. ♦ Ch.-l. de cant. du Puy-de-Dôme, arr. de Clermont-Ferrand. 1 456 hab. *(Bourcagnots)*. Gisement d'uranium.

BOURG-LÉOPOLD, en néerl. **Leopoldsburg.** ♦ Comm. de Belgique (Limbourg, arr. de Hasselt). 9 700 hab. – A proximité, le camps de Beverlo*.

BOURG-LÈS-VALENCE. ♦ Comm. de la Drôme (arr. et aggl. de Valence). 13 239 hab. *(Bourcains* ou *Bourquins)*. Usine hydroélectrique sur un canal de dérivation du Rhône. Indus. chimiques.

BOURG-MADAME. ♦ Comm. des Pyrénées*-Orientales (arr. de Prades*) à la frontière espagnole. 826 hab. Station d'altitude à 1 130 mètres.

BOURGNEUF-EN-RETZ [buʀnœfɑ̃ʀɛ]. ♦ Ch.-l. de cant. de la Loire-Atlantique (arr. de Saint-Nazaire). 2 225 hab. (1 069 aggl.). Hospice du XVIIIe siècle. – Ostréiculture. Salines. ♦ *Hist.* Bourgneuf était un important port du sel au Moyen Âge.

BOURGOGNE. *n. f.* ♦ Région française (anciennement C.A.R.), formée de quatre départements : Côte-d'Or, Nièvre*, Saône*-et-Loire, Yonne*. 32 000 km² (5,75 % de l'espace national; 7e). 1 570 900 hab. (3 % de la population française; 13e). 48 hab./km². – Duché prestigieux, assis sur le seuil qui unit Bassin parisien et sillon rhodanien, la Bourgogne associait, à la faveur de ses voies de passage (vallées orientées vers la Loire, la Seine et la Saône), un ensemble de pays variés, aux complémentarités évidentes, base d'une solide unité politique. De Sens à Mâcon et des bords de Loire aux sources de l'Aube, la diversité est grande dans cette région très affectée par le contrecoup des plissements alpins et où se trouve projeté le môle granitique du Morvan **(V. *ci-dessous*)**. – Sur les plateaux de calcaire jurassique de basse et haute Bourgogne, redressés vers le S.-E., l'altitude augmente par paliers : 200 m en Auxerrois, 340 m en Tonnerrois où la « Côte » souligne, du S.-O. au N.-E. la dépression de « la Vallée » (220 m à Châtillon). Au delà, elle dépasse 600 m de part et d'autre de la percée de l'Ouche (636 m au Bois Janson), dans « la Montagne » dijonnaise qui retombe sur les plaines d'effondrement de la Saône, alluviales ou boisées, par une série de gradins : dénivellation de 400 m qui fait des pentes chaudes et ensoleillées de la « Côte d'Or » un abri idéal pour le vignoble, en bordure de plateaux âpres et rudes, desséchés quoique très arrosés (phénomènes karstiques), dénudés ou forestiers et disséqués par un réseau hydrographique (Yonne*, Cure*, Serein, Armançon, Ouche) où se concentrent la circulation et la vie. – Au S., la région est morcelée par une alternance de horsts cristallins (600-800 m) et de dépressions S.-O.–N.-E. : celle d'Autun (300 m) et surtout celle de « Dheune-Bourbince » qui, à travers le Charolais*, débouche sur le bassin tertiaire de Digoin (230 m), trouée naturelle entre la Saône et la Loire (canal du Centre). Le long de la plaine, les côteaux calcaires du Chalonnais et du Mâconnais, que sépare le fossé de la Grosne (Cluny), portent également des vignobles renommés. À l'O., le Nivernais* doit à sa structure faillée la variété de ses paysages; la forêt recouvre les sables granitiques et, vers le N., les collines de Puisaye*, bocagères et boisées, rejoignent l'Auxerrois. Entre Nevers et Dijon, se dresse l'obstacle du Morvan* : massif forestier, très humide, porté à 902 m au-dessus d'Autun, limité à l'E. et à l'O. par des escarpements de failles, il s'incline vers le N. en un glacis de sols maigres entaillé de gorges profondes qui, vers Avallon (250 m), disparaît sous la couverture sédimentaire. Une dépression parsemée de buttes (Vézelay) l'entoure d'une ceinture de « bons pays » (Bazois, Terre-Plaine, Auxois) que dominent les plateaux bourguignons. – *Pop. et écon.* Source d'activités disparues (fin d'une puissante métallurgie au bois, recul du mouton et de la vigne), une telle hétérogénéité ne pouvait, à l'ère industrielle, que favoriser les tendances centrifuges. La région s'effaça au bénéfice des grandes concentrations voisines. De 1881 (1 714 000 hab. = 4,7 % des Français) à 1946 (1 358 000 hab. = 3,3 %), elle a perdu 356 000 hab. (– 20,7 %) : faiblesse qui s'inscrit dans un vide démographique **(V. Champagne)** plus évocateur du sud-ouest que du quart N.-E. Avec 1 503 000 hab. en 1968, 1 544 000 en 1972 et un progrès de l'emploi de 0,6 % l'an, le renversement est amorcé : l'objectif fixé pour 1976 (1 583 000) ne pouvait être atteint que l'émigration des jeunes freinée et l'immigration encouragée. Or *l'agriculture* s'allège de plus en plus : de 118 000 actifs en 1968, ceux-ci sont tombés à 84 000 en 1976. La concentration s'est accentuée, profitant surtout aux grandes fermes (de 1 710 « plus de 100 ha » en 1955 à 3 050 en 1970) et affectant d'abord le Morvan, les pays d'embouche, producteurs de viande, du Charolais-Auxois et du Nivernais, ainsi que les plaines crayeuses de l'Yonne (moyenne 68 ha). Elle s'affirme également sur les plateaux céréaliers (orge, blé), dans les zones de polyculture associée à l'élevage laitier et même en Bresse (maïs, aviculture) et dans le vignoble. En côtes de Nuits **(V. Nuits-Saint-Georges)** et de Beaune*, domaine des grands crus, les « vignes » de 3 à 7 ha rassemblent le tiers des surfaces. Comptant pour le dixième en valeur de la production agricole, le vin d'origine contrôlée (600 731 hl sur 15 000 ha) représente 42 % des exportations alimentaires mais seulement 10 % des exportations globales. Quoique très insuffisante encore (39 % des actifs), *l'industrie* a progressé et, par rapport à 1968, le plan lui attribuait 26 000 emplois nouveaux en 1976. Le Creusot* (aggl. 41 000 hab.), image d'une industrie lourde aujourd'hui concentrée et modernisée (aciérie, métallurgie, chimie), forme avec Montceau*-les-Mines une communauté urbaine dotée d'un « contrat de plan » avec l'État (équipements publics), pourvue d'une zone d'activités de 350 ha et reliée par voie express à Chalon*, agglomération dynamique de 200 000 hab. à laquelle se rattachent Autun* (25 000 hab.), Digoin* (céramique), Geugnon* (tôles, aciers) et Mâcon* (40 000 hab.), aux portes du Lyonnais. La Saône-et-Loire occupe 42 % des salariés régionaux de l'industrie. – Clamecy* mis à part, la Nièvre égrène ses entreprises le long de la Loire, de Decize (caoutchouc, 9 000 hab.), à Cosne (11 000 hab.) où se rassemblent les deux tiers de la population : houille de La Machine, métallurgie d'Imphy, Fourchambault et Nevers* dont les activités se diversifient (54 000 hab.). Dans l'Yonne, outre Avallon*, les vallées (Yonne et Armançon), bénéficiant du desserrement parisien (128 usines nouvelles en 15 ans), concentrent avec 90 % des citadins, les trois quarts des emplois industriels : Sens* (27 000 hab.), Auxerre* (40 000 hab.). En Côte-d'Or, la façade orientale, en pleine évolution, contraste avec les plateaux (métallurgie de Montbard*) : sur un nœud autoroutier (Beaune*, 17 000 hab.) et fluvial qui renouvellera l'ancien carrefour bourguignon, se dessine un grand foyer industriel, lié à celui de Saône-et-Loire ; l'axe de la Saône s'étoffe (Auxonne, Tillenay : zone d'activités de 1 000 ha), dans l'attente de sa mise au gabarit européen **(V. Franche*-Comté)**. Dijon* (aggl. 190 000 hab., région urbaine de 300 000), ville tertiaire (64 % des actifs) où le secondaire traditionnel des industries alimentaires (condiments) s'est doublé de constructions mécanique, électrique, électronique (10 000 emplois en quinze ans) : capitale commerciale, administrative et universitaire dont le rayonnement, entre Paris, Lyon et le N.-E. est, avec l'amélioration urgente des liaisons internes, le meilleur garant de la cohésion régionale. ♦ *Hist.* À l'époque gauloise, le territoire actuel de la Bourgogne était principalement occupé par les Éduens*. Après la conquête romaine, il fut compris dans la Lyonnaise* Ire et tôt évangélisé (par saint Bénigne). Les Burgondes*, auxquels il doit son nom *(Burgundia)*, s'y établirent vers le milieu du Ve s. et leur roi Gondebaud* (mort en 516) promulgua leur premier code de lois (loi Gombette*). Son fils Sigismond* fut tué par Clodomir*, fils de Clovis*, en 524 et les Francs annexèrent le *premier royaume de Bourgogne* en 534. Cependant, après la mort de Clotaire* Ier, un *second royaume de Bourgogne* échut en partage à son fils Gontran* (roi de 561 à 592) : il s'étendait d'Orléans au val d'Aoste et des environs de Sens à ceux d'Arles en Provence. Les Mérovingiens* puis les Carolingiens* lui conservèrent une certaine indépendance, mais il subit différents partages. La Bourgogne proprement dite entra au traité de Verdun (843) dans la part de Charles* *le Chauve*, cependant que la future Franche-Comté allait à Lothaire* Ier. De nouveaux partages intervinrent dans la seconde moitié du IXe siècle. Avant de mourir (877), Charles *le Chauve* avait créé un *duché de Bourgogne* en faveur de son beau-frère **(V. Boson)**. Ce dernier obtint en 879 la couronne du royaume de Provence, comprenant une *Bourgogne cisjurane*, tandis que le comte d'Auxerre se faisait proclamer roi de *Bourgogne transjurane* (sous le sceau de Rodolphe Ier, après la déposition de l'empereur Charles III *le Gros* [en 888]). Les deux Bourgognes, *cisjurane* ou *Basse-Bourgogne*

Ph. Hétier

Bourgogne : Semur-en-Auxois.

(V. Louis III *l'Aveugle*, **Hugues** [*d'Arles*]) et *transjurane* ou *Haute-Bourgogne* **(V. Rodolphe Ier, Rodolphe II)**, survécurent jusqu'à leur réunion en 934 dans le *royaume de Bourgogne-Provence* ou royaume d'Arles*. Ce dernier demeura autonome sous Conrad dit *le Pacifique* (937-993), père de Berthe de Bourgogne et de Rodolphe III. Mais en 1034 il passa sous la suzeraineté des empereurs germaniques (Conrad* II). – Le *duché de Bourgogne*, après la mort de Raoul* ou Rodolphe de Bourgogne, roi de France et neveu de Boson, passa aux Capétiens* et devint un duché dans la mouvance de la couronne de France. Robert* II *le Pieux*, roi de France, époux de Berthe de Bourgogne, l'annexa même au domaine royal mais, à sa mort (1031), la Bourgogne en fut à nouveau détachée au profit d'un fils cadet, Robert de France, frère du roi Henri* Ier. Cette branche – dont sortit notamment une reine de France, Marguerite* de Bourgogne, fille du duc Robert II – s'éteignit en 1361 avec Philippe* Ier de Rouvres. La mère de ce dernier, Jeanne de Boulogne, ayant épousé le roi Jean* II *le Bon*, ce fut le quatrième fils du roi, Philippe* II *le Hardi*, premier des Valois de Bourgogne, qui reçut le duché en apanage des mains de son frère aîné, le roi de France Charles* V (1363-1364). Il épousa en 1369 la veuve de Philippe de Rouvres et recueillit à la mort de son beau-père Louis de Male, comte de Flandre (1384), l'important héritage flamand, comprenant le *comté palatin de Bourgogne*, terre d'empire issue de l'ancien royaume d'Arles et correspondant à la Franche*-Comté (*cap.* Dole), puis les comtés de Flandre, d'Artois, de Nevers, etc. Son fils Jean* *sans Peur*, duc de 1404 à 1419, prit la tête de la faction des Bourguignons* contre les Armagnacs* et fut assassiné sous Charles* VI. Devenu duc (1419-1467) à la mort de son père, Philippe* III *le Bon* rattacha le comté de Mâcon et accrut encore son domaine, notamment en Picardie, en Belgique et en Hollande. Devenu l'un des plus puissants princes de son temps, il eut une cour particulièrement brillante. Il fonda l'ordre de la Toison* d'or pour symboliser l'union des divers territoires bourguignons. Charles *le Téméraire* (1467-1477), son fils unique, constamment en conflit avec Louis* XI, échoua dans ses guerres contre les Suisses et contre les Lorrains (**V. Charles** *le Téméraire*). Tué près de Nancy, il ne laissait qu'une fille pour héritière : Marie* de Bourgogne, qui épousa quelques mois plus tard Maximilien* d'Autriche (1477). Elle parvint à conserver la majeure partie de ces possessions, mais entre-temps Louis* XI s'était emparé de la *Bourgogne ducale* qui, désormais, fit partie du domaine royal. Il établit à Dijon en 1480 un parlement qui devait jouer un grand rôle jusqu'à la fin de l'Ancien Régime. En 1526 les *États de Bourgogne* refusèrent de céder la province à Charles* Quint, qui dut y renoncer formellement au traité de Cambrai* (1529), puis au traité de Crépy (1544). – Le « gouvernement de Bourgogne » s'accrut, du XVIe s. à la Révolution, de nombreux territoires (Bresse, Bugey, pays de Gex en 1601, comté de Charolais en 1751).

BOURGOGNE *(canal de)*. ♦ Canal prenant naissance à Laroche (jonction avec l'Yonne) et finissant à Saint-Jean-de-Losne, où il se réunit à la Saône. Il relie ainsi la Seine au Rhône (242 km). Sa construction, commencée en 1775, fut achevée en 1834.

BOURGOGNE *(porte de)*. ♦ V. BELFORT (trouée de).

Bourgogne *(théâtre de l'hôtel de)*. ♦ Le premier théâtre régulier de Paris. Il fut acheté en 1548 par les Confrères de la Passion qui en firent l'aménagement (*fin* XVIe s.). Quelques-unes des œuvres les plus justement fameuses du théâtre français y furent créées (Jodelle, R. Garnier, Rotrou, Mairet, Corneille et Racine). Après la fondation de la Comédie*-Française (1680), née de la fusion des troupes de l'hôtel de Bourgogne et du théâtre Guénégaud (anc. troupe de Molière), les comédiens italiens occupèrent l'hôtel de façon presque régulière jusqu'à 1783.

BOURGOGNE. ♦ Ch.-l. de cant. de la Marne, arr. de Reims. 585 hab. Église (XIIe, XIIIe, XIVe s.).

BOURGOING (François). ♦ Théologien français (Paris, 1585 – *id.*, 1662). Il se joignit au cardinal de Bérulle pour créer l'Oratoire* de France, dont il fut élu général en 1641. Bossuet prononça son oraison funèbre.

BOURGOIN-JALLIEU. ♦ Ch.-l. de cant. de l'Isère* (arr. de La Tour*-du-Pin) sur la Bourbre*, dans le bas Dauphiné, au S.-E. de Lyon. 20 642 hab. *(Berjalliens).* Cartonnerie, indus. chimique, indus. alimentaire, métallurgie, textiles.

BOURG-SAINT-ANDÉOL. ♦ Ch.-l. de cant. de l'Ardèche* (arr. de Privas*) sur la r. d. du Rhône. 7 419 hab. *(Bourguesans).* Église romane. – Vins des Côtes du Rhône. Tanneries.

BOURG-SAINT-MAURICE. ♦ Ch.-l. de cant. de la Savoie*, arr. d'Albertville*, en Tarentaise*, sur l'Isère*. 4 573 hab. (*Borains* ou *Borrens*). Station d'été et de sports d'hiver. (Courbaton). – À proximité de Bourg, complexe de sports d'hiver des Arcs*.

BOURGTHEROULDE. ♦ Ch.-l. de cant. de l'Eure* (arr. de Bernay*). 881 hab. Restes d'un ancien château.

BOURGUEIL. ♦ Ch.-l. de cant. d'Indre-et-Loire, arr. de Chinon. 3 665 hab. *(Bourgueillois).* – Église en partie romane. Vestiges d'une abbaye (XIIIe, XIVe et XVIIIe s.). Maisons anc. – Vins rouges réputés.

BOURGUIBA (Habib ibn 'Alî). ♦ Homme politique tunisien (Monastir, 1903). Membre du Destour*, puis chef du Néo-Destour (1934), il prit une part active au mouvement d'indépendance de la Tunisie. Deux fois arrêté et placé en résidence surveillée (1946; 1952-1954), il négocia avec le gouvernement de Pierre Mendès France, en 1955, l'indépendance de la Tunisie. Président du Conseil en 1956, il devint, après avoir fait déposer le bey, président de la République tunisienne (1957). Il mena une politique laïque à l'intérieur et conserva à l'extérieur de bonnes relations avec les puissances occidentales en dépit d'un violent incident avec la France, en 1961, au sujet de l'évacuation de Bizerte*. Ses propositions de règlement à l'amiable de la question palestinienne (1965) ont été critiquées par les pays arabes. Élu président à vie (1974).

BOURGUIGNON (Francis *de*). ♦ Compositeur et pianiste belge (Bruxelles, 1890 – *id.*, 1961). Il fit d'abord une carrière internationale de virtuose, puis se consacra à la composition et à l'enseignement au conservatoire de Bruxelles. Son œuvre comporte un drame lyrique, *Tradimento* (1929), des poèmes symphoniques *(Esquisses sud-américaines),* des ballets *(La Mort d'Orphée),* un oratorio *(La Nuit),* des concertos et de la musique de chambre.

Bourguignons *(parti* ou *faction des).* ♦ Partisans du duc de Bourgogne opposés aux Armagnacs* (partisans du duc d'Orléans), pendant la guerre de Cent* Ans. Profitant de la démence de Charles* VI, les Bourguignons et leur chef Jean* sans Peur essayèrent de dominer la France et s'allièrent aux Anglais. Afin de conserver le pouvoir, la reine Isabeau* de Bavière passa dans leur camp, après l'assassinat du duc d'Orléans (1407). Dans Paris, les Cabochiens* massacrèrent les Armagnacs. Jean sans Peur ayant été assassiné, son fils, Philippe* III le Bon, négocia avec les Anglais le traité de Troyes (1420). Devant Compiègne*, Jeanne d'Arc fut capturée par les Bourguignons qui la livrèrent aux Anglais (1431). L'un de ses juges, Pierre Cauchon*, était rallié au parti bourguignon. Finalement, la réconciliation de Philippe III le Bon avec Charles* VII, scellée par le traité d'Arras* (1435) mit un terme à la guerre civile.

BOURIATES ou **BURIAT.** *n. m. pl.* ♦ Peuple mongol de la région sibérienne du lac Baïkal*, probablement de souche très ancienne. Il fut intégré par les Russes au XVIIe siècle. Actuellement au nombre d'env. 250 000, les Buriat sont répartis entre la République de Mongolie et la République autonome de Bouriatie* (U.R.S.S.).

BOURIATIE ou **BURIATIE** [*n. f.*] (République socialiste soviétique autonome de), en russe **Buryatskaya** A.S.S.R. ♦ Une des seize républiques autonomes de la R.S.F.S. de Russie*. Située entre le lac Baïkal* et les monts Jablonov (Iablonovyi* Khrebet), elle est bordée au S. par la République populaire de Mongolie. 351 300 km². 735 000 hab. (*Bouriates,* Russes, Ukrainiens, Tatars). *Cap.* Oulan*-Oude – Pays de plateaux et de montagnes, de forêts et de paturages, la Bouriatie est riche en minerais de fer et en gisements aurifères. L'activité agricole est représentée par la culture des céréales, des pommes de terre, des betteraves à sucre, mais surtout par l'élevage ovin et bovin. Indus. métallurgiques et mécaniques. Traitement du bois. ♦ *Hist.* La Bouriatie fut dominée par les Russes dès le XVIIe siècle. En fév. 1918, le régime soviétique y fut instauré. Occupée par les Japonais (août 1918), puis par les Américains (avril 1919), elle fut reconquise par les bolcheviks (mars 1920) et divisée en deux régions autonomes de *Bouriato-Mongolie,* unies en mai 1923 dans la *R.S.S.A. de Bouriato-Mongolie,* qui prit le nom de Bouriatie en juill. 1958.

BOURMONT (Louis-Auguste-Victor, *comte de* **Ghaisnes *de*).** ♦ Maréchal de France (château de Bourmont, Maine-et-Loire, 1773 – 1846). Officier aux gardes françaises, il émigra dès les débuts de la Révolution. Rentré en France (1794-1795), il devint un des chefs de la chouannerie*, au service du comte d'Artois. Les succès républicains l'obligèrent à signer la paix sous le Consulat (1800). Arrêté par Fouché peu après l'attentat de la rue Saint-Nicaise dont il avait, avec trop de hâte, voulu faire porter la responsabilité aux anciens jacobins, il réussit à s'évader de prison et gagna Lisbonne, où il se mit au service de Junot. De retour en France, il fut nommé colonel par Napoléon Ier (1810), il prit part aux campagnes d'Italie, de Russie et de France et devint général de division (1814). Rallié aux Bourbons et placé à la tête d'une division sous les ordres de Ney, il fut maintenu dans ses fonctions lors des Cent-Jours, mais refusa de signer l'Acte additionnel, passa à l'ennemi (14-15 juin 1815) et rejoignit Louis XVIII à Gand. Lors de la Seconde Restauration, il fut un des principaux accusateurs du maréchal Ney. Après avoir participé à l'expédition d'Espagne (1823), il fut fait pair de France, et nommé ministre de la Guerre (1829), avant de prendre le commandement de l'expédition d'Alger* (1830), qui lui valut le bâton de maréchal. Ayant refusé de prêter serment à Louis-Philippe (1831), il se mit au service de l'armée absolutiste et apostolique de don Miguel du Portugal (1833-1834), après avoir en vain tenté de soulever l'Ouest de la France. Il revint en France en 1840.

BOURNAZEL (Henri *de*). ♦ Officier français (Limoges, 1898 – Bou Gafer [Maroc], 1933). Il participa aux opérations du Maroc dans le corps des spahis. Gouverneur du Tafilalet (1932), il fut tué lors d'une opération dans le dj. Sagho (Sargho).

BOURNEMOUTH. ♦ V. d'Angleterre dans le Hampshire, sur la Manche. 149 800 hab. Station balnéaire renommée. Mary Shelley* et Robert Louis Stevenson* y séjournèrent.

BOURNONVILLE (Auguste). ♦ Danseur et chorégraphe danois (Copenhague, 1805 – *id.*, 1879). Fils d'ANTOINE BOURNONVILLE (1760 – 1843) qui fut maître de ballet et directeur de la danse à l'Opéra royal danois, il reçut à Paris les leçons de Gardel et de Vestris avant de devenir lui-même maître de ballet à l'opéra de Copenhague (1836-1877). Rénovateur de l'art de la danse au Danemark, sous l'influence de la tradition française, il a composé de nombreuses chorégraphies (*La Sylphide,* 1836; *Les Fêtes à Albano,* 1840; *Napoli,* 1842).

BOURRIENNE (Louis Antoine Fauvelet *de*). ♦ Homme politique français (Sens, 1769 – Caen, 1834). Camarade d'études de Bonaparte, il devint son secrétaire en 1797. Il fut chargé d'affaires à Hambourg en 1804. En 1814, il se rallia à Louis XVIII et fut préfet de police et ministre d'État. Il a laissé des *Mémoires* (1829-1831).

BOURSAULT (Edme). ♦ Auteur dramatique français (Mussy-sur-Seine, 1638 – Montluçon, 1701). Adversaire acharné de Molière, il est l'auteur de deux comédies : *Le Portrait du peintre, ou la Contre-Critique de l'École* des femmes* (1663) et *Le Mercure galant* (1683).

BOURSCHEID. ♦ Localité du Luxembourg. 993 hab. Ruines du château, dominant la vallée de la Sûre.

BOURSEUL (Charles). ♦ Savant français (Bruxelles, 1829 – Saint-Céré, 1912). Il perfectionna le télégraphe et créa l'un des premiers appareils téléphoniques (1854). **V. Bell.**

BOU-SAÂDA. ♦ Ch.-l. d'arr. d'Algérie (dép. de Médéa), au N.-E. et au pied des monts des Ouled* Naïl et au S. du chott el-Hodna*. 22 100 hab. Oasis la plus proche d'Alger.

BOUSCAT (Le). ♦ Comm. de la Gironde, dans la banlieue N.-O. de Bordeaux (comm. urb. de Bordeaux). 22 723 hab. *(Bouscatais).* Indus. mécaniques.

BOUSQUET (Joë). ♦ Écrivain français (Carcassonne, 1897 – *id.*, 1950). Immobilisé jusqu'à sa mort par une grave blessure de guerre, il a mené l'existence recluse d'un poète et d'un penseur épris d'ombre et de silence. Aux limites du monde physique et du surnaturel, nourrie par la solitude et la contemplation, sa pensée s'exprime dans un langage d'une transparente pureté. Il a laissé des recueils poétiques, fragments détachés d'un journal intime : *Traduit du silence* (1936), *Le Meneur de lune* (1946), *La Connaissance du soir* (1947), ainsi qu'une importante *Correspondance.*

BOUSQUET-d'ORB. ♦ Comm. de l'Hérault (arr. de Lodève*) sur l'Orb*. 2 270 hab. (l'aggl. compte 3 028 hab.). Hydrocarbures. Verrerie.

BOUSSAC. ♦ Ch.-l. de cant. de la Creuse, arr. de Guéret, au N.-E. de la Marche. 1 557 hab. *(Boussaquins* ou *Boussaquois).* Remparts. Château (XVe-XVIe s.) au-dessus de la petite Creuse.

Ph. Giraudon

Le comte de **Bourmont.**

BOUSSENS [busɛ̃s]. ♦ Comm. de la Haute-Garonne* (arr. de Muret*) sur la Garonne*. 734 hab. Usine d'épuration du gaz naturel de Saint-Marcet.

BOUSSINESQ (Joseph). ♦ Mathématicien français (Saint-André-de-Sangonis, Hérault, 1842 – Paris, 1929). Spécialiste de mécanique générale et de mécanique physique, il étudia notamment la capillarité, l'élasticité, la résistance des matériaux, l'hydrodynamique, et, en acoustique, acheva avec Terquem* la théorie des battements établis par Helmholtz*. (Acad. sc., 1886.)

BOUSSINGAULT (Jean-Baptiste). ♦ Chimiste et agronome français (Paris, 1802 – *id.*, 1887). Il fut l'un des fondateurs de la chimie agricole; il montra le rôle essentiel de l'azote dans l'économie animale ou végétale et en traça sommairement le cycle **(V. Liebig, Mulder)**; il étudia également la photosynthèse, postulant dès 1860 l'existence de deux phases. Par ailleurs, il découvrit le rôle du silicium dans l'acier et fut collaborateur de Dumas* dans ses travaux sur les masses atomiques (Acad. sc., 1839).

BOUSSU. ♦ V. de Belgique (Hainaut, arr. de Mons), dans le Borinage*. 11 700 hab. Église Saint-Géry (XIIIe et XVe s.). Château (XVIe s., restauré). Houille.

BOUTAN. *n. m.* ♦ **V.** BHÛTAN.

BOUTHILLIER ou **BOUTILLIER (Jean).** ♦ Jurisconsulte français (v. 1340 – 1395). Auteur d'un manuel de jurisprudence, *La Somme rurale.*

BOUTHILLIER (Claude). ♦ Homme politique français (Paris, 1581 – Pont-sur-Seine, 1652). Seigneur de Pont-sur-Seine, ami et collaborateur de Richelieu*, il fut secrétaire d'État en 1628 puis surintendant des Finances de 1632 à 1643.

BOUTHOUL (Gaston) ♦ Sociologue français (1906). Connu pour ses travaux sur *Les Guerres, éléments de polémologie* (1951), il a publié également un *Traité de sociologie* (1946-1954), un ouvrage sur *Les Mentalités* (1952).

BOUTMY (Émile). ♦ Écrivain politique français (Paris, 1835 – *id.*, 1906). Auteur d'articles politiques et littéraires, notamment à *la Liberté* (1866) où il suivit É. de Girardin*, il fonda et dirigea l'*École libre des sciences politiques* (1872) où il prit la chaire de droit constitutionnel. Il a publié des ouvrages d'histoire constitutionnelle.

BOUTON (Georges). ♦ Artisan en instruments scientifiques français, il fut le technicien de la société de Dion-Bouton. **V. Dion.**

BOUTONNE, *n. f.* ♦ Riv. de l'O. de la France, née dans le Poitou (près de Chef*-Boutonne), affl. de la Charente (r. d.). Elle arrose St-Jean*-d'Angély et Tonnay*-Boutonne.

BOUTROUX (Émile). ♦ Philosophe français (Montrouge, 1845 – Paris, 1921). S'opposant au scientisme, il fit une critique du déterminisme par l'analyse de la connaissance scientifique, montrant que les différents ordres de phénomènes (mécaniques, physicochimiques, biologiques, etc.) étudiés par chaque science constituent un ensemble hiérarchisé où les formes supérieures sont irréductibles aux formes inférieures, et que la liberté se développe ainsi aux dépens de la nécessité physique. Seule la vie morale et religieuse nous permet de saisir l'Être « dans sa source créatrice » (*De la contingence des lois de la nature,* 1874; *De l'idée de loi naturelle...,* 1895; *Science et religion dans la philosophie contemporaine,* 1908).

BOUTS (Dierick ou **Thierry).** ♦ Peintre d'origine néerlandaise (Haarlem, v. 1415 – Louvain, 1475). Il se serait formé à Haarlem, puis à Bruxelles, auprès de Van* der Weyden. Il fut nommé en 1468 peintre de la ville de Louvain. On lui attribue notamment le *Retable du Saint-Sacrement* (1464-1468), un *Portrait d'homme* (1462), une *Adoration des Mages* (après 1457). Habile perspectiviste, il rend avec délicatesse et homogénéité l'atmosphère lumineuse. Attentif à la description précise des détails familiers, il employait souvent des tonalités froides. L'expression du sentiment religieux semble retenue, mais une certaine tension expressive naît de l'élongation des personnages aux formes anguleuses, des attitudes immobiles et de l'emploi d'un graphisme acéré. Ces traits stylistiques apparaissent particulièrement dans l'*Épreuve du feu* (v. 1473), qui fait partie de la série destinée à l'hôtel de ville de Gand, et consacrée à la *Justice d'Othon;* ils révèlent les liens qui rattachent Bouts à la tradition gothique.

Bouvard et Pécuchet. ♦ Œuvre satirique de Gustave Flaubert* (inachevée et posth., 1881) qui s'en prend au culte de la science mal compris. Deux employés parisiens, auxquels une soudaine aisance permet de se retirer à la campagne, veulent apaiser leur soif de connaissances et effectuent de maladroites tentatives dans tous les domaines, passant de l'agronomie à la philosophie transcendantale avec une bonne volonté naïve et appliquée. Malgré leurs échecs répétés et comiques, ils acquièrent au moins le sens critique : « ils constatent la bêtise de ceux qui les entourent et ne peuvent plus la supporter ». Dans cette critique de la connaissance et de sa transmission, dans cette encyclopédie dérisoire, que la structure rigoureuse du texte reprend et reflète, l'auteur se libère peu à peu d'un pessimisme amer par une complicité chaleureuse et amusée avec ses deux personnages.

BOUVET *(île).* ♦ Île volcanique de l'Atlantique Sud (Terres Australes* – située à 54°26' sud – 3°24' est). 60 km² env. Elle est presque entièrement recouverte d'une calotte glacière. Découverte par le Français Bouvet* de Lozier (1739), elle est devenue possession norvégienne en 1927.

Ph. Carlo Bevilacqua/Ricciarini

D. Bouts : « Adoration des Mages ».
(Musée du Prado, Madrid.)

BOUVET DE LOZIER ou **LOZIER-BOUVET (Jean-Baptiste Charles).** ♦ Navigateur français (Saint-Malo, 1705 – 1786). Capitaine de frégate en 1747, il explora les mers des Indes, puis administra les îles de France (île Maurice) et de Bourbon (Réunion) de 1750 à 1763.

BOUVIER (Louis). ♦ Naturaliste français (Saint-Laurent-Grand-Vaux, Jura, 1856 – Maisons-Laffitte, 1944). Ses travaux ont surtout porté sur le monde des insectes, leurs sociétés qu'il considère comme de véritables « organismes multicellulaires ». (Acad. sc., 1902.)

Bouvier. *n. m.*, en lat. **Bootes.** ♦ Constellation boréale située dans le prolongement de la Grande Ourse*. **V. Arcturus.**

BOUVIER-AJAM (Maurice). ♦ Économiste français (Le Mans, 1914). Professeur à l'Institut d'études corporatives et sociales et auteur de *La Doctrine corporative,* il s'orienta vers le marxisme.

BOUVINES. ♦ Comm. du Nord (arr. et comm. urb. de Lille) sur la Marcq. 560 hab. ♦ *Hist.* Victoire décisive de Philippe* Auguste, soutenu par Gaucher de Châtillon, Matthieu II de Montmorency et les milices communales, sur les troupes coalisées de Jean* sans Terre, Othon* IV de Brunswick, Renaud, comte de Boulogne et Ferdinand dit Ferrand de Portugal, comte des Flandres (1214). On a pu considérer cette bataille comme le premier témoignage du sens national chez les habitants de la France.

BOUXWILLER [buksvilɛʀ]. ♦ Ch.-l. de cant. du Bas-Rhin* (arr. de Saverne). 2 804 hab. Hôtel de ville (Renaissance alsacienne).

BOUZIGUES. ♦ Comm. de l'Hérault (arr. de Montpellier) sur l'étang de Thau*. 830 hab. Centre de mytiliculture et d'ostréiculture.

BOUZONVILLE. ♦ Ch.-l. de cant. de la Moselle, arr. de Boulay-Moselle. 3 873 hab. Église (XIe s.) restaurée. Pont construit par Vauban. Constructions métalliques.

BOUZY. ♦ Comm. de la Marne, arr. de Reims. 927 hab. Cru très renommé (champagne rouge).

BOVERI (Theodor). ♦ Zoologiste allemand (1862 – 1915). Il a étudié le mécanisme de la réduction chromatique lors des deux dernières divisions cellulaires de la spermatogénèse, confirmant les travaux de Van* Beneden.

BOVES. ♦ Ch.-l. de cant. de la Somme* (arr. d'Amiens*), sur la Noye. 1 995 hab. Ruines d'un donjon du XIIe siècle.

BOVET (Daniel). ♦ Pharmacologue italien (Neuchâtel, 1907).

Ses travaux sur les antihistaminiques et les curarisants de synthèse lui valurent le prix Nobel de médecine (1957).

BOWEN (James Templeton). ♦ Médecin dermatologue américain (1857 – 1931). Il a donné son nom à une maladie évoluant vers la transformation cancéreuse (1912).

BOWMAN (Isaiah). ♦ Géographe américain (Waterloo, Canada, 1878 – Baltimore, 1950). Il est l'auteur de travaux sur les Andes et d'ouvrages de géographie politique (*Le Monde nouveau;* tr. fr. de J. Brunhes, 1929).

Boxers. *n. m. pl.* (nom anglais de la secte chinoise *I-ho T'uan* [Yi-ho T'ouan, Yihe Tuan]). ♦ Branche de la secte de Lotus Blanc des « Poings de justice », (Bai-lien) qui se révolta en 1900 et est connue en Europe sous le nom de « Révolte des Boxers ». Fondée v. 1770, elle combattit l'influence occidentale grandissante en Chine. En 1900, les membres de cette secte massacrèrent les missions étrangères à Pékin et assiégèrent les légations. Un corps expéditionnaire international sous le commandement du général allemand Waldersee prit alors T'ien-chin [Tien-Tsin] puis entra à Pékin. Le gouvernement chinois dut payer aux puissances européennes une très forte indemnité.

BOYACÁ. ♦ Ville de Colombie*, lieu de la victoire de Bolívar* sur les Espagnols (1819) qui permit la libération de la Nouvelle-Grenade.

BOYCE (William). ♦ Compositeur anglais (Londres, 1710 – *id.*, 1779). Maître de musique à la cour, il a publié *Cathedral music,* anthologie de la musique religieuse des XVIe et XVIIe siècles. Il est aussi l'auteur de nombreuses partitions de musique de scène *(La Tempête, Cymbeline, Macbeth),* d'ouvertures, d'odes et de symphonies. Trop proche de Haendel*, il n'a pu connaître, en dépit de son grand talent, la même gloire que son aîné.

BOYDEN (Uriah). ♦ Ingénieur anglais (1804 – 1879). Inventeur du diffuseur qui permit d'améliorer le rendement de la turbine hydraulique de Fourneyron*.

BOYER (Alexis). ♦ Chirurgien français (Uzerche, 1760 – Paris, 1833). Il est l'auteur d'un *Traité complet d'anatomie* et d'un *Traité des maladies chirurgicales et des opérations qui leur conviennent.* (Acad. sc., 1825.)

BOYLE (*sir* Robert). ♦ Physicien et chimiste irlandais (Lismore Castle, 1627 – Londres, 1691). Il améliora le thermomètre de Galilée* et la pompe pneumatique d'Otto von Guericke*, grâce à laquelle il put préciser la nécessité de la présence de l'air pour maintenir la respiration et la combustion **(V. Lavoisier, Priestley)**; il réalisa (1661) les expériences qui permirent à Towneley* d'énoncer, en 1662, la loi de compressibilité des gaz ou *loi de Boyle-Mariotte** [proportionnalité inverse du volume et de la pression à température constante] **(V. Amontons)**; dans son ouvrage principal, *The Sceptical Chymist* (1661), il rejeta la théorie des éléments d'Aristote* et définit les corps simples et primitifs et les corps composés, sans parvenir toutefois au concept d'élément chimique **(V. *aussi* Lavoisier)**. Il montra également, expérimentalement, que l'air ne joue aucun rôle dans l'attraction magnétique et établit la réciprocité des attractions électriques.

BOYLESVE (René Tardiveau, dit René). ♦ Écrivain français (La Haye-Descartes, 1867 – Paris, 1926). Après avoir composé des études provinciales nuancées où il se fait le peintre des vies manquées et désenchantées (*Mademoiselle Cloque,* 1899; *La Becquée,* 1901), il évoqua l'atmosphère voluptueuse et *Le Parfum des îles Borromées* (1899), avant de manifester sa sensibilité et son ironie dans un délicat libertinage, *La Leçon d'amour dans un parc* [1902]. (Acad. fr.)

Boymans *(musée).* ♦ Musée d'art de Rotterdam*, fondé en 1847. Riche collection de tableaux de l'école flamande et hollandaise.

BOYNE. *n. f.* ♦ Fl. d'Irlande orientale qui arrose Drogheda* et se jette dans la mer d'Irlande. 135 km. Sur ses bords, Guillaume* III remporta sur Jacques* II la victoire qui confirma le triomphe de la révolution de 1688 et la chute des jacobites* (1690). F.A. Schomberg* y trouva la mort.

BOYSSET (Antoine). ♦ **V.** BOESSET.

BOZEL. ♦ Ch.-l. de cant. de la Savoie, arr. d'Albertville. 1 380 hab. Église avec portail du XVIIIe siècle. Centrale hydroélectrique.

BOZOULS. ♦ Ch.-l. de cant. de l'Aveyron (arr. de Rodez), sur le causse Comtal. 1 701 hab. *(Bozoulais).* Cañon du Dourdou dit *trou de Bozouls.* Église en partie romane (XIIe s.).

BRAATEN (Oskar). ♦ Écrivain norvégien (Christiania, auj. Oslo, 1881 – Oslo, 1939). D'origine modeste, il décrivit avec sympathie et humour la vie quotidienne dans les quartiers ouvriers d'Oslo, dans ses romans (*Autour de la fabrique,* 1910; *La Tanière des loups,* 1919; *Mathilde,* 1920), et ses pièces de théâtre *(Le Grand Baptême,* 1925).

Brabançonne (la). ♦ Hymne national belge composé par Frans van Campenhout (1780 – 1848), lors de l'insurrection victorieuse contre le gouvernement hollandais (1830). Le texte officiel en fut écrit par Charles Rogier.

BRABANT. *n. m.* ♦ Région historique située entre la Meuse et l'Escaut, auj. partagée entre la Belgique (prov. d'Anvers et de *Brabant*) et les Pays-Bas *(Brabant septentrional).* **V.** *ci-dessous.* – Occupé par les Nerviens avant la conquête romaine et franque, le *Brabant* fit successivement partie du royaume d'Austrasie* et de Lotharingie*. Divisé en quatre comtés au IXe s., il fut établi en duché au début du XIIe s. par les comtes de Louvain qui l'enrichirent de la Basse-Lorraine (1106) et du duché de Limbourg* (1288). Dévolu par héritage à une branche cadette de la maison de Valois-Bourgogne en 1406, le *duché de Brabant-Limbourg* revint en 1430 à Philippe* III le Bon, duc de Bourgogne, et passa par mariage, avec les autres États bourguignons, à la maison d'Autriche (1477), puis à la branche austro-espagnole (1553). La partie septentrionale du Brabant fut cédée en 1609 aux Provinces*-Unies insurgées, tandis que le traité d'Utrecht (1713) reconnaissait à la branche autrichienne des Habsbourg sa partie méridionale. Réuni à la France sous la Révolution et l'Empire, le Brabant fut annexé en 1815 au royaume des Pays*-Bas, puis à nouveau divisé lors de l'indépendance de la Belgique en 1830. **V. Belgique.**

Ph. Giraudon

Philippe III le Bon, duc de **Brabant**-Limbourg, et sa femme Ysabeau de Portugal.

BRABANT. *n. m.* ♦ Prov. du centre de la Belgique, formée par une partie de l'ancien duché de Brabant. Elle est séparée par une frontière linguistique, le flamand étant parlé au N. et le wallon au sud. 3 372 km². 2 166 000 hab. *(Brabançons).* [L'hymne national belge est la *Brabançonne.*] *Ch.-l.* Bruxelles*. – Le Brabant est divisé en 5 arrondissements : Bruxelles*-Capitale, Bruxelles*-Communes périphériques, Hal*-Vilvorde, Louvain*, Nivelles*, et subdivisé en 356 communes. La province fait partie du plateau peu élevé de la Hesbaye* et est arrosée par la Gette, la Haine*, la Lasne, l'Orne, la Senne*, la Thines et l'Yssche. Une épaisse couche de limon a été déposée dans ces vallées, les rendant très fertiles. Fortement urbanisé, le Brabant possède la population la plus dense de Belgique. Cultures maraîchères : légumes et fleurs entre Berchem et Asse, raisins (La Hulpe, Hoeilaart, Overijse), culture de céréales (blé), de betteraves sucrières – la plus grande raffinerie belge se trouve à Tirlemont*. – Élevage intensif. 10 % de la province sont boisés (forêt de Soignes*). Le choix de Bruxelles comme capitale politique par les ducs de Brabant a encore favorisé l'expansion économique du pays. L'indus. textile de Flandres* s'y est implantée : Anderlecht*, Braine*-l'Alleud, Bruxelles* (où l'on fabrique une toile de lin appelée « brabante »). Matériaux de construction. Indus. chimiques. Métallurgie (Senne, canal de Bruxelles-Charleroi). Enfin, le Brabant est réputé pour ses indus. alimentaires (brasseries, etc.).

BRABANT-SEPTENTRIONAL (en néerl. **Noordbrabant).** ♦ Province méridionale des Pays*-Bas, située entre la frontière belge et la Meuse. 4 929 km². 1 638 800 hab. *Ch.-l.* Bois*-le-Duc. – *V. princ.* **V. Bergen-op-Zoom, Breda, Eindhoven, Helmond, Roosendaal, Tilburg.** – *Hydrogr.* **V. Meuse** et ses affl., **Aa, Dommel.**

BRAČ ♦ La plus élevée des îles yougoslaves de l'archipel dalmate (778 m). 394 km². 15 000 habitants.

BRACCIO DA MONTONE (Andrea). ♦ Condottiere italien (Pérouse, 1368 – Aquila, 1424). Il rivalisa avec Malatesta* et Jacopo Sforza*, et fut un moment maître de Rome (1417). Il fut tué en assiégeant Aquila.

BRACHET (Jean). ♦ Biochimiste belge (1909). Il étudia la composition chimique du nucléole.

BRACHFELD (F. Olivier). ♦ Psycho-sociologue américain d'origine hongroise (1907). Influencé par les théories d'Adler*, il a envisagé les rapports entre la psychologie et la sociologie et étudié *Les Sentiments d'infériorité* (1945).

BRACKE (Wilhelm). ♦ Homme politique allemand (1842 – 1880). D'abord membre de l'Association générale des travailleurs allemands **(V. Lassalle)**, il fut un des fondateurs du Parti ouvrier social-démocrate (Eisenach, 1869). Marx lui envoya sa critique du programme de coalition (*Critique* des Programmes de Gotha et d'Erfurt,* 1875). À partir de 1877, il fut député au Reichstag.

BRACKNELL. ♦ V. d'Angleterre (East Berkshire), créée en 1948 dans la banlieue N. de Londres*. 20 980 hab. (1961).

BRACQUEMOND (Félix). ♦ Aquafortiste, lithographe et peintre français (Paris, 1833 – *id.*, 1914). Élève d'un disciple d'Ingres*, Guichard, il étudia la lithographie et s'initia à l'eau-forte. Cette technique devint son moyen d'expression favori et il réalisa des gravures de reproduction, ainsi que des œuvres originales (*Le Haut* *d'un battant de porte,* 1850). Ami de Gavarni*, Th. Gautier, Baudelaire, Champfleury, Banville et les Goncourt, et jouant un rôle d'animateur, il contribua à revaloriser la gravure à l'eau-forte qu'il enseigna à Rousseau*, Corot*, Millet*, Rops* et Manet*. Il participa à la première exposition des impressionnistes (1874) et aurait été l'un des premiers à leur faire connaître les estampes japonaises. A partir de 1871, il dirigea l'atelier de peinture de la manufacture de Sèvres et en 1872 travailla aussi pour Limoges. Il a publié un ouvrage sur la gravure.

BRADFORD. ♦ V. d'Angleterre (Yorkshire-West Riding) sur la bordure orientale des Pennines*, à 12 km de Leeds*. 293 200 hab. Église St. Peter's (XVe s.). Manufactures lainières les plus importantes d'Angleterre. — Patrie de E. V. Appleton*.

BRADLEY (James). ♦ Astronome anglais (Sherborne, Gloucestershire, 1693 — Chalford, Gloucestershire, 1762). Il imagina un procédé d'observations de passages au méridien, *à l'œil et à l'oreille,* (employé pendant cent cinquante ans), découvrit (1728) l'*aberration* de la lumière (aberration des fixes, aberration solaire) et la *nutation* de l'axe terrestre (1748); il établit également des tables de réfraction astronomique et des tables de mouvements des satellites de Jupiter. (Acad. sc., 1748.)

BRADLEY (Francis Herbert). ♦ Philosophe anglais (Glasbury, 1846 — Oxford, 1924). Représentant de l'idéalisme anglo-saxon (**V. Hégélianisme**), il développa une philosophie de la connaissance de l'Absolu (la réalité concrète dans sa totalité, en tant qu'elle se distingue de l'apparence) influencée par la pensée de Hegel (*Les Principes de la logique,* 1883; *Apparence et Réalité,* 1893, etc.) [**V. Bosanquet, Royce**].

BRADLEY (Omar Nelson). ♦ Général américain (Clark, Missouri, 1893). Spécialiste de la tactique d'infanterie, il commanda en Tunisie et en Sicile en 1943. En 1944, il commanda les forces américaines lors du débarquement en Normandie et, à la tête du XIIe groupe d'armées, progressa de la Bretagne jusqu'à l'Elbe où il fit jonction avec les Russes (1945). Auteur de *A Soldier's History* (*Histoire d'un soldat,* 1952), mémoires de guerre.

BRAEMAR. ♦ Localité du N. de l'Écosse (Aberdeenshire), dans les monts Grampians, à 360 m d'alt., sur la Dee. Station estivale et de sports d'hiver. Centre touristique réputé au cœur des *Highlands du Sud,* et grand centre de manifestations folkloriques (les *Highlands Games*). Château du XVIIIe siècle.

BRAGA (Teófilo). ♦ Homme politique et écrivain portugais (Açores, 1843 — Lisbonne, 1924). Professeur de littérature moderne à l'université de Lisbonne (1872), il fut l'introducteur du positivisme au Portugal. Poète à l'œuvre abondante, il a fait de notables apports à la culture portugaise (*Histoire de la littérature portugaise,* 1870-1873; *Camoens,* 1873-1875). Ardent républicain et anticlérical, il présida le gouvernement provisoire en 1910 et fut président de la République en 1915.

BRAGA. ♦ V. du Portugal, ch.-l. du district du même nom (596 770 hab.) et cap. de la prov. de Minho*. 42 636 hab. Archevêché. Cathédrale du XIIe s., remaniée aux XIVe et XVIIIe siècles. — Centre industriel.

BRAGANCE, en port. **Bragança.** ♦ V. du Portugal, ch.-l. du district du même nom (238 600 hab.), dans la prov. de Trás*-os-Montes. 8 600 hab. Hôtel de ville roman. — Patrie de F. de Morais*. ♦ *Hist.* Érigée en duché (1442) en faveur d'Alphonse Ier, fils naturel de Jean* Ier le Grand, roi du Portugal, la ville devint le berceau de la maison royale de Bragance (**V.** *ci-dessous*).

Bragance *(maison capétienne de).* ♦ Famille portugaise de la branche bourguignonne des Capétiens, issue d'Alphonse Ier, duc de Bragance, fils naturel de Jean Ier le Grand. L'un de ses descendants devint roi du Portugal en 1640 sous le nom de Jean* IV, établissant ainsi la dynastie royale de *Bragance* qui régna sur le Portugal jusqu'en 1910 (**V. Jean IV, Alphonse VI, Pierre II, Jean V, Joseph Ier, Marie Ire, Jean VI, Pierre III, Michel Ier, Marie II, Pierre V, Louis Ier, Charles Ier, Manuel II**) et sur le Brésil de 1822 à 1889 (**V. Pierre Ier, Pierre II**). — À partir de 1644, le titre de duc de Bragance fut donné à l'héritier du trône du Portugal.

BRAGG (*sir* **William Henry**). ♦ Physicien anglais (Wigton, Cumberland, 1862 — Londres, 1942) et son fils sir William Lawrence, physicien (Adélaïde, Australie, 1890 — 1971). Ils utilisèrent la diffraction des rayons X par les cristaux pour étudier la structure atomique de nombreux solides (radiocristallographie) [**V. Laue**] et établirent les bases de la spectroscopie des rayons X. [**V.** *aussi* **Debye, Moseley, Siegbahn**]. (Prix Nobel de phys., 1915.)

BRAHE. ♦ **V.** Tycho Brahe.

BRAHM (Otto). ♦ Critique, metteur en scène et directeur de théâtre allemand (Hambourg, 1856 — Berlin, 1912). Il fut le fondateur de la *Freie Bühne* dont l'esthétique s'inspirait du même esprit que celle du *Théâtre-Libre* d'Antoine*.

BRAHMÂ. ♦ Divinité hindoue, membre de la trinité Brahmâ-Śiva-Visnu. Autrefois Entité suprême, cet aspect disparut au profit des deux autres divinités. Les temples qui lui furent consacrés sont très rares. On le représente avec quatre faces et deux paires de bras et son animal-support est une oie sacrée.

Brahman. *n. m.* ♦ Dans la philosophie hindoue, Entité suprême neutre, l'« Universel », l'« Unique », l'« Un dans la diversité », l'archétype spirituel sans lequel rien ne peut se concevoir.

Brâhmana. *n. m. pl.* ♦ Nom générique des traités et des recueils de commentaires des *Veda**, écrits en prose sanskrite et compilés par les diverses écoles védiques anciennes.

BRAHMANES (Brâhmana). *n. m. pl.* ♦ Dans l'ancienne société indienne, caste supérieure (prêtres et religieux) des « deux fois nés », composée théoriquement de ceux qui avaient « atteint à la connaissance du Brahman ». Ils se divisèrent par la suite en un grand nombre de sous-castes et perdirent quelque peu de leur influence au profit de la caste guerrière et laïque des Kṣatriya*. Ils ne représentent guère que 6 % de la population de l'Inde.

BRAHMÂPUTRA. *n. m.* (francisé en **Brahmapoutre**). ♦ Fleuve de l'Inde*, du Bangla Desh et du Tibet*, d'environ 3 000 km de longueur. Il naît sur le plateau tibétain (où il se nomme Tsang Po), traverse les gorges du Yunnan et sillonne l'Assam* et le Bengale* oriental avant de se jeter dans le delta marécageux commun avec celui du Gange* [Gangâ] dans le golfe du Bengale. Il est navigable sur une grande partie de son cours et draine un bassin de plus de 900 000 km². Son débit moyen est important : 12 000 m³/s.

Brâhmî. ♦ Ancienne écriture indienne, peut-être d'origine sémitique qui, jusqu'aux Ve et VIe s. dans l'Inde du Nord, servit à noter les dialectes du moyen-indien. Elle donna naissance à la plupart des écritures indiennes modernes.

BRAHMS (Johannes). ♦ Compositeur allemand (Hambourg, 1833 — Vienne, 1897). Musicien très précoce, issu d'une famille modeste, il joua du piano dans les brasseries et les tavernes dès l'âge de treize ans. En 1853, il fit la connaissance de Liszt* et de Schumann*. Après de nombreuses tournées de concert comme pianiste et chef d'orchestre, il se fixa à Vienne en 1862 pour se consacrer à la composition. Son œuvre pour piano (environ cinquante pièces : *sonates, variations, ballades,* ...) est révélatrice du génie du compositeur; son écriture revêt souvent un caractère symphonique (suggérant les instruments de l'orchestre); très dense, d'exécution difficile, elle fait une grande part à la mélodie et aux rythmes superposés ou syncopés. Les trois *sonates,* de forme classique, sont pourtant de véritables poèmes romantiques, par leur climat tantôt héroïque tantôt fantastique, onirique ou tendre, qui puise ses sources dans les légendes et le folklore allemand. Ce souci de la mélodie, on le retrouve dans ses quelque trois cents *lieder,* dans la ligne de Schubert et de Schumann. Ses quatre *symphonies,* écrites entre 1876 et 1885, continuent avec une ampleur lyrique et une variété thématique toujours renouvelée la tradition beethovénienne. Comme les *lieder,* les *symphonies* restent dans le ton intime de la confidence et de la méditation : Nietzsche y voyait l'expression de « la mélancolie de l'impuissance ». Comme dans ses symphonies, Brahms utilise dans son importante musique de chambre le cadre beethovénien, la forme sonate et la technique de

Arch. Smeets

Brahmâ, sculpture Chalukya, trouvée à Aihole. (Prince of Wales Museum, Bombay.)

Ph. Gloria Lunel/Ricciarini
J. Brahms.

la variation. Ayant su tirer profit des leçons du passé pour exprimer une sensibilité moderne, romantique et souvent pessimiste, Brahms reste un architecte qui ne recherche pas la nouveauté à tout prix, mais la liberté formelle nécessaire à sa sensibilité poétique : sa fantaisie dans l'invention rythmique, son emploi d'enchaînements d'accords audacieux, l'ampleur de sa mélodie, lui permettent d'échapper à l'académisme.

BRÂHUÎ. *n. m. pl.* ♦ Population isolée du Baluchistân* (Pâkistân*) de montagnards, de langue dravidienne. On se perd en conjectures sur leurs origines. Maintenant islamisés, ils sont au nombre d'environ 200 000.

BRAID (James). ♦ Médecin et chirurgien britannique (Rylaw-House, Fifeshire, 1795 – Manchester, 1860). Il fut l'un des promoteurs des travaux sur l'*hypnose* (1843), terme qu'il créa pour désigner le sommeil provoqué.

BRĂILA. ♦ V. du S. de la Roumanie, dans la plaine de Munténie (région de Galati). 138 590 hab. (1966). Important port (le 2e de Roumanie) sur le Danube inférieur. Centre industriel : cellulose, métallurgie lourde, constructions navales. – Patrie de Panaït Istrati*.

BRAILLE (Louis). ♦ Professeur et organiste français (Coupvray, Seine-et-Marne, 1809 – Paris, 1852). Atteint de cécité dès l'âge de trois ans, il devint en 1828 professeur à l'Institution des aveugles où il inventa à l'usage de ses élèves le système d'écriture en points saillants qui porte son nom et qui connut un succès immédiat.

BRAINE (John). ♦ Romancier anglais (né en 1922). Comme John Osborne* et Kingsley Amis*, John Braine est avant tout sensible au problème de l'injustice sociale. Le héros de *Room at the top* (« Une pièce en haut » ; trad. *Une pièce au soleil*) essaie, malgré son humble origine, de se frayer un chemin dans la société, alors que celui de *Life at the top* (« La Vie au sommet », 1962), veut s'intégrer à un milieu inférieur au sien. « Le Dieu jaloux » (*The Jealous God,* 1964) évoque un conflit psychologique. John Braine, du « roman social », est passé au réalisme psychologique et au symbolisme (*The Vadi,* 1958).

BRAINE. ♦ Ch.-l. de cant. de l'Aisne* (arr. de Soissons*) sur la Vesle*, dans le Soissonnais. 1 759 hab. *(Brainois).* Anc. abbatiale (XIIe-XIIIe s.) dont le chevet est remarquable. ♦ Hist. *Brannacum* était une « villa » des rois mérovingiens.

BRAINE-L'ALLEUD, en néerl. **Eigenbrakel.** ♦ Comm. de Belgique (Brabant, arr. de Nivelles) au S. de Bruxelles, sur la Haine. 15 700 hab. Écoles techniques. Métallurgie. Indus. textiles. Bois et cuir. – Patrie du cardinal Mercier. ♦ *Hist.* Une partie de la bataille du Waterloo* se déroula sur le territoire de la commune.

BRAINE-LE-COMTE, en néerl. **'s'Gravenbrakel.** ♦ Comm. de Belgique (Hainaut, arr. de Soignies). 11 300 hab. Église Saint-Géry (XVIe s.). Chapelle baroque du couvent des Récollettes. – Tanneries. Papeteries, imprimeries. Verrerie.

BRAKPAN. ♦ V. d'Afrique* du Sud (Transvaal) dans le Witwatersrand*. 90 000 hab. Houille ; métallurgie. Or.

BRAMAH (Joseph). ♦ Mécanicien anglais (Stainborough, 1749 – Londres, 1814). On lui doit de nombreuses inventions, notamment une presse hydraulique qu'il réalisa avec du cuir embouti (1795) et une serrure de sûreté qui porte son nom.

BRAMANTE (Donato di Angelo). ♦ Architecte et peintre italien (Monte Asdruvaldo, près d'Urbino, 1444 – Rome, 1514). Formé dans le milieu humaniste d'Urbino, il se familiarisa avec le style calme et géométrique élaboré par ses artistes (L.-B. Alberti*, Francesco di Giorgio Martini, Laurana, Piero* della Francesca). Il s'installa ensuite à Milan (v. 1475-1499) où il décora la Casa Panigarola en peignant à fresque les grandes figures des *Hommes d'armes* (1480-1485, Brera) dans un style proche de la manière de Melozzo* da Forli. Abandonnant la peinture, il se consacra à l'architecture et édifia l'abside de *Santa Maria della Grazie* et la sacristie de *San Satiro ;* construites sur plans centrés, ces réalisations offrent un agencement de lignes géométriques pures, altérées par la concession que fit Bramante aux traditions décoratives locales. Dans *Santa Maria presso San Satiro,* il donna, par un savant artifice de perspective, une illusoire monumentalité à un espace réel étriqué. A Rome, où il travailla de 1499 à sa mort, les monuments antiques ravivèrent ses souvenirs urbinates et le débarrassèrent des conventions lombardes. Il édifia sur le Janicule le *tempietto* de *San Pietro in Montorio* (1502), petite rotonde entourée de colonnes doriques surmontées d'une coupole (le projet prévoyait en outre un cloître circulaire). Cette œuvre, austère et dépouillée, illustre une rigoureuse symbolique des nombres et des concordances des mondes telles que l'enseigna le néo-platonisme. Le cloître de *Santa Maria della Pace,* tout aussi austère, offre cependant d'habiles inventions tant dans la rupture rythmique de l'élévation que dans l'accentuation des angles (les pilastres réduits à une mince saillie leur donnent plus de profil). Sous le pape Jules* II (1503-1513), Bramante fut chargé au Vatican de travaux consistant à unir le Belvédère d'Innocent III au palais pontifical médiéval. Mais son grand projet fut celui qu'il proposa pour la reconstruction de la basilique *Saint-Pierre* : il conçut un édifice sur croix grecque surmontée d'une immense coupole inspirée du Panthéon ; l'extérieur aurait présenté quatre façades identiques visualisant par leur aspect unitaire l'universalité de l'Église. Ce projet fut modifié par les successeurs de Bramante (Michel*-Ange et surtout Maderno qui adopta finalement un plan basilical). Bramante influença profondément l'architecture de son temps en adaptant, d'une manière à la fois rigoureuse et originale, les formes antiques aux exigences monumentales et symboliques de la papauté.

BRAMANTINO (Bartolomeo Suardi, dit *le*). ♦ Peintre et architecte italien (Milan, entre 1450 et 1465 – *id.*, entre 1530 et 1536). À l'exception d'un voyage à Rome en 1508 et d'un bref exil politique, il vécut dans sa ville natale où il fut attaché, à la fin de sa vie, à la cour des Sforza. Il érigea, à San Nazaro Maggiore, la chapelle de la famille Trivulzio (1519), pour laquelle il dessina aussi des cartons de tapisseries *(Les Mois).* Influencé d'abord en peinture par Butinone (*Madone,* v. 1490, Boston), il étudia Foppa et Bramante*, et créa un univers abstrait par l'ampleur et l'austérité du style (*Crucifixion,* Brera). Sa *Fuite en Égypte* (Locarno) reste plus proche de la manière lombarde.

BRANCAS. ♦ Famille originaire du royaume de Sicile, venue en France au XIVe siècle. LOUIS DE BRANCAS, marquis de Céreste fut maréchal de France (1672 – 1750). – La maison de Brancas comprenait également les branches de Courbon, de Villars*, de Villeneuve.

BRANCION. ♦ Anc. bourg féodal, rattaché à la comm. de Martailly-lès-Brancion (Saône-et-Loire). 171 hab. Château féodal.

BRÂNCUSI (Constantin). ♦ Sculpteur français d'origine roumaine (Pertisani, 1876 – Paris, 1957). Fils de paysan pauvre et autodidacte, apprenti ébéniste à Bucarest, puis élève aux Beaux-Arts (1898), il voyagea ensuite en Europe ; à Paris en 1910, il subit l'influence de Rodin* qui lui demanda de devenir son aide. Il refusa et s'engagea dans une voie plus personnelle, fréquentant Apollinaire*, Max Jacob*, Picasso*, Léger*, Modigliani* ... et, probablement stimulé par les exemples de la sculpture africaine et océanienne ainsi que par les expériences des cubistes, il abandonna progressivement la représentation naturaliste en procédant à une élongation et à une stylisation élégante des formes. En éliminant de ses œuvres les éléments anecdotiques et descriptifs, il abandonna progressivement toute référence au monde extérieur. Cette démarche est sensible dans la *Muse endormie* (1910) et dans les différentes versions de *Mademoiselle Pogany* (1912 à 1933). La volonté de tout ramener à des formes primordiales qui prennent chez lui une valeur symbolique (l'œuf, le vol) s'exprime par la création d'œuvres ovoïdes ou fusiformes *(Le Commencement du monde ; Oiseau dans l'espace ; Princesse X)* et par une volonté « d'épurer » la matière : le marbre et le bronze étant polis avec soin afin de révéler leurs qualités plastiques spécifiques. Mais on trouve aussi dans son œuvre une volonté de force émotive par le recours à une expression naïve et fruste et une volonté de restituer à la représentation son pouvoir magique primitif (*La Sorcière,* 1916 ; *La Chimère,* 1918 ; *La Maïastra*), sculptures monumentales pour la ville de Tirgujiu, 1937-1938. Projet pour *Le Temple de la contemplation : Colonne sans fin.* Le renouvellement plastique auquel il procéda fait de lui le grand initiateur de la sculpture moderne.

BRAND ou **BRANDT (Hennig).** ♦ Alchimiste allemand (Hambourg, v. 1625 – 1692). Il découvrit fortuitement le phosphore en distillant de l'extrait d'urine (1669). **V. Kunckel.**

Arch. Smeets

D. Bramante : « Hommes d'armes ».
(Pinacothèque de la Brera, Milan.)

Brand. ♦ (1866). Drame en cinq actes de H. Ibsen. Héros de la volonté, Brand veut régénérer l'humanité en exigeant « tout ou rien ». Mais les obstacles s'accumulent et il échoue.

BRANDAN ou **BRENDAN** *(saint).* ♦ Moine irlandais (Tralee, Kerry, 484 – Annadown, 577), abbé-évêque de Clonfert. La légende en fait le héros d'une navigation merveilleuse vers l'île de Promission (le paradis), qui fournit la matière de nombreux textes médiévaux (*Navigatio sancti Brendani,* xe s.; poème anglo-normand anonyme, 1121).

BRANDEBOURG. *n. m.,* en allem. **Brandenburg.** ♦ Région historique de l'Allemagne de l'Est, s'étendant sur la partie N. de la grande plaine centrale allemande, entre l'Elbe et l'Oder à l'E., et correspondant aux trois districts de Berlin*. Potsdam, Cottbus* et Francfort*-sur-Oder. *Cap.* Berlin. – *Orogr.* L'empreinte glaciaire, très forte, a laissé des accumulations sableuses dans la partie S. (collines du Fläming et de Basse-Lusace). Plus au N. s'étend une large dépression (150 km), la *Mittelmark,* région tourbeuse parcourue de rivières (Havel*, Spree*) et de lacs. – *Écon.* Assez pauvre, l'agriculture du Brandebourg se limite à des cultures de pommes de terre, de maigres cultures de céréales et à l'élevage bovin. Pourtant, la betterave sucrière, des cultures maraîchères et fruitières sont pratiquées autour de Berlin dans les vallées du Havel et de la Spree. Le développement industriel de Berlin a eu d'importantes répercussions sur toute la région, accru par l'exploitation d'un important bassin de lignite : aciéries et hauts-fourneaux (Berlin-Heningsdorf, Brandebourg), raffinage du pétrole (Schwedt), textiles (Wilhelm Pieck Stadt-Guben, Francfort-sur-Oder, Cottbus, Forst). Le Brandebourg est une grande région de passage vers l'Europe orientale (canal Oder-Elbe par la Spree et l'Havel, liaison ferroviaire Magdebourg-Francfort-sur-Oder, aéroport de Berlin). – Patrie d'Albert* Ier de Ballenstädt (l'Ours), de Theobald von Bethmann*-Hollweg, de Gerhard Domagk*, d'Ossiander* et d'E. Spanheim*. ♦ *Hist.* Occupé jusqu'au IIe s. par des peuples germaniques, puis envahi par les Slaves, le Brandebourg fut constitué en marche par Charlemagne* à la fin du VIIIe siècle. Après sa mort, les tribus slaves peu à peu christianisées et germanisées furent regroupées sous l'autorité d'Albert* Ier de Ballenstädt, qui prit le titre de margrave de Brandebourg (1157) et établit le pouvoir des Ascaniens*. Ceux-ci étendirent leur domination à l'E. de l'Oder et sur la Lusace et régnèrent sur le Brandebourg jusqu'au XIVe siècle. Passé à la maison de Wittelsbach* (1323), érigé en électorat en 1361, le Brandebourg leur fut arraché par la maison de Luxembourg en 1373. Sigismond* de Luxembourg en fit don en 1415 à son neveu Frédéric de Hohenzollern et lui conféra le titre d'Électeur en 1417. Le Brandebourg s'enrichit du duché de Clèves en 1614 et du duché de Prusse en 1618. Frédéric*-Guillaume, dit le Grand Électeur, après sa victoire de Fehrbellin* (1675), y ajouta la Poméranie suédoise, qu'il fut contraint de rendre en 1679. Son fils et successeur Frédéric III prit en 1701 le titre de roi en Prusse, sous le nom de Frédéric* Ier. L'histoire du Brandebourg se confondit dès lors avec l'histoire de la Prusse. En 1815, l'ancienne province de Brandebourg fut partagée, à l'intérieur de la Prusse, en deux gouvernements : Potsdam* à l'O. et Francfort*-sur-l'Oder à l'E. Le Brandebourg resta aux Hohenzollern jusqu'en 1918. En 1945, la partie de l'ancien Brandebourg située à l'E. de l'Oder passa à la Pologne, tandis que la partie située à l'O. du fleuve était constituée en *Land* de l'Allemagne de l'Est. Le *Land* lui-même a fait place à des districts en 1952.

BRANDEBOURG *(porte de).* ♦ Arc de triomphe édifié au centre de Berlin* par Langhans* (1788) dans l'axe de l'avenue *Unter* den Linden,* à la frontière des deux Berlin.

BRANDEBOURG, en allem. **Brandenburg.** ♦ V. d'Allemagne orientale (district de Potsdam) sur la Havel, à l'O. de Berlin. 91 800 hab. Cathédrale gothique (XIVe s.). Indus. métallurgiques (acier), mécaniques, textiles.

BRANDES (Georg Morris Cohen). ♦ Écrivain et critique littéraire danois (Copenhague, 1842 – *id.,* 1927). Influencé par la philosophie hégélienne, disciple de Taine et de Sainte-Beuve, il se fit le défenseur du réalisme et du naturalisme en littérature, du radicalisme en politique. Dans les *Principaux Courants de la littérature européenne du* XIXe *siècle* (1872-1890), il demandait à la littérature de servir le progrès et non la réaction. La revue qu'il dirigea en collaboration avec son frère Edvard Brandes de 1874 à 1878 contribua considérablement à la diffusion de ses idées. Ses articles eurent une grande influence sur Ibsen*, Strindberg* et sur toute la vie culturelle scandinave. Cependant, Brandes lui-même évoluait vers un radicalisme aristocratique sous l'influence de Nietzsche. Dans cet esprit, il publia *Shakespeare* (1895-1896), *Heine* (1897), *Ibsen* (1909), *Goethe* (1915), *François de Voltaire* (1916-1917, 2 vol.), *Napoléon et Garibaldi* (1917), *Michel-Ange* (1921). En 1919, il exprima sa sympathie pour la révolution russe dans *Le Deuxième Acte de la tragédie (Tragødiens andendel).*

BRANDES (Edvard). ♦ Essayiste et dramaturge danois, frère de Georg Brandes*. (Copenhague, 1847 – *id.,* 1931). Promoteur du réalisme au théâtre. Œuvr. princ. : *Les Fiançailles* (1888).

BRANDO. ♦ Ch.-l. de cant. de la Corse* (arr. de Bastia*), au S. de la presqu'île du cap Corse*. 1 066 hab. Église romane. Grottes.

BRANDT ou **BRANT (Sébastien).** ♦ Jurisconsulte et poète alsacien (Strasbourg, 1458 – 1521). Après des études à Bâle, où il enseigna plusieurs années le droit et la littérature latine, il revint dans sa ville natale (1499) et y fut nommé syndic et chancelier, fonctions qu'il assuma jusqu'à sa mort. Défenseur du Saint Empire germanique, en particulier contre les prétentions du roi de France sur l'Alsace, il fut très estimé de l'empereur Maximilien. Il édita de nombreux textes juridiques et littéraires, mais doit surtout sa renommée à *La Nef* des fous (Das Narrenschiff).* Publiée à Bâle (1494) et rapidement traduite dans de nombreuses langues européennes, cette œuvre est celle d'un moraliste, cherchant moins à plaire qu'à édifier en s'adressant aux foules dans une langue expressive et imagée. La nef qui se dirige vers l'île de Narragonie transporte tous les types de fous : ceux qui transgressent les commandements de Dieu ou s'opposent à la raison, les grands pécheurs et ceux qui sont atteints de légers travers, sans doute plus risibles que condamnables. Cette œuvre fut souvent rééditée, traduite, continuée, contrefaite, et a été utilisée par plusieurs prédicateurs alsaciens (Geiler de Kaisersberg, Thomas Murner).

BRANDT (Edgar). ♦ Ferronnier d'art et industriel français (Paris, 1880 – Genève, 1960). Auteur de nombreux ouvrages dont le monument de l'armistice à Rethondes, le monument de la Flamme sous l'arc de triomphe de l'Étoile.

BRANDT (Karl Herbert Frahm, dit **Willy).** ♦ Homme d'État allemand (Lübeck, 1913 –). Il milita dès sa jeunesse dans la fraction extrémiste des sociaux-démocrates. À l'avènement du nazisme, il s'exila en Norvège et devint citoyen norvégien sous le nom de Willy Brandt. De retour en Allemagne (1945), il reprit sa nationalité et devint membre du parti social-démocrate (S.P.D.). De 1950 à 1957, il fut député de Berlin au Bundestag, puis maire de Berlin-Ouest de 1957 à 1966. Sa politique vis-à-vis de l'Est, à la fois ferme et conciliante, vise à « accélérer un processus de détente et d'apaisement ». En 1966, il devint ministre des Affaires étrangères dans le cabinet de coalition de Kiesinger. Partisan du ratta-

Ph. Carlo Bevilacqua/Ricciarini

G. Braque : « Le duo ».
(Musée national d'Art moderne, Paris.)

chement de Berlin à la République fédérale allemande, très « européen », W. Brandt a inauguré une politique d'ouverture vers les démocraties populaires et d'accords avec la République démocratique allemande. Élu chancelier en 1969, il a élargi la politique sociale à l'intérieur et continué la politique de rapprochement avec l'Est. Il dut démissionner en mai 1974 à la suite de l'affaire de l'espion Guillaume. (Prix Nobel de la paix, 1971.)

BRANLY (Édouard). ♦ Universitaire et physicien français (Amiens, 1844 — Paris, 1940). Il est surtout connu pour son invention d'un radioconducteur ou « cohéreur » à limaille (1890), organe principal des appareils de réception de la télégraphie sans fil. **V. Hertz, Popov, Marconi.**

BRANNER (Hans Christian). ♦ Romancier danois (Ordrup, 1903 — Copenhague, 1966). Dans ses romans *Le Cavalier* (1949) et *Personne ne connaît la nuit* (1955) il évoque les conflits sociaux et psychologiques de sa génération pendant l'Occupation et la Résistance.

BRANTFORD. ♦ V. du Canada (Ontario), située à l'O. d'Hamilton, sur la riv. Grand. 59 854 hab. (1966). Centre indus. (matériel agricole, carrosseries, réfrigérateurs, horlogerie,...). — A. Graham Bell* expérimenta non loin de là son téléphone.

BRANTING (Karl Hjalmar). ♦ Homme politique suédois (Stockholm, 1860 — 1925). Leader du Parti social-démocrate suédois, il contribua à l'amélioration de la législation ouvrière. Partisan de la neutralité lors de la Première Guerre mondiale, il fit adopter des réformes sociales en 1917.

BRANTÔME (Pierre de Bourdeilles, *abbé* et *seigneur de***).** ♦ Écrivain français (Bourdeilles, v. 1538 — *id.*, 1614). Homme de cour, doté de la faveur de Henri II, il fut gentilhomme ordinaire de la chambre de Charles IX et de Henri III. Homme de guerre, il batailla en Italie dès 1557, guerroya contre les Turcs en Afrique, prit deux fois part aux guerres de Religion (1562 et 1569). Brantôme découvrit sa vocation de mémorialiste quand, retiré sur ses terres du Périgord, il fut immobilisé par une chute de cheval. Ses *Mémoires* [...] contenant les *Vies des dames illustres* (posth., 1665) furent complétés par les *Vies des hommes illustres et des grands capitaines,* enfin par les *Vies des dames galantes,* galeries de portraits alertes et recueils d'anecdotes volontiers licencieuses. Brantôme s'y montre un chroniqueur plus soucieux d'évoquer des souvenirs piquants que de faire œuvre d'historien, « écrivant à la cavalière », toujours avec esprit.

BRANTÔME. ♦ Ch.-l. de cant. de la Dordogne, arr. de Périgueux, sur la Dronne*. 2 050 hab. *(Brantômais).* Anc. abbaye bénédictine fondée, suivant la tradition, par Charlemagne en 769 (clocher du XIIe s.). Église des XIIe et XIIIe s., bâtiments conventuels du XVIIIe siècle. Dans des grottes situées derrière l'abbaye, sculptures du XVIe s. à même le roc.

BRAQUE (Georges). ♦ Peintre, dessinateur et graveur français (Argenteuil, 1882 — Paris, 1963). Fils d'un entrepreneur en bâtiment, il fit un apprentissage comme peintre décorateur puis alla étudier à Paris à l'Académie Humbert (1902) et à l'École des beaux-arts. Il peignit ensuite des paysages à Honfleur qui dénotent l'influence de l'impressionnisme, puis il voyagea avec Friesz* en Belgique (1906) et ensuite séjourna à La Ciotat (1907). La technique plus libre à laquelle il recourait alors : larges coups de pinceaux de couleurs pures étalées en aplats indique son ralliement au fauvisme (*Le Port de l'Estaque,* 1906) en même temps que s'affirmait la volonté d'exploiter la fonction constructive de la couleur. Ensuite il subit fortement l'influence de Cézanne* et découvrit au Bateau*-Lavoir les *Demoiselles d'Avignon* de Picasso (1909). Les toiles peintes à l'Estaque en été 1908 marquent un profond changement d'orientation : rompant avec la perspective traditionnelle, il réduisit les formes à des volumes simples échelonnés en hauteur, adopta la technique des « passages cézaniens » et une gamme austère de bruns, gris et verts ternes, cherchant selon une démarche intellectuelle à reélaborer l'objet à trois dimensions sur la toile à deux dimensions, il projetait simultanément ses diverses parties en suggérant la multiplicité des points de vue. Travaillant en étroite collaboration avec Picasso*, il manifesta une tendance à multiplier l'intersection des lignes et des plans et l'imbrication des volumes en décomposant les formes par facettes qui, progressivement, s'interpénètrent plus librement, le sujet tendant à disparaître au profit d'un jeu formel plus linéaire et presque monochrome qui confine à l'abstraction (période dite du cubisme analytique, de 1909 à 1911). Mais, parallèlement, il introduisit des éléments en trompe-l'œil (faux bois, faux marbres, caractères typographiques [*Le Portugais*], clou [*Violon et Cruche*]), mélangea les matières (sable, colle, etc.) et inséra des morceaux de papier journal, cartes à jouer, papier peint, etc., en reélaborant l'objet à partir de quelques éléments choisis (période des papiers collés ou du cubisme dit synthétique, 1911 à 1914). Après la guerre, il élargit et il diversifia ses recherches avec de fréquents retours en arrière. Enrichissant sa palette (*La Musicienne,* 1917), il adopta des formes plus souples et sinueuses (séries des ***Guéridons, Canéphores*** et *Natures mortes,* de 1922 à 1930 environ), il orchestra des couleurs sourdes en jouant sur les effets de matières et réintroduisit largement la figure humaine (*Plages - Falaises - Baigneuses,* 1928-1931). Soucieux d'organiser subtilement sa toile, il décomposa les objets en multipliant les plans et décalant les contours avec une grande liberté (*Billards,* 1944 ; *Ateliers,* 1950-1956 ; *Oiseaux,* 1955-1963). Son sens décoratif se déploya aussi dans ses sculptures, reliefs gravés sur plâtre, carton de vitraux, dessin de bijoux et grande peinture (*plafond du Louvre,* ·1952).

BRASIDAS. ♦ Général spartiate (~ Ve s.) qui s'illustra dans les guerres du Péloponnèse et de Thrace. Il prit la ville d'Amphipolis*, alliée d'Athènes **(V. Thucydide)** et fut blessé mortellement lors d'un combat près de cette ville (~ 422).

BRASÍLIA. ♦ Capitale du Brésil depuis 1960, au centre d'un district fédéral (5 814 km^2), créé dans l'État de Goiás*. La ville est située sur un plateau désertique à 1 200 m d'alt. Édifiée au bord d'un lac artificiel par l'urbaniste Lucio Costa* et l'architecte O. Niemeyer*, elle présente un aspect régulier, comprend de vastes espaces verts et des monuments d'esprit très moderne. Elle est reliée par réseaux routiers aux princ. villes du Brésil. 544 862 hab. y compris les villes satellites et les faubourgs misérables qui se sont développés dans le désordre hors du plan directeur. Archevêché, Université.

BRASILLACH (Robert). ♦ Écrivain français (Perpignan, 1909 — fusillé au fort de Montrouge, 1945). Après des études brillantes à l'École normale supérieure (1928), il se lança dans le journalisme et se vit confier par Ch. Maurras* le feuilleton littéraire de *L'Action française.* Ses chroniques (1932-1939 ; réunies dans *Les Quatre Jeudis,* 1944) témoignent d'une culture nuancée et d'un esprit curieux, sensibles également dans les *Portraits* de ses écrivains favoris (1935), dans l'*Anthologie de la poésie grecque* (posth., 1950) et dans les essais où sont évoqués la *Présence de Virgile* (1931) ou celle de *Corneille* (1938). Reconnu comme un des meilleurs critiques de sa génération, Brasillach se passionna aussi pour le théâtre (*Animateurs de théâtre,* 1936) et composa, avec son beau-frère Maurice Bardèche, une *Histoire du cinéma* (1935) très personnelle. Engagé dans la politique d'extrême droite depuis 1934, devenu rédacteur en chef de *Je suis partout* (1937), Brasillach réagit devant la crise de civilisation (Cf. *Notre avant-guerre,* 1941) en adhérant avec une ferveur croissante au fascisme. Après avoir produit avec Maurice Bardèche une *Histoire de la guerre d'Espagne,* s'être exalté au congrès de Nuremberg (Cf. son roman *Les Sept Couleurs,* 1939), il écrivit de nombreux articles en faveur de l'Allemagne hitlérienne, entre les années 1941 et 1944 ;

Ph. Nino Cirani/Ricciarini

Brasília : place des Trois-Pouvoirs et palais du Gouvernement.

Ph. Mario Russo/Ricciarini

Bratislava sur le Danube : vue générale.

condamné à mort à la Libération (Cf. les émouvants *Poèmes de Fresnes ;* posth., 1949), il fut exécuté malgré la pétition signée par de nombreux intellectuels. – Son œuvre romanesque, empreinte d'un réalisme tendre, montre Brasillach sensible à la poésie urbaine qu'il évoque par touches impressionnistes (*L'Enfant de la nuit,* 1934), et porté par un sentiment nostalgique de l'adolescence (*Comme le temps passe,* 1937).

BRAŞOV, Stalin ou **Oraşul Stalin** de 1950 à 1960, en all. **Kronstadt.** ♦ V. de Roumanie centrale, dans la partie N.-E. des Alpes de Transylvanie. 263 160 hab. La ville a conservé un caractère médiéval avec le vieil hôtel de ville (XVe s.), l'église Noire (XVe s.) de style gothique allemand, l'église Saint-Bartholomeu (XIIIe-XVIe s.), l'église Saint-Nicolas (XIVe-XVIIe s.) et les restes d'une citadelle du XVe siècle. Tourisme. ♦ *Hist.* Fondée au déb. du XIIIe s. par les chevaliers Teutoniques, la ville fut le centre de la Réforme en Transylvanie aux XVe et XVIe siècles. Les Allemands y battirent les Roumains en oct. 1916. – Braşov est au cœur de la *région administrative et économique de Braşov* (2 066 km^2. 443 000 hab.). De nombreuses indus. s'y sont implantées : usines de tracteurs et de camions, équipement électromécanique, indus. chimiques, textiles et alimentaires.

BRASSAC-LES-MINES. ♦ Comm. du Puy-de-Dôme (arr. d'Issoire), sur l'Allier. 3 820 hab. *(Brassacois).* Église romane du XIe siècle. Houille. Indus. électrique.

BRASSCHAAT. ♦ Comm. de Belgique (prov. et arr. d'Anvers) à 18 km de la frontière hollandaise. 27 723 hab. Taille du diamant. Camp et polygone d'artillerie. Aérodrome militaire.

BRĂTIANU (Ion [Jean]). ♦ Homme politique roumain (Pitesti, 1821 – Florica, près de Bucarest, 1891). Chef du parti national libéral, ministre puis président du Conseil, il négocia, au congrès de Berlin* (1878), l'indépendance de la Roumanie. – Son fils ION, dit *Ionel Brătianu* (Florica, 1864 – Bucarest, 1927), fut également chef du parti libéral et plusieurs fois président du Conseil.

BRATISLAVA, anc. en all. **Pressburg,** en fr. **Presbourg.** ♦ V. et port de Tchécoslovaquie, sur le Danube, près des frontières autrichienne et hongroise. Cap. de la Slovaquie* et ch.-l. de la Slovaquie occidentale. 283 234 hab. (1968). Carrefour ferroviaire et routier (liaisons avec l'Autriche, la Hongrie et le reste de la Tchécoslovaquie). Université. La ville s'étend principalement sur la r. g. du Danube et se développe actuellement vers l'E. (quartiers résidentiels) et le N. (quartiers industriels). Elle conserve un château (Xe s., incendié en 1811, en voie de restauration), un hôtel de ville (XVe s., transformé en musée), et plusieurs églises gothiques (XIIIe s.). – Grâce à sa situation, Bratislava est un important centre commercial (port fluvial, redistribution régionale de produits alimentaires et industriels). Le développement de ses industries est récent : raffineries de pétrole, indus. métallurgiques et mécaniques, indus. alimentaires. L'industrie textile est plus ancienne. Fabriques de chaussures. – Patrie de R. von Laban. – ♦ *Hist.* Fondée au Xe s., Bratislava fut, sous le nom de Pressburg, la capitale de la Hongrie habsbourgeoise après la prise de Buda par les Turcs (1541). **V.** *aussi* **Presbourg** (traité de).

BRATSK. ♦ V. d'U.R.S.S. (R.S.F.S. de Russie), en Sibérie, dans la région d'Irkutsk, sur l'Angara*, au S. d'un immense lac de retenue de 500 km de long créé par un barrage sur le fleuve. 90 000 hab. Grand centre minier et métallurgique. – À 30 km, l'une des plus importantes centrales hydro-électriques du monde (4 500 000 kWh).

BRATTAIN (Walter Houser). ♦ Physicien et technicien américain (Hsia-men, Chine, 1902 –). Auteur de recherches sur les semiconducteurs, il décrit, avec Bardeen*, le transistor à pointes (transistor à germanium, 1948). (Prix Nobel de phys., 1956.)

BRAUCHITSCH (Walther *von***).** ♦ Maréchal allemand (Berlin, 1881 – Hambourg, 1948). Commandant en chef de l'armée de terre en 1938, il dirigea les campagnes de Pologne (1939), de Norvège, de Danemark, des Pays-Bas, de Belgique et de France (1940) et les débuts de l'offensive contre l'U.R.S.S. ; à la suite de l'échec des armées allemandes devant Moscou, en 1941, il fut relevé de ses fonctions par Hitler. Il mourut prisonnier des Alliés.

BRAUN (Karl Ferdinand). ♦ Physicien allemand (Fulda, 1850 – New York, 1918). On lui doit plusieurs inventions dont l'oscillographe cathodique (tube de Braun, 1897) et les antennes dirigées [1902]. (Prix Nobel de phys., 1909.)

BRAUN (Wernher *von***).** ♦ Ingénieur allemand, naturalisé américain (Wirsitz, 1912 –). Ses expériences sur l'envoi de fusées dans l'atmosphère attirèrent l'attention d'Hitler. **V. Oberth.** Il mit au point les V2 en 1944, puis, s'étant rendu aux troupes américaines, partit aux États-Unis. Il y conçut notamment la fusée à trois étages *Jupiter-C* qui servit au lancement du premier satellite américain.

BRAUNAU. ♦ Ville autrichienne (Haute-Autriche), située à la frontière bavaroise sur l'Inn. – 11 000 hab. Église Saint-Étienne (fin XVe s.) ; maisons des XVIe-XVIIIe s. – Patrie d'Adolf Hitler*.

BRAUNER (Victor). ♦ Peintre français d'origine roumaine (Pietra-Naemtz, 1902 – Paris, 1966). Après avoir participé en Roumanie aux mouvements d'avant-garde, il s'installa à Paris vers 1929-1930 et y fit la connaissance de Brâncusi*, Giacometti*, Tanguy*, puis Breton*. Adhérant dès lors au surréalisme, il participa à toutes les expositions du groupe. Marqué par Ernst* et Klee*, il chercha à mettre en image l'univers du rêve en établissant dans ses œuvres la confusion du règne humain, animal et végétal, et en mêlant des symboles empruntés aux arts primitifs, aux sciences occultes et initiatiques (*Chimères,* 1938-1940). Il parvint à créer un univers personnel aux accents souvent ingénus, parfois cruels (*L'Étrange Cas de Monsieur K,* 1934). Contrairement à certains surréalistes fidèles à un système de figuration conventionnel, il conjugua la transcription picturale de ses phantasmes avec des recherches d'ordre plastique (linéarisme des formes, effets de matière, aplats de couleurs pures ou subtilement nuancées) ou techniques (séries de peintures à la cire réalisées pendant la guerre, *Le Lion double,* 1945).

BRAUNFELS. ♦ V. de la République fédérale d'Allemagne, dans la Hesse. 4 000 hab. Patrie de Paul von Kleist*.

BRAUNWALD. ♦ Station d'été et de sports d'hiver de Suisse (cant. de Glaris) dominant la vallée de la Linth*, en face du Tödi*. Alt. 1254-1500 m.

BRAUWER (Adrian). ♦ **V.** BROUWER.

BRAVAIS (Auguste). ♦ Physicien et minéralogiste français (Annonay, 1811 – Versailles, 1863). Il donna les premiers développements de la théorie des assemblages réticulaires dans les cristaux et l'outil mathématique permettant d'en déterminer les caractères : il montra en particulier le rôle important de la *densité du tissu réticulaire des faces* (*loi de Bravais,* 1848) [**V. Haüy, Mallard, Wallerant**] ; il s'intéressa également à l'optique des phénomènes atmosphériques. (Acad. sc., 1854.)

Brave soldat Švejk (Le). ♦ **V.** ŠVEJK.

BRAVO *(río).* ♦ **V.** GRANDE *(río).*

BRAY (John Francis). ♦ Économiste anglais de la première moitié du XIXe siècle. Partisan du communisme, il a montré la nécessité d'une phase transitoire où coexisteraient la propriété privée de produits et la propriété collective des forces productives (*Labour's Wrongs and Labour's Remedies,* « Ce qui va mal dans le travail et ce qu'il faut faire pour y remédier », 1839).

BRAY *(pays de).* ♦ Région du N.-O. du Bassin parisien située en haute Normandie*, dans la Seine*-Maritime, comprise entre la Picardie* au N. (la partie orientale du pays de Bray est incluse dans la circonscription de Picardie), le pays de Thelle* à l'E., le Vexin* français et normand au S., le pays de Caux* au S.-O. et à l'O. C'est une dépression argileuse allongée, orientée du N.-O. au S.-E., véritable « boutonnière » verdoyante, bordée de falaises de craie. Hab. : *Brayants, Braytois* ou *Brayons. V. princ.* Auneuil*, Forges*-les-Eaux, Gournay-en-Bray, Neufchâtel-en-Bray. – *Hydrogr.* **V. Andelle, Epte, Béthune, Thérain.**

BRAY. ♦ V. et station balnéaire de la république d'Irlande (comté de Wicklow), sur la mer d'Irlande. 12 700 habitants.

BRAY-DUNES. ♦ Comm. du Nord*, arr. de Dunkerque*, sur la mer du Nord, à la frontière franco-belge. 3 673 hab. *(Braydunois).* Station balnéaire.

BRAYE. *n. f.* ♦ Riv. de France, affl. du Loir, qui prend naissance dans l'Eure-et-Loir. 70 km.

BRAY-SUR-SEINE. ♦ Ch.-l. de cant. de la Seine-et-Marne, arr. de Provins, sur la Seine. 1 913 hab. *(Braytois).* Église romane remaniée à la Renaissance. Pont du XVe s. remanié. – Indus. alimentaires.

BRAZEY-EN-PLAINE. ♦ Comm. de la Côte-d'Or (arr. de Beaune), dans la plaine de la Saône*. 1 735 hab. Sucreries. Indus. textiles.

BRAZZA (Pierre SAVORGNAN *de***).** ♦ Explorateur et colonisateur français d'origine italienne (Castel Gandolfo, près de Rome, 1852 – Dakar, 1905). Il fit des études à l'École navale (1868-1870), obtint la nationalité française (1874). À partir de 1875, il entreprit plusieurs expéditions au cours desquelles il explora le cours de l'Ogooué et parvint jusqu'au Congo* qu'il fit placer sous protectorat français (1879-1882). Son sens de l'égalité entre les hommes lui gagna l'estime des populations. De 1887 à 1897, il fut commissaire général du gouvernement au Congo français (d'abord nommé Colonie de l'Ouest africain).

BRAZZAVILLE. ♦ Cap. de la Rép. du Congo*, sur la r. d. du fleuve Congo, au bord du Stanley* Pool, reliée à l'Atlantique par le chemin de fer Congo-Océan. 136 000 hab. (1961). Archevêché. Indus. alimentaires. Constructions métalliques. — Aéroport international. ♦ *Hist.* La ville fut fondée par Savorgnan de Brazza* en 1880 et devint capitale de l'Afrique-Équatoriale française en 1910. Le 30 janvier 1944, s'y tint une *conférence* qui, sur l'initiative du général de Gaulle, réunit les représentants de tous les territoires de l'empire français et posa les fondements de l'Union française, bien que les principes mis en avant aient visé à l'intégration progressive, non à l'indépendance des populations.

BRDA. *n. f.* ♦ Riv. de Pologne* (217 km), née en Poméranie, elle arrose Bydgoszcz* avant de se jeter dans la Vistule*

BREA (Louis). ♦ Peintre niçois (connu de 1475 à 1523). Ses premières œuvres dénotent l'influence de la peinture avignonnaise *(Pietà de l'église de Cimiez).* À partir de 1480, il travailla beaucoup dans la région de Gênes et, subissant l'influence de l'école lombarde, il mit l'accent sur le caractère sentimental de ses scènes. Vers les années 1490, il travailla avec Foppa qui l'influença. Il modela alors vigoureusement les volumes et insista sur les détails. Il manque parfois d'ampleur et les retables de la fin de sa vie révèlent un affadissement de son inspiration.

BRÉAL (Michel). ♦ Linguiste français (Landau, Bavière, 1832 — Paris, 1915). Il suivit de près les travaux de Burnouf, puis, en Allemagne, reçut l'enseignement de F. Bopp. Chargé de l'enseignement de la grammaire comparée au Collège de France (1864), il devint secrétaire de la *Société de linguistique* de Paris (1868). — Cherchant « à expliquer les faits par l'usage [linguistique] » (Meillet), Bréal voulut corriger le systématisme des comparatistes allemands et réintroduire les considérations de sens en linguistique historique (« j'étudie les causes intellectuelles qui ont présidé à la transformation de nos langues »). L'*Essai de sémantique* (1897) constitue le projet d'une nouvelle partie de la linguistique, la *sémantique,* encore limitée à l'étude du sens des mots et de leur évolution. Traducteur de la *Grammaire comparée* de Franz Bopp* (1866-1874) Bréal a tenté la synthèse du fonctionnalisme formel de la linguistique allemande et de la tradition mentaliste et rationaliste française. Il étudia aussi les mythologies.

BRÈCHE. *n.f.* ♦ Riv. de France, affl. de l'Oise.

BRECHT (Bertolt). ♦ Poète, romancier, dramaturge, théoricien du théâtre et animateur allemand (Augsbourg, 1898 — Berlin, 1956). Après quelques études de médecine interrompues par la Première Guerre mondiale où il servit dans l'armée allemande en qualité d'infirmier, il devint assistant metteur en scène de Max Reinhardt au *Deutches Theater de Berlin* (1923), puis collaborateur de Piscator (1927). Cinq années après le succès de son adaptation du Beggar's Opera, de John Gay, œuvre qu'il popularisa sous le titre de *L'Opéra de quat'sous (Die Dreigroschenoper),* il quitta l'Allemagne dès l'avènement d'Hitler au pouvoir. La majeure partie de son exil s'écoula en Amérique d'où il ne revint qu'en 1948. Il fonda alors à Berlin-Est la troupe du *Berliner Ensemble* qu'il dirigea jusqu'à sa mort avec sa femme Hélène Weigel; celle-ci continua son œuvre jusqu'en 1971. Contemporain des trente années les plus sombres peut-être de toute l'histoire de l'Allemagne, Brecht en a fortement éprouvé l'amertume et la désillusion. L'échec du socialisme avec la disparition prématurée de Rosa Luxemburg et de Liebknecht, l'échec d'une Allemagne enfin délivrée du militarisme et de l'impérialisme l'ont marqué. S'il a souvent trouvé dans la philosophie marxiste une explication et la source d'un remède aux maux du monde moderne, il n'en a pas fait la source unique de sa méditation. Sensible aux attraits de la sagesse orientale et réservant finalement son adhésion à toute orthodoxie, sa pensée, en ce domaine, n'est pas dénuée d'ambiguïté. Fortement défini en de nombreux textes théoriques comme le *Petit Organon pour le théâtre* (*Kleines Organon für das Theater,* 1948) et illustré avec éclat par les réalisations du Berliner Ensemble, son système dramatique bannit du spectacle tous les éléments qui en faisaient traditionnellement le pittoresque et la magie, pour lui assigner en premier lieu un rôle didactique. Par un constant souci de « distanciation » *(Verfremdungseffekt),* par le biais du réalisme, de la parabole ou de l'allégorie, de la musique et de la chanson, le théâtre de l'ère scientifique doit hâter chez le spectateur la naissance d'une prise de conscience qui le conduira à l'action politique immédiate. Cet appel à la raison plus qu'au sentiment, qui caractérise selon Brecht le théâtre épique ou dialectique, lui a inspiré des ouvrages aussi divers que *La Bonne Âme de Setchouan* (*Der gute Mensch von Sezuan,* 1939), *Maître Puntila et son valet Matti* (*Herr Puntila und sein Knecht Matti,* 1940). *La Résistible Ascension d'Arturo Ui* (*Der aufhaltsame Aufstieg des Arturo Ui,* 1941), *Mère* Courage et ses enfants* (*Mutter Courage und ihre Kinder,* 1941), *La Vie de Galilée* (*Leben des Galilei,* 1947), *Le Cercle de craie caucasien* (*Kaukasische Kreidekreis,* 1948). Faite de créations originales ou de libres adaptations, cette œuvre très vaste a exercé une influence profonde sur le théâtre contemporain.

BRECHT. ♦ V. de Belgique (prov. et arr. d'Anvers) à la frontière des Pays-Bas. 7 800 hab. Église gothique (retable de Van der Weyden). Briqueterie. Minoterie. Taille du diamant. — Sanatoriums.

Ph. Giraudon

A. Bregno : buste du doge Francesco Foscari. (Palais ducal, Venise.)

BRECON ou **BRECKNOCK**, en gallois **Aberhonddu.** ♦ V. du S. du pays de Galles, ch.-l. du Breconshire (ou Brecknockshire), au pied des *Brecon Beacons,* dans la vallée de l'Usk. 5 800 hab. (1961).

BRECON BEACONS. *n.f. pl.* ♦ Hautes collines du S. du pays de Galles (Breconshire) s'étendant au N. de la vallée de l'Usk et culminant à 886 mètres.

BRECONSHIRE ou **BRECKNOCKSHIRE**, en gallois **Sir Frycheiniog.** *n. m.* ♦ Comté du S. du pays de Galles. 1 899 km². 55 185 hab. (1961). *Ch.-l.* Brecon. — *Orogr.* **V. Brecon Beacons.** — *Hydrogr.* **V. Usk.** — Les princ. ressources économiques sont l'élevage et l'extraction du charbon de bois.

BREDA. ♦ V. des Pays-Bas (Brabant-Septentrional), au confluent de la Mark et de l'Aa. 119 954 hab. Église, de style brabançon, le *Valkenberg,* parc public et un château du XVIe siècle. Grand centre de constructions mécaniques. Métallurgie, textiles, matières plastiques, indus. alimentaires (brasserie) et industrie du cuir. — Patrie de Desjardins et de Lugen-Housz. ♦ *Hist.* Résidence des princes de Nassau, elle fut prise par les Espagnols en 1581, par Maurice de Nassau en 1590, par les Espagnols de Spinola* en 1625 (Cf. *la Reddition de Breda* de Vélasquez) mais reconquise par le prince Frédéric-Henri en 1637. Occupée par Dumouriez en 1793 et par Pichegru en 1795, Breda resta à la France impériale jusqu'en 1813. Elle fut occupée par les Allemands de mai 1940 à oct. 1944. — *Compromis de Breda.* Texte par lequel les seigneurs calvinistes demandaient à Marguerite de Parme, régente des Pays-Bas, la tolérance religieuse et la suppression de l'Inquisition (1566). — *Déclaration de Breda.* Le roi d'Angleterre Charles II proclama une amnistie et accepta les revendications parlementaires, ce qui amena sa restauration. — *Traité de Breda.* Traité signé en 1667, entre les Provinces-Unies, l'Angleterre, la France et le Danemark. Charles II d'Angleterre recevait *Nieuw Amsterdam* qui devint New York. **V. New York.** La France reprenait l'Acadie*, les Provinces-Unies recouvraient la liberté du commerce dans les ports anglais.

BRÉDA. *n. m.* ♦ Torrent des Alpes françaises, affl. de l'Isère, qui prend sa source dans le massif de Belledonne. Installations hydro-electriques.

BREDENE. ♦ Commune de Belgique (Flandre occid.) à 5 km d'Ostende, sur la mer du Nord. 9 300 hab. Chapelle Notre-Dame des Dunes. Station balnéaire.

BREE. ♦ Comm. de Belgique (Limbourg, arr. de Maeseyck). 10 400 hab. Maison communale du XVIIIe s. — Abattoirs. Indus. alimentaires.

BREENDONK. ♦ Comm. de Belgique (Anvers, arr. de Malines). 3 100 hab. Camp de concentration allemand au cours de la guerre 1940-1944.

BREGENZ. ♦ Ville autrichienne, capitale du Vorarlberg*, située à l'extrémité S.-E. du lac de Constance. 21 400 hab. — Tour Saint-Martin (XIIIe s., remaniée en 1599-1602), église paroissiale Saint-Gall (XVe s., remaniée au XVIIIe s.). Festival d'été de Bregenz, donné sur un radeau ancré dans le lac (représentations lyriques et chorégraphiques). ♦ *Hist. Brigantium* fut fondé par les Romains à l'emplacement d'un oppidum celte. La ville prit de l'importance au Moyen Âge grâce à sa situation sur les routes commerciales des Alpes. Elle devint possession des Habsbourg au XVIe siècle.

BREGNO (Andrea). ♦ Sculpteur et architecte italien (Osteno, près de Côme, 1421 – Rome, 1506). Il se spécialisa dans la sculpture funéraire et édifia à Rome plusieurs tombeaux dans le style monumental des portiques triomphaux (monuments du *cardinal d'Albret*, du *cardinal Coca*, du *cardinal Pietro Riario*, *l'autel Borgia*, etc.). Son atelier de sculpture était célèbre et très fréquenté. En tant qu'architecte, on lui attribue le *palais Riario* (actuel *palais de la Chancellerie*) auquel Bramante aurait collaboré en raison des quelques agencements qui rappellent le palais ducal d'Urbino.

BREGUET [bʀegɛ]. ♦ Famille d'horlogers, d'inventeurs et d'industriels français parmi lesquels : ♦ ABRAHAM LOUIS, Suisse d'origine (Neuchâtel, 1747 – Paris, 1823). Ses inventions dans la fabrication des montres et pendules firent considérablement avancer l'industrie de l'horlogerie. ♦ LOUIS, petit-fils du précédent (Paris, 1804 – *id.*, 1883). Également horloger, il s'intéressa de bonne heure au télégraphe et réalisa dans ce domaine de nouveaux appareils de précision. **V. Cooke, Morse.** ♦ LOUIS, petit-fils du précédent (Paris, 1880 – Saint-Germain, 1955). Pionnier de l'aéronautique, il fut l'un des premiers constructeurs d'avions (1909) et d'hélicoptères en France. C'est à bord d'un Breguet-XIX que Costes* et Bellonte* accomplirent la première liaison sans escale Paris-New York (1930).

BRÉHAL. ♦ Ch.-l. de cant. de la Manche* (arr. de Coutances*). 1 642 hab. À 2 km au S.-E., château de la Renaissance dans une enceinte médiévale.

BRÉHAT *(île de)*. ♦ Île de la Manche formant une comm. des Côtes-du-Nord (arr. de Saint-Brieuc), à 2 km de la pointe de l'Arcouest*, près de Paimpol*. 653 hab. *(Bréhatins)*. Station touristique fréquentée.

BRÉHIER (Louis). ♦ Historien (et historien de l'art) français (Brest, 1868 – Reims, 1951). Professeur à la faculté de Clermont-Ferrand (1899 à 1938), il s'imposa comme spécialiste de l'histoire et de l'art byzantins. Ses travaux témoignent d'une optique synthétique dans l'histoire d'une civilisation et de ses produits. ♦ ÉMILE BRÉHIER, son frère (Bar-le-Duc, 1876 – 1952). Philosophe, auteur d'une importante *Histoire de la philosophie*.

BREHM (Ludwig). ♦ Ornithologiste allemand (Schönau, près de Gotha, 1787 – Renthendorf, près de Neustadt, 1864). ♦ Son fils, ALFRED EDMUND, naturaliste (Renthendorf, 1829 – 1884), a écrit une *Vie des animaux*, publiée en France sous le titre *Les Merveilles de la nature*.

BREIL-SUR-ROYA. ♦ Ch.-l. de cant. des Alpes*-Maritimes (arr. de Nice*), dans la vallée de la Roya*. 2 315 hab. Installations hydro-électriques sur la Roya.

BREISACH ou **ALT-BREISACH**, en fr. **Vieux-Brisach.** ♦ V. du S.-O. de l'Allemagne (Brisgau, Bade-Wurtemberg) et ch.-l. de district sur la r. d. du Rhin, à 16 km au N. de Fribourg-en-Brisgau, en face de la ville française de *Neuf-Brisach*. Env. 5 000 hab. – Basilique mi-romane, mi-gothique (Xe-XVe s.). ♦ *Hist.* Anc. place forte celte, puis romaine *(Mons Brisiacus)*. Prise par les Alamans, elle devint aux XVIIe-XVIIIe s. l'une des principales places fortes de la haute vallée rhénane, surnommée « la clé de l'Allemagne », assiégée à maintes reprises par les Français. En 1805 (traité de Presbourg), elle fut rattachée au duché de Bade.

BREITINGER (Johann-Jakob). ♦ Critique et érudit suisse d'expression allemande (Zurich, 1701 – 1776). Ami de J.J. Bodmer*, avec qui il publia *Discours des peintres* (1721-1723), il critiqua, comme celui-ci, les règles de l'idéal classique défendu par Gottsched* et leur opposa, sous l'influence de la littérature anglo-saxonne, le rôle du genie et de l'imagination dans la création artistique (*Art poétique critique*, 1740; *Sur la nature, les buts et l'emploi de la métaphore*, 1740; etc.).

BREJNEV (Léonide Ilitch) [Breʒnjev]. ♦ Homme politique et maréchal soviétique (Dnieprodzerjinsk, 1906 –). Fils d'un ouvrier, membre du parti communiste dès 1931, il devint secrétaire du comité régional de Dniepropetrovsk en 1939. Commissaire politique du 4e front de l'Ukraine pendant la Deuxième Guerre mondiale, premier secrétaire du Comité central du P.C. de Moldavie (1950-1952), puis du P.C. du Kazakhstan (1954-1956), il remplaça Vorochilov* à la tête du présidium du Conseil suprême de l'U.R.S.S. en 1960, et succéda à Khrouchtchev* comme premier secrétaire du Parti communiste de l'U.R.S.S. en oct. 1964.

BREKER (Arno). ♦ Sculpteur allemand (Elberfeld, 1900 –). Il séjourna à Paris où il admira Rodin*, Bourdelle*, Maillol* et devint l'aide de Despiau*. Il voyagea aussi en Italie où il fut surtout impressionné par Michel-Ange. Installé à Berlin il réalisa des statues telles que *Prométhée*, *Dionysos* et *l'Athlète*, que remarquèrent les nazis. Devenu l'un des principaux artistes officiels du régime hitlérien, il exécuta pour la chancellerie des bas-reliefs et des statues allégoriques dans lesquelles le goût du colossal et de l'expression grandiloquente s'affirme par la recherche de l'effet monumental, de rythmes amples établis selon des lignes parallèles et par le choix d'expressions et d'attitudes lourdement symboliques.

BRÊME, en allem. **Bremen.** ♦ V. d'Allemagne du N. (R.F.A.), située au fond de l'estuaire de la Weser*, à 65 km de la mer du Nord. 606 100 hab. (1969). Construite sur les deux rives du fl., Brême est le deuxième port d'Allemagne (après Hambourg). L'ancienne ville *(Altstadt)* s'allonge sur la r. droite. Cathédrale (XIIe s.), statue de Roland, hôtel de ville du XIVe s., quartier du Schnoor (maisons des XVIe au XVIIIe s.). La nouvelle ville *(Neustadt)*, construite au XVIIe s., a été très endommagée lors de la Deuxième Guerre mondiale, puis reconstruite avec l'aide américaine. Le port occupe les deux rives de la Weser. Son tonnage annuel (21 982 000 t en 1975 avec Bremerhaven*) s'est trouvé très accru par le dragage du fleuve à 10 m. Le minerai, les denrées exotiques (coton, laine brute, tabac, café, fruits, etc.) constituent l'essentiel des importations. La gamme des activités industrielles est en rapport direct avec le trafic portuaire : sidérurgie (complexe Weser-port), indus. mécaniques (automobiles, construction navale et aéronautique, matériel de précision), raffinage du pétrole, indus. textiles (laine, coton, jute) et alimentaires (torréfaction du café, chocolateries, cigarettes). ♦ *Hist.* Siège d'un évêché fondé en 787 par saint Willehad, Brême ne forma en 845 qu'un seul évêché avec Hambourg, chargé de l'évangélisation de la Scandinavie, du Groenland et de l'Islande. Dès le IXe s., elle devint une importante cité commerciale et adhéra à la Ligue hanséatique en 1358. En 1522 elle prit parti pour la Réforme. Elle accéda au statut de ville libre impériale après le traité de Westphalie (1656), dignité qu'elle réussit à sauvegarder malgré deux guerres contre la Suède (sièges de 1654 et 1666). Occupée par les Français en 1810, elle devint le ch.-l. du département des Bouches-du-Weser, mais fut rétablie ville libre au congrès de Vienne (1815). En 1866 elle entra dans la Confédération de l'Allemagne du Nord, puis dans l'Empire allemand en 1871. Elle fut durement éprouvée par la Deuxième Guerre mondiale et, en 1947, fut reconnue par la république fédérale « ville libre hanséatique » et ch.-l. du plus petit (404 km²) des *Länder* de la R.F.A.

BREMERHAVEN. ♦ V. d'Allemagne fédérale (Brême), sur l'estuaire de la Weser* à 61 km au N. de Brême*. 149 300 hab. Grand port de pêche et gare maritime pour les lignes transatlantiques.

BREMOND (*abbé* **Henri**). ♦ Critique et historien français (Aix-en-Provence, 1865 – Arthez-d'Assou, 1933). Après avoir étudié les modes d'expression de la spiritualité religieuse dans sa monumentale *Histoire littéraire du sentiment religieux en France* (inachevée, 11 vol., 1916-1932), l'abbé Bremond manifesta son hostilité à Bossuet comme au jansénisme dans l'*Apologie pour Fénelon* (1910), où s'affirmait sa tendance au mysticisme. Suspecté par les orthodoxes catholiques, il s'attira également les critiques des partisans du classicisme quand il prit parti *Pour le romantisme* (1923) et la littérature individualiste. Assimilant l'acte poétique à l'expérience mystique (*Prière et Poésie*, 1927), il entama un débat passionné (avec P. Valéry* notamment) sur l'essence de la poésie; défenseur de *La Poésie pure* (1926), « état confus inaccessible à la conscience claire », fondé sur une « intuition » instinctive de l'univers et qui tend « à suspendre le cours des activités ordinaires », il s'opposait fortement à l'intellectualisme et au néo-classicisme. (Acad. fr.)

BRÉMONTIER (Nicolas). ♦ Ingénieur français des ponts et chaussées (Quevilly, aggl. de Rouen, 1738 – Paris, 1809). Il réalisa en grand la fixation des dunes des Landes en dotant le pays de milliers d'ha de pins maritimes.

BRENETS (Les). ♦ Village de Suisse (cant. de Neuchâtel) sur les bords du Doubs*, qui sert de frontière entre la France et la Suisse. 850 m d'alt. 1 300 hab. Station estivale. Le Doubs s'y élargit pour former le *lac des Brenets* ou *lac de Chaillexon* (en France) à quelques kilomètres de la chute appelée *saut du Doubs*.

BRENNE. *n. f.* ♦ Région du Berry* (Indre) à l'O. de Châteauroux, entre la Creuse et la Claise*, au contact du Massif central. Constitués pour l'essentiel de dépôts siliceux peu fertiles, les sols de cette région « aux mille étangs » sont couverts de forêts et surtout de landes.

Ph. Ostuni-Diamante/Ricciarini

Brême : la Weser.

Ph. de Gregorio/Ricciarini
Brescia.

BRENNER. *n. m.* ♦ Col des Alpes orientales (1 374 m) qui unit l'Autriche à l'Italie. C'est le passage transversal le plus bas de la chaîne des Alpes, le seul qu'une voie ferrée importante traverse à ciel ouvert. Le col fut fréquenté très tôt dans l'histoire, menant à la route de l'ambre vers le nord à l'époque romaine. Il fut au Moyen Âge une des grandes routes commerciales de l'Europe. Dans le village, Hitler rencontra plusieurs fois Mussolini entre 1933 et 1945.

BRENNILIS. ♦ Comm. du Finistère, arr. de Châteaulin. 760 hab. Église (*fin* xve s.). Centrale nucléaire des monts d'Arrée produisant 700 000 000 de kWh.

BRENNUS. ♦ (~ IVe s.). Chef gaulois qui s'empara de Rome en ~ 390 après avoir vaincu les Romains sur l'Allia ; il accepta de se retirer contre un tribut important. Après s'être servi de faux poids, il aurait jeté son épée dans la balance servant à peser l'or en disant : « vae victis » (malheur aux vaincus !). Il fut vaincu par Camille* (Marcus Camillus).

BRENTA. *n. f.* ♦ Fl. d'Italie, né dans les Dolomites au S.-E. de Trente (174 km). Il traverse Bassano* del Grappa et passe près de Padoue* avant de se jeter dans l'Adriatique près de Chioggia*.

BRENTANO (Clemens). ♦ Poète et romancier allemand (Ehrenbreitstein, 1778 – Aschaffenburg, 1842). Il fit à Iéna ses débuts littéraires avec son roman *Godwi* (1801) et deux comédies, *Les Joyeux Musiciens* (mis en musique par Hoffmann) et *Ponce de Léon* (1804). À Heidelberg, il fut un des représentants principaux du « cénacle romantique » et publia avec A. von Arnim* *Le Cor enchanté de l'enfant* (1806-1808). Auteur d'une épopée lyrique, inachevée, et d'un drame (*La Fondation de Prague,* 1824), il est surtout célèbre par ses contes et ses nouvelles : *Gockel, Hinkel et Gackelia ; Histoire du brave Gaspard et de la belle Anna* (1817) et *Le Journal de voyage d'un écolier* (1818). Son lyrisme le fit considérer comme « le plus musicien des poètes romantiques ». Il se convertit au catholicisme sous l'influence de la visionnaire Anna Katharina Emmerich dont il transcrivit et publia les visions (1833).

BRENTANO (Elizabeth). ♦ V. ARNIM (ELIZABETH).

BRENTANO (Franz). ♦ Philosophe et psychologue allemand (Marienberg, 1838 – Zurich, 1917), neveu de C. Brentano, père de la psychologie descriptive, il définit la conscience par son « intentionnalité » (« Toute conscience est conscience de quelque chose »), et la représentation comme une visée de l'objet lui-même (et non sa reproduction dans l'esprit). Précurseur de la méthode phénoménologique, il influença Meinong* et surtout Husserl* (*Psychologie du point de vue empirique,* 1873 ; *De la classification des phénomènes psychiques,* 1911 ; etc.).

Brera *(palais).* ♦ Palais de Milan, bâti au XVIIe s., abritant la célèbre collection de peinture connue sous le nom de *galleria Brera.* Le palais comporte par ailleurs un observatoire, une bibliothèque riche de 700 000 vol. (dont 1 620 manuscrits et 2 300 incunables), et une école des beaux-arts.

BRESCIA. ♦ V. d'Italie du Nord, en Lombardie. Ch.-l. de la prov. homonyme, sur les contreforts des Alpes brescianes. 173 000 hab. Évêché, cathédrale ancienne (XIe-XVe s.), hôtel de ville (XVe-XVIe s.). Centre industriel très actif : manufactures d'armes et d'outils, industries textiles (coton), chimiques (matières plastiques). – Patrie d'Arnaud* de Brescia. ♦ *Hist.* L'anc. Brixia, patrie des Celtes Cénomans*, fut soumise par les Romains en ~ 225, appartint aux Lombards puis à Charlemagne. Ville libre (XIe-XIIIe s.), elle fut conquise par Henri VII d'Allemagne (1311). Annexée par les Visconti, elle passa à Venise en 1426, fut conquise par Gaston de Foix (1512) et défendue par Bayard (1520). Annexée à la France en 1796, elle fut le ch.-l. du dép. de la Mella puis tomba sous la domination autrichienne en 1815, avant d'être libérée en 1859.

BRESDIN (Rodolphe). ♦ Graveur français (Montrelais, 1822 – Sèvres, 1885). Auteur d'eaux-fortes et de lithographies exécutées avec une minutie extrême. Ces œuvres ont pour thème initial des paysages ou des scènes bibliques auxquels il conféra un caractère fantastique et visionnaire par une accumulation de motifs étranges. Il collabora à la *Revue fantaisiste* de Gautier et Banville, fut admiré par Baudelaire, J.K. Huysmans, Champfleury (qui le choisit comme modèle dans *Chien-Caillou*). Il conseilla et influença O. Redon*.

BRÉSIL. *n. m.* (Off. **États-Unis du Brésil,** en portug. **Estados unidos do Brasil).** ♦ État fédéral d'Amérique du Sud, baigné à l'E. par l'Atlantique (sur env. 7 400 km) et limité au N. par la Colombie, le Venezuela et les Guyanes, à l'O. par le Pérou, la Bolivie et le Paraguay, au S.-O. par l'Argentine et au S. par l'Uruguay. Il confine du N. au S. avec tous les États du continent sud-américain à l'exception du Chili et de l'Équateur, et occupe presque la moitié de l'Amérique latine. 8 511 965 km² (16 fois la France). 107 140 000 habitants en 1975 *(Brésiliens)* [40 % dans la région du S.-E.]. Env. 60 % de Blancs d'origine européenne, 26 % de métis, 11 % de Noirs d'origine africaine. *Langue off.* portugais. *Religion* 93 % env. de catholiques. *Monnaie* cruzeiro. *Cap.* Brasília. *V. princ.* **V. São Paulo, Rio de Janeiro, Belo Horizonte, Belém, Recife, Salvador, Pôrto Alegre.** – *Hydrogr.* **V. Amazone** et ses affl. (Japura, Juruá Madeira, Negro [rio], Purus, Tapajos, Xingu), **Paraïba do Norte, Paraïba do Sul, Paraná** et ses affl. (Iguaçu, Paraguay, Grande [rio], Paranaïba), **Parnaïba, São Francisco, Tocantins** et son affl. (Araguaia), **Uruguy.** (Lac) **V. Marajó, Fernando de Noronha.** –*Princ. montagnes et plateaux* **V. Espinhaço** (serra do), **Geral, Mantiqueira, Mar, Mato Grosso** (plateau brésilien). Outre le district fédéral de Brasília, le Brésil comprend 22 États et 4 territoires fédéraux répartis sur 5 grandes unités régionales. 1° *Nord* (États ou territoires et cap.) **V. Acre** (Rio Branco), **Amapá** (Macapá), **Amazonas** (Manaus), **Pará** (Belém), **Rondônia** (Pôrto Velho), **Roraima** (Boa Vista). Couvrant plus de 40 % de la superficie du pays, la région est semi-désertique (dens. inférieure à 1 hab./km²) à cause du climat équatorial et de la forêt vierge d'Amazonie* (« enfer vert ») qui la couvre d'O. en E. *Ressources :* pêche et surtout caoutchouc, cultures vivrières (riz, manioc, maïs). Noix du Brésil. Élevage bovin. Exploitation forestière. Richesses minières peu exploitées (en dehors du manganèse de l'Amapá*, et de l'étain de Rondônia*). Constructions de routes et développement de grandes entreprises agricoles (1971). *V. princ.* Manaus*, Belém*. 2° *Nord-Est (Nordeste)* **V. Alagoas** (Maceió), **Ceará** (Fortaleza), **Fernando de Noronha, Maranhão** (São Luis), **Paraïba** (João Pessôa), **Pernambouc** (Recife), **Piauí** (Teresina), **Rio Grande do Norte** (Natal). Le littoral atlantique est chaud, humide et fertile. Production de canne à sucre (30 % de la prod. nat. pour les États d'Alagoas et Pernambouc), cacao, coton, riz, tabac, cocotiers. Sur le plateau intérieur semi-aride, domine l'élevage (bovins, ovins, porcins). Marais salants (60 % de la prod. brésilienne de sel dans le Rio Grande do Norte). Peu de ressources minières. Quelques industries de transformation (alimentaires, textiles). *V. princ.* Recife*, Fortaleza*. 3° *Est* **V. Bahia** (Salvador), **Espirito Santo** (Vitória), **Guanabara** (Rio de Janeiro), **Minas Gerais** (Belo Horizonte), **Rio de Janeiro** (Niterói), **Sergipe** (Aracaju). Région la plus élevée du Brésil, l'Est présente des reliefs montagneux parallèles à la côte (serra do Espinhaço, serra de Mantiqueira). Climat tropical, chaud et humide qui favorise la culture de la canne à sucre (plaine de Campos*), du tabac, du cacao (95 % de la prod. du Brésil dans l'État de Bahia **V. Ilheus**), du coton, du café et des fruits tropicaux. Élevage de bovins notamment dans l'État de Minas Gerais, qui exploite également des ressources minières très importantes (minerais de fer, manganèse, bauxite, or, mica). Industries métallurgiques et sidérurgiques **(V. Volta Redonda).** Exploitation de pétrole dans la région de Bahia (82 % de la production nationale). Équipement hydro-électrique du São* Francisco (Paulo Afonso au N., Très Marias au S.). *V. princ. :* Rio de Janeiro, Belo Horizonte, Salvador. 4° *Sud-Est* **V. Paraná** (Curitiba), **Rio Grande do Sul** (Pôrto Alegre), **Santa Catarina** (Florianópolis), **São Paulo** (São Paulo). Région de plaines et de pampa traversée par des barrières montagneuses (serra do Mar*, Geral). Climat subtropical favorable à l'agriculture, la main-d'œuvre provenant d'une forte immigration européenne (Allemands, Italiens). La forêt d'origine (pins du Paraná) a fait place aux plantations de canne à sucre (35 % dans l'État de São Paulo) mais surtout au café qui, de l'État de Minas a gagné l'État de São Paulo et de là, l'État de Paraná (52 % de la prod.). Outre la culture du coton et du tabac, la presque totalité du blé, soja, vin, haricots, maïs est produite par cette région, qui est la plus développée et la plus peuplée du pays et représente avec São Paulo et Rio de Janeiro à peu près les 3/4 de la production industrielle du Brésil, dont le troisième pôle est Belo Horizonte (indus. sidérurgiques, métallurgiques, textiles, chimiques, automobiles). Complexes pétrochimiques (État de São Paulo). Élevage bovin et ovin. Communications avec toutes les autres régions excepté l'Amazonie. 5° *Centre-Ouest* **V. Brasília** (district fédéral), **Goiás** (Goiânia), **Mato Grosso** (Cuiabà). La région, qui couvre env. 22 % du territoire, correspond au *Plateau brésilien* **(V. Mato Grosso)** et ne comprend que 3 % de la population brésilienne, mais la mise en valeur de ses richesses

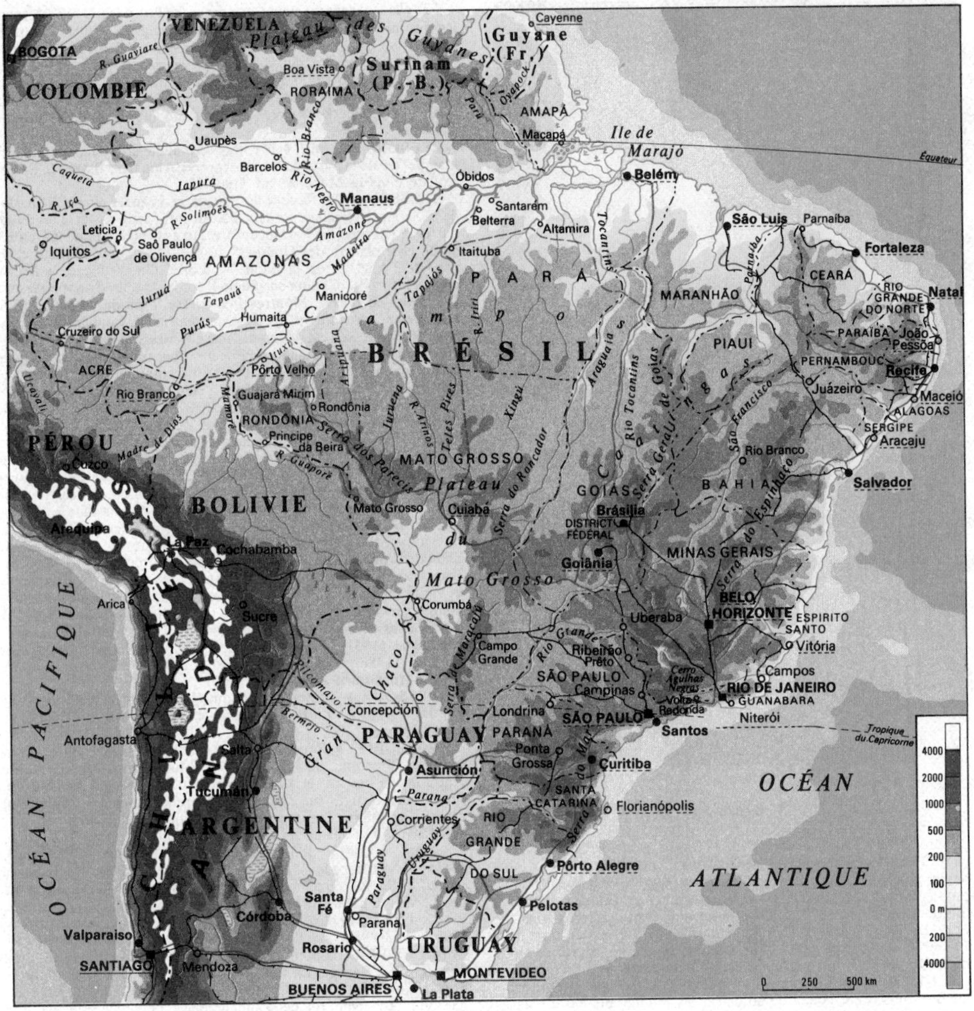

Brésil.

minières encore inexploitées est la grande préoccupation du Brésil moderne. Climat de savane tropical. Élevage extensif de bovins. *V. princ.* Brasília* (la cap. fédérale du Brésil) et Goiânia*. En dépit de l'accroissement des naissances, le Brésil reste un pays faiblement peuplé (les 4/5 de la pop. sont groupés dans les grandes villes du littoral). Un grand effort a été fait avec la création de Brasilia pour susciter un déplacement démographique favorisant l'économie du pays, dont l'expansion générale est continue depuis 1966. Premier producteur mondial du café (36,5 % des exportations), le Brésil occupe la seconde place pour la canne à sucre, le sisal, le maïs (loin derrière les États-Unis) et l'élevage porcin, et la troisième pour les bovins. Parallèlement, le cacao, les fruits (banane, ananas, agrumes), le caoutchouc, le coton, représentent des productions importantes. Toutefois les revenus de l'industrie (51 %) ont nettement dépassé ceux de l'agriculture (25 %), grâce en partie aux investissements étrangers. L'exploitation du minerai de fer (le quart des réserves mondiales), du cuivre, manganèse, aluminium, zinc, étain, acier et du pétrole, a entraîné un développement remarquable de l'industrie sidérurgique, métallurgique, mécanique, électromécanique, chimique et automobile. Néanmoins, la majeure partie des revenus industriels reste liée aux industries de transformation alimentaires (congélation de la viande) et textiles. La production d'énergie électrique (77 milliards de kWh dont 80 % d'origine hydraulique) s'est considérablement développée. ♦ *Hist.* C'est au Portugais Cabral* que l'on attribue la découverte du Brésil, en 1500. Quelques colons portugais s'installèrent au XVIe s. dans le pays, l'appelant *Braxil*, du nom d'un arbre donnant une substance rougeâtre. D'autres tentatives de colonisation (Français, Anglais, Hollandais) furent peu à peu repoussées. Au XVIIe s., la région côtière se développa d'abord, grâce à la traite des Noirs, main-d'œuvre des planteurs de canne à sucre, et à l'apport civilisateur des jésuites. Des aventuriers portugais, les *bandeirantes,* pénétrèrent à l'intérieur des terres, pillant et réduisant les Indiens à l'esclavage. Dès le XVIIIe s., la recherche de l'or et des diamants aboutit à l'exploitation des grandes mines de Minas* Gerais. Après avoir été divisé en capitaineries, le Brésil devint une vice-royauté portugaise, siégeant à Bahia (1720), puis à Rio (1763). Les rois de la maison

Ph. Nino Cirani/Ricciarini

Brésil : Rio vu du « Pain de Sucre ».

Coll. Rui Nogueira

R. Bresson.

de Bragance s'intitulaient *rois de Portugal et de Brésil.* Fuyant en 1807 devant Napoléon, le roi Jean* VI vint se fixer à Rio, qui devint alors la capitale de l'empire portugais. De retour dans son pays, il laissa son fils comme régent; celui-ci proclama l'indépendance du Brésil en 1822 et devint empereur constitutionnel sous le nom de Pierre* Ier. Il abdiqua en 1831 en faveur de son fils Pierre* II, dont le règne marqua une ère de grand progrès économique et politique, malgré les guerres coûteuses contre l'Argentine (1851-1852) et le Paraguay (1866-1870). L'esclavage fut aboli au Brésil en 1888, tandis qu'affluaient les immigrants européens : surtout des Allemands, puis des Italiens et, plus tard, des Japonais. Aujourd'hui, près de 40 % des Brésiliens sont des métis, 50 % des Blancs; 10 % de Noirs occupent le bas de l'échelle socio-économique; mais il n'y a pas de ségrégation raciale. En 1891, une révolution établit la Constitution républicaine du Brésil, érigé en État fédéral. La lutte des partis provoqua de nombreuses guerres civiles, que vinrent aggraver les difficultés économiques (surproduction et effondrement du prix mondial du café). Pendant ce temps, la vie politique du Brésil fut dominée par la figure de Getúlio Vargas*, président de la République de 1930 à 1945 et de 1951 à 1954. Appuyé par l'armée, Vargas établit une dictature qui abolit certaines libertés mais conduisit à d'importants progrès sociaux et économiques. En 1955, le président Kubitschek* inaugura un programme d'expansion industrielle et de grands travaux (dont la construction de la nouvelle capitale Brasília*). Jânio Quadros* lui succéda, puis João Goulart*, qui tenta de promouvoir une réforme agraire et des nationalisations. Il fut renversé par l'armée et la droite en 1964. Depuis, le Brésil a connu des régimes militaires (maréchal Castelo Branco, 1964; général Costa e Silva, 1967; G. Medici, 1969; E. Geisel, 1974) impitoyables à l'opposition politique et où certaines libertés sont limitées. Ces régimes, qui rencontrent une très vive opposition, notamment celle d'une partie de l'Église, favorisent le développement économique.

BRESLAU, nom all. de **Wrocław*** ♦ Patrie de M. Born*, F. Lassalle*, Marie* Leszczyńska, F. Schleiermacher*. ♦ *Hist.* Mentionnée dès le xe s. sous le nom de *Wratislavia,* la ville, germanisée en *Breslau,* siège d'un évêché v. l'an 1000, devint la capitale du duché de Silésie* érigé en 1163, au profit de la dynastie des Piast. Placée sous la suzeraineté de la Bohême avec presque toute la Silésie en 1327, incorporée au royaume de Bohême en 1335, elle passa avec ce dernier sous la domination de l'Autriche* en 1526. Assiégée par Frédéric* II le Grand et annexée à la Prusse en 1741, disputée entre Prussiens et Autrichiens durant la guerre de Sept* Ans (1756-1763) elle fut définitivement acquise à la Prusse en 1763, et suivit les destinées de la Silésie*. — Devenue un grand centre industriel au XIXe s., transformée en forteresse par les Allemands durant la Seconde Guerre mondiale, elle fut encerclée et prise par l'armée soviétique (7 mai 1945) après un siège de 82 jours, au cours duquel elle fut en grande partie détruite (65 à 70 %). Elle redevint polonaise à la suite des accords de Potsdam (1945) sous le nom de Wrocław*.

BRESLE [bʀɛl]. *n. f.* ♦ Riv. de Normandie à la limite de la Normandie* et de la Picardie*; elle traverse Aumale*, Blangy*, Eu* et se jette dans la Manche* au Tréport*.

BRESSE. *n. f.* ♦ Région de l'est de la France, plaine du bassin de la Saône, s'étendant sur env. 35 km entre cette riv. et le revers O du Jura* (Revermont* et Bugey*), et sur env. 90 km entre le Doubs* au N. et le plateau des Dombes* au sud. Elle couvre une partie des dép. de l'Ain* et de la Saône*-et-Loire. On distingue la *Bresse chalonnaise* **(V. Chalon-sur-Saône)** au N.-O., la *Bresse bressane* **(V. Bourg-en-Bresse, Montrevel-en-Bresse, Pont-de-Vaux)** au S.-E. et la *Bresse centrale* ou *Bresse louhannaise* **(V. Louhans).** La cap., Bourg*-en-Bresse, est le grand marché des poulardes de *Bresse,* race de volailles de qualité supérieure, dont un élevage traditionnel maintient la qualité. ♦ *Hist.* Passée par mariage à la maison de Savoie en 1272, la Bresse fut cédée à Henri* IV par le duc Charles*-Emmanuel en 1601. D'abord incluse dans le gouvernement de Bresse-Bugey, elle fit ensuite partie du gouvernement de Bourgogne* jusqu'à la fin de l'Ancien Régime.

BRESSE (La). ♦ Comm. des Vosges, arr. d'Épinal, dans les hautes Vosges. 5 315 hab. *(Bressands).* Station estivale et de sports d'hiver. — Fromages. Indus. du bois; indus. du coton; carrières de granit. — La ville a été détruite en 1944 et reconstruite.

BRESSON (Robert). ♦ Réalisateur français de cinéma (Bromont-La-Mothe, 1907). Peu nombreuse, son œuvre se caractérise par un style d'une exigence toute janséniste qui confinerait à la sécheresse si ce dépouillement ne dissimulait une quête passionnée de la vérité humaine, au delà de tous les artifices du cinéma considéré comme un spectacle. Réal. princ. : *Les Anges du péché* (1944), *Les Dames du bois de Boulogne* (1945), *Le Journal d'un curé de campagne* (1951) d'après Bernanos, *Un condamné à mort s'est échappé* (1956), *Pickpocket* (1959), *Le Procès de Jeanne d'Arc* (1963), *Au hasard Balthazar* (1966).

BRESSOUX. ♦ Comm. de Belgique (Liège) dans la banlieue N.-E. de Liège. 14 899 hab. Indus. chimiques, électriques, mécaniques et métallurgiques.

BRESSUIRE. ♦ Sous-préfecture des Deux-Sèvres, ch.-l. d'arr. (6 cant., 89 comm., 88 337 hab.), 9 703 hab. *(Bressuirais).* L'église Notre-Dame des XIIe et XVIe s. possède des orgues du XVIIIe siècle. Importants vestiges du château. — Marché agricole. — Important centre d'abattage. Constructions mécaniques. Confection.

BREST. ♦ Sous-préf. du Finistère, ch.-l. d'arr. (12 cant., 82 comm., 300 492 hab.) à l'extrémité occidentale de la Bretagne*, sur la r. N. de la *rade de Brest,* qui communique avec le large par le *goulet de Brest.* 159 857 hab. *(Brestois).* Le centre de la ville a été détruit au cours de la dernière guerre; aujourd'hui reconstruite, Brest est la ville la plus moderne de Bretagne. Nouvelle église Saint-Louis (1953-1958), sur l'emplacement de l'ancienne (XVIIe-XVIIIe s.), détruite en 1944. Le pont de Recouvrance (1954) est le plus grand pont levant d'Europe. La tour de La Motte-Tanguy (XVIe s.) abrite le *musée du Vieux-Brest.* Château (XIIe-XVIe s.). Cours Dajot, tracé au XVIIIe s.; remparts de Vauban. Siège de l'université de Bretagne-Occidentale. Centre national de l'exploitation des océans (C.N.E.X.O.). Centre océanologique de Bretagne (C.O.B.). Arsenal maritime, Brest est le premier port militaire français (base de sous-marins nucléaires) et un important port de commerce. Constructions navales. Centrale thermique. Appareillage électronique et magnétique. Indus. mécaniques et chimiques, papeteries, brosseries. Usines d'engrais, de ciment. Indus. textiles et alimentaires. Conserves de viande. Importante raffinerie de pétrole à 12 km de Brest (Lanvian). Centre de tourisme. Aéroport de Brest-Guipavas*. — Patrie de L. Bréhier*, de L. Hémon*, A. Robbe*-Grillet, V. Ségalen*. ♦ *Hist.* La ville commença à prendre de l'importance avec les travaux du port et des arsenaux entrepris par Richelieu en 1631. De nouvelles fortifications furent construites par Vauban à partir de 1683. Au cours de la Seconde Guerre mondiale, Brest eut à subir de nombreux bombardements alliés visant à détruire la base de sous-marins installée par les Allemands. Ceux-ci capitulèrent le 18 septembre 1944, après un siège de 43 jours qui acheva d'anéantir le centre de la ville. L'École navale, qu'elle abritait depuis 1830, a été transférée en 1945 à Lanvéoc-Poulmic.

BREST (jusqu'en 1921 **Brest-Litovsk**, en polon. **Brześć Litowski** *« Brest de Lituanie »*). ♦ Ville d'U.R.S.S. (Biélorussie*), ch.-l. de la région du même nom (32 700 km². 1 273 000 hab.), sur la Moukhavets, affl. du Bug* occidental, à la frontière de la Pologne. 122 000 hab. Nœud ferroviaire. Indus. alimentaires et textiles. Traitement du bois. ♦ *Hist.* La ville autrefois polonaise, fut annexée par la Russie au troisième partage de la Pologne (1795). Occupée par les Allemands (1915), redevenue polonaise (1921), à nouveau occupée par les Russes (1939) puis par les Allemands (1941-1944), elle fut attribuée à l'U.R.S.S. en 1945. — *Traité de Brest-Litovsk.* Après deux mois de pourparlers entre la République soviétique et le bloc allemand, la délégation russe (dirigée par Trotski*, puis par Tchitchérine) fut obligée d'y signer le 3 mars 1918 le « honteux traité » (Lénine), qui enleva à la Russie la Pologne, les pays baltes,

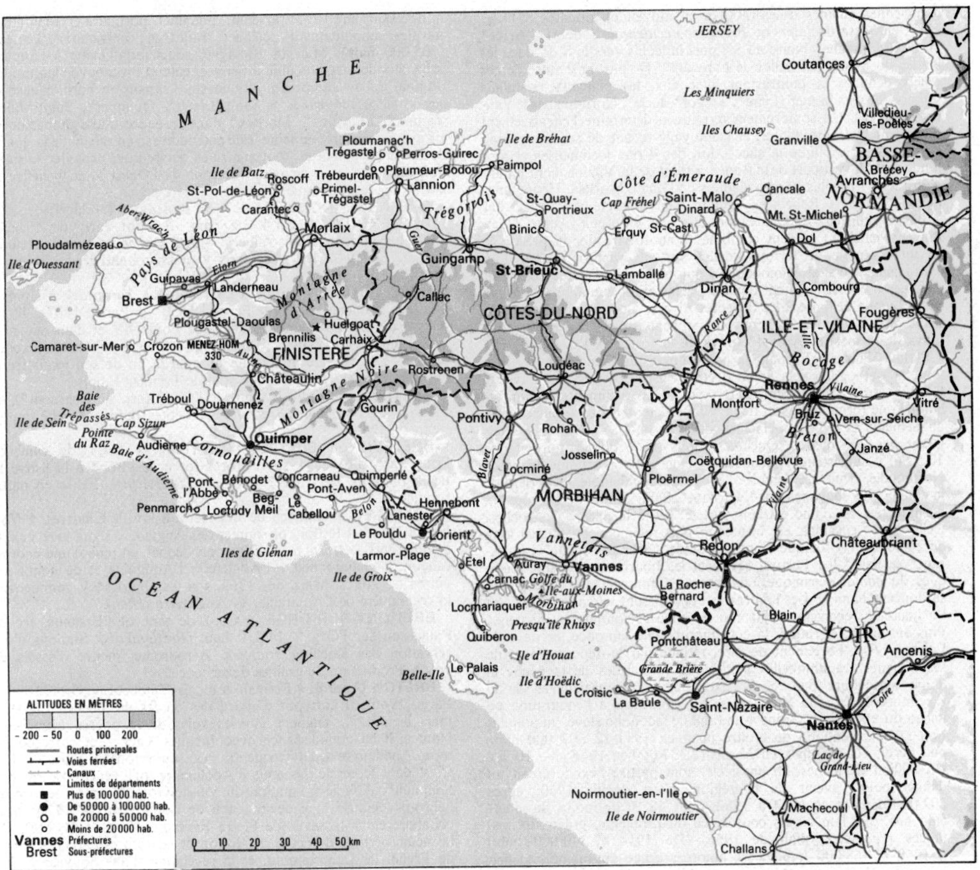

Bretagne.

la Finlande, l'Ukraine, une partie de la Biélorussie, Batoum, Ardahan et Kars. Le 13 nov. 1918, le traité fut annulé par le gouvernement soviétique.

BRETAGNE, en lat. *Britannia*. ♦ Nom de l'Angleterre* jusqu'aux invasions anglo-saxonnes des Vᵉ et VIᵉ siècles. Envahie par les Celtes dès la protohistoire, la Bretagne avait une civilisation très proche de celle de la Gaule* au moment de l'intervention de César (~ 55). Entreprise par Claude* en 43, la conquête de l'île, bien que menacée par de violentes révoltes **(V. Boadicée),** fut achevée par Agricola* (77-83). Préservée des invasions des Pictes* et des Scots* par les murs d'Hadrien* (122) et d'Antonin* (142), la Bretagne vit se développer au IIIᵉ s. les centres de *Londinium* (Londres) et *Eburacum* (York). Christianisée au IVᵉ s. l'île fut définitivement abandonnée par les Romains en 407. Submergés par les envahisseurs anglo-saxons aux Vᵉ et VIᵉ s., les Bretons de l'O. émigrèrent vers l'Armorique* et lui donnèrent leur nom.

BRETAGNE. *n. f.* ♦ Région naturelle et historique de l'ouest de la France (**V.** ci-dessous *Hist.*). C'est une péninsule bordée par la Manche* et l'Atlantique, qui couvre une partie du Massif armoricain*. (Hab. *Bretons*). Elle donne son nom à une région [anciennement C.A.R.] **(V.** *ci-dessous***)** et comprend en outre la Loire*-Atlantique. On distingue la *Bretagne maritime* ou Armor avec ses 1 200 km de côtes et la *Bretagne intérieure* ou Arcoat avec sa montagne et ses bois. D'un point de vue linguistique, la haute Bretagne à l'E., où l'on parle français, s'oppose à la basse Bretagne à l'O. où l'on parle français et breton *(Bretagne bretonnante)*. ♦ *Hist.* Les mégalithes (dolmens, tumulus, menhirs) qui parsèment la péninsule attestent l'existence de populations antérieures aux invasions des Celtes*. Parmi elles, les Vénètes* celtisés opposèrent une farouche résistance à la conquête romaine, et César* ne parvint à réduire l'Armorique qu'en ~51. Aux Vᵉ et VIᵉ s. les Bretons (Brittons) celtes des îles britanniques, surtout de la Cornouaille*, fuyant l'invasion des Angles et des Saxons, vinrent chercher refuge en Armorique, qui prit dès lors le nom de Bretagne. L'implantation de ces nouveaux colons favorisa l'essor de la vie chrétienne et le pays, déjà évangélisé par des apôtres comme saint Clair, se couvrit de monastères, embryons de futures villes. Dagobert*, roi des Francs, lui imposa sa suzeraineté (636), mais sous les Carolingiens, après la mort de Louis* Iᵉʳ *le Pieux* (840), Nomenoé se révolta contre Charles* *le Chauve*, s'affirma indépendant en 846 et fonda la dynastie des comtes de Rennes. Son descendant Conan Iᵉʳ prit le titre de duc en 987 et Conan IV donna sa fille Constance en mariage (1170) à Geoffroi* II *Plantagenêt*, fils du roi d'Angleterre Henri II. Leur fils Arthur Iᵉʳ, reconnu duc de Bretagne dès sa naissance (1187), fut tué par ordre de Jean* *sans Terre*, mais sous la pression de Philippe* Auguste la sœur d'Arthur épousa un prince capétien, Pierre Iᵉʳ *de Dreux*, dit *Mauclerc* (duc de 1213 à 1237), qui donna à la Bretagne une dynastie de princes capétiens jusqu'à la mort de Jean* III qui ne laissait pas d'enfant, en 1341. À cette date s'ouvrit la *guerre de la Succession* de Bretagne* (1341-1364) qui se termina par la victoire de Jean* de Montfort sur Charles* de Blois. Au traité de Guérande* (1365), le duc Jean était reconnu par Charles* V comme le légitime possesseur de son duché sous condition d'en faire hommage à la couronne de France. Sous son règne (1365-1399) et sous ceux de son fils Jean V (1399-1442) et de ses petits-fils François Iᵉʳ (1442-1450) et François II (1458-1488), la Bretagne vit s'épanouir une civilisation prospère. Après le mariage d'Anne* de Bretagne avec Charles* VIII (1491) et avec Louis XII (1498), l'union de sa fille Claude* de France avec le futur François* Iᵉʳ (1514) allait assurer l'annexion définitive de la Bretagne à la France par legs de la reine, morte en 1524. Le titre de duc de Bretagne disparut avec l'avènement de Henri* II sur le trône de France (1547). Le particularisme breton n'en continua pas moins à se manifester dans les États provinciaux et sous différents gouverneurs et intendants de l'Ancien Régime, tels le duc de Mercœur et le duc d'Aiguillon. La* Chalotais s'est rendu célèbre par sa résistance aux exactions de ce dernier. Sous la Révolution, les paysans bretons constituèrent un des foyers de la chouannerie*. **V. Vendée** *(guerres de)*. Le Club breton est à l'origine du Club des jacobins*. Au XXᵉ s., certains mouvements autonomistes dont le F.L.B. (Front de libération de Bretagne) revendiquent l'indépendance de la région.

BRETAGNE *n. f.* ♦ Région française (anciennement C.A.R.). Quatre départements **V. Côtes-du-Nord, Finistère, Morbihan, Ille-et-Vilaine.** 27 000 km² (5% du territoire; 9ᵉ). 2 595 400 hab. (5 %; 6ᵉ). Unité historique, liée au peuplement breton — amputée de la région nantaise, différente dans son physique et son économie —, elle coïncide avec la partie péninsulaire du Massif armoricain. Son ossature hercynienne dessine deux alignements, restes d'anciennes chaînes usées (300 m en moyenne), orientés S.-O. — N.-E. en *basse Bretagne* ou *Bretagne occidentale* : monts d'Arrée* au N.; Montagne* Noire au S.; puis infléchis vers le S.-E. dans les landes du Ménez* et celles de Lanvaux*. De part et d'autre de ces reliefs dénudés et contrastant avec eux, les plateaux cristallins s'abaissent vers la mer (Léon*, Trégor* au N.; Cornouailles*, Vannetais au S.). Un soulèvement tertiaire a déterminé l'encaissement du réseau hydrographique; et l'ennoyage récent de ses basses vallées au IVe s. explique la succession des « rias » sinueuses et profondes qui, de l'estuaire de la Rance à celui de la Vilaine, sont autant d'obstacles (franchis par les viaducs de Dinan, Morlaix, Hennebont, Bénodet [1972]). Reliefs en hauteur (séparant N. et S., enserrant le bassin schisteux de Châteaulin) et reliefs en creux (Aulne, Odet, Blavet, Penfeld...) se sont combinés pour fragmenter la presqu'île en un ensemble de terroirs repliés sur eux-mêmes, source d'un « atomisme social et économique » qui fut jusqu'à l'époque contemporaine, « le trait distinctif de son organisation humaine » : l'usage de la langue celtique, aux dialectes divers, ajoutait aux particularismes et à l'isolement. Ces terroirs peuvent être répartis en Armor* (pays de la mer) et Arcoat* (pays de la forêt). À l'E. d'une ligne « Plouha-Vannes » formant la limite linguistique entre pays « bretonnant » et « gallo », la *haute Bretagne* est beaucoup plus ouverte. C'est la zone d'affaissement tertiaire, avec sédiments marins et limons que forme le bassin de la Vilaine, aux collines adoucies, aux alignements de type appalachien orientés N.-O. — S.-E. et n'atteignant pas 200 mètres. Quelques forêts (6 % du territoire; lande 10,5 %) y subsistent. Ailleurs, le bocage est roi, comme en basse Normandie. Seule est dénudée l'extrémité occidentale, en arrière de la côte la plus sauvage (Raz*, Crozon*, Saint-Mathieu). La côte N., déchiquetée, est d'une extrême variété, liée à la nature des roches. Celle du S., ensablée, est beaucoup plus régulière. Le littoral long de 2 800 km est flanqué d'une guirlande d'îles, de Bréhat* à Ouessant* et Belle*-Île. Partout sévissent les bourrasques, caractéristiques du *climat* océanique, changeant et mouvementé en dépit de sa douceur humide. Les contrastes apparaissent vite à l'intérieur où les hauteurs reçoivent 1 000 mm de pluie et connaissent la neige. Plus ensoleillée et riante, la côte méridionale annonce les pays de Loire. — *Pop.* Fortement peuplée, réduite par le dépérissement de ses activités traditionnelles aux seules ressources de la pêche et d'une agriculture pauvre, à l'exception des maraîchages de la « ceinture dorée », la Bretagne se vit contrainte à l'émigration au milieu du XIXe siècle. Grâce à un taux de fécondité élevé, la population globale continua de croître jusqu'en 1911 (2 602 000 hab.) puis perdit 265 000 hab. en 35 ans (2 337 000 en 1946 = — 10 %). Un million de jeunes, en un siècle, sont partis; l'exode créait un danger pour l'avenir de la région. C'est depuis 1950, après 202 000 départs de 1954 à 1962, dont 48 % de moins de vingt-cinq ans, que l'on a pris conscience du problème, grâce aux instances régionales (plan de 1956). De 1954 (2 340 000 hab.) à 1968 (2 468 000 hab.) s'est amorcé, grâce au moindre déficit migratoire, le redressement démographique. — *Écon.* Activité essentielle, l'agriculture n'occupe plus que 286 000 personnes (545 000 en 1954) soit encore 30 % des actifs; et quoique en recul, la micro-exploitation, aux maigres revenus, reste prédominante (146 000, moyenne 13 ha en 1970). La spécialisation (productions animales : 83 %) a néanmoins permis une excellente productivité. L'élevage bovin assure 12 % du lait français (27 000 000 hl en 1970) et 10 % de la viande; la densité du peuplement a stimulé l'élevage porcin (30 % du troupeau national) et l'aviculture, peu liés au sol. S'y ajoutent céréales (orge) et surtout légumes et primeurs côtiers (un tiers de nos exportations). Les équipements s'améliorent (« rénovation rurale », barrage d'Arzal*-sur-Vilaine, port de Roscoff...) et la transformation des structures se poursuit : 125 000 exploitations agricoles et 225 000 actifs en 1975; respectivement 100 000 et 110 000 prévus pour 1985. — Avec 5 600 bateaux et 16 000 marins, la pêche industrielle (Saint-Malo*; de Douarnenez* à Étel*) ou artisanale (Côte N. et O.; S. d'Étel), fournit, conchyculture comprise, 200 000 t par an (en valeur, 45 % de la production française). Elle s'industrialise, appuyée sur la recherche océanographique, l'organisation professionnelle, la qualité de la flotte et des infrastructures portuaires (Lorient*, 2e port; Concarneau*, 3e; Douarnenez, 5e). Le développement du secteur secondaire (pêche incluse) apparaît comme le frein majeur à l'émigration. L'objectif pour 1985 (2 800 000 hab. dont 1 100 000 actifs) implique un emploi industriel accru de plus de 60 %. Or, avec 254 000 postes, son taux reste faible (27,2 %). Aussi le VIe Plan prévoit-il 40 000 postes nouveaux, avec une diversification plus poussée (métallurgie, mécanique, automobile, électricité, chimie, matériaux de construction, confection...), dominée par le secteur agro-alimentaire (laiterie, conserverie) en pleine expansion et par l'électronique (fabrication, enseignement, recherche). Avec le progrès parallèle du tertiaire, l'économie bretonne devrait ainsi, selon les perspectives de la C.O.D.E.R., trouver son équilibre entre 1975 (primaire 20 %; secondaire 31 %; tertiaire 49 %) et 1985 (10 %. 37 % et 53 %). Condition première : la fin de l'isolement par la modernisation et l'essor de toutes les infrastructures (plan routier réalisé entre les années 1975 et 1977) dont le tourisme tirera également profit. — Trois pôles se dessinent : Rennes* est passé de 124 000 hab. en 1954 à 215 000 en 1972 : capitale administrative, économique (indus. diversifiées, automobile : 13 000 emplois), universitaire, au centre d'un ensemble urbain (400 000 hab. pour 1985); Brest*, de 111 000 hab. en 1954 à 185 000 en 1972 (arsenal, potentiel portuaire : réparations navales, appontement pétrolier, raffinage; université); Lorient* (105 000 hab.). Mais la Bretagne, soucieuse d'éviter « l'impasse urbaine » des régions industrialisees, entend promouvoir un modèle original de développement fondé sur l'expansion harmonieuse de ses « villes moyennes » Saint-Brieuc*, Quimper*, Saint-Malo*, Vannes*, Fougères*, Morlaix* dans le cadre d'une quinzaine de « Pays » à mesure humaine. Elle entend aussi, en raison de la qualité de ses sites portuaires, tout mettre en œuvre pour exploiter sa situation maritime « au cœur de l'Europe de l'Ouest », au bénéfice de notre façade atlantique et de son arrière-pays.

BRETAGNE (NOUVELLE-). ♦ **V.** BISMARCK (archipel).

BRETENOUX. ♦ Ch.-l. de cant. du Lot (arr. de Figeac). 1 071 hab. Fortifications ruinées. — À 2 km, château de Castelnau. ♦ *Hist.* En 1944, les Allemands y massacrèrent des résistants et des otages.

BRETEUIL (Louis Auguste Le Tonnelier, *baron de***).** ♦ Homme politique français (Azay-le-Féron, 1730 — Paris, 1807). Il fut chargé de plusieurs ambassades sous Louis XV et d'un ministère sous Louis XVI. Louis XVI lui confia le pouvoir après le renvoi de Necker. La prise de la Bastille marqua la fin de son ministère et il émigra. Il rentra en France sous le Premier Empire.

BRETEUIL. ♦ Ch.-l. de cant. de l'Oise* (arr. de Clermont*), en Picardie*. 3 085 hab. *(Breteuillois).* Petites indus. Marché important.

BRETEUIL ou **BRETEUIL-SUR-ITON.** ♦ Ch.-l. de cant. de l'Eure (arr. d'Évreux), sur un bras forcé de l'Iton* à la lisière E. de la *forêt de Breteuil.* 3 095 hab. *(Bretoliens).* Église en partie romane.

BRÉTIGNY. ♦ Hameau de Beauce, à 8 km de Chartres. ♦ *Hist.* Le roi Jean* II le Bon, prisonnier des Anglais, y signa avec eux, le 8 mai 1360, le *traité de Brétigny* par lequel, en plus d'une énorme rançon, il abandonnait à l'Angleterre l'Aquitaine et de nombreux autres territoires. Mais, dès 1369, son fils Charles* V commençait la reconquête de l'Aquitaine. **V. Angleterre** *(Hist.).*

BRÉTIGNY-SUR-ORGE. ♦ Ch.-l. de cant. de l'Essonne, arr. de Palaiseau, sur l'Orge*. 14 510 hab. *(Brétignolais).* Stations d'observation des satellites français. Aérodrome, centre d'essais en vol. — Production de graines de semence.

BRETON (André). ♦ Écrivain français (Tinchebray, Orne, 1896 — Paris, 1966). Il entreprit d'abord des études de médecine (1913), mais bientôt il s'engagea sur les voies de la poésie. Mobilisé à Nantes, il lia connaissance avec Jacques Vaché* et correspondit avec Apollinaire qu'il fréquenta dès son retour à Paris (1917). C'est dans le cercle des amis d'Apollinaire qu'il rencontra Philippe Soupault*. Affecté à l'hôpital du Val-de-Grâce dans un service de neuro-psychiatrie, il y devint l'ami de Louis Aragon*. Tous trois collaborèrent à la revue de Pierre Reverdy, *Nord-Sud* (1917). De la même période datent pour Breton deux lectures capitales, celles de Freud, de Lautréamont, et la révélation d'une nouvelle amitié avec Paul Éluard*. Fondateur, aux côtés d'Aragon et de Soupault, de la revue *Littérature,* il écrivit, en collaboration avec Soupault, le premier texte surréaliste, *Les Champs magnétiques,* et publia son premier recueil de poèmes, *Le Mont de Piété* (1919). Dès l'arrivée de Tristan Tzara à Paris, le groupe s'engagea dans l'aventure dadaïste (1920). Mais Breton et ses amis rompirent bientôt avec Tzara (1922). Déjà les premières expériences de sommeil hypnotique orientaient les futurs surréalistes vers ce qui allait constituer bientôt l'essentiel de leur recherche, et la publication par Breton d'un recueil, *Clair de Terre* (1923), en proposait l'illustration. Ils tendirent à une révolution de la poésie par l'exploration du subconscient et la conquête d'un nouveau langage, reconnaissant dans le rêve et dans l'écriture automatique les plus sûrs moyens d'accès à un surréel libéré de toute logique causale, et, par là même, riche d'une véritable poésie et d'un humour insolite. Breton confirma ces positions dans le *Premier Manifeste du surréalisme* (1924) où se trouve la définition du mouvement (Cf. Surréalisme *in* Robert). La poésie telle que Breton la conçoit, doit être pour l'homme l'unique mode d'affranchissement dans le combat contre

Ph. Pic

A. Breton, en 1961.

les forces qui l'oppriment, qu'elles soient sociales, économiques, philosophiques ou religieuses. À un rationalisme prosaïque, il oppose la folie féconde de *Nadja* (1928), révélatrice d'une activité fantastique de l'esprit, ou l'insolite de la réalité quotidienne appréhendée par un regard neuf (*Les Vases communicants,* 1932). C'est dans le *Second Manifeste du surréalisme* (1930) que, précisant ses positions, il assigne à la poésie une fonction véritablement prométhéenne. Son adhésion au parti communiste (1927) marqua le début de son engagement dans l'action politique, mais fut bientôt suivie d'une rupture (*Position politique du surréalisme,* 1935). La rencontre de Léon Trotski, lors d'un voyage au Mexique (1938) confirma Breton dans une opposition farouche au stalinisme et dans un refus d'assimiler surréalisme et marxisme, ce refus inspirant encore la campagne qu'il mena plus tard contre le réalisme socialiste (1951). Fidèle jusqu'à l'intransigeance à l'intégrité d'une doctrine qu'il pensait être le seul à maintenir, il assuma le rôle d'inquisiteur, rompant même avec Aragon (1935), puis avec Éluard (1938). Breton voyait d'abord la transformation de l'homme dans l'amour. Poète de la femme, il la célébra en des termes d'une ferveur quasi religieuse, confondant à dessein amour courtois, érotisme, et sadisme (*Union libre,* 1931; *L'Amour fou,* 1937; *Arcane 17,* 1947). Après l'interdiction de son *Anthologie de l'humour noir* (1940), il quitta la France (1941) pour les États-Unis. Il y publia *Situation du surréalisme entre les deux guerres* (1942). C'est durant cet exil qu'il effectua de nombreux voyages en quête des vestiges précolombiens (Arizona, Nouveau-Mexique). De retour à Paris, il organisa deux expositions internationales du surréalisme (1947, 1965), publia une *Ode à Charles Fourier* (1948), une édition collective de ses *Poèmes* (1948), des essais sur l'art (*Le Surréalisme et la Peinture,* 1946; *l'Art magique,* 1957). Loin de s'affirmer par une rupture radicale, le surréalisme, tel qu'André Breton en a défini et illustré les ambitions, peut être considéré comme l'aboutissement du romantisme autant que du symbolisme.

BRETONNEAU (Pierre). ♦ Médecin français (Saint-Georges-sur-Cher, 1778 – Passy, 1862). Il donna une description de la diphtérie et du croup ainsi que de la fièvre typhoïde et formula la doctrine de la spécificité des maladies infectieuses. Il eut pour élèves à Tours, Trousseau*, Velpeau* et Baillarger*.

BREUER (Josef). ♦ Physiologiste et psychiatre autrichien (1842 – 1925). En soignant une jeune hystérique, il fut amené à expliquer ses symptômes par la rétention de certains souvenirs (« états hypnoïdes » qu'il compare à l'amnésie posthypnotique). Sa méthode « cathartique », utilisant la suggestion (l'hypnose) lui permit de rendre conscients ces souvenirs inconscients et de provoquer la disparition des symptômes. Cette méthode est à l'origine de la psychanalyse de S. Freud* qui publia avec Breuer *Les Études sur l'Hystérie* (1895).

BREUER (Marcel). ♦ Architecte, dessinateur et urbaniste américain d'origine hongroise (Pecs, 1902 –). Après des études à Vienne, il devint élève au Bauhaus* de Weimar (1922). Professeur de la section ameublement (1924), il conçut en grande partie le mobilier intérieur des nouveaux bâtiments de Gropius*; par ses modèles en acier tubulaire aux formes géométriques et dépouillées (*fauteuil Wassily,* 1925) destinés à la fabrication industrielle, il s'est révélé comme l'un des principaux créateurs du mobilier contemporain. Installé à Berlin en 1928, à Londres en 1935, puis en 1937 aux États-Unis, où il travailla avec Gropius, se consacrant surtout à l'architecture, il acquit une réputation internationale en édifiant les *grands magasins Bijenkorf* à Rotterdam (1955-1957). *l'ambassade des États-Unis* à La Haye, le *siège de l'UNESCO* à Paris (1952-1958) en collaboration avec Nervi* et Zehrfuss*. Il est aussi l'auteur du *centre de recherche I.B.M.* à La Gaude, près de Nice (1960-1962), et des plans de Flaine*. Partisan d'un fonctionnalisme rigoureux, soucieux d'exprimer clairement l'organisation intérieure, il n'en est pas moins sensible à l'architecture organique de F.L. Wright*.

BREUGHEL. ♦ **V.** BRUEGEL.

BREUIL (*abbé* **Henri).** ♦ Paléontologue et préhistorien français (Mortain, 1877 – L'Isle-Adam, 1961). Professeur d'ethnographie préhistorique au Collège de France, il se spécialisa dans l'étude de l'art paléolithique (gravures, objets des cavernes en France, Espagne, Afrique) [*L'Afrique préhistorique,* 1933; *Les Hommes de la pierre ancienne,* 1951, etc.]. **V.** *aussi* **Peyrony.**

BREUIL-CERVINIA. ♦ Importante station climatique et de sports d'hiver du N.-O. de l'Italie (val d'Aoste), au fond d'une vallée située au pied du Cervin, à 2 010 m d'altitude.

BRÉVANNES (*château de*). ♦ **V.** LIMEIL-BRÉVANNES.

BRÉVENT. *n. m.* ♦ Sommet des Alpes (chaîne des Aiguilles* Rouges) à 2 525 m d'altitude, offrant un magnifique panorama sur le massif du Mont-Blanc.

BREWSTER (*sir* **David).** ♦ Physicien écossais (Jedburgh, comté de Roxburgh, Écosse, 1781 – Allerby, Écosse, 1868). Auteur de travaux sur les propriétés optiques des cristaux, il découvrit la polarisation chromatique des lames minces cristallines (1811) en même temps que Arago*, et, avec Wollaston*, les figures d'interférences qui permettent de caractériser les différents cristaux (uniaxes et biaxes, positifs et négatifs) [**V.** *aussi* **Biot, Malus**]; il rassembla les lois de la polarisation par réflexion (*On the Laws of Polarisation and double Refraction in regulary crystallised Bodies,* 1818). Inventeur du kaléidoscope, de la « lampe monochromatique » à alcool salé (1822), il découvrit également les raies telluriques du spectre solaire (1834).

Ph. Mario Russo/Ricciarini

Briançon.

BRÉZÉ (Louis *de***).** ♦ Grand sénéchal de Normandie (? – 1531). Il épousa Diane* de Poitiers, la future maîtresse d'Henri II.

BŘEZINA (Otakar), pseudonyme de **Václav Ignác JEBAVÝ.** ♦ Poète tchèque (Počatky, 1868 – Jaroměřice, 1929). D'inspiration spiritualiste, son œuvre évolua d'un pessimisme initial, où la mort comme seul salut apparaissait « joyeuse et heureuse », vers un mysticisme sublime. En cinq recueils : *Lointains mystérieux* (1895), *Aube à l'Occident* (1896), *Les Vents du pôle* (1897), *Les Architectes du Temple* (1899), *Les Mains* (1901), d'une langue riche, puissante et majestueuse, d'un rythme ample, il s'éleva dans l'extase et la souffrance vers une unité mystique, sorte d'harmonie cosmique dans la gloire de Dieu.

BRÉZOLLES. ♦ Ch.-l. de cant. d'Eure-et-Loir, arr. de Dreux. 1 140 hab. *(Brézolliens).* Église (*fin* du XVᵉ s.). Aux environs, château du XVIᵉ siècle.

BRIALMONT (Henri Alexis). ♦ Ingénieur militaire belge (Venlo, 1821 – Bruxelles, 1903). Il créa le système fortifié de la Belgique, d'Anvers à la Meuse.

BRIANCHON (Charles Julien). ♦ Mathématicien français (Sèvres, 1783 – Versailles, 1864). Il participa au renouveau de la géométrie analytique et de la géométrie pure, reprenant notamment les principes esquissés dans la *Géométrie descriptive* de Monge* pour démontrer la proposition corrélative du théorème de l'hexagramme de Pascal* (1806) et traiter de nombreux problèmes sur les coniques (1817).

BRIANÇON. ♦ Sous-préf. des Hautes-Alpes, ch.-l. d'arr. (6 cant., 38 comm., 26 369 hab.) au confluent de la Durance* et de la Guisane, 10 497 hab. [7 551 aggl.] *(Briançonnais).* À l'intérieur de ses remparts, la ville haute est une place forte construite par Vauban, ainsi que l'église Notre-Dame. Citadelle ou fort du château; pont d'Asfeld, du XVIIIᵉ siècle. Ville basse (ou Sainte-Catherine). – Mines d'anthracite, indus. du bois, indus. laitière. Station climatique (sanatoriums, maisons de cure). Les stations de sports d'hiver de Serre*-Chevalier et Montgenèvre* se trouvent à proximité. ♦ *Hist.* Rattachée à la France en 1349, la ville fut attribuée à la Savoie en 1697 (paix de Ryswick*) et rendue à la France en 1713. De tout temps, Briançon a été une ville militaire.

BRIANÇONNAIS. *n. m.* ♦ Région de la haute Durance* dans les Alpes du Dauphiné* (Hautes-Alpes*). Briançon* communique avec l'Oisans* par le col du Lautaret*, avec la Maurienne* par le col du Galibier*, avec l'Italie par le col de Montgenèvre*, avec la Provence par les cols d'Izoard* et de Vars*. À l'O., la Vallouise conduit au pied du mont Pelvoux*.

BRIAND (Aristide). ♦ Homme politique français (Nantes, 1862 – Paris, 1932). Avocat et journaliste, il fut rédacteur à l'*Humanité* (créé en 1904), membre puis secrétaire général (1901) du Parti socialiste français (qu'il devait quitter en 1905 après le congrès d'Amsterdam de 1904), il fut élu député (1902) et contribua à faire adopter la loi de séparation de l'Église et de l'État. Chargé du portefeuille de l'Instruction publique dans le cabinet Sarrien (1906), il connut une des plus longues carrières ministérielles de la IIIᵉ République. Il fut plus de vingt fois ministre, en particulier des Affaires étrangères et 11 fois président du Conseil. Après avoir organisé les expéditions de Salonique et des Balkans lors de la Première Guerre mondiale, il fut un des plus ardents partisans de la politique de paix et de collaboration internationale, signant le pacte de Locarno* (1925), le pacte Briand-Kellogg* mettant la guerre hors la loi (août 1928), proposant un régime d'union fédérale européenne (mémorandum Briand, 1930) et soutenant les travaux de la S.D.N. Son éloquence, servie par une voix persuasive, est restée célèbre. (Prix Nobel de la paix, 1926.)

BRIANSK. ♦ V. d'U.R.S.S. (R.S.F.S. de Russie), ch.-l. de la région du même nom (34 900 km², 1 566 000 hab.) sur la Desna*. 318 000 hab. Indus. métallurgiques, mécaniques et alimentaires. Traitement du cuir. Nœud ferroviaire. – Patrie de Naum Gabo *. ♦ *Hist.* Capitale d'une principauté indépendante du XIIIe au XIVe s., la ville fut lituanienne de 1356 à 1503, avant d'être réunie à la Russie. Prise par les Allemands en oct. 1941, elle fut réoccupée par les Russes en août 1943.

BRIARE. ♦ Ch.-l. de cant. du Loiret, arr. de Montargis. 5 140 hab. *(Briarois).* Le canal latéral y franchit la Loire sur un pont et rejoint le *canal de Briare.* – Céramique. Jouets.

BRIARE *(canal de).* ♦ Canal unissant la Loire et la Seine par le Loing (56 km). C'est une des branches du canal du Loing (l'autre étant le canal d'Orléans*). Creusé de 1604 à 1642, c'est le plus ancien canal de France.

BRIARÉE, en grec **Briareôs**. ♦ L'un des trois *hécatonchires,* géants à cent bras et à cinquante têtes, dans la mythologie.

BRICE *(saint).* ♦ Évêque de Tours (mort en 444). Il succéda en 397 à saint Martin*, son maître.

BRIÇONNET (Guillaume). ♦ Cardinal français (1445 – 1514). Conseiller de Charles VIII, il devint, après la mort de sa femme, évêque de Saint-Malo, archevêque de Reims, puis archevêque de Narbonne et cardinal. Il eut des démêlés avec le pape Jules II sous Louis XII. ♦ GUILLAUME BRIÇONNET. Prélat français, fils du précédent (v. 1472 – Paris, 1534). Il devint évêque de Meaux* en 1516. D'esprit libéral, il fut suspecté d'hérésie et le cercle qu'il animait se dispersa (le *« Cénacle de Meaux »* : Lefèvre* d'Étaples, Farel, Vatable).

BRICQUEBEC. ♦ Ch.-l. de cant. de la Manche* (arr. de Cherbourg*). 3 267 hab. *(Bricquebétais).* Enceinte fortifiée de l'ancien château du XIVe s.– Produits laitiers. Exploitations forestières.

BRIDAINE (Jacques). ♦ Missionnaire français (Chusclan, près d'Uzès, 1701 – Roquemaure, près d'Avignon, 1767). Il fut célèbre par son éloquence hardie et pleine de saillies inattendues.

BRIDES-LES-BAINS. ♦ Comm. de la Savoie (arr. d'Albertville). 638 hab. *(Bridois).* Station hydrominérale (traitement de l'obésité).

BRIDGEPORT. ♦ V. des États-Unis (Connecticut) à env. 100 km au N.-E. de New York. 155 359 hab. (1970). La zone urbaine compte env. 350 000 hab. Indus. variées (mécanique, électricité). – Barnum en fut le maire.

BRIDGES (Robert Seymour). ♦ Critique et poète anglais (Walmer, île de Thanet, 1844 – Oxford, 1930). Après des études à Oxford, il exerça la médecine. Poète, il s'inspira de la prosodie grecque : *La Croissance de l'Amour,* 1876; *Éros et Psyché,* 1885. Il composa aussi des drames historiques en vers. Encore que d'une forme savante, ses œuvres connurent un certain succès (*Le Testament de Beauté,* 1929). Critique, il est l'auteur de pénétrantes études sur *Keats* et sur *La Prosodie de Milton,* 1893. C'est grâce à Bridges que les œuvres de Gerard Manly Hopkins* furent sauvées de l'oubli.

BRIDGES (Calvin Blackmann). ♦ Généticien américain (1889 – 1938). Collaborateur de T.H. Morgan*, il découvrit (avec Painter) les chromosomes géants des glandes salivaires de la mouche drosophile mélanogaster (1933), contribua à l'étude de la localisation des gènes sur les chromosomes et de la détermination chromosomique des sexes.

BRIDGETOWN. ♦ Cap. de l'île de la Barbade* (Antilles), située au S. de la côte occidentale. Env. 9 000 hab. (en diminution). Centre commercial. Principal port de l'île, par où s'effectuent les exportations en direction des Grandes Antilles, de l'Amérique du Nord et de l'Amérique du Sud (Venezuela, Brésil). Escale des lignes aériennes qui unissent New York à l'Amérique du Sud.

BRIDGEWATER. ♦ V. du S. de l'Angleterre (Somerset) et port sur le *canal de Bristol,* sur la r. d. du Parret. 25 582 hab. Patrie de l'amiral Blake*.

BRIDGMAN (Percy Williams). ♦ Physicien américain (Cambridge, Massachusetts, 1882 – Randomph, New Hampshire, 1961). Il a notamment étudié les très hautes pressions et réalisé ainsi la découverte de diverses variétés de différentes substances (glaces plus denses que l'eau, phosphore noir). Ses travaux ont conduit à des procédés de production de diamants industriels et de variétés de cristaux (nitrures de bore) plus durs que le diamant lui-même. (Prix Nobel de phys., 1946.)

BRIE. *n. f.* ♦ Région de l'E. du Bassin parisien, plateau recouvert de limons fertiles, situé entre la Seine et la Marne *(Briards).* La Brie s'étend sur la plus grande partie du dép. de la Seine*-et-Marne, recouvre également en partie le Val-de-Marne, l'Essonne, l'Aisne, la Marne et l'Aube. C'est une région de grandes propriétés pratiquant une agriculture mécanisée : culture du blé, de la betterave à sucre; élevage (fromages réputés). Au S., la *Brie française* est la partie la plus riche, au N., la *Brie champenoise* est moins fertile. *V. princ.* **V. Corbeil*-Essonnes, Coulommiers, Meaux, Melun.** ♦ *Hist.* Il y eut sous les derniers Carolingiens et les premiers Capétiens une *Brie française* (cap. Brie*-Comte-Robert) et une *Brie champenoise* (cap. Meaux) dont les seigneurs s'intitulaient comtes de Meaux. Celle-ci fut rattachée à la couronne, avec la Champagne, en 1361.

BRIEC ou **BRIEC-DE-L'ODET.** ♦ Ch.-l. de cant. du Finistère, arr. de Quimper. 3 786 hab. *(Briécois).* Élevage de chevaux.

BRIE-COMTE-ROBERT. ♦ Ch.-l. de cant. de Seine-et-Marne, arr. de Melun, sur le plateau de Brie*. 6 100 hab. *(Briards).* Ruines du château construit par Robert, comte de Dreux, frère de Louis* VII (v. 1170). Église Saint-Étienne (XIIIe s.) remaniée aux XVe et XVIe siècles. – Culture de la rose. Verrerie; meubles. – C'est l'anc. capitale de la *Brie française.*

BRIENNE, auj. **BRIENNE-LA-VIEILLE.** ♦ Comm. de l'Aube (arr. de Bar-sur-Aube), sur l'Aube, à 2 km au S. de Brienne*-le-Château. 456 hab. Berceau des premiers comtes de Brienne, vassaux, dès 987, des comtes de Champagne. À cette maison appartinrent : JEAN* (1148 – 1237), roi de Jérusalem (1210) et empereur de Constantinople (1231-1237). – GAUTIER V et GAUTIER VI furent ducs d'Athènes durant la première moitié du XIVe siècle. À la mort de Gautier VI (1356), cette lignée s'éteignit. Le titre de *comte de Brienne* fut repris au XVIIe s. par la famille de Loménie*.

BRIENNE-LE-CHÂTEAU. ♦ Ch.-l. de cant. de l'Aube, arr. de Bar-sur-Aube, près de l'Aube. 4 207 hab. *(Briennois).* Église Saint-Pierre-et-Saint-Paul (XIVe, XVIe s.; restaurée). Château construit au XVIIIe s. par Fontaine sur l'emplacement d'un château féodal. L'anc. couvent des Minimes abritait l'école militaire où Bonaparte fit ses études de 1779 à 1784; musée Napoléon. – Culture du chou; fabrication de choucroute. ♦ *Hist.* Napoléon repoussa, le 29 janvier 1814, les Prussiens qui occupaient la ville, mais dut se retirer le 2 février.

BRIENON-SUR-ARMANÇON (autrefois **Brienon-l'Archevêque).** ♦ Ch.-l. de cant. de l'Yonne (arr. d'Auxerre) sur l'Armançon et sur le canal de Bourgogne* (port). 2 730 hab. Anc. collégiale Saint-Loup, gothique et Renaissance. – Constructions métalliques. Indus. du bois. ♦ *Hist.* Anc. résidence des archevêques de Sens. Pèlerinage à Saint-Loup.

BRIENZ. ♦ V. de Suisse (cant. de Berne) à l'extrême N.E. du lac de Brienz. 2 900 hab. Artisanat (sculpture sur bois). Le *lac de Brienz* (en all. Brienzer See), formé par l'Aar*, est séparé du lac de Thoune* par le cône alluvial de la Lutschine sur lequel est bâtie Interlaken*. Surface : 30 km².

BRIÈRE ou **GRANDE BRIÈRE.** *n. f.* ♦ Région de marais, ancien golfe parsemé d'îles, comblé par des alluvions, au N. de l'estuaire de la Loire (Loire-Atlantique). Elle s'étend sur une vingtaine de km, entre Saint*-Nazaire et Donges* au S. et La Chapelle-des-Marais au N. et sur une largeur d'une quinzaine de km d'O. en E. Hab. *Briérons.* – A. de Chateaubriant lui a consacré un roman, *La Brière* (1923).

BRIÈRE DE BOISMONT (Alexandre Jacques François). ♦ Médecin français (Rouen, 1797 – Saint-Mandé, 1881). Il fut l'un des fondateurs des *Annales médico-psychologiques* et laissa de nombreux travaux sur les maladies mentales, en particulier sur *L'Influence de la civilisation sur le développement de la folie* (1839), sur *Le Délire aigu* (1845), *Les Hallucinations* (1845), *Sur le suicide et la folie suicide* (1854); il contribua également au développement de la psychiatrie médico-légale.

Ph. Lauros-Giraudon

P. Bril : « Pan et Syrinx ». (Musée du Louvre, Paris.)

BRIEUX (Eugène). ♦ Auteur dramatique français (Paris, 1858 – Nice, 1932). L'un des auteurs favoris du Théâtre-Libre d'Antoine par l'intérêt qu'il porta aux problèmes sociaux dans des pièces à thèse qui ont connu le succès. Œuv. princ. : *La Robe rouge* (1900), *Les Avariés* [1901]. (Acad. fr., 1909.)

BRIEY. ♦ Sous-préf. de la Meurthe-et-Moselle, ch.-l. d'arr. (6 cant., 129 comm., 202 383 hab.), sur la bordure O. du *bassin de Briey.* 5 012 hab. *(Briotins).* Église (XVe, XVIe, XVIIIe s.). « Cité radieuse », construite par Le Corbusier et Wogenscky. – Patrie de A. Duquesnoy. – Le *bassin de Briey* forme une partie du bassin minier lorrain. L'indus. sidérurgique est concentrée dans la vallée de l'Orne. Produits chimiques.

Brigades internationales. *n. f. pl.* ♦ Unités de volontaires étrangers qui allèrent combattre aux côtés des forces républicaines, lors de la guerre civile espagnole (1936-1939). Créées en octobre 1936, les brigades virent leurs premiers éléments engagés dans les durs combats de la cité universitaire à Madrid, dès le mois de novembre 1936. Bien que leur effectif ne dépassât jamais 40 000 hommes, les brigades prirent une part importante à toutes les grandes batailles : Guadalajara, Brunete, Teruel. Parmi leurs cadres se trouvaient plusieurs hommes qui jouèrent un rôle essentiel dans le socialisme et le communisme : André Marty*, Josip Broz dit Tito*, Walter Ulbricht*, etc. À la demande du Comité de non-intervention, les brigades internationales furent retirées du combat en sept. 1938 et quittèrent alors l'Espagne.

Brigands (Les) [*Die Raüber*]. ♦ Drame en 5 actes de Schiller (1782).

BRIGGS (Henry). ♦ Mathématicien anglais (Warley Wood, Yorkshire, 1561 – Oxford, 1631). Travaillant, après Napier*, sur les logarithmes, il eut l'idée d'utiliser le nombre 10 comme base et calcula ainsi les « logarithmes vulgaires » des 31 000 premiers nombres entiers jusqu'à la quatorzième décimale. **(V.** *aussi* **Bürgi).**

BRIGHT (Richard). ♦ Médecin anglais (Bristol, 1788 – Londres, 1858). Médecin de la reine, il fut un des fondateurs de l'anatomie pathologique. On lui doit une description de la néphrite chronique (ou *mal de Bright*).

BRIGHT (John). ♦ Homme politique britannique (Rochdale, 1811 – *id.*, 1889). Industriel quaker et ami de Cobden*, il entra au Parlement en 1843 pour défendre le libre-échange et supprimer les *corn*-laws*. Ses luttes contre la guerre de Crimée* et la politique impériale, et ses nombreuses propositions de lois libérales en firent le véritable modèle du libéral victorien. Gladstone* le choisit comme ministre du Commerce (1868-1870) mais ils entrèrent en désaccord sur la question de l'autonomie irlandaise.

BRIGHTON. ♦ V. d'Angleterre (East Sussex), stat. balnéaire sur la Manche, au S. de Londres et à l'O. de Beachy* Head. 163 000 hab. (235 000 avec Hove*). Brighton connut une grande vogue à la fin du XVIIIe s. comme résidence d'été du prince de Galles, futur George IV.

BRIGIDE ou **BRIGITTE** *(sainte)*. ♦ Abbesse de Kildare* (Irlande), dont elle aurait fondé le monastère v. la fin du Ve siècle. L'une des patronnes de l'Irlande.

BRIGITTE, BIRGITTA, BRÏTE ou **BRIDGET** *(sainte)*. ♦ Religieuse suédoise (v. 1303 – Rome, 1373). Veuve d'un gouverneur de province, dont elle avait eu huit enfants (dont sainte Catherine* de Suède), elle fonda v. 1346 le monastère de Vadstena et l'ordre du Saint-Sauveur *(brigittins)*. Ses *Révélations* ont été publiées en 1492.

BRIGNOLES. ♦ Sous-préfecture du Var* (ch.-l. d'arr.), sur le Caramy, affl. de l'Argens*, 9 477 hab. *(Brignolais)*. Église des XVe-XVIe s. avec portail roman. Ancien palais des comtes de Provence (XIIIe s.), renfermant le sarcophage de la Gayole (IIIe s.), connu pour le plus ancien monument chrétien de la Gaule. – Marché agricole important; vins. – Aux environs, gisements de bauxite en exploitation et carrières de marbre. – Patrie de J. Parrocel*, de F. Raynouard*.

BRIGUE, en all. **Brig.** ♦ V. de Suisse (Valais) dans la vallée du Rhône. 4 600 hab. Important nœud de communication à l'entrée du tunnel du Simplon*. Douane. Centre touristique. Palais de Stockalper.

BRIGUE (La). ♦ Comm. des Alpes-Maritimes (arr. de Nice), au S.-E. de Tende. 582 hab. *(Brigasques)*. Elle devint française, comme les autres communes de la haute vallée de la Roya, à la suite du plébiscite du 12 octobre 1947.

BRIL ou **BRILL (Paul).** ♦ Peintre et graveur flamand (Anvers, 1556 – Rome, 1626). D'abord décorateur de clavecins à Anvers, il se rendit ensuite à Rome. À partir de 1580, il réalisa de nombreuses décorations à fresque avec vues de la campagne romaine (au *palais du Latran,* 1589; à *Santa Maria Maggiore,* 1605; au *casino Ruspigliosi* et au *Vatican*). Il réalisa de nombreux petits paysages sur bois, toile ou cuivre, où figurent des scènes mythologiques, allégoriques ou religieuses : la vision pittoresque et anecdotique du maniérisme flamand tend à disparaître au profit d'une conception plus ample et monumentale. La distribution de la lumière, l'organisation claire et équilibrée des masses, l'évocation d'un univers bucolique concourent à la formation d'un type de paysage « idéal » ou classique qui marqua Poussin* et le Lorrain* *(Pêcheurs,* 1624; *Pan et Syrinx)*.

BRILLAT-SAVARIN (Anthelme). ♦ Magistrat, gastronome et écrivain français (Belley, 1755 – Paris, 1826). Député à l'Assemblée constituante, il manifesta sa modération quand il s'opposa à l'introduction de la Terreur dans la ville de Belley dont il était le maire. Il dut émigrer à Lausanne, puis partit pour New York (1794-1796) et ne revint en France que sous le Directoire. Il est surtout connu par un spirituel traité dans le goût de l'époque (Cf. la *Physiologie du mariage* de Balzac, etc.) : la *Physiologie du goût ou Méditations de gastronomie transcendante* (anonyme, 1825), série de causeries entremêlées d'aphorismes, d'anecdotes, voire de recettes.

BRILLOUIN (Léon). ♦ Physicien français (Sèvres, 1889 – New York, 1969). Il étudia le mouvement brownien **(V. Brown),** la théorie cinétique des gaz. En magnétisme, il calcula, indépendamment de P. Debye*, la loi quantique générale du paramagnétisme (1927) et, en électronique, il étudia les « guides d'ondes » et participa à l'élaboration de la théorie du magnétron à cavités multiples (qui trouve son application principale dans les émetteurs de radar) [**V. Slater, Watson-Watt**] et à celle de la théorie des bandes (qui résout le problème de la distinction entre isolants et conducteurs, entre électrons liés et électrons semi-libres).

BRINDISI. ♦ V. du S.-E. de l'Italie, ch.-l. de la prov. du même nom (Pouilles), port sur l'Adriatique. 77 100 hab. Archevêché. Centre commercial, industriel et agricole. Usine de polypropène (Montecatini). ♦ *Hist.* Cité romaine depuis ~ 226, l'antique *Brentesion* grecque, devenue *Brendusium* (Brindes), fut reliée à Rome dès le ~ IIe s. par la *via Appia* **(V. Appienne).** Mécène y négocia la paix entre Octave (Auguste) et Antoine (~ 40). Marcus Pacuvius* y naquit en ~ 220 et Virgile* y mourut en ~ 19. Détruite par un tremblement de terre en 1456, elle déclina à partir du XVIe s. mais reprit son essor au XIXe s. grâce à l'ouverture du canal de Suez (1869).

BRINON (Fernand *de***).** ♦ Homme politique français (Libourne, 1885 – fort de Montrouge, 1947). Rédacteur en chef du *Journal des débats* (1920-1932), puis spécialiste de politique étrangère à *l'Information,* il s'était montré dès 1921 favorable à une politique d'entente entre la France et l'Allemagne, et créa le Comité France-Allemagne (1935). Partisan de la collaboration, il fut représentant du gouvernement de Vichy auprès des autorités allemandes à Paris (1940-1942), puis secrétaire d'État. Réfugié en Allemagne (Sigmaringen, 1945), il fut ramené en France, condamné à mort par la Haute Cour de justice et exécuté.

BRINVILLIERS (Marie-Madeleine d'Aubray, *marquise de***).** ♦ Célèbre empoisonneuse (Paris, 1630 – *id.*, 1676). Après son procès et son exécution, une Chambre ardente fut chargée de l'*Affaire des poisons**.

BRIOCHÉ (Pierre Dattelin, dit**).** ♦ Bateleur et montreur de marionnettes (?. – Paris, 1671). Populaire sur les théâtres de la Foire et au Pont-Neuf, il se produisit avec son singe Fagotin que Cyrano de Bergerac tua un jour d'un coup d'épée.

BRIONNE. ♦ Ch.-l. de cant. de l'Eure* (arr. de Bernay*), dans la vallée de la Risle*. 4 493 hab. *(Brionnais)*. Filatures de coton et teintureries; tréfilerie; matières plastiques (polyester).

BRIOUDE. ♦ Sous-préf. de la Haute-Loire*, ch.-l. d'arr. (8 cant., 264 comm., 217 206 hab.), près de l'Allier*. 7 741 hab. *(Brivadois)*. Église Saint-Julien, romane (appareil polychrome et peintures anc.). – Marché agricole. Scierie, fabrication de machines.

BRIOULLOV (Karl Pavlovitch). ♦ **V.** Brullov.

BRIOUSSOV (Valéri Iakovlévitch) [Briusov]. ♦ Poète et critique russe (Moscou, 1873 – *id.*, 1924). Il fut l'un des hommes les plus instruits de sa génération. En 1894, il publia avec Miropolski un recueil de poésies, *Les Symbolistes russes,* qui marque les premiers pas du symbolisme en Russie. En 1895, il donne en français le titre de *Chefs-d'œuvre* à un second recueil. Puis avec *Urbi et Orbi* (1903) et surtout *Stephanos* (1906), il fut reconnu comme le chef de file des symbolistes de Moscou. Ensuite, sa gloire déclina, mais il continua son travail de critique, de traducteur et de théoricien, laissant un grand nombre d'ouvrages dont des traductions de Verlaine*, Verhaeren* du *Faust* de Goethe, et un livre sur *La Poésie arménienne*. En 1917, sans avoir jamais pris part à la vie politique, il devint communiste (*Aux camarades intellectuels,* 1919; *Le Troisième Automne,* 1920; *Lénine,* 1924). De ses romans, le meilleur est *L'Ange de feu* (1907), roman historique sur l'époque de Luther*.

BRISBANE. ♦ Cap. et port de l'État de Queensland* (Australie), au S. de l'État, sur l'océan Pacifique. 680 000 hab. La ville est reliée à Sydney*, à Townsville* et à l'intérieur du pays par voie ferrée; un gazoduc la relie directement à Roma (gaz naturel); le charbon d'Ipswich* y est transporté par voie d'eau. – Université. La ville est le débouché d'une vaste et riche région agricole et pastorale, située à l'O. de la Cordillère* australienne. Centre commercial et industriel. Raffinerie de pétrole. Aciéries. Constructions navales et mécaniques. Raffinerie de sucre. Conserves alimentaires. C'est un des ports les plus actifs du pays (exportation de laine, viande, sucre, minerais, produits laitiers). ♦ *Hist.* Une colonie pénitentiaire y fut fondée en 1824 et, en 1839, la ville fut ouverte à la libre colonisation. Elle porte le nom de lord Brisbane, gouverneur de l'Australie en 1825.

Briséis. ♦ Personnage de l'*Iliade**, fille de Brisès, jeune captive aimée d'Achille et enlevée par Agamemnon.

BRISGAU. *n. m.*, en allem. **Breisgau.** ♦ Région du S.-O. de l'Allemagne, formant la partie méridionale de la plaine de Bade, entre la vallée du Rhin et la Forêt-Noire. C'est une région de plaine, limitée au N. par les collines du Kaiserstuhl* (556 m). *Cap.* Fribourg*-en-Brisgau. *V. princ.* Breisach*. ♦ *Hist.* Occupée par les Celtes, puis

Ph. M. Pedone/Ricciarini

Brindisi : l'ancien hôtel des Monnaies et la cathédrale.

Ph. Lauros-Giraudon

Brissot. (Musée Carnavalet, Paris.)

par les Alamans, elle fut le *Gau* (fief) des Zähringen* jusqu'en 1218, devint possession du margrave de Bade, puis, au XIVe s., de l'Autriche (Habsbourg) qui lui laissa une large autonomie. La paix de Presbourg (1805) l'attribua au duché de Bade.

BRISSAC (Charles Ier de Cossé, *comte de* **Brissac,** dit le **maréchal de Brissac).** ♦ Maréchal de France (1505 - 1563). D'une grande bravoure et d'une grande sévérité, il fut gouverneur de Picardie, puis de Normandie, et reprit Le Havre aux Anglais (1563). ♦ ARTUS DE COSSÉ-BRISSAC, son frère (1512 – 1582), maréchal de France, combattit les calvinistes à Saint*-Denis et à Moncontour*. ♦ CHARLES II, COMTE DE COSSÉ-BRISSAC, fils de Charles Ier (1550 – 1621), maréchal de France, se rangea aux côtés des ligueurs mais rendit Paris à Henri IV.

BRISSAC (Henri). ♦ Écrivain et socialiste français (Paris, 1826 – 1906). Rédacteur au *Combat* (1870), au *Vengeur* (1871) et à la *Commune* (mars 1871), il fut membre de la Commission exécutive de la Commune et du Comité de salut public. Condamné à la déportation en Nouvelle-Calédonie (1872), il adhéra après l'amnistie (1880) au Parti ouvrier français **(V. Guesde)** et publia plusieurs brochures socialistes (*Souvenirs de prison et de bagne,* 1880).

BRISSON (Barnabé). ♦ Magistrat français (Fontenay-le-Comte, v. 1530 – Paris, 1591). Avocat au parlement de Paris, puis président à mortier, il écrivit plusieurs ouvrages juridiques (*Code de Henri III,* 1587). Nommé premier président par les Seize* au moment de la Ligue*, il montra une modération qui le rendit suspect, et il fut pendu.

BRISSOT (Jacques Pierre Brissot de Warville, dit**).** ♦ Journaliste et homme politique français (Chartres, 1754 – Paris, 1793). Après avoir été au service du procureur Nolleau à Paris, il se lança dans la littérature politique, s'affirmant comme un partisan des idées nouvelles. Il voyagea en Angleterre, où il collabora à la rédaction du *Courrier de l'Europe,* en Hollande et aux États-Unis, où il s'intéressa au problème des Noirs. Il fonda à son retour en France le journal *le Patriote* français* et la Société des Amis* des Noirs. Membre du Club des jacobins, dès les débuts de la Révolution, il y réclama la proclamation de la République après la fuite du roi à Varennes (20-21 juin 1791) et contribua à la rédaction de la pétition qui fut portée au Champ*-de-Mars (17 juillet). Élu député à l'Assemblée législative, il siégea à gauche, fut, avec Roland* de la Platière et Vergniaud, un des chefs du mouvement girondin* (parfois appelé *brissotin*) et prit nettement position en faveur de la déclaration de la guerre à l'Autriche. Réélu à la Convention, il s'opposa violemment aux Montagnards, plus particulièrement à Robespierre. Proscrit avec les chefs girondins (2 juin 1793), il réussit à s'enfuir, mais fut arrêté à Moulins, jugé par le Tribunal révolutionnaire et guillotiné. Outre ses *Mémoires* (publiés en 1830), il a laissé un ouvrage sur la *Théorie des lois criminelles* (1781), une étude politique intitulée *De la France et des États-Unis* (1787).

Brissotins. *n. m. pl.* ♦ Nom donné sous la Législative et la Convention (1791-1793) aux partisans de Brissot*, plus connus sous celui de Girondins*.

BRISTOL. ♦ V. du S.-O. de l'Angleterre (Gloucestershire) sur l'Avon et l'estuaire de la Severn, reliée au pays de Galles par un tunnel de 7 km. 427 200 hab. Port commercial actif à l'équipement moderne, important notamment des céréales et du pétrole, Bristol est une métropole régionale aux activités variées. Importante université. Nombreuses indus. : métallurgie, raffinerie du zinc, chimie, constructions navales; constructions aéronautiques *(Bristol Siddeley)* et automobiles. Ses industries alimentaires (minoteries, huileries, sucreries, chocolateries), manufactures de tabac, qui datent de l'ère coloniale, se sont maintenues. Bristol a bénéficié de l'installation de 3 centrales nucléaires dans l'estuaire de la Severn (Berkeley, Oldbury et Hinkhey Point) et d'une usine pétrolochimique à Thornbury. – Patrie de Richard Bright*, Paul Dirac*, Christopher Fry*, A.V. Hill*, sir Thomas Lawrence*, Robert Southey*. ♦ *Hist.* Fondée à l'époque romaine sur l'actuel faubourg de *Clifton,* Bristol se distingua dès la conquête normande (XIIe s.) et connut une grande prospérité au XIVe s., grâce au commerce de la laine. En 1497, les explorateurs Jean et Sébastien Cabot* s'y embarquèrent pour le Canada. À partir du XVIIe s., le port noua d'étroites relations commerciales avec les Indes occidentales. Bristol connut un nouvel essor au XIXe s. grâce à l'aménagement du port; la ville fut très endommagée par les bombardements aériens lors de la Deuxième Guerre mondiale. Elle conserve de son passé quelques beaux monuments : l'église Sainte-Marie, la cathédrale, anc. église abbatiale remaniée au XIIIe siècle. Maisons du XVIIIe siècle.

BRISTOL *(canal de).* ♦ Golfe formé par l'Atlantique entre le pays de Galles au N. et l'Angleterre (Cornouailles, Devonshire, Somerset) au sud. La Severn* et l'Avon* y débouchent **(V. Bristol).** – *Ports princ.* **V. Cardiff, Port-Talbot, Swansea.**

BRITANNIA. ♦ V. BRETAGNE.

BRITANNICUS, en lat. **Tiberius Claudius Caesar,** dit. ♦ Fils de Claude* et de Messaline* (41-55), il reçut son surnom à la suite de la conquête de la Bretagne (Angleterre) par son père. Écarté du trône par Agrippine*, seconde femme de Claude, au profit de Néron*, il fut empoisonné sur l'ordre de ce dernier. Héros de la tragédie de Racine **(V.** *ci-dessous***).**

Britannicus. ♦ Tragédie de Racine* (1669). Seconde femme de l'empereur Claude qu'elle a fait assassiner, Agrippine est parvenue à écarter du trône son héritier présomptif, Britannicus, en faisant adopter Néron, fils d'un premier lit. Déçue par Néron qui se dispose à l'écarter du pouvoir, elle favorise les amours de Britannicus et de Junie. Mais Néron, devenu amoureux de la jeune princesse et secondé par le perfide Narcisse, empoisonne Britannicus.

BRITANNIQUES *(îles).* ♦ Archipel du N.-O. de l'Europe, entre l'Atlantique* et la mer du Nord*. Séparé du continent par la Manche et le pas de Calais*, il est formé de la Grande*-Bretagne (Angleterre*, Écosse*, Pays de Galles*), de l'Irlande* (Irlande du Nord ou Ulster et Irlande du Sud ou Eire) et de nombreuses îles (env. 5 000), beaucoup plus petites. **V. Grande-Bretagne** et **Irlande du Nord** (Royaume-Uni), **Irlande.**

BRITE *(sainte).* ♦ V. BRIGITTE.

British Museum. *n. m.* (« Musée britannique »). ♦ Fondé en 1753, c'est l'un des plus vastes et des plus riches musées du monde. Il renferme notamment une remarquable bibliothèque de plus de 2 millions de volumes (manuscrits enluminés du XIe au XIVe s. fonds Cotton, bibliothèque de George III), d'inestimables collections d'art assyrien, suméro-babylonien, extrême-oriental et africain, des chefs-d'œuvre de l'archéologie égyptienne, grecque (sculptures du Parthénon) et romaine.

BRITTEN (Benjamin). ♦ Compositeur anglais (Lowestoft, 1913- Aldeburgh, 1976). De multiples influences se sont exercées sur ce musicien, devenu le plus important de l'Angleterre contemporaine. Des élisabéthains à Verdi, Mahler, Debussy, Berg et Chostakovitch, il a su assimiler la leçon des maîtres sans cesser de s'exprimer dans un langage qui lui est propre et dont l'exigence et la fantaisie constituent les traits dominants. S'il a consacré la majeure partie de son œuvre au théâtre lyrique (*Peter Grimes,* 1945; *Le Viol de Lucrèce,* 1946; *Albert Herring,* 1947; *The Beggar's Opera,* 1948; *Billy Bud,* 1951; *The Turn of the Screw,* 1954; *Le Songe d'une nuit d'été,* 1960), il est aussi l'auteur d'œuvres symphoniques où se manifestent une vive originalité d'écriture et un ample lyrisme : *12 variations sur un thème de Frank Bridge,* pour orchestre à cordes (1937), *Concerto pour violon* (1939), *2 Concertos pour piano.* Fondateur de l'*English Opera Group* (1947), Britten marque une prédilection pour les œuvres où se conjuguent polyphonie et construction orchestrale : *A Boy was born* (1935), *Sinfonia da Requiem* (1940), *Ceremony of Carols* (1942), *Spring Symphony* (1950), *Gloriana* (1953), et pour les mélodies inspirées du folklore britannique.

BRIVE-LA-GAILLARDE. ♦ Ch.-l. d'arr. de la Corrèze*, sur la r. g. de la Corrèze*, près de son confluent avec la Vézère. 49 325 hab. *(Brivois* ou *Brivistes).* L'aggl. compte 52 387 hab. avec Malemort*-sur-Corrèze. – Église St-Martin (XIIe-XIVe s.). Hôtel de Labenche du XVIe s., musée Ernest Rupin installé dans un hôtel Louis XIII : maisons anc. – Grand marché agricole; indus. métallurgiques, alimentaires, textiles; chaussures, papeteries. – Patrie du maréchal Brune*; du cardinal G. Dubois*, d'A. Latreille*, de J.B. Treilhard*.

BRIZEUX (Auguste). ♦ Poète français (Lorient, 1803 – Montpellier, 1858). Son amour du pays natal lui inspira une grande épopée rustique, *Les Bretons* (1846).

BRNO, anc. en all. **Brünn.** ♦ V. de Tchécoslovaquie, au confluent de la Svitava et de la Svatka. Ch.-l. de la Moravie* méridionale et métropole de la Moravie, c'est la 2e ville de Tchécoslovaquie. 335 935 hab. (1968). Évêché. Université. École supérieure de mécanique. Aéroport (lignes intérieures). Carrefour ferroviaire et routier. La Náměstisvobody (place de la Liberte), avec sa colonne baroque (Sainte-Marie), constitue le centre de Brno. La ville conserve des églises gothiques (église Saint-Jacques, monastère des Augustins [1322]) et surtout de nombreux édifices baroques (église des Minorites, église des Jésuites). Hôtel de ville. Musée morave, musée ethnographique. La ville est dominée par la forteresse de Spielberg (**V.** *Hist.*). – C'est un centre industriel important : ses industries traditionnelles (manufactures d'armes, fabriques de draps), autrefois destinées à l'armée austro-hongroise, se sont reconverties. 60 % de la main-d'œuvre sont employés dans les industries mécaniques (matériel ferroviaire, machines-outils), 25 % dans le textile. Indus. chimiques. Verrerie. Porcelaines. Importante foire annuelle internationale. – Patrie d'E. Böhm*-Bawerk. ♦ *Hist.* La forteresse du Spielberg fut la résidence des margraves de Moravie (1349-1411), puis une prison autrichienne (1740-1855). La bataille d'Austerlitz* (1805) se déroula dans les environs de Brno.

BROADSTAIRS et ST. PETERS. ♦ V. du S. de l'Angleterre (Kent), sur la mer du Nord. 16 980 hab. – Station balnéaire. – Résidence d'été de Charles Dickens* et patrie de l'ingénieur T. R. Crampton*.

Broadway. ♦ L'une des plus célèbres rues de New York, dans Manhattan, qu'elle traverse obliquement. Centre traditionnel de la vie nocturne (près de Times Square), Broadway n'a plus son prestige d'antan.

BROCA (Pierre Paul). ♦ Chirurgien et anthropologue français (Sainte-Foy-la-Grande, Gironde, 1824 – Paris, 1888). Auteur de nombreux travaux de méd. et de chirurgie, il est surtout connu par ses recherches (préparées par celles de Bouillaud*) sur la localisation des centres cérébraux de la parole (3e circonvolution cérébrale gauche) et sur l'aphasie consécutive à leurs lésions *(Aphasie de Broca)*. Fondateur de la Société, de la Revue et de l'École d'anthropologie (1859, 1872, 1876), il peut être considéré comme l'initiateur de l'anthropologie physique moderne, en particulier par ses travaux de craniologie (*Mémoires sur les caractères physiques de l'homme préhistorique...*, 1869; *Mémoires d'anthropologie*, 1871-1875; *Instructions craniologiques et craniométriques*, 1875). – *Broca*. Hôpital parisien (XIIIe arr.) détruit en 1974.

BROCÉLIANDE. ♦ Forêt légendaire où les romans de la Table* Ronde faisaient vivre l'enchanteur Merlin et la fée Viviane. On la situe parfois dans l'Ille-et-Vilaine (forêt de Paimpont), ou dans les Côtes-du-Nord, entre Quintin et Saint-Brieuc.

BROCH (Hermann). ♦ Romancier autrichien (Vienne, 1886 – New Haven, Connecticut, 1951). Venu tardivement à la littérature, après une carrière d'ingénieur dans la manufacture textile de son père, puis des études de mathématiques, de psychologie et de philosophie, il a donné un tableau de l'Allemagne sous Guillaume II et de la décadence des valeurs bourgeoises dans son premier roman *Les Somnambules* (1929-1932) divisé en trois phases : *Pasenow ou le Romantisme* (1888), *Esch ou l'Anarchie* (1903), *Huguenau ou le Réalisme* (1918). Lors de l'Anschluss, il émigra aux États-Unis et fut chargé de recherches à l'université de Princeton après avoir obtenu le prix de la Fondation Rockefeller pour ses travaux sur la psychologie des foules. Enraciné dans la tradition littéraire allemande, mais aussi influencé par J. Joyce (sur qui il écrivit un essai), Broch composa encore plusieurs romans, d'un accès souvent difficile; à la description d'un monde où règnent le mal, l'égoïsme, l'indifférence, il opposa sa foi dans un nouveau salut de l'humanité (*La mort de Virgile*, 1945; *Les Innocents*, 1950; *Le Tentateur*, 1953).

BROCHARD (Victor). ♦ Philosophe français (Quesnoy-sur-Deûle, 1848 – Paris, 1907). Sous l'influence de Renouvier*, il écrivit son ouvrage *De l'erreur* (1879) où il met l'accent sur les limites de l'évidence rationnelle. Il est surtout connu par ses travaux sur *Les Sceptiques grecs* (1887).

BROCKEN [*n. m.*] ou **BLOCKSBERG.** ♦ Point culminant du massif du Harz* en Allemagne orientale (1 142 m). Des fêtes folkloriques s'y déroulent pour la nuit de Walpurgis* (veille du 1er mai).

BROCKES (Berthold Heinrich). ♦ Poète allemand (Hambourg, 1680 – 1747). « Traité de théologie naturelle en vers » (M. Gravier), son poème en neuf livres *Plaisir terrestre en Dieu (Irdisches Vergnügen in Gott*, 1721-1748) qui chante les beautés et la finalité de la création, l'a fait considérer parfois comme un précurseur de Bernardin de Saint-Pierre.

Ph. Mario Russo/Ricciarini

Brno : vue générale.

BROD (Max). ♦ Écrivain d'origine juive de langue allemande (Prague, 1884 – Tel-Aviv?, 1968). Ami de F. Kafka* dont il a donné une biographie (1937), il lutta pour la cause sioniste et émigra en Palestine lors de la montée du nazisme; il devint directeur de la troupe théâtrale « Habima » à Tel-Aviv. Réunis sous le titre *Le Combat pour la vérité*, ses trois principaux romans *Le Chemin de Tycho-Brahé vers Dieu* (1916), *Rubeni, prince des Juifs* (1925), *Galilée en captivité* (1948) s'inscrivent dans la ligne du roman réaliste à caractère psychologique. Il a laissé aussi son autobiographie *Une vie combative* (1964).

BRODIE (*sir* Benjamin COLLINS). ♦ Chirurgien anglais (Winsterlow, Wiltshire, 1783 – Broome Paark, Surrey, 1862). Premier chirurgien de la reine Victoria, il fit des travaux sur les poisons, sur les maladies des organes urinaires, des os et des articulations (*maladie de Brodie :* coxalgie).

BROEDERLAM (Melchior). ♦ Peintre flamand (né à Ypres; connu de 1385 à 1409). Il travailla pour le comte de Flandre (1381), devint à partir de 1385 peintre du duc de Bourgogne Philippe le Hardi et séjourna à Paris entre 1390 et 1393. Il peignit les volets latéraux du *retable de la chartreuse de Champmol*, 1394-1399 *(Présentation au Temple, Fuite en Égypte)*. L'éclectisme des influences qu'on y décèle s'inscrit dans le courant du gothique international : recherches spatiales d'origine italienne, raffinement et élégance graphique héritée des miniaturistes parisiens, mais le souci d'un modelé plus réaliste, le goût des détails pittoresques et familiers, l'attention portée au paysage révèlent la prédominance de l'influence nordique, caractéristique de l'école dite bourguignonne.

BROGLIE [brɔj]. ♦ Famille française descendant d'un noble Piémontais, FRANCESCO MARIA BROGLIA, qui prit du service en France en 1643 et reçut le titre de comte de Broglie. Son fils VICTOR MAURICE (1646 – 1727), comte de Broglie, fut nommé maréchal de France en 1724. ♦ FRANÇOIS MARIE (1671 – 1745), troisième fils de Victor Maurice, maréchal de France (1734), remporta des victoires en Italie (Parme, Guastalla); il fut fait *duc de Broglie* en 1742. ♦ VICTOR FRANÇOIS, duc de Broglie, fils de François Marie (1718 – Münster Westphalie, 1804). Il s'illustra durant la guerre de Sept* Ans et fut nommé maréchal de France et prince du Saint-Empire en 1759. Il émigra sous la Révolution et commanda l'armée des princes en 1792 avant de servir la Russie. ♦ CHARLES LOUIS VICTOR (1756 – Paris, 1794). Député de la noblesse aux États généraux de 1789, il fut exécuté sous la Terreur.—Voir *ci-dessous*.

BROGLIE (Achille Léonce Charles Victor, *duc de*). ♦ Homme politique français (Paris, 1785 – *id.*, 1870). Chargé de plusieurs missions diplomatiques sous l'Empire, il fit partie de la Chambre des pairs lors de la Restauration. Constitutionnel modéré et libéral, désireux de concilier les acquis de la Révolution avec le régime politique de la Restauration, il se rallia à Louis-Philippe après la révolution de juillet 1830, fut président du Conseil (1835-1836), puis ministre. Élu représentant à l'Assemblée législative après la révolution de 1848, il prit position contre le mouvement démocratique et se retira de la vie politique après le 2 décembre 1851. (Acad. fr.)

BROGLIE (Albert, *duc de*). ♦ Homme politique français (Paris, 1821 – 1901), fils d'Achille Léon Victor de Broglie. Secrétaire d'ambassade sous la monarchie de Juillet, il résigna ses fonctions après la révolution de 1848 et se tint à l'écart de la vie politique tant sous la IIe République que sous le Second Empire. Député de tendance orléaniste à l'Assemblée nationale (1871) sous la IIIe République, ambassadeur à Londres (1871-1872), il contribua à provoquer la chute de Thiers (24 mai 1873). Vice-président du Conseil (mai 1873), il dut donner sa démission après l'échec de la seconde tentative de restauration de la monarchie **(V. Chambord** [comte de]**)** en mai 1874. Rappelé par Mac*-Mahon à la tête du gouvernement après le renvoi de Jules Simon (16-17 mai 1877), pour tenter de faire triompher la politique de l'Ordre moral, il fit dissoudre la Chambre des députés à majorité républicaine, mais fut à nouveau contraint de démissionner après une nouvelle victoire des républicains aux élections (19 nov. 1877). Auteur de nombreux ouvrages historiques, *L'Église et l'Empire romain au IVe siècle*. (1856-1866), *Frédéric II et Marie-Thérèse* (1882), *Mémoires de Talleyrand* [1891]. (Acad. fr., 1862.)

BROGLIE (Maurice, *duc de*). ♦ (Paris, 1875 – Neuilly, 1960). Petit-fils de Albert de Broglie. Il découvrit les spectres de rayons X [1913] **(V. Röntgen, Laue),** inventa la méthode du cristal tournant et découvrit l'effet photo-électrique nucléaire [1921]. (Acad. sc., 1924; Acad. fr., 1934.)

BROGLIE (*prince*, puis **duc Louis *de*).** ♦ Physicien français (Dieppe, 1892). Dans sa thèse de doctorat (1924), il jeta les bases de la « mécanique ondulatoire », établissant une théorie synthétique des ondes et des corpuscules (existence d'une onde associée à toute particule en mouvement), théorie qui fut confirmée expérimentalement par la découverte fortuite, en 1927, de la diffraction des électrons par les cristaux **(V. Davisson et Germer).** L'analogie dynamique du point matériel-optique géométrique, qui est à la base de la théorie de L. de Broglie, permit le développement de l'analyse et de l'optique électroniques. (Prix Nobel de phys., 1929; Acad. sc., 1933 – secrét. perpét. 1942-1975, Acad. fr., 1944.)

BROGLIE. ♦ Ch.-l. de cant. de l'Eure* (arr. de Bernay*) sur la Charentonne. 1 051 hab. Château du XVIIIe s. où mourut le maréchal François-Marie de Broglie* en 1745. – Patrie de A. Fresnel*.

BROKEN HILL. ♦ V. d'Australie dans l'O. de l'État de la Nouvelle*-Galles du Sud, près de la frontière de l'Australie*-Méridionale dans une région subdésertique, reliée à Port Pirie et à Sydney* par voie ferrée. 35 000 hab. Sa zone minière est une des plus riches d'Australie (plomb, argent, zinc). Métallurgie; indus. chimiques (acide sulfurique). – Les relations commerciales se font principalement avec l'Australie*-Méridionale. **V. Port* Pirie.** – Broken Hill est aussi le centre d'une importante région d'élevage.

BROMBERG. ♦ Nom allemand de Bydgoszcz* (Pologne).

BROMFIELD (Louis). ♦ Romancier américain (Mansfield, Ohio, 1896 – Colombus, 1956). Son roman, *La Mousson* (*The Rains came,* 1937), lui valut une grande popularité. Fils d'un fermier de l'Ohio, Bromfield entra aux universités Cornell et Columbia et servit en France pendant la Première Guerre mondiale. Les annales de sa propre famille constituent le sujet de *La Ferme,* 1933, et la guerre de Sécession celui du *Fleuve indomptable* (*Wild is the River,* 1941). On lui doit aussi des essais.

BROMLEY. ♦ Comm. du « Grand Londres » (Angleterre) à une vingtaine de kilomètres au S.-E. de la Cité. 302 660 hab. – Patrie de H. G. Wells*.

BROMMAT. ♦ Comm. de l'Aveyron (arr. de Rodez). 971 hab. Usine hydro-électrique souterraine, alimentée par les eaux de la Truyère* (barrage de Sarrans).

BRÖMSEBRO. ♦ V. de Suède au S.-O. de Kalmar*. Lieu d'un traité entre la Suède et le Danemark (1645), donnant à la Suède les îles de Gotland et d'Œsel, les provinces de Jämtland et de Härjedalen.

BROMSGROVE. ♦ V. d'Angleterre (Worcestershire). 38 190 hab. – Marché agricole et centre métallurgique (wagons). Église gothique perpendiculaire. Maisons des XVIIe et XVIIIe siècles.

BRON. ♦ Ch.-l. de cant. du Rhône dans l'arr. et la comm. urb. de Lyon*. 42 236 hab. Aéroport à 10 km au S.-E. de Lyon. Fonderies.

BRONGNIART (Alexandre, Théodore). ♦ Architecte et décorateur français (Paris, 1739 – *id.,* 1813). Élève de Boullée* et de J.A. Gabriel*, il poursuivit les travaux de l'*École militaire* et édifia de nombreux hôtels particuliers (*Hôtel de Mme de Bourbon-Condé,* 1786) d'un classicisme sobre et élégant. Adepte du style antiquisant, il créa ensuite des œuvres austères et massives, en s'inspirant des temples grecs de Paestum* (*Plan de la Bourse de Paris,* 1808, *Église Saint-Louis-d'Antin*).

BRONGNIART (Alexandre). ♦ Minéralogiste français (Paris, 1770 – *id.,* 1847), fils de Alexandre Théodore Brongniart. L'un des principaux fondateurs de la paléontologie stratigraphique (*Sur les caractères zoologiques des formations...,* 1821), il définit le système *jurassique* du secondaire [1829] **(V. Omalius d'Halloy)** et introduisit systématiquement les notions de structure et de texture dans la description des roches. **V. Haüy.** Auteur d'un *Traité élémentaire de minéralogie* (1807), d'un *Traité des arts céramiques* (1842), et d'une *Description géologique des environs de Paris* [1822, avec Cuvier*]. (Acad. sc., 1815.) ♦ ADOLPHE BRONGNIART, son fils. Botaniste (Paris, 1801 – 1876). Il fut le fondateur de la paléontologie végétale [*Prodrome d'une histoire des végétaux fossiles,* 1828]. (Acad. sc., 1834.)

BRONTË (Branwell Patrick). ♦ Écrivain anglais (Thornton, Yorkshire, 1815 – 1846). Il exerça une forte influence sur ses sœurs (son personnage, violent et tragique, est évoqué dans celui d'Heathcliffe, dans *Wuthering Heights*). Encore enfant, il collabora avec Charlotte à la rédaction des *Juvenilia* (publ. 1972), dont le héros est Alexander Percy, personnage omniprésent bien qu'il change de nom suivant les épisodes de cette œuvre littéraire enfantine exceptionnelle. Branwell Brontë participa aussi à la rédaction de *L'Histoire des jeunes hommes*. Alcoolique, il mena une vie déréglée et mourut jeune; sa mauvaise réputation causa la faillite de l'école privée ouverte par ses sœurs.

BRONTË (Charlotte). ♦ Poétesse et romancière anglaise (Thornton, Yorkshire, 1816 – Haworth, 1855). Comme ses sœurs, elle eut une enfance et une jeunesse difficiles qui lui inspirèrent (outre l'œuvre enfantine des *Juvenilia* écrite avec son frère Branwell) des romans semi-autobiographiques : la brutalité du directeur d'un pensionnat, où elle passa un an et où moururent ses deux sœurs aînées, est évoquée dans *Jane Eyre* qu'elle publia en 1847 sous le pseudonyme de Currer Bell. L'histoire de cette orpheline, gouvernante dans une riche famille, remporta un tel succès que l'œuvre de sa sœur Emily en fut pour un temps éclipsée. *Le Professeur* (posth., 1857) et *Villette* (1853) trouvent leur origine dans l'expérience de Charlotte à Bruxelles (1842) où elle apprit le français afin de fonder une école en Angleterre. Emily lui servit de modèle pour *Shirley,* 1849, tableau de mœurs où les pasteurs protestants sont peints avec une ironie subtile. L'apport de cette œuvre sincère, bien différente du roman bourgeois victorien, fut défini par G.K. Chesterton comme l' « expression du romantisme le plus élevé à travers le réalisme le plus bas ». Charlotte Brontë mourut un an après son mariage.

BRONTË (Emily Jane). ♦ Poétesse et romancière anglaise (Thornton, Yorkshire, 1818 – Haworth, 1848). La plus célèbre des sœurs Brontë, Emily fut pourtant celle qui écrivit le moins : quelques poèmes et un roman (*Wuthering Heights,* 1847; trad. française « Les Hauts de Hurlevent »; « Hurlemont »). « Nulle personnalité ne réalise avec une telle plénitude, après 1830, l'idéal de la pensée indépendante et de la spiritualité libre, tel que l'avait dégagé l'affranchissement romantique » (Legouis). Il se dégage de son roman une poésie envoûtante, due au sentiment de parfaite communion avec la nature, la lande déserte et inquiétante; Emily Brontë fut contrainte, par une situation matérielle et affective dramatique, à ne chercher qu'en elle-même joies et épanouissement héroïque. Ses héros, évoquant les drames affectifs de sa vie familiale, sont admirables de vérité et de tension tragique.

Ph. Nimatallah/Ricciarini

Charlotte, Emily et **Anne Brontë,** peintes par leur frère **B. P. Brontë.** (National Portrait Gallery, Londres.)

BRONTË (Anne). ♦ Poétesse et romancière anglaise (Thornton, Yorkshire, 1820 – Scarborough, 1849). Orpheline de mère à un an, elle fut sévèrement élevée par son père, un pasteur vivant dans les landes du Yorkshire. Dans un cercle familial fermé, l'écriture tenait lieu de divertissement et elle s'adonna très tôt à la littérature, composant contes, nouvelles et journaux en collaboration avec son frère et ses sœurs. Ces écrits de jeunesse sont sans équivalent dans la littérature **(V. Brontë** [Branwell]**).** Ses romans, *Agnes Grey,* 1847, et *Le Locataire de Wildfell Hall,* 1848, sont aujourd'hui relativement oubliés. Ses poèmes parurent avec ceux de ses sœurs dans le recueil publié par Charlotte en 1846, sous le pseudonyme d'*Acton Bell.*

BRONX. *n. m.* ♦ District *(borough)* de New* York, séparé de l'île de Manhattan par la rivière de Harlem. Env. 1 500 000 habitants.

BRONZINO (Angiolo Torri, dit). ♦ Peintre italien (Florence, 1503 – *id.,* 1572). Il acquit sa formation auprès de Pontormo* qu'il aida à la *Chartreuse du Val d'Ema* (1522-1525), à la *Chapelle Capponi* de Santa Felicita et plus tard à *Poggio a Caiano*. Après 1539, il devint peintre officiel du Grand-Duché de Toscane et exécuta une série de portraits qui s'imposèrent comme modèles à l'art de cour européen comme aux spécialistes du genre, jusqu'à Ingres, par leur précision psychologique et leurs richesses vestimentaires qui décident des poses et organisent la composition (portraits de *Cosme Ier de Médicis, Éléonore et son fils, Bartolomeo et Lucrezia Panciatichi* [Offices]). Grand représentant de la seconde génération maniériste à Florence, il proposa dans ses peintures religieuses *(Pietà, Vie de Moïse, Trinité)* comme dans sa savante allégorie *Le Temps et la Vérité découvrant la Luxure* (Londres) une interprétation de la manière de Michel*-Ange aboutissant à un style froid, raffiné, parfois surchargé, obtenu en usant d'une palette claire s'attardant sur les bleus, les verts et les violets soutenus par un dessin vigoureux comme le veut la tradition florentine.

BROOK (Peter). ♦ Metteur en scène anglais de théâtre et de cinéma (Londres, 1925). De mémorables mises en scène de Shakespeare (*Peines d'amour perdues,* 1946; *Titus Andronicus,* 1957; *Le Roi Lear,* 1963) ne l'ont point empêché de faire connaître au public anglais les auteurs français contemporains (Sartre,

Anouilh, Roussin). Depuis, il s'est attaché à la réalisation de créations collectives, en partie improvisées, sur les thèmes que lui propose l'actualité, avec *U.S.* (1966), œuvre inspirée par la guerre du Viêt-nam et *L'Orgast* (1971), essai dramatique fondé sur les pouvoirs de suggestion du langage.

BROOKE (Rupert Chauner). ♦ Poète anglais (Rugby, 1887 – Scyros, Grèce, 1915). Élève à l'école de Rugby, étudiant à Cambridge, d'une grande beauté physique, Rupert Brooke représentait l'élite de la jeunesse anglaise. Son œuvre est inspirée par le sacrifice patriotique. Son ironie initiale s'y transforme progressivement en mélancolie et en tendresse, sa révolte en sérénité contemplative (*Le Poisson; Ciel*). Rupert Brooke avait déjà publié des *Poèmes* (1911) et un recueil intitulé *1914 et Autres Poèmes* (publié en 1915). Il a laissé également une œuvre critique : *John Webster et le théâtre élizabethain* (posthume, 1916). Brooke appartient à la lignée des grands lyriques, Keats*, Shelley*, Browning* et Blake*. En 1932 fut édité un *Recueil complet de poésies*, et ses *Lettres et Œuvres en prose* parurent en 1956.

BROOKLYN. ♦ District *(borough)* de New* York (États-Unis), à l'extrémité S.-O. de Long* Island. Plus de 2 600 000 hab. – Patrie de G. Gershwin*, I. Langmuir*. ♦ *Hist.* La ville fut fondée par les Hollandais en 1645, sous le nom de *Breuckelen* (« marais »). La bataille de Long Island y eut lieu en 1776.

BROOKS (Richard). ♦ Réalisateur américain de cinéma (Philadelphie, 1912). Scénariste de ses films, il s'est institué, avec honnêteté, le défenseur des valeurs humanistes, en dénonçant, tour à tour, la malfaisance de l'argent : « Bas les masques » (*Deadline U.S.A.*, 1952), le racisme : « La Dernière Chasse » (*The Last Hunt*, 1956), le colonialisme : « Le Carnaval des Dieux » (*Something of Value*, 1957), l'hypocrisie d'un certain prosélytisme religieux : *Elmer Gantry, le Charlatan* (1960).

BROONS [bʀɔ̃]. ♦ Ch.-l. de cant. des Côtes-du-Nord, arr. de Dinan. 2 703 hab. Vestiges du château de La Motte-Broons où est né Du Guesclin.

BROSSARD (Sébastien *de*). ♦ Musicographe et bibliophile français (Dompierre, Orne, 1655 – Meaux, 1730). Prêtre, il fut maître de chapelle des cathédrales de Strasbourg et de Meaux. Compositeur, il a laissé des œuvres d'inspiration religieuse (élévations et motets), ainsi que de la musique instrumentale (sonates). Auteur d'un *Dictionnaire de la musique* (1703) plusieurs fois réédité, il constitua une riche collection d'œuvres musicales qui se trouvent aujourd'hui à la Bibliothèque nationale.

BROSSE (Salomon *de*). ♦ Architecte français (Verneuil-sur-Oise, 1575 – Paris, 1626). Fils et élève de l'architecte Jean de Brosse, il se forma aussi auprès de son grand-oncle, Jacques II Androuet* du Cerceau, et fut nommé architecte de Marie de Médicis en 1614. Il éleva le *château de Coulommiers* (1613) pour Catherine de Gonzague et le *château de Blérancourt* (tous deux disparus). Par bien des aspects, il se montra l'héritier du maniérisme de la Renaissance, comme le révèle la *fontaine Médicis* à Paris. Cependant, l'ampleur de la conception et le caractère monumental du *palais du Luxembourg** (1615-1630), entrepris à la demande de Marie de Médicis selon le modèle du *palais Pitti*, n'est pas sans annoncer le classicisme français (insistance sur les horizontales, symétrie de la façade sur jardin). De 1621 à 1623, il avait aussi élevé le *temple des protestants* à Charenton (détruit après 1685) dont la structure fut reprise plus tard en Suisse, en Angleterre (Wren*) et aux États-Unis.

BROSSES (Charles *de*). ♦ Magistrat et écrivain français (Dijon, 1709 – Paris, 1777). Premier président du parlement de Dijon, il était indépendant et frondeur et fut par deux fois exilé sur ses terres. Bon vivant, spirituel et érudit, de Brosses s'intéressa à l'histoire romaine, à l'art et à l'archéologie (*Lettres sur Herculanum*, 1750), à la géographie (*Histoire des navigations aux terres australes*, 1756) et à l'origine des langues. Lecteur passionné de l'œuvre de Salluste, dont il entreprit de donner une édition critique, il fut amené par ses recherches à faire un voyage en Italie (1739-1740); rédigées postérieurement d'après des notes, ses *Lettres familières écrites d'Italie à quelques amis* (posth., 1799) dépeignent avec netteté les monuments et les villes; elles livrent des observations perspicaces et savoureuses sur les mœurs de la Société et de l'Église. D'une séduisante vivacité de ton et d'une liberté de pensée qui atteint souvent le cynisme, ces *Lettres* furent fort prisées de Stendhal*.

BROSSETTE (Claude). ♦ Érudit français (Theizé, 1671 – Lyon, 1743). Ami de Boileau*, il en publia les *Œuvres* (1716) après la mort de celui-ci (1711). Il fonda l'Académie de Lyon* (1724).

BROSSOLETTE (Pierre). ♦ Homme politique français (Paris, 1902 – *id.*, 1943). Militant au parti socialiste et journaliste, il devint, en 1942 à Londres, conseiller politique du général de Gaulle et fut à l'origine de la création du *Conseil national de la Résistance*. Arrêté par la Gestapo, il se jeta par une fenêtre pour être certain de ne pas livrer de secrets sous les tortures des interrogatoires.

BROU. ♦ Ch.-l. de cant. d'Eure-et-Loir, arr. de Châteaudun. 3 525 hab. *(Broutains)*. Église (XIIe-XVIe s.). Vestiges de l'enceinte du XVIe siècle. Maisons anc. – Machines agricoles.

Brou. ♦ Quartier de Bourg*-en-Bresse (Ain*) au S.-E. de la ville. Monastère (1506-1512) et église (1513-1532) édifiés sur l'ordre de Marguerite* d'Autriche, à la mémoire de son mari Philibert* le Beau, duc de Savoie. Les travaux, d'abord confiés à Jean Perréal*, furent exécutés sous la direction de Van* Boghem. L'église, de

Coll. Rui Nogueira
R. Brooks (à droite) avec Truman Capote.

style gothique flamboyant, abrite le tombeau de Philibert* le Beau, de sa femme et de sa mère, Marguerite de Bourbon.

BROUAGE. ♦ Village de la comm. d'Hiers-Brouage (Charente-Maritime). Anc. place forte et port de mer prospère jusqu'au XVIIe s. (*auj.* ensablé), il était alors le plus important producteur et exportateur de sel. – Patrie de S. Champlain*.

BROUGHAM (Henry Peter, *1er baron* Brougham and Vaux). ♦ Homme politique britannique (Édimbourg, 1778 – Cannes, 1868). Brillant avocat à Londres, il entra en 1810 à la Chambre des communes comme député *whig* après avoir fondé l'*Edinburgh Review*. Il consacra sa vie politique à la défense des libertés (libre-échange, tolérance envers les catholiques, réforme électorale de 1832, abolition de l'esclavage dans les colonies) et proposa des mesures sociales sur l'assistance publique et l'enseignement populaire, ainsi que des réformes judiciaires. Devenu lord chancelier dans le ministère Grey et élevé à la pairie en 1830, il étonna ses contemporains par sa puissance de travail, mais aussi par son ambition démesurée qui le fit éloigner des responsabilités politiques à partir de 1834.

BROUSSAIS (François). ♦ Médecin français (Saint-Malo, 1772 – Vitry, 1838). Élève de Pinel et Bichat, il fut d'abord médecin de la marine (1805), puis du Val-de-Grâce (1814). Sa théorie médicale, la « médecine physiologique », fait de l'inflammation des tissus la cause exclusive des maladies, et préconise comme thérapeutique la diète et la saignée. Broussais ne se contenta pas d'appliquer ses idées aux maladies organiques, mais prétendit l'étendre à la psychologie *(Traité de l'irritation et de la folie)*. Il combattit violemment les autres doctrines médicales (Bayle, Laënnec*); mais son système fut abandonné après son insuccès lors de l'épidémie de choléra à Paris (1832). – *Broussais*. Hôpital parisien (XIVe arr.).

BROUSSE (Paul). ♦ Homme politique français (Montpellier, 1844 – Paris, 1912). Médecin, anarchiste disciple de Bakounine*, il fut membre de la Ire Internationale, participa à la Commune de Paris, fonda avec Kropotkine* une société secrète à la Chaux-de-Fonds. Il devint socialiste réformiste (1880), créant (avec Joffrin) le parti possibiliste (ou broussiste) qui prônait le changement social sans révolution. Il fut député à Paris (1906).

BROUSSE, en turc **Bursa.** ♦ V. du N.-O. de la Turquie (Asie Mineure), près de la mer de Marmara, cap. de la prov. du même nom. 212 500 hab. Station thermale et touristique (monuments anciens). – Indus. textiles (soie) et alimentaires. *Prov.* (il) de Bursa : 11 047 km²; 756300 hab. ♦ *Hist.* Fondée par Prusias* Ier à la fin du ~IIIe s., l'antique *Prusa* fut la capitale des rois de Bithynie*. Devenue romaine puis byzantine, elle tomba aux mains des Turcs et fut la résidence des sultans ottomans au XIVe s. et au début du XVe siècle.

BROUSSEL (Pierre). ♦ Conseiller au parlement de Paris (1575 – Paris, 1654). Opposé aux mesures du gouvernement, il fut arrêté sur l'ordre d'Anne* d'Autriche (1648) ce qui déclencha le soulèvement du peuple (journée des Barricades*) et la Fronde*.

BROUSSILOV ou **BRUSSILOV (Alexis Alexéïevitch).** ♦ Général russe (Tiflis, 1853 – Moscou, 1926). Commandant de la VIIIe armée, puis du front du S.-O., il mena en 1916-1917 une puissante offensive en Galicie contre les Austro-Hongrois et réussit à

A. Brouwer : « La douleur ».
(Ancienne Pinacothèque, Munich.)

s'emparer de la Bukovine. Général commandant de l'armée russe en mai-juil. 1917, il collabora avec les bolcheviks après la révolution d'Octobre, et fut nommé inspecteur de la cavalerie rouge (1923-1924).

BROUSSONET (Pierre Marie Auguste). ♦ Médecin et naturaliste français (Montpellier, 1761 – 1807). Nommé suppléant au Collège de France grâce à l'appui de Daubenton et entré à l'Académie des sciences, il siégea dans les Assemblées au début de la Révolution, mais dut s'expatrier en raison de ses sympathies pour les Girondins. De retour en France, il fut nommé professeur de botanique à Montpellier. Auteur de travaux sur l'anatomie comparée et la physiologie végétale, il aurait, le premier, introduit en France le mérinos et la chèvre angora (on a donné son nom à un arbrisseau de la famille des moracées, voisin du mûrier : *Broussonetia*).

BROUWER ou **BRAUWER (Adriaen).** ♦ Peintre et dessinateur flamand (Audenarde, 1605 – Anvers, 1638). Fils d'un dessinateur de cartons de tapisserie, il étudia probablement à Anvers v. 1622, à Amsterdam en 1625, puis à Haarlem dans l'atelier de F. Hals*. Il devint rapidement célèbre en représentant des scènes de taverne avec fumeurs et buveurs, et des scènes de mœurs. En 1631, il se trouvait inscrit à la gilde d'Anvers. Il mena une vie agitée, fit de la prison pour dettes (et peut-être pour des raisons politiques). Héritier de la tradition réaliste de Bosch* et de Bruegel*, il fut l'un des maîtres les plus puissants de la peinture de genre flamande. Auteur de remarquables études physiognomoniques, il semble avoir surtout recherché l'intensité expressive, plutôt que l'anecdote et le pittoresque, malgré la verve déployée dans sa description de la misère populaire *(Rixe paysanne).* Son amer constat est empreint d'intentions satiriques et polémiques. Quant à ses paysages tardifs où figure souvent une scène paysanne, ils reflètent une vision dramatique du monde. À la force expressive de ses œuvres correspond une facture audacieuse : touche apparente et nerveuse, palette réduite mais raffinée où dominent les tons assourdis, matière dense, habile maniement des effets de clair-obscur. Il fut abondamment imité.

BROUWER (Luitzen Egbertus Jan). ♦ Mathématicien hollandais (Overschie, 1881 – Blaricum, 1966). Ses travaux ont notamment porté sur la topologie. En philosophie des mathématiques, il fut le chef de file de l'*intuitionnisme* qui, niant la possibilité de déduire toute la mathématique de la seule logique, défend le rôle de l'intuition pour éviter les antinomies que peut faire naître le développement de la science.

BROWN (Charles Brockden). ♦ Romancier et publiciste américain (Philadelphie, 1771 – *id.*, 1810). De famille quaker, il fut marqué par les idées de Godwin et de Condorcet. Un fait divers sanglant inspira son premier roman, *Wieland* (1798), où une voix mystérieuse pousse le héros au crime. Dans *Ormond* (1799), la méchanceté raisonnée atteint une sorte d'ascèse et de fanatisme. *Edgar Huntley* (1799) met en scène un somnambule et *Arthur Mervyn* (1800) évoque une épidémie de fièvre jaune à Philadelphie. Cette œuvre qui annonce Poe et Hawthorne est à l'origine du mouvement naturaliste qui vit le jour à la fin du XIXe siècle. Elle fut particulièrement appréciée de Shelley. Malgré la violence de ses thèmes, Brown se considérait avant tout comme un « moraliste conteur ». Il écrivit aussi des essais et des écrits politiques comme *Alcuin* (*The Dialogue of Alcuin,* 1797) en faveur des droits de la femme.

BROWN (Robert). ♦ Botaniste britannique (Montrose, Écosse, 1773 – Londres, 1858). Naturaliste de l'expédition Flinders* en Australie (1801) où il étudia la flore et dont il rapporta une énorme collection (4 000 espèces), il découvrit le caractère essentiel des gymnospermes, les ovules nus et le noyau des cellules végétales (1831). On lui doit également la découverte, en 1827, du *mouvement brownien.* **V. Einstein, Smoluchowski.**

BROWN (John). ♦ Homme politique américain (Torrington, Connecticut, 1800 – Charlestown, Virginia, 1859). Dans sa lutte contre l'esclavagisme, il s'empara d'un arsenal, mais arrêté peu après, il fut condamné à mort et pendu. Au cours de la guerre de Sécession, une chanson *(John Brown's Body)* le célébra comme un martyr de la liberté.

BROWN (Ford Maddox). ♦ Peintre, fresquiste et graveur anglais (Calais, 1821 – Londres, 1893). Il étudia en Belgique, puis séjourna à Paris en 1840. Il débuta par des sujets byroniens sombres et dramatiques, puis en Italie (1845), subit l'influence des Nazaréens* et exerça une influence certaine sur les préraphaélites, sans pour autant faire partie de leur confrérie. Il s'intéressait au Moyen Âge et employait des couleurs brillantes et claires, parfois stridentes. Adepte de la peinture en plein air, il peignait les détails avec une attention minutieuse et chargeait ses œuvres d'un contenu social et didactique (*Le Dernier Regard sur l'Angleterre,* 1852-1853).

BROWN (Clarence). ♦ Réalisateur américain de cinéma (Clinton, Massachusetts, 1890). Assistant de Maurice Tourneur*, devenu son coréalisateur *(Le Dernier des Mohicans),* il a affirmé sa maîtrise avec *La Chair et le Diable* (*The Flesh and the Devil,* 1927) avant d'être l'adaptateur habile de plusieurs romans célèbres : *Anna Karénine* (1935), d'après Tolstoï, *La Mousson* (*The Rains came,* 1939), d'après Bromfield, *L'Intrus* (*Intruder in the Dust,* 1949), d'après Faulkner.

BROWNING (Elizabeth Barrett). ♦ Poétesse anglaise (Coxhoe Hall, Durham, 1806 – Florence, Italie, 1861). Comme Byron, la chute de l'homme et sa rédemption l'inspirèrent (*The Drama of Exile,* 1840). Mais ses meilleurs poèmes furent composés pour Robert Browning* qu'elle épousa secrètement en 1846, le suivant en Italie. *Les Sonnets de la Portugaise* (1850) expriment la passion mystique qu'Elizabeth ressentait pour son mari. Quant à *Aurora Leigh,* 1855, véritable roman en vers, l'influence de Robert Browning (et notamment de son *Paracelse*) y est évidente. Cette œuvre, empreinte de l'idéalisme caractéristique de cette époque, possède une grande valeur documentaire. Elizabeth Browning contribua d'ailleurs au vote de la loi de 1843 (limitation du travail des mineurs) grâce à une supplication (comprise dans les *Poésies* de 1844), *La Plainte des Enfants,* qui émut l'opinion publique. Son œuvre était particulièrement appréciée de Wordsworth, Landor et Edgar Poe.

BROWNING (Robert). ♦ Poète anglais (Camberwell, Londres, 1812 – Venise, 1889). Fils d'un employé de la Banque d'Angleterre qui, chargé de surveiller les esclaves des plantations de son père, les avait tous libérés, Robert Browning en avait hérité un certain idéalisme. D'abord influencé par Shelley* (*Pauline,* 1833), il adopta très vite une manière personnelle, et utilisa la forme du monologue dramatique. *Paracelse* (1835) est un poème dialogué philosophique sur le thème de l'amour et de la science. De même, *Sordello,* 1840, retrace l'histoire d'une âme. Le caractère statique inhérent à ce type de sujet fut fatal à ses pièces (*Strafford,* 1837 ; *Le Retour des Druses,* 1843 ; *Luria,* 1846). Mais *La Tragédie d'une âme* (1846) atteint à une grandeur plus poétique que dramatique. Cette œuvre fut d'ailleurs insérée dans une série de poèmes, *Cloches et Grenades* (Bells and Pomegranates, 1841-1846), comprenant *Pippa passe.* Les poèmes d'amour d'*Hommes et Femmes,* 1855, valurent à Browning d'être salué par Ruskin* comme le plus grand après Shakespeare. Browning traduisit le sentiment religieux qu'il éprouvait à l'égard du monde dans *Veille de Noël et Jour de Pâques,* 1850. Mais son chef-d'œuvre demeure *L'Anneau et le Livre* (The Ring and the Book, 1869), poème en douze livres (20 000 vers) analysant les mêmes faits, lors d'un procès, du point de vue de chaque protagoniste. Fondé sur un événement réel (un assassinat à Rome en 1698), ce récit est une reconstitution psychologique savante. Robert Browning mourut le jour même où paraissait son recueil de poésies lyriques, *Asolando,* 1889. Il avait fait de l'âme « la protagoniste de la tragédie de la vie » (O. Wilde). Son intellectualisme qui, de son vivant, fut jugé obscur est aujourd'hui apprécié, et son souci de vérité eut une grande influence sur Conrad*.

BROWNING (John Moses). ♦ Inventeur américain (Ogden, Utah, 1855 – Bruxelles, 1926). Il a donné son nom à un pistolet automatique (7,65 mm) et doté l'armée américaine de divers types d'armes de sa fabrication. **V.** *aussi* **Colt.**

BROWN-SÉQUARD (Édouard). ♦ Médecin et physiologiste français (Port-Louis, île Maurice, 1817 – Paris, 1894). Successeur de C. Bernard à la chaire de méd. expérimentale au Collège de France (1878), il étudia surtout la physiologie nerveuse ; il fut également un des pionniers de l'endocrinologie (*Recherches sur la* *fonction des glandes surrénales,* 1856). – *Syndrome de Brown-Séquard :* lésion unilatérale de la moelle épinière provoquant une hémiparaplégie. – *Méthode de Brown-Séquard :* méthode dont dérive l'opothérapie.

BRUANT (Libéral). ♦ Architecte et ingénieur français (Paris, v. 1636 – *id.,* 1697). Issu d'une famille d'architectes, il obtint la charge d'architecte du roi en 1663 et devint membre de l'Académie royale d'architecture (1671). Il adopta un parti pris de simplicité et de dépouillement dans l'*église* sur plan en croix grecque de l'*hôpital de la Salpêtrière* (1660-1677), entreprise à laquelle travaillèrent Le* Vau et Le* Muet. Pour le duc d'York, il éleva en Angleterre le château de Richmond. Son œuvre maîtresse est l'*hôtel des Invalides* (1671-1676) dont l'église fut construite par J.H. Mansart*. Les plans s'inspirent de l'Escorial* et l'ordonnance est sévère et monumentale, le décor de la façade est limité aux lucarnes et à l'imposante arcade centrale, les horizontales sont affirmées. Il fut l'un des représentants caractéristiques du classicisme français.

BRUANT (Aristide). ♦ Chansonnier français (Courtenay, 1851 – Paris, 1925). Ayant commencé, vers 1875, à chanter ses propres chansons dans les cafés-concerts de la butte Montmartre*, il se fit connaître au fameux *Chat-Noir,* qui devint son propre cabaret *(Le Mirliton).* Ses chansons, qui sont restées célèbres, évoquent la vie quotidienne des faubourgs *(À la Villette, À Ménilmontant,...),* reflètent l'anarchisme et une certaine réalité sociale de la fin du XIXe s. *(À la Roquette, Nini Peau d'chien...)* ou expriment le sentimentalisme de son époque *(Rose blanche).* Complaintes imagées, écrites dans une langue populaire, volontiers argotique, elles ont été réunies en recueils (*Dans la rue...,* 3 vol. 1889-1909 ; *Chansons et Monologues,* 1896-1897 et *Sur la route,* 1897). Auteur de romans-feuilletons. A. Bruant a également composé un *Dictionnaire de l'argot au XXe siècle* (1901).

BRUAT (Armand Joseph). ♦ Amiral français (Colmar, 1796 – en mer, 1855). Fait prisonnier en Algérie (1827), libéré après la conquête d'Alger (1830), il fut nommé gouverneur des îles de la Société (1843-1847) et négocia avec la reine Pomaré l'instauration du protectorat français à Tahiti (1847). Gouverneur des Antilles (1849), il commanda la flotte française en Crimée (1851-1855).

BRUAY-EN-ARTOIS. ♦ Ch.-l. de cant. du Pas*-de-Calais, arr. de Béthune*. 28 628 hab. *(Bruaysiens).* Importantes mines de houille ; chaudronnerie. – Avec les communes avoisinantes, Bruay forme une agglomération industrielle dépassant 125 000 habitants.

BRUAY-SUR-L'ESCAUT. ♦ Ch.-l. de cant. du Nord, dans l'aggl. de Valenciennes. 12 456 hab. Houillères.

BRUCE ou **de BRUS.** ♦ Nom d'une famille écossaise descendant d'un chevalier normand, compagnon de Guillaume le Conquérant. Elle donna deux rois à l'Écosse. – ROBERT BRUCE (1210 – Lochmaben, Dumfriesshire, 1295). Il fut l'un des régents d'Alexandre III d'Écosse (1249-1286). Après la mort de la petite-fille de ce dernier, Marguerite, en 1290, il figurait parmi les candidats au trône ; mais John Balliol (Bailleul*) fut préféré par Édouard Ier d'Angleterre. **V. Écosse** *(Hist.).* – Grand-père de Robert* Ier, roi d'Écosse et arrière-grand-père de David* II.

BRUCE (James). ♦ Voyageur écossais (Kinnaird House, Stirlingshire, 1730 – Londres, 1794). De 1768 à 1772, il explora l'Abyssinie, découvrit la source du Nil abyssin (ou fleuve Bleu) qu'il confondit avec celle du Nil.

BRUCH (Max). ♦ Compositeur allemand (Cologne, 1838 – Berlin, 1920). Il fit carrière dans plusieurs villes d'Allemagne (Cologne, Mannheim, Coblence, Sondershausen) avant de se fixer à Berlin où il enseigna la composition (1891-1910). Influencée par le romantisme de Mendelssohn, son œuvre comporte trois opéras, trois symphonies, des concertos pour violon et piano, de la musique de chambre et des mélodies.

BRUCHE. *n. f.* ♦ Riv. d'Alsace, affl. de l'Ill*. Née au col de Saales* dans les Vosges, elle traverse Schirmeck*. Mutzig* et Molsheim* avant de rejoindre l'Ill au S.-O. de Strasbourg.

BRÜCKE (Ernst Wilhelm *von***).** ♦ Physiologiste allemand (Berlin, 1819 – Vienne, 1892). Élève de J. Müller*, il fit des travaux sur la physiologie digestive et sensorielle (physiologie des sons du langage, des couleurs, etc.).

Brücke *(die)* [mot allem. « le Pont »]. ♦ Association artistique fondée en 1905 par E.L. Kirchner*, F. Bleyl, E. Heckel et K. Schmidt*-Rottluf, alors étudiants en architecture et à laquelle adhérèrent notamment E. Nolde* (de 1906 à 1907), M. Pechstein* (exclu en 1912), Cuno Amiet et Kees Van* Dongen (à partir de 1908). En rupture avec l'art académique, ces artistes voulaient rallier tous les artistes révolutionnaires d'alors. Ils organisèrent des réunions, des expositions, publièrent leurs réalisations dans le journal *Der Sturm* (La Tempête) jusqu'en 1911. *Die Brücke* dissous en 1913 après de nombreuses scissions, avait été le ferment le plus actif de l'expressionnisme allemand, comme le souligna dès 1914 le critique P. Fechter. Ses participants admiraient Van* Gogh, Gauguin*, Böcklin*, Hödler*, Ensor* et surtout Munch* et s'inspiraient notamment des arts primitifs, des miniatures carolingiennes, des gravures allemandes (XVe et XVIe s.) ainsi que des « Fauves ». Ils accordèrent la primauté à l' « impulsion créatrice » exprimée « directement » et « sincèrement » (Kirchner) et cherchèrent non pas à décrire mais à projeter leur subjectivité souvent angoissée et tragique en recourant à des déformations schématiques et à des couleurs violentes.

BRUCKNER (Anton). ♦ Organiste et compositeur autrichien (Ansfelden, 1824 – Vienne, 1896). Il obtint le titre de « maître de

Ph. Giraudon

A. Bruant au Mirliton, 1894, affiche de Toulouse-Lautrec. (Bibliothèque nationale, Paris.)

musique » à Vienne en 1861, et devint professeur au Conservatoire et organiste de la chapelle impériale en 1868. Jusqu'en 1863, date où il découvrit Wagner*, et écrivit sa première symphonie, Bruckner n'avait composé que des œuvres de musique religieuse. Dans une œuvre qui compte environ 120 numéros d'opus (*Fugue* en ré mineur pour orgue, 1861 ; *Messe* no 3, 1867-1868 ; *Te Deum,* 1881-1884), les compositions les plus remarquables sont des symphonies. Influencées par Schubert*, Schumann* et surtout Wagner* ces symphonies s'apparentent surtout à la symphonie beethovénienne, mais contiennent des éléments nouveaux, suscités par sa maîtrise d'organiste : goût pour les combinaisons sonores, art de la fugue et des contrepoints complexes.

BRUCKNER (Theodor TAGGER, dit Ferdinand). ♦ Auteur dramatique autrichien (Vienne, 1891 – Berlin, 1958). Il contribua, entre les deux guerres mondiales, à la rénovation du théâtre dans son pays, porta sur la scène, comme les expressionnistes, des sujets jugés alors audacieux, conflits politiques et sociaux, problèmes sexuels, qu'il traita dans un style réaliste (*Les Criminels,* 1928, adap. fr. 1929 ; *Le Mal de la jeunesse,* 1929 ; *Les Races,* 1934 ; *Le Combat de l'Ange,* 1958).

BRUCTÈRES. *n. m. pl.* ♦ Peuple germanique établi au Ier s. entre l'Ems, la Lippe et la Weser, dans la région correspondant à la Westphalie et au Hanovre actuels. Ils luttèrent contre les Romains, participèrent à la révolte d'Arminius* (9) et au soulèvement des Bataves* (70). Ils s'assimilèrent aux Francs à la fin du Ier siècle.

BRUÉ (André). ♦ Administrateur colonial français (La Ciotat, 1654 – Marseille, 1738). Directeur général du commerce français au Sénégal (1697-1723), il a laissé des récits sur cette région et ses habitants.

BRUEGEL (Pieter dit *l'Ancien***).** ♦ Peintre et dessinateur flamand (Brueghel ? près de Breda ?, v. 1525-1530 – Bruxelles, 1569). Il se serait formé à Anvers auprès de Pieter Coecke Van Aalst, sans pour autant subir l'emprise du romanisme qui régnait en Flandre. Reçu franc-maître à la gilde d'Anvers en 1551, il entreprit un voyage en Italie (1552-1553) d'où il ramena de nombreux dessins, surtout des paysages alpins qui révèlent une sensibilité aiguë à la nature et une vision cosmique de l'univers. Il fit preuve d'indépendance en négligeant le répertoire thématique italien tout en faisant quelques emprunts formels aux grands maîtres de la Renaissance. De retour à Anvers, il produisit de nombreux dessins destinés à la gravure : séries documentaires *(Les Vaisseaux de mer),* paysages, scènes paysannes à tendance satirique et moralisatrice, illustrations de paraboles, série des *Sept Péchés capitaux* (1556-1557) et des *Sept Vertus* (1559-1560) ; se consacrant tardivement à la peinture (vers 1557 ?), il s'installa à Bruxelles après avoir épousé la fille de P. Coecke en 1563. Dans ses premières œuvres, l'influence de Bosch* est patente : « diableries », monstres et hybrides peuplent ses compositions grouillantes, animées d'un

Arch. Smeets

P. Bruegel l'Ancien :
« Les Mendiants ». (Musée du Louvre, Paris.)

mouvement giratoire ou établies suivant de grandes diagonales; s'y affirment un sens personnel de la couleur et une fertile invention dans les détails (*Le Triomphe de la mort,* 1562; *La Chute des anges rebelles,* 1562?; *La Dulle Griet,* 1562?). Les autres thèmes religieux qu'il traita (*La Tour de Babel, Le Dénombrement de Bethléem, Le Massacre des Innocents, La Crucifixion, L'Adoration des Mages)* sont présentés selon une optique originale : la mise en scène des protagonistes, l'importance accordée au cadre familier font prévaloir le caractère profane. L'intérêt porté à la description de la vie populaire, tout en s'appuyant sur des traditions flamandes et nordiques (L. de Leyde*, Dürer), révèle le modernisme de sa sensibilité. Plusieurs œuvres semblent en effet comporter des allusions aux événements contemporains (misère, Réforme, pouvoir espagnol, etc.) mais leur sens est encore sujet à controverse et bien des thèmes obscurs trouvent sans doute leur source dans la littérature, le théâtre ou la tradition orale flamande (*La Pie sur le gibet; Le Pays de Còcagne,* 1567; *Le Combat de Carnaval*). L'œuvre entière présente un caractère satirique et moralisateur (série de *Proverbes*) et allégorique *(Chute d'Icare).* Ainsi, le paysage aux rythmes amples et sereins contraste souvent avec le caractère tragique, dérisoire ou ridicule de l'activité ou du destin humain *(Les Aveugles; Les Mendiants; Le Misanthrope),* excepté lorsque le travail s'accorde au rythme paisible de la nature (série des *Saisons*). Bruegel, longtemps considéré comme un peintre pittoresque et truculent de scènes de mœurs paysannes, était en effet en relation avec des humanistes et il semble qu'il ait fait passer des préoccupations humanistes dans ses tableaux où se déploient des qualités strictement plastiques : sens de la mise en scène, du geste, de la mimique expressive, utilisation d'un chromatisme raffiné et personnel propre à rendre l'unité atmosphérique et à imposer une vision de la nature à la fois synthétique et subtilement variée (effets de neige, de mer, etc.). Figure dominante de la peinture flamande au XVIe s. et profondément lié à ses traditions, il influença notablement les paysagistes et les peintres de genre hollandais.

BRUEGEL (Pieter II, dit **BRUEGEL** [ou **BRUEGHEL**] *le Jeune* ou *d'Enfer*). ♦ Peintre et dessinateur flamand, fils aîné de Bruegel l'Ancien (Bruxelles, v. 1564 – Anvers, 1638). Il se serait formé dans l'atelier de G. Van Coninxloo et, inscrit à la gilde d'Anvers en 1585, aurait ensuite dirigé un atelier spécialisé dans les copies ou interprétations des œuvres paternelles et peut-être dans les scènes d'incendie ou d' « enfers » [d'où son surnom] *(Incendie de Troie).* Il eut tendance à simplifier les formes, à insister sur les aspects anecdotiques et pittoresques et à utiliser une facture plus sèche. Il collabora probablement aux œuvres de J. de Momper* et fut imité par son fils Pieter III né en 1589.

BRUEGEL (Jean Ier, dit **BRUEGEL** ou **BREUGHEL** *de Velours*). ♦ Peintre et dessinateur flamand (Bruxelles, 1568 – Anvers, 1625). Second fils de Pierre Bruegel **(V. Bruegel l'Ancien),** il se forma à Anvers, séjourna à Naples en 1590, à Rome en 1593-1594, à Milan en 1595 et fut protégé par le cardinal Borromée. Maître de la gilde d'Anvers en 1597, il fut nommé peintre de la cour des archiducs Albert et Isabelle (1609). Ami et collaborateur de Rubens*, il peignit parfois certains des éléments de paysages et des guirlandes de fleurs encadrant ses figures *(Madone).* Ses paysages dérivent de Van* Coninxloo et de P. Bril*. Ses œuvres, natures mortes (*Coupe avec bijoux,* 1618), fleurs, scènes de genre, scènes bibliques ou allégoriques (*Le Paradis terrestre,* série des *Cinq Sens*) révèlent une vision miniaturiste et raffinée de l'univers, de caractère idyllique, une imagination féconde dans les détails, une facilité à organiser des motifs proliférants (*Bataille d'Arbèles,* 1602) et surtout une délicatesse de coloris, et la matière brillante et fine qui lui valut son surnom. Imitée par de nombreux peintres flamands, son œuvre fut poursuivie par son fils (JEAN II, 1602 – 1678).

BRUEYS D'AIGAÏLLIERS (François Paul). ♦ Vice-amiral français (Uzès, 1753 – Aboukir*, 1798). Commandant la flotte de l'expédition d'Égypte, il fut attaqué par Nelson après le débarquement des troupes et périt au combat.

BRUGES, en néerl. **Brugge,** « pont ». ♦ V. de Belgique, ch.-l. de la Flandre occid., à 13 km de la mer du Nord, sur la Reye*, à la jonction des canaux aboutissant à Zeebrugge*, Ostende*, Gand* et l'Écluse : 113 828 hab. [aggl. urb.]. *(Brugeois).* Évêché. Cité ancienne et pittoresque parcourue de nombreux canaux (la « Venise du Nord »), Bruges possède un style architectural typique fenêtres à croisée de pierre, façades sculptées, pignons en gradins. Nombreux monuments : beffroi du XIIIe s. (carillon); halles (XIIIe-XVIe s.); musée Memling situé dans l'hôpital Saint-Jean, du XIIIe s. **(V. Memling);** basilique du Saint-Sang (commencée au XIIe s.); hôtel de ville du XIVe s. (restauré au XIXe s.); musée Gruuthuse (XVe s.); béguinage dont l'origine remonte au XIIIe s. L'église Notre-Dame (XIIIe s.) contient les mausolées de Charles le Téméraire, de Marie de Bourgogne, et la *Vierge à l'Enfant* de Michel-Ange. – Port de mer depuis la construction du canal de Zeebrugge*, Bruges exporte les produits agricoles de la région (élevage, cultures maraîchères) et des produits manufacturés. Tout en maintenant ses industries traditionnelles : meubles et textiles (fil et soie. célèbres dentelles au « point de fée », dites « guipures des Flandres »), la ville a développé de nouvelles branches : machines agricoles, électronique (radio-télévision). **V.** *aussi* **Saint-Michel, Sainte-Croix.** Réparations navales. Indus. alimentaires. Cokerie. Verrerie. Tourisme très actif. – Patrie de J. van Eyck*, F. Pourbus*, Simon Stevin*, Guido Gezelle. ♦ *Hist.* C'est en 837 que le premier comte de Flandre, Baudouin Bras de Fer, éleva près d'un pont *(brugge)* un château où devaient résider, du XIe au XVe s., les riches et puissants comtes de Flandre. La prospérité de la cité fut telle qu'un marchand brugeois put payer la rançon (400 000 couronnes d'or) du dernier comte de Flandre, Jean sans Peur. Bruges était devenue un grand marché d'échanges avec la ville de Damme pour avant-port (drap flamand, laine anglaise, bois scandinave, ambre russe, vins espagnols, soieries vénitiennes). Devenue comptoir des villes hanséatiques, au XIIIe s., Bruges connut une activité artistique digne de sa richesse commerciale. Une enceinte commencée en 1297 marque ses limites d'alors. Mais en 1301 des luttes intestines aboutirent à l'intervention de Philippe le Bel. Les guerres de Religion sous Philippe II, avaient commencé de ruiner Bruges. Après un renouveau de prospérité au XVe s. (ducs de Bourgogne), dès le XVIe s. l'ensablement du Zwyn et le déclin de l'industrie drapière marquent une décadence. La ville put cependant encore accueillir fastueusement Charles Quint. L'invasion française de 1794 acheva de la ruiner. Gand et Ypres, puis Anvers la remplacèrent dans le commerce du Nord. Mais depuis le début du XXe s., *Bruges-la-Morte,* célébrée par Rodenbach* (roman, 1892), est redevenue une ville active.

BRUGES. ♦ Comm. de la Gironde, dans la comm. urbaine de Bordeaux. 6 798 habitants.

BRUGGE. ♦ Nom néerlandais de Bruges.

BRUIX (Eustache). ♦ Amiral français (Saint-Domingue, 1759 – Paris, 1805). Lieutenant de vaisseau au début de la Révolution, il fut renvoyé en 1793, puis réintégré dès 1795. Ministre de la Marine en 1798, il se vit confier par Bonaparte le commandement maritime du camp de Boulogne*.

BRULÉ (Étienne). ♦ Voyageur français (Champigny-sur-Marne, v. 1591 – en Nouvelle-France, 1633). Il vint avec Champlain à Québec. Après avoir atteint la baie de Chesapeake (1628), il fut tué par les Hurons.

Ph. Hétier

Bruges : le béguinage.

BRULLOV ou **BRIOULOV (Karl Paulovitch).** ♦ Peintre russe (Saint-Pétersbourg, 1799 – Marciano, près de Rome, 1852). Descendant d'une famille d'émigrés protestants d'origine française, il se forma à Rome où il séjourna de 1821 à 1833. Il acquit une réputation internationale comme peintre d'histoire avec *Le Dernier Jour de Pompéi* (1833) : l'inspiration romantique, la recherche du mouvement et d'effets de lumière n'excluent pas chez lui une facture académique et une expression emphatique et théâtrale. Auteur de scènes d'extérieur où transparaissent des tendances réalistes, de sujets historiques et religieux (peintures murales de Saint-Isaac à Saint-Pétersbourg, *le Siège de Pskov*) et de portraits d'apparat, il fit preuve d'un sens élégant de la mise en page et d'un modelé délicat dans ses portraits moins apprêtés *(La Comtesse Samoïlov).*

BRÛLON. ♦ Ch.-l. de cant. de la Sarthe, arr. de La Flèche, dans le Maine. 1 171 hab. (920 aggl.). [*Brûlonnais*]. Église en partie du XIIe s. Maisons anc. – Marché agricole. – Patrie de Claude Chappe*.

Brumaire an VIII (le 18), 9 nov. 1799. ♦ Journée au cours de laquelle Napoléon* Bonaparte, peu après son retour d'Égypte, renversa le Directoire* à l'instigation de Sieyès* et fit transférer les Conseils à Saint-Cloud. Le lendemain, les grenadiers firent évacuer la salle où siégeaient les Cinq*-Cents. La suppression du Directoire fut votée par le Conseil des Anciens et par la minorité du Conseil des Cinq-Cents, son remplacement étant assuré par trois consuls : Sieyès*, Ducos* et Bonaparte, les conseils étant remplacés par deux commissions chargées de réviser la constitution. **V. Consulat ; Napoléon.**

BRUMATH. ♦ Ch.-l. de cant. du Bas-Rhin* (arr. de Strasbourg-Campagne), sur la Zorn*. 7 357 hab. (5 322 aggl.). Anciens thermes romains.

BRUMMELL (George Bryan), dit **le Beau Brummel.** ♦ Célèbre dandy anglais (Londres, 1778 – Caen, 1840). L'amitié du prince de Galles (le futur George* IV), autant que son goût, établit sa réputation d'*arbitre des élégances,* de *roi de la mode.* Exilé, il mourut dans un asile en France.

BRUNE (Guillaume). ♦ Maréchal de France (Brive, 1763 – Avignon, 1815). Il s'illustra à Arcole* sous Bonaparte (1797) et battit en 1799 l'armée anglo-russe en Hollande à Bergen*. Maréchal en 1804. Envoyé en Provence durant les Cent-Jours, il fut massacré par les royalistes à Avignon*. **(V. Terreur* blanche).**

BRUNEAU (Alfred). ♦ Compositeur français (Paris, 1857 – *id.,* 1934). Ami de Zola et des écrivains du groupe de Médan, il renouvela le drame lyrique sous l'influence de l'esthétique naturaliste avec des opéras, *Le Rêve* (1890), *L'Attaque du moulin* (1893), *Messidor* (1897), *L'Ouragan* (1901). Critique musical et essayiste, il a publié des études sur Fauré (1925) et Massenet (1935).

BRUNEHAUT. ♦ Reine d'Austrasie (Espagne, 543 – Renève, près de Dijon, 613). Fille d'Athanagilde*, roi des Wisigoths, elle fut mariée en 567 à Sigebert* Ier, roi d'Austrasie, cependant que sa sœur Galswinthe épousait Chilpéric* Ier, roi de Neustrie. À l'instigation de Frédégonde*, sa concubine, ce dernier fit assassiner sa femme, puis Sigebert (575). Brunehaut régna sur l'Austrasie durant la minorité de son fils Childebert II et signa à Andelot (587) un traité d'alliance avec Gontran, roi de Bourgogne, qui adoptait le jeune roi comme successeur. La lutte se poursuivit contre Frédégonde jusqu'à la mort de celle-ci (597) et reprit après la mort de Thierry* II, fils de Childebert. Clotaire* II, fils de Frédégonde et roi de Neustrie, envahit l'Austrasie (613) et, s'étant emparé de Brunehaut, la supplicia, la faisant périr attachée à la queue d'un cheval. – De culture romaine, femme d'État à conception unitaire, elle avait tenté d'instaurer dans les royaumes francs, Austrasie et Neustrie, les techniques administratives et les arts de la civilisation romaine. Elle soutint la réforme de Grégoire* le Grand et fonda l'abbaye de Saint-Martin d'Autun.

BRUNEI. *n. m.* ♦ État (sultanat) de la côte N.-O. de l'île de Bornéo, formé de deux enclaves dans la partie nord du Sarawak*, sous protection de la Grande-Bretagne. 5 765 km². 120 000 hab. Exploitations pétrolières et raffineries à Seria et Kuala Belait. Cap. et port principal : Dar al-Islâm (env. 37 000 hab.).

BRUNEL (*sir* Marc Isambard). ♦ Ingénieur anglais d'origine française (Hacqueville, Manche, 1769 – Londres, 1849). Il réalisa le tunnel sous la Tamise (1824-1842). ♦ Son fils, ISAMBARD KINGDOM BRUNEL (Portsmouth, 1806 – Westminster, 1859), construisi les navires transatlantiques *Great Western, Great Britain* (premier navire de ce type réalisé en fer), et le *Great Eastern* (1858) qui fut durant une cinquantaine d'années le plus grand vaisseau du monde.

BRUNELLESCHI (Filippo di Ser Brunellesco, dit **Filippo).** ♦ Sculpteur et architecte italien (Florence, 1377 – *id.,* 1446). Il reçut une formation d'orfèvre et participa au fameux concours de 1401 remporté par Ghiberti*. Il apprit à Rome, en ingénieur et en technicien, la leçon des monuments antiques et, de retour à Florence, se livra à des études de perspective que nous connaissons par L.B. Alberti*, G. Manetti*, P. del Pozzo Toscanelli (qui les appliqua à la cartographie). La grande coupole du dôme de Florence, conçue comme centre réel et symbolique de la ville, fut le fruit de ces recherches (1420-1436). Dans ses ouvrages religieux ou civils (hôpital des Innocents, sacristie et église de San Lorenzo, chapelle des Pazzi à Santa Croce, Santa Maria degli Angeli [inachevée], Santo Spirito, palais du Parti guelfe), il fit régner une grâce régie par le nombre, claire aux sens comme à la raison, dans un parti pris humaniste qui l'unissait, en précurseur, à ses contemporains : Masaccio* et Donatello* son ami et parfois, dit-on, son émule en sculpture.

Ph. Carlo Bevilacqua/Ricciarini

F. Brunelleschi : intérieur de l'église San Lorenzo à Florence.

BRUNETIÈRE (Ferdinand). ♦ Critique littéraire français (Toulon, 1849 – Paris, 1906). Il professa à l'École normale supérieure (1886), puis dirigea *La Revue des Deux-Mondes* (1893). Son nom reste attaché à la théorie de l'évolution des genres littéraires, qu'il illustra dans ses *Études critiques sur l'histoire de la littérature française* (6 vol., 1880 à 1892), puis dans les *Essais et Nouveaux Essais sur la littérature contemporaine* (1892-1895). Dogmatique et se référant à un idéal très classique, il s'opposa au romantisme et au symbolisme, puis jugea sévèrement *Le Roman naturaliste* (1882) au nom d'exigences morales. Converti au catholicisme (1900), il défendit ses convictions spiritualistes, cependant marquées par le positivisme et l'évolutionnisme, dans *Discours de combat* (1899-1903 ; 1907) et *Sur les chemins de la croyance* (1904). [Acad. fr.]

BRUNETTO LATINI. ♦ V. LATINI.

BRUNFELS (Otto). ♦ Médecin et botaniste allemand (près de Mayence, fin XVe s. – Berne, 1534). Après des études de théologie et de philosophie, il obtint le grade de docteur en méd. à Bâle (1530). Il s'est distingué par ses travaux de botanique.

BRUNHES (Jean). ♦ Géographe français (Toulouse, 1869 – Boulogne-sur-Seine, 1930). Ses idées sont développées dans deux œuvres maîtresses : *Géographie humaine* (1910) et *Géographie humaine de la France* (1920-1926). Brunhes dresse dans ces deux ouvrages une typologie de faits d'occupation improductive, de conquête animale et végétale, d'économie destructive, illustrée d'exemples très précis et choisis avec soin ; il veut ainsi analyser l'action de l'homme sur la terre. Cependant la négligence de certains facteurs (étude des langues et des races, de l'émigration, de la colonisation et du commerce) empêche ses ouvrages de constituer une théorie compréhensive du fait humain dans le cadre géographique. Jean Brunhes sut, comme son maître Vidal de la Blache, diffuser la géographie humaine chez les non-spécialistes.

Brünhild ou **Brunehilde.** ♦ Personnage de la mythologie germanique, une des héroïnes de la *Chanson des Nibelungen**, reprise par le romantisme.

BRÜNING (Heinrich). ♦ Homme politique allemand (Münster, 1885 – Norwich, États-Unis, 1970). Chef du Centre catholique, chancelier de la république de Weimar (1930-1932), il tenta d'enrayer la crise économique et soutint contre Hitler la candidature de Hindenburg* à la présidence de la République. Écarté par ce dernier, il s'exila aux États-Unis.

BRUNIQUEL. ♦ Comm. du Tarn-et-Garonne (arr. de Montauban), dans les gorges de l'Aveyron. 515 hab. Château des XIIe-XVIe s. (galerie Renaissance).

BRÜNN. ♦ Nom allemand de Brno*.

BRUNNEN. ♦ V. de Suisse (Schwyz) sur la r. N. du lac des Quatre*-Cantons. 2 000 hab. Importante station touristique. Centre de cure. ♦ *Hist.* La ville est célèbre par le pacte qu'y conclurent, le 9 décembre 1315, les cant. de Schwyz*, d'Uri* et

Arch. Smeets

Saint **Bruno,** par M. Pereyra, bois polychrome. (Chartreuse de Miraflores, Burgos.)

d'Unterwald* et qui renforçait l'alliance du 1er août 1291 **(V. Rütli).**

BRUNO *(saint).* ♦ Fondateur de l'ordre des Chartreux (Cologne, v. 1035 – La Torre, Calabre, 1101). Il établit son premier monastère près de Grenoble dans la Grande-Chartreuse* (1084). Fête le 6 octobre. – Sa vie fait l'objet d'une série de tableaux, par Le* Sueur.

BRUNO (Giordano). ♦ Philosophe italien (Nola, royaume de Naples, 1548 – Rome, 1600). Dominicain, il étudia la théologie et la philosophie. Dès 1576, une première accusation d'hérésie l'amena à quitter son ordre et à s'enfuir d'Italie. Après plusieurs années de vie errante, il revint en Italie (Venise), mais fut arrêté par l'Inquisition et, après un procès qui dura plusieurs années, il fut condamné à mort et brûlé vif à Rome. Il n'a pas seulement critiqué la philosophie d'Aristote (et particulièrement sa cosmologie) mais, bien que partisan de la théorie de Copernic*, il semble l'avoir dépassée sur certains points – infinité de l'univers, pluralité des mondes. Panthéiste, il affirme l'éternité et l'unité de la Substance et paraît ainsi annoncer Spinoza*. Parmi ses ouvrages, on peut citer *De la cause, du principe et de l'unité; De l'infini de l'univers et des mondes; Expulsion de la bête triomphante* (critique des croyances religieuses dans un style bouffon) et *Fureurs héroïques* (texte sur l'amour).

BRUNON DE QUERFURT *(saint),* en rel. *Boniface.* ♦ Moine bénédictin (en Saxe, v. 974 – 1009). Chapelain d'Othon III, consacré « archevêque des gentils » (1004), il évangélisa en Ukraine, en Pologne et en Prusse. Il fut tué par ordre de Boleslas le Vaillant. Fête le 19 juin.

BRUNOT (Ferdinand). ♦ Grammairien français et historien de la langue française (Saint-Dié, 1860 – Paris, 1938). Outre sa très importante *Histoire de la langue française* (1916-1938 ; continuée dans un tout autre esprit, du point de vue exclusif des usages littéraires, par Charles Bruneau; inachevée), il a publié un essai d'esprit psychologiste (*La Pensée et la Langue,* 1927), dont la méthode intuitive va à l'encontre de l'évolution de la grammaire moderne. Il a vivement et justement critiqué la *Grammaire* de l'Académie française.

BRUNOY. ♦ Ch.-l. de cant. de l'Essonne, arr. d'Évry, sur l'Yerres*, sur la bordure N. de la forêt de Sénart. 16 306 hab. *(Brunoyens).* Lieu de villégiature.

BRUNSCHVICG (Léon). ♦ Philosophe français (Paris, 1869 – 1944). Refusant l'empirisme positiviste et le spiritualisme, il a adopté une position idéaliste critique dans son étude des conditions de l'esprit scientifique et de leur évolution. Considérant la raison comme une activité législatrice qui pose et perfectionne ses principes et ses règles de démonstration, il vit dans les mathématiques son expression la plus parfaite. (*Les Étapes de la philosophie mathématique,* 1912; *Les Âges de l'intelligence,* 1922; *L'Expérience humaine et la causalité physique,* 1922; *Le progrès de la conscience dans la philosophie occidentale,* 1927).

BRUNSWICK (Charles Guillaume Ferdinand, *duc de***).** ♦ Général au service de la Prusse (Wolfenbüttel, 1735 – Ottensen, 1806). Chef des armées austro-prussiennes, il lança l'ultimatum dit *manifeste de Brunswick* (voir ci-dessous). Vaincu à Valmy* (sept. 1792), il reprit plus tard le commandement de l'armée prussienne, fut vaincu à Iéna* et le jour même grièvement blessé à Auerstedt* (14 oct. 1806).

BRUNSWICK *(manifeste de).* ♦ Proclamation rédigée par un émigré et signée par le général en chef des armées prussiennes et autrichiennes, le duc Charles Guillaume Ferdinand de Brunswick*. Elle fut lancée de Coblence (25 juillet 1792) et connue à Paris le 1er août 1792. Elle menaçait le peuple parisien, notamment les jacobins, d' « une vengeance exemplaire et à jamais mémorable, en livrant la ville de Paris à une exécution militaire et à une subversion totale », si le moindre outrage était fait à la famille royale. Formulé sous la pression des émigrés et sans doute de Marie-Antoinette, ce manifeste avait pour but d'effrayer les forces révolutionnaires patriotiques; il ne fit en réalité qu'aviver leur colère et contribuer à la journée révolutionnaire du 10 août* 1792.

BRUNSWICK. *n. m.* en allem. **Braunschweig.** ♦ Anc. État d'Allemagne qui comprenait des territoires morcelés dans le Harz et la moyenne Weser. Formé à l'origine des possessions qui restèrent à Henri* le Lion après sa défaite en 1180, il fut érigé en duché pour son petit-fils Othon* Ier, après la victoire définitive de Frédéric* II sur les guelfes. Parmi les nombreuses branches de la maison de Brunswick, les plus importantes furent celles de *Brunswick-Lüneburg,* qui obtint l'électorat de Hanovre en 1692, et celle de *Brunswick-Wolfenbüttel,* qui conserva le duché et prit Brunswick pour capitale. Cet État entra successivement dans le royaume de Westphalie (1807), dans l'empire allemand (1871), puis fut un État de la république de Weimar (1919). Il forme actuellement un district du land de Basse-Saxe*, dans la République fédérale allemande.

BRUNSWICK. en all. **Braunschweig.** ♦ V. d'Allemagne occidentale (Basse-Saxe) et ch.-l. de district **(V. Goslar, Salzgitter),** sur l'Oker, à proximité du *Mittellandkanal.* 225 600 hab. (1969). Université. Assez endommagée lors de la Deuxième Guerre mondiale, Brunswick a pourtant conservé de son passé une belle église romane (XIe-XIIIe s.) abritant le tombeau d'Henri le Lion, et la résidence ducale de *Dankwarderode* (IXe-XIIIe s.). – Brunswick est un important centre commercial et industriel à la lisière de la grande plaine du nord : automobiles (Volkswagen), machines à calculer, optique et matériel photographique, manufactures de pianos (Steinweg), imprimeries et édition, conserves alimentaires. – Patrie de Bennigsen*, de Caroline* de Brunswick-Wolfenbüttel, de C.F. Gauss*, d'Otto Grotewohl* et de Louis Spohr*. ♦ *Hist.* Fondée en 861 par Bruno, fils de Ludolf de Saxe, elle fut fortifiée par Henri le Lion au XIIe s. et devint au XIIIe s. l'une des princ. villes de la Hanse et connut du XVe au XVIIIe s. une grande prospérité. En 1671, elle perdit son indépendance et tomba aux mains des ducs de Brunswick.

BRUNSWICK (NOUVEAU-). ♦ **V.** NOUVEAU-BRUNSWICK.

BRUNSWIK (Egon). ♦ Psychologue hongrois (1903 – 1955). Collaborateur de l'*International Encyclopedia of Unified Sciences* de tendance néo-positiviste **(V. Morris, Neurath);** il a formulé une théorie du comportement et de la perception qu'il qualifia de « fonctionnalisme probabiliste ».

BRUSSEL. ♦ Nom néerlandais de Bruxelles*.

BRUTTIUM ou **BRUTIUM.** *n. m.* ♦ Région de l'Italie anc. correspondant à la partie méridionale de l'actuelle Calabre*. Elle fut colonisée par les Grecs puis conquise par les Romains (~ 270). *V. princ.* Sybaris*, Crotone* puis Rhegium (Reggio* di Calabria).

BRUTUS, en lat. **Lucius Junius Brutus.** ♦ (~ VIe s.). Héros semi-légendaire de Rome, associé à la chute de la royauté. Craignant les violences de Tarquin* le Superbe, il contrefit longtemps la folie (*brutus* = idiot). Sa sœur Lucrèce* ayant été outragée par Sextus*, il souleva le peuple et renversa la monarchie (~ 509 ?).

BRUTUS, en lat. **Marcus Junius Brutus.** ♦ Homme politique romain (Rome v. ~ 85-~ 42), neveu de Caton* d'Utique, fils adoptif de César*. Malgré sa participation aux côtés des Pompéiens à la bataille de Pharsale*, César le nomma propréteur en Gaule cisalpine (~ 46) puis préteur urbain (~ 44). Pourtant, il organisa avec Cassius* le complot qui amena la mort de César, puis s'enfuit en Macédoine où il fut battu par Antoine* et Octave (Auguste*) à Philippes* (~ 42). Il se tua après la défaite et son épouse Porcia* se suicida en apprenant sa mort.

BRUXELLES [brysɛl], en néerl. **BRUSSEL.** ♦ Cap. de la Belgique et ch.-l. du Brabant*, sur la Senne* (souterraine dans son parcours urbain) et sur le canal de Willebroek*, à 302 km de Paris. 1 075 136 hab. [arr. de Bruxelles*-Capitale]. *(Bruxellois).* Langues : français, néerlandais. Bruxelles est divisée en trois arr. (1963) : *Bruxelles-Capitale, Bruxelles*-Communes périphériques,* et *Hal*-Vilvorde.* Siège des institutions européennes (C.E.E., CECA, Euratom) et atlantique (OTAN), résidence du roi, la V. est un grand centre politique, administratif et culturel (Universités). Archevêché (avec Malines*). – Bruxelles possède des boulevards très animés (notamment à l'emplacement des fortifications du XIVe s.) contrastant avec de petites rues aux maisons à pignons. La partie haute de la V. (E.) comprend la cathédrale Saint-Michel (gothique) élevée en trois périodes (XIIIe-XVe s., XVIe s. et XVIIe s.), le Parc (ancienne réserve de chasse des ducs de Brabant), les palais de la Nation (1779) et du Roi (façade Louis XVI) et le palais de justice (1883) qui domine la ville. Autres monuments remarquables : hôtel de ville flamboyant (XVe s.), halle au pain ou Maison du roi (XVIe s.), Maisons des corporations (façades baroques) sur la très belle Grand-Place. Place Royale, de style Louis XVI. Église N.-D.-de-la-Chapelle (caractéristique de l'art brabançon, XIIIe, XVe s.). Église N.-D.-du-Sablon (XIVe, XVe, XVIe s.). Église du Béguinage (baroque, 1657-1676). – Nombreux musées : musée d'Art et d'Histoire (indus. d'art, préhistoire et Antiquité); musée royal d'Armes et d'Armures (Porte de Hal), le plus ancien d'Europe (1406); musée de l'Armée. Institut des sciences naturelles (paléontologie). – L'Atomium, témoin de l'Exposition universelle de 1958, figure les atomes d'un cristal agrandis 150 milliards de fois. – Premier centre économique belge, Bruxelles fait partie de l'axe économique Anvers-Bruxelles-Charleroi (axe « A.B.C. »). Les industries y sont liées à la main-d'œuvre, au marché de consommation et aux capitaux (56 % des sièges sociaux). Elles se localisent dans la partie basse de l'agglomération, sur l'axe N.-S. de la vallée de la Senne. S'y concentrent le tiers de la confection belge, le quart de la chimie (savons, peintures, pharmacie), le quart des constructions mécaniques (montage automobile, matériel ferroviaire, appareillage électrique, radio-télévision), 40 % de l'imprimerie. Indus. alimentaires. Son canal maritime place Bruxelles au 4e rang des ports belges. – Patrie d'Édouard Agnessens, Albert Ier, Auguste d'Arenberg*, Baudouin* Ier, Charles Bourseul*, Bruegel* d'Enfer, Bruegel* de Velours, Philippe de Champaigne*, Charles* VII Albert, Ludwig Cobenzl*, Francis de Croisset*, Henry De Groux, Paul Deschanel*, François Duquesnoy*, Guillaume III, Frédéric Hellens*, Camille Lemonnier*, Léopold* II, Léopold* III, Claude Levi*-Strauss, Charles de Ligne*, Marie* de Bourgogne, Constantin Meunier*, les frères Perret*, les frères Rosny*, Alfred Stevens*, Isidore Taylor*, Adam Van* der Meulen, Jan-Baptist Van* Helmont, Bernard Van* Orley, André Vésale*, Maxime Weygand*... – Érasme*, Victor Hugo*, A. Piccard* y séjournèrent. Le duc d'Aumale* (Charles de Lorraine), le général Boulanger* y moururent exilés. Édith Cavell y fut fusillée en 1914. ♦ *Hist.* C'est en 977 qu'Othon II, héritier du duché de Basse-Lotharingie, choisit de se fortifier dans les îles de la Senne [*Bruxelles : bruoc,* marais ; *sella,* habitation]. Mais les premiers remparts ne furent élevés qu'au XIIe siècle. Étape entre Cologne et la Flandre, Bruxelles développa alors ses industries drapières. Le XVe s. y fut une période artistique florissante. En 1516, Charles Quint y fut couronné, puis transmit ses pouvoirs à Philippe II, en 1555. La domination espagnole souleva des révoltes (exécution des comtes d'Egmont* et de Hornes*, en 1568, sous le duc d'Albe*). Le maréchal de Villeroi, lors des guerres de Louis XIV (1695), bombarda Bruxelles, qui ne retrouva la paix que sous Charles de Lorraine (1744-1780). Ch.-l. du département français de la Dyle après Fleurus* (1794-1814), Bruxelles fut avec La Haye la résidence du roi des Pays-Bas. En 1830 (août et septembre) éclata la révolution qui devait donner l'indépendance à la Belgique. Léopold Ier fit son entrée solennelle à Bruxelles en 1831. Sur les plans de Guimard, la transformation de la V. commença au XVIIIe siècle. La création de quartiers modernes a quelque peu changé son aspect.

Bruxelles *(canal de).* ♦ Voie navigable unissant la capitale au Rupel (28 km). Trafic annuel : 7 millions de tonnes.

Bruxelles *(traité de).* ♦ Alliance défensive signé en 1948 pour cinquante ans par la France, la Grande-Bretagne et le Benelux. Elle précéda l'Organisation* du traité de l'Atlantique Nord (O.T.A.N.) dont les clauses furent reprises par le traité de l'Union de l'Europe* occidentale (1954).

BRUXELLES-CAPITALE. ♦ Arr. de Bruxelles créé en 1963, correspondant exactement à l'agglomération bruxelloise et englobant Anderlecht*, Auderghem*, Berchem*-Sainte-Agathe, Bruxelles, Etterbeek*, Evere*, Forest*, Ganshoren*, Ixelles*, Jette*, Koekelberg*, Molenbeek*-Saint-Jean, Saint*-Gilles, Saint*-Josse-ten-Noode, Schaerbeek*, Uccle*, Watermael*-Boitsfort, Woluwe*-Saint-Lambert et Woluwe-Saint-Pierre.

BRUXELLES-COMMUNES PÉRIPHÉRIQUES. ♦ Arr. de Bruxelles englobant Drogenbos*, Crainhem*, Linkebeek*, Rhode*-Saint-Genèse, Wemmel* et Wezembeek*-Oppem.

Ph. Hétier

Bruxelles : au premier plan, la Grand-Place.

BRUYÈRES. ♦ Ch.-l. de cant. des Vosges, arr. d'Épinal, près de la r. g. de la Vologne*. 4 061 hab. *(Bruyérois).* Restes d'un château féodal. Station estivale. Artisanat ; fabrique de chaises ; accessoires automobiles. Confection. – Patrie de J. Lurçat*. – La ville a été très endommagée en 1944.

BRUZ. ♦ Comm. d'Ille-et-Vilaine, arr. de Rennes. 6 164 hab. Détruit en 1944, le bourg a été reconstruit. Centre électronique de l'armement. Aux environs, château de Blossac, reconstruit au XVIIe siècle.

BRYANT (William Cullen). ♦ Poète et publiciste américain (Cummington, Mass., 1794 – New York, 1878). Sa renommée est due à *Thanatopsis* (1821), poème élégiaque en vers libres où la mort est décrite comme participant au continuel devenir de la nature. Cette idée sera reprise par Whitman* qui qualifia Bryant de « chantre des rivières et des bois ». *À un oiseau aquatique* (*To a Waterfowl,* 1813), poème d'une simplicité suggestive, exalte le courage d'un oiseau solitaire qui, pour atteindre son but, ne craint ni la nuit ni l'infini. L'œuvre de cet admirateur de Wordsworth a aussi des préoccupations didactiques. Avocat, rédacteur en chef du *New York Evening Post,* Bryant voulait dénoncer les injustices. On le considère auj. comme le premier en date des poètes américains.

BRY-SUR-MARNE. ♦ Ch.-l. de cant. du Val-de-Marne (arr. de Nogent-sur-Marne), sur la Marne*, à l'E. de Paris. 11 793 hab. Église (XVIIe s.) remaniée. Hospice pour vieillards. – Daguerre* y mourut en 1851.

BUBASTIS ou **BOUBASTIS**, forme gr. de l'égypt. **Pi-Bastit** « la ville de Bastet », en hébr. **Pibeseth**, auj. **Tell Basta**. ♦ Anc. V. de Basse-Égypte, sur la branche pélusiaque du Nil, consacrée à la déesse Bastet*. Devenue capitale de l'Égypte, aux dépens de Thèbes*, à la XIXe dynastie (~ 1314-~ 1200), elle atteignit son apogée avec l'avènement de Chéchonq* Ier (~ 950). Elle fut prise et détruite par les Perses en ~ 352. Les fouilles entreprises de 1887 à 1889 ont mis au jour le grand temple (bâti v. ~ 4000) décrit par Hérodote*, où se déroulaient les fêtes en l'honneur de Bastet. Les principaux fragments sont maintenant au musée du Caire.

BUBER (Martin). ♦ Philosophe israélien d'origine autrichienne (Vienne, 1878 – Jérusalem, 1965). Petit-fils d'un savant talmudiste, il milita dans sa jeunesse au sein d'organisations sionistes. Lors de la montée du national-socialisme, il se fixa en Palestine, où il enseigna à l'université de Jérusalem (1938-1950). Son personnalisme religieux est inséparable de sa méditation spirituelle qui s'inscrit dans le courant judaïque, populaire et anti-intellectualiste du hassidisme. Désireux d'un dialogue entre juifs et chrétiens, il n'a cessé également de lutter pour le rapprochement et l'amitié entre Juifs et Arabes en Palestine (*De l'esprit du judaïsme,* 1916 ; *Mon chemin vers le hassidisme,* 1918 ; *Le Message du Hassidisme,* 1952 ; *Le Je et le Tu,* 1923 ; *La Vie en dialogue,* 1932 ; *Gog et Magog,* 1949).

BUC. ♦ Comm. des Yvelines (arr. et cant. de Versailles), sur la Bièvre. 2 750 hab. Aqueduc (XVIIe s.). Église (XIIIe, XIVe et XVIe s.) restaurée.

BUCARAMANGA. ♦ V. de Colombie, ch.-l. du dép. de Santander (30 310 km², 895 800 hab.) situé dans la Cordillère orientale. 250 000 hab. Évêché. Centre commercial. Industries alimentaires et métallurgiques. Cimenteries.

BUCARD (Marcel). ♦ Homme politique français (Saint-Clair-sur-Epte, 1895 – fort de Châtillon, 1946). Participant de la Première Guerre mondiale, il milita ensuite pour la défense des anciens combattants, adhéra au Faisceau, puis fonda en 1933, le francisme*. Il fut un des chefs de la collaboration sous l'occupation allemande et participa à la création de la Légion des volontaires français **(V. Collaboration).** Il fut exécuté après la Libération.

BUCAREST, en roum. **București**. ♦ Cap. de la République socialiste de Roumanie, située au milieu de la plaine de Valachie, sur la r. d. de la Dîmbovița*, sous-affl. du Danube. 1 512 061 hab. Archevêché catholique. Université, centre culturel. Bien que moderne dans sa plus grande part, la ville conserve plusieurs monuments de son passé : églises Curtea Veche (XVe s.), Colțea, de la Princesse (XVIIe s.), de Stavropoleos, Antim (XVIIIe s.), monastères de Plumbuita (1560) et de Pantelimon (1750). Musée d'art, musée de la République de Roumanie ; musée George Enescu. Musée folklorique dit « du village » conservant des spécimens d'architecture traditionnelle de tout le pays. La ville, qui s'est surtout développée après la Seconde Guerre mondiale, est devenue le principal centre industriel de la Roumanie, et fournit plus de 20 % de la production nationale. Métallurgie, mécanique (machines agricoles, automobiles), chimie (raffineries, fabriques de savon et d'huile), indus. du cuir. ♦ *Hist.* À la fin du XVIIe s., elle devint capitale de la Valachie (succédant à Tirgeviste). Prise par les Russes, puis par les Autrichiens, elle fut chaque fois restituée à l'Empire ottoman jusqu'à la création des principautés unies roumaines (1861) et l'élection d'Alexandre Cuza*. Elle devint capitale du royaume de Roumanie en 1881. Au cours de la Deuxième Guerre mondiale les Russes y pénétrèrent, le 31 août 1944. – Princ. traités de Bucarest : *Traité du 28 mai 1812,* signé entre la Russie et la Turquie, il cédait aux Russes la Bessarabie, une partie de la Moldavie et restituait les territoires conquis en Asie. – *Traité du 10 août 1913,* mettant fin à la seconde guerre balkanique. La Bulgarie cédait à la Serbie et à la Grèce une partie de la Macédoine avec accès à la mer Égée, à la Turquie Andrinople, et à la Roumanie la

Ph. Nino Cirani/Ricciarini

Bucarest : place de la République.

Silistrie. À la suite de la paix de Brest-*Litovsk, la Roumanie, isolée, dut signer le *traité de Bucarest (7 mai 1918)* avec les Puissances centrales. Elle cédait une zone des Carpates à l'Autriche-Hongrie, la Dobroudja à la Bulgarie et se soumettait économiquement à l'Allemagne. Elle conservait l'usage du port de Constanța et annexait la Bessarabie (retirée à l'Ukraine). Jamais ratifié, ce traité fut déclaré caduc lors de l'armistice de Rethondes puis par le traité de Paris.

Bucentaure. *n. m.* ♦ Galère d'apparat d'où le doge de Venise jetait chaque année, à l'Ascension, un anneau d'or dans l'Adriatique, symbolisant ainsi ses épousailles avec la mer.

BUCÉPHALE, en grec **Boukephalas** (« à la tête de bœuf »). ♦ Nom du cheval favori d'Alexandre* le Grand. Le conquérant ayant remarqué que le cheval était affolé par son ombre, put le dompter en le plaçant face au soleil. Bucéphale fut tué dans la bataille de l'Hydaspe (~ 326); Alexandre fonda sur son tombeau la ville de *Bucéphalie*.

BUCER ou **BUTZER (Martin KUHHORN**, « corne de vache », hellénisé en). ♦ Réformateur allemand (Sélestat, 1491 — Cambridge, 1551). Dominicain rallié à Luther*, il fut excommunié (1523) et s'installa à Strasbourg où il organisa la Réforme. Il fut l'un des principaux rédacteurs de la *Confessio tetrapolitana* qui fut envoyée à la diète d'Augsbourg* (1530) au nom de Strasbourg, Constance, Lindau et Memmingen. Il s'entremit entre luthériens et zwingliens pour organiser le colloque de Marbourg* (1529) et la concorde de Wittenberg* (1536); il participa à la diète de Ratisbonne* (1541). Après l'Intérim d'Augsbourg* (1548), qu'il refusa, il travailla à la Réforme en Angleterre et enseigna à Cambridge.

BUCHANAN (George). ♦ Humaniste et dramaturge écossais (Killearn, 1506 — Édimbourg, 1582). La majeure partie de son existence s'écoula en France où il compta Montaigne parmi ses élèves. Gagné au calvinisme, il prit résolument parti contre Marie Stuart, lors de son procès, et se déclara l'adversaire de l'absolutisme dans un traité qu'il composa à l'intention de son élève, le futur Jacques VI. Composées en latin, ses tragédies, d'inspiration biblique et historique, furent d'abord représentées dans les collèges où il enseignait, avant d'être traduites en français (1566-1614). Ses œuvres *(Alceste, Médée, Baptiste, Jephtes)* devaient exercer leur influence sur la dramaturgie de Jodelle, Grévin et La Taille.

BUCHANAN (James). ♦ Homme d'État américain (Stony Better, Pennsylvanie, 1791 — Wheatland, Pennsylvanie, 1868). Il fut le quinzième président des États-Unis (1856-1861). Très pacifiste, il facilita, par son attitude modérée, la sécession des États du Sud.

BUCHENWALD. ♦ Camp de concentration allemand, près de Weimar, créé en 1937 pour l'internement d'opposants au régime nazi. Il se dédoubla avec le camp de Dora (usines souterraines de V1 et V2) et essaima en une centaine de *kommandos* (camps de travail annexes). Il comptait en moyenne 40 000 détenus mais, camp de triage, il en vit passer 240 000. Plus de 50 000 personnes y moururent. Il fut libéré par les Américains en avril 1945.

BUCHEZ (Philippe Joseph Benjamin). ♦ Philosophe et homme politique français (Matagne-la-Petite, Ardennes belges, 1796 — Rodez, 1865). D'abord partisan des théories de Saint-Simon, il collabora au *Producteur* (revue du saint-simonisme), avant de devenir l'un des fondateurs du socialisme chrétien, directeur du journal catholique *l'Européen* (1831-1832: 1835-1838) et inspirateur de *l'Atelier*. En 1848, il fut quelque temps président de la Constituante (*Introduction à la science de l'histoire*, 1833; *Traité complet de philosophie*, 1839-1840).

BÜCHNER (Georg). ♦ Poète et romancier allemand (Godelau, près de Darmstadt, 1813 — Zurich, 1837). Lui qui écrivait à son ami Gutzkow* : « Le conflit entre les riches et les pauvres est le seul conflit révolutionnaire », rédigea le *Messager des campagnes hessoises* [1834] (considéré comme le premier tract socialiste) et fut contraint, en raison de ses positions politiques, de quitter son pays pour Strasbourg, où il poursuivit ses études, puis Zurich où il fut nommé professeur de zoologie, mais où il mourut peu après son arrivée, âgé d'à peine 24 ans. C'est avec une parfaite lucidité qu'il sut analyser et exprimer les bouleversements et le désarroi du monde dans lequel il vivait. *Lenz* (héros de sa nouvelle, s'inspirant de la vie du dramaturge J.M.R. Lenz*, 1835) veut anéantir les rêves des idéalistes; animé d'une tension intérieure, poussée jusqu'aux limites de l'angoisse, il sombrera finalement, devant cet univers « criblé de blessures » et porteur « d'une immense déchirure » dans le vide de l'ennui où même le désir de la mort s'anéantit. Il écrivit également la *Mort de Danton*, drame qui oscille entre l'action révolutionnaire et le néant, l'histoire et sa négation. *Woyzeck** (1836), drame du peuple berné par les militaires et les intellectuels (mis en musique par A. Berg*), et une comédie *Léonce et Léna* (1836). ♦ LUDWIG BÜCHNER. Philosophe allemand (Darmstadt, 1824 — 1899). Frère du précédent. Philosophe matérialiste, il se vit interdire d'enseigner à la suite de la publication de son ouvrage *Force et Matière* (1855). (*Nature et Esprit*, 1876; *Darwinisme et Socialisme*, 1894.)

BUCHNER (Eduard). ♦ Chimiste allemand (Munich, 1860 — Focsami, Roumanie, 1917). Auteur de recherches sur les fermentations, il étudia le rôle des diastases et parvint, en 1897, à extraire la *zymase* d'un jus de levures. (Prix Nobel de chimie, 1907.) **V. Pasteur, Payen, Harden.**

BUCK (Pearl). ♦ Romancière américaine (Hillsboro, 1892 — Danby, Vermont, 1973). Emmenée en Chine par des parents missionnaires presbytériens alors qu'elle était tout enfant, elle y retourna après son mariage. Ayant appris à comprendre et aimer ce pays, elle composa le cycle de romans qui débute avec *Vent d'Est, Vent d'Ouest* (1923) et qui comprend *La Terre chinoise* (*The Good Earth*, 1931), *Les Fils de Wang-Lu* (*Sons*, 1932) et *La Famille dispersée* (*A House Divided*, 1935). La maladie mentale de sa fille lui inspira notamment *L'enfant qui n'a pas pu grandir* (*The Child who never grew*, 1950). Malgré un style assez conventionnel, les œuvres chinoises de Pearl Buck ainsi que *Pavillon de femmes* (1946) ou *Pivoine* (1948), roman historique sur la vie des juifs de Chine, eurent un immense succès et contribuèrent à la compréhension de l'Orient par l'Occident. (Prix Nobel, 1938.)

BUCKHAVEN (Buckhaven and METHIL). ♦ V. et port d'Écosse orientale (Fifeshire). 21 100 habitants.

BUCKINGHAM (George Villiers, *Ier duc de*). ♦ Homme politique anglais (Brooksby, Leicestershire, 1592 — Portsmouth, 1628). Favori de Jacques Ier puis de Charles Ier, il s'enrichit scandaleusement et son action politique se révéla néfaste. Il fut assassiné par un fanatique alors qu'il s'apprêtait à rejoindre La Rochelle.

BUCKINGHAM. ♦ V. d'Angleterre (Buckingamshire), sur l'Ouse*. 4 500 hab. — Château des ducs de Buckingham (XVIIIe s.).

Buckingham Palace. ♦ Palais de Londres érigé en 1705 dans le parc Saint James pour le duc de Buckingham. Acheté en 1761 par George III, il fut maintes fois remanié (par John Nash* de 1821 à 1836, par Blore en 1846, par Aston Webb en 1913). C'est, depuis 1837, la résidence londonienne des souverains britanniques.

BUCKINGHAMSHIRE. ♦ Comté d'Angleterre, à l'O. et au N.-O. de Londres. 552 500 hab. — *Ch.-l.* Aylesbury*. *Autres V. :* **V. Buckingham, Eton, High* Wycombe, Slough.** — Patrie de John Herschel*.

Bucoliques [*Les*] **(Bucolica).** ♦ (~ 42-~ 39). Première grande œuvre de Virgile*, formée de dix pièces courtes ou églogues écrites sous forme de dialogues qui, à l'imitation des Idylles* de Théocrite*, mettent en scène des bergers. Ces chants servent de prétexte à l'expression des sentiments personnels du poète sur ses propres malheurs et l'avenir de Rome (4e Buc.).

BUCOVINE ou **BUKOVINE**, en roum. **Bucovina**, en russe **Bukovina**. *n. f.* ♦ Région des Carpates nord-orientales. 5 242 km². 660 000 hab. (Ruthènes et Roumains). *Cap.* Tchernovtsy*, en roum. Cernaùti. Partagée entre l'Union soviétique (R.S.F.

Ph. Gino Begotti/Ricciarini

Buckingham Palace.

Ph. Hétier

Budapest : le Danube.

d'Ukraine et de Moldavie) et la Roumanie, elle est drainée par le Dniestr*, le Prut* et le Siret*. Sa partie O. est montagneuse, et l'E. est vallonné, couvert d'épaisses forêts. ♦ *Hist.* La région, centre de la principauté de Omdavie, devint turque en 1538. Cédée à l'Autriche en 1775, elle devint roumaine après la Première Guerre mondiale (traité de Saint-Germain, 1919). En 1940, le N. de la Bucovine fut intégré à l'Union soviétique (accords de juin 1940); après l'occupation roumaine (1941-1944) cette région redevint soviétique, avec le traité de paix de 1947.

BUDAPEST. ♦ Princ. V. et cap. de la Hongrie, formée par la réunion de Buda et de Pest. 2 010 000 hab. (1/5 de la pop. hongroise). Budapest a une situation géographique privilégiée, sur le Danube et au contact de l'Alföld et des collines carpatiques. Grande ville touristique grâce au site naturel, aux monuments nombreux de Buda (château royal, église de Mathias, bastion des pêcheurs, palais baroques) et de Pest (parlement de style néo-gothique), aux musées et aux sources thermales nombreuses utilisées, dans huit établissements de bains au bord du Danube et à Buda. — Budapest est le plus grand centre industriel de la Hongrie et l'un des plus grands d'Europe orientale avec 655 000 employés. Sidérurgie, métallurgie (Csepel), matériel de transport (Köbanya), mécanique générale, mécanique de précision, chimie (Szazhalombatta), textile, confection, bois, papier. Nœud de communications routières et ferroviaires. Dans la capitale se trouvent également les 3/4 des sièges sociaux du pays et presque toutes les organisations de recherche; c'est l'unique centre de décision du pays. — Budapest est la seule ville de Hongrie à réunir toutes les facultés d'enseignement supérieur. Budapest est le siège d'une importante commission du Comecon : l'Intermetall. ♦ *Hist.* Grâce à sa situation privilégiée, l'emplacement de Budapest connut très tôt des établissements humains. Les Celtes y construisirent Ak-Ink (« eaux abondantes ») et plus tard les Romains y ont fondé *Aquincum,* qui fut pendant près de quatre siècles, la capitale de la Pannonie* inférieure et qui tomba en 376 sous l'assaut des barbares. Malgré quelques établissements florissants grâce au gué sur le Danube, la ville ne reprit de l'importance que lorsque Bela* IV construisit en 1247 le château de *Buda,* défense contre les Mongols, et surtout au XIVe s. lorsque la cour des rois, jusqu'alors itinérante, s'y fixa et que les nobles y tinrent leur assemblée annuelle. Les rois Sigismond et Mathias* firent de Buda une ville de type occidental, une cour royale somptueuse y régna. Flamands et Vénitiens firent de la ville de Pest une place commerciale importante. Les deux villes, prises par les Turcs au XVIe s. (1541 pour Buda) et tenues par eux jusqu'en 1686, connurent une stagnation qui dura jusqu'à la seconde moitié du XVIIIe siècle. Alors, grâce aux efforts de Marie*-Thérèse et de Joseph* II et grâce au rôle économique de la V., de plus en plus important dans l'Empire autrichien, les villes connurent un nouvel essor. L'Université de Hongrie y fut transférée en 1777, puis l'Académie de Hongrie y fut fondée en 1830. Enfin en 1848, le premier pont définitif (le pont des chaînes) relia Buda à Pest. Le compromis austro-hongrois (1867) fit de Buda la capitale du pays et enfin la réunion officielle de Buda et de Pest (1873), jusqu'alors séparées administrativement, consacra la naissance de Budapest. Son développement économique et démographique se poursuivit rapidement, mais depuis le traité de Trianon, la ville est une capitale trop grande pour un petit pays et ce déséquilibre s'accentua entre les deux guerres. Les événements déterminants de l'histoire hongroise contemporaine s'y déroulèrent (**V. Hongrie,** *Hist.*). Actuellement, on s'efforce de freiner l'extension de la ville, en développant d'autres centres urbains et en décentralisant les industries.

BUDÉ (Guillaume). ♦ Humaniste français (Paris, 1467 — *id.,* 1540). Reprenant à 24 ans ses études, il acquit une vaste érudition et, élève de Jean Lascaris, devint un remarquable helléniste. Il accomplit d'importantes missions diplomatiques, fut plusieurs fois prévôt des marchands, manifesta ses qualités de mesure dans sa charge de maître des requêtes. Il créa la bibliothèque de Fontainebleau, origine de la *Bibliothèque* nationale,* et obtint de la faveur de François Ier la fondation du *Collège* de France* (1530). En correspondance avec les hommes les plus illustres de son temps (Érasme, Bembo, Rabelais, Dolet), Guillaume Budé composa également des ouvrages qui touchent à la numismatique (*De asse,* 1514), à la législation (*Annotations aux Pandectes,* 1508), à la pédagogie, à la philosophie et aux mathématiques. Mais il fut surtout le propagateur de l'étude du grec en France, et ses *Commentaires sur la langue grecque* (*Commentarii linguae graecae,* 1529) en font un philologue précurseur de la méthode comparative.

BUDĚJOVICE. ♦ **V.** ČESKÉ BUDĚJOVICE.

BUEA. ♦ Cap. du Cameroun occidental (anglophone) sur le versant S.-E. du mont Cameroun*. 5 000 habitants. Anc. cap. du Cameroun allemand et résidence du haut-commissaire britannique. Centre touristique.

BUECH. *n. m.* ♦ Torrent des Alpes du Sud **(V. Bochaîne)** qui prend sa source dans le massif du Dévoluy*, arrose Aspres-sur-Buech, Serres*, Laragne*-Montéglin, Ribiers* et se jette dans la Durance* à Sisteron*. 90 km.

BUECKELAER ou **BEUCKELAER (Joachim).** ♦ Peintre flamand (Anvers, v. 1530 — *id.,* 1573). Neveu et élève de Pieter Aertsen* inscrit comme maître à la gilde d'Anvers en 1561, il peignit des scènes religieuses, prétexte à représenter des natures mortes et des scènes de marché *(Jésus chez Marthe et Marie),* ainsi que des scènes de genre imitant celles de son maître. Avec une facture ferme et libre, parfois plus nuancée, il représentait des fruits, du gibier, et surtout des poissons *(Le Marché aux poissons).* L'opulence et la vivacité de ses figurations dénotent une appréhension sensuelle et joviale du quotidien qui annonce Rubens et surtout Jordaens* et atteste sa maîtrise technique *(Le Porc équarri).*

BUEIL (Jean V *de*), *comte de* **Sancerre.** ♦ Célèbre homme de guerre français, surnommé le *Fléau des Anglais,* (v. 1405 — v. 1480). Un des compagnons d'armes de Jeanne* d'Arc, il devint amiral de France (1450) et contribua à la reconquête de la Normandie* (1450) et de la Guyenne* (1453). Il est l'auteur d'un roman autobiographique, *Le Jouvencel.*

BUENAVENTURA. ♦ V. et port de Colombie (dép. du Valle del Cauca*) sur le Pacifique. 110 000 hab. Il doit son activité à son trafic avec Cali* et la vallée du Cauca*. Exportations de café et de sucre.

BUENOS AIRES (du nom de la Vierge du *bon air,* patronne des marins de Séville). ♦ Capitale de l'Argentine*, ch.-l. d'un district fédéral (192 km²), et port sur la rive méridionale du río de La* Plata. 4 800 000 hab., l'aggl. avec Avellanada*, General* San Martín, Morón*, Quilmes*, San* Isidro, etc., compte env. 8 000 000 d'hab., soit 1/3 de la population argentine. La croissance prodigieuse de la cité, depuis le déb. du siècle, est due à une forte immigration italienne (fin XIXe s.) à laquelle s'ajoute une migration rurale incessante. Archevêché, université. Centre intellectuel et métropole économique, la ville, située au débouché du bassin du Paraná, au contact de l'océan Atlantique et de la Pampa* qui lui doit sa mise en valeur, est, au centre du réseau ferroviaire et routier argentin, un centre commercial de première importance (le trafic portuaire assure 75 % des exportations). Second foyer industriel de l'Amérique du Sud après São Paulo (Indus. de transformation : textiles, cuirs, plastiques; alimentaires : minoteries, frigorifiques; raffineries de pétrole traitant le brut des 2/3 du pays), c'est l'une des plus importantes escales maritimes du monde. — Patrie de M. Belgrano*, J.L. Borges*, Eva Perón*, B. Houssay, J.M. de Rosas*, C. Saavedra Lamas... ♦ *Hist.* Fondée en 1536 par P. de Mendoza*, la ville dut être abandonnée en 1541 à cause de l'hostilité des Indiens. Reconstruite en 1580, elle devint le port de transit vers les provinces andines (mines d'argent de Potosí*) et le lieu d'une intense contrebande. En 1776, elle fut la capitale de la vice-royauté du Río de La Plata. Au XIXe s., elle fut la base des centralistes **(V. Argentine).** De 1853 à 1860, elle forma un État indépendant. Devenue capitale fédérale en 1880, elle fut alors détachée de la province qui porte son nom. *La Conférence de Buenos Aires* (1936) régla au bénéfice du Paraguay, la guerre du Chaco*. — La *province de Buenos Aires* située dans l'E. argentin, en bordure de l'Atlantique. Au S. de la baie de Bahía Blanca, le río Colorado* se jette dans l'Atlantique. *Cap.* La* Plata. 307 570 km². Env. 7 500 000 hab. (à l'exclusion du district fédéral de Buenos Aires). Élevage intensif dans les grands domaines de la Pampa humide *(bovins).* Céréales (maïs, blé, luzerne), plantes oléagineuses, textiles (lin), légumes, fruits. Le développement industriel concentré dans la province, absorbe, à lui seul, les 4/5 des investissements. Puissantes centrales thermiques à Buenos Aires et San* Nicolás. *V. principales :* **V. Bahía Blanca, Junín, Mar del Plata, La Platá, San Nicolás.**

Buen Retiro ou **Retiro** (en fr. « bonne retraite »). ♦ Parc de Madrid sur l'emplacement duquel Philippe IV avait bâti une résidence royale (1631). Les jardins furent cédés à la ville de Madrid en 1868 avant d'être ouverts au public en 1876.

BUFFALO. ♦ V. des États-Unis, dans l'État de New* York, important port sur le lac Érié*, près des chutes du Niagara. 457 808 hab.; zone urbaine 1 334 485 hab. C'est le premier port intérieur des États-Unis (plus de 20 000 000 de t par an). Indus. (acier; minoteries; mécanique de précision, électronique, etc.). Siège de l'université d'État de New York. Musée d'art *(Albright Art gallery).* — Centre sidérurgique de Lackwana à proximité. — Patrie de H. Hollerith*.

Arch. Smeets

B. Buffet : « Brooklyn Bridge », 1958. (Collection privée.)

BUFFALO BILL (William Frederick Cody, dit**).** ♦ Aventurier américain (Scott County, Iowa, 1846 – Denver, 1917). Il fut éclaireur dans les rangs nordistes pendant la guerre de Sécession et s'illustra lors des combats menés par le général Custer* contre les Indiens (1868-1876). Fameux cavalier et tireur, artisan de la destruction massive des bisons *(buffaloes)* des grandes plaines, il devint directeur d'un cirque qui se produisit aux États-Unis et en Europe. Ses exploits ont inspiré de nombreux romans et films.

BUFFET (Bernard). ♦ Peintre, dessinateur et graveur français (Paris, 1928). Il fréquenta en 1944 l'École des beaux-arts puis participa au mouvement de *l'Homme témoin.* Consacré par le prix de la critique en 1947, il acquit rapidement la notoriété auprès d'un large public. Recourant à un système de figuration traditionnel, il est resté fidèle à la perspective et aux modes de compositions académiques. Il s'est imposé avec des scènes dont l'inspiration misérabiliste et les partis pris formels (canon maigre et allongé des personnages, graphisme insistant) procèdent en partie de Gruber* (*Déposition de croix, La Chambre,* 1947). Sans abandonner un contour rigide qui cerne des formes peu modelées, il évolua d'une palette d'abord limitée aux gris et beiges ternes vers un chromatisme plus riche (*Les Raies,* 1949). Traitant successivement les thèmes les plus divers (horreur de la guerre, le cirque, Jeanne d'Arc, Paris, bateaux, etc.) avec une facture pratiquement invariable, il a aussi réalisé de nombreuses illustrations et lithographies et quelques décors de théâtre, exploitant inlassablement le pouvoir expressif d'un trait aigu et élégant. (Acad. des bx-arts, 1974).

BUFFIER (Claude). ♦ Philosophe et théologien français (Pologne, 1661 – Paris, 1737). Jésuite, il enseigna la philosophie au collège Louis le Grand. Auteur d'ouvrages de pédagogie et de religion, il est surtout connu par son *Traité des vérités premières et de la source de nos jugements* (1732) où il prétend développer une philosophie du « sens commun » en accord avec les vérités de la religion (d'où une attaque de certains aspects de la métaphysique cartésienne).

Ph. Lauros-Giraudon

Histoire naturelle de **Buffon** : « Le conepate ». (Bibliothèque nationale, Paris.)

BUFFON (Georges Louis Leclerc, *comte de***).** ♦ Naturaliste et écrivain français (Montbard, 1707 – Paris, 1788). Partageant son temps entre ses fonctions d'intendant du jardin du roi (1739) et son domaine de Montbard, il rédigea son *Histoire* naturelle,* suivie des *Époques* de la nature,* avec plusieurs collaborateurs dont Daubenton*. Soucieux de baser la connaissance scientifique sur des faits d'expérience, il critiqua le caractère, selon lui trop systématique, de la classification des espèces de Linné. Croyant en la génération spontanée, il expliqua la genèse des espèces (38 types originels) à partir de « molécules organiques ». Il semble avoir admis un transformisme limité, en particulier sous l'influence du milieu, de la nourriture et de la domestication. Convaincu que « les ouvrages bien écrits seront les seuls qui passeront à la postérité », et soucieux avant tout de l'ordre et de l'enchaînement des idées, il prôna une parfaite adaptation de l'expression au sujet (*Discours sur le style,* 1753), théorie que ses écrits illustrent : plein de vivacité dans la monographie sur l'écureuil, son style, devient épique pour évoquer les « époques de la nature ».

BUG. *n. m.* ou **Bug occidental.** ♦ Rivière d'Europe orientale (803 km); née en Ukraine*, à l'E. de Lvov, elle longe la frontière soviéto-polonaise sur 300 km, passe près de Brest*, traverse la Podlachie* et reçoit le Narew* avant de se jeter dans la Vistule* au N.-O. de Varsovie. – *Bug oriental.* **V. Boug.**

BUGATTI (Ettore). ♦ Industriel italien, naturalisé français (Milan, 1881 – Paris, 1947). Fondateur (1907) à Molsheim (Bas-Rhin) d'une usine de construction automobile (voitures de sport, de course, de luxe), il réalisa les premières automotrices à essence pour les chemins de fer français.

BUGEAUD (Thomas Robert, *marquis de* **LA PICONNERIE,** *duc d'***Isly).** ♦ Maréchal de France (Limoges, 1784 – Paris, 1849). Après s'être illustré comme jeune officier dans les guerres de l'Empire, notamment en Espagne, il se rallia aux Bourbons (1814), puis à Napoléon Ier pendant les Cent-Jours, aux cours desquels il repoussa les Autrichiens en Savoie. Nommé maréchal de camp au début de la monarchie de Juillet et élu député en 1831, il fut chargé de la garde de la duchesse de Berry* en 1832 et de la répression de l'insurrection d'avril* 1834, répression qui le rendit très impopulaire. Envoyé une première fois en Algérie en 1836, il y remporta la victoire de Sikkah (juillet), il prit d'abord position contre cette possession qu'il estimait trop coûteuse pour la France. En 1837, il signait avec l'émir Abd*-al Qâdir, le traité de la Tafna*. Celui-ci ayant été violé, Bugeaud, nommé gouverneur général de l'Algérie (1840), se déclara alors partisan d'une guerre acharnée et organisa la conquête du pays. Promu maréchal en 1843 et fait duc d'Isly après sa victoire sur les Marocains, sur les rives de l'Isly* (1844), il tenta de former en Algérie des colonies militaires et d'y instaurer un mode de gouvernement indirect (nomination de chefs indigènes reliés au commandement français par des bureaux arabes). Mais n'ayant pas obtenu d'appui suffisant de la part du gouvernement français, Bugeaud donna sa démission (1847) et fut remplacé par le duc d'Aumale*. Revenu en France, il mourut peu après du choléra.

BUGEY. *n. m.* ♦ Région de l'E. de la France. Elle couvre la partie S.-E. du dép. de l'Ain*. On distingue au N. le *haut Bugey* entre la cluse de Nantua-Bellegarde et celle d'Ambérieu-Culoz, avec le Valromey* pour bordure orientale, et au S. le *bas Bugey,* compris dans la boucle du Rhône*. V. princ. **V. Ambérieu-en-Bugey, Belley, Culoz, Hauteville-Lompnes, Lagnieu, Saint-Rambert-en-Bugey.** ♦ *Hist.* Anc. pays de France avec Belley* pour cap., le Bugey fit partie de la Bourgogne* cisjurane en 879, puis du royaume de

Bourgogne en 934, passa sous la suzeraineté des empereurs germaniques puis à la maison de Savoie avant d'être définitivement réuni à la France par Henri* IV au traité de Lyon* (1601).

BUGGENHOUT. ♦ Comm. de Belgique (Flandre orientale, arr. de Termonde). 12 200 habitants.

BŪGI. *n. m. pl.* ♦ Peuple côtier des îles Sulawesi* (Célèbes) du Sud, d'origine indonésienne, dont les habitants furent autrefois des pirates redoutés. Ils sont musulmans. Env. 1 000 000 de personnes.

BUGUE (Le). ♦ Ch.-l. de cant. de la Dordogne*, arr. de Sarlat-la-Canéda, dans le Périgord, sur la r. d. de la Vézère*. 2 741 hab. *(Buguois).* Grotte de Bara-Bahau, ornée de gravures préhistoriques. Gouffre de Proumeyssac (50 m de profondeur). – Patrie de Jean Rey*.

BUHTURĪ (al-). ♦ Poète arabe (Manbidj, Syrie du Nord, 819 – 897). Il fut poète de cour sous Mutawakkil* à Baghdâd. Sa thématique est des plus classiques; son originalité réside uniquement dans des descriptions de palais.

BUIS-LES-BARONNIES. ♦ Ch.-l. de cant. de la Drôme* (arr. de Nyons*) dans les Baronnies*, sur l'Ouvèze*. 1 772 hab. *(Buxois).* Église du XVIIe s.; mairie dans un anc. couvent du XVIe s.; tour du Moyen Âge. – Conserveries.

BUISSON (Ferdinand). ♦ Éducateur et homme politique français (Paris, 1841 – Thieuloy-Saint-Antoine, Oise, 1932). Inspecteur général de l'Instruction publique (1878) et auteur d'un *Dictionnaire de pédagogie* (1882-1887), il ne cessa de lutter dès 1880, sous le ministère J. Ferry*, puis comme député radical-socialiste (1902-1914; 1919-1924) pour la laïcité de l'enseignement, sa gratuité, pour l'enseignement professionnel obligatoire, ainsi que pour le droit de vote des femmes. Président de la Ligue des droits de l'homme (1913-1926) il obtint en même temps que L. Quidde le prix Nobel de la paix (1927).

BUISSON (Henri). ♦ (1873 – 1944). Auteur, avec Ch. Fabry*, de recherches spectroscopiques qui menèrent à l'identification de l'ozone, ils mirent tous deux au point un photomètre universel.

BUITENZORG. ♦ V. BOGOR.

BUJUMBURA, anc. **Usumbura.** ♦ Cap. du Burundi*, sur la rive N.-E. du lac Tanganyika*. 75 000 habitants. Indus. alimentaires et textiles. Constructions mécaniques.

BUKA *(île).* ♦ La plus septentrionale des îles Salomon*, séparée de l'île Bougainville* au S. par le *passage de Buka.* ♦ *Hist.* V. **Bougainville** (île).

BUKAVU, anc. **Costermansville.** ♦ V. du Zaïre (ex-Congo-Kinshasa), sur la rive méridionale du lac Kivu*. 65 000 habitants. Dans la région, mines d'étain et terres rares.

BUKHĀRĪ (Muhammad ibn Isma'īl 'Abdallah Al Ju'fi, dit **al-Bukhârî).** ♦ Auteur arabe, d'origine persane (Boukhara, 810 – Khartank, Samarkand, 870). Il est considéré par les musulmans sunnites* comme le plus grand rapporteur de *Hadīth**. Sa compilation *Kitâb al-Jami' al-sahih* (trad. fr. « Les Traditions islamiques », 1904) contient 600 000 traditions choisies dans un corpus bien plus vaste. Il écrivit aussi le *Ta'rikh,* consacré aux biographies critiques des autorités qui formaient le lien dans les chaînes de transmission d'*al-hadîth.*

BUKITTINGGI. ♦ V. d'Indonésie, à Sumatra, région S.-E., et anc. fort hollandais (fort de Kock). 20 000 hab.

BUKKA. ♦ Roi indien qui régna de 1355 à 1379 (?) à Vijayanagar*. Il fut le fondateur du royaume de ce nom, au détriment des royaumes indo-musulmans du Dekkan* qu'il battit ou détruisit. Son fils Harihara lui succéda, affermissant le pouvoir de cette nouvelle dynastie hindoue et agrandissant ses possessions.

BUKOVINE. ♦ V. BUCOVINE.

BULAWAYO. ♦ V. de Rhodésie* au S.-O. du pays, sur la ligne Lubumbashi*-Le Cap* et reliée à Salisbury* par voie ferrée. 260 000 hab. Hauts fourneaux. Cimenterie. Indus. agricoles.

BULGARIE *(République populaire de),* en bulg. **Balarija.** ♦ État de l'Europe du S.-E., à l'E. de la péninsule des Balkans, limité au N. par la Roumanie, au S. par la Grèce et la Turquie, à l'O. par la Yougoslavie et baigné à l'E. par la mer Noire. 110 912 km². 8 720 000 hab. *(Bulgares). Cap.* Sofia* *Langue :* bulgare. *V. princ.* Burgas*, Plovdiv*, Ruse*, Stara* Zagora, Varna*. – *Orogr.* Les grandes unités de relief s'ordonnent selon une direction générale O.-E. Les deux grands ensembles montagneux sont le Balkan et le Rhodope. La chaîne du *Balkan* (Stara Planina),* prolongement des Carpates, s'étend sur 500 km de la frontière yougoslave à la mer Noire, à une altitude moyenne de 2 000 m et culmine au Botev* (2 376 m). On distingue en allant vers l'E. : le Balkan occidental, le Grand Balkan (au centre) et le Petit Balkan. Un réseau de vallées (comme la fameuse vallée des Roses) sépare la masse du Balkan des massifs plus petits qui la bordent au S. *(Stredna Gora* et *Sarnena Gora).* Au S., le *Rhodope*,* orienté N.-O.–S.-E., s'étend sur 300 km de la Struma à la mer Égée. Les parties les plus élevées, à l'O. sont le Vitoša*, le Rila* (2 925 m au Muss*-Alla) et le Pirin* (Vihren, 2 915 m). L'altitude du Rhodope proprement dit varie entre 1 500 et 2 000 mètres. Les plaines s'étendent au N., entre le Danube et les collines prébalkaniques *(plaine danubienne)* qui prolongent la Valachie roumaine. Elles sont entaillées par les affl. du Danube et s'élèvent vers l'E. (collines de la Dobroudja*). Au S., entre Balkan et Rhodope, s'étendent les plaines de la Marica sur 200 km d'O. en E. et 100 km du N. au S. À l'O., le bassin de Sofia domine le Vitoša. Le littoral de la mer Noire, haut et rocheux au N., s'abaisse vers le S. et est bordé de lagunes (côtes à limans). Les seules échancrures notables sont les golfes de Varna et de Burgas. – Le *climat* est continental et les précipitations abondantes sur le Balkan. – *Écon.* Dès avant la Première Guerre mondiale, la mise en valeur du sol était relativement avancée en Bulgarie, mais l'absence d'industries modernes et la faiblesse du niveau de vie caractérisaient encore le pays à la veille de la Deuxième Guerre mondiale. Après celle-ci, la Bulgarie connut des transformations économiques radicales : collectivisation des terres et concentration en « exploitations agricoles de travail

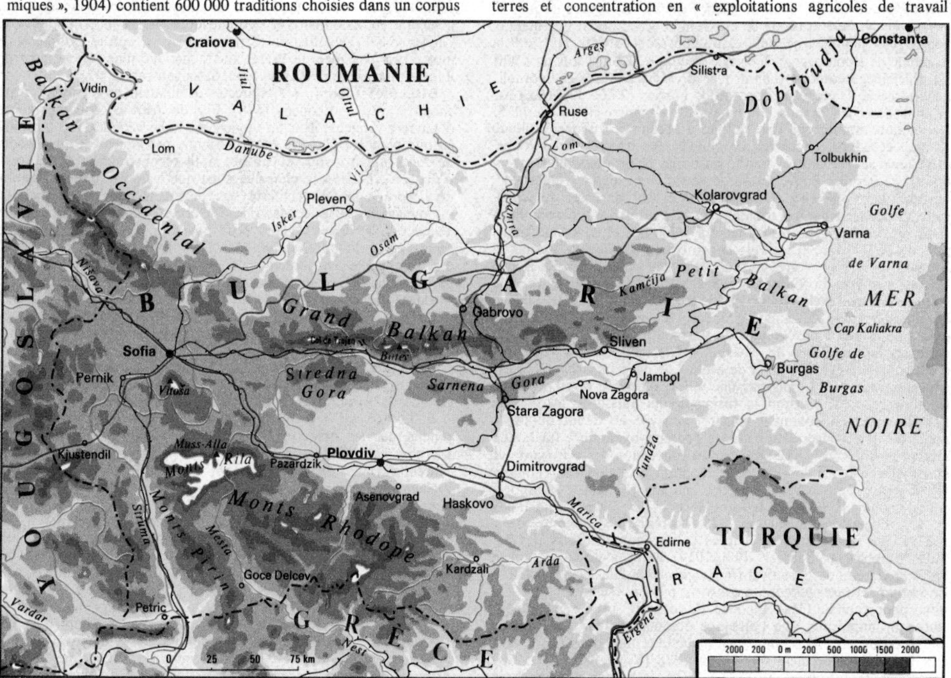

Bulgarie.

Ph. Mario Russo/Ricciarini

Bulgarie : le Rila.

coopératif » (T. K. Z. S.), démarrage de l'industrie lourde, planification générale de l'économie. Le secteur agricole demeure prépondérant. Le sol arable couvre 41 % de la surface totale. Les céréales (blé, maïs, orge) sont réparties sur les plateaux limoneux du N.-E. et dans la plaine de la Marica. Les cultures industrielles (coton, tabac, tournesol, betterave sucrière) ont connu, dans le bassin de la Marica et sur les flancs du Rhodope, un essor remarquable. Le riz est cultivé autour de Plovdiv. Les cultures fruitières, maraîchères et la vigne se sont développées dans la plaine prébalkanique. La culture traditionnelle des roses est concentrée dans la vallée de Kăzanlak et fournit 2 500 à 3 000 kg d'essence par an. L'élevage ovin et caprin, assez développé, fournit des produits laitiers (fromages, yogourts, produits de création bulgare). Le troupeau bovin est insuffisant. L'industrie bulgare a connu, grâce à l'aide soviétique, un essor rapide. L'accent a été mis en priorité sur l'exploitation du sous-sol et le développement de l'industrie lourde. Le sous-sol recèle du lignite, localisé dans la *Stara Planina* (Sofia, Dimitrovgrad, Pernik). On trouve un peu de pétrole au N. de Varna, de fer à Kremikovci et Sofia. Les métaux non ferreux (plomb, zinc, cuivre, uranium) sont extraits dans le Rila et autour de Dimitrovgrad. L'énergie électrique (25 milliards de kWh) est d'origine thermique (Dimitrovgrad, Marica-Istok) et hydraulique (Marica, Danube et leurs affl.). L'acier (2 265 000 t/an) est produit dans les grands combinats de Kremicovci* et Pernik*. Les métaux non ferreux sont raffinés à Madan et Rudozem (plomb et zinc) et à Pirdop (cuivre). La chimie a eu un récent développement (engrais à Dimitrovgrad*, plastiques et produits pharmaceutiques à Pernik, Sofia, Stara Zagora). Le textile (Gabrovo*, Marica* Istok, Sliven*, Stara Zagora) et les conserves alimentaires sont des secteurs plus traditionnels de l'industrie. — *Communications et commerce.* Le réseau ferré a 5 900 km et le réseau routier près de 30 000 km. Ruse* est le principal port fluvial, Varna* et Burgas* sur la mer Noire, les seuls débouchés maritimes. La Bulgarie est membre du *Comecon**. Ses relations commerciales sont limitées presque exclusivement à l'U.R.S.S. et aux pays socialistes. Le *tourisme* s'est développé grâce à l'aménagement hôtelier des plages de la mer Noire, autour de Varna, qui attirent de nombreux étrangers importateurs de devises. ♦ *Hist.* Formé des anciennes prov. romaines de Thrace* et de Mésie*, le pays fut occupé par des tribus slaves (VIe s.), puis par une ethnie d'origine turco-mongole, les Bulgares (VIIe s.) dont la fusion donna naissance au premier État bulgare. La conquête bulgare, achevée au début du IXe s. après de nombreuses luttes contre l'empire byzantin*, fut confirmée sous Boris* Ier (852-889) par la conversion de la Bulgarie au christianisme byzantin (865) et l'adoption de l'alphabet cyrillique **(V. Cyrille).** Le royaume bulgare, qui avait atteint son apogée sous Siméon Ier (893-927), affaibli par des luttes dynastiques et des dissensions religieuses (Cf. l'hérésie des Bogomiles) fut soumis par Byzance en 972 après l'abdication de Boris II (969-972). Rétabli par Samuel* (980-1014) il fut à nouveau annexé après la victoire de Basile* II *(le Bulgaroctone)* de 1018 à 1086. — Le *second royaume bulgare,* reconstitué par les Asénides* avec Tarnovo pour capitale (Jean Ier, Jean II, Jean III, 1186-1241) devint, sous leur impulsion, une puissance dominante dans les Balkans, mais déclina après les premières incursions mongoles (1272) suivies par un soulèvement paysan en 1278 **(V. Ivajlo,** 1277-1279). Tributaire de la Serbie* de 1331 à 1335, la Bulgarie, démembrée, en butte aux invasions turques, fut annexée par l'empire ottoman en 1396 et maintenue sous domination ottomane jusqu'en 1878 **(V. Turquie).** — L'intervention de la Russie* (1877-1878) qui suivit la répression de la révolte nationale de 1876, aboutit par le traité de San* Stefano (1878) à l'indépendance de la Bulgarie, mais la révision du traité, faite peu après par le congrès de Berlin*, lui fit perdre la Macédoine* et la Roumélie* orientale. La Bulgarie du N. devint alors une principauté vassale de la Turquie. Alexandre* Ier de Battenberg, prince de Bulgarie (1879-1886) abdiqua après avoir annexé la Roumélie orientale (1885), laissant un conseil de régence présidé par Stamboulov* (1886-1887). Son successeur, Ferdinand* de Saxe-Cobourg, élu en 1887, prit en 1908 le titre de tsar, proclama l'indépendance totale du pays et s'engagea aux côtés de la Serbie, de la Grèce et du Montenegro dans la première guerre balkanique (1912). D'abord victorieuse de la Turquie, puis vaincue lors de la seconde guerre balkanique, engagée contre ses alliés en 1913, elle fut dépouillée d'une partie de ses conquêtes par le traité de Bucarest* de 1913. Alliée de l'Autriche et de l'Allemagne durant la Première Guerre mondiale, elle fut contrainte de demander l'armistice en 1918, ce qui entraîna l'abdication de Ferdinand de Saxe-Cobourg en faveur de Boris* III (1919) et la perte de la Dobroudja méridionale, et de son débouché maritime de Thrace au traité de Neuilly*. Le gouvernement bulgare, face à de graves crises économiques et politiques sous Boris III (1918-1943), après avoir occupé la Dobroudja* (1940), se joignit au Reich allemand (1941), annexa la Thrace occidentale et la Macédoine grecque et déclara la guerre à la Grande-Bretagne (1941). Cependant, la mort de Boris III et l'institution d'un conseil de régence sous Siméon* II (1943-1946) entraînèrent, après l'occupation des troupes soviétiques (1944), un renversement des alliances. Au Front de la patrie, succéda en 1946 un gouvernement communiste présidé par Dimitrov*. La république populaire instituée en 1947 fut ramenée par le traité de Paris* (1947) à ses anciennes frontières, mais conserva néanmoins la Dobroudja méridionale. Membre du Comecon* (1949), elle adhéra en 1955 au pacte de Varsovie*.

Bull (John). ♦ V. JOHN BULL.

BULL (John). ♦ Compositeur anglais (Somersetshire, v. 1562 — Anvers, 1628). Organiste de la chapelle royale à Londres (1585), il quitta plus tard l'Angleterre (1614) pour Bruxelles puis Anvers. Il a composé de nombreuses pièces pour orgue et virginal, violes et clavecin, ainsi que quelques œuvres vocales.

BULL (Frederik Rosing). ♦ Ingénieur norvégien (Oslo, 1882 — *id.,* 1925). Inventeur d'une des premières machines à cartes perforées (1919). Ses brevets furent acquis en 1931 par un groupe français qui les exploita sous le nom de la *Compagnie des machines Bull.* **V. Babbage, Hollerith.**

BULL (Olaf). ♦ Poète norvégien (Christiania, auj. Oslo, 1883 — Oslo, 1933). Il écrivit des recueils de poèmes qui reflètent l'influence de Bergson* et d'Einstein* : *Poèmes* (1909), *Nouveaux Poèmes* (1913), *Les Étoiles* (1924), *Oinos et Éros* (1930), et la cantate *Ignis Ardens* (1929). Loin des problèmes contemporains, il médita en visionnaire et en philosophe sur la mort, l'homme et l'univers. Ses vers denses et parfaits vivent par le rythme et le mot. Dans la lignée de Wergeland*, quoique plus proche du réel, il fut le plus grand poète norvégien de sa génération.

BULLANT (Jean). ♦ Architecte, dessinateur et théoricien français (?, 1520 — Écouen, 1578). Fils de *Jean Ier Bullant,* maître d'œuvre à Amiens, il fit un voyage en Italie vers 1537 et travailla ensuite pour les ducs de Montmorency, probablement au *château de Fère-en-Tardenois,* et surtout à la reconstruction du *château d'Écouen :* il éleva la chapelle, ainsi que les portiques où l'emploi de l'ordre colossal manifeste son penchant pour les partis pris monumentaux. Il succéda à P. Delorme* comme architecte des *Tuileries** (1570) et y édifia deux pavillons. Il éleva aussi pour la reine l'*hôtel* dit *de Soissons* (1572), à Paris, dont il ne subsiste que la colonne astronomique. Il publia un recueil d'*Horlogiographie* et une *Règle générale d'architecture* (1564), plusieurs fois rééditée. Par-delà l'influence de la Renaissance italienne, Bullant* chercha à s'inspirer de l'Antiquité; il subit surtout l'influence de P. Delorme et se montra maniériste, notamment par l'importance qu'il accorda au décor.

BULLE. ♦ V. de Suisse (cant. de Fribourg), au centre de la région de Gruyère. Alt. 771 m. 6 750 hab. Important élevage de bétail (viandes et fromages). Château (XIIIe s.). Station estivale.

Bulle d'or *(la).* ♦ Nom donné à une série d'actes ou ordonnances rendus par les empereurs romains germaniques et scellés d'or. La plus célèbre, due à Charles* IV, promulguée aux diètes de Nuremberg* et de Metz* (1356) a réglé le droit politique de l'Allemagne* jusqu'en 1806, en organisant l'élection au Saint-Empire.

BULLET (Pierre). ♦ Architecte français (Paris, 1639 — *id.,* 1716). Élève de F. Blondel*, il participa aux travaux de la *porte Saint-Denis* à Paris, puis édifia en s'inspirant de son maître, l'*arc de la porte Saint-Martin* (1674), aux formes plus massives. Il édifia le *château d'Assy* et, à Paris, plusieurs hôtels particuliers d'apparence sévère *(hôtel Le Peletier de Saint-Fargeau, hôtel Crozat).* Il conçut et éleva la nef et le chœur de *Saint-Thomas-d'Aquin* et fit preuve d'une grande maîtrise technique dans la construction du *quai Le Peletier.* Membre de l'Académie en 1685, il manifesta des préoccupations rationalistes et fut l'un des représentants caractéristiques du classicisme français. Il est l'auteur d'un *Plan de Paris* (1677) et d'une *Architecture pratique* (1691).

BULLI. ♦ V. de l'État de Nouvelle*-Galles du Sud (Australie), située sur la côte au S. de Sydney, et faisant partie de la conurbation de Wollongong*. C'est le centre du gisement houiller d'Illawaro. La zone la plus productive de Bulli s'étend de Sydney à la rivière Clyde. Les réserves totales du bassin sont estimées à 600 000 000 de tonnes. La production de houille est presque entièrement employée par les indus. de Wollongong*, l'alimentation des centrales électriques de l'État. Briqueteries. Indus. textiles.

BULLY-LES-MINES. ♦ Comm. du Pas-de-Calais, dans l'aggl. de Lens. 14 052 hab. *(Bullygeois.)* Houillères.

BÜLOW (Friedrich Wilhelm, *comte* **Bülow** *von* **Dennewitz).** ♦ Général prussien (Falkenberg, 1755 — Königsberg, 1816). En 1813, il battit Ney* à Dennewitz* et contribua à la défaite napoléonienne de Leipzig*. Son intervention sur le flanc est des Français fut décisive à la bataille de Waterloo*.

BÜLOW (Hans, *baron von***).** ♦ Chef d'orchestre et pianiste allemand (Dresde, 1830 — Le Caire, 1894). Élève de Wagner* et de Liszt, il dirigea en première audition *Lohengrin* (1850), *Tristan et Isolde* (1865) et *Les Maîtres chanteurs* (1868). Nommé maître de chapelle à la cour de Louis II de Bavière (1867), il fut directeur de la musique à Hanovre, Meiningen puis Hambourg (1887) où il se fixa. Animateur fécond de la vie musicale et pianiste remarquable, il entreprit de nombreuses tournées à travers l'Allemagne, l'Amérique et la Russie (Saint-Pétersbourg, 1885). Il avait épousé Cosima Liszt (1857) qui divorça d'avec lui pour épouser Richard Wagner (1869).

BÜLOW (Karl *von***).** ♦ Feld-maréchal allemand (Berlin, 1846 — *id.*, 1921). Vainqueur des Français à Namur et à Saint-Quentin, à la tête de la IIᵉ armée, il fut l'un des responsables de la défaite allemande de la Marne* (1914).

BÜLOW (Bernhard, *prince von***).** ♦ Homme politique allemand (Klein-Flottbeck, Altona, 1849 — Rome, 1929). Après une carrière dans la diplomatie, milieu d'où il était issu, il fut ministre des Affaires étrangères de Hohenlohe* (1897), puis devint chancelier du Reich (octobre 1900). Se voulant le continuateur de la politique bismarckienne, il se refusa cependant, sous l'influence de Guillaume II *(Weltpolitik)* et de Holstein, à limiter l'expansion allemande à la seule Europe (annexion de la baie de Chiao*-Chou, des îles Caroline et Samoa ; intervention au Maroc, **V. Algésiras**). Puis il favorisa, par son attitude intransigeante vis-à-vis de la Russie, la formation progressive de la Triple-Entente*, à laquelle il riposta par la Triple-Alliance*. À part quelques mesures sociales très prudentes et malgré une évolution vers un régime de type parlementaire, il ne résolut aucun des problèmes graves posés à l'empire au début du XXᵉ s. (dualisme Prusse-Allemagne, *par ex.*), et, désavoué par Guillaume II en juillet 1909, il démissionna. En décembre 1914, il s'efforça en vain de dissuader les Italiens d'entrer en guerre aux côtés de l'Entente.

BULOZ (François). ♦ Journaliste français (Vulbens, Haute-Savoie, 1803 — Paris, 1877). Rédacteur en chef de *la Revue* des Deux-Mondes* de 1831 jusqu'à sa mort, il sut s'attirer la collaboration d'une élite des grands écrivains de son temps.

BULTMANN (Rudolf). ♦ Théologien protestant allemand (Wiefelstede, 1884 — Marbourg, 1976). Professeur de Nouveau Testament à Marbourg (1921), il a publié une œuvre d'exégète, d'historien des religions et de dogmaticien. Ses travaux sur les Évangiles synoptiques constituent une entreprise de « démythologisation » du Nouveau Testament, c'est-à-dire de mise en question du mythe comme conception pré-scientifique du monde et comme compréhension de l'existence humaine. Critiquant le processus de rationalisation et d'objectivation de la pensée mythique, Bultmann pensa trouver dans « l'analyse existentiale » de Heidegger* « la conceptualité adéquate pour l'interprétation du Nouveau Testament et de la foi chrétienne ». Si sa pensée a fait l'objet de nombreuses critiques, elle a exercé une grande influence sur le renouvellement de la théologie par son souci de faire apparaître le paradoxe de la foi chrétienne, renoncement à toute sécurité, « saut » dans l'inconnu (au sens luthérien et kierkegaardien du terme). Princ. œuv. : *L'Histoire de la tradition synoptique,* 1921 ; *L'Évangile de Jean,* 1941 ; *Le Christianisme dans le cadre des religions antiques,* 1950 ; *La Théologie du Nouveau Testament,* 1953 ; *Jésus, mythologie et démythologisation,* 1968.

BUNCHE (Ralph Johnson). ♦ Sociologue et homme politique noir des États-Unis (Détroit, Michigan, 1904 — New York, 1971). Après plusieurs voyages d'études (Asie, Afrique, Europe), il occupa des postes importants dans les ministères de la Guerre et des Affaires étrangères lors de la Deuxième Guerre mondiale. Successeur du comte Folke Bernadotte comme médiateur de l'O.N.U. au Moyen-Orient (1948-1949), il fut ensuite nommé sous-secrétaire d'État aux Nations unies pour les affaires politiques spéciales. Prix Nobel de la paix (1950).

BUNCHÔ. ♦ Nom de deux peintres japonais : IPPITSUSAI BUNCHÔ (1725 — 1794), peintre d'estampes *(Ukiyo-e)* et TANI BUNCHÔ (1763 — 1840). Ce dernier, le plus connu, originaire d'Edo*, fut très productif. Il peignit dans le style de l'école Nanga*, et écrivit des ouvrages sur la technique picturale.

Bund. *n. m.* ♦ Union générale des ouvriers juifs de Lituanie, Pologne et Russie, fondée en 1897. Lors de son premier congrès (Vilna, sept. 1897), le Bund prit position contre les thèses du sionisme*, favorable à la création d'un Foyer national juif en Palestine et chercha à lutter contre l'antisémitisme (pogroms de la Russie tsariste). Membre du parti ouvrier social-démocrate russe (1898), « en tant qu'organisation autonome, indépendante seulement dans les questions concernant spécialement le prolétariat juif », il s'en sépara en 1903. Le Bund, dont Lénine devait condamner le « séparatisme » et le « nationalisme », fut éliminé après la révolution d'octobre 1917.

BUNDELKHAND. *n. m.* ♦ Région indienne située au sud du moyen Gange (Mâdhya* pradesh). Env. 2 000 000 d'hab. Ce fut, du Xᵉ au XIIᵉ s., le fief des souverains Chandela*, et leur ancienne capitale, Khajurâho*, conserve encore d'admirables exemples de leur architecture religieuse.

Bundesrat. *n. m.* ♦ « Conseil fédéral », l'une des deux chambres législatives de la Confédération de l'Allemagne du Nord (1866-1871), de l'Empire allemand (1871-1918) puis de la République fédérale allemande depuis 1949. Le *Bundesrat* représente les États au Parlement.

Bundestag. *n. m.* ♦ Assemblée législative de la République fédérale allemande, élue pour quatre ans au suffrage universel direct. Le chancelier fédéral est responsable devant elle.

Bundeswehr. *n. f.* ♦ Nom donné en 1956 aux forces armées de l'Allemagne fédérale, reconstituées à la suite des accords de Londres dans le cadre du pacte Atlantique (O.T.A.N.).

BUNEL (Jacob). ♦ Peintre et dessinateur français (Blois, 1558 — Paris, 1614). Fils de Jean et frère de François Bunel le Jeune qui fut portraitiste officiel du roi de 1583 à 1599, il travailla probablement en Espagne à l'*Escorial* et à Rome. La plus grande partie de ses travaux ont disparu (notamment la décoration de la *Petite Galerie* du *Louvre** en collaboration avec T. Dubreuil*). Représentant du maniérisme de la seconde école de Fontainebleau, il aurait surtout exécuté des portraits dans l'esprit des Clouet* *(Portrait du roi Henri IV)*. Il fut le maître de Claude Vignon*.

BUNKER HILL. ♦ Site traditionnel d'une bataille de la guerre d'Indépendance américaine, qui se déroula non loin de là (près de Charlestown, Massachusetts) le 17 juin 1775. Les patriotes américains, encerclant Boston, y vainquirent les Anglais.

BUNSEN (Robert Wilhelm). ♦ Physicien allemand (Göttingen, 1811 — Heidelberg, 1899). Inventeur d'une pile électrique impolarisable à l'acide nitrique (1841) **(V. A. Becquerel, Daniell),** d'un photomètre à tache d'huile (1843), d'un calorimètre à fusion de la glace (1870), d'un bec de gaz à introduction d'air utilisé dans les laboratoires *(bec Bunsen),* il créa en 1859, avec Kirchhoff*, l'analyse spectrale ; ensemble ils montrèrent que chaque élément possède des propriétés spécifiques quant à la lumière qu'il émet et réalisèrent l'expérience du renversement des raies.

BUÑUEL (Luis). ♦ Réalisateur espagnol de cinéma (Calenda, 1900). L'influence libératrice du surréalisme s'est exercée tôt sur lui pour le confirmer dans son refus des tabous de la morale traditionnelle et le conduire à reconnaître pour l'homme les pouvoirs de l'instinct et du rêve dans sa quête légitime du bonheur (*Un chien andalou,* 1928 ; *L'Âge d'or,* 1930). Après une période de films populaires tournés au Mexique, sa carrière de créateur a repris avec *Los Olvidados,* puis *El* (1952), *Nazarin* (1960), *Viridiana* (1961), *El Ángel Exterminador* (« L'Ange exterminateur », 1962), *Belle de jour* (1967), *La Voie lactée* (1968), *Le Charme discret de la bourgeoisie* (1972).

BUN UM ou **BOUN OUM.** ♦ Prince héritier du royaume de Champassak* (Laos du Sud). En 1946, à la demande de la France, il renonça à sa couronne afin de permettre l'unification du Laos*, Sisavang* Vong demeurant le seul souverain à Luang-Prabang. Il participe dès lors au gouvernement du pays. On le nomme parfois le « prince rouge » en raison de ses sympathies pour le mouvement du Pathet*-Lao.

BUNYAN (John). ♦ Écrivain religieux anglais (Elstow, Bedfordshire, 1628 — Londres, 1688). Fils d'un chaudronnier, il fut enrôlé dans l'armée du Parlement en 1644. La lecture des livres pieux de

Coll. Rui Nogueira

L. Buñuel et Delphine Seyrig pendant le tournage du film « Le charme discret de la bourgeoisie ».

sa femme *(Le Chemin du ciel* et *La Pratique de la piété)* lui révéla sa vocation. Ministre de l'Église baptiste en 1657, il fut jeté en prison (de 1660 à 1672) où il composa *L'Afflux de la grâce (Grace abounding to the chief of sinners,* 1666), confession directe et personnelle qui montre ce visionnaire atteint d'un sentiment de culpabilité puisé dans l'enfance et rationalisé par le puritanisme. *La Vie de M. Lemauvais* (*The Life and Death of Mr. Badman,* 1680), allégorie où les péchés sont illustrés par des anecdotes, préfigure le roman moral tel que le concevront Defoe et Richardson. *La Guerre sainte* (*The Holy War,* 1682) développe des allégories si complexes que l'œuvre en perd de sa force. Elle contient à la fois — et sans se limiter à elles — les actions du *Paradis perdu* et du *Paradis retrouvé.* Le chef-d'œuvre de Bunyan, qui fut le livre le plus lu, après la Bible, en Angleterre, est aussi une allégorie, d'ailleurs parsemé de citations bibliques, dans un style simple où abondent les monosyllabes : *Le Voyage du pèlerin* (*The Pilgrim's Progress from this world to that which is to come,* 1678) montre le cheminement de Chrétien accompagné de Docile *(Pliable)* et Fidèle *(Faithful)* vers la Cité céleste parmi les embûches les plus variées : voix et démons de la vallée de l'Ombre et de la Mort, brouillard et ronces de la Terre enchantée, bourbier du Découragement, foire aux Vanités *(Vanity Fair).* La théologie calviniste donne leur unité à ces épisodes qu'admirèrent Swift et Johnson. Prédicateur à Londres, Bunyan avait l'art de la formule (« A saint abroad and a devil at home »; « Make hay while the sun shines »). C'est en exerçant son apostolat que mourut « l'évêque Bunyan ».

BUON ou **BON (Bartolomeo).** ♦ Sculpteur italien (Venise, v. 1374 — *id.,* v. 1467). Il réalisa des sculptures pour la Ca' d'Oro, chef-d'œuvre vénitien d'architecture gothique. Influencé par le réalisme des sculpteurs de l'Allemagne du Sud, il resta imprégné par les tendances du gothique tardif, malgré une ouverture sur le classicisme (*La Justice,* Venise; *Madonna della Misericordia,* Londres).

BUONARROTI (Michelangelo). ♦ V. MICHEL-ANGE.

BUONARROTI (Philippe). ♦ Révolutionnaire français d'origine italienne (Pise, 1761 — Paris, 1837). Il fut avec Babeuf*, un des chefs de la Conspiration des Égaux contre le Directoire. Emprisonné et libéré sous Napoléon, il s'installa à Genève puis à Bruxelles, travaillant à organiser les forces révolutionnaires françaises. Il y publia *La Conjuration pour l'Égalité, dite de Babeuf* (1828), qui influença A. Blanqui.

BUONTALENTI (Bernardo). ♦ Architecte, sculpteur, peintre et miniaturiste italien (Florence, 1536 — *id.,* 1608). Disciple de Vasari*, il construisit et décora plusieurs villas aux env. de Florence. Il fut également organisateur des fêtes à la cour des Médicis et conçut pour les jardins Boboli la grotte qui porte toujours son nom.

BURAYDA ou **BORAÏDA.** ♦ V. d'Arabie Sa'ûdite située dans une oasis de l'émirat du Nedjd (Najd) au centre du pays. Plus de 50 000 hab. C'est le plus grand marché chamelier du monde.

BURAYMI. ♦ Oasis située à la frontière sa'ûdite de l'émirat d'Abû* Dhabî, et revendiquée par l'Arabie Sa'ûdite et le sultanat d'Oman à cause des richesses pétrolifères qu'elle semble receler. 15 000 hab. environ. Une troupe composée d'éléments locaux et britanniques occupe les lieux depuis 1955.

BURBAGE (Richard). ♦ Acteur anglais (Londres, v. 1567 — *id.,* 1619). Fils de l'acteur James Burbage, il fonda le théâtre du Globe 1596). Associé de Shakespeare*, il fut aussi l'un de ses grands interprètes.

BURCKHARDT (Johann Ludwig ou **Lewis).** ♦ Explorateur suisse (Lausanne, 1784 — Le Caire, 1817). Chargé de mission par l'African Association, il visita, sous le nom de Shaykh Ibrâhim, la Syrie, l'Égypte, la Nubie et fut le premier Européen à pénétrer dans les villes saintes de l'Arabie (*Travels in Nubia,* 1819; *Travels in Syria and the Holy Land,* 1822; *Travels in Arabia,* 1829).

BURCKHARDT (Jakob). ♦ Historien suisse d'expression allemande (Bâle, 1818 — 1897). Fils de pasteur, il abandonna la théologie pour l'histoire, étudia à Bâle, à Berlin (où il suivit les cours de Ranke) et à Bonn; et, après un bref séjour à Paris, fut nommé professeur à l'université de Bâle. Spécialiste d'histoire de l'art et de la civilisation, auteur de travaux sur la Renaissance italienne et la Grèce antique, il s'est montré soucieux de saisir chaque époque dans son individualité. Collègue de Nietzsche sur lequel il eut une certaine influence, il accueillit avec scepticisme la croyance au progrès à laquelle il opposa tous les signes de décadence de l'Europe. (*L'Époque de Constantin le Grand,* 1853, *Le Cicérone, guide de l'art antique et l'art moderne en Italie,* 1855, tr. fr. 1892; *La Civilisation de l'Italie au temps de la Renaissance,* 1860, tr. fr. 1885; *Histoire de la culture grecque,* 1898-1902; *Considérations sur l'histoire universelle,* 1905).

BURDWÂN. ♦ V. de l'Inde (Bengale), ch.l. de district à 120 km au N.-O. de Calcutta, sur la Dâmodar. 160 000 hab. Université. Indus. textiles et alimentaires.

BUREAU (Jean). ♦ Seigneur de Montglat ([mort] à Paris, 1463). Grand maître de l'artillerie sous Charles* VII en collaboration avec son frère Gaspard Bureau ([mort] v. 1469). Il prit part à la bataille de Castillon (1453), fut nommé maire de Bordeaux et y fit bâtir des points de défense.

Bureau central de renseignement et d'action (B.C.R.A.). ♦ Service de renseignements des Forces françaises libres (F.F.L.) de De Gaulle, installé à Londres (oct. 1941) et dirigé par le colonel Passy (Dewavrin), il fut chargé de coordonner l'action des réseaux

Arch. Smeets

H. Burgkmair : « Retable de saint Jean ». (Ancienne Pinacothèque, Munich.)

de Résistance et de les équiper. Devenu Direction générale d'enquêtes et de recherches après la Libération.

Bureau international du travail. ♦ V. ORGANISATION INTERNATIONALE DU TRAVAIL.

Bureaux arabes. ♦ Organismes créés en Algérie par Drouet d'Erlon et officiellement mis en place par Bugeaud* en 1844. Chargés de l'administration et de la sécurité des territoires de commandement, ils furent à l'origine du service des Affaires indigènes, puis musulmanes, qui s'étendit à toute l'Afrique du Nord durant la colonisation française.

BUREI ou **BUREYA.** ♦ V. BOUREIA.

BURES-SUR-YVETTE. ♦ Comm. de l'Essonne (arr. de Palaiseau), sur l'Yvette*, au S.-O. de Paris. 5 743 hab. Institut des hautes études scientifiques.

BURETSU-TENNÔ. ♦ 25e empereur du Japon (499-506), connu pour sa très grande cruauté. Il aurait été assassiné par le peuple.

BURGAS ou **BOURGAS.** ♦ V. et port de Bulgarie sud-orientale (Dobroudja*), ch.-l. de district sur le littoral de la mer Noire, au fond du golfe de Burgas. 129 130 hab. Port de pêche et de commerce (1 million de t de trafic annuel) rival de Varna. Burgas importe des hydrocarbures et traite les métaux de l'arrière-pays et le naphte d'U.R.S.S. Le tourisme balnéaire connaît un grand essor.

BURG BEI MAGDEBURG ou **BURG.** ♦ V. d'Allemagne orientale (Brandebourg, district de Magdebourg), sur le canal Havel-Elbe. 30 200 hab. Centre industriel (draperies, confection, métallurgie, chaussures).

BURGDORF, en fr. **Berthoud.** ♦ V. de Suisse (cant. de Berne) sur l'Emme*, à l'entrée de l'Emmental*. 15 300 hab. Fromages. Indus. textile.

BURGENLAND. *n. m.* ♦ État fédéral de l'Autriche. 3 965 km^2. 270 900 hab. *Cap.* Eisenstadt*. Avancée occidentale de la plaine pannonienne, le Burgenland s'étend de la riv. Mur au lac de Neusiedl et à la frontière hongroise. C'est une région de plaines et de collines aux sols fertiles, qui doit son nom à trois châteaux forts *(Burgen)* qui d'ailleurs ne se trouvent plus sur son territoire. Riche zone agricole, l'État produit des céréales, de la vigne, des arbres fruitiers et du tabac. Gisements de lignite et de pétrole. ♦ *Hist.* Le pays fit partie jusqu'en 1918 du royaume de Hongrie. L'État fut formé d'anciens territoires hongrois attribués à l'Autriche par le traité de Trianon* (1920). Après la chute des Habsbourg, les frontières entre les deux pays furent l'objet de nombreuses querelles (la ville de Sopron* est restée hongroise [plébiscite de 1921]).

BÜRGENSTOCK. *n. m.* ♦ Massif montagneux de Suisse centrale (Nidwald) dominant la r. S. du lac des Quatre-Cantons* en face de

Weggis*. Il culmine à la Hammetschwand : 1 128 m. Station estivale très fréquentée, à 800 m d'altitude.

BÜRGER (Gottfried August). ♦ Poète lyrique allemand (Molmerswende, Harz, 1747 – Göttingen, 1794). Ami de L. Hölty*, il dirigea quelque temps l'*Almanach des Muses* à Göttingen. S'il fut d'abord influencé par Klopstock, il se rattacha bientôt au *Sturm* und Drang* par l'inspiration populaire de ses ballades, en particulier *Lénore** (1770).

BURGERS (Thomas François). ♦ Homme politique d'Afrique du Sud (colonie du Cap, 1834 – *id.,* 1881). Docteur en théologie (Utrecht) et ministre de l'Église réformée hollandaise, il fut déclaré hérétique. Il fut élu président du Transvaal en 1872 et s'employa à développer l'économie du pays. Mais il rencontra l'opposition de ses concitoyens et son influence s'effaça après l'annexion du pays par les Anglais **(V. Kruger).**

BURGHLEY. ♦ **V.** CECIL.

BURGHT, en néerl. **Burcht.** ♦ V. de Belgique (prov. et arr. d'Anvers) sur l'Escaut. 6 800 hab. Chantiers navals. Cimenteries. Indus. chimiques (engrais). Métallurgie de l'aluminium.

BÜRGI (Jost ou **Jobst).** ♦ Horloger suisse (Lichtensteig, 1552 – Cassel, 1632). Il travailla à l'observatoire de Prague avec Tycho* Brahé puis avec Kepler* et construisit notamment des horloges qui, par leur précision, servirent à celui-ci dans l'élaboration de sa théorie du système solaire. Il découvrit les logarithmes indépendamment de Neper*, et par une méthode différente, mais ne publia que plus tard (1630) sa découverte. **(V.** *aussi* **Briggs).**

BURGKMAIR (Hans). ♦ Peintre, graveur et dessinateur allemand (Augsburg, 1473 – *id.,* 1531). Formé dans l'atelier de son père Thomas Burgkmair, il devint à Colmar en 1480 l'élève de Schongauer*, voyagea en Italie du Nord et revint à Augsburg en 1498. Tout en conservant certains traits typiquement germaniques, il adopta les conceptions de la Renaissance vénitienne et lombarde : ordonnances majestueuses (*La Vierge,* 1501), motifs ornementaux italiens, coloris intenses et costumes chatoyants. Rendu célèbre par une série de peintures représentant des basiliques (*Saint-Jean-de-Latran,* 1502), il produisit ensuite de nombreux retables (*Saint Jean,* 1518). Ses portraits placides, souvent bien caractérisés. dénotent l'influence d'Holbein*. L'empereur Maximilien* Ier lui confia une série de travaux, notamment l'illustration de ses romans. Il réalisa aussi des planches pour la traduction du *Nouveau Testament* par Luther (1523). Représentant caractéristique de la Renaissance germanique, il apparaît comme le principal adepte de cet art de détente qui s'épanouit à Augsburg sous l'influence italienne.

BURGONDES. *n. m. pl.* ♦ Peuple germanique d'origine scandinave, d'abord établi sur les rives de la Baltique, puis dans la vallée de la Vistule et qui émigra vers le Main pour fonder un royaume, étendu jusqu'au Rhin au début du Ve s. (cap. Worms). Ce royaume fut envahi et détruit en 437 par les Huns (base historique des légendes des *Nibelungen**) et les Burgondes se portèrent vers l'E. de la Gaule (région rhodanienne et Savoie) avec l'aide du général romain Aetius*. Ils y fondèrent un nouveau royaume qui, peu à peu, déborda des vallées du Rhône et de la Saône jusqu'aux Cévennes et à la Méditerranée **(V. Bourgogne).** Après son mariage avec Clotilde, fille de Chilpéric*, roi des Burgondes, Clovis* Ier laissa Gondebaud, oncle de sa femme, sur le trône de Burgondie (500), mais plus tard ses fils attaquèrent le royaume. L'un d'entre eux, Clodomir* fut tué à la bataille de Vezeronce* (524). Ses deux frères, Childebert Ier et Clotaire Ier démembrèrent le royaume burgonde en 534. Gontran* le restaura en 561. **V. Bourgogne.**

BURGONDIE. *n. f.* ♦ **V.** BURGONDES.

BURGOS. ♦ V. d'Espagne, ch.-l. de la prov. du même nom, au N. du pays, en Vieille-Castille* et à l'O. des monts Ibériques (850 m). 88 800 hab. Archevêché. La *province de Burgos* compte 376 000 hab. – *Bx-arts.* Célèbre cathédrale gothique Sainte-Marie (XIIIe-XVIIIe s.). Églises San Gadea (XIIe s.), San Estebán (XIIe s.), San Gil (XIIIe-XIVe s.). Abbaye cistercienne de Santa Maria de las Huelgas, chartreuse de Miraflores. Anc. fortifications. Maison du Cid* (Solar del Cid). Centre commercial et industriel. – Patrie de Henri* III le Maladif et Pierre* le Cruel. ♦ *Hist.* Anc. cap. de la Castille jusqu'à la fin du XIe s., la ville fut prise par les Français en 1808 et assiégée par les Anglais en 1812. Elle fut le siège du gouvernement nationaliste espagnol de 1936 à 1939. – *Procès de Burgos* (nov. déc. 1970). La répression du gouvernement espagnol contre le nationalisme basque a entraîné, durant l'année 1970, des actes terroristes, attribués à l'E.T.A. (Patrie basque et Liberté) dont le procès a provoqué des manifestations mondiales conjuguées aux grèves ouvrières et aux émeutes estudiantines et appuyées par le clergé.

BURGOYNE (John). ♦ Général anglais (Londres, 1722 – *id.,* 1792). L'échec de son offensive vers le sud, à la fin de la guerre d'Indépendance* américaine, le contraignit à la capitulation de Saratoga* (1777), qui consacrait la victoire des États-Unis. Auteur de pamphlets et de pièces de théâtre. ♦ Sir JOHN FOX BURGOYNE, son fils illégitime, maréchal anglais (Londres, 1782 – *id.,* 1871). Il se distingua particulièrement en Espagne, sous Wellington* (1809-1814) et eut un rôle capital auprès de Raglan*, au siège de Sébastopol* (1855).

Burgraves (Les). ♦ Nom donné sous la IIe République aux représentants du parti de l'Ordre (conservateur à tendance monarchiste) qui, à l'Assemblée législative, contribuèrent à faire voter la suppression du suffrage universel (loi du 31 mai 1850).

Burgraves (Les). ♦ Drame en 3 parties de Victor Hugo* (1843). L'empereur Frédéric Barberousse a disparu en Orient. Au bord du Rhin, dans son château solitaire, seul témoin d'une époque qui fut fabuleuse pour l'Allemagne, son frère, le vieux burgrave Job, vit encore. Les deux hommes se sont jadis querellés pour une femme, Guanhumara, et Job, qui se nommait alors Fosco, a poignardé son frère qui portait lui aussi un autre nom, Donato. Mais voici que Barberousse reparaît sous la défroque d'un mendiant. Instigatrice d'une affreuse vengeance, Guanhumara périt tandis que les deux frères se réconcilient.

BURIAN (Emil). ♦ Metteur en scène tchèque (Pilsen, 1904 –). Formé à l'école de Piscator et de Meyerhold, il fut à Prague le fondateur du théâtre D 34 (1934).

BURIDAN (Jean). ♦ Philosophe scolastique (Béthune, Pas-de-Calais, v. 1300 – apr. 1366). Son nom fut popularisé par le fameux argument de l'âne *(âne de Buridan)* qui, ayant aussi faim que soif, est à égale distance d'une botte de foin et d'un seau d'eau et ne parvient pas à choisir ; cet argument, dont on ne trouve point trace dans son œuvre pourrait avoir été utilisé dans ses cours contre les partisans du déterminisme (pour lesquels l'âne mourra de faim et de soif) [ce qui semble peu vraisemblable] ou au contraire contre ceux du libre arbitre (qui le supposent doué d'une liberté d'indifférence). Mais Buridan mérite pour d'autres raisons qu'on lui donne une juste place dans l'histoire de la philosophie. Recteur de l'université de Paris en 1328 et 1340, il a laissé une œuvre qui est celle d'un maître ès arts du Moyen Âge : logique, métaphysique, philosophie naturelle, éthique. Disciple de Guillaume d'Ockham (ou Occam), il n'en accepta pas sans réserve le nominalisme. Une des parties sans doute les plus intéressantes de la pensée de Buridan réside dans la critique qu'il fit de la doctrine couramment admise du mouvement. À l'idée [aristotélicienne] selon laquelle la continuation du mouvement suppose la présence « actuelle » d'un moteur (distinct du mobile lui-même), il opposa la thèse selon laquelle elle résulte d'un élan *(impetus)* transmis par le moteur à l'objet mû. Aussi n'est-ce pas sans raison qu'on a pu dire qu'il « est arrivé fort près de la notion qui sera celle de l'*impeto* chez Galilée et de la quantité de mouvement chez Descartes » (E. Gilson), c.-à-d. celle du mécanisme scientifique du XVIIe siècle.

BURKE (Edmund). ♦ Homme politique et écrivain britannique (Dublin, 1729 – Beaconsfield, 1797). Un des chefs du parti des whigs ; lié à Fox*, il se fit le défenseur des colonies américaines, des catholiques irlandais et s'opposa au second Pitt*. Brillant orateur, il attaqua violemment Hastings* sur sa politique indienne. Adversaire résolu de la Révolution, il publia *Réflexions sur la Révolution française* (1790).

BURKE (Robert O'HARA). ♦ Voyageur irlandais (Saint Cleram, Galway, 1821 – en Australie, 1861). Il traversa l'Australie du sud au nord, découvrant des régions alors inexplorées.

BURNE-JONES (*sir* **Edward Jones,** dit). ♦ Peintre, aquarelliste, dessinateur, peintre sur verre et céramiste anglais (Birmingham, 1833 – Londres, 1898). Ami de W. Morris*, il admira Ruskin* et les premières œuvres des préraphaélites ; il fut marqué par Botticelli puis par les Vénitiens, Mantegna et Michel-Ange. À Londres en 1856, il subit fortement l'influence de Rossetti*. Il empruntait ses sujets à la littérature, surtout aux légendes médiévales, était peu attentif à l'observation de la réalité et aimait les clairs-obscurs accentués. Le caractère décoratif de ses œuvres, son goût pour les rythmes linéaires et les formes sinueuses annoncent l'Art Nouveau (*L'Enchantement de Merlin,* 1874). Sous les traits de femmes légendaires et médiévales, il a en fait peint, en les idéalisant, les Anglaises de l'aristocratie victorienne.

Ph. Hétier

Burgos.

BURNET (*sir* **Frank Macfarlane**). ♦ Médecin australien (Traralgon, Victoria, 1899 –). Il a partagé le prix Nobel de méd. (1960) avec P.B. Medawar* pour ses recherches sur la tolérance immunologique acquise.

BURNEY (Frances, dite **Fanny)**. ♦ Romancière anglaise (King's Lynn, 1752 – Londres, 1840), Fille du musicologue Charles Burney, elle connut très tôt la vie mondaine londonienne et fut une adepte de Richardson* à qui elle emprunta la forme (épistolaire) et le style de ses romans. Les 84 lettres d'*Evelina* ou *L'Entrée d'une jeune personne dans le monde,* (1778) constituent un document plein de fraîcheur sur les habitudes de la bonne société de l'époque. *Cécilia ou les Mémoires d'une héritière* (1782), *Camilla* (1796) et *La Vagabonde* (1814) sont de la même veine. Son *Journal,* posth. 1889, montre cette devancière de Jane Austen* demoiselle d'honneur de la reine (1786-1791), mariée au général d'Arblay (1791), parisienne à la mode et même emprisonnée par la police impériale.

BURNHAM (James). ♦ Philosophe américain (Chicago, 1905). Affilié à un groupe trotskiste en 1933, il s'en sépara en 1940 et fit alors une analyse critique du marxisme. Socialisme et capitalisme lui paraissant dépassés par le développement et la complexité croissante de l'économie mondiale où les techniciens sont appelés à jouer le rôle prépondérant (technocratie). *L'Être des organisateurs,* 1941, tr. fr., 1947; *Les Machiavéliens,* 1943, tr. fr., 1950; *Pour la domination mondiale,* 1947.

BURNLEY. ♦ V. d'Angleterre (Lancashire), sur le canal de Leeds à Liverpool, au cœur d'un bassin houiller. 80 600 hab. – Filatures et usines de tissage du coton, indus. électriques et mécaniques.

BURNOUF (Jean-Louis). ♦ Philologue français (Urville, Normandie, 1775 – Paris, 1844). On lui doit des méthodes pour l'étude du grec (1814) et du latin (1840), ainsi qu'une traduction de Tacite*. ♦ EUGÈNE BURNOUF, son fils. Orientaliste français, (Paris, 1801 – *id.,* 1852). Professeur de sanskrit au Collège de France (1832), il étudia le zend et traduisit et commenta un des livres de l'Avesta* (1829-1833). On lui doit également une *Introduction à l'histoire du bouddhisme* (1845).

BURNS (Robert). ♦ Poète écossais (Alloway, près d'Ayr, 1759 – Dumfries Ellisland, 1796). Fils de petits fermiers, autodidacte, il lut Poe, Thomson, Gray, Young, pour discipliner son style. Il avait quatorze ans quand il composa *Jolie Nell.* Ses *poèmes* furent publiés en 1786 avec la mention pour *la plupart en langage écossais* (c'est-à-dire en anglais régional d'Écosse) : *Le samedi soir dans la chaumière* exalte la beauté de la vie rustique. Burns écrivait ses vers aussi bien aux champs qu'à l'église. Son poème comique *Tam O' Shanter,* 1790, 200 vers, fut composé en une seule journée. Révolutionnaire dans l'âme, Burns ne dédaignait pas la satire religieuse et politique *(La Prière du bon Willie). Les Deux Chiens* est une imitation pleine d'ironie légère de *La Conversation des chiens* de Cervantes. Le même ton imprègne une cantate avec récitatifs, *Les Joyeux Mendiants* (1799). Ses chansons parurent dans le *Musée musical écossais* de James Johnson. Il abandonna son terroir pour un emploi d'agent des contributions indirectes, renonçant définitivement à son projet de jeunesse : faire fortune à la Jamaïque. Walter Scott qui le rencontra le dépeignit comme un homme aux « façons rustiques mais non grossières [... aux] grands yeux noirs qui s'illuminaient littéralement quand il parlait de quelque chose avec passion et intérêt ». L'emploi de régionalismes populaires, le ton vivant et simple, la drôlerie humaine et le sens spontané de la nature donnent à la poésie de Burns un ton unique.

BURROUGH (Stephen). ♦ Navigateur anglais du XVIe siècle. Après une expédition en Russie, il fut chargé par la Compagnie des Indes de trouver un passage maritime au nord; en 1556, il atteignit le détroit entre la Nouvelle-Zemble et l'île Vaïgatch, mais ne put toutefois pénétrer dans la mer de Kara. La relation de son voyage fut conservée par Hakluyt.

BURROUGHS (William Steward). ♦ Industriel américain (Rochester, 1857 – Saint-Louis, 1898). Inventeur de la première machine comptable enregistreuse, il fonda la société qui porte son nom (1886).

BURROUGHS (Edgar Rice). ♦ Romancier américain (Chicago, 1875 – Los Angeles, 1950). Après avoir servi dans la cavalerie américaine, il fut chercheur d'or en Oregon, cow-boy en Idaho et policier à Salt Lake City. Cette jeunesse rude et aventureuse lui donna l'idée de publier en 1912 (il avait trente-sept ans) le premier volume de la série des *Tarzan* (1915 : *Le Retour de Tarzan*; 1917 : *Le Fils de Tarzan*; 1921 : *Tarzan le Terrible*; 1935 : *Tarzan et les hommes léopards, etc.*). Le cinéma et la bande dessinée popularisèrent cette histoire d'un enfant élevé par une guenon dans la brousse africaine. Ami de toutes les bêtes, ses aventures fabuleuses ont fait de Tarzan un mythe de virilité et de liberté généreuse, non sans alimenter l'idéologie et la bonne conscience américaines (et blanches). La série de *La Princesse de Mars* (1917), roman de science-fiction d'une imagination baroque, eut moins de succès.

BURRUS ou **BURRHUS**, en lat. **Sextus Afranius Burrus**. ♦ ([mort] 62). Préfet du prétoire de 51 à 62 par la faveur d'Agrippine*, il fut chargé avec Sénèque* de l'éducation de Néron*. Son austérité valut au monde romain sept années de bon gouvernement pendant lesquelles il s'employa à contenir les mauvais penchants du jeune prince. Mais il n'hésita pas à tirer profit du meurtre de Britannicus* et Néron finit par se débarrasser de lui. Racine en fit un personnage de sa tragédie *Britannicus*.

BURSA. ♦ Nom turc de Brousse*.

Burschenschaft. *n. f.* ♦ Association d'étudiants allemands, d'inspiration patriotique et libérale, qui se développa lors des guerres de libération anti-napoléonniennes, et poursuivit son action après 1815 : elle organisa notamment la rencontre de la Wartburg, en 1817. L'assassinat de Kotzebue par Sand permit à Metternich* de la faire interdire par le congrès de Karlsbad*. Elle prit alors un caractère clandestin et ses membres furent poursuivis et souvent emprisonnés.

BURTON (Robert). ♦ Essayiste anglais (Lindley, Leicestershire, 1577 – Oxford, 1640). Après des études au Brasenove College d'Oxford, il devint pasteur, mais il se considérait « ecclésiastique de profession et médecin par vocation ». *L'Anatomie de la mélancolie* (1621) étudie d'après son sous-titre *« ses manifestations, causes, symptômes, signes pronostiques et les différentes manières de la soigner ».* Dans cette analyse de la folie, à la fois sérieuse et humoristique, l'auteur utilise une méthode scolastique malgré une curiosité de psychologue apparentée à celle de Montaigne. Son influence sur Milton* et Lamb* est certaine et Keats* s'en inspira. Bien que sa poésie soit mal connue et que la comédie qu'il composa en 1606 *(Philosophastes)* soit médiocre, Robert Burton peut être considéré comme un des principaux humanistes anglais.

BURTON (*sir* **Richard Francis**). ♦ Voyageur anglais (Torquay, 1821 – Trieste, 1890). Officier de la Compagnie des Indes, il visita La Mecque et Médine (1853), l'Afrique orientale et découvrit le lac Tanganyika* avec Speke* (1858); puis il explora le pays des Mormons (États-Unis), le Brésil, la Syrie, la côte de l'Or (Ghana) avant d'être nommé consul à Trieste.

BURTON UPON TRENT. ♦ V. d'Angleterre (Staffordshire) sur a Trent*. 50 800 hab. – Brasseries réputées.

BURUNDI, anc. **Urundi**. *n. m.* ♦ État de l'Afrique* centrale, situé entre le Ruanda* au N., le Zaïre* à l'O. dont il est séparé en partie par le lac Tanganyika*, et la Tanzanie* à l'E. et au sud. 27 834 km². 3 500 000 hab. *Cap. :* Bujumbura. *Langues off. :* kirundi et français. *Pop.* **V. Bantous.** – Le Burundi constitue un pays de plateaux au climat équatorial tempéré par l'altitude. Il est situé sur la ligne de séparation des eaux entre le bassin du Congo et celui du Nil. Son économie est essentiellement agricole; à des cultures vivrières qui couvrent les besoins de la population (selon le mode de vie traditionnel), s'ajoutent les cultures d'exportation, dont la principale est le café. ♦ *Hist.* Partie méridionale de l'ancien territoire de Ruanda*-Urundi, le Burundi passa de la domination allemande **(V. Afrique* orientale allemande)** au mandat belge (1919), puis devint royaume indépendant (1962) et en 1966, république.

BURY ♦ V. d'Angleterre, dans le Lancashire. 62 700 hab. – Filatures de coton. Papeteries, teintureries. – Patrie de Robert Peel*.

BURY SAINT EDMUNDS. ♦ V. d'Angleterre, ch.-l. du comté de West Suffolk*. 20 000 hab. – Ruines d'une abbaye, fondée v. 630. – Patrie de S. Gardiner*.

BURZET. ♦ Ch.-l. de cant. de l'Ardèche (arr. de Largentière). 838 hab. Village pittoresque, situé près des gorges de la Bourges (cascades). Église (XVe-XVIe s.).

BUSAN ou **FUSAN**. ♦ Important port coréen du S. de la péninsule, sur le détroit de Tsushima, au fond d'une baie profonde et bien abritée. 2 451 000 hab. Port de pêche et base navale. Centre industriel (textiles : cotonnades, fibres synthétiques). Busan est le premier port de Corée* du Sud. Il fut la porte d'entrée traditionnelle des Japonais en Corée.

Ph. Lauros-Giraudon

Bussy-Rabutin, par Le Febvre.
(Château de Bussy-Rabutin.)

BUSCH (Wilhelm). ♦ Humoriste allemand (Wiedensahl, Hanovre, 1832 – Mechtshausen, Harz, 1908). Le succès de ses livres d'images a dépassé les frontières de l'Allemagne. Ses dessins, volontiers caricaturaux, et accompagnés de légendes en vers, raillent avec humour mais aussi pessimisme, la culture et la morale bourgeoises de l'époque (*Max und Moritz,* 1865, tr. fr. 1952; *La Pieuse Hélène,* 1872; *Tobie Knopp,* 1877).

BUSH (Vannevar). ♦ Ingénieur américain (Everett, Massachusetts, 1890). Il créa le premier calculateur analogique complet. Il joua un grand rôle dans l'effort de guerre américain et participa à la mise au point de la bombe atomique. Il a contribué à la naissance de la cybernétique. **V.** *aussi* **J. Von Neumann, Wiener.**

Bushidô. *n. m.* ♦ Code éthique des guerriers du Japon, formulé au XVIIe s. selon des principes confucéens, par des philosophes désireux d'affermir la puissance de la caste des Samurai*. Ce code remplaça celui, plus ancien et non formulé (mais plus véritablement japonais), de la « Voie de l'Arc et du Cheval ».

BUSHNELL (David). ♦ Inventeur américain (Saybrook, Connecticut, 1742 – Warrenton, 1824). La construction en 1775 de son petit sous-marin à hélice, la *Tortue,* fit de lui un des précurseurs des sous-marins et de l'emploi de l'hélice comme moyen de propulsion des navires. **V.** *aussi* **Laubeuf Zédé.**

BUSIRIS. ♦ Roi d'Égypte, dans la mythologie grecque. La sécheresse et la famine éprouvant l'Égypte depuis plusi urs années, un devin de Chypre, Phrasios, déclara qu'il fallait sacrifier tous les étrangers pour apaiser la colère de Zeus. Busiris immola le devin. Lorsque Héraclès* arriva en Égypte, Busiris voulut le sacrifier mais le héros tua le roi, son fils Amphidamas et ses serviteurs. – Le nom de Busiris est sans doute une transcription grecque (comme le sera plus tardivement Osiris*) du nom du dieu égyptien *Usyri.*

BUSONI (Ferrucio). ♦ Compositeur et pianiste italien (Empoli, 1866 – Berlin, 1924). Pianiste et virtuose, il entreprit de brillantes tournées tant en Europe qu'en Amérique du Nord. Successivement professeur à Bologne, Vienne, Moscou et Berlin, il a composé dans tous les genres (opéras, musique symphonique et chorale, musique de chambre). Esprit curieux de nouveauté, il a poursuivi dans le domaine de l'harmonie des recherches qui font de lui le précurseur de Schönberg et de Hindemith (*Arlecchino,* 1916, opéra; *Doktor Faust,* 1925, opéra achevé par Ph. Jarnach). Il a publié une *Ébauche d'une nouvelle esthétique de la musique* (1907). Ses transcriptions de Bach pour le piano sont célèbres.

BUSSANG. ♦ Comm. des Vosges, arr. d'Épinal, sur la Moselle, près du col du même nom. 2 231 hab. *(Bussenets).* Lieu de séjour; station thermale. Ustensiles de ménage. – *Col de Bussang.* Col des Vosges, près de la source de la Moselle (altitude 734 m).

BUSSER (Henri). ♦ Compositeur et professeur français (Toulouse, 1872 – Paris, 1973). Élève de Gounod, Franck, premier Grand Prix de Rome (1893), il fut chef d'orchestre à l'Opéra (1905), puis professeur de la classe de composition au Conservatoire (1931). Son œuvre illustre tous les genres, en particulier l'art lyrique (*Les Noces corinthiennes,* 1922; *La Pie borgne,* 1929).

BUSSET. ♦ Branche de la maison des Bourbons. **V. Bourbon.**

BUSSIÈRES-BADIL. ♦ Ch.-l. de cant. de la Dordogne*. Arr. de Nontron. 548 hab. Église romane.

BUSSUM. ♦ V. des Pays-Bas (Hollande septentrionale). 41 615 hab. Métallurgie et constructions mécaniques. Indus. pharmaceutique.

BUSSY d'AMBOISE (Louis *de* **CLERMONT** *d'***AMBOISE,** *seigneur de* **BUSSY,** dit**).** ♦ Homme de guerre français (Mognéville, v. 1549 – Coutancière, Anjou, 1579). Favori du duc d'Alençon*, il fut nommé par lui gouverneur de l'Anjou* (1576) et soumit cette région au pillage. Célèbre pour sa bravoure et ses duels, il fut assassiné par le comte de Montsoreau* dont il avait séduit la femme. – Alexandre Dumas en fit le héros de sa *Dame de Montsoreau.*

BUSSY-LECLERC ou **LECLERC (Jean).** ♦ Un des chefs des Seize* pendant la Ligue*, il se montra particulièrement impitoyable. Il mourut en exil à Bruxelles (1635).

BUSSY-RABUTIN (Roger de Rabutin, *comte de* **Bussy,** dit**).** ♦ Écrivain français (Épiry, Nièvre, 1618 – Autun, 1693). Officier, il participa à la Fronde et gagna l'estime de Condé, puis combattit sous les ordres de Turenne. Il connut la disgrâce dès 1659 en raison de sa réputation de « libertin » et de ses propos sur les amours du roi. L'hostilité du roi s'accentua quand parut à Liège, anonymement (1665), l'*Histoire amoureuse des Gaules,* « roman satirique » où, s'inspirant du *Satyricon* de Pétrone, Bussy-Rabutin dépeignait les vices de la cour et les intrigues galantes du jeune roi. Après un emprisonnement à la Bastille et désormais exilé sur ses terres, il écrivit ses *Mémoires* (posth., 1856), entretenant une importante *Correspondance* (posth., 1697 et 1858) avec les beaux esprits du temps, notamment avec Mme de Sévigné*, sa cousine. Homme d'esprit, railleur jusqu'à la cruauté, il a laissé de ses contemporains des portraits d'une grande pénétration.

BUSTO-ARSIZIO. ♦ V. du N. de l'Italie, en Lombardie (prov. de Varèse). 74 400 hab. Église du XVe s. renfermant des œuvres de Ferrari et de B. Luini. Filatures de coton.

BUTE (John Stuart, *3e comte de***).** ♦ Homme politique anglais (en Écosse, 1713 – 1792). Membre du parti tory*, il succéda au jeune Pitt* comme Premier ministre de George* III (1761). Il mit fin à la guerre de Sept Ans (1763) malgré l'opposition mais, impopulaire en raison de son autoritarisme, il démissionna peu après.

BUTE (*île de***).** ♦ Île d'Écosse occidentale, dans l'estuaire de la Clyde, formant avec l'île d'Arran* le *comté de Bute* (ou *Buteshire*). 565 km². 15 600 hab. *Ch.-l.* Rothesay*. – Patrie des Stuarts*.

Ph. Pic

M. Butor.

BUTENANDT (Adolf). ♦ Chimiste allemand (Wesermünde, 1903 –). Auteur de travaux sur les hormones sexuelles (**V.** *aussi* **Doisy**), il réussit à isoler la progestérone cristallisée et en réalisa la synthèse partielle (1934); il parvint également, avec Karlson*, à isoler l'ecdysone (hormone de mue) à partir de chrysalide de bombyx [1954]. (Prix Nobel de chimie, 1939.)

BUTLER (Samuel). ♦ Poète anglais (Strensham, Worcester, 1612 – Londres, 1680). Il connut la réussite littéraire avec *Hudibras* (publié en trois parties en 1663, 1664, 1678), et illustré par Hogarth). Cette œuvre en octosyllabes met en scène des personnages représentant de façon burlesque les chefs du parti puritain. Le nom du héros est emprunté à *La Reine des fées* (Spenser*). Dans ce poème héroï-comique, Ralph est le Sancho Pança indépendant d'un Don Quichotte presbytérien, situation évocatrice en ce début de Restauration. *Les Reliques authentiques* (posth., 1759) lui furent attribuées. Très cultivé, il s'inspirait surtout des auteurs satiriques latins, de Rabelais et de la littérature épique classique.

BUTLER (Joseph). ♦ Prédicateur et théologien anglais (Wantage, Berkshire, 1692 – Bath, 1752). Il s'opposa au déisme philosophique qui se développait alors en Angleterre, et défendit la religion révélée dans *Quinze Sermons* (1726) et l'*Analogie de la religion naturelle et révélée avec la constitution et le cours de la nature* (1736). On lui doit aussi un essai *Sur la nature de la vertu.*

BUTLER (Samuel). ♦ Romancier anglais (Bingham, 1835 – Londres, 1902). Après des études religieuses il quitta l'Angleterre à la suite d'une crise spirituelle, allant vivre en Nouvelle-Zélande de 1860 à 1864. De retour à Londres il vécut en solitaire et en sage (Valéry Larbaud le compare à Épicure), écrivant des ouvrages satiriques sur les traditions religieuses et morales dont il avait eu lui-même à souffrir : *Ainsi va toute chair* (posth., 1903); *Erewhon* (*Erewhon or Over the Range,* 1872); *Nouveaux Voyages en Erewhon* (1901) largement autobiographiques. Comme Swift et Voltaire, Butler appuie sa satire sur la description d'une civilisation imaginaire – celle de *Erewhon,* anagramme de *Nowhere,* « nulle part ». Grand voyageur, il se passionna pour l'Italie (*Alpes et sanctuaires du Piémont,* 1881; *Ex-Voto,* 1888). Musicien, il composa des oratorios. Scientifique, il s'opposa aux théories évolutionnistes de Darwin : *La Vie et l'Habitude,* 1877. Critique paradoxal, il prétendit que l'*Odyssée* était l'œuvre d'une Sicilienne (*L'Auteur de l'Odyssée,* 1897). Revalorisé par Bernard Shaw, Samuel Butler influença Galsworthy*, Walpole, Wells et G. Orwell.

BUTLER (Nicholas Murray). ♦ Philosophe et universitaire américain (Elizabeth, New Jersey, 1862 – 1947). Il publia plusieurs écrits de sciences politiques et sociales. Doyen de l'université de Columbia, il critiquait « le vieux dogme de l'éducation classique » et prônait le cosmopolitisme. N. M. Butler contribua à fonder le Teachers College destiné à former les professeurs. (Prix Nobel de la paix, 1931.)

BUTOR (Michel). ♦ Écrivain français (Mons-en-Barœul, 1926). Il enseigna la philosophie en Angleterre, en Grèce, en Égypte et aux États-Unis, avant que le succès de *La Modification* (prix Renaudot, 1957) ne lui permît de se consacrer à son œuvre littéraire. Persuadé que le roman « évolue très lentement mais inévitablement [...] vers une espèce nouvelle de poésie à la fois épique et didactique » et sous l'influence de Dos* Passos et de Joyce*, Butor tente de donner du monde une vision stéréoscopique, suivant une « poétique du roman » : « en se servant de structures suffisamment fortes [...] comparables à des structures géométriques et musicales, en faisant jouer systématiquement les éléments les uns par rapport aux autres [...], on peut intégrer en totalité, à l'inté-

Ph. Hétier

Byblos.

rieur d'une description partant de la banalité la plus plate, les pouvoirs de la poésie ». – Après avoir adopté une structure spatiale dans *Passage de Milan* (1954), puis une structure temporelle dans *L'Emploi du temps* (1956 ; exploration systématique d'une ville et du passé du personnage), l'écrivain a étroitement associé les données spatiales, temporelles et culturelles dans des ouvrages où il renouvelle profondément les conventions romanesques. Dans *La Modification* (1957), le narrateur se parlant de lui-même à lui-même (son *vous* est un *Je* qui observe et un *Il* observé) articule ses réflexions sur les événements insignifiants d'un micro-univers défini (un wagon de chemin de fer entre Paris et Rome) pour retrouver le passé et dresser un constat de « modification » psychologique. *Degrés* (1960) offre une tentative encore plus ambitieuse pour ordonner le chaos naturel et pénétrer différents espaces mentaux. – Auteur d'essais (*Répertoires I et II*, 1960 et 1964 ; *Histoire extraordinaire*, consacrée à Baudelaire, 1961 ; *Essais sur les Modernes*, 1964), Butor a également composé des textes poétiques, *Mobile* (1962), *Réseau aérien.*

Buttes-Chaumont (les). ♦ Parc de Paris situé au milieu du quartier populaire de Belleville* (XXe arr.) sur les hauteurs où se déroula la bataille de Paris (1814). Sur l'ordre d'Haussmann, J.-Ch. Alphand* dessina (de 1864 à 1867) un jardin de 23 ha, très pittoresque avec ses cascades et son lac au centre duquel se dresse un îlot rocheux.

BUTUAN. ♦ V. des Philippines (Mindanao, prov. d'Agusan). 110 000 hab. Mines d'or, agriculture. – Elle fut découverte par Magellan.

BUXHÖVDEN (Albert *de*). ♦ **V.** ALBERT DE BUXHÖVDEN.

BUXTEHUDE (Dietrich). ♦ Organiste et compositeur germano-danois (Oldesloe, 1637 ? – Lübeck, 1707). Organiste à Helsinborg (Elseneur) puis à Sainte-Marie de Lübeck (1668), c'est dans cette dernière ville qu'il composa à partir de 1673, pour les *Abendmusiken*, grands concerts de l'après-midi, un nombre important d'œuvres vocales et instrumentales (cantates, psaumes et chorals). Outre des pièces de musique de chambre, son œuvre pour orgue forme un ensemble imposant qui fait de lui le compositeur le plus éminent de l'Allemagne du Nord. Maître d'un art à la fois savant, âpre et mystique qui n'exclut ni l'effusion ni la tendresse, il exerça une influence profonde sur les musiciens de son temps, en particulier sur Haendel et J.-S. Bach.

BUXY [bysi] ♦ Ch.-l. de cant. de Saône-et-Loire (arr. de Chalon-sur-Saône) au pied de la « montagne » chalonnaise. 1 716 hab. *(Buxynois).* Église en partie du XIIe siècle. Caveau de la Tour rouge. – Carrières de granit. Vins blancs.

BÛYIDES ou **BUWAYHIDES.** *n. m. pl.* ♦ Dynastie persane shi'ite (945-1055). Fondée par Bûya (que les arabes appellent Buwayhi), originaire du Daylam. Un de ses fils occupa Baghdâd où le calife lui remit la réalité du pouvoir **(V. 'Abbâsides).** 'Adud* al Dawla, qui régna de 977 à 983, réunit toutes les possessions de sa famille sous son autorité, construisit des mosquées, rénova le réseau d'irrigation. Après lui, le royaume bûyide (Fars, Médie, Iraq) se morcela. Les Bûyides furent renversés par les Turcs Saljûqides* (1055).

BUYS BALLOT (Christophorus Henricus). ♦ Météorologiste hollandais (Kloetinge, 1817 – Utrecht, 1890). On lui doit une règle permettant de localiser le centre d'une dépression d'après la direction des vents.

BUYSSE (Cyriel). ♦ Écrivain belge d'expression néerlandaise (Nevele, 1859 – Deurle, 1932). Disciple de Zola* et de Maupassant*, il débuta par des études du prolétariat paysan où s'expriment, en un style violemment naturaliste, ses sentiments sociaux : *Le Droit du plus fort (Her Recht van den Sterkste,* 1893). *Le Valet de pique* (1898). Il s'attacha également à peindre la vie bourgeoise, se montrant alors un excellent conteur, au style imagé non dénué d'humour : *La Maison bleue* (1895) ; *Un lion des Flandres* (1900). Son œuvre, très vaste, comporte des romans, comme *La Vie de Rose Van Dalen* (*Het Seven van Rozeke van Dalen ;* 1906), et des pièces, telles *Le Juge de paix suppléant* (1898) et *La Famille van Paemel (Het Gezin van Paemel;* 1903), puissant drame social flamand. En 1893, il fonda avec A. Vermeylen*, P. van Langendonck et E. De Bom, la revue *Van Nu en Straks (De maintenant et de Tout à l'heure;* 1893-1901) qui exerça une influence profonde sur les lettres flamandes.

BUYTENDIJK (Frederic Jacobus Johannes). ♦ Physiologue et psychologue neerlandais (Breda, 1887 –). On lui doit des travaux de psychologie expérimentale et animale : études sur la spécificité et la complexité de l'instinct, sur l'apprentissage en laboratoire *(Psychologie der dieren,* 1920 ; tr. fr., 1928 ; *Traité de psychologie animale,* publié en France en 1952).

BUZANÇAIS. ♦ Ch.-l. de cant. de l'Indre, arr. de Châteauroux. 5 151 hab. *(Buzançaïens),* sur l'Indre. – Charpentes métalliques. Confection. – Patrie d'Albert Laprade*.

BUZANCY. ♦ Ch.-l. de cant. des Ardennes, arr. de Vouziers, au N.-E. de la forêt d'Argonne*. 450 hab. *(Buzancéens).* Église (XIIIe-XVIe s.). Théâtre de violents combats au cours de la guerre de 1914-1918.

BUZĂU. ♦ V. de Roumanie, au pied des collines subcarpatiques, en Valachie (région de Ploiesti), sur le Buzău, affl. du Siret. 55 100 hab. Cathédrale du XVIe siècle. Fouilles archéologiques. – Carrefour ferroviaire. Centre agricole, commercial (foire de Dragaïca) et industriel (métallurgie, chimie). Champs pétrolifères dans les environs.

BUZENVAL. ♦ Écart de la comm. de Rueil-Malmaison (Hauts-de-Seine). Le château de Buzenval fut le lieu d'un des derniers combats du siège de Paris (19 janvier 1871) durant la guerre franco-allemande (1870-1871). Le peintre Henri Regnault y mourut.

BUZOT (François). ♦ Homme politique français (Évreux, 1760 – Saint-Magne, Gironde, 1794). Député du Tiers État aux États généraux (1789), il fut également élu à la Convention et siégea avec les Girondins*. Lors de leur élimination (31 mai-2 juin 1793), il tenta, avec Barbaroux* et Pétion* de Villeneuve, d'opposer en Normandie une résistance à la dictature montagnarde **(V. Fédéraliste** [insurrection] ; ayant échoué, il parvint à se cacher quelque temps, mais découvert, se suicida (comme Pétion) pour échapper à la guillotine. *(Mémoires sur la Révolution française.)*

BUZZATI (Dino). ♦ Journaliste et romancier italien (Belluno, 1906 – Milan, 1972). Partisan, comme Bontempelli* et Landolfi*, du « réalisme magique », Buzzati a composé des récits où un puissant sentiment d'étrangeté se dégage de la banalité la plus quotidienne ; ainsi *Barnabo des montagnes* (1933), *Le Désert des Tartares (Il Deserto dei Tartari,* 1940) et *Peur à la Scala* utilisent une rhétorique complexe (métaphores, allégories) et un style ramassé et dépouillé pour traduire la sensation que l'univers vacille autour de l'homme. Dans *Un amour* (1963) et dans le recueil de nouvelles *Le K* (1966) transparaît un pessimisme profond exprimé en un style plus fiévreux.

BYBLOS. ♦ Nom grec de la cité phénicienne de *Gebal,* auj. Djebail, au N. de Beyrouth (Liban). Fouilles par Renan (1860), P. Montet (1921), M. Dunand (1926). – La cité fut surtout florissante aux ~ IIIe et ~ IIe millénaires et, plus tard, à l'époque romaine. Elle était gouvernée par des rois, généralement vassaux de l'Égypte dont l'influence fut prépondérante (attestée dès avant le ~ XXVe s.). Son port exportait du bois de cèdre du Liban. Ses habitants étaient réputés comme constructeurs de vaisseaux et comme tailleurs de pierre. – Princ. divinités : Adonis*, Ba'alat Gebal (« dame de Gebal »), Isis. – Le sarcophage d'Ahiram (~ XIIIe s., découvert en 1923) est un des plus beaux bas-reliefs phéniciens ; son inscription constitue la plus ancienne attestation de l'écriture phénicienne (alphabétique). – **V. Phénicie.**

BYDGOSZCZ, en allem. **Bromberg.** ♦ V. du N.-O. de la Pologne*, ch.-l. de la voïevodie du même nom (1 835 000 hab.), sur la Brda* près de son confluent avec la Vistule, au débouché du canal reliant l'Oder* à la Vistule. 255 000 hab. – Carrefour ferroviaire et fluvial. Indus. agricoles, chimiques et textiles.

BYNG (George, *vicomte* TORRINGTON). ♦ Amiral britannique (Wrotham, Kent, 1663 – Londres, 1733). Il s'illustra au cours de la guerre de Succession* d'Espagne, commanda l'escadre qui prit Gibraltar* (1704), tint en échec les flottes continentales lors de leurs tentatives de débarquement en Grande-Bretagne, et en 1718, vainquit près du cap Passero* la flotte espagnole de Sicile. – Son fils, BYNG [John] (1704, – Portsmouth, 1757), amiral britannique, fut battu par La Galissonnière devant Minorque. Accusé de trahison, il fut exécuté.

BYRD (William). ♦ Compositeur anglais (Lincolnshire, 1543 – Standon Massey, Essex, 1623). Bien que de confession catholique, il fut organiste à la chapelle royale d'Angleterre (1572) conjointement avec Th. Tallis. Esprit profondément religieux, il a composé de nombreuses œuvres de musique d'église, d'inspiration tantôt anglicane (motets, psaumes, anthems), tantôt catholique (messes) que caractérise l'écriture polyphonique de la Renaissance. Humaniste, il est aussi l'auteur d'une œuvre profane (chansons, madrigaux, fantaisies et danses pour violes, clavier et virginal) composée dans le goût populaire de France et d'Angleterre.

BYRD (Richard Evelyn). ♦ Marin, aviateur et explorateur américain (Winchester, Virginie, 1888 – Boston, 1957). Après avoir survolé le pôle Nord (1926), il entreprit plusieurs expéditions dans l'Antarctique au cours desquelles il survola le pôle Sud (1929), établit la base de Little America dans la baie des Baleines, et fit des recherches géologiques, géographiques et météorologiques sur cette région du globe.

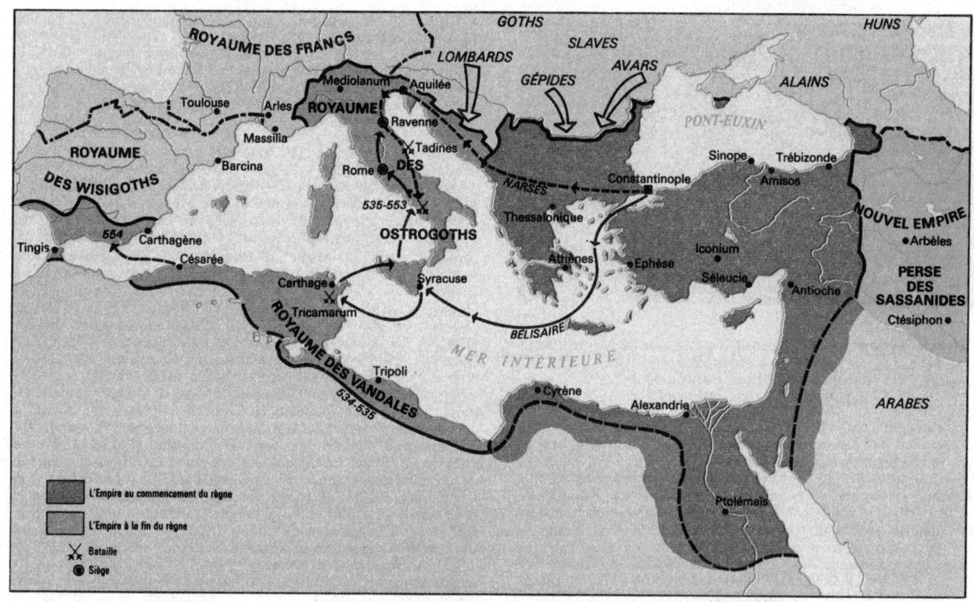

L'Empire byzantin sous Justinien Ier.

BYRON (John). ♦ Navigateur anglais (Newstead Abbey, 1723 – Londres, 1786). Après avoir participé à la lutte contre les Français, il explora le Pacifique (1764-1766) et découvrit en Polynésie les îles du Désappointement, du Roi-George et de Byron.

BYRON (George, Gordon, Noël, *6e baron,* **dit** *lord***).** ♦ Poète anglais (Londres, 1788 – Missolonghi, Grèce, 1824). Fils d'un père excentrique surnommé Jack-le-Fou dans le régiment où il était capitaine et d'une mère qui se moquait ouvertement du pied-bot dont l'enfant était affligé, Byron était issu d'une ancienne famille normande, les Buron. Son père mort (1791), il passa son enfance dans une Écosse dont le calvinisme ne fit qu'accentuer sa mélancolie naturelle. Étudiant « bizarre et belliqueux » (Praz) à Harrow, puis à Cambridge (1801-1808), il publia ses *Heures de loisir, série de poésies originales et traduites* (1807) suivies de *Bardes anglais et Critiques écossais* (1808). Dans ce recueil, il se venge du mauvais accueil fait à ses premiers poèmes et se montre admirateur de Pope*. Héritier d'un titre et d'un domaine dans le Nottinghamshire (1798), il siégea en 1809 à la Chambre des lords. Son voyage dans les pays du Levant, Lisbonne, Séville, Cadix (1809-1811) lui inspira son premier chef-d'œuvre, un poème en stances spenseriennes, *Le Chevalier Harold* (*Childe Harold's Pilgrimage*, 1812, 1816, 1818) dont le héros, pèlerin révolté, misanthrope et blasé, personnification de Byron, « fut considéré comme un esprit révolutionnaire et parut incarner le mal du siècle » (T.F. Aubier). La légende romantique du poète fut encore renforcée par la parution, de 1813 à 1814, de nouvelles en vers : *Lara, La Fiancée d'Abydos, Le Corsaire* (réplique du type d'Harold, dont s'inspira Verdi), *Le Giaour* (célèbre pour la description de son héros, pâle et satanique, et qui inspira Delacroix), *Le Siège de Corinthe* (1816) et *Parisina* dont le thème – l'inceste – était autobiographique. En 1816, Byron se sépara de sa femme, Anna Isabella Milbanke. Ce scandale, l'accusation d'inceste, sans parler de publications peu patriotiques *(Ode traduite du français...)* le firent mettre au ban de l'aristocratie. En Suisse, il composa *Le Prisonnier de Chillon*, brève méditation poétique, et rencontra Shelley* qui l'initia à la lecture de Wordsworth*. De sa liaison avec Miss Clare Clermont, il eut une fille, Allegra (1817-1822). La vie licencieuse qu'il mena ensuite à Rome, Ferrare, Venise, est racontée avec verve dans ses lettres (*La Vie, les Lettres, et le Journal intime de Lord Byron*, 1830). Pulci et Casti lui révélèrent le burlesque italien auquel il s'essaya dans un poème en strophes de huit vers, *Beppo, histoire vénitienne*, 1818. Le même ton de bavardage en vers, qui permet de rattacher Byron aux « humoristes » du XVIIIe s., caractérise son chef-d'œuvre, *Don Juan, satire épique* dont les seize chants furent publiés entre 1819 et 1824. Installé à Ravenne (1819), Byron prit part aux conspirations des Carbonari, écrivit la *Prophétie de Dante* sous l'influence de la *Divine Comédie* ainsi qu'un drame en cinq actes dédié à Goethe et dont s'inspira Delacroix, *Marino Faliero* (1821). À Pise, il composa *Werner, le Difforme transformé*, variante de la légende de Faust, et fonda, avec le concours de Leigh Hunt*, un magazine, *le Libéral*. Il poursuivait en même temps son œuvre dramatique : *Caïn* (1821), tragédie manichéiste en vers, fit scandale, alors que *Le Ciel et la Terre* (1823), illustration d'un épisode biblique, révèle une rare élévation d'idées. Élu en 1823 au Comité grec de libération contre la domination turque, il mourut alors qu'il s'était rallié aux combattants. Admiré de Shelley, Scott et Goethe, Byron fut aussi apprécié de Lamartine et de Musset, et son influence (morale, littéraire, politique) fut immense sur tout le romantisme français (Delacroix, Berlioz).

BYRRANGA *(monts).* ♦ Chaîne de montagnes sibérienne de l'extrême N.-E., dans la péninsule de Taïmyr*, sur l'océan Arctique. Alt. maximale 1146 mètres.

BYRSA. ♦ Citadelle de Carthage sur une colline dominant les ports et la ville. Elle fut le dernier bastion de la résistance contre les Romains lors du siège de Carthage par Scipion Émilien (~ 146). Sa prise mit fin aux guerres Puniques.

BYTOM, en allem. **Beuthen.** ♦ V. de Pologne (voïévodie de Katowice) en haute Silésie*. 195 000 hab. Important centre minier (houille, zinc, plomb). Sidérurgie, métallurgie.

BYZANCE, en gr. **Byzantion.** ♦ V. de la Thrace anc., établie sur un promontoire baigné au N. par la Corne* d'Or, à l'E. par le Bosphore* et au S. par la mer de Marmara*. Colonie de Mégare* fondée en ~ 667, face à la Chalcédoine*, elle fut occupée par les Athéniens (~ 470-~ 411) et prise par Alcibiade* en ~ 409. Indépendante en ~ 358, elle devint une des grandes puissances maritimes. Elle fut assiégée à plusieurs reprises, notamment par Philippe* de Macédoine (~ 341-339) et par Septime Sévère qui la fit raser (196). Choisie pour capitale de l'Empire romain par Constantin* Ier (330) et baptisée en son honneur Constantinople, elle devint capitale de l'Empire byzantin lors du partage de l'Empire (395), puis capitale de l'Empire ottoman* sous le nom d'Istanbul (1453). **V. Constantinople, Istanbul.** – *Par ext.* Nom donné à l'Empire byzantin.

BYZANTIN (Empire) ou **Empire romain d'Orient.** ♦ Nom donné à l'Empire romain oriental **(V. Rome),** à la fin du IVe s., qui survécut à l'effondrement de l'empire d'Occident (476) et se maintint pendant un millénaire après le partage de l'ancien empire jusqu'à la chute de Constantinople* en 1453. Son origine remonte à la dyarchie instituée par Dioclétien* (285) afin d'assurer la défense des frontières orientales, et maintenue après lui par Galère. La fondation de Constantinople* sur l'emplacement de l'anc. Byzance* et la décision de Constantin d'en faire sa capitale (330), allaient aboutir au partage de l'Empire romain entre les fils de Théodose* Ier, à la mort de ce dernier (395). **V. Arcadius** (Orient), **Honorius** (Occident). L'empire d'Orient qui s'étendait, au S. du Danube, sur toute la péninsule des Balkans et l'Asie* Mineure, comprenait, en outre, Chypre*, la Crète*, la Syrie*, la Palestine*, l'Égypte* et la Mésopotamie du Nord. – Le règne d'Arcadius* (395-408), premier empereur d'Orient, fut marqué par l'invasion des Wisigoths d'Alaric* (395), détournés vers l'Occident et par des troubles religieux **(V. Eudoxie, Jean Chrysostome)** qui se poursuivirent, sous les règnes de Théodose* II, de Pulchérie* et de Marcien* (408-457). **V. Eutychès, Nestorius.** L'unité de l'Empire, attestée par le code théodosien (448) en vigueur aussi bien en Orient sous Théodose* II, qu'en Occident sous Valentinien* III, était menacée par les invasions barbares **(V. Attila).** Celles-ci entraînèrent, malgré le soutien de Léon* Ier le Grand (457-474), l'effondrement de l'Empire d'Occident (476) et la suprématie orientale au profit de Zénon* (474-491), successeur de Léon* II (474). Cependant l'empire d'Orient, qui eut à se défendre sous Anastase* Ier (491-518)

Arch. Smeets

L'Empire **byzantin** : l'empereur Constantin IX Monomaque et l'impératrice Zoé ; entre eux le Christ Pantocrator. (Sainte-Sophie, Istanbul.)

contre les premières incursions slaves dans les régions danubiennes, ne parvenait pas à surmonter sa crise religieuse **(V. Monophysites)** qui, provisoirement écartée sous Justin* Ier (518-527), réapparut sous Justinien* Ier (527-565) et, conjuguée aux troubles sociaux, provoqua la sédition de Nika* (532). **V. Théodora.** Justinien Ier, qui tenta dès le début de son règne de rétablir l'Empire romain dans son intégrité, réalisa une réforme administrative (Code justinien, 529) en collaboration avec Tribonien, et entreprit avec l'aide de ses généraux Bélisaire* et Narsès* la reconquête de l'Occident. Il détruisit les royaumes vandale (534) et ostrogoth (552) et annexa une partie de l'Afrique* du Nord, la Corse, la Dalmatie*, l'Italie*, la Sardaigne, la Sicile, et enfin, la partie S.-E. de l'Espagne (Carthagène, Cordoue). Le règne de Justinien fut marqué par un épanouissement artistique : construction de l'église Sainte-Sophie* à Constantinople **(V. Anthémios de Tralles),** San Vitale* à Ravenne*. Après la fermeture des écoles païennes d'Athènes* en 529, Constantinople devint le centre intellectuel de l'hellénisme chrétien : littérature ascétique (Jean* Climaque), hymnographie (Romanos* le Mélode), chronique et histoire (Procope*) etc. Mais l'expansion territoriale, accompagnée de concessions aux Perses **(V. Khosrô Ier)** ne fut que de courte durée. — Dès le règne de Justin* II (565-578), les Lombards* occupèrent une grande partie de l'Italie (568) tandis que Léovigild reprenait plusieurs villes d'Espagne (572). L'Empire, affaibli par les invasions des Avars, des Perses et des Slaves sous Tibère* II, Maurice* et Phocas* (578-610), se redressa provisoirement avec Héraclius* Ier (610-641) qui chassa les Perses de Syrie (611-628) et de Palestine (630) [**V. Khosro II**], mais ne put faire entièrement front aux invasions arabes. Ses successeurs (**V. Constantin III, Héraclius II, Constant II** [641-668]) héritèrent d'un empire amputé par les Arabes de l'Arménie (636), de la Mésopotamie (635-639), de la Syrie (636-640), de la Palestine (636-638) et de l'Égypte (639-642). Ils repoussèrent, sous Constantin* IV (668-685), un assaut arabe contre Constantinople* (678), mais ne purent contenir les invasions bulgares. À l'intérieur, les tentatives d'unification d'Héraclius Ier et Constant II n'aboutirent qu'à une nouvelle crise religieuse **(V. Monothélètes).** — Le règne des Héraclides*, marqué par l'hellénisation et l'orientalisation de l'Empire, s'acheva sous Justinien* II (685-695, 705-711). La déposition de ce dernier, et la succession des usurpateurs Léontius et Tibère III (695-705), entraîna la perte de la province romaine d'Afrique (697-709). Des soulèvements de l'armée portèrent successivement au trône Philippique* Bardane (711-713). Anastase* II (713-715) et Théodose* III (715-717). — Léon* III l'Isaurien (717-741), un général couronné empereur, réorganisa l'empire et repoussa de nouvelles offensives arabes tant à Constantinople (717-718) qu'en Asie Mineure occidentale (740). L'œuvre de réorganisation se poursuivit sous Constantin* V, Léon* IV, Constantin* VI et Irène (de 741 à 802), mais de nouveaux problèmes religieux **(V. Iconoclastes, Germain** [patriarche], **Jean Damascène, Théodore le Studite)** confirmèrent, après la perte de l'exarchat de Ravenne* (752), la séparation de l'Église romaine et de l'Empire, pratiquement consommée lorsque la papauté se plaça sous la protection des Francs et que furent constitués les États de l'Église (754-756 ; Donation de Pépin, **V. Étienne II).** Les luttes permanentes contre les Arabes **(V. Hârûn al-Rashîd)** et, surtout, contre les Bulgares, sous les règnes de Nicéphore* Logothète (802-811) et Michel* Ier Rangabé (811-813), n'empêchèrent pas les luttes et les persécutions religieuses. L'iconoclasme domina de nouveau sous Léon* V (813-820), Michel* II le Bègue (820-829) et Théophile* (829-842). À l'extérieur, Byzance perdait la Crète (826) puis la Sicile (829) enlevée par les Arabes. Une brève accalmie suivit le rétablissement de l'orthodoxie sous la régence de Théodora* (842-856), mais la christianisation byzantine, développée sous Michel* III l'Ivrogne (842-867) par Cyrille* et Méthode*, et la nomination de Photios* provoquèrent avec Rome de nouvelles divergences, provisoirement écartées par Basile* Ier (867-886), fondateur de la *dynastie macédonienne.* Ses successeurs, Léon* VI (886-912), élève de Photios et Constantin* VII Porphyrogénète (913-959) poursuivirent son œuvre législatrice et redonnèrent à l'Empire un essor, marqué par les victoires de Romain* Ier Lécapène (920-944) et par les conquêtes amorcées sous Romain II (959-963) et Théophano, et achevées sous Nicéphore* II Phocas (963-969) et Jean* Ier Tzimiskès (969-976). — L'Empire, à l'apogée de sa puissance, échut à Basile* II le Bulgaroctone (976-1025) qui, tout en conservant les conquêtes de ses prédécesseurs, réprima la révolte de l'aristocratie terrienne (Bardas Phocas*) grâce à son alliance avec les Russes **(V. Vladimir)** et réussit, après une guerre sanglante, à annexer la Bulgarie* (1018). Sous ses successeurs (Constantin VIII, Romain III Argyre, Michel IV le Paphlagonien, Michel V le Calfat, Constantin* IX Monomaque, Théodora*, Michel VI Stratiotique, de 1025 à 1057), l'aristocratie reprit ses privilèges et la rupture religieuse entre Rome et Byzance fut consommée par le schisme* d'Orient en 1054 **(V. Cérulaire).** Les premiers assauts des Saljûqides* et des Normands*, qui se poursuivirent sous Isaac* Ier Comnène (1057-1059), Constantin* X Doukas (1059-1067), Romain* IV Diogène (1068-1071) et Michel* VII Doukas (1071-1078), affaiblirent considérablement l'Empire, déjà divisé par des révoltes intérieures sous Nicéphore* Botaniate (1078-1081). — La *dynastie des Comnènes* (1081-1185), représentant l'alliance du parti militaire et de l'aristocratie terrienne des provinces, s'attacha tout d'abord à reconstituer le territoire. Alexis* Ier Comnène (1081-1118), après avoir réussi à contenir les Normands, repoussa les Petchenègues*, qui furent définitivement chassés par Jean* II Comnène (1118-1143), mais l'arrivée en Orient de la première croisade* (1097) et la politique occidentaliste de Manuel* Ier Comnène (1143-1180) et d'Alexis* II Comnène (1180-1183), époux d'Agnès* de France, entraînèrent le massacre des Latins à Constantinople (1182) et la perte de la Serbie* et de la Bulgarie* sous Isaac* II Ange (1185-1195), qui s'empara du trône après avoir renversé Andronic* Ier Comnène (1183-1185). — Sous les Macédoniens et les Comnènes (IXe-XIIe s.), les lettres et les arts connurent une renaissance durable dont témoignent l'encyclopédie de Photios*, l'anthologie de Céphalas* et la Palatine, le lexique de Suidas*, les hagiographes de Syméon le Métaphraste*, les chansons acritiques et l'épopée de *Digénis* Acritas.* C'est la période la plus brillante de l'université de Constantinople, où s'enracina le courant rationaliste de M. Psellos*. L'architecture et l'art, notamment de la mosaïque, nous laissent certains des plus beaux monuments byzantins : San Marco de Venise, Daphni d'Attique, Hosios Loukas de Phocide, etc. L'art byzantin rayonna ensuite (XIIIe s.) en Italie du S., Sicile, Venise, Russie, Bulgarie, Serbie, Roumanie. — Les crises de succession qui suivirent le règne d'Isaac II **(V. Alexis III Ange, Alexis IV Ange, Alexis V Doukas)** favorisèrent, sous l'instigation du doge Dandolo*, la prise de Constantinople par les croisés en 1204 (IVe croisade*) et l'effondrement de l'*Empire byzantin* au profit de l'*Empire* latin de Constantinople* (1204-1261). Celui-ci, partagé entre la république de Venise et les chevaliers francs, comprenait outre l'Empire latin de Constantinople proprement dit, gouverné par Baudouin* Ier, les principautés vassales franques **(V. Achaïe, Athènes, Thessalonique).** Toutefois, l'*Empire byzantin,* réduit au despotat d'Épire, à l'empire de Trébizonde* et à celui de Nicée*, réussit à maintenir sa culture et ses traditions et reprit, sous l'impulsion des Lascaris* de Nicée (Théodore Ier, Jean III Doukas Vatatzès, Théodore II, Jean IV), la lutte contre la domination latine jusqu'à la reconquête de Constantinople (1261) par Michel* VIII Paléologue (1261-1282). — L'*Empire byzantin,* en partie reconstitué par les *Paléologues** (1261-1453), amputé par les Latins de la plus grande partie du Péloponnèse et des îles, en butte aux invasions serbes et turques sous Andronic* II (1282-1328) et Andronic* III (1328-1341), ne tarda pas à se démembrer à la suite d'une nouvelle guerre de succession sous Jean* V Paléologue (1341-1391), dont le trône fut successivement occupé par Jean* VI Cantacuzène (1347-1355), Andronic* IV Paléologue (1376-1379) et Jean* VII Paléologue (1390). — Devant la menace croissante des Ottomans en Asie et dans les Balkans, le rapprochement avec l'Occident, tenté en vain par Manuel* II Paléologue (1391-1425) avec l'appui de Boucicaut, puis par Jean* VIII Paléologue (1425-1448) et le cardinal Bessarion*, se solda par un échec sous Constantin* XI Paléologue (1448-1453), qui trouva la mort lors de la prise de Constantinople par Mehmet* II. Pourtant l'ère des Paléologues est éclairée par une deuxième renaissance culturelle qui survécut à l'Empire (XIVe-XVIe s.). Dans la littérature, c'est l'essor du roman populaire, l'Anthologie et les traductions du latin de Planude* ; en histoire, les travaux de Jean* Cantacuzène, Grégoras*, Doukas*, Chalcocondyle* ; en philosophie, l'affrontement de l'hésychasme représenté par Grégoire* Palamas et du néo-platonisme de Grégoras*, la tentative de synthèse de l'aristotélisme et du platonisme opérée par D. Cydonès, les courants opposés représentés par Gemiste* Pléthon et Jean Bessarion*. L'éclat de la peinture (fresques, icônes) est surtout dû à deux écoles — qui fusionnent au XVIe s. —, la crétoise à Mistra* (péloponnèse), la macédonienne à l'Athos*, Thessalonique, en Macédoine et en Russie. **V. Roublev.** — Après la chute de Constantinople en 1453 et de Mistra (Péloponnèse) en 1460, l'*Empire byzantin* disparut définitivement au profit de l'Empire ottoman **(V. Turquie),** avec la prise de Trébizonde* par les Turcs (1461).

BZURA. *n.f.* ♦ Rivière de Pologne*, affl. de la Vistule*. — Durant la Première Guerre mondiale, elle fut avec son affl. la Rawka*, un des théâtres de la bataille des Quatre*-Rivières (1914).

Ph. Giraudon

A. Cabanel : « Vie de Saint Louis », détail. (Panthéon, Paris.)

CAABA. ♦ **V.** Kaaba.

CABALE *(ministère de la),* en angl. **Cabal.** ♦ Nom donné à un conseil privé de Charles* II d'Angleterre, d'après les initiales de ses membres. Fort impopulaire, il gouverna de 1669 à 1674.

CABALLERO (Fernán), pseud. de **Cecilia Böhl von Faber.** ♦ Femme de lettres espagnole d'origine allemande, fille d'un hispaniste renommé (Morges, Suisse, 1796 – Séville, 1877). On lui doit des nouvelles et des romans de mœurs. *Seule* (1831), qui évoque l'Andalousie, est écrit en allemand; *Larmes* (1853), *La Famille d'Alvoreda* (1856) en espagnol. Ses œuvres, d'un réalisme régionaliste, sont imprégnées d'intentions moralisatrices.

CABANEL (Alexandre). ♦ Peintre français (Montpellier, 1823 – Paris, 1889). Représentant de la peinture académique, il fut, sous Napoléon III, comblé d'honneurs et de commandes officielles. Il exécuta des grandes décorations historiques (*La Vie de Saint Louis,* au *Panthéon*), des portraits habilement peints et des nus féminins d'une facture assez molle.

CABANIS (Pierre Jean Georges). ♦ Médecin et philosophe français (Cosnac, Limousin, 1757 – Rueil, comm. de Seraincourt, 1808). Professeur d'hygiène et de médecine clinique après Thermidor, il participa activement à la vie politique : s'il aida Bonaparte à prendre le pouvoir, il osa par la suite le désavouer. Membre du groupe des Idéologues*, il se sépare de Condillac en affirmant dans son traité des *Rapports du physique et du moral* (1802) la nécessité de rattacher l'étude des faits psychiques à la physiologie, et en voyant dans l'instinct le lien entre le monde organique et intellectuel. Il formule ainsi un monisme naturaliste. On lui doit par ailleurs : *Observations sur les hôpitaux* (1789); *Coup d'œil sur les révolutions et la réforme de la médecine* (1804). [Acad. fr.]

CABANIS (José). ♦ Romancier français (Toulouse, 1922). Il fut avocat au barreau de Toulouse, puis expert près des tribunaux. Auteur d'essais (*Jouhandeau,* 1959; *Plaisir et Lectures,* 1964), il a également élaboré une œuvre romanesque très cohérente par laquelle il exprime sa vision du monde, lucide sans être amère. Peinture réaliste et précise des problèmes de l'adolescence, puis du couple, *L'Âge ingrat* (1952), *L'Auberge fameuse* (1953), *Juliette Bonviolle* (1954) et *Les Mariages de raison* (1954) s'ordonnent autour d'un héros, Gilbert Samalagnou, conscient de la précarité du bonheur (*Le Bonheur du jour,* roman, 1961) et jetant un regard aigu sur ceux qui l'entourent. Un goût égal pour l'analyse se retrouve dans *Le Fils* (1956) ainsi que dans les derniers ouvrages de l'auteur : *La Bataille de Toulouse* (1966) et *Des jardins en Espagne* (1969).

CABANNES (Les). ♦ Ch.-l. de cant. de l'Ariège* (arr. de Foix), sur l'Ariège*. 444 hab. Château du XVIIIe siècle. Église romane. Centrale hydro-électrique.

CABARDÈS. *n. m.* ♦ Région du S. du Massif central, s'étendant à tout le versant méridional de la Montagne* Noire. Garrigues. – Les quatre châteaux de Lastours commandaient la région.

CABARRUS [-ʀys] **(François,** *comte de***).** ♦ Financier espagnol d'origine française (Bayonne, 1752 – Séville, 1810). Directeur de la banque Saint-Charles à Madrid, ministre plénipotentiaire, représentant de l'Espagne au congrès de Rastatt (1797-1799), il fut ministre des Finances de Ferdinand VII puis de Joseph Bonaparte. ♦ Thérésa de Cabarrus, sa fille, épousa en secondes noces le conventionnel Tallien. **V. Tallien** (Madame).

CABASILAS (Nicolas). ♦ Théologien grec (XIVe s.), neveu de Nil Cabasilas (polémiste antilatin, archevêque de Thessalonique, mort en 1363). Familier de l'empereur Jean Cantacuzène, il semble être resté laïc et avoir fait carrière dans la haute administration; sa chronologie précise est inconnue. Il soutint le mouvement hésychaste **(V. Grégoire Palamas).** Auteur de l'*Explication de la messe* et de *La Vie en Christ* (7 livres) qui comptent parmi les œuvres les plus profondes de la spiritualité orthodoxe.

CABELLOU (le) [kabɛlu]. ♦ Station balnéaire située sur la *pointe de Cabellou,* aux environs de Concarneau*.

CABEO (Niccolo). ♦ Mathématicien et physicien italien (1586 – 1650). Il édifia la théorie aristotélicienne du magnétisme (*Philosophica magnetica,* 1629), étudiant notamment les effets de répulsion électrique. **V. Gilbert, Guericke, Hauksbee.**

CABET (Étienne). ♦ Socialiste français (Dijon, 1788 – Saint Louis, États-Unis, 1856). Adepte de la Charbonnerie, il participa aux mouvements insurrectionnels contre la monarchie en 1830, fonda le journal *le Populaire* et rédigea son premier ouvrage *Histoire de la révolution de 1830* (1832). Ayant dû émigrer en Angleterre, il y subit l'influence des théories d'Owen* et publia à son retour en France *L'Histoire populaire de la Révolution française de 1789* (1839) et son roman philosophique *Le Voyage en Icarie* (1840 et 1842), où il prône un communisme pacifiste et utopique. Il tenta sans succès de fonder des colonies communautaires en Amérique (1848).

CABEZA de VACA (Alvar Nuñez). ♦ Navigateur et colonisateur espagnol du XVIe siècle. Il fut l'un des seuls survivants de l'expédition de P. de Narváez* en Floride (1528-1529), et, pendant cinq ans, se faisant passer pour « homme-médecine » auprès des autochtones, il explora les régions du Mississippi, de l'Arkansas, du Colorado, du Nouveau-Mexique, de l'Arizona et parvint en Californie (1536). Nommé peu après gouverneur du Paraguay, il fut destitué en 1544, en raison, semble-t-il, de la manière tyrannique dont il exerçait ses fonctions, puis renvoyé en Espagne et déporté en Afrique. Cherchant à se justifier, il publia un mémoire (Valladolid, 1555).

CABEZÓN (Antonio *de***).** ♦ Compositeur et organiste espagnol (Castrojeriz, v. 1500 – Madrid, 1566). Musicien favori de la cour d'Espagne, aveugle dès l'enfance, il fut successivement au service de Charles Quint et de Philippe II (1548) qu'il accompagna dans ses voyages. Son œuvre se compose de pièces pour orgue, luth et clavicorde. Elles ont été éditées par son fils Hernando en 1578. Une édition moderne en a été établie par F. Pedrell (1905). ♦ Successeur de son père à la cour de Philippe II et Philippe III, HERNANDO DE CABEZÓN (1541 – 1602) a composé des pièces d'orgue et de la musique vocale.

Cabillauds *(les)*. ♦ Faction politique hollandaise dont la rivalité avec celle des *Hameçons** troubla le pays du milieu du XIVe s. à la fin du XVe siècle. Cette faction fut détruite par Maximilien d'Autriche (1492).

CABIMAS. ♦ V. du Venezuela (État de Zulia) sur la rive orientale du lac de Maracaïbo*. Env. 112 000 hab. Évêché. Gisements et raffineries de pétrole.

CABINDA *(enclave de)*. ♦ Territoire d'Afrique, dépendance de l'Angola*, au N. de l'embouchure du Congo, entre la République populaire du Congo* et le Zaïre*. 7 270 km². 51 000 hab. Pétrole. *Ch.-l.* Cabinda, port sur la côte Atlantique. 1 550 habitants.

Cabochiens. *n. m. pl.* ♦ Faction populaire du parti bourguignon*, dirigée par Simon Caboche, ancien écorcheur de la Boucherie de Paris, sous Charles* VI, pendant la guerre de Cent* Ans. Ils soutinrent Jean sans Peur, qui les laissa accomplir la sanglante révolution dite *cabochienne,* prirent la Bastille (1413), tuèrent Des* Essarts et furent finalement exterminés par les Armagnacs (1414).

CABORA BASSA. ♦ Grand barrage de retenue, en construction, sur le Zambèze*, au Mozambique*. Centrale électrique, destinée à fournir de l'énergie à la république d'Afrique du Sud.

CABOT (Jean), en it. **Giovanni CABOTO.** ♦ Navigateur italien (Gênes ou Venise, v. 1450 – en Angleterre, 1499). Au service de l'Angleterre, il proposa à Henri VII de découvrir une route maritime septentrionale vers la Chine. Avec son fils Sébastien, il découvrit Terre*-Neuve (qu'ils appelèrent Terra de Bacalão « terre des morues »), explora les côtes du Groenland, du Labrador et de la Nouvelle-Angleterre. ♦ SÉBASTIEN CABOT, en it. SEBASTIANO CABOTO, son fils. Navigateur d'origine italienne (Venise, v. 1476 – Londres, 1557). Après la découverte de Terre-Neuve et du Labrador (1497) avec son père, il tenta de trouver un passage méridional vers les Indes et atteignit ainsi la côte occidentale de l'Amérique du Sud, explora le río de La* Plata et le Paraná jusqu'au Paraguay (après 1525). Il a réalisé une mappemonde où figurent ces découvertes.

CABOT *(détroit de)*, en angl. **Cabot Strait.** ♦ Détroit reliant le golfe du Saint-Laurent à l'Atlantique, entre Terre*-Neuve au N., et l'île du Cap-Breton (Nouvelle-Écosse) au sud.

Ph. A. Rey

Cachemire : enfants.

CABOURG. ♦ Comm. du Calvados (arr. de Caen) sur la Manche* et la r. g. de la Dives*. 3 067 hab. *(Cabourgeais)*. Station balnéaire. M. Proust* y séjourna souvent et l'a évoquée sous le nom de Balbec.

CABRAL (Gonsalvo Velho). ♦ Navigateur portugais du XVe siècle. Il découvrit la première île du groupe oriental de l'archipel des Açores.

CABRAL (Pedro Álvarez). ♦ Navigateur portugais (Belmonte, v. 1460 – près de Santarém, 1526). Après avoir découvert le Brésil* (1500), qu'il appela *Terra de Santa Cruz* et dont il prit possession au nom du Portugal, il fit route vers les Indes en contournant le cap de Bonne-Espérance et en longeant les côtes orientales de l'Afrique. Il revint au Portugal après avoir signé un traité de commerce avec le prince de Cochin (1502). Le récit de son expédition a été rapporté par Ramusio (*Navigazioni e Viaggi,* 1563).

CABRERA. ♦ Petit îlot espagnol des Baléares*, au S. de Majorque*. Après la capitulation de Bailén* (1809) de nombreux soldats français y furent déportés.

CACCINI (Giulio). ♦ Chanteur et compositeur italien (Tivoli, 1560 – Florence, 1618). Entré dès l'enfance au service des Médicis, il composa pour les fêtes de la cour de Toscane des œuvres de circonstance dont la plupart ont été perdues. Réformateur du chant après Bardi et Cavalieri, il a établi avec Jacopo Peri les règles d'un nouveau style, plus dépouillé et plus proche du naturel (*Le nuove musiche,* 1602). Il apparaît comme l'un des inventeurs du *stilo recitativo* dans l'opéra.

CÁCERES. ♦ V. d'Espagne (Estrémadure) et ch.-l. de prov. sur le Tage. 56 275 hab. (1969). Enclose autour d'une enceinte romaine, la ville a conservé de nombreux monuments (arabes, notamment). Cáceres vit du commerce de grains et de fruits, du travail du liège et du cuir. ♦ *Hist. Castra Caecilii* (ou *Norba Caesara*), fondée par les Ibères, connut l'occupation romaine et fut prise par les Arabes au IXe siècle. – La *prov. de Cáceres,* l'une des plus vastes d'Espagne (19 545 km²) s'étend sur une pénéplaine granitique étendue ou *Estrémadure* de Cáceres* et compte 500 140 hab. (1969). Assez pauvre, elle vit de la culture du chêne-liège et de l'élevage ovin.

CACHAN. ♦ Ch.-l. de cant. du Val-de-Marne, arr. de Créteil, dans la banlieue S. de Paris à côté d'Arcueil*. 26 187 hab. Centre national de l'enseignement technique. Matériaux de construction; indus. électrique et électronique; éditions.

CACHEMIRE (forme francisée) ou **KAŚMÎR.** *n. m.* ♦ Ancien royaume indien du N.-O., comprenant les hautes vallées de l'Indus* et la partie N. de l'Himâlaya* (Ladâkh, Karakoram*) divisée depuis 1949 entre l'Union indienne et le Pâkistân* et appelée parfois Jammu*-et-Kaśmîr, du nom de ses deux provinces principales. 222 800 km². Plus de 6 000 000 d'hab. – *Orogr.* Très montagneux, le Cachemire est essentiellement formé de hautes chaînes orientées N.-O.–S.-E., (sommets de Masherbrun, du Nanga* Parbat : 8 114 m), alternant avec des vallées profondément encaissées qui formèrent autrefois des États ou principautés plus ou moins indépendants (Chitral, Gilgit, Hunza, Baltistân, Punch Jagir, etc.). – *Écon.* Les vallées sont fertiles et produisent des fruits, du maïs, de l'orge, du riz, du tabac. L'élevage des chèvres et des moutons y est pratiqué. Il n'y a que quelques industries locales de peu d'importance et quelques mines de charbon et de bauxite, mais l'artisanat (laine, bois) y est relativement bien développé. Cette région est sans cesse contestée entre l'Inde et le Pâkistân, car elle constitue le château d'eau du Panjâb*, province riche et fertile, elle-même actuellement partagée entre ces deux pays. Tourisme (le pays est appelé la « Suisse de l'Inde »). Les villes principales sont Śrînagar* en Inde, Skardu* et Jammu* au Pâkistân. La population est en grande partie islamisée.

CACHIN (Marcel). ♦ Homme politique français (Paimpol, 1869 – Paris, 1958). Membre du Parti ouvrier français dès 1891, il prit part aux congrès socialistes d'Amsterdam (1904), puis de Paris (lors duquel fut créée la S.F.I.O.). Député (1914), rallié à la politique d'union nationale, il fut envoyé en mission diplomatique en Russie (1917). Lors du congrès de Tours (1920), il se rangea du côté de la fraction socialiste majoritaire (communiste) qui adhéra à la IIIe Internationale. Directeur de *l'Humanité* (1918-1958), il fut membre du bureau politique du parti communiste et sénateur (1935). Il redevint député en 1946.

CACUS. ♦ Héros de la mythologie romaine, fils de Vulcain*, dont les trois têtes crachaient du feu. Il habitait dans une grotte de l'Aventin. Lorsque Hercule* revint de son expédition en Occident, ramenant les bœufs de Géryon* **(V. Héraclès),** Cacus lui déroba une partie du troupeau qui paissait à l'emplacement du futur *forum boarium* et la dissimula dans son antre. Pour tromper son adversaire, il avait traîné les animaux par la queue, les traces semblaient ainsi se diriger vers l'extérieur. Mais Hercule, renseigné par la sœur de Cacus, ou attiré par les meuglements, découvrit la cachette et tua le brigand. Le combat d'Hercule et Cacus a été raconté par Virgile dans l'*Énéide* (Liv. VIII).

CA' DA MÓSTO ou **CADAMOSTO (Alvise).** ♦ Navigateur vénitien (Venise, 1432 – ?, 1488). Il accomplit plusieurs voyages commerciaux en Méditerranée et entreprit, avec Antonio Da Noli*, une expédition aux Canaries, le long des côtes du Sénégal et de Gambie (1455-1456) pour le compte d'Henri le Navigateur, infant du Portugal. (*El libro de la prima navigazione per l'oceano a la terre de Nigri,* publié en 1507).

CADARACHE. ♦ Écart de la comm. de Saint-Paul-lès-Durance

Ph. De Gregorio/Ricciarini

Province de **Cáceres,** château d'Herguijuelas.

(Bouches-du-Rhône), arr. d'Aix-en-Provence, sur la r. g. de la Durance*, en aval du confluent du Verdon. Barrage sur la Durance (hydro-électricité) Centre d'études nucléaires. — Aux env., château de Cadarache (XVe s.).

CADE (John, dit **Jack).** ♦ Révolutionnaire anglais (mort dans le Kent, 1450). Il souleva le Kent contre Henri* VI, en se faisant passer pour un membre de la famille royale. Il fut tué neuf jours après s'être emparé de Londres.

CADENET. ♦ Ch.-l. de cant. du Vaucluse* (arr. d'Apt*). 2 401 hab. *(Cadenetiens).* Église du XIVe siècle. Vannerie, confiserie. — Patrie de Félicien David* et André Étienne.

CADER IDRIS. (« la chaise d'Idris ») *n. m.* ♦ Petit massif du pays de Galles (Merioneth) s'étendant au S. du Snowdon entre la ligne Dolgellau-Barmouth et la vallée de la Dovey. Il culmine à 892 mètres.

CADILLAC. ♦ Ch.-l. de cant. de la Gironde* (arr. de Bordeaux*), sur la Garonne*. 3 766 hab. *(Cadillacais).* Église du XVe s. avec chapelle du XVIIe siècle. Château d'Épernon du XVIIe siècle. — Commerce des vins blancs locaux (premières côtes de Bordeaux).

CADIX, en esp. **CÁDIZ.** ♦ V. et port atlantique de l'Espagne, au S. de l'Andalousie*, ch.-l. de prov., sur la rive est du golfe du même nom, face à l'embouchure du Guadalete*, située à l'extrémité de l'île de León qui ferme la *baie de Cadix.* 128 500 hab. Ville fortifiée (XVIIe s.). Cathédrale (XIIIe-XIXe s.). Patrie de Castelar y Ripoll et de Manuel de Falla*. — La *prov. de Cadix* compte 849 800 hab. ♦ *Hist.* Anc. *Gades** romaine, reconquise par les Chrétiens (1262) après les invasions wisigothiques et arabes, elle connut un nouvel essor avec la découverte de l'Amérique (1492). Au XVIIIe s., à la suite de Séville*, elle détint le monopole du commerce avec l'Amérique du Sud et les Indes occidentales. Base de la flotte espagnole, elle fut attaquée à plusieurs reprises, notamment par Drake*. En 1805, la flotte franco-espagnole de Cadix fut battue à proximité, à Trafalgar*. Pendant la « guerre d'indépendance » elle fut assiégée, en vain, par les Français (1810-1812); une junte centrale, puis les Cortes s'y installèrent et y promulguèrent une constitution libérale. En 1823, la ville dut se rendre après la prise du fort de Trocadéro*.

CADIZ. ♦ V. des Philippines (île de Negros, prov. de Negros occidentale), sur la côte N. 118 000 hab. Port de pêche.

CADMÉE [*n. f.*], en gr. **Kadmeia.** ♦ Citadelle de l'anc. Thèbes* en Béotie*, qui avait été fondée par Cadmos*. Des vestiges du *palais* dit *de Cadmos* (~ XVe ou ~ XIVe s.) furent découverts au sommet de l'acropole (centre de la ville actuelle).

CADMOS [*Kadmos*]. ♦ Héros légendaire grec, phénicien d'origine, fondateur de Thèbes*. À la recherche de sa sœur Europe*, il consulta l'oracle de Delphes qui lui enjoignit de suivre une vache errante et de fonder une ville à l'endroit où elle se coucherait, épuisée. Il atteignit la Béotie, puis sur l'ordre d'Athéna tua un dragon et avec l'aide de cinq hommes armés, nés des dents du dragon, fonda la ville. Roi des Cadméens, époux d'Harmonie*, il eut de nombreux enfants dont Ino* et Sémélé*. Les Grecs lui attribuèrent un grand rôle civilisateur (introduction de l'alphabet phénicien, etc.), Cf. Cadméen *in* Robert.

Cadmus et Hermione. ♦ Premier opéra de Lully*, en 5 actes, sur un livret de Ph. Quinault (1673). Empruntant le style récitatif des Florentins Peri et Ceccini, le musicien y apparaît comme le créateur de la tragédie lyrique en France.

CADORNA (Luigi, *comte*). ♦ Général italien (Pallanza, 1850 — Bordighera, 1928). Fils du général Raffaele Cadorna qui s'était distingué pendant les guerres pour l'unité italienne, il fut nommé chef d'état-major général en juin 1914 et s'efforça de réorganiser l'armée. Rendu responsable de la terrible défaite de Caporetto* (oct.-nov. 1917), il fut mis en disponibilité puis réhabilité par Mussolini en 1923. Il avait tenté de se justifier dans son ouvrage : *La Guerra alla fronte italiana* (1921).

CADOU (René-Guy). ♦ Poète français (Sainte-Reine-de-Bretagne, 1920 — Louisfert, 1951). Instituteur rural, disciple de Max Jacob*, fondateur, avec Michel Manoll et Jean Bouhier, de « L'École de Rochefort », ce poète a célébré, avec tendresse, ferveur et sérénité, les grands thèmes de la nature, de l'amitié, de l'amour et de la mort. Des nombreux recueils qu'il a publiés, il convient de détacher : *Bruit du cœur* (1942), *La Vie rêvée* (1944), *Les Biens de ce monde* (1951), *Hélène ou le Règne végétal,* posthume (1952-1953).

CADOUDAL (Georges). ♦ Conspirateur français (Kerléano, près d'Auray, 1771 — Paris, 1804). Il participa à la guerre de Vendée* et fut un des chefs des chouans*. Il se réfugia à Londres en 1800 et fut nommé lieutenant général par le comte d'Artois. Il organisa deux complots contre Bonaparte : le 24 déc. 1800, une machine infernale explosa rue Saint-Nicaise au passage de Bonaparte qui se rendait à l'Opéra, il y eut vingt-deux morts; le second complot (1803), avec la complicité de Pichegru*, fut déjoué. Cadoudal fut arrêté et exécuté le 25 juin 1804.

CADOUIN. ♦ Ch.-l. de cant. de la Dordogne*, arr. de Bergerac*. 373 hab. *(Caduniens).* — Restes d'une abbaye cistercienne fondée en 1116 (église romane, cloître des XVe et XVIe s.). Un saint suaire, dont l'inauthenticité fut établie au XXe s., fut l'objet de pèlerinages. — Patrie de Louis Delluc*.

CADURQUES ou **CADURCI.** *n. m. pl.* ♦ Peuple de la Gaule établi dans le Quercy entre *Uxellodunum* (Puy d'Issolud) et *Divona* (Cahors*).

CAEDMON. ♦ Poète chrétien anglo-saxon (VIIe s.). Probablement de descendance bretonne, il entra (de 650 à 680) au monastère de Streoneshalch (Whitby) après un songe qui lui inspira un poème sur la création du monde. Illettré, il adapta oralement les Écritures que les moines lui commentaient (voir l'*Histoire ecclésiastique* de Bède*). On lui attribua les *Poèmes caedmoniens (Caedmon Poems)* du manuscrit dit *de Junius,* conservés à la Bodleian Library d'Oxford. Cette œuvre consiste en une paraphrase de certaines parties de la *Genèse,* de l'*Exode,* de *Daniel.* L'auteur d'un autre grand poème allitéré anonyme, *Heliand* (Le Sauveur) écrit en saxon, aurait collaboré à la rédaction des *Poèmes caedmoniens.*

CAELIUS. ♦ (V. COELIUS).

CAEN [kɑ̃]. ♦ Préf. du Calvados*, ch.-l. d'arr. (16 cant., 298 comm., 283 615 hab.) au confluent de l'Orne* et de l'Odon. 114 398 hab. [106 790 aggl.] *(Caennais).* Ville moderne, en grande partie reconstruite après 1945, Caen conserve ses principaux monuments. Église Saint-Pierre des XIIIe au XVIe s., célèbre par sa tour des XIIIe-XIVe siècles. L'église de la Trinité de l'*Abbaye aux Dames* fondée par la reine Mathilde* au XIe s., est de style roman normand. L'église romane Saint-Étienne de l'*Abbaye aux Hommes* fut fondée par Guillaume* le Conquérant au XIe s. Château du XIe s.; nombreuses maisons anciennes. Université moderne. La ville est reliée à la Manche* par le *canal de Caen,* long de 14 km qui aboutit à Ouistreham*; c'est le 11e port de France. Il importe (1 325 000 tonnes) du coke, du bois, des hydrocarbures et exporte minerai de fer normand, produits métallurgiques. Centre sidérurgique (hauts fourneaux, fonderie, chaudronnerie). Indus. textiles, alimentaires. — Patrie de E. Auber*, du seigneur de Boisrobert*, de P.D. Huet*, M.P. Koenig*, S. Lépine*, F. de Malherbe*, J.C. Malfilâtre*, J.F. Sarasin*, J.R. de Segrais*, P. Varignon*. ♦ *Hist.* Caen fut la résidence préférée de Guillaume* le Conquérant qui y fit bâtir un château et deux abbayes (voir *ci-dessus).* Après la conquête de la Normandie en 1204 par Philippe* Auguste, les Anglais assiégèrent Caen en 1346 et 1417 et y restèrent jusqu'en 1450. L'université fut fondée au XVe s.; la ville connut une prospérité commerciale au XVIe siècle. En 1944, Caen fut très gravement endommagé. La *campagne de Caen* très ouverte, contraste avec les régions bocagères environnantes.

CAERE. ♦ V. CERVETERI.

CAERN-ARVON. ♦ V. CARNARVON (pays de Galles).

CAERPHILLY. ♦ V. minière du pays de Galles méridional (Glamorganshire), sur le Taff. 36 010 hab. Château des XIIIe-XIVe siècles.

CAFÉ FILHO (João Fernandes). ♦ Homme d'État brésilien (Natal, 1899 — Rio, 1970). Vice-président sous la présidence de Vargas*, puis président intérimaire à la mort de celui-ci, de 1954 aux élections de 1955. Il dut faire face à des difficultés sociales liées aux difficultés économiques (exportation du café) et préfigurant les troubles que connut le gouvernement Kubitschek*.

CAFFIERI (Jean-Jacques). ♦ Sculpteur français (Paris, 1725 — *id.,* 1792). Issu d'une famille de sculpteurs, ciseleurs et ébénistes d'origine napolitaine, il fut élève de son père, puis de J.B. Lemoyne*. Lors de son séjour à Rome (1748-1754), il fut marqué par Le Bernin* et resta, dans ses grandes compositions sculptées, fidèle à la tradition baroque. Surtout célèbre comme portraitiste, il exécuta les bustes de personnages célèbres auxquels il sut donner une expression animée (*Corneille,* 1777; *Molière*). Il rendit les traits de ses contemporains avec un scrupuleux souci d'exactitude et de vérité (*Rotrou,* 1783; *Piron,* 1762; *Puigré,* 1789).

CAFRERIE. *n. f.* ♦ Nom donné par les Arabes à la partie méridionale de l'Afrique, peuplée par les « infidèles », en ar. *Kafir* ou *Cafres,* et qui correspond à deux régions de la province du Cap*.

CAGE (John). ♦ Compositeur américain (Los Angeles, 1912 –). Élève de Cowell et de Schönberg, il a poursuivi des recherches sur les sonorités, par lesquelles il s'apparente aux pionniers de la musique concrète. Il a composé des œuvres pour instruments à percussion *(Construction de métal),* pour « piano préparé », instrument dont il dénature le son pour obtenir un timbre nouveau et différent, pour 12 postes de radio, où le son est fourni au hasard des émissions de 12 chaînes radiophoniques.

CAGLIARI. ♦ V. et port d'Italie, sur la côte sud de la Sardaigne* dont elle est la capitale. 206 000 hab. Chantiers navals, marais salants. Évêché, cathédrale du XIVe s., université. ♦ *Hist.* Fondée par les Carthaginois, elle devint ensuite colonie romaine. Il subsiste de nombreux vestiges de ce passé (nécropole punique, amphithéâtre romain). Détruite à 75 % lors de la dernière guerre mondiale.

CAGLIOSTRO [kaljɔstʀo] **(Giuseppe Balsamo, dit Alexandre,** *comte de***).** ♦ Aventurier italien (Palerme. 1743 – San Leone, Urbino, 1795). En contact avec les loges maçonniques mystiques, il parcourut l'Europe et connut à Paris un très vif succès pour ses talents de guérisseur et sa pratique des sciences occultes. Lié au cardinal de Rohan*, compromis dans l'affaire du Collier*, il fut expulsé en 1786. Condamné à mort comme franc-maçon en Italie (1791), il vit sa peine commuée en détention perpétuelle. – Alexandre Dumas évoque le personnage dans les *Mémoires d'un médecin* (Joseph Balsamo).

CAGNES-SUR-MER. ♦ Ch.-l. de cant. des Alpes*-Maritimes (arr. de Grasse*) à l'O. de l'embouchure du Var*. 22 125 hab. *(Cagnois).* Le *Haut-de-Cagnes* est dominé par un château médiéval; au *Cros-de-Cagnes* se trouve le village de pêcheurs et la plage près de laquelle un vaste quartier moderne s'édifie. Hippodrome. Maison d'A. Renoir* transformée en musée. – Production de fleurs.

CAGNIARD [kaɲaʀ] **de LA TOUR (Charles,** *baron***).** ♦ Physicien français (Paris, 1777 – *id.,* 1859). Surtout connu comme inventeur de la sirène (1819), il est aussi l'auteur de travaux relatifs à la propagation des ondes sonores dans les liquides. **V. Colladon, Sturm.** Il découvrit la multiplication par bourgeonnement de la levure de bière et il en conclut qu'il s'agissait d'un organisme vivant responsable de la fermentation alcoolique. **V. Pasteur.** (Acad. des sc., 1851.)

Cagoule (La). ♦ Surnom donné par la presse au *Comité secret d'action révolutionnaire* (C.S.A.R.), groupe d'extrême droite, dont le principal dirigeant fut E. Deloncle et qui, à partir de 1935, se signala par des actions violentes visant à renverser le régime républicain (assassinat d'antifacistes italiens, les frères Rosselli 1937). Plusieurs membres de la «Cagoule» se rallièrent au gouvernement de Vichy, certains cependant militèrent dans les rangs de la Résistance.

CAHORS [kaɔʀ]. ♦ Préf. du Lot*, ch.-l. d'arr. (12 cant., 135 comm., 64 003 hab.), sur le Lot*, au pied des Causses du Quercy*. 20 903 hab. *(Cadurciens, Cahorsins* ou *Cahorsains).* Cathédrale Saint-Étienne (XIIe, XIIIe, XIVe s.), type de l'église romane à coupoles comme à Souillac*. Église Saint-Urcisse (XIIe-XIIIe s.). Pont Valentré (XIVe s.). Remparts (XIVe s.). Reste de thermes romains. Vignoble. Indus. du meuble, de la chaussure; conserves alimentaires, serrurerie, manuf. de tabac **(V. Midi-Pyrénées).** – Patrie de Ch. Combes, L. Gambetta*, Ph. Gaubert*, Jean* XXII, O. de Magny*, Cl. Marot*, J.P. Ramel*. ♦ *Hist.* Anc. cap. des Cadurques* sous le nom de *Divona,* puis *Cadurcum* sous la domination romaine, elle devint une place forte et un grand centre de commerce au Moyen Âge. Jean XXII y fonda une université. Abandonnée aux Anglais après le traité de Brétigny* (1360), elle n'en fut délivrée qu'en 1428.

CAILLAUX [kajo] **(Eugène).** ♦ Homme politique français (Orléans, 1822 – Paris, 1896). Député à l'Assemblée nationale (1871), il soutint Thiers, puis se rallia à la politique de l'Ordre moral et fut nommé ministre des Travaux publics (1874-1876) et des Finances (1877).

CAILLAUX (Joseph Marie Auguste). ♦ Homme politique français, fils d'Eugène Caillaux (Le Mans, 1863 – Mamers, 1944). Député (Sarthe, 1898), il fut plusieurs fois ministre des Finances et contribua à faire voter, par la Chambre, l'impôt progressif sur le revenu. Président du Conseil (1911), il négocia avec l'Allemagne le traité de novembre après l'affaire d'Agadir*, puis reprit le portefeuille des Finances dans le cabinet Doumergue (1913). Sa politique d'impôt sur le revenu et d'opposition à la guerre lui valut d'être violemment attaqué par le journal le *Figaro* (soutenu par Barthou et Poincaré). L'assassinat du directeur du *Figaro,* Calmette*, par sa femme, l'obligea à donner sa démission (1914). Envoyé en mission en Amérique du Sud, puis en Italie au cours de la Première Guerre mondiale, il fut suspecté par les nationalistes et arrêté par le gouvernement Clemenceau (1917). Condamné par la haute cour de justice pour aide involontaire à l'ennemi (1920), il fut amnistié quelques années plus tard. Réélu député, il fut nommé ministre des Finances dans le cabinet Painlevé (1925). Sénateur (1925), il resta président de la commission des Finances jusqu'en 1940 *(Mémoires).*

CAILLAVET (Gaston Arman *de***).** ♦ Auteur dramatique français (Paris, 1869 – Essendiéras, 1915). En collaboration avec Robert de Flers*, il a écrit des comédies légères (*Le Roi,* 1908; *L'Habit vert,* 1912; *La Belle Aventure,* 1913).

CAILLEBOTTE (Gustave). ♦ Peintre français (Paris, 1848 – Gennevilliers, 1894). Il étudia dans l'atelier de Bonnat* et, à partir de 1873, à l'École des beaux-arts. Marqué par le réalisme de Courbet*, il fut sensible à la nouveauté de l'art de Manet* et de Degas*. À Argenteuil, il se lia avec Monet* et Renoir* et devint un adepte de l'impressionnisme. Ses paysages reflètent successivement l'influence de Bazille*, Monet et Renoir. Ayant assimilé la leçon de Degas, il se montra plus personnel dans ses scènes de la vie populaire (*Les Raboteurs de parquet,* 1875). Jouissant d'une importante fortune, il fut pour ses amis impressionnistes un généreux mécène et légua à l'État une collection de soixante-sept tableaux, ce qui provoqua un énorme scandale (vingt-sept furent refusés), formant une part importante du fonds impressionniste conservé au Jeu de Paume.

CAILLETET (Louis Paul). ♦ Physicien, chimiste et industriel français (Chatillon-sur-Seine, 1832 – Paris, 1913). S'appuyant sur la notion de *température critique* due à T. Andrews*, il parvint, en 1892, à observer la liquéfaction de gaz comme l'azote, l'oxygène (et l'air), l'oxyde de carbone, le méthane qui, jusque-là, avaient été considérés comme « permanents ». **V.** *aussi* **G. Claude, Dewar, Kamerlingh Onnes, Kapitsa, Linde, Olszewski, Pictet, Wroblewski.** (Acad. des sc., 1884.)

CAILLIAUD [kajo] **(Frédéric).** ♦ Explorateur français (Nantes, 1787 – *id.,* 1869). Après des études de minéralogie, il fut chargé de l'exploration de la haute Égypte (1815), puis d'une expédition en Nubie, au cours de laquelle furent découvertes les ruines de Dongola (ou Dunqula). Il a laissé le récit de ses voyages.

CAILLIÉ [kaje] **(René).** ♦ Explorateur français (Mauzé, 1799 – La Baderre, 1838). Embarqué en 1816 pour le Sénégal, il séjourna chez les Maures (1824) et décida de gagner Tombouctou* en se faisant passer pour un Arabe. Il fut ainsi le premier Français à visiter cette cité (avril 1828) dont il donna la description dans *Le Journal d'un voyageur* (1830).

CAILLOIS (Roger). ♦ Essayiste français (Reims, 1913). Universitaire, il fut le fondateur de l'Institut français de Buenos Aires et contribua, par ses traductions, à faire connaître la littérature espagnole en France. Fondateur, également, du *Collège de sociologie* (avec G. Bataille* et M. Leiris*), il dirigea la revue de sciences humaines *Diogène.* Juge sévère de la société et de la civilisation actuelles (*Le Mythe et l'Homme,* 1938), il a exprimé son goût d'un ordre rationnel et de la cohérence dans de nombreux essais qui touchent aussi bien à la sociologie qu'à l'esthétique. Appels à une nouvelle communion humaine, *L'Homme et le Sacré* (1939) et *Les Jeux et les Hommes* (1958) correspondent, sur le plan sociologique, aux essais qui étudient le processus de la création artistique et littéraire (notamment *Les Impostures de la poésie,* 1944; *Vocabulaire esthétique,* 1946; *Babel,* 1948). Roger Caillois recherche lui-même une écriture rigoureuse jusqu'à la sévérité. (Acad. fr., 1971.)

Ph. Louis Monier

R. Caillois.

CAÏMANS *(îles)*, en angl. **Cayman Islands.** ♦ Groupe de trois îles britanniques de la mer des Antilles, dans les Grandes Antilles*. 8 500 hab. *Cap.* Georgetown (dans l'île principale, dite *Grande Caïman*).

CAÏN. ♦ Pers. biblique (*Genèse,* IV). Fils aîné d'Adam et Ève, voué à la culture du sol. Il tue son frère Abel*, devenant le premier homicide, et est condamné à fuir perpétuellement. *La Conscience* de Victor Hugo dépeint la fuite et le remords de Caïn. Byron, William Blake évoquèrent aussi cet épisode, et A. Étex en fit le thème d'une sculpture (*Caïn et sa race maudits de Dieu,* 1833).

CAÏNAN. ♦ Personnage biblique, fils d'Enos, père de Mahalel. (Genèse, V. 9-14). Patriarche antédiluvien.

CAÏPHE. ♦ Grand prêtre juif de 18 à 36. Dans les Évangiles, il préside le sanhédrin et condamne Jésus.

CAIRE (LE), en ar. **Al-Qâhirah** (« La victorieuse »). ♦ Capitale de l'Égypte, située en amont du Delta, dans la plaine qui s'étend entre la r. d. du Nil et le versant occidental du mont Muqattam, Le Caire est la ville la plus importante de l'Afrique et du monde arabe. 5 084 000 hab. (6 170 000 pour le *Grand Caire*), soit 15,4 % de la pop. de l'Égypte. C'est un centre politique (siège du gouvernement de l'Égypte et de la ligue arabe) et intellectuel : université musulmane al-Azhar, université américaine (fondée en 1919, 700 étudiants), université de Giza (27 000 étudiants), université de 'Aïn al-Shams (fondée en 1950, plus de 18 000 étudiants). Son patrimoine artistique est particulièrement riche (musée égyptien, fondé en 1857 par Mariette, musée d'art islamique, musée d'art copte). La variété et la grandeur de ses monuments (**V.** ci-dessous *Hist.*) font d'elle la ville musulmane la plus intéressante. Le Caire est aussi un centre commercial important, bien desservi par des voies ferrées et par l'aéroport d'Héliopolis. Le Caire possède des manufactures de tabac et de cuir, des indus. alimentaires, et une importante indus. cinématographique (depuis 1926). **V.** *aussi* **Hélouan.** — Patrie de Farûq*, Fu'ad* Ier et II, Isma'îl* Pacha, N. Mahfûh*, Saïd* Pacha, M. Tawfiq* — Mas'ûdi*, Kléber* et 'Abd* al-Karim y moururent. ♦ *Hist.* 'Amr* ibn al-As, le conquérant de l'Égypte fonda Fustât* après la prise de la forteresse de Babylone (639) entre le Muqattam (r. d.) et le Nil. Il y construisit la mosquée qui porte son nom et qui est considérée comme le plus ancien monument religieux de l'islâm en Égypte, malgré les importantes restaurations du XVe siècle. En dehors de l'enceinte de Fustât, s'étendit le faubourg de *al-'Askar* (« l'armée ») avec le palais du gouverneur de l'Égypte sous les premiers califes 'Abbâssides*. Ahmad Ibn* Tûlûn fit construire sa résidence sur la colline Yashkar (870) où d'autres édifices s'élevèrent pour constituer la ville nouvelle d'*al-Qata'îyah* («fief») au centre de laquelle Ibn Tulûn fit édifier la mosquée qui porte son nom (876) et qui conserve son aspect original. Jawhar, le général du calife Fâtimide* al-Mu'izz* qui conquit l'Égypte (969), fit élever une ville nouvelle *(al-Qâhirah)* englobant *al-'Askar* et *al-Qata'îyah* et rejoignant le Muqattam. Les Fâtimides s'y installèrent dès 973. Ils y fondèrent la mosquée-université d'al-Azhar (970-978). Al-Hakim* y fit construire la mosquée qui porte son nom (990-1004) et enrichit la ville de nombreux monuments. Saladin*, restaurateur de l'orthodoxie sunnite en Égypte, substitua aux anciennes murailles en brique de la ville, une enceinte en pierre (1176), fit élever la citadelle et étendre la ville vers le sud. Sous les Mameluks*, Le Caire connut son apogée (XIVe s.) et atteignit presque les limites actuelles. Elle fut dotée d'un grand nombre de mosquées, de madrasa (medersa), de palais et d'ouvrages d'art. La ville ne connut pas de grands changements sous les Ottomans. Les grands travaux de rénovation urbanistique moderne commencèrent sous le règne d'Ismaïl, à partir de 1865, et le mouvement ne s'est pas ralenti depuis cette date (quartiers d'al-Azhakiya, d'al-Ismaïlia, d'al-Tawfiqiya, de Fallagah). Depuis lors, Le Caire s'étend surtout vers l'ouest (nouveau quartier de Dukky).

CAIRNES (John ELLIOT). ♦ Économiste irlandais (Castle Bellingham, 1823 — Blackheath près de Londres, 1875). Disciple de J.S. Mill, auteur de nombreux traités d'économie politique (*Some Leading Principles of Political Economy,* 1874).

CAIRNS. ♦ V. et port de l'État du Queensland* (Australie), sur la côte de la péninsule d'York*. 26 696 hab. Centre d'une région agricole (canne à sucre). Gisements de bauxite dans la région.

CAIROLI (Benedetto). ♦ Patriote et homme politique italien (Pavie, 1825 — Capodimonte, 1889). Ayant participé aux côtés de Garibaldi* à l'insurrection italienne de 1848, il fut président du Conseil (1878, puis 1879-1881) mais démissionna et devint l'un des chefs radicaux.

CAIRO MONTENOTTE. ♦ Localité d'Italie, en Ligurie prov. de Savone), sur la Bormida*. 14 000 hab. Bonaparte y vainquit les Autrichiens le 12 avril 1796.

CAITHNESSHIRE. *n. m.* ♦ Comté de Grande*-Bretagne, au N.-E. de l'Écosse. 1 289 km². 27 300 hab. *Ch.-l.* Wicq. — Élevage, pêche. Tourisme.

CAÏUS *(saint).* ♦ 28e pape (283 ? — 296), Dalmate, martyr (?). Fête le 22 avril.

CAJAL (Santiago RAMÓN Y). ♦ Médecin et biologiste espagnol (Petilla de Aragón, 1852 — Madrid, 1934). Il a établi la nature des neurones et de leurs connexions, travaux pour lesquels il obtint le prix Nobel de méd. (1906) en même temps que Golgi*. — Les *cellules de Cajal* sont les corps cellulaires de neurones dans la partie profonde de la couche moléculaire de l'écorce cérébrale.

Ph. Nino Cirani/Ricciarini

Le Caire : le Nil.

CAJARC. ♦ Ch.-l. de cant. du Lot* (arr. de Figeac*) sur le Lot*. 1 211 hab. (747 aggl.) [*Cajarcois*]. Tour du XIVe s., maisons anciennes. Centrale hydro-électrique. — Résidence de G. Pompidou, — Patrie de F. Sagan*. ♦ *Hist.* Louis XIII ordonna la destruction des remparts.

CAJETAN (Tommaso de Vio, dit). ♦ Théologien italien (Gaète, 1469 — Rome, 1534). Général de l'ordre des Dominicains, il fut également cardinal. Nommé légat d'Allemagne par le pape Léon* X, il eut pour mission en 1517 d'amener Luther*, qui venait de publier ses 95 thèses, à se rétracter ; mais il échoua.

Çakuntalâ *(L'Anneau de).* ♦ **V.** ŞAKUNTALA.

ÇAKYA ÇAKYAMUNI. ♦ **V.** ŞAKYA.

CALABAR. ♦ V. et port du Nigeria*, cap. de l'État du Sud-Est **(V. Biafra).** 20 000 hab. Exportation d'huile de palme. Indus. du bois.

CALABRE [*n. f.*], en it. **Calabria.** ♦ Région formant l'extrémité méridionale de la péninsule italienne (pied de la « botte »). 15 080 km². 2 200 000 hab. *(Calabrais).* Elle est divisée en trois provinces : Catanzaro*, Cosenza* et Reggio* di Calabria. — *Orogr.* Région très montagneuse, aux massifs dénudés : le Pollino (2 248 m), la sierra de Pellegrino (1 986 m), le Sorino (2 007 m) au nord ; la Sila (1 929 m) et l'Aspromonte au sud. Entre ces massifs, les vallées, très exiguës, sont ravinées par les torrents. Il existe une nette dissymétrie entre le littoral de la mer Tyrrhénienne, à l'ouest, où de hautes falaises découpent le rivage, et, d'autre part, le rivage de la mer Ionienne, à l'est, rectiligne et marécageux. — *V. princ.* **V. Reggio de Calabre, Catanzaro, Cosenza.** — Le choix de Reggio ou de Catanzaro comme cap. a amené de graves troubles en 1972-1973. — *Écon.* La Calabre est l'une des régions les plus pauvres d'Italie. Le rendement agricole est très bas. On y cultive principalement l'olivier, les arbres fruitiers, les agrumes (la bergamote servant à la préparation de parfums), dans les vallées ; les montagnes fournissent du bois de sapin et de châtaignier. L'élevage ovin, bovin et porcin est florissant. Une réforme agraire — partage et bonification des terres — a été tentée dans la région du Mont-Sila Sila et sur le littoral ionien, mais elle ne semble guère suffire à soulager la misère paysanne. Reggio de Calabre, la capitale, possède quelques industries, insuffisantes pour employer toute la main-d'œuvre locale. C'est pourquoi l'émigration vers les régions industrialisées du Nord ne cesse de s'accroître. ♦ *Hist.* Colonie tour à tour lucanienne, grecque (jusqu'au ~ IIIe s.), romaine *(Bruttium)* et byzantine, elle fut ravagée par les Arabes et les Ostrogoths. Conquise par les Normands de Robert Guiscard (XIe s.), la Calabre devint le noyau du royaume de Sicile*. Elle fut dominée par les Aragonais, les Angevins et les Bourbons, avant d'être intégrée à l'Italie, en 1860. La bataille de l'Aspromonte s'y déroula en 1862. Le pays est souvent affecté par des séismes; celui de 1783 fit 40 000 victimes.

CALACUCCIA. ♦ Ch.-l. de cant. de la Corse* (arr. de Corte*) sur le Golo* (r. g.), au pied du monte Cinto*. 1 241 hab. Station thermale. Barrage sur le Golo, en aval de Calacuccia, destiné à l'irrigation et à la production d'énergie électrique. — Aux environs, défilé de la Scala di Santa Regina.

CALAHORRA. ♦ V. d'Espagne, l'anc. Calagurris Nassica, dans la prov. de Logroño* (Vieille Castille), à proximité de l'Èbre*. 14 500 hab. — Patrie de Prudence*.

CALAIS. ♦ Sous-préf. du Pas*-de-Calais, ch.-l. d'arr. (3 cant., 28 comm., 105 926 hab.), port sur le détroit ou « pas » qui sépare la France de l'Angleterre, entre la mer du Nord et la Manche **(V. Pas de Calais).** 74 908 hab. *(Calaisiens).* — Du vieux Calais (*Calais Nord,* construit près de la mer) presque entièrement détruit pendant la Deuxième Guerre mondiale, il reste : l'église Notre-Dame (XIVe-XVIe s., en cours de restauration), la tour du guet (XIIIe s.), les remparts de Vauban. Cette partie de la ville a été reconstruite en style flamand ou moderne, et en brique rouge. Devant l'hôtel de ville, monument des *Bourgeois de Calais,* par Rodin*. La partie S. de la ville (Saint-Pierre) n'a pas été endommagée. Calais, premier port français de voyageurs (transit entre la France et l'Angleterre : 1 500 000 voyageurs), est un port de commerce et de plai-

Arch. Rencontre

Le « Poséidon d'Artémision » attribué à **Calamis**. (Musée national d'Athènes.)

sance et une station balnéaire (plage en cours d'aménagement et d'extension). Grand centre de fabrication de tulles et dentelles mécaniques. Constructions navales; indus. chimiques; indus. textiles; distilleries; sécheries de chicorée; sucreries. — Patrie de F.M. Brown*, de Pigault*-Lebrun. ♦ *Hist.* Durant la guerre de Cent* Ans, la ville fut prise par les Anglais d'Édouard* III à Philippe* VI de Valois (1347) et ne fut sauvée de la destruction que grâce au dévouement de six bourgeois qui, conduits par Eustache* de Saint-Pierre, se livrèrent en otages au roi anglais. Restée pendant plus de deux siècles sous la domination anglaise, Calais fut reprise sous le règne d'Henri* II par François de Guise* (1558), après un siège de six jours au cours duquel se distingua Crillon*.

CALAMATA, en gr. **Kalamata** ou **Kalamai**. ♦ V. et port de Grèce (Péloponnèse), ch.-l. du nome de Messénie*, au fond du golfe de Messénie. 39 460 hab. Archevêché. Centre commercial et industriel; exportations d'olives, d'huile, d'oranges, de figues et de vins; manufactures de tabac, de textiles (soie) etc. — Château des Villehardouin (1208); églises byzantines (xe-xIIe s.). ♦ *Hist.* La ville moderne, bâtie sur l'emplacement de la *Phérae* homérique, prit de l'importance avec l'arrivée des croisés francs (1206) et devint le fief des Villehardouin. Passée successivement aux Florentins et aux Angevins, elle fit ensuite partie du despotat byzantin de Mistra (1425). Les Vénitiens l'enlevèrent aux Turcs (1685-1715). Elle fut incendiée par Ibrahim Pacha lors de la guerre de l'Indépendance grecque (1825).

CALAME (Alexandre). ♦ Peintre, dessinateur et graveur suisse (Vevey, 1810 — Menton, 1864). Il fut l'élève du paysagiste suisse F. Diday. Son *Orage à la Handeck* le rendit célèbre à Paris (1837). Ses paysages alpestres révèlent un sentiment romantique de la nature à la fois grandiose et pittoresque : il aimait à représenter des arbres tordus, des torrents et des sommets abrupts *(Le Mont Rose)*. Dans ses petites études, il fait preuve d'une sensibilité plus frémissante.

CALAMINE (LA), en all. **Kalmis**. ♦ V. de Belgique, (Liège) arr. de Verviers, à la frontière allemande. 5 200 hab. Mines de zinc et de plomb, exploitées depuis le Moyen Âge.

CALAMIS [*Kalamis*]. ♦ Sculpteur grec qui travailla à Athènes dans le second quart du ~ ve siècle. Son art, qui appartient au « style sévère » du premier classicisme, introduit la souplesse vigoureuse du corps et la grâce du mouvement. Il est considéré comme le créateur du type de l'*Apollon* à l'omphalos* (v. ~ 470). On lui attribue parfois le *Poséidon* d'Histiaia ou d'Artémision (musée national d'Athènes) et la métope du Trésor des Athéniens à Delphes.

CALAS [kalɑs] **(Jean).** ♦ Négociant calviniste de Toulouse, (Lacabarède, 1698 — Toulouse, 1762). Son fils aîné s'étant pendu, Calas cacha son suicide. Accusé d'avoir assassiné son fils pour l'empêcher de se convertir au catholicisme, il fut condamné au supplice de la roue et exécuté. Sa famille, avec l'aide de Voltaire* et d'Élie de Beaumont, réussit à prouver l'erreur judiciaire et à réhabiliter la victime (1765), et l'*affaire Calas* devint un exemple de l'intolérance et de la persécution catholique à l'égard des protestants.

CALATAYUD. ♦ V. d'Espagne (Aragon, prov. de Sarragosse), sur le Jalón. 17 900 hab. Monuments mudéjars (collégiale, église San Pedro Martir). — Aux environs, ruines de l'antique *Bilbilis*.

CALATRAVA. ♦ Anc. V. forte d'Espagne, près de Ciudad* Real (Nouvelle-Castille). La ville, prise par les Castillans sur les Maures en 1145, et de nouveau attaquée en 1158, fut défendue par un groupe de chevaliers et religieux qui furent les premiers membres de l'*ordre de Calatrava*. Ce dernier, ordre religieux et militaire, joua un grand rôle durant la Reconquista* puis fut rattaché à la couronne d'Espagne avec le roi pour grand maître (1523).

CALAURIE [*n. f.*], en gr. **Kalauria**, auj. **Poros**. ♦ Île de Grèce, sur la côte de l'Argolide, faisant partie du nome d'Attique. 4 420 hab. Centre touristique. ♦ *Hist.* Dans la haute Antiquité, l'île fut le centre d'une amphictyonie maritime de villes de l'Attique, de la Boétie et du N. du Péloponnèse. On y célébrait le culte de Poséidon* et c'est dans son temple dorique (~ vie s.) que s'empoisonna Démosthène (~ 322).

CALBAYOG. ♦ V. des Philippines (île de Samar), sur la côte O. de la prov. de Samar occidentale. Env. 100 000 hab. Port (coprah, pêche).

CALBE-SUR-SAALE ou **CALBE.** ♦ V. de la République démocratique allemande (district de Magdebourg). 16 400 hab. Important centre sidérurgique *(Eisenhüttenkombinat-West)*.

CALBICK (Chester Joseph). ♦ Physicien américain contemporain. Il participa, par ses travaux avec Davisson* notamment, au développement de l'optique électronique.

CALCHAS [*Kalkhas*]. ♦ Devin grec qui, selon l'*Iliade**, accompagna les Grecs au siège de Troie*, ordonna à Agamemnon d'immoler Iphigénie*, prédit la durée de la guerre et contribua au stratagème du « cheval de Troie ». Supplanté par Mopsos* dans l'art de la divination, il mourut de chagrin.

CALCUTTA. ♦ V. et port de l'Inde orientale, sur un bras du Gange [Gangâ], l'Hûghlî. Cap. de l'État du Bengale-Occidental. 3 160 000 hab. (1970). L'aggl. compte plus de cinq millions d'hab. Deux universités. Célèbre musée. Les quartiers d'affaires et les quartiers résidentiels, de style victorien, entourent l'immense parc de Maiden où se trouvent le Fort William, le Queen Victoria Memorial, etc. La ville s'est développée surtout vers le nord. Dans ses vastes faubourgs (Kidderpore, Garden Reach, Bally, Baranagar, Howrah, etc.) ont été englobées des dizaines de villes. Un quart de la population, très misérable, vit dans des huttes de terre battue *(bustees)*. Environ 200 000 sont sans abri et dorment dans les rues. — Calcutta, débouché naturel des plaines du Bengale, à 150 km de la mer, est le 1er port de l'Inde (exportation de jute, minerai de fer, thé, etc.). C'est aussi un centre indus. : nombreuses usines de traitement du jute (destiné à la confection des sacs et des cordages), métallurgie, constructions mécaniques (automobiles, chemins de fer), indus. textiles, manufactures d'armes (à Dum Dum), chantiers navals. — *Patrie* de S. Aurobindo*, R. Tagore*, Thackeray. ♦ *Hist.* Fondée en 1690 par des marchands anglais, Calcutta devint le siège de la Compagnie anglaise des Indes orientales et la capitale de l'Inde anglaise de 1772 à 1912. Après la séparation du Bengale, en 1947, en Pakistan-Oriental et Bengale-Occidental, la population de Calcutta s'est augmentée de centaines de milliers de réfugiés. Un nouvel afflux se produisit après les cataclysmes naturels au Pakistan-Oriental et l'insurrection de mars 1971, visant à proclamer l'indépendance du Bangla Desh et réprimée par les troupes d'Islamabad.

CALDARA (Antonio). ♦ Compositeur italien (Venise, v. 1670 — Vienne, 1736). Au terme de nombreux voyages, il se fixa à Vienne en qualité de second maître de la chapelle impériale. Auteur d'une œuvre abondante et diverse, tant dans le domaine de la musique religieuse que dans celui de la musique profane (opéras, madrigaux, sonates), il fut le plus illustre représentant de la dernière période du baroque vénitien. Il semble avoir exercé une profonde influence sur Haydn et sur Mozart ainsi que sur les musiciens de l'école de Mannheim.

CALDAS DA RAINHA (en fr. « Bains de la Reine »). ♦ V. du Portugal (Estrémadure). 12 000 hab. Station thermale fondée par la reine Leonor, femme de Jean II.

CALDER (Alexander). ♦ Sculpteur, dessinateur et peintre américain (Philadelphie. 1898 — New York, 1976). Après des études d'ingénieur, il étudia la peinture et se rendit à Paris en 1926. Il y exposa en 1927 (Salon des humoristes) un *Cirque* miniature avec de petites marionnettes en fil de fer, morceaux de bois et bouchons. Il exécutait alors des figurines *(Joséphine Baker*, 1926) et des portraits en fil de fer, tentative de construction graphique dans l'espace. Il entra ensuite en contact avec Arp*, Miró*, Léger* et Mondrian* et réalisa en métal des sculptures abstraites aux formes géométriques. En 1932, il entreprit de faire mouvoir ses constructions en y adjoignant un moteur puis exposa ses premiers *mobiles*. Inversant le rapport traditionnel plein-vide et détruisant les principes de stabilité et de rigidité inhérents jusqu'alors à la sculpture, il fait appel « aux pures joies de l'équilibre » (Breton) et ne « suggère pas le mouvement mais le capte » (Sartre). À partir de 1942, il réalisa aussi des sculptures monumentales ou *stabiles* (Arp) aux formes lourdes et rigides. Il est aussi l'auteur d'illustrations de livres, de décors de théâtre (*Nucléa*, 1951) et de nombreuses peintures aux couleurs vives dont l'humour et la naïveté rappellent les dessins d'enfants.

CALDER HALL. ♦ Localité de Grande-Bretagne, dans le Cumberlandshire. Centrale nucléaire.

CALDERÓN DE LA BARCA (Pedro). ♦ Poète dramatique espagnol (Madrid, 1600 — *id.*, 1681). Issu de la petite noblesse, ayant d'abord étudié la théologie, il embrassa la carrière littéraire vers 1620 pour devenir le dramaturge officiel de la cour de Philippe IV. Il s'enrôla à plusieurs reprises dans l'armée et devint l'ordonnateur des fêtes de la cour (v. 1635), puis entra dans les ordres (1651). Nommé chapelain d'honneur du roi d'Espagne (1663), l'état ecclésiastique ne l'éloigna pas du théâtre pour lequel il composa encore de nombreuses œuvres d'inspiration religieuse. C'est l'idéologie de la Contre-Réforme que Calderón a illustrée dans ses *autos sacramentales*, petites pièces en un acte, au nombre d'environ 80, dont les personnages, pour être allégoriques (incarnant les Vices et les Vertus) n'en sont pas moins doués d'une étonnante vérité (*Le Grand Théâtre du monde, El Gran Teatro del Mundo*, v. 1645). Ses nombreuses œuvres théâtrales *(Comedias)* développent des thèmes historiques (*L'Alcade* de Zalamea*, 1636), moraux (*Le Médecin* de son honneur*, 1637) ou religieux (*La Dévotion* à la Croix*, 1633, *La Vie* est un songe, La Vida es sueño*, v. 1633), (*Le Magicien prodigieux, El Magico prodigioso*, 1637). Si les *autos sacramentales* confèrent une définitive perfection à un genre qui était en faveur dans le théâtre espagnol depuis le Moyen Âge, les *comedias* de Calderón à caractère religieux atteignent souvent une grandeur tragique inégalée depuis les Grecs.

CALDWELL (Erskine Preston). ♦ Romancier américain (White Oak, Géorgie, 1903 –). Après une enfance vagabonde dans les États du Sud, il suivit des cours à l'université de Géorgie et à celle de Pennsylvanie, essaya de nombreux métiers (son autobiographie *Call it Experience*, de 1951, en donne une idée), et publia la *Route au tabac* (*Tobacco Road*, 1932), roman d'un réalisme cruel et caricatural sur les pauvres Blancs du Sud, et dont on a tiré une pièce. Ses romans mettent en scène, d'une manière à la fois dramatique et joviale, les fermiers du Sud. Les plus célèbres sont *Le Petit Arpent du Bon Dieu* (*God's Little Acre*, 1933), *Un pauvre type (Journey Man*, 1935), *Bagarre en juillet* (*Trouble in July*, 1940), influencés par Faulkner. Il écrivit aussi des nouvelles (*Jackpot*, 1940) et consigna ses observations de correspondant de guerre dans *Toute la nuit*.

CALEB, *fils de Yephounnéh*. ♦ Personnage biblique (*Nombres*, XIII-XIV; *Josué*, XIV). Avec Josué, il est le seul des Israélites de l'Exode à entrer en Terre promise, où il conquiert Hébron.

CALÉDONIE [*n. f.*], en lat. **Caledonia**. ♦ Nom donné par les Romains à la région correspondant à l'Écosse actuelle. Elle était habitée par les Scots*, les Pictes*, les Britons et les Angles* (**V. Écosse,** *Hist.*).

CALÉDONIE (Nouvelle-). ♦ **V.** NOUVELLE-CALÉDONIE.

Calédonien *(canal)*. ♦ Canal du nord de l'Ecosse, creusé en 1822 dans la dépression du Glen* More et mettant en communication la mer du Nord* *(Firth of Moray)* avec l'Atlantique* *(Firth of Lorne)*.

Calendrier républicain. ♦ Institué par la Convention le 24 octobre 1793. L'année, divisée en 12 mois de 30 jours, plus 5 jours au cours desquels étaient célébrées les fêtes républicaines ou sans*-culottides, débutait à l'équinoxe d'automne (22 septembre), date de l'instauration de la République. L'appellation des mois fut proposée par Fabre* d'Églantine (vendémiaire, brumaire, frimaire pour les mois d'automne, nivôse, pluviôse, ventôse pour ceux d'hiver, germinal, floréal, prairial pour ceux du printemps, messidor, thermidor, fructidor pour ceux de l'été). Utilisé pendant treize ans, le calendrier républicain fut remplacé par le calendrier grégorien le 1er janvier 1806.

CALENZANA. ♦ Ch.-l. de cant. de la Corse* (arr. de Calvi*), dans la Balagne*. 1 800 hab. Église Sainte-Restitute, reconstruite au XVe s. dans le style roman d'origine. Station de radiodiffusion.

CALEPIN (Ambroise). ♦ Francisation du nom de Calepino* (Ambrogio).

CALEPINO (Ambrogio). ♦ Religieux et lexicographe italien (Bergame, v. 1435 – *id.*, v. 1511). Il est l'auteur d'un *Dictionnaire de la langue latine* (1502) qui fut enrichi de traductions (fr., all., angl.) et devint d'édition en édition une référence pour toute traduction au XVIe et au XVIIe s. (dernière édition, 1772). Les *Calepins*, malgré leurs dimensions imposantes, donnèrent leur nom au carnet de notes dit *calepin* (Cf. Robert).

CALGARY. ♦ V. du Canada, la deuxième de la province d'Alberta. 375 000 hab. (1969). Au centre d'une région agricole (blé; élevage), Calgary est un important marché. Indus. alimentaires (meuneries, conditionnement de la viande), raffineries de pétrole, indus. chimiques. Centre administratif des compagnies pétrolières. – Université.

CALI. ♦ V. de Colombie, ch.-l. du dép. du Valle del Cauca*, situé sur le versant E. de la Cordillère occidentale près du rio Cauca*. Env. 800 000 hab. Évêché. Aéroport. – Centre commercial et industriel au cœur d'une région de cultures tropicales (canne à sucre) dont le principal débouché est le port de Buenaventura*. Indus. textiles, alimentaires, métallurgiques (aluminium). Charbon.

Caliban. ♦ Personnage de *La Tempête*, comédie-féerie de Shakespeare. Né d'un démon et d'une sorcière, nain grimaçant et malicieux, il est l'incarnation des forces élémentaires toujours en révolte contre l'ordre établi, et s'oppose à Ariel*.

CALICUT [kalikyt]. ♦ Anc. nom franç. de la V. et du port indien de Kozhikode, qui exportait l'étoffe de coton appelée *calicot*. **V. Kozhikode.**

CALIFORNIE. *n. f.* ♦ Vaste région de l'Amérique* du Nord, sur le Pacifique*, divisée politiquement entre les États-Unis et le Mexique* (voir ci-dessous).

CALIFORNIE. *n. f.*, en angl. **California.** ♦ État du S.-O. des États-Unis, situé sur la côte du Pacifique et à la frontière du Mexique. – 411 012 km² (3e État). Plus de 19 000 000 d'hab. (1967) qui en font l'état le plus peuplé des États-Unis. *Cap.* Sacramento. *V. princ.* (plus de 100 000 hab.) : Anaheim, Berkeley, Fresno, Glendale, Long* Beach, Los* Angeles, Oakland, Pasadena, Sacramento, San* Bernardino, San* Diego, San* Francisco, San* José, Santa* Anna, Santa* Monica, Stockton, Torrance. **V.** *aussi* **Palo Alto, Santa Barbara.** – *Orogr.* On peut y distinguer trois régions principales, de la côte (O.) à l'intérieur. La chaîne côtière *(Coast* Range)* est formée de nombreux plis parallèles (sommets de 1 500 à 2 000 m), interrompus par un fossé (baie de San Francisco); elle se prolonge au N. par les monts Klamath et l'extrémité de la chaîne des Cascades*. Au S., une plaine côtière s'étend jusqu'aux monts San Bernardino. L'intérieur de l'État (la Grande* Vallée) est formé par un vaste fossé tectonique comblé (vallée du Sacramento* au N., du San* Joaquim au centre de l'État). À l'E., s'élève la chaîne de la Sierra Nevada* (mont Whitney, 4 418 m; parcs nationaux de Lassen, Yosemite*, Sequoia Park). Au S.-E. et jusqu'aux environs immédiats de Los Angeles, les zones désertiques sont nombreuses (désert Mojave*, vallée de la Mort*, désert du Colorado*). – *Climat* méditerranéen, doux et humide. – *Écon.* Grâce aux sols de la Grande vallée, au climat et à l'irrigation, la Californie est l'un des 1ers producteurs de fruits du monde (agrumes, vigne, etc., 1/3 des fruits des États-Unis). Cultures maraîchères. Coton, élevage. Importantes pêcheries. L'extraction de l'or est en rapide déclin, mais les richesses en pétrole et gaz naturel ont permis un développement indus. remarquable (métallurgie, chimie, aéronautique, indus. alimentaires...) notamment dans quelques énormes concentrations urbaines **(V. Los Angeles, San Francisco).** Indus. cinématographique d'importance mondiale **(V. Hollywood).** – La Californie possède d'importantes universités (Univ. de Californie à Berkeley*, Los* Angeles, Santa* Barbara; Stanford, à Palo* Alto, ...) et des équipements scientifiques mondialement renommés (observatoires du Mt Palomar*, du Mt Wilson* ...). Centres de la N.A.S.A. à Amos, Moffett Fields, Pasadena, Edwards. ♦ *Hist.* Découverte en 1542 et colonisée par les Espagnols en 1769, la Californie fut annexée par le Mexique en 1822. De nombreuses missions espagnoles y furent édifiées. Le traité de Guadalupe* Hidalgo (1848) céda la haute Californie aux États-Unis. Elle devint en 1850 le trente et unième État de l'Union. La découverte de l'or et la fièvre spéculatrice qui s'ensuivit déclencha le développement économique du pays.

CALIFORNIE (BASSE-). *n. f.* ♦ Longue presqu'île rocheuse qui prolonge la Californie* américaine. La partie E. est montagneuse; les reliefs tombent abruptement sur le golfe de Californie*. La côte O. est bordée de plaines marécageuses et présente de larges échancrures. La Basse-Californie s'étend sur plus de 1 000 km de long, jusqu'au delà du Tropique, dans une direction S.-O.-N.-E., parallèle à la direction des côtes mexicaines. C'est un plateau aride et à maigre végétation (cactus, agaves) dans ses parties basses, mais il atteint jusqu'à 3 400 m dans le N. où l'aridité est tempérée par l'altitude et où se concentre la population. Coton. Forêts et pâturages. Ressources minérales (argent, or, cuivre, ...). La région est partagée en deux États : ♦ BAJA CALIFORNIA NORTE *(Basse-Californie du Nord)*. 70 113 km². 896 000 hab. (1967). *Cap.* Mexicali*. *Autre ville.* **V. Ensenada.** ♦ BAJA CALIFORNIA SUR *(Basse-Californie du Sud)* 73 677 km². Env. 100 000 hab. *Cap.* La* Paz.

CALIFORNIE *(golfe de)*. ♦ Golfe compris entre la presqu'île de Californie (basse Californie) et la côte mexicaine, long de plus de 1 000 km, large de 230 km au S., et dépassant 3 000 m dans sa plus grande profondeur.

CALIGULA, en lat. **Caius Caesar Germanicus**, dit. ♦ (Antium, 12 – Rome, 41). Empereur romain (37-41). Fils de Germanicus* et d'Agrippine*, il passa son enfance dans un camp militaire de Germanie où le port des chaussures militaires *(caliga)* le fit surnommer *Caligula*. Il succéda à Tibère* et mena pendant quelque temps une politique de libéralisme. On attribue à une maladie le brusque changement de sa personnalité qui le fit régner en roi et

Ph. Nino Cirani/Ricciarini

Californie : la Sierra Nevada dans le Parc national de Yosemite.

en dieu. Arrière-petit-fils d'Antoine*, élevé parmi les serviteurs égyptiens d'Antonia et servant d'Isis, il s'offrit à l'adoration de ses sujets comme le « Nouveau Soleil ». Sa folie sanguinaire lui fit souhaiter que le peuple romain n'eût qu'une tête afin de la trancher d'un seul coup. Il mourut assassiné en 41.

Caligula. ♦ Pièce d'Albert Camus écrite en 1939 et créée à Paris en 1945 par Gérard Philipe. Maître absolu de Rome, Caligula a eu la révélation de l'absurdité de la condition humaine après la mort de sa sœur Drusilla. Décidé à exercer sa propre liberté contre l'ordre des hommes et des dieux, niant le bien et le mal, il se transforme en un tyran sanguinaire, bourreau de lui-même autant que des autres.

CĂLINESCU (Gheorghe). ♦ Écrivain roumain (Bucarest, 1899 – *id.*, 1965). Comme romancier, on lui doit *Enigma Otiliei* (« L'Énigme d'Otilia », 1938), observation critique des milieux bourgeois, puis *Bietul Iônide* (« Ce pauvre Ioanide », 1953) et *Scrinul negru* (« La Commode noire », 1960). Mais il fut surtout un critique, auteur de monographies sur les « classiques » roumains (Eminescu*, Creangă*), d'une monumentale *Histoire de la littérature roumaine* (1941) et d'une *Esthétique du conte populaire.*

CALIXTE ou **CALLISTE Ier** *(saint).* ♦ (v. 155 – 222). 16e pape (217-222), Romain, martyr (?). Diacre sous Zéphyrin*, il administra les cimetières chrétiens. Son élection fut contestée par Hippolyte* qui l'accusa de modalisme. Mais il condamna Sabellius*. Fête le 14 octobre.

CALIXTE ou **CALLISTE II** *(Guy de Bourgogne).* ♦ (v. 1060 – 1124). 160e pape (1119-1124). Archevêque de Vienne (1088), il fut élu à Cluny par les six cardinaux qui avaient suivi Gélase* II. Il régla la querelle des Investitures* (concordat de Worms*, 1122; concile du Latran*, 1123).

CALIXTE III *(Jean Morson, abbé de Struma, Hongrois).* ♦ Antipape en 1168, succédant à Pascal* III contre Alexandre* III. Soutenu par Frédéric* Barberousse, il se soumit en 1178.

CALIXTE III *(Alonso Borgia).* (Játiva, Espagne, 1378 – Rome, 1458). 207e pape (1455-1458). Il tenta vainement d'organiser une croisade contre les Turcs. Il éleva au cardinalat plusieurs membres de sa famille, dont le futur Alexandre* VI, son neveu.

CALLAC [kalak] ou **CALLAC-DE-BRETAGNE.** ♦ Ch.-l. de cant. des Côtes-du-Nord, arr. de Guingamp. 3 360 hab. *(Callacois).* Marché agricole (foires), tanneries.

CALLAGHAN (Leonard James). ♦ Homme politique britannique (Portsmouth, 1912). Militant dès l'âge de 17 ans dans un syndicat de fonctionnaires, il entra au parti Travailliste en 1931. Élu député en 1945, il occupa divers postes de secrétaire d'État, avant de devenir Chancelier de l'Échiquier en 1964, puis ministre de l'Intérieur (1967-1970). Ministre des Affaires étrangères à partir de 1974, il favorisa les négociations sur le maintien de la Grande-Bretagne dans la C.E.E. Il devint Premier ministre après la démission de H. Wilson* (1976).

CALLAO ou **EL CALLAO.** ♦ V. du Pérou, et port de Lima*. Base navale. Premier port du pays. 161 000 hab. Plus important port de pêche du pays avec Chimbote*, et principal exportateur mondial de farine de poisson. Engrais synthétique. Ch.-l. du *dép. de Callao.* 73 km². 214 200 hab. ♦ *Hist.* La victoire des Chiliens sur les Espagnols lors d'un affrontement livré en 1820 fut décisive pour l'indépendance du Chili* (1821).

CALLAS (Maria Kalogeropoulos, dite *la***).** ♦ Cantatrice grecque (New York, 1923). Elle débuta à Athènes (1938), mais sa carrière commence vraiment en Italie (1947). Après ses succès à la Scala de Milan, en Amérique du Sud, à Londres et à New York, elle s'imposa comme une des plus grandes artistes de la scène lyrique. Alliant à ses rares dons de soprano un tempérament de tragédienne, elle se révèle l'interprète incomparable des opéras italiens (*la Norma, la Traviata, la Tosca,* etc.) et des œuvres contemporaines.

Ph. Burt Glinn/Magnum

M. Callas.

CALLE (La). ♦ V. et port d'Algérie*, ch.-l. d'arr. du dép. d'Annaba*, sur la côte de Kroumirie*. 9 900 hab. – Un établissement français y fut fondé au XVIIIe siècle.

CALLES (Plutarco Elias). ♦ Homme d'État mexicain (dans le Sonora, 1877 – Mexico, 1945). Président de 1924 à 1928, il continua la politique sociale de Carranza et Obregón*, fondant le Parti « révolutionnaire institutionnel ». Il mena une lutte violente contre l'Eglise (1925) et son influence politique resta très forte jusqu'en 1935. Mais sous la présidence de Cárdenas*, il s'opposa aux réformes et s'exila aux États-Unis, d'où il revint en 1941.

CALLIAS [*Kallias*]. ♦ Homme politique grec (v. ~ 511). Issu d'une illustre famille d'Athènes*, il signa en ~ 449 avec la Perse la paix (dite *paix de Callias*) qui mettait fin aux guerres Médiques*, reconnaissait l'indépendance de fait des villes d'Ionie et assurait la prédominance maritime athénienne. Il négocia la paix de trente ans entre Athènes et Sparte en ~ 446.

CALLICRATÈS [*Kallikratês*]. ♦ Architecte grec qui vécut à Athènes* au ~ Ve siècle. Il éleva avec Ictinos* le Parthénon*. On lui attribue aussi le temple d'Athéna Niké sur l'Acropole et la construction d'une partie des « Longs Murs ».

CALLIÈRES (Louis Hector *de***).** ♦ Administrateur colonial français (Thorigny, Normandie, 1646 – Québec, 1703). Il fut gouverneur de la Nouvelle-France de 1699 à 1703.

Calligrammes. ♦ Recueil de poèmes de Guillaume Apollinaire* publié en 1918. Certains de ces vers, brefs et sans ponctuation, sont disposés de telle façon qu'ils forment des dessins et représentent les objets que le poète veut évoquer.

CALLIMAQUE [*Kallimakhos*]. ♦ Sculpteur, ciseleur et orfèvre grec qui vécut à Athènes à la fin du ~ Ve siècle. Maître de l'élégance ionienne et du raffinement, il s'éloigne de l'idéalisme de Phidias* et annonce déjà certains traits de la plastique praxitélienne. La draperie « mouillée » caractérise ses figures féminines. On lui attribue l'*Aphrodite** dite *Venus Genitrix* (réplique au musée du Louvre), la lampe d'or de l'Érechthéion, les reliefs des *Lacédémoniennes dansantes* (musée de Berlin), etc. Selon une légende, il aurait été l'inventeur du chapiteau corinthien.

CALLIMAQUE, en gr. **Kallimakhos.** ♦ Poète, grammairien et érudit grec (Cyrène, v. ~ 315 – Alexandrie, v. ~ 240). Admis à la bibliothèque d'Alexandrie* et à la cour des Ptolémées, il serait l'auteur de plus de huit cents ouvrages (selon Suidas), dont les cent vingt livres des *Tableaux,* immense catalogue élaboré des ouvrages de la bibliothèque, qui constitua un fondement de l'histoire de la littérature grecque. De son œuvre poétique, seulement six *Hymnes* et soixante-trois *Épigrammes* sont conservés intacts, ainsi que la traduction latine – par Catulle – de la *Chevelure de Bérénice.* Des papyrus égyptiens nous ont restitué des fragments des *Causes* ou *Origines,* élégies en quatre livres, d'*Hécalé,* court poème épique, des *Iambes,* fables et apologues, et des *Poèmes lyriques.* Maître de l'élégie narrative et du conte épique, Callimaque fut aussi un polémiste et un critique vigoureux. En exposant sa poétique dans les *Causes* ou en réfutant dans l'*Ibis* ses adversaires – dont son anc. disciple Apollonios* de Rhodes –, il s'avéra fondateur de la nouvelle école poétique, représentant typique de l'art raffiné et de l'érudition alexandrine : combattant l'anachronisme du merveilleux homérique, l'emphase et l'héroïsme conventionnel, la longueur même du poème cyclique; il se fit le champion d'une poésie précieuse, adaptée à une époque de science et de réalisme. Hautement estimé dans l'Antiquité, il fut imité par des poètes latins. Aristophane* de Byzance continua son œuvre d'historien littéraire.

CALLINOS. ♦ Poète grec qui vécut à Éphèse* v. le milieu du ~ VIIe s., peut-être le plus anc. des élégiaques grecs. Il ne nous reste que quatre fragments de ses *Élégies* guerrières. Le plus long en est une exhortation au combat pour la défense de la patrie menacée par les Cimmériens.

CALLIOPE, en gr. **Kalliopê** (« Femme à la belle voix »). ♦ La plus éminente des Muses*, protectrice de la poésie épique et parfois de l'éloquence. Selon la légende, elle est la mère de Linos et d'Orphée*.

CALLIPPOS, en gr. **Kallippos.** ♦ Astronome grec (Cyzique, début du ~ IVe s. Dirigeant l'école d'astronomie fondée à Cyzique par son maître Eudoxe*, il révisa le système des sphères homocentriques; il corrigea également le cycle de Méton*.

CALLIRRHOÉ [*Kallirrhoê*] (« Fontaine aux belles eaux »). ♦ Nom de femmes et de fontaines mythiques très répandu chez les anciens Grecs.

CALLISTHÈNE, en gr. **Kallisthenês.** ♦ Historien et philosophe grec (Olynthe, ~ 360 – ~ 327). Neveu d'Aristote*, il fut formé par lui, en même temps qu'Alexandre*. Il accompagna ce dernier en Asie à titre d'historiographe; mais, ayant raillé ses prétentions à la divinité, il fut condamné à mort et exécuté. Il est l'auteur d'une *Histoire de la Grèce de ~ 387 à ~ 357,* d'une *Chronique de la guerre de Phocide,* et d'un *Récit de l'expédition d'Alexandre.*

CALLISTO, en gr. **Kallistô.** ♦ Nymphe de la suite d'Artémis*, fille de Lycaon, roi d'Arcadie. Aimée de Zeus*, elle suscite la jalousie d'Héra* qui la transforme en ourse pour la faire tuer à la chasse par Artémis ou par son propre fils, Arcas. Mais Zeus la place au ciel où elle devient la constellation de la Grande Ourse.

CALLOT (Jacques). ♦ Graveur et dessinateur français (Nancy, 1592 – *id.*, 1635). Il aurait dès l'âge de douze ans fait diverses tentatives pour se rendre à Rome; en 1609, il y apprit la technique du burin auprès du peintre graveur Thomassin, puis entra en 1614 au service des Médicis à Florence, copia les maîtres italiens et les maniéristes anversois et s'initia à l'eau-forte auprès de Parigi. Dès lors, il se consacra à cette technique et innova en abandonnant le vernis mou pour le vernis dur des luthiers, qui permettait un trait d'une extrême finesse. Sa profonde originalité s'affirme avec la série des Caprices (*Caprici di varie figure,* 1619 ; ce genre fut appelé par la suite « à la manière de Callot ») et avec la *Foire de l'Impruneta* (1620). Il se rendit ensuite à Nancy, grava *la Petite Foire* puis la série des *Gueux* (1622), évocation pleine de mordant, où l'invention expressive s'allie à un sens aigu de l'observation. Il grava ensuite à Nancy *La Noblesse lorraine* (1623), puis aux Pays-Bas le *Siège de Breda* (1628). Louis XIII lui commanda alors le *Siège de La Rochelle,* le *Siège de Saint-Martin-de-Ré.* Il séjourna à Paris, de 1628 à 1631 *(Vue du Pont-Neuf)* puis refusa d'exécuter le *Siège de Nancy* et, profondément touché par l'invasion de la Lorraine, entreprit *Les Misères de la guerre* (1633) et *Les Supplices* (1634), dont la veine véhémente et dramatique se retrouve dans la *Grande Passion* et la *Tentation de saint Antoine* (1634). Doué d'une exceptionnelle maîtrise technique, Callot fut à bien des égards héritier du maniérisme, il affectionnait les éclairages savants, les effets de perspective oblique, agrandissant l'espace où prolifèrent de petites figures minutieusement détaillées et employait un canon allongé. Son inspiration, à composantes souvent grotesques et fantastiques, est servie par un trait nerveux d'une grande tension expressive. L'audace de sa vision, son caractère synthétique est surtout manifeste dans ses dessins et esquisses. Certaines de ses compositions, par leur concision et leur sobriété, semblent indiquer une orientation plus classique. Ses estampes, recherchées par les amateurs du XVIIIe s., furent admirées par les romantiques.

CALMAR. ♦ V. KALMAR (Suède).

CALMETTE (Gaston). ♦ Journaliste français (Montpellier, 1858 – Paris, 1914). Directeur du *Figaro* (1903), il entreprit en 1914 une campagne contre le ministre des Finances, Caillaux*, et fut tué par l'épouse de ce dernier.

CALMETTE (Albert). ♦ Médecin et bactériologiste français frère de Gaston Calmette (Nice, 1863 – Paris, 1933). Fondateur de l'institut bactériologique de Saigon (1891) et de l'institut Pasteur à Lille (1896-1919), il découvrit la sérothérapie antivenimeuse et antipesteuse, et mit au point avec Guérin* la methode de vaccination préventive contre la tuberculose (B.C.G.). [Acad. sc., 1927.]

CALMPTHOUT, en néerl. **Kalmthout.** ♦ V. de Belgique, prov. et arr. d'Anvers. 12 429 hab. Indus. alimentaires. Constructions mécaniques. Pépinières. Dentelle.

CALONNE (Charles-Alexandre *de*). ♦ Homme politique français (Douai, 1734 – Paris, 1802). Procureur général au parlement de Douai (1759), il devint intendant de la généralité de Metz (1766), puis de Lille (1778) où il fit la preuve de ses qualités d'administrateur (création de routes, de canaux, développement du commerce maritime de Dunkerque, etc.). Appelé au contrôle des Finances en 1783, peu après la démission de Necker*, il pratiqua d'abord une politique d'expédients (emprunts, grands travaux) pour restaurer la confiance dans l'État et la situation des finances. En dépit de ces mesures, le déficit budgétaire ne put être comblé, et, face à la crise économique et financière de 1785, Calonne proposa un projet de réformes plus radicales (le 20 août 1786) pour unifier l'administration des provinces, adoucir la gabelle et les douanes intérieures, réduire les dépenses de la cour et surtout établir l'égalité fiscale, en remplaçant le vingtième par un impôt foncier (la subvention territoriale). L'Assemblée des notables* qu'il convoqua pour 1787 s'éleva violemment contre ses propositions. Calonne dut démissionner (avr. 1787) et fut remplacé par Loménie* de Brienne. Retiré en Angleterre, il y fut quelque temps chef de l'émigration lors de la Révolution, et ne revint en France que sous le Consulat.

CALONNE-RICOUART. ♦ Comm. du Pas-de-Calais, arr. de Béthune, dans l'aggl. de Bruay*-en-Artois. 9 954 hab. *(Calonnois).* Houillères.

CALOOCAN. ♦ V. des Philippines (île de Luzon), prov. de Rizal, au N. de Manille. 195 000 habitants.

CALPÉ [*Kalpé*]. ♦ Une des deux colonnes* d'Hercule, celle de l'extrémité de la péninsule Ibérique, appelée Gibraltar* après l'invasion des Maures (VIIIe s.).

CALPURNIUS PISO. ♦ **V.** PISON.

CALTANISSETTA. ♦ V. d'Italie, au centre de la Sicile. 64 700 hab. Ch.-l. de la prov. homonyme (305 300 hab.). Exploitations de soufre. Culture du coton.

CALTANISETTA. ♦ V. d'Italie, au centre de la Sicile. 64 700 hab. Ch.-l. de la prov. homonyme (305 300 hab.). Exploitations de soufre. Culture du coton.

CALUIRE-ET-CUIRE. ♦ Comm. du Rhône (arr. de Lyon), dans la communauté urbaine de Lyon*, sur la r. g. de la Saône*. 40 216 hab. Indus. chimiques, textiles, bonneterie, céramiques.

CALVADOS [kalvados]. **[14].** *n. m.* ♦ Dép. du N.-O. de la France, région (anciennement C.A.R.) de la Basse-Normandie*. Dép. maritime, bordé au N. par la Manche*. 5 693 km². – *Orogr.* À l'E., le pays d'Auge* avec ses prairies et ses vergers, est une région d'élevage ; au centre se trouve la campagne de Caen*, riche région agricole, dont le sous-sol formé de calcaires jurassiques est recouvert de limons qui permettent une agriculture céréalière ; au N.-O., le Bessin* et au S.-O., le bocage* normand sont des régions de bocage et d'élevage.

Arch. Rencontre

J. Calvin.

♦ 40 cant., 753 comm., 532 920 hab. *Préf.* Caen* ; *sous-préf.* Bayeux*, Lisieux*, Vire*. *Ch.-l. de cant. :* Aunay*-sur-Odon, Balleroy*, Bény-Bocage [le] (640 hab.), Blangy*-le-Château, Bourguébus (342 hab.), Bretteville-sur-Laize (1 323 hab.), Cambremer (766 hab.), Caumont-l'Éventé (1 172 hab.), Condé*-sur-Noireau. Creully*. Douvres-la-Délivrande (2 287 hab.), Dozulé*, Évrecy (658 hab.). Falaise*, Honfleur*, Isigny-sur-Mer, Livarot*, Mézidon*, Morteaux-Coulibœuf (620 hab.), Orbec*, Pont*-l'Évêque, Ryes (377 hab.), Saint-Pierre*-sur-Dives, Saint-Sever-Calvados (1 478 hab.), Thury-Harcourt (1 238 hab.), Tilly-sur-Seulles (979 hab.), Trévières (824 hab.), Troarn (1 139 hab.), Trouville*-sur-Mer, Vassy (1 424 hab.), Villers-Bocage (750 hab.), *Autres comm. :* **V. Arromanches, Cabourg, Courseulles-sur-Mer, Deauville, Dives-sur-Mer, Délivrande** (la), **Formigny, Grancamp-les-Bains, Hermanville-sur-Mer, Hérouville-Saint-Clair, Houlgate, Langrune-sur-Mer, Lion-sur-Mer, Luc-sur-Mer, Mondeville, Ouistreham, Port-en-Bessin, Saint-Aubin-sur-Mer, Villers-sur-Mer.**

CALVAERT ou **CALVART (Denijs,** dit en it. **Dioniso FIAMMINGO).** ♦ Peintre, dessinateur et graveur flamand (Anvers, v. 1540 – Bologne, 1619). Formé à Anvers auprès d'un paysagiste, il subit surtout l'influence de Aertsen* et de Floris*. Il se rendit en Italie vers 1652, s'établit à Bologne, mais séjourna aussi à Parme et à Rome. Il a laissé de nombreux dessins pastichant Corrège, Michel-Ange et Raphaël. Il est l'auteur de nombreux retables et de petits tableaux religieux de style maniériste, aux coloris souvent suaves et qui attestent l'assimilation aisée de diverses influences italiennes (Parmesan*, Corrège*). [*Martyre de sainte Ursule; Mariage mystique de sainte Catherine*]. Il créa à Bologne une académie qui annonce celle des Carrache* et eut comme élèves G. Reni*, le Dominiquin*, l'Albane* et le Guerchin*.

CALVAIRE. *n. m.* ♦ **V. Golgotha.**

CALVI. ♦ Sous-préf. de la Corse*, ch.-l. d'arr. (6 cant. 35 comm. 14 760 hab.) au fond du *golfe de Calvi,* sur la côte N. de l'île. 3 087 hab. *(Calvais).* Citadelle génoise ou Ville-Haute entourée de remparts du XVe siècle. Centre de tourisme balnéaire (plage très fréquentée). Port de pêche et de voyageurs.

CALVIN (Jean Cauvin, dit**).** ♦ Réformateur religieux et écrivain français (Noyon, Picardie, 1509 – Genève, 1564). Il étudia les lettres et la philosophie à Paris, le droit à l'université d'Orléans puis de Bourges, l'hébreu, le grec et la théologie au Collège royal. Sa formation d'humaniste transparaît dans son *Commentaire du « De clementia »* de Sénèque*. C'est en 1533 qu'il adhéra à la Réforme, et dès lors commença pour lui une vie de prédicateur (Saintonge, Angoumois). Mais l'affaire des Placards (1534) l'obligea à quitter la France pour Bâle où il publia la première édition en latin de l'*Institution* de la religion chrétienne* (1536), éditée en français (1541). Alors qu'il passait à Genève, il y fut retenu par Farel*, et tenta avec lui une première fois d'appliquer les principes de la Réforme; mais il échoua et dut quitter la ville. À Strasbourg où il s'était rendu auprès de Martin Bucer*, il enseigna la théologie, dirigea l'Église des réformés de France, rencontra Mélanchton*, et épousa Idelette de Bure. Rappelé à Genève par Farel et le Conseil de la ville, il y retourna en 1541 et devait y jouer dès lors un rôle à la fois religieux et politique. Il participa à la rédaction des *Ordonnances ecclésiastiques* qui furent le statut de l'Église réformée de Genève, réorganisa l'académie de la ville qui devint rapidement un centre universitaire renommé et ne cessa de s'occuper de l'éducation religieuse des Genevois (sermons; rédaction d'un *Catéchisme;* d'un *Petit Traité de la Sainte Cène*). Mais cette œuvre de réforme ne se fit pas sans heurt; et Calvin recourut à la force pour faire face aux opposants politiques et religieux qu'il fit condamner à l'exil ou la mort, comme Michel Servet* qui fut brûlé vif en 1553. C'est Théodore de Bèze* qui, à la mort de Calvin, le remplaça à la tête de l'Église réformée **(V. Calvinisme).** Calvin est aussi considéré comme un des premiers grands écrivains en langue française.

CALVIN (Melvin). ♦ Biochimiste américain (Saint-Paul, Minnesota, 1911 —). Créateur de techniques très fines d'analyse chimique faisant appel à la fois à la chromatographie et à la radioactivité, il étudia le mécanisme de la photosynthèse. (Prix Nobel de chimie, 1961.)

Calvinisme. *n. m.* ♦ Doctrine religieuse de Calvin*, dont les principes théologiques furent exposés dans son *Institution de la religion chrétienne.* Ils résident essentiellement dans : *1)* la reconnaissance de la Bible comme source unique de la foi, tout en admettant les dogmes des cinq premiers conciles; *2)* la doctrine de la prédestination et de la grâce, proche des thèses de saint Augustin; *3)* le retour à la simplicité primitive du culte où seuls sont admis comme sacrements le baptême et la communion auxquels est accordée une valeur symbolique de commémoration (contrairement au luthéranisme). L'éthique calviniste joua un rôle important sur le plan économique : glorifiant le travail et autorisant le prêt, elle fut, selon le sociologue Max Weber *(L'Éthique du protestantisme et l'Esprit du capitalisme),* étroitement liée à l'essor du capitalisme. Elle contribua également au développement des principes de la démocratie politique (déjà réalisée à Genève par Calvin) et des valeurs culturelles. Le calvinisme se répandit en France où ses partisans furent appelés huguenots (Nord-Ouest, Sud-Est et Massif central), aux Pays-Bas où les calvinistes se divisèrent en arminiens et gomaristes, en Angleterre et Écosse (J. Knox, fondateur du presbytérianisme) et, à partir du XVIIe s., dans des pays d'outre-mer comme l'Afrique du Sud, les États-Unis et le Canada. Il semble s'être implanté surtout dans la classe bourgeoise. Il compte actuellement quarante millions d'adeptes dont env. cinq cent mille en France et deux millions deux cent mille en Suisse.

CALVOS (André). ♦ Poète grec (Zante, 1792 — Londres, 1867). Contemporain de Solomos*, de formation italienne et inspiré par la révolution grecque comme lui, il s'écarte cependant de l'école ionienne et des formes traditionnelles de la poésie démotique. Sa strophe, d'une structure rigide et invariable, évoque la versification italienne et la métrique du lyrisme éolien. Son œuvre (*La Lyre,* 1824; *Odes nouvelles,* 1826) constitue un manifeste pour la vertu civique et le sacrifice à un idéal.

CALVO SOTELO (José). ♦ Homme politique espagnol (La Corogne, 1893 — Madrid, 1936). Ministre des Finances durant la dictature de Primo* de Rivera, il devint, sous le régime républicain, un des chefs du parti monarchiste. Son assassinat, le 13 juillet 1936, souleva une émotion considérable et donna le signal du soulèvement nationaliste.

Ph. Louis Monier

Camargue.

CALYDON [*Kaludôn*]. ♦ V. de l'anc. Grèce en Étolie*. Son roi légendaire Tydée* figure parmi les Sept Chefs et son fils Diomède* est un héros de l'expédition des Épigones contre Thèbes et de la guerre de Troie. La ville est surtout célèbre pour la chasse au *sanglier de Calydon,* monstre qui ravageait le pays. Cette opération réunit un grand nombre des héros grecs. **V. Méléagre, Héraclès, Atalante, Déjanire.** — Les ruines d'un temple d'Artémis Laphria ont été mises au jour en 1925.

CALYPSO [*Kalupsô*]. ♦ Nymphe, de l'île mythologique d'Ogygie* Selon *L'Odyssée*,* elle accueillit Ulysse* après son naufrage et le retint dix ans.

CALZABIGI ou **CALSABIGI (Ranieri *de*).** ♦ Écrivain et librettiste italien (Livourne, 1714 — Naples, 1795). Auteur d'une correspondance abondante, qui le montre sensible au renouveau politique de l'Italie (*Lettre* [...] *au comte V. Alfieri,* 1784), vivement intéressé par l'effort de rénovation entrepris par Métastase* (qu'il connut en 1747) dans l'art dramatique, il eut lui-même une grande influence dans le domaine musical; lié par une étroite amitié à Gluck* (qu'il connut à Vienne, en 1761), il entreprit en commun avec le musicien la « réforme » de l'opéra, illustrée par *Orphée et Eurydice* (1762), *Alceste* (1767) et *Pâris et Hélène* (1770).

CAM ou **CAÕ (Diogo).** ♦ Navigateur portugais (XVe s.). — Chargé par Jean II du Portugal de découvrir un passage maritime vers les Indes par le sud de l'Afrique, il entreprit une expédition, avec M. Behaim*, au cours de laquelle il atteignit le Congo (1485). L'exploration de la côte occidentale africaine fut poursuivie par B. Dias* (1487-1488).

CAM. *n. f.* ♦ Petite riv. d'Angleterre (38 km), affl. de l'Ouse et arrosant la ville de *Cambridge** à laquelle elle donne son nom (« pont sur la Cam »).

CAMAGÜEY. ♦ V. de Cuba*, située dans l'intérieur de l'île. Ch.-l. de prov. 170 500 hab. (1966). Sucreries. Distilleries (rhum). — Patrie de N. Guillén. — La *province de Camagüey* compte près de 800 000 habitants.

Camaldules. *n. m. pl.* ♦ Ordre religieux (ermites et moines) fondé dans la vallée de Camaldoli (Toscane) par saint Romuald en 1010, approuvé en 1050, détaché des bénédictins en 1113.

CAMARA (Dom Hélder). ♦ **V.** Pessõa Camara.

CAMARAT *(cap).* ♦ Promontoire situé au S.-E. de Saint*-Tropez.

CAMARÈS. ♦ Ch.-l. de cant. de l'Aveyron*, (arr. de Millau*), sur le Dourdou. 1 257 hab. *(Camarésiens).* Ponts anciens, dont un gothique. Eaux minérales ferrugineuses. Indus. textiles (draps et couvertures).

CAMARET-SUR-MER. ♦ Comm. du Finistère* (arr. de Châteaulin), dans la presqu'île de Crozon*. 3 593 hab. *(Camarétois).* Chapelle Notre-Dame de Roc'h-Amadour (XVIe s., reconstruite après l'incendie de 1910). Château ou tour de côte Vauban (*fin* XVIIe s.). Station balnéaire; port de pêche (langouste). Conserveries. Constructions de bateaux.

CAMARGO (Marie Anne de Cupis de Camargo, dite **la).** ♦ Danseuse française (Bruxelles, 1710 — Paris, 1770). Justement réputée pour son brio, elle triompha à l'Opéra de Paris (1726-1751) dans des œuvres de Rameau, Campra et Mouret. Elle introduisit dans les rôles féminins des pas réservés jusqu'alors aux seuls danseurs : entrechats, pas battus, cabrioles. Sa rivalité avec Mlle Sallé, pure incarnation d'un art plus mesuré, est demeurée célèbre.

CAMARGUE. *n. f.* ♦ Région du S. de la France. Pays de marécages et de prairies, situé entre deux branches du delta du Rhône*. Au centre et au S., l'activité reste traditionnelle : élevage de taureaux noirs, de petits chevaux blancs (camarguais). Une flore et une faune caractéristiques (flamants roses, ibis, etc.) ont motivé la création d'un parc naturel régional depuis 1967. Le N. de la région a été aménagé (drainage, irrigation, etc.) : prairies artificielles, culture mécanisée de la vigne, du riz (la production de riz est de 4 000 kg à l'ha). Sel marin (près de la moitié de la récolte française). **V. Salin de Giraud.**

CA-MAU (nom moderne **Quan-Long).** ♦ Région située à la pointe sud de la Cochinchine* (Viêt-nam* du Sud), au terrain alluvionnaire et marécageux, qui tire son nom du delta du Mékong (Mui Ca-mau). Ville de cette région (15 000 hab.). Pêche, artisanat du nuoc-mam, culture du riz.

CAMBACÉRÈS (Jean-Jacques Régis *de, duc de* Parme). ♦ Juriste et homme politique français (Montpellier, 1753 — Paris, 1824). Conseiller à la cour des comptes de Montpellier en 1771, président du tribunal criminel de l'Hérault en 1789, il fut élu député à la Convention (1792), où il vota la mort de Louis XVI. Il se prononça pour l'arrestation des chefs girondins après la trahison de Dumouriez. Membre du Comité de législation, il rédigea un premier projet de Code civil, présenté à la Convention en août 1793 et rejeté. Membre du Conseil des Cinq-Cents, ministre de la Justice (18 juin 1799), il fut nommé deuxième consul à la demande de Bonaparte **(V. Consulat).** Président du Sénat et du Conseil d'État, il se spécialisa dans les questions d'administration judiciaire, contribuant à l'élaboration du Code* civil, archichancelier de l'Empire (1804) et duc de Parme, il se rallia aux Bourbons en 1814, reprit néanmoins ses fonctions lors des Cent-Jours, et fut ensuite proscrit comme régicide de 1815 à 1818. (Acad. fr. 1803 radié en 1816.)

CAMBALUC ou **CAMBALIC**. ♦ Nom donné au Moyen Âge par Marco Polo à l'actuelle ville de Peking*, tiré de *Qân-baliq*, ou Khan-Baligh, «ville du Qân».

CAMBAY. ♦ V. de l'Inde et port de la côte occidentale, au N. de Bombay, sur le golfe du même nom. 51 300 hab. Ce port, très florissant au XVIIe s., périclita à partir du XVIIIe s. en raison de son ensablement progressif. Petites exploitations de pétrole aux environs. — *Golfe de Cambay :* golfe de la mer d'Oman*, qui s'enfonce dans l'État de Gujarât. Il reçoit les eaux de la Narbada. Le port de Surat y est situé.

CAMBERLEY. ♦ Village d'Angleterre (Berkshire) où fut transférée en 1947, l'école militaire de Sandhurst*.

CAMBERT (Robert). ♦ Compositeur français (Paris, v. 1628 — Londres, 1677). Organiste et claveciniste, élève de Chambonnières, il fut le maître de musique d'Anne d'Autriche et composa, avec le poète Pierre Perrin, *La Pastorale d'Issy* (1659), premier opéra français. Ayant obtenu le monopole de la représentation des spectacles de musique en langue française, il se vit supplanté par Lully et dut quitter la France pour l'Angleterre (1673). Il fonda, avec Grabu, la *Royal Academy of Music*, à Londres où il mourut, sans doute assassiné.

CAMBIASO (Luca). ♦ Peintre italien (Moneglia, près de Gênes, 1527 — Madrid, 1585). Premier grand maître de l'école génoise, il décora plusieurs palais et églises en collaboration avec son maître et père Giovanni comme avec Lazaro Calvi ou Francesco Brea (fresques dans le *palais Saluzzo*, le *palais Doria* [*auj.* Spinola], *Santa Maria del Canneto*). Son premier style, profondément influencé par les fresques de Perino* del Vaga et de Pordenone*, tire certains de ses effets des manières de Corrège* et de Véronèse* tandis que ses travaux de maturité révèlent des compositions plus originales et plus mesurées ainsi qu'une palette moins exubérante *(Saint Augustin entouré de saints)*. Parmi ses œuvres tardives, les « nocturnes » — où la répartition de la lumière accentue le clair-obscur — exercèrent une forte influence sur la peinture caravagesque (*Madone à la chandelle, Christ devant Caïphe*, Gênes). Ayant acquis une grande célébrité, il fut appelé par Philippe II d'Espagne (1582) pour décorer la grande voûte de l'Escorial *(Couronnement de la Vierge)*. Certains de ses dessins, consacrés à des études sur le mouvement, montrent des figures décomposées et géométrisées qui sont considérées comme une lointaine justification du cubisme.

CAMBODGE. *n. m.* ♦ État (République) de l'Asie du Sud-Est, en Extrême-Orient, dans la péninsule d'Indochine*, limité par la Thaïlande* à l'O. et au N.-O., le Laos* au N., le Viêt-nam* du Sud à l'E. **(V. Annam)** et au S.-E. **(V. Cochinchine)** et baigné par le golfe du Siam* au S. et au S.-O. 181 000 km². 6 320 000 hab. *(Cambodgiens). Cap.* Phnom* Penh. *V. princ.* **V. Battambang, Kampot, Kompong, Cham, Sihanoukville, Angkor, Udong** (sites). *Langue off.* Cambodgien. Le pays est divisé administrativement en dix-sept provinces *(Bhêt)* — Le Cambodge occupe une vaste cuvette alluvionnaire entourée de montagnes. La cuvette centrale est limitée au N. par la chaîne des monts Dangrek, au S. par le massif des Cardamomes* (culminant à 1 813 m), à l'E. par la Cordillère annamitique. Ce vaste fossé d'effondrement est arrosé par le cours du bas Mékong*, et les petites rivières descendant des montagnes, affluents du Mékong ou qui se jettent dans le grand lac central, le Tonle*-sap. Des plateaux gréseux ou basaltiques émergent de loin en loin de cette cuvette de peu d'altitude, inclinée légèrement vers le S.-E. : le pays a donc tendance à être assez sec dans le N. (1 337 mm de précipitations à Battambang) et trop humide dans le S.-E. (4 500 mm à Kompong San), malgré l'apport en eau fourni par les deux moussons annuelles (mai et octobre-novembre). Cela rend nécessaires des travaux de drainage dans le S. et la constitution de réserves d'eau *(baray*)* dans les parties hautes du pays. Cette particularité hydrologique a conditionné toute la vie des Cambodgiens depuis l'Antiquité et déterminé leur histoire. La population est concentrée dans les plaines des rives du Tonle-sap et celles qui bordent le cours du Mékong. — *Écon.* L'agriculture est la ressource principale du pays (riz [3,4 millions de t en 1968], maïs, coton, tabac et grandes plantations d'hévéa [52 000 t de caoutchouc en 1969]). La pauvreté en minéraux limite l'installation de grosses industries. Les forêts connaissent quelques exploitations de bois et fournissent des épices. L'élevage (bovins) est florissant (1,8 million de têtes), mais il n'est productif que d'énergie, la viande étant de consommation peu courante. La pêche (171 000 t) est vitale. — *Communications.* Le réseau routier a 6 000 km. Les voies ferrées sont très insuffisantes (665 km). Le nouveau port de Sihanoukville, avec le port fluvial de Phnom Penh, permet les échanges internationaux. — Le *commerce* s'effectue principalement avec la France, le Japon, Hong Kong, Singapour et la Chine. Exportations de riz, caoutchouc, maïs, fruits et agrumes. Importation de biens d'équipement, de produits chimiques, etc. — La majorité de la population (anciens Khmer*, Vietnamiens, quelques peuples d'origine indonésienne dans les montagnes) est bouddhiste (écoles du Sud). Les Cambodgiens parlent un dialecte môn-khmer dérivé de l'ancienne langue royale des Khmer*. ♦ *Hist.* Les premiers royaumes cambodgiens furent établis au début de notre ère dans la partie des basses plaines du S.-O. et furent hindouisés très tôt : le royaume du Fu*-nan s'étendait alors, semble-t-il jusqu'à la péninsule malaise. Un royaume plus central, dont l'origine semble avoir été dans le S. du Laos actuel, sur la boucle du Mékong, commença de dominer le Fu-nan vers le VIe s. et établit un royaume double («Chen*-la de terre» au N. et «Chen-la d'eau» au S.) dans la plaine du Tonle-sap. On connaît peu de choses de ces royaumes, sinon par les sources chinoises. En 802 surgit au N. du Tonlesap un royaume qui conquit le pays tout entier et développa une admirable civilisation **(V. Khmer)**. Les souverains y créèrent d'immenses bassins d'irrigation et mirent en valeur le pays central. Ils s'opposèrent aux Cham* de la côte d'Annam*, puis à partir du XIIIe s., aux peuples thaï* descendus du Yunnan*. La capitale, Angkor*, fut prise au XVe s., et les souverains cambodgiens en occupèrent plusieurs autres au S. du Tonle-sap, entre autres celle de Phnom* Penh, au lieu dit des «Quatre-Bras» du Mékong. Ces souverains seront constamment pris entre les Siamois et les Vietnamiens dont la progression vers le S. s'affirmait de plus en plus forte. Le pays connut alors des fortunes diverses jusqu'au moment où la France soutint sa cause contre celle des Vietnamiens et des Siamois (1863). Le Cambodge devint un protectorat français et connut alors une période de paix relative avec ses voisins bien qu'à plusieurs reprises le Siam ait réclamé comme siens des territoires qui avaient été khmer (région d'Angkor et de Battambang, temple de Preah Vihear). En 1949, le Cambodge devint indépendant mais demeura associé à la France. Il n'obtint son indépendance politique complète qu'en 1953 et quitta l'Union française en 1955. La royauté fut abolie en 1970 par le Général Lon Nol, et la Rép. khmère proclamée le 9 oct. ; mais le chef du gouvernement, Norodom Sihanuk, en exil à Pékin, y a formé un autre gouvernement. La lutte entre les deux tendances est plus idéologique que politique, le gouvernement cambodgien sur place ayant l'appui des Américains, Norodom Sihanuk ayant le soutien des États communistes. L'offensive des Kmers rouges, se réclamant de Sihanuk (fin 1974-début 1975) aboutit au départ de Lon Nol le 1er avril 1975). Sihanuk revint à Phnom-Penh (sept. 1975), assista à la création de l'État démocratique du Cambodge (janv. 1976) et démissionna le 2 avril. Il fut remplacé à la tête de l'État par Khieu Samphan, et Pol Pot prit la direction du gouvernement.

Ph. Hétier

Cambodge : Phnom Penh.

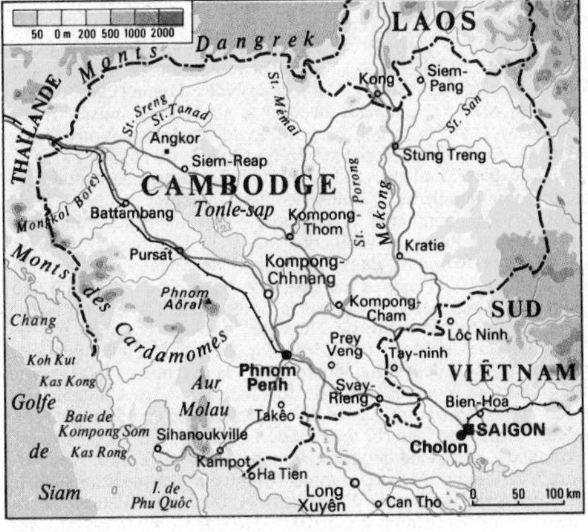

Cambodge.

Ph. Hétier

Cambridge, Angleterre : l'université.

Ph. Nino Cirani/Ricciarini

Cambridge, U.S.A. : l'université de Harvard.

CAMBODGE *(monts du)*. ♦ Groupe de montagnes du S. du Cambodge, comprenant surtout la chaîne des Cardamomes*.

CAMBO-LES-BAINS. ♦ Comm. des Pyrénées*-Atlantiques (arr. de Bayonne*), sur la Nive*, 5 104 hab. *(Camboards)*. Station climatique conseillée aux asthmatiques, aux nerveux ; plusieurs sanatoriums. Église de style basque. – E. Rostand* y a vécu (villa l'Arnaga) ; musée Rostand.

CAMBON (Joseph). ♦ Homme politique français (Montpellier, 1756 – près de Bruxelles, 1820). Député à l'Assemblée législative, puis à la Convention où il quitta la Plaine* pour se rallier aux Montagnards, il fut membre du premier Comité* de salut public (avril-juillet 1793), puis président du Comité des Finances (jusqu'en 1795). Il tenta, sans grand succès, d'enrayer l'inflation et institua le grand livre de la Dette publique (24 août 1793), par lequel le nouveau régime reconnaissait les dettes de l'ancien. Hostile à Robespierre*, il vota contre lui le 8 Thermidor, contribuant à sa chute (9 Thermidor). Il fut néanmoins poursuivi sous la Convention thermidorienne et réussit à se cacher jusqu'à l'amnistie de l'an IV. Proscrit comme régicide (1815), il vécut en exil en Belgique.

CAMBON (Paul). ♦ Administrateur et diplomate français, frère de Jules Cambon (Paris, 1843 – 1924). Chef de cabinet de J. Ferry après le 4 sept. 1870, il fit une carrière administrative en France et fut résident général en Tunisie (1882), puis entra dans la diplomatie. Nommé ambassadeur à Madrid (1886), à Constantinople (1891) et enfin à Londres (1898), où il resta jusqu'en 1920, ne cessant de travailler à l'entente **(V. Entente cordiale)** et à la coopération avec la Grande-Bretagne. Sa *Correspondance* parut après sa mort.

CAMBON (Jules). ♦ Administrateur et diplomate français, frère de Paul Cambon (Paris, 1845 – Vevey, 1935). Après une carrière administrative, en particulier comme gouverneur général de l'Algérie (1891), il fut nommé ambassadeur à Washington en 1897, puis à Madrid et à Berlin (1907-1914), poste où il eut à régler les questions diplomatiques relatives au Maroc (affaire d'Agadir*). Il fut secrétaire général au ministère des Affaires étrangères de 1915 à 1919, et l'un des signataires du traité de Versailles. Il publia *Le Diplomate* [1925]. (Acad. fr., 1918.)

CAMBRAI. ♦ Sous-Préf. du Nord*, ch.-l. d'arr. (7 cant., 118 comm., 177 809 hab.), sur l'Escaut*, dans le Cambrésis*. 39 922 hab. *(Cambrésiens)*. Cathédrale Notre-Dame (XVIIIe s., restaurée au XIXe s.). Chapelle du XVIIe s. abritant un musée. Église Saint-Géry (XVIIIe s.) ; beffroi (XIIe, XVIIIe s.) ; porte Notre-Dame (XVIIe s.). Archevêché (Fénelon* en fut titulaire de 1695 à 1715). – Indus. textiles (batistes, toiles, dentelles). Indus. alimentaires : chicorée, andouillettes ; confiserie (les fameuses « bêtises de Cambrai ») ; minoteries ; brasseries. Savonneries. Fonderies, métallurgie. – Patrie de L. Blériot*, de C.F. Dumouriez*. ♦ *Hist.* V. princ. des Nerviens* dans l'Antiquité, elle devint sous Clodion* le Chevelu (Ve s.) cap. d'un royaume franc qui fut détruit par Clovis* Ier. Englobée en 843 dans la Lotharingie*, la ville fut réunie à la France par le traité de Nimègue* (1678). Occupée par les Allemands de 1914 à 1918, elle fut l'objectif d'une puissante attaque à laquelle participèrent pour la première fois quatre cents chars de combat. La ville fut libérée par les Canadiens le 9 oct. 1918. – *Cambrai (ligue de) :* ligue formée en 1508 par l'empereur Maximilien*, le roi de France Louis* XII, le roi d'Aragon, Ferdinand* II le Catholique et le pape Jules* II contre Venise*. Louis* XII étant désigné comme l'exécuteur des décisions de la ligue remporta la victoire d'Agnadel* (1509) ; mais Venise réussit à dissocier cette coalition dès 1510. – *Paix de Cambrai ou paix des Dames :* paix négociée et signée en 1529 entre Louise* de Savoie, représentant son fils François* Ier et Marguerite* d'Autriche, représentant son neveu Charles* Quint, d'où le surnom *paix des Dames*. Selon ses clauses, François Ier épousait Éléonore* de Habsbourg, renonçait à tous ses droits en Italie tandis que Charles Quint renonçait à ses prétentions sur la Bourgogne*. Elle fut rompue par François Ier en 1536.

CAMBRÉSIS [kɑ̃bʀezi]. *n. m.* ♦ Région de France qui couvre la partie S.-E. du dép. du Pas*-de-Calais et une partie du dép. du Nord*. *Cap.* Cambrai*. Le Cambrésis est un riche pays traversé par les vallées de l'Escaut* et de la Sensée* constituant avec les canaux de l'Escaut et de Saint*-Quentin la voie de passage entre la Flandre et le Bassin parisien *(seuil du Cambrésis)*. *V. princ. :* **V. Bouchain, Cambrai.** ♦ *Hist.* **V. Cambrai.**

CAMBRIDGE (« le pont [*bridge*] sur la *Cam* »). ♦ V. du S.-E. de l'Angleterre (East Anglia), située à 75 km au N.-E. de Londres. Ch.-l. du Cambridgeshire*, sur la Cam (affl. de l'Ouse). 100 200 hab. – V. d'art, grâce à sa célèbre université **(V. *ci-dessous*)**. Église du Saint-Sépulcre. Musée Fitzwilliam, fondé en 1816. – L'activité industrielle est fondée sur la transformation des produits agricoles de la région et sur l'appareillage électrique. – L'UNIVERSITÉ est, avec celle d'Oxford, la plus prestigieuse d'Angleterre. Fondée au XIIIe s. sur le modèle de celle d'Oxford et de la Sorbonne, elle compte 21 collèges autonomes dont les plus célèbres sont : *Peterhouse,* le plus ancien (1284), *Clare* (1326), *Pembroke* (1346), l'un des plus vastes, *Gonville* et *Caius* (1348-1557), *Corpus Christi* (1352), *King's* (1441), dont la chapelle de style gothique perpendiculaire (XVe-XVIe s.) possède d'admirables vitraux, *Queen's* (1447), *St. Catharine's* (1473), *Jesus* (1496), *Christ's* (1505), le plus vaste de tous, *St. John's* (1509), *Magdalene* (1542), *Trinity* (1546) relié à la bibliothèque par un pont sur la Cam, le *Trinity Bridge* (XVIIIe s.), *Emmanuel* (1584) et *Sidney Sussex* (1598). L'université possède depuis le XVIe s. un département d'édition et d'imprimerie, la *Cambridge University Press.* – Patrie de Keynes*, de Gibbons* et de G.P. Thompson*.

CAMBRIDGE. ♦ V. des États-Unis, dans l'État de Massachusetts* (zone urbaine de Boston), sur la Charles River. 107 716 hab. (1960). Indus. (instruments scientifiques, indus. alimentaires, électricité, etc.). Siège de l'université de Harvard* (avec la *Harvard School of Law*) et du *Massachusetts Institute of Technology* (M.I.T.). – Patrie de P.W. Bridgman*, R.H. Dana, O.W. Holmes*, Ch. S. Peirce*.

CAMBRIDGESHIRE. *n. m.* ♦ Comté du S.-E. de l'Angleterre (East Anglia), formant avec Ely* une seule unité administrative de 2 151 km² et 190 381 hab. (1961). *Ch.-l.* Cambridge*. L'activité économique y est surtout rurale (céréales et élevage).

CAMBRIENS *(monts)*, du lat. *Cambria,* « pays de Galles ». ♦ Massif montagneux occupant la majeure partie du pays de Galles et qui a donné son nom à une ère géologique.

CAMBRONNE (Pierre, Jacques, Étienne, *vicomte*). ♦ Général français (Nantes, 1770 – 1842). Engagé comme volontaire en 1792, il prit part aux campagnes de la Révolution et de l'Empire, fut nommé général de brigade puis major général de la garde impériale. Ayant accompagné Napoléon Ier à l'île d'Elbe (1814), il revint avec lui en 1815, et fut fait comte et pair de France pendant les Cent-Jours. Lors de la bataille de Waterloo (juin 1815), il fit partie du « dernier carré » de la Vieille Garde et, sommé de se rendre aurait répondu, selon la tradition, « La garde meurt et ne se rend pas » (ou encore aurait adressé aux Anglais, le *mot de Cambronne,* anecdote reprise par Hugo, dans *Les Misérables*). Blessé, il fut emmené comme prisonnier en Angleterre. À son retour en France, il fut traduit devant un conseil de guerre. Défendu par l'avocat Berryer*, il fut acquitté, et fut peu après chargé du commandement de la place de Lille (1820-1822).

CAMBYSE, en gr. **Kambusês**, en vieux perse **Kambuziya**. ♦ Nom de deux souverains de la dynastie achéménide. ♦ CAMBYSE Ier, roi d'Anshan (v. ~600-~559), fils de Cyrus* Ier, père de Cyrus* II. Il fut le vassal des Mèdes Cyaxare* et Astyage*. Il épousa une fille de ce dernier, Mandane. ♦ CAMBYSE II, roi de Perse (~530-~522), fils et successeur de Cyrus* II le Grand. Il conquit l'Égypte et s'y fit couronner roi, fondant la XXVIIe dynastie (~525). Mais il échoua contre l'oasis d'Ammon et contre l'Éthiopie et renonça à attaquer Carthage. L'esprit troublé, il se livra à de nombreuses violences (meurtre de sa sœur Roxane); il mourut, peut-être par suicide, à son retour d'Égypte, en Syrie, après avoir appris l'usurpation de son frère Bardiya.

CAMDEN. ♦ V. des États-Unis, dans l'État de New* Jersey, sur la r. d. de la Delaware*, en face de Philadelphie. 117 159 hab. (1966). Indus. (conserves, constructions navales, produits chimiques, etc.). La compagnie Victor (1894) y développa le phonographe. — W. Whitman* y séjourna de 1884 à sa mort (1892); musée.

CAMÉLINAT (Zéphyrin). ♦ Homme politique français (Mailly-la-Ville, Yonne, 1840 — Paris, 1932). Ouvrier militant socialiste, il participa à la fondation de la Ire Internationale (1864), et, en 1871, s'exila en Angleterre après l'échec de la Commune de Paris à laquelle il avait pris part. Amnistié, il fut élu député (1885-1889), et était l'un des principaux actionnaires du journal des socialistes *l'Humanité**. Lors du congrès de Tours (1920), il se rallia à la majorité socialiste qui adhéra à la IIIe Internationale, et *l'Humanité* devint alors l'organe de la section française de l'Internationale communiste (Parti communiste* français).

CAMELOT (Robert). ♦ Architecte français (Reims, 1903). Auteur de nombreux édifices scolaires et de grands ensembles d'habitations économiques, il a souvent utilisé la technique du béton armé en voile mince, notamment pour l'édification de la voûte triangulaire du *Centre national des industries et des techniques* (C.N.I.T., 1958) qu'il éleva à la Défense, à l'O. de Paris, avec Jean de Mailly et Zehrfuss*.

Camelots du roi (les). ♦ Groupes de combat royalistes fondés en novembre 1908 à l'instigation de Maxime Real del Sarte et de Lacour, chargés à l'origine de la vente du journal *l'Action* française* et recrutés parmi les étudiants disciples de Ch. Maurras.

CAMEMBERT. ♦ Comm. de l'Orne*, arr. d'Argentan*. 197 hab. A donné son nom au célèbre fromage créé par Marie Harel au XIXe siècle.

CAMERARIUS (Joachim Ier), en all. **Cammermeister**. ♦ Humaniste allemand (Bamberg, 1500 — Leipzig, 1574). Il participa avec Melanchthon* à la rédaction de la Confession d'Augsbourg et de son Apologie et correspondit avec François Ier, puis Maximilien Ier, sur le problème de la réunification des églises.

CAMERARIUS (Rudolf Jakob). ♦ Naturaliste allemand (Tübingen, 1665 — 1721). Petit-fils de Joachim Ier Camerarius. Après plusieurs voyages en Europe, il fut professeur et directeur du jardin botanique de Tübingen. Linné eut connaissance de ses travaux sur la nature et le rôle des étamines (*Epistola de sexu plantarum*, 1694).

CAMERON (Verney Lovett). ♦ Explorateur anglais (Kadipole, Dorsetshire, 1844 — Leighton Buzzard, Bedford, 1894). Envoyé à la recherche de Livingstone* (entre-temps retrouvé par Stanley), il traversa l'Afrique d'est en ouest. Parti de Zanzibar (1873), il atteignit le lac Tanganyika (1874), et parvint à la côte occidentale de l'Afrique près de Benguéla (1875). [*Across Africa*, 1877].

CAMERONE (francisation de **CAMARON**). ♦ Localité du Mexique où le 30 avril 1863, durant la guerre du Mexique, 64 hommes de la Légion étrangère française résistèrent pendant 9 heures à 2 000 Mexicains. L'anniversaire du 30 avril est marqué par la fête traditionnelle de la Légion.

CAMEROUN [kamʀun]. *n. m.* ♦ État (République fédérale) de l'Afrique de l'O., sur le golfe de Guinée* (ou de Biafra*), limité par le Nigeria* à l'O., le Tchad* et l'Emp. Centrafricain* à l'E., le Congo*-Brazzaville au S.-E., le Gabon* et le Rio* Muni (Guinée équatoriale) au Sud. 475 000 km². 6 400 000 hab. *Cap. féd.* Yaoundé. *Langues :* français et anglais (off.), langues africaines. *Pop.* **V. Bamilékés, Bantous, Fangs, Peuls, Pygmées.** *V. princ.* **V. Buea, Douala, Edéa, Ngaoundéré, Nkongsamba.** — *Orogr.* Le Cameroun appartient à la fois à l'Afrique sahélienne et équatoriale. Du lac Tchad* au golfe de Guinée (plaine littorale et équatoriale), il passe de la savane (700 mm de précipitations annuelles), à la forêt (3 000 mm), très irriguée par de nombreux fleuves côtiers (dont la Sanaga*). Cependant, le trait dominant de son relief est constitué par le vaste arc montagneux avec intrusions volcaniques **(V. Cameroun** [mont] et **Adamaoua)** qui détermine son orientation hydrographique vers les bassins du Tchad **(V. Logone)** et du Niger* **(V. Bénoué)** au N. du massif, et vers le Congo **(V. Sangha)** au Sud. Au centre, l'Adamaoua* (région d'élevage) isole le N. et le S. du pays. — L'*économie* camerounaise, essentiellement agricole (cultures vivrières : manioc, mil, sorgho, et commerciales) est moins diversifiée au N. (coton, arachides : env. 175 000 t). Le troupeau de bovins atteint 2 millions 1/2 de têtes. Au S. : cacao (130 000 t, 5e product. mond.), café (90 000 t), palmistes, bois (hévéa, okoumé, ébène, acajou) et bananes, surtout au Cameroun occidental. — Des industries textiles, chimiques, mécaniques et électriques se sont implantées, mais seules celles de l'aluminium (51 900 t en 1975) et des corps gras présentent une réelle

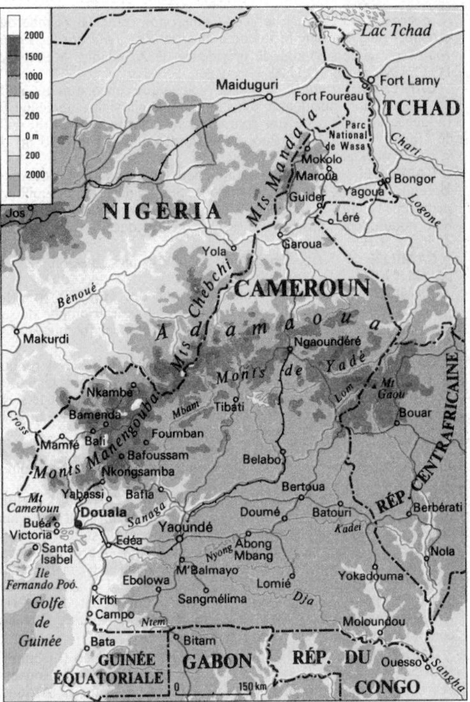

Cameroun.

importance. Les ressources minières (bauxite, fer, probablement pétrole) sont encore peu exploitées. La production d'électricité dépasse 1,12 milliard de kWhw. L'aménagement hydraulique permettra l'extension de la zone industrielle Edéa-Douala, et l'achèvement du Transcamerounais **(V. Ngaoundéré)** désenclavera le N. du pays où se développe le tourisme (parc national de Waza). Le trafic du port de Douala augmente rapidement. ♦ *Hist.* Le Cameroun fut découvert par les Portugais qui s'établirent au XVe s. à Fernando* Póo; ses côtes furent prospectées par les Européens jusqu'à la proclamation d'un protectorat allemand par Nachtigal*. Après les accords d'Agadir* (1911), le pays s'étendit vers le Congo et l'Oubangui. Attaqué par les Alliés lors du premier conflit mondial, il fut divisé entre la France et la Grande-Bretagne, qui se vit octroyer une bande étroite limitrophe du Nigeria; il fut alors placé sous mandat de la S.D.N. jusqu'en 1945 puis sous tutelle de l'O.N.U. Le *Cameroun français* obtint son autonomie interne en 1958 dans le cadre de l'Union française, et son indépendance en 1960. Le *Cameroun britannique*, après le référendum de 1961, se scinda en deux parties : le N. s'unit au Nigeria, le S.

Ph. Hétier

Cameroun : marché à Maroua.

(Cameroun occidental) à l'ex-Cameroun français *(Cameroun oriental)* pour former, la même année, la *Rép. fédérale du Cameroun* (voir ci-dessus) sous la présidence de A. Ahidjo. Membre de l'O.C.A.M. et de l'O.U.A.

CAMEROUN *(mont).* ♦ Massif volcanique, encore actif, au S. du Cameroun* occidental dans la plaine alluviale; ancienne île rattachée au continent, qui continue l'alignement des îles du golfe de Guinée* (Fernando* Póo, etc.). Point culminant (4 070 m) de la partie occidentale de l'Afrique.

CAMICHEL (Charles). ♦ Mathématicien français (Montagnac, Hérault, 1871 – Cap-Daurat, 1966). Ses études sur la similitude permirent la mise au point de la technique des modèles réduits utilisée notamment dans les usines hydro-électriques. (Acad. des sc., 1936.)

CAMILLE. ♦ Reine légendaire des Volsques, personnage de l'Énéide* (Ch. XI).

CAMILLE. ♦ Jeune fille romaine, sœur des Horace* ([morte] ~ 667?). Elle ne put contenir sa douleur après le triomphe de son frère meurtrier de son fiancé, l'un des Curiace, et fut tuée par le héros, irrité de ses imprécations.

CAMILLE, en lat. **Marcus Furius Camillus.** ♦ Général romain (~ Vᵉ s. – ~ IVᵉ s.) dont les exploits sont en partie légendaires. Tribun consulaire puis dictateur, il prit Véies (~ 396) dont le siège durait depuis 10 ans et chassa les Gaulois qui s'étaient emparés de Rome en ~ 390 **(V. Brennus).**

CAMIRI. ♦ V. de la Bolivie* située au S. du dép. de Santa* Cruz au pied de la Cordillère Orientale. Important centre pétrolier (pipeline vers Sucre).

Camisard(s). *n. m.* (du languedocien *camiso,* « chemise »). ♦ Nom donné aux calvinistes des Cévennes parce qu'ils auraient porté une chemise blanche par-dessus leurs vêtements comme signe de reconnaissance entre eux durant leurs attaques de nuit. Après la révocation de l'édit de Nantes* et la répression religieuse qui la suivit, les *camisards* se révoltèrent en 1702 et leur chef J. Cavalier* défit les troupes royales commandées par le maréchal Montrevel. Après la tactique d'apaisement du maréchal de Villars*, Cavalier composa avec lui et la révolte prit fin en 1705.

CAMOENS ou **CAMÕES (Luis** *de***).** ♦ Poète portugais (Lisbonne, 1524? – *id.,* 1580). Il eut une vie aventureuse et difficile, souvent très dure qui, après l'université de Coïmbra, le mena en Afrique, aux Indes, en Extrême-Orient à l'époque de l'expansion portugaise. On retrouve l'écho de ses voyages dans son œuvre maîtresse, *Os Lusiadas* (*Les Lusiades,* les « fils de *Luso* » c.-à-d. les Portugais, 1572); composée de 10 chants, cette épopée en vers raconte la découverte de la route des Indes par Vasco de Gama* (1497-1498). Grâce à des artifices habiles, on y trouve aussi l'histoire du Portugal et une description du système du monde. Merveilleux païen et merveilleux chrétien s'y mêlent. Cette œuvre, à la fois traditionnelle et italianisante, est devenue le poème national du Portugal. Outre des sonnets amoureux, Camoens a écrit des œuvres dramatiques : *Amphytrion* (v. 1540), *Le roi Selenco, Philodemo.*

CAMOIN (Charles). ♦ Peintre français (Marseille, 1879 – Paris, 1965). Élève de G. Moreau* à l'École des beaux-arts (1896), il exposa à partir de 1903 avec Matisse*, Marquet*, J. Puy, Manguin*, Dufy* et Friesz* et participa aux manifestations des « fauves » en 1905 et 1906. Après avoir rencontré Cézanne* dans le Midi (1902), il entreprit une correspondance suivie avec lui. En 1912, il se rendit au Maroc en compagnie de Matisse* et de Marquet*, fit ensuite la connaissance de Renoir* à Cagnes et subit son influence. Auteur de nombreux paysages, marines, scènes intimistes, nus, portraits (*Marquet,* vers 1905), natures mortes et fleurs, il conserva une certaine modération dans le choix de ses accords chromatiques, maintenant avec plus de fermeté que les autres « fauves » les références au système perspectif traditionnel. Il évolua progressivement vers une gamme plus nuancée et claire, mais toujours lumineuse (*Jeune Fille au bouquet,* 1919).

CAMPAGNOLA (Giulio). ♦ Peintre italien (Padoue, 1482 – Venise, 1516). Élève de Gentile Bellini*, il imita Giorgione* avec qui il se serait lié d'amitié. On lui attribue plusieurs œuvres proches de la manière de Giorgione, mais d'une facture moins parfaite (fresques de la Scuola del Carmine à Padoue; certaines parties des tableaux de Giorgione : *L'Épreuve du feu de Moïse; Le Jugement de Salomon,* Offices; *Le Jeune Satyre,* Munich).

CAMPAN (Jeanne Louise Henriette GENEST, *Madame***).** ♦ Éducatrice française (Paris, 1752 – Mantes, 1822). Lectrice des filles de Louis XV, puis première femme de chambre et amie de la reine Marie-Antoinette, elle fonda, après le 9 thermidor an II, un pensionnat de jeunes filles, où séjourna Hortense de Beauharnais, et obtint en 1805 la direction de la maison de la Légion* d'honneur à Écouen. Retirée à Mantes lors de la Restauration, elle laissa des *Mémoires sur Marie-Antoinette* (1822), et sa *Correspondance avec la reine Hortense* (1835).

CAMPAN. ♦ Ch.-l. de cant. des Hautes-Pyrénées* (arr. de Bagnères*-de-Bigorre), sur l'Adour*. 1 642 hab. *(Campanois).* Église et halles du XVIᵉ siècle. Carrières de marbre.

CAMPANELLA (Tommaso). ♦ Philosophe italien (Stilo, Calabre, 1568 – Paris, 1639). Dominicain, il avait étudié la magie et la kabbale. Ses idées lui valurent d'être suspecté par l'Inquisition, mais il fut absous après deux procès. A la suite d'un complot manqué qui devait abolir la féodalité et les privilèges des nobles en Calabre, il fut emprisonné pendant vingt-sept ans. Libéré par le pape Urbain VIII, il vint en France où Richelieu lui attribua une pension. Dans son utopie politique *La Cité* du Soleil,* l'auteur prône un communisme intégral.

CAMPANIE [*n. f.*] en it. **Campania.** ♦ Région de l'Italie méridionale, le long de la mer Tyrrhénienne. 13 595 km². 5 100 000 hab. *(Campaniens);* densité très forte (2 170 hab km², 4 à 5 000 dans les champs Phlégréens). Elle comprend les provinces d'Avellino, de Bénévent, Caserte, Naples et Salerne. – *Orogr.* On distingue les plaines côtières (Naples, Paestum) entre lesquelles s'étendent les champs Phlégréens entourant le Vésuve*, puis la péninsule de Sorrente, au sud. L'intérieur est montagneux : monts Matese au nord-est, Cilento au sud-ouest. – *Hydrogr.* Fl. Garigliano*, Volturno*, Sele. – *V. princ. :* Naples*, Salerne*, Avellino, Bénévent*, Caserte*, Capoue*. – *Écon.* Entre Herculanum et Pompéi s'étend une plaine côtière que son sol volcanique rend très fertile. On y cultive céréales, fruits, légumes, agrumes. L'activité agricole de la Campanie représente 8 % de la production italienne. Pourtant, les propriétés très morcelées (région de Naples) et une population trop importante font de la Campanie la région d'Italie où le niveau de vie est le plus bas. Un sous-prolétariat venu des campagnes surpeuplées s'agglomère aux abords des grandes villes. L'industrie, concentrée dans les régions de Naples et Salerne, connaît un fort développement : aciéries, cimenteries, industries mécaniques, raffineries de pétrole **(V. Naples).** La côte est vouée au tourisme (baie de Naples, Vésuve, Capri, baie de Sorrente, ruines de Pompéi, d'Herculanum et Paestum). ♦ *Hist.* Peuplée primitivement par les Ausones et les Osques, colonie grecque dès le ~ VIIIᵉ s., la Campanie fut colonisée ensuite par les Étrusques. Les Grecs y fondèrent Cumes*, Poseidonia (Paestum), Parthénope (à l'emplacement de Naples*), Pozzuoli*; les Étrusques occupèrent Herculanum* et Pompéi* et fondèrent Capoue*. Conquise par les Samnites (~ Vᵉ s.) puis romanisée à partir de ~ 300, elle passa ensuite sous domination ostrogothe, byzantine, lombarde **(V. Bénévent),** enfin normande (Robert Guiscard, XIᵉ s.). À partir du XIIᵉ s. (1130) elle fut intégrée au royaume de Sicile **(V. Naples).** Occupée par Championnet*, elle devint pour peu de temps (1799) la République parthénopéenne, avant de faire retour au royaume de Naples, puis (1860) au royaume d'Italie.

CAMPANUS de NOVARE. ♦ Astronome et mathématicien italien du XIIIᵉ siècle. Auteur d'un commentaire classique sur les *Éléments* d'Euclide* traduits par Adélard* de Bath et dans lequel des passages attestent que le nombre d'or était bien connu à l'époque des cathédrales gothiques. Il participa également au progrès de l'astronomie, réagissant contre la physique d'Aristote*.

CAMPBELL. ♦ Famille et clan d'Écosse dirigés par les comtes d'Argyll qui jouèrent un rôle important à partir du XIIIᵉ s., défendirent l'indépendance nationale et soutinrent le presbytérianisme.

CAMPBELL (Thomas). ♦ Poète et critique littéraire anglais (Glasgow, 1777 – Boulogne-sur-Mer, 1884). Surtout connu pour ses poèmes patriotiques *(Les Marins d'Angleterre, Hohenlinden, La Bataille de la Baltique),* il laisse aussi une œuvre critique *(Extraits des poètes anglais).* Ses lettres furent publiées en 1849 par W. Beattie.

CAMPBELL (*sir* **Colin,** *baron* **Clyde).** ♦ Maréchal britannique (Glasgow, 1792 – Chatham, Kent, 1863). S'étant illustré à la bataille de l'Alma*, il commanda en chef les forces de l'Inde jusqu'à la répression de la révolte des Cipayes (1857).

CAMPBELL (William Wallace). ♦ Astronome américain (Ohio, 1862 – San Francisco, 1938). Il fut directeur de l'observatoire du Mount Hamilton (Californie). C'est là qu'il détermina, dans les premiers, la vitesse radiale de centaines d'étoiles, à l'aide d'un télescope de 36 pouces équipé d'un puissant spectrographe à trois prismes. Il est également l'auteur de remarquables observations sur la couronne solaire. Campbell fut président de l'Académie des sciences américaines de 1931 à 1935.

Arch. Smeets

Ch. Camoin : « Le Moulin Rouge ».
(Musée des Beaux-Arts, Menton.)

CAMPBELL-BANNERMAN (Henry). ♦ Homme politique britannique (Glasgow, 1836 – Londres, 1908). Élu député libéral en 1868, il fut secrétaire d'État à la Guerre en 1886, puis de 1892 à 1895. Chef du parti libéral aux Communes en 1899, il s'efforça d'en apaiser les dissensions créées par la guerre des Boers, en faisant l'unanimité sur la question du libre-échange à partir de 1903. Les victoires importantes de son parti aux élections de 1905 et 1906 lui donnèrent les moyens d'exercer son rôle de Premier ministre (1905-1908) [loi de 1906 sur les conflits du travail] mais ses autres projets (indépendance de l'Afrique du Sud et vote du *Parliament* Act*) n'aboutirent qu'après sa mort.

Camp du drap d'or. ♦ Nom donné au lieu, situé dans la plaine entre Guînes* et Ardres* (Pas-de-Calais), où se déroula en 1520 l'entrevue entre François* Ier et Henri* VIII en vue d'une alliance durable contre Charles* Quint. Malgré le faste ostentatoire déployé par les deux souverains pour s'impressionner mutuellement, cette alliance ne fut pas conclue.

CAMPE (Joachim Heinrich). ♦ Érudit, moraliste et pédagogue allemand (Deersen ou Teersen, Brunswick, 1746 – Brunswick, 1818). Directeur du *Philantropinum* après J.B. Basedow*, il fonda une école modèle à Hambourg (1777). Outre des *Lettres* sur la Révolution française (au cours de laquelle il vint à Paris), il a laissé, entre autres, un *Dictionnaire de la langue allemande* (1807-1811) et des ouvrages pour la jeunesse (*Robinson Le Jeune,* 1799).

CAMPECHE. ♦ V. portuaire du Mexique, située dans la baie de Campeche (golfe du Mexique*) délimitée par la presqu'île du Yucatán. *Cap.* de l'État du même nom. 48 000 hab. Monuments de l'époque coloniale. – *État de Campeche.* 56 114 km². 224 000 hab. Situé dans la partie méridionale de la presqu'île du Yucatán, il est bordé par une plaine côtière qui prolonge celle de Veracruz*, et est couvert de forêts (bois de teinture). Il est drainé par des fl. puissants comme l'Usumacinta*. – La région produisait le bois de Campeche (Cf. Robert).

CAMPEGGI (Lorenzo). ♦ Cardinal italien (Bologne, 1474 – Rome, 1539). Il fut l'un des animateurs de la renaissance catholique au XVIe s., mais échoua dans ses négociations auprès de Luther et d'Henri* VIII d'Angleterre lors du divorce de ce dernier avec Catherine d'Aragon.

CAMPER (Petrus). ♦ Anatomiste et naturaliste hollandais (Leyde, 1722 – La Haye, 1789). Pionnier de la craniologie moderne, il tenta de déterminer le degré d'intelligence par la mesure de l'angle facial qui porte son nom.

CAMPI. ♦ Famille de peintres italiens de Crémone. ♦ GALEAZZO (v. 1477 – v. 1536). Inspiré par Boccaccino*, il s'intègre dans la Renaissance finissante. ♦ GIULIO (1502 – 1572). Fils et élève de Galeazzo, il subit l'influence de Jules Romain* et de Pordenone* et acquit une manière élégante (*Saint Michel,* 1566; *Triomphe de Mardochée,* 1567, Crémone). ♦ ANTONIO (v. 1535 – 1591). Il fut à la fois peintre, architecte, graveur, sculpteur et écrivain. Ses premiers essais en peinture révèlent les mêmes références et la même inspiration que son frère Giulio (fresques dans l'église Saint-Paul-hors-les-Murs, 1561, Milan). Cependant ses œuvres ultérieures tendent vers un naturalisme et des effets de lumière qui annoncent en partie le Caravage* (*Mort de la Vierge,* 1577, Milan; *Présentation au temple,* 1586, Naples). ♦ VINCENZO (1536 – 1591) réalisa surtout des portraits et des peintures de fleurs et de fruits (*Femme avec des fruits,* Milan) qui annoncent une autre tendance de l'œuvre de Caravage. ♦ BERNARDINO (1522 – v. 1590). Probablement leur cousin, il fut un peintre d'orientation maniériste profondément influencé par Jules Romain et le Corrège* (*Vierge pleurant sur le corps de son fils,* Louvre).

CAMPIDANO. *n. m.* ♦ Région de plaines et de collines du sud de la Sardaigne*, d'orientation N.-O. - S.-E., dans la province de Cagliari*.

CAMPIGLI (Massimo). ♦ Peintre italien (Florence, 1895). Il fréquenta les Futuristes et Boccioni*, menant aussi une carrière littéraire à Milan. Journaliste et peintre à Paris, il fut influencé par le cubisme, l'art archaïque crétois et les portraits du Fayoum. De retour en Italie, c'est l'art étrusque qui le marqua le plus profondément. Il élabora une œuvre figurative fortement construite, aux formes massives mais élégantes, aux couleurs sourdes (ocres, gris, noirs), aux lignes de force savamment entrecroisées et dont les thèmes énigmatiques ou tendres (visages et portraits de femmes, compositions évoquant la « peinture métaphysique » de De Chirico et Carrà) sont chargés d'un charme onirique et rêveur (*Les Amazones,* 1924; *Couple de danseuses,* 1941; *Au balcon,* 1953). Campigli est aussi un remarquable lithographe.

CAMPIN (Robert). ♦ Peintre flamand (Valenciennes, 1378 – Tournai, 1444). Certains historiens attribuent à ce peintre, actif à Tournai entre 1406 et 1444 et connu pour avoir eu comme élève à partir de 1427 Rogier de La Pasture **(V. Van* der Weyden)** et Jacques Daret, les œuvres regroupées sous le nom traditionnel de MAÎTRE DE FLÉMALLE (d'apres le nom supposé d'une abbaye) qui sont parfois considérées comme des œuvres de jeunesse de Van der Weyden. Après maintes controverses, les principaux tableaux attribués à Campin sont : *Le Mariage de la Vierge* (v. 1420-1430); *La Nativité* (v. 1425); *L'Annonciation (Triptyque de Mérode), La Vierge et l'Enfant.* Par ces œuvres, contemporaines de celles de Van* Eyck, Campin apparaît comme l'un des fondateurs de la peinture flamande; certains traits du gothique international subsistent, notamment l'élégance du graphisme, l'importance

Ph. De Gregorio/Ricciarini

Galeazzo Campi : « Vierge à l'Enfant entourée de saints ». (Pinacothèque de la Brera, Milan.)

accordée aux éléments symboliques dans l'ensemble de la composition et les hésitations concernant l'agencement spatial, mais l'originalité de son style s'affirme dans l'amour du détail vrai, le souci d'évoquer la réalité la plus familière en traitant de sujets religieux, la puissance du modelé, la polychromie brillante.

CAMPINA GRANDE. ♦ V. du Brésil (Nordeste) dans le S. de l'État de Paraïba. 157 000 hab. (1968). Centre commercial.

CAMPINAS. ♦ V. du Brésil (État de São Paulo). 252 000 hab. Archevêché. Marché agricole. Industries textiles et alimentaires.

CAMPINE. n. f. en néerl. **Kempen.** ♦ Région de Belgique (prov. d'Anvers*) qui se prolonge aux Pays-Bas (Limbourg, Brabant du N.). Plaine inclinée du S.-E. au N.-O., sans humus, la Campine est un pays de landes à bruyères, fertilisée peu à peu par l'irrigation et l'apport d'engrais. Elle est arrosée par les affl. de la Meuse et de l'Escaut (Demer*, Nèthe*) et par un système de canaux : *canal de la Campine,* canal Albert*, canaux de Hasselt, d'Anvers à Turnhout, de la Meuse à l'Escaut. C'est une région industrielle (charbon à coke, dans le prolongement des gisements d'Aix-la-Chapelle et du Limbourg néerlandais). La vie urbaine y est intense **(V* Anvers)** et stimule le développement agricole (produits maraîchers, d'Anvers à Malines*). Élevage laitier. Moutons. Volailles réputées. Ind. principales : métallurgie lourde et indus. chimiques. La Campine possède à Mol* le premier centre nucléaire belge. Briqueterie (sur le Rupel). Verrerie. ♦ *Hist.* La Campine fut défrichée dès le XIe-XIIe s. (abbayes). Abandonnée au XVIIe s. (émancipation des Provinces-Unies), elle retrouva sa prospérité au début du XXe s. avec l'exploitation de son bassin houiller.

CAMPISTRON (Jean Galbert *de*). ♦ Auteur dramatique français (Toulouse, 1656 – *id.,* 1723). Protégé du duc de Vendôme, il exerça durant plusieurs années la charge de secrétaire général des galères et de la marine du Levant. Malgré le mépris qu'elle inspira à Hugo, son œuvre dramatique le situe au-dessus de Boyer et de Pradon, ses contemporains, par l'originalité des caractères et la vigueur du dialogue. Œuv. princ. *Virginie* (1683), *Andronic* (1685), *Alcibiade* (1686). [Acad. fr., 1701.]

CAMPOAMOR Y CAMPOOSORIO (Ramón *de*). ♦ Dramaturge et poète espagnol (1817 – 1901). C'est la poésie qui le rendit célèbre. Dans ses recueils (*Humoradas, Doloras)* il décrivit avec humour et cynisme la réalité de son temps, ce qui fit de lui le porte-parole de l'opinion moyenne.

CAMPOBASSO. ♦ V. d'Italie (Molise). 36 000 hab. Ch.-l. de prov. Coutellerie.

CAMPOFORMIO ou **CAMPOFORMIDO.** ♦ V. d'Italie, en Vénétie*, au S.-O. d'Udine, 3 000 hab. *Le traité de Campoformio* préparé à Leoben* fut signé dans ses environs par Bonaparte* et Cobenzl* en 1797. Il suspendit les « campagnes d'Italie* ». L'Autriche* abandonnait à la France* la Belgique*, les pays de la r. g. du Rhin, les îles Ioniennes* et reconnaissait la République cisalpine*. En compensation, elle recevait une partie de la Vénétie*, l'Istrie* et la Dalmatie*. Ce traité fut confirmé en 1801 par la paix de Lunéville*.

CAMPOS. ♦ V. du Brésil située dans l'État de Rio* de Janeiro, sur la Paraïba* do Sul. 389 000 hab. Industries textiles, métallurgiques et alimentaires, cimenteries, tabac. Plantations de canne à sucre dans la plaine.

Campo santo. *n. m.* (mots italiens, « champ consacré »). ♦ Nom donné, en Italie, aux cimetières, notamment aux nécropoles remarquables par leur valeur archéologique ou artistique (ex. le *campo santo* de Pise*).

Ph. Bernand

A. Camus.

CAMPRA (André). ♦ Compositeur français (Aix-en-Provence, 1660 – Versailles, 1744). D'abord maître de musique à Notre-Dame de Paris (1694-1700), puis à la cour, il devint directeur de l'Opéra. A son œuvre religieuse, il convient d'ajouter plusieurs opéras-ballets (*L'Europe galante,* 1697; *Les Fêtes vénitiennes,* 1710; *Les Âges,* 1718; *Les Noces de Vénus,* 1740), genre dont il est le créateur, dans un style qui allie avec bonheur l'inspiration française au goût italien.

CAM RANH. ♦ Baie profonde des côtes du Viêt-nam du S., dans la prov. de Khanh Hoa. Importante base aéronavale aménagée par les Américains depuis 1965. Sur la r. E. se situe la ville de *Cam Ranh.*

CAMULODUNUM. ♦ Nom de Colchester* à l'époque gallo-romaine. Cap. des Trinobantes.

CAMUS (Jean-Pierre). ♦ [Paris, 1582 – 1652]. Évêque de Belley (démissionnaire en 1629), puis abbé d'Aunay. Secrétaire et ami de François de Sales, il fut un prélat réformateur. Auteur d'ouvrages de controverse contre les protestants et de romans édifiants.

CAMUS (Armand Gaston). ♦ Jurisconsulte, érudit et homme politique français (Paris, 1740 – 1804). Janséniste, avocat du clergé au Parlement de Paris, il abandonna le barreau pour se livrer à des études de sciences naturelles (traduction et commentaire de l'*Histoire des animaux* d'Aristote, 1783). Député du Tiers État aux États généraux (1789), il contribua à l'élaboration de la Constitution civile du clergé (juil. 1790), et fut chargé par l'Assemblée nationale constituante de l'organisation et de la direction des Archives* nationales. Député sous la Convention, il fit partie de la commission chargée d'enquêter sur la conduite de Dumouriez* (1793); celui-ci l'arrêta, le livra aux Autrichiens qui, en déc. 1795, l'échangèrent contre la fille de Louis XVI (Madame Royale). Membre et président du Conseil des Cinq-Cents jusqu'en 1797, il s'opposa au consulat à vie.

CAMUS (Albert). ♦ Écrivain français (Mondovi, Algérie, 1913 – près de Villeblevin, 1960). Après une enfance « de pauvreté et de lumière », des études de philosophie interrompues par la tuberculose, il publia ses premières œuvres et débuta dans le journalisme. Puis il quitta l'Algérie pour des voyages en Europe, gagna la France en 1938 et, engagé dans la Résistance, devint rédacteur en chef du journal *Combat* (1944-1946). Mêlé ardemment à l'actualité de son temps (voyages dans le Tiers-Monde; prises de position politique qui l'opposèrent notamment aux communistes et à l'existentialisme de Sartre*, en 1952), il manifesta sa soif de justice et sa recherche d'un humanisme mesuré dans ses *Actuelles* (recueil d'articles, 1939 à 1958), et les *Carnets* (posth., 1962). *Prix Nobel de littérature* (1957) pour avoir « mis en lumière les problèmes se posant de nos jours à la conscience des hommes », Camus a exprimé dans son œuvre une expérience intérieure complexe, toujours en mouvement, et qu'a mûrie la confrontation entre sa soif de bonheur et le « silence déraisonnable du monde ». Dès *L'Envers et l'Endroit* (1937), puis *Noces* (1938), où il célèbre la magnificence solaire de sa terre natale, mais où il mesure aussi sa « tendre indifférence », il affirme qu'il « n'y a pas d'amour de vivre sans désespoir de vivre ». *L'Étranger* (roman, 1942) comme *Le Mythe de Sisyphe* (essai philosophique, 1942) témoignent que « l'absurde est essentiellement un divorce »; il n'est ni dans l'homme ni dans le monde, « il naît de leur confrontation ». Entré « dans le mouvement irrésistible par lequel l'absurde se dépasse lui-même », Camus s'efforça d'orienter une révolte d'abord conçue comme individuelle (Cf. les pièces *Caligula* et *Le Malentendu,* 1944) vers une morale collective qui exalte la solidarité humaine face au mal (*La Peste,* roman, 1947; *L'État de siège,* pièce, 1948). Hostile à « l'abstention pratique » mais aussi à « l'efficacité à tout prix » (Cf. la pièce *Les Justes,* 1949, et les analyses critiques sur l'histoire de *L'Homme révolté,* 1951), conscient qu'il n'y a pas de morale confortable (*La Chute,* 1956), Camus semble aboutir, avec les nouvelles groupées dans *L'Exil et le Royaume* (1958), à un humanisme nouveau où il importe moins « d'être heureux » que « d'être conscient,... à ras de terre », libéré des illusions métaphysiques et politiques. Conscient egalement des malentendus auxquels prête l'utilisation « littéraire » de la langue, Camus s'est montré un styliste exigeant, à la recherche de procédés d'écriture étroitement adaptés à leur objet et tendant vers une neutralité maximale (« écriture blanche », **V. Barthes**), lyriques avec sobriété et, le plus souvent, nets jusqu'au dépouillement.

CANA. ♦ V. de Galilée où l'*Évangile de Jean,* II, 1-11, situe le premier miracle de Jésus, le changement de l'eau en vin. – *Icon. Les Noces de Cana,* peinture de Gérard David (Louvre); grande peinture de Paul Véronèse (9,90 m × 6,66 m) exécutée en 1562-1563 (Louvre).

CANAAN. ♦ Personnage biblique, fils de Cham* (Genèse, IX, 22), maudit par Noé. Ancêtre éponyme des Cananéens. *Terre, pays de Canaan :* nom biblique de la Phénicie-Palestine, habitée par les Cananéens*. C'est la *Terre promise,* « le pays de miel et de lait » des Israélites, qui la conquirent aux ~ XIIᵉ-XIᵉ ~ siècles **(V. Hébreux, Israël).**

CANACHOS [*Kanakhos*]. ♦ Sculpteur grec qui travailla comme bronzier et marbrier à Sicyone* pendant la deuxième moitié du ~ VIᵉ siècle. L'un des derniers maîtres de la statuaire archaïque, Canachos assouplit déjà les lignes du *couros* et rompt la frontalité. Son fameux *Apollon Philésios,* qu'il cisela pour la ville de Milet, est perdu. On lui attribue un torse en marbre (musée du Louvre) et parfois l'original de l'*Apollon de Piombino* (réplique au Louvre).

CANADA. *n. m.* ♦ État fédéral de l'Amérique* du Nord, membre du Commonwealth* britannique. Il s'étend de l'océan Pacifique*, à l'O., à l'océan Atlantique*, à l'E. et entre les États-Unis, au S. et l'océan Arctique*, au N., à l'exclusion de l'Alaska* qui le limite au nord-ouest. Il est traversé par le cercle polaire arctique*. 9 959 400 km². 22 830 hab. *(Canadiens). Cap. fédérale* **V. Ottawa.** *Langues off.* anglais, français (Québec, Nouveau-Brunswick); langues indiennes. – *Provinces et territoires* (et leurs capitales) : **V. Alberta** (Edmonton), **Colombie britannique** [British Columbia] (Victoria), **Manitoba** (Winnipeg), **Nouveau-Brunswick** [New Brunswick] (Fredericton), **Nouvelle-Écosse** [Nova Scotia] (Halifax), **Ontario** (Toronto), **Prince-Édouard** (île du) [Prince Edward island] (Charlottetown), **Québec** (Québec), **Saskatchewan** (Regina), **Terre-Neuve** [Newfoundland] (Saint-Jean ou Saint-John's). – **V.** *aussi* **Labrador; Territoires du Nord*-Ouest,** [Northwest Territories] (districts de Franklin*, Keewatin*, et Mackenzie*): **Yukon** (Whitehorse). *N.B.* – Le Nouveau-Brunswick, la Nouvelle-Écosse et l'île du Prince-Édouard sont appelées *provinces maritimes.* Le Labrador* est partagé entre le Québec et Terre-Neuve. – *Princ. V.* (plus de 200 000 hab.) **V. Calgary** (9ᵉ), **Edmonton** (7ᵉ), **Halifax** (12ᵉ), **Hamilton** (6ᵉ), **Kitchener** (13ᵉ), **London** (10ᵉ), **Montréal** (1ʳᵉ), **Ottawa** (5ᵉ), **Québec** (8ᵉ), **Toronto** (2ᵉ), **Vancouver** (3ᵉ), **Windsor** (11ᵉ), **Winnipeg** (4ᵉ). – *Autres villes :* Arvida, Asbestos, Baie-Comeau, Banff, Bathurst, Beauharnois, Brantford, Chibougameau, Chicoutimi, Churchill, Corner Brook, Cornwall, Dartmouth, Dawson, Dorval, Flin Flon, Fort William, Frobisher Bay, Gagnon, Gander, Gaspé, Goose Bay, Granby, Guelph, Hull, Jacques-Cartier, Joliette, Jonquière, Kingston, Knob Lake, Lachine, Lasalle, Laval, Lethbridge, Medicine Hat, Moncton, Moose Jaw, New Westminster, Niagara Falls, Noranda, Oshawa, Outremont, Peterborough, Pickering, Pointe-aux-Trembles, Prince-Albert, Prince-Rupert, Rimouski, Rouyn, Saint-Boniface, Saint-Catharines, Sainte-Anne-de-Beaupré, Sainte-Foy, Sainte-Thérèse, Saint-James, Saint-Jean, Saint John, Saint-Laurent, Saint-Michel, Sarnia, Saskatoon, Sault-Sainte-Marie, Schefferville, Sept-Îles, Shawinigan, Sherbrooke, Sorel, Sudbury, Sydney, Thetford Mines, Trois-Rivières, Walleyfield, Verdun, Wabush, Whitehorse, Yellowknife. – Sur le plan physique, on peut distinguer dans l'immense territoire du Canada (2ᵉ du monde, après l'U.R.S.S.; 18 fois la France) quatre régions principales : la région appalachienne du S.-E. (Provinces maritimes), le socle précambrien du Bouclier* canadien, au centre et à l'E., disparaissant sous les sédiments des plaines (au S.-E., région du Saint-Laurent, S. de l'Ontario et du Québec; au S.-O. la Prairie*), enfin les Rocheuses à l'O., dont le point culminant est le mont Logan*. Mais les divisions utilisables en géographie humaine doivent tenir compte avant tout du *climat* (hivers très froids et prolongés; écarts de température considérables, **V. aux provinces**) et de la répartition de l'espace normalement occupé et exploitable (l'*oekoumène*), espace relativement exigu (13 à 14 % du total; c'est-à-dire 1 fois 1/2 la France) et discontinu. On distingue alors à l'E., la région du *golfe du Saint-Laurent* **(V. Terre-Neuve; Nouveau-Brunswick, Nouvelle-Écosse, Québec** [à l'E. : Gaspésie]**)**; puis la *région des Grands* Lacs et du Saint-Laurent* (S. du Québec*; S.-E. de l'Ontario*), plaines ou reliefs de la bordure du bouclier précambrien (ex. les Laurentides* au Québec), région de loin la plus peuplée et la plus active du Canada, autour des grands centres (Montréal, Toronto, etc.). La *Prairie,* au centre S. du pays, forme le N. des grandes plaines américaines, de Winnipeg aux Rocheuses : c'est une zone d'agriculture extensive et de peuplement discontinu. À l'O., la partie méridionale de le *Colombie* britannique,* formée par le S. des Rocheuses, les plateaux intérieurs (Colombia, Fraser) et le S. de la chaîne côtière canadienne (Coast Range) avec l'île de Vancouver. Cet ensemble constitue une bande grossière parallèle à la frontière des États-Unis. Plus au nord, une zone de transition *(suboekoumène)* correspond à un peuplement discontinu et au sud, des grandes forêts

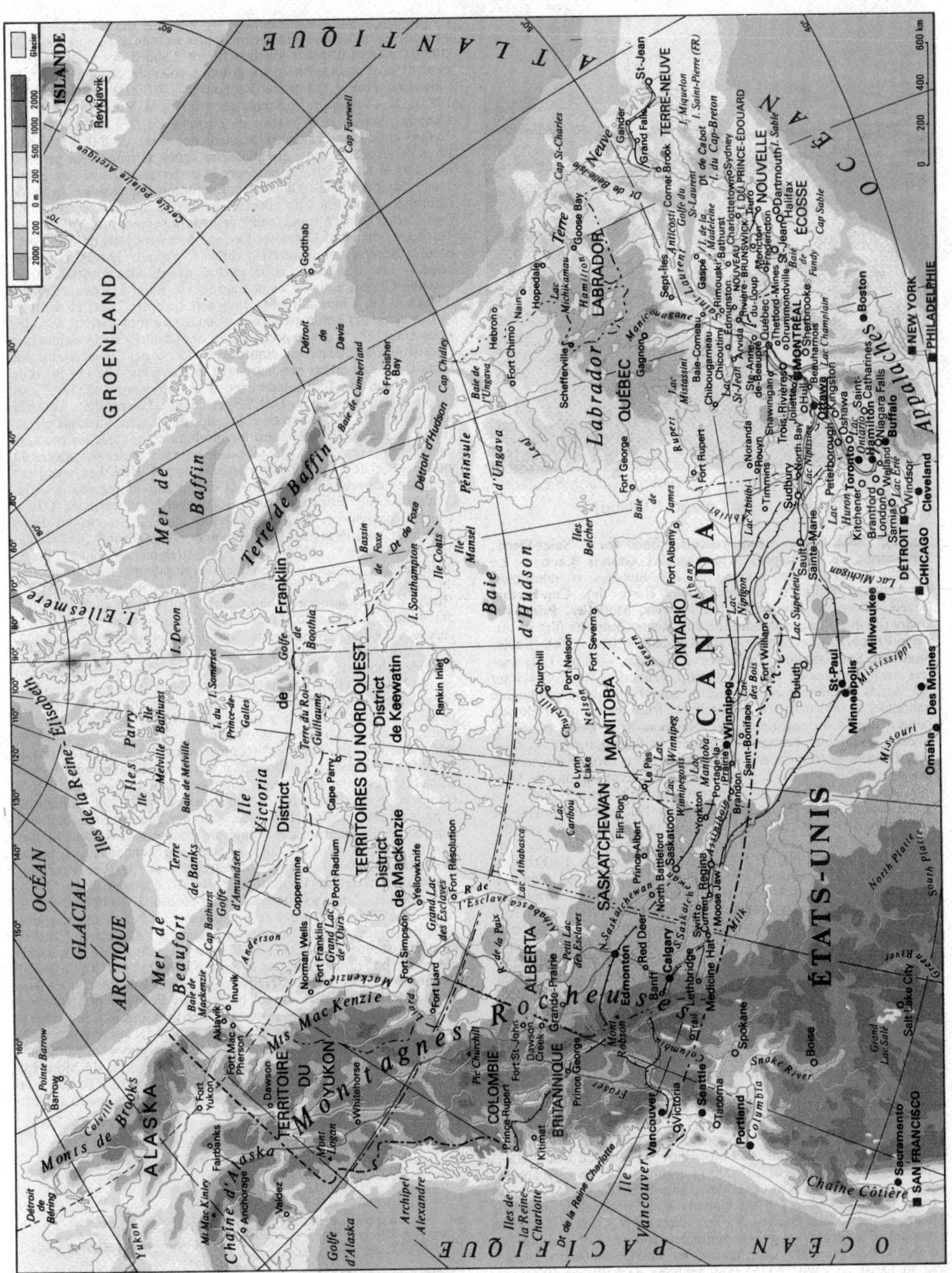

Canada

(7 % de la surface). La région forestière centrale (Bouclier canadien), trouée de lacs, n'est guère habitée que sur les sites métallifères (Labrador, Ungava). Les autres zones subarctiques importantes sont la région du Yukon et celle du Mackenzie. Enfin, la zone arctique à sous-sol gelé *(permafrost)*, à végétation de toundra, se prolonge par l'archipel arctique **(V. Arctique).** Les zones subarctique et arctique correspondent à 77 % de la superficie du Canada. – Les grandes zones *hydrographiques* sont au S.-E., celle du Saint-Laurent ; dans la Prairie, celle que drainent les deux Saskatchewan, dans les Rocheuses, celles de la Columbia et du Fraser. Dans le N.-O., les bassins du Mackenzie (et ses annexes : riv. Athabasca, de la Paix) et du Yukon. Les princ. fleuves et rivières du Canada sont doublement importants comme voies de passage et producteurs d'énergie électrique. **V.** (Fleuves) **Churchill, Columbia, Fraser, Hamilton, Mackenzie, Nelson, Rupert, Saint-Clair, Saint-Laurent, Yukon ;** (rivières) **Abitibi, Assiniboine, Athabaska, Châteauguay, Chaudière** (la), **Esclaves** (des) ou **Slave River, Gatineau, Klondike, Manicouagan, Mistassini, Montmorency, Nechako, Niagara, Nipissing, Ottawa** ou **Outaouais, Paix** (de la), **Peribonka, Richelieu, Saguenay, Sainte-Marie, Saint-François, Saint-Jean, Saint-Maurice, Saskatchewan ;** (canaux) **V. Saint-Laurent** (voie maritime du), **Sault-Sainte-Marie, Welland ;** (lacs) **V. Abitibi, Athabasca, Bois** (des), **Champlain, Esclaves** (lac des), **Jeannine, Manitoba, Mistassini, Nipigon, Ours**

Ph. Nino Cirani/Ricciarini

Canada : le lac Ontario (Ontario).

(de l'), **Saint-Clair, Saint-François, Saint-Jean, Saint-Pierre, Témiscamingue, Winnipeg, Winnipegosis; Grands Lacs.** — Le Canada comprend de nombreuses *îles* fluviales et maritimes. **V. Anticosti, Baffin** (terre de), **Banks** (terre de), **Cap-Breton, Devon, Ellesmere, Madeleine** (la), **Melville, Mille-Îles, Prince-de-Galles** (île du), **Prince-Édouard** (île du), **Reine-Charlotte** (îles de la), **Reine-Elizabeth** (îles de la), **Roi-Guillaume** (terre du), **Sable, Somerset, Southampton, Terre-Neuve, Victoria.** — *Écon.* L'*agriculture* occupe moins de 10 % de la pop. active (30 % en 1941) sur 7,5 % des territoires; elle représente env. 10 % de la production nationale, en valeur nette. Polyculture, fruits et légumes, élevage laitier (Provinces maritimes, **V. Nouveau-Brunswick, Nouvelle-Écosse, Colombie* britannique;** plaine du Saint-Laurent, **V. Québec, Ontario)** correspondent à une agriculture évoluée desservant des marchés locaux ou régionaux dans des exploitations de taille moyenne. La Prairie*, au contraire, produit des céréales, des graines oléagineuses et du fourrage pour l'élevage des bovins en culture extensive ou en zones irriguées (à l'O.) dans de grandes exploitations très mécanisées. Le Canada produit plus de 17 000 000 de t de blé (60 % sont exportés), plus de 4 400 000 t d'avoine et de 9 500 000 de t d'orge. Son cheptel dépasse 15 000 000 de bovins (1975) et 6 000 000 de porcs. Hormis les céréales et les produits animaux, les principales productions sont les produits laitiers, les légumes, la betterave, le sucre, le tabac, les fruits. — La *forêt* représente une des bases de l'industrie canadienne (pâte de bois : 15 660 000, papier : 12 000 000 de t; 45 % de la production mondiale). Les animaux à fourrure, chassés ou élevés, font du Canada le 1er product. avec l'U.R.S.S. **(V.** les provinces). — La *pêche* représente plus de 1 000 000 t de produits pour plus de 200 000 000 de **$** (surtout : morue, saumon, homard). — Les *réserves naturelles* sont énormes : charbon et lignite (prod. en baisse : 25 351 000 t), pétrole (80 millions de t) et gaz naturel (70 milliards de m³) [1975] surtout dans l'Alberta* : les réserves de l'Alaska* et celles de l'Arctique (île d'Ellesmere, delta du Mackenzie) sont parmi les plus importantes du monde. Ses mines de fer **(V. Ontario, Labrador)** permettent au Canada une prod. de 25 265 000 t de minerai (3e place dans le monde). Nickel, 1er product.; 179 000 t de métal (Ontario); cuivre : 496 000 t de métal; zinc : 426 000 t; plomb : 171 000 t; uranium (1er), or (3e), argent (2e, chiffres voisins de ceux des États-Unis et du Mexique). L'amiante du Québec fait du Canada le 1er producteur mondial. Outre l'Ontario et le Québec, les Territoires du N.-O. et le Labrador recèlent d'immenses réserves minérales encore mal connues et d'exploitation difficile. La capacité en énergie nucléaire atteint 13 milliards de kWh [1975] (969 millions de kWh en 1970). — L'hydro-électricité, surtout au Québec*, dans l'Ontario* et en Colombie britannique, classe le Canada 2e dans le monde (6e pour la product. totale d'électricité); grâce à son bas prix, elle sert de base énergétique à de nombreuses et puissantes indus. : métallurgie du fer, du nickel, du plomb et du zinc, de l'aluminium (Arvida), prod. d'amiante, indus. chimiques, grandes papeteries et usines de pulpe de bois. Des projets d'aménagement hydro-électrique (Labrador, baie James) sont en cours de réalisation. Les indus. de transformation se développent surtout dans les villes. — La métallurgie vient en tête (31 % : 9 310 000 t de fonte. 13 020 000 t d'acier; 880 000 t d'aluminium (3e prod. mondial), suivie par les indus. agricoles et alimentaires (21 %), le bois et le papier (13 %), les indus. chimiques (11 %), le textile (7 %). La construction automobile, contrôlée par les firmes américaines, comme une grande partie de la métallurgie, atteint env. 1 400 000 véhicules par an. — Le problème des *communications* est essentiel dans un pays aussi immense et où les conditions climatiques sont aussi rigoureuses. Les grandes artères transcanadiennes furent d'abord des voies de peuplement et d'unification; deux grandes voies de chemin de fer, le *Canadian Pacific* (Montréal-Vancouver : 4 700 km; terminé en 1885); le *Canadian National*, aboutissant à Prince Rupert. Le Canada possède le 3e réseau de chemins de fer du monde (env. 70 000 km). L'autoroute transcanadienne (près de 8 000 km) renforce ce dispositif, ainsi que plusieurs lignes aériennes. La pénétration vers le N. se fait par plusieurs voies ferrées (Québec-lac Saint-Jean; Sudbury-baie d'Hudson; Edmonton-Athabasca; ligne de Churchill; lignes du Labrador Schefferville-Sept-Îles et Gagnon-Port-Cartier), par la route (route de l'Alaska; routes du Yukon, des Territoires du Nord-Ouest) et l'avion. À ces moyens de transport, encore dispersés et d'entretien difficile, s'ajoute l'hiver la motoneige. — Les débouchés maritimes sont avant tout constitués par le système Grands Lacs — Saint-Laurent **(V. Saint-Laurent).** La baie d'Hudson **(V. Churchill)** n'est navigable qu'entre juillet et octobre. — Les *échanges* commerciaux du Canada se font surtout avec les États-Unis (68 % des export.; 70 % des import.) et on estime que l'industrie canadienne est contrôlée à 75 % par les capitaux des États-Unis. Les autres vendeurs sont le Royaume-Uni (14 %) et le reste de l'Europe. Le Canada exporte au Royaume-Uni (11 %), au Japon (4 %), etc. (blé en U.R.S.S. et Chine). Les produits exportés sont : le blé (11 %), le papier, et la pulpe de bois, les minerais métalliques, le pétrole, l'aluminium, les produits chimiques, les produits manufacturés (env. 25 %). Le niveau de vie est l'un des plus élevés du monde (plus de 3 000 dollars par habitant). ♦ *Hist.* Les premières incursions européennes au Canada datent sans doute des IXe-Xe s. (Vinland, Leiv* Erikson) mais sa découverte est attribuée à Jean Cabot*, navigateur vénitien au service de l'Angleterre, en 1497. Mandatés par François* Ier, Giovanni Verrazzano* (1524) puis Jacques Cartier* (1534-1536), qui atteignit le village indien d'Hochelaga, en furent les premiers explorateurs. La colonisation du Canada, alors nommé Nouvelle*-France, ne débuta que sous Henri IV avec Samuel de Champlain*, fondateur de Québec (1608), qui stimula la venue de colons français. En Acadie*, elle s'étendit vers le Saint-Laurent puis sous l'impulsion de Richelieu*, en 1627, la Compagnie de la Nouvelle-France ou des Cent-Associés fut créée. Paul de Chomedey de Maisonneuve fonda Ville-Marie (Montréal) en 1642 et les premiers établissements publics et religieux s'implantèrent (Marguerite Bourgeoys, Marie* de l'Incarnation). La pacification des différents groupes d'Indiens (Algonquins, Assiniboins, Hurons, Micmacs, Montagnais, Outaouais, Sioux,...) en particulier celle des Iroquois* (confédération des Cinq*-Cantons ou Nations) fut menée parallèlement à leur évangélisation (martyrs du Canada). Ces débuts de colonisation incitèrent Colbert* en 1663 à établir en Nouvelle-France le gouvernement royal qui administra le pays tel une province française, avec des gouverneurs comme le marquis de Beauharnois, le comte de Frontenac*, Roland Michel Barrin, marquis de La* Galissonnière, La Jonquière... L'exploration de l'intérieur du pays fut entreprise par le Père François-Xavier de Charlevoix, Louis Jolliet*, Robert Cavelier de La* Salle. Cependant les Anglais (Charles II avait créé en 1670 la Compagnie de la baie d'Hudson*) qui revendiquaient les terres canadiennes, objet de conflits continuels entre la France et l'Angleterre (Québec avait été occupée de 1629 à 1632 puis l'Acadie de 1654 à 1667) obtinrent sous Louis XIV, par le traité d'Utrecht* (1713), l'Acadie* (Nouvelle*-Écosse), Terre*-Neuve et la baie d'Hudson*. Il s'ensuivit une période de paix durant laquelle les Français poursuivirent la mise en valeur de leurs possessions et l'exploration de l'arrière-pays. Mais la guerre de Sept Ans vit renaître l'intensification du conflit armé, et après la défaite française des plaines d'Abraham, suivie de la prise de Québec (sept. 1759) et la prise de Montréal (1760), le traité de Paris* (1763) consacra la cession de toute la Nouvelle-France à l'Angleterre. — Dès ses débuts le *Canada anglais*

Ph. Nino Cirani/Ricciarini

Canada : cultures céréalières (Saskatchewan).

(1763-1867) dut lutter contre les tribus indiennes alliées de la France, qui se révoltèrent sous la direction du chef outaouais Pontiac (1763-1766) tandis que son premier gouverneur général James Murray (1763-1766) tenta de rendre tolérable la domination anglaise aux Franco-Canadiens en particulier dans les domaines judiciaires et religieux. Son successeur Guy Carleton (1766-1778) fit adopter l'Acte de Québec en 1774. Après la guerre d'Indépendance américaine (1775-1783), de nombreux immigrants loyalistes s'implantèrent au Canada et créèrent le Nouveau*-Brunswick (1784). Ce nouvel afflux de population britannique, désireuse d'un régime plus représentatif entraîna l'Acte constitutionnel de 1791 qui partage le pays en deux provinces : le *Haut-Canada* (Ontario) presque entièrement anglais et le *Bas-Canada* (Québec) à forte majorité française. Mais à la suite de la déclaration de guerre des États-Unis à l'Angleterre (18 juin 1812), le Canada fut envahi par les Américains que Michel de Salaberry repoussa à Châteauguay (1813). Tandis que se poursuivait l'exploration du pays vers l'ouest **(V. Mackenzie** [Alexandre]**)** et dans l'Arctique **(V. Franklin** [*John*], **Vancouver** [*George*]) une grave crise sociale secoua le Canada. La population réclamant un gouvernement responsable, des rébellions éclatèrent (1837-1838) sous la direction de W.L. Mackenzie dans le Haut-Canada et dans le Bas-Canada de Louis Papineau, qui se fit le défenseur des Canadiens français (en 1835 le gouverneur anglais Matthews Aylmer avait été rappelé pour sa politique trop conciliante à leur égard). Lord John Durham*, envoyé par Londres, décida de l'union des deux colonies qui se concrétisa par l'Acte d'union **(V. Québec** [*province du*]) en 1840, première ébauche d'un gouvernement responsable, qui après plusieurs gouverneurs généraux dont Charles Bagot* (1841-1843) fut accordé par James Bruce Elgin* (1847-1854). Il proclama la reconnaissance officielle du système parlementaire et désigna R. Baldwin* et Louis Lafontaine* comme Premiers ministres. Puis sous l'impulsion de John Alexander Macdonald* et de sir Georges Étienne Cartier* la tendance vers un fédéralisme se formula et l'*Acte de l'Amérique du Nord britannique* (1867) créa la Confédération du Canada qui réunit les quatre provinces du Nouveau-Brunswick, de la Nouvelle-Écosse, de l'Ontario*, et du Québec et entra en vigueur le 1er juillet 1867. — *Le dominion du Canada* s'augmenta des provinces du Manitoba* (1870), de la Colombie* britannique (1871), et de l'île du Prince*-Édouard (1873). L'avance des Européens vers l'O., qui inquiétait les Indiens et les métis repoussés vers les Rocheuses, fut à l'origine de la révolte de 1869 puis de celle de 1884-1885 (construction du Canadian* Pacific Railway), toutes deux dirigées par Louis Riel*. Ce mouvement d'immigration des Européens vers l'O. entraîna sous Wilfrid Laurier* (1896-1911) la création en 1905 de deux nouvelles provinces, la Saskatchewan* et l'Alberta*. Durant les deux conflits mondiaux, le Canada apporta une aide précieuse aux Alliés et après le statut de Westminster en 1931 **(V. Commonwealth)** il jouit d'un gouvernement pleinement indépendant. Vincent Massey fut le premier gouverneur général d'origine canadienne. Après Richard Bennett* (1930-1935) et à l'exclusion du gouvernement conservateur de John Diefenbaker* (1957-1963), l'État fut dirigé par des libéraux, Mackenzie* King (1935-1948), Louis Saint*-Laurent (1948-1957), Lester Pearson* (1963-1968), et P.E. Trudeau depuis 1968. Terre*-Neuve fut en 1949 La dixième province qui adhéra à la Confédération. Le Canada est membre de l'Organisation des Nations unies (O.N.U.), de l'Organisation du traité de l'Atlantique Nord (O.T.A.N.) et de l'Organisation de coopération et de développement économiques (O.C.D.E.).

Canada *(martyrs du)*. ♦ Se dit de huit jésuites français missionnaires au Canada, martyrs entre 1642 et 1649, et canonisés ensemble en 1930 : Antoine* Daniel, Charles Garnier, Gabriel* Lalemant, Isaac* Jogues, Jean* de Brébeuf, Jean de Lalande, Noël Chabannel, René Goupil. — Fête le 19 octobre.

CANADEL (Le). ♦ Section de la comm. de Rayol*-Canadel-sur-Mer (Var*). Station balnéaire.

ÇANAKKALE, autrefois **TCHANAK KALESI**. ♦ V. et port de Turquie, ch.-l. de la prov. du même nom, sur la rive asiatique des Dardanelles*. 22 790 hab. — *Prov. (il) de Çanakkale :* 8 152 km²; 350 320 hab. ♦ *Hist.* Victoire navale des Turcs sur la flotte des Alliés qui tentait de forcer le détroit des Dardanelles (1915).

CANALETTO (Giovanni Antonio CANAL dit**).** ♦ Peintre, dessinateur et graveur italien (Venise, 1697 — *id.*, 1768). Il travailla avec son père à des décors de théâtre puis se spécialisa dans la peinture de « vedute » (vues de ville) et devint rapidement le plus célèbre représentant de ce genre. Entre 1746 et 1755 il séjourna plusieurs fois à Londres et sut adapter son coloris à l'atmosphère grise et sombre de la ville. Ses vues de Venise, comme sa description des fastes de la cité, obtinrent un vif succès auprès des amateurs anglais. Il mit surtout en valeur les perspectives variées de la ville, insistant dans ses compositions rigoureuses (il employait sans doute une chambre noire) sur la solidité des horizontales et des verticales. Ses œuvres donnent souvent une impression de statisme; plusieurs cependant sont animées de personnages *(Le Doge sur le Bucentaure, Fête de l'Ascension à Venise).* Il fit preuve d'une sensibilité délicate à l'atmosphère lumineuse mais n'évita pas toujours la monotonie. En raison de son succès, il se fit seconder par des aides et fut abondamment imité. — Oncle de Bellotto*, dit *Canaletto le jeune.*

CANANÉENS. *n. m. pl.* ♦ Peuples habitant le pays de Canaan

Ph. Sandro Prato/Ricciarini

Canberra : vue aérienne.

(Phénicie-Palestine) à l'âge du bronze (~ IIIe et ~ IIe millénaires). A des autochtones attestés du néolithique se mêlèrent, au début du ~ IIIe millénaire, des Sémites dont la langue prévalut. Les Cananéens étaient des agriculteurs organisés en cités-États indépendantes : Beïsan, Gebal **(V. Byblos)**, Gezer, Hatsor, Jéricho*, Jérusalem*, Lakish, Megiddo*, Ougarit* (ou Ugarit), Sichem*, Sidon*, Tyr*. Ils furent le plus souvent vassaux des grandes puissances, mésopotamienne **(V. Akkad)**, hyksos (~ XVIIe-~ XVIe s.), égyptienne (v. ~ 1580), hittite (au N., v. ~ 1280). À la fin du ~ IIe millénaire, les Philistins* envahirent le pays et se fixèrent sur la côte sud v. ~ 1190, infiltration des Araméens et des Hébreux. Ceux-ci conquirent peu à peu le sud du pays, non sans lui emprunter sa civilisation et sa langue **(V. Hébreux, Israël)**. Mais les Cananéens de la côte phénicienne connurent alors leur plus grand épanouissement **(V. Phénicie)**. — La religion cananéenne était constituée de cultes agraires locaux, pratiqués sur des hauts lieux. Princ. divinités : **V. Anat, Ashtart, Baal, El.** On connaît également le sacrifice des premiers-nés royaux et des pratiques orgiastiques qui durèrent après la conquête israélite et suscitèrent la réprobation des prophètes bibliques.

CANAQUES ou **KANAQUES.** *n. m. pl.* ♦ Nom générique donné aux autochtones de certaines parties de l'Océanie. Il provient du mot « Kanaka » qui signifie « homme » en polynésien. Ce sont sans doute les négociants français qui étendirent le terme aux autres îles du Pacifique, l'appliquant aussi aux Mélanésiens de Nouvelle*-Calédonie.

CANARI. ♦ Comm. de la Corse*, (arr. de Bastia*), sur la côte O. du cap Corse*. 583 hab. Église romane de l'Assomption. Indus. minière (mines d'amiante).

CANARIES *(îles)*, en esp. **Canarias.** ♦ Archipel espagnol de l'océan Atlantique* situé au N.-O. du Sahara* espagnol. 7 273 km². 1 034 000 hab. *(Canariens).* Composées de sept îles principales et quelques îlots, *les Canaries* constituent deux provinces de l'Espagne. La prov. orientale regroupe les îles de Grande-Canarie, Fuerteventura et Lanzarote*, son chef-lieu est Las Palmas*. La prov. occidentale regroupe l'île de Fer* (Hierro), Gomera*, Palma* et Tenerife* et son chef-lieu est Santa* Cruz. Elles vivent de la culture des légumes, des agrumes et de la vigne. Tourisme très important. ♦ *Hist.* Identifiées dans l'Antiquité aux Hespérides* et ensuite connues sous le nom des Iles Fortunées (peut-être à cause de la douceur de leur climat), *les Canaries* furent redécouvertes et conquises en 1402 par le gentilhomme normand Jean de Béthencourt* pour passer en 1477 sous la domination espagnole ratifiée par le traité d'Alcaçova (1479). Les Espagnols exterminèrent complètement les autochtones Guanches*.

Canaries *(courant des)*. ♦ Courant déclenché par les vents du nord et émis par la bordure occidentale de l'anticyclone des Açores : il véhicule des eaux froides le long de la côte de Gibraltar à Dakar et y détermine des baisses de température en été, des nuages et des brouillards **(V.** *aussi* **Benguela** [*courant de*]).

CANARIS (Wilhelm). ♦ Amiral allemand (Aplerbeck, 1887 — camp d'Oranienburg, 1945). Chef de l'Abwehr* au grand état-major (1935), il utilisa les services de renseignements qu'il dirigeait à des fins politiques. Hostile à Hitler et devenu suspect, il fut destitué en févr. 1944. Arrêté après l'attentat manqué du 20 juil. suivant **(V. Beck)**, il fut envoyé en camp de concentration et exécuté en avril 1945.

CANARIS, en gr. **Konstantinos.** ♦ **V.** KANARIS.

CANAVERAL (*cap*, en angl. *Cape*). ♦ Cap situé au centre de la côte E. de Floride; formé par une avancée du cordon littoral, il est séparé du continent par deux lagons. Centre aéro-spatial d'où partent les principaux vols de fusée américains. Ce centre, avec la base aérienne de St. Patrick, emploie env. 35 000 personnes. — Baptisé *Cap Kennedy* de 1963 à 1972.

CANBERRA. ♦ Cap. fédérale du Commonwealth d'Australie*, située dans une plaine de la Cordillère* australienne, dans le S.-E. de l'État de Nouvelle*-Galles du Sud. 119 235 hab. Centre politique, administratif et commercial. Université. Nombreux établissements d'organisation et de recherche scientifique et industrielle. — Le

Territoire fédéral de Canberra compte 2 432 km². ♦ *Hist.* Le site de la capitale fut choisi en 1909 entre les deux grandes villes de Sydney* et Melbourne*. Sa construction débuta en 1913 sous la direction de l'architecte américain W.B. Griffin et la ville fut inaugurée en 1927 par le duc d'York (futur George VI).

CANCALE. ♦ Ch.-l. de cant. d'Ille-et-Vilaine, arr. de Saint-Malo, sur la baie du Mont*-Saint-Michel. 5 035 hab. *(Cancalais).* Port de pêche, port de plaisance, station balnéaire. Ostréiculture renommée.

Cancer. *n. m.*, en lat. **Cancer.** ♦ Constellation zodiacale située vers la partie la plus septentrionale de l'écliptique. Quatrième signe du zodiaque (22 juin-22 juillet).

CANCHE. *n. f.* ♦ Fl. de France, en Artois*. 96 km. Elle prend sa source non loin de Saint-Pol, passe à Frévent*, Hesdin* (où elle reçoit la Ternoise*), Montreuil* et se jette dans la Manche à Étaples*. Entre son estuaire et celui de la Somme* est située la région du Marquenterre*.

CANDACE. ♦ Nom sous lequel sont connues deux reines d'Éthiopie* dont la première régna au ~ Ier s. et dont les troupes attaquèrent les Romains v. ~ 24-~ 20. – La deuxième régna au Ier siècle. Son trésorier fut parmi les premiers Éthiopiens à se convertir au christianisme.

CANDAULE, en gr. **Kandaulês.** ♦ Roi de Lydie* de ~ 735 à ~ 708. La légende, soutenue par Hérodote, veut qu'il soit mort assassiné par son favori Gygès* qu'il aurait eu la vanité de cacher dans le bain de la reine afin qu'il admirât sa beauté exceptionnelle. Celle-ci offensée poussa Gygès à tuer le roi, puis l'épousa. Selon une autre version, Gygès, soutenu par les banquiers d'Éphèse, souleva contre son souverain une armée de mercenaires v. ~ 687. Avec Candaule s'éteignit la dynastie des Héraclides*.

CANDÉ. ♦ Ch.-l. de cant. du Maine-et-Loire, arr. de Segré. 2 444 hab. *(Candéens).* – Château des XVIe-XVIIIe s. Maisons anc. – Matériaux de construction.

CANDIANO. ♦ Illustre famille de Venise* qui fournit à la République cinq doges aux IXe et Xe siècles.

Candide ou l'Optimisme. ♦ Conte philosophique (1759) où Voltaire* réfute l'optimisme outré qu'il attribue à Leibniz* et préconise une sagesse toute pratique. Candide doté d'un « jugement assez droit avec l'esprit le plus simple » essuie, par le monde, toutes les vexations imaginables, dans la nature comme dans la société, faits qui sont autant de preuves de l'existence du mal, nié par son maître « leibnizien » Pangloss*. Pourtant si la vie est médiocre, « un jour tout sera bien, voilà notre espérance ». Hostile à une vaine métaphysique, Voltaire propose une activité au service de l'humanité : « cultivons notre jardin », c'est-à-dire le monde. L'affirmation de cette thèse assure l'unité des aventures diverses de Candide, narrées en un style animé, fait de dissonances burlesques et toujours imprégné de l'âpre ironie voltairienne.

CANDIE. ♦ Nom donné à la Crète par les Arabes lorsqu'ils occupèrent l'île (IXe-Xe s.). Cette appellation fut tirée de la ville du même nom qu'ils avaient construite.

CANDIE, auj. **Héraklion.** ♦ V. et port grec, cap. de la Crète*, sur la côte N. de l'île. 63 458 hab. Ch.-l. du *nome d'Héraklion :* 2 641 km² ; 208 374 hab. – Centre commercial : exportation de raisins secs et de fruits. Enceinte vénitienne ; musée archéologique qui renferme la quasi-totalité des antiquités exhumées en Crète. – Patrie d'O. Elytis* et de N. Kazantzakis*. ♦ *Hist.* Fondée par les Arabes au IXe s., la ville fut un grand centre vénitien (1204-1669). Morosini* y opposa une résistance acharnée aux Turcs.

CANDILIS (Georges). ♦ Architecte et urbaniste français d'origine grecque (Bakou, Russie, 1913 –). Après des études à Athènes, il devint à Paris l'un des collaborateurs de Le* Corbusier (de 1945 à 1951). Auteur de plusieurs ensembles d'habitation au Maroc et en Algérie, il s'est particulièrement intéressé aux problèmes d'urbanisme. Travaillant en équipe souvent avec A. Josie, S. Woods et P. Dony, il a réalisé l'ensemble de Bagnols-sur-Cèze (1956-1959), a participé à la construction du vaste quartier Toulouse-Le Mirail et au projet de l'aménagement de la côte Languedoc-Roussillon (Leucate-Barcarès). Partisan d'une architecture sobre et fonctionnelle, il s'est montré soucieux d'éviter l'uniformisation en adoptant notamment des implantations variées et des effets de polychromie.

CANDOLLE (Augustin Pyrame *de***).** ♦ Botaniste suisse (Genève, 1778 – 1841). Après sa thèse de méd. (*Sur les propriétés médicinales des plantes,* 1804), il dirigea la troisième édition de *La Flore française* de Lamarck*. Professeur à Montpellier (1808), puis à Genève, il fut un des fondateurs de la géographie botanique. Son ouvrage *Prodromus systematis naturalis regni vegetabilis* fut poursuivi par son fils Alphonse (Paris, 1806 – Genève, 1893), naturaliste également, qui occupa après lui la chaire de botanique de Genève [*Géographie raisonnée,* 1855]. (Acad. sc., 1874.)

Canebière (la). ♦ Une des avenues les plus animées de Marseille*. Elle descend vers la Bourse et le Vieux-Port et passe par les carrefours les plus animés de la ville (cours Belsunce, rue Paradis).

CANÉE (La), en gr. mod. **Khania.** ♦ V. de Grèce, anc. cap. de la Crète* sur la côte N.-O. de l'île. 38 467 hab. Ch.-l. du *nome de La Canée :* 2 376 km² ; 131 061 hab. – Centre commercial. Le port de Souda, à 7 km de la ville, a remplacé l'ancien port. – Remparts vénitiens, monuments turcs. ♦ *Hist.* La ville, très prospère sous les Vénitiens, fut la capitale de la Crète autonome en 1898 **(V. Vénizelos),** Héraklion **(V. Candie)** devenant capitale en 1971.

Ph. Giraudon

Candide ou l'Optimisme, illustré par Moreau le Jeune. (Bibliothèque nationale, Paris.)

CANET. ♦ Comm. des Pyrénées*-Orientales, arr. de Perpignan*. 3 658 hab. *(Canétois).* Église du XVIe siècle. Vestiges de fortifications. Station balnéaire très fréquentée à CANET-PLAGE, intégrée dans la nouvelle unité touristique englobant Saint*-Cyprien, Argelès*.

CANGE (Charles du Fresne, *seigneur du***).** ♦ Byzantiniste et lexicographe français (Amiens, 1610 – Paris, 1688). Il fut l'un des plus grands érudits du XVIIe s., et laissa, outre deux importants dictionnaires de latin et de grec médiéval (*Glossarium mediae et infimae latinitatis,* 1678 ; *Gloss. mediae et infimae graecitatis,* 1688), des ouvrages historiques sur Byzance et l'Orient latin qu'il fut l'un des premiers à étudier sérieusement (*Histoire de Constantinople sous les empereurs français,* 1657).

CANGUILHEM (Georges). ♦ Philosophe français (1904). De formation philosophique et médicale, il est l'un des principaux rénovateurs de l'épistémologie en France et s'est principalement consacré à l'histoire et à la philosophie des sciences de la vie (*Études d'histoire et de philosophie des sciences,* 1968 ; etc.).

CANICATTI. ♦ V. d'Italie insulaire, en Sicile (prov. d'Agrigente). 33 000 hab. Gisements de soufre.

CANIGOU. *n. m.* ♦ Massif granitique des Pyrénées*, dominant le Roussillon*. Il s'élève à 2 786 m à moins de 50 km de la mer. Chaînon isolé, dont les bords sont tranchés au N.-O. par le Conflent* (vallée de la Têt*), au S.-E. par le Vallespir* (vallée du Tech*). – Mines de fer manganifère. Observatoire astronomique.

CANINO. ♦ V. d'Italie (Latium), dans la province de Viterbe. 5 100 hab. Patrie du pape Paul* III. ♦ *Hist.* La ville fut érigée en principauté en 1814, en faveur de Lucien Bonaparte*.

CANISIUS (Pierre). ♦ **V.** PIERRE CANISIUS (saint).

CANKAR (Ivan). ♦ Romancier et auteur dramatique slovène (Vrhnika, 1876 – Ljubljana, 1918). Après un premier recueil de vers, *Erotika* (1899), il se révéla un prosateur de talent dans des nouvelles psychologiques : *Vignettes* (1899), *A l'aube* (1903), *Le Valet Jernej et son droit* (1907), *Mila et Milena* (1913), et des romans comme *Martin Kačur* (1907). Il inaugura le drame social avec *Pour le bien du peuple* (1902) et *Les Valets* (1910). Socialiste et patriote, il exprime dans son œuvre une profonde compassion pour la souffrance des hommes et manifeste une grande compréhension du monde de l'enfance.

CANNABICH (Christian). ♦ Compositeur allemand (Mannheim, 1731 – Francfort, 1798). Fils de Martin Cannabich (1700 – 1773), hautboïste et flûtiste à Mannheim, il fut chef d'orchestre et contribua à faire de la capitale palatine un des centres musicaux les plus importants d'Europe. Il rencontra Mozart à Paris (1764) et édita quelques-unes de ses symphonies. Sa fille *Rosa* fut, au clavecin, l'élève du grand compositeur. Il est l'auteur d'un grand nombre de symphonies, de ballets et de plusieurs œuvres de musique de chambre.

CANNES, en lat. **Cannae.** ♦ Anc. V. d'Italie méridionale (Apulie) sur les bords de l'Aufidus (Ofanto*) près de l'actuelle Barletta*. En ~216, lors de la deuxième guerre Punique, Hannibal y vainquit l'armée romaine conduite par les consuls Paul*-Émile et Varron*.

CANNES. ♦ Une des principales V. de la Côte* d'Azur. Ch.-l. de cant. des Alpes*-Maritimes (arr. de Grasse*), à l'E. du massif de l'Esterel* et sur le golfe de La Napoule*. 68 021 hab. (*Cannois* ou *Cannais*). L'aggl. compte 216 408 hab. Église Notre-Dame-de-l'Espérance des XVIe et XVIIe s., tour du Suquet (XIe-XIVe s.). Quartier du *vieux Cannes*. Casino, palais des Festivals, sur le front de mer *(la Croisette)*. Musée J.G. Domergue*. Cannes est une station balnéaire et hivernale mondialement connue où se déroule chaque année un festival du cinéma. Patrie de G. Philipe*. ♦ *Hist.* C'est sous le Second Empire que les touristes anglais (notamment lord Brougham) et russes firent de Cannes, petit port, leur lieu de villégiature. — Les îles de Lérins* se trouvent au iarge de Cannes.

CANNET (Le). ♦ Ch.-l. de cant. des Alpes*-Maritimes (arr. de Grasse*), à 3 km de Cannes. 23 252 hab. *(Cannettans)*. Station touristique; institut d'actinologie (traitement des tuberculoses non pulmonaires). Horticulture; fabrique de parfums.

CANNING (George). ♦ Homme politique britannique (Londres, 1770 — Chiswick, 1827). Il fut élu député conservateur en 1793 et son intelligence le fit remarquer de Pitt qui le nomma sous-secrétaire d'État aux Affaires étrangères (1796-1801). En 1797, il fonda le journal *Anti-Jacobin* qui critiquait l'anarchie de la Révolution française. Ministre des Affaires étrangères (1807-1809), il engagea à fond l'armée en Espagne mais démissionna à la suite de sa mésentente avec Castlereagh* et ne joua plus de rôle politique important jusqu'au suicide de celui-ci. En 1822, George IV l'appela aux Affaires étrangères, ministère qu'il connaissait bien et dans l'exercice duquel il fit montre de plus en plus de libéralisme : sa haine des despotes européens l'incita à isoler la Grande-Bretagne de la Sainte-Alliance; il reconnut l'indépendance des colonies espagnoles en Amérique du Sud et aida les Grecs dans leur lutte contre les Turcs. Le roi le nomma Premier ministre en 1827 pour qu'il soutienne l'émancipation des catholiques irlandais, mais il mourut quelques mois plus tard. D'un conservatisme modéré, il sut prévenir les mouvements révolutionnaires en accordant les réformes nécessaires.

CANNIZZARO (Stanislao). ♦ Chimiste italien (Palerme, 1826 — Rome, 1910). Précisant, à partir de l'hypothèse d'Avogadro sur le nombre constant de molécules contenues dans un volume déterminé d'un gaz, les notions de *molécule* et d'*atome*, il formula la loi selon laquelle les éléments chimiques interviennent toujours dans les composés comme multiples d'une même quantité : l'atome. Il introduisit la notion de *nombre d'Avogadro* (1858). Une réaction de transformation d'aldéhydes en acides et en alcools sous l'influence des alcalis porte son nom.

CANNON (Walter Bradford). ♦ Neuro-physiologiste américain (1871-1945). On lui doit la notion d'homéostasie, déjà entrevue par C. Bernard*, désignant la tendance générale de l'organisme au rétablissement de l'équilibre. Il a étudié par ailleurs le rôle du système nerveux central, en particulier dans l'émotion.

CANO (Juan Sebastián de EL ou DEL). ♦ Navigateur espagnol (Gueteria, ? — lors d'un voyage aux Indes, 1526). Membre de l'expédition de circumnavigation entreprise en 1520 par Magellan*, il commanda le navire *La Victoire* qui fut le seul à revenir en Espagne (1522) après avoir contourné l'Afrique. Charles Quint lui remit des armoiries représentant un globe avec la devise « Circum dedisti me ». En 1525, il entreprit un périple vers les Moluques et mourut en mer, après avoir franchi le détroit de Magellan.

CANO (Alonso). ♦ Sculpteur, peintre et architecte espagnol (Grenade, 1601 — *id.*, 1667). D'abord formé auprès de son père, sculpteur de retables, il devint à Séville élève du sculpteur Martinez Montañes et du peintre Juan de Castillo; de 1616 à 1621, il étudia en compagnie de Vélasquez*, auprès de F. Pacheco*. Il s'enfuit de Séville à la suite d'un duel et se rendit à Madrid où il devint, grâce à Vélasquez, peintre ordinaire du roi Philippe IV. Accusé d'avoir assassiné sa femme, il fut ensuite emprisonné, puis autorisé à se rendre à Valence. Il travailla à la *cathédrale de Grenade*, entra en conflit avec le chapitre mais ses plans pour la façade, originale adaptation de formes dérivées de la Renaissance, furent finalement acceptés (1667). Dans ses tableaux religieux, il évolua d'un ténébrisme hérité de ses premiers maîtres à une manière plus souple et colorée qui annonce directement Murillo* (*Les Sept Joies de la Vierge*, 1652-1654; *Le Miracle du puits*). Il fut surtout le sculpteur le plus célèbre de son époque; préférant les formes calmes et équilibrées aux effets pathétiques et mouvementés, il exprima avec intensité et une grande concision de facture une ferveur grave et retenue (*Retable pour Lebrija*, 1629; *Saint Jean de Dieu; Immaculée Conception*, après 1660; *Bustes d'Adam et Ève*).

CANOPE, en gr. **Kanôbos.** ♦ Anc. V. d'Égypte au N.-E. d'Alexandrie* à l'embouchure de la branche dite *canopique* du Nil, près de l'act. Aboukir*. Son temple dédié à Sérapis* fut jusqu'au IVe s. un important lieu de pèlerinage. Ville des plaisirs, elle était réputée pour les orgies et les débauches auxquelles se livraient les Romains sur le canal qui menait d'Alexandrie à Canope. Hadrien* donna le nom de *Canope* à une partie de sa villa à Tivoli*. Osiris* y était adoré sous la forme d'une jarre dont le couvercle représentait la tête du dieu. Les archéologues attribuèrent à tort le nom de *vases canopes* aux jarres à tête d'homme ou d'animal dans lesquelles, depuis l'Antiquité la plus reculée, les Égyptiens plaçaient les viscères retirés au moment de la momification, puis aux urnes funéraires étrusques ayant des couvercles à tête emblématique.

CANOPUS. ♦ Nom donné à l'étoile α Carène*. Magnit. 0,9; type spectral F O.

CANOSA DI PUGLIA, anc. **Canusium.** ♦ V. d'Italie méridionale, dans les Pouilles (prov. de Bari) sur l'Ofanto. 36 000 hab. ♦ *Hist.* Fondée, selon la légende, par Diomède*, la ville possède une cathédrale du XIe s. et renferme le tombeau de Rohémond, fils aîné de Robert* Guiscard.

CANOSSA. ♦ Village d'Italie (Émilie), dans les Apennins. Le château fort de la comtesse Mathilde* de Toscane servit de refuge au pape alors que l'empereur Henri* IV descendait sur Rome. Celui-ci vint alors, en tenue de pénitent, implorer le pardon du pape (25-28 janv. 1077), ce qui ne l'empêcha pas de reprendre les hostilités par la suite. **V. Grégoire VII, Investitures** *(querelle des)*. — L'expression *aller à Canossa* « faire amende honorable, s'humilier devant l'adversaire », s'emploie encore.

CANOURGUE (La). ♦ Ch.-l. de cant. de la Lozère* (arr. de Mende), proche de la vallée du Lot*. 1 348 hab. Église des XIIe-XIVe siècles. Beffroi. Demeures anciennes (hôtel de Meillan, XVIe s.). Vestiges gallo-romains. — Fabrique de matelas. Fromagerie.

CANOVA (Antonio). ♦ Sculpteur italien (Possagno, près de Venise, 1757 — Venise, 1822). Fils de tailleur de pierre, il fit son apprentissage à Venise et s'installa à Rome à partir de 1781. Il subit l'influence des théories néo-classiques de Winckelmann* et de Mengs*. Il concrétisa sa conception du « Beau idéal » dans les monuments de *Clément XIV* (1784-1787) et de *Clément XII*. Devenu

Arch. Smeets

A. Canova : Napoléon, bronze.
(Cour du Palais Brera, Milan.)

Ph. Stella

Monts du **Cantal.**

le maître du néo-classicisme en sculpture, il acquit une autorité comparable à celle de David* en peinture. Invité à Paris en 1802, il exécuta le *buste de Napoléon* (1803) et la statue colossale de *Napoléon tenant la Victoire* (1811). Il imita la sculpture antique dans ses portraits de contemporains, en lui conférant un caractère gracieux et sensuel (*Pauline Bonaparte* [dont il passe pour avoir été l'amant]; *L'Amour et Psyché*). Il avait le goût du marbre poli au point d'amollir les formes, et se préoccupait plus de ligne que de modelé.

CÁNOVAS DEL CASTILLO (Antonio). ♦ Écrivain et homme d'État espagnol (Málaga, 1828 — Santa Águeda, Guipúzcoa, 1897). Chef du parti conservateur, conseiller d'Alphonse* XII, il abolit presque toutes les réformes de la République et contribua à discréditer la monarchie. Premier ministre de 1876 à 1881, il fut plusieurs fois président du Conseil, avant d'être assassiné par un anarchiste.

CANROBERT (François Certain). ♦ Maréchal de France (Saint-Céré, 1809 — Paris, 1895). Sorti de Saint-Cyr, il prit part à la conquête de l'Algérie. Général et aide de camp de Louis-Napoléon Bonaparte, auquel il apporta son soutien lors du coup d'État du 2 décembre 1851, il remplaça Saint*-Arnaud à la tête des forces françaises en Crimée (1854-1855) et fut promu maréchal à son retour en France. Lors de la guerre de 1870, il contribua à la défense de Saint*-Privat-la-Montagne, mais dut se replier sur Metz où il fut fait prisonnier. Sous la Troisième République, il fut un des chefs du parti bonapartiste.

CANSADO. ♦ Port minéralier, annexe de Nouadhibou* (Mauritanie).

CANTABRES, en lat. **Cantabri.** ♦ Anc. peuple celtibère* établi sur la côte N. de l'Espagne dans l'actuelle province d'Oviedo* au pied des monts Cantabriques*. Après avoir été soumis par Auguste* en ~25, ils se révoltèrent et furent en grande partie exterminés (~19).

Cantabriques *(monts).* ♦ Chaîne de montagnes du N.-O. de la péninsule Ibérique, qui s'étend dans le prolongement des Pyrénées, le long du golfe de Gascogne jusqu'à l'extrémité N.-O. de la péninsule, à travers le Pays Basque*, le N. de la Vieille-Castille*, les Asturies*, le N. du León*. — *Point culminant* pic d'Europe : 2 665 m. — *Hydrogr.* **V. Ebre, Minho.**

CANTACUZÈNE, en grec **Kantakouzênos.** ♦ Illustre famille byzantine dont sont issus Jean* VI Cantacuzène, empereur byzantin (1341-1355), plusieurs despotes de Mistra*, des hospodars de principautés roumaines (Moldavie, Valachie) et des hommes politiques, dont un président du Conseil de Roumanie (George, 1904 à 1907).

CANTAL. *n. m.* ♦ Massif volcanique de l'Auvergne* au cœur du Massif* central et du dép. du Cantal* à qui il donne son nom. — Points culminants : plomb du Cantal (1 858 m), puy Mary (1 787 m).

CANTAL. [15]. *n. m.* ♦ Dép. du Massif* central, formé autour du massif du Cantal, en Auvergne*, région (anciennement C.A.R.) de l'Auvergne*. — *Orogr.* Le massif volcanique du Cantal occupe le centre du dép.; au N.-E., la table basaltique du Cézallier*, au S.-O. le bassin d'Aurillac* à la limite de la Châtaigneraie. Au S.-E., les monts de la Margeride* et de l'Aubrac*.
♦ 23 cant., 268 comm., 176 889 hab. *Préf.* : Aurillac*. *Sous-préf.* : Mauriac*, Saint*-Flour. *Ch.-l. de cant.* : Allanche (1 628 hab.), Champs-sur-Tarentaine (1 342 hab.), Chaudes*-Aigues, Condat (1 732 hab.), Laroquebrou (1 193 hab.), Massiac (1 961 hab.), Montsalvy (1 062 hab.), Murat*, Pierrefort (1 230 hab.), Pleaux (1 816 hab.), Riom*-ès-Montagnes, . Ruynes-en-Margeride (672 hab.), Saignes (702 hab.), Saint*-Cernin, Saint-Mamet-la-Salvetat (1 176 hab.), Salers*, Vic*-sur-Cère. *Autres comm.* : **V. Lioran** *(le).*

Cantatrice chauve (La). ♦ Pièce d'Eugène Ionesco (1950). Au cours d'une soirée, deux paisibles bourgeois anglais et leurs amis, par la banalité des propos qu'ils échangent, l'usure désolante du langage qu'ils emploient, illustrent la dérision de toute tentative de communication entre les hommes.

CANTELEU. ♦ Comm. de la Seine*-Maritime, arr. de Rouen*, 13 598 hab. *(Cantiliens).* — Indus. textiles, teintureries, papeterie. Patrie de Barbet de Jouy.

CANTEMIR (Dimitrie). ♦ Prince et écrivain moldave (Iaşi, 1674 — Kharkov, 1723). Prince régnant de Moldavie, il fut l'allié de Pierre* le Grand contre les Turcs, le suivit en Russie après la défaite de Stanileşti (1711) et fut son ami et son conseiller. Il passa pour un des hommes les plus cultivés de son temps, laissa des ouvrages philosophiques, historiques, musicaux, traduisit le Coran en latin et en russe. Œuv. princ. : en roumain, *Istoria Ieroglifică* (« Histoire hiéroglyphique », 1705), roman satirique à clefs; *Description de la Moldavie,* 1714; *Histoire de la grandeur et de la décadence de l'Empire ottoman,* 1716; *Chronique de l'Antiquité des Romano-Moldo-Valaques,* 1717, dont la thèse sur les origines latines des peuples roumains fut reprise au XIXe s. par l'école « latiniste » transylvaine. — Père du poète Antioche Kantemir*.

CANTERBURY, en fr. **Cantorbéry.** ♦ V. d'Angleterre, dans le N.-E. du Kent, sur la Stour. 32 600 hab. Siège de l'archevêque, primat de l'église anglicane. La *cathédrale (Christ Church Cathedral),* l'un des plus célèbres édifices religieux d'Angleterre, fut érigée entre 1070 et 1503 et allie des styles différents. La crypte et le transept N.-E., romans, furent érigés v. 1070 par Lanfranc*, évêque de Caen; le chœur gothique, œuvre de Guillaume de Sens, date de 1175 et la nef fut construite v. 1180 en gothique perpendiculaire. Les vitraux, les plus anciens d'Angleterre, datent du XIIe siècle. — Patrie de Christopher Marlowe*. ♦ *Hist.* Ancienne cap. du royaume du Kent au Ve s., dont Ethelbert fit après sa conversion le centre de l'Angleterre chrétienne. Saint Augustin* fonda l'épiscopat de Canterbury en 597. La ville devint le siège de l'archevêque primat d'Angleterre, occupé notamment par saint Dunstan*, saint Anselme*, Thomas* Becket, Etienne Langton*, Edmond* Rich, Thomas Cranmer*, Reginald Pole* et William Laud*. Au Moyen Âge, Canterbury était un lieu de pèlerinage très fréquenté.

CANTH (Minna, née **Ulrika Wilhelmina Johansson).** ♦ Auteur dramatique, romancière et nouvelliste finnoise (Tampere, 1844 — Kuopio, 1897). Restée veuve à 35 ans avec sept enfants, elle s'engagea dans la lutte féministe avec des pamphlets et des pièces comme *La Femme d'un ouvrier* (1885) ou *Sylvi* (1893). Imbue d'idées socialistes humanitaires, elle exposa les souffrances du prolétariat dans la pièce *Dures Destinées* (1888) et dans des nouvelles comme *Selon la loi* (1889). Très critiquée, elle se tourna vers les problèmes individuels dans ses nouvelles (*Agnès,* 1892) et le drame *Anna-Liisa* (1895).

CAN THO. ♦ V. du Viêt-nam du Sud, au S.-O. de Saïgon, ch..-l. de la prov. de Phong Dinh. 40 000 hab. Port fluvial.

CANTILLON (Richard). ♦ Banquier, économiste et démographe d'origine irlandaise (1680 — assassiné à Londres, 1733 ou 1734). Établi à Paris, il fut un des principaux bénéficiaires de l'expérience de Law*, dont il était le rival. Son *Essai sur la nature du commerce en général,* publié en 1755, donne une des premières vues d'ensemble de l'activité économique. Cantillon y soutient que la terre et le travail sont la source des richesses. Comme les mercantilistes, il fait dépendre la valeur de la monnaie et le niveau des prix de la quantité de métal précieux possédée par une nation, mais, contrairement à ceux-ci, il se montre pessimiste sur les possibilités d'un enrichissement indéfini d'un pays par le commerce extérieur. Il étudie enfin les relations entre faits économiques et démographiques, formulant les notions de population maximale et optimale.

Cantique des cantiques (Le). ♦ Titre français traditionnel du « chant des chants » ou « chant par excellence ». Livre biblique, le premier des cinq rouleaux (huit chapitres). Un rédacteur de la fin du ~ IVe y a refondu, sous le patronage de Salomon, des poèmes de provenance diverse (Judée, Syrie, Moab). Ce sont des chants d'amour que leur caractère profane a fait écarter du canon hébraïque jusqu'au synode de Yabneh ou Jamnia* (90-100). Les traditions juive et chrétienne en donnent des interprétations allégoriques. Il est récité lors de la Pâque juive.

CANTON [*Kouang-tcheou, Guangzhou*]. ♦ V. de Chine, cap. de la prov. du Kuang-tung, et grand port commercial, établi sur la « rivière des perles » (Chu-chiang) et une petite île où se trouvaient, en 1860, les concessions européennes. Probablement près de 3 000 000 d'hab. (1 867 000 en 1958). Grande cité industrielle : les indus. sont liées en majorité à l'agriculture locale (raffineries de sucre, manufactures d'insecticides, d'engrais, matériel agricole, etc.). C'est à Canton que se trouve la plus grande imprimerie de journaux chinoise. Indus. textiles. Cimenteries. — Le port de commerce, en relation directe avec Hong Kong, est l'un des plus actifs de Chine. ♦ *Hist.* Dès le VIe-VIIe s., Kouang-tcheou était connu de voyageurs arabes, et ce fut une des premières villes chinoises où pénétrèrent des Européens. Le nom de *Canton* résulte d'une confusion avec le nom de la prov. de *Kuang-tung.* Le système des « concessions » européennes, au XIXe s. organisait la colonisation économique de la région. C'est à Canton que fut proclamée en 1912, par Sun* Yat-sen, la première république chinoise.

CANTON. ♦ V. des États-Unis (N.-E. de l'Ohio), au S. du lac Érié. 108 872 hab. (368 876 pour la zone urbaine). Indus. métallurgiques (aciers spéciaux). Briqueteries. Indus. mécaniques. — W. Mc*Kinley y vécut et y mourut.

CANTON et **ENDERBURY** *(îles).* ♦ V. GILBERT et ELLICE *(îles).*

Cantons de l'Est. *n. m. pl.,* en angl. **Eastern Townships.** ♦ Nom donné aux comtés du Canada (prov. du Québec*) situés à l'E. du

Richelieu*. Ils doivent leur nom à une colonisation de loyalistes américains (1796) remplacés au siècle suivant par des Canadiens français. – Riche région agricole. Indus. du bois. Textiles. Gisement d'amiante. – V. princ. **V. Sherbrooke, Granby, Thetford Mines.**

CANTOR (Georg). ♦ Mathématicien allemand (Saint-Pétersbourg, 1845 – Halle, 1918). De ses études sur les fonctions de la variable réelle et notamment sur les séries de Fourier*, il dégagea la *théorie des ensembles*; en particulier, il démontra en 1873 l'existence des nombres transcendants par un procédé indépendant des travaux de Liouville* (l'ensemble des nombres algébriques est dénombrable, l'ensemble des nombres réels est non dénombrable), il montra la possibilité de définir sur les nombres cardinaux ou puissances une addition et une multiplication soumises aux lois commutative, associative et distributive et, en 1879, découvrit les nombres ordinaux transfinis.

CANTORBÉRY. ♦ Forme française de Canterbury*.

CANTRIL (Albert Hardley). ♦ Psychologue américain (1906). Auteur de travaux de psychologie sociale *Understanding Man's Social Behaviour,* 1947.

CANTYRE. ♦ **V.** KINTYRE (Écosse).

CANUT, en danois **Knud,** en suédois **Knut.** ♦ Nom de six rois de Danemark. ♦ CANUT Ier. Roi de Danemark v. 940. Son existence n'est pas attestée. ♦ CANUT II, dit *le Grand* (v. 995 – Shaftesbury, 1035). Roi de Danemark (1018-1035), d'Angleterre (sous le nom de Canut Ier, 1017-1035) et de Norvège (1030-1035). Il poursuivit la conquête de l'Angleterre commencée par son père Sven. Il signa un traité de partage avec Edmond Côte-de-Fer mais, ce dernier ayant été assassiné, Canut se déclara son héritier. Il épousa Emma, veuve d'Ethelred II (1017). Il établit l'égalité des droits entre Anglais et Danois, assura la sécurité des personnes et des biens et employa des Anglais dans l'administration. Prince pieux, il fit un pèlerinage à Rome (1026-1027) et protégea l'Église. Il laissa la Norvège à son fils Sven, l'Angleterre à Harald et le Danemark à Canut III. ♦ CANUT III dit *Hardeknut* ou *Harthaknut,* (« Knut le Hardi », [mort] 1042). Roi de Danemark (1035-1042) et d'Angleterre (1040-1042). Il devint roi d'Angleterre à la mort de son frère Harald, mais ne sut pas conserver le royaume. Sa mort marqua la fin de la dynastie danoise en Angleterre. ♦ CANUT IV LE SAINT ([mort] Odensee, 1086). Roi de Danemark (1080-1086), neveu de Canut le Grand. Il protégea l'Église mais, voulant faire valoir les prétentions danoises sur l'Angleterre, il leva de lourds impôts qui provoquèrent une révolte. Il fut vaincu et assassiné. Déclaré premier martyr du Danemark, il fut canonisé en 1101. ♦ CANUT V ([mort] 1157). Roi de Danemark (1147-1157). Il fut assassiné par son compétiteur Suénon. ♦ CANUT VI (1163-1202). Roi de Danemark (1182-1202). Fils de Valdemar Ier à qui il succéda. Il conquit le Mecklembourg, la Livonie, le Holstein, Lübeck (1201) et Hambourg (1202). Son frère Valdemar II lui succéda.

CANY-BARVILLE [-vil]. ♦ Ch.-l. de la Seine*-Maritime (arr. de Dieppe*), dans le pays de Caux*. 1 704 hab. Église Renaissance. Aux environs, château de Cany (XVIIe s.). Patrie de L. Bouilhet*.

Canzoniere (Le). ♦ **V.** PÉTRARQUE.

CAO BANG. ♦ V. du Viêt-nam du Nord. 15 000 hab. Ch.-l. de la prov. du même nom. Exploitation de mines d'étain et de lignite. ♦ *Hist.* Les troupes françaises y subirent une grave défaite en 1950.

Cao-Dai (« Palais suprême »). ♦ Religion syncrétique vietnamienne, fondée en 1919 par Ngô Van Chiêu, et rénovée en 1926 par Lê Van Trung. Elle se divisa rapidement en un grand nombre de sous-sectes et ses adeptes, fervents nationalistes, furent traqués par les autorités françaises. La doctrine, qui se veut rénovatrice des valeurs confucéennes, vénère des « saints » divers, parmi lesquels on compte Victor Hugo, Winston Churchill et Jeanne d'Arc, ainsi que Sun* Yat-sen. Elle a encore de très nombreux adhérents dans le S. du Viêt-nam.

Ph. Rinaldini/Ricciarini

Canton (Chine.)

CAP (Le), en angl. **Cape Town,** en afrikaans **Kapstad.** ♦ V. d'Afrique* du Sud et sa cap. législative, ch.-l. de la *prov. du Cap,* située à l'extrémité S.-O. du pays, sur la baie de la Table, proche du cap de Bonne*-Espérance. 807 211 hab. Université. Port d'escale et d'exportation. Centre industriel. Raffinerie de pétrole. Indus. alimentaires (conserveries...) et textiles. Centre ferroviaire. ♦ *Hist.* Le site du Cap fut exploré par B. Dias et Vasco de Gama, mais resta longtemps sans colonie blanche, à cause de l'hostilité des Africains (assassinat de Almeida, 1510). Un fort y fut construit par les Hollandais en 1652. Les Anglais s'emparèrent de la colonie hollandaise en 1806. La ville fut la capitale de la colonie du Cap, devenue en 1910 une province de l'Union sud-africaine. **V. Afrique du Sud** *(Hist.).*

CAP *(province du).* ♦ Prov. méridionale de la république d'Afrique* du Sud. 721 004 km². Région d'élevage et d'indus. alimentaires, qui produit largement pour l'exportation. Indus. variées dans les grandes villes. *Ch.-l.* Cap (Le). *V. princ.* **V. East London, Kimberley, Port Elizabeth.** ♦ *Hist.* **V. Afrique du Sud** *(Hist.)*; **Cap (Le).**

CAPAZZA (Louis). ♦ Inventeur et aéronaute français (Bastia, 1862 – Paris, 1928). Spécialiste d'aéronautique, il conçut le parachute-filet pour ballon, effectua en ballon sphérique le trajet Marseille – Corse (1886) et, devenu pilote de dirigeable, réalisa la première traversée de la Manche (1910).

CAPBRETON. ♦ Comm. des Landes*, arr. de Dax, 4 454 hab. *(Capbretonnais).* Ancien port, auj. station balnéaire. Au large la fosse marine appelée *Gouf de Capbreton.*

CAP-BRETON *(île du),* en angl. **Cape Breton Island.** ♦ Île de la côte orientale du Canada (Nouvelle*-Écosse) à l'entrée du golfe du Saint*-Laurent, située au N. de la presqu'île de la Nouvelle-Écosse dont elle est séparée par un étroit bras de mer, à l'E. de l'île du Prince*-Édouard et des îles de la Madeleine*, et séparée au N. de l'île de Terre*-Neuve par le détroit de Cabot*. *V. princ.* Sydney. – Houille et sidérurgie. Pêche. Parc national au N. de l'île. ♦ *Hist.* Découverte par Jean Cabot* en 1497, colonisée par les Français dès le début du XVIIe s., elle fit partie de l'Acadie*, sous le nom d'*Île Royale* et servit de refuge pour les Acadiens expulsés du continent américain; mais les Anglais l'occupèrent entre 1745 et 1748 et s'en emparèrent définitivement en 1758. Elle fut réunie à la Nouvelle-Écosse en 1819.

CAPCIR ou **CAPSIR.** *n. m.* ♦ Pays des Pyrénées-Orientales, à l'O. du Carlitte*. C'est une sorte de plaine au cœur de la montagne, formant le bassin supérieur de l'Aude*, et constituant une région d'élevage *(Capcirais).* ♦ *Hist.* Rattaché à la Cerdagne*, il fut réuni à la France en 1659.

CAP-D'AIL [kapdaj]. ♦ Comm. des Alpes*-Maritimes (arr. de Nice*) sur la Côte d'Azur, au S.-O. de Monaco*, à proximité du *cap d'Ail.* 4 206 hab. Station balnéaire. Théâtre de plein air décoré de mosaïques par Jean Cocteau* en 1960.

CAP DE LONG *(lac de).* ♦ Retenue artificielle (55 ha) des Hautes-Pyrénées*, dominée par le massif de Néouvielle*. Le barrage, haut de 100 m, long de 275 m, épais de 30 m, est le plus important des Pyrénées. Les eaux du gave de Pau* y ont une hauteur de chute de 1 250 m env. Centrale de Pragnères : 160 000 kW.

CAPDENAC. ♦ Comm. du Lot (arr. de Figeac*), sur le Lot*. 960 hab. [574 aggl.]. *(Capdenacois).* Vestiges préhistoriques, remparts XIIe-XIVe s., donjon. Centrale hydro-électrique sur le Lot. Fonderie de zinc. ♦ *Hist.* Le château fut la résidence de Sully, après la mort d'Henri IV.

CAPDENAC-GARE. ♦ Ch.-l. de cant. de l'Aveyron* (arr. de Villefranche*-de-Rouergue), sur le Lot*. 6 113 hab. Centre ferroviaire. Indus. alimentaires, indus. du bois. Machines-outils.

ČAPEK (Karel). ♦ Romancier et auteur dramatique tchèque (Svatonovice, 1890 – Prague, 1938). Il débuta par des recueils de contes cruels et ironiques, à la manière de romans policiers : *Calvaires* (1917), *Histoires pénibles* (1921), *Les Contes d'une poche* et *Les Contes de l'autre poche* (1927). Puis il aborda le théâtre avec *Le Jeu fatal de l'amour* (1910), et surtout avec un drame utopique : *Les Robots universels de Rossum, R.U.R.* (*Rossum's Universal Robots,* 1921) où les robots (mot créé par Čapek d'après le radical du verbe slave signifiant « travailler ») se révoltent contre leurs créateurs. Dans la même veine, il écrivit ensuite des pièces, *L'Affaire Makropoulos* (1922), *Adam le Créateur* (1927), *La Peste blanche* (1937), et des romans : *La Fabrique d'Absolu* (1922), *La Krakatite* (1924), *La Guerre des salamandres* (1936). Toutes ces œuvres de science-fiction évoquent des dangers monstrueux qui pèsent sur l'humanité et indirectement l'atmosphère dramatique de leur époque. Il s'essaya aussi à un style plus léger dans lequel il excella avec des impressions de voyage : *Lettres d'Italie* (1923), *Lettres d'Angleterre* (1924). Il aborda ensuite les problèmes psychologiques en s'attachant à cerner la vérité et la réalité dans une trilogie : *Hordubal* (1933), *Le Météore* (1934), *Une vie ordinaire* (1934), et dans son dernier roman : *Vie et Œuvre du compositeur Foltyn* (1939). Enfin, ses *Conversations avec Masaryk** révélèrent en lui un profond humanisme. À travers tous les genres qu'il aborda, K. Čapek se distingue comme le maître de la prose tchèque moderne.

Ph. Louis Monier

Ph. Louis Monier

Ph. Louis Monier

Les rois **Capétiens** : Hugues Capet. Robert II le Pieux. Charles IV le Bel.

ČAPEK-CHOD (Karel Matěj). ♦ Romancier et nouvelliste tchèque (Domazlice, 1860 – Prague, 1927). Il fit exception parmi les écrivains de sa génération en créant avec brutalité un grotesque naturaliste, dans des romans comme *La Vengeance de Gašpar Len* (1908), *La Turbine* (1916), *Les Jindra* (1921), *Rešany* (1927), qui décrivent un monde tragique.

CAPELLA ou **CHÈVRE (la).** ♦ Nom donné à l'étoile α Cocher*. Magnit. 0.2 ; type spectral G O.

CAPELLE (Pierre). ♦ Poète, chansonnier et vaudevilliste français (Montauban, 1772 – *id.*, 1851). Il fut avec Armand Gouffé l'un des rénovateurs de la Société du Caveau* (1806).

CAPELLE (La) ou **LA CAPELLE-EN-THIÉRACHE.** ♦ Ch.-l. de cant. de l'Aisne* (arr. de Vervins*). 2 290 hab. Filature, brosserie.

CAPELLEN, en néerl. **Kapellen.** ♦ V. de Belgique, prov. et arr. d'Anvers. 11 900 hab. Indus. du bois (papeteries), du verre (instruments d'optique). Pépinières. Conserves de fruits.

CAPELUCHE. ♦ Bourreau de Paris de 1411 à 1418, sous le règne de Charles* VI. Il fut l'un des chefs du parti des Bourguignons*, et fut décapité en 1418 pour ses atrocités.

CAPENDU. Ch.-l. de cant. de l'Aude, arr. de Carcassonne. 1 413 hab. Vestiges d'un château du XIVe siècle. Église du XIVe s. (restaurée). – Vins.

CAPESTANG [kapɛstɑ̃]. ♦ Ch.-l. de cant. de l'Hérault (arr. de Béziers) entre le canal du Midi* et l'ancien *étang de Capestang*. 3 014 hab. Pont romain. Église gothique (XIVe s.). Vins.

CAPESTERRE-DE-GUADELOUPE. ♦ Ch.-l. de cant. de la Guadeloupe (arr. de Basse-Terre), sur la côte sud-orientale de la Basse-Terre. 17 912 hab. Eau minérale.

CAPET. ♦ Surnom donné à Hugues* Ier, fondateur de la troisième dynastie des rois de France : les Capétiens*, probablement par allusion à la chape à laquelle son titre d'*abbé* lui donnait droit. – Sous la Révolution, il fut attribué comme nom roturier à Louis* XVI et à sa famille.

CAPET (Lucien). ♦ Compositeur et violoniste français (Paris, 1873 – *id.*, 1928). Professeur au Conservatoire de Paris (1907), il a composé de la musique de chambre *(Quatuors, Sonate pour piano et violon)*. Il fonda un quatuor qui fut longtemps célèbre dans le monde entier.

CAPÉTIENS [kapesjɛ̃]. ♦ Troisième dynastie des rois de France, qui succéda aux Carolingiens* en 987 avec Hugues* Capet. **(V. Capet)** et régna en ligne directe jusqu'à Charles* IV le Bel (1328). Elle était issue de Robert* le Fort, dont deux fils, Eudes* (888-898) et Robert* Ier (922-923), ainsi que le gendre de ce dernier, Raoul* ou Rodolphe de Bourgogne (923-936), disputèrent le trône aux Carolingiens et régnèrent sous le nom de *Robertiens*. La dynastie capétienne s'installa avec Hugues Capet, fils de Hugues* Ier le Grand et petit-fils de Robert Ier, subsista d'abord par élection, et devint héréditaire à partir de 1179. Jusqu'à cette date, chaque souverain fit élire et couronner son fils aîné de son vivant. Le duché de Bourgogne* annexé par Robert* II le Pieux (996-1031) fut cédé par Henri* Ier (1031-1060) à son frère Robert de France, formant ainsi la tige de la première *maison capétienne de Bourgogne*. Les Capétiens, qui héritèrent en 987 d'un domaine peu étendu (duché de France : Paris, Orléans), s'employèrent dès Philippe* Ier (1060-1108), Louis* VI le Gros (1108-1137) et Louis* VII le Jeune (1137-1180) à son agrandissement. Ils annexèrent le Gâtinais (1069), le Vexin français (1082) et le Berry (1100). L'extension se poursuivit sous Philippe* II Auguste (1180-1223) qui reçut l'Artois (1180) par mariage, enleva le Vermandois (1191) et la Terre d'Auvergne (1198-1201) aux Plantagenêts*, auxquels il confisqua encore en 1203, l'Anjou, le Maine, la Normandie, le Poitou, la Saintonge et la Touraine. Parallèlement, il fit épouser l'héritière de Bretagne à Pierre* Ier de Dreux, fondant ainsi la *maison capétienne de Bretagne**, tandis qu'en Orient Pierre II de Courtenay*, petit-fils de Louis VI, devenait le premier empereur d'Orient de la maison capétienne. Dans le domaine religieux, les Capétiens s'illustrèrent lors des croisades*, d'abord sous Louis VII et Philippe Auguste, puis avec Louis* IX ou Saint Louis (1226-1270) après l'intervention de Louis* VIII le Lion (1223-1226) contre les Albigeois*, qui permit l'annexion du Bas-Languedoc en 1229. Sous Philippe* III le Hardi (1270-1285), héritier du comté de Toulouse, le mariage de Robert de Clermont (fils de Saint Louis) à Béatrice de Bourgogne-Bourbon fut à l'origine de la *branche capétienne des Bourbons* **(V. Bourbon).** Philippe* le Bel (1285-1314) étendit encore le domaine royal à la Champagne, la Navarre, l'Angoumois et au comté de Lyon, et renforça l'autorité monarchique ; mais ses fils et successeurs : Louis* X le Hutin (1314-1316), Philippe* V le Long (1316-1322) et Charles* IV le Bel (1322-1328) dernier des *Capétiens* directs, moururent sans postérité mâle ; ce qui amena sur le trône la branche collatérale des *Capétiens de Valois* **(V. Valois)** représentée par Philippe* VI, petit-fils de Philippe III le Hardi. Son élection au détriment d'Édouard* III d'Angleterre, petit-fils par sa mère de Philippe IV le Bel, fut l'une des causes immédiates de la guerre de Cent* Ans.

CAPE TOWN. ♦ **V.** CAP (Le).

CAP-FERRET (Le). ♦ Dans la Gironde*, arr. de Bordeaux*, c'est l'extrémité sud de la pointe de sable qui sépare le bassin d'Arcachon* de l'océan Atlantique*. Station balnéaire, pêche, ostréiculture.

CAP-HAÏTIEN. ♦ V. et port situé sur la côte N. de l'île d'Haïti*. 33 617 hab. Exportations de sucre, café, cacao. ♦ *Hist.* Fondée par les Français sous le nom de *Cap-Français* à la fin du XVIIe s., elle fut le centre français le plus important et la capitale de l'Hispaniola* jusqu'en 1770.

CAPHARNAÜM [kafaʀnaɔm]. ♦ V. de Galilée où les Évangiles situent le centre de la prédication de Jésus, avant sa montée à Jérusalem. *Auj.* Kefar Nahum.

CAPISTRANO. ♦ **V.** JEAN DE CAPISTRAN (saint).

Capitaine Fracasse (Le). ♦ Roman picaresque de Th. Gautier* (1863), inspiré du *Roman comique* de Scarron* : le jeune baron de Sigognac, baptisé pour la circonstance capitaine Fracasse, parcourt la France avec des comédiens ambulants et, au terme d'aventures nombreuses, épouse Isabelle, l'« ingénue » de la troupe.

Capital (Le). ♦ De cet ouvrage de Marx*, seul le premier tome, *Développement de la production capitaliste,* parut de son vivant (1867) ; les tomes II, *Le Procès de la circulation du capital,* et III, *Procès d'ensemble de la production capitaliste,* furent rédigés par Engels* (d'après les notes laissées par Marx) et publiés en 1885 et 1894. Quant à la quatrième partie, pour laquelle Marx avait réuni une abondante documentation, c'est Kautsky* qui l'acheva et la publia sous le titre *Les Théories de la plus-value* (1904-1910) [« *Histoire des doctrines économiques* »]. À travers une analyse scientifique du système capitaliste pour en découvrir les lois naturelles (en particulier le mécanisme de la formation de la plus-value), Marx met en évidence les contradictions liées à son développement. **V. Marx** (Karl).

CAPITANT (Henri). ♦ Juriste français (Grenoble, 1865 – Allinges, Haute-Savoie, 1937). On lui doit des ouvrages de droit civil *(Introduction à l'étude du droit civil – Cours de droit civil).*

CAPITINI (Giunta). ♦ **V.** PISANO GIUNTA.

CAPITOLE ou **CAPITOLIN**, en lat. **Capitolium** (de *caput* « tête »), en it. **Campidoglio.** ♦ Nom donné à l'une des sept collines de Rome et à l'ensemble des édifices qu'elle supporte. Site légendaire de l'allaitement de Romulus* par la louve, cette colline devint le centre religieux de la Rome antique. On y trouvait au N. la Citadelle (Arx) à la place de laquelle se dresse actuellement l'église S. Maria in Aracoeli et au S. le Capitole proprement dit *(Capitolium),* temple étrusque à triple *cella,* consacré à Jupiter*, Junon* et Minerve* (~ VIᵉ s.); entre les deux, l'*Intermontium* correspondait à l'actuelle place du Capitole dessinée par Michel*-Ange v. 1546 et dont l'exécution fut confiée à Guidetto Guidetti puis (1564) à G. Della Porta*; au centre se trouve la statue équestre de Marc*-Aurèle. C'est sur le Capitole que l'on gardait les oies consacrées à Junon qui sauvèrent Rome de l'attaque des Gaulois* **(V. Manlius* Capitolinus).** Du côté du Tibre se trouvait la roche Tarpéienne* d'où l'on précipitait les condamnés; au flanc de la colline était creusée la prison du Tullianum*. Sur la place du Capitole on remania l'ancien palais des sénateurs, siège de la commune de Rome (auj. hôtel de ville); à droite, palais des Conservateurs (1564-1576; auj. musée, pinacothèque capitoline); à gauche, palais du Musée capitolin (déb. XVIIᵉ s. Antiques, dont la réplique du *Gaulois mourant*). — Le nom de Capitole a été donné à des édifices servant de centre à la vie municipale ou parlementaire, comme, en France, le *Capitole de Toulouse* (XVIIIᵉ s.). — Le *Capitole de Washington**, où se réunissent le Sénat et la Chambre des représentants des États-Unis, fut construit sur les plans de l'Anglais W. Thornton (v. 1800) et achevé après 1850 (dôme central, sans doute influencé par le Panthéon de Soufflot, à Paris; ailes latérales).

CAPLET (André). ♦ Compositeur et chef d'orchestre français (Le Havre, 1878 — Neuilly-sur-Seine, 1925). Grand Prix de Rome (1901), il fut lié d'amitié avec Debussy. Son œuvre est d'inspiration mystique : *Messe à 3 voix* (1922), *Épiphanie* (1923), *Le Miroir de Jésus* (1923) pour voix solo, chœurs de femmes, orchestre à cordes et harpe. Il fut chef d'orchestre de l'opéra de Boston (1910-1914).

CAP-MARTIN. ♦ **V.** ROQUEBRUNE-CAP-MARTIN.

CAPO D'ISTRIA ou **Kapodístrias (Jean Antoine,** *comte de***).** ♦ Homme d'État grec (Corfou, 1776 — Nauplie, 1831). Secrétaire d'État des îles Ioniennes (1803), il entra au service de la Russie (1809) et devint ministre des Affaires étrangères (1816-1822). Opposé à la politique de la Sainte-Alliance, il se retira à Genève et soutint la lutte des Grecs pour l'indépendance. Élu gouverneur de la Grèce en 1827, il eut à surmonter de très graves problèmes diplomatiques et intérieurs. Impopulaire pour sa politique autoritaire, suspect comme russophile et déplaisant à l'aristocratie indigène, il fut assassiné par deux membres d'un clan puissant du Péloponnèse.

CAPONE (Alphonse, dit **Al).** ♦ Gangster américain (Naples, 1895 — Miami, 1947). Chef d'une bande dont les crimes et les exploits, exemplaires pour de nombreux émules, se situent à Chicago au temps de la prohibition.

CAPORETTO, auj. **Kobarid.** ♦ Village de Yougoslavie, autrefois en Italie (vallée de l'Isonzo). Le 24 oct. 1917, l'offensive austro-allemande dirigée par von Below y rompit le front italien. Dans sa retraite, l'armée italienne laissa 293 000 prisonniers, plus de 3 000 canons (la moitié de son artillerie), d'importants stocks d'armes, de matériel, de vivres. Cependant, elle n'était pas détruite et le front se stabilisa sur le Piave à partir du 26 novembre.

CAPOTE (Strekfus Persons, dit **Truman)** ♦ Romancier américain (La Nouvelle-Orléans, 1924). Enfant terrible de la littérature, il refusa d'aller au collège, écrivit ses premières nouvelles à dix-sept ans, publia son premier roman *Les Domaines hantés* (*Other Voices, Other Rooms,* 1948), aventure fantastique d'un enfant à la recherche de son père. Il puisa encore dans ses souvenirs pour composer *La Harpe d'herbe* (1951). Le ton de *Petit Déjeuner chez Tiffany* (1958) est bien différent : l'humour et l'anecdote supplantent le surnaturel et l'élégie pour peindre Holly Golighty, individualiste généreuse, amorale et honnête. Le thème du mal revient comme un leitmotiv dans *Un arbre dans la nuit* (1949), recueil de nouvelles. De ce qui aurait pu n'être que le reportage d'un fait divers sanglant, Truman Capote construisit une œuvre très personnelle : *De sang froid* (*In cold blood,* 1967). On le considère comme le chef de file de l'école néo-romantique du Sud, et la nostalgie de son enfance fait de lui un poète de l'adolescence.

CAPOUE, en it. **Capua.** ♦ V. d'Italie (Campanie) sur le Volturno. 18 884 hab. ♦ *Hist.* La V. actuelle est construite sur les ruines de Casilinium. À 4 km, s'élevait l'ancienne Capoue (auj. Santa Maria Capua Vetere) qui fut fondée par les Étrusques (~ VIIᵉ s.). Elle fut alliée de Rome avant ~ 300; Hannibal s'en empara en ~ 215, après la bataille de Cannes et y tint des quartiers d'hiver dont l'agrément, dangereux pour la combativité de ses troupes, est resté célèbre (les « délices de Capoue »). Reprise et colonisée par les Romains en ~ 211, elle fut détruite par deux fois, en 456 et 840, par les Sarrasins et reconstruite un peu plus loin. Capoue fut conquise par les Normands en 1058 et devint une place stratégique pour les rois de Naples.

CAPPADOCE. *n. f.* ♦ Anc. pays d'Asie Mineure, appartenant auj. à la Turquie. *V. princ.* **V. Naziance, Nysse.** — Patrie de Apollonios* de Tyane, Basile* de Césarée, Grégoire* de Naziance, Grégoire* de Nysse, Héraclius* Iᵉʳ et de la famille Phokas*. ♦ *Hist.* Envahie par les Hittites* dès le ~ IIᵉ millénaire, puis englobée dans leur empire jusque v. ~ 1200, la Cappadoce fit partie successivement de l'Empire perse, de l'Empire d'Alexandre* le Grand, de la satrapie d'Eumène* et du royaume d'Antigonos* Monophtalmos. Devenue indépendante v. ~ 301, convoitée par Mithridate* qui tenta de renverser Ariobarzane* (~ 94), elle fut placée sous protectorat romain et érigée en province romaine sous Tibère* (17). Un des premiers foyers du christianisme en Asie, la Cappadoce suivit la destinée des Empires romain et byzantin et fut intégrée par la suite dans l'Empire ottoman.

CAPPIELLO (Leonetto). ♦ Peintre, dessinateur, caricaturiste et affichiste français d'origine italienne (Livourne, 1875 — Grasse, 1942). À Livourne, il débuta comme caricaturiste. Installé à Paris en 1898, il exécuta des portraits-charge pour *le Rire,* puis s'affirma comme dessinateur humoristique et affichiste. Il exécuta des affiches aux couleurs vivement contrastées et souvent pleines d'humour (*Ouate thermogène,* 1909; *Cinzano,* 1922; *Kub,* 1931). Il a aussi laissé une série de statuettes caricaturales exécutées vers 1900 *(Yvette Guilbert).*

CAPRA (Frank). ♦ Réalisateur américain de cinéma d'origine italienne (Palerme, 1897). Il fut, avec son scénariste Robert Riskin, durant les dix années qui précédèrent l'entrée en guerre des États-Unis (1941), le meilleur interprète d'un optimisme fondé sur la foi en la bonne volonté humaine, capable à elle seule de porter remède aux injustices sociales. Réal. princ. : *New York-Miami* (*It Happened one night,* 1934), *L'Extravagant Mr. Deeds* (*Mr. Deeds goes to Town,* 1936). *Vous ne l'emporterez pas avec vous* (*You Can't take it with you,* 1938), *M. Smith au Sénat* (*Mr. Smith goes to Washington,* 1939).

CAPRARA (Giovanni Battista). ♦ Cardinal italien (Bologne, 1733 — Paris, 1810). Légat du pape Pie VII à Paris après la signature du concordat* de 1801, il présida au rétablissement du culte catholique en France. Archevêque de Milan (1802), il sacra Napoléon Iᵉʳ roi d'Italie (1805).

CAPRI. ♦ Petite île de la mer Tyrrhénienne, située dans le prolongement de la péninsule de Sorrente (Campanie, prov. de Naples) et fermant le golfe de Naples dans sa partie méridionale. *Ch.-l.* Capri (6 000 hab.). *Autre V.* Anacapri. Le relief en est assez élevé (plateau d'Anacapri, monte Solaro, 589 m). Les côtes sont échancrées de baies (Marina Grande, Marina Piccola) et de grottes (dont la plus célèbre est la grotte d'Azur). C'est un centre touristique particulièrement visité. L'empereur Tibère y séjourna de longues années et y mourut.

Caprices de Marianne (Les). ♦ Comédie en deux actes d'Alfred de Musset*, jouée en 1851. Aimée du tendre et pudique Cœlio, Marianne lui préfère son ami Octave, jeune débauché qui ne l'aime pas. Se croyant trahi par Octave, Cœlio se laisse tuer dans une embuscade que lui ont tendue les valets de Claudio, mari de Marianne.

Capricorne. *n. m.,* en lat. **Capricornus.** ♦ Constellation zodiacale. Dixième signe du zodiaque (22 déc.-21 janv.).

CAPRIVI (Léo, *comte de***).** ♦ Général et homme politique prussien (Charlottenburg, Berlin, 1831 — Skyren, Brandebourg, 1899). Officier d'état-major, puis chef de l'amirauté (1883), il prit la succession de Bismarck à la chancellerie en 1890 et y représenta la nouvelle orientation libérale de la politique de Guillaume* II (arrêt des lois antisocialistes, mesures envers les Polonais, abaissement des barrières douanières). En politique extérieure, il consolida la Triple-Alliance*, ce qui favorisa l'entente franco-russe. Très critiqué par les conservateurs et surtout par Bismarck, il démissionna de son poste de Premier ministre de Prusse en 1892, puis, en conflit avec Guillaume II, il se retira de la vie politique en octobre 1894.

Ph. Hétier

Capri : au premier plan la statue de Tibère.

CAPTIEUX [kapsjø]. ♦ Ch.-l. de cant. de la Gironde* (arr. de Langon*), dans la forêt landaise, 1 646 hab. *(Captylvains)*. Indus. du bois.

Capucins *(ordre des)*. ♦ Branche de l'ordre des Franciscains (**V. François d'Assise** [saint]) fondée par Matteo de Bascio, moine réformateur, et approuvée en 1528 par Clément VII. L'adhésion au protestantisme de Bernardin* de Sienne (Ochino) en 1541, faillit entraîner sa suppression. En France, il n'apparut qu'en 1573 et joua un rôle important dans la lutte contre le protestantisme et la réforme du catholicisme. L'un des *capucins* les plus célèbres fut le P. Joseph* Le Clerc du Tremblay.

CAPULET. *n. m. pl.* ♦ Nom francisé des Cappelletti, famille italienne noble, probablement de Vérone, appartenant au parti gibelin et rivale des Montaigu. Les dissenssions de ces deux familles inspirèrent le drame de *Roméo* et Juliette.*

CAPVERN. ♦ Comm. des Hautes-Pyrénées, arr. de Bagnères-de-Bigorre. 964 hab. Station thermale à *Capvern-les-Bains* (450 m d'alt.), traitant les affections du foie et l'arthritisme. — Aux env., château de Mauvezin (XIIIe-XIVe s.), qui appartint à Gaston Phœbus, et abbaye cistercienne de l'Escaladieu.

CAP-VERT *(îles du)*, en port. **Cabo Verde**. ♦ Archipel anc. portugais de l'Atlantique, d'orig. volcanique, situé à l'O. du Sénégal*. 4 033 km². 235 000 hab. *Cap.* Praia. Importante escale maritime et aérienne. ♦ *Hist.* Découvertes probablement par Ca'da Mósto en 1456, les îles du Cap-Vert, dont la possession portugaise fut confirmée au traité de Tordesillas* (1494), sont devenues en 1951 territoire d'outre-mer, et ont accédé à l'indépendance en juillet 1975. **V. Guinée-Bissau.**

CAQUETÁ *(río)*. ♦ Riv. du S. de la Colombie, issue de la Cordillère centrale elle forme le cours supérieur du rio Japurá* et donne son nom à l'*Intendance de Caquetá*. 106 325 km². 91 400 hab. Ch.-l. *Florencia*.

CAQUOT (Albert). ♦ Ingénieur français (Vouziers, 1881 — Paris, 1976). Il inventa le ballon captif «saucisse» (1914) mais ses travaux les plus connus concernent l'étude des matériaux (élasticité, résistance), dont, notamment, le béton armé. Il réalisa le pont George V à Glasgow, la forme de radoub de Saint-Nazaire et le barrage de Donzère-Mondragon. (Acad. des sc., 1934.)

Carabas [-ba] *(le marquis de)*. ♦ Personnage du conte *Le Chat* botté*, de Ch. Perrault*, détenteur de richesses fabuleuses et imaginaires.

CARABOBO. *n. m.* ♦ État du N. du Venezuela*, sur la mer des Antilles. 4 650 km². 419 900 hab. *Cap.* Valencia*. *Autre V.* Puerto Cabello. ♦ *Hist.* L'État doit son nom au village de *Carabobo* où Bolivar* remporta deux victoires sur les Espagnols (en 1814 et en 1821) assurant l'indépendance du Venezuela*.

Carabosse *(la fée)*. ♦ Fée malfaisante. vieille et « bossue à trente-six carats » c'est-à-dire « extrêmement bossue ».

CARACALLA (Marcus Aurelius Antonius Bassianus, dit). ♦ (Lyon, 188 — près d'Edesse, 217). Empereur romain (211-217). Fils de Septime* Sévère, et de Julia* Domna, il fut surnommé *Caracalla* du nom du manteau gaulois qu'il portait. Proclamé empereur en 211 avec son frère Géta*, il assassina ce dernier l'année suivante et se débarrassa de ses adversaires parmi lesquels Papinien*, préfet du prétoire. Par l'*Édit* de 212, il tenta d'unifier l'Empire, accordant la citoyenneté romaine à tous les habitants des provinces. Empereur guerrier comme son père, il entreprit des conquêtes en Gaule (213), sur le Danube (214), en Égypte (215) et en Syrie (216) où il mourut assassiné par Macrin*, préfet du prétoire. Il fit construire à Rome de nombreux monuments dont les Thermes gigantesques qui portent son nom.

Ph. Nimatallah/Ricciarini

Caracalla. (Musée du Capitole, Rome.)

CARACAS. ♦ Capitale du Venezuela et ch.-l. du district fédéral (1 930 km²), située à 1 050 m d'alt. sur le versant N. de la cordillère caraïbe* et dont le débouché sur la mer des Antilles est le port de La* Guaira. Env. 2 000 000 d'hab. avec ses faubourgs, *(Caraqueños)* soit 1/5 de la pop. du pays. Archevêché. Cité universitaire. Ville en pleine expansion grâce à l'indus. pétrolière, elle draine la plus grande partie des produits d'exportation (pétrole, minerai de fer, café). Indus. textiles et alimentaires. Aéroport à Maiquetia*. — Patrie de A. Bello*, S. Bolívar*, R. Gallegos*, R. Hahn*, F. Miranda*. ♦ *Hist.* La ville, fondée en 1567 sur un site visité par Christophe Colomb* dès 1498, devint peu après le siège d'une capitainerie générale sous domination espagnole. Un des principaux centres du mouvement d'indépendance dirigé par Bolívar*, à partir de 1810, elle fut libérée en 1821, et devint la capitale du Venezuela en 1829.

CARACCIOLO ou **CARACCIOLI**. ♦ Famille noble napolitaine d'origine grecque dont les membres les plus illustres furent : GIOVANNI CARACCIOLO, duc de Venosa. Secrétaire et favori de Jeanne* II, reine de Naples, il exerça une véritable dictature à partir de 1416, mais fut assassiné en 1432 sur ordre de la reine. ♦ GIOVANNI ou JEAN CARACCIOLO, prince de Melfi (1480 — Suze, 1550). Grand-sénéchal du royaume de Naples, il se mit au service des Français sous François* Ier, devint maréchal de France en 1544 et lieutenant général du roi en Piémont* en 1545. ♦ DOMENICO CARACCIOLO, diplomate et économiste napolitain (1715 — Naples, 1789). Ambassadeur à Paris du roi de Naples Ferdinand* IV, il se lia avec les encyclopédistes*. Devenu vice-roi de Sicile (1780), il se comporta en despote éclairé. Il fut ministre des Affaires étrangères (1786). ♦ FRANCESCO CARACCIOLO, amiral de la flotte parthénopéenne*, (Naples, 1752 — *id.*, 1799), il s'opposa au débarquement des Anglo-siciliens à Naples et fut pendu, sur l'ordre de Nelson*, au grand mât de son propre navire.

Caractères (Les), de La* Bruyère. ♦ (1688). Paru sous le titre : *Les Caractères de Théophraste, traduits du grec, avec les caractères ou les mœurs de ce siècle*, cet ouvrage en seize chapitres se présente comme une suite de maximes et de portraits, peinture pittoresque à la fois de types humains éternels et d'individus situés dans une époque et un milieu précis; de là le double intérêt de l'ouvrage, réflexion de moraliste ainsi que document sur la société de la fin du XVIIe siècle.

CARAFA. ♦ Famille d'origine napolitaine. ♦ GIAN PIETRO CARAFA, pape (**V. Paul IV**). Il couvrit d'honneurs ses neveux CARLO CARAFA (1516-1561) et ANTONIO CARAFA (1538-1591) qui se rendirent très impopulaires par leur rapacité. Le premier, nommé cardinal, dirigea la politique pontificale, lutta contre le royaume de Naples mais fut battu par le duc d'Albe (1556). Il fut destitué pour indignité en 1559 et condamné à mort sous Pie IV. Le second, réhabilité sous Pie V, devint cardinal (1568) et bibliothécaire de la Vaticane. Savant helléniste, il travailla aux éditions officielles de la Vulgate* et des Septante.

CARAGIALE (Ion Luca). ♦ Homme de théâtre et écrivain roumain (Haimanale, 1852 — Berlin, 1912). D'une famille de comédiens, il exerça divers emplois théâtraux et devint directeur du Théâtre national de Bucarest. Ses comédies mettent en scène négociants, fonctionnaires, artisans, politiciens, femmes du monde et maris trompés dans des intrigues comparables à celles de Labiche, avec une exploitation comique de l'absurde verbal et du lieu commun. Œuv. princ. : *Une nuit orageuse* (1878), *Monsieur Léonidas face à la réaction* (1880), *Une lettre perdue* (1884), *La Calomnie* (1890). Il est aussi un maître de la nouvelle (*Un cierge pascal, Kir Ianulea*, etc.).

CARAÏBE *(cordillère)*. *n. f.* ♦ Chaîne montagneuse qui s'élève au-dessus des récifs coraliens qui bordent la mer des Antilles* de Puerto* Cabello jusqu'au cap qui ferme, à l'E. de La* Guaira, le golfe de Cariaco (cap Codera).

CARAÏBES ou **KARIBS**. *n. m. pl.* ♦ Peuple qui occupait, à l'arrivée des Européens (XVe s.), les petites Antilles et la Guyane et dont la famille linguistique (Karib) s'est opposée à celle des Arawaks*. Au XVIIe s., les Caraïbes furent déportés à la Dominique et à Saint-Vincent, puis s'établirent au Guatemala et au Honduras, où ils vivent auj. en groupes isolés.

CARAÏBES *(mer des)* ou *mer des* **ANTILLES**. ♦ Située entre les Grandes et les Petites Antilles, d'une superficie de 2 500 000 km², elle communique avec le golfe du Mexique, au N.-O., par le détroit de Yucatán*. Sa profondeur atteint 7 200 mètres.

CARAMANLIS (Constantin). ♦ Homme politique grec (Serrai, Macédoine, 1907 —). Avocat, puis député, il fut ministre du Travail (1946), des Travaux publics (1952). Le roi Paul l'appela à la présidence du Conseil en 1955. En désaccord, dans la suite, avec le palais royal, notamment sur une réforme qu'il propose pour réduire les prérogatives du roi, il démissionna en 1963. En exil volontaire à Paris durant la dictature des colonels, qu'il ne cessa de condamner, il fut rappelé en Grèce en juillet 1974. Son parti, la Démocratie nouvelle, fait triompher les modérés aux élections générales de novembre 1974.

CARAN D'ACHE (Emmanuel Poiré, dit **Caran d'Ache** d'après le mot russe *karandach* « crayon »). ♦ Dessinateur humoristique et illustrateur français (Moscou, 1859 — Paris, 1909). Il donna des dessins à de nombreux journaux parisiens et publia des albums (*Nos soldats du siècle*, 1889; *Pages d'histoire*, 1904) qui témoignent de son gout pour les sujets militaires et de ses opinions natio-

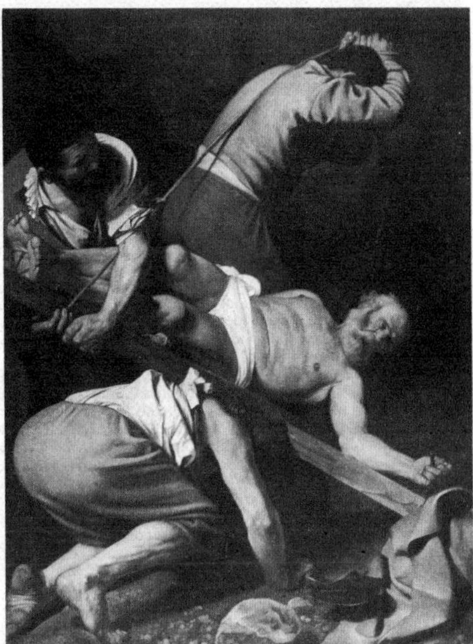

Ph. Carlo Bevilacqua/Ricciarini

Caravage : « La Crucifixion de saint Pierre ». (Chapelle Cesari, Santa Maria del Popolo, Rome.)

nalistes et anti-dreyfusardes (dessins pour la feuille satirique *le P'sst*).

CARANGEOT (Arnould). ♦ Naturaliste et minéralogiste français (1742 – 1806). Il inventa un goniomètre et découvrit la généralité et la constance des angles dièdres des cristaux.

CARANSEBES, anc. **Tibiscum.** ♦ V. de Roumanie occidentale (Banat*). 18 160 hab. Important carrefour routier et ferroviaire.

CARANTEC. ♦ Comm. du Finistère (arr. de Morlaix), sur la côte du Léon à l'extrémité d'une presqu'île. 2 721 hab. *(Carantécois).* Importante station balnéaire (près de Morlaix*). Cultures maraîchères. Ostréiculture. Constructions navales.

CARATASCA *(lagune de). n. f.* ♦ Large lagune du N.-E. du Honduras, sur la mer des Antilles, dans la partie marécageuse des terres basses qui forment le littoral dans cette partie du pays.

CARAVAGE (Michelangelo MERISI ou **AMERIGHI** ou **MERIGHI**, dit **Caravaggio**, et en franç. **Le).** ♦ Peintre italien (Caravaggio. 1573 – Port'Ercole, 1610). Il fit son apprentissage auprès d'un peintre bergamasque, Simone Petazzo; cette formation lombarde développa probablement son goût pour l'observation directe naturaliste, en même temps que les exemples vénitiens de Tintoret*. de Bassano*, les éclairages nocturnes de Cambiaso*, et les effets de lumières des maniéristes le sensibilisèrent au problème de la lumière et à ses possibilités expressives. Il se rendit à Rome, probablement vers 1589, travaillant notamment au service du Cavalier d'Arpin, dont il méprisait le maniérisme érudit. Ses premières œuvres connues : *Bacchus* (deux versions), *Madeleine endormie, Corbeille de fruits, Le Joueur de luth, Le Repos pendant la fuite en Égypte, La Diseuse de bonne aventure,* présentent des formes en pleine lumière, un modelé lisse et sec et un chromatisme vif. Outre une grande maîtrise technique, elles dénotent une approche nouvelle et plus directe de la réalité qui tranchait avec la production contemporaine et offrait un renouvellement thématique qu'exploitèrent rapidement ses émules. Sa première commande officielle obtenue grâce au cardinal del Monte et destinée à la *chapelle Contarelli* à *Saint-Louis des Français* (*Vocation de saint Matthieu; Martyre de saint Matthieu,* 1600; *saint Matthieu et l'Ange,* 1602) marque un tournant dans son évolution : une nouvelle conception de la lumière s'y affirme en effet; un violent éclairage latéral qui produit une opposition brutale entre le fond sombre et les parties se détachant en fort relief et sans transition scande puissamment la composition et met en valeur la gestuelle et la mimique des personnages. À cette nouveauté formelle correspondait un changement d'inspiration; choisissant ses modèles dans le peuple et soulignant avec réalisme leur aspect humble et prosaïque, le peintre rompait avec les conventions expressives, idéalistes, du sentiment religieux. Il fit ainsi scandale et dut donner une nouvelle version de *saint Matthieu et l'Ange.* Cependant, malgré l'hostilité de l'académie de Saint-Luc, les accusations d'indécence et de vulgarité, il affirma la violence de son tempérament et un sens de la provocation en réalisant dans un esprit identique : *La Madone des pèlerins* et *La Mort de la Vierge.* À cette époque, exploitant la fonction dramatique de la lumière, il réalisa des œuvres religieuses ou mythologiques violentes et pathétiques (*Conversion de saint Paul; Crucifixion de saint Pierre; Mise au tombeau; David,* etc.). La vie aventureuse qu'il menait lui valut de nombreux démêlés avec la police et, à la suite d'un duel, il fut accusé de meurtre et dut s'enfuir. Réfugié à Naples en 1606, il peignit *La Flagellation* et les sept *Œuvres de Miséricorde.* Il se rendit ensuite à Malte *(Décollation de saint Jean-Baptiste)* puis à Syracuse et à Messine *(Résurrection de Lazare).* En 1609, il revint à Naples où son exemple entraîna le développement de l'école napolitaine. Il mourut en tentant de regagner Rome où ses protecteurs réussissaient à obtenir sa grâce. Son évolution stylistique semble révéler une tendance à adopter une palette plus rompue et vibrante, tout en conservant un clair-obscur contrasté, un sens de la mise en scène dramatique, une plastique expressive. Le succès de son œuvre fut immédiat, produisant un vaste mouvement (« ténébrisme », caravagisme) qui eut des répercussions importantes sur la plupart des courants de la peinture européenne.

Caravane vers l'Ouest (La) [*Covered Wagon*]. ♦ Film américain, réalisé en 1923 par J. Cruze* qui met en scène les vicissitudes d'un convoi de chariots d'émigrés se dirigeant vers l'Ouest. En dépit de certaines faiblesses de scénario, *La Caravane vers l'Ouest,* filmé dans des décors naturels, avec un souci constant d'authenticité et de réalisme, est considéré comme l'un des meilleurs westerns du cinéma muet.

Carbonarisme. *n. m.* ♦ Société politique secrète qui se développa dans le royaume de Naples pour en chasser Murat et rétablir sur le trône Ferdinand IV et Marie-Caroline réfugiés en Sicile. Après le retour des monarques sur le trône des Deux-Siciles, le carbonarisme devint un mouvement libéral ayant pour objectifs de chasser les Autrichiens, protecteurs des monarchies autoritaires, et d'établir des régimes démocratiques en Italie. Les *carbonari* provoquèrent la révolution de Naples (1820) et celle du Piémont (1821). La société secrète *Jeune Italie,* fondée par Mazzini* en 1831, en fut l'héritière. L'organisation ressemblait à celle des loges francmaçonnes : vingt *carbonari* formaient une *vente (venta),* dirigée par trois chefs, eux-mêmes organisés en *vente mère.* Les délégués des ventes mères forment la *haute vente* ou *vente suprême.* ♦ En France, ce mouvement se développa pour lutter contre le régime politique de la Restauration*; la *haute vente* fut quelque temps présidée par La* Fayette. La Charbonnerie française qui compta parmi ses membres Bazard*, Berton*, Caron, Carrel, etc., tenta simultanément plusieurs insurrections (Belfort*, La Rochelle, Saumur*, 1822) qui échouèrent. Affaiblie par des divisions internes, elle fut, dans l'ensemble, absorbée par d'autres sociétés républicaines vers la fin de la Restauration.

CARBON-BLANC. ♦ Ch.-l. de cant. de la Gironde*, arr. de Bordeaux, 3 075 hab. *(Carbonblannais).* Vins de l'Entre-deux-Mers.

CARBONIA. ♦ V. d'Italie insulaire, en Sardaigne* (prov. de Cagliari), dans l'Iglesiente. 35 000 hab. Ville nouvellement créée au centre d'un bassin de lignite.

CARBONNE. ♦ Ch.-l. de cant. de la Haute-Garonne*, arr. de Muret*, sur la Garonne*. 3 222 hab. Église du XIVe siècle. Draps.

CARCASSÈS. *n. m.* ♦ Pays du Languedoc, dont Carcassonne est la cap.; il s'étend aux plaines de l'Aude et du Fresquel.

CARCASSONNE. ♦ Préf. de l'Aude, ch.-l. d'arr. (16 cant., 207 comm., 132 121 hab.) sur l'Aude*. Aux marges des Cévennes*, dans le *Carcassès.* 46 329 hab. *(Carcassonnais.)* Sur la r. g. s'étale la ville basse, construite au XIIIe s. selon le plan régulier des « bastides ». Église Saint-Vincent (XIVe s.) de style gothique languedocien. Fontaine de Neptune (1770). Cathédrale Saint-Michel (fin du XIIIe s.). Musée. Sur la r. d. de l'Aude se trouve la *Cité,* sur un escarpement. C'est une forteresse (restaurée par Viollet-le-Duc), composée de deux enceintes séparées par les lices. L'enceinte intérieure fut construite au VIe s. et remaniée au XIIIe s.; l'enceinte extérieure est due à Saint Louis et Philippe le Hardi (XIIIe s.). Les murailles sont flanquées de tours (tour Carrée de l'Évêque). La porte Narbonnaise constitue l'entrée de la Cité. Le château Comtal (1125?), bastion bien fortifié, d'une architecture magnifique, est entouré d'un fossé. L'église Saint-Nazaire, avec nef romane (1096), transept et chœur gothiques (1270-1320), possède de remarquables vitraux (XIVe-XVIe s.) et statues (XIVe s.); la cité fait de Carcassonne un centre touristique. – Indus. chimiques; raffinerie. Fonderie; accessoires pour automobiles. Indus. du caoutchouc. Meubles; fabriques de panneaux en matière plastique. Chaussures. Indus. textile. Indus. alimentaire (minoteries, distilleries, conserveries). Marché du vin. – Patrie de Fabre d'Eglantine, de Gamelin (peintre), de P. Sabatier, du général Sarrail. ♦ *Hist.* Anc. colonie latine, la ville devint au IXe s. un comté indépendant, puis elle fut assiégée par Simon de Montfort, pendant la lutte contre les albigeois. Carcassonne fut réunie avec le Roussillon à la France en 1659.

CARCO (François CARCOPINO-TUSOLI, dit **Francis).** ♦ Écrivain français (Nouméa, 1886 – Paris, 1958). Lié avec les poètes dits « fantaisistes » (Cf. P.-J. Toulet*), il composa des poèmes intimistes (*La Bohème et mon cœur,* 1912; *Chansons aigres-douces,* 1913), évocation de souvenirs poursuivie avec des chroniques, *De Montmartre au Quartier latin* (1927) et *Mémoires d'une autre vie* (1934). Connu par des romans qui peignent en un style direct et réaliste le « milieu », ses mauvais garçons et ses filles (*Jésus la*

Caille, 1914; *L'Équipe,* 1918), Carco a abordé également des études d'une plus grande densité psychologique : *L'Homme traqué* (1922) évoquant deux personnages médiocres liés par la connaissance d'un crime, et *Rien qu'une femme* (1924), analyse d'une jalousie morbide. – Ont encore paru des biographies consacrées aux écrivains et aux peintres aimés de Carco : *Le Roman de François Villon* (1926); *La Légende et la Vie d'Utrillo* (1927); *Verlaine* (1939); et *Gérard de Nerval* (1953).

CARCOPINO (Jérôme). ♦ Historien et homme politique français (Verneuil-sur-Avre, 1881 – Paris, 1970). Professeur à la Sorbonne (1920-1937), directeur de l'École française de Rome (1937-1940), puis de l'École normale supérieure (1940), il fut ministre de l'Éducation nationale et de la Jeunesse dans le gouvernement de Pétain (1940-1941). Il y adopta une politique prudente, évitant de rompre avec les cadres de l'école laïque instituée par la Troisième République. Jugé après la Libération, il bénéficia d'un non-lieu en raison de services rendus à la Résistance. Helléniste et latiniste, il est connu pour ses travaux sur le dernier siècle de la République romaine, son évolution politique (*Sulla ou la Monarchie manquée,* 1931; *César,* 1936), son impérialisme, sa pensée religieuse et les débuts du christianisme (*Aspects mystiques de la Rome païenne,* 1941; *De Pythagore aux apôtres,* 1956; *Les fouilles de Saint-Pierre et la tradition,* 1963). Il a laissé également une étude sur *Les Secrets de la correspondance de Cicéron* [1948]. (Acad. fr., 1955.)

CARDAMOMES *(monts des,* ou *chaîne des).* ♦ Massif montagneux du S.-O. du Cambodge*, culminant à 1 813 m, et constitué par des plateaux gréseux et basaltiques, couverts de forêts denses où les populations de chasseurs recueillent des épices recherchées (cardamomes). Petites exploitations de marbre.

CARDAN (Jérôme), en italien **Gerolamo Cardano.** ♦ Philosophe, médecin et mathématicien italien (Pavie, 1501 – Rome, 1576). Il fut professeur de mathématiques à Milan, de médecine à Bologne et à Pavie. Son système philosophique constituait un panthéisme sans immortalité de l'âme. Connu surtout comme mathématicien, il a donné dans son *Ars magna sive de regulis algebraicis, liber unus* (1545) la solution de l'équation du troisième degré. Il aurait ainsi dévoilé des méthodes que Tartaglia* lui aurait confiées en demandant le secret, mais son apport original paraît important et incontestable. **V. Bombelli, Ferrari, Ferro** (del). Cardan a également inventé le dispositif d'articulation à mouvement libre qui porte son nom *(un cardan)* et qu'il avait conçu pour rendre la boussole insensible aux mouvements des vaisseaux.

CÁRDENAS (Lázaro). ♦ Homme politique mexicain (Michoacán, 1895 – Mexico, 1970). Il participa à la lutte révolutionnaire et commença une carrière militaire qui le mena au grade de général. Gouverneur de l'État de Michoacán*, il améliora le sort des classes laborieuses. Président de la République de 1934 à 1940, il procéda à des réformes sociales et à des nationalisations d'entreprises étrangères (pétroles, 1938). Il fut ensuite ministre de la Défense nationale, puis commandant en chef de l'armée mexicaine.

CARDIFF, en gallois **Caerdydd.** ♦ Princ. V. du pays de Galles. Ch.-l. du Glamorganshire*, près de l'embouchure du Taff, sur le canal de Bristol. 285 900 hab. – Château des XVIe-XVIIe s., remanié au XVIIIe siècle. La *Llandaff Cathedral* (XIIe-XIIIe s.), très endommagée par les bombardements de 1941, a été en grande partie reconstruite. Archevêché et université. – Cardiff est, depuis la fin du XVIIIe s., le plus grand port charbonnier gallois, exportant la houille des mines voisines **(V. Rhondda),** malgré un déclin sensible du trafic depuis la Deuxième Guerre mondiale. La métallurgie lourde (fonderies), la mécanique (arsenaux, automobiles) et les indus. alimentaires (brasseries, biscuiteries) y tiennent une place de choix. Des canaux relient la ville à Bristol et à Merthyr-Tydfil.

CARDIGAN, en gallois **Aberteifi.** ♦ V. du pays de Galles (Cardiganshire), au S. de la *baie de Cardigan,* près de l'embouchure de la Teifi. 3 790 hab. (1961). Centre touristique.

CARDIGAN *(baie de).* ♦ Large baie du pays de Galles, s'ouvrant sur la mer d'Irlande, entre Portmadoc au N. (Merionethshire) et la pointe Saint David au S., en bordure du *canal Saint George.* Elle est prolongée au N. par la baie de Tremadoc*.

CARDIGANSHIRE [*n. m.*] en gallois **Sir Aberteifi** ou **Ceredigion.** ♦ Comté de l'O. du pays de Galles, s'étendant entre la *baie de Cardigan* à l'O. et les monts Cambriens à l'est, 1 794 km². 53 650 hab. (1961). *Ch.-l.* Aberystwyth*. Très isolé, le Cardiganshire a une économie reposant sur l'élevage et la pêche en mer. Depuis 1955 env., la *Mid-Wales Industrial Development Association* a permis l'implantation de quelques industries (centrale hydroélectrique, usine de constructions aéronautiques et laiteries).

CARDUCCI (Giosuè). ♦ Poète et critique italien (Val di Castello, Toscane, 1835 – Bologne, 1907). Professeur qui prit rapidement une orientation classique et humaniste, Carducci fut attiré, sur le plan politique, par l'idéologie républicaine et démocratique. Dès 1860, titulaire d'une chaire d'éloquence à Bologne, il mena, parallèlement à un enseignement très écouté, des travaux critiques où il envisageait les auteurs de la littérature italienne selon la méthode historique. – Anti-catholique (Cf. *L'Hymne à Satan,* 1863), et anti-romantique au nom d'une tradition nationale, Carducci se voulut, également dans la forme, fidèle aux modèles classiques, italiens et latins. Après 1857, il classa son œuvre lyrique en divers recueils qui manifestent le même souci de rigueur classique dans l'expression mais soulignent l'évolution intellectuelle et politique de l'écrivain. À *Juvenilia* (1850-1902), succédèrent *Levia Gravia* (1861-1868) et *Iambes et Épodes* (1867-1872), échos des passions politiques italiennes de l'époque. À l'inspiration intimiste des *Rimes nouvelles* (1861-1887) répondent les accents plus solennels et amples de *Rimes et Rythmes* (1887-1899). Dans *Les Odes barbares* (1877-1889), Carducci tenta de renouveler la poésie italienne en usant d'une prosodie calquée sur la structure métrique des vers grecs et latins, expérience qui fut commentée avec passion, comme le furent ses écrits polémiques (*Confessions et Batailles,* 1882-1884) dont le classicisme, d'un ton révolutionnaire, eut une influence décisive sur l'évolution intellectuelle de l'Italie*. (Prix Nobel, 1906.)

CARÉLIE. *n. f.,* en russe **Karelija,** en finnois **Karjala.** ♦ République socialiste soviétique autonome (en russe *Karelskaja A.S.S.R.*) située dans la partie N.-O. européenne de la R.S.F.S. de Russie. Baignée par la mer Blanche à l'E., elle est séparée au S. de la région de Leningrad par le lac Ladoga*, la Svir*, et le lac Onega*. À l'O., elle confine avec la Finlande*, au N. avec la région de Mourmansk et au S.-E. avec la région d'Arkhangelsk. 172 400 km². 714 000 hab. (*Caréliens,* Finnois et Russes). *Cap.* Petrozavodsk. *V. princ.* **V. Bélomorsk.** – Prolongement oriental du massif finno-scandien, la Carélie est coupée de collines. Les lacs y couvrent env. 20 % de la superficie totale, les forêts 60 %. Le sous-sol est riche en granit, diabase, minerai de fer et minerais de métaux non ferreux. – *Écon.* L'activité agricole est surtout représentée par l'élevage des vaches laitières (les terres arables n'occupent que 3 % du territoire). La pêche est très active dans les lacs, les rivières et la mer Blanche. L'indus. principale (50 % du revenu de la République) est basée sur l'exploitation forestière, le traitement du bois, et la fabrication du papier. La métallurgie est concentrée à Petrozavodsk. Des centrales thermiques et hydro-électriques couvrent les besoins en énergie électrique. Un système de canaux unit la mer Baltique à la mer Blanche. ♦ *Hist.* Au XIIe s., les chasseurs et les pêcheurs de Novgorod pénétrèrent dans la Carélie orientale, et y fondèrent des relais. Au XIIIe s., les Caréliens furent convertis à l'orthodoxie par des missionnaires russes. Conquise en 1293 par les Suédois, qui y propagèrent le catholicisme, la Carélie orientale fut annexée par la Russie au traité de 1323. La Carélie occidentale, conquise par Pierre* le Grand, fut annexée par la Russie au traité de Nystad* (1721), puis incorporée au Grand-Duché de Finlande par le traité de Hamina en 1809, date à laquelle la Russie obtint la suzeraineté de toute la Finlande. Après la révolution* d'Octobre et la proclamation de l'indépendance finnoise, des batailles eurent lieu en Carélie entre l'armée rouge et les Finnois, aidés par un corps expéditionnaire britannique. Au traité de 1920, la *Carélie orientale* fut annexée par la Russie, la *Carélie occidentale* par la Finlande. Après la guerre d'hiver de 1939-1940, la *Carélie occidentale* fut annexée par l'U.R.S.S., et le traité de 1947 confirma cette annexion, bien que la Carélie orientale, y compris Petrozavodsk, eût été reconquise par les Finnois, pendant la Seconde Guerre mondiale.

CARÊME (Marie Antoine). ♦ Cuisinier et gastronome français (Paris, 1784 – *id.,* 1833). Chef de bouche du prince de Talleyrand, de George IV d'Angleterre, des empereurs de Russie, d'Autriche, il acquit une notoriété européenne en cuisinant pour les congrès d'Aix-la-Chapelle, de Vienne et de Laibach. Esthète, il s'inspirait de Palladio et de Vignale dans l'élaboration de ses pâtisseries. On lui doit de nombreux ouvrages concernant la cuisine, notamment *Les Déjeuners de l'empereur Napoléon, Le Pâtissier pittoresque* (1815), *Le Maître d'hôtel français ou Parallèle de la cuisine ancienne et moderne* (1822). On lui reproche d'avoir appauvri les traditions culinaires françaises par des règles trop strictes.

Carène. *n. f.,* en lat. **Carina.** ♦ Nom de l'une des constellations du groupe du Navire Argo*, dans l'hémisphère austral. **V. Canopus.**

CARENTAN. ♦ Ch.-l. de cant. de la Manche* (arr. de Saint-Lô*),

Ph. Carlo Bevilacqua/Ricciarini

G. Carducci. Anonyme. (Maison de Carducci, Bologne.)

Ph. Hétier

Carélie : le lac Onega.

dans la dépression de Carentan, au confluent de la Douve et de la Taute. 5 708 hab. *(Carentanais).* Église des XIVe et XVe siècles. Maisons anciennes. — Grand marché de produits laitiers (beurre). Indus. de lait concentré. —

CAREY (Henri Charles). ♦ Économiste américain (Philadelphie, 1793 — 1879). D'abord partisan du libre-échange (*Essai sur le taux des salaires,* 1835), il préconisa, après la crise de 1834-1842, un protectionnisme s'appliquant à l'agriculture et à l'industrie, grâce auquel devrait être réalisée, selon lui, l'indépendance économique des États-Unis par rapport à l'Angleterre (*Le Passé, le Présent et le Futur.* 1848; *Principes de la science sociale,* 1858-1860; etc.).

CAREY (Thomas, dit **Mutt).** ♦ Trompettiste et cornettiste américain de jazz (Horneville, Louisiane, 1892 — ?, 1948). Batteur à ses débuts, il préféra le cornet, trouvant cet instrument moins encombrant. Il joua surtout avec Kid Ory* et pendant une courte période avec King Oliver*. Il jouait dans le style Nouvelle-Orléans le plus pur.

CARGÈSE. ♦ Comm. de la Corse* (arr. d'Ajaccio*), sur la côte occidentale. 873 hab. Église latine et église catholique de rite grec. ♦ *Hist.* La ville fut fondée par une colonie grecque qui s'installa en Corse en 1676 et se fixa à Cargèse en 1774.

CARHAIX ou **CARHAIX-PLOUGUER** [kaʀɛpluɡɛʀ]. ♦ Ch.-l. de cant. du Finistère (arr. de Châteaulin), dans le bassin de Châteaulin. 7 577 hab. *(Carhaisiens).* Église du Plouguer (en partie romane). Église Saint-Trémeur, avec une tour du XVIe siècle. Élevage, centre laitier, foires, aviculture. Patrie de T. de La Tour d'Auvergne.

CARIBERT. ♦ Roi de Paris (561-567). Fils aîné de Clotaire* Ier, il régna sur la région de Paris et sur des territoires en Aquitaine. Intelligent, lettré, il fut excommunié pour bigamie et ses États revinrent à ses frères.

CARIBERT. ♦ Roi d'Aquitaine (602-632). Fils de Clotaire* II, il reçut de son frère Dagobert*, la domination de l'Aquitaine.

CARIE. *n. f.,* en grec **Karia.** ♦ Anc. région côtière du S.-O. de l'Asie Mineure. Colonie phénicienne, elle fut hellénisée par les Doriens* qui fondèrent Cnide* et Halicarnasse* et peuplèrent Milet*. Soumise aux Perses, elle était gouvernée par des satrapes indigènes. **V. Artémise, Mausole.** Elle fit ensuite partie du royaume de Pergame* et fut annexée par Rome en ~ 133.

CARIGNAN. ♦ Ch.-l. de cant. des Ardennes (arr. de Sedan), sur la Chiers*. 3 674 hab. Église (XVe-XVIe s.) restaurée. Filatures de laine, forges, hauts fourneaux. Tuileries. — La ville a été très endommagée en 1940.

CARIGNANO, en français **Carignan.** ♦ V. d'Italie du Nord (Piémont), sur le Pô, dans la province de Turin. 8 000 hab. Berceau d'une branche de la maison de Savoie.

CARILLON *(fort).* ♦ Fort construit par les Français en Nouvelle-France, au S. du lac Champlain (1756). — Montcalm* y remporta une importante victoire sur les Anglais, malgré la faiblesse de ses effectifs (1758).

CARIN, en lat. **Marcus Aurelius Carinus.** ♦ (mort en 285). Empereur romain (283-285). Fils de l'empereur Carus*, il lui succéda avec son frère Numérien*. Il lutta contre Dioclétien* qui s'était fait nommer empereur à la mort de Numérien, mais mourut assassiné par un tribun.

CARINTHIE, *n. f.,* en allem. **Kärnten.** ♦ État fédéral *(Bundesland)* d'Autriche. 9 533 km². 523 000 hab. *Cap.* Klagenfurt*. Du point de vue géographique et climatique la Carinthie est le plus méridional des États autrichiens. La Carinthie est un État alpin, où se trouvent le *Grossglockner* (3 797 m), le plus haut sommet de l'Autriche et le *Pasterze,* son plus long glacier. Cependant la vallée de la Drave*, s'ouvrant sur le bassin de Klagenfurt, offre des terres cultivables. La population est formée de 90 % de Germains et d'une minorité de Slovènes. ♦ *Écon.* 46 % du sol sont consacrés aux cultures et 44 % à la forêt. Le maïs, quelques céréales et des fruits sont cultivés dans les vallées et sur les bords des lacs. L'élevage alpin et l'exploitation de la forêt donnent des ressources supplémentaires. Le sous-sol contient du fer (Huttenberg), du magnésite (près de Spittal), du plomb et du zinc. L'hydro-électricité a permis le développement d'industries : cellulose, papier, industries chimiques à Villach*; laine, cuir, industries mécaniques à Klagenfurt. ♦ *Hist.* La région était peuplée de Celtes lorsqu'elle fut conquise par les Romains et intégrée dans la province du *Norricum.* Après la chute de l'Empire romain, les tribus avars, slaves et bavaroises ravagèrent le pays. La Carinthie devint une marche de l'Empire carolingien et fut transformée en duché en 976. Lorsque la lignée des ducs de Carinthie s'éteignit, la province fit partie de l'éphémère État d'Otakar de Bohême. En 1286, Rodolphe Ier de Habsbourg la donna au comte de Tyrol. En 1335, la Carinthie fut rattachée à l'Autriche. — En 1919, les régions du sud de la Carinthie furent attribuées à la Yougoslavie.

CARISSIMI (Giacomo). ♦ Compositeur italien (Marino, 1605 — Rome, 1674). Maître de chapelle de Saint-Apollinaire, à Rome (1629), il a composé des messes, des motets et des cantates, religieuses et profanes. Par la puissance dramatique et le lyrisme qu'il y introduisit, il fut inégalable dans le genre de l'oratorio (*Jephté, Jonas, Balthazar, Judicium Salomonis, Diluvium universale).* Il compta parmi ses élèves M.A. Charpentier*, P.A. Cesti et A. Scarlatti*.

CARLETON (Guy, *Ier baron Dorchester***).** ♦ Général britannique (Strabane, Irlande, 1724 — Maidenbead, 1808). Gouverneur du Canada (1766-1778, 1786-1796), il ménagea les Canadiens (Acte de Québec, 1774), mais dut accepter le partage du Canada en deux provinces (1791).

CARLING [kaʀlɛ̃]. ♦ Comm. de la Moselle, arr. de Forbach. 2 783 hab. Important complexe industriel : cokerie, centrale thermique, indus. chimiques; carbochimie; station d'émission de gaz.

CARLISLE (*sir* **Anthony).** ♦ Physiologiste et chirurgien anglais (Stillington, 1768 — Londres, 1840). Chirurgien de George IV, il est l'auteur de nombreux ouvrages de médecine et de physiologie *(Essai sur les désordres de la vieillesse)*; il est surtout connu par sa découverte de l'électrolyse de l'eau (1800) avec Nicholson*.

CARLISLE. ♦ V. d'Angleterre. Ch.-l. du Cumberland. 71 000 hab. Cathédrale (milieu du XIIe-XVe s.), château du XIe s. où Marie Stuart fut incarcérée en 1568. — Centre industriel (biscuiteries, brasseries, boîtes métalliques). — Patrie de W. Nicholson*. ♦ *Hist.* Carlisle fut une importante station romaine *(Luguvallium)* non loin du mur d'Hadrien.

Carlistes. *n. m. pl.* ♦ Nom donné aux partisans de don Carlos* de Bourbon, prétendant au trône d'Espagne après la mort de son frère Ferdinand* VII (1833), et de ses descendants. Les carlistes invoquaient le respect de la loi salique abrogée par Ferdinand en faveur de sa fille Isabelle* II. Le principe de la légitimité trouvant des adeptes dans le clergé et la paysannerie, le carlisme correspondait à un traditionalisme politique et religieux. L'agitation carliste a rempli l'histoire de l'Espagne au XIXe siècle. Ses partisans, soutenus surtout dans les régions périphériques de la péninsule, furent vaincus dans la sanglante guerre de 1834-1840 puis en 1879. Le parti carliste ne disparut cependant pas; rallié dès 1936 au soulèvement nationaliste de Franco*, il prit une part importante aux combats de la guerre civile espagnole. La tendance carliste survit encore, notamment en Navarre.

CARLITTE. *n. m.* ♦ Massif granitique des Pyrénées*-Orientales, aux sommets parsemés de lacs qui alimentent des centrales électriques (Naguilles). Il culmine à 2 921 m.

CARLOMAN. ♦ (mort à Vienne, France, en 754). À la tête de l'Austrasie, de la Souabe et de la Thuringe, depuis 741, il s'allia à son frère cadet, Pépin* le Bref, pour combattre les Alamans, les Bavarois et les Saxons et encouragea l'entreprise d'évangélisation de saint Boniface*. Devenu moine en 747, il fut encore chargé d'une négociation par les Lombards (754). Il mourut au monastère de Vienne.

CARLOMAN. ♦ (751 — Samoussy, Aisne, 771). Roi d'Austrasie. Il avait reçu la partie orientale du royaume de Pépin* le Bref, son père. Son frère Charlemagne* en hérita à sa mort, spoliant les enfants de Carloman et les faisant enfermer dans un monastère après avoir battu leur allié le roi des Lombards, Didier, beau-père de Carloman.

CARLOMAN. ♦ (828 — Öttingen, 880). Roi d'Italie (877-879). Fils de Louis* le Germanique. Il dut défendre la Bavière, qu'il avait reçue, contre les ducs de Moravie, et monta à la mort de son père sur le trône d'Italie, qu'il dut bientôt céder à son frère Charles.

CARLOMAN (mort en 884). ♦ Roi de France (879-884). Deuxième fils de Louis* le Bègue, il devint seul roi de France à la mort de son frère Louis* III.

CARLOS (Maria José Isidoro *de* **Bourbon,** *don***).** ♦ Infant d'Espagne (Madrid, 1788 — Trieste, 1855). Frère de Ferdinand* VII, il fut écarté du trône par sa nièce Isabelle* II qui avait profité de l'abolition de la loi salique. Refusant de prêter serment à la reine, il réclama la couronne sous le nom de Charles V (1833). Déclaré rebelle et expulsé d'Espagne, il trouva de nombreux partisans chez les traditionalistes basques, catalans et aragonais qui déclenchèrent la guerre civile de 1834 (**V. Carlistes**).

CARLOVTSI. ♦ **V.** KARLOWITZ.

CARLOW, en irl. **Ceatharlach**. ♦ V. du S.-E. de la République d'Irlande et ch.-l. de comté, sur le Barrow. 7 710 hab. (1961). Évêché catholique. Raffinerie de sucre. – Le *comté de Carlow* (896 km², 33 900 hab.) possède la plus grande surface cultivée de tous les comtés irlandais (blé, orge, betterave sucrière).

CARLSBAD. ♦ V. des États-Unis (Nouveau-Mexique). 18 000 hab. Centre touristique. Immense réseau de grottes calcaires classées monument national.

CARLU (Jacques). ♦ Architecte français (Bonnières-sur-Seine, 1890 – Paris, 1976). Prix de Rome en 1919, il enseigna aux États-Unis et édifia en France des bâtiments à usage collectif. Il éleva avec Boileau et Azema le *palais de Chaillot* à Paris (1936-1938), entreprise qui provoqua l'opposition des tenants de l'architecture d'avant-garde par son traditionalisme conforme aux goûts officiels. Il a aussi élevé avec de nombreux collaborateurs le *palais de l'O.T.A.N.*, 1959 (maintenant faculté Dauphine). Son frère JEAN (Bonnières-sur-Seine, 1900) devint un affichiste célèbre.

CARLYLE (Thomas). ♦ Historien, critique et philosophe écossais (Ecclefechan, Dumfriesshire, 1795 – Londres, 1881). Influencé par les écrivains allemands (Goethe, Schiller, Herder), il acquit la célébrité avec son *Histoire de la Révolution française* (1837) et son ouvrage sur *Les Héros et le Culte des héros* (1841); adversaire de l'utilitarisme et du matérialisme, il insista sur le rôle des génies dans l'histoire de l'humanité, tout en se faisant, à cette époque, le défenseur intransigeant de la justice sociale. Sa pensée s'est progressivement orientée vers une identification du droit et de l'efficacité. Déjà nette dans son *Histoire de Frédéric le Grand* (1855-1865), cette théorie fut renforcée par la victoire de l'Allemagne en 1870. Il contribua au développement de l'étude de la pensée germanique en Angleterre.

CARMAGNOLA (Francesco Bussone, dit). ♦ Condottiere italien (Carmagnola, v. 1390 – Venise, 1432). Au service de Philippe-Marie Visconti*, duc de Milan, dont il renforça le pouvoir, il passa à la république de Venise (1425), mais, accusé de trahison, il fut décapité.

Carmagnole (la). ♦ Chant et danse populaires de la Révolution française, dont le nom rappelle sans doute l'habit à la mode (Cf. Carmagnole *in* Robert). Composée en 1792, elle fut interdite par Bonaparte en 1799.

CARMARTHEN ou **CAERMARTHEN**, en gallois **Caerfyrddin**. ♦ V. du S. du pays de Galles, sur le Towy. 13 240 hab. Important carrefour routier et ferroviaire. ♦ *Hist.* Anc. station romaine, la ville fut par ailleurs un haut lieu de la culture celtique et l'enchanteur Merlin y serait né. Au Moyen Âge elle acquit une certaine importance économique, qu'elle a perdue depuis.

CARMARTHEN ou **CAERMARTHEN** *(baie de)*. ♦ Baie du S.-O. du pays de Galles dans laquelle se jette le Towy*.

CARMARTHENSHIRE ou **CAERMARTHENSHIRE**. *n. m.*, en gallois **Sir Caerfyrddin**. ♦ Comté du S.-O. du pays de Galles, formant une plaine côtière ouverte sur la *baie de Carmarthen*. 2 382 km². 168 000 hab. *Ch.-l.* Carmarthen*. *V. princ.* **V. Llanelly.** L'élevage laitier est la princ. ressource des collines du nord. Par ailleurs, le comté exploite des mines d'anthracite et produit de l'acier.

CARMAUX. ♦ Ch.-l. de cant. du Tarn* (arr. d'Albi*), sur le Cérou. 14 955 hab. *(Carmausins)*. Houille (en déclin. **V. Midi-Pyrénées**). Centrale thermique. Indus. chimiques. Meubles.

Ph. Hétier

Carnac.

CARMEL *(mont)*. *n. m.* ♦ Promontoire rocheux de l'État d'Israël qui s'élève à plus de 500 m en bordure du littoral sablonneux, et isole la Samarie* de la vallée de Jezréel*. Des Druzes* y vivent du produit de la terre. La ville de Haïfa* se trouve à ses pieds. – Dans la Bible (*I Rois*, XVIII), Elie* y vainc les prophètes du Baal*.

Carmel (le) ou **ordre de N.-D. du Mont-Carmel.** ♦ Ordre religieux issu des groupes d'ermites (latins) qui vivaient sur le mont Carmel dès 1155 (« règlement » d'Aymeric de Malifey). Une *Règle* fut donnée par saint Albert en 1205. La pression musulmane amena les carmes à passer en Europe (Angleterre, 1241; France, 1254) et sous saint Simon Stock, 6ᵉ prieur général (1247 – [mort] 1265) ils reçurent d'Innocent IV une règle modifiée (1247). Une règle mitigée (suppression de la clôture) fut promulguée par Eugène IV (1431), non sans que se forme une congrégation fidèle à la stricte observance. Une branche féminine (carmélites) fut créée en 1453 par le bienheureux Jean Soreth, prieur général. Mais c'est à partir de 1562-1568 que l'ordre acquit son plus grand rayonnement, par la réforme thérésienne : **V. Thérèse de Jésus, Jean de la Croix.** – *Carmes chaussés :* ceux qui suivent la règle mitigée; *carmes déchaux*, ou *déchaussés :* ceux qui suivent la règle réformée.

Carmen. ♦ Bref roman de Mérimée* (1845). Récit d'amour et de mort, dont la violence est mise en valeur par un ton détaché, c'est la rencontre à Séville de la bohémienne Carmen, sensuelle et capricieuse, et du brigadier don José qui, subjugué, devient pour sa maîtresse contrebandier, puis brigand et assassin. Au moment où il croit posséder totalement la femme aimée, Carmen, qui ne l'aime plus, préfère mourir libre que de suivre son amant; il la poignarde alors qu'elle le défie. Le personnage ardent et fataliste de Carmen a inspiré un opéra-comique célèbre (livret de Meilhac* et Halévy*) dont la musique est de G. Bizet* (1875), ainsi qu'un ballet de Roland Petit* (1949).

CARMONA (António Óscar de FRAGOSO). ♦ Maréchal et homme d'État portugais (Lisbonne, 1869 – Lumiar, 1951). Officier de carrière, ministre de la Guerre en 1923, il participa en 1926 au putsch militaire dirigé par le général Gomes da Costa, s'assura la dictature et fut confirmé dans ses fonctions de président de la République par les élections de 1928. Il choisit comme président du Conseil A. Salazar*, dont il appuya toujours la politique. Carmona fut réélu à la tête de l'État en 1935, 1942 et 1949.

CARMONTELLE (Louis Carrogis, dit). ♦ Peintre, architecte, graveur et auteur dramatique français (Paris, 1717 – *id.*, 1806). Dessinateur de jardins (*le parc Monceau*, 1773), portraitiste spirituel des célébrités de son temps, il composa aussi pour la cour du duc de Chartres (Philippe d'Orléans) de fines comédies légères qui ont été recueillies dans les *Proverbes dramatiques* (1768-1781) et le *Théâtre de campagne* (1775).

CARNAC. ♦ Comm. du Morbihan (arr. de Lorient), proche de la baie de Quiberon. 3 681 hab. *(Carnacois)*. Église Saint-Cornély (XVIIᵉ s.), fontaine du XVIIIᵉ s., musée préhistorique Miln-Le-Rouzic. Célèbres alignements de monuments mégalithiques (~ IIIᵉ millénaire) dont le tumulus Saint-Michel (12 m de haut sur une base de 125 m de long). Aux environs, station balnéaire de *Carnac-Plage*.

CARNAC. ♦ **V.** KARNAK.

CARNAP (Rudolf). ♦ Logicien et philosophe allemand (Wuppertal, 1891 – 1971). Élève de G. Frege*, professeur de logique des sciences à Prague (1931), il fut l'un des plus éminents représentants du cercle de Vienne*; émigré aux États-Unis, où il enseigna à Chicago à partir de 1936, il contribua à y faire connaître les principes du néo-positivisme (ou positivisme logique) et dirigea avec V. Neurath* et Ch. Morris l'*International Encyclopedia of Unified Science*. Dans ses premiers ouvrages (*La Structure logique du monde, Der logische Aufbau der Welt*, 1928; *Syntaxe logique du langage*, 1934), il s'est proposé d'unifier le savoir scientifique par la constitution d'un langage rigoureux, fondé sur la logique formelle, afin d'éliminer les concepts et les problèmes vides de sens. Reprenant et développant la distinction entre les propositions empiriques, protocoles d'expérience, et les énoncés logiques (analytiques et tautologiques), il tenta de réduire la logique elle-même à une pure question de *syntaxe*, c'est-à-dire aux rapports entre les signes dans les propositions, la considérant comme un système de conventions librement choisies par le logicien (principe de tolérance). Dans ses ouvrages ultérieurs (*Signification et Nécessité, Meaning and Necessity*, 1947; *Introduction à la sémantique*, 1948; *Introduction à la logique symbolique*, 1954), Carnap élargit sa réflexion aux études de *sémantique*, au rapport des expressions du langage, aux objets et situations qu'elles désignent : «Les problèmes de la philosophie, écrit-il, concernent [...] la structure sémiotique du langage ».

CARNARVON ou **CAERNARVON.** ♦ V. du N.-O. du pays de Galles. Ch.-l. du Carnarvonshire*, sur la *baie de Carnarvon*. 9 000 hab. Port et station balnéaire. Château de la fin du XIIIᵉ s., où naquit Édouard* II.

CARNARVONSHIRE ou **CAERNARVONSHIRE.** *n. m.* ♦ Comté du N. du pays de Galles, bordé au N. par la mer d'Irlande et par la *baie de Carnarvon*. 1 473 km², 121 200 hab. *Ch.-l.* Carnarvon*. *V. princ.* **V. Bangor, Llandudno.** Exploitation du sous-sol (plomb, zinc et manganèse).

Carnaval. ♦ Œuvre pour piano de Robert Schumann* (1834). Cette suite d'évocations d'une fête masquée, tantôt gracieuses

Ph. Hétier

Carnarvon : le château et la ville.

tantôt mélancoliques, a inspiré à Michel Fokine l'une des premières chorégraphies qu'il composa pour les Ballets russes de Serge de Diaghilev (Opéra de Paris, 1910).

Carnavalet *(hôtel)*. ♦ Hôtel situé à Paris, dans le Marais*. Il fut conçu par Pierre Lescot* (1544) et orné de sculptures de Jean Goujon*; il prit le nom de *Carnavalet* en 1572 par altération du nom de sa propriétaire, Mme de Kernevenoy. Androuet* Du Cerceau, puis Mansart* (de 1655 à 1661) lui donnèrent son aspect actuel. Mme de Sévigné* l'occupa de 1677 à 1696. ♦ *Musée Carnavalet :* musée municipal depuis 1880, il renferme un cabinet d'estampes et de dessins ainsi que de riches collections concernant l'histoire de Paris, du XVIe s. à nos jours, notamment durant l'époque révolutionnaire.

CARNÉ (Marcel). ♦ Réalisateur français de cinéma (Paris, 1909). Anc. assistant de Jacques Feyder et de René Clair, il fut, de 1936 à 1945, avec son scénariste Jacques Prévert*, le créateur d'une œuvre où le populisme se colore d'une prenante poésie, et dont les héros, petites gens issus des milieux ouvriers, se heurtent, dans leur quête du bonheur, à d'inéluctables fatalités, nées d'un ordre social malfaisant. Réal. princ. : *Quai des Brumes, Hôtel du Nord* (1938), *Le Jour se lève* (1939), *Les Portes de la nuit* (1946). De la même période se détachent encore trois œuvres qui peuvent être considérées, pour l'insolite, le fantastique ou la ferveur de leur poésie, comme les chefs-d'œuvre de leurs auteurs : *Drôle de drame* (1937), *Les Visiteurs du soir* (1942) et *Les Enfants du paradis* (1945).

CARNÉADE, en gr. **Karnéadês.** ♦ Philosophe grec de la Nouvelle Académie* (Cyrène, v. ~ 215 – Athènes, v. ~ 129). Disciple et successeur d'Arcésilas* à la Nouvelle Académie*, on le considère comme le représentant le plus important de la philosophie probabiliste.

CARNEGIE (Andrew). ♦ Industriel et philanthrope américain (Dunfermline, Écosse, 1835 – Lennox, Massachusetts, 1919). Il fut le fondateur de la *Carnegie Steel Company of New Jersey* (1900) qui dominait le marché du fer et de l'acier américain; reprise en 1901 par Pierpont Morgan*, elle devint l'*U.S. Steel Corporation.* Carnegie se consacra alors aux fondations charitables et aux instituts scientifiques qu'il avait créés. Il reste le type du self-made-man américain à l'époque du capitalisme triomphant.

CARNIÈRES. ♦ Comm. de Belgique, Hainaut, arr. de Thuin. 8 600 hab. Métallurgie. Ébénisterie.

CARNIOLE [*n.f.*] en allemand **Krain.** ♦ Anc. province d'Autriche, située entre la Carinthie* et la Styrie* au N., la Croatie à l'E., la Vénétie* à l'O., l'Istrie* au S.-O. et la mer Adriatique au sud. Elle appartient auj. à la république fédérale de Slovénie*. ♦ *Hist.* Comprise dans la Pannonie* à l'époque romaine, occupée par les Slovènes v. la fin du VIe s., la Carniole passa en 745 sous la domination des ducs de Bavière, et devint sous Charlemagne une marche de l'Empire. Annexée par la Bohême en 1269, conquise par Rodolphe Ier de Habsbourg en 1278, elle fut intégrée au duché d'Autriche en 1335. Rattachée aux provinces d'Illyrie* de 1809 à 1814, elle fut restituée à l'empire d'Autriche en 1815, partagée entre l'Italie et la Yougoslavie en 1919, entre l'Allemagne et l'Italie en 1941, avant d'être annexée en totalité par la Yougoslavie en 1945.

CARNOT (Lazare Nicolas Marguerite, surnommé l'*Organisateur de la victoire* ou *le Grand Carnot*). ♦ Général, homme politique et savant français (Nolay, Bourgogne, 1753 – Magdebourg, 1823). Officier du génie avant la Révolution à laquelle il se rallia, il fut élu à l'Assemblée législative, puis à la Convention où il siégea avec les députés de la Plaine*, avant de rejoindre les Montagnards. Membre du Comité* de salut public (juillet 1793), où il s'occupa des questions militaires créant les quatorze armées de la République, il fut envoyé en mission auprès de l'armée du Nord commandée par Jourdan et contribua à la victoire de Wattignies (16 octobre 1793). Socialement modéré, voire conservateur, il prit position contre Robespierre, Couthon, Saint-Just lors des 8 et 9 Thermidor (26-27 juillet 1794). Membre du Directoire en 1795, il fut éliminé après le coup d'État du 18 fructidor an V (4 septembre 1797). Rappelé après le 18 brumaire an VIII (9 novembre 1799), il fut nommé ministre de la Guerre par Bonaparte, mais démissionna dès 1800, et fit alors partie du Tribunat. Hostile au consulat à vie et à l'Empire, il se retira de la vie publique et se consacra à ses recherches scientifiques jusqu'en 1814. Il participa alors à la défense d'Anvers en qualité de gouverneur (1814). Ministre de l'Intérieur pendant les Cent-Jours, il fut banni comme régicide en 1816. Il est également connu pour ses travaux scientifiques : dans son *Essai sur les machines en général,* il a précisé les lois du choc, énoncé la loi de conservation du travail ; avec sa *Géométrie de position* (1803), il apparaît, en même temps que Monge, comme un des créateurs de la géométrie moderne.

CARNOT (Sadi). ♦ Physicien français (Paris, 1796 – 1832). Fils du précédent, il établit, pour la première fois, un lien entre chaleur et travail; étudiant la structure des machines thermiques, il énonça le deuxième principe de la thermodynamique ou *principe de Carnot,* créant de ce fait la science thermodynamique moderne (*Réflexions sur la puissance motrice du feu et les machines propres à développer cette puissance,* 1824). **V. Clapeyron, Clausius, Thomson-Kelvin.** – *Cycle de Carnot :* cycle représentant la façon la plus simple de concevoir un moteur ne mettant en jeu que deux sources de chaleur (détentes isotherme puis adiabatique, compressions isotherme puis adiabatique). – *Théorème de Carnot :* nom donné à la relation fixant le rendement maximum d'une machine de Carnot (rendement dans le cas d'une transformation réversible).

CARNOT (Lazare Hippolyte). ♦ Homme politique français (Saint-Omer, 1801 – Paris, 1888). Deuxième fils de Lazare Carnot*, il partagea l'exil de son père, condamné en 1816 comme régicide. Revenu en France (1823), il adhéra quelque temps au saint-simonisme puis se sépara des positions d'Enfantin*. Après avoir participé à la révolution de juillet 1830, il fut élu député de Paris (1839-1849), se prononça pour la république après la révolution de février 1848 et fut nommé ministre de l'Instruction publique (1848). Élu en 1850 et 1857, il refusa de prêter serment et ne put siéger. Membre du Corps législatif en 1864, député républicain à l'Assemblée nationale (1871), il devint sénateur inamovible (1875).

CARNOT (Marie François Sadi). ♦ Homme politique français (Limoges, 1837 – Lyon, 1894), fils de Lazare Hippolyte Carnot. Polytechnicien, ingénieur des ponts et chaussées, il fut nommé préfet après la chute du Second Empire (4 sept. 1870), puis élu député républicain à l'Assemblée nationale (1871). Plusieurs fois ministre (1879-1880; 1885-1886), il devint président de la République (1887). Le début de son mandat fut marqué par l'agitation boulangiste, puis par le ralliement de nombreux catholiques au régime républicain (1890) et les scandales de Panamá (1892). Casimir*-

Ph. Hubert Josse

Marie François Sadi Carnot, par T. Chartrau.

Perier venait de faire voter les « lois scélérates » visant à réprimer l'agitation syndicale et anarchiste quand Carnot fut assassiné par l'anarchiste Caserio*, lors de l'Exposition de Lyon.

CARNUTES. *n. m. pl.*, en lat. **Carnutes.** ♦ Peuple de la Gaule établi entre la Loire et la Seine autour d'*Autricum* ou *Carnutes* (Chartres*) et de *Genabum* (Orléans*). Les Carnutes donnèrent le signal de la révolte gauloise contre César* (~ 52). C'est dans leur territoire que les druides tenaient leurs assises annuelles.

CARO (Joseph). ♦ Docteur juif d'origine espagnole (Tolède?, 1488 – Safed, Galilée, 1575). Il vécut en Turquie puis à Safed, où il dirigea une école rabbinique. Il est l'auteur de *La Maison de Joseph*, vaste commentaire halakhiste dont un abrégé, *La Table mise* (*Sulhan Arukh*, 1564-1565) devint le plus classique des codes de la loi juive.

CARO (Annibale). ♦ Écrivain et poète italien (Civitanova, 1507 – Rome, 1566). Secrétaire de prélats influents, il passa au service des princes Farnèse, notamment du cardinal Alexandre. Traducteur de Théocrite, d'Aristote et de Virgile (*L'Énéide*, en vers libres; 1563 à 1566; publ. 1581), auteur de *Poésies* à la manière de Pétrarque (*Rime;* posth., 1569) et d'une comédie satirique, *Les Gueux* (*Gli Straccioni*, 1544), il est surtout connu par ses *Lettres* (*Lettere familiari;* posth., 1572-1575) qui offrent de précieux renseignements biographiques.

CAROBERT. ♦ **V.** CHARLES Ier ROBERT.

CAROL ou **CHARLES Ier.** ♦ (Sigmaringen, 1839 – château de Pelesh, Sinaia, 1914). Prince (1866-1881) puis roi (1881-1914) de Roumanie. Il fut élu prince de Roumanie et se rendit indépendant de la Turquie (1878). Il décida de rester neutre lors du premier conflit mondial et eut pour successeur son neveu Ferdinand* de Hohenzollern. ♦ CAROL ou CHARLES II (château de Pelesh, Sinaia, 1893 – Estoril, Portugal, 1953). Roi de Roumanie (1930-1940). Fils de Ferdinand* Ier, il s'allia avec les États danubiens et balkaniques et promulgua une constitution autoritaire en 1938. Il fut contraint par l'Allemagne d'abdiquer en faveur de son fils Michel.

CAROLINE DE BRUNSWICK. ♦ (Brunswick, 1768 – Londres, 1821). Reine de Grande-Bretagne et d'Irlande. Fille de Charles-Guillaume, duc de Brunswick, elle fut mariée à son cousin George* IV, alors prince de Galles, qui se sépara bientôt d'elle. Elle voyagea alors en Europe, s'éprit de l'Italien Bergami, et revint en Angleterre, soutenue par la population, à l'avènement de George IV qui refusa de la reconnaître pour reine et lui intenta un procès en divorce pour adultère que d'ailleurs il perdit. Il lui interdit la porte de Westminster le jour du couronnement. Elle mourut peu après.

CAROLINE DU NORD, en angl. **North Carolina.** ♦ État de l'E. des États-Unis sur la côte atlantique, entre la Virginie (au N.) et la Caroline du Sud (au S.). Env. 135 500 km². 4 852 000 hab. en 1960 (25 % de Noirs). *Cap.* Raleigh*. *V. princ.* **V. Charlotte, Greensboro, Winston-Salem.** – *Orogr.* L'O. de l'État correspond au versant E. des Appalaches* (*Blue* Ridge* et *Great Smoky Mountains*), région pittoresque et boisée, culminant à 2 037 m (Mt Mitchell). Le centre est occupé par le Piedmont appalachien, pays de collines. La plaine côtière, à l'E., se termine vers l'océan par une région marécageuse et la côte est barrée par une ligne d'îles sablonneuses (cap Hatteras*, cap Lookout) délimitant au N. de vastes « *Sounds* » (détroits). – Le *Climat*, subtropical au S.-E., est continental et plus frais à l'O. – *Écon.* L'agriculture dépend traditionnellement du tabac, mais s'est différenciée (élevage, volaille, etc.). Exploitation des forêts. Pêcheries (Pamlico Sound). Importantes carrières de pierre. Indus. très actives (textiles, tabac, indus. alimentaires,...). – Université (à Chapel Hill). – Patrie de O'Henry, de Thomas Wolfe*. ♦ *Hist.* Explorée par les Espagnols, puis par sir W. Raleigh* qui y installa les premiers colons (1584-1587), la région, qui était à l'origine attachée à la Caroline du Sud, devint concession anglaise (1663-1665). Séparée de la Caroline du Sud, ralliée au mouvement d'indépendance, elle adhéra aux États de l'Union en 1789.

CAROLINE DU SUD. *n. f.*, en angl. **South Carolina.** ♦ État de l'E. des États-Unis au bord de l'Atlantique et au sud de la Caroline du Nord. 79 176 km². 2 555 000 hab. *V. princ.* **V. Charleston, Columbia** *(cap.).* – *Orogr.* La majeure partie de l'État est formée par la plaine côtière atlantique bordée par un littoral bas et souvent marécageux, et le *Piedmont* appalachien. Au N.-O. se trouvent quelques sommets des Appalaches (1 000 m). Climat doux et égal. – *Écon.* C'est encore un état agricole, dont l'urbanisation est relativement faible, produisant du tabac des fruits et légumes et des animaux d'élevage. Mais aujourd'hui, l'indus. dépasse de loin l'agriculture en importance. Textiles de coton (1er prod. des États-Unis); énergie hydro-électrique. – Patrie d'Andrew Jackson*. ♦ *Hist.* Unie à la Caroline* du Nord jusqu'en 1730, la Caroline du Sud devint un État de l'Union en 1788. Premier État à faire sécession en 1860, elle fut dévastée par Sherman* en 1865.

CAROLINES *(îles)*, en angl. **Caroline Islands.** ♦ Archipel le plus étendu de la Micronésie* (Océanie), au N. de l'Équateur, situé au S. des îles Mariannes*, à l'E. des îles Marshall*, et baigné par l'océan Pacifique occidental. Il est constitué d'atolls et d'émergences volcaniques, groupant environ 500 îles, dont les plus importantes sont d'O. en E. : Palau, Yap, Truk, Ponape et Kusaie; les quatre premières forment des centres administratifs. 862 km². 57 352 hab. (1963). La culture la plus importante est le coprah. Indus. artisanales. Phosphates. ♦ *Hist.* Les îles furent annexées en 1686 par l'Espagne (elles furent nommées en l'honneur de Charles Ier). Vendues à l'Allemagne en 1899, sous mandat japonais de 1919 à 1945 (les Japonais y installèrent des bases aéro-navales stratégiques), elles furent attaquées par les Américains au cours de la Seconde Guerre mondiale (Palau servit de base de départ pour l'attaque américaine sur Leyte*). Après la guerre (1947), les Carolines ont été confiées par l'O.N.U. à l'administration des États-Unis *(United States Trust Territory of Pacific Islands).*

Carolingien *(Cycle carolingien* ou *Geste du Roi).* ♦ Groupe de chansons de geste relatant la vie légendaire de Charlemagne*. **V. Roland** *(Chanson de);* **Huon** *de Bordeaux.*

CAROLINGIENS. *n. m. pl.* ♦ Deuxième dynastie des rois francs, qui succéda aux Mérovingiens* en 751 avec Pépin* le Bref, et dont les représentants régnèrent jusqu'en 911 en Germanie **(V. Louis IV)** et jusqu'en 987 en France **(V. Louis V).** Elle était issue de l'union de deux puissantes familles d'Austrasie* dont l'origine remonte à Pépin l'Ancien, maire du palais et à saint Arnoul*, évêque de Metz; ses descendants **(V. Ansegisel, Grimoald, Pépin* le Jeune, Charles* Martel),** après s'être emparés du trône (787), tentèrent de rétablir l'empire d'Occident. Leur règne, brillamment amorcé par Pépin* le Bref (751-768) qui se fit proclamer au Champ de mai à Soissons, atteignit son apogée sous Charles Ier le Grand ou *Charlemagne* (768-814). **V. Charlemagne.** À la mort de son fils et successeur Louis* Ier le Pieux (814-840), l'empire, soumis aux raids normands* depuis 840, fut partagé par le traité de Verdun* (843) entre ses trois héritiers : Lothaire* (840-855) qui obtint la Lotharingie, Louis* le Germanique (843-876) qui reçut la Germanie et Charles* le Chauve (843-877) qui régna sur la France. L'*Empire carolingien*, dont le démembrement se poursuivit sous les règnes de Louis* II le Bègue (877-879), Louis* III (879-882) et Carloman* (879-884), fut provisoirement réunifié sous Charles* III le Gros (881-887) mais se disloqua à sa mort. En France, les derniers Carolingiens, Charles* III le Simple (898-923), Louis* IV d'Outremer (936-954), Lothaire (954-986), Louis V (986-987) s'opposèrent aux Robertiens (ancêtres des Capétiens) qui leur disputèrent le trône dès 888, mais furent définitivement écartés en 987 au profit des Capétiens*. – Cette période vit le développement de la vassalité et de la féodalité **(V. capitulaire de Quierzy*-sur-Oise).**

CAROLLES. ♦ Comm. de la Manche, arr. d'Avranches et aggl. de Saint-Pair-sur-Mer. 653 hab. *(Carollais).* Station balnéaire de *Carolles-Plage*, dont la plage est bordée au S. par la *pointe de Carolles* (74 m).

CAROLUS-DURAN (Charles DURAND *dit***).** ♦ Peintre français (Lille, 1837 – Paris, 1917). Il admirait la peinture espagnole, particulièrement Vélasquez, et subit l'influence de Courbet*. Représentant de la peinture académique, il fut un peintre officiel et mondain au succès retentissant. Auteur de grandes décorations, de scènes de rue, il peignit surtout d'élégants portraits féminins qui témoignent de son habileté technique. Dans la seconde partie de sa carrière, il affadit sa manière en flattant son public.

CARON (Antoine). ♦ Peintre, dessinateur et graveur français (Beauvais, v. 1521 – Paris, 1599). Formé auprès du Primatice* il se rallia à l'esthétique maniériste, tout en affirmant un talent personnel. Esprit érudit, il fréquenta probablement l'académie de Baïf* et devint l'ordonnateur des Entrées et Fêtes ainsi que le peintre attitré de Catherine de Médicis. Le souvenir de ces fêtes semble imprégner ses tableaux où figurent de savantes allégories qui symbolisent souvent les événements du règne (*Les Massacres du triumvirat*, 1566; *Auguste et la sibylle de Tibur*). Le jeu des perspectives, les éclairages, les harmonies précieuses de coloris

Ph. Mario Russo/Ricciarini

Les Carpates : la vallée de l'Olt dans les Alpes de Transylvanie.

confèrent à ces scènes animées de petits personnages graciles et allongés, évoluant dans un décor antiquisant, un caractère fabuleux et théâtral qui prend parfois des accents fantastiques *(Triomphe de l'hiver,* 1569; *Astrologue observant une éclipse).*

CARON (François). ♦ Administrateur colonial, descendant de réformés émigrés en Belgique (Bruxelles, v. 1600 – en mer au large de Lisbonne, 1673). Engagé par la Compagnie hollandaise des Indes, il séjourna plus de vingt ans au Japon, dont il a donné une description, avant d'entrer au service de la France (1664) qui l'envoya aux Indes comme directeur de la Compagnie des Indes orientales.

CARON (Joseph). ♦ Colonel français (Creuse, Picardie, 1774 – Strasbourg, 1822). Après avoir servi dans l'armée sous la Révolution et l'Empire, il fut impliqué dans un complot bonapartiste (1820), mais acquitté par la Chambre des pairs. Après la conspiration de Belfort* (début 1822), il tenta une insurrection pour délivrer les membres du complot emprisonnés à Colmar. Ayant échoué, il fut fusillé.

CARONÍ *(río). n. m.* ♦ Riv. du Venezuela (690 km), affl. de l'Orénoque* qui descend du Roraima*. Importantes centrales hydro-électriques sur son cours inférieur (Macagua, Guri).

CARONTE *(étang de).* ♦ Petit étang des Bouches*-du-Rhône situé entre le golfe de Fos* et l'étang de Berre*. Il a permis l'aménagement du *canal de Caronte* qui relie Martigues* à Port*-de-Bouc, et dessert Lavéra*.

CAROSO (Marco Fabrizio). ♦ Danseur et chorégraphe italien (Sermoneta, près de Rome, 1526 – v. 1600). Compositeur de musique, il enseigna l'art de la danse à la haute société romaine. Il a publié d'importants ouvrages théoriques dont le plus remarquable, *Nobilità di Dame* (1600), contient des pages de musique, des exemples de danse et propose une description détaillée des mouvements.

CAROSSA (Hans). ♦ Poète et romancier allemand (Bad Tölz, Bavière, 1878 – Rittsteig, près de Passau, 1956). Sa vie de médecin, dont il fit un véritable apostolat, lui inspira ses romans : *La Fin du Dr Bürger* (1913, remanié en 1930 sous le titre *Le Destin du Dr Bürger*), histoire romantique d'un médecin qui se donne la mort après avoir pris conscience des limites de sa science, ou encore *Le Dr Gion* (1931), *La Journée du jeune médecin* (1955). Outre des recueils de poèmes (1910, 1948), Carossa laissa surtout des ouvrages autobiographiques : récit de sa jeunesse (*Une enfance,* 1922), de ses souvenirs de médecin militaire en Roumanie lors de la Première Guerre mondiale (*Journal roumain,* 1924), analyse honnête et souvent courageuse du destin de l'Allemagne et de sa propre attitude face au régime nazi, qu'il ne put pas vraiment dénoncer (*Mondes inégaux,* 1951). H. Carossa sut exprimer dans un lyrisme délicat son désir de sauver les valeurs de l'âme humaine.

CAROTHERS (Wallace Hume). ♦ Chimiste américain (Burlington, Iowa, 1896 – Philadelphie, 1937). Il découvrit le nylon (1937) et inventa le caoutchouc synthétique néoprène. **V. Staudinger.**

CAROUGE. ♦ V. de Suisse (Genève) dans la banlieue S. de Genève, sur l'Arve*. 14 800 hab. Horlogerie, métallurgie, industrie alimentaire. ♦ *Hist.* Anc. V. sarde fondée au XIIIe siècle. Érigée en ch.-l. de province par Victor*-Amédée III de Savoie (1786), elle fut donnée au canton de Genève par le traité de Turin (1816).

CARPACCIO (Vittore). ♦ Peintre italien (Venise, v. 1460 – *id.,* 1525-1526). Grand peintre narratif de l'école vénitienne, Carpaccio, malgré l'influence de Gentile et de Giovanni Bellini* ou celle d'Antonello* de Messine et de la peinture flamande, occupe une place marginale. Dans ses grands cycles, il fit intervenir une nouvelle forme narrative proche des suites des tapisseries septentrionales. Les neuf toiles de la *Légende de sainte Ursule* (1490; Acad. Venise) présentent une succession de scènes se déployant dans le cadre pittoresque des fêtes vénitiennes (à l'exception du *Rêve de sainte Ursule* situé dans un calme intérieur savamment organisé par la lumière). Le cycle de la *Scuola degli Schiavoni* (Venise), illustrant la vie de trois saints (Georges, Tryphon et Jérôme) révèle une diversité d'atmosphères : si *Saint Augustin dans son studio recevant la vision de saint Jérôme* atteste une manière flamande dans l'organisation de l'intérieur « humaniste », la *Mort de saint Jérôme* est fixée dans un statisme tout oriental. Dans d'autres œuvres, l'enseignement d'A. de Messine et de Giovanni Bellini se manifeste par l'utilisation d'un rapport de couleurs unifiant la composition (*Christ,* 1496, Udine; *Méditation sur la Passion du Christ,* New York; *Sainte Conversation,* Caen) tandis que la connaissance de Mantegna et du milieu ferrarais s'affirme dans la dureté, la symbolique macabre et la lumière sèchement dorée du *Christ mort avec saint Jérôme et saint Omphre* (New York) et de la *Mise au tombeau* (Berlin). Peintre du Quattrocento, Carpaccio refusa d'adapter son style à l'évolution picturale que connut le début du XVIe siècle. Ses dernières œuvres témoignent du même traitement naïf et grave de la réalité vénitienne ainsi que du même goût pour le pittoresque (*Scènes de la vie de saint Étienne,* 1511-1520; *Les Deux Courtisanes,* v. 1510, musée Correr, Venise). Par la présence de l'architecture, Carpaccio s'avère comme le premier grand peintre vénitien des *vedute* (paysages urbains). Mais la représentation d'un paysage réel est souvent détournée chez lui vers une étrangeté onirique.

CARPAS ou **KARPAS.** *n. m.* ♦ Chaîne de montagnes calcaires de Chypre dominant la plaine de Mésorée* et la côte septentrionale de l'île (959 m). – En se prolongeant vers le N.-E., elle forme l'étroite presqu'île du même nom.

Arch. Smeets

J.-B. Carpeaux : «La Danse». (Musée du Louvre, Paris.)

CARPATES ou **KARPATES** [*n. f. pl.*], en tchèque et en polon. **Karpaty,** en roum. **Carpatii.** ♦ Ensemble montagneux d'Europe centrale, d'origine alpine (fin tertiaire), s'étendant sur les territoires de Tchécoslovaquie, de Pologne, d'U.R.S.S. et de Roumanie. Les Carpates décrivent un vaste demi-cercle du N.-O. au S.-E., puis de l'E. à l'O. autour du bassin de Pannonie et de Transylvanie. Elles s'étendent du bassin du Danube près de Bratislava (Tchécoslovaquie) jusqu'aux Portes de Fer, à la frontière roumano-yougoslave, sur une longueur de 1 500 km et une largeur moyenne de 150 km. Au N., les *Carpates occidentales* sont formées des *Petites Carpates* (761 m), des *Carpates blanches* (968 m) que prolongent les massifs des *Tatras** (point culminant de la chaîne carpatique Gerlachovka, 2 663 m) et les *monts Métallifères* slovaques (1 441 m) encadrés au N. par l'arc des *Beskides* (1 725 m). La chaîne carpatique s'infléchit ensuite en *Ukraine subcarpatique* ou *Ruthénie.* Les *monts Maramures** (2 300 m au Rodna) annoncent les *Carpates orientales* ou *moldaves* (Roumanie) dont l'altitude est inférieure à 2 000 m (point culminant Pietros, 2 305 m). Au S., les *Alpes de Transylvanie,* dépassant parfois 2 500 m (Mandra, 2 529 m; Negoi, 2 535 m; Pelagea, 2 509 m), dominent le bassin transylvain et la cuvette pannonienne d'où surgit le massif du *Bihor** (1 848 m). De nombreux fleuves irriguent les Carpates, ce sont le Buzau, le Dniestr*, le Mures*, l'Olt*, le Prut*, le Siret*, la Tisza* et la Vistule*. – On y pratique l'élevage. De magnifiques forêts couvrent les Carpates occidentales et moldaves et le Bihor. D'importants gisements pétrolifères, les plus importants d'Europe après ceux d'U.R.S.S., ont été découverts à Ploieşti*, Boltesti et en Moldavie*, et du gaz naturel en Transylvanie*.

CARPEAUX (Jean-Baptiste). ♦ Sculpteur, dessinateur et peintre français (Valenciennes, 1827 – Courbevoie, 1875). Encouragé par son cousin le sculpteur V. Liet et par le peintre Abel de Pujol, il entra en 1844 dans l'atelier de Rude* et en 1850 dans celui du sculpteur académique F. Duret. En 1856, il séjourna en Italie et réalisa le *Jeune Pêcheur à la coquille* (1857-1858), puis s'inspira de Michel-Ange dans *Ugolin et ses enfants* (1861), dont le thème est emprunté à Dante. Le romantisme de cette œuvre lui valut de violentes critiques. À la suite du *Buste de la Princesse Mathilde,* 1861, il obtint cependant la faveur de Napoléon III et exécuta une série de bustes. Il peignit aussi des scènes de la vie de cour. Chargé par Lefuel* du fronton et du relief du pavillon de Flore, il fit scandale par son traitement réaliste et sensuel du nu féminin. Avec le groupe de *La Danse* (1869) destiné à la façade de *l'Opéra* de Garnier* il fut même accusé d'outrage à la pudeur. En 1874, il termina *Les quatre parties du monde* pour la *Fontaine de l'Observatoire.*

Ph. de Gregorio/Ricciarini
C. D. Carra : « Nature morte ». (Coll. privée.)

Il tenta d'imposer une conception plus naturaliste de la sculpture, voulant traduire le geste rapide, les attitudes naturelles, l'expression vive et frémissante par un modelé animé où jouent les effets d'ombres et de lumière. Il renoua d'une manière anticonformiste avec la tradition baroque et rococo par les compositions mouvementées et l'expression de la grâce.

CARPELAN (Bo Gustaf Bertelsson). ♦ Poète finlandais de langue suédoise (Helsinki, 1926). Après une étude sur G. Björling*, dans laquelle il défend une poésie libre et non conventionnelle, il écrivit des recueils de poèmes très personnels : *Poèmes* (1946), *Les Objets des mots* (1954, *Changements de paysage* (1957), *Journée fraîche* (1961). À travers l'emploi fréquent de la libre association d'images, on décèle l'évolution du pessimisme initial de Carpelan vers un positivisme plus ouvert au monde, dont il garde toujours une vision très subjective.

CARPENTARIE *(golfe de)*, en angl. **Gulf of Carpentaria.** ♦ Prolongement de la mer d'Arafura*, formant une large échancrure au N.-E. de l'Australie* entre la terre d'Arnhem* et la péninsule d'York*. Il est relié à l'E. à la mer de Corail*, par le détroit de Torres*.

CARPENTER (Nathanaël). ♦ Philosophe et polygraphe anglais (Northleigh, Devonshire, 1589 – Dublin, 1628 ou 1635). Auteur d'une réfutation de la philosophie d'Aristote, il fut surtout apprécié pour son traité de géographie, discipline qu'il fut un des premiers à concevoir comme une science explicative (*Geography delineated forth in two booths,* 1625-1635).

CARPENTIER (Jules). ♦ Ingénieur français (Paris, 1851 – Joigny, 1921). Constructeur de nombreux appareils de mesure de haute précision, il réalisa les premiers périscopes et les premiers appareils cinématographiques des frères Lumière*. (Acad. des sc., 1907.)

CARPENTIER (Georges). ♦ Boxeur français (Liévin, 1894 – Paris, 1975). Champion d'Europe des poids mi-moyens, moyens, mi-lourds et lourds. Champion du monde des poids mi-lourds en 1920, il fut battu par Dempsey en 1921.

CARPENTIER (Alejo). ♦ Romancier et musicologue cubain (La Havane, 1904 –). Son œuvre s'inspire de la tradition négro-cubaine et exprime ce « merveilleux réel » du continent américain (*Ecué-Yamba-o,* 1933). Dans un autre genre, Carpentier a écrit des romans historiques, *Le Royaume de ce monde* (1948), *Le Siècle des lumières* (1962), qui se situent aux Antilles et dont l'écriture baroque est riche de métaphores et d'images poétiques.

CARPENTRAS [kaʀpɑ̃tʀɑ]. ♦ Sous-préf. du Vaucluse*, ch.-l. d'arr. (8 cant., 58 comm., 76 549 hab.) près de l'Auzon, 22 130 hab. *(Carpentrassiens).* Église Saint-Siffrein XVe-XVIe s., ancienne cathédrale. Belle synagogue du XVIIIe siècle. Palais de justice du XVIIe siècle. Hôtel-Dieu du XVIIIe siècle. Musées. Reste de l'enceinte du XIVe s. : porte d'Orange. – Cultures fruitières, marché agricole important (fruits, primeurs, truffes); confiserie (berlingots), indus. alimentaires, conserves, emballages, confection. – Patrie de É. Daladier*, de A. Naquet, de F. Raspail*. ♦ Hist. *Carpentoracte* à l'époque gallo-romaine, dans la Narbonnaise IIe. Elle appartint à la papauté de 1229 à 1791, le titulaire de l'évêché gouvernait au nom du pape le Comtat-Venaissin. Une importante communauté juive y était tolérée et maintenue par le pape.

CARPETBAGGERS. *n. m. pl.* (de *carpet bag,* « sac de voyage »). ♦ Surnom méprisant donné par les sudistes aux aventuriers, généralement venus du Nord, qui s'établirent dans le Sud à la suite de la guerre de Sécession*. Composés de « pauvres blancs » et de radicaux sans scrupules, ils bénéficièrent de l'accord des autorités fédérales pour se livrer à des trafics et à des exactions (distribution d'emplois publics...) et dressèrent les Noirs contre les Blancs. Les sociétés secrètes qui se formèrent contre eux (Ku* Klux Klan) parvinrent à les faire progressivement disparaître.

CARPOCRATE [*Karpokratês*]. ♦ Philosophe platonicien et hérésiarque gnostique, enseignant à Alexandrie v. 120. Il professait un amoralisme révolté contre le monde, création des anges déchus.

CARQUEFOU. ♦ Ch.-l. de cant. de la Loire-Atlantique, arr. de Nantes. 3 843 hab. (1 233 aggl.) [*Carquefoliens*]. Horticulture. Électronique. Confection.

CARRA (Carlo Dalmazzo). ♦ Peintre et essayiste italien (Quargnento, 1881 – Milan, 1966). Il réalisa d'abord des travaux de décoration intérieure (Exposition universelle de 1900 à Paris); étudiant ensuite à Milan, il fréquenta les milieux anarchistes et socialistes et signa à la suite de sa rencontre avec Marinetti* *le manifeste des peintres et sculpteurs futuristes* de 1910. Il peignit alors *Les Funérailles de l'anarchiste Galli* (1910). À la suite d'un séjour à Paris en 1911 avec Boccioni*, sous l'influence du cubisme, il recourut souvent, pour exprimer le mouvement, à la technique du papier collé, découpant des formes schématiques et mécaniques *(Cavalier à cheval).* Abandonnant le futurisme pour la peinture métaphysique, il utilisa un répertoire identique à celui de G. De* Chirico, présenté selon des effets insistants de perspective (*La Muse métaphysique,* 1917). Mais peu à peu, le caractère énigmatique et onirique de ses œuvres disparut pour aboutir à une recherche d'ordre plastique : compositions statiques et équilibrées représentant des natures mortes. Il adhéra ensuite au mouvement *Novecento* et *Valori Plastici* et peignit de sobres marines dans une pâte épaisse et une gamme chromatique claire. Ses nombreux écrits théoriques témoignent de son admiration pour les maîtres du Quattrocento.

CARRACHE ou **CARRACCI** *(les).* ♦ Peintres et décorateurs italiens : LUDOVICO (Bologne, 1555 – *id.,* 1619); AGOSTINO (Bologne, 1557 – Parme, 1602); ANNIBALE (Bologne, 1560 – Rome, 1609). Ils jouèrent un rôle important comme initiateurs de l'école bolonaise en fondant vers 1585 l'« Academia del Naturale » devenue « degli Incamminati » (Académie des Acheminés) dont l'enseignement fortement organisé, fondé sur l'étude directe de la nature, en réaction contre les raffinements et la virtuosité du maniérisme tardif, prônait un retour à plus de simplicité en s'appuyant sur la « grande tradition » instaurée par les maîtres italiens du XVIe siècle. Cet enseignement exerça une influence décisive sur l'Albane*, le Guerchin*, le Dominiquin* et Guido Reni* et servit de modèle aux académies européennes instituées au cours du XVIIe siècle. Ainsi, on a souvent considéré les Carrache comme responsables du mouvement académique et éclectique qui se développa à leur suite. Quoi qu'il en soit, ils contribuèrent à côté de la recherche plus radicale du Caravage* à établir la rupture avec le maniérisme et à élaborer par la multiplicité de leurs recherches et l'accent moderne qu'ils surent insuffler à leurs emprunts, les composantes de la peinture du XVIIe siècle. Ils travaillèrent souvent en commun mais (malgré certains problèmes d'attribution) affirmèrent des personnalités distinctes : *Ludovico,* auquel on attribue un rôle de guide vis-à-vis de ses cousins, réélabora les apports des maîtres toscans, romains, mais surtout émiliens (Corrège) et vénitiens, en faisant preuve dans ses œuvres religieuses d'un goût du mouvement et d'un sens pathétique annonciateur du style baroque et dont les aspects réalistes et véhéments, ainsi que le clair-obscur contrasté, présentent des affinités avec le Caravage *(Flagellation, Conversion de saint Paul,* 1587-1588; *Martyre de saint Pierre Thomas).* Après avoir collaboré à Bologne avec ses cousins à la décoration du *palais Fava* (1584) puis du *palais Magnani* (1588), il travailla brièvement à Rome (1602) au *palais Farnèse* mais resta surtout à Bologne où il joua le rôle d'un chef d'école. *Agostino* acquit lui aussi une profonde connaissance des maîtres du XVIe, surtout Corrège et les Vénitiens. Il travailla aux entreprises communes à Bologne puis rejoignit Annibal à Rome de 1597 à 1599. La mésentente qui s'établit entre eux l'incita probablement à se rendre à Parme où il travailla pour les Farnèse. Il peignit de nombreuses œuvres religieuses composées avec ampleur mais laissa souvent transparaître les multiples réminiscences de Raphaël, Corrège et des Vénitiens. Il a surtout laissé de nombreux dessins ainsi que des gravures où la liberté du trait s'allie souvent à une expression empreinte d'humour. *Annibale,* son frère, apparaît comme la figure dominante de la famille. Il semble avoir d'abord travaillé en étroite collaboration avec Ludovico; outre les grandes décorations mythologiques des *palais Fava* et *Magnani,* il aborda des genres très divers : peintures religieuses *(La Charité de saint Roch,* 1595; *Pietà),* des scènes de genre *(Le Mangeur de fèves; L'Étal du boucher)* aux forts accents réalistes et des paysages dans lesquels les détails pittoresques (*La Pêche,* 1585) sont progressivement subordonnés à une vision d'ensemble équilibrée et harmonieuse (*La Fuite en Égypte* au *palais Aldobrandini* à Rome, 1605) qui en font l'initiateur du paysage « idéal ». Arrivé à Rome en 1595, il donna sa mesure dans la décoration du « Camerino » (1595-1597) : évocation élégiaque de la mythologie inspirée de la poésie classique et surtout dans la *galerie Farnèse* (1597-1604) où apparaît une conception d'ensemble originale fondée sur l'étroite et savante imbrication des compartiments avec architectures en trompe l'œil, éléments peints et sculptés (stucs) et la mise en rapport raffinée des thèmes et sujets allégoriques. La prédominance des couleurs claires, les formes sculpturales animées mais distinctement ordonnées dégagent une vitalité et une sensualité nouvelles. Cette œuvre à laquelle travaillèrent de nombreux collaborateurs et qui servit de modèle à la plupart des peintres formés à Rome porte en germe aussi bien le baroque que le classicisme.

CARRANZA (Venustiano). ♦ Homme politique mexicain (Coahuila, 1859 — Puebla, 1920). Propriétaire terrien, gouverneur d'État, il fut un adversaire de P. Diaz*. Après l'assassinat de Madero*, dont il était devenu ministre, il prit la tête du mouvement « constitutionnaliste » puis fut élu président de la République en 1917. Renversé, il mourut assassiné.

CARRARÁ, en fr. **Carrare.** ♦ Famille de la noblesse italienne, originaire de la ville de Carrare, qui régna sur Padoue de 1318 à 1406, et fut abattue par Venise en 1435.

CARRARE, en it. **Carrara.** ♦ V. d'Italie centrale en Toscane*, prov. de Massa Carrara. 66 000 hab. Située entre les Alpes Apuanes et la Méditerranée. Centre d'exploitation et de commerce du marbre (500 carrières), de réputation mondiale et connu depuis la plus haute antiquité. Patrie du comte P. Rossi*.

CARRÉ (Ferdinand). ♦ Ingénieur français (Moislains, Somme, 1824 — hameau du Poncet, près de Pommeuse, Seine-et-Marne, 1900). Il réalisa la première machine frigorifique à compression (1857), la première machine frigorifique à absorption à fonctionnement continu (1860), la production de la glace à l'aide d'appareils frigorifiques (1862) et utilisa l'ammoniaque comme fluide frigorifique (1863); on lui doit encore le premier transport de viande congelée, entre l'Amérique et la France (1875). **V. Tellier.**

Carré (Vieux). *n. m.* ♦ Quartier ancien, français et espagnol de New* Orleans (Louisiane).

CARREL (Armand). ♦ Journaliste français (Rouen, 1800 — Saint-Mandé, 1836). Sorti de Saint-Cyr, il prit très tôt position contre le régime de la Restauration. Lors de l'expédition d'Espagne (1823), il débarqua à Barcelone et s'engagea dans les forces qui luttèrent contre le roi Ferdinand VII et les troupes de Louis XVIII. Acquitté, après avoir d'abord été condamné à mort, il fut quelque temps collaborateur d'A. Thierry et publia lui-même une *Histoire d'Écosse,* une *Histoire de la Grèce moderne* (1825), une *Histoire de la contre-révolution en Angleterre sous Charles II* (1827), pamphlet politique contre la Restauration. Fondateur du journal d'opposition constitutionnelle libérale. *le National** (1830) avec Mignet* et Thiers*, dont il se sépara politiquement, il passa à l'opposition républicaine lors de la monarchie de Juillet. À la suite d'une polémique de presse, il fut tué en duel par É. de Girardin*. Les *Œuvres politiques et littéraires d'Armand Carrel* ont été publiées par É. Littré (1854-1858).

CARREL (Alexis). ♦ Chirurgien et physiologiste français (Saint-Foy-lès-Lyon, 1873 — Paris, 1944). Il réalisa de nombreuses expériences sur la suture des vaisseaux sanguins, les greffes de tissus et d'organes et surtout la culture de tissus d'embryons de poulets. Il est l'auteur d'un ouvrage spiritualiste célèbre, *L'Homme, cet inconnu* (1936). [Prix Nobel de méd. 1912.]

CARREÑO DE MIRANDA (Juan). ♦ Peintre espagnol (Aviles, 1614 — Madrid, 1685). Fixé à Madrid à partir de 1623, il obtint rapidement une grande réputation comme peintre religieux *(Fondation de l'ordre des Trinitaires).* Protégé par Vélasquez* et introduit à la cour, il entra au service de la reine Marie-Anne d'Autriche à partir de 1669 et devint *pintor de camera* en 1671. Habile fresquiste marqué à la fois par l'art italien et le style de Rubens* et Van* Dyck, il fut le collaborateur de F. Rizzi et travailla sous la direction de Vélasquez (*Salon des miroirs de l'Alcazar de Madrid,* 1659). Dans le domaine du portrait de cour, il fut le fidèle continuateur du maître, évoqua comme lui les êtres difformes *(Le Bouffon F. Bazan; La Naine Eugenia Martinez)* et donna souvent une note mélancolique à ses portraits aristocratiques, traités dans un coloris à la fois sourd et vibrant.

Arch. Smeets
Annibale **Carrache** : « Vénus et Adonis ». (Kunsthistorisches Museum, Vienne.)

CARRERO BLANCO (Luis). ♦ Amiral espagnol (Santona, 1903 — Madrid, 1973). Désigné en 1972 pour assurer l'intérim de la présidence du gouvernement à la disparition du général Franco, il périt victime d'un attentat. M. Torcuato Fernández-Miranda lui a succédé.

CARRICKFERGUS. ♦ V. d'Irlande du Nord (comté d'Antrim) et station balnéaire sur la r. nord du *Belfast lough.* 10 210 hab. (1961). Château de la fin du XIIᵉ s. — Mines de sel.

CARRICK ON SHANNON. ♦ V. de la République d'Irlande et ch.-l. du comté de Leitrim (prov. de Connacht), sur le Shannon, à sa sortie du *lough Allen.* 1 500 habitants.

CARRIER (Jean-Baptiste). ♦ Homme politique français (Yolet, Cantal, 1756 — Paris, 1794). Conseiller au baillage d'Aurillac (1792), député montagnard à la Convention (1792), où il prit part à l'institution du Tribunal révolutionnaire (mars 1793), il fut envoyé en mission en Normandie puis en Bretagne et organisa à Nantes d'effroyables massacres, faisant fusiller ou noyer tous les suspects des prisons. Rappelé à Paris par Robespierre, il contribua à sa chute, mais fut lui-même décrété d'accusation peu après et condamné à mort pour ses crimes par le Tribunal révolutionnaire (décembre 1794).

CARRIERA (Rosalba). ♦ Miniaturiste, dessinatrice et pastelliste italienne (Venise, 1675 — *id.,* 1757). Ses portraits révèlent un sens délicat du modelé et des nuances.

CARRIÈRE (Eugène). ♦ Peintre français (Gournay, 1849 — Paris, 1906). Il fut l'élève de Cabanel*, devint l'ami de Rodin* et se lia avec de nombreux écrivains (Verlaine, Mallarmé, Daudet, A. France) dont il a laissé des portraits. Il défendit avec conviction ses idées socialistes, notamment lors de l'affaire Dreyfus. Il réalisa des peintures religieuses et d'obscures allégories, décorant l'Hôtel de Ville de Paris et la Sorbonne. Dans ses thèmes d'élection, les portraits et surtout les maternités, il tenta d'exprimer sa sensibilité au moyen d'un clair-obscur presque monochrome, à dominante brune et grise, estompant les formes mais faisant ressortir les mains et les visages (*La Famille,* 1893; *Le Baiser,* 1903).

CARRIÈRES-SUR-SEINE. ♦ Comm. des Yvelines (arr. de Saint-Germain-en-Laye), sur la Seine. 11 887 hab. *(Carriérois).* Vestiges d'un château médiéval. Église (XVIIᵉ s.) remaniée. — Indus. électrique; matériel pour automobiles. Production de semence « blanc de champignon ».

CARROLL (Lewis), pseudonyme de **Charles Lutwidge Dodgson.** ♦ Écrivain anglais (Daresbury, Cheshire, 1832 — Guildford, Surrey, 1898). Mathématicien et logicien de talent, Dodgson fut professeur à Oxford jusqu'en 1881 et signa plusieurs œuvres scientifiques (*Traité élémentaire des déterminants,* 1867; *Euclide et ses rivaux modernes,* 1879). Son pseudonyme date de 1856. Timide, il préférait la compagnie des enfants à celle des adultes et c'est à la demande d'une de ses très jeunes amies, Alice Liddel, qu'*Alice* au pays des merveilles (Alice's Adventures in Wonderland)* fut écrit. Le succès fut tel qu'une suite parut en 1872 *Alice à travers le miroir (Through a Looking-Glass and What Alice Found There)* où le monde et la logique des adultes sont symbolisés par un échiquier sur lequel l'enfant progresse. *La Chasse au snark* (*The Hunting of the Snark,* 1876) est un petit poème bâti sur un jeu verbal hérité des *Nursery Rymes* et fort apprécié des Anglais : on y découvre que le « snark » (mot qui télescope *snake* et *shark,* « serpent », « requin ») est en réalité un « jabberwocky », mot plus opaque encore que le premier. Le poème fut traduit en français par Aragon. *Sylvie et Bruno* (1899) présente une autre vision du monde enfantin, chargée de notations morales ambiguës. Lewis Carroll avait également saisi l'importance de la photographie en tant qu'art. Ses sujets favoris étant de petites filles, il abandonna cet art pour que la réputation du révérend Dodgson (il était diacre) n'en souffrît point. Ses dernières œuvres utilisent avec humour la logique mathématique : *Une histoire compliquée* (1885); *Ce que la tortue dit à Achille* (1894).

CARROUGES. ♦ Ch.-l. de cant. de l'Orne*, arr. d'Alençon*. 659 hab. Château des XVᵉ, XVIᵉ, XVIIᵉ siècles.

Carrousel *(arc de triomphe du).* ♦ Monument de Paris, érigé sur les plans de Percier* et Fontaine* de 1806 à 1808, et s'inspirant de l'arc de Constantin à Rome. Conçu comme l'entrée monumentale de l'anc. palais des Tuileries*, il se trouve au centre des parterres décorés, depuis 1965, de statues en bronze de Maillol*, et ouvre vers l'O. la perspective offerte par les jardins des Tuileries, la Concorde*, les Champs*-Élysées et l'arc* de triomphe de l'Étoile. Décoré de colonnes de marbre polychrome et de bas-reliefs évoquant les batailles ou les traités de l'Empire, surmonté d'un groupe équestre dû à Bosio* (1828), c'est une œuvre très significative du style Empire.

Ph. Carlo Bevilacqua/Ricciarini

Carthage : Tophet de Salammbô.

CARROZ [kaʀo] **D'ARÂCHES (Les).** ♦ Station de sports d'hiver de la Haute-Savoie, au-dessus de Cluses, à proximité de Flaine* (alt. 1 140-1 750 m).

CARRY-LE-ROUET. ♦ Comm. des Bouches*-du-Rhône (arr. d'Aix*-en-Provence), au pied de la chaîne de l'Estaque*. 2 353 hab. Station balnéaire de *Le Rouet-Plage.* Port de pêche.

CARS (Guy des). ♦ Romancier et auteur dramatique français (Paris, 1911). Ayant acquis la notoriété avec un récit de guerre, *L'Officier sans nom* (1940), il a publié de très nombreux romans de mœurs. Appréciés par un public important, ces ouvrages portent des titres significatifs : *Le Maître d'œuvre* (1945), *La Brute, La Tricheuse, La Maudite, Le Grand Monde* (1961), *De cape et de plume* (1965), *Le Donneur* (1973). Guy des Cars a également composé des pièces de boulevard et des opérettes *(Croisières pour dames seules; La Danseuse aux étoiles,...).*

CARSO. ♦ **V.** Karst.

CARSON CITY (du nom de *Kit Carson*). ♦ V. des États-Unis, cap. du Nevada*, au pied de la sierra Nevada. 5 163 hab. en 1960 (c'est la plus petite cap. des États-Unis). Mines d'argent. — Le lac Tahoe, à proximité, est un centre de tourisme (casinos) et de sports d'hiver.

CARSTENS (Johann Asmus). ♦ Peintre, dessinateur et théoricien danois (Jurgen en Slesvig, 1754 — Rome, 1798). Partisan des théories néo-classiques de Winckelmann*, il imita l'antique, particulièrement la céramique grecque et Raphaël. Il exécuta des compositions de caractère linéaire inspirées d'Homère, de Dante, des poèmes ossianiques et de Goethe, et de nombreux dessins. Il exerça une grande influence sur le sculpteur Thorwaldsen et sur les paysagistes allemands classicisants.

CARTAGENA. ♦ V. de Colombie, située sur le golfe de Darién. 299 040 hab. (1969). V. pittoresque; bâtiments de style andalou. Forteresse. — L'activité du port est compromise par l'envasement du bras du fleuve Magdalena où il se trouve. Oléoduc vers Barrancabermeja. Métallurgie de l'or et du platine. ♦ *Hist.* Fondée en 1533, ce fut le port d'escale de la flotte espagnole venue de Cadix. La ville fut assiégée et occupée plusieurs fois par les Anglais (John Drake, 1585; Vernon, 1741) et par les Français. Elle se proclama indépendante en 1811, fut reprise par les Espagnols et libérée en 1821.

CARTAGÈNE, en esp. **Cartagena.** ♦ V. du S.-E. de l'Espagne (Levant, prov. de Murcie), au pied de la sierra de Cartagène. 128 000 hab. Important port militaire et commercial (le 2ᵉ d'Espagne) sur la Méditerranée, au fond d'une baie bien abritée. Constructions navales, métallurgie et chimie (cuivre, argent, zinc et plomb), raffinerie de pétrole d'Escombreras*. — Patrie d'Isidore* de Séville.

CARTAGO. ♦ V. du Costa Rica (Amérique centrale), ch.-l. de prov., située au pied de l'Irazú* dans la région volcanique du centre, à l'E. de San* José. Elle fut détruite à plusieurs reprises par des séismes (notamment en 1910).

CARTAILHAC (Édouard). ♦ Anthropologue français (Marseille, 1845 — Genève, 1921). Il s'occupa principalement de paléontologie humaine, créant les matériaux pour l'histoire naturelle et primitive de l'homme (1866). [*La France préhistorique,* 1889.]

CARTAN (Élie). ♦ Mathématicien français (Dolomieu, 1869 — Paris, 1951). Une part importante de ses travaux a porté sur la *théorie des groupes continus* de Lie*, à laquelle il a donné des développements fondamentaux. On lui doit également, dans le cadre des géométries riemanniennes **(V. Riemann),** des travaux relatifs à certains aspects mathématiques de la notion d'espace telle qu'elle peut intervenir dans la physique moderne. **V.** *aussi* **H. Cartan, Einstein, Levi-Civita, H. Weyl.** (Acad. sc., 1931.)

CARTAN (Henri). ♦ Mathématicien français (1904). On lui doit d'importants travaux en algèbre et en topologie, sur la théorie des fonctions de variables réelles et celle de fonctions de variables complexes et sur les équations aux dérivées partielles (Acad. des sc., 1974). **V. Borel, É. Cartan.**

Cartel des gauches. ♦ Constitué en 1924 pour faire face aux modérés et conservateurs du Bloc* national, il regroupa la gauche radicale (radicaux et radicaux-socialistes), les républicains socialistes et les socialistes (S.F.I.O.). Sa victoire aux élections (mai 1924) entraîna la démission du président de la République Millerand*, auquel succéda G. Doumergue, et la formation d'un ministère radical-socialiste (Herriot* auquel succédèrent Painlevé et A. Briand). Celui-ci, après l'échec de la politique financière, fut remplacé par un ministère d'union nationale, présidé par Poincaré* (1926).

CARTELLIER (Pierre). ♦ Orfèvre, ornemaniste et sculpteur français (Paris, 1757 — *id.,* 1831). Il débuta en fournissant des modèles d'orfèvrerie et obtint ensuite, sous l'Empire et pendant la Restauration, de nombreuses commandes officielles (relief de *La Vigilance et la Guerre,* 1800; statues d'*Aristide* et de *Vergniaud* au Sénat, *La Gloire* au Louvre [1807], *Reddition d'Ulm* à l'arc du Carrousel). Le plus brillant de ses élèves fut Rude*.

CARTER (Howard). ♦ Égyptologue anglais (Swaffham, Norfolk, 1873 — Londres, 1939), élève de Petrie*. Il découvrit en 1922 la tombe de Toutânkhamon* dans la Vallée des Rois, alors qu'il travaillait en collaboration avec lord Carnarvon.

CARTER (James Earl, dit **Jimmy).** ♦ Homme d'État américain (Plains, 1924). Affilié au parti démocrate, il fut sénateur (1962) puis gouverneur (1970) de la Géorgie. Élu 39ᵉ président des États-Unis, par 51 % des voix, il succéda à G. Ford* en 1977.

CARTERET (Philip). ♦ Navigateur et capitaine anglais du XVIIIᵉ s. (mort à Southampton, 1796). Il a contribué par ses expéditions et ses découvertes à la connaissance des régions équatoriales de l'océan Pacifique, et sa relation de voyage fut jointe à celle du premier voyage de Cook*.

CARTERET. ♦ Comm. de la Manche* (arr. de Coutances*), sur la Manche*. Petit port et station balnéaire. **V. Granville.**

CARTHAGE. ♦ Ville de l'Afrique du Nord située sur le golfe de Tunis. Ruines à 16 km de Tunis. ♦ Hist. *Kart hadasht* (la nouvelle ville) fut fondée v. ~814-~813 autour de la citadelle de Byrsa*, et, selon Virgile*, par la reine Didon*, à la tête de colons venus de Phénicie* et de Chypre. La ville, dont les débuts sont mal connus, s'enrichit par le commerce, établit des comptoirs sur le littoral de la Tunisie et de l'Algérie*. Elle ne sortit de l'ombre qu'après la décadence de Tyr, qu'elle remplaça en Méditerranée occidentale sous les rois Magonides (v. ~550-~450). Elle établit alors un empire économique au commerce très actif avec l'Égypte, l'Étrurie et la Grèce. Ce fut à cette période que les *Carthaginois* entreprirent des voyages le long de l'Afrique *(Périple d'Hannon*)* et en Atlantique Nord. À partir du début du ~ vᵉ s., Carthage s'opposa aux Grecs pour la maîtrise de la Sicile (bataille d'Himère*; **V.** aussi les tyrans de Syracuse*, **Gélon, Hiéron Iᵉʳ, Denys l'Ancien** et **Agathocle)** puis aux Romains dans le conflit des guerres Puniques*. La première guerre Punique (~264-~241) aboutit à la perte de la Sicile, à la fin du régime oligarchique remplacé par celui de deux suffètes élus par une Assemblée populaire, et à une révolte des Mercenaires* **(V. Hamilcar Barca, Hannon le Grand).** Hamilcar Barca, dédaignant l'Afrique conquit sur les Celtibères* d'Espagne un état dont il fut pratiquement le maître, mais ce fut son fils Hannibal* qui réalisa ses projets, marquant de sa personnalité la deuxième guerre Punique (~218-~201). Carthage perdit alors l'Espagne. Sa puissance était détruite mais non sa richesse, qui inquiéta Caton* l'Ancien. La troisième guerre Punique (~149-~146) éclata sous le prétexte d'une guerre de Carthage contre Masinissa, roi de Numidie et allié de Rome. La ville, défendue par Hasdrubal* fut prise par Scipion* l'Émilien et détruite, son territoire étant partagé entre Rome et la Numidie. Dès ~122 cependant, Carthage fut reconstruite sous le nom de *Colonia Junonia* et placée sous la protection de Junon identifiée à Tanit*, la grande déesse carthaginoise. César* reconstruisit la ville qui végétait, sur un site différent. Elle devint alors le centre intellectuel et religieux de l'Afrique romaine puis chrétienne, illustré par des conciles nombreux. Les écoles de Carthage produisirent des littérateurs et des apologistes chrétiens, tels Apulée*, Tertullien*, saint Cyprien*, Arnobe* et saint Augustin*. Prise en 439 par les Vandales*, reconquise en 534 par Bélisaire pour le compte de l'Empire byzantin, pillée par les Arabes en 698, Carthage n'était plus qu'une bourgade sans importance quand Louis* IX mourut en 1270. — Patrie de Sophonisbe* et de Térence*.

CARTIER (Jacques). ♦ Navigateur français (Saint-Malo, 1494 — Saint-Malo ou Limollan, v. 1554). Parti à la recherche d'une route vers l'Asie par le nord du Nouveau Monde, il atteignit Terre-Neuve (1534) et la côte du Labrador, déjà découvertes par Jean et Sébastien Cabot (1497), et prit possession du Canada* au nom de François Iᵉʳ. Il entreprit encore deux (peut-être trois) voyages d'exploration (1535, 1541, 1543?) et fut surnommé « découvreur du Canada ».

CARTIER (*sir* **Georges Étienne).** ♦ Homme politique canadien (Saint-Antoine-sur-Richelieu, prov. du Québec, 1814 — Londres, 1873). Défenseur des Canadiens français, il devint Premier ministre avec J.A. Macdonald* (1857). Il encouragea la politique ferroviaire et contribua à l'établissement de la Confédération canadienne (1867).

CARTIER-BRESSON (Henri). ♦ Photographe, cinéaste et dessinateur français (Paris, 1908). Après avoir étudié la peinture dans l'atelier d'A. Lhote* (1927-1928), il aborda la photographie, se consacrant dès 1931 au reportage; il s'imposa rapidement comme l'un des plus brillants photographes de son époque. Il voyagea au Mexique en 1934, aux États-Unis de 1935 à 1936, puis devint l'assistant de J. Renoir* et réalisa lui-même à la fin de la guerre un documentaire sur les déportés : *Le Retour.* De ses voyages à travers le monde, notamment en Extrême-Orient, en Russie et au Moyen-Orient (de 1947 à 1954), il a ramené de nombreuses photos publiées en recueils où il s'est montré attentif à saisir les particularités sociales des pays visités *(Images à la sauvette; D'une Chine à l'autre; Moscou; Les Européens).* Le caractère concis et sobre de ses images n'en révèle pas moins une sensibilité à leur contenu humain et affectif et n'exclut pas une recherche subtile dans le choix des cadrages et des effets de contrastes. Cartier-Bresson est aussi l'auteur de courts métrages : *Southern Exposure,* 1970; et *Sud,* 1971 (en couleur).

CARTOUCHE (Louis Dominique, dit**).** ♦ Bandit français (Paris, 1693 – *id.,* 1721). Chef d'une bande qui terrorisa Paris et sa banlieue au début du XVIIIe s., il réussit longtemps à échapper à la police, enfin arrêté, il fut roué vif en place de Grève.

CARTWRIGHT (John). ♦ Homme politique britannique (Nottinghamshire, 1740 – Londres, 1824). Précurseur du chartisme*, il réclama, dans des pamphlets, une grande réforme parlementaire mais sans abolition de la monarchie ni de la Chambre des lords.

CARTWRIGHT (Edmund). ♦ Inventeur britannique (Marnham, Nottinghamshire, 1743 – Hastings, 1823). Ayant réussi à synchroniser les quatre mouvements du métier à tisser à bras, il inventa le premier *métier mécanique* en le faisant mouvoir par la machine à vapeur de Watt* (1785). **V. Vaucanson.** Il conçut également une machine à peigner la laine (1790).

CARUS, en lat. **Marcus Aurelius Carus.** ♦ (mort à Ctésiphon, 283). Empereur romain (282-283). Préfet du prétoire sous Probus*, il fut proclamé empereur par ses soldats à la mort de ce dernier. Il s'associa à ses deux fils Numérien* et Carin*, vainquit les Parthes, s'empara de la Mésopotamie, prit Séleucie et Ctésiphon et mourut subitement.

CARUS (Karl Gustav). ♦ Médecin et philosophe allemand (Leipzig, 1789 – Dresde, 1869). Médecin à la cour et conseiller d'État (1827), il fit des recherches en anatomie et physiologie animale. Ses travaux en biologie, l'influence de Goethe et de l'école romantique l'amenèrent à accorder une place importante à l'instinct et à l'inconscient dans la vie psychique (*Psyché, histoire du développement de l'âme humaine,* 1846; *Physis, histoire de la vie corporelle,* 1851). Il publia également des écrits littéraires, dont deux ouvrages sur Goethe.

CARUSO (Enrico). ♦ Ténor italien (Naples, 1873 – *id.,* 1921). Il fit une brillante carrière aux opéras de Milan, Saint-Pétersbourg et Londres avant de devenir premier ténor au *Metropolitan Opera* de New York (1903-1920). Le disque conserve le témoignage de ses mémorables interprétations du répertoire lyrique italien.

CARVALHO (Léon Carvaille, dit **Léon).** ♦ Directeur de théâtre français (île Maurice, 1825 – Paris, 1897). Il dirigea entre autres l'Opéra-Comique de 1876 à 1887, puis de 1891 à sa mort.

Ph. Louis Monier

H. Cartier-Bresson.

Arch. Smeets

J. Carzou : « La Baie des rêves », 1949. (Musée d'Art moderne, Paris).

CARVIN. ♦ Ch.-l. de cant. du Pas*-de-Calais (arr. de Lens*), dans le bassin houiller. 17 097 hab. *(Carvinois).* Houille, indus. textiles; machines agricoles.

CARY (Arthur Joyce). ♦ Romancier anglais (Londonderry, 1888 – Oxford, 1957). Après des études à Oxford, il fit la guerre puis séjourna comme fonctionnaire au Nigeria (*Alissa sauvée,* 1932; *Sorcière d'Afrique,* 1936; *Monsieur Johnson,* 1939), mais sa santé l'obligea à rentrer en Europe (1920). Ses premiers romans mettent en scène son expérience enfantine et africaine. Sa propre enfance lui inspira aussi *Une maison d'enfants,* 1941. Cary prit l'art pour sujet d'une première trilogie (*Surprise elle aussi,* 1941; *Être un pèlerin,* 1942; *La Bouche du cheval,* 1944), la politique pour sujet de la seconde (*Si ce n'est Dieu,* 1953, etc.) et la religion pour thème de son roman *Captivité et Liberté* (*The Captive and the Free,* 1959). Brillant portraitiste, Cary fait raconter leur histoire par les protagonistes de ses œuvres.

CARZOU (Jean). ♦ Peintre et décorateur français (Alep, 1907). D'abord attiré par la peinture abstraite, il élabora un style figuratif alliant le géométrisme d'un dessin aux lignes multiples et enchevêtrées à une gamme de couleurs sombres, et visant à la représentation d'un univers étrange et fantastique (« Je voudrais extraire cette magie qui existe en toute chose »). Sans abandonner sa structure graphique, l'œuvre de Carzou évolua vers une plus grande richesse de couleurs et une poésie évocatrice du tragique (*L'Apocalypse,* 1957) comme du charmant (*Venise,* 1953; *Le Paradis terrestre,* 1959). Cette dernière tendance est surtout sensible dans les décorations de théâtre qui ont fait sa célébrité (*Les Indes galantes* de Rameau, 1952; *Giselle,* 1954; *La Périchole* d'Offenbach, 1970, etc.).

CASABLANCA, en ar. **Dar el-Beïda.** ♦ V. et port du Maroc*, ch.-l. de la prov. (1 407 200 hab.) du même nom, et d'une préf. urbaine, sur l'Atlantique, dans la plaine de la Chaouïa*. 1 160 000 hab. Grand port artificiel (complété auj. par Mohammedia*) aménagé sous l'impulsion de Lyautey* qui développa considérablement la ville avec l'aide de Prost*, Laprade*, etc. Métropole économique et commerciale du pays (exportation de phosphates.). Indus. chimiques, mécaniques, alimentaires. ♦ *Hist.* Lors de la Seconde Guerre mondiale, les forces françaises aux ordres du résident général Noguès* y résistèrent durant trois jours au débarquement américain (1942). Au cours de la *conférence de Casablanca* (ou d'*Anfa,* quartier résidentiel) tenue par Churchill* et Roosevelt* en 1943, furent prises d'importantes décisions concernant le débarquement en Europe, l'invasion de l'Italie, et les conditions de capitulation de l'Allemagne, de l'Italie et du Japon. Ils s'efforcèrent de préparer un rapprochement entre de Gaulle* et Giraud*.

CASADESUS [kazadsy]. ♦ Famille de musiciens français originaire de Figueras (Catalogne). ♦ FRANCIS CASADESUS (Paris, 1870 – *id.,* 1954). Élève de César Franck, compositeur et chef d'orchestre, il fonda le Conservatoire américain de Fontainebleau (1921). ♦ HENRI CASADESUS (Paris, 1879 – *id.,* 1947), frère du précédent. Altiste du quatuor Capet, il fut le fondateur de la Société des instruments anciens. ♦ ROBERT CASADESUS (Paris 1899 – 1972). Neveu des précédents. Pianiste virtuose et compositeur, il fit une brillante carrière internationale et fut directeur du Conservatoire américain de Fontainebleau (1937-1948).

CASALE MONFERRATO. ♦ V. d'Italie (Piémont), sur le Pô. 40 800 hab. Centre vinicole; cimenteries, textiles artificiels. Ancienne capitale du Montferrat*.

CASALS (Pablo) [kazals]. ♦ Violoncelliste et chef d'orchestre espagnol (Vendrell, Tarragone, 1876 – San-Juán-de-Porto-Rico, 1973). Créateur, avec A. Cortot* et J. Thibaud*, d'un trio célèbre (1905), il participa, avec les mêmes, à la fondation de l'École normale de musique, à Paris. Il s'exila d'Espagne après la victoire du général Franco et se fixa en France, à Prades (Pyrénées-Orientales) où il organisa des festivals de musique.

CASAMANCE. *n. f.* ♦ Fl. côtier du Sénégal méridional qui délimite la zone de l'arachide au N. et celle du riz au S. (env. 300 km).

Arch. Smeets

Jardins du palais de **Caserte** : « Diane et Actéon », par L. Vanvitelli.

Il se termine par un remarquable estuaire. *La région de la Casamance* comprise entre l'enclave de la Gambie* et la frontière guinéenne a pour ressource essentielle l'arachide à laquelle viennent s'adjoindre les cultures vivrières (mil, maïs) et récemment le développement de l'élevage. *V. princ.* **V. Ziguinchor.**

CASANOVA de SEINGALT (Giovanni Giacomo). ♦ Aventurier et mémorialiste italien d'expression française (Venise, 1725 – Dux, Bohême, 1798). D'abord destiné à l'état ecclésiastique, il fut successivement soldat, courtisan intrigant, diplomate, financier, publiciste, voyageant dans tous les pays d'Europe, en particulier en France (1750). De retour à Venise, il y fut emprisonné pour impiété et magie, mais réussit une évasion spectaculaire (*Histoire de ma fuite des prisons de* [...] *Venise,* 1787). De nouveau à Paris, familier du duc de Choiseul, il rencontra Voltaire*, tout en collectionnant les conquêtes amoureuses. Encore à Venise (1774), il devint agent secret de l'Inquisition, avant d'accompagner comme bibliothécaire, à Dux, le comte de Waldstein. Auteur de nombreux ouvrages qui le montrent intéressé aux problèmes de son temps (Cf. le roman fantastique *Icosameron ou Histoire d'Édouard et d'Élisabeth...,* 1788), Casanova a acquis la célébrité grâce à des *Mémoires* (ou *Histoire de ma vie;* publ. intégrale en 1960-1963). Il y manifeste la sincérité la plus libre. Tableau très vivant, et parfois critique, de la société de son temps, ce récit est à la fois une confession érotique, et un ouvrage documentaire des plus séduisants.

CASARES QUIROGA (Santiago). ♦ Homme politique espagnol (1884 – 1950). Leader du parti autonomiste galicien, il était Premier ministre en juillet 1936 lorsque éclata le soulèvement militaire; il démissionna alors.

CASAUBON (Isaac). ♦ Érudit français (Genève, 1559 – Londres, 1614). Fils de protestants français réfugiés à Genève, il passa son enfance en Dauphiné, puis revint à Genève (1578) où il devint un helléniste remarquable. Il entretint une correspondance suivie avec Scaliger*. Il édita à partir de 1587 de nombreux textes grecs, notamment les *Caractères* de Théophraste (1592), Polybe (inachevé) et une révision des *Deipnosophistae* d'Athenaeus. Attiré par Henri IV à la conférence de Fontainebleau entre le cardinal Du Perron et Duplessis-Mornay, il y joua un rôle de conciliateur. Il vécut de 1600 à 1610 à Paris, et fut alors l'une des grandes figures huguenotes de France. Après l'assassinat de Henri IV il partit pour l'Angleterre (1610) où l'archevêque de Canterbury l'invitait; naturalisé anglais en 1611, il subit les effets de l'impopularité de ses protecteurs (notamment le roi Jacques Ier) et de la xénophobie. En outre, sa place privilégiée auprès du roi l'empêcha de poursuivre ses travaux personnels. Casaubon avait aussi édité et commenté Perse, Suétone. Sa correspondance en latin fut rassemblée en 1709 et son journal *(Éphémérides)* publié en 1850.

CASCADES *(chaîne des),* en angl. **Cascade Range.** ♦ Chaîne montagneuse de l'O. des États-Unis (Washington*, Oregon* et Californie* du N.) et du Canada, assez proche du Pacifique. Elle culmine au mont Rainier (4 391 m).

CASCAIS. ♦ V. et port du Portugal (Estrémadure), près de Lisbonne, sur la *baie de Cascais.* 13 350 hab. Plage très fréquentée.

Case de l'oncle Tom [La] *(Uncle Tom's Cabin).* ♦ Roman d'Harriett Beecher* Stowe paru en 1852 et qui a porté devant l'opinion publique le problème de l'esclavage.

CASELLA (Alfredo). ♦ Compositeur italien (Turin, 1883 – Rome, 1947). Élève de Diémer et de Fauré au Conservatoire, il vécut à Paris au début de sa carrière et se trouva activement mêlé aux mouvements de l'avant-garde musicale. D'abord sensible aux influences de Debussy, de Milhaud et de Stravinsky, il devait renouer, après son retour en Italie (1915) avec l'ancienne tradition italienne, sans renoncer pour autant à un style très personnel, marqué d'intellectualité. On lui doit des symphonies, des opéras, des ballets et des œuvres de musique de chambre. Critique musical, chef d'orchestre et professeur, il a exercé une forte influence sur la génération suivante de musiciens italiens.

CASERIO (Santo Jeronimo). ♦ Anarchiste d'origine italienne (Milan, 1874? – Lyon, 1894). Auteur de l'attentat contre le président Sadi Carnot* (juin 1894), il fut condamné à mort.

CASERTE, en italien **Caserta.** ♦ V. d'Italie méridionale (Campanie), au N. de Naples. Ch.-l. de la prov. homonyme **(V. Campanie*).** 55 500 hab. Indus. chimiques (Saint-Gobain). Célèbre château et parc des Bourbons de Naples, dus à Vanvitelli. – Patrie d'Alphonse de Bourbon-Naples et de Marie*-Amélie. ♦ *Hist.* Lieu de la capitulation des forces allemandes d'Italie (28 mars 1945).

CASHEL, en irl. **Caiseal Mumhan.** ♦ V. historique de la république d'Irlande (prov. de Munster, comté de Tipperary), autrefois place forte et cap. des rois de Munster. 3 100 hab. Bâtie sur un piton rocheux *(Rock of Cashel),* Cashel a conservé sur son « acropole » des ruines médiévales parmi les plus remarquables d'Irlande (tour du Xe s., croix de saint Patrick, XIe s.; abbaye du XIIIe s. et cathédrale gothique des XIIIe-XIVe s.).

CASILINUM. ♦ V. de l'Italie anc. (Campanie), près de Capoue. Hannibal y vainquit Fabius* Cunctator en ~216.

CASIMIR Ier le Rénovateur, en polon. **Kazimierz.** ♦ (v. 1015 – 1058). Duc de Pologne* (1034-1058). Fils et successeur de Mieszko* II, il fut chassé de Pologne par une insurrection, mais rétablit son pouvoir en 1039 avec l'aide germanique. Père de Boleslas* II son successeur, et de Ladislas Ier Herman.

CASIMIR II le Juste. ♦ (1138 – 1194). Prince de Pologne* (1177-1194). Fils de Boleslas* III, il fut élu en 1177 en remplacement de son frère Mieszko* III.

CASIMIR III le Grand. ♦ (Kowal, 1310 – Cracovie, 1370). Roi de Pologne* (1333-1370). Fils et successeur de Ladislas* Ier, dernier représentant des Piast* il fut le véritable restaurateur de la Pologne dont il favorisa l'expansion commerciale, économique et intellectuelle. Il réforma la législation polonaise (statut de Wiślica, 1347), annexa la Mazovie*, la Podolie*, la Galicie* (1349), la Volhynie* (1366) et fonda en 1364 l'université de Cracovie*. Il dut néanmoins laisser la Poméranie* à l'ordre Teutonique* et reconnaître la suzeraineté de la Bohême sur la Silésie*. Son neveu, Louis* Ier de Hongrie lui succéda.

CASIMIR IV JAGELLON. ♦ (1427 – Grodno, 1492). Roi de Pologne* (1447-1492). Fils de Ladislas* II, il était grand-prince de Lituanie* lorsqu'il succéda, en 1447, à son frère Ladislas* III. De 1454 à 1466, il combattit les Teutoniques*, leur enleva la Prusse*-Occidentale et leur imposa, par la paix de Thorn* (1466), sa suzeraineté sur la Prusse-Orientale. Ses fils : Jean* Ier Albert, Alexandre* Ier, Sigismond* Ier lui succédèrent, tandis que Ladislas* VI fut élu roi de Bohême et de Hongrie. Il fut également le père de saint Casimir*.

CASIMIR *(saint).* ♦ Prince polonais (Cracovie, 1458 – Grodno, 1484), fils de Casimir* IV Jagellon. Il mena une vie édifiante, fut prétendant au trône de Hongrie (d'où Mathias* Corvin avait été chassé momentanément) et administra la Pologne en l'absence de son père. Patron de la Pologne et de la Lituanie. Fête le 4 mars.

CASIMIR V ou **Jean II Casimir.** ♦ (1609 – Nevers, 1668). Roi de Pologne* (1648-1668). Fils de Sigismond* III, cardinal sécularisé, il succéda à son frère Ladislas* IV et fut le dernier des Vasa* de Pologne. Il abdiqua en 1668, après avoir signé les désastreux traités d'Oliwa* (1660) et d'Androussovo* (1667).

CASIMIR-PERIER (Auguste Casimir Victor Laurent PERIER, dit). ♦ Homme politique français, fils du ministre de Louis-Philippe, C. Perier* (Paris, 1811 – *id.*, 1876). Diplomate, il siégea à la Chambre des députés (1846-1848), puis à l'Assemblée législative (Seconde République, mai 1849). Retiré de la vie politique sous le Second Empire, il fut élu député à l'Assemblée nationale et nommé ministre de l'Intérieur dans le gouvernement de Thiers*, dont il soutint la politique (1871-1873).

CASIMIR-PERIER (Jean Paul Pierre). ♦ Homme politique français, fils du précédent (Paris, 1847 – *id.*, 1907). Entré dans la carrière politique après la chute du Second Empire, il fut élu député et nommé sous-secrétaire d'État à la Guerre (1883), fonction dont il se démit à la suite du décret ôtant aux princes d'Orléans leur grade dans l'armée (1886). Président du Conseil (1893), il contribua à la répression des mouvements ouvriers et de l'agitation anarchiste en faisant voter les « lois scélérates » (cinq ans de prison pour provocation au meurtre, au vol, à l'incendie, condamnation de toute propagande anarchiste). Porté à la présidence de la République après l'assassinat de Sadi Carnot (juin 1894), Casimir-Perier, propriétaire des mines d'Anzin, socialement et politiquement conservateur, fut violemment attaqué par les socialistes, en particulier par J. Jaurès* et démissionna dès janvier 1895.

CASLON (William). ♦ (Hales-Owen, Shropshire, 1692 – Bethnal Green, près de Londres, 1766). Créateur à Londres, en 1716, de la première fonderie typographique anglaise et graveur du caractère *caslon.*

CASPIENNE *(mer).* ♦ La plus vaste mer fermée du monde (entre 424 000 et 436 000 km²), située aux confins de l'Europe et de l'Asie, dans la partie occidentale de la dépression aralo-caspienne (26 à 28 m au-dessous du niveau de la mer) entre le Caucase* à l'O., le plateau d'Oust*-Ourt à l'E. et les monts Elbourz* au S. Ses côtes (6 436 km), dont la majeure partie appartient à l'U.R.S.S. (5 390 km), la côte méridionale (1 146 km) appartenant à l'Iran*, baignent l'Azerbaïdjan et le Daghestan à l'O., la R.S.F.S. de Russie au N., le Kazakhstan au N. et à l'E. et le Turkménistan au S.-E., et sont fortement découpées, surtout à l'O., où s'avance la presqu'île d'Apchéron*. À l'E., les presqu'îles (**V.** *notamment* **Mangychlak)** alternent avec des baies et des golfes profonds dont le plus important **(V. Kara-Bogaz)** est en voie de dessèchement. Malgré l'apport d'eau considérable de ses tributaires **(V. Oural, Emba, Kouma, Terek, Koura, Araxe** et surtout **Volga,** qui déverse annuellement env. 240 milliards de m³, soit 80 % du volume total), le niveau de la mer Caspienne (profondeur moyenne 206 m, maximale 980 m) baisse régulièrement, en raison de la très forte évaporation. Très poissonneuse (esturgeon; de très loin la première région productrice de caviar : U.R.S.S. et Iran), la Caspienne, reliée à la mer Blanche, à la mer Baltique, à la mer Noire et à la mer d'Azov, par des canaux, et à Moscou par la Volga, joue un rôle économique important, lié au transport, et à l'exploitation du gaz et du pétrole sur ses rives **(V. Bakou, Emba, Neftedag)** et à l'intérieur de la mer. *Princ. ports :* **V. Bakou, Astrakhan, Makhatchkala, Gouriev** et **Krasnovodsk** (U.R.S.S.) **Pahlevi** (tributaire de Recht, Iran).

Casques d'acier *(les).* ♦ **V.** STAHLHELM.

CASSAGNAC (Bernard Granier *de***).** ♦ Publiciste et homme politique français (Avéron-Bergelle, 1806 – château de Couloumé, Gers, 1880). Rédacteur au *Globe* et à *l'Époque,* il soutint la politique de Guizot, puis, hostile au régime républicain, se rallia à Louis Napoléon Bonaparte et siégea comme député de 1852 à la fin du Second Empire, tout en restant journaliste. Député sous la IIIe République (1876-1877), il fut l'un des chefs du parti bonapartiste (*Histoire des causes de la Révolution française,* 1850; *Souvenirs du Second Empire,* 1879-1882). ♦ PAUL GRANIER DE CASSAGNAC, son fils. Publiciste et homme politique français (La Guadeloupe, 1843 – Saint-Viâtre, Loir-et-Cher, 1904). Rédacteur littéraire et politique dans divers journaux *(la Nation, Diogène, le Pays),* fondateur de *l'Autorité,* il siégea comme représentant du parti bonapartiste à la Chambre des députés (1876, 1898) et participa à l'agitation boulangiste (1886-1891).

CASSANDRE, en gr. **Kassandra.** ♦ Princesse troyenne, fille de Priam* et d'Hécube*. Ayant reçu d'Apollon* le don de prophétie en même temps que son frère jumeau Hélénos*, elle repousse son amour et le dieu offensé décrète que ses prédictions ne seront jamais prises au sérieux. Ainsi, Cassandre s'oppose sans succès à l'entrée dans la ville du cheval de bois et prédit en vain la chute de Troie*. Échue en partage à Agamemnon*, elle le supplie en vain de ne pas rentrer chez lui ; elle est tuée, ainsi que son maître, par Clytemnestre*. Elle apparaît dans *Agamemnon**, d'Eschyle, *Les Troyennes**, d'Euripide, *Alexandra,* de Lycophron* de Chalcis, ainsi que dans *La Guerre de Troie n'aura pas lieu,* de Jean Giraudoux.

CASSANDRE, en gr. **Kassandros.** ♦ Roi de Macédoine (v. ~358 – ~297), fils d'Antipatros*. Ayant vaincu le régent Polyperchon (~319), il devint maître de toute la Grèce, s'empara d'Athènes*, confia son gouvernement à Démétrios* de Phalère et fit mettre à mort Démade*. Il ordonna la mort d'Olympias*, mère d'Alexandre* le Grand et prit le titre du roi (~305) après avoir fait périr Roxane* et Alexandre* Aigos, femme et fils du conquérant. En lutte contre Antigonos* et Démétrios* Poliorcète, fils de ce dernier, il fut battu aux Thermopyles, puis s'allia avec Lysimaque*, Ptolémée* Ier et Séleucos* et après la victoire d'Ipsos* (~301) il obtint en partage la plus grande partie de la Grèce.

CASSANDRE (Adolphe Mouron, dit**).** ♦ Peintre, décorateur et affichiste français (Kharkov, 1901). Établi a Paris depuis 1915, il manifesta son goût pour la stylisation graphique, contribuant à créer un nouveau style publicitaire (*Le Bûcheron,* 1923 ; *L'Étoile du Nord,* 1927 ; *Les Vins Nicolas,* 1935). Il décora des spectacles théâtraux (*Amphitryon 38* de Giraudoux, 1943) et de nombreux ballets.

CASSANO D'ADDA. ♦ V. d'Italie, en Lombardie (prov. de Milan), sur l'Adda. 11 000 hab. ♦ *Hist.* Le duc de Vendôme y vainquit Eugène de Savoie en 1705. Moreau y fut battu par Souvorov en 1799.

CASSARD (Jacques). ♦ Marin français (Nantes, 1679 – fort de Ham, 1740). Après avoir pris part à l'expédition du baron de Pointis à Carthagène (Indes, 1697), il devint capitaine de frégate corsaire, pratiqua la guerre de course contre les Anglais dans la Manche et en Méditerranée (1708, 1709, 1710), attaqua les colonies portugaises d'Afrique (1712). Il fut incarcéré au fort de Ham (1726) sur les ordres du cardinal Fleury*, auquel il s'était assez violemment opposé.

CASSATT (Mary). ♦ Peintre, pastelliste, dessinatrice et graveur américain (Pittsburgh, 1845 – Le Mesnil-Théribus, Oise, 1926). Après des études à l'académie des beaux-arts de Pennsylvanie, elle se fixa à Paris en 1872. Elle s'intéressa aux œuvres de Manet*, Degas* et des impressionnistes. En 1877, elle recontra Degas qui l'encouragea et la fit exposer avec le groupe impressionniste; elle adopta alors une palette lumineuse et vibrante, une touche plus large et plus libre et se soucia de la plasticité des formes et de la fermeté du dessin. Elle traita de préférence le thème de la maternité (*Mère et enfant,* 1886) et des scènes familières de femmes dans leur intérieur. En 1890, à la suite de l'Exposition d'art japonais à Paris, elle exécuta une série d'estampes (*La Toilette,* 1891). Elle contribua fortement à propager l'art français moderne, notamment l'école impressionniste, aux États-Unis.

CASSEGRAIN (Jean). ♦ Physicien français (1625 – 1712). Il réalisa, en même temps que Newton*, le télescope à réflexion

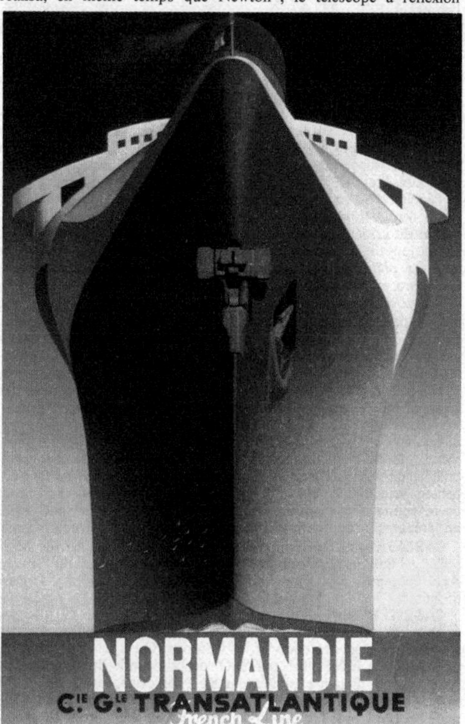

Arch. Smeets

Affiche de **A. M. Cassandre.**

(*Journal des savants,* 1672) dont la théorie avait été exposée par J. Gregory*. Il s'occupa aussi d'acoustique.

CASSEL. ♦ V. d'Allemagne. **V.** KASSEL.

CASSEL. ♦ Ch.-l. de cant. du Nord* (arr. de Dunkerque*), en Flandre*, sur le *mont Cassel.* 2 702 hab. *(Casselois).* Ville flamande typique. Collégiale Notre-Dame (XIIIe s.) ; hôtel de la Noblecour de Cassel (XVIe, XVIIe s.), abritant un musée ; porte de Dunkerque et porte du château (XVIIe s.) ; maisons anc. – Marché agricole ; métallurgie. ♦ *Hist.* En 1071, Robert Ier le Frison y remporta une victoire sur Philippe Ier. Le 24 août 1328, Philippe VI de Valois y battit les Flamands. Le 11 avril 1677, Philippe d'Orléans, frère de Louis XIV, vainquit Guillaume d'Orange, qui céda Cassel à la France.

CASSIN (René). ♦ Juriste français (Bayonne, 1887 – Paris 1976). Après avoir été administrateur à Londres auprès du général de Gaulle (**V. Guerre mondiale** [Deuxième]), il fut membre de l'Assemblée consultative d'Alger en 1944. Après la guerre, il participa à de nombreuses conférences internationales et fit adopter la Déclaration universelle des droits de l'homme. (Prix Nobel de la paix en 1968.)

CASSIN *(mont),* en it. **monte Cassino.** ♦ Colline d'Italie (alt. 519 m), prov. de Frosinone. – En 529, saint Benoît* y fonda son célèbre monastère ; plusieurs fois restauré, entièrement détruit par le bombardement et la bataille de 1944 (**V. Cassino**), il a été reconstruit par les Américains.

CASSINI (Jean-Dominique), dit **CASSINI Ier.** ♦ Astronome français d'origine italienne (Perinaldo, comté de Nice, 1625 – Paris, 1712). Directeur de l'Observatoire de Paris en 1672, auteur de nombreux mémoires sur Vénus, Mars et Jupiter, il découvrit deux satellites de Saturne. (Acad. sc., 1669.) ♦ JACQUES CASSINI, dit CASSINI II, son fils. Astronome français d'origine italienne (Paris, 1677 – Thury, Beauvaisis, 1756). Il s'intéressa particulièrement à la forme de la Terre. **V. Méchain.**

CASSINO. ♦ V. d'Italie (Latium), près du mont Cassin. **V. Cassin*** (mont). ♦ *Hist.* Centre de la ligne Gustav, la ville fut attaquée de janv. à mai 1944 par les troupes anglo-américaines.

CASSIODORE, en lat. **Flavius Magnus Aurelius Cassiodorus.** ♦ Écrivain latin (Scylacium, v. 480 – Brutium, v. 575). Après avoir été consul et préfet sous Théodoric, il se retira au monastère du Vivarium (Sicile). Il y écrivit plusieurs ouvrages dont une *Historia ecclesiastica tripartita* ; un manuel encyclopédique sur le plan de l'œuvre de Martianus* Capella *Institutiones divinarum et saecularium lectionum ;* et un *De anima.*

CASSIOPÉE, en gr. **Kassiopeia.** ♦ Reine légendaire d'Éthiopie dont la vanité irrespectueuse est punie par la condamnation de sa fille Andromède*. Après sa mort, elle est placée parmi les constellations.

Cassiopée, en lat. **Cassiopeia.** ♦ Constellation voisine du pôle Nord.

CASSIQUIARE. *n. m.* ♦ Bras du cours supérieur de l'Orénoque* (r. g.) qui se jette dans le rio Negro* et fait communiquer les deux grands bassins de l'Orénoque et de l'Amazone.

CASSIRER (Ernst). ♦ Philosophe allemand (Breslau, 1874 – Princeton, 1945). Professeur à l'université de Hambourg (1919), il quitta l'Allemagne lors de la montée du national-socialisme (1933) en raison de ses origines israélites et s'installa en Suède, puis aux États-Unis (Yale). Marqué par l'intellectualisme logique de l'école de Marburg (**V. Néo-kantisme ; H. Cohen**), il mit l'accent sur la formulation toujours plus précise dans l'histoire de la philosophie du criticisme pour lequel l'esprit, dans son activité, produit son propre objet de connaissance (*Le Problème de la connaissance dans la philosophie et la science de l'époque moderne,* 1906) ; il élabora en ce sens une conception logique des mathématiques (*Concept de substance et Concept de fonction,* 1910) et vit dans la théorie de la relativité d'Einstein une confirmation de l'idéalisme critique. Influencé par les études de Simmel*, Dilthey*, sur les valeurs culturelles et l'histoire, il publia un ouvrage sur la philosophie de l'histoire et du droit en Allemagne (*Liberté et Forme,* 1916) et chercha à intégrer en un vaste système les données des sciences mathématiques et naturelles et celles des sciences humaines (sociales) ; tel est l'objet de sa *Philosophie des formes symboliques* (*La Langue,* 1923 ; *La Pensée mythique,* 1925 ; *Phénoménologie de la connaissance,* 1929) où il analyse la fonction symbolique dans les différentes formes de la culture : mythe, religion, pensée scientifique, qui témoignent du développement progressif de la connaissance humaine. Les travaux de Cassirer font de lui un précurseur de l'herméneutique moderne et du structuralisme.

CASSIS [kasi]. ♦ Comm. des Bouches-du-Rhône, arr. de Marseille*, 4 852 hab. *(Cassidens).* Ruines d'un château du Moyen Âge. Petit port et station balnéaire. – Patrie de l'abbé J.J. Barthélemy*.

CASSITÉRIDES *(îles)* [du gr. *kassitéros,* « étain »]. ♦ Îles mythiques productrices d'étain, que les géographes anciens situaient au large des côtes O. de l'Europe. On a tenté de les identifier avec les îles Scilly* (au S.-O. de la Grande-Bretagne). Mais les gisements d'étain exploités par les Phéniciens, les Carthaginois et les Romains se trouvant en Espagne, en Bretagne et en Cornouaille, il est possible que l'insularité de ces sites ait été imaginée par les Grecs. Le nom d'« îles Cassitérides » correspondait seulement, alors, à l'idée que l'étain était trouvé quelque part au delà de la Méditerranée, vers l'ouest.

CASSIUS, en lat. **Caius Cassius Longinus.** ♦ Général romain (mort à Philippes, ~ 42). Partisan de Pompée* pendant la guerre civile, il fut fait prisonnier à Pharsale* par César* qui le nomma préteur (~ 44). Il fit partie des assassins de César. Puis il rejoignit Brutus* en Macédoine et, vaincu par Antoine à Philippes*, se donna la mort (~ 42).

CASSIUS, en lat. **Caius Avidius Cassius.** ♦ Général romain (mort en 175). Légat de Syrie sous le règne de Marc* Aurèle, il vainquit les Parthes (163) et se fit proclamer empereur par ses légions et périt dans une révolte de ses propres soldats.

CASSOU (Jean). ♦ Écrivain français (Deusto, près de Bilbao, 1897). Conservateur en chef du Musée national d'art* moderne et critique d'art, il a publié de nombreux ouvrages consacrés à la peinture (*Gromaire,* 1925 ; *Le Greco,* 1931 ; *Picasso et Matisse,* 1939 ; *Ingres,* 1947), à l'histoire (*Philippe II,* 1929 ; *Quarante-huit,* 1939), à la littérature (*Panorama de la littérature espagnole,* 1931 ; *Cervantès,* 1936 ; *Trois Poètes, Rilke, Milosz, Machado*) ainsi que des romans : *Les Harmonies viennoises* (1926), *Les Massacres de Paris* (1936). Sa participation active à la Résistance lui a inspiré un pamphlet : *La Mémoire courte* (1944) et un recueil de poèmes : *33 sonnets composés au secret* (1945).

CASTAGNICCIA. *n. f.* (pays des châtaigniers). ♦ Région montagneuse du N.-E. de la Corse*. ♦ *Hist.* Ce fut de tout temps un centre de lutte contre les Génois. *V. princ.* **V. Cervione, Piedicroce d'Orezza.**

CASTAGNO (Andrea del). ♦ **V.** ANDREA DEL CASTAGNO.

Castalia. ♦ Fontaine de Delphes*, au pied du Parnasse*. Elle tient son nom de la nymphe Castalia qui, selon la légende, s'y noya pour échapper à la poursuite d'Apollon*. L'eau de la fontaine, qui était fréquentée par les Muses*, inspirait les poètes.

Castel del Monte. *n. m.* ♦ Château construit près d'Àndria pour Frédéric II, empereur germanique (v. 1240). À la fois belvédère, forteresse et demeure princière, il présente une synthèse d'architecture arabe et de gothique cistercien dans la rigueur de son plan octogonal, tempérée par le raffinement des matériaux, de la décoration et de l'aménagement.

CASTELDURANTE. ♦ Anc. centre italien de céramique (auj. *Urbania,* près d'Urbino), réputé du XIIIe au XVIIe s. pour la décoration de plats creux et de pots.

CASTELFIDARDO. ♦ V. d'Italie (Marches), au S. d'Ancône. 12 000 hab. Fabrique d'instruments de musique. ♦ *Hist.* En 1860, les troupes piémontaises de Cialdini affrontèrent victorieusement l'armée pontificale de Lamoricière, entraînant l'annexion des Marches et de l'Ombrie au royaume de Victor-Emmanuel II.

CASTEL GANDOLFO. ♦ Comm. d'Italie (Latium), sur le lac d'Albano. 4 500 hab. Centre touristique (église, villa Barberini due au Bernin, palais pontifical). Résidence d'été du pape.

CASTELJALOUX. ♦ Ch.-l. de cant. du Lot*-et-Garonne, (arr. de Nérac*), sur l'Avance. 5 567 hab. *(Casteljalousains).* Église du XVIIIe s., ancienne commanderie des Templiers (mairie) ; ruines du château des sires d'Albret ; maisons en bois à encorbellements. Aux environs, une résurgence de l'Avance alimente une papeterie et une forge. Fonderies, scieries.

Arch. Smeets

B. Castiglione, par Raphaël. (Musée du Louvre, Paris.)

CASTELLAMARE DI STABIA. ♦ V. et port d'Italie (Campanie), entre la baie de Naples et la presqu'île de Sorrente. 65 000 hab. Eaux sulfureuses, chantiers navals.

CASTELLANE (Victor Boniface, *comte de***).** ♦ Maréchal de France (Paris, 1788 – Lyon, 1862). Élevé à la dignité de pair de France (1837), après avoir participé aux campagnes de l'Empire et à l'expédition d'Espagne (1823), il soutint le coup d'État de Louis Napoléon, qui le fit sénateur et maréchal de France (1852).

CASTELLANE. ♦ Sous-préf. des Alpes* de Haute-Provence, ch.-l. d'arr. (6 cant., 44 comm., 7 038 hab.) sur le Verdon*, au pied d'un rocher haut de 180 m, 1 149 hab. *(Castellanais).* Église Saint-Victor, clocher du XIIIe s., chapelle du XVIIIe s., restes d'une enceinte médiévale. Aux environs, barrage de Castillon*. Centre touristique, à proximité des gorges du Verdon.

CASTELLANI (Aldo). ♦ Médecin italien (né à Florence, 1877). Il découvrit le trypanosome de la maladie du sommeil (1900), l'agent pathogène du pian, maladie contagieuse des pays tropicaux (1903), et étudia la broncho-spirochétose hémorragique (*maladie de Castellani,* 1905).

CASTELLION, dit *aussi* **Castalion** et **Châteillon (Sébastien).** ♦ Humaniste français (Saint-Martin-du-Fresne, dans le Bugey, 1515 – Bâle, 1563). Protestant, il rencontra Calvin à Strasbourg (1540) et accepta, sur ses instances, un poste de régent au collège de Genève (1541). En 1544, à la suite de différends sur la canonicité du *Cantique des Cantiques* et sur la descente du Christ aux enfers, il quitta Genève pour Bâle où il enseigna le grec. Il traduisit la Bible en latin (1551) et en français (1555). Il est considéré comme l'auteur d'un manifeste pour la tolérance (*De haereticis,* 1554) paru après le supplice de Servet, sous le pseudonyme de Martinus Bellius. Il répondit avec modération aux attaques de Calvin et de Théodore de Bèze, notamment dans une apologie personnelle (*Defensio...,* 1558).

CASTELLÓN DE LA PLANA. ♦ V. d'Espagne. Ch.-l. de prov. près de la côte du Levant*, à 4 km du *golfe de Valence.* 70 400 hab. Grand commerce d'oranges (3/4 de la production espagnole, avec la prov. de Valence), de caroubes, d'oignons, exportés par le port de Grao. — *La prov. de Castellón* (6 679 km², 344 000 hab.), est l'une des plus riches du Levant.

CASTELLORIZO. ♦ Îlot de la Grèce (Dodécanèse), tout près de la côte S. d'Asie Mineure; 600 hab. Citadelle médiévale; port fortifié. — Il appartint aux chevaliers de Rhodes, puis il passa successivement à la Turquie, à l'Italie (1918) et à la Grèce (1947).

CASTELMORON-SUR-LOT. ♦ Ch.-l. de cant. du Lot*-et-Garonne, arr. de Marmande*, 1 547 hab. *(Castelmoronnais).* Primeurs, fruits, conserves de légumes.

CASTELNAU (*le Bienheureux,* **Pierre** *de*). ♦ Religieux français ([mort] Saint-Gilles, près de Nîmes, 1208). Moine cistercien, il fut légat du pape Innocent III pour combattre l'hérésie albigeoise et fut assassiné sur les terres de Raymond VI, comte de Toulouse.

CASTELNAU (Édouard de CURIÈRES *de***).** ♦ Général français (Saint-Affrique, 1851 – Montastruc-la-Conseillère, 1944). Sorti de Saint-Cyr, il participa à la guerre franco-allemande (1870-1871). Nommé sous-chef d'état-major de l'armée, puis membre du Conseil supérieur de la guerre (1911), il livra la bataille de Morhange (août 1914) et contribua à sauver Nancy. Il prit ensuite la direction de la bataille de Champagne (sept. 1915) et devint l'adjoint de Joffre*; les conseils qu'il donna pour la bataille de Verdun (1916) permirent de conserver la rive droite de la Meuse. Élu député (1919), il participa à la réorganisation militaire de la France et, représentant de l'extrême droite catholique, fonda la Fédération nationale catholique.

CASTELNAUDARY. ♦ Ch.-l. de cant. de l'Aude* (arr. de Carcassonne*), sur une colline dominant le canal du Midi. 10 844 hab. (*Castelnaudariens* ou *Chauriens*). Église Saint-Michel des XIIIe et XIVe s. (gothique méridional). Chapelle Notre-Dame-de-la-Pitié (pietà en pierre du XVIe s.). — Indus. de la céramique. Conserveries; cassoulet. Distilleries. Confection. Matières plastiques. — Patrie de P. de Castelnau, de F. A. Andréossy, d'A. Soumet, du général Laperrine. ♦ *Hist.* La ville fut annexée à la France après la guerre des albigeois. En 1632 le duc de Montmorency y fut battu par Louis XIII.

CASTELNAU-DE-MÉDOC. ♦ Ch.-l. de cant. de la Gironde*, arr. de Bordeaux. 1 573 hab. *(Castelnaudais).* Église du XVIe siècle. Vins de Bordeaux.

CASTELNAU-LE-LEZ. ♦ Comm. de l'Hérault dans l'agglomération de Montpellier. 8 237 hab.

CASTELNUOVO (Guido). ♦ Mathématicien italien (Venise, 1865 – Rome, 1952). Auteur de travaux sur la théorie des fonctions algébriques de plusieurs variables et en géométrie supérieure, il poursuivit l'étude géométrique des surfaces algébriques entreprise par Enriques*. **V.** *aussi* **Severi.**

CASTELNUOVO-TEDESCO (Mario). ♦ Compositeur italien (Florence, 1895). Installé aux États-Unis depuis la Deuxième Guerre mondiale, il a composé des opéras sur des livrets tirés de Shakespeare (*Le Marchand de Venise,* 1956) et mis en musique des poèmes. On lui doit de la musique de chambre, des concertos pour violon et un concerto pour guitare et orchestre.

CASTELO BRANCO (Camilo). ♦ Écrivain portugais (Lisbonne, 1825 – São Miguel de Ceide, 1890). Il fut l'un des maîtres du roman réaliste. Ses œuvres sont remplies d'observations impitoyables sur les milieux et les mœurs de son temps. On peut citer *Anathème*

Ph. Louis Monier

Castille.

(1851), *Amour de perdition* (1862), *Nouvelles du Minho* (1875), *La Brésilienne de Prazino* (1882). On a comparé Castelo Branco à Balzac pour le réalisme dramatique de ses romans, servis en outre par une langue et un vocabulaire d'une savoureuse richesse.

CASTELO BRANCO. ♦ V. du Portugal. Ch.-l. de district dans la Beira Baixa. 17 620 hab. Marché agricole, indus. textiles.

CASTELSARRASIN. ♦ Sous-préf. du Tarn*-et-Garonne, ch.-l. d'arr. (10 cant. 103 comm. 70 929 hab.), sur le canal latéral à la Garonne. 12 571 hab. (7 912 aggl.) [*Castelsarrasinois*]. À 5 km, anc. camp des Vandales*. Église fin XIIIe s. — Fonderie de cuivre. Métallurgie. Entrepôt des Tabacs. Fruits et primeurs.

CASTELVETRANO. ♦ V. d'Italie insulaire, en Sicile (prov. de Trapani). 31 000 hab. Gisements de méthane. Nœud ferroviaire.

CASTERET (Norbert). ♦ Spéléologue et écrivain français (Saint-Martory, Haute-Garonne, 1897). Il a exploré plus de 2 000 grottes et abîmes (gouffres de la Pierre-Saint-Martin, de la Henne-Morte, Martel, Frégato) et découvert plusieurs sites préhistoriques (cité gallo-romaine de Calaguris, 1922; gravures et peintures des grottes d'Alguerdi, 1929; de Labastide-de-Neste, 1930). Il détermina la source de la Garonne.

CASTERLÉ, en néerl. **Kasterlee.** ♦ V. de Belgique (Anvers) arr. de Turnhout. 5 000 hab. Minoteries. Taille du diamant.

CASTETS [kastɛs]. ♦ Ch.-l. de cant. des Landes*, arr. de Dax*. 1 494 hab. *(Castésiens).* Indus. du bois.

CASTEX (Raoul). ♦ Amiral et théoricien militaire français (Saint-Omer, 1878 – Villeneuve-de-Rivière, 1968). Commandant de l'École de guerre navale (1933) puis du Centre des hautes études navales (1935). Il publia en 1927 ses *Théories stratégiques* qui lui valurent la renommée et fut nommé premier directeur du Centre des hautes études de défense nationale et inspecteur des forces maritimes (1937).

CASTI (Giovanni Battista). ♦ Écrivain italien (Acquapendente, Viterbe, 1724 – Paris, 1803). Abbé à l'esprit fantaisiste et spirituel, il séjourna à Pétersbourg, auprès de Catherine II (1778-1784), visita Constantinople, puis fut nommé « poète de cour » par François Ier à Vienne (1790), avant de finir ses jours à Paris. Ses quarante-huit *Nouvelles galantes* (*Novelle Galanti,* en octaves; 1793-1803), volontiers licencieuses, abondent en traits satiriques contre les mœurs de son temps. Le poème héroï-comique en vingt-six chants *Les Animaux parlants* (*Gli Animali parlanti,* 1802) contient aussi une satire des mœurs de la cour et de la politique.

CASTIGLIONE (Baldassare ou **Baldesar).** ♦ Écrivain italien (près de Mantoue, 1478 – Tolède, 1529). Gentilhomme accompli, artiste et littérateur, il vécut à la cour des marquis de Mantoue, puis des ducs d'Urbino, pour lesquels il accomplit plusieurs missions diplomatiques. — Auteur de *Poésies (Rime)* en latin et en italien, il donna avec *Le Parfait Courtisan* (*Il Cortegiano,* 1508 à 1516; imprimé en 1528) un ouvrage très caractéristique de la Renaissance italienne. En quatre soirées de conversations auxquelles participent Raphaël* et Bembo*, avec lesquels Castiglione s'était lié, sont exposés les usages qu'il convient de respecter au sein d'une société où le raffinement des manières est à l'image de l'élégance de la pensée et du goût (milieu raffiné, inspiré par la cour de Federigo III Montefettro à Urbino). Cette œuvre, traduite en toutes les langues, eut une influence considérable en Europe et contribua à fixer la notion de l' « honnête homme », exaltée en France au XVIIe siècle. — (Portrait par Raphaël, au Louvre.)

CASTIGLIONE DELLE STIVIERE. ♦ V. d'Italie, en Lombardie (prov. de Mantoue). 9 000 hab. ♦ *Hist.* Napoléon y vainquit les Autrichiens, qui, venus par le col du Brenner, tentèrent vainement de dégager leurs troupes enfermées dans Mantoue (le 5 août 1796).

CASTILLE. *n. f.* ♦ Région du centre de l'Espagne. La Castille ou VIEILLE-CASTILLE *(Castilla la Vieja)* s'étend sur la partie N. du grand plateau de la *Meseta** et est formée des prov. d'Ávila, Burgos, Logroño, Palencia, Ségovie, Soria et Valladolid. 66 170 km², 2 210 000 hab. *Cap.* Burgos*. — *Orogr.* Le grand plateau arasé de la *Meseta* (7 à 800 m d'alt.) occupe la majeure partie de la région. Il correspond à la vallée ou «conque» du Douro et est fermé au S. par les sierras de la Cordillère centrale (Gata, Grados, Guadarrama) séparant la Vieille de la Nouvelle-Castille. *V. princ.* Ávila*, Burgos*, Logroño*, Medina* del Campo, Palencia, Ponteferrada*, Ségovie*, Soria* et Valladolid*. – *Écon.* Ces campagnes désolées, au climat rude, ont pour ressources essentielles la culture du blé pratiquée en assolement biennal et l'élevage ovin. La région de Soria, sableuse, est plantée de pins. La vigne est cultivée au S.-E. de Zamora* *(Tierra de Vino),* au N. de Valladolid *(Tierra de Campos)* et près de Logroño (Rioja). L'irrigation a permis la culture extensive des céréales au fond des vallées. C'est une région de petites propriétés (sauf dans la région de Salamanque). L'indus. textile traditionnelle se perpétue à Burgos (rayonne). On extrait la houille et l'anthracite dans le N. Le fer de Ponteferrada alimente la métallurgie de Santander et de Valladolid. L'énergie hydroélectrique du Duero et de l'Esla a favorisé le développement industriel de Burgos. – NOUVELLE-CASTILLE, en esp. *Castilla la Nueva.* Partie méridionale de l'anc. prov., limitée au N. par la Cordillère centrale, à l'E. par la chaîne ibérique*, au S. par la sierra Morena*, et à l'O. par l'Estrémadure*. Elle s'étend sur la partie méridionale de la *Meseta** et comprend les bassins supérieurs du Tage et du Guadiana (Manche). 72 363 km², 4 462 000 hab. *Cap.* Madrid. Elle est formée des prov. de Ciudad* Real, Cuenca*, Guadalajara*, Madrid* et Tolède*. – *Orogr.* À l'O., un haut plateau rocheux entaillé par les vallées du Tage et du Guadiana, coupe en deux par les monts de Tolède. Au N., s'isole une zone de *páramos* (plateaux calcaires découpés en corniche), et au S.-E. la *Manche** est une haute plaine calcaire très plate. *V. princ.* Almadén*, Aranjuez*, Ciudad Real, Cuenca, Guadalajara*, Madrid*, Puertollano*, Tolède*, Valdepeñas*. – *Écon.* La région est essentiellement rurale. Sur les plateaux arides, on cultive du blé et on élève des ovins, alors que dans les régions irriguées s'est développée la culture intensive de l'olivier (Ciudad Real) et de la vigne (Valdepeñas). Le secteur industriel est encore peu développé. Le charbon de Puertollano a favorisé l'essor de la carbochimie, d'indus. chimiques et mécaniques, mais seules, Tolède, et surtout Madrid, sont d'importants centres industriels. ♦ Hist. *La Vieille-Castille* fit d'abord partie du royaume de *León* et devint indépendante au xe siècle. La région fut toujours fortement défendue contre les Maures, notamment par le système fortifié *(Castella)* d'où la *Castille* tire son nom. Annexée au royaume navarrais de Sanche* III, qui la donna à son fils Ferdinand* Ier, elle prit alors le nom de *royaume de Castille.* Peu à peu, les rois de Castille étendirent leurs possessions en repoussant les Maures et annexèrent au XIIIe s. les territoires qui formèrent la *Nouvelle-Castille* (Tolède, Séville et Cadix). Pendant des siècles, le royaume fut plongé dans l'anarchie. Mais le mariage d'Isabelle* de Castille et de Ferdinand* d'Aragon (1479) réalisa l'union des deux royaumes et soumit l'Espagne à une autorité unique.

CASTILLEJO (Cristóbal *de*). ♦ Poète espagnol (Ciudad Real, 1490 – Vienne, 1550). Il s'opposa par ses écrits à l'introduction des modes italiennes dans la poésie espagnole **(V. Boscán).** Ses œuvres morales et religieuses *(Dialogue et Discours de la vie de cour)* mêlent les idées médiévales à l'esprit de la Renaissance.

CASTILLON. ♦ Localité des Alpes*-de-Haute-Provence sur le Verdon*, près de Castellane* et de Saint*-André-les-Alpes. Barrage sur le Verdon avec un réservoir de 150 millions de m³. La centrale électrique produit 78 millions de kWh par an.

CASTILLON-LA-BATAILLE. ♦ Ch.-l. de cant. de la Gironde*, arr. de Libourne*, sur la Dordogne*. 3 102 hab. *(Castillonnais).* ♦ *Hist.* Charles* VII chassa les Anglais de Guyenne en 1543 et Talbot* y fut tué.

CASTILLONNÈS. ♦ Ch.-l. de cant. du Lot*-et-Garonne, arr. de Villeneuve*-sur-Lot. 1 517 hab. Ancienne bastide du XIIIe siècle.

CASTLEREAGH (Henry Robert Stewart, *vicomte* **Castlereagh** et *2e marquis de* **Londonderry).** ♦ Homme politique britannique (Mount Stewart, Down, 1769 – North Craig, Kent, 1822). Élu au Parlement irlandais en 1790 et à la Chambre des communes en 1794, il fut nommé secrétaire de l'Administration irlandaise en 1798. Il se prononça rapidement pour l'intégration de son pays à la Grande-Bretagne. Ministre de la Guerre (1805-1806 et 1807-1809), il comprit l'importance de l'engagement anglais en Espagne mais mit l'armée en difficulté à Walcheren (1809) et dut démissionner sous les attaques de Canning*. En 1812, nommé ministre des Affaires étrangères, il consolida la coalition européenne contre Napoléon et participa au congrès de Vienne*. Très autoritaire sur le plan de la politique intérieure, il combattit violemment l'opposition radicale entre 1816 et 1819 mais ne pouvant supporter les haines qu'il s'était attirées, il se suicida.

CASTOR et **POLLUX,** en gr. **Kastôr, Poludeukês.** ♦ Fils jumeaux de Zeus* et de Léda*, dits les *Dioscures* (en gr. *Dioskouroi* « fils de Zeus »), frères d'Hélène* et frères utérins de Clytemnestre*. Selon une autre version, l'un seulement Pollux, était né des amours de Léda et de Zeus (donc immortel), tandis que Castor était fils du roi de Sparte Tyndare*, époux de Léda. Inséparables, les deux frères participèrent à la lutte de Sparte contre Athènes, à l'expédition des Argonautes* et à d'autres aventures. Castor tué dans un combat, Pollux partage avec lui son immortalité. Ils ont été placés parmi les constellations sous le nom de Gémeaux*.

Castor et Pollux. ♦ Tragédie lyrique composée par J.-Ph. Rameau* (1737).

CASTRACANI. ♦ V. CASTRUCCIO CASTRACANI.

CASTRÉN (Mathias Alexander). ♦ Philologue et ethnologue finlandais (Tervola, 1813 – Helsinki, 1852). Il explora la Finlande, la Laponie, la Sibérie, la Chine, et s'intéressa particulièrement aux tribus Ostiaks et Samoyèdes dont il étudia les dialectes (*Grammaire de la langue ostiaque,* 1849).

CASTRES. ♦ Sous-préf. du Tarn*, ch.-l. d'arr. (19 cant. 154 comm. 176 016 hab.), sur l'Agout. 49 920 hab. *(Castrais).* Églises XVIIe-XVIIIe s., hôtel de ville (anc. évêché) construit par Mansart*, jardin tracé par Le* Nôtre, musée Goya. Indus. textiles, indus. plastique, constructions mécaniques, indus. du bois. – Patrie de Ch. Blanc*, A. Dacier*, J. Jaurès*, A. Sabatier* de Castres, P.P. Sirven*. ♦ *Hist.* Camp romain à l'origine, puis comté qui fit partie de la maison d'Armagnac, Castres fut intégré au royaume de France en 1519.

CASTRIES [kastʀ] **(Charles Eugène Gabriel de La Croix,** *marquis de***).** ♦ Maréchal de France (Castries, 1727 – Walfenbüttel, 1801). Lieutenant général de la cavalerie pendant la guerre de Sept* Ans, il joua un grand rôle à la bataille de Rossbach*, dont il faillit assurer le succès. Ministre de la Marine (1780), puis gouverneur de Flandre et du Hainaut, il fut député à l'Assemblée des notables et s'y fit remarquer par son hostilité à toute réforme. Il combattit dans l'armée de l'émigration aux côtés de la Prusse (invasion de la Champagne, 1792).

CASTRIES. ♦ Ch.-l. de cant. de l'Hérault, arr. de Montpellier. 2 078 hab. Anc. église romane. Aqueduc. Château (1560-1570), incendié par les protestants (1622), restauré au XVIIe siècle. – Patrie du naturaliste Coste, du maréchal de Castries. ♦ *Hist.* La ville fut le siège de l'une des baronnies du Languedoc*.

CASTRO (Inés *de*). ♦ **V.** INÉS DE CASTRO.

CASTRO (João *de*). ♦ Capitaine et administrateur portugais (Lisbonne, 1500 – Goa, 1548). Surnommé par Camoens «le vaillant Castro» (*Lusiades,* Liv. I), il explora la mer Rouge (1541) avant d'être nommé vice-roi des Indes (1545) et de contribuer à l'extension de l'empire colonial portugais avec la prise de Diu* (1546-1547). Dans ses relations de voyage *(Roteiros)* il a étudié les courants, les moussons, les marées, etc. et apparaît ainsi comme un des précurseurs de l'océanographie.

CASTRO (Josué *de*). ♦ Économiste brésilien (Recife, 1908 – Paris, 1973). Président de l'Association mondiale contre la faim, il a notamment publié *Géopolitique de la faim* (1952), *Le Nordeste du Brésil* (1965).

CASTRO (Fidel). ♦ Révolutionnaire et homme d'État cubain (Santiago de Cuba, 1927). Étudiant en droit à La Havane, il fut expulsé à deux reprises en raison de son activité révolutionnaire. En 1956, il débarqua avec des partisans à Cuba, organisa avec Che Guevara* la guerre de guérilla dans la sierra Maestra. Il prit le pouvoir après la chute de Batista* (1959), s'orienta vers le marxisme-léninisme (1961), se rapprochant ainsi de l'U.R.S.S., tout en cherchant à affirmer l'originalité de la révolution cubaine. L'édification du socialisme à Cuba* (réforme agraire, planification de l'économie, lutte contre l'analphabétisme, pour l'hygiène, etc.) ne se fit pas sans difficultés extérieures (blocus américain) et intérieures (lutte contre la corruption, l'absentéisme, etc.) qui entraînèrent des mesures autoritaires et répressives à l'égard des opposants.

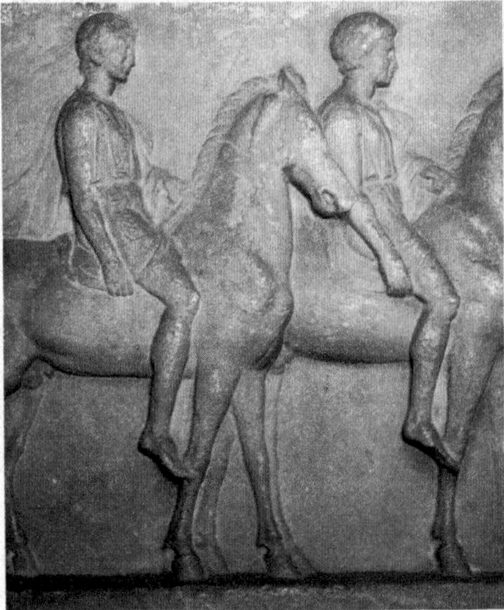

Ph. Carlo Bevilacqua/Ricciarini

Castor et Pollux, art grec ~ 400. (British Museum, Londres.)

CASTROP-RAUXEL. ♦ V. d'Allemagne occidentale (Rhénanie-du-Nord-Westphalie), dans la partie orientale de la Ruhr. 87 910 hab. Église romano-gothique Saint-Lambert (XIIIe s.). – Centre industriel (houillères, métallurgie, chimie).

CASTRO Y BELLVÍS (Guilhem ou **Guillén** *de*). ♦ Auteur dramatique espagnol (Valence, 1569 – Madrid, 1631). Officier de cavalerie, il se consacra au théâtre et dut sa réputation à deux épopées dramatiques inspirées par le personnage légendaire du Cid Campeador : *Les Enfances du Cid* (*Las Mocedades del Cid,* 1618) et *Les Entreprises de jeunesse du Cid* (*Las Hazañas del Cid,* de la même année). Corneille* a retenu les données de la première pour composer *Le Cid.*

CASTRUCCIO CASTRACANI degli Antelmi Nelli. ♦ Homme politique italien (Lucques, 1280 – *id.,* 1328). Il combattit en France, en Angleterre et en Lombardie puis rentra à Lucques* en 1320, battit Florence (1325) et reçut le titre de duc de Lucques de l'empereur germanique Louis de Bavière (1327). Machiavel a écrit sa vie.

Catalauniques *(champs).* ♦ Plaine située près de Troyes *(Campus Mauriacus)* où Aetius* à la tête d'une coalition de Francs **(V. Mérovée),** de Burgondes et de Wisigoths **(V. Théodoric Ier)** vainquit Attila*, roi des Huns (451).

ÇATAL HÖYÜK. ♦ Site préhistorique de Turquie (Anatolie) à 50 km de Konya. Des fouilles récentes ont mis au jour une ville datant du néolithique ancien dans un excellent état de conservation. Cette découverte a fourni une documentation d'une grande importance sur l'habitat, l'art et la religion de cette période. Les peintures murales y sont particulièrement remarquables : fresques monochromes ou polychromes en rose, rouge, blanc et noir à dessins géométriques ou à compositions naturalistes (actuellement au musée hittite d'Ankara).

CATALOGNE [*n. f.*], en esp. **Cataluña,** en catalan **Catalunya.** ♦ Région historique de l'Espagne du N.-E., formée des prov. de Barcelone, Gérone, Lérida et Tarragone. 31 390 km², 4 195 000 hab. *(Catalans). Langues :* catalan, espagnol. – *Orogr.* Le relief n'est pas unifié, mais on peut cependant isoler du N. au S. trois grands ensembles. La zone pyrénéenne formant une chaîne transversale, s'étendant de l'E. du massif de la Maladetta* (sierras de Montesch, de Cadi : 2 500 m), à la Méditerranée (Catalanides), est coupée de bassins (Cerdagne*, conca de Tremp). La zone centrale correspond aux terrasses alluviales de la basse vallée de l'Èbre et au bassin du Segre. La partie littorale, très abrupte, s'étend de l'Ampurdán à l'Èbre. Des sierras intérieures s'étendent sur 250 km (Montseny, 1 704 m; Montserrat*, 1 224 m) et se terminent au-dessus de la Méditerranée par la *Costa Brava.* Ces cordillères sont coupées de vallées (Ter, Llobregat, Èbre) et de bassins d'effondrement (Ampurdán, Vallés, Panadés, Campo de Tarragone). *V. princ.* Baladona, Balaguer, Barcelone*, Gérone*, Hospitalet*, Lérida*, Mansera, Mataró, Port-Bou*, Puigcerda*, Sabadell*, Seo* de Urgel, Tarragone*, Tortosa*. – *Écon.* Les productions agricoles varient selon les régions. La montagne vit de cultures fourragères et de l'élevage bovin. On cultive légumes et primeurs dans le bassin de l'Èbre, bien irrigué, et sur le littoral au N. de Barcelone. La vallée du Llobregat délimite le domaine des cultures méditerranéennes (olivier, vigne), et maraîchères. L'activité commerciale et industrielle est très ancienne (XVIIIe s.) et emploie la moitié de la population catalane. Aussi l'immigration est-elle très forte. L'indus. textile est la plus importante : travail du coton dans la vallée du Llobregat, de la laine à Barcelone, Tarrasa et Sabadell. La métallurgie de transformation et la chimie se localisent le long du littoral (Baladona, Mataró, Barcelone). Barcelone et le delta du Llobregat sont les centres principaux de l'indus. catalane. Le tourisme est particulièrement développé sur le littoral *(Costa* Brava).* ♦ *Hist.* Conquise au ~ IIIe s. par les Carthaginois, la Catalogne devint au siècle suivant une province romaine, puis fut occupée au Ve s. par les Wisigoths *(Gothalonia).* Les Arabes s'en emparèrent en 712, mais Charlemagne la reconquit et en fit une marche de l'Empire franc (IXe s.). Au Xe s., les *comtes de Catalogne* se rendirent indépendants et résistèrent avec succès à la poussée des Maures. Par le mariage de Raimond* Bérenger Ier et de Douce, héritière de Provence, la Catalogne fut réunie à la Provence (1113-1245), puis à l'Aragon (1137). Engagés dans une politique commerciale méditerranéenne, les Catalans firent passer sous leur autorité les Baléares, le royaume de Valence, la Sicile et la Sardaigne (XIIIe-XIVe s.). Ce fut, pour le pays, une époque de grand épanouissement matériel, littéraire et spirituel. La dynastie catalane d'Aragon s'éteignit au XVIe s., la Catalogne supporta mal la nouvelle autorité castillane. L'Espagne unifiée se tourna vers l'Amérique, et la Catalogne se replia sur elle-même, développant son particularisme. Au XIXe s., elle devint la province la plus industrialisée d'Espagne tandis que le *catalanisme,* après s'être exprimé par des sympathies carlistes*, devenait le problème majeur de la politique espagnole. Cette volonté d'autonomie donna naissance à des partis catalans : *l'Esquerra republicana* proclama en 1931 la *République catalane,* qui obtint un statut d'autonomie. Les forces de gauche y furent toujours très puissantes et Barcelone (prise en janv. 1939) fut le dernier bastion des armées républicaines. Après la victoire de Franco, la Catalogne perdit ses franchises : l'opposition au régime s'y appuie sur le nationalisme et le particularisme y est soutenu par la langue catalane, très vivante.

CATAMARCA. ♦ V. du N.-O. de l'Argentine, ch.-l. de province

Ph. Hétier

Château **cathare** de Puivert (Aude).

situé dans une oasis au pied de la cordillère des Andes. 49 300 hab. Centre de pèlerinage. Industries alimentaires. Centre industriel (or, cuivre). – La *province de Catamarca* située aux confins du Chili dont elle est séparée par la cordillère des Andes* entre les prov. de Salta* et de Tucumán* au N. et La* Rioja au S. est dominée à l'O. par la sierra de Aconquija (6 959 m) et traversée au S.-E. par les Salinas* Grandes. 99 818 km². 193 000 hab. Région aride et peu active. Vignobles ; fruits.

CATANE, en it. **Catania.** ♦ V. d'Italie, en Sicile. Ch.-l. de la prov. homonyme. 390 000 hab. Indus. chimiques (raffineries de soufre), port important (le deuxième de Sicile). – Évêché, université. Patrie de V. Bellini*. ♦ *Hist.* Dévastée par le tremblement de terre de 1693, la ville a été reconstruite au XVIIIe s. selon un plan quadrangulaire.

CATANZARO. ♦ V. d'Italie, en Calabre*. 79 000 hab. Tissages de soie.

CATEAU (Le), anc. **Le Cateau-Cambrésis.** ♦ Ch.-l. de cant. du Nord*, arr. de Cambrai*, dans le Cambrésis*, sur la Selle. 9 314 hab. *(Catésiens).* Église baroque (XVIIe s.); anc. palais des évêques de Cambrai (XVIIe-XVIIIe s.); hôtel de ville (XVIe s.), beffroi (XIIe et XVIIIe s.). – Tissages de la laine, fonderie, carrelage, chaudronnerie. – Patrie de H. Matisse* (musée), de A. Mortier*. ♦ *Hist.* Le 2 avril 1559, un traité y fut signé entre la France et l'Angleterre, par lequel la France conservait Calais, mais devait payer 500 000 écus en huit ans. Un autre traité y fut signé le 3 avril 1559 entre Henri II, roi de France et Philippe II, roi d'Espagne; il mettait fin aux guerres d'Italie, et laissait à la France Metz, Toul, Verdun, mais lui enlevait la Savoie et les principales villes du Piémont. Le duc de Savoie épousait Marguerite, sœur d'Henri II et Philippe II épousait Élisabeth de France, fille d'Henri II et de Catherine de Médicis.

Catégories *(les).* ♦ Traité logique d'Aristote*. Par ce terme (cf. Catégorie, 1°, *in* Robert), le philosophe entend les attributions générales des êtres. Ce traité fut souvent commenté par les néoplatoniciens (Porphyre*, Simplicius*) et au Moyen Âge lors de la querelle des Universaux qui opposa nominalistes et réalistes.

Cathares, *n. m. pl.* (grec **catharos,** « pur »). ♦ Secte néomanichéenne répandue aux XIe-XIIIe s. en Lombardie et Italie centrale, en Rhénanie, en Catalogne, en Champagne et Bourgogne, et surtout dans le midi de la France (Albi, Toulouse, Carcassonne), **V. Albigeois.** Leur doctrine emprunte à la fois au manichéisme ancien et au christianisme. On distingue les dualistes mitigés pour qui le diable est une créature de Dieu révoltée, les âmes étant libres du bien ou du mal, et les dualistes absolus (dont les albigeois) pour qui le principe du mal est éternel et pour qui il n'y a point de libre arbitre. Le principal rite cathare était le *consolament (consolamentum),* administré par les *parfaits* ou *bonshommes ;* il correspondait à l'ensemble des sacrements, notamment à l'entrée dans l'Église et, à l'article de la mort, à l'extrême-onction. Il y avait une certaine organisation ecclésiastique et en 1167 un concile cathare se tint à St-Félix-de-Caraman (Hte-Garonne) sous la direction d'un « pape » byzantin, Nicetas. L'austérité morale des cathares, contrastant avec l'opulence et le relâchement du clergé catholique, leur assura grand succès. L'Église les combattit par la prédication (saint Bernard, Pierre le Vénérable, saint Dominique*) puis par la répression (croisade contre les albigeois, Inquisition*). Les seuls docteurs cathares dont les traités aient subsisté sont Bartholomé de Carcassonne et Jean de Lugio. Les cathares sont peut-être issus des bogomiles* bulgares (d'où leur surnom de « bougres »); il faut les distinguer nettement des vaudois **(V. Vau-**

Ph. Pedrocchi/Ricciarini

A. Cauchy : gravure du XIXe s.

dès Pierre) et des patarins italiens (**V. Pataria**) que l'Église engloba dans la même répression.

CATHAY [kɑtɛ] *n. m.* ♦ Nom donné par Marco Polo à la Chine du Nord, d'après les populations mongoles des *Khitan** qui y demeuraient à son époque.

CATHELINEAU (Jacques). ♦ Chef vendéen (Le Pin-en-Mauges, Anjou, 1759 – Saint-Florent-le-Vieil, 1793). Fils d'un maçon, il exerça lui-même cette profession avant de devenir colporteur. Sacristain de la paroisse de sa commune, il fut surnommé le Saint de l'Anjou. Il fut, avec Bonchamp, d'Elbée et La Rochejaquelein, l'un des principaux chefs de l'insurrection vendéenne. Après avoir participé à plusieurs victoires (Chenillé, Cholet, Thouars, Parthenay, Fontenay, Saumur), il fut nommé généralissime de l'armée « catholique et royale », mais fut tué lors de l'attaque de Nantes.

CATHERINE (Sainte-Catherine-du-Sinaï). ♦ Monastère du mont Sinaï, sur la montagne Sainte-Catherine, à 1 570 m d'altitude. Fondé en l'an 530 par l'empereur Justinien, il possède une église byzantine et une riche collection de manuscrits grecs et arabes. Le *Codex Sinaïticus,* bible du IVe s., aujourd'hui à Londres, y fut découvert en 1859.

CATHERINE Ire. ♦ (1684 – Saint-Pétersbourg, 1727). Impératrice de Russie (1725-1727). Livonienne d'humble origine, elle fut la maîtresse de Menchikov*, puis du tsar Pierre* Ier le Grand qui l'épousa secrètement en 1707 et publiquement en 1712. Couronnée impératrice en 1724, elle succéda à son mari en 1725, avec l'appui de Menchikov, au détriment de Pierre* II qu'elle désigna comme son successeur. Fondatrice de l'Académie des sciences de Saint-Pétersbourg, elle est la mère d'Élisabeth* Petrovna.

CATHERINE II la Grande. ♦ (Stettin, auj. Szczecin, 1729 – Saint-Pétersbourg, 1796). Impératrice de Russie (1762-1796). Princesse allemande, née Sophie d'Anhalt-Zerbst, convertie à l'orthodoxie et rebaptisée Iekaterina (Catherine) Alexeïevna (1744), elle épousa en 1745 le futur Pierre* III. Amie de Diderot, Voltaire, Grimm, d'Alembert, d'une grande intelligence face à un mari débile qui menaçait de la répudier à cause de ses mœurs dissolues, elle s'empara du trône à la faveur d'un coup d'État militaire (juin 1762). Après celui de Pierre* le Grand (dont elle fit ériger la statue équestre par Falconet* à Saint-Pétersbourg – auj. Leningrad) son règne est le plus remarquable de l'histoire de la Russie. Dès son avènement, Catherine II, qui voulait régner en « despote eclairé », s'attacha à affermir son pouvoir (l'ex-tsar Ivan* VI fut assassiné) et sa politique intérieure constitua le prélude des réformes de la seconde moitié du règne. En 1764, l'unification législative et administrative de l'Empire entraîna la suppression de l'autonomie ukrainienne et la sécularisation du clergé. La grande commission réunie en 1767, et composée de représentants de toutes les classes de la société (à l'exclusion des serfs : 50 % de la population) pour la rédaction d'un projet de code, fut suspendue en 1768, sans résultat positif, malgré l'urgence des réformes. Pour ce projet de code, l'impératrice avait rédigé une « Instruction » (ou *Nakaz*) inspirée de Montesquieu* et de Beccaria*. Ces mesures réformistes, conjuguées au renforcement du joug féodal au profit de la noblesse, entraînèrent, sous la conduite de Pougatchev, une révolte de paysans (1773-1774) qui se solda par une répression méthodique et un renforcement du pouvoir autocratique. Catherine II entreprit une importante réforme administrative (1775) en divisant la Russie en cinquante gouvernements eux-mêmes subdivisés en districts et présidés par un maréchal de la noblesse; elle supprima les dernières libertés des cosaques Zaporogues et enfin par la Charte de la noblesse (1785), elle codifia les privilèges. Tandis que le sort des paysans allait en s'aggravant sous son règne, la politique extérieure était essentiellement dominée par les ambitions territoriales. En 1764, Catherine II imposa son ancien favori Stanislas* Poniatowski sur le trône de Pologne, où elle établit un semi-protectorat qui devait aboutir aux trois partages de la Pologne (1772, 1793, 1795 – **V. Pologne,** *Hist.*) et valut à la Russie une large façade sur l'Europe centrale. Parallèlement, les guerres russo-turques (1768-1774 et 1787-1792) durant lesquelles s'illustrèrent Potemkine* et Souvorov*, assurèrent à la Russie, après les traités de Kutchuk*-Kaïnardji (1774) et de Iaşi* (1792), la possession de la Crimée* (annexée en 1783) et le littoral de la mer Noire jusqu'au Dniestr, où furent aménagés les ports de Kherson*, Nikolaïev, Sébastopol*, Odessa*. Protectrice des lettres et des arts, Catherine II s'entoura d'artistes de talent, embellit Saint-Pétersbourg (**V. Leningrad**) de magnifiques palais, favorisa l'instruction et les mouvements littéraires auxquels elle prit une part active. La prospérité économique favorisée par la croissance de l'industrie, l'essor culturel et les succès extérieurs de son règne, firent de la Russie une puissance prépondérante en Europe. Son fils Paul* Ier lui succéda.

CATHERINE D'ALEXANDRIE *(sainte).* ♦ Vierge chrétienne qui aurait disputé victorieusement contre les philosophes païens et aurait subi le martyre sous Maxence (déb. IVe s.). C'est à elle que se rattachent les traditions médiévales sur l'habillage ou la coiffe de sainte Catherine (cf. Catherinette *in* Robert). Anciennement fêtée le 25 nov., elle a disparu du calendrier romain (1969).

CATHERINE D'ARAGON. ♦ (Alcalá de Henares, 1485 – Kimbolton Castle, 1536). Reine d'Angleterre. Fille de Ferdinand d'Aragon et d'Isabelle de Castille, elle avait épousé Arthur, fils aîné d'Henri VII, qui la laissa veuve quatre mois plus tard, et elle fut remariée au futur Henri* VIII. Elle lui donna cinq enfants dont seule survécut Marie* Tudor. Henri VIII, devenu l'amant d'Anne* Boleyn, demanda au pape la dissolution de son mariage. Le refus de Rome fut à l'origine du schisme anglais. Le divorce n'en fut pas moins prononcé (1533) et Catherine passa la fin de sa vie, dans l'austérité, au château de Kimbolton.

CATHERINE DE BOLOGNE *(sainte).* ♦ Mystique italienne (Bologne, 1413 – 1463), clarisse à Ferrare puis fondatrice du couvent du Saint-Sacrement à Bologne (1456), auteur du *Traité des sept armes spirituelles.* Fête le 9 mars.

CATHERINE DE GÊNES *(sainte).* ♦ Mystique italienne (Gênes 1447 – 1510), fille du vice-roi de Naples, Jacques Fieschi. Elle soigna les pestiférés à l'hôpital de Gênes (1490-1496). Auteur du *Dialogue* et du *Traité du purgatoire.* Fête le 15 septembre.

CATHERINE DE MÉDICIS. ♦ (Florence, 1519 – Blois, 1589). Reine de France. Fille de Laurent II de Médicis, duc d'Urbino, elle épousa le futur Henri* II (1533). Pendant le règne de son mari éclipsée par la favorite Diane de Poitiers*, elle n'eut qu'un rôle effacé, qui continua sous le court règne de François* II. Nommée régente à l'avènement de Charles* IX, elle montra tout de suite de grandes capacités politiques qui s'embarrassaient peu des moyens employés, dans une situation rendue difficile par les intrigues des partis. S'efforçant de préserver l'autorité monarchique, elle joua des Guise* catholiques et des Bourbons* protestants les uns contre les autres. Dépourvue elle-même de tout fanatisme, elle prit dès 1560 Michel de l'Hospital* pour ministre, et adopta sa politique de conciliation : après l'échec du colloque de Poissy* (1561), l'édit de Tolérance, puis la paix d'Amboise* (1563), furent accordés aux huguenots. Elle conclut avec eux la paix de Saint*-Germain (1570), favorisa le mariage de sa fille Marguerite* de Valois avec Henri* de Navarre. Elle s'inquiéta cependant bientôt de l'ascendant pris par Coligny* sur Charles IX, et laissa faire les instigateurs de la Saint*-Barthélemy (1572). Son influence décrut sous Henri* III. Protectrice des arts, elle poursuivit la construction du Louvre et commença celle des Tuileries.

CATHERINE DE SIENNE [*sainte*] **(Caterina Benincasa).** ♦ Mystique italienne (Sienne, 1347 – Rome, 1380), du tiers ordre de Saint-Dominique. Elle prêcha passionnément l'amour de Dieu, réunit un cercle de disciples, accomplit deux missions en Avignon et finit par convaincre Grégoire* IX de rentrer à Rome (1377). N'ayant pu empêcher le Grand Schisme* (1378), elle prit parti pour Urbain* VI. Elle raconta ses visions et ses extases dans le *Dialogue de la Divine Providence,* des lettres et des poèmes qui sont parmi les premières réussites de la littérature italienne. Fête le 29 avril.

CATHERINE DE SUÈDE *(sainte).* ♦ (v. 1330 – monastère de Vadstena, Suède, 1381). Fille de sainte Brigitte*, organisatrice et supérieure de l'ordre du Saint-Sauveur (brigittins) créé par sa mère auprès de qui elle avait longtemps vécu à Rome. Fête le 24 mars.

CATHERINE HOWARD. ♦ (v. 1522 – Londres, 1542). Reine d'Angleterre. Nièce de Thomas Howard, duc de Norfolk*, elle avait mené une jeunesse très libre quand Henri* VIII s'éprit d'elle. Il l'épousa en 1540. Après plus d'un an de mariage, sa conduite fut dénoncée par Cranmer* au roi qui la fit exécuter.

CATHERINE LABOURÉ [*sainte*] **(Zoé Labouré,** en religion). ♦ Religieuse française (Fain-les-Moutiers, Côte-d'Or, 1806 – Paris

1876). Entrée chez les Filles de la Charité, rue du Bac à Paris (1830), elle eut une vision de la Vierge, à l'origine de la dévotion à la « médaille miraculeuse ». Fête le 31 décembre.

CATHERINE PARR. ♦ (Kendal, 1512 – Sudeley Castle, 1548). Reine d'Angleterre. Elle épousa en troisième noce Henri* VIII dont elle devint la sixième femme. Son ardeur luthérienne la mit parfois en danger de mort au cours de ses discussions avec le roi. Elle se remaria, un mois après la mort de celui-ci, avec Thomas Seymour, frère de Jeanne*.

CATILINA, en lat. **Lucius Sergius Catilina.** ♦ Homme politique romain (v. ~ 108 – Pistoria [Pistoia*] ~ 62) de famille patricienne. Agent de Sylla* puis propréteur en Afrique en ~ 67, homme de main du parti populaire, il tenta, avec l'aide de quelques jeunes nobles ruinés comme lui, d'assassiner les deux consuls désignés pour ~ 65. Puis il brigua le consulat en ~ 63. Cicéron*, alors consul, l'interpella en plein Sénat. Catilina dut quitter Rome. Les conjurés furent exécutés et lui-même fut tué à Pistoria. Personnage mystérieux, il ne nous est connu que par ses adversaires, Cicéron *(Catilinaires)* et Salluste* *(Conjuration de Catilina)* qui font de lui le type même d'une jeunesse démoralisée et dépravée par les guerres civiles, prête à tout pour satisfaire ses ambitions.

Catilinaires. ♦ Nom donné à quatre harangues politiques prononcées par Cicéron*, alors consul, contre Catilina* en novembre et décembre ~ 63.

CATINAT (Nicolas). ♦ Maréchal de France (Paris, 1637 – St-Gratien, 1712). Il s'illustra en Italie contre le duc de Savoie (Staffarde, 1690; La Marsaille, 1693), mais, faute de subsides, fut vaincu par le prince Eugène* lors d'une nouvelle expédition (Carpi, 1701). Il fut un des plus habiles capitaines du règne de Louis* XIV et se distingua par son humanité.

CATON, dit **l'Ancien** ou **le Censeur**, en lat. **Marcus Porcius Cato.** ♦ Homme politique romain (Tusculum ~ 234 – ~ 149). Censeur en ~ 184, il lutta contre le luxe et combattit la culture et les mœurs helléniques qui lui paraissaient porter atteinte aux vertus traditionnelles qui avaient fait la puissance de Rome. Il contribua notamment à la condamnation de Scipion l'Asiatique, frère de Scipion* l'Africain. Envoyé en ambassade à Carthage* à la fin de sa vie et très impressionné par sa prospérité, il joua un rôle dans la troisième guerre Punique par ses discours, auxquels il ajoutait invariablement la formule *« Delenda quoque Carthago » (et en outre, il faut détruire Carthage). — Note litt.* De son œuvre littéraire, il ne nous est parvenu, outre des discours, que quelques fragments d'une histoire romaine *(Origines)* et un traité d'agriculture *(De agri cultura).*

CATON D'UTIQUE, en lat. **Marcus Porcius Cato.** ♦ Homme politique romain (~ 93 – Utique ~ 46). Arrière-petit-fils de Caton* l'Ancien. Défenseur de la République et stoïcien farouche, il s'opposa aux revendications populaires, prit parti pour Cicéron* contre Catilina*, se dressa contre Crassus*, César* et Pompée* et s'allia en définitive avec ce dernier. Après la défaite de Pharsale* (~ 48) et la mort de Pompée, il continua la guerre en Afrique. Quand l'armée pompéienne fut vaincue à Thapsus* (~ 46), refusant de survivre à la République, il se donna la mort.

CATROUX (Georges). ♦ Général français (Limoges, 1877 – Paris, 1969). Sorti de Saint-Cyr, il servit en Indochine, en Afrique, participa à la Première Guerre mondiale. Gouverneur de l'Indochine (1939-1940), il rejoignit le général de Gaulle à Londres, fut nommé haut-commissaire au Levant (1941), puis gouverneur général de l'Algérie (1943-1944). Commissaire d'État au Comité français de libération nationale, il fut ensuite ambassadeur en U.R.S.S. (1945-1948) et grand chancelier de la Légion d'honneur (1954). Après les troubles du Maroc, il fut chargé des négociations pour le retour du sultan Muhammad* V (ibn Yûsuf) [1955]. Nommé ministre de l'Algérie dans le cabinet G. Mollet (1956), il ne put prendre ses fonctions en raison de la manifestation du 6 février 1956, organisée par les groupements nationalistes et fut remplacé par R. Lacoste.

CATSKILL *(monts).* Massif montagneux des États-Unis (État de New* York), au S. des Adirondacks*, faisant partie du système des Appalaches*.

CATTARO. ♦ Nom italien de Kotor* (Yougoslavie).

CATTÉGAT. ♦ V. KATTEGAT.

CATTELL (Jacques McKeen). ♦ Psychologue américain (Easton, Pennsylvanie, 1860 – Lancaster, Pennsylvanie, 1944). Élève de W. Wundt, au courant des travaux de F. Galton*, il fut un des principaux promoteurs des applications pratiques de la méthode des tests (terme qu'il employa pour la première fois en 1890). La méthode de Cattell fut critiquée par J. Jastrow.

CATULLE (Caius Valerius Catullus). ♦ Poète latin né à Vérone (v. ~ 87 – v. ~ 54), le plus grand et le plus original parmi les « poètes nouveaux », imitateurs des alexandrins. Les pièces lyriques inspirées par sa passion pour Lesbie* sont considérées comme son chef-d'œuvre. Il a laissé en outre les *Noces de Thétis et Pélée,* petite épopée mythologique dans le goût de Callimaque* et l'*Attis,* étrange évocation des rites de la déesse Cybèle*.

CAUCA. *n. m.* ♦ Riv. de Colombie (1 250 km), affl. du Magdalena* (r. g.) issu de la Cordillère centrale qu'il sépare de la Cordillère occidentale. La dépression du Cauca *(« Valle del Cauca »)* est une des plus riches régions agricoles du pays (café, canne à sucre, cacao, tabac) où sont situées les villes de Popayán*, Cali*, Palmira*, Pereira*, Manizales* et Medellín*. Dans son cours supérieur le rio Cauca a donné son nom aux départements de *Cauca* (30 720 km²; 545 200 hab. ch.-l. *Popayán*) et du *Valle del Cauca* (20 430 km²; 1 990 800 hab. ch.-l. *Cali*).

Ph. Nino Cirani/Ricciarini

Vallée du **Cauca** (Colombie)

CAUCASE. *n. m.*, en russe **Kavkaz.** ♦ Ensemble montagneux situé dans le S. de l'U.R.S.S.; il s'étend entre la mer Noire (O.), la dépression de Kouma [Kuma] (N.), la mer Caspienne (E.) et est bordé au S. par la Turquie et l'Iran. 440 000 km². Il se divise en trois zones naturelles : la *Ciscaucasie* (en russe Predkavkazié) ou *Caucase du Nord,* le *Grand Caucase* au centre, et la *Transcaucasie* au sud. La *Ciscaucasie* est occupée par les bassins de Kouban* [Kuban] (terres noires), et du *Terek** (steppes semi-désertiques), séparés par le plateau de Stavropol. La zone axiale du *Grand Caucase* (en russe *Bolchoï Kavkaz*) est généralement considérée comme la limite entre l'Europe et l'Asie. Constituée de deux chaînes montagneuses parallèles, elle s'étend entre la ville d'Anapa (mer Noire) et la presqu'île d'Apchéron* sur la mer Caspienne (1 300 km de longueur, 150 à 200 km de largeur); elle culmine aux sommets de l'Elbrous [Elbrus] (5 633 m), de Chkhara (5 058 m), et de Kazbek (5 047 m). Nombreux glaciers, couvrant une superficie de 2 000 km². Dans la *Transcaucasie,* la chaîne de Souram [Suram] divise la longue dépression des riv. Rion* (O.) et Koura* (E.) et relie le Grand Caucase au *Petit Caucase* (en russe Malyï Kavkaz), qui occupe par ses chaînes et plateaux toute la partie méridionale de la région (alt. maximale 3 724 m).

CAUCHON (Pierre). ♦ Prélat français (près de Reims, v. 1371 – Rouen, 1442). Évêque de Beauvais, il embrassa le parti des Bourguignons et des Anglais et présida le tribunal ecclésiastique qui condamna Jeanne* d'Arc.

CAUCHY (*baron* **Augustin).** ♦ Mathématicien français (Paris, 1789 – Sceaux, 1857). Son œuvre se rapporte à de nombreux domaines des mathématiques et de la physique. Il joua un rôle important dans la création de la *théorie des groupes* fondée par Galois*, introduisit en analyse mathématique une rigueur qui jusque-là n'avait pas été atteinte (travaux sur les intégrales définies, sur les conditions de convergences des séries, sur les équations différentielles) et créa la *théorie des fonctions d'une variable complexe,* qui allait jouer un grand rôle dans l'évolution des mathématiques. **V.** *aussi* **Liouville, Puiseux, Weierstrass.** On lui doit également des travaux sur la mécanique des milieux élastiques. **V.** *aussi* **Navier,** sur la propagation de la lumière ou sur l'astronomie mathématique. (Acad. sc., 1816.)

CAUCHY-À-LA-TOUR. ♦ Comm. du Pas-de-Calais, arr. de Béthune. 2 997 hab. – Patrie de Ph. Pétain.

CAUDEBEC-EN-CAUX. ♦ Ch.-l. de cant. de la Seine*-Maritime (arr. de Rouen*), sur la Seine*, dans le pays de Caux*. 2 483 hab. *(Caudebecquois).* Église Notre-Dame des XVᵉ et XVIᵉ s.; maison des Templiers du XIIIᵉ siècle. Constructions aéronautiques.

CAUDEBEC-LÈS-ELBEUF. ♦ Comm. de la Seine-Maritime, arr. de Rouen. 9 595 hab. Centre industriel : tuyaux en caoutchouc, meubles métalliques, piles électriques. Indus. textile et confection.

CAUDÉRAN. ♦ Comm. de la Gironde, rattachée à Bordeaux depuis 1964. Centre industriel.

Caudines *(Fourches).* ♦ **V.** CAUDIUM.

CAUDIUM (auj. Montesarchio). ♦ V. de l'Italie ancienne (Samnium) entre Bénévent* et Capoue*. C'est dans un défilé aux environs de cette ville que les Romains subirent une de leurs plus humiliantes défaites (~ 321). S'y étant laissé enfermer par les Samnites, ils furent contraints de passer sous un joug dressé par les vainqueurs. D'où le nom de *Fourches Caudines* (auj. Stretto di Arpaja) donné à ce défilé.

CAUDRON *(les frères).* ♦ Gaston (Favières, Somme, 1882 – Lyon, 1915) et René (Favières, 1884 – Le Pinchemont, Vron, Somme, 1959). Ingénieurs et aviateurs français. Ils réalisèrent un planeur dès 1908, puis une série d'avions utilisés pendant la Première Guerre mondiale. Gaston s'étant tué en essayant le premier avion de bombardement, René poursuivit la construction d'appareils pour l'armée et les compagnies de transports aériens.

CAUDRY. ♦ Comm. du Nord, arr. de Cambrai. 13 378 hab. Lieu de pèlerinage. – Indus. textiles (dentelles, broderies, vêtements militaires). Raffinerie de sucre. Brasserie.

CAULAINCOURT (Armand, Augustin, Louis, *marquis de***).** ♦ Homme politique français (Caulaincourt, Picardie, 1772 – Paris, 1827). Officier sous l'Ancien Régime et la Révolution, il fut chargé de missions en Russie en 1801, aide de camp de Bonaparte en 1802. Nommé ambassadeur en Russie de 1807 à 1811, il œuvra pour la paix entre la France et la Russie. Il fut créé *duc de Vicence* en 1808; sénateur et ministre des Affaires étrangères en 1813, il participa au congrès de Châtillon* en 1813. C'est grâce à l'intervention d'Alexandre Ier qu'il ne fut pas proscrit par les Bourbons. Il a laissé des *Mémoires.*

CAULLERY (Maurice). ♦ Biologiste français (Bergues, 1868 – Paris, 1958). Ses travaux de zoologie portèrent principalement sur les invertébrés. Il a publié de nombreux ouvrages de synthèse, *Le Problème de l'évolution, Organisme et Sexualité, Les Conceptions modernes de l'hérédité* (1935). [Acad. sc., 1928.]

CAULNES [kon]. ♦ Ch.-l. de cant. des Côtes-du-Nord (arr. de Dinan), sur la Rance*. 1 828 hab. Église des XIIe et XVe siècles. Tanneries.

CAUMONT (Arcisse *de***).** ♦ Archéologue français (Bayeux, 1802 – Caen, 1873). Il contribua à fonder et à développer la science archéologique en publiant le *Bulletin monumental* et en fondant la *Société française d'archéologie* (1834). Son *Abécédaire ou rudiments d'archéologie* (1850-1862) diffusa les connaissances nouvelles concernant l'art médiéval (notamment roman) en France.

CAUNES-MINERVOIS. ♦ Comm. de l'Aude (arr. de Carcassonne), sur l'Argendouble. 1 681 hab. – Anc. abbaye bénédictine. Église avec nef du XVe s. et porches romans. – Carrières de marbre de Caunes *(œil-de-perdrix).* – À proximité les gorges de l'Argendouble.

CAUS [ko] **(Salomon** *de***).** ♦ Ingénieur français (pays de Caux, v. 1576 – Paris, 1626). Protestant, il passa la plus grande partie de sa vie aux Pays-Bas et en Allemagne. Dans son ouvrage *Les Raisons des forces mouvantes, avec diverses machines tant utiles que plaisantes* (Francfort, 1615), il fit la théorie de l'expansion et de la condensation de la vapeur, et décrivit une machine, basée sur ces principes, destinée au pompage de l'eau. **V. Della Porta, Héron d'Alexandrie, Newcomen, Papin, Savery, Watt.**

Causeries du lundi. ♦ Recueil de critiques de Sainte*-Beuve, parues en 15 volumes (1851 à 1862), et suivies des *Nouveaux Lundis* (treize volumes, 1863 à 1869). Cette étude se présente comme une succession de portraits, des Latins du siècle d'Auguste jusqu'aux contemporains. À partir de l'analyse des individualités (biographie, formation intellectuelle et morale des auteurs) et de la reconstitution des courants d'idées (parallèle entre *Classicisme et Romantisme,* tome XV), Sainte-Beuve s'efforce d'expliquer la naissance des œuvres.

CAUSSADE. ♦ Ch.-l. de cant. du Tarn*-et-Garonne (arr. de Montauban*), sur la Lère. 5 777 hab. [4 301 aggl.]. *(Caussadais).* Clocher du XIVe siècle. L'indus. de la chapellerie en déclin est peu à peu remplacée par l'indus. alimentaire et par la confection. ♦ *Hist.* Au XVIe s., Caussade était une place forte calviniste.

CAUSSES (Grands). *n. m.* (ou *f.*) *pl.* ♦ Formations calcaires du S. du Massif central, constituées au contact de massifs cristallins, et situées entre le Lot (au N.), l'Hérault et l'Orb (au S.). Leurs surfaces furent nivelées par l'érosion, puis affectées de phénomènes karstiques qui les criblèrent d'avens, de dolines, de sotchs (aven Armand*, grottes de Dargilan). Les vallées, creusées en gorges, forment des canyons qui segmentent le plateau, et individualisent quelques unités, dont le causse de Sauveterre* (entre le Lot et le Tarn), le causse Méjean* (entre le Tarn et la Jonte), le causse Noir (entre la Jonte et la Dourbie), le causse de Larzac*, le causse de Séverac*, le causse Comtal. Ces étendues au climat rude offrent un paysage particulièrement dépouillé (qui aurait été jadis boisé) voué presque exclusivement à l'élevage (moutons des causses). Le lait de brebis est destiné à la fabrication du roquefort et du bleu des Causses; la laine était utilisée pour le tissage. Aujourd'hui les peaux d'agneaux alimentent la ganterie (Millau). Dans les vallées, cultures fruitières, de légumes, de lavande. Tourisme (gorges du Tarn*, de la Jonte et de la Dourbie). – CAUSSES DU QUERCY. **V. Quercy.**

CAUTERETS [kotʀɛ]. ♦ Comm. des Hautes-Pyrénées* (arr. d'Argelès*-Gazost), sur le gave de Cauterets. 1 130 hab. *(Cauterésiens).* Station thermale (eaux sulfureuses sodiques) qui accueille 8 000 curistes par an.

CAUTIN. ♦ Fl. (160 km) et prov. du Chili central. 17 370 km², 440 000 hab. *Ch.-l.* Temuco.

CAUVERY. ♦ **V.** KAVERÎ.

CAUX [ko] *(pays de).* ♦ Plateau crayeux de Normandie* (Seine*-Maritime) au N. de la Seine, limité à l'O. par la Manche* et au N.-E. par le pays de Bray*; env. 130 m; il se termine par d'imposantes falaises. Il est recouvert d'argiles à silex et de limons fertiles : culture des céréales, betterave à sucre, plantes fourragères, élevage de bovins. Les « valleuses » (Cf. Le Robert) sont très fertiles.

CAVAFIS (Constantin). ♦ Poète grec (Alexandrie, 1863 – Athènes, 1933). Il passa la plus grande partie de sa vie à Alexandrie, dont l'atmosphère imprègne sa poésie : *Poèmes* (1935). Les souvenirs d'une jeunesse tourmentée de passions cachées, le scepticisme d'un historien manqué et d'un moraliste y trouvent des tons élégiaques. Seuls la beauté humaine et l'art gardent les valeurs suprêmes dans la décadence d'un monde dont il cherche les symboles dans les époques hellénistique et byzantine. Intimiste et ironique, amer et résigné, il rompt aussi avec la tradition des écoles ionienne et athénienne par sa langue composite et reste le poète le plus original et peut-être le plus grand de la Grèce moderne.

CAVAIGNAC (Jean-Baptiste, *baron de* **LALANDE).** ♦ Homme politique français (Gourdon, 1763 – Bruxelles, 1829). Avocat au parlement de Toulouse, il fut élu à la Convention (1792), où il se signala par ses positions révolutionnaires extrémistes. Membre du Conseil des Cinq-Cents, nommé conseiller d'État à Naples (par Murat), puis préfet pendant les Cent-Jours, il fut banni comme régicide sous la Restauration. ♦ CAVAIGNAC (GODEFROY). – Fils du précédent. Homme politique français (Paris, 1801-1845). Après avoir participé à la révolution de juillet 1830, il entra dans l'opposition républicaine à la monarchie de Juillet. Incarcéré après les troubles de juin 1834, il parvint à s'évader et gagna l'Angleterre; rentré en France (1841), il présida la Société des droits de l'homme qu'il avait contribué à fonder. ♦ CAVAIGNAC (LOUIS EUGÈNE). – Frère de Godefroy Cavaignac. Général et homme politique français (Paris, 1802 – Ourne, Sarthe, 1857). Officier du génie, sorti de Polytechnique, affilié à la Charbonnerie sous la Restauration, il fut envoyé en Algérie en 1832 et en devint gouverneur général en 1848. Élu député, il revint à Paris, fut nommé ministre de la Guerre et réprima l'insurrection de juin* 1848. Choisi comme chef de l'exécutif par l'Assemblée et investi de pouvoirs quasi dictatoriaux, il prit des mesures rigoureuses pour maintenir l'ordre. Battu aux élections de décembre 1848 par Louis-Napoléon, il passa à l'opposition et fut arrêté peu avant le coup d'État du 2 décembre 1851. Élu membre du corps législatif en 1852, il refusa de prêter serment, et fut déclaré démissionnaire.

CAVAILLÉ-COLL (Aristide). ♦ Facteur d'orgues français (Montpellier, 1811 – Paris, 1899). Descendant d'une illustre famille d'organiers, il construisit les orgues de Saint-Denis, de la Madeleine, de Saint-Sulpice, de Sainte-Clotilde, de Notre-Dame, à Paris. Il apporta de remarquables perfectionnements à la facture de cet instrument.

CAVAILLÈS (Jean). ♦ Philosophe et logicien français (Saint-Maixent, 1903 – Arras, 1944). Auteur d'ouvrages de logique et de philosophie des mathématiques (*Remarques sur la théorie de la formation abstraite des ensembles,* 1938; *Essai sur le fondement des mathématiques,* 1938; *Transfini et Continu, Sur la logique et la théorie de la science,* posth. 1947), il s'opposa à la réduction des mathématiques à la logique (ou logicisme). Membre directeur d'un mouvement de Résistance, il fut arrêté (1943), emprisonné à Fresnes, puis exécuté à Arras par les Allemands.

CAVAILLON [kavajɔ̃]. ♦ Ch.-l. de cant. du Vaucluse* (arr. d'Apt*) entre la Durance* et le Coulon, 18 819 hab. *(Cavaillonnais).* Église du XIIe s., ancienne cathédrale. Chapelle Saint-Jacques, romane. Synagogue du XVIIIe siècle. – Cultures de fruits et de primeurs (melons renommés). Fabrique d'emballages, chaudronnerie, ateliers de mécanique, indus. alimentaires. Patrie de C. de Bus. ♦ *Hist.* Dans l'Antiquité, *Cabellio* était le chef-lieu des Cavares.

Coll. Rui Nogueira

« Maître Puntila et son valet Matti » film de **A. Cavalcanti.**

CAVALAIRE-SUR-MER. ♦ Comm. du Var* (arr. de Draguignan*), près du *cap Cavalaire,* 2 116 hab. Station balnéaire. Les Américains y débarquèrent le 15 août 1944.

CAVALCANTI (Guido). ♦ Poète italien (Florence, v. 1255 – 1300). Grand seigneur, partisan des Guelfes, il fut, pendant longtemps, banni de sa ville par les Gibelins. Ami de Dante* (qui lui dédia la *Vita nuova*), il fut le principal représentant du « dolce stil nuovo ». Dans ses *Rimes* (sonnets et ballades) dont les thèmes sont surtout amoureux, il sut évoquer, avant Pétrarque*, les intermittences du cœur, liant à sa conception de l'amour un délicat sentiment de mélancolie.

CAVALCANTI (Alberto). ♦ Réalisateur brésilien de cinéma (Rio de Janeiro, 1897 –). Poursuivie en divers pays, sa carrière a été marquée par l'importance et la qualité de son apport au cinéma. Précurseur du réalisme poétique en France (*La P'tite Lilie,* 1927; *En rade,* 1928), il devint ensuite en Angleterre l'un des maîtres de l'école documentariste (*Coal Face,* 1936), avant d'y réaliser des longs métrages, dont un film fantastique attachant : *Au cœur de la nuit* (*Dead of Night,* 1945). De retour dans son pays natal (1949), il suscita le renouveau du cinéma brésilien avec le *Chant de la mer* (*O Canto do Mar,* 1954). Revenu en Europe, il devait y mettre en scène, pour le cinéma, *Maître Puntila et son valet Matti,* de B. Brecht (Vienne, 1956) et les *Noces vénitiennes* (Rome, 1958).

CAVALERIE (La). ♦ Comm. de l'Aveyron*, arr. de Millau*. 802 hab. Dolmen classé. Champ de tir du Larzac. Terrain d'aviation. ♦ *Hist.* Ancien siège d'une commanderie des Templiers qui a conservé ses remparts.

CAVALIER (Jean). ♦ Chef camisard (Ribaute, Gard, 1679 – Jersey, 1740). **V. Camisards.** Il résista longtemps à Montrevel et à Villars*, et déposa les armes quand ce dernier lui eut offert une pension (1704). Il servit ensuite la Savoie puis l'Angleterre et fut gouverneur de Jersey.

Cavalier bleu (Le), en all. *Der Blaue Reiter.* ♦ Mouvement artistique fondé à Munich en 1910 et qui se dispersa pendant la guerre. Animé par W. Kandinsky*, il prit pour emblème le titre d'une de ses œuvres, réalisée en 1909, et réunissait notamment F. Marc*, A. Kubin*, A. Macke*. Il faisait suite à diverses tentatives de groupement artistique (*La Phalange,* 1902, présidée par Kandinsky et Jawlensky*, la *Neue Künstler Vereinigung* ou *N.K.V.,* 1909). Il se manifesta par la publication d'un *Almanach* (1911) et l'organisation d'expositions réunissant notamment en déc. 1911-janv. 1912 le Douanier Rousseau, Delaunay*, Schonberg* et les membres du groupe, puis en février 1912, par une manifestation où figuraient les membres de la Brücke*, les fauves, les cubistes ainsi que Malevitch*, Larionov*, Arp* et Klee*. Sans organisation stricte ni programme précis, le groupe ne défendait aucun dogmatisme formel mais était lié par un désir commun de rupture avec la tradition, par une exigence internationaliste et cherchait à reconsidérer le problème de la création en soutenant que l'artiste ne doit pas se limiter à la représentation réaliste, mais œuvrer selon sa « nécessité intérieure », idée qui témoignait d'une aspiration vers le spirituel et se fondait sur une conception mystique du monde.

CAVALIERI (Emilio *dei*). ♦ Compositeur italien (Rome, v. 1550 – *id.,* 1602). Il s'établit à Florence où Ferdinand Ier de Médicis le nomma surintendant pour l'art, les fêtes, le théâtre et la musique (1588). Premier musicien florentin à pratiquer le style monodique (récitatif), il composa des intermèdes, des pastorales (dont la musique est auj. perdue) et surtout des oratorios. Son œuvre principale, la *Rappresentazione di Anima e di Corpo* (1600) est considérée comme le premier oratorio dramatique.

CAVALIERI (*le R. P.* Bonaventura). ♦ Jésuite et mathématicien italien (Milan, v. 1598 – Bologne, 1647). Disciple indirect de Galilée*, auteur de travaux en astronomie, en trigonométrie sphérique (démonstration de la proportionnalité de l'aire à l'excès sphérique) et en calcul logarithmique, on lui doit le nouveau départ du calcul intégral grâce à la méthode d'intégration directe dite des indivisibles qu'il exposa en 1635 *(Geometria indivisibilibus continuorum nova ratione promota).* **V. Archimède, Leibniz, Newton.**

Cavaliers (Les), en gr. **Ippeis.** ♦ Comédie d'Aristophane* (~ 424). Le vieillard crédule *Démos* (« Peuple ») est mené par son serviteur Paphlagon (allusion au démagogue Cléon). Un charcutier ambulant, personnage encore plus vil et grossier, vainc Paphlagon dans le conflit pour obtenir les faveurs du maître. Il est secondé par le chœur des Cavaliers, sorte de milice composée de fils de familles aisées. Caricature de la démocratie athénienne à l'ère des démagogues, la pièce donne libre cours aux sentiments aristocratiques de l'auteur et à son pessimisme.

Cavaliers. ♦ Terme qui servit à désigner au cours de la révolution anglaise les partisans de Charles* Ier par opposition aux Têtes rondes, partisans du Parlement, aux cheveux coupés court.

CAVALLA ou **KAVALLA.** ♦ V. et port de Grèce (Macédoine), ch.-l. du nome de Cavalla : 2 109 km². 140 750 hab. Indus. et exportation de tabac. 44 500 hab. – Forteresse byzantine. – Patrie d'Ibrâhîm Pacha et de Muhammad* 'Ali.

CAVALLERO (Ugo). ♦ Maréchal italien (Casale Monferrato, 1880 – Frascati, 1943). Il commanda en Afrique orientale (1937), en Albanie (1940) puis remplaça Badoglio* comme chef d'état-major général de l'armée italienne (1941-1943). Il fut limogé au cours des intrigues qui amenèrent la chute de Mussolini et mourut après l'armistice italo-allié.

CAVALLI (Pier Francesco). ♦ Compositeur italien (Crema, 1602 – Venise, 1676). Élève de Monteverdi*, il fut appelé à Paris par Mazarin et y fit representer, sans succès, deux opéras *Xerse* [Xerxès] (1660) et *Ercole amante* [Hercule amoureux] (1662). De retour à Venise, il fut nommé maître de chapelle de la basilique Saint-Marc. Il est, avec Monteverdi, le maître incontesté de la première période de l'opéra vénitien. Illustrée par une quarantaine d'opéras, sa manière se caractérise par l'emploi d'un récitatif dramatique qui s'enrichit, sur le tard, d'ariosos mélodiques. Son ouvrage, *Le Nozze d' Teti e di Peleo,* est le premier opéra vénitien dont on ait conserve la musique (1639).

Arch. Smeets

Mouvement du **Cavalier bleu :** « Chevaux rouge et bleu », par F. Marc. (Lenbachhaus, Munich.)

CAVALLINI (Pietro Cerroni, dit **Pietro).** ♦ Peintre et mosaïste romain (Rome, v. 1250 – *id.,* v. 1340). Ne subsistent, des nombreuses œuvres mentionnées par Ghiberti*, que la mosaïque de la *Vie de la Vierge* à S. Maria in Trastevere (1291) et des fragments de fresques à Santa Cecilia in Trastevere (*Jugement dernier,* v. 1293) et dans l'église napolitaine de S. Maria Donnaregina (v. 1316), l'artiste ayant séjourné à la cour angevine. Riche et savant coloriste, il traita ses compositions majestueuses selon la « maniera bizantina », mais sans ignorer les exemples paléo-chrétiens et romains, et dans un esprit libre et novateur qui lui permit des échanges fructueux avec Cimabue* et Giotto*.

CAVAN *(comté de),* en irl. **Cabhan.** ♦ Comté du N.-O. de la république d'Irlande (prov. d'Ulster*). 1 890 km², 56 000 hab. – *Ch.-l.* Cavan (3 205 hab. [1966]).

CAVAZZI DA MONTECUCCOLI (Giovanni Antonio). ♦ Missionnaire et voyageur italien (v. 1621-1692). Il publia en 1687 sa *Relation historique des trois royaumes de Congo, Matamba et d'Angola,* qui contribue à la connaissance de l'Afrique méridionale.

CAVÉ (François). ♦ Industriel français (Le Mesnil, Somme, 1794 – Paris, 1875). Il donna l'essor à la grande industrie moderne de construction mécanique en France.

Caveau *(Société du).* ♦ Société de chansonniers qui fut fondée en 1729 et connut des migrations successives dans divers cafés; d'abord installée (1737) dans un cabaret (le « Caveau ») de la rue de Buci, elle réunissait Piron*, les deux Crébillon*, Gresset*, Helvétius*, Rameau*, Boucher*,... qui participaient aux dîners agrémentés de « chansons à boire » ou de chansons satiriques. Reconstituée en 1767 (avec Joseph Vernet*, Boufflers*, Parny*, ...), dispersée à la Révolution, puis reformée en 1797 et baptisée les *Dîners du Vaudeville,* la Société du Caveau prit un nouveau développement en 1805 quand Capelle l'installa rue Montorgueil; en faisaient alors partie Boufflers*, Parny*, Méhul*, Brillat*-Savarin, H. Vernet*, Millevoye*, Désaugiers* et – à partir de 1813 – Béranger* qui y prit une place prépondérante. C'est en 1834, d'abord sous l'appellation des *Enfants du Caveau,* que la société se reforma définitivement, tenant ses assises au Palais-Royal, et recrutant ses membres aussi bien dans l'administration que chez les écrivains et les artistes (Jules Janin). Les chansons publiées longtemps dans *le Journal des gourmets et des belles* ont été rassemblées (notamment par Capelle) dans *La Clef du Caveau,* précieux recueil des mélodies composées de 1733 à 1826.

CAVELIER DE LA SALLE. ♦ V. LA SALLE.

CAVENDISH ou **CANDISH (Thomas).** ♦ Navigateur aventurier anglais (comté de Suffolk, v. 1555 – sur les côtes du Brésil. 1592). Sous le règne d'Élisabeth Ire, il entreprit une expédition le long de la côte orientale de l'Amérique du Sud, pillant les colonies espagnoles et portugaises; après avoir franchi le détroit de Magellan (1586), il atteignit les Philippines, Java, et revint en Angleterre en contournant l'Afrique par le cap de Bonne-Espérance (1588). En 1591, il repartit avec J. Davis* pour les mers du Sud et mourut au cours de son voyage.

CAVENDISH (Henry). ♦ Physicien et chimiste anglais (Nice, 1731 – Clapham, 1810). Il fut l'un des premiers à introduire en chimie une stricte exigence de précision quantitative. Il identifia l'hydrogène, fit la première analyse précise de l'air, et il montra, le premier, en provoquant la combinaison de l'oxygène et de

Ph. Carlo Bevilacqua/Ricciarini

C. B. Cavour : gravure du XIXe s.

l'hydrogène sous l'action de l'étincelle électrique, que ces deux gaz s'unissaient en proportions déterminées pour donner de l'eau. **V. Lavoisier, Monge, Priestley, Scheele.** En 1771, il définit les notions de *potentiel* et de *charge* électriques. Dans d'autres travaux qu'il ne publia pas, mais que Maxwell* découvrit et fit connaître, il indiquait la forme newtonienne de la loi des actions électriques, définissait la *capacité* d'un conducteur, introduisait la notion de *constante diélectrique* d'un isolant, comparait avec précision les conductivités électriques de différents corps. Par de tels travaux il se reliait à Coulomb*, avec lequel il apparaît comme le fondateur de l'électrostatique moderne, et il annonçait les résultats qu'obtinrent Ohm* et Faraday*. À l'aide de la *balance de torsion*, il a également procédé à des mesures de la constante de la gravitation et déduit la densité moyenne de la Terre. (Acad. des sc., 1803.)

CAVENTOU (Joseph Bienaimé). ♦ Chimiste et pharmacien français (Saint-Omer, 1795 – Paris, 1878). Avec P.J. Pelletier*, il isola de diverses plantes une série d'alcaloïdes dont la strychnine et la quinine (1823). On leur doit l'introduction du nom de *chlorophylle* en botanique. **V. Woodward.**

CAVITE. ♦ Port de l'île de Luçon*, au S. de Manille* dont il fait maintenant partie. L'Espagnol Miguel de Legaspi y établit en 1564 une forteresse commandant la baie de Manille. En 1898, la flotte des États-Unis y anéantit celle de l'Espagne.

CAVO RUIVO. ♦ Faubourg industriel de Lisbonne* (Portugal). Important complexe pétrolochimique.

CAVOUR (Camillo Benso, *comte de***).** ♦ Homme d'État italien (Turin, 1810 – *id.*, 1861). Cadet d'une famille noble piémontaise, il fut officier du génie, mais il dut quitter l'armée à cause de ses idées libérales. Il se consacra alors à la gestion du domaine familial, tout en effectuant de nombreux voyages dans les capitales européennes. Il y observait les mœurs politiques et l'organisation sociale et économique, ce qui le renforça dans son libéralisme. En 1847, il créa *il Risorgimento,* journal modéré qui défendait l'idée d'une constitution; celle-ci fut acceptée par le roi Charles*-Albert en février 1848. Élu député au parlement de Turin en juin de la même année, Cavour devint en 1849 le chef du centre droit et proposa un projet de loi réduisant les pouvoirs de la juridiction ecclésiastique. En 1850, Azeglio* l'appela au ministère de l'Agriculture : il mit alors en pratique ses théories libre-échangistes. Ministre des Finances cette même année, il améliora la répartition des impôts et les tarifs douaniers mais son alliance avec la gauche *(connubio)* l'obligea à démissionner en 1852. Victor*-Emmanuel II le rappela d'urgence le 4 novembre 1852 comme président du Conseil et ministre des Finances et il devint pendant sept ans le véritable maître de la politique piémontaise, puis italienne. Cherchant à imposer le royaume de Piémont-Sardaigne aux grandes puissances européennes, il modernisa l'infrastructure économique du pays (chemins de fer, douanes, finances). Il continua la réforme du code pénal et mena une politique anticléricale. Mais surtout, il redonna confiance à l'armée sarde qui remporta des victoires en Crimée* aux côtés des Anglais et des Français. Cela permit à Cavour d'être présent au congrès de Paris en 1856 et d'y exposer ses doléances envers l'Autriche. Napoléon III, peu à peu convaincu de la nécessité de chasser les Habsbourg des terres italiennes, rencontra Cavour à Plombières en juillet 1858 et lui promit son aide dans la création d'un royaume d'Italie du Nord en échange de Nice et de la Savoie. Cavour, ne se sentant plus isolé, provoqua l'Autriche et la guerre commença par les batailles de Magenta* et de Solférino* (juin 1859). Du fait de l'armistice de Villafranca*, Cavour ne put exploiter l'avantage de ces deux victoires et il démissionna. Il revint au pouvoir en janvier 1860 avec les titres de président du Conseil, ministre des Affaires étrangères et de l'Intérieur et, cédant Nice et la Savoie à la France, il rattacha au Piémont l'Émilie et la Toscane. Puis il appuya militairement l'expédition des *Mille** et de Garibaldi*. Principal artisan de l'unité italienne, il ne put voir l'achèvement de son œuvre car, malgré la proclamation du royaume d'Italie, le 14 mars 1861, sa mort laissa en suspens la question romaine.

CAWNPORE. ♦ Anc. nom anglais de la ville indienne de Kânpur*.

CAXIAS (Luis, *duc de***).** ♦ Maréchal et homme d'État brésilien (Rio, 1803 – *id.*, 1880). Commandant en chef dans la guerre contre le Paraguay*, après avoir réduit les troupes rebelles dans divers États en proie à la guerre civile ou à la rébellion (Maranhão, 1839; São Paulo et Minas, 1842), il fit parallèlement une carrière politique brillante en devenant ministre de la Guerre (1855), puis Premier ministre, poste qu'il occupa à diverses reprises, de 1857 jusqu'à sa mort.

CAXIAS DO SUL. ♦ V. du Brésil, dans l'État du Rio Grande do Sul, au N. de Pôrto Alegre. 110 200 hab. Évêché.

CAXTON (William). ♦ Imprimeur anglais (comté de Kent, v. 1422 – Londres, 1491). Il publia à Bruges le premier livre imprimé en anglais, le *Recuyell of the Historyes of Troye* (1474). Il introduisit l'imprimerie en Angleterre v. 1476.

CAYATTE (André). ♦ Réalisateur français de cinéma (Carcassonne, 1909). Avocat et journaliste, il s'est imposé au cinéma par des œuvres d'un dessein généreux qui proposent à la réflexion du spectateur quelques-uns des grands problèmes de l'époque, et singulièrement celui de la justice : *Justice est faite* (1950), *Nous sommes tous des assassins* (1952), *Avant le déluge* (1954), etc.

CAYENNE. ♦ Ch.-l. du dép. de la Guyane* française (Amérique du Sud), situé sur la côte atlantique. 23 222 hab. Évêché. Centre administratif et commercial. – Distilleries de rhum. Aéroport à Rochambeau. – Cayenne fut le plus important des lieux de déportation pour les condamnés aux travaux forcés.

CAYEUX (Lucien). ♦ Géologue français (Semonsies, 1864 – Mauves-sur-Loire, 1944). Auteur d'importants travaux pétrographiques sur les roches sédimentaires à l'aide du microscope polarisant, il découvrit dans la région de Saint-Lô des protistes fossiles dans les terrains infracambriens. (Acad. sc., 1928.)

CAYEUX-SUR-MER. ♦ Comm. de la Somme*, arr. d'Abbeville*. 2 754 hab. *(Cayolais).* Station balnéaire et climatique.

CAYLAR (Le) [lǝkelaʀ]. ♦ Ch.-l. de cant. de l'Hérault* (arr. de Lodève*), situé au S. du causse de Larzac*. 327 hab. Tour de l'Horloge. Église. Vieux bourg. À l'O. de la ville se trouve un rocher dolomitique appelé « le Lion de Servières ». À proximité, le *cirque de Navacelles,* creusé dans le calcaire du Larzac ; le *Pas de l'Escalette* (623 m); *La Couvertoirade,* petit village fortifié par les Hospitaliers.

CAYLEY (*sir* **George).** ♦ Inventeur anglais (Brompton Hall, Yorkshire, 1773 – *id.*, 1857). Dès 1809 il définit le principe de fonctionnement de l'avion et envisagea l'emploi de l'hélice associée à un moteur à gaz ou à explosion. **V. Pénaud.**

CAYLEY (Arthur). ♦ Mathématicien anglais (Richmond, 1821 – Cambridge, 1895). Il fut l'ami de Sylvester*. Il introduisit, en 1843, la notion de *matrice* dont il précisa la nature et fonda la théorie. Avec Sylvester, il élabora les principes fondamentaux d'une théorie générale des *invariants*. Ses travaux relatifs aux géométries à *n* dimensions, qu'on peut rattacher à ceux de Riemann, annoncent certains résultats de F. Klein*. **V.** *aussi* **Boole, Eisenstein** (Ferdinand)**, Grassmann, Hamilton.** Il s'est également intéressé à la physique mathématique et à la mécanique céleste.

CAYLUS [kɛlys] **(Marguerite de Villette,** *marquise de***).** ♦ Dame française (1673 – Paris, 1729). Parente de Mme de Maintenon*, elle a laissé d'intéressants souvenirs sur la cour de Louis XIV et sur la maison de Saint-Cyr. ♦ ANNE CLAUDE PHILIPPE DE TUBIÈRES, *comte de* CAYLUS, son fils (Paris, 1692 – *id.*, 1765). Archéologue, graveur et écrivain. Après une carrière militaire, il fit de nombreux voyages (Italie, Grèce, Turquie, etc.). De retour en France, il se passionna pour la gravure et se lia avec Watteau. Auteur de biographies de Mignard, Watteau, il est surtout connu par son *Recueil d'antiquités égyptiennes, étrusques, grecques, romaines et gauloises* (1752-1757), et par la collection d'antiques qu'il légua au Cabinet du roi (musée du Louvre).

CAYOLLE *(col de la).* ♦ Col des Alpes (Alpes-Maritimes) reliant la haute vallée du Var à la vallée de l'Ubaye, à 2 327 m d'altitude.

CAYROL [kɛʀɔl] **(Jean).** ♦ Poète et romancier français (Bordeaux, 1911). Confidence subjective et interrogation métaphysique, l'œuvre poétique de Jean Cayrol, commencée avant la guerre (*Ce n'est pas la mer,* 1935; *Le Hollandais volant,* 1936; *Les Phénomènes célestes* et *L'Âge d'or,* 1939), a été profondément transformée par l'expérience concentrationnaire. Dans les *Poèmes de la nuit et du brouillard* (1945) ou *Le Charnier natal* (1950), la ferveur se fait plus inquiète, et l'œuvre se veut un témoignage sur la condition humaine. Parallèlement, des ouvrages romanesques vont rendre compte d'un univers que Cayrol voit désormais « lazaréen » (Cf. son essai *Lazare parmi nous,* 1950). « Sinistré de corps et d'âme », « étranger » dans un monde où l'objet est parfois « plus révélateur, plus accessible que l'être lui-même » (Cf. *Le Déménagement,* 1956), un personnage vit des sentiments « fantômes » (*La Noire,* 1949; *La Gaffe,* 1957), cherche, par un monologue volontairement embrouillé, à justifier une vie ratée, par le recours à des souvenirs fuyants ou fictifs (tentative désespérée pour « naître dans l'invention, fils de la mémoire et de l'imaginaire » (*Les Corps étrangers,* 1959) ou l'Armand de *Je vivrai l'amour des autres* (*Trilogie,* 1947-1950), vivant « dans une sorte de corruption de la réalité », exprime sourdement sa « nostalgie... d'une autre existence supervisant celle de tous les jours »; car, dans cet univers apparemment vide, où règne *Le Froid du soleil* (1963), subsistent une exigence spirituelle et un espoir religieux, ce dont témoignent des essais comme *Les Pleins et les Déliés* (1960) ou *Le Droit de regard* (1963). Ce lyrisme retenu, Jean Cayrol l'a exprimé également dans les scénarios de deux films qu'a tournés Alain Resnais*, *Nuit et Brouillard* (sur les camps de concentration) et *Muriel* (1963).

CAZALÈS (Jacques *de*). ♦ Homme politique français (Grenade, Armagnac, 1758 – Engalin, Gers, 1805). Député de la noblesse du Languedoc aux États généraux (1789), il fut un des plus brillants orateurs du parti royaliste **(V. Aristocrates)** à l'Assemblée nationale constituante, où il s'opposa violemment à Barnave. Il émigra à Coblence après la journée révolutionnaire du 10 août 1792 et ne revint en France qu'en 1803.

CAZAUX *(étang de,* dit aussi *étang de Cajeaux* et *de Sanguinet).* ♦ Étang de la côte des Landes*. Pétrole.

CAZÈRES. ♦ Ch.-l. de cant. de la Haute-Garonne* (arr. de Muret*), sur la Garonne*. 3 474 hab. Église XIVe-XVe siècles. Bonneterie, conserves alimentaires.

CAZOTTE (Jacques). ♦ Écrivain français (Dijon, 1719 – guillotiné à Paris, 1792). Après avoir exercé diverses fonctions aux Antilles, de retour en France enrichi par un héritage (1762), il s'adonna à la composition de *Contes* à la fantaisie spirituelle avant de verser dans l'illuminisme. On lui doit notamment *Le Diable* amoureux* (1772).

CEARÁ. *n. m.* ♦ État côtier du Brésil* (Nordeste). 148 016 km^2. 3 914 000 hab. env. *Cap.* Fortaleza*. La chaleur aride favorise la culture des plantes textiles (coton, etc.). Élevage extensif de bovins.

CEAUCESCU (Nicolae). ♦ Homme d'État roumain (région de Piteşti, 1918). Ouvrier dès l'âge de onze ans, il milita dans les Jeunesses communistes et devint membre du parti en 1936. Profondément antifasciste, il lutta contre Hitler et contre la dictature Antonescu* et fut plusieurs fois emprisonné. En 1946, il fut élu député du département de l'Olt et devint membre du Comité central du parti des travailleurs roumains (1952) dont il fut premier secrétaire en 1965. Depuis 1967, il est président du Conseil d'État de la République socialiste de Roumanie et s'efforce de maintenir son pays dans une voie originale et indépendante au sein des pays socialistes. Élu président de la République [1974] **(V. Roumanie,** *Hist.***).**

CEBU. ♦ Archipel des îles Philippines (prov. des Visayas) et île principale de celui-ci. 1 500 000 habitants. ♦ Port sur cette île. 200 000 habitants. Université, évêché. Situé au centre de l'archipel philippin, ce port a une grande importance. Exportations de coprah, sucre, maïs, charbon. – Cebu fut découvert par Magellan en 1521.

C.E.C.A. *n. f.* ♦ Sigle de la Communauté* européenne du charbon et de l'acier.

CECCHETTI (Enrico). ♦ Danseur et maître de ballet italien (Rome, 1850 – Milan, 1928). Fils de danseurs, il fit d'abord une brillante carrière à la Scala de Milan où il avait débuté, puis à Londres et à Saint-Pétersbourg où, devenu second maître de ballet et professeur de danse à l'École impériale (1892), il affirma d'exceptionnelles qualités de pédagogue. Répudiant le maniérisme et la virtuosité, il sut restituer à la danse sa noblesse expressive et sa poésie. Nommé directeur du Grand Théâtre de Varsovie (1902-1905), il revint en Russie pour y ouvrir une école où les plus grands danseurs de la première moitié du XXe s. (T. Karsavina, V. Nijinski, A. Pavlova) reçurent son enseignement. Il se joignit ensuite à la troupe des Ballets russes de Serge de Diaghilev* (1909) où, poursuivant ses activités de professeur, il parut aussi dans plusieurs ballets. Durant cette période, Serge Lifar, Olga Spessivetseva, Michel Fokine, Léonide Massine, Anton Dolin, Ninette de Valois et Alicia Markova ont été ses élèves. Il acheva sa carrière à l'Académie de danse de Milan.

CECCHI (Emilio). ♦ Chroniqueur et narrateur italien (Florence, 1884 – Rome, 1966). Un des fondateurs de la *Ronda* (1919-1923), Cecchi prôna lui aussi la recherche d'une « prose d'art » et en donna un exemple élégant dans ses essais à l'expression concise et raffinée : *Les Poissons rouges* (*Pesci rossi,* 1920), *La Journée des belles dames* (1924), *Quelque chose* (1931) et *L'Auberge du mauvais temps* (1927). Il rapporta de ses longs séjours dans différents pays étrangers diverses chroniques, comme *Mexique* (1932), *Et in Arcadia ego* (1936) et *Amère Amérique* (1939). Cecchi a également publié de nombreuses études qui révèlent sa parfaite connaissance de la littérature anglaise, de l'histoire de l'art et de la critique littéraire. (Acad., 1940.)

CECCO d'ASCOLI (Francesco Stabili, dit**).** ♦ Astrologue et écrivain italien (près d'Ascoli, 1267 – Florence, 1327). Il fut brûlé comme hérétique par l'Inquisition de Florence en raison des doctrines contenues dans son poème encyclopédique, *Acerba* (1326), rédigé en italien; cet ensemble de connaissances philosophiques et scientifiques prétendait s'opposer aux visions mystiques de Dante*.

ČECH (Svatopluk). ♦ Poète, prosateur et publiciste tchèque (Ostredek, 1846 – Prague, 1908). Patriote de tendance romantique, il exprima ses idées panslavistes et nationalistes dans des compositions qui furent très populaires : *Les Adamites* (1874), *Vaclav de Michalovice* (1880), *Slavie* (1882), *Le Forgeron de Lešetin* (1883), *Dagmar* (1884), *Chants d'un esclave* (1895). Il écrivit aussi des romans à tendance satirique, comme *L'Excursion de M. Brouček dans la Lune* (1886).

Ph. Giraudon

Sainte **Cécile,** par Nicolas Poussin. (Musée du Prado, Madrid.)

CECIL (William, *baron* **Burghley).** ♦ Homme politique anglais (Bourne, 1520 – Londres, 1598). Il commença sa carrière dans le sillage d'Edward Seymour*, parvint à se maintenir après sa chute, et devint secrétaire d'État sous Élisabeth*, dont il resta le principal conseiller. Partisan de la modération, il affermit l'Église anglicane tout en réprouvant les persécutions, lutta contre Marie* Stuart, à la chute et à la mort de laquelle il contribua. Il géra les finances avec une probité rare à l'époque, développa l'activité économique et stimula aussi bien le commerce que l'industrie, contribuant puissamment à la prospérité élisabéthaine. Sa prudence en politique étrangère ne l'empêcha pas de préparer la lutte contre l'Espagne en préparant la flotte anglaise **(V. Armada).**

CÉCILE *(sainte).* ♦ Vierge et martyre chrétienne, connue seulement par une légende de la fin du Ve s. : romaine apparentée aux Cecilii, elle est fiancée au païen Valérien mais elle le convainc de respecter sa virginité et le convertit dans la chambre nuptiale. Tous deux sont martyrisés; elle-même, le cou mal tranché, agonise trois jours. Culte ancien à Rome (Sainte-Cécile-en-Trastévère). Fête le 22 novembre.

CÉCROPS [kekrops]. ♦ Premier roi mythique d'Attique* et fondateur d'Athènes* qui portait d'abord le nom de *Cécropia.* Considéré comme « autochtone » (né de la terre), il est souvent figuré moitié homme, moitié serpent. Une autre légende le veut natif d'Égypte, d'où il vint en Attique à la tête des colons égyptiens, représentant d'une civilisation supérieure. On lui attribua l'organisation de l'Attique en douze tribus, l'établissement de l'Aréopage*, l'enseignement de l'agriculture et de l'écriture, l'introduction de nouveaux cultes, la suppression des sacrifices humains et les premières institutions sociales : les lois de propriété, le mariage, l'inhumation, etc. Choisi comme arbitre dans la querelle qui opposa Poséidon* à Athéna* pour le patronage de l'Attique, il aurait accordé la préférence à la déesse qui offrit au pays l'olivier.

CEDAR RAPIDS. ♦ V. des États-Unis (Iowa). 109 111 hab. Centre d'une région agricole (maïs, élevage). Indus. : radio, électronique, indus. alimentaires. Importante bibliothèque maçonnique.

CÉDRON. *n. m.* ♦ Cours d'eau torrentueux de Jordanie, prov. de Judée*. Il coule au pied de la ville de Jérusalem, et sa vallée qui le sépare du mont des Oliviers* est dominé par le quartier juif de la ville. Nombreuses grottes et cimetières. – Selon les Écritures, c'est dans la vallée du Cédron que doivent éclater les trompettes du Jugement dernier.

C.E.E. *n. f.* ♦ Sigle de la Communauté* économique européenne.

CEFALU. ♦ V. d'Italie, en Sicile, sur la côte N. de l'île. 12 582 hab. Situé entre la mer et un promontoire, ce pittoresque port de pêche est devenu un centre touristique. Cathédrale romane de style normand (XIIe s.), d'une grande pureté de lignes; portique lombard (XVe s.), admirables chapiteaux; remarquable mosaïque de style byzantin tardif (XIIe s.). Musée. ♦ *Hist.* De fondation phénicienne, *Kephaloidion* fut une cité grecque prospère. Elle fut prise par les Arabes (858), puis par les Normands. — La ville a été évoquée par L. Durrell.

CEIBA (La). ♦ Port du Honduras sur la mer des Antilles. 30 000 hab. env. Exportation de bananes.

CELA (Camilo José). ♦ Écrivain espagnol (Galice, 1916). Il a renouvelé la tradition réaliste. *La Famille de Pascual Duarte* (1942), histoire d'un bandit racontée par lui-même, est remarquable par la sobriété tragique et la puissance expressive du style. Il a poursuivi sa carrière romanesque avec *Pavillon de repos* (1944), *Voyage à l'Alcarria* (1948), *Mrs Caldwell parle avec son fils* (1953) et surtout *La Ruche* (1951), roman ambitieux où s'agitent deux cents personnages observés dans la réalité quotidienne. Dans un autre genre, Cela a voulu renouveler la tradition picaresque avec *Le Nouveau Lazarillo* (1946). Il est aussi l'auteur de contes. L'unité de son style et ses facultés d'observation et de synthèse en font l'un des meilleurs prosateurs contemporains de langue espagnole.

Céladon. ♦ Personnage de *L'Astrée** (1607-1627), roman pastoral d'Honoré d'Urfé* Incarnation de l'amour platonique, Céladon se montre un amant délicat et fidèle, soumis aux caprices d'Astrée. — Son nom fut donné à un type de céramique chinoise dont la couleur ressemblait à celle des rubans du berger (vert olive ou bleu-gris).

ČELAKOVSKY (Frantisek Ladislav). ♦ Poète tchèque (Strakonice, 1799 — Prague, 1852). Il s'inspira de *Chansons populaires slaves* qu'il recueillit en 3 volumes (1822-1827) pour composer des poèmes simples et gracieux : *Échos des chants russes* (1828) et *Échos des chants tchèques* (1839).

CELAN (Paul). ♦ Poète lyrique autrichien d'origine roumaine (Tchernovtsy, 1920 — 1973). Traducteur de Rimbaud, Valéry, Iessénine, il a composé plusieurs recueils de poèmes (*Pavot et Souvenir, Mohn und Gedächtnis,* 1952; *De seuil en seuil, Von Schwelle zu Schwelle,* 1955; *La Grille, Sprachgitter,* 1959), qui, à travers des recherches formelles (utilisation de vers et de strophes libres, application des figures musicales au langage poétique, etc.), sont une évocation presque magique du monde, où s'exprime le désir du poète de faire de la langue un véritable moyen de communication entre les hommes grâce à la poésie.

CELANO (Thomas *de*). ♦ V. THOMAS DE CELANO.

CÉLÉ. *n. m.* ♦ Riv. de France (102 km), affl. du Lot*, elle passe à Figeac.

CÉLÈBES. *n. f. pl.* ou **SULAWESI.** ♦ Archipel de l'Indonésie*. — Île principale de celui-ci, à l'est. 188 000 km^2. 8 500 000 hab. Elle affecte la forme d'un grand K déformé, projetant quatre péninsules, chaînes divergentes d'un massif central volcanique culminant à 3 700 m. L'île, couverte de forêts, produit du café, des épices, divers produits de cueillette, et surtout des bois précieux qui sont exportés (ainsi que le fer et le nickel des mines) par le port de Makasar (Macassar). La population est en partie christianisée; elle comprend encore des tribus vivant dans les forêts. ♦ *Hist.* L'île fut découverte par les Portugais au XVIe s. Au XVIIe s., elle passa aux mains de la Compagnie hollandaise des Indes* orientales puis fut contrôlée par les Pays-Bas. Occupées par les Japonais pendant la Deuxième Guerre mondiale, les Célèbes entrèrent dans la République indonésienne en 1950.

CELERINA, en romanche **Schlarigna.** ♦ Localité de Suisse (Grisons) dans la Haute-Engadine*, sur la r. g. de l'Inn*. Station d'été et de sports d'hiver à 1 724 m d'altitude.

CÉLESTIN Ier *(saint).* ♦ 43e pape (422-432 [mort]), Campanien. Il envoya Germain* d'Auxerre et Loup* de Troyes en Grande-Bretagne contre le pélagianisme, et saint Patrick* en Irlande. Il condamna Nestorius* (synode de Rome, 430) et fit renouveler la condamnation par le concile d'Éphèse* (431). Fête le 6 avril.

Ph. Leigheb/Ricciarini

Célèbes : habitations des Toradjas.

CÉLESTIN II *(Guido di Città di Castello).* ♦ 163e pape (26 sept. 1143-8 mars 1144 [mort]).

CÉLESTIN III *(Giacinto di Pietro di Bobone).* ♦ [Rome, 1106 — 1198]. 173e pape (1191-1198). Il couronna l'empereur Henri* VI mais dut résister à ses prétentions sur les Deux-Siciles. Il prit parti pour Isambour (Ingeburge) répudiée par Philippe* Auguste.

CÉLESTIN IV *(Gioffredo Castiglioni).* ♦ 177e pape (oct.-nov. 1241 [mort]), Milanais, mort avant d'être consacré.

CÉLESTIN V *(saint)* ou *saint* **Pierre Célestin** (*Pietro Angeleri,* dit **du Morrone).** ♦ [Isernia, Pouilles, v. 1215 — château de Fumone, Frosinone, 1296]. 190e pape, d'août à décembre 1294. Ermite au monte Morone, près de Sulmona, fondateur des ermites de saint Damien (ou *célestins,* sous la règle bénédictine), il fut élu à Pérouse, après 27 mois de vacance du siège pontifical dus à la lutte des partis. Charles II d'Anjou, roi de Sicile, chercha à profiter de son ignorance politique; mais cédant à la pression du cardinal Caetani, il abdiqua. Caetani, élu (**V. Boniface VIII**), le garda en résidence forcée. Fête le 19 mai.

Célestine (La), ou **Tragi-comédie de Calixte et de Mélibée.** ♦ Roman dialogué, attribué à Fernando de Rojas* (1499). Entremetteuse à la fois rusée et candide, généreuse et sordide, superstitieuse et cupide, Célestine favorise les amours de deux jeunes gens, Calixte et Mélibée. L'œuvre est une comédie psychologique et une satire de mœurs d'une grande vigueur.

Célimène. ♦ Personnage du Misanthrope* de Molière. Jeune veuve de vingt ans, belle, spirituelle et coquette, Célimène est aimée d'Alceste*. Entourée de ses soupirants, elle ne peut se résoudre à abandonner les salons et à partager la vie austère du misanthrope qui, poussé à bout, se retire du commerce des hommes. Le rôle, créé par Armande Béjart, fut tenu par Mademoiselle Mars et Cécile Sorel.

CÉLINE (Louis-Ferdinand DESTOUCHES, dit **Louis-Ferdinand).** ♦ Écrivain français (Courbevoie, 1894 — Meudon, 1961). Passé par « douze métiers, treize misères », ayant expérimenté la « vacherie universelle » durant la guerre de 1914, qu'il fit comme engagé volontaire et dont il revint grièvement blessé, il parvint à terminer ses études de médecine, exerça en Afrique et en Amérique avant de soigner une clientèle populaire à Clichy (1928), puis à Meudon (1951), tout en élaborant une des œuvres majeures de son époque. Entre-temps, de violents écrits politiques, anticommunistes avec *Mea Culpa* (1936, au retour d'un voyage en U.R.S.S.), névrotiquement antisémites avec *Bagatelles pour un massacre* (1937) et *L'École des cadavres* (1938), enfin nettement pro-allemands avec *Les Beaux Draps* (1941), suscitèrent haines et ennuis à Céline. Il alla s'abriter en 1944 à Berlin, puis au Danemark, où il fut emprisonné. Il revint en France en 1951. Récits semi-autobiographiques, les premiers « romans lyriques » de Céline se proposent, par l'entremise d'un double de l'auteur (Ferdinand Bardamu), de faire « du vrai en arrangeant, en trichant comme il faut » : *Le Voyage au bout de la nuit* (1932) et *Mort à crédit* (1936) sont des épopées burlesques et amères où les invectives répétées contre l'argent, ce « cancer [qui] a bouffé l'âme » des Français, succèdent à l'évocation savoureuse et impitoyable de personnages navrants, grotesques, profondément humains. Caricaturiste admirable d'invention dans *D'un château l'autre* (1957; récit de son exil à Sigmaringen), Céline, depuis *Féerie pour une autre fois* (1950) suivi de *Normance* (1954), a quitté la chronique minutieuse et hargneuse des mensonges sociaux pour d'hallucinants délires où il se montre un maître du « lyrisme de l'ignoble » (*Nord,* 1954; *Le Port de Londres,* posth. 1964, suite de *Guignol's band,* 1944). S'avouant non pas « un homme à idées, [mais] un homme à style », Céline a recherché une écriture où l'on sente « que la matière soit organique et organisée », violentant la grammaire traditionnelle du français écrit afin d'y introduire le langage parlé, et notamment les richesses des tournures populaires et de l'argot. Ces moyens linguistiques au service d'un rythme véhément et d'un lyrisme haletant, ce style « rendu émotif », capable d'exprimer les « explosions des fonds d'âme », confèrent à l'œuvre de Céline une importance esthétique qui dépasse sans doute la tragique exhibition d'inguérissables blessures psychiques.

CELLAMARE (Antonio del Giudice, *duc de* **Giovenazzo,** *prince de***).** ♦ Diplomate espagnol (Naples, 1657 — Séville, 1733). Ambassadeur d'Espagne en France (1715) sur ordre d'Alberoni*, il forma avec le duc et la duchesse du Maine* un complot qui devait mettre Philippe* V à la place du Régent, Philippe d'Orléans*.

CELLE ou **ZELLE.** ♦ V. d'Allemagne occidentale (Basse-Saxe), sur l'Aller, à la lisière des *landes de Lunebourg.* 56 400 hab. Anc. résidence des ducs de Brunswick-Lunebourg (du XVIe au XVIIIe s.), Celle a conservé de son passé le château ducal (1292) auquel était rattaché le plus anc. théâtre d'Allemagne (1674), l'église paroissiale abritant des tombeaux ducaux et de belles maisons à colombages (XVIe-XIXe s.). — Important centre industriel (raffinerie et matériel d'extraction du pétrole, savonneries, indus. textiles et alimentaires).

CELLE-SAINT-CLOUD (La). ♦ Ch.-l. de cant. des Yvelines, arr. de Saint-Germain-en-Laye. 24 707 hab. *(Cellois).* Ville résidentielle. Château (XVIIe s.) remanié au XVIIIe s. pour Mme de Pompadour. — Aux environs, cité résidentielle (Élysée 2).

CELLES-SUR-BELLE. ♦ Ch.-l. de cant. des Deux-Sèvres, arr. de Niort. 1 572 hab. Église construite au XVIIe s., pastichant le style gothique. Mégalithes.

CELLINI (Benvenuto). ♦ Orfèvre et sculpteur italien (Florence.

Arch. Smeets

B. Cellini : « Persée avec la tête de Méduse ». (Loge des Lanzi, Florence.)

1500 - *id.*, 1571). Il fut une grande figure de l'art de la première moitié du XVIe siècle. Grand orfèvre, adroit sculpteur, brillant théoricien, il fut à la fois animé d'une vitalité qui confinait à la violence et d'une insatisfaction révélatrice d'un orgueil insatiable. Formé dans divers ateliers florentins, siennois, pisans et romains, il dut se réfugier à Rome à la suite d'une rixe (1519) et il y résida jusqu'en 1527. Il séjourna ensuite à Mantoue et à Florence et retourna en 1529 à Rome où il ouvrit un atelier et obtint la protection du pape Clément VII. Il s'y consacra à l'orfèvrerie et réalisa des pièces de monnaie et des médailles en s'inspirant des dessins de Léonard*, de Michel-Ange*, de Raphaël* et des cahiers de Filippino Lippi*. Invité par François Ier, il quitta l'Italie à la suite d'un scandale et résida en France de 1540 à 1545. Il produisit pour le roi de France plusieurs œuvres dont trois statues-candélabres (disparues), une salière d'émail et d'argent (Vienne) représentant les deux divinités de la Terre et de la Mer, figures élégantes accompagnées subtilement d'une grande richesse de détails. Son œuvre la plus marquante de cette époque fut la *Nymphe de Fontainebleau* (1543, Louvre), bas-relief où le nu est traité selon le canon svelte et allongé de l'école locale. En 1545, il retourna précipitamment à Florence où il réalisa ses grandes pièces en ronde bosse. Le *buste de Cosme Ier* (Bargello) rend fermement les traits énergiques du duc tandis que le décor de la cuirasse rappelle ses qualités de grand orfèvre. Dans le *Ganymède sur l'aigle* (Bargello) et le *Persée* (1545-1553, loge des Lanzi, Florence), Cellini fait intervenir une grâce quasi féminine dans l'héritage d'équilibre de Donatello* et de Michel*-Ange tout en proposant une multitude de points de vue offrant autant de combinaisons de lignes fortes. À la fin de sa vie, il dicta ses *Mémoires*, œuvre précieuse par les intéressantes informations qu'elle contient sur la Rome de Clément VII, la France de François Ier et la Florence de Cosme de Médicis. Imprimés en 1722, traduits en français en 1822, soutenus par l'ardeur romantique, ces *Mémoires* acquirent une immédiate popularité en raison de l'authenticité de leur vie intense et en dépit de leurs exagérations manifestes.

CELSE, en lat. **Aulus Cornelius Celsius**. ♦ Médecin romain, né à Vérone ou à Rome, qui vécut sous le siècle d'Auguste. Surnommé le « Cicéron de la medecine », il pratiqua sans doute la chirurgie. Son *De arte medica* est un important recueil sur la médecine ancienne, depuis Hippocrate (dont il était partisan), et de son temps.

CELSE, en lat. **Celsus**. ♦ Polémiste antichrétien qui vécut sous Marc Aurèle (IIe s.) dans une grande ville de l'empire, peut-être Rome ou Alexandrie. Il est l'auteur du *Logos alèthès (Discours vrai)*, ouvrage connu par la réfutation qu'en donna plus tard Origène* (*Contre Celse*, 248). Celse paraît connaître passablement, sinon comprendre, la religion qu'il combat; il reproche aux chrétiens de s'adonner à la superstition et de faire sécession dans l'État.

CELSIUS (Anders). ♦ Astronome et physicien suédois (Uppsala, 1701 — *id.*, 1744). Il créa, en 1742, l'échelle thermométrique centésimale (bien qu'il ait alors désigné par 0 le point d'ébullition de l'eau et par 100 le point de congélation). **V. Fahrenheit, Réaumur, W. Thomson** (lord Kelvin). On lui doit également des travaux relatifs à la déclinaison magnétique, au calendrier, aux satellites de Saturne. Il fut l'un des premiers à comparer l'éclat lumineux des étoiles.

CELTES. *n. m. pl.* ♦ Nom d'un groupe de peuples indo-européens venus d'Allemagne qui firent leur apparition au ~ IIe millénaire en Europe centrale et occupèrent la Gaule*, la Grande-Bretagne, l'Espagne, l'Italie du N., les Balkans et l'Asie Mineure. On peut distinguer cinq grandes périodes dans l'histoire de la civilisation celtique. — Entre ~ 1800 et ~ 1200 une civilisation pro-celtique partie de l'Allemagne du S. gagna une partie de l'Europe centrale et occidentale. — De ~ 1200 à ~ 750 plusieurs vagues d'invasions, dont témoigne la civilisation dite des « champs d'urnes », caractérisée par la pratique de l'incinération et l'usage des tombes plates en pleine terre, étendirent leur influence jusqu'au S. de la Gaule et en Espagne; ce fut l'époque du développement des *oppida*. — De ~ 725 à ~ 480 la civilisation celtique du 1er âge du fer ou *civilisation de Hallstatt** s'implanta en Europe occidentale, gagnant l'Allemagne du S., l'actuelle Tchécoslovaquie, l'Autriche, la Gaule de l'E., l'Italie du Nord et la Grande-Bretagne; c'est à ce moment que s'organisa la société gauloise avec le développement du commerce entre Celtes et peuples de la Méditerranée et que, dans l'art, les influences grecques et étrusques se firent les plus profondes (Vix*; Heuneburg [Haut-Danube]). — Du ~ Ve au ~ IIe s. la civilisation du 2e âge du fer ou *civilisation de la Tène** atteignit les Balkans (l'actuelle Yougoslavie), la Grèce (prise de Delphes, ~ 270), l'Asie Mineure (Galates) et gagna la Gaule tout entière. À l'époque de la Tène II (~ 250-~ 120), l'art celte était à son apogée et c'est à ce moment que se développa la grande sculpture monumentale dans le S. de la Gaule. — À partir du ~ IIe s. (la Tène III), les Romains soumirent successivement les Gaules cisalpine et transalpine, l'Espagne, la péninsule balkanique et la Grande-Bretagne; l'élément celte ne se maintint qu'en Bretagne, en Cornouaille, au pays de Galles, dans le N.-O. de l'Écosse et en Irlande. Les Celtes n'ont jamais formé d'empire et se sont assimilés très rapidement aux peuples déjà en place, donnant les Celtibères* en Espagne, les Gallogrecs en Asie. Ils n'étaient unis que par des liens linguistiques et par la religion. Leur société était divisée en trois classes : la noblesse guerrière, le peuple et les druides. Art de petits objets utilitaires conçus à l'usage de l'homme (et non des dieux), l'art celte était caractérisé par une tendance au schématisme linéaire qui aboutit à une abstraction ornementale qu'on peut qualifier de « surréaliste ». L'ornementation à base de motifs animaux et végétaux, consistait en dessins géométriques et singulièrement en spirales, courbes et contre-courbes. Ce peuple excellait dans le travail du métal, du bronze, de l'or, et plus rarement de l'argent (chaudron de Gundestrup, musée de Copenhague) enrichi de pierres (ambre, corail); les Celtes connaissaient aussi l'émail et la verrerie. La statuaire n'apparut qu'au ~ IIIe s. (Hermès de Roquepertuse*, ~ IIIe siècle. — Tarasque de Noves, musée Calvet d'Avignon, ~ IIe siècle. — Têtes coupées d'Entremont*, ~ IIe siècle. — Tête de Msecké-Zehrovice, musée de Prague, ~ Ier s.).

CELTES ou **CELTIS (Conrad PICKEL**, dit**)**. ♦ Humaniste allemand (Wipfel, Bavière, 1459 — Vienne, 1508). Premier des poètes lauréats, couronné par l'empereur Frédéric III (1487), il composa des odes et des élégies. Il fut également un grand érudit, historien, géographe, il découvrit la carte des routes de l'Empire romain *(table de Peutinger)*.

CELTIBÈRES. *n. m. pl.* ♦ Peuple résultant de la fusion des Ibères* et des Celtes*, établi dans le N. de l'Espagne vers ~ 500. Ils furent définitivement soumis par les Romains* en ~ 133 **(V. Numance)**.

CELTIQUE. *n. f.* ♦ Nom qui désigne d'abord le pays habité par les Celtes, c'est-à-dire la Gaule transalpine, puis sous César* la Gaule proprement dite, limitée par la Seine au N., le Rhône et le Rhin inférieur à l'E., la Garonne au S. et l'océan Atlantique à l'O. Au temps d'Auguste, la Gaule celtique ou Lyonnaise* formait une bande entre la Loire et la Seine **(V. Lyonnaise)**.

CEMAL PAŞA. ♦ **V.** Djamâl Pacha.

Cénacle *(Le)*. ♦ Appellation donnée au groupe qui se constitua, d'abord chez Ch. Nodier*, ensuite chez V. Hugo*, pour définir les idées du romantisme naissant et lutter contre le formalisme classique (1823 à 1828).

CENCI. ♦ Famille romaine qui prétendait descendre du consul

Ph. Lipnitzki-Viollet

B. Cendrars.

Crescentius. Elle s'opposa à deux empereurs (Othon II et Othon III) et au pape Grégoire VII (1075). ♦ FRANCESCO CENCI (1549 – 1598), fastueux, tyrannique et débauché, fut assassiné par sa fille Béatrice. ♦ BÉATRICE CENCI (Rome, 1577 – *id.*, 1599) fit assassiner son père, aidée de la seconde femme et du fils, Giacomo, de celui-ci; elle fut exécutée. Sa vie devait inspirer de nombreux artistes (Shelley, Stendhal, Artaud).

CENDRARS [sɑ̃dʀaʀ] **(Frédéric SAUSER, dit Blaise).** ♦ Écrivain français d'origine suisse (La Chaux-de-Fonds, 1887 – Paris, 1961). Son œuvre, conquête poétique violente et fiévreuse du « monde entier », superpose à l'aventure vécue des visions insolites, images des aventures possibles. – D'innombrables voyages effectués dans toutes les parties du monde (dès dix-sept ans, il était à Moscou), l'expérience de divers métiers et le souvenir des rencontres nourrissent une autobiographie à demi-mythique : *L'Homme foudroyé* (1945), *La Main coupée* (1946; engagé dans la Légion étrangère, Cendrars perdit un bras durant la Première Guerre mondiale), *Bourlinguer* (1948) et *Le Lotissement du ciel* (1949). La même exaltation d'une « vie dangereuse » s'exprime dans des reportages romancés (*Rhum*, 1930) et, surtout, dans des récits comme *L'Or* (1925) qui retrace l'épopée de Suter en Californie, ou *Moravagine* (1926) qui peint les « phénomènes alternés de l'inconscient » chez un « grand fauve » animé d'une énergie intense et destructrice. Sous forme d'un diptyque allégorique, l'aventure de *Dan Yack* (*Le Plan de l'aiguille*, 1928 et *Les Confessions de Dan Yack*, 1929, reunis sous le même titre en 1948) évoque la reconquête de soi par l'écriture. – Inaugurant le « simultanéisme » (si fécond pour l'œuvre d'Apollinaire* et le mouvement surréaliste), les poèmes de Cendrars appréhendent fiévreusement l'univers (« Le seul fait d'exister est un véritable bonheur »), en célèbrent la variété ou disent « la tristesse et le mal du pays ». Renouvelant les techniques poétiques (Cf. l'absence de ponctuation et les rimes assonancées des *Pâques à New York*, 1912), adoptant un rythme nerveux, voire syncopé (*La Prose du transsibérien et de la Petite Jeanne de France*, 1913), privilégiant l'instantané et captant des images hétérogènes qui composent des *Sonnets dénaturés* (1916), des *Poèmes élastiques* (1919), ces poésies sont des notations brèves (*Feuilles de route*, 1924), des « photographies mentales » du monde moderne (*Documentaires*, intitulé d'abord *Kodak*, 1924; en fait, ces poèmes sont composés de phrases, d'images tirées du *Mystérieux docteur Cornélius*, feuilleton de G. Le Rouge).

Cendrillon. ♦ Personnage fameux des contes de fées, et titre d'un récit de Ch. Perrault*. Cendrillon est en butte aux persécutions de sa marâtre et aux sarcasmes de ses sœurs qui la relèguent près des « cendres », à la cuisine. Mais, aidée de la fée, sa marraine, elle apparaîtra au bal, où sa seule beauté fera sensation. Épris d'elle, le fils du roi la retrouvera grâce à sa « petite pantoufle de verre ».

CENIS (Mont-). ♦ Massif des Alpes du Nord, entre la Maurienne* et la vallée de Suse, à 3 170 m d'altitude. La route de Lyon à Turin passe par le *col du Mont-Cenis* à 2 083 m. Le *tunnel du Mont-Cenis* (1871) est percé dans le massif de Fréjus et la voie de chemin de fer Paris-Turin l'emprunte. Le *barrage du Mont-Cenis*, à 1 979 m, a été achevé en 1969; il forme une retenue de 321 000 000 de m³.

CENNINI (Cennino). ♦ Peintre italien (Colle Vadelsa, milieu du XIVe s. – Florence). Élève d'Agnolo Gaddi*. Toutes ses œuvres ont disparu, mais son *Libro dell'Arte*, sorte de manuel destiné aux peintres et à leurs apprentis, est la source principale de renseignements sur la technique des peintres italiens du XIVe siècle. Il comporte des études sur le broyage des couleurs, la préparation des supports, la fabrication des plumes et des pinceaux ainsi que sur la manière de rendre le clair-obscur, de peindre les visages, les vêtements, les rochers, les arbres, etc.

CÉNOMANS. *n. m. pl.*, en lat. **Cenomani.** ♦ Peuple celtique de la tribu des Aulerques* qui s'établit dans la région du Pô v. ~ 400, autour de *Brixia* (Brescia*), *Verona* (Vérone*) et *Cremona* (Crémone*).

CENON. ♦ Comm. de la Gironde, dans l'arr. et la banlieue de Bordeaux. 27 701 hab. Vignobles. Distilleries. Imprimerie. Fabrique de matelas.

Cent Ans *(guerre de)*. ♦ Nom donné au long conflit qui opposa la France et l'Angleterre de 1337 à 1453. L'origine en fut le mariage d'Henri* II d'Angleterre avec Aliénor* d'Aquitaine (1152) qui eut pour conséquence de faire des rois d'Angleterre les vassaux des rois de France pour une partie de la France, dont l'Aquitaine. Les combats furent dès lors fréquents, les rois d'Angleterre essayant de soustraire leurs domaines français à tout lien de dépendance, les rois de France réussissant à les leur enlever en majeure partie **(V.** *surtout* **Philippe II Auguste).** Au XIVe s. les rois d'Angleterre ne possédaient plus guère que l'Aquitaine (ou Guyenne). Le conflit féodal se doubla alors d'un aspect dynastique. Édouard* III d'Angleterre, petit-fils par sa mère de Philippe IV le Bel, réclama la couronne de France contre Philippe* VI de Valois qui fut préféré en tant que prince français (1337). Les intérêts des deux royaumes étaient en outre opposés en Flandre. La guerre débuta mal pour la France, Philippe VI fut vaincu à l'Écluse* (1340) puis à Crécy* (1346) par Édouard III qui prit Calais* (1347). Édouard*, prince de Galles, s'empara de Poitiers où il captura Jean* II le Bon (1356). La France en proie aux plus graves difficultés sous la régence de Charles (V) signa le traité de Calais (après les préliminaires de Brétigny) par lequel elle perdait entre autres l'Aquitaine, le Ponthieu et Calais (1360). Sous Charles V, cependant, grâce à Du* Guesclin, se produisit le redressement français. L'Angleterre perdit la plupart de ses possessions, ne gardant guère que Calais, Cherbourg et Bordeaux. La situation militaire évolua peu ensuite car l'Angleterre et la France durent faire face à une situation intérieure difficile (minorités de Richard* II en Angleterre, de Charles* VI en France, révoltes dans les deux royaumes) et une trêve de fait s'établit jusqu'en 1404. Cependant, la démence de Charles VI puis la guerre civile entre les Armagnacs* et les Bourguignons affaiblirent la France. Profitant de ces dissensions, le roi d'Angleterre Henri* V s'allia au duc de Bourgogne Jean* sans Peur, remporta la victoire d'Azincourt* (1415) et imposa à la France le traité de Troyes qui le faisait roi de France et d'Angleterre (1420). Le dauphin Charles* (VII) refusa de reconnaître le traité et s'assura l'appui du centre et du sud de la France (à l'exception de la Guyenne). Les Anglais, toujours alliés aux Bourguignons, maîtres de la France du Nord et de l'Ouest sous Henri VI d'Angleterre, remportèrent en 1424 la victoire de Verneuil*-sur-Avre sur Charles VII. L'intervention de Jeanne* d'Arc fut décisive; ranimant les énergies, elle fit lever le siège d'Orléans, battit les Anglais à Patay (1429) et surtout fit sacrer Charles VII à Reims (1429). Malgré la condamnation de Jeanne d'Arc (1431), la France ne perdit plus l'avantage grâce à des hommes de guerre de valeur **(V. Xaintrailles, La Hire, Dunois)**; le duc de Bourgogne Philippe III le Bon s'allia à la France (traité d'Arras, 1435). Les Français reprirent Paris (1436), la Normandie de 1449 à 1450 (victoire de Formigny), la Guyenne de 1450 à 1453 (victoire de Castillon*, prise de Bordeaux, 1453). Seul Calais restait à l'Angleterre, alors en proie à la guerre des Deux-Roses*. Le traité de paix définitif ne fut signé qu'en 1475 à Picquigny* entre Louis XI et Édouard IV. – Ce fut lors de la guerre de *Cent Ans* qu'eurent lieu les premières manifestations de nationalisme français **(V. Jeanne d'Arc).**

Cent-Associés (Compagnie des) ou **Compagnie de la Nouvelle-**

Cendrillon et la fée, sa marraine.

France. ♦ Compagnie fondée par Richelieu (1627) pour le développement du Canada. Elle comportait cent actionnaires et possédait le monopole commercial. La rivalité anglaise et l'indifférence de l'opinion publique causèrent son échec, et le Canada fut réuni à la couronne en 1663.

Centaure. *n. m.*, en lat. **Centaurus.** ♦ Constellation australe entre l'équateur et le pôle. Son étoile α est une étoile double (magnit. 0,3 et 1,7) dont la distance évaluée à 4,3 années-lumière, en fait l'étoile la plus proche de la Terre. Son étoile β (magnit. 0,9) est très voisine en position.

Centaure *(Le)*. ♦ Poème en prose (posth., 1840) de M. de Guérin*, qui se présente comme une longue méditation lyrique et symbolique. Dans un univers primitif, le Centaure, qui évoque sa jeunesse, s'est d'abord enivré du sensible (« Je bondissais partout comme une vie aveugle et déchaînée »), puis, fasciné par le spirituel, a tenté de « surprendre les rêves de Cybèle endormie ». Pour rendre cette « alternance d'élans et de défaillances », rythmes accordés de l'âme et du monde, M. de Guérin recourt à une prose musicale, ample ou haletante, d'une grande beauté.

CENTAURES. *n. m. pl.*, en grec **Kentauroi.** ♦ Peuple sauvage d'aspect monstrueux — chevaux à torse et tête d'homme — qui habitait, selon la légende, en Thessalie* et en Arcadie*. Nés de l'union illusoire d'Ixion* et d'Héra, ils étaient redoutables pour leur brutalité, à l'exception de Chiron* et de Pholos*. Ainsi, invités aux noces de Pirithoos*, roi des Lapithes*, ils s'enivrent et s'emparent de la jeune épouse et d'autres femmes, mais ils sont vaincus et chassés de Thessalie. *Le Combat des Centaures et des Lapithes* et la victoire de ces derniers, aidés par Thésée*, sujet souvent représenté dans l'art classique, symbolise le triomphe de la civilisation sur la barbarie. Un des Centaures, Nessos*, est lié à la légende de la mort d'Héraclès*.

Cent-Jours (les). ♦ Dernière période du règne de Napoléon Ier du 20 mars 1815 au 22 juin 1815, pendant laquelle il tenta une restauration de l'Empire. S'étant échappé de l'île d'Elbe*, il débarqua le 1er mars 1815 à Golfe-Juan, ralliant les troupes envoyées pour l'arrêter et soulevant l'enthousiasme des populations, lors de son passage à travers la France (Laffrey, Grenoble, Lyon, Auxerre, où Ney* se rallia). Il arriva le 20 mars aux Tuileries, cependant que Louis XVIII s'était enfui en Belgique. Il demanda à Benjamin Constant* de rédiger l'*Acte* additionnel aux constitutions de l'Empire*, qui fut approuvé par un plébiscite (2/3 des électeurs s'étaient abstenus). Cet acte favorisait la bourgeoisie. Il appela Carnot* au ministère de l'Intérieur. Les Alliés avaient mis Napoléon au ban de l'Europe. La défaite de Waterloo* mit fin à la restauration de l'Empire et Napoléon abdiqua pour la seconde fois (22 juin 1815).

CENTRAFRICAIN (Empire), anc. **République Centrafricaine.** ♦ État de l'Afrique centr., sans accès à la mer, limité au N. par le Tchad*, à l'E. par le Soudan*, au S. par le Zaïre* et le Congo* et à l'O. par le Cameroun*. 623 000 km². 2 610 000 hab. *Cap.* Bangui. *Langues :* français (off.); bantou, peul. — *Orogr.* Le pays est constitué par un vaste plateau couvert de savanes, qui sépare deux cuvettes, l'une vers le Tchad drainé par le Chari*, l'autre vers le Congo, drainé par l'Oubangui*. — *Écon.* Agriculture vivrière (ignames, maïs, manioc, sorgho). Arachides (90 000 t). Les cultures d'exportation sont essentiellement le coton, le café (11 000 t), le tabac, tandis que l'activité minière concerne surtout le diamant (380 000 carats). Indus. alimentaires; brasserie (181 000 hl de bière). Indus. textiles, verrerie, cimenterie. L'agriculture et l'élevage représentent 80 % de la production. ♦ *Hist.* Anc. Oubangui*-Chari, république autonome au sein de la communauté en 1958, elle devint indépendante en 1960. Le maréchal Bokassa, président depuis 1966, a érigé la république en empire en déc. 1976.

Central Intelligence Agency ou **C.I.A.** (« Agence centrale de renseignements »). ♦ Service d'espionnage et de contre-espionnage des États-Unis, créé en 1947. Dirigé par Allan Dulles jusqu'à l'échec de la tentative d'invasion de Cuba (à la « baie des Cochons », 1961), elle est dominée par la lutte contre toutes les activités inspirées par le communisme. Utilisant des méthodes efficaces et des moyens techniques très puissants, elle peut intervenir dans le monde entier pour apporter un soutien à un régime politique, un parti ou à un syndicat de sa convenance.

CENTRE. *n. m.* ♦ Région française (anciennement C.A.R.) 6 départements Eure-et-Loir, Loiret, Loir-et-Cher, Indre-et-Loire, Indre, Cher. 39 000 km² (7%, 5e rang); 2 152 500 hab., 4% (10e rang), d = 51 (16e rang). — Artificiellement découpée dans la moitié sud du Bassin parisien (Orléanais*, Touraine*, Berry* et N.-O. du Bourbonnais*), elle réunit, de part et d'autre de la vallée de la Loire moyenne qui en fait l'unité, un ensemble de pays très divers, correspondant aux affleurements ou dépôts variés qui se succèdent du seuil cristallin du Massif central à la haute vallée de l'Eure : dépression liasique de Germigny et du Boischaut; plaine jurassique de la Champagne berrichonne flanquée, à l'ouest, de la Brenne « aux mille étangs »; dépression infracrétacée de Puisaye; plateaux argileux de Touraine; Sologne* détritique, aux aspects landais, que prolonge, au nord, la forêt d'Orléans (34 000 ha); plaine tertiaire limoneuse de Beauce* que bordent, à l'est, le Gâtinais* bocager, à l'ouest, les collines du Perche*. — Porté par des dislocations locales à 434 m en Sancerrois — exception qui évoque la Lorraine plutôt que l'Ouest —, le relief, très effacé, s'incline de tous côtés vers le cours de la Loire (Orléans : 93 m; aval de Tours : 30 m) détourné, au tertiaire, par l'affaissement de

Arch. Smeets

Femme Lapithe ravie par un **Centaure,** provenant du temple de Zeus à Olympie, ⁓ Ve s. (Musée d'Olympie.)

cette partie du Bassin parisien : vaste zone de subsidence où les confluences (Cher, Indre, Vienne) sont difficiles et lentes. Les formes y sont aplanies, les horizons calmes, les paysages harmonieux. Les influences combinées de l'océan et de la latitude valent au climat « ligérien » une douceur ensoleillée qui favorise la vigne et ajoute au charme du Blésois et de la Touraine. Les précipitations varient avec le relief (— de 600 mm en Beauce, dans le Val et en Sologne; + de 700 en Sancerrois et en bordure du Massif central). — *Démogr.* Au XIXe s., ces pays avaient connu, du seul fait du mouvement naturel de leur population, une croissance démographique régulière — de 1 446 000 hab. en 1801 à 1 932 000 en 1891. Ils en perdirent ensuite 217 000, du fait de la dénatalité et de l'attraction parisienne (1 715 000 en 1936). Mais, si les densités restent inégales (de 72 en Indre-et-Loire à 36 en Indre), ce déficit est aujourd'hui largement comblé (1 990 000 en 1968; 2 060 000 au 1er janv. 1971) moins par un regain de vitalité (faibles excédents de naissances) que par un renversement récent de la balance migratoire : 2 150 000 hab. furent atteints en 1975. — La décentralisation ne pouvait en effet que profiter aux villes de la région dont la population active s'est accrue de près de 50 000 unités en six ans (813 000 pers. en 1968) : le secondaire est passé de 33,3 à 39 % et le tertiaire de 36,9 à 39,4 %. L'évolution est inégale mais dans l'ensemble, l'urbanisation progresse à un rythme supérieur à la moyenne et de manière assez équilibrée entre villes moyennes ou petites (25,2 %) et chefs-lieux (30,5 %). — *Écon.* Le taux de croissance élevé des effectifs industriels (+ 3,3 % l'an), l'indice de consommation d'énergie (223 en 1968 pour 100 en 1958), l'importance du bâtiment et des T.P. (11,6 % des actifs; France 9,8) témoignent de la mutation en cours; mais la dispersion des établissements est grande et la diversité des activités extrême. Loiret

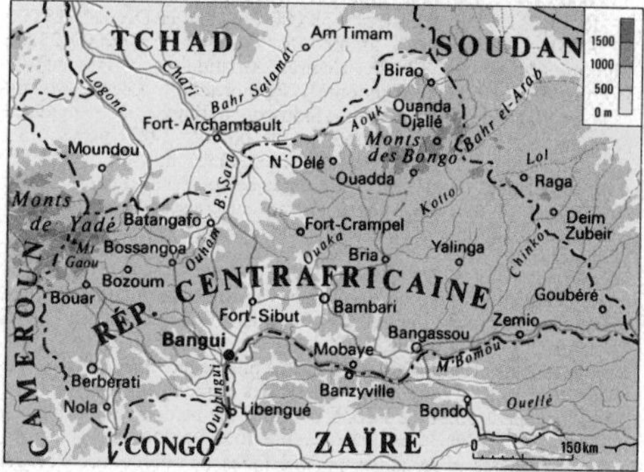

Empire centrafricain.

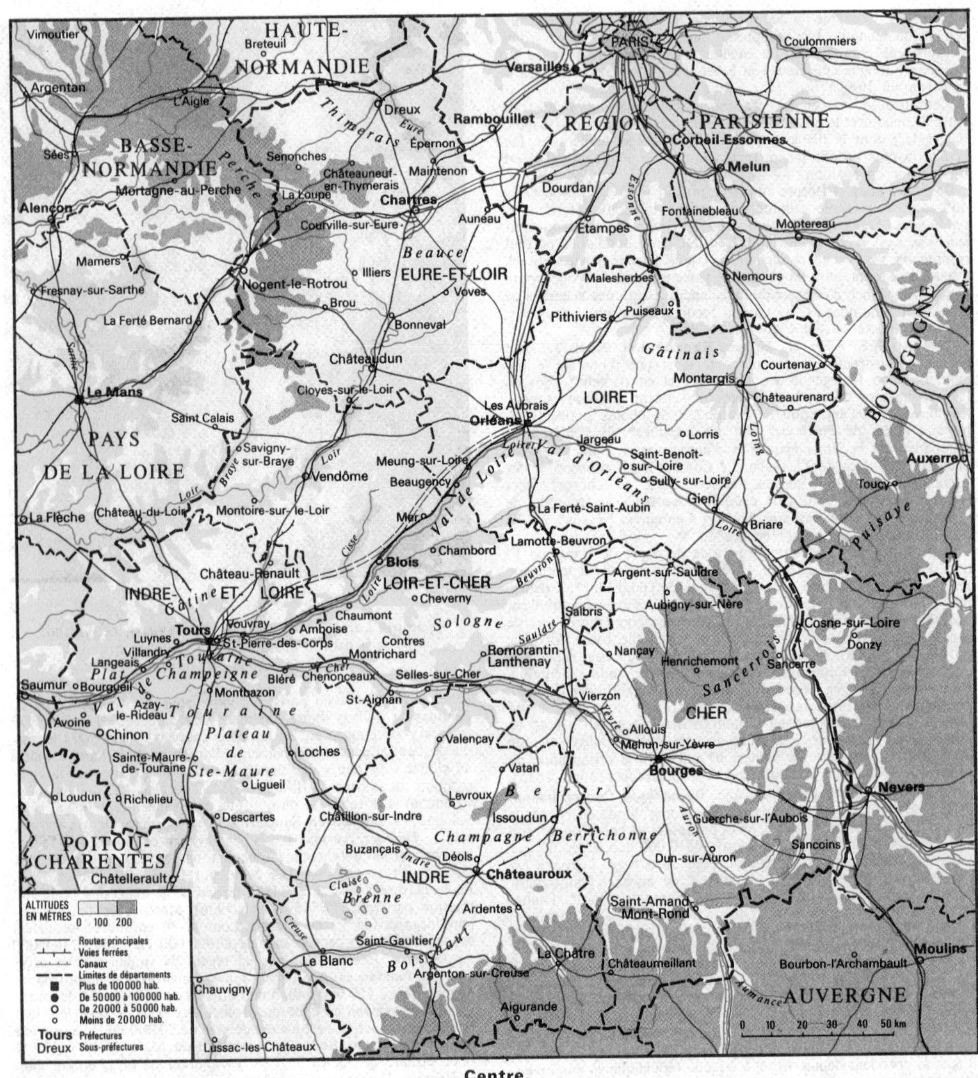

Centre.

(52 500 emplois indus.) : auto, aéronautique, électricité, chimie. Indre-et-Loire (40 750) : caoutchouc, pharmacie, divers. Cher (39 000) : mécanique, aéronautique, armement. Eure-et-Loir (36 400) : électricité, mécan. Loir-et-Cher (28 600) : auto., indus. alimentaires. Indre (25 000) : habillement. Trois pôles principaux : les aggl. de Tours*, 201 500 hab. (+ 22,5 % de 62 à 68), Orléans*, 167 000 (+ 18,7 %), Bourges*-Vierzon, 76 000 et 35 000 (+ 16,7 et 7,2). Puis Chartres*, 59 000 (+ 21,4) et Dreux*, 35 000 (+ 41,3); Châteauroux*, 56 000 (5 %); Blois*, 47 000 (25,5); Montargis*, 45 000 (20,2). Centres secondaires : Nogent*-le-Rotrou, Châteaudun*, Vendôme*, Romorantin*, Gien*. Malgré cela, la place du Centre dans l'industrie nationale reste modeste (énergie : 13ᵉ; nombre d'entreprises de plus de 1 000 pers. : 15ᵉ) et la dépendance à l'égard des sièges extérieurs nuit au développement du tertiaire de qualité. – En dépit de son recul relatif (29,8 % en 1962; 21,6 en 1968), l'*agriculture* n'en conserve pas moins un rôle de tout premier plan par la valeur de ses productions végétales (Beauce, Berry) : 61,8 % du produit agricole, les céréales intervenant pour 39,8 %. Occupant 53 % de la S.A.U. avec des rendements en progrès constant, elles assurent 16 % de la récolte nationale (1ᵉʳ rang) : 54 000 000 de q en 1968 (28 en 1961). Au blé tendre (21 000 000 de q, 14,4 %) et à l'orge (26,2 %) se sont ajoutés le maïs (10 000 000 de q, 25 %) puis le blé dur (26 %). Cette production se concentre dans de grandes exploitations (les plus de 50 ha occupent 55 % de la S.A.U.) mais les petites l'emportent en nombre et la distorsion est grande, dans tous les domaines, entre les zones céréalières et les zones périphériques de polyculture-élevage. Le Val de Loire, de haute tradition viticole et horticole, est confronté a de sérieux problèmes d'adaptation; mais toute l'agriculture doit étendre son secteur aval de transformation et de commercialisation. – Le VIIᵉ Plan incite à l'expansion industrielle et tertiaire (essor des jeunes universités d'Orléans et Tours et de la recherche scientifique) et prévoit un développement notable des infrastructures : routières (autoroutes Paris-Chartres [1973] – Le Mans [1977]; Paris-Orléans [1974] – Tours [1975] – Poitiers [1976]; transversales Nantes-Tours-Bourges-Lyon et Poitiers-Bourges), urbaines (aménagement de la zone d'appui de Loire moyenne) et touristiques (zones de loisirs de Sologne et Brenne), lesquelles ne sauraient aller sans une mise en valeur plus poussée du prestigieux patrimoine architectural.

CENTRE *(canal du)*. ♦ Canal unissant la Saône et la Loire, de Chalon* à Digoin*, où il se termine sur le canal latéral à la Loire. Il emprunte la vallée de la Dheune* et de la Bourbince*. Construit en 1794, il dessert la zone industrielle du Creusot*.

CENTRE *(canal du)*. ♦ Voie navigable de Belgique, entre Mons* et le canal de Bruxelles à Charleroi. 21 km. Tronçon d'une rocade unissant l'Escaut* à la Meuse*. Le canal du Centre draine les villes du Hainaut (Houdeng-Goegnies, La Louvière, Mons, Strépy-Braquegnies,...).

Centre démocrate. ♦ Parti politique français, centriste et réformateur, issu des Comités d'études et de liaison des démocrates (formés en 1962) et fondé officiellement par J. Lecanuet après sa candidature aux élections présidentielles de 1965 (où il obtint 4 000 000 de voix env.). Ce parti, qui compte env. 50 000 adhérents et dont l'organe officiel est *Démocratie moderne*, a pour programme une rénovation de la démocratie, une économie de liberté (fondée sur la concurrence contrôlée par un plan), et la formation d'une Europe supranationale unie sur le plan économique et politique.

Centre national de la recherche scientifique. ♦ **V.** C.N.R.S.

Centre national des indépendants et paysans (C.N.I. ou C.N.I.P.). ♦ Parti politique français centriste (fondé en 1949) qui se donne pour but la défense des libertés traditionnelles face à l'étatisme et au dirigisme (particulièrement contre le communisme). (Président : Antoine Pinay ; secrétaire général : C. Laurens ; organe officiel : *le Journal des indépendants*).

CÉPHALAS ou **KÉPHALAS (Constantin).** ♦ Érudit byzantin (déb. Xe s.) à qui l'on doit une *Anthologie* grecque*. Compilation des *Anthologies* plus anciennes, cette collection a procuré le fond de l'*Anthologie* de Planude* et de l'*Anthologie palatine*.

CÉPHALE, en grec **Kephalos.** ♦ Héros athénien, l'un des amants d'Éôs* qu'il quitta pour épouser Procris. Jaloux d'elle et voulant la mettre à l'épreuve, il se déguise en étranger et essaie de la séduire au moyen de cadeaux. Quand elle cède, Céphale se fait reconnaître et la jeune femme, honteuse, disparaît. Elle joue plus tard le même mauvais tour à Céphale et les deux époux se pardonnent mutuellement. Mais Procris, jalouse à son tour d'une « Brise » que Céphale, disait-on, invoquait pour « rafraîchir son ardeur », le suit à la chasse pour le surprendre. Céphale, au bruit des feuillages remués par Procris, lance dans sa direction un javelot qui la blesse mortellement. Avant de mourir, elle a du moins la satisfaction d'apprendre que son adversaire Brise n'était que le vent. Banni pour ce meurtre, Céphale a plusieurs aventures. C'est le héros éponyme de la *Céphalonie*.

CÉPHALONIE, en gr. **Kephallênia.** ♦ La plus grande des îles Ioniennes* (Grèce), elle forme, avec Ithaque*, le nome de Céphalonie. 935 km². 46 314 hab. Ch.-l. Argostoli*. Cultures : olivier, vigne. ♦ *Hist.* Prospère à l'époque mycénienne, elle formait une tétrapole : Krané, Paleis, Pronnaioi et Samé. Forcée de prendre le parti d'Athènes pendant la guerre du Péloponnèse, elle participa plus tard à la Ligue étolienne. Soumise aux Romains en ~ 189, elle appartint à l'Empire byzantin, puis elle passa successivement aux Normands, aux Vénitiens et aux Turcs. **V. Ioniennes** (îles).

CÉPHISE, en gr. **Kêphisos.** *n. m.* ♦ Nom de deux riv. de l'anc. Grèce, celle qui baignait Élatée (Phocide) et Chéronée* (Béotie) et se jetait dans le lac de Copaïs*, et celle de l'Attique* (auj. Kiphisos) qui contournait Athènes* et débouchait dans le golfe Saronique.

CÉRAM. ♦ V. SERAM.

Céramique. *n. m.*, en gr. **Kerameikos.** ♦ Quartier de l'Athènes* antique au N.-O. de l'Acropole. Il devait son nom aux ateliers de poterie primitivement installés à cet emplacement. À partir du ~ VIe s. ce fut un des plus beaux quartiers, centre de l'activité politique, commerciale et culturelle de la cité, comprenant l'Agora avec ses établissements publics, temples, portiques et théâtres. — Le *Céramique extérieur*, au delà des murs, s'étendait jusqu'aux jardins de l'Académie le long de la route de l'Académie et de la Voie sacrée. Il contenait la nécropole d'Éridanos. — Auj. site archéologique : vestiges et musée de l'Agora **(V. Athènes)**, stèles funéraires et musée du Céramique renfermant des trouvailles de la nécropole.

CÉRASONTE, en grec **Kerasous**, en turc **Kiresoun.** ♦ Anc. V. d'Asie Mineure (Pont) sur le Pont-Euxin, colonie de Sinope. Lucullus en rapporta les premiers plants de cerisiers dans son pays (~ 73).

CERBERE, en grec **Kerberos.** ♦ Chien gardien des Enfers, dans la mythologie grecque. Fils de Typhon* et d'Échidna*, il a trois têtes et le cou hérissé de serpents. Pourtant, Orphée* le charme de sa lyre et Héraclès* le dompte et l'amène sur terre, puis le renvoie au royaume des morts. Psyché, ainsi qu'Énée, conduits par la sibylle de Cumes (dans l'*Énéide* de Virgile), l'amadouent avec des gâteaux.

CERBÈRE. ♦ Comm. des Pyrénées-Orientales, (arr. de Céret), à proximité de la frontière espagnole ; abritée par le cap Cerbère. 2 064 hab. — Station balnéaire et port de pêche.

CERBÈRE *(cap)*, en esp. **Cervera.** ♦ Éperon rocheux séparant la France de l'Espagne et dominant le littoral de la Méditerranée.

Cercle, en all. **Kreis.** ♦ Division administrative du Saint Empire romain germanique. Les cercles étaient au nombre de quatre en 1387 et de dix en 1512 (Autriche, Bavière, Souabe, Franconie, Haute- et Basse-Saxe, Westphalie, Haut- et Bas-Rhin, Bourgogne). Cette division, qui fut abrogée en 1806 avec la Confédération du Rhin, fut reprise par le IIIe Reich comme une subdivision du *Gau*.

Cercle social. ♦ Club révolutionnaire, à caractère vaguement mystique, qui, sous le nom « Les Amis du peuple », fut fondé par l'abbé C. Fauchet* et N. de Bonneville* au début de la Révolution. Ce club, dont les positions étaient exposées dans les journaux la *Bouche de fer* et la *Chronique du jour*, connut un succès assez éphémère.

CERDAGNE, *n. f.*, en catalan **Cerdanya.** ♦ Région des Pyrénées orientales, partagée entre la France et l'Espagne depuis 1659 (traité des Pyrénées*). Elle est formée par les vallées de la Segre* (Espagne), de la Têt* et de l'Aude* (France). La région vit de l'élevage et du tourisme d'hiver (Font*-Romeu). Les centres princ. sont Montlouis* (France) et Puigcerda* [Espagne] *(Cerdans* ou *Cerdagnols)*. ♦ *Hist.* Le pays des *Ceretani* fut réuni en 1177 au comté de Barcelone, puis au royaume d'Aragon. Par le traité des Pyrénées (1659), il fut partagé entre l'Espagne et la France. Puigcerda*, son anc. capitale est restée le chef-lieu de la Cerdagne espagnole.

Arch. Smeets

Héraclès assisté d'Athéna enchaîne **Cerbère**, par le peintre d'Andokidès. Amphore attique à figures noires et rouges, fin du ~ VIe s. (Musée du Louvre, Paris.)

CERDAN (Marcel). ♦ Boxeur français (Sidi-bel-Abbès, 1916 — aux Açores, 1949). Il remporta le titre de champion de France des poids mi-moyens en 1938 et celui de champion du monde des poids moyens en 1948. Il trouva la mort dans un accident d'avion.

CÈRE. *n. f.* ♦ Riv. d'Auvergne*, affl. de la Dordogne* (110 km). Elle arrose Vic-sur-Cère. Centrales hydro-électriques.

ČERENKOV. ♦ **V.** TCHÉRENKOV.

CÉRÈS. ♦ Divinité primitive de la fertilité chez les Latins, totalement assimilée par la suite à Déméter **(V. Déméter).**

CÉRET. ♦ Sous-préf. des Pyrénées-Orientales, ch.-l. d'arr. (4 cant., 42 comm. 51 505 hab.), dans la partie inférieure du Vallespir*. 5 654 hab. *(Cérétans)*. Église Saint-Pierre du XVIIIe s. (clocher de 1289). Le musée d'Art moderne (anc. couvent de Carmes du XVe s.) fut inauguré en 1950 ; toiles des nombreux artistes installés dans la ville à l'époque du cubisme. — Céret est célèbre pour ses cerises. Vins (cru classé « haut-roussillon »). Fabriques de sandales. Indus. du liège. Exploitation de talc.

CERGY. ♦ Comm. du Val-d'Oise. arr. et comm. de Pontoise, au-dessus d'une boucle de l'Oise. 2 203 hab. *(Cerginois)*. Église (XIIe, XIIIe, XVIe s.), portail Renaissance. — À côté se construit la ville nouvelle de CERGY-PONTOISE, qui abrite déjà la préf. du Val-d'Oise, et fait partie d'un syndicat communautaire.

CÉRIGNOLE, en it. **Cerignola.** ♦ V. d'Italie (Pouilles). 50 000 hab. ♦ *Hist.* Gonzalve* de Cordoue, à la tête des Espagnols, y défit les Français placés sous les ordres du duc de Nemours (1503), et chassa définitivement Louis* XII du royaume de Naples.

CERIGO. ♦ **V.** CYTHÈRE.

CÉRILLY. ♦ Ch.-l. de cant. de l'Allier*, arr. de Montluçon*. 1 958 hab. Église du XIIe s. — Patrie de Ch.-L. Philippe*.

CÉRISOLES, en it. **Ceresole Alba.** ♦ Localité d'Italie (Piémont), près de Coni. ♦ *Hist.* En 1544, les Français, sous les ordres de François d'Enghien, y remportèrent sur les Impériaux une victoire qui donna le Montferrat à la France.

CERIZAY. ♦ Ch.-l. de cant. des Deux-Sèvres, arr. de Bressuire. 3 582 hab. Machines-outils. Carrosserie automobile.

C.E.R.N. ♦ Sigle de l'Organisation européenne pour la recherche nucléaire (initialement Conseil européen pour la recherche nucléaire). Cet organisme, créé en 1952 à Meyrin, près de Genève, est destiné à la recherche nucléaire pure ; il possède deux accélérateurs de particules dont un synchrotron à protons à gradients alternatifs d'une énergie de 25 GeV.

CERNA ou **ČRNA.** *n. f.* ♦ Rivière yougoslave, affl. du Vardar*, née au N.-O. de Bitola* (Macédoine). 185 km. Théâtre de l'affrontement serbo-bulgare durant la Première Guerre mondiale.

CERNĂUTI. ♦ **V.** TCHERNOVTSY.

CERNAY. ♦ Ch.-l. de cant. du Haut-Rhin*, arr. de Thann*, sur la Thur. 8 774 hab. [8 183 aggl.]. *(Cernéens)*. Église du XIe s.,

Ph. Carlo Bevilacqua/Ricciarini

Cerveteri : nécropole étrusque.

restes des fortifications du XIIIe siècle. Indus. textiles, constructions mécaniques.

CERNAY-LA-VILLE. ♦ Comm. des Yvelines, arr. de Rambouillet. 518 hab. — À proximité, ruines de l'abbaye des *Vaux*-de-Cernay.*

CERNUDA (Luis). ♦ Poète espagnol (Séville, 1902 — Mexico, 1963). Il retrouva dans le surréalisme le prolongement des grands thèmes lyriques de la poésie espagnole. Ses vers, purs et hermétiques, traduisent les sentiments délicats déjà exprimés par Bécquer*. *Le Séjour de l'oubli* (1933), *Invocations aux grâces de ce monde, En attendant l'aube* (1947).

CERNUSCHI (Enrico). ♦ Homme politique et banquier italien (Milan, 1821 — Menton, 1896). Réfugié en France après la révolution de 1848 en Lombardie, il légua à la Ville de Paris son hôtel transformé en musée et une importante collection d'objets orientaux.

CËRRIK. ♦ Localité d'Albanie*, près d'Elbasan. 4 000 hab. Raffinerie de pétrole et extraction du méthane.

CERRITO (Fanny). ♦ Danseuse italienne (Naples, 1817 — Paris, 1909). Par la perfection de son style et l'éclat de sa personnalité, elle fut l'une des danseuses romantiques les plus fêtées de son temps, triomphant à Milan, Paris et Londres où elle devait se produire aux côtés de trois de ses plus illustres rivales, Carlotta Grisi*, Marie Taglioni et Lucile Grahn (*Pas de quatre*, de J. Perrot, 1845). Elle remporta ses plus grands succès dans les ballets *Alma ou la Fille de feu* (1840), *Ondine* (1842), *La Vivandière* (1844), *Le Violon du diable* (1849), *Stella ou le Contrebandier* (1850).

CERRO DE PASCO. ♦ V. du Pérou, ch.-l. du *dép. de Pasco* (21 854 km^2 env. 126 500 hab.) situé à 4 360 m d'alt. dans la cordillère andine. 37 100 hab. Grand centre minier (cuivre, argent, or, plomb, zinc).

CERTON (Pierre). ♦ Compositeur français (? — Paris, 1572). Maître de chant à la Sainte-Chapelle, il a laissé de nombreuses œuvres religieuses (messes, motets, psaumes et cantiques) ainsi que trois cents chansons polyphoniques qui font de lui le plus fécond des auteurs français du XVIe siècle.

CÉRULAIRE, en gr. **Keroularios** (Michel). ♦ (Constantinople, v. 1000 — 1059). Patriarche de Constantinople de 1043 à 1058. Il favorisa l'hostilité à l'Église latine, fut excommunié à Sainte-Sophie par les légats de Léon* IX, répliqua par un synode qui les anathématisa (juillet 1054); le schisme d'Orient (réel depuis le début du siècle et précédé de plusieurs autres, **V. Schisme**) était ainsi consommé. Par la suite, il participa au complot qui porta Isaac Ier Comnène au pouvoir (1057), mais ses ambitions causèrent sa déposition et son arrestation.

CERVANTES Y SAAVEDRA (Miguel de). ♦ Écrivain espagnol (Alcalá de Henares, 1547 — Madrid, 1616). On sait peu de choses sur sa vie errante, sinon qu'il fréquenta quelque temps l'université, accompagna le cardinal Acquaviva, légat du pape, à Rome puis servit comme soldat. Il participa à la bataille de Lépante (dans laquelle il perdit un bras) et chercha à incarner les valeurs d'héroïsme dans une Espagne où toutes les références morales s'écroulaient. Fait prisonnier par les Turcs, il passa cinq ans au bagne d'Alger dont il décrivit les misères dans plusieurs de ses œuvres. De retour dans son pays, il se maria, trouva un emploi de fonctionnaire et fut mêlé à d'obscures affaires qui le menèrent en prison. Il se fit connaître dans les lettres par un roman pastoral, tout à fait dans le goût de l'époque, *La Galatée* (1585). Ce n'est que très tard qu'il écrivit : *« El Ingenioso Hidalgo don Quijote de la Mancha ».* **(V. Don Quichotte)** dont la première partie fut publiée en 1605 et la seconde en 1615. Avec un art rigoureusement réaliste, Cervantes y décrit une Espagne qui s'est vite reconnue dans ce chef-d'œuvre et l'accueillit avec enthousiasme. En 1613, furent publiées les *Nouvelles exemplaires* où se détachent deux genres différents : certaines nouvelles racontent en les transposant avec imagination les aventures amoureuses de l'auteur *(L'Espagne anglaise, L'Amant libéral)*, d'autres parviennent à faire parler les êtres, à décrire tous les aspects de la société avec une remarquable vérité et une grande justesse psychologique *(Rinconete et Cortadillo, Le Dialogue des chiens, La Gitanilla)*. Pages picaresques, humoristiques sans cynisme, les *Nouvelles exemplaires* marquent un tournant dans le domaine de la brève narration. En 1614, Cervantes publia un ouvrage de critique littéraire : *Voyage au Parnasse* et se fit connaître comme dramaturge : *Numancia, Huit Comédies et « entremeses ».* Quand il mourut en 1616, la même année que Shakespeare, il laissait le manuscrit des *Travaux de Persilès et Sigismonde,* remarquable exemple du roman de chevalerie qu'il avait pourtant ridiculisé dans *Don Quichotte.* Ce retour aux chimères, constamment contredit par une réalité implacable, correspondait au drame de l'Espagne décadente et à celui de Cervantes lui-même. Son œuvre n'en est pas moins empreinte d'une rayonnante chaleur de poésie humaniste et d'une incomparable noblesse de ton.

CERVETERI. ♦ V. d'Italie, dans le Latium (province de Rome). 10 909 hab. — Importante nécropole étrusque : tombe des Tarquins. ♦ *Hist.* L'anc. *Caere* (*Chisra* à l'époque étrusque) fut fondée par les Phéniciens (~ VIIIe s.) puis prise par les Étrusques qui y créèrent deux ports : Alsio et Pyrgi, et annexée par Rome en ~ 351.

CERVIN *(mont)* [*n. m.*], en all. **Matterhorn**, en it. **Monte Cervino.** ♦ Un des principaux sommets des Alpes pennines, situé à la frontière de la Suisse (Valais) et de l'Italie au-dessus de Zermatt*. 4 478 m. Du côté suisse, il présente l'aspect caractéristique d'une corne (en all. *Horn*). Après de nombreuses tentatives, le Cervin fut escaladé pour la première fois le 14 juil. 1865 à partir de l'arête suisse par E. Whymper*. Mais quatre membres de l'expédition trouvèrent la mort en descendant. Trois jours plus tard, l'arête italienne était gravie par J. A. Carrel et J. B. Bich.

CERVIONE. ♦ Ch.-l. de cant. de la Corse*, arr. de Bastia*. 1 585 hab. Anc. cathédrale du XVIe siècle. Église Sainte-Christine du XVe siècle. Vins réputés.

CÉRYNIE, en gr. **Keruneia.** ♦ Anc. V. du Péloponnèse (Grèce). — Sa légendaire biche aux pieds d'airain fut capturée par Héraclès*.

CÉSAIRE *(saint).* ♦ [Chalon-sur-Saône, 470 — Arles, 542]. Évêque d'Arles (503), primat des Gaules (514). Il lutta contre les ariens, défendit l'augustinisme, convoqua plusieurs conciles provençaux (Arles, 524 — Orange et Vaison, 529). — Fête le 27 août.

CÉSAIRE (Aimé). ♦ Poète antillais (La Martinique, 1913). Professeur, puis député, ce descendant des anciens esclaves déportés de leur Afrique natale vers l'Amérique, a d'abord puisé dans la révolte surréaliste les éléments propres à exprimer la soif d'affranchissement qu'il partage avec le peuple noir. Le flamboiement du verbe, l'ampleur épique des images traduisent avec violence dans son œuvre le mépris et la haine du colonisé pour le colonisateur venu d'Europe. Ils expriment aussi, avec une foi puissante dans la vie, une aspiration universaliste à la justice et au bonheur. Aimé Césaire a publié des poèmes : *Cahier d'un retour au pays natal* (1939), *Soleil cou coupé* (1948), *Cadastre* (1961), ainsi que des pièces de théâtre d'inspiration politique : *La Tragédie du roi Christophe* (1964), *Une saison au Congo* (1965).

CÉSALPIN, en it. **Andrea Cesalpino.** ♦ Naturaliste et médecin italien (Arezzo, 1519 — Rome, 1603). Directeur du jardin botanique à Pise, ses travaux sur la circulation sanguine font de lui un précurseur de W. Harvey*. En botanique, il annonce Linné* par sa méthode (fondée sur les caractères morphologiques des plantes). Il fut le premier à découvrir le sexe dans les organes des plantes.

CÉSAR Jules, en lat. **Caius Julius Caesar.** ♦ Général et homme d'État romain (Rome 13 juillet ~ 101 — *id.* ~ 44). D'une vieille famille patricienne, la gens Iulia, il prétendait descendre de Iule*, fils d'Enée* et par-là de Vénus*. Il aurait pu faire carrière au sein de l'oligarchie sénatoriale, mais lié aux milieux plébéiens par sa tante Iulia qui avait épousé Marius*, il avait très tôt choisi le parti des *populares*. Rentré à Rome à la mort de Sylla* (~ 78), il entreprit sa marche vers le pouvoir absolu auquel il voulait être porté par le consentement du peuple. Préteur en ~ 62, propréteur d'Espagne en ~ 61, il forma à son retour le premier triumvirat avec Crassus* et Pompée* et obtint ainsi le consulat en ~ 59. Il lui fallait un grand commandement militaire pour égaler la gloire de Pompée et une armée; il se fit attribuer le proconsulat de la Gaule cisalpine et de la Narbonnaise pour ~ 58. Rendu célèbre par ses campagnes **(V. Gaule)**, il franchit le Rubicon* et marcha sur Rome (17 déc. ~ 50), déclenchant une guerre civile qui dura quatre ans. Rejoignant Pompée qui s'était enfui, il l'écrasa à Pharsale* (~ 48) et le poursuivit en Égypte. Mais Pompée fut assassiné par les agents du roi Ptolémée* XIII. César châtia les meurtriers, donna le trône d'Égypte à Cléopâtre* et battit les derniers pompéiens à Thapsus* (~ 46) et à Munda* (~ 45). Maître du monde méditerranéen, il célébra à Rome son cinquième triomphe (oct. ~ 45). Il gouverna alors en souverain absolu, mais sans sortir du cadre républicain. Chef de la religion romaine, en qualité de grand pontife (~ 63), il se fit conférer la dictature pour dix ans (~ 46) et devint en même temps consul annuel. Maître de soi, d'une insatiable ambition, animé d'une intelligence « napoléonienne », généreux, il bouleversa les institutions, préparant le régime impérial en ses points essentiels. De ~ 49 à ~ 44 il conçut des réformes d'une ampleur démesurée. Il resta toujours l'homme des *populares,* conscient de la détresse des pauvres. En Sicile et en Asie, provinces les plus éprouvées, il fit remplacer les dîmes que levaient les publicains par des impôts directs perçus par les gouverneurs sous une stricte surveillance. Il redistribua des familles sur les terres publiques (l'*ager publicus*), peuplant ainsi les colonies nouvelles de Sicile, de Grèce, d'Orient, de Gaule et d'Afrique, auxquelles il accorda le droit de cité. Par la *lex Iula municipalis,* il donna aux communautés d'Italie un statut qui faisait d'elles des « Rome » en miniature, statut qui s'étendrait plus tard à toutes les cités de l'Empire. Il remania aussi le Sénat, l'augmentant démesurément. Tant par ses institutions que par son cadre matériel, la vieille Rome n'existait plus; le nouvel Empire était l'œuvre d'un seul homme. César avait adopté son petit-neveu Octave, et, pour que l'ensemble de ses pouvoirs se perpétuât, il voulut être roi. Nommé dictateur et censeur à vie en Italie (fév. ~ 44), il allait recevoir le titre de roi, sur les sujets de Rome. À la séance où le Sénat devait le lui accorder (Ides [15] de mars ~ 44), il fut tué à coups de poignard par M. Junius Brutus*. La pensée de César revivra estompée avec Auguste*, mais l'Empire ne pourra résister aux influences orientales que le dictateur avait craintes sans les vouloir. Excellent orateur et historien de goût attique, il nous a laissé les *Commentaires* de la guerre des Gaules (Commentarii de bello gallico)* et *de la guerre civile (De bello civili)*, remarquables par la sobriété et la pureté de la langue.

CÉSAR (César Baldaccini, dit). ♦ Sculpteur français (Marseille, 1921). Après avoir suivi des cours aux beaux-arts de Marseille (1935-1939) puis de Paris (1943), il tenta de se dégager de l'enseignement académique en réalisant des petites figures en métal ou en plâtre. En 1952, il aborda la sculpture en métal, travaillée au chalumeau; tirant parti des coulées de métal, des effets de soudures et des contrastes de matériaux provenant de ferrailles de rebut, il réalisa notamment des animaux ou personnages parfois fantastiques dont la véhémence expressive tragique ou humoristique témoigne d'une tendance expressionniste (*L'Homme de Draguignan*, 1958; *Poissons*), évoluant ensuite vers une structure plus ferme et équilibrée (*Vénus de Villetaneuse*, 1962). En 1960, il présenta ses premières « compressions » automobiles puis objets divers passés au marteau-pilon : exploitant les effets du hasard, puis avec ses compressions dirigées, il mit en valeur les possibilités expressives et les qualités plastiques offertes par les matériaux et objets de la civilisation industrielle. En 1960, il adhéra au mouvement du nouveau réalisme et en 1967 réalisa en plastique des empreintes humaines agrandies à une échelle monumentale (*pouce, sein*) et réalisa ses premières « expansions » éphémères en mousse de polyuréthanne expansé, puis solidifiées ou moulées. Chez lui, la part de provocation semble aller de pair avec la volonté d'explorer des trouvailles techniques et d'assigner de nouveaux domaines à l'expression plastique.

César Birotteau *(Grandeur et décadence de).* ♦ Roman de Balzac* (1837) qui fait une véritable tragédie d'un drame bourgeois. Parfumeur enrichi, et d'une foncière honnêteté, César Birotteau, perdu par sa vanité ingénue, se livre inconsidérément à des spéculations hasardeuses. Entraîné à la faillite, il manifeste à nouveau ses vertus laborieuses et déploiera une énergie infatigable pour obtenir sa réhabilitation. Sur ce sujet anecdotique, Balzac a évoqué l'ascension difficile de la petite bourgeoisie commerçante de Paris.

CESAREC (August). ♦ Poète, conteur, romancier et auteur dramatique yougoslave de Croatie (1893 – 1941). D'inspiration révolutionnaire, son œuvre exprime la profonde compréhension qu'il éprouvait pour l'homme déshérité et révolté : *Vers* (1919), recueil poétique; *La Croix et Judas* (1921), roman; *Les Fuyards* (1933), roman; *Le Fils de la patrie* (1940), pièce.

CESARE da SESTO. ♦ Peintre italien (Sesto Calende, 1477 – Milan, 1523). Élève de Léonard*, il s'inspira fortement du style de son maître (*Madone avec l'Enfant et l'Agneau*, Milan) tout en puisant dans l'œuvre de Raphaël certains types de personnages (*Adoration des Mages*, Naples; *La Vierge, l'Enfant et sainte Anne*, Madrid). Ses paysages révèlent une habile synthèse entre la manière de Dosso* Dossi et la tradition flamande (*La Vierge et les Saintes Femmes*, Bergame; *Sainte Famille*, Ermitage).

CÉSARÉE (Caesareia ou Kaisareia). ♦ Nom de plusieurs villes romaines d'Asie Mineure, de Palestine, de Syrie et de Mauritanie, donné en l'honneur d'Auguste et d'autres empereurs romains. Les plus importantes : *Césarée de Cappadoce*, auj. Kayseri* (Turquie). Fondée sous le règne de Trajan (Iᵉʳ s.), elle devint la capitale de la Cappadoce. Patrie et évêché de saint Basile (IVᵉ s.), elle passa des Byzantins aux Arabes, puis successivement aux Saljûqides (1082), aux Croisés, aux Mongols et aux Ottomans (1397, 1515). **V. Kayseri.** – *Césarée de Palestine.* V. maritime, bâtie pour Hérode le Grand à l'emplacement d'une ville grecque (~ Iᵉʳ s.), elle fut, à partir de l'an VI, la résidence des procurateurs romains et connut une grande prospérité après la destruction de Jérusalem (70). Prise par les Arabes (633), elle fut détruite par les musulmans en 1265. Ruines importantes, auj. centre touristique d'Israël. – *Césarée de Mauritanie.* **V. Cherchell.**

CESARI (Giuseppe, dit le Cavalier d'Arpin). ♦ Peintre italien (Arpino, 1568 – Rome, 1640). Fils d'un peintre d'*ex-voto*, il se fixa à Rome où il reçut la faveur de l'aristocratie. Chargé de décorer la grande salle du palais des Conservateurs (1596), il s'inspira de la manière de Raphaël. Son style, éclectique, est influencé par l'exubérance décorative des Zuccari* (*Ascension*, basilique Saint-Jean-de-Latran; fresque de la chapelle Pauline à Sainte-Marie-Majeure) et par les formes savantes et emphatiques du maniérisme tardif (*Andromède*, Palerme; *La Chute du Christ*, Rome).

CESENA. ♦ V. d'Italie du N.-E. (Émilie, prov. de Forli, sur la r. d. du Savio. 82 500 hab. Cathédrale gothique (XIVᵉ-XVᵉ s.), château des Malatesta dominant la *Rocca Malatestiana* et abritant une riche bibliothèque (manuscrits). Centre agricole, exploitation de soufre dans la région. – Patrie de Marietta Alboni, de Pie VI et de Pie VII.

ČESKÉ BUDĚJOVICE. ♦ V. de Tchécoslovaquie, au confluent de la Vltava et de la Molse, ch.-l. de la Bohême* méridionale.

Ph. Nimatallah/Ricciarini

Jules César. (Musée du Capitole, Rome.)

73 800 hab. (1967). Évêché. Carrefour ferroviaire et routier. Au centre de la ville, belle place du Marché, entourée d'arcades. Remparts et maisons anciennes. – Indus. mécaniques. Manufacture de crayons. Brasseries. Porcelaine.

CESTI (Pietro Antonio). ♦ Compositeur italien (Arezzo, 1623 – Florence, 1669). Chantre de la chapelle pontificale à Rome, maître de chapelle à la cour des Médicis, puis à la cour de Vienne (1666), il composa, sous la double influence de son maître Carissimi* et du Vénitien Cavalli*, un nombre important d'opéras (*L'Orontea*, 1649; *L'Argia*, 1655; *Il Tito*, 1666; *Il Pomo d'Oro*, 1667). Dans ces compositions, l'autonomie du chant s'affirme au détriment de l'action dramatique. Il est aussi l'auteur de motets et de cantates.

CETINJE. ♦ V. de Yougoslavie (Montenegro) à l'O. de Titograd. 12 000 hab. Églises, palais. ♦ *Hist.* Patrie d'Alexandre* Iᵉʳ de Yougoslavie. Anc. capitale du Montenegro* gouvernée par des princes laïques, puis par des princes-évêques, elle fut incorporée à la Fédération en 1918.

CEUTA (en ar. **Sebta**). ♦ V. et port de la côte méditerranéenne du Maroc, préside espagnol rattaché à la prov. de Cadix*, situé sur une presqu'île rocheuse, à l'extrémité N. du Rif*, constituant le mont Acho (Abyla), une des deux colonnes* d'Hercule, face à Gibraltar* **(V. Calpé).** 76 100 hab. Évêché. Port franc. Patrie de Idrisi*. ♦ *Hist.* Anc. possession carthaginoise, romaine, puis byzantine, prise par les Arabes, elle connut un très grand développement lors de l'invasion de l'Espagne, puis sous les Mérinides. Occupée par les Portugais en 1415, elle fut annexée en 1580 par l'Espagne qui la détient toujours.

CÉVENNES. *n. f. pl.* ♦ Région constituée par la retombée du Massif central sur la plaine rhodanienne et les hauteurs qui la dominent. C'est une série de blocs cristallins orientés d'O. en E., qui furent surélevés à l'époque de la surrection alpine : le Tanargue (1 441 m), le mont Lozère (1 702 m), l'Aigoual* (1 567 m). Le rebord cévenol (schistes tendres) est découpé en lanières (serres cévenoles) par le ruissellement, où coulent l'Hérault*, les gardons, le Chassezac. Au S., les versants du massif de l'Aigoual* s'abaissent brusquement devant les calcaires des Causses, interrompant la chaîne des Cévennes. Les forêts de châtaigniers couvrant les serres sont souvent reconstituées en résineux. La vie agricole, dominée autrefois par les cultures du mûrier et de la vigne, s'oriente vers l'élevage extensif et les cultures intensives (vergers). La vie indus. se concentre autour du bassin d'Alès*. – *Le parc national des Cévennes* chevauche les dép. de la Lozère*, de l'Ardèche*, du Gard*, englobant tout le massif de l'Aigoual et le mont Lozère. Il fut créé pour protéger la faune et sauvegarder les sites. ♦ *Hist.* Les Cévennes furent un des secteurs les plus ardents du protestantisme. De nombreuses révoltes paysannes ensanglantèrent le pays après la révocation de l'édit de Nantes. **V. Camisards.**

CEYLAN ou **SRI LANKA.** ♦ Île au S.-E. de l'Inde, État indépendant membre du Commonwealth. 65 610 km². 13 990 hab. *Cap.* **V. Colombo.** *Villes princ.* **V. Galle, Jaffna, Kandy, Polonnaruwa** (site). L'île est divisée en neuf provinces et vingt-deux districts. La pop. comprend des Cinghalais d'origine indo-euro-

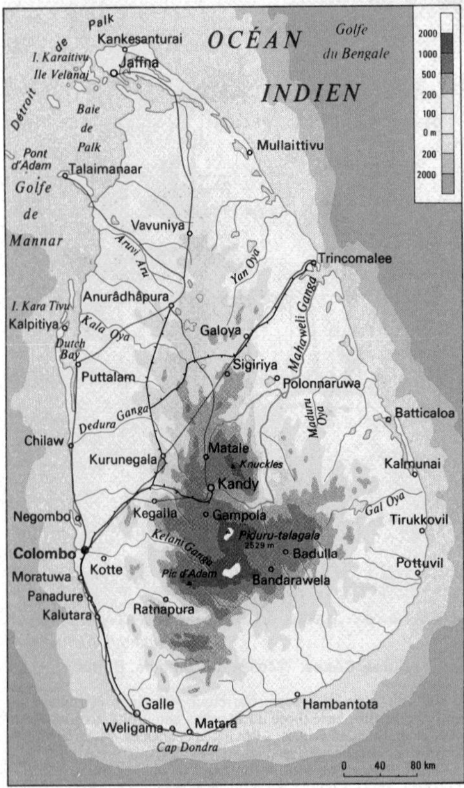

Ceylan.

péenne, des Tamils, quelques aborigènes, les Vedda et des populations allogènes (Moors, descendants musulmans des trafiquants arabes; Burghers issus de mariages entre indigènes, Hollandais et Portugais [env. 50 000]). L'île, montagneuse, constitue un fragment du Dekkan*, dont elle n'est séparée que par le détroit de Palk, très peu profond (15 m) et présentant un cordon d'îles rocheuses (le *pont d'Adam*). Le bloc central (mont Pidurutalagala*, 2 525 m), de nature cristalline, est entouré de plaines côtières étroites, sauf dans le N. où elles s'étalent largement. – Le *climat* est chaud et humide. Les amplitudes thermiques sont faibles (à Ratnapura, 26,7 °C de moyenne en janvier, 27,6 °C en juillet). Les précipitations sont particulièrement abondantes dans le S.-O., soumis à la mousson d'été (3 920 mm à Ratnapura). L'utilisation du sol se ressent de l'orographie et du climat : 50 % de forêts, 20 % improductifs. Le reste est occupé par des cultures vivrières (riz, thé, hévéa, cocotiers, cacao). La pêche (110 700 t en 1974) fournit un apport alimentaire indispensable. Une des caractéristiques du paysage agricole de Ceylan est la présence, principalement dans la moitié N.-E., de réservoirs artificiels *(tanks)* destinés à l'irrigation, l'île comportant peu de cours d'eau importants. Ceylan est, après l'Inde, le deuxième producteur mondial de thé (214 000 t en 1975) et vient en quatrième position pour la production du latex (145 000 t en 1975, soit 5 % de la prod. mondiale). La culture du cocotier (huile de coprah, bois de construction, pâte à papier, etc.) tient une place importante dans l'économie du pays. L'élevage, principalement de bovins (1 650 000 têtes en 1974), est relativement faible, les pâturages ne représentant qu'à peine 2 % de la superficie du sol. La forêt, encore mal exploitée, permet au pays de subvenir à ses besoins en papier. En dehors du riz, principal aliment, on cultive du manioc, des patates douces, du millet et un peu de tabac. Le sous-sol comporte quelques mines de fer, de graphite, et des pierres précieuses. L'industrie, peu développée, est surtout textile (tissage de coton) ou liée à l'agriculture (conditionnement du thé, travail de la fibre de coco, etc.). Les principales villes et notamment la capitale **(V. Colombo)** se trouvent sur les côtes O. et S. **(V. Jaffna, Galle).** Le port de Trincomalee se trouve sur la côte est. – *Communications :* le réseau routier (env. 18 000 km) est excellent. 1 500 km de voies ferrées. Les ports de Colombo et de Galle assurent le commerce international. Aéroports à Colombo et à Jaffna. – *Les échanges commerciaux,* restés de type colonial (exportation de thé, caoutchouc et coprah, importation de produits alimentaires et de biens d'équipement) s'effectuent principalement avec le Royaume-Uni, la Chine, les États-Unis, l'Australie, l'Inde et l'Allemagne fédérale. – Le *tourisme* se développe rapidement (28 300 entrées en 1968). ♦ *Hist.* Anciennement peuplée de tribus australoïdes, dont les Vedda sont probablement les derniers représentants, l'île de Lankâ fut colonisée vers le ~ Vᵉ s. par des tribus indo-européennes venues des vallées du Gange et de l'Indus. L'île fut une des premières régions à subir l'influence du bouddhisme, celui-ci ayant été importé, selon la tradition, par le fils (ou le frère) d'Aśoka; cette religion demeure la plus répandue dans l'île. Une des premières capitales fut Anurâdhâpura (de ~ 235 à 1055), abandonnée au XIIIᵉ siècle. Mais à partir de la fin du ~ IIIᵉ s. les Tamils du S. de l'Inde commencèrent à pénétrer dans le pays. Les invasions, lentes au début, s'intensifièrent au cours des siècles pour aboutir au XIᵉ s. à une véritable conquête de l'île par les souverains Chola* de l'Inde du Sud. Une nouvelle capitale, Polonnaruwa fut créée. Le souverain le plus célèbre fut Parakkamabâhu Iᵉʳ (1153-1186) : il réussit à unifier l'île qui connut alors son âge d'or. Mais à la suite de guerres incessantes, la prospérité disparut rapidement, à tel point qu'au XIIIᵉ s., Polonnaruwa était déjà devenue une ville morte. Les Chinois firent même prisonnier, lors de l'une de leurs expéditions, le roi Vijayabâhu IV (XVᵉ s.). En 1505, les Portugais entreprirent la colonisation de l'île, suivis, au XVIIᵉ s. par les Hollandais. En 1802, à la suite du traité d'Amiens, l'île tomba sous la domination britannique. Le port de Colombo connut un grand développement après l'ouverture du canal de Suez (1869). Depuis l'indépendance (4 fév. 1948), la lutte pour le pouvoir se circonscrit autour du parti conservateur (représenté par Senanayake), et S.W. Bandanaraike (assassiné en 1960) et son épouse **(V. Bandanaraike Sirimavo),** qui opta pour un gouvernement de coalition en lui succédant à la tête du gouvernement. Conflits ethniques (entre Tamils et Cinghalais), linguistiques, religieux et politiques secouent le pays, tendant sans cesse à le diviser. – Patrie de Aggabodhi I à IX, Bandaranaike (Salomon et Sirimavo), Coomaraswamy, Kassapa I à V, Mahinda, Senanayake (D.S.).

CEYZÉRIAT [sɛzerja]. ♦ Ch.-l. de cant. de l'Ain*, arr. de Bourg*-en-Bresse, dans le Jura, près du Revermont. 1 503 hab. Biscuiterie. Matières plastiques.

CÉZALLIER ou **CÉZALIER.** *n. m.* ♦ Plateau basaltique d'Auvergne, au N.-E. du Cantal*, il culmine à 1 555 m. Région d'élevage.

CÉZANNE (Paul). ♦ Peintre français (Aix-en-Provence, 1839 – *id.,* 1906). Fils d'un banquier, il fit des études classiques suivies d'une courte formation juridique. Il décida de se consacrer à la peinture malgré les réticences de sa famille et arriva à Paris en 1863 où il étudia Delacroix* et, à travers lui, plusieurs peintres classiques et baroques (le Tintoret*, Rubens*). Dans ses premiers travaux, il adopta la théorie des couleurs de Delacroix et la « loi du contraste simultané » formulée par le chimiste Michel Chevreul; il traita alors des sujets violents et dramatiques révélant une sensibilité romantique (*Les Assassins, l'Orgie, l'Enlèvement,* etc.), des thèmes lyriques *(Jugement de Pâris, Déjeuner sur l'herbe)* et une série de portraits *(Homme au bonnet de coton, Paul Alexis lisant à Zola).* Ces œuvres de jeunesse, de facture libre et véhémente, sont proches de l'art de Courbet*, mais celles qui datent des années 1872-1873 montrent une assimilation de la méthode impressionniste acquise à Auvers-sur-Oise auprès de Camille Pissarro* *(Maison du pendu à Auvers).* Toutefois, Cézanne se sépara très rapidement de l'impressionnisme pur en retrouvant un dessin vigoureux et une composition classique organisée par masses larges et accentuées *(Mer à l'Estaque).* Son ambition fut de « donner à l'impressionnisme la solidité de l'art des musées » et de « refaire Poussin sur nature ». Portant un grand respect aux maîtres anciens (Véronèse, Chardin), il tenta d'intégrer dans une composition aussi équilibrée que celle d'un Poussin les découvertes impressionnistes. Développant les conséquences de ce principe, il donna à ses touches, dans ses œuvres de maturité, un sens tel que le dessin et la couleur

Ph. Nino Cirani/Ricciarini

Ceylan : pêcheur à Puttalam.

Arch. Smeets

P. Cézanne : « Homme au bonnet de coton. » (Metropolitan Museum of Art, New York.)

deviennent indissociables dans l'organisation du tableau. Dans ses paysages où les formes naturelles ont tendance à être ramenées à des formes géométriques simples (cônes, cylindres, sphères), il présenta une succession de plans clairement articulés autour de la masse principale souvent placée au centre de la composition. Il évita ainsi les effets illusionnistes propres aux démarches reproductrices du réel, tout en conservant une certaine profondeur dans l'espace et un certain sens du volume. Aussi arriva-t-il à traiter des structures plastiques complexes en fonction de leur rigueur et de leur logique spécifiques. Débarrassé de toute référence extérieure, le tableau est ainsi organisé de l'intérieur (série de la *Montagne Sainte-Victoire)*. Dans plusieurs de ses natures mortes *(Tables de cuisine)* et de ses portraits *(Portrait de Gustave Geffroy)*, Cézanne abandonna la convention du point de vue unique et associa des objets présentés selon deux angles différents parfaitement intégrés dans l'unité de la composition. Cette découverte devait aboutir au cubisme. À la fin de sa vie, Cézanne retrouva une partie des élans romantiques de sa jeunesse et produisit une peinture plus riche par les couleurs, plus agitée par le rythme, plus véhémente par l'accent (*Les Grandes Baigneuses*, 1899-1905; *Le Grand Pin*). Son œuvre — à peine appréciée pendant une grande partie de sa vie, toujours refusée par les instances officielles — connut la gloire posthume et fut considérée comme la grande rupture de la peinture occidentale depuis le quattrocento et le point de départ des recherches picturales du XXe siècle.

CÈZE. *n. f.* ♦ Riv. des Cévennes, et affl. du Rhône. Elle passe à Bessèges et Bagnols-sur-Cèze (100 km). — Gorges magnifiques.

C.F.D.T. *n. f.* ♦ Sigle de la Confédération* française démocratique du travail.

C.F.T. *n. f.* ♦ Sigle de la Confédération française du travail.

C.F.T.C. *n. f.* ♦ Sigle de la Confédération* française des travailleurs chrétiens.

C.G.A. *n. f.* ♦ Sigle de la Confédération générale de l'agriculture.

C.G.C. *n. f.* ♦ Sigle de la Confédération générale des cadres.

C.G.P.M.E. *n. f.* ♦ Sigle de la Confédération générale des petites et moyennes entreprises.

C.G.T. ♦ Sigle de la Confédération* générale du travail.

C.G.T.-F.O. ♦ Sigle de la Confédération* générale du travail - Force ouvrière.

CH. ♦ Transcription francisée du son [ʃ]. **V. Sh-** (*Ch-* transcrivant normalement le son [tʃ]).

CHAAB (al-) [« la ville du peuple »]. ♦ Capitale du Yémen du Sud, sur le golfe, près d'Aden*. La ville fut, jusqu'en 1967, la capitale de la Fédération de l'Arabie du Sud sous le nom d'*Al-Ittihad*.

CHAALIS [ʃali] *(abbaye de)*. ♦ Ancienne abbaye cistercienne située près de Senlis (Oise). Elle fut fondée en 1136, fermée en 1785 et vendue comme bien national en 1793. Elle retrouva une certaine notoriété au XIXe s. (Gérard de Nerval l'a évoquée dans son œuvre). Il ne reste aujourd'hui que les ruines de l'église abbatiale (XIIe s.), une chapelle dite « chapelle de l'Abbé » (XIIIe s.) et le château, construit par Jean Aubert en 1737 et qui abrite le musée actuel. L'ensemble du domaine a été acheté en 1902 par Mme Édouard André et légué à l'Institut de France.

CHABANAIS. ♦ Ch.-l. de cant. de la Charente, arr. de Confolens. 2 383 hab. Pont du XVIe s., sur la Vienne. Maisons anc. Importants vestiges romains aux environs. — Confection, chaussures, ganterie. Matériel électrique. — Patrie de Jean de la Quintinie (1626-1683), directeur des jardins royaux à Versailles sous Louis XIV et du comte Pierre Antoine Dupont de l'Étang.

CHABAN-DELMAS [delmas] **(Jacques).** ♦ Homme politique français (Paris, 1915). Inspecteur des finances avant la Deuxième Guerre mondiale, il milita dans la Résistance et fut promu général de brigade en 1944. Élu député à l'Assemblée nationale (1946), où il présida quelque temps le groupe des républicains sociaux, et maire de Bordeaux (1947), il fut plusieurs fois ministre sous la IVe République (des Travaux publics dans le cabinet Mendès-France, juin-août 1954; ministre d'État, 1956; de la Défense, 1958). Rallié à la majorité (U.N.R., puis U.D.R.), il présida la 1re Assemblée nationale de la Ve République (1958). Après le départ du général de Gaulle et l'élection de G. Pompidou à la présidence de la République (1969), il fut nommé Premier ministre (1969-1972). Dénonçant la « société bloquée » (en raison d'un mauvais fonctionnement de l'État, d'une industrialisation insuffisante, du conservatisme des structures sociales), il proposa aux Français la construction d'une « nouvelle société » (« prospère, jeune, généreuse et libérée »), et prôna un certain nombre de réformes économiques et sociales basées essentiellement sur l'idée de politique contractuelle (institution de l'actionnariat à la régie Renault [1970], mensualisation progressive, conventions sociales, réforme de la Sécurité sociale, libéralisation de l'O.R.T.F., etc.). Ce programme de « nouvelle société » n'a pas répondu à tous les espoirs de son promoteur. Candidat à l'élection présidentielle de mai 1974, il obtint 14,55 % des voix, derrière François Mitterrand et Valéry Giscard d'Estaing.

CHABANNES. ♦ Famille noble du Bourbonnais. ♦ ANTOINE DE CHABANNES. Homme de guerre (Saint-Exupéry, Limousin, 1408 — Paris, 1488). Ancien compagnon de Jeanne d'Arc, puis chef d'une bande d'Écorcheurs*, il passa au service de Charles VII (1430). Il servit Louis* XI à partir de 1468 puis son fils Charles VIII qui le nomma gouverneur de Paris. ♦ JACQUES DE CHABANNES. **V. La* Palice.**

CHABEUIL. ♦ Ch.-l. de cant. de la Drôme*, arr. de Valence*. 3 552 hab. [1 716 aggl.] *(Chabeuillois)*. Indus. textile.

CHABLAIS. *n. m.* ♦ Région de Haute-Savoie* drainée par la Dranse, au S. du lac Léman*. *V. princ.* et *anc. cap. :* Thonon*. ♦ *Hist.* Le Chablais fut réuni à la Savoie à la fin du XVIe s. après avoir été longuement disputé entre les Vaudois et les Savoyards.

CHABLIS [-bli]. ♦ Ch.-l. de cant. de l'Yonne (arr. d'Auxerre), sur le Serein. 1 982 hab. Église Saint-Martin du XIIIe s. (contenant *La Cène*, de Ph. de Champaigne*). Dans le « caveau chablisien », exposition de vins (anc. chapelle de l'hôtel-Dieu, XIIIe s.). — Vignobles; crus célèbres de vins blancs secs. ♦ *Hist.* Le vignoble fut créé par les moines de l'abbaye de Pontigny* au XIIe siècle.

CHABOT (François). ♦ Homme politique français (Saint-Geniez, Aveyron, 1759 — Paris, 1794). Capucin défroqué, il fut évêque constitutionnel de Blois, et siégea comme député à l'Assemblée législative puis à la Convention. Membre du Club des jacobins et du Club des cordeliers, dont il adopta les positions extrémistes, auteur d'un *Catéchisme des sans-culottes* et promoteur du culte de la déesse Raison, il s'était marié avec la fille du banquier Frey et lancé dans les affaires. Impliqué dans le scandale de la liquidation de la Compagnie des Indes (1793), il se dénonça au Comité de salut public; accusé de malversation, il fut condamné à mort et guillotiné, en même temps que Danton et les indulgents.

CHABRIER (Emmanuel). ♦ Compositeur français (Ambert, 1841 — Paris, 1894). Lié d'amitié avec Manet, Verlaine, Duparc et Fauré, il quitta un emploi au ministère de l'Intérieur pour se consacrer à la musique et fut d'abord chef des chœurs aux concerts Lamoureux (1881). Il occupe dans la musique française à la fin du XIXe s. une place privilégiée pour sa truculence et sa vitalité, sa fantaisie inventive et sa couleur mélodique. Musicien d'une extrême plasticité, il a composé des mélodies (l'*Invitation au voyage*, 1870; l'*Île heureuse*, 1885), une *Ode à la Musique*, solo et chœur de femmes (1890), des œuvres pour piano (*Pièces pittoresques*, 1881; *Valses romantiques*, 1883; *Bourrée fantasque*, 1891), des pièces pour orchestre (*España*, 1882; *Joyeuse Marche*, 1890) et des ouvrages lyriques (l'*Étoile*, 1877; *Une éducation manquée*, 1879; *Gwendoline*, 1885; *Le Roi malgré lui*, 1887). Le rayonnement de sa personnalité s'est exercé sur Maurice Ravel et sur les musiciens du groupe des Six.

CHABROL (Claude). ♦ Réalisateur français de cinéma (Paris, 1930). Une ironie qui peut aller jusqu'à la cruauté dans l'observation de la sottise, de la lâcheté et des monstruosités que recèle la nature humaine, caractérise le meilleur de son œuvre : *Les Cousins* (1959), *À double tour* (1959), *Les Bonnes Femmes* (1960), *Landru* (1962), *Que la Bête meure* (1969), *Le Boucher* (1970).

CHACO ou **GRAN CHACO.** ♦ Vaste plaine de l'Amérique du Sud (300 000 km^{2}) couvrant le N. de l'Argentine où elle prolonge la Pampa* et la moitié ouest du Paraguay. Traversée d'O. en E. par le Bermejo*, le Pilcomayo* et le Salado* del Norte, affl. du Paraguay* et du Paraná* qui en constituent la frontière à l'E., c'est une steppe semi-aride (*Chaco sec* des forêts) et semi-marécageuse (*Chaco humide*, couvert de pâturages). La population y est très faible, après un peuplement dû à la culture du coton que

Arch. Smeets

M. Chagall : « Le Songe d'une nuit d'été », 1939. (Musée des Beaux-Arts, Grenoble.)

remplace peu à peu le tabac. Climat et cultures subtropicales. Quelques ressources minières (argent, fer, plomb, zinc), pétrole et gaz naturel. La principale ressource reste le *quebracho* ou arbre à tanin de la forêt. – *Province du Chaco*. Prov. du N. de l'Argentine qui s'étend au S. de la prov. de Formosa* entre les prov. de Salta* à l'O., Corrientes* à l'E., et Santiago* del Estero et Santa* Fe au sud. 99 633 km². 586 000 hab. *Ch.-l.* Resistencia*. ♦ *Hist.* – *La guerre du Chaco* (1932-1935), qui opposa la Bolivie* au Paraguay*, se termina par la conférence de Buenos Aires (1936) qui attribua au Paraguay la plus grande partie des territoires contestés et à la Bolivie un corridor vers la rivière Paraguay.

Chacun sa vérité *(Cosi è se vi pare)*. ♦ Parabole en 3 actes de Luigi Pirandello (1916). Nouveau conseiller de préfecture dans une petite ville italienne, M. Ponza séquestre-t-il sa femme et lui interdit-il de voir sa mère, Mme Frola ? Tient-il sa belle-mère pour folle et lui dissimule-t-il que sa fille est morte et qu'il s'est remarié ? Selon Mme Frola, c'est M. Ponza qui, frappé de folie, ne reconnaît plus sa femme. La rencontre des deux personnages, attachés jalousement à une vérité qui leur est vitale, n'apporte aucun éclaircissement à cette tragédie de l'ambiguïté.

CHADWICK (*sir* James). ♦ Physicien anglais (Manchester, 1891 –). Élève de Rutherford*, il se spécialisa dans l'étude de la physique nucléaire et s'intéressa en particulier à l'étude des phénomènes de désintégration artificielle de la matière sous l'action des rayonnements de *particules alpha* (noyaux de l'atome d'hélium). Il parvint ainsi à mettre en évidence expérimentalement l'existence du *neutron* (1932), particule dont la découverte allait permettre de préciser la structure du noyau atomique. **V. Bothe, I.** et **F. Joliot-Curie.** (Prix Nobel de phys., 1935.).

CHAGALL (Marc). ♦ Peintre, dessinateur, graveur et sculpteur français d'origine russe (Vitebsk, 1887). Issu d'une famille juive très religieuse, de condition modeste, il étudia la peinture à Saint-Pétersbourg et fut l'élève de Léon Bakst*. À Paris, de 1910 à 1913, il s'installa à la Ruche et fréquenta Apollinaire, Blaise Cendrars, Modigliani*, Soutine*, Léger*. Tirant du cubisme un procédé de décomposition des formes par facettes, il fit preuve d'une totale liberté vis-à-vis de la figuration traditionnelle et des courants d'avant-garde, en reconstruisant selon sa fantaisie, un univers où personnages et objets conservent leur aspect identifiable mais sont rapprochés sans souci de vraisemblance, selon un processus analogue à l'élaboration des rêves, juxtaposant des souvenirs d'enfance et du folklore de sa ville natale et quelques motifs qui prendront un caractère obsessionnel *(Moi et le Village,* 1911 ; *Le Violoniste,* 1912-1913 ; *La Russie aux ânes et aux autres ; Autoportraits aux sept doigts ; Paris par la fenêtre)*. « C'est de cet instant, écrit Breton, que la métaphore avec lui seul marque son entrée triomphale dans la peinture moderne. Pour consommer le bouleversement des plans spatiaux et en même temps affranchir l'objet des lois de la pesanteur... ». En 1914, il peignit des figures de *Juifs* et de *Rabbins* où s'affirment ses tendances expressionnistes. En Russie, il épousa Bella dont les traits allaient hanter son œuvre. Nommé commissaire des Beaux-Arts de Vitebsk en 1917, il créa une académie révolutionnaire en faisant appel à Lissitsky* et Malevitch*, mais entra en conflit avec ce dernier. Il réalisa ensuite des peintures murales, décors, costumes et mises en scène pour le théâtre juif de Moscou. En 1922, il s'initia à la gravure à Berlin, puis se fixa en France, entreprenant à la demande de Vollard l'illustration d'ouvrages *(Les Âmes mortes, La Bible)*. Après 1931, il évolua vers une plus grande souplesse de composition, tendant à faire disparaître le contour tandis que la couleur étalée par zones intenses avec des rapports de tons parfois stridents, joue un rôle primordial dans l'élaboration d'un espace d'où a disparu toute référence à la perspective traditionnelle. Le thème des fleurs, des paysages, oiseaux et amoureux, est alors fréquent dans son œuvre ; mais à l'approche de la guerre, sa peinture laisse transparaître une profonde angoisse *(La Chute de l'Ange ; Crucifixion)*. Réfugié aux États-Unis, il perdit sa femme. Il revint ensuite en France, traitant de nombreux thèmes bibliques, s'intéressant à la sculpture, la céramique et surtout au vitrail (*Cathédrale* de Metz, *Synagogue* du centre médical de Jérusalem, *Message biblique* destiné à un Mémorial à Nice). Il réalisa aussi à la demande de Malraux le plafond de l'*Opéra* de Paris (1964). Créateur d'une imagerie où l'effusion lyrique prévaut et où l'objet et la figure humaine jouent un rôle symbolique, il a été considéré par Breton comme un précurseur du surréalisme.

CHAGHADAI [*jaghatai*]. ♦ Un des fils de Temüjin*, légiste et qân mongol (1227-1242). Il fut le fondateur du groupe türko-mongol des Chaghataïdes de Transoxiane, qui s'érigea en qânat indépendant à la mort du grand qân Möngke*. Il avait hérité de son père l'empire des Qaraqitai et la Transoxiane. Son petit-fils Qara Hülegü lui succéda. – *N. m.* Dialecte türko-mongol de Transoxiane, aussi appelé türkî.

CHAGNY. ♦ Ch.-l. de cant. de Saône-et-Loire (arr. de Chalon-sur-Saône), au S. de la Côte de Beaune, sur la Dheune. 5 514 hab. *(Chagnotins)*. Église du XIIe siècle. – Briqueteries, tuileries. Indus. métallurgiques et textiles. Engrais. ♦ *Hist.* Vers 1365, la ville fut le quartier général des Grandes Compagnies*.

CHAGOS *(îles)*. ♦ Iles coralliennes de l'océan Indien, situées à l'extrême sud des îles Maldives et participant de la même chaîne de montagnes sous-marines. Elles sont sous mandat britannique depuis 1814. D'une superficie totale de 200 km², elles ne comptent qu'un millier d'habitants, pour la plupart des Noirs déportés de l'île Maurice et des colonies anglaises d'Afrique orientale. La capitale est située dans l'île Diego Garcia. Exportation de coprah et d'huile de palme.

CHÂH-I ZENDEH. ♦ V. SHÂH-I ZENDEH.

CHÂH NÂMÉ. ♦ V. SHÂH NÂMÉ.

Chaillot *(palais de)*. ♦ Ensemble architectural, édifié à Paris en 1937 par les architectes Carlu*, Boileau et Azéma. Utilisant les deux ailes courbes de l'anc. Trocadéro, le palais s'organise autour d'une terrasse centrale précédée de vastes degrés descendant jusqu'à la Seine, au delà de laquelle s'ouvre la perspective du Champ*-de-Mars, close par l'École* militaire. Le caractère monumental de l'édifice est souligné par une abondante statuaire (œuvres notamment de Belmondo* et de Gimond*). Les jardins et leurs pièces d'eau encadrent le bassin central, s'allongeant jusqu'à la Seine et permettant de nombreux jeux d'eau. Le palais de Chaillot renferme un ensemble de musées : *musée des Monuments français, musée de la Marine, musée de l'Homme*. Il abrite également une vaste salle de théâtre et ses dépendances, à la décoration de laquelle collaborèrent de nombreux artistes (Chapelain*-Midy, Roland Oudot*, Brianchon*, Dufresne*, L.A. Moreau*, H. de Waroquier*, Bonnard*, Roussel*, Dufy*, Maurice Denis*, Vuillard* et Othon Friesz*) et est orné d'inscriptions composées par Paul Valéry*.

CHAIN (Ernst Boris). ♦ Biochimiste anglais (Berlin, 1906). Il fit des recherches sur les enzymes, et poursuivit avec Florey* les travaux de Fleming* sur la pénicilline et ses applications cliniques (Prix Nobel de méd. 1945).

CHAISE-DIEU (La). ♦ Ch.-l. de cant. de la Haute-Loire*, arr. de Brioude*. 951 hab. *(Casadéens)*. Église gothique Saint-Robert du XIVe s. ; célèbre Danse macabre peinte au XVe s. ; tapisseries du XVIe siècle. Ruines du cloître du XIVe s. et de l'enceinte fortifiée. Station climatique et de sports d'hiver. ♦ *Hist.* Le village s'est développé autour de l'abbaye bénédictine fondée en 1044 par saint Robert, chanoine de Brioude.

CHAITANYA. ♦ Philosophe indien d'expression sanskrite et bengalî (1485 – v. 1530) et réformateur religieux, adepte du culte piétiste de Krisna*. Sa mort est entourée de mystère. Il est parfois considéré par ses fidèles comme une incarnation de Krisna.

CHAKHTY (jusqu'à 1920 : **Alexandrovsk-Grouchevski).** ♦ V. d'U.R.S.S. (R.S.F.S. de Russie), dans la région de Rostov. 205 000 hab. Centre houiller. Indus. métallurgiques et alimentaires. Centrale thermique.

CHAKRAVARTIN. ♦ Titre de « souverain universel » (« qui fait tourner la roue de la loi ») donné à de grands souverains de l'Inde, et parfois appliqué au Bouddha* lui-même.

CHAKRI. ♦ Dynastie siamoise régnante de Thaïlande, fondée en 1782 par le roi Phuttayotfa et dont les rois ont tous pris le nom dynastique de Râma*. Le souverain actuel, Bhumibol Adulyadej, porte le nom dynastique de Râma IX.

CHALABRE. ♦ Ch.-l. de cant. de l'Aude, arr. de Limoux, sur l'Hers, à la lisière des plateaux de Chalabre, à 372 m d'altitude.

1 838 hab. Église (1552). Château (XVe-XVIe s.). – Indus. du caoutchouc. Fabriques de chaussures. Indus. textile.

CHALAIS (Henri de Talleyrand, *comte de*). ♦ Gentilhomme français (1599 – Nantes, 1626). Poussé par sa maîtresse, la duchesse de Chevreuse*, il conspira contre Richelieu et fut exécuté.

CHALAIS. ♦ Ch.-l. de cant. de Charente, arr. d'Angoulême. 1 905 hab. Château des XIVe-XVIe et XVIIIe siècles. Église Saint-Martial, en partie romane. Marché agricole.

CHALCÉDOINE [kal], en gr. **Khalkêdôn.** ♦ Anc. V. d'Asie Mineure (Bithynie) sur le Bosphore*. Colonie de Mégare* fondée en ~685, elle fut supplantée par Byzance*, bâtie en face d'elle en ~667. Prise par les Perses (~ Ve s.), passée ensuite tantôt du côté de Sparte, tantôt du côté d'Athènes, elle fut léguée aux Romains et résista à Mithridate* (~73). Elle fut embellie par Justinien* Ier. Patrie de Xénocrate*. – Auj. *Kadiköy*. – *Concile de Chalcédoine*. 4e concile œcuménique, réuni en 451 par l'empereur Marcien. Contre Dioscore, évêque d'Alexandrie, le concile condamna la doctrine d'Eutychès* (monophysisme).

CHALCIDIQUE, en gr. **Khalkidikê.** ♦ Presqu'île grecque (Macédoine) qui s'avance dans la mer Égée, formant trois péninsules dont celle d'Athos*. ♦ *Nome de Chalcidique* : 2 945 km². 79 850 hab. Ch.-l. Polygyros. ♦ *Hist.* Elle doit son nom aux colonies que Chalcis* (Eubée) y fonda au ~ VIIe et au ~ VIe s. Ses villes princ. furent Potidée* (colonie corinthienne) et Olynthe*. Elle fut conquise par les Macédoniens au ~ IVe s. puis par les Romains au ~ IIe siècle.

CHALCIDIUS. ♦ Philosophe néo-platonicien (IVe s.). Son commentaire latin du Timée* de Platon fut connu au Moyen Âge.

CHALCIS [*Khalkis*]. ♦ V. et port de Grèce (île d'Eubée) sur le détroit d'Euripe*, ch.-l. du nome d'Eubée*. Centre commercial. 24 745 hab. *(Chalcidiens)*. Station touristique; musée d'archéologie. – Patrie d'Isée*, de Jamblique* et de Lycophron*. Aristote* y mourut. ♦ *Hist.* Cité ionienne puissante dès le ~ IXe s. grâce à sa métallurgie (Khalkos : « airain »), elle fonda de nombreuses colonies en mer Égée, sur les côtes de la Grèce du N. (notamment les 32 villes de la Chalcidique*), en Sicile* et en Italie du Sud. **V. Grande-Grèce** (~ VIIIe-~ VIe s.). Dominante dans l'île d'Eubée après sa victoire sur la ville voisine d'Érétrie* (fin du ~ VIIe s.), elle fut vaincue et colonisée par les Athéniens (~ 506). Entrée dès lors dans l'orbite d'Athènes*, elle partage le sort de l'Eubée*. La ville connut un nouvel essor sous les Vénitiens (1351-1470).

CHALCOCONDYLE (Démétrios), en gr. **Khalkokondulês.** ♦ Grammairien grec (Athènes, 1424 – Milan, 1511). Fuyant l'occupation turque, il s'établit en Italie et contribua considérablement à la renaissance des études grecques. Il enseigna à Padoue, à Florence, où il fut appelé par Laurent Ier de Médicis, et à Milan. On lui doit une grammaire grecque *(Erotemata)* et surtout les premières éditions d'Homère* (Florence, 1488) et d'Isocrate* (Milan, 1493).

CHALCOCONDYLE (Laonique). ♦ Historien grec (Athènes, v. 1430 – v. 1480). Disciple de Gémiste Phéthon, il fut prisonnier et secrétaire, pour la langue grecque, du sultan Murat II. Son *Histoire* embrasse la période de 1297 à 1463 : la décadence de l'Empire byzantin et sa chute.

CHALDÉE [kalde]. *n. f.* ♦ Pays des Chaldéens (les *Khaldû* des textes cunéiformes; hébr. *Kasdim;* grec *Khaldaioi)*, région occidentale de Sumer (V. princ. : Ur*). Le terme s'étendit à la Babylonie et même à la Mésopotamie (Empire chaldéen ou néo-babylonien **V. Babylone**). ♦ *Chaldéens. n. m. pl.* nom donné dans l'Antiquité classique à diverses sortes de prêtres et astrologues orientaux. ♦ Le *chaldéen* ou *chaldaïque* : anc. nom de l'araméen, langue sémitique.

CHALETTE-SUR-LOING. ♦ Comm. du Loiret, arr. de Montargis. 12 745 hab. Faubourg industriel de Montargis (mécanique).

CHALEURS *(baie des)*, en angl. **Chaleur Bay.** ♦ Baie du Canada, dans le golfe du Saint-Laurent, au S. de la Gaspésie (Québec) qu'elle sépare de la prov. du Nouveau-Brunswick.

CHALGRIN (Jean-François). ♦ Architecte français (Paris, 1739 – *id.*, 1811). Prix de Rome en 1758, il alla étudier en Italie les monuments antiques. Il devint ensuite architecte du roi et du comte de Provence. Il réalisa des habitations particulières caractéristiques du style Louis XVI par leur parti pris de simplicité et d'élégance. Il fit aussi des travaux d'agrandissement et d'aménagement au *Collège de France*, au *palais du Luxembourg* (escalier de l'aile droite) et s'occupa du chantier de *Saint-Sulpice* (tour Nord, 1777). Représentant de la phase dite « grecque » ou dorique du néo-classicisme, il adopta à *Saint-Philippe-du-Roule* (modifié ensuite par Baltard) le type basilical à colonnade (1769-1784) des premières églises chrétiennes. Il eut ensuite tendance sous le Directoire et l'Empire à insister sur le caractère triomphal et grandiose. Son projet pour l'*Arc de Triomphe* à Paris fut modifié par Goust et Percier.

CHALIAPINE (Féodor). ♦ Chanteur russe (Kazan', 1873 – Paris, 1938). Célèbre basse et remarquable tragédien, il fut l'un des plus grands interprètes lyriques de son temps. Il triompha successivement à Moscou (1899), Milan (1901), New York (1907) et Paris (1908) où son interprétation de *Boris Godounov*, dans la troupe de Diaghilev, marqua sa consécration. Au cinéma, il fut l'interprète du *Don Quichotte* de Pabst (1933).

CHALIER (Joseph). ♦ Homme politique français (Beaulard, Piémont, 1747 – Lyon, 1793). Acquis aux idées révolutionnaires, il fut un des principaux représentants du parti montagnard de Lyon et membre de la commune de cette ville. Il fut condamné à

Ph. L. Sir

J.-F. Chalgrin : intérieur de l'église Saint-Philippe-du-Roule.

mort et décapité après la victoire de l'insurrection fédéraliste et royaliste (17 juillet 1793). Comme Le Peletier de Saint-Fargeau et Marat*, il devint l'un des martyrs de la liberté, l' « une des divinités du Panthéon révolutionnaire » (A. Soboul).

CHALINDREY. ♦ Comm. de la Haute-Marne, arr. de Langres. 3 487 hab. Gare importante.

CHALK RIVER. ♦ Localité du Canada, dans le S.-E. de l'Ontario. 1 115 hab. (1961). Centre de recherche atomique.

CHALLANS [ʃalɑ̃]. ♦ Ch.-l. de cant. de la Vendée, arr. des Sables-d'Olonne, dans le Marais breton. 8 635 hab. (5 785 aggl.) [*Challandais*]. Important marché agricole. (« Canards de Challans ».) Aliments pour le bétail. – Confection. Menuiserie industrielle.

CHALLE (Maurice). ♦ Général français (Pontet, Vaucluse, 1905). Après avoir pris part aux opérations de la fin de la Deuxième Guerre mondiale (1944-1945), il fut nommé commandant de l'École aérienne (1953) puis major général des forces armées (aux côtés du général Ély, 1956). Commandant en chef en Algérie (1959), puis du secteur Centre-Europe à l'O.T.A.N. (1960), poste dont il donna sa démission, il fut l'un des auteurs de la tentative de coup d'État d'Alger (1961). Condamné à 15 ans de détention, il fut gracié par le général de Gaulle en 1966.

CHALLEMEL-LACOUR (Paul Armand). ♦ Homme politique français (Avranches, 1827 – Paris, 1896). Exilé jusqu'en 1859 en raison de son opposition au coup d'État du 2 décembre 1851, il fut nommé préfet après la chute du Second Empire (4 sept. 1870). Député à l'Assemblée nationale, où, avec L. Gambetta* il prit position contre la coalition monarchiste, il fut nommé ministre des Affaires étrangères dans le cabinet Jules Ferry (1883), et fut président du Sénat [1893]. (Acad. fr.)

CHALLES-LES-EAUX. ♦ Comm. de la Savoie, arr. de Chambéry. 2 266 hab. Station hydrominérale : eaux froides sulfurées.

CHALNA (Port-Jinnah). ♦ Port fluvial du Bengale* oriental, créé sur le delta du Gange* vers 1950, et pouvant accueillir les navires de haute mer. C'est le port de Dacca*. Il est en pleine extension et exporte principalement du jute.

CHALONNAIS. *n. m.* ♦ Région de transition, en Bourgogne*, au S. de la Côte de Beaune*, dans la plaine de la Saône. C'est un ancien fond de lac pliocène où se mêlent cultures et forêts sur les dépôts argileux et sableux. Le vignoble de la *côte chalonnaise* prolonge la Côte d'Or; il produit des vins rouges et blancs (Mercurey, Givry, Montagny, Rully).

CHALONNES-SUR-LOIRE. ♦ Ch.-l. de cant. du Maine-et-Loire, arr. d'Angers, sur la r. g. de la Loire. 4 259 hab. (2 452 aggl.) [*Chalonnais*]. Église Saint-Maurille XIIe-XIIIe siècles. – Viticulture. – Matériel viticole. Constructions métalliques. Matériaux de construction. Confection, chaussures.

CHÂLONS-SUR-MARNE. ♦ Préf. de la Marne, ch.-l. d'arr. (5 cant., 103 comm., 93 734 hab.), sur la Marne. 54 075 hab. *(Châlonnais)*. Cathédrale Saint-Étienne (XIIIe s.) remaniée (façade O. du XVIIe s.); elle possède une tour romane (XIIe s.) et de très beaux vitraux du XVIe s.). Église Saint-Alpin (XIIe et XVIe s., beaux vitraux du XVIe s.). L'église Notre-Dame-en-Vaux (XIIe s.), anc. collégiale, possède aussi de remarquables vitraux du XVIe siècle. Église Saint-Jean (XIe, XIIIe, XIVe s.). École des arts et métiers dans des bâtiments du XVIIIe s.; hôtel de ville (XVIIIe s.). L'anc. hôtel des gouverneurs de Châlons (XVIIe s.) abrite une bibliothèque. Préfecture dans l'anc. hôtel de l'intendance de Champagne (XVIIIe s.). Évêché. Centre commercial (vins de Champagne), Châlons est aussi une ville industrielle : métallurgie de transformation; instruments de précision; indus. du cuir; bonneterie; papiers peints; indus. alimentaires; indus. textile; produits chimiques; meubles. Aux environs, exploitation de blanc de craie et de blanc minéral (« blanc d'Espagne »). – Patrie de N. Appert*, de P. Bayen*, de E. Œhmichen*, de N. Perrot* d'Ablancourt, de J. Talon*. ♦ *Hist.* C'est aux environs du bourg gallo-romain de *Catalaunum* (entre Châlons et Troyes) que se déroula la bataille des *champs Catalauniques,* où Attila fut vaincu par Aetius en 451. Châlons fut le siège de l'intendance et de la généralité de Champagne. – La ville fut bombardée au cours des deux dernières guerres.

CHALON-SUR-SAÔNE. ♦ Sous-préf. de la Saône-et-Loire, ch.-l. d'arr. (12 cant., 154 comm., 179 158 hab.), sur la r. d. de la Saône. 52 746 hab. *(Chalonnais).* Église Saint-Pierre (fin XVIIe s.). Église Saint-Vincent (XIe-XVe s.) de style roman bourguignon et gothique. Cloître du XIVe siècle. Musée Denon. Hôpital du XVIe s. (dans la chapelle, vitraux Renaissance). Tour du Doyenné (XVe s.). Maisons anciennes. – Centre industriel et port de transit. Indus. du verre. Produits chimiques. Centrales thermiques. Constructions mécaniques et électriques; construction de bateaux. Indus. photographiques. Confection. Indus. alimentaires. Marché vinicole. Foires aux « Sauvagines ». – Patrie de Niepce*. ♦ *Hist.* Centre commercial du pays des Éduens, siège d'un évêché jusqu'en 1790, la ville appartint aux ducs de Bourgogne. En 1814, elle résista aux Alliés.

CHALOSSE. *n. f.* ♦ Région de l'Aquitaine, au S. des Landes*, entre l'Adour et le Gave de Pau*. Collines à l'habitat dispersé. Cultures (blé, maïs, vigne) et élevage.

CHÂLUKYA. ♦ Nom de plusieurs dynasties indiennes qui régnèrent sur la partie occidentale de l'Inde et le centre du Dekkan* du VIe s. à 1297. Elles s'établirent à Bâdâmi*, dans le Gujarât* et en pays Andhra*. De nombreuses branches créèrent des dynasties semi-indépendantes et l'une d'elles s'allia à la dynastie des Chola* du sud de l'Inde. Ils furent finalement éliminés de la scène politique par les musulmans. Les souverains Châlukya inaugurèrent les plus anciens ensembles indiens de temples construits, et non plus creusés dans le roc.

CHÂLUS [ʃaly]. ♦ Ch.-l. de cant. de la Haute-Vienne*, arr. de Limoges*, sur la Tardoire*. 2 350 hab. *(Châlusiens).* – Tour du Fort du XIIe s., ruines féodales. ♦ *Hist.* C'est en assiégeant ce château en 1199 que Richard Cœur de Lion fut mortellement blessé.

CHAM [kam]. ♦ Personnage biblique (*Genèse,* V-X) fils de Noé*, père de Canaan*, ancêtre éponyme des Chamites (*i.e.* selon la Bible : Égyptiens, Éthiopiens, Somalis). Il est montré comme un fils irrévérencieux dans l'épisode où il découvre à ses frères la nudité de son père ivre.

CHAM [tʃam]. *n. m. pl.* ♦ Peuples (probablement indonésiens) des côtes de l'Annam* qui furent hindouisés vers le IIIe s. de notre ère et qui constituèrent le royaume du Champa*. Ils furent progressivement refoulés dans le sud et les montagnes par les Viêtnamiens venus du Tonkin. Ils ne sont maintenant guère plus de cent mille individus, répartis dans les montagnes entre le Viêt-nam* du S. et le Cambodge*. Ils parlent une langue apparentée au Môn-khmer ou à l'indonésien.

CHAM *(djebel), n. m.* ♦ Point culminant de Hajar* (Arabie), surplombant le golfe d'Oman **(V. Oman).** 3.000 m environ.

CHAMALIÈRES. ♦ Comm. du Puy*-de-Dôme, arr. et faubourg de Clermont*-Ferrand. 18 083 hab. *(Chamaliérois).* Église en partie romane. Imprimerie de la Banque de France; fabrique de cycles.

CHAMALIÈRES-SUR-LOIRE. ♦ Comm. de la Haute-Loire*, arr. du Puy*. 471 hab. Église romane.

CHAMARANDE. ♦ Comm. de l'Essonne, arr. d'Étampes, 863 hab. Église XIIe-XIIIe s., restaurée sous le Second Empire. Château (XVIIe s.) construit par François Mansart; parc dessiné par Le Nôtre.

CHAMBERLAIN (Joseph). ♦ Homme politique britannique (Londres, 1836 – *id.,* 1914). S'étant enrichi dans les affaires, il fut élu en 1873 maire de Birmingham, qu'il administra de manière révolutionnaire. Cela lui valut d'être élu député en 1876 dans les rangs des libéraux. Gladstone* le nomma ministre du Commerce (1880-1885). La question du *Home* Rule* créa une scission au sein des libéraux et Chamberlain prit la tête du mouvement libéral unioniste qui refusait l'autonomie complète de l'Irlande et se rapprochait des conservateurs. Ministre des Colonies (1895-1903) dans un cabinet conservateur auquel il fit prendre de nombreuses mesures sociales, il mena à bien la guerre des Boers puis évolua vers une politique impérialiste de plus en plus conservatrice : en 1900, signature du *Australian Commonwealth Act.* Malgré une violente campagne d'opinion (1903-1904), il ne put imposer le protectionnisme à la Grande-Bretagne. – Père de Austen et A.N. Chamberlain.

CHAMBERLAIN (Houston Stewart). ♦ Écrivain allemand d'origine anglaise (Portsmouth, 1855 – Bayreuth, 1927). Auteur d'un ouvrage sur R. Wagner dont il épousa la fille Eva (1894), il y formula une philosophie vitaliste et nationaliste. Dans ses *Fondements du XIXe siècle* (1899), il a exposé une théorie raciste, pangermaniste qui fait de lui un précurseur direct de la doctrine hitlérienne **(V. Gobineau).**

CHAMBERLAIN (*sir* Joseph Austen). ♦ Homme politique britannique (Birmingham, 1863 - Londres, 1937). Élu député en 1892 dans les rangs des libéraux unionistes, il devint par la suite l'un des chefs du parti conservateur. Après deux années passées à la direction de la chancellerie de l'Échiquier, il fut nommé ministre des Affaires étrangères par Baldwin (1924-1929) et participa à ce titre à l'élaboration du pacte de Locarno*. Le prix Nobel de la paix vint récompenser ses efforts de conciliation diplomatique (1925).

CHAMBERLAIN (Arthur Neville). ♦ Homme politique britannique (Edgbaston, Birmingham, 1869 – Heckfield, Reading, 1940). Tenté à ses débuts par les affaires, il s'orienta vers la vie politique après avoir été maire de Birmingham. En 1918, il fut élu député conservateur et de 1924 à 1929 prit, comme ministre de la Santé, des mesures sociales importantes. Nommé chancelier de l'Échiquier en 1931, il dut faire face à la crise économique (dévaluation de la livre et retour au protectionnisme). En 1937, il succéda à Baldwin* comme Premier ministre. Mais la politique d' « apaisement » qu'il voulait suivre pour éviter la guerre ne pouvait tenir tête aux ambitions d'Hitler (**V. Munich** [accords de]). Il réagit cependant à l'invasion de la Tchécoslovaquie en préparant la Grande-Bretagne à la guerre (conscription, traités d'alliance) mais ses hésitations lui avaient fait perdre la confiance de l'opinion et il dut démissionner après l'échec de l'expédition britannique en Norvège.

CHAMBERLAIN (Owen). ♦ Physicien américain (San Francisco, 1920). Avec Segré*, il mit en évidence l'antiproton (1955), confirmant la théorie relativiste de Dirac*. (Prix Nobel de phys., 1959.)

CHAMBERLAND (Charles Édouard). ♦ Bactériologiste français (Chilly-le-Vignoble, Jura, 1851 – Paris, 1908). Collaborateur de Pasteur*, il inventa un filtre hygiénique *(filtre Chamberland). Recherches sur l'origine et le développement des organismes microscopiques,* 1879; *Sur le charbon et la vaccination charbonneuse d'après les travaux récents de Pasteur,* 1883.

CHAMBERS (Ephraïm). ♦ Encyclopédiste anglais (Kendal, Westmoreland, v. 1680 – Islington, 1740). Lancée par souscription en 1728, son *Encyclopédie ou Dictionnaire universel des arts et des sciences* fut rapidement célèbre. Ce fut l'une des principales sources de l'*Encyclopédie* de Diderot et d'Alembert.

CHAMBERS (William). ♦ Architecte, paysagiste et dessinateur anglais (Göteborg, Suède, 1723 – Londres, 1796). D'abord cadet dans la flotte de la Compagnie des Indes, il voyagea notamment en Chine et aux Indes. Il alla ensuite aux Pays-Bas, en France où il travailla dans l'atelier de J.F. Blondel* en 1749, puis en Italie, de 1750 à 1755. Il fut ensuite nommé architecte du Prince de Galles, joua avec Reynolds* un rôle important dans la fondation de l'Académie royale des arts et fut nommé en 1782 surintendant des bâtiments royaux. Représentant du néo-classicisme palladien et admirateur de l'architecture française (*Somerset House* à Londres, 1776-1786), il fut surtout un eclectique raffiné, éleva de nombreuses « fabriques » ou pavillons dans les jardins de Kew (*Pagode* de dix étages, *mosquée, temple, arc romain,* 1752 à 1762) et le *casino Marino* près de Dublin (1763). Son goût pour l'exotisme et le pittoresque influença les architectes français, ainsi que la publication de ses ouvrages : *Recueil d'architectures chinoises* (1757), *Traité d'architecture civile* (1759) et surtout *L'Art de distribuer les jardins selon l'usage des chinois* qui inspira les créateurs de parcs à l'anglaise.

CHAMBÉRY. ♦ Préf. de la Savoie*, ch.-l. d'arr. (15 cant., 162 comm., 166 344 hab.) au confluent de l'Albane et de la Leysse entre les Bauges* et la Grande-Chartreuse. 53 813 hab. *(Chambériens).* Cathédrale Saint-François-de-Sales, XVe s., anc. église d'un couvent de franciscains. Fontaine des éléphants (XVIIIe-XIXe s.). Maison et hôtels anc. Le château des ducs de Savoie, restauré au XIXe s., conserve des constructions des XIVe et XVe siècles. Musées. Archevêché. – La situation géographique exceptionnelle de la ville en fait un carrefour de routes (entreprises de camionnage) et un nœud ferroviaire. Centre agricole, commercial, industriel. Indus. alimentaires. Cimenteries; métallurgie de l'aluminium. Confection, chaussures. Indus. chimiques, verrerie. – Patrie de

Ph. Hétier

Chambéry : la préfecture.

Emmanuel*-Philibert de Savoie, de J. de Maistre*, de Philibert* Ier le Chasseur, de C. Polonceau*. ♦ *Hist.* Chambéry fut cédée à la Savoie en 1232, elle en devint la capitale. Annexée par la France de 1792 à 1815, elle revint à la Savoie jusqu'en 1860, date où elle redevint française (plébiscite du 22 avril).

CHAMBI *(djebel).* ♦ Montagne la plus élevée de la Tunisie* (1 554 m) située dans le S.-O. de la Dorsale* tunisienne, à proximité de la frontière algérienne. Mine de plomb. À son pied E. se situe la ville de Kasserine*.

CHAMBIGES. ♦ Famille d'architectes et maîtres d'œuvre français surtout actifs durant le XVIe s. dont les principaux représentants furent : MARTIN (Paris? – Beauvais, 1532). Il contribua à l'élaboration du type du portail flamboyant en donnant les plans des transepts et en travaillant aux chantiers des cathédrales de Sens (1489-1514), Troyes (jusqu'en 1516), Beauvais (avec la collaboration de Jean Waast) et Senlis (1516). On lui attribue aussi la *tour Saint-Jacques-de-la-Boucherie* à Paris et la façade de Saint-Pierre de Senlis. Il participa aussi aux plans de reconstruction du *pont Notre-Dame* à Paris (1499-1500). ♦ PIERRE Ier (Paris? – *id.*, 1544). Il travailla avec son père à Troyes et à Beauvais et adopta certains des motifs ornementaux de la Renaissance italienne. Il participa aux travaux des châteaux de Chantilly, Fontainebleau (cour de Gilles Le Breton), La Muette, Saint-Germain-en-Laye ainsi qu'à la construction de l'*Hôtel de Ville* de Paris avec Boccador*. On lui attribue aussi le *château de Challeau.* ♦ PIERRE II (?, 1544 – 1615). Fils de Pierre Ier, il travailla à Paris, notamment au *Pont-Neuf* et à la *Petite Galerie du Louvre.*

CHAMBLY. ♦ Comm. de l'Oise (arr. de Senlis). 5 471 hab. Église gothique des XIIIe et XIVe siècles. – Ateliers de chemins de fer. Indus. chimique.

CHAMBOLLE-MUSIGNY. ♦ Commune de la Côte-d'Or (arr. de Dijon) au pied de la « Côte de Nuits », dominée par l'escarpement du Grognot. 455 hab. Église du XVIe siècle. Château (1709). – Vignobles de la Côte de Nuits, grands vins rouges de Bourgogne.

CHAMBON *(barrage du).* ♦ Barrage des Alpes (Isère), sur la Romanche, en amont de Bourg-d'Oisans (1 040 m d'alt.). La centrale hydro-électrique produit en moyenne 23 500 000 kWh par an.

CHAMBON *(lac).* ♦ Lac volcanique d'Auvergne (Puy-de-Dôme) alimenté par la Couze. Alt. 877 m. 60 ha. Site touristique.

CHAMBON DE MONTAUX (Nicolaso) ♦ Médecin et homme politique français (Brévannes, Haute-Marne, 1748 – ? 1826). Administrateur des hospices parisiens au début de la Révolution, il fut choisi pour succéder à Pétion de Villeneuve à la tête de la Commune* de Paris (novembre 1792), mais jugé trop modéré il fut lui-même remplacé par Pache* dès 1793. Il est l'auteur d'ouvrages médicaux (gynécologie, pédiatrie).

CHAMBON-FEUGEROLLES (Le). ♦ Ch.-l. de cant. de la Loire*, arr. de Saint*-Étienne. sur l'Ondaine. 22 048 hab. *(Chambonnaires).* Houille; indus. métallurgique et mécanique. Pièces détachées pour cycles. Tissus élastiques.

CHAMBONNIÈRES (Jacques CHAMPION *de*). ♦ Compositeur et claveciniste français (Chambonnières-en-Brie, 1601 – Paris?, 1672). Issu d'une famille de musiciens, il fut claveciniste à la cour de Louis XIII et de Louis XIV et exerça une profonde influence sur l'art musical de son temps, aussi bien en France qu'à l'étranger. Maître des Couperin*, d'Anglebert et de Cambert, il a fixé les bases de l'école du clavecin français avec ses *Pièces de clavecin* (Paris, 1670).

CHAMBON-SUR-LIGNON (Le). ♦ Comm. de la Haute-Loire, arr. d'Yssingeaux. 3 059 hab. Centre touristique d'été : plage sur le Lignon. Préventorium.

CHAMBON-SUR-VOUEIZE. ♦ Ch.-l. de cant. de la Creuse*, arr. d'Aubusson*. 1 367 hab. Église romane Sainte-Valérie.

CHAMBORD (Henri de BOURBON, *duc de* BORDEAUX, *comte de*). ♦ Dernier représentant de la branche aînée des Bourbons (Paris, 1820 – Frohsdorf, Autriche, 1883). Fils posthume du duc de Berry* et de la princesse Marie-Caroline de Bourbon-Sicile, il vécut en exil après la révolution de juillet 1830, fut élevé par sa tante la duchesse d'Angoulême* et épousa une princesse de Modène (1836). Dernier prétendant légitimiste au trône (sous le nom d'Henri V) à l'abdication de Charles* X (1830), il ne fit valoir ses droits qu'en 1871. À la suite de pourparlers entre légitimistes et orléanistes, son accession au trône parut un moment quasi certaine; mais l'intransigeance du comte de Chambord, qui refusa, entre autres choses, de renoncer au drapeau blanc, fit échouer les négociations. Mort sans enfant, Henri de Chambord laissait la maison d'Orléans seule héritière du trône.

CHAMBORD. ♦ Comm. du Loir-et-Cher, arr. de Blois. 267 hab. Le *château de Chambord,* dont la construction fut entreprise pendant le règne de François Ier sur les plans d'un architecte demeuré inconnu (Dominique de Cortone, dit le Boccador*?), est l'un des chefs-d'œuvre de la Renaissance. Il marque une étape importante dans l'histoire de l'architecture française. Si le plan général de l'ensemble suit encore de très près le modèle de la forteresse féodale, avec une enceinte extérieure et un donjon cantonné de tours, la conception architecturale et la décoration sont délibérément ouvertes aux influences italiennes qui trouvent leur plein épanouissement dans le célèbre grand escalier à double révolution. ♦ *Hist.* Le château a appartenu successivement au maréchal de Saxe, au maréchal Berthier* et au duc de Bordeaux à qui il fut offert par souscription nationale et qui prit le titre de *comte de Chambord.* Le château et son domaine sont aujourd'hui la propriété de l'État.

Ph. Louis Monier

Le château de **Chambord.**

CHAMBRE (La). ♦ Ch.-l. de cant. de la Savoie*, arr. de Saint*-Jean-de-Maurienne, en Maurienne, sur l'Arc. 826 hab. Église avec portail du XIIIe siècle. Indus. chimiques; métallurgie.

Chambre des communes; Chambre des lords. ♦ **V.** COMMUNES; LORDS (Chambre des).

Chambre des comptes. ♦ Cour des finances française instituée par Philippe* V le Long (1320). Elle vérifiait les comptes des agents royaux, enregistrait les édits se rapportant aux finances et gérait le domaine royal.

Chambre des députés. ♦ Nom donné sous la Restauration **(V. Charte)**, la monarchie de Juillet et la IIIe République à une des assemblées du Parlement français. ♦ *Sous la Restauration,* la Chambre des députés était élue au suffrage censitaire pour cinq ans et renouvelable par 1/5 tous les ans (de 1817 à 1824). Siégèrent : la Chambre des députés des départements de la Première Restauration (juin 1814-mars 1815) qui se retira peu après le débarquement de Napoléon Ier **(V. Cent-Jours)**; la Chambre dite *introuvable,* dominée par les royalistes résolus **(V. Ultras)** qui adoptèrent plusieurs lois d'exception (élue en août 1815, dissoute en sept. 1816); la nouvelle Chambre, d'abord formée de constitutionnels modérés, mais qui, après l'assassinat du duc de Berry (fév. 1820) vit sa majorité se déplacer vers la droite (dissoute en déc. 1823). La Chambre *retrouvée,* ainsi appelée en raison du nouveau triomphe des ultras, dont la durée avait théoriquement été fixée à sept ans par Villèle (Chambre septennale) adopta plusieurs mesures réactionnaires (1824-1827). Les libéraux furent majoritaires dans la nouvelle Chambre qui, élue fin 1827 fut dissoute après l'adresse* des 221 (mai 1830). – *Chambre des députés des départements.* Elle fut plusieurs fois dissoute et réélue sous la monarchie de Juillet (août 1830-avril 1831, juillet 1831-mai 1834, juillet 1834-juillet 1837, décembre 1837-janvier 1839, décembre 1839-juin 1842, juillet 1842-juillet 1846, août 1846-février 1848). Les élections favorisèrent tour à tour l'opposition de gauche et le parti conservateur. ♦ *Sous la IIIe République,* les députés furent élus au suffrage universel et perçurent, pour la première fois, une indemnité. La Chambre, devant laquelle le gouvernement était responsable, se réunissait, avec le Sénat, en Assemblée nationale, pour élire le président de la République. Après la dissolution de l'Assemblée nationale (déc. 1875), seize législatures se succédèrent jusqu'en 1940. La première Chambre (mars 1876), à majorité républicaine (Union républicaine de L. Gambetta et gauche républicaine de Jules Ferry), fut dissoute par le président Mac*-Mahon, sous l'influence des conservateurs de l'Ordre moral (mai 1877). En dépit d'une progression des conservateurs (nov. 1877), les républicains furent encore majoritaires et, après la démission de Mac-Mahon (1879), imposèrent une politique républicaine et laïque. La troisième législature (oct. 1881-août 1885) vit l'effondrement des conservateurs mais aussi une certaine opposition entre les divers mouvements républicains; la quatrième (nov. 1885-juillet 1889), le déclin du centre au profit des extrêmes droite et gauche; la cinquième (nov. 1889-juillet 1893), le renforcement des républicains face aux révisionnistes (partisans de Boulanger); la sixième (1893-avr. 1898), la victoire des républicains modérés; la septième (juin 1898-mars 1902), un certain morcellement des représentations, puis un regroupement des forces de gauche avec l'Affaire Dreyfus; la huitième (juin 1902-avr. 1906), une nette progression de la gauche; la neuvième (1906-avr. 1910), le triomphe du Bloc des gauches et l'accession au pouvoir des radicaux; la dixième (1910-1914), le progrès des socialistes qui n'apporta cependant point de modification profonde dans le rapport des forces politiques; la onzième (1914-1919), une victoire des partis de gauche; la douzième (1919-1924), le triomphe des conservateurs du Bloc national; la treizième (1924-1928), le succès de la gauche (Cartel des gauches, 26 députés communistes); la quatorzième (1928-1932), une nouvelle victoire de la droite et du centre (face à la crainte du communisme international); la quinzième (1932-1936), une tentative pour former une nouvelle majorité, excluant la droite et la gauche communiste; la seizième (1936-juillet 1940), un succès de la gauche (gouvernement de Front

Champagne - Ardenne.

populaire) avec un net recul des radicaux au profit des communistes et de la S.F.I.O.

Chambre introuvable. ♦ Surnom de la Chambre* des députés, qui, élue en 1815 **(V. Restauration)**, fut composée d'une majorité d'ultra-royalistes, favorables au retour à l'Ancien Régime. Elle fut dissoute en 1816.

CHAMFORT (Sébastien Roch Nicolas, dit *de*). ♦ Moraliste français (près de Clermont-Ferrand, 1741 – Paris, 1794). Très fêté pour son esprit dans la société aristocratique, il s'enthousiasma cependant pour la Révolution, mais, hostile à la Terreur et plusieurs fois emprisonné, se suicida. Conteur spirituel et esprit caustique, il est l'auteur de fables et de poésies légères, et surtout d'épigrammes et de sentences hardies, les *Maximes et Pensées, Caractères et Anecdotes* (posthumes, 1795) : il y stigmatise la société de son temps et manifeste une misanthropie amère en des formules paradoxales, remarquables « pour la sûreté et la force percutante du trait, pour la légèreté du persiflage » (J. Rostand). [Acad. fr.]

CHAMILLART (Michel *de*). ♦ Homme politique français (Paris, 1652 – *id.*, 1721). Protégé de Mme de Maintenon*, il fut contrôleur des Finances et secrétaire d'État à la Guerre sous Louis XIV. (Acad. fr.)

CHAMISSO [ka-] **de BONCOURT (Louis Charles Adélaïde**, dit **Adalbert *von*).** ♦ Écrivain et savant allemand d'origine française (château de Boncourt, Champagne, 1781 – Berlin, 1838). Il émigra sous la Terreur (1792), s'engagea dans un régiment prussien et fit à Berlin la connaissance de La Motte-Fouqué et de Varnhagen ; mais il revint en France à plusieurs reprises et séjourna auprès de Madame de Staël (1811-1812). Il s'embarqua en 1815 comme naturaliste pour un voyage autour du monde (dont il fit le récit), avant de se fixer définitivement à Berlin où il fut directeur du Jardin botanique. « Enfant des Muses, caché sous les armes étrangères et adopté par les bardes de la Germanie » (Chateaubriand), il se sentit longtemps exilé, en quête de patrie, et sa *Merveilleuse Histoire de Pierre Schlemihl* (1824), l'homme qui a perdu son ombre, apparaît un peu comme la confession de son auteur, où le fantastique se mêle sans cesse au réel. La publication de ses poèmes *(Le Crucifix, Le Château de Boncourt, L'Amour et la vie d'une femme)* lui valut en 1833 la fonction de directeur de *l'Almanach des Muses.*

CHAMIYA. *n. f.* ♦ Désert de Syrie, constitué par un vaste plateau steppique qui fait suite au désert de la Djésireh* et que se partagent la Syrie*, la Jordanie* du Nord, l'Arabie* Sa'ûdite et l'Iraq*. Elle borde les contreforts de l'Anti*-Liban à l'O., les montagnes du Médian* au S., et domine à l'E. les plaines de la Mésopotamie*. Accidentée de chaînons isolés, elle est parcourue par les pasteurs bédouins.

CHAMMAR. ♦ Province d'Arabie Sá'ûdite (émirat du Nedjd*), dont la population est essentiellement constituée de Bédouins nomades. Cultures dans les oasis (céréales, coton, palmiers dattiers).

CHAMMAR *(dj.). n. m.* ♦ Reliefs d'Arabie Sa'ûdite, orientés E.-O., situés dans le massif du Nedjd (Najd) au S. du désert de Néfoud*.

CHAMONIX [-ni]**-MONT-BLANC.** ♦ Ch.-l. de cant. de la Haute-Savoie*, arr. de Bonneville*, sur l'Arve* dans la vallée de Chamonix entre le Brévent (2 525 m) et la chaîne des Aiguilles, dominée par le mont Blanc (4 807 m). 8 403 hab. Station d'alpinisme et de sports d'hiver mondialement connue. Matériel d'alpinisme. fabrication de skis. — Patrie de J. Balmat*.

CHAMPÂ. *n. m.* ♦ Ancien royaume de la côte d'Annam* (Viêtnam) fondé selon la tradition v. 192 et dont le peuple, appelé Cham*, fut hindouisé vers le IIIe siècle. L'histoire de ce royaume est celle de ses luttes contre les Khmers* et principalement contre les Vietnamiens qui le refoulèrent progressivement dans le sud où il se maintint jusque vers le XVIe siècle (**V.** *notamment* **Chê Nang**). Il fut finalement absorbé et disparut. Il laissa de nombreux témoins d'un art particulier, notamment à Mi-sön.

CHAMPAGNE. *n. f.* ♦ Région orientale du Bassin parisien. Le vignoble, localisé sur la côte de l'Île-de-France dans la région de Reims* et d'Épernay* est utilisé dans la fabrication des célèbres *vins de Champagne.* — Il est cultivé dans trois zones : la Montagne de Reims (princ. crus à Mailly, Vernezay, Sillery*, Verzy*, Ambonnay, Bouzy*), autour d'Épernay, dans la vallée de la Marne (Hautvillers*, Ay*, Avenoy, Mareuil, Dizy, Damery, Pierry, Moussy, Vinay) et au S.-E. d'Épernay (*côte des Blancs :* Cramant, Avize*, Oger, Le Mesnil-Oger, Vertus*). À l'O., la *Champagne sèche* (dite *pouilleuse*) fut longtemps une terre d'élevage de moutons et abritait des camps militaires; elle est devenue prospère grâce aux engrais, aux amendements et à la culture mécanisée, c'est auj. une région de grande propriété productrice de blé. À l'E., la *Champagne humide,* au sol marneux, est recouverte d'étangs, de prairies; c'est une région d'élevage. *V. princ. de Champagne :* **V. Châlons-sur-Marne, Épernay, Reims, Troyes.** — *Écon.* **V. Champagne-Ardenne.** ♦ *Hist.* La Champagne recouvrant les actuels dép. de l'Aube, de la Marne, de la Haute-Marne, des Ardennes et de l'Yonne, fut donnée au Xe s. à la maison de Vermandois. Eudes de Blois, qui en hérita au XIe s. lui ajouta le Blésois et devint alors l'un des plus importants féodaux. Ses possessions furent divisées au XIIe s., mais la ligue champenoise, restée puissante, se distingua lors des croisades (Henri II fut roi de Chypre et de Jérusalem). Le XIIe et le XIIIe s. furent en effet l'époque des foires de Champagne qui valurent une extraordinaire prospérité à la région : à mi-chemin entre les Flandres et l'Italie, la Champagne organisa six foires dans différentes villes, réparties tout au long de l'année de façon à former une foire permanente, et qui furent la seule place de commerce européenne de l'époque, et eurent la spécialité du crédit. Devenus rois de Navarre (1234), les comtes de Champagne se désintéressèrent du pays qui fut intégré au royaume de France par le mariage de Philippe* le Bel avec Jeanne de Champagne. L'économie de la province, qui avait perdu dès le XIVe s. sa fonction commerciale, s'améliora au XVIIe s., avec l'établissement d'industries textile et métallurgique, et surtout avec la production de vins fins.

CHAMPAGNE *(batailles de).* ♦ Au cours de la Première Guerre mondiale, la Champagne fut un des principaux théâtres d'opérations. Après la Marne (sept. 1914), les Allemands établirent leur front sur une ligne passant au N. de Reims, de Craonne à l'Argonne. En 1915, plusieurs offensives françaises (en févr., mars, puis à partir des 25 sept. et 5 oct.) donnèrent lieu à des combats très meurtriers mais de faible efficacité, entre Massiges et Auberive. En avril 1917, l'offensive de Nivelle (**V. Chemin des Dames**) se déroula en partie en Champagne (sur le canal de l'Aisne, entre Berry-au-Bac et Reims). Lors de l'offensive allemande du 27 mai 1918 sur l'Aisne* et de l'avancée sur Château*-Thierry, la montagne de Reims fut un des « môles » de la résistance française. L'attaque allemande du 15 juil. 1918 (*Friedensturm,* « assaut de la paix ») se développa de Château-Thierry aux confins de l'Argonne et donna lieu à l'efficace défense en seconde ligne de Gouraud, sur les monts de Champagne, de Massiges à Auberive. La contre-offensive alliée du 26 sept. 1918 commença avec l'attaque de Gouraud sur Sommepy, tandis que les Américains attaquaient en Argonne*.

CHAMPAGNÉ. ♦ Comm. de la Sarthe, arr. du Mans. 2 892 hab. (1 594 aggl.) sur le territoire de laquelle est situé le camp militaire d'Auvours*.

CHAMPAGNE-ARDENNE. *n. f.* ♦ Région française [anciennement C.A.R.] (4 départements : Ardennes, Aube, Marne, Haute-Marne). 25 600 km². (4,7 % de la France). 1 336 800 hab. en 1975 (2,6 %) [1 279 000 en janv. 1968]. — *Orogr.* et *climat.* Coïncidant à peu près avec la province de Champagne*, amputée à l'O., mais augmentée de fractions de la Lorraine (Sedan) et de la Bourgogne (Bar-sur-Seine), elle est centrée sur la zone crayeuse du crétacé supérieur qui forme la vraie « Champagne », plaine perméable, sèche et dénudée (de 110 à 230 m d'O. en E.). Dépourvue de limon, longtemps « pouilleuse », cette plate-forme est flanquée, à l'E., de l'auréole infracrétacée appelée « Champagne humide », limitée, au N.-E., par l'Argonne*, massif argilo-siliceux (300 m) et, au S.-E., par les hautes terrasses de calcaire jurassique du Bar* (350-400 m) que prolonge, au-delà du Bassigny, le plateau de Langres (450-510 m). Tranchée par d'amples vallées alluviales (Aisne, Marne, Aube, Seine), qui contrastent avec elle, la plaine s'élève insensiblement, au N., jusqu'à la ligne de crête boisée du jurassique (300 m); celle-ci domine le profond sillon évidé par la Meuse dans les marnes du lias (150 m), avant sa traversée du massif primaire ardennais (400-500 m) dont la Champagne englobe un fragment. Au S., la craie disparaît sous les argiles tertiaires du pays d'Othe*. — Dénué d'unité physique, l'ensemble forme un vaste hémicycle boisé (1 000 000 d'ha de forêts et friches) long de 300 km, ouvert sur la clairière centrale et orienté, à l'O., vers la

Ph. Hétier

Chamonix : la vallée blanche.

falaise de l'Ile-de-France, retombée des plateaux tertiaires de Brie, terre d'élection du vignoble. C'est elle, en effet, qui, avec la plaine, connaît températures et précipitations les plus modérées (2 à 18° ; 550 à 700 mm); Ardennes et Haute-Marne sont à la fois plus humides (1 000-1 200 mm) et très rudes. — *Écon.* Ancienne croisée de routes autour de Reims, la Champagne dut à sa situation entre Italie et Flandre des foires médiévales de grand renom, source d'une fortune commerciale qui stimula une industrie florissante, textile (700 000 moutons en 1773) et métallurgique (fonte, aciers et outillages de Haute-Marne, armes de Charleville...). Concentrations actives, dispersion des petits métiers, extension des vignobles, assuraient équilibre et stabilité. Un fort accroissement naturel portait la population à 1 266 000 hab. en 1881. — Mais sous l'effet conjugué de la crise lainière, du phylloxera et de la révolution industrielle, la désintégration fut rapide. Écartelée entre les grandes concentrations du Nord, de Lorraine et de Paris, qui aspiraient sa main-d'œuvre pléthorique, très atteinte par les guerres, la Champagne tombait à 1 049 000 en 1946 (— 217 000 hab. = 17 %), vide démographique sur lequel se détachent les zones fortes, devenues pôles d'attraction étroitement localisés : vallée de la Meuse — foyer de Reims, Épernay, Châlons — Troyes et Romilly-sur-Seine — Haute-Vallée de la Marne. Le redressement économique (après 1943) supposait une croissance démographique (notamment en retenant les excédents naturels). En 1968 (1 279 000 hab.), l'équilibre migratoire a été atteint. On escompte, pour permettre à la région de jouer pleinement son rôle entre le bassin rhénan et l'agglomération parisienne, 1 800 000 hab. en 1985, soit le doublement du rythme actuel de croissance. Cette reprise est liée à la fois au taux de natalité élevé (de 18,2 à 19,9 %) et au progrès continu de l'emploi industriel (44,4 %). L'effort de diversification se poursuit à Troyes*, appuyé sur la haute vallée de la Seine, Romilly, Nogent... (290 000 hab. prévus en 1985). — Reims*, capitale économique et intellectuelle, a doublé ses industries traditionnelles d'une gamme d'industries mécaniques très diverses, Épernay*, Châlons*, pôle régional assimilé pour 1985 à une métropole d'équilibre. — Isolé, le groupe métallurgique ardennais (forges, estampage, boulonnerie...) résiste plus difficilement à l'exode et appelle des implantations nouvelles (330 000 hab. en 1985); de même, la zone de Chaumont*-Langres* (coutellerie, ganterie, plastiques...), tandis que Saint*-Dizier entraînera l'ensemble avec Vitry*-le-François et Bar*-le-Duc. — Impliquant un gros apport d'industries extérieures, de telles perspectives appellent, avec l'aménagement de quelque 4 000 ha de zones industrielles, une modernisation active des infrastructures de liaison, notamment fluviales (canalisation de la Meuse, Seine-Est) et routières (axe Reims-Châlons-Troyes; autoroutes Paris-Reims-Metz, bifurcation vers Mézières et la Belgique pour désenclaver l'Ardenne; Paris-Troyes-Chaumont-Bâle) ainsi que l'évolution vers la qualité d'un secteur tertiaire insuffisant malgré ses récents progrès (39,6 %; France 44,7 %) : un gros effort de restructuration des centres urbains s'impose du même coup. — Reposant sur des structures favorables (moyenne des exploitations : 36 ha), l'*agriculture* (16,5 % des actifs) est très dynamique. L'élevage se développe (en 15 ans, production laitière accrue de 50 %, production de viande doublée) mais reste lié à la solution des problèmes d'assainissement (Brie, Champagne humide, vallées). Par une rapide mise en valeur, la plaine crayeuse est devenue grenier à céréales (3e rang, 10 % de la récolte nationale, 20 % de l'orge) et à betteraves — grande culture mécanisée sur un espace accru par défrichement continu; le vignoble (19 400 ha, 86 % à des « vignerons », en petites tenures, 14 % à 50 des 144 maisons de « négoce » [Reims, Épernay]) grâce au comité interprofessionnel créé en 1941, a produit 122 172 000 de bouteilles en 1975 (54 000 000 en 1961), dont 28 200 000 exportées (15 000 000 en 1961), réussite économique dont l'effet d'entraînement est certain. — Pour son développement économique, la région de Champagne-Ardennes mise à la fois sur sa participation active au desserrement des secteurs secondaire et

Ph. Nimatallah/Ricciarini

Louis XIII, par **P. de Champaigne.** (Musée du Prado, Madrid.)

tertiaire de la région parisienne et sur sa position géographique dans le cadre européen.

CHAMPAGNE BERRICHONNE. *n. f.* ♦ Région du S. du Bassin parisien, limitée par la Sologne au N., la vallée de la Loire à l'E., le Boischaut au S., la Beauce à l'ouest. Elle couvre une grande partie de l'Indre* et du Cher*. Domaine de grande culture mécanisée à dominante céréalière. *V. princ.* : **V. Bourges, Châteauroux, Issoudun, Vierzon.**

CHAMPAGNE-MOUTON. ♦ Ch.-l. de cant. de la Charente, arr. de Confolens. 1 104 hab. Église des XIIe et XIVe s. Château du XVIe s. Château de Juyers (XVIIe s.).

CHAMPAGNE-SUR-OISE. ♦ Comm. du Val-d'Oise, arr. de Pontoise. 2 381 hab. Église des XIIe, XIIIe et XIVe siècles. – Importante centrale électrique.

CHAMPAGNE-SUR-SEINE. ♦ Comm. de Seine-et-Marne, arr. de Melun, sur la Seine. 5 589 hab. Constructions métalliques, appareillage électrique.

CHAMPAGNEY. ♦ Ch.-l. de cant. de la Haute-Saône, arr. de Lure. 2 912 hab. Fonderie d'aluminium; métallurgie; confection; poteries.

CHAMPAGNOLE. ♦ Ch.-l. de cant. du Jura, arr. de Lons-le-Saunier, sur l'Ain. 9 744 hab. Lieu de villégiature. Centre industriel : métallurgie (aciérie, laminoirs); minoterie; indus. du bois et du meuble; chaussures, horlogerie; jouets; cimenterie.

CHAMPAIGNE [-paɲ] ou **CHAMPAGNE (Philippe** *de***).** ♦ Peintre et dessinateur français, d'origine flamande (Bruxelles, 1602 – Paris, 1674). Ses maîtres bruxellois lui inculquèrent le goût du beau métier (facture fluide et onctueuse). Décidé en 1621 à partir pour l'Italie, il resta finalement en France, travaillant notamment à la décoration du Luxembourg sous la direction de Duchesne et se liant avec Poussin* il peignit alors des portraits et paysages. La faveur de Marie de Médicis lui valut la charge de peintre ordinaire de la reine mère et de nombreuses commandes : décorations religieuses pour le Carmel à Paris (*Nativité,* 1628; *Présentation au Temple,* 1629) ainsi que des portraits de cour, notamment de Richelieu (1635), dans lesquels la tradition des Pourbus* s'infléchit vers un style plus brillant et souple, inspiré, semble-t-il, de Van* Dyck. À la demande de Richelieu, il réalisa des commandes officielles (*Portrait de Louis XIII couronné par une victoire,* 1635; Décoration de la *Sorbonne,* du *Val-de-Grâce* et du *palais Cardinal : Gaston de Foix,* 1635). Le caractère de ses compositions et la richesse du chromatisme semblent alors indiquer une orientation baroque mêlée à des emprunts aux Bolonais ou au caravagisme et parfois à Poussin. Mais à partir de 1643, il se lia avec le milieu janséniste et progressivement l'économie des moyens, l'austérité chromatique, la rigueur et la gravité de l'expression perceptibles dans ses grandes compositions religieuses comme dans ses portraits des solitaires de Port-Royal *(Mère Angélique Arnaud)* révèlent un mépris de l'effet, une acuité psychologique apte à traduire une austère spiritualité qui lui valurent d'être considéré comme l'un des plus éminents représentants du classicisme français (*Ex-voto* commémorant la guérison miraculeuse de sa fille Catherine, 1662).

CHAMPASSAK. *n. m.* ♦ Ancien royaume du sud du Laos* qui exista de 1722 à 1946, devenant une province de ce pays (chef-lieu, Pakse) et consistant en la réunion des deux anciennes provinces d'Attopeu et de Bassac. Il est peuplé d'environ 2 000 000 d'hab., pour la plupart des Kha* (tribus aborigènes). Son dernier souverain fut Bun* Um.

CHAMPAUBERT. ♦ Comm. de la Marne, arr. d'Épernay. 152 hab. Église romane. ♦ *Hist.* Victoire de Napoléon Ier sur les Russes et les Prussiens, le 10 février 1814.

Champ de Mai. ♦ Nom de l'assemblée des guerriers qui élisait le roi sous les Carolingiens*. Par la suite, cette assemblée devint une revue militaire et disparut après Charles le Chauve.

Champ de Mars, en lat. **Campus Martius.** ♦ Plaine de Rome s'étendant au N. du Capitole dans la boucle du Tibre. Située hors du *pomerium,* elle fut d'abord réservée aux opérations militaires et aux réunions des comices. Dès la république, des édifices privés s'y élevèrent; c'est là que se tenaient les assemblées du peuple et que s'exerçaient les jeunes gens; Agrippa y installa pour cette raison le premier gymnase. Sous l'empire, le champ de Mars se couvrit de monuments (Panthéon, Ara Pacis, mausolée d'Auguste, thermes d'Agrippa, de Néron...)

Champ de Mars. ♦ Nom de l'assemblée des hommes libres qui choisissait le roi sous les Mérovingiens*.

Champ-de-Mars (le). ♦ Vaste esplanade située à Paris entre l'École* militaire et la r. g. de la Seine et dominée au N. par la tour Eiffel*. Ancienne plaine de Grenelle transformée en champ de manœuvre (d'où son nom; 1765) lors de l'érection de l'École militaire, esplanade publique où eurent lieu des courses de chevaux (de 1780 à 1857) ou les premières expériences aérostatiques (Charles* et les frères Robert, 1783; Blanchard*, 1784), le Champ-de-Mars fut le théâtre privilégié des fêtes de la Révolution (*fête de la Fédération,* 1790; *fête de l'Être suprême,* 1794) ou de ses manifestations sanglantes **(V. Champ-de-Mars** [*affaire du*]**),** puis des grandes heures de l'Empire (*distribution des aigles,* 1804; *champ de Mai,* 1815). Cadre des Expositions universelles de 1867, 1878, 1889, 1900 et 1937, le Champ-de-Mars a été aménagé en jardins de 1908 à 1928.

Champ-de-Mars *(affaire du).* ♦ La fuite manquée du roi (Varennes*, juin 1791) eut pour conséquence le développement d'un mouvement démocratique. Sous l'impulsion de certains représentants du Club des jacobins et surtout du Club des cordeliers* une pétition fut présentée à l'Assemblée exigeant la déchéance du roi; une seconde, demandant son jugement, fut déposée par des manifestants sur l'autel du Champ-de-Mars le 17 juillet 1791. À la suite d'un incident, Bailly* proclama la loi martiale, et, au commandement de La* Fayette, les gardes nationaux tirèrent sur les manifestants. Cet événement, qui ruina la popularité de La Fayette, accentua les divisions politiques au sein de l'Assemblée constituante et du Club des jacobins* dont les modérés, partisans du maintien de la monarchie constitutionnelle, se séparèrent pour former le Club des feuillants*.

CHAMPDIVERS (Odette ou **Odinette** *de***).** ♦ Favorite de Charles* VI de France ([mort] v. 1425). Elle soigna le roi pendant ses accès de démence et lui donna une fille.

CHAMPEAUX (Guillaume *de***).** ♦ **V.** GUILLAUME DE CHAMPEAUX.

CHAMPEIGNE. *n. f.* ♦ Plateau de Touraine*, entre le Cher et l'Indre, dans le département de l'Indre-et-Loire.

CHAMPERICO. ♦ Port d'exportation du Guatemala, situé au S. d'Ocos sur la côte du Pacifique **(V.** *aussi* **Ocos, San José).** Terminus de la ligne de chemin de fer inter-océanique venant de Puerto* Barrios.

CHAMPÉRY. ♦ Localité de Suisse (Valais) à 15 km de Saint*-Maurice, face aux Dents du Midi*. Station d'été et de sports d'hiver, à 1 052 m d'altitude.

CHAMPFLEURY [ʃɑ̃flœʀi] **(Jules HUSSON,** dit **Fleury,** puis**).** ♦ Écrivain français (Laon, 1821 – Sèvres, 1869). Ayant partagé

Ph. Hubert Josse

Fête de l'Être suprême au **Champ-de-Mars,** le 20 Prairial an II (8 juin 1794).

la « bohème » de Murger*, il l'évoqua également dans ses romans réalistes comme *Chien-caillou, fantaisie d'hiver* (1847), loué par Victor Hugo*, et *Les Aventures de Mademoiselle Mariette* (1853) où il apparaît passionné de vérité et d'observation. Auteur d'un recueil-manifeste, *Le Réalisme,* il se fit le champion de cette tendance, en littérature comme en art, en défendant Courbet* et Daumier*. **(V.** *aussi* **Duranty.)**

CHAMPIGNEULLES. ♦ Comm. de Meurthe-et-Moselle, arr. de Nancy. 5 485 hab. Importantes brasseries. Tuileries.

CHAMPIGNY-SUR-MARNE. ♦ Ch.-l. de cant. du Val-de-Marne, sur la Marne (arr. de Nogent-sur-Marne), à l'E. de Paris et du bois de Vincennes. 70 564 hab. Église Saint-Saturnin (XIIe, XIIIe s.). — Métallurgie; produits chimiques; ameublement; matériaux de construction; indus. automobile. ♦ *Hist.* Les 30 nov. et 2 déc. 1870, sanglantes batailles entre Prussiens et Français.

CHAMPION de CICÉ (Jérôme). ♦ Prélat et homme politique français (Rennes, 1735 — Aix-en-Provence, 1810). Archevêque de Bordeaux (1781), il fut élu député du Clergé aux États généraux (1789) et fut un des premiers à se rallier au Tiers État. Nommé garde des Sceaux (3 août 1789), il acquit une certaine popularité en faisant ratifier par Louis XVI la Constitution civile du clergé (juil.-août 1790). Toutefois le ministère dont il faisait partie fut accusé à plusieurs reprises de favoriser la contre-révolution et, en nov. 1790, Champion de Cicé donna sa démission et émigra. De retour en France, il fut nommé archevêque d'Aix (1802) après le Concordat.

CHAMPIONNET (Jean-Étienne). ♦ Général français (Valence, 1762 — Antibes, 1800). Soldat de métier, il participa aux campagnes de la Révolution; général de brigade en 1793, il se distingua à Fleurus*. En Italie, il battit les troupes de Ferdinand IV et créa à Naples en 1799 la République parthénopéenne*. Il fut arrêté sur ordre du Directoire*, puis libéré. À la tête de l'armée des Alpes, il fut vaincu à Genola et mourut peu après.

CHAMPLAIN (Samuel). ♦ Explorateur et colonisateur français (Brouage, Saintonge, entre 1567 et 1570 — Québec, 1635). On sait peu de choses sur sa vie avant 1603. S'il servit en Bretagne comme maréchal des logis (sous d'Aumont), il ne semble pas, malgré son propre récit, qu'il ait participé, au service de l'Espagne, à une expédition aux Antilles, en Amérique centrale et au Mexique (1599-1601). Après avoir probablement étudié la cartographie, il fut envoyé par Aymar de Chaste* en reconnaissance au Canada* où il explora le Saint-Laurent jusqu'aux rapides de Lachine, en amont de Montréal. De retour en France (où il publia le récit de son voyage : *Des sauvages*), il repartit dès 1604 pour explorer la côte canadienne, en dresser la carte et pour établir une colonie française. Après avoir fondé Québec* (1608), il s'allia aux Algonquins et aux Hurons contre les Iroquois. Interrompu par plusieurs voyages en France, son séjour au Canada fut consacré à l'exploration du pays (rivière Ottawa, lacs Nipissing, Huron, Ontario et Champlain, 1615-1616) et surtout à l'organisation de la colonie dont il fut nommé lieutenant-gouverneur par le duc de Montmorency en 1619. En 1629, Québec dut capituler devant les troupes anglaises sous le commandement des frères Kirke*; mais, par le traité de Saint-Germain-en-Laye (1632), la ville fut restituée à la France. Les œuvres de S. Champlain ont été publiées.

CHAMPLAIN *(lac).* ♦ Lac du N.-E. des États-Unis, à la frontière du Vermont et du New York, et dont la partie N. touche au Canada. 1 550 km². Il communique avec le Saint-Laurent **(V. Richelieu,** *n. m.***)** et, par canaux, avec l'Hudson et le lac Erié. Région pittoresque.

CHAMPLITTE [ʃɑ̃lit]**-ET-LE-PRÉLOT.** ♦ Ch.-l. de cant. de la Haute-Saône, arr. de Vesoul. 1 487 hab. Église (XVe, XVIIIe s.); château (XVIe, XVIIIe s.); maisons anciennes.

CHAMPMESLÉ [ʃɑ̃mɛle] **(Marie Desmares,** dite **la).** ♦ Tragédienne française (Rouen, 1642 — Auteuil, 1698). Épouse de l'acteur Champmeslé, elle devint la maîtresse de Racine, après son interprétation d'Andromaque (1670). Dans les années qui suivirent, elle fut la créatrice des plus grands rôles du théâtre racinien : Bérénice, Monime, Iphigénie, Phèdre.

CHAMPMOL [ʃɑ̃mɔl] *(chartreuse de).* ♦ Monastère fondé par Philippe le Hardi (1383), près de Dijon*, pour recevoir les sépultures des ducs de Bourgogne. Elle abrita jusqu'à la Révolution (où elle fut détruite en grande partie) son tombeau et celui de Jean sans Peur, auj. au musée de Dijon. Sculptures de Claus Sluter* au portail de la chapelle et au *Puits de Moïse**. Actuellement, hôpital psychiatrique.

CHAMPOLLION (Jean François) dit **le Jeune.** ♦ Égyptologue français (Figeac, 1790 — Paris, 1832). Après avoir été élève au lycée de Grenoble, il vint à Paris en 1807 pour y suivre les cours de l'Ecole des langues orientales et du Collège de France. Dès 1806, il s'était mis à l'étude des écritures égyptiennes et avant tout du copte, convaincu après Kirchner que la langue copte était une forme tardive de l'ancienne langue de l'Égypte. Il possédait un fac-similé de la pierre de Rosette*, dont T. Young* avait déjà fait une analyse qui n'apportait aucune solution au problème du déchiffrement des hiéroglyphes. C'est le texte d'un obélisque trouvé à Philae en 1821 qui permit à Champollion de découvrir la correspondance des signes hiératiques, hiéroglyphiques et démotiques. En 1822, il consigna ses résultats dans sa *Lettre à M. Dacier relative à l'alphabet des hiéroglyphes phonétiques,* suivie en 1824 du *Traité sur l'écriture démotique* et du célèbre *Précis du système hiéroglyphique.* Sa découverte du système graphique complexe (partiellement phonétique, partiellement iconique) auquel correspondent les hiéroglyphes rendait possible le déchiffrement ultérieur, indispensable à la connaissance de la langue, et à l'établissement d'un vocabulaire et d'une grammaire. En 1826, Champollion fut nommé conservateur du département d'égyptologie au musée du Louvre. De 1828 à 1830, il conduisit avec Rossellini une expédition scientifique en Égypte, à la suite de laquelle il publia ses *Monuments de l'Égypte et de la Nubie.* Nommé membre de l'Académie des inscriptions (1830), il reçut en 1831 la chaire d'égyptologie créée pour lui au Collège de France. Il mourut en 1832 laissant inachevée sa *Grammaire égyptienne* et son *Dictionnaire égyptien* qui furent publiés par son frère en 1836 et 1841.

Ph. Nimatallah/Ricciarini

J. F. Champollion, par L. Coignet. (Musée du Louvre, Paris.)

CHAMPSAUR. *n. m.* ♦ Région des Alpes françaises (Hautes-Alpes*), où se trouve la haute vallée du Drac*.

Champs-Élysées (myth. gréco-romaine). ♦ **V.** ÉLYSÉES (CHAMPS).

Champs-Élysées. *n. m. pl.* ♦ Avenue de Paris qui relie la place de la Concorde* à la place de l'Étoile* (auj. place Charles-de-Gaulle). Encadrée, à son entrée, par les *Chevaux de Marly* de G. Coustou*, l'avenue est bordée, jusqu'au *rond-point des Champs-Élysées,* de promenades limitées, au N., par l'avenue Gabriel (sur laquelle donne le *palais de l'Élysée**) et, au S., par le Cours*-la-Reine; tout près se dressent le *Grand* et le *Petit Palais**. Du rond-point à l'*arc* de triomphe* de l'Étoile, se succèdent des immeubles bâtis sous le Second Empire ou depuis et qui abritent des banques et des compagnies commerciales, des sièges de journaux, de grands hôtels. Lieu de divertissement (nombreux cinémas; cafés) et centre d'un commerce de luxe (maisons de couture et de modes), l'avenue des Champs-Élysées attire par son animation les promeneurs parisiens et de nombreux visiteurs étrangers.

Champs-Élysées (théâtre des). ♦ **V.** A. PERRET.

CHAMPS-SUR-MARNE. ♦ Comm. de Seine-et-Marne, arr. de Meaux. 4 881 hab. Château de Champs (XVIIIe s.) construit par Bullet* et somptueusement décoré; les jardins sont remarquables.

CHAMPTOCEAUX [ʃɑ̃tɔso]. ♦ Ch.-l. de cant. du Maine-et-Loire (arr. de Cholet), sur la r. g. de la Loire. 1 169 hab. (548 aggl.). Vestiges de l'ancien bourg de Châteauceaux, détruit au XVe siècle.

CHAMROUSSE [ʃɑ̃-]. ♦ Station de sports d'hiver de l'Isère*. Les épreuves de ski des jeux Olympiques de 1968 s'y déroulèrent.

CHAMSON (André). ♦ Écrivain français (Nîmes, 1900). Chartiste (1924), directeur des Archives de France, A. Chamson a donné une œuvre romanesque qui le montre soucieux de défendre l'homme contre les « désordres de l'histoire ». De souche cévenole et protestante, il a débuté par des romans régionalistes écrits en une langue sobre et austère : *Roux le Bandit* (1925) dont le héros incarne la liberté, *Les Hommes de la route* (1927), où le monde paysan est opposé à la foule citadine, et *Le Crime des justes* (1928), qui peint la vie morale d'un village des Cévennes, composent *La Suite cévenole.* Après s'être défini comme un intellectuel engagé, dans son essai *L'Homme contre l'histoire* (1927), A. Chamson a livré son expérience de la Résistance et de la Libération notamment dans *Quatre mois* (1940) et *Le Puits des miracles* (1945). S'intéressant aux problèmes du monde contemporain *(La Neige et la Fleur,* 1951), il les a reliés à sa propre autobiographie dans *L'homme qui marchait devant moi* (1948), *Le Chiffre de nos jours* (1954) et *Nos ancêtres les Gaulois* [1958]. (Acad. fr.)

Ch'an *(Chan). n. m.* ♦ Philosophie chinoise Tch'an adaptée des techniques indiennes de méditation (Dhyāna), qui aurait été importée par le moine Bodhidharma*, et qui connut une grande vogue en Chine du VIe au IXe siècle. Exportée au Japon, cette philosophie devint le Zen*. Mettant surtout l'accent sur la connais-

Arch. Smeets

Art **Chandêla** : le temple Chitragupta à Khajurâho, Xe s.

sance intuitive, elle refuse la théorie bouddhique de la réincarnation et montre de l'indifférence envers les aspects rituels. Elle refuse également les « Écritures » et recherche par un effort personnel la « propre nature de Bouddha » qui est en chacun de nous. En fait, c'est une philosophie indépendante du bouddhisme.

CHANAC. ♦ Ch.-l. de cant. de la Lozère (arr. de Mende), sur le causse de Sauveterre*. 879 hab. Ruines du château des évêques de Mende. Église (XIIIe siècle). – Fromagerie.

CHANCELADE. ♦ Comm. de la Dordogne (arr. de Périgueux), sur la r. d. de la Beauronne. 2 002 hab. Église romane (XIIe s.). Bâtiments (XIVe-XVIIe s.) d'une abbaye d'augustiniens fondée en 1128. – La découverte en 1888 d'un squelette humain fossile à Chancelade fit donner le nom d'*homme de Chancelade* à une race particulière du paléolithique supérieur. Des ossements présentant les mêmes caractéristiques ont été retrouvés depuis en Allemagne, en France et en Moravie. De culture magdalénienne **(V. Madeleine** [*grotte de la*]**)**, ces hommes présentaient des différences importantes avec le type de Cro*-Magnon. Ils étaient de petite taille (1,55 m) et possédaient un crâne dolichocéphale d'une grande capacité (1 700 cm³), une face haute et large aux pommettes saillantes, un nez long et étroit et de fortes mâchoires, ce qui les apparente manifestement au type des Eskimos actuels. On pense qu'il s'agit d'une forme évoluée de l'homme de Cro-Magnon qui serait apparue au magdalénien récent (~ 10 000), à la fin de la IVe glaciation.

CHANCELLOR (Richard). ♦ Navigateur anglais du XVIe s. mort sur les côtes de l'Écosse en 1556. Au cours de deux expéditions, il explora la mer Blanche jusqu'à l'embouchure de la Dvina et, à l'invitation d'Ivan IV, se rendit à Moscou où il contribua à ouvrir la Russie au commerce anglais.

CHANCEREL (Léon). ♦ Écrivain français et animateur de théâtre (Paris, 1886 – *id.*, 1965). Théoricien du théâtre d'amateurs, il s'inspira des principes du Vieux-Colombier de Jacques Copeau*. Adaptateur de farces et de féeries enfantines, il a publié plusieurs recueils (Le Théâtre de l'oncle Sébastien) et concourut à la redécouverte de techniques antiques : le masque, le chœur parlé, le mime.

CHAN CHAN. ♦ Anc. V. du Pérou septentrional, près de la côte du Pacifique. Cap. du royaume chimu*.

CHAN-CHIANG *(Tchan-kiang, Zhanjiang).* ♦ V. de Chine (Kuang-tung), anc. territoire à bail cédé à la France de 1898 à 1945 (Fort-Bayard).

CHANDÊLA ou **CHANDELLA.** *n. m. pl.* ♦ Clan râjput* du Bundêlkhand*, peut-être d'origine indigène. Ses chefs se rendirent indépendants vers le Xe s. et firent ériger dans leur capitale religieuse, Khajurâho*, de nombreux temples hindous et jaina* qui comptent parmi les chefs-d'œuvre de l'architecture indienne. Ils disparurent en 1320 lors de la conquête de leur territoire par les musulmans de Delhi*. – *N. m.* Royaume des Chandêla.

Chandelier (Le). ♦ Proverbe en 3 actes et en prose d'Alfred de Musset* (1835). Mariée à Maître André, notaire de peu d'esprit, Jacqueline est la maîtresse de l'officier Clavaroche, bellâtre dénué de subtilité. Pour détourner les soupçons du mari, Clavaroche propose à Jacqueline de choisir un « chandelier ». C'est Fortunio, jeune clerc modeste et passionné, qui jouera ce rôle. Mais, amoureux secret de Jacqueline, Fortunio va lui faire l'aveu de sa flamme. À cette déclaration imprévue la jeune femme se montre sensible et, ayant cédé à Fortunio, elle contraint Clavaroche à accepter sa disgrâce.

CHANDERNAGOR, (nom indien **Chandranâgara,** « ville de la Lune »). ♦ Ville indienne du Bengale* occidental, sise à peu de distance au N. de Calcutta*. Env. 100 000 hab. Ville commerciale et indus. (filatures de jute). ♦ *Hist.* C'est un ancien comptoir français fondé en 1686 par Deslandes-Boureau. Il fut rattaché à l'Inde en 1951.

CHANDIDÂS. ♦ Poète indien originaire du Bengale* (fin XIVe-début XVe s.) dont la vie est inconnue mais la renommée immense. Il est l'auteur de plus de deux cents poèmes de dévotion à Kriṣna*, mais on lui en attribue des milliers d'autres. Il écrivait en bengali.

CHANDIGÂRH. ♦ V. de l'Inde, capitale commune des provinces indiennes du Panjâb* et de l'Hariana*, devenue territoire autonome depuis 1966. Construite en 1950 et réorganisée par Le Corbusier, Maxwell Fry, Jane Drew et Jeanneret, elle n'eut pas le succès populaire escompté et ne compte qu'env. 150 000 hab. Université.

CHANDLER (Raymond Thornton). ♦ Romancier américain (1888 – 1959). Il est l'auteur de romans criminels où des personnages souvent méprisables, bien typés ou complexes, sont entraînés dans des intrigues violentes. Ses romans (*Le Grand Sommeil, The Big Sleep,* 1939; *La Dame du lac,* 1943; *L'art tout simple d'assassiner*; *Adieu, ma jolie,* 1940...) s'opposent à la fois aux intrigues mécaniques et aux personnages interchangeables du roman policier traditionnel et au simplisme mystifiant d'un Peter Cheyney.

CHANDOS (John). ♦ Homme de guerre anglais (mort à Mortemer, près de Poitiers, 1370). Il négocia la paix de Brétigny (1360). Il battit et fit prisonnier Du* Guesclin en France à Auray (1364) et à la Najera en Castille (1367). Connétable d'Édouard*, prince de Galles, en Aquitaine.

CHANDRAGUPTA MAURYA. ♦ Roi indien du Magadha* (Bihâr*) et premier empereur des Indes (v. ~ 322 – v. ~ 298), fondateur de la dynastie des Maurya*. Il battit les garnisons macédoniennes du Panjâb* et reçut à sa cour un envoyé grec, Mégasthènes. Sa capitale, Pâtaliputra (actuelle Patna*), était élevée sur le modèle des palais achéménides. Il serait mort, selon la tradition, en se laissant mourir de faim à la manière jaïna*, à Sravana-Belgola (Mysore).

CHANDRASEKHAR (Subrahmanyan). ♦ Astrophysicien pakistanais (Lahore, 1910). Auteur de travaux théoriques, il contribua à l'élaboration de la théorie de la structure interne des étoiles [1935-1940] **(V.** *aussi* **Eddington, Milne)** et, en théorie des atmosphères stellaires, donna une solution approchée du problème de transfert de rayonnement (1944).

CH'ANG-AN *(Tch'an-ngan, Chang an).* ♦ Ancienne capitale de la dynastie des T'ang* (Chine), entièrement reconstruite au VIe s. sur un plan géométrique, sur le site d'une ancienne cité qui avait été déjà plusieurs fois capitale de dynasties diverses. C'est l'actuelle ville de Hsi*-an (Xi'an) dans le Shan-hsi.

CHANGARNIER (Nicolas Anne Théodule). ♦ Général français (Autun, 1793 – Paris, 1877). Entré dans la garde du corps de Louis XVIII, il prit part à l'expédition d'Espagne (1823), puis se distingua au cours de la conquête de l'Algérie (1830-1848), dont il fut gouverneur après Cavaignac. Élu à l'Assemblée constituante (1848) et nommé commandant des troupes de Paris, il fut relevé de ses fonctions comme orléaniste par Louis Napoléon Bonaparte, puis proscrit après le coup d'État du 2 décembre 1851. Revenu en France en 1859, il participa à la guerre de 1870 dans l'armée de Metz. Élu à l'Assemblée nationale en 1871, il constitua un groupe de députés royalistes qui contribua à organiser la chute de Thiers* (24 mai 1873), et vota en 1875 contre les lois constitutionnelles qui reconnaissaient la République.

CHANG-CHIA-KOU *(Tchang-kia-keou, Zhanjiakou).* ♦ **V.** KALGAN.

CHANG CHIEH-CHIEN *(Tchang Tsie-kien, Zhang Jiejian).* ♦ Physicien atomiste chinois (Pékin, 1913 –), auteur de plusieurs ouvrages scientifiques. Il est l'inventeur des structures en « nid d'abeilles » applicables aux réacteurs nucléaires.

CH'ANG-CHOU *(Tch'ang-tcheou, Changzhou).* ♦ V. de Chine (Chiang-su). Env. 1 000 000 d'hab. Métallurgie, indus. textiles.

CH'ANG-CH'UN *(Tch'ang-tch'ouen, Changchun).* ♦ V. de Chine, cap. de la prov. du Kirin (Mandchourie) sur la Sungari. Env. 1 000 000 d'hab. Cap. de la Mandchourie en 1932. Important carrefour ferroviaire. Indus. automobile, chemins de fer, studios de cinéma.

CHANG HENG *(Tchang Heng, Zhang Heng).* ♦ Astronome et mathématicien chinois (78 – 139). Il étudia le mécanisme des éclipses et des équinoxes et aurait construit une sphère armillaire à moteur hydraulique.

CHANGHUA. ♦ V. de l'île de Taiwan et ch.-l. de district dans l'O. de l'île. 150 000 hab.

CH'ANG-SHA *(Tch'ang-cha, Changsha).* ♦ V. chinoise, cap. de la prov. du Hu*-nan. 703 000 hab. (1957). Ancienne capitale d'un royaume féodal (~ 202-~ 101), réputée pour ses artisanats de la laque. Ses théâtres d'ombre et ses marionnettes sont célèbres dans toute la Chine. Centre indus. : traitement du riz, chantiers navals, fonderies, indus. mécaniques (machines-outils, matériel agricole), produits pharmaceutiques. – Non loin se trouve le village de Shaoshan où naquit Mao* Tsê-tung.

CHANG TAO-LING *(Tchang Tao-ling, Zhang Dao-ling).* ♦ Philosophe chinois (35 – v. 157?), créateur de la philosophie pratique du taoïsme. La tradition lui attribue la découverte de « l'élixir de vie ». Sa vie, peu connue, servit de support à d'innombrables légendes.

CHANG TSO-LIN *(Tchang Tso-lin, Zhang Zuolin).* ♦ Maréchal chinois (1873 – 1928) et chef militaire de Mandchourie* à partir de 1918. Il fut assassiné par des Japonais qui voulaient provoquer un incident leur permettant de mettre la main sur cette province chinoise.

CHANIA. ♦ V. de Grèce (Crète). **V. Canée** (La).

CHAN KUO *(Tchan Kouo, Zhan Guo)*. ♦ Période de l'histoire chinoise, dite des « Royaumes combattants », succédant à celle des « Printemps et Automne » (Ch'un* Ch'iu) et couvrant la période allant de ~401 à ~249.

CHANNEL ISLANDS *(« îles du détroit »)*. ♦ **V.** ANGLO-NORMANDES

CHANNING (William Ellery). ♦ Théologien américain (Newport, Rhode Island, 1780 — Bennington, Vermont, 1842). Pasteur à Boston, il devint l'un des chefs des unitaires et l'un des plus fervents antiesclavagistes.

CHANOINE (Charles Paul Jules). ♦ Officier et explorateur français (Paris, 1870 — Mayjirgui, Soudan central, 1899). Avec Joalland* et Voulet* il explora le Mossi et le Gourounsi et contribua à leur annexion (1896-1897). En 1898, il fit partie de l'expédition qui devait rejoindre les missions Foureau-Lamy* et É. Gentil (Tchad) mais, ayant exercé de violentes représailles contre les populations autochtones, Voulet* et lui devaient être destitués. Ils assassinèrent Klobb*, qui était chargé de cette mission, puis furent tués par les tirailleurs qui les accompagnaient.

Chanson de Roland. ♦ **V.** ROLAND (Chanson de).

CHANTAL. ♦ **V.** JEANNE DE CHANTAL (sainte).

Chant de Hildebrand (en all. **Hildebrandslied**). ♦ Transcrit par deux moines de l'abbaye de Fulda (v. 820), ce poème épique de soixante-huit vers est écrit dans des formes linguistiques appartenant à différents dialectes (bavarois, francique, bas-allemand). Il retrace la légende de Hildebrand qui laissa sa femme et son fils, Hadubrand, pour suivre en exil son maître Théodoric* (le Grand). Après trente ans, celui-ci revint dans son pays à la tête d'une armée; Hildebrand est alors confronté avec son fils, par qui il tente en vain de se faire reconnaître. Ce poème, évoquant le thème proprement indo-européen du combat du père et du fils, est inachevé; mais, dans une saga islandaise, la légende se termine par la mort de Hadubrand.

Chant d'Ezzo *(Le)*, en all. **Ezzolied.** ♦ Composé à l'instigation de l'évêque Gunther de Bamberg (v. 1060), ce poème, relatant l'histoire spirituelle de l'humanité (Création, Chute, Rédemption), fut mis en musique (par un dénommé Wille). Contrairement au christianisme pessimiste du courant ascétique de l'époque (Heinrich von Melk), cette œuvre est un chant de triomphe qui affirme la victoire du Christ sur le Péché et la Mort.

Chant du départ (Le). ♦ Hymne patriotique, paroles de M. J. Chénier*, musique de Méhul*, composé pour la commémoration du cinquième anniversaire de la prise de la Bastille (1794). Il fut interprété à l'occasion de toutes les fêtes patriotiques, sous la Révolution et l'Empire, et servit parfois à soutenir l'ardeur des attaquants, au début de certaines batailles.

CHANTELLE ou **CHANTELLE-LE-CHÂTEAU.** ♦ Ch.-l. de cant. de l'Allier*, arr. de Moulins*. 1 121 hab. *(Chantellois)*. Abbaye bénédictine Saint-Vincent (prieuré fondé au Xe s.), chapelle romane du XIIe s., cloître du XVe siècle.

CHANTEMERLE. ♦ **V.** SERRE-CHEVALIER-CHANTEMERLE.

CHANTEMESSE (André). ♦ Médecin français (Le Puy, 1851 — Paris, 1919). Professeur de pathologie expérimentale et d'hygiène à Paris, il étudia principalement la dysenterie épidémique et la fièvre typhoïde, contre laquelle il mit au point avec Widal une vaccination (1889). *Bacille de Chantemesse et Widal* (ou de Shiga) : agent pathogène de la dysenterie épidémique ou bacillaire.

CHANTEPIE de LA SAUSSAYE (Daniel). ♦ Théologien hollandais (La Haye, 1818 — Groningen, 1874). Descendant de huguenots normands, il défendit l'orthodoxie calviniste (*Crise religieuse en Hollande,* 1860; *Le Principe de la société moderne et le Principe chrétien,* 1867). ♦ PIERRE DANIEL CHANTEPIE DE LA SAUSSAYE, son fils. Historien des religions (Zeenwarden, 1848 — Bilthoven, 1920). Auteur d'un *Manuel d'histoire des religions* (1887-1889), il s'est principalement consacré à la religion et à la mythologie des Germains.

CHANTILLY. ♦ Comm. de l'Oise* (arr. de Senlis*) sur la Nonette. 10 501 hab. *(Cantiliens)*. Centre touristique important, au centre d'un beau massif forestier (forêt de Chantilly 6 300 ha., du Lys, d'Ermenonville, d'Halatte). Hippodrome. Château (**V.** *Hist.*). Centre industriel (pellicules photographiques, porcelaines, ateliers de tôlerie, constructions métalliques et mécanique de précision). Patrie de Henri Ier de Montmorency*, Henri II de Montmorency* et du duc d'Enghien*. ♦ *Hist.* Son château, d'origine gallo-romaine, fut plusieurs fois reconstruit; sur les soubassements du 3e édifice (1386), P. Chambiges* édifia un petit palais fortifié (1528-1531) pour le connétable de Montmorency; J. Bullant* y ajouta (1550) le *Petit Château* Renaissance (parvenu à peu près intact). Propriété des princes de Condé (1643-1830), le chateau fut embelli par Mansart, le parc et la forêt aménagés par Le Nôtre et La Quintinie. Gravement endommagé pendant la Révolution, son ancienne splendeur lui fut rendue par le duc d'Aumale qui en fit don (1886) à l'Institut de France, avec ses riches collections d'art français (Clouet, etc.). Chantilly fut le siège du Grand Quartier Général français (1914-1917). Il s'y tint d'importantes *conférences* interalliées : celle des 12-13 mars 1916 déjoua le plan stratégique allemand en limitant les effectifs destinés à la défense de Verdun et en maintenant le principe d'une grande offensive alliée (ce sera celle de la Somme*).

CHANTONNAY. ♦ Ch.-l. de cant. de la Vendée, arr. de La Roche-sur-Yon. 5 666 hab. (2 910 aggl.) [*Chantonnaisiens*]. Église du XIVe s. — Matériaux de construction. Constructions mécaniques. Confection, chaussures. ♦ *Hist.* Le 5 septembre 1793, les troupes royalistes de d'Elbée y anéantirent une armée républicaine forte de 6 000 hommes.

Chants de Maldoror *(Les)*. ♦ Épopée en prose d'Isidore Ducasse, dit le comte de Lautréamont*, publiée en six chants (1868 et 1869). Cauchemar sadique ou défi luciférien, c'est un manifeste de la révolte absolue car « le désespoir... conduit imperturbablement le littérateur à l'abrogation en masse des lois divines et sociales, et à la méchanceté théorique et pratique ». Aussi, au sein d'un univers insolite par sa cruauté et son impunité (« moi, je fais servir mon génie à peindre les délices de la cruauté »), un monstrueux double du poète, identifié à des bêtes de proie (à dard, griffes ou tentacules), mène-t-il à Dieu, puis à l'homme une guerre frénétique. Ce bouillonnement d'images fantastiques, dont la violence se double d'un humour glacé, paraît être né sous la dictée de l'inconscient (« C'est un cauchemar qui tient la plume »); en fait des moyens littéraires très variés assurent « l'autonomie » de cet univers : le lyrisme (inspiré de Byron* ou de Blake*), les périodes oratoires (Dante*), des hyperboles fulgurantes se mêlent à l'ironie, au pastiche et au « collage » de textes didactiques, ainsi poétisés par le contexte. Ce long monologue fut une des sources les plus fécondes de la poésie et de la poétique modernes.

Chants du crépuscule *(Les)*. ♦ Recueil lyrique de V. Hugo* (1835), qui traduit son inquiétude vis-à-vis de l'avenir, dans la vie politique comme dans sa vie personnelle. D'abord méditation historique, certains poèmes ne glorifient l'Empire *(Ode à la colonne; Napoléon II)* que pour mieux rabaisser la monarchie de Juillet, crépuscule de la vie publique *(Prélude)*. D'autres textes évoquent la crise intime traversée par le poète, épris de Juliette Drouet*.

CHANUTE (Octave). ♦ Ingénieur d'origine française naturalisé américain (Paris, 1832 — Chicago, 1910). Développant les travaux de Lilienthal*, il conçut et expérimenta divers modèles de planeurs améliorés selon les recherches de Mouillard*. Les frères Wright* trouvèrent en lui un conseiller précieux pour la réalisation de leurs appareils. **V. G. Cayley.**

CHANZY (Antoine Alfred Eugène). ♦ Général français (Nouart, Ardennes, 1823 — Châlons-sur-Marne, 1883). Il servit dans les zouaves en Algérie, participa aux campagnes d'Italie (1859) et de Syrie (1860-1861). Placé à la tête de la 11e armée de la Loire lors de la guerre franco-allemande (1870-1871), il livra au prince Frédéric-Charles une bataille à Vendôme*. Député à l'Assemblée nationale (1871), il prit position contre le traité de Francfort. Nommé gouverneur de l'Algérie (1873), il fut ensuite ambassadeur en Russie (1879).

CHAO ANU. ♦ Ministre lao du roi de Vieng-chan (Vientiane) placé sur le trône en 1804 par les Siamois. Après avoir maté une révolte des populations Kha* du Champassak* et mis son fils sur le trône de ce pays, il se révolta contre les Siamois, mais il fut battu et emmené en captivité à Bangkok en 1828. Le royaume de Vieng*-chan fut alors absorbé par le Siam.

CH'AO-CHOU *(Tch'ao-tcheou, Chaozhou)*. ♦ V. et port de Chine (Kuang-tung) sur l'embouchure de la rivière Wei. 300 000 hab. ♦ *Hist.* La ville fut l'un des « ports à traité » en 1858.

CHAO MENG-FU *(Tchao Mong-fou, Zhao Mengfu)*. ♦ Peintre chinois (1254 — 1322) de la famille impériale des Sung* et haut fonctionnaire à la cour des Yüan*, réputé pour ses peintures de chevaux et ses paysages.

CHAO PHRAYA. ♦ **V.** MÉNAM.

CHAOUÏA. *n. f.* ♦ Région du Maroc, dans l'O. de la Meseta, limitée au S. par l'Oum* er-Rebia, au N. par le pays Zaër et qui se prolonge à l'E. en haute Chaouïa par le plateau des Phosphates*. La zone littorale, arrière-pays de Casablanca* et Mohammedia*,

Ph. Hétier

Le château de **Chantilly.**

et la pénéplaine de la basse Chaouïa ont connu un important développement agricole. Cultures maraîchères. Céréales.

CHAOURCE. ♦ Ch.-l. de cant. de l'Aube, arr. de Troyes. 971 hab. *(Chaourçois).* Église Saint-Jean-Baptiste (XIIIe, XVIe s.). Maisons anc. — Fabrication de fromage (dit *chaource,* n. m.). — Patrie d'A. Jamyn*.

CHAPALA *(lac de). n. m.* ♦ Grand lac du Mexique central (1 530 km^2), situé au N.-O. de Mexico dans l'État de Jalisco*. Il est traversé par le río Lerma* et relié au Pacifique par le río Grande* de Santiago.

CHAPEAUX. ♦ **V.** BONNETS (parti politique suédois au XVIIIe s.).

CHAPELAIN (Jean). ♦ Critique et poète français (Paris, 1595 — *id.,* 1674), auteur d'*Odes* et d'un poème épique de vingt-quatre chants (1656), *La Pucelle ou la France délivrée,* qui fut raillé par Boileau*. Il prôna la création de l'Académie* française, rédigea les *Sentiments de l'Académie sur « Le Cid* »* **(V. Corneille)** et contribua à fixer les principes de la doctrine classique. (Acad. fr.)

CHAPELLE (Claude Emmanuel Lhuillier, dit). ♦ Poète français (La Chapelle-Saint-Denis, 1626 — Paris, 1686), élève de Gassendi*, ami de Boileau*, de La* Fontaine et des libertins. Auteur d'ouvrages de poésie, il s'illustra en faisant avec Bachaumont* le récit plaisant, en vers et en prose, de son *Voyage en Provence* (1663), inaugurant ainsi un genre littéraire qui connut un grand succès.

CHAPELLE-AUX-SAINTS (La). ♦ Comm. de la Corrèze, arr. de Brive-la-Gaillarde. 221 hab. — En 1908 y fut découvert un squelette humain fossile que les paléontologistes considèrent actuellement comme l'exemple le plus représentatif du type de l'*homme de Neandertal* **(V. Neandertal).**

CHAPELLE-D'ANGILLON (La). ♦ Ch.-l. de cant. du Cher, arr. de Bourges. 727 hab. Château dit « de Béthune » ayant appartenu à Sully*. Ancienne abbaye cistercienne aux environs. — Patrie d'Alain*-Fournier.

CHAPELLE-DE-GUINCHAY (La). ♦ Ch.-l. de cant. de la Saône-et-Loire, arr. de Mâcon. 2 009 hab. Vins d'appellation beaujolais.

CHAPELLE-EN-VERCORS (La). ♦ Ch.-l. de cant. de la Drôme, arr. de Die*), dans le Vercors*. 790 hab. *(Chapellins).* Centre de villégiature. ♦ *Hist.* Le bourg a été entièrement détruit par les Allemands en 1944. **(V. Vercors).**

CHAPELLE-LEZ-HERLAIMONT. ♦ V. de Belgique, Hainaut, arr. de Charleroi. 9 200 hab. Centre agricole. Mobilier.

CHAPELLE-SAINT-LUC (La). ♦ Comm. de l'Aube, arr. de Troyes. 6 528 hab. Église (XVIe s. ; endommagée en 1945).

CHAPELLE-SUR-ERDRE (La). ♦ Ch.-l. de cant. de la Loire-Atlantique (arr. de Nantes), à 1 km de la r. d. de l'Erdre, affl. de la Loire. 2 878 hab. (1 402 aggl.). Château de la Gâcherie (XVe s.), ancien siège du marquisat de Charette.

CHAPLIN (sir Charles Spencer, dit Charlie). ♦ Auteur, acteur et réalisateur américain d'origine anglaise (Londres, 1889). Fils d'un chanteur et d'une chanteuse de music-hall tombés dans la misère, il monta très jeune sur les planches pour interpréter, en compagnie de son frère aîné, Sidney, un numéro de danseurs excentriques, à Londres (1897). Il parut ensuite dans des pantomimes, à l'occasion de nombreuses tournées (France, États-Unis, Canada). C'est au cours de l'une d'elles qu'il accepta, non sans hésitation, de signer le contrat que lui proposait Mack Sennett* à Hollywood (1913). Les premiers films qu'il tourna relevaient tous d'un comique de farce, aux effets appuyés. Cependant, on y voyait apparaître le type qu'il allait rendre universellement célèbre : chapeau melon, grandes chaussures, pantalon en accordéon, petite moustache et face blême, badine et démarche de canard. Interprète, il devint scénariste, puis réalisateur et bientôt producteur de tous ses films (1917). Tandis que le montant des contrats qu'il signait s'élevait à des sommes fabuleuses (plus de 1 000 000 de dollars pour huit films de moyen métrage en 1917) et que son audience s'étendait peu à peu au monde entier, son œuvre prenait insensiblement le caractère d'une dénonciation vigoureuse de l'injustice, de l'hypocrisie et de la violence dont souffrent, au sein des sociétés modernes, des millions de ses contemporains. Désormais, le personnage qu'il a créé, ce *Charlot* tout d'insignifiance et de misère, de vaine révolte et d'inépuisable bonne volonté, va devenir le mythe de l'homme de notre temps, berné, battu, banni, enchaîné par la coalition monstrueuse des techniques, des intérêts et des conformismes et le symbole de la lutte incessante pour la dignité et la liberté individuelle. Tôt célèbre, Chaplin connut en même temps des difficultés personnelles. Ses mariages successifs devaient, pour une large part, servir de prétexte aux campagnes de diffamation qui se déchaînèrent contre lui. Au voyage triomphal qu'il fit en Europe (1922) succédèrent les persécutions des puritains qui, après son second divorce, réclamèrent son expulsion des États-Unis (1927). S'il recueillit au cours d'un tour du monde (1932) le témoignage de son immense popularité, il se vit finalement tenu de quitter les États-Unis, en pleine crise du maccarthysme (1952). Avec la fille d'Eugène O'Neill* qu'il avait épousée en 1943, et ses sept enfants, il s'embarqua pour l'Europe et se fixa définitivement en Suisse (1953). Il n'effectua plus qu'un bref retour aux États-Unis (1972). De son œuvre où les inventions d'un comique magistral se conjuguent avec l'émotion poétique, on retiendra cinq périodes. Elles marquent les étapes d'une création devenue toujours plus attentive à la tragédie d'une époque qui allait connaître, avec la crise économique née de la Première Guerre mondiale, les fascismes, les camps de concentration, et un second conflit universel, plus destructeur encore que le premier. — Période « Mack Sennett », 35 films (de 300 m) pour la Keystone : Charlot garçon de café (*Caught in a cabaret,* 1914), Charlot et Fatty sur le ring (*The Knock-out,* 1914), etc. — Période « Essanay », 14 films (de 600 m) : Charlot débute *(His new Job),* Charlot vagabond *(The Tramp),* Charlot joue Carmen (*Carmen,* 1916)... — Période « Mutual Film », 12 films (de 600 m) : L'Émigrant *(The Immigrant),* Charlot s'évade (*The Adventurer,* 1917). — Période « First National », 8 films de moyen métrage : Une vie de chien *(A Dog's Life),* Charlot soldat *(Shoulder Arms),* Une idylle aux champs (*Sunnyside,* 1919). — « Les Artistes associés » *(United Artists),* société constituée avec Mary Pickford, Douglas Fairbanks, D.W. Griffith et Charles Chaplin : Le Gosse (*The Kid,* 1921), Le Pèlerin (*The Pilgrim,* 1923), L'Opinion publique (*A Woman of Paris,* 1923), La Ruée vers l'or (*Gold Rush,* 1925), Le Cirque (*The Circus,* 1928), Les Lumières de la ville (*City Lights,* 1931), Les Temps modernes (*Modern Times,* 1935), Le Dictateur (*The Great Dictator,* 1940), *Monsieur Verdoux* (1947) et Les Feux de la rampe (*Limelight,* 1952).

Ph. Snark International
R. Char (en bas à gauche).
« Le Surréalisme », par Valentine Hugo.
(Collection Matarasso.)

CHAPMAN (George). ♦ Poète dramatique anglais (Hitchin, 1559 — Londres, 1634). Traducteur inspiré des poètes (Homère, Pétrarque), il est aussi l'auteur de drames dont l'intrigue lui est proposée par l'actualité de son temps (*Bussy d'Amboise,* 1597 ; *Charles, duc de Biron,* 1607) et de comédies : *Rien que des sots* (*All fools,* 1599) et *Monsieur d'Olive* (1604). Il collabora avec Marston* et Ben Jonson pour *Eastward Ho !*

CHAPOCHNIKOV [*Šapošnikov*] **(Boris Mikhaïlovitch).** ♦ Maréchal soviétique (Zlatoust, Oural, 1882 — Moscou, 1945). Officier de l'armée tsariste, il se rallia à la révolution et devint en 1936 un des conseillers militaires de Staline. Disciple de Clausewitz*, il réorganisa l'armée et fut chef d'état-major de 1938 à 1942.

CHÂPOUR, CHÂHPUR. ♦ **V.** SHÂHPUHR.

CHAPPE (Claude). ♦ Ingénieur français (Brûlon, Sarthe, 1763 — Paris, 1805). Il fut le réalisateur du *télégraphe aérien* qui permettait la transmission de messages au moyen de signaux obtenus à l'aide de bras articulés établis sur des séries de tours. **V. Cooke, Wheatstone, Morse.**

CHAPTAL (Jean-Antoine, *comte de* **Chanteloup).** ♦ Chimiste et homme politique français (Nogaret, 1756 — Paris, 1832). Fondateur des premières fabriques de produits chimiques en France, il institua les chambres de commerce et créa la première école d'arts et métiers. Ministre de l'Intérieur de 1800 à 1804. (Acad. sc., 1795.)

CHAR (René). ♦ Poète français (L'Isle-sur-Sorgue, Vaucluse, 1907). Marqué d'abord par l'influence du surréalisme (*Ralentir travaux,* 1930, en collaboration avec André Breton* et Paul Éluard*) il rassembla ses premiers poèmes en un recueil, *Le Marteau sans maître* (1934) ; mais la guerre d'Espagne, prélude à une tragédie où l'Europe allait être plongée pour de longues années, le détermina à un engagement (*Placard pour un chemin des écoliers,* 1937) qui se conclut, après la défaite de 1940, par son entrée dans la Résistance. Devenu chef de maquis dans la région des Basses-Alpes (1944), il y reçut la révélation de la douleur, de l'espoir et de la fraternité des hommes. Désormais, il a renoncé aux jeux stériles de toute poésie qui n'est pas action immédiate, leçon de vie, force en marche pour transformer le monde (*Seules demeurent*, 1945; *Feuillets d'hypnos*, 1946). Ni l'évidence du mal, ni la force irrépressible de l'Histoire ne l'inclinent à l'acceptation de l'absurde. Son lyrisme incantatoire emprunte les formes les plus diverses (maxime brève, verset, strophe, apostrophe, invocation), pour exalter, contre l'intelligence analytique et les multiples visages de la fatalité, les forces de vie, la justice, le courage, l'amour. Optimisme généreux et toujours lucide qui fait du poème un inventaire des richesses inouïes recelées par la nature et par l'homme, dans une langue hautaine et qui ignore les concessions à la clarté. René Char a encore publié : *Fureur et Mystère* (recueil, 1948), *Les Matinaux* (1950), *Recherche de la base et du sommet* (1955), *La Parole en archipel* (1961), *Commune présence* (1964), *Trois coups sous les arbres* (1967), *Le Nu perdu* (1971), *La Nuit talismanique* (1972).

CHARAKA. ♦ Célèbre médecin indien qui selon la tradition aurait été le médecin de Kaniṣka (IIe s.). Auteur d'un vaste traité médical qui porte son nom.

CHARBONNEAU (Robert). ♦ Écrivain canadien d'expression française (Montréal, 1911 – 1967). Ses romans s'attachent à évoquer l'inquiétude spirituelle de l'homme contemporain. Attentif avant tout à la psychologie de ses personnages, il a écrit *Ils posséderont la terre* (1941), *Fontile, Les Désirs et les Jours* et *Aucune créature.*

Charbonnerie. *n. f.* ♦ V. CARBONARISME.

Charbonnerie. *n. f.* ♦ Mouvement politique qui se développa en France pour lutter contre le régime politique de la Restauration (1815-1830). Constituée sur le modèle des loges franc-maçonnes et du carbonarisme* italien, les groupes de *charbonniers* étaient formés de dix membres; ces *ventes* locales étaient organisées et dirigées par un Comité central, la haute vente ou vente suprême, qui fut quelque temps présidée par La* Fayette. La charbonnerie française qui compta parmi ses membres : Bazard*, Berton*, Caron*, Carrel, etc., tenta simultanément plusieurs insurrections (Belfort*, La Rochelle*, Saumur*, 1822) qui échouèrent. Affaiblie par des divisions internes, la charbonnerie fut, dans l'ensemble, absorbée par d'autres sociétés républicaines vers la fin de la Restauration.

CHARBONNIÈRES-LES-BAINS. ♦ Comm. du Rhône, arr. de Lyon*. 2 474 hab. Station thermale, hippodrome.

CHARCOT (Jean-Martin). ♦ Médecin français (Paris, 1825 – Lac des Settons, 1893). Professeur à la Salpêtrière, où P. Janet*, A. Binet* et S. Freud* suivirent ses leçons, il contribua au développement de la pathologie nerveuse, en particulier par ses recherches sur l'hystérie et l'hypnose. (*Leçons sur les maladies du système nerveux*, 1873-1884). On a donné le nom de *maladie de Charcot* à la sclérose latérale amyotrophique. (Acad. sc., 1883.)

CHARCOT (Jean). ♦ Savant et explorateur français, fils de Jean-Martin Charcot (Neuilly-sur-Seine, 1867 – en mer, 1936). Après avoir entrepris des études médicales, il se tourna vers l'océanographie. Au cours de deux expéditions dans l'Antarctique à bord du *Français* puis du *Pourquoi-pas?* (1903-1905, 1908-1910), il établit la carte des régions australes (de l'archipel Palmer à l'île qui porte son nom). De 1912 à 1936, il fit plusieurs expéditions dans l'Atlantique, la Manche et la mer du Nord (archipel des Hébrides, 1921; Groenland, 1925-1926), poursuivant ses travaux d'océanographie et d'hydrographie. (*Le Pourquoi-pas? dans l'Antarctique*, 1910; *Autour du pôle Sud*, 1912; *La mer du Groenland, croisières du Pourquoi-pas?* 1929.)

CHARDIN (Jean). ♦ Voyageur français (Paris, 1643 – Londres, 1713). Il visita les Indes et la Perse et séjourna plusieurs années à Ispahan. Rentré en Europe, il publia *Le Récit du roi de Perse Soliman III* (1670) et, après un second séjour dans ces pays, *Voyages en Perse et aux Indes orientales* (1686). Établi en Angleterre, il fut agent de la Compagnie anglaise des Indes en Hollande.

CHARDIN (Jean-Baptiste Siméon). ♦ Peintre et pastelliste français (Paris, 1699 – *id.*, 1779). Fils d'un ébéniste, il se forma chez Cazes, peintre d'histoire, disciple de Le* Brun, puis devint l'aide de N. Coypel et travailla auprès de J.-B. Van* Loo à la restauration des fresques du Primatice. Il se serait fait remarquer par la peinture d'une enseigne en 1728 puis en exposant *La Raie* et *Le Dressoir* : œuvres admirées par Largillière* et qui lui auraient valu son admission immédiate à l'Académie comme « maître en nature morte ». Vers 1733, il introduisit dans ses toiles la figure humaine et peignit plusieurs scènes de genre d'un style sobre et discret qui lui attirèrent l'admiration de la bourgeoisie (*Femme tirant de l'eau à la fontaine; La Blanchisseuse; Le Château de cartes*, 1734-1735; *La Pourvoyeuse; La Mère laborieuse; Le Benedicite*, 1740, etc.). Vers 1755, il revint à la nature morte (*Le Gobelet d'argent*). Il travaillait lentement, avec persévérance, et fut apprécié du public et de ses confrères; il reçut les louanges de la critique, particulièrement de Diderot, mais on lui reprocha de travailler dans un genre mineur. À partir de 1757, il eut la jouissance d'un logement au Louvre et, en 1765, reçut des commandes officielles pour les châteaux de Choisy et de Bellevue (*Attributs des Sciences et des Arts*). À partir de 1770, sa vue baissant, il s'adonna au pastel, exécutant notamment un portrait de sa femme et trois autoportraits (*Chardin aux bésicles*), d'une facture vigoureuse. L'univers clos et serein qu'il aimait représenter était celui de sa vie domestique et de son entourage; il évita aussi bien l'emphase et la somptuosité que l'anecdote ou le pittoresque. La simplicité apparente de ses agencements révèle en fait un art profondément médité, à la recherche d'un ordre rigoureux et harmonieux. Admirable praticien, il dessinait peu, peignait en pleine pâte avec une touche séparée : il avait l'art des valeurs et faisait ressortir les blancs subtilement modulés et les reflets cuivrés dans une gamme chromatique à dominante sourde. Il avait le don de rendre la consistance, la densité des matières et des objets et sut ainsi leur conférer une poésie subtile, qui en fait un précurseur de l'art moderne.

CHARDONNE (Jacques BOUTELLEAU, dit Jacques). ♦ Romancier et essayiste français (Barbezieux, 1884 – La Frette, Val-d'Oise, 1968). Longtemps directeur littéraire d'une maison d'édition, il acquit la notoriété dès son premier roman, *L'Épithalame* (1921), où il avait su trouver « assez de nuances dans les gris pour peindre l'intimité, l'amour dans la vie à deux ». Affirmant qu'il ne pouvait « décrire un personnage d'homme s'il n'est en contact avec une femme dans le mariage », Chardonne s'attacha à évoquer les difficultés du bonheur à deux, à « montrer que la même femme peut désespérer un homme (*Éva ou le Journal interrompu*, 1930; *Romanesques*, 1938) ou l'enchanter » (*Claire*, 1931). Puis il relia l'évolution psychologique de ses personnages à « la réalité » des événements économiques et historiques dans une trilogie *Les Destinées sentimentales* (*La Femme de Jean Barnery; Pauline; Porcelaine de Limoges*, 1934-1936), œuvre où la réflexion du moraliste et l'analyse du psychologue se doublent de la peinture des milieux de la grande bourgeoisie provinciale (dont l'écrivain était issu). Jouant d'une composition subtile (succession de tableaux réalistes entrecoupés de scènes dialoguées ou ponctuées de confidences, de remarques psychologiques), usant d'une écriture concise et raffinée, ces études délicates d'âmes où subsiste une part de mystère (*Chimériques*, 1948) se sont complétées d'essais et recueils de pensées où apparaît souvent la même sagesse résignée (*L'amour, c'est beaucoup plus que l'amour*, 1937-1957; *Le Bonheur de Barbezieux*, 1938; *Matinales*, 1956).

CHARDONNET de GRANGE (Hilaire Bernigaud, *comte de*). ♦ Chimiste et industriel français (Besançon, 1839 – Paris, 1924). En 1891, il installa à Besançon une usine pour la production de fils obtenus à partir de la nitrocellulose (*soie Chardonnet*), selon un brevet qu'il avait déposé en 1884 : il apparaît ainsi comme le créateur de l'industrie des textiles artificiels. **V. Carothers.** (Acad. des sc., 1919.)

CHAREAU (Pierre). ♦ Architecte et décorateur français (Le Havre, 1883 – New York, 1950). Admirateur des cubistes, lié avec Mallet*, Stevens, Lurçat* et Le* Corbusier, il affirma avec force son souci de modernisme en élevant et en décorant à Paris la *maison du Dr Dalsace*, caractérisée par un mur de façade transparent entièrement composé de dalles de verre, un plan libre, un agencement intérieur constitué de volumes imbriqués à trois niveaux et par l'exploitation formelle des matériaux bruts, notamment de la structure en poutrelle d'acier. Il émigra en 1939 aux

Arch. Smeets

J.B.S. Chardin : « Autoportrait ». (Louvre, Paris.)

États-Unis et y eut surtout une activité de décorateur et d'ensemblier.

CHARENTE, *n. f.* ♦ Fleuve de l'O. de la France qui draine l'Angoumois et la Saintonge. Il prend naissance en Haute-Vienne, traverse le département de la Charente après une incursion dans la Vienne, et pénètre en Charente-Maritime où il rejoint l'Atlantique par un large estuaire en aval de Rochefort. Il reçoit la Touvre* sur sa r. g. à Angoulême, et la Boutonne* sur sa r. d. en amont de Tonnay*-Charente. La Charente arrose Civray*, Angoulême*, Châteauneuf*-sur-Charente, Jarnac*, Cognac*, Saintes*, Tonnay*-Charente, Rochefort*. 360 km.

CHARENTE. [**16**]. *n. f.* ♦ Dép. du Bassin aquitain, région (anciennement C.A.R.) de Poitou-Charente. 5 972 km². — *Orogr.* Au N.-E. du département s'étendent les Terres Froides du Confolentais, appuyées aux premiers contreforts du Massif central et qui culminent à 345 m. Au centre, l'Angoumois calcaire comprend les Terres Chaudes, riche pays de prairies tourné vers l'élevage, le Pays Bas et la Champagne, consacrés au vignoble, séparés par la vallée de la Charente. Au S. s'étend la zone forestière du Bois, au relief plus accusé.

♦ 29 cant., 423 comm., 338 452 hab. *Préf.* Angoulême*. *Sous-préf.* Cognac*, Confolens*. *Ch.-l. de cant.* Aigre (1 155 hab.), Aubeterre*-sur-Dronne, Baignes-Sainte-Radegonde (1 462 hab.), Blanzac*, Brossac (778 hab.), Chabanais*, Chalais*, Champagne*-Mouton, Châteauneuf*-sur-Charente, Confolens*, Hiersac (692 hab.), Jarnac*, Mansle (1 461 hab.), Montbron (2 383 hab., 1 445 aggl.), Montembœuf (756 hab., 293 aggl.), Montmoreau-Saint-Cybard (1 145 hab., 849 aggl.), Rochefoucauld* (La), Rouillac (1 531 hab., 817 aggl.), Ruffec*, Saint-Amant-de-Boixe (842 hab., 516 aggl.), Saint-Claud (1 051 hab., 586 aggl.), Segonzac*, Villebois-Lavalette (663 hab.), Villefagnan (1 001 hab., 701 aggl.). *Autres comm.* **V. Ruelle, Soyaux.**

CHARENTE-MARITIME. [**17**]. *n. f.* ♦ Dép. du Bassin aquitain, région (anciennement C.A.R.) de Poitou*-Charente. — *Orogr.* Le relief de ce département côtier est peu affirmé : il dépasse rarement 50 m, avec des vallées n'atteignant qu'exceptionnellement une profondeur de 60 m. On distingue au N. l'Aunis*, aux sols de calcaires et de marnes, dont la marge occidentale confine aux Terres Chaudes de l'Angoumois. Au S., la Saintonge* crétacée, entre Charente et Gironde, qui touche à l'O. la Champagne angoumoisine.

♦ 40 cant., 484 comm., 499 062 hab. *Préf.* La Rochelle*. *Sous-préf.* Jonzac*, Rochefort*, Saintes*, Saint-Jean*-d'Angély. *Ch.-l. de cant.* Aigrefeuille*-d'Aunis, Archiac (856 hab.), Ars*-en-Ré, Aulnay*, Burie (1 263 hab., 523 aggl.), Château*-d'Oléron (Le), Courçon*, Cozes (1 666 hab., 873 aggl.), Gémozac*, Jarrie (La) (1 056 hab., 718 aggl.), Laulay (764 hab.), Marans*, Marennes*, Matha*, Mirambeau (1 546 hab., 744 aggl.), Montendre*, Montguyon (1 841 hab., 1 068 aggl.), Montlieu-la-Garde (1 469 hab., 577 aggl.), Pons*, Royan*, Saint-Agnant (1 205 hab., 264 aggl.), Saint-Genis-de-Saintonge (852 hab.), Saint-Hilaire-de-Villefranche (881 hab.), Saint-Martin*-de-Ré, Saint-Pierre*-d'Oléron, Saint-Porchaire (1 087 hab.), Saint-Savinien*, Saujon*, Surgères*, Tonnay*-Boutonne, Tonnay*-Charente, Tremblade* (La). *Autres comm.* **V. Châtelaillon-Plage, Hiers-Brouage, Fouras, Pallice** (La), **Périgny, Port-des-Barques, Saint-Georges-de-Didonne, Saint-Palais-sur-Mer, Saint-Trojan-les-Bains, Taillebourg.**

CHARENTON-LE-PONT. ♦ Ch.-l. de cant. du Val-de-Marne, arr. de Créteil, au confluent de la Seine et de la Marne et à la limite S.-E. de Paris. 22 658 hab. *(Charentonnais).* Pont métallique (dix-sept ponts ont successivement été construits à cet endroit depuis l'époque romaine). École de batellerie. Ancien *asile de Charenton,* **V. Saint-Maurice.** Entrepôts de vin ; indus. alimentaires ; indus. chimiques ; constructions mécaniques.

CHARÈS [*kharês*]. ♦ Général et mercenaire athénien (~ IVe s.). Il mena plusieurs expéditions athéniennes (~ 367-~ 338), notamment contre les forces maritimes de la mer Egée et contre les Macédoniens. Il fut l'un des commandants de l'armée athénienne à Chéronée* (~ 338), puis il entra au service de Darios III.

CHARÈS [*Kharês*]. ♦ Sculpteur grec (Lindos, Rhodes, ~ IVe-IIIe s.). Élève de Lysippe*, il est l'auteur du colosse de Rhodes, l'une des Sept Merveilles du monde. Cette gigantesque effigie du Soleil en bronze (haute de 35 m) placée à l'entrée du port de Rhodes, fut renversée et détruite par un tremblement de terre en ~ 224.

CHARETTE (François Athanase de CHARETTE de la CONTRIE). ♦ Chef vendéen (Couffé, Loire-Inférieure, 1763 — Nantes, 1796). Officier de marine avant la Révolution, il dirigea l'insurrection vendéenne à Machecoul (mars 1793), participa au siège de Nantes, puis se battit dans le Marais poitevin. Le 17 février 1795, il signait avec la Convention thermidorienne le traité de pacification de La Jaunaye, mais reprenait les armes dès le mois de juin pour aider les émigrés qui tentèrent de débarquer à Quiberon. Après l'échec de cette tentative, il fut arrêté par Hoche, condamné à mort et exécuté à Nantes.

CHARI. *n. m.* ♦ Fl. du Tchad* (1 100 km). Né de la réunion d'une multitude de rivières formées en empire Centrafricain*, il arrose Fort*-Archambault et Fort*-Lamy où il reçoit le Logone* avant de se jeter dans le lac Tchad*. La plaine du Chari, immense marais en saison des pluies (régime tropical) est une vaste zone d'accumulation et de dépôt. **V.** *aussi* **Oubangui-Chari.**

Arch. Rencontre

La Charité-sur-Loire : église abbatiale.

CHARIBERT. ♦ V. CARIBERT.

CHARIDÈMOS ou **CHARIDÈME** [*Kharidêmos*]. ♦ Aventurier grec (Oréos, Eubée, v. ~ 400 — ~ 333). Commandant d'une armée de mercenaires, il entra successivement au service des Athéniens, du roi de Thrace, des Olynthiens et des satrapes d'Asie Mineure, qu'il trahit tour à tour.

CHARITES, *n. f. pl.* [*Kharites*] (en fr. « les [trois] Grâces »). ♦ Divinités de la Beauté qui appartenaient, avec les Muses*, à la suite d'Apollon*. On les considérait comme trois filles de Zeus* et d'une Océanide, appelées Aglaé, Euphrosyne et Thalie et on leur attribuait les agréments qui embellissent la vie des hommes et des dieux.

CHARITÉ-SUR-LOIRE (La). ♦ Ch.-l. de cant. de la Nièvre (arr. de Cosne-sur-Loire), sur la r. d. de la Loire*, dans le Nivernais*. 6 235 hab. L'église Sainte-Croix-Notre-Dame, commencée au XIe s., portait le titre de « fille aînée de Cluny » (le chœur, le transept et la tour Sainte-Croix subsistent, constituant avec l'anc. prieuré un bel ensemble d'architecture romane bourguignonne). — Indus. métallurgique. Bonneterie. Meubles d'art. Imprimeries. Pelleteries. Commerce des vins. ♦ *Hist.* À partir du XIe s., le monastère fut affilié à l'ordre de Cluny. La ville subit de nombreux sièges pendant la guerre de Cent Ans.

CHARITON de LAMPSAQUE. ♦ Écrivain grec (fin du Ier s.), auteur des *Aventures de Chaeréas et de Callirhoé* en 8 livres, un des plus anciens romans qui nous sont parvenus, et qui décrit les infortunes d'un couple d'amants qui se retrouvent après une longue séparation, sujet d'une longue série de romans jusqu'à l'époque byzantine.

CHARKIÉH, en ar. **al-Sahrâ** ou **al-Sharqiyah**. ♦ Province de la Basse-Égypte, à l'E. du delta du Nil. 1 822 000 hab. *Cap.* Zagazig*.

CHARLEMAGNE (en lat. **Carolus Magnus** « Charles le Grand », en all. **Karl der Grosse)**. ♦ Charles Ier (742 — 814), fils de Pépin (le Bref), roi des Francs (768-814), des Lombards et empereur d'Occident (800-814). Fils de Berte* ou Bertrade, il serait né avant le mariage de ses parents. À la différence de son père, il reçut une éducation très simple. Il manifesta vite un penchant pour l'autorité et pour l'organisation, joint à un sens aigu des relations humaines. À la mort de son père, il reçut la Neustrie, l'Austrasie et une partie de l'Aquitaine, son frère Carloman* régnant sur le reste de l'Aquitaine, l'Alémanie, l'Alsace, la Bourgogne et la Septimanie. Charles s'opposa à son frère à propos d'une révolte en Aquitaine (769) et, à la mort soudaine de Carloman (déc. 771), s'empara des biens de ce dernier, dépossédant ses neveux. En 771, Didier*, roi des Lombards, dont il avait épousé la fille, avait envahi Rome et mis à mort les chefs du parti franc, avant de tenter de faire couronner les fils de Carloman. Charles répudia alors sa femme, mobilisa une armée et envahit la Lombardie, assiégeant Pavie. À Rome (774), le pape Adrien* Ier l'amena à renouveler en l'augmentant la donation faite autrefois par Pépin au bénéfice du Saint-Siège, lui concédant de nombreuses terres en Italie du Nord. Puis il obligea Didier à capituler et se fit couronner roi des Lombards. Il fit entrer Adrien Ier en possession des territoires promis, mais s'opposa ensuite aux ambitions du pape. Charles régnait sur la Lombardie, une partie de la Toscane et était « patrice des Romains », ce qui lui donnait une autorité sur les États de l'Église. — Dès 772, il s'était opposé aux Saxons qui, profitant de sa politique italienne, s'étaient avancés en Hesse et en Frise et avaient repris des places franques sur la Ruhr (776). Mais Charles contre-attaqua et occupa le S. de la Westphalie. Profitant des dissensions entre 'Abd* al-Rahmân Ier, émir de Cordoue et un de ses gouverneurs qui était venu le trouver à Aix, Charles entreprit ensuite une expédition en Navarre, tandis qu'une autre armée franque pénétrait en Catalogne. Mais l'élimination du gouverneur révolté permit à l'émir de menacer les Francs, qui se replièrent de Saragosse et eurent leur arrière-garde écrasée et pillée par des montagnards basques dans les Pyrénées (Roncevaux ?); ce fut la source de l'épisode héroïque du sacrifice de Roland*. En même temps, le Saxon Widukind soulevait la Westphalie occupée et christianisée par la force, massacrant les prêtres et les nobles saxons ralliés. Charles l'attaqua en 779-780, mais Widukind, réfugié au Danemark, en revint en 782, écrasant les Francs à Sündtal; Charles mena alors une nouvelle expédition, mais les Saxons reprirent la lutte (783); Widukind ne se rendit qu'en 785. La Saxe était soumise jusqu'à l'Elbe; elle conservait son droit national, codifié et aménagé *(lex Saxonum)*. Au S., Charles eut à faire face à la révolte du duc de Bavière Tassilon* III (787), plus ou moins due aux intrigues d'Adalgis*, fils de Didier. En 788, Tassilon s'allia aux Avars, que Charles dut combattre à partir de 791 avec son fils Pépin, obtenant leur soumission en 795 (prise du *Ring* avar). Dès 788, Charles avait réorganisé la Bavière, qu'il intégra à son domaine en lui conservant sa personnalité juridique. Cependant, la Saxe se soulevait de nouveau (792) et il fallut plusieurs campagnes (793-797) pour la soumettre. — D'autres opérations furent menées contre les Sarrasins, qui atteignirent Narbonne en 793 et furent arrêtés par un cousin de Charles, Guillaume « au courb nez » (au nez crochu). En 795, les Francs reprirent l'avantage et s'emparèrent de Barcelone (801), créant un « pays des Goths » (*Gothalania* : Catalogne) dans la région. Au long de ces campagnes, Charles s'était montré un remarquable organisateur militaire et un grand politique plutôt qu'un stratège. — En 795, Léon* III succéda à Adrien. Le nouveau pape se conduisit en vassal de Charles, patrice des Romains, lui laissant contrôler son administration. Charles étouffa des plaintes portées contre lui (798) puis, après l'emprisonnement du pontife, lui permit de se justifier par un serment des graves accusations portées contre lui (parjure et adultère) [déc. 799]. Un an plus tard, Léon III couronna Charles empereur d'Occident, sans doute de son initiative, peut-être pour corriger la situation humiliante où il s'était trouvé, et sans qu'on connaisse le rôle exact des Romains, des dignitaires francs et de Charles lui-même dans l'affaire. L'empire d'Occident ne restaurait qu'en apparence l'Empire romain; gouverné d'Aix-la-Chapelle, hétérogène, mais avant tout franc, c'était une réalité politique appuyée sur le christianisme (Charles se considérait empereur « couronné par Dieu ») et sur l'équilibre des forces européennes; « le pouvoir royal [n'y] continue point la notion romaine du droit de souveraineté » (H. Pirenne). Aussi bien le projet d'union avec l'empire d'Orient, gouverné depuis 798 par l'usurpatrice Irène*, ne pouvait concerner qu'une union personnelle (il échoua, Irène ayant été déposée en 802 et le basileus Nicéphore refusa de reconnaître Charlemagne, d'où une guerre de frontières jusqu'aux traités signés avec Michel Rangabé et Léon l'Arménien). La principale activité de Charlemagne empereur fut l'organisation, sans autre rupture avec la période antérieure que la diminution de ses activités militaires. Les opérations furent menées par ses fils, Pépin* (roi d'Italie), Louis (roi d'Aquitaine) et Charles (contre les Slaves). En 806, Charlemagne leur partagea ses États. Mais Pépin mourut en 801, Charles en 811. Avant sa mort, Charlemagne couronna Louis empereur (sept. 813). **V. Louis le Pieux.** — Un gouvernement central personnel, des assemblées politiques et religieuses soumises, une administration locale étroitement surveillée (par les *missi dominici*), une hiérarchie des pouvoirs basée sur la propriété foncière et sur les liens personnels de l'« hommage » et au sommet de laquelle se trouvaient les « compagnons » *(comtes)* du roi et les évêques; ces institutions préféodales devaient sans doute à leur nouveauté, à la personnalité du roi et à la force de l'idéologie chrétienne leur fonctionnement efficace. L'organisation militaire, assurant la paix et l'ordre, reposait sur les grands propriétaires, la paysannerie vivant en majorité sur des « tenures libres ». Sur cette classe structurée en petites unités économiques assez fermées, reposait la vie matérielle du royaume franc où une réorganisation monétaire (781) assura une stabilité et une unité financière nouvelles. Cependant, la période carolingienne correspond à un faible développement des villes, alors que l'augmentation démographique atteste une relative prospérité. La Gaule était enfin unifiée et pacifiée et l'empire, malgré sa complexité, formait un axe économique européen, de l'Adriatique au Jutland; mais, malgré la prise de Barcelone, les relations maritimes avec l'Orient ne se rétablirent pas et le commerce extérieur resta stagnant. — Autodidacte et amateur de grammaire, Charles chercha à promouvoir les connaissances en réunissant dans son palais d'Aix une sorte d'académie riche en savants de toute l'Europe (Alcuin, Paul Diacre, Théodulfe) et en stimulant l'activité des grands monastères, notamment pour la diffusion des textes sacrés (invention de l'écriture *caroline;* vaste activité de copistes). L'architecture et les arts décoratifs, en partie sous l'influence byzantine (par l'intermédiaire de Syriens romanisés ayant fui l'occupation musulmane) connurent un essor nouveau, mais peu de témoignages en demeurent. ♦ La personnalité de Charlemagne, uniquement connue par ses proches et ses partisans, en premier lieu son biographe Éginhard*, semble avoir été celle d'un homme robuste et jovial, intelligent, actif, courageux et autoritaire, mélange de « soldat [et de] campagnard » (dom Leclercq), chez qui le goût du luxe et des plaisirs se joignait à un réalisme intéressé et minutieux. Attaché aux traditions de son peuple, il aimait à la fois l'exercice physique et l'étude, ou du moins attachait du prix à donner de lui cette image, non sans quelque pédantisme. Parlant francique, il connaissait le grec et le latin, mais ne savait pas écrire; entre « l'empereur illettré » (Pirenne) et l'humaniste promoteur d'une véritable renaissance, sa personnalité culturelle est moins nette que sa grandeur politique.

CHARLEROI. ♦ V. de Belgique, ch.-l. d'arr. du Hainaut, sur la Sambre et le canal de Charleroi. [217 349 aggl.] *(Carolorégiens.)* Charleroi est divisée en *Ville-Basse,* sur la r. d. de la Sambre, *Entreville* sur la r. g. et *Ville-Haute* (avec les faubourgs : Dampremy*, Marcinelle*). Université du travail. Académie des beaux-arts. Conservatoire de musique. À proximité du bassin houiller, dans une zone industrialisée depuis le XVIIIe s., Charleroi possède un grand intérêt écon. (axe A.B.C., **V. Bruxelles**). Indus. lourde, souffleries de verre, miroiteries, indus. chimiques, constructions électriques. Indus. de transformation. Secteur tertiaire. ♦ *Hist.* Charleroi fut créée à des fins militaires en 1666, et nommée d'après *Charles II,* roi d'Espagne. Louis XIV s'en empara et fit édifier la ville basse. Après la victoire de Jourdan contre les Autrichiens (juin 1794), la ville servit de base aux armées de la République, puis de Napoléon (campagnes de Belgique et du Rhin). En 1914, la *bataille de Charleroi* défendit vainement les passages de la Sambre.

CHARLES. ♦ Prénom issu du lat. **Carolus** (all. **Karl**, angl. **Charles**, esp. **Carlos**, it. **Carlo**, néerl. **Karel**, roumain **Carol**). — Les pers. de ce nom sont classés dans l'ordre suivant : *1)* saint; *2)* empereurs germaniques ou d'*Allemagne; 3)* rois d'*Angleterre* (Grande-Bretagne); *4)* empereur et archiduc d'*Autriche; 5)* régent de *Belgique; 6)* duc de *Bourgogne; 7)* prétendant de *Bretagne; 8)* rois d'*Espagne; 9)* rois des Francs et de *France; 10)* duc et prince de *Lorraine; 11)* prince de *Monaco; 12)* rois de *Navarre; 13)* rois du *Portugal; 14)* ducs de *Savoie* [et *Sardaigne*]; *15)* duc de *Saxe-Weimar; 16)* rois de *Sicile*, de *Naples* et de *Hongrie; 17)* rois de *Suède.*

CHARLES BORROMÉE *(saint).* ♦ (Château d'Arona, sur le lac Majeur, 1538 — Milan, 1584). Neveu de Pie* IV qui en fit son secrétaire d'État et principal collaborateur, et le nomma cardinal (1560), administrateur (1560) puis titulaire (1564) de l'archevêché de Milan. Il travailla vigoureusement à la réforme de l'Église **(V. Contre-Réforme),** appliqua les décisions du concile de Trente* dans son diocèse, où il résida (1565), où il fonda des séminaires, et où il déploya un zèle exemplaire, notamment lors de la peste de 1576-1577. Fondateur de la congrégation des oblats, prêtres séculiers destinés à l'aider dans son œuvre de réforme (1581). Fête le 4 novembre.

CHARLES IV. ♦ (Prague, 1316 — *id.,* 1378). Empereur germanique (1346-1378). Fils de Jean* de Luxembourg, roi de Bohême, il abandonna la politique italienne de ses prédécesseurs pour se consacrer à la Bohême. Il fonda l'université de Prague (1348), achevant ainsi de faire de Prague une capitale intellectuelle et artistique. En 1356, il promulgua la *Bulle d'or* qui réglementait

Arch. Smeets

Charlemagne. (Vitrail de la cathédrale de Chartres.)

Ph. Carlo Bevilacqua/Ricciarini

Charles Quint, par Titien.
(Ancienne Pinacothèque, Munich.)

l'élection impériale, fixant le collège électoral à sept membres : trois électeurs ecclésiastiques (les archevêques de Mayence, Cologne et Trèves) et quatre électeurs laïques (le roi de Bohême, le comte palatin du Rhin, le duc de Saxe et le margrave de Brandebourg). — Père de Wenceslas* IV de Luxembourg et de Sigismond*.

CHARLES V ou **CHARLES QUINT**. ♦ (Gand, 1500 — Yuste, Estrémadure, 1558). Empereur d'Allemagne (1519-1556), prince des Pays-Bas (1516-1555), roi d'Espagne sous le nom de Charles Ier, roi de Sicile sous le nom de Charles IV (1516-1556). Fils de Philippe* le Beau et de Jeanne* la Folle, il fut d'abord un prince bourguignon et, le français étant sa langue maternelle, il ne parla jamais correctement l'allemand. C'est en Bourgogne qu'il choisit ses principaux conseillers (Chièvres, Gattinara) et l'héritage bourguignon resta toujours au cœur de ses préoccupations, même lorsqu'il se trouva le maître d'un immense empire. Par sa mère, en effet, il hérita de la Castille, puis de l'Aragon, de Naples, de la Sicile et de l'Amérique latine, et par son père, des possessions héréditaires des Habsbourg, auxquelles il ajouta le titre d'empereur du Saint-Empire, âprement disputé à François* Ier et obtenu grâce aux subsides des Fugger*. La principale faiblesse d'un tel empire résidait dans sa taille même et dans sa dispersion qu'accentuaient encore les particularismes locaux : Charles Quint fut d'abord un étranger en Espagne et bien davantage encore en Allemagne. Les effets de cette dispersion furent la révolte des Comuneros* (1520) et celle de Gand (1539) aux Pays-Bas. En Allemagne régnait la plus grande anarchie politique, administrative et religieuse, et elle contraignit l'Empereur à tirer ses ressources de ses possessions héréditaires ou des colonies espagnoles. Or, il avait de grands besoins pour poursuivre son double but : d'une part, la reconquête de l'intégralité de l'héritage bourguignon, d'autre part, le triomphe de l'orthodoxie sur la Réforme et sur les Infidèles. Le long conflit qui l'opposa à François* Ier et à Henri* II n'aboutit à aucun résultat définitif. Cette série de victoires et de défaites sans lendemain obligea les adversaires à des compromis, et la lutte se poursuivit avec Philippe* II. Son importance et sa difficulté étaient accrues par le soutien apporté par la France aux protestants allemands révoltés. Sur ce plan non plus, l'Empereur ne put obtenir un triomphe. Malgré le bannissement de Luther*, malgré ses victoires militaires (dont la plus importante fut celle de Mühlberg*), il ne put arrêter la Réforme **(V. Réforme)** dont il dut admettre le triomphe dans les États d'Allemagne du Nord (paix d'Augsbourg, 1552). Le péril turc n'était pas moindre : Süleyman II, après la victoire de Mohács* (1526) parvint jusqu'à Vienne devant laquelle il mit le siège (1529). Il fut repoussé mais resta dangereux, d'autant plus qu'en 1536 les Turcs s'allièrent à la France (traité des Capitulations). La lutte s'était poursuivie cependant en Méditerranée : Tunis fut prise (1535), mais une récidive devant Alger fut un échec (1541). Quand Charles Quint se retira à Yuste, après avoir abdiqué, partageant ses possessions entre son frère Ferdinand* et son fils Philippe II, aucun problème n'était résolu. La lutte avec la France se poursuivait, le défenseur de la foi n'avait pu écraser ni la Réforme, ni l'Infidèle, il avait laissé s'accomplir le sac de Rome (1527) et il n'avait pu empêcher les abus de la conquête espagnole en Amérique du Sud. C'est en Flandre que son règne avait été le plus heureux, favorisant une civilisation brillante illustrée par des érudits comme Erasme et des artistes comme Bruegel ou Roland de Lassus.

CHARLES VI. ♦ (Vienne, 1685 — *id.*, 1740). Empereur d'Allemagne (1711-1740); roi de Hongrie et de Sicile. Second fils de Léopold* Ier, il succéda à son frère Joseph* Ier après avoir tenté en vain de s'emparer de la couronne d'Espagne, à la place de Philippe* V. Il concentra ses efforts pour assurer la succession à sa fille Marie*-Thérèse (pragmatique* sanction, 1713) et se laissa entraîner dans des opérations malheureuses comme la guerre de la Succession de Pologne, qui lui coûta la Lorraine, Naples et la Sicile (traité de Vienne, 1735), ou la guerre contre la Turquie (1736-1739). Son faste contrastait avec la désorganisation de l'État.

CHARLES VII ALBERT. ♦ (Bruxelles, 1697 — Munich, 1745). Empereur d'Allemagne (1742-1745), prince électeur de Bavière (1726-1745). Fils de Maximilien-Emmanuel, il avait épousé une fille de Joseph Ier et il déclencha la guerre de Succession* d'Autriche, lors de la mort de l'empereur Charles* VI, et parvint à se faire couronner empereur à Francfort (1742) grâce à l'alliance française. Il perdit bientôt ses conquêtes.

CHARLES Ier. ♦ (Dunfermline, 1600 — Londres, 1649). Roi d'Angleterre, d'Écosse et d'Irlande (1625-1649). Fils de Jacques* Ier Stuart, il s'aliéna rapidement une opinion d'abord favorable, par des maladresses (Buckingham* garda sa faveur) et bientôt par son absolutisme politique et religieux, que sa femme Henriette* de France encourageait. Une question d'impôts aggrava son conflit avec le Parlement, qu'il renvoya. De 1629 à 1640, il gouverna sans Parlement, avec l'aide de Stafford* et de Laud*. Mais l'Écosse se souleva quand on lui imposa le *Prayer Book* anglican, et le roi, à court d'argent et de troupes, dut convoquer de nouveau le Parlement (1640). Ce Court Parlement* fut rapidement dissous et le Long Parlement* qui lui succéda obtint l'arrestation de Laud et de Stafford qui furent exécutés. La Grande Remontrance* provoqua la réaction de Charles Ier : il tenta de faire arrêter cinq chefs de l'opposition, dont Pym* et Hampden*. Ceux-ci gagnèrent la Cité de Londres qui prit les armes pour les défendre. Désormais, la guerre civile opposait Cavaliers* et Têtes rondes pour des idéaux politiques et religieux (1642-1646). Maîtres de Londres et des ports, les parlementaires eurent vite l'argent qui faisait défaut aux royalistes. Pym s'allia aux Écossais et le roi fut vaincu à Marston Moor (1644), où se révéla Cromwell*. Celui-ci écrasa définitivement l'armée royale à Neseby* (1645). Le roi, réfugié en Écosse, fut livré au Parlement et intrigua avec les parlementaires, les « sectaires », partisans de Cromwell, et même les Écossais. L'Écosse se souleva à nouveau, le roi s'enfuit, mais ses troupes furent écrasées à Preston* (1648), et lui-même, ramené à Londres. Le Parlement* croupion, après un procès au cours duquel Charles Ier défendit courageusement ses conceptions, le fit exécuter à Whitehall [1649]. — Il avait été un mécène éclairé et Van Dyck* fit de lui un portrait célèbre.

CHARLES II. ♦ (Londres, 1630 — *id.*, 1685). Roi d'Angleterre, d'Écosse et d'Irlande (1660-1685). Fils de Charles* Ier, il trouva refuge en France et, après la mort de son père, fut proclamé roi en Écosse. Battu à Worcester* (1651) par Cromwell*, il fut obligé de s'exiler de nouveau. Rappelé au trône grâce à Monk* (1660) à la suite de la déclaration de Breda*, il fit preuve de tolérance et d'habileté. Ses convictions le portaient vers le catholicisme et l'absolutisme; il sut cependant céder, accepter l'annulation de son édit de Tolérance et le Test* Act (1673). Sa politique étrangère favorable à la France, dont il touchait des subsides (traité de Douvres* 1670) le conduisit à des guerres malheureuses contre la Hollande. S'il perdit Dunkerque, il gagna des places sur l'Atlantique Sud. Le début de son règne fut assombri par la peste et l'incendie de Londres, mais il entretint une cour brillante et fit retrouver à l'Angleterre puritaine une vie intellectuelle et artistique. Ses dernières années virent la naissance des partis tory* et whig* ; le discrédit dans lequel tombèrent les whigs lui permit un gouvernement presque absolu.

CHARLES ÉDOUARD STUART, dit **le Prétendant** ou **le** *comte d'***Albany**. ♦ Prétendant au trône d'Angleterre (Rome, 1720 — 1788). Aidé de la France, il fit une brillante campagne en Écosse en 1745, s'emparant d'Édimbourg, remportant la victoire de Prestonpans, et avançant jusqu'à Derby. Cependant l'indiscipline des troupes écossaises provoqua sa défaite à Culloden* et il ne regagna la France qu'au prix de grandes difficultés. Il en fut expulsé après le traité d'Aix-la-Chapelle et se réfugia en Italie.

CHARLES Ier. ♦ (Persenbeug, 1887 — Funchal, 1922). Empereur d'Autriche et roi de Hongrie sous le nom de Charles IV. Héritier au trône à la mort de son oncle François*-Ferdinand, il succéda à son grand-oncle François*-Joseph en 1916. A la suite du refus par les Alliés de ses offres de paix et après la proclamation de la République autrichienne, il abdiqua en novembre 1918. Réfugié en Suisse, il tenta un coup d'État qui échoua; il dut alors s'établir à Madère.

CHARLES DE HABSBOURG, dit *l'archiduc* **Charles**. Général autrichien (Florence, 1771 – Vienne, 1847), troisième fils de l'empereur Léopold II et frère de François* II. Il fut à la tête des troupes autrichiennes aux batailles de Jemappes, Neerwinden, Wattignies, Fleurus, et repoussa Moreau* et Jourdan* (1796-1797) au delà du Rhin. Ministre de la Guerre en 1806, il réorganisa l'armée autrichienne. Blessé à la bataille de Wagram*, il fut écarté du commandement. Il est l'auteur d'ouvrages militaires.

CHARLES de BELGIQUE. ♦ (Bruxelles, 1903). Frère du roi des Belges Léopold* III. Il fut élu par le parlement belge le 20 septembre 1944, pour assurer la régence pendant l'absence du roi, déporté par les Allemands. Il assuma le pouvoir jusqu'au retour de Léopold III, en 1950.

CHARLES le Téméraire. ♦ (Dijon, 1433 – près de Nancy, 1477). Duc de Bourgogne (1467-1477). Fils de Philippe* III le Bon, il participa à la ligue du Bien public contre le roi de France Louis* XI et, après la bataille indécise de Montlhéry, obtint la restitution des villes de la Somme au traité de Conflans (1465). Toute sa politique tendit à unifier ses États par une structure administrative forte et à assurer une liaison entre les deux parties de l'État bourguignon (Flandres et Bourgogne), constituant ainsi une grave menace pour la monarchie française et ses voisins (Lorraine, Suisse). Les Liégeois, soutenus par Louis XI, s'étant révoltés contre leur évêque, son allié, Charles obligea le roi à l'aider dans la répression et à signer le traité de Péronne (1468). Il envahit la Picardie mais échoua devant Beauvais (**V. Hachette** [Jeanne]) puis Rouen (1472). Il conquit la Lorraine (1475), mais, battu à Grandson* et à Morat* par les Suisses soutenus par Louis XI (1476), il mourut au siège de Nancy, dans une guerre contre René* II de Lorraine. – Père de Marie* de Bourgogne qui épousa Maximilien de Habsbourg.

CHARLES de BLOIS ou **de CHÂTILLON.** ♦ Prétendant au duché de Bretagne (v. 1319 – Auray, 1364). Il épousa Jeanne* de Penthièvre (1337), héritière du duché de Bretagne. Il fit reconnaître ses droits par la France (1341) mais dut mener contre Jean IV de Montfort qui lui disputait le duché la guerre dite de la Succession* de Bretagne. Il fut vaincu et tué à Auray par Jean* V de Bretagne.

CHARLES Ier. ♦ Titre porté par Charles Quint en tant que roi d'Espagne.

CHARLES II. ♦ (Madrid, 1661 – *id.*, 1700). Roi d'Espagne (1665-1700), il succéda à son père Philippe* IV. Si son règne a correspondu à l'amorce d'une certaine renaissance intérieure, il fut désastreux sur le plan extérieur : l'Espagne dut céder à Louis XIV la Flandre (Aix*-la-Chapelle, 1668), puis l'Artois et la Franche-Comté (Nimègue*, 1678), et son entrée dans la ligue d'Augsbourg* provoqua l'invasion de la Catalogne. La santé chancelante de Charles II posa rapidement le problème de sa succession; le testament qu'il fit en faveur de Philippe* V d'Espagne eut pour conséquence la guerre de la Succession* d'Espagne.

CHARLES III (Madrid, 1716 – *id.*, 1788). ♦ Roi d'Espagne (1759-1788). Fils de Philippe* V et d'Élisabeth* Farnèse, il régna d'abord sur Parme, sur la Toscane et sur le royaume de Naples (1738). Il succéda ensuite à son demi-frère Ferdinand* VI, et se conduisit, comme il l'avait fait à Naples, en despote éclairé. Aidé d'Aranda* et de Floridablanca*, il renforça la centralisation, lutta contre l'emprise de l'Église (expulsion des jésuites, 1767), encouragea l'agriculture et le commerce (fondation de la banque de Saint-Charles), et réforma les finances. Celles-ci souffrirent cependant de la politique extérieure. Le Pacte de Famille* (1761) entraîna en effet le roi dans la guerre de Sept* Ans et dans celle de l'Indépendance américaine, qui donna à l'Espagne, par le traité de Versailles*, Minorque et la Floride mais lui enleva Gibraltar. L'œuvre de renouveau de Charles III, basée sur des réformes mal assimilées par la population, ne lui survécut pas.

CHARLES IV. ♦ (Naples, 1748 – Rome, 1819). Roi d'Espagne (1788-1808), fils et successeur de Charles III. Il épousa sa cousine Marie*-Louise de Parme, dont il subit fortement l'influence, et, par elle, celle de son favori Godoy*. Alliée de la France à partir de 1796, l'Espagne perdit la Trinité, la Louisiane (au bénéfice de la France); sa flotte fut détruite à Trafalgar* (1805). L'insurrection d'Aranjuez provoqua la démission, puis l'arrestation et le départ de Godoy et l'abdication de Charles IV en faveur de son fils Ferdinand VII. À Bayonne, en mai 1808, Napoléon obtint l'abdication du père et du fils en faveur de Joseph Bonaparte. Charles IV ne retourna plus en Espagne.

CHARLES MARTEL. ♦ Maire du palais franc (v. 688 – Quierzy-sur-Oise, 741). Fils de Pépin* de Herstal, il s'imposa à la mort de son père (714), opposant Clotaire* IV à Chilpéric* II, gouvernant pour Thierry* IV, et unifia l'État mérovingien. Il soutint les Frisons, les Saxons, les Alamans, les Thuringiens et les Bavarois. Il arrêta les Musulmans d'Abd* al-Rahmân à Poitiers (732) et fit reconnaître sa suzeraineté à l'Aquitaine et à la Provence. Il laïcisa les biens ecclésiastiques mais soutint la politique d'évangélisation de Rome, protégeant notamment saint Boniface*. – Son surnom de *Martel* (marteau) lui fut donné à cause de l'énergie qu'il déploya pour imposer sa politique. – Père de Carloman* et de Pépin* le Bref.

Ph. Giraudon

Charles le Téméraire, Anonyme XVe s. (Musée des Beaux-Arts, Gand.)

CHARLES Ier. ♦ Roi des Francs. **V. Charlemagne.**

CHARLES II le Chauve. ♦ (Francfort-sur-le-Main, 823 – Avrieux, Savoie, 877). Roi de France (843-877) et empereur d'Occident (875-877). Fils de Louis* le Pieux, il s'allia à Louis* le Germanique contre Lothaire* qu'ils battirent à Fontaine, près d'Auxerre (841). Après avoir renforcé son entente avec Louis par les Serments de Strasbourg* (842), il signa le traité de Verdun* (843) qui partageait l'empire de Charlemagne en trois. Il obtint la partie occidentale, à l'ouest de l'Escaut, la Meuse, la Saône et le Rhône. Son règne fut marqué par les invasions normandes et le développement de la féodalité consacré par le capitulaire de Quierzy*-sur-Oise. Il s'entoura de lettrés, tels Hincmar*, Scot* Érigène... – Père de Louis* II le Bègue.

CHARLES III le Gros. ♦ (839 – Reichenau, 888). Empereur d'Occident (881-887). Fils de Louis* le Germanique, il fut roi d'Italie (884-888) et d'Allemagne (882-888). Il assura la régence de la France (884-887) pendant la minorité de Charles* le Simple mais fut déposé pour avoir acheté le départ des Normands au lieu de les combattre. Il fut remplacé par Eudes*.

CHARLES III le Simple. ♦ (879 – Péronne, 929). Roi de France (893-922). Fils de Louis* le Bègue, il mena la lutte contre Eudes* qui avait été élu roi (888) et fut couronné en 893. Le conflit fut résolu en 897 et Eudes le désigna pour successeur. Il concéda un territoire (le pays de Caux) à Rollon*, chef des Normands, par le traité de Saint-Clair-sur-Epte (911). Il fut détrôné en 922 et mourut prisonnier d'Herbert de Vermandois. – Père de Louis* IV d'Outremer. Il eut pour successeur Robert* Ier.

CHARLES IV le Bel. ♦ (1294 – Vincennes, 1328). Roi de France et de Navarre (1322-1328). Fils de Philippe* IV le Bel. Mari de Blanche* de Bourgogne. Il succéda à son frère Philippe* V. Il accomplit une œuvre importante en matière de justice et de finances. Mort sans héritier mâle, il fut le dernier des Capétiens directs; la couronne passa aux Capétiens Valois (**V. Philippe VI**).

CHARLES V le Sage. ♦ (Vincennes, 1338 – Nogent-sur-Marne, 1380). Roi de France (1364-1380). Mari de Jeanne de Bourbon (1350). Pendant la captivité de son père Jean* II, il assura la régence, réprima la révolte d'Étienne Marcel* et la Jacquerie* et signa le traité de Brétigny* avec l'Angleterre (1356-1364). Devenu roi, il sut s'entourer d'hommes de guerre de valeur (**V. Boucicaut** [Jean Ier], **Fiennes**); grâce à Du* Guesclin, il mit fin à la lutte contre le roi de Navarre Charles* II le Mauvais et débarrassa le royaume des Grandes Compagnies*. Reprenant la guerre contre les Anglais (1368), il s'empara de la plupart de leurs possessions. À sa mort, les Anglais ne possédaient plus que quelques places maritimes (notamment Bordeaux et Calais) et places fortes. Sous

Ph. Carlo Bevilacqua/Ricciarini
Charles VII, par Fouquet.
(Musée du Louvre, Paris.)

son règne se termina la guerre de la Succession* de Bretagne. Il s'entoura de bons conseillers tels les chanceliers Jean et Guillaume de Dormans, Pierre d'Orgemont et, pour les finances, Nicolas Oresme*. Protecteur des lettres et des arts, il fonda la Bibliothèque royale, reconstruisit le Louvre, édifia l'hôtel Saint-Pol et la Bastille à Paris et le château de Beauté*. Il institua des impôts permanents et rétablit une monnaie saine. Lors du Grand Schisme*, il choisit le pape Clément VII. — Sa vie nous est connue par Christine* de Pisan. Père de Charles* VI.

CHARLES VI le Bien-Aimé ou **le Fou.** ♦ (Paris, 1368 — *id.*, 1422). Roi de France (1380-1422), fils de Charles V. Il gouverna d'abord sous la tutelle de ses oncles les ducs d'Anjou, de Bourgogne, de Berry et de Bourbon qui réprimèrent les révoltes des maillotins* à Paris, de la Hérelle à Rouen, des tuchins en Languedoc et de Philippe Van* Artevelde en Flandre. Après le sage gouvernement des marmousets* (1388), le roi ayant été frappé de démence (1392), la France fut livrée à la guerre civile (**V. Armagnacs** et **Bourguignons**). Le roi d'Angleterre Henri V, profitant des troubles, s'allia aux Bourguignons et remporta la victoire d'Azincourt* (1415). À la fin du règne fut signé le désastreux traité de Troyes* qui, avec l'appui de la reine Isabeau* de Bavière, déshéritait le dauphin (futur Charles VII), reconnaissait Henri V d'Angleterre comme héritier du royaume de France et lui confiait la régence (1420). — Abandonné des siens, le roi dément fut soigné par sa maîtresse Odette de Champdivers*.

CHARLES VII. ♦ (Paris, 1403 — Mehun-sur-Yèvre, 1461). Roi de France (1422-1461), fils de Charles VI. Pendant la guerre civile entre Armagnacs et Bourguignons, il quitta Paris et se réfugia à Bourges (1418). Sa mère Isabeau* de Bavière signa le traité de Troyes* (1420) qui le déshéritait au profit du roi d'Angleterre Henri V. À la mort d'Henri V, Henri* VI lui succéda sous la régence de Bedford. *Charles VII* n'était reconnu que dans le Sud-Ouest et le Midi. Malgré le soutien d'Arthur* III, duc de Richemont, il ne prit confiance en lui qu'après sa reconnaissance comme le vrai roi de France par Jeanne* d'Arc, qui délivra Orléans et le fit sacrer à Reims (1429). Après la reconquête d'une partie du nord de la France (Orléanais, Vendômois, Champagne, Brie, Valois, Beauvaisis), *Charles VII* se réconcilia avec Philippe* III le Bon, duc de Bourgogne allié aux Anglais, par le traité d'Arras* (1435). Paris étant repris (1436), les trêves de Tours signées avec les Anglais (1444), *Charles VII* réorganisa son royaume, limitant les pouvoirs de la papauté par la pragmatique* sanction de Bourges, créant une armée nouvelle par les ordonnances de 1445-1448 (compagnies* d'ordonnance et infanterie des francs-archers), rétablissant une monnaie saine, levant des impôts réguliers. Avec Jacques Cœur, la France connut un net essor commercial. Charles VII débarrassa le pays des écorcheurs* et vainquit la révolte de la Praguerie*. Grâce à des hommes de guerre de valeur (**V. Dunois, La* Hire, Jean Bureau*, Rieux, Xaintrailles**), la reconquête de la France se poursuivit. La victoire de Firmigny (1450) permit la reconquête de la Normandie, celle de Castillon (1452) et la capitulation de Bordeaux (1453), la reconquête de la Guyenne. Seul Calais restait aux mains des Anglais. — La maîtresse du roi, Agnès Sorel fut la première favorite officielle de l'histoire de France. — Charles VII avait épousé Marie* d'Anjou qui fut la mère de Louis* XI.

CHARLES VIII. ♦ (Amboise, 1470 — 1498). Roi de France (1483-1498). Fils de Louis* XI, il régna d'abord sous la régence de sa sœur Anne* de France épouse de Pierre de Beaujeu qui sut obtenir des subsides des états généraux de Tours (1484) et lutta contre les nobles révoltés de la Guerre* folle (1485-1488), terminée par la victoire de Saint*-Aubin-du-Cormier sur le duc d'Orléans et sur François II, duc de Bretagne. La dame de Beaujeu le maria à Anne* de Bretagne (1491), préparant ainsi le rattachement du duché à la couronne. Charles VIII signa les traités d'Étaples* avec Henri VII d'Angleterre et de Senlis avec Maximilien d'Autriche, à qui il restitua l'Artois et la Franche-Comté. Conseillé par Guillaume Briçonnet*, il entreprit de faire valoir les droits que Louis XI, son père avait hérités de la maison d'Anjou sur le royaume de Naples. Il fut ainsi l'initiateur des guerres d'Italie. Il conquit facilement le royaume (1495) mais Milan, Venise, Maximilien d'Autriche, Ferdinand d'Aragon et même le pape Alexandre VI s'étant ligués contre lui, battant en retraite, il dut forcer la victoire à Fornoue* pour regagner la France, perdant ainsi ses conquêtes. — Il eut pour successeur son cousin, le duc d'Orléans (**V. Louis XII**).

CHARLES IX. ♦ (Saint-Germain-en-Laye, 1550 — Vincennes, 1574). Roi de France (1560-1574). Second fils d'Henri* II et de Catherine* de Médicis, il succéda à son frère François* II, et sa mère, après avoir exercé la régence, garda sur lui une influence importante. Il fit d'abord une tentative de conciliation envers le parti huguenot (paix de Saint*-Germain) au cours de laquelle il laissa gouverner Coligny*, puis céda à la pression de l'opinion catholique et ordonna à contrecœur le massacre de la Saint-Barthélemy auquel il ne survécut que quelques mois. **V. Saint-Barthélemy.**

CHARLES X. ♦ (Versailles, 1757 — Görz, auj. Gorizia, 1836). Roi de France (1824-1830). Petit-fils de Louis XV, frère de Louis* XVI et du comte de Provence (Louis* XVIII), il porta d'abord le titre de *comte d'Artois*, épousa en 1773 Marie-Thérèse de Savoie, dont il eut deux fils (les ducs d'Angoulême* et de Berry*). Esprit borné attaché aux privilèges de l'Ancien Régime et à l'absolutisme royal, connu pour sa conduite légère et ses dépenses inconsidérées, il s'était rendu impopulaire et fut un des premiers à donner le signal de l'émigration au début de la Révolution (17 juillet 1789). Il prit part à la lutte contre-révolutionnaire, tenta même de débarquer à l'île d'Yeu pour soutenir les insurgés vendéens. Passé ensuite en Angleterre, où il séjourna jusqu'en 1814, il fut nommé lieutenant général du royaume (avril 1814) et devint rapidement un des chefs des ultras*. À la mort de Louis XVIII (1824), il monta sur le trône, et, renouant avec la tradition de l'Ancien Régime, se fit sacrer roi à Reims (1825). Son règne fut marqué par un renforcement de la politique réactionnaire et autoritaire. Après la démission du cabinet Villèle* (1827) auquel succéda un ministère plus libéral (**V. Martignac**), le roi, inquiet des progrès de l'opposition, fit remplacer ce dernier par le ministère conservateur de Polignac* (août 1829). Le discours du trône (début 1830) suivi de l'« adresse des 221 » de la Chambre au roi entraîna la chute du gouvernement et la dissolution de la Chambre dont la réélection fut marquée par un renforcement de l'opposition libérale. C'est par le coup de force des *ordonnances de Saint-Cloud* (25 juillet 1830) : suspension de la liberté de presse, modification de la loi électorale, que Charles X tenta de rétablir l'autorité du régime. Mais, malgré le succès de l'expédition d'Alger (5 juillet 1830), le peuple de Paris, face à l'attitude autoritaire du roi, se souleva les 27, 28, 29 juillet 1830 (**V. Révolution de 1830**). Tout en acceptant la nomination du duc d'Orléans (Louis-Philippe), comme lieutenant général et régent, Charles X abdiqua en faveur de son petit-fils, le comte de Chambord* et prit le chemin de l'exil. Sa chute marqua la fin du règne des Bourbons en France. — *Icon.* **V. Gérard.**

CHARLES IV. ♦ Duc de Lorraine (Nancy, 1604 — Konz, 1675). Petit-fils de Charles III, il fut privé par Louis* XIII de son héritage et servit l'Autriche et l'Espagne (victoire de Konz, 1675).

CHARLES V. ♦ Duc de Lorraine (Vienne, 1643 — Wels, 1690). Neveu de Charles* IV, il ne put entrer en possession de son héritage et servit l'empereur Léopold* Ier, son beau-frère. Il se distingua contre les Turcs (1683-1688), remportant la grande victoire de Mohács* (1687).

CHARLES ALEXANDRE. ♦ Prince de Lorraine et de Bar, feld-maréchal autrichien, frère de l'empereur François* Ier (Lunéville, 1712 — Tervueren, Belgique, 1780). Il lutta contre Frédéric* II de Prusse pendant les guerres de Silésie et sut administrer avec talent les Pays-Bas (1748-1778).

CHARLES III. ♦ (Paris, 1818 — Marchais, 1889). Prince de Monaco, il obtint l'autonomie de sa principauté, par la cession à la France de Roquebrune et de Menton, en 1861.

CHARLES Ier. ♦ Roi de Navarre. **V. Charles IV** *le Bel,* roi de France.

CHARLES II le Mauvais. ♦ (1322 — 1387). Roi de Navarre (1349-1387). Fils de Jeanne* II de Navarre et petit-fils de Louis X, roi de France, il prétendait au royaume de France. Il soutint la révolte d'Étienne Marcel* sous le règne de Jean* II le Bon et s'allia à l'Angleterre (1358). Il réprima la Jacquerie*. Battu par Du* Guesclin à Cocherel, près d'Évreux (1364), il ne s'immisça plus dans les affaires françaises.

CHARLES III le Noble. ♦ (Mantes, 1361 — Olite, 1425). Roi de Navarre, fils du précédent. Sa réconciliation avec les Valois lui permit d'obtenir le duché de Nemours et le titre de pair. Il se fit le propagateur de la civilisation française en Navarre.

Ph. Nimatallah/Ricciarini
Charles VIII. (Musée Condé, Chantilly.)

CHARLES Ier, en port. **Carlos**. ♦ (Lisbonne, 1868 – *id.*, 1908). Roi de Portugal (1889-1908). Il succéda à son père Louis Ier et tenta de mettre un terme au désordre politique en confiant la dictature à João Franco*. Mais il fut assassiné en même temps que le prince héritier Louis Philippe. Son second fils Manuel* II lui succéda.

CHARLES III. ♦ (mort en 1553). Duc de Savoie (1504-1553). Il succéda à son frère Philibert* II. Oncle de François* Ier et beau-frère de Charles* Quint, ses hésitations entre l'un et l'autre se soldèrent par la perte de presque tous ses États.

CHARLES-EMMANUEL Ier, le Grand. ♦ (Rivoli, 1562 – *id.*, 1630). Duc de Savoie (1580-1630). Comme ses prédécesseurs, il fut un allié peu sûr, mais il sut tirer de grands bénéfices de ses changements. S'il échoua dans ses tentatives pour s'emparer de Genève, son intervention en Provence aux côtés de la Ligue* (1589-1593), puis son accord avec Henri IV (traité de Lyon) lui valurent le marquisat de Saluces. Louis XIII l'empêcha par sa victoire du pas de Suse* (1629) d'hériter du Montferrat. Avant de mourir, laissant ses territoires ravagés par les guerres, il avait encore prétendu à la couronne impériale.

CHARLES-EMMANUEL II. ♦ (1634 – 1675). Duc de Savoie (1638-1675). Fils de Victor*-Amédée Ier, auquel il succéda après la régence de sa mère, il resta fidèle à l'alliance française et eut un règne paisible.

CHARLES-EMMANUEL III. ♦ (Turin, 1701 – *id.*, 1773). Duc de Savoie et roi de Sardaigne (1730-1773). Il succéda à Victor*-Amédée II, combattit l'Autriche (sa victoire de Guastalla lui donna Novare, en 1738), puis s'allia à elle contre la France et l'Espagne, et acquit une partie du Milanais (1748). Il accomplit une importante réforme judiciaire (*Corpus Carolinum*, 1770) et sa bonne administration favorisa l'essor économique de son royaume.

CHARLES-FÉLIX. ♦ (Turin, 1765 – *id.*, 1831). Roi de Sardaigne (1821-1831). Il succéda à son frère Victor-Emmanuel Ier, contraint d'abdiquer le 12 mars 1821, à la suite de l'insurrection de Naples et de Turin. Il réprima violemment le mouvement libéral.

CHARLES-ALBERT. ♦ (Turin, 1798 – Porto, Portugal, 1849). Roi de Piémont-Sardaigne (1831-1849). Choisi comme régent par les partisans du *Risorgimento** après l'abdication de son cousin Victor-Emmanuel Ier, le 12 mars 1821, il confirma l'espoir qu'ils avaient mis en lui en proclamant, le 15 mars, la constitution d'Espagne. Mais il dut s'enfuir peu de temps après à Florence, devant la menace des Autrichiens. **(V. Italie, *Hist.*).** Après dix années de disgrâce, il succéda sur le trône du Piémont* à son cousin Charles*-Félix. Il mena alors une politique assez ambiguë : très conservatrice sur certains plans (censure, exécutions de libéraux, entente avec l'Autriche), elle favorisa le développement économique et social et les progrès de l'administration. La révolution de 1848 le força à prendre la tête du mouvement libéral et national pour enrayer la menace républicaine : tout en refusant l'alliance avec les radicaux, il accorda une constitution, le *statuto*, qui devait rester en vigueur jusqu'en 1946, et leva une armée nationale contre l'Autriche. Mais ses hésitations et son incompétence militaire le conduisirent aux défaites de Custozza* en juillet 1848 et de Novare en mars 1849. Il abdiqua alors en faveur de son fils Victor*-Emmanuel II.

CHARLES-AUGUSTE. ♦ (Weimar, 1757 – près de Torgau, 1828). Duc (1758-1815) puis grand-duc (1815-1828) de Saxe-Weimar-Eisenach. Ami de Goethe*, il l'attira auprès de lui, ainsi que Wieland*, son précepteur, Herder*, Schiller*, et fit de son petit État le plus brillant foyer intellectuel de l'Allemagne préromantique (développement de l'université de Iéna*, fondation du théâtre de Weimar). Obligé d'entrer dans la Confédération du Rhin (1806-1813), il rejoignit les Alliés en 1813, et fut l'un des premiers artisans de l'unité allemande. Il avait donné à ses États une Constitution libérale.

CHARLES Ier d'Anjou. ♦ (1227 – Foggia, 1285). Fils du roi de France Louis* VIII, comte d'Anjou et du Maine (1232-1285), fondateur de la 2e maison d'Anjou*, comte de Provence par son mariage avec Béatrice, fille de Raimond Bérenger V, comte de Provence (1246-1285), roi de Naples et de Sicile (1266-1285). Il participa à la septième et à la huitième croisades aux côtés de son frère Louis IX (Saint Louis). Le pape, désireux de mettre fin à la domination des Hohenstaufen sur le royaume de Naples et de Sicile, le chargea de le conquérir ; il battit Manfred* près de Bénévent (1266) puis Conradin* (1268) et imposa un dur régime aux pays conquis. Ses ambitions en Orient se bornèrent à l'achat du titre de roi de Jérusalem (1277). Après la révolte des Vêpres* siciliennes (1282) encouragée par Pierre* III d'Aragon, il fut contraint de lui abandonner la Sicile. Il ne conserva que le royaume de Naples. – Père de Charles II d'Anjou.

CHARLES II d'Anjou, le Boiteux. ♦ (v. 1254 – Naples, 1309). Comte de Provence et roi de Naples (1285-1309). Fils de Charles Ier d'Anjou à qui il succéda, il échoua dans ses tentatives de reconquête de la Sicile. – Père de Robert* d'Anjou.

CHARLES-ROBERT ou **CHARLES Ier** dit **CAROBERT.** ♦ (1288 – Visegrad, 1342). Roi de Hongrie (1308-1342). Petit-fils de Charles* II d'Anjou, il lutta contre ses compétiteurs Wenceslas II de Bohême et Othon de Bavière. Il brisa la puissance de la noblesse magyare. – Son fils Louis Ier fut roi de Pologne.

CHARLES III, dit **CHARLES de DURAS.** ♦ (1345 – Kerber, près de Visegrad, 1386). Roi de Naples (1381-1386). Roi de Hongrie, sous le nom de Charles II (1385-1386). Fils adoptif de Jeanne Ire de Naples qu'il fit assassiner, il dut faire face à son compétiteur Louis* Ier d'Anjou. Il fut assassiné à l'instigation de la veuve du roi de Hongrie. – Père de Ladislas (Lancelot le magnanime).

CHARLES IV. ♦ Titre porté par Charles Quint en tant que roi de Sicile.

CHARLES IV. ♦ Roi de Hongrie. **V. Charles Ier,** empereur d'Autriche.

CHARLES VII. ♦ ([mort] 1167). Roi de Suède en 1161. Il fonda l'archevêché d'Uppsala (1164).

CHARLES VIII Knutsson. ♦ (1409 – 1470). Lors de la séparation des royaumes de Suède, Norvège et Danemark, en 1448, il fut élu roi de Suède. Il dut combattre contre les Danois et les partisans de l'Union.

CHARLES IX. ♦ (Stockholm, 1550 – Nyköping, 1611). Roi de Suède (1604-1611). Troisième fils de Gustave* Vasa. L'éloignement de l'héritier légitime, son neveu Sigismond*, roi de Pologne, lui permit d'exploiter l'attachement des Suédois à la Réforme et de s'emparer du pouvoir en 1589. Sigismond déposé, il monta sur le trône en 1604. Son règne fut une lutte constante contre la Pologne, la Russie et le Danemark. À sa mort, son fils, Gustave*-Adolphe se trouvait devant une situation critique.

CHARLES X ou **Charles-Gustave.** ♦ (Nyköping, 1622 – Gothenburg, 1660). Roi de Suède (1654-1660). Petit-fils de Charles* IX par sa mère, il fut désigné comme héritier du trône (1649) et sa cousine Christine* abdiqua en sa faveur (1654). Il s'empara de la Pologne (1656). Ses succès sur le Danemark aboutirent à la paix de Roskilde* (1658). Obligé par une coalition d'évacuer la Pologne, il mourut au cours d'une seconde guerre contre le Danemark.

CHARLES XI. ♦ (Stockholm, 1655 – *id.*, 1697). Roi de Suède (1660-1697). Fils de Charles X. Son alliance avec la France lui valut d'être vaincu à Fehrbellin* (1675) au cours d'une guerre contre la Hollande et le Brandebourg, mais aussi d'obtenir du Danemark la paix de Lund (1679). Il établit en Suède la monarchie absolue, en diminuant le pouvoir de la noblesse et en réorganisant l'Église et l'Université. Il fut le fondateur du port de Karlkrona et de l'université de Lund.

CHARLES XII. ♦ (Stockholm, 1682 – Fredrikshald, 1718). Roi de Suède (1697-1718). Il succéda à son père Charles* XI, à l'âge de quinze ans et dut immédiatement faire face à une coalition : il remporta une série de succès, sur Frédéric* IV (paix de Travendhal, 1700), Pierre* le Grand (bataille de Narva*, 1700), et Auguste II, roi de Pologne et électeur de Saxe (bataille sur la Duna, 1701). Il aurait pu profiter de la paix, mais il préféra continuer la conquête de la Pologne, où il mit sur le trône Stanislas* Leszczyński. Il poursuivit Auguste II jusqu'en Saxe (paix d'Altranstädt, 1706). Il se tourna alors vers la Russie, s'enfonçant d'abord vers Moscou et se laissant entraîner en Ukraine. Son armée épuisée fut vaincue à Poltava* (8 juillet 1709), et il s'enfuit chez les Turcs. Dès lors, les revers se suivirent : Stanislas fut chassé, le tsar reprit les provinces baltes, le Danemark envahit la Suède méridionale (victoire navale de Reïgen, 1712). Quand Charles XII parvint à échapper aux Turcs, il ne put empêcher la chute de Stralsund*, sa dernière place en Allemagne. Aidé de son conseiller Görtz*, il tentait un redressement, quand il fut tué, dans des circonstances douteuses, au siège de Fredrikshald (1718). Il laissait un pays épuisé dont le rôle de grande puissance était achevé, mais, par sa bravoure, sa jeunesse, ses qualités de chef militaire, la rapidité de sa carrière, il laissait aussi une image légendaire et héroïque (elle devait inspirer à Voltaire* l'*Histoire de Charles XII*).

CHARLES XIII. ♦ (Stockholm, 1748 – *id.*, 1818). Roi de Suède après le renversement de son neveu Gustave IV, il pratiqua une politique de paix avec la Russie et avec Napoléon Ier. La conquête de la Norvège le fit élire roi de Norvège en 1814.

CHARLES XIV ou **CHARLES-JEAN (Charles, Jean-Baptiste BERNADOTTE).** ♦ Maréchal de France et roi de Suède (Pau, 1764 – Stockholm, 1844). Soldat en 1780, général de brigade en 1794, il se distingua à la bataille de Fleurus*. En 1797, il servit sous Bonaparte en Italie, puis fut ambassadeur à Vienne (1798) La même année, il devint le beau-frère de Joseph Bonaparte en épousant Désirée Clary. Ministre de la Guerre en 1799, il refusa de contribuer au 18 Brumaire. Il fut fait maréchal et gouverneur du Hanovre en 1804; il se distingua à Austerlitz* et fut nommé duc de Pontecorvo en 1806. Il remporta les victoires de Halle et de Lübeck sur les Prussiens (1806), celles de Mohrungen et de Spanden, où il fut blessé, sur les Russes. Devenu gouverneur des villes hanséatiques, et en guerre contre la Suède, il arrêta les opérations lorsque Gustave IV fut renversé (1808). Après Wagram, il se brouilla avec Napoléon. Les Suédois, qui avaient apprécié sa politique à leur égard, lui offrirent le trône en 1810. Élu prince royal de Suède le 20 août 1810, il fut adopté par le roi Charles* XIII et s'installa en Suède avec l'accord de Napoléon. Devant le danger pour la Suède du Blocus* continental, il se détourna de la France et s'allia au tsar Alexandre Ier en 1812. Généralissime de la coalition, il battit Oudinot (Gross-Beeren), Ney (Dennewitz) et joua contre Napoléon un rôle décisif dans la bataille de Leipzig*. Après une campagne au Holstein, il signa avec le Danemark la paix de Kiel (1814), par laquelle la Norvège revenait à la Suède. Il devint roi de Suède, succédant à Charles XIII, en 1818, et se consacra à sa tâche avec ardeur et libéralisme, fondant l'actuelle dynastie de Suède.

CHARLES XV. ♦ (Stockholm, 1826 – Malmö, 1872). Roi de Suède (1859-1872). Petit-fils de Charles XIV (Bernadotte), il donna un régime constitutionnel à la Suède (1865).

CHARLES (Jacques Alexandre César). ♦ Physicien français (Beaugency, 1746 – Paris, 1823). Il préconisa l'emploi de l'hydrogène pour le gonflage des aérostats inventés par les frères Montgolfier* et, après avoir effectué la première ascension avec un appareil ainsi gonflé (1er décembre 1783), il fit prévaloir, en aérostation, les améliorations techniques qu'il proposait. Il établit la loi, qui porte son nom, selon laquelle le rapport entre la température et la pression à volume constant d'un gaz (parfait) est constant. **V. Boyle.** – Sa jeune femme, Julie Bouchaud des Hérettes, fut évoquée par Lamartine dans les *Méditations,* sous le nom d'Elvire, et dans le roman *Raphaël.* (Acad. sc., 1795.)

CHARLES ALBERT DE BAVIÈRE. ♦ **V.** CHARLES VII (empereur d'Allemagne).

CHARLES III DE BOURBON. ♦ **V.** BOURBON (Charles III, Connétable de).

CHARLES DE COSSÉ. ♦ **V.** BRISSAC.

CHARLES DE VALOIS. ♦ Prince français (1270 – Le Perray, près de Rambouillet, 1325). Fils de Philippe* III le Hardi ; comte de Valois et d'Alençon (1285), comte d'Anjou par mariage (1290). Par son second mariage (1301), il acquit des droits sur l'Empire latin de Constantinople. Il joua un rôle considérable dans l'histoire de son temps en participant à la plupart des guerres de l'époque. – Père de Philippe* VI de Valois.

CHARLES D'ORLÉANS. ♦ **V.** ORLÉANS (Charles d').

CHARLESTON. ♦ V. et port des États-Unis (Caroline* du S.). 64 591 hab.; zone urbaine 285 916. Port actif; indus. (pâtes à papier, raffineries de pétrole, engrais chimiques, métallurgie). La ville, fondée en 1670, garde de nombreux monuments de son passé. Tourisme.

CHARLESTON. ♦ V. des États-Unis, cap. de la Virginie occidentale. 69 531 hab.; zone urbaine 224 000 hab. (en diminution). Centre administratif et indus. (charbon, gaz naturel, indus. du verre; importantes usines de produits chimiques dans la vallée de la Kanawha).

CHARLET (Nicolas). ♦ Peintre, dessinateur et lithographe français (Paris, 1792 – Paris, 1845). Il fut élevé dans le culte de Bonaparte et étudia auprès de Gros*. Il se consacra à la peinture d'histoire et produisit de très nombreuses gravures sur la *Garde impériale, La Vieille Armée française* et *Les Costumes militaires,* glorifiant avec verve les soldats de l'Empire. Il obtint un grand succès populaire et contribua ainsi au développement de la légende napoléonienne.

CHARLEVILLE-MÉZIÈRES. ♦ Préf. des Ardennes, ch.-l. d'arr. (12 cant., 167 comm., 181 991 hab.), sur la Meuse. 58 872 hab. *(Carolomacériens).* Charleville et Mézières ont fusionné en 1966. Place ducale (XVIIe s.) attribuée à Cl. Métézeau*. Vieux-Moulin (XVIIe s.) abritant deux musées (dont un musée Rimbaud). – Métallurgie, fabrication d'appareils de chauffage, de cuisine; ferronnerie, tréfilerie, constructions métalliques, machines-outils. Indus. du bois, brosserie, revêtement de sol. – Patrie de Dubois* de Crancé, d'A. Rimbaud (maison natale). ♦ *Hist.* Charleville a été créée au XVIIe s. par Charles de Gonzague, gouverneur de Champagne.

CHARLEVOIX (François-Xavier *de*). ♦ Jésuite français (Saint-Quentin, 1682 – La Flèche, 1761). Envoyé au Canada en 1720-1722, il explora le Saint-Laurent et le Mississippi. Auteur de l'*Histoire de Saint-Domingue* (1730) et de l'*Histoire et Description générale de la Nouvelle-France* (1744).

CHARLIEU. ♦ Ch.-l. de cant. de la Loire*, arr. de Roanne*. 5 360 hab. *(Charliendins).* Restes d'une célèbre abbaye bénédictine, avec un très beau portail du XIIe s., chef-d'œuvre de la sculpture romane bourguignonne; cloître du XVe s., donjon du XIIe s.; chapelle et logis abbatial du XVIe siècle. Église paroissiale du XIIIe siècle. Anc. couvent des cordeliers : église du XVe s.; cloître des XIVe et XVe siècles. Maisons gothiques. – Indus. textiles et des matières plastiques.

CHARLOT. ♦ **V.** CHAPLIN (Charles).

CHARLOTTE. ♦ V. des États-Unis (au S. de la Caroline* du Nord). 239 056 hab.; zone urbaine env. 406 000 hab. Centre commercial et indus. (textiles, mécanique, indus. chimiques et alimentaires).

CHARLOTTE AMALIE. ♦ Cap. des îles Vierges* américaines, dans l'île de Saint-Thomas. 15 000 hab. Centre touristique.

CHARLOTTE DE BELGIQUE. ♦ Impératrice du Mexique (près de Bruxelles, 1840 – *id.*, 1927). Fille du roi des Belges Léopold* Ier, elle fut mariée en 1857 à l'archiduc Maximilien d'Autriche qui devint empereur du Mexique. Partie avec lui, elle revint en Europe pour essayer de le sauver. Désespérée par l'exécution de son mari, elle perdit la raison en 1866. **(V. Maximilien).**

CHARLOTTE DE NASSAU. ♦ Grande-Duchesse de Luxembourg (Berg, 1896 –). Elle succéda à sa sœur Marie-Adélaïde, contrainte d'abdiquer en 1919, puis abdiqua à son tour en faveur de son fils, le prince Jean, en 1964.

CHARLOTTE DE SAVOIE. ♦ Reine de France (1445 – 1483). Fille de Louis II, duc de Savoie, elle fut la seconde femme de Louis* XI et la mère de Charles VIII et d'Anne de France.

CHARLOTTE-ÉLISABETH DE BAVIÈRE, dite **la princesse palatine.** ♦ (Heidelberg, 1652 – St-Cloud, 1722). Fille de Charles-Louis, Électeur palatin, elle fut la seconde épouse de Philippe d'Orléans*, frère de Louis XIV, qui lui préférait les amours masculines. Sa correspondance, d'une brutale sincérité, est d'un grand intérêt documentaire. Elle eut pour fils le Régent, Philippe d'Orléans*.

CHARLOTTETOWN. ♦ V. du Canada, cap. de l'île du Prince*-Édouard. 18 427 hab. (1966). Port d'exportation actif (pommes de terre); importation de pétrole. Centre commercial et indus. (textiles, indus. alimentaires, bois).

CHARM el-CHEIKH. ♦ Localité d'Égypte située à l'extrémité S. du Sinaï, et occupée par Israël depuis la *guerre de Six Jours* (1967).

CHARMES. ♦ Ch.-l. de cant. des Vosges (arr. d'Épinal), sur la Moselle. 5 444 hab. *(Charmois).* Brasseries, indus. textiles; conserves alimentaires. – Patrie de M. Barrès*. ♦ *Hist.* En août-sept. 1914, les Allemands furent repoussés à la bataille de la *trouée de Charmes*. En 1944, la ville fut endommagée.

Coll. Rui Nogueira

Charlot (C. Chaplin) dans « Le Cirque ».

CHARMETTES (Les). ♦ Hameau proche de Chambéry* (Savoie*). La maison de Mme de Warens dans laquelle J.-J. Rousseau* séjourna de 1736 à 1740 est aujourd'hui transformée en musée. Rousseau célèbre ce lieu dans les *Confessions*.

CHAROLAIS. *n. m.* ♦ Région de Bourgogne*, au S. du Morvan; rebord oriental du Massif central formé de plateaux morcelés par des fossés d'effondrement. Sur les argiles de l'avant-pays occidental, herbages du « bon pays » où l'on engraisse les *bœufs du Charolais*. À l'E., la dépression de la Grosne présente des calcaires jurassiques que se partagent bois et prairies. Au centre, les monts sont des plateaux cristallins, couverts de forêts (forêt de Charolles). ♦ *Hist.* Créé en 1316, le *comté de Charolais* fut réuni à la France en 1761.

CHAROLLES. ♦ Sous-préf. de la Saône-et-Loire, ch.-l. d'arr. (13 cant., 138 comm., 120 447 hab.) dans le Charolais*, au confluent de la Semence et de l'Arconce. 4 443 hab. – Anc. château des comtes de Charolais. Tour du XIVe siècle. – Foires. Faïencerie d'art. ♦ *Hist.* Au XIe s., la ville fut la capitale du comté de Charolais.

CHARON *(Kharôn).* ♦ Nocher infernal de la mythologie grecque et romaine, fils d'Érèbe et de la Nuit, qui reçoit les âmes des morts et leur fait traverser l'Achéron* au prix d'une obole. Dur et avare, il refuse ceux qui n'ont pas cette monnaie entre les dents, ou n'ont pas de sépulture. – Dans la mythologie étrusque, c'est le démon de la mort, armé d'une faucille.

CHARONDAS (Loys LE CARON, dit**).** ♦ Poète et jurisconsulte français (Paris, 1536 – *id.*, 1617). Auteur de recueils de poésies (dont *La Clarté amoureuse*, 1554), il est surtout connu pour ses ouvrages de droit, notamment *Le Grand Coutumier de France* (1598), étude d'une précieuse clarté pour connaître l'ancien droit français.

CHARONTON, CHARRETON, CHARTON ou **QUARTON (Enguerrand).** ♦ Peintre français originaire du diocèse de Laon (connu de 1444 à 1466). Il travailla à Aix-en-Provence à partir de 1444 et se fixa en Avignon en 1447. Deux œuvres qui contribuent à la définition du style provençal lui sont attribuées avec certitude : *La Vierge de miséricorde* (1452) à laquelle collabora le peintre Pierre Vialatte, et surtout le *Couronnement de la Vierge* (1453-1454). La vigueur des formes, le traitement de certains visages inspirés de l'art flamand, l'élégante stylisation du dessin y sont subordonnés à une vision d'ensemble très personnelle : caractère abstrait et monumental d'une composition complexe mais clairement ordonnée qui dénote l'adaptation picturale de la composition architectonique des tympans français. Dans le paysage de la prédelle, l'emploi de la perspective atteste l'influence italienne, mais le caractère de la lumière, qui découpe avec franchise les volumes, apparaît comme typiquement provençal.

CHARPENTIER (Marc Antoine). ♦ Compositeur français (Paris, v. 1635 – *id.*, 1704). Élève de Carissimi* pendant trois ans à Rome, il revint en France où il eut à souffrir de l'inimitié de Lully. Devenu le collaborateur musical de Molière (ouvertures et intermèdes du *Malade* imaginaire*, 1673), il continua longtemps à composer pour le théâtre (ouvertures et intermèdes pour des œuvres de Th. Corneille, Visé, Poisson, Baron, ainsi qu'un opéra, *Médée*, 1693). Son œuvre profane comporte encore des divertissements, des cantates, des pièces instrumentales et des airs de cour. Mais c'est à son œuvre religieuse qu'il doit d'être considéré comme l'un des plus grands maîtres de la musique française au XVIIe siècle. Successivement maître de musique au collège de Clermont, maître de chapelle à l'église Saint-Louis puis à la Sainte-Chapelle (1698), il a laissé un nombre important de messes, antiennes, hymnes, motets, psaumes et cantiques, des *Leçons et Répons de ténèbres* (pour Port-Royal) ainsi qu'un *Te Deum* pour solistes, chœurs, orgue et orchestre où le musicien apparaît comme un précurseur de Haendel*. Cet ouvrage a été révélé par le disque (1953). Redécouvert récemment, Marc Antoine Charpentier possède, comme aucun de ses contemporains, l'art de la modulation et de la dissonance. Novateur à plusieurs titres, il a fixé les formes de l'oratorio moderne, abandonné la monodie pour la polyphonie accompagnée, introduit la cantate en France et instauré un genre nouveau, l'opéra chrétien. Son œuvre, de vastes dimensions (plus de 500 compositions), fait la synthèse entre l'art français et l'esthétique italienne.

CHARPENTIER (Gustave). ♦ Compositeur français (Dieuze, 1860 – Paris, 1956). Élève de Massenet, grand prix de Rome (1887), il connut un triomphe avec une suite pour orchestre, *Les Impressions d'Italie* (1891). Décidé à introduire la musique instrumentale et surtout chorale dans les fêtes populaires, il composa le *Couronnement de la muse* (1897). Mais c'est avec *Louise*, « roman musical » (1900), qu'il a le mieux illustré sa conception d'un réalisme lyrique, riche de sève généreuse, de couleur et de poésie populaires.

CHARRAT (Janine). ♦ Danseuse et chorégraphe française (Grenoble, 1924). Révélée très tôt (1934) elle participa à de nombreux récitals de danse. Partenaire de Roland Petit (1941), elle composa ensuite pour les Ballets des Champs-Élysées sa première grande chorégraphie, *Jeux de cartes* (Stravinski*, 1945). Après avoir interprété des ballets de Serge Lifar, elle présenta *Concerto de Prokofiev* à l'Opéra-Comique (1947), puis avec les Ballets de Paris, de Roland Petit, *La Femme et son Ombre* (P. Claudel, Tcherepnine) et *Adam' Miroir* (Jean Genet, 1948). Après diverses créations (Berlin, Amsterdam, Venise, etc.), elle fonda sa propre compagnie, les Ballets Janine Charrat (1952) pour laquelle elle composa *Le Massacre des Amazones* (mus. de I. Semenov), *Une étrangère à Paris* (J. Wiener), *Héraclès* (M. Thiriet), *Les Algues* (G. Bernard, 1953), *La Valse* (Ravel, 1955). Sa compagnie devint en 1957 la troupe des Ballets de France et Janine Charrat monta de nouvelles chorégraphies dont *Électre*, essai de tragédie-ballet (1960) et les *Sept Péchés capitaux* (Veretti, 1961). Victime d'un très grave accident (1961), elle reprit ses activités à Genève où elle créa *Tu auras nom... Tristan* (J. Maes, 1963). Fidèle au langage classique, mais sensible aux courants nouveaux de la danse, l'art de Janine Charrat s'est imposé par sa rigueur.

Arch. Smeets
Charon traversant le fleuve, par J. Patenier. (Musée du Prado, Madrid.)

CHARRIÈRE (Isabelle Van Tuyll van Serooskerken van Zuylen, *dame de***).** ♦ Femme de lettres (Zuylen, près d'Utrecht, 1740 – Colombier, Neuchâtel, 1805). Jeune, elle voyagea en Angleterre, puis en France, où elle étudia le pastel sous la direction de Quentin de La Tour (qui a évoqué sa beauté dans un portrait, *Belle de Zuylen*). Après son mariage (1766), elle résida essentiellement près de Neuchâtel où elle composa la plupart de ses romans (*Lettres neuchâteloises*, 1784; *Caliste ou Lettres écrites de Lausanne*, 1788, etc.) dans lesquels de fines analyses psychologiques alternent avec la peinture des mœurs. Elle fut liée intimement avec Benjamin Constant* de 1787 à 1796 (*Lettres à Mme de Charrière*, posth., 1894).

CHARRON (Pierre). ♦ Moraliste français (Paris, 1541 – *id.*, 1603). Théologien réputé, il s'inspira des *Essais** de Montaigne* pour rédiger les *Livres de la sagesse* (1601) où il prêche la tolérance religieuse et se livre à une apologie de la raison qui le fit accuser d'athéisme.

CHARROUX. ♦ Ch.-l. de cant. de la Vienne (arr. de Montmorillon), sur la r. d. de la Charente. 1 621 hab. (933 aggl.) [*Charlois*]. Vestiges de l'ancienne église abbatiale Saint-Sauveur, construite au XIe s. sur un plan composite combinant le plan cruciforme traditionnel et le plan circulaire du Saint-Sépulcre de Jérusalem (tour-lanterne octogonale intacte; vestiges du transept sud). Cloître du XVe s. Salle capitulaire abritant des sculptures du XIIIe s. – Église paroissiale du XVe s. Halles en charpente du XVIe s. ♦ *Hist.* L'abbaye Saint-Sauveur fut fondée à l'instigation de Charlemagne par Roger de Limoges dans le dernier quart du VIIIe s. Abritant de célèbres reliques (fragments de la Vraie Croix, reliques du Précieux-Sang), elle était au Moyen Âge l'objet d'un pèlerinage très fréquenté et comptait parmi les plus puissantes abbayes d'Aquitaine. Les guerres de Religion mirent un terme à sa prospérité. Quatre conciles se tinrent à Charroux. Le premier, en 989, préparait l'institution de la Trêve de Dieu.

Charte (Grande), en lat. **Magna Carta.** ♦ Charte imposée par les barons d'Angleterre au roi Jean* sans Terre, à Runnymede, près de Windsor (1215). Elle garantit les droits féodaux, les libertés de l'Église et des villes contre l'arbitraire royal et institua le contrôle de l'impôt par le Grand Conseil du royaume, ainsi que des garanties judiciaires. Désavouée par Jean sans Terre en 1216, confirmée par Henri III (1265), elle devint le symbole de la lutte contre le pouvoir absolu.

Charte constitutionnelle. ♦ Elle fut octroyée par Louis* XVIII aux Français, lors de la Première Restauration* (juin 1814). Compromis entre les acquisitions de la Révolution et de l'Empire (égalité civile, organisation sociale et administrative de la France instituée par le Code civil) et l'Ancien Régime avec lequel elle renouait (tradition royaliste, drapeau blanc, etc.), elle instaura en France une monarchie constitutionnelle. Le roi choisissait les ministres, les fonctionnaires, dirigeait les forces militaires et la politique extérieure et avait la possibilité, en vertu de l'article 14, de faire « des règlements et ordonnances nécessaires pour l'exécution des lois et la sûreté de l'État ». Le Parlement, composé de la Chambre des pairs* et de la Chambre* des députés (élue au suffrage censitaire), détenait le pouvoir législatif. Enfin, tout en reconnaissant la liberté de culte, la Charte faisait du catholicisme la religion d'État. Après la révolution de Juillet 1830, la Charte, à laquelle Louis*-Philippe prêta serment (août 1830) avait été modifiée : substitution du droit contractuel au droit divin, reconnaissance du drapeau tricolore comme drapeau national, suppression du caractère de religion d'État du catholicisme, interdiction du rétablissement de la censure. En 1831, la Charte était complétée par les lois organiques. **(V. monarchie de Juillet).**

CHARTIER (Alain). ♦ Écrivain français (Bayeux, v. 1385 – v. 1433) qui fut secrétaire de Charles VI et de Charles VII, et jouit, au XVe s., d'une considérable renommée littéraire. Auteur de poèmes courtois (*La Belle Dame sans mercy,* 1424) ou patriotiques, il fut surtout le premier orateur politique français avec son *Quadrilogue invectif,* 1422, débat en prose entre quatre personnages allégoriques : La *France* adjure ses enfants, le *Chevalier,* le *Peuple* et le *Clergé,* de s'unir afin de la sauver.

Chartisme. *n. m.* ♦ En Angleterre, mouvement social provoqué par la misère créée par les transformations industrielles du début du XIXe siècle. Il tire son nom de la *Charte du Peuple* publiée le 8 mai 1838, qui réclamait le suffrage universel, le vote secret et l'indemnité parlementaire. Ses défenseurs les plus violents (O'Connor* et O'Brien*) organisèrent des grèves et des émeutes. Le manque de cohésion de ce mouvement ne lui permit pas de lutter contre la répression policière et il s'effondra en 1848. Malgré son échec, le chartisme influença toute la vie politique européenne du XIXe siècle par la menace révolutionnaire qu'il avait représentée.

CHARTRES. ♦ Préf. d'Eure-et-Loir, ch.-l. d'arr. (8 cant., 166 comm., 133 890 hab.) sur la r. g. de l'Eure, capitale de la Beauce. 36 881 hab. [34 128 aggl.] *(Chartrains).* Évêché. – La *cathédrale Notre-Dame* est un vaste édifice de style gothique. À l'exception du porche occidental et des tours, subsistant d'un édifice antérieur du XIIe s., elle fut construite en trente ans environ au début du XIIIe siècle. Aussi offre-t-elle une unité de style rare pour une construction de cette ampleur. Elle témoigne d'une hardiesse nouvelle dans sa conception architecturale : c'est l'une des premières grandes cathédrales où les maîtres d'œuvre osent abandonner la tribune pour le triforium, en contre-butant la poussée des voûtes par des arcs-boutants. La nef, d'une largeur de 16,40 m (la plus large de France) a une longueur dans œuvre de 130 m pour une hauteur, mesurée au transept, de 32 m. Ses bas-côtés se prolongent dans le chœur par un double déambulatoire et le transept est flanqué de collatéraux. La triple nef ouvre sur la façade par le triple portail Royal, figurant divers épisodes de la vie du Christ, et considéré comme un des chefs-d'œuvre de la statuaire du XIIe s., avec ses statues-colonnes qui préfigurent le style gothique. Non moins remarquables sont les portails du transept, d'époque plus tardive (XIIIe s.). Le portail nord est consacré à l'Ancien Testament, le portail sud aux évangiles canoniques et apocryphes. La façade est encadrée par deux clochers : au sud, le clocher Vieux, construit au XIIe s., est surmonté d'une flèche octogonale en pierre, d'un seul jet. Le clocher nord date de la même époque mais sa flèche, en pierre également, fut édifiée seulement au début du XVIe s. par Jehan de Beauce, dans un style flamboyant où l'influence renaissante est fortement accusée. Il faut aussi mentionner la collection de vitraux du XIIIe s., la plus riche en France par l'ancienneté et la beauté, ainsi que la clôture en pierre du chœur, de Jehan de Beauce également, et la double crypte des IXe et XIe siècles. Une statue de la Vierge est l'objet d'un pèlerinage annuel. – Église Saint-Aignan (XVIe-XVIIe s.). Collégiale Saint-André (XIIe s.). Église Saint-Pierre (XIe-XIIIe s.). Ancien palais épiscopal (XVIIe s.) aujourd'hui musée des beaux-arts et d'archéologie médiévale. Vestiges de l'ancienne enceinte. – Conserves de volaille. Fonderie. Indus. mécaniques. Machines agricoles, appareils de levage. Indus. chimique. Matériel électrique et électronique. – *Patrie de* Étienne d'Aligre*, Pierre Brissot*, dit Brissot de Warville, Claude Chauveau*-Lagarde, Dangeau* (Philippe Courcillon, marquis de), Philippe Desportes*, André Félibien*, général Marceau*, Pierre Nicole*, Jérôme Pétion* de Villeneuve, Mathurin Régnier*. Sieyès* y fut vicaire. ♦ *Hist.* Capitale des Gaulois *Carnutes,* à qui elle doit son nom actuel, la ville était à l'époque de la conquête romaine un haut lieu du culte druidique. Les Normands prirent la ville et l'incendièrent en 858 mais, en 911, une seconde expédition conduite par Rollon échoua devant ses murs. Saint Bernard y prêcha la croisade en 1146. Érigée en comté au Xe s., la ville appartint successivement aux maisons de Champagne, de Blois et de Châtillon, avant son intégration au domaine royal en 1286, sous Philippe le Bel. François Ier en fit un duché. Assiégée sans succès par les troupes huguenotes du prince de Condé en 1568, elle fut prise en 1591 par Henri de Navarre, qui revint trois ans plus tard s'y faire sacrer sous le nom de Henri* IV. Louis XIV fit entrer le duché dans l'apanage de son frère Philippe d'Orléans, et l'héritier de la maison d'Orléans porta le titre de *duc de Chartres* jusqu'au règne de Louis-Philippe. La ville fut occupée par les Allemands pendant la guerre de 1870-1871 et lors de la Deuxième Guerre mondiale de juin 1940 à août 1944.

Chartres *(École de).* ♦ École épiscopale urbaine fondée par Fulbert* (évêque de la ville) en 990. Elle se développa au XIe s. et surtout lors de la « renaissance » du XIIe siècle. Elle fut un des centres du renouveau des études littéraires, philosophiques et scientifiques. Le platonisme y était à l'honneur (en particulier avec Thierry de Chartres) et le *Timée** y fut souvent commenté. Parmi les représentants les plus connus de l'École, il convient de signaler Bernard de Chartres, Guillaume de Conches, Jean* de Salisbury et Bernard Sylvestre, auteur d'un traité de *Cosmographie* très apprécié au Moyen Âge.

Ph. Hétier

Massif de la Grande **Chartreuse :** le couvent.

CHARTRES-DE-BRETAGNE. ♦ Comm. d'Ille-et-Vilaine, arr. de Rennes. 1 579 hab. Indus. automobile.

CHARTRE-SUR-LE-LOIR (La). ♦ Ch.-l. de cant. de la Sarthe (arr. du Mans), dans le Maine. 1 936 hab. – Habitations troglodytiques. – Caoutchouc.

CHARTREUSE. *n.f. (massif de la Grande).* ♦ Massif des Préalpes françaises qui s'étend entre la cluse de Chambéry au N. et celle de Grenoble au sud. Le point culminant en est le pic de Chamechaude (2 087 m). Au cœur du massif se trouve le *couvent de la Grande-Chartreuse,* monastère fondé par saint Bruno en 1084. Les chartreux suivent la règle de Saint-Benoît ; certaines constitutions leur sont propres. Ils furent le seul ordre médiéval dont l'austérité ne se relâcha pas. Autres chartreuses : celles de Galluzzo, Florence (1341), de Champmol*, Dijon (1383). de Pavie* (1396).

Chartreuse de Parme (La). ♦ Roman de Stendhal* (1839) qui garde le mouvement fougueux de l'improvisation (il fut dicté en deux mois). Le héros, Fabrice* del Dongo, incarne la passion de l'aventure et la séduction de l'amour, goûtées par l'auteur. Élevé durant la période des guerres napoléoniennes, dont il a ressenti la fascination (soldat novice, il assiste à la bataille de Waterloo), Fabrice, jeune noble milanais, sera victime, à la cour du petit tyran de Parme, des manœuvres des ennemis de sa tante, la belle duchesse de Sanseverina, qui le protège. Enfermé dans la tour Farnèse, il s'éprend de la fille du gouverneur, Clélia Conti, qui l'aide à s'échapper. Clélia mariée, il devient un célèbre prédicateur, réussit à rejoindre celle qu'il aime, puis, à la mort de leur enfant, se retire à la chartreuse de Parme. Roman historique, puisqu'il évoque l'occupation autrichienne en Italie et les complots des carbonari, roman politique par la satire de l'État policier (La cour de Parme), la *Chartreuse* est surtout le roman de l'enthousiasme et de la passion. Dans cette œuvre, « le mouvement de l'invention chez le créateur est le même que le mouvement de la passion chez le héros ». Quant aux fréquents monologues intérieurs, ils soulignent le perpétuel va-et-vient entre l'analyse psychologique et l'effusion lyrique, faisant alterner la rigueur stylistique avec le « chant d'amour ».

CHARYBDE [ka-] **et SCYLLA**, en grec **Kharubdis**; **Skulla**. ♦ Monstres fabuleux gardant le détroit de Messine. Trois fois par jour, Charybde engloutissait d'énormes quantités d'eau avec les navires attirés dans les tourbillons. Les marins qui changeaient de cap pour l'éviter tombaient sur l'écueil de Scylla, monstre à six têtes, qui les dévorait (de là l'expression *tomber de Charybde en Scylla*). Ulysse*, dans l'*Odyssée**, réussit à naviguer entre Charybde et Scylla, mais six de ses compagnons y périrent.

CHASLES [ʃal] **(Michel).** ♦ Mathématicien français (Épernon, 1793 – Paris, 1880). Attaché à une géométrie pure, il fut notamment, avec Poncelet* et Steiner*, un remarquable représentant de la géométrie projective. Il s'intéressa également à l'histoire de la géométrie. (Acad. sc., 1851) – *Formule de Chasles :* relation entre des vecteurs portés par un axe orienté; soient A, B, C, ..., K, L, les extrémités de ces vecteurs, la relation s'écrit : $\overline{AB} + \overline{BC} + ... + \overline{KL} + \overline{LA} = 0$.

CHASSAGNE-MONTRACHET. ♦ Comm. de la Côte-d'Or

(arr. de Beaune), au pied de la côte viticole. 504 hab. Vins blancs très réputés de la Côte de Beaune* — le montrachet. Carrières de pierre de taille.

CHASSAIGNAC (Pierre-Marie). ♦ Chirurgien français (Nantes, 1805 — Versailles, 1879). Il mit au point de nombreuses méthodes chirurgicales (drainage des plaies, trachéotomie, etc.).

CHASSELAS. ♦ Comm. de la Saône-et-Loire, arr. de Mâcon, située sur la côte chalonnaise. Cépage produisant un raisin de table renommé. le *chasselas.*

CHASSELOUP-LAUBAT (François, ***marquis de*****).** ♦ Général et ingénieur français (Saint-Sornin, Saintonge, 1754 — Paris, 1833). Officier, rallié à la Révolution, et promu général en 1797, il prit part aux campagnes de l'Empire et fut l'auteur de nombreux travaux de fortification, en particulier dans le Piémont. Rallié à Louis XVIII, il fut fait pair de France. ♦ JUSTIN-NAPOLÉON-SAMUEL-PROSPER CHASSELOUP-LAUBAT, son fils. Homme politique français (Alexandrie, Piémont, 1805 — Versailles, 1873). Député en 1837, il fut nommé ministre de la Marine (1851), puis reprit le portefeuille de la Marine et des Colonies sous le Second Empire (1860-1867), contribuant à réorganiser la flotte de guerre française, se prononçant pour l'annexion de la Cochinchine et pour l'établissement du protectorat français au Cambodge (1863). Ministre-président du Conseil d'État en 1869, il fut élu député à l'Assemblée nationale (1871) après la chute de Napoléon III.

CHASSEPOT (Antoine Alphonse). ♦ Armurier français (Mutzig, 1833 — Gagny, 1905). Il imagina en 1866 le fusil de guerre à aiguille qui porte son nom et qui fut utilisé par l'armée française de 1866 à 1874. **V. Colt, Lebel.**

CHASSÉRIAU (Théodore). ♦ Peintre, graveur et dessinateur français (Sainte-Barbe-de-Samana, Saint-Domingue, 1819 — Paris, 1856). De onze à quatorze ans, il fut à Paris l'élève d'Ingres. Dans des œuvres comme *Vénus marine* (1838), *Suzanne au bain* (1840), il exprime une sensualité langoureuse et crée un type féminin original. Si le tracé des figures est dans la tradition ingresque, le traitement de la couleur s'inspire de la technique de Delacroix. Mais l'austérité « classique » du *portrait de Lacordaire* (1840) et de celui de ses *deux sœurs* (1843) témoigne d'un autre aspect de son tempérament. Après 1840, il s'oppose à son maître Ingres; sa peinture évolue alors, le choix de ses thèmes (Shakespeare, l'Orient — notamment après un voyage en Algérie en 1846) et son goût pour les coloris éclatants trahissant un esprit romantique. Il contribua aussi au renouvellement de la peinture murale en France (*église Saint-Merri,* 1841-1845, *Cour des comptes,* 1844-1848). Gustave Moreau* et Puvis* de Chavannes subirent son influence.

CHASTE ou **CHASTES (Aymar de CLERMONT** ***de*****).** ♦ Vice-amiral de France (mort en 1603). Chevalier de l'ordre de Malte, Lieutenant-général des armées navales (1583), gouverneur de Dieppe dès 1589 et vice-amiral de France en 1595, il obtint en 1602 le monopole de la traite au Canada où il envoya S. Champlain* en mission (1603).

CHASTELLAIN [ʃatlɛ̃] **(Georges).** ♦ Chroniqueur flamand (Alost, Flandres, v. 1410 — Valenciennes, 1475). Au service de Philippe le Bon, duc de Bourgogne, il remplit diverses missions diplomatiques. Il écrivit la *Chronique des ducs de Bourgogne* qui nous est parvenue incomplète.

CHASTELLUX (François Jean, ***marquis de*****).** ♦ Militaire et écrivain français (Paris, 1734 — 1788). Il participa à la guerre de Sept Ans en Allemagne et à la guerre de l'indépendance des États-Unis. Influencé par Voltaire et les Encyclopédistes, il a brossé un tableau des différentes époques de l'histoire humaine (*De la félicité publique,* 1772). Il est également l'auteur d'un *Voyage* dans l'Amérique septentrionale [1786]. (Acad. fr., 1775.).

CHASTENET DE CASTAING (Jacques). ♦ Journaliste et historien français (Paris, 1893). Après avoir collaboré à plusieurs journaux (*l'Opinion,* 1924-1930; *Revue politique et parlementaire,* 1930-1932), il devint codirecteur du *Temps* (1932-1942). Auteur d'une *Histoire de la IIIe République* (1952-1963), il a publié également des essais sur la Grande-Bretagne et les États-Unis. (Acad. fr., 1956.)

CHÂTAIGNERAIE (La). ♦ Ch.-l. de cant. de la Vendée, arr. de Fontenay-le-Comte. 2 371 hab. (2 187 aggl.). Château dans le goût Renaissance. — Industrie du bois. Carrières de quartz aux environs.

Chat botté (Le). ♦ Conte* de Ch. Perrault* (1697). Un chat, seul héritage du fils d'un meunier, fait passer son jeune maître pour le marquis de Carabas* et lui permet, par des ruses ingénieuses, d'épouser la fille du roi.

CHÂTEAU-ARNOUX. ♦ Comm. des Alpes-de-Haute-Provence, arr. de Forcalquier. 6 532 hab. Indus. chimiques.

CHÂTEAUBOURG. ♦ Ch.-l. de cant. d'Ille-et-Vilaine, arr. de Rennes. 1 918 hab. Église XIXe s. (portail Renaissance).

CHATEAUBRIAND (François René, ***vicomte de*****).** ♦ Écrivain français (Saint-Malo, 1768 — Paris, 1848). Ayant passé son adolescence en Bretagne (à Combourg*), il vit sa carrière militaire interrompue par la Révolution; il voyagea en Amérique (1791), revint se mettre au service de la monarchie, puis émigra en Angleterre (1793) où il connut une vie difficile. Après *L'Essai sur les révolutions* (1791), il se consacra aux lettres, et, à son retour en France (1800), composa *Atala** (1801) et *René* (1802), qui précèdent *Le Génie* du christianisme* (1802), vaste apologie de la religion correspondant aux desseins de Bonaparte. Bientôt hostile, cependant, à l'Empereur, Chateaubriand partit vers l'Orient du paganisme et du christianisme (*Itinéraire de Paris à Jérusalem,* 1811), qui lui inspira son épopée chrétienne, *Les Martyrs* (1809). Légitimiste par honneur, il joua un rôle politique important à la Restauration, et acquit une certaine popularité en tant que monarchiste modéré. Alors parurent *Les Aventures du dernier Abencérage, Les Natchez** (1826) et *Le Voyage* en Amérique* (1827), parallèlement à de nombreux écrits politiques. En 1830, Chateaubriand, hostile à l'orléanisme, s'adonna désormais à ses *Études historiques* (1831), rédigea *La Vie de Rancé* (1844) et surtout composa ce qu'il avait conçu dès 1809 comme « l'épopée de (son) temps », les *Mémoires* d'outre-tombe,* dont le « monument (fut) achevé » en 1841. Cette vie où tout fut action (voyages, carrière politique, création littéraire) est à l'image de l'homme, préoccupé de gloire personnelle mais toujours guidé par le sens de l'honneur, partagé entre le sentiment mélancolique qu'il « habite, avec un cœur plein, un monde vide » et l'ardeur à poursuivre « la séduction des chimères » que lui présente une imagination puissante. Dans son œuvre, en fondant l'imaginaire avec le sensible, il a su admirablement exprimer les aspirations de son siècle, lui qui a « restauré la cathédrale gothique, rouvert la grande nature fermée, inventé la mélancolie moderne » (Th. Gautier). En évoquant les correspondances secrètes entre l'homme et la nature, il a excellé à présenter des tableaux superbes où la magnificence des images soutient l'ampleur des méditations, jouant enfin de toutes les ressources du rythme et de l'harmonie verbales pour composer de véritables poèmes lyriques en prose. (Acad. fr.)

CHÂTEAUBRIANT. ♦ Sous-préf. de la Loire-Atlantique*, ch.-l. d'arr. aux confins de la Bretagne et de l'Anjou. [L'arr. a 10 cant., 53 comm., 97 044 hab.] 12 709 hab. (11 196 aggl.) [*Castelbriantais*]. Château, qui comprend deux parties bien distinctes : le Vieux-Château, construit au XIe s. par un seigneur de Briant auquel la ville doit son origine et son nom : en subsistent un imposant donjon carré du XIe s., les logis seigneuriaux, plus tardifs (XIIIe et XVe s.) et une chapelle des XIIe et XIIIe s.; le Château-Neuf, édifié pendant la première moitié du XVIe s. dans le style de la Renaissance, abrite aujourd'hui le palais de justice et divers services administratifs. Église Saint-Jean-de-Béré, de style roman (XIe s.). Maisons anciennes. — Constructions mécaniques. Confection. Matières plastiques. ♦ *Hist.* Au cours de la Seconde Guerre mondiale, les troupes nazies d'occupation avaient créé à Châteaubriant un camp de prisonniers politiques. Le 22 octobre 1941, 27 de ces prisonniers furent exécutés en représailles du meurtre, à Nantes, d'un officier allemand.

CHÂTEAU-CHINON. ♦ Sous-préf. de la Nièvre, ch.-l. d'arr. (6 cant., 72 comm., 38 798 hab.), située sur le flanc d'un massif du haut Morvan*. 2 761 hab. *(Château-Chinonais).* Au-dessus de la ville, calvaire et vestiges d'un château et d'un oppidum gaulois (Castel-canum). Restes de l'enceinte. — Indus. du caoutchouc. Cimenterie. Indus. textile. Meubles d'art. ♦ *Hist.* La ville eut pour origine un monastère édifié vers le Xe siècle.

CHÂTEAU-D'OLÉRON (Le). ♦ Ch.-l. de cant. de Charente-Maritime, arr. de Rochefort. Station balnéaire et port dans l'île

Ph. Lauros-Giraudon

F. R. de Chateaubriand en pair de France, par P.L. Laval. (Collection particulière.)

Ph. René Delon/Galliphot

Châteaudun : le château Dunois.

d'Oléron. 3 270 hab. (2 319 aggl.), hors saison. [*Châtelains*]. Église Notre-Dame (XVIIe s.). Citadelle du XVIIe s., gravement endommagée par les bombardements de 1945. – Ostréiculture et mytiliculture.

CHÂTEAU-D'OLONNE. ♦ Comm. de Vendée, arr. des Sables-d'Olonne. 5 918 hab. (3 286 aggl.).

CHÂTEAU-DU-LOIR. ♦ Ch.-l. de cant. de la Sarthe, (arr. du Mans), près de la r. d. du Loir. 5 799 hab. [*Castéloriens*]. Église des XIIIe, XIVe et XVIe siècles. – Viticulture. Fruits (pommes). Constructions mécaniques. Confection.

CHÂTEAUDUN. ♦ Sous-préfecture d'Eure-et-Loir, ch.-l. d'arr. (5 cant., 80 comm., 58 932 hab.) aux confins de la Beauce et du Perche. 15 179 hab. [13 715 aggl.] *(Dunois)*. Église Saint-Valérien (XIIe, XIIIe, XVe s.). Église de la Madeleine (XIIe s.). Maisons anc. – Indus. chimiques. Matériel téléphonique. Outillage; appareils de précision. ♦ *Hist.* De durs combats se déroulèrent dans Châteaudun en octobre 1870, lors de la prise de la ville par les Prussiens.

CHÂTEAU-GAILLARD. ♦ V. ANDELYS (Les).

CHÂTEAUGIRON. ♦ Ch.-l. de cant. d'Ille-et-Vilaine, arr. de Rennes. 1 674 hab. Ruines d'un château féodal. Maisons anciennes. Usine de confection.

CHÂTEAU-GONTIER. ♦ Sous-préf. de la Mayenne. Ch.-l. d'arr. sur la Mayenne. [L'arr. a 6 cant., 73 comm. 56 838 hab.] 8 220 hab. [*Gastrogontériens*]. Église Saint-Jean (XIe s.) de style roman, restaurée. Anc. prieuré du XVIIe s. Chapelle Notre-Dame-du-Genêteil (XIIe s.) Maisons anc. – Marché agricole. – Industries alimentaires; minoterie, huilerie. Mobilier métallique. Électronique. Indus. du bois.

CHATEAUGUAY. *n. m.* ♦ Riv. du Canada* et des États-Unis. Sur ses rives, les Canadiens repoussèrent les Américains en 1813.

Château-Lafite. ♦ Cru renommé de vins rouges du Bordelais (Médoc) sur la commune de Pauillac*.

CHÂTEAU-LANDON. ♦ Ch.-l. de cant. de la Seine-et-Marne, arr. de Melun. 2 740 hab. Ruines de remparts. Église Notre-Dame (XIe, XIIe, XIIIe s.). Restes d'un ancien château gothique. Musée dans l'ancienne chapelle des templiers (XIIIe s.). L'abbaye de Saint-Séverin (XIe s.) abrite un asile de vieillards. – Carrières de pierre. Papeterie.

Château-Latour. ♦ L'un des premiers grands crus du Bordelais sur la commune de Pauillac.

CHÂTEAULIN. ♦ Sous-préf. du Finistère, ch.-l. d'arr. (7 cant., 61 comm., 95 056 hab.) sur l'Aulne* au centre du bassin de Châteaulin. 5 498 hab. (*Castellinois* ou *Châteaulinois*). Église Notre-Dame (XVe, XVIe s.), restaurée. Le port de Châteaulin (Port-Launay) est à 3 km en aval de la ville. Carrièrrs d'ardoises, de granit rose. Marchés. Centre de la pêche au saumon. Patrie de Y.M. André*.

Château-Margaux. ♦ Vins rouges du Médoc. **V. Margaux.**

CHÂTEAUMEILLANT. ♦ Ch.-l. de cant. du Cher (arr. de Saint-Amand-Mont-Rond). 2 678 hab. Église Saint-Genès, construction romane en pierre grise et rose. – Viticulture. Matériel agricole.

CHÂTEAUNEUF. ♦ Comm. de la Côte-d'Or, arr. de Beaune. 66 hab. Bourg fortifié situé sur un escarpement au N.-E. du Morvan. Vestiges de remparts. Maisons des XIVe, XVe et XVIe siècles. Château fort du XIIe s. entouré de murailles et de fossés.

CHÂTEAUNEUF-DE-RANDON. ♦ Ch.-l. de cant. de la Lozère, arr. de Mende, au S. de la Margeride*. 477 hab. Vestiges de remparts. ♦ *Hist.* En 1380, Bertrand du Guesclin y mourut au cours d'une attaque contre les Anglais. La ville fut le siège de l'une des huit baronnies du Gévaudan*.

CHÂTEAUNEUF-D'ILLE-ET-VILAINE. ♦ Ch.-l. de cant. d'Ille-et-Vilaine, arr. de Saint-Malo, près de l'estuaire de la Rance. 662 hab. Château (XVIIe s.) et ruines d'un château de la Renaissance. – Aux environs, château de la Basse-Motte (XVIIIe s.).

CHÂTEAUNEUF-DU-FAOU. ♦ Ch.-l. de cant. du Finistère, arr. de Châteaulin, près de l'Aulne, au N. de la Montagne Noire. 4 028 hab. *(Châteauneuviens)*. Église moderne avec une tour du XVIIIe siècle. Vestiges d'un château fort. Pêche au saumon et au brochet. Carrières.

CHÂTEAUNEUF-DU-PAPE. ♦ Comm. du Vaucluse*, arr. d'Avignon*, 2 159 hab. Ruines d'un château du XIVe s. construit par les papes d'Avignon. Vignoble célèbre.

CHÂTEAUNEUF-DU-RHÔNE. ♦ Comm. de la Drôme, arr. de Valence. 1 484 hab. Restes d'un château du XIIIe s. et de remparts. Églises (XIIe-XVe s.). Carrières. Usine hydro-électrique Henri-Poincaré sur le Rhône.

CHÂTEAUNEUF-LA-FORÊT. ♦ Ch.-l. de cant. de la Haute-Vienne*, arr. de Limoges*. 2 168 hab. (1 404 aggl.). Papeterie. Sanatorium.

CHÂTEAUNEUF-LES-BAINS. ♦ Comm. du Puy-de-Dôme, arr. de Riom. 492 hab. Restes d'un château médiéval. Station hydrominérale sur plusieurs hameaux sur les deux rives de la Sioule : traitement de l'arthritisme.

CHÂTEAUNEUF-SUR-CHARENTE. ♦ Ch.-l. de cant. de la Charente, arr. de Cognac. 3 577 hab. (2 733 aggl.). Église Saint-Pierre, du XVe s., avec une intéressante façade de style roman saintongeais du XIIe s. Hôtel du Prieuré (XVIe s.). – Distilleries. Chaussures.

CHÂTEAUNEUF-SUR-CHER. ♦ Ch.-l. de cant. du Cher, arr. de Saint-Amand-Mont-Rond, sur les rives du Cher. 1 783 hab. *(Castelneuviens)*. Forteresse du XIe s., remaniée aux XVIe, XVIIe et XVIIIe siècles.

CHÂTEAUNEUF-SUR-LOIRE. ♦ Ch.-l. de cant. du Loiret, arr. de Montargis. 5 156 hab. *(Castelneuviens)*. Vestiges de l'ancien château (XVIIe s.). Église Saint-Martial (XVe s.). Halles en bois. – Fonderies.

CHÂTEAUNEUF-SUR-SARTHE. ♦ Ch.-l. de cant. du Maine-et-Loire, (arr. de Segré), sur la r. d. de la Sarthe. 1 655 hab. Remarquable église des XIIe-XIIIe s., de l'école angevine.

CHÂTEAUPONSAC. ♦ Ch.-l. de cant. de la Haute-Vienne*, (arr. de Bellac*), sur la Gartempe. 2 946 hab. (1 469 aggl.). [*Châtelauds*]. – Église Saint-Thyrse des XIIe et XVe s., château du XVIIIe s., chapelle N.-D.-de-Bonté (XIIe s., remaniée XVIe s.).

CHÂTEAU-PORCIEN. ♦ Ch.-l. de cant. des Ardennes, (arr. de Rethel), sur l'Aisne. 1 006 hab. Église (XVIe, XVIIIe s.) avec une tour du XVe siècle.

CHÂTEAURENARD. ♦ Ch.-l. de cant. des Bouches*-du-Rhône, arr. d'Arles*, 10 261 hab. (6 338 aggl.). Ruines d'un château du XIVe siècle. – Grand marché de primeurs.

CHÂTEAURENARD. ♦ Ch.-l. de cant. du Loiret, arr. de Montargis. 2 120 hab. *(Castelrenardais)*. Vestiges de l'ancien château (XIIIe s.) et château de Louise de Coligny (XVIe s.). – Pétrole.

CHÂTEAU-RENAULT (François Louis Rousselet, *comte de*). ♦ Vice-amiral, maréchal de France (Château-Renault, 1637 – Paris, 1716). Il combattit victorieusement Ruyter* (1675), soutint Jacques* II en Irlande (1675-1690), et conduisit la flotte espagnole d'Amérique en Europe lors de la guerre de la Succession d'Espagne (défaite de Vigo*, 1702).

CHÂTEAU-RENAULT. ♦ Ch.-l. de cant. d'Indre-et-Loire, arr. de Tours. 5 160 hab. *(Castelrenaudins)*, sur la Brenne. – Château (XIIe s.) remanié aux XIVe et XVIIIe siècles. Église du XVIe siècle. – Revêtements de sol. Chaudronnerie. Produits chimiques. Tanneries. – Patrie d'André Bauchant*.

CHÂTEAUROUX (Marie Anne de Mailly-Nesle, *duchesse de*). ♦ Dame française (Paris, 1717 – 1744). Maîtresse de Louis XV, après ses deux sœurs, elle exerça jusqu'à sa mort subite une grande influence sur le roi.

CHÂTEAUROUX. ♦ Préf. de l'Indre*, ch.-l. d'arr. (8 cant., 82 comm., 128 702 hab.) sur la r. g. du Cher. 51 201 hab. [48 867 aggl.] *(Castelroussins)*. Église des Cordeliers (XIIIe s.). Église Saint-Martial (XIIe et XVe s.). Château Raoul (fondé au Xe s.; XIVe et XVe s.). Vestiges de l'enceinte fortifiée. Hôtels et maisons anc. – Centre industriel et nœud de communications au carrefour de quatre routes nationales, sur la ligne Paris-Toulouse. Indus. alimentaires. Fonderies. Indus. mécaniques. Aéronautique. Matières plastiques. Verrerie, céramique. Produits pharmaceutiques. Confection, chaussure. Papeterie, imprimerie. Manufacture de tabac. – Patrie du général Bertrand* et de Maurice Rollinat*. ♦ *Hist.* Châteauroux doit son nom *(Castrum Radulphi)* à la forteresse construite au Xe s. sur une colline dominant l'Indre par *Raoul*, seigneur de Déols*. La ville fut prise en 1177 par Henri II d'Angleterre, puis par Philippe* Auguste en 1187. Elle passa aux Chantigny pour trois siècles. La terre fut érigée en comté au profit d'Henri de Condé (1612). Elle fut vendue à Louis XV, qui en fit don en 1744 à Marie-Anne de Mailly-Nesle, devenue ***duchesse de Châteauroux***.

CHÂTEAU-SALINS. ♦ Sous-préf. de la Moselle, ch.-l. d'arr.

(5 cant., 131 comm., 32 173 hab.), sur la petite Seille. 2 570 hab. *(Castelsalinois).* Gisement de sel gemme; indus. chimique (soude, eau de Javel); matières plastiques.

CHÂTEAU-THIERRY. ♦ Sous-préf. de l'Aisne*, ch.-l. d'arr. (5 cant. 124 comm. 55 638 hab.) sur la Marne. 11 629 hab. (10 858 aggl.). [*Castrothéodoriciens*]. Église de style gothique flamboyant (XVe-XVIe s.). Ruines d'un château du XIe siècle. Maison natale de La* Fontaine (musée). Carrières, fonderie, indus. alimentaires, fabrique d'instruments de musique. ♦ *Hist.* Victoire de Napoléon sur Blücher, commandant les armées russes et prussiennes (1814). Occupée à deux reprises par les Allemands lors de la Première Guerre mondiale, de durs combats s'y déroulèrent et les troupes américaines se couvrirent de gloire aux environs, en 1918 (**V. Marne** [bataille de la]).

CHÂTEAUVILLAIN. ♦ Ch.-l. de cant. de la Haute-Marne, (arr. de Chaumont), à la lisière de la forêt de Châteauvillain et d'Arc. 1 242 hab. *(Castelvillanois).* Vestiges d'enceinte. Hôtel de ville du XVIIIe siècle.

CHÂTEL (Jean). ♦ (1575 – 1594). Il commit un attentat contre Henri* IV (1594) et fut écartelé. Il avait été élève des jésuites au collège de Clermont et ses maîtres furent soupçonnés de l'avoir poussé à son acte. Momentanément expulsés, les jésuites purent rentrer en France en 1603.

CHÂTEL. ♦ Comm. de Haute-Savoie, arr. de Thonon-les-Bains. 755 hab. Station de sports d'hiver dans le massif du Chablais (1 235 m).

CHÂTELAILLON-PLAGE [ʃɑtɛlajɔ̃]. ♦ Comm. de Charente-Maritime, arr. de La Rochelle. Station balnéaire au N. de l'embouchure de la Charente. 5 377 hab., hors saison. – Ostréiculture et mytiliculture.

CHATELAIN (Eugène Pierre Amable). ♦ Homme politique et écrivain français (Paris, 1829 – 1902). Ouvrier ciseleur, il participa à la révolution de 1848 et fut déporté en 1851 en raison de son opposition à l'empereur. Affilié à la Ire Internationale, il fut membre du Comité central républicain des vingt arrondissements de Paris après le 4 septembre 1870, et prit part aux combats de la Semaine sanglante (22-28 mai 1871). Réfugié à Jersey, puis à Londres, il fut condamné par contumace à la déportation (1874). Après l'amnistie (1880), il fut rédacteur de la revue *le Coup de feu.* Il est l'auteur de plusieurs recueils de poèmes (*Les Exilées de 1871,* 1886, *Fleurs ignorées*).

CHÂTELAIN de COUCY (Guy). ♦ Trouvère français (fin XIIe s.) auteur de chansons, et héros d'une légende qui inspira le roman en vers qui porte son nom (v. 1285) du trouvère Jakemes. Son cœur aurait été rapporté à sa Dame, contrainte par un mari jaloux à le dévorer.

CHÂTELDON. ♦ Ch.-l. de cant. du Puy*-de-Dôme, arr. de Thiers*. 1 106 hab. Église du XVe siècle. Château des XIIIe et XVe siècles. Maisons anc. Centre d'ébénisterie; eaux minérales; confection. Patrie de P. Laval*.

CHÂTELET (Émilie Le Tonnelier de Breteuil, *marquise du*). ♦ (Paris, 1706 – Lunéville, 1749). Fort savante et férue de science, elle écrivit divers traités. Elle se lia avec Voltaire* qu'elle accueillit dans son château de Cirey* et conseilla avec profit.

Châtelet (Grand et Petit). ♦ Anc. forteresses parisiennes qui protégeaient l'accès de la *Cité** (mentionnées dès le IXe s. et reconstruites au XIIe s.). Le *Grand Châtelet* était situé sur la r. d. de la Seine, à l'extrémité N. du pont au-Change, barrant l'entrée de la rue Saint-Denis; c'était essentiellement le siège de la juridiction royale à Paris. – Le *Petit Châtelet,* situé sur la r. g., à l'extrémité S. du Petit-Pont et à l'entrée de la rue Saint-Jacques, servait de prison; il fut démoli en 1782 – À l'emplacement du *Grand Châtelet,* démoli à partir de 1802, se trouve l'actuelle place du Châtelet (théâtres du Châtelet et de la Ville de Paris [anc. Sarah-Bernhardt]).

CHÂTELET. ♦ V. de Belgique, Hainaut, arr. de Charleroi, sur la Sambre, en face de Châtelineau*. 15 600 hab. Indus. métallurgiques et chimiques.

CHÂTELGUYON [-gɥijɔ̃]. ♦ Comm. du Puy-de-Dôme, arr. de Riom. 3 072 hab. Station hydrominérale (affections gastro-intestinales). Ses eaux étaient déjà utilisées par les Romains; de nouvelles sources furent découvertes au XVIIIe siècle. En été, la population atteint 15 000 habitants.

CHÂTELINEAU. ♦ Comm. de Belgique, Hainaut, arr. de Charleroi, séparée de Châtelet* par la Sambre. 20 700 hab. – Cokeries. Sidérurgie. Brasseries. Imprimeries.

CHÂTELLERAULT. ♦ Sous-préf. de la Vienne, ch.-l. d'arr. (10 cant., 107 comm., 105 242 hab.). 36 642 hab. [33 491 aggl.] *(Châtelleraudais).* Église Saint-Jean-Baptiste, des XVe-XVIe s., remaniée au XIXe s. Église Saint-Jacques (XIIe-XIIIe s.). Vestiges d'un château du XVe s., *auj.* musée et bibliothèque. Pont Henri-IV, sur la Vienne (*fin* XVIe, *déb.* XVIIe s.). Maison de la famille de Descartes, où le philosophe passa une partie de sa jeunesse (musée). Hôtels et maisons anc. – Centre industriel actif, où la métallurgie tient un rôle de premier plan. Importante manufacture d'armes, coutellerie renommée, fonderie, tôlerie, appareils de manutention et de levage, appareils frigorifiques et électriques. – Indus. du contreplaqué. – Confection, lingerie. Importante production de fruits et primeurs dans la région.

CHÂTEL-SUR-MOSELLE. ♦ Ch.-l. de cant. des Vosges, arr. d'Épinal. 1 498 hab. Église (XVIe s.) restaurée. Vestiges d'une enceinte et d'un château. – La ville a été endommagée en 1940.

Ph. Lauros-Giraudon

Château-Thierry : maison natale de La Fontaine.

CHÂTENAY-MALABRY. ♦ Comm. des Hauts-de-Seine, arr. d'Antony, 27 666 hab., au S. de Paris. Église Saint-Germain-l'Auxerrois (XIe-XIIIe s.). Château XVIIIe siècle. École centrale des arts et manufactures; nombreuses résidences. Domaine de la Vallée-aux-Loups où vécut Chateaubriand, de 1807 à 1817. – Cultures maraîchères.

CHÂTENOIS-LES-FORGES. ♦ Ch.-l. de cant. du Territoire de Belfort. 2 468 hab. Forges, hauts fourneaux.

CHATHAM *(lord).* ♦ **V.** PITT.

CHATHAM. ♦ V. et port d'Angleterre (Kent) sur la r. d. de la Medway, face à Rochester. 51 800 hab. Importante base navale comportant des docks construits sous Henry VIII et des arsenaux établis par Elisabeth Ire, des chantiers navals et une école du génie. Chatham forme avec Rochester*, Gillingham*, Strood*, etc., une conurbation de 200 000 habitants.

CHATHAM *(îles).* ♦ Petit archipel volcanique de l'océan Pacifique (Océanie), situé à l'E. de la Nouvelle*-Zélande. 963 km². Il fut découvert en 1791 par les Européens et appartient depuis 1842 à la Nouvelle-Zélande. Les indigènes Moriori (ou Morioris) furent exterminés au cours du XIXe s. par les Maoris*. Élevage de moutons. Station météorologique.

CHÂTILLON *(maison de).* ♦ Famille noble de Champagne qui possédait le comté de Châtillon-sur-Marne. ♦ EUDES DE CHÂTILLON **V. Urbain II** (pape). ♦ RENAUD DE CHÂTILLON **V. Renaud.** ♦ GAUCHER DE CHÂTILLON ([mort] en 1219). Il participa au siège de Saint-Jean-d'Acre lors de la 3e croisade et à la bataille de Bouvines. – De cette famille sont issues les branches de Saint-Pol, Blois, Penthièvre, Chartres...

CHÂTILLON ou **CHÂTILLON-SOUS-BAGNEUX.** ♦ Ch.-l. de cant. des Hauts-de-Seine (arr. d'Antony) dans la banlieue S. de Paris. 24 742 hab. *(Châtillonnais).* Église Saint-Philippe-et-Saint-Jacques (XIVe s., remaniée fin XIXe s.). Office national d'études et de recherches aérospatiales. Laboratoire central de l'industrie électrique et de l'Électricité de France. Constructions aéronautiques. Fonderies. ♦ *Hist.* La commune fut le siège de combats sanglants en 1870.

CHÂTILLON. ♦ Localité du N.-O. de l'Italie (val d'Aoste*). 4 000 hab. (de langue française). Centre commercial et industriel (chimie et textiles artificiels).

CHÂTILLON-COLIGNY. ♦ Ch.-l. de cant. du Loiret, arr. de Montargis, sur le Loing. 1 815 hab. *(Châtillonnais).* Vestiges du château. Donjon (XIIe s.). – Patrie d'Antoine Becquerel* et des Coligny* : Odet de Coligny*, dit le cardinal de Châtillon; Gaspard de Coligny*, dit l'amiral de; François de Coligny, seigneur d'Andelot.

CHÂTILLON-EN-BAZOIS. ♦ Ch.-l. de cant. de la Nièvre (arr. de Château-Chinon), sur l'Aron et le canal du Nivernais*, en bordure du Morvan*. 1 071 hab. Église (1864). Château des XVIe et XVIIe siècles. Tour du XIIIe siècle. Restes de forteresse.

CHÂTILLONNAIS. *n. m.* ♦ Région de plateaux, à la lisière septentrionale du Morvan*, formée de calcaires au faciès parfois très dur (carrière de pierre de Comblanchien*) : la zone est tronquée par une surface d'érosion, où se détachent des buttes résiduelles, les « tasselots ». Les vallées profondes de l'Ource*, de l'Aube*, de la Seine* où se trouvent les prairies, contrastent avec le plateau couronné de forêts. – La forêt domaniale de Châtillon, formée de hêtres et de chênes, est actuellement reconvertie en résineux.

CHÂTILLON-SUR-CHALARONNE. ♦ Ch.-l. de cant. de l'Ain*, arr. de Bourg-en-Bresse. 2 910 hab. *(Châtillonnais).* Centre commercial. Produits pharmaceutiques; fabrication de selles et de sacoches de bicyclettes; confection.

CHÂTILLON-SUR-INDRE. ♦ Ch.-l. de cant. de l'Indre, arr. de Châteauroux, 3 731 hab. *(Châtillonnais).* Église romane (XIe-XIIe s.). Donjon (XIIIe s.). Maisons anciennes.

CHÂTILLON-SUR-MARNE. ♦ Ch.-l. de cant. de la Marne, arr.

de Reims, sur la Marne. 841 hab. Église (XVIe s., endommagée en 1918). — Patrie d'Urbain II (statue colossale).

CHÂTILLON-SUR-SEINE. ♦ Ch.-l. de cant. de la Côte-d'Or, (arr. de Montbard), situé dans deux boucles de la Seine. 6 746 hab. Église Saint-Vorles (fin du Xe s.; clocher du XIIe s.). La maison Philandrier (Renaissance bourguignonne) abrite un musée (trésor de Vix. **V. Vix**). La source de la Douix (600 l/s) jaillit au flanc d'un rocher. — Fonderies. Machines agricoles. — Patrie du maréchal Marmont*, de D. Nisard, de L. Cailletet*. ♦ *Hist.* en 1638, le bourg ecclésiastique de la vallée fut réuni à Chamont. — *Congrès de Châtillon :* pourparlers qui eurent lieu (5 février-18 mars 1814) entre Napoléon et les Alliés, qui désiraient que la France retrouve ses frontières de 1792. Ils n'aboutirent pas.

CHÂTILLON-SUR-SÈVRE. ♦ **V.** MAULÉON.

Châtiments (Les). ♦ Recueil satirique de V. Hugo* (1853), composé durant son exil à Jersey et dont le succès, en France, fut considérable. Les poèmes *Nox* et *Lux* (l'Espérance) encadrent sept livres dont les sous-titres, très ironiques, fustigent l'ordre établi et qui, sous des formes très variées, obéissent à une même inspiration, la « muse indignation ». Faisant de Napoléon III l'archétype de la tyrannie, Hugo condamne avec violence le « crime » commis, et dénonce la bassesse du régime. Pour mieux flétrir la répression menée par « Napoléon le Petit », le poète adopte le ton épique pour exalter les « soldats de l'An II » *(À l'obéissance passive)* ou ceux de l'armée impériale *(L'Expiation)*. Puis il proclame avec lyrisme sa confiance en l'avenir. La variété des tons (pamphlets, chansons, satires, visions épiques et invocations lyriques) élargit la portée du recueil : face à ce monde en souffrance, c'est au poète de précéder, par son action, « l'ange Liberté » *(Stella)*.

CHATOU. ♦ Ch.-l. de cant. des Yvelines, (arr. de Saint-Germain-en-Laye), sur la Seine. 22 651 hab. *(Catoviens)*. Cité résidentielle. Église en partie du XIIIe siècle. Vlaminck* et Derain* y ont séjourné et travaillé. — Laboratoire national d'hydraulique; conditionneurs d'air; indus. électronique. — Patrie de A. Derain, G. Mandel*, P.F Réal*.

CHÂTRE (La). ♦ Sous-préf. de l'Indre, ch.-l. d'arr. (5 cant., 59 comm., 42 587 hab.), sur l'Indre. 5 003 hab. *(Castrais* ou *Castreux)*. Château du XVe s. (musée George-Sand*). Maisons anciennes. — Confection. Imprimerie.

CHATRIAN. ♦ **V.** ERCKMANN-CHATRIAN.

CHATT AL-'ARAB. *n. m.* ♦ Delta situé en Iraq, sur le golfe Persique, et qui est formé par la confluence du Tigre* et de l'Euphrate* auxquels viennent se mêler les eaux du Karoun (Iran). C'est une large voie d'eau, longue de 180 km, qui termine la basse Mésopotamie* et aboutit à Fao*. Ses lagunes la rendent en général impropre aux installations portuaires, mais le plus grand port de l'Iraq, Basra*, est situé sur ses rives que fertilisent les marées du golfe, et où prospèrent les plus grandes palmeraies du monde (les 3/4 des plantations mondiales; les 2/3 des exportations du pays).

CHATTANOOGA. ♦ V. des États-Unis, au S. du Tennessee, sur la riv. Tennessee. 113 033 hab. (293 000 pour la zone urbaine). La ville est située dans un site pittoresque, au pied de deux montagnes. Centre ferroviaire et fluvial (canal du Tennessee). Assurances. Indus. (textiles, réacteurs nucléaires, mécanique, etc.). Le tourisme y est très actif. ♦ *Hist.* Durant la guerre de Sécession, la ville fut un important centre de communication pour les sudistes. Attaqués par Grant et Sherman, ils y furent battus en nov. 1863 *(bataille de Chattanooga)*, et durent se replier en Géorgie.

CHATTERJI (Bankim Chandra). ♦ Écrivain indien (Bengale, 1838 — 1881) d'expression bengalî, dont les romans populaires eurent une grande vogue.

CHATTERTON (Thomas). ♦ Poète anglais (Bristol, 1752 — Londres, 1770). Orphelin de père, son enfance fut obsédée par le rêve. Le charme qu'exerça sur lui la cathédrale de Bristol se traduisit par la composition de poèmes qu'il attribua à Thomas Rowley, auteur imaginaire du XVe s. (*Poésies de Thomas Rowley,* posth. 1777). La supercherie ne fut découverte qu'un siècle plus tard grâce à Skeat (1875). Ayant vainement essayé de gagner la protection de Walpole* *(Lines to Walpole)*, de s'engager sur un navire marchand, il se rendit à Londres en 1770 où il voulut vivre de sa plume. Sans ressources, et sans appuis, il se suicida à l'arsenic — il avait dix-huit ans. Ce destin tragique inspira Vigny *(Chatterton)* et les romantiques français virent en lui le symbole du poète maudit. Il influença aussi Wordsworth* et les préraphaélites. Sa poésie qui « évoque plus Spenser* que le XVe s. » (Roberto Sanesi) contient quelques morceaux célèbres (*La Ballade de la charité,* transposition de la parabole du bon Samaritain) dont se souvinrent Coleridge* et Keats*.

Arch. Rencontre

« Le remorqueur à **Chatou** », par M. de Vlaminck. (Collection privée.)

Chatterton. ♦*Drame en trois actes et en prose (1835) tiré par Vigny* de son roman *Stello**. Victime de l'hostilité de la société bourgeoise qui s'incarne en deux odieux personnages, le brutal John Bell et l'insolent Beckford, le poète Chatterton, accusé d'imposture, se donne la mort après avoir brûlé tous ses manuscrits. La tendre et pitoyable Kitty, femme de John Bell, le suivra au tombeau.

CHATTES. *n. m. pl.,* en lat. **Chatti ou Catti.** ♦ Peuple germanique établi au Ier s. dans la région correspondant à la Hesse actuelle. Ils luttèrent longtemps contre les Romains, soumirent les Chérusques* (fin Ier s.) et s'assimilèrent aux Francs au IIIe siècle.

CHAUCER (Geoffrey). ♦ Poète anglais (Londres, v. 1340 — *id.,* 1400). Fils d'un marchand de vin de la Cité, il appartenait par sa naissance à la bourgeoisie. Pourtant, à dix-sept ans, il était page de cour et ne cessa, sa vie durant, de se sentir à l'aise aussi bien à la cour que parmi les marchands, les clercs ou le peuple. Aussi, « le reflet du siècle dans son œuvre, au lieu d'être fragmentaire, est-il complet » (Legouis). Soldat, il fit campagne en Artois et en Picardie avant d'être protégé par le fils d'Édouard III, Jean de Gand, duc de Lancastre, et d'être chargé de missions diplomatiques en France, en Flandre et en Italie. C'est ainsi qu'il importa de France et assouplit sous l'influence italienne le décasyllabe qui devait devenir le vers « héroïque », unité métrique par excellence de la grande poésie anglaise. Il introduisit le rondeau, le virelai et la ballade. Son nom restera d'ailleurs attaché à la stance de sept vers (ababbcc). Il fut aussi un virtuose du « couplet ». Rompant avec le passé littéraire anglo-saxon, il s'inspira de Machaut et dut surtout son initiation poétique au *Roman de la rose* qu'il traduisit très fidèlement. Son esprit même, comme son nom *(Chaussier)* est français. Mais il a une dette considérable envers les poèmes de jeunesse de Boccace. Il condensa et abrégea la *Théséide* pour en faire son *Conte du chevalier* (*The Knight's Tale,* inclus dans les *Contes de Canterbury*) sur la rivalité amoureuse de Palamon et d'Arcite et ou Thésée apparaît comme un personnage humoristique. Dans son *Troïlus et Cressida* (inachevé) en partie traduit, en partie adapté du *Filostrate* de Boccace, la drôlerie est toute d'invention chaucérienne. De même sa *Légende des femmes exemplaires* (*The Legende of Good Women,* 1386) [inachevée], inspirée des *Héroïdes* d'Ovide, bien que pure et touchante parfois, contient des irrévérences caractéristiques. *La Maison de la renommée* (*The House of Fame,* 1379), essai de parodie de la *Divine Comédie,* est un poème allégorique : Chaucer y expose les caprices de la gloire et l'étrange façon dont se font et se répandent les rumeurs. C'est encore à l'allégorie qu'il recourut pour composer le *Parlement des oiseaux* (*The Parlement of Foules,* 1382) où Nature enjoint à tous les oiseaux mâles de choisir leur compagne. On y trouve en germe l'antithèse de l'idéal et du réel qui sera la gloire des *Contes de Canterbury* (*The Canterbury Tales,* publ. en 1526), véritable chronique sociale de l'Angleterre de la fin du XIVe siècle. Chaucer y utilise la formule du sujet-cadre illustrée par le *Décaméron.* Le poète imagine se trouver en compagnie d'une trentaine de pèlerins, personnages très variés qu'il campe dans un *Prologue* magistral : pour tromper la longueur du voyage à Canterbury, sanctuaire du martyr Thomas Becket, chacun devra dire deux contes dont le meilleur sera récompensé par un dîner plantureux. L'art de Chaucer consiste à lier le discours de ses personnages à leur « caractère » (en fait, à son propre discours à leur propos). « La Bourgeoise de Bath » *(The Wife of Bath)*, une maîtresse femme, fait la satire du mariage, la prieure reprend la légende d'un petit martyr chrétien. La grivoiserie du meunier se complaît dans le fabliau et le moine *(The Friar)* met le diable en scène. Cette volonté qu'avait Chaucer de « représenter les hommes au naturel » fait de l'auteur des *Contes* le premier écrivain réaliste. Resté célèbre, l'ouvrage inspira notamment Blake.

CHAUDEFOUR *(vallée de)*. ♦ Vallée de l'Auvergne (Puy-de-Dôme) formée par le cours supérieur de la Couze du Chambon. Site pittoresque.

CHAUDES-AIGUES [ʃod(ə)zɛg]. ♦ Ch.-l. de cant. du Cantal*, arr. de Saint*-Flour. 1 281 hab. *(Caldaguésiens)*. Église flamboyante et Renaissance. Chapelle des Pénitents (XVIIe s.). Station thermale, dont les eaux sont employées contre les rhumatismes, les maladies de la peau.

CHAUDET (Denis Antoine). ♦ Sculpteur français (Paris, 1763 — *id.,* 1810). Représentant du style néo-classique en sculpture, il devint célèbre avec un *Bélisaire* en bronze (1791). Il exécuta des commandes officielles (*Napoléon en César,* sur la colonne Vendôme,

Ph. Roger-Viollet

Illustration des Contes de Canterbury de **Chaucer,** gravure sur bois.

de 1810 à 1814), s'inspira de la littérature (*Paul et Virginie au berceau,* 1795) et de la mythologie; soucieux de la forme pure, il atténua les plans au profit des contours et imita de près l'Antiquité.

CHAUDIÈRE (La). ♦ Riv. du Canada, affl. du Saint-Laurent (r. d.). Elle prend sa source près de la frontière du Maine et conflue en face de Québec. 192 km. Hydro-électricité.

CHÂU DOC. ♦ Ville du Viêt-nam du Sud et gros marché agricole sur le Mékong*, autrefois cambodgienne mais annexée par l'Annam en 1724. – Constructions navales. – 10 000 habitants.

CHAUFFAILLES. ♦ Ch.-l. de cant. de la Saône-et-Loire (arr. de Charolles), à la lisière du Charolais. 4 574 hab. *(Chauffaillons).* Église (retables du XVIIe s.). – Centre industriel: activités textiles dans l'orbite lyonnaise. Matières plastiques. Constructions mécaniques.

CHAUFFARD (Paul-Émile). ♦ Médecin français (Avignon, 1823 – Paris, 1879). Auteur d'ouvrages sur la philosophie de la méd. où il apparaît comme un partisan du vitalisme, il se spécialisa en particulier dans l'étude des maladies du foie. – *Le syndrome* (ou maladie) *de Chauffard-Still* se caractérise par de la polyarthrite déformante, des adénomégalies, de la splénomégalie; il est considéré comme étant d'origine infectieuse indéterminée ou comme une réticulo-endothéliose. Il atteint les enfants (description de Still) ou les adultes (description de Chauffard).

CHAUK *(Chawk).* ♦ Ville de Birmanie, sur le moyen Irawady*, au S. de Pagan*. 15 000 hab. La ville fut créée sur l'emplacement de puits de pétrole. Raffineries. Un pipe-line relie cette bourgade à Rangoon*.

CHAULIAC (Guy *de***).** ♦ Chirurgien français né dans le Gévaudan (XIVe s.). Médecin à Lyon, puis des papes à Avignon, il est l'auteur d'un traité qui fut traduit au XVIe s. sous le titre de *La Grande Chirurgie.*

CHAULIEU (Guillaume Amfrye, *abbé de***).** ♦ Poète français (Vexin Normand, 1639 – Paris, 1720), auteur d'*Odes* et de poésies légères, d'inspiration anacréontique et épicurienne.

CHAUMETTE (Pierre Gaspard). ♦ Homme politique français (Nevers, 1763 – Paris, 1794). Membre du Club des cordeliers* et procureur-syndic de la Commune* insurrectionnelle de Paris (1792), il prit part aux massacres de Septembre 1792, au mouvement de déchristianisation et à l'institution de la fête de la Raison* (fin 1793). Il proposa des mesures démocratiques dans le domaine de l'enseignement et de la santé publique. Il fut arrêté et guillotiné avec les extrémistes hébertistes*.

CHAUMONT. ♦ Comm. du Loir-et-Cher, arr. de Blois, sur la Loire. 742 hab. *(Chaumontais). Château* construit par Pierre d'Amboise et ses héritiers Charles Ier et Charles II sur l'emplacement d'une forteresse démantelée par Louis XI. Le château fut conçu au début de sa construction (1465) comme une forteresse, avec chemin de ronde, tours à mâchicoulis et douves sèches. Mais l'influence italienne renaissante se fait sentir dans les bâtiments construits entre 1498 et 1510 par Charles II d'Amboise. – Patrie de Georges d'Amboise*. ♦ *Hist.* A la mort d'Henri II dont elle était la favorite, Diane de Poitiers fut contrainte d'accepter Chaumont en échange de Chenonceaux* que convoitait Catherine de Médicis.

CHAUMONT. ♦ Pref. de la Haute-Marne, ch.-l. d arr. (10 cant., 193 comm., 75 356 hab.), au confluent de la Marne et de la Suize. 27 569 hab. *(Chaumontais).* Église Saint-Jean-Baptiste, en partie gothique (XIIIe-XVe s.), remaniée aux XVIe et XVIIIe siècles. Hôtel de ville du XVIIIe siècle. Maisons et hôtels anc. – Carrefour routier et ferroviaire, Chaumont est aussi une ville industrielle spécialisée dans les indus. du cuir (mégisserie, ganterie, chaussures), les constructions métalliques, les emballages (sacs en papier). – Patrie de A. Blondel*, E. Bouchardon* (maison natale), du général Damremont*. ♦ Hist. *Calvus Mons* fut bâti autour d'une place forte. Siège d'un comté, la ville fut réunie à la Champagne (1228) et fut une des residences des comtes de Champagne. *Traité de Chaumont :* signé le 9 mars 1814 entre la Russie, l'Autriche, la Prusse, l'Angleterre. C'était une alliance pour une durée de vingt ans, dirigée contre Napoléon; les Alliés désiraient ramener la France à ses frontières de 1792.

CHAUMONT-EN-VEXIN. ♦ Ch.-l. de cant. de l'Oise* (arr. de Beauvais*). 1 942 hab. Église XVe s., flanquée d'une tour du XVIe siècle. Confections. Petite métallurgie.

CHAUNY. ♦ Ch.-l. de cant. de l'Aisne* (arr. de Laon*) sur l'Oise, au confluent du canal de Saint-Quentin et du canal latéral à l'Oise. 14 592 hab. *(Chaunois).* Importante usine de produits chimiques (engrais, plastique); fonderies, constructions mécaniques et métalliques, etc.

CHAUSEY *(îles).* ♦ Archipel de la Manche, situé au large de Granville, dépendant de la comm. de Granville (Manche); il est composé de trois cents îles env., dont une seule est habitée. Pêche du homard et de la crevette.

Chaussée des Géants. *n. f.,* en angl. **Giant's Causeway.** ♦ Ensemble de hautes colonnes basaltiques (env. 40 000) de forme prismatique, et disposées en plateau sur la mer, le long de la côte N.-E. de l'Irlande* (comté d'Antrim), entre Portrush et Ballycastle. Elle présente des escaliers, des môles et des amphithéâtres naturels.

CHAUSSON (Ernest). ♦ Compositeur français (Paris, 1855 – Limay, 1899). Disciple de César Franck*, il en a subi l'influence, autant que celle de Wagner. Il a su cependant trouver un style personnel dans des œuvres orchestrales d'un généreux lyrisme : *Poème de l'amour et de la mer* (1882), *Symphonie en si bémol* (1890), *Poème* pour violon et orchestre (1896), *La Chanson perpétuelle* (1898). Il composa aussi un drame lyrique, *Le Roi Arthus* (1896), de la musique de chambre (quatuor, sextuor pour piano et cordes) et des mélodies.

CHAUTEMPS (Camille). ♦ Homme politique français (Paris, 1885 – Washington, 1963). Député radical-socialiste (1919), plusieurs fois ministre (1924 à 1926) il présida le Conseil en février 1930, de novembre 1933 à janvier 1934, date à laquelle il dut démissionner après l'affaire Stavisky*. Il succéda à L. Blum* de juin 1937 à janv. 1938 et de janv. à mars 1938, tentant de poursuivre l'expérience de gouvernement de Front populaire, tout en l'assouplissant et en décevant, pour cette raison, les socialistes et les communistes. Retiré peu avant l'Anschluss, il fit partie du cabinet Reynaud (1940), mais quitta le premier le gouvernement de Pétain (juillet 1940). dont il avait fait partie.

CHAUVEAU (Auguste). ♦ Physiologiste français (Villeneuve-La-Guyard, Yonne, 1827 – Paris, 1917). Inspecteur général des écoles vétérinaires, il a publié un *Traité d'anatomie comparée des animaux domestiques* (1855). Il participa aux recherches de Marey* sur la physiologie cardiaque, et fut un des initiateurs de l'étude de l'énergétique dans l'organisme. Il fut enfin un précurseur de Pasteur en soutenant que les maladies infectieuses ont pour cause un agent spécial (virus).

CHAUVEAU-LAGARDE (Claude François). ♦ Avocat français (Chartres, 1756 – Paris, 1841). Défenseur sous la Terreur de Brissot, Charlotte Corday, Madame Élisabeth, sœur de Louis XVI, et de la reine Marie-Antoinette, il fut lui-même emprisonné quelque temps mais libéré lors du 9 Thermidor. Il a laissé un ouvrage intitulé *Notice historique sur les procès de la reine et de Madame Élisabeth* (1826).

CHAUVELIN (Germain Louis *de***).** ♦ Homme politique français (Paris, 1685 – 1762). Garde des Sceaux, secrétaire d'État aux Affaires étrangères, il eut d'abord une grande influence sur Fleury* et fut l'un des instigateurs de la guerre de Succession* de Pologne. Il fut exilé pour s'être attiré la méfiance du ministre.

CHAUVELIN (François Bernard, *marquis de***).** ♦ Homme politique français (Paris, 1766 – 1832). Bien que noble et maître de la garde-robe sous Louis XVI, il se rallia à la Révolution. Nommé ambassadeur à Londres (1792), il tenta d'obtenir la neutralité de l'Angleterre, mais fut invité à quitter son poste après l'occupation de la Belgique et de la Hollande par les armées révolutionnaires françaises et l'exécution de Louis XVI. De retour en France, il fut emprisonné sous la Terreur jusqu'au 9 Thermidor. Membre du Tribunat après le 18 Brumaire (9 novembre 1799), préfet en 1804, il fut élu député sous la Restauration et siégea dans l'opposition libérale.

CHAUVIGNY. ♦ Ch.-l. de cant. de la Vienne (arr. de Montmorillon), sur la r. d. de la Vienne. 6 151 hab. (5 100 aggl.) [*Chauvinois*]. Vestiges de quatre châteaux : château des évêques de Poitiers (XIIe-XIVe s.), château d'Harcourt (XIIIe-XVe s.), château de Gouzon (XIe s.), château de Mauléon. Églises Notre-Dame (XIe-XIIe s.) et Saint-Pierre (XIe-XIIe), de style roman. – Matériaux de construction; pierre de taille, ciments, porcelaines et céramiques. Industrie textile. Confection. Industrie du bois.

CHAUVIRÉ (Yvette). ♦ Danseuse française (Paris, 1917). Interprète remarquée de plusieurs ballets de Serge Lifar, elle s'est signalée, dès ses débuts, par son style et la pureté de sa technique. Promue danseuse étoile de l'Opéra (1941), elle a marqué de sa personnalité, faite de pudeur et de délicatesse, l'interprétation des grands rôles de la danse classique *(Giselle, Le Lac des cygnes, La Mort du cygne).*

CHAUX-DE-FONDS (La). ♦ V. de Suisse (cant. de Neuchâtel) à 997 m d'alt. 42 900 hab. *(Chaudefonniers* ou *Chauxois).* Centre de l'industrie horlogère. Musée de l'Horlogerie et musée des Beaux-Arts. Patrie de B. Cendrars*, Le* Corbusier, L. Robert*.

CHAVANGES. ♦ Ch.-l. de cant. de l'Aube, arr. de Bar-sur-Aube. 818 hab. Église Saint-Georges (XIIe-XVIe s.).

CHAVANNES (Édouard). ♦ Sinologue français (Lyon, 1865 – Paris, 1918). Après deux expéditions en Chine (1889-1893, 1907), il publia *Mission archéologique dans la Chine septentrionale* (1913) et traduisit les *Mémoires historiques* de Szu*-ma ts'ien.

CHAVES. ♦ V. du Portugal septentrional (Trás*-Os-Montes), sur le Tamega. 12 200 hab. Restes d'un pont romain. Eaux thermales.

CHÁVEZ (Carlos). ♦ Compositeur mexicain et chef d'orchestre (Mexico, 1899 –). Fondateur de l'orchestre symphonique de Mexico (1928), il fut le principal animateur de la musique dans son pays. Inspirée des thèmes et des rites populaires du folklore mexicain (notamment indien), son œuvre contient des ballets (*El fuego nuevo*, 1921; *Los cuatro soles*, 1926), des compositions chorales (*Canto a la tierra*, 1946), des œuvres symphoniques (*Sinfonia india*, 1936) dont certaines de tendances révolutionnaires (*Sinfonia proletaria, Obertura republicana*, 1935) ainsi que de la musique de chambre *(Toccata pour percussion)*.

CHAVILLE [ʃavil]. ♦ Ch.-l. de cant. des Hauts-de-Seine, arr. de Nanterre. 17 590 hab., à l'O. du bois de Meudon* *(Chavillois)*.

CHAVÍN DE HUANTAR. ♦ Localité du Pérou septentrional, dans une vallée des Andes, sur un affl. du Marañón. – La *civilisation Chavín*, dont l'architecture et la sculpture sont remarquables, était florissante entre ~700 et ~200, selon les auteurs. Les temples et sculptures de Chavin (bas-reliefs, têtes en ronde bosse), des Andes de Cajamarca et de la côte N. du Pérou (stèles de granit de Casma, personnages en argile de Moxeque, vases, bijoux, ...) manifestent un style et une symbolique assez homogènes.

CHAZELLES-SUR-LYON. ♦ Ch.-l. de cant. de la Loire*, arr. de Montbrison*. 5 566 hab. *(Chazellois)*. Chapellerie; matériel pour automobiles.

CHAZY (Jean). Mathématicien et astronome français (Villefranche-sur-Saône, 1882 – Paris, 1955). Auteur de travaux sur les équations différentielles (équations du troisième ordre et d'ordre supérieur), sur le mouvement des planètes pour lequel il approfondit le problème des trois corps [1930] **(V. Poincaré, Sundman)**, il appliqua les théories de la relativité générale à l'astronomie, étudiant notamment le déplacement du périhélie de Mercure. (Acad. sc., 1937.)

CHÉCHONQ, CHÉCHANQ ou **SHESHONK.** ♦ Nom de cinq pharaons des XXIIe et XXIIIe dynasties. ♦ CHÉCHONQ Ier, fondateur de la XXIIe dynastie libyenne (v. ~950-~929). Chef militaire d'origine libyenne, il établit sa capitale à Bubastis* dans le delta; il reprit la politique d'expansion de ses prédécesseurs, reconquit la Palestine et pilla Jérusalem (v. ~935). Il laissa une stèle à Megiddo* et des statues à Byblos*. ♦ CHÉCHONQ II. Il régnait v. ~847. ♦ CHÉCHONQ III, pharaon de la XXIIe dynastie libyenne (v. ~823-~772). Son long règne fut marqué par l'accroissement de l'anarchie avec la fondation par Pétoubastis d'une dynastie rivale établie à Tanis*, la XXIIIe dynastie. Chéchonq III se fit enterrer à Tanis où il avait fait construire la porte monumentale d'Amon*. ♦ CHÉCHONQ IV, pharaon de la XXIIIe dynastie (v. ~763?-~757?), rival de Chéchonq V. ♦ CHÉCHONQ V, pharaon de la XXIIIe dynastie (v. ~767-~730).

CHEDDE. ♦ Localité de Haute-Savoie (comm. de Passy). Électrochimie, graphite pour réacteurs nucléaires (Péchiney). – La ville a donné son nom à un explosif, la *cheddite* (la poudrerie n'existe plus).

CHEF-BOUTONNE. ♦ Ch.-l. de cant. des Deux-Sèvres (arr. de Niort), près des sources de la Boutonne*. 2 585 hab. (1 912 aggl.) [*Chefboutonnais*]. Église des XIIe-XVe s. Vestiges de l'ancien château (XVIe s.).

CHEIKH 'UTHMÂN. ♦ V. du Yémen du Sud dans la banlieue d'Aden*, sur le golfe. Plus de 40 000 habitants.

CHÊ-KIANG. *n. m. (Tchö-kiang, Zhejiang)*. ♦ Prov. chinoise située au S. de Shanghai et au N. de la prov. du Fu-kien. 101 800 km². Env. 30 000 000 d'hab. *Cap.* Hang-chou. Le S., au relief ondulé, est forestier; on y cultive le thé; la côte est découpée et abrite plusieurs ports (pêche). Au N., la baie de Hang-chou (rizières) correspond à un arrière-pays plat et bien irrigué. Production de soie. Le sous-sol est riche en antimoine.

CHELČICKY (Petr). ♦ Penseur religieux et écrivain tchèque (Chelčice, près de Vodňany, Bohême, vers 1390 – *id.*, 1460). Précurseur du protestantisme, il inspira le premier mouvement des *Frères bohèmes* ou *Frères moraves* **(V. Hussites)** en prêchant un idéal de communisme chrétien et pacifique. Il exposa ses idées dans différents traités théologiques dont le principal est *Le Filet de la foi* (1440-1443).

CHELIA *(djebel)*. ♦ Montagne du massif des Aurès*, point culminant de l'Algérie* (2 328 m). Forêt de cèdres.

CHELIF ou **CHELIFF.** *n. m.* ♦ Oued d'Algérie (700 km) qui se forme sur les hauts plateaux par la réunion de deux maigres oueds, traverse les monts du Titteri **(V. Ksar-el-Boukari)**, puis s'oriente vers l'O. entre les monts de Miliana* puis du Dahra* et ceux de l'Ouarsenis*. Il se jette dans la Méditerranée au N. de Mostaganem*. Sur l'un de ses affl. de g. se situe le barrage-réservoir d'Oued*-Fodda. *V. princ. de la plaine du Chelif* **V. Aïn-Defla** et **Asnam** *(El-)*.

Ph. Nino Cirani/Ricciarini

La **Chenâb** à Râmban (Kaśmir.)

CHELLES. ♦ Ch.-l. de cant. de la Seine-et-Marne (arr. de Meaux), sur la Marne. 33 349 hab. *(Chellois)*. Vieux bourg et nouveaux quartiers. Église Saint-André (XIIIe, XVe s.). Musée préhistorique Alfred Bonno. – Matériel de construction; métallurgie; mobilier médical; indus. alimentaires.

Chełmno Nad Nerem. ♦ Anc. camp d'extermination nazi, créé en Pologne* (voïévodie de Poznań) en 1941, où périrent env. 360 000 personnes, en majorité des juifs.

CHELMSFORD. ♦ V. d'Angleterre (Essex). 49 908 hab. – Indus. mécaniques. Centrale nucléaire.

Chelsea. ♦ Quartier résidentiel de Londres* (West End), sur la r. g. de la Tamise. 50 000 hab. – Hôpital fondé en 1682 par Charles II. Église *(Chelsea Old Church)* du XIIe s., remaniée aux XIVe et XVIe siècles. – Patrie d'Elizabeth Gaskell*.

CHELTENHAM. ♦ V. d'Angleterre (Gloucestershire) sur le Chelt, affl. de la Severn, au pied des Costwold Hills. 72 200 hab. – Station thermale mise en vogue par George III en 1788.

CHEMILLÉ. ♦ Ch.-l. de cant. du Maine-et-Loire, arr. de Cholet. 4 735 hab. *(Chemillois)*. Église Saint-Pierre (XIe s., restaurée). Église Notre-Dame (XIIe, XIVe, XVIe s.). Important marché agricole. Industries textiles, confection. Meubles. Poterie d'art.

Chemin des Dames *(le)*. ♦ Route de crêtes de 30 km de long, entre l'Aisne et l'Ailette, qui connut le tragique échec de l'offensive de Nivelle en avril 1917, puis l'offensive victorieuse des divisions allemandes commandées par le Kronprinz en mai 1918.

CHEMNITZ. ♦ Anc. nom de Karl*-Marx-Stadt.

CHEMULPO. ♦ **V.** INCHEON.

CHENÂB. *n. f.* ♦ Rivière du Cachemire, un des cinq fleuves du Panjâb*, formée par la réunion des rivières Chandra et Bhaga. Grossie du Jhelam* et de la Ravi*, elle s'unit au Satlej* pour se jeter dans l'Indus*, après un cours de 1 200 km. Elle alimente diverses usines hydro-électriques et des ouvrages d'irrigation. Son cours est tout entier situé au Pâkistân* occidental.

CHÊ NANG. ♦ Roi du Champâ* (1312-1318), frère et successeur de Jayasimhavarman* IV (Chê Chi). Ayant tenté de se libérer de la tutelle de Dai*-Viêt, il fut vaincu en 1318 et s'enfuit à Java où il disparut. Son général en chef, Chê A-Nan, lui succéda.

CHENARD (Ernest). ♦ Industriel français (Nanterre, 1861 – Chamalières, 1922). Pionnier de l'industrie automobile, il réalisa en 1900 sa première voiture à transmission par courroie et, en 1901, sa voiture à transmission par engrenage. On lui doit les premières carrosseries profilées (dites « fer à repasser »).

CH'EN CH'ENG [*Tch'en Tch'eng, Chen Cheng*]. ♦ Homme politique et général chinois (1898 – 1965) qui soutint, dès 1924, Chiang* Kai-shek. Nommé généralissime des armées nationalistes en Manchourie en 1948, il s'opposa à Lin* Piao, mais fut obligé de s'enfuir. En 1964, il fut nommé vice-président de la République chinoise de Taiwan*.

CH'EN CHIUNG-MING [*Tch'en Kiong-ming, Chen Jiongming*]. ♦ Général chinois (1875 – 1933) qui contrôlait en 1913 la province de Kuang-tung. Il aida Sun* Yat-sen à établir la république, mais se retourna contre lui en 1922. Il fut finalement battu par Chiang* Kai-shek en 1923 et destitué.

CHÊNEDOLLÉ (Charles Lioult *de***).** ♦ Poète français (Vire, 1796 – Le Coisel, 1833). Il fut l'ami de Rivarol*, puis de Mme de Staël* et de Benjamin Constant*; il fallut attendre sa passion malheureuse pour la sœur de Chateaubriand*, puis les incitations de Joubert* et de Fontanes* pour qu'il se consacrât à la poésie, célébrant la campagne et ses travaux dans des *Études* poétiques (1820), où il annonçait le romantisme. (Acad. fr.)

CHÊNÉE. ♦ Comm. de Belgique, prov. et arr. de Liège, au confluent de l'Ourthe et de la Vesdre. 12 400 hab. – Imprimerie. Verreries. Carrosserie. Laminoirs. Zinc.

CHÉNÉRAILLES. ♦ Ch.-l. de cant. de la Creuse*, arr. d'Aubusson*. 729 hab. Église du XIIIe siècle.

CHENG-CHOU [*Tcheng-tcheou, Zhengzhou*]. ♦ V. de Chine, dans la prov. du Ho*-nan. Env. 800 000 hab. Grand centre commercial et de communications ferroviaires. Indus. textiles, mécaniques (machines-outils) et alimentaires (huileries, minoteries).

CHENG HENG. ♦ Homme politique cambodgien, élu premier président de la république du Cambodge* (oct. 1970 - mars 1972), après le coup d'État du général Lon Nol qui chassa Norodom* Sihanuk du pouvoir. **V. Cambodge.**

CHENG HO [*Tcheng Ho, Zheng He*]. ♦ Eunuque chinois du Yunnan (1371 — 1435), amiral d'une grande flotte d'exploration qui fit sept voyages dans le S.-E. de l'Asie, en Inde et à Ceylan et poussa une reconnaissance jusqu'à la côte orientale de l'Afrique. Il aurait importé en Chine l'usage de l'opium, emprunté aux Arabes.

CH'ENG TSU [*Tch'eng Tsou, Cheng zu*]. ♦ Empereur chinois de la dynastie des Ming*, appelé aussi du nom de son ère, Yung-lê (1360 — 1424). Il succéda en 1402 à son neveu Kung Min Hui-ti, transféra sa capitale à Chung-tu qu'il renomma Pei-ching (Pékin), et y fit construire la « ville interdite », ornée de nombreux palais et temples. Sous son règne furent entreprises de lointaines expéditions maritimes vers Java, Ceylan, l'Inde, l'Arabie et la côte orientale de l'Afrique (**V. Cheng ho**). D'une grande culture et d'esprit encyclopédique, il fit réaliser par les lettrés chinois une immense encyclopédie qui porta son nom par la suite, et fit compiler un code de lois qui demeura en vigueur pendant toute la durée de la dynastie des Ming*. C'était un fervent bouddhiste. Son fils Jen Tsung lui succéda à sa mort, en 1424.

CH'ENG-TU [*Tch'eng-tou, Chengdu*]. ♦ V. de Chine et cap. de la prov. du Szu*-ch'uan, sur le Min-chiang, affluent du Yang*-tsê kiang, dans le Bassin rouge (lœss). Env. 1 200 000 hab. Grand centre industriel (indus. mécaniques, réparation de matériel ferroviaire, briqueteries) et nœud de communications important, c'est aussi le centre culturel de la Chine du S.-O. (Université). — Le poète Tu* Fu y demeura de 759 à 762.

CH'EN HUNG [*Tch'en Hong, Chen Hong*]. ♦ Célèbre conteur et poète chinois du IXᵉ s., ami du poète Po* Chü-i, et auteur d'un roman (*Histoire ou Chant des douleurs perpétuelles*) dans lequel il raconte la tragique aventure de l'empereur Hsüan* Tsung et de sa favorite Yang* Kueifei, en l'embellissant de récits fantastiques.

CHÉNIER (André *de*). ♦ Poète français (Constantinople, 1762 — Paris, 1794). Dans le salon de sa mère, d'origine grecque, il s'imprégna de culture hellénique et s'enthousiasma pour les œuvres des philosophes français. D'abord poète de la Révolution libérale, il s'indigna contre les excès de la Terreur et mourut guillotiné. Son œuvre (posthume, 1819, éditée par Latouche*) fit sensation dans la jeunesse romantique qui saluait en elle, par l'alliance remarquable de l'inspiration sincère et du culte de l'art, « une poésie nouvelle qui vient de naître » (V. Hugo). Dans *L'Invention*, il avait défini son art poétique, recherchant « les images, les mots que le génie inspire ». Aussi, désireux de retrouver la beauté plastique et la musicalité des œuvres antiques, composa-t-il les *Idylles ou Bucoliques* où sa sensibilité, souvent mélancolique, est traduite avec une grande perfection formelle (*La Jeune Tarentine; Néaere: L'Aveugle*). Poète lyrique, il chanta l'amour et les thèmes chers aux poètes du XVIIIᵉ s. dans ses *Élégies* et les *Pièces à Fanny*, avant de manifester une inspiration moderne dans les ébauches de deux vastes poèmes (*L'Hermès; L'Amérique*) qui auraient été l'épopée de la Science et du Progrès : « Sur des pensers nouveaux faisons des vers antiques ». Enfin les cent vers, ardents et éloquents, des *Iambes**, où « son cœur gros de haine et affamé de justice » clame sa révolte devant les exactions de la Terreur, le font apparaître comme un admirable poète satirique.

CHÉNIER (Marie-Joseph *de*). ♦ Homme politique et écrivain français (Constantinople, 1764 — Paris, 1811), frère du précédent. Renonçant à la carrière militaire et se consacrant à la littérature, il composa des poésies lyriques (*Poésies;* posth., 1844) et les paroles de nombreux chants patriotiques (notamment *Le Chant du départ*, mis en musique par É. Méhul*). Animé d'un ardent esprit révolutionnaire, son théâtre tragique connut un succès considérable : *Charles IX ou l'École des rois* (1788; joué par Talma* en 1789), *Henri VIII* (1791) et *Caïus Gracchus* (1792) assurèrent à M.-J. Chénier une gloire immédiate. Membre du Club des jacobins, puis de la Convention, du Conseil des Cinq-Cents, enfin du Tribunat, auteur de nombreuses épigrammes et satires morales ou politiques, il fut en butte aux attaques de ses rivaux littéraires et de ses ennemis politiques : accusé d'avoir trahi son frère, il dut répondre par la vigoureuse *Épître sur la calomnie* (1795). Favorable à Bonaparte et nommé, sous l'Empire, inspecteur général de l'Université, il connut après 1806 une certaine défaveur; son *Tibère* ne put être représenté (posth., 1844). Il se consacra alors au *Tableau de la littérature française de 1789 à 1808* (posth., 1816) où il se montrait partisan de l'école néo-classique.

CHEN KUO [*Tchen Kouo, Zhen Guo*]. ♦ **V.** PO HAI.

CHEN-LA. *n. m.* [*Tchen-la, Zhenla*]. ♦ Nom chinois d'un royaume cambodgien qui supplanta v. 540 celui du Fu*-nan. Il se divisa en deux parties connues sous les noms de *Chen-la de Terre* (dans le N.) et *Chen-la d'Eau* (dans le S.), v. 706, mais fut réunifié au début du IXᵉ s. et incorporé à l'empire khmer.

CH'EN LI-FU [*Tch'en Li-fou, Chen Lifu*]. ♦ Philosophe et homme politique chinois (Shih-chiang, 1900 —) théoricien du parti Kuo* min tang et conseiller de Chiang* Kai-shek. Il créa des camps de concentration et une police politique anti-communiste, puis en 1949, se réfugia à Formose (Taiwan).

CHENNEVIÈRES-SUR-MARNE. ♦ Ch.-l. de cant. du Val-de-Marne (arr. de Nogent-sur-Marne). 7 019 hab. Église Saint-Pierre (XIIIᵉ s.) remaniée au XVIIIᵉ siècle.

CHENONCEAUX. ♦ Comm. d'Indre-et-Loire, arr. de Tours (308 hab.). Célèbre château, sur un pont au-dessus du Cher. Sa construction fut entreprise en 1515 par Thomas Bohier, receveur général des Finances, et se poursuivit jusqu'à la fin du XVIᵉ s., à l'instigation de Diane de Poitiers et de Catherine de Médicis qui l'occupèrent successivement. Il comprend deux corps de logis accolés mais distincts : le château de Bohier, construit au début du XVIᵉ s., est décoré dans le style foisonnant de la première Renaissance. Son architecte nous est inconnu. La grande galerie, élevée sur cinq arches au-dessus du Cher, est d'une décoration plus sobre qui annonce le classicisme. Elle est l'œuvre de Philibert Delorme*. Sur une terrasse, isolé du corps de logis principal, subsiste un donjon du XVᵉ s., vestige d'une construction antérieure. Le château a subi au XIXᵉ s. quelques remaniements qui n'ont pas altéré sa silhouette.

CHENOVE. ♦ Comm. de la Côte-d'Or (arr. de Dijon), au pied des coteaux du Dijonnais*. 17 159 hab. Cuverie et pressoirs des ducs de Bourgogne. — Vins du « clos du Roi », du Chapitre. Constructions mécaniques. Indus. chimiques.

CH'EN SHOU [*Tch'en Cheou, Chen Shou*]. ♦ Célèbre écrivain et historien chinois (233 — 297), auteur de biographies d'hommes célèbres de l'Antiquité chinoise, et de l'*Histoire des trois royaumes (San-Kuo chih)*, ouvrage qui eut un grand retentissement et qui est considéré jusqu'à maintenant comme un classique. Cette *Histoire* concerne les royaumes de Shu, de Wu et de Wei* au IIIᵉ s. de notre ère. Elle fut reprise au XIVᵉ s. dans un roman très populaire dû à Lo Pen.

CH'EN TU-HSIU [*Tch'en Tou-sieou, Chen Duxiu*]. ♦ Écrivain chinois (1880 — 1942), partisan de l'adoption en littérature de la langue populaire chinoise (Pai-hua) et fondateur d'une revue littéraire révolutionnaire. Il fut l'un des créateurs du Parti communiste chinois en 1920, mais il en fut par la suite exclu pour déviationnisme (1932). Il mourut exilé.

CHEOL-LI-MA. ♦ Cheval mythique coréen capable, selon la légende, de parcourir mille « li » en un seul jour. Il est devenu le symbole de l'édification accélérée du socialisme en Corée du Nord dans les années 1960.

CHEONGJIN. ♦ Ville et port de Corée du Nord, sur la mer du Japon. Env. 250 000 hab. Centre industriel (sidérurgie et indus. chimiques) important. Port exportateur de bois et de conserves, c'est un des principaux débouchés maritimes du pays.

CHÉOPS. ♦ **V.** KHÉOPS.

CHÉPHREN. ♦ **V.** KHÉPHREN.

CHER. *n. m.* ♦ Riv. du centre de la France, affl. de la Loire* (r. g.) [320 km]. Il prend sa source dans le nord du Massif central, au plateau de Combrailles (Creuse). Il traverse les départements de l'Allier, du Cher, du Loir-et-Cher et de l'Indre-et-Loire avant de se jeter dans la Loire à Cinq-Mars-la-Pile. Au sortir de la Combrailles, le Cher, laissant à l'est les hauteurs du Bourbonnais et à l'ouest celles du Boischaut, s'engage dans une région de plaine et va drainer la Champagne berrichonne et la Touraine. Il arrose Montluçon*, Saint*-Amand-Mont-Rond, Châteauneuf*-sur-Cher, Vierzon*, Mennetou*-sur-Cher, Selles*-sur-Cher, Montrichard*, Tours*.

CHER. [**18**]. *n. m.* ♦ Dép. du sud du Bassin parisien, région (anciennement C.A.R.) du Centre*. — *Orogr.* Au centre du département, la Champagne berrichonne s'étend en une large bande de

Ph. de Gregorio/Ricciarini

Le château de Chenonceaux.

Arch. Smeets

Affiche de **J. Chéret.**

direction S.-O.–N.-E. Au N.-O. de cette bande, les ondulations de la plaine solognote s'élèvent vers les collines crayeuses du Sancerrois* que revêt une couverture argileuse d'épaisseur inégale, disloquée au tertiaire. Au S.-E. s'étendent les zones argileuses de la vallée de Germigny et du Boischaut du Sud.

♦ 29 cant., 290 comm., 311 049 hab. *Préf. :* Bourges*. *Sous-préf. :* Saint*-Amand-Mont-Rond. *Ch.-l. de cant. :* Aix-d'Angillon (Les) [1 246 hab.], Argent*-sur-Sauldre, Aubigny*-sur-Nère, Baugy (1 116 hab.), Chapelle*-d'Angillon (La), Charenton-du-Cher (1 372 hab.), Chârost (1 131 hab.), Châteaumeillant*, Châteauneuf*-sur-Cher, Châtelet (Le) [1 226 hab.; 773 aggl.], Dun*-sur-Auron, Graçay (2 043 hab.), Guerche*-sur-l'Aubois (La), Henrichemont*, Léré*, Levet (992 hab.), Lignières*, Lury*-sur-Arnon, Mehun *-sur-Yèvre, Nérondes*, Saint-Martin-d'Auxigny (1 659 hab.; 825 aggl.), Sancergues*, Sancerre*, Sancoins*, Saulzais-le-Pottier (621 hab.), Vailly-sur-Sauldre (759 hab.), Vierzon*. — *Autres comm.* Allouis*, Nancay*.

CHERA. ♦ Ancienne dynastie indienne de l'extrême sud de l'Inde (Tamilnâdu et Mâlabar) d'où vient le terme de Kerala*, et qui fut influente à partir du IIe siècle. Son territoire fut conquis par les dynastes Chola* vers la fin du Xe siècle.

CHÉRAN. *n. m.* ♦ Torrent des Préalpes, affl. du Fier* (48 km). Il traverse les Bauges*.

CHERASCO. ♦ V. d'Italie (prov. de Cuneo dans le Piémont*). 6 400 hab. ♦ *Hist.* En 1631, Richelieu* y signa un traité par lequel Charles de Nevers succédait aux Gonzagues-Mantoue. Le 28 avril 1796, le roi de Sardaigne signa avec Bonaparte l'armistice de Cherasco qui fut suivi du traité de Paris.

CHERATTE. ♦ Comm. de Belgique, prov. et arr. de Liège, sur la Meuse. 5 000 hab. Armureries.

CHERBOURG. ♦ Sous-préf. de la Manche*, ch-l. d'arr. (12 cant., 192 comm., 167 433 hab.), sur la côte N. de la presqu'île du Cotentin, à l'embouchure de la Divette. 40 333 hab. *(Cherbourgeois).* Église de la Trinité, de style flamboyant (XVe-*déb.* XVIe s.). Port militaire et port de commerce (trafic vers l'Angleterre, l'Amérique du Nord et du Sud). Arsenal militaire, chantiers navals. Indus. mécaniques (machines agricoles, boulons, rivets; chaudières), électriques et électroniques. **V.** *aussi* **Octeville.** — Patrie de V. Grignard*, J. Menant*, G. Sorel*. ♦ *Hist.* Cherbourg est connue au XIe s. sous le nom de Carusburc. Disputée entre les rois de France et d'Angleterre, elle devint française après la victoire de Formigny* en 1450. Vauban la fortifia comme port de guerre en 1686. C'est à Cherbourg que Charles* X s'embarqua pour l'exil en 1830. Prise le 18 juin 1940 par les Allemands, elle devint une pièce maîtresse du « mur de l'Atlantique » et fut l'enjeu des opérations alliées aéroportées en 1944. Elle fut libérée le 27 juin.

CHERBULIEZ [ʃɛʀbylie] **(Victor).** ♦ Écrivain français (Genève, 1829 — Combs-la-Ville, 1899). Après une éducation cosmopolite et un voyage en Orient, il fit paraître avec succès une série d'ouvrages où il mêlait à une fiction romanesque des propos concernant l'archéologie et l'esthétique (*À propos d'un cheval,* 1860; *Le Prince Vitale,* 1864; *Le Grand Œuvre,* 1867). Le bon accueil fait au *Comte Kostia* (1863) l'incita à composer des romans plus classiques, tel *L'Aventure de Ladislas Bolski* (1870; porté à la scène en 1879), publiés généralement dans *la Revue des Deux-Mondes,* comme ses chroniques politiques. On lui doit également des œuvres critiques (*Hommes et Choses du temps présent,* 1889;...) [Acad. fr.]

CHERCHELL. ♦ V. et port d'Algérie, ch.-l. d'arr. du dép. d'El-Asnam, située sur la côte du massif de Miliana*. 17 900 hab. Ruines. Musées des antiquités (mosaïques). Vins. Pêche. ♦ *Hist.* Comptoir carthaginois sous le nom de Iol, Juba* II la rebaptisa *Julia Caesarea* **(V. Césarée)** en l'honneur de son protecteur et en fit sa résidence principale, capitale de la Mauritanie* césarienne.

CHÉRET (Jules). ♦ Affichiste, peintre et décorateur français (Paris, 1836 — Nice, 1932). Il débuta en 1855 en exécutant des affiches en noir et blanc, puis (1858) aux trois couleurs *(Orphée aux Enfers).* À Londres de 1859 à 1866, il étudia les procédés industriels de la lithographie en couleurs. Ses affiches (plus d'un millier) qui révèlent la part importante accordée à l'érotisme (tous les thèmes sont le prétexte à présenter une figure féminine séduisante) s'inscrivent dans le courant de l'art 1900 et se caractérisent par la vivacité de l'expression, un trait nerveux et léger (par ex. *La Saxoléine,* 1891).

CHERGUI *(Chott ech-),* ♦ Dépression fermée de l'Algérie occidentale, longue de 150 km, située sur les hauts plateaux, au pied de l'Atlas saharien, succession de lacs, salés superficiellement (nappe aquifère d'eau douce), en pleine « mer de l'alfa ».

CHERIBON ou **TJIREBON.** ♦ V. d'Indonésie (Java) sur la mer de Java, à 200 km à l'E. de Djakarta. 175 000 hab. Important centre religieux musulman depuis le XVIe siècle.

CHEROKEE(S). *n. m. pl.* ♦ Indiens d'Amérique du Nord, qui forment actuellement un des groupes les plus importants des États-Unis (ils sont env. 40 000). De la famille des Iroquois*, ils étaient établis dans le Tennessee et les deux Carolines. Ils prirent le parti des Anglais lors de la guerre d'Indépendance*; Washington* voulut en faire un exemple, en les aidant à s'occidentaliser, et ils progressèrent rapidement, adoptant une constitution démocratique et l'alphabet syllabique (1828). Dépossédés et pourchassés à partir de 1835, ils furent déportés dans l'Oklahoma.

CHÉRONÉE, en gr. **Khairôneia.** ♦ Anc. V. de Grèce (Béotie) sur le Céphise*, près de Thèbes*. — Auj. site archéologique; sépulcre des Thébains surmonté d'un colossal lion de marbre. — Patrie de Plutarque*. ♦ *Hist.* Deux grandes batailles de l'histoire grecque y furent livrées. En ~ 338 Philippe* II de Macédoine* vainquit les forces réunies d'Athènes* et de Thèbes* **(V. Démosthène).** Le jeune Alexandre* s'y illustra **(V.** *aussi* **Charès).** En ~ 86, Sylla* battit l'armée de Mithridate* VI Eupator, commandée par Archélaos*.

CHERSONÈSE, en gr. **Khersonêsos** (presqu'île). ♦ Nom que les Grecs donnaient à quatre péninsules. — La *Chersonèse de Thrace* (auj. presqu'île de Gallipoli*) colonisée par Athènes* (~ 561), occupée par les Perses (~ Ve s.), puis par les Macédoniens en ~ 338. — La *Chersonèse Taurique* (auj. la Crimée*) colonisée par les Grecs (~ VIe s.), principal exportateur de blé vers les villes de la mer Égée. — La *Chersonèse Cimbrique* (auj. Jutland*). **V. Cimbres.** — La *Chersonèse d'Or* probablement l'actuelle presqu'île de Malaka*.

Chérubin. ♦ Personnage du *Mariage de Figaro,* de Beaumarchais* (1784), adolescent passionné qui s'éveille à l'amour.

CHERUBINI (Luigi). ♦ Compositeur italien (Florence, 1760 — Paris, 1842). Il composa d'abord pour les théâtres des principales villes de l'Italie du Nord puis après un séjour à Londres, il s'installa définitivement à Paris (1787). Il y devint directeur du Conservatoire (1822-1841). Fort estimé de Haydn et de Beethoven, il acquit une brillante réputation dans toute l'Europe. Très variée, son œuvre comprend des opéras (*Élisa,* 1794; *Médée,* 1797; *Les Abencérages,* 1813), de la musique religieuse (22 messes, dont la *Messe en la majeur* pour le couronnement de Charles X [1825], 8 cantates), de la musique de chambre (6 quatuors à cordes, sonates pour piano), des hymnes et des mélodies.

CHÉRUSQUES. *n. m. pl.,* en lat. **Cherusci.** ♦ Peuple de Germanie établi entre l'Elbe et la Weser avant le ~ Ier siècle. Ils luttèrent longtemps contre la domination romaine et, sous la conduite de leur chef Arminius*, défirent les légions de Varus* dans la forêt de Teutoburg (9), mais furent à leur tour vaincus par Germanicus* (16). Ils passèrent sous l'autorité des Chattes* vers la fin du Ier siècle.

CHESAPEAKE *(baie de),* en angl. **Chesapeake bay.** ♦ Profonde baie de la côte E. des États-Unis, dans le Maryland* et le N. de la Virginie. Longue de plus de 280 km et large de près de 30, la baie de Chesapeake correspond à la basse vallée de la Susquehanna*, ennoyée au quaternaire. La Susquehanna au N., le Potomac (à l'O., et par une large embouchure) s'y jettent. Baltimore* et Annapolis* sont sur la côte O. de la baie, Hampton, Newport News, à son extrémité. Celle-ci, bien abritée, est accessible aux plus gros bâtiments; un pont, avec la chaussée surélevée qui le prolonge, la traverse sur plus de 12 km (c'est l'un des plus longs ponts du monde, avec quatre îles artificielles, deux tunnels).

CHESELDEN (William). ♦ Chirurgien et anatomiste anglais (Somerley, Leicester, 1688 — Bath, 1752). Premier chirurgien de la reine Caroline, auteur d'ouvrages sur *L'Anatomie du corps* *humain* (1713), sur la *Lithotomie par la méthode latérale* (1723, trad. fr. 1724), il est surtout connu pour ses opérations de la cataracte et plus particulièrement l'opération qu'il pratiqua sur un jeune garçon aveugle de naissance (1728), opération qui devait contribuer à l'étude de la formation des sensations et perceptions visuelles.

CHESHIRE (abrév. de *Chestershire*) ou **CHESTER**. ♦ Comté du N.-O. de l'Angleterre. 2 629 km², 1 486 000 hab. *Ch.-l.* Chester*. Fromages réputés. Fonderies. — Patrie de sir Robert Knolles*

CHESNAY [ʃɛnɛ] **(LE)**. ♦ Ch.-l. de cant. des Yvelines, arr. de Versailles. 16 432 hab. Cité résidentielle (Parly 2) sur le territoire de la commune.

CHESNE [ʃɛn] **(LE)**. ♦ Ch.-l. de cant. des Ardennes (arr. de Vouziers), sur le canal des Ardennes. 1 132 hab. Situé près de l'un des défilés de l'Argonne*. — Le bourg a été très endommagé au cours de la dernière guerre.

CHESNELONG [sɛnəlɔ̃] **(Pierre Charles)**. ♦ Homme politique français (Orthez, 1820 — *id.*, 1899). Républicain en 1848, il se rallia au Second Empire. Maire d'Orthez (1855), il fut élu député légitimiste à l'Assemblée nationale (1871) où il favorisa le rapprochement entre orléanistes et légitimistes pour le rétablissement de la monarchie en faveur du comte de Chambord, tentative qui échoua. Auteur de *La Campagne monarchique d'octobre 1873* (1895).

CHESTER. ♦ V. du N.-O. de l'Angleterre, au S. de Liverpool. *Ch.-l.* du Cheshire*, sur la Dee. 60 400 hab. La ville a conservé un aspect médiéval très pittoresque avec ses remparts du XIVᵉ s., ses « rows » ou galeries courant autour des maisons de l'époque Tudor. — Centre industriel (fonderies, constructions aéronautiques). ♦ *Hist.* L'anc. castrum romain de *Deva* fut abandonné au Vᵉ siècle. C'est sur son emplacement que Ethelfeld, comte de Mercie, fonda une ville vers 907. Conquise de haute lutte par les Normands au XIᵉ s., Chester fut jusqu'au XVᵉ s. une florissante cité commerciale et un port important.

CHESTERFIELD (Philip Dormer Stanhope, *comte de***)**. ♦ Épistolier, homme d'État, diplomate, orateur et journaliste anglais (Londres, 1694 — *id.*, 1773). Après un bref séjour à l'université de Cambridge, puis à la cour de Louis XIV, il devint membre du Parlement. Ambassadeur, il négocia le mariage du prince d'Orange avec Anne, fille aînée de George II. Délégué en Hollande, il se lia avec Élizabeth du Bouchet dont il eut un fils qui vécut de 1732 à 1768 et à qui il envoya des Lettres (*Letters to His Son*, 1774). Écrites en anglais, en latin et en français, elles enseignent, parfois avec cynisme, l'art de plaire considéré comme l'idéal du gentilhomme. Il entretiendra le même type de correspondance avec son filleul et neveu (*Letters to His Godson*, 1890 posth.). Sa collaboration au *Fog's Journal* (1736), au *Common Sense* (1737) et au *Old England* (1743) lui valut l'inimitié du roi et un « exil honorable », la vice-royauté d'Irlande où sa politique de tolérance religieuse fut appréciée. Ami de Pope, de Swift, de lord Bolingbroke, de Voltaire et de Montesquieu, ce lettré mondain fut aussi un mécène : il protégea notamment Samuel Johnson*.

CHESTERFIELD. ♦ V. d'Angleterre (Derbyshire) au confl. du Rother et de l'Hipper. 67 900 hab. — Église du XIVᵉ s. au célèbre clocher penché. — Houille et indus. métallurgiques aux environs. — Patrie de Robert Robinson*.

CHESTERFIELD *(îles)*. ♦ V. NOUVELLE-CALÉDONIE.

CHESTERTON (Gilbert Keith). ♦ Poète, romancier, essayiste et critique anglais (Kensington, Londres, 1874 — Beaconsfield, 1936). D'origine franco-écossaise, Chesterton, doué pour le dessin, fit d'abord des études d'art et débuta dans le journalisme comme critique (*The Debater*, 1899). Polémiste, il collabora au *Speaker*, et au *Daily News* où il rencontra lord Morley et Winston Churchill. Ses premiers livres furent des recueils de poèmes : *L'Impétueux Chevalier*, et *Les Vieillards s'amusent* (1900). *Hérétiques* (1915), rassemble ses controverses religieuses, sociales et philosophiques, notamment avec Wells, Shaw. Ses préférences catholiques apparaissent dans une autobiographie intellectuelle, *Le Nommé Jeudi* (1908) que caractérise déjà le *suspense* propre aux *Histoires du Père Brown* (1911-1927). Le *Napoléon de Notting Hill* (1904) exalte avec humour l'héroïsme et la tradition, thème que l'on retrouve dans *La Sphère et la Croix* (1909). Il attendra 1922 pour se convertir au catholicisme, attiré par le défi à la raison qu'offrait cette religion. Il écrivit alors des essais (*Saint François d'Assise*, 1923; *L'Homme éternel*, 1925; *L'Homme qu'on appelle le Christ*, 1927, etc.). Son autobiographie (*L'Homme à la clef d'or*, 1936) éclaire ce personnage baroque, « qui avait fracassé trop de dessus de pendules pour se dresser lui-même sur un piédestal » (G.M. Tracy).

CHESTOV (Lev Isaakovitch CHVARTSMAN, dit **Léon)**. [*Šestov*]. ♦ Écrivain et philosophe russe (Kiev, 1866 — Paris, 1938). Son évolution intellectuelle et spirituelle fut profondément marquée par l'influence de penseurs comme Tolstoï, Dostoïevski, Nietzsche, Pascal et Kierkegaard. Après eux, il dénonça les vérités évidentes et rassurantes de la raison, leur opposant l'expérience de l'absurde et du tragique de l'existence humaine. Son irrationalisme religieux en fait un des promoteurs de l'existentialisme chrétien. (*L'Idée de bien chez Tolstoï et Nietzsche*, 1900; *Dostoïevski et Nietzsche*, 1903; *La Philosophie de la tragédie*, 1927; *Kierkegaard et la philosophie existentielle*, 1936; *Athènes et Jerusalem*, 1938).

CHEVALIER (Michel). ♦ Économiste français (Limoges, 1806 — Montplaisir, Hérault, 1879). D'abord adepte convaincu et actif du saint-simonisme **(V. Saint-Simon)**, il devint ensuite partisan du libre-échange, et contribua avec Cobden*, à la signature du traité libre-échangiste entre la France et l'Angleterre (1860).

Ph. Hétier

Chester.

CHEVALIER (Auguste). ♦ Voyageur et botaniste français (Domfront, 1873 — Paris, 1956). Au cours de plusieurs expéditions, il explora différentes régions d'Afrique (Sénégal, Soudan occidental, Oubangui, lac Tchad) où il fit des études de géographie botanique. Il fit ensuite deux séjours en Indochine. Outre le récit de ses voyages, il a laissé un ouvrage sur les *Végétaux utiles de l'Afrique tropicale* (1905) et contribua au *Traité de géographie physique* de E. de Martonne. (Acad. sc., 1937.)

CHEVALIER (Maurice). ♦ Chanteur fantaisiste français (Paris, 1888 — *id.*, 1972). Il débuta à 13 ans au café-concert. Sous l'influence d'artistes américains dont il avait admiré le rythme et la technique, il composa bientôt la silhouette fameuse, — smoking, canotier, lippe gouailleuse — qu'il allait imposer durant plus de cinquante ans à tous les publics du monde. Devenu le partenaire de Mistinguett* (1909), il parut ensuite dans de nombreuses revues. Interprète de l'opérette, il créa *Dédé* (Christiné, 1921) et *Là-Haut* (M. Yvain, 1924). Commencée avant 1914 dans de petits films de Max Linder, sa carrière cinématographique connut son apogée quand Hollywood l'engagea (1928). Il y tourna une douzaine de films, dont *Parade d'amour* (1929), *La Veuve joyeuse* (1931), *Folies Bergère* (1935). Rentré en France, il y poursuivit une brillante carrière. Prodiguant un optimisme facile, son répertoire s'enrichit, au long des années, de créations mémorables *(Ma Pomme, Prosper, Y a d'la joie, Marche de Ménilmontant, La Chanson du maçon)*. Sa réputation internationale l'engagea dans de triomphales tournées à l'étranger. Au cinéma, il parut encore dans de nombreux films, tant en France qu'en Amérique. Il fit ses adieux au public parisien à l'automne de 1968. Maurice Chevalier a laissé des Mémoires (*Ma Route et mes Chansons*, 10 vol.).

CHEVALLIER (Gabriel). ♦ Romancier français (Lyon, 1895 — Cannes, 1969). Auteur d'un roman prenant pour thème la guerre, *La Peur*, et d'un récit d'analyse, *Clarisse Vernon*, c'est avec les anecdotes savoureuses de *Clochemerle* (1934; porté à l'écran) que G. Chevallier acquit le succès. Il conserva cette veine caricaturale dans *Sainte-Colline* (1937) et *Les Héritiers Euffe* (1954). On lui doit également de charmants recueils de souvenirs, *Durand, commis voyageur* et *Carrefour des hasards* (1936).

CHEVENARD (Pierre). ♦ Métallographe français (Thizy, Rhône, 1888 — Fontenay-aux-Roses, 1960). Inventeur d'appareils permettant d'étudier avec précision les transformations des corps solides sous l'action de la chaleur, il conçut notamment le dilatomètre enregistreur en 1920. (Acad. sc., 1946.)

CHEVERNY. ♦ Comm. du Loir-et-Cher, arr. de Blois. 743 hab. Château Renaissance et classique. Remarquables collections de peintures, de meubles et de tapisseries. Musée de la vénerie.

CHEVERT (François de). ♦ Général français (Verdun, 1695 — Paris, 1769). Il commença sa carrière militaire comme simple soldat, prit une part active au siège de Prague et défendit brillamment la ville contre toute une armée autrichienne, avant une reddition très honorable (1742).

CHEVILLON. ♦ Ch.-l. de cant. de la Haute-Marne, arr. de Saint-Dizier. 1098 hab. Fonderies, tubes.

CHEVILLY-LARUE. ♦ Comm. du Val-de-Marne, (arr. de Créteil), au S.-E. de Paris. 16 418 hab. — Église du XIIIᵉ siècle. — Commune en expansion rapide.

CHEVIOT *(monts)*, en angl. **Cheviot Hills**. ♦ Collines de Grande-Bretagne s'étendant de part et d'autre de la frontière anglo-écos-

Ph. Louis Monier

La duchesse de **Chevreuse.**

saise et culminant au *Cheviot Peak* (816 m). On y élève une race de moutons à laine, les *cheviots.*

CHEVIRÉ *(île).* ♦ Faub. industriel de Nantes*, anc. île auj. réunie à la r. g. de la Loire. Centrale thermique. Chantiers navals.

CHEVOTET (Jean Michel). ♦ Architecte et décorateur français (Paris, 1698 — *id.,* 1772). Prix de Rome en 1722, il devint ensuite un architecte fort apprécié par l'aristocratie parisienne et réalisa dans un style caractéristique de l'époque Louis XV de nombreux hôtels particuliers et châteaux, notamment *le pavillon de Hanovre* (1760) dans les jardins de l'*hôtel d'Autun* dont il dirigea aussi la restauration; ce pavillon a été ensuite rebâti dans le parc de Sceaux. Il édifia aussi le *château de Petit-Bourg* (avec Contant d'Ivry), d'Arnonville et de Champlâtreux (au corps central arrondi). Il resta fidèle au style rocaille surtout dans ses décorations intérieures et il conçut aussi l'aménagement de nombreux parcs : *Thoiry, Passy,* et surtout *Belœil* en Belgique.

CHÈVRE *(la).* ♦ **V.** CAPELLA.

CHEVREUL (Eugène). ♦ Chimiste français (Angers, 1786 — Paris, 1889). Ayant analysé les corps gras, il isola les acides correspondants dont l'acide stéarique qui permit la fabrication des bougies stéariques (1823). Il pressentit également la solution du problème des isomères et établit une théorie des couleurs. (Acad. sc., 1826.)

CHEVREUSE (Marie de ROHAN-MONTBAZON, *duchesse de***).** ♦ Dame française (1600 — Gagny, 1679). Elle épousa successivement le duc de Luynes et Claude de Lorraine, duc de Chevreuse. Sa vie fut remplie d'intrigues et d'aventures galantes. Un complot contre Richelieu coûta la vie à son jeune amant, Chalais*. Elle profita d'un de ses exils pour faire conspirer à son tour le duc de Lorraine, dont elle était la maîtresse. Revenue en France à la mort de Louis XIII, elle prit part à la cabale des Importants* et à la Fronde*, avant de se remarier secrètement avec le marquis de Laigues.

CHEVREUSE. ♦ Ch.-l. de cant. des Yvelines (arr. de Rambouillet), sur l'Yvette. 3 438 hab. *(Chevrotins).* Église Saint-Martin (en partie des XIIe et XIVe s.). Maisons anciennes. Ruines du château de la Madeleine (XIIe-XVe siècle). Lieu de villégiature. — *Vallée de Chevreuse :* vallée moyenne et supérieure de l'Yvette. assez découpée et dont les affl. forment des vallons, surtout à partir de Saint-Rémy-lès-Chevreuse (vallon de Saint-Lambert : Port*-Royal; vallon des *Vaux de Cernay :* Dampierre). La vallée abrite Orsay*, Gif*-sur-Yvette (anc. abbaye), Saint*-Rémy-lès-Chevreuse, Chevreuse (ci-dessus), Dampierre* (château).

CHEVTCHENKO (Tarass Grigorovitch) [*Ševčenko*]. ♦ Poète ukrainien (Morintsy, gouvernement de Kiev, 1814 — Saint-Pétersbourg, 1861). Serf, il fut émancipé en 1838. Après avoir étudié la peinture à l'école des beaux-arts de Saint-Pétersbourg, il publia en 1840 son premier recueil de poèmes inspirés de la chanson populaire : *Kobzar.* L'année suivante, il écrivit un poème épique, *Les Haïdamaques.* En 1846, il participa à la fondation de la « Confrérie de Cyrille et Méthode » qui voulait abolir le servage et établir l'égalité sociale. La Confrérie fut dissoute et Chevtchenko fut déporté en Sibérie où il dut rester jusqu'en 1857. Héros et martyr du peuple ukrainien, il en est le représentant le plus brillant, marquant la naissance de la littérature ukrainienne et le réveil national de l'Ukraine. Des poèmes tels que *Kateryna, Maria,* où dominent son romantisme et la mélancolie de son fatalisme, sont célèbres en Ukraine. Il est l'auteur de l'hymne national de l'Ukraine : *Testament.*

CHEY CHETTA. ♦ Nom de cinq rois du Cambodge qui se succédèrent du milieu du XVIe s. au déb. du XVIIIe siècle. Ils eurent à combattre les Siamois (qui prirent leur capitale, Lovêk, en 1593) et les Vietnamiens qui annexèrent Saigon (vers 1620). Ils ne purent que difficilement se maintenir sur le trône.

CHEYENNE. ♦ V. des États-Unis, cap. et principale ville du Wyoming, située à l'extrême S.-E. de cet État, près de la frontière de l'État du Colorado. 43 505 hab. (1960). Centre du commerce du bétail sur la ligne de ch. de fer de l'*Union Pacific.* Base de missiles Atlas.

CHEYENNES. *n. m. pl.* ♦ Indiens d'Amérique du N., appartenant à la famille Algonquins*. Vivant au XVIIe s. près des sources du Missouri, ils emigrerent vers le S.-O. sous la pression des Sioux et se divisèrent en deux groupes (N. et S.) au milieu du XIXe siècle.

CHEYLARD [ʃelaʀ] **(LE).** ♦ Ch.-l. de cant. de l'Ardèche* (arr. de Tournon*), près du confluent de la Dorne et de l'Erieux. 4 399 hab. *(Cheylarois).* Productions de fruits. Soie, confection. Tanneries.

CHEYNEY (Peter Southouse Cheyney, dit Peter). ♦ Romancier anglais (Londres, 1896 — *id.,* 1951). Son œuvre policière, en abandonnant les intrigues élaborées du récit traditionnel issu de Conan Doyle, se caractérise par la violence physique et verbale. Abondante et très inégale, elle influença le roman noir américain et le roman d'espionnage. Ses héros, incarnations infantiles des mythes de virilité et de violence, préparent James Bond.

CHÉZY (Antoine *de***).** ♦ Ingénieur et mathématicien français (Châlons-sur-Marne, 1718 — Paris, 1798). Il réalisa les ponts de Neuilly, de Nantes, du Tréport, etc. **V.** ***aussi*** **Perronet, Eiffel, Freyssinet.**

CHÉZY (Antoine Léonard *de***).** ♦ Orientaliste français (Neuilly, 1773 — Paris, 1832). Il fut l'un des premiers à occuper la chaire de sanskrit en France. Il a donné une traduction française du poème persan *Laïla et Medjnoun* de Djami, ainsi que des traductions d'œuvres sanskrites.

CHIA-I [*Kia-yi, Jia Yi*]. ♦ Homme d'État et célèbre poète chinois (v. ~200 — ~168), conseiller de l'empereur Wen-ti des Han*, auteur de textes politico-philosophiques, d'essais confucéens et de poèmes chantés, encore admirés de nos jours.

CHIANG-HSI [*Kiang-si, Kiang-Hsi, Jiangxi*]. ♦ Prov. de Chine méridionale, au S. du Yang-tsê (fleuve Bleu), au climat doux et humide, propice aux cultures (riz, coton, thé, canne à sucre). D'une superficie de 164 800 km^2 pour une population d'env. 20 000 000 d'hab. *Cap.* Nan-Ch'ang (Nanchang, Nan-Tch'ang). *V. princ.* Kan-chou (Kanchow, Kan-tcheou, Ganzhou). Gisement de tungstène, de charbon, de kaolin (à l'origine de la femeuse porcelaine chinoise, dont P'o-yang est le centre).

CHIANG KAI-SHEK [*Chiang Chieh-shih, Jiang Jieshi, Chiang Chung-cheng*]. ♦ Maréchal et homme d'État chinois (Ningpo, 1886 — Taipei, 1975). Après des études militaires à Tôkyô, il se joignit en 1911 au parti républicain de Sun* Yat-sen et fut envoyé par ce dernier en U.R.S.S. (1923). À son retour, il organisa l'armée du Kuomintang* et dirigea l'académie militaire de Whampoa (Huang-P'u). Devenu général en chef de l'armée du Sud, il s'opposa aux communistes et établit son propre gouvernement à Nankin* (1927). Il devint en 1928 le chef du gouvernement nationaliste, continua à lutter contre les communistes et fut fait prisonnier à Hsi-an en 1936. Chou* En-lai le fit relâcher. Il s'allia alors avec les communistes contre les Japonais qui envahissaient la Chine et établit son gouvernement à Ch'ung*-ch'ing. Chef suprême des armées alliées en Chine pendant la dernière guerre, il reçut l'aide de conseillers américains. À la fin de la guerre, il rompit de nouveau avec les communistes, mais après quelques succès, il fut vaincu sur tous les fronts et dut s'établir avec ses partisans dans l'île de Formose (Taïwan*) où il établit une Rép. chinoise indépendante, avec l'aide américaine, rép. qui fut seule reconnue par l'O.N.U. jusqu'en 1971. Sa femme, Sung* Mei-ling, joua à ses côtés un rôle politique important. A sa mort, Yen Chia-kan lui succéda.

CHIANG-MAI. ♦ V. de Thaïlande de fondation ancienne, autrefois capitale du royaume lao du Lân*-na (« million de rizières »). Elle fut fondée en 1296 par le chef thai Meng Rai, sur un plan carré, et entourée de murs et d'un large fossé. Commerce du teck et des soieries. Env. 90 000 hab. (deuxième ville de Thaïlande). — *N. m.* Prov. du N.-O. de la Thaïlande dont cette ville est la capitale.

CHIANG-SU [*Kiang-sou, Jiangsu*]. ♦ Prov. de Chine, en bordure de la mer de Chine orientale. *Cap.* Nankin* (Nanjing). Le climat doux et humide y permet une culture intensive (blé, sorgho, millet, soja, patates douces et coton). Élevage de vers à soie. Au N. du Yang-Tsê kiang, élevage de porcs et de canards. Région indus. et commerciale

Ph. M. Pedone/Ricciarini

Chianti : vignes en automne.

(présence de Shanghaï). D'une superficie de 102 200 km², elle a une population totale de plus de 48 000 000 d'habitants.

CHIANTI. *n. m.* ♦ Région d'Italie, en Toscane, dont les collines plantées de vignobles donnent un vin réputé (le chianti).

CHIAO-CHOU [*Chiaochow, Kiaochow, Kiao-tcheou, Jiaozhou*]. ♦ V. de Chine située sur la côte méridionale de la presqu'île du Shan*-tung, au S. de la ville de Ch'ing-tao (Ts'ing-tao, Qing-dao). Elle fut territoire à bail pour l'Allemagne de 1898 à 1914, et occupée par les Japonais de 1914 à 1922.

CHIAO PING-CHÊN [*Kiao Ping-tchen, Jiao Bingzhen*]. ♦ Peintre chinois (actif vers 1680-1720) et astronome réputé. Il étudia les lois de la perspective européenne et utilisa celle-ci dans ses œuvres. Ses illustrations les plus connues figurent dans un ouvrage publié en 1696 sur la vie des champs et le travail de la sériciculture.

CHIAPAS. *n. m.* ♦ État du S.-E. du Mexique, bordé par le Pacifique, et situé à la frontière du Guatemala dont il est séparé, à l'E., par l'Usumacinta*. La sierra Madre* del Sur s'y prolonge par de hautes terres qui débordent la frontière. 73 887 km². 1 470 000 hab. (1967). *Cap.* Tuxtla Gutiérrez. – Climat subtropical. Pays du cacao et du caoutchouc avant la conquête espagnole, le Chiapas possède aujourd'hui des plantations de café et de canne à sucre. – Vestiges mayas. **V. Bonampak.**

CHIAPPE (Jean). ♦ Administrateur et homme politique français (Ajaccio, 1878 – en Méditerranée, 1940). Préfet de police (1927-1934), connu pour ses sympathies à l'égard des ligues d'extrême droite, il fut muté au Maroc par Daladier* (3 février 1934), mutation qu'il refusa. En 1940, le gouvernement de Vichy le nomma haut-commissaire en Syrie ; l'avion qu'il avait pris pour s'y rendre fut abattu au-dessus de la Méditerranée par la R.A.F.

CHIAPPÈLLI (Alessandro). ♦ Philosophe italien (Pistoria, 1857 – Florence, 1931). Il vit dans le néo*-kantisme la possibilité d'un nouvel idéalisme sous la forme d'un monisme spiritualiste (*Kant et la philosophie contemporaine*, 1880 ; *De la critique au nouvel idéalisme*, 1910).

CHIASSO. ♦ V. de Suisse (Tessin) à la frontière italienne (douane) sur la ligne du Saint*-Gothard. 7 500 hab. – Indus. chimique (matière plastique) et métallurgique, pâtes alimentaires, manuf. de tabac, cimenterie (à Ponte Chiasso).

CHIAVENNA ♦ V. d'Italie (en Lombardie, province de Sondrio) sur la r. g. de la Mera, au nord du lac de Côme*. 6 200 hab. Centre touristique au carrefour des routes de Saint*-Moritz par le col de la Maloja et de Coire* par le col du Splügen*. ♦ *Hist.* Clé (*clavenna*) de la Suisse et de la Lombardie, la ville fut la capitale d'un comté qui appartint aux Visconti (XIVᵉ s.), aux évêques de Coire (XVᵉ s.), puis aux Grisons (de 1512 à 1597).

CHIAYI. ♦ V. de l'île de Taïwan, et ch.-l. de district sur la côte occidentale. 250 000 hab.

CHIBA. ♦ V. du Japon (Honshû), ch.-l. de préfecture au N. de Tôkyô. 480 000 hab. Port de pêche et centre administratif. Indus. du bois et du papier.

CHIBCHA(S). *n. m. pl.* ♦ Peuple de l'Amérique du Sud (région de Bogotá) dont la civilisation fut détruite par les Espagnols au XVIᵉ siècle. Leurs divinités étaient liées au culte du Soleil, mais on ne trouve pas chez eux les marques d'une culture très élaborée. Vivant du maïs et de la pomme de terre, ils fabriquaient des tissus de coton et surtout de remarquables objets en or. Le groupe linguistique *chibcha* correspond à des tribus diverses, vivant de l'Équateur au Costa Rica et à la Colombie.

CHIBOUGAMAU. ♦ V. du Canada (Québec), fondée vers 1950, à près de 500 km au N.-O. de Québec, dans une région inhabitée. Env. 5 000 habitants. Importants gisements de cuivre.

CHICAGO. ♦ V. des États-Unis, au N.-E. de l'Illinois*, au bord du lac Michigan. Troisième ville du pays, après New* York et Los* Angeles. 3 322 855 hab. (plus de 33 % de Noirs). La zone urbaine atteignait en 1970 près de 7 000 000 d'hab. (Evanston, Oak Park, Cicero, et, dans l'Indiana, East Chicago, Hammond*, Gary*). Chicago est l'un des plus grands marchés de céréales et de bétail du monde. Indus. lourdes (métallurgie, constructions navales), alimentaires (viandes), chimiques, imprimeries. etc. L'aéroport de Midway a le plus fort trafic du monde. – Le centre de la ville (*the Loop*) présente d'intéressants spécimens d'architecture contemporaine (**V. Mies van der Rohe**). Les bibliothèques et musées (notamment l'*Art Institute*), les activités musicales sont parmi les plus remarquables des États-Unis. Université (*Univ. of Chicago*). – Patrie de L. Bloomfield*, Walt Disney*, J. Dos* Passos, L. Ellsworth*, E. Hemingway* (Oak Park), L. Thurstone*. ♦ *Hist.* Poste de portage au XVIIIᵉ s., la ville se développa après 1830, notamment après la construction de chemins de fer (1848-1854). En 1870, Chicago avait déjà 300 000 hab., mais fut ravagée par un grand incendie l'année suivante. Siège de violents mouvements sociaux et berceau du syndicalisme américain, Chicago fut, à l'époque de la prohibition (1919-1933), notoire pour ses bandes criminelles fortement organisées (Al Capone*, etc.). De nos jours, l'importance de la pop. noire fait de Chicago un centre pour les revendications des droits civiques. La première pile à uranium fut construite à Chicago par E. Fermi.

CHÎCHAKLÎ (Abîd). ♦ Homme politique syrien (Hama, 1901 – État de Goiás, Brésil, 1964). Représentant des mouvements nationalistes qui luttèrent contre la France (1945-1946), puis membre des forces arabes de Palestine, il prit part au coup d'État de Za'im (mars 1949) mais ne tarda pas à s'opposer à ce dernier. Il prit lui-même le pouvoir par un coup d'État en nov. 1951 comme vice-Premier ministre puis comme président de la République syrienne. Renversé par un nouveau coup d'État (fév. 1954), il vécut en exil au Brésil où il fut assassiné par un Druze.

CHICHÉN ITZÁ. ♦ Localité et site archéologique du Mexique méridional, située dans l'État du Yucatán. ♦ *Hist.* L'une des princ. cités du « nouvel empire » maya*, fondée en 987 par Kukulcán (trad. de Quetzalcóatl) sur un site qui aurait été occupé du Vᵉ à la fin du VIIᵉ s., puis abandonné. La ville fut réoccupée à la suite de la migration toltèque. **V. Mexique** (*hist.*), **Mayas, Toltèques.** Les vestiges (pyramide de Kukulcán, dite *El Castillo*, la place des Mille Colonnes, le jeu de pelote, le temple des Tigres) en font un des sites les plus remarquables du Mexique. On a découvert au fond du puits sacré de Chichén Itzá (*cenote*) un ensemble unique d'objets jetés en offrande, qui ont apporté une documentation précieuse sur la vie esthétique et religieuse des Mayas.

CHICHESTER (*sir* **Francis**). ♦ Navigateur solitaire britannique (Barnstaple, Devon, 1901 – Plymouth, 1972). Vainqueur de la 1ʳᵉ course transatlantique en voilier (1960), il s'est classé second derrière É. Tabarly en 1964. En 1966-67, il a réalisé le tour du monde en solitaire.

CHICHESTER. ♦ V. d'Angleterre, ch.-l. du West Sussex*. 20 100 hab. – Cathédrale du XIIᵉ siècle. – Patrie du poète William Collins*.

CHICHICASTENANGO. ♦ Localité du Guatemala, située au N.-O. de la capitale. Ses monuments de la période coloniale et son marché indien pittoresque en font un des centres touristiques du pays.

CHICLAYO. ♦ V. du Pérou septentrional, ch.-l. du dép. de Lambayeque (16 595 km², 347 200 hab. env.) situé dans une oasis proche du Pacifique. 141 000 hab. Industries alimentaires.

CHICOUTIMI (mots indiens « limite de l'eau profonde »). ♦ V. du Canada (Québec) située au N. de Québec sur la riv. Saguenay, à proximité du lac Saint-Jean. 32 077 hab. (1966). Centre administratif et commercial. Hydro-électricité. Indus. du bois et papier; textile. – Branche de l'université du Québec.

CHIDAMBARAM. ♦ V. du sud de l'Inde (Tamilnâdu), ancienne capitale de la dynastie des Chola*, et important centre de pèlerinage hindou. Son grand temple de Śiva, du Xᵉ s., est consacré à la danse sacrée.

CHIEMSEE (*lac*). ♦ Lac d'Allemagne du S.-E. (Bavière), entre l'Inn et la Salzach et traversé par l'Alz. Situé à 519 m d'altitude, il mesure 11 km sur 12. Entouré de forêts, il est très pittoresque et contient trois îlots. Il est parfois appelé *Bayerisches Meer* (« la mer de Bavière »).

Chien (Grand). *n. m.*, en lat. *Canis major.* ♦ Constellation de l'hémisphère austral, au bord de la Voie* lactée. Elle contient l'étoile la plus brillante du ciel (Sirius*), plusieurs étoiles doubles et des amas stellaires visibles à l'œil nu.

Chien (Petit). *n. m.*, en lat. *Canis minor.* ♦ Constellation boréale. **V. Procyon.**

Ch'ien-Chin-fang [*Ts'ien Kin-fang, Qian Jinfang*]. (« Recette des mille pièces d'or »). ♦ Célèbre traité médical chinois donnant plus de 5 000 recettes, et dû au médecin chinois Sun Szu-mao (581-682). La plupart des traités médicaux chinois ultérieurs furent fondés sur ce texte.

CH'IEN HAN [*Ts'ien Han, Qian Han*]. ♦ En Chine, dynastie des *Han* antérieurs* qui régna de ~206 jusqu'en 24 de notre ère, établissant sa capitale à Ch'ang-An (aujourd'hui Hsi-an). Sous cette dynastie, se créèrent de très nombreux royaumes « féodaux » donnés en apanage aux princes impériaux. Elle fut renversée en 25 par l'usurpateur Wang Mang et remplacée peu de temps après par la dynastie des *Han postérieurs* (Hou* Han).

CH'IEN-LUNG. ♦ **V.** KAO TSUNG.

CH'IEN SAN-CH'ING [*Ts'ien San-k'ing, Qian Sanqing*]. ♦ Physicien chinois (né en 1910) ancien collaborateur de Joliot-Curie en France. Il est un des « pères » de la bombe atomique chinoise, lancée le 16 oct. 1964 dans le Hsin-chiang (Sin-kiang).

Ph. Louis Monier
Childebert I.

Ph. Louis Monier
Childebert II.

Ph. Louis Monier
Childéric III.

CH'IEN TA-HSIN [*K'ien Ta-sin, Qian Daxin*]. ♦ Lettré chinois (1728 – 1804), au savoir encyclopédique, géographe à la cour des Ch'ing*. Il écrivit de nombreux essais, des biographies, des poèmes, et une histoire des dynasties chinoises.

CHIERS [ʃjɛʀ]. *n. f.* ♦ Affl. de la Meuse (r. d.). 112 km. La Chiers prend sa source dans le grand-duché de Luxembourg et arrose Differdange*, Carignan*, Montmédy*, Longwy* et Sedan*.

CHIETI. ♦ V. d'Italie (Abruzzes*), sur la Pescara. 51 000 hab. Ch.-l. de province. Archevêché, indus. textile.

CHIGASAKI. ♦ V. du Japon, à 30 km au S.-O. de Yokohama (préfect. de Kanagawa) sur la côte. 126 000 hab. Port de pêche et station estivale.

CHIGI. ♦ Famille de banquiers italiens qui établirent leur puissance au XVe s. avec AGOSTINO CHIGI (v. 1465 – 1520). Il fit construire à Rome la villa Farnesine pour laquelle Raphaël* travailla, ainsi que pour les chapelles Chigi de Santa Maria del Popolo et Santa Maria della Pace. – FABIO CHIGI devint le pape Alexandre* VII – Le *palais Chigi*, sur la piazza Colonna, construit pour ses neveux par Giacomo Della Porta et Maderna, est actuellement le siège du ministère des Affaires étrangères.

CHIHUAHUA. ♦ V. du Mexique septentrional, cap. de l'État du même nom. 363 850 hab. (1970). Églises du XVIIIe siècle. Archevêché. – Centre commercial et industriel (textiles, métallurgie du plomb). – Patrie de D. Siqueiros*. ♦ *État de Chihuahua.* 247 097 km² (le plus grand État mexicain). 1 678 000 hab. Situé dans la région des hauts plateaux, entre les Sierra Madre* occidentale et orientale, il est traversé par le rio de los Conchos* (affl. du rio Grande* del Norte), qui le sépare au N. du Texas (États-Unis). C'est une terre d'élevage (bovins, ovins, porcins...) et de riches gisements miniers (plomb, zinc, argent, or, cuivre...). Au S.-E. se trouve le Bolsón* de Mapimi. *Cap.* Chihuahua. *Autre V.* **V. Ciudad* Juárez.** Indus. chimique (cellulose) et textiles. ♦ Nom donné à une race naine de chiens à poils ras.

CHIKAMATSU MONZAEMON (Sugimori Nobumori, dit**).** ♦ Dramaturge japonais (Hagi, 1653 – Ôsaka, 1724). Fils de samurai et lettré imbu de culture chinoise, il composa tout d'abord des *Jôruri* (textes poétiques destinés à être récités et chantés) pour le théâtre de marionnettes, puis des drames adaptés du Nô pour le théâtre populaire. Il travailla ensuite au théâtre Takemoto-za d'Ôsaka avec Gidayû, et composa une importante série de drames d'une totale perfection, tant au point de vue scénique qu'à celui de la langue, au vocabulaire très riche. *« Suicide par amour à Sonezaki », « Kagekiyô le Vainqueur », « Les Batailles de Kokusenya »* sont ses œuvres les plus célèbres, et lui ont parfois valu le titre de « Shakespeare du Japon ».

CHIKUDEN. ♦ Peintre japonais (Bungo, 1777 – 1835) de l'école Nanga. Confucéen, il écrivit des traités de peinture qui firent autorité à son époque. Éclectique, il peignit aussi bien des paysages et des fleurs que des sujets à personnages. Il est considéré comme le plus grand représentant de l'école chinoise du XVIIIe s. au Japon.

CHILD (*sir* Josiah). ♦ Négociant et économiste anglais (Londres, 1630 – 1699). Amiral de la Compagnie des Indes (1686), il mena contre le Bengale une politique d'expansion militaire (1687-1690). En tant qu'économiste, il préconisa la baisse du taux d'intérêt et le développement du commerce et de la navigation (*A New Discourse of Trade; Brief observations concerning trade and the interest of money,* 1668; traduction française : *Traité sur le commerce et les avantages de la réduction de l'intérêt de l'argent,* 1754).

CHILDEBERT Ier. ♦ (v. 495 – Paris, 558). Roi de Paris (511-558). Fils de Clovis*, il conquit la Thuringe avec ses frères Clotaire* Ier et Thierry* Ier puis partagea le royaume des Burgondes* avec son frère Clotaire Ier (534). Il fit la guerre à Amalaric*, roi des Wisigoths et le vainquit près de Narbonne (531). – Il fonda le monastère Sainte-Croix-Saint-Vincent, qui fut à l'origine de l'abbaye de Saint*-Germain-des-Prés.

CHILDEBERT II. ♦ (v. 570 – 596). Roi d'Austrasie (575-596). Fils de Sigebert* Ier, il régna d'abord sous la tutelle de sa mère Brunehaut*. Il hérita des royaumes de Bourgogne et d'Orléans à la mort de son oncle Gontran* (593). – Père de Thierry* II et de Théodebert* II.

CHILDEBERT III. ♦ (v. 683 – 711). Roi de Neustrie, de Bourgogne et d'Austrasie (695-711). Fils de Thierry* III et frère de Clovis* III, il régna sous la tutelle de Pépin* de Herstal. – Père de Dagobert* III.

Childe Harold *(Le Pèlerinage de).* ♦ Poème de Byron. **V. Byron.**

CHILDÉRIC Ier. ♦ (v. 436 – Tournai, 481). Roi des Francs Saliens (457-481). Fils de Mérovée* et père de Clovis*.

CHILDÉRIC II. ♦ (v. 653 – forêt de Lognes, près de Chelles, 675). Roi d'Austrasie (663-675). Fils de Clovis* II, il régna en Neustrie et en Bourgogne (673-675) après la chute d'Ebroïn* mais mourut assassiné. – Père de Chilpéric* II.

CHILDÉRIC III. ♦ (mort à Sithiu, Flandre, 755). Dernier roi mérovingien (743-751). Fils de Chilpéric* II, il fut déposé par Pépin* le Bref.

CHILI. *n. m.*, en esp. **Chile.** (mot indien « là où se termine la terre »). ♦ République d'Amérique du S., située en bordure du Pacifique et délimitée au N. par le Pérou, au N.-E. par la Bolivie et à l'E. par l'Argentine dont elle est séparée par la cordillère des Andes*. 742 000 km². 10 250 000 hab. (1975), dont 70 % dans les villes. *(Chiliens).* 65 % de métis, 25 % d'Européens, 10 % d'Indiens **(V. Araucans).** *Cap.* Santiago. *Langue off. :* espagnol. *Religion :* 85 % de catholiques. *Unité monétaire :* peso. – Le territoire s'étire sur 4 200 km, de 17° de latitude S. au N. jusqu'à 56° au S., sur une largeur moyenne de 200 km (larg. max. 350 km) et comprend un certain nombre d'îles, notamment Chiloé*, Chonos*, Juan* Fernández, Pâques, la partie occidentale de la Terre* de Feu. *Division admin.* (Prov. et ch.-l.) : **V. Aconcagua** (San Felipe), **Aisén** (Puerto Aisén), **Antofagasta, Arauco** (Lebu), **Atacama** (Copiapó), **Bío-Bío** (Los* Angeles), **Cautín** (Temuco), **Chiloé** (Ancud), **Colchagua** (San* Fernando), **Concepción, Coquimbo** (La Serena*), **Curicó, Linares, Llanquihue** (Puerto* Montt), [Magallanes] (Punta* Arenas), **Malleco** (Angol), **Maule** (Cauquesnes), **Nuble** (Chillán), **O'Higgins** (Rancagua), **Osorno, Santiago, Talca, Tarapaca** (Iquipe), **Valdivia, Valparaíso.** L'unité géographique du pays provient du caractère volcanique des Andes, qui explique la sismicité. La forêt y occupe le 1/5 des terres. Le climat est variable selon la latitude et l'altitude, mais reste dans son ensemble tempéré, avec assez peu de variations saisonnières. La température décroît du N. au S. et le climat prend un caractère pluvieux. – *Écon.* Les *ressources agricoles* sont insuffisantes pour les besoins du pays (1 300 000 ha seulement de terres cultivées). L'agriculture évoluait vers l'exploitation collective avec le régime socialiste du président Allende; 30 % de la population en vivent. Cultures vivrières et industrielles (textiles, oléagineux, tabac). L'élevage (bovins, ovins, porcins) est extensif et pratiqué sur une superficie de 17 000 000 d'ha. Les *ressources industrielles* sont importantes : nitrates de sodium (1er producteur), cuivre (2e producteur et 1er exportateur). Les indus. de transformation sont parmi les plus développées d'Amérique du Sud. Un réseau de communications perfectionné ne laisse aucune région isolée (9 427 km de voies ferrées [Transandin]). L'avion, enfin, permet l'accès des régions de l'extrême N. et de l'extrême S. (mines du *Norte Grande* et de Patagonie). – On peut diviser le Chili en trois grandes *régions,* découpées administrativement en 25 provinces (voir ci-dessus). – 1° Le *Nord* s'étend de la frontière du Pérou à la vallée de l'Aconcagua. a) *Norte Grande* (« Grand Nord ») de Arica* à la vallée du Copiapó. Climat tropical, tempéré sur la côte par le courant froid de Humboldt*. Région de steppes et de pampas désertiques (désert d'Atacama*, N. de la prov. d'Atacama). Maigres pâturages dans de petites oasis où vivent des communautés indiennes. Ressources et activités essentiellement minières (fer, or, argent, et surtout nitrate de sodium du désert d'Atacama, à la frontière du Pérou et de la Bolivie, et cuivre). *V. princ.* **V. Antofagasta, Arica, Chuquicamata, Iquique, Pedro de Valdivia.** b) *Norte Chico* (« Petit Nord »), de la vallée du Copiapó à la vallée de l'Aconcagua. Culture extensive du blé, cultures maraîchères, fruits secs. Grandes richesses minières (cuivre d'El* Salvador). *Villes principales :* **V. Copiapó, El Salvador, Serena (La).** – 2° *Le centre,* berceau de la nation chilienne, entre la vallée de l'Aconcagua et Puerto Montt (40 % des terres cultivées) favorisé par un climat méditerranéen, et irrigué par de nombreux cours d'eau (Maipo*, Maule*, Bío*-Bío). Région des lacs d'origine glaciaire, dont le Llanquihue*. Au S. de la vallée de l'Aconcagua, s'ouvre une plaine centrale, le *Valle Central,* longue bande fertile de 1 000 km située entre les hautes Andes (avec l'Aconcagua*) et une cordillère côtière d'une centaine de km à l'aspect fragmenté. Côte couverte de forêts. Dans la plaine se trouvent concentrées les plus grandes richesses agricoles du pays (vignes – 80 % des vins –, et oliviers, 80 % du maïs et des haricots, 83 % de l'orge, 75 % des cultures maraîchères, 40 % du blé, etc. Les pentes montagneuses donnent une grande variété de bois. Élevage extensif de bovins dans les vallées transversales. Modeste production minière (cuivre d'El* Teniente, usines sidérurgiques de Huachipato*). Importance des industries de transformation (54 % à Santiago). *Villes princ.* **V. Santiago** (la capitale), **Valparaíso, Concepción, Arauco, Chillán, Corral, Curicó, El Teniente, Huachipato, Los Ángeles, Lota, Osorno, Rancagua, San Fernando, Talca, Talcahuano, Temuco, Valdivia, Viña del Mar.** – 3° *Le Sud,* de Puerto Montt à l'extrême S. du continent (cap Horn*), coïncide avec la région naturelle de la Patagonie* chilienne. Climat froid et pluvieux. A partir de Coquimbo* s'étendent 1 800 km de côte déchiquetée, toute en baies, golfes, fjords, îles et archipels qui témoignent des grandes éruptions passées (plus de 30 volcans). Les Andes s'amincissent et déclinent, la Cordillère de la côte a disparu. La forêt (pins) alimente l'industrie de la cellulose et du papier. Très faible densité de pop. *V. princ.* **V. Punta Arenas, Puerto Montt.** – L'économie repose sur la culture extensive du blé (40 % du blé chilien), l'élevage [bovins dans la région des lacs (Buenos Aires, Ranco, San Martin) ovins dans l'extrême S.]. Exploitation forestière (indus. du bois, scieries). Pêche le long des côtes (surtout baleine). Indus. alimentaires (viandes congelées). – Le domaine *antarctique chilien* (1 250 000 km², limites fixées en 1940) comprend quatre bases princ. (Arturo-Prat, Général-B.-O'Higgins, Président-G.-Gonzalez, Président-P.-Aguirre). ♦ *Hist.* Commencée vers 1536 par Almagro*, la conquête du Chili par les Espagnols fut réalisée entre 1540 et 1560 et fut principalement l'œuvre de Pedro de Valdivia*, vainqueur des indomptables Araucans* et fondateur de Santiago*. D'abord inclus dans la vice-royauté du Pérou, le Chili fut en 1742 une *capitainerie générale* annexée (jusqu'en 1778) à la vice-royauté du Pérou, et qui intéressa peu la métropole ; l'absence de métal précieux, l'éloignement

Ph. Nino Cirani/Ricciarini

Chili : raffinerie de Concon.

Chili.

et la difficulté des communications avec le reste du continent expliquent l'attitude de l'Espagne. L'indépendance du Chili fut obtenue par O'Higgins* aidé de San* Martin (bataille de Maipo, 1818). Le Chili connut alors une période de dictatures et de convulsions politiques où alternèrent libéraux et conservateurs. La guerre du Pacifique [1879-1883] **(V. Pérou)** donna l'avantage au Chili, qui acquit les riches mines d'Atacama*. Dès le début du XIXᵉ s., le pays connut un grand développement industriel, dû à l'exploitation des mines de cuivre en grande partie financée par des sociétés nord-américaines. Pendant ce temps, les problèmes sociaux s'accumulaient et des partis ouvriers naissaient. La crise mondiale de 1929 toucha durement l'économie. En 1938, un gouvernement de Front populaire s'installa ; il alterna avec celui des

Arch. Smeets

La Chimère d'Arezzo, art étrusque (?). (Musée archéologique, Florence.)

chrétiens sociaux. En dépit de la mise hors la loi du communisme (1948-1958), le Chili sut se faire la réputation d'un pays de tradition démocratique et progressiste. L'expérience de démocratie chrétienne tentée par E. Frei (1964-1970) fut observée avec intérêt par les pays d'Amérique latine; moins cependant que celle du marxiste Salvador Allende qui, en 1970, inaugura une politique socialiste (nationalisations, réforme agraire). Son gouvernement se heurta à une vive opposition de la droite. Allende fut tué (sept. 1973) au cours d'un coup d'État militaire dirigé par le général Pinochet, devenu, en juin 1974, « chef suprême de la Nation » pour une durée indéterminée.

CHILKA ou **SHILKA**. *n. f.* ♦ Rivière d'U.R.S.S. (Sibérie), (555 km), dans la région de Tchita (R.S.F.S. de Russie), l'une des deux branches supérieures de l'Amour*, l'autre étant l'Argun. Formée de la réunion des rivières Ingoda (690 km) et Onon*, elle est navigable jusqu'à la ville de Sretensk, de mai à novembre.

CHILLÁN. ♦ V. du Chili, ch.-l. de la prov. de Nuble*, au N.-E. de Concepción*. 82 900 hab. Frigorifiques et indus. diverses. Patrie de B. O'Higgins.

CHILLON *(château de)*. ♦ Château fort de Suisse, près de Montreux* (Vaud), au bord du lac Léman*. Résidence des comtes et ducs de Savoie depuis le XIIIe s., il servit plusieurs fois de prison d'État. Conquis par les Bernois en 1536, il passa aux mains des patriotes vaudois en 1798 et devint la propriété du canton de Vaud en 1803. François Bonivard* y fut emprisonné de 1530 à 1536. Byron* en fit le héros de son poème *Le Prisonnier de Chillon*.

CHILLY-MAZARIN. ♦ Ch.-l. de cant. de l'Essonne, arr. de Palaiseau. 9 947 hab. Château XIXe siècle. Produits pharmaceutiques.

CHILOÉ. ♦ Île du Chili méridional, qui prolonge les provinces S. du Bío*-Bío, et est séparée du continent par plusieurs golfes. — La *prov. de Chiloé*, au S. de la prov. de Llanquihue*, occupe le N. de la Patagonie* chilienne, et englobe l'île et l'espace marin qui entoure, au S., la partie septentrionale de l'archipel des Chonos*. *Ch.-l.* Ancud. 23 400 km². 111 000 habitants.

CHILON [*Khilôn*]. ♦ Un des Sept Sages* de la Grèce (~VIe s.). Éphore de Sparte* v. ~ 556, il fit confier aux éphores le droit de déposer les rois. Il mourut de joie, prétend-on, quand son fils fut couronné aux Jeux Olympiques.

CHILPÉRIC Ier. ♦ (539 — forêt de Chelles, 584). Roi de Neustrie (561-584). Fils de Clotaire* Ier, il fit assassiner sa femme Galswinthe*, à l'instigation de sa maîtresse Frédégonde*. Brunehaut*, femme de son frère Sigebert* Ier et sœur de Galswinthe poussa son mari à venger ce crime. *Chilpéric* mourut assassiné. — Père de Clotaire* II.

CHILPÉRIC II. ♦ (v. 670 — Noyon, 721). Roi de Neustrie (715-721). Fils de Childéric* II, il fut vaincu par Charles* Martel et ne régna plus qu'en titre. — Père de Childéric* III.

CHILTERN HILLS. *n. f. pl.* ♦ Collines crayeuses du S. de l'Angleterre. Situées au N. de la Tamise entre Londres et Oxford, elles ont une direction S.-O. - N.-E.

CHIMAY. ♦ V. de Belgique (Hainaut, arr. de Thuin), sur l'Eau Blanche, à la frontière française, 3 322 hab. Monuments du XVIIe s. (château des princes, 1607), et du XVIIIe s. (hôtel de ville, 1724). Église collégiale (XIIIe et XVe s.). C'est à Chimay que mourut Froissart. Brasserie. Matériaux de construction. Céramiques. ♦ *Hist.* Chimay fut érigé en comté par Charles le Téméraire en 1473.

CHIMBORAZO. *n. m.* ♦ Volcan des Andes, situé en Équateur (6 267 m). Il ne montre pas de trace récente d'activité.

CHIMBOTE. ♦ V. et port du Pérou septentrional. 61 000 hab. Le plus important port de pêche avec Callao* (traitement du poisson) et le seul complexe sidérurgique du pays (aciérie).

Chimène. ♦ Personnage du Cid* de Corneille. Fille du comte don Gormas, elle aime Rodrigue et est aimée par lui. Son père ayant été tué en duel par le jeune homme, Chimène s'efforce de sacrifier son amant à la mémoire de son père. Mais elle finira par se trahir et par avouer son amour en présence du roi, qui permet alors le mariage des deux héros. Chimène est le type de l'héroïne cornélienne qui s'impose des épreuves.

CHIMÈRE (la), en gr. **Khimaira**. ♦ Monstre fabuleux engendré par Typhon* et Échidna*. Elle a trois têtes — de lion, de chèvre et de dragon (cette dernière au bout de la queue) — et ravage la Lycie. Elle est tuée par Bellérophon*, aidé par son cheval ailé, Pégase*.

Chimères (Les). ♦ Sonnets de G. de Nerval* (1844), publiés en appendice des *Filles* du feu* (1854). Ces douze poemes « composés dans [un] état de rêverie supernaturaliste » expriment d'une façon allusive et symbolique la hantise mystique du poète : croyance dans le retour des anciens dieux (« Ils reviendront, ces Dieux que tu pleures toujours ! ») et syncrétisme unissant toutes les doctrines concernant la réincarnation et la purification des âmes (« La Treizième revient... C'est encore la première; Et c'est toujours la seule »; *Artémis*). Écrits dans une langue ésotérique et chargés d'allusions à des souvenirs à moitié rêvés *(Myrtho)*, ces sonnets, parfois obscurs, sont remarquables par la musicalité de leurs vers et la splendeur des visions qu'ils suscitent *(El Desdichado)*.

CHIMÚ. *n. m. pl.* ♦ Anc. peuple de la côte N. du Pérou. — Le *royaume Chimú*, entre 1300 et 1440 env., connut une prospérité qu'attestent les restes de son art et de son urbanisme (notamment dans la cap., Chan* Chan), avant d'être soumis, malgré une longue résistance, par les Incas*. Les tissages, les travaux de plumes et l'orfèvrerie chimú sont parmi les plus beaux de l'art précolombien.

CHIN [*Tsin, Jin*]. ♦ Nom porté par plusieurs dynasties chinoises. On distingue généralement ces dynasties par les noms de *Chin de l'Est* (v. 280-420), *Chin de l'Ouest* (v. 265-419), et *Chin postérieurs* (936-947). — On réserve cependant le nom isolé de Chin pour désigner une dynastie barbare établie en Chine à Kuei-ning et qui régna de 1115 env. à 1234.

CHIN. *n. m.* ♦ Région montagneuse de la Birmanie du Nord, entre l'Assam* et l'Arakan*, culminant au mont Victoria (3 280 m), peuplée de montagnards de souche tibéto-birmane (les *Chin*, qui ont donné leur nom à la région), pratiquant l'agriculture itinérante sur brûlis, au nombre d'env. 200 000. Elle forme un des États confédérés de la Birmanie*, en tant que division administrative spéciale.

CHI-NAN *(Tsi-nan, Ji'nan)*. ♦ V. de Chine, cap. de la prov. du Shan*-tung sur le Huang-ho. Env. 1 000 000 d'hab. Important carrefour ferroviaire. Constructions mécaniques (machines agricoles), filatures (coton), huileries.

CHINARD (Joseph). ♦ Sculpteur français (Lyon, 1756 — *id.*, 1813). À Rome, il subit l'influence de Canova*. Très apprécié par Napoléon, il exécuta de nombreux bustes et médaillons *(Mme Récamier, Napoléon, Joséphine)* et des œuvres mythologiques et allégoriques dont la grâce et la vivacité continuent la tradition du XVIIIe siècle.

CHINASSÎ (Ibrahim). ♦ Écrivain turc (Istanbul, 1826 — *id.*, 1871). Ayant été l'un des premiers étudiants turcs en France, il fut un des grands représentants de la « littérature du *Tanzimat* » (réformes libérales introduites en 1839 par le sultan). Il eut un rôle important en fondant le journalisme privé (à côté de l'unique gazette officielle) et en introduisant dans la littérature turque le théâtre occidental. S'il fut novateur dans sa prose, il resta classique en poésie.

CHINDIT. *n. m. pl.* (mot birman : « les lions »). ♦ Nom donné pendant la guerre de 1940-1945 aux troupes birmanes combattant les Japonais en Birmanie sous le commandement du colonel Wingate.

CHINDWIN. *n. m.* ♦ Fleuve de Birmanie* (env. 850 km), principal affluent de l'Irawady*. Né de torrents de haute Birmanie, il coule vers le S. et se jette dans l'Irawady au N. de Pagan*. Navigable sur une grande partie de son cours, il sert surtout au transport des bois de teck.

CHINE. *n. f.* ♦ État d'Asie (off. République populaire chinoise, *Jen-min Kong-ho Kuo)*, situé à l'extrémité orientale du continent, limité au N. par l'U.R.S.S. et la Mongolie, à l'O. par le Pamir, le Cachemire (Kaśmîr), le Népal, le Bhûtân, au S. par la Birmanie, le Laos et le Viêt-nam du Nord; à l'E., la Chine est limitée par la Corée du Nord, et bordée par la mer Jaune et par le Pacifique (E. et S.). Au sens large, la Chine comprend 22 provinces et 5 régions autonomes. **V. Hsin-chiang** [Xinjiang], **Tibet, Meng-ku** (Mongolie-Intérieure), **Ning-hsia** [Ningxia], **Kuang-hsi** [Guangxi]. Env. 9 560 000 km². (3e pays du monde). 838 800 000 habitants en 1975 (densité : près de 88). On distingue parfois la Chine occidentale ou *Chine extérieure* (Tibet, Hsin-chiang, Mongolie) et la Chine orientale (Chine des 18 provinces, auxquelles on ajoute en général 3 provinces). — La Chine est divisée en 22 provinces : 18 prov. traditionnelles **(V. An-hui, Chê-kiang, Chiang-su, Ch'ing-hai, Fu-kien, Ho-nan, Ho-pei, Hu-nan, Hu-pei, Kan-su, Kuang-hsi, Kuang-tung, K'uei-Chou, Shan-hsi, Shan-tung, Shen-hsi, Szu-ch'uan, Yunnan)**. 3 prov. du N.-E. **(V. Hei-lung chiang** [ex-Mandchourie], **Kirin, Liao-ning)** et l'île de Taiwan (Formose), revendiquée **(V. Taiwan)**. ♦ CARACTÈRES GÉNÉRAUX. — *Orogr.* Marquée par les plissements calédoniens (est-ouest) et hercyniens (Permiens), la Chine n'a subi que fort peu les déformations du mésozoïque. Suite de bassins et de plateaux enserrés entre de hautes montagnes, le

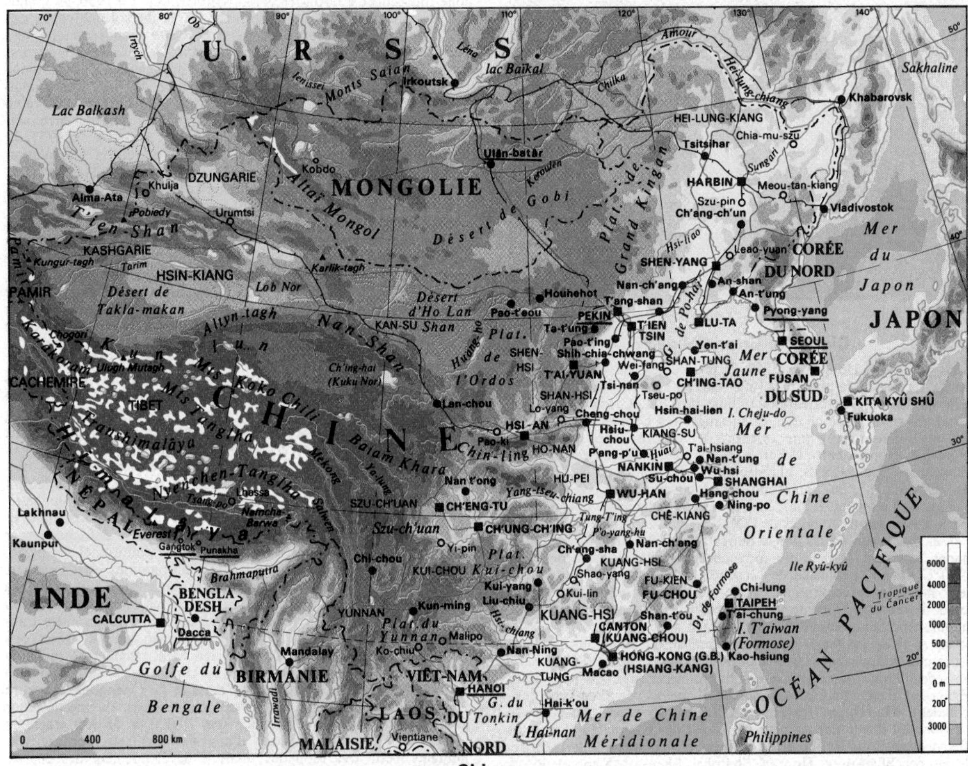

Chine.

continent est construit en gradins descendants d'O. en E., dont le plateau tibétain (5 000 m) forme le plus haut palier **(V. Tibet)**. encerclé par les monts de l'Himalâya*, du Kun-lun et du Karakoram*. Des bassins (Tarim, Tsaidam, Dzungarie) comportent des dépressions : Turfân (– 154 m) intercalées entre les blocs montagneux (Altaï, T'ien*-shan). A cet ensemble succèdent les hauts plateaux d'Asie centrale (plateau Mongol. **V. Mongolie**), ceux de la Chine du Sud (plateaux du Yunnan-K'uei-chou) et de la Chine orientale (T'ai-hang-shan, les deux Kinghan). Des plaines (200-600 m d'alt.) bordent le littoral du N. au S. : les *plaines du Nord-Est* (Liao-he, Nomi-Sungari, San-kiang) sont fermées par les Kinghan, les monts de Mandchourie orientale prolongés par les collines de la péninsule du Liao-tung (prov. de Liao-ning); la *Grande Plaine du Nord* (comprenant notamment le delta du fleuve Jaune : Huang-ho), constituée principalement des apports de ce fleuve, est encadrée par les collines du Shan-tung, les plateaux de lœss du Shen-hsi et du Shan-hsi, et le prolongement des monts Ch'ing-ling. Des alluvions calcaires, argileuses, lœssiques sont déposées par le fleuve Jaune dans les bassins du Hai-ho, de la Huai et dans la plaine du bas Huang-ho. Le lœss, dont l'épaisseur atteint 200 m, facilement érodé, recouvre les plateaux du Shen-hsi, du Shan-hsi et du Kan-su. Les plaines du bas et du moyen Yang-tsê font suite au bassin sédimentaire du Szu-ch'uan. Les larges vallées du N.-E. s'opposent à celles du S.-E., étroites et profondément encaissées. Le sud du Yang-tzu kiang comporte des massifs montagneux, au relief appalachien, orientés N.-E.-S.-O. La chaîne des Nanling, celle du Wu-yi-shan, parallèles à la côte, encadrent les provinces du Kuang-tung et du Kuang-hsi. La côte méridionale est bordée d'îles, dont la plus grande est celle de Hainan. – *Hydrogr.* Issus du plateau tibétain, les grands fleuves (Huang-ho, Yang-tsê kiang) n'irriguent pas la partie occidentale de la Chine. Là, seules quelques rivières se perdent dans des zones marécageuses ou dans les déserts. Le réseau fluvial (5 000 rivières) est soumis au régime des moussons. Au N.-E., les pluies de la mousson de juillet-septembre font suite aux crues de printemps. La plaine du Nord, arrosée par le Huang-ho (5 200 km) et ses affluents (Fen, Wei), le Hai-ho et la Huai, reste sujette à de grandes inondations dues aux deux périodes de crues annuelles correspondant à la fonte des neiges (mars-avril) et à la mousson de juin-septembre. Depuis 1950, l'aménagement de ces fleuves a été entrepris : digues reconstruites en Mongolie intérieure et dans la Grande Plaine, canal de la Victoire du Peuple, évacuant une part des eaux du Huang-ho; barrages-réservoirs, et irrigation grâce aux eaux de la Huai. Le cours du fleuve Jaune s'est déplacé au S. de la péninsule de Shan-tung (au XIVe s.) et est revenu à sa place originelle en 1851. Les affluents de la Huai, le bas et le moyen Yang-tsê, les fleuves côtiers du Kuang-tung sont soumis aux crues d'avril et de septembre. Le cours supérieur du Yang-tsê a ses hautes eaux en juillet et août. Le Yang-tsê kiang (ou Ch'ang-kiang dans son cours supérieur), quoique endigué, a causé de nombreuses inondations (1931-1948). Recevant le Han-shui, le Yuan-kiang et le Hsiang-kiang, il traverse le bassin du Szu-ch'uan où il se charge d'alluvions rouges (grès). Alors qu'il mesure 2 km de large à Wu-han, sa largeur n'est plus que de 600 m à Nankin. La terre gagne sur la mer par les dépôts de boues et de sédiments accumulés dans son delta. La région du Yang-tsê comprend un grand nombre de lacs (Tai-hu). Le Hsi-kiang arrose le Kuang-hsi et le Kuang-tung. – *Climat et végétation.* Aux précipitations faibles et à l'amplitude thermique élevée des régions occidentales (Mongolie, Hsin-kiang) correspond une végétation de type désertique. Une steppe à graminées couvre les zones sèches : Ordos, Shan-hsi, Ning-hsia, Ch'ing-hai. Le Nord-Est, de climat continental, présente des températures hivernales très basses (– 30 °C); l'été chaud (23 °C) y apporte le maximum des pluies annuelles. La taïga et une forêt de conifères couvrent les monts Kinghan. La Grande Plaine de Chine connaît des températures plus douces, alors qu'une continentalité accentuée domine sur les hauts plateaux lœssiques. Une végétation tempérée, subtropicale et tropicale (figuier, cocotier, bananier) règne en Chine du Sud-Est. L'hiver, froid dans les plaines du Yang-tsê, se tempère au Chê-kiang et au Fu-kien. Les pluies abondantes (1 100 mm) tombent surtout en juin. – *Population.* Le peuple Han, issu des premiers colonisateurs de la région du moyen Huang-ho mêlés aux populations tunguz, mongoles, tibéto-birmanes, constitue 92 % des Chinois. Les peuples d'ethnies différentes des Han (60 millions env.) occupent 60 % du territoire. Ces « minorités » ethniques de la Chine continentale se groupent en plusieurs familles : les Thai* (10 millions), les Tibétains (7 millions), les Môn-Khmers, les Malayo-Polynésiens, les Mongols, Türk (Ouigours, Kazakhs, Üzbeks), les Coréens, les musulmans (20 millions), les Mandchous. L'intégration de ces populations aux genres et aux niveaux de vie différents de ceux des Han a posé de nombreux problèmes au gouvernement communiste. – Le taux de croissance de la population chinoise est passé de 0,75 % par an avant 1915 à 2 % après cette date. Le gouvernement a adopté en 1957 un programme de limitation des naissances sur lequel il est revenu en 1958 (déclarations officielles en faveur d'une natalité élevée). Ce taux de croissance a diminué ces dernières années. Selon les estimations de l'O.N.U., la population totale de la Chine pouvait se chiffrer au minimum à 740 millions d'individus en 1969, mais les chiffres fournis par la Chine en 1972 ramènent cette estimation à 697 millions pour 1970, indiquant une nette modération de l'expansion démographique (alors que des estima-

Ph. Rinaldini/Ricciarini

Chine : la Grande Muraille.

tions publiées à Hong-Kong [1972] proposaient de 700 à 800 millions). La densité la plus forte (600 hab. au km² cultivé) est concentrée sur les régions orientales (Chine de l'Est, Grande Plaine du Nord, du centre, Szu-ch'uan, Shan-tung). — ♦ UNITÉS RÉGIONALES. On peut diviser la Chine orientale en quatre zones principales Nord-Est, Nord, Centre et Sud. — Le *Nord-Est* s'étend entre la mer Jaune au S. (péninsule de Liao-tung) et le fl. Amour au N. (frontière de l'U.R.S.S.); c'est l'ancienne Mandchourie (prov. de Hei-lung chiang, de Liao-ning, Kirin); la région forme une vaste plaine ondulée, adossée aux montagnes de l'O. (Kinghan, monts de Mandchourie), et parcourue au N. par le Sungari et au S. par le Liao Hô. Le climat est froid (−4 °C de moyenne annuelle à l'extrême N. ; +10 °C dans la péninsule de Liao-tung, avec encore 150 jours de gel), mais les précipitations assez abondantes entretiennent les forêts de montagne, les prairies des collines et permettent de riches cultures en plaine (kaoliang, soja). Grâce à sa richesse en charbon et fer et à la politique japonaise d'industrialisation, le Liao-ning est la plus grande zone sidérurgique de Chine, tandis que le Kirin possède d'importantes ressources hydro-électriques. La pop. de la région est d'env. 55 000 000 d'hab. *V. princ.* **V. Shen-yang** (ex-Mukden), **Ha-êrh-pin** (ex-Harbin), **Lü-ta, Fu-shun, An-shan.** — Le *Nord* est formé par les plaines de lœss des bassins du Huang-ho (fleuve Jaune), du Hai-ho et de la Huai, et le plateau de lœss (prov. de Ho-pei, Shan-tung, Ho-nan, Shan-hsi, Shen-hsi, Kan-su); le sol de lœss y est très fertile, mais devient pulvérulent en cas de sécheresse. Les précipitations sont concentrées pendant l'été, provoquant inondations et ravinement. Elles atteignent 750 mm au S.-E., mais sont insuffisantes au N.-O. (250 mm). Le climat est continental et la moyenne annuelle ne dépasse pas 8 °C dans le N.-O. Au S., la température est beaucoup plus clémente. À part le Kan-su, peu accessible ou semi-désertique, la région est le cœur de la Chine traditionnelle et économique. Grâce aux immenses travaux d'aménagements des fleuves (barrage de San-Men) et à la mise en valeur des ressources en charbon et fer, grâce à la facilité des communications dans les bassins et au large débouché maritime, les plaines et plateaux du N., qui abritent env. 200 000 000 d'hab., forment un des centres de gravité du pays. *Villes principales :* **V. Peking, T'ien-tsin, Hsi-an, Ch'ing-tao, Chi-nan, Cheng-chou, Lan-chou, Ho-nan.** — Le *Centre* est une zone de collines et de montagnes articulé par le cours moyen et inférieur du Yang-tsê kiang et où les plaines se limitent aux vallées du fleuve et de ses affl. La région aboutit à l'océan par une côte plate et sableuse (prov. : Chiang-su, Kuang-hsi, Hu-pei, Hu-nan, Szu-ch'uan). La région est bien arrosée (de 700 à 2 500 mm par an), les hivers y sont tièdes (moy. janv. 6 °C) et les étés chauds (28 °C en juil.) et humides. Ces conditions compensent la moindre fertilité des sols. Outre l'agriculture (riz), cette zone possède de grandes réserves de charbon, de minerais, de bois et un très important potentiel hydraulique. Env. 250 000 000 d'hab. *Villes principales :* **V. Shanghai, Wu-han, Ch'ung-ch'ing, Nankin, Ch'eng-tu, Ch'ang-sha, Wu-hsi, Nan-ch'ang.** — Le *Sud* forme une large bande qui s'étend parallèlement à la côte, entre la baie de Hang-chou et la frontière du Viêt-nam (et les plateaux du Yunnan et du K'uei-chou); la région est séparée du Centre par les monts du Kuang-tung et du Fu-kien (prov. de Chê-kiang, Fu-kien, Kuang-tung, K'uei-chou, Yunnan; rég. autonome du Kuang-hsi). C'est une région de collines et de montagnes, où la plus grande plaine est celle que forment le Hsi-kiang et ses affl. (delta de Canton). Les vallées sont le plus souvent perpendiculaires à la côte, qui à l'E. est découpée et bordée de nombreuses îles. Le climat est tempéré chaud avec des influences subtropicales (moussons); précipitations abondantes (1 000 à 2 500 mm/an) mais souvent très violentes. L'agriculture est moins développée que dans le Nord et le Centre; l'isolement des plateaux et des montagnes explique une économie traditionnelle et arriérée. Les réserves minières, forestières et hydro-électriques sont importantes. L'activité des zones côtières (pêche, navigation) est intense. Env. 140 000 000 d'hab. *Villes principales :* **V. Canton, K'un-ming, Hang-chou, Fu-chou.** — Quant à la « Chine extérieure », elle comprend des régions entièrement différentes et extrêmement vastes (voir ci-dessus *orogr.* et **V. Hsin-chiang, Tibet, Meng-ku** (ou Mongolie-Intérieure). ♦ ÉVOLUTION DES STRUCTURES. En 1950, les grands propriétaires fonciers, qui détenaient 80 % du sol cultivable, ont été dépossédés au profit des paysans. Cette première étape vers l'édification du socialisme (dite *révolution démocratique*) était destinée à rallier les suffrages des masses paysannes. Mais la redistribution massive des terres (la plus grande de l'histoire) conduisait inévitablement à l'atomisation de la surface cultivable (110 millions d'exploitations pour 108 millions d'ha de terre, soit 5 à 10 ares par personne). C'est pourquoi, à partir de 1951, la Chine s'orienta par quatre étapes successives vers la « révolution socialiste ». En 1951, des « équipes d'aide mutuelle » (saisonnières, puis permanentes) furent créées, remplacées en 1953 par les « coopératives semi-socialistes » dans lesquelles les paysans restaient encore propriétaires de leur terre, mais mettaient en commun les produits et les vendaient à l'État. En 1955, furent créées des « coopératives socialistes », dans lesquelles les paysans faisaient don à l'État de tous leurs moyens de production (terre, bêtes, machines, etc.). Enfin, en 1958 (Résolution de Wu-han) furent organisées les *communes populaires* ou unités productrices de base (sur le plan agricole, mais aussi industriel) investies en outre d'une autorité politique, administrative et militaire. Chaque commune groupe plusieurs villages et se subdivise en unités plus petites : les « brigades de production » (env. 30 par commune), et les « équipes de production » (200 à 400 par brigade). La révolution culturelle de 1966 engagea les citadins à travailler à la campagne, ce qui permit un recyclage d'intellectuels et de fonctionnaires dans les nouvelles entreprises rurales. — *Aménagement de l'espace agricole.* Des plans d'aménagement ont été mis en œuvre par les dirigeants chinois (programme de douze ans pour le développement de l'agriculture en 1957, Charte en huit points ou Charte de l'agriculture en 1959) réglementant les grands travaux d'irrigation et de protection contre les catastrophes naturelles, le défrichement et le reboisement des terres, la répartition des cultures et les objectifs de production. De grands travaux d'irrigations et d'aménagement des fleuves ont été accomplis, qui concernent surtout le bas Huang-ho (canal de la Victoire du Peuple, en 1953; construction de 1 000 km de digues; irrigation des terres comprises entre Lan-chou et Kai-feng par la construction de 46 barrages-réservoirs dont le plus important est celui de San Men, retenant 36 milliards de m³), aménagement de la Huai et du Huang-ho. Dix millions d'ha de terres vierges ont été défrichés dans le N. (Mongolie-Intérieure, Hsin-chiang) et 50 millions d'ha ont été reboisés. La mécanisation de l'agriculture s'est developpée (de 28 000 à 35 000 tracteurs [1957-1967]). L'utilisation d'engrais naturels, notamment humains, reste très répandue, mais le développement des engrais chimiques, très inférieur aux besoins, est l'un des objectifs du gouvernement dans le domaine agricole. ♦ ZONES ET PRODUCTIONS AGRICOLES. On peut très grossièrement opposer la Chine occidentale pastorale, à la Chine orientale agricole. Premier producteur mondial de riz (116 millions de t en 1975), la Chine se place au troisième rang pour la production du blé (41 020 000 t en 1975). Celui-ci est avec le soja (1er producteur mondial, 12 067 000 t en 1975), le kaoliang (sorgho) et le millet la base de l'alimentation en Chine du Nord et du Nord-Est. Dans les pays de lœss, le blé se combine à la culture du maïs et du coton (env. 2 millions de t en 1975). Le domaine de la riziculture commence au bassin du Yang-tsê, se mêlant à deux cultures industrielles : le coton (delta du fleuve) et le mûrier (sud du delta). La riche province du Szu-ch'uan présente des cultures originales : riz, blé, maïs, patates douces. Les vallées et collines au sud du Yang-tsê font une large part au thé (334 000 t en 1975). Dans la zone méridionale (Kuang-tung, Kuang-hsi), le climat subtropical permet une culture intensive des agrumes et deux récoltes de riz, alors que le domaine tropical (île de Hainan) en permet trois; les plantations de canne à sucre y sont abondantes. Les minorités nationales du S.-O. cultivent surtout l'orge. Des terres ont pu être gagnées dans l'Ordos et sont mises en valeur. L'élevage se limite au porc (la moitié du cheptel : 242 millions en 1975) et aux volailles dans les régions de culture intensive, aux yacks, moutons (73 267 000 en 1975), chèvres,

Ph. Radino/Ricciarini

Chine : installations sidérurgiques à An Shan.

chameaux et chevaux en Mongolie. ♦ *Les étapes du* DÉVELOPPEMENT INDUSTRIEL. En 1953, fut mis en œuvre le Ier plan quinquennal, élaboré sur le modèle soviétique et donnant la priorité à l'indus. lourde. L'aide de nombreux techniciens soviétiques permit le développement de la Mandchourie et de la Chine du Nord, principales zones minières. En 1958, le « grand bond en avant » donna à l'économie chinoise un élan considérable en mobilisant toute la population pour l'équipement de base du pays (construction de petits hauts fourneaux, ateliers communaux, etc.), mais un certain nombre d'erreurs (gaspillage de matières premières, trop grande tension des forces productives) associées dans le secteur agricole à de graves perturbations climatiques (trois années consécutives de sécheresse et d'inondations) et au départ, en 1961. des techniciens soviétiques amenèrent une grave récession (1961-1962). De 1961 à 1964, la Chine, qui ne devait plus « compter que sur ses propres forces », entra dans une période de « rajustement ». Le mot d'ordre des IIe et IIIe plans était de « prendre l'agriculture pour base et l'industrie pour facteur dirigeant ». Priorité fut alors donnée à l'équipement semi-lourd et léger. Le niveau de production de 1958 fut rattrapé en 1964 pour l'industrie et en 1966 pour l'agriculture. Depuis 1968, l'économie chinoise semble en voie de développement rapide. – *Sources d'énergie et productions industrielles*. La houille est produite en grande quantité (420 millions de t en 1975) en Mandchourie, dans le Shen-hsi et le Shan-hsi et à Fu-shun (mine à ciel ouvert). Le fer (28 millions de t en 1975) est extrait dans le N.-E. (Mongolie-Intérieure, Shan-hsi, Ho-pei). Le pétrole, dont l'exploitation se développe rapidement (75 millions de t en 1975, 21 millions en 1970, 64 en 1974) est extrait à Yü-nen, dans le Hsin-Chiang et dans la cuvette de Tsaidam, et les réserves semblent considérables (2 milliards de t). Les métaux non ferreux (étain, antimoine, zinc, tungstène, manganèse, plomb, mercure) sont surtout localisés en Chine du Sud. L'uranium est extrait dans le Chiang-su. L'énergie électrique (115 milliards de kWh en 1975) est d'origine thermique, localisée à proximité des bassins houillers, mais le potentiel hydro-électrique (Yang-tsê, 220 millions de kWh, Huang-ho, 33 millions) est très important. La production sidérurgique est évaluée à 18 millions de t/an. Fonte et acier sont fabriqués dans les énormes combinats de Wu-han, d'An*-shan (50 % de la production chinoise) et Pao-t'ou. De nouvelles usines se sont implantées dans le Shan-hsi et le Ho-pei. La construction de matériel lourd s'est établie en Mandchourie (Shen-yang, Ha-êrh-pin, Ch'ang-ch'un), la construction de tracteurs et camions à Wu-han et Lo-yang en Chine centrale et la construction navale à Lü-shun (Mandchourie). L'indus. chimique (pétrolochimie, cokeries, fabrique de soude) est localisée à Nankin, Shanghai, Lan-chou et T'ien-tsin, mais ne couvre pas la totalité des besoins. L'indus. légère, tributaire de l'agriculture, n'a pas connu la même progression. Pourtant l'indus. textile vient en bonne place. La Chine est le 1er producteur mondial de cotonnades (6 600 000 m de tissus en 1970), et la fabrication de fibres synthétiques connaît un fort développement. L'artisanat (porcelaines, broderies, vannerie, etc.) demeure vivace. ♦ COMMERCE. La balance commerciale est positive. La Chine exporte surtout des produits primaires et importe des objets manufacturés. Les échanges, qui se sont faits jusqu'en 1960 surtout avec l'U.R.S.S., se sont élargis au Japon, à Hong Kong et à l'Europe occidentale (R.F.A.). Après une récession en 1966 (révolution culturelle), le commerce de la Chine connaît à nouveau une nette expansion (14 714 millions de dollars en 1975). La Chine a contracté des accords de coopération économique avec plusieurs pays du Tiers-Monde africain (Congo-Brazzaville, R.A.U., Somalie, Soudan). – *Communications*. Elles sont encore peu développées malgré les efforts soutenus du gouvernement. Le réseau ferré couvre env. 40 000 km (lignes Peking-Oulan-Bator, Pao-t'ou-Lan-chou, Lan-chou-Urumtsi, etc.). Le réseau routier comptait 500 000 km en 1960. Les voies navigables (Yang-tsê et ses affl. Huang-ho, Hsi-kiang) représentent 150 000 km. Les transports aériens sont encore peu développés (Peking-capitales régionales, Peking-Irkutsk et Peking-Rangoon). ♦ *Hist.* Selon les historiens chinois, des souverains, inventeurs des techniques et des institutions, régnèrent en des temps reculés sur la Chine. Mais ces personnages traditionnels semblent relever de la légende. La dynastie des Hsia, dont le fondateur serait le roi Yü Huang n'est pas attestée par l'archéologie. Les traces les plus anciennes d'une occupation de la Chine remontent au paléolithique avec la découverte du *sinanthropus pekinensis* **(V. Sinanthrope)** à Chou-K'ou-tien (non loin de Peking). Le néolithique dont les dates restent incertaines (~ IIIe-~ IIe millénaires) se manifeste dans une aire constituant le berceau de la civilisation chinoise : cours du bas et du moyen Huang-ho (Shen-hsi, Shan-hsi, Ho-nan, Shan-tung). À la culture de Yang-shao (Ho-nan) aux maisons circulaires semi-souterraines (site du Pan-p'o), succeda celle de Long-shan (Shan-tung) au niveau de vie plus élevé. La première dynastie réellement chinoise, celle des Shang (~ XVIIIe-~ XIe s.) est marquée par l'apparition du bronze. Elle installa sa capitale successivement à Êrh-li-t'ou (~ XVIIIe-~ XVIIe s.), à Cheng-chou (~ XVIe-~ XIVe s.) et finalement à An-yang (Ho-nan), site occupé du ~ XIVe au ~ XIe siècle. La société, fortement hiérarchisée, était composée d'une classe aristocratique vivant dans des palais fortifiés, s'adonnant à la chasse et à la guerre, d'artisans habitant extra-muros et d'une paysannerie semi-sédentaire. Le déchiffrement d'inscriptions sur os et écailles de tortues, mis au jour à An-yang, a permis de connaître l'origine de l'écriture chinoise. Ces os utilisés pour la divination par le feu servaient à interroger les ancêtres sur l'opportunité de partir à la

Ph. Rinaldini/Ricciarini

Chine : jeunes pionniers.

chasse ou à la guerre. La vie religieuse reposait sur les cultes des ancêtres et des dieux du sol. Vers le ~ XIVe s. la dynastie prit le nom de Yin et est alors connue sous le nom de Shang-Yin. En ~ 1111, elle disparut devant la puissante maison rivale des Chou (vallée de la Wei); fuyant la pression des Barbares à l'O., la dynastie des Chou fonda en ~ 770 une nouvelle capitale à Lo-yang, perdant ainsi de son autorité. La période dite des « Printemps et Automne » (Ch'un-ch'iu : ~ 722 - ~ 401) vit certaines seigneuries s'allier aux Barbares et constituer des États puissants. Ceux de Ch'in (Shan-hsi), de Chin (Shen-hsi), de Ch'i (Shan-tung), de Ch'u (Hu-pei) et de Sung (Ho-nan) occupèrent chacun à leur tour la scène politique (les Cinq Hégémons). Les luttes constantes des grands vassaux finirent par faire éclater le royaume de Chin en trois autres royaumes. Commença dès lors la période des *« Royaumes combattants »*, (Chan-kuo) durant laquelle les princes des grands États refusèrent l'autorité des Chou. L'apparition de la fonte du fer fit progresser l'agriculture et les échanges. La guerre ne fut plus réservée à l'aristocratie, et les techniques militaires se développèrent (arbalètes, catapultes). L'origine des grandes écoles philosophiques date de ces deux dernières époques. **V. K'ung tzu** (vivant dans l'État de Ch'i, principauté de Lu), **Meng-tzu, Lao-tzu.** Peu à peu, deux États prirent une importance grandissante : Ch'u (sud) et Ch'in (Shan-hsi). En ~ 249, le roi de Chtu abdiqua en faveur du souverain des *Ch'in*. Ce dernier, installant sa capitale à Hsiang-yang (actuel Hsi-an) fonda en ~ 222 une dynastie et prit le titre de Ch'in Shih Huang-ti. Réunifiant la Chine, réduisant le système féodal, il conquit la région autour du Yang-tsê et acheva de construire une grande muraille en terre et en cailloutis en Chine du Nord pour lutter contre les invasions des Hsiung-nu (Huns). La réorganisation de l'empire, divisé en 36 provinces, se fit notamment sous l'influence du ministre Li Szu (unification de l'écriture, des poids et mesures, de la largeur des essieux pour faciliter les communications). Erh Shih Huang-ti, fils du premier souverain de Ch'in, incapable de gouverner, fut détrôné par Liu Pang, propriétaire terrien du Chiang-su. Celui-ci fonda la dynastie des *Han*, établissant sa capitale à Ch'ang-an (actuel Hsi-an, Shan-hsi). La période des *Han antérieurs* ou *occidentaux* (Hou Han. ~ 206-9) fut suivie d'une phase d'usurpation (Wang Mang, fondateur de la dynastie Hsin), puis d'un retour au pouvoir des Han (*Han postérieurs* ou *orientaux*, Tung Han) de 25 à 220. Leur capitale était alors située à Lo-yang (Ho-nan). L'apogée de la culture, la prospérité et l'expansion militaire caractérisent la Chine de l'empereur Wu-ti (~ 140-~ 87). Les campagnes militaires, notamment celles du général Ho Ch'ü-p'ing, s'effectuèrent aussi bien à l'O. (Kan-su jusqu'à Tun-huang, Türkestan), qu'au S. (Canton, Tonkin). Wu-ti engagea la lutte contre les nomades Hsiung-nu et Hsien-pei; il les contint au N. de la Grande Muraille. Les révoltes paysannes entraînèrent la montée au pouvoir de Wang* Mang qui essaya de remédier à la situation par des réformes (redistribution des terres, esclavage limité). L'insurrection des « Sourcils Rouges » (en 23) conduisit à la restauration des Han. Les conquêtes occidentales se poursuivirent au Ier siècle (Turfân, Kashgar). Par le contrôle de la route de la soie, les Chinois s'assurèrent le commerce avec les peuples barbares d'Occident; ceux-ci introduisirent le bouddhisme. La détresse paysanne fit naître une nouvelle révolte en 184 (Turbans Jaunes) et conduisit les Han à leur perte. Trois généraux se partagèrent l'empire dès 220 (pays de Ch'u, Wei et Wu). Ce fut alors l'époque dite des *« Trois Royaumes »* (San Kuo). La Chine du Nord étant submergée par les tribus nomades et barbares, les dynastes chinois cherchèrent refuge au S., à Nankin. Alors que le Nord morcelé passait aux mains des Hsiung-nu (308) et de fervents adeptes du bouddhisme, les T'o-pa (ou Tabghach) [Wei : 386-556] qui tentaient de se siniser, le Sud vit se succéder les Chin, les Sung, les Ch'i et les Liang. Yang Chien réunifia la Chine et créa alors la dynastie des Sui (589-618): celle-ci entreprit la reconstruc-

Ph. Rinaldini/Ricciarini

Chine : récolte du thé dans la commune agricole de Susino.

tion du pays : percée du Grand Canal, édification de la nouvelle capitale, Ch'ang-an, sur un plan en damier. À la suite d'échecs militaires subis en Corée, une révolte éclata en 616. Li Shih-min rétablit l'ordre et fonda la dynastie des *T'ang* (618-907). Durant une ère de prospérité exceptionnelle, Ch'ang-an se transforma en une ville cosmopolite où les diverses religions se côtoyaient (musulmans, taoïstes, bouddhistes, nestoriens, manichéens). La Chine était en relation avec la Perse sassanide par l'Asie centrale. Des réformes agraires, administratives (code des T'ang, impôts sur le revenu) transformèrent l'empire. Les empereurs Tai-tsung et Hsüan-tsung accueillaient, dans leur palais, les artistes et poètes chinois (Tu Fu, Li Po,...) ou ceux venus de contrées lointaines (musiciens et danseurs d'Asie centrale). Mais, profitant de la révolte d'An Lushan (755), général barbare, les pays récemment conquis revendiquèrent leur indépendance (Ouigours, Tibétains). Le gouvernement dut abandonner toute idée d'expansion. Ne pouvant plus restaurer l'unité du pays après des soulèvements paysans (868 et 874), le dernier souverain T'ang fut détrôné en 907. La Chine du Nord retombant dans l'anarchie, les *« Cinq Dynasties »* se succédèrent jusqu'en 960. À cette date, un général fonda la dynastie des Sung (960-1279), annexant les provinces du S., de l'E. et du N. Les peuples de la frontière septentrionale chinoise firent peser une menace constante sur la sécurité des Sung. L'empereur dut traiter avec les Khitan en 1004 (dynastie Liao à Peking). Les Hsi-hsia (Kan-su) réclamèrent à leur tour un tribut. Les armées du royaume plus puissant des Djurtchets (Jürchet) déferlèrent sur la Chine, s'emparèrent de la capitale Kai-feng en 1126; elles firent prisonnier l'empereur et créèrent la dynastie des Chin. Cependant, un prince impérial réussit à s'enfuir dans les provinces méridionales et à installer sa capitale à Hang-chou (Chê-Kiang). En 1226, Temüjin conquit les royaumes du Nord. Dans l'ancienne ville provinciale de Hang-chou, soudainement promue au rang de capitale des Sung du Sud (1127), le commerce prit un essor considérable : les marchands, installant leurs échoppes dans les rues, n'étaient plus soumis aux règlements des marchés fermés des Han et des T'ang. Les maisons de thé, les quartiers de plaisir dispersés dans toute la ville montraient l'éclatement des régimes autoritaires précédents. La classe des lettrés (wen-jen) prit une importance grandissante à la cour où les partis politiques, conservateur (Szu-ma Kuang) et réformateur (Wang An-shih), s'affrontaient. Les découvertes des Sung font l'étonnement du voyageur Marco Polo : impression à caractères mobiles, emploi du papier-monnaie, boussole, poudre pour les armes à feu, vaccin anti-variolique. À partir de 1276. Qubilai Khân, petit-fils de Temüjin*, dirigea son nouvel empire de Peking (ou Khânbalik), devenu pour la première fois capitale de la Chine. Les Mongols de la nouvelle dynastie des *Yüan* (1276-1368), adeptes du bouddhisme lamaïque, n'essayèrent en aucune façon de se siniser. Ils brimaient les peuples Han récemment soumis. Des soulèvements populaires dus aux famines, à l'inflation, se produisirent à partir de 1325. L'insurrection à caractère nationaliste des « Turbans Rouges », menée par Chu Yüan-chang (1353), refoula les envahisseurs hors des frontières chinoises. Chu Yüan-chang se proclama alors premier empereur de la dynastie des *Ming* (1368-1644) sous le nom de Hung-wu (1368-1398). La capitale établie à Nankin fut transférée à Peking sous l'empereur Yong-lo (1403-1424). Pour la première fois, Peking fut alors le siège d'un gouvernement « chinois ». De là, Yong-lo pouvait plus aisément surveiller les nomades qui menaçaient la frontière septentrionale, pourtant protégée par la Grande Muraille consolidée et agrandie. Cet empereur mena une politique d'expansion et de prestige. Il reconquit la Mongolie et établit un système de tribut avec les pays dans lesquels il envoya des ambassades. Celles-ci, dirigées par l'eunuque Cheng Ho, atteignirent l'Asie du Sud-Est et même l'Afrique. De grands travaux d'irrigation, de drainage permirent un meilleur rendement agricole, la réduction des famines et, par conséquent, l'accroissement de la population. Sous Wan-li (1573-1619), les rivalités entre les eunuques et les fonctionnaires à la cour provoquèrent des troubles politiques. Les eunuques s'immiscèrent dans les affaires de l'État, contrôlant la police, les finances et le Conseil d'État. Des pirates japonais firent des incursions dans les villes et les villages des côtes du S. de la Chine. Les Portugais s'installèrent en Chine (comptoir commercial de Macao). Des missionnaires occidentaux apparurent aussi (Matteo Ricci). Dans le Nord, la Mandchourie méridionale conquise, des tribus apparentées aux Jürchet, les Mandchous, firent de Mukden leur capitale, en 1625. Ils profitèrent de la demande d'assistance d'un général chinois (soumission d'une révolte) pour s'emparer du pouvoir vacillant des Ming (1644) et s'installer à Peking. Réfugiés au S., les derniers Ming subirent une défaite en 1661 qui assura la puissance de la dynastie mandchoue des *Ch'ing* (1644-1911). Les trois siècles pendant lesquels ceux-ci dirigèrent la Chine furent surtout dominés par les règnes de deux grands monarques : K'ang-hsi (1662-1722) et Ch'ien-lung (1736-1796). K'ang-hsi établit un protectorat chinois sur la Mongolie, occupa le Yunnan (1681) et Taiwan (1683). La frontière délimitant la Chine et la Russie fut fixée (traité de Nerchinsk). Homme cultivé, K'ang-hsi favorisa la venue des jésuites à la cour; il apprit auprès d'eux l'astronomie, les mathématiques, et s'initia à la civilisation occidentale. Kao Tsung étendit son empire jusqu'à la Sibérie, l'Altai, le Pamir, La Corée, le Népal, le Viêt-nam et la Birmanie devinrent des États vassaux de la Chine. Le pays se ferma aux étrangers et le commerce avec les Portugais et les Anglais ne s'effectua plus qu'à Canton. Les Chinois ayant détruit un stock d'opium importé par les Anglais (1839) en échange de thé et de soieries, la Grande-Bretagne envoya un corps expéditionnaire qui occupa la Chine méridionale. Le traité de Nankin (1842) donna Hong Kong à l'Angleterre. La faiblesse militaire chinoise était ainsi prouvée; elle était en partie due à l'animosité des Han contre le gouvernement mandchou. En 1853, un mouvement religieux anti-étranger, dirigé par Hung Hsiu-ch'üan, fonda « l'Empire de la Grande Paix » (T'ai-p'ing) à Nankin. Les puissances étrangères (Charles Gordon) aidèrent les Ch'ing à mater la rébellion en leur fournissant des volontaires, des armes et des munitions (1861). Finalement, Nankin fut repris par les Mandchous en 1864. Après l'assassinat d'un missionnaire anglais, une première expédition franco-anglaise fut entreprise en Chine (Canton). Elle se termina par les traités de T'ien-tsin (1858). Une seconde expédition sous les ordres du général Cousin-Montauban s'acheva par le sac du palais d'Été à Peking. Les nouveaux traités (1860) imposaient aux Chinois l'ouverture de onze ports destinés au commerce. Malgré une crise politique intérieure (révoltes paysannes sous l'impératrice douairière Tz'u-Hsi), la Chine tenta de restaurer sa suzeraineté sur la Corée. Elle se heurta au Japon qui obtint par le traité de Shimonoseki (1895) Taiwan, le Liao-tung et la prééminence politique en Corée. Les pays occidentaux (Allemagne, France, Angleterre) obligeaient l'*Empire du Milieu* à leur céder diverses parties de son territoire. Quelques réformes dans le domaine de la politique intérieure furent très vite arrêtées par Tz'u-Hsi. Un corps expéditionnaire international mit fin à un soulèvement nationaliste (guerre des Boxers, 1900). En face du mouvement nationaliste de Sun Yat-sen (Sun Chung-shan) en faveur d'une Chine moderne et unifiée, les Mandchous abdiquèrent (1912). Sun* Yat-sen fonda le *Kuo-min-tang*, fut renversé, puis rétabli en 1917. Il entra en relations diplomatiques avec l'U.R.S.S. Le parti communiste chinois fut créé en 1921. À la mort de Sun Yat-sen, un groupe dirigé par Chiang* Kai-shek rejeta les communistes et instaura un gouvernement nationaliste à Nankin. L'expansion japonaise commença en 1931, mais le gouvernement chinois, préoccupé par sa lutte contre les communistes (Mao* Tsê-tung au Chiang-su) réagit modérément. Ceux-ci, poursuivis par les nationalistes, entreprirent la Longue Marche (1934-1936) qui devait les conduire à Yen-an. Devant la poussée japonaise (prise de Pékin, de Nankin), Chiang Kai-shek, ayant fui Hang-chou, sa capitale, se réfugia à Ch'ung-ch'ing (1938) et se résolut à s'allier aux communistes pour refouler l'envahisseur. Les États-Unis apportèrent leur aide à Chiang Kai-shek pendant la guerre du Pacifique (déc. 1941). Après la capitulation du Japon (août 1945), la guerre civile entre nationalistes et communistes s'intensifia de nouveau (1946). Le gouvernement populaire de Mao Tsê-tung attira de nombreux partisans. Le 8 déc. 1949, vaincu, Chiang Kai-shek fut obligé de se retirer à Taiwan. La *république de Chine* fut proclamée à Peking le 1er oct. 1949. Ses institutions sont définies par la Constitution de 1954. La période contemporaine est marquée par la dégradation des relations avec l'U.R.S.S., puis par la rupture avec ce pays (1960). En 1956-1957, la campagne dite des « Cent Fleurs » inaugurait un relatif libéralisme culturel; la campagne de « rectification » luttait contre la bureaucratie et l'opposition intellectuelle. En 1959, Mao, chef incontesté du parti, fut remplacé par Liu* Shao-Ch'i comme chef de l'État, mais celui-ci fut destitué en 1968. La « révolution culturelle » de 1966 vit le renouvellement des cadres du Parti, l'armée prendre un rôle croissant dans les affaires politiques et économiques mais Lin* Piao, ministre de la Défense, fut écarté du pouvoir en 1971. Sur le plan extérieur, un conflit opposa la Chine et l'Inde en 1962 sur le problème des frontières dans l'Himalâya. À partir de 1971, les relations avec les États-Unis et le Japon s'améliorèrent; la Chine populaire fut admise à l'O.N.U. le 26 oct. 1971 et le président Nixon y fit une visite officielle (1972). En 1975, Teng Hsiao-ping fut nommé vice-président du P.C.

chinois, mais considéré comme révisionniste, il fut écarté à la mort de Chou En-lai (janv. 1976) et c'est Hua* Kuo-feng qui devint chef du gouvernement. Après le décès de Mao (sept. 1976), la nomination de Hua Kuo-feng à la présidence du P.C. consacra la victoire des « modérés ». La tendance de gauche fut sévèrement réprimée; ses quatre dirigeants notamment, dont Chiang-ching, la veuve de Mao, furent arrêtés et accusés de complot. Pour l'histoire économique récente, voir ci-dessus *Écon.*

CHINE *(mer de)*. ♦ Mer bordière de l'océan Pacifique s'étendant le long des côtes de la Chine et de l'Indochine, comprenant la *mer de Chine orientale* (entre la Corée et Taiwan) et la *mer de Chine méridionale* (entre les Philippines et l'Indochine).

CH'ING [*Ts'ing, Qing*]. *n. m. pl.* ♦ Dynastie mandchoue qui s'établit en Chine après avoir battu la dynastie chinoise des Ming* en 1644. Elle compta douze empereurs et dura jusqu'en 1912, date à laquelle elle fut renversée et remplacée par la république. Son dernier empereur, Pou-Yi (Hsün*-ti) régna sur le Man-chu-kuo de 1934 à 1945.

CH'ING-CHIANG [*Ts'ing-kiang, Qingjiang*]. ♦ V. de Chine (anc. Huai-yin) dans le Chiang-su, sur le Grand Canal. 200 000 hab. Centre agricole.

CH'ING-HAI [*Ts'ing-hai, Qing hai*]. n. m. (« mer Bleue »). ♦ Le plus grand lac chinois, appelé en mongol Kokonor, situé à 3 250 m d'alt. dans la province du même nom, au N.-E. du Tibet. 4 220 km². Ce lac a des eaux légèrement saumâtres. Ch'ing-hai, province de Chine, en grande partie désertique et montagneuse, comprenant à peine 3 000 000 d'habitants, pour la plupart nomades ou semi-nomades. Cap. Hsi-ning.

CHING HAO [*King Hao, Jing Hao*]. ♦ Peintre chinois de l'époque des « Cinq Dynasties » (fin IXᵉ-début Xᵉ s.) originaire du Ho*-nan.

CH'ING-TAO [*Ts'ing-tao, Qingdao*]. ♦ V. de Chine et port important de la province du Shan-tung. 1 300 000 hab. Usine de matériel ferroviaire, indus. textiles et métallurgiques. Cimenterie. La ville fut cédée à l'Allemagne en 1898 et au Japon en 1914 mais revint à la Chine en 1922.

CHING-TÊ-CHEN [*King-tö-tchen, Jindezhen*]. ♦ Ville chinoise de la province du Chiang*-su. Env. 100 000 hab. La ville est célèbre pour sa production de céramiques depuis l'époque des Han*. La porcelaine y fut créée au XIᵉ s. et acquit une grande renommée aux XIVᵉ et XVIIᵉ siècles.

CHIN-HSIEN ou **CHINCHOW** [*Kin-hien, Jinxian*]. ♦ V. de Chine (Liao-ning) sur le golfe de Petchili (Po-hai), au N. de Lü-ta (Dairen). Env. 200 000 habitants.

CH'IN-HUANG-TAO [*Ts'in-Houang-tao, Qinhuangdao*]. ♦ V. et port de Chine (Ho-pei), ouvert au commerce extérieur en 1901. 200 000 habitants.

CHINON. ♦ Sous-préf. d'Indre-et-Loire, ch.-l. d'arr. (7 cant., 87 comm., 77 362 hab.) sur la Vienne. 8 035 hab. [5 435 aggl.] *(Chinonnais.)* Le château (XIᵉ-XIIIᵉ s.), partiellement ruiné, est constitué de trois forteresses distinctes, séparées par de profonds fossés. C'est dans l'une d'elles que Jeanne d'Arc rencontra Charles VII. — Églises Saint-Maurice (XIIᵉ-XVIᵉ s.), Saint-Étienne (XVᵉ s.) et Saint-Mexme (Xᵉ-XIᵉ-XVᵉ s.). Maisons anciennes. — Viticulture. Confection. Conserves alimentaires. — Centrales nucléaires dite « de Chinon » : **V. Avoine.**

Chin-P'ing-Mei [*Kin-P'ing-Mei, Jinpingmei*]. ♦ Célèbre roman chinois en cent chapitres, dont le titre est composé des prénoms de trois femmes, écrit au XVIIᵉ s., et décrivant avec un grand luxe de détails la vie d'une famille et les tribulations amoureuses d'un homme de la bonne société d'une petite ville chinoise. Ce roman licencieux connut un très grand succès en Chine, et fut traduit en de nombreuses langues européennes. Auteur inconnu.

CH'IN SHIH HUANG-TI [*Ts'in Che Houang-ti, Qin Shi Huangdi*]. ♦ Souverain chinois de la dynastie locale des *Ch'in* qui devint, en ~221, le premier véritable empereur de Chine. Il est célèbre pour avoir fait agrandir et consolider la Grande Muraille, et fait brûler tous les ouvrages de philosophie comme nuisibles au bon fonctionnement de son empire. Son fils Erh Shih Huang-ti lui succéda en ~209, mais ne sut pas mener à bien l'œuvre entreprise par son père.

Ph. Hétier

Centrale atomique d'Avoine-**Chinon.**

CHINY. ♦ V. de Belgique (Luxembourg, arr. de Virton), sur la Semois. 661 hab. Village lorrain typique. Château. Station touristique.

CHIO [kjo], en gr. **Khios.** ♦ Île grecque dans la partie E. de la mer Égée*, à quelques km de la côte d'Asie Mineure. Elle forme, avec les îlots voisins, le nome de Chio. 904 km². 62 220 hab. Ch.-l. Chio*. — Produits : vins, olives, agrumes, mastic. — Vestiges d'un temple d'Apollon (Phana), fondements d'une ville préhistorique, ruines archaïques et romaines (Emporio), monastère de Néa Moni avec de belles mosaïques byzantines (XIᵉ siècle). — Patrie de Théopompe*; elle revendiqua Homère*. ♦ *Hist.* Une des plus importantes cités de la Confédération d'Ionie*, l'île fut le siège de la confrérie des Homérides **(V. Homère)** et d'une école de sculpture renommée au ~ VIᵉ siècle **(V. Archermos).** Elle fut aussi le principal marché d'esclaves de la haute antiquité grecque. Soumise aux Perses en ~494, puis entrée dans la Confédération athénienne (~477-~412), elle passa successivement aux Romains, aux Byzantins, aux Génois et aux Turcs. Pendant la guerre de l'Indépendance grecque, les Turcs massacrèrent la population insurgée en 1822 (célèbre tableau de Delacroix* *Les Massacres de Scio;* Louvre). Elle fut affranchie en 1912.

CHIO [kjo]. ♦ V. et port de Grèce, sur la côte E. de l'île de Chio* et ch.-l. du nome. Centre commercial. 24 050 hab. Vestiges romains.

CHIOGGIA. ♦ V. d'Italie orientale, en Vénétie (province de Venise), au sud de la lagune vénitienne. 47 000 hab. Port de pêche, chantiers navals. ♦ *Hist.* Enjeu, de 1376 à 1381, de la dispute qui opposa Gênes à Venise, elle fut annexée par Venise en 1380.

CH'I PAI-SHIH [*Ts'i Pai-che, Qi Baishi*]. ♦ Peintre chinois (1863 — 1957), originaire du Hu-nan, célèbre pour ses lavis de fleurs et de crustacés. Il exposa à Paris et est considéré comme un des plus grands peintres chinois modernes.

CHIPPENDALE (Thomas). ♦ Ébéniste anglais (Otley, Yorkshire, v. 1718 — Londres, 1779). Fils d'un sculpteur et ébéniste, il se fixa à Londres vers 1727 et dirigea un atelier à partir de 1749 avec comme collaborateurs : James Rannie puis Thomas Haig (à partir de 1771). Peu de meubles peuvent être attribués avec certitude à son atelier excepté ceux de *Nostell Priory* (1766-1770) et *Harewood House* (1771). Il publia en 1754 le recueil de modèles *The Gentleman's and Cabinet Maker's Director* (réédité et augmenté en 1759 et 1762) gravé par Mathias Darly d'après les dessins des ébénistes Lock et Copland : les influences françaises (style rocaille) et hollandaises y prévalaient en même temps que l'adoption de motifs empruntés à l'art chinois et au gothique flamboyant, la richesse et la fantaisie décorative des modèles s'alliant souvent à une structure élégante et fine *(lit laqué et doré de Badminton)* ou simple et massive. Ce recueil inspira les ébénistes du « Chippendale style » : style qui succédait à l'époque « Queen Ann » et s'infléchit vers le néo-classicisme sous l'influence de R. Adam*, il mettait en faveur l'emploi de l'acajou et de la laque.

CHIQUITO(S). *n. m. pl.* ♦ Indiens vivant dans le haut Paraguay et au pied des Andes boliviennes.

CHIRAC (Jacques René). ♦ Homme politique français (Paris, 1932). Député (1967), ministre de l'Agriculture (1972), de l'Intérieur (1974), il devint Premier ministre de V. Giscard* d'Estaing (mai 1974 - août 1976). Après sa démission, il fonda le Rassemblement pour la République qui remplaça l'U.D.R.* (déc. 1976) et fut élu maire de Paris en mars 1977.

CHÌRÂZ ou **SHIRAZ.** ♦ V. d'Iran (VIIᵉ province ou province du Fars et du Banader) non loin des ruines de Persépolis* (altitude 1 600 m). 169 100 hab. Ville d'art. Jardins célèbres *(Bâgh-e'-Ali, Bâgh-e'-Aram).* Mausolées de Châh Tchéragh, de Hafiz*, et de Sa'di* (1330). Mosquée du Vendredi (875). Mosquée et bazar du régent *(Bâzâr-e'-Vékil).* Citadelle et palais de Karim Khân Zend (XVIIIᵉ s.). Porte d'Isfahan *(Darvâzehyé-Esfahân).* Musée Pârs. Jouissant d'un climat agréable (hivers doux), la ville, célébrée par Hafiz et Sa'di, est réputée pour ses vignobles et ses champs de roses. — Artisanats (argent ciselé, marqueterie, tapis de laine). Carrefour routier en relation avec Isfahan, le Kermân et les ports du golfe Persique. — Patrie de Sa'di. ♦ *Hist.* Chirâz fut fondée en 684, peu après la conquête arabe et sa position au centre de la province fut à l'origine de son importance. Les Saffârides en firent la capitale de leur principauté au IXᵉ siècle. Les Bûyides l'enrichirent (palais, murailles) aux Xᵉ et XIᵉ siècles. La ville possédait une bibliothèque fameuse et ses brocarts étaient renommés. Capitale poétique de l'Iran avec Sa'di, elle ne souffrit pas de l'invasion mongole et échappa aux destructions de Tîmûr-i Lang. Sous les Safavides, la ville prospéra grâce au gouvernement d'Imâm Qouli Khân. En 1623, shâh 'Abbâs* Iᵉʳ le Grand y autorisa l'établissement d'une mission carmélite. Dévastée par une inondation en 1668, Chirâz fut saccagée en 1729 par les Afghans et assiégée en 1744 par le roi de Perse, Nâdir shâh. Elle fut capitale de l'Iran sous le règne de Karim Khân Zend qui n'acceptait que le titre de régent, mais le siège du royaume fut transféré à Téhéran sous Agha Muhammad shâh. La création des ports de Bandar* Châhpour et de Korramchahr (dynastie des Pahlavi) provoqua le déclin de la capitale du Fars.

CHIRICO (Giorgio *de*). ♦ V. De Chirico.

CHIRIQUI. *n. m.* ♦ Volcan du Panamá*, situé non loin de la frontière du Costa Rica, entre le *golfe de Chiriqui,* sur le Pacifique, et la *lagune de Chiriqui,* sur l'Atlantique. Point culminant des reliefs volcaniques **(V. Tabasara)** qui font suite à la cordillère costaricaine. 3 374 m. – Province de Chiriqui, *ch.-l.* David*.

CHIRON, en gr. **Kheirôn.** ♦ Un des Centaures*, fils de Cronos*, qui se distinguait de ses semblables, brutaux et incultes, par sa bonté et sa sagesse. Apollon et Artémis lui enseignent l'art de la médecine et de la chasse, puis il est lui-même l'éducateur d'Asclépios*, d'Achille*, d'Héraclès*, de Jason*, de Palamède* et d'autres héros. Il sauve Pélée*, attaqué par les Centaures, puis, blessé lui-même accidentellement par Héraclès et souffrant atrocement, il accepte de mourir à la place de Prométhée, lui cédant son droit à l'immortalité. Il prend place parmi les constellations sous le nom de Sagittaire.

CHIROUBLES. ♦ Comm. du Rhône (arr. de Villefranche*-sur-Saône), dans le Beaujolais*, 415 hab. Vins renommés.

CHIRRIPO GRANDE. *n. m.* ♦ Massif volcanique du Costa Rica en Amérique centrale. Point culminant de la sierra de Talamanca*. 3 900 m. Volcan toujours actif.

CHISHIMA-RETTÔ. ♦ Nom japonais des îles Kouriles*.

CHITOR ou **CHITTORGÂRH.** ♦ Petite ville de l'Inde* (Râjasthân) fondée au VIIIe s. et devenue la capitale de l'État de Mewâr du VIIIe au XVIe siècle. ♦ *Hist.* Célèbre pour la farouche défense qu'elle soutint au XIVe s. contre les musulmans, la ville fut finalement prise par Akbar* en 1568. Nombreux monuments des Râjput*.

CHITRÂL. *n. m.* ♦ Petit État d'une vallée du Cachemire*, au S.-E. de la chaîne de l'Hindû*-kûsh. Env. 110 000 hab. Il est devenu pâkistânais en 1947. – Ville capitale de cet État (5 000 hab.). – Rivière du Cachemire* et d'Afghânistân* (500 km), affluent de la riv. Kâbul*.

CHITTAGONG. *n. m.* ♦ Prov. du Bangla*-desh, située à la frontière de la Birmanie* (12 000 000 d'hab.), peuplée de tribus montagnardes et d'Arakanais. – Sa capitale, port très important (env. 4 000 000 de t) sur le golfe du Bengale, exportateur de thé, de peaux, de pétrole et de jute. 437 000 hab. (1969). Le port était fréquenté depuis le XVIe s. par les Portugais. Université. Indus. textiles (filatures de coton et de jute); traitement du thé; fabriques d'allumettes; indus. chimiques et mécaniques; raffinerie de pétrole. Complexe métallurgique.

CH'IU CHIN [*Ts'ieou Kin, Qiu Jin*]. ♦ Héroïne révolutionnaire chinoise (1875 – 1907) originaire du Chê-kiang. Elle fonda un journal qui critiquait les souverains de la dynastie des Ch'ing*. Arrêtée en 1907, elle fut fusillée pour un crime dont elle était innocente.

CHIUSI. ♦ V. d'Italie, en Toscane (province de Sienne). 9 000 hab. Remarquable nécropole étrusque : tombe dite « du singe ». ♦ *Hist.* L'anc. *Clusium* (*Camars* à l'époque étrusque), cap. du roi Porsenna* (~ VIe s.), fut une des plus importantes villes étrusques. Vers ~ 390, elle fut le théâtre du premier affrontement entre Celtes et Romains.

CHIVASSO. ♦ V. d'Italie du Nord, dans le Piémont. Province de Sienne. 17 000 hab. Important nœud de communications, centrale thermique.

CHIYO ou **KAGA-NO-CHIYO-JO** (« la dame Chiyo de Kaga »). ♦ Célèbre poétesse japonaise (Kaga, 1703 – 1775), auteur de haikai. Son style aisé et populaire, la délicatesse des sentiments qu'elle exprime la rendirent célèbre dès son jeune âge, bien qu'elle fût née dans une famille très modeste. Elle se fit religieuse bouddhiste en 1729, à la mort de son mari et de son fils. Ses poèmes sont encore très souvent cités.

CHKLOVSKI (Victor Borissovitch) [*Šklovski*]. ♦ Critique et historien littéraire soviétique (né en 1893). Il appartint au groupe des Frères* Sérapion et laissa de nombreuses études sur la littérature russe (*La Résurrection du mot,* 1914; *La Théorie de la prose,* 1925) et sur des auteurs russes tels que L. Tolstoï*, Dostoievski*. Il écrivit en outre *Voyage sentimental* (1923) où il raconte ses aventures depuis la révolution, et *Zoo,* roman par lettres.

CHLADNI (Ernst). ♦ Physicien allemand (Wittenberg, 1756 – Breslau, 1827). Il affirma en 1794 l'origine cosmique des météorites **(V. Biot).** Auteur de travaux d'acoustique, il découvrit les vibrations longitudinales des cordes et étudia la vibration des plaques, localisant les nœuds et les ventres à l'aide de sable fin (*figures de Chladni).*

CHLEUH(S). *n. m. (pl.).* ♦ Population berbère* sédentaire du Maroc*, habitant le Haut Atlas* et l'Anti*-Atlas occidentaux ainsi que la plaine du Sous*, parlant un dialecte berbère, le *chleuh.* De nombreux Chleuhs émigrent dans les grandes villes marocaines comme ouvriers ou commerçants.

CHLORIS, [*Khlôris*]. ♦ Déesse grecque des fleurs, épouse de Zéphyr*, identifiée avec la *Flore (Flora)* de la mythologie romaine. – Nom d'autres personnages féminins de la mythologie grecque, dont une des filles de Niobé*, la seule qui échappa au massacre des Niobides. Elle doit son nom à la pâleur de son teint, résultat de la terreur qu'elle avait éprouvée. Elle donna naissance à Nestor*.

CHOA. *n. m.* ♦ Région d'Éthiopie centrale (85 400 km²), dont Addis*-Abeba est la capitale. ♦ *Hist.* La région fut conquise sur les Musulmans au XVe siècle. Le trône de Choa fut disputé entre Ménélik* et le négus Théodore II.

Ph. Giraudon

Le duc **E. F. de Choiseul,** par L. M. Van Loo. (Musée de Tours.)

CHOCANO (José Santos). ♦ Poète péruvien (Lima, 1875 – Santiago du Chili, 1934). Banni de son pays pour ses idées socialistes et révolutionnaires, qu'il exprima dans ***Saintes Colères*** (1895), il a célébré dans son œuvre les mouvements d'indépendance et la nature de l'Amérique du Sud. Il mourut assassiné.

CHÔ DENSU. ♦ V. Minchô.

CHODERLOS DE LACLOS. ♦ V. Laclos.

CHOE CHUNG. ♦ Philosophe et éducateur coréen (984 – 1068) surnommé « le Confucius de Corée » en raison de son activité en tant qu'éducateur et propagateur des doctrines confucéennes. Il fut le fondateur de la première école privée coréenne.

CHOE JE-U. ♦ Philosophe et religieux coréen (1824 – 1864), créateur en 1860 d'une nouvelle religion appelée Dong-Hag (« enseignement de l'Orient »). Il fut exécuté en 1864 pour avoir, en prêchant sa religion, « troublé l'ordre public ».

CHOE NAM-SEON. ♦ Écrivain et poète coréen (1890 – 1957), fondateur de revues littéraires, de journaux et auteur de la célèbre « déclaration d'indépendance » en 1919. Il est l'un des « 33 patriotes » de Corée. Ses œuvres historiques ou poétiques sont empreintes d'un profond sentiment patriotique.

Choéphores (Les), en gr. **Khoêphoroi.** ♦ Tragédie d'Eschyle* (~ 458), la seconde de la trilogie l'*Orestie,* après *Agamemnon* et précédant les *Euménides.* Instruit par sa sœur Electre* du meurtre de son père Agamemnon, Oreste* exerce sa vengeance en tuant Clytemnestre*, sa mère, et l'amant de celle-ci, Égisthe. Le chœur de la tragédie est constitué par les Choéphores, porteuses d'offrandes.

CHÔFU. ♦ V. du Japon, dans la banlieue O. de Tôkyô*. 153 000 hab. Centre artisanal et commercial.

CHOISEUL. ♦ Famille de Champagne, dont les membres les plus célèbres furent : César, *comte du* Plessis-Praslin, *duc de* Choiseul (Paris, 1598 – 1675), Maréchal de France. Il resta loyal au roi pendant la Fronde* et vainquit Turenne* à la tête des Espagnols à Rethel*. Il fut un des négociateurs du traité de Douvres* (1670). ♦ Étienne François, *duc de* Choiseul. (V. ci-dessous).

CHOISEUL (Étienne François, ***duc de*****).** ♦ Homme politique français (en Lorraine, 1719 – Paris, 1785). Après de brillants débuts militaires, il acquit par son esprit et son habileté l'appui de Mme de Pompadour*, entra dans la carrière diplomatique, et parvint au pouvoir qu'il exerça de 1758 à 1770 (il fut secrétaire d'État aux Affaires étrangères, recevant également les portefeuilles de la Guerre et de la Marine). Son premier but fut de préparer la revanche contre l'Angleterre, au lendemain du traité de Paris. Resté fidèle à l'alliance autrichienne, à laquelle il avait contribué, il la renforça par le second traité de Versailles, et la compléta par l'alliance espagnole **(V. Famille** [pacte de]**).** Avec l'aide de son cousin le duc de Praslin*, il accomplit une réforme profonde de l'armée et de la marine (meilleure formation des officiers, abolition de la vénalité des grades, développement de l'artillerie, construction navale), qui allait permettre les succès français lors de la guerre de l'Indépendance de l'Amérique. L'acquisition de la Corse constitua un avantage important sur le plan stratégique. Mais cette politique étrangère n'était pas sans faiblesse : la négligence de Choiseul vis-à-vis du développement de la puissance russe aboutit au partage de la Pologne. D'autre part, son attitude ambiguë, flattant l'opinion et encourageant l'Encyclopédie ou les parlements (expulsion des jésuites), eut pour conséquence le renforcement de l'opposition parlementaire, qui devint très violente à la fin de son ministère. Les difficultés financières s'étaient encore aggravées du fait des dépenses militaires. Ce furent là sans doute, outre la mort de Mme de Pompadour et l'hostilité de Mme du Barry qu'il n'avait pas su se concilier, les causes de son renvoi et de l'avantage que Maupeou prit sur lui. Exilé sur ses terres à Chanteloup, dont il fit un foyer actif d'opposition, il fut autorisé par la suite à revenir à Paris, mais n'eut plus aucun rôle politique.

CHOISEUL. ♦ Île de la chaîne orientale de l'archipel des Salomon*.

CHOISEUL-PRASLIN (Charles, *duc de***).** ♦ Homme politique français (Paris, 1805 — Paris, 1847). Député en 1839, pair de France en 1845, il avait épousé en 1824 la fille du maréchal Sébastiani* qui fut retrouvée poignardée dans leur hôtel (1847). Accusé d'assassinat, Choiseul-Praslin se suicida. Cette histoire constitua un des grands scandales de la fin de la monarchie de Juillet.

CHOISY (François Timoléon, *abbé de***).** ♦ Écrivain français (Paris, 1644 — *id.*, 1724). Pourvu de nombreux bénéfices ecclésiastiques, spirituel, efféminé, connu sous le nom de comtesse de Barres, il fut longtemps l'objet d'une curiosité scandaleuse par ses liaisons. Parti à Rome en qualité de conclaviste (1676), il s'y convertit, puis s'embarqua avec l'ambassade envoyée par Louis XIV au Siam et revint prêtre. Ses *Mémoires pour servir à l'histoire de Louis XIV* (posth., 1727), souvent inexacts, offrent pourtant des portraits très vivants.

CHOISY-LE-ROI. ♦ Ch.-l. de cant. du Val-de-Marne (arr. de Créteil), sur la Seine, dans la banlieue S. de Paris. 41 711 hab. *(Choisyens).* Église Saint-Louis (XVIIIe s.) devenue cathédrale. Vestiges d'un ancien château construit au XVIIe s. par Jacques IV Gabriel, agrandi au XVIIIe s. et qui fut l'une des résidences favorites de Louis XV. Manufacture de porcelaine, céramique, peintures, vernis. Usine de traitement de l'eau de Seine (filtrage, stérilisation, ozonisation), alimentant la banlieue S. en eau potable. Indus. du cuir, du linoléum. Indus. automobile (Renault); métallurgie; matériaux de construction.

Chokusen Wakashû. *n. m.* ♦ Nom générique des 21 anthologies poétiques japonaises compilées de 898 à 1465 sur l'ordre des empereurs du Japon. Elles constituent le trésor de la poésie classique japonaise de Waka* (poèmes de 31 syllabes disposées en cinq vers de 5-7-5-7-7 syllabes).

CHOLA. *n. m. pl.* ♦ Dynastie de l'Inde du Sud, fondée vers le IIIe s. de notre ère, et qui commença à prendre de l'importance au IXe siècle. Vers 907, elle supplanta la dynastie des Pallava* sur la côte de Coromandel*, conquit la presque totalité de l'Inde du Sud sur les autres dynasties **(V. Chera)**, envahit Ceylan et, développant une grande flotte maritime fit un commerce intensif avec le S.-E. asiatique. Leur capitale était Chidambaram*. Les Chola s'opposèrent en Malaisie à Śrîvijaya et le battirent sur mer. Vers la fin du Xe s. cependant, leur puissance déclina et ils ne purent se maintenir qu'en alliant leur famille à celle de la dynastie des Châlukya*, très puissante dans le reste du Dekkan* méridional. Ils disparurent vers la fin du XIIIe s., ayant laissé dans leurs capitales successives, et principalement à Tanjore*, d'importants monuments religieux.

CHOLEM ALEICHEM (Shalom Rabinovitz, dit**).** ♦ Écrivain de langue yiddish (Pereïaslaev, Ukraine, 1859, — New York, 1916). Il a laissé des nouvelles *(Deux Pierres, Le Canif)*, des contes *(Contes de Tévié le laitier)* et des romans *(Joséphin le rossignol, Le Déluge)* dans lesquels il évoque la condition juive sur un ton lucide et amer, mais avec un humour qui exorcise tout désespoir. Son pseudonyme est la salutation juive traditionnelle « Que la paix soit avec vous ».

CHOLET. ♦ Sous-préf. du Maine-et-Loire, ch.-l. d'arr. (8 cant., 80 comm., 147 450 hab.). 43 281 hab. [40 224 aggl.] *(Choletais).* Important marché agricole et centre industriel actif. Aliments pour le bétail. Indus. alimentaires (conserves, boissons gazeuses, pâtes). Textiles (toile renommée, utilisée principalement dans la confection des mouchoirs). Confection, chaussures. Métallurgie; mécanique générale. Électronique, matériel de télécommunications. ♦ *Hist.* Cholet fut le théâtre de sanglants combats pendant les guerres de Vendée. De mars 1793 à mars 1794, les armées royalistes et révolutionnaires se disputèrent la ville. Le combat le plus meurtrier de la guerre se livra sous ses murs le 17 octobre 1793 : il opposait l'armée de Mayence, commandée par Kléber, Marceau et Haxo, à l'armée vendéenne conduite par Bonchamps, d'Elbée (qui y trouvèrent la mort), La Rochejaquelein et Lescure; les républicains remportèrent la bataille. Incendiée, détruite, désertée par la quasi-totalité de ses habitants à la fin de la période révolutionnaire, la ville ne se releva qu'au cours du XIXe s., grâce au développement de son industrie textile. Les destructions de la guerre de Vendée expliquent l'absence de monuments anciens à Cholet, à l'exception du pont sur la Moine (XVe s.) et de l'hôpital (XVIIe s.).

CHOLOKHOV (Mikhail Alexandrovitch) [*Šoloxov*]. ♦ Conteur et romancier soviétique (Kroujiline, gouvernement de Rostov, 1905 —). Inspiré par l'amour qu'il portait à sa terre natale et au peuple qui l'avait vu grandir, il commença à écrire très jeune. En 1923 parut son premier livre : *Récits du Don,* et en 1925 il travaillait déjà à son grand roman *Le Don* paisible* qu'il ne termina qu'en 1940. Entre-temps, il publia en 1932 le premier volume de *Terres défrichées* qui raconte le début de la collectivisation des terres en U.R.S.S., et dont le second volume ne sortit qu'en 1959. En 1945, il entreprit un roman racontant la lutte du peuple russe contre l'envahisseur : *Ils ont combattu pour la patrie,* et en 1956 parut son roman *Le Destin d'un homme.* — Dans la tradition de L. Tolstoï* et de Bounine*, il a décrit le peuple travailleur avec finesse et tendresse, adoptant et défendant sans concession les positions officielles du réalisme socialiste. (Prix Lénine, 1960; prix Nobel, 1965.)

CHOLON. ♦ Ville du Viêt-nam et faubourg industriel et commercial de Saigon*, fondé en 1778 par des immigrants chinois. Ceux-ci, qui peuplent presque exclusivement ce grand centre, sont env. 500 000. La ville, parsemée de canaux, a gardé un certain pittoresque.

CHOLTITZ (Dietrich *von***).** ♦ Général allemand (Schloss Wiese, Silésie, 1894 — Baden-Baden, 1966). Il commanda à Stalingrad (1941), en Italie (1943), en Normandie (1944). Gouverneur militaire de Paris le 9 août 1944, il capitula le 25 suivant, sans exécuter l'ordre de faire sauter les ponts et les édifices qui étaient minés.

CHOLULA. ♦ Petite V. du Mexique central, située entre Mexico et Puebla. 13 000 hab. Site précolombien très ancien (archaïque, olmèque, puis toltèque) où Cortés comptait plus de 400 « tours » (pyramides). Une énorme pyramide, ayant servi de carrière, ne forme plus qu'une colline. Ville coloniale aux nombreuses églises. Couvent de San Gabriel (XVIe siècle).

CHOLUTECA. ♦ V. du Honduras méridional, située à égale distance de la frontière du Nicaragua et du golfe de Fonseca, ch.-l. de département. 30 000 hab. environ. Centre commercial.

CHOMÉRAC. ♦ Ch.-l. de cant. de l'Ardèche*, arr. de Privas*. 1 926 hab. Travail de la soie.

CHOMOLUNGMA. ♦ Nom tibétain du mont Everest* (8 882 m).

CHOMSKY (Noam). ♦ Linguiste américain (Philadelphie, 1928, —). Il fut l'élève de Z. Harris* et subit aussi l'influence de R. Jakobson* et, au *Massachusetts Institute of Technology* (M.I.T.) où il entra en 1954, celle des logiciens et cybernéticiens. Ses deux grands travaux initiaux : *Transformational Analysis* (thèse, 1955) et *The Logical Structure of Linguistic Theory* (1956) sont restés impubliés; mais le bref ouvrage qui en est issu, *Syntactic Structures* (1957), révolutionna la linguistique, en proposant une description « générative », pour toute phrase, par une suite de « règles de réécriture » aboutissant à une *stucture profonde* et une suite de *transformations* conduisant à une *structure superficielle* (celle que réalise phonologiquement la parole). *Aspects of the Theory of Syntax* (1965), *Topics in the Theory of Generative Grammar* (1966) précisent et modifient la théorie. Dirigée contre le behaviorisme et la linguistique inductive (par observation exclusive du discours et classification) la théorie chomskyenne repose

Ph. APN

M. A. Cholokhov.

Arch. Rencontre

F. Chopin, par Delacroix. (Musée du Louvre, Paris.)

sur l'hypothèse de l'origine innée du langage (et même des développements d'un « schéma fixe inné ») et de l'universalité des *structures profondes.* Ses présupposés philosophiques sont exposés dans la *Linguistique cartésienne* (1966) et *Le Langage et la Pensée* (*Language and Mind,* 1968). Adoptée d'enthousiasme aux États-Unis, très influente en Europe, la grammaire générative-transformationnelle se divise déjà en plusieurs théories (théorie « standard », modifiée, sémantique générative, etc.) qui, malgré leurs divergences, doivent toutes l'essentiel de leurs hypothèses à la pensée de Chomsky, qui s'est par ailleurs signalé par des prises de position « radicales » (au sens américain) en politique.

CHOMUTOV. ♦ V. de Tchécoslovaquie, en Bohême septentrionale, dans le bassin lignitifère de Most*. 34 310 hab. (1961). Constructions mécaniques, indus. chimiques et textiles.

CHONOS *(archipel des).* ♦ Archipel désertique du Chili méridional, constitué par plus d'un millier d'îlots séparés de la prov. d'Aisén* par le canal de Moraleda. Le N. de l'archipel est inclus dans la province de Chiloé*.

CHOOZ. [ʃo]. ♦ Comm. des Ardennes, arr. de Charleville-Mézières. 655 hab. Centrale nucléaire franco-belge réalisée sous l'égide de l'Euratom (1967).

CHOPIN (Frédéric). ♦ Compositeur polonais (Zelazowa-Wola, près de Varsovie, 1810 – Paris, 1849). Il était le fils d'un Français, Nicolas Chopin, originaire de Lorraine, précepteur chez la comtesse Skarbek, et de Justynia Krzyzanovska, parente et dame d'honneur de la comtesse. Sous la direction d'Adalberg Zwyny, il commença très jeune l'étude du piano et affirma bientôt les qualités d'un enfant prodige. Il reçut au lycée de Varsovie une instruction solide puis décida de se consacrer à la musique. Il était encore élève du Conservatoire (1826-1829) lorsqu'il connut ses premiers succès de virtuose et composa ses premiers chefs-d'œuvre (*Valses en la bémol majeur et en si bémol majeur, Polonaise en ré mineur, Mazurka en la mineur, Nocturne en mi mineur, Variations sur un thème de Don Juan, de Mozart*). C'est aussi l'époque d'une éphémère idylle avec Constance Gladowska dont l'écho se retrouve dans les *deux Concertos pour piano* (fa mineur et mi mineur, 1830). Après un séjour à Berlin puis à Vienne (1829) où il donna deux concerts, Chopin quitta définitivement la Pologne (1830). D'abord victorieuse, l'insurrection nationale qui suivit de peu son départ allait être farouchement réprimée par le tsar quelques mois plus tard. Cette épreuve l'attacha davantage encore à sa terre natale dont il conserva toujours la nostalgie. – Installé à Paris, il y connut des débuts difficiles mais soutenu par un groupe d'amis (Heine, Liszt, Berlioz) et bientôt adopté par la haute société parisienne, il commença à mener une existence mondaine. Devenu un professeur recherché, il eut pour élèves les femmes de la plus brillante aristocratie européenne. Il poursuivait aussi son activité de compositeur, et révisant bon nombre d'œuvres déjà composées à Varsovie, il publia entre 1832 et 1835, le *Trio en sol mineur,* les *Nocturnes* (op. 9 et 15), douze *Études* (op. 10), le *Concerto en mi mineur* (op. 11), la *Grande Fantaisie sur des airs polonais* (op. 13), la *Krakowiak, rondo pour piano et orchestre,* quatre *Mazurkas* (op. 17), la *Grande Valse en si bémol majeur* (op. 18), le *Boléro en do majeur* (op. 19) et le *Premier Scherzo* (op. 20). L'échec d'un projet de mariage avec la jeune Marie Wodzinska, rencontrée lors d'un bref passage à Dresde (1835) l'affecta profondément ; il lui inspira la *Valse* (op. 69, n° 1) dite *de l'Adieu* et le *Nocturne en mi bémol majeur* (op. 9, n° 2). C'est alors qu'il tomba malade, ressentant les premières atteintes de la phtisie laryngée qui devait l'emporter plus tard. – La rencontre de George Sand* (1837) allait, pour une dizaine d'années, l'arracher à la tumultueuse société parisienne. Cependant, ni un séjour d'hiver aux Baléares (1838 ; évoqué par G. Sand dans *Un hiver à Majorque*) ni la quiétude des longs étés de Nohant ne suffirent à lui rendre la santé. Cette période correspondit pourtant chez lui à une intense activité créatrice (études, ballades, sonates, impromptus, scherzos, préludes). Las finalement d'une liaison dont ils ne connaissaient plus que les servitudes, les deux amants se séparèrent (1847). Au cours de ces années, la tendresse de la cantatrice Delphine Potoçka et la franche amitié d'Eugène Delacroix apportèrent leur apaisement à l'âme tourmentée de Chopin. À l'issue d'un épuisant voyage à Londres et en Écosse (1848), il revint à Paris où il devait mourir (17 octobre 1849). – Si les compositions pour orchestre et de musique de chambre ne représentent qu'une très faible part de sa production, c'est que Chopin a confié au piano l'essentiel de son message. Par la diversité des formes, la nouveauté d'un langage où l'ornement, si riche soit-il, ne cesse de faire corps avec la mélodie, l'utilisation expressive du folklore, l'inépuisable variété des thèmes développés, il apparaît, au XIXe s., avec Schumann et Liszt, comme le véritable créateur du style de piano. Authentique expression d'une personnalité d'artiste qui, tour à tour, sait s'abandonner à la confidence la plus intime, exprimer la détermination la plus virile, susciter la féerie et l'émotion, l'œuvre de Chopin se présente sous des aspects très divers. Ce sont les quatorze *Valses,* brillantes ou mélancoliques, élégantes et aériennes, les quatre *Scherzos,* au rythme haletant, où l'énergie confine parfois à la frénésie et engendre le fantastique, les quatre *Impromptus,* empreints d'une aristocratique subtilité, les seize *Polonaises,* poèmes héroïques inspirés par l'indignation autant que par la nostalgie de la patrie captive (« des canons cachés sous des fleurs »), les cinquante-cinq *Mazurkas,* transpositions idéales des thèmes populaires polonais, les vingt *Nocturnes,* élégies vaporeuses, expression du plus intime de l'être, les quatre *Ballades* où la légende se colore de grâce et de mystère, les vingt-quatre *Préludes,* prodigieuse somme de poésie où le compositeur fonde l'impressionnisme musical, les vingt-sept *Études,* ouvrages de virtuosité où la musique affirme sa transcendance. – D'essence purement romantique, dans la mesure où elle est l'expression des plus profondes émotions humaines, cette musique est d'abord le chant d'une âme exaltée jusqu'à l'extase, « une mélancolie accompagnée » qui doit à l'art vocal le secret de ses plus troublantes inflexions. Elle s'offre aussi comme l'un des plus hauts témoignages des pouvoirs de la poésie, principe d'énergie et de liberté.

CHORELL (Walentin). ♦ Auteur dramatique et romancier finlandais de langue suédoise (Turku, 1912 –). Il décrit souvent des individus déchus ou névrosés et des situations mettant à nu les motifs inavoués des personnages. Il est l'auteur de nombreux drames souvent écrits pour la radio, comme *Fabian ouvre les portes,* (1949), *Madame* (1952), *Les Chattes* (1961), de romans, *Journal intime* (1951), *Miriam* (1954).

CHORZOW, anc. **Królewska Huta,** en all. **Königshütte** (la « fonderie du roi »). ♦ V. de Pologne (voïévodie de Katowice) en haute Silésie*. 155 000 hab. Centre d'industrie chimique, minière et métallurgique.

CHÔSHUN. ♦ Peintre japonais (Owari, 1682 – Edo, 1752), de style Ukiyo*-e, auteur de figures de théâtre Kabuki* et de kakemono représentant de jolies femmes. Il eut de nombreux disciples et eut une grande influence sur les artistes postérieurs.

CHOSROÊS. ♦ **V.** KHOSRÔ.

CHOSTAKOVITCH (Dimitri Dimitrievitch). ♦ Compositeur russe (Saint-Pétersbourg, 1906 - Moscou, 1975). Élève de Steinberg et de Glazounov à Petrograd, il subit d'abord l'influence de Bartók, Hindemith, Milhaud et des dodécaphonistes. À cette première période appartiennent des pièces pour piano (*Aphorismes,* 1927), des ballets (*L'Âge d'or,* 1930 ; *Le Boulon,* 1931 ; *Le Fleuve clair,* 1934), des poèmes symphoniques (*Dédicace à Octobre,* 1931 ; *Premier Mai,* 1932), des opéras (*Le Nez,* 1928, d'après Gogol ; *Lady Macbeth de Mtsensk,* 1932). Vivement critiqué pour son formalisme, le musicien, comme Prokofiev*, se vit contraint d'adopter par la suite des formes plus simples et plus conformes aux canons du réalisme socialiste. À l'exception de pièces pour le piano (24 préludes et fugues, 1950-1951) et de musique de chambre (10 quatuors), c'est aux grandes compositions orchestrales où se conjuguent le lyrisme et la puissance dramatique qu'il a voué le meilleur de son œuvre : *5e symphonie* (1937), *7e symphonie* (dite « de Leningrad », 1941), *8e et 9e symphonies* (1945-1946), *la Jeune Garde,* opéra (1946), *Le Chant des forêts* (1949). Outre ses 13 symphonies, dont la richesse mélodique et instrumentale et la vaste architecture évoquent les grandes compositions de Berlioz ou de Mahler, Chostakovitch a composé de nombreuses musiques de films [La Chute de Berlin, 1949]. (Prix Lénine, 1957.)

CHOU. *n. m. pl.* [*Tcheou, Zhou*]. ♦ Troisième dynastie historique de la Chine qui dura du ~ XIe s. à ~ 249. Elle se divise en *période du Printemps et de l'Automne* (Ch' un* Ch'iu) jusque v. ~ 401 et en *période des Royaumes combattants* (Chan* Kuo). C'est l'époque

Ph. René Burri/Magnum

Chou En-lai

féodale chinoise pendant laquelle le pays était divisé en un grand nombre de petits États qui se faisaient sans cesse la guerre, sans trop se soucier de l'autorité impériale.

CHOUAN (Jean). ♦ Surnom des frères Cottereau* (Jean, Pierre, François, René), chefs de la Chouannerie.

Chouannerie. *n. f.* ♦ Guerre de partisans, contre-révolutionnaire royaliste, qui se développa à partir de 1793 au nord de la Loire, en Bretagne, en Normandie, dans le Maine et l'Anjou. Elle prit naissance parallèlement à l'insurrection de Vendée* et pour les mêmes raisons : difficultés économiques, politique révolutionnaire antireligieuse, décret sur la levée de 300 000 hommes adopté par la Convention (24 février 1793). « Réunis sous des chefs qui sont généralement du pays [parmi ceux-ci le comte de Bourmont*, les frères Cottereau*, Cormatin*, Louis de Frotté*, le marquis de la Rouërie*, etc.], les chouans se répandent imperceptiblement partout avec d'autant plus de facilité qu'ils ont partout des agents, des amis [...]. Leur principal objet est de détruire les autorités civiles, d'intercepter les convois, d'assassiner les patriotes des campagnes », pouvait écrire à cette époque le général Hoche* qui contribua activement à pacifier les régions de l'Ouest en 1795. La chouannerie se poursuivit néanmoins jusqu'au début de l'Empire.

CHOUBINE (Fiodor Ivanovitch). ♦ Sculpteur russe (Arkhangelsk, 1740 – Saint-Pétersbourg, 1805). Il fut élève de Gillet à Saint-Pétersbourg puis travailla à Paris dans l'atelier de Pigalle*. Il se consacra essentiellement au portrait en buste. Certaines de ses œuvres s'apparentent parfois à Houdon* par la finesse du modelé et la vivacité de l'expression *(Catherine II, Le Prince Potemkine, Lomonossov).*

CHOU EN-LAI [*Tcheou Ngen-lai, Zhou Enlai*]. ♦ Homme politique et général chinois (Huaian, 1896 - Péking, 1976). Après des études en France (1920-1923), il adhéra au communisme. De retour en Chine, il devint commissaire politique de l'académie militaire du Kuo-min-tang. En 1927, Chiang Kai-shek tenta d'éliminer les communistes et Chou En-lai faillit être tué. En 1931, vice-président du soviet militaire de la République du Chiang-hsi, il prit part à la « Longue Marche ». En 1936, afin de s'opposer à l'agression japonaise, il agit en faveur de l'alliance avec le Kuo-min-tang (négociations pour la libération de Chiang Kai-shek). Il fut nommé Premier ministre du gouvernement populaire de Chine (1949) et secrétaire aux Affaires étrangères (il fut ministre des Affaires étrangères jusqu'en 1959). Théoricien du parti communiste chinois et diplomate, il participa à toutes les réunions internationales intéressant l'Asie et la Chine (notamment Genève, 1954, Bandung, 1955). Pendant la « révolution culturelle », il soutint l'action des Gardes rouges.

CHOUISKI [*Šuiski*]. ♦ Famille princière russe dont l'un des membres prépara la chute de l'usurpateur Dimitri* et s'empara du pouvoir (1606). **V. Vassili Chouiski.**

CHOU-K'OU-TIEN [*Tcheou-k'eou-tien, Zhoukoudian*]. ♦ Site archéologique à 42 km au S.-O. de Peking où, dans des grottes, furent découverts en 1922 les restes d'un hominien, le *sinanthropus pekinensis,* appartenant au pleistocène moyen. Le R.P. Teilhard* de Chardin participa aux fouilles avec d'autres archéologues dont le Chinois P'ei Wen-chung.

CHOU TUN-I [*Tcheou Touen-yi, Zhou Dunyi*]. ♦ Philosophe confucéen chinois (1017 – 1073) surnommé « le Confucius de la dynastie des Song ». Il rénova la philosophie étatique de son grand prédécesseur et fonda une école philosophique.

CHOUVALOV ou **CHUVALOV** [*Šuvalov*]. ♦ Famille russe dont les membres les plus connus sont les suivants : PIERRE IVANOVITCH ([mort] 1762). Homme d'État et administrateur de talent, il contribua à l'essor commercial et industriel de la Russie sous Élisabeth* Petrovna et se signala par l'invention d'un nouvel obusier. ♦ IVAN IVANOVITCH. (1737 – Saint-Pétersbourg, 1797). Favori d'Élisabeth, promoteur des lettres, des arts et des sciences, il collabora avec Lomonossov* à la fondation de l'université de Moscou (1755) et de l'académie des beaux-arts de Saint-Pétersbourg (1757). ♦ PIERRE ANDREÏEVITCH (Saint-Pétersbourg, 1827 – 1889). Général et diplomate, ministre de la police secrète (1866-1874) puis ambassadeur à Londres (1874) il participa aux côtés de Gortchakov* au congrès de Berlin (1878).

CHOYBALSAN [*Tchoibalsan*] ♦ Homme politique et militaire mongol (Baian-Tumen, 1895 – Moscou, 1952). Il succéda à Sükhe Bâtar (Sukhe Bator) et devint le chef du gouvernement de la République populaire de Mongolie en 1923. Il parvint au pouvoir suprême en 1936 et le garda jusqu'à sa mort. En 1946, il fit adopter les caractères cyrilliques en remplacement des anciens caractères uigur pour transcrire la langue mongole moderne. – Sa ville natale, en Mongolie (12 000 hab.), sur la rivière Kerulen*, porte son nom.

CHRAÏBI (Driss). ♦ Romancier marocain d'expression française (Mazagan, 1926). Dans *Le Passé simple* (1955), *L'Âne* (1958) et surtout *Les Boucs* (1956), il s'est attaché à évoquer dans une langue aux images puissantes, la difficile adaptation des travailleurs nord-africains ou des jeunes intellectuels marocains en France, durant les années 50. Études sociologiques, ces récits apportent de précieuses indications sur la personnalité musulmane.

CHRÉTIEN (Henri). ♦ Physicien français (Paris, 1879 – Washington, 1956). Inventeur de l'objectif *hypergonar* (1925) qui, permettant l'anamorphose, fut utilisé dans le procédé Cinémascope.

CHRÉTIEN de TROYES. ♦ Poète français (v. 1135 – v. 1183) auteur de romans de chevalerie, écrits en vers octosyllabiques, qui illustrent les thèses courtoises. – Ses œuvres principales sont *Lancelot* ou le Chevalier à la charrette, Yvain* ou le Chevalier au lion, Perceval* ou le Conte du Graal.* Dans ces poèmes, d'une grande perfection formelle, le cadre et les personnages appartiennent au *Cycle breton*; mais les mœurs évoquées sont celles d'une société courtoise où les héros sont partagés entre l'amour et l'aventure, qu'elle soit chevaleresque ou mystique : « Dans [le] mélange du réel et surréel réside toute la magie de ce grand poète, de ce grand créateur du roman moderne » (Reto R. Bezzola).

CHRIST (lat. **Christus**, calqué sur le grec **khristos** qui traduit l'hébreu **mashiah** [messie], « oint »). ♦ Les catholiques disent *« le Christ »*, les protestants souvent *Christ,* sans article. – Figure centrale de la religion chrétienne, pour laquelle le Christ, c'est-à-dire le Messie*, l'Oint du Seigneur, c'est Jésus : *Jésus-Christ.* **(V. Jésus).** Il s'identifie avec le Messie annoncé diversement par les prophètes de l'Ancien Testament (*Daniel,* VII, 13; *Isaïe,* XI, 1-9; LII-LIII; *Zacharie,* IX, 9), mais le royaume qu'il instaure « n'est pas de ce monde » (*Jean,* XVIII, 36). Il est le Fils de Dieu annoncé par Jean-Baptiste (*Jean,* I, 33). Dieu incarné, il possède les deux natures, homme et Dieu (ce point a soulevé plusieurs hérésies, **V. Docétisme, monophysites)** ce qui fait de lui l'intercesseur, le lien entre les hommes et Dieu. Il a souffert sur la croix et il est mort pour le salut des hommes, compromis depuis la faute d'Adam. Il est donc le Rédempteur* et le *Nouvel Adam.* Sa résurrection au troisième jour est le gage d'une vie éternelle (I *Cor.,* XV). La religion du Christ, le christianisme, fut propagée par les Apôtres*. Le Christ est le chef suprême de l'Église; celle-ci est le « corps du Christ » (*Éph.* I, 22-23), ou encore son Épouse mystique (*Apoc.* XXI, 9); les catholiques romains reconnaissent l'autorité d'un vicaire du Christ sur Terre, le pape. Fête du Christ-Roi : le dimanche avant la Toussaint (instituée en 1925 par Pie XI). – Symboles : le monogramme ou chrisme (formé du *khi* et du *rhô,* initiales de *KH Ristos*); le trigramme JHS (interprété *Jesus Hominum Salvator;* en fait issu de l'abréviation IHΣ, initiales et finale du grec *Iêsous*); le poisson (le grec IKHTHUS, « poisson », est formé des initiales de *Iêsous KHristos THeou Uios, Sôter,* « Jésus-Christ Fils de Dieu, Sauveur »), l'agneau, la vigne, le berger. – *Icon.* Des traditions donnent pour authentiques plusieurs « images » du Christ : le *mandylion* d'Edesse* (aujourd'hui à S. Silvestro in Capite, à Rome), la Véronique de Saint-Pierre de Rome **(V. Véronique** [sainte]**)**, le saint suaire de Turin, ces trois images étant des étoffes que les traits du Christ auraient « impressionnées »; le Saint-Voult de Lucques, qu'aurait sculpté Nicomède, l'icône du Sancta Sanctorum, au Latran, attribuée à saint Luc. – D'innombrables œuvres d'art représentent le Christ. Principaux thèmes : Adoration des Bergers, Adoration des Mages, Ascension, Baiser de Judas, Baptême du Christ, Cène, Chemin de croix, Christ aux outrages, Christ devant Pilate, Christ en majesté, Christ enseignant, Christ montrant ses plaies, Christ mort, Circoncision, Couronnement d'épines, Crucifixion, Descente de croix, Disciples d'Emmaüs, Ecce homo, Flagellation, Fuite en Égypte, Jugement

Ph. Carlo Bevilacqua/Ricciarini

Le Christ à la colonne, par Bramante.

dernier, Mise au tombeau, Nativité, Noces de Cana, Pietà, Portement de croix, Résurrection, Sainte Famille, Tentation du Christ, Transfiguration, Vierge à l'Enfant.

CHRIST *(ordre du)*. ♦ Ordre religieux et militaire institué en 1318 par Denis* Ier roi de Portugal pour lutter contre les Maures; il prolongeait l'ordre du Temple*.

CHRISTCHURCH. ♦ V. du S. de l'Angleterre (Hampshire) constituent un faubourg résidentiel de Bournemouth. 26 340 hab. – Église du XIIIe siècle. – Pêcheries de saumon. Industries légères et constructions aéronautiques.

CHRISTCHURCH. ♦ V. de l'île du Sud de la Nouvelle*-Zélande, située sur la côte E., à l'entrée d'une riche plaine agricole (plaine de Canterbury), sur la voie ferrée du littoral E. de l'île. 260 200 hab. (seconde ville du pays). Université de Canterbury. – Second centre industriel du pays (énergie hydro-électrique). Indus. alimentaires (viande, produits laitiers). Indus. textiles (laine) et mécaniques (outils). Indus. du meuble. Équipement de transport. Produits en bois et en liège. Matières plastiques. – Son port est *Lyttelton,* situé à proximité : exportation de laine, viande, produits de laiterie et blé. Aéroport international (services directs avec Sydney et Melbourne, Australie). ♦ *Hist.* La ville fut fondée en 1848 par les immigrants anglicans.

CHRISTIAN Ier. ♦ (1426 – Copenhague, 1481). Roi de Danemark (1448-1481), de Norvège (1450-1481) et de Suède (1457-1471), qu'il perdit à la défaite de Brunkeberge (1471). Ses descendants (dynastie d'Oldenbourg) régnèrent sur le Danemark jusqu'en 1863.

CHRISTIAN II. ♦ (Nyborg, 1481 – Kalundborg, 1559). Roi de Danemark (1515-1523), fils de Jean* Ier et beau-frère de Charles* Quint, il s'empara de la Suède. Mais sa cruauté (Bain de sang de Stockholm) et son absolutisme favorisèrent la révolte de Gustave* Vasa. Chassé également du trône de Danemark, il tenta de le reprendre et fut emprisonné par son successeur Frédéric* Ier (1531).

CHRISTIAN III. ♦ (Gottorp, 1503 – Koldinghus, 1559). Roi de Danemark (1534-1559). Il succéda à son père Frédéric* Ier, mais dut combattre, pour établir son pouvoir, les partisans de Christian* II, au cours de la « querelle des princes ». Il imposa la religion réformée comme religion officielle.

CHRISTIAN IV. ♦ (Frederiksborg, 1577 – Copenhague, 1648). Roi de Danemark et de Norvège (1588-1648). Fils de Frédéric* II. Vaincu par Tilly* dans la guerre de Trente* Ans (Lutter, 1626, paix de Lübeck, 1629), vaincu par la Suède, il gagna cependant une grande popularité par sa bonne administration.

CHRISTIAN V. ♦ (Flensburg, 1626 – Copenhague, 1699). Roi de Danemark et de Norvège (1670-1699). Fils de Frédéric* III. Il s'allia à la Hollande contre Louis* XIV, n'obtint pas de succès dans une guerre contre la Suède et établit un code législatif.

CHRISTIAN VI. ♦ (Copenhague, 1699 – Hirschholm, 1746). Roi de Danemark (1730-1746). Il succéda à son père Frédéric* IV et eut un règne particulièrement calme, au cours duquel il encouragea le commerce et les arts. Il était un piétiste convaincu.

CHRISTIAN VII. ♦ (Copenhague, 1749 – Rendsburg, 1808). Roi de Danemark (1766-1808). Il prit la succession de son père Frédéric* V. Déséquilibré, il laissa gouverner Struensee*, son ministre et son médecin, jusqu'à ce que celui-ci, convaincu d'avoir été l'amant de la reine, fût condamné à mort. Le roi étant désormais hors d'état de gouverner, son fils devint régent dès 1784.

CHRISTIAN VIII. ♦ (Copenhague, 1786 – *id.,* 1848). Roi de Danemark (1839-1848). Il ne put empêcher que la Norvège soit donnée à la Suède en 1814 par son prédécesseur Frédéric* VI.

CHRISTIAN IX. ♦ (Gottorp, 1818 – Copenhague, 1906). Roi de Danemark (1863-1906). Il perdit le Schleswig-Holstein (1864) et pratiqua une politique matrimoniale, ce qui lui valut le surnom de « beau-père de l'Europe ».

CHRISTIAN X. ♦ (Copenhague, 1870 – *id.,* 1947). Roi de Danemark (1912-1947). Il accorda le droit de vote aux femmes (1915). Sous son règne l'Islande devint indépendante (1944).

CHRISTIANIA. ♦ Ancien nom d'Oslo*.

CHRISTIAN-JAQUE (Christian MAUDET, dit). ♦ Réalisateur français de cinéma (Paris, 1904). Une pratique très sûre du métier, le sens du mouvement, l'art de créer des atmosphères, caractérisent son œuvre, d'une inspiration souvent généreuse.

Christian Science. ♦ V. SCIENCE CHRÉTIENNE.

CHRISTIANSEN (Sigurd). ♦ Écrivain norvégien (Drammen, 1891 – *id.,* 1947). Influencé par Dostoïevski*, il reprit souvent à travers son œuvre le thème de la faute et de la responsabilité, analysant avec profondeur le sentiment de culpabilité. Ainsi, dans son roman *Deux Vivants et un Mort* (1931) un directeur des postes refuse de risquer sa vie pour sauver la caisse, dans son drame *Un voyage dans la nuit* (1931) un homme tue sans remords celui qui a violé sa fiancée. Christiansen laisse en outre une trilogie romanesque à demi autobiographique sur la destinée d'un artiste : *Le Rêve et la Vie* (1935), *Le Cœur solitaire* (1938) et *Le Sort des hommes* (1945).

CHRISTIE (Agatha, Mary Clarissa MILLER, dite **A.).** ♦ Romancière et auteur dramatique anglaise (Torquay, 1891 – Wallingford, près d'Oxford, 1976). Elle illustra le roman policier dit classique en écrivant environ soixante-dix romans où seule importe l'énigme et où le dénouement serre de près la fin du récit. L'exploitation systématique du peu vraisemblable y tend à égarer le lecteur puis à le surprendre (ex. *Le Meurtre de Roger Ackroyd,* où le meurtrier est le narrateur; *La Maison biscornue,* 1949, une petite fille ; *Le Meurtre de l'Orient-Express,* 1934, où tous les personnages sont coupables, alors qu'ils sont victimes dans *Dix Petits Nègres,* 1939). Bien que remplacé dans la faveur du public par le roman criminel d'inspiration américaine (série noire), le roman policier d'Agatha Christie, pur mécanisme de situations et jeu abstrait avec le lecteur – hérité de Sherlock Holmes – garde ses adeptes. Certains de ses personnages, le détective Hercule Poirot, miss Marple, sont devenus des types.

CHRISTINE. ♦ (Stockholm, 1626 – Rome, 1689). Reine de Suède (1632-1654). Dernière représentante de la maison de Vasa, elle n'avait que six ans à la mort de son père, Gustave* Adolphe. Durant sa minorité, le gouvernement fut assuré par le chancelier Oxenstierna* auquel elle s'opposa dès qu'elle prit le pouvoir (1644). Elle avait reçu une éducation toute masculine et se fit couronner *roi* en 1650. Son règne fut marqué essentiellement par la signature des traités de Brömsebro* et de Westphalie*, et troublé par des difficultés financières. Brillante, intelligente, séduisante, elle se place par la singularité de sa conduite au nombre des figures les plus déconcertantes. Sa grande curiosité intellectuelle et sa vaste culture la firent correspondre avec toute l'Europe savante et attirer Descartes* à sa cour. Particulièrement intéressée par la théologie, ce fut finalement pour se convertir au catholicisme (à Bruxelles), qu'elle abdiqua en faveur de son cousin Charles* X Gustave (1654). Elle parcourut alors l'Europe (elle fit tuer son écuyer et amant Monadelschi à Fontainebleau), et se fixa à Rome. Elle n'en continua pas moins à multiplier les intrigues politiques, tout en protégeant les artistes, parmi lesquels les musiciens Corelli et Scarlatti, en fondant l'Académie des Arcades et en réunissant d'importantes collections.

CHRISTINE DE FRANCE. ♦ (Paris, 1606 – Turin, 1663). Duchesse de Savoie. Fille de Henri* IV et de Marie* de Médicis, elle épousa Victor*-Amédée Ier (1619) à la mort duquel elle exerça la régence, et résista énergiquement aux ambitions de la France.

CHRISTINE DE PISAN. ♦ Femme de lettres française (Venise, v. 1363 – v. 1430) qui s'exerça dans les genres moraux, poétiques et historiques. Elle écrivit des poèmes de circonstance, prenant la défense des femmes contre les satires de Jean* de Meun, mais aussi des pièces personnelles, les « ballades du veuvage » *(« Seulette m'a mon douz ami laissiée »).* On lui doit une chronique de Charles V *(Le Livre des faits et bonnes mœurs du sage roi Charles Quint)* et un poème, *Dittié de Jeanne d'Arc* (1429), où elle dit sa haine de l'Anglais et célèbre la délivrance d'Orléans.

Christlich-Demokratische Union *(Union chrétienne démocrate)* et **Christlich-Soziale Union** *(Union chrétienne sociale).* **C.D.U.-C.S.U.** ♦ Parti interconfessionnel allemand créé au lendemain de la guerre par les membres de l'ancien *Zentrum* (centre-catholique), auquel se sont joints de nombreux protestants, pour débarrasser l'Allemagne des vestiges du national-socialisme et reconstruire son économie. Ses leaders, Konrad Adenauer* et Ludwig Erhard* ont dirigé l'Allemagne de 1949 à 1966 (**V. Allemagne** [République fédérale allemande], *Hist.*). La C.S.U. (C.D.U. bavaroise), parti politiquement indépendant de la C.D.U., est de tendance plus conservatrice.

CHRISTMAS *(île)*, en angl. **Christmas Island.** ♦ **V.** GILBERT-ET-ELLICE (îles).

CHRISTOFFEL (Elwin Bruno). ♦ Mathématicien allemand (Montjoie [auj. Monschau], Rhénanie, 1829 – Strasbourg, 1900). Auteur de travaux sur les fonctions algébriques et abéliennes, sur les équations différentielles, il contribua efficacement avec Lipschitz* à la théorie des formes différentielles quadratiques nécessaires à l'étude des géométries riemanniennes. **V. Riemann.**

CHRISTOFLE (Charles). ♦ Industriel français (Paris, 1805 – Brunoy, 1863). Ayant introduit en France (1841) les procédés anglais de dorure et d'argenture par la pile voltaïque, il fonda l'orfèvrerie qui porte son nom. **V.** *aussi* **Elkington, Ruolz.**

CHRISTOPHE *(saint).* ♦ Personnage légendaire de la tradition chrétienne. Géant décidé à servir le prince le plus puissant, il quitte son roi, puis Satan, et se consacre au Christ, passant pèlerins et voyageurs à gué sur ses épaules. Un jour, il passe un enfant qui soudain pèse un poids extraordinaire : c'est le Christ. Comme gage de sa divinité, celui-ci fait pousser un dattier miraculeux. Cette légende dont l'origine remonte au XIe s. développe le nom de Christophe (*Christo-phoros,* « porte-Christ »); elle fut popularisée par la *Légende dorée.* Saint Christophe passait pour protéger contre la mort subite. Patron des voyageurs et, aujourd'hui, des automobilistes.

CHRISTOPHE ou **CHRISTOPHORE.** ♦ (906 [mort]). Antipape (903-904), après avoir emprisonné et étranglé Léon* V, il fut lui-même arrêté par Serge* III, puis mis à mort.

CHRISTOPHE Ier. ♦ (1219 – Riben, 1259). Roi de Danemark (1252-1259). Il lutta contre les évêques de son royaume qui jetèrent l'interdit sur le Danemark. Éric* V lui succéda. ♦ CHRISTOPHE II (1276 – Nyköping, 1332). Roi de Danemark (1320-1326). Élu en 1320, il fut remplacé en 1326 par Valdemar III. Ayant reconquis le pouvoir, il fut déposé une seconde fois. ♦ CHRISTOPHE III (1418 – Nyköping, 1448). Roi de Danemark, de Suède (1440) et de Norvège (1441-1448). Il fut nommé régent en 1439, après la déposition d'Éric VII, pour veiller à l'application de l'Union de Kalmar et choisit Copenhague comme capitale.

CHRISTOPHE (Henri). ♦ Roi d'Haïti (1767 – 1820). Esclave noir affranchi, il se battit contre les Français en 1802 et, de concert avec Pétion*, mit à mort Dessalines* et fut proclamé président (1807). De 1811 à 1820, il régna sous le nom de Henri Ier. C'est lors d'une insurrection que, se voyant abandonné de tous, il se donna la mort.

CHRISTUS (Petrus). ♦ Peintre flamand (Baerle, près de Gand, ? – Bruges, 1473 ou 1474). Disciple de Van* Eyck (*Portrait d'un chartreux,* 1446), il subit à la fin de sa vie l'influence de Van* der Weyden *(Déposition de croix).* Son art présente aussi des affinités avec D. Bouts*. Il fit sans doute un séjour à Milan (1457) où il a rencontré Antonello* da Messina. Il affectionnait les compositions statiques et ses personnages, souvent empreints d'une certaine raideur, semblent exprimer des sentiments retenus, en harmonie avec le caractère paisible du paysage où dominent les tons clairs et raffinés. Dans le *Saint Éloi orfèvre* (1449), le caractère religieux semble disparaître au profit de l'expression d'une poésie intimiste. L'accent est, en effet, mis sur les objets familiers et le rendu des différentes matières. L'originalité de son style s'affirme surtout dans ses portraits au chromatisme nuancé, au modelé lisse et délicat (*Portrait d'une jeune femme,* dite parfois « la Joconde du Nord »).

CHRODEGANG ou **ROTGANG** *(saint).* ♦ Évêque de Metz (Liège ?, 712 – 766). Il exerça des fonctions gouvernementales à la cour de Charles Martel, devint chancelier (737) puis évêque de Metz (742). En 753, il fut l'envoyé de Pépin le Bref auprès du pape Étienne II qui réclamait l'assistance franque contre les Lombards. Il joua un grand rôle dans l'unification de la liturgie franque (concile d'Attigny, 765). Il avait fondé plusieurs monastères, dont l'abbaye de Gorze. – Fête le 6 mars.

Chronique des empereurs, en all. **Kaiserchronik.** ♦ Composé à Ratisbonne (v. 1147) par plusieurs clercs, sans doute influencés par le Chant d'Annon*, cet important poème de la période précourtoise conte l'histoire de l'Empire romain de Romulus à Conrad III. Cette œuvre touffue, où se mêlent sans cesse la légende et l'histoire, le merveilleux chrétien et la réalité, « est comme un carrefour où se rencontrent les courants les plus divers, les uns venus du passé, les autres annonçant l'avenir, et, de ce fait, elle présente un intérêt indéniable » (G. Zink).

Chroniques *(livres des).* ♦ Deux des livres historiques de la Bible; ils ne formaient originellement qu'un seul ouvrage. Les Septante et la Vulgate les nomment *Paralipomènes.* Auteur inconnu, surnommé le Chroniste (~ IVe s.?). Il s'agit d'un résumé de l'histoire du monde depuis Adam jusqu'à l'édit de Cyrus pour la reconstruction du Temple (~539 - ~538). *I. Chroniques* (29 chapitres) concerne l'ascendance et la royauté de David; *II. Chroniques*

Ph. Carlo Bevilacqua/Ricciarini

Saint **Christophe,** détail, par D. Bouts. (Ancienne Pinacothèque, Munich.)

(36 chapitres) traite de Salomon, du Temple, et des réformes religieuses d'Ézéchias et de Josias.

Chroniques de Saint-Denis. ♦ Histoire des rois de France en latin commencée au XIIe s. par Suger* et prolongée à l'abbaye de Saint-Denis jusque v. 1286. Aux XIVe et XVe s. fut commencée une nouvelle chronique en français qui prit le nom de *Grandes Chroniques de France.*

CHRYSÉIS, *(Khruséis).* ♦ Captive d'Agamemnon* (pendant la guerre de Troie*) qui refuse de la rendre, contre une rançon, à son père, Chrysès*, prêtre d'Apollon. Le dieu offensé envoie sur l'armée grecque une épidémie de peste. Contraint de céder, Agamemnon prend en compensation l'esclave d'Achille, Briséis, ce qui provoque la colère d'Achille, si funeste pour les Grecs. **V. Iliade.**

CHRYSÈS *(Khrusês).* ♦ Prêtre d'Apollon* à Chrysè, ville de la Troade. Père de Chryséis*.

CHRYSIPPE, en gr. **Khrusippos.** ♦ Philosophe grec de l'école stoïcienne (Chypre ou Soli, Cilicie, v. ~281 – Athènes, v. ~205). Après avoir fréquenté la Nouvelle Académie*, il étudia la philosophie stoïcienne, prenant la succession de Cléanthe* à la tête du Portique*. S'il ne nous est resté que quelques fragments des 705 traités qu'on lui attribue, on s'accorde néanmoins à voir en lui celui qui donna à la pensée stoïcienne sa structure et sa rigueur. En logique, il réhabilita la dialectique contre Aristote. En physique, il précisa les principales notions de la cosmologie stoïcienne (celle de sympathie universelle) et tenta de résoudre la contradiction entre le Destin (souvent identifié à la Providence, à la Raison) et la liberté.

CHRYSOLORAS (Démétrios), en gr. **Khrusoloras.** ♦ Savant grec (Constantinople, v. 1350-1355 – Constance, 1415). Élève de Gémiste* Pléthon, il fut le premier qui enracina les études grecques en Occident. Ambassadeur de Jean* V et de Manuel* II Paléologue à Venise, il travailla au rapprochement avec l'Occident. Il enseigna les lettres grecques à Florence, à Venise et à Milan et traduisit en latin Homère et Platon.

CHRYSOSTOME. ♦ **V.** JEAN CHRYSOSTOME.

CHTCHEDRINE. ♦ **V.** SALTYKOV-CHTCHEDRINE.

CH'ÜAN-CHOU [*Ts'iuan Tcheou, Quan zhou, Chuanchow*]. ♦ Ville chinoise et port du Fu*-kien. 150 000 hab. Indus. alimentaires. ♦ *Hist.* C'est la *Zayton* de Marco Polo, d'où partirent en 1281 les flottes mongoles qui tentèrent d'envahir le Japon.

CHUBUT. *n. m.* ♦ Province d'Argentine (Patagonie*) située entre les prov. de Río* Negro au N. et de Santa* Cruz au S. en bordure de l'Atlantique où elle se prolonge par la presqu'île de Valdès. 225 068 km². 162 000 hab. en 1965 (dens. infime). *Ch.-l.* Rawson*.

Elle est traversée d'O. en E. par le rio *Chubut* issu des sierras pré-andines et tributaire de l'Atlantique qu'il rejoint à Rawson (850 km). Élevage extensif (bovins, ovins). Réserves de fer et de sel au nord du rio Chubut. Pétrole à Comodoro* Rivadavia.

CHUCHOU [*Tchu-schéou, Zhuzhou*]. ♦ V. de Chine, dans le Hu-nan, à 50 km au S. de Ch'ang-sha. 130 000 hab. Bourg agricole.

CHU HSI [*Tchou Hi, Zhu Xi*]. ♦ Philosophe confucéen chinois (1131 – 1200) qui élabora un système philosophique selon lequel l'univers est le produit de deux principes distincts mais inséparables, le *Li* ou principe d'organisation et le *Ch'i* ou principe matériel (que l'on peut comparer à la forme et à la substance des philosophes grecs). Ses *Commentaires* des œuvres de K'ung* tzu et ses théories eurent un grand retentissement dans le monde chinois.

CHU-KO LIANG [*Tchou-Ko Leang, Zhuge Liang*]. ♦ Ingénieur et homme de guerre chinois (181 – 234) renommé pour son esprit inventif, sa sagesse et sa science de la stratégie. Ce fut l'un des plus grands héros du peuple chinois.

CHUKRA. *n. m.* ♦ Partie la plus élevée du plateau du Hadramaout* dans le Yémen du Sud. 2 200 mètres.

CHULALONGKORN (Râma V). ♦ Roi du Siam (Bangkok, 1853 – *id.*, 1910), successeur, en 1868, de son père Mongkut*. Son règne fut pacifique et éclairé. Il libéra les esclaves, instaura le service militaire obligatoire, modernisa le pays, et le dota de chemins de fer (1893). Il se rendit fréquemment en Europe et céda les États malais du Nord à l'Angleterre (1909). Lettré, il créa un ministère de l'Instruction publique, accéléra le développement de l'instruction et fonda à Bangkok une grande université qui porte son nom. Son fils Vachiravudh* lui succéda.

CH'UN-CH'IU [*Tch'ouen-ts'ieou, Chun qiu*]. ♦ Période de l'histoire ancienne de la Chine (dite « du printemps et de l'automne » [722 – 401]), caractérisée sur le plan politique par la féodalité, et sur le plan culturel par une prodigieuse efflorescence philosophique : c'est pendant cette époque que vécurent la plupart des grands philosophes de l'antiquité chinoise, parmi lesquels K'ung*-tzu (Confucius). Elle fut suivie par la période dite « des États combattants » (Chan Kuo) qui se termina vers ~249.

CH'UNG-CH'ING [*Ch'ung-king, Tch'ong-k'ing, Chong-qing*]. ♦ V. de Chine (Szu-ch'uan) sur le Yang*-tsê kiang. 2 500 000 hab. Capitale de la Chine nationaliste de 1937 à 1946, ce fut une importante base américaine de 1944 à 1945. Son développement s'intensifia à partir de 1938 (guerre contre le Japon), lorsque les indus. côtières vinrent s'y installer. C'est un port fluvial et un centre industriel important (textiles; coton, soie; sidérurgie, pétrole à proximité; indus. chimiques, alimentaires; cimenteries).

CH'UNG HOU [*Tch'ong Heou, Chong Hou*]. ♦ Prince impérial chinois (1824 – 1893), venu en France afin de présenter à Thiers une lettre impériale d'excuses pour le massacre de T'ien*-tsin (1870); il fut nommé ambassadeur à Saint-Pétersbourg. Accusé d'avoir outrepassé ses droits, il fut condamné à mort et gracié sur l'intervention de la reine Victoria d'Angleterre.

CHUNG KUO [*Tchong Kouo, Zhong Guo*]. ♦ « Empire du Milieu », anc. appellation de la Chine, principalement en poésie, et officiellement de 1775 à 1905.

CHUNGLI. ♦ V. de l'île de Taïwan, au N.-O. de l'île. 125 000 hab. Nœud ferroviaire et centre agricole.

CH'UN TSAI-FENG [*Tch'ouen Tsai-fong, Chun Zaifeng*]. ♦ Prince impérial chinois (1882 – 1911), frère de l'empereur manchou Tê* tsung et père du dernier empereur manchou Hsün*-ti. Il fut ambassadeur à Berlin. Son administration conservatrice, réactionnaire, opposée à tout mouvement de réforme, précipita la chute de la dynastie manchoue des Ch'ing* et amena la proclamation de la république (1912). Yüan* Shih-k'ai le fit exécuter.

CHUQAYRÎ ou **CHOUKEIRY (Ahmad).** ♦ Homme politique et diplomate arabe (Saint-Jean-d'Acre, 1908 –). Avocat, représentant de l'Arabie saoudite à l'O.N.U., il avait entrepris dès 1948 d'organiser la lutte armée contre l'État d'Israël, particulièrement dans la bande de Gaza et en Jordanie et devint président de l'Organisation de libération de la Palestine (O.L.P.) lors de sa formation (1964). À la veille de la guerre des six jours » (1967), il se lança dans une propagande violente contre les Juifs, propagande qui fit beaucoup de tort à la cause palestinienne vis-à-vis de l'opinion mondiale. Vivement critiqué au sein de l'O.L.P., Chuqayrî dut donner sa démission en décembre 1967.

CHUQUET (Nicolas). ♦ Mathématicien et médecin français (Paris, 1445 – ?, 1500). Sa *Triparty en la science des nombres*, écrite en 1484 mais publiée seulement en 1880, fait notamment appel à la notion d'exposants négatifs et, par la comparaison de progressions arithmétiques et géométriques, laisse prévoir le calcul logarithmique. **V. Napier.**

CHUQUICAMATA. ♦ V. du Chili, dans le désert du *Norte Grande* chilien (prov. d'Antofagasta*) dans la vallée du río Loa* 30 000 hab. La ville renferme l'une des plus grandes usines de traitement du cuivre du monde (50 % de la production nationale).

CHUQUISACA. ♦ Dép. de la Bolivie andine (ch.-l. Sucre*), traversé par le río Pilcomayo*. 51 524 km². 314 000 hab. Mines (étain, argent, zinc, antimoine).

CHUR. ♦ Nom allemand de Coire* (Suisse).

CHURCH (Alonzo). ♦ Logicien et philosophe américain (1903). Auteur de travaux de logique mathématique (ou logistique), il a étudié en particulier les limitations (syntaxiques) de formalisation d'un système prouvant que, pour le calcul logique des prédicats, il n'existe pas de procédé général de décision, c.-à-d. de procédé effectif permettant de décider si toute proposition du système en est logiquement dérivable ou non (*théorème de Church*, 1936). Il a contribué également au développement de la sémantique « intensionnelle » (par opposition à la sémantique extensionnelle. **V. Tarski**); celle-ci s'intéresse essentiellement à la signification analytique (en angl. *intension*) et tend ainsi vers une sorte de néo-réalisme (ou « platonisme ») que critiqueront Goodman, Quine. *An Unsolvable Problem of Elementary Number Theory*, 1936; *On the Logic of Sense and Denotation*, 1954; *Introduction to Mathematical Logic*, 1956.

CHURCHILL (Randolph Henry SPENCER). ♦ Homme politique britannique (Woodstock, Oxfordshire, 1849 – Londres, 1895). Élu député conservateur en 1874, il était partisan de la *tory democracy* (« démocratie conservatrice ») de Disraeli*. Il devint en 1886 leader des Communes et chancelier de l'Échiquier dans le ministère Salisbury.

CHURCHILL (*sir* Winston Leonard SPENCER). ♦ Homme politique britannique (Blenheim Palace, Oxfordshire, 1874 – Bladon Churchyard, Oxfordshire, 1965). Fils de lord Randolph Churchill. Après des études médiocres à Harrow, il entra au collège de Sandhurst et fit une brève carrière militaire (1895-1899) surtout en tant que correspondant de guerre à Cuba, en Inde (1896) et en Égypte (1898). Son évasion des prisons boers d'Afrique du Sud où il devait effectuer un reportage lui acquit une certaine renommée et il fut élu député dans les rangs des conservateurs (1900). En 1904, en désaccord avec Joseph Chamberlain sur la question du libre-échange, il rejoignit le parti libéral. Secrétaire d'État aux Colonies (1906) et ministre du Commerce dans le gouvernement Asquith (1908), il se fit remarquer par son libéralisme (mesures sociales importantes) et soutint le « budget du peuple » de Lloyd George (1909). Mais, malgré son attitude en faveur du *Home Rule* irlandais, il perdit l'appui des radicaux à cause de sa réaction répressive comme ministre de l'Intérieur, face aux grèves (1910). En 1911, il fut nommé secrétaire de l'Amirauté et prépara la flotte britannique à la guerre, ce qui lui permit, en 1914, de sauver les ports de la Manche. Il dut démissionner en 1915, après l'échec de l'expédition des Dardanelles* qu'il avait fortement encouragée. À la suite de l'enquête sur cette expédition, qui le réhabilita, Lloyd* George le choisit comme ministre des Munitions (1917-1919) puis comme ministre de la Guerre (1919-1922). Violemment anti-bolchevik, Churchill apporta une aide militaire à l'armée blanche et aux Polonais lorsqu'ils envahirent l'Ukraine [1920] (**V. Révolution** [russe] **de 1917**), ce qui lui valut les attaques des travaillistes et même de certains libéraux. Après quelques années de retraite consacrées à la littérature (*The World Crisis*, « la Crise mondiale ») et à la peinture, il fut réélu aux Communes en 1924 comme conservateur. Chancelier de l'Échiquier du cabinet Baldwin* (1924-1929), il rattacha la livre sterling à l'étalon-or, mesure de prestige qui, en limitant les exportations, favorisa le chômage et déclencha une grève générale (mai 1926). Toujours inquiet des progrès du communisme, il déclarait à ce moment-là que le régime de Mussolini « rendait service au monde entier ». De l'échec conservateur (élections générales de 1929), jusqu'à la Deuxième Guerre mondiale, il ne joua plus de rôle politique officiel; il retrouva alors ses activités littéraires (*My Early Life*, 1930; *Marlborough; His Life and his Time*, 1933-1938). Mais surtout, revenant sur ses premières impressions, il mit en garde les Européens contre le danger nazi; il réclama à plusieurs reprises une entente avec la France et l'U.R.S.S. contre l'Allemagne et conseilla le réarmement au gouvernement britannique. Ses avertissements ne rencontraient aucun

Ph. Hétier

Chuquicamata : mines de cuivre au Chili.

écho et lorsqu'il affirma que la conférence de Munich était une « défaite totale » pour les démocraties, il se heurta à l'incrédulité générale. Pourtant, au cours des mois qui précédaient la guerre, il retrouva les faveurs de l'opinion publique et Neville Chamberlain*, dès le 3 septembre 1939, le nomma Premier Lord de l'Amirauté. Malgré l'échec de la flotte anglaise en Norvège (1940), qui rappelait celui des Dardanelles, il devint Premier ministre le 10 mai 1940 dans un gouvernement de coalition (conservateurs, libéraux et travaillistes). C'est à ce moment-là qu'il se révéla un étonnant chef de guerre et ces cinq années de « leadership » national (1940-1945) firent plus pour sa légende que toute sa carrière politique, pourtant une des plus longues de l'histoire de la Grande-Bretagne. Son fameux discours du 13 mai 1940 aux Communes donna le ton de la résistance : « Je n'ai rien d'autre à offrir que du sang, des peines, des larmes et des sueurs. » Il mit alors toute son énergie et celle des Anglais, tant civils que militaires, au service d'un seul but : « la victoire, la victoire à tout prix », et gouverna avec autorité tout en respectant, dans la mesure du possible, le système parlementaire et les libertés individuelles. Après la défaite française (**V. Guerre mondiale** [Deuxième]), il admit la nécessité d'une alliance avec les États-Unis : les liens d'amitié qui existaient entre lui et le président Roosevelt* facilitèrent l'entente anglo-américaine et dès le bombardement de Pearl*Harbor, les deux armées combattirent sous les mêmes chefs d'état-major (par ex. lors du débarquement de Normandie). Après l'entrée des Allemands sur le territoire soviétique (juin 1941), il engagea des négociations avec Staline* sur l'ouverture éventuelle d'un nouveau front à l'est, mais pendant trois ans de contacts incessants, il ne se départit jamais de sa méfiance envers les communistes. Il facilita la réunion de conférences internationales (Téhéran, Québec, Yalta, Potsdam), tout en mettant en garde Roosevelt contre les ambitions de Staline, en particulier après la conférence de Yalta* en février 1945. À l'encontre des chefs d'état-major alliés, il souhaitait l'avance des troupes anglo-américaines vers l'Europe de l'Est. Très découragé par le choix travailliste de ses compatriotes aux élections de 1945, il n'en continua pas moins en tant que chef de l'opposition à défendre ses options politiques de toujours : la grandeur impériale (contre l'« abandon » de l'Inde en 1947) et l'anticommunisme qui engagea la Grande-Bretagne aux côtés des Américains dans la « guerre froide », après son discours de Fulton (5 mai 1946) où il lança l'expression « rideau de fer ». Rappelé au pouvoir par la victoire des conservateurs aux élections de 1951, il était trop attaché au passé pour s'intéresser à la politique intérieure de son pays en temps de paix. Malgré un gouvernement extrêmement effacé, son prestige le maintint au pouvoir jusqu'en 1955. Sur les conseils de ses amis, il se retira de la scène politique et consacra ses dernières années à ses passe-temps favoris (*A History of the English Speaking Peoples* « Histoire des peuples de langue anglaise », 1956-1958).

CHURCHILL. *n. m.* ♦ Fl. du Canada, qui prend naissance au lac La Loche et se jette dans la baie d'Hudson (au port de Churchill), après une succession d'expansions (lacs) et de resserrements (rapides, chutes).

CHURCHILL. ♦ V. et port du Canada, au N.-E. du Manitoba, sur la baie d'Hudson. Le port expédie le blé canadien en Europe, pendant la période où la baie est navigable (juillet-octobre).

CHURRIGUERA. ♦ Famille d'architectes, décorateurs et sculpteurs espagnols d'origine catalane, surtout actifs dans les régions de Madrid et de Salamanque. Leur style parut à ce point caractéristique du baroque espagnol entre 1650 et 1740 que le terme *churrigueresque* a été utilisé pour le définir bien qu'ils n'en soient pas toujours les artistes les plus représentatifs. ♦ JOSÉ BENITO (Madrid, 1665 – *id.*, 1725). Architecte, décorateur, stucateur et peintre. Il réalisa le *retable du Sagrario* de la cathédrale de Ségovie (1686-1690), le *catafalque* de la reine Marie-Louise d'Orléans (1689) et le monumental *retable de San Estebán* (1693-1696) aux lourdes colonnes torses, décoré d'une profusion de statues et de motifs végétaux aux formes déchiquetées. Comme architecte, il donna les plans de l'église et du palais de *Nuevo Baztán* (1709-1713) où apparaissent des préoccupations urbanistiques de caractère scénographique. Il développa surtout dans un sens grandiose, mouvementé et foisonnant, les motifs hispano-mauresques du style plateresque. ♦ JOAQUÍN (Madrid, 1674 ? – 1724), frère du précédent, fut surtout architecte. Il travailla à Salamanque à partir de 1706. Il entreprit le collège de *Calatrava* (1717), édifia le collège de l'*Amaya* et travailla à la coupole du transept de la nouvelle cathédrale. Son art s'inscrit plus encore que celui de José Benito dans la tradition du style plateresque. ♦ ALBERTO (Madrid, 1676 – ? 1750). Frère des précédents, il termina le collège de Calatrava, puis donna en 1728 les plans de la *Plaza Mayor* de Salamanque (1729-1755), l'une des plus remarquables d'Espagne. Il conçut des projets pour la *cathédrale* de Valladolid, réalisa l'*église de San Sebastián* de Salamanque (1731) et l'*église d'Orgaz* (1738), dans la région de Tolède. Il fit preuve d'une puissante imagination (décor luxuriant du *retable de Cáceres*, 1726, dont les plans étaient dus à Joaquín) tout en conservant dans plusieurs de ses œuvres d'architecture un sens de l'ordonnance d'esprit classique.

Chûshingura, en fr. *« Le Trésor des fidèles vassaux »*. ♦ Célèbre drame japonais écrit pour le théâtre d'Ôsaka en 1748 par Takeda Izumo, et contant l'histoire de la vengeance des 47 *rônin* (samuraï sans maître) d'après un fait divers qui se passa à Edo* (ancienne Tôkyô) en 1701. Ce drame, créé pour le théâtre de marionnettes, fut maintes fois depuis adapté à la scène (Kabuki*) et à l'écran. C'est l'un des plus admirés au Japon.

Ph. Philippe Halsman/Magnum

W. Churchill.

Chute d'un ange (La). ♦ Poème de Lamartine* (1838), premier épisode d'une épopée mystique conçue pour illustrer « ... les phases que l'esprit humain parcourt pour accomplir ses destinées perfectibles... par ses épreuves sur la terre ». Ces quinze *Visions*, parfois idylliques, parfois prétextes à des tableaux d'horreur, devaient, selon le plan de Lamartine, préluder aux neuf réincarnations (dont *Jocelyn** est la dernière) que connaîtrait l'âme humaine avant de remonter à Dieu.

CHU TEH [*Tchou Tö, Zhu De*]. ♦ Maréchal chinois (dans le Szu-ch'uan, 1886 – Peking 1976). Vice-Président du Conseil en 1949. Stratège de la guérilla paysanne, il dirigea avec succès le combat contre les troupes nationalistes de Chiang* Kai-shek. Il devint vice-président de la République en 1954.

CHU TZ'U [*Tchou ts'eu, Zhu ci*], « Élégies de Chu ». ♦ Célèbre recueil poétique chinois du pays de Chu, État féodal du centre de la Chine (~ VIIIe-~ IIe s.), en vers de six ou sept caractères, et chantés par des bardes itinérants. Ces poèmes sont à l'origine de la poésie chinoise classique et décrivent la société de l'époque.

CH'Ü YÜAN [*K'iu Yuan, Qu Yuan*]. ♦ Célèbre homme d'État et poète chinois (v. ~ 340 – v. ~ 278), auteur des *Élégies de Chu*, du *Li Sao* (Chu* Tz'u). Exilé pour des raisons politiques et son talent de poète n'ayant pas été reconnu, il se noya de désespoir dans une rivière.

CHWISTEK (Léon). ♦ Mathématicien, logicien et philosophe polonais (1884 – 1949). Auteur de recherches sur la théorie des types de Russell, à laquelle il apporta quelques modifications, il a affirmé son espoir dans l'idéal du *logicisme* (réduction des mathématiques à la logique), tout en constatant que l'état des sciences était loin d'y répondre. *The Limits of Science*, 1948.

CHYPRE *(république de)*, en gr. **Kupros.** ♦ Île et État de la Méditerranée orientale, au S. de l'Asie Mineure. 9 251 km². 630 000 hab. *(Chypriotes* ou *Cypriotes). Cap.* Nicosie*. – *Langues :* grec et turc (officielles). – *Pop.* Grecs (env. 480 000), Turcs (env. 115 000), minorités (arménienne, arabe, etc.). – *V. et localités princ.* Nicosie, Famagouste, Limassol, Amathonte, Cition (Larnaka), Idalion, Paphos, Salamine. – La chaîne montagneuse du Carpas*, dominant la côte N., et le massif du Troghodhos*, occupant la partie S., constituent l'ossature de l'île. Une vaste dépression, la plaine de la Mésorée*, occupe la partie centrale ouverte sur la côte E. de l'île. – *Écon.* Cultures de céréales, vins, olives, pommes de terre, agrumes, coton. Richesses minérales, notamment cuivre. Exportations de minerais (pyrites de cuivre, de chrome et d'amiante), de raisins secs, d'huile d'olive, de melons et d'oranges. ♦ *Hist.* La première occupation humaine à Chypre, attestée par des fouilles, remonte à l'âge néolithique (vases en pierre, poterie). Ses mines de cuivre, connues dès le début du ~ IIIe millénaire, attirèrent des peuples de la Syrie et de l'Anatolie et furent à l'origine de ses relations commerciales avec la Crète*, les îles de la mer Égée, l'Égypte et le continent proche-asiatique. Les infiltrations du continent se prolongèrent au ~ IIe millénaire, bouleversant la prospérité de l'île et se terminèrent au ~ XVIe s., quand elle fut occupée par les Égyptiens. – L'hellénisation de Chypre, inaugurée avec l'arrivée des colons mycéniens v. ~ 1450, se développa au début du ~ XIIe s., lors de l'immigration des Achéens. L'île est souvent mentionnée dans les poèmes homériques. Teucer* y fonda Salamine*. Les villes d'Amathonthe*, Idalion* et Paphos furent consacrées à Aphrodite*, native de Chypre pour les Grecs (Cypris). Des colons venus de Phénicie créèrent des bases commerciales dans les villes de la côte méridionale au cours du ~ IXe et du ~ VIIIe siècle. À cette période d'indépendance et de grande puissance maritime succédèrent la domination assyrienne (v. ~ 707-~ 640), l'occupation égyptienne (~ 585-~ 538) et la vassalité puis la soumission aux Perses (~ 499). Malgré la victoire grecque aux guerres Médiques* en ~ 449 et le succès militaire de Cimon* à Cition* contre Artaxerxès* Ier, la liberté de Chypre fut sacrifiée dans le compromis de paix. L'indépendance de plusieurs cités regroupées autour de Salamine après l'insurrection menée par Évagoras* au début du ~ IVe s. (**V.** *aussi* **Conon)** interrompit provisoirement la soumission aux Perses et à leurs mandataires phéniciens, qui dura jusqu'à la conquête d'Alexandre*. Après la répartition de l'empire alexandrin, la possession de l'île par les Ptolémées, consolidée grâce aux victoires de Ptolémée* Ier sur Démétrios* le Poliorcète, ne prit fin qu'en ~ 58, date de son annexion à l'Empire romain **(V. Caton d'Utique).** Évangélisée à partir de 45 par saint Paul* et saint Barnabé*, elle fut rattachée à l'Empire byzantin* en 395. Les invasions arabes (632-964) ravagèrent le pays et ruinèrent ses anciennes villes. Lors de la troisième croisade*, conquise par Richard* Cœur de Lion (1191), l'île fut vendue par lui aux Templiers*, puis à Guy de Lusignan* qui fonda le *royaume* franc *de Chypre* (1192-1489) et y installa le système féodal et l'Église latine. Son frère et successeur Amaury* fut le premier roi franc couronné (1197) et, par son mariage avec Isabelle* d'Anjou, instaura le *royaume de Chypre et de Jérusalem.* Des Francs elle passa aux Vénitiens, cédée par Caterina Cornaro* en 1489. L'ère latine, prolongée pendant quatre siècles, fut relativement calme et prospère pour le commerce et les arts **(V. Eudes de Montreuil).** Conquise par les Turcs (1570-1571) Chypre devint province ottomane; les institutions latines y furent abolies et la communauté majoritaire grecque acquit graduellement le rétablissement de son Église et une certaine autonomie administrative et judiciaire. Cédée à l'Angleterre* comme territoire à bail (1878) en échange du soutien militaire britannique contre la menace russe **(V. Disraeli)**, elle fut annexée à l'Empire britannique (1914), puis reçut le statut de colonie de la couronne en 1925. Les aspirations des Chypriotes grecs à l'union avec la Grèce*, exprimées dès l'installation du régime anglais, se traduisirent souvent par des actes d'insoumission et de révolte durement réprimés (1931-1940), surtout pendant la lutte armée de 1955-1959. – La « question chypriote » posée par les intérêts opposés de la Grande*-Bretagne, de la Grèce et de la Turquie* aboutit aux accords de Zurich et de Londres (1959). L'année suivante, Chypre fut constituée en république présidentielle (avec un président grec et un vice-président turc), admise à l'O.N.U. (1960) et associée au Commonwealth* (1961). En 1963, le président Makarios* tenta de changer la Constitution devenue inapplicable à cause de l'hostilité persistante entre les deux communautés. Leur affrontement nécessita la présence des forces de l'O.N.U. et envenima les relations gréco-turques, provoquant des incidents militaires (nov. 1967). En juillet 1974, Makarios fut renversé par un coup d'État fomenté avec l'appui d'officiers grecs ainsi qu'avec la complicité du régime dit « des colonels » qui régnait alors à Athènes. La Turquie intervint, au nom des accords de Zurich qui la font, conjointement à la Grèce et à la Grande-Bretagne, garante du *statu quo* dans l'île. Les troupes turques, rapidement victorieuses, s'établirent dans les régions revendiquées par la communauté turque, refoulant les Cypriotes appartenant à la communauté grecque. La guerre causa d'immenses souffrances aux populations civiles; elle provoqua par ailleurs l'écroulement du régime des colonels à Athènes, une tension entre la Grèce, qui se retira de l'O.T.A.N., et les États-Unis; une tension entre la Turquie et les États-Unis, qui suspendirent leur aide militaire. Un État autonome turc fut proclamé dans le N. de l'île (févr. 1975).

C.I.A. *n. f.* ♦ Sigle de la *Central* Intelligence Agency.*

CIALDINI (Enrico, *duc de* **Gaète).** ♦ Général italien (Castelvetro di Modena, 1811 – Livourne, 1892). Il participa à la guerre d'indépendance du Piémont (1848-1849) et s'illustra à Gaète* en 1860 contre François* II, roi de Sicile.

CIAMICIAN (Giacomo Luigi). ♦ Chimiste italien (Trieste, 1857 – Bologne, 1922). Il fut l'assistant de Cannizzaro*. Auteur de recherches sur le pyrrole (1888), l'action chimique de la lumière, la nature des affinités chimiques et la notion de chimie des produits végétaux (effets des alcaloïdes sur les plantes, etc.).

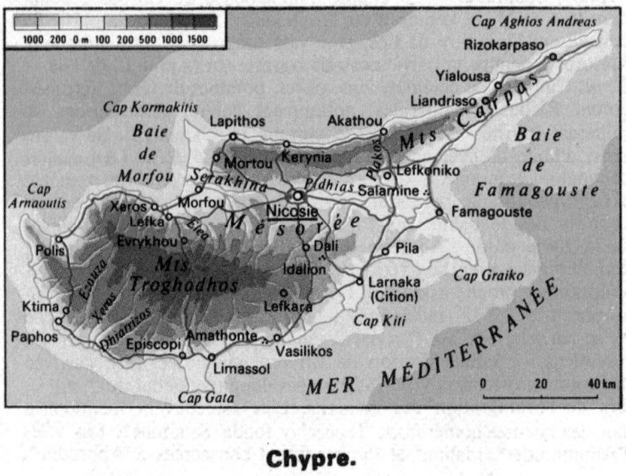

Chypre.

CIANO (Galeazzo, *comte de* **Cortellazzo).** ♦ Homme politique italien (Livourne, 1903 – Vérone, 1944). Entré tout jeune dans les rangs du fascisme (marche sur Rome, 1922), il passa quelques années dans la diplomatie, et épousa la fille de Mussolini. Celui-ci le nomma ministre de la Presse et de la Propagande (1934), puis ministre des Affaires étrangères (1936). C'est à la suite de ses rencontres avec Hitler que fut signé le protocole d'entente germano-italien (**V. Axe** [l'axe Rome-Berlin]) qui se transforma en alliance formelle en 1939 (« Pacte d'acier »). Cependant, inquiet des ambitions de l'Allemagne, il ne voulait pas que l'Italie entrât en guerre à ses côtés, ce que Mussolini décida pourtant en juin 1940. À partir de 1942, Ciano voulut signer la paix avec les Alliés et réclama la démission de Mussolini, qui le fit juger et fusiller pour trahison.

CIANS. *n. m.* ♦ Riv. des Alpes*-Maritimes, affl. du Var*, 25 km. Gorges pittoresques.

CIBBER (Colley). ♦ Acteur et auteur dramatique anglais (Londres, 1671 – *id.*, 1757). Composées avec un souci d'édification morale, ses comédies plurent à la bourgeoisie anglaise, aux premières années du XVIIIe siècle. Œuv. princ. : *Elle voulait et ne voulait pas* (*She Would and She Would Not*, 1702), *Le Mari insouciant* (*The Careless Husband*, 1704).

CIBOURE. ♦ Comm. des Pyrénées*-Atlantiques (arr. de Bayonne*), sur la Nivelle, face à Saint-Jean*-de-Luz. 6 386 hab. Ville typiquement basque. Église Saint-Vincent des XVIe et XVIIe siècles. Nombreuses maisons anc. Station balnéaire. – Patrie de M. Ravel*.

CICÉRON (Marcus Tullius Cicero). ♦ Homme politique et orateur latin né à Arpinum (~ 106 – ~ 43). Avocat depuis ~ 80, il fut élu questeur de Lilybée (Marsala) en Sicile (~ 75) où il défendit les Siciliens contre les exactions de leur ancien gouverneur, le propréteur Verrès*. Consul en ~ 63, il déjoua la conjuration de Catilina* et fit exécuter ses complices. À ce moment, il put penser avoir réalisé autour de lui l'union de tous les « honnêtes gens », les Optimates. Mais accusé par le tribun P. Clodius* Pulcher d'avoir fait exécuter sans jugement des citoyens, il fut exilé en Grèce (~ 58) par la volonté des triumvirs César*, Pompée* et Crassus*, puis envoyé comme gouverneur en Cilicie. De retour à Rome (~ 57), il abandonna le parti du Sénat que dirigeait Pompée et obtint le pardon de César. Après l'assassinat du dictateur (~ 44), il attaqua vivement Antoine, qui favorisait sans clairvoyance le jeune Octave. Quand ces deux ambitieux se furent unis avec Lépide*, Cicéron fut proscrit, rejoint dans sa fuite et assassiné sur l'ordre d'Antoine. – Son ambition principale fut, jusqu'à la fin de sa vie, de jouer un rôle politique de premier plan et d'être le plus grand personnage de l'État. Jusqu'à un certain point, son activité intellectuelle resta pour lui un moyen au service de cette fin; il ne pouvait imaginer un monde où l'action dans la cité ne fût pas la valeur suprême. Théoricien de la politique, il ne parvint pas à imposer ses idées en une période de troubles où apparaissent les prodromes de la guerre civile. Écrivain de premier ordre, il a porté l'art oratoire latin à son apogée dans ses plaidoyers *(Verrines, Pro Murena, Pro Archia, Pro Milone)* et dans ses harangues politiques *(Catilinaires, Philippiques).* Il a élaboré une théorie romaine de l'éloquence *(De oratore, Brutus, Orator);* la composition de ses discours et son célèbre « docere » (prouver), « delectare » (plaire), « movere » (émouvoir), a servi de modèle à toute la rhétorique latine. – Il chercha à concilier, par ses traités philosophiques, les différentes écoles (épicurienne, stoïcienne, académique) pour dégager une morale pratique en harmonie avec les exigences de la cité *(De republica, De legibus, Tusculanes, De senectute, De amicitia, De officiis).* Il a créé une prose philosophique latine. Sa *Correspondance* (plus de 900 lettres tant à ses amis qu'à son frère Quintus et à son fidèle ami Atticus*) nous donne l'image d'un homme orgueilleux, pusillanime et souvent irritant mais qui force la sympathie par la noblesse de ses buts et la richesse de ses dons intellectuels.

CICOGNANI (Amleto Giovanni, cardinal). ♦ Homme d'Église italien (Brisighella, Romagne, Italie, 1883 – Rome, 1973). Délégué apostolique aux États-Unis (1933-1958), il fut désigné en août 1961 par Jean XXIII comme secrétaire d'État et il participa aux grands moments du concile.

Cid (Le). ♦ Tragi-comédie de P. Corneille* (1636), inspirée du *Romancero* espagnol, poème médiéval, et d'une épopée dramatique de Guilhem de Castro* : Les Enfances du Cid *(Las mocedades del Cid,* 1618). Rodrigue, fils de don Diègue, et Chimène, fille de don Gormas, amants heureux, vont s'unir dans le mariage. Mais un différend surgit, qui oppose leurs pères. Souffleté par don Gormas, don Diègue obtient de son fils qu'il le venge. Rodrigue provoque don Gormas et le tue. Chimène exige son châtiment, sans cesser toutefois de l'aimer. Cet aveu que l'honneur lui interdit d'exprimer, elle n'y consentira qu'à la fin de la pièce, sûre de la vertu de Rodrigue qui a sauvé le royaume en triomphant des Maures, puis désarmé don Sanche, son champion, en un combat singulier qu'elle a souhaité, sûre enfin de l'amour de Rodrigue qui a vainement imploré d'elle une mort qu'elle ne pouvait que lui refuser.

CID CAMPEADOR (Rodrigo DÍAZ DE BIVÁR, dit *le*). ♦ Héros espagnol (Bivár, près de Burgos, 1043 – Valence, 1099), une des grandes figures de la *Reconquête.* Il servit d'abord le roi de Castille

Sanche* II, puis le frère ennemi de celui-ci, Alphonse* VI, qui lui donna en mariage sa cousine, Jimena (Chimène) Díaz. Tombé en disgrâce, il parcourut l'Espagne, offrant ses services à des princes chrétiens et même musulmans et remportant d'éclatantes victoires; de là lui vint son surnom de *Cid* (ar. *sidi* « mon seigneur ») *Campeador* (esp. « guerrier illustre »). En 1094, il s'empara du royaume maure de Valence*, dont il fut le souverain jusqu'à sa mort. Symbole de la chevalerie castillane au temps de la *Reconquête*, le Cid devint un personnage légendaire et inspira dès 1140 un des chefs-d'œuvre de la littérature espagnole, le *Cantár del mio Cid*; ce poème épique fut à l'origine de nombreux « romances » qui forment le *Romancero du Cid*. Cette légende a inspiré ensuite des auteurs dramatiques dont les plus importants sont Guilhem de Castro* et Corneille* (voir *ci-dessus* Cid [le]).

CIENFUEGOS. ♦ Port de l'île de Cuba*, sur la côte méridionale de l'île, sur la mer des Caraïbes. 105 000 hab. Évêché. Exportation de sucre, tabac.

CIESZYN, en all. **Teschen**, en tchèque **Těšin**. ♦ V. du S. de la Pologne* (voïévodie de Katowice) située à la frontière polono-tchécoslovaque, en Haute-Silésie. 24 500 hab. Centre culturel et industriel (machines à écrire). — Capitale d'un duché vassal de la Bohême* de 1290 à 1653, la ville passa sous la domination des Habsbourg jusqu'en 1918. Disputée par la Pologne et la Tchécoslovaquie dès 1919, elle fut partagée entre les deux pays en 1920.

CILICIE. *n. f.* ♦ Anc. région d'Asie Mineure limitée au N. par la chaîne du Taurus, au S. par la Méditerranée, à l'O. par la Pamphylie*, à l'E. par la Syrie. *V. et localités princ.* **V. Adana, Mersin, Tarsus, Issos.** — Dominée successivement par les Hittites, les Assyriens et les Perses, la Cilicie, qui avait reçu des colons mycéniens vers la fin du ~IIe millénaire, fut hellénisée après la conquête macédonienne (~ 333), sous les Séleucides. Les Romains, à partir du ~ Ier s., débarrassèrent les côtes ciliciennes de la piraterie et y fondèrent de nombreuses villes. Des Byzantins, elle passa aux Arabes (VIIIe s.), puis aux Arméniens (1080) qui y fondèrent le royaume de la *Petite Arménie**, effondrée sous les coups des mamelouks en 1375. Occupée par les Français en 1919, elle fut intégrée à la Turquie en 1921.

CIMABUE (Cenni di Pepi, dit). ♦ Peintre et mosaïste toscan (Florence, 1240? — Pise, v. 1302). Une tradition fondée sur Dante et Vasari en fait le maître de Giotto* et le premier nom de la peinture italienne, le premier artiste qui ait humanisé la manière grecque. De fait, une inspiration plus latine, nourrie auprès des maîtres romains **(V. Cavallini, Torriti)**, vint habiter son byzantinisme après 1272, évolution lisible dans les œuvres qu'on lui attribue, non sans difficultés **(V. Duccio)** : *Crucifix* d'Arezzo, traité dans le monde dramatique de Giunta Pisano* et Coppo di Marcovaldo, fresques puissantes et graves d'Assise* (v. 1280), *Maestà* (Offices, Louvre), *Crucifix* de Santa Croce (presque totalement détruit lors de l'inondation de 1966). — Cimabue participa avec Arnolfo* di Cambio à l'œuvre du Dôme de Florence.

Ph. Nimatallah/Ricciarini

Cicéron. (Musée du Capitole, Rome.)

CIMA DA CONEGLIANO (Giovanni Battista CIMA, dit). ♦ Peintre italien (Conegliano, v. 1459 — *id.*, 1517 ou 1518). Il fit partie des peintres qui conservèrent à la fin du XVe s. à Venise, leur fond archaïque, tout en participant à la diffusion de la nouvelle organisation spatiale (*Madone à la Pergola*, 1489, Vicence). Après avoir exécuté la grande *pala* du *Duomo* de Conegliano, il s'installa à Venise (1492) et y peignit plusieurs retables (*Baptême du Christ*, 1494, Venise; *pala de la Charité*, 1496-1499, Venise; *Saint Pierre martyr*, 1509, Milan). Sa manière évolua peu : rustique, calme et solennelle. Associant la rigidité de Montagna* à la douceur de Giovanni Bellini*, il s'inspira, dans les scènes anecdotiques, de l'exotisme de Carpaccio* (*Miracle de saint Marc*, Berlin; *Présentation au temple*, Dresde) et obtint ses meilleurs effets par la fraîcheur bucolique du paysage où la lumière adoucit les lointains (*Madone à l'oranger*, Venise; *Madone avec saint Jean-Baptiste et Marie-Madeleine*, Louvre).

CIMAROSA (Domenico). ♦ Compositeur italien (Aversa, 1749 — Venise, 1801). D'humble origine, il étudia la musique au conservatoire de Naples. Il connut bientôt la célébrité à travers toute l'Europe avec ses opéras : *La Finta Parigina* (1773), *L'Italiana in Londra* (1779), *Gemina e Bernardone* (1781), *Alessandro nelle Indie* (1781). Invité par Catherine II, il fut nommé maître de chapelle et compositeur de la cour, à Saint-Pétersbourg (1787). C'est à Vienne, à son retour de Russie, qu'il composa son chef-d'œuvre, *Le Mariage secret* (*Il Matrimonio segreto*, 1791). Revenu à Naples, il écrivit un hymne républicain pour lequel il fut poursuivi. Il trouva refuge à Venise. Outre ses soixante-dix opéras, il est l'auteur d'oratorios, de messes, de cantates, de sonates pour clavecin et de concertos.

CIMBRES. *n. m. pl.* ♦ Peuple germanique établi primitivement dans la Chersonèse* cimbrique (auj. presqu'île du Jutland) qui émigra vers le S. en ~ 120 entraînant avec lui les Teutons*. En ~ 113, ils défirent les Romains en Norique* près de *Noreia* (auj. Neumarkt, Styrie), puis envahirent l'Espagne et la Gaule, mais furent vaincus par Marius* à Verceil (~ 101) alors qu'ils tentaient de pénétrer en Italie. **V. Leuces.**

Cimetière marin (Le). ♦ Pièce maîtresse du dernier recueil de vers, *Charmes* (1922), composé par P. Valéry* et qui a pour cadre le cimetière de Sète où le poète sera enterré. Taxé naguère d'hermétisme, le poème se présente comme une méditation lyrique sur la vie et la mort, la lumière et la conscience, l'absolu et l'être, et se clôt par une invite à épuiser la vie dans « l'ère successive ».

CIMMÉRIENS. *n. m. pl.*, en gr. **Kimmeroi.** ♦ Peuple indo-européen nomade, installé au N. de la mer Noire. Ils franchirent le Caucase à la fin du ~ VIIIe s., dévastèrent l'Urartu, l'Anatolie et s'étendirent jusqu'à la côte d'Asie Mineure où seule Éphèse leur résista. Ils furent longtemps en lutte contre la Lydie mais furent vaincus au VIe s. par Alyatte.

CIMON, en gr. **Kimôn.** ♦ Général athénien (v. ~ 510 — v. ~ 449), fils de Miltiade*. Après l'ostracisme de Thémistocle* et la mort d'Aristide* il consolida la confédération de Délos*, repoussa les Perses en Asie Mineure et remporta la victoire d'Eurymédon* (~ 468). Chef du parti aristocratique, il fut frappé d'ostracisme par Périclès (~ 461), puis, rappelé par celui-ci, il vainquit les Perses près de Chypre* et mourut pendant le siège de Cition*. Athènes* lui doit des travaux importants.

CÎMPINA. ♦ V. de Roumanie (Valachie) au pied des Alpes de Transylvanie. 17 000 hab. Bassin pétrolier non loin de Ploiesti*.

CINCINNATI. ♦ V. des États-Unis, au S.-O. de l'Ohio, près du Kentucky, sur la rive d. de l'Ohio. 448 492 hab. (zone urbaine 1 373 225 hab.). La ville est bâtie sur deux zones plates et plusieurs collines (zones plus résidentielles). Nombreuses indus. (machines-outils; indus. chimiques : savon, etc.; cartes à jouer). — Musées. Orchestre symphonique. — Patrie de W.H. Taft.

CINCINNATUS, en lat. **Lucius Quinctius Cincinnatus.** ♦ (~ Ve s.). Héros national de Rome, image de l'ancien romain paysan, soldat et homme d'État. On serait venu l'enlever à sa charrue pour le nommer dictateur durant la guerre contre les Èques et les Volsques. Vainqueur, il serait retourné à sa charrue, refusant les honneurs.

CINÉAS. ♦ Orateur et homme politique grec (Thessalie — [mort] ~ 279). Ministre de Pyrrhus* II (Pyrrhos), il essaya de le détourner de son expédition contre Rome, et leur conversation à ce sujet resta célèbre. Après la bataille d'Héraclée*, envoyé à Rome pour négocier la paix il ne put convaincre le Sénat.

CINEY. ♦ V. de Belgique (Namur, arr. de Dinant) dans le Condroz*. 7 633 hab. — Église (tour des XIIe-XIIIe s.; crypte du XIe s.). Vestiges des remparts de 1321. — Marché aux chevaux. Indus. du bois. Imprimerie. Carrosserie. Matériaux de construction.

CINNA [Lucius Cornelius Cinna]. ♦ Homme politique romain (mort à Ancône, ~ 84). Chef du parti populaire, partisan de Marius*. Il régna tyranniquement sur l'Italie après la mort de ce dernier (~ 87-~ 84) et mourut assassiné par ses soldats alors qu'il voulait conduire la flotte contre Sylla*.

CINNA [Cneius Cornelius Cinna]. ♦ (~ Ier s.). Arrière-petit-fils de Pompée*. Favori d'Auguste*, il conspira contre l'empereur qui lui accorda pourtant son pardon et lui donna le consulat. — Héros de la tragédie de Corneille (voir ci-dessous).

Cinna ou la clémence d'Auguste. ♦ Tragédie de P. Corneille* (1640) dont le sujet est emprunté à Sénèque* *(De clementia)*. Fille d'un proscrit tué par ordre d'Octave, Émilie aspire à venger son père. Devenu l'empereur Auguste, Octave comble Émilie de ses bienfaits, ainsi que le jeune Cinna, fils d'une fille de Pompée. Mais Émilie impose à Cinna, qui l'aime, de former une conjuration contre Auguste. Dans ce complot entrera aussi Maxime, amoureux d'Émilie. Découverts par la trahison de Maxime qui est jaloux de Cinna, les conjurés recevront le pardon d'Auguste, héros magnanime et soucieux de sa gloire.

CINO DA PISTOIA (Guittoncino de'Sighifuldi, dit**).** ♦ Poète et juriste italien (Pistoia, v. 1270 – 1337). Mêlé aux luttes des guelfes, alternativement professeur de droit et juge, il fit paraître des ouvrages juridiques en latin, dont la *Lectura in Codicem*, commentaire des neuf premiers livres du *Code Justinien*. Ami de Dante* et loué par lui, il reprit les thèmes du *Stil nuovo* dans son recueil de *Poésies (Rime),* dédiées à une femme sans cœur qu'il nomme la Sauvage (Selvaggia), annonçant par certains accents Pétrarque*, qui lui rendit hommage.

Cinq *(groupe des)*. ♦ Réunion de cinq musiciens russes du XIXe s. **(V. Balakirev, Borodine, Cui, Moussorgski, Rimski-Korsakov).** Influencés par Glinka*, Schumann*, Berlioz*, Liszt* et Wagner*, ils participèrent au renouveau de la musique russe.

CINQ CANTONS ou **CINQ NATIONS.** ♦ Expression désignant la Confédération des Iroquois*, au XVIIe et au XVIIIe siècle.

CINQ-CENTS *(Conseil des)*. ♦ Assemblée législative qui, avec le Conseil des Anciens*, fut instituée par la Constitution de l'an III, adoptée par la Convention* thermidorienne en août 1795 et mise en vigueur le 23 septembre 1795. Ce conseil était composé de cinq cents membres élus au suffrage censitaire et renouvelés par tiers chaque année. Il était chargé d'établir le projet des lois, de voter les résolutions soumises ensuite à l'approbation du Conseil des Anciens auquel il présentait également la liste des candidats pour l'élection des directeurs. Après le coup d'État du 18 Brumaire qui mit fin au Directoire*, le Conseil des Cinq-Cents fut dissous par Bonaparte.

CINQ-MARS [sɛ̃maʀ] **(Henri Coiffier de Ruzé d'Effiat,** *marquis de***).** ♦ Gentilhomme français (1620 – Lyon, 1642). Favori de Louis XIII, il conspira contre Richelieu, poussant Gaston d'Orléans* à s'allier aux Espagnols, et fut décapité avec son complice de Thou*.

Cinq-Mars. ♦ Roman historique de Vigny* (1826), inspiré de W. Scott*, qui célèbre la noblesse humiliée et abattue par Richelieu. Symbole d'une thèse (la monarchie survit dans la mesure où la noblesse est forte), le héros est également le premier de ces « parias » de la société moderne auxquels Vigny consacrera successivement ses ouvrages, *Stello*, Servitude* et Grandeur militaires*, puis *Daphné*.

CINTO *(monte)*. ♦ Sommet culminant au N.-O. de la Corse* (2 710 m).

CINTRA. ♦ V. SINTRA.

C.I.O. ♦ V. A.F.L.-C.I.O.

CIONE (di). ♦ Nom d'une famille d'artisans florentins du XIVe s., orfèvres, peintres, sculpteurs et architectes, dont Orcagna* (Andrea di Cione) est le plus célèbre représentant.

CIORAN (E.M.). ♦ Essayiste et moraliste roumain, d'expression française (Rasinari, 1911). Après des études de philosophie à Bucarest, il fut envoyé à Paris par l'Institut français (1937) et resta en France. Depuis son premier ouvrage, écrit en roumain, *Sur les cimes du désespoir* (1933), Cioran procède à un réquisitoire systématique contre toutes les illusions auxquelles l'homme adhère pour justifier son existence au monde; il dénonce les « idéologies, les doctrines et les farces sanglantes », notamment dans *Précis de décomposition* (en français; 1949) où, avec « une sorte de passion de l'indifférence » (O. de Magny), dans une langue nette où le pittoresque est proscrit, mais néanmoins riche, l'écrivain souligne la dérision de ce « ci-devant Rien » qu'est l'homme, pris dans l'histoire, face à l'immensité du temps. Cette œuvre nihiliste qui tend à faire des humains « des héros lunaires de l'Incuriosité » s'est poursuivie avec *Syllogismes de l'amertume* (1952), *La Tentation d'exister* (1956), *Histoire et Utopie* (1960), puis *La Chute dans le temps* (1965).

CIOTAT (La). ♦ Ch.-l. de cant. des Bouches*-du-Rhône (arr. de Marseille*), sur la côte méditerranéenne au fond d'une baie. 23 916 hab. *(Ciotadens)*. Église du XVIIe siècle. – Port de pêche; importants chantiers de constructions navales. Indus. textiles. – Patrie de H. Ganteaume*.

CIPAYES. *n. m. pl.* ♦ V. SIPAHI.

ĆIPIKO (Ivo). ♦ Conteur et romancier serbe de Dalmatie (Kaštel-Novi, 1867 – *id.*, 1923). Très attaché à son pays natal, il en décrivit la beauté et évoqua les souffrances de ses habitants dans des nouvelles et des romans : *Pour gagner son pain* (1904), *Les Araignées* (1909).

CIPRIANI (Amilcare). ♦ Homme politique italien (Anzio, 1844 – Paris, 1918). Il participa aux côtés de Garibaldi* à la lutte pour l'indépendance italienne; puis, après avoir été l'un des fondateurs de l'Internationale* (1864), il prit part à divers combats révolutionnaires, dont ceux de la Commune* de Paris (1871).

CIRCASSIE. *n. f.* ♦ Anc. nom du piémont nord du Caucase.

CIRCÉ [*Kirkê*]. ♦ Magicienne de la fiction homérique, fille d'Hélios* (le soleil) et sœur de Pasiphaé*. Dans l'*Odyssée** Ulysse*, échoué dans son île, voit ses compagnons métamorphosés par elle en pourceaux. Lui-même neutralise ses philtres et la contraint à restituer à ses compagnons leur forme humaine. De ses amours avec Ulysse naît un fils, Télégone.

Circoncellions. *n. m. pl.* (lat. **circumcellio,** « qui rôde autour des granges »). ♦ Ouvriers agricoles berbères qui au IVe s., en Numidie, formèrent des bandes révoltées. Après la répression de 346-348, ils se rapprochèrent des donatistes **(V. Donat).** Secte de prédicants apparue en Souabe en 1248, rejetant l'autorité de l'Église.

CIREY-SUR-BLAISE. ♦ Comm. de la Haute-Marne, arr. de Saint-Dizier. 191 hab. Château (XVIIe, XVIIIe s.) dans lequel résida Voltaire chez la marquise du Châtelet (ce château figure sur les billets de 10 F).

CIREY-SUR-VEZOUZE. ♦ Ch.-l. de cant. de la Meurthe-et-Moselle (arr. de Lunéville), sur la Vezouze, au pied des Vosges. 2 375 hab. *(Ciréens)*. Château (XVIIIe s.). Manufacture de glaces; verreries; cristalleries; miroiteries.

CIRTA (auj. **Constantine).** ♦ V. ancienne de Numidie. **V. Constantine.**

CISALPINE (Gaule). ♦ **V.** GAULE CISALPINE.

CISALPINE (République). ♦ République formée par Bonaparte en juin 1797; elle comprenait la République Cispadane*, la Lombardie, les provinces vénitiennes et une partie des Grisons, et sa capitale était Milan. Reconnue par l'Autriche aux traités de Campoformio* et de Lunéville*, elle devint *République italienne* le 25 janvier 1802; Bonaparte en était le président. En mars 1805, elle fut rebaptisée *royaume d'Italie* avec Napoléon comme roi et Eugène de Beauharnais* comme vice-roi. Agrandie de Venise et du Tyrol, elle dura jusqu'en 1814.

C.I.S.C. *n. f.* ♦ Sigle de la Confédération internationale des syndicats chrétiens.

CISCAUCASIE. *n. f.* ♦ **V.** CAUCASE.

CISJORDANIE. *n. f.* ♦ Territoire jordanien situé à l'O. du Jourdain occupé par l'État d'Israël à la suite de la *guerre des six jours*. Il couvre les provinces palestiniennes de la Samarie* et de la Judée*. 5 500 km². Plus de 600 000 hab. La région est constituée par des vallées relativement fertiles au N., la vallée du Jourdain*, bien irriguée mais insuffisamment exploitée, et le désert de Judée. Région la plus riche de la Jordanie, où se trouvent groupées la presque totalité de ses villes (Jérusalem, Hébron, Naplouse).

C.I.S.L. *n. f.* ♦ Sigle de la Confédération* internationale des syndicats libres.

CISNEROS *(cardinal de)*. ♦ **V.** JIMÉNEZ DE CISNEROS (Francisco).

CISPADANE (Gaule). ♦ **V.** GAULE CISALPINE.

CISPADANE (République). ♦ République créée le 15 octobre 1796 par Bonaparte au cours de la première campagne d'Italie; elle était formée de Modène, Reggio d'Émilie, des légations de Ferrare et de Bologne. Elle fut unie à la République Cisalpine* en 1797.

Cité. *n. f.*, en angl. the **City of London.** ♦ Le plus ancien quartier de Londres, sur la r. nord de la Tamise; princ. centre économique de la ville. On y trouve le siège des grandes compagnies d'assurances et de courtage maritime (Lloyds), les grandes banques et la Banque d'Angleterre, la Bourse (Stock Exchange) et le siège social des grandes entreprises industrielles. L'O. de la Cité est le quartier des hommes de loi *(Temple)* et des grands journaux *(Fleet Street)*. Près de 60 000 personnes y travaillent, mais la population permanente ne dépasse pas 5 000 habitants. La Cité a conservé depuis l'époque médiévale un mode d'administration particulier : elle est gouvernée par un maire (le *Lord Mayor* qui réside au *Guildhall*) et possède une police spéciale.

Cité (Île de la). ♦ Île de la Seine et noyau primitif de Paris (son nom lui fut donné en 508). Elle est reliée au reste de la ville par huit ponts dont le *Pont*-Neuf* à son extrémité occidentale. Profondément transformée durant le Second Empire (et dotée alors de bâtiments administratifs, notamment la préfecture de Police et l'*Hôtel*-Dieu*), la Cité conserve des parties anciennes, telle la place Dauphine (1607). Dans sa partie orientale se dresse *Notre*-Dame de Paris*; le monumental *Palais de Justice* enserre la *Sainte*-Chapelle* et la *Conciergerie**.

CÎTEAUX. ♦ Hameau de la comm. de Saint-Nicolas-lès-Cîteaux (Côte-d'Or) à l'E. de Nuits*-Saint-Georges, en Bourgogne. 386 hab. Abbaye fondée en 1098 par Robert* de Molesme. *Ordre de Cîteaux*

Ph. Carlo Bevilacqua/Ricciarini

Circé offre la potion à Ulysse ~ Ve s. (British Museum, Londres.)

Ph. Jean Challet/Galliphot

L'Ile de la Cité.

(cisterciens) : après deux réformes qui échouèrent, saint Robert fonda Cîteaux pour revenir à la règle de Saint-Benoît « au point extrême ». En 1119, Étienne Harding, 3e abbé, rédigea la *Charte de charité*, constitution fondamentale de l'ordre : pauvreté, uniformité, travaux des champs où les moines étaient aidés par des frères lais. L'ordre s'étendit rapidement : les quatre « filles de Cîteaux » (La Ferté, Clairvaux* dont saint Bernard* fut le premier abbé, Pontigny, Morimond) furent fondées en 1113-1115 ; il comptait 343 abbayes en 1153, et 694 en 1300. Son architecture austère, reflet de la règle, essaima dans toute l'Europe (nef aveugle et bas-côtés voûtés en berceau ; chœur carré peu profond se terminant par un chevet plat). Grands agriculteurs, les cisterciens s'enrichirent ; ils déclinèrent au XIVe siècle. *Ordre des Cisterciens réformés de la stricte observance :* **V. Trappe.**

Cité de Dieu (La). ♦ Ouvrage de saint Augustin (413-427) en vingt-deux livres. Opposée à la cité terrestre, la cité de Dieu est l'ensemble des justes qui luttent ici-bas (Église militante) et seront unis à Dieu. L'ouvrage, issu de la méditation sur la chute de Rome devant Alaric (410), est une synthèse de la pensée chrétienne opposée à l'histoire et à la pensée païennes, au moment où s'écroule le monde antique.

Cité du soleil (la). ♦ Œuvre de Tommaso Campanella* écrite en 1623, alors qu'il était en prison. Tout en faisant une critique de son temps, l'auteur affirme un communisme utopique intégral (suppression de la propriété privée, de l'argent, disparition de la famille), décrit l'organisation économique et l'éducation dans cette cité idéale, qui serait gouvernée par des sages et un représentant de Dieu. (**V. Utopie** [l'], de Thomas More.)

CITHÉRON. *n. m.*, en gr. **Kithairôn.** ♦ Chaîne de montagnes qui sépare la Béotie* de l'Attique* et de la Mégaride (Grèce). 1 409 m. Sur son versant N. se trouvait Platées*. Associé à de nombreuses légendes, dont celle d'Actéon*, de Dircé*, d'Héraclès*, d'Œdipe*-enfant, de Penthée et des Bacchantes, le Cithéron fut un des premiers lieux où s'instaura le culte de Dionysos.

CITION ou **CITIUM** [*Kition*]. ♦ Anc. V. sur la côte S.-E. de Chypre. – Auj. *Larnaka.* 22 000 hab. – Fondée par les Grecs, elle fut la première colonie des Phéniciens dans l'île vers le ~ Xe siècle. Cimon* y mourut en combattant les Perses. – Patrie de Zénon* (le Stoïcien).

CITLALTEPEC. ♦ **V.** ORIZABA.

CITROËN [sitʀɔɛn] **(André).** ♦ Ingénieur et industriel français (Paris, 1878 – *id.*, 1935). Il réalisa en 1915 son usine du quai de Javel qui produisait 55 000 obus par jour. Après la Première Guerre mondiale, il y entreprit la fabrication en série d'une voiture dont le premier exemplaire fut livré en 1919. Il créa de nouvelles usines à Saint-Ouen, à Clichy et à Levallois et inaugura le travail à la chaîne. Il s'intéressa aux transports, renouvelant l'ensemble des taxis parisiens, instituant un réseau de transports rapides par autocars, organisant les croisières Citroën (Croisière noire, 1924-1925 ; Croisière jaune, 1931-1932). Il créa en 1934 sa célèbre voiture à traction avant. **V. Kégresse.**

CIUDAD BOLÍVAR, anc. **Angostura.** ♦ V. du Venezuela, sur l'Orénoque*, *ch.-l.* de l'État de Bolivar*. 98 000 hab. Archevêché. Port fluvial. Débouché des *Llanos* **(V. Venezuela)**, la ville fondée au XVIIIe s., doit son essor à l'exportation du minerai de fer.

CIUDAD GUAYANA. ♦ V. du Venezuela formée en 1961 par la réunion des villes de Puerto Ordaz et San Felix, au confluent de l'Orénoque* et du Caroni*. 100 000 hab. en 1968. Centre industriel (minerai de fer).

CIUDAD JUÁREZ. ♦ V. du Mexique septentrional (État de Chihuahua*), située à la frontière des États-Unis, sur la r. g. du rio Grande* del Norte. 436 054 hab. La ville est reliée à la ville jumelle d'El Paso (Texas) par 3 ponts. Important trafic avec les États-Unis.

CIUDAD MADERO. ♦ V. du Mexique septentrional (Tamaulipas*) au N. de Tampico*. 50 000 hab. environ. Raffineries de pétrole et industries chimiques.

CIUDAD OBREGÓN. ♦ V. du Mexique (Sonora). 466 531 hab. (1970). Centre commercial agricole. Mines. Centre de l'aménagement du río Yaquí.

CIUDAD REAL. ♦ V. d'Espagne (Nouvelle Castille*). 38 000 hab. Ch.-l. de prov. et centre industriel. ♦ *Hist.* La ville fut fondée en 1252 par Alphonse* le Sage. Le général Sebastiani y remporta une victoire sur les Espagnols (27 mars 1809). – La *prov. de Ciudad Real* (19 749 km², 588 220 hab.) s'étend sur le cours supérieur du Guadiana* (Manche*). Oliveraies, vignobles. Dans la région, victoire d'al-Mansûr sur Alphonse* VIII de Castille (Alarcos, 1195).

CIUDAD RODRIGO. ♦ V. d'Espagne, en Vieille-Castille (prov. de Salamanque). 13 000 hab. Évêché. Murailles romaines restaurées au XIIe siècle. Cathédrale romane (XIIe-XIVe s.), palais du XVIe siècle.

CIUDAD TRUJILLO. ♦ **V.** SAINT-DOMINGUE.

CIUDAD VICTORIA. ♦ V. du Mexique septentrional, située au pied de la sierra Madre* orientale. Cap. de l'État de Tamaulipas*. Plus de 40 000 hab. (1967). Évêché. C'est un centre commercial et minier (plomb, argent, or).

CIVAUX. ♦ Comm. de la Vienne, arr. de Montmorillon. 683 hab. L'église de Civaux, du XIIe s., comporte un chevet qui pourrait remonter au VIIe siècle. Cimetière mérovingien. Vestiges d'un temple et d'un théâtre romains.

CIVILIS (Julius ou **Claudius).** ♦ Chef batave (Ier s.). Profitant de la vacance du trône impérial entre Vitellius* et Vespasien*, il suscita contre Rome une révolte des tribus germaniques auxquelles se joignit une partie de la Gaule sous la direction de Sabinus*. Vaincu par Q. Petillius Cerialis, il traita avec les Romains qui l'admirent dans leur alliance.

CIVITAVECCHIA. ♦ V. et port d'Italie (Latium*), sur la Méditerranée, au nord de Rome. Port pétrolier, assurant en outre la plupart des liaisons avec la Sardaigne. ♦ *Hist.* La France y maintint, de 1849 à 1870, une garnison pour défendre les États pontificaux. Son retrait permit à Victor-Emmanuel II de prendre Rome et d'en faire la capitale du royaume d'Italie. Stendhal y fut consul de France (1831-1841).

CIVRAY. ♦ Ch.-l. de cant. de la Vienne, arr. de Montmorillon. 3 398 hab. (2 958 aggl.) [*Civraisiens*]. Église Saint-Nicolas (XIe-XIIe s.), intéressant spécimen du style roman poitevin. Vestiges d'un château du XIIIe s. Hôtels et maisons anc. – Constructions métalliques. Mécanique. Confection.

CLACKMANNANSHIRE. *n. m.* ♦ Le plus petit des comtés d'Écosse (141 km²) sur la r. nord du *Firth of Forth. Ch.-l.* Alloa*.

CLADEL (Léon). ♦ Écrivain français (Montauban, 1835 – Sèvres, 1892). Peintre du Quercy, qu'il évoqua notamment dans une série de romans groupés sous le titre *Mes Paysans* (1869-1872), il s'attacha également, dans *Les Va-nu-pieds* (1873), à évoquer des individus, souvent misérables au sein de la ville, et toujours en butte aux lois d'une société bourgeoise. Ces esquisses réalistes d'un écrivain qui se voulait « amateur du beau et partisan du vrai » furent appréciées de Baudelaire, qui en goûtait l' « art ... minutieux et brutal, turbulent et enfiévré ».

CLAESZ (Pieter). ♦ Peintre hollandais (Steinfunt, Westphalie, v. 1597 – Haarlem, 1661). Il fut avec Heda le plus brillant représentant de la nature morte en Hollande au XVIIe siècle. Élève de F. Van* Dyck, il peignit d'abord des objets juxtaposés dans une gamme sourde, puis établit ses compositions avec plus de recherche : savants effets de perspective, multiplication des diagonales (*Nature morte*, 1627) et utilisa des éclairages francs, des coloris souvent clairs et discrets. À partir de 1630, ses œuvres acquirent une grande cohésion tonale à dominante grise et ocre. Il diversifia ensuite sa palette et assouplit sa facture : modulant avec finesse les valeurs, il se plut à rendre les reflets du cristal et de l'argenterie, donnant une apparente simplicité à des compositions très élaborées *(Déjeuner au pot d'étain).* Son art exprime la qualité poétique des objets et les charge discrètement d'une valeur symbolique.

CLAIN. *n. m.* ♦ Riv. de l'O. de la France, dans le Poitou, affl. de la Vienne (r. g.). Elle naît en Charente et pénètre dans la Vienne, où elle conflue en amont de Châtellerault. Elle arrose Vivonne* et Poitiers*. 125 km.

CLAIR (René CHOMETTE, dit **René).** ♦ Réalisateur français de cinéma (Paris, 1898). Une fantaisie poétique qui n'exclut pas l'insolite, un génie comique qui, avec les années, a souvent cédé la place à la gravité, caractérisent son œuvre, l'une des plus représentatives du cinéma français. Metteur en scène, scénariste et dialoguiste, René Clair a mené sa carrière en France (*Entr'acte*, 1924 ; *Sous les toits de Paris*, 1930 ; *Le Million*, 1931 ; *Quatorze Juillet*, 1932), en Angleterre (*Fantôme à vendre*, 1935), aux États-Unis (*Ma femme est une sorcière*, 1942). De retour en France, il a réalisé notamment : *Le silence est d'or* (1947), *Les Grandes Manœuvres* (1955), *Porte des Lilas* (1957). [Acad. fr., 1960.]

CLAIRAMBAULT (Pierre de). ♦ Érudit français (Asnières-en-Montagne, Bourgogne, 1651 – Paris, 1740). Nommé généalogiste du roi (1698), il rassembla de nombreux manuscrits (auj. à la Bibliothèque nationale) concernant l'histoire du royaume de France et des grandes familles françaises *(Généalogie des principales familles de France, Histoire généalogique de la maison de France).*

CLAIRAUT (Alexis Claude). ♦ Astronome et mathématicien français (Paris, 1713 – *id.*, 1765). Ses *recherches sur les courbes à double courbure*, qui lui valurent d'entrer à l'Académie des

Ph. Guido Cegani/Ricciarini

Comté de **Clare.**

sciences dès l'âge de dix-huit ans, constituent le premier ouvrage d'ensemble relatif à l'extension de la géométrie analytique aux figures à trois dimensions. **V. Descartes, Fermat.** Ayant déterminé en 1737, avec notamment Maupertuis* et Celsius* la longueur d'un degré du méridien terrestre en Laponie, il développa une théorie de la forme de la Terre fondée sur les différences d'accélération de la pesanteur entre le pôle et l'équateur. **V.** *aussi* **Bouguer, La Condamine.** Il appliqua la théorie de l'attraction universelle de Newton à la détermination, en particulier du retour de la comète de Halley* à distance minimale du Soleil, en tenant compte des perturbations dues à l'action de Jupiter* et de Saturne*. (Acad. sc., 1731.)

CLAIRE *(sainte).* ♦ (Assise, v. 1193 – 1253). Fondatrice, sous la direction de saint François*, de l'ordre des « pauvres dames » ou *clarisses* (1213) pour lesquelles elle rédigea une règle fort austère (v. 1247-1252). Fête le 11 août.

CLAIRON (Claire de la Tude, dite la). ♦ Actrice française (Condé-sur-Escaut, 1723 – Paris, 1803). Passant très tôt de l'emploi de soubrette à celui des héroïnes de tragédie, elle interpréta avec éclat, durant près de vingt-cinq années, les principaux rôles du théâtre classique, dont celui de Voltaire.

CLAIRVAUX. ♦ Écart de la comm. de Ville*-sous-la-Ferté, près de Bar-sur-Aube (Aube). En 1115, des moines de Cîteaux* y fondèrent une abbaye dont saint Bernard* fut le premier abbé et qui devint la maison mère de nombreux couvents. Auj. prison centrale.

CLAIRVAUX-LES-LACS. ♦ Ch.-l. de cant. du Jura, arr. de Lons-le-Saunier. 1 380 hab. Église Saint-Nithier en partie romane; vestiges d'un château; au S., le grand *lac de Clairvaux,* plage aménagée.

CLAISE. *n. f.* ♦ Riv. de France, dans la Brenne. Elle prend naissance dans l'Indre et traverse l'Indre-et-Loire. Elle arrose Mézières-en-Brenne, Preuilly-sur-Claise, Le Grand-Pressigny et Descartes avant de se jeter dans la Creuse (r. d.). 86 km.

CLAMART. ♦ Ch.-l. de cant. des Hauts-de-Seine, arr. d'Antony dans la banlieue S. de Paris. 55 299 hab. *(Clamariots* ou *Clamartois).* Église Saint-Pierre-et-Saint-Paul (XVIe s., remaniée au XIXe s.). Cultures maraîchères. Indus. pharmaceutiques, alimentaires.

CLAMECY. ♦ Sous-préf. de la Nièvre, ch.-l. d'arr. (6 cant., 93 comm., 34 947 hab.), en bordure du Morvan*, au confluent de l'Yonne* et du Beuvron, sur le canal du Nivernais*. 6 037 hab. *(Clamecycois).* Anc. cathédrale des XIIe et XIIIe s., de l'évêché de Bethléem. Église Saint-Martin (gothique flamboyant). Musée. – Exploitation forestière et indus. chimiques dérivées. Tannerie. Indus. alimentaires. Faïencerie d'art. – Patrie de Jean II de Bourgogne, Claude Tillier, Romain Rolland*. ♦ *Hist.* La ville fut ravagée pendant la guerre de Cent Ans. Au XVIe s. le flottage du bois lui donna un nouvel essor qui fut interrompu par la création du canal du Nivernais (1834).

CLANCIER (Georges Emmanuel). ♦ Écrivain français (Limoges, 1914). Romancier, il a retracé, dans la veine du populisme, le destin douloureux d'un enfant d'autrefois (*Cycle du pain noir,* 1956-1961). Essayiste (*Panorama critique de Rimbaud au surréalisme,* 1964) et poète, il célèbre, dans une œuvre riche de tendresse et de ferveur, au delà de l'évidence tragique de sa condition, l'espérance éternelle de l'homme, réconcilié par l'amour avec lui-même et avec l'univers. Princ. recueils : *Le Paysan céleste* (1943), *Terre secrète* (1951), *Une voix* (1956), *Évidences* (1960), *Terres de mémoire* (1965).

CLAPEYRON (Émile). ♦ Physicien français (Paris, 1799 – *id.,* 1864). Il contribua à la création de la thermodynamique moderne en publiant un mémoire sur *La Force motrice de la chaleur* (1834) dans lequel il commentait et développait l'œuvre de S. Carnot*. V. aussi **Clausius.** Il introduisit la notion de transformation *réversible* (1843), permettant d'écrire le principe de Carnot sous la forme d'une *égalité* et le rendant ainsi utilisable pratiquement puis énonça l'équation d'état des gaz parfaits. – *Formule de Clapeyron :* relation donnant la chaleur latente d'un changement d'état. (Acad. des sc., 1858.)

CLAPPERTON (Hugh). ♦ Voyageur écossais (Annan, Dumfriesshire, 1788 – près de Sokoto, Nigeria, 1827). Avec Denham* et Oudney* il explora les régions d'Afrique, de Tripoli jusqu'à la capitale du Bornou (plateau de Mourzouk, région du lac Tchad, bassin du Chari) [1822-1823].

CLARE *(comté de),* en irl. **Chláir.** ♦ Comté du S.-O. de la république d'Irlande (prov. de Munster), entre le Galway au N., l'Atlantique à l'O., le *lough Derg* à l'E. et l'estuaire du Shannon au sud. 3 188 km², 73 700 hab. *Ch.-l.* Ennis*. On distingue à l'E. une zone de collines, au centre une dépression et à l'O. une zone de plateaux calcaires : le *Burren.* – *Écon.* Élevage, céréales (seigle), pomme de terre.

Claremont House. ♦ Château du S.-O. de l'Angleterre (Surrey). à 28 km de Londres, construit en 1772 et où mourut Louis-Philippe.

CLARENCE (George, *duc de***).** ♦ Seigneur anglais (Dublin, 1449 – Londres, 1478). Fils de Richard d'York* et frère d'Édouard IV, il prit cependant parti pour l'ennemi de ce dernier, le comte de Warwick, lors de la guerre des Deux-Roses (1469). Arrêté, il fut exécuté à la tour de Londres.

CLARENDON (Edward Hyde, *1er comte de***).** ♦ Homme politique anglais (Dinton, 1609 – Rouen, 1674). Il servit fidèlement la monarchie, d'abord Charles* Ier puis son fils, qu'il suivit en exil. Nommé par Charles* II, remonté sur le trône, Premier ministre et chancelier, il s'attira l'hostilité du roi en soutenant la Haute Église et l'alliance avec la France. Disgracié, il s'exila à Rouen. Le futur Jacques* II avait épousé sa fille.

CLARENDON PARK. ♦ Localité d'Angleterre (Wiltshire) à l'E. de Salisbury où Henri II fit approuver par le clergé anglais les *Constitutions de Clarendon* (1164) par lesquelles les prérogatives de l'Église d'Angleterre étaient neutralisées par le contrôle du souverain. La rétractation de Thomas Becket devant lesdites constitutions aboutit au meurtre de l'archevêque (1170).

CLARENS [klarɑ̃]. ♦ Station touristique de Suisse dans l'agglomération de Montreux* (Vaud) sur la r. d. du lac Léman*. J.-J. Rousseau* y situa l'action de la *Nouvelle* Héloïse.*

CLARET. ♦ Ch.-l. de cant. de l'Hérault, arr. de Montpellier. 468 hab. Distilleries.

CLARÍN (Leopoldo García de las Alas, dit). ♦ Critique et romancier espagnol (Zamora, 1852 – Oviedo, 1901). Journaliste, très écouté en son temps, Clarín est l'auteur d'une abondante et perspicace œuvre critique. Il fut un catholique fervent, animé par l'idée du bien et d'un désir de renouvellement moral. Son meilleur roman *La Regenta* (1885) est une peinture ironique de la corruption cléricale. Il fut toujours à la recherche d'une identité culturelle espagnole dont la « génération de 98 » devait reprendre la quête.

Clarissa Harlowe (en angl. *Clarissa or the history of a young lady,* 1748). ♦ Roman épistolaire en sept vol. de Samuel Richardson* où la vertu, symbolisée par Clarissa Harlowe, est persécutée et bafouée. Victime de sa famille, l'héroïne cherche refuge auprès d'un libertin, Lovelace*, qui abusera d'elle et la laissera mourir dans un hospice de Londres, avant d'être tué en duel. Rapidement célèbre, ce roman fut traduit par l'abbé Prévost et souvent adapté au théâtre en France et en Italie.

CLARK (William). ♦ Officier et explorateur américain (comté de Caroline, Virginie, 1770 – Saint-Louis, Missouri, 1838). Après la cession de la Louisiane à l'Amérique par la France (1803), il explora la région du Missouri et, par les montagnes Rocheuses, atteignit la Columbia qu'il descendit jusqu'à son embouchure (1804-1806).

CLARK (John Bates). ♦ Économiste américain (Providence, 1847 – New York, 1938). Principal représentant du marginalisme **(V. C. Menger)** aux États-Unis, il a surtout étudié le problème de la répartition des richesses (*The Distribution of Wealth,* 1899; *Essentials of Economic Theory,* 1907).

CLARK (John Maurice). ♦ Économiste américain (Northampton, Massachusetts, 1884 – 1963). Fils de l'économiste John Bates Clark*, il fut l'un des représentants de la tendance « institutionnaliste » **(V. T.B. Veblen).** Il est surtout connu pour son explication des crises économiques de surproduction. Celle-ci résulte, selon lui, du fait que la demande des biens de consommation entraîne une demande plus que proportionnelle des moyens de production. (*Social Control of Business,* 1926-1939; *Strategic Factors in Business Cycles,* 1936; *Economic Institutions and Human Welfare,* 1957.)

CLARK (Mark Wayne). ♦ Général américain (Madison Barracks, Jefferson County, 1896 –). Adjoint d'Eisenhower, il prit des contacts secrets, en Algérie, avec les « Cinq » pour préparer le putsch et le débarquement du 8 novembre 1942. Le 22 novembre suivant, il signa la convention réglant les rapports américano-français (*Accord Clark-Darlan**). Il commanda ensuite en Tunisie (1943) puis en Italie (débarquement de Salerne, sept. 1943; entrée à Rome, juin 1944) et reçut la capitulation des forces allemandes d'Italie et d'Autriche (Caserte, avril 1945). Il commanda en chef les forces des Nations unies en Corée (1952-1953).

CLARK (Colin Grant). ♦ Économiste anglais d'origine australienne (1905 –). Parti d'études sur le revenu national, il a analysé les conditions du progrès économique et social, lié, selon lui, au progrès technique; ainsi a-t-il classé les différents secteurs de l'activité (primaire : agriculture; secondaire : industrie; tertiaire : services) en utilisant un critère à la fois technologique et démographique, et mis en évidence, avant Fourastié*, l'évolution des sociétés industrielles « de la terre à l'usine et de l'usine au bureau ». *The*

National Income, 1924-1931; *National Income and Outlay,* 1937; *The Conditions of Economic Progress,* 1940.

CLARKE (Samuel). ♦ Philosophe et théologien anglais (Norwich, 1675 – Londres, 1729). Il étudia la philosophie cartésienne à Cambridge, puis entra dans le clergé anglican. Son *Traité de l'existence et des attributs de Dieu* (ensemble de ses conférences) est dirigé contre Hobbes et Spinoza. Dans sa *Correspondance* avec Leibniz* (1717) sur l'espace et le temps, il adopta la position réaliste de Newton pour qui ceux-ci sont des attributs de Dieu *(Sensus Dei)*, contre l'idéalisme de Leibniz.

CLARKE (Charles Edward). ♦ Navigateur anglais (?, 1741 – baie d'Avatcha, Kamtchatka, 1779). Après avoir participé à plusieurs voyages de circumnavigation avec Byron, puis Cook*, il tenta de chercher un passage entre l'océan Atlantique et le Pacifique par l'Arctique, mais mourut au cours de son expédition.

CLARKE (Henri). ♦ Général et homme politique français (Londrecies, 1765 – Neuwiller, 1818). D'origine irlandaise, il fut général de brigade (1793), suspendu puis réintégré en 1795. Chargé par le Directoire de surveiller Bonaparte en Italie, il se rallia au jeune général. Il participa aux négociations de Lunéville, fut ambassadeur de 1801 à 1804, secrétaire de Napoléon, il suivit l'empereur dans plusieurs campagnes, fut ministre de la Guerre de 1807 à 1814, et nommé duc de Feltre après avoir repoussé les Anglais à Walcheren (1809). Rallié aux Bourbons en 1814, ministre de la Guerre sous Louis XVIII, il institua les cours prévôtales, fut fait pair et maréchal de France.

CLAROS. ♦ Anc. V. de l'Asie Mineure (Ionie) près de Colophon*. Son oracle d'Apollon était très réputé. – *Auj.* Zilleh; ruines importantes.

CLARY. ♦ Ch.-l. de cant. du Nord*, (arr. de Cambrai*), dans le Cambrésis*. 1 378 hab. Fabrique de chemises, bonneterie.

CLAUBERG (Johann). ♦ Philosophe allemand (Solingen, 1622 – Duisburg, 1665). Il contribua à faire connaître le cartésianisme en Allemagne, tout en critiquant certaines thèses (union de l'âme et du corps) et en adoptant des positions assez nettement platoniciennes.

CLAUDE *(saint).* ♦ Abbé du monastère de Saint-Oyand, dans le Jura, durant la seconde moitié du VIIe siècle. Il donna son nom au monastère et à la ville de Saint-Claude. La tradition le considère, à tort, comme ayant été évêque de Besançon. – Fête le 6 juin.

CLAUDE Ier, en lat. **Tiberius Claudius Nero Drusus**, surnommé **Germanicus** et **Britannicus.** ♦ (Lyon, ~ 10 – Rome 54). Empereur romain (41-54). Fils de Drusus*, le frère de Tibère*, il fut proclamé empereur à la mort de son neveu Caligula*, alors qu'il se cachait de peur d'être massacré. Épileptique et bègue, mais érudit et grand expert en civilisation étrusque, il était d'un caractère extrêmement faible et à peu près irresponsable. Il se laissa gouverner par sa femme Messaline* et ses affranchis Pallas* et Narcisse*. Il consolida les frontières de l'empire, réduisit la Thrace* en province romaine (46) et conquit la Bretagne méridionale (43-47). Excédé des débauches de Messaline, il la fit mettre à mort et épousa Agrippine*; elle lui fit adopter Néron*, son fils d'un premier lit, qu'il choisit pour héritier, dépossédant son propre fils Britannicus*. Il mourut assassiné, sans doute par Agrippine impatiente de régner.

CLAUDE II le Gothique, en lat. **Marcus Aurelius Claudius Gothicus.** ♦ (Dalmatie ou Illyrie, 219 – Sirmium, 270). Successeur de Gallien*, il vainquit définitivement les Goths à Nissa en Serbie (269), ce qui lui valut son surnom de *Gothicus*, et mourut de la peste au cours de cette campagne sur le Danube.

CLAUDE (Jean). ♦ Pasteur calviniste français (La Sauvetat-du-Dropt, Agenais, 1619 – La Haye, 1687). Il fut une des principales figures du groupe de Charenton où il était pasteur depuis 1666. Il soutint des polémiques contre Bossuet, Nicole, Arnauld. Il fut le premier expulsé après la révocation de l'édit de Nantes (1685). Auteur de l'*Examen de soi-même pour se bien préparer à la communion* (1682) et des *Plaintes des protestants cruellement opprimés dans le royaume de France* (1686).

CLAUDE (Henri). ♦ Médecin français (Paris, 1869 – 1945). Neurologue et psychiatre, partisan de la théorie organique des maladies mentales, il tenta de distinguer la démence précoce du groupe des « schizoses » (aux syndromes de gravité croissante, 1926).

CLAUDE (Georges). ♦ Physicien et industriel français (Paris, 1870 – Saint-Cloud, 1960). On lui doit un liquéfacteur industriel d'air qui, contrairement à celui de Linde*, permet, pour la poursuite du processus, une récupération de travail utile. **V.** *aussi* **Cailletet.** Il mit au point le procédé de transport de l'acétylène dissous dans l'acétone, inventa le tube au néon **(V. Coolidge, Edison)** et découvrit le pouvoir d'adsorption du charbon poreux aux basses températures. (Acad. sc., 1924; exclu en 1944.)

CLAUDE DE FRANCE. ♦ (Romorantin, 1499 – Blois, 1524). Reine de France. Fille de Louis* XII et d'Anne* de Bretagne, elle fut mariée au futur François* Ier (1514). Boiteuse et laide, elle fut délaissée par son mari, mais jouit d'une grande popularité. – Mère de Henri II.

CLAUDEL (Paul). ♦ Poète, dramaturge français (Villeneuve-sur-Fère, 1868 – Paris, 1955). Issu de la bourgeoisie provinciale, il reçut d'abord la triple influence scientiste, naturaliste et matérialiste qui caractérise les années de la fin du siècle. La lecture de Rimbaud*, ce « mystique à l'état sauvage », marqua dans sa pensée une rupture sentie comme une introduction au surnaturel. C'est à Notre-Dame de Paris (25 décembre 1886) qu'il dit avoir reçu la révélation de la foi catholique. Commencée dès sa quatorzième année, stimulée par la fréquentation du cénacle de Mallarmé* son activité littéraire s'engagea alors avec deux drames : *Tête* d'Or* (1889) et *La Ville* (1890). Reçu premier au concours des Affaires étrangères, il entra dans la carrière diplomatique et partit pour les États-Unis (1893) où il composa l'*Échange* (1894). De 1895 à 1909, l'activité du diplomate, en poste en Extrême-Orient, contribua à enrichir celle du poète qui témoigna, durant ces quatorze années, d'une extraordinaire fécondité (*Connaissance de l'Est,* reportage poétique sur la Chine, 1895-1909; *Art poétique,* 1904; *Partage* de midi,* 1906; *Cinq Grandes Odes,* 1908) tandis qu'il élaborait une rhétorique personnelle dont la forme typique est le verset « ce vers qui n'avait ni rime ni mètre », accordé au souffle humain. Revenu en Europe, il fut successivement consul de France à Prague, Francfort, Hambourg, puis il quitta l'Allemagne en 1914. Ministre plénipotentiaire à Rio de Janeiro, puis à Copenhague, il fut nommé ambassadeur de France à Tokyo (1921), à Washington (1927) puis à Bruxelles, son dernier poste (1933-1936). Durant cette période, il acheva *L'Otage* (1909), *L'Annonce* faite à Marie* (1912), *Le Pain dur* (1914), *Le Père humilié* (1916), *Le Soulier* de satin* (1924). Après avoir échoué à l'Académie française (en 1935), il y fut triomphalement élu en 1946. Retiré dans sa propriété de Brangues, en Dauphiné, il consacra les dernières années de sa vie à l'exploration fervente et au commentaire à la fois lyrique et familier des textes bibliques (*Présence et Prophétie,* 1942; *L'Apocalypse,* 1952). Issue du symbolisme, marquée d'abord par Wagner* et par Nietzsche*, puis par l'apologétique catholique et les mystiques espagnols, enfin par la *Bible,* la pensée de Claudel a reçu aussi l'imprégnation des philosophies d'Extrême-Orient et celle des tragiques grecs (traduction de *L'Orestie* d'Eschyle, 1916). Ces multiples influences l'ont confirmé dans une conception de la poésie qui en fait l'égale de l'action. Plongeant « au fond du défini pour y trouver l'inépuisable », le poète recrée le monde par une « co-naissance », en soulignant l'unité foncière du monde des choses et de celui de l'esprit. Alliant la spiritualité chrétienne à un sens cosmique païen, la parole du poète est désormais comme un sacrement. Cette vocation à l'universel s'exprime dans une œuvre aux amples dimensions où les douleurs de la créature humaine, magnifiées par un verbe somptueux et baroque, ne sont que des prétextes à la glorification de l'amour de Dieu *(Partage de midi)* et à la célébration de deux puissances fondamentales depuis le Moyen Âge et ennemies de toute révolte individuelle : l'Église et l'Empire.

CLAUDIEN (Claudius Claudianus). ♦ Poète latin (Alexandrie, v. 370 – Rome, v. 404), auteur d'*Épîtres,* d'*Épigrammes,* d'*Épithalames,* d'*Épopées* mythologiques *(Enlèvement de Proserpine, Gigantomachie).* Poète officiel d'Honorius* et de Stilicon*, païen nourri du passé de Rome, il fut le dernier défenseur de la grandeur romaine.

CLAUDIEN MAMERT (en lat., **Mamertus Claudianus**). ♦ Prêtre de Vienne en Dauphiné et poète philosophe chrétien (mort v. 474), auteur de *Du statu animae.* Frère de saint Mamert*.

CLAUDIUS, en lat. **Appius Claudius Sabinus.** ♦ Homme politique romain (mort ~ 449). Décemvir de ~ 451 à ~ 449, il exerça un pouvoir tyrannique, ce qui entraîna la suppression du décemvirat.

CLAUDIUS, en lat. **Appius Claudius Caecus** (l'Aveugle). ♦ Homme politique romain (~ IVe-~ IIIe s.), censeur en ~ 312, consul en ~ 307 et ~ 296. Artisan de l'expansion romaine vers la Campanie et la Grande-Grèce, il fit ouvrir dans cette direction la voie qui prit son nom *(voie Appienne).* Auteur de *Discours* et de *Sentences morales,* il est le premier écrivain latin.

CLAUDIUS PULCHER. ♦ Homme politique romain. Consul en ~ 249 lors de la première guerre Punique, il fut battu à Drepanum* par Adherbal*.

CLAUSEL ou **CLAUZEL (Bertrand,** *comte***).** ♦ Maréchal de

Ph. Lauros-Giraudon

P. Claudel, par J. E. Blanche. (Musée des Beaux-Arts, Rouen.)

France (Mirepoix, Ariège, 1772 – Secourrieu, Haute-Garonne, 1842). Engagé volontaire en 1791, il fut nommé général de brigade en 1799 et participa à l'expédition de Saint-Domingue (1801). Il se distingua en Hollande, à Naples, dans les Provinces Illyriennes, puis au Portugal au cours des campagnes de l'Empire. Rallié à Louis XVIII en 1814, puis à Napoléon Ier pendant les Cent-Jours, il s'exila en Amérique après la défaite de Waterloo (juin 1815). Rentré en France en 1820, il fut élu député et siégea dans l'opposition libérale (1827). Remplaçant Bourmont en Algérie (1830), il fut promu maréchal à son retour en France (1831). Envoyé de nouveau en Algérie comme gouverneur et commandant de l'armée d'Afrique (1835), il dut donner sa démission après l'échec de l'expédition de Constantine* (1836).

CLAUSEWITZ (Karl *von***).** ♦ Général et théoricien militaire prussien (Burg, Magdebourg, 1780 – Breslau, 1831). Officier d'origine modeste, il entra à l'école de guerre de Berlin en 1801, combattit les armées napoléoniennes dans les rangs de l'armée russe (1812) puis se distingua à la bataille de Waterloo*. Directeur de l'école de guerre à partir de 1818, il influença par ses cours et par son ouvrage *De la guerre* toute la pensée militaire contemporaine. Frappé par les phénomènes révolutionnaires de la levée en masse et de la guerre idéologique menée par la Révolution française, il en conclut « que la guerre n'est que la continuation de la politique par d'autres moyens », et qu'une nation engagée dans une guerre vitale doit s'y consacrer tout entière (et non pas seulement son armée). L'objectif immédiat de la guerre est la défaite de l'armée, voire le renversement de l'État adverse, nullement l'anéantissement des populations. Au contraire, « la fin dernière » de la victoire militaire « est la paix ». « Il n'était pas et il ne pouvait pas être [...] le doctrinaire de la guerre absolue ou moins encore de la guerre totale » (R. Aron).

CLAUSIUS (Rudolf Emanuel). ♦ Physicien allemand (Köslin, 1822 – Bonn, 1888). Développant l'œuvre de Carnot* et de Clapeyron*, il mit en évidence la dégradation de l'énergie (1850), montra l'importance théorique de la chaleur spécifique des gaz à volume constant, perfectionna la théorie cinétique des gaz [1857] **(V. Krönig)**, montrant que l'élément essentiel était le *libre-parcours moyen* et définit la fonction *entropie* en thermodynamique (1865) dont il établit la « croissance » (*théorème de Clausius*, selon lequel l'entropie d'un système isolé ne peut décroître).

CLAVIERE (Étienne). ♦ Financier et homme politique d'origine helvétique (Genève, 1735 – Paris, 1793). Établi à Paris en 1782, il fut nommé, sous l'Assemblée législative, ministre des Finances (mars 1792) dans le gouvernement girondin qui fut renvoyé par Louis XVI (juin 1792). Réintégré dans ses fonctions après le 10 août 1792, il fut décrété d'accusation avec les Girondins (2 juin 1793) et se suicida pour échapper à la guillotine.

CLAVIJO Y FAJARDO ou **FAXARDO (José).** ♦ Écrivain et naturaliste espagnol (Puerto Arrecife, Lanzarote, Canaries, 1730 – Madrid, 1806). Fondateur du périodique *El Pensador*, auteur de poésies lyriques et dramatiques et d'une traduction en castillan de l'*Histoire naturelle* de Buffon, il renonça à épouser la sœur de Beaumarchais* qu'il avait demandée en mariage. Cette histoire inspira à l'écrivain français sa pièce *Eugénie* et à Goethe *Clavigo* (1774).

CLAVIUS (Christoph KLAU, latinisé en *Christophorus Clavius***).** ♦ Jésuite et mathématicien allemand (Bamberg, 1537 – Rome, 1612). À Rome, il organisa l'enseignement scientifique des jésuites et travailla au calendrier grégorien **(V. Grégoire XIII).**

CLAY (Henry). ♦ Homme politique américain (Richmond, 1777 – Washington, 1852). Membre du Sénat, puis de la Chambre des représentants, il fut l'un des négociateurs de la paix avec l'Angleterre (Gand, 1814). Nommé secrétaire d'État aux Affaires étrangères, il fut un ardent défenseur du protectionnisme, mais son œuvre principale fut de maintenir par deux fois l'accord entre le Sud et le Nord (compromis du Missouri, 1820, compromis de 1850), ce qui lui valut le surnom de *Grand Pacificateur*.

CLAY (Jacob). ♦ Physicien hollandais (Berkhout, 1882 – Amsterdam, 1955). Auteur de recherches sur les rayons cosmiques **(V.** *aussi* **Leprince-Ringuet)**, il découvrit l'*effet de latitude (l'intensité du rayonnement cosmique décroît du pôle à l'équateur magnétique).* **V. Millikan.**

CLAYE-SOUILLY [klɛsuji]. ♦ Ch.-l. de cant. de Seine-et-Marne, arr. de Meaux. 4 363 hab. Appareils électroménagers. Salaisons; conserves.

CLAYES-SOUS-BOIS (LES). ♦ Comm. des Yvelines, arr. de Versailles. 9 954 hab. Indus. électronique.

CLAYETTE (LA) [laklɛt]. ♦ Ch.-l. de cant. de la Saône-et-Loire, arr. de Charolles, au S. du Charolais*. 2 672 hab. Château du XIVe s., entouré de douves. – Foires, concours hippiques et élevage. Matériel de levage. – À proximité, oppidum romain au sommet de la montagne de Dun, chef-lieu du *Pagus Dunensis*.

CLAZOMÈNES, en gr. **Klazomenai.** ♦ Anc. V. d'Asie Mineure (Ionie), bâtie dans une presqu'île sur le golfe de Smyrne, près de Téos*. Membre de la Confédération ionienne, elle fonda Abdère* en ~ 656. Soumise aux Athéniens (~ Ve s.), puis aux Perses (~ 387), elle était très riche et renommée pour sa poterie peinte du style orientalisant, dont témoignent les sarcophages en terre cuite du ~ VIe s. exhumés à l'actuel village d'*Urla*. Patrie d'Anaxagore*.

CLÉANTHE, en gr. **Kleanthês.** ♦ Philosophe grec de l'école stoïcienne (Assos, Troade, ~ 331 – Athènes, ~ 232). Il aurait été athlète avant de venir à Athènes où il fut le plus fidèle disciple de Zénon* (de Citium). Il passait ses nuits à pomper de l'eau dans des jardins pour gagner sa vie et pouvoir s'adonner à ses études (c'est à lui que Zénon confia la direction du Portique en ~ 262). Dans son *Hymne à Zeus*, son stoïcisme apparaît teinté de religiosité.

Ph. Carlo Bevilacqua/Ricciarini

G. B. Clemenceau, par Manet. (Salle du Jeu de Paume, musée du Louvre, Paris.)

CLÉARQUE, en gr. **Klearkhos.** ♦ Général spartiate (~ Ve s.), mercenaire au service de Cyrus* le Jeune. Commandant la retraite des Dix* Mille, il fut arrêté et mis à mort par Tissapherne (~ 401). Xénophon* fit son portrait dans *L'Anabase*.

CLEATHORPES. ♦ V. de l'E. de l'Angleterre (Lincolnshire, Lindsey), au S. de Grimsby, sur l'estuaire de la Humber. 32 705 hab. Station balnéaire.

CLEBSCH (Rudolf Friedrich Alfred). ♦ Mathématicien allemand (Königsberg, 1833 – Göttingen, 1872). Il systématisa l'application de la théorie des invariants **(V. A. Cayley)** à la géométrie projective et étudia les fonctions elliptiques et abéliennes qu'il rattacha à la géométrie des courbes algébriques. **V.** *aussi* **Hermite, Jacobi, Weierstrass.**

Clélie, *histoire romaine*. ♦ Roman en dix volumes de M. de Scudéry* (1654 à 1660). Ce livre à clefs est une transposition précieuse et galante des mœurs antiques et renferme la célèbre *Carte du Tendre*, symbole de la casuistique amoureuse.

CLEMENCEAU (Georges Benjamin). ♦ Homme politique français (Mouilleron-en-Pareds, Vendée, 1841 – Paris, 1929). Médecin, il entra dans la carrière politique au lendemain de la journée révolutionnaire du 4 septembre 1870 (chute du Second Empire), et devint maire du 18e arr. de Paris. Député radical en 1871, il siégea ensuite à l'extrême gauche de l'Assemblée (1876), où, après s'être opposé à la politique de Mac-Mahon, il contribua à provoquer la chute de plusieurs ministères (Gambetta, 1882; J. Ferry, 1885), d'où son surnom de « tombeur de ministères » et, plus tard, de « Tigre ». Après avoir soutenu la candidature de Boulanger au ministère de la Guerre, il dénonça ses prétentions à la dictature. Mais, compromis dans l'affaire du scandale de Panamá et accusé d'être un agent de l'Angleterre, il fut battu aux élections de 1893. Ses prises de position en faveur de Dreyfus (il publia « J'accuse » de Zola dans le journal *L'Aurore*, 1898) le ramenèrent à la politique. Sénateur (1902), il fut nommé ministre de l'Intérieur (1906-1909), poursuivit la politique de séparation de l'Église et de l'État, mais se heurta bientôt à des mouvements sociaux, organisant la répression de la grève des mineurs du Pas-de-Calais, ce qui lui attira l'hostilité des socialistes. Revenu dans l'opposition, il fonda le journal *L'Homme libre* (1913) qui parut sous le titre *L'Homme enchaîné* au début de la Première Guerre mondiale pour dénoncer la censure. En 1917, il fut appelé par Poincaré* à la tête du gouvernement et restaura la confiance de la nation par sa lutte contre le défaitisme (arrestation de Caillaux et de Malvy) et en obtenant des Alliés que le commandement unique fût confié à Foch*. Après avoir pris part à la conférence de Paris et négocié le traité de Versailles* (1919), il fut battu par Deschanel aux élections pour la présidence de la République (1920), s'étant attiré par son intransigeance l'hostilité de la droite et de la gauche au Parlement. Il consacra la fin de sa vie à voyager (en particulier aux États-Unis) et à écrire (*Démosthène*, 1926; *Au Soir de la pensée*, 1927; *Grandeurs et Misères d'une victoire*, 1930). [Acad. fr., 1918.]

CLEMENS non PAPA (Jacques CLÉMENT dit**).** ♦ Compositeur flamand (?, v. 1510 – Dixmude, v. 1577). Son surnom devait le distinguer du poète Jacobus Papa. Prêtre et maître de chant à Bruges puis à Bois-le-Duc, il fut célèbre en son temps par ses chansons, éditées en France, aux Pays-Bas, en Allemagne et en Italie. On lui doit aussi de nombreuses œuvres de musique religieuse (messes, magnificats, motets).

CLÉMENT Ier ou **CLÉMENT ROMAIN** *(saint)*. ♦ Évêque de Rome (4e pape), traditionnellement de 89 à 97. On lui attribue deux *Épîtres* dont la première semble authentique (96?). On appelle *Pseudo-clémentines* vingt-huit homélies, en grec, et dix livres des *Reconnaissances* qu'on lui attribuait autrefois. — Fête le 23 novembre.

CLÉMENT II *(Suidger de Morsleben et Hornburg)*. ♦ (Mort à Pesaro. 1047). 147e pape, neuf mois en 1046-1047. Évêque de Bamberg, il fut élu sous la pression de l'empereur Henri III, après les dépositions de Benoît* IX, Sylvestre* III et Grégoire* VI.

CLÉMENT III *(Guibert de Ravenne)*. ♦ [Parme, 1023 — Civita Castellana, 1100]. Antipape de 1080 à sa mort. Archevêque de Ravenne, il fut en Italie l'homme de l'empereur Henri* IV contre Grégoire* VII. Henri le fit élire pape au conciliabule de Brixen (1080) et l'installa à Rome (1084) où il se maintint, par intervalles, jusqu'en 1094.

CLÉMENT III *(Paolo Scolari)*. ♦ 172e pape (1187 — 1191 [mort]). Romain. Élu à Pise, il pacifia Rome, fit reconnaître son autorité sur le Sénat, conclut la paix avec Frédéric* Barberousse et appela à la troisième croisade.

CLÉMENT IV *(Gui Foulques,* dit **le Gros**). ♦ [Saint-Gilles, Languedoc — Viterbe, 1268]. 181e pape (1265-1268). Il confirma les titres de Charles* d'Anjou comme roi de Sicile **(V. Urbain IV).**

CLÉMENT V *(Bertrand de Got)*. ♦ [Villandraut, Gascogne — Roquemaure, 1347]. 193e pape (1305-1314), ancien évêque de Bordeaux (1299). Il fut l'homme de Philippe le Bel et le premier pape d'Avignon* (1309). Il réunit le concile de Vienne* (1311-1312) où, sous la pression royale et malgré les pères conciliaires, il supprima l'ordre des Templiers*.

CLÉMENT VI *(Pierre Roger de Beaufort)*. ♦ [Maumont, Limousin, 1291 — Avignon, 1352]. 196e pape (1342-1352), bénédictin, ancien archevêque de Sens (1329) puis de Rouen (1330). Pape en Avignon, il acheta la ville à Jeanne de Naples (1348).

CLÉMENT VII *(Robert de Genève)*. ♦ [1342 — Avignon, 1394]. Antipape de 1378 à 1394. Élu par les cardinaux mécontents d'Urbain* VI, il organisa sa curie en Avignon et obtint la reconnaissance de la France, l'Écosse, la Savoie, l'Autriche puis de l'Aragon et de la Navarre. **V. Schisme** (d'Occident).

CLÉMENT VII *(Jules de Médicis,* en it. *Giulio de' Medici)*. ♦ [Florence, 1478 — Rome, 1534]. 217e pape, de 1523 à 1534, fils naturel de Julien de Médicis et neveu de Laurent le Magnifique. Après Pavie* (1524), il se rapprocha de François* Ier avec qui il constitua la sainte ligue de Cognac (1526) contre Charles* Quint. Mais il dut s'incliner (sac de Rome, 1527) et couronner celui-ci empereur (1530), **V. Italie** (guerres d'). Il excommunia Henri* VIII d'Angleterre pour avoir répudié Catherine* d'Aragon, ce qui déclencha le schisme anglican (*Acte de Suprématie**, 1534). **V. Anglicanisme.**

CLÉMENT VIII *(Gil Sánchez de Muños)*. ♦ [Teruel, Aragon, v. 1380 — Majorque, 1446]. Antipape élu en 1423 pour succéder à Benoît* XIII installé à Peñiscola. Il se soumit en 1429. **V. Schisme** (d'Occident).

CLÉMENT VIII *(Ippolito Aldobrandini)*. ♦ [Fano, 1536 — Rome, 1605]. 229e pape (1592-1605). Poussé par saint Robert* Bellarmin, il publia une édition corrigée de la Vulgate* de Sixte* Quint (*Vulgate clémentine,* 1592). Il réconcilia Henri* IV (1595), s'entremit pour lui faire signer la paix de Vervins* avec Philippe* II (1598), mais désapprouva l'édit de Nantes*. **V. Léon XI.**

Arch. Smeets

Tombe du pape **Clément VIII,** par Flaminio Ponzio. (Chapelle de Santa Maria Maggiore, Rome.)

CLÉMENT IX *(Giulio Rospigliosi)*. ♦ [Pistoia, 1600 — Rome, 1669]. 236e pape (1667-1669). Principal responsable des affaires sous Alexandre* VII, il réalisa la « paix clémentine » (1669) avec les jansénistes. **V. Jansénisme.**

CLÉMENT X *(Emilio Altieri)*. ♦ [Rome, 1590 — 1676]. 237e pape (1670-1676).

CLÉMENT XI *(Gianfrancesco Albani)*. ♦ [Urbino, 1649 — Rome, 1721]. 241e pape (1700-1721). Dans la guerre de Succession* d'Espagne, il prit parti pour la France et Philippe* V mais, devant l'occupation de ses États par les Impériaux (Eugène* de Savoie), il dut reconnaître Charles* III (1709). Contre le jansénisme*, il publia les bulles *Vineam Domini* (1705) et *Unigenitus** (1713, **V. Quesnel).**

CLÉMENT XII *(Lorenzo Corsini)*. ♦ [Florence, 1652 — Rome, 1740]. 244e pape (1730-1740). Aveugle et malade, il prit peu de part aux actes de son pontificat : condamnation des convulsionnaires français (1734) et de la franc-maçonnerie (1738).

CLÉMENT XIII *(Carlo Rezzonico)*. ♦ [Venise, 1693 — Rome, 1769). 246e pape (1758-1769). Il défendit les jésuites, dont la Compagnie avait été interdite dans plusieurs pays (*Apostolicum pascendi munus,* 1765), et condamna l'esprit « philosophie » (1766).

CLÉMENT XIV *(Giovanni Vicenzo Ganganelli)*. ♦ [près de Rimini, 1705 — Rome, 1774]. 247e pape (1769-1774), franciscain conventuel. Sous la pression des puissances européennes, il supprima la Compagnie de Jésus* (bulle *Dominus ac Redemptor noster,* 1773).

CLÉMENT d'Alexandrie (Titus Flavius Clemens). ♦ Écrivain grec chrétien (Athènes?, v. 150 — en Cappadoce, v. 215). Païen converti, il s'établit à Alexandrie (v. 180-202) où il dirigea le didascalée chrétien; il aurait été le maître d'Origène*. Il professa une « gnose parfaite » opposée à la gnose hérétique. Œuvres : *Le Protreptique, Le Pédagogue, Les Stromates.*

CLÉMENT d'Ohrid. ♦ Évêque et écrivain bulgare ([mort] 916). Il christianisa la Bulgarie en adaptant aux Slaves les écrits théologiques grecs. On lui a attribué en outre une *Vie de saint Cyrille et de saint Méthode.*

CLÉMENT (Jacques). ♦ Dominicain français (Serbonnes, Ardennes, 1567 — Saint-Cloud, 1589). Ligueur fanatique, il assassina Henri* III et fut tué sur le champ. Il avait l'approbation de nombreux catholiques, dont le pape Sixte Quint.

CLÉMENT, dit **CLÉMENT-DESORMES (Nicolas).** ♦ Physicien français (Dijon, 1779 — Paris, 1842). Il réalisa, par une méthode qu'il mit au point avec Desormes*, une mesure très précise du rapport des chaleurs spécifiques des gaz (1819). **V.** *aussi* **Gay-Lussac.**

CLÉMENT (Jean-Baptiste). ♦ Socialiste et poète français (Boulogne-sur-Seine, 1837 — Paris, 1903). Poète du peuple, il composa *Les Chansons du morceau de pain, Les Chansons de l'avenir* (où il lança un appel à un quatre-vingt-neuf des travailleurs), *Le Temps des cerises* (1866, musique de Renard). Il participa activement à la Commune de Paris, collabora à la revue *Le Cri du Peuple* de J. Vallès et prit part aux combats de la Semaine sanglante (*La Semaine sanglante,* dédiée aux fusillés de 1871). Réfugié à Londres, il milita, après l'amnistie (1880), au sein du Parti ouvrier socialiste révolutionnaire de Brousse, puis du Parti ouvrier français de J. Guesde.

CLÉMENT (Adolphe). ♦ Industriel et ingénieur français (Pierrefonds, 1855 — Paris, 1928). Grâce à la fortune réalisée dans la fabrication des bicyclettes, il commandita les établissements Panhard* et Levassor* et s'associa ensuite avec Talbot*, industriel anglais. Ses premières voitures (Clément-Bayard) sortirent en 1903. Il construisit également un dirigeable qui relia Compiègne à Londres en 6 h 15 mn (1909).

CLÉMENT (René). ♦ Réalisateur français de cinéma (Bordeaux, 1913). Caractérisée par la rigueur de la technique, marquée par un réalisme vigoureux, son œuvre traduit le plus souvent l'échec et la solitude de l'homme en quête de sa liberté. Réal. princ. : *Les Maudits* (1947), *Au-delà des grilles* (1948), *Le Château de verre* (1950), *Jeux interdits* (1951), *Monsieur Ripois* (1954), *Gervaise* (1956) d'après *L'Assommoir,* de Zola, *Barrage contre le Pacifique* (1958), *Plein Soleil* (1959), *Les Félins* (1964). Avec la même force, Clément a parfois exprimé une vision moins pessimiste du monde : *La Bataille du rail* (1945), *Quelle joie de vivre* (1961), *Le Jour et l'Heure* (1962).

CLEMENTI (Muzio). ♦ Compositeur et pianiste italien (Rome, 1752 — Evesham, Worcestershire, 1832). Enfant prodige, il fut emmené en Angleterre (1766) où il acquit une culture musicale étendue. Devenu chef d'orchestre de l'Opéra italien (1776), il entreprit une grande tournée de concerts à travers l'Europe et fit à Vienne la rencontre de Haydn et de Mozart avec lequel il se mesura au piano forte, en présence de l'empereur Joseph II. De retour à Londres (1784), il se consacra à l'édition musicale et à la facture du piano, sans renoncer à une carrière européenne de chef d'orchestre. Au cours de ses voyages en Europe (avec J. Field), il rencontra Beethoven dont il publia plusieurs œuvres, et Liszt dont il salua les débuts. Outre quatre symphonies et de la musique de chambre, Clementi est l'auteur d'une soixantaine de sonates pour piano. Celles-ci, composées pour la plupart entre 1780 et

Ph. Carlo Bevilacqua/Ricciarini

Cléopâtre, par G. Reni. (Galerie Pitti, Florence.)

1820, sont d'une riche invention et d'une beauté expressive que l'on ne rencontre guère à l'époque que chez Beethoven*. Il y apparaît comme l'un des inventeurs du piano moderne et le créateur d'un style d'écriture pianistique qui remplaça celui du clavecin. Professeur réputé, il a publié d'importants ouvrages didactiques : *Préludes et exercices* (1790), *Méthodes pour le piano forte* (1801) et un *Gradus ad Parnassum* (1817).

CLEOBIS et **BITON** [*Kleobis, Bitôn*]. ♦ Fils de Cydippe, prêtresse d'Héra à Argos*. Ils tirent eux-mêmes le char de leur mère pour la conduire au temple, remplaçant les bœufs d'attelage qui étaient en retard. Pour récompenser leur piété, la déesse leur accorde le sommeil éternel.

CLÉOBULE, en gr. **Kleoboulos**. ♦ Un des Sept Sages* de la Grèce (~ VIe s.). Personnage à demi légendaire, il aurait été tyran de Lindos (Rhodes), initié à la sagesse égyptienne et auteur de nombreuses énigmes composées en vers.

CLÉOMÈDE, en gr. **Kleomêdês**. ♦ Astronome et compilateur grec (Ier s. av. J.-C.). Auteur d'un traité *Sur le mouvement circulaire des corps célestes*, résumé des connaissances astronomiques des stoïciens dans lequel il fait notamment remarquer l'existence de certaines réfractions risquant de troubler les observations.

CLÉOMÈNE, en gr. **Kleomênês**. ♦ Nom de trois rois de Sparte, dont : *Cléomène Ier* (~ 520-~ 487) qui déposa Démarate* et mena plusieurs guerres victorieuses. ♦ *Cléomène III* (~ 236 – ~ 219) qui voulut rétablir les lois de Lycurgue, élimina le pouvoir des éphores et procéda à de vastes réformes. Vaincu par la ligue Achéenne et les Macédoniens (~ 221), il se réfugia en Égypte, où il se suicida.

CLÉOPÂTRE. ♦ Nom de plusieurs reines de Macédoine, de Syrie et d'Égypte. ♦ CLÉOPÂTRE VII (Alexandrie ~ 69 – Alexandrie ~ 30). Reine d'Égypte (~ 51-~ 30), elle épousa son frère Ptolémée* XIII avec lequel elle régna à partir de ~ 51. Chassée du trône peu après, elle fut rétablie en ~ 46 par César* dont elle devint la maîtresse et eut un fils Césarion (ou Ptolémée* XV). Avec l'aide des Romains, elle tenta de rétablir la suprématie de l'Égypte des Lagides* en Méditerranée. À la mort de César, elle rencontra à Tarse*, en Cilicie (~ 41), Antoine* qui s'éprit d'elle. Elle réussit plus aisément à l'entraîner vers le rêve d'un grand empire oriental. Il l'épousa sans pour autant répudier Octavie. En ~ 36, il accrut le domaine égyptien de Chypre, de la Crète et de la Phénicie. En ~ 34, les enfants qu'il avait eus de son union avec Cléopâtre reçurent la Cyrénaïque, la Syrie et la Cilicie. Mais la politique d'Antoine et de Cléopâtre menaçait l'hégémonie romaine sur la Méditerranée. Octave* les vainquit tous deux à Actium* (~ 31). Après le suicide d'Antoine, la reine tenta encore d'obtenir la clémence d'Octave, mais devant son inflexibilité, elle se donna la mort en se faisant mordre par un aspic.

CLEPHTES ou **KLEPHTES**. ♦ V. ARMATOLES.

CLÉRAMBAULT [klɛʀɑ̃bo] **(Louis Nicolas)**. ♦ Compositeur et organiste français (Paris, 1676 – *id.*, 1749). Le plus illustre d'une lignée célèbre de musiciens. Titulaire de l'orgue à Saint-Sulpice et à la Maison royale de Saint-Cyr, il a tenté de réaliser, dans les formes de la cantate et de la sonate, une synthèse des esthétiques italienne et française. Il écrivit des pièces d'orgue et de clavecin, des motets, des sonates et des symphonies pour un ou deux violons, clavecin et basse, un oratorio *(Histoire de la femme adultère)*, des divertissements, des chœurs (*Chants et motets à l'usage* (...) *des dames de la royale maison de Saint-Cyr*, 1733). Son œuvre principale est constituée par cinq livres de *Cantates françaises à une et deux voix* (1710-1726).

CLÉRAMBAULT (Georges GATIAN *de*). ♦ Médecin français (1872 – Paris, 1934). Il a décrit et étudié l'érotomanie, constitué le cadre des psychoses passionnelles et surtout formulé la thèse de l'automatisme mental (1922) dans lequel il voit la conséquence d'une irritation nerveuse toxique (études sur l'intoxication au chloral, à l'éther, au haschish), ou infectieuse, provoquant une idéation autonome et automatique, sur laquelle se greffe le délire proprement dit.

CLÈRES. ♦ Ch.-l. de cant. de la Seine*-Maritime, arr. de Rouen*. 1 055 hab. *(Clérois)*. Château du XVe s. (remanié).

CLERFAYT ou **CLAIRFAYT (François de Croix**, *comte de***)**. ♦ Feld-maréchal autrichien (Bruille, Hainaut, 1733 – Vienne, 1798). Il combattit pendant la guerre de Sept Ans, puis contre les Turcs, avant de diriger un corps d'armée contre la France révolutionnaire (Valmy, Jemappes, Neerwinden). Sa défaite à Wattignies (1793) le contraignit à repasser le Rhin, mais deux ans après il délivra Mayence, après avoir repoussé trois armées françaises.

CLERGET (Pierre). ♦ Ingénieur français (1875 – 1943). Il fut l'un des premiers à réaliser les moteurs légers pour l'aviation, dont un moteur léger rotatif (1912) et le premier moteur français à huile lourde présenté officiellement.

CLÉRISSEAU (Charles-Louis). ♦ Architecte, dessinateur, décorateur et archéologue français (Paris, 1721 – Auteuil, 1820). Il séjourna pendant une vingtaine d'années en Italie, où il fréquenta H. Robert*, Fragonard*, Piranèse* et Winckelmann*. Passionné par l'architecture et le décor antique, il dessina avec R. Adam* *Les Ruines du palais de l'empereur Dioclétien à Spalato* (1766). En 1778, il séjourna en compagnie de Winckelmann dans le midi de la France et releva les monuments romains *(Les Antiquités de la France)*. En 1779, Catherine II de Russie lui acheta sa collection de dessins. Il contribua ainsi à propager la tendance du retour à l'Antique et exécuta en s'inspirant des motifs grecs et romains des décorations intérieures d'un style élégant et raffiné (*Café de la villa Albani*, à Rome, *Salon de l'hôtel de La Reynière*, à Paris, 1767 [détruit], etc.). Dans ses édifices d'un style sobre et rigoureux, il se montra attaché à la tradition architecturale française et n'adopta qu'avec beaucoup de mesure les éléments antiques du style néo-classique (*Château Borély*, à Marseille).

CLERMONT (Robert de France, *comte de***)**. ♦ Prince français (1256 – 1318). Fils de Louis* IX, il devint le chef de la maison de Bourbon* par son mariage avec Béatrice de Bourbon.

CLERMONT, anc. **Clermont-en-Beauvaisis**. ♦ Sous-préf. de l'Oise*, ch.-l. d'arr. (7 cant., 147 comm., 84 557 hab.), près de la Brèche. 8 555 hab. *(Clermontois)*. Église et hôtel de ville du XIVe siècle, restauré fin XIXe siècle. Hôpital psychiatrique. Indus. alimentaires. Matières plastiques. Patrie de Guibert* de Nogent. ♦ *Hist.* Sur l'emplacement de Clermont, César défit (~ 51) la tribu des Bellovaques*. Dès le début de la dynastie capétienne, la ville fut le siège d'un comté puissant qui, réuni à la couronne par Philippe Auguste (1218), devint l'apanage de Robert, sixième fils de Saint Louis. Confisqué par François Ier (1524), le comté passa en diverses mains; les derniers possesseurs en furent les princes de Condé de 1719 à la Révolution.

CLERMONT-EN-ARGONNE. ♦ Ch.-l. de cant. de la Meuse, arr. de Verdun. 1 350 hab. Église Saint-Didier (XVIe s.) restaurée. Chapelle Sainte-Anne (XVIe s.). ♦ *Hist.* D'abord comté appartenant au Saint Empire, il fut donné à l'évêché de Verdun, ensuite aux comtes de Bar. Cédé à la France en 1632, il fut attribué aux princes de Condé.

CLERMONT-FERRAND. ♦ Préf. du Puy*-de-Dôme, ch.-l. d'arr. (14 cant., 120 comm., 299 561 hab.), dans la plaine de la Limagne. 154 110 hab. *(Clermontois)*. La cathédrale Notre-Dame, bâtie en pierre de Volvic, est un très bel édifice gothique (XIIIe-XIVe s.), terminée au XIXe s. par Viollet*-le-Duc (magnifiques vitraux du XIIIe s.). L'église Notre-Dame-du-Port est un chef-d'œuvre de l'art roman auvergnat : de masse très pure (chevet), elle contient des chapitaux historiés; la Vierge noire de sa crypte fait l'objet de pèlerinages. Églises : Saint-Pierre-des-Minimes (XVIIe s.), Saint-Genès (XIVe et XVe s.). Maisons et hôtels anc. Musées. Évêché. – L'indus. du caoutchouc représente l'activité principale de l'agglomération (usines Michelin et Bergougnan). Métallurgie (chaudronnerie, machines-outils), matériel agricole, indus. alimentaires. Centre commercial très actif; ville universitaire. – Patrie de J. Domat*, de F. Forest*, de Grégoire* de Tours (saint), de E. Michelin*, du comte F.D. de Montlosier, de J.H. Mordacq*, de Jacqueline et Gilberte Pascal*, de Blaise Pascal* (maison natale). ♦ *Hist.* D'abord appelée *Nemossos*, la ville prit le nom d'*Augustonemetum* à l'époque romaine. Plusieurs fois détruite, elle devint ensuite capitale de l'Auvergne sous le nom de « *Clarus Mons* ». Elle fut réunie à la couronne de France par Philippe* Auguste. En 1095, le pape Urbain II y prêcha la Ire croisade. En 1633, Clermont fut réunie à *Montferrand* et devint *Clermont-Ferrand*.

CLERMONT-L'HÉRAULT. ♦ Ch.-l. de cant. de l'Hérault*, arr. de Lodève*. 6 375 hab. *(Clermontais)*. L'anc. château médiéval (donjon, courtines) domine la vieille ville. Église Saint-Paul, anc. cathédrale gothique fortifiée. Dans la ville basse se trouve l'anc. église Saint-Dominique (fin XVIe s.). — Produits barytiques. Bonneterie. Huilerie. Vins. ♦ *Hist.* Siège d'une baronnie au IXe siècle. Centre du protestantisme languedocien.

CLERMONT-TONNERRE (Stanislas Marie Adélaïde, *comte de***).** ♦ Homme politique français (Pont-à-Mousson, 1757 — Paris, 1792). Député de la noblesse aux États généraux (1789), il adopta d'abord des positions libérales se prononçant pour l'abolition des privilèges. Devant les progrès du mouvement révolutionnaire populaire, il se rallia au groupe des Monarchiens*. Il fut assassiné par des émeutiers lors de la journée révolutionnaire du 10 août 1792.

CLERSELIER (Claude). ♦ Philosophe français (1614 — 1684). Grand admirateur de Descartes avec qui il était lié et dont il fut le correspondant en France après Mersenne, il en fit publier les œuvres posthumes dont le *Traité de l'homme,* le *Traité du monde,* etc. (1677).

CLERVAL. ♦ Ch.-l. de cant. du Doubs (arr. de Montbéliard), sur le Doubs. 1 027 hab. Château (XIIIe, XVIIIe s.), maisons anciennes.

CLERVAUX. ♦ Ch.-l. de cant. du grand-duché de Luxembourg, sur la Clerf, en Ardenne*. 1 476 hab. Château féodal. Abbaye bénédictine Saint-Maurice (construction moderne en style roman bourguignon).

CLÉRY-SAINT-ANDRÉ. ♦ Ch.-l. de cant. du Loiret (arr. d'Orléans), sur l'Ardoux. 1 854 hab. La *basilique Notre-Dame,* de style gothique flamboyant, contient le tombeau de Louis XI.

CLÉSINGER (Jean-Baptiste, dit **Auguste).** ♦ Sculpteur français (Besançon, 1814 — Paris, 1883). Fils de sculpteur, il travailla à Rome dans l'atelier de Thorvaldsen*. Sa *Femme au serpent* (Mme Sabatier, l'amie de Baudelaire) lui valut la notoriété (1847). Son style froid et conventionnel témoigne de l'emprise de l'académisme en pleine époque romantique.

CLET *(saint).* ♦ V. ANACLET (saint).

CLEVELAND (Stephen Grover). ♦ Homme d'État américain (Caldwell, New Jersey, 1837 — Princeton, 1908). Avocat, démocrate, gouverneur de l'État de New York (1883), il fut élu président des États-Unis en 1885; il pratiqua une politique de libre-échange et d'apaisement envers les États du Sud. Éliminé en 1888, il revint au pouvoir en 1893. Les décisions qu'il prit en matière monétaire et la répression qu'il mena contre les grévistes des usines Pullman à Chicago lui firent perdre l'appui des démocrates tandis que sa politique extérieure mécontentait les républicains. Il refusa de se représenter en 1896 et devint professeur à Princeton.

CLEVELAND. ♦ V. des États-Unis, au N. de l'Ohio, et port sur le lac Érié. 738 956 hab. La zone urbaine dépasse 2 000 000 d'hab. (plus de 35 % de Noirs). Important port de commerce. Indus. lourde : aciéries, aluminium, machines-outils, moteurs. Automobiles. Électricité et électronique. — Universités. Musée d'art. — Patrie de H.W. Cushing.

CLEVELAND HILLS. *n. f. pl.* (« collines de Cleveland »). ♦ Ligne de hauteurs de l'Angleterre du N.-E. (Yorkshire, North Riding) comprise entre la vallée de la Tees et les North* York Moors. Autrefois riches en minerai de fer, les Cleveland Hills s'épuisent.

CLÈVES (Sibylle *de***).** ♦ Dame allemande (Düsseldorf, 1512 — Weimar, 1554). Fervente adepte des doctrines de Luther, elle contribua à les répandre. Elle était la femme de l'électeur Jean-Frédéric de Saxe.

CLÈVES, en all. **Kleve.** ♦ V. d'Allemagne occidentale (Rhénanie-Westphalie), près du Rhin et de la frontière hollandaise. 21 500 hab. Château ducal (le Schwanenburg, XIe-XVIe s.). Centre de villégiature.

CLICHY. ♦ Ch.-l. de cant. des Hauts-de-Seine (arr. de Nanterre) à la limite N.-O. de Paris. 52 704 hab. *(Clichiens).* Église Saint-Vincent-de-Paul (XVIIe s.). Hôpital Beaujon. — Indus. chimiques. Confiseries. Constructions automobiles (Citroën). Carrelages; caoutchouc; imprimerie.

Clichy *(club de)* ou **Parti clichyien.** ♦ Nom donné sous la Convention thermidorienne et le Directoire aux représentants de la droite, royalistes et monarchistes constitutionnels (Pichegru, Royer-Collard, C. Jordan, Barthélemy, etc.), qui se réunissaient *rue de Clichy.*

CLICHY-SOUS-BOIS. ♦ Comm. de la Seine-Saint-Denis (arr. du Raincy) à l'E. de Paris. 16 357 hab. *(Clichois).* Grand ensemble résidentiel. Chapelle Notre-Dame-des-Anges.

CLICQUOT. ♦ Famille française de facteurs d'orgues, d'origine rémoise. ♦ ROBERT CLICQUOT (Reims, 1645 — Paris, v. 1719) fut un des plus grands facteurs d'orgues français. On lui doit les orgues de la chapelle de Versailles (1679-1711), des cathédrales de Rouen, Blois, Laon, etc. Ses descendants continuèrent son œuvre. FRANÇOIS HENRI écrivit en 1879 une *Théorie pratique de la facture d'orgue.*

Clignancourt. ♦ Quartier de Paris, dans le 18e arr. (commune réunie à Paris en 1860).

CLIMAX. ♦ Site minier des États-Unis (Colorado), situé à 3 000 m d'altitude. C'est la plus grande mine de molybdène du monde.

CLIO, en gr. **Kleiô.** ♦ Une des neuf Muses*, patronne de l'Histoire. Elle est représentée avec un rouleau de papyrus à la main.

CLION-SUR-MER (Le). ♦ Comm. de la Loire-Atlantique, arr. de Saint-Nazaire. Station balnéaire près de Pornic. 2 806 hab. (158 aggl.), hors saison. — Dolmen.

Arch. Rencontre

Clermont-Ferrand : Notre-Dame-du-Port.

CLIPPERTON *(îlot).* ♦ Atoll inhabité de l'océan Pacifique N.-E., isolé de la Polynésie* française (Océanie) et situé à env. 1 300 km des côtes mexicaines. Gisements de phosphates exploités entre 1906 et 1917. Guano (épuisé). ♦ *Hist.* Annexé par la France en 1858, il fut l'objet d'une rivalité entre la France et le Mexique; l'arbitrage du roi d'Italie (Cour internationale de La Haye) le désigna en 1931 comme possession de la France.

CLIQUET-PLEYEL (Henri). ♦ Compositeur français (Paris, 1894 — *id.,* 1963). Il appartint à l'école d'Arcueil*. On lui doit de la musique de chambre et de films, des mélodies et une œuvre pour chœur de femmes et orchestre, *Le Cantique des colonnes* (1945), sur un poème de Paul Valéry.

CLISSON (Olivier *de***).** ♦ Homme de guerre français (Bretagne, 1336 — château de Josselin, Morbihan, 1407). Nommé connétable à la mort de Du Guesclin (1380), il organisa l'armée et contribua à la victoire de Rozebeke* sur les Flamands (1382). Il fut disgracié comme les autres marmousets* après la démence de Charles* VI.

CLISSON. ♦ Ch.-l. de cant. de la Loire-Atlantique (arr. de Nantes), sur la Sèvre Nantaise. 4 263 hab. (3 716 aggl.) *(Clissonnais).* Vestiges d'un puissant château fort (XIIIe-XVIe s.). Manoir du XVIe s. Anc. église Saint-Jacques, romane. Chapelle des Templiers (XIIe s.). — Marché agricole. Gisement d'uranium dans la région et usine de traitement du minerai. Industries textiles, confection, chaussures. Manufacture de bougies. ♦ *Hist.* Pendant la Révolution, la ville, qui eût pu servir de refuge aux troupes royalistes, fut dévastée par les armées républicaines : Kléber fit incendier le château en 1793, lors de sa retraite après la bataille de Torfou, et la ville entière en 1794. Pratiquement détruite et désertée par ses habitants à la fin de la période révolutionnaire, la ville fut reconstruite de 1798 à 1805, dans le goût italien. — Patrie de Gabriel Julien Ouvrard.

CLISTHÈNE, en gr. **Kleisthenês.** ♦ Homme d'État athénien (2e moitié du ~ VIe s.) de la famille des Alcméonides*, aïeul de Périclès*. Il renversa le tyran Hippias* (~ 510) et voulut restaurer les lois de Solon. Vaincu d'abord par le parti aristocratique et les Spartiates, il fut porté au pouvoir par une révolution populaire et appliqua un programme de vastes réformes qui constituèrent la démocratie d'Athènes* : l'Attique fut découpée en une centaine de *dèmes* (communes) qui inscrivirent comme citoyens de nombreux métèques et affranchis; le nombre des tribus fut porté de 4 à 10, réorganisées toutes selon une répartition territoriale; le nombre des membres de la *boulê* fut augmenté de 400 à 500, l'assemblée des citoyens *(ecclesia)* détenant l'autorité suprême; la magistrature fut réformée (10 stratèges élus par le peuple), etc. On lui attribue aussi l'institution de l'ostracisme.

CLIVE (Robert, *baron* **Clive de Plassey).** ♦ Général britannique (Styche, Irlande, 1726 — Londres, 1774). Entré en 1743 au service de la Compagnie des Indes, il fut le fondateur de l'empire anglais en Inde. Après s'être emparé de Calcutta (1755), il chassa les Français des ports du Gange, écrasa les Indiens à Plassey* (1757) et imposa la domination anglaise au Bengale, au Bihâr et à l'Orissa. Rentré en Angleterre, accusé à tort de concussion, il se suicida.

Cloaca maxima. ♦ Le plus grand égout de la Rome antique, ruisseau canalisé à travers le Forum par Tarquin* l'Ancien. Ce qu'il en reste actuellement, et notamment l'arc de la bouche ouverte sur le Tibre, remonte à des restaurations impériales.

CLODION le Chevelu. ♦ ([mort] v. 447). Ancêtre des Mérovingiens*. Chef des Francs Saliens (v. 428-447), il conquit l'Artois et s'avança jusqu'en Picardie. – Il fut peut-être le père de son successeur Mérovée*.

CLODION (Claude MICHEL, dit). ♦ Sculpteur français (Nancy, 1738 – Paris, 1814). Formé par son oncle L.S. Adam* et par Pigalle*, il séjourna ensuite neuf ans à Rome et collectionna des statuettes en terre cuite, des bas-reliefs et céramiques antiques dont il s'inspira pour modeler ou tailler de multiples statuettes ou reliefs. Il traita surtout des sujets mythologiques *(Bacchanale, Nymphes et Satyres)* et traduisit la grâce et l'élégance attique ou hellénistique avec une vivacité et une sensualité qui satisfaisaient les goûts des amateurs européens. Il réalisa aussi des travaux décoratifs et fut moins à l'aise dans les sculptures de grandes dimensions (*Sainte Cécile,* 1777). À partir de la Révolution, il tomba en défaveur.

CLODIUS, en lat. **Publius Claudius Pulcher.** ♦ Démagogue romain (~ 93 – ~ 51). De la gens patricienne *Claudia,* il fit modifier son nom pour lui donner une allure plébéienne. Condamné en ~ 62, pour avoir violé les mystères de Cybèle*, il fut acquitté malgré Cicéron*. Tribun de la plèbe en ~ 58, il fit exiler Cicéron et terrorisa la ville avec ses bandes armées. À ses violences, le Sénat opposa un autre agitateur, T. Annius Milon*, qui le tua au cours d'une rixe.

CLODOALD. ♦ **V.** CLOUD.

CLODOMIR. ♦ (v. 495 – Vézeronce, Viennois, 524). Roi d'Orléans (511-524). Fils de Clovis*, il prit part avec ses frères à la guerre contre les Burgondes et mourut à la bataille de Vézeronce*. – Père de saint Cloud*.

CLONMEL, en irl. **Cluain Meala.** ♦ V. de la république d'Irlande et ch.-l. du comté de Tipperary (prov. de Munster), sur le Suir. 10 640 hab. (1961). – Patrie de L. Sterne*.

CLOOTS [Klots] **(Jean-Baptiste du VAL-DE-GRÂCE,** *baron de* **CLOOTS,** dit **Anacharsis).** ♦ Révolutionnaire d'origine prussienne (Gnadenthal, près de Clèves, 1755 – Paris, 1794). Venu à Paris en 1776, où il collabora à l'*Encyclopédie,* il se rallia à la Révolution dès 1789. Se nommant lui-même « orateur du genre humain » et « citoyen de l'humanité », il fut membre du club des Jacobins où il se signala par ses positions révolutionnaires extrémistes. Député à la Convention (1792), il se rapprocha des hébertistes et prit une part active au mouvement de déchristianisation (fin 1793) et à l'institution du culte de la Raison. Peu après la dénonciation de la conspiration de l'étranger par Fabre d'Églantine (octobre 1793), Cloots fut arrêté, condamné à mort et guillotiné avec les hébertistes* (24 mars 1794).

CLOSTERCAMP, en all. **Klosterkamp.** ♦ Village d'Allemagne (Rhénanie), au N.-O. de Duisburg. Les Français y remportèrent une victoire sur les Hanovriens (1760).

CLOTAIRE Ier. ♦ (497 – Compiègne, 561). Roi de Neustrie (511-561). Fils de Clovis*, il conquit la Thuringe et le royaume des Burgondes* (531-534) avec ses frères Thierry* Ier et Childebert* Ier et devint seul roi des Francs à la mort de Théodebald*, petit-fils de Thierry Ier, et de Childebert Ier (558). – Père de Caribert* Ier, Chilpéric Ier, Gontran* et Sigebert* Ier.

CLOTAIRE II. ♦ (584 – 628). Roi de Neustrie (584-628). Fils de Chilpéric* Ier, il régna d'abord sous la tutelle de sa mère Frédégonde*. Il conquit l'Austrasie, devenant ainsi roi des Francs, et fit assassiner Brunehaut* (613). – Père de Dagobert* Ier et de Caribert* II.

CLOTAIRE III. ♦ (652-673). Roi de Neustrie et de Bourgogne (657-673). Fils de Clovis* II, il régna sous la tutelle d'Ebroïn*.

CLOTAIRE IV. ♦ (mort en 719). Roi d'Austrasie (717-719), il fut opposé à Chilpéric* II par Charles* Martel.

CLOTHO. ♦ **V.** MOIRES.

CLOTILDE *(sainte).* ♦ Reine des Francs (v. 475 – Tours, 545), fille de Chilpéric, roi des Burgondes; femme de Clovis Ier dont elle entraîna la conversion. – Fête le 3 juin.

CLOUD [klu], en lat. **Clodoaldus** *(saint).* ♦ ([mort] 560). Fils de Clodomir, il échappa à ses oncles Clotaire* Ier et Childebert* Ier qui avaient massacré ses frères. Il se retira dans un ermitage près de Paris (Novigentum, depuis : Saint-Cloud). Cf. Grégoire de Tours, *Historia Francorum,* III, 23. Fête le 7 septembre.

CLOUET (Jean, dit **Janet).** ♦ Peintre et dessinateur français d'origine flamande (v. 1485 – 1541). Il se fixa à Tours en 1515 et devint peintre du roi. Il peignit des sujets religieux qui ont disparu, réalisa des cartons de tapisserie; on lui attribue une série de huit miniatures dans les *Preux de Marignan* et plusieurs portraits peints : *François Ier en costume d'apparat* (v. 1520-1530), *Le Dauphin François, Guillaume Budé* et l'*Inconnu avec un livre de Pétrarque.* Son style, caractérisé par la minutie du détail et la préciosité de la facture, n'est pas sans rapport avec celui d'Holbein*, mais apparaît encore tributaire de l'art de la miniature. La série d'une centaine de crayons, portraits d'après nature exécutés à la pierre noire et à la sanguine et rehaussés de couleur, se distingue

Ph. Carlo Bevilacqua/Ricciarini

F. Clouet : « Pierre Quth ». (Musée du Louvre, Paris.)

par la précision et l'extrême finesse du trait et témoigne du succès obtenu par ce genre à la cour des Valois. Clouet fut abondamment imité et ce genre se perpétua au XVIIe s. grâce aux Quesnel, Dumonstier* et Lagneau.

CLOUET (François, dit aussi **Janet).** ♦ Peintre et dessinateur français, fils du précédent (Tours, v. 1515 – Paris, 1572). Formé dans l'atelier de son père, il devint peintre du roi en 1541 et fit peut-être un voyage en Italie vers 1549-1550. Comme son père, dont il imita la manière, il exécuta des crayons. Le modèle des visages y est traité avec une extrême délicatesse; la froideur de l'observation n'y exclut pas une certaine animation expressive *(La Reine Marguerite enfant; Catherine de Médicis).* Peu de peintures ont subsisté excepté quelques portraits (*Pierre Quth,* 1562; *La Duchesse de Bouillon; Jeanne d'Albret; Portrait équestre de François Ier,* etc.). On lui attribue *Le Bain de Diane :* le thème, le canon des formes et le caractère élégant des poses reflètent les attaches de Clouet avec le maniérisme de l'école de Fontainebleau. Il peignit aussi une *Dame au bain,* qui semble être le prototype d'une série sans doute produite par son atelier jusqu'au début du XVIIe siècle.

CLOUZOT (Henri Georges). ♦ Scénariste et cinéaste français (Niort, 1907 – Paris, 1977). Une atmosphère souvent trouble, un puissant réalisme, une remarquable tension dramatique ont fait le succès de quelques-uns de ses films : *Le Corbeau* (1943), *Quai des Orfèvres* (1947), *Le Salaire de la peur* (1952), *Les Diaboliques* (1954).

CLOVIS Ier. ♦ (Hlodovic, v. 466 – Paris, 511). Roi des Francs (481-511). Fils de Childéric* Ier, il hérita d'un petit royaume entre la mer du Nord, l'Escaut et le Cambrésis. En battant Syagrius*, le dernier représentant de l'autorité romaine, à Soissons (486), il porta la frontière de ses États jusqu'à la Loire, puis défit les Alamans* à Tolbiac*, victoire qui lui permit d'étendre son autorité jusqu'au Rhin. Sous l'influence de sa femme Clotilde* et de l'évêque de Reims, Remi*, Clovis se convertit au catholicisme et acquit ainsi l'appui de ses sujets gallo-romains (496?). Il dut faire face à la coalition des rois barbares ariens, fomentée par Théodoric* le Grand, battit le roi wisigoth Alaric* II à Vouillé (507) et conquit l'Aquitaine. Il annexa les petits royaumes francs, notamment celui de Cologne. Protecteur du catholicisme, il fonda l'abbaye Sainte*-Geneviève, réunit un concile à Orléans, l'année de sa mort. – Père de Childebert* Ier, Clodomir*, Clotaire* Ier et Thierry* Ier.

CLOVIS II. ♦ ([mort] en 657). Roi de Neustrie et de Bourgogne (639-657), roi d'Austrasie (656-657). Fils de Dagobert* Ier et mari de Bathilde*. Père de Childéric* II, de Clotaire* III et de Thierry* III.

CLOVIS III. ♦ ([mort] en 695). Fils de Thierry* III, roi d'Austrasie (691-695). Il eut pour successeur son frère Childebert* III.

CLOYES [klwa]**-SUR-LE-LOIR.** ♦ Ch.-l. de cant. d'Eure-et-Loir, (arr. de Châteaudun), sur la r. g. du Loir, à la lisière de la Beauce. 2 483 hab. *(Cloysiens).* Église avec abside du XIIe s. et clocher du XVe. Maisons anciennes.

CLUJ, en all. **Klausenburg**, en hongr. **Kolozvár**. ♦ Seconde ville de Roumanie, cap. de la Transylvanie, sur le Someş Mic («petit Someş»). 222 500 hab. Évêché orthodoxe. Université (fondée par Étienne Bathory). Église Saint-Michel, de style gothique allemand (fin XIVe s.- déb. XVe s.). Maison de Mathias Corvin (XVe s.); palais Banffy (XVIIIe s.); restes d'une enceinte du XVe s. (bastion des tailleurs). Centre administratif et économique : constructions mécaniques, fabrique de produits chimiques, indus. alimentaires. À proximité, gisement de gaz naturel. — Patrie de Mathias* Ier Corvin. ♦ *Hist.* Fondée par les Daces, la ville fut un municipe romain. Elle se développa au Moyen Âge, notamment à partir du XIIIe siècle. Elle devint ville libre en 1405. Elle appartint à la Hongrie avant 1919 et de 1940 à 1944.

CLUNY. ♦ Ch.-l. de cant. de la Saône-et-Loire (arr. de Mâcon), situé dans la dépression de la Grosne. 4 268 hab. ♦ L'abbaye de Cluny fut fondée en 910 par le duc Guillaume d'Aquitaine. Elle suivait la règle de saint Benoît* d'Aniane, mais jouissait de privilèges assurant son indépendance à l'égard des seigneurs comme des évêques. Cette originalité, ses liens directs avec la papauté, la volonté des premiers abbés (Odon*, Odilon*, Hugues* le Grand), son extension à partir d'Odilon (env. 1 200 maisons dépendantes à la mort d'Hugues) en firent le principal instrument de la réforme du XIe siècle. Autres grands clunisiens : Hildebrand **(V. Grégoire VII)**, Pierre* le Vénérable, abbé en 1122-1156, qui défendit son ordre contre les attaques de saint Bernard. — La riche architecture clunisienne joua un rôle prépondérant dans l'évolution de l'art roman. Architecture aux dimensions exceptionnelles, caractérisée par une nef voûtée en berceau brisé continu, un faux triforium surmonté de fenêtres largement ouvertes; à l'extérieur, vastes porches, trois clochers carrés imposants. Cluny eut la plus vaste église de la chrétienté jusqu'à la construction de Saint-Pierre de Rome : commencée en 1088, elle fut en grande partie détruite à la Révolution et au début du XIXe siècle.

Cluny *(hôtel et musée de).* ♦ Anc. résidence parisienne des abbés de Cluny, édifiée par Jacques d'Amboise, de 1485 à 1500, à proximité des ruines des thermes romains. Elégante demeure où les procédés du style gothique s'allient à ceux de la Renaissance, l'hôtel présente une façade à la riche décoration flamboyante, flanquée de deux ailes aux tourelles d'angle. Voûtée d'ogive autour d'un pilier-palmier, la chapelle est également de style flamboyant. Bien national en 1790, puis doté de précieuses collections par son nouveau propriétaire, Alexandre du Sommerard (1833), devenu musée de l'État (1844), l'hôtel de Cluny est consacré à l'art et à l'artisanat du Moyen Âge; il conserve notamment les six remarquables tapisseries de *La Dame à la licorne*. Les salles et les jardins des *thermes de Lutèce* (fin du IIe s.) abritent un musée lapidaire *(autel des nautes parisiens).*

CLUSAZ (LA). [laklyza]. ♦ Comm. de la Haute-Savoie, arr. d'Annecy. 1 382 hab. Station de sports d'hiver et d'été bien équipée, la plus importante du massif des Aravis. Le village est resté pittoresque malgré le développement touristique.

CLUSERET (Gustave Paul). ♦ Officier et homme politique français (Paris, 1823 — près d'Hyères, 1900). En 1848, il combattit les insurgés; il participa ensuite à la campagne de Crimée (1855), à l'expédition de Garibaldi contre le royaume des Deux-Siciles, à la guerre de Sécession comme général des armées nordistes (1862). Affilié à la Ire Internationale, il fut nommé délégué à la Guerre (5 avril 1871) et membre de la 2e Commission de la Commune de Paris (16 avril) qui l'arrêta (1er mai), le jugea puis le libéra (21 mai). Réfugié à Constantinople, il revint en France après l'amnistie (1880) et fut alors député de Toulon [1884-1888]. (*L'Armée et la Démocratie*, 1869.)

Ph. Hétier

L'abbaye de **Cluny**.

CLUSES. ♦ Ch.-l. de cant. de Haute-Savoie* (arr. de Bonneville*), sur l'Arve. 12 844 hab. *(Clusiens).* Église du XVIe siècle. École nationale d'horlogerie. Mécanique de précision.

CLUSIUM. ♦ V. CHIUSI.

CLUVER, **CLUVIER** ou **CLUWER**, en lat. **CLUVERIUS (Philipp)**. ♦ Géographe et historien allemand (Dantzig, 1580 — Leyde, 1622). Il est l'auteur d'une *Introduction à la géographie générale, ancienne et moderne* (1629), qui compte parmi les premiers essais de géographie historique et politique, et de travaux de topographie archéologique sur l'Allemagne, l'Italie et la Sicile.

CLYDE. *n. f.* ♦ La plus importante des riv. d'Écosse (170 km). Née sur les contreforts nord des *Southern Uplands*, elle décrit un coude et coule vers le N.-O., arrose Motherwell, Glasgow et Dumbarton et se jette dans la mer d'Irlande par un vaste estuaire ou *firth*. **V.** aussi **Fyne** (loch). La Clyde est reliée par canal au Forth*. Le cours inférieur ou *Clydeside*, depuis Motherwell jusqu'à l'estuaire, est jalonné de villes industrielles, satellites de Glasgow. **V. Dumbarton, Greenock, Motherwell, Paisley.** — Grand centre de constructions navales.

CLYDEBANK. ♦ V. d'Écosse (comté de Dumbarton), sur la r. d. de la Clyde, à 10 km au N.-O. de Glasgow. 49 660 hab. Indus. mécaniques (équipement ménager) et importants chantiers navals où furent construits les paquebots *Queen Mary* et *Queen Elizabeth*.

CLYDESIDE. *n. m.* ♦ **V.** CLYDE.

CLYMÉNÉ. [Klumênê]. ♦ L'une des Océanides*, épouse du titan Japet*, mère d'Atlas*, de Prométhée* et d'Epiméthée*. De son mariage avec Hélios* (le soleil) naissent Phaéton* et les Héliades*.

CLYTEMNESTRE, en gr. **Klutaimnêstra**. ♦ Fille de Tyndare*, roi de Sparte, et de Léda*, sœur ou demi-sœur (par sa mère) d'Hélène*, de Castor* et de Pollux. Selon la légende, elle épousa Agamemnon*, roi de Mycènes*, mais après le sacrifice de sa fille Iphigénie* à Aulis elle prit comme amant Égisthe* et, avec son aide, assassina son mari de retour de Troie, ainsi que Cassandre*, captive et amante du roi. Sept ans plus tard Oreste* et Électre* tuèrent leur mère, vengeant ainsi leur père. — Un des personnages les plus célèbres du drame des Atrides, Clytemnestre figure notamment dans les tragédies *Agamemnon* et *Les Choéphores** d'Eschyle, *Électre** de Sophocle et *Électre* d'Euripide.

CNIDE, en gr. **Knidos**. ♦ Anc. V. de l'Asie Mineure (Carie*). Colonie des Doriens* (peut-être de Sparte) et membre de l'Amphictyonie dorienne, elle adhéra à la Confédération athénienne, puis se révolta (~ 412). Conon* vainquit la flotte lacédémonienne près de Cnide. — La fameuse statue d'Aphrodite, œuvre de Praxitèle*, qui ornait la ville, fut perdue. Patrie de Ctésias*.

CNOSSOS. ♦ Anc. V. de Crète*, à 5 km de Candie*. Centre de la civilisation crétoise (~ IIIe-IIe millénaire) et de l'empire maritime de Crète, elle atteignit son apogée sous la dynastie légendaire des Minos* (~ 1700-~ 1400), puis elle fut ravagée, probablement par les Achéens, et déclina après l'invasion dorienne (v. ~ 1100). Rivale de Gortyne* pendant trois siècles, elle s'éclipsa à l'époque romaine **(V. Phaistos)**. Son palais, bâti au ~ XXe s. et détruit v. ~ 1750, fut reconstruit et élargi v. ~ 1700. Résidence de la dynastie minoenne, il est lié à la légende du Labyrinthe*. **V. Pasiphaé, Minotaure, Dédale, Thésée.** — Les fouilles britanniques sous la direction d'A. Evans*, depuis 1900, ont exhumé les ruines des palais et de la ville, ainsi qu'une grande quantité d'objets (sculpture, céramique, orfèvrerie), des documents écrits, etc. (musée de Candie); le palais et ses fresques ont été fortement restaurés.

C.N.P.F. *n. m.* ♦ Sigle du Conseil national du patronat français.

C.N.R. *n. m.* ♦ Sigle du Conseil* national de la Résistance.

C.N.R.S. ♦ Sigle du Centre national de la recherche scientifique. Cet établissement public, dépendant du ministère de l'Éducation nationale, a été créé par les lois de 1941 et de 1948 afin de développer et de coordonner les recherches scientifiques dans tous les domaines. Il comprend trente-deux sections dont dix-neuf pour les sciences mathématiques, physico-chimiques, biologiques et naturelles et treize pour les sciences humaines. Il publie mensuellement une revue bibliographique, le *Bulletin signalétique*.

COAHUILA. *n. m.* ♦ État du Mexique septentrional, séparé du Texas (États-Unis) par le río Grande* del Norte et traversé à l'O. par la sierra Madre* orientale. 151 571 km². 1 162 000 hab. (1967). *Cap.* Saltillo*. *Autres villes :* **V. Monclova, Torreón.** — L'État est constitué au N. par une région de hautes terres arides, qui se prolonge dans le Bolsón* de Mapimi, et au S. par des terres permettant la culture du coton et de céréales. Importantes ressources minières (charbon; argent, zinc, plomb). Pétrole et gaz naturel dans le S. (pipeline). Indus. textiles, métallurgiques (fonte, acier, **V. Monclova**) et chimiques. — Patrie de V. Carranza*, de F. Madero*.

Coalition (Cf. Robert). ♦ Nom donné spécialement aux alliances des puissances européennes contre la France, pendant la Révolution et le Ier Empire. ♦ *La première coalition* (1793) groupait l'Angleterre, la Russie, la Sardaigne, l'Espagne, les Deux-Siciles; elle fut disloquée par les traités de Paris*, de Bâle*, de La Haye* (1795) et de Campoformio* (1797). ♦ *La seconde coalition* fut formée en 1799 entre l'Angleterre, la Russie, l'Autriche, la Turquie, les Deux-Siciles; elle prit fin après la signature de la paix de Lunéville* (1801) et de celle d'Amiens (1803). ♦ *La troisième coalition*, formée en 1805 entre l'Angleterre, la Russie et l'Autriche, éclata après Austerlitz* et la signature de la paix de Presbourg* (déc. 1805). ♦ *La quatrième coalition*, formée en 1806 entre la Russie, l'Angleterre et la Prusse, fut dissoute au traité de Tilsit* (juillet 1807). ♦ *La cinquième coalition*, formée en 1809 entre l'Angleterre et l'Autriche, cessa d'exister après Wagram* et la paix de Vienne (oct. 1809). ♦ *La sixième coalition* (1813) entre l'Angleterre, la Russie, la Prusse, l'Autriche et la Suède, eut pour résultat la première abdication de Napoléon et le traité de Paris* (1814). ♦ Ces mêmes puissances, alliées pour vingt ans en vertu du traité de Chaumont*, formèrent une *septième coalition* à la suite du retour de Napoléon de l'île d'Elbe. Cette dernière coalition obtint la défaite française de Waterloo* et la seconde abdication de Napoléon (1815).

COAST RANGE (« chaîne de la côte »), *n. f.* ♦ Chaîne de montagnes des États-Unis et du Canada, parallèle à la côte du Pacifique. **V. Californie, Washington, Oregon, Colombie britannique.**

COATBRIDGE. ♦ V. du centre de l'Écosse, dans les Lowlands (Lanarkshire), sur le *canal Monkland*. 53 900 hab. Houille, sidérurgie (laminage).

COATZACOALCOS. ♦ V. et port du Mexique (Veracruz) au S.-E. de Veracruz, dans la baie de Campeche. 108 818 hab. (1970). Port exportateur (pétrole, sulfure, fruits tropicaux).

COBÁN. ♦ V. du Guatemala, ch.-l. du dép. du même nom, située au centre du pays dans la cordillère centrale. Plus de 30 000 hab. Évêché. Centre commercial (café).

COBBETT (William). ♦ Journaliste et homme politique britannique (Farnham, Surrey, 1763 – Guildford, 1835). Obligé de s'enfuir aux États-Unis pour avoir accusé des officiers de malversation, il y découvrit la vie politique. Revenu en Angleterre, il fonda en 1802 le *Weekly Political Register* qui, de tendance *tory*, évolua peu à peu vers le radicalisme. Dans ce journal très bon marché, Cobbett dénonçait de plus en plus violemment la misère et le chômage des années qui suivirent les guerres napoléoniennes et réclamait une réforme parlementaire. Il devint le porte-parole de la classe laborieuse et, élu au Parlement en 1832, il accepta la réforme électorale comme un minimum.

COBDEN (Richard). ♦ Industriel, économiste et homme politique britannique (Dunford Farm, Heyshott, Sussex, 1804 – Londres, 1865). Apôtre du libre-échange qui influença l'économiste français Bastiat*, il contribua largement à l'abolition des lois protectionnistes en Grande-Bretagne (1848-1851) et fut, avec M. Chevalier*, l'instigateur du traité de commerce libre-échangiste entre la France et l'Angleterre (1860).

COBENZL (Ludwig, *comte*). ♦ Diplomate autrichien (Bruxelles, 1753 – Vienne, 1809). Ambassadeur en Russie, il négocia les deux partages de la Pologne. Après avoir conclu l'alliance de 1795 entre l'Angleterre, l'Autriche et la Russie, il traita à Campoformio et à Lunéville. Vice-chancelier (1801-1805), en dépit de sa grande habileté, il dut entrer dans la troisième coalition, à la suite de la Russie, et démissionna lors de la défaite d'Austerlitz (1805).

CÓBH. ♦ Avant-port de Cork. **V. Cork.**

COBLENCE, en all. **Koblenz.** ♦ V. d'Allemagne occidentale (Rhénanie-Palatinat), au confluent de la Moselle et du Rhin (*Deutsche Eck*, en fr. « coin allemand ») et encadrée par les massifs d'Hunsrück, d'Eifel et du Taunus. 105 700 hab. (1969). Église Saint-Castor (IXᵉ-XIIᵉ s.), forteresse d'Ehrenbreisten (XIᵉ s.). – Centre administratif et commercial (vins). ♦ *Hist.* Fondée en l'an – 9 par Drusus sous le nom de *Castrum ad Confluentes* (ou *Confluentia*), prise par les Francs au Vᵉ s., elle fut rattachée par Henri le Pieux à l'archevêché de Trèves en 1018. En 1793, les émigrés français y formèrent l'armée de Condé. Coblence fut donnée à la Prusse en 1815.

COBOURG, en all. **Coburg.** ♦ V. d'Allemagne occidentale (Bavière, Haute-Franconie) et anc. cap. des ducs de Saxe-Cobourg-Gotha, sur la r. g. de l'Itz, affl. du Main. 42 900 hab. Église Saint-Maurice (seconde moitié du XVᵉ s.) de style gothique flamboyant, forteresse du XVIᵉ s. (Veste Koburg). – Porcelaine, verreries, produits alimentaires. – Patrie de Léopold Iᵉʳ de Saxe Cobourg et de Frédéric-Josias de Saxe-Cobourg.

COCHABAMBA. ♦ V. de la Bolivie* andine, située à 2 500 m d'alt. au centre de la *sierra de Cochabamba*, dans un bassin tempéré et sec de la Cordillère orientale. 120 000 hab. Évêché. Raffinage de pétrole. Indus. textiles, métallurgiques et alimentaires; tabac. – Ch.-l. du *dép. de Cochabamba*, aux terres fertiles et bien irriguées (céréales, arbres fruitiers, vigne). 55 631 km². 566 000 hab.

COCHER. *n. m.*, en lat. **Auriga.** ♦ Constellation boréale contenant de beaux amas stellaires et dont l'étoile ε est une supergéante exceptionnelle (diamètre égal à 2 000 fois celui du Soleil). **V. Capella.**

COCHEREL. ♦ Hameau de l'Eure*, comm. d'Houlbec-Cocherel. ♦ *Hist.* Victoire remportée en 1364 par Du* Guesclin sur les Anglo-Navarrais du captal de Buch.

COCHIN (Charles Nicolas, dit **le Jeune)** ♦ Dessinateur, graveur, ornemaniste et écrivain d'art (Paris, 1715 – *id.*, 1790). Élève de son père *Charles Nicolas*, dit *le Vieux* et de Restou, il fut nommé par Louis XV dessinateur des Menus-Plaisirs (1739). Il représenta les cérémonies et fêtes de la cour (*Le Bal paré dans la Petite Écurie*, 1745) et exécuta de multiples illustrations, vignettes, portraits en médaillon, frontispice (*L'Encyclopédie*), d'un trait léger et spirituel. À la suite de son voyage en Italie en compagnie de Soufflot* et du futur marquis de Marigny (1749-1751), il prôna le retour à l'Antique (*Voyage en Italie*, 1758; *Lettre aux orfèvres*, 1754) et contribua à imposer le style néo-classique.

COCHIN (Jacques Denis). ♦ Curé de Saint-Jacques-du-Haut-Pas, à Paris (Paris, 1726 – *id.*, 1783). Il fonda en 1780 l'hôpital qui porte son nom (rue du Faubourg-Saint-Jacques).

COCHIN (Augustin). ♦ Publiciste et administrateur français (Paris, 1823 – Versailles, 1872). Il est l'auteur d'études sur le paupérisme et la situation des ouvriers en Europe et particulièrement en France au XIXᵉ siècle. ♦ DENYS COCHIN, son fils. Homme politique et écrivain français (Paris, 1851 – *id.*, 1922). Député de droite de 1893 à 1919, il fut plusieurs fois ministre de la IIIᵉ République et publia divers ouvrages : *Le Monde extérieur* (1895); *L'Esprit nouveau* (1900). (Acad. fr., 1911.) ♦ AUGUSTIN COCHIN, fils du précédent. Historien français (Paris, 1876 – Hardécourt, 1916). Il a laissé des études sur la Révolution française, où il a mis l'accent sur ses origines idéologiques et insisté sur le rôle des sociétés de pensée à cette époque (*Les Sociétés de pensée et la Révolution en Bretagne*, 1926).

COCHIN. ♦ Nom européen de la ville indienne de Kuchi Bandar et de l'ancien État indien de la côte du Kerala (Mâlabar), dont elle était la capitale. **V. Kuchi Bandar.** ♦ *Hist.* Un comptoir y fut fondé dès 1502 par Vasco de Gama; une importante colonie israélite s'y était installée, selon une tradition, depuis le début de notre ère. Il fut disputé entre les Portugais, les Hollandais et les Anglais qui l'occupèrent à partir de 1791. Albuquerque y est inhumé.

COCHINCHINE. *n. f.* ♦ Nom donné par les Français à la partie la plus méridionale du Viêt-nam, ayant pour capitale Saigon*. **V. Viêt-nam.** Env. 65 000 km². – C'est la région vitale du Viêt-nam du Sud. L'économie est fondée sur la riziculture pratiquée de façon extensive. (La réforme agraire de 1956 n'a pu être menée à bien.) Le maïs, la patate, les cocotiers et le coton ne sont que des cultures secondaires. La pêche joue un rôle important. ♦ *Hist.* Ce territoire appartint tout d'abord à l'Empire khmer*, puis, après sa prise par les Vietnamiens, fut soumis à la Chine. Les Français, après s'être emparés de Saigon en 1859, en firent une colonie qu'ils incorporèrent en 1887 à l'Indochine. Elle revint au Viêt-nam en 1949.

COCKCROFT (*sir* John Douglas). ♦ Physicien anglais (Todmorden, Yorkshire, 1897 – Cambridge, 1967). Il mit au point avec E.T.S. Walton*, en 1930, un accélérateur de particules faisant intervenir un dispositif multiplicateur de tension. Grâce à cet appareil, les deux savants réalisèrent les premières désintégrations nucléaires obtenues à l'aide de particules artificiellement accélérées : transmutation du lithium en deux noyaux d'hélium sous l'action de protons accélérés. Directeur en 1946 du centre atomique de Harwell, Cockcroft a également été à l'origine des premières piles atomiques britanniques. **V. Alvarez, E.O. Lawrence, M.S. Livingston, Van de Graaf.** (Prix Nobel de physique, 1951.)

Ph. Ostuni-Diamante/Ricciarini

Coblence : maison ancienne au bord du Rhin.

COCO (*río*). ♦ Fl. d'Amérique centrale qui prend sa source au Nicaragua*, forme frontière entre le Nicaragua et le Honduras et se jette dans la mer des Antilles.

COCONNAT ou **COCONAS (Annibal, *comte de*).** ♦ Gentilhomme piémontais, favori du duc d'Alençon (Italie, 1535 – Vincennes, 1574). Il fut compromis avec La Mole dans un complot destiné à mettre le duc d'Anjou* sur le trône de Henri* III et fut exécuté.

COCOS (*îles*) ou **KEELING.** ♦ Archipel de l'océan Indien, au S.-O. de Java, formé de deux atolls. 684 hab. (1966). Coprah. Importante base aérienne sur la ligne Afrique du Sud-Australie. ♦ *Hist.* Découvert en 1609 par l'Anglais W. Keeling, il fut placé en 1857 sous protection britannique, dépendant du gouverneur de Ceylan. En 1951, le gouvernement britannique remit son administration à l'Australie et le tranfert fut effectif en 1955.

COCTEAU (Jean). ♦ Écrivain français (Maisons-Laffitte, 1889 – Milly-la-Forêt, 1963). Doté de dons multiples, cultivant avec génie l'amitié des personnalités les plus diverses, participant à toutes les recherches (depuis les Ballets russes, en 1912, jusqu'au surréalisme, avant la rencontre décisive avec Radiguet*), Cocteau fut toujours lié au moderne, dans ce qu'il a de plus éphémère comme dans ses aspects les plus profonds. Romancier, homme de théâtre et de cinéma, peintre et dessinateur, Cocteau se définit essentiellement comme un poète. « Comprenne qui pourra : je suis un mensonge qui dit toujours la vérité »; illustrant ce porte-à-faux, les premiers romans de Cocteau (*Le Potomak,* 1913 et 1919; *Thomas l'Imposteur,* 1922; *Le Grand Écart,* 1923) se présentent comme des fables tragiques et symboliques. Pris dans cette lutte du réel et du mystère, les personnages sont des rêveurs happés par des forces redoutables, « comme si le temps, la croissance et l'oubli ne prévalaient pas contre un ordre du destin »; les agents de ce destin, le « mauvais élève » Dargelos (Cf. *Les Enfants terribles,* 1929) ou l'ange Heurtebise, sont des mythes qui reviennent dans l'œuvre dramatique et cinématographique de Cocteau. Le « poète vise un but de familiarité quotidienne, d'insolite, de sublime sérénité dont le mélange est le propre du rêve ». Capable de parler le langage de la fantaisie *(Les Mariés de la tour Eiffel,* 1921, avec une musique de scène du groupe des Six) ou celui de la passion (*La Voix humaine,* 1930), s'attachant à renouveler le théâtre de boulevard (*Les Parents terribles,* 1938) ou le drame romantique (*L'Aigle à deux têtes,* 1946), Cocteau a aimé reprendre les fables antiques, mais en universalisant le drame par le recours délibéré à l'insolite et à l'anachronisme. Ainsi, pour *Antigone* (1922; musique de Honegger*, en 1927), *Orphée* (1925) ou *La Machine infernale* (1934). Utilisant la même mythologie intime au cinéma, Cocteau, qui avait inauguré avec Buñuel le film surréaliste, aborde constamment, dans *L'Éternel Retour* (1943), *La Belle et la Bête* (1946), *Orphée* (1951) et *Le Testament d'Orphée* (1959), le thème de l'amour impossible, sauf peut-être au-delà du temps et de l'espace. Tentative pour retrouver « en nous l'animal, la plante qui pensent », les recueils poétiques de Cocteau font le « procès-verbal [du] coup de foudre » qu'est l'inspiration (*L'Ange Heurtebise,* 1925) ou évoquent cette « vitesse intérieure » qu'est la poésie (De *Plain-Chant,* 1923, à *Léone,* 1945). Écrivain précis (« La Poésie, c'est l'exactitude ») et audacieux jusqu'à l'acrobatie (« Mes calembours furent ceux de l'oracle grec »), Cocteau est allé jusqu'au « divin charabia » de ses maîtres, Góngora*, Rimbaud* et Mallarmé*, dans son testament poétique, *Requiem* (1962). Auteur de nombreux essais critiques et d'ouvrages d'inspiration autobiographique (*La Difficulté d'être,* 1947; *Journal d'un inconnu,* 1953 – mais aussi *Opium,* 1930; *Le Livre blanc,* 1928, qui éclaire l'homosexualité de l'écrivain), Cocteau s'est également essayé, avec bonheur, à la peinture (Chapelle Saint-Pierre, à Villefranche-sur-Mer, 1957) et au dessin (illustrations de nombreux ouvrages). [Acad. fr.]

Cocu magnifique (Le). ♦ Comédie en 3 actes de Fernand Crommelynck (1920). Bruno éprouve pour sa femme Stella une passion si vive qu'il vante ses charmes à tout venant. Pour en finir avec la jalousie obsessionnelle qui le dévore, il va lui imposer de s'offrir à tous les hommes du village. Mais Stella qui jusqu'alors l'aimait, devenue objet de scandale, se détache brusquement de lui et s'enfuit avec un bouvier.

COCYTE. *n. m.* en gr. **Kôkutos** («naissant des lamentations»). ♦ Un fleuve des Enfers, dont les eaux, dans la légende, s'accroissent des larmes des injustes.

COD *(cap),* en angl. **Cape Cod** (« cap des morues »). ♦ Cap à l'extrémité d'une longue et étroite presqu'île formant un angle droit, sur la côte N.-E. des États-Unis (Massachusetts). – Stations balnéaires et ports de pêche.

Code civil. (Cf. Robert). ♦ Recueil de trente-six lois relatives au droit civil des Français, promulgué le 21 mars 1804 sous le nom de *Code civil des Français,* plus tard *Code Napoléon.* En 1800, Bonaparte, s'inspirant du travail décidé par la Constituante et commencé par la Convention, désigna une commission (Portalis*, Bigot* de Préameneu, Tronchet*, Maleville*) chargée de rédiger un projet de code unifiant le droit pour tout le pays et abrogeant toutes les règles juridiques antérieures dans les domaines qu'il recouvre. Aboutissement d'un lent travail de codification préparé par les ordonnances de l'Ancien Régime, il fut adopté par divers pays de droit écrit et influença les législations de nombreux États dans le monde. Reflet des conceptions napoléoniennes, il n'est plus adapté à l'évolution du monde moderne.

CODOS (Paul). ♦ Aviateur français (Iviers, Aisne, 1896 – Paris, 1960). Détenteur, avec Costes*, du record du monde du circuit fermé (1929), il reprit le record de distance sans escale avec 9 100 km (New York-Rayaq, 1933).

CODROS. ♦ Le dernier des rois légendaires d'Athènes (~ XIᵉ s.). Il aurait été tué volontairement dans un combat contre les Doriens*, après avoir reçu un oracle promettant la victoire à celui des deux peuples dont le chef serait tué. Les Eupatrides* abolirent la royauté sous le prétexte que personne n'était digne de succéder à un tel homme.

COECKE (Pieter *de*). ♦ Peintre flamand, décorateur, dessinateur de cartons de tapisseries et de vitraux (Alost 1502 – Bruxelles, 1550). Formé dans l'atelier de Van Orley*, il fut reçu franc-maître à la gilde d'Anvers en 1527 et devint l'ami de Joos Van* Cleve. Il séjourna en Italie (1533), puis se rendit à Constantinople d'où il ramena des dessins utilisés pour une suite de gravures : *Mœurs et fachons [façons] de faire des Turcs.* Auteur de cartons de tapisseries : *Les Sept Péchés capitaux* (1537-1538); l'*Histoire de saint Paul,* il fut aussi le traducteur du livre de Serlio* et, comme Van Orley, contribua à propager le romanisme dans les Pays-Bas méridionaux. Bruegel* l'Ancien fut son élève et épousa sa fille.

Ph. Hétier

Palais **Jacques-Cœur** à Bourges.

COEHOORN (Menno, *baron von*). ♦ Ingénieur et général hollandais (Britsum, près de Leeuwarden, 1641 – La Haye, 1704). Auteur de travaux sur la fortification, il établit les plans de nombreuses places fortes (Nimègue, Breda...).

COELIUS ou **CAELIUS** *(mont).* ♦ L'une des sept collines de Rome se détachant du plateau de l'Esquilin* et finissant près du Colisée*. Entièrement détruit en 27 par un incendie, le quartier qui s'y trouvait est auj. celui de Saint-Jean-de-Latran. Grégoire le Grand y transforma sa propriété de famille en monastère. Actuellement : église Saint-Grégoire et villa Celimontana.

COELLO (Claudio). ♦ Peintre et décorateur espagnol (Madrid, 1642 – *id.,* 1693). Fils d'un bronzier portugais, il fut l'élève de F. Rizzi, l'introducteur en Espagne des grandes compositions baroques; sans doute fit-il un voyage en Italie entre 1656 et 1660. Il peignit de nombreuses scènes religieuses : retables ou grandes décorations à fresque *(Église de la Mantería,* à Saragosse). Jouant avec habileté des effets de trompe-l'œil, il eut recours à une palette chatoyante et s'affirma aussi comme un brillant portraitiste. En 1684, il succéda à Carreño* de Miranda comme peintre du roi et fut alors chargé de décorations mythologiques (disparues). Dans son œuvre majeure : *La Sagrada Forma* (1685-1690), dans la sacristie de l'Escorial, il conjugue l'esprit baroque de la composition et de l'éclairage à un traitement aigu, souvent impitoyable, des visages. Par l'abondance et le brio de sa production, il peut être considéré comme le dernier représentant de l'école de Madrid au XVIIᵉ siècle.

COËTLOGON [kɔetlɔgɔ̃] **(Alain Emmanuel, *marquis de*).** ♦ Vice-amiral et maréchal de France (Rennes, 1646 – Paris, 1730). Il remporta de nombreux succès et se distingua particulièrement à la défense de St-Malo (1693). Il servit également Philippe* V.

COËTQUIDAN [kɔetkidɑ̃] **-BELLEVUE.** ♦ Hameau dépendant de Guer*, arrondissement de Vannes (Morbihan), où se trouvent l'École spéciale de Saint*-Cyr et l'École militaire interarmes; les bâtiments ont été construits entre 1961 et 1965.

CŒUR (Jacques). ♦ Homme d'affaires français (Bourges, v. 1395 – Chio, 1456). Il noua des relations commerciales avec les pays du Levant, l'Espagne et l'Italie et établit des comptoirs à Avignon, Lyon, Limoges, Rouen, Paris et Bruges. Ses activités étaient multiples (banque, change, mines, métaux précieux, épices, draps). Créancier et banquier de Charles* VII, il remplit des charges officielles (maître des monnaies en 1436, argentier du roi en 1439, conseiller du roi en 1442) et contribua à l'assainissement des monnaies. Il fut chargé de missions diplomatiques et subventionna la reconquête de la Normandie (1449). Très jalousé pour son immense fortune, il fut arrêté pour malversations, mais réussit à s'enfuir de prison au bout de trois ans. – Il fit construire un somptueux palais à Bourges*.

Cœur d'amour épris (Maître du). ♦ On désigne sous ce nom (ou sous celui de *Maître du roi René*) le miniaturiste qui illustra le roman allégorique écrit par le roi René* vers 1457. Les proportions massives des personnages dénotent une formation flamande, mais la stylisation des formes et le traitement du paysage se rapprochent du style de Fouquet*. L'un des premiers, il exploita avec originalité les possibilités expressives des effets lumineux : contre-jour, eclairages nocturnes ou crépusculaires, atmosphère transparente.

COËVRONS (Les). *n. m. pl.* ♦ Petit massif de collines gréseuses au N.-O. du Mans, en bordure du Massif armoricain. Limité à l'O. par la vallée de la Mayenne, à l'E. par celle de la Sarthe, il culmine à 357 m au Gros-Rochard, au N. d'Évron. On donne parfois à cet ensemble de collines le nom d'Alpes mancelles.

COGNAC. ♦ Sous-préf. de la Charente, ch.-l. d'arr. (7 cant., 100 comm., 86 563 hab.) sur la r. g. de la Charente. 22 515 hab. [21 137 aggl.] *(Cognaçais).* Église Saint-Léger (XIIe; XIVe-XVe; XVIIe-XVIIIe s.). Anc. château des Valois (XIIIe; XVe-XVIe s.) où naquit François* Ier. Hôtels et maisons anc. — L'économie de la ville est tout entière tournée vers la distillation et le vieillissement, en de vastes chais, de la célèbre eau-de-vie, dite *cognac.* À cette activité se rattachent les indus. annexes de conditionnement (tonnellerie, verrerie, cartonnage, capsulage, etc.). On distingue plusieurs qualités de cognac suivant la nature du sol qui a produit les raisins. Seules ont droit à l'appellation de *fine champagne* les eaux-de-vie distillées à partir de vins provenant des terres de Grande Champagne et de Petite Champagne. La *Grande Champagne* ceinture Cognac au S. de la Charente; sa limite méridionale est marquée par le cours du Né. La *Petite Champagne* s'étend en croissant autour de la Grande Champagne, et sa limite est jalonnée par les villes de Barbezieux, de Jonzac et de Pons. On distingue encore les *Borderies* et les *Fins Bois,* d'où sont issues des eaux-de-vie de haute qualité. Les produits désignés par les appellations de *Bons Bois* et de *Bois ordinaires,* d'une qualité plus commune, proviennent des régions limitrophes des dép. de Charente et de Charente-Maritime. ♦ *Hist.* Cognac fut sous la Réforme l'une des quatre places de sûreté accordées aux protestants. — Patrie d'Octavien de Saint-Gelais (1468 — 1508), poète, évêque d'Angoulême.

COGNE. ♦ Localité du N.-O. de l'Italie (val d'Aoste*), au pied du Grand Paradis. 1 900 hab. Station touristique au cœur du parc national du Grand Paradis. Gisement de fer.

COGOLIN. ♦ Comm. du Var*, arr. de Draguignan*, 3 292 hab. Église romane et gothique. Fabriques de pipes, de tapis. — Lieu de séjour.

COHEN (Hermann). ♦ Philosophe allemand (Coswig, 1842 — Berlin, 1918). Chef de l'école de Marburg **(V. Néo-kantisme),** il influença Natorp* et Cassirer*. Refusant l'opposition kantienne entre la sensibilité et l'entendement, il considéra la pensée comme une activité originaire capable de produire par elle-même (à priori) son propre objet (concept logique) et fit de la connaissance objective la science mathématique de la nature dont l'instrument est le calcul infinitésimal. L'intellectualisme de Cohen s'étend aussi à la morale et à l'esthétique. *(Système de la philosophie : Logique de la connaissance pure,* 1902; *Éthique du vouloir pur,* 1904; *Esthétique du sentiment pur,* 1912)

COHEN (Marcel). ♦ Linguiste et sociologue français (Paris, 1884 — 1974). Directeur, avec A. Meillet*, d'un ouvrage sur *Les Langues du monde* (1924, 2e éd., 1952), il est l'auteur de travaux sur *Le Langage, structure et évolution* (1950), sur *La Grande Invention de l'écriture et son évolution* (1958) et d'études plus spécialisées sur les langues sémitiques, sur l'amharique et sur le français *(Histoire d'une langue, le français,* 1950). Voyant dans la langue « le reflet du comportement et de la mentalité » (d'un peuple), il a tenté de formuler les bases d'une sociologie marxiste du langage. *(Matériaux pour une sociologie du langage,* 1956; 2e éd., 1971.)

COHL (Émile Courtet dit **Émile).** ♦ Dessinateur et réalisateur français de cinéma (Paris, 1857 — Orly, 1938). Créateur du dessin animé (*Fantasmagorie,* 1908) et des films d'animation en France, il fut aussi charmant poète que remarquable technicien. Oublié, il mourut dans la misère. Réal. princ. : *Le Baron de Crac* (1913), *Les Aventures des Pieds nickelés* (1918).

COIGNÈRES. ♦ Comm. des Yvelines, arr. de Rambouillet. 992 hab. Église XIIIe, XVIe siècle. — Entrepôts pétroliers; laboratoires, centre de recherches.

COIGNY (Henri Franquetot, *duc de***).** ♦ Maréchal de France (Paris, 1737 — 1821). Il se distingua sous les ordres du duc de Richelieu*, lors de la conquête du Hanovre, avant de faire partie de la société de Marie-Antoinette. Élu député en 1789, il émigra et combattit dans l'armée de Condé. — AIMÉE DE COIGNY, *duchesse de* Fleury, sa nièce (Paris, 1769 — 1820), inspira à Chénier* *La Jeune Captive.*

COIMBATORE. ♦ Ville de l'Inde (Andhra pradesh), sur les pentes S. des monts Nilgiri*. 406 000 hab. Centre industriel (textiles, cimenteries, huileries). ♦ *Hist.* La ville fut cédée aux Anglais en 1799. Le grand temple de Perûr (XVIIIe s.), situé à proximité, est un lieu de pèlerinage très fréquenté.

COIMBRA, en fr. **Coïmbre** [kɔɛ̃bʀ]. ♦ V. du Portugal (Beira* Litoral). Ch.-l. de district sur le Mondego*. 46 300 hab. Évêché, célèbre université fondée en 1307, qui fut jusqu'en 1911 la seule du Portugal. Nombreux monuments romans (*Sé Vehla :* cathédrale du XIIe s.) et Renaissance (monastère de Santa Cruz, XVIe s.). — Indus. textiles (lainages, bonneterie), tanneries, faïenceries. ♦ *Hist.* La ville était déjà prospère à l'époque romaine *(Coninbriga).* Elle fut prise par Ferdinand Ier de Leon en 1064 et fut résidence des rois jusqu'au XIIIe siècle. Le tremblement de terre de 1755 l'éprouva.

Ph. Stella

Paysage du **Coiron.**

COIPASA *(salar de).* n. m. ♦ Vaste lagune salée de l'Altiplano bolivien, à l'O. du lac Poopó* (dép. d'Oruro).

COIRE, en all. **Chur,** en it. **Coira,** en romanche **Cuera.** ♦ V. de Suisse, ch.-l. du canton des Grisons*, dans la vallée du Rhin au débouché de la Plessur. 29 200 hab. Évêché catholique. Maisons anciennes. Cathédrale (Mariendom) du XIIe-XIIIe s. Hôtel de ville (XIVe s.). Musée Rhétique. Important centre touristique. Station thermale de Passug. Industries textiles (broderie, filatures) et alimentaires (chocolat). ♦ *Hist.* L'anc. *Curia Rhætorum* romaine était déjà le siège d'un évêché au Ve siècle. Les évêques de Coire, alliés aux Habsbourg, gouvernèrent du Ve au XVe s. où Coire devint ville impériale. Son histoire, du XIVe au XVIIIe s., se confond avec celle des Grisons **(V. Grisons,** *Hist.***).**

COIRON. *n. m.* ♦ Massif volcanique de l'Ardèche* recouvert d'une table de basalte: il culmine à 1 061 mètres.

COLBERT (Jean-Baptiste). ♦ Homme politique français (Reims, 1619 — Paris, 1683). Fils d'un marchand drapier, il commença sa carrière au service de Mazarin*, dont il gérait la fortune personnelle. Recommandé par lui à Louis XIV, il contribua à la chute de Fouquet* en dénonçant ses malversations. Lui-même, cependant, ne se fit pas faute de s'enrichir. Travailleur infatigable, homme d'ordre et de dossiers, il sut rester au second plan en tant que « commis » et flatter le désir qu'avait le roi de gouverner lui-même. Aussi étendit-il rapidement son activité à tous les domaines des affaires publiques et fut-il successivement nommé intendant des Finances (1661), contrôleur général (1665), surintendant des Bâtiments, Arts et Manufactures (1664), secrétaire à la Maison du roi et à la Marine. Il fit donner des places à sa famille, maria brillamment ses filles et fut l'âme d'un clan qui n'allait cesser de s'opposer à celui de Louvois*, le clan Le* Tellier. Ses tentatives pour assainir les finances de l'État furent infructueuses : dès la guerre de Hollande, il fut à nouveau obligé de recourir aux expédients, comme ses prédécesseurs. Pourtant, une réforme fiscale avait été entreprise. Tandis qu'on pourchassait les faux nobles pour améliorer le rendement de la taille, une Ferme générale était fondée pour lever toutes les contributions. Colbert tenta en même temps de réorganiser l'administration et développa, pour l'uniformiser et la simplifier, le système des intendants. Mais son effort principal porta sur l'économie. On a donné le nom de *colbertisme* à son système, qui était en fait moins une théorie qu'une application des principes mercantilistes énoncés par Montchrestien* et Laffemas* : le commerce international y devenait une guerre d'argent dans laquelle il s'agissait d'assurer la plus-value des exportations sur les importations, afin d'acquérir des métaux précieux. Le colbertisme se traduisit dans les faits, à l'intérieur, par un essor donné à l'industrie : l'État, en faisant des investissements ou en accordant des privilèges, encouragea la création de manufactures d'État (Gobelins*, Beauvais*, la Savonnerie*) ou privées (Saint-Gobain, Van Robais), produisant des biens destinés à l'exportation (articles de luxe, draps, acier), dans le cadre d'un dirigisme direct, ou exercé par une étroite réglementation. À l'extérieur, un protectionnisme éducateur devait favoriser l'industrie naissante. L'importation de produits finis fut taxée de droits prohibitifs, contrairement à celle des matières premières. L'exportation fut encouragée par le développement de la marine, l'aménagement des ports et des voies de communication, la création de grandes compagnies à monopoles de type hollandais (Compagnie des Indes orientales, 1664, des Indes occidentales...) et l'expansion coloniale. On a pu reprocher à Colbert d'avoir sacrifié l'agriculture, dont il tenta de bloquer les prix, de manière à permettre les bas salaires favorisant l'exportation. Les règles rigides, après avoir été un facteur de réussite, devinrent un handicap pour l'évolution de l'industrie. La guerre économique, enfin, ne pouvait qu'encourager la guerre. Le ministre exerça son goût de l'organisation jusque dans le domaine des arts : il fonda la future Académie des inscriptions (1663), l'Académie des sciences (1666), l'Observatoire (1667) et il protégea avec Le* Brun un académisme artistique. Sa lutte contre les dépenses de l'État se fit de plus en plus vaine avec les années et son crédit baissa peu à peu au profit de Louvois.

COLCHAGUA. ♦ Prov. du Chili* central, au S. de la prov. d'O'Higgins. 8 431 km². 177 000 hab. *Ch.-l. :* San* Fernando.

COLCHESTER. ♦ V. d'Angleterre (Essex) et port sur la Colne. 65 400 hab. Université. Anc. V. romaine *(Camulodunum*)* dont il subsiste une enceinte. Château normand du XIᵉ siècle. – Parcs à huîtres. Chaudronnerie. – Patrie de W. Gilbert* et du maréchal Wavell*.

COLCHIDE, en gr. **Kolkhis.** ♦ Anc. contrée de l'Asie, à l'E. du Pont-Euxin et au S. du Caucase, traversée par le Phase* (Rion). L'existence des mines d'or donna probablement naissance à la légende de la Toison* d'or. **V. Phrixos, Argonautes, Jason, Médée.** Elle fut englobée dans le royaume du Pont* (~ Iᵉʳ siècle).

COLEMAN (Ornette). ♦ Saxophoniste (alto) et compositeur de jazz Noir américain (Fort Worth, Texas, 1930). Il fut l'initiateur du *free jazz* dans les années 1960. Princ. enregistrements : *Free Jazz* (1960), *Chappaqva suite* (1967).

COLERAINE. ♦ V. d'Irlande du Nord (comté de Londonderry), près de l'embouchure du Bann*. 11 910 hab. (1961). Travail du lin et chemiserie, distilleries de whisky, conserves (saumon, jambon et produits laitiers).

COLERIDGE (Samuel Taylor). ♦ Poète, critique et philosophe anglais (Ottery Saint Mary, Devonshire, 1772 – Londres, 1834). Un premier recueil de poèmes (1796) fut suivi des *Ballades lyriques* (1798); écrites en collaboration avec Wordsworth, elles constituent une œuvre essentielle pour la compréhension du romantisme dont elles marquèrent l'avènement en Angleterre. Influencé par les romantiques allemands, Coleridge s'orienta de plus en plus nettement vers une philosophie mystique où se retrouvent des thèmes plotiniens (*Aide pour la réflexion,* 1825). Il acquit par ailleurs la célébrité comme critique littéraire en en renouvelant le genre avec ses *Conférences sur Shakespeare* et ses *Biographia Litteraria* (1817) où il expose les principes du romantisme.

COLET (John). ♦ Théologien anglais (Londres, 1467 – 1519). Il fréquenta les grands humanistes de son temps, Budé*, Érasme*. Suspecté par les autorités religieuses, il faillit être condamné pour hérésie. Il est l'auteur de *Sermons* et d'*Épîtres à Érasme.*

COLET (Louise REVOIL, *dame***).** ♦ Femme de lettres (Aix-en-Provence, 1810 – Paris, 1876). Ayant débuté, non sans succès, par un recueil de poèmes (*Fleurs du Midi,* 1836), elle composa de nombreux ouvrages en vers, dont *Le Poème de la femme* (*La Paysanne,* 1853; *La Servante,* 1854; *La Religieuse,* 1856) et des ouvrages en prose qui lui assurèrent une notoriété parfois scandaleuse : *Les Cœurs brisés* (1843); *Lui* (qui évoque la liaison de G. Sand et de Musset; 1860). Son salon fut fréquenté par de nombreuses personnalités du monde littéraire, de 1842 à 1859. Liée avec V. Cousin, Villemain, Musset, Alfred de Vigny et Flaubert*, elle entretint avec ce dernier une intéressante correspondance.

COLETTE ou **NICOLE** *(sainte)***.** ♦ Religieuse clarisse (Corbie, 1381 – Gand, 1447). Elle vécut en recluse (1402) puis reçut de Benoît XIII, pape d'Avignon, la mission de réformer les trois ordres franciscains. Dans ses couvents de *pauvres clarisses,* elle rendit plus austère encore la règle de Sainte-Claire*. – Fête le 6 mars.

COLETTE (Sidonie Gabrielle). ♦ Romancière française (Saint-Sauveur-en-Puisaye, 1873 – Paris, 1954). Au sortir d'une adolescence passée dans cette « Bourgogne pauvre » qu'elle évoquera si souvent (notamment dans *Claudine à l'école,* 1900), elle épousa (1893) l'écrivain H. Gauthier-Villars (Willy) qui l'incita à décrire la « vie remuante d'oisifs affairés » des milieux parisiens; peinture pleine d'une curiosité mêlée de mépris, d'une effronterie de commande. la série des *Claudine* (1900-1903), signée du nom de Willy, connut un succès « scandaleux » (Cf. *Mes apprentissages,* (1936). Après son divorce (1906), Colette fit l'expérience de la scène, en tant que mime (Cf. *L'Envers du music-hall,* 1913), années d'errance dont elle livra le récit transposé dans *Les Vrilles de la vigne* (1908), *La Retraite sentimentale* (1907) et *La Vagabonde* (1910). Remariée (1912) à H. de Jouvenel, avec lequel elle collabora au *Matin* (*Les Heures longues,* 1917; *Dans la foule,* 1918; *Aventures quotidiennes,* 1924), puis en 1935 à Maurice Goudeket, Colette allait désormais, de livre en livre, retracer les étapes de sa vie, recherche d'un équilibre calqué sur celui de la nature, choses et bêtes. Tôt éveillées aux troubles de la sensualité (*Le Blé en herbe,* 1923), ses héroïnes s'efforcent d'harmoniser leurs sentiments avec leurs sens (*L'Ingénue libertine,* 1909); souvent déçues, excepté dans *Mitsou* (1919) et *Gigi* (1943), et comprenant que « l'amour n'est pas un sentiment honorable », elles préferent s'enfuir (*La Vagabonde,* 1910) ou renoncer (*Chéri,* 1920) avant que ne viennent les désillusions. Dans la solitude et au sein d'une nature exaltée avec lyrisme (*La Naissance du jour,* 1928), elles retrouvent cette « effrayante pureté de la nature que l'homme abîme par le désordre de son ordre et par les verdicts absurdes de son tribunal » (J. Cocteau). Imitant la patience, humble et fervente de sa mère Sido (célébrée dans *La Maison de Claudine,* 1922, et *Sido,* 1930), Colette à son tour refuse la vulgarité des humains (Cf. *Julie de Carneilhan,* 1941) en lui opposant la courtoisie hautaine des bêtes (*La Chatte,* 1933). Elle excelle à évoquer le pays natal, qui reste « une relique, un terrier, une citadelle, le musée de (sa) jeunesse », et sait appréhender le mystère de l'âme animale (*Dialogues de bêtes,* 1904; *Prisons et Paradis,* 1932; *Chats,* 1936). Lucide et impitoyable connaissance de soi et des autres, appréciation sensuelle et passionnée du monde, l'œuvre de Colette (jusqu'aux derniers ouvrages, *L'Étoile Vesper,* 1947, et *Le Fanal bleu,* 1949) est servie par une prose à la fois précise et savoureuse, presque gourmande, d'un art toujours très sûr.

COLI (François). ♦ Aviateur français (Marseille, 1881 – dans l'Atlantique Nord, 1927). Il disparut avec Nungesser* en essayant de réaliser la liaison Paris-New York sans escale (8 mai 1927).

COLIGNY (Gaspard de Châtillon, *sire de***).** ♦ Amiral de France (Châtillon-sur-Loing, 1519 – Paris, 1572). Élevé dans la religion catholique, il fut d'abord en grande faveur à la cour : « amiral », gouverneur de Picardie, il contribua à la victoire de Renty et défendit Saint*-Quentin (1557). Passé à la Réforme, il fut avec Condé* le principal chef huguenot, mais ne cessa de rechercher la négociation. Après les défaites de Jarnac* et de Moncontour*, il dévasta la Guyenne et le Languedoc et obtint la paix de Saint*-Germain (1570). Les honneurs et l'influence dont il jouit auprès de Charles IX contribuèrent au mécontentement catholique, et le mariage de Marguerite* de Valois et d'Henri* de Navarre déclencha, après un attentat manqué contre lui, le massacre de la Saint*-Barthélemy, dont il fut victime. ♦ ODET DE COLIGNY, dit le *cardinal de Coligny* (Châtillon-sur-Loing, 1517 – Hampton Court, 1571) se convertit au protestantisme et contribua à entraîner son frère, l'amiral, avec lui dans la religion réformée. Il mourut en exil en Angleterre, empoisonné. ♦ FRANÇOIS DE COLIGNY D'ANDELOT (Châtillon-sur-Loing, 1521 – Saintes, 1569). Converti comme ses frères au protestantisme, il se distingua à Dreux (1562) et à Jarnac (1569).

COLIGNY. ♦ Ch.-l. de cant. de l'Ain*, arr. de Bourg*-en-Bresse. 1 111 hab. *(Colignois).* Église des XVᵉ et XVIᵉ s. – Marché agricole : volailles de Bresse.

COLIMA. ♦ V. du Mexique, cap. de l'État du même nom en bordure de la sierra Madre* occidentale. 30 000 hab. env. Évêché. Musée. Centre commercial. – *État de Colima.* Petit État central ouvrant sur le Pacifique par une côte marécageuse. Env. 200 000 hab. Cultures de canne à sucre, tabac. Indus. chimique (cellulose). Le port de Manzanillo sert de débouché à la capitale.

Colin (*Librairie* **Armand).** ♦ Maison d'édition fondée par ARMAND COLIN (1842 – 1900) à Paris, en 1869. D'abord spécialisée dans les ouvrages scolaires, elle se consacre surtout à la haute vulgarisation et à l'enseignement supérieur.

COLIN (Élie). ♦ Jésuite et savant français (Lavaur, 1852 – Tananarive, 1923). Envoyé en mission à Madagascar (1888), il fonda un observatoire à Tananarive et plusieurs stations dans l'île afin d'étudier les phénomènes astronomiques, météorologiques (en particulier la trajectoire des cyclones).

COLIN (Paul). ♦ Affichiste, décorateur et peintre français (Nancy,

Ph. Giraudon

Affiche de **P. Colin.**

Ph. Carlo Bevilacqua/Ricciarini
Le **Colisée.**

1892). Auteur de plus de 1 200 affiches et de nombreux décors et costumes de théâtre. Il acquit la célébrité avec les décors et l'affiche de la Revue nègre (1925), pratiqua un style dépouillé et schématique. Il créa en 1929 une école de dessin et d'affiche.

COLIN DE BLAMONT (François). ♦ Compositeur français (Versailles, 1690 – *id.*, 1760). Entré fort jeune au service de la duchesse du Maine, à Sceaux, il fut nommé surintendant de la Musique du roi (1719) et succéda à Lalande* à la Chapelle royale (1726). Il est l'auteur de cantates, ballets (*Les Fêtes grecques et romaines,* 1723), opéras et divertissements. Il s'opposa à Rousseau dans un *Essai sur les goûts anciens et modernes de la musique française* (1754).

COLIN MUSET. ♦ Trouvère champenois (première moitié du XIIIe s.), auteur de chansons rimées (publiées en 1912 par J. Bédier*) qui content, de façon narquoise, sa vie errante de ménestrel et ses « requêtes » aux seigneurs.

Colisée ou **amphithéâtre Flavien,** en it. **Colosseo.** ♦ Amphithéâtre de Rome commencé sous Vespasien* et inauguré par Titus* en 80. Il doit son nom *(Colosseum)* à la grande statue de Néron qui se trouvait à proximité. Cet édifice de 524 m de périmètre comportait 80 rangs de gradins et pouvait contenir 87 000 spectateurs. C'est là que se livraient les combats de gladiateurs. Il fut endommagé au XIe s. et ses matériaux utilisés au Moyen Âge (XVe s.) pour la construction de palais. Au XVIIe s., Benoît* XIV mit le monument sous la protection de l'Église et il fut rénové par ses successeurs. Des travaux de restauration ont été entrepris en sept. 1972.

Collaboration. ♦ Nom donné à la politique d'entente et de rapprochement avec l'Allemagne nazie pratiquée par le gouvernement de Vichy* (1940-1944). Si elle fut considérée par certains comme une attitude imposée par la situation que créait la défaite de l'armée française et la signature de l'armistice, voire comme une tactique politique, elle impliqua rapidement, et plus particulièrement après le retour de Laval* au gouvernement (avril 1942), un engagement idéologique (sur les thèmes de l'antisémitisme, de l'antibolchevisme, de l'anglophobie), politique et militaire, visant à la formation d'une « Europe nouvelle » sous la domination de l'Allemagne nazie. Plusieurs journaux s'en firent le porte-parole *(Aujourd'hui, les Nouveaux Temps, le Cri du peuple, Je suis partout, l'Œuvre, Gringoire, Paris-Soir, le Matin, etc.)*; plusieurs mouvements politiques regroupèrent ses partisans (*Rassemblement national populaire* de M. Déat*, *Parti populaire français* de Doriot*, *Mouvement social-révolutionnaire* de Deloncle, *Francisme* de Bucard, etc.). Certains partisans de la collaboration s'engagèrent dans des organisations militaires telles que la *Légion des volontaires français* (L.V.F., créée en 1941, pour lutter avec les nazis contre le bolchevisme), *les unités françaises de Waffen S.S.* (créées en 1943 et qui se battirent sur le front Est), *la Milice française* (fondée en 1943 par Darnand* contre les réseaux de Résistance); cette politique de collaboration culmina avec l'institution en févr. 1943 du Service de travail obligatoire (S.T.O.) auquel de nombreux jeunes tentèrent d'échapper en rejoignant le maquis. Après la victoire des forces alliées (1944), certains collaborateurs, réfugiés en Allemagne, tentèrent de former une commission gouvernementale française à Sigmaringen. Après la Libération, plusieurs d'entre eux furent traduits devant la Haute Cour de justice, condamnés à mort et exécutés.

COLLADON (Jean-Antoine). ♦ Pharmacien genevois (1755 – 1830). Précurseur de la génétique par ses expériences d'hybridation entre souris blanches et grises, il a entrevu le phénomène de la dominance **(V. Mendel).**

COLLADON (Daniel). ♦ Physicien suisse (Genève. 1802 – *id.*, 1893). En collaboration avec Sturm*, il procéda, sur le lac Léman, à une mesure directe de la célérité des ondes sonores dans l'eau (env. 1 436 m/s). **V. Cagniard de la Tour.** Il utilisa l'air comprimé comme force motrice pour le percement du tunnel du Saint-Gothard.

COLLÉ (Charles). ♦ Chansonnier et auteur dramatique français (Paris, 1709 – *id.*, 1789). Son œuvre, d'inspiration populaire se compose de chansons et de parades pour les théâtres de foire. Secrétaire du duc d'Orléans, il a fait représenter à la Comédie-Française *La Vérité dans le vin* (1747) et *La Partie de chasse de Henri IV* (1774).

Collège de France. ♦ Établissement d'enseignement situé à Paris, près de la Sorbonne*. Fondé par François Ier (1530) à la requête de Guillaume Budé*, le *Collège des trois langues* (latin, grec et hébreu) devint *Collège des lecteurs royaux,* puis *Collège de France* sous la Restauration, et fut rattaché en 1852 au ministère de l'Éducation nationale, tout en restant indépendant de l'Université. Doté actuellement de cinquante chaires env. (professeurs nommés par le gouvernement), le Collège de France dispense un enseignement libre qui se veut universel *« Docet omnia ».* Il accueillit notamment Champollion*, Michelet*, Renan*, Bergson*, Valéry*, Mickiewicz*, Cl. Bernard*. – Les bâtiments qui l'abritent furent élevés sous Louis XIII (1610), remaniés par Chalgrin* (1774) et notablement agrandis depuis 1930.

COLLEONI (Bartolomeo). ♦ Condottiere italien (Salza, Bergame, 1400 – Malpaga, 1475). Engagé par Venise, il battit les Milanais à Brescia, Vérone et au lac de Garde puis passa au service de Philippe-Marie Visconti. En 1448, il revint à Venise et fut nommé capitaine général à vie (1454). – Verrocchio* éleva sa statue à Venise.

COLLERYE (Roger *de***).** ♦ Poète et acteur français (Paris, v. 1470 – *id.*, v. 1540). Il mena une existence de bohème, pauvre et joyeuse, qu'il évoqua dans sa *Complainte de l'infortuné et de regrectz importuné.* Membre de la Confrérie des Enfants-sans-Soucy, il composa pour elle des farces, notamment le monologue du *Résolu,* celui de la *Femme amoureuse,* les dialogues des *Abusés du temps passé* (1502), le dialogue de *Monsieur Delà et de Monsieur Deçà* (1533). Ses *Œuvres... contenant diverses matières pleines de grant récréation et passe temps* furent réunies en 1536. On voit en lui le créateur du type de « Roger Bontemps », caractère insouciant.

COLLE-SUR-LOUP (La). ♦ Comm. des Alpes-Maritimes. arr. de Grasse. 2 611 hab. Village pittoresque, non loin de Saint-Paul-de-Vence. Studios de cinéma.

COLLETET (Guillaume). ♦ Polygraphe français (Paris, 1598 – *id.*, 1659) qui fut membre de l'Académie* française dès 1640. Aux quatre recueils de ses œuvres poétiques (1651 à 1656) s'ajoutent ses précieuses *Biographies des poètes français.*

COLLETT (Camilla, née **Wergeland).** ♦ Romancière féministe norvégienne (Kristiansand, 1813 – Christiania, auj. Oslo, 1895). Sœur de Wergeland*, elle s'éprit passionnément de l'adversaire de son frère, Welhaven*. Cet amour non partagé marqua profondément Camilla Collett et fut à la base de son roman : *Les Filles du préfet* (1854-1855). Écrit avec force et sincérité, cet ouvrage marque une étape dans l'histoire morale de la Norvège en défendant le droit de la femme au bonheur et à la liberté. Toujours féministe, elle écrivit ensuite des *Nouvelles* (1860), des mémoires : *Dans les longues nuits* (1861), *Derniers Feuillets* (1868-1873) et enfin des polémiques sur les droits de la femme : *Au camp des muettes* (1877) et *Contre le courant* (1879-1885).

COLLIANDER (Tito, de son vrai nom **Fritiof).** ♦ Prosateur finlandais de langue suédoise (Saint-Pétersbourg, 1904 –). Converti à la foi orthodoxe, il en exposa l'esprit dans *La Foi et la Conception de vie orthodoxes* (1951). Il oppose, parfois avec quelque artifice, dans ses romans et ses nouvelles comme *La Lumière* (1936), *La Procession* (1937), *Deux Heures* (1944) et *Nous qui sommes encore là* (1959), au rationalisme et à l'égoïsme des gens pratiques l'irrationalisme et la bonté des gens simples et des enfants, capables d'accéder à travers la souffrance à une communion avec Dieu. – Peintre, il a publié des biographies d'artistes, dont celle d'I. Répine* (traduite en plusieurs langues, comme de nombreuses autres œuvres de l'auteur).

Collier (Affaire du). ♦ Escroquerie qui eut un grand retentissement et contribua puissamment à déconsidérer la royauté à la veille de la Révolution française. Le cardinal de Rohan*, qui désirait gagner la faveur de Marie*-Antoinette, se laissa persuader par la comtesse de La* Motte et par Cagliostro* qu'il lui suffirait de servir d'intermédiaire dans l'achat d'un collier de 1 600 000 livres, des joailliers Bassenge et Boehmer. On lui avait même montré de fausses lettres de la reine et ménagé un faux entretien avec elle, le rôle étant tenu par une fille de chambre. Le collier fut remis à l'amant de la comtesse de La Motte, présenté comme un officier de la reine, et vendu au détail. mais une échéance que le cardinal ne put couvrir dévoila toute l'affaire. Au lieu de l'étouffer, Louis XVI, sous l'influence de Breteuil*, porta l'affaire devant le parlement de Paris : au cours d'un procès éclatant, Rohan, plus naïf que coupable, fut acquitté et fit figure de victime, tandis que la reine, qui avait été innocente dans cette affaire, était déconsidérée, sa vie privée mise en cause et ses dépenses dénoncées. Quant à la comtesse de La Motte, elle fut condamnée à être flagellée, marquée et enfermée à la Salpêtrière.

COLLIN D'HARLEVILLE (Jean-François). ♦ Auteur dramatique français (Maintenon, 1755 – Paris, 1806). Deux de ses comédies moralisatrices connurent le succès au Théâtre-Français : *M. de Crac dans son petit castel* (1791) et *Le Vieux Célibataire* (1793).

COLLINGWOOD (Cuthbert, *1er baron***).** ♦ Amiral britannique (Newcastle upon Tyne, 1750 – Minorque, 1810). Lieutenant de

Ph. Louis Monier

Le **Collège de France.**

Nelson*, il participa aux batailles du cap Saint-Vincent (1797) et de Trafalgar* (1805). Il prit le commandement de la flotte britannique en Méditerranée après la mort de Nelson.

COLLINS (Anthony). ♦ Philosophe anglais (Heston, Middlesex, 1676 — Londres, 1729). Élève et ami de Locke*, il fut par sa critique de la religion un des représentants de la libre pensée en Angleterre et influença les philosophes français du XVIIIe s. (*Lettre à Henri Dodwell,* 1707, contre l'immortalité de l'âme; *Discours sur la liberté de pensée,* 1713, partisan de l'athéisme).

COLLINS (William). ♦ Poète anglais (Chichester, Sussex, 1721 — *id.,* 1759). Issu d'une famille de moyenne bourgeoisie commerçante, William Collins fit ses études à Oxford et publia des *Églogues persanes,* 1744 (intitulées en 1757 : « Orientales »), d'un exotisme préromantique. Renonçant à l'église, il se voua à la poésie dont il rajeunit la forme. Ses *Odes sur divers sujets descriptifs et allégoriques* utilisent l'allégorie « pour peindre les vertus sociales sous le jour le plus attrayant ». *Ode to Evening* (« Ode au soir »), son chef-d'œuvre, est la seule ode qu'il ait écrite en vers libres (« blank verse »). Naturellement lyrique, Collins avait « un sens très fin de la valeur des mots, une perception musicale de leur force expressive, leur donnant une justesse, une fraîcheur, une énergie de suggestion qui semblent les renouveler » (Cazamian). Ignoré de ses contemporains, il apparaît aujourd'hui, avec Gray* qui l'éclipsa de son vivant, comme un des très rares poètes lyriques du XVIIIe siècle.

COLLINS (William Wilkie). ♦ Romancier anglais (Londres, 1824 — *id.,* 1889). Fils du peintre du même nom dont il composa la biographie *Mémoires sur la vie de William Collins* (1848), il étudia le droit et se lia avec Dickens* (*Lettres de Charles Dickens à Wilkie Collins,* 1892). *L'Abîme* (*No thoroughfare,* 1867) fut écrit en collaboration par les deux amis. C'est dans la revue de Dickens, *All the year round,* que son premier roman policier, *La Dame en blanc* (1860), parut en feuilleton. Le récit procède par narrations à la première personne, créant la tension nerveuse exigée par le genre. Parmi ses romans, qui en font un des premiers maîtres du genre, on peut citer *Randonnées au-delà du chemin de fer* (1851), *Le Secret* (1857), *Sans nom* (1862), *La Pierre de lune* (1868), *L'Amour aveugle* (posth., 1890).

COLLIOURE. ♦ Comm. des Pyrénées-Orientales, arr. de Céret [aggl. de Port*-Vendres] au pied des Albères*. 2 689 hab. *(Collioureнques).* Vieux bourg fortifié. Château royal du XIIIe siècle. Église (1684-1693). — Station balnéaire. Port de pêche (anchois). Vins. Conserveries. ♦ *Hist.* La ville fut le lieu de séjour de nombreux peintres (Matisse, Derain, Picasso) au début du siècle.

COLLO. ♦ V. d'Algérie, ch.-l. d'arr. du dép. de Constantine, sur la côte de la Kabylie* de Collo, au S.-E. du cap Bougaroun*. 12 184 hab. Petit port de pêche. Traitement et exportation de liège.

COLLOBRIÈRES. ♦ Ch.-l. de cant. du Var*, arr. de Toulon*, 1 176 hab. Ruines d'une église des XIIIe et XVIe s., maisons anciennes. — Indus. du liège.

COLLODI (Carlo LORENZINI, dit). ♦ Journaliste et écrivain italien (Florence, 1826 — *id.,* 1890). Directeur de journaux satiriques, il est surtout célèbre par le conte de *Pinocchio** (1883).

COLLONGES-LA-ROUGE. ♦ Comm. de Corrèze*, arr. de Brive-la-Gaillarde. 375 hab. Un des plus curieux villages du Limousin, bâti en grès rouge. Église romane remaniée, portes de ville du XVe s., maisons anciennes.

COLLOT D'HERBOIS (Jean Marie). ♦ Homme politique français (Paris, 1750 — Sinnamary, Guyane, 1796). Acteur et auteur de comedies et de l'*Almanach du père Gérard* (1791) considéré comme le meilleur almanach patriotique par le Club des jacobins, il fut membre de la Commune insurrectionnelle de Paris après le 10 août 1792 et prit part aux massacres de Septembre (1792). Député montagnard à la Convention et entré au Comité* de salut public en septembre 1793, il s'occupa de politique intérieure. Partisan et organisateur de la Terreur, il dirigea avec Fouché la répression de l'insurrection fédéraliste et royaliste de Lyon (novembre 1793). Hostile à Robespierre*, il contribua, comme président de la Convention, à sa chute. Il fut néanmoins déporté en Guyane avec plusieurs députés montagnards en avril 1795 (après les journées des 12 et 13 germinal* an III).

COLMAN (George). ♦ Auteur dramatique anglais (Londres, 1762 — *id.,* 1836). Fils du dramaturge G. Colman (1732 — 1794), il succéda à son père à la direction du théâtre de Haymarket et fit jouer avec succès plusieurs comédies, dont *John Bull* (1803).

COLMAR. ♦ Ch.-l. du dép. du Haut-Rhin*, ch.-l. d'arr. (6 cant., 63 comm., 115 484 hab.) sur la Lauch et le Logelbach. 62 341 hab. (58 623 aggl.) [*Colmariens*]. Cour d'appel. Église Saint-Martin, XIIIe-XIVe s. (Vierge de M. Schongauer*). Nombreuses maisons anciennes dont la « maison des Têtes » (XVIIe s.). Douane (XVe s.) et la maison Pfister (XVIe s., une des plus belles de toute l'Alsace). Musée Unterlinden installé dans l'ancien couvent des dominicains (retable d'Issenheim **V. Grünewald**). Musée Bartholdi*. Indus. textiles (école industrielle du textile), alimentaires, chimiques; indus. mécaniques et du bois. Grand marché du vin. — Patrie du sculpteur Bartholdi*, de Hansi*, de Pfeffel*, du général Rapp*, de l'amiral Bruat*. ♦ *Hist.* Ancienne « villa » carolingienne, ville impériale en 1226, Colmar se donna une charte communale au XIVe s. et fit ainsi partie de la Décapole alsacienne (1354). Capitale judiciaire de l'Alsace en 1698 sur l'initiative de Louis XIV. La ville fut libérée par l'armée de Lattre (1945).

COLMARS ou **COLMARS-LES-ALPES.** ♦ Ch.-l. de cant. des Alpes*-de-Haute-Provence (arr. de Castellane*), au confluent de la Lance et du Verdon*. 360 hab. *(Colmarsiens).* Enceinte du XVIIe siècle. Petite station d'été.

COLOCOTRONIS (Théodore). ♦ Général et homme politique grec (Ramavoúni, Messénie, 1770 — Athènes, 1843). Chef militaire du Péloponnèse pendant la guerre de l'Indépendance, il remporta plusieurs victoires sur les Turcs. Dans les luttes internes du nouvel État, partisan du « parti russe », il s'opposa à la régence. Condamné à mort pour haute trahison, il fut gracié par Othon* devenu roi.

COLOGNE, en all. **Köln.** ♦ V. d'Allemagne occidentale (Rhénanie-Westphalie), dans une plaine fertile, sur la r. g. du Rhin. 1 021 000 hab. (1974). Évêché, université (la 2e du pays). Cologne a conservé de son riche passé d'importants monuments. Cathédrale gothique, érigée à partir de 1248 par Maître Gérard sur le modèle de celles d'Amiens et de Beauvais et qui ne fut achevée qu'en 1880 selon le projet initial. Basilique Sainte-Marie-du-Capitole (XIe s.). Église Saint-Géréon bâtie au IVe s. sur un ancien cimetière romain. L'église des Saints-Apôtres (XIe-XIIIe s.) et l'église Saint-Séverin (XIe-XIIIe s.), élevée au-dessus d'une nécropole romaine et paléochrétienne, ont pu être partiellement sauvées de la destruction et ont été remaniées après 1945. Toutefois, la plus grande partie de Cologne a été reconstruite. De grands boulevards circulaires, les *Ringe,* ceinturent la ville. — Très bien située sur la grande voie rhénane (important port fluvial), sur la voie ferrée Paris-Berlin, non loin du bassin houiller de la Ruhr et sur un bassin de lignite, Cologne est un important centre industriel (aciéries, constructions mécaniques et électriques, chimie, fabrication de chocolat et d'*eau de Cologne*). Sa fonction commerciale (grandes compagnies bancaires, assurances, foires commerciales et carnaval) est à la mesure de ses activités industrielles. Son rayonnement culturel est symbolisé par ses nombreux musées (par ex. : le musée Wallraf-Richartz, abritant des œuvres des maîtres de l'école de Cologne) et son conservatoire de musique. — Patrie de K. Adenauer*, d'A. Bebel*, de C. Bosch*, de saint Bruno*, de J. Hittorff*, de W. Leibl*, de Th. von Neuhof*, de J. Offenbach*, de K. Stockhausen* et de J. Van* den Vondel. ♦ *Hist.* Fondée en ~38 par les Ubiens sous le nom d'*Ara Ubiorum* (« autel des Ubiens »), puis rebaptisée *Colonia Agrippinensis* par Claude en l'honneur de sa femme Agrippine (49), elle fut agrandie et fortifiée sous Néron. Devenue capitale de la Germanie inférieure, c'était une importante tête de ligne de toutes les voies romaines passant par le Rhin. Conquise par les Francs en 462, elle devint le siège d'un évêché, puis d'un archevêché en 785. Promue ville impériale au XIIIe s., elle eut durant tout le Moyen Âge une grande prospérité commerciale (verreries, céramique, vins), adhéra à la Hanse et fut en relations avec toutes les grandes cités allemandes. Son éclat artistique et intellectuel était très grand. Thomas d'Aquin, Duns Scott et Albert le Grand enseignèrent à l'université. Elle eut sa propre école de peinture (XIVe-XVIe s.) qui eut pour principal représentant Lochner*. Mais, du XIIIe au XVIIe s., des luttes d'influence opposèrent la riche bourgeoisie commerciale à l'archevêque-électeur. Celles-ci furent marquées par le combat de Worringen (1288) et la guerre de Cologne (1582-1584). Prise par les Français en 1794, elle fut donnée à la Prusse en 1815. Cologne fut presque complètement détruite par les bombardements aériens en 1940 et en 1942.

COLOMB (Christophe, en esp. **Cristóbal Colón).** Navigateur d'origine italienne (Gênes ou Savone, v. 1451 — Valladolid, 1506). Plusieurs versions ont été données sur sa vie, les débuts de sa carrière, ses premiers voyages et l'origine de son projet (celle de son fils Fernando et l'*Historia de Las Indias* de Bartolomé de Las* Casas, publiée en 1875, entre autres). Fils d'un tisserand génois, il vint au Portugal en 1476, s'y maria et étudia, semble-t-il par lui-même, la cartographie, découvrant la *Géographie* de Pto-

Ph. Carlo Bevilacqua/Ricciarini
C. Colomb. Anonyme. (Musée naval, Madrid.)

lémée et l'ouvrage de Pierre d'Ailly *Imago Mundi.* Ayant soumis en vain son projet de trouver par l'O. une route vers les Indes à Jean II du Portugal, puis aux rois d'Angleterre et de France, il gagna à sa cause le duc de Medina Celi et Juan Pérez, supérieur de La Rábida et confesseur de la reine Isabelle de Castille, obtenant de celle-ci le titre d'amiral et de gouverneur général des îles et continents à découvrir. Avec une flottille de trois caravelles (*Santa Maria, Pinta* et *Niña*), il partit de Palos le 3 août 1492 en compagnie des frères Pinzón*. Le 12 octobre, il atteignit une île appelée Guanahani par les indigènes (sans doute l'île Watling de l'archipel des Lucayes), puis les Grandes Antilles, Cuba et Haïti* qu'il nomma Espanola (Hispaniola) et où il laissa une garnison. De retour en Espagne (15 mars 1493), il fut accueilli en grande pompe et confirmé dans ses fonctions de vice-roi. Il entreprit presque aussitôt un second voyage vers le Nouveau Monde qui, par les hasards de l'histoire, fut appelé Amérique* (**V. Vespucci** [Amerigo] et **Waldseemüller**) [1493-1496]. Il découvrit alors la Dominique, la Guadeloupe, Porto Rico, la Jamaïque et la côte S.-O. de Cuba. Dès cette époque, les luttes entre les colons espagnols et les Indiens, dont beaucoup furent massacrés, affaiblirent le pouvoir de C. Colomb, qui avait de nombreux adversaires. Lors d'un troisième voyage (1498-1500), il parvint aux îles de la Trinité, de Tobago et de Grenade, puis dans le delta de l'Orénoque. Des erreurs commises dans ses fonctions d'administrateur, la rigueur avec laquelle il réprima les révoltes d'Indiens, la traite des esclaves qu'il fut accusé de favoriser, le firent destituer et renvoyer en Espagne par Francisco de Bobadilla* que la reine Isabelle avait chargé d'enquêter sur la situation. Bien qu'ayant perdu la fonction de vice-roi, C. Colomb entreprit une dernière expédition (1502) au cours de laquelle il longea la côte de l'Amérique centrale du Honduras au golfe de Darién. Mais il avait perdu tout crédit auprès du roi Ferdinand et mourut dans la misère. Rapidement connue dans tous les pays d'Europe, sa découverte fut à l'origine du traité de Tordesillas (1494) signé entre l'Espagne et le Portugal qui se partagèrent les colonies du Nouveau Monde. ♦ COLOMB ou COLÓN (BARTHÉLEMY ou BARTOLOMÉ). Colonisateur espagnol (État de Gênes, v. 1461 – Saint-Domingue, 1514). Frère cadet de Christophe Colomb, dont il fut le lieutenant, il fonda la ville de Saint-Domingue (1496). ♦ COLOMB ou COLÓN (DIÉGO). Colonisateur espagnol (Porto Santo, v. 1478 – La Puebla de Montalbán, 1526). Fils aîné de Christophe Colomb, il fut vice-roi du gouvernement des Indes (occidentales) en 1509, titre qui lui fut retiré en 1515 puis en 1523 en raison de conflits avec ses administrés. ♦ COLOMB ou COLÓN (FERNANDO). Historien espagnol (Cordoue, 1488 – Séville, 1539). Fils naturel de Christophe Colomb, il participa à la quatrième expédition de celui-ci. Fondateur à Séville de la Bibliothèque dite *Colombine,* il a écrit une biographie de son père dont A. Ulloa a donné une traduction italienne en 1571.

COLOMBA ou **COLUMBA** *(saint).* ♦ (Galtan, Donegal, 521 ? – Iona, 597). Prêtre et abbé irlandais, fondateur des monastères de Derry et de Iona (563), île située en Calédonie (**V. Écosse,** *Hist.).* Il est très populaire en Irlande comme prophète et thaumaturge. Fête le 9 juin.

Colomba. ♦ Bref roman de Mérimée* (1840) qui fait de l'héroïne le symbole de l'âme corse. Attachée passionnément à la vengeance de leur père, assassiné par une famille rivale, elle attend le retour de son frère, lieutenant sur le continent. Orso, lui, a une autre conception de l'honneur et réprouve la vendetta. Mais l'énergie morale de Colomba et son absence de scrupule vaincront la résistance du jeune homme. Un ton très froid, une grande maîtrise stylistique ajoutent à la puissance évocatrice d'une atmosphère tragique, entretenue par la figure indomptable de Colomba.

COLOMBAN *(saint).* ♦ Moine et prédicateur irlandais (v. 540 – Bobbio, 615). Il quitta Bangor v. 590 et fonda des monastères en Bourgogne (Luxeuil) puis, après son expulsion par Brunehaut (610), sur le lac de Constance (Bregenz) et en Italie (Bobbio, 612). – Fête le 23 novembre.

COLOMB-BÉCHAR. ♦ **V.** BÉCHAR.

COLOMBE *(sainte).* ♦ Vierge et martyre, à Sens (fin IIIe s.). – Fête le 31 décembre.

COLOMBE (Michel). ♦ Sculpteur français (Bourges ?, v. 1430 – Tours, v. 1512). Il fut l'un des plus célèbres sculpteurs français de la fin du XVe s. mais son œuvre a en partie disparu. Il travailla pour Louis XI (1462 ?), pour le duc de Bourbon (1484-1488) puis à Tours en 1501, il entra au service d'Anne de Bretagne et exécuta le *tombeau du duc François II et de Marguerite de Foix* (1502-1507) d'après un modèle de Jean Perreal; il eut pour collaborateur Guillaume Régnault et Jérôme Pacherot. Aux angles, les statues des quatre Vertus sont caractérisées par l'ampleur et la souplesse du modelé, l'élégance de la ligne et la sérénité de l'expression. Son art, d'un réalisme contenu, fait la transition entre la phase de « détente » du gothique et la Renaissance française, caractérisée notamment par l'adoption des motifs décoratifs italiens (*Relief de saint Georges,* destiné au château de Gaillon).

COLOMBES. ♦ Ch.-l. de cant. des Hauts-de-Seine (arr. de Nanterre), sur la Seine, au N.-O. de Paris. 80 616 hab. Stade Yves-du-Manoir (65 000 places) créé en 1924 pour les Jeux Olympiques. – Métallurgie, fabrique de moteurs; indus. électronique, pneumatiques; constructions électriques.

COLOMBEY-LES-DEUX-ÉGLISES. ♦ Comm. de la Haute-Marne, arr. de Chaumont. 391 hab. Le général de Gaulle y résida fréquemment dans sa propriété *(La Boisserie)* où il mourut. Il est enterré dans le cimetière du village. Mémorial inauguré le 18 juin 1972 (grande croix de Lorraine en béton).

COLOMBIE. *n. f.* en esp. **Colombia.** ♦ République du N.-E. de l'Amérique du Sud limitée au N. par l'océan Atlantique (mer des Caraïbes*), à l'E. par le Venezuela et le Brésil, à l'O. par l'océan Pacifique et la république de Panamá, et au S. par le Pérou et l'Équateur. 1 138 914 km². Plus de 24 millions d'hab. en 1975. *(Colombiens).* 71,8 % de métis, 20 % de blancs (plus de 80 % dans la région andine). *Langue off. :* espagnol. *Religion :* plus de 90 % de catholiques. *Unité monétaire :* peso colombien. *Capitale :* **V. Bogotá.** *V. princ. :* Medellín*, Cali*, Barranquilla*. *Div. administr.* (dép. et ch.-l.) : Antioquia (ch.-l. Medellín*), Atlántico (Barranquilla*), Bolívar (Cartagena*), Boyacá (Tunja*), Caldas (Manizales*), Cauca* (Popayán*), Chocó (Quibdó*), Córdoba (Montería*), Cundinamarca (Bogotá*), Huila (Neiva*), Magdalena* (Santa* Marta), Meta* (Villavicencio*), Nariño (Pasto*), Santander (Bucaramanga*), Norte de Santander (Cúcuta*), Tolima (Ibagué*), Valle del Cauca* (Cali*). Seule république andine à bénéficier de deux façades maritimes (*Antilles :* **V. Barranquilla, Cartagena, Santa Marta.** – *Pacifique :* **V. Buenaventura**), la Colombie, dont la moitié du territoire est occupée par les plaines orientales, couvertes de savanes au N., par la forêt amazonienne au S., et drainées par les affl. de l'Orénoque (**V. Meta**) et de l'Amazone (**V. Caquetá**), est traversée dans sa partie occidentale par les Andes* qui s'y divisent en trois branches (au N. du nœud de Pasto) séparées, par les vallées du Cauca* et du Magdalena*. La *Cordillère occidentale,* précédée au N. de Buenaventura de la chaîne côtière Serra de Baudó (1 810 m), domine l'étroite plaine du littoral Pacifique. La *Cordillère centrale,* la plus élevée, riche en volcans (Nevados de Huila – 5 750 m, de Tolima – 5 620 m). La *Cordillère orientale* ou *Cordillère de Bogotá* la plus longue (1 200 km du N.-O. au N.-E.) culmine à la sierra de Cocuy (5 493 m) et domine les plaines orientales et le S. du Venezuela. Au N.-E., la sierra Nevada de Santa Marta (5 774 m au pic Cristóbal Colón) surplombe la côte caraïbe (mer des Caraïbes). Le climat est tropical et humide dans les plaines orientales et le long des côtes, et se tempère avec l'altitude permettant une production agricole très diversifiée. L'agriculture est le secteur prédominant de l'économie colombienne, malgré la faible surface cultivée (10 %, contre 60 % de forêts et 30 % de pâturages). Cultures tropicales : café (2e prod. mondial. 70 % des exportations), canne à sucre, bananes, cacao, coton (vallées du Cauca* et du Magdalena*) et cultures vivrières (blé, maïs, pommes de terre, orge, riz). L'élevage (bovins, ovins, porcs) permet l'exportation des viandes et des peaux. Le sous-sol, peu exploité, est riche en minerais précieux (émeraudes, 1er prod. mondial avec l'U.R.S.S.; platine, 2e prod. mondial; or), en charbon (Cali), fer (Paz del Rio) et pétrole (15 % des exportations). Le secteur secondaire est encore

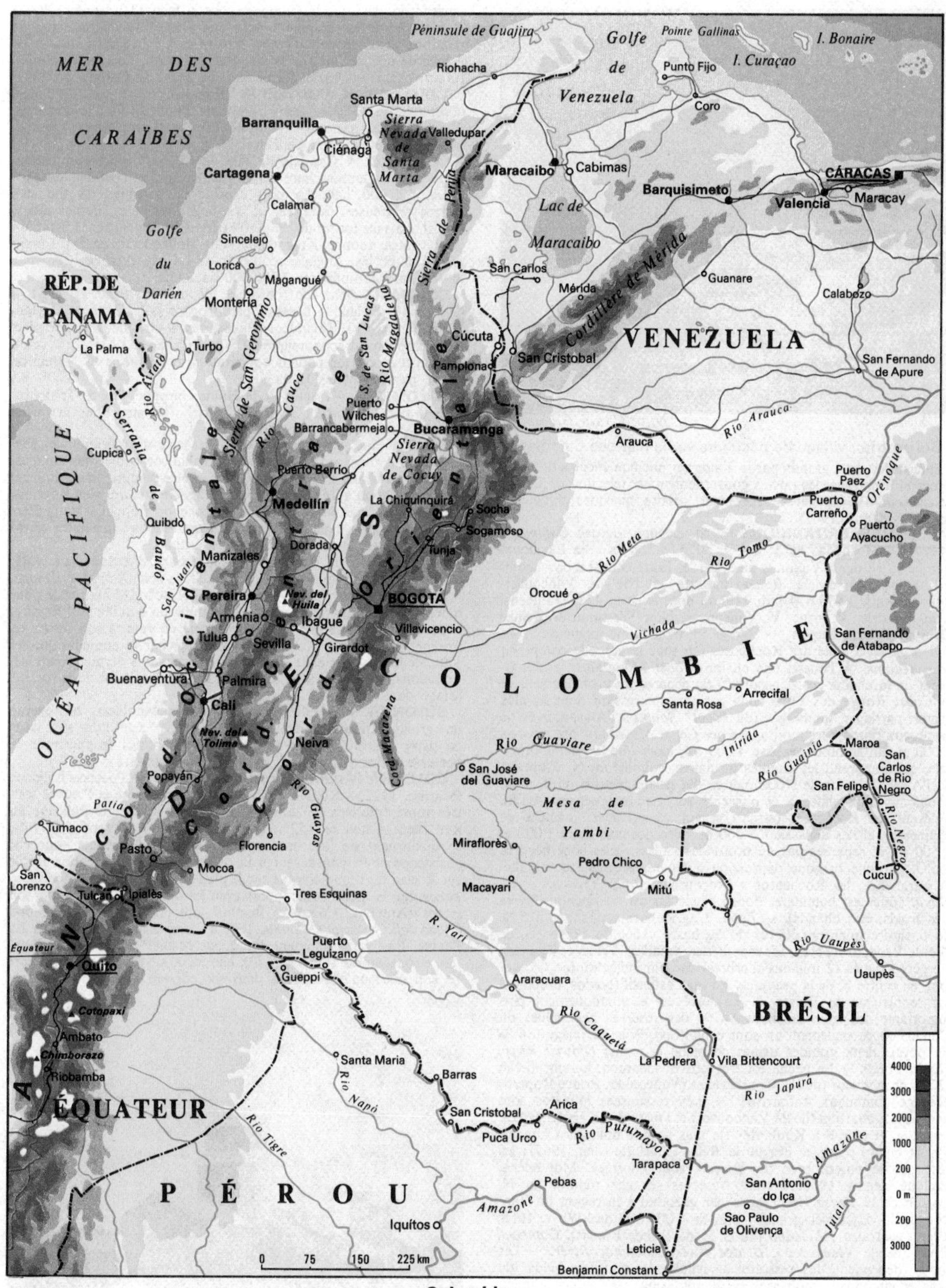

Colombie.

peu développé, mais les indus. textiles, chimiques et sidérurgiques sont en expansion en dépit des difficultés de communications intérieures (3 500 km env. de voies ferrées) dues au relief. ♦ *Hist.* La conquête de la Colombie, au début du XVIe s., fut surtout l'œuvre de Jimenez de Quesada*, qui fonda Santa Fé de Bogotá en 1538 **(V. Bogotá);** elle détruisit la civilisation brillante des indiens Chibchas*. La Colombie, appelée alors *Nouvelle-Grenade,* comprenait aussi le Venezuela* et l'Équateur*; en 1719, elle devint une vice-royauté indépendante, n'intéressant les Espagnols que par ses richesses aurifères qui appartenaient à une aristocratie créole prospère. Dès 1810, des mouvements d'autonomie se manifestèrent, qui n'aboutirent à l'indépendance que le 7 août 1819, jour où Bolívar remporta sur les Espagnols la victoire de Boyacá*. La même année, le congrès d'Angostura fonda la *Grande-Colombie,* qui englobait aussi le Venezuela, l'Équateur et le Panamá; cette coalition éclata à la mort de Bolívar (1830). Dès lors, la vie politique fut dominée par les relations entre l'Église et l'État et les conflits entre conservateurs centralistes et libéraux fédéralistes. Ces derniers l'emportèrent en 1863 et imposèrent la Constitution fédérale des *États-Unis de Colombie.* De 1886 à 1930, les centralistes l'emportèrent, faisant du pays une république unitaire. En 1903, à l'instigation des États-Unis, le Panamá se sépara de la Colombie. Conservateurs et libéraux se succédèrent au pouvoir jusqu'en 1948, année où se produisirent à Bogotá de sanglantes émeutes tournant à la guerre civile. La répression provoqua le coup d'État du général Rojas Pinilla (1953-1958). Cette situation

Ph. Nino Cirani/Ricciarini

Colombie : village de pêcheurs sur la mer des Caraïbes.

conduisit les deux grands partis à alterner pacifiquement à la présidence et à partager les postes gouvernementaux (élection de Lopez Michelsen, 1974). Cet arrangement suscita quelques difficultés (guérillas depuis 1961).

COLOMBIE BRITANNIQUE [*n. f.*], en angl. *British Columbia*. ♦ Prov. du Canada, située à l'O. du pays sur la côte Pacifique, bordée au N. par le Yukon et au S. par les États-Unis. La prov. comprend les îles de la Reine-Charlotte et l'île de Vancouver. 948 490 km². 1 873 674 hab. (1966), dont environ 45 000 Indiens. *Cap.* Victoria. *V. princ.* **V. Vancouver, New Westminster, Prince George, Prince Rupert.** – *Orogr.* Province montagneuse, tout entière dans la zone des Rocheuses (au sens large), elle comprend trois régions. À l'ouest, une chaîne (*Coast Mountains;* prolongement de la chaîne des Cascades*) est séparée du prolongement de la *Coast Range* des États-Unis par une dépression dont la plus grande partie est submergée (du *Puget* Sound* à l'Alaska, avec de nombreux fjords); les montagnes des *Coast Mountains* ont environ 2 000 m (un sommet dépasse 4 000 m), alors que la chaîne orientale, qui comprend les chaînes insulaires, culmine au N. (frontière de l'Alaska) à plus de 5 000 mètres. La partie centrale de la prov. comprend deux plateaux et plusieurs zones montagneuses. À l'E., s'élèvent les *Rocheuses* (stricto sensu) canadiennes, formées de chaînes parallèles dépassant 3 000 m, avec des cols entre 1 000 et 1 500 m, et séparées par de profondes vallées; elles sont bordées à l'O. par une brusque dépression d'une remarquable continuité, la « tranchée des Rocheuses » *(Rocky Mountains Trench).* – Le *climat* côtier est humide et doux; l'intérieur est continental (hivers très froids, étés chauds). – *Écon.* L'agriculture est limitée à 5 % du territoire (plaines côtières du S., basse vallée du Fraser, S. de l'île de Vancouver, etc.). Élevage laitier, volailles. Fruits et légumes. Vergers irrigués (2 millions d'arbres) dans la vallée du lac Okanagan, au centre S. de la province. Élevage extensif (bovins, moutons) sur le plateau du Fraser. – La forêt est économiquement plus importante, la prov. détenant 54 % des réserves accessibles du Canada (6 % seulement en sont exploitées). Bois de sciage (36 % du pays); deux grandes usines de pulpe et papier *(Powell River, Ocean Falls).* – La pêche est très active : saumon, hareng, flétan (30 % de la valeur totale). Conserveries (Vancouver, Prince Rupert). Élevage d'animaux à fourrure. – Les ressources minières sont variées. Le charbon (île de Vancouver) et l'or furent d'abord exploités. Zinc et plomb à Kimberley (la plus grande mine du Canada). Fer et cuivre dans les îles de la Reine-Charlotte (dep. 1967); les réserves de cuivre près de Stewart sont énormes. Molybdène, exploité depuis 1965. Pétrole (réserves) et gaz naturel au N. (région de la *Peace river,* reliée par gazoduc à la région de Vancouver). – Hydro-électricité : près de 4 000 000 de kWh v. 1968. Princ. centrales : *Kemano* (au S.-E. de Prince Rupert), *Campbell River* (île de Vancouver), *Bridge River, Kootenay River.* – Les indus. dépendent des ressources signalées ci-dessus : indus. du bois et du papier, raffineries de plomb, zinc, etc., indus. alimentaires (voir les princ. villes). – Transports. Aux deux grandes lignes intercontinentales s'ajoute le *Pacific Great Eastern.* Assez dense dans le S., le réseau comprend une ligne de Vancouver à Prince George, Prince Rupert et (vers le N.-E.). Fort St John. Le réseau routier est comparable, les transports aériens remarquablement développés (aérodrome intern. de Vancouver). Les ports du Pacifique **(V. Prince Rupert, Vancouver)** sont très actifs. – Le tourisme (env. 7 000 000 de visiteurs des États-Unis et du Canada annuellement) joue un rôle économique notable. ♦ *Hist.* Les côtes en furent découvertes par Juan Pérez (1774), Cook (1778) et Vancouver (1792-1794). Les droits espagnols sur la région furent cédés aux Anglais (traité de Nootka). Alexander Mackenzie*, traversant du S. au N. le continent, parvint à la côte en 1793. La Compagnie du Nord*-Ouest, à laquelle il appartenait, fonda des comptoirs, ainsi que la Compagnie de la baie d'Hudson*. L'*île de Vancouver* devint colonie britannique (1849) suivie par la zone continentale, devenue *Colombie britannique,* nom choisi à cause de la découverte de l'or sur la riv. Fraser (1858). Les deux colonies furent réunies (1866) et formèrent une prov. du Canada en 1871.

COLOMBO ou **COLUMBUS (Realdo).** ♦ Anatomiste italien (Crémone, v. 1520 – 1560). Élève de Vésale, il fit d'importantes découvertes en anatomie et physiologie de la circulation sanguine, annonçant les travaux de Harvey*.

COLOMBO. ♦ Capitale de l'île de Ceylan*, port commercial important à l'embouchure de la riv. Kelani, et chef-lieu de province. 600 000 hab. Le port exporte du graphite, du thé, des pierres précieuses, du cacao et des huiles végétales. Petites indus. ♦ *Hist.* La ville fut fondée en 1507 par les Portugais sur le lieu d'un petit village nommé Kolamkotta. Les Hollandais s'en emparèrent en 1656 et les Anglais en 1796. – La *province de Colombo,* (3 700 km²) compte env. 3 200 000 habitants.

COLOMBO *(plan de).* ♦ Plan élaboré en 1950 et 1951 à Colombo* et signé à Londres par l'Australie, le Canada, Ceylan, l'Inde, la Nouvelle-Zélande, le Pâkistân et la Grande-Bretagne pour le développement économique du S. et du S.-E. de l'Asie, et la constitution d'un conseil pour la coopération technique, avec l'appui de divers pays, dont les États-Unis.

COLOMIERS. ♦ Comm. de la Haute-Garonne, arr. de Toulouse. 12 350 hab. Important centre industriel : constructions aéronautiques. Matériaux de construction.

COLÓN (anc. **Aspinwall**). ♦ V. et port d'Amérique centrale (Panamá*), situés à l'embouchure du canal sur la mer des Antilles, ch.-l. de province. 57 000 hab. Grand centre commercial (bananes) dans une région administrée par les États-Unis et qui s'est développée après la création (1953) de la zone de franchise douanière. Le port contrôle avec Cristóbal* et avec Balboa* (à l'autre extrémité du canal) la totalité du trafic maritime.

COLONE, en gr. **Kolônos**. ♦ Anc. bourg d'Attique, au N.-O. d'Athènes. Patrie de Sophocle* et cadre de son *Œdipe* à Colone.*

Colonel Chabert (Le). ♦ Roman de Balzac* (1832). Laissé pour mort, dix ans auparavant, sur les champs de bataille de l'Empire, le héros, homme simple et loyal, cherche en vain, à son retour en France, à recouvrer son identité. Dégoûté par la comédie que lui joue sa femme remariée et que ce « revenant » dérange dans ses ambitions, il renonce à la lutte juridique et, s'excluant de la société, tombe dans la misère.

COLONNA. ♦ Famille romaine d'ancienne noblesse qui exerça une grande influence à Rome, du XIIIe au XVIIe s., et dont sont issus un pape, Martin* V, des cardinaux, des hommes de guerre, et la poétesse Vittoria Colonna*, marquise de Pescara.

COLONNA (Vittoria, *marquise de* **Pescara).** ♦ Poétesse italienne (Marino, 1492 – Rome, 1547) dont la personnalité et l'œuvre sont très représentatives de la vie spirituelle de la société italienne au XVIe siècle. Veuve en 1525, elle fit retraite dans différents couvents, se détournant de la « mer agitée » qu'était désormais pour elle l'existence et se consacrant à la recherche d'une perfection idéale sur le plan mystique comme sur le plan de la pensée. Sa *Correspondance,* qui la montre en rapport avec les plus grands esprits de son temps (Annibale Caro* et Bembo* notamment), et ses *Poèmes* (*Rime della Vittoria Colonna;* 1536 à 1566) la firent surnommer La Divine. Bien qu'ardemment aimée par Michel*-Ange auquel l'unit une étroite amitié (depuis 1540), elle resta inconsolable de la mort de son mari qu'elle célébra dans ses poésies d'inspiration pétrar-

Ph. Nino Cirani/Ricciarini

Colombie britannique : silos à grains à Dawson Creek.

quisante où apparaît une conception platonicienne de l'amour. — Célèbre portrait par Pontormo*.

COLONNE (Judas COLONNA dit Édouard). ♦ Chef d'orchestre français (Bordeaux, 1838 — Paris, 1910). Fondateur, à Paris, du Concert national (1871) qui allait devenir, un peu plus tard, l'association des concerts Colonne, il fut, durant près de quarante années, un défenseur passionné de la musique française, de Berlioz et Bizet jusqu'à Debussy et Ravel.

Colonnes d'Hercule. ♦ Nom donné par les Anciens aux caps qui marquent l'entrée E. du détroit de Gibraltar : pointe d'Europe (Gibraltar) à l'extrémité S. du mont Calpé et cap de Ceuta (Afrique). En ce lieu, où la légende voit le terme des travaux d'Hercule (**V. Héraclès**), le héros aurait planté deux colonnes commémoratives.

COLOPHON. ♦ Anc. V. d'Asie Mineure (Ionie) au N.-O. d'Éphèse*. Sur son territoire se trouvait Claros* avec son fameux oracle d'Apollon. Passée sous les Lydiens, puis sous les Perses, prise enfin par Lysimaque* (~ 229), elle fut vidée de ses habitants. Elle était fameuse pour son luxe. — Patrie de Mimnerme* et de Xénophane*, elle revendiquait aussi l'honneur d'être celle d'Homère qui y aurait séjourné.

COLORADO. *n. m.* ♦ Fl. de l'O. des États-Unis. Il prend sa source dans les Rocheuses (N. de l'État du Colorado), coule vers l'O., pénètre dans l'Utah, où il se dirige au S.-O., et dans l'Arizona*. Là, il s'enfonce en profonds canyons dans les *plateaux du Colorado,* formant notamment le célèbre *Grand Canyon.* Le barrage Hoover *(Hoover Dam)* en fait un vaste lac, après lequel il coule vers le S., formant frontière entre Arizona et Nevada, puis Californie; il traverse le S. de cet État et se jette dans le golfe de Californie. 2 250 km. — Le *Petit Colorado,* affl. de g. du Colorado (Arizona). — *Plateaux du Colorado,* région de hauts plateaux située entre les Rocheuses proprement dites (E.) et les monts Wasatch* (O.) dans les États de l'Utah, de l'Arizona et du Nouveau-Mexique. Au N., les monts Uinta atteignent 4 175 m mais les plissements des Rocheuses n'ont pu pénétrer ailleurs dans cette zone, formée de couches quasi horizontales soulevées au tertiaire. Région aride d'élevage extensif, irriguée grâce au Hoover Dam (cultures). Minerai d'uranium. Tourisme, grâce aux curiosités naturelles (*canyons du Colorado,* « désert peint », etc.).

COLORADO. *n. m.* ♦ Fl. du S. des États-Unis (Texas), qui prend sa source dans le Llano* Estacado et se jette dans le golfe du Mexique. 1 560 km. Il arrose Austin*.

COLORADO *(río). n. m.* ♦ Fl. d'Argentine (1 300 km) qui prend sa source dans la cordillère des Andes (prov. de Mendoza*), limite le N. de la Patagonie* (prov. de Río Negro*) qu'il sépare de la Pampa*, et se jette dans l'Atlantique au S. de la baie de Bahía* Blanca. La vallée du rio Colorado est aride et ne comprend pas de ville importante.

COLORADO. *n. m.* ♦ État de l'O. des États-Unis, situé en grande partie dans les Rocheuses. 270 000 km². 1 753 947 hab. (1960). *Cap.* et *V. princ.* **V. Denver.** *Autres villes :* **V. Boulder, Colorado Springs, Pueblo.** — *Orogr.* C'est un État de montagnes, dont l'alt. moyenne est supérieure à 2 000 mètres. Il se divise en trois zones : à l'E. l'extrémité O. de la grande plaine, qui s'élève lentement jusqu'aux Rocheuses et est traversée (d'O. en E.) par la vallée de l'Arkansas avec ses affluents et, plus au N., par la South Platte; au centre, un ensemble complexe de chaînes montagneuses; à l'O. une série de *mesas* (plateaux) qui s'abaissent graduellement vers la frontière de l'Utah et sont entaillées par de nombreux canyons (sa partie méridionale, près du Nouveau-Mexique, contient une remarquable mesa avec des habitations troglodytiques indiennes : *Mesa Verde National Park*). Les Rocheuses du Colorado (zone centrale) comprennent une chaîne orientale *(Front Range)* qui se prolonge au Nouveau-Mexique (chaîne *Sangre de Cristo)* et comprend des sommets élevés : Longs Peak (4 350 m), Mount Evans, Pikes Peak (4 308 m), Blanca Peak (4 405 m). Au N.-O., la *Park Range,* plus à l'O. la *Sawatch Range,* la *Collegiate Range* (dont les sommets portent le nom de grandes universités : Harvard [4 384 m]), les montagnes de l'Élan *(Elk mountains)* et au S.-O. les montagnes San Juan, très escarpées. La zone montagneuse est très pittoresque, avec ses sommets, ses glaciers, ses hautes vallées, ses canyons. Le parc des Montagnes Rocheuses *(Rocky Mountains National Park)* est l'un des plus beaux des États-Unis. Tourisme. Sports d'hiver. — *Hydrogr.* Des rivières importantes prennent naissance de part et d'autre de la ligne de partage *(continental divide) :* vers l'E. et le Mississippi, les deux Platte* et l'Arkansas*; vers le S. et le rio Grande, le Colorado* et la *Green river.* — *Climat* continental semi-aride et ensoleillé; températures très variables selon l'altitude. — *Écon.* Cultures irriguées (betteraves sucrières, alfa, pommes de terre) ou culture extensive (blé, maïs) dans la plaine. Élevage : bovins, moutons, dans la montagne. Fruits à l'O. de l'État. Immenses réserves d'eau : barrages et réservoirs fournissent de l'énergie hydroélectrique, et de l'eau d'irrigation. Nombreuses richesses minérales : l'or et l'argent furent exploités intensément entre 1880 et 1900. Métaux rares (molybdène; **V. Climax**). Charbon (en diminution). Pétrole et gaz naturel. Uranium dans le sud. Indus. dans les grands centres (indus. alimentaires, métallurgie, imprimerie, électronique). — Universités (à Boulder, Fort Collins [univ. d'agriculture]). ♦ *Hist.* La région fut visitée par des Espagnols au XVIᵉ siècle. En 1706, Juan de Ulibarri en prit possession pour l'Espagne. Les États-Unis acquirent la partie N. en 1803, et le reste de l'État provient de territoires mexicains et texans (1848-1850). Territoire (1861), puis 38ᵉ État de l'Union (1876), le Colorado se développa à la fin du XIXᵉ s. par suite de l'activité minière (or et argent) qui suscita l'immigration et le développement des chemins de fer.

COLORADO SPRINGS. ♦ V. des États-Unis, (Colorado) au S. de Denver, au pied du *Pikes Peak.* 124 856 hab. Centre touristique, à proximité d'une région très pittoresque (le pic Pikes, les eaux minérales de Manitou Springs et les extraordinaires concrétions de grès rouge du « Jardin des dieux », etc.). — Centre militaire aérien. Académie militaire à proximité.

COLOT. ♦ Famille de chirurgiens français qui s'illustrèrent surtout dans l'opération de la taille (ouverture chirurgicale de la vessie pour en extraire les calculs). Les plus célèbres d'entre eux furent LAURENT COLOT, chirurgien d'Henri II (1556) et FRANÇOIS COLOT qui publia un *Traité de l'opération de la taille* (1716).

COLT (Samuel). ♦ Ingénieur américain (Hartford, Connecticut, 1814 — *id.,* 1862). Il imagina un pistolet à barillet ou « revolver » (1835) et la carabine à répétition (1840). **V.** *aussi* **Chassepot, Lebel, Maxim.**

COLTRANE (William John). ♦ Saxophoniste (ténor et soprano) de jazz Noir américain (Hamlet, Caroline du Nord, 1926 — New York, 1967). Après avoir joué sous la direction de Miles Davis* (1955) et de Thelonious Monk* (1957), il fonda son propre quartet (1960) et développa un style original, tendant à l'incantation. Princ. enregistrements : *My favourite things* (1960), *A love supreme* (1964).

COLUMBIA. *n. f.* **(Columbia River).** ♦ Fl. d'Amérique du Nord (Canada et États-Unis). 1 953 km. Il prend sa source dans les Rocheuses canadiennes, près du mont Columbia, coule vers le N.-O., puis vers le S., pénètre aux États-Unis (État de Washington*), où il reçoit d'importants affl. qui lui amènent les eaux des Rocheuses (Salmon River, Snake* River) et qui ont drainé la région de l'Idaho; il s'enfonce dans de profondes tranchées *(Grand Coulee),* au S. de l'État de Washington, il s'oriente vers l'O., franchit la chaîne des Cascades, puis la Chaîne côtière après avoir formé la frontière entre Washington et Oregon. Il se jette dans le Pacifique après avoir arrosé Portland. De très importants barrages (Bonneville, Grand Coulee, Mc Nary) y sont aménagés, permettant l'irrigation, la production d'électricité et le développement indus. (métallurgie) du Washington*. — Le *bassin de la Columbia* comprend en gros le Washington, l'Idaho *(Snake River)* et le N. de l'Oregon. — *Plateaux de la Columbia* (Washington) : région formant le socle des chaînes des Rocheuses qui les entourent (chaîne des Cascades, etc.); ils sont couverts d'épanchements de lave et ont été modelés par les glaciers.

Ph. Nino Cirani/Ricciarini

Colorado : le Grand Canyon.

COLUMBIA. ♦ V. des États-Unis, cap. et principale ville de la Caroline* du Sud, au centre de l'État. 111 706 hab. (zone urbaine 315 000). Centre administratif. Indus. — Université de Caroline du Sud.

COLUMBIA *(district fédéral de).* ♦ District des États-Unis où se trouve la cap. fédérale du pays. **V. Washington.**

Columbia University. ♦ Université américaine, la plus importante de la ville de New York.

COLUMBUS. ♦ V. des États-Unis, à l'O. de la Géorgie, sur la riv. Chattahoochee. 152 123 hab. (zone urbaine 234 288 hab.). Centre indus. : textile, briques, ciment, indus. du froid, etc. — Patrie de Carson McCullers*.

COLUMBUS. ♦ V. des États-Unis, cap. de l'Ohio. 533 418 hab.; zone urbaine env. 905 000. Important centre indus. : aéronautique et engins spatiaux, automobile, électricité, mécanique, etc. — Dépôt militaire (le plus vaste du monde). — Institutions culturelles (*Civic center*, musée...). Campus de l'université d'État de l'Ohio.

COLUMELLE (Lucius Junius Moderatus Columella). ♦ Écrivain latin (~ Ier s.). Originaire de Cadix (Espagne), il est l'auteur d'un traité d'agronomie, le *De re rustica*, en 12 livres, d'une grande précision et d'une grande richesse.

COLWYN BAY. ♦ V. du pays de Galles (Denbighshire), sur la mer d'Irlande. 23 090 hab. (1961). Importante station balnéaire et centre d'excursions vers le N. du pays de Galles.

COMANCHES. *n. m. pl.* ♦ Indiens d'Amérique du Nord. Établis d'abord dans le Wyoming, chasseurs et bons guerriers, ils étaient très redoutés. Ils furent peu à peu repoussés vers le S. et sont maintenant établis dans l'Oklahoma et réduits à un très petit nombre (moins de 2 000). Ils ont conservé l'usage d'un langage mimé qu'ils utilisent encore dans certaines circonstances.

COMAYAGUA. ♦ Gros bourg du centre du Honduras, au N.-O. de Tegucigalpa*, ch.-l. de département. Près de 20 000 hab. Cathédrale du XVIIIe siècle. Centre commercial, indus. diverses.

Combat. ♦ Un des réseaux de la Résistance française de la zone sud, fondé en 1941, il comprit parmi ses membres : Bidault, Bourdet, Frenay, Menthon, Teitgen. Rallié au général de Gaulle (1942), il forma avec les mouvements Franc-Tireur et Libération-Sud les mouvements unis de Résistance (printemps 1943). Il fonda et diffusa clandestinement le journal *Combat*.

COMBE DE SAVOIE. *n. f.* ♦ Région des Alpes françaises correspondant à la vallée de l'Isère* entre Albertville* et le carrefour de la cluse de Chambéry*. Région agricole.

COMBES (Émile). ♦ Homme politique français (Roquecourbe, Tarn, 1835 – Pons, Charente-Maritime, 1921). Docteur en théologie, il abandonna l'état ecclésiastique auquel il se destinait, étudia la médecine et se lança dans la politique. Rallié au radicalisme, il fut successivement président du Sénat (1894-1895), ministre de l'Instruction publique (cabinet L. Bourgeois, 1895-1896) et président du Conseil après Waldeck-Rousseau (1902-1905). Sa politique anticléricale, qui aboutit à la loi de séparation de l'Église et de l'État, provoqua une rupture du gouvernement républicain avec le Saint-Siège (juil. 1904). Combes démissionna (janv. 1905) après l'affaire des fiches (**V. André,** ministre de la Guerre).

COMBIN (Grand). *n. m.* ♦ Sommet des Alpes suisses (Valais) au N.-E. du col du Grand-Saint*-Bernard, dans le massif du Combin dominant le val d'Aoste à 4 314 m d'altitude.

COMBLANCHIEN. ♦ Comm. de la Côte-d'Or (arr. de Beaune), aux confins de la côte de Nuits et de la côte de Beaune. 679 hab. — Grand centre carrier comprenant vingt-cinq carrières et huit usines (Cf. Comblanchien, *in* Robert). Vignobles. ♦ *Hist.* La ville fut endommagée pendant la Deuxième Guerre mondiale.

COMBLOUX. ♦ Comm. de la Haute-Savoie, arr. de Bonneville. 1 325 hab. Station hivernale et estivale. Célèbre vue sur le massif du Mont-Blanc. Carrières de granite.

COMBOURG. ♦ Ch.-l. de cant. d'Ille-et-Vilaine, arr. de Saint-Malo. 4 558 hab. *(Combourgeois).* Château féodal (XIe, XIVe, XVe s.)

Ph. Louis Monier

Le château de **Combourg.**

restauré au XIXe s. Il appartint à la famille Du Guesclin et fut acheté en 1761 par le père de Chateaubriand* qui a évoqué dans les *Mémoires d'outre-tombe,* ses années de jeunesse passées à Combourg. La chambre de Chateaubriand et l'ancienne salle des archives sont transformées en musée.

COMBRAILLES ou **COMBRAILLE.** *n. f.* ♦ Région du Massif central (Auvergne); plateaux cristallins. Élevage de bovins.

COMBRAY. ♦ **V.** ILLIERS-COMBRAY.

COMBS [kɔ̃b]**-LA-VILLE.** ♦ Comm. de Seine-et-Marne (arr. de Melun), sur l'Yerres. 6 192 hab. L'église (reconstruite au XIXe s.) possède un clocher du XIIIe siècle.

CÔME et **DAMIEN** *(saints).* ♦ Médecins chrétiens d'origine arabe, martyrs en Syrie sous Dioclétien (287 ?). On montrait leur tombeau à Cyr. Leur culte se répandit dans tout l'Orient au Ve siècle. — Fête le 26 septembre.

CÔME, en it. **Como.** ♦ V. d'Italie du nord (Lombardie), à l'extrémité sud-ouest du lac du même nom. 90 000 hab. Cathédrale du XIVe s., églises romanes, palais. Industrie textile (soie) de renommée mondiale. Patrie des deux Pline*, de Volta* et de Innocent XI*. ♦ *Hist.* Côme fut annexée par Milan* en 1335.

CÔME *(lac de).* ♦ Lac italien des Alpes (Lombardie), s'étendant selon une direction nord-sud. 146 km² (199 m). Traversé par l'Adda*, il se sépare en deux branches.

COMECON, en russe **S.E.V.** ♦ Sigle anglo-saxon du *Conseil d'assistance économique mutuelle* (Council for Mutual Economic Assistance). Organisation créée en 1949, à Moscou, entre les pays socialistes d'Europe orientale, en réplique au plan Marshall. Constitué pour favoriser les échanges économiques multilatéraux et la coopération technique et scientifique, le Comecon comprend l'U.R.S.S.*, la Bulgarie*, la Hongrie*, la Mongolie*, la République démocratique allemande **(V. Allemagne),** la Pologne*, la Roumanie* et la Tchécoslovaquie*. L'Albanie en a fait partie jusqu'en 1961.

Comédie-Française. ♦ Société des comédiens français constituée en 1680 par la fusion de l'ancienne troupe de Molière* avec celles du théâtre du Marais et de l'hôtel de Bourgogne. Dissoute en 1792, reconstituée en 1804 et organisée par le décret de Moscou (1812), la Comédie-Française est riche d'une histoire qui se confond avec celle de la littérature dramatique française.

Comédie humaine (La). ♦ Titre général donné (en 1841) par Balzac* à son œuvre romanesque, pour souligner l'unité d'intention et d'intérêt entre les quatre-vingt-quinze romans, parus de 1830 à sa mort, auxquels devaient s'ajouter quarante-huit ouvrages ébauchés ou prévus. Ayant pour ambition de « donner la vie et le mouvement à tout un monde fictif,... à une société tout entière dans (sa) tête » et qui pourtant peint la réalité sociale et en dégage les « principes naturels », Balzac répartit ses œuvres suivant une classification dont il justifie la rigidité *(Avant-propos).* Les *Études de mœurs* sont distribuées en *Scènes de la vie privée* (*Le Colonel* Chabert,* 1832; *Le Père* Goriot,* 1834, etc.), *Scènes de la vie de campagne* (*Le Médecin* de campagne,* 1833; *Le Lys* dans la vallée,* 1835, etc.), *Scène de la vie de province* (*Eugénie* Grandet,* 1833; *Les Illusions* perdues,* 1837 – 1843, etc.), *Scènes de la vie parisienne* (*Grandeur et décadence de César* Birotteau,* 1837; *La Cousine* Bette,* 1846; *Le Cousin* Pons,* 1847, etc.), *Scènes de la vie politique* et *Scènes de la vie militaire;* quelques *Études analytiques* et surtout les *Études philosophiques* (*La Peau* de chagrin,* 1831 et *La Recherche* de l'absolu,* 1834; *Séraphita,* 1835 et *Louis Lambert,* 1832, romans mystiques, placés sous l'invocation de Swedenborg*) complètent cet immense édifice.

Comédie-Italienne. ♦ Accueillies en France dès le milieu du XVIe s., plusieurs troupes italiennes y connurent un succès durable jusqu'à la fin du XVIIIe siècle. Le style de jeu spontané des *Confidenti,* des *Gelosi,* des *Fideli* **(V. Commedia dell'arte)** devait exercer, au XVIIIe s., une influence heureuse sur celui des comédiens de l'hôtel de Bourgogne. Établis dans cette salle après la fondation de la Comédie-Française (1680), les Italiens en furent pour un temps expulsés (1697) pour y revenir en 1716. Au XVIIIe s., une nouvelle troupe se constitua (L. Riccoboni dit Lelio, R. Benozzi dite Silvia, C. Bertinazzi dit Carlin) qui allait devenir la rivale de la Comédie-Française en interprétant en français les œuvres de Marivaux et de Le Sage. Devenue la concurrente de l'Opéra après sa fusion avec l'Opéra-Comique (1762), la Comédie-Italienne fut définitivement expulsée de France en 1779.

COMENIUS (Jan Amos, KOMENSKÝ, latinisé en**).** ♦ Écrivain et humaniste tchèque (Uhersky Brod, Moravie, 1592 – Amsterdam, 1670). Après des études en Moravie puis en Allemagne, il fut nommé professeur, puis ordonné prêtre. En 1623, il écrivit un premier roman philosophique : *Le Labyrinthe du monde et le paradis du cœur* dans lequel il exprima ses pensées humanistes et chrétiennes. Il fut le dernier évêque des *Frères bohêmes,* mouvement lancé par les Hussites*, et la persécution ordonnée par Ferdinand II contre les réformés l'obligea à s'exiler en Pologne où il écrivit *La Porte ouverte sur les langues* (1631), ouvrage pédagogique qui lui apporta une renommée mondiale. En 1632, il continua son œuvre de pédagogue en écrivant *La Grande Didactique.* Ses conceptions humanistes, tendant à l'union des hommes dans une fraternité universelle aboutissant à une fédération des peuples, font de lui un précurseur de la pensée moderne.

COMINES, en néerl. **Komen.** ♦ Comm. du Nord* (arr. de Lille*), et de Belgique (Hainaut), sur la Lys, de part et d'autre de la frontière belge. 10 128 hab. *(Cominois).* Indus. textiles. Centrale thermique. — Patrie de Ph. de Commynes*.

COMISO. ♦ V. d'Italie du Sud, en Sicile (province de Raguse), au pied des monts Iblei. 26 000 habitants.

Comité de salut public. ♦ Organisme créé sous la Convention le 6 avril 1793 pour remplacer le *Comité de défense générale.* Constitué sous l'impulsion de Danton, il était composé de neuf membres (dont Danton*, Cambon*, Barère*, Bréard, Lindet, etc.) et chargé de prendre dans les circonstances urgentes des mesures de défense générale intérieure et extérieure. Reconstitué en juillet 1793, après l'élimination des chefs de la Gironde, il eut, avec le Comité* de sûreté générale, avec lequel il entra en conflit (avril-mai 1794), des pouvoirs de plus en plus importants et étendus et exerça un pouvoir dictatorial révolutionnaire jusqu'en juillet 1794. Robespierre*, Couthon* et Saint*-Just (le triumvirat) y étaient chargés de la politique générale. Billaud*-Varenne et Collot* d'Herbois de la politique intérieure, Barère* de la diplomatie, L. Carnot* et Prieur* de la Côte-d'Or de la guerre et des fabrications, Lindet* des subsistances, Prieur* de la Marne et Jean Bon Saint-André **(V. Jean Bon)** de la marine. Le Conseil exécutif, constitué de six ministres, n'eut plus qu'un rôle très restreint et fut même supprimé en avril 1794. Après la chute de Robespierre (9-10 Thermidor*, 27-28 juillet 1794), les pouvoirs du Comité de salut public furent réduits à la diplomatie et aux affaires militaires; il fut supprimé en 1795.

Comité de sûreté générale. ♦ Organisme révolutionnaire créé sous la Convention le 2 octobre 1792, il fut constitué essentiellement de députés montagnards (Amar, Basire, le peintre David, Le Bas, Legendre*, Tallien, Vadier*, etc.) chargés d'appliquer les mesures contre les suspects. Après l'élimination des Girondins (juin 1793), ce Comité devint le véritable « ministère de la Terreur », s'occupant de « tout ce qui est relatif aux personnes et à la police générale et intérieure ». Toutefois, dès le printemps 1794, un conflit opposa la plupart des ses membres à ceux du Comité* de salut public, dominé par Robespierre, Couthon, Saint-Just, conflit qui aboutit finalement au 9 Thermidor* (27 juillet 1794). Le Comité de sûreté générale fut supprimé sous le Directoire.

Comité français de Libération nationale (C.F.L.N.). ♦ Fusion réalisée le 3 juin 1943 entre les gouvernements français d'Alger (général Giraud*) et de Londres (général de Gaulle*). Dès oct. 1943, le général Giraud fut éliminé de la présidence du comité en faveur du général de Gaulle avec qui il la partageait initialement. Créé afin de « diriger l'effort français dans la guerre sous toutes ses formes », ce comité, assisté à partir de septembre 1943 d'une Assemblée* consultative provisoire, réussit à imposer son autorité en France par l'intermédiaire du conseil national de la Résistance, et, le 3 juin 1944, devint le gouvernement* provisoire de la République française (reconnu peu après par les gouvernements alliés anglo-saxons).

Comités de surveillance ou **Comités révolutionnaires.** ♦ Organismes constitués par la Convention (mars 1793) pour seconder les représentants nationaux en mission. Leurs membres furent chargés de surveiller et d'arrêter les suspects, de délivrer aux citoyens les certificats de civisme. Ces comités furent un des principaux instruments de la Terreur*; ils furent supprimés après le 9 Thermidor (27 juillet 1794).

COMMAGÈNE. *n. f.*, en gr. **Kommagênê.** ♦ Anc. province de l'empire séleucide, sur l'Anti-Taurus, au N. de la Syrie et de l'Euphrate. Cap. Samosate. En ~ 162, son gouverneur Ptolémée en fit un royaume indépendant. À la suite de l'expédition de Pompée en Orient, elle devint un royaume « ami » de Rome, c.-à-d. un protectorat (~ 64). Annexée en 17, elle redevint indépendante par la volonté de Caligula (38), mais fut partagée entre les provinces de Cilicie et de Syrie en 72.

COMMANDEUR *(îles du)*. ♦ Archipel soviétique situé au S. de la mer de Béring entre la presqu'île de Kamtchatka* à l'O. et les îles Aléoutiennes* à l'E. *Île princ. :* **V. Béring.**

Commedia dell'arte, *n. f.* ♦ Forme théâtrale originaire d'Italie et dont l'influence s'est exercée jusqu'à nos jours dans toute l'Europe. Fondée sur une part d'improvisation, l'usage du masque, et caractérisée par un style de jeu souvent proche de la danse et de l'acrobatie, elle a créé une vaste galerie de personnages de convention, dont chacun, reconnaissable au costume et à la silhouette, est l'incarnation d'un vice ou d'un ridicule humain : Arlecchino *(Arlequin*)*, Pedrolino *(Pierrot*)*, Scaramuccia *(Scaramouche*)*, il Dottore *(Le Docteur)*, Pantalone *(Pantalon*)*, Brighella. Truffaldin. Beltrame, Mezzetin, Capitan. Revêtus de costumes de fantaisie et apparaissant sans masque, les personnages féminins (Colombine, Isabelle, Silvia) sont toujours plus gracieux que burlesques.

Comme il vous plaira *(As you like it)*. ♦ Comédie en cinq actes de Shakespeare (1599). Inspirée d'un roman de Thomas Lodge, *Rosalynde* (1590) dont le sujet lui-même est emprunté à un récit attribué à Chaucer. Banni par un frère malfaisant, un vieux duc a trouvé refuge dans la forêt d'Ardenne en compagnie de sa fille Rosalinde. C'est en ce lieu de poésie et de vérité, propice à tous les enchantements, qu'ils auront la révélation de la sagesse et du bonheur.

Commentaires. ♦ Mémoires historiques de Jules César* *Sur la guerre des Gaules (Commentarii de bello gallico)* et *Sur la guerre civile (Commentarii de bello civili)*. Le premier de ces ouvrages retrace en huit livres (le dernier est l'œuvre de Hirtius) la guerre des Gaules jusqu'à la reddition de Vercingétorix à Alésia. Le deuxième comporte trois livres sur la guerre civile jusqu'à la mort de Pompée*.

COMMENTRY. ♦ Ch.-l. de cant. de l'Allier*, arr. de Montluçon*. 10 073 hab. *(Commentryens)*. Centre industriel depuis le XIVe s., développé autour d'un petit bassin houiller (presque épuisé) : sidérurgie; produits chimiques. — Patrie d'E. Mâle*.

COMMERCY. ♦ Sous-préf. de la Meuse, ch.-l. d'arr. (7 cant., 175 comm., 49 366 hab.) sur la Meuse. 8 297 hab. *(Commerciens)*. Château (XVIIIe s.) incendié en 1944, en cours de restauration. Église Saint-Pantaléon (en partie du XVIe s.). Forges, aciéries, indus. du bois. Spécialité de pâtisserie (madeleines de Commercy).

COMMERSON (Philibert). ♦ Naturaliste et voyageur français (Châtillon-les-Dombes, 1727 — île de France, 1773). Il participa comme naturaliste à l'expédition autour du monde de Bougainville* et en rapporta de nombreuses collections et dessins.

COMMINGES. ♦ Ancien pays du S.-O. de la France, recouvrant en partie les dép. de l'Ariège, de la Haute-Garonne, du Gers, des Hautes-Pyrénées. La cap. était Saint-Bertrand-de-Comminges. ♦ *Hist.* Ce comté qui faisait partie du duché d'Aquitaine fut rattaché à la couronne de France en 1454.

Ph. Nimatallah/Ricciarini

Commode. (Musée du Capitole, Rome.)

Commission du Luxembourg ou **Commission des Travailleurs.** ♦ Organisme administratif créé après la révolution de Février 1848. Elle siégea au palais du Luxembourg sous la direction de Louis Blanc*, qui souhaitait en faire un véritable « parlement du travail », et la vice-présidence d'Albert. Elle fit adopter la journée de 10 heures à Paris, de 12 heures en province (2 mars). Elle fut dissoute à la suite de l'insurrection du 15 mai 1848.

Commission exécutive. ♦ Organisme politique créé le 10 mai 1848 par l'Assemblée constituante et composé de cinq membres, quatre républicains modérés (Arago*, Garnier*-Pagès, Lamartine* et Marie*) et d'un républicain radical (Ledru*-Rollin). Cette commission, qui contribua à l'élimination des socialistes, s'effaça lors de l'insurrection de juin 1848 devant Cavaignac investi de pouvoirs dictatoriaux.

COMMODE, en lat. **Lucius Aelius Aurelius Commodus.** ♦ (Lanuvium, 161 — Rome, 192). Empereur romain (180-192). Fils de Marc*-Aurèle, il fut associé à l'Empire par son père après la mort de Lucius Verus* et proclamé empereur en 180. Personnage paresseux, grossier et cruel, d'une taille et d'une force extraordinaires, il se livra à une débauche effrénée et ses actes de barbarie firent évoquer le souvenir de Caligula*. Souverain autocrate, avide de régner avec une puissance absolue, il fit débaptiser Rome qui fut refondée comme *Colonia commodiana* et obtint du Sénat d'être reconnu comme dieu, Hercule vivant. Les désordres qu'engendrait la désorganisation de l'empire se multipliaient : peste, incendie de Rome, guerre des déserteurs. Un dernier complot mit fin à ce règne désastreux : l'empereur fut étranglé sur l'ordre de sa maîtresse Marcia.

COMMODIEN DE GAZA (en lat. **Commodianus Gazeus**; origine et époque imprécises : IVe-Ve s.). ♦ Poète latin chrétien, auteur des *Instructiones* (80 poèmes acrostiches) et du *Carmen apologeticum* (1 060 vers).

COMMONS (John Rogers). ♦ Économiste américain (Hollandsburg, Darks County, 1862 — 1945). Représentant des économistes « institutionnalistes » **(V. T.B. Veblen)** et partisan d'un socialisme réformiste, il contribua à la réforme de la législation dans le Wisconsin. Auteur d'un ouvrage intitulé *Institutional Economics* (1934), il publia en collaboration avec ses élèves une histoire de la société industrielle et une histoire du travail aux États-Unis, *A documentary History of American Industrial Society* (1910-1911) et *History of Labour in the United States* (1918-1935).

Commonwealth. *n. m.* ♦ Terme utilisé en Grande-Bretagne au XVIIe s. pour désigner l'organisation politique de l'État *(Res publica)*. ♦ COMMONWEALTH OF AUSTRALIA. — Fédération des États australiens (1900). ♦ COMMONWEALTH OF NATIONS. — Fédération d'États souverains issus de l'ancien Empire britannique (1931),

Ph. Giraudon

La Commune : barricade, rue de Rivoli. (Musée Carnavalet, Paris.)

placés encore officiellement mais librement sous l'allégeance de la monarchie du Royaume-Uni. Le Commonwealth est une alliance plus morale que juridique de pays qui ont subi, à travers la colonisation, l'influence de la civilisation britannique. *États membres :* Royaume-Uni de Grande-Bretagne et d'Irlande (**V. Angleterre, Écosse, Galles** [pays de], **Irlande**), Canada*, Australie*, Nouvelle*-Zélande, Inde*, Pakistan*, Ceylan*, Ghana*, Malaysia*, Nigeria*, Chypre*, Sierra* Leone, Tanzanie*, Jamaïque*, les îles de la Trinité* et de Tobago*, Ouganda*, Kenya*, Malawi*, Malte*, Zambie*, Gambie*, Singapour*, Guyane* anglaise, Botswana*, Lesotho*, La Barbade*, île Maurice*, Ngwane*, Bangla* Desh. — L'Afrique* du Sud et la Rhodésie* ont quitté le Commonwealth.

Communauté. *n. f.* ♦ Association formée en 1958 à l'initiative du général de Gaulle et comprenant les départements et les territoires d'outre-mer et divers États d'Afrique, autrefois sous administration française (**V. Afrique,** *Hist.*). La Communauté eut une existence brève jusqu'en 1960, date où presque tous les États en sortirent pour accéder à l'indépendance complète, restant néanmoins liés à la France par des accords de coopération.

Communauté économique européenne (C.E.E.). ♦ Institution créée par le traité de Rome (25 mars 1957) et comprenant initialement l'Allemagne* (Rép. fédérale), la Belgique*, la France*, l'Italie*, le Luxembourg* et les Pays*-Bas (l'« Europe des Six »). Elle doit à la fois établir une union douanière en réalisant la libre circulation des marchandises et mettre en œuvre une politique commune dans les domaines économique et financier. Depuis 1972, le Danemark, la Grande-Bretagne et l'Irlande ont adhéré à la C.E.E., surtout connue sous le nom de Marché commun.

Communauté européenne de l'énergie atomique. ♦ **V.** EURATOM

Communauté européenne du charbon et de l'acier (C.E.C.A.). ♦ Institution élaborée par Jean Monnet* et créée par le traité de Paris en 1951, en vue de l'établissement d'un marché commun du charbon et de l'acier en Europe. Elle comprend l'Allemagne* (Rép. fédérale), la Belgique*, la France*, l'Italie*, le Luxembourg* et les Pays*-Bas. La C.E.C.A. a dû faire face à une crise causée par la production mondiale excédentaire de charbon et d'acier.

Commune (de Paris). ♦ Gouvernement révolutionnaire de Paris (1789-1795). Installée à l'Hôtel de Ville après la prise de la Bastille* (14 juillet 1789), la Commune se donna pour maire Bailly*, remplacé par Pétion* de Villeneuve en novembre 1791, à la suite de l'affaire du Champ*-de-Mars. En 1790, les citoyens actifs des 48 sections de la ville élirent un organisme régulier : le Conseil général de la Commune. Dans la nuit du 9 au 10 août* 1792, une *Commune insurrectionnelle,* formée par 82 commissaires désignés avec la participation des citoyens passifs, prit la place de la Commune légale. La plupart des Girondins en furent éliminés. Pétion lui-même fut remplacé par Chambon de Montaux (24 février 1793) auquel succédèrent Pache* puis Fleuriot-Lescot. Ainsi, constituée essentiellement d'extrémistes, qui dirigeaient le mouvement des sans-culottes (les hébertistes*, Chaumette*, Hébert*, Réal*), elle devint un des organes principaux du gouvernement, étendit même son pouvoir dans les départements, où la crainte d'une dictature parisienne suscita le développement d'un mouvement fédéraliste*. Après avoir contribué à l'institution d'un Tribunal criminel extraordinaire (17 août), la Commune insurrectionnelle prit une part active aux massacres de septembre* 1792, puis aux journées insurrectionnelles des 31 mai et 2 juin 1793 qui aboutirent à la proscription des Girondins, aux journées des 4 et 5 septembre 1793, à la suite desquelles la Convention fut obligée de mettre la Terreur à l'ordre du jour (loi sur les suspects du 17 septembre) et de voter le décret sur le maximum général (29 septembre). Elle participa enfin activement au mouvement de déchristianisation. Toutefois, dès la fin de 1793, elle était supplantée par le Comité* de salut public, dominé par Robespierre, Couthon et Saint-Just. Affaiblie par l'élimination des hébertistes (mars 1794), la Commune tenta en vain de s'insurger le 9 thermidor* an II (27 juillet 1794) pour sauver Robespierre. Sous la Convention thermidorienne, elle fut remplacée par deux commissions, administrative et financière, et la Constitution de l'an III (1795) divisa Paris en 12 municipalités distinctes (coordonnées par un bureau central).

Commune (La). ♦ Gouvernement révolutionnaire formé à Paris et dans plusieurs villes de province après le 18 mars 1871. Les échecs successifs infligés par les Prussiens à l'armée française, le siège de Paris et l'incapacité du gouvernement de la Défense nationale à contrôler la situation militaire, économique et politique favorisèrent le développement des forces révolutionnaires hostiles à la capitulation et souhaitant l'instauration d'une Commune insurrectionnelle. Après la signature de l'armistice (28-29 janvier 1871) et le transfert de l'Assemblée à Versailles (10 mars), Thiers décida de récupérer les canons regroupés à Montmartre et d'occuper militairement Paris (18 mars) : ce fut l'insurrection au cours de laquelle les généraux Lecomte et Cl. Thomas furent fusillés. Le Comité central de la garde nationale, constitué le 15 mars et soutenu par l'Association internationale des travailleurs, décréta les élections du *Conseil de la Commune* qui fut proclamée officiellement le 28 mars alors que le mouvement s'étendait déjà à la province (Lyon, Marseille, Narbonne, Toulouse, Saint-Étienne). Formée de dix Commissions (dont une Commission exécutive), la *Commune de Paris* vota plusieurs décrets (sur le maximum des salaires, sur la séparation de l'Église et de l'État, sur les otages, sur la reprise des associations ouvrières des ateliers, sur les échéances, etc.). Mais des divergences politiques ne tardèrent pas à se manifester, en particulier lors du décret sur la formation d'un *Comité de salut public* doté de larges pouvoirs (1er mai) qui fut adopté par les jacobins (ou néo-jacobins) et la plupart des blanquistes, mais contre lequel votèrent les proudhoniens, quelques blanquistes et certains socialistes proches du marxisme. Pouvoir fort et centralisé (dictature) ou anarchie ? Ces dissensions politiques et certaines erreurs sur le plan économique (comme le fait de ne pas avoir nationalisé les grandes entreprises et la Banque de France) affaiblirent la Commune dans sa lutte contre les troupes versaillaises. Après avoir occupé des positions stratégiques dans les banlieues parisiennes, celles-ci entrèrent dans Paris (21 mai) et mirent fin à la Commune par un véritable carnage (Semaine sanglante 22-28 mai). Premier pouvoir révolutionnaire prolétarien, la Commune de Paris, désavouée à l'époque par toute la bourgeoisie, même la plus libérale, fut revendiquée depuis par les mouvements de gauche et d'extrême gauche (en particulier lors de son centenaire).

Communes *(Chambre des),* en angl. **House of Commons.** ♦ Chambre basse du Parlement du Royaume-Uni, formée des représentants (630 membres en 1969) élus en Angleterre, au pays de Galles, en Écosse et en Irlande du Nord, au suffrage universel à un seul tour. Elle exerce un contrôle constant sur l'action du gouvernement et sur sa gestion financière et garde le pouvoir d'amender ou de rejeter les lois, dont elle a perdu l'initiative. ♦ *Hist.* Elle trouve son origine au début du XIIIe s., quand des représentants des « bourgs » furent convoqués par le roi avec les barons. Les besoins financiers provoqués par la guerre de Cent* Ans accrurent le rôle des représentants élus des « communautés » (d'où son nom) auxquels le roi demandait des subsides. Dès le XIVe s., le « Bon Parlement » prenait à la Chambre des lords l'initiative financière, et s'en séparait pour délibérer, disposant déjà d'une organisation. Les Tudors la renforcèrent en la mettant au service de leur politique, mais c'est au XVIIe et au XVIIIe s. que son pouvoir fut consacré grâce à la Révolution*, tandis que s'affirmait l'idée de responsabilité parlementaire, favorisée par l'effacement des premiers Hanovre. Les réformes du XIXe s. lui permirent de s'adapter à l'évolution du pays et de devenir une représentation d'individus et non plus de groupes. Depuis la Révolution, et même depuis la Réforme, elle s'était généralement trouvée divisée entre deux grandes tendances : aux Cavaliers* et aux Têtes rondes succédèrent les tories et les whigs, puis les conservateurs* et les libéraux, et plus récemment les conservateurs et les travaillistes*.

COMMUNISME *(pic du),* en russe **Pik Komunisma.** ♦ Un des plus hauts sommets du massif du Pamir (Tadjikistan), appelé autrefois *pic Staline.* 7 495 m d'altitude.

Communiste français *(parti).* ♦ Parti politique fondé en 1920 sous le nom de *Section française de l'Internationale communiste* (S.F.I.C.), devenu officiellement *Parti communiste*-section française de l'Internationale communiste, en 1922. Le ralliement des socialistes à la politique d'Union sacrée de Poincaré (cabinet Viviani, août-sept. 1914), la faillite de la IIe Internationale, nationaliste et opportuniste, les conséquences d'une guerre longue et éprouvante (en particulier en 1917, mutineries et grèves) enfin et surtout la victoire de la révolution russe et l'arrivée au pouvoir des bolcheviks, entraînèrent une crise profonde au sein du mouvement socialiste (**V. Socialiste** [parti]). Après la fondation par Lénine de la IIIe Internationale* (Komintern, 1919) la S.F.I.O. décida d'abord de quitter la IIe Internationale (congrès de Strasbourg, févr. 1920); puis la majorité de ses représentants au congrès de Tours* (déc. 1920) se prononça pour l'adhésion à l'Internationale communiste et forma la S.F.I.C. Ralliés à la théorie marxiste-léniniste de la révolution prolétarienne et soutenant les bolcheviks, les commu-

Ph. Magnum

« La Fête de l'Humanité »
organisée par le **Parti communiste français.**

nistes constituèrent un parti fortement structuré (cellules locales, sections et fédérations départementales, comité central, dont le bureau politique constitue l'organe exécutif, secrétariat général), dont l'organe officiel fut désormais *l'Humanité**. Des divisions idéologiques limitèrent à ses débuts l'action de la S.F.I.C., dont furent éliminés les membres et dirigeants jugés opportunistes (1922) en même temps que se scindait la Confédération* générale du travail. Après un premier succès aux élections de 1924 (26 élus communistes), le parti communiste perdit de nombreuses voix aux élections de 1928 et de 1932 (11 élus). Sortant de son relatif isolement pour lutter contre l'essor des ligues d'extrême droite et la montée du fascisme, le P.C.F. (et son secrétaire général, M. Thorez*) s'allia à la S.F.I.O. (pacte d'unité d'action socialo-communiste, juil. 1934), contribua à la formation du Front* populaire et, après les élections de 1936 (72 élus communistes), soutint, sans toutefois y participer, le gouvernement L. Blum* (1936-1937) et travailla à la réunification de la C.G.T. À la veille de la Deuxième Guerre mondiale, la signature du pacte de non-agression germano-soviétique (août 1939) suscita un fort mouvement anticommuniste : exclusion des députés communistes par le cabinet Daladier*. Après l'armistice (22 juin 1940) et le vote des pleins pouvoirs à Pétain (10 juil.), les communistes se prononcèrent pour la résistance à l'ennemi en France même et organisèrent leur action (formation de l'Organisation des francs-tireurs et partisans français [F.T.P.], d'un Front national de lutte pour l'indépendance de la France, presse clandestine, etc.). Lors de l'unification des réseaux de résistance, ils furent représentés au Conseil* national de la Résistance et au gouvernement provisoire d'Alger. À la Libération, le P.C.F. était devenu une des premières formations politiques françaises et remporta un de ses plus grands succès aux élections de 1945. Entrés au gouvernement à côté des représentants du M.R.P. et des socialistes (tripartisme, 1945-1947), les ministres communistes, qui avaient lutté pour la nationalisation des grandes entreprises, la création de la Sécurité sociale, l'élaboration du statut général de la fonction publique, furent exclus du cabinet Ramadier* (mai 1947), en raison de la guerre froide entre l'Est et l'Ouest et de la politique extérieure pro-américaine de la France (qui devait adhérer au plan Marshall, au pacte Atlantique). Redevenu parti d'opposition, le P.C.F., malgré quelques fluctuations, bénéficia d'un électorat relativement stable (un peu plus de 20 % des voix), en dépit des campagnes anticommunistes, en dépit aussi de ses rapports avec le Parti communiste d'Union soviétique et des événements de Hongrie (1956), de Tchécoslovaquie (1968) qui lui aliénèrent une partie de la gauche française. Si le P.C.F. soutint en 1965 la candidature de F. Mitterrand à la présidence de la Ve République, socialistes et communistes ne purent conclure que des accords électoraux jusqu'en 1972. Ils s'entendirent alors pour l'élaboration d'un programme commun de la gauche (élections législatives de 1973). Le P.C.F., avec ses 500 000 adhérents env. (principaux dirigeants : Waldeck*-Rochet, J. Duclos*, G. Marchais*,...) constitue le parti le plus structuré. Il se considère comme le porte-parole du prolétariat. Il est néanmoins débordé sur sa gauche, particulièrement depuis les événements de mai* 1968, par des groupements politiques qui sont dans l'ensemble moins organisés et dont le P.C.F. a condamné à plusieurs reprises le « gauchisme » (Ligue communiste, Lutte ouvrière, Parti communiste marxiste-léniniste de France, etc.).

Communiste marxiste-léniniste de France *(parti)*, **P.C.M.-L.F.** ♦ Parti politique français d'extrême gauche fondé en 1967 par des membres exclus du Parti communiste français. Il fut dissous après les événements de mai 1968 (juin) et survit dans la clandestinité (organe : *l'Humanité nouvelle*).

COMMYNES ou **COMINES (Philippe** *de***).** ♦ Historien français (Flandre, v. 1447 — 1511), auteur de huit livres de *Mémoires* (1489 à 1498) sur les règnes de Louis XI et de Charles VIII. Après avoir servi Charles le Téméraire, il eut un rôle politique et diplomatique auprès de Louis XI, de Charles VIII et de Louis XII. Son œuvre est celle d'un véritable historien : il sait composer des portraits perspicaces (Cf. *Le Portrait de Louis XI*), mesurer les causes des événements et en tirer les leçons.

COMNÈNE, en gr. **Komnênos.** ♦ Dynastie byzantine qui régna de 1057 à 1059 **(V. Isaac Ier)** et de 1081 à 1185. **(V. Alexis Ier, Jean II, Manuel Ier, Alexis II, Andronic Ier).** Le règne des Comnènes, représentant le parti militaire et les grands seigneurs provinciaux, coïncide avec le début de la décadence byzantine : victoires des Turcs, privilèges aux Vénitiens, croisades **(V. Byzance).** — Des descendants de cette famille fondèrent l'empire de Trébizonde* après la prise de Constantinople par les Latins (1204) et y régnèrent jusqu'à la conquête turque (1461).

COMODORO RIVADAVIA. ♦ V. d'Argentine (prov. de Chubut*), située en Patagonie* dans le golfe de San Jorge sur la côte Atlantique. 70 000 hab. Centre industriel. Raffinerie. La ville doit son développement (déb. xxe s.) à la découverte d'importants gisements de pétrole dans la région, dont l'exploitation fournit les 3/4 du pétrole argentin. Gaz naturel. Un gazoduc de 1 600 km conduit le gaz de Comodoro Rivadavia à Llavalloe, près de Buenos Aires.

COMORES. *n. f. pl.* ♦ Archipel de l'océan Indien, situé au N.-O. de Madagascar, à l'entrée du canal de Mozambique. L'archipel comprend quatre îles volcaniques, du N.-O. au S.-E. : la *Grande Comore*, Moheli*, Anjouan* et Mayotte*, entourées de nombreux îlots et récifs coralliens. 2 300 km²; env. 277 000 hab. *(Comoriens). Ch.-l.* Moroni (Grande Comore). *Langue :* français (off.). — Les îles sont formées de plateaux basaltiques retombant sur des plaines côtières étroites et marécageuses. Le climat tropical y est soumis au régime des alizés et de la mousson, fortement modifié par l'altitude. *L'économie* est essentiellement rurale, les cultures vivrières y sont insuffisantes. Les cultures d'exportation sont la vanille, le café et le cacao. — La Grande Comore présente les principaux caractères décrits ci-dessus. L'île est dominée par le volcan Khartale. ♦ *Hist.* Sous l'autorité de sultans arabes depuis le xie s., les îles sont fortement islamisées. Elles furent découvertes par les Portugais au xvie s.; les Français s'installèrent à Mayotte en 1841 et dans les autres îles à partir de 1886. Elles furent rattachées à Madagascar jusqu'en 1947. Au référendum de 1958, elles choisirent le statut de T.O.M. et obtinrent dès 1961 une large autonomie interne. Indépendance en déc. 1974 pour les trois premières îles, tandis que Mayotte se prononçait pour son maintien dans la Rép. française au référendum de févr. 1976.

COMOTINI, en gr. **Komotênê.** ♦ V. de Grèce (Thrace), ch.-l. du *nome de Rhodope* (2 543 km², 107 680 hab.), 32 220 hab. Marché agricole (tabac, coton, céréales). Archevêché.

COMPAGNI (Dino). ♦ Chroniqueur italien (Florence, v. 1255 — 1324). Il tint d'importantes charges municipales à Florence; mais, déçu dans sa tentative de réconciliation entre les Guelfes blancs (dont il était) et les Guelfes noirs, il se retira des affaires publiques. Il évoque ces temps troublés (1280 à 1312) dans sa *Chronique (Cronica delle cose occorrenti ne' tempi suoi)*, composée de 1310 à 1312 (publ. en 1726). Œuvre animée par la passion, cette relation offre des portraits d'un grand relief.

Compagnie de Jésus. ♦ **V.** JÉSUS (Compagnie ou Société de).

Compagnie française des Indes. ♦ **V.** INDES (Compagnie des). ♦ COMPAGNIE DES INDES ORIENTALES **V. Indes orientales** (Compagnie des).

Compagnies *(Grandes).* ♦ Bandes de mercenaires qui combattirent à la solde de Jean II et Charles* V pendant la guerre de Cent Ans. Licenciées à la paix de Brétigny (1360), elles mirent la France au pillage. Cette menace fut détournée sous le règne de Charles V qui chargea Du* Guesclin de les conduire en Castille pour soutenir Henri* le Magnifique en lutte contre Pierre* le Cruel.

Compagnies d'ordonnance. ♦ Corps de cavalerie français créé par Charles VII (1447). Payées par le roi, ces compagnies formèrent avec l'infanterie des francs-archers le noyau de l'armée permanente.

COMPANYS Y JOVER (Luis). ♦ Homme politique espagnol (près de Lérida, 1883 — Barcelone, 1940). Avocat, puis président de la généralité de Catalogne à l'avènement de la république (1931). En 1934, il se souleva contre le gouvernement de Madrid et instaura une éphémère république catalane, aussitôt supprimée par le gouvernement central. Pendant la guerre civile, il apporta l'aide de la Catalogne au gouvernement républicain. Il se réfugia en France en 1939, mais fut livré en 1940 par le gouvernement de Vichy aux franquistes, qui le fusillèrent.

COMPENIUS. ♦ Famille allemande de facteurs d'orgues des xvie et xviie s., originaire de Hesse. Son représentant le plus célèbre est Esaias Compenius (1560 — 1617).

COMPÈRE (Loyset). ♦ Compositeur français (?, v. 1450 — Saint-Quentin, 1518). Après un séjour en Italie, il revint en France où il fut nommé « chantre ordinaire » de Charles VIII et chanoine de la collégiale de Saint-Quentin (1486). Marquée par l'influence de Josquin* Des Prés et de Guillaume Dufay*, son œuvre est l'expression d'une personnalité originale, toute d'élégance et de subtilité dans sa dernière manière. Il a laissé des messes, des motets et surtout des chansons à trois et quatre voix.

COMPIÈGNE. ♦ Sous-préf. de l'Oise*, ch.-l. d'arr. (8 cant.,

Ph. Simion/Ricciarini

L'hôtel de ville de **Compiègne.**

157 comm., 129 940 hab.) sur les bords de l'Oise*, à la lisière de la forêt (14 450 ha) qui porte son nom. 32 563 hab. (28 881 aggl.) *(Compiégnois).* Église Saint-Jacques (XIIIe-XVe s.). Hôtel de ville (XVIe s., restauré XIXe s.). Château XVIIIe s. **(V.** *Hist.***)** abritant des musées (des Beaux-Arts, de la Voiture et du Tourisme). Centre industriel (prod. chimiques, mécanique générale, savonneries). Patrie de A. Baudrimont*, P. d'Ailly*. ♦ *Hist.* Anc. station romaine *(Compendium),* séjour royal dès les Mérovingiens. Charles II le Chauve y fit bâtir un palais (IXe s.). Charles V y tint des états généraux (1358). En 1430, Jeanne d'Arc fut faite prisonnière par les Anglais à Compiègne. La reconstruction du château commencée sous Louis XV, continuée sous Louis XVI, devint la résidence d'élection de Napoléon III. Pendant la guerre 1914-1918, le Grand Quartier général français s'y installa et l'armistice du 11 novembre 1918 fut signé dans la *forêt de Compiègne,* ainsi que l'Armistice de 1940. Au cours de la Seconde Guerre mondiale, la ville où les Allemands avaient installé un camp de prisonniers politiques fut très éprouvée par les bombardements.

COMPOSTELLE. ♦ **V.** SAINT-JACQUES-DE-COMPOSTELLE.

COMPTON (Arthur Holly). ♦ Physicien américain (Wooster, Ohio, 1892 – Berkeley, Californie, 1962). Connu notamment par ses travaux sur les rayons X **(V. Röntgen)**, il découvrit, en 1923, l'effet qui porte son nom et selon lequel, dans certaines conditions, l'interaction d'un rayonnement X (de même nature que la lumière) avec un atome, conduit simultanément à une déviation du rayonnement incident (dont la longueur d'onde est accrue) et à l'extraction d'un électron de l'atome. Ces travaux apportaient une confirmation à la théorie de l'aspect corpusculaire de la lumière (théorie des *photons* d'Einstein*) qui devait, peu après, être conciliée avec la théorie ondulatoire (*Mécanique ondulatoire* de L. de Broglie*). On doit aussi à Compton des travaux relatifs aux rayons cosmiques. **V.** *aussi* **Leprince-Ringuet.** (Prix Nobel de phys., 1927.)

COMPTON-BURNETT (Ivy). ♦ Romancière anglaise (1892 – Londres, 1969). Dans ses œuvres les plus connues, *Frères et Sœurs,* 1929, au thème incestueux, *Des hommes et des femmes,* où un enfant tue sa mère par le poison, et surtout *Les Ponsonby* (*Daughters and Sons,* 1937), elle met en scène l'argent et donne avec lucidité des leçons de mauvaise conduite. L'Angleterre victorienne décadente y est dépeinte avec maîtrise. Le début de sa carrière littéraire remonte à 1911 *(Dolorès),* mais sa manière cruelle sous la surface polie du dialogue n'a pas varié depuis *Pastors and Masters,* 1925, jusqu'à *The Mighty and Their Fall* (« Les Puissants et leur chute », 1961). On a pu dire qu'Ivy Compton-Burnett a élaboré « une tragédie grecque dans un décor victorien » (Ifor Evans).

COMTAT VENAISSIN. *n. m.* ♦ Ancien pays du midi de la France (correspondant à une partie du dép. du Vaucluse*), limité par le Rhône*, la Durance*, le mont Ventoux*, Venasque*, qui en fut longtemps la capitale, a donné son nom au comtat Venaissin. Les princ. V. sont : Apt*, Avignon*, Carpentras*, Cavaillon*, Orange*. Le comtat fut possession des comtes de Toulouse à partir de 1125 et passa à la France en 1271; Philippe* III le Hardi le céda au pape Grégoire X; il appartint alors au Saint-Siège. Le 13 septembre 1791, le comtat fut rattaché à la France.

COMTE (Auguste). ♦ Philosophe français (Montpellier, 1798 – Paris, 1857). Élève de Polytechnique (1814-1816), collaborateur de Saint*-Simon (1817-1824) qui, malgré leur rupture, contribua beaucoup à la formation de sa pensée, Comte fut très tôt en possession des idées maîtresses de sa philosophie, commandée par le souci de « terminer l'époque révolutionnaire... en faisant converger les esprits vers une doctrine unique », le positivisme; de réorganiser la société en faisant de la politique « une science positive et physique » (*Opuscules de philosophie sociale,* 1819-1829). Tel fut le but des *Cours de philosophie positive* ouverts par lui en 1826, presque aussitôt interrompus jusqu'en 1829 par une grave crise psychologique qui nécessita son internement, et publiés de 1830 à 1842. Comte y affirme que dans son évolution intellectuelle et sociale l'humanité et l'individu passent successivement par le stade théologique et militaire (caractérisé par une explication imaginative et surnaturelle des phénomènes (fétichisme, polythéisme puis monothéisme), puis métaphysique et légiste (simple modification du premier, où les agents surnaturels sont remplacés par des forces abstraites, des entités), pour atteindre enfin le stade positif et industriel où les hommes, renonçant à chercher les causes profondes et l'essence des choses, se contentent de découvrir les lois effectives qui régissent les faits par l'observation et le raisonnement. Véritable programme d'éducation positive, la classification linéaire des sciences par ordre de généralité décroissante et de complexité croissante comprend : les mathématiques (base de toute la philosophie naturelle), l'astronomie, la physique, la chimie, la physiologie et la physique sociale (ou « sociologie », mot créé par Comte) que Comte divise en statique et dynamique sociale. Précurseur de la sociologie scientifique, Comte rejette la psychologie de son temps (c.-à-d. l'introspection). Mais, en partie sous l'influence de son amour platonique pour Clotilde de Vaux (rencontrée en 1844 et morte en 1846), sa philosophie évolua vers un véritable positivisme religieux (*Système de politique positive,* 1851-1854; *Catéchisme positiviste,* 1852; *Synthèse subjective* ou *Système universel des conceptions propres à l'état normal de l'humanité,* 1856). La société et l'État positivistes auront en effet leur religion (culte du Grand Être de l'humanité) et leur morale dont la devise est : « L'Amour pour principe, l'Ordre pour base et le Progrès pour but ». Certains disciples de Comte (dont Littré*) refusèrent d'admettre l'unité et la continuité de sa doctrine et n'en retinrent que les cours de philosophie positive; ce qui explique le développement de l'idéologie positiviste scientiste prolongée par le néo-positivisme. Malgré la réintroduction du subjectivisme, le *Système de politique positive* contient de nombreux éléments théoriques – notamment, une sémiologie sociale – qui prolongent l'épistémologie du *Cours.*

Comte de Monte-Cristo (Le). ♦ Roman d'A. Dumas* père (1844). Victime de l'ambition, de la jalousie et de la rivalité amoureuse de trois ennemis, Edmond Dantès est emprisonné au château d'If. Il pourra enfin s'évader au bout de quatorze ans et reviendra, riche du fabuleux trésor de l'île de Monte-Cristo, se venger implacablement. Véritable surhomme par le corps, le cœur ou l'intelligence, qui triomphe d'obstacles accumulés comme à plaisir, le personnage de Dumas connut un vif succès populaire.

Comuneros *(révolte des),* de l'esp. *Comunero,* hab. d'une comm. ♦ Révolte des communes espagnoles (1520-1521), qui eut pour chef Juan de Padilla : elle était dirigée contre l'entourage flamand de Charles* Quint auquel était alors confié le gouvernement de l'Espagne. Les *Comuneros* tentèrent d'opposer à Charles Quint la reine Jeanne* la Folle, qui refusa. Après quelques succès, la révolte fut écrasée et son chef décapité.

CONAKRY ou **KONAKRY.** ♦ Cap. de la république de Guinée*, située sur une île, rattachée à la presqu'île de Kaloum (minerai de fer) par une digue, face aux îles de Los* (bauxite). Elle est reliée par voie ferrée à Kankan* (662 km) et à Fria* (143 km). 200 000 hab. Archevêché. Grand port très bien équipé, exportateur de minerais de fer et de bauxite, également port bananier. Usines frigorifiques.

CONAN Ier le Tort. ♦ (mort à Conquereux, 992). Comte de Bretagne (952-992). ♦ CONAN II ([mort] 1066). Duc de Bretagne (1040-1066). Il lutta contre Guillaume Ier le Conquérant, duc de Normandie. ♦ CONAN III *le Gros* ([mort] 1148). Duc de Bretagne (1112-1148). Il s'allia à Louis VI le Gros contre Henri Ier d'Angleterre. ♦ CONAN IV *le Petit* (mort en 1171). Duc de Bretagne (1156-1171). Il perdit ses États au profit d'Henri II d'Angleterre.

CONAN (Félicité ANGERS, dite **Laure).** ♦ Romancière canadienne d'expression française (La Malbaie, 1845 – 1924). Connue par des ouvrages d'inspiration patriotique (*À l'œuvre et à l'épreuve,* 1891; *L'Oublié,* 1900; *La Sève immortelle),* elle est surtout l'auteur d'un roman psychologique, *Angéline de Montbrun* (1884), où se fait jour sa sensibilité mélancolique.

CONCARNEAU. ♦ Ch.-l. de cant. du Finistère (arr. de Quimper), sur la côte de Cornouaille*. 18 150 hab. *(Concarnois).* La « ville close », cité fortifiée bâtie sur un îlot au milieu du port, est entourée de remparts de granit du XVe s., modifiés par Vauban (XVIIe s.), elle est reliée à la terre par deux petits ponts. Dans la ville, chapelle

Notre-Dame-de-Bon-Secours (XVIe s.). Concarneau est le premier port thonier de France et son second port de pêche après Boulogne (turbots, soles, limandes, sardines). Station balnéaire très fréquentée **(V.** *aussi* **Cabellou [le]).** Constructions navales. Fabrication de boîtes métalliques. Scieries. ♦ *Hist.* En 1373, les Anglais occupaient Concarneau, Du Guesclin fit le siège de la ville et les chassa. Henri IV en reçut les clés en 1594.

CONCEPCIÓN. ♦ V. méridionale du Chili* central, qui forme, avec ses annexes maritimes de Talcahuano*, San Vicente et Huachipato*, une conurbation d'env. 320 000 hab. Archevêché. Université. Premier port militaire du Chili à l'embouchure du Bío*-Bío. Indus. métallurgiques, chimiques et textiles. ♦ *Hist.* La ville fut fondée par Valdivia* (1550). – La petite *prov. de Concepción* où prédominent l'agriculture (céréales, pois), la culture de la vigne et des fruits, bénéficie de la production houillère du bassin d'Arauco* (ports exportateurs de Coronel* et Lota*). Centre de la sidérurgie chilienne **(V. Huachipato);** anthracite, lignite. 5 701 km². 601 000 habitants.

CONCEPCIÓN. ♦ V. du Paraguay et port fluvial sur le río Paraguay*. Près de 40 000 hab. Évêché. Le plus grand centre urbain et commercial du Paraguay septentrional.

CONCHES-EN-OUCHE. ♦ Ch.-l. de cant. de l'Eure* (arr. d'Évreux*), dans le pays d'Ouche*. 3 534 hab. Église Sainte-Foy des XVe et XVIe s. Château féodal. – Petite métallurgie. – La *forêt de Conches* s'étend au S.-O. de la ville sur 12 000 ha.

CONCHOS *(río de los). n. m.* ♦ Riv. du Mexique septentrional (Chihuahua*), affl. du río Grande* del Norte, qui prend sa source dans la sierra Madre* occidentale avant de confluer avec le fleuve (700 km). Énergie hydro-électrique.

Conciergerie (La). ♦ Restes du palais royal des Capétiens, actuellement partie du Palais de justice, dans la Cité*, à Paris. Renfermant jadis l'habitation du concierge du Palais, chargé de la garde des prisonniers, la Conciergerie comporte trois salles gothiques du XIVe s. et quatre tours sur la façade N. : la *tour Carrée* ou *de l'Horloge* (qui reçut en 1370 la première horloge de Paris), la *tour de César* (élevée sur des fondations d'origines romaines), la *tour d'Argent* (qui renfermait le trésor des rois), enfin la *tour Bombée* ou *Bon-Bec* (où se trouvait la chambre de la question). La Conciergerie fut aménagée durant la Révolution pour rassembler un grand nombre de détenus, pour la plupart voués à la guillotine : la reine Marie-Antoinette et Madame Élisabeth, Madame Roland et les Girondins, Danton, puis Robespierre, André Chénier.

Concile. ♦ Cf. le Robert. À défaut d'une liste officielle, la tradition catholique considère comme œcuméniques vingt et un conciles : Nicée* I (325), Constantinople* I (381), Éphèse* (431), Chalcédoine* (451), Constantinople* II (553), Constantinople* III (680-681), Nicée* II (787), Constantinople* IV (869-870). Latran* I (1123), Latran* II (1139), Latran* III (1179), Latran* IV (1215), Lyon* I (1245), Lyon* II (1274), Vienne* (1311-1312), Constance* (1414-1418), Bâle*-Ferrare-Florence (1431-1442), Latran* V (1512-1517), Trente* (1545-1563), Vatican* I (1869-1870), Vatican* II (1962-1965). L'Église orthodoxe ne reconnaît que les sept premiers, l'Église anglicane que les quatre premiers; les Églises protestantes vénèrent les quatre premiers conciles, mais sans leur reconnaître une autorité propre. – Autre concile : **V. Pise** (1409).

CONCINI (Concino Concini, dit le maréchal d'Ancre). ♦ Aventurier et homme politique italien (Florence, 1575 – Paris, 1617). La faveur dont jouissait sa femme Léonora Galigaï* auprès de Marie de Médicis lui permit de faire une carrière rapide après la mort de Henri IV : marquis d'Ancre, maréchal de France, il exerça le pouvoir (1611) avec tyrannie et avidité. Le jeune roi, aidé de De Luynes*, ordonna son arrestation, et il fut tué par Vitry*.

CONCORD. ♦ Petite V. du Massachusetts, près de Cambridge. C'est là que se forma le Club des transcendantalistes. 12 517 hab. (1960). Emerson*, Thoreau*, Hawthorne* et Alcott*, surnommés les *« Concord authors »*, y sont enterrés. – Patrie de Thoreau, de R.W. Wood.

CONCORD. ♦ V. des États-Unis, cap. du New* Hampshire, sur le Merrimack. 28 991 hab. (1960). Imprimeries.

Concordat. *n. m.* ♦ Traité entre le Saint-Siège et un État (Cf. Robert). ♦ *Concordat de Worms** (1122) : il mit fin à la querelle des Investitures*. ♦ *Concordat de Bologne* (1516), entre François Ier et Léon* X : il remplaça la pragmatique* sanction de Bourges, reconnut la suprématie du pape sur l'Église de France, mais laissa les nominations, dont l'autorité réelle, aux mains du roi. ♦ *Concordat de 1801*, entre Bonaparte et Pie* VII **(V. Consalvi)** : il forçait la démission des évêques émigrés et réorganisait le catholicisme en France. Mais des *Articles organiques*, élaborés par Portalis*, y furent ajoutés unilatéralement : ces règlements d'application restauraient pratiquement l'emprise de l'État sur l'Église **(V. Gallicanisme)** et ne furent jamais acceptés par le Saint-Siège. ♦ *Concordat de Fontainebleau* (1813) : **V. Pie VII.**

Concorde *(place de la).* ♦ L'une des plus vastes places de Paris (84 000 m²) située entre les jardins des Tuileries* et l'avenue des Champs*-Élysées, sur la voie triomphale qui va du Louvre* à l'arc* de triomphe de l'Étoile. Aménagée pour accueillir la statue équestre de Louis XV, commandée à Bouchardon* et dressée en 1763, elle fut dessinée par Gabriel* (1753) comme un octogone entouré de balustrades, flanqué aux angles de huit pavillons et délimité, au N., par deux palais jumeaux, à colonnades (1760 à 1775), entre lesquels s'ouvre la rue Royale (qui offre une nouvelle perspective vers la Madeleine*, tandis qu'au S., au delà du pont de la Concorde, se dresse le palais Bourbon*). D'abord *place Louis-XV*, elle devint *place de la Révolution* en 1790 (l'échafaud y fonctionna de 1793 à 1795, notamment lors de l'exécution de Louis XVI), puis *place de la Concorde* en 1795 et, de nouveau, en 1830. Hittorff* en acheva la décoration (1833 à 1846), élevant sur les pavillons d'angle des statues (de Pradier*, Cortot*, etc.) représentant les grandes villes de France et flanquant de deux fontaines (1836 à 1846) l'obélisque de Louxor (érigé en 1836).

Ph. Nino Cirani/Ricciarini

Concepción : au bord du Bío-Bío.

CONCORDIA. ♦ V. d'Argentine, située dans le N. de la prov. d'Entre* Ríos, sur la r. g. de l'Uruguay*, face à Salto* (Uruguay). 56 000 hab. Important port fluvial. Indus. alimentaires.

Condamine (La). ♦ Une des quatre parties de la principauté de Monaco*, s'étageant en amphithéâtre au-dessus du port entre Monaco et Monte*-Carlo. Quartier commerçant.

CÔN DAO. ♦ Archipel du Viêt-nam du Sud, situé à environ 100 km à l'E. de la pointe de Camau et comprenant douze îles dont trois assez importantes, qui servaient de lieu de relégation (anc. Poulo-Condor). La population (env. 5 000) est formée de pêcheurs vietnamiens.

CONDÉ *(maison de).* ♦ Branche de la maison de Bourbon, issue de LOUIS Ier, *prince de Condé* (Vendôme, 1530 – Jarnac, 1569), cinquième fils de Charles de Bourbon*, duc de Vendôme, et frère d'Antoine de Bourbon, roi de Navarre et père d'Henri* IV. Les Condé furent jusqu'en 1709 premiers princes du sang et appelés *Monsieur le Prince.* Louis Ier adhéra au calvinisme et rivalisa avec les Guise*. Il fut le chef du parti protestant, fut condamné à mort après la conjuration d'Amboise* et sauvé par la mort de François* II. Il fut vaincu à Dreux (1562), puis à Jarnac* (1569) et assassiné à la fin de cette bataille, sans doute à l'instigation du duc d'Anjou*. ♦ HENRI Ier DE BOURBON, deuxième prince de Condé (La Ferté-sous-Jouarre, 1552 – Saint-Jean-d'Angély, 1588), son fils, s'allia avec Henri de Navarre contre les catholiques et se distingua à Coutras. ♦ HENRI II DE BOURBON, troisième prince de Condé (Saint-Jean-d'Angély, 1588 – Paris, 1646). Élevé par Henri* IV dans le catholicisme, il fut marié à la belle Charlotte de Montmorency et hérita des biens de son beau-frère Henri II de Montmorency* quand celui-ci fut exécuté. Il lutta contre Marie* de Médicis mais servit Richelieu*.

CONDÉ (Louis II de Bourbon, *quatrième prince de Condé,* dit **le Grand Condé).** ♦ Fils de Henri II de Bourbon, **V. Condé.** (Paris, 1621 – Fontainebleau, 1686). Il épousa une nièce de Richelieu*. Après de brillants débuts, il fut chargé, à vingt-deux ans, du commandement des armées du Nord contre les Espagnols. Il se distingua rapidement par la victoire éclatante de Rocroi* (1643). Envoyé sur le Rhin avec Turenne*, il gagna avec lui la bataille de Nördlingen (1645), puis fit campagne en Flandre (prise de Dunkerque, 1646). La victoire de Lens (1648) hâta la conclusion du traité de Westphalie*. Lors de la Fronde*, aussi peu attiré par Mazarin* que par les frondeurs, il oscilla entre les deux partis. Son soutien permit au gouvernement de signer la paix de Rueil* (1649) grâce au siège de Paris, mais il se rapprocha ensuite des frondeurs et fut enfermé à Vincennes. Il sortit de prison pour prendre la tête de la Fronde des princes et fut finalement battu par Turenne* à Bléneau* et au faubourg Saint-Antoine (1652). Passé dans l'armée espagnole, après des victoires sur les Français, il prit part à la bataille des Dunes* qu'il avait voulu empêcher (1658), et qui fut une victoire de Turenne. La paix des Pyrénées* lui assura son pardon. Lorsqu'il retrouva un commandement, il fit la conquête de la Franche-Comté (1668), participa à la guerre de Hollande

Arch. Smeets

Le Grand Condé, par A. Coysevox. (Musée du Louvre, Paris.)

(prise de Wiesel, 1672; victoire de Seneffe*, 1674), puis succéda en Alsace à Turenne. Il acheva sa vie à Chantilly*, où il s'entoura d'écrivains et de poètes (parmi lesquels Boileau* et Racine*). Bossuet* prononça son oraison funèbre.

CONDÉ (Louis Joseph de BOURBON, *prince de***).** ♦ Homme de guerre français (Paris, 1736 — 1818). Dès l'âge de quinze ans, il reçut le titre de grand maître de la Maison du roi et le gouvernement de la Bourgogne qu'il administra, après avoir participé à la guerre de Sept Ans. Son opposition au ministère de Maupeou, ses prises de position en faveur des réformes lors de l'Assemblée des Notables de 1787 le faisaient passer pour un prince libéral. Toutefois, il vota contre le doublement du Tiers État lors de l'Assemblée des Notables de 1788, et peu après la prise de la Bastille (14 juillet 1789) émigra aux Pays-Bas, à Turin puis à Worms. Considéré comme l'un des principaux chefs de l'émigration, il prit à partir de 1792 une part active à la lutte contre les armées républicaines en créant un « corps de garde », l'*armée de Condé,* qui opéra d'abord en Alsace, puis se replia en Russie après Campoformio (1797) et fut dissoute en 1801. Retiré en Angleterre, le prince de Condé revint en France sous la Restauration.

CONDÉ (Louis Antoine Henri *de***).** ♦ V. ENGHIEN (duc d').

CONDÉ-SUR-L'ESCAUT. ♦ Ch.-l. de cant. du Nord*, arr. de Valenciennes*, sur l'Escaut*. 13 607 hab. *(Condéens).* Anc. place forte riche en monuments classiques : remparts du XVIIe s.; église du XVIIIe s.; hôtel de ville (XVIIIe s.). Château des princes de Condé (XVe s.). — Patrie de Mlle Clairon. ♦ *Hist.* La ville fut prise aux forces républicaines, commandées par Custine*, par l'armée autrichienne du prince de Saxe-Cobourg (juillet 1793), mais réoccupée par les Français en 1794.

CONDÉ-SUR-NOIREAU. ♦ Ch.-l. de cant. du Calvados*, arr. de Vire*. 6 730 hab. *(Condéens).* Marché agricole, indus. textile, garnitures de freins. — Patrie de Dumont* d'Urville. La ville a été détruite en 1944 et reconstruite.

CONDÉ-SUR-VIRE. ♦ Comm. de la Manche, arr. de Saint-Lô. 2 621 hab. Laiterie, très importante beurrerie. — Patrie de saint Jean de Brébeuf.

CONDILLAC (Étienne BONNOT *de***).** ♦ Philosophe français (Grenoble, 1715 — Abbaye de Flux, Beaugency, 1780). Ayant renoncé au sacerdoce, il vint séjourner à Paris (1740); il y fréquenta les philosophes (Fontenelle, Rousseau, Diderot) et écrivit à cette époque l'*Essai sur l'origine des connaissances humaines* (1749) et le *Traité des sensations* (1755). De 1758 à 1767, il fut précepteur du fils du duc de Parme (pour qui il rédigea un *Cours complet d'instruction).* De retour à Paris, il se retira à l'abbaye de Flux quelques années plus tard (1772), d'où il publia *Le Commerce et le Gouvernement considérés relativement l'un à l'autre* (1776), traité d'économie politique, où il formule une théorie de l'intérêt et de la valeur. Sa *Logique* parut en 1780, et sa *Langue des calculs* en 1798. — Comme Locke* par qui il a été influencé, Condillac s'est proposé d'analyser nos connaissances afin de découvrir les éléments (ou idées) simples qui les composent et à partir desquels elles s'élaborent. Mais, contrairement à Locke, il n'admet plus que les sensations comme source d'où dérivent toutes les idées et opérations mentales complexes — jugements, raisonnements —, considérant ainsi le « moi » non plus comme une substance pensante existant en soi, mais comme la succession et la transformation de nos sensations. C'est le langage qui sert de fondement et de support à la pensée abstraite et réflexive grâce à l'utilisation de signes (d'où la nécessité d'une « langue bien faite »). Certaines des conceptions de Condillac sur le langage (langue comme institution humaine; caractère conventionnel des signes linguistiques) issues des influences conjuguées de Locke et de la *Grammaire* et la *Logique* de Port-Royal, annoncent les théories linguistiques, modernes. (Acad. fr.)

Condition humaine (La). ♦ Roman d'André Malraux (1933) évoquant la révolution menée à Shanghai en 1927 par le Kuomintang et le prolétariat communiste. Une fois son succès assuré, Chiang Kai-shek (chef du Kuomintang) intime à ses anciens alliés communistes l'ordre de déposer leurs armes. L'Internationale soutenant Chiang Kai-shek, les communistes se trouvent paralysés. Ils sont finalement écrasés par les troupes du Kuomintang et leurs chefs torturés et tués. Dans ce cadre historique se déroule la tragédie des héros, tout entiers tournés vers un but dont ils se font les instruments dociles (Kyo, qui ne trouve un sens à sa vie que par la révolution, le fanatique Tchen, le capitaliste Ferral, soutien actif de la répression). Cependant, en face du but qu'ils s'assignent, c'est leur destin individuel qu'ils sentent peser, c'est leur condition d'homme dans toute sa complexité, dans la lenteur de son élaboration, qui en dernier ressort est la définition de leur vie. — Ce roman, qui obtint le prix Goncourt en 1933, occupe une place fondamentale dans l'œuvre d'A. Malraux.

CONDOM [kɔ̃dɔ̃]. ♦ Sous-préf. du Gers*, ch.-l. d'arr. (11 cant., 160 comm., 72 184 hab.), sur la Baïse*. 7 265 hab. (5 191 aggl.) [*Condomois*]. Anc. cathédrale et cloître du XVIe siècle. Hôtels XVIIe et XVIIIe siècles. Château (Cahuzac). Eaux-de-vie d'Armagnac, indus. chimique, chaussures. — Patrie de A. de Salvandy*. Bossuet* fut évêque de Condom.

CONDORCET (Marie Jean Antoine Nicolas de Caritat, *marquis de***).** ♦ Philosophe, mathématicien et homme politique français (Ribemont, 1743 — Bourg-la-Reine, 1794). Auteur d'un *Essai sur le calcul intégral* (1765) et sur le *Problème des trois corps* (1767), il entra à l'Académie des sciences (1769) et en devint le secrétaire. Disciple des physiocrates **(V. Quesnay)**, il rédigea pour l'Encyclopédie des articles d'économie politique. Député à l'Assemblée législative et à la Convention, il proposa un projet de réforme de l'instruction publique (1792). Arrêté comme Girondin lors de la Terreur, c'est en prison qu'il écrivit son œuvre principale *Esquisse d'un tableau des progrès de l'esprit humain,* où, convaincu du développement indéfini des sciences, il affirme que le progrès intellectuel et moral de l'humanité peut être assuré grâce à une éducation bien orientée. Condamné à mort, il s'empoisonna pour échapper à l'échafaud.

Condottiere, en it. **condottieri,** « mercenaires », de *condotta,* « contrat de louage », *n. m. pl.* ♦ Chefs de mercenaires qui louaient leurs services aux États italiens, aux XIIIe, XIVe et XVe siècles. Les plus célèbres d'entre eux furent Carmagnola*, Fortebraccio*, John Hawkwood*, Pergola*, Piccinino*, Francesco Sforza*. Ils disparurent au XVIe s. par la rivalité des mercenaires suisses et la constitution des armées permanentes.

CONDREN (Charles *de***).** ♦ Oratorien français (Vaubuin, près de Soissons, 1588 — Paris, 1641). Auprès de Bérulle*, il organisa des missions rurales et lui succéda comme général de l'Oratoire* français (1629). Il fit adopter les constitutions de la congrégation.

CONDRIEU. ♦ Ch.-l. de cant. du Rhône* (arr. de Lyon*), sur le Rhône dans le Vivarais. 3 514 hab. *(Condriots).* Fruits et vins blancs renommés. Tulles.

CONDROZ. *n. m.* ♦ Plateau (alt. 300 m) de Belgique, situé entre la Meuse, l'Ourthe et la Lesse, géographiquement rattaché à l'Ardenne*. *(Condrusiens).* — Le Condroz namurois, à l'O., aux cultures variées, s'oppose au Condroz liégeois, à l'E., où s'étendent bois (1/3 du pays) et prairies. Les vallées de la Meuse et de la Lesse sont caractérisées par leurs cultures en terrasses (vignes et vergers). Les herbages occupent plus de la moitié de la surface agricole (élevage). Contrairement aux Fagnes* et à la Famenne*, le Condroz est une région de grandes exploitations (de 50 à 100 ha) à faire-valoir indirect. ♦ *Hist. :* Le nom de cette région dérive de l'appellation *(Condrusi)* donnée par César aux habitants du pays.

CONDYLIS (Georges). ♦ Général et homme d'État grec (Trikkala, 1879 — Athènes, 1936). Il fut plusieurs fois ministre des gouvernements républicains et dirigea le coup d'État contre la dictature de Pangalos en 1926. Devenu royaliste, il fit décider par un plébiscite la restauration de la monarchie (1935) et assuma la régence jusqu'au retour du roi Georges* II à Athènes.

Confédération de l'Allemagne du Nord. ♦ (1866-1871). Groupement autour de la Prusse des États au N. du Main, après la dissolution de la Confédération germanique (défaite autrichienne de Sadowa le 3 juillet 1866).

Confédération du Rhin. *n. f.* ♦ Confédération constituée par traité, le 12 juillet 1806, par seize princes allemands (dont les rois de Bavière, de Wurtemberg, les grands-ducs de Berg et de Clèves, l'archevêque de Mayence et dix princes d'Allemagne centrale et du Sud). Elle était placée sous le protectorat de Napoléon, qui était à la tête de l'armée des confédérés. En 1811, elle comprenait trente-six États; elle se disloqua en 1813. Le 6 août 1806, François* II renonçait à son titre d'empereur d'Allemagne pour celui de François Ier, empereur d'Autriche.

Confédération française des travailleurs chrétiens (C.F.T.C.). ♦ Organisation syndicale d'inspiration chrétienne fondée en 1919 et membre de la *Confédération internationale des syndicats chrétiens* (C.I.S.C., fondée en 1920). En 1964, la majorité des adhérents de la C.F.T.C., renonçant à l'étiquette religieuse de leur syndicat, constituèrent la *Confédération* française et démocratique du travail* (C.F.D.T.), tandis que la minorité (entre 80 000 et 100 000 adhérents) se prononçait pour le maintien du caractère confessionnel du syndicat.

Confédération française et démocratique du travail (C.F.D.T.). ♦ Organisation syndicale fondée en 1964 par la majorité des adhérents de la *Confédération* française des travailleurs chrétiens* (C.F.T.C.) qui se prononcèrent pour l'abandon du caractère confessionnel de leur mouvement syndical. La C.F.D.T., qui compte près de 700 000 cotisants et a adhéré à la Confédération mondiale du travail, se situe, avec la C.G.T., à la pointe des luttes syndicales et défend l'autogestion.

Confédération générale du travail (C.G.T.). ♦ Syndicat français constitué à Limoges (1895), il réalisa l'unité du syndicalisme à Montpellier (1902, entrée de la Fédération des Bourses du travail), se présentant comme le « groupement des salariés pour la défense de leurs intérêts moraux et matériels, économiques et professionnels ». Malgré la charte d'Amiens (1905) affirmant l'indépendance du mouvement syndical à l'égard des partis politiques, celui-ci fut partagé entre différentes tendances et dominé jusqu'à la Première Guerre mondiale par les révolutionnaires et les anarcho-syndicalistes. La C.G.T., qui participa à la création du Conseil économique du travail, comptait près de 2 000 000 d'adhérents en 1920, date à laquelle l'échec de la grève générale réduisit considérablement ses effectifs. Les anarcho-syndicalistes et socialistes majoritaires (qui avaient rejoint les communistes - congrès de Tours*, 1920) se séparèrent de la C.G.T., après leur échec à Lille, et constituèrent la C.G.T.U. (Confédération générale du travail unitaire, 1921) qui adhéra à l'Internationale syndicale rouge (1923). Réunifiées au congrès de Toulouse (1936), C.G.T et C.G.T.U. adhérèrent au programme de Front* populaire et signèrent avec la Confédération générale du patronat français les accords de Matignon* (juin 1936). Dissoute par le gouvernement de Vichy (1940), la C.G.T. est contrôlée, depuis la fin de la Deuxième Guerre mondiale, par les représentants de la tendance communiste. Elle adhéra à la Fédération* syndicale mondiale, ce qui provoqua de nouvelles scissions au sein du mouvement syndical avec la formation de la Confédération nationale du travail (C.N.T. - 1946), anarcho-syndicaliste, et de la C.G.T.-F.O. (Force ouvrière - 1948), réformiste. La C.G.T., qui constitue le syndicat le plus important, compte actuellement plus de 2 000 000 d'adhérents. — L. Jouhaux*, B. Frachon* en furent secrétaires généraux.

Confédération générale du travail-Force ouvrière (C.G.T.-F.O.). ♦ Organisation syndicale constituée en 1948 par la scission de la *Confédération* générale du travail* (C.G.T.) que quittèrent, avec L. Jouhaux*, les syndicalistes opposés à l'influence prédominante du parti communiste français sur le mouvement syndical. De tendance réformiste, la C.G.T.-F.O. (journal *Force ouvrière*), dirigée depuis 1973 par A. Bergeron et comptant 600 000 adhérents env., est affiliée à la Confédération* internationale des syndicats libres.

Confédération germanique [*Deutscher Bund*] (1815-1866). ♦ Confédération groupant trente-neuf membres, issue du congrès de Vienne*. Elle était inspirée de la Confédération* du Rhin et différait sensiblement du Saint-Empire. L'empereur d'Autriche n'en était que président. Œuvre de Metternich*, elle déçut les espoirs des libéraux comme ceux des partisans de l'unité, car l'esprit particulariste triompha à la diète de Francfort, vouant l'Allemagne à la dispersion et à l'inertie. Par la suite, partisans de la « Grande Allemagne » et de la « Petite Allemagne » s'affrontèrent sans que la victoire des derniers amenât un résultat positif (1848-1850). La Confédération germanique fut dissoute quand la Prusse l'emporta définitivement sur l'Autriche en 1866.

Confédération internationale des syndicats libres (C.I.S.L.). ♦ Formée en 1949, elle a son siège à Bruxelles. Elle est née d'une scission au sein de la Fédération* syndicale mondiale (tendance communiste) que quittèrent successivement les syndicats britanniques, suisses, belges, néerlandais, scandinaves, etc., de tendance plus réformiste. La C.G.T.-F.O. (française) y donna également son adhésion.

Confession d'un enfant du siècle (La). ♦ Roman semi-autobiographique d'A. de Musset* (1836), qui transpose largement les amours de l'auteur avec George Sand*. Analyse profonde « d'une maladie morale abominable », l'incapacité de s'arracher au scepticisme, ce livre fut écrit par Musset « pour ceux-là... qui souffrent du même mal ».

Confessions (Les). ♦ Ouvrage de saint Augustin* (393-401), en treize livres. Les neuf premiers racontent sa jeunesse, ses erreurs et sa conversion au christianisme, jusqu'à la mort de Monique*, sa mère. Les suivants sont une méditation sur Dieu, le temps, la mémoire et un commentaire des premiers versets de la *Genèse*.

Confessions (Les). ♦ Récit autobiographique en douze livres de J.-J. Rousseau* (posthume, 1781 et 1788). Désir de justification de la part de Rousseau (il veut rendre son cœur « transparent comme le cristal »), illustration de ses théories sur la nécessité de l'état de nature, cette œuvre se veut également utile à l'étude des hommes. D'abord « histoire » par son aspect chronologique, c'est une succession de moments privilégiés, sous forme de tableaux charmants *(La Cueillette des cerises)* ou de portraits romanesques (Mme de Warens*), livrés par la mémoire affective de Rousseau. Suivant une construction musicale se font écho les thèmes du bonheur *(Nuit au bord de la Saône)* et de la rêverie *(Les Voyages à pied)* au sein de paysages champêtres, « les seuls dont l'œil et le cœur ne se lassent jamais ». Sur le récit se greffent nombre d'analyses pénétrantes du flux d'émotions que le souvenir ramène, et la vivacité du conteur laisse alors la place à la pénétration du psychologue *(Le Ruban volé)*. La tonalité du style est également très variée : vif ou romanesque pour évoquer l'enfance et la jeunesse (Livres I à VI), il devient pathétique pour retracer les terreurs de Rousseau, de 1740 à 1765 (VII à XII), ou lyrique quand il s'agit d'immortaliser un moment exceptionnel *(Soirée avec Mme d'Houdetot)*.

CONFLANS. ♦ Anc. V. de Savoie, actuellement quartier d'Albertville*.

CONFLANS ou **CONFLANS-L'ARCHEVÊQUE.** ♦ Château (XIVe s.) appartenant à la commune de Charenton-le-Pont (Val-de-Marne). Les archevêques de Paris y résidèrent fréquemment. Par le traité de Conflans (5 oct. 1465), Louis XI mit fin à la guerre de la Ligue du Bien public **(V. Louis XI** et **Charles le Téméraire).**

CONFLANS-EN-JARNISY. ♦ Ch.-l. de cant. de la Meurthe-et-Moselle (arr. de Briey), sur l'Orne. 2 850 hab. Carrefour ferroviaire.

CONFLANS-SAINTE-HONORINE. ♦ Ch.-l. de cant. des Yvelines (arr. de Saint-Germain-en-Laye), sur la Seine, près de son confluent avec l'Oise. 26 304 hab. Église Saint-Maclou en partie gothique ; ruines d'un château féodal. — Important centre de batellerie. Fabrique de câbles. Produits pharmaceutiques ; indus. chimique. Fonderies ; papeteries ; indus. électronique ; materiel téléphonique.

CONFLENT. *n. m.* ♦ Pays de la vallée de la Têt*, dans le Roussillon*. Sauvage à l'amont, il prend l'aspect méditerranéen à l'aval et débouche dans la plaine du Roussillon. — Cultures irriguées, maraîchères, oliviers. **V. Têt** (vallée de la).

CONFOLENS [kɔ̃fɔlɑ̃]. ♦ Sous-préf. de la Charente, ch.-l. d'arr. (6 cant., 65 comm., 45 286 hab.), sur la Vienne. 3 150 hab. (2 481 aggl.). [*Confolentais*]. Église Saint-Barthélemy, romane (XIe-XIIe s.). Église Saint-Maxime (XVe s.). Vestiges d'une forteresse du XIIe s. Manoir des XVe-XVIe s. — Marché agricole. Tonnellerie. Matériel électrique. — Patrie du Dr Émile Roux.

Confrérie de la Passion. ♦ Association vouée au théâtre religieux (XVe-XVIe s.). La *Confrérie parisienne* (composée de bourgeois, d'artisans ou d'écoliers) reçut ses lettres patentes de Charles VI, en 1402, et conserva ses statuts et ses privilèges jusqu'en 1548. Elle se consacrait à la représentation des *Mystères*, particulièrement celui de la Passion **(V. *aussi* Gréban** [Arnoul]**).** Premier théâtre permanent de notre histoire, la Confrérie de la Passion fut dissoute par Louis XIV en 1676.

CONFUCIUS [kɔ̃fysjys]. ♦ Nom latinisé du philosophe chinois K'ung*-tzu.

CONGO. *n. m.* (anc. nom **Zaïre**). ♦ Fl. d'Afrique équatoriale, le second d'Afrique par sa longueur (4 371 km), le deuxième du monde par son débit (75 000 m^3/s). Il prend sa source au Katanga,

Arch. Rencontre

Le **Conflent :** Saint-Martin-du-Canigou.

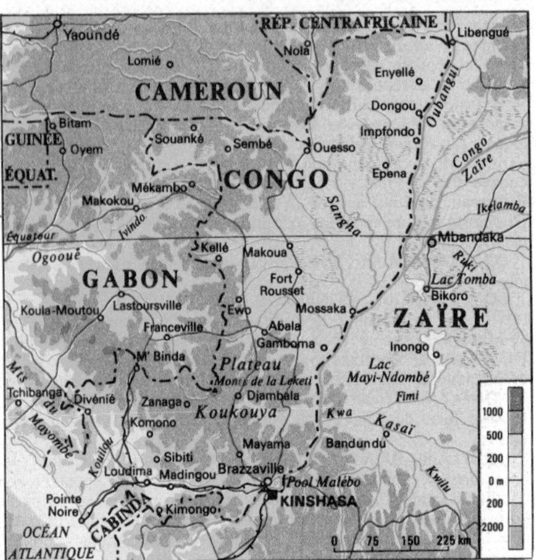

Congo.

sous le nom de Lualaba et coule d'abord N.-S., formant alternativement des rapides et des expansions et recevant les eaux de plusieurs affl. (dont l'émissaire du lac Tanganyika*); il passe à Kisangani après avoir franchi des rapides et des chutes (chutes de Stanley) et s'être orienté E.-O., puis à Mbandaka*; formant un arc de cercle, il s'oriente alors N.-E.-S.-O. avant de recevoir l'Oubangui* (r. d.), traçant après ce dernier la frontière entre le Congo et le Zaïre, puis la Sangha* (r. d.) et le Kasaï* (r. g.); il s'élargit dans le Stanley* Pool, sur les bords duquel se situent Brazzaville* et Kinshasa*, puis atteint son embouchure (découverte par D. Cam* en 1482) après avoir franchi les chutes de Livingstone en amont de Matadi*. Son régime est très régulier, de type fluvial, mais ses nombreux rapides et plusieurs chutes arrêtent la navigation, nécessitant des transbordements par voie ferrée. Le *bassin du Congo* couvre 3 450 000 km² et forme une cuvette centrale dans le Zaïre.

CONGO. *n. m.* **(République populaire du Congo**, dite **CONGO-BRAZZAVILLE)**. ♦ État d'Afrique équatoriale, traversé par l'Équateur, limité à l'O. par l'Atlantique et le Gabon*, au N. par le Cameroun* et l'Empire Centrafricain*, à l'E. et au S. par le Zaïre (ex-Congo-Kinshasa) et l'enclave de Cabinda*. 342 000 km² 1 350 000 habitants *(Congolais)*. *Cap.* Brazzaville. *Langues :* français (off.), nombreux dialectes, bantous, batékés, etc. Le pays, arrosé par de nombreux cours d'eau, le Congo* et l'Oubangui* formant frontière avec le Zaïre, est recouvert par la forêt (acajou, ébène, okoumé), tandis que la vallée du Niari a vu naître de grandes exploitations de canne à sucre, et celle de la Sangha*, de palmiers à huile. Le fleuve Congo n'étant pas navigable au delà du Stanley* Pool, la construction de la voie ferrée Brazzaville-Pointe*-Noire (dite *Congo-Océan*), longue de 511 km, a été menée à bien en 1934. La production forestière était en baisse en 1970. La production minière est encore très restreinte : de l'or (16 kg) et du diamant dans le Mayombé, tandis qu'un important gisement de phosphate a été découvert près de Pointe-Noire. La production de potasse augmente rapidement (461 900 t en 1975). Indus. alimentaires; brasseries; sucreries. Les transports fluviaux augmentent en importance, notamment dans le nord (port d'Ouesso). L'aéroport de Brazzaville dépasse 100 000 mouvements annuels. ♦ *Hist.* L'exploration de la région congolaise débuta vers 1875 avec Savorgnan de Brazza*, qui fit accepter un traité de souveraineté française au roi Makoko, tandis que Cordier en 1883 négociait un traité de reconnaissance sur le royaume de Loango*. En 1891 fut fondée la colonie du Congo français. En 1910, lors de la création de l'Afrique équatoriale française (avec Brazzaville* pour capitale), les régions explorées par Brazza furent divisées en deux territoires, le Gabon* à l'O. et le Congo* à l'est. République indépendante au sein de la Communauté en 1958, le pays accéda à l'indépendance complète en 1960; successivement présidé par l'abbé Fulbert Youlou, Massemba-Debat, N'Gouabi, il prit le nom de *République populaire du Congo* en 1969. Un comité militaire prit la direction du pays après l'assassinat de N'Gouabi (1977).

Ph. Nino Cirani/Ricciarini

Connecticut : New Haven, la ville ancienne.

CONGO. *n. m.* **(Rép. démocratique du Congo**, ou **CONGO-KINSHASA)**. ♦ V. ZAÏRE.

Congrégation (la). ♦ Association religieuse fondée à Paris (1801) sous le nom de *Congrégation de la Sainte-Vierge* par le jésuite Delpuits; supprimée sous l'Empire (1809), reconstituée en 1814, elle avait plusieurs filiales en province et regroupait des représentants de l'aristocratie, des magistrats, etc. Certains de ses membres appartenaient à l'association des chevaliers de la Foi, au service du trône et de la religion **(V. Ultras)**. Critiquée par les milieux gallicans et libéraux, qui la firent passer pour un système de gouvernement occulte, la Congrégation fut dissoute en 1830.

Congress of Industrial Organizations (C.I.O.). ♦ V. A.F.L.-C.I.O.

CONGREVE (William). ♦ Dramaturge anglais (Bardsey, 1670 – Londres, 1729). Réagissant contre le puritanisme de la période précédente, il a composé des drames et des comédies où l'habileté de l'intrigue se conjugue avec une grande liberté de langage. *Œuvr. princ. :* « La Fiancée en deuil » (*The Mourning Bride,* 1697); « Ainsi va le monde » (*The Way of the World,* 1700).

CONGREVE (*sir* William). ♦ Officier britannique (Woolwich, 1772 – Toulouse, 1828). Il conçut la fusée qui porte son nom (1804).

CONGREVE (Richard). ♦ Philosophe anglais (Leanington, 1818 – Hampstead, près de Londres, 1899). Auteur d'un ouvrage sur la politique d'Aristote et d'une *Histoire de l'Empire romain,* il fut un des principaux disciples en Angleterre d'Auguste Comte et publia un *Catéchisme de religion positive* (1858).

CONI. ♦ V. CUNEO.

CONJEEVARAM. ♦ V. KÃÑCHÎPURAM.

CONLIÈGE. ♦ Ch.-l. de cant. du Jura, arr. de Lons-le-Saunier. 938 hab. Église (XIVᵉ, XVIIᵉ s.); aux environs, vestiges d'un camp romain. Indus. alimentaires.

CONN *(lough* ou *lac)*. ♦ Lac de l'O. de la république d'Irlande (prov. de Connacht, comté de Mayo), à l'E. du *mont Nephin* (monts de Mayo). La riv. Moy en est issue et se jette, au N., dans la *baie de Killala.*

CONNACHT ou **CONNAUGHT**, en irl. **Connachta**. *n. m.* ♦ L'une des quatre prov. de la république d'Irlande, s'étendant au N. et au N.-O. de la plaine centrale et comprenant les comtés de Galway*, Leitrim*, Mayo*, Roscommon* et Sligo*. 17 116 km². 401 950 hab. (1966). *Cap.* Galway. – La région presente au centre un relief déprimé; de cette plaine centrale émergent à l'O. : les petits massifs des *monts de Connemara** et de *Mayo,* au contact desquels s'étendent de nombreux lacs intérieurs (*loughs* Conn*, Mask et Corrib*), marquant la limite de la plaine centrale. Les côtes sont déchiquetées et échancrées de baies profondes (Galway, Clew, Killala et Sligo bays) et souvent bordées d'îles. Le Connacht est surtout un pays de prairies. Galway en est le principal centre urbain. ♦ *Hist.* Le royaume de Connaught, fondé au IIᵉ s. par Conn, avait pour cap. *Rathcrogan* ou *Cruáchu* (comté de Roscommon) et fut gouverné par la famille O' Connor (Turloch, Rory, dernier haut-roi d'Irlande), puis par les Du Bourg du XIIIᵉ au XVᵉ siècle. Résistant à l'implantation anglo-écossaise, le Connacht demeura la province la plus gaélique d'Irlande.

CONNAUGHT. *n. m.* ♦ V. CONNACHT.

CONNECTICUT. *n. m.* ♦ Fl. du N.-E. des États-Unis; il prend sa source à la frontière canadienne, sépare le Vermont du New Hampshire, traverse le Massachusetts et le Connecticut et se jette dans l'Atlantique (détroit de Long Island). 553 km.

CONNECTICUT. *n. m.* ♦ État de l'E. des États-Unis (Nouvelle* Angleterre) bordé au S. par le détroit de Long Island. 12 850 km² (l'un des trois plus petits États de l'Union). 2 535 234 hab. en 1960. *Cap.* Hartford. *Princ. V.* **V. Bridgeport, New Britain, New Haven, Stamford, Waterbury.** – *Orogr.* Pénéplaine doucement ondulée s'élevant vers le N. (un sommet de 708 m au N.-O.), l'État est divisé en son centre par les basses terres de la vallée du Connecticut. Bien que très urbanisé, l'État possède de nombreuses forêts (60 % de la superficie). – *Écon.* L'agriculture, en déclin, est encore importante (élevage laitier, volailles, tabac, cultures maraîchères). Pêche (crustacés, huîtres). Les indus. traditionnelles (horlogerie, armurerie, argenterie...) se sont développées; s'y ajoutent la mécanique de précision, la construction d'avions et d'hélicoptères, les indus. électroniques, etc. — La vie intellectuelle de l'État est très active. Siège de l'université de Yale*. — Le Connecticut est la patrie de B. Arnold, Ph. Barnum, H. Beecher-Stowe, S. Colt, W. Gibbs, J.P. Morgan (voir aussi aux princ. villes). ♦ *Hist.* La région était peuplée par les Indiens Mohicans*; les premiers colons en furent des puritains anglais. La colonie de New Haven avait obtenu sa charte en 1662 et prit une part importante à la révolution; réorganisé en État en 1776, le Connecticut fut le cinquième à ratifier la Constitution (1788).

CONNEMARA. *n. m.* ♦ Région d'Irlande occidentale (Eire, comté de Galway) s'étendant sur les *monts de Connemara* (730 m aux Twelve Pins) et sur les *loughs Mask* et *Corrib.* Cette contrée, pittoresque et de climat très humide, est l'une des plus déshéritées d'Irlande.

'CONOLLY (John). ♦ Médecin aliéniste anglais (Market Rasen, Lincolnshire, 1794 — Hanwell, 1866). Il fut le promoteur en Angleterre d'un système thérapeutique des maladies mentales abolissant la contrainte et l'enfermement (*The Treatment of the Insane without Mechanical Restraints,* 1856).

CONON. ♦ Général athénien (v. ~444 — v. ~390). Vaincu par Lysandre* à Aigos* Potamos (~ 405), il se réfugia auprès d'Évagoras*, roi de Chypre*, puis, passé au service des Perses, il remporta sur les Spartiates la victoire navale de Cnide* (~ 394). Rentré ensuite à Athènes, il fut envoyé comme ambassadeur en Perse et y mourut en prison, à moins qu'il n'ait réussi à s'évader pour se réfugier à Chypre.

CONON. ♦ 83e pape (686-687 [mort]). Thrace.

CONON DE BÉTHUNE. ♦ Trouvère artésien (mil. du XIIe s. — v. 1220) qui joua un grand rôle durant la quatrième croisade (v. 1200). Auteur de chansons qui célèbrent l'amour courtois ou la croisade, il fut à la fois un valeureux guerrier et un remarquable poète : « Bon chevalier et sage estoit et bien eloquens » (Villehardouin).

CONON de SAMOS, en gr. **Konôn.** ♦ Astronome et mathématicien grec du ~ IIIe siècle. Auteur de sept livres sur l'astronomie qui furent utilisés par Hipparque*, il donna des leçons à Alexandrie sous le règne de Ptolémée Philadelphe et s'y lia avec Archimède*. Il aurait inventé la courbe appelée *spirale d'Archimède.*

CONQUES. ♦ Ch.-l. de cant. de l'Aveyron*, arr. de Rodez*. 479 hab. *(Conquois).* Ce fut une célèbre abbaye bénédictine au Moyen Âge. L'église Sainte-Foy, du XIe s., est une œuvre romane de style très pur. Le tympan du grand portail porte la belle sculpture du « Jugement dernier ». — Le *trésor de Conques* renferme de très précieuses pièces d'orfèvrerie dont la célèbre statue-reliquaire appelée *Majesté de Sainte-Foy.*

CONQUES-SUR-ORBIEL. ♦ Ch.-l. de cant. de l'Aude*, arr. de Carcassonne*. 1 708 hab. *(Conquois).* Enceinte, donjon (XIIe-XVe s.). Église gothique (retable du XVIe s. dans le chœur). Au S. de la V., château des Saptes (XVIe s.). — Vignobles.

CONQUET (Le). ♦ Comm. du Finistère (arr. de Brest), à l'une des pointes extrêmes de la Bretagne. 1 811 hab. *(Conquetois).* Station balnéaire, port de pêche. Traitement des algues et sous-produits de la pêche. Exploitation du lichen.

CONRAD Ier. ♦ (? — 918). Roi de Germanie (911-918). Duc de Franconie, il fut élu roi de Germanie à la mort de Louis* IV l'Enfant avec lequel s'éteignait la dynastie carolingienne en Allemagne. Il lutta contre le duc de Bavière et principalement contre Henri* Ier l'Oiseleur, duc de Saxe, qui lui succéda.

CONRAD II le Salique. ♦ (v. 990 — Utrecht, 1039). Roi de Germanie (1024-1039), empereur germanique (1027-1039). Duc de Franconie, il succéda à Henri* II, fondant ainsi la dynastie salienne. Il lutta contre la grande féodalité et, pour faire échec au régionalisme des duchés nationaux, il favorisa la petite féodalité, instituant le principe de l'hérédité des fiefs (1027); ces mesures furent à l'origine de l'anarchie féodale en Allemagne. Il céda le Schleswig à Canut* le Grand, roi de Danemark (1027), vainquit le roi de Pologne Mieszko II (1031) et réunit le royaume de Bourgogne et d'Arles à l'Allemagne (1034). — Père d'Henri* III.

CONRAD III de Hohenstaufen. ♦ (1093 ou 1094 — Bamberg, 1152). Empereur germanique (1138-1152). Neveu d'Henri V. il disputa la couronne à Lothaire* III et fut élu à la mort de ce dernier. Il lutta contre Henri* le Superbe, duc de Bavière et de Saxe qu'il spolia (1138), mais la guerre continua entre les guelfes* (partisans d'Henri le Superbe) et les gibelins (partisans de l'empereur). Il participa à la deuxième croisade* (1147-1148). — Il eut pour successeur Frédéric* Barberousse.

CONRAD IV. ♦ (Andria, Apulie, 1228 — Lavello, 1254). Empereur germanique (1250-1254), roi de Jérusalem et de Sicile. Fils de Frédéric* II, il fut élu roi des Romains en 1237 et assura la régence de l'Allemagne sous la tutelle de l'archevêque de Mayence, Siegfried d'Eppstein. Il tenta de conquérir son royaume de Sicile où il prit Naples, Capoue et Aquino. — Père de Conradin*.

CONRAD V. ♦ V. CONRADIN.

CONRAD, *marquis de* **Montferrat.** ♦ (? — 1192). Il délivra Tyr et en devint le souverain. Il épousa Isabelle d'Anjou, reine de Jérusalem. Il fut tué par un membre de la secte des Assassins avant de s'être fait reconnaître roi.

CONRAD (Michael Georg). ♦ Écrivain allemand (Gnodstadt, Bavière, 1846 — Munich, 1927). Fondateur avec K. Bleibtreu* de l' « hebdomadaire réaliste pour la littérature, l'art et la vie

Ph. Hétier

Le **Connemara.**

publique », *La Société* (*Die Gesellschaft,* 1885), il fut un des représentants du naturalisme en Allemagne, écrivit ses premiers romans (*Ce que murmure l'Isar, Was die Isar rauscht,* 1887) sous l'influence des *Rougon-Macquart* de Zola et s'éleva contre les dangers du machinisme (*Dans l'obscurité pourpre, In purpurner Finsternis,* 1895; etc.).

CONRAD (Téodor Jozef Konrad Nalecz Korzeniowski, dit **Joseph).** ♦ Romancier anglais d'origine polonaise (Berditchev, Ukraine, 1857 — Bishopsbourne, Kent, 1924). Sa famille fut déportée en raison d'activités patriotiques. Orphelin à dix ans, Joseph Conrad fut confié à un oncle qui le laissa débuter dans la marine à dix-sept ans : il se rendit à Marseille, aux Antilles et enfin en Angleterre où il se fit naturaliser en 1886. Ses voyages continuèrent : Bombay, Singapour, Bornéo, l'île Maurice. Passionné d'aventure, Conrad, bien qu'épris de littérature (Shakespeare, Marryat, Scott et Flaubert étaient ses auteurs favoris), n'avait guère le loisir d'écrire. Pourtant, son premier livre *(La Folie-Almayer)* était commencé depuis 1889. Son mariage avec Gessie George (1896) coïncida avec le début de sa carrière littéraire sous le patronage de Ford Madox Hueffer. Grâce à une volonté admirable et à un sens inné du rythme et des mots, Conrad se forgea un style dans une langue autre que sa langue maternelle. *La Folie-Almayer* est la suite du *Banni des îles* (1896), histoire de trafiquants, de pirates et de femmes, à Bornéo. *Le Nègre du « Narcisse »* (1897), crée un halo autour de chaque personnage, tel que le navire baigne dans un climat d'ensorcellement. *Lord Jim* (1900) est un marin qui paie de sa vie une lâcheté de jeunesse. C'est aussi sous le signe de l'aventure que furent écrits *L'Agent secret* (1907). *Sous les yeux d'Occident* (1911), *Fortune* (1913), *Une victoire* (1915), *La Ligne d'ombre* (1917), *La Flèche d'or* (1919), *Le Frère de la côte* (1923). Comme certains romans, ses nouvelles (*Histoires inquiètes* [1898], *Au cœur des ténèbres* [1902], *Entre terre et mer* [1903], *En marge des marées* [1915]) furent appréciées en Europe. Gide traduisit *Typhon* (1903) où Conrad s'identifiait au capitaine qui ne fait qu'un avec son navire. Toute son œuvre constitue un *« miroir de la mer »,* titre d'essais parus en 1906. Un autre volume autobiographique, *Des souvenirs* (1912), éclaire la personnalité d'un romancier qui aurait refait « l'œuvre de R.L. Stevenson à la manière de Henry James* » (Ifor Evans).

CONRADI (Hermann). ♦ Écrivain allemand (Jessnitz, 1862 — Würzburg, 1890). Mort jeune de tuberculose, il n'a laissé que quelques œuvres, un recueil de vers *Chant d'un pécheur (Lieder eines Sünders,* 1887), un roman (*Adam Mensch,* 1889). Elles expriment de façon violente, voire crue, le refus d'une vie triviale, tout en y affirmant un nationalisme volontiers chauvin.

CONRADIN. ♦ (Wolstein, près de Landshut, 1252 — Naples, 1268). Fils de l'empereur germanique Conrad* IV, il ne réussit pas à faire valoir ses droits sur le royaume de Sicile contre Charles* Ier d'Anjou qui le vainquit (1268). — Dernier descendant des Hohenstaufen.

CONRART (Valentin). ♦ Écrivain et érudit français (Paris, 1603 — *id.,* 1675). Les lettrés qu'il réunit chez lui formèrent l'Académie* française dont il devint le premier secrétaire. Il est l'auteur de *Mémoires* et de *Lettres.*

CONSALVI (Ercole). ♦ Prélat romain (Rome, 1757 — Anzio, 1824). Secrétaire du conclave de Venise où il fit élire Pie* VII (1800), cardinal et secrétaire d'État du Saint-Siège. Il signa à Paris le Concordat de 1801, démissionna (1806), fit partie des « cardinaux noirs » hostiles à Napoléon. Il représenta le Saint-Siège au congrès de Vienne et obtint la reconstitution presque intégrale des États de l'Église.

CONSCIENCE (Hendrik). ♦ Écrivain belge d'expression flamande (Anvers, 1812 — Bruxelles, 1883). Mêlé très vite au mouvement des revendications flamandes, il débuta par des chansons, mais connut le véritable succès avec un roman historique (dans la tradition de Walter Scott) où il évoquait la lutte des Flamands (communes et nobles réunis) contre les troupes françaises, au XIVe s. : *Le Lion de Flandre* (*De Leeuw van Vlaanderen;* 1838), inaugura, sur le plan historique comme sur celui de la langue, la renaissance de la culture flamande. Hendrik Conscience composa également de nombreux romans de mœurs, très populaires, où le réalisme de la peinture s'allie au contenu moral : notamment *Le Conscrit* (*De Loteling;* 1850), *Le Gentilhomme pauvre* (*De arme Edelman;* 1851) et *Le Fléau du village* (1855).

Conseil constitutionnel. ♦ Organe créé par la Constitution de 1958 pour veiller à son respect. Il est composé de membres de droit (anciens présidents de la République) et de neuf membres nommés. Il est saisi de la constitutionnalité de toute loi organique à la demande du président de la République et des lois ordinaires à la demande du président des assemblées. Il veille à la régularité des élections présidentielles, législatives et sénatoriales et des opérations de référendum. Le recours à l'article 16 de la Constitution (pouvoirs exceptionnels) ne peut avoir lieu sans sa consultation.

Conseil de la République. ♦ Assemblée instituée par la Constitution d'octobre 1946 (Quatrième République) en remplacement du Sénat* de la Troisième République. Par rapport à l'Assemblée* nationale, le Conseil de la République, dont les membres étaient élus au suffrage universel indirect et renouvelés par tiers tous les trois ans, n'eut qu'un rôle secondaire, essentiellement consultatif (bien qu'une réforme constitutionnelle de déc. 1954 ait accru ses pouvoirs). La Constitution de 1958 (Cinquième République) rétablit le Sénat.

Conseil de l'Europe. ♦ V. EUROPE *(Hist.).*

Conseil des Anciens. ♦ V. ANCIENS (Conseil des).

Conseil des Cinq-Cents. ♦ V. CINQ-CENTS (Conseil des).

Conseil des troubles. ♦ Juridiction spéciale établie en 1567 par le duc d'Albe*. Les comtes d'Egmont et de Hoorne comptèrent parmi ses victimes.

Conseil d'État. ♦ Premier corps de l'État, organe juridictionnel suprême de la France. Le Conseil d'État est le lointain héritier de la *Curia regis* et du Conseil du roi de l'Ancien Régime. Repris par la Constitution de l'an VIII **(V. Napoléon Ier)**, il s'est maintenu depuis sous les différents régimes français. Il siège depuis 1874 au Palais-Royal à Paris, et joue le rôle de conseiller suprême du pouvoir exécutif (rédaction des projets de lois gouvernementaux) et de tribunal administratif suprême, garant des droits et des libertés fondamentales.

Conseil économique du travail. ♦ Organisme d'études privé fondé en 1920 à l'instigation de la Confédération générale du travail (C.G.T.), de la Fédération nationale des coopératives, de la Fédération générale des fonctionnaires et de l'Union syndicale des techniciens de l'industrie, du commerce et de l'agriculture, et chargé essentiellement d'un plan de nationalisation industrialisée.

Conseil national de la Résistance (C.N.R.). ♦ Organisme formé au printemps 1943 pour unifier les divers mouvements de la Résistance*, jusqu'alors politiquement divisés. Présidé par Jean Moulin*, puis par G. Bidault*, le C.N.R. regroupa huit réseaux de la Résistance française, des représentants des syndicats (C.G.T. et C.F.T.C.) et des partis politiques. En relation avec le Comité français de Libération nationale du général de Gaulle (à Alger), le C.N.R. tenta d'organiser en France des Comités départementaux de libération (1944) et élabora une charte qui formula les principales options et directions politiques de la Quatrième République : indépendance politique et économique de la France; châtiment des collaborateurs **(V. Collaboration)**; rétablissement du suffrage universel et des libertés publiques; réformes économiques (nationalisation des grands moyens de production, des banques, planification), sociales (conditions de travail, sécurité sociale, congés payés), éducatives et coloniales (affirmation des droits politiques, économiques et sociaux des populations des colonies françaises).

Conseil œcuménique des Églises. ♦ Organisme fondé en 1937 à Édimbourg (officialisé en 1948) pour rapprocher les diverses Églises chrétiennes. Chaque Église affiliée garde son individualité, mais doit admettre que les autres Églises membres sont des parcelles de l'Église universelle. En 1967, le Conseil groupait deux cent trente et une Églises. L'Église catholique n'y a pas adhéré, mais, depuis 1965, elle entretient un groupe de travail mixte avec le Conseil.

Conservateur *(parti),* en angl. **British conservative party.** *n. m.* ♦ Nom d'un parti politique britannique créé en 1824. Cette désignation remplaça définitivement le terme de *tory* **(V. Whig et tory)** à partir de la réforme électorale de 1832. Depuis lors, les conservateurs ont alterné au gouvernement soit avec les libéraux **(V. Libéral** [parti]), jusqu'en 1923, soit, depuis 1923, avec les travaillistes* *(Labour Party).* Le « fondateur ». Robert Peel* exposa les objectifs essentiels du parti : entreprendre des réformes économiques et sociales tout en protégeant l'ordre établi; ce que Disraeli* appela la « démocratie conservatrice » *(Tory Democracy).* Si la grandeur de l'Empire britannique et l'opposition à l'autonomie irlandaise, qui a permis aux conservateurs de rassembler les voies unionistes (**V. Chamberlain** [Joseph]), ont toujours rassemblé les suffrages conservateurs, d'autres questions les ont divisés, telles que le protectionnisme (au cours de la seconde moitié du XIXe s.) et l'entrée de la Grande-Bretagne dans le Marché commun **(V. Heath** [Edward]; **Communauté économique européenne.**

Ph. Nimatallah/Ricciarini
J. Constable : « La Cathédrale de Salisbury ». (Victoria et Albert Museum, Londres.)

Conservatoire national des arts et métiers. ♦ **V.** ARTS ET MÉTIERS.

CONSIDÉRANT (Victor). ♦ Philosophe et économiste français (Salins, Jura, 1808 — Paris, 1893). Polytechnicien, il abandonna la carrière militaire (1831) pour se consacrer entièrement à l'enseignement de la pensée de Fourier*, dirigeant l'hebdomadaire *la Phalange* (1832; 1834-1844), publiant *Destinées sociales* (1834-1838), « exposition élémentaire de la théorie sociétaire », fondant le journal *Démocratie pacifique* (1843). Il est également l'auteur des *Principes du socialisme* (1847), critique du système capitaliste et de la *Théorie du droit de propriété et du droit au travail* (1848). Député en 1848, il fut exilé sous Napoléon III.

Considérations sur les causes de la grandeur des Romains et de leur décadence. ♦ Ouvrage historique et philosophique de Montesquieu* (1734), qui institue le déterminisme historique puisque l'auteur s'efforce, à partir des événements de son histoire, de trouver les lois politiques et morales qui régirent la grandeur (Livres I à VIII), puis la décadence (X à XXIII) de Rome, brossant une suite de tableaux et de portraits saisissants, écrits en un style dense qui manifeste un « génie mâle et rapide » (Voltaire) et annonce *L'Esprit* des lois.*

Consolation de la philosophie (De la). ♦ Ouvrage philosophique de Boèce* écrit en prison. Il y développe des thèmes stoïciens; personnifiant la philosophie, il commence par indiquer à l'homme les remèdes contre les revers de la Fortune, puis il tente d'identifier celle-ci à l'universelle Providence (Dieu ou vrai Bien) qui seule apporte à l'âme l'indépendance et le bonheur.

Conspiration des poudres. ♦ Complot formé en 1605 à Londres par des catholiques afin de faire sauter le Parlement et de tuer le roi Jacques Ier. Le complot échoua à la suite de l'arrestation de l'un des complices, Guy Fawkes.

CONSTABLE (John). ♦ Peintre, aquarelliste et dessinateur anglais (East Bergholt, Suffolk, 1776 — Londres, 1837). Il suivit des cours à partir de 1799 à l'Académie royale et reçut des conseils de Benjamin West. Admirateur des paysagistes hollandais du XVIIe s., de Lorrain, dont il exécuta maintes copies, et de Rubens, il subit l'influence de Gainsborough et de Girtin*. Il fit quelques portraits, mais prit comme motif de prédilection la campagne anglaise (notamment son pays natal le Suffolk, puis le Sussex). La spontanéité de sa vision, dont témoignent les innombrables dessins et ébauches à l'huile peintes sur le motif, était en rupture avec les conceptions académiques du paysage. *La Charrette de foin* (1821), présentée à Paris en 1824, fut une révélation. Constable fut dès lors plus apprécié en France qu'en Angleterre. Observateur aigu de la nature, il s'intéressa aux variations de la lumière, aux effets d'atmosphère (nombreuses études de nuages). La liberté et la nervosité de sa touche furent considérées par ses adversaires comme un défaut : ses grandes œuvres reprises à l'atelier contrastent souvent avec ses études à l'huile qui nous paraissent plus sensibles. À partir de 1828, sa vision devint plus lyrique et dramatique et il utilisa fréquemment une matière épaisse, étalée au couteau (*Le Cénotaphe,* 1836). Delacroix le considérait comme « le père du paysage français »; il influença en effet les romantiques, les peintres de Barbizon et indirectement les impressionnistes.

CONSTANCE Ier Chlore, en lat. **Flavius Valerius Constantius Chlorus** *(pâle).* ♦ (mort à Eburacum, auj. York, 306). Empereur romain (305-306). Adopté par Maximien* qui le promut César, il gouverna les Gaules, l'Espagne et la Bretagne. Devenu Auguste en 305 avec Galère*, il fit cesser dans ses États la persécution contre les chrétiens. De sa concubine Hélène*, il eut pour fils Constantin Ier le Grand.

CONSTANCE II, en lat. **Flavius Julius Constantius.** ♦ (Illyricum, 317 — Mopsucrène, Cilicie, 361). Empereur romain (337-

361). Fils de Constantin* Ier le Grand, il reçut à la mort de son père le gouvernement de l'empire d'Orient. Il resta seul maître de l'Empire après la mort de ses frères Constantin* II et Constant* Ier et battit Magnence* (353). Pensant servir l'Église et l'État, il favorisa l'arianisme et persécuta saint Athanase*. Il lutta sans succès contre Shâhpuhr* II et mourut inopinément alors qu'il marchait contre Julien* que l'armée des Gaules avait proclamé empereur.

CONSTANCE III, en lat. **Flavius Constantius**. ♦ Empereur romain (421). Général d'Honorius*, il battit l'usurpateur Constantin à Arles (411) et conduisit les Wisigoths d'Italie en Gaule (**V. Athaulf**). Il épousa Galla* Placidia (417) et partagea l'empire avec Honorius (421). Père de Valentinien* III.

CONSTANCE DE CASTILLE. ♦ Reine de France (morte en 1160). Fille d'Alphonse VIII, roi de Castille, elle fut la seconde femme de Louis* VII (1154).

CONSTANCE DE PROVENCE. ♦ Reine de France (? – Melun, (1032). Fille de Guillaume Taillefer, comte de Toulouse, elle fut la troisième femme de Robert* II le Pieux (v. 1003). Elle essaya de faire couronner son second fils Robert roi de France et lui fit donner la Bourgogne par son autre fils Henri Ier de France.

CONSTANCE, en all. **Konstanz.** ♦ V. du S.-O. de la R.F.A. (Bade-Wurtemberg), sur la rive N.-O. du *lac de Constance* (lac Supérieur). 56 700 hab. Cathédrale romane (1052-1089) achevée du XIIe au XVe s. en gothique. Kaufhaus du XIVe s. (où se tint le conclave de 1417). Ancien couvent dominicain où fut incarcéré Jean Hus, *Rathaus* de style Renaissance (1592). Constance est une station climatique et un lieu de villégiature fréquenté. – Patrie de G.H. Dufour, d'U. Gering, de F. von Zeppelin. ♦ *Hist.* Le site fut occupé dès la préhistoire par une cité lacustre, puis à partir du Ier s. par les Romains qui en firent une place forte *(Constantiacum)*. Envahie par les Alamans au VIe s., la ville devint le siège d'un évêché. Située sur la route reliant l'Orient par les Alpes et la Méditerranée, Constance connut une grande prospérité commerciale (laine, soie). Frédéric Barberousse y reconnut l'indépendance des cités lombardes (paix de Constance, 1183). Au début du XVe s., la ville fut choisie comme siège d'un concile. **V. Constance** (concile de) : P. d'Ailly*, G. Fillastre* et J. de Gerson* y participèrent.

Constance *(concile de)*. ♦ XVIe concile œcuménique, convoqué par Jean XXIII (considéré depuis comme antipape) à la demande de Sigismond de Luxembourg. Siégeant de 1414 à 1418, il mit fin au grand schisme d'Occident par l'élection du pape Martin V (1417). En 1415, il condamna Jean Hus*.

CONSTANCE *(lac de)*, en all. **Bodensee.** ♦ Lac d'Europe continentale (540 km²) partagé entre l'Allemagne, la Suisse et l'Autriche. Long de 259 km et profond de 250 m, il a été formé par le glacier du Rhin. On distingue : le *lac Supérieur (Obersee)* au S.-O. entre Bregenz et Constance, traversé par le Rhin, le *lac Inférieur (Untersee)* à l'E. et le *lac d'Uberlingen* au nord. Les côtes, très pittoresques, sont bordées de stations climatiques : Überlingen*. Friedrichshafen*, Lindau*, Constance* (Allemagne), Bregenz* (Autriche), Rorschach* et Romanshorn* (Suisse).

CONSTANS (Jean Antoine Ernest). ♦ Homme politique français (Béziers, 1833 – Paris, 1913). Ministre de l'Intérieur dans le cabinet J. Ferry (1880-1881), puis dans les gouvernements Tirard et Freycinet (après avoir été gouverneur général de l'Indochine de 1886 à 1889), il réprima l'agitation boulangiste (**V. G. Boulanger**) et les mouvements socialistes. Sénateur (1889), il fut nommé ambassadeur en Turquie (1899-1909).

CONSTANT Ier, en lat. **Flavius Julius Constans.** ♦ (V. 323 – 350). Empereur romain (337-350). Fils de Constantin* Ier le Grand, il reçut à la mort de son père l'Italie, l'Afrique, l'Illyrie, la Macédoine et partagea d'abord l'Occident avec son frère Constantin* II; après l'avoir vaincu (340), il régna sur tout l'Occident; il fut tué par Magnence*.

CONSTANT II Héraclius. ♦ (629 – 668). Empereur d'Orient (**V. Byzantin**) de 641 à 668, fils de Constantin III. Pour apaiser les troubles religieux, il décréta le monothélisme, interdit toute discussion christologique et fit arrêter le pape Martin qu'il emprisonna à Constantinople, où celui-ci mourut. Il mena des campagnes victorieuses contre les Arabes, les Slaves et les Lombards en Italie. Il quitta Constantinople et séjourna successivement à Thessalonique, Athènes, Rome et Syracuse, où il fut assassiné dans son bain par un de ses lieutenants.

CONSTANT (Benjamin Constant de Rebecque, dit **Benjamin).** ♦ Homme politique et écrivain français, d'origine suisse (Lausanne, 1767 – Paris, 1830). Après une éducation en Allemagne et en Écosse, il mena « une vie errante et décousue » avant de s'attacher à Mme de Staël* pour une liaison orageuse (1794 à 1808) parallèlement à deux mariages successifs, situation paradoxale qui fut la matière de ses deux romans, *Cécile* et *Adolphe** (Londres, 1816). Désireux de jouer un grand rôle politique, il manifesta son hostilité à Napoléon (pour lequel, cependant, il rédigera l'*Acte additionnel* lors des Cent-Jours) et devint le chef du parti libéral, sous la Restauration, acquérant par ses talents de pamphlétaire une immense popularité. Plus que par son étude, *De la religion considérée dans sa source, ses formes et ses développements* (incomplète, 1824 à 1830), c'est par ses romans et par sa *Correspondance*, les *Journaux intimes*, et *Le Cahier rouge* (récit autobiographique), que B. Constant a obtenu la célébrité littéraire : mettant « sa volupté à surveiller ironiquement son âme si fine et si misérable » (M. Barres), il manifesta une extrême subtilité dans l'analyse psychologique et une grande maîtrise stylistique pour dépeindre « ce mélange d'égoïsme et de sensibilité qui se combinait en lui pour son malheur et celui des autres ».

CONSTANT (Alphonse Louis). ♦ Écrivain français (Paris, 1810 – 1875). Prêtre et professeur de théologie, il fut partagé entre des aspirations mystiques (*L'Assomption de la femme*, ou *Le Livre de l'amour*, 1841; et *La Mère de Dieu*, 1844) et des positions révolutionnaires, anarchisantes (*La Bible de la liberté*, 1841; *La Voix de la famine*, 1846). Il renonça à l'état ecclésiastique et se livra à des travaux d'occultisme et de spiritisme, publiant ses *Œuvres de philosophie occulte* sous le nom d'Éliphas Lévy (1860-1865).

CONSTANT (Marius). ♦ Compositeur français d'origine roumaine (Bucarest, 1925). Élève de Messiaen, il a fondé l'ensemble *Ars Nova* (1953) qui s'est consacré à l'interprétation de la musique contemporaine. Ses recherches, dans le domaine de la musique concrète, lui ont inspiré des ballets, *Le Joueur de flûte* (1952), *Haut Voltage* (1956), *Éloge de la folie* (1966), de la musique de chambre et plusieurs œuvres symphoniques (*Turner*, 1962).

CONSTANȚA. ♦ V. et port de Roumanie nord-orientale. Ch.-l. de la Dobroudja* et principal débouché maritime de la Roumanie, sur la mer Noire. 199 160 hab. Port commercial (exportation de blé, de pétrole, 23 000 000 de t de trafic annuel). Pêche. Centre industriel (chantiers navals, constructions mécaniques, conserveries). Site archéologique (édifice à mosaïque, thermes romains) et station balnéaire fréquentée. ♦ *Hist.* L'antique *Tomes*, métropole du Pont-Euxin, fut fondée au ~VIe s. par des colons grecs. Ovide* y mourut en exil en 17 ou 18.

CONSTANTIN Ier. ♦ 88e pape (708-715 [mort]). Syrien.

CONSTANTIN II. ♦ Antipape (767-769). Elu par l'aristocratie à la mort de Paul* Ier, il fut, à l'instigation du primicier Christophe, renversé par les Lombards qui lui crevèrent les yeux. Les actes de son pontificat furent annulés par le concile réuni par Etienne* III (769) et lui-même fut interné dans un monastère.

CONSTANTIN Ier le Grand, en lat. **Flavius Valerius Aurelius Claudius Constantinus.** ♦ (Naïsse, Mésie, entre 280 et 288 – Ancyrona, près Nicomédie, 337). Empereur romain (306-337). Fils de Constance* Chlore et d'Hélène*, il servit sous Dioclétien* et fut proclamé auguste par ses légions à la mort de son père (306). Il se concilia d'abord la faveur de Maximien* dont il épousa la fille Fausta*, puis le poussa au suicide (310). À la mort de Galère* (311), il s'allia avec Licinius qui épousa sa sœur Constantia, et vainquit Maxence* au Pont Milvius* (312). C'est à la suite d'une vision où lui serait apparu un signe qu'on suppose être le chrisme, avec cette devise en grec, *En toutô nika* (« Triomphe par ceci », *In hoc signo vinces*), qu'il plaça sur les boucliers de ses soldats avant la bataille du Pont Milvius, ce qui l'incita à voir dans sa victoire sur Maxence le résultat d'une intervention surnaturelle. À partir de 312, il se rangea résolument du côté de l'Église et par l'*édit de Milan* (313) garantit aux chrétiens une tolérance qui équivalait à la reconnaissance du christianisme comme religion d'État. Son entente avec Licinius prit fin en 324. Devenu alors seul maître de l'Empire, Constantin s'institua le champion de la foi orthodoxe et condamna les partisans d'Arius* au *concile de Nicée* (325); mais en face des hérésies, il hésita souvent; quelques années plus tard il rappela les ariens et exila Athanase*, le défenseur de la foi de Nicée; en 321, il avait accordé la liberté de culte aux donatistes. Parallèlement à cette unification religieuse de l'Empire, Constantin poursuivit une œuvre de restauration intérieure : souverain de droit divin, il pouvait prendre toutes les décisions législatives et contraignit ses sujets par une pesante administration et la surveillance d'une forte police. Tout rôle fut enlevé au Sénat et à l'armée. En 330, Constantinople* devint la nouvelle capitale de l'Empire. Pour régler le problème de la succession impériale, Constantin éleva à la dignité des Césars ses propres fils, Constantin* II,

Arch. Smeets

Arc de Constantin (Ier le Grand), Rome, élevé après la victoire sur Maxence au Pont Milvius.

Ph. Nino Cirani/Ricciarini

Les gorges de Rummel à **Constantine.**

Constant* Ier et Constance* II. Enfin son règne fut illustré par la construction des premiers monuments chrétiens, l'église du *Saint-Sépulcre* à Jérusalem, à Rome les basiliques du *Latran* et du *Vatican,* les églises des *Saints-Apôtres* et de *Sainte-Sophie* à Constantinople.

CONSTANTIN II le Jeune. ♦ (Arles, 317 – Aquilée, 340). Empereur romain (337-340). Fils aîné de Constantin* Ier le Grand et de Fausta*, il reçut à la mort de son père, les Gaules, l'Espagne et la Grande-Bretagne, et partagea l'Occident avec son frère Constant* Ier; mais entré en rivalité avec son frère, il mourut au cours d'une bataille contre ce dernier.

CONSTANTIN III Héraclius. ♦ (612 – 641). Empereur byzantin (641), fils d'Héraclius Ier. Il partagea son trône avec son demi-frère Héraclius* II, fils de Martine. Il s'opposa au monothélisme et inaugura une politique de rapprochement avec Rome, mais il mourut en quelques mois, peut-être empoisonné à l'instigation de sa belle-mère Martine.

CONSTANTIN IV Pogonate. ♦ (654 – 685). Empereur byzantin (668-685). Fils de Constant II, il soumit les provinces révoltées et repoussa les Arabes qui assiégeaient Constantinople de 672 à 678. Le *feu grégeois* fut alors pour la première fois utilisé. Vaincu par les Bulgares (679), il réussit à convertir les Croates et les Serbes et rétablit l'unité religieuse avec Rome en faisant au sixième concile œcuménique condamner le monothélisme.

CONSTANTIN V Copronyme *(l'Ordurier).* ♦ (718 – 775). Empereur byzantin (741-775), fils de Léon* III. Il repoussa les Bulgares parvenus jusqu'à Constantinople (755) et il remporta la victoire décisive d'Anchialos (762), combattit les Slaves, mais il ne put empêcher la prise de Ravenne par les Lombards (750); la perte de l'exarchat eut de lourdes conséquences dont la fin de l'influence byzantine sur les papes. Iconoclaste plus violent que son père, après le concile d'Hiéria (754) qui condamna les images saintes, il dispersa les moines et confisqua les biens monastiques, ce qui lui valut des surnoms insultants donnés par des historiens fanatiques.

CONSTANTIN VI. ♦ (771 – après 800). Empereur byzantin, fils de Léon* IV et d'Irène*. Couronné à l'âge de neuf ans, il régna sous la tutelle de sa mère jusqu'en 790, date à laquelle, porté par un soulèvement militaire, il se débarrassa de la régence. Mais, bientôt, le malaise dans l'armée à cause des progressions des Arabes et des Bulgares et l'opposition du parti monastique profitèrent à Irène, qui le renversa en 797 et lui fit crever les yeux.

CONSTANTIN VII Porphyrogénète. ♦ (905 – 959). Empereur byzantin (913-959), fils de Léon* VI. Lettré n'ayant pas le goût de la politique, il laissa le gouvernement d'abord à sa mère, puis à son beau-père Romain* Lécapène (920-945). Amené ensuite à gouverner seul, il abandonna les affaires d'État à sa femme. Son règne fut marqué par des victoires contre les Arabes, par l'expansion de l'influence byzantine au Nord et à l'Est et par de vastes réformes de l'enseignement, de l'administration et de la législation **(V. Basiliques).** Il favorisa la petite propriété rurale et, surtout, protégea les arts et les lettres. Écrivain lui-même, il laissa de nombreux ouvrages historiques : le *Livre des cérémonies,* la *Vie de Basile Ier* (959), le *Traité de l'administration,* etc. Il dirigea aussi un considérable travail d'encyclopédistes.

CONSTANTIN VIII. ♦ (v. 960 – 1028). Empereur byzantin. Sous la tutelle de sa mère Théophano et de Nicéphore* Phocas, puis de Jean Tzimiskès, il fut proclamé empereur (976) avec son frère Basile* II qu'il laissa gouverner seul. À la mort de celui-ci (1025), il abandonna le pouvoir à des eunuques palatins et à de hauts fonctionnaires qui écrasèrent la petite propriété agricole par de lourds impôts. Sa seconde fille Zoé* acheva l'effondrement de la puissance byzantine sous la dynastie macédonienne.

CONSTANTIN IX Monomaque *(le Gladiateur).* ♦ (v. 980 – 1055). Empereur byzantin parvenu au trône en 1042 par son mariage avec l'impératrice Zoé*, deux fois veuve et âgée alors de 64 ans. Son règne fut marqué par la perte définitive de l'Italie, la progression des Seldjoukides à l'Est, des troubles intérieurs et le schisme religieux entre Constantinople et Rome (1054). Ce fut néanmoins la période la plus florissante pour les lettres, dominée par la personnalité de Michel Psellos, son protégé.

CONSTANTIN X Doukas. ♦ (1007 – 1067). Empereur byzantin (1059-1067). Son avènement marqua le triomphe de la bureaucratie centrale opposée à l'aristocratie provinciale et militaire. Sa politique affaiblit la défense des frontières et permit aux Seldjoukides, Hongrois, Petchenègues et Normands d'arracher plusieurs provinces de l'empire et de ravager de vastes régions.

CONSTANTIN XI Paléologue Dragasès. ♦ (1404 – 1453). Le dernier empereur byzantin. Despote de Morée (1443), il fut proclamé empereur après la mort de son frère Jean* VIII et couronné à Mistra (1449). À la tête d'un empire agonisant, il essaya en vain d'obtenir l'aide de l'Occident. Commandant la défense de Constantinople assiégée par Mehmet* II, il tomba au cours de l'assaut final le 29 mai 1453.

CONSTANTIN Ier. ♦ Roi de Grèce (Athènes, 1868 – Palerme, 1923). Fils de Georges* Ier, il lui succéda en 1913. Opposé à Vénizélos*, il essaya de maintenir la neutralité de son pays pendant la Première Guerre mondiale. Après la division de la Grèce et l'intervention des troupes françaises, il dut abdiquer (1917) en faveur de son fils cadet Alexandre*. Rappelé d'exil par un plébiscite (1920), il fut obligé d'abdiquer de nouveau (1922) en faveur de son fils aîné Georges* II, à la suite de la défaite grecque en Asie Mineure et de la révolte de l'armée menée par Plastiras*.

CONSTANTIN II. ♦ Roi de Grèce (Athènes, 1940), successeur de son père Paul* Ier en 1964. Opposé à la majorité parlementaire de Papandréou*, il provoqua la démission de celui-ci et la crise politique qui s'acheva par le coup d'État d'avril 1967. Après l'échec d'une tentative de renversement du régime militaire, il s'exila. Il a été déchu le 1er juin 1973 par un acte du gouvernement militaire du général Papadopoulos.

CONSTANTIN Pavlovitch. ♦ (Saint-Pétersbourg, 1779 – Vitebsk, 1831). Grand-duc de Russie. Deuxième fils de Paul* Ier, il devait succéder à son frère Alexandre* Ier, mais céda à son frère Nicolas* Ier ses droits au trône. Vice-roi de Pologne (1816), il fut chassé de Varsovie par l'insurrection de 1830.

CONSTANTINE. ♦ V. d'Algérie, ch.-l. du dép. et de l'arr. du même nom, située sur les hauts plateaux constantinois ou *monts de Constantine,* au point où l'oued Rummel* coule entre des gorges profondes qui encerclent presque totalement la ville. 254 700 hab. *(Constantinois).* Archevêché. Université. Musée archéologique. Centre agricole. Minoteries. Construction mécanique. Artisanat. Skikda*, malgré le développement d'Annaba, reste le port exportateur du Constantinois. ♦ *Hist.* Anc. *Cirta,* devenue cap. de la Numidie* elle connut son apogée sous Micipsa et en ~ 113 Jugurtha* s'en empara, y massacra les commerçants latins, ce qui entraîna l'intervention de Rome et la prise de Cirta par Caius Marius*; colonie romaine elle prit le nom de Constantine en l'honneur de l'empereur Constantin Ier qui la rebâtit après l'insurrection de 311. Elle passa ensuite aux mains des Arabes puis des Turcs. La ville, gouvernée par un bey, résista à l'occupation française et Clauzel* échoua devant ses murs en 1836. Elle ne fut prise que l'année suivante par le maréchal Valée*, siège au cours duquel périt le général Damremont* et où se distingua Lamoricière*. — *Le dép. de Constantine* (1 448 700 hab.) couvre une partie des massifs kabyles au N. et s'étend vers le S. sur des hauts plateaux arides (élevage semi-nomade). *V. et localités princ.* **V. Aïn M'Lila, Collo, Daoud, Djemila, Djidjelli, Fedj-M'Zala, Mila et Skikda.**

CONSTANTINOPLE, en gr. **Kônstantinoupolis** (auj. **Istanbul***). ♦ Anc. capitale de l'empire d'Orient ou byzantin* (395-1453) et de l'Empire ottoman* (1453-1923), sur la rive européenne du Bosphore* et de la mer de Marmara*. Fondée par Constantin* le Grand (324-330), elle fut ornée d'édifices grandioses (palais, hippodrome, forum, etc.) auxquels s'ajoutèrent les constructions de Justinien* (Sainte-Sophie*, etc.). Capitale religieuse de l'Orient chrétien (patriarcat), centre intellectuel (université, 330), industriel et commercial, elle fut la ville la plus grande, la plus belle et la plus riche du Moyen Âge. Des querelles sociales et religieuses (monophysisme, iconoclasme) bouleversèrent souvent la ville; elle resta jusqu'au IXe s. séparée en deux dèmes, qui étaient en même temps des quartiers et des partis politiques : les *Bleus**, propriétaires fonciers et riches et les *Verts,* artisans et ouvriers d'orthodoxie douteuse. Déchirés à l'occasion des jeux hippiques ou des querelles dogmatiques, les deux partis firent quelquefois cause commune contre les empereurs (sédition de Nika*, etc.). La ville fut assiégée par les Avars, les Perses, les Arabes et les Slaves (VIe-Xe s.), puis, prise par les croisés, elle devint la capitale de l'Empire* latin d'Orient (1204-1261). Occupée par les Turcs depuis 1453, elle reçut le nom d'Istanbul et fut le siège de la Sublime Porte* jusqu'en 1923, date à laquelle la capitale turque fut transférée à Ankara*. **V. Istanbul, Byzantin** (empire), **Croisades, Turquie.** — Patrie de Chrysoloras*, J. Lascaris*. À Constantinople sont nés plusieurs empereurs byzantins et patriarches, ainsi que Baudouin* II (empereur latin d'Orient), Honorius* (empereur de Rome). Théodoric* le Grand (roi des Ostrogoths) y fut élevé.

CONSTANTINOPLE *(conciles de)*. ♦ CONSTANTINOPLE I : IIe concile œcuménique, réuni en 381 par Théodose. Les doctrines d'Arius* qui s'étaient répandues malgré leur condamnation à Nicée (325) furent à nouveau condamnées. On proclama l'égale divinité des trois personnes de la Sainte-Trinité **(V. Arianisme).** ♦ CONSTANTINOPLE II : V[e] concile œcuménique, réuni en 553 par Justinien. Contre le nestorianisme, on réaffirma l'union hypostatique des deux natures, divine et humaine, dans le Christ et on condamna les « Trois Chapitres » tirés de Théodore* de Mopsueste, Théodoret* de Cyr et Ibas d'Édesse. **V. Vigile.** ♦ CONSTANTINOPLE III : VIe concile œcuménique, réuni en 680-681 par Constantin IV. Il déclara que le Christ possède deux volontés correspondant à ses deux natures (condamnation du monothélisme et du pape Honorius*). ♦ CONSTANTINOPLE IV : VIIIe concile œcuménique, réuni par Basile Ier en 869-870. Photios* y fut condamné, ce qui rétablit, provisoirement, l'entente entre Rome et Constantinople.

CONSTANTINOPLE *(détroit de)*. ♦ **V.** BOSPHORE.

CONSTANTZA. ♦ **V.** CONSTANȚA.

CONSTITUANTE. ♦ **V.** ASSEMBLÉE (NATIONALE) CONSTITUANTE.

Constitution civile du clergé. ♦ Décret voté par l'Assemblée* nationale constituante le 12 juillet 1790 et sanctionné par le roi le 24 août. D'inspiration libérale et gallicane, cette constitution visait à donner à l'Église catholique une organisation calquée sur celle de l'administration civile locale (répartition du clergé séculier en 83 évêchés, un par département, élection des évêques et des curés). Lasse d'attendre la consécration canonique de cette constitution, l'Assemblée constituante exigea de tous les prêtres un serment de fidélité à la Constitution du royaume (27 novembre 1790). Dès lors, les prêtres se divisèrent en assermentés ou constitutionnels et insermentés ou réfractaires. La condamnation formelle de la Constitution civile du clergé par le pape Pie VI consacrait le schisme au sein de l'Église française (avril 1791). Cette crise religieuse se doublait d'une crise politique, la plupart des prêtres réfractaires prenant le parti de la contre-révolution; certains émigrèrent, beaucoup furent massacrés lors de la Terreur.

Constitution de l'an VIII. ♦ Elle fut acceptée par plébiscite le 18 février 1800 : elle fut préparée par les trois consuls. Le suffrage universel était rétabli en principe mais vidé de toute signification. Le pouvoir exécutif est confié à *trois consuls* nommés par le Sénat pour dix ans et rééligibles. Le premier consul, irresponsable devant les assemblées, nomme ministres et fonctionnaires, a l'initiative des lois. Le pouvoir législatif est confié à quatre assemblées : le *Conseil d'État*, nommé par le premier consul, prépare les projets de lois; le *Tribunat* discute la loi; le *Corps législatif*, à scrutin secret et sans discussion, vote la loi; le *Sénat*, dont les membres sont nommés à vie, assure que la loi est conforme à la constitution.

Constitutionnel (le). ♦ Quotidien parisien fondé pendant les Cent-Jours (qui parut d'abord sous le titre *l'Indépendant*). Organe de l'opposition libérale sous la Restauration, il prit la charte pour programme. Il parut également lors de la monarchie de Juillet et sous la IIIe République (jusqu'en 1914).

Consulat. *n. m.* ♦ Gouvernement de la France issu du coup d'État du 18 Brumaire* et qui remplaça le Directoire*. Il se maintint du 10 nov. 1799 au 18 mai 1804. La Constitution* de l'an VIII définit l'organisation du gouvernement et nomma les trois consuls : Bonaparte **(V. Napoléon),** Cambacérès*, Lebrun*. Le premier consul, Bonaparte, réunissait en fait tous les pouvoirs (initiative des lois, nomination des fonctionnaires); le suffrage universel n'était rétabli que théoriquement. Pendant cette période, Bonaparte, décidé à exploiter le coup d'État au profit de son ambition et servi par une politique extérieure très brillante : Marengo*, Hohenlinden*, traité de Lunéville*, paix d'Amiens*, réorganisa le pays en centralisant tous les pouvoirs : reconstruction financière avec la création de percepteurs, de contrôleurs et de la Banque* de France, ainsi que du franc-germinal; reconstruction judiciaire, religieuse (Concordat*), intellectuelle (création des lycées afin de former des fonctionnaires et des officiers); administrative (création des préfets et sous-préfets). Le Code* civil était promulgué en 1804 et la Légion* d'honneur créée en 1802. L'esclavage était rétabli dans les colonies le 20 mai 1802, la grève interdite (1803) et le livret rendu obligatoire pour l'ouvrier. Le 4 août 1802, le premier consul était nommé à vie; la Constitution révisée de l'an X renforçait ses pouvoirs aux dépens du législatif. La paix retrouvée favorisait le développement du commerce et de l'industrie; la suppression de l'opposition (épuration du Tribunat, dès janv. 1802) fut assortie de quelques mesures d'apaisement (notamment la clôture de la liste des émigrés). Ces conditions générales ouvraient la voie à l'Empire. **V. Empire.**

CONTAMINES-MONTJOIE (Les). ♦ Comm. de la Haute-Savoie, arr. de Bonneville. 909 hab. Station estivale et de sports d'hiver. Fromages.

CONTANT d'IVRY (Pierre Coutant, Content ou **Constant,** dit**).** ♦ Architecte français (Ivry-sur-Seine, 1698 — Paris, 1777). Il abandonna le style rocaille et, subissant la vogue antiquisante qui se développa à partir du milieu du siècle, il adopta les conceptions néo-classiques. Il édifia l'*abbaye* de *Panthemont,* rue de Grenelle (1747-1756), transforma pour le duc d'Orléans le *Palais-Royal* (vers 1763-1767), conçut les plans du monastère et de l'*abbaye de Saint-Waast* à Arras et aussi ceux de la *Madeleine* à Paris, qui furent profondément modifiés par Couture et surtout par Vignon*.

CONTARINI. ♦ Famille noble de Venise qui compta sept doges parmi ses membres, depuis DOMENICO CONTARINI (1043-1071) jusqu'à LODOVICO CONTARINI (1676-1684), quatre patriarches de Venise, des hommes d'État, des diplomates, des savants, des artistes.

CONTÉ (Nicolas Jacques). ♦ Chimiste et inventeur français (près de Sées, Orne, 1755 — Paris, 1805). Il fut l'initiateur de la création du *Conservatoire des arts* et métiers,* participa à la naissance de l'aérostation militaire décidée en 1794, assura la direction de l'intendance durant l'expédition de Bonaparte en Égypte. Il reste cependant principalement connu pour l'utilisation, dans la fabrication des mines de crayon, d'un mélange d'argile et de graphite à la place de la plombagine rendue rare par le *Blocus continental.*

Contemplations (Les). ♦ Recueil de poésies (1856) que V. Hugo* « donne à la tombe », celle de sa fille Léopoldine dont la mort sépare les deux volumes : *Autrefois, Aujourd'hui.* Les trois premiers livres (1830-1843) sont les « mémoires d'une âme » : dans *Aurore,* le poète évoque sa jeunesse; *L'Âme en fleur* célèbre l'amour inspiré par Juliette Drouet*, tandis que *Les Luttes et les Rêves* livre les réflexions du penseur devant le mal ou le mystère du monde. Dès le second volume (1843-1855), la confession lyrique, douloureuse (dans *Pauca Meae; À Villequier*), se double avec le livre *En marche* de réflexions métaphysiques, avant que le poète n'affirme le caractère surnaturel de sa fonction et de son verbe *(Suite)* dans le dernier livre, *Au bord de l'Infini.* Celui-ci contient les visions apocalyptiques de *Ibo* et de *Ce que dit la Bouche d'ombre,* par lesquelles V. Hugo se fait le « premier des voyants » (Rimbaud) apte à trouver « l'idéal à travers le réel transparent ». Cet itinéraire moral et spirituel est traduit avec une remarquable richesse de tons et de mètres, faisant véritablement de cette évocation de « l'existence humaine sortant de l'énigme du berceau et aboutissant à l'énigme du tombeau », et ceci de l'aveu de V. Hugo, son « œuvre de poésie la plus complète ».

CONTES. ♦ Ch.-l. de cant. des Alpes*-Maritimes, arr. de Nice*, 3 458 hab. (Contois). Chaux et ciments.

Contes (Histoires ou Contes du temps passé ou **contes de ma mère l'Oye).** ♦ Recueil de récits recueillis par Ch. Perrault* (1697 et 1715) et publiés sous le nom de Perrault d'Armancour (fils de l'auteur, âgé de dix ans). Écrits en vers *(Grisélidis; Les Souhaits ridicules; Peau* d'Âne)* ou en prose *(La Belle* au bois dormant; Le Petit* Chaperon rouge; La Barbe*-Bleue; Le Chat* botté; Cendrillon* ; Le Petit* Poucet; Les Fées; Riquet* à la houppe),* ces contes procèdent de la tradition mythique populaire, imprégnée de symboles, et sont présentés par Perrault dans un style très classique, naturel et précis.

Contes *(d'Andersen)*. ♦ **V.** ANDERSEN.

Contes cruels (Les). ♦ Recueil de contes (1883) de Villiers* de l'Isle-Adam, suivi des *Nouveaux Contes cruels* (1888) et des *His-*

Coll. Viollet

Les **Contes** de Perrault : « Le Petit Poucet », illustré par G. Doré.

toires insolites (1888). Dans ces récits, où se fait sentir l'influence d'Edgar Poe*, Villiers de l'Isle-Adam crée une atmosphère étrange et souvent morbide; tantôt le climat est macabre et angoissant, comme dans *Le Convive des dernières fêtes, La Torture par l'espérance* ou *Les Amants de Tolède;* tantôt il s'agit d'un monde d'une sérénité irréelle où, loin de « l'affreux jour terrestre », l'amour survit à la mort *(Véra; L'Amour sublime; La Maison du bonheur).* Très souvent, apparaît la préoccupation des instants qui précèdent la mort (comme dans *L'Intersigne*), étape terrible et souhaitée qui donne l'accès à un autre monde **(V. Axël).**

Contes de Cantorbéry *(Canterbury Tales).* ♦ **V.** CHAUCER.

Contes du lundi. ♦ V. A. DAUDET.

Contes et Nouvelles. ♦ Recueil de La* Fontaine, publié en cinq livres (1665 – 1682) de récits galants et satiriques en vers. Imitant l'Arioste*, l'Arétin* et Boccace* et suivant une inspiration très libre, l'auteur y raille avec « gaîté » l'inconstance des femmes, l'inutilité de la jalousie, et conte les ruses triomphantes de l'amour.

Contes et Nouvelles. ♦ Textes de Guy de Maupassant*, publiés dans les journaux de 1880 à 1890 et regroupés dans des recueils dont les principaux sont *La Maison Tellier* (1881), *Les Contes de la bécasse* (1883), *Les Sœurs Rondali* (1884), *Les Contes du jour et de la nuit* (1885), *La Main gauche* (1889) et *L'Inutile Beauté* (1890). Abordant des faits divers comiques *(Toine)* ou scabreux *(Farce normande)* qu'il narre avec une verve parfois féroce *(Ce cochon de Morin),* Maupassant présente aussi des récits d'un caractère touchant, contés avec sobriété, comme *La Rempailleuse* ou *Le Testament.* Il arrive que son réalisme se teinte de cruauté *(Mon oncle Jules)* ou de fantastique *(Le Loup),* mais jamais le style rapide de Maupassant et sa vigoureuse concision ne sont plus frappants que dans la tonalité dramatique de récits comme *Deux Amis* ou *La Petite Roque.*

CONTESSA (Karl Wilhelm Salice). ♦ Écrivain allemand (Hirschberg, Silésie, 1777 – Berlin, 1825). Il publia des contes d'enfants avec Fouqué et fut l'ami d'Hoffmann.

CONTI (Niccolo Dei'). ♦ Voyageur vénitien du XVe s. (Chioggia, ? – Venise, 1469). Il atteignit les Indes en passant par la Syrie et Ormuz, visita le Dekkan, Coromandel, Ceylan, la Birmanie, Java, Bornéo et revint par Aden et Djeddah (1444). Sa relation de voyage fut traduite en latin par Poggio Bracciolini.

CONTI ou **CONTY** *(maison de).* ♦ Branche cadette de la maison des Bourbon-Condé. ♦ ARMAND DE BOURBON, prince de CONTI, frère du Grand Condé* (Paris, 1629 – Pézenas, 1666). Entraîné par sa sœur la duchesse de Longueville*, il participa à la Fronde* et fut emprisonné. Il épousa une nièce de Mazarin*. ♦ FRANÇOIS LOUIS DE BOURBON, prince de CONTI (Paris, 1664 – 1709), son fils. Il se distingua dans la campagne de Hollande (1690) et fut élu roi de Pologne, mais ne put entrer en possession de son royaume. Massillon* prononça son oraison funèbre. ♦ LOUIS FRANÇOIS, petit-fils d'Armand (Paris, 1717 – 1776). Il montra de grandes qualités militaires pendant la guerre de la Succession* d'Autriche (prise de Mons et de Charleroi, 1746), mais n'obtint jamais de commandement à cause de l'hostilité de Mme de Pompadour*. Il fut l'un des chefs de l'opposition à Maupeou*, puis à Turgot*, et protégea les écrivains (Rousseau, Beaumarchais) et les artistes.

CONTICH, en néerl. **Kontich.** ♦ V. de Belgique (prov. et arr. d'Anvers), à 8 km d'Anvers. 12 500 hab. Cultures maraîchères. Tabac. Brasseries. Matériel agricole. Briqueteries. Taille du diamant.

Contrat social (Du) ou **Principes du droit politique.** ♦ Écrit philosophique, en quatre parties, de Jean-Jacques Rousseau*, publié en avril 1762. Le pacte par lequel chaque associé renonce à sa liberté naturelle au profit de la communauté dont il reçoit en retour la liberté civile, est le fondement du corps politique (appelé État en tant qu'il est passif, Souverain en tant qu'il est actif). La souveraineté du peuple est une, inaliénable et indivisible. Mais c'est au législateur (qui n'est ni souverain, ni magistrat), qu'il appartient d'éclairer et de traduire la Volonté générale en proposant des lois (conformes à l'intérêt de tous), et au gouvernement d'en assurer l'exécution. Rousseau analyse les différentes formes de souveraineté, donnant sa préférence à la démocratie (surtout dans les petits États). La religion civile (dont les dogmes sont simples et raisonnables) assure le caractère « sacré » de l'ordre social. Paru en même temps que l'*Émile**, l'ouvrage met en évidence le lien fondamental entre éducation, morale et politique chez Rousseau (qui cherche les bases d'une société capable de faire l'homme, au lieu de le corrompre). Il influença des penseurs comme Kant*, Fichte, Hegel, et donna lieu à deux interprétations opposées : apologie de la démocratie directe ou anticipation des régimes totalitaires.

Coll. Cauboue

Louis XVI à la barre de la **Convention nationale** le 11 décembre 1792.

Contre-Réforme. *n. f.* ♦ Expression désignant, à l'origine chez les historiens allemands, le mouvement religieux appelé aussi Réforme catholique (XVIe s.). En effet, dès la fin du XVe s., la réforme de l'Église était à l'ordre du jour, mais le concile de Latran* (1512) et la papauté de la Renaissance se montrèrent incapables de la réaliser; ce n'est que face aux succès des protestantismes **(V. Réforme)** que la nécessité s'en imposa. Le centre moteur fut la papauté, à partir de Paul III, et le concile de Trente* (1545-1563 avec des interruptions). La plupart des points du dogme furent examinés et redéfinis (notamment la Présence réelle dans l'Eucharistie); les pratiques du culte réaffirmées (les 7 sacrements, culte de la Vierge et des saints, des images); de nombreux décrets disciplinaires furent pris (célibat des prêtres, résidence des évêques dans leur diocèse, interdiction du cumul des évêchés); on fixa le canon des Écritures **(V. Bible, deutérocanoniques)** et on décida la préparation d'une version officielle **(V. Vulgate)**; on rédigea un *Catéchisme* (1566), un *Bréviaire* (1568), un *Missel romain* (1570), un *Corpus juris canonici* **(V. Grégoire XIII)**; Pie* IV et surtout Sixte* Quint réorganisèrent la curie; on fonda séminaires et collèges. Si bien qu'à la fin du XVIe s. l'Église romaine avait le visage qu'elle devait garder jusqu'au XXe siècle. Politiquement, elle avait empêché la propagation de la Réforme en Italie et en Espagne, l'avait enrayée en France et avait regagné certaines positions aux Pays-Bas, en Autriche, dans l'Empire allemand, en Suisse. – *Principales personnalités liées à la Contre-Réforme :* les papes Paul* III, Jules* III, Paul* IV, Pie* IV, Pie* V, Grégoire* XIII, Sixte* V; les saints Ignace* de Loyola, Charles* Borromée, Philippe* Neri, Robert* Bellarmin, Pierre* Canisius. Comme institutions : l'Inquisition* (réorganisée en 1542), l'Index* (1559, 1564), les ordres des théatins **(V. Gaétan de Thiene),** somasques, barnabites, ursulines **(V. Angèle Merici)**, carmélites **(V. Thérèse d'Ávila, Jean de la Croix, Carmel)** et surtout jésuites **(V. Jésus** [Compagnie de]) et oratoriens **(V. Oratoire).**

CONTRES. ♦ Ch.-l. de cant. du Loir-et-Cher (arr. de Blois), près de la source de la Bièvre. 2 828 hab. [2 066 aggl.]. *(Controis).* – Fonderies. Conserves alimentaires.

CONTREXÉVILLE. ♦ Comm. des Vosges (arr. de Neufchâteau), sur le Vair. 3 761 hab. Station hydrominérale dont les eaux sont efficaces contre les maladies de reins, du foie et contre l'obésité. Elles sont largement commercialisées.

Contribution à la critique de l'économie politique (La). ♦ Œuvre de Marx* (1859), préparée par les *Fondements de la critique de l'économie politique* (1857-1858) et qui sert d'introduction au *Capital.*

CONTY. ♦ Ch.-l. de cant. de la Somme*, arr. d'Amiens*. 1 512 hab. Église du gothique tardif (XVe-XVIe s.). Fonderie.

Convention nationale. ♦ Assemblée constituante formée en 1792 de 749 députés élus selon un suffrage quasi universel et se répartissant en une droite, les Girondins* (d'abord majoritaires), un centre, la Plaine* (ou Marais), et une gauche, les Montagnards*. Elle succéda officiellement à l'Assemblée* législative le 21 septembre 1792 **(V. Révolution française).** On distingue habituellement trois périodes : *girondine* (jusqu'au 2 juin 1793), *montagnarde* (jusqu'au 9 thermidor an II – 27 juillet 1794) et *thermidorienne* (jusqu'au 26 octobre 1795). ♦ La CONVENTION GIRONDINE fut marquée par : *1°* la proclamation de la République (21 septembre 1792); *2°* le procès de Louis XVI (décembre 1792-janvier 1793); *3°* la transformation de la guerre de défense en guerre de propagande et d'annexion dès la fin de 1792 et son extension à toute l'Europe de l'Ancien Régime avec la formation de la première coalition* (Angleterre, Hollande, Espagne, souverains italiens; février-mars 1793); *4°* le début de la guerre de Vendée* et de la chouannerie* (mars 1793). Les difficultés économiques (crise des subsistances, etc.), sociales, militaires (défaite de Dumouriez*, victoires des Vendéens) imposèrent dès le mois de mars les premières mesures de salut public **(V. Tribunal** [révolutionnaire], **Comité** [de surveillance; de salut public]), révélant l'impossibilité d'une République bourgeoise, libérale et modérée en temps de crise, et accentuant le conflit entre les députés de la Montagne, s'appuyant sur la Commune insurrectionnelle et les sans-culottes, et ceux de la Gironde qui furent proscrits après les insurrections du 31 mai et 2 juin 1793, menées par les hébertistes* et sans-culottes **(V. Hanriot).** ♦ Lors de la deuxième période (CONVENTION MONTAGNARDE), qui fut d'abord caractérisée par la tentative d'une politique de conciliation avec la bourgeoisie libérale (Déclaration des droits* de l'homme et du citoyen de 1793), les députés montagnards furent contraints, sous la pression des circonstances – développement de la contre-révolution **(V. Fédéraliste** [insurrection],

Ph. Carlo Bevilacqua/Ricciarini

James Cook, par J. Welber.
(National Portrait Gallery, Londres.)

Vendée, etc.), échecs militaires, accentuation de la crise économique qui favorisèrent le mouvement révolutionnaire populaire **(V. J. Roux, septembre* 1793** [journées des 4 et 5]**)** – d'adopter des mesures révolutionnaires radicales : reconstitution du Comité de salut public qui, avec le Comité* de sûreté générale, devint l'organe essentiel d'une véritable dictature révolutionnaire; décret sur la levée en masse et la guerre totale (23 août 1793); organisation de la Terreur*; décrets d'une économie dirigée (maximum national des grains et farines, puis maximum général, le 29 septembre). Ces mesures assurèrent des victoires décisives aux forces républicaines, mais les dissensions ne tardèrent pas à opposer les révolutionnaires **(V. Hébertistes)** et les indulgents*. Après avoir mené une politique d'équilibre entre les factions, le Comité de salut public, dominé par Robespierre*, Saint*-Just et Couthon*, élimina successivement les hébertistes (mars 1794) puis les indulgents (avril 1794), renforçant ainsi la dictature jacobine par des mesures extrêmes (épuration de la Commune, dissolution des sociétés de sections, renforcement de la Terreur) et discutées (culte de l'Être* suprême), sans pour autant faire l'unité du mouvement révolutionnaire en dépit (ou à cause) des mesures extrêmes adoptées. La lassitude des militants révolutionnaires, la désorganisation du mouvement des sans-culottes, le conflit opposant les Comités de salut public et de sûreté générale expliquent la chute de Robespierre et de ses partisans **(V. Thermidor).** ♦ La CONVENTION THERMIDORIENNE, période de réaction dirigée contre jacobins et sans-culottes, réaction renforcée par les insurrections de germinal* et prairial* an III, mais limitée toutefois par la crainte du développement du mouvement royaliste **(V. Terreur* blanche, Quiberon** [*Hist*]**, Vendémiaire** [an IV]**)** mit fin au gouvernement révolutionnaire et marqua le retour à une république bourgeoise libérale et modérée. Dans cette période de relative stabilisation, malgré une grave crise économique, financière et sociale, les députés purent préparer les bases du nouveau régime **(V. Directoire)** : retour au libéralisme économique, adoption de la Constitution de l'an III rétablissant le suffrage censitaire, séparant radicalement le pouvoir législatif **(V. Anciens** [Conseil des]; **Cinq-Cents** [Conseil des]**)** et le pouvoir exécutif, confié à cinq Directeurs, mesures religieuses (liberté de cultes, séparation de l'Église et de l'État), éducatives (réformes de l'instruction, organisation des écoles [**V. Lakanal**]), culturelles (création de l'Institut, du Conservatoire de musique, etc.).

COOK (James). ♦ Navigateur anglais (Marton, Yorkshire, 1728 – Hawaï, 1779). Fils de paysan, il s'engagea comme mousse. Entré dans la marine royale, il participa à la prise de Québec (1759) et réalisa le levé hydrographique du Saint-Laurent, puis des côtes de l'île de Terre-Neuve (1762-1767). Il fit ensuite trois expéditions dans l'océan Pacifique (1768-1771 : découverte de l'archipel des îles de la Société, de la Nouvelle-Zélande, des côtes orientales de l'Australie; 1772-1773 : expédition au cours de laquelle il atteignit la latitude 71° 10' Sud sans parvenir à l'Antarctique et visita les Marquises, les îles de la Société, les Nouvelles-Hébrides et la Nouvelle-Calédonie; enfin 1776-1779, expédition au retour de laquelle il parvint à l'océan Arctique par le détroit de Béring, mais fut tué par les indigènes aux îles Sandwich). Les nombreux levés hydrographiques réalisés par Cook contribuèrent à la connaissance de l'océan Pacifique.

COOK *(détroit de).* ♦ Bras de mer séparant l'île du Sud de l'île du Nord de la Nouvelle*-Zélande. Il fut découvert par Cook* en 1770. Il est traversé par une ligne de force sous-marine qui permet la production de courant électrique, transporté vers le N. du pays.

COOK *(îles).* ♦ Archipel de la Polynésie* (Océanie) éparpillé dans l'océan Pacifique du S.-O. 228 km². 20 000 hab. environ (d'origine polynésienne similaire aux Maoris* et 500 européens env.). Les îles forment deux groupes contrastés : les îles méridionales (en angl. *Southern Cook islands*) d'origine volcanique pour la plupart, dont les principales sont Rarotonga*, où se situe le centre administratif de l'archipel, 'Avarua*, Mangaïa et Aitutaki, et les îles septentrionales (en angl. *Northern Cook islands*) qui sont pour la plupart des atolls coralliens (sept îles). L'économie des îles, situées dans la zone tropicale, est essentiellement agricole. Les exportations principales sont : les agrumes, les tomates, les conserves de fruits, le coprah, les coquillages nacrés. Le commerce se fait surtout avec la Nouvelle-Zélande. ♦ *Hist.* Elles furent découvertes par Cook* en 1773, proclamées protectorat britannique en 1888, et furent annexées par la Nouvelle*-Zélande en 1901. En 1965, les îles se firent concéder un gouvernement intérieur autonome contrôlé par un commissaire néo-zélandais. Les affaires extérieures et la défense restent aux mains de la Nouvelle*-Zélande.

COOK *(mont).* ♦ Point culminant de la Nouvelle*-Zélande, 3 764 m, situé dans les « Alpes* néo-zélandaises » (île du Sud); neiges éternelles au-dessus de 2 200 mètres.

COOKE (*sir* William FOTHERGILL). ♦ Inventeur anglais (Ealing, 1806 – dans le Surrey, 1879). Avec la collaboration de Wheatstone, il établit en 1837, sur la distance de 2 km entre Euston et Camden, la première ligne de télégraphie électrique, faisant appel à la déviation d'aiguilles aimantées sous l'action du courant, qui ait régulièrement fonctionné. **V. Bréguet, Chappe, Hughes, Morse.**

COOLEY (Charles Horton). ♦ Sociologue américain (Ann Arbor, 1864 – 1929). Il fut l'un des représentants de la sociologie psychologique qui met essentiellement l'accent sur les relations interindividuelles au sein des groupes sociaux (*Human Nature and the Social Order,* 1902; *Social Organization,* 1909).

COOLIDGE (John Calvin). ♦ Homme politique américain, 30ᵉ président des États-Unis d'Amérique (Plymouth, 1872 – Northampton, 1933). Maire de Northampton, il acquit une réputation d'honnêteté et d'habileté diplomatique, au sein du parti républicain. Son action énergique comme gouverneur du Massachusetts (1918-1920), face aux grèves de la police de septembre 1919, lui valut d'être proposé comme vice-président de Harding*. À la mort de celui-ci (1923), il devint président et fut réélu en 1924. Pratiquant une politique sans prestige, il put réduire les dépenses de l'État et réorganisa l'administration. Mais la prospérité américaine l'empêchait de se rendre compte des dangers de son libéralisme économique et de ses encouragements à la spéculation. Il s'efforça d'entretenir de bons rapports avec l'Amérique latine (Mexique) et encouragea le règlement des affaires européennes (plan Dawes).

COOLIDGE (William David). ♦ Physicien américain (Hudson, Mass., 1873 – New York, 1975). Il parvint, en 1906, à obtenir le tungstène sous forme de filaments utilisables dans les ampoules électriques. En 1913, améliorant le tube de Crookes* (dont il remplaça notamment la cathode froide par une cathode incandescente en tungstène), il créa le tube à rayons X qui porte son nom. **V. Edison, Langmuir, Röntgen, Swan.**

COOMARASWÂMY (Ânanda Kentish). ♦ Philosophe, historien d'art et critique cinghalais (Colombo, 1877 – Needham, États-Unis, 1947). Après avoir occupé différents postes officiels et inauguré en Inde une campagne nationale en faveur de l'éducation, il se consacra à une carrière d'historien. Il publia en langue anglaise de nombreux ouvrages sur les arts de l'Inde et la philosophie orientale.

COOPER (James Fenimore). ♦ Romancier américain (Burlington, N.J., 1789 – Copperstown, N.Y., 1851). Ses récits sur les Indiens du Nord ont pour cadre les régions que son père, William Cooper, colonisa dans l'État de New York. Il se découvrit un talent d'écrivain après la lecture d'un roman d'aventures qu'il avait jugé mauvais. Mais celui qu'il écrivit (*Précaution,* 1820) passa inaperçu. Au contraire, *L'Espion* (1821) fut un triomphe tant en Europe – où Cooper vécut de 1826 à 1833 – qu'en Amérique. Natty Bumpper, surnommé « Bas de Cuir » ou « Œil de Faucon », recueilli enfant par les Indiens, est devenu le type même de l'« homme de la frontière ». C'est le personnage central des cinq récits formant le *Roman de Bas de Cuir* (*Leather Stockings Novels,* 1823-1841) qui évoquent les luttes franco-anglaises de la fin du XVIIIᵉ siècle. Parmi ces récits, *Le Dernier* des Mohicans, La Prairie* et *Le Tueur de daims* sont les plus célèbres. Cependant, moins soucieux de littérature que de polémique et d'idéologie, Cooper s'attira des procès en publiant une œuvre critique *Le Démocrate américain* (1838). Malgré un style assez simple et naïf critiqué par Twain et Poe, il reste l'auteur qui sut le mieux évoquer l'Amérique des temps héroïques. D.H. Lawrence, Melville et Hugo l'apprécièrent. John Eston Cooke l'imita et Balzac s'inspira du *Roman de Bas de Cuir* pour écrire *Les Chouans.*

COOPER (Frank J. Cooper, dit Gary). ♦ Comédien américain de cinéma (Helena, Montana, 1901 – Los Angeles, 1961). Sa haute taille, son allure nonchalante, la vigueur de ses poings et sa feinte naïveté lui valurent, dans l'emploi des jeunes premiers sportifs, une réputation internationale.

Ph. A. Rey

Copenhague.

COOPER (Léon N.). ♦ Physicien américain (New York, 1930 –). Auteur, avec J. Bardeen et J.R. Schrieffer*, de la théorie fondamentale de la supraconductivité, qui explique notamment comment les électrons peuvent se déplacer au sein de la matière sans perdre d'énergie. (Prix Nobel de phys., 1972.)

COORG. ♦ V. KODAGU.

COPACABANA. ♦ Célèbre plage de Rio* de Janeiro, sur la côte atlantique.

COPAIS. ♦ Anc. lac de Grèce (Béotie), célèbre dans l'Antiquité pour ses poissons (entre 130 et 230 km²). Son principal tributaire était le Céphise*. Auj. asséché, il a été transformé en exploitation agricole.

COPÁN. ♦ Célèbre site de ruines mayas, situé au N.-O. du Honduras, à la frontière du Guatemala. Ces ruines furent découvertes en 1839.

COPE (Edward Drinker). ♦ Naturaliste et paléontologue américain (Philadelphie, 1840 – 1897). Ses recherches paléontologiques portèrent sur les vertébrés permiens, dinosauriens, sur les mammifères du tertiaire. Il fut un des principaux représentants du néo-lamarckisme aux États-Unis (*The Primary Factors of organic Evolution*, 1896).

COPEAU (Jacques). ♦ Écrivain, acteur, et animateur français (Paris, 1879 – Beaune, 1949). Fondateur avec André Gide et Jean Schlumberger de la *Nouvelle Revue française* (1909), il dénonça très tôt le mercantilisme et la vulgarité au théâtre Avec une troupe de jeunes acteurs (Ch. Dullin, L. Jouvet, V. Tessier), il constitua la Compagnie du Vieux-Colombier (1913). Bannissant le réalisme d'Antoine, s'inspirant des idées de Gordon Craig* et de Stanislavski*, il tentait de retrouver les lois du théâtre en le dépouillant de ses traditions figées. Le Vieux-Colombier devait apporter, outre une vision nouvelle des classiques, d'intéressantes créations d'auteurs contemporains (Gide, Martin du Gard, Ghéon, Vildrac, Romains) et exercer une influence considérable sur le théâtre européen et sur de jeunes disciples. Copeau quitta la compagnie en 1924. Dans les années qui suivirent, il devait aborder le public populaire avec une troupe itinérante. Créateur d'école, comédien, il fut aussi auteur et adaptateur. L'un de ses derniers écrits, constitue son testament spirituel : *Le Théâtre populaire* (1942).

COPENHAGUE, en danois **København.** ♦ Cap. du Danemark et port important, sur la côte orientale de l'île de Sjaelland* et le N. de l'île d'Amager, dans l'Øresund. 643 262 hab. [aggl. 1 381 312] (1969). Évêché. Importante université fondée en 1478. Aéroport Copenhague-Kastrup. La ville conserve peu de monuments antérieurs au XVIIe s. (**V.** ci-dessous, *Hist.*) et de larges boulevards et des parcs ont presque partout remplacé les remparts. Le quartier de Christianshavn, sur l'île d'Amager, est percé de canaux et encore entouré de fortifications. Hôtel de ville (fin XIXe s.), Bourse (XVIIe s. restaurée), château de Christianborg, Langelinie (promenade en bordure de mer ornée par la célèbre statue de la Petite Sirène inspirée par Andersen); Tivoli (parc d'attractions). La ville possède de nombreux musées (glyptothèque, Musée national,...), des bibliothèques (la Bibliothèque royale est l'une des plus riches d'Europe). – Grand centre indus. : constructions navales et mécaniques (moteurs Diesel), appareillage électrique, grandes brasseries (Carlsberg, Tuborg). – Indus. de luxe : porcelaine, argenterie. – Premier port du Danemark (22 000 000 de t), bien situé sur l'Øresund, Copenhague est une plaque tournante entre la Scandinavie et l'Europe centrale et occidentale. – Patrie d'Abildgaard*, des rois de Danemark Frédéric* Ier, IV, V, VI, VII, VIII, de Georges* Ier de Grèce, de Kierkegaard*, K. Nyrop*, A.G. Oehlenschlaeger*, B. Thorvaldsen*. ♦ *Hist.* Sur l'emplacement de Copenhague, n'existait au XIe s. qu'un village de pêcheurs. L'évêque Absalon y fit construire un château fort en 1167, pour défendre le port. Au XVe s., la cité devint résidence royale. Elle fut fortifiée aux XVIe et XVIIe s. et résista au siège de Charles* X de Suède (1658-1659) et en 1700 aux flottes de l'Angleterre, de la Hollande et de la Suède. Mais elle fut ravagée par la peste de 1711-1712, les incendies de 1728 et 1795 et enfin par le bombardement anglais de 1807. La ville se développa au XIXe s., devenant un centre industriel, commercial et portuaire essentiel de l'Europe du Nord. En 1856, les fortifications furent supprimées. La ville fut occupée sans résistance par la Wehrmacht le 9 avril 1940.

COPERNIC (Nicolas), en polon. **Nicolaj Kopernik.** ♦ Astronome polonais (Torun, 1473 – Frombork, 1543). Il étudia à Cracovie et à Bologne, séjourna à Rome (1500), puis, quoique nommé chanoine de Frauenburg (1501), revint étudier en Italie (Padoue, Ferrare). Enfin, il retourna définitivement en Warmie en 1504 pour rejoindre son diocèse. Les insuffisances du système de Ptolémée* le menèrent à élaborer une nouvelle théorie des mouvements planétaires en passant du géocentrisme à l'héliocentrisme (double mouvement des planètes sur elles-mêmes et autour du soleil) [**V.** *aussi* **Aristarque de Samos, Oresme**] ; bien que l'idée fondamentale en ait été conçue, semble-t-il, longtemps auparavant, il ne publia son œuvre que quelques jours avant sa mort, craignant une réaction hostile des théologiens. Sa théorie, exposée dans *De revolutionibus orbium cœlestium libri sex,* fut à l'origine de la révolution scientifique du XVIIe siècle. Les preuves qui faisaient défaut au *système de Copernic* furent apportées par Kepler* et Galilée* ; ce dernier construisit une lunette d'approche qui lui permit de découvrir, notamment, les phases de Vénus, que Copernic avait prévues. Le pape Paul V, dans un dernier mouvement d'opposition de l'Église, condamna en 1616 les idées coperniciennes comme contraires aux Écritures.

COPIAPÓ. ♦ V. du Chili, à la lisière N. du *Norte Chico,* ch.-l. de la prov. d'Atacama*, sur le río Copiapó. 37 200 hab. Fonderie de cuivre. – La voie ferrée Copiapó-Caldera fut la première construite de toute l'Amérique du Sud.

ĆOPIĆ (Branko). ♦ Conteur et romancier yougoslave de Serbie (Bosnie, 1915 –). Il décrivit la vie du maquis pendant la guerre dans deux romans : *La Trouée* (1952) et *La Poudre aveugle* (1955), et écrivit des satires telles que *Les Aventures de Nikoleta Bursac* (1962).

COPLAND (Aaron). ♦ Compositeur américain (Brooklyn, 1900 –). Il étudia durant trois ans à Paris (1921-1924) et fut le premier directeur du Festival américain de musique contemporaine. Sa musique, d'abord influencée par le jazz, s'orienta en 1934 vers le folklore américain. Son influence sur la musique contemporaine américaine a été grande.

COPPÉE (François). ♦ Poète français (Paris, 1842 – 1908). « Pâle enfant du vieux Paris », il poursuivit dans ses recueils le « rêve d'un faubourg plein d'enfance et de jeux ». Tenté un moment par l'esthétique parnassienne, il préféra dans *Les Intimités* (1868), *Les Humbles* (1872) ou *Promenades et Intérieurs* (1872) peindre avec un prosaïsme concerté « les choses les plus communes (qui) ont une grâce de nouveauté pour qui sait les voir ». Son œuvre eut un succès considérable, et il fut compté par la critique officielle fin de siècle parmi les plus grands poètes français. [Acad. fr.]

COPPET. ♦ Ville de Suisse (Vaud), sur la r. d. du lac Léman*, à 14 km à l'est de Genève. Le château, reconstruit au XVIIIe s., appartint à Necker* et à sa fille, Mme de Staël*, qui en fit au XIXe s. l'un des centres du préromantisme en y réunissant B. Constant*, Chateaubriand*, Byron*, Schlegel*, etc. Tombeaux de Necker et de Mme de Staël.

COPPI (Fausto). ♦ Coureur cycliste italien (Castellania, 1919 – Tortona, 1960). Il compta dans son palmarès les titres les plus divers et les plus prestigieux : deux fois vainqueur du Tour de France, cinq fois du Tour d'Italie, quatre fois champion d'Italie, il fut également champion du monde de poursuite, champion du monde sur route et recordman de l'heure. Cet athlète d'exception mourut prématurément des suites d'une maladie tropicale.

Coptes. *n. m. pl.* ♦ **V.** ÉGYPTE *(Hist.).*

COQUELIN (Constant, dit **Coquelin aîné).** ♦ Comédien français (Boulogne-sur-Mer, 1841 – Paris, 1909). Engagé à la Comédie-Française (1860), il y fut un brillant interprète du Figaro de Beaumarchais et des valets de Molière. De nombreuses tournées assurèrent sa réputation à l'étranger. Le personnage de Cyrano, dans le *Cyrano* de Bergerac* d'E. Rostand (1897), lui permit d'affirmer son génie comique et la générosité de son lyrisme. Il fut le fondateur de la maison de retraite des comédiens à Pont-aux-Dames. ♦ ERNEST COQUELIN, dit *Coquelin cadet* (Boulogne-sur-Mer, 1848 – Suresnes, 1909), son frère. Il s'illustra à la Comédie-Française dans les grands personnages de Molière (Jourdain, Argan, Harpagon, Tartuffe). Acteur d'une riche fantaisie, il fut aussi l'auteur de nombreux monologues comiques.

COQUILHATVILLE. ♦ Anc. nom de Mbandaka.

COQUILLE (Guy). ♦ Jurisconsulte et publiciste français (Decize, 1523 – Nevers, 1603). Il participa activement à la vie politique en étant député du tiers aux états généraux d'Orléans (1560), puis à ceux de Blois (1576 et 1588), où il fut l'un des rédacteurs du cahier du tiers état. Il composa également des écrits polémiques contre les ligueurs et les ultramontains, tel son *Dialogue sur les causes de la misère de la France* (1590). Soucieux, comme Ch. Dumoulin*, d'unifier le droit coutumier en France, il écrivit notamment *Les Coutumes du pays et duché de Nivernais* (1590). En droit public, ses deux *Traités des libertés de l'Église de France* (1594) inspirèrent les travaux de Pierre Pithou*.

COQUIMBO. ♦ V. du Chili septentrional, sur la baie de Coquimbo. 40 000 hab. Port exportateur du cuivre, du fer et du manganèse de la région. Pêche. – La *prov. de Coquimbo,* située dans le *Norte Chico,* compte 34 400 hab. 39 889 km². *Ch.-l.* La Serena*. Cultures, élevage de chèvres.

CORAIL *(mer de),* en angl. **Coral Sea**. ♦ Partie de l'océan Pacifique du S.-O. qui s'étend de l'E. de l'Australie* (**V. Queensland** et **Barrière** [Grande]) jusqu'aux Nouvelles*-Hébrides et à la Nouvelle*-Calédonie. Elle relie l'océan Pacifique à l'océan Indien par le détroit de Torres* (au N.). ♦ *Hist.* Pendant la Deuxième Guerre mondiale, les Anglo-Américains remportèrent une bataille aéronavale décisive contre les Japonais, la *bataille de la mer de Corail* (4-8 mai 1942), qui entrava l'avance des forces nippones vers l'Australie.

CORAÏS ou **KORAÏS (Adamantios)**. ♦ Écrivain grec (Smyrne, 1743 — Paris, 1833). Il étudia à Montpellier la médecine, qu'il abandonna pour se consacrer à la renaissance de sa patrie. Vivant à Paris, il contribua par sa *Correspondance* au développement du philhellénisme. Éditeur et commentateur des classiques, il voulut montrer la voie de l'affranchissement national et intellectuel des Grecs. Il combattit l'obscurantisme et l'archaïsme linguistique et proposa un compromis entre le purisme et la langue populaire.

CORALLI (Jean Coralli Peracini, dit Jean). ♦ Danseur français (Paris, 1779 — *id.,* 1854). Il débuta à l'Opéra (1802), mais se consacra bientôt à la chorégraphie, composant des ballets pour les opéras de Vienne, Milan et Lisbonne. Maître de ballet à la Porte-Saint-Martin (1825), puis à l'Opéra de Paris (1831), il y présenta *La Tempête* (1834), *Le Diable boiteux* (1836), *Giselle,* avec J. Perrot (1841), *La Péri* (1843).

Coran ou **Koran (Qur'ân)**. ♦ Livre sacré des Musulmans, c'est *le Livre* par excellence *(Al-Kitâb),* où il est dit que les textes qui le composent sont paroles de Dieu, incréées, transmises par l'archange Gabriel (Jibraîl) à Mahomet. Du vivant du Prophète, le Coran était partiellement écrit sur des omoplates de chameaux et des peaux, dans un alphabet archaïque permettant une pluralité de lectures. Après la mort de Mahomet, Abû* Bakr, le premier *calife* (successeur du Prophète), essaya de rassembler les collections personnelles écrites, dont la plus importante était le recueil d'un des compagnons du prophète *(Şâhib)* Zaïd ibn Thâbit. C'est sous 'Uthmân* (644-656), le troisième calife, qu'une nouvelle recension systématique fut réalisée, le problème de l'unité textuelle n'étant pas résolu pour autant. Les querelles ne s'apaisèrent qu'au xe s., malgré l'homogénéisation de l'orthographe effectuée à l'initiative du gouverneur de l'Iraq, Al-Hajjâj, sous le règne du calife 'umayyade* 'Abd* al-Mâlik (685-705). Le texte actuel correspond dans son ensemble à ce canon 'uthmanien. Le Coran eut une importance historique déterminante sur la littérature arabe : d'une part, il imposa le dialecte arabe dans lequel il est écrit comme langue associée au triomphe de la doctrine; il servit de modèle, d'autre part, au développement de la prose arabe classique, fondée sur les effets du discours oratoire (*Qur'ân* = récitation à voix haute). Le Coran est composé de cent quatorze sourates *(sûras)* ou chapitres qui, mise à part la courte « liminaire » *(al-Fâtiha),* sont classées par ordre de longueurs décroissantes, forme de classement souvent utilisée dans le monde sémitique. Chaque sourate est composée de versets (*âya* = signe de Dieu). Pour des raisons pratiques de lecture collective, l'ensemble est divisé en trente parties *(Juz'i).* L'analyse historique et philologique de Nöldeke (1919-1938) confirme souvent le classement chronologique de la tradition islamique qui distingue les chapitres de la période mékkoise *(sûras makkiyah* — 612-622 — des sourates « révélées » à Médine après l'exil ou hégire *(Hijra)* — 622-632 — *(Sûras madaniyah).* Les premiers textes s'adressent aux grandes familles de La Mecque qui s'opposèrent à l'apostolat de Mahomet. Utilisant une prose rimée, au rythme rapide rappelant le style des vaticinations des « voyants » *(Kâhin)* de l'Arabie de l'époque, il annonce la venue du jour dernier dans une atmosphère d'apocalypse où les grands de ce monde seront implacablement châtiés. Les textes médinois prennent un ton universaliste et révèlent, en des phrases plus longues, la doctrine de l'Islâm qui doit régir la vie sociale de la communauté des croyants *(Umma)* tant des points de vue juridique et militaire que religieux. S'y insèrent des références bibliques confirmant les messages de plusieurs prophètes dont Abraham *(Ibrâhim),* Moïse *(Mûssâ)* et Jésus *('Îsâ).* Le Coran appelle les juifs et les chrétiens à embrasser la doctrine de Mahomet le dernier des envoyés de Dieu. Le Coran est parsemé de passages fort obscurs et énigmatiques; d'où une tradition littéraire très riche : le commentaire interprétatif du Coran. Le premier grand commentateur est al-Tabarî* (838-923). Le plus célèbre est Baydhawi* (XIIIe s.). À l'époque moderne, deux grands théologiens ont tenté une interprétation modernisante du Coran : Muhammad *Abduh** (Égypte, 1849-1905) et Abû-l-Kalam Azad (Indes, 1888-1958).

Ph. Carlo Bevilacqua/Ricciarini

Page d'un **Coran** du XIVe s. (Bibl. Topkapi, Istanbul.)

CORAZZINI (Sergio). ♦ Poète italien (Rome, 1887 — *id.,* 1907). Un des premiers représentants, avec Guido Gozzano, de la tendance « crépusculaire », il composa une œuvre poétique dont l'intimisme mélancolique s'inspire du symbolisme français : *Le Dolcezze* (1904), *L'Amaro calice* (1905) et *Libro per la sera della domenica* (*Livre pour le dimanche soir,* 1906).

Corbeaux (Les). ♦ Pièce en 4 actes de Henri Becque* (1882). La mort brutale de Vigneron, riche industriel, va plonger dans le désarroi sa femme et ses filles qui deviennent les victimes des gens d'affaires et des usuriers. Le sacrifice d'une des filles de Vigneron les sauvera de la déchéance.

CORBEIL-ESSONNES. ♦ Ch.-l. de cant. de l'Essonne (arr. d'Évry), au confluent de l'Essonne et de la Seine. 32 572 hab. *(Corbeillois-Essonnais).* Église Saint-Étienne (XIIe-XIIIe s.); cathédrale Saint-Spire (XIIe au XVe s.). Évêché. Grand centre industriel. Les *grands moulins de Corbeil* sont la plus importante minoterie française. Fabrique de chemins de fer légers pour chantiers. Indus. chimique. Fabrication de réacteurs. Papeterie (l'une des plus importantes de France); imprimeries. Fonderies; scieries. Fabrique de matériel de précision; indus. électronique, chimique; tuileries, briqueteries; constructions aéronautiques; matières plastiques.

CORBIE. ♦ Ch.-l. de cant. de la Somme* (arr. d'Amiens*), à la jonction de l'Ancre* et de la Somme*. 5 417 hab. *(Corbéens).* Indus. chimique, bonneterie. Patrie de saint Gérard et de sainte Colette* (ou Nicole). ♦ *Hist.* L'abbaye bénédictine fondée en 657 par sainte Bathilde joua un rôle politique important sous Charlemagne. La ville se développa autour de l'abbaye et compta jusqu'à 30 000 hab. Elle fut occupée par les Espagnols en 1636.

CORBIÈRE (Édouard Joachim, dit Tristan). ♦ Poète français (près de Morlaix, 1845 — Morlaix, 1875). De santé fragile, il dut interrompre ses études et demeurer en Bretagne, faisant quelques séjours à Paris et un voyage en Italie. Le recueil de ses vers, *Les Amours jaunes* (1873), passa inaperçu, et c'est Verlaine* qui le révéla en citant son auteur dans les *Poètes maudits* (1883), aux côtés de Rimbaud* et de Mallarmé*. Léon Bloy*, Huysmans*, puis J. Laforgue* célébrèrent la liberté des images et les recherches baroques de ce poète, « mélange adultère de tout » : qu'il célèbre la Bretagne et les marins (*Armor; Gens de mer),* le soleil de Naples ou sa passion douloureuse pour « Marcelle », Corbière, en effet, recherche le trait, l'image volontairement crue et le rythme heurté.

CORBIÈRES. *n. f. pl.* ♦ Ensemble de reliefs inscrits entre la vallée de l'Agly et la vallée de l'Aude, prolongeant au N.-E. les Pyrénées-Orientales. Le massif du Mouthoumet en constitue l'ossature; c'est un massif ancien, « lambeau du Massif central », que recouvrent des terrains jurassiques, crétacés et, au N., des terrains tertiaires; il se redresse au S. où il se soude aux Pyrénées (puy de Bugarach, 1 231 m). Les calcaires crétacés des Corbières orientales, puissamment érodés (relief inversé, parfois), offrent l'aspect d'un causse criblé de dolines et d'avens. Paysages de garrigues, de roches dénudées, victimes du déboisement, auj. reboisés en résineux; ces plateaux sont depuis longtemps voués à l'élevage (moutons des Corbières); les vallées se consacrent à la culture de la vigne (vins des Corbières).

CORBIGNY. ♦ Ch.-l. de cant. de la Nièvre (arr. de Clamecy), en bordure du Morvan*, sur l'Aiguison. 2 294 hab. Anc. abbaye bénédictine. Église Saint-Seine, de style gothique flamboyant. —

Marchés et foires aux bestiaux. Cimenterie. Carrière. — Patrie de Franc-Nohain. ♦ *Hist.* En 864, un monastère dépendant de l'abbaye de Flavigny* y fut fondé.

CORBON (Claude Anthime). ♦ Homme politique français (Arbigny-sur-Varennes, 1808 — Paris, 1891). Sculpteur sur bois, il fut l'un des fondateurs en 1840 du journal *l'Atelier.* Élu député à l'Assemblée constituante après la révolution de février 1848, il fit partie de la commission chargée de la rédaction de la Constitution de la IIe République. S'étant prononcé contre l'élection de Louis Napoléon Bonaparte à la présidence (déc. 1848), il quitta la vie politique après le coup d'État du 2 décembre 1851. Maire du 15e arrondissement de Paris après la chute de l'Empire, il fut élu à l'Assemblée nationale (1871), fit partie du comité qui tenta en vain de concilier le gouvernement et la Commune de Paris (1871) pour éviter la guerre civile. Sénateur (1875), il se prononça pour l'enseignement obligatoire, les syndicats professionnels, etc.

CORBULON, en lat. **Cneius Domitius Corbulo.** ♦ Général romain (mort à Corinthe, 67). Légat en Germanie, sous Claude*, il remporta de brillantes victoires sur Tiridate* Ier, roi d'Arménie, et Vologèse*, roi des Parthes (58 et 63). Néron*, jaloux, donna l'ordre de le mettre à mort; il se perça lui-même de son épée.

CORBY. ♦ V. d'Angleterre (Northamptonshire), au N. de Kettering. 49 210 hab. Fondée en 1949 pour décongestionner Londres, elle doit atteindre 70 000 hab. C'est un important centre sidérurgique (tubes d'acier) et un centre lainier.

CORCYRE, en gr. mod. **Kerkyra.** ♦ **V.** CORFOU.

CORDAY (Charlotte Corday d'Armans, dite **Charlotte).** ♦ Jeune fille française (Saint-Saturnin-des-Ligneries, près de Sées, les Champaux, Orne, 1768 — Paris, 1793). Fervente lectrice de Plutarque, Tacite, Rousseau et adepte des idées nouvelles, elle se rallia à la Révolution. C'est après la proscription des Girondins (2 juin 1793) qu'entrée en contact avec certains des chefs de l'insurrection fédéraliste de Normandie elle décida de tuer Marat*, principal responsable à ses yeux de l'élimination des Girondins et de l'instauration du régime de la Terreur. Arrivée à Paris au début de juillet, elle obtint le 13 juillet une entrevue avec le conventionnel, qui la reçut dans son bain, où la jeune fille le poignarda. Emprisonnée à l'Abbaye puis à la Conciergerie, jugée par le Tribunal révolutionnaire dès le 17 juillet, condamnée à mort et exécutée, elle fit un peu figure d'héroïne malgré l'horreur que suscita son crime en raison de la popularité dont jouissait Marat.

Cordeliers (*Club des,* ou *Société des amis des droits de l'homme et du citoyen).* ♦ Club révolutionnaire fondé à Paris en mai 1790 par Danton* après la suppression des districts parisiens. Il compta parmi ses membres C. Desmoulins, Fabre d'Eglantine, Legendre, Santerre, Marat*, etc., et tint ses premières réunions au couvent des *Cordeliers* (rue de l'École-de-Médecine, *auj.* musée Dupuytren). C'est en grande partie sous son influence que fut portée au Champ*-de-Mars (17 juillet 1791) la pétition exigeant la déchéance du roi. Lors de la Convention, le Club fut animé par les révolutionnaires extrémistes. Hébert* et les hébertistes, et devint le porte-parole des sans*-culottes, de la population laborieuse des « faubourgs » (Saint-Antoine et Saint-Marceau). Après l'élimination des hébertistes (av. 1794), le Club fut supprimé, et ses derniers membres passèrent aux jacobins*.

CORDEMOY (Géraud *de***).** ♦ Philosophe et historien français (Paris, v. 1628 — 1684). Ses *Dix Discours sur la distinction et l'union de l'âme et du corps* sont d'inspiration cartésienne tout en annonçant la théorie occasionnaliste de Malebranche. Il est également l'auteur d'une *Histoire de France depuis le temps des Gaulois.*

CORDES (adaptation médiévale de **Cordoue,** en Espagne). ♦ Ch.-l. de cant. du Tarn*, arr. d'Albi*. 1 251 hab. *(Cordais).* Enceintes; église des XIIIe, XIVe, XVe s.; anc. église des Trinitaires (XVIe s.). Chapelles du XIVe et du XVIe s.; halles et maisons anc. ♦ *Hist.* La ville fut fondée en 1222 par Raymond VII, comte de Toulouse.

CORDIER (Louis). ♦ Géologue et minéralogiste français (Abbeville, 1777 — Paris, 1861). Il appliqua les méthodes chimiques, mécaniques et microscopiques à l'étude des roches microlithiques et donna une classification des roches endogènes.

CORDIER (Henri). ♦ Orientaliste français (La Nouvelle-Orléans, 1849 — Paris, 1925). Il a publié de nombreux ouvrages, en particulier sur la Chine (*Histoire des relations de la Chine avec les puissances occidentales de 1850 à 1900,* 1901-1902; et *Histoire générale de la Chine,* 1920-1921).

CORDILLÈRE AUSTRALIENNE, en angl. **Eastern Highlands** (anc. **Great Dividing Range).** ♦ Série de plateaux et de chaînes de montagnes de l'Australie*, s'élevant largement au delà de 2 000 mètres. Plissée à la fin du primaire et rajeunie au tertiaire, la région présente des vallées encaissées; elle décrit un vaste arc de cercle d'env. 3 000 km dans la partie orientale du pays, séparé de la côte du Pacifique par une étroite bande littorale. Elle s'étend de la péninsule du cap d'York* à la Tasmanie*. **V. Blue* Mountains, Alpes* australiennes, Kosciusko** (mont).

CORDILLÈRE DES ANDES. ♦ **V.** ANDES.

CORDILLÈRE BÉTIQUE. ♦ **V.** BÉTIQUE (Cordillère).

CÓRDOBA. ♦ V. du centre de l'Argentine, située au pied de la sierra de Córdoba, ch.-l. de la province du même nom. 846 000 hab. Archevêché. Marché agricole et foyer industriel de la région préandine (indus. alimentaires, textiles, chimiques, automobiles, mécaniques). Centre économique, universitaire et culturel, centre touristique de première importance, la ville apparaît, par son activité et son prestige, comme la capitale de l'intérieur. ♦ *Hist.* Fondée en 1573, elle eut une grande importance pendant la période coloniale dont elle garde de nombreux monuments. — La *province de Córdoba,* située dans la Pampa* et dominée à l'O. par la *sierra de Córdoba* (2 900 m), est traversée au N.-O. par les Salinas* Grandes. 168 854 km². 1 971 000 hab. env. Arachide à proximité de la sierra. Cultures des climats doux : céréales, luzerne, légumes, fruits, plantes textiles.

Ph. Hétier

Cordoue.

CÓRDOBA. ♦ V. du centre du Mexique (Veracruz*) dans la sierra Madre* orientale. 40 000 hab. environ. Cultures de café et de canne à sucre. Raffineries, distilleries (rhum). Indus. textiles.

CORDOUAN. ♦ Îlot rocheux au large de l'estuaire de la Gironde. Phare construit de 1584 à 1610.

CORDOUE, en esp. **Córdoba.** ♦ V. d'Espagne méridionale, en Andalousie. Ch.-l. de prov. sur le Guadalquivir. 215 500 hab. *(Cordouans).* Évêché. Pont romain. Grande mosquée (fin VIIIe-Xe s.) transformée en cathédrale par Charles Quint (voir ci-dessous). Églises mudéjares et gothiques. Autrefois fameuse pour ses cuirs, la V. est aujourd'hui un centre commercial, industriel (matériel électrique) et touristique. Patrie de Sénèque*, de Lucain*, d'Averroès*, d'Avicenne et de Góngora*. ♦ *Hist.* D'origine carthaginoise, elle devint une des principales villes de l'Espagne romaine. Tombée en décadence sous les Wisigoths, elle connut grâce aux Arabes, qui s'en emparèrent en 711, un éclat incomparable. L'émirat de Cordoue, fondé en 756 par Abd* al Rahmân Ier **(V. Umayyades),** étendit son autorité sur toute l'Espagne musulmane. Au Xe s., l'émirat devint un brillant califat; savants et lettrés de tout le monde islamique y affluèrent. Plus de 20 écoles et une importante bibliothèque furent fondées. À partir du XIe s., le califat se divisa en petits royaumes et Cordoue fut reconquise par Ferdinand* III en 1236. Ce fut le début d'un long déclin. — Le monument le plus célèbre de la V. est la *mosquée* fondée par Abd*-al-Rahmân Ier, agrandie par Abd*-al-Rahmân II, al-Hakam* II et al-Mansûr*, vizir du calife Hishâm II, qui firent d'elle la plus grande mosquée du monde après la Ka'ba* de La Mecque. Elle fut adaptée au culte catholique sous Ferdinand III et consacrée en 1236 en l'honneur de l'Assomption de la Vierge. En 1523, le chapitre érigea un maître-autel, un sanctuaire et une *capilla mayor* au sein du monument arabe (architectes, Hernàn Ruiz, ses fils et petit-fils). — À 10 km au N.-O. de Cordoue, de récentes fouilles ont fait découvrir les ruines les plus belles de l'architecture palatine arabe sur l'emplacement de la résidence que fit construire en 978 al-Mansûr pour le calife (Modinat Al-Zahirâ, au lieudit *Córdoba la Vieja*).

CORÉ, ou **KORÉ.** ♦ **V.** PERSÉPHONE.

CORÉE. *n. f.* ♦ Péninsule d'Asie du Sud-Est (219 017 km²), divisée en 14 provinces traditionnelles, baignée, à l'E., par la mer du Japon, à l'O., par la mer Jaune et limitée au N. par la Mandchourie. Les côtes (8 600 km) sont bordées de nombreuses îles (Jeju*-do au S.-O.). La côte orientale, rocheuse au N. (ports d'Unggi, de Pohang), abrite des plages de sable au sud. La côte méridionale a un aspect très découpé (ports d'Ulsan, de Busan). Deux larges baies s'enfoncent dans le littoral occidental et ont servi de voie de pénétration vers l'intérieur du pays. La dépression du Chugaryeong, entre Seoul et Weonsan, divise le pays en deux zones géographiques : dans la partie septentrionale, le plateau de Gaema s'élève à plus de 1 000 m, les chaînes de l'Eanjin, de la Myeolag et de Masigryeong culminent à 1 200 mètres. Le sud est traversé dans sa longueur par la chaîne du Taebaeg. Les deux grands fleuves de Corée du Nord, le Yalu (Abnog, 790 km) et le Duman (Tumen, 520 km), prennent leur source au mont Baegdu; ils délimitent la frontière avec la Mandchourie. De nombreux bancs de sable les rendent peu navigables; ils sont pris par les glaces en hiver. Les fleuves de la Corée du Sud sont également peu utilisables, à l'exception du Nagdong. Si, en été, les températures sont sensiblement les mêmes au N. et au S. du pays, les différences s'accentuent en hiver et l'on voit apparaître la banquise au nord-est. La mousson d'été apporte de fortes précipitations (juillet-août). La division de la Corée a entraîné de grandes difficultés économiques, les deux régions se complétant à l'origine (nord industriel, sud agricole). L'élevage (ovidés et bovins essentiellement), la pêche (maquereaux, sardines, morues, saumons), l'agriculture (riz, blé, orge, soja, tabac, coton) sont en pleine expansion. Le pays est riche en ressources énergétiques et minières (anthracite, lignite, fer, graphite, tungstène, etc.). ♦ *Hist.* Selon la légende coréenne, Gija* aurait fondé le premier État de Jeo-son (Chôsen) qui aurait duré jusqu'en ~ 206. Peu de temps après, l'empereur chinois des Han, Wu-ti (~ 140 – ~ 86), annexa le territoire coréen et y créa quatre commanderies : Hyeondo, Nagnang (Lolang), Imdun et Jinbeon. Mais les Chinois perdirent rapidement ces colonies (~ 75) et ne conservèrent que Lolang. En ~ 37, l'État de Goguryeo* s'étendit sur tout le nord de la péninsule. Le sud était occupé par les trois « Han »; après des guerres opposant ces tribus méridionales, la région fut divisée en deux grands royaumes, ceux de Baegje et de Silla* [Sinla]. La lutte pour l'hégémonie se poursuivit au Ve s. entre le Silla, le Baegje et le Goguryeo. Le Silla s'allia, au VIIe s., à la dynastie chinoise des T'ang (618-907) pour vaincre ses deux rivaux. Profitant de l'occasion qui lui était offerte, la Chine établit en 668 deux nouveaux protectorats en Corée, mais le Silla réussit à reprendre ces territoires aux Chinois dès 735 (période du Silla unifié). Pendant ce temps, le royaume coréen de Po* Hai était fondé en Mandchourie. Le royaume dissident du Goryeo* obligea le roi de Silla à abdiquer (918). Le Goryeo, ne pouvant repousser les attaques incessantes des Liao chinois, céda une partie de son territoire (1019). Les Mongols soumettent le pays en 1273, et la cour se réfugie dans l'île de Ganghwa. Profitant de la chute des Mongols Yüan en Chine, le général Yi Seong-gye s'empara du pouvoir et fonda la dynastie des Yi* qui devait régner de 1392 (cap. Su*-weon) à 1910. Cette époque est marquée par les incursions japonaises (fin du XVIe) et mandchoues (XVIIIe s.). La Corée devint l'enjeu des puissances chinoise, japonaise et russe au XIXe s., et la reine Min* fut assassinée par les Japonais en 1895. En 1910, la Corée devint colonie japonaise, devant subir un régime autoritaire. Des guérillas organisées par les communistes (Gim Il-sung) contre le Japon débutent en 1938. L'indépendance de la Corée est reconnue en 1943 (conférence du Caire); l'U.R.S.S. au N. et les U.S.A. au S. sont chargés de désarmer les Japonais (1945). En 1948, deux républiques séparées sont proclamées, qui ne cessent cependant de s'opposer idéologiquement; une longue guerre civile (1950-1953) s'ensuit qui ne change rien à cette division, mais ruine le pays. — *Patrie* de An* Gyeong, Bag* Jeong-hui [Park Chung Hee], Bag* Yeong-heui [Pak Yong-Hui], Choe* Chung, Choe* Je-u, Choe* Nam-seon, Gim* Dae-song, Gim* Il-seong [Kim Il-sung], Gim Hong-do, Gim So-weol, Heo* Gyun, Hwang* Hyeon, Hwang Jin-I, Jang* Myeong Ier, Jeong* Bong-jun, Jeong Cheol, Jo Bong-am, Ju* Si-gyeong, Yi* Gwang-su, Yi Seong-man [Syngman* Rhee], Yi Seong-gye, Yi Sun-sin.

CORÉE DU NORD. ♦ République populaire démocratique (Constitution de 1948), divisée en 11 régions administratives (9 prov. et 2 villes : Pyeong Yang et Gaeseong). 120 538 km². 10 029 000 hab. *Cap.* **V. Pyeong Yang.** *Villes princ.* **V. Cheongjin, Jinnanpo, Sin-eui-ju, Weonsan.** L'accent y fut mis, dès 1949, sur la production de l'indus. lourde (fonte et ferro-alliages [2 millions de t en 1968], acier [2,2 millions de t], matériel ferroviaire et agricole [3 000 tracteurs/an], transformation de l'aluminium et du magnésium, cimenteries [4 millions de t en 1970]), de l'indus. chimique (engrais : 1,5 million de t en 1970). La production de charbon atteint 27,5 millions de t (1968), celle d'électricité : 4 milliards de kWh. Les cultures vivrières (riz [2,5 millions de t en 1968], maïs) et les cultures indus., autrefois délaissées, ont été développées. La réforme agraire de 1946 aboutit à la confiscation des terres de plus d'un hectare et à leur redistribution. Beaucoup ont, depuis, été réunies en coopératives. — Les échanges commerciaux (exportation de minerais, de produits agricoles et chimiques, importation de machines, de pétrole) se font essentiellement avec l'U.R.S.S., Hong Kong et les républiques socialistes.

CORÉE DU SUD, en coréen **Dae-Han Min-Gug.** ♦ République (fondée en 1948) divisée en 9 provinces et 2 villes à statut provincial (Seoul et Busan). 98 479 km². 29 207 856 hab. (1966) [la pop., importante et augmentée par l'afflux de réfugiés, semble stabilisée par une campagne de limitation des naissances]. *Cap.* Séoul. *villes princ.* **V. Busan, Daegu, Gyeong Ju, Incheon, Masan, Mokbo.** Lors du départ des Japonais, la Corée du Sud ne disposait que d'environ 10 % du capital indus. du pays. Le redressement, freiné par la guerre de Corée (1950-1953) et les crises qui la suivirent, n'a pas permis d'atteindre la production de la Corée du Nord (12,5 millions de t de charbon, 9,2 milliards de kWh d'électricité [1970]). Les indus. mécaniques et chimiques (engrais, fibres synthétiques) ont été développées, des raffineries de pétrole, des papeteries installées. L'agriculture souffre de la petitesse des exploitations (0,9 ha en moyenne), qui empêche la mécanisation. La production de riz atteignait 4 millions de t en 1969. — Les principaux partenaires commerciaux de la Corée du Sud sont les États-

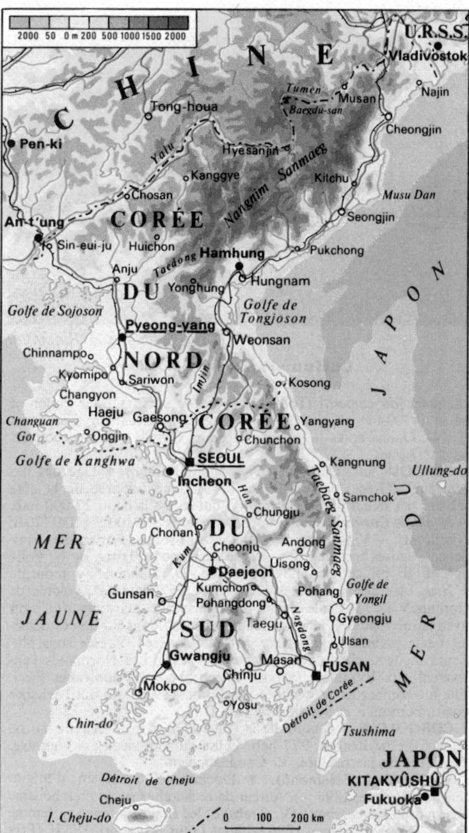

Corée (Nord et Sud).

Unis et le Japon (exportation de produits finis, tels que perruques, articles de plastique, matériel électronique, importation de machines, de matériel de transport).

CORELLI (Arcangelo). ♦ Compositeur italien (Fusignano, 1653 – Rome, 1713). Il commença très jeune l'étude du violon et reçut à Bologne l'enseignement de deux maîtres éminents, G. Benvenuti et L. Brugnoli. D'abord violoniste puis maître de chapelle à Saint-Louis-des-Français, à Rome (1686), il devint bientôt l'un des favoris de la haute société romaine. Protégé par Christine de Suède, il entra au service du cardinal Ottoboni, fastueux mécène et neveu du pape Alexandre VIII. Dès lors, sa renommée allait s'étendre à toute l'Europe. Fondateur de l'école classique du violon, il a porté à leur plus haut degré de perfection les formes instrumentales en usage à son époque. Son œuvre, très homogène, est remarquable par l'expressivité de la mélodie et la fermeté du style. Elle tend à modérer le goût de la virtuosité, répandu à l'excès chez nombre de ses contemporains. Elle se compose de six recueils, quatre de sonates en trio, pour l'église (1681-1689) et pour la

Ph. Sarzi Amadé/Ricciarini

Corée du Nord : danses au cours d'un défilé.

Ph. Carlo Bevilacqua/Ricciarini

Corfou : le port, la citadelle.

chambre [*da camera*] (1685-1694), un de sonates pour violon et basse (1700) et un de 12 *concerti grossi,* parus après sa mort (1714). Oublié après la période baroque, Corelli a été redécouvert au XXe siècle.

CORFOU, anc. **Corcyre**, en gr. mod. **Kerkyra**. ♦ Une des îles Ioniennes (Grèce), à l'entrée de l'Adriatique, séparée de la côte d'Épire par le *détroit de Corfou*; V. qui en est le ch.-l. 27 000 hab. – *Nome de Corfou*, avec des îlots avoisinants : 641 km^2 ; 101 770 h. *(Corfiotes)*. – Vins, agrumes; station touristique. Forteresses vénitiennes, églises byzantines. – Patrie de Capo* d'Istria, de N. Politis* et du prince Philippe* de Grèce. D. Solomos* y mourut. ♦ *Hist.* Identifiée à l'île des Phéaciens* de l'*Odyssée**, colonie de Corinthe* (~734), elle devint une puissance maritime rivalisant avec la métropole. L'intervention d'Athènes* dans un de ces démêlés fut le prélude de la guerre du Péloponnèse*. Passée sous plusieurs maîtres, elle devint romaine en ~229. Les Normands l'enlevèrent aux Byzantins (XIe s.). XIIe-XIXe s. : **V. Ioniennes** (îles). Elle fut bombardée et occupée par l'Italie (1923) qui dut l'évacuer conformément à la décision de la S.D.N.

CORGOLOIN. ♦ Comm. de la Côte-d'Or, arr. de Beaune, au N. de la Côte de Beaune. 977 hab. Église du XIIIe siècle. – Vignoble. Carrières de pierre dure. **V. Comblanchien.**

CORI (Carl Ferdinand). ♦ Biochimiste américain d'origine tchèque (Prague, 1896 –). Auteur de recherches sur le métabolisme des hydrates de carbone **(V. Krebs)** et les enzymes, avec sa femme Gerty Theresa [Prague, 1896 – Saint Louis, Missouri, 1957]. (Prix Nobel de méd., 1947.)

CORINNE, en gr. **Korinna**. ♦ Poétesse grecque (Tanagra ou Thèbes, Béotie, ~VIe-~Ve s.). Maîtresse de Pindare*, puis sa rivale souvent victorieuse dans les concours poétiques, elle fut surnommée la *Muse lyrique*. Elle composa des odes chorales inspirées des légendes béotiennes, dont il reste quelques fragments.

Corinne ou l'Italie. ♦ Roman de Mme de Staël* (1807) qui présente, parallèlement à l'idylle tragique entre la poétesse inspirée, Corinne, et lord Oswald Nevil, une description de l'Italie, sur le plan des mœurs, de la littérature et de l'art, répondant à *De l'Allemagne**.

CORINTH (Lovis). ♦ Peintre, graveur et dessinateur allemand (Tapiau, Prusse-Orientale, 1858 – Zandvoort, Hollande, 1925). Il étudia à Königsberg, à Munich, puis à Paris dans l'atelier de Bouguereau* (1884 à 1887). Installé à Berlin vers 1900, il devint l'un des membres les plus actifs du mouvement sécessionniste qui s'opposait à l'académisme traditionnel. Il aborda des thèmes naturalistes et sous l'influence de l'impressionnisme adopta une touche apparente et nerveuse et une palette progressivement plus lumineuse. À partir de 1911, la violence expressive de ses toiles s'accrut, sa facture devenant plus lâche et heurtée; il peignit des portraits, de grandes compositions religieuses d'un lyrisme dramatique (*Déposition de Croix,* 1907; *Le Golgotha,* 1911) et de vastes paysages dans une gamme chromatique à dominante froide. Par la véhémence de l'expression et l'utilisation de la couleur, il peut être considéré comme l'un des initiateurs de l'expressionnisme germanique. Il a laissé des écrits sur l'art et une *Autobiographie.*

CORINTHE, en gr. **Korinthos**. ♦ V. et port de Grèce, au fond du golfe de Corinthe, sur l'isthme du même nom qui relie le Péloponnèse* à la Grèce centrale; ch.-l. du nome de Corinthe. 2 289 km^2. 112 500 hab. Centre commercial, exportation des raisins secs de Corinthe. 15 890 hab. – Ruines de l'anc. Corinthe à 5 km de la ville actuelle : temple d'Apollon (~VIe s.), agora, théâtre (~Ve s.), odéon, basilique julienne, etc. **V. Acrocorinthe.** – Patrie de Démarate*, Dinarque*, Timoléon*. Arion*, Denys* le Jeune et Diogène* le Cynique y habitèrent. ♦ *Hist.* Le site de Corinthe fut occupé dès l'époque néolithique. La ville primitive, appelée Éphyra, appartenait au royaume de Mycènes et était associée à un grand nombre de légendes. **V. Créon, Jason, Médée, Œdipe.** Parmi ses souverains éoliens figurent Sisyphe*, fondateur de la ville, Glaucos* et Bellérophon*. La cité fondée par les Doriens* au ~XIe s. devint un centre de la renaissance qui suivit la dernière grande migration en Grèce. Sous les dynasties doriennes (~VIIIe s.) et sous les tyrans (~VIIe s.), elle fonda de nombreuses colonies dont Syracuse* en Sicile*, Corcyre **(V. Corfou)**, Potidée*, Ambracie* et Apollonia*, les plus importantes. À la suite de la réforme agraire de Périandre*, elle atteignit l'apogée de sa puissance économique et devint le plus grand centre commercial de la Grèce. Elle fut également fameuse pour son luxe éclatant, pour le culte d'Aphrodite* et pour ses courtisanes **(V. Laïs)**. Sa suprématie maritime et industrielle (poterie, armes, constructions navales) déclina au profit d'Athènes* au ~Ve siècle. Pendant la guerre du Péloponnèse* elle se tint aux côtés de Sparte*. Dressée ensuite contre l'hégémonie spartiate, elle s'allia à Athènes, Béotie* et Argos* et fut le centre de la guerre dite de Corinthe (~395-~386). Après sa soumission aux Macédoniens (~335), Philippe* II puis Alexandre* le Grand y furent élus chefs de la confédération hellénique. Elle prit la tête de la ligue Achéenne*. Lors de l'invasion romaine, elle fut prise et détruite par Mummius* après la bataille de Leucopetra* en ~146. César* la releva et y rétablit les jeux Isthmiques*. Saint Paul* y fonda une église v. 50. – Ravagée à plusieurs reprises au Moyen Âge, occupée par les Français en 1205, elle fut ensuite longuement disputée entre Vénitiens et Turcs. – Le tremblement de terre de 1858 démolit la vieille ville. – Le *canal de Corinthe* à travers l'isthme homonyme entre la mer Ionienne et la mer Égée, fut percé de 1883 à 1893. Longueur 6 300 m, largeur 22 m, prof. 8 mètres.

CORIOLAN, en lat. **Cneius Marcius Coriolanus**. ♦ (v. 488). Vainqueur des Volsques* auxquels il prit Corioles (au S.-E. de Rome), d'où son nom de Coriolan. Exilé, il se mit à la tête des Volsques et assiégea Rome. Seules les larmes de sa mère et de sa femme réussirent à le fléchir; mais les Volsques s'estimant trahis le tuèrent.

Coriolan *(Coriolanus)*. ♦ Drame de Shakespeare (v. 1607). Brillant général et cœur vindicatif, Coriolan s'est vu bannir par les tribuns de la plèbe. Il décide de s'allier aux pires ennemis de Rome, les Volsques. C'est à quelques milles de la ville que sa mère Volumnie, courageuse et désintéressée, parvient à le fléchir en s'agenouillant devant lui. Par ce geste sublime, elle brise son orgueil et le rend à sa patrie.

CORIOLIS (Gustave Gaspard). ♦ Mathématicien français (Paris, 1792 – *id.*, 1843). Il est notamment connu pour un théorème de mécanique *(théorème de Coriolis)* qui joue un rôle fondamental dans l'étude des mouvements composés et selon lequel, dans le cas général, l'expression de l'accélération, par rapport à un système S_2, d'un point accéléré dans un système S_1 soumis à une accélération par rapport au système S_2, est donnée par la somme vectorielle de l'accélération du point par rapport à S , de l'accélération d'entraînement et d'une accélération complémentaire dite de *Coriolis*. [Ce théorème intervient, en particulier, dans l'étude des courants aériens]. (Acad. sc., 1836.)

CORK, en irl. **Corcaigh**. ♦ Seconde V. et port du S.-O. de la république d'Irlande. Cap. de la prov. de Munster et ch.-l. de comté, au fond de l'estuaire de la Lee ou *Cork Harbour*. 77 680 hab. (1970), 115 508 av. l'aggl. – Cork est le principal centre commercial et industriel de l'Irlande méridionale, au cœur d'une riche région agricole. Son activité industrielle se fonde en grande partie sur la transformation des produits de l'arrière-pays (distilleries, minoteries, biscuiteries, textiles). Plus récemment, des ateliers de construction navale et de mécanique, des indus. chimiques (pneumatiques, produits pharmaceutiques, importante raffinerie) s'y sont ajoutés. L'avant-port de *Cóbh* est une escale vers l'Amérique et exporte vers la Grande-Bretagne des denrées agricoles. ♦ *Hist.* Fondée au VIIe s. autour d'un monastère près duquel des pirates danois érigèrent un fortin (v. 946), Cork fut gouvernée jusqu'à l'arrivée des Anglais (1172) par le clan Mac Carthy. En 1649, elle prit le parti de Cromwell et fut investie par le duc de Marlborough en 1690. Dans la deuxième moitié du XIXe et le premier quart du XXe (1920-1921), elle fut l'un des noyaux de la résistance nationaliste. – Le *comté de Cork,* le plus vaste d'Irlande (7 456 km^2), comptait 339 525 hab. en 1966 et s'étend en bordure de l'Atlantique, entre le Kerry à l'O. et le Waterford à l'est.

CORLAY. ♦ Ch.-l. de cant. des Côtes-du-Nord, arr. de Saint-Brieuc. 1 213 hab. *(Corlaisiens)*. Église (XVe-XVIe s.); ruines d'un château fort (XVe s.). Élevage de chevaux.

CORLISS (George Henry). ♦ Ingénieur américain (Easton, New York, 1817 – Providence, 1888). Il conçut une machine à vapeur (1849) et un type de distribution qui portent son nom.

CORMATIN (Pierre DEZOTEUX, dit *baron de*). ♦ Chef de la chouannerie* (Paris, v. 1750 – Lyon, 1812). Aide de camp au cours de la guerre d'Indépendance américaine, membre de la garde constitutionnelle de Louis XVI (1791), il émigra en 1792 et prit part à plusieurs expéditions des émigrés dans l'Ouest. Nommé major général de l'armée catholique et royale, il signa le traité de pacification de Mabilais (1795) avec la Convention thermidorienne. Accusé d'avoir enfreint celui-ci, il fut traduit devant le tribunal militaire.

CORMATIN. ♦ Comm. de la Saône-et-Loire (arr. de Mâcon) dans la vallée de la Grosne. 535 hab. L'église renferme une Vierge de Piété du XVe siècle. Le château, édifié à partir de 1600, contient un portrait par Vélasquez* et des tapisseries des Gobelins*.

CORMEILLES. ♦ Ch.-l. de cant. de l'Eure* (arr. de Bernay*), dans le Lieuvin*. 1 183 hab. *(Cormeillais)*. Église des XIe et XVe siècles.

CORMEILLES-EN-PARISIS. ♦ Ch.-l. de cant. du Val-d'Oise, (arr. d'Argenteuil), sur l'Oise. 14 149 hab. *(Cormeillais)*. Ville en expansion. Dans le vieux village, église des XIIIe, XVe et XVIe siècles.

Carrière de gypse et de marnes à ciment; indus. chimique. — Patrie de Daguerre*.

CORNARO. ♦ Famille de Venise qui donna trois doges à la république : *Marco Cornaro* (1365-1367), *Giovanni Ier Cornaro* (1624-1629) et *Giovanni II Cornaro* (1709-1722). Ce dernier signa le traité de Passarowitz qui délimitait Venise et les États turcs. ♦ CATERINA CORNARO (Venise, 1454 — *id.*, 1510). Reine de Chypre par son mariage avec Jacques de Lusignan (1472), elle assura la régence de 1475 à 1489, date à laquelle elle remit ses États à Venise. ♦ LUIGI CORNARO (1467 — 1566). Il écrivit les *Discorsi della vita sobria* (1558). ♦ HELENA CORNARO (Venise, 1646 — Padoue, 1684). Elle fut la première femme à recevoir le titre de docteur en philosophie à l'université de Padoue (1678).

CORNE D'OR *(la)*, en gr. **Khrusokeras**, en turc **Haliç**. ♦ Baie turque sur l'extrémité S. du Bosphore* (rive européenne). Langue étroite de mer (largeur max. 550 m) pénétrant à une profondeur de 7,5 km, elle forme un excellent port naturel. Sur ses rivages furent bâties Byzance* (~ VIIe s.), puis Constantinople (IVe s.). **V. Istanbul.**

CORNEILLE, en lat. **Cornelius** *(saint)*. ♦ Dans les *Actes des Apôtres*, X, centurion romain dont la conversion par saint Pierre légitime la prédication du christianisme aux non-juifs. — Fête le 2 février.

CORNEILLE *(saint)*. ♦ 21e pape (251-253 [mort]). Romain, martyr (exilé à Centumcellae, près de Civitavecchia). Élu après 18 mois de vacance du siège épiscopal de Rome, il régla l'affaire des *lapsi* avec saint Cyprien* et combattit Novatien*. Fête le 16 septembre.

CORNEILLE (Pierre). ♦ Poète dramatique français (Rouen, 1606 — Paris, 1684). Fils d'avocat, avocat lui-même, il se sentit très tôt attiré par la carrière poétique. Sa première œuvre dramatique est une comédie, *Mélite* (1629), bientôt suivie d'une tragi-comédie. *Clitandre* (1630), puis de quatre autres comédies : *La Veuve, La Galerie du palais, La Suivante* et *La Place Royale* (1631 à 1634). Distingué par Richelieu, il reçoit une pension et entre dans le groupe des cinq auteurs qui travaillent sous la protection du cardinal. Il publie alors sa première tragédie, *Médée** (1635), puis fait représenter l'*Illusion comique*, la plus féerique de ses œuvres (1636), qui développe une merveilleuse apologie du théâtre. C'est enfin le triomphe du *Cid** (déc. 1636) bientôt suivi d'une querelle où intervient, sur l'ordre de Richelieu, l'Académie française, récemment constituée (*Sentiments de l'Académie sur le Cid* où sont relevées avec exactitude les discordances entre la doctrine classique des trois unités et la pièce de Corneille, 1638). Dans les années suivantes, il fera représenter *Horace** (1640), *Cinna** (1641), *Polyeucte** (1642), trois chefs-d'œuvre inspirés d'un plus grand souci des règles, une comédie : *Le Menteur* (1643), puis *Nicomède** (1651). En 1644 a paru un autre chef-d'œuvre, *Rodogune**. Membre de l'Académie (1647), il a résilié sa charge d'avocat, mais l'échec de *Pertharite* (1651) va l'éloigner du théâtre pour sept ans. C'est vainement qu'il tentera ensuite de reconquérir la faveur du public. Ses dernières œuvres (*Agésilas*, 1666; *Attila*, 1667) connaissent un faible succès, sinon l'échec. De la compétition qui l'oppose désormais à son jeune rival Racine, il sort vaincu (*Tite et Bérénice*, 1670) et, malgré l'exquise qualité poétique de la *Psyché* qu'il écrit en collaboration avec Molière (1670), il renonce définitivement au théâtre après *Suréna* (1674). — Corneille a le génie de l'intrigue aux rebondissements nombreux et imprévus, et son goût de la liberté qui peut, sans péril, se satisfaire dans le genre comique se trouve fortement contraint par les exigences de la tragédie. Soucieux de vérité humaine, capable de créer des personnages d'une médiocre qualité morale *(Cinna, Félix, Prusias)*, il appartient à une génération qui possède le génie de la grandeur, et c'est dans la peinture de la générosité du cœur et d'une rayonnante noblesse d'âme qu'il excelle. Toujours admirables par l'exemple qu'ils offrent du pouvoir de l'homme sur la force des choses et sur lui-même, rarement terrifiants, plus rarement encore pitoyables, ses héros ne sont pas ceux de la véritable tragédie. Les plus grands se rejoignent tous (*Rodrigue* et *Chimène*, *Horace* et *Curiace*, *Polyeucte* et *Pauline*, *Auguste*, *Nicomède*) quand, leurs grandes actions achevées, ayant assuré leur salut ou leur gloire, est venu pour eux le temps de l'amour, de la clémence, de la sérénité. — Enfin, la puissance et la rigueur de son style, au rythme parfois insistant ou au lyrisme retenu, et la magnificence de sa métrique en font un des tout premiers poètes de son temps.

CORNEILLE (Thomas). ♦ Écrivain et poète dramatique français (Rouen, 1625 — Les Andelys, 1709). Frère de P. Corneille, il est l'auteur d'une œuvre aux aspects très divers : tragédies (*Ariane*, 1672), tragi-comédies (*Circé*, 1675), comédies (*La Devineresse*, 1679), opéra (*Bellérophon*, 1679). Collaborateur au *Mercure galant* (1677), il a composé un *Dictionnaire des termes d'arts et de sciences* (1694) et un *Dictionnaire géographique et historique* (1708).

CORNEILLE (Cornelis van BEVERLOO, dit**).** ♦ Peintre néerlandais (Liège, 1922). Fondateur avec Appel* et Constant du *groupe expérimental* et de la revue *Reflex*, il participa ensuite au mouvement *Cobra* et se fixa à Paris en 1951. Revendiquant avant tout une totale liberté créatrice et recherchant l'expression spontanée, impulsive, il a créé des œuvres violemment colorées et au graphisme tumultueux dont certaines, en raison de leur absence de références au monde extérieur, peuvent s'inscrire dans le courant de l'abstraction lyrique, alors que dans d'autres apparaissent des

Ph. Hétier

La **Corne d'Or.**

formes schématisées et des signes ou symboles empruntés aux arts populaires qui concourent à créer une imagerie à la fois lyrique et pleine d'humour. De tendance fortement expressionniste, ses œuvres procèdent souvent de la libre transposition de sensations éprouvées en face de la nature (*La Grande Terre âpre*, 1957).

CORNEILLE DE LYON. ♦ Portraitiste français d'origine néerlandaise (La Haye, v. 1500-1510 — Lyon, v. 1574). Établi en France dès avant 1534, il se fixa à Lyon, probablement vers 1540, fut naturalisé français en 1547 et reçut la charge de peintre d'Henri II en 1551. Il resta attaché à un type de portrait de petites dimensions, peint sur bois, présentant le modèle en buste, de face, sur un fond vert ou bleu. Ses œuvres, caractérisées par la finesse et la concision du trait, la subtilité du modelé, la préciosité des tons et le rendu méticuleux des détails, s'inscrivent dans la tradition franco-flamande du portrait et trahissent l'influence de la miniature. Une grande partie de ses portraits fut gravée en médaillons et reproduite dans le *Promptuarium Iconum* (1553). Il eut sans doute de nombreux aides et fut largement imité.

CORNÉLIE, en lat. **Cornelia**. ♦ Romaine, fille de Scipion* l'Africain et mère des Gracques* (v. ~189 — v. ~110). Veuve de bonne heure, elle se consacra à l'éducation de ses fils. Elle fut le type de la Romaine de grande naissance, admirable par ses vertus et sa large culture.

CORNELIUS (Peter *von***).** ♦ Peintre, graveur et dessinateur allemand (Düsseldorf, 1783 — Berlin, 1867). Il reçut une éducation classique et s'intéressa à Winckelmann* et à Schelling*, mais illustra aussi Faust et s'inspira des Nibelungen*. Il fut influencé par les graveurs allemands des XVe et XVIe s., particulièrement par Dürer*. A Rome, à partir de 1811, il se lia avec Overbeck*, s'intégra au groupe des nazaréens sur lesquels il eut un fort ascendant et participa notamment à la décoration de la *villa Bartholdy*. L'archaïsme de ses décorations colossales et tragiques semble souvent un peu forcé *(Glyptothèque de Munich*, 1819-1830; Cartons pour la décoration du *Campo Santo de Berlin)*.

CORNELIUS (Peter). ♦ Compositeur allemand (Mayence, 1824 — *id.*, 1874). Élève de Liszt à Weimar, il fut à la fois poète et musicien, composant les livrets de ses opéras et le texte de ses lieder. Riches de lyrisme, ces derniers trouvent leur originalité dans une recherche harmonique subtile. L'insuccès de son opéra-comique, *Le Barbier de Bagdad* (Weimar, 1858), le détermina à rejoindre Wagner à Munich où il se lia avec le roi de Bavière Louis II et devint professeur au Conservatoire. On lui doit encore un opéra, *Le Cid* (1865).

CORNELIUS NEPOS. ♦ Historien latin (v. ~99 — v. ~24). Il introduisit à Rome le genre alexandrin de la biographie repris plus tard par Plutarque* et Suétone*. Œuv. princ. : *De excellentibus ducibus* (« Vie des grands capitaines des nations étrangères »).

CORNELIUS SISENNA (Lucius). ♦ Écrivain et orateur romain (v. ~120 — ~67). Auteur d'*Histoires (Historiae)*, aujourd'hui perdues, sur la guerre entre Marius* et Sylla*, et de *Fables milésiennes (Milesiaca)*, recueil de contes frivoles d'inspiration hellénistique, facétieux, réalistes et érotiques.

CORNER BROOK. ♦ V. du Canada (prov. de Terre*-Neuve) sur la côte O. de l'île de Terre-Neuve. 27 116 hab. (1966). — La ville possède l'une des plus grandes usines de pulpe et de pâte à papier du monde.

CORNIMONT. ♦ Comm. des Vosges, arr. d'Épinal. 5 021 hab. Tissages, filature de coton; exploitation de granit.

Corn-Laws (angl. « lois sur le blé »). ♦ Lois fixant des tarifs douaniers élevés sur le blé pour protéger le marché intérieur de la concurrence étrangère. La suppression des *Corn-Laws* (fixées à un taux prohibitif en 1815), ou leur rétablissement, fut l'un des enjeux de la vie politique anglaise au XIXe siècle. En 1836, J. Bright* créa l'*Anti-Corn-Laws Association* qui agit sur l'opinion publique pour obtenir l'abrogation de ces lois, ce qui fut fait en 1846 et 1849. Mais le cours du blé s'effondra vers 1875 et les paysans réclamèrent le retour au protectionnisme, rétabli seulement en 1931.

CORNOUAILLE. *n.f.* ♦ Région du S.-O. de la Bretagne comprise entre la pointe du Raz* et Le Pouldu*. Sa ville principale est Quimper*.

CORNOUAILLES, en angl. **Cornwall**. *n. f. pl.* ♦ Comté de Grande-Bretagne, à l'extrémité S.-O. de l'Angleterre, entre la Manche et le canal de Bristol. 359 680 hab. (1961). *Ch.-l.* Truro*. – Le *plateau de Cornouailles* est une pénéplaine hercynienne culminant à 425 m (Bodmin Moor). La côte, très découpée, se prolonge au S.-O. (Land's* End) par l'archipel des Scilly*. Le climat, très doux, permet de riches cultures maraîchères, arbustives et florales (Scilly). La pêche est largement pratiquée sur le littoral. Des mines d'étain étaient exploitées du XVIIe au milieu du XIXe siècle. Carrières de kaolin. – Patrie de Richard Trevithick*.

CORNU (Alfred). ♦ Physicien français (Orléans, 1841 – La Chansonnerie, près de Romorantin, 1902). Ses recherches concernent surtout, d'une part, la minéralogie et, d'autre part, l'optique, notamment la mesure de la vitesse de la lumière pour laquelle il améliora la méthode de Fizeau* (1879) et l'étude photographique des radiations ultraviolettes. (Acad. sc., 1878.)

CORNWALL. ♦ Comté du S.-O. de l'Angleterre. **V. Cornouailles**.

CORNWALL. ♦ V. du Canada (Ontario), sur le Saint-Laurent, au S.-O. de Montréal. 45 766 hab. (1966). Port d'entrée à la frontière des États-Unis. – Indus. du bois et du papier, indus. chimiques, textiles.

CORNWALLIS (Charles Mann, *lord* **Brome**, *marquis de***)**. Général anglais (Londres, 1738 – près de Bénarès, 1805). Il se distingua pendant la guerre de Sept* Ans, puis en Amérique, et fut cependant obligé de capituler à Yorktown (1781), puis fut gouverneur au Bengale (1786, victoire sur Tippu-Sahib), en Irlande, où il réprima avec modération la révolte de 1798-1802, et en Inde. Il avait été l'un des négociateurs du traité d'Amiens*.

COROGNE (La), en esp. **La Coruña**. ♦ V. d'Espagne septentrionale (Galice*), sur une petite presqu'île séparant l'anse d'Ozran de la ria de la Corogne. 195 000 hab. Ch.-l. de prov. Phare romain. Cap. de la VIIIe région militaire et 3e port de pêche espagnol. – L'indus. s'y est développée, d'abord liée à la pêche (conserveries, salaisons, constructions navales), puis à la fonction portuaire (raffinerie de pétrole). – Station balnéaire fréquentée.

COROMANDEL (corruption de *Chola mandalam*, « pays des Chola* »), ou **côte de Coromandel**. ♦ Nom donné à la côte S.-E. de l'Inde. Les ports y sont peu nombreux, mal abrités et battus par une mer violente. Ils furent néanmoins fréquentés dès l'époque romaine. *V. princ. :* **V. Madras, Pondicherry, Masulipatnam.**

CORONÉE, en gr. **Korôneia**. ♦ Anc. V. de la Grèce (Béotie). Les Béotiens y vainquirent les Athéniens (~ 447) et les Spartiates, menés par Agésilas*, battirent les Athéniens et leurs alliés (~ 394). Xénophon*, banni d'Athènes, y combattit dans les rangs spartiates.

CORONEL. ♦ V. et port du Chili, sur la côte Pacifique, à quelques km au S. de Concepción. Env. 18 000 hab. Houille. ♦ Hist. *Bataille navale de Coronel :* le 1er novembre 1914, au large, victoire de l'escadre allemande de l'amiral von Spee sur l'escadre britannique de l'amiral Cradock. Mais l'escadre allemande fut détruite aux Falkland, le 8 décembre suivant.

CORONEL OVIEDO. ♦ V. du Paraguay oriental, à l'E. d'Asunción. Env. 50 000 hab.

CORONIS [*korônis*]. ♦ Fille d'un roi des Lapithes, aimée d'Apollon*. Elle trompe le dieu avant même la naissance d'Asclépios*, fruit de leurs amours, et est tuée par Artémis. Apollon arrache l'enfant de son sein avant l'incinération.

COROT (Jean-Baptiste Camille). ♦ Peintre et dessinateur français (Paris, 1796 – *id.*, 1876). Fils de commerçants aisés, il finit par convaincre ses parents de sa vocation artistique et reçut aux Beaux-Arts, dans l'atelier de Michalon puis de Bertin, une solide formation académique, tout en faisant ses premières expériences de peinture en plein air *(Bord de Seine, Environs de Ville-d'Avray)*. Au cours d'un séjour en Italie (1825-1828), il réalisa des paysages « composés » qui se rattachent à la tradition néo-classique par l'équilibre de l'ordonnance, la franchise de l'éclairage, la netteté des contours et la sécheresse des volumes *(Château Saint-Ange)*, tout en peignant sur le vif des études d'une facture plus libre et spontanée *(Le Pont de Narni)*. À partir de 1827, il exposa régulièrement au Salon des compositions plus conventionnelles : religieuses ou mythologiques, situées souvent dans un paysage italien ou français et animées de figures (bergers, faunes, nymphes, etc.) dont le caractère gracieux et élégiaque finit par obtenir un vif succès. Au début de sa carrière, il réalisa quelques portraits précis et sobres de ses proches puis il ramena de ses pérégrinations à travers la province française, de deux autres séjours en Italie (1834 et 1843) de nombreuses peintures : notations directes souvent retravaillées en atelier, d'un réalisme franc et d'une facture précise (*La Cathédrale de Chartres*, 1830 ; *Le Beffroi de Douai*, 1871), le plus souvent des paysages de forêt avec étang, dans lesquels il se montra attentif à évoquer l'atmosphère humide, brumeuse, la lumière diffuse, argentée ou rosée, de l'aurore ou du crépuscule au moyen d'une petite touche claire et vibrante, des valeurs modulées avec une grande subtilité. Ces paysages sensibles révèlent la rare acuité de son œil tout en témoignant de la liberté de sa démarche qu'il a résumée dans cette formule : « Ne jamais perdre la premiere impression qui nous a émus. » On l'a parfois considéré comme un peintre de l'école de Barbizon, mais s'il alla quelquefois peindre dans la forêt de Fontainebleau, fréquentant l'auberge Gane, et fut surtout lié avec Daubigny*, il fut avant tout un indépendant qui, contrairement aux autres paysagistes, utilisait une gamme chromatique à dominante claire. Par sa conception du paysage plus que par sa technique (par gradations de tons et subtils frottis), il annonce directement l'impressionnisme. Il évolua vers une liberté de facture de plus en plus grande et obtint une consécration tardive (à partir de 1855). Son succès et l'apparition de multiples pastiches qu'il acceptait parfois par générosité de signer entraînèrent une certaine monotonie dans sa production. Considéré comme le plus grand paysagiste français du XIXe s., il est cependant aussi l'auteur de nombreux portraits et nus féminins qu'il n'exposa pratiquement jamais, qui témoignent à la fois d'une culture classique profondément enracinée, d'une grande maîtrise technique et de ses capacités novatrices : audace du dessin d'apparence inachevée (*Odalisque romaine*, 1843), simplification des volumes construits par les valeurs avec une touche expressive mais toujours discrète (*La Femme à la perle*, 1868-1870 ; *La Gitane à la mandoline*, 1874).

Corps législatif. ♦ L'une des quatre assemblées législatives instituées en France par la Constitution de l'an VIII (**V. Napoléon Ier**). Composé de 300 membres choisis par les sénateurs, le Corps législatif n'avait que le droit de voter ou de rejeter les projets de loi sans les discuter. Louis Napoléon Bonaparte (**V. Napoléon III**) le rétablit dans la Constitution du 14 janvier 1852. Élus au suffrage universel, les députés du Corps législatif votaient les projets de loi sans les discuter, comme dans la constitution de l'an VIII, mais ils avaient le droit de voter le budget. Napoléon III, avec la libéralisation du régime (**V. Empire** [Second]), leur accorda le droit d'adresse (1860), d'interpellation (1867), puis l'initiative des lois (1869). Le Corps législatif disparut lors de la chute de l'Empire (1870).

CORPUS CHRISTI. ♦ V. et port des États-Unis, au S. du Texas, sur le golfe du Mexique. 201 581 hab. (zone urbaine 288 000 hab.). Centre agricole (légumes). Pêche (poisson, crustacés, huîtres). L'indus. est essentiellement celle des dérivés du pétrole, la métallurgie de l'aluminium, du zinc, etc. – Tourisme.

CORRAL. ♦ Petit port de pêche du S. du Chili central, au S. de Valdivia*. Centre de la pêche de la baleine. Centre sidérurgique.

Ph. Lauros-Giraudon

J.-B. C. Corot : « La Cathédrale de Mantes ». (Musée des Beaux-Arts, Reims.)

CORRÈGE (Antonio Allegri, dit il Correggio, en fr. le). ♦ Peintre italien (Correggio, v. 1489 – *id.*, 1534). Il fut un des grands maîtres italiens de la haute Renaissance. Sa vie n'est connue que par des témoignages indirects. Une récente étude de Panofsky détruit le mythe, forgé par Vasari*, d'un peintre solitaire, génie isolé et modeste, enfermé dans sa province, et situe le Corrège dans le milieu des humanistes d'Émilie, recrutés parmi les poètes et les érudits. Élève dans sa ville natale de son oncle Allegri, il connut tôt les œuvres de Mantegna* à Mantoue. Dans ses premiers tableaux, il utilisa le *sfumato* de Léonard*, transmis de Lombardie par des peintres mineurs, et intégra ses figures vigoureusement dessinées dans une composition architectonique solide héritée des Florentins (*Madone de Saint-François,* 1515, Dresde). Dans ses premières œuvres (dont une série de *Vierges*) s'affirme déjà la volonté de synthétiser les recherches éparses du «nouveau style tendre» du début du XVIe s. (Fra Bartolomeo* et Andrea Del* Sarto à Florence, Beccafumi* à Sienne, Dosso* à Ferrare). Cependant, son originalité se révèle dans les grandes fresques qu'il réalisa à Parme. Ces œuvres monumentales ne s'expliquent guère sans un séjour à Rome – qu'on situe entre 1517 et 1519 – qui aurait permis à Corrège d'étudier les grandes compositions de Raphaël* et de Michel*-Ange. Ses fresques de la *Camera de l'abesse* (1519-1520, couvent de Saint-Paul, Parme), outre un lointain souvenir de Mantegna (voûte en ombelle et treillis de feuillages et de fruits), sont remarquables par leurs nuances monochromes et l'équilibre tout classique instauré à partir des nudités au canon court. Appréciée, cette œuvre lui permit de réaliser les grandes commandes parmesanes (fresques de l'église Saint-Jean-l'Évangéliste, 1520-1524; *L'Assomption de la Vierge,* coupole octogonale du Duomo, 1524-1530) où sont associées les solides formes michelangélesques et l'immatérialité d'un mouvement léger exprimé par un tourbillon coloré. Aussi donna-t-il déjà une réponse aux recherches baroques sur les décorations «aspirantes» d'A. Pozzo* (fin du XVIIe s.). Simultanément, il peignit des toiles religieuses en agençant des compositions obliques et des perspectives diagonales, avec des personnages languissants et voluptueux (*Déposition de croix; Madone à l'écuelle,* Parme, pinacothèque). S'inspirant de la mode des nocturnes, le Corrège excella dans le clair-obscur, préparant ainsi les recherches des luministes de la fin du siècle (*Adoration des bergers* ou *la Nuit,* Dresde). Il produisit enfin une série de peintures mythologiques dégageant une sensualité faussement ingénue (*Léda,* Berlin; *Jupiter et Io,* v. 1530, Vienne; *Danaé,* 1530-1532, Rome; *Antiope,* Louvre). S'opposant à l'intellectualisme florentin, le Corrège proposa, dans l'ensemble de son œuvre, une nouvelle sensibilité qui inspirera à des degrés divers le Parmesan*, Baroccio*, L. Carrache* et marquera plusieurs tendances picturales des XVIIe et XVIIIe s., tendances poussées jusqu'à l'imitation par Prud'hon* (déb. XIXe s.).

CORREGIDOR. ♦ Île des Philippines, dans la baie de Manille, divisant l'entrée de Manille en deux détroits et commandant ceux-ci. ♦ *Hist.* Cet îlot rocheux percé de nombreuses galeries et casemates, fortifié d'abord par les Espagnols au XVIIIe s., puis par les Américains à partir de 1898, est devenu célèbre par la résistance opiniâtre des Américains assiégés par les Japonais en mai 1942. Évacué, l'îlot fut repris le 23 févr. 1945 au prix de sanglants combats.

Correspondance littéraire, philosophique et critique (La). ♦ Ouvrage formé des lettres périodiques (1753 à 1790) adressées de Paris à des correspondants étrangers, par Grimm* aidé de Mme d'Épinay* et de Diderot* (pour les expositions de peinture), puis par son secrétaire Meister. Cette gazette fournit des renseignements précieux sur la société et la littérature françaises de l'époque.

CORRETTE (Michel). ♦ Compositeur français (Rouen, 1709 – Paris, 1795). Fils de Gaspard Corrette, organiste à Rouen (fin du XVIIe s.), il fut aussi organiste, notamment au service du prince de Condé et du duc d'Angoulême. Avec une facilité souvent contestable, il s'est exercé dans les genres les plus divers, musique instrumentale, religieuse et surtout d'inspiration populaire (ariettes, vaudevilles, opéras-comiques pour les théâtres de la Foire).

CORRÈZE. *n. f.* ♦ Riv. du Limousin*, affl. de la Vézère*. (85 km). Elle prend sa source au plateau de Millevaches*, traverse Tulle* et Brive* et conflue en aval de cette ville.

CORRÈZE *(dép. de la).* [**19**]. ♦ Dép. de l'O. du Massif* central, région (anciennement C.A.R.) du Limousin*. 5 888 km². 247 190 hab. *Préf.* Tulle*. *Sous-préf.* Brive*-la-Gaillarde. Ussel*. – *Orogr.* Région de plateaux et de collines, au N. la montagne limousine est formée par le plateau de Millevaches; au S., plateaux moins élevés séparés par des cours d'eau. ♦ 289 comm., 30 cant., 247 190 hab. *Préf.* Tulle*, *sous-préf.* Brive*-la-Gaillarde, Ussel*. *Ch.-l. de cant. :* Argentat*; Ayen, 733 hab.; Beaulieu*-sur-Dordogne; Beynat*; Bort*-les-Orgues; Bugeat, 1 100 hab.; Corrèze*; Donzenac*; Égletons*; Eygurande, 824 hab.; Lapleau, 586 hab.; Larche, 812 hab.; Lubersac*; Mercœur, 441 hab.; Meymac*; Meyssac*; Neuvic*; Roche-Canillac (La), 282 hab.; St-Privat, 1 019 hab.; Seilhac, 1 247 hab.; Sornac, 1 017 hab.; Treignac*; Uzerche*; Vigeois*. – *Autres comm.* **V. Aubazines, Collonges-la-Rouge, Gimel, Turenne.**

CORRÈZE. ♦ Ch.-l. de cant. de la Corrèze*, (arr. de Tulle*), sur la Corrèze. 1 729 hab. *(Corréziens).*

CORRIB *(lough).* ♦ Lac d'Irlande occidentale (prov. de Connacht, comtés de Galway* et de Mayo*), situé au contact du Connemara* et de la plaine centrale.

CORRIENTES. ♦ V. d'Argentine, ch.-l. de la province du même nom, située au confluent du Paraguay* et du Paraná*, face à Resistencia*. 115 000 hab. Évêché. Centre industriel et important marché agricole, la ville a bénéficié de l'essor du Chaco* et constitue une étape vers les provinces de l'O. pour les transports fluviaux et routiers des Misiones*. – La *province de Corrientes,* située en Mésopotamie* argentine, s'étend entre les rios Paraná* à l'O. et au N. et Uruguay* à l'E. et confine au N. avec le Paraguay, au N.-E. avec la prov. des Misiones et au S. avec la prov. d'Entre* Ríos. 89 355 km². 596 000 hab. (1965). Élevage extensif (bovins, ovins). Cultures subtropicales (canne à sucre, coton, tabac).

CORRIGAN *(sir* **Dominic).** ♦ Médecin irlandais (Dublin, 1802 – 1880). Il donna la description de l'insuffisance aortique *(maladie de Corrigan).*

CORROZET (Gilles). ♦ Écrivain et libraire français (Paris, 1510 – *id.,* 1568). Poète, auteur du *Conte du Rossignol* (1547), il traduisit des *Fables* d'Ésope (1542). Il est surtout connu pour ses guides historiques de Paris : la *Fleur des Antiquités de Paris* (1532) et les *Antiquités, histoires et singularités de Paris* (1550).

CORSE. *n. f.* ♦ Île de la Méditerranée, formant deux départements français et une région (anciennement C.A.R.). 8 750 km² (long. 185 km; larg. max. 85 km); 209 000 hab. (chiffre corrigé, recensement de 1975 : 274 000 hab.). «Montagne dans la mer», émergeant des profondeurs (– 1 000 m près de Porto) à 170 km de Nice, elle est un témoin de l'ancienne Tyrrhénide. – *Orogr.* Un puissant massif cristallin en occupe la plus grande partie : du sud au nord, il porte sa ligne de crête de 2 136 m (mont Incudine) à 2 625 m (monte Rotondo*), 2 710 m (Cinto*) et détache vers l'O. et le S.-O. une série de chaînons parallèles, séparés par des gorges profondes; les côtes qui lui correspondent sont de type provençal, riches en golfes (Ajaccio*, Porto*, Sagone*, Valinco*), en caps et en îles. Au delà d'une sorte de sillon central (bassins de Nebbio, Ponte-Leccia, Corte), les schistes plissés dessinent, depuis le cap Corse, de longues arêtes de moindre altitude, plus ouvertes au-dessus d'une plaine de type languedocien (de Bastia à Porto-Vecchio). – *Climat* de type provençal, sec et lumineux, avec moins de rudesse, du fait de la latitude et de l'insularité. – *Écon.* Protégée, depuis peu, par un parc régional de 150 000 ha, la forêt a longtemps reculé devant le « maquis » dont l'épaisseur fait souvent obstacle entre la côte et l'intérieur; et les sols ingrats ont favorisé landes (32 % de la superficie) et pacages (21 %), siège de la vie pastorale traditionnelle (moutons et chèvres; fromages) à laquelle la châtaigneraie (44 % de la production française en 1931) et les cultures arbustives et fruitières (amandes et agrumes), secondairement maraîchères, apportent leur appoint. La population était surtout repliée dans la montagne, à l'écart de la côte à part quelques concentrations très localisées (25 % de la population en 1935); cet isolement a été aggravé par une forte émigration vers le « continent », source d'une grave régression démographique. La population active (27 % du total; France : 42 %) compte moins de 60 000 personnes, dont 20 000 étrangers. – *Développement.* Depuis 1960, les signes de renouveau se manifestent, dans les domaines agricoles et touristiques; la conscience de plus en plus aiguë de la spécificité des problèmes insulaires a conduit à dissocier la Corse de la circonscription « Provence-Côte d'Azur » (décrets du 9-1-1970). La Société d'équipement touristique (SETCO; 1957) a porté, en 1970, la capacité d'accueil à env. 100 000 lits. La Société de mise en valeur de la Corse (SOMIVAC; 1958) avec l'apport des rapatriés d'Algérie, transforme la plaine orientale : maquis et pacages y ont fait place au maraîchage (de 380 à 800 ha), à l'arboriculture (de 200 à 1 000 ha), aux agrumes et au vignoble, tombé, par suite du phylloxéra, de 25 000 ha en 1925 à 4 000 en 1945, reconstitué depuis 1958, il couvre aujourd'hui 30 000 ha. 80 % de la production de vin (1 500 000 hl) proviennent de la plaine orientale, mais l'orientation vers la qualité est plus avancée à l'O. (crus classés de Sartène, Ajaccio, Balagne...). Un schéma d'aménagement mis à l'étude en 1968 a abouti à un programme régional dans la perspective de 1985 (320 000 hab. prévus). Priorité y est donnée aux transports, condition du développement touristique (240 000 visiteurs en 1965; 360 000 en 1970; 2 000 000 escomptés). Modernisation des ports (Ajaccio, Bastia, Calvi, Porto-Vecchio) et des aérodromes; adaptation des principaux axes routiers (Ajaccio-Bastia, Bastia-Bonifacio, etc.). La capacité d'hébergement devrait atteindre 300 000 lits. – L'agriculture (25 % des actifs) visera à accroître les productions commercialisées et à rénover l'élevage (prairies artificielles) et l'oléiculture, de manière à fixer les populations des vallées. Le maintien de l'artisanat et les progrès de l'industrie (25 % seulement) sont indispensables à l'équilibre de l'emploi (indus. légères, indus. agricoles et alimentaires). Ainsi se trouvent posés – comme dans le secteur tertiaire – les problèmes de formation technique (notamment hôtelière) et supérieure. Dans un souci d'équilibre entre littoral et intérieur, l'armature urbaine s'organise à trois niveaux : Ajaccio*, ville administrative (70 000 hab.) et Bastia*, centre économique (60 000 hab.), qui a poussé à la division de l'île en deux départements; des villes moyennes à équiper [création d'une univ.] (Calvi*, Sartène*, Porto*-Vecchio, Corte*), puis des centres ruraux à consolider. Quatre zones privilégiées auront un rôle d'entraînement : la Balagne*, de vocation touristique, le golfe d'Ajaccio et son arrière-pays; le croissant oriental, en plein essor

Corse.

(Bastia, Cervione*, Aléria); le S., au potentiel inexploité. Mais la sauvegarde du milieu naturel, la protection des sites et paysages, parmi les plus beaux du monde et dont certains sont déjà atteints ou menacés, restent un impératif primordial. ♦ *Hist.* Des vestiges néolithiques établissent l'existence d'une culture en Corse dès le ~ VIe millénaire **(V. Filitosa).** Des comptoirs furent établis par les Phéniciens. Après l'occupation carthaginoise (~ IIIe s.), Rome s'empara de l'île et créa en ~ 221 la province de Sardaigne-Corse, qui devint un lieu de bannissement **(V. Sénèque).** L'île subit ensuite des invasions barbares, byzantines. Après l'invasion lombarde (725), elle fut attribuée au Saint-Siège **(V. Étienne II)** jusqu'à sa concession à Pise en 1098. En 1284, les Génois s'en emparèrent et l'exploitèrent. **(V. Gênes).** Les révoltes locales favorisèrent l'occupation française **(V. Ornano)** qu'Henri II dut abandonner (Cateau*-Cambrésis). Une guerre de 40 ans (1729-1769) opposa Gênes, soutenue par l'empereur d'Autriche, à la France et aux Corses; la révolte s'organisait **(V. Paoli; Bonaparte** [Charles]**).** Gênes, réduite aux plaines côtières, vendit la Corse à la France en 1767, deux ans avant la naissance de Napoléon* Bonaparte. Pendant la Révolution française la Corse bénéficia de l'appui de l'Angleterre **(V. Pozzo di Borgo).** – En sept.-oct. 1943, la Corse occupée fut reprise par les troupes françaises d'Afrique du Nord aidées par les maquis. En 1976, des mouvements de revendication portant sur les relations entre l'île et la France continentale aboutirent à des affrontements parfois sanglants.

CORSE *(cap).* ♦ Presqu'île étroite et allongée du Nord de la Corse*, qui s'étend au N. de Bastia*. Arbres fruitiers, oliviers, vignes y prospèrent. Vins réputés. *V. princ.* **V. Bastia, Brando, Canari, Nonza, Rogliano, San Martino.**

CORSE (HAUTE-). Dép. du N. de la Corse formé en 1974. 4 660 km². **V. Corse.** ♦ [29 cant., 236 comm., 154 559 hab.]. *Préf.* Bastia*. *Sous-préf.* Corte*, Calvi*. *Ch.-l. de cant.* Belgodère*, Borgo*, Brando*, Calacuccia*, Calenzana*, Campile (763 hab.), Campitello (179 hab.), Castifao (431 hab.), Cervione*, Ghisoni (1 019 hab.), Île*-Rousse (L'), Lama (359 hab.), Luri (815 hab.), Moïta (334 hab.), Morosaglia*, Murato*, Muro (505 hab.), Nonza*, Oletta (1 037 hab.), Olmi-Cappella (451 hab.), Omessa (701 hab.), Pero-Casavecchie (395 hab.), Piedicorte-di-Gaggio (357 hab.), Piedicroce*, Pietra-di-Verde (250 hab.), Porta* (La), Prunelli-di-Fiumorbo (1 536 hab.), Rogliano*, Saint*-Florent, San-Lorenzo (529 hab.), San*-Martino-di-Lota, San Nicolao (682 hab.), Santo-Pietro-di-Tenda (621 hab.), Sermano (141 hab.), Valle-d'Alesani (507 hab.), Venaco*, Vescovato (1 250 hab.), Vezzani (700 hab.). *Autres V. et localités.* **V. Aléria, Canari, Orezza.**

CORSE DU SUD. ♦ Dép. du S. de la Corse formé en 1974. 4 020 km². **V. Corse.** ♦ [20 cant., 118 comm., 120 680 hab.]. *Préf.* Ajaccio*. *Sous-préf. Sartène*. Ch.-l. de cant.* Bastelica*, Bocognano*, Bonifacio*, Évisa*, Levie*, Olmeto*, Petreto-Bicchisano (1 500 hab.), Piana*, Porto*-Vecchio, Sainte-Lucie-de-Tallano (1 615 hab.), Salice (201 hab.), Santa-Maria-Siche (712 hab.), Sari-d'Orcino (504 hab.), Sarrola-Carcopino (608 hab.), Serra*-di-Scopamène, Soccia (716 hab.), Vico*, Zicavo*. *Autres V. et localités.* **V. Cargèse, Propriano, Sagone.**

CORTÁZAR (Julio). ♦ Écrivain argentin (Bruxelles, 1914). Conteur original à l'humour subtil, Cortázar évoque un monde hallucinant où se mêlent l'observation aiguë du quotidien et l'étude métaphysique de l'homme américain actuel (***Bestiaire,*** 1951; ***Les Armes secrètes,*** 1959). Son roman ***Marelle*** (1963) est une dénonciation de la civilisation occidentale. Son œuvre, qui le place avec O. Paz* à l'avant-garde de la littérature contemporaine, est d'un accès difficile.

CORTE [kɔʀte]. ♦ Sous-préf. de la Corse*, ch.-l. d'arr. (16 cant. 110 comm. 44 439 hab.), au confluent de la Restonica et du Tavignano, au centre de l'île, dans un bassin entouré d'une ceinture de montagnes. 5 491 hab. *(Cortenois).* La ville est adossée au rocher portant la citadelle. Anc. Palais national où Paoli* établit le siège de son gouvernement (1755-1759). Excellents vignobles; olives, huiles, châtaignes, tabac, fromages, bétail. Minoterie, carrière de marbre, exploitations forestières. – *Patrie* du général J. T. Arrighi de Casanova, J. Bonaparte*, J. P. Gaffori.

CORTEMAGGIORE. ♦ V. d'Italie centrale, en Émilie. 6 000 hab. Importants gisements de méthane et de pétrole. Ce dernier est raffiné sur place (A.G.I.P.).

CORTE REAL. ♦ Famille de navigateurs portugais du XVIe s. dont les plus connus sont *Gaspard* qui, vers 1500, atteignit la Terre-Verte, c.-à-d. la côte S. du Labrador* ou la partie septentrionale de Terre-Neuve, et son frère aîné ***Miguel*** qui, en 1502, aborda à Terre-Neuve et gagna le golfe du Saint-Laurent. Ils ne revinrent ni l'un ni l'autre de leur expédition.

CORTÉS (Hernán, en fr. **Fernand CORTEZ).** ♦ Conquistador espagnol (Medellín, Estrémadure, 1485 – Castilleja-de-la-Cuesta, près de Séville, 1547). Il participa à la conquête de Cuba (1511-1514) avec Diego Velázquez* qui, en 1518, lui confia la direction d'une expédition au Mexique*, mais se ravisa. Cortés partit néanmoins avec P. de Alvarado* et C. de Olí*. Il aborda au Yucatán et, en 1519, fonda Veracruz*. Après une victoire sur le royaume de Tlaxcala, dont il se fit un allié contre les Aztèques, il gagna Tenochtitlán (capitale aztèque, sur le site de Mexico); là, bien que l'empereur Moctézuma* eût reconnu la suzeraineté de Charles Quint, Cortés prit prétexte des incidents entre Espagnols et Aztèques pour le prendre en otage. Entre-temps, D. Velázquez avait envoyé une troupe commandée par P. De Narváez* contre Cortés qui la vainquit sans grande difficulté. À la suite d'une insurrection dans la capitale aztèque, Moctézuma fut tué et les Espagnols durent quitter la ville dans la nuit du 30 juin au 1er juillet 1520 (« noche triste »). Après avoir reconstitué ses troupes, Cortés vainquit et détruisit Tenochtitlán (1521), dont le dernier empereur, Cuauthémoc*, fut exécuté en 1524. Nommé gouverneur général de la Nouvelle-Espagne par Charles Quint (1522), Cortés administra le pays d'une manière autoritaire. Accusé de rébellion et rappelé en Espagne devant le Conseil des Indes (1527), il parvint à se justifier et repartit au Mexique jusqu'en 1540. Rentré dans son pays, il participa encore au siège d'Alger par Charles Quint (1541); mais il avait déjà perdu tout crédit et mourut isolé.

CORTINA D'AMPEZZO. ♦ V. d'Italie orientale (Vénétie). 7 000 hab., dans les Dolomites*, à 1 210 m. Station de sports d'hiver et de tourisme très fréquentée.

Corton. ♦ **V.** ALOXE-CORTON.

CORTONA. ♦ V. d'Italie centrale, en Toscane (province d'Arezzo). 27 000 hab. Fondée par les Étrusques, la ville a conservé les vestiges d'une enceinte. Musée étrusque. ♦ *Hist.* La ville fut rattachée à Florence* en 1411.

CORTONE (Pietro BERRETTINI dit **da Cortona**; en fr. **Pierre** *de*). ♦ Peintre et architecte italien (Cortone, 1596 – Rome, 1669). Élève à Florence du peintre Andrea Commodi, il poursuivit sa formation à Rome. La faveur des Sacchetti et des Barberini lui valut de nombreuses commandes publiques et privées. Auteur de tableaux religieux et mythologiques dont certains, par leur mouvement tourbillonnant, leur composition ouverte et le caractère mobile de la lumière, sont parmi les premières expressions du style baroque (***L'Enlèvement des Sabines,*** 1629) tandis que d'autres attestent une recherche plus classicisante ***(Vénus et Énée),*** il s'imposa surtout dans la grande décoration à fresque. Après avoir décoré l'église *Saint-Bibiano* (1624-1626) et la villa Sacchetti à Castel-Fusano (1626-1629), il acquit la gloire en composant la fresque du ***palais Barberini*** (1633-1639), entreprise qui, par son esprit (glorification spectaculaire et hyperbolique de la famille Barberini et du pouvoir temporel de l'Église) comme par la nouveauté et la puissance des partis pris formels : conception unitaire de la composition plafonnante, dilatation de l'espace par l'utilisation d'architecture en trompe l'œil, mouvement ascensionnel de l'ensemble, clarté et précision des formes, constitue l'œuvre clé du baroque romain. Séjournant ensuite à Florence,

Ph. Nimatallah/Ricciarini

P. de Cortone : « L'Enlèvement des Sabines ». (Musée du Capitole, Rome.)

il conçut et entreprit la décoration du *palais Pitti* (1637-1641) dans laquelle une place importante est accordée à la décoration stuccée. Il réalisa aussi à Rome les fresques de l'*Histoire d'Énée* au *palais Pamphili* (1651-1654) et celles de *Santa Maria in Valicella* (1633 à 1665). En s'inspirant des Carrache*, des compositions romaines de Rubens* et de celles de Lanfranco*, mais en se souvenant aussi de Titien* et des maniéristes, il élabora un style original, apte à l'expression du faste et de la grandeur et conforme aux goûts des représentants du pouvoir civil et religieux. Il joua aussi un rôle important dans le développement de l'architecture baroque en réalisant la *villa du Pigneto* (1625-1630, détruite), l'*église Saint-Luc-et-Sainte-Martine* (1635-1650), premier exemple de façade avec un corps central bombé, la *façade de Sainte-Marie-de-la-Paix* aux ailes concaves (1650-1656) et la *façade de Santa Maria in via lata* qui reflètent le souci d'intégrer l'architecture à l'espace urbain environnant (projet d'une place hexagonale). Son projet pour le Louvre, à Paris, ne fut pas retenu.

CORTOT (Alfred). ♦ Pianiste et pédagogue français (Nyon, Suisse, 1877 – Lausanne, 1962). Artiste d'une vaste culture, pianiste à la sensibilité frémissante dont les interprétations de Chopin firent date, il fit de nombreuses tournées à travers le monde. Chef d'orchestre, il fut le premier en France à diriger le *Crépuscule des dieux* et le *Tristan et Isolde*, de Wagner. Avec ses amis J. Thibaud* et P. Casals*, il constitua un trio (1905) dont la réputation devint internationale. Professeur au Conservatoire, fondateur de l'École normale de musique, il a donné de remarquables cours d'interprétation et publié plusieurs ouvrages didactiques (*Principes rationnels de la technique pianistique*, 1928; *La Musique française de piano*, 3 vol.; ainsi que deux éditions annotées des *Études et Préludes* de Chopin).

CORUCHE. ♦ V. du Portugal (Ribatejo), sur le río Sorria, affl. du Tage. Important marché agricole.

ÇORUM. ♦ V. de Turquie, au N.-E. d'Ankara*. Ch.-l. de la prov. homonyme. 34 629 hab. (1960). Centre commercial situé au cœur d'une riche région agricole. – Indus. textiles. Travail du cuir.

CORVETTO (Louis Emmanuel, *comte*). ♦ Homme politique français d'origine italienne (Gênes, 1756 – 1821). Avocat à Gênes, il se rallia aux idées révolutionnaires et, en 1797, devint président du directoire de la République ligurienne. Ayant contribué à favoriser le rattachement de Gênes à la France (1805), il fut nommé conseiller d'État (1806) et fait comte d'Empire par Napoléon Ier (1809). Nommé inspecteur général des prisons (1811), il fut l'un des fondateurs de la société pour l'amélioration des prisons. Ministre des Finances sous Louis XVIII (1815-1818), il prit une part importante au redressement financier de la France et, grâce à une politique de grands emprunts, facilita la libération du territoire français en liquidant la dette de guerre. Critiqué par l'opposition de droite, il se retira.

CORVIN (Mathias). ♦ V. MATHIAS Ier.

CORVISART (Jean, *baron*). ♦ Médecin français (Dricourt, Ardennes, 1755 – Paris, 1821). Élève de Desault*, professeur de clinique interne au Collège de France, ses qualités de clinicien lui valurent d'être nommé médecin du gouvernement, puis de Napoléon Ier. Il chercha à donner des bases scientifiques à la médecine clinique en la fondant sur l'anatomie pathologique. Il utilisa la méthode de percussion pour le diagnostic des maladies cardiaques (*Essai sur les maladies et les lésions organiques du cœur*, 1806-1811).

CORVOL-L'ORGUEILLEUX. ♦ Comm. de la Nièvre (arr. de Clamecy), dans le Nivernais*. 1 092 hab. Tours et enceintes du XIIIe siècle. Église (XIIIe et XVIe s.). – Papeteries.

COS. ♦ Île de Grèce (Dodécanèse) à l'entrée du golfe du même nom. 290 km²; 19 100 hab. V. qui en est le ch.-l. 8 800 hab. – Vins, légumes, tabac. – Temple d'Esculape (Asclépieion) et monuments médiévaux. – Patrie d'Apelle*, d'Hippocrate*, de Ptolémée* II. Théocrite* y séjourna. ♦ *Hist.* Envahie par les Doriens*, elle fit partie de l'Hexapolis. Entraînée dans la Confédération maritime d'Athènes, souvent révoltée, elle fut l'alliée des Romains. Fameuse pour ses vins, ses baumes et ses tissus transparents, elle doit surtout sa célébrité à son école médicale illustrée par Hippocrate.

COSA (Juan *de la*). ♦ Navigateur et géographe espagnol (Santoña, Biscaye, v. 1460 – Tabasco, Darién, 1510). Il accompagna C. Colomb en 1492 et en 1493, puis A. De Hojeda* et A. Vespucci en 1499, puis entreprit deux expéditions (1504, 1508) dans le Darién. Il a établi des cartes de l'Afrique et de l'Amérique où figurent les découvertes de l'époque.

COSAQUES. *n. m. pl.* (du turc kazakh, « homme libre »), en russe **kazak**, en pol. **kozak**. ♦ Nom donné aux populations nomades ou semi-nomades formées à l'origine de paysans réfugiés d'Asie centrale (sous domination turque) et de Moscovie, qui, fuyant toute sujétion militaire et fiscale, occupèrent les steppes de la Russie méridionale (XVe s.). Groupés et organisés en communauté de type militaire quasi autonome, les Cosaques, sous la conduite d'un chef qu'ils élisaient *(hetman)*, formèrent plusieurs groupes, dont les principaux sont les Cosaques du Don et les Cosaques du Dniepr. Les *Cosaques du Don*, de langue grand-russienne, établis sur le cours inférieur du Don*, reconnurent la suzeraineté de Moscou sous Ivan IV le Terrible et participèrent à la conquête du khânat de Sibérie (1582) sous la conduite de l'hetman Yermak*. Pour avoir pris la tête de deux insurrections paysannes avec Stenka Razine* (1669-1671) et Pougatchev* (1773-1774), qui souleva les paysans de la Volga et de l'Oural, leurs dernières franchises furent supprimées sous Catherine* II. La réforme agraire qui suivit l'abolition du servage (1861) et favorisa les Cosaques fut abolie en 1918. Les *Cosaques du Dniepr*, rattachés au groupe linguistique petit-russien, et composés de petits-russiens de religion orthodoxe, fuyant le joug polono-lituanien, s'établirent en Ukraine* sur les rives du Dniepr inférieur (XVIe s.) et prirent le nom de *Cosaques zaporogues*, « cosaques d'au delà des rapides ». En échange de leur autonomie, ils se mirent d'abord au service de la Pologne qu'ils défendaient contre les Tatars, mais, dès 1648, se soulevèrent contre la politique religieuse des rois de Pologne, avec l'aide des Tatars de Crimée, sous la conduite de Khmelnitski. Abandonnés par les Tatars, ils durent se soumettre à la Russie (1654). Afin de secouer ce nouveau joug et de libérer l'Ukraine, l'hetman Mazeppa* s'allia aux Suédois contre Pierre Ier le Grand, mais la défaite de Poltava mit fin aux aspirations des Cosaques. Le dernier hetman fut destitué en 1764 par Catherine* II et les unités cosaques furent intégrées à l'armée russe avant d'être transférées au Kouban (1794). – La vie et les luttes des Cosaques ont inspiré de nombreux écrivains dont Gogol* (Tarass Boulba), Tolstoï (Les Cosaques) et Cholokhov* (Le Don paisible).

COSENZA. ♦ V. d'Italie, en Calabre*. Ch.-l. de province. 90 000 hab. Industries textiles et alimentaires. ♦ *Hist.* Le chef wisigoth Alaric y mourut en 410.

Cosette. ♦ Personnage du roman de V. Hugo* *Les Misérables** enfant martyr, symbole de la faiblesse et de l'innocence, elle est sauvée par Jean Valjean*.

ĆOSIĆ (Branimir). ♦ Conteur et romancier serbe (1903 – 1934). Il révéla son talent dans deux romans remarqués : *Les Deux Empires* (1928) et *Le Champ fauché* (1934).

ĆOSIĆ (Dobrica). ♦ Romancier yougoslave de Serbie (Drenova, 1921 –). Il décrivit dans un premier roman les souffrances dues à la guerre de 1941-1944 en Yougoslavie : *Le soleil est loin* (1951), puis il écrivit des romans de fiction : *Les Racines* (1954), *Les Partages* (1960).

COSIMO (Piero *di*). ♦ V. PIERO DI COSIMO.

COSNE [kɔn]**-D'ALLIER.** ♦ Comm. de l'Allier*, arr. de Montluçon*. 2 197 hab. Église romane ; matériel agricole.

COSNE [kɔn]**-SUR-LOIRE.** ♦ Sous-préf. de la Nièvre, ch.-l. d'arr. (6 cant., 65 comm., 48 946 hab.), sur la r. d. de la Loire*. 9 815 hab. *(Cosnois)* [l'agglomération compte 11 606 hab.]. Église Saint-Aignan, en partie romane. Église Saint-Jacques (XVe s.) – Imprimerie. Confection. Métallurgie ; appareils de levage. ♦ *Hist.* Ville gallo-romaine, elle devint au Moyen Âge une place forte, son château dépendant des évêques d'Auxerre.

COSSA (Francesco *Del*). ♦ Peintre italien (Ferrare, v. 1435 – Bologne, v. 1478). Il fut, avec Tura* et Ercole de'Roberti*, un des grands maîtres de l'école ferraraise du quattrocento. Il acquit sa formation dans le milieu ferrarais où vers les années 1450 s'élaborait une synthèse entre le style des enlumineurs locaux et ceux de Mantegna* et de Piero* della Francesca, synthèse élargie par une ouverture sur la peinture flamande. Si l'on décèle une grande redevance à Piero dans l'*Allégorie de l'automne* (Berlin) comme une veine florentine dans *La Vierge et l'Enfant* (Washington) ou des références puisées dans la manière de Rogier Van* der Weyden (qui fut à Ferrare en 1450) dans la *Pietà* (musée Jacquemart-André, Paris), il fut particulièrement original dans les fresques qu'il exécuta au palais Schifanoia (Ferrare) pour le compte du duc Borso d'Este (1470). Lui sont attribués trois des douze panneaux du cycle des mois (Mars, Avril, Mai). Dans cet ensemble réparti en trois registres superposés (scènes glorifiant le duc ; signes du Zodiaque ; Triomphe de Minerve, de Vénus et d'Apollon) se déploie avec cohérence et vitalité le programme humaniste et profane le plus impressionnant du siècle. On y retrouve la puissance plastique, la précision des formes et des contours de l'œuvre de Tura, avec cependant un adoucissement dans l'expression. Cossa s'installa ensuite à Bologne où il exerça une grande influence sur l'évolution de l'école locale. Le grand *polyptyque Griffoni* (1473, démembré) constitue dans sa complexité, sa logique et son luxe de détails, avec le *polyptyque Rovellera* de Tura, le sommet de l'école ferraraise.

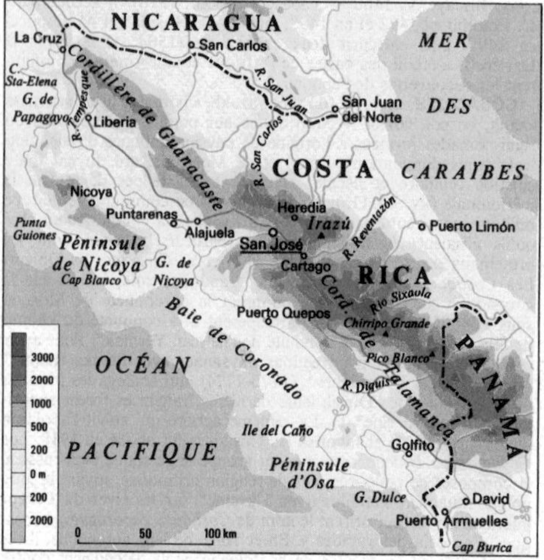

Costa Rica.

Ph. Nino Cirani/Ricciarini

Costa Rica : San Isidro del General.

COSSÉ (Artus de Cossé-Brissac, Charles, *comte de* **Cossé-Brissac).** ♦ V. BRISSAC.

COSSÉ-BRISSAC. ♦ V. BRISSAC.

COSSÉ-LE-VIVIEN. ♦ Ch.-l. de cant. de la Mayenne, arr. de Château-Gontier. 2 443 hab. (1 505 aggl.). Vestiges d'un château fort du XVe s. aux environs. – Minoterie. Distillerie.

COSTA (Lorenzo). ♦ Peintre italien (Ferrare, v. 1460 – Mantoue, 1535). Formé à Ferrare, il travailla à Bologne de 1483 à 1506 ; il y décora l'église de San Giacomo Maggiore et y peignit de grands retables. Ces œuvres proposent une formule adoucie de la manière d'Ercole de'Roberti*. Il réalisa pour le cabinet d'Isabelle d'Este *Le Règne des Muses* (1505 ; Paris, Louvre) qui révèle des qualités de paysagiste et des élégances graphiques préparant le maniérisme. Costa succéda à Mantegna* en 1506 en devenant le peintre officiel de Gonzague de Mantoue ; il exécuta pour lui des peintures religieuses et historiques dont peu demeurèrent.

COSTA (Lúcio). ♦ Architecte, urbaniste et théoricien brésilien (Toulon, 1902 –). Il débuta comme associé de Warchavchik, architecte russe qui le premier introduisit les formules modernes au Brésil. Après la révolution (1930), il contribua fortement à l'essor de l'architecture d'avant-garde au Brésil en jouant un rôle de théoricien, de professeur, d'animateur et de constructeur. Il dirigea notamment une équipe d'architectes lors de la construction du *ministère de l'Éducation* (architecte-conseil, Le* Corbusier) ; il éleva les *immeubles du Parque Guinle* à Rio de Janeiro (1948-1954) et étudia les traditions du passé national. Auteur de nombreux plans d'urbanisme, il a établi l'audacieux plan directeur de Brasília* (1956) [architecte en chef Niemeyer*].

COSTA BRAVA. *n. f.* ♦ Littoral de la Catalogne* s'étendant de la frontière française à l'embouchure du río Tordera. C'est l'une des grandes régions touristiques de l'Espagne. Les stations balnéaires y sont nombreuses (Cadaqués, Palamós, San Feliú de Guixols, Tossa de Mar, Blanes, etc.) et très fréquentées, surtout l'été.

COSTA del SOL, *n. f.*, en fr. **Côte du Soleil.** ♦ Région du S. de l'Espagne, le long de la côte méditerranéenne, de part et d'autre de Málaga*. Le tourisme (estival surtout) y a récemment connu un fort développement **(V. Marbella, Torremolinos).**

COSTA RICA, *n. m.* (en esp. « côte riche »). ♦ République d'Amérique centrale qui s'étend entre le Nicaragua* au N. et le Panamá* au S., et qui est baignée par l'océan Pacifique à l'O. et la mer des Antilles (Atlantique) à l'E. 51 000 km². 1 650 000 hab. (*Costaricains;* blancs et indiens). *Cap.* San* José. *Langue;* espagnol. *Unité monétaire :* le colon. – *V. princ.* **V. Alajuela, Cartago, Heredia, Puerto Limón, Puntarenas.** – *Orogr.* Contrairement à la côte Atlantique, qui est basse et uniforme, la côte Pacifique est bordée de reliefs montagneux au S. de San José et présente de larges échancrures qui délimitent notamment les péninsules de Nicoya et d'Osa (golfes de Papagayo, de Nicoya, golfe Dulce, baie de Coronado). L'axe du pays est constitué par une longue ligne montagneuse tournée vers le Pacifique, qui s'étend du lac de Nicaragua à la frontière du Panamá en trois cordillères : la cordillère de Guanacaste à laquelle fait suite la cordillère volcanique de Talamanca* (avec les points culminants du Chirripo*-Grande et du Pico* Blanco) et la Cordillère centrale, également volcanique **(V. Irazú),** borde un haut plateau *(meseta central,* 1 500 m d'alt. moyenne) où se trouvent concentrés les 3/4 de la population et toute la vie économique du pays, avec la capitale San José. Des plaines s'allongent entre les massifs montagneux, dont la plus étendue, au N., se partage entre le Costa Rica et le Nicaragua. — Le *climat*, tropical et humide dans les plaines côtières (notamment de l'E.), devient tempéré à l'intérieur, où il varie avec l'altitude. Les cours d'eau sont courts et non navigables. — *Écon.* Une forêt dense occupe les pentes montagneuses tandis que les hauts plateaux sont recouverts de pacages où se pratique l'élevage intensif (bovins, porcins); mais l'expansion économique est essentiellement liée aux grandes plantations de la meseta : café (culture importée de Cuba vers le milieu du XIXe s.), cacao, bananes, canne à sucre, abaca (chanvre de Manille), souvent contrôlées par des capitaux des États-Unis. Quant aux cultures vivrières (maïs, riz, haricots), elles suffisent aux besoins de la population. Le Costa Rica est un pays très homogène où se fait fortement sentir l'influence européenne. Le niveau de vie y est relativement élevé, l'absence de grandes propriétés assure une répartition assez égale des revenus. Peu de ressources minérales, à l'exception de l'or (péninsule de Nicoya). L'industrie y est surtout de transformation : indus. alimentaires, principalement laitières, textiles, distilleries, scieries, raffineries de sucre, manufactures de tabac. La grande industrie est représentée par quelques cimenteries et quelques usines d'hydrocarbures (pétrole de la province de Puerto Limón). Le commerce extérieur se fait surtout avec les États-Unis. Exportations de sucre (50 %), de bananes, de cacao, de bois précieux, de produits laitiers. Le réseau routier est l'un des plus étendus d'Amérique centrale. L'autoroute panaméricaine dessert, à partir de Puntarenas sur la côte du Pacifique, les principaux centres de la *meseta central*. Le réseau ferroviaire est essentiellement constitué par la voie ferrée interocéanique Puerto-Limón-Puntarenas. Administrativement, le pays est divisé en sept provinces avec, à leur tête, un gouverneur nommé par le gouvernement central. ♦ *Hist.* Découvert par Colomb en 1502, le pays n'avait qu'une population indienne clairsemée et fut rapidement conquis (vers 1520). Le Costa Rica fit d'abord partie de la Capitainerie générale du Guatémala*, puis de la Confédération d'Amérique centrale (XIXe s.). Officiellement indépendant en 1839, il devait jouir d'une stabilité exceptionnelle. Au XIXe s., le café devint la principale culture et la compagnie fruitière américaine *United Fruit* s'installa de très importantes plantations de bananes. L'influence des États-Unis reste prédominante.

COSTE (Victor). ♦ Naturaliste français (Castries, Hérault, 1807 — Château de Rézeulien, près de Gracé, Orne, 1873). Ses travaux d'embryologie précisèrent les recherches de von Baer*; il formula nettement l'idée que l'œuf est la première cellule de l'organisme (1847). [Acad. sc.].

COSTELEY (Guillaume). ♦ Compositeur français (Pont-Audemer?, v. 1531 — Évreux, 1606). Organiste et « valet de chambre » de Charles IX et d'Henri III, ami de A. de Baïf et de R. Belleau, il écrivit une centaine de chansons qu'il publia dans le recueil intitulé *Musique de G. Costeley* (1570). Interprète de Ronsard et de Desportes, précurseur de l'air de cour, il se situe, par l'élégance et le raffinement de son écriture, entre Clément Janequin et les musiciens italianisants de la fin du XVIe siècle.

COSTER ou **KOSTER (Laurens Janszoon, dit).** ♦ Imprimeur hollandais (Haarlem, v. 1370 — v. 1440). Il serait l'inventeur de l'imprimerie à caractères mobiles.

COSTER (Dirk). ♦ Physicien hollandais (Amsterdam, 1889 — Groningen, 1950). Il trouva l'hafnium dans un zircon en 1923. **V. Hevesy.**

COSTERMANSVILLE. ♦ Anc. nom de Bukavu.

COSTES (Dieudonné). ♦ Aviateur français (Sept-fonds, Tarn-et-Garonne, 1892—Paris, 1973). Il fit avec J. Le* Brix un tour du monde (oct. 1927-avr. 1928), détint avec Maurice Bellonte* le record du monde de distance en ligne droite (7 905 km, 27-29 sept. 1929) et réussit la première liaison sans escale Paris-New York (1er-2 sept. 1930). **V. Codos.**

COT (Pierre). ♦ Homme politique français (Grenoble, 1895). Catholique, il adhéra d'abord au « Sillon » de Marc Sangnier. Député radical-socialiste (1928-1940), il contribua au ralliement du parti radical au Front populaire; ministre de l'Air en 1933 et 1934, il reprit ce portefeuille dans les cabinets Blum (1936-1937) et Chautemps (1937-1938). Réfugié aux États-Unis (1940), il représenta les radicaux-socialistes à l'Assemblée consultative d'Alger (1943-1944). Réélu député à l'Assemblée nationale (1946), il se rapprocha des communistes (groupe progressiste). Il fut réélu député en 1967 à Paris.

Ph. Pizzi/Ricciarini

Femmes en **Côte-d'Ivoire.**

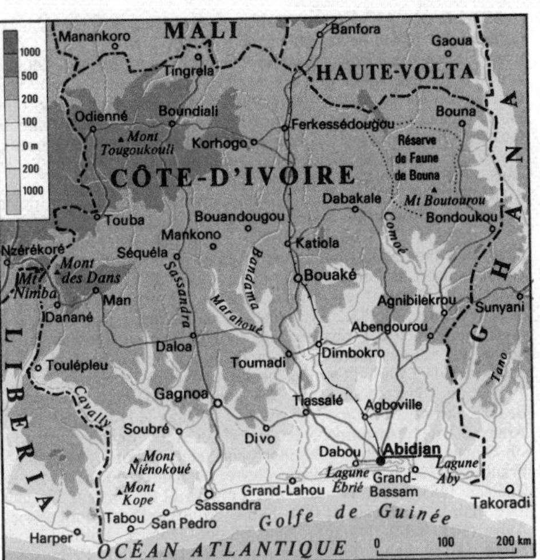

Côte d'Ivoire.

CÔTE D'ARGENT. *n. f.* ♦ Côte française de l'Atlantique située entre l'embouchure de la Gironde et celle de la Bidassoa. Les principales stations balnéaires sont Arcachon*, Hossegor*, Biarritz*, Saint*-Jean-de-Luz, Hendaye.

CÔTE D'AZUR, *n. f.* ♦ Région côtière française au bord de la Méditerranée comprise entre Cassis* et Menton* et jalonnée de stations balnéaires dont les principales sont : Antibes*, Bandol*, Cannes*, Nice*, Menton*, Saint-Raphaël*, Saint-Tropez*.

CÔTE-DE-L'OR, en angl. **GOLD COAST.** *n. f.* ♦ Anc. nom du Ghana* avant son indépendance (1957). Son nom évoque l'existence, aux Xe-XIe s., d'un empire dont la prospérité était fondée sur le commerce de l'or.

CÔTE D'ÉMERAUDE. *n. f.* ♦ Littoral français de la Manche s'étendant de la pointe du Grouin au Val*-André; la côte, rocheuse, est très découpée (cap Fréhel, estuaire de la Rance) et possède de nombreuses plages. **V. Dinard, Saint-Malo, Saint-Lunaire.**

CÔTE-D'IVOIRE. *n. f. (République de).* ♦ État d'Afrique* occidentale baigné par le golfe de Guinée*, formant un quadrilatère limité à l'O. par le Libéria* et la Guinée*, au N. par le Mali* et la Haute*-Volta et à l'E. par le Ghana*. 322 500 km². 4 890 000 hab. *Cap.* Abidjan. *Langues :* français (off.), dialectes (dioula). *Pop.* **V. Agnis, Krous, Malinkés.** *V. princ.* **V. Bouaké** et **Man.** — Une côte basse et sablonneuse borde la partie littorale, au climat subéquatorial (forêts et plantations [2 000 mm]); à cette côte succède un plateau, « golfe » de savanes, qui s'élève vers le N. et d'où descendent de nombreux fleuves; il est relevé vers l'O. (proximité du mont Nimba*). L'économie du pays a connu un développement récent, et on a pu parler de « miracle ivoirien ». Elle est fondée sur l'agriculture avec deux cultures principales d'exportation (cacao et café), des produits diversifiés (bananes, ananas) et des cultures industrielles (coton, palmier à huile, cocotier, hévéa). La gamme des produits vivriers est aussi étendue (manioc, riz, maïs, mil). Le forestage (acajou), lié à l'ouverture du port de San Pedro au S.-O., et la pêche sont en progrès de même que le tourisme. Si la production de diamant diminue, des gisements (fer, tantale) ont été découverts. La construction du barrage de Kossou* permettra l'irrigation d'un vaste périmètre et l'augmentation considérable de la production d'électricité. Le rythme spectaculaire de sa croissance économique, aidée par un apport extérieur (capitaux, cadres), a acheminé la Côte-d'Ivoire au seuil du « décollage », faisant de ce pays le plus favorisé d'Afrique francophone. Cependant, l'industrie reste concentrée dans la zone d'Abidjan* et une encore plus grande diversification de son agriculture serait souhaitable. ♦ *Hist.* Dès le XVIe s. les Portugais explorèrent les côtes ivoiriennes **(V. Krous),** puis la France y installa des comptoirs. Il fallut attendre les expéditions **(V. Binger)** pour que l'intérieur fût exploré. Le centre du pays, peuplé par des Guro, Baoulé, Agnis* à l'art sculptural raffiné (statuettes, masques), n'a été pacifié qu'après la défaite de Samory* (1898). Colonie française (1893) rattachée à l'A.-O.F. (1899), un mouvement nationaliste s'y développa sous la direction de Houphouët-Boigny, qui après l'accession du pays à l'autonomie au sein de la Communauté* (1958) puis à l'Indépendance (1960 : membre de l'O.N.U.) présida la république de Côte-d'Ivoire. Il créa dès 1959 le Conseil de l'Entente*.

CÔTE D'OR. *n. f.* ♦ Rebord oriental des plateaux bourguignons, dominant la plaine de la Saône, dans le département de la Côte-d'Or. Ce talus rectiligne, allant de l'Ouche* à la Dheune*, entaillé à de courts intervalles par des *combes* (cluses) qui forment une arrière-côte, est favorable à la culture de la vigne à mi-pente, tant par la qualité de ses sols que par l'exposition des versants (climats locaux). C'est la région des crus bourguignons les plus prestigieux. Au N., les côtes de Nuits (Nuits-Saint-Georges), plus au S. les côtes de Beaune*. **V. Bourgogne** (vins de).

CÔTE-D'OR. [21]. *n. f.* ♦ Département du Centre-Est de la France, en lisière du Morvan. Région (anciennement C.A.R.) de Bourgogne*. – *Orogr.* Au N.-E., le plateau de Langres* fait figure de « montagne » par rapport à la « vallée » du Châtillonnais* voisin, couvert de forêts et de prairies. Au S.-O., la bordure septentrionale du Morvan* est entourée par la dépression de l'Auxois*, pays d'élevage. À l'O., les plaines de la Saône*, étagées en terrasse où se mêlent forêts, élevage, polyculture, et dans le val de Saône les cultures maraîchères et de houblon. Au S. de Dijon* commence la Côte* d'Or, aux pentes couvertes de vignes.
♦ 37 cant., 716 comm., 432 288 hab. *Préf.* Dijon; *sous-préf. :* Beaune, Montbard. *Ch.-l. de cant. :* Aignay-le-Duc (630 hab.), Arnay-le-Duc*, Auxonne*, Baigneux*-les-Juifs, Beaune*, Bligny-sur-Ouche (750 hab.), Châtillon*-sur-Seine, Dijon*, Fontaine*-Française (730 hab.), Genlis*, Gevrey*-Chambertin, Grancey-le-Château (281 hab.), Is*-sur-Tille, Laignes (1 073 hab.), Liernais (646 hab.), Mirebeau (1 004 hab.), Montbard*, Montigny-sur-Aube (501 hab.), Nolay*, Nuits*-Saint-Georges, Pontailler-sur-Saône (1 119 hab.), Pouilly-en-Auxois (1 155 hab.), Précy-sous-Thil (583 hab.), Recey-sur-Ource (729 hab.), Saint*-Seine-l'Abbaye, Saint*-Jean-de-Losne, Saulieu*, Selongey (2 139 hab.), Semur*-en-Auxois, Seurre*, Sombernon (561 hab.), Venarey*-lès-Laumes, Vitteaux*. *Autres comm. et sites :* **V. Aiserey, Alésia, Aloxe-Corton, Brazey, Chambolle-Musigny, Chassagne-Montrachet, Chenôve, Comblanchien, Corgoloin, Châteauneuf, Cîteaux, Époisses, Flavigny-sur-Ozerain, Fontenay** (abbaye de), **Fontaine-lès-Dijon, Meursault, Pouilly-sur-Saône, Pommard, Prémeaux, Puligny-Montrachet, Rochepot** (La), **Saint-Germain-Source-Seine, Saint-Thibault, Vix, Volnay, Vosne-Romanée, Vougeot.**

COTENTIN. *n. m.* (du lat. *pagus Constantinus,* **V. Coutances).** ♦ Presqu'île du N.-O. de la France, en Normandie, formant l'essentiel du dép. de la Manche. C'est un morceau de Massif armoricain qui a été isolé par la mer et par des dislocations. Le Cotentin est une grande région d'élevage **(V. Manche*, Haute-Normandie*).**

CÔTE-RÔTIE. ♦ Nom d'un vignoble du Rhône situé près de Lyon (vin des côtes du Rhône).

COTES (Roger). ♦ Astronome et mathématicien anglais (Burbage, Leicester, 1682 – Cambridge, 1716). Défenseur de Newton* contre les cartésiens, on lui doit la publication de la seconde édition des *Principia*. Il étudia les fractions rationnelles, la trigonométrie, la chute des corps *(Harmonia mensurarum)*; il établit un théorème sur les racines imaginaires de l'unité, auquel son nom est resté attaché, ainsi qu'une méthode de calcul approché des intégrales définies. Il fut le premier à aborder la théorie des erreurs d'observation *(Opera miscellanea).*

CÔTE-SAINT-ANDRÉ (La). ♦ Ch.-l. de cant. de l'Isère*, arr. de Vienne*. 4 104 hab. *(Côtois).* Église des XIIe, XIIIe, XVe s.; halles du XVIe siècle. Château du XVIIe siècle. – Vins blancs, tissage de la soie, confection. – Patrie de H. Berlioz* (musée dans la maison natale).

CÔTES-DU-NORD. *(dép. des).* [22]. ♦ Département de l'O. de la France, sur les côtes de la Manche. Région (anciennement C.A.R.) de Bretagne*. 7 218 km². *Orogr. :* Le dép. est situé dans le Massif armoricain ; il a un relief de collines avec quelques hauteurs : landes du Menez* qui culminent à la chapelle Notre*-Dame-de-Bel-Air (341 m); à l'O. et au S., dans la région de Quintin, quelques hauteurs prolongent les monts d'Arrée* et la Montagne Noire. Le relief s'adoucit sur le littoral, où la côte est découpée par de profondes rias.
♦ 48 cantons, 385 communes, 531 192 hab. *Préf. :* Saint-Brieuc*. *Sous-préf. :* Dinan*, Guingamp*, Lannion*. *Ch.-l. de cant. :* Bégard*, Belle*-Isle-en-Terre, Bourbriac*, Broons*, Callac*, Châtelaudren (1 215 hab.), Chèze [La] (668 hab.), Collinée (616 hab.), Corlay*, Étables*-sur-Mer, Evran (1 560 hab.), Gouarec (1 074 hab.), Jugon (415 hab.), Lamballe*, Lanvollon (1 246 hab.), Lézardieux*, Loudéac*, Maël*-Carhaix, Matignon*, Merdrignac*, Moncontour*, Mur*-de-Bretagne, Paimpol*, Perros*-Guirec, Plancoët*, Plélan-le-Petit (1 127 hab.), Pléneuf*-Val-André, Plestin*-les-Grèves, Ploeuc*-sur-Lié, Plouagat (1 562 hab.), Plouaret*, Ploubalay*, Plouguenast (2 057 hab.), Plouha*, Pontrieux*, Quintin*, Roche*-Derrien (la), Rostrenen*, Saint*-Nicolas du Pelem, Tréguier*, Uzel (899 hab.). *Autres comm. et lieux :* **V. Binic, Bréhat** (île de), **Côte d'Émeraude, Erquy, Fréhel** (cap), **Ploumanac'h, Plérin, Pleumeur-Bodou, Sables-d'or-les-Pins, Saint-Cast, Saint-Efflam, Saint-Jacut, Saint-Quay-Portrieux, Trébeurden, Trégastel, Val-André.**

CÔTE VERMEILLE. *n. f.* ♦ Littoral français du Roussillon allant d'Argelès* à Cerbère* et se prolongeant par la Costa* Brava en Espagne.

CÔTIÈRE. ♦ Nom donné à la bordure de la Dombes* (dép. de l'Ain).

COTIGNAC. ♦ Ch.-l. de cant. du Var*, arr. de Brignoles*, 1 398 hab. Maisons anciennes. – Aux environs, chapelle Notre-Dame-de-Grâce (XVIe s). qui fut un lieu de pèlerinage.

Ph. Hétier
Marché à **Cotonou.**

COTIN (Charles). ♦ Ecclésiastique et poète français (Paris, 1604 – *id.,* 1682), bien accueilli à l'hôtel de Rambouillet*. Ses *Œuvres mêlées* (1659) contiennent des poèmes qui furent très appréciés, mais dont la préciosité, parfois exagérée, excita la verve de Boileau* et de Molière* (pers. de Trissotin*). [Acad. fr. 1655].

COTMAN (John Sell). ♦ Aquarelliste et graveur anglais (Norwich, 1782 – Londres, 1842). À Londres, il se lia avec Girtin* qui l'influença profondément. Ses premières aquarelles inspirées par ses voyages à travers l'Angleterre, peintes avec raffinement dans des teintes plates, sont d'une composition dépouillée et géométrique; elles révèlent une conception synthétique, presque abstraite, du paysage. À partir de 1806, il exposa régulièrement à la Norwich Society, puis exécuta des recueils de gravures *(Les Antiquités architecturales de Normandie,* 1822). Sous l'influence du goût romantique, son style se modifia, il exécuta alors des aquarelles aux coloris plus vifs, chargées de détails pittoresques.

COTON (Pierre). ♦ Jésuite français (Néronde, Forez, 1564 – Paris, 1626). Confesseur de Henri IV (1608), il tenta de favoriser une entente avec l'Espagne. Après l'assassinat du roi, il publia la *Lettre déclaratoire de la doctrine des Pères jésuites,* pour innocenter la Compagnie de Jésus (1610). Il fut l'objet d'un célèbre pamphlet, l'*Anti-Coton* (1610). Il fut ensuite le directeur de conscience de Louis XIII, jusqu'au meurtre de Concini qui amena sa disgrâce (1617). – C'est lui qui introduisit le juron *Jarnicoton!* pour dissuader Henri IV d'employer le blasphématoire *Jarnidieu!* (« Je renie Dieu »).

COTONOU. ♦ V. du Dahomey*, métropole économique, seul port en eau profonde du pays (1964). Elle est reliée par voie ferrée à Lomé*, à Porto* Novo et à Parakou* au N. (projet de prolongement vers le Niger*). 120 000 hab. Centrale thermique. Industries alimentaires et textiles. Cimenterie. Pêche.

COTOPAXI. ♦ Volcan des Andes (Équateur). 5 897 mètres.

COTSWOLD HILLS. *n. f. pl.* ♦ Collines du S. de l'Angleterre, s'étendant en diagonale du Dorset au Yorkshire et culminant au *Cleve Cloud* à 343 mètres. Élevage ovin.

COTTBUS. ♦ V. d'Allemagne orientale et ch.-l. de district, sur la Sprée, non loin de la frontière polonaise. 73 260 hab. (1964). Centre lainier, indus. chimiques (savon), machines agricoles et travail du cuir. – Le *district de Cottbus* a 8 262 km² et 831 840 habitants.

COTTE (Robert *de*). ♦ Architecte, décorateur, ornemaniste français (Paris, 1656 – *id.,* 1735). Issu d'une famille d'architectes, il fut l'élève de son père et de J.H. Mansart dont il devint le beau-frère. Il fut son collaborateur aux châteaux de *Versailles, Saint-Germain* et *Marly,* puis termina la *chapelle des Invalides* et celle de *Versailles.* Membre de l'Académie en 1687, il dirigea en 1699 la manufacture des Gobelins et devint en 1708 le premier architecte du roi. Fervent disciple de J.H. Mansart*, il éleva de sobres et élégants hôtels particuliers dans le faubourg Saint-Germain et évolua progressivement vers une plus grande liberté (*hôtel de Lude* et *hôtel d'Estrée,* 1713). Il s'inspira de l'ordonnance versaillaise dans le *palais épiscopal de Rohan* à Strasbourg, l'*abbaye de Saint-Denis,* 1732-1742, (aujourd'hui maison d'éducation de la Légion d'honneur). Il donna les plans de la façade de l'*église Saint-Roch* à Paris, exécutés par son fils aîné, et joua surtout un rôle important dans la diffusion de l'architecture française à l'étranger, en fournissant de nombreux projets aux cours européennes (châteaux de *Bruhl,* 1715; *Schleissheim,* 1719; *Winzburg; Bonn Poppelsdorf,* etc. en Allemagne; *Buen Retiro* en Espagne; la *Vénerie,* près de Turin). Par ses projets d'ornements et ses aménagements d'intérieurs qui perdirent peu à peu leur caractère théâtral et solennel pour s'infléchir vers des formes plus souples et chantournées, il peut être considéré comme l'un des premiers initiateurs avec Boffrand* du style rocaille.

COTTEREAU (Les frères). ♦ Chefs de l'insurrection qui se développa dans le bas Maine en 1797, ils furent surnommés *Chouans* parce qu'ils avaient l'habitude de rallier leurs hommes la nuit au cri du chat-huant, surnom qui servit à désigner les partisans de l'insurrection **(V. Chouannerie)**. – PIERRE COTTEREAU, né à Brains (1756), fut arrêté et guillotiné à Laval (1794). – JEAN, le plus connu, né à Saint-Berthevin (1757), mourut en combattant près de Laval (1794) ainsi que son frère FRANÇOIS. – Seul le dernier, RENÉ (1764 – 1846) survécut à l'insurrection.

COTTIENNES (Alpes). *n. f. pl.* ♦ Portion des Alpes occidentales s'étendant du col de l'Argentière au col du Mont-Cenis (Italie du N.-O.).

COTTIN (Sophie Risteau, *dame***)**. ♦ Romancière française (Paris, 1770 – Champlan, 1807). Veuve à vingt-trois ans, elle dut vivre de sa plume et connut un certain succès avec son premier roman *Claire d'Albe* (1799). Elle composa ensuite *Malvina* (1801), *Amélie de Mansfield* (1803) et *Mathilde* (1805), évocation romanesque du temps des croisades. Son dernier ouvrage, *Élisabeth ou les Exilés de Sibérie* (1806), manifeste une sensibilité préromantique intéressante.

COTTIN (Louis-Émile). ♦ Anarchiste français (1896 – 1936). Une tentative d'assassinat de G. Clemenceau (1919) lui valut d'être condamné à mort, peine commuée en dix ans de réclusion. Il participa dans les rangs des milices libertaires à la guerre civile espagnole, au cours de laquelle il fut tué.

COTTON (Aimé). ♦ Physicien français (Bourg-en-Bresse, 1869 – Sèvres, 1951). Auteur de travaux sur l'ultramicroscope **(V. Zsigmondy)** et les champs magnétiques intenses, il conçut une balance électromagnétique et découvrit le dichroïsme circulaire (1896).

COTUGNO (Domenico). ♦ Médecin italien (Ruvo, 1736 – Naples, 1822). On lui doit plusieurs découvertes importantes, celle du liquide céphalo-rachidien, du liquide des conduits membraneux de l'oreille et de la substance coagulable à la chaleur dans l'urine (qui reçut le nom d'albumine).

COTY (René). ♦ Homme politique français (Le Havre, 1882 – 1962). Avocat, député (républicain de gauche, 1923-1935), sous-secrétaire d'État à l'Intérieur (1930), puis sénateur (1935-1940), il présida après la guerre le groupe des Indépendants à l'Assemblée nationale (1946), fut nommé ministre de la Reconstruction et de l'Urbanisme (1947-1948) et élu membre du Conseil de la République (1948-1954). Président de la Quatrième République (après Vincent Auriol, 1954), il se prononça pour le retour du général de Gaulle* après la crise du 13 mai 1958 à Alger (message du 29 mai 1958) et lui abandonna ses fonctions présidentielles lorsque furent mises en place les institutions de la Cinquième République.

COUBERTIN (Pierre *de***)**. ♦ Pédagogue français, initiateur des Jeux Olympiques modernes (Paris, 1863 – Genève, 1937). Il se destinait à la carrière militaire, mais convaincu de la nécessité d'accorder une grande place à l'éducation physique dans la formation de l'individu, il s'orienta vers la propagation du sport parmi la jeunesse, par des articles de revues, et par la fondation de nombreuses sociétés sportives. En 1894, lors d'une conférence réunissant les représentants de quatorze nations, il proposa de ressusciter les Jeux Olympiques. Deux ans plus tard, il créait le Comité olympique international dont il devait assumer la présidence jusqu'en 1925. Ce comité organisait en 1896 les premières olympiades qui se déroulèrent symboliquement à Athènes. On doit à Pierre de Coubertin plusieurs ouvrages, dont le *Rôle pédagogique sportif*.

COUBRE *(pointe de la)*. ♦ Cap du littoral saintongeais en Charente-Maritime, à l'extrémité nord de la Gironde.

COUCHES (anc. **Couches-les-Mines**). ♦ Ch.-l. de cant. de la Saône-et-Loire, (arr. d'Autun), au N. de la dépression du Creusot*. 1 741 hab. Église Saint-Martin, du XVe siècle. Maison dite des Templiers (1610). Château de Marguerite de Bourgogne (XVe s.). – Vignobles.

COUCY ou **COUCI**. ♦ Famille noble de Picardie qui tire son nom de Coucy-le-Château (Aisne). Sa devise était : « Roy ne suis, ne prince, ne duc, ne comte aussy : je suis le sire de Coucy ». ♦ ENGUERRAND III de COUCY, dit *le Grand*. Il participa à la révolte féodale lors de la minorité de Louis IX. Il fit construire le château (1225-1230). ♦ ENGUERRAND VII (v. 1340 – 1397). Gendre d'Édouard III d'Angleterre, il participa à la bataille de Nicopolis contre les Turcs (1396). Sa fille Marie vendit *Coucy* au duc d'Orléans (1400).

COUCY-LE-CHÂTEAU-AUFFRIQUE. ♦ Ch.-l. de cant. de l'Aisne* (arr. de Laon*). 1 137 hab. Ruines médiévales (**V.** *Hist.*). Indus. diverses (machines frigorifiques, sucrerie, verrerie). Patrie de César de Bourbon, duc de Vendôme*. ♦ *Hist.* Ville entourée d'une enceinte de murailles flanquée de tours et rattachée aux ruines d'un célèbre château féodal (IXe-XIIIe s.) dont le donjon, intact en 1917, fut détruit par les Allemands; c'était le plus beau donjon cylindrique d'Europe (haut. 65 m, diam. 31 m).

COUDEKERQUE-BRANCHE. ♦ Comm. du Nord, dans l'arr. et la banlieue de Dunkerque. 23 252 hab. Indus. textiles (filature du chanvre) et alimentaires. Métallurgie. Indus. chimique (bore).

COUÉ (Émile). ♦ Pharmacien et psychothérapeute français (Troyes, 1857 – Nancy, 1926). Il se livra à des études sur les phénomènes de l'hypnotisme et de la suggestion et ouvrit à Nancy une clinique libre où il tenta d'appliquer une technique de psychothérapie consistant à atteindre à un équilibre organique et psychique par l'autosuggestion. La *méthode Coué* devint bientôt célèbre, le plus souvent sur le mode ironique.

COUËRON. ♦ Comm. de la Loire-Atlantique, (arr. de Saint-Nazaire), dans l'agglomération de Nantes, 12 381 hab. (6 943 aggl.). Métallurgie de l'acier et des métaux non ferreux. – Patrie d'Alcide Dessalines d'Orbigny*.

COUESNON [kwɛnɔ̃]. *n. m.* ♦ Fleuve côtier de Normandie et de Bretagne (90 km). Il prend sa source dans la Mayenne et se jette dans la baie du Mont*-Saint-Michel. (Prov. « Le Couesnon dans sa folie mit Saint-Michel en Normandie »).

COUHÉ. ♦ Ch.-l. de cant. de la Vienne, arr. de Montmorillon. 2 139 hab. (1 757 aggl.) [*Couhéverassiens*]. Forteresse médiévale remaniée au XVIIIe siècle. Halles du XVIIe siècle. Industrie du bois et du papier. Imprimerie.

COUILLET. ♦ Comm. de Belgique (Hainaut, arr. de Charleroi). 14 800 hab. Église Saint-Laurent sur des vestiges préromans. Brasseries. Papeteries, imprimerie. Indus. métallurgiques et chimiques. Carrières de pierre.

COUIZA. ♦ Ch.-l. de cant. de l'Aude*, arr. de Limoux*, sur la r. d. de l'Aude*. 1 297 hab. Château des ducs de Joyeuse (remanié à la Renaissance). Pont du XVIe siècle. – Chapellerie. Chaussures.

COULANGES (Philippe Emmanuel, *marquis de***)**. ♦ Gentilhomme français (Paris, 1633 – 1716). Cousin de Mme de Sévigné* dont il reçut de nombreuses lettres. Il a laissé des chansons qui eurent un grand succès, et des *Mémoires*.

COULANGES-LA-VINEUSE. ♦ Ch.-l. de cant. de l'Yonne (arr. d'Auxerre), en bordure des collines de l'Auxerrois*. 720 hab. Église de style dorique. – Vins rouges.

COULOMB (Charles Augustin *de***)**. ♦ Mécanicien et physicien français (Angoulême, 1736 – Paris, 1806). Après avoir établi les bases de la théorie de la résistance des matériaux (1773), énoncé les principes des machines simples et les lois du frottement (1779) [**V.** *aussi* **Désaguliers**], découvert les lois de la torsion dont il donna une théorie (1784) et construit ainsi une balance de torsion électrique de grande sensibilité (1785), il donna les bases expérimentales et théoriques du magnétisme et de l'électrostatique : en 1785, il vérifia rigoureusement la loi qui porte son nom (formellement identique à la loi de la gravitation universelle : forces d'attraction et de répulsion électriques en raison inverse du carré de la distance). Il étudia la déperdition de l'électricité (1785), puis la distribution de l'électricité sur les conducteurs, montrant notamment que les charges électriques se répartissent uniquement à la surface (1786-1788); pour ces derniers travaux, il inventa son *plan d'épreuve* dont il fit la théorie **(V.** *aussi* **Cavendish)**. En magnétisme, il définit, sans le nommer, le concept d'*aimantation* [1789-1801]. (Acad. sc., 1781).

COULOMMIERS. ♦ Ch.-l. de cant. de Seine-et-Marne, (arr. de Meaux), sur le Grand Morin*. 11 758 hab. *(Columériens)*. Ancienne église des Capucins (XVIIe s.); ancienne église Saint-Denis (XIIIe-XVIe s.). Ville commerçante : marché des fromages de Brie (dont le *coulommiers*). Indus. alimentaires; aliments pour animaux. Imprimerie; orfèvrerie; vannerie; scierie. – Patrie de J. de Boullongne, dit le Valentin*. ♦ *Hist.* La ville (*Colombariae* romaine) se forma autour d'un château fort. Elle appartint aux comtes de Champagne puis, aux XVIe et XVIIe s., à la famille de Longueville.

COULONGES-SUR-L'AUTIZE. ♦ Ch.-l. de cant. des Deux-Sèvres, arr. de Niort. 2 021 hab. (1 427 aggl.). [*Coulongeois*] Château du XVIe s., auj. hôtel de ville.

COULOUNIEIX-CHAMIERS [kulunjɛʃamje]. ♦ Comm. de la Dordogne, arr. de Périgueux. 7 673 hab. Jouets en matière plastique. Distillerie de goudron. Confection.

COUNAXA. ♦ **V.** CUNAXA.

COUPER (Archibald Scott). ♦ Chimiste (près de Glasgow, 1831 – 1892). Il énonça la tétravalence du carbone et indépendamment et en même temps que Kekule* (1858), remarqua la propriété de cet élément de s'accrocher à lui-même.

COUPERIN (François, dit **Couperin le Grand)**. ♦ Compositeur

Arch. Rencontre

F. Couperin, par Cl. Lefèvre. (Château de Versailles.)

Ph. Nimatallah/Ricciarini

G. Courbet : « Les Demoiselles des bords de la Seine ». (Musée du Petit Palais, Paris.)

français (Paris, 1688 – *id.*, 1733). Neveu de LOUIS (1626 – 1661), de FRANÇOIS (1630 – 1701) et fils de CHARLES COUPERIN (1638 – 1679) qui furent tous trois compositeurs, clavecinistes et organistes de Saint-Gervais à Paris, il succéda à son père à la tribune de cette église (1685) puis devint organiste de la Chapelle royale (1693). Nommé maître de clavecin du duc de Bourgogne, du comte de Toulouse et de la princesse de Conti (1694), il obtint la charge de claveciniste du roi (1717). Sa célébrité s'étendit alors à toute l'Europe mais sa santé fragile et des chagrins domestiques l'obligèrent à céder ses charges les unes après les autres. Il mourut dans l'indifférence publique et son œuvre tomba dans l'oubli pendant plus d'un siècle. – Ami de Lalande*, admirateur de Lully*, Couperin s'affirma d'abord dans la tradition française mais il fut bientôt influencé par l'Italie (Albinoni*, Corelli*). Dans sa période de maturité, il revint à une fusion des styles italien et français (*Les Goûts réunis*, 1714-1715; *L'Apothéose de Corelli*, 1724, et *de Lully*, 1725). Si l'unité du style fait défaut à son œuvre, une phrase cependant, extraite d'une de ses préfaces, en exprime la pensée profonde : « J'avouerai de bonne foi que j'aime beaucoup mieux ce qui me touche que ce qui me surprend. » Par là, il affirme la parenté de son art, tout de mesure et de lyrisme contenu, avec celui de Racine et de La Fontaine. Cette réserve, qui n'exclut jamais la plus intense émotion ni un goût permanent pour les jeux du dépaysement et du mystère, s'est exprimée avec bonheur dans trois domaines, celui de la musique de chambre *(sonates en trio, en quatuor, suites pour violes)*, de la musique religieuse (*trois leçons de ténèbres*, v. 1714, proches des psalmodies liturgiques) et surtout de la musique de clavecin. Dans ce dernier genre, un ensemble monumental de deux cent quarante pièces (publiées en quatre livres, 1713-1717-1722 et 1730) forme l'œuvre maîtresse de Couperin. – Désignées par leur auteur sous le nom d'*ordres*, ces suites de pièces dont les thèmes présentent une extraordinaire diversité d'inspiration, évocations pastorales et animalières, portraits musicaux satiriques galants et burlesques s'offrent comme un microcosme aux couleurs chatoyantes et précieuses où une délicate ironie se conjugue avec l'effusion poétique. Elles forment un sommet de la musique tonale pour clavier, par l'originalité rythmique et harmonique comme par le sens mélodique et l'usage souple des ornements. – Redécouvert par Brahms puis, à sa suite, par Debussy, Couperin doit à Wanda Landowska sa résurrection. De Richard Strauss à Maurice Ravel, de Bartok à Milhaud et à Stravinsky, chacun des grands contemporains de l'art musical a tenu à lui apporter son tribut de reconnaissance.

COURANTYNE, ou **CORENTYNE**, en néerl. **Corantijn**. *n. m.* ♦ Fl. d'Amérique du Sud qui coule entre le Surinam* et la Guyana et prend sa source dans la serra Tumucumaque, à la frontière brésilienne. Il se jette dans l'Atlantique par une baie. 500 km.

COURBET (Gustave). ♦ Peintre, lithographe et dessinateur français (Ornans, 1819 – La Tour de Peilz, Suisse, 1877). Fils de cultivateurs aisés, il suivit à Paris les cours de dessin de Ch. A. Flajoulot, disciple de David, et commença en 1840 des études de droit tout en étudiant la peinture à l'Académie suisse. Profondément anticonformiste, il préférait copier seul les maîtres du Louvre et peindre des paysages dans la forêt de Fontainebleau. Il admira surtout Géricault*, Delacroix*, et ses premières œuvres s'inscrivent dans la thématique romantique : *l'Odalisque*, 1840; *La Nuit classique de Walpurgis;* il donna aussi à ses autoportraits un caractère passionné et rêveur en accord avec le type du héros byronien : *Combat au chien noir* (1842); *les Amants dans la campagne* (1844); *l'Homme blessé* (1844). Cependant, quelques portraits et surtout ses paysages révèlent déjà une approche plus simple, plus directe de la nature. Il voyagea en Hollande et en Angleterre et sous l'influence des théories socialistes s'orienta vers une conception de l'art plus démocratique et populaire. Après la révolution de 1848, il fréquenta Proudhon, Champfleury et Baudelaire et se fit l'ardent défenseur du « réalisme », cherchant à s'inspirer des événements contemporains et rendre compte de la réalité sociale. Il peignit alors *L'Après-dîner à Ornans* (1849); *Les Casseurs de pierres* (1849); puis *L'Enterrement à Ornans*. Ces œuvres déchaînèrent de violentes polémiques : elles évoquaient la réalité quotidienne sans pittoresque et sans pathos et faisaient ainsi éclater la notion de peinture de genre; on traita Courbet de « chef de file de l'école du laid ». Refusé à l'Exposition universelle de 1855 avec notamment l'*Atelier* (« allégorie réelle, histoire morale et physique de mon atelier »), il présenta ses œuvres à l'écart, dans un pavillon personnel, et affirma dans la préface du catalogue (texte qui fit figure de manifeste du réalisme) sa volonté de « faire de l'art vivant ». Aussi mal reçu avec les *Demoiselles du village* (1851), *Les Cribleuses de blé* (1854), *La Rencontre*, (« Bonjour, M. Courbet ») ou *Les Baigneuses* (1853) jugées indécentes parce qu'il tentait de libérer le nu des conventions idéalistes, il devint cependant célèbre dans toute l'Europe, obtint un vif succès au Salon de 1866 avec la *Remise des chevreuils*. En 1869-1870, il alla travailler en Normandie en compagnie de Whistler* (*La Vague*, 1869; *Falaise d'Étretat*, 1870), il participa activement à la Commune. Nommé président de la commission des Beaux-Arts, il fut ensuite condamné à six mois de prison et, accusé d'avoir ordonné le renversement de la colonne Vendôme, il dut payer pour sa restauration (1874). Ruiné, il s'exila en Suisse, peignit des natures mortes, des fleurs, une série d'autoportraits et surtout de nombreux paysages où sa maîtrise technique semble parfois l'abandonner. Il aimait les compositions frontales, leur donnait un caractère monumental, employait une pâte épaisse, des tonalités souvent sombres où dominent les verts et les bruns et, malgré certaines œuvres aux partis pris plastiques audacieux (*Portrait de Baudelaire*, 1848), restait attaché à des conceptions techniques encore dépendantes de la tradition des maîtres hollandais et espagnols du XVIIe siècle. Il subit aussi l'influence de la photographie dans son souci de la description précise, mais sut conférer à ses œuvres une grande force expressive et orienter la peinture dans de nouvelles directions en s'opposant violemment aux conventions académiques.

COURBET (Amédée Anatole). ♦ Amiral français (Abbeville, 1827 – Les Pescadores, 1885). Sorti de Polytechnique, il fut nommé gouverneur de la Nouvelle-Calédonie (1880-1882), puis commandant de la division navale au Tonkin (1883). Il contribua à l'établissement du protectorat français sur l'Annam (traité de Hué, 1883) et à la conquête du Tonkin*. Il mourut deux jours après la signature de la paix du 9 juin 1885 à bord du Bayard.

COURBEVOIE. ♦ Ch.-l. de cant. des Hauts-de-Seine, (arr. de Nanterre), sur la Seine en face de Neuilly. 58 283 hab. *(Courbevoisiens)*. Église Saint-Pierre-Saint-Paul (XVIIIe siècle). Travaux de rénovation et d'urbanisation prolongeant ceux de la Défense*; grands ensembles. Constructions mécaniques et aéronautiques. Produits pharmaceutiques. Aciéries; fonderies. Indus. alimentaires; verrerie. – Patrie de L.F. Céline*.

COURCELLES. ♦ Comm. de Belgique dans la banlieue N.-O. de Charleroi* (Hainaut), sur le canal de Charleroi à Bruxelles. 17 700 hab. Métallurgie de l'aluminium. Verreries. Émailleries.

COURCHEVEL. ♦ Centre de sports d'hiver (comm. de Saint-Bon-Tarentaise), dans la région des Trois*-Vallées, dép. de la Savoie*. Courchevel est formée de trois stations : *Courchevel 1550*, *Courchevel 1650-Moriond* et *Courchevel 1850*, cette dernière très en vogue et très bien équipée.

COURÇON (Robert *de*). ♦ Homme d'Église d'origine anglaise (Kedleston, Derby, v. 1160 – Damiette, 1219). Professeur à Paris, il fut chanoine, cardinal (1212), chancelier de l'université de Paris (1215). Chargé par Innocent III d'organiser la lutte contre les albigeois, il encouragea l'action de Simon de Montfort.

COURÇON ou **COURÇON D'AUNIS**. ♦ Ch.-l. de cant. de Charente-Maritime, arr. de La Rochelle. 946 hab. *(Courçonnais)*. Église romane et gothique fortifiée (restaurée au XIXe s.). Usine de caséine. Minoterie.

Cour de cassation. ♦ Juridiction suprême française siégeant à Paris dont le rôle essentiel est de statuer sur les pourvois formés par des parties contre les décisions en dernier ressort émanant des juridictions de l'ordre judiciaire. Lorsque la Cour casse un jugement, l'affaire est renvoyée devant un tribunal de même ordre et de même rang qui l'étudie et la juge de nouveau.

Cour de discipline budgétaire. ♦ Tribunal administratif institué en 1948 et sanctionnant la gestion financière des ordonnateurs de fonds publics.

Cour de justice des communautés européennes. ♦ Juridiction internationale dont le rôle est d'assurer le respect des traités qui ont institué les trois communautés* européennes.

Cour des comptes. ♦ Juridiction financière française créée en sept. 1807; elle succédait aux treize chambres des comptes de l'Ancien Régime. Son rôle initial, le contrôle des comptes des comptables publics, a été sensiblement élargi.

Cour des Miracles (nom dû à la disparition « miraculeuse » des infirmités des mendiants). ♦ Nom donné autrefois au quartier de Paris délimité actuellement dans le 2e arr. par les rues Saint-Sauveur, des Petits-Carreaux, du Caire et Saint-Denis et où vivaient les voleurs et les mendiants jusqu'en 1656. – Victor Hugo y place une scène célèbre de *Notre-Dame de Paris*.

Cour de sûreté de l'État. ♦ Juridiction permanente et unique instituée en 1963 et composée de magistrats professionnels et d'officiers; elle connaît en temps de paix des crimes et délits contre la sûreté de l'État.

COURIER (Paul-Louis). ♦ Pamphlétaire et épistolier français (Paris, 1772 — assassiné à Veretz, 1825). Imprégné de culture humaniste et traducteur des auteurs grecs dont il voulut imiter l'élégante clarté, il démissionna de sa charge d'officier et se retira dans son domaine de Veretz (Touraine) d'où il lança ses *Pamphlets* contre l'ordre, politique et religieux, établi par la Restauration. Partant d'épisodes concrets, il manifesta son ironie spirituelle dans de « merveilleuses petites pièces de guerre » (Sainte-Beuve) qui défendaient une tradition libérale et anticléricale. Il fit l'apologie du genre qu'il a illustré, dans *Le Pamphlet des pamphlets* (1824).

Cour internationale de justice. ♦ Tribunal créé en 1945, siégeant à La Haye et composé de quinze membres élus pour neuf ans. Cette Cour juge des différends entre États et donne des avis consultatifs en matière juridique.

COURLANDE. *n. f.* ♦ Région de Lettonie* (anc. de Livonie*), entre la mer Baltique et la Daugava (Dvina* occidentale.). ♦ *Hist.* Conquise par l'ordre des Porte*-Glaive (qui fonda son anc. cap. Mitau au XIIIe s.), puis par les Danois (1347), elle devint un duché vassal de Polonge (1562). En 1795 elle fut annexée par la Russie, et la ville de Mitau (en russe Mitava, *auj.* en letton Ielgava*) devint alors la cap. de la Courlande russe. Occupée par les Allemands pendant la Première Guerre mondiale, elle fut annexée à la Lettonie indépendante.

COURMAYEUR. [kuʀmajœr]. ♦ Commune d'Italie septentrionale (val d'Aoste), sur la Doire* Baltée. Alt. 1 228-3 369 m au pied du mont Blanc. 1 700 hab. Grand centre de tourisme sportif : sports d'hiver, alpinisme (point de départ de nombreuses ascensions du mont Blanc). Un téléphérique relie le versant italien à l'aiguille du Midi (versant français). — L'une des entrées du tunnel sous le mont Blanc.

COURNAND (André Frédéric). ♦ Médecin américain d'origine française (Paris, 1895). Ses recherches sur le cathétérisme du cœur et les modifications pathologiques dans le système circulatoire lui valurent le prix Nobel de méd. (1956) avec W.T.O. Forssmann* et Richards*.

COURNET (Frédéric). ♦ Homme politique français (1839 — 1885). Affilié à la 1re Internationale, député à l'Assemblée en février 1871, il démissionna et devint membre de la Commune de Paris. Il fut condamné à mort par contumace.

COURNEUVE (La). ♦ Ch.-l. de cant. de la Seine-Saint-Denis, (arr. de Bobigny), dans la banlieue N. de Paris. 4 336 hab. Église Saint-Lucien (XVIe s.). Parc de sports et nouveau parc départemental (équipements sportifs). — Indus. mécaniques, matériel ferroviaire: indus. chimique; fonderie, chaudronnerie.

COURNOT (Antoine Augustin). ♦ Mathématicien, économiste et philosophe français (Gray, 1801 — Paris, 1877). Peu connus de son vivant, ses ouvrages d'économie (*Recherches sur les principes mathématiques de la théorie des richesses,* 1838) font de lui un précurseur de l'école mathématique (**V. L. Walras**). Spécialiste du calcul des probabilités (*Exposition de la théorie des chances et des probabilités,* 1843), il a formulé une conception probabiliste et relativiste de la connaissance; sans nier la notion d'ordre dans la nature et l'histoire, celle-ci fait une place importante au hasard, défini comme l'intersection de séries causales indépendantes, et propose une classification des sciences qui insiste sur leur irréductibilité (*Traité de l'enchaînement des idées fondamentales dans les sciences et dans l'histoire,* 1861; *Matérialisme, Vitalisme, Rationalisme,* 1875).

Couronne. *n. f.* ♦ Nom de deux constellations : *Couronne australe* (en lat. *Corona Austrina*) et *Couronne boréale* (en lat. *Corona Borealis*).

Couronne (Discours sur la). ♦ Plaidoyer politique que Démosthène* prononça au tribunal des Héliastes comme *synégore* de son ami Ctésiphon. Celui-ci avait en ~ 337 proposé à l'Assemblée de décerner une couronne d'or à Démosthène pour avoir contribué aux frais de réparation des murs de la ville. Eschine* s'y opposa, jugeant la politique de Démosthène néfaste aux intérêts de la cité. Le discours de Démosthène au procès, qui n'eut lieu que sept ans plus tard, fut son chef-d'œuvre. Apologie de sa politique et pamphlet contre les auteurs de l'asservissement de la Grèce, il fait l'éloge du sentiment de l'honneur et des nobles principes de la démocratie athénienne.

COURPIÈRE. ♦ Ch.-l. de cant. du Puy*-de-Dôme, (arr. de Thiers*), sur la Dore*. 4 229 hab. Église romane (Vierge du XIIe s.); maisons anc. — Confection. Indus. de l'acier inoxydable; centre de culture des fraises.

Courrier de Provence. ♦ Gazette fondée par Mirabeau* en 1789. Le premier numéro parut le 2 mai 1789 sous le titre *États généraux.* L'interdiction de sa parution (5 mai) fut mal accueillie par l'opinion publique; Mirabeau en effet continua à publier le compte rendu des séances de l'Assemblée ainsi que des analyses sur les questions politiques à l'ordre du jour, d'abord sous le titre *Lettres du comte Mirabeau à ses commettants* du 10 mai au 25 juillet 1789, puis sous le titre *Courrier de Provence* qui parut jusqu'au 30 septembre 1791.

COURRIÈRES. ♦ Comm. du Pas-de-Calais, arr. de Lens. 9 296 hab. Centrale thermique. Houille. — Tombeau de Jean de Montmorency. ♦ *Hist.* En 1906, une explosion de grisou provoqua la mort de 1 200 mineurs.

COURSAN. ♦ Ch.-l. de cant. de l'Aude* (arr. de Narbonne), sur la r. d. de l'Aude. 3 366 hab. *(Coursannais).* Église gothique (tour du XIIIe s.). Eaux thermales.

COURSEL, en néerl. **Koersel.** ♦ V. de Belgique (Limbourg, arr. de Hasselt), en Campine. 10 500 hab. Houillères.

COURSEULLES ou **COURSEULLES-SUR-MER.** ♦ Ch.-l. de cant. du Calvados* (arr. de Caen*), sur la Manche*. 1 938 hab. *(Courseullais).* Station balnéaire, petit port; ostréiculture. — premier port français libéré par les Alliés le 6 juin 1944.

Cours-la-Reine (Le). ♦ Promenade de Paris, longeant la Seine de la place de la Concorde* à la place du Canada, sur le côté S. du Grand et du Petit Palais*. Créée en 1616 par Marie* de Médicis, cette allée bordée d'arbres fut au XVIIe et au XVIIIe s. la promenade favorite de la cour et de la noblesse. Réduite par l'agrandissement des voies automobiles, elle a perdu de son prestige.

COURTELINE (Georges Moinaux, dit **G.).** ♦ Écrivain et auteur dramatique français (Tours, 1858 — Paris, 1929). Après avoir fondé une revue éphémère (*Paris-moderne,* 1881), il acquit la notoriété avec de courts récits où le dialogue tenait une grande place et qu'il adapta rapidement à la scène. Stigmatisant avec drôlerie la bêtise, sous toutes ses formes, il évoqua la vie militaire dans *Les Gaietés de l'escadron* (1886), *Le Train de 8 heures 47* (1888) et *Lidoire, tableau militaire* (1891), où sont immortalisés les personnages du capitaine Hurluret et de l'adjudant Flick. Soulignant l'« imbécillité des choses et (la) mauvaise grâce des hommes», il peignit avec une verve comique, et parfois amère, le médiocre despotisme des petits fonctionnaires, serviteurs et esclaves d'un règlement absurde, notamment dans *Messieurs les ronds-de-cuir* (roman, 1893), nourri de quatorze ans de souvenirs personnels. Créateur de types d'une bouffonnerie irrésistible, Courteline fit souvent s'affronter le citoyen-victime à la tyrannie des lois et des magistrats qui les servent : *Un client sérieux* (1896), *Le commissaire est bon enfant* et *Le gendarme est sans pitié* (1899), *L'Article 300* (1900), *Les Balances* (1901) montrent combien « il est difficile d'innocenter un homme qui n'a rien fait » ! Enfin, reprenant la satire traditionnelle de la femme volage qui bafoue impudemment un mari pleutre et bon, l'écrivain témoigna de sa verve dans *Boubouroche* (1892; nouvelle adaptée au théâtre en 1893 et montée par Antoine*), *La Paix chez soi* (1893) et *La Peur des coups* (1894) qui connurent un grand succès. Le plus souvent brèves (« Un acte, un seul acte, voilà ma mesure au théâtre »), évoquant avec une indulgence teintée d'amertume une humanité médiocre, reposant sur un comique verbal d'une grande efficacité, les pièces (et les nouvelles) de G. Courteline ont été souvent portées à l'écran.

COURTENAY *(maison de).* ♦ Famille qui tire son nom du château de Courtenay (Loiret). ♦ PIERRE DE COURTENAY (v. 1167 —

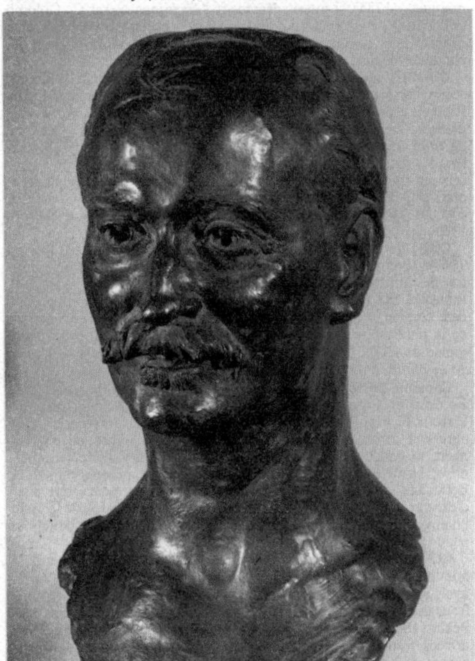

Ph. Giraudon

Buste de **G. Courteline,** par F. Benneteau. (Comédie-Française, Paris.)

1219) fut nominalement empereur latin d'Orient (1216). Ses deux fils ROBERT* et BAUDOUIN* II furent également empereurs latins d'Orient.

COURTENAY. ♦ Ch.-l. de cant. du Loiret, arr. de Montargis. 2 333 hab. Château (XVIIIe s.). Église (XVIe s.). – Patrie d'Aristide Bruant*.

COURTINE-LE-TRUCQ (La) ou **La Courtine.** ♦ Ch.-l. de cant. de la Creuse*, arr. d'Aubusson*. 1 424 hab. (803 aggl.). Camp d'instruction militaire.

COURTOIS (Jacques, dit le Bourguignon). ♦ Peintre et dessinateur français (Saint-Hippolyte, Doubs, 1621 – Rome, 1676). Sa carrière se déroula en Italie, où il devint l'ami de Guido Reni* (le Guide) et de l'Albane*. Il exécuta surtout des peintures de batailles en s'inspirant du style de Salvatore Rosa* avec lequel il voulut rivaliser *(Combat de cavalerie sur un pont).*

COURTOIS (Bernard). ♦ Chimiste et pharmacien français (Dijon, 1777 – Paris, 1838). Connu surtout pour avoir, le premier, isolé l'iode à partir de cendres de plantes marines (1811), on lui doit également la découverte, avec Seguin*, de la morphine dans l'opium.

COURTRAI, en néerl. **Kortrijk.** ♦ V. de Belgique, ch.-l. d'arr. de Flandre-Occidentale, sur la Lys*. 45 200 hab. Beffroi du XIVe s. (jaquemarts). Cheminées sculptées (1527) à l'hôtel de ville. Église Notre-Dame (tours du XIIIe s., chapelle du XIVe s. ; tableaux d'A. Beauneveu, Van Dyck). Église Saint-Martin (orfèvreries du XVIIIe s.). Béguinage Sainte-Élisabeth. – Important marché linier (les eaux de la Lys favorisaient le rouissage). Toiles de Courtrai. Cotonnades. Fabriques de meubles. Tourisme. ♦ *Hist.* D'origine romaine *(Curtracum),* Courtrai acquit sa liberté en 1190 et fut une des villes du Moyen Âge les plus florissantes. De grandes manifestations religieuses commémorent encore la bataille des Éperons d'or (1302), où la chevalerie française fut battue par les gens de métiers flamands. Les jaquemarts du beffroi furent pris par Philippe le Hardi à la fin du XIVe siècle. Dijon les restitua symboliquement à Courtrai en 1961.

COURT-SAINT-ÉTIENNE. ♦ Comm. de Belgique (Brabant, arr. de Nivelles), au confluent de la Dyle* et de l'Orne*. 5 500 hab. Église gothique de 1619. – Indus. textiles (coton). Tanneries. Constructions métalliques.

COURVILLE-SUR-EURE. ♦ Ch.-l. de cant. d'Eure-et-Loir, arr. de Chartres. 2 040 hab. *(Courvillois).* Église du XVIe siècle. Aux environs, château de Villebon (XVe s.) ayant appartenu à Sully, et où il mourut en 1641.

COUSERANS [kuzʀɑ̃]. *n. m.* ♦ Région des Pyrénées, dép. de l'Ariège*. Pays de bocage ; élevage.

COUSH ou **KOUSH** *(pays de).* ♦ Nom égyptien ancien de la Nubie* (appelée Éthiopie par les Grecs), adopté par les Sémites et notamment par la Bible.

COUSIN (Jean). ♦ Navigateur dieppois du XVe siècle. Selon Desmarquets (1785), il aurait découvert l'Amérique avant C. Colomb (1487-1488) et la route des Indes par le cap de Bonne-Espérance avant Vasco de Gama (1489-1491). Mais cette affirmation a été contestée depuis.

COUSIN (Jean, dit Le Père). ♦ Peintre, dessinateur, sculpteur et graveur français (Soucy, près de Sens, v. 1490 – Sens, v. 1561). Il exécuta probablement des cartons de vitraux pour la cathédrale de Sens *(Les Sibylles)* ainsi que des cartons de tapisserie *(Histoire de saint Mammès).* Il écrivit un *Traité de perspective* (1560), réalisa des illustrations de livres (*Orus Apollo,* 1543). Il fut un représentant du maniérisme développé par l'école de Fontainebleau, mais peu de ses œuvres peintes ont subsisté, excepté *La Charité* et *Eva prima pandora,* l'un des premiers grands nus peints par un Français.

COUSIN (Victor). ♦ Philosophe français (Paris, 1792 – Cannes, 1867). Professeur à l'École normale et à la Sorbonne, il fut ministre de l'Instruction publique dans le cabinet Thiers en 1840. Influencé par Royer*-Collard et Maine de Biran, il peut être considéré comme le fondateur de l'éclectisme spiritualiste et de l'histoire de la philosophie. Il fut le premier à introduire en France la philosophie de Hegel (*Fragments de philosophie,* 1826 ; *Cours d'histoire de la philosophie,* 1828, etc.). [Acad. fr.]

Cousine Bette (La). ♦ Roman de Balzac* (1846), rangé avec *Le Cousin* Pons* sous le titre commun de : *Les Parents pauvres.* Lisbeth Ficher, dite la cousine Bette, se venge des disgrâces de la nature et de ses humiliations en prenant pour victimes, successivement, sa cousine, femme du baron Hulot, puis la fille de cette dernière, Hortense, qui a épousé un jeune artiste polonais aimé de Bette ; dès lors, « la jalousie [formant] la base de ce caractère plein d'excentricité », Bette mettra toute son énergie refoulée à salir l'honneur et à troubler la paix des deux couples, sans jamais se trahir auprès d'eux.

COUSIN-MONTAUBAN (Charles Guillaume). ♦ Général et homme politique français (Paris, 1796 – Versailles, 1878). Après avoir servi dans l'armée d'Afrique, il fut placé à la tête des troupes françaises en Chine, battit les Chinois à Palikao* et entra dans Pékin (1860). Il fut fait *comte de Palikao.* Après les défaites des armées françaises devant les Prussiens (Reichshoffen et Forbach, 6 août 1870), il fut appelé par Napoléon III pour former un nouveau ministère, en remplacement d'É. Ollivier*. Chargé de la défense du pays, il proposa un plan pour la jonction des armées de Châlons (commandée par Mac-Mahon) et de Metz (par Bazaine), qui ne fut pas suivi. Retiré en Belgique après la défaite de Sedan, la reddition de Napoléon III et la chute de l'Empire (début sept. 1870), Cousin-Montauban revint en France après l'armistice.

Arch. Smeets
Guillaume Ier Coustou : « Cheval se cabrant ». (Place de la Concorde, Paris.)

Cousin Pons (Le). ♦ Roman de Balzac* (1847), groupé avec *La Cousine* Bette* sous le titre *Les Parents pauvres.* Image, cette fois-ci, de la candeur vaincue par le mal, Pons, qui collectionne les objets d'art, est considéré comme un « pique-assiette » par les siens jusqu'à ce qu'apparaisse la valeur de ce qu'il détient. Dès lors, autour du vieil homme malade, se trament les manœuvres de comparses sinistres, qui dépouilleront également le compagnon et l'héritier de Pons, Schmucke, musicien à l'âme délicate et ingénue.

COUSSER (J. S.). ♦ V. KUSSER.

COUSTEAU (Jacques Yves). ♦ Officier de marine, océanographe et cinéaste français (Saint-André-de-Cubzac, 1910). Inventeur, avec Émile Gagnan, du scaphandre autonome automatique **(V. Le Prieur),** d'une caméra sous-marine et d'une « île flottante » destinée aux observations océanographiques, il effectua des croisières de recherches à bord d'un navire océanographique *(La Calypso)* aménagé sous sa direction. On lui doit des films sous-marins *(Épaves, Le Monde du silence, Le Monde sans soleil)* et des ouvrages sur ses plongées et ses recherches.

COUSTOU (Nicolas). ♦ Sculpteur français (Lyon, 1658 – Paris, 1733). Élève de son père François et de son oncle Coysevox*, il réalisa de nombreux travaux à Trianon, Versailles *(Tritons)* et Marly. Dans sa *Descente de croix* à N.-D. de Paris, mouvementée et pathétique, il révéla une tendance au baroquisme.

COUSTOU (Guillaume Ier). ♦ Sculpteur français (Lyon, 1667 – Paris, 1746). Il fut l'élève de son oncle Coysevox* et le collaborateur de son frère Nicolas Coustou dans les travaux de décoration qu'il réalisa à Versailles et à Marly. Ses portraits témoignent de son sens de l'observation. Il exécuta la statue de *Marie Leczinska en Junon* (1731) dont la grâce et la liberté expressive sont caractéristiques de l'esprit rococo. Il est surtout l'auteur des *Chevaux de Marly* (1740-1745), aujourd'hui sur la place de la Concorde (à Paris), qui allient monumentalité et dynamisme des formes.

COUSTOU (Guillaume II, ou **Coustou le Jeune).** ♦ Sculpteur français (Paris, 1716 – *id.,* 1777), fils du précédent. Son activité a été parfois confondue avec celle de son père. Il exécuta des portraits expressifs et gracieux, des groupes mythologiques et surtout le *Mausolée du Dauphin* dans la cathédrale de Sens, où l'influence du néo-classicisme est sensible.

COUTANCES. ♦ Sous-préf. de la Manche*, ch.-l. d'arr. (10 cant., 134 comm., 76 923 hab.), sur la Soulle. 10 933 hab. (8 599 aggl.). [*Coutançais*]. Grande et belle cathédrale gothique du XIIIe siècle. Église Saint-Pierre, rebâtie fin XVe s.-déb. XVIe siècle. Évêché. – Marché agricole important. Laiteries, exploitation du minerai de fer. – Patrie de saint Bertin, F. Feuardent*. ♦ *Hist.* À l'époque gauloise, *Cosedia* fut fortifiée par Constance* Chlore et devint la capitale du *pagus Constantinus,* d'où vient le nom de Cotentin*. La ville fut très endommagée lors de la Seconde Guerre mondiale.

COUTHON (Georges). ♦ Homme politique français (Orcet, Auvergne, 1755 – Paris, 1794). Avocat à Clermont-Ferrand, nommé président du tribunal de cette ville en 1789, il s'était acquis une réputation de probité et de désintéressement. Élu à l'Assemblée législative, où il siégea avec la gauche démocrate, réélu, comme montagnard, à la Convention, il entra au Comité de salut public (10 juillet 1793), où, avec Robespierre* et Saint*-Just (le triumvirat), il s'occupa de politique générale. Il fit preuve d'une certaine clémence dans la répression de l'insurrection fédéraliste et royaliste de Lyon (fin août-début septembre 1793) et ne put se résoudre à détruire la ville conformément au décret de la Convention. Il se fit remplacer par Collot d'Herbois et Fouché. Cependant, revenu à Paris et élu président de l'Assemblée (12 décembre 1793), il lutta avec une extrême rigueur contre les hébertistes (ultra-révolutionnaires) et les dantonistes (ou indulgents), et contribua largement à faire adopter par la Convention la loi du 22 prairial (10 juin 1794), qui réorganisait le Tribunal révolutionnaire en supprimant les défenseurs, les témoins et l'instruction préalable dans le procès des suspects **(V. Terreur)**. Le 9 Thermidor* (27 juillet 1794), Couthon fut décrété d'accusation avec Robespierre et guillotiné le lendemain.

COUTRAS [kutʀɑ]. ♦ Ch.-l. de cant. de la Gironde* (arr. de Libourne*), sur la Dronne*, 5 875 hab. *(Coutrasiens)*. ♦ *Hist.* Victoire de Henri de Navarre, futur Henri* IV, le 20 octobre 1587 sur les Ligueurs commandés par le duc de Joyeuse*.

COUTURAT (Louis). ♦ Mathématicien, logicien et philosophe français (Paris, 1868 – Ris-Orangis, 1914). Contre la thèse des néo-criticistes **(V. Renouvier)**, il affirma l'existence de l'infini quantitatif actuel en mathématiques (*De l'infini mathématique*, 1896). Reprenant et développant le logicisme de Leibniz, il chercha à appliquer les mathématiques à la logique (*La Logique de Leibniz*, 1901; *Histoire de la langue universelle*, avec L. Léon, 1903; *L'Algèbre de la logique*, 1905).

COUTURE (Thomas). ♦ Peintre français (Senlis, 1815 – Villiers-le-Bel, 1879). Il fut élève de Gros* et de Delaroche*. Devenu un peintre académique très en vue, il influença les nombreux élèves qui fréquentèrent son atelier, et sa position officielle lui permit d'exclure les peintres non conformistes du Salon. Il peignit notamment des grandes compositions historiques froides et artificiellement composées (*Les Romains de la décadence*, 1847), ainsi que des portraits d'une facture plus directe et plus vigoureuse. Il fut le maître de Manet* et de Puvis* de Chavannes.

COUTURIER (Robert). ♦ Sculpteur français (Angoulême, 1905). Élève et ami de Maillol* (à partir de 1928), il subit fortement son ascendant (*porte en bronze du palais des Nations* à Genève, 1937; *Méditerranée; Léda*, 1940-1945). Puis, délaissant la pierre pour le plâtre, il s'éloigna du système de figuration classique et abandonna les formes pleines statiques et massives. Il schématisa, allongea, creusa les volumes, les formes devinrent raides et anguleuses ou furent réduites à des lignes en arabesque. Cependant ce dépouillement, cette épuration formelle ne tendent pas à l'abstraction, mais visent à exploiter les possibilités expressives de la figure humaine (*Monument à Étienne Dolet*, 1947; *Femme dans un fauteuil; Jeune Fille lamelliforme*, 1950).

COUVE DE MURVILLE (Maurice). ♦ Diplomate et homme politique français (Reims, 1907). Inspecteur des Finances avant la Deuxième Guerre mondiale, il fut membre de la commission franco-allemande de Wiesbaden après l'armistice conclu par Vichy. Il gagna Alger après les débarquements alliés en Afrique du Nord. Il fut secrétaire général, puis commissaire aux Finances du Comité français de la libération nationale à Alger (1943-1944) et représenta le gouvernement provisoire à Rome (1945). Directeur général des affaires politiques au ministère des Affaires étrangères (1945-1950), il fut nommé ambassadeur de France successivement au Caire (1950-1954), à Washington (1955-1956) et à Bonn (1956-1958). Ministre des Affaires étrangères de 1958 à 1968, il fut Premier ministre de 1968 jusqu'au départ du général de Gaulle.

COVARRUBIAS (Alonso *de*). ♦ Architecte et décorateur espagnol (Torrijos, 1488 – Tolède, 1570). Dans ses premières œuvres, où se manifeste un sens décoratif subtil, il resta fidèle au style plateresque, mais son évolution dénote l'emprise grandissante des principes constructifs de la Renaissance italienne (*palais archiépiscopal* à Alcalá de Henares). En 1537, il fut nommé architecte de Charles Quint et réalisa de nombreux travaux à Tolède (*porte du monastère San Clemente*, 1534; *façade principale de l'Alcazar; chapelle des Transtamare à la cathédrale*). Il fut ainsi l'un des premiers architectes à introduire l'italianisme en Espagne.

Covent Garden. ♦ Célèbre place à arcades du centre de Londres (cité de Westminster), au N. du Strand, conçue par Inigo Jones* en 1631, et au centre de laquelle se tient un pittoresque marché. Le *Royal Opera House* a été érigé en 1858 sur les ruines d'un théâtre plus ancien (1732).

COVENTRY. ♦ V. d'Angleterre, dans les Midlands (Warwickshire), au S. de Birmingham. 335 600 hab. Université. Très ancien centre textile (rubans, soieries), c'est aujourd'hui un grand centre de l'indus. automobile (Daimler, B.M.C., Jaguar) et des tracteurs; cycles; constructions aéronautiques. Fabrication de rayonne (Courtaulds). Matériel radio-électrique. – Patrie de l'ingénieur Franck Whittle*. ♦ *Hist.* Fondée au XIe s. sur l'emplacement d'un monastère bénédictin, Coventry devint au Moyen Âge une importante cité drapière et lainière. À partir du XVIIIe s., elle développa une gamme variée d'industries mécaniques. En 1940, la ville fut en grande partie détruite par de terribles bombardements (de telles destructions furent appelées *coventrysations*). Une cathédrale moderne (1962) a été érigée sur l'emplacement de l'anc. cathédrale Saint-Michel (XIVe s.).

COVILHÃ. ♦ V. du Portugal (Beira Baixa) sur les contreforts de la *serra de Estrela*. 24 000 hab. Important centre lainier. Station de sports d'hiver.

COVILHAM, COVILHÃ ou **COVILHÃO (Pedro *da*).** ♦ Voyageur portugais du XVIe s. (Covilhã, Beira, ? – en Abyssinie, v. 1545). Envoyé par Jean II du Portugal en mission dans les pays d'Orient (1487), il visita l'Inde, la Perse, puis le pays du « Prêtre-Jean », l'Abyssinie, où il demeura.

COWES. ♦ V. et port d'Angleterre, au N. de l'île de Wight*. 17 200 hab. Château construit sous Henry VIII. Régates célèbres.

COWLEY (Abraham). ♦ Poète, dramaturge et essayiste anglais (Londres, 1618 – Chertsey, Surrey, 1667). Ce fut un enfant précoce et certains poèmes de *Fleurs poétiques* (*Poetical Blossoms*, 1633) datent de sa onzième année. Inspiré par la Bible, il écrivit un poème épique, *La Davidéide* (*The Davideis*, 1635). C'est durant son exil à Paris qu'il composa une œuvre plus érotique et plus précieuse. Grâce à ses *Odes pindariques*, sa célébrité, de son vivant, dépassa celle de Milton. Il écrivit aussi pour le théâtre (*L'Énigme de l'amour*, 1638; *Naufragium joculare*, 1638). Son essai autobiographique *Sur moi-même* (*My Self*, 1656) donne dans un style spontané d'intéressantes précisions sur sa jeunesse.

COWPER (William). ♦ Poète anglais (Great Berkhampsted, Hertfordshire, 1731 – East, Dercham, Norfolk, 1800). Petit-fils d'un juge et fils d'un pasteur, il avait six ans quand sa mère mourut. Souffre-douleur de ses camarades d'école, il devint d'une timidité maladive. Après une tentative de suicide et un séjour d'un an dans un asile, où il composa des *Notes écrites pendant une période de folie*, il s'installa définitivement à la campagne. L'influence d'un pasteur à la religion trop sévère, le révérend Newton, perturba le fragile équilibre de Cowper : les désordres mentaux l'accablèrent pendant trois ans (1773-1776). Après cette période où il écrivit des poèmes religieux (*Hymnes d'Olney*, 1776), deux femmes, Mrs. Unuin (que le poète pensait épouser) et lady Austin, lui inspirèrent des *Poèmes* (1782) ainsi que *La Divertissante Histoire de John Gilpin*, ballade comique, et *L'Œuvre* (*the Task*, 1785), poème (5 000 vers) divisé en six livres, dont les tableaux de genre *(le bûcheron, la charrette dans la neige)* annoncent Wordsworth*. Ses *Lettres* sont également remarquables (*Œuvres complètes*, 1837).

COYOACÁN. ♦ V. du Mexique, dans la banlieue S. de Mexico. 338 850 hab. – Site ancien. Monuments coloniaux du XVIe siècle. Musée Frida Kahlo (femme de D. Rivera*). – Trotski* y vécut et y fut assassiné.

COYPEL [kwapɛl] **(Antoine).** ♦ Peintre, graveur et dessinateur français (Paris, 1661 – *id.*, 1722). Il étudia auprès de son père,

Arch. Smeets

A. Coypel : « Jeune fille caressant un chien ». (Musée du Louvre, Paris.)

Ph. Hétier
A. Coysevox : « Vénus accroupie ». (Versailles.)

Noël Coypel, et l'accompagna à Rome de 1673 à 1675, où il reçut des conseils du Bernin*. Favori du régent, il fut nommé premier peintre du roi en 1716. Il fut un brillant représentant de la grande peinture ornementale, travailla au château de Meudon, à *la galerie d'Énée* au *Palais-Royal* à Paris (détruite en 1781) et exécuta les fresques de la voûte de la chapelle de Versailles (1709-1710). Ces œuvres, par l'emphase expressive et la composition brillante, ont des accents baroques; on y décèle l'influence des mises en scène italiennes et le goût des couleurs éclatantes hérité de Rubens et Van Dyck. Ses peintures mythologiques aux formes contournées et gracieuses annoncent l'esprit rococo et galant *(Persée et Andromède).* Son aisance technique et sa verve se manifestèrent dans ses tableaux de chevalet (*Démocrite,* 1692; *Jeune fille caressant un chien,* v. 1682).

COYSEVOX [kwazəvɔ] **(Antoine).** ♦ Sculpteur et décorateur français (Lyon, 1640 – Paris, 1720). Fils d'un sculpteur sur bois, il devint membre de l'Académie en 1676 et fut l'un des sculpteurs préférés de Louis XIV dont il sculpta à plusieurs reprises les traits. L'abondance et la variété de ses travaux en font l'une des figures majeures de l'art versaillais élaboré sous la direction de Le* Brun. En effet, il participa largement à la décoration de la *cour de marbre,* de la *Grande Galerie,* du *salon de la Guerre* (relief de *Louis XIV terrassant ses ennemis,* 1688), du *grand escalier* (détruit) et réalisa pour les jardins des groupes et statues à sujets allégoriques et mythologiques *(la Garonne, la Dordogne, Le Vase de la guerre).* Il fit preuve d'une grande virtuosité technique, se montra un classique dans ses transpositions originales de la sculpture antique (*Vénus accroupie,* 1686) et conféra une grande vigueur expressive à ses œuvres amples et majestueuses (*La Renommée* et *Mercure,* 1700-1702, aujourd'hui à l'entrée des Tuileries). Ses tendances baroques transparaissent le plus nettement dans ses monuments funéraires pathétiques et théâtraux : monument de *Colbert* (1685-1712); *Mazarin* (1689-1693); *Le Brun.* La remarquable et féconde série de bustes qu'il réalisa révèle un souci grandissant de suggérer l'expression fugitive du modèle, préoccupation largement partagée par la plupart des sculpteurs du XVIIIe s., dont beaucoup subirent son influence. Dans *Marie-Adélaïde de Savoie en Diane,* le choix du thème, la souplesse du modelé, le souci d'exprimer la grâce annoncent l'esprit rococo.

COZZARELLI (Giacomo). ♦ Architecte et sculpteur italien (Sienne, 1453 – *id.,* 1515). Élève de Francesco* di Giorgio Martini, il assista son maître pour la construction de l'église du couvent de l'Observance (1476) à Sienne et du palais ducal à Urbino. Le *palazzo del Magnifico* (Sienne, 1508) aurait été construit sur ses plans. Toutefois, il fut surtout connu comme sculpteur : on lui doit des sculptures en bois (*Saint Nicolas de Tolentino,* Sienne, Sant' Agostino ; *Saint Jean l'Évangéliste,* Sienne, opera del Duomo) et des terres cuites (*Pietà,* sacristie du couvent de l'Observance) alors que rien ne nous est parvenu de ses bronzes.

CRABBE (George). ♦ Poète anglais (Aldeburgh, Suffolk, 1754 – Trowbridge, 1832). D'humble origine, Crabbe fut pasteur et chapelain du duc de Rutland. En réaction contre Goldsmith, qui peignait la campagne de façon idyllique, il fit paraître *Le Village* (*The Village,* 1783), poème en trois livres d'un sombre réalisme. La même tristesse émane des vingt-quatre lettres formées de distiques rimés en pentamètres ïambiques (« heroic couplets ») composant *Le Bourg* (*The Borough,* 1810), texte dont s'inspira B. Britten pour son opéra *Peter Grimes. Le Journal* (*The Newspaper,* 1785) est de même veine. Byron considérait Crabbe comme « le peintre le plus austère de la nature, et cependant le meilleur ».

CRACOVIE, en polon. **Kraków,** en all. **Krakau.** ♦ V. du S. de la Pologne*, ch.-l. de voïévodie, ayant elle-même rang de voïévodie. Située sur la r. g. de la Vistule*. 520 000 hab. Archevêché. Centre universitaire, culturel et artistique. Château royal de Wawel*. Forteresse du XVe s. (La Barbacane). Remparts (porte de Saint-Florian). Vaste place quadrangulaire (Rynek Głowny) entourée d'édifices historiques (église Notre-Dame, XIIIe-XIVe s., célèbre pour son retable de Wit Stwosz, beffroi de l'ancien Hôtel de ville [XVIe s.], halle aux draps [Renaissance]). – Important centre administratif et commercial, dont l'industrie a été regroupée dans le complexe sidérurgique de Nowa*-Huta. – Patrie de saint Casimir*, Hedwige*, Jean* Ier Albert, M. Kisling*, Ladislas* III Jagellon, Ladislas* IV Vasa, B. Malinowski*, Sigismond* II Jagellon, S. Wyspianski*... – La voïévodie de *Cracovie* s'étend sur une partie de l'anc. Galicie*, entre le plateau subcarpatique et le plateau de la petite Pologne. Elle compte 2 126 000 hab. ♦ *Hist.* Premier foyer de la religion chrétienne en Pologne*, siège d'un évêché dès le XIe s. **(V.** *saint* **Stanislas),** *Cracovie,* ravagée à plusieurs reprises par les Mongols à partir de 1241, puis restaurée par les colons allemands, devint après le couronnement de Ladislas* Ier Łokietek au Wawel (1320) la résidence royale et la capitale de la Pologne jusqu'en 1595. Siège d'une célèbre université fondée en 1364 par Casimir* III le Grand, et rénovée en 1400 par Ladislas* II Jagellon, elle prit un grand essor artistique et économique sous Sigismond* Ier Jagellon, mais le transfert de la capitale à Varsovie* sous Sigismond* III Vasa, et les invasions suédoises (1656 et 1702-1709) entraînèrent son déclin et la perte de presque toute sa population. Elle resta néanmoins le lieu de couronnement (jusqu'en 1734) et de sépulture des rois de Pologne. Centre de l'insurrection polonaise dirigée par Kościuszko* en 1794, elle fut attribuée à l'Autriche lors du troisième partage de la Pologne (1795), comprise dans le grand-duché de Varsovie de 1809 à 1815, érigée en république semi-autonome de 1815 à 1846, puis à nouveau rattachée à l'Autriche, avec la Galicie*, de 1846 à 1919. Occupée par l'armée hitlérienne en 1939, elle devint le siège du gouvernement général sous tutelle allemande avant d'être libérée par l'armée soviétique de Koniev* en 1945.

CRAFTS (James Mason). ♦ Chimiste américain (Boston, 1839 – Ridgefield, Connecticut, 1917). Il mit au point avec C. Friedel*, en 1877, une méthode de synthèse organique qui, basée sur l'action, en présence de chlorure d'aluminium, de dérivés halogénés sur le benzène, permet de souder à ce dernier corps (ou plus généralement aux *dérivés aromatiques*) des chaînes latérales *(réaction de Friedel et Crafts).*

CRAIG (Edward Gordon). ♦ Théoricien anglais du théâtre (Londres, 1872 – Vence, 1966). Après avoir exercé son art à Londres, Florence, Berlin et Moscou en qualité d'acteur et de metteur en scène, il a défini sa conception d'un animateur capable d'assumer la totalité du spectacle dans *L'Art du théâtre* (1942).

CRAINHEM, en néerl. **Kraainem.** ♦ V. de Belgique (Brabant, arr. de Bruxelles-Communes périphériques). 10 200 hab. Église (tour romane, chœur du XVIe s., nef de 1770). Papeterie.

CRAÏOVA. ♦ V. de Roumanie méridionale (Valachie). Ch.-l. de la région d'Olténie, sur la r. g. du Jiu. 173 240 hab. Métropole orthodoxe. Centre administratif et industriel : matériel électrique, indus. mécaniques, chimiques (engrais) et alimentaires.

CRAMER (Gabriel). ♦ Mathématicien suisse (Genève, 1704 – Bagnols, 1752). Son *Introduction à l'analyse des lignes courbes algébriques* tient une place importante dans le développement de la géométrie analytique plane. Son nom est attaché également aux formules de résolution des systèmes d'équations linéaires. Il a publié les œuvres de Jean Ier Bernoulli* et la correspondance de celui-ci avec Leibniz*.

CRAMER (Johann Baptist). ♦ Pianiste et compositeur allemand (Mannheim, 1771 – Londres, 1858). Élève de Clementi* et d'Abel, il fut aussi l'ami de Haydn et de Beethoven. Sa technique magistrale exerça une large influence sur les pianistes de son temps. Il a laissé de nombreuses pièces pour le piano (concertos, sonates), mais ce sont ses compositions pédagogiques (150 *Études*) qui ont assuré sa réputation.

CRAMPTON (Thomas Russell). ♦ Ingénieur anglais (Broadstairs, 1816 – Londres, 1888). Il conçut un type de locomotive à grande vitesse en l'équipant de grandes roues à l'arrière (1848), participa à l'établissement du premier câble sous-marin Calais-Douvres et réalisa le réseau hydraulique de Berlin (1855).

CRANACH (Lucas, *l'Ancien* ou *l'Aîné*). ♦ Peintre, graveur et dessinateur allemand (Kronach, 1472 – Weimar, 1553). Sa formation est mal connue, mais on suppose qu'il séjourna à Vienne vers 1500. Il produisit alors des portraits et des scènes religieuses dont la véhémence expressive, les tonalités intenses s'apparentent aux compositions de Huber et surtout d'Altdorfer* (*Crucifixion,* 1502). En 1504, il fut appelé à Wittenberg par l'Électeur de Saxe Frédéric le Sage. Il travailla ensuite pour ses deux successeurs, dirigeant un atelier très actif, jouant aussi un rôle politique (mission aux Pays-Bas en 1509). Il connut les gravures de Dürer* et, ami de Luther, devint par ses illustrations (bois gravés) l'un des créateurs de l'iconographie protestante. Dans certains de ses retables apparaissent des tendances archaïsantes et éclectiques (*Retable de sainte Catherine,* 1506); cette tendance apparaît aussi dans la série des *Chas-*

Ph. Lauros-Giraudon

Cracovie : la cathédrale de Wawel.

ses princières qui, par la fantaisie et la naïveté dans le détail, semblent renouer avec le gothique international, tandis que les esquisses sur parchemin de sa série de portraits témoignent d'un sens de la mise en page et d'une finesse de trait d'une grande virtuosité technique. Influencé par le répertoire thématique de la Renaissance italienne, il réalisa des scènes mythologiques, des figures isolées révélatrices de sa prédilection pour le nu féminin dont le type aux formes allongées, aux attitudes maniérées, à l'expression quelque peu perverse connut un succès considérable *(Vénus et l'Amour, Lucrèce, Diane)*. Ces œuvres présentent des traits stylistiques typiquement germaniques : prédominance du caractère graphique, nature de la gamme chromatique, rôle des accessoires et dédain pour le rendu illusionniste de l'espace. ♦ CRANACH LE JEUNE (Lucas). Peintre et dessinateur allemand (Wittenberg, 1515 – Weimar, 1586). Ses œuvres sont souvent difficiles à distinguer de celles de son père. Il continua en effet son atelier en traitant les mêmes sujets dans un style qui devint progressivement plus sec et monotone. Il n'en exécuta pas moins des portraits fortement expressifs.

CRANE (Stephen). ♦ Journaliste, poète et romancier américain (Newark, 1871 – Baden Weiler [All.], 1900). Quatorzième enfant d'un éminent pasteur protestant, il rejeta très tôt son milieu et, pour vivre, écrivit dans les journaux. Son grand succès fut *La Conquête du courage* (*The Red Badge of Courage*, 1895), où il imagine ce qu'éprouve Henry Flemming, un jeune soldat au combat ; cette œuvre le fit choisir comme correspondant de guerre en Grèce et à Cuba, alors que la tuberculose le minait déjà. Dans *Maggie, fille des rues (Maggie, a girl of the streets)*, qui fit scandale en 1893. il évoque, dans un style impressionniste et dépouillé, la vie qu'il partagea quelque temps avec de jeunes artistes, dans un quartier pauvre de New York. Des récits comme *La Chaloupe* (*The Open Boat*, 1898) ou *La Mère de Georges* (1896) en font un maître de la nouvelle qu'il traite de façon naturaliste. Ses poèmes épigrammatiques (*The Black Riders*, 1895 : *Les Cavaliers noirs; War is Kind*, 1899 : *La guerre est bonne*) sont influencés par E. Dickinson*.

CRANE (Harold, dit Hart). ♦ Poète américain (Garretsville, Ohio, 1899 – mer des Caraïbes, 1932). Issu d'une famille désunie, il était obsédé par l'idée de rupture et sa poésie tente de recréer « le lien ». *Le Pont* (*The Bridge*, 1930), long poème visionnaire dont les vers ont la cadence de la prose de Melville*, présente l'Amérique moderne comme un « pont » capable de relier le passé à l'avenir. On retrouve dans *La Tour brisée (The Broken Tower)*, écrit peu de temps avant son suicide, l'émotion religieuse de certains vers du *Pont*. Hart Crane admirait les symbolistes français, ainsi que Whitman*, avec qui il partageait un idéal : doter son pays d'un mythe poétique capable d'exprimer la philosophie du « mode de vie américain » *(american way of life)*.

CRAN-GEVRIER. ♦ Comm. de la Haute-Savoie, arr. d'Annecy. 8 155 hab. Importante papeterie. Taille des pierres fines. Métallurgie.

CRANMER (Thomas). ♦ Prélat anglais (Aslacton, Nottinghamshire, 1489 – Oxford, 1556). Gagné à certaines idées de la Réforme, marié secrètement, il devint archevêque de Canterbury (1533), poste dans lequel il seconda docilement Henri* VIII dans ses affaires religieuses et matrimoniales (divorce d'avec Catherine* d'Aragon puis d'avec Anne* Boleyn, dont il avait pourtant béni le mariage en 1533). Promoteur des réformes religieuses **(V. Anglicanisme)** et favorable à Jeanne Grey*, il fut exécuté lors de la réaction catholique de Marie* Tudor.

CRANNON [*Krannôn*]. ♦ Anc. V. de Grèce (Thessalie), célèbre pour la bataille qui s'y déroula en ~ 322 et qui mit fin à la guerre lamiaque. Antipatros*, ayant vaincu les Athéniens et leurs alliés, imposa une garnison macédonienne à Athènes*.

CRANSAC. ♦ Comm. de l'Aveyron*, arr. de Villefranche*-de-Rouergue. 3 325 hab. *(Cransacois)*. Houille. Eaux minérales.

CRANS [kʀɑ̃]**-SUR-SIERRE.** ♦ Localité de Suisse (Valais) au-dessus de Sierre*, dans un site remarquable en face des Alpes valaisannes. Station d'été et de sports d'hiver très fréquentée à 1 500 m d'altitude. **V. Montana-Vermala.**

CRAON [kʀɑ̃]. ♦ Ancienne famille française. Le dernier des *Craon* gouverna la Bourgogne pour le compte de Louis XI, après la mort de Charles le Téméraire.

CRAON [kʀɑ̃]. ♦ Ch.-l. de cant. de la Mayenne (arr. de Château-Gontier), en Anjou. 4 724 hab. *(Craonnais)*. Château du XVIIIe s. – Marché agricole ; porcs renommés (race craonnaise). – Matériel routier ; constructions mécaniques. Meubles métalliques. – Patrie de Constantin François de Chassebœuf, comte de Volney*.

CRAONNAIS [kʀanɛ]. *n. m.* ♦ Petite région de l'O. de la France, aux confins du Maine et de l'Anjou, pays de Craon. On l'appelle aussi Segréen. **(V. Anjou).**

CRAONNE [kʀan]. ♦ Ch.-l. de cant. de l'Aisne, arr. de Laon. 140 hab. ♦ *Hist.* Sur le *plateau de Craonne :* victoire de Napoléon Ier sur Blücher (6-7 mars 1814). Violents combats lors des différentes batailles du Chemin* des Dames (16 avril 1917, 4 mai 1917, 27 mai 1918).

CRAPONNE (Adam *de*). ♦ Ingénieur français (Salon-de-Provence, 1527 – Nantes, 1576). Constructeur du canal qui porte son nom et qui irrigue une partie de la Crau.

CRAPONNE-SUR-ARZON. ♦ Ch.-l. de cant. de la Haute-Loire*, arr. du Puy*. 3 214 hab. *(Craponnais)*. Église du XVIe s., maisons anc. – Dentelles ; matériel agricole.

CRASHAW (Richard). ♦ Poète anglais (Londres, 1612 ou 1613 – Lorette, Italie, 1649). Après une enfance puritaine, il fit ses études à Cambridge où il écrivit en grec et en latin des *Épigrammes sacrées* (*Epigrammatum sacrorum liber*, 1634). Crashaw continua de s'inspirer de la poésie latine ainsi que du concettisme italien dans *Marches du Temple* (*Steps to the Temple*, 1646). Il dut émigrer en Hollande à cause de ses idées religieuses. Grâce à la reine Henriette-Marie, en exil à Paris, il devint secrétaire attaché au cardinal Palotta et obtint un bénéfice en Italie, où il mourut.

CRASSUS, en lat. **Marcus Licinius Crassus.** ♦ Homme politique et général romain (~ 114 – près de Carrhes, Asie Mineure ~ 53). Partisan de Sylla*, il acquit ses richesses aux dépens des proscrits. En ~ 71, il triompha de Spartacus*. Consul en ~ 70 avec Pompée*, il restitua tous ses pouvoirs au parti populaire. Lié avec Pompée et César*, il forma avec eux le premier triumvirat (~ 60). Nommé gouverneur de Syrie (~ 55), avide de gloire et de butin, il voulut annexer les provinces occidentales de l'Empire parthe, mais fut vaincu à Carrhes et assassiné (~ 53).

CRATÈS, en gr. **Kratês.** ♦ Poète comique et acteur athénien contemporain de Cratinos (milieu du ~ Ve s.). Il est considéré comme le premier auteur comique attique à abandonner les attaques politiques et personnelles et à introduire des sujets généraux, des allégories mythologiques, philosophiques, etc. Quelques fragments de ses comédies sont conservés.

CRATI. *n. m.* ♦ Fleuve d'Italie méridionale arrosant la Calabre* (89 km). Né dans le massif de la Sila, il se jette dans le golfe de Tarente.

CRATINOS. ♦ Poète comique athénien (~ Ve s.), le plus célèbre des prédécesseurs d'Aristophane*. Sa verve satirique fustigea dans ses vingt et une pièces les ridicules de son temps ainsi que ses propres faiblesses. Sa dernière comédie, *La Bouteille* (~ 423), dont il nous reste des fragments, l'emporta sur *Les Nuées* d'Aristophane.

Cratyle (le) en gr. **Kratulos.** ♦ Sur la justesse des noms. Dialogue platonicien. Contre Hermogène, pour qui le langage dérive d'une convention, Socrate soutiendra que les mots expriment la véritable nature des choses en s'appuyant sur une série d'étymologie (souvent fantaisistes). Mais à Cratyle, qui soutient la thèse de la dénomination naturelle, Socrate objectera cette fois que la concordance entre les mots et les choses n'est pas parfaite. À une simple réflexion sur les noms, il opposera la connaissance du réel (c.-à-d. les essences immuables). Critiquant successivement la théorie du caractère conventionnel du langage soutenue par Hermogène puis la thèse de la dénomination naturelle de Cratyle, Socrate oppose à une simple réflexion sur les noms le problème de la connaissance du réel (c.-à-d. des essences).

CRAU. *n. f.* ♦ Plaine caillouteuse des Bouches*-du-Rhône, à l'E. du Grand Rhône* ; elle est située à l'emplacement de l'ancien delta de la Durance*. Le N. de la plaine, la *Petite Crau*, est devenu un lieu de riches cultures et de prairies grâce à l'irrigation; le S., ou Grande Crau, est parcouru par les moutons. L'aménagement de la Durance favorisera une mise en valeur plus complète de la région.

CRAVANT. ♦ Comm. de l'Yonne (arr. d'Auxerre), dans l'Auxerrois*, sur la r. d. de l'Yonne. 755 hab. Ruines de remparts. Tour de l'Horloge (XIVe s.). Église des XVe et XVIe siècles. – Indus. du bois. ♦ *Hist.* En 1423, la bataille de Cravant opposa les troupes françaises aux Anglo-Bourguignons.

CRAWLEY. ♦ V. d'Angleterre (Sussex) créée dans la grande banlieue de Londres en 1947 pour décongestionner la capitale. 60 000 hab. Métallurgie, électronique.

CREANGĂ (Ion). Écrivain roumain (Humuleşti, Moldavie, 1837 – Iaşi, 1889). Fils de paysans, prêtre puis instituteur, il fréquenta le groupe *Junimea** (« la Jeunesse ») et fut l'un des créateurs de la prose roumaine moderne. Auteur de *Contes populaires* et de *Souvenirs d'enfance* où se mêlent truculence et réalisme.

Création (Livre de la). ♦ **V.** SEFER YETSIRAH.

Création (Poème de la). ♦ Poème babylonien, datant du premier empire de Babylone dont il transpose le triomphe sur le plan mythico-religieux (~ XIXe-~ XVIIe). Il narre les origines du monde et la lutte de Marduk*, nommé roi des dieux et assumant le rôle de Démiurge, contre Tiamat, la Mère-Abîme et les forces du chaos. Il s'achève sur la création de l'homme par le dieu Éa. **V. Babylone.**

CRÉBILLON (Prosper Jolyot, *sieur de* **Crais-Billon,** dit**).** ♦ Auteur dramatique français (Dijon, 1674 – Paris, 1762). Des intrigues ingénieuses, le sens des coups de théâtre, une versification médiocre caractérisent les neuf tragédies qu'il a laissées. Œuvre princ. : *Zénobie* (1711).

CRÉBILLON (Claude). ♦ Écrivain français (Paris, 1707 – 1777). Auteur de romans licencieux (*Le Sopha, conte moral,* 1745), qui lui valurent quelques années d'emprisonnement, il manifesta son esprit et son goût des analyses psychologiques dans les *Égarements du cœur et de l'esprit ou Mémoires de M. de Meilcour* (1736), où il retrace l'éducation sentimentale et les attachements successifs d'un jeune gentilhomme. Écrit avec élégance et assorti de fines maximes, cet ouvrage est également intéressant par la peinture exacte qu'il nous offre de la société du XVIIIe siècle.

CRECQUILLON (Thomas). ♦ Compositeur flamand (? – Béthune, 1557). Maître de chapelle à la cour de Charles Quint, à Bruxelles, il a laissé une œuvre abondante (messes, motets, psaumes, chansons). Il fut l'un des maîtres de l'école franco-belge au XVIe siècle.

CRÉCY-EN-BRIE. ♦ Ch.-l. de cant. de Seine-et-Marne, arr. de Meaux, sur le Grand Morin. 1 008 hab. Vestiges d'enceinte. Église Saint-Georges (XVIIIe s.).

CRÉCY-EN-PONTHIEU. ♦ Ch.-l. de cant. de la Somme* (arr. d'Abbeville*), près de la *forêt de Crécy.* 1 398 hab. *(Crécéens).* ♦ *Hist.* C'est à Crécy au début de la guerre de Cent Ans (1346) que Philippe VI de France fut battu par Édouard* III d'Angleterre.

Crédit foncier de France. ♦ Institution semi-publique créée en décembre 1852. Il favorisa la politique immobilière et agricole du Second Empire.

Crédit industriel et commercial *(Société générale de).* ♦ Établissement bancaire fondé sous le Second Empire (1859) et qui devint rapidement une banque de dépôts à base fédérative (regroupant 19 établissements de crédit).

CREIL. ♦ Ch.-l. de cant. de l'Oise* (arr. de Senlis*) sur les bords de l'Oise*. 34 128 hab. *(Creillois).* Forme avec sa banlieue, Montataire*, un important centre ferroviaire et industriel (brasseries, fonderies, chaudronneries, machines agricoles, tréfileries). Centrale thermique. Église gothique (XIIIe s.).

CRELLE (August Leopold). ♦ Ingénieur allemand (Eichwerder, près de Wriezen, Prusse, 1780 – Berlin, 1855). Il participa à la construction de la plupart des voies de communication de la Prusse et fonda un journal mathématique dont le rôle diffuseur fut important.

Arch. Rencontre

La **Bataille de Crécy.** Jean Froissart, Chroniques. (Bibliothèque nationale, Paris.)

CRÉMAZIE (Octave). ♦ Écrivain canadien d'expression française (Québec, 1827 – Le Havre, 1879). Libraire à Québec, il fut contraint à l'exil, à la suite d'une accusation de faux, et mourut en France, solitaire. Considéré comme le chef de file du romantisme canadien et le fondateur de l' « école de Québec », il chanta dans des poèmes d'inspiration patriotique son attachement à la France et sa nostalgie d'un passé glorieux. Outre ses poésies, ses *Œuvres complètes* (posth., 1882) contiennent un intéressant *Journal du siège de Paris* et sa *Correspondance.*

CRÉMIEU. ♦ Ch.-l. de cant. de l'Isère* (arr. de La Tour*-du-Pin), près de l'*île Crémieu.* 2 552 hab. V. anc. conservant de nombreux monuments des XVe et XVIe s. (château, tour de l'Horloge, halles, porte...). Église des XIVe-XVIe s. – Tracteurs; indus. du caoutchouc.

CRÉMIEUX (Isaac Moïse, dit **Adolphe).** ♦ Homme politique français (Nîmes, 1796 – Paris, 1880). Avocat, député d'opposition (1842), il fut ministre de la Justice dans le gouvernement provisoire après la révolution* de février 1848. Élu à l'Assemblée constituante (avril 1848), il siégea avec la gauche tout en soutenant la candidature de Louis-Napoléon Bonaparte à la présidence. Réélu à l'Assemblée législative (mai 1849), il prit position contre la politique du prince-président et fut emprisonné après le coup d'État du 2 décembre 1851. Député d'extrême gauche en 1869, il fut nommé ministre de la Justice dans le gouvernement de Défense nationale après la chute de l'Empire et, de confession israélite, fit adopter le décret (dit *décret Crémieux)* attribuant la citoyenneté française aux Juifs d'Algérie (1870). Il fut également l'un des fondateurs de l'Alliance israélite universelle.

CRÉMIEUX (Gaston). ♦ Avocat et homme politique français (Nîmes, 1836 – Marseille, 1871). Avocat à Aix-en-Provence, il milita sous l'Empire dans l'opposition républicaine et fut condamné à plusieurs reprises. En mars 1871, il tenta de jouer un rôle conciliateur comme président de la Commission départementale de la Commune de Marseille; après l'écrasement de celle-ci (4 avril 1871), il fut condamné à mort et fusillé.

CREMONA (Luigi). ♦ Mathématicien et homme politique italien (Pavie, 1830 – Rome, 1903). Il participa à la guerre de l'Indépendance italienne (1848) et fut ministre de l'Instruction publique (1898). Fondateur de l'école géométrique italienne, il étudia particulièrement les transformations géométriques et le calcul graphique **V.** *aussi* **C. Segre, Steiner.**

CRÉMONE, en it. **Cremona.** ♦ V. d'Italie septentrionale (Lombardie), sur le Pô. Ch.-l. de province. 80 000 hab. Campanile du XIIIe s., dit « Torrazzo ». À partir du XVIe s., Crémone se signala par la fabrication d'instruments de musique (violons). Patrie de plusieurs dynasties de luthiers célèbres (les Amati, Guarneri, Malpighi, Stradivarius). ♦ *Hist.* Occupée par les Français en 1702 (guerre de la Succession d'Espagne), 1796 à 1800, elle passa à l'Autriche de 1814 à 1859.

CRÉON [kreɔ̃n]. ♦ Roi légendaire de Thèbes*, frère de Jocaste*. Régnant après l'exil d'Œdipe, il prend parti pour Étéocle* et contre Polynice* dans la lutte pour la succession. Les deux frères s'étant entretués lors de la guerre dite des Sept Chefs, il interdit l'ensevelissement de Polynice et fait enterrer vive Antigone* qui ose transgresser ses ordres. **V. Antigone, Œdipe roi** (tragédies de Sophocle). – Roi légendaire de Corinthe* qui accueille Jason* et Médée* chassés d'Iolcos. Il périt en essayant de sauver sa fille Créüse*.

CRÉON. ♦ Ch.-l. de cant. de la Gironde*, arr. de Bordeaux*. 1 594 hab. Anc. bastide, cap. de l'Entre-deux-Mers, (vignobles), marché agricole important.

CRÉPIN et **CRÉPINIEN** *(saints).* ♦ Selon la légende (Xe s.?), deux frères cordonniers martyrs à Soissons en 287. Leur culte comme patrons des cordonniers se répandit au Moyen Age, avec les corporations et confréries. Cependant, le culte des saints *Crispus* et *Crispinianus* (dont on ne sait rien) est attesté à Soissons dès le VIe s. par Grégoire de Tours. – Fête le 25 octobre.

Crépuscule des Dieux (Le). ♦ **V.** TÉTRALOGIE.

CRÉPY-EN-LAONNOIS [-lɔnwa]. ♦ Comm. de l'Aisne, arr. de Laon. 1 598 hab. ♦ *Hist.* Le 18 septembre 1544, François Ier et Charles Quint y conclurent un traité de paix. Charles Quint y renonçait au duché de Bourgogne, contre une renonciation de la France à la Flandre et à l'Artois, au Milanais, à Naples et à l'Aragon.

CRÉPY-EN-VALOIS. ♦ Ch.-l. de cant. de l'Oise*, arr. de Senlis*. 8 699 hab. *(Crépynois).* Anc. cap. du Valois*. Petites indus. Engrais.

CRÉQUI. ♦ Famille originaire de l'Artois, illustrée surtout par : CHARLES DE CRÉQUI (1578 – 1638), maréchal de France. Il fit campagne sous Louis XIII contre les Espagnols en Italie et fut tué en Piémont. ♦ Son fils, CHARLES (1623 – 1687), ambassadeur à Rome, subit une insulte dont Louis XIV exigea une réparation éclatante. ♦ FRANÇOIS, frère du précédent (1624 – 1687), duc de Lesdiguières, fut maréchal de France.

CRESCAS (Hasdai). ♦ Philosophe juif espagnol (Barcelone, 1340 – Saragosse, v. 1412). Il occupa des fonctions à la cour d'Aragon, géra les affaires juives et contribua au rétablissement des siens après les émeutes antisémites (1391). Auteur de *La Lampe de Dieu* (*Ner Elohim,* incomplet), où il réfute les positions aristotéliciennes de Maïmonide*.

CRESCENT *(barrage du).* ♦ Barrage sur la Cure. Il est utilisé pour la production d'énergie et pour régulariser le débit de la Seine. Usine hydro-électrique. – Tourisme dans la région.

CRESCENTII en it. **Crescenzi.** ♦ Famille de patriciens romains

Ph. Carlo Bevilacqua/Ricciarini

Crète : le palais de Cnossos, la corne de taureau, emblème du roi Minos.

qui joua un rôle dans les luttes dont la papauté était l'enjeu (Xe-XIe s.). ♦ CRESCENTIUS, fils de Théodora la Jeune, de la famille des Théophylacte ([mort] v. 984). Il fit étrangler le pape Benoît VI en 974 et le remplaça par l'antipape Boniface VII. ♦ JOHANNES CRESCENTIUS NOMENTANUS, son fils ([mort] 998). En opposition au pape Grégoire V, il fit élire à sa place l'antipape Jean XVI (997), mais fut assiégé au château Saint-Ange par l'empereur germanique Othon III et exécuté. ♦ JOHANNES CRESCENTIUS, son fils ([mort] 1012). Il joua un rôle important à Rome, notamment à la mort du pape Serge IV (1012).

CRESPI (Giuseppe Maria, dit **lo Spagnolo).** ♦ Peintre, dessinateur et aquafortiste italien (Bologne, 1665 — *id.*, 1747). Il fut surtout marqué par la tradition picturale bolognaise et poursuivit sa formation à Venise, Modène, Parme, Urbino et Rome. Il peignit de nombreuses compositions religieuses *(Les Sept Sacrements)*, de grandes décorations mythologiques et allégoriques *(Les Dieux et les Saisons*, 1691). Amateur de clair-obscur, il en exploita les effets dramatiques et utilisa une gamme chromatique où dominent les coloris bruns et chauds. Il exécuta surtout de nombreuses scènes de genre et bambochades dont il aimait souligner le pittoresque un peu sordide *(La Chercheuse de puces*, vers 1707). Son sentiment de la réalité annonce parfois le réalisme du XIXe siècle.

CRESSENT (Charles). ♦ Ébéniste, sculpteur, collectionneur français (Amiens, 1685 — Paris, 1768). Fils et petit-fils de sculpteurs et ébénistes, il se fixa à Paris probablement vers 1710 et devint en 1714 membre de l'Académie de Saint-Luc. En 1715, il reçut la charge d'ébéniste du duc d'Orléans et travailla ensuite pour les cours étrangères. Il conçut et réalisa des meubles très divers (bureaux, commodes, chaises, armoires, etc.). Il contribua à infléchir le style Louis XIV vers plus de grâce et d'élégance en adoptant les motifs rocailles, notamment sous l'influence de Oppenhordt et Watteau *(médaillier* de la Bibliothèque nationale). Il accorda une grande importance à la marqueterie et au placage, mais surtout aux ornements chantournés en bronze doré pour lesquels il fit preuve d'une imagination pleine de fantaisie. Vers 1730, il subit l'influence de la mode antiquisante et revint à plus de simplicité.

CRESSIER. ♦ V. de Suisse (cant. de Neuchâtel). 1 200 hab. Maisons du XVIe s., château du XVIIe siècle. Raffinerie de pétrole.

CREST [kʀɛ]. ♦ Ch.-l. de cant. de la Drôme (arr. de Die*), sur la Drôme*. 7 812 hab. *(Crestois)*. Donjon du XIIe s. haut de 45 m; vieille ville pittoresque. — Indus. alimentaires; confection, cartonnages, moulinage de la soie.

CRÉSUS. ♦ Roi de Lydie* (v. ~561-~546). Il devait ses richesses fabuleuses aux sables aurifères du Pactole*. Sardes*, sa capitale, attirait les intellectuels et les curieux. Ésope* et Solon* l'auraient visitée. Ce dernier, dit-on, voyant l'opulence de son hôte, lui fit remarquer : « Ne dis personne heureux avant sa fin ». Or, après de nombreuses victoires, Crésus, vaincu par Cyrus* le Grand et condamné à mourir sur le bûcher, s'en souvint et prononça le nom du sage. Cyrus, informé sur la cause de cette évocation, apprécia l'avertissement, épargna Crésus et en fit son ami.

CRÈTE, en gr. **Kriti**. ♦ Île de Grèce, l'une des plus grandes de la Méditerranée, entre la mer Égée* au N. et la mer de Libye au S. 8 259 km²; 483 258 hab. *(Crétois)*. *Cap.* **V. Candie.** *V. et loc. princ.* **V. Canée (La), Cnossos, Gortyne, Phaistos.** — Partie de l'arc insulaire qui relie le Péloponnèse à l'Asie Mineure, l'île est dominée par une longue chaîne montagneuse culminant au mont Ida* (2 456 m) et laissant des plaines étroites sur le littoral (cultures : oliviers, vignes, orangers). ♦ *Hist.* Habitée au néolithique, l'île fut, semble-t-il, envahie au milieu du ~III e millénaire par un peuple d'origine probablement anatolienne qui apporta sa civilisation : technique du bronze, architecture avancée, culte de la déesse mère. Les découvertes d'A. Evans depuis 1900 ont inauguré les recherches crétoises, modifiant essentiellement l'idée qu'on se faisait de l'antiquité préhellénique. La civilisation dite minoenne, composante de la civilisation égéenne (Cyclades*, Crète-Mycènes*), atteignit son apogée à l'*époque des palais* (~1900-~1400) : Cnossos, Phaistos, Tylissos, Mallia, Haghia, Triada, Zakro. Le fond historique des légendes fut confirmé **(V. Héraclès, Minotaure, Dédale, Icare, Labyrinthe, Ariane).** L'apogée de la Crète (~XVIe-~XVe s.) coïncide avec la dynastie des Minos* et la prépondérance de Cnossos : suprématie maritime s'étendant jusqu'à la Grèce achéenne et à Chypre*, art palatial, écriture « linéaire B ». L'effondrement de cet empire v. ~1400, dont le mythe de Thésée* est peut-être un symbole, fait l'objet d'hypothèses plus ou moins faibles (dont celle d'un terrible séisme), mais coïncide avec la présence achéenne dans l'île **(V. Idoménée)**, l'épanouissement de Mycènes et la confusion des deux civilisations. Déjà dépendante du continent, l'île fut envahie par les Doriens* v. ~1100. — Le rôle de la Crète dans les affaires helléniques fut secondaire **(V. Néarque)**. Gortyne* était le centre le plus important. Soumise à Rome (~68-~63) après une période de guerres intérieures, l'île fut enlevée aux Byzantins par les Arabes en 823. Nicéphore* Phocas la reconquit en 961. Lot de Boniface de Montferrat* lors du partage de l'Empire byzantin par les croisés (1204), la Crète fut vendue par lui à Dandolo*. Base commerciale et militaire avancée de Venise*, résistant pendant quatre siècles et demi aux tentatives des Génois, aux révoltes et aux assauts turcs, l'île connut un développement urbain et une renaissance culturelle : architecture, école crétoise de peinture byzantine, etc. **(V. Greco** [le], **Érotocritos).** Conquise progressivement par les Turcs de 1644 à 1669, après la longue résistance de Morosini* à Candie, l'île se révolta en 1821, 1866 et 1896-1897 pour enfin devenir autonome sous le prince Georges* de Grèce. Après l'insurrection de 1905, l'union à la Grèce, proclamée par le coup d'État de Vénizelos* (1908), est devenue effective en 1913.

CRÉTEIL. ♦ Préf. du Val-de-Marne, ch.-l. d'arr. (23 cant., 33 comm. 818 120 hab.), sur la Marne, au S.-E. de Paris. 49 233 hab. *(Cristoliens)*. Église Saint-Christophe en partie des XIIe et XIIIe siècles. Évêché. — Matériaux de construction. — Le *nouveau Créteil*, conçu par l'architecte Fayeton, comprend l'hôpital Henri-Mondor, la préfecture et sera complété par d'autres installations (université, palais de Justice, maison de la culture, équipement sportif). — Créteil fut le siège du groupe littéraire de l'« Abbaye »*.

CREULLY. ♦ Ch.-l. de cant. du Calvados*, arr. de Caen. 817 hab. Château des XIIe-XVIe siècles. Laiteries. Patrie de Ch. Decaen.

CREUS ou **CREUZ** *(cap)*. ♦ Cap de l'extrémité N.-E. de l'Espagne, sur la côte catalane, près de la frontière française.

CRÉÜSE, en gr. **Kreousa**. ♦ Princesse légendaire d'Athènes, fille d'Érechthée*. De son union avec Apollon*, elle enfante Ion*, puis elle épouse Xouthos* dont elle a un fils, Achaios*. — Personnage de *Médée** d'Euripide. Fille de Créon*, roi de Corinthe, elle épouse Jason*. Médée*, abandonnée, se venge en lui envoyant comme cadeau de noces une tunique empoisonnée qui s'enflamme sur son corps et la consume. — Personnage de l'*Énéide* de Virgile, fille de Priam* et d'Hécube* et épouse d'Énée* dont elle a un fils, Ascagne*. La nuit de la chute de Troie*, égarée dans la confusion, elle est enlevée par Aphrodite, puis elle apparaît à son mari et lui annonce que la déesse ne voulait pas la laisser quitter la Phrygie.

CREUSE. *n.f.* ♦ Riv. du Berry et du Limousin, affl. de la Vienne* (255 km). Elle prend sa source au plateau de Millevaches et traverse Aubusson*, Argenton et Le Blanc; elle conflue en aval de Châtellerault*.

CREUSE *(dép. de la)* **[23]**. ♦ Dép. du N.-O. du Massif Central formé de la Combrailles, du Franc-Allen et de parties de la Marche, du Berry, du Limousin et du Bourbonnais. 5 606 km². Région du Limousin*. — *Orogr.* Monts de la Marche, plateau de Gentioux. ♦ 264 comm., 25 cant. 161 709 hab. *(Creusois)*. *Préf.* Guéret*, *sous-préf.* Aubusson*. *Ch.-l. de cant.* : Ahun*, Auzances*; Bellegarde-en-Marche, 413 hab.; Bénévent*-l'Abbaye; Bonnat, 1 535 hab.; Bourganeuf*; Boussac*; Chambon-sur-Voueize*; Châtelus-Malvaleix, 710 hab.; Chénérailles*; Courtine-le-Trucq* (La); Crocq*; Dun-le-Palestel, 1 260 hab.; Évaux-les-Bains*; Felletin*; Gentioux, 430 hab.; Grand*-Bourg (Le); Guéret*; Jarnages, 512 hab.; Pontarion, 419 hab.; Royère-de-Vassivière, 771 hab.; Saint-Sulpice-les-Champs, 496 hab.; Saint-Vaury, 2 669 hab.; Souterraine* (La). — *Autre comm.* **V. Faux-la-Montagne.**

CREUSOT (Le). ♦ Ch.-l. de cant. de la Saône-et-Loire (arr. d'Autun), dans la dépression de « Dheune-Bourbince ». 34 109 hab. [*Creusotins*] (l'aggl. compte 41 454 hab. avec Le Breuil, Montcenis, Saint-Sernin-du-Bois, Torcy). — L'industrie, née de la houille au XVIIIe s., prit son essor en 1836 avec les frères Schneider* (production de fonte, puis, vers 1867, d'acier). En 1949, la *Société des forges et ateliers du Creusot* devint l'une des trois filiales de la société Schneider et Cie. Auj., la S.F.A.C. et la C.A.F.L. (Compagnie des ateliers et forges de la Loire) forment la *Société Creusot-Loire*, qui s'oriente vers la sidérurgie (aciers spéciaux) et vers la mécanique (machines-outils).

CREUTZ (Gustaf Filip). ♦ Poète, diplomate et haut fonctionnaire suédois (Anjala, Finlande, 1731 — Stockholm, 1785). Les critiques, notamment Tegner*, ont toujours souligné l'influence de la Finlandes, son pays natal, dans son œuvre. Il fut ambassadeur à Madrid et à Paris (1765-1783), président de la Chancellerie royale et de l'Académie des sciences. Il représente le goût classique français dans ses poèmes érotiques, mais jamais grivois, comme *Une question* (1754) ou *Daphné* (1762), et proclame dans *Atis et Camilla* (1762) que l'amour est supérieur aux décrets divins. Ses descriptions réalistes de la nature nordique, dans ce dernier poème et dans *Un chant d'été* (1756), annoncent le romantisme.

CREUTZWALD. ♦ Comm. de la Moselle, arr. de Boulay-Moselle. 14 471 hab. Centre minier; métallurgie.

CREUZÉ DE LESSER (Augustin François, *baron***).** ♦ Écrivain français (Paris, 1771 – Magny-en-Vexin, 1839). Administrateur qui remplit de hautes charges sous le Premier Empire et la Restauration, auteur de comédies (*Le Secret du ménage,* 1809) et de livrets d'opéra, Creuzé de Lesser joua un rôle notable dans l'avènement du romantisme en contribuant à répandre en France la connaissance des littératures étrangères et le goût des légendes médiévales; il composa des poèmes épiques (*Les Chevaliers de la Table ronde,* 1812; *Amadis de Gaule,* 1813; *Roland,* 1814), traduisit *Les Brigands* de Schiller* et, surtout, révéla le *romancero,* avec ses *Romances du Cid ou Le Cid, romances espagnoles imitées en romances françaises* (1814).

CREUZER (Friedrich). ♦ Érudit et philologue allemand (Marburg, 1771 – Heidelberg, 1858). Professeur à Heidelberg et membre du « cénacle romantique », on lui doit des travaux sur la littérature et la mythologie antique (*Symbolique et Mythologie des peuples de l'Antiquité et surtout des Grecs,* 1810-1812; *Dionysos,* 1808; *Lettres sur Homère et Hésiode,* 1818) et une édition des œuvres de Plotin **(V. C. de Günderode).**

CREVAUX (Jules). ♦ Explorateur français (Lorquin, Moselle, 1847 – dans le Chaco, 1882). Médecin de la marine détaché en Guyane, il explora les affluents de gauche de l'Amazone, puis en Colombie (1879) le río Magdalena et le Cassiquiare jusqu'à l'Orénoque. Il fut tué par les Indiens lors de l'exploration du río Pilcomayo (*Voyages dans l'Amérique du Sud,* 1883).

CRÈVECŒUR (Philippe *de***).** ♦ Homme de guerre français ([mort] 1494). D'abord au service de Charles le Téméraire, il passa au service de Louis* XI (1477) et signa sous Charles VIII le traité d'Étaples* avec l'Angleterre.

CREVECŒUR (Michel Jean *de***).** ♦ Mémorialiste franco-américain (Caen, 1735 – Sarcelles, 1813). Il partit rejoindre Montcalm au Canada, puis s'établit définitivement comme fermier dans la colonie de New York dont il devint citoyen (1765) et où il prit le nom de J. Hector Saint-John, donné par la suite à une ville du Vermont (Saint Johnsbury) en son honneur. Il rentra en Europe pendant la guerre d'Indépendance et publia à Londres d'abord, puis à Paris, en traduction, les *Lettres d'un cultivateur américain* (1784) très appréciées des écrivains français de l'époque, où il décrit la vie dans le Nouveau Monde. Il fut nommé consul de France à New York, et entretint des relations avec Franklin, Jefferson et Washington. Lorsqu'il revint en Amérique, après la guerre, sa femme était morte, ses enfants dispersés et sa ferme incendiée.

CRÈVECŒUR-LE-GRAND. ♦ Ch.-l. de cant. de l'Oise*, arr. de Beauvais*. 2 859 hab. Château du XVe s., église du XVIe siècle. Tissage.

CREVEL (René). ♦ Écrivain français (Paris, 1900 – *id.* 1935). Il appartint au groupe surréaliste et prit une part active à ses diverses manifestations. Les ouvrages qu'il a publiés sont le reflet d'un esprit hanté par l'impuissance d'une révolte qui ne trouve d'apaisement que dans le sadisme et la violence et pour qui la folie, vraie ou feinte, est la forme suprême de la protestation. Obsédé par le goût de la mort, ivre de solitude, désespéré par la rupture entre le surréalisme et le matérialisme marxiste, il devait s'affranchir de sa dramatique existence par le suicide. Princ. œuvres : *Détours* (1924), *Mon corps et moi* (1925), *La Mort difficile* (1927), *Êtes-vous fous?* (1929), *Les Pieds dans le plat* (1933).

CRICK (Francis Harry Compton). ♦ Biochimiste anglais (Northampton, 1916 –). Il obtint avec J.D. Watson* et M.H.F. Wilkins* le prix Nobel de médecine (1962) pour la découverte de la structure chimique en double hélice de la molécule d'acide désoxyribonucléique (A.D.N.) des chromosomes et du mécanisme de sa duplication lors de la mitose, qui permit de comprendre la transmission de l'information génétique (*General Nature of the genetic code for proteins,* 1961).

CRILLON (Louis de Balbes de Berton de Crillon). ♦ Homme de guerre français (Murs, 1541 – Avignon, 1615). Un des plus brillants capitaines de son temps, il servit Henri II, François II, Charles IX, Henri III et enfin Henri IV, qui l'estimait beaucoup. Il combattit à Lépante*, sous les ordres de don Juan* d'Autriche, et prit part aux guerres de Religion, mais refusa d'assassiner le duc de Guise*.

CRIMÉE. *n.f.,* en russe **Krym.** ♦ Presqu'île d'U.R.S.S. (Ukraine*) reliée au continent par l'isthme de Perekop* et baignée à l'O. et au S. par la mer Noire*. Elle se prolonge à l'E. par la presqu'île de Kertch*, qui sépare en partie la mer d'Azov* de la mer Noire. Elle forme une région de l'Ukraine (27 000 km², 1 727 000 hab.). *Ch.-l.* Simféropol*. *V. princ.* Sébastopol. – Constituée dans sa majeure partie (4/5) par une plaine steppique, la région est dominée dans sa partie méridionale par les *monts de Crimée* (point culminant 1 545 m) qui longent le littoral et abritent un grand nombre de stations thermales et balnéaires (Yalta*, Feodossia). Le littoral, de type méditerranéen, est favorable aux cultures subtropicales (vignobles, vergers, agrumes, tabac), tandis que le N., partiellement irrigué grâce au canal de Kakhovka, est réservé à la culture du blé et à l'élevage ovin. Le développement récent de l'indus. est lié à l'extraction du minerai de fer de la presqu'île de Kertch (métallurgie à Kertch, Sébastopol, Simféropol) et à l'implantation d'entreprises vinicoles et de conserveries (légumes, fruits, poissons). Le tourisme est très actif. ♦ *Hist.* Connue dans l'Antiquité sous le nom de *Chersonèse* Taurique,* et habitée alors par les Cimmériens, la Crimée fut colonisée par les Grecs (~ VIe s.) qui y établirent des comptoirs commerciaux et fondèrent v. ~ 480 le royaume du Bosphore* cimmérien, qui passa sous protectorat romain en ~ 47. Elle fut successivement occupée par les Goths, les Huns, les Khazars, les Russes **(V. Vladimir Ier),** les Coumans, puis par les Tatars qui y organisèrent un khanat indépendant et reconnurent la suzeraineté ottomane (1475). Les Génois y avaient fondé, à partir de 1275, de nombreux comptoirs sur la côte, qu'ils durent abandonner en 1475. Après la première guerre russo-turque (1768-1774), la Crimée, rendue indépendante par le traité de Kutchuk-Kaïnardji, fut annexée par la Russie en 1783, et Potemkine* y aménagea la puissante forteresse et base navale de Sébastopol **(V.** *ci-dessous,* **Crimée** [guerre de]**).** Lors de la guerre civile qui suivit la révolution de 1917, elle fut le dernier refuge des armées blanches de Denikine* et Wrangel* (1920). Érigée en république autonome en 1922, elle fut occupée par les Allemands en oct.-nov. 1941, à l'exception de Sébastopol prise par von Manstein en juil. 1942. La Crimée fut reconquise par les Soviétiques (notamment Tolboukine) en avr.-mai 1944, et les Tatars favorables aux Allemands furent déportés en Sibérie. En 1954, la région fut englobée dans la république d'Ukraine.

CRIMÉE *(guerre de).* ♦ Conflit qui opposa, de 1854 à 1855, la Russie à une coalition formée par la Turquie, la Grande-Bretagne, la France et la Sardaigne et qui se termina par la défaite des Russes et par le traité de Paris (1856). Les ambitions rivales anglo-russes en Orient et le prétexte de la querelle entre Napoléon* III et le tsar Nicolas* Ier à propos de la possession des Lieux saints, mêlés à la question d'Orient*, furent à l'origine du conflit. Devant le refus du sultan Abdul* Medjid de reconnaître le protectorat du tsar sur les orthodoxes de l'Empire ottoman, les Russes occupèrent les principautés moldo-valaques et détruisirent une flotte turque à Sinope* (1853), provoquant ainsi l'alliance franco-anglaise avec la Turquie et l'intervention en Crimée. Les alliés, sous les ordres de Saint*-Arnaud et de lord Raglan*, débarqués à Eupatoria* (14 sept. 1854), battirent les Russes commandés par Menchikov* à l'Alma* (20 sept.) et assiégèrent Sébastopol*, défendu par Totleben*, durant un an. Parallèlement, la flotte franco-anglaise détruisit la forteresse de Bomarsund dans la Baltique (1854) tandis qu'Odessa fut bombardé. La campagne, marquée par les batailles de Balaklava*, Inkerman*, Tchernaïa, s'acheva après l'assaut victorieux de la tour Malakoff* (sept. 1855) qui entraîna la chute de Sébastopol. La guerre de Crimée, où s'illustrèrent de nombreux soldats français **(V. Bosquet, Bruat, Canrobert, Hamelin, Mac-Mahon, Pélissier),** contribua à consolider le régime du Second Empire et entraîna en Russie une série de réformes sociales, dues à Alexandre* II, empereur depuis 1855.

Crime et Châtiment. ♦ Roman de F. Dostoïevski* (1866). Le héros, Raskolnikov, prouve par orgueil son indépendance et son droit à disposer de lui-même en tuant. Puis une puissance intérieure le pousse à se dénoncer afin d'être l'objet d'un châtiment librement consenti. Finalement l'éveil de son amour pour Sonia lui fera découvrir une autre vie plus proche de l'enseignement de l'Évangile.

CRIPPS (*sir* **Richard, Stafford).** ♦ Homme politique britannique (Londres, 1889 - Zurich, 1952). Membre du parti travailliste, élu député aux Communes en 1931, il représentait l'aile gauche du parti. Attlee* le nomma ministre du Commerce (1945-1947), puis Chancelier de l'Échiquier (1947-1950). Voulant restaurer l'économie britannique, il se fit le champion de la politique d'austérité et s'efforça d'équilibrer le budget par une politique fiscale plus efficace.

Ph. A.P.N.

Crimée : Sébastopol.

Ph. Carlo Bevilacqua/Ricciarini

C. Crivelli : « La Pietà ». (La Brera, Milan.)

CRIŞ, en hongr. **Körös**. *n. m.* ♦ Nom de trois rivières d'Europe centrale parcourant la Roumanie (Transylvanie) et la Hongrie. Nés en Transylvanie occidentale, dans le massif du Bihor, le *Criş Rapide (Crisul Repede)*, le *Criş Noir (Crisul Negru)* et le *Criş Blanc (Crisul Alb)* rejoignent la Tizsa (Hongrie) sous le nom de Körös. Le bassin du Criş correspond à une région. **V. Crişana.**

CRIŞANA. *n. f.* ♦ Région de Roumanie nord-occidentale correspondant au bassin des trois Criş*. *Ch.-l. :* Oradea*.

Crise économique de 1929. ♦ Crise économique déclenchée le 24 octobre 1929 (*Black Thursday,* jeudi noir) à la suite du krach boursier de Wall Street. Née de la surproduction industrielle et du développement illimité du crédit et de la spéculation aux États-Unis (politique de Hoover*), elle se répercuta rapidement en Amérique latine et dans de nombreux pays européens (Allemagne, Grande-Bretagne, France). Par ses manifestations (baisse de la production, baisse des prix, effondrement des valeurs boursières, faillites et chômage), par ses conséquences économiques (dirigisme, concentration industrielle) et par ses prolongements sociaux et politiques (apparition du nazisme, par ex.), cette crise, qui ébranla profondément les structures du capitalisme libéral, constitue l'un des événements les plus importants de l'histoire de la première moitié du XXe siècle **(V. États-Unis, Allemagne, France** [Hist.]).

CRISPI (Francesco). ♦ Homme politique italien (Ribera, Agrigente, 1819 – Naples, 1901). Ayant participé à la révolution de 1848 contre les Bourbons de Sicile, il fut obligé de s'exiler et, pendant une dizaine d'années, séjourna dans plusieurs villes d'Europe. À Londres et à Paris en particulier, il mena une propagande active pour la cause de l'unité italienne. En 1860, de retour en Sicile, il organisa avec Garibaldi l'expédition des *Mille** (5 mai 1860) et devint ministre dans le gouvernement sicilien qu'ils instaurèrent. Il s'opposa violemment à l'annexion de la Sicile par la monarchie piémontaise puis, entré au Parlement en 1861 dans l'extrême gauche, il se rallia officiellement à Victor*-Emmanuel II, ce qui représenta une étape importante dans la consolidation du nouvel État italien. Président de la Chambre en 1876 et ministre de l'Intérieur en 1877, puis éloigné de la vie politique à la suite d'un scandale familial, il fut rappelé en 1887 comme ministre de l'Intérieur par Déprétis. À la mort de celui-ci, il devint Premier ministre. Sa politique intérieure, de plus en plus personnelle (il négligeait, par exemple, de réunir le Parlement ou le dissolvait à son gré), déchaîna le mécontentement et donna un extraordinaire essor aux mouvements socialistes et anarchistes qu'il réprimait durement. À l'extérieur, son admiration pour Bismarck lui fit resserrer les liens de la Triple-Alliance et adopter une politique agressive envers la France, en particulier dans le domaine des tarifs douaniers. Son souci majeur fut de doter l'Italie d'un empire colonial : il voulut imposer le protectorat italien à l'Éthiopie (défaite d'Adoua*). Il était poursuivi depuis quelque temps pour détournement de fonds, et le désastre d'Adoua mit définitivement fin à sa carrière. Il fut très critiqué de son vivant mais sa dictature devint pour beaucoup synonyme d'ordre et de grandeur impériale, au point que Mussolini vit en lui le précurseur du fascisme.

Crispin. ♦ Personnage de la commedia dell'arte, valet fripon et bravache. Dans *Crispin, rival de son maître,* comédie en un acte et en vers de Lesage* (1707), le héros tente une audacieuse escroquerie. – Regnard*, dans le *Légataire* universel* (1708), dote Crispin d'un amour immodéré de l'argent.

CRISTAL *(monts de)*. ♦ Massif cristallin du Gabon* qui débute au Río* Muni et isole le bassin du moyen Ogooué.

CRISTÓBAL. ♦ Port de la république de Panamá, à l'embouchure du *canal* sur l'Atlantique (mer des Antilles). Il fut construit par les Américains pour doubler le port de Colón*.

CRISTOFORI (Bartolomeo). ♦ Facteur de clavecins italien (Padoue, 1655 – Florence, 1731). Il fut l'inventeur du piano forte que Silbermann perfectionna.

CRITIAS. ♦ Homme politique athénien (mort ~ 403). Élève de Socrate, poète et orateur, il fut le chef le plus brillant du parti oligarchique et l'un des Trente* tyrans imposés par les Spartiates après leur victoire sur Athènes. Chassé par Thrasybule*, il fut tué en essayant de reprendre la ville. Il figure dans les dialogues de Platon*.

Critias (le) ou **Atlantide**. ♦ Dialogue de Platon* inachevé qui fait suite au *Timée** et complète le récit de la lutte qui opposa Athènes aux rois de l'Atlantide.

Critique de la faculté de juger (La). ♦ Ouvrage philosophique de Kant* (1790) qui traite des conditions *a priori* du jugement esthétique et téléologique **(V. Kant)**.

Critique de la raison dialectique (La). ♦ Œuvre philosophique de J.-P. Sartre qui, publiée en 1960, apparaît comme une tentative pour concilier le marxisme, matérialisme historique, et l'existentialisme **(V. Sartre)**.

Critique de la raison pratique (La). ♦ Traité de philosophie morale de Kant* (1788) comprenant deux parties : l'Analytique, étude des principes de la raison pure pratique, et la dialectique, critique des théories morales qui identifient bonheur et vertu dans le concept de Souverain Bien, et formulation des postulats de la raison pratique (immortalité de l'âme, existence de Dieu). [**V. Kant**].

Critique de la raison pure (La). ♦ Traité philosophique de Kant* qui étudie « l'étendue et les limites du pouvoir de la raison indépendamment de l'expérience ». (Première édition, 1781 ; seconde en 1787, augmentée d'une préface importante qui expose les thèses principales du criticisme.) L'œuvre comprend trois parties : Esthétique, Analytique et Dialectique transcendantales **(V. Kant)**.

Critique de l'École des femmes (La). ♦ Comédie en un acte, en prose de Molière* (1663). La nouveauté, la hardiesse de *L'École* des femmes* et son éclatant succès suscitèrent une cabale contre Molière. Inspirée par Corneille, animée par Boursault* et Donneau* de Visé, elle groupait aussi jansénistes et dévôts, ainsi que les comédiens de l'hôtel de Bourgogne. Molière répondit à ces attaques dans *La Critique de l'École des femmes* où les personnages gagnés à sa cause accablent sous le ridicule ses adversaires.

Critique des programmes de Gotha et d'Erfurt. ♦ De Marx* et d'Engels* (1875-1891). Analysant le programme de coalition élaboré par le parti ouvrier social-démocrate **(V. Bebel, Liebknecht,** etc.) et l'Association générale des travailleurs allemands (fondée par Lassalle), Marx en dénonce les tendances qu'il décrit comme lassalliennes, réformistes et nationalistes et affirme la nécessité de la dictature révolutionnaire du prolétariat comme phase transitoire entre la société capitaliste et la société communiste. Au texte qu'il envoya à Bracke* (*Gloses marginales au programme du parti ouvrier,* 1875) et qu'Engels publia en 1891, il faut ajouter les *Lettres* de ce dernier adressées à Bebel, Liebknecht, etc. Au congrès d'Erfurt (1891), c'est la tendance marxiste (projet formulé par Kautsky*) qui l'emporta sur le programme du Comité directeur du parti, critiqué par Engels.

Criton (le), en gr. **Kritôn**. ♦ Dialogue platonicien de la première période sur le devoir du citoyen. Socrate*, en prison et déjà condamné, tente de prouver la nécessité d'obéir aux lois de la cité, même injustes, à Criton venu lui proposer de s'enfuir.

CRIVELLI (Carlo). ♦ Peintre italien (Venise, entre 1430 et 1435 – 1493 ou 1495). Chassé de Venise (1457), il s'exila en Dalmatie et retourna en Italie (1467) où il s'installa dans les Marches (Ascoli). Il semble qu'il fut formé par les Vivarini* de Murano aux coloris cristallins et minéraux qui lui transmirent le style dur de l'école de Padoue. Grand representant de la tendance décorative du

Ph. Mario Russo/Ricciarini

Croatie : cascade près de Sibenik.

dernier tiers du XVe s., il utilisa un répertoire précis, associant les souvenirs gothiques et byzantins aux formules contemporaines. Dans sa *Pietà* (v. 1485, Vatican), intense et tragique, la référence à l'émotion giottesque côtoie l'expressivité d'Andrea* del Castagno. Son *Annonciation* (1486, National Gallery, Londres) révèle une sensibilité gothique alors que l'architecture et l'organisation spatiale sont renaissantes. Dans sa série de *Saintes,* il altère le canon gothique dans le sens de l'exagération anatomique et obtient un sens plastique moderne particularisé par une expressivité délicatement perverse. Malgré la subtilité de ses archaïsmes et l'intensité de son atmosphère, l'œuvre de Crivelli reste relativement isolée.

CRNA (ou **CERNA) GORA** (« montagne noire »). ♦ Nom serbo-croate du Montenegro*.

CROATIE [kʀɔasi], *n. f.*, en serbo-croate **Hrvatska.** ♦ Région des Balkans*, l'une des six républiques fédératives de Yougoslavie*. Elle comprend la Croatie proprement dite, la Slavonie*, la Dalmatie* et la plus grande partie de l'Istrie. 56 538 km². 4 340 000 hab. *(Croates). Cap.* Zagreb*. *Langue :* croate. On peut distinguer trois parties naturelles. Au nord, les plaines fertiles de Podravina*, Posavina*, Slavonie* et, à l'intérieur, la plaine de Zagreb. Au sud de la Save*, les massifs dinariens du Kordun, du Gorski Kotar et du Vélébit*, entre lesquels s'encastrent des « poljès » karstiques **(V. Karst).** Enfin, le littoral adriatique ou Dalmatie*, qui s'étend de Pula* à Kotor*, bordé de près de 600 îles formant l'archipel dalmate **(V. Dalmatie*).** *Hydrogr.* **V. Save.** *V. princ. :* Zagreb*, Rijeka*, Split*, Pula*, Sibenik*, Dubrovnik*, Osijek*, Zadar*. — *Écon.* L'agriculture est représentée par le blé et le maïs, les cultures industrielles (chanvre, houblon, pommes de terre, betteraves). Les forêts et les prairies représentent plus de la moitié du territoire. On pratique l'élevage bovin et ovin dans le Karst. Les matières premières sont assez variées : pétrole (Slavonie), fer et bauxite (côte dalmate, îles). Les industries métallurgiques, textiles et alimentaires sont importantes dans les villes de Zagreb* et d'Osijek*, ainsi que la construction de barrages (Vinodol). L'indus. du bois est prospère dans le Karst. Les grands ports de Split* et Rijeka* ont d'importants chantiers de constructions navales. ♦ *Hist.* La Croatie fit partie dès le Ier s. de la prov. romaine de Pannonie*. Au VIIe s., les Croates, peuple slave venu des Carpates, s'y établirent ; ils fondèrent au Xe s. un royaume indépendant qui fut en lutte contre Venise. Unie à la royauté de Dalmatie (1059), la Croatie fut ensuite soumise au royaume de Hongrie (1102), auquel elle devait rester « associée » jusqu'en 1918, si l'on excepte les périodes d'occupation turque (1526-1599) et française (1809-1813). Au début du XXe s., le mouvement nationaliste croate s'unit à celui des Serbes qui aspirait à la réunion des Slaves du sud **(V. Serbie,** *Hist.***).** Englobée dans la Yougoslavie à partir de 1919, la Croatie fut agitée de violents mouvements nationalistes dont celui des Oustachis, responsable de l'assassinat du roi Alexandre* en 1934 **(V. Yougoslavie,** *Hist.*). En 1941, la Croatie forma un État indépendant, reconnu par Hitler et Mussolini, sous la direction d'Ante Pavelitch*, chef des Oustachis, qui y établit un régime de terreur. Après la défaite hitlérienne, elle devint une des républiques fédératives de la Yougoslavie.

CROCE (Benedetto). ♦ Critique littéraire, historien, philosophe et homme politique italien (Pescasseroli, Abruzzes, 1866 — Naples, 1952). Élève de Spaventa*, il fut attiré quelque temps par le marxisme (qu'il critiqua ensuite avec vivacité) et influencé par les théories historiques et esthétiques de J.B. Vico. Mais c'est à l'idéalisme hégélien **(V. Hégelianisme)** que se rattache en définitive sa philosophie de l'esprit. Il exposa successivement une conception originale de la création et du langage artistique, mettant l'accent sur l'unité intuitive du contenu et de la forme de l'œuvre d'art (*L'Esthétique comme science de l'expression,* 1902), une théorie de la connaissance (*La Logique comme science du concept pur,* 1909) et de la pratique, économique et éthique (*Philosophie de la pratique,* 1909). Refusant toute transcendance, il définit sa philosophie comme un « historicisme » absolu, pour lequel le sens de l'histoire n'est que l'affirmation progressive de la liberté et de l'activité créatrice de l'esprit (*Théorie et histoire de l'historiographie,* 1912). Ainsi sa pensée chercha à être totale (« La pensée pense tout ou rien ») sans jamais néanmoins perdre de vue la réalité concrète. Fondateur de la revue *Critica* (1903), B. Croce se consacra à d'importants travaux d'histoire et de critique littéraires (*La Littérature de l'Italie nouvelle,* 1914-1940) et d'historiographie (*Histoire du royaume de Naples,* 1925 ; *Histoire de l'Europe au XIXe s.,* 1932). Il prit par ailleurs une part active à la vie politique italienne, ne cessant, contrairement à Gentile*, d'affirmer des positions libérales ; sénateur (1910), ministre de l'Instruction publique (1920-1921), il manifesta son opposition au fascisme. Après le renversement du régime, il devint, en 1944, président du Parti libéral, député puis sénateur de la République italienne.

CROCQ. ♦ Ch.-l. de cant. de la Creuse*, arr. d'Aubusson*, 746 hab. *(Croquants).* Vestiges d'un château fort du XIIe s., chapelle du XVIe s., église du XIXe siècle. ♦ *Hist.* C'est de Crocq, anc. dépendance de l'Auvergne, que serait partie au XVIIe s. la révolte paysanne des « Croquants ».

Croisades. *n. f. pl.* ♦ Expéditions militaires organisées par l'Église pour la délivrance de la Terre sainte, notamment du tombeau du Christ à Jérusalem (Xe-XIIIe s.). Elles eurent lieu lorsque l'accès de la Palestine fut rendu plus difficile par la conquête turque saljûqide*. Le premier pèlerinage militaire avec indulgence plénière pour les participants fut décidé par le pape Urbain* II, qui prêcha lui-même en 1095 à Clermont la *première croisade* (1096-1099), ainsi que par d'autres prédicateurs, notamment Adémar* de Monteil et Pierre* l'Ermite. Pierre l'Ermite et Gautier* Sans Avoir conduisirent une croisade populaire qui fut écrasée par les Turcs et Anatolie (1096). La croisade des chevaliers commandée par Godefroi* de Bouillon, Raymond* IV de Saint-Gilles, comte de Toulouse, Hugues* de Vermandois, Bohémond* Ier, prince de Tarente et son neveu Tancrède*, Étienne de Blois et Robert de Normandie, s'empara d'Édesse* (1097), de Nicée, de Tarse, d'Antioche*, puis de Jérusalem* (15 juil. 1099). Un royaume de Jérusalem fut alors créé avec comme chef Godefroi de Bouillon qui prit le titre d'« avoué du Saint-Sépulcre » ainsi que des principautés : principauté d'Antioche, comté d'Édesse et comté de Tripoli. Pour la défense de ces conquêtes furent alors créés des ordres de moines-soldats (Hospitaliers*, 1113-Templiers*, 1118). — La *deuxième croisade* (1147-1149) fut provoquée par la chute d'Édesse prise par l'Atabek de Mossoul, Zanki* en 1144. Elle fut prêchée sur l'ordre du pape Eugène III par Bernard* de Clairvaux à Vézelay (1146). Le roi de France Louis* VII et l'empereur Conrad III échouèrent devant Damas. — La *troisième croisade* (1189-1192) fut décidée après la prise de Jérusalem par Saladin* (1187) et prêchée par Guillaume*, archevêque de Tyr. A l'appel du pape Grégoire VIII, l'empereur Frédéric Barberousse, le roi de France Philippe* Auguste et le roi d'Angleterre Richard* Cœur de Lion rassemblèrent des armées importantes. Frédéric Barberousse se noya dans un fleuve de Cilicie et son armée se disloqua. Richard Cœur de Lion conquit Chypre*. Après la prise de Saint-Jean-d'Acre et le départ de Philippe Auguste, Richard renonça à s'emparer de Jérusalem. Il conclut avec Saladin une trêve de trois ans et obtint l'autorisation pour les chrétiens de se rendre en pèlerinage à Jérusalem. Le royaume de petite Arménie* fut constitué à cette époque. La *quatrième croisade* (1202-1204), décidée dès 1198 par le pape Innocent* III, fut prêchée par le légat Pierre Capuano et Foulques* de Neuilly. Conduite par Boniface de Montferrat*, Baudouin* de Flandre, le doge de Venise, Dandolo* et Geoffroy de Villehardouin*, elle fut détournée de son but initial (l'Égypte) par Venise, qui n'accepta d'équiper la flotte que contre la prise de la ville dalmate de Zara. Les croisés prirent ensuite Constantinople (1204) et remplaçèrent l'Empire byzantin par un Empire latin, dont le premier empereur fut Baudouin. Les Byzantins se replièrent alors en Asie où ils fondèrent l'empire de Nicée* (1204-1261). — Une *cinquième croisade* (1217-1221) fut organisée en 1215 par Innocent III. Elle fut précédée par la *« Croisade des enfants »,* où des milliers de jeunes pèlerins allemands et français moururent d'épuisement sur la route de la Terre sainte. L'expédition commandée par Jean de Brienne*, roi de Jérusalem, le roi de Chypre et le roi de Hongrie André* II, prit Damiette en Egypte (1219), mais dut la restituer pour pouvoir se rembarquer (1221). — La *sixième croisade* fut inspirée par l'empereur Frédéric* II qui négocia avec le sultan d'Égypte la cession de Jérusalem, de Béthléem et de Nazareth ainsi que des routes d'accès (1229). À la suite de la chute de Jérusalem en 1244 et de la destruction de l'armée franque par le sultan d'Égypte fut entreprise la *septième croisade* (1248-1254). Louis* IX commanda l'expédition qui s'empara de Damiette en 1249 et commença la conquête de l'Égypte. Cependant, après la défaite de Mansourah, il battit en retraite et fut capturé (1250). Libéré contre rançon et cession de Damiette, il séjourna quatre ans en Terre sainte pour mettre la Palestine en état de défense. — Louis IX mena encore la *huitième croisade,* mais mourut devant Tunis. — On peut compter

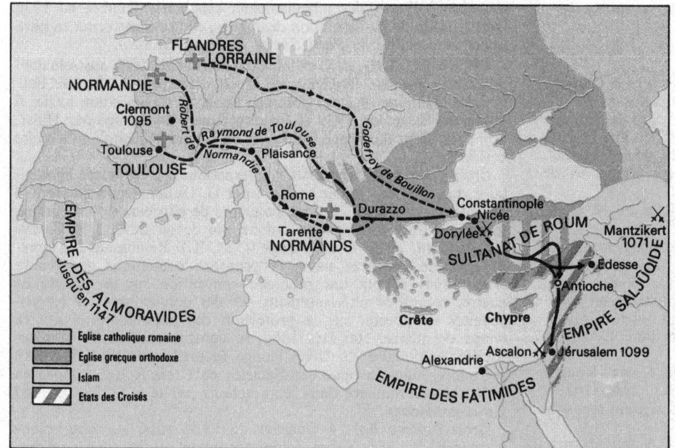

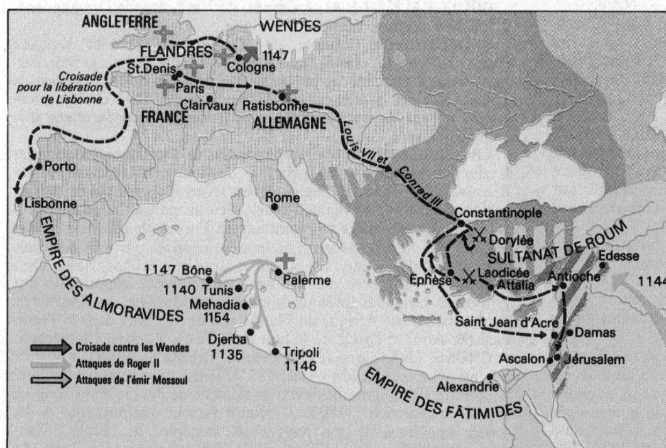

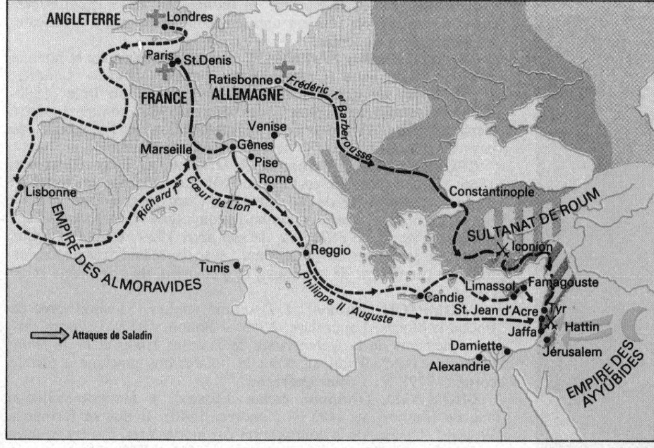

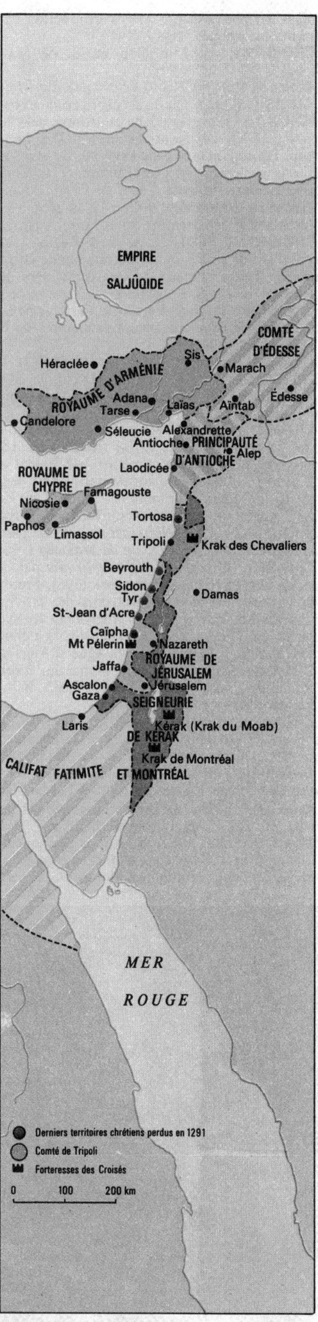

Les trois premières croisades (à gauche) ; les États latins d'Orient (à droite).

aussi une *neuvième croisade* qui ne réussit pas à sauver Acre en 1291. ♦ On assimila aux croisades d'autres expéditions, telles la Reconquista* espagnole, la « croisade » contre les Albigeois*, les expéditions contre les Slaves, les Hussites, etc. La foi cessa très vite d'en être l'inspiratrice, d'autres motifs prirent le relais (goût de l'aventure, préoccupations territoriales...). ♦ Les conséquences des croisades ont été importantes par la création des États latins d'Orient, par un accroissement des échanges avec le Levant et le développement des républiques marchandes, Venise et Gênes. Les mouvements d'argent qu'elles rendirent nécessaires furent à l'origine du perfectionnement des techniques bancaires par les Templiers et les marchands italiens. De même en Occident, les croisades furent à l'origine de la naissance d'une nouvelle économie et d'un nouvel équilibre politique, les croisés vendant des terres ou des chartes de franchise aux villes pour pouvoir subvenir aux frais de l'expédition. L'acquit culturel des croisades se manifesta en Occident par des techniques architecturales inspirées de Byzance et par une nouvelle inspiration de la littérature chevaleresque. – L'historiographie des croisades et des États latins d'Orient nous vient de Foucher* de Chartres, de Robert de Clari, Guillaume* de Tyr, Guibert* de Nogent, Villehardouin*.

CROISET (Alfred et **Maurice).** ♦ Hellénistes français, nés et morts à Paris (Alfred, 1845 – 1923; Maurice, 1846 – 1935). Auteurs, chacun, de nombreux ouvrages érudits concernant les écrivains grecs, ils collaborèrent (de 1887 à 1893) à une remarquable *Histoire de la littérature grecque* (en cinq volumes), où ils analysaient poètes et prosateurs en fonction de l'évolution des événements historiques.

CROISETTE *(cap).* ♦ Cap au S. de Marseille (Bouches-du-Rhône).

Croisette (la). ♦ Célèbre promenade du front de mer, à Cannes.

CROISIC (Le). ♦ Ch.-l. de cant. de la Loire-Atlantique, arr. de Saint-Nazaire. Port de pêche et station balnéaire dans la rade du Croisic, à l'O. de Saint-Nazaire. 4 256 hab. [*Croisicois*], hors saison. Église N.-D. de Pitié (XVIe s.), de style gothique flamboyant. Maisons anciennes. — Ostréiculture et myticulture. Conserves de poissons. Marais salants. Patrie de Pierre Bouguer.

CROISIC *(pointe du).* ♦ Cap de la côte atlantique, au N. de la Baule, dans le département de la Loire-Atlantique.

CROISSANT FERTILE. *n. m.* ♦ Région d'Asie occidentale, en forme d'arc de cercle, couvrant une bande étroite à l'E. de la Méditerranée (Israël, Liban), s'élargissant vers le N. (Syrie), puis s'orientant vers le S.-E. (plaines du Tigre et de l'Euphrate, en Iraq) pour rejoindre le golfe Persique. Cette appellation, surtout historique, fait référence aux puissants empires de Babylonie, d'Assyrie et de Phénicie.

Croissant-Rouge. ♦ Emblème équivalant à la Croix*-Rouge, adopté d'abord par la Turquie (1876), la Syrie et l'Iraq (1929), puis par tous les pays musulmans. Le Croissant-Rouge fut reconnu par la conférence de Genève en 1949.

CROISSET (Frantz Wiener, dit Francis *de***).** ♦ Auteur dramatique francais d'origine belge (Bruxelles, 1877 — Neuilly-sur-Seine, 1937). Auteur de comédies habilement audacieuses (*Chérubin,* 1901 ; *Le Bonheur, Mesdames,* 1906), il collabora également avec R. de Flers* (notamment pour *Les Vignes du Seigneur,* 1923). Après avoir livré ses souvenirs de voyage dans *La Féerie cinghalaise* (1926) et *Nous avons fait un beau voyage* (1930), il composa un roman, *La Dame de Malacca* (1935).

CROISSY (Charles Colbert, *marquis de***).** ♦ Homme politique français (Paris, 1625 — Versailles, 1696). Frère du grand Colbert*, il fit une carrière de magistrat dans les provinces de l'Est, devint un spécialiste des questions rhénanes et, secrétaire d'État aux Affaires étrangères, il fut l'artisan de la politique d'annexion qui devait aboutir à la guerre de la ligue d'Augsbourg*.

CROISSY-SUR-SEINE. ♦ Comm. des Yvelines (arr. de Saint-Germain-en-Laye), sur la Seine. 6 035 hab. Peintures, vernis ; indus. électronique ; optique.

CROIX. ♦ Comm. du Nord, arr. de Lille. 21 502 hab., dans la banlieue de Roubaix. Métallurgie. Indus. textiles et alimentaires (aliments pour animaux). Indus. du bâtiment.

CROIX-DE-FER *(col de la).* ♦ Col des Alpes (Isère) reliant la vallée de l'Arvan à celle de l'Eau-d'Olle à 2 087 m d'altitude.

Croix de Feu *(les).* ♦ Association d'anciens combattants de droite fondée en 1927. Réservée à l'origine aux blessés de guerre cités pour action d'éclat, elle se développa politiquement sous l'impulsion du colonel de La* Rocque qui en devint président en 1931. Elle joua un rôle dans la manifestation du 6 Février* 1934 en se tenant toutefois à l'écart des affrontements sanglants. Tombée en 1936 sous le coup de la dissolution des ligues, elle se transforma en parti politique organisé, le *Parti Social Français (P.S.F.).*

Ph. Nimatallah/Ricciarini

O. Cromwell, par R. Walker. (National Portrait Gallery, Londres.)

CROIX DU SUD. *n. f.,* en lat. **Crux.** ♦ Constellation australe dont la grande branche (étoiles γ et α) est orientée vers le pôle Sud.

Croix fléchées. ♦ Parti politique hongrois d'inspiration nazie. Il obtint des sièges en 1939 et fut directement encouragé par Hitler. Son chef, F. Szálasi* prit le pouvoir en oct. 1944 jusqu'à la victoire soviétique.

Croix-Rouge. ♦ Organisation internationale à caractère humanitaire et apolitique, fondée en 1863 par H. Dunant* pour le secours aux blessés de guerre. Avec le concours de plusieurs de ses compatriotes, il fonda un premier comité qui devait devenir le *Comité International de la Croix-Rouge* (C.I.C.R.). Réunissant les représentants de quatorze pays, la première conférence de Genève (1863-1864) adopta une première convention sur les blessés de guerre, complétée ultérieurement par des conventions sur les prisonniers de guerre, sur la protection des populations civiles en temps de guerre, etc. Dès 1864, se constituèrent de nombreuses sociétés nationales de Croix-Rouge (actuellement plus de cent), regroupées dans la ligue des Sociétés de Croix-Rouge (fondée en 1919) et coordonnées dans leurs actions par le C.I.C.R. **V.** *aussi* **Croissant-Rouge.**

Croix-Rousse (la). ♦ Quartier de Lyon situé sur une colline entre le Rhône et la Saône. Important tunnel routier sous la colline.

CROIX-VALMER (LA). ♦ Comm. du Var*, arr. de Draguignan*, 1 568 hab. Vignes. Station climatique.

CROIZA (Claire Connoly, dite Claire). ♦ Cantatrice française (Paris, 1882 — *id.,* 1946). Mezzo-soprano, elle fit une grande carrière, tant à la scène qu'au concert. Créatrice de la *Pénélope* de Fauré, elle fut professeur au Conservatoire. Son enseignement inspira à Paul Valéry des pages pénétrantes sur l'art du chant et la diction des vers.

CRO-MAGNON. ♦ Site préhistorique de Dordogne (comm. des Eyzies*-de-Tayac, arr. de Sarlat). — Des ossements fossiles y furent découverts en 1868. Il s'agissait des restes d'un peuple de culture aurignacienne **(V. Aurignac)** ayant vécu au paléolithique supérieur (v. ~30 000). Premiers représentants en Europe de l'*Homo sapiens,* les *hommes de Cro-Magnon* étaient caractérisés par un crâne dolichocéphale allié à une face courte et large aux orbites basses. On a retrouvé ce type avec des variantes parfois assez importantes aux grottes de Grimaldi (près de Menton), en Moravie, en Angleterre, en Allemagne, en Afrique du Nord (type de Mechta), dans le Transvaal (Boskop) et en Chine (Chou Kou Tien). **V.** *aussi* **Chancelade.**

CROME (John, *appelé* **Old Crome, Crome le Vieux).** ♦ Peintre anglais (Norwich, 1768 — *id.,* 1821). Il fit son apprentissage chez un peintre d'enseignes et devint professeur de dessin. Fondateur de l'école de Norwich* (1803), il peignit surtout des paysages et des scènes familières de son pays natal, inspirées de l'école hollandaise (particulièrement d'Hobbema). Il fit un voyage à Paris (*Le Boulevard des Italiens,* 1814). Il sut rendre avec fermeté les prairies et les arbres touffus (*Le Chêne de Pornigland,* 1817-1821) et certaines de ses œuvres révèlent une sensibilité personnelle et délicate, empreinte de mélancolie.

CROMER (Evelyn BARING, *1er comte***).** ♦ Diplomate et homme politique britannique (Cromer Hall, Norfolk, 1841 — Londres, 1917). Il fut un grand administrateur colonial en Inde (1880-1883) et surtout en Égypte*, de 1883 à 1907, comme ministre plénipotentiaire. Il modernisa l'administration et l'économie du pays (irrigation) et favorisa la reconquête du Soudan*.

CROMMELYNCK (Fernand). ♦ Dramaturge belge (Bruxelles, 1885 — Saint-Germain-en-Laye, 1970). Le triomphe universel de l'unique chef-d'œuvre de cet auteur, *Le Cocu* magnifique* (1921) a beaucoup nui au succès de ses autres ouvrages (*Tripes d'or,* 1925 ; *Carine ou la Jeune Fille folle de son âme,* 1929 ; *Chaud et Froid,* 1934) où se retrouvent cependant, avec la même truculence, un mélange permanent de burlesque et d'émotion, de grossièreté et de poésie.

CROMPTON (Samuel). ♦ Tisserand anglais (Firwood, près de Bolton-le-Moors, Lancashire, 1753 — Bolton, 1827). Utilisant certains éléments de la *water-frame* de Thomas Highs et de la *jenny* de Hargreaves*, il mit au point la *mule-jenny,* machine à filer le coton (1779). **V. Lenoir-Dufresne.**

CROMWELL (Thomas, *comte d'***Essex).** ♦ Homme politique anglais (Putney, v. 1485 — Londres, 1540). Il dut sa fortune à Wolsey*. Chargé de la confiscation des monastères, il sut y trouver son profit et fut nommé lord du sceau privé (1536). Champion de l'absolutisme royal, il inspira la politique religieuse d'Henri* VIII (Acte de suprématie, 1534, suppression des monastères) et fut l'artisan de l'alliance avec les protestants allemands. L'échec du mariage du roi avec Anne* de Clèves provoqua sa condamnation à mort.

CROMWELL (Oliver). ♦ Homme politique anglais (Huntingdon, 1599 — Londres, 1658). Image même du *squire* puritain, lié à la classe moyenne des villes et des campagnes, il fut député au Court et au Long Parlement* et manifesta son opposition au roi. Mais ce fut la guerre qui révéla sa valeur et établit son influence. Avec ses « Côtes de fer » (Ironside), troupe tres disciplinée, animée par son fanatisme religieux, il se fit remarquer à Marston Moor (1644). Chargé de réorganiser toute l'armée sur ce modèle, il écrasa les Cavaliers* à Naseby* (1645). Dès lors, il pouvait imposer sa volonté, et, après la défaite finale des forces royales à Preston*, il fit « purger » le Long Parlement, resté méfiant devant ces « sectaires », le réduisant à n'être qu'un « Parlement croupion ». Ce dernier fit juger Charles Ier par une Haute Cour de justice dont Cromwell faisait partie, et obtint la condamnation du roi. Après l'instauration de la république (Commonwealth), Cromwell reconquit l'Irlande avec un fanatisme d'une particulière cruauté (Drogheda*), puis écrasa les Écossais et Charles* II (Dunbar*, 1650; Worcester*, 1651), mais il se heurta au Parlement qu'il renvoya (1653). Ses diverses tentatives pour rétablir un parlement selon ses vœux furent des échecs et il se fit conférer le pouvoir dictatorial avec le titre de Protecteur. Une fois les Hollandais contraints d'accepter l'Acte de navigation* (promulgué en 1651), Cromwell reprit les grands traits de la politique extérieure élizabethaine; il lutta contre l'Espagne sur mer, encourageant le commerce anglais (conquête de la Jamaïque) et sur terre, en se rangeant aux côtés des protestants et de Mazarin* (il put ainsi acquérir Dunkerque*). Il mourut le 3 septembre 1658, redouté et impopulaire. Malgré son talent politique, il n'avait pas su donner à l'Angleterre une constitution ni assurer sa propre succession. Son fils Richard, qui lui succéda, dut abandonner presque immédiatement le pouvoir en 1659.

Cromwell. ♦ Drame en 5 actes en vers de Victor Hugo* (1827), qui évoque le thème shakespearien de l'ambition. La *Préface de Cromwell* constitue un manifeste dont le retentissement devait être durable; selon Hugo, le drame romantique se propose comme un miroir de la vie universelle transfigurée par la poésie, en révolte contre toutes les règles, au nom de la liberté de l'art. Mêlant, comme la nature, le sublime au grotesque, la lumière à l'ombre, « le corps à l'âme, la bête à l'esprit », le drame, né avec le christianisme, doit être l'expression moderne de la poésie, après le lyrisme des temps primitifs, et l'épopée des premières civilisations. Quant au vers, « il sera positif et poétique [...] allant des idées les plus élevées aux plus vulgaires [...] tel que le ferait l'homme qu'une fée aurait doué de l'âme de Corneille et de la tête de Molière ».

CRONACA (Simone del Pollaiolo, dit Il). ♦ Architecte italien (Florence, 1457 — *id.*, 1508). Sa carrière se déroula essentiellement à Florence. Suivant la tradition instaurée par les grands maîtres du début et du milieu du siècle (Brunelleschi*, Michelozzo*), il travailla en compagnie de Giuliano da Sangallo* à la sacristie octogonale de *Santo Spirito* et succéda à Benedetto da Maiano* au chantier du *palazzo Strozzi* où il dirigea la réalisation de la corniche saillante et de la cour rectangulaire (1507). Sa principale œuvre est l'église *San Salvatore al Monte*, sur la colline San Miniato, qui fut admirée par Michel*-Ange, à cause de la sobriété de ses lignes et de la pureté de ses proportions.

CRONIN (Archibald Joseph). ♦ Romancier anglais (Cardross, Dumbartonshire, 1896 —). Il fut médecin dans la marine lors de la Première Guerre mondiale. C'est pendant une convalescence qu'il composa *Le Chapelier et son château* (1930), son premier succès romanesque. Il s'adonna alors au roman moralisateur, d'inspiration autobiographique. *La Citadelle*, (1937) a pour héros un jeune médecin écossais dans un village minier du pays de Galles; *Les Clefs du royaume* (1941) évoque la vie d'un missionnaire. L'œuvre généreuse et littérairement fort traditionnelle de Cronin a une valeur d'enquête sociale (*Le Destin de Robert Shannon,* 1948; *Le Jardinier espagnol,* 1950; *Au delà de cet endroit,* 1953; au théâtre : *Les Hommes proposent,* 1940). Très populaire, elle fut traduite dans de nombreuses langues et adaptée au cinéma.

CRONOS [Kronos]. ♦ Un des Titans*, vénéré plutôt dans le monde préhellénique que dans le monde grec. Comme les divinités similaires des mythologies orientales, il sépare sa mère Gaia* (la Terre) de son père Ouranos* (le Ciel) en mutilant ce dernier. **V. Théogonie.** Métamorphosé en cheval, il s'unit avec une Océanide et engendre le centaure Chiron*. Il s'unit surtout avec sa sœur Rhéa* et a d'elle de nombreux enfants qu'il dévore dès leur naissance (comme Moloch et Baal) sauf le dernier, Zeus*, qui est sauvé par sa mère. Zeus, devenu adulte, se révolte contre son père, le contraint à restituer ses frères et sœurs (**V. Hestia, Déméter, Héra, Hadès, Poséidon**) et le précipite dans le Tartare. Identifié avec *Saturne** par les Romains, il était, dans des légendes postérieures, un roi bienfaiteur de l'âge d'or.

CRONSTADT. ♦ **V.** KRONSTADT.

CRONSTEDT (Alex Fredrik, *baron*). ♦ Chimiste, minéralogiste et géologue danois (Södermanland, 1722 — Stockholm, 1765). On lui doit la découverte du nickel (1751) et une classification des minéraux (1758).

CROOKES (*sir* William). ♦ Chimiste et physicien anglais (Londres, 1832 — *id.*, 1919). En utilisant l'analyse spectrale, il découvrit le *thallium* indépendamment de C.A. Lamy*. **V. Bunsen, Kirchhoff.** Inventeur des tubes à cathode froide qui portent son nom (**V. Coolidge**), il les employa à ses travaux sur les décharges électriques dans les gaz raréfiés, travaux qui le conduisirent notamment à supposer la nature corpusculaire des *rayons cathodiques*. **V. E. Goldstein, Hittorf, J. Perrin, Plücker, J.J. Thomson.** (Prix Nobel de chimie. 1907.)

CROS (Charles). ♦ Poète et inventeur français (Fabrezan, 1842 — Paris, 1888). Après des études d'autodidacte qui le menèrent à s'intéresser aux langues orientales (sanskrit et hébreu), puis aux sciences mécaniques et physiques, il mena concurremment jusqu'à sa mort ses travaux scientifiques et son œuvre littéraire. Il décrivit, indépendamment de Ducos* du Hauron, un procédé trichrome de photographie des couleurs (1869) ainsi qu'un appareil, qu'il appelait *paléophone*, qui précédait la réalisation du phonographe par Edison*. **V. Daguerre, G. Lippmann, Niepce, Niepce de Saint-Victor.** (L'*Académie Charles Cros* célèbre sa mémoire en décernant, chaque année, des prix aux meilleurs disques), il fréquenta également la bohème littéraire (Verlaine*, Villiers* de l'Isle-Adam, F. Coppée*) et composa une œuvre lyrique longtemps méconnue. Derrière le masque du fantaisiste, expert en monologues cocasses (*Le Hareng saur; Le Bilboquet; L'Obsession),* Charles Cros fut aussi un poète de l'absurde et de la solitude dans *Le Coffret de santal* (1873), poésies qualifiées par Verlaine de « bijoux tour à tour délicats, barbares, bizarres, riches et simples », et dans le long poème *Le Fleuve* (1874), dont les alexandrins furent illustrés par Édouard Manet*, et que célébrèrent après 1920 les surréalistes.

Arch. Smeets

Henri Cross : « Paysage ». (Collection privée.)

CROSNE ou **CROSNES** [kʀon]. ♦ Comm. de l'Essonne (arr. d'Evry), sur l'Yerres. 5 324 hab. La commune a donné son nom à un tubercule importé du Japon.

CROSS (Henri Edmond Delacroix, dit à partir de 1876). ♦ Peintre français (Douai, 1856 — Saint-Clair, Var, 1910). Il pratiqua d'abord une peinture sombre de tendance naturaliste, puis il devint un adepte du divisionnisme et fut avec Seurat* et Signac* l'un des fondateurs de la société du salon des Indépendants. Après 1900, il alla peindre en Provence avec Signac et Matisse. Il resta fidèle au divisionnisme dans ses paysages, ses marines *(Les Îles d'or)* ou ses portraits, mais utilisa la technique pointilliste d'une façon plus intuitive que scientifique. Sa touche large, aérée, l'éclat et la fraîcheur de sa palette annoncent le fauvisme.

CROSS FELL. *n. m.* ♦ Point culminant de la chaîne Pennine, dans le N. de l'Angleterre (893 m).

CROTONE. ♦ V. d'Italie méridionale, en Calabre (province de Catanzaro), dans le golfe de Tarente. 44 000 hab. Métallurgie du zinc et du cadmium. ♦ *Hist.* Fondée par les Achéens vers ~ 710, Crotone fut l'une des plus florissantes colonies de la Grande-Grèce. Elle fut romanisée en ~ 194. Patrie de l'athlète Milon*, résidence de Pythagore.

CROTOY (Le) [ləkʀɔtwa]. ♦ Comm. de la Somme* (arr. d'Abbeville*). 2 412 hab. *(Crotellois).* Station balnéaire et port de pêche sur la baie de la Somme. ♦ *Hist.* Anc. petite place fortifiée, restaurée par Édouard III, Le Crotoy servit de port aux Anglais pendant la guerre de Cent Ans. J. Verne* y écrivit « Vingt Mille Lieues sous les mers ».

CROTUS RUBIANUS (Johann JÄGER, dit). ♦ Humaniste allemand (Dornheim, Thuringe, v. 1480 — Halle, v. 1539). Auteur satirique, il prit la défense de Reuchlin et fut le principal inspirateur des *Epistolae obscurorum virorum* (1515-1517) dirigées contre les théologiens et philosophes scolastiques et contre la cour de Rome.

CROUZILLE (La). ♦ Écart de la comm. de Saint-Sylvestre, arr. de Limoges, dans la Haute-Vienne. Important gisement d'uranium à riche teneur.

CROWFOOT-HODKIN (Dorothy). ♦ Chimiste britannique (Le

Caire, 1910). Elle établit, par diffraction de rayons X, la structure de plusieurs substances dont la pénicilline [1941] **(V. A. Fleming)** et la cyanocobalamine ou vitamine B 12 [1955] **(V. Todd).** [Prix Nobel de chimie, 1964.]

CROYDON. ♦ V. d'Angleterre, à 16 km au S. de Londres (Surrey). 252 000 hab. Ancien aéroport international. Centrale thermique.

CROZAT (Antoine, *marquis de* **Châtel).** ♦ Financier français (Toulouse, 1655 – Paris, 1738). Il fut le fondateur de la Louisiane française, ayant obtenu le privilège du commerce dans ce territoire. Il fit construire le canal de Saint-Quentin à ses frais. ♦ PIERRE CROZAT, son frère, (Toulouse, 1661 – Paris, 1740) fut un amateur éclairé, protégea Watteau* et réunit une riche collection dont la moitié, acquise par Catherine* II, se trouve maintenant à l'Ermitage.

CROZET. ♦ Navigateur français du XVIIIe s. qui accompagna le capitaine Marion-Dufresne dans son expédition dans la mer des Indes et l'océan Pacifique. On a donné son nom à un archipel du sud de l'océan Indien.

CROZET *(archipel des).* ♦ Archipel faisant partie du secteur indien des terres Australes* (46° à 46°30' S.; 50°30'-52°30' E.). Il s'étire de l'E. à l'O. sur 150 km et comprend un groupe occidental ou *îles Froides* : îles des Apôtres (12 lambeaux de coulées basaltiques), île des Cochons (volcanique), île des Pingouins, et un groupe oriental : île de la Possession (30 km de long sur 15 km de large, culminant à 1 500 m env.) et île de l'Est (volcanique, 14 km de long sur 7 km de large). Le climat, la flore et la faune (phoques et nombreux oiseaux-manchots, cormorans, albatros, pétrels, etc.) y sont assez semblables à ceux des îles Kerguelen. Découvertes en 1773 par Marion-Dufresne et Crozet, ces îles font partie des terres Australes* et Antarctiques françaises et sont devenues parc national (1938). Station météorologique.

CROZON. ♦ Ch.-l. de cant. du Finistère (arr. de Châteaulin), dans la presqu'île de Crozon. 7 017 hab. Église moderne avec retable du XVIIe s., maisons anciennes. Conserves alimentaires. Patrie de L. Jouvet*.

CRUAS. ♦ Comm. de l'Ardèche* (arr. de Privas*), près du Rhône. 1 978 hab. Anc. abbaye bénédictine, fin XIe s., église romane; dans le vieux Cruas, enceinte du XIVe s., chapelle fortifiée (XIIe et XIVe s.), maisons anc. – Fabrique de chaux et de ciment; travail de la soie.

CRUIKSHANK (George). ♦ Caricaturiste et peintre anglais (Londres, 1792 – *id.,* 1878). Dessinateur et graveur fécond, il devint célèbre très jeune grâce à des satires illustrées sur la vie du régent (publiées en 1819-1821). Il donna des dessins humoristiques à de nombreux magazines (Punch, The Satirist, The Scourge, etc.). L'âpreté de son trait est perceptible dans ses dessins politiques (*Facetiae and Miscellanies,* 1827) aussi bien que dans ses scènes de mœurs caricaturales *(Life in London),* où se révèlent des préoccupations morales et patriotiques (*The Bottle,* 1847). Il publia des albums notamment *Comic Almanach* et fit preuve dans ses gravures d'une grande virtuosité technique (*Vie de John Falstaff,* 1857-1858); il illustra aussi de nombreux ouvrages de Dickens et d'Ainsworth.

CRUSIUS (Christian August). ♦ Philosophe et théologien allemand (Lenna, 1715 – Leipzig, 1775). Dans son *Esquisse des vérités nécessaires de la raison, en tant qu'elles sont opposées aux vérités accidentelles* (1745), il met en question le développement trop important de la méthode rationaliste de Wolff*.

CRUVEILHIER [kʀyvɛjɛ] **(Jean).** ♦ Médecin et anatomiste français (Limoges, 1791 – Sussac, près de Limoges, 1874). Élève de Dupuytren, il enseigna l'anatomie pathologique (*Anatomie pathologique du corps humain,* 1828). On a donné le nom de *maladie de Cruveilhier* à l'ulcère simple de l'estomac.

CRUYBEKE, en néerl. **Kruibeke.** ♦ V. de Belgique (Flandre-Orientale arr. de Saint-Nicolas), sur l'Escaut*, aux environs d'Anvers. 6 600 hab. Église du XVe siècle – Chantiers navals. Produits maraîchers et laitiers.

CRUZ (Juana Inès *de***).** ♦ Religieuse et poétesse mexicaine (1651 – 1695). Son œuvre, inspirée de Góngora*, révèle un intense lyrisme intérieur et un grand goût pour les sciences. Elle a écrit aussi des pièces de théâtre.

CRUZ (Ramón *de la***).** ♦ Auteur dramatique espagnol (Madrid 1731 – *id.,* 1795). Ses tragédies et ses comédies offrent moins d'originalité que les saynètes où il fait dialoguer le menu peuple des faubourgs de Madrid. Ces petites comédies réalistes, écrites en réaction contre l'influence du théâtre classique français, marquent le retour à un art proprement national.

CSEPEL. ♦ Île du Danube*, en Hongrie, dont l'extrémité N. fait partie de la ville de Budapest*. 60 km de long. Important centre métallurgique. Constructions mécaniques (matériel ferroviaire, véhicules).

CSÉRI (Jean Apaczai). ♦ Écrivain hongrois (1625 – 1659). Issu d'une famille protestante, il fit des études à Utrecht où il se familiarisa avec la philosophie cartésienne et où il fut émerveillé par le niveau de culture atteint par les Hollandais. Il écrivit une encyclopédie en langue hongroise divisée en onze parties. Ce faisant, il établit la base du lexique scientifique et philosophique hongrois.

CSIKY (Gergely). ♦ Auteur dramatique hongrois (Pankota, 1842 – Budapest, 1891). Né dans une famille de médecins, il se

Ph. Leigheb/Ricciarini

L'arc de **Ctésiphon** et le palais de Chosroès, époque des Sassanides.

dirigea d'abord vers la carrière ecclésiastique. En 1881, il quitta les ordres et se maria. Csiky fut un écrivain très fécond, fournissant de nombreuses œuvres au Théâtre national. Influencé par les auteurs français de l'époque notamment par Dumas fils, Augier et Sardou, Csiky écrivit de nombreuses comédies et des œuvres dramatiques dont les plus célèbres sont : *Les Prolétaires* (1880); *Misère dorée* (1881); *Mukanyi* (1880). Ses œuvres eurent un très grand succès non seulement à Budapest, mais aussi à Prague et à Vienne.

CSOKONAI VITÉZ (Mihály). ♦ Poète hongrois (Debrecen, 1773 – *id.,* 1805). Né dans une famille bourgeoise et cultivée, il fut attiré très jeune par la littérature. Bien qu'il fût orphelin de père, il reçut une très bonne éducation au collège de Debrecen. Grâce à un ami commun, il connut Kazinczy* qui l'encouragea. Quand il était professeur adjoint au collège de Debrecen, il écrivit *Méla Tempefői,* vive critique sociale. À cause de cette œuvre, il fut renvoyé du collège en 1795. À partir de ce moment, il mena une vie errante et misérable, luttant pour faire publier ses œuvres. Il ne regagna Debrecen qu'à la fin de sa vie, très malade. Ses œuvres les plus célèbres sont *Dorottya ou le Triomphe des dames,* description pleine d'humour du monde de la noblesse (1797, publ. 1804); *Chants de Lilla,* poèmes d'amour dédiés à Vajda Juliana (publ. 1805). Csokonai Vitéz, avec Balassa* et Petőfi, est considéré comme l'un des principaux représentants de la poésie lyrique hongroise.

CTÉSIAS. ♦ Historien et médecin grec (Cnide, Carie, ~ Ve s.). Médecin de Cyrus, puis d'Artaxerxès II Mnémon, il est l'auteur de *Persika* et *Indika* dont il ne reste que quelques fragments.

CTÉSIBIOS ou **CTÉSIBIUS** ou **KTÉSIBIOS.** ♦ Savant grec du ~ IIIe siècle. Son activité se déroula à Alexandrie. Les traités qu'il écrivit ne nous sont pas parvenus mais on s'accorde généralement à lui attribuer l'invention de divers instruments hydrauliques : notamment un orgue alimenté à partir d'une soufflerie à pompe.

CTÉSIPHON. ♦ **V.** COURONNE (discours sur la), DÉMOSTHÈNE, ESCHINE.

CTÉSIPHON, en gr. **Ktêsiphôn.** ♦ Anc. V. de Mésopotamie, sur la rive E. du Tigre (*auj.* en Irak). Ancien camp parthe face à Séleucie du Tigre, elle devint la capitale des Arsacides sous Orode* II (~ 55) et resta celle des Sassanides. Elle fut prise par Trajan (116), Septime Sévère (197), Héraclius (628) et fut ruinée par Khalid ibn Walid (637). – *Arc de Ctésiphon :* énorme voûte en brique de la salle du trône dite « de Chosroès le Grand » mais remontant sans doute à Shâhpuhr Ier.

CUAUHTÉMOC. ♦ Dernier empereur aztèque (1497? – 1524). Il défendit en vain son empire contre les troupes de Cortés* et fut pendu sous prétexte de trahison.

CUBA. ♦ La plus grande île des Grandes Antilles*, située entre la Floride et la Jamaïque, à 77 km à l'O. d'Haïti. Sa côte septentrionale est baignée par l'Atlantique, sa côte méridionale par la mer Caraïbe, et sa côte O. par le golfe du Mexique. 114 524 km². 8 100 000 hab. en 1968 *(Cubains). Cap.* La Havane*. *Langue off.* espagnol. *Unité monétaire :* peso cubain. *V. princ.* **V. Camagüey, Cienfuegos, Guantánamo, Holguín Marianao, Matanzas, Pinar del Río, Santa Clara, Santiago de Cuba.** – *Orogr.* Le littoral, souvent bordé de récifs coralliens, présente de nombreuses baies au S. L'intérieur de l'île est constitué par des plaines et des collines, avec quelques reliefs montagneux comme la sierra de Escambray au centre, et surtout la sierra Maestra* et le massif de Baracao à l'extrême S.-E. Peu de cours d'eau (le plus important est le río Cauto, 240 km). La forêt occupe le flanc des régions montagneuses (bois tropicaux) et la savane couvre les régions déboisées du centre, où pâturent des troupeaux de bovins. – *Climat* tropical, moins chaud que dans le reste des Antilles. Pluies abondantes. – La population, en accroissement, comporte près de 80 % de Blancs, d'origine espagnole, qui vivent surtout dans les villes. La plus forte densité se trouve dans la province de La Havane, et la plus faible dans l'île des Pins (au S.-O.). – *Écon.* Elle repose essentiellement sur la culture de la canne à sucre et l'indus. sucrière (2e producteur du monde après l'U.R.S.S. et 1er pays exportateur; 88 % des exportations cubaines), du tabac et des fruits tropicaux, ainsi que sur les produits de l'élevage (lait et viande). Depuis l'avènement du régime socialiste **(V. Castro)** et la réforme agraire, la culture s'est diversifiée et étendue à des produits de consommation locale (café, thé, maïs, riz, coton,...). Les entreprises agricoles, nationalisées en 1967, sont organisées en fermes collectives *(granjas del pueblo)*. Le commerce, dont les États-Unis avaient le quasi-monopole, se fait désormais surtout avec les pays de l'Est (U.R.S.S. et Chine). Un effort est fait pour développer une industrie qui se limitait à la transformation des produits agricoles : l'indus. sucrière, qui emploie plus d'un tiers de la population active, les manufactures de tabac (célèbres cigares de La Havane), l'indus. textile, les conserveries. Ressources minières assez abondantes, mais encore peu exploitées (manganèse, chrome, nickel et cobalt). Peu de ressources hydro-électriques (le pays doit importer du pétrole pour satisfaire aux besoins énergétiques). Le pays est sillonné de routes et de voies ferrées (dont 5 000 km env. sont réservés au transport de la canne à sucre). ♦ *Hist.* Lorsque Colomb découvrit Cuba en 1492, l'île était peuplée d'Indiens Arawaks*; la domination espagnole, établie en 1511 par Diego Velázquez, amena l'exploitation et la disparition progressive des Indiens, remplacés par des esclaves noirs (surtout au XVIIIe s.). Au XVIe et au XVIIe s., Cuba fut l'objet d'attaques répétées des Anglais, des Français et des Hollandais : sa position stratégique, ses relations privilégiées avec les États-Unis, l'exploitation du sucre et du tabac en faisaient une colonie prospère. Alors que le reste de l'Amérique espagnole accédait à l'indépendance, l'île restait encore soumise au gouvernement de Madrid, qui promulgua quelques réformes libérales. En 1868, la première guerre d'Indépendance, appuyée par les États-Unis, fut un échec. En 1877-1878, le général Martínez* Campos, chargé de pacifier Cuba, ne parvint pas à faire appliquer les réformes promises par l'Espagne. En 1898, à la suite du bombardement de leur vaisseau *Maine* dans le port de La Havane, les États-Unis déclarèrent la guerre à l'Espagne, débarquèrent à Cuba et libérèrent l'île, qui devint indépendante en 1901, les Américains conservant une sorte de protectorat permettant l'installation de bases sur l'île. La vie économique de Cuba devint alors étroitement dépendante des États-Unis et la vie politique fut marquée par des régimes dictatoriaux, tels que ceux du général Madado (1925-1933) et surtout de Fulgencio Batista (1933-1959). Ce dernier renforça les liens de dépendance économique avec les États-Unis, tout en développant la répression policière. Une première tentative de rébellion fit connaître son inspirateur, un jeune avocat, Fidel Castro*. Organisant des maquis dans la sierra Maestra, puis dans toute l'île, il réussit avec son second, Guevara*, à chasser Batista en 1959. Il installa à La Havane un régime révolutionnaire, sans toutefois prendre la présidence de la République. Fort de l'appui des masses ouvrières et

Ph. Piero Oliosi/Ricciarini
Cuba : récolte d'agaves.

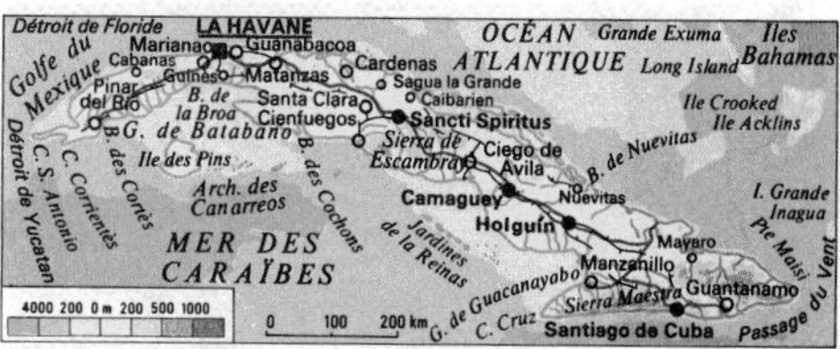

Cuba.

paysannes, il élimina systématiquement les opposants, regroupa les mouvements qui avaient participé à la lutte et fonda le *Parti uni de la révolution socialiste* qui devint le *Parti communiste cubain (P.C.C.)*. Son effort porta en particulier sur la réforme agraire et sur la nationalisation des raffineries de sucre et de pétrole jusqu'alors aux mains des Américains (1959). Ceux-ci, par mesure de rétorsion, cessèrent leurs achats de sucre et aidèrent des réfugiés anticastristes à tenter un débarquement qui échoua (au lieu dit « baie des Cochons ») [1961]. Dès lors, Castro se tourna vers l'U.R.S.S. et se proclama marxiste-léniniste. En 1962, l'installation de fusées soviétiques à Cuba suscita une vive inquiétude aux États-Unis, et Kennedy obtint de Krouchtchev le retrait des engins. Malgré l'accord de 1964 qui a permis à Cuba de vendre une partie de son sucre à l'U.R.S.S., le problème des débouchés reste vital pour le pays. Depuis l'arrivée de Castro au pouvoir, le pays a beaucoup évolué sur le plan social (scolarisation, etc.); il reste le principal foyer de l'opposition aux États-Unis en Amérique latine.

CÚCUTA, anc. **San José de Cúcuta**. ♦ V. de Colombie, ch.-l. du dép. du Norte de Santander (20 190 km²; 426 900 hab.) situé à proximité de la frontière vénézuélienne, au pied de la Cordillère orientale. 150 000 hab. env. Évêché. Important centre commercial (café).

CUDWORTH (Ralph). ♦ Théologien et philosophe anglais (Aller, Somersetshire, 1617 – Cambridge, 1688). Il est l'auteur d'ouvrages théologiques et philosophiques dont l'inspiration paraît assez nettement platonicienne.

CUENCA. ♦ V. d'Espagne centrale, en Nouvelle-Castille*. Ch.-l. de prov. au confluent du Júcar et du Huécar 27 800 hab. – Cathédrale du XIIIe siècle.

CUENCA. ♦ V. de l'Équateur andin, ch.-l. de la province de l'Azuay (7 804 km², 274 600 hab.), situé à 2 500 m d'alt. dans une région riche en cultures. 60 000 hab. Évêché. Cathédrale du XIIIe siècle. – Centre de communications. Indus. textiles et alimentaires. Chapellerie en paille dite « de Panamá ».

CUÉNOT (Lucien). ♦ Biologiste français (Paris, 1866 – Nancy, 1951). Il s'est distingué par ses travaux de génétique (vérifiant les lois de l'hérédité de Mendel chez les animaux, étudiant le caractère létal, 1905), et par ses recherches sur l'évolution des espèces et leur adaptation au milieu. (*Genèse des espèces animales*, 1911-1932; *L'Adaptation*, 1925; *L'Invention et la Finalité en biologie*, 1941-1947; *L'Évolution en biologie*, 1951 avec Andrée Tétry). [Acad. sc., 1931.]

CUERNAVACA. ♦ V. du Mexique central, cap. du petit État de Morelos*. Elle est située à la frontière de l'État, à 77 km au S. de Mexico. 159 909 hab. (1970). Évêché. Centre touristique (cathédrale du XVIe s., palais de Cortés; jardins). Raffineries, distilleries (rhum). Papeteries. – À proximité, bourg de Tepozltán (couvent dominicain du XVIe s.; carnaval, fêtes de la Semaine Sainte). – Cultures de café et de canne à sucre dans la région.

CUERNE, en néerl. **Kuurne**. ♦ V. de Belgique (Flandre-Occidentale, arr. de Courtrai), sur la Lys. 12 000 hab. – Indus. linière. Métallurgie différenciée.

CUERS [kyɛʀ]. Ch.-l. de cant. du Var*, arr. de Toulon*, 5 165 hab. *(Cuersois)*. Vins.

CUESMES [kyɛm]. ♦ Comm. de Belgique dans la banlieue S. de Mons* (Hainaut). 11 300 hab. Houillères. Indus. métallurgiques (tuyauteries). Carrières de sable et du tuffeau.

CUEVAS (Georges de Piedrablanca de Guana, *marquis de*). ♦ Directeur de ballet (Santiago du Chili, 1885 – Cannes, 1961). Mécène de la danse, il fut successivement l'animateur de l'International Ballet (New York, 1944), puis du Grand Ballet de Monte-Carlo (1946) qui allait devenir le Grand Ballet du marquis de Cuevas (1950). Au cours de nombreuses tournées internationales, cette compagnie, fidèle au répertoire classique, a compté parmi ses membres les danseuses Rosella Hightower, Nina Vyroubova, Jacqueline Moreau, Denise Bourgeois, Olga Adabache et les danseurs George Skibine, Serge Golovine et Wladimir Skouratoff. La troupe fut dissoute en 1962.

CUGNOT (Joseph). ♦ Ingénieur français (Void, Lorraine, 1725 – Paris, 1804). Constructeur de la première voiture automobile à vapeur (1770) et d'un second modèle plus important, le *fardier* (1771), il réussit à transformer le mouvement rectiligne des pistons en un mouvement rotatif continu.

CUI (César Antonovitch). ♦ Compositeur russe (Vilna, 1835 – Pétrograd, 1918). Fils d'un officier français et d'une Polonaise, il renonça à une carrière militaire pour se consacrer à la musique. Élève de Dargomyjski* et de Balakirev*, il contribua, avec ce dernier, à la fondation du célèbre « groupe des Cinq ». Critique

Coll. Rui Nogueira

G. Cukor.

musical, il s'institua le défenseur de Schumann et de Berlioz contre les excès du nationalisme russe. Abondante, son œuvre compte une dizaine d'opéras (*William Ratcliff,* 1869; *Angelo,* 1876; *Le Prisonnier du Caucase,* 1883), des œuvres symphoniques, chorales, de la musique de chambre, de piano et de très nombreuses mélodies.

CUIABÁ. ♦ V. du Brésil, cap. de l'État du Mato* Grosso. 58 000 hab. Anc. centre minier (or, diamants). Marché agricole.

CUISEAUX [kyisɔ]. ♦ Ch.-l. de cant. de la Saône-et-Loire, arr. de Louhans. 1 702 hab. Enceinte. — Conserveries, salaisons. — Patrie de E. Vuillard*.

CUISERY. ♦ Ch.-l. de cant. de la Saône-et-Loire (arr. de Louhans), en Bresse*. 1 463 hab. *(Cuiserotains).* Enceintes et donjon. Église Notre-Dame renfermant un triptyque de G. Guérard (*La Mort de la Vierge,* 1520).

CUJAS [kyʒɑs] **(Jacques).** ♦ Jurisconsulte français (Toulouse, 1522 — Bourges, 1590). Il apprit seul le latin et le grec, puis se consacra au droit et enseigna surtout à Toulouse (1547), Bourges (1555) et Valence (1567), suscitant l'enthousiasme de ses élèves (dont Scaliger* et Pithou*). Doté de la faveur de Charles IX et de Henri III, il garda la neutralité durant les guerres de Religion, se consacrant à ses ouvrages qui le firent surnommer le « prince des romanistes » : *Tractatus ad Africanum, Recitationes sollemnes, Observationum et emendationum libri XXVIII* (de 1566 à sa mort ; les huit derniers livres furent publiés par Pierre Pithou*). Considéré comme le plus illustre représentant de l'école historique fondée par A. Alciat*, il se livra à l'exégèse des textes du droit latin afin de les remettre dans leur milieu véritable (restitution du Code de Justinien).

CUJAVIE ou **COUÏAVIE.** *n. f.,* en polon. **Kujawy.** ♦ Région historique de la Pologne*, s'étendant à l'O. de la Vistule, entre Bydgoszcz et Włocławek. Baignée par la Noteć*, elle est auj. géographiquement rattachée à la grande Pologne*. ♦ *Hist.* Principauté indépendante qui serait, selon la légende, le berceau de la famille de Piast* **(V. Kruszwica),** la *Cujavie* fut d'abord réunie à la Mazovie, puis rattachée à la couronne en 1526.

CUKOR (George). ♦ Réalisateur américain de cinéma (New York, 1899). L'élégance d'un style spirituel, une solide direction d'acteurs, ont fait le succès d'un grand nombre de ses films, comédies dramatiques ou musicales souvent adaptées du théâtre ou du roman : *Les Invités de 8 heures* (*Dinner at eight,* 1933), *Les Quatre Filles du docteur Marsh (Little Women,* 1933), *David Copperfield* (1935), *Le Roman de Marguerite Gautier* (*Camille,* 1936), *Hantise* (*Gaslight,* 1944), *My Fair Lady* (1964).

CULEMBORG. ♦ V. des Pays-Bas (Gueldre), sur le Lek. 15 128 hab. Hôtel de ville de style gothique flamboyant. Métallurgie et constructions mécaniques. Manufacture de tabac.

CULIACÁN. ♦ V. du Mexique septentrional, située dans une région minière, au pied de la sierra Madre* occidentale. Cap. de l'État de Sinaloa*. 358 812 hab. (1970). Centre commercial. Indus. textiles. — Patrie de José Limon.

CULLEN (Countee). ♦ Poète et romancier américain (New York, 1903 — *id.,* 1946). Noir, fils adoptif du pasteur d'une des plus grandes paroisses de Harlem, il fit de brillantes études couronnées par un séjour à Paris où il traduisit Baudelaire. De retour en Amérique, il enseigna le français et fit paraître *Chants du crépuscule* (*Copper Sun,* « Soleil de cuivre », 1927), *Le Chemin du paradis* (*One Way to Heaven,* 1932). Les vers de *Sur ceux-ci je veux être jugé* (*On these I stand,* 1947) traduisent l'amertume de l'homme cultivé que sa race isole. Malgré son désir d'être d'abord un poète, Countee Cullen est surtout une des figures représentatives de la littérature noire florissante des années 20 *(Renaissance de Harlem).*

CULLODEN. ♦ Localité d'Écosse au N.-E. d'Inverness. ♦ *Hist.* Victoire du duc de Cumberland* sur le prétendant Charles*-Edouard Stuart (1746). Elle mettait fin aux ambitions jacobites.

CULMANN (Karl). ♦ Ingénieur allemand (Bergzabern, 1821 — Zurich, 1887). Il fit paraître en 1875 un traité de *statique graphique,* méthode d'étude de la composition et des conditions d'équilibre des forces par des procédés graphiques dont il apparaît comme le véritable créateur. **V. M. Levy.**

CULOZ [kyloz]. ♦ Comm. de l'Ain* (arr. de Belley*), dans le Bugey*, sur le Rhône. 2 412 hab. Nœud ferroviaire. Distilleries. Installations de chauffage et de ventilation. Bonneterie. — Patrie de L. Serpollet*.

CULPERER (*sir* Thomas). ♦ Économiste anglais (1578 — 1662). Dans son *Manifeste contre l'usure* (1621), il s'est prononcé pour la baisse du taux de l'intérêt légal (qui permet d'augmenter la valeur des terres). Son fils Thomas Culperer le Jeune (1620 — 1697) publia un ouvrage sur le même problème.

CUMANÁ. ♦ V. et port du Venezuela, *ch.-l.* de l'État de Sucre (11 800 km². Env. 473 000 hab.) au pied du massif de Cumaná. 80 000 hab. environ. Évêché. Aéroport. Centre commercial et port de pêche.

CUMBERLAND (William Augustus, *duc de***).** ♦ Troisième fils de George II d'Angleterre (Londres, 1721 — 1765). Vaincu par les Français à Fontenoy* (1745), il battit, à Culloden* (1746), le prétendant Charles*-Édouard, mais de nouvelles défaites (Lawfeld*) provoquèrent sa disgrâce.

CUMBERLAND. *n. m.* ♦ Comté du N.-O. de l'Angleterre, bordé au N. par l'Écosse et à l'O. par la mer d'Irlande. 3 938 km², 294 000 hab. *Ch.-l.* Carlisle*. — Son relief est montagneux. Le *massif du Cumberland* (qui s'étend sur tout le comté et aussi sur une partie du Westmoreland et du Lancashire) culmine à 983 m au *Scafell Pike.* D'anciens glaciers de l'époque quaternaire ont modelé de profondes vallées souvent comblées par des lacs pittoresques *(Lake* District)* faisant du Cumberland une grande région touristique. Seules les vallées du Solway et de l'Eden sont cultivées, les hauts reliefs étant voués à l'élevage. Les mines de fer sont presque épuisées et la houille, jadis exploitée le long du littoral, doit maintenant être extraite sous la mer. La métallurgie, très puissante, est localisée à Barrow*-in-Furness, Workington et Whitehaven. La première centrale nucléaire anglaise y a été édifiée, à Calder Hall. — Patrie du chimiste J. Dalton*.

CUMBERLAND *(baie de),* en angl. **Cumberland Sound.** ♦ Profonde baie de la terre de Baffin*, entre la péninsule du même nom, au N. et la péninsule de Halle, au sud.

CUMBERLAND *(plateau du).* ♦ Partie méridionale du plateau des Appalaches*, aux États-Unis. **V. Kentucky.** — Le défilé dit *Cumberland Gap* fut le théâtre de combats pendant la guerre de Sécession. — La riv. Cumberland, née dans le plateau, est un affl. de l'Ohio. 1 105 km.

CUMBERNAULD. ♦ V. nouvelle du centre de l'Écosse (comté de Dumbarton) créée en 1956 pour décongestionner Glasgow. 4 925 hab. en 1961.

Ph. Hétier

Cumberland, Angleterre : environs de Carlisle.

CUMES, en gr. **Kumê**. ♦ Anc. V. d'Italie (Campanie), sur la mer Tyrrhénienne. Première cité de la Grande* Grèce, fondée par des Ioniens de Chalcis* et d'Érétrie* v. ~ 750, elle contribua à la colonisation de Neapolis (Naples*) et de Messine* en Sicile*. En lutte contre les Étrusques et entourée des Ausones*, elle chercha l'alliance de Rome et reconnut sa prépondérance en ~ 338. Elle fut détruite par les Napolitains en 1205. – Ruines de temples et de l'antre de la Sibylle au village *Cuma*.

CUNAULT. ♦ **V.** TRÈVES-CUNAULT.

CUNAXA ou **COUNAXA**. ♦ V. de la Mésopotamie où se livra la bataille entre les armées d'Artaxerxès* II et de son frère Cyrus* le Jeune (~ 401). Celui-ci tué, ses mercenaires grecs (13 600) entreprirent la fameuse retraite des Dix*-Mille dirigée au début par Cléarque*, puis par Xénophon*, qui en a écrit le récit.

CUNÉGONDE *(sainte)*. ♦ Impératrice germanique (v. 978 – abbaye de Kaufungen, Hesse, 1033 ou 1039). Elle épousa en 998 le duc Henri de Bavière qui devint l'empereur Henri II et fut plus tard canonisé. Comme les époux laissèrent une réputation de piété et qu'ils n'eurent pas d'enfant, une tradition tardive veut qu'ils aient fait vœu de continence au soir de leurs noces. – Fête le 3 mars.

CUNEO, en français **Coni**. ♦ V. d'Italie du Nord (Piémont), sur la Stura*, affl. du Pô. 51 000 hab. Ch.-l. de province. Centre commercial du Montferrat, industrie du pneu.

CUNHA (Tristão *da***)**. ♦ Capitaine et navigateur portugais (Lisbonne, v. 1460 – en mer, 1540 ?). Après avoir découvert dans l'Atlantique austral le groupe d'îles qui porte son nom (1506), puis reconnu Madagascar, il explora les côtes de Somalie, de Socotora et d'Ormuz et prit part à la conquête des Indes par les Portugais. ♦ NUNO DA CUNHA, son fils (1487 – en mer, 1539). Vice-roi des Indes en 1528, il conquit Diu*, consolidant ainsi l'Empire portugais. Rappelé au Portugal à la suite d'une accusation de concussion (1538), il mourut en mer lors de son retour.

CUNHA (Euclides *da***)**. ♦ Essayiste brésilien (1866 – 1909). Son œuvre peu abondante est très importante pour la pensée brésilienne. Il a immortalisé le « sertão », région peu développée et riche en légendes du Brésil continental. *Os Sertões* (1902), chronique d'une rébellion dans l'arrière-pays de Bahia, est d'un vif intérêt social et littéraire.

CUPAR. ♦ V. d'Écosse orientale. Ch.-l. du Fifeshire, sur la r. g. de l'Eden. 5 495 hab. (1961). Centre agricole et commercial (sucrerie).

CUPIDON. ♦ Dieu de l'Amour dans la mythologie romaine, identifié avec l'Éros grec. **V. Éros.**

CURAÇAO. ♦ La plus grande île des Antilles* néerlandaises, située au large du Venezuela dans la mer des Caraïbes, entre Aruba* et Bonaire* *(îles Sous*-le-Vent)*. 444 km². 140 000 hab. *Cap.* Willemstad*. Agrumes et phosphates. Raffinage de pétrole en provenance du Venezuela. L'île a donné son nom à la liqueur d'oranges exportée dans le monde entier. *Dépendance :* Saint*-Martin.

CURE. *n. f.* ♦ Riv. de Bourgogne, affl. de l'Yonne. 112 km. Née près de Château*-Chinon, elle arrose Arcy*-sur-Cure et conflue à Cravant* (affl. le Cousin). Sa vallée, boisée et pittoresque, est barrée en de nombreux endroits (Settons*, Crescent*.)

CUREL (François *de***)**. ♦ Auteur dramatique français (Metz, 1854 – Paris, 1928). Nourri d'une haute ambition, ce théâtre d'idées a longtemps occupé sur la scène française une place de premier plan avant de sombrer dans l'oubli. Œuvr. princ. : *La Nouvelle Idole* (1899), *L'Ivresse du sage* (1922), *Terre inhumaine* (1922). (Acad. fr., 1918.)

CURIACE. ♦ **V.** HORACE (LES TROIS).

CURICÓ. ♦ V. du Chili* central, ch.-l. de prov., au S. de Santiago. 60 000 hab. – *Prov. de Curicó*, 5 737 km². 118 000 hab. environ.

CURIE (Pierre). ♦ Physicien français (Paris, 1859 – *id.*, 1906). Après avoir découvert, avec son frère Paul Jacques, la *piézoélectricité* (1881), il montra que ce phénomène fixait univoquement la symétrie du champ électrique puis, après des travaux sur le magnétisme, énonça le *principe de symétrie* (les éléments de symétrie des causes doivent être conservés dans les effets). En minéralogie, il étudia la formation des cristaux et les constantes capillaires de leurs différentes faces (1885). Après des travaux sur la radio-activité avec sa femme Marie (1898), il esquissa la notion de période radio-active (1902) [**V.** *aussi* **Rutherford**] et découvrit, avec Laborde*, le dégagement de chaleur très important et spontané produit par le radium [1903]. (Acad. des sc., 1904 ; prix Nobel de phys., 1903.) – On appelle *point de Curie* la température au-dessus de laquelle les corps ferromagnétiques deviennent paramagnétiques.

CURIE (Marie), née **Sklodowska**. ♦ Physicienne française d'origine polonaise (Varsovie, 1867 – près de Sallanches, 1934). Intéressée par le phénomène de radio-activité (auquel elle donna ce nom) dès la découverte d'H. Becquerel*, elle entreprit, sur les conseils de son mari Pierre, des recherches qui les conduisirent tous deux à la découverte du *polonium* et du *radium* (1898). Elle fut la première femme nommée professeur à la Sorbonne. (Prix Nobel de phys., 1903 ; prix Nobel de chimie, 1911.) **V. Debierne.**

CURIE (Irène). ♦ **V.** JOLIOT-CURIE.

CURITIBA. ♦ V. du Brésil, cap. de l'État de Paraná*. 616 000 hab. (avec l'aggl.). Centre agricole et industriel important (indus. textiles, chimiques et alimentaires).

Ph. Harlingue-Viollet

Pierre et Marie Curie, dans leur premier laboratoire.

CURRY (Haskell Brooks). ♦ Logicien et mathématicien américain (1900). Il a construit une logique combinatoire, qui ne fait pas appel à la notion de variable ; cette logique, dont il a montré le caractère incomplet, constitue, selon J. Piaget, un « effort pour atteindre l'opératoire dans le détail même de ses démarches effectives ». *A theory of Formal Deductibility*, 1950 ; *Combinatory Logic*, avec R. Feys, 1956.

CURTIUS (Ernst). ♦ Historien et érudit allemand (Lübeck, 1814 – Rome, 1896). Après un long séjour en Grèce et en Asie Mineure (1836-1840), il fut nommé directeur des Antiquités de Berlin. Auteur d'une importante *Histoire de la Grèce* (1857-1861) et de nombreuses études sur la civilisation hellénique, il a contribué à préparer les fouilles d'Olympie (1875-1881).

Curzon *(ligne)*. ♦ Ligne proposée par lord Curzon comme frontière orientale de la Pologne, qui aurait limité cette dernière aux territoires purement polonais. Or, les Polonais revendiquaient une partie de l'Ukraine qu'ils possédaient avant le premier partage de leur pays en 1772. Le traité de Riga (12 mars 1921), à la suite des victoires polonaises sur les armées soviétiques, fixa la frontière à 150 km à l'est de la ligne Curzon ; mais les Soviétiques, en 1945, rétablirent la nouvelle frontière polonaise à la ligne Curzon.

CURZON OF KEDLESTON (George Nathaniel *1er marquis***)**. ♦ Homme politique britannique (Kedleston Hall, Derbyshire, 1859 – Londres, 1925). Entré au Parlement dans les rangs des conservateurs*, il fut vice-roi des Indes (1898-1905), pays où il entreprit des réformes administratives et financières importantes. Il fit partie des ministères de coalition de la guerre (Asquith*, Baldwin*), puis participa en tant que ministre des Affaires étrangères (1922-1923) à la conférence de Lausanne et à l'élaboration du plan Dawes*.

CUSHING (Harvey Williams). ♦ Neurochirurgien américain (Cleveland, Ohio, 1869 – New Haven, Connecticut, 1939). Fondateur de la neurochirurgie, il étudia la névralgie du trijumeau, les traumatismes crâniens et leur technique chirurgicale, les indications opératoires dans l'épilepsie, etc. Il a donné la description de la maladie due à un adénome basophile du lobe antérieur de l'hypophyse ou à une hyperplasie ou une tumeur cortico-surrénale (*maladie de Cushing*, 1932).

CUSSET. ♦ Ch.-l. de cant. de l'Allier*, arr. de Vichy*. Anc. ville fortifiée à 3 km de Vichy. Tour du XVe siècle. Maisons anc. à pignons. – Constructions mécaniques. Sources thermales. ♦ *Hist.* En 1440, Charles VII s'y réconcilia avec son fils, le futur Louis XI.

CUSTINE (Adam Philippe, *comte de***)**. ♦ Général français (Metz, 1740 – Paris, 1793). Nommé maréchal de camp après sa participation à la guerre d'Indépendance américaine, il fut élu député de la Noblesse aux États généraux (1789) et se rallia à la Révolution, tout en votant avec la droite sur certaines questions, notamment sur le droit de paix et de guerre accordé au roi. Commandant de l'armée du Rhin, il s'empara successivement de Spire (25 septembre 1792), de Worms (5 octobre), de Mayence (21 octobre) et de Francfort (23 octobre). Après la défaite et la trahison de Dumouriez* (mars 1793), l'armée de Custine fut repoussée au sud par celle du duc de Brunswick* qui reprit Worms et Spire et assiégea Mayence. De retour à Paris, Custine fut nommé général en chef de l'armée du Nord (13 mai 1793). Mais, après la reddition de Condé et la perte de Mayence, il fut accusé de trahison et condamné à mort par le Tribunal révolutionnaire.

CUSTOZZA ou **CUSTOZA.** ♦ Petite localité italienne au S.-O. de Vérone, rendue célèbre par deux batailles. Le 25 juil. 1848, défaite de Charles*-Albert de Piémont devant l'armée autrichienne commandée par Radetzky. Le 24 juin 1866, défaite de l'armée italienne sous les ordres de Victor-Emmanuel II contre les Autrichiens (**V. Italie**, *Hist.*).

CUTTACK. ♦ V. de la côte orientale de l'Inde, ancienne capitale de l'Orissâ*, sur le delta de la rivière Mahânadi. Université et centre commercial important. Artisanat de l'argent. Université de technologie. 205 000 hab. ♦ *Hist.* Fondée au XIIIe s., elle fut prise aux mahrâti en 1803 par les Anglais.

CUVIER (Georges, ***baron*****).** ♦ Zoologiste et paléontologiste français (Montbéliard, 1769 — Paris, 1832). Il obtint, grâce à Geoffroy Saint-Hilaire, un poste au Muséum (1795) où il eut Blainville* pour élève. Ses nombreuses observations sur les groupes d'animaux les plus divers l'amenèrent à formuler les principes anatomiques fondamentaux de la subordination des organes (toute modification dans une partie de l'organisme se répercute dans les autres) et de la corrélation des formes. À partir de ces principes, il tenta d'établir une classification zoologique (vertébrés, articulés, mollusques et radiés) et put reconstituer les vertébrés fossiles, prouvant l'existence d'espèces disparues et fondant la paléontologie. Ses travaux servirent de base aux théories transformistes, bien que lui-même ait été partisan de la théorie de la préformation et du fixisme et qu'il ait combattu les idées de Lamarck* et de Geoffroy* Saint-Hilaire. Cuvier est à l'origine de la biologie moderne, structurale et fonctionnaliste. Œuvr. princ. : *Leçons d'anatomie comparée* (1800-1805); *Recherches sur les ossements fossiles* (1812-1813); *Le règne animal distribué selon son organisation* (1816-1817); *Description géologique des environs de Paris* (1822), avec A. Brongniart*; *Discours sur les révolutions de la surface du globe* (1825); *Histoire naturelle des poissons* (1828). [Acad. fr.]

CUVILLIÉS (François de). ♦ Architecte et ornemaniste allemand (Soignies, Hainaut, 1695 — Munich, 1768). Il travailla un moment auprès de François Blondel (vers 1720), fut nommé architecte de la cour de Bavière en 1725 et devint, dans le domaine de l'architecture civile, le plus important représentant du rococo à Munich. Influencé par les ornemanistes Oppenord*, Lajoux et Watteau*, il publia des recueils de motifs (1738) et exécuta la décoration du *palais des Wittelsbach* (1730-1737), des *appartements* et de l'*Opéra* (1750-1753) de la *Résidence* à Munich et surtout le *pavillon d'Amalienburg* à Nymphenburg (1734-1739); en s'inspirant de la décoration de Boffrand* à l'hôtel Soubise, il créa un style original, plein de fantaisie décorative, qui constitue un important jalon dans l'élaboration du style décoratif allemand.

CUXAC-D'AUDE. ♦ Comm. de l'Aude, arr. de Narbonne. 2 364 hab. *(Cuxanais).* Futailles.

CUXHAVEN, parfois **Kuxhaven.** ♦ V. d'Allemagne du Nord (R.F.A., Basse-Saxe) sur la mer du Nord, près de l'estuaire de l'Elbe et formant l'avant-port de Hambourg*. 43 500 hab. Important port de pêche, constructions navales, conserveries. Station balnéaire et centre de thalassothérapie.

CUYO. *n. m.* ♦ Région andine d'Argentine qui correspond aux provinces de San* Juan, Mendoza* et San* Luis, dominées par l'Aconcagua et le Maipo. Riche région de viticulture. Importants gisements de pétrole et de gaz (le tiers de la production nationale). Ressources hydro-électriques.

CUYP. ♦ Famille de peintres hollandais du XVIIe siècle. ♦ JACOB GERRITSZ CUYP (Dordrecht, v. 1594 — *id.*, 1652). Fils du peintre sur verre, Gerrit Gerritsz ([mort] 1644) et probablement élève de Bloemaert* à Utrecht, il peignit quelques scènes bibliques, scènes

Arch. Smeets

A. Cuyp : « Le Camp au repos ».
(Musée des Beaux-Arts, Rennes.)

Ph. Carlo Bevilacqua/Ricciarini

J. G. Cuyp : « Portrait ».
(Galerie Capodimonte, Naples.)

de genre et paysages avec bétail, mais surtout de nombreux portraits individuels ou collectifs d'un sobre réalisme, dans une gamme discrète tendant souvent à la monochromie. ♦ BENJAMIN GERRITSZ CUYP (Dordrecht, 1612 — *id.*, 1652). Demi-frère de Jacob, auteur de paysages, de scènes de bataille et surtout de sujets religieux inspirés en grande partie de Rembrandt*, dans le traitement du clair-obscur. ♦ ALBERT CUYP (Dordrecht, 1620 — *id.*, 1691). Il se forma auprès de son père et fut probablement l'élève de Van Goyen* (avec lequel ses premières œuvres présentent de grandes affinités). Il peignit quelques portraits mais surtout des paysages : marines, paysages de campagne avec bétail et personnages, berges de rivières plus escarpées (de la Meuse ou du Rhin) qui, tout en présentant des formules spécifiquement hollandaises, révèlent une certaine influence du paysage idéalisé et poétique d'inspiration italienne. Sensible aux valeurs de l'atmosphère, il figura des éclairages crépusculaires et rendit avec finesse les lumières dorées ou brumeuses. Il aimait les compositions calmes et équilibrées qu'il sut parfois charger d'onirisme *(Le Château d'Ubbergen; Départ d'un jeune cavalier pour la promenade).*

CUZA (Alexandre, Jean). ♦ Premier prince de Roumanie (Husi, Moldavie, 1820 — Heidelberg, 1873). Descendant d'une vieille famille moldave, il siégea au Divan de Bucarest et fut élu en 1859 prince de Moldavie*, puis de Valachie* (qui devinrent la Roumanie). Il mena une audacieuse politique de réformes qui l'opposa aux possédants. Il abdiqua en 1866.

CUZCO ou **CUSCO.** ♦ V. du Pérou méridional, située à 3 600 m d'alt. au centre des cordillères andines, sur la voie ferrée qui la relie à Puno*, Arequipa* et Mollendo*. 88 000 hab. Archevêché. Université. Centre touristique. ♦ *Hist.* Cuzco (qui signifie en quechua « le nombril de la terre ») fut la capitale de l'Empire inca. Parmi les ruines de cette ancienne ville, celles de Sacsahuamán sont les plus impressionnantes. Au XVIe s., Cuzco devint un grand centre du nouveau continent, comme en témoignent églises et demeures d'époque coloniale. — Le *département de Cuzco* (84 140 km^2. 614 300 hab. env.) possède une agriculture assez diversifiée, sur les versants andins (céréales, arbres fruitiers, luzernières,...). Centrale hydro-électrique de Machupicchu*. Indus. textiles, chimiques et alimentaires.

CVIRKA (Petras). ♦ Poète et nouvelliste lituanien (1909 — 1947). Après une première œuvre lyrique, *La Première Messe* (1928), il devint un auteur prolétarien, avec *Frank Kruk* (1934), et satirique, avec *La Terre nourricière* (1935), *L'Artisan et ses Enfants* (1936)

CWMBRAN (« la vallée du corbeau »). ♦ V. nouvelle du S.-E. du pays de Galles (Monmouthshire), à 9 km au N. de Newport, construite en 1951 pour accueillir 55 000 pers. La pop. effective était de 30 290 hab. (1968). Indus. métallurgiques, mécaniques et alimentaires.

CYAXARE, en gr. **Kuaxares** (iranien **Uvakshatra).** ♦ Roi des Mèdes de ~653 à ~584, fils de Phraorte*. Sous la domination scythe, il réorganisa l'armée mède, se révolta en ~ 625, soumit les Scythes*, les Perses, puis, allié aux Néo-Babyloniens (**V. Babylone, Nabopolassar**), détruisit l'Empire assyrien (prise d'Assur, ~ 614; de Ninive, ~ 612). Poursuivant ses conquêtes en Anatolie, il se heurta à Alyatte, roi de Lydie, avec qui il finit par conclure la paix, fixant leur frontière commune sur l'Halys (~ 585). Son fils Astyage* lui succéda. **V. Mèdes.**

CYBÈLE, en gr. **Kubelê**. ♦ Divinité anatolienne, importée de Phrygie* dans le monde gréco-romain. Personnifiant la force reproductrice de la nature et vénérée souvent sous les noms de *Grande Mère, Grande Déesse, Mère des dieux,* elle fut, chez les Grecs, assimilée à Rhéa*, mère des Olympiens. Son culte, officiellement introduit à Rome en ~ 204, y fut lié à celui d'Attis*, l'amant divinisé de la déesse et maintint le caractère oriental, accompagné de rites orgiaques.

CYCLADES. *n.f. pl.* ♦ Groupe de 24 îles de la mer Égée* (Grèce), dont les plus importantes sont : Amorgos, Andros*, Délos*, Ios*, Kéa*, Kimolos, Kythnos, Milo*, Mykonos*, Naxos*, Paros*, Santorin* (Théra), Sérifos, Sifnos, Syra*, Tinos*. *Nome des Cyclades :* 2 572 km²; 99 959 hab. *Ch.-l.* Hermoúpolis* (Syra). — Vins, tabac, fruits; minerais, marbre. Stations estivales. ♦ *Hist.* Épanouie dès le ~ IIIe millénaire (époque du bronze ancien), la civilisation cycladique devança de quelques siècles celle de Crète* et de Mycènes* dans le vaste ensemble de la civilisation égéenne : architecture des tombes et des acropoles, œuvres taillées dans la pierre (vases et sculptures). Les figurines, les statues et les idoles *cycladiques,* caractérisées par la construction géométrique, sont la seule manifestation d'art statuaire dans le monde égéen. Les ressources des Cyclades et de l'Eubée* en métaux et en pierre furent à l'origine de leur suprématie maritime, qui s'éclipsa devant l'hégémonie crétoise. D'abord attachées à la Confédération maritime d'Athènes* (~ 479), elles firent partie de l'Empire romain, puis de l'Empire byzantin. Duché vénitien en 1204, elles furent occupées par les Turcs en 1566.

CYCLOPES. *n. m. pl.* [**Kuklôpes**]. ♦ Dans les mythes théogoniques, les trois fils d'Ouranos* et de Gaia*, ayant un œil au milieu du front. Délivrés du Tartare* par Zeus* et rangés aux côtés des Olympiens contre les Titans*, ils arment Zeus* de la foudre, Poséidon* du trident et Hadès* du casque qui le rendait invisible. Représentés dans une variante comme mortels, ils sont tués par Apollon* pour avoir fabriqué la foudre qui tua son fils Asclépios. — Dans l'*Odyssée**, ainsi que dans le drame satyrique d'Euripide*, *Le Cyclope,* ce sont des pasteurs anthropophages, impies et antisociaux. **V. Polyphème.** — Dans la poésie alexandrine, ce sont les aides-forgerons d'Héphaïstos* sous l'Etna, où ils se confondent avec les Géants* emprisonnés sous les montagnes volcaniques. Enfin les *Cyclopes bâtisseurs* sont un peuple fabuleux à qui on attribuait la construction des murs *cyclopéens.* (Cf. Cyclope, cyclopéen, *in* Robert.)

CYCNOS, en gr. **Kuknos** *(le cygne).* ♦ Nom de plusieurs personnages de la mythologie grecque, dont un roi de Ligurie. À la mort de son ami Phaéton* foudroyé par Zeus, il est tellement affligé qu'Apollon, ému, le change en cygne. (Cf. le mot cygne, *in* Robert.)

CYDNUS *(le),* en gr. **Kudnos**. ♦ Fl. côtier de la Cilicie* (Asie Mineure), l'actuel *Tarsus Çayi.* Prenant ses sources dans le Taurus,

Ph. Nino Cirani/Ricciarini

Cuzco : place d'Armes et église des Jésuites.

Ph. César/Réalités

Les **Cyclades** : Paros.

il arrosait Tarsus*. Alexandre* le Grand, se baignant dans ses eaux glacées, faillit y périr en ~ 333. Marc Antoine offrit à Cléopâtre des fêtes somptueuses sur ses rives (~ 42). Frédéric* Barberousse s'y noya en 1190, lors de la troisième croisade.

Cygne. *n. m.*, en lat. **Cygnus**. ♦ Constellation boréale dont les étoiles principales décrivent une grande croix en pleine Voie* lactée. **V. Deneb.**

CYNEWULF. ♦ Poète religieux anglo-saxon (v. 750 — v. 800). Il fut peut-être évêque de Lindesfarne. Sa signature, en acrostiche, se trouve en caractères runiques dans quatre poèmes en dialecte ouest-saxon : le *Sort des Apôtres* dont le début rappelle celui de *Beowulf* ; Le Christ (The Ascension* ou *Criste),* paraphrase d'une omélie de saint Grégoire (conservé à Exeter); deux légendes ou vies de saintes : *Vie de sainte Julienne,* dont le sujet est emprunté à un texte hagiographique latin, et *Hélène (Elene),* considérée comme son chef-d'œuvre. Les 1 321 vers qui le composent sont divisés en quatorze chants ou « fitts » qui racontent la légende de la vraie croix. L'œuvre compte parmi les premières manifestations du courant anti-iconoclaste du déb. du IXe s. (les iconoclastes ne toléraient que la représentation du symbole de la croix). *Andréas, Guthlas* et *Le Phénix* sont attribués à un groupe de poètes de la même époque, connus sous le nom d'« école de Cynewulf ».

Cyniques. *n. m. pl.* ♦ Philosophes de l'école cynique fondée par Antisthène* (~ Ve-~ IVe s.) dont le précurseur fut peut-être Anacharsis* et les représentants les plus connus Diogène* le Cynique, Ménippe*, Stilpon, Timon.

CYNOCÉPHALES ou **CYNOSCÉPHALES** *(«têtes de chien»).* ♦ Nom de deux sommets de Thessalie* à l'E. de Pharsale*, lieu de la victoire de Pélopidas* sur Alexandre de Phères (~ 364) et de Flamininus* sur Philippe* V de Macédoine (~ 197).

CYPRIEN, en lat. **Thascius Caecilius Cyprianus** *(saint).* ♦ (Carthage, déb. IIIe s. — *id.,* 258). Écrivain latin chrétien et Père de l'Église. Évêque de Carthage en 248, il se tint à l'abri lors de la persécution de Dèce (250-251), prêcha l'indulgence en faveur des chrétiens qui avaient abjuré (les *lapsi,* « faillis ») et mourut martyr en 258. Œuvres princ. : *Des faillis, De l'unité de l'Église,* et des *Lettres.* — Fête le 16 septembre.

CYRANKIEWICZ (Józef). ♦ Homme politique polonais (Tarnow, 1911). Militant socialiste, il participa à la résistance contre les Allemands dès 1940, et fut déporté à Mauthausen de 1941 à 1945. Secrétaire général du parti socialiste polonais de 1945 à 1948, il devint secrétaire du Comité central du parti des travailleurs unifié. Président du Conseil de 1947 à 1952, puis remplacé par Bierut, il assura à nouveau la direction du gouvernement en 1954. Président du Conseil d'État (chef de l'État) en 1970, il démissionna en 1972. H. Jablonski lui succéda.

CYRANO de BERGERAC (Savinien *de***)**. ♦ Essayiste et philosophe français (Paris, 1619 — Sannois, 1655), également auteur de comédies pleines de verve *(Le Pédant joué)* et d'une tragédie *(La Mort d'Agrippine).* Officier audacieux, il fut influencé par Gassendi* et se montra aussi libre d'esprit que de mœurs. Ses *Lettres* (1654) et surtout son *Histoire comique des États et Empires de la Lune* (posth., 1657) et *des États et Empires du Soleil* (*id.,* 1662) le montrent savant, sceptique et libertin, professant, à partir d'aventures imaginaires, des idées philosophiques et scientifiques hardies.

Cyrano de Bergerac. ♦ Comédie héroïque d'Edmond Rostand*, en 5 actes et en vers (1897). L'ampleur d'un nez qui le défigure se trouve compensée chez Cyrano (personnage vaguement inspiré de l'écrivain Cyrano* de Bergerac — *ci-dessus*) par la générosité du cœur et le brillant de l'esprit. Poète et guerrier, il sacrifiera à l'amitié qu'il porte au jeune Christian de Neuvillette l'ardent amour qu'il éprouve pour la belle Roxane, sa cousine. L'intrigue généreuse et sentimentale, autant que l'habileté d'une versification qui parut au public le comble du poétique, assurent à la pièce un succès durable.

CYRÉNAÏQUE. *n. f.* ♦ Région orientale de la Libye, qui s'étend de la Méditerranée (golfe de la grande Syrte*) à l'O., jusqu'au pied des plateaux du Tibesti* au S.-O. et de l'Ennedi* au S.-E., couvrant une partie du désert libyque* **(V. Koufra).** Oliviers. Céréales. Élevage. — *V. et localités princ.* (zone méditerranéenne) **V. Agheila**

Ph. Hétier

Tombeau de **Cyrus II le Grand** à Pasargades (Iran).

(El-), **Beïda** (El-), **Benghazi, Bir Hakeim** et **Marsa-el-Brega.** (Sites) **V. Cyrène** et **Ptolemaïs.** *Exploitation de pétrole* **V. Zelten.** ♦ Hist. *Le Pentapole libyque* formé des villes d'Apollonia (Marsa-Sousa), Ptolemaïs (Tolmeïta), Teucheira-Arsinoé (Tokra), Euhespérides-Bérénice (Benghazi) et de sa cap. Cyrène* fut colonisé au ~ VIIe s. par les Grecs et la Cyrénaïque fut jointe à l'Égypte* sous Alexandre et resta soumise aux Lagides*. Etat indépendant à partir de ~ 258, Ptolémée* IX Apion la céda aux Romains (~ 96) et elle devint la *province romaine de Cyrénaïque* en ~ 74. Conquise par les Arabes en 641, elle conserva une certaine importance comme zone de passage entre Alexandrie et Kairouan. En 1551 elle passa sous la suzeraineté turque et fut totalement annexée à l'Empire ottoman* en même temps que la Tripolitaine* (1835). En 1843 la première « zaouïa » Senousis* y fut fondée, dans le djebel Akhar, par le fondateur de la confrérie. Elle fut cédée aux Italiens en 1912 à l'issue de la guerre italo-turque, mais ces derniers ne purent soumettre le pays qu'après de durs combats contre les Senoussis et après avoir fait face à la révolte des Bédouins et elle ne fut rattachée à la Libye italienne qu'en 1934. Au cours de la Seconde Guerre mondiale elle fut le théâtre de batailles acharnées entre les Britanniques **(V. Wavell** et **Montgomery)** et les troupes allemandes de l'Afrikakorps* dirigées par Rommel*. Le conflit terminé elle passa sous administration britannique puis devint autonome (1949) sous la présidence de l'émir Mohammed Idriss el-Mehdi es-Senoussi qui devint roi de Libye sous le nom de Idriss Ier en 1950. Elle fut en 1951 une province (auj. divisée en trois prov.) du royaume indépendant de Libye* (auj. République arabe libyenne).

Cyrénaïques. *n. m. pl.* ♦ Philosophes de l'école de Cyrène fondée par Aristippe* (~ IVe s.). Elle compte parmi ses représentants Aristippe* le Jeune, Anniceris* et Hégésias*. Leur philosophie essentiellement morale est hédoniste, elle affirme l'identité du bonheur, du plaisir et de la vertu.

CYRÈNE, en gr. **Kurênê.** ♦ Nymphe thessalienne. Aimée par Apollon*, elle est enlevée par lui et transportée en Libye, où naît leur fils Aristée*. Elle donna son nom à la ville de Cyrène et à la Cyrénaïque.

CYRÈNE, en gr. **Kurênê.** ♦ Ville antique, anc. cap. du *Pentapole libyque* en Cyrénaïque, à proximité de la côte. Elle fut fondée probablement par des colons doriens (~ 631), elle passa en ~ 96 sous domination romaine. Patrie de Aristippe* (elle fut le centre de l'école philosophique des Cyrénaïques*), de Callimaque*, de Carnéade* et d'Ératosthène*. — Ruines importantes. — La *Vénus de Cyrène,* statue de marbre (~ IIIe s.), se trouve auj. au musée des Thermes à Rome.

CYRILLE *(saint).* ♦ Évêque de Jérusalem (Jérusalem, 313-315 — *id.,* 386). Auteur de *Catéchèses baptismales* écrites pour l'instruction des candidats au baptême, il devint évêque de Jérusalem en 350, fut chassé à plusieurs reprises par les ariens et ne reprit possession de son siège qu'en 378. Contre l'arianisme, il défendit la foi de Nicée* au concile de Constantinople* (381). — Fête le 18 mars.

CYRILLE *(saint).* ♦ Patriarche d'Alexandrie (Alexandrie, 376-380 — *id.,* 444), docteur de l'Église. En 412 il succéda à son oncle Théophile sur le siège patriarcal d'Alexandrie et se manifesta dans tout l'Orient comme un défenseur intransigeant de l'orthodoxie. Il fit condamner Nestorius* par le concile d'Éphèse* (431). Sa doctrine de l'Incarnation, affirmant l'union hypostatique des deux natures du Christ, divine et humaine, reste une des bases du dogme chrétien. — Fête le 28 janvier.

CYRILLE *(saint),* dit **le Philosophe** (ou *saint Cyrille de Salonique).* ♦ Évangélisateur des Slaves (Thessalonique, 827-828 — Rome, 869). Prénommé Constantin, il adopta le nom de Cyrille lorsqu'il fut sacré évêque. Avec son frère Méthode*, il introduisit le christianisme en Dalmatie, en Hongrie, en Pologne, en Crimée. Il traduisit la Bible en slavon; la tradition lui attribue l'invention de l'alphabet appelé *cyrillique* (Cf. Robert), mais il s'agirait plutôt de l'alphabet glagolitique. Son œuvre fut poursuivie par son frère, puis par leurs disciples réfugiés en Bulgarie*; elle est à l'origine de l'histoire culturelle des Slaves. — Fêtes le 9 mars (Église latine); le 6 juin (Église orthodoxe).

CYRILLE Ier LUKARIS. ♦ (En Crète, 1572 — Constantinople, 1638). Patriarche d'Alexandrie (1602) puis patriarche œcuménique de Constantinople (1620), il tenta une alliance entre l'Église orthodoxe et les protestants, publia une profession de foi de tendance calviniste (Genève ? 1629), mais il fut destitué plusieurs fois et finalement exécuté à la suite d'intrigues entre les Latins, le sultan et son successeur Cyrille II Kontaris.

Cyropédie. *n. f.* ♦ Œuvre de Xénophon. **V. Xénophon.**

CYRUS, en gr. **Kuros,** en vieux perse **Kurash.** ♦ Nom de plusieurs membres de la dynastie achéménide. ♦ CYRUS Ier. roi d'Anshan (ancienne ville et contrée d'Élam, devenue indépendante) [v. ~ 640-~ 600]. ♦ CYRUS II *le Grand,* fondateur de l'Empire perse achéménide (~ 550-~ 530), fils de Cambyse* Ier et de Mandane, petit-fils du précédent. Roi d'Anshan, il se révolta contre son suzerain Astyage*, roi des Mèdes (~ 556), le déposa (~ 550) et substitua à l'Empire mède un Empire perse, mieux organisé et plus puissant. Il annexa d'abord la Lydie **(V. Crésus)** et les cités grecques de la côte d'Asie Mineure, puis l'Iran oriental, la Syro-Palestine, l'Arabie du Nord. En ~ 539 il prit Babylone, tua Balthasar*, fit prisonnier Nabonide*, et entra dans la ville en libérateur. Il s'y fit reconnaître comme roi, sans pourtant annexer le pays. Il se concilia les populations soumises par Babylone en leur restituant leurs divinités. Il mit fin à la captivité des Juifs, autorisant 40 000 d'entre eux à retourner en Palestine, ce pourquoi la Bible le qualifie de *messie**. Son fils Cambyse* II lui succéda. ♦ CYRUS dit *le Jeune* (~ 424 — ~ 401), fils de Darios* II et de Parysatis, reçut le pouvoir sur la satrapie de Lydie, la Grande Phrygie et la Cappadoce avec la responsabilité de la politique grecque de la Perse; il favorisa Sparte aux dépens d'Athènes. Prétendant au trône à la mort de son père (~ 404), il manqua un attentat contre son frère Artaxerxès* II; il fut gracié sur l'intervention de sa mère. En ~ 401, il réunit une armée pour renouveler sa tentative, mais il fut tué à la bataille de Cunaxa*. Parmi ses troupes figuraient des mercenaires grecs : ceux-ci, après le massacre de leurs chefs **(V. Tissapherne),** parvinrent à remonter de la Babylonie jusqu'à Pergame, à travers l'Arménie et l'Anatolie. **V. Dix-Mille, Anabase, Xénophon, Cléarque.**

CYSOING [sizwɛ̃]. ♦ Ch.-l. de cant. du Nord*, arr. de Lille*. 3 460 hab. *(Cysoniens.)* Toiles.

CYTHÈRE ou **CÉRIGO,** en gr. **Kuthêra.** ♦ La plus méridionale des îles Ioniennes* (Grèce) au S. du Péloponnèse. 278 km²; 9 100 hab. *Ch.-l.* Cythère. Sources thermales. — Île d'Aphrodite*, elle passa dans la littérature et dans l'art comme le pays idyllique de l'amour et du plaisir : Cf. le thème de l'*Embarquement* pour Cythère,* illustré par Watteau*.

CYZIQUE, en gr. **Kuzikos.** ♦ Anc. V. d'Asie Mineure sur la Propontide. Fondée par des colons de Milet* en ~ 756, elle devint un grand centre commercial. Alcibiade* y battit la flotte spartiate en ~ 410. Prise par les Arabes (675), elle fut détruite par un tremblement de terre en 943. — Patrie d'Eudoxe*. — Ruines de théâtre et des temples.

CZARTORYSKI. ♦ Famille princière de Pologne*, issue des Jagellons, qui dès le XVIIe s. tint un rôle prépondérant dans la vie politique polonaise, et dont les principaux membres furent : ♦ ADAM KAZIMIERZ (Dantzig, 1734 — Sienawa, 1823). Président de la Diète chargée de la succession d'Auguste* III (1763), partisan de la Russie il favorisa l'élection de son cousin germain Stanislas* II Poniatowski (1764). ♦ ADAM JERZY (Varsovie, 1770 — Montfermeil, 1861). Emmené en Russie comme otage, après le troisième partage de la Pologne (1795), il devint ministre des Affaires étrangères d'Alexandre Ier (1802-1806) et tenta de reconstituer la Pologne. À la suite de la révolution de 1830, il accepta la présidence du gouvernement provisoire de Varsovie* (1831), fut condamné à mort par le tsar Nicolas Ier, et se réfugia en France, où il continua à lutter pour l'indépendance de son pays.

CZERNY (Karl). ♦ Compositeur et pianiste autrichien (Vienne, 1791 — *id.,* 1857). Élève de Beethoven, ami du prince Lichnowsky, de Hummel et de Clementi, il fut lui-même un remarquable professeur et compta parmi ses disciples Thalberg et Liszt. Outre ses ouvrages pédagogiques, irremplaçables dans le domaine de la technique pianistique *(L'Art de la vélocité, 40 Études quotidiennes, l'École du virtuose),* il est l'auteur d'une œuvre musicale abondante (musique d'église, symphonique, de chambre, ouvertures, concertos et chœurs).

CZĘSTOCHOWA. ♦ V. de la Pologne* méridionale (voïévodie de Katowice) sur la Warta*. 170 000 hab. Évêché. Centre de pèlerinage (Vierge noire). — Industries chimiques, textiles et métallurgiques. Complexe sidérurgique.

CZOLGOSCZ (Léon). ♦ Anarchiste américain d'origine polonaise (Detroit, Michigan, 1873 — Buffalo, 1901). Auteur de l'attentat contre le président des États-Unis, William McKinley (1901), il fut condamné à mort.

Ph. Mireille Vautier/A.A.A. photo

Dacca.

DABIT (Eugène). ♦ Romancier français (Paris, 1898 – Sébastopol, Crimée, 1936). D'abord peintre, mais encouragé par ses amis écrivains (Gide, R. Martin du Gard, etc.), il fit paraître en 1929 un roman populiste, *Hôtel du Nord,* succession de tableaux « dans les tonalités grises », empreints de « la même mélancolie » que ses premières œuvres picturales proches de Vlaminck. Les autres romans de Dabit, *Petit-Louis* (autobiographique, 1931), *Faubourgs de Paris* (1933), comme les nouvelles de *Trains de vie* (1936), évoquent avec une égale sensibilité des « images de Paris, cafés, lieux de passage ou de rencontres, lieux où toujours on se sent en exil ». – Une mort prématurée (lors d'un voyage en U.R.S.S., en compagnie de Gide) interrompit cette œuvre réaliste et poétique où apparaît l'influence de Ch.-L. Philippe*. Après la mort de Dabit furent publiés un roman, *Le Mal de vivre* (1937), un essai sur *Les Maîtres de la peinture espagnole* (1937) ainsi que son *Journal intime,* tenu de 1928 à 1936.

DĄBROWA (ou DOMBROWA) GÓRNICZA. ♦ V. de Pologne (voïévodie de Katowice) en haute Silésie*. 59 000 hab. Centre minier et métallurgique.

DĄBROWSKA ou DOMBROWSKA (Maria). ♦ Femme de lettres polonaise (Rusow, près de Kalisz, 1892 – Varsovie, 1965). Auteur de romans d'analyse sociale, elle devint célèbre avec *Gens de là-bas* (1925), inspiré de la vie du prolétariat des campagnes. Entre 1932 et 1934, elle publia un cycle épique : *Les Nuits et les Jours* (5 vol.), à la fois roman de mœurs et roman psychologique, qui dépeint plusieurs générations de la société polonaise traditionnelle, à partir de l'insurrection de 1863 jusqu'à la Première Guerre mondiale, et qui est considéré comme son chef-d'œuvre. Ses derniers ouvrages : *Le Troisième Automne, Les Aventures d'un homme qui réfléchit* (1961, inachevé), traitent de la Pologne contemporaine. On lui doit également des essais littéraires, des impressions de voyages et de remarquables traductions d'auteurs anglais et russes.

DĄBROWSKI ou DOMBROWSKI (Jan Henryk). ♦ Général polonais (Pierzchowiec, près de Cracovie, 1755 – Winnagura, Posnanie, 1818). Après avoir combattu pour l'indépendance de la Pologne aux côtés de J. Poniatowski et Kościuszko* (1794), il émigra en France (1796), où il constitua les « légions polonaises » **(V. Pologne, *Hist.*)** qui participèrent à la campagne d'Italie (1797-1801) et défendirent le grand-duché de Varsovie contre les Autrichiens (1809). Durant la retraite de Russie, il couvrit avec ses troupes le passage de le Berezina (1812), puis se distingua à la bataille de Leipzig (1813). Après la chute de Napoléon, il devint sénateur du nouveau royaume de Pologne (1815). ♦ La *Marche de Dąbrowski,* composée par Wybicki en 1797 et adoptée par les légions polonaises, devint plus tard l'hymne national polonais.

DACCA. ♦ Cap. du Bangla* Desh (ex-Pâkistän oriental), sur la rivière Buriganĝâ. 829 000 hab. (1969). Université (créée en 1921). Aéroport international Dacca-Tejgaon. La ville conserve de nombreux monuments de l'époque moghole (tombe de Bibi Peri [1684], caravansérails, etc.), plus de 700 mosquées, des pagodes d'origine birmane. – Ses mousselines et ses dentelles sont réputées. Indus. textile (saris de coton, tapis de jute, bonneterie), surtout dans le faubourg de Narayanganj. ♦ *Hist.* La ville est l'anc. cap. (1608-1704) du Bengale oriental moghol et le site d'anc. comptoirs commerciaux français, anglais et hollandais. Cité de fondation ancienne (IXe s.?), elle est irriguée par des canaux souvent antérieurs au XVIIe siècle.

DACH (Simon). ♦ Poète allemand de l'époque baroque (Memel, Prusse-Orientale, 1605 – Königsberg, 1659). Après des études de théologie et de philosophie, il enseigna à l'école capitulaire, puis à l'université de Königsberg. Auteur de poèmes bucoliques où transparaît l'influence de M. Opitz, il a composé également des poèmes d'inspiration religieuse.

DACHAU. ♦ V. de la République fédérale d'Allemagne (Bavière), sur l'Amper, dans la *Dachauer Moos* (marais), à 22 km au N.-O. de Munich. 34 000 hab. Château du XVIe s. (reconstruit au XIXe s.); église du XVIIe siècle. – Un camp de concentration nazi y fut ouvert en 1933, où furent internés, jusqu'en 1945, 206 000 déportés dont 32 000 furent exterminés.

DACIE. *n. f.,* en lat. *Dacia.* ♦ Anc. région d'Europe du S.-E., située sur la r. g. du Danube, correspondant à la Roumanie actuelle et habitée par un peuple indo-européen appelé Gètes* par les Grecs et *Daces* par les Romains. Soumise par Trajan* après deux campagnes dites *guerres daciques* (101-102 et 105-107), elle devint province romaine, mais dut être abandonnée aux Goths* par Aurélien* en 274.

DACIER (Anne Lefebvre, *Mme*). ♦ Érudite française (Preuilly-sur-Claise, 1647 – Paris, 1720) qui traduisit les auteurs grecs et latins et fut à l'origine de la seconde *Querelle des Anciens* et des Modernes*. Traductrice de l'*Iliade* (1699) et de l'*Odyssée* (1708) d'Homère*, elle s'opposa aux libres adaptations de Houdar* de la Motte et prit vivement position pour les Anciens dans son traité des *Causes de la corruption du goût* (1714). Femme d'André Dacier*.

DACIER (André). ♦ Érudit français (Castres, 1651 – Paris, 1722), mari d'Anne Lefebvre (voir ci-dessus Mme Dacier). Converti au catholicisme en 1685, il traduisit de nombreux ouvrages latins et grecs, notamment d'Horace et d'Aristote. Il devint bibliothécaire du roi en 1708. (Acad. fr., 1695.)

DADABHAI NAOROJI. ♦ Homme politique indien (Bombay, 1825 – 1912) parsi. Professeur de mathématiques, il publia de nombreux ouvrages sur les conditions sociales dans son pays et fut le premier Indien à siéger au Parlement britannique.

DADDAH (Moktar Ould Mohamedoun). ♦ Homme d'État mauritanien (né en 1924), président de la République islamique de Mauritanie* depuis son indépendance (1961).

DADDI (Bernardo). ♦ Peintre italien (v. 1290? – v. 1348). Disciple de Giotto, il décora la chapelle Pulci-Berardi à *Santa Croce* (Florence, v. 1328), mais réussit mieux dans les peintures sur bois de moindres dimensions, surtout des *Madones,* qui constituèrent la majeure partie de sa production (Offices, Louvre). Il y montre un art gracieux apparenté au gothique **(V. Andrea Pisano*)** et aux œuvres siennoises des Lorenzetti* vers lesquelles son goût de la couleur dut l'attirer toujours davantage.

DÂDÛ DAYÂL. ♦ Poète indien (Gujarat, 1544 – 1604), d'expression gujarâtî, auteur de *dits* célèbres dans lesquels il s'insurge contre le culte des idoles. Il créa une secte religieuse syncrétique vishnouite indo-musulmane, dite des *Dâdû-panthî,* inspirée de la philosophie de Kabîr*.

DAEGU [*Taegu*]. ♦ V. de Corée du Sud, *ch.-l.* de la prov. de Gyeongsang-nord. Env. 1 000 000 d'hab. Universités. Indus. textiles, électriques et conserveries.

DAE-HAN MIN-GUG [*Tae Han Min Kuk*]. ♦ Nom officiel que prit en 1948 la république de Corée, gardé par le gouvernement de Corée* du Sud.

DAGAN. ♦ Ancien dieu sémitique occidental dont les Amorites répandirent le culte en Mésopotamie. C'était sans doute un dieu de la fertilité, un dieu « froment ». Ses principaux temples étaient à Mari*, Ougarit*. Il apparaît dans la Bible, sous la forme *Dagon,* comme dieu des Philistins* : ceux-ci l'auraient donc adopté lors de leur installation en Palestine.

DAGENHAM. ♦ Aggl. résidentielle et industrielle de la banlieue est de Londres*. 108 400 hab. Indus. chimiques et automobiles.

DAGHESTAN. *n. m.* **(République socialiste soviétique autonome de),** en russe **Daghestanskaja A.S.S.R.** ♦ Une des seize républiques autonomes de la R.S.F.S. de Russie*. Située dans le Caucase du N., elle est baignée à l'E. par la mer Caspienne*. 50 300 km². 1 429 000 hab. (en majorité musulmans; une trentaine de peuples : Andiets, Avarets, Darghiens, Laks, Lesghiens, Koumucks, Nogaïs). *Cap.* Makhatchkala*. Le *Daghestan* (son nom signifie en turc « pays de montagnes ») est fragmenté par des vallées et des bassins intérieurs. – *Écon.* L'activité agricole est représentée par la culture du blé, du maïs, des légumes et de la vigne. Indus. pétrolières, mécaniques, chimiques et alimentaires. Traitement du bois. Pêcheries. ♦ *Hist.* Conquis par les Perses (IVe s.), les Arabes (VIIIe s.), puis les Turcs Osmanlis (XVIe s.), le Daghestan fit partie de l'Empire russe dès la fin du XVIIIe s. Après la révolution d'Octobre, le régime soviétique y fut instauré. Envahi en 1918 par les Russes blancs, les Allemands et les Turcs, disputé entre eux et les bolcheviks, il devint une R.S.S. autonome en 1921.

DAGINCOURT (François). ♦ V. AGINCOURT (d').

DAGÖ. ♦ Nom suédois de Khiouma* (Estonie).

DAGOBERT Ier. ♦ Roi des Francs (629-639), né au début du VIIe siècle. Son père Clotaire* II le fit roi d'Austrasie sous la tutelle de Pépin* l'Ancien. Devenu roi des Francs en 629, il reconstitua l'unité du royaume franc à la mort de son frère Caribert (632), avec Paris pour capitale. Pendant dix ans, il y maintint l'ordre, aidé des futurs saint Éloi* et saint Ouen*. Mais, en 634, il fut contraint de reconnaître l'indépendance de l'Austrasie avec, pour roi, son fils Sigebert* II, tandis que son second fils, Clovis, devait devenir, à sa mort, roi de Neustrie, sous le nom de Clovis II. – Dagobert fut enseveli à Saint-Denis.

DAGOBERT II. ♦ Petit-fils de Dagobert Ier et fils de Sigebert II. Roi d'Austrasie (676-679). Il fut assassiné par ordre de Grimoald, fils de Pépin l'Ancien. Sa fille fut canonisée sous le nom d'Adèle.

DAGOBERT III. ♦ Fils de Childebert* III et roi de Neustrie (711-715) sous la tutelle de Pépin le Gros. – Père de Thierry* IV.

DAGON. ♦ V. DAGAN.

DAGRON (René). ♦ Chimiste français (Beauvoir, 1819 – Paris, 1900). Inventeur de la microphotographie, il fut chargé d'un service de renseignements.

DAGUERRE (Jacques). ♦ Inventeur français (Cormeilles-en-Parisis, 1787 – Bry-sur-Marne, 1851). Peintre de décors ayant inventé le diorama en 1822, il s'associa en 1829 à Niepce*, inventeur de la photographie, qui poursuivait ses recherches; après la mort de Niepce, Daguerre découvrit les procédés permettant de *développer* (1835) et de *fixer* (1837) ses images, et dès 1838 obtint les *daguerréotypes.*

DAHL (Johan-Christian). ♦ Peintre norvégien (Bergen, 1788 – Dresde, 1857). Paysagiste de tempérament romantique, il se plut à rendre le caractère grandiose de la nature et fut en même temps un observateur attentif. Ses études de nuages témoignent de sa sensibilité aux effets d'atmosphère. Il influença profondément la peinture norvégienne.

DAHOMEY. *n. m.* (auj. **rép. populaire du Bénin**), anc. **Dan-Homey, V. Abomey.** ♦ État d'Afrique occid. parallèle au Togo* qui le limite à l'O. Le Nigeria le limite à l'E., la Haute-Volta et le Niger au N., et il est baigné au S. par le golfe du Bénin*. 112 600 km². 3 110 000 d'hab. *(Dahoméens). Cap.* Porto-Novo. *Langues :* français (off.), nombreux dialectes. *Pop.* Ewe, Fon, Peuls, Yoroubas (ou Yorubas), etc. *V. princ.* **V. Abomey, Cotonou** et **Parakou.** – Le *Dahomey* est constitué par cinq régions naturelles : une zone littorale forestière, un « terre de barre » (argile) très fertile, des

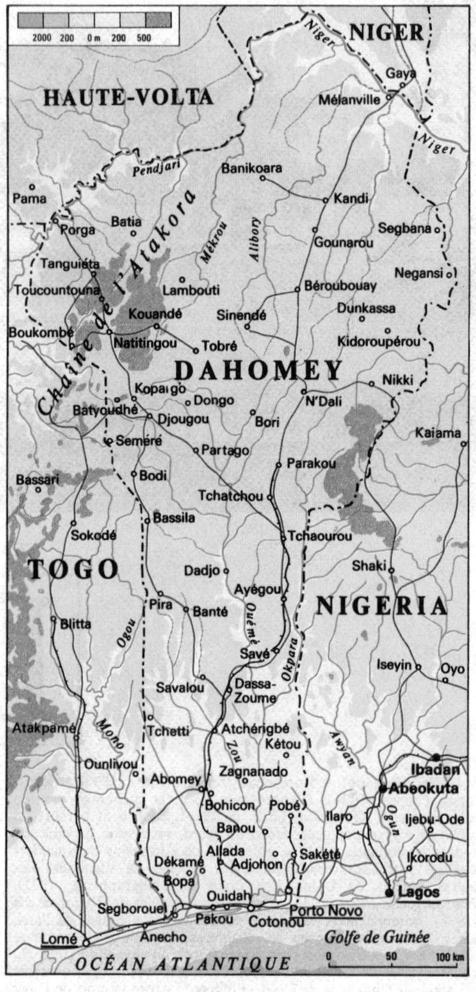

Dahomey.

plateaux cristallins qui s'étendent sur la majeure partie du pays, la région montagneuse de l'Atakora au N.-O. et au N.-E., les plaines du bassin du Niger **(V. Borgou).** Aux deux premières bandes forestières du bas Dahomey (climat subéquatorial) s'oppose le N. tropical (savane herborée puis herbeuse). *L'économie* agricole est caractérisée par des cultures vivrières variées et la monoculture de produits d'exportation (oléagineux : palmiers à huile, cocotier, karité, arachide, ricin). L'industrialisation en est à ses débuts. ♦ *Hist.* Dès le XVIIe s., ses côtes furent fréquentées par les Européens (trafic négrier). La France obtint en 1851 des traités de commerce (cession de Cotonou), mais n'intervint qu'après la signature d'un traité de protectorat (1883) avec le roi de Porto*-Novo menacé par le royaume d'Abomey* **(V. Behanzin** et **Dodds).** La colonie du *Dahomey* et ses dépendances fut organisée en 1894, les territoires du N. annexés ultérieurement et, en 1904, elle fut rattachée à l'A.-O.F., république autonome au sein de la Communauté (1958); membre du Conseil de l'Entente* (1959), elle acquit son indépendance en 1960 et prit le nom de rép. populaire du Bénin en 1975.

DAHRA. *n. m.* ♦ Massif montagneux de l'Algérie septentrionale, partie de l'Atlas* tellien, compris entre la vallée longitudinale du Chelif* et la Méditerranée. Il est prolongé à l'E. par le massif de Miliana*. *V. princ.* (en bordure) **V. Ténès.**

DAIBUTSU. *n. m.* (littéralement « Grand Bouddha »). ♦ Nom donné au Japon aux grandes statues du Bouddha. Les deux plus célèbres sont celles du Tôdai-ji de Nara*, en bronze (749), et de Kamakura*, en bronze également, élevée en 1252.

DAIKOKU-TEN. ♦ Au Japon, une des sept divinités du Bonheur, très vénérée par le peuple, transformation shintô d'une ancienne divinité de l'Inde.

DAIMLER (Gottlieb). ♦ Ingénieur allemand (Schorndorf, Würtemberg, 1834 – Cannstadt, 1900). Ayant perfectionné et, notamment, allégé le moteur de Nikolaus Otto*, il est le créateur du moteur des automobiles qu'il fit breveter en France (1887). Son association avec Panhard* et Levassor* permit à l'industrie automobile française d'occuper l'un des premiers rangs dans le monde.

DAINICHI NYORAI. ♦ Nom japonais du « Grand Bouddha solaire de Lumière et de Vérité » *Mahâvairochana*, personnage central des doctrines ésotériques du bouddhisme japonais.

DAIREN ou **TA-LIEN.** ♦ V. de Chine du N., qui, avec Lü-shun et le faubourg de Chin-hsien, forme l'aggl. de Lü*-ta.

DAI-VIÊT. *n. m.* ♦ Anc. appellation officielle du royaume tonkinois (Viêt-nam du Nord) créé en 939, et qui fut plusieurs fois utilisé pour désigner le Viêt-nam.

DAKAR. ♦ Cap. du Sénégal, située à l'extrémité sud-orientale de la courbe formée par la presqu'île du cap Vert*, sur l'Atlantique, face à l'île de Gorée*. Env. 500 000 hab. Archevêché. Université (la première d'Afrique francophone). Institut français d'Afrique Noire. — Grand port et aérodrome important **(V. Yof)**, qui sont des escales vers l'Afrique du Sud et l'Amérique latine. Centre ferroviaire relié à Bamako*, à Koulikoro* (Mali) et à Saint*-Louis. Raffinerie de pétrole. Industries légères (huileries d'arachide; traitement du thon). ♦ *Hist.* La construction de Dakar **(V. Faidherbe)** débuta en 1862; sa situation et son rôle de plaque tournante favorisèrent son développement et elle devint en 1903 le siège du gouvernement général de l'Afrique-Occidentale française (A.-O.F.), établi jusque-là à Saint*-Louis. Mermoz* réalisa en 1927 la première liaison aérienne directe et sans escale France-Dakar sur avion Latécoère*. Sa position stratégique lui donna une grande importance au cours de la Seconde Guerre mondiale. Les 23-25 septembre 1940, De Gaulle, aidé d'une escadre anglaise, tenta de s'en emparer; il échoua en raison de l'opposition du gouverneur, le général Boisson.

DAKHALIÉH, en ar. **al-Daqahlîyah.** ♦ Gouvernorat de la Basse-Égypte, situé dans la partie N.-O. du delta du Nil. 3 462 km². 1 850 000 hab. *Cap.* Mansourah*.

DAKHLEH ou **DAKHLAH** *(oasis de)*, en ar. **al-wâhat-al-Dâkhilah.** ♦ Oasis d'Égypte, dans le désert Libyque, à l'E. de Kargéh. C'est la plus vaste (24 km de long sur 45 km de large) et la plus peuplée des oasis d'Égypte. 35 000 hab. Culture de dattes, mangues, etc.

DAKIN (Henry Drisdale). ♦ (1880 — 1952). Il découvrit, avec A. Kossel*, une source directe d'urée, l'arginine (1904).

DAKOTA du NORD. *n. m.*, en angl. **North Dakota.** ♦ État du centre N. des États-Unis, limité au N. par le Canada, à l'E. par le Minnesota, au S. par le Dakota du S. et à l'O. par le Montana. 183 022 km². 632 446 hab. (1960). *Cap.* Bismarck. *Autres V.* Fargo (env. 50 000 hab.), Grand Forks (env. 35 000), Minot (plus de 30 000 hab.). — *Orogr.* L'État est constitué par des plaines et des prairies vallonnées s'élevant progressivement vers l'ouest. À l'E., se trouve la vallée de la *Red River*, à l'O. le plateau du Missouri, traversé d'O. en E. par les affl. (r. d.) de ce fleuve. — *Climat* continental, avec d'importantes variations de température. — *Écon.* de caractère agricole : blé de printemps (50 % de la valeur totale des récoltes), orge, avoine, pommes de terre, betteraves, etc. Réserves de pétrole, de lignite, de sel. Le développement industriel est récent : raffineries, production de sel, de sucre (de betterave). Le tourisme, attiré par les sites pittoresques de l'O. (*Theodore Roosevelt Memorial Park*, sur le Petit Missouri), constitue un apport économique notable. — Université à Fargo. ♦ *Hist.* La région correspondant aux deux Dakota fut explorée par les Français (Pierre de la Vérendrye, 1738); elle passa aux États-Unis en même temps que la Louisiane (1803) et par le traité de 1818 avec le Canada. Le *territoire du Dakota* fut créé en 1861; il correspondait aux deux Dakota, au Montana et au Wyoming. Les Indiens Dakota, dépossédés de leurs terres (Minnesota et Dakota), furent repoussés à l'O. du Missouri. En 1889, le *Dakota du Nord* devint le 39e État de l'Union.

DAKOTA du SUD. *n. m.*, en angl. **South Dakota.** ♦ État du centre N. des États-Unis, limité au N. par le Dakota du N., à l'E. par le Minnesota et l'Iowa, au S. par le Nebraska et à l'O. par le Montana et le Wyoming. 199 552 km². 680 514 hab. (en 1960). *Cap.* Pierre. *Princ. V.* **V. Sioux Falls, Rapid City.** — *Orogr.* Comme le Dakota du N., l'État est formé d'une partie de la Grande Plaine qui s'élève d'O. en est. La plaine de l'E. continue celle du Dakota du Nord. Le Missouri, qui coule dans une vallée profonde et forme de nombreux lacs de barrage, la sépare de la prairie traversée par les affl. du Missouri (r. d.). L'O. de l'État est formé de terres arides *(Bad Lands)* d'où s'élève le massif des *Black Hills* (« collines noires »). — *Climat* continental. — *Écon.* État agricole, producteur de maïs, blé. Élevage (bovins, moutons, porcs) et production de lait. Les richesses minérales sont variées : or (1er prod. des États-Unis; mines de Lead), béryl, lithium, tantale, lignite. Uranium dans les *Black Hills.* — L'État contient plusieurs parcs et zones touristiques : le mont Rushmore* est le plus célèbre. — Patrie d'E.O. Lawrence. ♦ *Hist.* **V. Dakota du Nord.** La région fut à la fin du XVIIIe et au début du XIXe s. un des centres du trafic de fourrures (Pierre Chouteau, un des premiers trappeurs, donna son nom à la cap., Pierre*). Les premiers établissements permanents datent de 1856-1859. Le Dakota du Sud devint en 1889 le 40e État de l'Union.

DALADIER (Édouard). ♦ Homme politique français (Carpentras, 1884 — Paris, 1970). Agrégé d'histoire, député radical-socialiste (1919-1940), il fut plusieurs fois ministre à partir de 1924. Président du Conseil (janv.-oct. 1933), il tenta de faire face à la crise financière. Rappelé au pouvoir en janvier 1934 pour lutter contre

Ph. Hétier

Dahomey : forêt de tecks.

le développement des ligues d'extrême droite, après l'affaire Stavisky, il exigea la démission du préfet de police, Chiappe* (3 février 1934), mais dut se retirer après la manifestation du 6 février* 1934. Ayant été l'un des instigateurs de l'idée de Front populaire, il fut nommé ministre de la Défense nationale (cabinet L. Blum, puis Chautemps, 1936-1937) et appelé, après la chute du second cabinet Blum, à former le gouvernement (avril 1938-mars 1940). Il signa les accords de Munich* (sept. 1938), essaya d'enrayer la crise financière et d'organiser la défense nationale et prit des mesures rigoureuses contre les communistes après la signature du pacte germano-soviétique (1939). Lorsque l'Allemagne envahit la Pologne, le gouvernement Daladier, conjointement à la Grande-Bretagne et conformément aux engagements pris, déclara la guerre à l'Allemagne le 3 sept. 1939. Ministre de la Guerre, puis des Affaires étrangères dans le cabinet P. Reynaud* auquel il avait cédé le pouvoir, il fut arrêté par le gouvernement de Vichy (après juin 1940), comparut au procès de Riom (1942). Déporté en Allemagne (1943-1945), il fut réélu député radical après la Libération (1946-1958). Il prit position contre la continuation de la guerre en Indochine, la constitution de la Communauté européenne de défense et la Constitution de 1958.

Dalaï-Lama. *n. m.* ♦ Titre mongol signifiant « Océan » et conféré à partir de 1577 aux chefs de l'Église lamaïque du Tibet*.

DALAT. ♦ V. du Viêt-nam (Sud) située dans la Cordillère annamitique à 1 600 m d'alt. Env. 60 000 hab. Station climatique, école militaire, université. ♦ *Hist.* Après l'arrivée de la flotte française dans le golfe du Tonkin (5 mars 1946) et la signature d'un accord entre Ho Chi Minh et J. Sainteny (commissaire de la République française au Tonkin), accord stipulant la reconnaissance de la République du Viêt-nam par la France, une première conférence franco-vietnamienne (avril-mai 1946) mit en évidence les désaccords entre le représentant français (l'amiral T. d'Argenlieu) et celui du Viêt-minh (Giap). — La deuxième conférence, qui réunit en août 1946 les délégués du Cambodge, du Laos, de la Cochinchine et du Sud-Annam, sans la participation des dirigeants d'Hanoï, compromit les entretiens franco-vietnamiens qui se déroulaient parallèlement à Fontainebleau et ne fit qu'accentuer les tensions entre la France et le gouvernement Ho Chi Minh. — Une troisième conférence (fév. 1953) entre le représentant français Letourneau et Bao-Daï décida de l'appui de l'État du Viêt-nam dans la guerre contre le Viêt-minh.

DALAYRAC ou **D'ALAYRAC (Nicolas).** ♦ Compositeur français (Muret, 1753 — Paris, 1809). Auteur de quatuors à cordes, de duos pour le violon et de romances, c'est surtout au théâtre qu'il s'illustra, avec une soixantaine d'opéras comiques (*Nina ou la Folle par amour*, 1786; *Adolphe et Clara*, 1799; *Gulistan*, 1805). D'une inspiration spirituelle que gâte parfois une sentimentalité mièvre, ces ouvrages connurent la faveur du public sous le Directoire et l'Empire.

DALBERG (Karl Theodor). ♦ Homme politique et prélat allemand (Herrnsheim, près de Worms, 1744 — Ratisbonne, 1817). Évêque de Constance, puis archevêque de Mayence, il tenta de s'opposer à Napoléon, puis se rallia à lui et devint président de la Confédération* du Rhin et grand-duc de Francfort. Resté fidèle à l'Empereur, il perdit ses biens en 1815.

DALE *(sir* **Henry Hallett).** ♦ Médecin anglais (Londres, 1875 — 1968). Il obtint avec O. Loewi* le prix Nobel de médecine (1936) pour la découverte du rôle des échanges chimiques dans la transmission de l'influx nerveux.

DALÉCARLIE. *n. f.*, en suédois **Dalarna.** ♦ Région montagneuse de la Suède centrale et ancienne province. *V. princ.* Falun*.

Arch. Smeets

S. Dali : « Vestiges ataviques après la pluie ». (Collection privée.)

DALÉN (Gustaf). ♦ Ingénieur suédois (Stenstorp, 1869 – Stockholm, 1937). Il est l'inventeur d'un procédé d'allumage automatique des phares à acétylène permettant d'établir des feux périodiques sur le littoral [1905]. (Prix Nobel de phys., 1912.)

DALHOUSIE (James RAMSAY, *marquis de*). ♦ Homme politique britannique (Dalhousie, Écosse, 1812 – *id.*, 1860). Gouverneur général des Indes (1847-1856), il fut un remarquable administrateur et annexa le Panjâb* après la défaite des Sikhs (1849).

DALI (Salvador). ♦ Peintre, dessinateur et écrivain espagnol (Figueras, Catalogne, 1904). De 1921 à 1925, il étudia à l'École des beaux-arts de Madrid et se lia notamment avec Lorca. Après avoir employé une technique néo-impressionniste, il s'intéressa aux productions cubistes et découvrit la « peinture métaphysique ». Arrivé à Paris en 1927, il entra en contact avec les surréalistes et ne tarda pas à s'imposer comme l'une des personnalités les plus en vue du mouvement, grâce à ses productions spectaculaires (tableaux, déclarations, collaboration aux films de Buñuel* : *Un Chien andalou,* 1929; *L'Âge d'or,* 1930), contribuant à diffuser une certaine iconographie surréaliste dans le quotidien (mode, décoration, ameublement, publicité). Cette influence persista après son exclusion du mouvement, provoquée par ses déclarations en faveur d'Hitler. Il donna à ses visions une apparence de chromos en adoptant la technique illusionniste de De* Chirico, Ernst* et Tanguy*, mais en accentuant son aspect léché, avec un goût marqué pour le détail en trompe-l'œil. Il a souvent fait d'un rivage ou d'une terre désertique d'apparence illimitée le lieu de surgissement d'objets hétéroclites, personnages ou membres disloqués, formes organiques viscérales, protubérances d'aspect visqueux qui semblent en proie à un processus d'élongation, d'amolissement ou de pourrissement (*L'Accommodation des désirs,* 1929; *Le Grand Masturbateur,* 1931). Créateur d'une iconographie originale à dominante sexuelle et morbide qui se veut la transcription de ses phantasmes, Dali a donné un contenu personnel et déroutant à des thèmes tels que Guillaume Tell, l'Angelus de Millet, Lénine, La Gradiva, recourant dans ses titres de tableaux comme dans ses textes à une terminologie freudienne souvent interprétée avec fantaisie. Il a éclairé ses mécanismes créatifs par l'activité « paranoïaque-critique », définie « comme une méthode spontanée de connaissance irrationnelle basée sur l'association interprétative critique des phénomènes délirants » et a aussi proposé, en se fondant sur le principe de l'assemblage, des « objets à fonctionnement symbolique » (1931). Vers 1937, il fit une part grandissante à l'academisme. Il se rendit aux États-Unis en 1940, puis fit l'apologie de Franco, de l'œuvre de Meissonier*, de Dürer, etc. Il aborda des thèmes religieux (*Le Christ de saint Jean de La Croix,* 1951) et a produit une importante œuvre graphique d'une extraordinaire habileté. L'excentricité de son comportement, son génie publicitaire, son goût de la provocation, de la surenchère, où la part de l'humour, de l'imposture et celle des pulsions les plus profondes sont indéterminables, témoignent d'une personnalité puissamment originale et fréquemment scandaleuse. Il a su devenir le peintre le plus populaire du XXe s. après Picasso.

DALILA. ♦ Personnage biblique (*Juges,* XVI). Philistine, qui séduit Samson*, apprend de lui que sa force réside dans sa chevelure, le rase pendant son sommeil et le livre aux siens. Type de la femme traîtresse.

DALLAPICCOLA (Luigi). ♦ Compositeur italien (Pisino d'Istria, 1904 - Florence, 1975). Pianiste virtuose, professeur au conservatoire de Florence, il a accompli la synthèse de la polyphonie de la Renaissance et de la technique sérielle dont il fut en Italie le premier à faire usage. Caractérisée par un lyrisme très personnel, son œuvre comprend des opéras (*Vol de nuit,* 1937; *Le Prisonnier,* 1944), un oratorio (*Job,* 1950), un ballet (*Marsia,* 1942), des œuvres chorales (*Requiescant,* 1958), de la musique de chambre, des pièces pour piano et des mélodies.

DALLAS. ♦ V. des États-Unis, au N. du Texas. La 2e V. de cet État. 836 121 hab. ; zone urbaine 1 539 372 hab. (1970, en forte augmentation). Centre commercial (assurances) et financier (marché du coton), siège de nombreuses compagnies pétrolières, la ville a été largement remodelée après 1945. Indus. légères et de précision (missiles, accessoires automobiles, machines électriques, électronique [l'une des plus grandes usines de transistors du monde], etc.). Indus. du vêtement; l'un des centres de la mode féminine aux États-Unis. – Aérodrome international. – Universités. ♦ *Hist.* C'est à Dallas que le président John Kennedy fut assassiné en nov. 1963.

DALLOZ (Victor Alexis Désiré). ♦ Jurisconsulte et homme politique français (Septmoncel, Jura, 1795 – Paris, 1869). Avocat au barreau de Paris, puis à la Cour de cassation, député conservateur (1837-1848), rédacteur du *Journal des audiences,* il fonda, avec son frère ARMAND DALLOZ dit *le Jeune* (1797 – 1867), la maison d'édition Dalloz (Paris, 1824). Outre le *Répertoire de législation, de doctrine et de jurisprudence* des frères Dalloz, celle-ci publia de nombreux codes, ouvrages de droit, d'économie politique.

DALLY (Eugène). ♦ Médecin, anthropologue et ethnologue français (Bruxelles, 1833 – L'Étang-la-Ville, 1887). Il occupa la chaire d'ethnologie à l'école d'anthropologie de Broca.

DALMATIE. *n. f.* ♦ Province historique et naturelle de l'O. des Balkans, le long de l'Adriatique, faisant auj. partie de la Yougoslavie (Croatie*), traversée par les Alpes dinariques* et s'étendant du N.-O. au S.-E., de Rijeka* à Kotor*. Elle comprend un littoral, tantôt très découpé et comportant de nombreuses baies (Šibenik, Split), tantôt plus plat (delta de la Neretva*); l'intérieur, formé des chaînons montagneux des Alpes dinariques; les îles, ou *archipel dalmate* (600), disposées parallèlement à la côte. Ces îles, dont une soixantaine est habitée (Hvar*, Brač*, Vis, Korčula*), vivent essentiellement de la pêche, de cultures méditerranéennes et de tourisme. *V princ.* Split*, Zadar*, Dubrovnik*, Šibenik. – *Écon.* Le trafic maritime est important, ainsi que les constructions navales, dans les ports de Split, Dubrovnik et Šibenik, spécialisé dans le traitement de la bauxite locale. Le tourisme est très florissant.

DALMAU (Luis). ♦ Peintre catalan (Barcelone, ? – 1436 ?). Il travailla pour Alphonse V d'Aragon et Jean II de Castille et fut envoyé en 1431 à Bruges. Son œuvre témoigne de l'emprise du style flamand sur les artistes étrangers; dans la *Vierge des conseillers* (1443-1445), destinée à la cathédrale de Barcelone, tout en conservant la technique de la détrempe, il imite d'assez près l'*Agneau mystique* de Van* Eyck. Cependant, les portraits des conseillers se rattachent plus directement à la tradition espagnole.

DALOU (Jules). ♦ Sculpteur français (Paris, 1838 – Paris, 1902). Il participa à la Commune* et dut se réfugier en Angleterre jusqu'en 1879. Il exécuta de nombreuses statuettes représentant des travailleurs et des scènes familières (*La Brodeuse,* 1870) qui en font le représentant le plus caractéristique du naturalisme en sculpture. Il exécuta l'énorme monument du *Triomphe de la République,* place de la Nation à Paris (1879-1899), lourde allégorie classicisante, et laissa aussi les projets d'un ambitieux *Monument au travail.*

DALRYMPLE (James, *1er vicomte* Stair). ♦ Homme politique et magistrat écossais (Drummurchie, Ayrshire, 1619 – Édimbourg, 1695). Président de la Cour de session, partisan des *covenanters* et adversaire des catholiques, il se trouva en opposition avec le duc d'York, futur Jacques* II, et dut se réfugier en Hollande. Il prit une part active à la révolution de 1688. Il est l'auteur d'ouvrages juridiques (*Institutes of the Law of Scotland,* 1681). ♦ JOHN DALRYMPLE, 1er comte DE STAIR (1648 – Londres, 1707), fils du précédent. Il fut l'un des principaux conseillers de Guillaume* III. Il combattit contre les partisans de l'indépendance écossaise (massacre de Glencoe, 1692) et fut l'un des artisans de l'acte d'Union* de 1705. ♦ JOHN DALRYMPLE, 2e comte DE STAIR (Édimbourg, 1673 – *id.,* 1747), fils du précédent. Général, il combattit sous Marlborough* et se distingua à Malplaquet*. Ambassadeur à Paris (1715-1720), il déjoua les intrigues jacobites. Il s'opposa à Walpole*, à la chute duquel il contribua.

DALRYMPLE (Alexander). ♦ Hydrographe et navigateur britannique (New Hailes, Écosse, 1737 – Londres, 1808). Entré à la Compagnie des Indes orientales à Madras, il explora les mers du Sud et établit la carte des archipels avant d'être nommé hydrographe de l'Amirauté [1789] (*An historical collection of several voyages and discoveries in the Pacific Ocean,* 1770).

DALTON (John). ♦ Physicien et chimiste anglais (Eaglesfield, Cumberland, 1766 – Manchester, 1844). Auteur de recherches sur les gaz, il énonça (1801) la loi d'addition des pressions partielles dans les mélanges gazeux (*loi de Dalton* selon laquelle la pression totale est la somme des pressions partielles, approchée pour les gaz réels, rigoureuse pour les gaz parfaits) et découvrit, en même temps que Gay*-Lussac, la loi de dilatation des gaz (*loi de Gay-Lussac*, 1802). Par une intuition géniale, il élabora la théorie atomique moderne, vraisemblablement en 1804, mais il n'exposa complètement l'hypothèse atomique que plus tard, dans son grand ouvrage, le *New System of Chemical Philosophy* (1808-1827); on y trouve les lois pondérales des combinaisons chimiques, notamment celle des proportions multiples à laquelle son nom est resté attaché, et la première représentation symbolique liée aux systèmes des atomes et à son tableau de masses atomiques. **V.** *aussi* **Berzelius.** Il étudia également (1798), sur lui-même, les troubles de la perception des couleurs (*dyschromatopsie* appelée, d'après son nom, *daltonisme*).

DALUIS [dalyis]. ♦ Comm. des Alpes*-Maritimes, arr. de Nice*. 202 hab. À la sortie des *gorges* sauvages *de Daluis*, creusées par le Var*.

DAM (Henrik Carl Peter). ♦ Biochimiste danois (Copenhague, 1895 — *id.*, 1976). Il découvrit la vitamine K (1929). **V. Doisy, Karrer.** (Prix Nobel de méd., 1943).

DAMANHOUR ou **DAMANHÛR.** ♦ V. de la Basse-Égypte, près d'Alexandrie. Cap. du gouvernorat de Béhéra*. 161 400 hab. Évêché copte. Indus. textiles (coton). C'est l'ancienne *Hermopolis*, cité d'Horus.

DAMÃO [*Damân*]. ♦ Port indien de la côte occidentale du Dekkan*, au N. de Bombay*, devenu portugais en 1559. Il revint définitivement à l'Inde en 1962. Pêche. Constructions navales. — *Le territoire de Damão* compte env. 60 000 hab. — *Territoire de Goa, Damân et Diu*, **V. Goa.**

DAMAS, en ar. **Dimashq as-Sham.** ♦ Cap. et princ. V. de la Syrie, située dans le S. du pays à la limite du désert syrien et à proximité de la frontière libanaise, dans une oasis, la Ghutah, irriguée par le Barada. Ch.-l. de province. 835 000 hab. (1970). La ville se dresse entre les derniers contreforts de l'Anti*-Liban, le massif volcanique du djebel Druze* au S.-E. et les chaînes isolées qui, partant du N.-E. de Damas, franchissent la frontière syrienne au N. du pays (djebels Charqui, Bichri, Abdulaziz, Sindjar). — La ville anc. renferme les principales mosquées dont la *Mosquée des 'Umayyades* construite par le calife al-Walīd (706-715), l'un des chefs-d'œuvre de l'art musulman. L'édifice s'élève sur les bases d'un temple consacré à Adad (Jupiter Damascénien) que remplaça au IVᵉ s. la basilique Saint-Jean-Baptiste de Théodose II. La mosquée a conservé le téménos de l'ancien temple et subi l'influence architecturale de la basilique chrétienne (colonnade, mosaïques byzantines); elle contient le mausolée de Saladin. Palais Azem (XVIIIᵉ s.). Souks. — La Ghutah est riche en cultures maraîchères (melons), céréales, fruits (abricots), oliviers, vigne, qui font de Damas un centre commercial et industriel important. Centrale thermique, cimenterie, indus. alimentaire (sucrerie, huilerie, confiture de roses), textiles et mécaniques, manufacture de tabac. Important artisanat (broderies, travail du cuir, du bois et du métal, **V.** ci-dessous *Hist.*). L'importance géographique de Damas, l'une des villes saintes de l'Islām, est soulignée par l'important réseau de communications qui relie notamment la ville à Beyrouth (Liban) et à Alep par route et voie ferrée ainsi qu'à Baghdād (Irak). ♦ *Hist.* Le nom de Damas figure dans la Genèse et l'on sait qu'elle fit partie de l'Empire égyptien pendant la XVIIIᵉ dynastie (~ XVIᵉ s.). Mais son histoire ne commence véritablement qu'au ~ Xᵉ s. quand elle devint la capitale du puissant royaume araméen dont les rois **(V. Bar Hadad)** furent les ennemis acharnés d'Israël. En ~ 732, elle fut détruite par Téglath*-Phalasar III et réunie à l'Assyrie. Elle fit ensuite partie de l'Empire perse, puis de l'empire d'Alexandre (~ 332), et échut aux Séleucides*. Prise en ~ 65 par les lieutenants de Pompée*, elle entra dans la province impériale de Syrie et devint une puissante cité romaine. Elle est célèbre, au début du christianisme, par la conversion et les prédications de saint Paul. Après avoir appartenu à l'Empire byzantin, la ville fut prise en 636 par les Arabes et resta la capitale des califes 'Umayyades* jusqu'en 724. C'est à cette époque que Damas acquit une remarquable supériorité technique et artistique dans la métallurgie d'abord (fabrication des armes « damasquinées ») et dans l'indus. textile (les soieries et les brocarts de Damas sont exportés dans tout l'Occident). À la chute des 'Umayyades (750), elle passa sous la domination des 'Abbāssides*, puis de l'Égypte avec les Tūlūnides*, les Ikhshīdites* et les Fātimides*. En 1148, les croisés tentèrent d'annexer la ville, mais ce fut finalement l'atabek Nūr* al-Dīn qui s'empara de l'émirat de Damas. Il fut suivi par Saladin* (1174) qui unifia l'Orient musulman contre les croisés, et, malgré les luttes dont elle fut l'enjeu, Damas connut une grande prospérité sous les 'Ayyūbides*. Après avoir été dévastée par les Mongols d'Hūlāgū* Qān, elle fut soumise en 1260 par les Mamelouks* qui arrêtèrent l'invasion et firent de la ville le ch.-l. de la province de Syrie. En 1401, elle ouvrit ses portes à Timūr* Lang, qui la mit à sac, et fut aussitôt réoccupée par les Mamelouks. En 1516, elle fut annexée à l'Empire ottoman par Sélim* Iᵉʳ et resta jusqu'en 1918 le siège d'un gouvernement ottoman. En 1860, à la suite des événements du Liban, un grand nombre de chrétiens s'y firent massacrer par les Druzes. Prise en 1918 par les Anglais, elle fit un moment partie du royaume de Faysāl* Iᵉʳ, puis fut placée sous le mandat de la France qui fit opposition au mouvement national syrien (oct. 1925). En 1946, Damas devint la cap. de la Syrie indépendante. **(V. Syrie.)**

Ph. Hétier
Damas.

DAMASE Iᵉʳ *(saint).* ♦ (Espagne, 305 ? — Rome, 384). Pape en 366, il chargea saint Jérôme* de la révision de l'Écriture qui aboutit à la Vulgate*. Auteur d'hymnes et d'épitaphes de martyrs en vers. Fête le 11 décembre.

DAMASE II *(Poppon).* ♦ (mort à Palestrina, 1048). 149ᵉ pape, en juillet-août 1048. Bavarois, ancien évêque de Brixen. Désigné par l'empereur Henri III, il dut chasser Benoît* IX par la force.

DAMASKINOS (Dimitrios Papandréou). ♦ Prélat et homme politique grec (Dervitsa, Corinthie, 1891 — Athènes, 1949). Archevêque d'Athènes et primat de Grèce (1938), il fut régent de déc. 1944 (lors du conflit armé qui opposa les forces de la résistance de la gauche aux Anglais) jusqu'au retour du roi Georges* II en 1946.

DAMAVEND. ♦ **V.** DEMAVEND.

DAMAZAN. ♦ Ch.-l. de cant. du Lot*-et-Garonne, arr. de Nérac*. 1 381 hab. *(Damazanais).* Anc. bastide du XIIIᵉ s., église des XIIIᵉ et XVᵉ siècles.

Dame à la licorne (la). ♦ Tapisserie de la fin du XVᵉ s. ou du début du XVIᵉ s., conservée au musée de Cluny, à Paris. L'origine de l'atelier est incertaine. Le thème de la licorne (cheval fabuleux portant une corne au milieu du front), symbole de pureté qui apparaît souvent dans les légendes et les œuvres d'art du Moyen Âge, se retrouve dans chacun des six panneaux de la tapisserie. Sur un fond parsemé de fleurettes (c'est le genre « millefleurs ») et d'animaux, la même jeune femme (probablement la demoiselle Le Viste, à qui l'œuvre devait être offerte pour son mariage) est représentée dans chaque panneau, vêtue d'une robe de cour différente et accompagnée d'une licorne.

Dame aux camélias (La). ♦ Drame en 5 actes d'Alexandre Dumas* fils (1852), tiré par l'auteur de son roman (1848). Femme du demi-monde, Marguerite Gautier aime un jeune homme, Armand Duval, d'un amour partagé. Bourgeois rigoriste, le père d'Armand Duval obtient de Marguerite qu'elle lui rende son fils en lui laissant croire qu'elle le quitte parce qu'elle a cessé de l'aimer. De santé fragile, Marguerite mourra d'une maladie de poitrine.

Dame de pique (La). ♦ Œuvre de Pouchkine* (1833). Récit influencé par les contes d'Hoffmann, cette nouvelle où se mêlent le fantastique (rêve et folie du héros) et la réalité (analyse psychologique d'une obsession) est, dans sa brièveté, un chef-d'œuvre d'écriture, l'un des plus fameux de son auteur.

DAMES *(paix des).* ♦ **V.** CAMBRAI *(Hist.).*

DAMIEN *(saint).* ♦ **V.** CÔME et DAMIEN (saints).

DAMIEN *(saint* **Pierre).** ♦ **V.** PIERRE DAMIEN (saint).

DAMIENS [damjɛ̃] **(Robert François).** ♦ (Thieulloy, 1715 — Paris, 1757). Soldat puis domestique, il frappa Louis XV d'un inoffensif coup de canif pour l'avertir de mieux songer à ses devoirs (1757). Il fut écartelé en place de Grève, et son horrible supplice fut un scandale durable.

DAMIETTE, en ar. **Dumyât.** ♦ V. de la Basse-Égypte, sur la r. d. du Nil, au N.-E. du Caire, sur une bande de terre séparant le Nil du lac Menzaléh. 72 000 hab. Petit port de pêche, centre commercial et industriel (textiles, décorticage du riz). À proximité, station balnéaire de *Ras-el-Bahr.* ♦ *Hist.* Prise par Saint Louis, qui dut l'abandonner l'année suivante pour payer sa rançon, la ville fut démolie en 1251, puis reconstruite un peu plus loin. Ce fut l'une des villes les plus importantes du delta du Nil.

DAMMÂN. ♦ V. et port d'Arabie Sa'ūdite sur le golfe Persique. Usine d'engrais. Terminus de la voie ferrée qui part de Riyad* et relie la région pétrolifère de l'E. au port. Un oléoduc sous-marin achemine par ailleurs le pétrole brut de Dammân aux raffineries de Bahrein*.

DAMMARIE-LES-LYS. ♦ Comm. de Seine-et-Marne, arr. de Melun. 12 069 hab. Vestiges de l'abbaye du Lys (XIIIe s.) ; château de Bréau (XVIIIe s.). — Matériel de construction, appareils de chauffage. Indus. alimentaire. Meubles. Travail du papier.

DAMMARTIN-EN-GOËLE. ♦ Ch.-l. de cant. de Seine-et-Marne, arr. de Meaux. 2 090 hab. L'église Saint-Jean-Baptiste (reconstruite) conserve un portail du XVe siècle. Ancienne collégiale Notre-Dame (XIIIe, XVe s.). Ancien hôtel-Dieu (XIIIe s.).

DAMME *(canal de).* ♦ Canal reliant Bruges à l'Écluse (14 km).

Damnation de Faust (La). ♦ Légende dramatique d'Hector Berlioz (1846), née du remaniement des *Huit Scènes de Faust* composées en 1828-1829. Mal accueillie du vivant de son auteur, l'œuvre connut un grand succès dix ans après sa mort. L'œuvre est remarquable par sa diversité, sa puissance dramatique et ses aspects fantastiques. Certaines mélodies (sérénade de Méphistophélès, ballade du « roi de Thulé ») et chansons sont justement célèbres.

DAMOCLÈS. ♦ Courtisan de Denys* l'Ancien (~ IVe s.) qu'il félicitait outrageusement pour son bonheur. Celui-ci, selon Cicéron, l'invita à un festin, le reçut comme un prince, mais il fit suspendre au-dessus de sa tête une lourde épée retenue par un crin de cheval, pour lui montrer la fragilité du bonheur que les dangers menacent incessamment (d'où l'expression : *l'épée de Damoclès*).

DÂMODAR. *n. f.* ♦ Riv. de l'Inde orientale, (550 km), affl. de l'Hûghlî (delta du Gange*). Site de très importants barrages et d'usines hydro-électriques.

DAMPIER (William). ♦ Navigateur et aventurier anglais (East-Coker, Somerset, v. 1652 — Londres, 1715). Il participa comme mousse à un voyage à Terre-Neuve (1666) et travailla quelque temps à la Jamaïque. Devenu capitaine des boucaniers, il mena plusieurs expéditions de pillage contre les comptoirs espagnols des Antilles et du golfe du Mexique, explora les mers du Sud puis de la Chine. Revenu en Angleterre, il publia son *Voyage autour du monde* (1691) avant de partir pour un nouveau périple en Océanie (1699) au cours duquel il parvint en Nouvelle-Guinée et découvrit la pointe sud-est de la Nouvelle-Irlande. Il est l'auteur d'un *Traité des vents et des courants.*

DAMPIERRE (Gui *de***).** ♦ V. GUI DE DAMPIERRE.

DAMPIERRE (Augustin Marie PICOT, *marquis de***).** ♦ Général français (Paris, 1756 — Valenciennes, 1793). Ardent partisan de la Révolution, il se distingua à Valmy, à Jemappes et à Neerwinden, et prit la succession de Dumouriez au commandement en chef de l'armée en Belgique. Il fut tué près de Valenciennes.

DAMPIERRE. ♦ Ch.-l. de cant. du Jura, arr. de Dole. 588 hab. Indus. textile.

DAMPIERRE. ♦ Comm. des Yvelines, arr. de Rambouillet. 552 hab. Château du XVIe s. reconstruit au XVIIe s. par Hardouin-Mansart (restauré au XIXe s.). Parc de Le Nôtre.

DAMPIERRE-SUR-SALON. ♦ Ch.-l. de cant. de la Haute-Saône, arr. de Vesoul. 1 076 hab. Ruines féodales. Château du XVIIIe siècle. — Constructions métalliques.

DAMPREMY [dɑ̃pʀemi]. ♦ Comm. de Belgique, dans la banlieue indus. de Charleroi* (Hainaut). 10 900 hab. Miroiteries. Verreries.

DAMREMONT [dɑ̃ʀemɔ̃] ou **DANRÉMONT (Denis,** *comte de***).** ♦ Général français (Chaumont, Champagne, 1783 — Constantine, Algérie, 1837). Après avoir pris part aux campagnes de l'Empire, puis à l'expédition d'Espagne (1823) sous la Restauration, il fut envoyé en Algérie. Lieutenant général et pair de France (1835), il remplaça Clauzel à la tête de l'armée d'Afrique (1837) et fut tué peu après au siège de Constantine* (octobre 1837).

DAMRONG RAJANUBHAB. ♦ Prince siamois (Bangkok, 1862 — 1943), fils du roi Mongkut*. Il fut ministre de l'Intérieur et tenta de réformer l'Instruction publique. Écrivain et historien de talent, il est l'auteur de plus de 200 ouvrages sur l'histoire, la littérature et les coutumes de son pays.

DAMROSCH (Walter Johannes). ♦ Chef d'orchestre et compositeur germano-américain (Breslau, 1862 — New York, 1950). Fils de Léopold Damrosch (1832 — 1885) qui fut aux États-Unis un pionnier de l'art musical, il y poursuivit l'œuvre de son père. Fondateur de la *Damrosch Opera Company* (1894), chef d'orchestre de la Société symphonique de New York (1903), il concourut à la diffusion de l'œuvre de Wagner. Il a composé des opéras, des œuvres chorales et de la musique de chambre.

DAMVILLE. ♦ Ch.-l. de cant. de l'Eure*. (arr. d'Évreux*), sur l'Iton*. 1 228 hab. Église Saint-Evroult des XVe et XVIe siècles.

DAMVILLE. ♦ V. MONTMORENCY (Henri Ier, 3e duc de).

DAN. ♦ Personnage biblique, fils de Jacob et de Bala, servante de Rachel (*Genèse,* XXX, 6). Ancêtre éponyme d'une des douze tribus d'Israël.

DANA (James Dwight). ♦ Naturaliste et géologue américain (Utica, 1813 — New Haven, Connecticut, 1895). Auteur de travaux sur les zoophytes, les crustacés, d'une *Géologie de l'océan Pacifique* (1849) et d'un *Traité de minéralogie,* il introduisit en géologie la notion de *géosynclinal* (1873).

DANAÉ. ♦ Princesse légendaire d'Argos*. Elle est enfermée dans une tour d'airain par son père Acrisios* menacé, selon un oracle, d'être tué par son petit-fils. Zeus*, qui l'aimait, y pénètre métamorphosé en pluie d'or, et la rend mère de Persée*.

DANAÏDES. *n. f. pl.* ♦ Les cinquante filles de Danaos*. Fuyant l'hyménée avec les cinquante fils d'Égyptos*, leurs cousins, elles demandent asile à Argos*. **V. Suppliantes** (tragédie d'Eschyle). Leurs prétendants étant venus plus tard à Argos, les Danaïdes consentent au mariage, mais, sur le conseil de Danaos, elles égorgent leurs époux la nuit même des noces. Seule Hypermnestre épargne son mari Lyncée*. Les meurtrières, précipitées dans le Tartare, furent condamnées à verser éternellement de l'eau dans un tonneau sans fond.

DANÂKIL. *n. m. pl.* (mot arabe, sing. *Dankalî*). ♦ Peuple pasteur nomade, de religion musulmane, vivant dans la région steppique comprise entre les montagnes d'Éthiopie* et la mer Rouge.

DA NANG. ♦ V. et port du Viêt-nam (sud), cap. de la prov. de Quang Nam, au S. de la baie de *Tourane* (anc. nom de la ville), à 80 km au S.-E. de Huê*. 334 000 hab. (1968). Indus. textiles et alimentaires (nuoc-mân). Musée d'art Cham*. — La ville fut le siège de combats entre Américains et Vietnamiens du Nord.

DANAOS. ♦ Roi légendaire de Libye, puis d'Argos* où il s'enfuit avec ses cinquante filles, les Danaïdes*, pour leur éviter le mariage avec les cinquante fils de son frère Égyptos*. Ayant inspiré le meurtre des jeunes époux, il est tué par Lyncée*, le seul rescapé du massacre.

DANBY (Thomas OSBORNE, *comte de***).** ♦ Premier duc de Leeds. Homme politique anglais (Kiveton, Yorkshire, 1632 — Easton Neston, 1712). Entré aux Communes en 1665, il devint Premier ministre (1674-1679). Hostile à la France, il ne refusait pas son argent, ce qui le conduisit à la tour de Londres (1679-1684). Il fut un des instigateurs de la révolution de 1688 et un partisan actif de Guillaume* d'Orange. De nouveau Premier ministre, il fut accusé de corruption et démis de ses fonctions en 1699.

DANCOURT (Florent CARTON, *sieur d'***Ancourt,** dit**).** ♦ Auteur et acteur français (Fontainebleau, 1661 — Courcelles-le-Roi, 1725). Sociétaire de la Comédie-Française (1685-1718), il a écrit une soixantaine de pièces, dont de nombreuses comédies de mœurs (*Le Chevalier à la mode,* 1687).

DANDOLO. ♦ Famille patricienne de Venise. ♦ ENRICO DANDOLO (Venise, 1110 — Constantinople, 1205). Doge de Venise (1192), il fut l'un des chefs de la quatrième croisade*. En échange de l'équipement de la flotte, il demanda aux croisés de prendre la ville dalmate de Zara pour le compte de Venise, puis les poussa à conquérir Constantinople. Il obtint pour Venise des bases navales, les îles grecques et le monopole du commerce avec l'Orient. Il acheta Candie. ♦ ANDREA DANDOLO. Doge de Venise (1342-1354). Il protégea Pétrarque et écrivit l'histoire de Venise jusqu'à la fin du XIIIe siècle.

D'ANDRÉ (Antoine Balthazar Joseph, *baron***).** ♦ Homme politique français (Aix-en-Provence, 1759 — ? 1825). Député de la noblesse aux États généraux (1789), il prit d'abord position en faveur des principes révolutionnaires, mais lutta contre les Clubs (cordeliers, jacobins...) qui après la fuite à Varennes exigèrent la déchéance du roi. S'étant lancé dans les affaires, il fut poursuivi comme accapareur en 1792 et émigra en Angleterre puis en Allemagne. Rallié à Louis XVIII à son retour en France (1814), il fut ministre de la Police, puis intendant des domaines de la Couronne.

DANDRIEU (Jean-François). ♦ V. ANDRIEU *(Jean-François d').*

DANDY (Walter Edward). ♦ Chirurgien américain (Sedalia, Missouri, 1886 — Baltimore, 1946). Il fut un des premiers à utiliser l'encéphalographie gazeuse pour l'exploration des structures nerveuses centrales (1919), fit des recherches sur l'hydrocéphalie et sa thérapeutique et fut également un habile neurochirurgien (*opérations de Dandy,* 1927).

DANEMARK. *n. m.*, en danois **Danmark.** ♦ Pays de l'Europe du Nord, formé essentiellement de la péninsule du Jutland* et d'un archipel d'îles, entre la mer du Nord* et la Baltique*. Le Sjaelland*, la Fionie*, Lolland*, Falster* et Bornholm* sont les îles principales. Il comprend en outre le territoire du Groenland* et les îles Féroé*. 43 069 km². 5 060 000 hab. (1975). [*Danois*]. *Cap.* Copenhague. *Langue :* danois. *Religion :* luthérienne. — Le royaume

Ph. Prato/Ricciarini

Danemark : Copenhague.

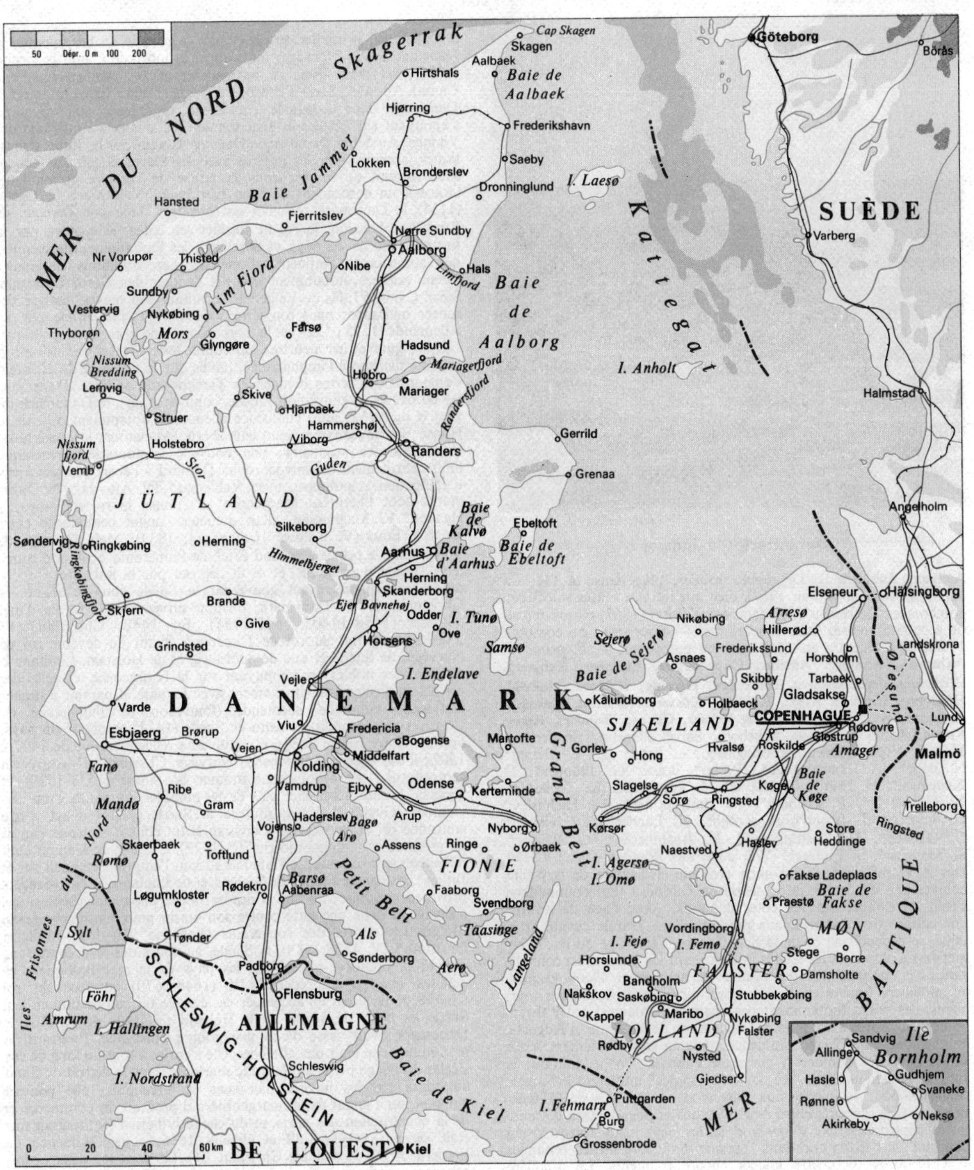

Danemark.

est divisé en vingt-deux départements (les *amts*), les Féroé* (autonomes) et le Groenland* mis à part. – Deux zones de relief se distinguent nettement : les plaines de sable et de graviers du Centre-O. et du S.-O. du Jutland, et les terres fertiles du reste de la péninsule et de l'archipel voisin, dont les collines sont plus marquées (point culminant à Ejer-Bavnehø : 172 m). Les cours d'eau sont nombreux, mais courts. Le plus long, le Guden Å, a 158 km. Les côtes sont en général très découpées (7 400 km), creusées de profonds golfes (le Limfjord*), sauf la côte O. du Jutland, bordée de dunes et rendue presque rectiligne par les courants littoraux. – Grâce aux influences maritimes, le Danemark bénéficie d'un climat tempéré (moyennes : 0 °C en janvier ; 16,5 °C en juillet). Les vents sont violents, surtout sur la côte O. du Jutland. – Malgré un sol peu fertile, 63 % des terres sont cultivées, dont plus de la moitié pour l'élevage. Les céréales, destinées principalement au bétail, viennent au premier rang : orge (5 059 000 t en 1968), avoine, blé et seigle. Betterave, pommes de terre. Les cultures maraîchères et fruitières sont en progression. L'élevage, très important, fournit les produits destinés à l'exportation : viandes et dérivés (le Danemark en est le premier exportateur mondial), beurre, fromages. On comptait 7 748 000 porcins et 3 048 000 bovins en 1975. – La pêche (1 750 000 t en 1975) se pratique surtout dans les détroits (ports de Skagen, Frederikshavn*) et dans la mer du Nord (port d'Esbjaerg*) : harengs, morues, poissons plats. – L'industrie occupe le tiers de la population active. Les matières premières sont importées, ainsi que l'électricité suédoise (câble sous-marin). Indus. liées à l'agriculture : conserveries, machines agricoles, raffineries de sucre, brasseries, distilleries (akvavit, cherry), fabrication d'huile et de margarine (à partir de produits d'importation), cigares, cigarettes. L'indus. métallurgique [production de 557 000 t d'acier en 1975] (haut fourneau d'Aalborg*) et mécanique (cycles) emploient le tiers de la main-d'œuvre industrielle. Les chantiers navals tiennent une place importante (Aarhus*, Aalborg*, Odense*, Copenhague* où se trouve une usine de moteurs Diesel). Indus. chimique (superphosphates, colorants), pharmaceutique, textile. – Commerce : les importations excèdent légèrement les exportations (34 % contre 32 %). Les principaux partenaires commerciaux sont, par ordre d'importance : la Grande-Bretagne, l'Allemagne (R.F.A.), la Suède, les États-Unis, la Norvège et la France. – Transports : par sa position géographique, le Danemark constitue une escale sur les routes maritimes reliant l'Europe continentale à la péninsule scandinave, et la mer du Nord à la Baltique. Les ports sont nombreux et bien équipés (Copenhague*, Aarhus*). Le pays possède plusieurs aéroports internationaux (Copenhague-Kastrup,

Ph. Prato/Ricciarini

Danemark : le Jutland.

Aalborg, Esbjaerg...). Le réseau routier, plus dense à l'E., est important (61 630 km en 1967), bien que les autoroutes soient peu nombreuses. Le réseau ferroviaire a 3 477 km (1967) et doit recourir à de nombreuses liaisons maritimes. – Tourisme : on comptait 10 600 000 visiteurs en 1968, surtout européens. – *V. princ.* **V. Aabenraa, Aalborg, Aarhus, Copenhague, Elseneur, Esbjaerg, Fredericia, Frederikshavn, Haderslev, Herning, Hillerød, Holbaek, Holstebro, Horsens, Køge, Kolding, Korsør, Naestved, Nakskov, Nørresundby, Nyborg, Nikøbing Falster, Odense, Randers, Rømø, Rønne, Roskilde, Samsø, Silkeborg, Skive, Slagelse, Sønderborg, Thisted, Vejle, Viborg, Vordingborg.** – Patrie de V. Béring*, N. Bohr*, A. Bournonville*, Tycho* Brahé, G. Brandes*, D. Buxtehude*, H. Dam*, C. Dreyer*, J. Fabricius*, K. Gjellerup*, N. Grundtvig*, P. Heiberg*, E. Hertzsprung*, L. Hjelmslev*, L. Holberg*, J. Jensen*, A. Krogh*, H. Lander*, C. Nielsen*, C. Oersted*, H. Pontoppidan*, K. Rasmussen*, O. Römer*, S. Sørensen*, S. Undset*. (Voir aussi aux grandes villes.) ♦ *Hist.* Dès le Ve millénaire avant notre ère, une civilisation de la pêche, connue par des amas de « débris de cuisine » (køkkenmødding) s'était développée sur les côtes danoises. Avec l'âge de bronze, une culture tres élaborée, aux produits d'une grande beauté artistique, se répandit au S. de la Scandinavie. Vers l'âge du fer, le climat devint plus rude, les Celtes influencèrent les mœurs. La connaissance des époques proto-historiques est assurée sur l'iconographie, les mobiliers funéraires et la conservation par le tanin des tourbières, des corps (notamment des victimes humaines) qui y furent immergés. Après l'an 5 et la navigation de la flotte d'Auguste, commandée par Tibère, l'influence romaine se fit fortement sentir sur le pays des Cimbres*, qui avaient dès le ~IIe s., partant du Jutland, envahi la Gaule. Au IIIe s., les Angles* quittèrent le S. de la péninsule pour se joindre aux Saxons et envahir l'île de Grande-Bretagne; les rapports entre Anglo-Saxons et Scandinaves devaient rester importants. Du Ve au VIIIe s., les pays scandinaves furent pourtant plus isolés que dans l'époque antérieure où les échanges avec l'Europe du centre étaient encore fréquents. La première dynastie, mal connue, du Danemark, régna sans doute au VIe s., dans l'île de Sjaelland*, et il semble que l'unité danoise se fit d'est en ouest, sous l'influence de la Scanie (partie S. de l'actuelle Suède). À partir de la fin du VIIIe s., les expéditions des Vikings, rendues possibles par l'évolution des techniques maritimes, mais dont les causes socio-économiques sont très mal connues, partaient aussi bien du Jutland (Danemark) que de Suède ou des côtes norvégiennes **(V. Vikings** et aussi **Varègues)**, et le nom de Danois, dans l'histoire médiévale de l'Atlantique N., désigne le plus souvent des conquérants venus de Norvège. À la fin du VIIIe s. et au IXe s., les marins danois, avec les Norvégiens, pillèrent les côtes atlantiques de France et d'Espagne, jusqu'en Méditerranée; surtout, ils pénétrèrent en Angleterre **(V. Angleterre,** ***hist.*)** et leurs chefs de guerre parvinrent souvent à imposer leur autorité outre-mer (Hasting, Halfdon à York, 876; Rollon* en Basse-Seine, 911. – **V. Normandie,** ***hist.*)**. Du IXe au XIe s., la civilisation scandinave bénéficia ainsi d'un apport de richesses (tributs, commerce); les villes se développèrent. Un début d'organisation politique apparaît au Xe s. avec le fils de Gorm, le roi Harald* à la dent bleue (pierre runique de Jelling, v. 980); tardive et difficile, une christianisation assez superficielle aida à la constitution d'une véritable force politique, tandis que l'organisation militaire devenait impressionnante (camps de Trelleborg, Aggesborg, Fyrket, révélés par des fouilles récentes). De 994 à 1014, le roi Sven* Ier « à la barbe fourchue » combattit le roi anglais Ethelred. Son fils Canut put en 1017 recevoir la couronne d'Angleterre, et unifier en un empire la grande île britannique, le Danemark et la Norvège; mais après la mort de Canut le Grand (1036), les trois États se reconstituèrent **(V. Angleterre,** ***hist.;*** **Canut).** Au XIe s., Sven II Estridsson (règne : 1047-1076) fit entrer le Danemark dans le monde occidental, organisant son royaume, s'appuyant sur l'Église et abandonnant les idéaux conquérants des Vikings. Au début du XIIe s., le Danemark, agité par les luttes dynastiques, appauvri par les guerres avec les Slaves et par les jacqueries, risquait de tomber sous la tutelle de l'empire germanique. Grâce à un descendant de Sven Estridsson, Valdemar* le Grand (1154), le Danemark retrouva son prestige. Aidé par l'évêque de Roskilde, Absalon, le roi fit fortifier les côtes, évangélisa par la force les païens du pays, et développa les fondations cisterciennes, qui apportèrent l'influence française. Les traditions nationales furent exaltées, notamment grâce à l'auteur des *Gesta Danorum,* Saxo. Canut VI, fils de Valdemar, continua son œuvre, malgré des échecs militaires; mais son frère Valdemar* II fut écrasé par les Allemands (1223; 1227) et le pays connut une grave crise politique. Les intrigues et les meurtres, un conflit avec l'Église réduisirent la royauté danoise à l'impuissance, tandis que la noblesse du Holstein s'emparait des terres féodales de l'aristocratie danoise. Dans tous les domaines, organisation sociale, commerce, art, le Danemark du XIVe et du XVe s. subit l'influence allemande, notamment celle de la Hanse; les paysans perdirent leur liberté et devinrent les misérables tenanciers des seigneurs; une nouvelle aristocratie germanique limita étroitement le pouvoir royal. D'abord à l'écart des tentatives d'unification scandinave, avec Valdemar* IV Alterdag, le Danemark, dont l'héritière Marguerite* a épousé le roi de Norvège Haakon* VI Magnusson, allait dominer l'union personnelle entre les trois États **(V. Kalmar** [*Union de*], 1937). Mais l'héritier de Marguerite, le prince allemand Eric* de Poméranie, échoua à entretenir l'union personnelle, et se fit déposer par la noblesse. Cependant, bien qu'un régent gouvernât la Suède sous le règne de Christophe III de Danemark, l'Union survécut sous forme d'une alliance (1438-1440; 1448-1457). En 1448, Christian* Ier d'Oldenbourg fut élu roi de Danemark avant de devenir roi de Norvège, de Suède et duc de Schleswig et de Holstein. Limitant le pouvoir des nobles en s'appuyant sur la bourgeoisie, et celle des prélats en s'entendant directement avec le pape, il parvint à limiter l'influence culturelle allemande (fondation de l'université de Copenhague). Mais il fut battu en Suède (1471) et chassé du pays. Son fils Hans, roi de Suède, n'y gouverna réellement que de 1497 à 1502; il dut aussi abandonner la Norvège. Christian* II, souverain centralisateur et absolutiste, attaqua la Suède (1517-1520) et l'écrasa, faisant assassiner plus de 80 notables. Le fils de l'une des victimes, Gustave* Vasa, souleva la Suède (1521) avant d'être couronné roi de ce pays, et Christian II fut chassé du trône danois au profit de son oncle Frédéric* Ier (1523). L'Union de Kalmar était définitivement rompue; le Danemark, dont l'empire s'étendait sur le Jutland, les îles de Fionie, de Seeland et de Laaland, la Norvège, les provinces suédoises du Sud et des territoires allemands (Schleswig), s'engageait dans une lutte contre son voisin pour plusieurs siècles. Malgré les efforts des souverains (Frédéric* II, 1559-1588, et Christian* IV, 1588-1648), la Suède, au cours des XVIe et XVIIe s., prenait la première place dans les pays de la mer Baltique. Les défaites que subit Frédéric* III (1648-1670) en face du roi Charles X ne firent qu'accentuer cet état de fait, en restituant à la Suède les prov. de Scanie et de Halland : à la fin du XVIIe s., le Danemark avait cessé d'être une grande puissance. Pourtant, la monarchie n'en était pas affaiblie : elle s'enrichit tout au long de ces siècles du péage perçu sur le trafic maritime dans le détroit du Sund emprunté par les navires hanséates et hollandais; elle pouvait compter sur l'appui de la bourgeoisie qui profitait du commerce et de la construction des ports, et du clergé luthérien (le luthéranisme était devenu religion d'État depuis 1536, sous l'influence de Frédéric Ier et de son fils Christian III). Ce sont les deux ordres roturiers qui firent voter la loi royale de 1665, loi en vigueur jusqu'en 1849, proclamant l'hérédité et l'absolutisme de la monarchie, tandis que la noblesse perdait ses privilèges fiscaux et que tous les sujets (sauf les paysans) devenaient égaux devant la loi. Le règne des despotes éclairés, au milieu du XVIIIe s. (Christian VI, 1730-1746, et Frédéric V, 1747-1766), fut une période de grandeur économique et intellectuelle pour le Danemark : le péage des détroits alimentait régulièrement le Trésor royal, car Copenhague était devenu le centre des courants commerciaux de l'Europe du N.; les villes s'embellissaient grâce à l'enrichissement de la bourgeoisie industrielle et surtout commerçante (création de la banque de Copenhague, 1736), dont l'influence grandissait à la cour; l'agriculture progressait dans le Jutland grâce aux techniques nouvelles et aux tentatives d'abolition du servage; plusieurs décennies de paix facilitèrent, sous l'influence de ministres aristocrates allemands, A.G. von Molkte et Struensee*, puis sous le règne du prince Frédéric **(V. Frédéric VI)**, la libéralisation du régime et de l'économie (abolition du servage, 1787 : liberté du commerce des grains et du bétail, 1788). Ainsi protégé, le Danemark pouvait échapper à la contagion de la révolution française; il s'engagea pourtant face à la Grande-Bretagne dans l'épopée napoléonienne, ce qui ne lui valut que des déboires (banqueroute de 1813; cession de la Norvège à la Suède [1815]). Le pays traversa alors une difficile période de reconstruction qui fut achevée vers 1830, tandis que le roi Frédéric* VI (1808-1839) accordait aux provinces des diètes consultatives. L'opposition libérale qui espérait des réformes plus profondes se manifesta pendant le règne de Christian VIII (1839-1848) au moment où éclataient des troubles dus aux progrès du nationalisme allemand dans les duchés du Schleswig et du Holstein : à la suite de la guerre contre la Prusse et l'Autriche (**V. Duchés** [*guerre des*]), en 1864, le Danemark dut abandonner ces deux territoires par la convention de Gastein (1865). Sous l'influence des révolutions de 1848 en Europe, Frédéric* VII accorda en 1849 une constitution libérale qui amoindrissait l'autorité royale; mais cette constitution fut révisée en 1866 dans un sens plus conservateur : la création d'une Chambre haute (Landsting) élue au suffrage restreint maintint un gouvernement conservateur au pouvoir (avec notamment le ministre Estrup) jusqu'en 1901, année où les élections portèrent la gauche réformatrice *(venstrereformpartiet)* au gouvernement. En 1915, une importante réforme constitutionnelle accordait le droit de vote aux femmes et supprimait le suffrage censitaire pour les élections au Landsting : le Danemark était devenu l'une des démocraties parlementaires les plus évoluées du monde. Cette évolution politique s'accompagna de profondes transformations économiques et sociales, aussi bien dans le domaine de l'agriculture (réforme agraire et coopératives) que dans celui de l'industrie : l'essor industriel des années 70 favorisa le développement des mouvements ouvriers (parti social-démocrate) et du syndicalisme. Le Danemark se dota alors d'une législation sociale avancée. Resté neutre pendant la Première Guerre mondiale, le Danemark récupéra, par le traité de Versailles et à la suite d'un plébiscite, une grande partie du Schleswig perdu depuis 1866, et l'économie du pays profita de sa neutralité. C'est donc en pleine prospérité que le Danemark fut atteint par la grande crise* économique : dès 1929, les sociaux-démocrates triomphèrent aux élections, et au sortir de la crise, en 1933, les Danois possédaient une des législations sociales les plus complètes du monde. Bien que le roi Christian X (1912-1947) ait voulu garder la même neutralité vis-à-vis de l'Allemagne qu'au cours de la Première Guerre mondiale, le Danemark fut envahi le 9 avril 1940; Hitler voulut y instaurer un régime modèle de protectorat, mais les Danois organisèrent la résistance à l'occupant à partir de 1943 et le pays fut libéré le 5 mai 1945. Après son adhésion à l'O.N.U. en 1945, le Danemark est entré dans l'Organisation du traité de l'Atlantique Nord en 1949. Sous l'influence des sociaux-démocrates, le roi Frédéric IX (1947-1972) supprima le Landsting par la charte constitutionnelle de 1953. En 1972, le Danemark est entré dans le Marché commun (**V. Communauté économique européenne).**

DANGEAU (Philippe de Courcillon, *marquis de***).** ♦ Mémorialiste français (Chartres, 1638 — Paris, 1720). Son habileté au jeu lui permit de se faire une place à la cour. Il accompagna Louis XIV dans toutes ses campagnes comme aide de camp, fut gouverneur de Touraine, et fut chargé de missions diplomatiques. Il protégea les écrivains, parmi lesquels Boileau, entra à l'Académie française et à l'Académie des sciences, et laissa un *Journal de la cour de Louis XIV* qui ne fut publié intégralement qu'en 1854-1860.

DANGÉ-SAINT-ROMAIN. ♦ Ch.-l. de cant. de la Vienne, arr. de Châtellerault. 2 045 hab. Ruines du château de Marmande à proximité. Laiterie.

DANGREK. *n. m.* ♦ Chaîne montagneuse séparant le N. du Cambodge* de la Thaïlande*. Son alt. varie de 500 à 1 000 m env.; elle est aride et peu peuplée.

DAN-GUN [*Tan-Kun*]. ♦ Héros mythique coréen, d'origine divine, qui aurait, selon la légende, fondé en ~ 2333 l'État du « Matin calme ». **V. Corée.** Il aurait été également le premier législateur coréen.

DANIEL. ♦ Personnage biblique, héros du livre qui porte son nom. Son historicité reste hypothétique. Il est présenté comme exilé à Babylone (entre ~ 587 et ~ 538) où, par ses prodiges, il fait admettre à Nabuchodonosor la suprématie de Iahvé. — *Icon.* Statue de Daniel par Sluter* *(puits de Moïse);* épisodes de sa vie dans l'*Apocalypse de Saint-Sever;* bas-reliefs de Laon; chapiteaux d'Autun.

Daniel (Livre de). ♦ Un des livres bibliques, placé parmi les *Écrits* dans la bible hébraïque, considéré comme le quatrième des grands prophètes par la bible catholique (12 chapitres). Auteur inconnu (vers ~ 168). I-VI : partie narrative (explication des songes de Nabuchodonosor [la statue aux pieds d'argile]; les Hébreux dans la fournaise; le festin de Balthasar*; Daniel dans la fosse aux lions). VII-XII : visions de Daniel. La tradition catholique admet en outre des *adjonctions à Daniel,* notamment *Suzanne et les vieillards* (XIII), *L'Idole de Bel* (XIV, 1-21), *Le Dragon* (XIV. 22-41).

DANIELL (John Frederic). ♦ Physicien anglais (Londres, 1790 — *id.*, 1845). Inventeur de l'hygromètre à condensation (1820) utilisant la méthode du « point de rosée » et d'une pile électrique « impolarisable » à deux liquides (1836). **V. A. Becquerel, Bunsen.**

DANIEL LESUR (LESUR, Daniel dit**).** ♦ Compositeur et organiste français (Paris, 1908). Cofondateur avec Y. Baudrier, A. Jolivet et O. Messiaen du groupe Jeune-France (1935). Caractérisée par la clarté du style et une volonté de dépouillement qui confine à l'ascétisme, son œuvre comprend de la musique d'orgue et de chambre, des pièces pour orchestre *(Suite française, Suite médiévale, Symphonie de danses),* une *Ballade* pour piano et orchestre, un ballet, *Le Bal du destin* (1956) et des mélodies.

DANIEL NEVSKI (Alexandrovitch). ♦ (1261 — 1303). Prince moscovite (v. 1276). Fils cadet d'Alexandre* Nevski, il reçut en apanage la région de Moscou*, fonda la dynastie des Danilovitch (qui tint le trône jusqu'en 1598), et réussit à doubler l'étendue de sa principauté.

DANIÉLOU (Jean). ♦ Prélat français (Neuilly-sur-Seine, 1905 — Paris, 1974). Jésuite depuis 1929, il enseigna (1944) à la faculté de théologie de Paris dont il fut le doyen de 1960 à 1969. Il fut créé cardinal en 1969. Cofondateur de la collection « Sources chrétiennes » (1941, **V. Patrologie**), il est l'auteur de nombreux ouvrages sur le christianisme ancien : *Origène* (1948), *Histoire des doctrines chrétiennes avant Nicée* (2 vol., 1958-1961), *Des origines à la fin du IIIe siècle* (dans la *Nouvelle Histoire de l'Église,* 1963); et d'essais, parfois polémiques, sur les problèmes religieux contemporains : *Tests* (1968), *Avenir de la religion* [1968]. (Acad. fr., 1972.)

DANIEL-ROPS (Henri PETIOT, dit**).** ♦ Écrivain français (Épinal, 1901 — Chambéry, 1965). Professeur d'histoire, il abandonna l'enseignement pour se consacrer à son œuvre littéraire et à la direction de la revue *Ecclesia.* Catholique, il a exprimé dans ses essais et romans (*Mort où est ta victoire?,* 1934; *L'Épée de feu,* 1938) l'opposition entre la civilisation technique et les valeurs traditionnelles du véritable humanisme chrétien. Ses ouvrages sur l'histoire de Jésus, de l'Église chrétienne (catholique) connurent le succès auprès du grand public [*Histoire sainte,* 1943; *Jésus en son temps,* 1945; *Histoire de l'Église du Christ,* 1948-1965]. (Acad. fr., 1955.)

DANINOS [daninɔs] **(Pierre).** ♦ Écrivain humoriste français (Paris, 1913). Officier de liaison auprès de l'armée britannique, durant la Deuxième Guerre mondiale, il accomplit un grand voyage au Mexique et en Amérique du Sud (*Le Sang des hommes* fut publié à Rio de Janeiro; 1940), puis revint en France en 1942. Après avoir donné *Méridiens* (1945), et *Les Carnets du Bon Dieu* (1947), Daninos fit apparaître dans *L'Éternel Second* (1949) le personnage de Sonia que l'on retrouve dans *Sonia, les autres et moi* (1952). C'est avec *Les Carnets du major Thompson* (1954) que ce moraliste bienveillant, peintre ironique du Français moyen, obtint de ses victimes le succès. Il a exploité la même veine humoristique, avec un sens aigu de l'observation sociale, dans *Un certain Monsieur Blot* (1960) et *Snobissimo* (1964).

DANJON (André). ♦ Astronome français (Caen, 1890 — Paris, 1967). Il étudia l'influence du Soleil sur les aspects de la Lune durant ses éclipses; on lui doit également des instruments de haute précision dont un *astrolabe impersonnel* pourvu d'un biréfringent entraîné qui supprime l'« équation personnelle » de l'observateur (1951) et un interféromètre à lame demi-onde. (Acad. sc., 1948.)

DANJOUTIN. ♦ Ch.-l. de cant. du Territoire de Belfort. 3 520 hab. Indus. textiles (coton). Acier. Câbles métalliques.

DAN-NO-URA. ♦ Petite baie et village de pêcheurs du Japon, à peu de distance de Shimonoseki*. ♦ *Hist.* Une grande bataille s'y déroula en 1185 qui vit la défaite du clan des Taira* par celui des

Ph. Louis Monier

Le cardinal **Daniélou.**

Minamoto*, permettant ainsi à ce dernier d'établir à Kamakura* un gouvernement militaire qui allait transformer complètement le devenir politique du Japon.

D'ANNUNZIO (Gabriele). ♦ Écrivain italien (Pescara, Abruzzes, 1863 – Cargnacco, 1938). Anticonformiste aristocratique, artiste et homme d'action qui s'adonna à une perpétuelle « chasse au spasme » (B. Crémieux), d'Annunzio poursuivit dans sa vie comme dans son œuvre un fastueux rêve de grandeur et de beauté. – Avec ses premières œuvres lyriques, *Primo Vere* (1879) et *Chant nouveau (Canto novo,* 1882) qui lui assurèrent la célébrité, le poète – qui subissait encore l'influence de Carducci* – montrait cependant sa prédilection pour le thème de la volupté et de la joie païenne de vivre ; cette joie, illustrée par un mythe solaire, s'assombrit dès le recueil de nouvelles, *San Pantaleone* (1886). Trois cycles romanesques, véritables hymnes à l'érotisme, étaient prévus par l'écrivain ; dans le « cycle des romans de la rose » (symbole du plaisir) parurent successivement *L'Enfant de volupté (Il Piacere,* 1889) dans lequel d'Annunzio mit « une bonne part de lui-même, ses excès et ses désordres », puis *L'Intrus* (*L'Innocente,* 1892) et *Le Triomphe de la mort* (*Trionfo della morte,* 1894) où la sensualité se fait désespérée et triste. Dans le « cycle du lys », illustré par *Les Vierges aux rochers* (*Le Vergini delle rocce,* 1896), puis dans le « cycle de la grenade », où figure *Le Feu* (*Il Fuoco,* 1908), la volupté se confond avec la gloire, tandis qu'apparaît le thème du surhomme par lequel d'Annunzio, dès 1895, justifia son individualisme exacerbé. Le culte de la volonté et de l'héroïsme, puisé dans la morale de Nietzsche*, inspira également le théâtre de l'écrivain : *Francesca da Rimini* (1901), *La Fille de Jorio* (*La Figlia di Iorio,* 1903) et *Phèdre* (*Fedra,* 1909), puis *Le Martyre de saint Sébastien* (en français ; mis en musique par Debussy*, 1911). – Cette exaltation de l'héroïsme associé à la « féroce volupté » se retrouve dans les quatre livres poétiques des *Louanges du ciel, de la mer, de la terre et des héros* (*Laudi del cielo, del mare, della terra et degli eroi,* (1904-1912) avec notamment *Alcyon* (*Alcyone,* 1904) où la richesse éclatante du verbe sert « l'éclosion d'une poésie supra-humaine ». – Compromis par les scandales de sa vie privée (liaisons orageuses, notamment avec la Duse*, qui l'amena au théâtre), couvert de dettes, d'Annunzio se réfugia en France (1911), y composant *La Léda sans cygne* (*La Leda senza cigno,* 1916), avant de se montrer un ardent interventionniste en 1915 auprès de ses compatriotes, de combattre et d'être blessé (1916), élaborant durant sa cécité momentanée une admirable suite de visions et de sensations, le *Nocturne* (*Notturno;* publ., 1921) où son lyrisme se fait plus mélancolique. Bien que d'abord favorable au fascisme dont il avait, par ses discours nationalistes, préparé la montée, l'écrivain vécut désormais retiré dans son domaine du Vittoriale, continuant à exalter ses thèmes héroïques et sensuels, mais sur un ton plus grave et voilé, dans *L'Aventurier sans aventure* (*Il Venturiero senza ventura,* 1924), *Le Compagnon aux yeux sans cils* (*Il Compagno dagli occhi senza cigli,* 1928) et *Les Étincelles du marteau* (*Faville del maglio,* 1924-1928). – Sa conviction que le surhomme-artiste doit, au delà de toute morale, rester disponible à toutes les sensations pour créer une œuvre belle, éclate dans son journal intime, *Le Livre secret de Gabriel d'Annunzio... (Cento e cento Pagine del libro segreto di Gabriele d'Annunzio tentato di morire,* 1935).

Danse de mort (La) [*Dödsdansen*]. ♦ Pièce d'August Strindberg* (1900). Alice, une ancienne comédienne, et Edgar, le capitaine, unis depuis longtemps par le mariage, cultivent, dans l'île où ils sont retirés, une haine réciproque qui est à la mesure de leurs ambitions déçues et de leur échec commun. Impitoyables et désabusés, ils poursuivent leur dialogue de morts vivants.

DANTE (Durante) ALIGHIERI. ♦ Poète italien (Florence, 1265 – Ravenne, 1321). Issu d'une famille noble, il participa aux côtés des guelfes « blancs » à l'administration de Florence et fut chargé de missions diplomatiques auprès de Boniface VIII ; finalement évincé, puis condamné au bannissement perpétuel par les guelfes « noirs », il finit ses jours en exil, à Vérone et à Lucques, puis à Ravenne. – Les préoccupations politiques de Dante se retrouvent dans le *De Monarchia,* où il préconise l'autonomie du pouvoir temporel par rapport au pouvoir spirituel : en effet, « la raison naturelle [suffit] à conférer à l'homme la félicité terrestre dans l'ordre de l'action » (E. Gilson). Persuadé que le bien moral est la fin nécessaire de toute activité vraiment humaine, Dante, qui avait acquis une solide culture scolastique, notamment sous la conduite de Brunetto Latini*, exposa sa conception de la sagesse (connaissance et raison) dans son traité philosophique, *Il Convivio* (*Le Banquet,* v. 1307). Toujours préoccupé de l'élaboration de la langue, il y préconise la langue littéraire commune à toutes les régions de l'Italie, suivant une théorie déjà énoncée dans le *De vulgari eloquentia* (en latin, 1303-1304). Il fut l'un des premiers à voir les relations historiques entre le latin et l'ensemble des langues romanes. Dante imprégna sa vaste production poétique de son expérience de philosophe et de moraliste. Béatrice, rencontrée a neuf ans et retrouvée à dix-huit, lui inspira des sonnets (les *Canzoniere),* très représentatifs du *dolce stil nuovo,* avant le recueil de *la Vita Nuova* (v. 1283 à 1293), expression d'un amour devenu mystique quand la « Dame bienheureuse et belle » eut disparu : vingt-cinq sonnets lyriques sont insérés dans un commentaire en prose pour exprimer, en un climat irréel riche pourtant en notations psychologiques, le mystère agissant d'une âme de bien, source d'exaltation et de dépassement. Pour dire désormais de Béatrice « ce qui jamais ne fut dit d'aucune », Dante entreprit sa grande épopée mystique, la *Commedia* (entre 1307 et 1321), où il représente l'humanité en quête du bonheur terrestre et du salut dans l'autre monde. **V. Divine Comédie** *(La).* Vision théologique et dramatique de la condition humaine, cette œuvre reste une des plus illustres de la littérature européenne.

Ph. Carlo Bevilacqua/Ricciarini

G. J. Danton. École française XVIIIe s. (Musée Carnavalet, Paris.)

DANTON (Georges Jacques). ♦ Homme politique français (Arcis-sur-Aube, 1759 – Paris, 1794). Avocat au Conseil du roi (1787-1791), il affirma dès 1789 ses sympathies pour la Révolution, s'enrôla dans la garde nationale et fut élu président du district des cordeliers (octobre 1789). Après la suppression des districts parisiens, il fonda le Club des cordeliers* (1790), où ses qualités d'orateur lui valurent rapidement une grande popularité, et fut nommé administrateur du département de la Seine (31 octobre 1791) et second substitut du procureur de la Commune de Paris (7 décembre). Toutefois, il ne paraît s'être vraiment prononcé contre la monarchie qu'en juin 1792. Élu ministre de la Justice le 11 août, il porte une grande responsabilité dans les massacres de Septembre* 1792, qu'il ne tenta pas d'empêcher. Élu à la Convention, il se démit de ses fonctions de ministre et siégea à l'Assemblée avec les députés de la Montagne. Dès octobre 1792, il fut vivement attaqué, en même temps que Marat et Robespierre, par les Girondins qui l'accusèrent de concussion. Il eut néanmoins un rôle considérable jusqu'en juillet 1793, tenta d'organiser la défense nationale en contribuant à la création du Tribunal* révolutionnaire (mars 1793) et du premier Comité* de salut public (avril 1793) qu'il présida. Mais son attitude politique fut parfois blâmée. Ainsi, envoyé en mission en Belgique (fin 1792 et février 1793), pays dont il avait réclamé l'annexion, il ne devait dénoncer à la Convention les manœuvres de Dumouriez* qu'au moment même où celui-ci trahissait (27 mars 1793). Danton devint peu à peu suspect à certains députés montagnards, en particulier à Robespierre. Au mois de juillet 1793, il fut éliminé (avec la plupart de ses alliés) du Comité de salut public, qui n'avait pas su jusqu'alors prendre de mesures vraiment efficaces contre l'invasion et les menées contre-révolutionnaires. Dès la fin de 1793, Danton, qui avait été un des instigateurs de la Terreur, prit position contre les ultra-révolutionnaires, *enragés* et surtout *hébertistes* qui avaient pris la tête du Club des cordeliers, critiquant en particulier leur politique de déchristianisation. Avec C. Desmoulins*, il réclama la fin de la Terreur (d'où le nom d'indulgents* donné aux dantonistes). Homme politique discuté, parfois considéré comme un patriote sincère et pur, parfois comme un opportuniste plus ou moins vénal, Danton, compromis avec son ami Fabre* d'Églantine, dans le scandale de la liquidation de la Compagnie des Indes, fut décrété d'accusation par ses adversaires robespierristes, condamné à mort par le Tribunal révolutionnaire et exécuté avec la plupart de ses partisans (début avril 1794).

DANTZIG ou **DANZIG.** ♦ Anc. V. d'Allemagne, auj. en Pologne, **V. Gdańsk.** – Patrie de Chodowiecki, Fahrenheit*, Grass*, Schopenhauer*. ♦ *Hist.* Cap. du duché de Pomérélie*, *Dantzig* passa sous suzeraineté polonaise en 1295, puis sous l'autorité de l'ordre Teutonique* en 1309. Ville hanséatique dès 1350, elle se libéra du joug teutonique en 1454, fut constituée en État libre sous la protection du roi de Pologne à la suite de la paix de Toruń* (1466) et devint l'un des principaux ports de la Baltique. Ralliée à la Réforme en 1523, elle refusa de reconnaître Étienne Bathory qui l'assiégea et la soumit en 1577. Rattachée à la Prusse* lors du deuxième partage de la Pologne (1793), assiégée par Chasseloup*-Laubat, et prise par Lefebvre* en 1807, elle redevint ville libre sous l'occupation française, mais fut restituée à la Prusse (1814) après un long siège soutenu par Rapp* et devint en 1878, la capitale de la prov. de Prusse occidentale. Érigée à nouveau en ville libre après le traité de Versailles* (1919), liée à la Pologne par une union douanière sous le contrôle de la Société* des Nations, elle resta néanmoins une source de conflits entre l'Allemagne et la Pologne, et fut à l'origine de la Seconde Guerre mondiale, à la suite des revendications d'Hitler* et de l'occupation du *couloir de Dantzig* (1939) qui reliait la Pologne à la mer avec le nouveau port de Gdynia*. Réunie au Reich (sept. 1939), presque entièrement détruite, elle fut libérée par les Soviétiques en 1945 et réincorporée à la Pologne.

DANUBE. *n. m.* ♦ Fl. de l'Europe centrale et orientale, le deuxième du continent européen (après la Volga) par sa longueur (2 850 km), l'étendue de son bassin (805 000 km^2) et le volume de son débit. Issu du massif de la Forêt Noire, le Danube est formé à Donaueschingen par la fusion de la Breg et de la Brigach, et draine le dixième de la superficie du continent en traversant huit États avant de se jeter dans la mer Noire*, à l'O. d'Odessa. Il baigne le S. de la République fédérale allemande et l'Autriche (où il est appelé *Donau*), la Tchécoslovaquie (tchèque et slovaque *Dunaj*), la Hongrie (hongr. *Duna*), la Yougoslavie (serbe *Dunav*), la Roumanie (roum. *Dunărea*) qu'il sépare en partie de la Bulgarie (bulg. *Dunav*) et l'U.R.S.S. (russe *Dunaj*). Dans la partie supérieure de son cours (de la source à Bratislava), le Danube, qui coule d'O. en E., arrose en Allemagne Tuttlingen, Sigmaringen*, Ulm*, Donauwörth, Ingolstadt*, Ratisbonne* (Regensburg), Passau*; en Autriche Linz*, Mauthausen*, Vienne*; en Tchécoslovaquie Bratislava*; il reçoit sur sa r. d. le Lech*, l'Isar*, l'Inn*, l'Enns* (tous issus des Alpes), sur sa r. g. l'Altmühl* et la Morava*; il forme de nombreuses îles, dont l'île de Lobau* (près de Vienne). Dans son cours moyen (à partir de Bratislava), le fleuve se divise en trois chenaux, formant deux îles, l'une en Tchécoslovaquie, l'autre en Hongrie (il reçoit le Raab à Györ*), puis dévie brusquement vers le S., peu après Esztergom*, entre les monts Bakony* au S.-O. et les monts Mátra* au N.-E., à travers la plaine de Hongrie où il forme de vastes marécages, après avoir baigné Budapest*. Il reçoit sur sa r. d. le Sió (émissaire du lac Balaton), arrose Baja* et Mohács* et pénètre en Yougoslavie où il reçoit encore sur sa r. d. la Drave* et la Save* (issues des Alpes), sur sa r. g. la Tisza (venue des Carpates); puis il arrose Novi* Sad et Belgrade* avant de s'engager dans la dépression roumaine par le défilé des Portes* de Fer. Dans sa partie inférieure, le cours du Danube, à nouveau orienté d'O. en E., forme la frontière entre la Roumanie et la Bulgarie, reçoit des Carpates sur la r. g. le Jiu*, l'Olt*, le Siret*, le Prut*, sur la r. d. l'Isker*, issue des Balkans, arrose Giurgiu* (Roumanie), Ruse et Silistra* (Bulgarie) et dévie vers le N. en longeant la Dobroudja*. Il arrose Brăila* et Galati* (Roumanie), s'infléchit vers l'O., séparant la Bulgarie de l'U.R.S.S. (Ukraine). Enfin, il se jette dans la mer Noire par un vaste delta (3 750 km^2) à trois branches (au N. Kilia [qui arrose Izmaïl*], au centre Sulina, au S. Saint-Georges). Pêche active sur le cours inférieur et le delta. Navigable d'E. en O. de la branche Sulina à Ratisbonne, le Danube joue un rôle économique international important, malgré les obstacles (alluvions du delta, récifs des Portes de Fer) qui entravent le développement de la navigation. Outre les centrales déjà existantes, de nombreux aménagements hydro-électriques sont prévus sur son cours, par les pays riverains. Le Danube est relié au Rhin par le canal Rhin-Main-Danube, et à l'Oder par le canal Danube-Oder qui aboutit à Bratislava. ♦ *Hist.* Le Danube (*Danubius* des Romains, appelé *Ister* sur son cours inf.) fut pendant plusieurs siècles la limite de l'Empire romain, puis la grande voie naturelle vers l'Orient, pour l'Allemagne et l'Autriche. La liberté de navigation sur le fleuve fut proclamée par le traité de Paris* (1856) et placée sous contrôle d'une commission internationale (1921), qui fut supprimée en 1940 par la conférence de Vienne. Une nouvelle commission des États riverains fut créée par la convention de Belgrade (1948), dans laquelle figuraient seulement les États riverains à l'exclusion de l'Allemagne et de l'Autriche (cette dernière fut admise en 1960). Les États-Unis, la Grande-Bretagne et la France refusèrent de ratifier ces décisions.

DAOUD, anc. **Aïn-Beïda.** ♦ V. d'Algérie, ch.-l. d'arr. du dép. de Constantine situé sur les hauts plateaux. 27 400 habitants.

DAOULAS [daulas]. ♦ Ch.-l. de cant. du Finistère, arr. de Brest, sur l'estuaire de la Daoulas, qui forme une échancrure de la rade de Brest. Église romane; chapelle Sainte-Anne, Renaissance; très beau cloître roman de l'anc. abbaye. – Conserves de légumes.

DAPHNÉ. ♦ Nymphe aimée d'Apollon*. Fuyant les ardeurs du dieu, elle est changée en laurier (en gr. *daphnê*).

DAPHNIS [dafnis]. ♦ Berger légendaire de Sicile, fils d'Hermès*, élevé et aimé passionnément par les nymphes. Initié par Apollon à l'art de jouer de la flûte, il passait pour l'inventeur de la poésie bucolique.

Daphnis et Chloé (Pastorales de). ♦ Roman de Longus* racontant l'amour de deux adolescents ingénus, élevés dans l'île de Lesbos par des bergers. Ayant en général la facture du roman grec traditionnel, il renonce pourtant à la multitude des péripéties spectaculaires. Les bouleversements sont plutôt intérieurs et dus à l'innocence des deux amoureux. Ce récit plein de grâce et de fraîcheur fut longtemps considéré comme une œuvre toute de spontanéité, mais on y a reconnu l'art savant de la seconde sophistique. – Roman d'une grande et durable popularité, il a inspiré la littérature et les arts. S. Gessner* y emprunta le sujet d'une de ses *Idylles* et M. Ravel* le thème de son célèbre ballet. Traductions françaises de J. Amyot* et de P.-L. Courier*.

Daphnis et Chloé. ♦ Ballet en un acte et trois tableaux, avec chœurs, de Maurice Ravel*, chorégraphie et livret de Michel Fokine, d'après Longus, décors et costumes de Léon Bakst, créé par la *compagnie des Ballets russes* au théâtre du Châtelet (1912), avec V. Nijinski, T. Karsavina, A. Bolm et E. Cecchetti. À propos de son œuvre, Ravel a écrit : « Mon intention, en écrivant *Daphnis et Chloé,* était de composer une vaste fresque musicale, moins soucieuse d'archaïsme que de fidélité à la Grèce de mes rêves, qui s'apparente assez volontiers à celle qu'ont imaginée et dépeinte les artistes français de la fin du XVIIIᵉ siècle ». L'œuvre musicale, d'une écriture très classique, est riche d'une éblouissante instrumentation.

DA PONTE (Emanuele Conegliano, di Lorenzo). ♦ Librettiste italien (Vittorio Veneto, 1749 – New York, 1838). Devenu prêtre en 1773, il vécut à Venise d'une manière si dissipée qu'il fut condamné pour libertinage et abandonna la vie religieuse. Exilé à Vienne (1781) où il fit connaissance de Métastase*, il émigra ensuite à Prague (se liant momentanément avec Casanova*), retourna en Italie avant de gagner l'Amérique. Après avoir effectué divers métiers, il se vit attribuer la chaire d'italien à la nouvelle université de Columbia et contribua à faire connaître la littérature italienne aux États-Unis. Déjà auteur de plusieurs livrets d'opéras pour Salieri*, Martini* et Mozart* (*Les Noces de Figaro, Don Juan* et *Cosi fan tutte*), Da Ponte a également laissé des *Mémoires* (New York, 1823-1827), intéressant témoignage sur les mœurs et la vie littéraire au XVIIIᵉ siècle.

DAPSANG. *n. m.* ♦ Un des plus hauts sommets de l'Himâlaya* occidental, le second du monde après le Chomolungma* (Everest), dans le massif du Karakoram*, à la frontière de l'Inde et de la Chine, culminant à 8 611 m (État de Jammu*). Il fut conquis en 1954 par une expédition italienne. On l'appelle aussi K 2, Godwin Austen.

DAQIQI. ♦ Un des plus grands poètes persans du Xᵉ siècle. Il fut panégyriste de l'émir samanide* Mansûr I (961-976) et de son fils Nûh II (976-997). Mais il est surtout célèbre comme predécesseur de Firdûsi* : en effet, il commença la rédaction d'un poème épique à partir des compilations récentes (961) de la tradition nationale. Le millier de distiques qu'il écrivit fut recueilli par Firdûsi lui-même dans le « Livre des rois » (Shâh*-Nâme).

DAQUIN (Claude). ♦ V. AQUIN (Louis Claude d').

DĀRĀ SHIKŪH. ♦ Prince indo-musulman moghol (Ajmer, 1616 – Delhi, 1659), fils aîné de Shâh Jahân, et poète d'expression persane. Vice-roi du Panjâb, il tenta, mais sans succès, de reprendre la ville de Kandahâr* (1653). Attaqué par son frère Aurangzeb* et battu, il s'enfuit dans le Gujarât et fut exécuté. Il traduisit les *Upanisad** en persan et écrivit des ouvrages philosophiques et religieux syncrétiques, ainsi que de nombreux poèmes.

DARBHANGA. ♦ V. de l'Inde (Bihâr, district de Tirhut), au N.-E. de Patna. 130 000 hab. Centre commercial et collège médical.

DARBOUX (Gaston). ♦ Mathématicien français (Nîmes, 1842 – Paris, 1917). Disciple indirect de Monge* et de Riemann*, il publia une remarquable synthèse de l'apport du XIXᵉ s. en géométrie infinitésimale (*Leçons sur la théorie générale des surfaces,* 1887-

Ph. Hétier

La vallée du **Danube** en amont de Vienne.

Ph. Hétier

Détroit des **Dardanelles.**

1896); il étudia notamment les systèmes triples orthogonaux, l'emploi des éléments imaginaires et la méthode du trièdre mobile, qu'il utilisa dans l'étude des courbes et des surfaces. (Acad. sc., 1884; secrét. perpét. 1900.)

DARBOY (Georges). ♦ (Fayls-Billot, Haute-Marne, 1813 — Paris, 1871). Archevêque de Paris en 1863, il fut l'un des premiers otages fusillés par la Commune (24 mai 1871).

DARBY (Abraham). ♦ Métallurgiste anglais (Coalbrookdale, Shropshire, 1711 — 1763). Il étudia la transformation de la houille en coke par distillation sèche; le coke métallurgique fut utilisé pour la première fois en haut fourneau en 1735.

DARCET ou **d'ARCET (Jean).** ♦ Chimiste français (Audignon, Gascogne, 1725 — Paris, 1801). Il mit au point un alliage à bas point de fusion (95 °C) qui porte son nom (50 % bismuth, 25 % plomb, 25 % étain).

DARDANELLES. *n. f. pl. (détroit des),* en turc **Çanakkale Boğazi.** ♦ Détroit reliant la mer Égée et la mer de Marmara* (Propontide). Formé par la péninsule de Gallipoli* et la rive N.-O. de la Troade, il sépare, avec le Bosphore, les péninsules des Balkans* et d'Asie* Mineure. Longueur, env. 70 km; largeur, 1 300-7 400 m. Ancienne vallée fluviale envahie récemment par la mer, le détroit n'offre que deux abris à la navigation, les ports de Gallipoli*, sur la côte européenne, et de Çanakkale*, sur la côte asiatique. ♦ *Hist.* L'ancien *Hellespont**, voie privilégiée de la colonisation grecque **(V. Abydos, Sestos, Lampsaque),** prit le nom de Dardanelles au ~ Iᵉʳ s., après le traité de paix signé à *Dardania* (Troie) entre les Romains et le roi du Pont Mithriade VI. — Position clé pour l'accès à Istanbul et pour le contrôle de la mer Noire, les Dardanelles ont acquis une importance politique internationale au XIXᵉ s. **V. Détroits.** — En février 1915, une expédition navale franco-britannique organisée par Churchill*, alors premier lord de l'Amirauté, tenta d'ouvrir les Détroits pour contraindre la Turquie à la paix et établir une liaison avec la Russie. Après des succès contre les premiers forts (25 févr.), l'expédition perdit un tiers de sa flotte devant Çanakkale (18 mars). Plusieurs débarquements (25 avr., 7 août) ne permirent pas davantage de réduire les positions turques, défendues par le général allemand Liman von Sanders et par Mustafa* Kemal. Une partie des troupes, évacuées de nov. 1915 à févr. 1916, grossit l'expédition de Salonique. **V. Guerre mondiale** *(Première).*

DARDANIE. *n. f.* ♦ Anc. région d'Europe dans les Balkans limitée par la Mésie* au N. et la Macédoine* au sud. *V. princ.* Naissus.

DARDANIE. *n. f.* ♦ Anc. nom de la Troade, région du N.-O. de l'Asie Mineure. *Cap.* Troie*.

DARDANOS. ♦ Ancêtre mythique des Troyens. Venu de Samothrace ou, selon la tradition latine, de Cortona, il succéda à Teucer* et fonda *Dardania,* une des cités primitives qui constituèrent Troie*. Il donna aussi son nom à la Troade*.

DAR EL-BEÏDA. ♦ Nom arabe de Casablanca*.

DAR EL-BEÏDA (en franç. : **Maison-Blanche,** son anc. nom). ♦ V. d'Algérie, ch.-l. d'arr. du dép. d'Alger, située dans la Mitidja*. 6 200 hab. Aéroport international d'*Alger - Dar el-Beïda.* Zone industrielle.

DAREMBERG (Charles Victor). ♦ Médecin et érudit français (Dijon, 1817 — Le-Mesnil-le-Roi, Seine-et-Oise, 1872). Historien de la médecine, on lui doit la traduction d'écrits médicaux des Anciens et un ouvrage sur l'*État de la médecine entre Homère et Hippocrate* (1866). Il participa à la rédaction du *Dictionnaire des antiquités grecques et romaines* (avec Saglio).

DAR ES-SALAAM ou **DAR ES-SALAM.** ♦ Anc. cap. de la Tanzanie*, port sur l'océan Indien au débouché de la voie ferrée reliée au lac Tanganyika avec un embranchement vers Mwanza*. 272 500 hab. Collège universitaire. Exportation de coton, sisal, café, maïs, oléagineux et plomb. Nombreuses industries : indus. alimentaires, textiles; raffinerie, cimenterie, manufacture de tabacs. Point de départ d'un oléoduc vers Ndola* (Zambie). Équipement touristique.

DARFOUR ou **DÂR FÛR.** *n. m.* ♦ Région montagneuse du Soudan* occidental constituée de plateaux aux sommets volcaniques, qui culmine au Djebel Marra (3 071 m). Élevage. Culture de millet. ♦ *Hist.* Après l'immigration des Berbères, un royaume s'y constitua au XVᵉ s. et s'islamisa partiellement au XVIIᵉ siècle. Il s'étendit au XVIIIᵉ s. sur le Kordofan* qui s'en détacha en 1825. Le Darfour passa sous la domination de l'Égypte en 1874.

DARGILAN *(grotte de).* ♦ Grotte de la Lozère, s'ouvrant dans la falaise du causse Noir qui domine la vallée de la Jonte*. Elle fut explorée par É. Martel* en 1888. Aménagée, elle s'ouvre sur des salles riches en stalagmites aux reflets multiples, et de concrétions en cours d'édification. Elle s'achève par la magnifique « salle du Clocher ».

DARGOMYJSKI (Alexandre Sergeïevitch). ♦ Compositeur russe (Dargomyi, 1813 — Saint-Pétersbourg, 1869). La rencontre de Glinka* (1833) l'engagea sur la voie d'une carrière musicale. Il composa des opéras (*Esmeralda,* 1839 ; *Le Triomphe de Bacchus,* 1845) et, après un séjour à l'étranger, *Roussalka,* son chef-d'œuvre (1855). L'insuccès de cet ouvrage, pourtant riche d'accent dramatique et de couleur folklorique, l'aurait détourné à jamais de la scène si de jeunes admirateurs ne l'avaient convaincu de composer un dernier opéra, *Le Convive de pierre,* d'après Pouchkine, qu'il laissa inachevé et que complétèrent après sa mort C. Cui et Rimsky-Korsakov (1872). Président de la *Société de musique russe,* Dargomyjski a exercé, avec Glinka, une profonde influence sur le renouveau de la musique de son pays, avant que se constitue le groupe des Cinq*

DARIEN (Georges ADRIEN, dit Georges). ♦ Journaliste et écrivain français (Paris, 1862 — *id.,* 1921). De son expérience des compagnies disciplinaires en Tunisie, il tira un roman (*Biribi,* 1888) que suivirent d'autres œuvres de protestation contre la lâcheté politique (*Bas les cœurs, 1870-1871,* 1889) ou l'esprit militaire (*L'Épaulette,* 1905). Mais c'est dans *Le Voleur* (1898) que s'affirment le plus radicalement son indépendance et sa haine de tous les conformismes (y compris socialisme et anarchisme). Il publia un hebdomadaire, *l'Escarmouche* (1893-1894), et fit jouer quelques pièces de théâtre *(Biribi, Les Chapons).*

DARIÉN *(golfe de).* ♦ Golfe de la mer des Antilles, entre Panamá et la Colombie, bordé par la Serranía del Darién (altitude 1 000 m). — La région du golfe, occupée par les Écossais au XVIIᵉ s., puis par les Espagnols au XVIIIᵉ s., forme actuellement une province de la république de Panamá.

DARIMON (Louis). ♦ Publiciste et homme politique français (Lille, 1819 — Paris, 1902). Secrétaire de Proudhon, collaborateur au journal *le Peuple* et rédacteur en chef de *la Presse,* il fut élu au Corps législatif (1857) où il fit partie de l'opposition républicaine à l'Empire et s'occupa de questions économiques et financières. Réélu en 1863, il se rapprocha du gouvernement impérial. Il a laissé des ouvrages sur l'histoire du Second Empire.

DARÍO (Rubén). ♦ Poète nicaraguayen (Metapa, 1867 — Léon, 1916). Sa vie de bohème élégante le mena par tous les pays du monde où il puisa diverses influences littéraires, notamment celle de Verlaine* et du symbolisme. Il est considéré comme le rénovateur de la poésie espagnole qu'il a libérée de toute tradition rythmique (*Azur,* 1888 ; *Les Chants de vie et d'espérance,* 1905 ; *Le Chantre errant,* 1907). Dans ses œuvres en prose, le style raffiné est toujours empreint d'une musicalité propre (*Proses profanes,* 1896 ; « La princesse est triste... », *Terres solaires, L'Espagne contemporaine,* 1901). Éternel voyageur, ce créole cosmopolite affirme sa confiance dans la race hispano-américaine : « Attention, l'Amérique espagnole est vivante » *(Ode à Roosevelt).*

DARIOS ou **DARIUS,** en gr. **Dareios,** en vieux perse **Darayavush.** ♦ Nom de plusieurs membres de la dynastie achéménide.

Ph. Prato/Ricciarini

Dar Es-Salaam : le centre de la ville.

♦ DARIOS Ier, roi de Perse (~ 522-~ 486), fils d'Hystape* et d'ascendance achéménide, prit part à la conjuration contre Bardiya, monta sur le trône mais dut lutter quatorze mois pour imposer son autorité aux provinces révoltées (Perse, Babylonie, Élam, Médie, Arménie, Parthie). Il fut le grand organisateur de l'empire : il remodela le système des satrapies, au nombre d'une vingtaine, confia la haute administration à une nouvelle noblesse issue des familles des conjurés, mais équilibra le pouvoir des satrapes par celui d'un « secrétaire » dépendant directement du roi et par celui d'un général responsable militaire de chaque province. Il réforma le système juridique, unifia les poids et mesures, fit bâtir la voie royale de Suse à Sardes, frappa une monnaie d'or *(darique)*. Il étendit son empire, à l'E. par la conquête de la vallée de l'Indus, à l'O. par celle de la Thrace*, transformée en satrapie après son échec contre les Scythes au N. du Danube (~ 513). En ~ 499 se produisit la révolte des cités grecques d'Ionie **(V. Aristagoras);** il en vint à bout en ~ 493 avec la prise de Milet. En ~ 490, sa flotte prit Naxos et Érétrie, en représailles de leur rôle dans la révolte ionienne, mais le débarquement en Grèce continentale fut repoussé par les Athéniens **(V. Marathon, Médiques** [guerres], **Miltiade).** Il célébra ses victoires par l'inscription de Béhistûn*, commença la construction de Persépolis*, eut pour tombeau le mausolée de Naqsh-i-Rustam. Son fils Xerxès* Ier lui succéda. ♦ DARIOS II OCHOS, dit *Nothos*, « le Bâtard », roi de Perse (~ 423-~ 404), fils d'Artaxerxès* Ier. Il monta sur le trône après avoir assassiné son demi-frère Sogdianos, lui-même meurtrier de Xerxès* II. Il intervint dans la guerre du Péloponnèse* par l'intermédiaire des satrapes Pharnabaze et Tissapherne, qui soutinrent Athènes puis Sparte. Il épousa Parysatis*. Sa mort mit en concurrence ses fils Artaxerxès* II et Cyrus* le Jeune, prétendant au trône. ♦ DARIOS III CODOMAN, roi de Perse (~ 336-~ 330). D'origine incertaine (royale ou obscure), il fut porté au trône par l'eunuque Bagoas* qu'il empoisonna peu après. Il entreprit de redresser la situation de l'empire, très détériorée sous Arsès*. Il chassa d'Asie Mineure les troupes de Philippe* de Macédoine et, après la mort de celui-ci, soutint les cités grecques contre Alexandre*. Mais en ~ 334, Alexandre envahit l'Empire perse : il vainquit le général Mithridate au Granique* puis Darios III lui-même à Issos* (~ 333) et captura la famille royale. Définitivement défait à Gaugamèles* (~ 331), Darios III s'enfuit vers l'E.; il fut assassiné par le satrape de Bactriane, à Hécatompylos, au S. de la Caspienne.

DARJÎLING, en angl. **Darjeeling**. ♦ V. de l'Inde, au S. du Sikkim*, à 2 185 m d'alt. 50 000 hab. Elle est reliée à Calcutta* par une ligne de chemin de fer. Marché d'échange entre le Sikkim*, le Tibet*, le Bhûtan* et l'Inde, au pied des monts Chomolungma* (Everest) et Kangchenjunga*. Thé renommé. Gisements de houille aux environs. ♦ *Hist.* La ville fut fondée v. 1816 par les Anglais, comme capitale d'été du Bengale.

DARLAN (François). ♦ Amiral et homme politique français (Nérac, 1881 — Alger, 1942). Chef d'état-major général à la marine (1936), qu'il contribua à moderniser. Il demanda et obtint en 1939 le rétablissement à son profit de la dignité d'amiral de la Flotte, pour être à grade égal au Premier lord de la mer, britannique. Au moment de l'armistice de juin 1940, auquel il contribua en ordonnant aux bâtiments français de cesser le combat contre l'Allemagne et l'Italie (tout en confirmant aux commandants d'unités la consigne permanente selon laquelle tout commandant doit saborder son bâtiment plutôt que d'amener pavillon), il accepta d'être ministre des marines marchande et militaire dans le gouvernement de Vichy (16 juin 1940). Puis il devint vice-président du Conseil avec le portefeuille de l'Intérieur et des Affaires étrangères et successeur désigné de Pétain après le renvoi de Laval (décembre 1940). Il s'engagea alors dans une politique de collaboration (entrevue avec Hitler, concession aux Allemands de droit sur les ports français d'Afrique et de Syrie, accord Darlan-Warlimont, qui fut repoussé par le gouvernement de Vichy à l'instigation de Weygand). Les Allemands ayant exigé le rappel de Laval, Darlan démissionna (avril 1942), tout en restant commandant en chef des armées. Se trouvant à Alger lors du débarquement allié (8 novembre 1942), il prit la direction d'un conseil impérial pour le regroupement des forces françaises; son autorité fut alors reconnue tant par les chefs militaires français en Afrique du Nord, à Alexandrie, aux Antilles et à Dakar, que par les Américains; mais il n'obtint ni le ralliement de la majorité des bâtiments de l'escadre métropolitaine, qui se saborda, ni celui de l'amiral commandant en chef et résident général à Bizerte. Il fut assassiné peu après par Bonnier de La Chapelle et remplacé par le général Giraud*.

DARLING. *n. m.* ♦ Riv. d'Australie*, affl. de d. du Murray* (2 450 km). Le projet d'aménagement d'un barrage permettra la régularisation du cours du bas Murray et la production d'énergie hydro-électrique.

DARLINGTON. ♦ V. d'Angleterre du Nord (comté de Durham). 84 000 hab. Église romane du XIIe siècle. — Houille. Métallurgie, construction de locomotives et de wagons. — En 1825, la première ligne de chemin de fer pour voyageurs fut mise en service entre Stockton et Darlington.

DARMESTETER (Arsène). ♦ Linguiste français (Château-Salins, 1846 — Paris, 1888). Spécialiste de la morphologie française, il a étudié la formation des mots composés (*Traité de la formation des mots composés dans la langue française*, 1873), les néologismes (*De la création actuelle de mots nouveaux dans la langue française* [...], 1877). Son ouvrage le plus connu, la *Vie des mots étudiée dans leur signification* (1877), reflète la tendance de la linguistique d'alors à considérer la langue et ses éléments comme des organismes, tendance qui sera critiquée en France par Bréal*. Darmesteter avait collaboré avec A. Hatzfeld pour le *Dictionnaire* général de la langue française*, qui parut après sa mort.

Arch. Smeets

Palais de **Darios Ier** : archers de la garde royale, frise. ~ Ve s. (Musée du Louvre, Paris.)

DARMESTETER (James). ♦ Linguiste et orientaliste français, frère d'Arsène [ci-dessus] (Château-Salins, 1849 — Maisons-Laffitte, 1894). Il étudia l'anc. persan, la langue de l'Avesta, qu'il traduisit en français **(V. Burnouf** [Eugène]**)**, la mythologie iranienne et la religion juive. *Ormazd et Ahriman* (...), 1877; *Les Prophètes d'Israël*, 1892.

DARMSTADT. ♦ V. d'Allemagne occidentale (Hesse) et anc. cap. des princes de Hesse-Darmstadt, à la lisière de l'Odenwald. 140 200 hab. (1969). Château ducal (XVIe-XIXe s.), palais et parc du prince Georges (XVIIIe s.), Mathildenhöhe, où vécut une colonie d'artistes invités en 1889 par le grand-duc Ernest-Louis. — Centre industriel important (produits chimiques, mécanique, électronique, arts graphiques). Institut polytechnique, centre européen d'études spatiales. — Patrie d'Alexandra* Fedorovna, de Ludwig Büchner, de J.K. Dippel*, d'A. Kekule*, de J. von Liebig*.

DARNAND (Joseph). ♦ Homme politique français (Coligny, Ain, 1897 — fort de Châtillon, Seine, 1945). Après s'être distingué au cours de la Première Guerre mondiale, il se fit remarquer par son action dans les ligues d'extrême droite (Action française, la Cagoule). Après l'armistice de 1940, il fut un des partisans de la collaboration, fonda le Service d'ordre légionnaire (S.O.L.), puis la Milice* française (janv. 1942), pour lutter contre les maquis de la Résistance. Membre du comité directeur de la Légion des volontaires français et officier des Waffen S.S., il fut nommé secrétaire général au Maintien de l'ordre. Après avoir gagné Sigmaringen avec les membres du gouvernement de Pétain (sept. 1944), il fut arrêté en Italie, transféré en France où il fut condamné à mort et fusillé.

DARNÉTAL. ♦ Ch.-l. de cant. de la Seine*-Maritime, arr. de Rouen*, dans la banlieue de Rouen. 11 108 hab. — Église de Long-Paon du XVIe siècle. Tréfilerie, indus. du coton, confections.

DARNEY. ♦ Ch.-l. de cant. des Vosges (arr. d'Épinal), sur la Saône. 1 990 hab. Ustensiles de ménage.

DARNLEY (Henry Stuart, *lord***).** ♦ Gentilhomme écossais (Temple Newsam, 1545 — Édimbourg, 1567). Petit neveu d'Henri* VIII, il épousa Marie* Stuart (1565) qu'il ne tarda pas à délaisser. Très jaloux, cependant, il fit mettre à mort Rizzio, favori de la reine, dans les appartements de celle-ci, et Bothwell* l'assassina en représailles, un an plus tard.

DARRACQ (Alexandre). ♦ Industriel français (Bordeaux, 1855 — Monaco, 1931). Créateur de la manufacture de cycles Gladiator (1893), constructeur de la moto Millet munie d'un moteur à quatre cylindres rotatifs (1894) et d'une automobile dont le moteur à quatre cylindres développait 70 ch, il inaugura la construction en série.

Darśana. ♦ « Points de vue » ou « démonstration » philosophiques indiens, traditionnellement au nombre de six, et formant le corpus principal des systèmes philosophiques de l'Inde.

DARSONVAL (Alice Perron, dite Lycette). ♦ Danseuse française (Coutances, 1917). Promue première danseuse pour son interprétation de *Giselle* (1935) elle se confirma peu après dans *Oriane et le Prince d'amour* (Fl. Schmitt, 1938) et devint danseuse étoile (1940) marquant de sa personnalité dramatique et de sa parfaite technique les rôles principaux des ballets de *Coppélia* et de *Sylvia*. Elle participa à la création de plusieurs ballets de Serge Lifar : *Joan de Zarissa* (W. Egk, 1942), *Suite en blanc* (É. Lalo, 1943), *Phèdre* (J. Cocteau, G. Auric, 1950) atteignant les sommets de son art avec *La Tragédie de Salomé* (chorégr. A. Aveline, mus. Fl. Schmitt, 1955).

DARTMOOR. *n. m.* ♦ Massif granitique du S.-O. de l'Angleterre (Devonshire) culminant à 620 m env. au *Yes Tor* et aux *High Willays*. C'est une région de landes vouée à l'élevage ovin. – Mines de granite et de kaolin.

DARTMOUTH. ♦ V. du Canada (prov. de Nouvelle-Écosse), à l'E. du port de Halifax, en face de cette ville, à laquelle elle est reliée par un pont suspendu de plus de 1,5 km. 58 745 hab. (1966). Centre indus. : raffineries de pétrole, constructions navales et aéronautiques, électricité. – Base d'hydravions de la marine canadienne.

DARU (Pierre BRUNO, *comte***).** ♦ Homme politique français (Montpellier, 1767 – Meulan, 1829). Remarquable organisateur militaire, il fut successivement secrétaire général du ministère de la Guerre (1800), membre du Tribunat (1802), conseiller d'État, intendant général de la Grande Armée en Autriche et en Prusse, secrétaire d'État (1811). Il organisa l'approvisionnement pour la campagne de Russie à laquelle il participa. Il fut ministre de la Guerre (1813). Le gouvernement de la Restauration, malgré sa défiance, le fit pair de France en 1819. Il est l'auteur de traductions de latin, d'une *Histoire de la république de Venise*, de poésies didactiques. Il avait protégé Henri Beyle (**V. Stendhal**) au début de l'Empire et eut Littré* comme secrétaire.

DARWIN (Erasmus). ♦ Médecin et poète anglais, grand-père de Charles Darwin* (Elton, Nottinghamshire, 1731 – Derby, 1802). Son œuvre poétique principale parut sous le titre *Le Jardin botanique* (1792). Sa *Zoonomia* ou *Lois de la vie organique* (1794-1801) en fait un précurseur du transformisme. L'ouvrage fut critiqué par T. Brown*.

DARWIN (Charles). ♦ Naturaliste anglais (Shrewsbury, 1809 – Down, Kent, 1882). Petit-fils d'E. Darwin*, il entra à l'université d'Édimbourg (1825), puis de Cambridge (1828), délaissant les études médicales au profit de la géologie, de l'entomologie et de la botanique. De 1831 à 1836, il participa en qualité de naturaliste à une expédition sur le *Beagle* avec le commandant Fitz-Roy en Amérique du Sud, en Australie et surtout aux Galápagos ; il en rapporta d'importantes collections de plantes et d'animaux ainsi que le récit de ses observations (*Voyage d'un naturaliste autour du monde*, 1839). De retour en Angleterre, des raisons de santé l'obligèrent à s'installer à la campagne (Down) tout en restant en relation avec de nombreux savants (Henslow, Hooker*, Lyell). *Œuvres princ. : De l'origine des espèces au moyen de la sélection naturelle* (1859) ; *De la Variation des animaux et des plantes domestiques* (1868) ; *De la descendance de l'homme* (1871) ; *L'Expression des émotions chez l'homme et les animaux* (1872) ; *Effets de la fécondation directe et croisée dans le règne végétal* (1876). Géologue, biologiste, psychologue, Darwin fut surtout un des principaux théoriciens du transformisme. Ayant constaté la variabilité des espèces, il l'explique par l'action directe ou indirecte du milieu, l'usage ou le défaut d'exercice des organes (idées déjà exprimées par Lamarck* qui exerça sur Darwin une grande influence) et par l'action des petites variations brusques et spontanées sur lesquelles joue le mécanisme de la sélection naturelle. Cette idée lui fut suggérée par la pratique de la sélection artificielle et surtout par la théorie de Malthus*. Il définit la sélection naturelle comme « la persistance du plus apte à la conservation des différences et variations individuelles favorables et à l'élimination des variations nuisibles ». Ainsi, dans la « lutte pour la vie », la sélection naturelle, par la mort différenciatrice, maintient l'équilibre entre l'espèce et son milieu. La théorie de Darwin (darwinisme) eut l'appui de nombreux savants (T.H. Huxley*), mais fut longtemps violemment combattue dans tous les milieux conservateurs et religieux, indépendamment de tout motif scientifique.

Ph. Boyer-Viollet

Charles Darwin.

DARWIN, anc. **Palmerston.** ♦ Centre administratif et port le plus important du *Territoire* du Nord* de l'Australie, situé sur la cote O. de la terre d'Arnhem*, sur la mer de Timor*. 20 413 hab. Débouché de l'arrière-pays, le port exporte des minerais et de la viande. Aéroport international.

Dasâvatâra. *n. m. pl.* ♦ Les « Dix Avatâra » (avatars) de Viṣnu*, incarnations de cette divinité hindoue pour sauver, dans les temps mythiques, l'humanité en péril. Viṣnu assuma successivement les formes d'un poisson, d'une tortue, d'un sanglier, d'un homme-lion, d'un nain, d'un homme armé d'une hache, de Râma*, de Kriṣna* et du frère de celui-ci, Balarâma. La dixième est encore à venir, sous la forme d'un cheval.

DASKALOV (Stojan). ♦ Écrivain bulgare (1909). Il glorifia dans ses romans les réalisations du régime socialiste dans les campagnes : *La Minoterie Lipovanski* (1951), *Ma propre terre* (1952).

DASSIN (Jules). ♦ Réalisateur américain de cinéma (Middletown, 1912). À mi-chemin du documentaire et du poème lyrique, son œuvre évoque, souvent avec force, les milieux interlopes des grandes villes. Elle n'ignore ni l'humour, ni la générosité. *Réal. princ. :* La Cité sans voiles (*Naked City*, 1948), Les Bas-Fonds de Frisco (*Thieves Highway*, 1949), Les Forbans de la nuit (*Night and the City*, 1950). Exilé d'Amérique par le maccarthysme, Jules Dassin a poursuivi sa carrière en Europe : *Du rififi chez les hommes* (1955), *Jamais le dimanche* (1960).

DATE MASAMUNE. ♦ Seigneur japonais du N. de Honshû (1567-1636) et célèbre guerrier, surtout connu pour avoir envoyé à Rome et en Espagne, à travers l'océan Pacifique, des bateaux emportant une ambassade chrétienne, en 1613.

DAUBENTON (Louis Jean-Marie d'Aubenton, dit**).** ♦ Naturaliste français (Montbard, 1716, – Paris, 1800). Collaborateur à la rédaction de l'*Histoire* naturelle* de Buffon*, il s'occupa plus particulièrement de la description anatomique des mammifères. (Acad. sc., 1760. Membre de l'Institut, 1795.)

DAUBERVAL (Jean BERCHER, dit**).** ♦ Danseur et chorégraphe français (Montpellier, 1742 – Tours, 1806). Élève de Noverre, il fit carrière à l'Opéra de Paris, puis à Bordeaux ou, entre 1785 et 1791, il créa de nombreux ballets, parmi lesquels *L'Épreuve villageoise, Le Page inconstant, Télémaque, La Fille mal gardée* (1789). En application des théories de Noverre, Dauberval fonda une école de danse qui fut justement réputée.

DAUBIGNY (Charles François). ♦ Peintre, dessinateur, aquafortiste et auteur de clichés sur verre (Paris, 1817 – *id.*, 1878). Fils d'un paysagiste, il séjourna un an à Rome (1835), puis travailla dans l'atelier de Delaroche*. Il exécuta pour vivre des gravures d'illustration (*Les Mystères de Paris*, d'Eugène Sue) et après quelques peintures d'histoire, il se consacra au paysage. Observateur scrupuleux, il peignit attentivement les détails à la manière des peintres dits de l'école de Barbizon, mais avec une plus grande simplicité de facture. Sous l'influence de son ami Corot*, il s'attacha à rendre les effets d'atmosphère. Il travailla sur le motif à Auvers-sur-Oise, dans sa péniche transformée en atelier. Progressivement, sa composition devint moins structurée, sa manière plus ample et aérée, avec une touche plus libre, sensible aux variations des valeurs lumineuses. Il marque la transition entre l'école de Barbizon et l'impressionnisme.

DAÜBLER (Theodor). ♦ Poète allemand (Trieste, 1876 – Saint-Blaise, Suisse, 1934). Auteur d'un grand poème cosmique (*L'Aurore boréale*, 1910) dont les idées métaphysiques sont assez confuses (panthéisme hérité de G. Bruno, thèmes mythiques et oniriques, etc.), il célébra aussi les pays méditerranéens (*Sparte, Le Mont sacré Athos*, 1923).

DAUBRÉE (Auguste). ♦ Géologue, minéralogiste et ingénieur français (Metz, 1814 – Paris, 1896). Ses travaux ont porté entre autres sur la constitution des amas de minerais d'étain, de fer, la présence d'arsenic dans les roches volcaniques, etc.

DAUDET (Alphonse). ♦ Écrivain français (Nîmes, 1840 – Paris, 1897). Après une enfance heureuse en Provence, il fut contraint par la ruine de ses parents de se faire maître d'études à Alès (épisode évoqué dans *Le Petit Chose*, 1868), puis tenta sa chance à Paris. Dès son premier ouvrage, le recueil de vers *Les Amoureuses* (1858), il obtint la notoriété et collabora à divers journaux. Célèbre avec ses contes *Les Lettres* de mon moulin* (1866), il chanta encore la Provence dans la trilogie héroï-comique de *Tartarin* (*Tartarin de Tarascon,* 1872; *Tartarin sur les Alpes,* 1885 et *Port Tarascon,* 1890), joyeuses fantaisies romanesques qui créent le type inimitable, tendrement caricatural, d'un méridional hâbleur, ridicule et généreux. Tenté par le théâtre, Daudet tira des *Lettres de mon moulin* un drame, *L'Arlésienne** (1872), immortalisé par la musique de Bizet*. S'engageant aussi dans la voie du roman réaliste, Daudet peignit les mœurs contemporaines (*Jack,* 1876; *Sapho,* 1884), ou bien évoqua la chute de l'Empire dans les *Contes du lundi* (1873) qui mêlent les scènes poignantes aux tableaux cocasses. Qu'il s'agisse de récits fantaisistes ou de romans de mœurs, on trouve toujours chez Daudet un goût de la vérité, tempéré par une sensibilité délicate et une constante compassion pour le faible. Il a défini lui-même son talent comme « un singulier mélange de fantaisie et de réalité ».

DAUDET (Léon). ♦ Journaliste et écrivain français, fils d'Alphonse Daudet (Paris, 1868 – Saint-Rémy-de-Provence, 1942). Après avoir entrepris des études de médecine qu'il n'acheva pas, il se lança dans le journalisme, collabora à *la Libre Parole* de Drumont et surtout à *l'Action* française,* avec Ch. Maurras (1907). Il fut député de 1919 à 1924. Affecté par la mort mystérieuse de son fils, il en rendit responsable le gouvernement, fut condamné pour diffamation; incarcéré (1927), il s'évada et gagna la Belgique. Gracié, il rentra en France en 1929 et reprit la publication de ses éditoriaux virulents dans *l'Action française.* Il a laissé plusieurs ouvrages dont *Les Morticoles* (1894, contre les médecins et la Faculté), des études de psychopathologie (*Le Monde des images,* 1919, contre Freud), et surtout des ouvrages décrivant la vie intellectuelle et politique sous la Troisième République (*Fantômes et Vivants,* 1914; *L'Entre-deux-guerres,* 1915; *Charles Maurras et son temps,* 1928).

DAUGAVA. ♦ V. DVINA OCCIDENTALE.

DAUGAVPILS, anc. en russe **Dvinsk,** en all. **Dunabourg.** ♦ V. et port d'U.R.S.S. (Lettonie), sur la Daugava (Dvina* occidentale). 101 000 hab. Usines de fibres chimiques, d'éléments en béton armé, d'appareils électriques et de constructions mécaniques. Centrale thermique.

DAULATĀBĀD. ♦ V. de l'Inde (Mahârâṣtra), élevée au pied d'un puissant rocher-forteresse. ♦ *Hist.* Fondée vers 1187, sous le nom de *Deogiri,* elle fut faite capitale de l'Inde musulmane en 1339 par Muhammad* ibn Tughlûq.

DAULIS, auj. **Dalia.** ♦ Anc. V. de Grèce (Phocide), capitale d'une fédération de petites cités rurales de la Phocide homérique.

DAUMAL (René). ♦ Écrivain français (Boulzicourt, Ardennes, 1908 – Paris, 1944). Avec Roger Gilbert-Lecomte, Roger Vailland* puis A. Rolland de Renéville, il forma un groupe aux préoccupations proches de celles des surréalistes (exploration de l'inconscient, « sommeils ») qui publia la revue *le Grand Jeu* (3 numéros, 1928-1929). Son activité personnelle, orientée de plus en plus vers la métaphysique, les religions orientales, l'ésotérisme (rencontre avec G. Gurdjieff, 1938) fut marquée par les recueils *Contre-ciel* (1936) et *La Grande Beuverie* (1938) que complètent des publications posthumes : *Poésie noire, poésie blanche* (1952), *Le Mont analogue* (roman symbolique inachevé, 1952), *Chaque fois que l'aube paraît* (essais, 1953).

DAUMESNIL (Pierre). ♦ Général français (Périgueux, 1777 – Vincennes, 1832). Il participa aux campagnes d'Italie, d'Égypte et fut surnommé « la Jambe de bois » après la bataille de Wagram au cours de laquelle il perdit une jambe (1809). Général de brigade et gouverneur du château de Vincennes (1812), il défendit vaillamment celui-ci contre les troupes alliées en 1814 (refusant de se rendre, il déclara : « Je rendrai Vincennes quand on me rendra ma jambe. »). Mis à la retraite par Louis XVIII, il reprit ses fonctions au château de Vincennes (1830) et refusa alors de livrer aux émeutiers les ministres de Charles X qui y étaient emprisonnés.

DAUMIER (Honoré). ♦ Dessinateur, lithographe et peintre français (Marseille, 1808 – Valmondois, 1879). Fils d'un artisan verrier et poète amateur installé à Paris, il fréquenta assidûment le Louvre, reçut quelques conseils d'Alexandre Lenoir qui l'intéressa à la sculpture, puis s'initia à la lithographie auprès de Ramelet. Il travailla un moment chez un huissier, puis chez un libraire et donna ses premiers dessins au journal satirique *La Silhouette* (1829). Engagé ensuite par Ch. Philipon, directeur de la *Caricature* puis du *Charivari,* et signant d'abord Rogelin, il aborda la caricature politique. Il était alors influencé par Charlet et sa facture était fouillée et précise. Une caricature irrévérencieuse de Louis-Philippe, *Gargantua* (1832), lui valut six mois de prison; il continua cependant à défendre ses idéaux libéraux et avec une verve féroce, il caricatura les notabilités politiques dont il modelait auparavant des bustes et de petites statuettes d'une facture très libre et mouvementée, et enregistrait les événements avec un sens critique aigu (*Le Ventre législatif,* 1834), allié parfois à un lyrisme dramatique (*La Rue Transnonain,* 1834). La suppression des libertés de la presse l'amena à la critique de mœurs; il prit pour cible les travers et les ridicules bourgeois, les gens de finance, de justice, de théâtre, etc..et devint populaire avec les figurations de *Robert Macaire.* Revenu momentanément à la satire politique après 1848, il popularisa le type de *Ratapoil* (1850) : l'agent du Prince-Président. À partir de 1848, il s'adonna de préférence à la peinture (*La République,* 1848) abordant des thèmes littéraires

Ph. Nimatallah/Ricciarini

H. Daumier : « Crispin et Scapin ». (Musée du Louvre, Paris.)

(*Don Quichotte,* 1850-1860), mythologiques et bibliques. Il représenta surtout des scènes de la vie quotidienne d'une portée souvent politique et sociale (*Les Juges; Le Wagon de troisième classe; Les Immigrants; Le Fardeau).* Devenu presque aveugle, il se retira dans une maison offerte par Corot. Considéré comme le plus grand caricaturiste de son époque, admiré très tôt par Balzac et Baudelaire qui remarqua sa « mémoire merveilleuse et quasi divine qui lui tient lieu de modèle » et l'apparence improvisée de son dessin, il fut longtemps méconnu comme peintre, peut-être en raison de l'audace de sa facture, caractérisée par l'élimination des détails, un contour abrégé et dynamique, un espace peu approfondi et des couleurs étalées en larges nappes fluides et par des coups de brosse hâtifs. S'il s'inscrit dans le courant réaliste par le choix de ses sujets et son engagement dans la réalité sociale, il s'en éloigne par son mépris de la description, mais il peut être considéré comme un précurseur de l'expressionnisme par la liberté de son métier, sa recherche du caractère et son goût de la « déformation » expressive.

DAUN (Léopold Joseph, *comte de***).** ♦ Feld-maréchal autrichien (Vienne, 1705 – *id.,* 1766). Il fut à la tête des armées impériales pendant la guerre de Sept Ans et, après plusieurs victoires et la prise de Dresde (1759), il fut vaincu à Torgau (1760).

DAUNOU (Pierre Claude François). ♦ Homme politique et historien français (Boulogne-sur-Mer, 1761 – Paris, 1840). Oratorien, rallié à la Révolution, il fut élu à la Convention (1792). De tendance modérée, il s'opposa à l'exécution de Louis XVI et à la proscription des Girondins, et fut emprisonné jusqu'au 9 thermidor an II (juillet 1794). Membre du Conseil des Cinq-Cents, puis du Tribunat, éloigné de la politique en raison de ses positions indépendantes, il fut nommé conservateur des Archives de France (1807-1815, et après 1830), et professeur d'histoire au Collège de France (1819). Il poursuivit la publication du *Journal des savants,* de la collection les *Historiens de France,* de *L'Histoire littéraire de la France;* son *Cours d'études historiques* parut après sa mort (1842-1849).

Dauphin, *n. m.,* en lat. **Delphinus,** *-i.* ♦ Petite constellation boréale.

Dauphin. *n. m.* ♦ Surnom d'origine incertaine, attesté dès 1110, il devint le titre des seigneurs d'Albon, comtes de Viennois, dont les possessions furent appelées *Dauphiné* à partir du XIIIᵉ siècle. Après le rattachement du Dauphiné à la France, il fut donné à l'héritier de la couronne. Le terme de *Grand Dauphin* désigne le fils de Louis XIV, mort avant d'avoir régné. – Le titre de *dauphin* fut également porté par des seigneurs d'Auvergne (XIIᵉ-XVᵉ siècle).

DAUPHINÉ. *n. m.* ♦ Anc. province de France correspondant aux dép. actuels de l'Isère, des Hautes-Alpes et de la Drôme. On distinguait le *Bas-Dauphiné* entre l'Isère et le Rhône, comprenant le Vercors* et le Diois*, et le *Haut-Dauphiné,* plus montagneux, situé entre la Grande-Chartreuse et la Durance, comprenant la chaîne de Belledonne et le Pelvoux. Son centre principal est Grenoble, son noyau historique Vienne. – *Écon.* V. **Rhône-Alpes** *(circonscription d'action régionale).* ♦ *Hist.* Terre disparate et sans frontières naturelles, cette région subit notamment la domination des Allobroges*, des Romains (Narbonnaise* et Viennoise), des Burgondes* (Vᵉ s.) et des Francs* (VIᵉ s.) et fut l'objet de multiples partages sous les règnes mérovingiens* et carolingiens*.

Arch. Smeets

David, par Michel-Ange.

Intégrée au royaume de Provence*, puis au second royaume de Provence Bourgogne*, elle devint vassale du Saint Empire. Au XIe s., Guigues Ier, seigneur d'Albon, reçut ce qui allait être le noyau du Dauphiné : une partie du Viennois. Aux Dauphins d'Albon succédèrent ceux de la seconde maison, dite de Bourgogne (1162), puis ceux de La Tour du Pin (1281), les Dauphins, qui donnèrent leur nom à la région. Ils constituèrent peu à peu un vaste domaine qui atteignit son apogée au XIVe s., malgré la rivalité de la Savoie (XIIe-XIVe s.). L'activité des ordres de la Chartreuse et de Cîteaux ne fut pas étrangère à son développement économique et il fut un actif foyer intellectuel et artistique. En 1343, Humbert II, sans descendance, laissa ses biens au roi de France (traité de Romans) et le fils du roi porta désormais le titre de *Dauphin.* Le Dauphiné conserva cependant son autonomie jusqu'au règne de Louis XI, qui avait été le premier dauphin à y résider. Intégré au royaume, le Dauphiné souffrit particulièrement des guerres d'Italie et de celles de Louis XVIII, en raison de sa situation géographique, et des guerres de Religion*, menées férocement par le baron des Adrets* et par Lesdiguières*. Ce dernier contribua pourtant au relèvement du Dauphiné, qui devait connaître une grande prospérité économique au XVIIIe et au XIXe s., et sa puissante bourgeoisie accueillit favorablement les révolutions de 1789 et de 1830.

DAURAT (Didier). ♦ Aviateur français (Montreuil-sous-Bois, 1891 — Toulouse, 1969). Il fut directeur de l'exploitation aux lignes aériennes Latécoère, à la Compagnie aérienne aéropostale puis à Air France (Orly) jusqu'en 1953.

DAUTHENDEY (Maximilian). ♦ Poète allemand (Würzburg, Bavière, 1867 — Malang, île de Java, 1918). Si le monde fantastique du recueil de poèmes *Ultraviolett* (1893) s'inspire en partie du principe des « correspondances » de Baudelaire, le *Choix de chansons* (1914) par contre emprunte ses formes à la poésie populaire. Dauthendey a également laissé le récit de ses voyages en Extrême-Orient, écrit en prose rythmée (*Les Huit Spectacles du lac de Biwa,* 1911).

DAUTRY (Raoul). ♦ Ingénieur et homme politique français (Montluçon, 1880 — Lourmarin, 1951). Entré dans l'administration des chemins de fer du Nord, il fut nommé à la direction générale du réseau de l'Ouest-État (1928), où il se signala, par sa méthode de gestion et contribua à la formation de la Société nationale des chemins de fer français (1938). Ministre de l'Armement (1939-1940), il prit le portefeuille de la Reconstruction et de l'Urbanisme au lendemain de la Deuxième Guerre mondiale (1944-1945), puis fut nommé à l'administration du Commissariat à l'énergie atomique. (1946).

DAVAINE (Casimir Joseph). ♦ Médecin français (Saint-Amand-les-Eaux, 1812 — Garches, 1882). Il fut un précurseur de Pasteur par sa découverte de la bactéridie du charbon.

DAVANZATI (Chiaro). ♦ Poète italien (Florence, v. 1230 — v. 1280). Suivant la tradition des poètes provençaux, il composa des recueils allégoriques *(Rime)* où l'amour est spiritualisé, annonçant ainsi le « stil nuovo ». Prenant part également aux luttes de sa cité, il aborda des sujets politiques.

DAVAO. *n. m.* ♦ Province des Philippines (île de Mindanao). Env. 400 000 hab. — Cap. de cette prov., V. et port exportateur de coprah et de chanvre (abaca). Plus de 25 000 hab. ♦ *Hist.* Fondée en 1849, elle fut le siège d'âpres combats entre Japonais et Américains en 1945.

DAVENANT (*sir* William). ♦ Poète et dramaturge anglais (Oxford, 1606 — Londres, 1668). Prétendu fils naturel de Shakespeare, ce protégé de Charles Ier a mené une triple carrière d'acteur, de directeur de théâtre et d'auteur avec un drame (*Alboïn, roi des Lombards,* 1629), des comédies, dont : *L'Amour et l'Honneur* (*Love and Honour,* 1649) et un opéra à grand spectacle : *Le Siège de Rhodes* (1656).

DAVENANT (Charles). ♦ Économiste anglais (Londres, 1656 — 1714). Fils de sir William Davenant*, il est l'auteur de pamphlets visant les abus du clergé, la politique coloniale (*The True Picture of a Modern Whig,* 1701), et de nombreux ouvrages économiques où il s'est prononcé en faveur du libéralisme.

DAVENTRY. ♦ V. du centre de l'Angleterre (Northamptonshire). 10 200 hab. Station de radiodiffusion (B.B.C.).

DAVIČO (Oscar). ♦ Poète et romancier yougoslave de Serbie (Šabac, 1909 —). Surréaliste dans ses premières *Poésies* (1938), il traita ensuite des sujets d'actualité dans une œuvre en prose lyrique intitulée *Poème* (1952). C'est encore dans une langue poétique originale qu'il s'exprima dans des recueils de vers : *Zrenjanin* (1949), *Flora* (1955). Enfin, il révéla ses conceptions humanistes dans son roman : *Le Béton* (1956).

David. ♦ Statue monumentale, en marbre, sculptée par Michel-Ange en 1501-1504 pour l'*Opera del Duomo* de Florence (les autorités de la cathédrale). Placée devant le palais de la Seigneurie, elle fut transférée à l'Académie en 1873 et remplacée par une copie.

DAVID. ♦ Roi d'Israël (v. ~ 1000 — ~ 972), connu surtout par la Bible (de *I Samuel,* XVI à *I Rois,* II). Berger, fils de Jessé*, il apaise le roi Saül* par sa musique. *David et Goliath :* il abat d'un coup de fronde le géant Goliath*, champion des Philistins* (on rappelle l'épisode lorsqu'un faible vient à bout d'un plus fort, qui semblait invincible). Il épouse Michol, fille de Saül, et se lie d'amitié avec Jonathan, son fils. Puis il tombe en disgrâce et mène une vie errante, pleine d'exploits guerriers. À la mort de Saül, il est élu roi par la tribu de Juda, puis accepté par tout Israël. Il conquiert Jérusalem sur les Jébuséens et y transfère l'Arche d'alliance. *David dansant devant l'arche :* exprimant ainsi son allégresse, David s'attire les railleries de Michol (l'épisode reste le type d'une joie qui fait fi des convenances). Avec sa passion pour Bethsabée*, dont il fait tuer le mari, Urie*, commencent les malheurs de David : viol de sa fille Thamar* par son fils Amnon, révolte de son fils Absalon*, usurpation de son fils Adonias. À sa mort, son fils Salomon* lui succède. — Son règne fut, avec celui de Salomon, celui de la plus grande puissance d'Israël Musicien et poète, il passe pour l'initiateur du psaume, d'où les 73 *Psaumes** que la Bible place sous son nom. Les *Psaumes* et les prophètes en font une figure messianique. Le Messie* attendu par les juifs est appelé *rejeton* ou *fils de David.* — *Islâm :* le Coran l'appelle Daoud et le considère comme un prophète. ♦ Le personnage de David a inspiré de nombreux artistes. Il est représenté en sculptures par Sluter (*Puits de Moïse,* Champmol), Donatello (*Bargello,* Florence), Verrochio *(id.),* Michel-Ange (1501-1504, Académie de Florence). *David et Bethsabée,* peinture par Rembrandt (Louvre, New York) ; *Le Triomphe de David,* par Poussin (Prado). — David figure le roi de pique, au jeu de cartes ♦ *Bouclier de David :* emblème judaïque, plus spécialement kabbaliste, où deux triangles équilatéraux forment une étoile à six branches et où s'inscrit le tétragramme divin. Dit aussi *sceau de Salomon.*

DAVID Ier. ♦ (V. 1084 — Carlisle, 1153). Roi d'Écosse (1124-1153). Fils de Malcolm* III, il soutint Mathilde contre Étienne de Blois. ♦ DAVID II BRUCE (Dunfermline, 1324 — Édimbourg, 1371). Roi d'Écosse (1329-1371). Fils de Robert Ier, il envahit l'Angleterre (1346) mais fut battu et capturé. Il fut libéré en 1357.

DAVID (Gérard). ♦ Peintre d'origine néerlandaise (Oudewater, v. 1460 — Bruges, 1523). Il se forma probablement à Haarlem et, inscrit à la gilde de Bruges en 1484, il devint à la suite de Memlinc* le peintre officiel de la ville. Il est considéré comme le dernier grand représentant de la peinture brugeoise. Il fit peut-être un voyage à Gênes (1511) et séjourna à Anvers (1515). Esprit conservateur, même s'il introduisit dans la *Vierge entre les vierges* (1509) des motifs italiens, son œuvre souvent éclectique reflète un retour à Van* Eyck. Dans ses œuvres dominent les formes calmes, les expressions douces, presque suaves. Il chercha notamment à souligner la familiarité et l'intimisme des scènes religieuses *(La Vierge au bol de lait).* Cependant, dans *L'Écorchement du juge prévari-*

cateur (1498) qu'on lui attribue généralement, la précision de la description ne manque pas de cruauté. Il fit preuve d'un sens personnel de la nature dans ses paysages décrits avec minutie, mais amplement agencés, et porta particulièrement son attention sur le rendu de la perspective aérienne *(Le Baptême du Christ)*.

DAVID (Jacques Louis). ♦ Peintre et dessinateur français (Paris. 1748 — Bruxelles, 1825). Issu d'une famille d'artisans et boutiquiers, recommandé par Boucher* son lointain cousin, il se forma auprès de Vien*. Après plusieurs échecs, il obtint le prix de Rome (1774) et se rendit alors en Italie avec son maître. Ses premières œuvres dénotent à la fois l'emprise de la mode pompéienne et quelques réminiscences stylistiques du rococo. Sensible aux théories néo-classiques de Quatremère de Quincy, Winckelman, Lessing et Mengs, il visita Pompéi et Herculanum (1779) et copia avec passion les monuments, statues, bas-reliefs et scènes figurées sur les vases antiques auxquels il allait ensuite emprunter des principes de composition, un répertoire de poses, d'accessoires et de décors. Il s'intéressa aussi au réalisme caravagesque et à l'art des Bolonais, mais fut surtout influencé par Poussin*. De retour à Paris en 1780, il exécuta plusieurs portraits d'une sobre mise en page et fortement expressifs, ainsi que des œuvres aux sujets antiques et aux inflexions sentimentales (*Bélisaire,* 1780; *La Douleur d'Andromaque*). Avec le *Serment des Horaces* (1784), œuvre représentative de ce « grand style » où la noblesse du sujet, le pathétique héroïque de l'expression s'allient à une composition très rigoureuse que soulignent l'utilisation sobre du coloris et l'importance accordée à la « perfection » du dessin, David s'imposa comme le chef de la nouvelle école. Il réalisa dans cette veine *La Mort de Socrate* (1787) et les *Licteurs portant à Brutus le corps de ses fils* (1789), œuvre qui prit une forte résonance politique. Admirateur de Robespierre, il prit une part active aux événements révolutionnaires, devint député de la Convention, vota la mort du roi, organisa les fêtes républicaines, fit supprimer l'Académie et modifia l'enseignement de l'art. Il aborda alors des thèmes d'histoire contemporaine, y projetant son culte de l'héroïsme et de la vertu civique (*Le Serment du Jeu de paume,* inachevé). Il exalta les martyrs révolutionnaires : *Le Jeune Bara, Marat assassiné,* trouvant les moyens plastiques (sobriété de la mise en page, de l'éclairage, tension du geste, réduction des accessoires, froideur des tons) propres à l'expression du drame. Incarcéré après le 9 Thermidor, il fut bientôt libéré. Revenant à l'allégorie antique, il peignit *Les Sabines* (1799) qu'il considérait comme son chef-d'œuvre et où s'affirme une volonté grandissante de reconstitution archéologique. Devenu partisan de Bonaparte, il obtint en 1804 la charge de premier peintre et, revenant à l'actualité, glorifia le règne : en 1801, il peignit *Bonaparte au Grand-Saint-Bernard,* avec des accents déjà romantiques, puis realisa des œuvres d'apparat, tels *Le Sacre* (1805-1807), *La Distribution des aigles* (1810). Exilé à Bruxelles pendant la Restauration, il réalisa des sujets mythologiques et élégiaques. Maître de Gros*, Girodet*-Trioson, Gérard*, Ingres*, il incarne le néo-classicisme et exerça une influence considérable en Europe. Si ses préceptes contribuèrent au développement du courant académique, plusieurs de ses œuvres, notamment ses portraits (*Pie VII,* 1805; *Mme Récamier,* 1880; *Mme de Verninac,* 1799), de facture plus riche et diversifiée, révèlent un souci de scruter la réalité, comme certains de ses tableaux d'histoire, prouvent la modernité de sa sensibilité, tendances qui trouvèrent un écho chez ses successeurs.

DAVID (Félicien). ♦ Compositeur français (Cadenet, 1810 — Saint-Germain-en-Laye, 1876). Saint-simonien, il eut à accomplir des missions au Moyen-Orient; il en revint pour se consacrer à la composition d'ouvrages teintés d'exotisme : une ode-symphonie, *Le Désert* (1854), et deux opéras, *La Perle du Brésil* (1861) et *Lalla Roukh* (1862). Il est aussi l'auteur de deux symphonies, d'oratorios, de romances et de pièces de musique de chambre.

DAVID. ♦ V. de l'O. de la république de Panama, proche du golfe de Chiriqui* (Pacifique) et ch.-l. de la prov. de Chiriqui. Plus de 25 000 hab. Implantée dans la zone volcanique fertilisée par les laves du Chiriqui, c'est le plus grand centre agricole du pays (canne à sucre, noix de coco, maïs). Élevage de bovins.

David Copperfield. ♦ Héros et titre d'un roman autobiographique de Charles Dickens. Écrit à la première personne, ce livre évoque la jeunesse difficile de Dickens* et ses amours malheureuses pour Maria Beadnell. Orphelin, David Copperfield, entre les mains d'un tuteur cruel, doit subir la tyrannie d'un maître d'école et l'humiliation de besognes serviles. Fuyant Londres, il se rend à Douvres, travaille chez un avocat de Canterbury dont il épousera la fille, après avoir été marié à Dora, « ravissante idiote » décrite avec humour et poésie. Un ami d'enfance de David est le héros d'un roman à l'intérieur du roman. Uriah Heep, pittoresque canaille, sera démasqué. Cette œuvre tout « imprégnée de la poésie du souvenir » illustre les qualités de Dickens : « l'émotion y est le plus souvent authentique et contagieuse, l'humour épanoui, le style limpide, la psychologie profonde » (S. Monod).

DAVID D'ANGERS (Pierre-Jean David dit). ♦ Sculpteur français (Angers, 1788 — Paris, 1856). Fils de sculpteur, il fut l'élève de J.L. David* et du sculpteur Roland. À Rome (de 1811 à 1816), il rencontra Canova* et devint célèbre en 1816 avec la *statue de Condé.* Il réalisa un grand nombre de statues de personnages célèbres et de monuments commémoratifs dans plusieurs villes françaises, des bas-reliefs, statuettes et surtout des bustes et médaillons (environ cinq cents) de toutes les gloires de son époque. Pour le fronton du *Panthéon* (1837), il exécuta une allégorie historique dans la tradition classique. Victor Hugo fut l'un de ses plus fervents admirateurs. Cependant, malgré certains effets « romantiques » : animation des surfaces, effets de draperies mouvementées, expressions dramatiques des visages, déformés sous l'influence des théories phrénologiques de Gall, son œuvre apparaît comme profondément ancrée dans la tradition académique.

DAVIES (William Henry). ♦ Poète gallois (Newport, Monmouthshire, 1871 — Nailsworth, Gloucestershire, 1940). Émigré en Amérique, il y mena une vie précaire, petit représentant de commerce ou vagabond; un recueil de poèmes, *Le Destructeur de l'âme* (1905), le sauva de la misère. Un autre recueil, *Autobiographie d'un chemineau notoire* (1907), s'inspire de sa douloureuse expérience aux États-Unis. G.B. Shaw* encouragea son art délicat et spontané. *Poésies complètes* (1916) et *Quarante Nouveaux Poèmes* (1918) sont considérés comme ses meilleures œuvres.

DAVILER ou D'AVILER (Charles Augustin). ♦ Architecte français (Paris, 1653 — Montpellier, 1700). Élève de Jules Hardouin-

Ph. Nino Cirani/Ricciarini

Gérard David : « La Vierge entre les vierges ». (Musée des Beaux-Arts, Rouen.)

Mansart, il s'affirma comme l'un des théoriciens du classicisme français avec la publication en 1691 d'un *Cours d'architecture*. Fixé à Montpellier, il édifia d'après les projets de D'Orbay l'*Arc de triomphe du Peyrou* et fut nommé en 1696 architecte de la province du Languedoc. Il a notamment construit le *palais archiépiscopal* de Toulouse (auj. préfecture), caractéristique du style Louis XIV.

DAVIOUD [davju] **(Gabriel).** ♦ Architecte français (Paris, 1823 – *id.*, 1881). Représentant de l'éclectisme architectural en vogue sous Napoléon III, il fut l'un des collaborateurs d'Haussmann* et érigea dans Paris de nombreux bâtiments (les deux *théâtres* de la place du Châtelet, 1861 ; *la fontaine Saint-Michel*) ; il aménagea aussi des jardins et construisit avec Bourdais le *palais du Trocadéro* (1878).

DAVIS *(Coupe)*. ♦ Épreuve de tennis créée par Dwight F. Davis en 1900 et opposant des équipes nationales (cinq matches disputés par quatre — ou moins de quatre — représentants de chaque nation).

DAVIS (John). ♦ Navigateur anglais (Sandridge, Devonshire, 1550 – Détroit de Malacca, 1605). Au cours de trois expéditions à la recherche d'un passage maritime au nord de l'Amérique, il atteignit le Groenland et découvrit le détroit qui porte son nom, reliant l'Atlantique à la mer de Baffin* (1587). Après avoir accompagné T. Cavendish* dans les mers du Sud (1591-1592), il fut tué au cours d'un voyage dans les Indes Orientales. Auteur d'un ouvrage sur la description hydrographique du monde (1595), il inventa un instrument pour mesurer la hauteur du soleil en mer. Sa relation de voyage aux mers du Nord fut publiée en 1600.

DAVIS (Jefferson). ♦ Homme politique américain (Todd County, Kentucky, 1808 – New Orleans, 1889). Brillant officier, il fut membre de la Chambre des représentants, puis du Sénat, et fut l'un des responsables de la Sécession* sudiste. Il prit la tête de la Confédération (1861) dont il fut l'âme. Arrêté par les nordistes (1865), il fut emprisonné pendant deux ans à Fort Monroe, mais ne fut jamais jugé.

DAVIS (William Morris). ♦ Géologue et géographe américain (Philadelphie, 1850 – Pasadena, 1934). Il fit des recherches en minéralogie, en géologie et surtout en géographie physique ; il étudia les cycles d'érosion, définit la notion de pénéplaine, etc. (*Physical Geography,* 1898).

DAVIS (Stuart). ♦ Peintre et dessinateur américain (Philadelphie, 1894 – New York, 1964). Rompant avec l'art éclectique et académique pratiqué aux États-Unis, il subit l'influence de l'*Ashcan School* (école « de la poubelle ») et pratiqua une peinture de tendance réaliste, empreinte de préoccupations sociales, sous l'influence de Steinlen* et de Lautrec ; il peignit aussi des paysages et des marines d'esprit impressionniste. La grande exposition dite de l'*Armory Show* (1913) lui révéla l'art moderne européen et, à partir des apports cubistes, des collages et des thèmes machinistes de Léger*, influencé aussi par l'esprit prédadaïste de Duchamp*, Picabia* et Man Ray* il manifesta des tendances à l'abstraction, prenant comme thèmes des objets usuels d'origine industrielle (série des *Batteurs à œufs; Lucky Stricke,* 1921). Il chercha aussi à évoquer la vie urbaine en créant de grandes compositions à partir de larges plans de couleurs primaires, de formes schématisées, d'aspect graphique et de mots fonctionnant à la fois comme références à une réalité urbaine (enseignes, messages publicitaires) et comme objets esthétiques (caractères imprimés de formes et de couleurs variées). Ses œuvres, d'une complexité grandissante, acquirent un puissant caractère dynamique. En tirant parti de certains procédés empruntés au graphisme publicitaire, il sut trouver des moyens plastiques originaux et spécifiquement américains.

DAVIS (Dewey Miles). ♦ Trompettiste de jazz Noir américain (Alton, Illinois, 1926). Un des créateurs du *be-bop,* enregistrant avec Charlie Parker* dès 1945, il créa aussi le style *cool* en 1948 avec un orchestre de dix musiciens. La perfection de son phrasé, la nouvelle sonorité qu'il donna à la trompette de jazz, son inspiration mélodique et sa souplesse rythmique font de lui l'un des plus grands musiciens de sa génération. Princ. enregistrements : *Billie's bounce* (avec Parker, 1945), *Boplicity* (1948), *Bag's groove* (1954), *Miles ahead* (1957).

DAVIS *(détroit de)*. ♦ Détroit large d'env. 350 km, qui sépare le Groenland et la terre de Baffin ; il prolonge au S. la mer de Baffin.

DAVISSON (Clinton Joseph). ♦ Physicien américain (Bloomington, Illinois, 1881 – Charlottesville, Virginie, 1958). Il découvrit, avec Germer*, en 1927, la diffraction des électrons par les cristaux, vérifiant ainsi expérimentalement l'exactitude des conceptions de la mécanique ondulatoire de L. de Broglie* ; il étudia également, avec Calbick*, les lentilles électroniques [1931-1932]. (Prix Nobel de phys., 1937.)

DAVOS [davɔs]. ♦ V. de Suisse (Grisons) dans la vallée de la Landwasser. 11 500 hab. L'aggl. se divise en *Davos-Dorf* et *Davos-Platz*. C'est une des plus importantes stations d'été et de sports d'hiver de Suisse (alt. 1 560-2 844 m).

DAVOUT (Louis Nicolas, *duc d'***Auerstaedt,** *prince d'***Eckmühl).** ♦ Maréchal de France (Annoux, Yonne, 1770 – Paris, 1823). Élu à la tête du bataillon des volontaires de l'Yonne (1792), il participa aux campagnes du Nord (1793), de Belgique et du Rhin (1794-1795). Il accompagna Bonaparte en Égypte*, puis en Italie, et fut fait maréchal en 1804. Il épousa la sœur du général Leclerc*, beau-frère de Napoléon. Il se distingua notamment à la bataille d'Auerstaedt* et à celle d'Eckmühl*. Il participa à la campagne de Russie ; il fut gouverneur du grand-duché de Varsovie (1807) et gouverneur de Hambourg qu'il défendit contre les Russes jusqu'au 31 mai 1814. Ministre de la Guerre durant les Cent-Jours, il dut signer la capitulation de juillet 1815. En 1818, il parut à la cour de Louis XVIII et entra à la Chambre des pairs en 1819.

DAVY (*sir* **Humphry).** ♦ Chimiste et physicien anglais (Penzance, Cornouailles, 1778 – Genève, 1829). Il isola les métaux alcalins et alcalino-terreux par électrolyse (à partir de 1807), pressentit les idées actuelles sur la mobilité des ions H^+ et OH^- et, par certaines expériences (1808) menées avec le « gaz muriatique » (acide chlorhydrique), amena une révision de la théorie de Lavoisier* sur les acides. Il découvrit également l'arc électrique (1811), les propriétés catalytiques du platine divisé (combustion non explosive du gaz tonnant, 1817) et mit au point la lampe de sûreté des mineurs à toile métallique qui évite les explosions dues au grisou. (Acad. sc., 1819.)

DAWES (Charles Gates). ♦ Financier et homme politique américain (Marietta, 1865 – Chicago, 1951). Intendant général du corps expéditionnaire américain en France en 1917, il représenta en 1923 les États-Unis au comité chargé d'apporter une solution à la question des réparations. Il préconisa le plan qui porte son nom **(V. Dawes** [*plan*]**).**

Dawes *(plan)*. ♦ Plan établi par une commission d'experts financiers sous la présidence de Ch. Dawes* (réunie à partir du 30 nov. 1923) pour préciser les modalités du paiement par l'Allemagne des réparations exigées par le traité de Versailles* (1919). [Celles-ci seraient versées par annuités s'élevant progressivement en fonction de « l'indice de prospérité » de l'économie allemande.] Remplacé en mai 1930 par le plan Young*, le plan Dawes avait été accepté (sans enthousiasme) par l'Allemagne, et, après son entrée en vigueur (à la suite de la conférence de Londres 16 juil.-16 août 1924), la France **(V. Poincaré)** y adhéra et fit évacuer la Ruhr* (1924).

DAWLEY. ♦ V. d'Angleterre (Shropshire) créée en 1963 pour décongestionner Birmingham.

DAWSON, anc. **Dawson City.** ♦ Agglomération du N.-O. du Canada (territoire du Yukon) près du confluent des riv. Klondike et Yukon. ♦ *Hist.* Capitale du territoire du Yukon (1898-1951), Dawson fut le centre de la ruée vers l'or du Klondike. De 10 000 hab. (1899), la population tomba à moins de 1 000 après 1921.

DAX. ♦ Sous-préf. des Landes*, ch.-l. d'arr. (12 cant., 153 comm., 141 143 hab.) sur l'Adour*. 20 960 hab. *(Dacquois)*. — Cathédrale Notre-Dame rebâtie au XVIIe s., mais conservant un portail gothique (XIIIe s.). — Station thermale réputée pour ses eaux salées, sulfatées et ses boues efficaces contre les rhumatismes. Indus. alimentaires, produits résineux, chaussures, bonneterie, confection. — Patrie de Ch. de Borda*, J.B. Ducasse, R. Ducos*.

DAYAK. *n. m. pl.* ♦ Groupe de peuples d'origine indonésienne de l'île de Bornéo*. Au nombre d'un peu plus d'un million, les Dayak sont des chasseurs et des pêcheurs. Ils ignorent l'arc et chassent principalement à l'aide de sarbacanes. Ils pratiquaient naguère la chasse rituelle aux têtes. Ils sont divisés en nombreuses tribus réparties sur l'ensemble de l'île, mais principalement le long des rivières et des côtes.

DAYAN (Moshé). ♦ Général et homme politique israélien (Dega-

Ph. Lauros-Giraudon

L. N. Davout, par Masson. (Musée d'Auxerre.)

nia, 1915). Membre de la Haganah, adjoint du capitaine britannique Wingate lors de la Deuxième Guerre mondiale, il lutta contre les forces françaises du gouvernement de Vichy en Syrie (1941). Colonel (1948), il se battit sur le front syrien, puis dans la région de Jérusalem lors du premier conflit israélo-arabe de 1948. Général et chef d'état-major (1953), il réorganisa les forces militaires israéliennes et dirigea la campagne du Sinaï contre l'Égypte (1956). Membre du Mapai, il fut nommé ministre de l'Agriculture dans les cabinets Ben* Gourion (1959), puis Lévi Eshkol* (1963), mais quitta le gouvernement en 1965 et adhéra alors au parti Rafi (fondé par Ben Gourion). Nommé ministre de la Défense nationale dans le cabinet formé par Lévi Eshkol à la veille de la guerre des six jours (juin 1967), il fut considéré, avec le général Rabin, comme l'artisan de la victoire israélienne. Il est partisan de l'annexion par Israël des territoires arabes occupés militairement. (*Journal de la campagne du Sinaï*, 1965; *Carnet du Viêt-nam*, 1966.)

DAYÂNANDA SARASVÂTI. ♦ Homme politique et religieux indien originaire du Kathiâwar (1824 – 1883), éducateur et fondateur d'œuvres sociales. Il fonda en 1875 le mouvement politico-religieux Ârya-samâj, qui prônait le retour aux traditions de l'Inde védique.

DAYTON. ♦ V. des États-Unis (O. de l'Ohio*), au N.-N.-E. de Cincinnati. 239 591 hab. (zone urbaine 842 157). Centre commercial et indus. (indus. de précision; papeterie, etc.). Centre de recherche pour l'indus. aéronautique. – Patrie d'Orville Wright*; les frères Wright y effectuèrent leurs premiers vols.

DAZAI OSAMU. ♦ Écrivain japonais (1909 – 1948), auteur de récits autobiographiques poignants, montrant le désarroi de la jeunesse japonaise d'après la guerre. Son suicide fut ressenti par toute la jeunesse japonaise comme une énorme perte.

DEÁK (Ferenc). ♦ Homme politique hongrois (Söjtör, 1803 – Budapest, 1876). Chef des libéraux modérés, il fut l'un des artisans de la constitution de l'Empire austro-hongrois (1861) et resta la personnalité politique la plus influente de son pays.

DEAL. ♦ V. d'Angleterre (Kent) sur la mer du Nord. 23 500 hab. Château du XVIe siècle. Station balnéaire. ♦ *Hist.* C'est sur la plage de Deal qu'en ~ 55 les troupes de Jules César auraient débarqué en Angleterre.

DE AMICIS (Edmondo). ♦ Écrivain italien (Oneglia, 1846 – Bordighera, 1908). D'abord officier, il fit paraître une série de nouvelles, *La Vie militaire* (*La vita militare*, 1868), qui lui valut la notoriété et, sa démission donnée, lui permit d'effectuer des voyages dont il livra des relations (*Espagne*, 1872; *Souvenirs de Paris*, 1879). Peu à peu gagné aux idées du parti socialiste italien (auquel il adhéra), De Amicis écrivit des œuvres engagées politiquement, comme *Sur l'Océan* (*Sull'Oceano*, 1889), où il traite du problème de l'émigration italienne, et *Les Guerres civiles* (*Lotte civili*, 1901), et prononça des conférences réunies dans *le Cri du peuple* (1907). Il acquit une considérable popularité par son ouvrage sur l'amitié, *Les Amis* (*Gli Amici*, 1883) et surtout par le recueil de récits moraux dont un enfant est le héros, *Grand Cœur* (*Cuore*, 1886), qui fut traduit dans toutes les langues.

DEAN (James Byron, dit James). ♦ Acteur américain de cinéma (Fairmond, 1931 – Salinas, 1955). La brièveté de sa carrière cinématographique (*À l'est d'Eden*, 1954; *La Fureur de vivre*, 1955; *Géant*, 1956) brutalement interrompue par un mortel accident d'automobile, le type de personnage qu'il incarna à l'écran, image d'une jeunesse inquiète et rebelle, ont fortement contribué, autour de sa personne, à la formation d'un mythe populaire comme le cinéma n'en avait plus connu depuis la disparition de Rudolf Valentino.

DEAN *(forêt de)*. ♦ Forêt du S.-O. de la Grande-Bretagne, s'étendant sur l'O. du Gloucestershire (Angleterre) et sur le Monmouthshire (pays de Galles), entre la Severn et la Wye. On y extrayait du fer jusqu'au XVIIIe siècle. C'est, depuis 1938, un parc national.

DEARBORN. ♦ V. des États-Unis (Michigan) dans la zone urbaine de Detroit*. 112 007 hab. (en 1960). Siège d'une usine de la *Ford Company*.

DÉAT (Marcel). ♦ Homme politique français (Guérigny, 1894 – San Vito, près de Turin, 1955). Député socialiste (1932), il se sépara peu après de la S.F.I.O., fondant le *Parti socialiste de France* à tendance réformiste (1933). Ministre de l'Air dans le cabinet Sarraut (janvier 1936), réélu député en 1939, il se prononça alors pour une politique de compromis avec l'Allemagne (« Mourir pour Dantzig ? », article qui parut dans *L'Œuvre*, journal dont Déat prit la direction après 1940). Fondateur du *Rassemblement national populaire*, parti collaborateur et fascisant, Déat entra dans le gouvernement de Vichy comme secrétaire d'État en 1944 et se réfugia en Italie après la Libération.

DEAUVILLE. ♦ Comm. du Calvados* (arr. de Lisieux*), à l'embouchure de la Touques*, sur la Manche*. 5 370 hab. (*Deauvillais*). Station balnéaire très réputée et très luxueuse. ♦ *Hist.* Elle fut créée en 1860 par le duc de Morny*.

DEBELJANOV (Dimčo). ♦ Poète bulgare (Koprivštica, 1887 – sur le front de Macédoine, 1916). Influencé par les symbolistes* français et fervent admirateur de A. Blok*, il fut l'un des poètes symbolistes les plus remarquables de langue bulgare : *Poésies* (1920), *Cendre d'or* (1924).

DEBENEY (Marie Eugène). ♦ Général d'infanterie français (Bourg-en-Bresse, 1864 – *id.*, 1943). Commandant la Ire armée en 1918, il enraya l'offensive allemande du printemps, à Montdidier*, et il participa, à partir du 8 août, aux offensives franco-

Ph. Magnum

M. Dayan.

anglaises qui amenèrent la victoire. **V. Guerre mondiale** *(Première)*. Il fut ensuite commandant de l'École de guerre (1919-1924) puis chef d'état-major de l'armée (1924-1930). Auteur de *La Guerre et les Hommes* (1937), où, contre les idées du colonel de Gaulle, il insiste sur l'importance des forces psychologiques dans la guerre moderne.

DEBIERNE (André). ♦ Chimiste français (Paris, 1874 – 1949). Collaborateur de Marie Curie* dans ses travaux sur la radioactivité, il découvrit l'actinium (1899).

DÉBORAH. ♦ Prophétesse et juge d'Israël (~ XIIe s. ?). La Bible (*Juges*, IV-V) la montre inspiratrice de la victoire remportée par Baraq sur le Cananéen Sisera et met dans sa bouche un cantique qui est un des plus anciens monuments de la littérature hébraïque **(V. Bible).**

DEBRAY (Henri). ♦ Chimiste français (Amiens, 1827 – Paris, 1888). Collaborateur de Sainte*-Claire Deville, dont il poursuivit les travaux sur les dissociations. (Acad. sc., 1877.)

DEBRAY (Régis). ♦ Écrivain politique révolutionnaire français (Paris, 1941). Auteur d'un ouvrage sur la lutte révolutionnaire (*La Révolution dans la révolution*, 1967), il prit part à la guerre de guérilla en Amérique latine et fut arrêté en Bolivie. Condamné à trente ans de détention, il fut libéré en décembre 1970.

DEBRÉ (Robert). ♦ Pédiatre français (Sedan, 1882). Auteur d'un traité de pédiatrie (1953) et de *Pathologie infantile* (1954).

DEBRÉ (Michel). ♦ Homme politique français, fils de R. Debré (Paris, 1912). Membre du Conseil d'État (1935), puis du cabinet du ministre des Finances P. Reynaud (1938), il fut mobilisé en 1939 et milita dans la Résistance. Commissaire de la République à Angers (1944), chargé de mission pour la réforme administrative auprès du général de Gaulle, fondateur de l'E.N.A., il fut élu membre du Conseil de la République (1948-1958) et se signala par ses prises de position contre les gouvernements successifs de la Quatrième République (contre l'Euratom, le projet de traité du Marché commun européen, etc.). Dès le début de la guerre d'Algérie, il se montra un des ardents défenseurs de « l'Algérie française », qu'il défendit dans son journal *le Courrier de la colère*, affirmant que « l'abandon de la souveraineté française en Algérie (était) un acte illégitime » (déc. 1957). Lors des événements d'Alger (13 mai 1958), il contribua au rappel du général De Gaulle. Nommé garde des Sceaux (juin 1958), il fut Premier ministre après l'instauration de la Cinquième République (*déb.* 1959). Il fit adopter la loi sur le système des contrats d'association liant les établissements privés et l'Éducation nationale (loi Debré, 1959). Il dut nuancer ses positions personnelles sur la question algérienne en fonction de la politique menée par le général De Gaulle, qui aboutit à la signature des accords d'Évian (mars 1962). Remplacé en avril 1962 par G. Pompidou* à la tête du gouvernement, il fut élu député de la Réunion. Ministre de l'Économie et des Finances (janv. 1966), puis des Affaires étrangères (1968), il fut nommé à la Défense nationale (1969), où il proposa une réorganisation de l'armée et du service militaire [limitation des sursis]. (*Refaire la France*, 1944; *La Mort de l'État républicain*, 1947; *Ces princes qui nous gouvernent*, 1957.)

DEBRECEN. ♦ V. de Hongrie, ayant le statut de comitat (ch.-l. du comitat de Hadjú Bihar), située dans le N.-E. du pays. 150 000 hab. (1969). – Université. – Indus. de précision (mécanique, instruments de chirurgie). Indus. pharmaceutiques. ♦ *Hist.*

Ph. Lauros-Giraudon

Jean-Charles **Deburau,** en Pierrot.
Lithographie de Delaunois. (Bibl. de l'Arsenal, Paris.)

Fondée au XIVᵉ s., la ville fut jusqu'en 1945 un grand marché agricole. Centre du mouvement protestant en Hongrie, elle fut surnommée la Rome calviniste ou la Genève hongroise; elle connut tôt une vie intellectuelle active, avec la fondation en 1561 de la première imprimerie hongroise et l'existence d'un collège protestant, auquel s'ajoutèrent la faculté de droit et de théologie, noyau de la future université. Ce fut le siège de l'Assemblée nationale hongroise de 1848 à 1849, et Kossuth* y proclama l'indépendance de la Hongrie le 19 août 1849. Le premier gouvernement de libération (1944) y siégea.

DE BROSSE (Salomon). ♦ **V.** BROSSE (de).

DEBS (Eugène). ♦ Socialiste américain (Terre-Haute, Indiana, 1855 – Elmhurst, Illinois, 1926). Militant syndicaliste, membre de l'aile gauche du Parti socialiste américain qu'il contribua à former, il fut condamné à dix ans de prison pour son antimilitarisme (1918).

DEBUCOURT (Philibert Louis). ♦ Peintre, dessinateur et graveur français (Paris, 1755 – Belleville, 1832). Élève de Vien*, il peignit des scènes de genre inspirées en partie par Greuze*, puis, vers 1785, il se consacra à la gravure. Ces œuvres à sujets bucoliques et intimistes et surtout scènes de la vie parisienne constituent une chronique animée, spirituelle, de l'époque (notamment du Directoire); elles révèlent un talent narratif et anecdotique ainsi qu'une grande habileté technique *(La Promenade de la galerie du Palais-Royal).* Debucourt réalisa aussi des portraits *(Louis XVI),* des gravures de reproduction et des vignettes de mode.

DEBURAU (Jean-Baptiste Gaspard). ♦ Mime français (Kolin, Bohême, 1796 – Paris, 1846). Issu d'une famille de saltimbanques, il a créé au théâtre des Funambules le personnage de Pierrot, héros de nombreuses pantomimes qui connurent un grand succès populaire. ♦ JEAN-CHARLES DEBURAU, fils du précédent (Paris, 1829 – Bordeaux, 1873). Il lui succéda dans le même emploi avant de poursuivre une brillante carrière en province et à l'étranger.

DEBUSSY (Achille Claude, dit **Claude).** ♦ Compositeur français (Saint-Germain-en-Laye, 1862 – Paris, 1918). Issu d'un milieu modeste, il reçut ses premières leçons de piano de la belle-mère de Paul Verlaine qui avait été l'élève de Chopin. Entré au Conservatoire en 1872, il en sortit avec un premier prix de Rome (1884). Devenu le secrétaire accompagnateur de Mme von Meck, correspondante et admiratrice de Tchaïkovski, il voyagea en sa compagnie à travers l'Europe (1879-1880), séjournant tour à tour à Vienne où il fit la rencontre de Brahms, à Venise où Wagner le reçut, et à Moscou. Son séjour à Rome (1885-1887) fut décevant et l'envoi qu'il fit à l'Institut de trois partitions *(Zuleïma, Le Printemps, La Damoiselle élue)* fit scandale, déchaînant contre lui l'hostilité de Saint-Saëns. De retour à Paris, il lia connaissance avec Mallarmé et fut reçu dans son cénacle de jeunes poètes et écrivains, tous fervents de Wagner*. Il partagea quelque temps leur admiration et entreprit deux voyages à Bayreuth (1888-1889). Mais d'autres influences allaient s'exercer sur lui, celle de Pierre Louÿs*, celles aussi qui résultèrent de deux révélations musicales : le théâtre d'Extrême-Orient (à l'Exposition internationale de 1889), avec sa gamme pentaphonique et ses audaces rythmiques, et la partition du *Boris* Godounov* de Moussorgski, qu'il déchiffra avec passion. – Désormais affranchi des influences de Wagner, de Schumann et de Massenet, il peut alors affirmer sa personnalité. Avec les *Ariettes oubliées* (1888) et surtout les *Cinq Poèmes de Baudelaire* (1890), Debussy apparaît dès lors, par la sensibilité, la fermeté du dessin mélodique, la richesse et le raffinement de l'harmonie, comme le créateur d'un langage musical. Sensible aux modèles que lui proposent les poètes symbolistes et les peintres impressionnistes, il se dresse contre la rhétorique et cherche à agir sur la sensibilité. Son non-conformisme inné est celui d'un poète qui, au delà des recettes d'école, n'entend plus recueillir que la seule leçon de la nature : « Écoutons les leçons du vent qui passe et qui raconte l'histoire du monde ». Il exprime cette philosophie de la création dans les *Proses lyriques* (1893) dont il compose paroles et musique, dans le *Quatuor* (1893) d'une écriture harmonique et rythmique révolutionnaire et dans le *Prélude à l'après-midi d'un faune* (1894), fastueuse illustration sonore du poème de Mallarmé. De la même veine naissent encore les trois *Nocturnes,* pour orchestre (*Nuages, Fêtes, Sirènes,* 1898). – Cependant, un drame symboliste de M. Maeterlinck, *Pelléas* et Mélisande,* lui offrait l'atmosphère ésotérique, le lyrisme intemporel qui convenaient à sa conception musicale. Accueillie par l'incompréhension bornée ou la malice d'une grande partie de la critique, soutenue par l'enthousiasme de la jeunesse, l'œuvre s'imposa finalement, à l'issue de représentations tumultueuses (1902). Les recherches de sonorité et d'harmonie, la souplesse de la ligne mélodique y créent un univers mouvant et diapré que le musicien retrouve avec *La Mer,* poème symphonique à la monumentale architecture (1905). – Des années suivantes date une série de pages pour le piano (*Estampes,* 1903; *D'un cahier d'esquisses,* 1904; *l'Île joyeuse,* 1905; *Images,* 1905-1907; *Children's Corner,* 1908; les vingt-quatre *Préludes,* composés en hommage à Chopin, 1910-1913) qui imposent une nouvelle écriture pour cet instrument. Debussy écrivit aussi pour l'orchestre (*Images :* Gigues, Ibéria, Rondes de printemps, 1905-1912) et composa des mélodies (trois *Chansons de Charles d'Orléans,* 1908; *Le Promenoir des deux amants,* 1909; trois *Ballades de François Villon,* 1910). Il acheta une partition de musique de scène destinée à accompagner un drame religieux de d'Annunzio, *Le Martyre de saint Sébastien* (1911). Pour Serge de Diaghilev qui avait confié à Nijinski la chorégraphie du *Prélude à l'après-midi d'un faune* (1912), le musicien devait encore composer un ballet, *Jeux* (1912). – Bouleversé par la guerre, encore que sa foi patriotique soit sans défaillance, atteint par le mal qui devait l'emporter bientôt, Debussy composa alors ses dernières œuvres, marquées par un souci de rénovation de son esthétique avec les *Trois Poèmes de Mallarmé* (1913), les *Douze Études pour piano* (1915) et les *Trois Sonates,* pour violoncelle et piano (1915), pour flûte, alto et harpe (1915), pour piano et violon (1917) qui constituent le dernier sommet de son œuvre. – Critique musical incisif, Debussy a publié de nombreux articles dont un choix a été réuni en un volume (*M. Croche antidilettante,* 1921). – Dès 1900, avec les *Nocturnes,* l'art de Debussy fut qualifié d'impressionniste. Mais la révolution debussyste est plus profonde; il faut la chercher dans la structure de l'œuvre, dans une conception originale de l'harmonie et de la rythmique. En substituant à la notion d'accord celle de « note complexe », en s'appliquant à créer une impression d'improvisation par la fluidité des enchaînements, l'instabilité dans la continuité même, l'enchevêtrement des thèmes et des motifs, Debussy a suscité une nouvelle sensualité auditive.

DEBYE (Petrus). ♦ Physicien néerlandais (Maastricht, 1884 – Ithaca, État de New York, 1966). Appliquant la théorie des quanta à l'étude des propriétés thermiques des solides, il élabora une théorie donnant la chaleur spécifique en fonction de la température (1912) et étudia la conductibilité thermique des isolants en introduisant le concept de phonon (1914); il étudia, avec Scherrer*, la diffraction des rayons X par les poudres cristallines [1916] **(V.** *aussi* **Bragg)** et donna, avec Compton*, une théorie de l'effet qui porte le nom de ce dernier. Appliquant les méthodes statistiques aux électrolytes forts, il établit, d'abord seul, puis avec Hückel* (1923), une théorie basée sur l'hypothèse de leur dissociation complète. **V.** *aussi* **Arrhenius, Onsager.** En 1927, en même temps que L. Brillouin*, il calcula la loi quantique générale du paramagnétisme. On lui doit également des recherches sur les dimensions des molécules gazeuses.

Décabristes. *n. m. pl.* (du russe *dekabr,* décembre). ♦ Groupe de nobles et d'officiers russes qui tentèrent une révolte militaire contre le tsarisme. Membres de différentes sociétés secrètes, ils espéraient introduire le régime constitutionnel, en hissant sur le trône Constantin*, frère de Nicolas* Pavlovitch. Pendant l'interrègne, après la mort subite d'Alexandre Iᵉʳ, les conjurés réussirent à soulever une partie des troupes de Saint-Pétersbourg (26 déc. 1825). Ils envahirent la place du Sénat et refusèrent de prêter serment à Nicolas Iᵉʳ, connu pour ses idées absolutistes. La révolte fut réprimée par l'artillerie. Cinq de ses chefs furent pendus, et cent vingt emprisonnés dans la forteresse de Schlüsselburg*, ou déportés en Sibérie.

Décaméron (Le). ♦ Recueil de Boccace* (entre 1350 et 1355) « dans lequel sont rassemblées cent nouvelles racontées, en dix jours, par sept femmes et trois jeunes hommes » réunis à la campagne pour fuir la peste de 1348 qui sévit à Florence. Réagissant aux horreurs de l'épidémie (décrite avec un réalisme scrupuleux dans le tableau liminaire), les personnages manifestent leur appétit de joies terrestres dans leurs récits spirituels ou licencieux, reposant pour la plupart sur un ressort amoureux. — D'une extrême variété de thèmes, ces contes exaltent le triomphe de l'instinct, la passion de réussir et l'intelligence pratique. À la satire plaisante des travers humains succèdent parfois des scènes délicates ou des évocations d'une tragique grandeur; et c'est en fait, sous les apparences de la légèreté, une vaste satire de la société florentine du XIVe s., voire de la société occidentale en général (Cf. La revendication de l'égalité de la femme dans les rapports amoureux). Peinture réaliste et colorée, animée de personnages d'une infinie variété et toujours hauts en couleur, *Le Décaméron,* par sa précision descriptive, demeure « le premier modèle en prose pour l'exactitude et pour la pureté du style, ainsi que pour le naturel de la narration ». (Voltaire). L'œuvre inspira Chaucer*, Shakespeare*, Marguerite* de Navarre, La* Fontaine,...

DECAMPS (Alexandre Gabriel). ♦ Peintre, aquarelliste, dessinateur et graveur français (Paris, 1803 — Fontainebleau, 1860). Il travailla dans l'atelier d'Abel Pujol et débuta comme dessinateur satirique. Il exécuta des tableaux de genre dans la tradition du XVIIIe s. et devint après un voyage en Turquie (1828) un spécialiste fort prisé de scènes turques, pittoresques (*La Sortie de l'école turque,* 1842) ou dramatiques (*Le Supplice des crochets,* 1842). Brillant représentant de l'orientalisme romantique, il fut un habile paysagiste aimant les tons chauds et vifs, la matière épaisse.

DECAUVILLE (Paul). ♦ Industriel français (Petit-Bourg, Seine-et-Oise, 1846 — Neuilly-sur-Seine, 1922). Fondateur d'une usine (Petit-Bourg) de construction de matériel de petits chemins de fer transportables, notamment exploité dans les entreprises de travaux publics.

DECAZES et DE GLÜCKSBERG (Élie, *duc***).** ♦ Homme politique français (Saint-Martin-de-Laye, 1780 — Decazeville, 1860). Avocat à Libourne, juge au tribunal de la Seine (1806), puis conseiller au cabinet du roi de Hollande, Louis Bonaparte (1807), il se rallia aux Bourbons (1814), fut nommé préfet, et ministre de la Police en remplacement de Fouché. De tendance constitutionnelle, il devint rapidement le conseiller de Louis* XVIII, et, après la chute du cabinet Richelieu, fut le véritable chef du gouvernement (1818-1820). Cherchant à s'appuyer sur la gauche, il renversa la majorité de la Chambre haute en faisant nommer soixante nouveaux pairs (1819), en destituant des préfets ultras et en essayant de gagner l'opinion par des mesures libérales (en particulier dans le domaine de la presse, en mars 1819). Après le renouvellement partiel de la Chambre des députés qui fut favorable aux indépendants, Decazes, en opportuniste, tenta de faire machine arrière, mais ne parvint pas à se rallier les ultras. Son ministère dut démissionner après l'assassinat du duc de Berry* (février 1820) et fut remplacé par celui du duc de Richelieu. Fait duc et pair de France, Decazes se rallia à Louis-Philippe (1830). Il s'occupa essentiellement d'agriculture et d'industrie, créant les forges de Decazeville* dans l'Aveyron. ♦ LOUIS DECAZES, son fils (1819 — 1886). Ministre des Affaires étrangères (1873-1877).

DECAZEVILLE. ♦ Ch.-l. de cant. de l'Aveyron*, arr. de Villefranche*-de-Rouergue. 10 811 hab. *(Decazevillois).* Exploitation houillère en régression, métallurgie, indus. chimiques **(V. Midi-Pyrénées).** Le *bassin* houiller *de Decazeville* comprend d'autres aggl. **(V. Viviez).** ♦ *Hist.* La ville doit son nom au duc Decazes* qui développa l'exploitation des mines au XIXe siècle.

DECCAN. ♦ V. DEKKAN.

DÈCE, en lat. **Cneius Messius Decius.** ♦ (Budalia, Pannonie, v. 200 — Thrace, 251). Empereur romain (249-251), élu par l'armée de Mésie, il vainquit et tua Philippe* l'Arabe auquel il succéda. Voulant restaurer l'unité morale de l'Empire autour de la religion traditionnelle, il déclencha la première persécution systématique contre les chrétiens (janv. 250). Il favorisa les apostasies en délivrant un certificat *(libellus)* qui assurait toute protection aux chrétiens qui participaient aux célébrations païennes. Les apostasies furent nombreuses (lapsi), les martyrs aussi : saint Babylas, Origène*, le pape Fabien*, sainte Agathe*. Dèce devint pour les chrétiens le type même de l'empereur persécuteur, si bien que les *Actes* des martyrs « sous Dèce » sont généralement inexacts (Pionius), tardifs et peu vraisemblables (saint Denis*, Polyeucte*) ou entièrement légendaires (Les Sept Dormants d'Éphèse). La persécution fut terrible mais brève, car l'empereur fut vaincu et tué par les Goths.

DÉCÉBALE. ♦ Roi des Daces* ([mort] 106). Il combattit avec succès les Romains sous Domitien* (89) mais fut vaincu par Trajan* et se tua.

Décembre 1851 (coup d'État du 2). ♦ Coup d'État par lequel Louis Napoléon Bonaparte **(V. Napoléon III),** président de la Deuxième République* depuis le 10 décembre 1848, parvint à éliminer l'Assemblée* législative et à renforcer, à son profit, le pouvoir exécutif. Ayant laissé la majorité conservatrice (parti de l'Ordre) de l'Assemblée législative adopter des mesures réactionnaires, dont la suppression du suffrage universel (mai 1850), Louis Napoléon, soutenu par le « parti de l'Élysée », tira habilement avantage de cette politique en se faisant lui-même passer pour le défenseur du suffrage universel, accomplissant un voyage triomphal dans plusieurs départements (août-novembre 1850). La destitution du général légitimiste Changarnier* (janvier 1851), la démission des ministres provoquée par l'Assemblée et l'échec de la tentative de révision de la Constitution demandée par le président afin de pouvoir être réélu en 1852 rendirent inévitable un conflit entre l'Assemblée et Louis Napoléon. Encouragé par Morny*, Persigny*, Rouher*, il se décida dès l'été 1851 à fomenter un coup d'État. S'étant entouré en octobre d'hommes capables de le seconder activement (Saint*-Arnaud, Magnan*, Maupas*, etc.), il proposa en novembre l'abrogation de la loi de mai 1850, c'est-à-dire le rétablissement du suffrage universel. Le coup d'État fut réalisé dans la nuit du 1er au 2 décembre 1851; alors qu'un bal était donné à l'Élysée, la troupe, sous le commandement d'Espinasse*, envahit le palais Bourbon. Deux décrets furent affichés à Paris; ils proclamaient l'état de siège, la dissolution de l'Assemblée législative, le rétablissement du suffrage universel et la convocation des Français pour un plébiscite, qui eut lieu le 20 décembre. Une opposition au coup d'État tenta de s'organiser à Paris et en province; elle fut rapidement réprimée. La Constitution de janvier 1852, renforçant l'exécutif au détriment du législatif, préparait le rétablissement de l'Empire **(V. Empire** [Second]**).**

DÉCHELETTE (Joseph). ♦ Archéologue français (Roanne, 1862 — à la guerre, Aisne, 1914). Il est surtout connu par son *Manuel d'archéologie préhistorique, celtique et gallo-romaine* (1908).

DE CHIRICO (Giorgio). ♦ Peintre et écrivain italien (Volo, Grèce, 1888). Fils d'un ingénieur sicilien des chemins de fer, formé à Athènes puis à Munich (1906 à 1908), admirateur de Nietzsche, impressionné par les œuvres de Böcklin*, Klinger*, Kubin*, il séjourna à Milan et à Turin dont il retint certains aspects « fantomatiques », puis à Paris en 1911, où il rencontra Picasso et Apollinaire. Il produisit de 1912 à 1919 des séries d'œuvres (période dite des « arcades », des « mannequins » et des « intérieurs métaphysiques ») qui tranchaient avec les thèmes de la peinture traditionnelle aussi bien qu'avec les recherches plastiques novatrices de l'époque. Il resta en effet fidèle à l'espace scénographique de la Renaissance, mais en y insérant des perspectives forcées, des ombres illogiques (*Mélancolie d'une rue,* 1912). Dans un décor de palais italiens, de places à arcades désertées, de cheminées d'usines, de tours ou de locomotives, il contredit l'ordre habituel de la réalité quotidienne en groupant d'une façon irrationnelle objets et fragments de figures déshumanisées (statues mutilées, mannequins, gants, balles, échiquiers, biscuits, instruments de mesure, etc.) représentés avec une facture nette et linéaire, des surfaces de couleurs unifiées et un faible modelé. Breton souligna que dans ses tableaux « l'objet n'est plus retenu qu'en fonction de sa vie symbolique », et De Chirico y entrevit lui-même « les signes hermétiques d'une nouvelle mélancolie ». Le caractère mystérieux et onirique de ses figurations tient en partie au choix de son répertoire thématique, qui semble dicté par l'inconscient et laisse transparaître un « érotisme voilé ». Lors de sa mobilisation à Ferrare, en 1915, il influença C. Carra* et contribua par ses œuvres à l'élaboration du mouvement intitulé « Peinture métaphysique ». En 1919, il adhéra à *Valori Plastici* et, opérant un subit revirement, contredit seulement par la publication d'*Hebdomeros* (1929), il renia sa production, adoptant des sujets académiques, cultivant les valeurs du passé. Il se complut à des recherches sur les techniques anciennes. L'œuvre de De Chirico fut reçue comme une révélation par les surréalistes, qui en

Arch. Smeets

G. De Chirico : « La Mort d'un esprit ».
(Collection de l'artiste.)

soulignèrent le caractère éminemment dépaysant et imitèrent sa technique de description réaliste.

DĚČÍN, anc. en all. **Tetschen**. ♦ V. de Tchécoslovaquie, en Bohême septentrionale, au confluent de l'Elbe et du Ploučnice, son affl. 42 663 hab. (1967). Située près des gisements de lignite de Most*, Děčín est devenue un centre indus. : constructions mécaniques, indus. métallurgiques.

DÉCINES-CHARPIEU. ♦ Comm. du Rhône, arr. de Lyon (arr. de Vienne, Isère, avant 1970). 15 381 hab. *(Décinois)*. Indus. textiles et pharmaceutiques.

DECIUS. ♦ V. DÈCE.

DECIZE. ♦ Ch.-l. de cant. de la Nièvre (arr. de Nevers), aux confins du Nivernais* et de la Sologne* bourbonnaise, sur une butte d'une île de la Loire*, au débouché du canal du Nivernais. 7 270 hab. *(Decizois)*. L'église Saint-Aré (chœur du XIe s.) s'élève sur une crypte du VIIe s. Vestiges du château des comtes de Nevers. Centre industriel : métallurgie, tôlerie. Indus. du caoutchouc. Meubles. Extraction de sables de la Loire; anc. extraction de kaolin (céramique). Eaux minérales. — Patrie de Saint*-Just.

Déclaration des droits, en angl. **Bill of Rights**. ♦ (1689). Texte célèbre proclamant les bases de la constitution anglaise, que Guillaume* III jura d'observer. Il consacrait la victoire sur l'absolutisme des Stuarts, définissant les droits du Parlement et des citoyens.

Déclaration des droits de l'homme et du citoyen. ♦ **V.** DROITS DE L'HOMME.

Déclaration d'indépendance. ♦ (1776). Document historique de la Proclamation d'indépendance des treize colonies anglaises d'Amérique rédigé par Thomas Jefferson* et revu par Benjamin Franklin*. Les théories de Locke sur l'égalité et la liberté politiques et sur la responsabilité de ceux qui sont chargés du gouvernement y sont appliquées à l'émancipation des colonies. Le texte institue un État fédératif et proclame que les gouvernements existent pour le bonheur du peuple et qu'ils tirent leur force et leur pouvoir de l'assentiment de ce dernier. L'abus d'autorité y est proscrit. Ce document avait été préparé par deux autres : *Aperçu sommaire des droits de l'Amérique britannique* **(V. Jefferson)**, et un *Projet d'instructions* (1774) où on relevait que 160 000 électeurs anglais réglaient le sort des 4 000 000 d'habitants des colonies d'Amérique. Il y était dit encore que le gouvernement de la Virginie était aussi autorisé à imposer ses lois au peuple anglais que le Parlement anglais à imposer les siennes au peuple de la Virginie.

Déclaration du clergé de France *(Clerici gallicani de ecclesiastica potestate declaratio)*, dite **Déclaration des Quatre Articles**. ♦ Déclaration gallicane rédigée par Bossuet* et approuvée par l'Assemblée générale extraordinaire du clergé (19 mars 1682). **V. Régale** *(affaire de la)*. Les quatre articles affirment : *1)* les rois, dans les affaires temporelles, ne sont pas soumis au pape, qui ne peut donc les déposer ni dispenser leurs sujets de l'obéissance; *2)* le pouvoir du Saint-Siège sur les choses spirituelles est limité par celui du concile œcuménique; *3)* le pouvoir pontifical doit s'exercer selon les règles de l'Église et, en France, selon les usages de l'Église gallicane; *4)* le jugement du pape sur les questions de foi n'est irréformable qu'après consentement de l'Église universelle. Louis XIV érigea immédiatement cette déclaration en loi, tandis qu'Innocent* XI, espérant la faire modifier, retardait la publication du bref qui la condamnait **(V. Alexandre VIII)**. Mais la situation politique amena Louis XIV à renoncer à son application (1693). En 1810, Napoléon en fit une loi d'Empire.

DE COSTER (Charles). ♦ Écrivain belge d'expression française (Munich, 1827 — Ixelles, 1879). D'abord journaliste, il devint en 1870 professeur de littérature à l'École de guerre à Bruxelles. Ses *Légendes flamandes* (Bruxelles, 1858), inspirées de fabliaux du Moyen Âge et écrites en français du XVIe s., connurent le succès, mais le reste de son œuvre fut peu apprécié de son vivant : ni les *Contes brabançons*, écrits en français moderne (Paris, 1861), ni *Le Voyage de noces* (roman, 1872) ne furent bien accueillis. *Les Aventures d'Uylenspiegel et de Lamme Goedzack au pays de Flandres et ailleurs* (1868), travail de dix ans, sont un récit picaresque d'un relief indéniable; reprenant un personnage légendaire de farceur [connu depuis le début du XVIe s.] (Eulenspiegel), l'écrivain en fait un héros populaire, symbole de la résistance flamande à l'oppression de Philippe II et du duc d'Albe; sorte de Panurge allemand, Till Uylenspiegel accumule les facéties, mais sait manifester une générosité parfois héroïque pour défendre la liberté. Le récit truculent, rédigé en une langue savamment archaïsante, ne connut le succès qu'après la mort de son auteur.

DECOUX (Jean). ♦ Amiral français (Bordeaux, 1884 — Paris, 1963). Commandant en chef des forces navales en Extrême-Orient (1939), gouverneur général de l'Indochine (1940), puis haut-commissaire dans le Pacifique (1941), il réussit à maintenir la présence administrative française jusqu'au coup de force des Japonais (9 mars 1945), par lesquels il fut emprisonné. Traduit devant la Haute Cour de justice après la Libération, il bénéficia d'un non-lieu [1949]. *(À la barre de l'Indochine*, 1949.)

DE CRAEYER ou **DE CRAYER (Gaspar)**. ♦ Peintre et dessinateur flamand (Anvers, 1584 — Gand, 1669). Il fut élève de Raphaël Coxie à Bruxelles et devint membre de la gilde en 1607. Le cardinal de Bonen, archevêque de Malines, lui confia de nombreuses commandes de tableaux religieux. Il travailla aussi à partir de 1635 pour la cour de Ferdinand IV et obtint ensuite le titre de peintre du roi. Il s'établit à Gand après 1635 et eut de nombreux élèves. Auteur de sujets allégoriques et d'histoire, ainsi que de quelques portraits où s'affirme sa maîtrise technique, il produisit surtout des tableaux d'autels aux coloris brillants et fluides dans un style qui doit beaucoup à Rubens*; il usa parfois de formules stéréotypées et ne sut pas toujours éviter l'emphase et la sentimentalité (*La Pêche miraculeuse*, 1643).

Ph. Franco Lugli/Ricciarini

Le quartier de la **Défense**.

Décrétales (Fausses) ou **Pseudo-Isidoriennes**. ♦ Recueil de règlements ecclésiastiques attribué à Isidore de Séville, en fait rédigé v. 850, peut-être à Reims ou Aix-la-Chapelle, par un groupe de clercs. Il contient notamment une centaine de faux décrets pontificaux censés dater des premiers temps de l'Église, et la fausse donation* de Constantin. Son but était de dégager les clercs et les évêques du pouvoir temporel. À partir du XIe s., les papes y trouvèrent un instrument pour affirmer leurs droits sur les souverains.

DECROLY (Ovide). ♦ Médecin et psychologue belge (Renaix, 1871 — Uccle, 1932). Spécialisé en neuropsychiatrie, il fonda d'abord un institut pour enfants anormaux (1901), puis une école expérimentale pour enfants normaux (1907). Ses conceptions psycho-pédagogiques ont contribué aux réformes de l'enseignement adoptées en Belgique (1936, 1958) et à l'institution d'écoles expérimentales en France (depuis 1945). Affirmant que l'appréhension de l'univers par l'enfant est « syncrétique » et constitue chez lui une véritable attitude mentale, Decroly a été amené à préconiser une méthode « globale » (non analytique) d'apprentissage de la lecture et de l'écriture. Par ailleurs, il estime que l'école doit être conçue « pour la vie, à travers la vie », autrement dit, que toute pédagogie doit s'appuyer sur les centres d'intérêt de l'enfant, les objets et les situations de son milieu naturel et social (*Initiation à l'activité intellectuelle et motrice par les jeux éducatifs*, 1914; *Fonction de globalisation*, 1923; *Évolution de l'affectivité*, 1927; *Développement du langage*, 1930).

DÉCUMATES (champs), en lat. **Agri Decumates**. ♦ Région située entre le Main, le Rhin et le Danube et correspondant approximativement au Brisgau actuel. Elle fut annexée par Rome sous les Flaviens*. Elle était protégée par un *limes* que les Alamans* devaient percer dès le IIIe siècle. Son nom lui venait de la dîme *(decuma)* que devaient payer les colons qui y étaient installés.

DÉDALE, en gr. **Daidalos**. ♦ Architecte, sculpteur et inventeur légendaire d'Athènes*. Banni pour l'assassinat de son neveu Talos*, il se rend en Crète*, où il est accueilli par Minos*, roi de Cnossos* et construit pour lui le Labyrinthe* enfermant le Minotaure*. On lui attribue parfois la fabrication du robot Talos*. Soupçonné d'avoir aidé Thésée à s'enfuir, il est à son tour enfermé dans le Labyrinthe, mais réussit à s'évader avec son fils Icare*, en se faisant des ailes de cire et de plumes. Il parvient seul en Italie, après la chute mortelle d'Icare.

DEDEKIND (Richard). ♦ Mathématicien allemand (Brunswick, 1831 — *id.*, 1916). Auteur de travaux en analyse mathématique et en théorie des nombres, il étudia notamment les séries non absolument convergentes, permit une extension de la théorie des nombres en ramenant la méthode des « imaginaires de Galois* » à une étude de congruences, transforma la théorie des nombres idéaux de Kummer* en celle des idéaux (1871) et participa à l'arithmétisation des mathématiques en élaborant une théorie dans laquelle les nombres irrationnels sont définis par les coupures dans l'ensemble des rationnels (*Stetigkeit und Irrationale Zahlen*, 1872). **V.** *aussi* **Méray**. (Acad. sc., 1910.)

Dédé Korkout *(le livre de)*. ♦ Œuvre de la littérature populaire turque, fixée en Anatolie (v. 1400) à partir d'une tradition orale et attribuée à un auteur mythique (Dédé Korkout); elle fut redécouverte au XIXe s. par les écrivains turcs novateurs qui cherchaient à dégager l'expression littéraire de l'influence arabo-persane prédominante dans la période classique. Cette œuvre, écrite dans une versification syllabique irrégulière et archaïque, évoque les incessants combats des Turcs nomades contre les chrétiens du Caucase ou contre des êtres fantastiques.

DEE. *n. f.*, en gallois **Afon Dyfdrwy**. ♦ Riv. du pays de Galles et de l'Angleterre du S.-O. (113 km) arrosant Chester et se jetant en un large estuaire dans la mer d'Irlande.

DEERLIJK. ♦ Comm. de Belgique (Flande occidentale), arr. de Courtrai, entre l'Escaut et la Lys. 9 600 hab. Église du XVIIIe s. (retable de Sainte-Colombe du XVIe s.). – Indus. textiles.

Défenestration de Prague. ♦ (23 mai 1618). Un temple ayant été fermé à Prague et le culte protestant interdit dans la ville, le palais royal fut envahi et deux lieutenants gouverneurs, représentants de l'empereur Mathias*, ainsi qu'un secrétaire, furent jetés par les fenêtres (aucun des trois hommes ne fut tué). Cet attentat ouvrit la guerre de Trente* Ans.

Défense (rond-point de la). ♦ Carrefour de la proche banlieue parisienne, situé entre les communes de Puteaux* et de Courbevoie*, dans l'axe de l'avenue des Champs*-Élysées. Le quartier de La Défense est l'objet d'un aménagement considérable qui doit en faire un ensemble résidentiel en même temps qu'un grand quartier d'affaires : construit depuis 1958 et dû aux architectes Zehrfuss*, Camelot et de Mailly*, le palais des Expositions du *C.N.I.T.* (Centre national des industries et des techniques) affecte la forme d'un triangle équilatéral offrant trois grandes verrières en façade; la triple voûte convergente, en béton, coiffe 90 000 m² de surface couverte. Huit tours sont également élevées. La conception architecturale de l'ensemble est axée sur la séparation des piétons et des véhicules, grâce à une plate-forme de béton couvrant des autoroutes souterraines et ceinte d'un boulevard circulaire à la périphérie du quartier.

Défense et Illustration de la langue française. ♦ Manifeste littéraire, publié en 1549 sous le nom de du Bellay*, et qui riposte à Sebillet* en exposant le programme des poètes qui constitueront la Pléiade*. C'est une défense de la langue française que les « latinisants » taxent de barbare : pauvre, le français peut et doit s'enrichir, s'« illustrer », par le recours aux néologismes ou le rajeunissement des mots anciens. C'est, ensuite, par le difficile apprentissage du métier poétique et de l'« imitation originale » des auteurs et des genres antiques que les poètes obtiendront l'immortalité dans la langue française.

Défense nationale (gouvernement de la). ♦ Nom donné au gouvernement qui dirigea la France du 4 septembre* 1870 au 12 février 1871. La nouvelle de la capitulation de Sedan (2 sept.) provoqua à Paris un mouvement révolutionnaire qui aboutit à la proclamation de la déchéance de Napoléon III et à la formation d'un gouvernement de la Défense nationale sous la présidence du général Trochu à l'Hôtel de Ville. Ce gouvernement, constitué de douze membres (dont J. Favre aux Affaires étrangères, J. Simon à l'Instruction publique, L. Gambetta à l'Intérieur, A. Crémieux à la Justice, É. Picard aux Finances, Le Flô à la Guerre, Fourichon à la Marine, Magnin au Commerce, Dorian aux Travaux publics, Rochefort, Arago), fut constitué à l'exclusion de tout représentant des forces révolutionnaires. Après avoir aboli le Sénat et dissous le Corps législatif, il affirma son refus de toute cession territoriale (6 sept.) et forma à Tours une délégation du gouvernement (A. Crémieux, Glais-Bizoin, Gambetta) pour organiser en province la résistance à l'ennemi et la guerre à outrance. Après l'échec des négociations de Ferrières entre Bismarck et J. Favre (sept. 1870) et celui des pourparlers de Versailles (Bismarck-Thiers; 2-3 nov. 1870), le gouvernement de la Défense nationale organisa la préparation du siège de Paris tout en luttant contre le développement du mouvement révolutionnaire (journée d'octobre 1870, à la suite de la capitulation de Metz). Après la capitulation de Paris et la signature de l'armistice (28 janvier 1871), le gouvernement de la Défense nationale céda la place à l'Assemblée nationale (élue le 8 février) qui siégea pour la première fois à Bordeaux le 12 février et au nouveau chef de l'Exécutif, Thiers (nommé le 17 février).

DEFFAND [defɑ̃] **(Marie, *marquise du*).** ♦ (Bourgogne, 1697 – Paris, 1780). Elle reçut dans son célèbre salon Fontenelle*, Montesquieu*, Marivaux* et les encyclopédistes qu'elle présentait à des gens du monde et à des politiciens **(V. *aussi* Lespinasse).** Dans sa vaste correspondance (à Voltaire*, d'Alembert*, Walpole*...), écrite en une langue sobre mais pittoresque, elle analyse avec lucidité son ennui, qui provient de « la privation du sentiment avec la douleur de ne s'en pouvoir passer ».

DEFFERRE (Gaston). ♦ Avocat et homme politique français (Marsillargues, Hérault, 1910). Militant socialiste (S.F.I.O.) depuis 1933, résistant lors de la Deuxième Guerre mondiale, il fut élu maire de Marseille (1953), député (1946-1958, et depuis 1962), sénateur (1959-1962). Nommé ministre de la France d'outre-mer dans le cabinet G. Mollet (1956-1957), il contribua à faire voter la loi-cadre modifiant le statut des territoires de l'Union française (23 juil. 1956). En 1964, il exprima son intention de poser sa candidature à la présidence de la République, contre le général De Gaulle, mais dut la retirer, ayant échoué dans sa tentative d'unir la gauche dans une Fédération démocrate socialiste.

DE FOE ou **DEFOE (Daniel FOE,** dit**).** ♦ Romancier, poète et journaliste anglais (Londres, 1660 – Ropemaker's Alley, Moorfields, 1731). D'origine modeste, c'est au séminaire dissident de Stoke Newington qu'il fit ses études. Doué pour le commerce, il voyagea en Espagne, en France, en Italie, en Allemagne et écrivit pour gagner sa vie. Sur le plan politique, il favorisa l'accession de Guillaume d'Orange au trône, intrigua pour éviter la faillite, se fit suspecter par les deux partis (whig et tory) qu'il soutenait en même temps, connut la prison et le pilori. L'écrivain est à l'image de l'homme, complexe et varié. Il fut poète (*L'Hymne au pilori,* 1703), satiriste raillant l'orgueil de race et de famille dans *L'Anglais bien né (The True-born Englishman),* pamphlétaire (*Faire l'aumône n'est pas la charité,* 1704, *Le Moyen le plus rapide d'en finir avec les dissidents,* 1702, contre la haute église anglicane). Journaliste, il avait l'art d'exploiter l'actualité (*Journal de l'année de la peste,* 1722); il fonda la *Review* (1704) qui devint bientôt le *Mercator* (1713). Très en avance sur son époque il prônait le féminisme (*Essai sur divers projets,* 1697) en déclarant que les jeunes filles devaient étudier. Mais c'est surtout le romancier que la postérité retint. Par goût de la mystification mais plus profondément par besoin de vérité littéraire, De Foe présentait tous ses romans comme autobiographiques (il ne signait pas). Il faut citer : *Colonel Jack* (1722); *Heurs et Malheurs de la fameuse Moll Flanders* (1722), inspiré par un personnage historique (1584 – 1659), Moll la coupeuse de bourses; *Lady Roxane ou l'Heureuse Catin* (1724), histoire d'une aventurière de grand style; *La Vie, les Aventures et les Pirateries du capitaine Singleton* qui finalement se convertit, « reflet de la mentalité d'un pays et d'une époque » (Cazamian). *Moll Flanders* et surtout *Robinson* Crusoé* font de De Foe un maître du récit et un créateur de mythes. En outre, « il lança le mouvement qui aboutit avec Richardson* à imposer aux lettrés les goûts de la masse » (Jean Prévost).

Arch. Smeets

Degas : « Après le bain, femme s'essuyant le cou ». (Musée du Jeu de Paume, Paris.)

DE FOREST (Lee). ♦ Ingénieur américain (Council Bluffs, Iowa, 1873 – Hollywood, 1961). Inventeur de la lampe triode (1907) qui permit la radiophonie et la radiodiffusion. **V. J. A. Fleming.**

DEGANYA. ♦ Localité d'Israël située sur la r. S. du lac de Tibériade*. Kibboutz créé en 1909. Cultures maraîchères et fruitières.

DEGAS (Hilaire, Germain, Edgar de Gas, dit**).** ♦ Peintre, pastelliste, dessinateur et graveur français (Paris, 1834 – *id.,* 1917). Issu d'une famille de banquiers, il commença des études de droit avant de se consacrer à la peinture. En 1855, il suivit les cours de L. Lamothe, élève d'Ingres; en 1856-1857, puis en 1859, il voyagea en Italie où il copia les quattrocentistes. Il débuta par des compositions historiques (*Sémiramis construisant une ville,* 1861) et des portraits encore marqués par Ingres, mais composés d'une façon personnelle (*La Famille Bellini,* 1860). Abandonnant les conventions académiques, il subit l'influence du naturalisme, s'intéressa à la photographie, découvrit les estampes japonaises qui l'incitèrent aux recherches de mises en page. Il fréquenta vers 1868 le cercle du café Guerbois où il retrouvait Manet* (*Portrait de Manet,* 1864), Renoir* et Monet*. Il exposa avec ces derniers en 1874 à la première exposition impressionniste, sans qu'il partage leur enthousiasme pour la peinture de plein air et pour le paysage; leur exemple stimula l'intérêt qu'il portait au rendu de la lumière. Comme Manet, dont il subit l'influence, il avait un sens aigu du modernisme, représentant des scènes familières, des scènes de rue, s'intéressant au monde hippique (*Avant le départ,* 1862), au spectacle (*Mlle Fiocre dans « la Source »,* 1868). À la suite d'un voyage aux États-Unis (1872-1873) il peignit *Le Bureau de coton à la Nouvelle-Orléans* (1873), révélateur de ses tendances naturalistes. Il se passionna pour le monde de la danse (*Danseuse saluant,* 1878; *Danseuse à la barre,* 1880) en mettant l'accent sur les effets de lumière artificielle et fut un observateur impitoyable, souvent dédaigneux, ennemi de toute idéalisation. Il fixait avec une exceptionnelle habileté le geste rapide et caractéristique. Des thèmes comme *Les Repasseuses* et *Les Modistes* (1882-1883) lui permettent de se rapprocher stylistiquement de certains tableaux de Daumier*; celui des *Femmes à leur toilette* (1885-1898) évoque parfois Toulouse-Lautrec. Souffrant de la vue, Degas employait de préférence le pastel, y mêlant le crayon, la gouache, la peinture à l'essence. Il évolua vers une facture de plus en plus libre, posant des stries de couleurs aux harmonies audacieuses qui contrastent avec des parties estompées. Son trait elliptique est plus suggestif que descriptif (il travaillait de mémoire) et présente volontairement un caractère d'ébauche. Il recherchait les modes de présentation inhabituels : décentrés, en oblique, vues en plongée ou en contre-plongée, et contribua ainsi à détruire le système perspectif traditionnel. Son art de capter les gestes brusques, involontaires, sous un éclairage insolite aboutit à des solutions formelles originales (*Le Tub*, 1886; *Après le bain*, 1898). — Valéry a consacré un essai au peintre (*Degas, Danse, Dessin*, 1936).

DE GASPERI (Alcide). ♦ Homme politique italien (Pieve Tesino, Trentin, 1881 — Valsugana, 1954). Élu député au parlement autrichien (1911), il défendit les droits de la minorité italienne du Trentin. La victoire le fit citoyen italien et il fut nommé en 1921 président du Parti populaire. Mis en prison durant quatre ans pour ses activités antifascistes, il devint après la guerre l'un des chefs de la Démocratie chrétienne. Président du Conseil et ministre des Affaires étrangères (1945-1954), il favorisa l'instauration de la République (1946) et du régime parlementaire en Italie. Il fut, avec Jean Monnet, Robert Schuman et Konrad Adenauer, l'un des artisans de l'unité européenne. En 1954, il était élu président de la Communauté* européenne du charbon et de l'acier (C.E.C.A.).

DEGLANE (Henri). ♦ Architecte français (Paris, 1855 — *id.*, 1931). Prix de Rome en 1881, il édifia avec Louvet et Thomas *le Grand Palais* (1900) dont l'enveloppe au décor pompeux, de style éclectique, masque la structure interne, notamment celle de la grande salle d'exposition (supports métalliques et vaste toiture de fer et verre). Le décor de celle-ci est caractéristique de l'Art Nouveau.

DEGOS (Robert). ♦ Médecin français (Mugron, Landes, 1904). Spécialiste de dermatologie et vénéréologie (syphilis), il a publié un *Traité de dermatologie* (1953). *Maladie de Degos :* papulose atrophiante maligne (syndrome cutanéo-intestinal mortel).

DEGOUTTE (Jean Marie Joseph). ♦ Général d'infanterie français (Charnay, Rhône, 1866 — *id.*, 1938). Il commanda à la Malmaison (oct. 1917) et en Champagne (offensive de juillet 1918) puis, nommé major général auprès du roi des Belges, il enleva la crête de Passchendaele et reconquit le S. de la Belgique avec des divisions anglaises, belges et françaises. **V. Guerre mondiale** *(Première)*. Il fut ensuite commandant en chef des forces d'occupation alliées en Rhénanie (jusqu'en 1925).

DE GRAAF (Reinier ou Régnier). ♦ Médecin et physiologiste hollandais (Schoonhoven, près d'Utrecht, 1641 — Delft, 1673). Il exerça la médecine à Delft. Il est connu par ses études sur le suc pancréatique et sa description des follicules ovariens (1672), dits « follicules de De Graaf », chez la femme et divers mammifères.

DE GREEF (Guillaume). ♦ Sociologue belge (Bruxelles, 1842 — 1924). Influencé par les conceptions d'H. Spencer, il a développé dans ses œuvres une conception organiciste de la société, considérée comme un « hyperorganisme » soumis aux lois d'évolution de la matière organisée et susceptible de progrès et de « regrès » (*Introduction à la sociologie*, 1886-1889; *Les Lois sociologiques*, 1893; *Le Transformisme social, essai sur le progrès et le regrès des sociétés*, 1895; *Sociologie économique*, 1904).

DEGRELLE (Léon). ♦ Homme politique belge (Bouillon, 1906 —). Militant de l'Action catholique belge, influencé par le nationalisme de Maurras*, il fonda en 1932 la revue *Rex*, organe d'un mouvement politique, le rexisme*. De plus en plus favorable au fascisme, il prit la tête de la collaboration wallone avec l'Allemagne dès la défaite belge et créa la division S.S. « Wallonie » qui combattit sur le front russe. Après la guerre, condamné à mort, il s'enfuit en Espagne.

DE GROUX (Charles Degroux, dit). ♦ Peintre, dessinateur et graveur belge (Comines, 1825 — Bruxelles, 1870). Élève de Navez, il fut surtout impressionné par l'art de Courbet* et de Millet* et devint l'un des plus importants représentants du mouvement réaliste belge. Il exprima dans ses œuvres les préoccupations humanitaires et sociales qui le hantaient et sensibilisa son ami C. Meunier* aux problèmes sociaux. Il décrivit avec précision dans une gamme de tons volontairement éteints des scènes de la vie ouvrière et paysanne *(Le Bénédicité)* d'une certaine vigueur expressive, sans éviter parfois le pittoresque ou le didactisme.

DEGUCHI ONISABURÔ. ♦ Philosophe et religieux japonais (1871 — 1948), fondateur de secte. Persécuté, il se réfugia en Mongolie où il organisa une armée personnelle, se proclamant le sauveur du monde, et, en 1925, fonda la « société de l'Amour universel ». Arrêté, il aurait composé plus de 600 000 poèmes en prison. Libéré en 1942, il se consacra à la rédaction de textes religieux.

DE HAAS (Wander J.). ♦ Physicien hollandais (Lisse, 1878 — Bilthoven, 1960). Auteur de recherches sur les très basses températures [supraconductibilité et magnétisme] **(V. Kamerlingh Onnes)**, il découvrit, indépendamment de Einstein* et de Barnett*, les effets gyromagnétiques [1915]. (Acad. sc., 1947.)

DE HAVILLAND (*sir* Geoffrey). ♦ Ingénieur et industriel anglais (Haslemere, Surrey, 1882). Pilote, pionnier de l'aviation (1910), il créa la « De Havilland Aircraft Company Ltd » (1920) et réalisa de nombreux prototypes d'avions dont le premier avion commercial à réaction *(Comet)*.

DEHMEL (Richard). ♦ Poète lyrique allemand (Wendisch Hermsdorf, Brandebourg, 1863 — près de Hambourg, 1920). Hostile au naturalisme et à la théorie de l'art pour l'art des symbolistes, il célébra en poète visionnaire une existence intense, la réhabilitation des forces vitales, de la sexualité; il n'en fallait pas plus pour que ses contemporains voient en lui (bien à tort) un disciple de Nietzsche. Ses poèmes érotiques (*Rédemptions*, 1891; *Métamorphoses de Vénus*, 1897-1907; *Deux êtres, roman en romances* à caractère autobiographique, 1903) et sociaux *(L'Ouvrier, Quatrième Classe)*, sont écrits dans un style violent aux symboles parfois étranges; aussi Dehmel fut-il considéré, assez superficiellement, comme un précurseur des expressionnistes.

DEHRA DÛN. ♦ V. de l'Inde (Uttar pradesh) située au pied de l'Himâlaya, à 200 km au N. de Delhi*. 200 000 hab. Académie militaire et station climatique d'été. Institut de recherches forestières.

DÉIDAMIE, en gr. **Dêidameia.** ♦ Fille de Lycomède*, roi des Dolopes à Scyros. Achille* qui vivait à la cour de Lycomède, caché par sa mère Thétis sous un déguisement féminin, la séduisit. Elle enfanta Pyrrhos*.

DEIR EL-BAHARI (« le couvent du Nord »). ♦ Site archéologique d'Égypte, sur la rive gauche du Nil, en face de Karnak*, dans un vaste cirque formé par la chaîne libyque. C'est là que la reine Hatchepsout* fit construire son temple funéraire, œuvre de l'architecte Senenmout (v. ~ 1500). Taillé en partie dans la montagne, il s'étage en trois terrasses reliées par une rampe centrale et bordées contre le rocher par des portiques que décorent des bas-reliefs polychromes d'une grande pureté de style. La deuxième terrasse donne accès aux chapelles d'Anubis* et d'Hathor*. À proximité se trouvent les temples de Mentouhotep* Ier et Touthmôsis* III.

DEIR EL-MÉDINEH (« le couvent de la ville »). ♦ Site archéologique d'Égypte sur la r. g. du Nil, en face de Louxor*. Situé au S. de Deir* el-Bahari dans une étroite vallée, cet emplacement abrite les ruines du village et des tombes d'ouvriers de la Vallée* des Rois (~ 1314-~ 1100) ainsi qu'un petit temple de l'époque ptolémaïque.

DEIR-EZ-ZOR. ♦ V. de Syrie, située dans le N.-E. du pays sur l'Euphrate*, ch.-l. de province. 72 000 hab. (1968). Centre commercial. Gisements d'asphalte dans la région. La ville fut autrefois une halte pour les caravaniers du désert.

DÉJANIRE, en gr. **Dêianeira.** ♦ Princesse légendaire de Calydon*, sœur de Méléagre*. Elle épouse Héraclès* et lui donne cinq enfants : **V. Héraclides, Hyllos.** Jalouse de la belle Iole*, elle envoie à Héraclès une tunique imprégnée du sang du centaure Nessos*, qu'elle tenait comme un talisman de fidélité, et cause ainsi sa mort.

DÉJAZET (Virginie). ♦ Actrice française (Paris, 1798 — *id.*, 1875). Spirituelle et enjouée, elle a excellé dans des rôles de travesti masculin *(Bonaparte à Brienne)*.

DÉJERINE (Jules). ♦ Neurologiste français (Genève, 1849 — Paris, 1917). Il occupa la chaire de la Salpêtrière et travailla en collaboration avec sa femme, Augusta, née KLUMPKE, neurologiste (San Francisco, 1859 — Paris, 1937). Il a décrit et étudié plusieurs syndromes de maladies nerveuses auxquels on a donné son nom.

DEKKAN ou **DECCAN.** *n. m.* ♦ Division géographique de la péninsule indienne comprenant la partie du pays se trouvant au S. de la rivière Narmadâ et formée de moyennes montagnes et de plateaux (600-900 m) relevés à l'E. et à l'O. pour former les contreforts basaltiques des Ghâts*. Au S., le rapprochement des Ghâts occidentaux et orientaux est marqué par l'apparition de massifs montagneux pouvant s'élever jusqu'à 2 600 mètres. De *climat* assez rude et sujet à la sécheresse (la carence de la mousson peut y être catastrophique), le Dekkan est en partie formé de terrains fertiles, terres noires basaltiques *(regur)* très propices à la culture du coton. On cultive aussi les plantes oléagineuses, le blé, le riz (dans le N.-E. plus arrosé), le thé, le café et le caoutchouc (sur les versants des montagnes du Sud). Les terres infertiles sont couvertes de savane. Quelques barrages servent à l'irrigation et ont permis l'installation d'usines hydro-électriques alimentant des indus. métallurgiques. Défavorisé quant à l'agriculture, le Dekkan possède cependant la plupart des richesses minières du pays (charbon, fer, cuivre, bauxite, manganèse, mica). ♦ *Hist.* Peuplée principalement de populations dravidiennes, cette région résista longtemps à

Ph. Carlo Bevilacqua/Ricciarini

Deir El-Bahari : temple funéraire de la reine Hatchepsout.

la pénétration indienne et vit se développer de nombreux royaumes indigènes. Conquise à partir du XIVe s. par les Musulmans, elle fut le site de royaumes indépendants qui combattirent à la fois les États hindous et les Indo-musulmans du nord de l'Inde. Français et Britanniques s'y opposèrent violemment au XVIIIe siècle.

DEKKER (Thomas). ♦ Écrivain et dramaturge anglais (Londres, v. 1572 – *id.*, v. 1632). Sa turbulente existence ne s'est jamais déroulée bien loin de ces bas-fonds de Londres qu'il a décrits avec saveur dans *Le Veilleur de nuit de Londres* (*The Bellman of London,* 1608) et *L'Abécédaire du parfait galant* (*The Gull's Hornbook,* 1609). Au théâtre, il est l'auteur d'une dizaine de pièces à succès, dont *La Fête du cordonnier* (*The Shoemaker's Holiday,* 1599), *Le Vieux Fortunatus* (*Old Fortunatus,* 1600) et d'une trentaine de comédies qu'il a écrites en collaboration avec Massinger*, John Ford* et Webster*.

DELACROIX (Eugène). ♦ Peintre, aquarelliste, dessinateur et lithographe français (St-Maurice, près de Paris, 1798 – Paris, 1863). Conseillé par son oncle l'ébéniste Riesener*, il entra en 1816 dans l'atelier de Guérin*. Dans son premier envoi au Salon : *Dante et Virgile aux Enfers,* 1822, l'expression dramatique et les tonalités sombres apparaissent empruntées à son ami et condisciple Géricault*; l'œuvre fut vivement critiquée, mais lui valut l'admiration d'amateurs (tel que Thiers). Il se lia avec T. Fielding et Bonington et s'intéressa à l'aquarelle. Au Salon de 1824, *Les Massacres de Scio* furent considérés comme un manifeste de l'école romantique en raison du souffle tragique qui animait l'œuvre et de la vibration de la couleur. Delacroix s'y montrait fidèle au Gros* des *Pestiférés de Jaffa.* En 1825, il se rendit en Angleterre, retrouva Fielding et Bonington, découvrit le théâtre de Shakespeare, se passionna pour Scott, Byron, Goethe (illustration de *Faust*), mais aussi pour l'Arioste. Présentée en 1828, *La Mort de Sardanapale* avec son coloris éclatant, sa composition tourmentée et l'imagination violente et sensuelle qui s'y déploie, fut très mal reçue par la critique et les défenseurs du classicisme (dont Ingres*). À cette époque, Delacroix exécuta aussi des allégories inspirées par les événements contemporains, *La Grèce expirant à Missolonghi* (1827), *La Liberté guidant le peuple* (1831) et des peintures d'histoire : *L'Assassinat de l'évêque de Liège* (1831), *La Décapitation du doge Mario Falerio* (1827). En 1832, accompagnant le comte de Mornay dans sa mission auprès du sultan du Maroc, il séjourna six mois en Afrique du Nord, passa en Espagne et prit une multitude de croquis, d'aquarelles et de notes qui allaient nourrir son inspiration pendant de longues années (séries de scènes de chasse, combats de fauves, etc., *Le Sultan du Maroc,* 1845; *Noce juive,* 1839; *Femmes d'Alger dans leur appartement,* 1834). Il contribua ainsi à propager la mode de l'exotisme oriental chez les peintres romantiques. À son retour, il reçut la commande officielle de grandes décorations pour le *salon du Roi au palais Bourbon* (1832-1838), puis des *bibliothèques* de la *Chambre* et du *Sénat* (1838-1847), de la *galerie d'Apollon* au *Louvre* (1849-1851) et de la *chapelle des Saints-Anges* à *Saint-Sulpice* (1849-1861), dont les fresques ont une puissance et une liberté d'exécution exceptionnelles. Abordant le problème de vastes surfaces, il put satisfaire son aspiration à la grandeur, son goût du monumental et ressusciter l'esprit des grandes décorations baroques en témoignant de sa dette envers les grands Vénitiens et envers Rubens. – Consacré chef de l'école romantique, il souligna dans ses écrits (*Journal, Correspondance* et *Notes* pour un dictionnaire des beaux-arts) son profond attachement à l'esprit classique. Affirmant son besoin de contrôler ses sentiments passionnés, il avait cependant le culte quasi exclusif de l'imagination et cherchait à faire de la peinture un moyen propre à exalter la sensibilité, notamment par le recours à l'histoire et à la littérature (*L'Entrée des croisés à Constantinople,* 1840; *Médée furieuse,* 1838; *La Bataille de Taillebourg,* 1839). Ce romantisme d'intention s'échappait volontairement du réel : « Ce qu'il y a de plus réel pour moi ce sont les illusions que je crée avec ma peinture ». Delacroix voulait trouver un langage plastique propre; il s'opposait aux compositions statiques et au culte du dessin prônés par les néo-classiques, lui substituant le dynamisme des lignes de force et l'exaltation de la touche colorée. Cependant, malgré sa préférence pour les couleurs franches, il n'abandonna pas l'emploi du bitume qui assombrit plusieurs de ses toiles. L'alliance de l'inspiration romantique et de la recherche expressive par la maîtrise technique font de Delacroix le génie complet, « passionnément amoureux de la passion, et froidement déterminé à chercher les moyens d'exprimer la passion de la manière la plus visible », que saluait Baudelaire.

DELACROIX (Henri). ♦ Psychologue et philosophe français (Paris, 1873 – 1937). Ses recherches portèrent sur le mysticisme (*Histoire et psychologie du mysticisme, Les Grands Mystiques chrétiens,* 1908), l'esthétique (*Psychologie de Stendhal,* 1918) et la psychologie du langage (*Le Langage et la Pensée,* 1924). Il contribua également à la rédaction du *Traité de psychologie* de G. Dumas.

DELAFORGE (Louis). ♦ Médecin et philosophe français du XVIIIe s. « Admirable interprète de la pensée de Descartes » (Hamilton), il avait publié un *Traité de l'âme humaine (ou De l'esprit de l'homme), de ses facultés, de ses fonctions et de son union avec le corps d'après les principes de Descartes* (1666), ouvrage qui, à certains égards, n'est pas sans annoncer la philosophie de Malebranche.

DELAFOSSE (Gabriel). ♦ Minéralogiste français (Saint-Quentin, 1796 – Paris, 1878). Il a étudié les rapports entre la structure des cristaux et leurs propriétés physiques et chimiques. On a donné le nom de *delafossite* à l'oxyde naturel de fer et de cuivre ($CuFeO_2$). [Acad. sc., 1857.]

Ph. Nimatallah/Ricciarini

E. Delacroix : « Autoportrait ».
(Musée des Offices, Florence.)

DELAGE (Yves). ♦ Zoologiste français (Avignon, 1854 – Sceaux, 1920). Fondateur (avec Ranvier) de l'*Année biologique,* auteur d'un *Traité de zoologie concrète* (avec Héronard), il fit des recherches expérimentales sur la parthénogenèse chez les échinodermes [*La Parthénogenèse naturelle et expérimentale*]. (Acad. sc., 1901.)

DELAGE (Louis). ♦ Ingénieur et industriel français (Cognac, 1874 – Le Pecq, 1947). Fondateur, en 1905, à Levallois-Perret, de la première Compagnie Delage; il inventa plusieurs types de moteurs. Ayant transféré ses usines à Courbevoie (1911), il se spécialisa dans les voitures de grand luxe. Après la Première Guerre mondiale, il construisit des voitures de course et détint le titre de champion d'Europe en 1925.

DELAGE (Maurice). ♦ Compositeur français (Paris, 1879 – *id.*, 1961). Ami et disciple de Maurice Ravel*, il est l'auteur d'une œuvre peu abondante, que caractérisent un sens de la nuance et un raffinement formel inspirés de l'art de l'Extrême-Orient, où il séjourna. Son œuvre comprend les *Quatre Poèmes hindous,* pour chant et petit orchestre (1914), des mélodies (Haï-Kaï), un quatuor à cordes (1948) et des partitions pour orchestre (*Le Bateau ivre,* 1954).

DELAGOA *(baie).* ♦ Baie du Mozambique, découverte en 1502 par le Portugais Antonio de Campo. En 1544, Lourenço Marqués y établit un comptoir qui porte toujours son nom. Possession de l'État de Zanzibar de 1832 à 1856, la baie passa sous la souveraineté portugaise en 1875.

DELALANDE (M.R.). ♦ V. LALANDE (M.R. de).

DE LA MARE (Walter John). ♦ Poète et romancier anglais (Charlton, Kent, 1873 – Twickenham, Middlesex, 1956). Il publia, sous le pseudonyme de Walter Ramal, *Chansons d'enfance* (*Song of Childhood,* 1901), évocations suggestives et fugitives des impressions enfantines. Sa poésie fait apparaître un monde aux frontières du rêve et de la réalité où se rencontrent grotesque et pathétique (*The Burning Glass,* 1945, *The Winnowing Dream,* 1954). Ses nouvelles et ses contes appartiennent à la même veine. *Le Retour* (1910) est un roman évoquant les phénomènes parapsychiques. Autres œuvres : *Mulla-Mulgars* (1910), histoire d'un singe; *Henry Brocken* (1904) et (en vers) *Les Auditeurs* (1912), *Pâté de paon* (*Peacock Pie,* 1913), *Le Voile* (1921), *Poèmes* (1918). De La Mare est considéré comme un poète georgien*, mais son symbolisme le fit comparer à Maeterlinck.

DELAMBRE (*le chevalier* **Jean-Baptiste Joseph).** ♦ Astronome français (Amiens, 1749 – Paris, 1822). Collaborateur de Méchain* pour la mesure de l'arc de méridien compris entre Dunkerque et Barcelone, il est également l'auteur d'une histoire de la science. (Acad. sc., 1795; secrét. perpét., 1803.)

DELANNOY (Marcel). ♦ Compositeur français (La-Ferté-Alais, 1898 – Nantes, 1962). À ses débuts, l'amitié d'Arthur Honegger l'encouragea à poursuivre la carrière musicale. Dans des genres très divers, il a affirmé une personnalité robuste, empruntant à des thèmes d'une vivante sève populaire le meilleur de sa création. On lui doit des opéras-comiques (*Le Poirier de misère*, 1927; *Le Fou de la dame*, 1930; *Ginevra*, 1942; *Puck*, 1949), un opéra bouffe (*Philippine*, 1937), des ballets (*La Pantoufle de vair*, 1935; *Les Noces fantastiques*, 1954), deux symphonies, des œuvres vocales et de nombreuses pièces de musique de scène et de film.

DELAROCHE (Hippolyte de la Roche, dit **Paul)**. ♦ Peintre français (Paris, 1797 – Paris, 1856). Élève de Gros*, il reçut aussi des conseils de Géricault*. Il se spécialisa dans la peinture d'histoire et acquit ainsi la notoriété. En empruntant ses thèmes à l'histoire du Moyen Âge qu'exaltait alors le romantisme, en choisissant les détails pittoresques, les expressions touchantes, il s'inscrit dans le courant du « style troubadour » (*L'Assassinat du duc de Guise*, 1835).

DE LA RUE (Warren). ♦ Savant anglais (Saint-Pierre-Port, Guernesey, 1815 – Londres, 1889). Ayant compris dès 1853 l'intérêt de l'application astronomique de la photographie **(V. Niepce** et **Daguerre)**, il réalisa des photographies de la Lune puis, pour l'étude du Soleil, fit réaliser un photohéliographe (1857) qu'il installa à l'observatoire de Kew (1861) où il prit chaque jour une photographie solaire. **V.** *aussi* **Fizeau, Janssen, Henry.**

DELATTRE (*le P.* **Alfred Louis)**. ♦ Archéologue français (Deville-lès-Rouen, 1850 – Carthage, 1932). Ses travaux sur Carthage contribuèrent au développement de l'archéologie punique et chrétienne en Afrique du Nord.

DELAUNAY (Louis). ♦ Ingénieur et industriel français (Corbeil, 1843 – Cannes, 1912). Il travailla avec Belleville*, avec lequel il entreprit la construction des automobiles à moteur à essence. La société *Delaunay-Belleville*, spécialisée dans les modèles de luxe, disparut après la Première Guerre mondiale, faute d'avoir su s'adapter à la production de série.

DELAUNAY (Robert). ♦ Peintre français (Paris, 1885 – Montpellier, 1941). Après un apprentissage dans un atelier de décors de théâtre, il se consacra à la peinture, subissant d'abord l'influence de Gauguin* et de l'école de Pont-Aven (1904), puis s'intéressant au néo-impressionnisme de Seurat*, notamment aux théories des contrastes simultanés de couleurs élaborées par Chevreul. À partir de 1908, il subit l'ascendant de l'œuvre cézannienne et participa aux recherches cubistes, exposant avec Gleizes, Metzinger, Le Fauconnier et Léger. Il pratiqua la dissociation des formes dans les séries : *Saint-Séverin* (1909), *Les Tours de Laon* (1910-1912), *La Ville de Paris* (1910-1912), *La Tour Eiffel* (1910). Contrairement aux adeptes de ce mouvement, il accorda à la lumière qui, pour lui, « brise les formes », un rôle essentiel, cherchant à exprimer le dynamisme par la couleur. Il se définit lui-même comme un « hérésiarque du cubisme » et Apollinaire* donna le nom d'« orphisme » à la tendance picturale qu'il élaborait. La démarche de Delaunay, plus lyrique qu'intellectuelle, comme le choix de ses thèmes révélant un souci de modernité, annonçait certaines préoccupations des futuristes italiens. Ses œuvres suscitèrent immédiatement l'intérêt de Kandinsky* et de Klee*, influencèrent Marc* et Macke*. Delaunay participa en effet aux expositions du *Blaue Reiter* à Munich (1911 et 1912) et à celle du *Sturm* à Berlin (1913). La série d'œuvres exécutées en 1912 et intitulées *Fenêtres* et *Disques circulaires* fut définie par Apollinaire comme « la première manifestation de l'art inobjectif en France ». Elle dénote en effet l'abandon des thèmes descriptifs et des références à l'espace perspectif, bien que subsistent parfois des éléments identifiables. Initiateur en France de l'art abstrait, Delaunay fit de la couleur la composante fondamentale de son art, notamment par les disques dans lesquels les couleurs, étalées par bandes circulaires ou par secteurs, engendrent des effets dynamiques d'interférences, de vibration et de réfraction. Jusqu'en 1930, réintroduisant parfois la figuration et l'anecdote, il traita des thèmes de la vie contemporaine en élaborant l'espace à partir de plans colorés prismatiques établis librement (*Portraits, Coureurs*, 1924-1926). Dans ses œuvres non figuratives, il chercha à développer des effets de rythmes d'une complexité croissante (*Hélices*, 1923; *Joie de vivre*, 1930; *Rythmes sans fin*, 1933-1934). Il contribua au renouvellement de la décoration murale en créant des reliefs polychromes monumentaux, en utilisant la peinture à la caséine, des mélanges de ciment, de liège et de sables colorés, etc. (*Décoration des pavillons des chemins de fer et de l'air*, pour l'Exposition de 1937).

DELAUNAY TERK (Sonia). ♦ Peintre français d'origine ukrainienne (près d'Odessa, 1885). Après des études à Saint-Pétersbourg, puis en Allemagne, elle se fixa à Paris en 1906 et exposa d'abord des toiles lyriques aux couleurs violentes qui dénotent l'influence de Gauguin* et de Van* Gogh. En 1910, elle épousa Robert Delaunay* et collabora à ses recherches picturales. Ayant assimilé les influences cézaniennes et cubistes (*Bal Bullier*, 1913), elle s'intéressa surtout aux possibilités expressives de la couleur pure. Pionnier de l'abstraction géométrique, elle illustra le « premier livre simultané » : *La Prose du Transsibérien et de la petite Jehanne de France* de B. Cendrars. À la suite d'un voyage au Portugal et en Espagne, elle réalisa de grandes compositions : prétextes à l'établissement de formes géométrisées aux couleurs éclatantes *(Marché à Minho)*, ainsi que des séries d'œuvres non figuratives qui visent à l'exaltation du pouvoir dynamique de la couleur par une organisation rythmique rigoureuse. Dès 1911, elle pratiqua l'art décoratif, réalisant de nombreux objets et créant des tissus aux motifs géométriques simples (carrés, losanges, bandes circulaires, etc.) vivement contrastes, qui exercèrent une influence décisive sur l'évolution de la mode. Elle créa aussi des décors de théâtre et participa à la décoration du *Pavillon des chemins de fer et de l'air* (1937). À partir de 1933, elle a de nouveau accordé une place importante à la peinture en développant ses recherches sur les rythmes colorés.

Ph. Giraudon

Sonia Delaunay Terk : « La Danseuse ».
(Coll. M. Senghor, Paris)

DE LAVAL (Gustaf). ♦ Ingénieur suédois (Orsa, Dalécarlie, 1845 – Stockholm, 1913). Inventeur de dispositifs utilisés en sidérurgie et dans la métallurgie du plomb et du zinc, d'un séparateur centrifuge, d'une tuyère convergente-divergente destinée à l'expansion des gaz et de la vapeur lors de pressions supérieures à la pression critique, on lui doit surtout la turbine à vapeur à action (turbine De Laval, 1833), à une seule roue en acier et de grandes résistance et élasticité, et dont la vitesse de rotation dépasse nettement la vitesse critique. **V.** *aussi* **Parsons, Rateau.**

DELAVIGNE (Casimir). ♦ Poète et auteur dramatique français (Le Havre, 1793 – Lyon, 1843). Libéral en politique, il témoigne de la même modération dans son théâtre où le goût de la couleur historique (*Les Vêpres siciliennes*, 1819; *Marino Faliero*, 1829) se conjugue avec celui d'une psychologie toute classique (*L'École des vieillards*, 1823).

DELAWARE. *n. f.* ♦ Fl. de l'E. des États-Unis, formé par plusieurs riv. nées dans les monts Catskill (N. du plateau des Appalaches*) et formant frontière entre les États de Pennsylvanie et de New York, puis de Pennsylvanie et de New Jersey. Il arrose Trenton*, Camden*, Philadelphie* et Wilmington*. Son cours inférieur forme un bras de mer qui aboutit à la *baie de la Delaware* (Delaware bay), large estuaire triangulaire entre l'État de Delaware et le New Jersey, au bord duquel d'importantes indus. se sont localisées.

DELAWARE. *n. m.* ♦ État de l'E. des États-Unis, au bord de l'Atlantique, limité à l'E. par la baie de la Delaware, 6 138 km² (le plus petit État, à l'exception du Rhode Island). 446 292 hab. (1960). *Cap.* Dover. *Princ. V.* **V. Wilmington.** – *Orogr.* Le N. de l'État, qui fait partie de la zone côtière atlantique, est formé de collines; le S. s'aplanit progressivement. – Le *climat* est tempéré et humide. – *Écon.* L'agriculture (légumes, etc.) et l'élevage (notamment les volailles) forment une grande part des revenus de l'État; nombreuses conserveries. Des indus. importantes sont localisées au N. **(V. Wilmington).** Indus. chimiques, automobile (à Newark), raffineries de pétrole. – Patrie d'O. Evans. ♦ *Hist.* Après l'établissement des Hollandais et des Suédois au XVIIe s., la région fut prise par les Anglais (1664). Les territoires, réunis à la Pennsylvanie (1693), eurent un pouvoir législatif au XVIIIe siècle. Formé en État dès 1776, le Delaware fut le premier à ratifier la Constitution fédérale en 1787, il refusa de faire sécession, malgré ses sympathies sudistes et la présence d'esclaves noirs.

DELAY (Jean). ♦ Médecin et psychiatre français (Bayonne, 1907). Auteur de nombreux travaux portant sur l'électro-encéphalographie (électricité cérébrale, électrochocs, etc.) sur les maladies de la mémoire, les méthodes biologiques en clinique psychiatrique, les problèmes de psychologie médicale, etc., il refuse l'opposition entre médecine somatique et médecine psychique au profit d'une conception holistique de l'organisme.

DELBOS [dɛlbɔs] **(Yvon)**. ♦ Homme politique français (Thonac, 1885 – Paris, 1956). Membre du Parti radical-socialiste, élu député (1924), il fut ministre des Affaires étrangères dans les cabinets L. Blum et Chautemps, puis ministre de l'Éducation nationale dans le gouvernement Daladier (1939-1940). Déporté en Allemagne (1943-1945), il fut réélu député dès 1945 et appartint aux divers ministères qui se succédèrent de 1947 à 1950 (Ramadier, A. Marie, Queuille, Bidault).

DELBRUCK (Max). ♦ Biologiste américain d'origine allemande (Berlin, 1906 —). Spécialisé en génétique, il obtint le prix Nobel de méd. (1969) avec S. Luria* et A. Hershey* pour ses recherches sur les virus bactériophages.

DELCASSÉ (Théophile). ♦ Homme politique français (Pamiers, 1852 — Nice, 1923). Député radical (1889), il fut nommé ministre des Colonies (1894-1895); chargé ensuite du portefeuille des Affaires étrangères, qu'il conserva de 1898 à 1905, il contribua, avec l'aide des ambassadeurs français Barrère, Jules et Paul Cambon*, à favoriser le rapprochement de la France et de l'Italie (1898) ainsi qu'à resserrer l'alliance avec la Russie (1900). Après l'incident de Fachoda, il fut avec Paul Cambon, l'instigateur de l'*entente cordiale* avec l'Angleterre. Celle-ci, inquiète des ambitions de l'Allemagne, s'y prêta en reconnaissant les droits de la France au Maroc* (convention anglo-française de 1904) contre la renonciation des droits de la France en Égypte. Cette convention qui se fit au détriment de l'Allemagne, suscita une vive réaction de cette dernière (discours de Guillaume II à Tanger*, 1905). Afin d'éviter le conflit, Rouvier, président du Conseil, pria Delcassé de se retirer, sans révéler publiquement la cause de sa démission, et accepta la réunion de la conférence d'Algésiras. Ministre de la Marine (1911-1913), ambassadeur en Russie (1913-1914), Delcassé fut rappelé aux Affaires étrangères au début de la Première Guerre mondiale, dans le cabinet Viviani. Il favorisa l'entrée en guerre de l'Italie. Mais comme il lui fut ensuite reproché de ne pas avoir obtenu la neutralité de la Bulgarie, qui se joignit aux Empires centraux, il se retira du cabinet.

DEL CASTAGNO (Andrea). ♦ V. ANDREA DEL CASTAGNO.

DELEDDA (Grazia). ♦ Romancière italienne (Nuoro, 1871 — Rome, 1936). Élevée dans un milieu mi-paysan, mi-bourgeois, G. Deledda peignit d'abord l'austère monde moral de sa Sardaigne natale, dans des romans axés sur le thème de la faute et du remords et évoquant suivant la conception « vériste » la vie morale et matérielle de personnages aux instincts primitifs. À cette veine appartiennent *Elias Portolu* (1903), *Cendres* (*Cenere*, 1904) et *Des roseaux sous le vent (Canne al vento*, 1913). — En 1920, G. Deledda suivit son mari à Rome où elle séjourna jusqu'à sa mort. Désormais, à l'inspiration folklorique, succéda l'inspiration psychologique, et le réalisme de l'écrivain se transposa en poésie. *Le Secret de l'homme solitaire* (*Il segreto dell'uomo solitario*, 1921) et *Annalena Bilsini* (1927) manifestent le talent de l'écrivain pour fondre le monde intérieur de ses personnages, et les drames secrets qui l'agitent, avec les aspects divers de la nature. (Prix Nobel de littérature, 1926.)

DELÉMONT, en all. **Delsberg.** ♦ V. de Suisse (cant. de Berne) dans le Jura. 9 500 hab. Église Saint-Marcel (XVIIIe s.). Horlogerie; cimenterie.

DELESCLUZE [dəleklyz] **(Louis Charles).** ♦ Journaliste et homme politique français (Dreux, 1809 — Paris, 1871). Il participa aux révolutions de 1830 et de 1848, fut déporté sous l'Empire jusqu'en 1860, et collabora ensuite au journal républicain *le Réveil*. Membre de la Commune de Paris, de tendance jacobine, il appartint au 3e Comité de salut public et fut nommé délégué à la Guerre (10 mai 1871). Il fut tué sur les barricades lors de la Semaine sanglante (25 mai).

DELESSERT (Étienne). ♦ Financier français (Lyon, 1735 — Paris, 1816). Fondateur de la première compagnie d'assurance contre l'incendie et de la première banque d'escompte (1776), il fut de ceux qui contribuèrent à la fermeture de la Bourse après le renvoi de Necker (11-12 juillet 1789) et appuyèrent la création d'une milice bourgeoise **(V. Bastille** [prise de la]**)**. Emprisonné sous la Terreur, il se lança ensuite dans l'agriculture, introduisit en France les moutons mérinos, et un certain nombre de machines pour faciliter la culture.

DELESSERT (Benjamin). ♦ Industriel, financier et philanthrope français, fils d'E. Delessert (Lyon, 1773 — Paris, 1847). Après avoir reçu une éducation libérale et fait plusieurs voyages, il débuta dans la carrière militaire qu'il abandonna pour prendre la direction de la banque de son père (1795). Il fonda une filature de coton à Passy (1801), puis en 1812 une fabrique de sucre de betterave, innovation qui lui valut le titre de baron d'Empire. Nommé colonel lors de la Ire Restauration, il se rallia à Napoléon Ier pendant les Cent-Jours. Destitué en 1815, il fut élu député (1817, 1827). Régent de la Banque de France, il fonda la Société d'encouragement pour l'industrie et la première caisse d'épargne [1818]. (Acad. sc., 1816.)

DELESTRAINT (Charles Antoine). ♦ Général français (Biache-Saint-Waast, 1879 — Dachau, 1945). Il fut un des principaux spécialistes des blindés entre les deux guerres. Après la signature de l'armistice, il organisa la Résistance dans la région de Lyon. Arrêté par les Allemands en 1943 il mourut en déportation.

DELFICO (Melchiorre). ♦ Philosophe et homme politique italien (Leognano, Teramo, 1744 — Teramo, 1835). Libéral, il joua durant l'époque napoléonienne un rôle politique important en Italie. Influencé par les idéologues* français, il écrivit quelques ouvrages philosophiques, dont *Deux Mémoires sur la perfectibilité organique* où il tente de montrer le rôle de l'imitation comme facteur du progrès intellectuel et moral de l'homme.

Ph. Pierre Tétrel

Delft.

Le vieux pont de l'église.

DELFT. ♦ V. des Pays-Bas (Hollande-Méridionale) à 14 km de Rotterdam. 81 566 hab. Hôtel de ville (XVIIe s.). Oudekerk (XIIIe s.). Nieuwekerk (XVe s.). Porte Sainte-Catherine (XVe s.). Vieux-Canal (Oude Delft). Koornmarkt, l'un des plus beaux quais de Delft, abrite le musée Paul Tetar van Elven. Université technique. Centre de recherches nucléaires. Faïenceries (bleu de Delft) de renommée mondiale. Indus. alimentaires et chimiques. Matières plastiques. Constructions mécaniques et électriques. Chantiers navals. Aux env., exploitation de pétrole. — Patrie de Grotius* et de Vermeer*. Pieter de Hooch*, Carel Fabritius*, Paulus Potter* y vécurent. ♦ *Hist.* Delft (« fossé ») fut fondée en 1074 par Godefroy le Bossu. Florissante aux XIIIe et XIVe s. grâce au travail de la laine et aux brasseries, la ville posséda un port, Delfshaven, qu'absorba Rotterdam. C'est au XVIIIe s. que l'art de la poterie y atteignit son apogée (faïence polychrome et camaïeu bleu). La porcelaine de Hollande fut fabriquée en France à l'instigation de Louis XIV.

DELFZIJL. ♦ V. et port des Pays-Bas (Groningue) à l'embouchure de l'Eems, dans le golfe du Dollart. 21 406 hab. Fonderie d'aluminium alimentée en bauxite provenant du Surinam (Guyane hollandaise). — C'est à Delfzijl que G. Simenon* imagina en 1919 le personnage du commissaire Maigret.

DELGADO *(cap)*. ♦ Promontoire du N. du Mozambique*, sur l'océan Indien.

DELHI. ♦ V. de l'Inde, formée d'une partie ancienne riche en monuments, et d'une partie moderne, aux larges avenues et aux nombreux espaces verts, *New Delhi*, cap. fédérale, siège administratif et politique de l'Union indienne. 3 772 000 hab. (1970). — Indus. alimentaires et chimiques; papeteries; textiles (soieries). ♦ *Hist.* Delhi fut fondée par les Musulmans en 1193 sur le site d'un très ancien établissement hindou. Elle fut détruite et reconstruite plusieurs fois sur les rives de la rivière Yamunâ*, et fut appelée Fîrûzâbâd au XIIIe s. **(V. Fîrûz shâh).** Les Grands Moghols* en firent leur capitale. En 1803, la ville fut occupée par les Britanniques qui y établirent le centre de leurs opérations militaires contre les provinces du N.-O. révoltées. En 1912, ils en firent la cap. de l'Empire des Indes, et construisirent *New Delhi* au S. de l'anc. ville et sur un plan grandiose. La vieille ville conserve de beaux monuments de l'époque du sultanat de Delhi et de celle des Grands Moghols (mosquée, fort Rouge). Delhi constitue un territoire autonome de 1 484 km² de superficie. Aéroport international de Palam.

DELIBES (Léo). ♦ Compositeur français (Saint-Germain-du-Val, 1836 — Paris, 1891). Auteur d'une œuvre abondante, d'une écriture rigoureuse et d'une aimable invention mélodique, il connut le succès avec de nombreux opéras bouffes, des opéras-comiques (*Lakmé*, 1883) et des ballets d'inspiration romantique (*Coppélia*, 1870; *Sylvia*, 1876) par lesquels il a préparé la renaissance de l'art chorégraphique en France, au début du XXe siècle.

DÉLICIEUX (Bernard). ♦ Religieux français (Montpellier, v. 1260 — Avignon, apr. 1318). Franciscain, il se déclara l'adversaire de l'Inquisition (employée contre les albigeois dans le midi de la France). Traduit devant l'Inquisition (1318), il fut condamné à la prison perpétuelle.

DELILLE (*abbé* Jacques). ♦ Poète français (Aigueperse, 1738 — Paris, 1813). D'abord professeur il fut incité, par ses traductions en vers de Virgile*, à développer une poésie didactique et pittoresque de la nature dans *Les Jardins* (1780). Ces poèmes habilement versifiés, qui renferment quelques visions charmantes et colorées *(L'Automne)*, connurent un immense succès. (Acad. fr.)

DELISLE (Guillaume, dit **Delisle l'Aîné).** ♦ Géographe et cartographe français (Paris, 1675 — 1726). Ses cartes d'Europe, d'Asie, d'Afrique, etc. font de lui un des principaux cartographes de l'époque et le créateur d'un système géographique rationnel, et lui valurent le titre de premier géographe du roi [1718]. (Acad. sc., 1702.)

DELIUS (Frederick). ♦ Compositeur anglais d'origine allemande (Bradford, Yorkshire, 1862 — Grez-sur-Loing, 1934). Ami de Grieg, il reçut aussi l'influence de R. Strauss, de Mahler et de Debussy. Il s'établit en France (1890) où il composa dans tous les genres : opéra *(Roméo et Juliette)*, oratorio *(Zarathoustra)*, musique sym-

Ph. M. Pédone/Ricciarini
Luca Della Robbia : Détail de la « Cantoria » (Musée de l'opera del Duomo, Florence.)

phonique *(Dans un jardin d'été)* et chorale *(Messe de la vie).* On lui doit aussi de la musique de chambre et des mélodies. Médiocre en France, sa notoriété est grande en Angleterre et en Allemagne.

DÉLIVRANDE (La). ♦ Hameau de Douvres*-la-Délivrande, lieu d'un très ancien pèlerinage à la Vierge (basilique du XIXe s.).

DELL' ABATE (Niccolò). ♦ Peintre italien (Modène, v. 1509 – Fontainebleau, 1571). Sa manière s'affirme dès ses premières réalisations (fresques du *palais municipal de Modène,* 1546) qui révèlent l'influence de Dosso* Dossi ainsi que celles du Corrège* et du Parmesan*. Appelé en 1552 en France, il fut un brillant disciple du Primatice*, ajoutant à l'élégance du maître une touche nerveuse. Son œuvre donna une impulsion décisive à l'évolution de l'école de Fontainebleau (*La Continence de Scipion, L'Enlèvement de Proserpine).*

DELLA CASA (Giovanni). ♦ Écrivain italien (dans le Mugello, 1503 – Montepulciano, 1556). Entré sans vocation dans les ordres (1534), il devint archevêque de Bénévent, nonce à Venise, puis secrétaire de Paul IV (1555). Auteur d'une vie de Bembo*, dont il était l'ami, il composa également des *Poésies (Rime),* inspirées de Pétrarque*, où s'exprime son penchant à la mélancolie élégiaque. Son *Galateo* (1558), manuel des bonnes manières, régit toute la vie mondaine de la Renaissance.

DELLA PORTA (Giambattista). ♦ Physicien, naturaliste et écrivain italien (Naples, v. 1535 – *id.,* 1615). Auteur de travaux de botanique médicale (*Phytognomonica,* 1588), on lui doit, en optique, le premier traité systématique sur les lentilles (*Magia naturalis,* 1589), la description de la chambre noire et de la lanterne magique; il étudia également les propriétés de l'aimant **(V. Pierre de Maricourt)** et envisagea l'utilisation de la force d'expansion de la vapeur d'eau. **V. Caus, Papin.** (Son exposé sur les lentilles aurait inspiré un lunetier italien qui aurait alors fabriqué la première lunette en 1590. **V. Jansen.)**

DELLA PORTA (Giacomo). ♦ Architecte italien (Rome, v. 1540 – *id.,* 1602). Artiste officiel de la papauté, il succéda à Michel*-Ange et termina les édifices laissés inachevés par ce dernier (*palais des Conservateurs,* loggia du *palais Farnèse,* coupole de la *basilique de Saint-Pierre*). Il réalisa en outre la massive façade à deux étages de l'église des Jésuites (Le Gesù, 1575) qui devint le modèle de la façade-écran de l'architecture religieuse de la Contre-Réforme. Sa grande œuvre profane fut la *villa Aldobrandini* (1598-1604) à Frascati, célèbre par son « théâtre d'eau ». Son style, adaptant les rigueurs de l'architecture classique à l'austérité et à la monumentalité exigées par la Contre-Réforme, fut abandonné devant la réaction baroque.

DELLA ROBBIA. ♦ Famille de sculpteurs florentins dont le nom est associé à la technique de la terre cuite vernissée. ♦ LUCA (Florence, v. 1400 – *id.,* 1482). Fondateur de l'atelier familial, il fut d'abord l'un des principaux sculpteurs sur marbre de la première Renaissance et Alberti* le cite *(Della Pittura)* parmi les grands novateurs du siècle, avec Brunelleschi*, Masaccio*, Donatello* et Ghiberti*. Dans la fameuse *cantoria* (« Tribune des chantres », 1431-1438) qu'il réalisa pour le dôme de Florence, il s'inspira des sarcophages romains par la qualité de la composition et le traitement du relief. D'une finition parfaite, cette œuvre représentant un cortège d'anges musiciens allie la justesse des attitudes à l'expression de la spiritualité. Luca inventa vers l'âge de quarante ans la terre cuite vernissée et son atelier en produisit une quantité quasi industrielle pour satisfaire à une demande très ample (personnages blancs sur fond bleu : *Ascension, Résurrection,* dôme de Florence; médaillons polychromes décorant la *chapelle des Pazzi,* de Brunelleschi). ♦ ANDREA (Florence, 1435 – *id.,* 1525). Il succéda à son oncle et maître, Luca, à la direction de l'atelier familial et réalisa un grand nombre de terres cuites vernissées. Sa décoration de la façade de *l'hôpital des Innocents* construit à Florence par Brunelleschi (médaillons à fond bleu représentant en blanc des bébés emmaillotés) est son œuvre la plus célèbre. Il exécuta plusieurs reliefs polychromes destinés à décorer des églises dans diverses villes italiennes et ses œuvres acquirent rapidement la notoriété dans toute l'Italie (*Santa Maria degli Angeli,* Assise; *Santa Maria degli Angeli,* La Verna; *San Bernardino,* L'Aquila; *Santa Chiara,* Borgo San Sepolcro). ♦ GIOVANNI (Florence, 1469 – *id.,* 1529). Fils et élève d'Andrea, il donna à ses terres cuites un caractère plus pictural que sculptural (*lavabo* de la sacristie de *Santa Maria Novella,* Florence). ♦ GIROLAMO (Florence, 1488 – en France, 1566). Frère de Giovanni, il collabora avec son père et son frère et s'installa ensuite en France où il décora le château de Madrid près de Paris (v. 1527-1547). Lors d'un second séjour (1559-1566), il exécuta des terres cuites pour le château de Fontainebleau et contribua ainsi à élargir la diffusion de la formule de l'atelier familial.

DELLE. ♦ Ch.-l. de cant. du Territoire de Belfort. 6 134 hab. *(Dellois).* Église (XVIe-XVIIIe s.). – Métallurgie (alliages légers). Indus. mécaniques et chimiques. Matériel électroménager. – La ville fut réunie à la France en 1652.

DELLUC (Louis). ♦ Écrivain et réalisateur français de cinéma (Cadouin, 1890 – Paris, 1924). Premier théoricien de la dramaturgie cinématographique, il peut être aussi considéré comme le fondateur de la critique indépendante et des ciné-clubs. Animateur de la première avant-garde du cinéma français, il exerça une influence profonde sur Abel Gance, Marcel l'Herbier, Germaine Dulac et Jean Epstein. Scénariste et réalisateur (*Fièvre,* 1922; *La Femme de nulle part,* 1924), il a aussi publié des romans et de nombreux articles inspirés par le cinéma.

DELLY. ♦ Pseudonyme de JEANNE (Avignon, 1875 – Versailles, 1947) et FRÉDÉRIC (Vannes, 1875 – Versailles, 1949) PETITJEAN DE LA ROSIÈRE. Ils composèrent en collaboration de très nombreux romans sentimentaux qui connurent un succès populaire considérable; romanesques, pleins de péripéties conclues de façon heureuse, les plus appréciés de ces ouvrages furent *Entre deux âmes* (1913), *Le Maître du silence* (1918), *Mitsi* (1921) et *Cœurs ennemis* (1928).

DELLYS [delis]. ♦ V. et port d'Algérie (dép. de Tizi-Ouzou) sur la côte de la Grande Kabylie*. 21 600 hab. Station touristique.

DELME. ♦ Ch.-l. de cant. de la Moselle, arr. de Château-Salins. 631 hab. Matières plastiques. ♦ *Hist.* Delme fut le siège de combats en 1914.

DELMENHORST. ♦ V. d'Allemagne nord-occidentale (Basse-Saxe), à l'O. de Brême, sur la Delme, affl. de la Weser. 64 000 hab. Textiles (jute), indus. mécaniques, chimie, linoléums, produits alimentaires.

DELMET (Paul). ♦ Compositeur français (Paris, 1862 – *id.,* 1904). Élève de Massenet, il fut au cabaret du Chat-Noir, à Montmartre, puis au Quartier latin, l'interprète de ses propres œuvres. Sur des paroles de M. Vaucaire, M. Boukay, J. Madeleine et G. d'Esparbès, elles se caractérisent par une charmante simplicité d'inspiration et une mélancolie discrète. De ses plus grands succès on retiendra *La Petite Église, L'Étoile d'amour, Envoi de fleurs, Stances à Manon.*

DELONCLE (Eugène). ♦ Homme politique français (Brest, 1890 – Paris, 1944). Polytechnicien, il adhéra d'abord à l'Action française, puis fonda en 1935 le *Comité secret d'action révolutionnaire* (C.S.A.R., surnommé la Cagoule), anticommuniste et antirépublicain, et, en 1940, le *Mouvement social révolutionnaire,* de tendance fasciste. Il fut assassiné (avec son fils) par la Gestapo, sans doute en raison de ses relations avec certains éléments anti-nazis de l'Abwehr.

DELORME ou **DE L'ORME (Philibert).** ♦ Architecte, dessinateur et théoricien français (Lyon, v. 1510 ou 1515 – Paris, v. 1570). Fils d'un maître maçon, il poursuivit sa formation en Italie où il rencontra probablement Peruzzi*, Sangallo* et Serlio*, se passionnant pour les monuments antiques dont il fit de nombreux relevés. En 1536, il édifia à Lyon pour le trésorier Bullioud une galerie soutenue par des trompes où se déploie déjà son savoir-faire stéréotomique. Il construisit ensuite le *château de Saint-Maur-des-Fossés* (1541-1544, détruit). Il obtint la faveur de Henri II et fut chargé de l'inspection des bâtiments royaux et de travaux de fortifications (1547). Il conçut le *tombeau de François Ier* à Saint-Denis en s'inspirant des modèles de la Renaissance italienne. Il réalisa de nombreux travaux aux *châteaux de Fontainebleau, Chenonceaux, Villers-Cotterêts,* etc. Surtout, il éleva pour Diane de Poitiers le *château d'Anet** (1545-1555, en partie conservé). Il y assimila les formules italiennes (superposition des trois ordres dans le portique), faisant souvent preuve de tendances maniéristes (choix du décor et jeu subtil des rapports de masses au portail principal) et affirmant une volonté de synthèse entre les traditions françaises et les thèmes italiens (façade de la chapelle). Tombé en disgrâce à la mort de Henri II, il rédigea les *Nouvelles Inventions pour bien bâtir à petits frais* (1561) et le premier volume d'une *Architecture.* Chargé par Catherine de Médicis de la construction du *château des Tuileries** (1564 à 1567), il fournit un plan grandiose dont seul le corps central fut élevé. Marqué par l'idéal de la Renaissance italienne et désireux de l'adapter à l'esprit français, il joua un rôle important comme théoricien et contribua à modifier la fonction et le statut social de l'architecte.

DE LORME ou **DELORME (Marion).** ♦ **V.** LORME (Marion de).

DÉLOS. ♦ Île de la Grèce, la plus petite des Cyclades*. Centre religieux dès le ~ XIVe s. et surtout après sa colonisation par les Ioniens de l'Attique (~ Xe s.) qui introduisirent le culte d'Apollon*, d'Artémis* et de leur mère Léto*, elle prit une place importante dans l'histoire grecque. L'Amphictyonie* délienne des Ioniens insulaires (~ VIIe s.) attira l'intérêt d'Athènes* qui lui imposa son hégémonie (~ VIe s.). L'île rassemblait déjà le monde ionien pendant les fêtes d'Apollon (Délia) et devenait un grand centre commercial. Après les guerres Médiques (~ 477), Athènes y installa le siège de sa première confédération maritime **(V. Aristide, Cimon),** mais en ~ 454 ôta de Délos le trésor de la ligue et étendit son protectorat sur ses alliés. Les accouchements et les enterrements furent interdits dans l'île qui fut ainsi « purifiée » (~ 426). Dans l'orbite athénienne jusqu'en ~ 315, indépendante ensuite et centre d'une confédération insulaire, cédée enfin à Athènes par les Romains en ~ 166, l'île connut une prospérité accrue en devenant entrepôt international et centre cosmopolite. Conquise et pillée en ~ 88 par Mithridate, puis par les pirates, Délos déclina de plus en plus. Les ravages causés par les Byzantins, les Slaves et les Arabes (VIIe-VIIIe s.) achevèrent son effondrement. — Les fouilles de l'École française d'Athènes, commencées en 1873, puis dirigées par Th. Homolle*, ont mis à jour un des ensembles archéologiques les plus importants de la Grèce : le *Hiéron* d'Apollon entouré de portiques, les agoras (marchés), les monuments entourant le lac Sacré (allée des Lions, etc.), les sanctuaires du mont Cynthe (Zeus, Athéna, dieux égyptiens et syriens), le port marchand, le théâtre et son quartier hellénistique, la nécropole dans l'île voisine Rhénée (grande Délos). Le musée renferme un sphinx archaïque, des statues (*couroi* et *corés, Artémis, muses, têtes de Gaulois*), des bas-reliefs, des vases.

DELPHES, en gr. **Delphoi**. ♦ V. de l'anc. Grèce, en Phocide*, sur la pente S.-O. du Parnasse*, qui abritait le grand temple d'Apollon* et le plus célèbre de ses oracles. Le sanctuaire, fondé au ~ VIIe s. à l'emplacement d'un ancien oracle, lieu mythique où le dieu avait tué le serpent Python*, attirait des pèlerins de toute la Grèce, recevait de riches présents et gardait en dépôt, sous la protection du dieu, les trésors de plusieurs villes. On demandait des conseils à l'oracle avant d'entreprendre des guerres, des expéditions de colonisation, pour des affaires politiques, etc. Les prêtres interprétaient les cris de la pythie* et rédigeaient les réponses du dieu, souvent d'une ambiguïté proverbiale. Les Jeux Pythiques y avaient lieu tous les quatre ans. Selon la légende, Ésope* y aurait été mis à mort pour avoir raillé les prêtres. Plutarque* fit partie du collège sacerdotal. La ville joua un rôle très important dans les affaires grecques. Centre de la plus puissante Amphictyonie* qui déclencha les guerres Sacrées*, elle sollicita la protection de Philippe* II (~ 346) et aida ainsi la domination macédonienne. L'oracle favorisa par opportunisme l'invasion perse en essayant de décourager les Grecs par des prophéties défaitistes, qu'il réfuta après la victoire grecque à Salamine, en diffusant des oracles antidatés. La ville fut livrée au pillage pendant la guerre Sacrée de ~ 356-~ 346, elle repoussa les envahisseurs celtes en ~ 279 et les Gaulois en ~ 109, mais les Romains (Sylla, Néron, Constantin le Grand) dépouillèrent le sanctuaire. — Fouillé par l'École française d'Athènes, à partir de 1892, sous la direction de Th. Homolle*, le site archéologique de Delphes est un des plus impressionnants de la Grèce : temples d'Apollon et d'Athéna, théâtre, stade, trésors de plusieurs cités, dont Athènes et Marseille, nécropole, fontaine Castalia*, etc. Le musée contient un grand nombre d'œuvres de sculpture (dont le fameux *Aurige**) et de céramique, des fragments architecturaux et une collection épigraphique.

Delphine. ♦ Roman épistolaire de Mme de Staël* (1802), qui apparaît comme une des premières biographies féminines de la littérature française et oppose l'enthousiasme de la passion aux contraintes sociales.

DEL SARTO (Andrea). ♦ Peintre italien (Florence, 1486 — *id.,* 1530). Après un apprentissage chez un orfèvre, il devint l'élève de Piero* di Cosimo. Influencé par Léonard* et Raphaël*, il fut, avec Fra Bartolomeo*, le grand représentant du classicisme florentin de la haute Renaissance. Il commença par décorer l'entrée de l'Annunziata à Florence en illustrant la *Vie de saint Philippe Benizzi* (v. 1510); ces scènes montrent de vastes espaces escarpés rappelant l'enseignement de Piero di Cosimo. Par la suite, il peignit en grisaille la *Vie de saint Jean-Baptiste* dans le cloître du Scalzo (Florence, 1512-1526); ces œuvres monochromes enrichies par un décor fantaisiste révèlent un goût plus intimiste que dramatique. Dans son *Tribut à César* (sale de la villa de *Poggio a Caiano,* 1521), terminé par Allori* (1582), il ouvrit la voie au maniérisme florentin en insistant sur l'expression des sentiments et en déployant un décor monumental. Certains de ses tableaux de chevalet s'inspirent des manières de Léonard (*Annonciation,* 1514, Pitti, Florence), de Raphaël (*Sainte Famille,* Louvre) et de Fra Bartolomeo (*Madone aux harpies,* Offices). Il exécuta enfin plusieurs portraits exprimant une douceur et une pudeur toutes délicates (*Portrait de femme,* Offices; *Portrait de Lucrezia del Fede,* femme du peintre, Prado).

Delta *(plan).* ♦ Plan d'aménagement entrepris aux Pays-Bas après la catastrophe de 1953 où 140 000 ha de terres furent envahis par la mer en Zélande et en Hollande méridionale. Le ministère de l'Eau (Waterstaat) mit alors en œuvre un plan dont l'objectif est la fermeture de quatre bras de mer permettant de gagner 170 000 ha de terres **(V. Zélande).** On prévoit aussi la fermeture du Lauwerszee, à l'extrême N. du pays, par une digue de 13 km.

DELTEIL (Joseph). ♦ Écrivain français (Villar-en-Val, Aude, 1894). Éphémère compagnon de route des surréalistes devenu après la publication de quelques-uns de ses ouvrages l'une des figures les plus originales des milieux littéraires de la capitale, il quitta Paris (1930) pour une retraite champêtre, au cœur des vignes du Languedoc. Un attachant et singulier mélange d'érotisme raffiné et de spiritualité franciscaine caractérise son œuvre, qui est celle d'un poète amoureux de toutes les formes de la vie, épris de liberté, et que désespère l'inhumanité de l'âge moderne. Maître d'un style savoureux, d'une riche diversité de ton, tour à tour réaliste, lyrique et épique, Delteil a publié (1961) ses *Œuvres complètes (Sur le fleuve Amour, Choléra, Jeanne d'Arc, Saint Don Juan, Jésus II, François d'Assise)* et une truculente autobiographie, *La Deltheillerie* (1968).

DELVAUX (Paul). ♦ Peintre, dessinateur et graveur belge (Antheit, près de Huy, 1897). Après des études d'architecture et de peinture à Bruxelles, il débuta dans un style néo-impressionniste, puis manifesta des tendances expressionnistes. Vers 1935, il eut la révélation des œuvres de De* Chirico et de Magritte* et représenta alors avec une facture très traditionnelle, minutieusement réaliste, des scènes de caractère onirique et érotique où réapparaît de façon obsessionnelle le même type de femme nue placée le plus souvent dans un décor d'architecture néo-classique (palais, temple, colonnade, jardin) ou plus prosaïque (salle de gare, intérieur bourgeois). Sans adhérer au surréalisme, il a fortement contribué à l'élaboration de son iconographie par ses figurations aux rapprochements improbables, si ce n'est dans le déroulement du rêve (*La Ville endormie,* 1938; *Train de nuit,* 1947). Il a aussi traité quelques thèmes religieux aux accents fantastiques (série de squelettes, 1939-1944) et est l'auteur de vastes décorations murales ainsi que d'aquarelles, dessins et lithographies moins académiques, de facture plus libre d'où émane une impression de mystère et de dépaysement.

DELVIG (Anton Antonovitch) [delvig]. ♦ Poète russe (Moscou, 1798 — Saint-Pétersbourg, 1831). Ami de Pouchkine*, il fut membre de l'Arzamas. Auteur de poèmes et d'épigrammes, *Les Femmes au bain,* il édita le recueil annuel des poètes : *Fleurs nordiques* (1825-1831), puis une gazette littéraire.

DELVINCOURT (Claude). ♦ Compositeur français (Paris, 1888 — Ortebello, 1954). Premier grand prix de Rome (1913), il fut directeur du conservatoire de Paris (1941) où il fonda, durant l'Occupation, l'orchestre des *Cadets* pour sauver ses élèves d'une déportation en Allemagne. Il y entreprit aussi une modernisation de l'enseignement. Élégante et spirituelle, son œuvre, parente de celles de Chabrier et de Ravel, comprend des pièces pour piano, de la musique chorale et de chambre, des mélodies (*Quatre Chansons de*

Ph. Carlo Bevilacqua/Ricciarini

Andrea del Sarto : « Vierge, Enfant, Saint et Ange ». (Musée du Prado, Madrid.)

Clément Marot), des ouvrages sur le théâtre *(Le Bal vénitien, La Femme à barbe)* et un oratorio dramatique *(Lucifer)*.

DÉMADE, en gr. **Dêmadês**. ♦ Orateur et homme politique athénien (~ 384 – v. ~ 320). Devenu chef du parti macédonien grâce à son éloquence et à la faveur de Philippe, il demanda la mort de Démosthène* et de ses amis (~ 322). Deux ans plus tard, il trahit Antipatros et fut mis à mort par Cassandre*. Fameux pour sa fougue et sa brutalité oratoire, il ne laissa pas d'écrits.

DEMANGEON (Albert). ♦ Géographe français (Gaillon, Eure, 1872 – Paris, 1940). Il collabora à la *Géographie universelle* de Vidal* de La Blache et se spécialisa surtout en géographie humaine (Articles réunis après sa mort : *Problèmes de géographie humaine*, 1952; *La France économique et humaine*, 1946-1948, etc.).

DÉMARATE, en lat. **Demaratus**. ♦ Aristocrate exilé de Corinthe* (~ VIIe s.) qui s'installa à Tarquinies (Étrurie). Personnage à demi légendaire, il serait le père de Tarquin* l'Ancien qui régna à Rome.

DÉMARATE, en gr. **Dêmaratos**. ♦ Roi de Sparte (~ 520 – ~ 491). Détrôné par Cléomène* Ier, il se retira à Pergame. Il avertit les Grecs de l'expédition de Xerxès et fut mis à mort.

DEMÂVEND ou **DAMÂVEND**. *n. m.* ♦ Volcan éteint formant le point culminant de l'Elburz*, en Iran. 5 671 mètres.

DÉMER. *n. m.* ♦ Riv. de Belgique, affl. de la Dyle (95 km). Elle arrose Aarschot.

DÉMÉTER [*Dêmêter*]. ♦ Déesse grecque de la terre cultivée, identifiée avec *Cérès** par les Romains. Fille de Cronos* et de Rhéa*, elle occupe une grande place dans la religion grecque : elle apporte le blé, symbole de la civilisation, et assure l'abondance des récoltes; par le mythe expliquant le retour des saisons, son culte est attaché à l'espérance de la vie éternelle. Affligée de l'enlèvement de Coré ou Perséphone*, fille qu'elle eut de Zeus*, la déesse parcourt la Terre, puis, prenant la forme d'une vieille femme, elle entre au service du roi d'Éleusis*, comme nourrice, tandis que la terre devient stérile. Elle n'accepte de reprendre sa fonction divine qu'après le compromis imposé par Zeus à Hadès*, le ravisseur : Perséphone restera désormais trois mois avec lui et le reste de l'année avec sa mère. Les « deux déesses », en reconnaissance, confient l'épi de blé à Triptolème*, prince éleusinien, qui part dans le monde, diffusant partout sa culture. Les *Éleusinies* et les *Thesmophories* sont les fêtes les plus connues du culte de la déesse. L'initiation aux *Mystères d'Éleusis* tendait à identifier le fidèle à l'enfant divin qui échappe à la mort. D'autres légendes lui donnent comme fils Ploutos* (« la Richesse ») et le coursier Areion, né de son union involontaire avec Poséidon*.

DÉMÉTRIOS. ♦ Nom de plusieurs rois Séleucides* de Syrie. ♦ DÉMÉTRIOS Ier SÔTER [« Sauveur »] (~ 162-~ 149). Il combattit les Maccabées **(V. Maccabée)** et les Juifs, mais il fut vaincu et tué par Alexandre* Ier Balas. ♦ DÉMÉTRIOS II NIKATOR [« Vainqueur »] (~ 144-~ 125). Fils du précédent, il renversa l'usurpateur Alexandre* Balas mais fut détrôné par Alexandre* Zabinas. **V. Rodogune.** ♦ DÉMÉTRIOS III. Roi de Syrie de ~ 95 à ~ 88.

DÉMÉTRIOS de PHALÈRE. ♦ Homme d'État et orateur athénien (v. ~ 350 – v. ~ 283). Élève de Théophraste*, il adhéra au parti macédonien et gouverna Athènes au nom de Cassandre*. Son gouvernement fut sage et constructif. Réfugié en Égypte après la libération d'Athènes par Démétrios* Ier Poliorcète, il fut l'instigateur de la fondation de la bibliothèque d'Alexandrie* par Ptolémée* Sôter. – Ses œuvres sont perdues. Il est considéré comme le dernier épigone de la grande éloquence attique, qui s'éclipse avec la disparition de la démocratie athénienne. Il recueillit les *Fables* d'Ésope*

DÉMÉTRIOS Ier Poliorcète [« Preneur des villes »]. ♦ (V. ~ 336 – ~ 283). Roi de Macédoine (~ 294-~ 288) fils d'Antigonos* Monophthalmos. Il vainquit Cassandre* aux Thermopyles, chassa d'Athènes Démétrios* de Phalère (~ 307) et après quelques victoires à Chypre* il fut vaincu à Ipsos* (~ 301). Après la mort de Cassandre il s'empara du trône, reconquit une partie de la Grèce, mais il fut battu en Asie Mineure par Séleucos* Ier et mourut prisonnier. Sa fille Stratonice* épousa Séleucos Ier.

DÉMEUNIER ou **DESMEUNIER (Jean-Nicolas)**. ♦ Homme politique français (Nozeroi, Franche-Comté, 1751 –? 1814). Député aux États généraux (1789), il siégea à gauche à l'Assemblée constituante et contribua à lui faire adopter l'institution de la Cour de cassation. En même temps que progressaient les idées républicaines, Démeunier se rapprochait de la cour. En 1792, il émigrait aux États-Unis. De retour en France en 1797, il fut tribun (1800) puis sénateur (1802). Outre de nombreuses traductions d'œuvres anglaises, il a laissé un *Essai sur les États-Unis* (1786) et un ouvrage sur *L'Amérique indépendante* (1790).

DEMIDOV. ♦ Famille russe, issue de NIKITA DEMIDOV (1656 – 1725). Simple forgeron, puis armurier à Toula, Nikita établit à Néviansk (Sibérie) d'importantes fonderies pour la fabrication des canons (1699) et fut anobli par Pierre* le Grand en 1720. Son fils AKINFI (1688 – 1745) créa des établissements métallurgiques dans la région de l'Oural, obtint le titre de conseiller et laissa une fortune colossale.

DE MILLE (Cecil Blount). ♦ Réalisateur américain de cinéma (Ashfield, Mass., 1881 – Hollywood, 1959). Il se consacra d'abord au théâtre avant de fonder avec Jesse Lasky et Samuel Goldwyn la « Jesse Lasky Feature Play » (1913), future société Paramount. Spécialiste des mises en scène à grand spectacle, habile manieur de foules, ce pionnier du cinéma américain a réalisé plus de

Coll. Rui Nogueira

Cecil B. De Mille (à droite).

150 films. Son œuvre livre pêle-mêle à un public nombreux le grandiose et le puéril. Interprète souvent inspiré de l'histoire biblique : « Les Dix Commandements » (*The Ten Commandments,* 1923 et 1956), « Le Roi des rois » (*The King of kings,* 1927), « Le Signe de la Croix » (*The Sign of Cross,* 1932), « Samson et Dalila » *(Samson and Delilah,* 1949), il mit en scène des comédies de mœurs (« Forfaiture », *The Cheat,* 1915) et des westerns (« Pacific Express », *Union Express,* 1939).

Démocrate *(Parti)*, en angl. **Democratic Party**. ♦ Nom de l'un des deux grands partis politiques des États-Unis d'Amérique. Né en 1830 sous l'influence d'Andrew Jackson*, le parti démocrate reprit la tradition des républicains de T. Jefferson*, essentiellement libre-échangiste et défiante envers le pouvoir fédéral. Recruté au départ parmi la population pauvre de l'ouest et les nouveaux émigrés, il rassembla progressivement les suffrages sudistes, ce qui l'empêcha d'acquérir une homogénéité. Après la guerre de Sécession, il fut éclipsé par le dynamisme du jeune parti républicain* et ce n'est que sous l'influence de Woodrow Wilson* qu'il devint le véritable mouvement réformateur des États-Unis. F.D. Roosevelt* et J.F. Kennedy*, en consolidant le pouvoir central et par leur interventionnisme lors de la Deuxième Guerre* mondiale, puis en Extrême-Orient **(V. Viêt-nam** [*guerre du*]), lui assurèrent un prestige qui tenait beaucoup à leur ascendant personnel. L.B. Johnson* ne put le soutenir et H. Humphrey* fut battu aux élections par le républicain Nixon* en 1968.

DÉMOCRITE, en gr. **Dêmokritos**. ♦ Philosophe grec atomiste (Abdère, Thrace, v. ~ 460 – v. ~ 370). On manque de renseignements sur sa vie (il aurait été un grand voyageur), comme sur son œuvre abondante qui fut presque totalement détruite. Il précisa et développa la théorie atomiste de Leucippe*, première physique franchement matérialiste qui exclut l'intervention des dieux dans son explication de l'univers. Elle affirme que les qualités sensibles (couleur, odeur, etc.) sont purement subjectives et que les vrais principes des choses sont le vide et les atomes, particules insécables, éternelles dont les propriétés sont la grandeur, la forme et le mouvement. Cette physique s'accompagne chez Démocrite d'une morale qui prescrit à l'homme la modération dans ses désirs. Platon aurait été violemment hostile à sa philosophie.

DEMOISELLES *(grotte des)*. ♦ Grotte de l'Hérault dominant la vallée de l'Hérault. Anc. aven bouché, orné de stalactites et de stalagmites. Elle servit de refuge aux protestants pendant la guerre des Camisards.

DEMOLDER (Eugène). ♦ Écrivain belge d'expression française (Molenbeck, 1862 – Essonnes, 1919), qui s'établit en France en 1895. Parallèlement à sa carrière d'avocat et de juge, il s'intéressa à la critique d'art, rédigeant notamment une étude sur Félicien Rops*, son beau-père. Son intérêt pour la peinture orienta également son œuvre romanesque : après avoir opéré des « transpositions d'art » dans les *Contes d'Yperdamme* (1891), véritables tableaux flamands ou hollandais, il s'inspira des peintres du XVIIIe s. pour écrire *Le Jardinier de la Pompadour* (1904) et des toiles de James Ensor* pour composer *Sous la robe* (1897). Il évoqua à nouveau la lumière de la Hollande dans un roman historique, *La Route d'émeraude* (1899) qui présente la vie d'un jeune peintre à l'époque de Rembrandt.

DE MORGAN (Augustus). ♦ Mathématicien et logicien anglais (Madura, Inde, 1806 — Londres, 1871). Il fut le premier à manifester le double souci de présenter la logique sous une forme mathématique tout en analysant sous l'angle logique l'ensemble des symboles, des opérations et des lois mathématiques (*Formal Logic*, 1847; *Trigonometry and Double Algebra*, 1849). **V. Boole.**

DÉMOSTHÈNE, en gr. **Dêmosthenês.** ♦ Orateur et homme politique athénien (~ 384 — ~ 322). Élève d'Isée*, il dut soutenir une série de procès contre ses tuteurs, dilapidateurs de sa fortune. D'après la légende, desservi par une difficulté d'élocution, il l'aurait surmontée à force d'un dur entraînement (en se forçant à parler, dit la tradition, avec des cailloux dans la bouche). Logographe de métier, il eut, dès ~ 355, à plaider pour une plus stricte gestion des finances de l'État *(Sur la loi de Leptine)*. Sa vocation politique l'amena vite à la tribune de l'assemblée : *Sur les Symmories, Pour les Mégalopolitains*. Dénonçant le danger barbare, ainsi que les ambitions de Sparte, il se fit l'apologiste de la démocratie. Mais c'est son opposition passionnée à l'expansion macédonienne qui détermina sa carrière de grand orateur et de chef du parti patriotique. Les trois *Philippiques** (~ 351-~ 341), les trois *Olynthiennes**, les discours *Sur la paix* et *Sur les affaires de Chersonèse** illustrent sa politique, en général intransigeante. Même la défaite de Chéronée (~ 338), effet de cette politique, ne put le déconsidérer auprès de ses concitoyens, si grands étaient son prestige et sa force de persuasion. Ayant participé aux négociations de la paix de ~ 346 avec Philippe* II, il accusa Eschine* de trahison, dans son discours *De la fausse ambassade*. Ctésiphon ayant proposé de le récompenser des services rendus à l'État par une couronne d'or, Eschine fit procès à l'auteur de cette proposition. Démosthène gagna et la cause de Ctésiphon et la sienne par son discours *Sur la couronne**. Impliqué dans le scandale financier d'Harpale* (~ 324) et condamné à payer une amende qu'il ne put acquitter il dut s'exiler, puis, un an plus tard, regagna Athènes. Mais après l'échec de la révolte contre les Macédoniens, condamné à mort et chassé par les mercenaires d'Antipatros*, il se réfugia dans l'île de Calaurie et s'empoisonna dans le temple de Poséidon. — Le discours de Démosthène marque l'apogée de l'éloquence attique, qui, sortie des écoles de la rhétorique, s'épanouit avec la démocratie athénienne et périt avec elle. La confrontation de deux partis de grands orateurs, celui de Démosthène avec Hypéride* et Lycurgue*, celui d'Eschine* avec Dinarque* et Démade*, est l'illustration la plus grandiose du déchirement grec. Le nom de Démosthène devint synonyme de l'éloquence et la *philippique* celui du discours belliqueux. Nourri de Thucydide*, il est inégalé dans l'art d'associer les grandes idées à l'actualité. La véhémence et l'imagination, le raisonnement minutieux et le pathétique, la vigueur et la sensibilité sont savamment entrelacés dans ses harangues. Placé au sommet de l'éloquence grecque par Cicéron*, et même de la prose par Denys* d'Halicarnasse, Démosthène détient le sceptre de la grande rhétorique.

DEMPSEY (William HARRISON, dit Jack). ♦ Boxeur américain (Manassa, Colorado, 1895). Champion du monde des poids lourds de 1919 à 1926. Remarquablement combatif, il devait son efficacité à la rapidité de ses déplacements, à sa position basse et stable et à une puissance naturelle qui lui permettait de conclure souvent ses combats par le knock-out; ce style de boxe, peu scientifique, mais spectaculaire, eut de nombreux imitateurs. Le 2 juillet 1921, le Français Georges Carpentier lui disputa son titre de champion du monde à Jersey City et fut vaincu par knock-out à la 4e reprise. Dempsey perdit son titre face à Tunney en 1926.

Ph. de Gregorio/Ricciarini
Démocrite et Héraclite, par Bramante. (La Brera, Milan.)

DEMUTH (Charles). ♦ Peintre et dessinateur américain (Lancaster, Pennsylvanie, 1883 — *id.*, 1936). Il fit plusieurs voyages en Europe entre 1907 et 1913. De retour aux États-Unis, il fréquenta les artistes réunis autour du photographe Stieglitz et du collectionneur Arensberg. Il illustra des livres (de James, Zola, E. Poe), exécuta aussi des séries d'aquarelles (natures mortes, fleurs, fruits, scènes de cirque) caractérisées par la liberté de facture, la finesse du trait et une gamme fluide aux harmonies originales. Sous l'influence du cubisme de Léger*, stimulé aussi par les œuvres de Picabia*, Man Ray* et Duchamp*, il aborda des thèmes industriels, des mécanismes, cherchant à dégager leurs qualités plastiques spécifiques, en leur donnant un aspect d'épures qui met en valeur leur structure géométrique. Ces motifs devenant le prétexte à un jeu de lignes et de plans colorés, souvent prismatiques, qui s'apparentent parfois aux œuvres de Feininger* et Sheeler (*Machinerie*, 1920).

DENAIN. ♦ Ch.-l. de cant. du Nord* (arr. de Valenciennes*), port sur l'Escaut*. 27 988 hab. *(Denaisiens)*. Houille. Important centre sidérurgique relié par canal au complexe de Dunkerque : laminoirs, hauts fourneaux, indus. métallurgique, constructions mécaniques, locomotives. Verrerie. Brasserie, minoterie. Cartonnage. ♦ *Hist.* Le 24 juillet 1712, Villars* y remporta la victoire sur les Austro-Hollandais commandés par le prince Eugène*, au cours de la guerre de Succession* d'Espagne.

DENAYROUZE (Louis). ♦ Ingénieur et écrivain français (né à Espalion, 1848). Il réalisa, avec Rouquayrol, le premier scaphandre autonome (1865). **V. Le Prieur.**

DENBIGH, en gallois **Dinbych.** ♦ V. du N.-O. du pays de Galles, ch.-l. du Denbighshire. 8 060 hab. (1961). Ruines d'une forteresse de la fin du XIIIe siècle.

DENBIGHSHIRE. *n. m.*, en gallois **Sir Ddinbych.** ♦ Comté du N.-O. du pays de Galles. 1 732 km². 173 850 hab. (1961). *Ch.-l.* Denbigh*. *V. princ.* : **V. Colwyn Bay, Wrexham.** L'économie repose sur l'élevage laitier, l'exploitation de la houille (Wrexham) et le tourisme (vallée de la Dee).

DENDÉRAH, en égypt. **Iounit Tentôre**, en gr. **Tentyris.** ♦ Site archéologique de Haute-Égypte, à 60 km au N. de Louxor*, sur la r. g. du Nil, en face de Qénâ. Ville très ancienne, capitale du 6e nome de Haute-Égypte, elle était consacrée à la déesse Hathor*. Le temple d'Hathor est un des mieux conservés d'Égypte avec ceux d'Edfou* et de Philae*. Mis en chantier sous les derniers Ptolémée* et achevé à l'époque romaine, il repose sur des fondations beaucoup plus anciennes. Dans la chapelle où se déroulait chaque année le cérémonial de l' « union au disque » lors des fêtes du Commencement de l'An, on a retrouvé la carte du ciel, des constellations et des décans que l'on connaît sous le nom de *zodiaque* et qui se trouve actuellement à Paris au musée du Louvre.

DENDERHOUTEM. ♦ V. de Belgique (Flandre-Orientale, arr. d'Aalst) dans la vallée de la Dendre*. 5 000 hab. Église du XIe siècle. — Indus. textile.

DENDERLEEUW. ♦ V. de Belgique (Flandre-Orientale, arr. d'Aalst). 9 600 hab. Indus. alimentaire (conserverie), chimique et textile. Briqueterie.

DENDRE. *n. f.*, en néerl. **Dender.** ♦ Riv. de Belgique (65 km), affl. de l'Escaut (r. d.). Voie navigable arrosant Alost.

DENEB. ♦ Nom donné à l'étoile αCygne*. Magnitude 1,3; type spectral A 2; distance 600 années-lumière.

DENEKAMP. ♦ V. des Pays-Bas (Overijssel). 10 725 habitants.

DENFERT-ROCHEREAU (Pierre Philippe). ♦ Officier français (Saint-Maixent, 1823 — Versailles, 1878). Sorti de Polytechnique, il se distingua lors de l'expédition de Rome (1849), puis participa à la guerre de Crimée (1855) et servit en Algérie (1860-1864). Gouverneur de la place de Belfort* (1870), il opposa aux troupes prussiennes une résistance de plus de trois mois (nov. 1870-février 1871) qui lui valut les honneurs de la guerre et permit à la France de conserver la ville. Député à l'Assemblée nationale, il siégea à gauche et soutint la politique de Gambetta.

DENGYÔ DAISHI. ♦ Titre posthume du religieux bouddhiste japonais Saichô (Kyôto, 767 — 822) qui rapporta de Chine en 805 les éléments d'une nouvelle secte bouddhique, celle du Tendai, qui eut une grande influence sur la civilisation japonaise. **V. Hiei-Zan.**

DEN HAAG. ♦ **V.** HAYE (La).

DENHAM (Dixon). ♦ Voyageur anglais (Londres, 1786 — Freetown, Sierra Leone, 1828). Avec Clapperton* et le naturaliste Oudney*, il partit de Tripoli pour une expédition en Afrique centrale, découvrit le lac Tchad*, explora les cours du Chari et du Logone et atteignit la capitale du Bornou (Kouka) [1822-1823]. Il fut ensuite nommé gouverneur en Sierra Leone.

DENIKER (Joseph). ♦ Naturaliste et anthropologue français (Astrakhan, 1852 — Paris, 1918). Il est connu par ses travaux d'anthropologie et d'ethnologie sur les peuples d'Asie.

DENIKINE (Anton Ivanovitch). ♦ Général russe (près de Varsovie, 1872 — Ann Arbor, Michigan, 1947). Fils d'un serf affranchi, il prit part à la guerre russo-japonaise, puis devint commandant d'un corps d'armée et se distingua sur le front austro-hongrois. Arrêté après la révolution d'Octobre, il fut libéré en nov. 1917 avec Kornilov* par Doukhonine, dernier généralissime de l'armée russe. Il eut Milioukov* pour conseiller politique. Ayant gagné le territoire des Cosaques du Don, il organisa l'« Armée volontaire » anticommuniste avec Kornilov, qui en assuma le commandement. Après

Ph. Giraudon

Décapitation de **saint Denis.** Heures de François de Guise, 2e moitié du XIVe s. (Musée Condé, Chantilly.)

la mort de Kornilov, Dénikine prit la conduite des opérations. Son armée, bien équipée par les Alliés, occupa le Caucase du N., et en été 1919, s'empara de Kharkov et de Kiev, tandis qu'un de ses corps de cavalerie atteignait Orel (à 300 km de Moscou). Les révoltes des paysans et la résistance acharnée de l'armée rouge obligèrent Dénikine à se retirer vers le sud. En mars 1920, les débris de l'« armée volontaire » furent évacués de Novorossisk en Crimée. Découragé, Dénikine passa ses pouvoirs à Wrangel* et émigra en Europe occidentale (avr. 1920), puis (1945) aux États-Unis.

DENIS ou **DENYS** *(saint)*. ♦ Selon Grégoire de Tours, évangélisateur des Gaules et premier évêque de Paris (v. 250), martyr à Montmartre ou à Saint-Denis. Il était représenté avec l'attribut de son martyre, c'est-à-dire décapité, mais tenant sa tête dans ses mains, d'où la légende selon laquelle il l'aurait ramassée après sa décollation. On l'a souvent confondu avec Denys l'Aréopagite. Fête le 9 octobre.

DENIS Ier, en port. **Diniz.** ♦ (Lisbonne, 1261 – Odivelas, 1325). Roi de Portugal (1279-1325). Fils d'Alphonse* III, il développa l'agriculture (plantations de pins servant à construire la flotte portugaise), le commerce et l'industrie. Homme cultivé, il favorisa les lettres et les sciences, et fonda l'université de Lisbonne (1288) qu'il transféra à Coimbra* (1307). En 1310, il prit la défense des Templiers* qu'il reconstitua sous le nom d'*ordre du Christ* (1318).

DENIS (Maurice). ♦ Peintre, décorateur, dessinateur, graveur et écrivain français (Granville, 1870 – Saint-Germain-en-Laye, 1943). En 1888, il rencontra, à l'académie Julian, Sérusier* qui lui communiqua son admiration pour le synthétisme de Gauguin*; il se joignit alors au mouvement symboliste et devint le théoricien du groupe des Nabis. Ses œuvres (surtout des scènes familières de caractère intimiste) reflètent d'abord l'esthétique de l'Art Nouveau et du « japonisme » alors à la mode. Après deux voyages en Italie, en 1895 et 1897, où il subit l'influence de la peinture des Nazaréens et des fresquistes des XIVe et XVe s., il s'orienta plus nettement vers la peinture religieuse qu'il tenta de renouveler en prônant l'emploi des techniques modernes et le retour aux « primitifs ». En 1919, il fonda avec Desvallières les Ateliers d'art sacré. Il exécuta aussi de grandes décorations murales (*plafond du théâtre des Champs-Elysées,* 1912-1913), mais ne sut pas trouver les moyens plastiques correspondant à ses théories modernistes (*Théories,* 1912; *Nouvelles Théories sur l'art moderne et sur l'art sacré,* 1922).

DENIZLI, anc. **Laodicée***. ♦ V. de Turquie, en Asie Mineure, située au pied du Baba Dag. Ch.-l. de province, centre commercial (coton, céréales, tabac). 61 820 hab. – *Province (il) de Denizli :* 11 879 km^2. 463 100 hab.

DENJOY [dɑ̃ʒwa] **(Arnaud).** ♦ Mathématicien français (Auch, 1884 – Paris, 1974). Il étudia les ensembles analytiques, les nombres transfinis et la théorie des fonctions de variables réelles, il découvrit en 1912 le concept de *totalisation* (totalisations complète et simple), intégration plus puissante que celle de Lebesque*, et donna en 1921 le procédé d'intégration permettant le calcul des formules de Fourier*. (Acad. sc., 1942.)

DENNERY (Adolphe Philippe, dit). ♦ Auteur dramatique français (Paris, 1811 – *id.,* 1899). Son habileté à bâtir des intrigues ingénieuses, autant que sa fécondité, en ont fait l'un des maîtres du mélodrame (*Gaspard Hauser,* 1838; *Marie-Jeanne,* 1845; *Les Deux Orphelines,* 1874). Adaptateur de Jules Verne au théâtre (*Le Tour du monde en 80 jours,* 1875), il a composé aussi des livrets d'opéra (*Le Cid,* musique de Massenet, 1885).

DENNEWITZ. ♦ V. d'Allemagne orientale (Brandebourg, district de Leipzig). Bülow y remporta une victoire sur Ney (6 sept. 1813).

DENON (Dominique Vivant, *baron***).** ♦ Graveur, diplomate et administrateur français (Givry, 1747 – Paris, 1825). Il se consacra d'abord à la littérature, fut chargé de la conservation du Cabinet des médailles et pierres gravées par Louis XV. Il obtint sous Louis XVI diverses missions diplomatiques (en Russie, Suisse et Naples). Sous la Révolution, il fut protégé par David, puis il obtint la faveur de Bonaparte. Au cours de l'expédition d'Égypte, il fit le relevé de nombreux monuments (*Voyage dans la haute et basse Égypte,* 1802). Devenu directeur général des musées, il organisa le musée du Louvre et, au cours des campagnes napoléoniennes, sélectionnait les œuvres d'art pillées. Il pratiqua l'eau-forte et la lithographie, réalisant des copies de grands maîtres italiens et des portraits *(Voltaire à Ferney).* Il donna des dessins pour le *Voyage historique et pittoresque* de l'abbé de Saint-Non et grava le *Serment du Jeu de paume.* Il projetait d'écrire une histoire de l'art.

DENTZ (Henri-Fernand). ♦ Général français (Roanne, 1881 – prison de Fresnes, 1945). Gouverneur militaire de Paris en 1940, c'est à lui que revint la charge de remettre la ville aux autorités allemandes d'occupation après la signature de l'armistice (22 juin 1940). Nommé ensuite haut-commissaire et commandant supérieur des troupes du Levant (déc. 1940) il s'opposa (selon les ordres du gouvernement de Vichy) à l'entrée des troupes anglaises et françaises du général De Gaulle. Condamné à mort (1945), il vit sa peine commuée en travaux forcés à vie, et mourut en prison peu après.

DENVER. ♦ V. des États-Unis, cap. et V. princ. du Colorado*, située au pied des Rocheuses, à plus de 1 500 m d'altitude. 512 691 hab.; la zone urbaine compte 1 223 142 habitants. Denver est le centre urbain, commercial et financier le plus important de la région des Rocheuses. Indus. légères (caoutchouc, bagages, indus. alimentaires, imprimerie, électronique, etc.). Cinq lignes de chemin de fer. Important aérodrome international (Stapleton). – La région est sujette à des séismes. ♦ *Hist.* Fondée en 1858, la ville, capitale de l'État dès sa fondation, se développa après la découverte des mines d'or et d'argent dans la région **(V. Colorado).**

DENYS l'Ancien, en gr. **Dionusios.** ♦ Tyran de Syracuse* (~ 430 – ~ 367), père du suivant. Issu d'une famille pauvre, il conquit le pouvoir par la force du peuple, à qui il distribua les terres des riches. Sa longue lutte contre les Carthaginois eut pour résultat de les repousser à l'extrémité O. de la Sicile* et d'unir les villes grecques de l'île autour de Syracuse, qui devint une grande force maritime. Au début de la guerre du Péloponnèse, il fut l'allié de Sparte. Homme politique doué, il fut aussi fameux pour son manque de scrupules et pour sa suspicion. Il vivait enfermé derrière les murailles de son château, portait toujours une cuirasse et se méfiait des barbiers. L'épée qu'il aurait fait suspendre au-dessus de la tête de Damoclès* reste le symbole d'un danger permanent.

DENYS le Jeune. ♦ Tyran de Syracuse* (~ 367-~ 344), fils et successeur du précédent. Il disputa longtemps le pouvoir à son oncle Dion*. Libéral et idéaliste, il appela en vain Platon auprès de lui pour organiser la république idéale. Il se vit obligé de céder la ville à Timoléon* et se retira avec ses trésors à Corinthe*, où il mourut. Ce fut un grand mécène.

DENYS d'Halicarnasse, en gr. **Dionusios.** ♦ Historien et critique grec (~ Ier s.) qui se fixa à Rome où il enseigna la rhétorique et fut l'animateur d'un cercle littéraire. Son *Archéologie romaine* en 20 livres, dont nous possédons les 11 premiers, contient des éléments précieux pour l'étude des premiers temps de Rome. Par contre les analyses politiques et les prétentions ethnologiques de l'auteur n'ont guère de valeur. Son *Traité de l'arrangement des mots* et ses essais sur l'éloquence grecque (*Étude sur les anciens orateurs,* etc.) révèlent une rigoureuse méthode dans l'étude des styles, mais aussi une étroitesse dans les jugements, fondés sur des critères purement techniques. Ainsi la rhétorique est la forme idéale de la prose et Démosthène*, supérieur à un Thucydide ou à un Platon. Dans la lignée cicéronienne, Denys défendit le goût classique contre l'asianisme et contribua au nouvel essor du classicisme.

DENYS l'Aréopagite *(saint)*. ♦ Selon les *Actes des Apôtres,* XVII, 34, Athénien converti au christianisme par saint Paul. La tradition en fait le premier évêque d'Athènes. On lui attribua longtemps les ouvrages du Pseudo*-Denys. Fête le 9 octobre.

DENYS *(saint)*. ♦ Évêque de Corinthe v. 171, auteur de lettres à plusieurs Églises d'Asie, citées par Eusèbe. Fête le 8 avril.

DENYS le Grand *(saint)*. ♦ (Mort en 264). Évêque d'Alexandrie (248) après avoir succédé à Origène et à Héraklas à la tête du didascalée (v. 231). Auteur de *Lettres* dogmatiques et pastorales, conservées par Eusèbe. Fête le 17 novembre.

DENYS *(saint)*. ♦ (259-268 [mort]), 25ᵉ pape, Grec, martyr (?). Il réunit un synode à Rome (262), qui condamna le subordinatianisme, et il reçut à ce sujet les justifications de Denys* le Grand. — Fête le 26 décembre

DENYS le Petit. ♦ Canoniste et écrivain ecclésiastique scythe, en activité à Rome v. 500-545. Une erreur dans sa computation de la naissance de Jésus a abouti à fixer le début de l'ère chrétienne quatre ou cinq ans après la date supposée réelle.

DÉOLS [deɔl]. ♦ Comm. de l'Indre, dans l'arr. et la banlieue de Châteauroux. 4 948 hab. Capitale du bas Berry. Vestiges de l'église abbatiale et de l'abbaye (xᵉ s.). — Réparation de matériel aéronautique.

DEO VAN TRI. ♦ Chef des pirates Hô du Tonkin et seigneur tonkinois (v. 1849 — Loi Chau, 1908) sur la rivière Noire (Sông* Bo). Devenu fonctionnaire à la cour d'Annam*, il combattit la France. Vaincu en 1890, il fit sa soumission et devint un allié de la France pour laquelle il garda la frontière sino-viêtnamienne.

Dépit amoureux (Le). ♦ Comédie en 5 actes et en vers de Molière* (1656), inspirée de l'*Intérêt (L'Interesse)* de Nicolo Secchi. Troublées par une brouille passagère, les amours d'Éraste et de Lucile seront couronnées par un mariage, tandis que celles de leurs valets, Gros-René et Marinette, un instant malheureuses elles aussi, connaîtront la même conclusion joyeuse.

DEPORT (Albert). ♦ Officier français (Saint-Loup, Haute-Saône, 1846 — Houlgate, 1926). Inventeur, avec Charles Sainte*-Claire Deville et Rimailho*, du canon de 75, équipé du *frein hydropneumatique* (1897).

DEPRETIS (Agostino). ♦ Homme politique italien (près de Pavie, 1813 — Stradella, 1887). Avocat, issu d'une famille aisée, d'abord partisan de Mazzini*, il se rapprocha de Cavour* et de la maison de Savoie. « Prodictateur » en Sicile sous Garibaldi*, il eut ensuite un rôle parlementaire important, en tant que chef de l'extrême gauche (1873), puis de chef du gouvernement de 1876 à 1881, malgré quelques interruptions. Sa tactique parlementaire, le « transformisme », fit des ministères une combinaison de coteries, où régnaient l'intrigue et la corruption. Il accomplit d'utiles réformes concernant l'administration, l'enseignement, les impôts, les conditions de travail, et le scrutin. À l'extérieur, il fit adhérer son pays à la Triple-Alliance* (1882) et inaugura la politique coloniale de l'Italie.

DEPREZ [dapʀe] **(Marcel)**. ♦ Physicien et électricien français (Aillant-sur-Milleron, Loiret, 1843 — Vincennes, 1918). Inventeur, avec d'Arsonval*, du galvanomètre à cadre mobile [1882] **(V. Schweigger)**, il effectua la même année la première démonstration de transport d'énergie électrique en courant continu.

De profundis (« Des profondeurs [je t'invoque, ô Seigneur...] »). ♦ Début, en latin, du *Psaume* CXXX (*Vulgate* CXXIX), adopté par la liturgie chrétienne comme psaume de pénitence. (Cf. *in* Robert.)

DE QUINCEY (Thomas). ♦ Écrivain anglais (Greenheys, Manchester, 1785 — Edimbourg, 1859). Fils d'un négociant, Thomas De Quincey se réclama par sa mère d'une descendance noble. Orphelin de père, il s'enfuit à Londres où il mena une vie de bohème, se liant avec une jeune prostituée (Ann) et s'adonnant bientôt (1804) à la drogue : il devint un opiomane invétéré et le resta sa vie durant. Deux articles publiés dans le *London Magazine* en 1821 parurent en librairie sous le titre de *Confessions d'un opiomane anglais* (*Confessions of an English Opium-eater*, 1822) et inspirèrent à Baudelaire* ses *Paradis artificiels*. De Quincey en donna une seconde édition augmentée en 1856. Ces confessions, qui évoquent la genèse des sensations de l'opiomane, furent comparées à celles de Rousseau, malgré leur ton plus réservé. De même, *La Diligence anglaise* (*The English Mail-Coach*, 1854) évoque le monde onirique. De Quincey collaborait à plusieurs revues pour lesquelles il écrivit des essais : *De l'assassinat considéré comme un des beaux-arts* (*On Murder as one of the Fine Arts*, 1827), chef-d'œuvre d'ironie ; *Jeanne d'Arc* (*Joan of Arc*, 1847), dont il justifie la condamnation ; un essai sur *Macbeth*. Son recueil de proses lyriques, *Suspiria de Profundis*, parut en 1845 dans le *Blackwood's Magazine*. Profondément romantique, De Quincey se lia avec les poètes lakistes et laissa des *Souvenirs des poètes lakistes anglais* (*Reminiscences of the English Lake Poets*, 1834), qui constituent une critique impartiale, non dénuée de sévérité, et qui fut appréciée par les générations post-romantiques.

DE RADA (Girolamo). ♦ Poète albanais (xviiiᵉ s.). Auteur de nombreux poèmes lyriques inspirés de la poésie populaire *(Chants de Milosao, Serafina Thophia, Skanderberg le Malchanceux)* et d'une tragédie *(Sofonisba)*.

DERAIN (André). ♦ Peintre, dessinateur et sculpteur français (Chatou, 1880 — Chambourcy, 1954). Il suivit des cours à l'académie Julian et à l'académie Carrière où il rencontra Matisse et travailla avec son ami Vlaminck* dans le même atelier à Chatou. Les influences de Seurat et surtout de Van Gogh l'incitèrent à accorder une fonction privilégiée à la couleur, qu'il étala par larges touches fragmentées (*Le Bal des soldats*, 1903). En exaltant le pouvoir émotionnel de la couleur, il s'affirma comme l'un des « Fauves » les plus audacieux. Il travailla notamment à Collioure avec Matisse* (1905), puis se rendit plusieurs fois à Londres *(London Bridge)*. Il s'intéressa ensuite à l'imagerie populaire, aux mosaïques byzantines, à l'art roman, évoluant sous l'influence de Cézanne et du cubisme vers un coloris plus sourd et une composition plus élaborée (*Baigneuse*, 1908). Progressivement, sa volonté novatrice sembla disparaître au profit d'un retour à la tradition, avec une exploitation éclectique de solutions plastiques d'origines très diverses (période dite gothique, puis influence de la peinture pompéienne, du quattrocento italien, des portraits du Fayoum, du classicisme français). Il réalisa des portraits, des natures mortes ou des compositions fantastiques, des décors de théâtre, de nombreuses illustrations de livres et des sculptures (surtout après 1939) qui constituent un ensemble d'œuvres stylistiquement très disparates.

DERBY (James Stanley, *7ᵉ comte de* **Derby**, d'abord appelé *lord* **Strange)**. ♦ Homme politique anglais (Knowsley, Lancashire, 1607 — Bolton, 1651). Fervent royaliste, il combattit dans l'armée du prince Rupert*, puis dans celle de Charles* II (1651). Il fut pris après avoir accompagné le roi qui fuyait, et exécuté. ♦ EDWARD GEORGE GEOFFROY SMITH STANLEY, 14ᵉ comte de DERBY. Homme politique anglais (Knowsley, Lancashire, 1799 — *id.*, 1869). Député whig, il devint secrétaire pour l'Irlande (1830-1833) et fit preuve d'une totale incompréhension du pays. Nommé ensuite secrétaire aux Colonies, il obtint l'abolition de l'esclavage (1833). Le problème du libre-échange l'amena à se rapprocher des conservateurs et à reprendre le poste de secrétaire aux Colonies dans le ministère Peel* (1841-1845), puis à devenir le chef de l'opposition protectionniste contre Peel, avec Disraeli et Bentinck. Premier ministre en 1852, puis en 1858-1859, il fit transférer à la couronne les droits de la Compagnie des Indes. Son troisième ministère (1866-1868) fut le plus marquant et contribua à donner une orientation libérale au parti conservateur. Il laissa en effet Disraeli*, qui allait lui succéder, imposer une réforme électorale (1867). ♦ EDWARD STANLEY, 15ᵉ comte de DERBY (Knowsley, 1826 — *id.*, 1893). Ministre des Affaires étrangères dans le gouvernement de son père, puis dans celui de Disraeli, il se sépara de celui-ci à propos de sa politique orientale et se rallia à Gladstone* qui lui confia le secrétariat aux Colonies (1882-1885). Il s'opposa à lui à propos de la question d'Irlande et prit la tête des libéraux unionistes à la Chambre des lords. ♦ EDWARD STANLEY, 17ᵉ comte de DERBY (Londres, 1865 — Knowsley, Lancashire, 1948). Neveu du précédent. Il s'efforça d'augmenter le volontariat dans l'armée pendant la Première Guerre mondiale. Il fut ministre de la Guerre (1916-1918, 1922-1924). Ses écuries de course étaient très renommées.

DERBY. ♦ V. du centre de l'Angleterre. Ch.-l. du Derbyshire*. 221 200 hab. Important nœud de communications et centre industriel très actif : porcelaines, cotonnades et soieries (implantées depuis 1750), constructions aéronautiques et automobiles, chimie et travail du cuir. — Patrie de Herbert Spencer*.

Arch. Smeets

A. Derain : « Modèle d'une blonde ».
(Musée de l'Orangerie, Paris.)

DERBYSHIRE. *n. m.* ♦ Comté de Grande-Bretagne, au N. des Midlands*, bordé au N.-E. par le Yorkshire, à l'E. par le Nottinghamshire et à l'O. par le Staffordshire et le Cheshire et s'étendant sur la partie méridionale des Pennines* (Peak* District) et les plaines de la Derwent. 2 064 km², 877 620 hab. *Ch.-l.* Derby*. *Villes princ.* **V. Chesterfield, Matlock.** — Patrie de Samuel Richardson*.

DERG (*lough* ou *lac*). *n. m.* ♦ Vaste lac de la plaine centrale irlandaise (prov. de Leinster) s'étendant sur les comtés de Tipperary* et de Galway* sur 100 km² environ. Il est traversé par le Shannon*. Ses eaux sont utilisées pour la production d'énergie électrique. — Riv. et petit lac d'Ulster (comté de Donegal).

DERJAVINE (Gavriil Romanovitch) [**Deržavin**]. ♦ Poète russe (Kazan, 1743 — Saint-Pétersbourg, 1816). À l'inverse des poètes savants de son époque, il se laissa emporter par son inspiration. Admirateur de Catherine* II, il lui dédia une ode célèbre : *Felitsa* (1782).

DERMENGHEM [dɛʀmɛ̃gɛm] **(Émile)**. ♦ Historien, ethnographe et orientaliste français (1892). Auteur d'ouvrages sur *Thomas Morus et les Utopistes de la Renaissance* (1927), *Joseph de Maistre mystique* (1946), il est connu également par ses travaux d'islamologie et d'ethnographie musulmane (*La Vie de Mahomet,* 1929; *Vies des saints musulmans,* 1942; *Le Culte des saints dans l'Islâm maghrébin,* 1954) et ses recueils de *Contes fasis* (de Fez), 1926 et 1928, *kabyles,* 1945, etc.

DERMOT MAC MURROUGH. ♦ (? — 1171). Roi irlandais. Ayant été détrôné par ses ennemis, il fit appel à l'Angleterre, débarqua en Irlande avec les Anglais en 1168 (**V. Pembroke** [Richard de Clare, 2ᵉ comte de]) et conquit le S.-E. de l'île.

DE ROSSI (Gian Battista). ♦ Archéologue italien (Rome, 1822 — Castelgandolfo, 1894), spécialiste des catacombes de Rome, auteur de *Roma sotteranea cristiana* (3 vol., 1854-1887) et d'un recueil des *Inscriptions chrétiennes de Rome antérieures au* VIIᵉ *siècle.* Ses travaux fondent l'archéologie et l'épigraphie chrétiennes modernes.

DÉROULÈDE (Paul). ♦ Écrivain et homme politique français (Paris, 1846 — près de Nice, 1914). Volontaire lors de la guerre franco-allemande de 1870-1871, il publia après la défaite ses *Chants du soldat* (1872-1875), un drame en vers, *L'Hetmann,* une pièce qui fut interdite, *La Moabite.* Fondateur et président de la Ligue des patriotes (1882) et partisan de Boulanger*, il fut élu député (1889). Démissionnaire en 1892, réélu en 1898, il tenta, au lendemain des obsèques du président F. Faure*, de soulever l'armée contre la République parlementaire (fév. 1899). Condamné à dix ans de bannissement, il s'installa en Espagne, mais fut amnistié dès 1905. Ses œuvres (*Marches et Sonneries,* 1881, *Chants patriotiques, Livre de la ligue des Patriotes,* etc.) expriment un patriotisme à caractère nationaliste et revanchard.

DÉROUTE (*passage de la*). ♦ Chenal formé par la Manche entre Jersey et la côte O. du Cotentin. Il mesure 13 km de long et 25 de large. — Théâtre du combat naval de la Hougue* (1692).

DERVAL. ♦ Ch.-l. de cant. de la Loire-Atlantique, arr. de Châteaubriant. 2 885 hab. [865 aggl.]. *(Dervalais).* — Aux environs, vestiges du château de Saint-Clair (XIVᵉ s.).

DERWENT. *n. f.* ♦ Nom porté par plusieurs riv. d'Angleterre. La DERWENT DU YORKSHIRE (85 km), affl. de l'Ouse, irrigue les vals d'York et de Pickering. — La DERWENT DU DERBYSHIRE (80 km), affl. de la Trent. — La DERWENT DU CUMBERLAND (55 km) traverse la région des lacs (Derwentwater) et se jette dans le Solway Firth à Workington. — DERWENT, affl. de la Tyne (48 km), séparant le Durham du Northumberland.

DESAGUADERO (*rio*). *n. m.* ♦ Rivière d'Argentine, nom que prend le rio Salado* de la Pampa dans son cours supérieur et qui forme frontière entre les provinces de San* Luis et de Mendoza*. Il prend sa source dans le lac Titicaca*. 300 km.

DÉSAGULIERS (Jean Théophile). ♦ Physicien français (La Rochelle, 1683 — Londres, 1744). Auteur de nombreux travaux de physique et de mécanique (notamment sur les lois du frottement), la révocation de l'édit de Nantes l'obligea à se réfugier en Angleterre où, disciple de Gray*, il poursuivit ses travaux; il introduisit le mot *conducteur* et publia un manuel qui eut, entre autres, une grande influence sur Franklin* (*Course of Experimental Philosophy,* 1734-1744).

DESAIX [dəsɛ] **DE VEYGOUX (Louis Charles Antoine DES AIX, dit)**. ♦ Général français (Saint-Hilaire d'Ayat, près de Riom, 1768 — Marengo, 1800). Rallié à la Révolution, il se distingua dans l'armée du Rhin. Il accompagna Bonaparte en Égypte et fut chargé de l'organisation du Fayoum; son gouvernement lui valut le surnom de « Sultan juste ». Rentré en France (1800), il retourna la situation à Marengo* et y trouva la mort.

DE SANCTIS (Francesco). ♦ Critique italien (Morra Irpina, 1817 — Naples, 1883). Il donna un cours de littérature à l'académie militaire de la Nunziatella, puis, pour avoir participé au mouvement anti-bourbonien de 1848, fut emprisonné pendant trois ans (1850-1853). Exilé, il se réfugia au Piémont où il donna une série de cours sur Dante (1854-1855) avant d'aller enseigner à Zurich (Cf. ses *Lettres*). De retour à Naples en 1860, il fut ministre de l'Instruction publique de 1861 à 1862, puis de 1879 à 1881, opérant alors une vaste réforme de l'université. Il occupa une chaire de littérature comparée à Naples, avant de se mêler à nouveau de journalisme et de politique, montrant son attachement indéfectible au mouvement du Risorgimento. Dans ses *Essais critiques* (*Saggi critici,* 1866 à 1872) et surtout dans sa monumentale *Histoire de la littérature italienne* (*Storia della letteratura italiana,* 1869 à 1871), De Sanctis s'oppose à la méthode historique de Carducci* et renouvelle les idées esthétiques de Hegel* et de Vico*. Si « l'art... est un fait social, un résultat de la culture et de la vie nationale », intimement lié à la personnalité, son autonomie est pourtant absolue. Puis, en une synthèse originale, De Sanctis montre l'« unité organique de l'art » (« Tel fond, telle forme »); si l'artiste « du monde interne remonte à la forme », le critique doit « partir de la forme et remonter au monde interne ». Son œuvre eut une influence directe sur celle de Croce*.

Ph. Giraudon

R. Descartes (à droite) à la cour de Christine de Suède; détail d'un tableau de Duménil. (Château de Versailles.)

DE SANCTIS (Gaetano). ♦ Historien italien (Rome, 1870 — 1957). Professeur d'histoire grecque à l'université de Rome de 1927 à 1931 et au lendemain de la défaite du fascisme (1944), sénateur à vie (1950). Il est l'auteur de deux importants ouvrages sur l'histoire grecque et l'histoire romaine, ouvrages où il a tenté d'étudier les différents aspects, économiques, sociaux, politiques et culturels de ces deux civilisations afin de donner une vision globale de l'histoire (*Storia dei Greci,* 1939; *Storia dei Romani,* 1907-1953).

DESARGUES (Gérard ou **Gaspard)**. ♦ Ingénieur et mathématicien français (Lyon, 1593 — 1662). S'étant consacré aux recherches de géométrie pure, il fut le premier à comprendre le rôle important de la perspective et donna les bases de la géométrie projective des coniques (*Brouillon project d'une atteinte aux événements des rencontres du cône avec un plan,* 1639), fournissant à Pascal* les éléments qui lui permirent de formuler le théorème sur les hexagones inscrits dans une conique. **V.** *aussi* **La Hire, Mydorge.** Parmi ses résultats les plus importants, il faut retenir le concept du point à l'infini sur une droite, l'identification subséquente d'un faisceau de droites parallèles et d'un faisceau de droites concourantes ainsi que celle d'un cône et d'un cylindre, la théorie de l'involution sur une droite et le *théorème de Desargues* qui en résulte pour un faisceau ponctuel de coniques, enfin le théorème sur les triangles homologiques.

DÉSAUGIERS (Marc Antoine). ♦ Compositeur français (Fréjus, 1742 — Paris, 1793). Il fut l'ami de Gluck, de Sacchini et composa un *Requiem* à la mémoire de ce dernier (1786). Il est l'auteur de plusieurs opéras-comiques, ariettes, romances et chansons, d'une symphonie, d'un hiérodrame évoquant la prise de la Bastille, suivi d'un *Te Deum* (1790). Son fils, ANTOINE (Fréjus, 1772 — Paris, 1827), fut un vaudevilliste et un chansonnier à la verve spirituelle (*Monsieur et Madame Denis; Paris à cinq heures du matin).*

DESAULT [dəso] **(Pierre Joseph)**. ♦ Chirurgien français (Magny-Vernois, près de Lure, 1744 — Paris, 1795). Fondateur de la première clinique chirurgicale, ses travaux firent progresser la chirurgie. Parmi ses nombreux étudiants, on peut citer Corvisart* et Bichat* qui réunit ses *Œuvres chirurgicales* (1798-1803).

DES AUTELS (Guillaume). ♦ Poète français (Manoir de Vernoble, Bourgogne, 1529 — 1581). Il fit partie de la Pléiade jusqu'à son remplacement par Jacques Peletier en 1555. Il composa des sonnets à la manière de Pétrarque (*Amoureux Repos,* 1553). Partisan des Guise dès 1559, il défendit ardemment le catholicisme comme le montrent *Remontrance au peuple français* et *Éloge de la paix.* Il serait également l'auteur de *Préhistoire barragouyne de Fanfreluche et Gaudichon* (1574), récit imité de Rabelais.

DESBORDES-VALMORE (Marceline). ♦ Écrivain français (Douai, 1786 – Paris, 1859). D'abord actrice, elle se consacra à la littérature, écrivit des contes pour enfants et de nombreux poèmes élégiaques, réunis dans le recueil *Poésies* (1842), suivi en 1860 de *Poésies inédites*. Avec une grâce mélancolique, elle y exprime ses tristesses et ses douleurs (elle perdit quatre enfants) comme ses élans mystiques (« *La Couronne effeuillée* ») avec un « naturel » que Baudelaire* a loué et sur des rythmes subtils, souvent impairs, que Verlaine* reprendra.

DESCAMPS (Eugène). ♦ Syndicaliste français (Lomme, Nord, 1922). Secrétaire général de la fédération C.F.T.C. de la métallurgie (1954), membre du Conseil économique et social (1959), il fut nommé secrétaire général de la C.F.T.C. en 1961 (C.F.D.T. depuis 1964).

DESCARTES (René). ♦ Philosophe et savant français (La Haye, Touraine, 1596 – Stockholm, 1650). Des études au collège des jésuites de La Flèche (1606-1614), où il se lia avec Mersenne*, un diplôme de bachelier et une licence en droit (1616), une instruction militaire en Hollande (sous la direction de Maurice de Nassau, prince d'Orange), après laquelle Descartes s'engagea dans les troupes du duc de Bavière, et des voyages en Europe, telle fut la formation de ce gentilhomme de petite noblesse qui consacra le reste de sa vie aux sciences et à la philosophie. Après un séjour à Paris (1625-1628), où il mena une vie mondaine tout en rédigeant les *Règles pour la direction de l'esprit* (1628), il s'installa en Hollande. La condamnation de Galilée (1633) le fit renoncer par prudence à publier son *Traité du monde;* mais le *Discours de la méthode* et les trois essais qui en sont l'application (*Dioptrique, Météores* et *Géométrie*) parurent en 1637, suivis des *Méditations métaphysiques* (1641), des *Principes de philosophie* (1644), dédiés à Élisabeth de Bohême avec qui il correspondait, et des *Passions de l'âme* (1649). Il revint trois fois en France (en 1647 il y rencontra Pascal) avant de se rendre en Suède à la demande de la reine Christine (fin 1649). Il y mourut peu après son arrivée (déb. 1650); son corps fut ramené en France (1667). – N'admettre en sciences que la raison, telle est l'exigence de Descartes rompant avec la scolastique. Critiquant « les machines de guerre de ses syllogismes probables », il formula une méthode d'inspiration mathématique : conduire par ordre ses pensées pour atteindre la vérité grâce à l'intuition évidente et à la déduction nécessaire. L'application mathématique en fut la création de la géométrie analytique (application de l'algèbre à la géométrie des Anciens). Elle lui permit d'établir la loi de la réfraction en optique; et il l'étendit même (non sans des erreurs) aux autres sciences – biologie, médecine, psychophysiologie (théorie de l'animal-machine) –, établissant les bases d'un mécanisme géométrique. Le développement des sciences exigeait une philosophie nouvelle qui leur servît de fondement. Le « doute méthodique » (mise en question radicale des « préjugés des sens et de l'enfance ») l'amena à affirmer le « Je pense donc je suis », première vérité de son système dont découlent, par la théorie des idées innées (« semences des vraies et immuables natures »), toutes les autres : distinction de l'âme et du corps, existence de Dieu. Descartes est donc à la fois le père de l'idéalisme moderne, inaugurant (comme le soulignera Hegel*) une philosophie du Sujet et celui du matérialisme mécaniste et géométrique. L'unité de sa pensée réside dans l'exigence théorique et pratique de rationalité. La philosophie est encore pour lui « l'étude de la sagesse » et la recherche du Souverain Bien; et, si on retrouve chez lui le thème stoïcien de la maîtrise des passions et de leur bon usage par la volonté, il s'y ajoute un sens nouveau de la liberté de l'homme capable, grâce à la science et à la technique, de se « rendre maître et possesseur de la nature ». Aux traités philosophiques de Descartes, on peut ajouter sa *Correspondance* (en particulier avec Mersenne). L'influence de sa philosophie (cartésianisme) fut grande au XVIIe s. en Europe (en Hollande avec Geulincx*, en Allemagne Clauberg*, en France Malebranche*, Cordemoy*, Rohault*, Régis* [ou Leroy]).

DESCARTES. ♦ Ch.-l. de cant. d'Indre-et-Loire, arr. de Loches. Commune formée par la fusion de *La Haye-Descartes* et de Balesmes. 4 267 hab. – Église Saint-Georges (XIe-XIIe s.). – Construction métallique. Matériaux de construction. Papeterie, cartonnerie. – Patrie de René Descartes*, de René Boylesve*.

DESCELIERS (Pierre). ♦ Curé d'Arques et savant français (Dieppe, v. 1500 – après 1558). Il fut, avec N. Desliens*, un des principaux hydrographes et cartographes de l'École dieppoise dont les cartes signalent déjà le continent austral.

DESCHAMPS (Eustache). ♦ Poète français (Vertus en Champagne, v. 1346 – v. 1406), grand personnage de la cour de Charles V et de Charles VI. Ce disciple de Guillaume* de Machaut fut un théoricien de l'art poétique avec son *Art de dictier* (1392) et l'auteur de poésies historiques, de ballades, de rondeaux et de virelais. Son œuvre aborde avec réalisme tous les sujets, amoureux, satiriques, anecdotiques, et « sa poésie est toute réelle et personnelle, toute de circonstance » (G. Lanson).

DESCHAMPS (Émile Deschamps de Saint-Amand, dit Émile Deschamps). ♦ Poète français (Bourges, 1791 – Versailles, 1871) qui participa à la formation de *La Muse française* (1823), périodique qui défendait les thèses du Romantisme naissant. Ses *Études françaises et étrangères* (1828), dont la *Préface* est un manifeste romantique, contribuèrent à faire connaître en France les littératures germanique et espagnole.

DESCHAMPS (Antoine, dit Antony). ♦ Poète français frère du précédent (Paris, 1800 – *id.*, 1869), lié au *Cénacle** de V. Hugo*, et dont le lyrisme s'exprime dans *Dernières Paroles* (1835) et *Résignation* (1839). On lui doit aussi une traduction en vers (1829) de *La Divine Comédie*, de Dante*.

DESCHAMPS (Paul). ♦ Archéologue français (Paris, 1888 – *id.*, 1974). Il étudia la sculpture française romane (1931), l'architecture militaire des croisés [Syrie, Liban, Palestine] (*Les Châteaux des croisés en Terre Sainte*, 1934-1939; *La peinture murale en France, haut Moyen Âge et époque romane*, 1951 – avec Thibout).

DESCHAMPS (Hubert). ♦ Historien et administrateur français (Royan, 1900). Il fit une carrière dans l'administration coloniale (Madagascar, Côte française des Somalis, Afrique Noire), puis dirigea le département des sciences humaines à l'Office de recherches scientifiques d'outre-mer. (*La Fin des empires coloniaux*, 1950; *La Méthode et les Doctrines coloniales de la France*, 1953; *Les Religions de l'Afrique Noire*, 1954; *Histoire de Madagascar*, 1960, etc.)

DESCHANEL (Paul Louis Eugène). ♦ Homme politique français, fils de l'écrivain E. Deschanel (Schaerbeek-les-Bruxelles, 1855 - Paris, 1922). Élu à la Chambre des députés (1885) qu'il présida (1898-1902, 1912-1920), il fut choisi par le Bloc national comme président de la Troisième République, contre Clemenceau* (18 février 1920), mais dut donner sa démission dès septembre 1920 pour raison de santé et fut remplacé par Millerand. (Acad. fr., 1899.)

DES CLOIZEAUX (Alfred LEGRAND). ♦ Minéralogiste français (Beauvais, 1817 – Paris, 1897). Auteur de recherches sur les propriétés optiques des cristaux, il découvrit la polarisation rotatoire du cinabre et du sulfate de strychnine **(V. Arago, Biot)** et participa à l'essor de la pétrographie moderne. (Acad. sc., 1869.)

Desdémone. ♦ Héroïne de la tragédie de Shakespeare, *Othello**. Objet trop aimé, elle est victime innocente de la jalousie de son mari, attisée par les calomnies de Iago. Le personnage inspira de nombreux peintres, notamment Delacroix.

DESÈZE ou **DE SEZE (Romain,** *comte***).** ♦ Avocat français (Bordeaux, 1748 – Paris, 1828). Avocat de Louis* XVI, lors du procès de ce dernier, il en prit la défense devant la Convention (26 décembre 1792). Emprisonné peu après jusqu'au 9 Thermidor (27 juillet 1794), il fut le premier président de la Cour de cassation sous la Restauration, qui le fit pair de France et comte. (Acad. fr., 1816.)

DESFIEUX (François). ♦ Révolutionnaire français (Bordeaux, 1755 – Paris, 1794). Rallié aux idées révolutionnaires et membre du Club des jacobins, il fut juge au Tribunal révolutionnaire (fondé en mars 1793). Il fut condamné à mort et guillotiné en même temps que les hébertistes* auxquels il était lié.

DESFONTAINES (René LOUICHE). ♦ Botaniste français (Tremblay, Ille-et-Vilaine, 1750 – Paris, 1830). Il entra à l'Académie des sciences après la publication de son mémoire sur *L'Irritabilité des plantes* (1783). Il s'intéressa particulièrement à l'anatomie et à la physiologie végétales et étudia les monocotylédones (*Flore atlantique*, 1798; *Catalogue des plantes du jardin du roi*, 1815-1830).

Ph. Fabio Simion/Ricciarini

Desdémone, par E. Delacroix.
(Musée des Beaux-Arts, Reims.)

DESGENETTES ou **DES GENETTES (Nicolas René Dufriche,** *baron***).** ♦ Médecin militaire français (Alençon, 1762 – Paris, 1837). Médecin-chef de l'armée d'Égypte, il participa également à la campagne de Russie et à la bataille de Waterloo, puis il devint médecin-chef des Invalides. (Acad. sc., 1832.)

DESHIMA. ♦ Petite île artificielle du port de Nagasaki* (Japon). ♦ *Hist.* Elle fut créée en 1634, afin d'y accueillir Portugais et Hollandais, ceux-ci n'ayant pas le droit d'entrer au Japon. Une maison hollandaise y installa un comptoir commercial en 1641, qui fut dissous en 1858.

DESHOULIÈRES [dezuljɛʀ] **(Antoinette du Ligier de La Garde,** *Mme***).** ♦ Poète français (Paris, 1637 – *id.*, 1694). Mariée très tôt à un gentilhomme qui avait embrassé le parti du Grand Condé, elle fut l'admiratrice de P. Corneille et participa à la cabale contre la *Phèdre* de Racine (1677) par une épigramme célèbre. Ayant suivi les leçons de Gassendi*, elle tint ensuite un salon qui présentait l'originalité « d'avoir à la fois du précieux et du hardi, de mêler dans son bel esprit un grain d'esprit fort » (Sainte-Beuve); elle y recevait les frères Corneille*, Quinault*, Benserade*, Conrart*, ainsi que Fléchier* ou Mascaron*. Ayant débuté dans la littérature en 1672, elle s'essaya dans divers genres (tragédie, comédie, opéra), mais fut surtout célèbre par ses *Poésies* (2 vol., réunis en 1688 et – posth. – 1695) où elle manifeste, dans l'idylle ou dans l'églogue, une grâce déjà romantique.

DE SICA (Vittorio). ♦ Réalisateur italien de cinéma (Sora, 1902 – Paris, 1974). D'abord comédien de théâtre puis cinéma, il s'est ensuite surtout consacré à la mise en scène, enrichissant l'école néo-réaliste de quelques-uns de ses chefs-d'œuvre, conçus entre 1944 et 1952 en étroite collaboration avec le scénariste Cesare Zavattini. Observateur précis de la réalité sociale italienne au lendemain de la dernière guerre, maître d'un style dépouillé qui n'exclut ni la tendresse ni la fantaisie, et malgré les reproches de facilité et de sentimentalisme qu'on a pu lui adresser, il s'est imposé avec *Sciuscia* (1946), Le Voleur de bicyclette (*Ladri di Biciclette*, 1948), Miracle à Milan (*Miracolo a Milano*, 1950), *Umberto D* (1952). Autres réal. : *Le Toit* (1955), *Le Jardin des Finzi Contini* (1971). De Sica a été naturalisé français en 1966.

DÉSIRADE (la). ♦ Petite île des Antilles* françaises qui dépend de la Guadeloupe*. 27 km². Moins de 3 000 hab. Coton. Café. Élevage d'ovins.

DESJARDINS (Martin van den BOGAERT, dit). ♦ Sculpteur d'origine hollandaise (Breda, 1640 – Paris, 1694). Il se forma à Anvers, puis s'établit à Paris où il devint en 1671 membre de l'Académie et recteur en 1681. Il participa à la décoration du *collège des Quatre-Nations*, à celle de la *porte Saint-Martin* et exécuta pour le *parc de Versailles* des statues mythologiques inspirées librement de l'antique *(Thétis, Diane chasseresse)*. Il réalisa les statues equestres de *Louis XIV* de la *place des Victoires*, 1686 (dont il subsiste le bas-relief du passage du Rhin) et de la place Bellecour à Lyon, détruites sous la Révolution. Il est aussi l'auteur du *mausolée de Louvois* à Tonnerre (1693) et de nombreux bustes où il manifesta un grand souci d'objectivité *(Mignard; Colbert)*.

DESLANDRES (Henri). ♦ Astronome français (Paris, 1853 – 1948). Spécialiste de spectroscopie, il donna dès 1885 une formule empirique représentant la répartition des raies dans les bandes; inventeur du *spectro-héliographe* qui permet de mettre en évidence la partie optique de l'éruption solaire. **V. Hale.** Il fut également un précurseur de la radio-astronomie, étudiant dès le début de ce siècle la possibilité d'émission d'ondes hertziennes par le soleil. **V. Jansky, Lodge.** (Acad. sc., 1902.)

DESLIENS (Nicolas). ♦ Cartographe français du XVIe s. qui fut, avec Desceliers*, un des représentants de l'École dieppoise et dont une carte, datée de 1541, est conservée à la bibliothèque de Dresde.

DESMARETS (Jean). ♦ Magistrat français (mort à Paris, 1382). Il fut l'un des négociateurs du traité de Brétigny (1360).

DESMARETS ou **DESMARETZ (Nicolas,** *seigneur de* **Maillebois).** ♦ Homme politique français (Paris, 1648 – 1721). Neveu de Colbert*, il prit la succession de Chamillart* comme contrôleur des Finances (1708-1715) et fut renvoyé à la mort de Louis XIV, malgré sa parfaite intégrité. Il avait créé le dixième*, inspiré des théories de Vauban*, et eut l'idée d'une banque royale qui aurait préfiguré l'entreprise de Law*.

DESMARETS (Henry). ♦ Compositeur français (Paris, 1662 – Lunéville, 1741). Élève de Lully*, maître de musique de la maison professe des jésuites de Paris, il s'enfuit à l'étranger à la suite d'une grave affaire judiciaire. Devenu surintendant de la musique à la cour de Philippe V d'Espagne, il remplit ensuite les mêmes fonctions à la cour de Lorraine. Sous l'influence de Lully et de Lalande, il a composé des opéras ballets (*Didon*, 1693; *Vénus et Adonis*, 1697; *Iphigénie en Tauride*, 1704; *Armide*, 1710), ainsi que des œuvres de musique sacrée (motets, *Te Deum*).

DESMARETS de SAINT-SORLIN (Jean). ♦ Écrivain français (Paris, 1595 – 1676), protégé par Richelieu* et devenu chancelier de l'Académie française. Il est l'auteur d'un roman, *Ariane*, et d'œuvres dramatiques dont la comédie en vers *Les Visionnaires* (1637), où il raille les précieuses. Adversaire des jansénistes, il écrivit un poème héroïque d'inspiration religieuse, *La France chrétienne ou Clovis* (1657). Enfin, son *Traité pour juger des poèmes grecs, latins et français* (1670) déclencha la « querelle des Anciens* et des Modernes ».

DESMICHELS (Louis Alexis, *baron***).** ♦ Général français (Digne, 1779 – Paris, 1845). Engagé en 1794, il se distingua au cours des campagnes d'Italie, d'Égypte, de Prusse, d'Espagne. Mis en demi-solde (1815) après s'être rallié à Napoléon Ier aux Cent-Jours, il participa à la conquête de l'Algérie sous la monarchie de Juillet, fut nommé commandant de la région d'Oran après avoir pris Arzew, et signa le traité d'Oran (1834) avec l'émir Abd-el-Kader.

Ph. Hubert Josse

Camille Desmoulins et sa famille.
École française XVIIIe s. (Château de Versailles.)

DES MOINES (du fr. [*la rivière*] *des moines* ou corruption française du nom d'une tribu indienne *Moingona*). ♦ V. des États-Unis, cap. de l'Iowa, dans le centre de cet État, sur la riv. Des Moines, affl. O. du Mississippi. 198 427 hab. (zone urbaine 281 500). Centre de communication et de commerce. Principales indus. : alimentaires (viande), habillement, construction (briques, tuiles), pièces d'aéronautique, machines agricoles. La partie résidentielle de la ville est particulièrement bien conçue. Nombreuses activités culturelles.

DESMOND *(comtes de)*. ♦ **V.** FITZGERALD (THOMAS, GÉRALD).

DESMOULINS (Camille). ♦ Publiciste et homme politique français (Guise, Aisne, 1760 – Paris, 1794). Condisciple de Robespierre au lycée Louis-le-Grand à Paris, reçu au barreau de Paris en 1785, il se rallia dès 1789 à la Révolution, participa aux journées insurrectionnelles parisiennes du 12 au 14 juillet 1789, publia plusieurs pamphlets très violents contre l'Ancien Régime *(La France libre, Le Discours de « la Lanterne » aux Parisiens)* et fonda le journal *les Révolutions* de France et de Brabant* (1789-1791). Membre du club des Cordeliers*, où il se lia avec Danton*, député montagnard à la Convention, il exprima son hostilité à l'égard des Girondins dans un pamphlet, *Brissot démasqué*, puis dans son *Histoire des brissotins, fragment de l'histoire secrète de la Révolution* (1793). Après l'élimination des principaux chefs de la Gironde, Desmoulins tenta, avec Danton, de lutter contre le développement de la Terreur et réclama l'indulgence dans son journal *le Vieux Cordelier* (1793-1794). Il fut arrêté, condamné à mort par le Tribunal révolutionnaire et guillotiné avec Danton et les *indulgents** (avril 1794).

DESMOULINS (Anne-Louise) DUPLESSIS-LARIDON dite **Lucile).** ♦ Épouse de Camille Desmoulins (Paris, 1771 – *id.*, 1794). Ayant envoyé à Robespierre une lettre pour protester contre l'arrestation de son mari, elle fut condamnée à mort et exécutée.

DESMOULINS (Antoine). ♦ Médecin et naturaliste français (1794 – 1828). Auteur de travaux d'anthropologie physique, il fut un partisan de la théorie polygéniste, distinguant seize groupes humains différents.

DESNA. *n. f.* ♦ Riv. d'U.R.S.S. (1 126 km). Née à l'E. de Smolensk, elle arrose Briansk* (R.S.F.S. de Russie) et pénètre en Ukraine où elle passe à Tchernigov* et rejoint le Dniepr* en amont de Kiev.

DESNOS [dɛsnɔs] **(Robert).** ♦ Poète français (Paris, 1900 – Terezin, Tchécoslovaquie, 1945). Doué d'un véritable génie de l'automatisme verbal, il participa au mouvement surréaliste, prenant une part active aux expériences de sommeil hypnotique animées par André Breton*. Il devait toutefois, sans rien renier de l'apport émancipateur du surréalisme, mais en donnant un cours plus libre à son humour, à sa fantaisie et à son lyrisme, en recourant aussi à des techniques rythmiques plus traditionnelles, s'affirmer, dans la lignée du romantisme nervalien, comme l'un des maîtres de la poésie onirique. Attiré par le cinéma et par la radio, il y poursuivit sa recherche d'une conciliation du monde réel et du rêve. L'aventure de la Résistance, qu'il devait connaître jusqu'au sacrifice de sa vie, dans un camp de concentration, lui a inspiré de poignants poèmes, transfigurés par la noblesse de leur inspiration, par l'espoir et l'amour de la vie. Princ. recueils : *La Liberté ou l'Amour* (1927), *Corps et Biens* (1930), *Fortunes* (1942), *Choix de poèmes* (1945).

DESORMES (Charles Bernard). ♦ Chimiste et homme politique français (1777 – 1862). **V. Clément-Desormes.**

DESORMIÈRE (Roger). ♦ Chef d'orchestre et compositeur français (Vichy, 1898 – Paris, 1963). Il appartint à l'école d'Arcueil et abandonna très tôt une carrière de compositeur pour se consacrer à la direction d'orchestre. Il fut un excellent interprète de la musique contemporaine.

DESPENSER (Hugh the, « l'administrateur »**).** ♦ Magistrat anglais (v. 1223 – Evesham, 1265). Il participa à la révolte des barons contre Henri III. ♦ HUGH THE DESPENSER, dit *l'Ancien* (1261 1326) et HUGH THE DESPENSER, dit *le Jeune*, son fils ([mort] 1326). Favoris du roi Édouard* II, ils exercèrent un pouvoir absolu mais furent exécutés par la reine Isabelle et Mortimer.

DES PÉRIERS (Bonaventure). ♦ Poète et conteur français (Arnay-le-Duc, v. 1510 – suicide à Lyon, v. 1544), attaché à Marguerite* de Navarre, élève et ami de Marot*, à Lyon. On lui doit des travaux philologiques et des ouvrages où apparaît son esprit libertin : le *Cymbalum mundi* (1537) est une satire allégorique des métaphysiciens, des philosophes et de l'intolérance religieuse. Ses *Nouvelles Récréations et joyeux devis* (posth., 1558), qui connurent un grand succès, sont la peinture réaliste et savoureuse des vices et des travers de la société.

DESPIAU [dɛspjo] **(Charles).** ♦ Sculpteur et dessinateur français (Mont-de-Marsan, 1874 – Paris, 1946). Après des études aux Beaux-Arts, il devint l'aide de Rodin* (1907). Ses statues et bas-reliefs représentant des thèmes mythologiques (*Bacchante*, 1909 ; *Faune*, 1912 ; *Léda*, 1917 ; *Apollon*, 1936-1946), des nus (*Assia, Figure nue*, 1927) ou des sujets moins traditionnels (*Petite Fille des Landes*, 1909) révèlent, malgré l'influence du naturalisme, une tendance classicisante se traduisant par une volonté de dépouillement, la recherche d'une expression calme, d'une composition équilibrée, de formes harmonieuses et souples. Il réalisa quelques monuments commémoratifs (*Monument aux morts* de Mont-de-Marsan, 1920-1922), mais il s'imposa surtout comme portraitiste : dans ses nombreux bustes, le souci de précision dans le rendu des traits, de vérité psychologique, va de pair avec la finesse du modelé et semble se concilier avec une tendance à l'idéalisation qui se traduit par l'harmonie formelle et le caractère grave ou serein de l'expression (*Mme Faure*, 1927 ; *Mme Agnès Meyer*, 1929). L'œuvre de Despiau, d'une grande maîtrise technique, apparaît comme un prolongement de la tradition classique.

DESPORTES (Philippe). ♦ Poète français (Chartres, 1546 – Bonport, 1606). Abbé courtisan et poète officiel d'Henri* III, il est l'auteur d'*Élégies* et de poésies profanes (*Amours de Diane, d'Hippolyte...*, 1573) où apparaît une certaine préciosité. Sa traduction des *Psaumes* (publiée en 1603) s'oppose, par l'esprit, à celle de Marot*. Critiquée par Malherbe*, son œuvre cependant présente une clarté de style qui annonce le classicisme.

DESPORTES (François). ♦ Peintre, dessinateur et pastelliste français (Champigneulle, Haute-Marne, 1661 – Paris, 1743). Il fut élève du peintre flamand Nicasius (Nicaise Bernard), travailla avec Cl. Audran* au château d'Anet et à la ménagerie de Versailles. Il alla travailler comme portraitiste à la cour du roi de Pologne, Jean Sobieski, en 1695. À Paris, il devint un célèbre peintre animalier et fut nommé peintre de la vénerie du roi Louis XIV en 1696. Il travailla à des décorations aux châteaux de la Muette et de Chantilly, aux tapisseries des *Nouvelles Indes* au luxuriant décor (1735 à 1741). Ses natures mortes sont peintes avec brio *(canard, bécasses et fruits)* et ses paysages des environs de Paris révèlent une vision de la nature dépouillée d'artifice.

Despotisme éclairé. ♦ Expression entrée dans la terminologie historique au XIXᵉ siècle. Elle désigne un effort de réforme et d'organisation conforme à l'esprit des « lumières », entrepris par un certain nombre de souverains et de ministres du XVIIIᵉ siècle. **V. Frédéric II, Catherine II, Joseph II, Gustave III, Léopold II, Pombal.**

DESPREAUX. ♦ **V.** BOILEAU (Nicolas).

DESPRETZ [depʀɛ] **(César).** ♦ Physicien français (Lessines, Hainaut, 1791 – Paris, 1863). Auteur de travaux sur la compressibilité des gaz et des liquides, il montra en 1827 que la loi de Boyle*-Mariotte* ne s'appliquait pas aux gaz réels **(V. Van der Waals);** Il mesura la pression et la densité des vapeurs saturantes, étudia le phénomène de surfusion et mit en évidence la conductibilité de l'eau (1839).

DESROCHERS (Alfred). ♦ Poète canadien de langue française (Saint-Élie-d'Orford, 1901). Issu d'un milieu familial très traditionaliste, il a gardé au sein de la ville la nostalgie de l'immense nature nord-américaine. Dans le recueil lyrique de *L'Offrande aux vierges folles* (1928), il dit avec force son sentiment d'être « un fils déchu de race surhumaine », élevant son drame personnel à l'échelle du drame collectif et national. Cette poésie du terroir est portée par un souffle épique *(L'Hymne au vent du nord)* tandis qu'un autre recueil, *À l'ombre de l'Orford* (1929), obéit à une inspiration parnassienne : la vie des paysans ou celle des ouvriers y est dépeinte de façon réaliste et impersonnelle. A. Desrochers a également composé des essais critiques, réunis dans *Paragraphes* (1931).

DESROSIERS (Léo Paul). ♦ Romancier canadien d'expression française (Berthierville, 1896 – Montréal, 1967). Journaliste, puis fonctionnaire fédéral au service de presse (1929), il a été conservateur de la bibliothèque municipale de Montréal de 1941 à 1955. Auteur d'études historiques (*Lord Durham au Canada*, 1937 ; *Iroquoisie*, 1947), il est surtout un romancier « documentaire » qui allie son sens de l'histoire à un vif intérêt pour le régionalisme dans des récits historiques où le ton reste objectif (*Nord-Sud*, 1931 ; *Les*

Arch. Smeets

Ch. Despiau : « Assia ».
(Museum of Modern Art, New York.)

Engagés du grand partage, évoquant la vie des trappeurs de l'Ouest au début du XIXe s., 1938 ; *Les Opiniâtres*, 1941 ; *Sources*, 1942). – Plus à l'aise dans la description précise des paysages et des mœurs que dans les portraits psychologiques.

DESSALINES (Jean-Jacques). ♦ Premier empereur d'Haïti (1748 ? – 1806). Ancien esclave noir, il devint lieutenant de Toussaint* Louverture et se battit victorieusement contre les Français, qu'il chassa de l'île en 1803. Il se fit alors proclamer empereur sous le nom de Jacques Ier (1804), mena une politique tyrannique et mourut dans l'insurrection dirigée par Pétion* et Christophe*.

DESSAU (Paul). ♦ Compositeur et chef d'orchestre allemand (Hambourg, 1894). Inspiré par l'esthétique du « réalisme socialisme », il renonça au dodécaphonisme et composa de nombreuses musiques de scène, remarquables par la vigueur mélodique et la veine à la fois populaire et savante, admirablement accordées à l'esprit des textes de B. Brecht* (*Mère Courage*, 1946 ; *Le Festin de Lucullus*, 1949 ; *Maître Puntila et son valet Matti*, 1961).

DESSAU. ♦ V. d'Allemagne orientale (Saxe-Anhalt, district de Halle), sur la Mulde, près de son confluent avec l'Elbe. 94 000 hab. Port fluvial. Indus. métallurgiques, mécaniques (machines, cycles) et chimiques, sucreries. – Patrie de Moses Mendelssohn*. ♦ *Hist.* La ville fut la résidence des ducs d'Anhalt* de 1340 à 1918. – Siège du Bauhaus* de 1925 à 1933.

DESSEL. ♦ Comm. de Belgique (Anvers), arr. de Turnhout, dans un site remarquable : 15 ha d'étangs entourés de dunes. 7 000 hab. Carrières de sable, exploitations forestières. Pépinières.

DESSOLLES (Jean Joseph Paul Augustin, *marquis*). ♦ Général et homme politique français (Auch, 1767 – Montluchet, 1828). Engagé comme volontaire en 1792, nommé général de division en 1799, il suivit Moreau en Italie puis en Allemagne, devint conseiller d'État et secrétaire au ministère de la Guerre en 1801 ; mais il tomba en disgrâce en raison de ses relations avec Moreau*. Ayant repris ses fonctions (1806), il entra au service de Joseph Bonaparte en Espagne, puis participa à la campagne de Russie. Nommé général en chef de la garde nationale par le gouvernement provisoire (1814) et rallié aux Bourbons, qui le firent pair, comte puis marquis (1817), il fit partie du cabinet Decazes* comme ministre des Affaires étrangères et président du Conseil mais, de tendance modérée, il dut donner sa démission face à l'opposition des ultras (1819).

DESTELBERGEN. ♦ Comm. de Belgique (Flandre-Orientale), arr. de Gand. 7 100 hab. Indus. textile.

Destinées (Les), *« Poèmes philosophiques ».* ♦ Recueil posthume (1864) de Vigny*, dont les onze poèmes, composés de 1838 à 1863, montrent, à l'aide d'une succession de symboles, comment la conscience humaine, d'abord esclave, peut s'affranchir et proclamer sa liberté. Persuadé que « le mot de la langue le plus difficile à prononcer et à placer convenablement, c'est moi », Vigny adopte la forme impersonnelle et narrative pour évoquer le tragique de la condition humaine et enseigner l'attitude stoïque que l'homme doit adopter (*La Mort du loup*, 1838) devant « la souffrance et la mort de l'innocence ». À une image de la femme, « enfant impur », dans *La Colère de Samson* (1839), succède dans *La Maison du berger* (1844) la figure d'Éva, symbole de la pitié et de l'amour, qui partagera la solitude féconde du poète au sein d'une nature, belle et indifférente comme Dieu est silencieux (*Le Mont des Oliviers*, 1839). Opposant « le dédain à l'absence », le poète consacre sa pensée et son œuvre à l'humanité (*La Bouteille à la mer*, 1844), exprimant sa foi ardente dans le triomphe futur de l'esprit (*L'Esprit pur*, 1863).

Ph. Hubert Josse

E. Detaille : « Départ des Volontaires pour l'armée en 1792 », détail. (Musée de l'Armée.)

DESTOUCHES (André Cardinal). ♦ Compositeur français (Paris, 1672 – *id.*, 1749). Élève de Campra*, surintendant de la musique royale (1718), il fut directeur de l'Opéra (1728). Il écrivit de nombreux opéras sur des livrets d'Houdar de la Motte. Son œuvre, proche de celle de Lully* et de Campra, utilise des combinaisons harmoniques audacieuses qui leur confèrent une grande originalité. Il est l'auteur de *Cantates, motets, airs ;* d'opéras (*Omphale*, 1701 ; *Callirhoé*, 1712 ; *Télémaque*, 1714 ; *Le Carnaval et la Folie*, 1704) et du ballet *Les Éléments*, 1721 (avec de Lalande*).

DESTOUCHES (Philippe Néricault, dit). ♦ Auteur dramatique français (Tours, 1680 – Fortoiseau, 1754). D'abord acteur, il devint par la suite auteur et composa une trentaine de pièces où la verve comique se trouve souvent bridée par l'intention moralisatrice (*Le Philosophe marié*, 1727 ; *Le Glorieux*, 1732). [Acad. fr., 1723.]

Destour. *n. m.* ♦ Parti politique tunisien, issu du mouvement « jeune-tunisien » fondé par le shaykh Th'âlbi qui réclamait une constitution (en ar. *Dastûr*) insistant sur l'émancipation du peuple tunisien et la fin du protectorat. Après les incidents de 1920 et 1921, Th'âlbi fut exilé (1922) et le parti faiblit. Cependant des conflits internes aboutirent à la scission de 1934 ; les jeunes intellectuels occidentalisés favorables à un état laïque fondèrent le *Néo-Destour* tandis que les partisans de la restauration de la Tunisie traditionnelle, islamique et arabe, se groupèrent dans le cadre du *Vieux Destour*. Comptant sur les masses, le *Néo-Destour* mena avec plus de vigueur la lutte contre le colonialisme ; bien structuré, il s'implanta dans tout le pays et s'engagea dans l'action clandestine quand il fut interdit. En 1937 et 1938, diverses grèves et émeutes amenèrent l'incarcération de ses chefs. Autorisé en 1954, le parti contribua à l'instauration de la République tunisienne (1957) sous la direction de son chef Habib Bourguiba*, après l'élimination des partisans de Ben Yûsif. Il s'imposa comme le parti unique du nouvel État. Depuis 1964, le Néo-Destour devint le *parti socialiste destourien*, sans pour autant abandonner sa tradition pragmatique ni renoncer à ses engagements antérieurs.

DESTRÉE (Jules). ♦ Écrivain et homme politique belge (Marcinelle, 1863 – Bruxelles, 1936). Député socialiste à la Chambre des représentants (1894), ministre des Sciences et des Arts (1920), il fonda l'Académie de langue et de littérature françaises. Il fut un ardent défenseur du mouvement intellectuel wallon ; il exposa ses griefs contre l'influence flamande dans *Lettre au roi* (1911) puis dans *Wallons et Flamands* (1923).

DESTUTT DE TRACY (Antoine Louis Claude, *comte de*). ♦ Philosophe français (Paris, 1754 – 1836). Chef des idéologues*, il fut sous le Directoire membre du Comité de l'instruction publique. Auteur des *Éléments d'idéologie* (*Idéologie*, 1801 ; *Grammaire générale*, 1803 ; *Logique*, 1805 ; *Traité sur la volonté*, 1815), il y affirme son matérialisme psychologique. La sensibilité (dont les modes fondamentaux sont : sentir, se souvenir, juger et vouloir) nous renseigne sur notre propre existence ainsi que sur celle du monde extérieur par la sensation d'effort pour vaincre les résistances matérielles (idée que développera Maine* de Biran en l'intériorisant) ; elle est la source de nos idées générales et de nos jugements dont l'analyse amena Destutt de Tracy à des remarques intéressantes sur le langage (notant en particulier que le mot lui-même a déjà valeur de discours). Son influence sur Stendhal* fut très forte. (Acad. fr.)

DESVRES [dɛvʀ]. ♦ Ch.-l. de cant. du Pas*-de-Calais, arr. de Boulogne*-sur-Mer. 5 883 hab. *(Desvrois)*. Chaussures ; fabrique de céramiques, de faïences ; cimenterie.

DETAILLE (Édouard). ♦ Peintre et dessinateur français (Paris, 1848 – *id.*, 1912). Élève de Meissonier*, il devint comme son maître un spécialiste de la peinture militaire et peignit avec une facture minutieusement détaillée des scènes aux accents héroïques et sentimentaux qui lui valurent la célébrité (*Soir de Rezouville*, 1884 ; *Le Rêve*, 1888). Il séjourna en Algérie, reçut des commandes des cours d'Angleterre et de Russie et fut aussi un habile illustrateur (*L'Armée française*, par A. de Neuville, 1883).

DETMOLD. ♦ V. d'Allemagne occidentale (Rhénanie du Nord-Westphalie), au pied du *Teutoburger Wald*. 29 132 hab. (1966). Château Renaissance (XVIe s.). – Centre industriel (meubles) et touristique. – Patrie de F. Freiligrath*. ♦ *Hist.* Charlemagne y vainquit les Saxons en 783. Elle fut la cap. de l'anc. principauté de Lippe*.

DETROIT. ♦ V. des États-Unis, au S.-E. du Michigan*, sur la *riv. de Detroit*, qui unit le lac Saint-Clair* et le lac Érié*. 1 429 914 hab. (plus de 35 % de Noirs). La zone urbaine (Dearborn*, Hamfranck, Royal Oak, Warren, Windsor) compte plus de 4 160 000 habitants. La ville est la capitale de l'industrie automobile (1/3 de la production des États-Unis v. 1950), mais la sidérurgie, les indus. chimiques y sont aussi très importantes. Detroit possède 3 aérodromes. – Plusieurs collèges et universités. – Patrie de Charles Lindbergh*, de Ray « Sugar » Robinson*. ♦ *Hist.* Fondée par A. de la Mothe Cadillac (1701), la ville, prise par les Anglais (1760), fut intégrée aux États-Unis après 1796. Son expansion commerciale et économique, due à sa situation, s'est affirmée après 1830 et accélérée à partir de l'invention de l'automobile.

Détroits (les). ♦ Détroits turcs du Bosphore* et des Dardanelles*, seul passage maritime entre la mer Noire et la Méditerranée, qui ont posé des problèmes internationaux dans le cadre de la *question d'Orient**. Par le traité de Kutchuk-Kaïnardji (1774), la Turquie ouvrit les détroits à la navigation commerciale de la Russie, puis, par le traité d'Andrinople (1829), des autres puissances. Par une clause secrète du traité russo-turc d'Unkiar*-Skelessi (1833), la Russie obtint le privilège du libre passage pour ses navires de guerre, mais la convention de Londres (1841) abolit ce privilège. L'internationalisation des détroits prévue par le traité de Sèvres (1920) et contestée par la Turquie et la Russie soviétique, resta lettre morte. Par la convention de Lausanne (1923), ils furent restitués à la Turquie et démilitarisés sous le contrôle d'une commission internationale. Mais la convention de Montreux (1936) autorisa la Turquie à fortifier les détroits et à imposer des restrictions à la liberté de passage pour les navires de guerre. Depuis 1946, l'U.R.S.S. a revendiqué la révision de cette clause.

DE TROY [datʀwa] **(François).** ♦ Peintre et dessinateur français (Toulouse, 1645 – Paris, 1730). Elève de son père Antoine, puis de Cl. Le Febvre, il devint à Paris portraitiste de l'aristocratie et des artistes et fut apprécié par sa clientèle féminine car il avait l'art de peindre des portraits élégants et flatteurs *(La Duchesse d'Orléans; La Duchesse du Maine; Le Joueur de luth).* Il inventa le genre du portrait travesti ou allégorique, genre dont Nattier* allait devenir le maître, et le chargea d'intentions galantes (*Mlle de Blois et le comte de Toulouse en Vénus et Adonis,* 1691).

DE TROY (Jean-François). ♦ Peintre et dessinateur français (Paris, 1679 – Rome, 1752). Il fut l'élève de son père François, séjourna à Rome de 1698 à 1704 où il assimila la leçon de Rubens et des grands Vénitiens. À Paris, il obtint un grand succès comme peintre de la vie familière, élégante et libertine *(La Lecture dans un salon; La Jarretière détachée).* Il fut un décorateur apprécié, aimant les couleurs vives et les détails pittoresques *(Le Déjeuner d'huîtres,* pour les petits appartements de Louis XV, 1735). Il donna aux Gobelins les cartons de tapisseries de *Jason et Médée* (1735) et de *L'Histoire de Mardochée* (1732-1742) où il suivit le goût galant de l'époque.

DETTINGEN. ♦ Localité du S.-O. de l'Allemagne (Bavière), sur la r. d. du Main. Les Français y furent battus par les Autrichiens et les Hanovriens en 1743.

DEUCALION [*Deukaliôn*]. ♦ Fils de Prométhée*, qui, selon la légende, régnait en Thessalie. Avec sa femme Pyrrha*, seuls justes, ils furent sauvés du déluge qui détruisit la race humaine de l'*âge de bronze*. Arrivés au sommet du Parnasse* à bord d'une arche, ils repeuplèrent la terre en jetant derrière eux des pierres, les « os de leur mère », selon l'oracle des dieux. Les pierres lancées par Deucalion devinrent des hommes, celles jetées par Pyrrha des femmes; ce sont les ancêtres des races qui envahirent la Grèce. **V. Hellen.**

DEUIL-LA-BARRE. ♦ Comm. du Val-d'Oise, arr. de Montmorency. 15 613 hab. *(Deuillois).* Église Saint-Eugène (XIᵉ, XIIᵉ s.) endommagée par un V2 au cours de la dernière guerre et depuis restaurée. – Indus. textile.

DEÛLE. *n.f.* ♦ Riv. du N. de la France (85 km), affl. de la Lys*; elle traverse Lens*, Lille*, et est en partie canalisée.

DEURNE. ♦ V. de Belgique, dans la banlieue d'Anvers. 74 100 hab. Parc de Rivierenhof (lac et château du XVIIIᵉ s.). Château Sterckshof (XVIᵉ s., reconstruit en 1930; musée provincial). – Indus. textiles, chimiques, alimentaires. Taille du diamant. Instruments de précision.

DEUSDEDIT. ♦ Papes. **V. Adéodat.**

Deutérocanoniques. *n. m. pl.* (Cf. Robert). ♦ Livres bibliques, ne figurant pas dans la Bible hébraïque mais admis, à la suite des Septante* et de la Vulgate*, par la tradition catholique qui en consacra la canonicité au concile de Trente (1546). **V. Bible.**

Deutéronome. *n. m.* (grec *deuteronomos,* « deuxième loi »). ♦ Cinquième livre du Pentateuque*, intitulé en hébreu *Debârîm,* « Paroles ». 34 chapitres constituent une seconde version d'événements et de préceptes figurant déjà dans l'*Exode**, le *Lévitique** et les *Nombres**. S'y ajoute la mort de Moïse, avant l'entrée dans la Terre promise.

DEUTSCH (Simon). ♦ Révolutionnaire autrichien (Vienne, 1824 – Londres, 1877). Condamné à mort après avoir pris part à l'insurrection révolutionnaire de Vienne (1848), il passa en Suisse, puis gagna Paris, où il entra en relation avec Michelet, Proudhon, Tolain, etc. Membre de la Iʳᵉ Internationale, dont il dirigea le Comité après Marx en 1874, il prit position pour la France en 1870 et fit partie de la Commune de Paris (1871). À la fin de sa vie, il contribua à fonder le parti de la Jeune Turquie.

DEUTSCH DE LA MEURTHE (Henry). ♦ Industriel et philanthrope français (Paris, 1846 – Ecquevilly, Seine-et-Oise, 1919). Il fut l'un des fondateurs de l'Aéro-Club de France et créa, en 1909, l'Institut aéronautique à Saint-Cyr.

Deutschland über Alles («L'Allemagne par-dessus tout»). ♦ Hymne national allemand depuis 1922, dont les paroles furent composées par Hoffmann von Fallersleben (1841), sur la musique de l'hymne impérial *Gott erhalte Franz den Kaiser* (1797), composée par Haydn.

DEUX-ALPES. ♦ Station de sports d'hiver de l'Isère* à 1 660 m, formée par les deux stations de l'Alpe-de-Mont-de-Lans et de l'Alpe-de-Venosc.

DEUX-PONTS, en all. **Zweibrücken.** ♦ V. d'Allemagne occidentale (Rhénanie-Palatinat), près de Sarrebruck, sur le Schwarzbach et le Hornbach. 34 500 hab. Bel ensemble de monuments baroques (restaurés après 1945). – Indus. mécaniques, textiles, travail du cuir. ♦ *Hist.* Cap. d'un anc. comté (XIIIᵉ s.) érigé au

Ph. Hubert Josse

J. F. De Troy : « Le Déjeuner d'huîtres ». (Musée Condé, Chantilly.)

XIVᵉ s. en duché au profit de la famille Deux-Ponts-Neuburg (dont 3 représentants furent rois de Suède de 1654 à 1718), puis de la branche Birkenfeld. En 1797, Deux-Ponts fut annexée par la France (ch.-l. du département du Mont-Tonnerre), puis cédée à la Bavière en 1815.

Deux-Roses *(guerre des).* ♦ **V.** ROSES *(guerre des Deux-).*

DEUX-SÈVRES. ♦ **V.** SÈVRES *(Deux-).*

DEUX-SICILES *(royaume des).* ♦ **V.** NAPLES, *Hist.* (Royaume de Naples).

DEVA. *n. m.* **Devî.** *n. f.* (aussi **Devatâ**). ♦ Nom donné dans l'hindouisme et le bouddhisme aux divinités et aux puissances demeurant dans les mondes célestes. Les *devatâ* ne sont ni créateurs ni démiurges mais ont des fonctions définies au sein du panthéon. Ce sont en général des divinités bienveillantes et protectrices.

DEVA. ♦ V. historique de Roumanie occidentale (Transylvanie). Ch.-l. de la *région de Hunedoara,* sur le Mureş. 24 000 hab. Église du XVᵉ s., château de Magna Curia (*déb.* XVIIᵉ s.).

DE VALERA (Eamon). ♦ Homme politique irlandais (New York, 1882 – Dublin, 1975). Chef de la révolte des Volontaires irlandais de 1916, il devint le leader du parti Sinn* Fein en 1918 et négocia avec Lloyd* George le « traité » du 6 décembre 1921, qu'il refusa finalement de signer, car il excluait l'Ulster protestant de l'État libre d'Irlande. Il fonda alors le « Parti républicain » hostile au traité et, profitant de l'abdication d'Édouard* VIII, il proclama une nouvelle constitution pour l'Irlande (**V. Irlande,** *Hist.*). Il fut alors Premier ministre (1932-1948 et 1951-1959) et décida de la neutralité de son pays lors du déclenchement de la Deuxième Guerre mondiale. Il fut élu président de la République en 1959 et réélu en 1966.

DE VALOIS (Edris STANNUS, dite **Ninette).** ♦ Danseuse et chorégraphe anglaise (Dublin, 1898). Première danseuse à l'opéra royal de Covent Garden (1919), elle appartint à la troupe de Diaghilev* (1923-1925). Chorégraphe, elle a composé des ballets pour l'Abbey Theatre de Dublin et pour le Festival de Cambridge avant de fonder la compagnie du Nouveau Théâtre Sadler's Wells (1931) qui devint ensuite le Royal Ballet. Parmi ses compositions, on retiendra *Job* (Vaughan, Williams), *La Création du monde* (D. Milhaud), *The Rake's Progress* (Stravinski), *Bar des Folies-Bergère* (E. Chabrier).

DEVENTER. ♦ V. des Pays-Bas (Overijsel), sur l'Ijsel. 63 824 hab. Métallurgie et indus. chimiques. Indus. alimentaires (pain d'épice).

DEVEREUX (George). ♦ Psychanalyste et ethnologue américain (1908). Représentant de l'anthropologie culturelle, il a étudié les facteurs socio-culturels des névroses.

DEVÉRIA (Jacques Jean Marie Achille). ♦ Dessinateur, peintre

Ph. Giraudon

E. Devéria : « Autoportrait ». (Coll. Moussalli, Paris.)

et lithographe français (Paris, 1800 – Paris, 1857). Surtout célèbre comme lithographe, illustrateur et portraitiste il exécuta aussi, à la fin de sa vie, des peintures d'histoire. Les nombreux portraits qu'il a laissés, notamment de tous les grands artistes de son temps (*Victor Hugo, La Malibran, Liszt*, etc.), les scènes de la vie mondaine et les dessins de costumes sont souvent dessinés avec finesse et élégance; ils constituent un témoignage riche et précis sur l'époque romantique.

DEVÉRIA (Eugène). ♦ Peintre français, frère du précédent (Paris, 1805 – Pau, 1865). Il obtint un succès retentissant au Salon de 1827 avec *La Naissance d'Henri IV* et apparut à ses contemporains comme le chef de file de l'école romantique. Mais ses œuvres suivantes l'ont fait considérer comme un petit maître qui, par son goût du Moyen Âge pittoresque, se rattache au « style troubadour » et par sa recherche de l'exotisme se situe dans le courant de l'orientalisme. Il réalisa aussi des œuvres religieuses, des portraits et de grandes décorations (*Pierre Puget présentant à Louis XIV la statue de Milon de Crotone;* plafond au Louvre).

DEVÈS, *n. m.* ♦ Massif volcanique du Velay* (Haute-Loire). 1 463 m. Hauts plateaux fertiles.

DEVILLE (Gabriel). ♦ Socialiste français (1854 – 1940). Il fut avec J. Guesde et P. Lafargue, un des fondateurs du Parti ouvrier français et contribua à faire connaître le marxisme en France.

DÉVILLE-LÈS-ROUEN. ♦ Comm. de la Seine-Maritime, dans l'arr. et la banlieue O. de Rouen*. 10 377 hab. Papeterie. Métallurgie. Indus. textiles. Construction de bateaux. – Pèlerinage de la Fontaine-Saint-Siméon. – Patrie du père Delattre.

De viris illustribus urbis Romae. ♦ Texte latin de l'abbé Charles François Lhomond (v. 1775). C'est un abrégé de l'histoire romaine, composé dans un latin simple destiné à la pédagogie.

DEVOLL, DEVOL ou **DEVOLLI.** ♦ Riv. d'Albanie traversant le *lac de Maliq**. Affl. du Seman*.

Dévolution *(guerre de).* Première guerre de conquête de Louis* XIV, entreprise à la mort de Philippe* IV, pour faire valoir les droits de Marie*-Thérèse sur les Pays-Bas; le prétexte était un « droit de dévolution » reconnu dans certaines provinces belges et favorisant les enfants du premier lit. La Triple Alliance* arrêta la guerre qui se termina au traité d'Aix*-la-Chapelle (1668) : l'Espagne cédait douze places sur la frontière du Nord, dont Lille.

DÉVOLUY. *n. m.* ♦ Massif des Préalpes du Sud au S.-O. de la vallée du Drac*.

DEVON ou **DEVONSHIRE.** *n. m.* (la région géographique n'est appelée que *Devon*). ♦ Comté du S.-O. de l'Angleterre, entre la Manche et le canal de Bristol. 6 765 km². 823 750 hab. *Ch.-l.* Exeter*. *Ville princ.* Plymouth*. – Le Devon est un plateau hercynien d'où émergent les éminences rocheuses des Exmoor Hills (520 m) au N., et des Dartmoor Hills (620 m), au sud. C'est un pays de prairies vouées à l'élevage ovin et bovin. Le sous-sol recèle du cuivre, de l'étain et du plomb. On pratique la pêche sur la côte. – Patrie de Coleridge*, de John Ford*, de Ch. Kingsley*, et du peintre J. Reynolds*.

DEVON *(île).* ♦ Île de l'archipel arctique du Canada (îles de la Reine Élisabeth), au N. de la terre de Baffin, dont elle est séparée par le détroit de Lancaster, et au S. de l'île d'Ellesmere (détroit de Jones). 54 030 km².

DEVONPORT. ♦ V. et port du S. de l'Angleterre, près de Plymouth* (Devon). Port militaire (docks de la marine britannique). Métallurgie. – Patrie de l'explorateur Scott*.

DE VOS (Cornelis ou **Corneille).** ♦ Peintre et dessinateur flamand (Hulst, v. 1585 – Anvers, 1651). Formé à Anvers de 1599 à 1604 et inscrit à la gilde en 1608. S'il fut l'un des collaborateurs de Rubens* (*Entrée solennelle de Ferdinand d'Autriche* et tableaux mythologiques destinés au roi d'Espagne), il s'affirma plus comme portraitiste que comme décorateur. Peu marqué par l'esprit baroque de son maître, il semble surtout se rattacher à la tradition sobre et rigoureuse du portrait flamand. Peintre de la riche bourgeoisie anversoise, il sut rendre avec sensibilité les physionomies enfantines (*L'Artiste et sa famille,* 1621), composa habilement les portraits de groupe et adopta progressivement une touche plus vibrante, influencée sans doute par les portraits de Van* Dyck; il fit preuve parfois d'une certaine fantaisie *(Portrait d'Abraham Grapheus).* ♦ PAUL DE VOS. Frère du précédent (Hulst, 1596 – Anvers, 1678). Il étudia auprès de Snyders* qui devint ensuite son beau-frère. Imitant le style de ce dernier, il peignit des natures mortes et des scènes de chasse qui dénotent aussi l'influence de Rubens*, dont il fut le collaborateur (décorations pour le roi d'Espagne au *Buen Retiro* et à la *Torre de la Parada*). Il est aussi l'auteur de tableaux d'armes, d'armures, d'instruments d'astronomie et de musique.

Dévotion à la Croix [**La**] *(La Devoción de la Cruz).* ♦ Drame en 3 journées de Calderón (1634). Devenu homicide, puis brigand après la mort de Lisardo, frère de sa fiancée Julia, qu'il a provoqué en duel, Eusebio est poursuivi par le père de Julia, Curzio. Au cours du combat qui les oppose, Curzio reconnaît sur la poitrine d'Eusebio le signe de la croix qui s'y est trouvé tracé au jour de sa naissance, signe qui lui prouve qu'Eusebio est son propre fils. Le jeune homme meurt, mais un moine qui lui devait la vie et qui a entendu son appel, l'exhume, le ressuscite, l'absout, puis le remet en terre. Ainsi, le pécheur sera sauvé.

DE VRIES (Hugo). ♦ Botaniste hollandais (Haarlem, 1848 – Lunteren, 1935). À la suite de nombreuses observations méthodiques sur une plante de la famille des *Onagrariés* (Œnothéra Lamarckiana), il découvrit l'existence de variations brusques, discontinues et héréditaires, qu'il nomma *mutations.* Il en conclut que celles-ci sont le moteur essentiel dans l'évolution *(mutationnisme).* Si les études génétiques confirmèrent l'existence de mutations et en précisèrent le mécanisme, leur valeur pour l'évolution des espèces a été discutée. (*Théorie de la mutation,* 1900-1903: *Espèces et Variétés, leur naissance par mutation,* 1908). Il vérifia les lois de l'hérédité de G. Mendel*.

DEWAR (*sir* **James).** ♦ Physicien et chimiste écossais (Kincardine-on-Forth, 1842 – Londres, 1923). Après avoir étudié les très basses températures et réussi à liquéfier de petites quantités de certains gaz dits « permanents » (hydrogène, azote, oxygène, oxyde de carbone, méthane), il fut le premier à obtenir de l'hydrogène liquide en quantité notable (1898). **V. Cailletet, Kamerlingh Onnes, Pictet.** Inventeur du vase isolant à double paroi de verre argenté sous vide, il mit également au point, avec F. Abel*, un type de poudre propulsive *(cordite).*

DEWEY (Melvil). ♦ Bibliographe américain (Adams Center, New York, 1851 – Lake Placid, Essex County, 1931). Bibliothécaire de l'université de Columbia (1883), il y fonda une école de formation des bibliothécaires, et une autre à Albany. Il a inventé le système décimal de classification des livres, dit de Dewey. Proposé pour la première fois en 1876, ce système est toujours largement utilisé.

DEWEY (John). ♦ Pédagogue et philosophe américain (Burlington, Vermont, 1859 – New York, 1952). Connu pour avoir introduit en pédagogie les méthodes occupationnelles (ou actives), il a élaboré une philosophie proche du pragmatisme de W. James*, à laquelle il a donné le nom d'instrumentalisme ou de fonctionnalisme (*École et Société,* 1900; *Essais sur l'éducation,* 1910; *Essais de logique expérimentale,* 1916).

DEWSBURY. ♦ V. du N. de l'Angleterre (Yorkshire, West Riding), sur la Calder. 53 300 hab. Indus. textile (laine) et métallurgie. – Patrie de O. Richardson*.

DEYNZE, en néerl. **Deinze.** ♦ V. de Belgique (Flandre-Orientale, arr. de Gand), sur la Lys* et un canal de 54 km aboutissant à Heyst, sur la mer du Nord. 6 100 hab. Eglise des XIIIᵉ et XIVᵉ siècles. Musée des peintres de l'école de Latem-Saint-Martin. – Indus. textiles. Ébénisterie.

DEZAMY (Théodore). ♦ Socialiste français (Luçon, 1808 – 1850). Éditeur du journal *L'Égalitaire* (1840), il critiqua le socialisme chrétien de Lamennais ainsi que le communisme utopique de Cabet* dont il avait d'abord été le collaborateur (*Code de la communauté,* 1842). Membre du groupe néo-babouviste **(V. Lahautière** et **Laponneraye),** il peut être considéré comme un des premiers représentants du socialisme matérialiste en France.

DHAMASKINOS. ♦ V. DAMASKINOS.

DHANÂ. *n. m.* ♦ Désert de sable d'Arabie Sa'ûdite qui sépare le Nedjd du Hassa* et s'étend sur 1 200 km entre les déserts du Grand Néfûd* et le Rûb'* al-Khâlî.

DHARÂN ou **DHAHRÂN (al-Zahrân)**. ♦ V. d'Arabie Sa'ûdite. (province du Hassa*) créée par l'*Aramco* au centre de la zone pétrolifère de la côte occidentale du golfe Persique. 18 000 hab. (dont 3 000 techniciens américains). Dharan est relié par route à Qatar* et par voie ferrée à Riyad* (voie ferrée Riyad-Damman*). Aérodrome international. Point de départ de la *Tapline* (oléoduc).

DHAULAGIRI. *n. m.* ♦ Un des plus hauts sommets de l'Himâlaya*, au centre du Népal* (8 172 m). Il fut conquis en 1960 par une expédition suisse.

DHEUNE. *n. f.* ♦ Rivière de Bourgogne, affl. de la Saône. 65 km. Le canal du Centre emprunte sa vallée ainsi que celles de la Bourbince et de la Thalie (dépression « Dheune-Bourbince »).

DHOFAR. *n. m.* ♦ Province du sultanat d'Oman*, située au S.-O. De climat très chaud et humide, elle comprend une plaine littorale parsemée d'oasis, que borde une chaîne montagneuse de près de 2 000 m *(dj. Samhan)*. Peuplé d'agriculteurs sédentaires, le Dhofar est la seule région sunnite de la principauté. Importants gisements de pétrole à Marmul. Myrrhe et encens exportés par le port de Salaalah (princ. ville de cette province, anc. résidence du sultan). Un nouveau port est construit à Risut, pour l'exportation des produits agricoles. ♦ *Hist.* Installé dans la région depuis 1966, le Front populaire de libération du golfe arabe occupé mena dans cette province une guerre de guérilla qui lui permit de diriger la quasi-totalité du Dhofar et d'organiser sous son contrôle la population paysanne. En 1972, les forces royales encadrées par des officiers britanniques, réussirent à réduire la zone d'influence des maquisards en occupant l'est et l'ouest de la province.

DHUIS ou **DHUYS** [dɥis]. *n. f.* ♦ Rivière du Bassin parisien (Champagne), affl. de la Marne. 15 km. Réserve d'eau, acheminée vers Paris par l'*aqueduc de la Dhuis*, long de 131 km.

DHÛLIA. ♦ V. de l'Inde (Mahârâṣtra), à 300 km au N. de Bombay*. 125 000 hab. Important marché du coton.

Dhyâna. *n. m.* ♦ Philosophie bouddhique indienne faisant appel aux techniques de méditation pure. Introduite en Chine au VIᵉ s. par le religieux Bodhidharma* (Cf. Ch'an), elle passa au Japon, où elle devint le Zen*.

DIABELLI (Anton). ♦ Compositeur autrichien (Matsee près Salzbourg, 1781 — Vienne, 1858). Élève de Joseph et de Michel Haydn, il fut un pianiste et un professeur très réputé. Il a composé dans tous les genres, notamment pour le piano, et ses sonates demeurent appréciées pour leur valeur pédagogique. Devenu éditeur, il diffusa les œuvres des plus importants de ses contemporains (Haydn, Mozart, Cherubini et Schubert). C'est une de ses valses qui inspira à son ami Beethoven* les *trente-trois variations* op. 120.

Diable amoureux (Le). ♦ Roman allégorique de J. Cazotte* (1772), qui peut être rattaché au courant de littérature démoniaque, vivace au XVIIIᵉ siècle. En un style rapide, Cazotte transcrit un rêve étrange et vaporeux : imprudemment attiré par la magie, le jeune Alvare saura déjouer les pièges tendus par Biondetta, séduisante incarnation du diable. Cette œuvre au charme bizarre préfigure le « roman noir » anglais (Cf. *Le Moine* de M.G. Lewis*) et les œuvres fantastiques du XIXᵉ s. français.

Diable boiteux (Le). ♦ Roman satirique de Lesage*, inspiré de l'œuvre homonyme de Vélez* de Guevara, et qui connut un grand succès. Grâce à une fiction symbolique, l'auteur mène une enquête morale d'une extrême variété : guidé par le démon Asmodée* dont la magie soulève les toits de Madrid, le jeune « écolier » Cléophas découvre les pensées des humains et leurs songes, révélateurs de leurs désirs secrets. Ainsi se justifie une série de tableaux, séparés par des contes, où apparaissent le réalisme satirique comme le style vivant et coloré de Lesage.

Diable et le Bon Dieu (Le). ♦ Pièce en 3 actes de J.-P. Sartre (1952), inspirée de *Götz von Berlichingen* de Goethe. Dans l'Allemagne du début du XVIᵉ s. déchirée par la guerre des Paysans, le condottiere Goetz se voue tout entier au mal. Puis, sans renoncer à son personnage de surhomme, il décide brusquement de faire le bien, distribue ses terres aux pauvres, renonce au monde et se fait ermite. Cette expérience, comme la précédente, se solde par un échec personnel. Mais il faut un chef à l'armée des opprimés que les nobles viennent d'écraser. Goetz décide de se mettre à leur tête. Il s'engagera dans ce combat, convaincu désormais que les catégories du bien et du mal sont illusoires et que seule importe l'action, en dépit de tout ce qu'elle entraîne d'arbitraire et de violence. La pièce illustre la philosophie politique de l'auteur.

DIABLERETS (les). ♦ Massif des Alpes suisses aux confins des cantons de Vaud, de Fribourg et du Valais. 3 246 m. — Importante station d'été et de sports d'hiver au pied N. du massif (alt. 1 170 m).

Diaboliques (Les). ♦ Recueil de six nouvelles de Barbey* d'Aurevilly (1874), « histoires réelles de ce temps civilisé » où l'auteur souligne l'origine diabolique des perversions morales qu'incarnent les héroïnes ; car le titre s'applique aussi bien aux histoires racontées qu'à leurs protagonistes, habitées de passions violentes. Dans *Le Rideau cramoisi,* Alberte allie la plus grande impassibilité à la frénésie passionnelle, et sa mort dans les bras de son amant plonge ce dernier dans l'épouvante. *Le Bonheur dans le crime* exalte la hardiesse sans remords de Hauteclaire, escrimeuse redoutable. Quant à *La Vengeance d'une femme,* elle est terrible chez la duchesse de Sierra-Leone, qui se fait fille publique pour mieux souiller l'honneur de son époux. Cruelles et insolites, ces nouvelles, écrites en un style flamboyant, se veulent morales,

Ph. Hubert Josse

S. de Diaghilev, par V. Serov. (Collection particulière.)

« toute peinture (l') étant toujours assez... quand elle est tragique et qu'elle donne l'horreur des choses qu'elle retrace ».

DIACRE (Paul). ♦ V. PAUL DIACRE.

Diadumène *(le),* en grec **Diadoumenos**. ♦ Statue de Polyclète* (~ vᵉ s.) : un athlète portant un bandeau au front. Cette œuvre, célèbre pour l'application du « canon de Polyclète » aux proportions du corps humain, a suscité de nombreuses copies.

DIAGHILEV (Serge *de***)**. ♦ Critique d'art et imprésario russe (Novgorod, 1872 — Venise, 1929). Il entreprit d'abord des études de droit mais la fréquentation de Léon Bakst, Alexandre Benois et Walter Nouvel avec lesquels il fonda la revue *Mir Iskoutsva* (« Le Monde des arts ») l'orienta vers une carrière artistique. Il organisa en Russie la première exposition des impressionnistes français (1899-1900), et révéla au public russe la musique française contemporaine (Debussy, Ravel, Dukas). Le succès parisien de son exposition « Deux siècles d'art russe » (1906) le détermina à revenir à Paris. Devenu impresario, il y présenta *Boris Godounov,* avec Chaliapine (1908) puis, ayant constitué en Russie une troupe prestigieuse de danseurs (A. Pavlova, T. Karsavina, I. Rubinstein, V. Nijinski et sa sœur Bronislava, A. Bolm, M. Fokine), il revint à Paris où le premier spectacle des Ballets russes *(Cléopâtre, Le Festin, Le Pavillon d'Armide, Les Danses polovtsiennes du prince Igor, Les Sylphides),* donné au théâtre du Châtelet (1909), obtint un véritable triomphe. Cette révélation de l'art russe en Occident exerça une profonde influence dans tous les domaines du spectacle. Jusqu'à la mort de Diaghilev (1929), chaque saison (à l'exception des années 1916 et 1918) le retour à Paris de la troupe des Ballets russes constitua un événement attendu. La compagnie vit les débuts des danseurs L. Massine, G. Balanchine*, S. Lifar*, A. Dolin* et des danseuses A. Markova, O. Spessivtseva. Elle révéla des ouvrages musicaux de I. Stravinski, S. Prokofiev, C. Debussy, M. Ravel, E. Satie, D. Milhaud, F. Poulenc, G. Auric, représentés dans des costumes et des décors de A. Benois, L. Bakst, M. Larionov, N. Gontcharova, A. Derain, P. Picasso, G. Braque, H. Matisse, G. Rouault, M. Laurencin, J. Gris, J. Miró, G. De Chirico. Ses chorégraphes furent M. Fokine* (1909-1912, 1914). V. Nijinski*, L. Massine* (1915-1920, 1925-1928), B. Nijinska (1922-1926), G. Balanchine* (1926-1929), son maître de ballet E. Cecchetti*. — Princ. ballets : *Schéhérazade* (Rimski-Korsakov, 1910), *l'Oiseau de feu* (Stravinski, 1910), *Petrouchka* (Stravinski, 1911), *Le Spectre de la rose* (Weber, 1911), *L'Après-midi d'un faune* (Debussy, 1912), *Daphnis et Chloé* (Ravel, 1912), *Le Sacre du printemps* (Stravinski, 1913), *La Légende de Joseph* (R. Strauss, 1914). ♦ Animateur d'une exceptionnelle fécondité, suscitant les talents d'écrivains comme J.-L. Vaudoyer et J. Cocteau, de chefs d'orchestre comme P. Monteux et E. Ansermet, Serge de Diaghilev produisit sa troupe dans de nombreuses tournées à travers les deux continents. C'est au lendemain d'une saison à Londres qu'il devait trouver une mort prématurée.

Dialogues (Les). ♦ Nom donné à l'ensemble de l'œuvre de Platon*, à l'exclusion de quelques *Lettres,* formée de recherches philosophiques présentées sous forme de discussions entre Socrate et différents interlocuteurs. Les 28 *Dialogues* platoniciens authentiques ont pu être classés chronologiquement au XIXᵉ s. grâce à des études stylistiques (entreprises par Lewis Campbell, Dittenberger, Lutoslawski). Ils ont été généralement répartis en trois groupes : dialogues de la jeunesse **(V. Gorgias, Cratyle, Criton, Apologie de Socrate)**, de la maturité **(V. Ménon, Banquet, Phédon, République, Phèdre)** et de la vieillesse **(V. Théétète, Sophiste, Parménide, Politique, Timée, Critias, Philèbe, Lois)**.

Dialogues des morts. ♦ Satire de Lucien* composée de 30 dialogues. Des héros mythologiques, des grands souverains, des conquérants et des philosophes se retrouvent aux Enfers. Les cyniques Diogène et Ménippe y jouent le rôle principal en ridiculisant l'opulence, la vanité et la suffisance de ces personnages dans la vie.

DIANE, en lat. **Diana**. ♦ Déesse italique et romaine identifiée dès le ~ VIe s. à l'Artémis grecque. **V. Artémis.** La Diane primitive, dont les légendes sont très pauvres, était une des plus anciennes divinités adorées par les Latins. Ses sanctuaires les plus importants étaient ceux de Capoue *(Diana Tifatina)* et d'Aricie, sur les bords du lac de Nemi *(Diana Nemorensis)*.

DIANE DE POITIERS. ♦ **V.** POITIERS (Diane de).

DIANE DE VALOIS ou **DIANE DE FRANCE.** ♦ (1538 – Paris, 1619). Fille naturelle d'Henri II et d'une Piémontaise, ou, selon Brantôme, de Diane de Poitiers, légitimée, elle épousa Orazio Farnèse (1553), puis François de Montmorency* (1557) qu'elle sauva de la Saint*-Barthélemy. Intelligente et cultivée, elle exerça une importante influence et réconcilia Henri III avec le futur Henri IV.

DIAS (Bartolomeu DIAS de NOVAES) ou **DIAZ (Barthélemy).** ♦ Navigateur portugais (en Algarve, v. 1450 – au large de Bonne-Espérance, 1500). Élève du cosmographe et navigateur M. Behaim, il fut envoyé en Afrique par Jean II du Portugal pour y poursuivre l'expédition de Diogo Cam (Cão). Il fut le premier à contourner le continent africain et à découvrir le Cap de Bonne*-Espérance (1487-1488).

DIAS (Antonio Goncalves). ♦ Poète, philologue et historien brésilien (1823 – 1864). De sang mêlé, portugais, noir et indien, il est comme le symbole de la patrie nouvelle : le sentiment de la nature américaine domine sa poésie. Il est aussi le poète de l'amour (*Premiers Chants*, 1846). Son *Dictionnaire* de langue Tupi a marqué une renaissance des études indiennes.

Diaspora *(la)* [mot grec, « dispersion »]. ♦ Ensemble des communautés juives hors de Palestine. Commencée au ~ IXe s., la « dispersion » s'accentua après la chute de Samarie (~ 721) et surtout après l'exil à Babylone (~ 587) et la chute de Jérusalem (70). Principaux centres dans l'Antiquité : Babylone, Alexandrie, Antioche, Carthage, Rome.

DÍAZ (Miguel). ♦ Voyageur espagnol (en Aragon, 2e moitié du XVe s. – ? v. 1512). Il prit part à la deuxième expédition de Colomb*, découvrit les mines aurifères de San Cristóbal (sud de Saint-Domingue, 1495) et contribua à la fondation de Nueva Isabela (Santo Domingo).

DÍAZ (Porfirio). ♦ Homme politique mexicain (Oaxaca, 1830 – Paris, 1915). D'origine métisse, il entra très jeune dans l'armée et fut un des généraux de Juárez* dans la lutte contre Maximilien* et les Français. Par la suite, il se souleva contre Juárez (1871) et, vaincu, dut se retirer aux États-Unis. Mais en 1876, il s'empara de la présidence de la République, établissant une dictature et se faisant réélire pendant près de trente ans. Il développa considérablement l'économie de son pays, faisant appel aux capitaux étrangers. Renversé en 1911 par Madero*, il se retira en exil.

DIAZ (Armando). ♦ Maréchal italien (Naples, 1861 – Rome, 1928). Chef du bureau des opérations de Cadorna* en 1915, il lui succéda comme généralissime des forces italiennes après le désastre de Caporetto* (1917). Il dirigea l'offensive qui consomma la défaite autrichienne (bataille du Piave et prise de Vittorio-Veneto, oct. 1918). **V. Guerre mondiale** *(Première)*. Il fut ministre de la Guerre sous Mussolini (1922-1924).

DIAZ DE LA PEÑA (Narcisse Virgile). ♦ Peintre et lithographe français d'origine espagnole (Bordeaux, 1808 – Menton, 1878). À quinze ans, il fut apprenti chez un peintre sur porcelaine. Il débuta au Salon de 1831 ; admirateur de Delacroix*, il peignit des sujets exotiques puis des paysages avec des figures mythologiques et allégoriques qui trahissent l'influence de Prud'hon* *(Nymphe endormie)*. Il alla ensuite, en compagnie de T. Rousseau*, travailler sur le motif dans la forêt de Fontainebleau, près de Barbizon*, et exécuta des paysages d'un chromatisme violent où la touche est apparente *(Sous-bois)*.

Arch. Smeets

« Révolution contre la dictature de **Porfirio Díaz** », par D. A. Siqueiros. (Museo de Historia Natural de la Ciudad de Mexico, Mexico.)

DÍAZ del CASTILLO (Bernal). ♦ Conquistador et chroniqueur espagnol (Medina del Campo, v. 1500 – Guatemala, 1581). Il participa à la découverte du Yucatán avec Fernández de Córdoba, puis à la conquête du Mexique avec Cortés*, et a relaté l'*Histoire véridique de la conquête de la Nouvelle-Espagne* (trad. fr. par José Maria de Heredia, 1878-1887).

DÍAZ de SOLÍS (Juan). ♦ Navigateur espagnol (Lebrija, prov. de Séville, 2e moitié du XVe s. – 1516). Il explora avec V. Pinzón* les côtes septentrionales et orientales de l'Amérique du Sud (1508-1509), et fut tué par les Indiens.

DIB (Mohammed). ♦ Poète et romancier algérien d'expression française (Tlemcen, 1920 –). Il publia d'abord des recueils poétiques dans les revues françaises (dont *Les Cahiers du Sud*), puis aborda le roman ; *La Grande Maison* (1952), *L'Incendie* (1954), *Au café* (nouvelles, 1956), *Le Métier à tisser* (1957), puis *Un été africain* (1959), qui ont pour cadre l'Algérie et célèbrent l'âme arabe, portent témoignage du drame de la décolonisation. Revenu à la poésie en 1961 avec le recueil *Ombre gardienne*, Mohammed Dib semble vouloir dépasser la réalité de l'histoire en conservant le ton modéré d'un « clavecin bien tempéré » (Aragon), et en recourant à une langue hautaine, voire hermétique. – Enfin, avec les romans complexes, *Dieu en Barbarie* (1970) qu'a suivi *Le Maître de chasse* (1973), Mohammed Dib semble s'engager dans une forme de récit qui s'apparente au nouveau roman.

DIBAY. ♦ **V.** DUBAÏ.

DICKENS (Charles). ♦ Romancier anglais (Landport, Portsmouth, 1812 – Gadshill, Rochester, 1870). La « lâcheté subtile et pittoresque en face des problèmes de la vie » (Mayoux), la prétention inefficace, caractéristiques du père de Dickens, firent sans doute souffrir le jeune Charles ; plus tard, elles inspirèrent le romancier (Micawber, Dorrit). Il avait douze ans quand sa famille dut vivre en prison pour dettes pendant que lui-même travaillait à la fabrique. Dickens fut traumatisé par ses humiliations enfantines au point de ne pouvoir remettre à ses éditeurs l'autobiographie qu'il leur avait promise. En 1827 il devint clerc de notaire, puis entra au *Morning Herald* et publia les *Esquisses de Boz* (1835) dont le succès provoqua la commande des *Aventures de M. Pickwick**. Dans ses romans, il dénonça les abus et les laideurs sociales de son temps, avec une émotion qui n'évite pas la sensiblerie. Les marchands de soupe des écoles du Yorkshire sont magistralement campés dans *Nicolas Nickleby* (*The Adventures of Nicolas Nickleby*, 1839), le malheur de la petite Nell dans *Le Magasin d'antiquités* (*The Old Curiosity Shop*, 1840). Déçu par l'Amérique qu'il découvrit esclavagiste au cours d'un voyage en 1840, il publia des *Notes américaines*, 1842. Admirateur de Carlyle*, il fut influencé par lui dans *Barnaby Rudge*, 1841, roman historique. La tartuferie britannique et la rapacité américaine sont évoquées dans *Martin Chuzzlewit*, 1843. De 1843 à 1845 parurent *Les Contes de Noël, Le Carillon (The Chimes)* et *Le Grillon du foyer (The Cricket of the Hearth)* qui marquèrent profondément la sensibilité anglo-saxonne. Dickens se trouvait en Europe au moment des événements de 1848 ; il publia alors *Dombey et Fils* (1848) qui évoque le châtiment de l'orgueil. Le thème de l'enfance réapparaît dans *David* Copperfield* (1849-1850) et celui des fausses valeurs dans *Bleak House* (1852-1853). Le capitalisme exploiteur est encore dénoncé dans *Hard Times* (1854, *Les Temps difficiles*), mais le paternalisme de Dickens préfère la figure édifiante et ambiguë de Stephen Blackpool à celle des « agitateurs ». Après sa séparation d'avec sa femme (1858), Dickens, désillusionné, écrivit *Les Grandes Espérances* (*Great Expectations*, 1861) et *Notre ami commun* (*Our Mutual Friend*, 1864-1865), sa dernière œuvre complète où, comme dans *La Petite Dorrit*, 1857, l'auteur s'attaque aux fondements de la civilisation du profit. *Les Grandes Espérances* révèlent les liens tissés entre le monde du crime et celui de la bonne société. Créateur d' « un monde ambigu dont la réalité donne sans cesse sur le rêve » (Mayoux), Dickens reste l'un des romanciers anglais les plus populaires dans le monde entier.

DICKINSON (Emily). ♦ Poétesse américaine (Amherst, Mass., 1830 – *id.*, 1886). Petite-fille d'un des fondateurs de sa ville natale, elle reçut une éducation extrêmement rigide qui explique sa passion de l'introspection. Elle sublima son amour secret et malheureux pour le révérend Wadsworth, déjà marié. Thomas Wentworth Higginson, avec qui elle entretint une correspondance pendant vingt-cinq ans, publia en 1892 un recueil des poèmes toujours très courts (une douzaine de vers) qu'elle griffonnait sur de petits morceaux de papier et ne destinait pas à la publication. On peut diviser son œuvre en quatre thèmes : *La Vie, La Nature, L'Amour, Le Temps et l'Éternité.* Ses vers qui « dégagent une impression de prison, mais sont illuminés de pensée » (Régis Michaud) serviront de modèle aux imagistes, école poétique gravitant autour de Gertrude Stein*. Elle influença la poésie de Stephen Crane*.

Dictionnaire philosophique portatif (Le). ♦ Ouvrage, en six cent quatorze articles, de Voltaire* (1764). Ce sont de franches prises de position, essentiellement sur la religion (attaques contre le clergé et contre le dogme) et la politique (défense de la liberté de pensée et du régime constitutionnel). Discussions graves et dialogues mordants alternent et confèrent une variété et une vivacité extrêmes à ce pamphlet contre « l'infâme », qui eut un retentissement considérable.

DICUIL. ♦ Géographe irlandais du IXe siècle. Auteur d'un traité *De la mesure du globe terrestre* (825), il a relaté l'établissement de missions irlandaises aux îles Féroé.

DIDELOT (Charles). ♦ Danseur et chorégraphe français (Stockholm, 1762 – Kiev, 1836). Élève de Vestris, il dansa à Bordeaux, à Paris et à Londres où il créa son chef-d'œuvre, *Flore et Zéphire* (1796). Au cours de longs séjours à Saint-Pétersbourg, il s'affirma comme un réformateur hardi produisant de remarquables chorégraphies, *Acis et Galathée* (1816), *Le Calife de Bagdad* (1818), *Alceste* (1821), *Le Prisonnier du Caucase* (1823), par lesquelles il a institué les traditions de la grande école russe de danse.

DIDEROT (Denis). ♦ Écrivain et philosophe français (Langres, 1713 – Paris, 1784). Issu de la bourgeoisie aisée, il étudia la philosophie, la théologie, puis le droit à Paris; menant dès lors une existence de bohème (il fut, entre autres métiers, précepteur), il contracta une union mal assortie; curieux de toutes les formes de la connaissance, il consacra désormais son activité à la constitution de l'*Encyclopédie**, tâche énorme qu'il dirigea de 1747 à 1766. Seul un voyage en Russie (1773), auprès de Catherine II, interrompit cette vie d'un labeur ardent, consacré dans tous les domaines à « éveiller l'esprit » (Goethe). Les œuvres multiples et diverses de Diderot témoignent de l'évolution de sa pensée philosophique. Ainsi, déiste dans les *Pensées philosophiques* (1746) et dans *Les Bijoux indiscrets* (anonymes, 1748) qui, sous une affabulation licencieuse, expose ses idées sur la morale et l'art, il adopte un matérialisme athée dès l'importante *Lettre* sur les aveugles à l'usage de ceux qui voient* (1749), œuvre qui entraîna son emprisonnement à Vincennes, pour quelques mois. S'intéressant aux sciences expérimentales (*De l'interprétation de la nature,* 1753), Diderot s'oppose au matérialisme mécaniste (*Réfutation de l'homme d'Helvétius,* 1733) et nuance sa position philosophique dans différents ouvrages dont *Le Rêve* de d'Alembert* (1769) et le *Supplément au voyage de Bougainville* (publ., 1796) qui énonce les principes d'une morale de la nature. Persuadé que l'homme éprouve du plaisir à être bon (bonheur et vertu sont liés) et prônant, contrairement à Rousseau*, une morale sociale où le bonheur individuel et le bien général coïncident, il illustre ses thèses dans *Le Fils* naturel* (1757), *Le Père de famille* (1758) et *Est*-il bon? Est-il méchant?* (1781), « comédies sérieuses ou drames bourgeois » qui manifestent son ambition d'être le théoricien d'un théâtre inséré dans la réalité de son temps et utilisant les ressorts du pathétique et de la sensibilité, en une prose « naturelle ». Cette émotion vertueuse, l'art aussi doit l'éveiller dans les cœurs; passionné par les questions d'esthétique, Diderot, dans l'*Encyclopédie* et dans les *Salons* (1759 à 1781, comptes rendus critiques qui parurent dans la *Correspondance* littéraire* de Grimm*), défendit les artistes (J. Vernet*, Greuze*, Hubert Robert*, Chardin*,...) qui savent être « vrais » selon leur personnalité, mais inaugura aussi la critique enthousiaste en exaltant le « sublime et le génie » de Shakespeare* ou d'Homère*. L'œuvre narrative de Diderot est remarquable par sa verve. *La Religieuse* (v. 1760; publ., 1796), roman par lettres où apparaît l'influence de Richardson*, se veut un pamphlet contre la vie conventuelle. *Le Neveu* de Rameau* (1760-1772; publ. grâce à Goethe, 1805) et *Jacques* le Fataliste et son maître* (v. 1773; publ., 1796) sont des dialogues philosophiques étincelants de vivacité, éclairant, le premier la question de la morale naturelle, le second, celle de la liberté humaine, et posant, par leur facture même, les problèmes de la création littéraire. Dans son ensemble, et malgré l'analyse lucide du *Paradoxe* sur le comédien* (1773-1778), l'œuvre de Diderot, comme sa *Correspondance* avec Sophie Volland*, exalte la nature conçue comme une force « divine » et bonne, même et surtout dans ses manifestations frénétiques : « Diderot, c'est le paradoxe » (Nisard).

DIDIER ou **DIZIER** *(saint).* ♦ ([mort] 407 ?). Évêque de Langres, il tenta de résister aux Vandales, mais fut décapité après la prise de la ville. Il est représenté portant sa tête et a donné son nom à Saint-Dizier. – Fête le 23 mai.

DIDIER *(saint).* ♦ (mort en 606 ou 607). Évêque de Vienne en 596, il protesta contre les mœurs de Thierry II et de Brunehaut*. Celle-ci le fit déposer une première fois, puis arrêter : ses sbires le lapidèrent et l'assommèrent au lieu dit depuis Saint-Didier-sur-Chalaronne (Rhône). Il figure au martyrologe le 23 mai comme le précédent, sans qu'on s'explique l'origine de cette double mention.

DIDIER. ♦ (mort à Corbie apr. 774). Dernier roi des Lombards (756-774). Il attaqua le pape Étienne II mais fut vaincu par Pépin le Bref. En 772, il attaqua de nouveau la papauté mais fut assiégé et pris dans Pavie par Charlemagne* (774).

DIDIER DE MONT-CASSIN. ♦ V. VICTOR III, pape.

DIDIUS, en lat. **Salvius Julianus Severus Didius Marcus.** ♦ (Milan, 133 – 193). Empereur romain (193). Après la mort de Pertinax* (193), il acheta l'empire mis à l'encan par les prétoriens, mais refusa de payer le *donativum* promis et fut tué après soixante-six jours de règne.

DIDON ou **ELISSA,** en lat. **Dido.** ♦ (~ IXe s.). Selon la légende grecque, princesse de Tyr, elle s'enfuit de Phénicie après que son frère Pygmalion eut assassiné son époux Sicharbas (Sichée), et vint fonder Carthage sur la côte africaine. Pour échapper à Iarbas, roi des Gétules*, qui voulait l'épouser, elle s'immola sur un bûcher.

Arch. Smeets

D. Diderot, par Carle van Loo. (Musée du Louvre, Paris.)

Virgile*, sans se soucier de la chronologie, l'a fait vivre au temps de la guerre de Troie (*Énéide**, Ch. I-IV-VI) : Énée débarquant à Carthage fut reçu par Didon qui s'éprit de lui; mais le héros l'abandonna pour faire voile vers l'Italie et la reine désespérée se poignarda sur un bûcher. Après sa mort, Didon fut honorée comme une déesse en tant que fondatrice de la cité. Le syncrétisme païen l'a souvent confondue avec Aphrodite*. Sa légende apparaît comme une version du mythe d'Ashtart* (Astarté).

Didon et Enée *(Dido and Aenas).* ♦ Opéra en 3 actes et un prologue de Purcell, livret de Nahum Tate, d'après l'*Énéide* de Virgile, composé en 1689, représenté à Londres en 1700. Marqué par l'influence de l'opéra vénitien, cet ouvrage, d'une rare intensité dramatique et d'un lyrisme puissant, est tenu pour le premier opéra anglais et l'un des plus grands chefs-d'œuvre de son auteur.

DIDOT. ♦ Famille de libraires et imprimeurs français. ♦ FRANÇOIS (Paris, 1689 – 1757) édita l'*Histoire générale des voyages* de l'abbé Prévost. ♦ FRANÇOIS-AMBROISE (Paris, 1730 – 1804), fils aîné du précédent, créateur du caractère *didot,* instaurateur de la mesure typographique en *points didot.* ♦ PIERRE-FRANÇOIS (Paris, 1731 – 1793), fils cadet de François, fonda la papeterie d'Essonnes. ♦ PIERRE (Paris, 1761 – 1853), fils aîné de François-Ambroise, réalisa les éditions dites « du Louvre ». ♦ FIRMIN (Paris, 1764 – Le Mesnil-sur-l'Estrée, Eure, 1836), fils cadet de François-Ambroise, renouvela la gravure et la fonderie des caractères; il fut l'imprimeur de l'Institut (1811). ♦ AMBROISE FIRMIN-DIDOT (Paris, 1790 – 1876), fils aîné de Firmin, voyageur, savant helléniste, philhellène.

DIDOUMÈS II. ♦ Pharaon de la XIIIe dynastie (v. ~ 1675). Sous son règne, les Hyksos* étendirent leur domination sur toute l'Égypte et fondèrent la forteresse d'Avaris.

DIDYME. ♦ Dans l'Évangile de Jean, surnom de saint Thomas*.

DIE. ♦ Sous-préf. de la Drôme*, ch.-l. d'arr. (9 cant., 113 comm., 34 374 hab.), sur la Drôme*, dans le Diois*. 4 278 hab. *(Diois).* Anc. cathédrale romane restaurée au XVIIe siècle. Porte Saint-Marcel; anc. arc de triomphe et pont romains. – Vins blancs mousseux *(clairette de Die).* Indus. textile; fabrique de meubles; aliments pour animaux. ♦ Hist. *Dea Vocantiorum,* cap. des Vocances, reçut une colonie romaine sous Auguste. La V. fut évêché du IIIe au XIIIe s.; en 1178 les évêques ne dépendaient plus du comté du Diois.

DIEFENBAKER (John George). ♦ Homme politique canadien (Newstadt, Ontario, 1895 –). Élu à la Chambre des communes en 1940, il devint le chef du Parti conservateur canadien (1956) et fut Premier ministre de 1957 à 1963. Il tenta une politique d'indépendance vis-à-vis des États-Unis au moyen d'échanges avec la Grande-Bretagne.

DIÉGO-SUAREZ. ♦ V. et port de Madagascar* à l'extrémité N. de l'île dans la baie du même nom, immense et profonde, mais malheureusement excentrique. 38 384 hab. Évêché. Port militaire.

DIEHL (Michel-Charles). ♦ Érudit français (Strasbourg, 1859 – Paris, 1944). Il fut membre des écoles françaises de Rome (1881) et d'Athènes (1883), enseigna l'histoire à Nancy (1891) et à Paris (1899). Auteur des *Excursions archéologiques en Grèce* (1890), il s'est surtout consacré à l'étude de la civilisation byzantine, en montrant des préoccupations d'historien de l'art (*L'Afrique byzantine,* 1896; *Ravenne,* 1903; *Manuel d'art byzantin,* 1910 et *Histoire de l'Empire byzantin,* 1921).

DIEKIRCH. ♦ Ch.-l. de canton du Luxembourg. 4 899 hab. Centre commerçant et industriel (brasserie). Tourisme.

DIELS (Otto Paul Hermann). ♦ Chimiste allemand (Hambourg, 1876 – Kiel, 1954). Auteur, avec son élève Alder*, de la synthèse diénique (*condensation de Diels-Alder,* 1928). [Prix Nobel de chimie, 1950.]

DIÊM (Ngô Dinh). ♦ V. Ngô Dinh Diêm.

DIEMEN (Anthony Van). ♦ V. Van Diemen.

DIÊN BIÊN PHÛ. ♦ Site du Nord Viêt*-nam, dans une petite plaine encaissée, non loin de la frontière du Laos*. ♦ *Hist.* Là eut lieu, du 13 mars au 7 mai 1954, une bataille décisive entre les forces françaises et celles du Front de libération du Viêt-nam (Viêt-minh). Les Français, encerclés et pilonnés par l'artillerie, durent cesser le combat après une longue résistance. Les accords de Genève qui s'ensuivirent consacrèrent la fin des hostilités et de l'hégémonie française en Indochine.

DIEPENBEEK. ♦ Comm. de Belgique (Limbourg, arr. de Hasselt) sur le Demer. 11 300 hab. Église (tour de 1500). Château des XVIIe et XVIIIe siècles. – Indus. textile et métallurgique (ferronnerie, matériel agricole).

DIEPPE. ♦ Sous-préf. de la Seine*-Maritime, ch.-l. d'arr. (19 cant., 355 comm., 216 905 hab.), sur la Manche*, à l'embouchure de l'Arques. 30 404 hab. *(Dieppois).* Église Saint-Jacques des XIIIe et XIVe s. (tour carrée du XVe s.). Église Saint-Rémy des XVIe et XVIIe siècles. Château du XVe siècle. – Dieppe est l'un des plus importants ports de voyageurs français (transit direct France-

Ph. Louis Monier

Dieppe : le château.

Newhaven); c'est également un port de pêche très actif et un port de commerce : 1er port bananier de France, 2e port fruitier, il importe également de la laine et du coton, exporte des vins, des fruits, des légumes. Station balnéaire très fréquentée. Chantiers navals, produits pharmaceutiques, huileries. – Patrie de J. Ango*, L. de Broglie*, S. de Caus*, A. Duquesne*, La Martinière, A. de La* Force, J. Pecquet*. ♦ *Hist.* Ancien village normand, la ville se développa et connut la prospérité commerciale au XIIe siècle. Ses habitants étaient de grands voyageurs : J. Cousin*, J. Parmentier*, G. da Verrazano* au service de l'armateur J. Ango*. La ville fut désolée par les guerres de Religion, par la peste au XVIIe s. et complètement détruite en 1694 par la flotte anglo-hollandaise. Elle fut gravement endommagée pendant la Deuxième Guerre mondiale : un raid anglo-canadien y fut repoussé par les Allemands (19 août 1942). Elle fut libérée le 2 septembre 1944 par la Ire armée canadienne.

DIEPPEDALLE. ♦ Section de la commune de Canteleu*, sur la Seine. Port fluvial, importante centrale thermique.

DIERX [djɛʀks] **(Léon).** ♦ Poète français (la Réunion, 1838 – Paris, 1912). Compatriote et ami de Leconte* de Lisle, tôt fixé à Paris, il se rangea dans les rangs du Parnasse. Mais son œuvre manifeste une nette discordance entre ses principes (recherche d'un langage impassible) et sa sensibilité élégiaque; influencé par le symbolisme, lié avec Baudelaire*, Verlaine* et Mallarmé*, il sut dans ses poèmes (*Les Lèvres closes,* 1867), exprimer sous forme de modulations délicates et savantes sa mélancolie profonde. Très admiré de son vivant, il fut, à la mort de Mallarmé, sacré « prince des poètes » (1898).

DIESEL (Rudolf). ♦ Ingénieur allemand (Paris, 1858 – au cours d'une traversée entre Anvers et l'Angleterre, 1913). Il imagina, en 1893, un moteur avec suppression du carburateur et de l'allumage, capable d'utiliser les sous-produits lourds du pétrole *(Théorie et construction d'un moteur thermique rationnel, destiné à supplanter la machine à vapeur et les autres machines à feu connues aujourd'hui).* Ses idées, controversées, furent cependant admises par de grandes sociétés comme Krupp* et le premier *moteur Diesel* fonctionna en 1897. **V.** *aussi* **Daimler.**

Dies irae [« Jour de colère... »] (Cf. Le Robert). ♦ Début d'une prose liturgique latine évoquant le Jugement dernier, élaborée au Moyen Âge et mise en forme, selon la tradition, par le franciscain Thomas de Celano (déb. XIIIe s.). La source première en est la Bible (Sophonie*, I, 15-18).

DIEST. ♦ V. de Belgique (Brabant, arr. de Louvain) sur le Demer, à égale distance d'Anvers et de Bruxelles. 9 700 hab. La vieille ville *(Oude Stad)* possède des maisons anciennes à encorbellement (XVe s.). Refuges des abbayes de Tongerlo (XVIe s.) et d'Averbode (XVe s.). Eglise du béguinage, de style gothique brabançon (XIVe s.). Béguinage (XVIe, XVIIe, XVIIIe s.). Halle aux draps (XIVe s.). Hôtel de ville (XVIIIe s.). – Indus. alimentaires (brasseries). Papeterie. Indus. textiles (confection).

Diète germanique, en all. **Reichstag** (en fr. « jour désigné », du lat. *dies indicta*). ♦ Assemblée du Saint* Empire romain germanique, réunie sur l'invitation de l'empereur dans différentes villes (souvent Augsbourg, Nuremberg, Ratisbonne). Après 1250, des députés des villes se joignirent aux princes, aux nobles et aux grands dignitaires ecclésiastiques. En 1489, la *diète* se divisa en trois collèges qui délibéraient à part : celui des Électeurs, celui des princes et celui des villes. Ce n'est qu'en 1663 que la *diète* devint permanente et son siège fixé à Ratisbonne. La *diète* disparut avec la fin du Saint Empire romain germanique en 1806 et fut remplacée en 1815 par le Bundesrat, puis, avec la naissance du nouvel empire en 1871, par le Reichstag. L'assemblée de la République fédérale d'Allemagne porte le nom de Bundestag. *Principales diètes germaniques :* **V. Augsbourg, Ratisbonne, Worms.**

DIÉTERLEN (Germaine). ♦ Ethnologue française (1903). Elle collabora avec M. Griaule* à l'ouvrage *Renard pâle, ethnologie des Dogons.*

DIETIKON. ♦ V. de Suisse (cant. de Zurich) sur la Limmat, au N.-O. de Zurich*. 19 900 hab. Indus. textile.

DIETRICH (Philippe Frédéric, *baron de***).** ♦ Minéralogiste et homme politique français (Strasbourg, 1748 – Paris, 1793). Maire de Strasbourg (1790), c'est chez lui que Rouget* de Lisle chanta pour la première fois le chant patriotique qu'il avait composé pour les fédérés du Rhin et qui devint *La Marseillaise*.* Partisan d'une monarchie constitutionnelle et d'un compromis avec l'aristocratie, il tenta de soulever Strasbourg (après le 10 août 1792), puis émigra. Il fut condamné à mort et guillotiné à son retour.

DIETRICH (Maria Magdalena von LOSCH, dite **Marlène).** ♦ Actrice américaine d'origine allemande (Berlin, 1902). Révélée au cinéma par un film de Josef von Sternberg*, *L'Ange bleu* (1930), elle allait devenir, dès son arrivée aux États-Unis, l'incarnation bientôt mythique, de la « vamp », créature fatale et irréelle. J. von Sternberg dirigea pour elle *Shanghaï express* (1932), *L'Impératrice rouge* (1934).

DIETZGEN (Joseph). ♦ Ouvrier et philosophe allemand (Blanckenberg, près de Cologne, 1828 – Chicago, 1888). Ouvrier tanneur, social-démocrate, il émigra aux États-Unis après 1848, dirigea une tannerie à Saint-Pétersbourg (1864-1869), puis retourna à New York et Chicago où il vécut comme journaliste. Autodidacte, il élabora, indépendamment de Marx et Engels et même de Hegel, une théorie de la connaissance proche du matérialisme dialectique (*Essence du travail intellectuel,* 1865; *Excursions d'un socialiste dans le domaine de la théorie de la connaissance,* 1870, etc.).

DIEUDONNÉ. ♦ Papes. **V.** Adéodat.

DIEULAFOY (Georges). ♦ Médecin français (Toulouse, 1844 – Paris, 1920). Il fit des recherches sur la néphrite chronique (ou mal de Bright), la tuberculose, etc., et mit au point un instrument pour la ponction des épanchements pleuraux. (*Cliniques médicales de l'Hôtel-Dieu,* 1897.) [Acad. de méd., 1890.]

DIEULEFIT. ♦ Ch.-l. de cant. de la Drôme* (arr. de Valence*), sur le Jabron. 2 856 hab. *(Dieulefitois).* Eaux minérales; textiles; drap.

DIEULOUARD. ♦ Comm. de la Meurthe-et-Moselle (arr. de Nancy), sur la Moselle. 5 332 hab. *(Deicustodiens).* Église de style gothique tardif (XVIe s.). – Aciérie. Matériel agricole.

DIEUZE. ♦ Ch.-l. de cant. de la Moselle, arr. de Château-Salins. 5 154 hab. Gisement de sel gemme, indus. chimique. – Patrie d'E. About*, G. Charpentier*, Ch. Hermite*.

DIEZ (Friedrich). ♦ Linguiste allemand spécialiste des langues romanes (Giessen, 1794 – Bonn, 1867). Après des travaux sur la littérature de langue d'oc et les troubadours, il écrivit deux importants ouvrages où il appliquait les méthodes nouvelles de la linguistique historique à l'ensemble des langues romanes: la *Grammaire des langues romanes* (1836-1838) et le *Dictionnaire étymologique des langues romanes* (1853), qui fut une des principales sources de Littré*.

DIFFERDANGE. ♦ V. du grand-duché de Luxembourg (canton d'Esch-sur-Alzette) sur la Chiers*. 18 300 hab. Minerai de fer. Sidérurgie. Métallurgie. Engrais.

Digénis Acritas. ♦ Épopée byzantine du Xe s. (versions en langue grecque savante et populaire et en langues slaves). C'est un roman versifié, adaptation d'un cycle de chansons populaires qui célèbrent les exploits de Basile Digénis Acritas, héros légendaire de la lutte de Byzance contre les Arabes aux frontières de l'Euphrate. Intéressant pour la peinture des mœurs féodales byzantines, ce poème original est le plus important monument littéraire du Moyen Âge grec.

DIGNÂGA. ♦ Philosophe indien bouddhiste du ve s., auteur de nombreux ouvrages de logique en sanskrit et en telugu. Il enseigna à l'université bouddhique de Nâlandâ* (Inde).

DIGNE. ♦ Préf. des Alpes* de Haute-Provence, ch.-l. d'arr. (9 cant., 78 comm., 36 604 hab.) sur la Bléone au pied des Préalpes de Digne, 15 778 hab. *(Dignois)*. Église Notre-Dame du Bourg, XIIIe s., ancienne cathédrale. Cathédrale Saint-Jérôme (fin XVe s.). Évêché. — Exploitations forestières, scierie, menuiserie. — Patrie de A. Arnoux*, de A. Beau* de Rochas, de L. Desmichels*. — Aux environs, station thermale : les *Bains de Digne,* eaux calcaires et sulfureuses contre les rhumatismes, l'eczéma, etc.

DIGOIN. ♦ Ch.-l. de cant. de la Saône-et-Loire (arr. de Charolles), sur la Loire*, au débouché du canal du Centre*. 10 050 hab. (l'aggl. compte 12 028 hab.) [*Digoinais*]. Centre industriel : constructions de fours, matériel agricole. Faïenceries, céramiques, poteries.

DIJON. ♦ Préf. de la Côte-d'Or, ch.-l. d'arr. (15 cant., 265 comm., 273 181 hab.), située au contact de la plaine alluviale de la Saône et de la bordure viticole de la Côte* d'Or. 150 791 hab. C'est une ville de passage, à la percée de la vallée de l'Ouche, qu'emprunte le canal de Bourgogne. Anc. cap. des ducs de Bourgogne, elle conserve de prestigieux témoignages de son passé. Dans la vieille ville, subsistent de nombreuses maisons Renaissance, des hôtels de style Louis XVI, des hôtels des XVIIe et XVIIIe s. comme l'hôtel de Voguë. À l'O., la cathédrale Saint-Bénigne, reconstruite au XIVe s., s'élève sur une crypte du XIe s. L'église Saint-Philibert, à nefs romanes et portail des XVIe-XVIIIe s. L'église Saint-Michel (XVIe s.) possède une harmonieuse façade Renaissance. L'église Notre-Dame, de style gothique (XIIIe s.), possède une façade originale (deux étages d'arcatures). L'ancien palais des ducs de Bourgogne fut rebâti v. 1682 sur les plans d'Hardouin-Mansart; de l'édifice original, il ne reste que deux tours, les salles des Gardes et les cuisines. Riche musée des Beaux-Arts où se trouvent notamment les tombeaux de Philippe le Hardi (par Claus Sluter*), Jean sans Peur et Marguerite de Bavière; des collections de peintures et sculptures (œuvres de Rude, primitifs flamands, telle la *Nativité* du Maître de Flémalle, 1430) et les remarquables retables en bois doré provenant de la chartreuse de Champmol. À proximité de la ville, la chartreuse de Champmol. **V. Champmol** *(chartreuse de)*; **Sluter.** — Ville universitaire en plein développement, avec plusieurs facultés. Carrefour ferroviaire ayant permis le développement d'industries : indus. alimentaires traditionnelles (moutarde, vinaigre, bière, pain d'épice, cassis); indus. métallurgiques (tréfileries, laminoirs), matériels ferroviaires, agricoles, cycles; mécaniques de précision; produits chimiques et pharmaceutiques; indus. du papier; indus. du cuir et maroquinerie; matières plastiques; confection. — Patrie de H. Aubriot*, M. Blondel*, Ch. de Brosses*, É. Cabet*, Charles* le Téméraire, Crébillon*, Estaunié*, Jean* sans Peur, A. Joanne*, Mariotte*, Philippe* III le Bon de Bourgogne, Piron*, Rameau*, Rude*. ♦ *Hist.* Dijon, ville de fondation romaine *(Divio)*, ne prit de l'importance qu'au XIe s., quand elle fut réunie au duché de Bourgogne. Résidence de la cour des ducs, elle connut un grand essor pendant les règnes de Philippe le Hardi, Jean sans Peur, Philippe le Bon et Charles le Téméraire. À la mort de celui-ci en 1476, Louis XI fit saisir le duché, le réunissant à la couronne, mais fixa à Dijon le siège du parlement de Bourgogne. En 1513, la ville dut soutenir un siège contre les Suisses; elle fut sauvée grâce à une forte rançon. Le XVIIIe s. fut une période florissante (fondation de l'université en 1722, création d'un évêché en 1731); les états de Bourgogne tenaient leurs assises à Dijon. En 1944, elle subit sous l'occupation allemande de nombreux dommages.

DIJONNAIS. *n. m.* ♦ Région au S. du plateau de Langres*, en Bourgogne. Plate-forme jurassique (bajocien) disloquée, où s'isolent des buttes calcaires boisées. Ces saillies isolées, qui font figure de petites montagnes, sont appelées *mottes (Motte-Giron)* ou *monts (Mont-Afrique)*. Alors que plateaux et buttes sont couronnés de forêts (souvent formées de résineux), les vallées se couvrent de grasses prairies (vallée de l'Ouche*) et les pentes marneuses de cultures de houblon et de cassis. La vigne se localise dans les sites favorables par leur microclimat.

DIKTONIUS (Elmer Rafael). ♦ Poète et prosateur finlandais de langue suédoise, il écrivit aussi en finnois (Helsinki, 1896 — *id.,* 1961). Avec Södergran*, Björling* et Enckell*, il fut l'un des pionniers du modernisme après 1920, critiquant les traditionalistes comme J. Hemmer*. Il décrivit dans des poèmes d'inspiration expressionniste, inclus dans *Ma poésie* (1920), *Flammes épineuses* (1924) et *Fort mais sombre* (1930), des cataclysmes et des animaux féroces destructeurs de l'ordre ancien. Il se pencha sur les opprimés dans ses nouvelles (*Citoyens de la République finlandaise,* I-II [1935; 1940]). Il marqua un retour à la terre dans *Tendresse terrestre* (1938) et *Sauna d'automne* (1943). Il a donné des traductions du finnois, dont *Les Sept Frères* d'A. Kivi*.

DILBEEK. ♦ Comm. de Belgique dans la banlieue O. de Bruxelles. 13 000 hab. Château bâti en 1862 à l'emplacement d'un manoir du XVe s., dont il reste une tour. Église des XIIIe, XIVe et XVe siècles. — Cultures maraîchères.

DILLON (Théobald, *chevalier de***).** ♦ Général français d'origine irlandaise (Dublin, 1745 — Lille, 1792). Rallié à la Révolution, il fut nommé maréchal de camp en 1791. Ayant ordonné la retraite devant les Autrichiens (29 avril 1792) à ses soldats, il fut tué

Ph. Hétier

Dijon : la cathédrale Saint-Bénigne.

par ceux-ci qui le soupçonnaient de trahison. ♦ ARTHUR, *comte* DILLON, son frère. Général français d'origine irlandaise (Braywick, Berkshire, 1750 — Paris, 1794). Gouverneur de Tobago (1786), député de la Martinique aux États généraux (1789), il se rallia, comme son frère, à la Révolution et fut nommé lieutenant général en 1792. Après avoir commandé les armées du Nord et du Centre, il fut accusé de trahison et condamné à mort.

DILLON (John). ♦ Homme politique irlandais (Dublin, 1851 — Londres, 1927). Fervent nationaliste, élu député en 1880, il fut emprisonné plusieurs fois pour ses activités politiques en faveur de l'indépendance irlandaise; plus extrémiste que les parnellistes **(V. Parnell)**, il se sépara d'eux et devint le chef de la Fédération nationale irlandaise en 1896. Plus modéré par la suite, il se satisfit du Home* Rule et se rapprocha des libéraux anglais. Mais il était alors dépassé par l'activité du mouvement Sinn* Fein, qui remporta une victoire électorale en 1918.

DILTHEY (Wilhelm). ♦ Philosophe allemand (Biebrich, Rhénanie, 1833 — Seis, Tyrol, 1911). Il s'est proposé de détacher les sciences humaines de la métaphysique et de les fonder sur l'histoire, sans pour autant accepter le positivisme scientiste. À la méthode explicative des sciences de la nature, basée sur le déterminisme, il a opposé la méthode compréhensive des sciences de l'homme, capable de saisir la signification de l'expérience vécue dans sa particularité. Cherchant à intégrer au devenir historique les différentes conceptions philosophiques du monde, il créa « l'historisme », qui exerça une grande influence sur Troeltsch*, E. Cassirer*, O. Spengler*, etc. (*Introduction à l'étude des sciences humaines,* 1883; *Théorie des conceptions du monde,* 1910-1927; *Le Monde de l'esprit,* 1926.)

DÎMBOVIȚA. *n. f.* ♦ Riv. de Roumanie, affl. de l'Argeș. Elle arrose Bucarest. 249 km.

DIMITRI ou **DMITRI.** ♦ Nom de plusieurs grands princes de Russie. ♦ DIMITRI IV IVANOVITCH DONSKOÏ (1350 — 1389). Fils d'Ivan* II, prince de Moscou (1362-1389), il régna avec l'appui du métropolite Alexis*. Il contribua à l'embellissement de Moscou et tenta de secouer le joug des Mongols, qu'il battit à Koulikovo (1380). Son fils Vassili* Ier lui succéda. ♦ DIMITRI V IVANOVITCH (1583 — 1591). Fils puîné d'Ivan* IV le Terrible, il devait succéder à son frère Fédor* Ier, mais fut évincé par Boris* Godounov, qui l'aurait fait assassiner. Sa mort énigmatique permit à plusieurs imposteurs de se faire passer pour lui. ♦ DIMITRI dit *le faux Dimitri* (1580 — 1606) était probablement le moine défroqué *Grichka Otrépiev*. Soutenu par la Pologne et le Saint-Siège, il envahit la Russie, où il entraîna de nombreux partisans et s'empara du trône (1605) après l'assassinat de Fédor* II, fils de Boris Godounov. Il fut massacré au cours d'un coup d'État (1606) conduit par Vassili* Chouiski, qui lui succéda et eut bientôt à lutter contre le *second faux Dimitri* (? — 1610). Celui-ci, dit *l'Imposteur* (Vor) ou *le Brigand de Touchino,* fut également soutenu par les Polonais. Il tenta de s'imposer sur le trône, après avoir envahi la Russie (1607). Il atteignit les environs de Moscou (Touchino, 1608), mais, abandonné par la Pologne, dut s'enfuir à Kalouga où il fut tué en 1610.

DIMITROV (Georgi). ♦ Homme politique bulgare (Kovatchevski, 1882 — Moscou, 1949). Participant à vingt ans à l'action révolutionnaire, il s'opposa dès 1914 à l'entrée en guerre de la Bulgarie aux côtés des Allemands, fut emprisonné puis contraint à s'exiler en 1920. Il devint alors l'un des chefs du communisme international, dans son pays (soulèvement de sept. 1923 contre le régime autoritaire d'A. Cankov), en Allemagne (arrêté après l'incendie du Reichstag, il fut acquitté après une brillante plaidoirie contre Goering), enfin en Union soviétique (il fut nommé secrétaire général du comité exécutif du Komintern). En 1944, de retour en Bulgarie, il forma le gouvernement du *Front de la patrie* qui installa le régime de démocratie populaire, combattit avec les armées soviétiques et abolit la monarchie (1946).

DIMITROVA (Blaga). ♦ Poétesse bulgare (née en 1922). Elle chanta dans ses vers les réalisations du régime socialiste : *A demain* (1959), *Vers les jours à venir* (1964).

DIMITROVGRAD, anc. **Rakovski.** ♦ V. de Bulgarie méridionale (district de Haskovo), sur la Marica. 41 780 hab. (1965). Indus. chimiques et fabrique de ciment au centre d'un important bassin de lignite.

DIMITROVO. ♦ Nom porté de 1949 à 1962 par la ville bulgare de Pernik **(V. Pernik)**, en l'honneur de Dimitrov*.

DIMOV (Dimitar). ♦ Romancier et auteur dramatique bulgare (Loveč, près de Pleven, 1909 – Bucarest, 1966). Il a peint avec talent les transformations politiques et sociales de son pays.

DINAN. ♦ Sous-préf. des Côtes-du-Nord, ch.-l. d'arr. (12 cant., 107 comm., 114 937 hab.) sur la Rance. 16 605 hab. *(Dinandois ou Dinannais).* Remparts (XIIIe et XIVe s.), château du XIVe siècle. Église Saint-Malo (XVe s., nef du XIXe s.). Église Saint-Sauveur de style roman et gothique flamboyant. Tour de l'Horloge (fin XVe s.). Maisons anciennes. – Indus. textiles, bonneterie. Constructions mécaniques. Distillerie de cidre; maroquinerie, sellerie. – Patrie de Ch. Duclos*, de A. Pavie*.

DINANT. ♦ V. de Belgique (ch.-l. d'arr. de la prov. de Namur) au pied d'un escarpement de la Meuse, à 90 km de Bruxelles. 9 901 hab. *(Dinantais).* – Collégiale N.-D. (XIIe-XIVe s.; clocher bulbeux de 1566). Hôtel de ville du XVIIe siècle. Mont Fat (caverne préhistorique). Citadelle fondée au XIe s., reconstruite au XVIe s. (1530) et au XVIIe siècle. Centre touristique à proximité des vallées de la Meuse, de la Lesse, de la Semois, des grottes de Rochefort et de Han. – Indus. du cuivre et du laiton coulé *(dinanderie).* Indus. alimentaires. Tanneries. Carrières. – Patrie de A. Sax* et de A. Wiertz*. ♦ *Hist.* Célèbre pour sa dinanderie, la ville connut un apogée au Moyen Âge (XIIe et XIIIe s.). Dinant, qui appartenait à la principauté de Liège, fut souvent en guerre avec Bouvignies, sa rivale (1317, 1322). Lors des luttes entre Louis XI et Philippe le Bon, les bourgeois de Dinant (1466) pendirent en effigie Charles le Téméraire; une terrible répression s'ensuivit et 800 Dinantais furent jetés, deux par deux (liés dos à dos), dans le fleuve. Durant la guerre entre Henri II et Charles Quint, Dinant fut pillée par les Français. Pendant le siège de Namur (1692), Mme de Maintenon s'y réfugia et Louis XIV vint l'y voir. – En 1914, la ville fut presque entièrement détruite. C'est à Dinant que les divisions blindées allemandes franchirent la Meuse en 1940. La Gestapo s'y étant établie, de nombreuses atrocités furent commises sur la population civile.

DINARA. *n. m.* ♦ Massif montagneux de Yougoslavie (Bosnie*) qui a donné son nom aux Alpes dinariques*. Il culmine au mont Troglav (1 930 m).

DINARD. ♦ Ch.-l. de cant. d'Ille-et-Vilaine, arr. de Saint-Malo, sur l'estuaire de la Rance*. 9 162 hab. *(Dinardais).* Maisons anciennes; manoir du Prince Noir (XVe s.). – Station balnéaire très fréquentée, avec le quartier de Saint-Énogat (nombreux hôtels, casinos, piscines, etc.). **V.** *aussi* **Saint-Lunaire.**

DINARIQUES *(Alpes* ou *montagnes).* ♦ Système montagneux de Yougoslavie, situé, d'une part entre les Alpes slovènes au N. et le bassin du Rhodope au S.; d'autre part, entre l'Adriatique à l'O. et les plaines pannoniennes à l'est **(V. Croatie, Dalmatie).** La région des Alpes dinariques comprend plusieurs ensembles : le Karst*, formant des chaînes calcaires (Vélébit*, Dinara*, Kapela*), dominant l'Adriatique et alternant avec des « poljès » et des dépressions; les montagnes bosniaques, moins élevées dans l'ensemble, où les affluents de la Save* forment des vallées profondes. Le point culminant est le Durmitor* (2 530 m), dans le Monténégro. La chaîne dinarique se poursuit en Albanie.

DINARQUE, en gr. **Deinarkhos.** ♦ Orateur grec (Corinthe, ~ 365/360 – Athènes, après ~ 292), élève de Théophraste*. Métèque à Athènes, il devint un logographe apprécié et soutint le parti macédonien alors au pouvoir. Ses trois discours conservés se rapportent au procès d'Harpale*, dont l'accusation *Contre Démosthène**. Son éloquence, caractérisée par la perfection technique et l'atticisme, manque pourtant d'originalité et de souffle.

DINDIGUL. ♦ V. de l'Inde (Tamilnâdu), à 60 km au N. de Madura. 110 000 hab. Manufactures de tabac, de cuirs et cotonnades.

DINGELSTEDT (Franz *von***).** ♦ Poète, romancier allemand (Halsdorf, Hesse, 1814 – Vienne, 1881). Peu après avoir publié ses poèmes politiques *Chants d'un veilleur de nuit cosmopolite* (*Lieder eines kosmopolitischen Nachtwächters,* 1841-1842), qui le rattachent au mouvement libéral « Jeune-Allemagne », il délaissa la poésie militante pour une carrière brillante et conformiste, et finit intendant du théâtre de la Hofburg à Vienne et baron, s'attirant les critiques ironiques de Heine pour cette trahison.

DINGLE. ♦ V. et port de pêche de la côte S.-O. de la république d'Irlande (prov. de Munster, comté de Kerry), au bord de la *baie de Dingle.* 1 700 hab. Centre d'excursions autour de la *péninsule de Dingle.* – Oratoire de Gallarus (VIIe s.).

DINH. *n. m. pl.* ♦ Dynastie fondée au Viêt-nam par Dinh* Bô Linh.

DINH BÔ LINH. ♦ Chef local vietnamien du Tonkin, de famille modeste qui, en 968, réussit à réduire les « douze chefs féodaux » et à se faire proclamer empereur, unifiant ainsi le pays. Il fut cependant obligé de reconnaître en 972 la suzeraineté de la Chine des Sung*, mais garda son indépendance. Il fut assassiné avec son fils en 979 par un fou. La dynastie des Dinh, qu'il fonda, régna jusqu'en 980.

DÎN-I ILÂHÎ. *n. m.* ♦ « Religion divine », instaurée en 1582 en Inde du Nord par Akbar* et réunissant syncrétiquement le bouddhisme, l'islâm, l'hindouisme et le christianisme. Elle n'eut que peu de fidèles en dehors de la cour d'Akbar et s'éteignit avec ce grand souverain.

DINSLAKEN. ♦ V. d'Allemagne Occidentale (Rhénanie-du-Nord-Westphalie), dans l'O. du bassin de la Ruhr*. 49 000 hab. Houille, cokeries, laminages.

DIOCLÉTIEN, en lat. **Caius Aurelius Valerianus Diocletianus.** ♦ (Près de Salone, auj. Split, Dalmatie, 245 – Salone, v. 313.) Empereur romain (284-305), de naissance modeste, il se distingua sous Probus* et Aurélien* et fut proclamé empereur par ses soldats à la mort de Numérien*. Après s'être débarrassé du frère de ce dernier, Carin*, il partagea la pourpre avec Maximien* qu'il promut César, puis Auguste (285). En 293, cette dyarchie devint une tétrarchie; chaque Auguste s'adjoignit un César, Maximien, Constance* Chlore, et Dioclétien, Galère*. Le Sénat perdit toute son autorité. Rome ne fut plus la capitale de l'Empire; Dioclétien, maître de l'Orient, résida à Nicomédie, Maximien, maître de l'Occident, à Trèves. Malgré ce partage, l'unité monarchique subsistait; premier Auguste, Dioclétien restait le seul souverain avec l'épithète de *Jovius,* supérieure à celle d'*Herculius* que portait Maximien, les Césars étant subordonnés aux Augustes. Comme Aurélien, les deux souverains étaient les mandataires des dieux, et, dieux eux-mêmes, adorés par leurs sujets. Cette répartition de l'autorité permit de remporter des succès sur toutes les frontières. À l'intérieur, Dioclétien entreprit des réformes administratives, fiscales et économiques, publia un Édit contre la hausse des prix (301), étendit l'impôt à tous les habitants, Italiens compris, et regroupa les provinces en 12 diocèses. En 303, il déclencha contre les chrétiens, peut-être sur les instances de Galère*, la persécution la plus dure que l'Église eut à supporter et qui devait durer dix ans **(V.** *sainte* **Agnès,** *saint* **Marcellin,** *saint* **Marcel,** *saint* **Eusèbe).** L'attitude à l'égard des *traditores* posa, la paix revenue, des problèmes aux évêques et provoqua le schisme donatiste en Afrique **(V. Donat).** En 305, Dioclétien et Maximien abdiquèrent, laissant la place à Galère et à Constance Chlore qui choisirent pour Césars Maximin* Daïa et Sévère*.

DIODORE (de Tyr), en gr. **Diodôros.** ♦ Philosophe grec (~ IIe s.), chef de l'école péripatéticienne. S'intéressant surtout à la philosophie morale, il aurait tenté de concilier l'éthique des Stoïciens* et celle des Épicuriens*.

DIODORE de Sicile, en gr. **Diodôros.** ♦ Historien grec (Agyrion, Sicile, v. ~ 90 – v. ~ 20). Il séjourna à Rome, voyagea en Égypte et dans d'autres pays. Sa *Bibliothèque historique,* en 40 livres, est une histoire universelle depuis les origines jusqu'à la conquête de la Gaule par César. Il nous en reste les livres 1-5, histoire de la période antérieure à la guerre de Troie (Égypte, Chaldée, etc.), les livres 11-20, l'histoire de l'an ~ 480 à l'an ~ 302, et des fragments. Compilation sans originalité, cette œuvre nous a pour-

Ph. Carlo Bevilacqua/Ricciarini

Dioclétien. (Musée archéologique, Istanbul.)

tant laissé des renseignements précieux sur la Rome antique.

DIODORE CRONOS, en gr. **Diodôros Kronos**. ♦ Philosophe grec de l'école mégarique (Iasos, Carie, ? – v. ~296). Il en fut un des plus grands dialecticiens, tentant de prouver l'impossibilité du mouvement.

DIOGÈNE (le Cynique), en gr. **Diogenês**. ♦ Philosophe grec de l'école cynique (Sinope, ~413 – ~327). La tradition raconte plusieurs histoires à son sujet qui montrent son esprit caustique, son mépris des honneurs, des richesses et de toutes les convenances sociales, et sa recherche d'une vie sobre et naturelle. Pieds nus et enveloppé de son unique manteau, sa demeure aurait été un tonneau. Ayant vu un jour un enfant boire dans le creux de sa main, il aurait brisé son écuelle en disant : « Cet enfant m'apprend que je conserve encore du superflu. » À Alexandre* qui lui aurait demandé à Corinthe ce qu'il désirait, il aurait répondu : « Que tu t'ôtes de mon soleil. » On raconte enfin qu'on le trouva un jour à midi se promenant dans les rues d'Athènes avec une lanterne à la main et disant à ceux qui l'interrogeaient : « Je cherche un homme. » Épictète* vit en lui le modèle du sage.

DIOGÈNE LAËRCE, en gr. **Diogenês Laertios**. ♦ Écrivain grec (Laerte, Cilicie, déb. du IIIe s.), auteur de la première histoire de la philosophie grecque, connue le plus souvent sous le titre *Vies, doctrines et sentences des philosophes illustres* (10 livres). Vulgarisateur sans grande personnalité, Diogène nous a pourtant laissé dans son exposé inégal et parfois douteux des précisions biographiques et bibliographiques, des citations et des textes précieux, notamment les fameuses lettres d'Épicure.

DIOIS [diwa]. *n. m.* ♦ Massif des Préalpes du Sud drainé par la Drôme*, au S. du Vercors*. Il culmine à 2 045 m. – Pays de Die. ♦ *Hist.* Au Xe s. le pays de Die* fut un comté dépendant des comtes de Toulouse, qui en firent un fief d'Aymar (II) de Poitiers. Réuni au comté de Valentinois*, le comté fut vendu à Charles VI.

DIOMÈDE, en gr. **Diomêdês**. ♦ Roi fabuleux de Thrace qui nourrissait ses chevaux de chair humaine. Héraclès* le tue ou le fait dévorer par ses propres chevaux. ♦ Roi d'Argos* et l'un des plus vaillants guerriers de la légende grecque. Fils de Tydée*, roi de Calydon et petit-fils d'Adraste*, il participe à l'expédition des Épigones contre Thèbes* et à la guerre de Troie*. Dans *l'Iliade* et les autres récits du cycle troyen, il figure comme le compagnon d'Ulysse* dans ses missions les plus importantes et comme un combattant invincible. Protégé par Athéna*, il attaque même Arès* et blesse Aphrodite*.

DION de Syracuse. ♦ Homme politique grec (~409 – ~354). Il fit venir Platon* à Syracuse. Banni par son neveu Denys* le Jeune en ~366, il fut appelé au pouvoir en ~355. Il périt assassiné par les démocrates.

DION (Albert, *marquis de*). ♦ Industriel français (Carquefou, près de Nantes, 1856 – Paris, 1946). Pionnier de l'automobile, il s'associa avec Bouton* et Trépardoux*, constructeurs de moteurs à vapeur, prit un brevet pour un moteur à explosion (1889) et fonda l'Automobile-Club de France (1895).

DION CASSIUS. ♦ Historien grec (Nicée, Bithynie, v. 155 – v. 235) qui fit carrière dans l'administration romaine. Son *Histoire romaine*, depuis les origines jusqu'à 229, était divisée en 80 livres. Il nous reste les livres 36-60 (période de l'an ~68 à l'an 46), une grande partie des deux derniers livres et des abrégés des livres 61-78 et 1-35. La série des 25 livres conservés constitue une source d'autant plus précieuse pour l'étude de la crise républicaine et de l'avènement de la monarchie que les autres ouvrages sur cette période ont presque totalement disparu. Dion apporte aussi des renseignements intéressants sur l'administration impériale. Drapé dans le loyalisme du provincial devenu grand dignitaire de la métropole, l'historien manque de personnalité. La précision événementielle est son principal mérite.

DION CHRYSOSTOME, en gr. **Diôn o Khrusostomos**. ♦ Rhéteur et philosophe grec (Pruse, Bithynie, v. 30 ou 40 – Rome, v. 117). Après avoir été magistrat à Pruse, il s'installa à Rome; il y fut rhéteur avant d'être proscrit par Domitien. Il y revint sous Trajan devant qui il prononça un discours sur *Les Devoirs d'un souverain*. Il nous reste quatre-vingts de ses discours d'inspiration stoïcienne.

DIONÉ [*Diônê*]. ♦ Divinité grecque dont l'origine et la postérité varient selon les mythes. Le plus souvent, c'est l'une des Océanides*, mère d'Aphrodite* qu'elle eut de Zeus*. On lui attribuait aussi la maternité de Niobé et de Pélops.

DIONIS (Pierre). ♦ Chirurgien français (Paris, 1643 – 1718). Professeur d'anatomie et de chirurgie du Jardin des Plantes, chirurgien de Marie-Thérèse, puis des enfants de France, il fut un défenseur des théories d'Harvey (*Anatomie de l'homme suivant la circulation du sang et les nouvelles découvertes*, 1690; *Cours d'opérations de chirurgie*, 1707; *Traité général des accouchements*, 1718).

DIONYSOS [*Dionusos*]. ♦ Dieu grec de la vigne, du vin et du délire extatique, appelé aussi *Bacchus* (~Ve s.) et identifié avec la divinité latine *Liber Pater*. Son culte, importé en Grèce de Thrace* ou de Phrygie* et assimilé à un culte crétois et égyptien, introduisit le sens du mystère dans la religion grecque. Sa legende semble refléter les réactions du système religieux et social établi au désordre qu'entraînaient les pratiques orgiaques. Sémélé*, sa mère, aimée de Zeus*, meurt au sixième mois de sa grossesse, foudroyée à la vue de son amant divin dans toute sa gloire. Le dieu arrache l'embryon du sein de Sémélé et le porte, cousu dans sa cuisse,

Arch. Smeets

Bacchus **(Dionysos)**, par Léonard de Vinci. (Musée du Louvre, Paris.)

jusqu'à terme (d'où l'expression : *né de la cuisse de Jupiter*). D'après le mythe orphique, *Dionysos-Zagreus* est le fils de Zeus et de Perséphone*. Héra*, jalouse, livre l'enfant aux Titans qui le déchirent et mangent son corps bouilli. Athéna ramasse pourtant le cœur et l'apporte à Zeus qui en féconde Sémélé. Des cendres des Titans, foudroyés par Zeus, naissent alors les hommes qui portent ainsi l'élément bestial, titanique, mais aussi une parcelle de divinité dans leurs âmes. Dans les deux versions ce fils de Zeus est « deux fois né » (une de ses épithètes). Héra persécute l'enfant et ses nourrices **(V. Ino)**, puis frappe de folie Dionysos qui, errant dans le monde, arrive en Phrygie où il est purifié par Cybèle et initié à son culte. Il passe ensuite de Thrace en Béotie*, diffusant son culte et punissant les rois qui s'y opposent. Il apparaît toujours escorté d'une compagnie délirante de démons : les Bacchantes*, appelées parfois Thyades ou Ménades (femmes possédées), son vieux précepteur Silène*, les Satyres*, Pan*, et les fils qu'il avait d'Aphrodite* : Priape* et Hyménée*. Des variantes racontent une expédition triomphale du dieu en Inde, le don fatal qu'il fait à Midas*, sa capture par des pirates qu'il métamorphose en dauphins, son voyage à Naxos* et son mariage avec Ariane*, sa descente aux Enfers d'où il enlève sa mère, etc. – Les cortèges tumultueux et l'utilisation du masque pendant ses fêtes *(Dionysies)* donnèrent naissance à la tragédie, à la comédie et au drame satyrique. Les *Bacchanales* (mystères de Bacchus) prirent de telles dimensions en Italie au cours du ~IIe s. que le Sénat interdit les réunions bacchiques et intenta un grand procès pour des orgies criminelles. – Dans la pensée de Nietzsche*, Dionysos est opposé au rationalisme et à la métaphysique socratique comme le dieu affirmatif, personnifiant la sincérité de l'instinct, le rire, en équilibre avec l'harmonie apollinienne.

DIOPHANTE, en gr. **Diophantos**. ♦ Mathématicien grec de l'école d'Alexandrie (v. 325 – v. 410). Une fraction de son œuvre seulement nous est parvenue : un fragment de son traité *Sur les nombres polygones* et surtout une *Arithmétique*, premier exposé méthodique d'algèbre qui exerça une grande influence chez les Arabes et, plus tard, chez les mathématiciens de la Renaissance; il y introduisit des abréviations, débuts de la symbolique de l'algèbre moderne, des indications pour la transformation et la réduction des équations et exposait le problème dit de Fermat*, que ce dernier reprit d'ailleurs en s'inspirant directement de l'œuvre de Diophante.

DIORI (Hamani). ♦ Homme politique nigérien (1916), président du Conseil du gouvernement en 1958, il fut avec Houphouët*-

Boigny un des fondateurs du Conseil de l'Entente*. Président de la république du Niger* (1960). Renversé par un coup d'État militaire (avril 1974).

DIOSCORIDE, en gr. **Dioskoridês**. ♦ Médecin grec (Anazarbe en Cilicie ? Ier s.). Il s'occupa essentiellement de botanique. Son traité *Sur la matière médicale* fut imprimé par Aldo Manuce*.

DIOSCURES. *n. m. pl.* ♦ **V.** CASTOR ET POLLUX.

DIOULAS ou **DYOULAS**. *n. m. pl.* ♦ Peuple noir, commerçant, de la Côte*-d'Ivoire et de la Haute*-Volta, appartenant au groupe mandingue **(V. Mandings)**.

DIPHILE, en gr. **Diphilos**. ♦ Poète comique grec (Sinope, ~ 360 ? – Smyrne, ~ 275 ?). Contemporain et rival de Ménandre, il a écrit une centaine de comédies dont il ne reste que quelques fragments. Il fut imité par Plaute *(Le Rudens)* et par Térence *(Les Adelphes)*.

DIPONEGORO. ♦ Héros indonésien, prince de Djogjakarta* (1785 – Makasar, 1855), qui lutta pour l'indépendance de Java* contre la colonisation hollandaise. Vaincu en 1830, il fut exilé à Makasar où il mourut.

DIPPEL (Johann Konrad). ♦ Alchimiste allemand (Frankenstein, près de Darmstadt, 1673 – Wittgenstein, Berleburg, 1734). Il découvrit le bleu de Prusse et l'huile animale de Dippel, produit de distillation de l'huile d'os ou de corne de cerf.

DIRAC (Paul). ♦ Physicien anglais (Bristol, 1902 –). Il élabora une théorie quantique et relativiste de l'électron en construisant une forme de la mécanique ondulatoire qui, simultanément, jouit de l'invariance relativiste et contient le spin [1929] **(V. Goudsmit** et **Uhlenbeck)**; ses calculs l'amenèrent à prévoir l'existence du positon, **V. Anderson.** Il édifia également une théorie quantique du champ de rayonnement électromagnétique, montrant que les équations de Maxwell* peuvent se mettre sous une forme analogue à celle donnée par Hamilton* aux équations de la mécanique classique. **V. Pauli, Schrödinger.** (Prix Nobel de phys., 1933.)

DIRCÉ [*Dirkê*]. ♦ Reine légendaire de Thèbes* qui maltraita Antiope*. Pour venger leur mère, Amphion* et Zéthos attachent Dircé aux cornes d'un taureau qui la déchire sur les rochers du Cithéron*.

Directoire *(le)*. ♦ Pouvoir exécutif qui fut institué par la Constitution de l'an III (août 1795). Il donna son nom au régime qui succéda à la Convention* (thermidorienne) le 5 brumaire an IV (28 oct. 1795). Formé de cinq membres (les *directeurs*) choisis par les Conseils des Cinq*-Cents et des Anciens* et renouvelable par 1/5 tous les ans, il nommait les ministres et les généraux en chef. – Période de transition entre le gouvernement révolutionnaire et l'époque napoléonienne **(V. Consulat, Empire)**, le Directoire fut marqué par l'aggravation de la crise économique, financière et sociale qui accentua le contraste entre la misère des masses et la richesse de quelques spéculateurs, aux mœurs libertines, menant une vie mondaine fastueuse. Le *premier Directoire*, formé de Barras*, La* Révellière-Lépeaux, Letourneur*, Rewbell* et Sieyès qui se démit en faveur de L. Carnot*, fut caractérisé : *1°* sur le plan intérieur, par la persistance de l'agitation royaliste **(V. Terreur blanche)**, l'inflation qui favorisa le développement d'un mouvement révolutionnaire **(V. Babeuf, Buonarrotti)**; *2°* sur le plan extérieur, par l'extension de la guerre de conquête où le patriotisme révolutionnaire céda peu à peu la place au nationalisme **(V. Italie** [campagne d'], **Campoformio** [traité de]). La répression antijacobine qui suivit la conjuration des Égaux (mai 1796) favorisa la réaction royaliste, victorieuse aux élections de germinal an V, mais vaincue à son tour par le coup d'État du 18 fructidor* an V, qui renforça dans un sens dictatorial le pouvoir exécutif au détriment du législatif. Le *second Directoire* (Barras, La Révellière-Lépeaux, Rewbell, François* de Neufchâteau et Merlin* de Douai) débuta par une période de relative stabilisation qui permit des tentatives de réorganisation économique, financière (suppression du papier-monnaie, banqueroute des 2/3 ou liquidation Ramel), fiscale (équilibre du budget) et militaire (loi Jourdan, qui fit du service militaire obligatoire une institution permanente). Toutefois la situation restait précaire. À l'intérieur, le Directoire et les Conseils restaient partagés entre la gauche jacobine, contre laquelle fut adoptée la loi du 22 floréal* an VI, et la droite, modérée et royaliste. À l'extérieur, la lutte à caractère essentiellement économique avec l'Angleterre fut poursuivie, ainsi que la politique d'expansion concernant les « Républiques sœurs » (Batave, helvétique, Parthénopéenne, etc.), « États satellites soumis politiquement, économiquement exploités » (A. Soboul); la campagne d'Égypte* fut entreprise contre l'Angleterre. La politique extérieure du Directoire eut pour conséquence la formation de la deuxième Coalition* (1799-1801). Après un recul des troupes françaises sur les principaux fronts (Jourdan en Allemagne, Schérer et Moreau en Italie, Massena en Suisse), la dernière crise révolutionnaire **(V. Prairial an VII** [30]), suivie d'un redressement militaire au cours de l'été (victoire de Masséna à Zurich, 25-27 sept. 1799), aboutit au coup d'État du 18 brumaire* an VIII qui marqua la fin du Directoire et le début du Consulat*. **V. Napoléon.**

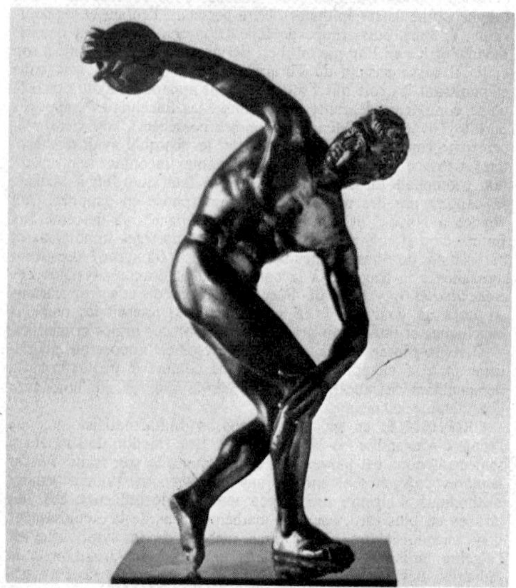

Arch. Rencontre

Le **Discobole,** d'après Myron.
(Museum Antiker Kleinkunst, Munich.)

DIRICHLET (Peter Gustav LEJEUNE-). ♦ Mathématicien allemand (Düren, Prusse Rhénane, 1805 – Göttingen, 1850). Élève de Jacobi* et de Gauss*, auquel il succéda à l'université de Göttingen (1885), auteur de travaux en analyse et en théorie des nombres. À partir du banal « principe des tiroirs », il détermina la structure d'un groupe infini en somme directe de groupes monogènes (1846), faisant progresser la théorie des entiers algébriques. Ses recherches sur les séries de Fourier* dont il établit la convergence, l'amenèrent à formuler les conditions générales pour qu'une fonction soit exprimable par des séries trigonométriques. Il définit également les intégrales trigonométriques relatives aux conditions d'équilibre d'un système matériel et à la théorie du potentiel, et ouvrit la voie à l'étude de l'analyse harmonique. (Acad. sc., 1854.) – *Conditions de Dirichlet :* conditions suffisantes pour qu'une fonction soit développable en série trigonométrique dans un intervalle d'amplitude 2π. – *Problème de Dirichlet :* détermination de la fonction harmonique prenant en tous les points d'une surface frontière des valeurs données. – *Principe de Dirichlet :* principe (partiellement démontré par Riemann*, puis, rigoureusement, par Hilbert* et Poincaré*) selon lequel il existe toujours une fonction harmonique à l'intérieur d'un contour fermé et prenant en chaque point de ce contour une valeur donnée à l'avance.

Discobole *(le)*. ♦ Célèbre statue en bronze de Myron* (~ Ve s.) dont on a plusieurs copies.

Discours (Les). ♦ Poèmes polémiques (1560-1563), écrits par Ronsard* pour protester contre les horreurs des guerres de religion. Le poète y exprime sa foi catholique et son patriotisme (Cf. *Plaintes de la France*).

Discours à la nation allemande *(Rede an die deutsche Nation)*. ♦ Ensemble de quatorze leçons prononcées par J.G. Fichte* à l'université de Berlin au lendemain de l'effondrement de la Prusse (défaite d'Iéna, 1807-1808). Appel au réveil moral, culturel et politique de la nation allemande, cette œuvre, qui rallia l'Allemagne littéraire et exprima sa résistance, fut exploitée abusivement par les pangermanistes ultérieurs. Fidèle à l'humanisme et à l'esprit de la Révolution française, Fichte y « oppose à la conception romantique du nationalisme allemand la conception d'une Allemagne démocratique qui ne pourra se libérer de l'oppression étrangère qu'en se libérant d'abord de ses princes » (D. Julia).

Discours de la méthode pour bien conduire sa raison et chercher la vérité dans les sciences (Le). ♦ Traité philosophique de Descartes*, écrit en français (1637) et divisé en six parties. Il s'agit en quelque sorte d'une « autobiographie intellectuelle », qui va de la critique de l'enseignement scolastique, jusqu'à la formulation des principes de sa philosophie, à l'aide des quatre règles fondamentales de sa méthode (évidence, analyse, synthèse et énumération), dont il tire les préceptes d'une « morale provisoire » (nécessaire dans la période de doute). Le *Discours* est suivi de trois essais scientifiques qui en sont l'application.

Discours sur les sciences et les arts (Le). ♦ Œuvre de Rousseau* (1750). En réponse à une question proposée par l'académie de Dijon : « Si le rétablissement des sciences et des arts a contribué à épurer les mœurs », Rousseau (sous le coup d'une inspiration, ou sur une suggestion de Diderot*) tenta de montrer que la civilisation a corrompu la nature humaine (supériorité du Barbare sur le Civilisé, de la Constitution de Sparte sur celle d'Athènes, etc.). Ce *Discours*, dont les positions allaient à l'encontre de la croyance aux progrès intellectuels et moraux, chère aux Encyclopédistes*, remporta le prix et valut la célébrité à son auteur.

Discours sur l'histoire universelle. ♦ Ouvrage conçu par Bossuet* (publ., 1681) pour l'éducation du Dauphin et l'un des premiers traités historiques où apparaisse une philosophie de l'histoire. Évoquant d'abord, chronologiquement, les événements accomplis depuis la Création jusqu'à Charlemagne*, Bossuet exalte le triomphe de la religion chrétienne avant d'expliquer par l'action de la Providence les révolutions des empires de l'Antiquité. La richesse de l'information et la splendeur du style illustrent cette œuvre où apparaît « l'influence du génie du christianisme sur le génie de l'histoire » (Chateaubriand).

Discours sur l'origine et les fondements de l'inégalité parmi les hommes (Le). ♦ Œuvre de Rousseau* (1755). La question de l'académie de Dijon : « Quelle est l'origine de l'inégalité parmi les hommes et si elle est autorisée par la loi naturelle », permit à Rousseau de développer ses thèmes essentiels : bonté et indépendance de l'homme à l'état de nature où l'inégalité (alors physique) est, selon lui, presque nulle. Celle-ci, dont il décrit la genèse historique et morale, « tire sa force et son accroissement du développement de nos facultés et des progrès de l'esprit humain et devient enfin stable et légitime par l'établissement de la propriété et des lois ». Point de départ de la philosophie politique de Rousseau **(V. Contrat social)**, ce *Discours*, plus violent que le précédent dans ses critiques de la société, n'obtint pas le prix.

DISNEY (Walter Elias, dit Walt). ♦ Réalisateur et producteur américain de dessins animés (Chicago, 1901 — Burbank, 1966). Utilisant d'abord les procédés des précurseurs, il mit au point la caméra multiplane, qui donne au plan la profondeur de champ, et appliqua à ses « cartoons » la musique, le son et la couleur. Des personnages comme Mickey la Souris, Donald le Canard, Pluto le Chien, etc., animèrent les « Silly symphonies » (400 films de court métrage, 1929-1937), créations collectives d'une charmante fantaisie poétique. Le succès de « Blanche-Neige et les Sept Nains » (*Snow White and the Seven Dwarfs*, 1938), son premier long métrage, l'engagea sur la voie d'une prodigieuse réussite commerciale (studios géants de Burbank) qui devait ensuite inspirer à ses studios une longue série de réalisations toujours plus ambitieuses. Son entreprise continue à produire de nombreux films sous son nom.

DISON. ♦ Comm. de Belgique (Liège, arr. de Verviers). 9 300 hab. Indus. du bois. Imprimerie. Indus. chimiques (couleurs et vernis). Teintureries. Indus. textiles (laine). Outillage mécanique.

DISRAELI (Benjamin, *1er comte* Beaconsfield). ♦ Homme politique anglais (Londres, 1804 — *id.*, 1881). Fils d'un critique littéraire israélite, dont le père était venu d'Italie, il devait toujours se montrer fier de ses origines « orientales ». Il entreprit d'abord une carrière littéraire, faisant paraître notamment un roman à clé, *Vivian Grey* (1826), qui eut un succès de scandale, avant de faire un voyage en Orient. À son retour, tandis qu'il occupait à Londres une position mondaine et faisait figure de dandy spirituel et brillant, il se lança dans la vie politique. Il évolua rapidement du radicalisme au conservatisme, mais resta toujours plus proche du radicalisme que du libéralisme, tout en étant fasciné par les traditions anglaises (l'Église et l'aristocratie). Il prit la tête, au sein du parti conservateur, du mouvement de la « Jeune Angleterre », qui préconisait l'alliance d'un pouvoir royal fort et des classes laborieuses, contre les intérêts de la bourgeoisie commerciale et industrielle (il exposa ses conceptions dans ses romans *Coningsby*, 1844, *Sybil* et *Tancred*). Élu en 1837 aux Communes, en raison de ses pamphlets percutants contre les whigs et de l'appui qu'il apportait à Peel*, il rompit brutalement avec celui-ci en 1845 et provoqua sa chute, à propos du libre-échange : en dépit de ses origines, de ses attitudes théâtrales et de son éloquence très colorée et mordante, qui choquaient les milieux politiques conservateurs, il avait conquis une place de premier plan aux Communes. Ministre des Affaires étrangères sous Derby*, il lui succéda comme Premier ministre (1867-1868) et comme chef des conservateurs. Il fit passer une réforme électorale que les libéraux n'avaient pas osé présenter et qui doublait le nombre des électeurs. Renversé par Gladstone*, à qui son tempérament plus encore que ses idées l'opposait, il l'attaqua sur la politique étrangère. C'est en effet à celle-ci qu'il donna la priorité quand il fut retourné au pouvoir à la chute de son rival (1874-1880). L'impérialisme anglais triompha avec l'acquisition des îles Fidji, des actions égyptiennes du canal de Suez, de Chypre, et avec la lutte contre l'expansion russe (congrès de Berlin). Disraeli fit alors proclamer Victoria*, dont il devait rester le ministre préféré, impératrice des Indes. Cependant, des difficultés en Afrique du Sud et en Inde, jointes à une crise économique, provoquèrent sa chute, à laquelle il ne survécut qu'un an. Il avait été créé lord Beaconsfield en 1876.

DI STEFANO (Alfredo). ♦ Footballeur d'origine argentine, naturalisé espagnol (Barraca, Buenos Aires, 1926). Il fit partie de l'équipe nationale d'Argentine de 1947 à 1949, puis du Real Madrid.

Distinguished Service Cross. *n.f.* (abrév. **D.S.C.**). ♦ Décoration militaire anglaise créée en 1914 pour les officiers de la marine et de l'armée de l'air équivalant à la *Military Cross*.

Distinguished Service Cross. *n.f.* (abrév. **D.S.C.**). ♦ Décoration militaire américaine créée en 1918.

Distinguished Service Order. *n. m.* (abrév. **D.S.O.**). ♦ En Grande-Bretagne, ordre honorifique militaire créé par la reine Victoria en 1886 et décerné depuis 1942 aux officiers de la marine marchande.

DISTLER (Hugo). ♦ Compositeur et organiste allemand (Nuremberg, 1908 — Berlin, 1942, par suicide). Chef de chœur et professeur au conservatoire de Berlin, demeuré fidèle à la leçon de Bach et de Schütz, il se consacra au renouveau de la musique religieuse luthérienne, dans l'esprit de ces maîtres. Son œuvre comprend une *Passion*, une *Messe*, de nombreux *Motets*, des *Cantates*, des *Pièces pour orgue* et de la musique de chambre.

© *Walt Disney Productions*

Walt Disney.

Dit de la bataille d'Igor, en russe **Slovo o polku Igorjevje.** ♦ Poème épique russe de la période kievienne (XIIe s.) qui relate la campagne malheureuse du prince Igor contre les Polovtses, sa captivité, les lamentations de sa femme, et enfin son évasion. Ce texte est imprégné de la tradition orale et de la culture littéraire de l'époque. D'auteur anonyme, il est rédigé en une magnifique prose rythmée. L'utilisation de procédés modernes fait parfois douter de son authenticité. Nous n'en avons en effet qu'une copie faite par Moussine-Pouchkine en 1800, l'original ayant brûlé dans l'incendie de Moscou en 1812.

DITTERSDORFF (Karl DITTERS *von*). ♦ Compositeur autrichien (Vienne, 1739 — Neuhof, Bohême, 1799). Ami de Gluck (avec qui il fit un voyage en Italie), violoniste réputé, il fut attaché à plusieurs cours épiscopales. De son œuvre, extrêmement abondante (symphonies, concertos, opéras, oratorios, messes) et qui connut en son temps la faveur du public, il ne subsiste guère qu'un opéra, *Doktor und Apotheker* (1786).

DIU. ♦ Port indien, sur une petite île du S. de la presqu'île du Kathiâwar, colonisé par les Portugais en 1535 et par les Arabes. Env. 25 000 hab. Il fit partie, jusqu'en 1952, des possessions portugaises de l'Inde. — *Territoire de Goa, Daman et Diu :* **V. Goa.**

Divan occidental-oriental (Le), en all. **West-östlicher Divan.** ♦ Recueil poétique (1819) de Goethe*. Tout en cherchant à rivaliser avec le poète persan Hâfiz, dont le *Divan* venait d'être traduit en allemand (1813-1814), l'auteur y a exprimé ce qu'il appela sa « seconde puberté », le rajeunissement physique et spirituel qu'il ressentit lors d'un retour dans sa Rhénanie natale (1814, 1815) et la passion partagée, mais à laquelle il renonça, pour Marianne von Willemer. Poème d'amour où se mêlent sensualité et mysticisme, cette œuvre, d'abord conçue comme le journal de voyage poétique d'un Occidental en Orient, tente d'atteindre au delà de l'opposition entre les deux cultures une vérité humaine universelle, tant en poésie qu'en morale et en religion.

DIVES. *n. f.* ♦ Riv. de Normandie*, 100 km, elle arrose Saint-Pierre*-sur-Dives, Mézidon*, Dives*-sur-Mer, Cabourg*.

DIVES-SUR-MER. ♦ Comm. du Calvados* (arr. de Pont*-l'Évêque), à l'embouchure de la Dives*. 6 522 hab. *(Divais)*. Église des XIVe et XVe s.; halles en charpente des XVe et XVIe s. — Usine électrométallurgique, constructions de machines. ♦ *Hist.* Guillaume* le Conquérant partit de Dives en 1066 pour conquérir l'Angleterre.

Divine Comédie (La). ♦ Poème de Dante* (v. 1307-1321) où l'aventure intellectuelle et spirituelle du poète, représentant l'humanité, est exprimée par l'allégorie d'un voyage à travers les trois règnes de l'au-delà. Le voyageur, égaré dans la « forêt obscure » du péché, sera guidé par la raison (que personnifie Virgile) et devra mesurer le mal dans toute son horreur (les neuf cercles de *l'Enfer*) avant d'accéder au *Purgatoire* (montagne aux neuf gradins) pour y connaître la pénitence et l'espérance. Alors, la sagesse humaine s'effaçant devant la foi révélée, Béatrice, puis saint Bernard, entraîneront le poète à travers les neuf cieux du système de Ptolémée *(Le Paradis)* jusqu'à l'Empyrée où siège Dieu, vision éblouissante et ineffable. — *Comédie*, selon Dante, parce que le tragique n'y est pas l'élément essentiel ni final, cette œuvre ne dut qu'à l'admiration de ses premiers commentateurs l'épithète de *Divine*. Selon une structure très savante qui utilise la valeur mystique du nombre trois, cette épopée compte cent chants : au prologue succèdent trois parties de trente-trois chants chacune, en vers disposés en terza

Arch. Smeets

O. Dix : « Portrait de mes parents ». (Landesgalerie, Hanovre.)

rima. Métaphore d'une ampleur et d'une rigueur prodigieuses, dotée d'une grande richesse de sens différents, elle double par exemple sa signification doctrinale d'un contenu social (état politique très troublé de l'Italie) et mêle aux figures mythiques des personnages historiquement connus ou célèbres. Portée par une vigoureuse unité d'inspiration, cette fresque morale qui veut « décrire l'Univers de fond en comble » offre tous les styles (lyrique ou allégorique, dramatique ou mystique) et, par la « nourriture de vie » dont elle est chargée, reste le chef-d'œuvre de l'humanisme chrétien du XIIIe siècle.

DIVONNE-LES-BAINS. ♦ Comm. de l'Ain* (arr. de Gex*), près de la frontière suisse. 3 276 hab. *(Divonnais).* Station thermale et climatique où sont soignées les maladies nerveuses. Fabrication de jouets.

DĪWÂNIYYA. ♦ V. du centre de l'Iraq* située à proximité de l'Euphrate; ch.-l. de province. 90 000 hab. env. Marché agricole (dattes). — *Province de Dîwâniyya.* Riche province de la basse Mésopotamie*, l'une des plus peuplées de l'Iraq.

DIX (Otto). ♦ Peintre, dessinateur et graveur allemand (Untermhaus bei Gera, Thuringe, 1891 — Œhningen, Bade, 1969). Formé chez un peintre décorateur, puis à l'académie de Dresde et de Düsseldorf, il fut marqué par le romantisme tardif, puis par les différents courants novateurs du début du siècle, révélant surtout des tendances expressionnistes. Esprit révolté profondément bouleversé par la guerre, il traita ce thème avec un violent sens de la dérision (série de gravures). Il participa en 1920 et en 1922 aux expositions dada et utilisa l'expression plastique comme moyen de critique sociale et politique, fustigeant la société bourgeoise. Vers 1920-1929, il adopta une technique d'un minutieux réalisme (portraits), tout en procédant à certaines déformations expressives à des fins caricaturales ou dramatiques (*Les Parents de l'artiste,* 1921). Installé à Düsseldorf de 1921 à 1925, il fut l'un des représentants de la tendance *Neue sachlichkeit* (« nouvelle objectivité » ou « nouveau réalisme ») et fut aussi marqué par le « Réalisme magique ». Il créa notamment des allégories contre le pouvoir. Classé comme artiste « dégénéré » par les nazis, il fut pourchassé et incarcéré à Dresde. Il se réfugia ensuite en Suisse où il peignit surtout des compositions religieuses (*Crucifixion,* 1946).

Dix *(conseil des).* ♦ Tribunal secret de dix membres choisis dans le Grand Conseil de Venise* (1310). C'était un organisme de sûreté de l'État avec pouvoirs illimités.

DIXENCE ou **BORGNE D'HÉRÉMENCE.** *n.f.* ♦ Riv. torrentielle de Suisse (Valais), affl. de la Borgne* (r. g.). 17 km. Construit à 2 400 m, le *barrage de la Grande Dixence* (1965) alimente les centrales hydro-électriques de Fionnay, Chandolin et Nendaz, qui produisent une énergie de 1 680 millions de kWh.

Dixieland. ♦ L'ensemble des États du sud des États-Unis. On a donné ce nom à un style de jazz né dans ces régions au début du XXe siècle. Il est pratiqué par de petites formations (5 à 7 musiciens), de caractère populaire, pratiquant l'improvisation collective. On applique parfois le terme aux seuls musiciens Blancs imitateurs du jazz noir originel auquel on réserve alors le terme de « Nouvelle-Orléans ».

Dixième. *n. m.* ♦ Impôt institué en 1710 par Desmarets* et inspiré des idées de Vauban*. Il portait sur le dixième des revenus nets, frappant ainsi toutes les classes de la société. Abrogé, il fut remis en vigueur en 1749, sous la forme du vingtième.

DIX MILLE *(retraite des).* ♦ Retraite célèbre des dix mille mercenaires grecs à la suite de leur défaite à Cunaxa* (~ 401) et de la mort de Cyrus* le Jeune. Après la mort de Cléarque*, leur commandant, Xénophon*, conduisit la retraite jusqu'à la mer (3 000 km), ce qui dura sept mois, et en fit le récit dans l'*Anabase.*

DIXMUDE, en néerl. **Diksmuide.** ♦ V. de Belgique (Flandre-Occidentale, ch.-l. d'arr.) sur l'Yser. 6 500 hab. Rasée pendant la Première Guerre mondiale, Dixmude fut reconstruite dans un style flamand homogène. Musée dans l'hôtel de ville (vestiges d'un jubé gothique flamboyant de Jean Bertet, 1536-1543). Protégée de la mer par Nieuwpoort, la ville est au centre d'une région de polders (agriculture). ♦ *Hist.* Dixmude fut héroïquement défendue par les Belges et les Français en 1914. Premiers essais de gaz de guerre par les Allemands. **V. Yser.**

DIXON (George). ♦ Navigateur anglais (1755 — v. 1800). Après avoir participé à la deuxième expédition de Cook, il entreprit (avec Portlock) l'exploration de la côte nord-ouest de l'Amérique et des îles de la Reine-Charlotte où il fit des travaux hydrographiques (1786). [*Voyage autour du monde, mais plus particulièrement à la côte nord-ouest de l'Amérique;* 1799.]

DIYÂLÂ. *n. f.* ♦ Riv. d'Iraq (386 km), née dans le Zagros*, affl. du Tigre* (r. g.) avec lequel elle conflue en amont de Baghdâd. Son cours qu'un barrage régularise alimente des canaux chargés d'irriguer la province. Vallée riche en palmeraies de dattiers, vergers et champs de coton.

DIYARBAKIR. ♦ V. de Turquie, en Anatolie* orientale, sur le Tigre*. Ch-l. de la province homonyme. 102 653 hab. L'aggl. compte 163 691 hab. (1965). Remparts construits sous Constantin et Justinien, renforcés et restaurés au cours des siècles suivants. Citadelle (IVe s.). L'Ulu Cami (Grande Mosquée) a été construite au XIe s. — Indus. textiles.

DIZIER *(saint).* ♦ **V.** DIDIER (saint).

DJABIR. ♦ **V.** JABÎR.

DJADJAPURA, anc. **Sukarnopura** et auparavant **Hollandia.** ♦ Cap. de l'Irian* Barat (Nouvelle*-Guinée occidentale), située sur la côte N.-O. du territoire. 36 500 hab.

DJÂHIZ. ♦ **V.** JÂHIZ ('Amr ibn Bahr al-).

DJAKARTA, anc. **Batavia.** ♦ V. de l'île de Java* sur la côte N.-O. de l'île; cap. fédérale de l'Indonésie. Env. 3 000 000 d'hab. C'est le plus grand port (à Tanjungpriok) de l'Indonésie. Aérodrome international. Universités. Musée archéologique et ethnographique. La ville, surtout administrative et marchande, possède de nombreux artisanats et de nouvelles indus. (métallurgie, textile, indus. chimiques, pneumatiques). ♦ *Hist.* Batavia fut fondée en 1619 par les Hollandais, sur le site d'un village malais nommé Djakarta. Le commerce avec la Hollande enrichit la ville aux XVIIe et XVIIIe siècles. Les Anglais l'occupèrent de 1811 à 1814. En 1926, une révolte y éclata, préludant au mouvement nationaliste indonésien. Les Japonais s'en emparèrent en 1942, mais elle fut libérée en 1945. L'indépendance indonésienne y fut proclamée le 17 août de la même année.

DJALÂL AL-DÎN AL-RÛMÎ (surnommé *Mawlanâ,* « notre maître »). ♦ Poète persan (Balkh, Khûrasân, 1210 — Konya, 1273). Il se réfugia en Asie Mineure à cause de l'invasion mongole (1230). Instruit par son père, il compléta ses études en Syrie et enseigna ensuite la théologie à Konya jusqu'à ce qu'il fît la rencontre de Shams-al-Dîn Muhammad ibn 'Alî de Tabriz qui l'initia aux pratiques mystiques. Son *masnavi,* qui expose la doctrine du sufisme par des paraboles, est considéré comme un des chefs-d'œuvre universels de la littérature mystique. Il écrivit, en outre, un recueil de *ghazals* débordant de lyrisme, un recueil de quatrains *(robâ'i),* un traité de mystique et des épîtres en prose. Par son style clair et simple, al-Rûmî s'inscrit dans la tradition des poètes du Khûrasân.

DJAMÂL PACHA (Ahmet) [*Cemal paşa*]. ♦ Général et homme politique turc (Mytilène, 1873 — Tiflis, 1922). Il fut, avec Enver* et Talât* Pacha, à la tête du comité Union et Progrès qui entraîna l'Empire ottoman dans la guerre mondiale aux côtés des Empires centraux. Commandant de la IVe armée en Syrie (1915-1917), il dirigea l'action manquée contre le canal de Suez. Après la défaite, il se rendit en Afghânistân et s'attacha à moderniser l'organisation militaire de ce pays. Il fut assassiné à Tiflis par des Arméniens ou par des bolcheviks.

DJAMBI. ♦ V. d'Indonésie (Sumatra), anc. capitale du royaume de Malâyu. 120 000 hab. Port exportateur de pétrole et de caoutchouc.

DJAMBOUL ou **JAMBUL,** anc. **Aoulié-Ata.** ♦ V. d'U.R.S.S. (Kazakhstan*), ch.-l. de la région du même nom (144 600 km², 787 000 hab.), sur le Talas et la ligne de chemin de fer de Tachkent à Frounzé. 188 000 hab. Indus. alimentaires. Usine de superphosphate.

DJÂMÎ. ♦ Écrivain persan (Djâm, Khurâsân, 1414 — Herât, 1492). Il fut d'une grande fécondité et sut maîtriser tous les genres littéraires tant en prose qu'en poésie. Il rédigea un recueil d'anecdotes (le *Bahâristan*), un recueil de biographies et une série d'ouvrages philologiques et religieux. En poésie, il est considéré comme le dernier grand poète de l'époque classique. Il laissa trois *divans* et cinq *masnavis,* poèmes didactiques proches de ceux de Nezâmî*.

DJARÎR. ♦ **V.** JARÎR.

DJEBAIL ou **JBAIL.** ♦ V. portuaire du Liban, située entre Beyrouth et Tripoli, sur le site de l'anc. Byblos (nom grec de *Gebal*). Sidérurgie. ♦ *Hist.* **V. Byblos.**

DJEBILET. *n. m.* ♦ Chaîne de collines du Maroc au N. de l'oued Tensift* et du Haouz*, partie méridionale de la Meseta*.

DJEBILET (Gara). ♦ Escarpement du Sahara algérien (dép. de la

Saoura) situé au S.-E. de Tindouf*, près de la frontière mauritanienne. Riche gisement de minerai de fer, non exploité, à cause des difficultés d'exportation qui devrait se faire par des territoires étrangers.

DJEDDAH. ♦ V. côtière d'Arabie Sa'ûdite sur la mer Rouge, à proximité de La Mecque* et au S.-O. de Médine*. Située au pied du Hedjaz*, c'est la 3e ville du pays et son port le plus important, où débarquent les pèlerins qui se rendent à La Mecque. 250 000 hab. Centre diplomatique et commercial. Raffinerie de pétrole. Aciérie. Une route de 1 200 km qui relie la mer Rouge au golfe Persique traverse la ville. Autres routes en direction de Médine (426 km) et de La Mecque (75 km).

DJELAL-ABAD ou **JELAL-ABAD.** ♦ V. d'U.R.S.S. (Kirghizistan*). 31 200 hab. (1959). Égrenage du coton, indus. textiles et alimentaires.

DJELFA. ♦ V. d'Algérie, ch.-l. d'arr. du dép. de Médéa, sur le versant N. des monts des Ouled* Naïl. 27 500 hab. Marché important.

DJEM ou **DJIM** (on l'a appelé **Zizim** ou **Zizimi** en Europe, **Com** en Turquie). ♦ Prince ottoman (Andrinople, 1459 – Naples, 1495). Fils du sultan Mehmet II. À la mort de ce dernier, Djem, vaincu dans la lutte pour l'accession au trône par son frère Bâyazîd II, se réfugia à Rhodes (1482). Transféré en France, il fut ensuite retenu à Rome (1489-1494) par le pape Innocent VIII et remis à Charles VIII de France, qui espérait son aide pour la conquête de Constantinople. Mais Djem périt peu après et sa mort est restée mystérieuse.

DJEM (El). ♦ V. de Tunisie (gouvernorat de Sousse) située entre Sousse et Sfax. 6 800 hab. Centre artisanal (tissages). Olivettes. Vestiges de la ville romaine de *Thysdrus* (très vaste amphithéâtre).

DJEMDET NASR. ♦ Site de Mésopotamie, près de Kish, fouillé à partir de 1925. – La *civilisation de Djemdet Nasr* (env. ~ 3100 – ~ 2900) représente la 3e des périodes protohistoriques sumériennes. Elle est caractérisée par sa céramique et par son écriture, plus évoluée que celle d'Uruk*. Elle vit de notables progrès artistiques et une vaste expansion commerciale. **V. Sumer.**

DJEMILA. ♦ Comm. d'Algérie (dép. de Constantine), sur les hauts plateaux. 9 939 hab. Ruines de l'anc. colonie romaine de *Cuicul.*

DJENNÉ. ♦ V. du Mali*, sur le Bani, au S. de Mopti*. 6 500 hab. Ville sainte, une des anc. cap. de l'Empire songhaï.

DJÉRADA ou **JÉRADA.** ♦ V. du Maroc oriental (prov. d'Oujda) située à l'amorce des monts de Tlemcen (monts de Djérada). 18 900 hab. Gisement d'anthracite de Djérada-Hassiblal.

DJERBA. ♦ Île de la Tunisie (gouvernorat de Médenine) au S. du golfe de Gabès*, rattachée par une route au continent. La population, d'origine berbère (musulmans kharidjites), émigre temporairement. 61 800 hab. *(Djerbiens). Centre princ. :* Houmt Souk. Arbres fruitiers, palmiers, oliviers. Artisanat. Pêche (éponges). Centre touristique important.

DJERID *(chott el-).* ♦ Dépression fermée du S. de la Tunisie, au pied des hautes steppes, immense « lac » salé long de près de 200 km, dont l'extension orientale porte le nom de chott el-Fedjedj. *Oasis princ.* **V. Tozeur.**

DJÉSIREH ou **DJÉZIREH.** *n.f.* ♦ Plateau désertique du Moyen-Orient, situé à cheval sur la Syrie* et l'Iraq* et couvrant le nord et le centre de l'anc. Mésopotamie. En Iraq, elle s'étend au S. du dj. Sindjar entre le Tigre et l'Euphrate, à l'O. de Baghdad. En Syrie, la *haute Djésireh* prolonge au N. le désert de Chamiya* entre le dj. Abdulaziz et les contreforts du Taurus* (Turquie) et correspond à la haute Mésopotamie. Elle est traversée par le Khabour*, affl. de l'Euphrate. – La *province de la Djésireh* (ch.-l. Hassetché) produit des céréales (exportées par Lattaquié*), du riz, du coton. Élevage de moutons.

Ph. Hétier

Chott el-**Djerid.**

DJIBOUTI. ♦ Ch.-l. du Territoire français des Afars* et des Issas, port sur le golfe d'Aden à l'entrée de la mer Rouge. 41 200 hab. Créé en 1888, Djibouti succéda en 1892 à Obock* comme capitale de la côte française des Somalis. La fonction essentielle de Djibouti, reliée par voie ferrée à Addis*-Abeba, est celle de débouché commercial de l'Éthiopie. Exportation de café, céréales et oléagineux. Centre commercial.

DJIDJELLI. ♦ V. et port d'Algérie, ch.-l. d'arr. du dép. de Constantine, sur la côte de la Kabylie* des Babors. 33 500 hab. Pêche. Industries et exportation de liège. Vignobles. Station balnéaire.

DJILOLO. ♦ **V.** Halmahera.

DJOGJAKARTA ou **DJOKJAKARTA, JOGJAKARTA.** ♦ V. d'Indonésie, au centre de Java*. 390 000 hab. (1970). Fondée en 1749 par un sultan musulman, elle est considérée comme le centre intellectuel javanais. Université. Son théâtre de marionnettes (Wayang) et ses tissus de batik sont réputés. Indus. alimentaires, travail du cuir. Marché régional. – À proximité se trouvent de nombreux sites archéologiques célèbres (Bârâbudur*, Prambanan).

DJOSER ou **ZOSER.** ♦ Roi d'Égypte (~ 2800). Fondateur de la IIIe dynastie memphite, il fit construire par son architecte Imhotep* la célèbre pyramide à degrés de Saqqarah*.

DJOUBA. *n. m.*, en angl. **Juba**, it. **Giuba.** ♦ Fl. d'Éthiopie et de Somalie (880 km), qui se jette dans l'océan Indien.

DJOUGDJOUR ou **DJUGDJUR.** *n. m.* ♦ Pays montagneux d'U.R.S.S. (R.S.F.S. de Russie) dans le territoire de Khabarovsk, au N.-E. des monts Stanovoï*. Longueur 500 km. Alt. maximale 1 906 mètres.

DJOUNGARIE. ♦ **V.** Dzungarie.

DJURDJURA, DJURJURA ou **JURJURA.** ♦ Chaîne montagneuse d'Algérie formant la bordure méridionale de la Grande Kabylie*, dominant la vallée de la Soummam*. Elle culmine au pic Lalla-Khadidja (2 308 m). Au pied de son versant S. se situe la ville de Bouira*.

DMITRIEV (Ivan Ivanovitch) [*Dmitriev*]. ♦ Poète russe (près de Simbirsk, 1760 – Moscou, 1837). Il écrivit des fables, des chansons et des contes dans le style étudié de la prose de Karamzine*. *(Le Bon Sens d'autrui.)*

DNIEPR. *n. m.*, anc. **Borysthène.** ♦ Fleuve d'U.R.S.S. (2 285 km, troisième fl. d'Europe par sa longueur, après la Volga et le Danube); issu du S. du plateau des Valdaï, il draine une partie de la R.S.F.S. de Russie où il arrose Smolensk*, la partie orientale de la Biélorussie* où il baigne Moghilev* et reçoit la Berezina* (r. d.), puis l'Ukraine*, où il reçoit le Pripet* (r. d.), la Soï* et la Desna* (r. g.). Il arrose Kiev*, Tcherkassy*, Krementchoug*, Dniepropetrovsk*, Dnieprodzerjinsk*, Zaporojie*, Nikopol* et Kherson*, avant de se jeter dans la mer Noire* à l'E. d'Odessa par un estuaire barré en partie par un cordon littoral (liman). Navigable sur plus de 2 000 km, le Dniepr est également une puissante source d'énergie électrique (quatre cinquièmes de la prod. hydro-électrique d'Ukraine. **V.** *notamment* **Dnieproghes**) et alimente dans son cours inférieur un important réseau d'irrigation, complété par le réservoir de Kakhovka. Le *bassin du Dniepr* (503 400 km²) possède de riches réserves de lignite et de nouveaux gisements de minerai de fer sont exploités près de Krementchoug.

DNIEPRODZERJINSK, anc. **Kamenskoie.** ♦ V. d'U.R.S.S. (Ukraine) sur le Dniepr* en amont de Dniepropetrovsk. 227 000 hab. Centrale hydro-électrique. Sidérurgie. Constructions mécaniques. Indus. chimiques.

DNIEPROGHES (« centrale hydro-électrique du Dniepr ») ou **DNIEPROSTROÏ** (« chantier du Dniepr »). ♦ Important barrage d'U.R.S.S. édifié sur le Dniepr*, près de Zaporojie, en Ukraine*. Mis en service en 1932, détruit par les Allemands en 1941 et reconstruit après la Deuxième Guerre mondiale, il assure aujourd'hui l'électrification de la région et fournit l'énergie électrique à l'industrie de la région. Les canaux d'irrigation dérivés du barrage ont permis la mise en valeur d'importantes surfaces agricoles en Ukraine du Sud et en Crimée du Nord.

DNIEPROPETROVSK, anc. **Iekaterinoslav.** ♦ V. d'U.R.S.S. (Ukraine). Ch.-l. de la région (31 900 km², 3 325 000 hab.) et port fluvial sur le Dniepr*. 863 000 hab. Université. Carrefour ferroviaire. Grand centre industriel. Centrale thermique. Sidérurgie. Constructions mécaniques. Cimenterie. Pneumatiques.

DNIESTR ou **DNESTR.** *n. m.* ♦ Fl. d'U.R.S.S. (1 362 km); né dans les Carpates, près de la frontière polonaise, il traverse l'Ukraine*, encaissé entre les plateaux de Podolie et de Volhynie, arrose Khotine* et pénètre en Moldavie où il arrose Bendery* et Tiraspol* avant de se jeter dans la mer Noire* par un vaste liman à l'O. d'Odessa. Navigable sur env. 800 km, le Dniestr alimente un chapelet de petites centrales hydro-électriques (Doubossary) et un système d'irrigation sur son cours inférieur.

DÖBLIN (Alfred). ♦ Romancier allemand (Stettin, 1878 – Emmendingen, 1957). Collaborateur de la revue expressionniste *Sturm**, où parurent ses premières nouvelles (*Assassinat d'une renoncule,* 1913), il publia plusieurs romans dont le plus connu, *Berlin Alexanderplatz* (1929), fut comparé à *Ulysse* de J. Joyce. «Un déroulement des événements, des figures, mais pas de psychologie », c'est ainsi que Döblin définit son œuvre qui, s'inspirant de la technique du film et introduisant le procédé du monologue intérieur, se présente comme une suite discontinue d'images et de tableaux.

Döblin fut socialiste en 1918, mais renonça par la suite au marxisme, et dans son roman *Novembre 1918* (1948-1950), où il évoque les personnalités de Rosa Luxemburg et Karl Liebknecht, il affirmait ses convictions catholiques, qui sont également exprimées dans ses derniers ouvrages (*L'Homme immortel,* 1946; *L'Homme, notre souci,* 1948).

DOBROLIOUBOV (Nicolaï Alexandrovitch) [*Dobroljubov*]. ♦ Critique russe (Nijni-Novgorod, 1836 – Saint-Pétersbourg, 1861). Partisan des Occidentalistes*, il fut le critique le plus influent de l'époque, après Bielinski*. Ses critiques parurent dans le journal de Nekrassov* : *le Contemporain.* Elles concernent le fond, les intentions et les effets des œuvres plutôt que leur forme littéraire. Ainsi, de ses études sur Gontcharov*, on peut retenir « *Qu'est-ce que l'oblomovisme?* », sur les premières pièces d'Ostrovski*. « *Le Royaume des ténèbres* » et sur *L'Orage,* « *Un rayon de lumière dans le royaume des ténèbres* », sur *À la veille* de Tourgueniev*, « *Quand donc viendra le vrai jour?* ».

DOBROLIOUBOV (Alexandre Mikhaïlovitch) [*Dobroljubov*]. ♦ Poète russe (1876 – 1918). Son premier recueil de vers, *Natura naturans et Natura naturata* (1895), est déjà une préfiguration du symbolisme*. Puis il voulut concilier la poésie métaphysique, l'inspiration populaire et l'intimité avec la nature. *Du Livre mystique* (1905) est un hymne mystique à la nature, où se mêlent prose et poésie.

DOBROPOL ou **DOBROPOLIÉ**, en serbe **Dobro Polje.** ♦ Village de Yougoslavie (Serbie), au N.-È. de Niš. Le 15 septembre 1918, lors de l'offensive de Franchet d'Esperey, le front bulgare, qui tenait la position « du Dobropol », fut emporté par les troupes serbes et françaises. La poursuite de l'offensive amena la capitulation bulgare (29 sept. 1918). **V. Guerre mondiale** *(Première).*

DOBROUDJA, en roum. **Dobrogea**, en bulg. **Dobrudža**. *n. f.* ♦ Région d'Europe centrale, bordée à l'O. par le Danube, à l'E. par la mer Noire, au N. par le delta du Danube (bras de Chilia). Partagée entre la Roumanie au N. (*cap.* Constanța*) et la Bulgarie au S., elle compte 5 969 km² et 502 680 hab. (Roumains, Bulgares, Tatars, Turcs, Lipovans). Au centre, une dépression sépare la plaine steppique du N. des collines faiblement ondulées du sud. La côte, parfois bordée de falaises, est le plus souvent marécageuse. Le *delta du Danube**, au N. (430 000 hab.), est formé des trois bras de Chilia, Sfîntu Gheorghe et Sulina. – *Écon.* Autrefois marécageuse, la Dobroudja est maintenant grande productrice de céréales et de cultures maraîchères (Constanța). Le sous-sol recèle du fer et du cuivre. La pêche est largement pratiquée sur la côte (70 % de la production nationale), le caviar est récolté dans le delta du Danube. Le tourisme connaît un fort développement le long du littoral de la mer Noire (Mamaia*, Agigea, Eforie, etc.). ♦ *Hist.* Ancienne Scythia Minor de Dioclétien*, elle fut l'enjeu des Bulgares et des Turcs qui s'en emparèrent en 1396. Les traités de San Stefano (1878), de Bucarest (1913) et de Neuilly (1919) cédèrent la plus grande partie de la Dobroudja à la Roumanie. Le traité de Cracovie (1940) rendit le S. de cette province à la Bulgarie*.

DOBROVSKÝ (Josef). ♦ Philologue et historien littéraire tchèque (Darmoty, Slovaquie, 1753 – Brno, 1829). Après de nombreuses études sur la langue et la littérature tchèques, il posa les bases scientifiques de la philologie slave dans *Institutiones linguae slavicae dialecti veteris* (1822).

DOCE *(rio). n. m.* ♦ Fl. de la zone littorale du Brésil. Il prend sa source dans la serra do Espinhaço* (Minas Gerais) et se jette dans l'Atlantique après avoir traversé l'État de Espirito* Santo. 980 km. Gisements de fer dans sa vallée.

Docétisme. *n. m.* (du gr. *dokein* « sembler »). ♦ Doctrine hérétique chrétienne (IIe-IIIe s.). Les docètes soutenaient que le Christ, étant Dieu, n'avait pu vivre et souffrir sur terre qu'en apparence (Asie Mineure, déb. IIe s.). Cette doctrine fut reprise par divers gnostiques (Satornil*, Marcion*, Valentin*) et, plus tard, par certains monophysites (VIe s.).

Docteur de l'Église. ♦ Titre décerné par l'Église à des théologiens ou auteurs spirituels dont l'enseignement est reconnu éminent. **V.** les saints **Albert le Grand, Alphonse de Liguori, Ambroise, Anselme, Antoine de Padoue, Athanase, Augustin, Basile de Césarée, Bernard, Bonaventure, Cyrille d'Alexandrie, Éphrem, François de Sales, Grégoire Ier, Grégoire de Naziance, Grégoire de Nysse, Irénée, Isidore de Séville, Jean Chrysostome, Jean Damascène, Jean de la Croix, Jérôme, Léon Ier, Pierre Casinius, Pierre Chrysologue, Pierre Damien, Robert Bellarmin, Thérèse de Jésus, Thomas d'Aquin.**

Docteur Faustus (Doktor Faustus). ♦ Roman qui fut considéré comme le « testament littéraire » de T. Mann*. Le musicien Adrian Leverkühn, dont la personnalité fut inspirée à l'auteur par celle de Nietzsche, a ou croit avoir fait un pacte avec le diable (thème du Faust*), pacte par lequel il a obtenu le génie en échange de sa santé (il est atteint de syphilis). Cette œuvre complexe, dont T. Mann a donné d'amples commentaires dans *La Genèse du docteur Faustus* (1949), reprend et développe les thèmes habituels de l'auteur : affinité du pathologique, de la mort et de l'art, un art devenu inhumain tant par son goût du barbare que par son souci ultime d'abstraction, ironie desséchante qui annihile tout sentiment (T. Mann se référa au dodécaphonisme d'A. Schönberg). Racontée par Zeitblom, ami de Leverkühn, la vie du héros est doublement symbolique : image de l'Allemagne hitlérienne jusqu'à la débâcle de 1945 et, plus généralement, de la décadence, selon l'auteur, de la civilisation occidentale. Avec *Le Jeu* des perles de verre* d'H. Hesse et *Héliopolis* d'E. Jünger*, cette œuvre eut une influence considérable après la Seconde Guerre mondiale.

Ph. Hétier

Dodécanèse : l'île de Symi.

Doctrinaires. *n. m. pl.* ♦ Nom donné sous la Restauration aux membres d'un parti politique fondé par Royer-Collard et Guizot. Hostiles aux royalistes extrémistes (ultras) et aux libéraux (ou indépendants), ils refusèrent l'idée d'une royauté de droit divin mais affirmèrent que le roi gouverne et ne se contente pas de régner (« Le trône n'est pas un fauteuil vide »).

DODDS (Alfred, Amédée). ♦ Général français (Saint-Louis [Sénégal], 1842 – Paris, 1922). Il se distingua pendant la guerre de 1870-1871 et au cours de plusieurs opérations au Sénégal, et fut chargé de l'expédition menée au Dahomey* contre Behanzin* (1892-1894).

DODÉCANÈSE, *n. m.*, en gr. **Dôdekanêsos** (« les douze îles »). ♦ Archipel grec de la mer Égée, au S.-O. de l'Asie Mineure (Sporades* du S.). Les principales îles sont : Cos*, Kalymnos, Patmos*, Rhodes*. – *Nome de Dodécanèse :* 2 663 km²; 123 021 hab. *Ch.-l.* Rhodes. ♦ *Hist.* Soumises aux Turcs en 1522, les îles furent occupées par l'Italie en 1912 pour être enfin attribuées à la Grèce en 1947 par le traité de Paris.

DODERER (Heimito *von***)**. ♦ Écrivain autrichien (Weidlingen, 1896 – Vienne, 1967). Auteur de poésies (*Ruelles et Paysages,* 1923; *Un chemin dans les ténèbres,* 1957), de nouvelles (*Trompettes de Jéricho,* 1958; *Sous les étoiles noires,* 1963, etc.), il est surtout connu pour ses romans *L'Escalier du Strudelhof* (1951), *Les Démons* (1956), qui s'inspire de Dostoïevski tout en le parodiant, *Les Cascades de Slunj* (1963). Nouveau naturalisme et rigueur formelle dans la construction caractérisent les œuvres de Doderer qui, tout en analysant, comme déjà Musil et Broch, la conscience moderne (effondrement des valeurs, décomposition de la réalité), entreprend également de reconquérir le monde et affirme, au moins implicitement, la seconde naissance d'une humanité consciente.

DODGSON (Charles). ♦ **V.** CARROLL (Lewis).

DODOENS (Rembert), en lat. **Dodonoeus**. ♦ Médecin et botaniste hollandais (Malines, 1518 – Leyde, 1585). Médecin de Maximilien II et de Rodolphe II, professeur de Leyde, il peut être considéré comme un des fondateurs de la pathologie.

DODONE, en gr. **Dôdônê**. ♦ Anc. V. de Grèce (Épire*) qui joua un rôle important dans les affaires politiques grecques grâce à son oracle de Zeus* et de Dioné, l'un des plus anciens de la Grèce. Les prêtres et les prêtresses rendaient la réponse des dieux en interprétant le bruissement du feuillage des chênes sacrés, le son des bassins de bronze entrechoqués par le vent, ou le vol des colombes.

DOESBURG. ♦ V. des Pays-Bas (Gueldre), sur l'Ijsel. 9 527 hab. Ancienne place forte, elle garde une vaste église gothique du XVe s. et un hôtel de ville du XVe siècle. – Métallurgie et constructions mécaniques.

DOETINCHEM. ♦ V. des Pays-Bas (Gueldre). 30 151 hab. Quincaillerie, métallurgie et constructions mécaniques. Indus. alimentaires.

DÔGEN. ♦ Religieux japonais (1200 – 1253) qui, après un voyage en Chine, prêcha au Japon la doctrine du Zen*. Il fut également un grand poète.

Doges *(palais des)* [*palazzo ducale*]. ♦ Anc. résidence des doges à Venise et siège du gouvernement de la République vénitienne. Édifice gothique, construit au XIIe s. et remanié à plusieurs reprises. Il comprend une façade du XVe s. de style flamboyant et une façade Renaissance reliée aux prisons par le célèbre pont des Soupirs. De nombreux peintres ont décoré le palais : le Tintoret, Titien, Véronèse, Sansovino, Bassano; sculptures de Rizzo et de Carpaccio.

DOGGER BANK. *n. m.* ♦ Haut-fond sableux de la mer du Nord, au large des côtes anglaises, hollandaises et danoises. Long de 300 km et large de 100, d'une profondeur variant de 13 à 20 m, il est particulièrement poissonneux (morue, hareng). ♦ *Hist.* Le Dogger Bank fut le siège de plusieurs batailles navales qui opposèrent Allemands et Anglais (1781), puis Russes et Anglais. **V. Kingston upon Hull** (incident de Hull).

DOGON(S). ♦ Peuple noir d'Afrique occidentale qui conserva longtemps sa culture particulière, vivant sur les falaises de Bandiagara* au Mali*. (200 000 env.) — Art avant tout rituel (statuettes et masques), dépouillé et austère. On doit à M. Griaule* d'importants travaux sur les Dogons et leur conception du monde extrêmement élaborée.

DOHA ou **DUHÂ**. ♦ Cap. du Qatar* (émirat d'Arabie*) située en bordure du golfe Persique sur la côte orientale de la péninsule. Env. 45 000 hab. Port de commerce et de pêche.

DOHNANYI (Ernö ou **Ermst** *von*). ♦ Pianiste, chef d'orchestre et compositeur hongrois (Poszony, 1877 — New York, 1960). Virtuose de réputation internationale, il fut directeur du conservatoire de Budapest avant d'émigrer aux États-Unis (1940). Bien qu'il ait fréquemment interprété des œuvres modernes, sa musique, influencée par Liszt* et par Brahms*, se rattache au mouvement postromantique. Il est l'auteur d'opéras, de symphonies, de concertos et de nombreuses pièces de musique de chambre. Avec Bartok* et Kodaly*, il a participé au renouveau de la musique dans son pays. Ses *Ruralia Hungarica,* d'une inspiration proche de la musique tzigane, sont riches de variété et de couleur orchestrale.

DOIRE. *n. f.*, en it. **Doria**. ♦ Nom de deux riv. italiennes, nées dans les Alpes, affl. du Pô et arrosant le Piémont*. La *Doire Baltée* (160 km), issue du versant S. du mont Blanc, emprunte la vallée d'Aoste, arrose la plaine d'Ivrée* et rejoint le Pô en aval de Chivasso. La *Doire Ripaire* (125 km) prend sa source près de Sestrière, draine le val de Suse* et rejoint le Pô en aval de Turin. De puissantes centrales hydro-électriques ont été établies sur leurs cours, spécialement dans le val d'Aoste.

DOISY (Edward). ♦ Biochimiste américain (Hume, Illinois, 1893 —). Auteur de travaux sur les hormones sexuelles **(V.** *aussi* **Butenandt)**, il étudia avec Allen* le conditionnement vaginal; ils établirent tous deux que la kératinisation du vagin est un bon test d'activité œstrogène (1923), puis, en même temps que R. Courrier, ils montrèrent que le liquide folliculaire est œstrogénique (1924). Il étudia les vitamines, notamment la vitamine K qu'il put extraire de la farine de poissons putréfiés (1939) et dont il réalisa la synthèse **(V. Dam, Fieser, Karrer)**; il fit également des recherches sur l'insuline, les autres hormones et les antibiotiques. (Prix Nobel de méd., 1943.)

DOKKUM. ♦ V. des Pays-Bas (Frise). 9 817 hab. Constructions mécaniques; indus. alimentaires.

DÔKYÔ. ♦ Religieux bouddhiste japonais (? — 772) qui exerça une grande influence sur l'impératrice Kôken et réussit à devenir Premier ministre. Ayant tenté de s'approprier le trône, il fut exilé. C'est depuis cette époque que les impératrices ont été écartées du trône du Japon.

DOL-DE-BRETAGNE. ♦ Ch.-l. de cant. d'Ille-et-Vilaine, au bord du *marais de Dol,* arr. de Saint-Malo. 5 036 hab. *(Dolois).* Cathédrale Saint-Samson (XIIIe s.) remaniée aux XIVe, XVe, XVIe s., de style gothique normand (remarquable verrière du XIVe s.); maisons anciennes. — Cultures de céréales, légumes, plantes fourragères, pommes. Produits chimiques, engrais.

DOLE. ♦ Sous-préf. du dép. du Jura, ch.-l. d'arr. (9 cant., 136 comm., 74 074 hab.) au-dessus de la r. d. du Doubs et du canal du Rhône au Rhin. 28 774 hab. [29 959 aggl.]. *(Dolois.)* Église Notre-Dame (XVIe siècle). Maisons anc. (XVe au XVIIIe siècle). Hôpital Pasteur (XVIIe siècle). Musées. — Indus. métallurgiques (fonderies), électroniques et alimentaires (chocolaterie, biscuiterie). Confection. Carrières de pierres. — Patrie de C.F. de Malet*, L. Pasteur*. ♦ *Hist.* Construite sur un site préhistorique et gallo-romain, elle fut avant Besançon* la cap. de la Franche-Comté (jusqu'en 1678, date de l'annexion de la province à la France). siège du parlement et d'une célèbre université (fondée en 1422).

DOLET (Étienne). ♦ Humaniste et imprimeur français (Orléans, 1509 — Paris, 1546) dont la liberté d'esprit et l'activité entraînèrent la condamnation à être pendu pour hérésie et athéisme. On lui doit des commentaires sur les auteurs antiques et la langue latine (1536), comme des éditions de Marot* et de Rabelais*. Enfin il fut aussi ardent à défendre la tolérance religieuse que la langue française.

DOLGELLEY ou **DOLGELLAU**. ♦ V. du N. du pays de Galles, ch.-l. du Merionethshire*. 2 270 hab. Centre touristique dans la basse vallée de la Wnion.

DOLIN (Patrick Healey-Kay dit **Anton)**. ♦ Danseur et chorégraphe anglais (Slinfold, Sussex, 1904 —). Il débuta dans la troupe des Ballets russes de Diaghilev (1921) avant de paraître aux côtés de T. Karsavina (1927) et de fonder une compagnie avec A. Markova (1935-1938). Sa contribution aux ballets anglais et américain est importante. Il a établi une chorégraphie pour la *Rhapsody in Blue* (Gershwin, 1928) qu'il présenta à Paris avec T. Karsavina, et reconstitué pour le Ballet Theatre de New York le célèbre « Pas de quatre » (1941).

DOLLARD DES ORMEAUX (Adam). ♦ Officier français (Les Ormeaux, 1635 — Long-Sault, 1660). Attaqué à Long-Sault par les Iroquois, il fut massacré avec sa troupe après une résistance héroïque de plusieurs jours, sauvant ainsi la colonie.

DOLLERN. *n. f.* ♦ Riv. d'Alsace*, affl. de l'Ill* (150 km), elle passe à Masevaux*.

DOLLFUSS (Engelbert). ♦ Homme d'État autrichien (Kirnberg, Basse-Autriche, 1892 — Vienne, 1934). Issu d'un milieu paysan, il fit des études de droit et d'économie politique, puis devint fonctionnaire du ministère de l'Agriculture. Militant du Parti social-chrétien, il devint ministre de l'Agriculture (1931-1932). Il devint chancelier en 1932, avec une très faible majorité (une seule voix). Continuateur de la politique de Mgr Seipel, il voulut faire de l'Autriche un État chrétien et autoritaire. En 1933, il suspendit le régime parlementaire et tenta d'éliminer les partis en les remplaçant par un front patriotique. Il lutta à la fois contre les socialistes (en 1934, il fit écraser les milices ouvrières de Vienne) et contre les nazis (interdiction des partis hitlériens en 1933) en s'appuyant sur les sympathisants fascistes des Heimwehren. Avec le soutien de Mussolini, il lutta pour une Autriche indépendante (entrevue de Riccione, 1933). Le 1er mai 1934, il promulga une nouvelle constitution, qui établit en Autriche un État autoritaire, corporatif et chrétien. Le 25 juillet 1934, des groupes nazis pénétrèrent dans la chancellerie et assassinèrent Dollfuss; Schuschnigg* lui succéda.

DÖLLINGER (Johann *von*). ♦ Prêtre allemand (Bamberg, 1799 — Munich, 1890). Professeur d'histoire ecclésiastique à Munich, il fut l'un des plus vigoureux adversaires de l'ultramontanisme, attaqua Pie IX et le *Syllabus* dans *Le Pape et le Concile* (sous le pseudonyme de Janus) et, refusant le dogme de l'infaillibilité pontificale (1870), fonda l'Église schismatique des « vieux-catholiques », qu'il unit à l'Église janséniste d'Utrecht. Il avait été excommunié en avril 1871.

DOLOMIEU (Dieudonné, ou **Déodat de Gratet** *de*). ♦ Géologue et minéralogiste français (Dolomieu, Dauphiné, 1750 — Châteauneuf, Saône-et-Loire, 1801). Il a étudié le basalte, les calcaires; on a donné son nom au carbonate naturel double de calcium et de magnésium [*dolomie*] *(Introduction à la philosophie minéralogique),* ainsi qu'au massif des Dolomites*.

DOLOMITES ou **ALPES DOLOMITIQUES**. *n. f. pl.* ♦ Massif italien des Alpes occidentales, compris entre l'Adige et la Piave. D'une hauteur moyenne de 3 000 m, elles culminent à 3 332 m (La Marmolada). Elles sont constituées d'une roche calcaire, la dolomie (carbonate de calcium et de magnésium), reconnue par Dolomieu* qui a donné son nom au massif. La double action de l'érosion et des cours d'eau, jointe à la nature même de la roche, lui donne un aspect très particulier. La région a été aménagée pour le tourisme d'hiver, le ski (Bolzano*, Cortina* d'Ampezzo) et l'alpinisme.

DOMAGK (Gerhard). ♦ Médecin allemand (Lagow, Brandebourg, 1895 — 1964). Auteur de recherches sur le cancer expérimental, il a ouvert la voie à la chimiothérapie par les sulfamides. (Prix Nobel de méd., 1939.)

DOMANOVIĆ (Radoje). ♦ Écrivain serbe (Ovsište, près de Kragujevac, 1873 — Belgrade, 1908). Conteur, il écrivit plusieurs nouvelles où, par l'allégorie, il fit la satire de la vie politique et sociale serbe : *La Cicatrice* (1899), *Le Chef* (1899), *Prince Marko* revenu parmi les Serbes* (1901), *Stradija* (1902). Ses œuvres, pleines de verve, eurent un retentissement politique.

DOMAT (Jean). ♦ Jurisconsulte français (Clermont, 1625 — Paris, 1696). Avocat au présidial de Clermont-Ferrand, ami de Pascal* (qui lui confia ses papiers en mourant) et fervent jansé-

Ph. André Bignon

Dole :
vue de l'église Notre-Dame.

niste, il fut le premier jurisconsulte à avoir opéré une clarification générale du droit romain et présenté les lois françaises suivant un ordre logique. Ses ouvrages essentiels, *Les Lois civiles dans leur ordre naturel* (1689-1694) et *Le Droit public* (posth., 1697), firent célébrer en Domat « le restaurateur de la raison dans la jurisprudence » (Boileau).

DOMBASLE [dɔ̃bal] **(Christophe Joseph Alexandre Mathieu de).** ♦ Agronome français (Nancy, 1777 — *id.*, 1843). Il apporta maints perfectionnements à l'agriculture, inventant une charrue, préconisant le chaulage dans les terres argileuses, et créa à Roville, près de Nancy, une école d'agriculture (1822) qui contribua au développement de l'enseignement agricole en France sous la Restauration (*Essai sur les eaux naturelles,* 1810; *Théorie sur la charrue,* 1821, etc.).

DOMBASLE-SUR-MEURTHE. ♦ Comm. de Meurthe-et-Moselle, arr. de Nancy. 9 616 hab. *(Dombaslois).* Gisement de sel. Indus. chimiques (soude).

DOMBES. *n. f. s.* (le *s* final suggère à tort un pluriel et on dit parfois *les Dombes).* ♦ Région du dép. de l'Ain*, comprise entre la Saône, le Rhône* et l'Ain*; c'est un plateau de faible altitude (300 m), dont le sol argileux, caillouteux est recouvert de dépôts morainiques et parsemé d'étangs poissonneux. En partie drainée, la région porte des cultures et on y pratique l'élevage des vaches laitières. *V. princ.* **V. Meximieux, Montluel, Pérouges, Trévoux**

Ph. Hétier

Les **Dolomites :**
le lac de Carezza.

(anc. cap.). ♦ *Hist.* Anc. pays de France, principauté qui appartint aux maisons de Beaujeu, de Bourbon et d'Orléans, avant d'être réunie à la couronne de France (1762). Un parlement siégeait dans la cap., Trévoux*.

DOMBROVSKI (Iaroslav). ♦ Officier et révolutionnaire polonais (1838 — 1871). En 1863 il participa à l'insurrection contre le tsarisme; exilé en Sibérie, il s'en évada et se réfugia en France (1865). Membre du Comité central de la garde nationale, il fut l'un des généraux de la Commune et fut tué par les Versaillais lors de la Semaine sanglante (23 mai 1871).

DOMBROWA, DOMBROWSKA, DOMBROWSKI. ♦ **V. Dąbrowa, Dąbrowska, Dąbrowski.**

DÔME *(monts)* ou **CHAÎNE DES PUYS.** ♦ Volcans d'Auvergne (Puy-de-Dôme) s'étendant au-dessus de la Limagne* et culminant à 1 465 m, au sommet du *puy de Dôme,* possédant les ruines d'un temple de Mercure. Observatoire météorologique. Poste émetteur de télévision. — C'est au puy de Dôme que Pascal fit ses expériences confirmant l'hypothèse de Torricelli sur la pesanteur (1648).

DÔMEI. *n. f.* ♦ Grande centrale syndicale japonaise, fondée en 1964 par la fusion de deux autres centrales ouvrières. D'inspiration travailliste, elle se veut « réaliste ».

DOMÈNE. ♦ Ch.-l. de cant. de l'Isère* (arr. de Grenoble*), dans le Grésivaudan*. 4 901 hab. *(Doménois).* Papeteries, métallurgie, constructions mécaniques.

DOMENICO DA FERRARA ou **DA PIACENZA**, en fr. *Dominique de Ferrare* ou *de Plaisance.* ♦ Théoricien de la danse italien ([mort] 1462). Dans son *De arte saltandi et choreas ducendi,* premier traité technique d'art chorégraphique, il offre une description des pas et des figures de danse et des règles pour observer les mesures.

DOMENICO VENEZIANO. ♦ **V.** VENEZIANO.

DOMERGUE (François Urbain). ♦ Grammairien français (Aubagne, 1745 — Paris, 1810). Frère de la Doctrine chrétienne, fondateur du *Journal de la langue française* (1784-1787), il a publié une *Grammaire française simplifiée* (1778), des travaux sur la prononciation et l'orthographe du français.

Domesday-Book *(Livre du jugement dernier).* ♦ Recensement des domaines de l'Angleterre établi à des fins administratives (probablement fiscales) sur l'ordre de Guillaume* le Conquérant (1086).

DOMFRONT [dɔ̃fʀɔ̃] ♦ Ch.-l. de cant. de l'Orne*, arr. d'Alençon. 4 264 hab. *(Domfrontais).* Vestiges d'une enceinte du XIe siècle. Église romane Notre-Dame-sur-l'Eau. Église Saint-Julien de 1925. Spécialité de poiré.

DOMINICAINE *(république),* anc. **Saint-Domingue.** ♦ République située dans la partie orientale de l'île d'Hispaniola* (ou île d'Haïti), dans les Grandes Antilles*, entre l'Atlantique et la mer des Caraïbes. 48 442 km². 4 174 000 hab. en 1969 *(Dominicains).* 70 % de mulâtres. *Cap.* Saint*-Domingue. *V. princ.* **V. Santiago (de los Caballeros).** *Langue off.* espagnol. *Unité monétaire* peso dominicain. — *Orogr.* La côte est découpée, formant des baies et des péninsules; le centre, montagneux, est occupé par une cordillère centrale qu'une plaine sépare de la cordillère Christi au N., tandis qu'au S. le lac Enriquillo la sépare de la sierra de Bahoruco. Le *climat,* tropical, est tempéré à l'intérieur par l'altitude et l'influence des alizés. Pluies abondantes au N. et à l'E. Forêts de pins sur les versants et savane dans les plaines de l'intérieur. La forêt tropicale domine sur le littoral. — *Écon.* L'agriculture occupe les 2/3 de la population active (bananes, fruits tropicaux, café, cacao, tabac..., mais surtout canne à sucre dont l'île est l'un des plus gros producteurs). Dans les plaines, l'élevage, notamment de bovins, permet l'existence d'une industrie des produits laitiers et des conserves de viande, qui s'ajoute à l'industrie sucrière. Les ressources minières sont abondantes — sulfates de calcium (mines les plus riches d'Amérique du Sud), fer, bauxite, ciment —, mais mal exploitées. Le commerce extérieur se fait essentiellement avec les États-Unis et porte sur le sucre (2/3 des exportations), le café, le cacao, le tabac. 1 600 km de voies ferrées sont réservés au seul transport de la canne à sucre. (*Carte* **V. Haïti**). ♦ *Hist.* Découverte en 1492 par Colomb, l'île fut nommée Hispaniola* (*auj.* Haïti*) et devint le principal foyer d'expansion espagnole en Amérique latine. Par le traité de Ryswick (1697), l'île fut partagée entre la France et l'Espagne. L'indépendance fut proclamée en 1821, mais ne fut effective qu'en 1844. Le nouvel État, qui s'appela désormais république Dominicaine, se trouva aux prises avec des difficultés liées à la pauvreté, aux conflits avec ses voisins haïtiens et aux interventions croissantes des États-Unis. Ceux-ci prirent en charge le gouvernement de l'île et y protégèrent des régimes dictatoriaux. « L'ère de Rafael Trujillo* » (1930-1961) fut caractérisée par la répression policière et, grâce aux investissements américains, par un incontestable progrès économique. Après l'assassinat du dictateur, le pays connut une époque troublée de coups d'État, ce qui amena l'intervention des États-Unis. Craignant de voir le pays s'aligner sur le castrisme, les États-Unis incitèrent l'Organisation des États américains à autoriser une intervention militaire directe (1965) et un nouveau gouvernement fut installé. Depuis lors le pays semble connaître une certaine tranquillité; les derniers contingents de soldats américains sont évacués et les rapports avec Haïti s'améliorent.

Dominicains. *n. m. pl.* ♦ **V.** DOMINIQUE (saint).

DOMINIQUE *(saint)* [**Domingo de Guzmán**]. ♦ Prédicateur castillan (Calerusga, prov. de Burgos, v. 1170 — Bologne, 1221), fondateur de l'ordre des prêcheurs ou *dominicains.* Chanoine régulier d'Osma, il accompagna son évêque au Danemark puis à Rome, d'où Innocent* III les envoya prêcher les albigeois* (1205). Son austérité, sa pauvreté lui valurent respect et notoriété. Il fonda le monastère féminin de Prouille, près de Toulouse (1206). En 1214 il disposa d'une maison où il réunit des compagnons de mission, intéressa à cette fondation (1215) l'évêque Foulques de Toulouse qui l'emmena à Rome. Après les réticences d'Innocent III, le nouvel ordre fut approuvé officiellement par Honorius III (1216). Fête le 7 août. — *L'ordre des prêcheurs* (O.P.), soumis à la règle de saint Augustin et ayant acquis des constitutions propres en 1216 et 1220, forma des prêtres instruits et théologiens, voués à la pauvreté et destinés à la lutte contre l'hérésie. L'Inquisition* leur fut confiée à partir de 1233. L'ordre fut supprimé en France par la Révolution (1792) et rétabli par Lacordaire*(1843). — Dominicains célèbres : **V. Innocent V, Albert le Grand, Thomas d'Aquin, Eckhart** *(Maître),* **Suso, Tauler, Vincent Ferrier, Savonarole, Cajetan, Tetzel, Pie V, Torquemada, Garrigou-Lagrange.**

Dominique. ♦ Œuvre d'Eugène Fromentin* (1863), dédiée à G. Sand. « Roman du souvenir », à demi autobiographique, c'est « l'histoire d'une affection, née d'une amitié d'enfant devenue subitement de l'amour », celle qui lie Dominique à Madeleine, plus âgée et bientôt mariée. Généreuse, cette dernière veut « guérir » le jeune homme par l'habitude; gagnée elle-même à la passion par cette intimité progressive, déchirée mais volontaire, elle impose à Dominique le renoncement à leur amour. Plus tard, devenu heureux en famille, Dominique évoque avec un lyrisme contenu ces « mille émotions bien légères et dont la trace est cependant restée ». Cette confession, dont la ferveur secrète est en harmonie avec le paysage « soucieux, paisible et d'une chaleur douce » de la Saintonge, est admirable de justesse; car Fromentin, qui a, comme son héros, « le don cruel d'assister à sa vie comme à un spectacle donné par un autre », évoque avec acuité l'échec de cet amour « sans aucun sujet de repentir et sans espoir ». De ce récit en demi-teintes se dégage une mélancolique sagesse, qui est de savoir renoncer et d'accepter que « le repos [soit] un des rares bonheurs possibles ».

DOMINIQUE. *n. f.* ♦ Île britannique des Petites Antilles* (îles au Vent ou *Windward Islands)* située dans l'Atlantique, entre la Martinique et la Guadeloupe. 751 km². 72 000 hab. (1968). *Cap.* Roseau. – *Écon.* agricole : bananes, cacao et surtout agrumes (exportations). ♦ *Hist.* Anc. possession française devenue britannique en 1763, elle est, depuis 1967, un Etat associé à la Grande-Bretagne dans le cadre du Commonwealth* et veut accéder à l'indépendance (1977).

DOMINIQUIN (Domenico ZAMPIERI, dit Il Domenichino, en fr. Le). ♦ Peintre et dessinateur italien (Bologne, 1581 – Naples, 1641). Élève du maniériste Calvaert* puis de Ludovic Carrache*, devenu ensuite l'un des aides d'Annibal Carrache au palais Farnèse à Rome *(La Femme à la licorne)*, il élabora un style tributaire de l'art d'Annibal Carrache en accord avec les théories idéalistes ou classiques alors en gestation et fortement imprégné de Raphaël*, mais où apparaît parfois un pathétisme contenu. Il réalisa d'importantes décorations à fresque (*Martyre de saint André,* 1608; *Dernière Communion de saint Jérôme,* 1614; *Fresques* de la villa Aldobrandini à Frescati (1616-1618), *Chasse de Diane,* 1620; *Les Évangélistes* à San Andrea della Valle (1624-1628). Dans ses paysages, les éléments « réalistes » précis et pittoresques sont subordonnés à une conception idéale et « héroïque » et à une composition harmonieuse où s'équilibrent plans et horizons *(Hercule et Cacus; Paysage avec la fuite en Égypte)*. Ces caractères influencèrent Poussin.

DOMITIEN, en lat. **Titus Flavius Domitianus.** ♦ (Rome, 51 – *id.,* 96). Empereur romain (81-96). Second fils de Vespasien*, il succéda à son frère Titus*. Il reconstruisit Rome dévastée par les incendies de 64 et 80 et embellit la ville de plusieurs édifices (Odéon, stade). Reprenant les traditions du césarisme dynastique et s'étant rendu maître du Sénat par l'exercice d'une censure perpétuelle, il revendiqua pour lui le pouvoir absolu. Son implacable dureté s'exerça d'abord contre l'aristocratie qui s'opposait à l'édification d'une monarchie impériale centralisatrice; aux complots qu'elle fomenta, Domitien répondit par de terribles mesures de répression. Les intellectuels et les historiens furent proscrits (Épictète*, Dion* Chrysostome), les chrétiens persécutés. Une nouvelle conspiration fut formée contre l'empereur à laquelle participait sa femme, l'impératrice Domitia, et celui que ses cruautés devaient faire surnommer « Néron chauve » fut assassiné par un de ses affranchis.

DOMME. ♦ Ch.-l. de cant. de la Dordogne*, arr. de Sarlat*-la-Canéda. 876 hab. *(Dommois)*. – Site magnifique sur un promontoire escarpé; anc. bastide du XIIIe s. qui a conservé la majeure partie de ses remparts (porte des Tours, porte Delbos). Hôtel de ville du XIVe siècle.

DOMMEL. *n. f.* ♦ Riv. de Belgique et des Pays-Bas, qui se jette dans la Meuse* après avoir reçu l'Aa. 100 km.

DOMODOSSOLA. ♦ V. d'Italie du N., dans le Piémont (prov. de Novare). 17 000 hab. Importante voie de passage vers l'Europe du N.-O., au débouché du tunnel du Simplon. Grand nœud ferroviaire sur la ligne Lausanne-Milan. Électrométallurgie et électrochimie.

DOMONT. ♦ Ch.-l. de cant. du Val-d'Oise, à la lisière de la forêt de Montmorency, arr. de Montmorency. 9 016 hab. Église Sainte-Madeleine (XIIe, XVe, XIXe s.). Importants nouveaux quartiers. – Matériaux de construction. Aliments pour le bétail.

Domostroï *(Domostroj)*. ♦ Texte russe du XVIe s. attribué au prêtre Sylvestre, conseiller d'Ivan* le Terrible. Écrit en slavon, ce traité définit la morale familiale de l'époque en insistant sur l'autorité du père.

DOMPAIRE. ♦ Ch.-l. de cant. des Vosges (arr. d'Épinal), sur la Gitte. 886 hab. Indus. textile.

DOMPIERRE-SUR-BESBRE. ♦ Ch.-l. de cant. de l'Allier*, arr. de Moulins*. 4 031 hab. Fonderie, constructions mécaniques. Aux env., *abbaye de Sept-Fons,* église et bâtiments du XVIIIe siècle. Brasserie, fromagerie.

DOMRÉMY-LA-PUCELLE. ♦ Comm. des Vosges (arr. de Neufchâteau), sur la Meuse. 273 hab. Patrie de Jeanne* d'Arc : maison natale et musée. Aux env., basilique Sainte-Jeanne-d'Arc (XIXe siècle).

DON. *n. m.* (anc. **Tanaïs**). ♦ Fl. d'U.R.S.S. (R.S.F.S. de la Russie). Env. 1 970 km. Né dans les hauteurs au S.-E. de Toula, il se déverse dans le golfe de Taganrog (mer d'Azov) en formant un grand delta. Appelé parfois « le Don paisible » à cause de son cours lent, il reçoit les eaux des riv. Krassivaïa Metcha, Bystraïa Sosna (302 km), Tchir (360 km) et Donets* à d., Voronej (368 km), Bitioug (379 km), Khoper (1 008 km), Medveditsa (269 km) à g., et il arrose les villages de Rostov*-sur-le-Don, Lebedian, Zadonsk, Pavlovsk et Kalatch-sur-le-Don. Navigable de mars à novembre jusqu'à Khlebnoïe (70 km env. au N. de Voronej), il est relié par un canal à la Volga*. Barrage, réservoir d'eau (env. 260 km de longueur) et centrale hydro-électrique à Tsimliansk. Pêche. ♦ *Hist.* Importante voie fluviale dès la période de la Russie de Kiev, le Don facilita le commerce des Russes avec le Khazars. Pendent les campagnes contre la forteresse turque d'Azov, à l'embouchure du fleuve, Pierre le Grand fit construire des navires en bois près de Voronej* et expédia ses troupes par le Don (1695 et 1696). Les plus célèbres armées des Cosaques*, installées le long du fleuve, dans l'anc. région des Cosaques du Don, maintinrent leur identité jusqu'à la révolution d'Octobre. Le fleuve a été puissamment évoqué par M. Cholokhov *(Le Don paisible)*.

DON. *n. m.* ♦ Riv. d'Angleterre (Yorkshire) issue des Pennines et arrosant Sheffield, Rotherham et se jetant avec l'Aire et l'Ouse dans la Humber. 110 km. – Riv. d'Écosse (Aberdeenshire) tributaire de la mer du Nord et arrosant Aberdeen. 132 km.

Arch. Smeets

Donatello : « Saint Georges » (détail). (Musée national du Bargello, Florence.)

DONALD. ♦ Nom de rois d'Écosse dont les premiers sont légendaires. ♦ DONALD V. Roi d'Écosse (858-862). ♦ DONALD VI. Roi d'Écosse (894-904). Il aida Alfred le Grand contre les Danois. ♦ DONALD VII. Autre nom de Duncan* Ier. ♦ DONALD VIII ([mort] 1098). Roi d'Écosse (1093-1094). Fils de Duncan* Ier, il fut détrôné par Edgar, fils de Malcolm III, qui l'emprisonna.

DONAT, en lat. **Donatus.** ♦ Évêque de Casae Nigrae (Numidie), mort v. 355 en Gaule ou en Espagne. Contre l'évêque de Carthage qu'il accusait d'avoir livré les livres saints lors des persécutions, il dirigea une Église schismatique, s'appuyant sur la population rurale berbère **(V. Circoncellions).** Le *donatisme* fut condamné au concile d'Arles (314) et définitivement à Carthage (411). Il fut combattu par saint Augustin*.

DONAT (Aelius Donatus). ♦ Grammairien latin (IVe s.), précepteur de saint Jérôme*, auteur d'un *Commentaire de Térence** et d'un *Commentaire de Virgile**.

DONATELLO (Donato di Niccolo' di Betto Bardi, dit). ♦ Sculpteur italien (Florence, v. 1386 – *id.,* 1466). Il fut le plus grand sculpteur italien du quattrocento et son œuvre acquit une importance telle qu'elle fut non seulement le moteur de l'évolution de la sculpture, mais aussi une source d'inspiration tant pour les peintres florentins que pour les maîtres de l'Italie du Nord, tel Mantegna*. Après avoir travaillé dans l'atelier de Ghiberti* (1403), il reçut de nombreuses commandes pour la décoration du dôme de Florence (1406). Sa plus anc. œuvre authentifiée (*David,* 1408, marbre, Bargello, Florence) emprunte la grâce de ses lignes au gothique international tandis que le *Saint Marc* (1411-1412, Orsanmichele, Florence) annonce la manière violente et héroïque qui s'affirma avec la série des prophètes. Parmi ces derniers, le *Zuccone* (« le chauve ») est le plus célèbre par son réalisme presque caricatural, fortement inspiré des bustes romains de l'époque tardive. Mais une de ses plus grandes innovations fut la manière picturale avec laquelle il traita le bas-relief qui anime le socle de son *Saint Georges* (1416-1420, marbre, Bargello) : par un modelé très peu prononcé, il réalisa une des premières œuvres obéissant aux lois de la perspective récemment découvertes, précédant ainsi de dix ans les grandes applications de la perspective dans la peinture. De plus, il exerça une influence décisive sur la sculpture funéraire du XVe s. en réalisant le tombeau de l'*antipape Jean XXIII* en collaboration avec Michelozzo* (baptistère, Florence). Après son voyage à Rome (1431-1433), il exécuta la *Cantoria* du dôme de Florence (1433-1439) où l'influence du classicisme antique est évidente dans le traitement des draperies comme dans l'organisation de l'ensemble. Cette même influence se retrouve dans le *David* (entre

1433 et 1443, bronze, Bargello) légèrement déhanché qui, par le subtil gonflement de ses lignes graciles et féminines, capte la lumière et la décompose dans un miroitement insaisissable. Pendant son séjour à Padoue (1443-1453), il réalisa deux œuvres capitales : la statue équestre représentant le condottiere *Gattamelata* (bronze, terminée en 1453), tout en s'inspirant de l'antique statue de Marc-Aurèle, inaugure la thématique du monument équestre et les recherches sur les problèmes d'équilibre, ouvrant ainsi la voie à Verrocchio*, Léonard*, au Bernin*... Par ailleurs, les panneaux du maître-autel qu'il édifia dans la basilique Sant' Antonio, à Padoue, influencèrent presque tous les peintres des écoles du nord de l'Italie par l'exploitation des règles de la perspective pour agencer une mise en scène dramatique aux effets violents et intenses. Ses dernières œuvres florentines dégagent autant de puissance expressive : parmi les ambons de la chaire de San Lorenzo, le *Martyre de saint Laurent* offre un bel exemple de l'esthétique du *non finito,* renforcée par la précision des détails et l'effacement des silhouettes. Et si l'on retrouve une certaine grâce dans sa Judith (*Judith et Holopherne,* Florence), sa *Marie-Madeleine* (v. 1455, bois, Florence) rend avec violence l'expression du ravagé et de la laideur. – Par la qualité de sa technique (marbre, bronze, bois), par la variété de son style (gracile, violent, expressionniste ou dramatique), par l'intelligence de son utilisation du modèle antique, par le dépassement de l'opposition entre les valeurs de la peinture et de la sculpture, Donatello fut une des grandes figures novatrices du quattrocento. Michel-Ange partit de son œuvre pour élaborer la sienne.

Donation de Constantin. ♦ Faux inséré dans les *Fausses Décrétales**, selon lequel Constantin aurait donné Rome et son territoire au pape Sylvestre Ier et à ses successeurs.

Donation de Pépin. ♦ Acte par lequel Pépin le Bref, vainqueur des Lombards, donna les territoires conquis (l'exarchat de Ravenne, la Pentapole) au pape Étienne* II et constitua les États de l'Église (756). ♦ *Donation de Charlemagne :* confirmation et extension de la précédente (774). **V. Adrien Ier, Église** *(États de l').*

DONAU. ♦ Nom all. du Danube*.

DONBASS. *n. m.* (de *Donetski Bassejn,* « bassin du Donets »). ♦ Bassin houiller d'U.R.S.S., situé entre la mer d'Azov* et la boucle du Don*, de part et d'autre du Donets*. Partagé entre l'Ukraine (qui en possède la majeure partie) et la R.S.F.S. de Russie, il constitue l'un des plus grands districts miniers et métallurgiques de l'U.R.S.S. (60 000 km²) et fournit plus du tiers de la prod. totale de l'Union en charbon (soit env. 200 000 000 de t par an) et près de la moitié de la prod. ukrainienne de la sidérurgie, alimentée par le minerai de fer de Krivoï*-Rog (Ukraine) et de Koursk* (R.S.F.S. de Russie). Outre la production de charbon, de fonte, d'acier, et la métallurgie de transformation représentées en Ukraine (**V. Donetsk, Gorlovka, Jdanov, Kadiïevka, Kommounarsk, Konstantinovka, Kramatorsk, Krasny Loutch, Makeïevka, Thorez, Vorochilovgrad** [anc. *Lougansk*]) et en R.S.F.S. de Russie (**V. Rostov-sur-le-Don, Taganrog, Chakhty, Novochakhtinsk, Novotcherkask**), le Donbass possède des industries chimiques liées à la présence de sel (**V. Slaviansk**), de nombreuses centrales thermiques, des cimenteries, et exploite le minerai de mercure extrait aux environs de Nikitovka (au centre du Donbass). ♦ *Hist.* Découvert en 1721, le gisement de charbon du Donbass, desservi par un réseau de voies ferrées en 1870, fut exploité dès la fin du XIXe s. avec l'aide de capitaux étrangers. L'industrie métallurgique fut implantée après la création de la ligne ferroviaire reliant le Donbass au gisement de minerai de fer de Krivoï Rog (1886). Le développement du Donbass (qui fournissait 87 % du charbon et les trois quarts de la métallurgie russe en 1913), interrompu durant la Première Guerre mondiale, connut une reprise rapide, mais fut occupé par les Allemands (1942-1943) qui dévastèrent toutes les installations avant d'être chassés par l'armée soviétique.

Don Carlos. ♦ Drame en 5 actes et en vers de Schiller (1787), inspiré de Saint-Réal et de Brantôme. Apôtre de la liberté et de la justice, ami dévoué de Charles d'Autriche, le marquis de Posa, qui sert les amours de son maître et d'Élisabeth devenue femme de Philippe II, mourra, comme lui, victime de l'intransigeance et de la cruauté du roi d'Espagne, soutenu par l'Inquisition.

DONCASTER. ♦ V. du N. de l'Angleterre (Yorkshire, West Riding) sur la rivière Don. 87 000 hab. Bassin houiller. Matériel ferroviaire. Célèbres courses de chevaux depuis 1615.

DONEGAL. *n. m.*, en irl. **Dun Na nGall.** ♦ Comté de la république d'Irlande (prov. d'Ulster) baigné au N. et à l'O. par l'Atlantique et limité à l'E. par l'Irlande du Nord (comtés de Londonderry, Tyrone et Fermanagh). 3 450 km². 113 265 hab. *Ch.-l.* Donegal. *V. princ.* Ballyshannon*. – *Orogr.* Le relief est dominé par les monts cristallins de Donegal culminant à 750 m *(mont Errigal).* Les côtes sont très découpées (baie de Donegal au S., *loughs* Foyle* et Swilly au N.). – *Hydrographie.* **V. Erne.** – *Écon.* L'agriculture (seigle et pomme de terre surtout) et l'élevage (moutons, volaille) sont les activités dominantes. L'indus. lainière (vêtements) est très disséminée. Des centrales hydro-électriques ont été établies sur l'Erne* (Cliff et Ballyshannon) et sur le Clady.

DONELAÏTIS. ♦ Poète lituanien (1714 – 1780). Il est célèbre pour son grand poème *Les Saisons,* première œuvre littéraire lituanienne. L'influence du classicisme grec perce à travers cette épopée nationale.

DONEN (Stanley). ♦ Réalisateur américain de cinéma (Columbia, Caroline du Sud, 1924). Formé par la chorégraphie, il réalisa

Coll. Rui Nogueira

Stanley Donen.

de brillantes comédies musicales d'une inspiration tour à tour onirique et réaliste : Chantons sous la pluie (*Singing in the Rain,* 1952, avec Gene Kelly), Beau fixe sur New York (*It's always Fair weather,* 1955), Drôle de Frimousse (*Funny Face,* 1957). Une gravité nouvelle apparaît dans ses dernières œuvres, inspirées par le désenchantement du temps qui passe : Voyage à deux (*Two for the Road,* 1966), L'Escalier (*Staircase,* 1969).

DONETS ou DONETZ. *n. m.* ♦ Riv. du S. de l'U.R.S.S. (1 016 km) qui prend sa source dans la région de Koursk* (R.S.F.S. de Russie), pénètre en Ukraine* au N.-E. de Kharkov et se jette dans le Don* dans la région de Rostov*-sur-le-Don. Dans son cours inférieur, le Donets borde le Donbass* (ou bassin du Donets), un des plus grands districts miniers et métallurgiques de l'U.R.S.S., partagé entre le territoire ukrainien (dans sa plus grande partie) et la R.S.F.S. de Russie.

DONETSK, anc. **Juzovka,** puis **Stalino.** ♦ V. d'U.R.S.S. (Ukraine), ch.-l. de la région (26 500 km², 4 949 000 hab.) située à la lisière S. du bassin du Donbass* dont elle est devenue le principal centre charbonnier et métallurgique. 879 000 hab. (20 000 hab. en 1917). Industries de transformation (aciéries, constructions mécaniques, combinats d'industrie textile et alimentaire).

DONGES. ♦ Comm. de la Loire-Atlantique, arr. et aggl. de Saint-Nazaire, sur la r. d. de l'embouchure de la Loire. 6 458 hab. [4 254 aggl.] *(Dongeois).* Église moderne. Vestiges d'une église romane (XIIe s.). Menhir. – Important port pétrolier. Raffineries de pétrole. Pétrochimie.

Don Giovanni *(Il dissoluto punito ossia il Don Giovanni).* ♦ Opéra en 2 actes de W.A. Mozart, livret de L. da Ponte, d'après G. Bertati (Prague, 1787). L'action de ce *dramma giocoso* (drame comique) est sans filiation avec celle du « Convive de pierre », de Molière, mais la rencontre, dans la partition de Mozart, du charme le plus pur, d'une bouffonnerie débridée et d'une incomparable grandeur tragique, fait de cet ouvrage l'un des chefs-d'œuvre de la musique universelle.

DÔNG-NAI. *n. m.* ♦ Riv. du S. du Viêt-nam (500 km), affluent de la « rivière de Saigon ».

DONG SHAN [*Tung-shan Tong chan*]. *n. m.* ♦ Sommet le plus élevé de l'île chinoise de Taïwan* (Formose), appelé également mont Morrisson (3 945 m).

DÔNG-SƠN. ♦ Village du Nord Viêt-nam, au N.-E. de Thanh Hoa, et site éponyme d'une culture du bronze (~ IVe s.-~ IIIe s.) particulière au Sud-Est asiatique.

DÔNG TRIÊU. ♦ V. du N. du Viêt-nam, dans le delta tonkinois, à l'E. d'Hanoi*. Mines de charbon.

DONIAMBO *(pointe).* ♦ Centre industriel de Nouvelle-Calédonie (nickel) près de Nouméa*.

DÖNITZ (Karl). ♦ Amiral allemand (Grünau, 1891). Vice-amiral en 1940, il organisa la guerre sous-marine contre l'Angleterre, devint le chef suprême de la *Kriegsmarine* (1943) et, successeur désigné par Hitler, il représenta l'autorité allemande après la mort de celui-ci et négocia la capitulation (7-9 mai 1945). Condamné à 10 ans de prison au procès de Nuremberg (1946), il fut libéré en 1956.

DONIZETTI (Gaetano). ♦ Compositeur italien (Bergame, 1797 – *id.,* 1848). Il fut, avec son rival Bellini* et Rossini*, son aîné et son maître, l'auteur le plus fêté de l'Europe musicale du XIXe siècle. Venu à Paris (1839), il prit la direction de la salle Ventadour, faisant représenter trois de ses meilleurs ouvrages, *La Fille du régiment* (1840), *La Favorite* (1840), *Don Pasquale* (1843). Prodigieusement doué mais disposé à la facilité, il a enrichi le répertoire lyrique de très nombreux opéras, parmi lesquels *Anna Bolena* (1830), *L'Elisir d'Amore* (1832), *Lucia di Lammermoor* (1835). Il est encore l'auteur de symphonies, oratorios, cantates, mélodies et d'un grand nombre d'œuvres de musique religieuse. Il mourut fou.

DON JUAN ou **DOM JUAN**. ♦ Personnage mythique du séducteur libertin, d'abord mis en scène par une légende, née sans doute d'un fait réel et rapportée par la *Chronique de Séville*. Une nuit, Don Juan Tenorio tua le commandeur Ulloa dont il avait séduit la fille. C'est dans le couvent de franciscains où le vieillard avait été enseveli que les religieux, attirant Don Juan, le massacrèrent. Ils déclarèrent ensuite que, venu insulter Ulloa sur son tombeau, le séducteur avait été entraîné en enfer par la statue, soudain douée de vie, de sa victime. — Cette légende allait inspirer de nombreux poètes parmi lesquels Tirso de Molina* (*Le Trompeur de Séville et Le Convive de pierre, El Burlador de Sevilla y Convidado de piedra*, v. 1625), les Français Villiers et Dorimond (*Le Festin de pierre*, 1659 et 1661) et surtout Molière*. Son *Dom Juan ou Le Festin de pierre*, comédie en 5 actes et en prose (1665), est fidèle à la trame initiale, riche en épisodes dramatiques. Molière y approfondit le caractère de son héros, dont il fait un monstre d'orgueil et de cynisme cruel. Pour son Don Juan, tout est jeu et prétexte à provocation : les larmes d'Elvire qu'il a abandonnée, la crédulité de Charlotte et de Mathurine, humbles paysannes à qui il promet le mariage, la piété du mendiant qu'il incite à blasphémer, la sottise de M. Dimanche, son créancier, l'âpre et trop naïve vertu de son père, Don Luis, et surtout l'ignorance et la lâcheté de son valet Sganarelle. En même temps, Molière dégage aussi l'étonnante ambiguïté du personnage, faisant de ce grand seigneur libertin et non dénué de courage un pessimiste hautain et un rationaliste conséquent. — *Don Juan de Mozart*. **V. Don Giovanni.**

DONNAY (Maurice). ♦ Écrivain et auteur dramatique français (Paris, 1859 — *id.*, 1945). La verve légère qui anima ses débuts au « Chat-Noir » se retrouve souvent dans son théâtre (*Lysistrata*, 1892 ; *Éducation de prince*, 1906) mais elle prend parfois les couleurs plus sombres du drame (*Amants*, 1895 ; *L'Autre Danger*, 1902 ; *Le Retour de Jérusalem*, 1904 ; *Paraître*, 1906). [Acad. fr., 1907.]

DONNE (John). ♦ Poète et prédicateur anglais (Londres, 1573 — *id.*, 1631). D'origine galloise et catholique, John Donne fut initié par sa mère à la littérature mais, bien qu'il eût fréquenté l'université d'Oxford, sa religion l'empêcha d'obtenir un titre académique. Il fit des études de droit à Londres (1592) où il mena une vie mondaine et écrivit des satires et des élégies qui ne furent pas publiées de son vivant : il y célèbre l'amour charnel sur un ton souvent déconcertant et original (*Le Rêve, Bonjour* [*The Good Morrow*], *Canonisation*). Les *Élégies* évoquent des aventures nocturnes assez réalistes (*Le Parfum, L'Apparition*), Donne tenant l'amour platonique pour un leurre (*L'Extase*). Son sens de l'interdépendance du monde matériel et du monde spirituel lui valut le qualificatif de « métaphysique ». Sans respect pour les conventions de la métrique et de la scansion, il refusait l'image facile et la mythologie. Devenu doyen de Saint-Paul, prédicateur anglican le plus en vue de la capitale, Donne composa des poèmes religieux dans le même esprit que ses pièces profanes. *L'Anatomie du monde* (*An Anatomy of the World*, 1610) et le *Progrès de l'âme* (1601), appelés aussi le *Premier* et le *Second Anniversaire*, sont une méditation sur la mort d'une jeune fille. *Biathanatos* (1644) est aussi inspiré par la mort, de même que les *Sonnets sacrés (Holy Sonnets)*, cri de l'âme causé par la mort de son épouse, et *Le Duel de la mort (Death's Dual)*, sa dernière prédication, où il exprime le triomphe universel et final du ver sur l'homme. W. B. Yeats et T. S. Eliot, en révolte contre la tradition romantique, se sont réclamés de Donne.

DONNEAU de VISÉ (Jean). ♦ Écrivain et auteur dramatique français (Paris, 1638 — *id.*, 1710). Critique, il a publié une *Deffence de la Sophonisbe* et une *Deffence du Sertorius* de Corneille* (1663). La même année, sa comédie *Zélinde ou le Portrait du peintre* développa une réponse venimeuse à *La Critique de l'École* des femmes* de Molière*. Il composa de nombreuses pièces de théâtre dont une seule, *La Devineresse* (1679), connut un grand succès. Auteur de *Nouvelles*, de *Mémoires sur Louis XIV* (1697-1705), il fonda le fameux journal *le Mercure galant* (1672), qui lui conféra une grande autorité et qu'il mit au service des Modernes dans la *Querelle des Anciens* et des Modernes*.

DONNEMARIE-DONTILLY. ♦ Ch.-l. de cant. de Seine-et-Marne, arr. de Provins. 1 668 hab. Église Notre-Dame-de-la-Nativité (XIIIe s.).

DONNERSBERG. *n. m.*, en fr. **Mont-Tonnerre**. ♦ Sommet volcanique et point culminant (687 m) du massif de la Hardt (Allemagne occidentale, Rhénanie-Palatinat). C'est l'ancien *Mons Jovis* des Romains. La région avoisinante constitua sous l'Empire le département français du Mont-Tonnerre, qui avait pour *ch.-l.* Mayence* et pour *V. princ.* Deux-Ponts, Kaiserlautern et Spire.

DONON. *n. m.* ♦ Plateau des Vosges (Bas-Rhin) à 1 008 m d'altitude. Des sculptures gallo-romaines y ont été trouvées en 1917. Une sorte de temple en blocs de grès y a été élevé en 1869. On franchit la ligne de faîte des Vosges au *col du Donon* ou de Schirmeck (737 m), par la route de Schirmeck* à Raon-l'Étape.

Ph. Lauros-Giraudon

G. Donizetti par G. Induno. (Conservatoire Rossini, Bologne.)

DONOSO-CORTÉS (Juan Francisco María, *marquis de* **Valdegamas)**. ♦ Diplomate et publiciste espagnol (Valdegamas, prov. de Badajoz, 1809 — Paris, 1853). Député aux Cortés, il passa trois années d'exil comme secrétaire de la reine Marie*-Christine, à Paris (1840-1843). Philosophe catholique, Donoso-Cortés fut le Maistre* espagnol. Malgré son extrême traditionalisme, il a fait preuve d'une grande lucidité historique ; c'est en français qu'il publia son œuvre fondamentale, *Essai sur le catholicisme, le libéralisme et le socialisme* (1851).

Don paisible (Le). ♦ Œuvre de Mikhail Cholokhov* publiée en quatre livres entre 1928 et 1940. Épopée où se mêlent la fiction des personnages (les héros sont un couple de cosaques) et la réalité des événements (la guerre entre les communistes et les contre-révolutionnaires après 1917), ce long roman, précédé de la généalogie des héros, est empreint de l'expérience vécue et abonde en explications données par l'auteur. Il fut recommandé par les autorités soviétiques comme le modèle du réalisme socialiste, mais la force de son lyrisme, puisée à la tradition tolstoïenne, dépasse largement les classifications.

Don Quichotte (*El ingenioso hidalgo* **Don Quijote de la Mancha)**. ♦ Roman espagnol, chef-d'œuvre de Cervantes* (1605-1615). Entreprise pour ridiculiser les illusions romanesques des récits de chevalerie, qui étaient à la mode en Espagne et reflétaient un refus du réel, l'œuvre évoque, avec une tristesse ironique, derrière son héros Don Quichotte, l'ambition déçue d'une Espagne décadente. « Le chevalier à la Triste Figure », idéaliste au grand cœur, et son écuyer Sancho Pança, bourgeois réaliste, cheminent sur les déserts de Castille. Au cours des épisodes du récit, on voit s'opposer deux aspects de l'âme humaine. Alors que S. Pança reflète le bon sens commun et ses limites, Don Quichotte, redresseur de torts, veut imposer son idéal d'amour, d'honneur et de justice au mépris des trivialités de la vie courante. Répudiant la réalité, il s'évade dans cet imaginaire généreux et inefficace, qu'on a appelé « Donquichottisme » et dont il ne sortira que pour mourir. Unamuno* en a tiré sa théorie du « sentiment tragique de la vie ». On a pu voir dans l'acte donquichottesque non pas tant l'accomplissement d'une aspiration personnelle que l'imitation d'un idéal fixé par une tradition, voire une convention littéraire : « Don Quichotte porte la littérature en lui comme une incurable blessure » (Marthe Robert); le récit de Cervantes utilise les mythes littéraires et le discours du passé pour susciter un nouvel univers mythique. À toutes les époques, on a tenté de nouvelles interprétations de ce mythe et exploré les trésors de pensée et d'humanisme qu'il renferme. Don Quichotte eut de nombreuses adaptations musicales (notamment celle de Massenet) et cinématographiques (celle de Pabst avec Chaliapine).

DONSKOÏ (Marc). ♦ Réalisateur soviétique de cinéma (Odessa, 1897). Il a dirigé avec bonheur l'adaptation de plusieurs œuvres célèbres de la littérature russe, dont les romans autobiographiques de Gorki : « L'Enfance de Gorki » (*Dietstvo Gorkovo*, 1938), « En gagnant mon pain » (*V Liudiakh*, 1939), « Mes Universités » (*Moi*

Universitety, 1940); de Nicolas Ostrovski : « Et l'acier fut trempé » (*Kak Sakalialas Stal,* 1942) et d'un roman de guerre de Wanda Vassilievskaïa, « L'Arc-en-ciel » (*Radouga,* 1944). Autres réal. : « Varvara ou l'Éducation des sentiments » (*Selskaia Outchitelnitza,* 1948), « La Mère », d'après Gorki (*Mat,* 1956).

DONUS. ♦ 78e pape (676-678 [mort]). Romain.

DONY (*abbé* Jean-Jacques Daniel). ♦ Chimiste belge (Liège, 1759 – *id.,* 1819). Fondateur de l'industrie métallurgique du zinc. **V.** *aussi* **Marggraf.**

DONZENAC. ♦ Ch.-l. de cant. de la Corrèze*, arr. de Brive-la-Gaillarde. 1 884 hab. (953 aggl.). – Église du XIIe s., maisons anc. Ardoisières.

DONZÈRE. ♦ Comm. de la Drôme (arr. de Nyons), située à la sortie du défilé taillé par le Rhône, dit « robinet de Donzère ». 3 334 hab. Église romane; vestiges d'une enceinte et d'un château du XIe siècle. – Chocolaterie. – Canal de dérivation du Rhône de DONZÈRE-MONDRAGON, avec un barrage de retenue qui alimente la centrale hydro-électrique André-Blondel et permet l'amélioration de la navigation fluviale et de l'irrigation.

DONZY. ♦ Ch.-l. de cant. de la Nièvre, arr. de Cosne-sur-Loire. 1 963 hab. *(Donziais).* La comm. est située sur les plateaux calcaires du *Donziois.* Donjon restauré de l'anc. château des barons de Donzy. À proximité, l'église Saint-Martin-du-Pré possède un tympan roman du XIIe s. (restauré); ruines du prieuré bénédictin. – Exploitations forestières et indus. dérivées.

Doon de Mayence. ♦ Chanson de geste (XIIe s.), qui donne son nom à un cycle de poèmes unis par un thème épique commun, celui de la rébellion et du repentir. Les héros, descendants du personnage principal, Doon de Mayence, meurent parfois au comble de la révolte **(V. Raoul de Cambrai).** Parfois ils se repentent et atteignent presque la sainteté **(V. Renaud de Montauban, Girart de Vienne, Ogier le Danois).**

DOORN. ♦ V. des Pays-Bas (Utrecht). 10 115 hab. Château *Huize Doorn* qui fut la résidence de l'empereur d'Allemagne Guillaume II (1920-1941).

DOORNIK. ♦ Nom néerlandais de Tournai*.

DOPPLER (Christian). ♦ Physicien autrichien (Salzbourg, 1803 – Venise, 1853). Il découvrit l'effet auquel son nom est resté attaché et qui consiste dans la variation apparente de la fréquence d'un système d'ondes entretenues sous l'action soit du mouvement de la source des ondes, soit du mouvement de l'observateur par rapport au milieu de propagation (*effet Doppler-Fizeau**, 1842). Ce phénomène eut de nombreuses applications, notamment en astrophysique. **V. Huggins, Vogel.**

DORAT (Jean DINEMANDI, dit). ♦ Humaniste français (Limoges, 1508 – Paris, 1588), auteur de poésies latines et hellénistes fameux. Ayant communiqué son enthousiasme pour la culture gréco-latine notamment à Ronsard*, du Bellay* et Baïf*, il constitua la *Brigade* (qui allait devenir la *Pléiade**) et participa au manifeste, *Défense* et Illustration de la langue française* (1549), qui invitait les artistes à composer leurs œuvres en français.

DORAT (Le). ♦ Ch.-l. de cant. de la Haute-Vienne*, arr. de Bellac*. 2 767 hab. *(Dorachons).* Remarquable église romane (St-Pierre) du XIIe s., avec clocher octogonal; cuve baptismale du XIe siècle. Porte aux Bergères et reste des remparts du XVe s.; maisons du XVIe siècle.

D'ORBAY (François). ♦ **V.** ORBAY (D').

DORCHESTER (Guy Carleton, *lord*). ♦ **V.** CARLETON.

DORCHESTER. ♦ V. du S.-O. de l'Angleterre, au N. de Weymouth. Ch.-l. du Dorset. 13 000 hab. C'est l'anc. ville romaine de *Durnovaria* sur un axe routier important. On y a retrouvé de nombreux vestiges de l'époque préromaine, dont un amphithéâtre *(Mumbury Rings)* et une forteresse du ~ Ier millénaire, *Maiden Castle* (« le château de la jeune fille »).

DORDOGNE. *n. f.* ♦ Riv. de France (490 km) [Massif* central et Bassin aquitain*]. Elle prend sa source au puy de Sancy* (c'est la Dore*). Elle arrose le Mont-Dore, La Bourboule, Argentat, Souillac, Bergerac* et Libourne* et se jette dans la Garonne* au bec d'Ambès*. Dans son cours supérieur, elle a été équipée d'installations hydro-électriques : Marèges, l'Aigle*, Chastang, Bort*. *Affl.* Cère* (la), Maronne (la), Rhue (la), Vézère* (la).

DORDOGNE. [24]. *n. f.* ♦ Département situé à l'O. du Massif* central, région (anciennement C.A.R.) d'Aquitaine. 9 224 km². – *Orogr.* Les terrains cristallins du Limousin empiètent sur le N.-E. du dép., qui s'étend dans sa plus grande partie sur le Périgord, formé de plateaux calcaires recouverts de forêts et entaillés de profondes vallées.

♦ 575 comm., 47 cant., 382 389 hab. *Préf.* Périgueux*, *sous-préf.* Bergerac*, Nontron*, Sarlat*-la Canéda. *Ch.-l. de cant. :* Beaumont*, Belvès*, Brantôme*, Bugue* (Le), Bussière*-Badil, Cadouin*, Carlux*, Champagnac-de-Belair (590 hab.), Domme*, Eymet*, Excideuil*, Force* (La), Hautefort*, Issigeac*, Jumilhac*-le-Grand, Lalinde*, Lanouaille (1 025 hab.), Mareuil*, Monpazier*, Montagrier (411 hab.), Montpon*-Ménesterol, Montignac*, Mussidan*, Neuvic*, Ribérac*, St-Alvère (798 hab.), St-Astier*, St-Aulaye*, St-Cyprien*, St-Pardoux-la-Rivière (1 360 hab.), St-Pierre-de-Chignac (675 hab.), Salignac*-Eyvignes, Savignac-les-Églises (625 hab.), Sigoules (616 hab.), Terrasson*-la-Villedieu, Thenon (1 096 hab.), Thiviers*, Vélines (937 hab.), Vergt (1 224 hab.), Verteillac (655 hab.), Villamblard (799 hab.), Villefranche-de-Lonchat (814 hab.), Villefranche-du-Périgord

Ph. Giraudon

G. Doré : illustrations pour les Contes drolatiques de Balzac. (Bibliothèque nationale, Paris.)

(844 hab.). *Autres comm.* **V. Biron, Bourdeilles, Coulounieix-Chamiers, Eyzies-de-Tayac (Les), Monbazillac.**

DORDRECHT. ♦ V. et port des Pays-Bas (Hollande-Méridionale) à l'un des carrefours des deltas de la Meuse et du Rhin. 88 113 hab. « Grande Église » (gothique). Maisons anciennes (XVIIe s.). Musée. – Indus. chimiques, explosifs. Distilleries. Engrais. Verrerie. Métallurgie. Chantiers navals. – Patrie de Ferdinand Bol*, des frères Cuyp*, de Paulus Merula, d'Ary Scheffer*. ♦ *Hist.* Détruite par les Normands en 937, Dordrecht, fortifiée en 1271, devint un point stratégique dans la défense des Pays-Bas. Prospère au XIVe s., la ville déclina au XVe siècle. Les fondements des futures Provinces-Unies y furent posés en 1572 par la première assemblée libre des États de Hollande. Le synode des théologiens protestants s'y réunit en 1618 et 1619.

DORE. *n. f.* ♦ Riv. d'Auvergne*, affl. de l'Allier* (140 km). Elle prend sa source dans les monts du Livradois. Elle arrose Ambert* et conflue en amont de Vichy.

DORE. *n. f.* ♦ Nom donné à la Dordogne près de sa source, au pied du puy de Sancy. Centrales hydro-électriques.

DORE *(monts).* ♦ **V.** MONT-DORE (massif du).

DORÉ (Gustave). ♦ Dessinateur, graveur, peintre et sculpteur français (Strasbourg, 1832 – Paris, 1883). Dès l'âge de quinze ans, il collabora au *Journal pour rire,* à la *Caricature* et au *Charivari.* Il exécuta près de 10 000 illustrations pour les journaux et fut surtout célèbre comme illustrateur de livres. Il déploya dans ce domaine une imagination inépuisable : son graphisme fouillé, nerveux, révèle une fantaisie parfois truculente (*Pantagruel,* 1854; *Les Contes drolatiques,* 1856) aussi bien qu'un lyrisme romantique et visionnaire (*L'Enfer de Dante,* 1861; *La Bible,* 1866). Il pratiquait avec une grande maîtrise technique la lithographie, l'eau-forte et la gravure de teinte, se faisant souvent seconder par des assistants.

DORET (Marcel). ♦ Aviateur français (Paris, 1896 – Venerque, Haute-Garonne, 1955). Il détint, avec Le* Brix et Mesmin, le record de distance en circuit fermé (10 372 km, 1931) et participa à de nombreux meetings aériens (acrobaties, présentation d'avions).

DÖRFEL (Georg Samuel). ♦ Astronome allemand (Plauen, Saxe, 1643 – Weida, 1688). Il imagina le mouvement parabolique des comètes avec le Soleil pour foyer commun.

DORGELÈS (R. LÉCAVELÉ, dit Roland). ♦ Romancier français (Amiens, 1886 – Paris, 1973). Après son passage à l'École des beaux-arts, il fréquenta la bohème de Montmartre, souvenirs qu'il a évoqués avec verve dans de nombreux récits pittoresques : *Les*

Veillées du Lapin agile (1920), *Montmartre, mon pays* (1925), *Le Château des brouillards* (1932), *Vive la liberté!* (1937), ... Engagé volontaire durant la Première Guerre mondiale, il donna un témoignage simple et ému de la vie des tranchées, avec *Les Croix de bois* (1919), qui connut un succès considérable. Se consacrant dès lors à la littérature, R. Dorgelès a publié des récits exotiques, *Sur la route mandarine* (1925), *Partir* (1926), *La Caravane sans chameaux* (1928), retrouvant ensuite la veine héroïque du *Cabaret de la Belle Femme* (1919) dans des ouvrages où il livre son expérience de correspondant de guerre, de 1939 à 1945 : *Retour au front* (1940), *Carte d'identité* (1945) et *Bleu horizon* (1949). Cette œuvre, successivement humoristique et grave, s'est complétée d'ouvrages polémiques, comme *À bas l'argent* (1965) et *Lettre ouverte à un milliardaire* (1967). Membre (1929) puis président (1955) de l'Académie Goncourt.

DORIA (Andrea). ♦ Homme de guerre italien (Oneglia, 1468 – Gênes, 1560). Issu d'une vieille famille patricienne de Gênes, il compte parmi les plus grands généraux et amiraux. Il servit en condottiere le pape Innocent VIII, le roi de Naples et divers princes. Après avoir remporté de nombreuses victoires sur les pirates barbaresques à la tête de galères armées à ses frais, il prit le commandement de la flotte française et battit Charles* Quint sur les côtes de Provence (1524). Mécontent de François* Ier, il abandonna le siège de Naples pour passer définitivement au service de Charles Quint (1528) qui lui accorda la libération de Gênes. Il imposa à sa ville une constitution aristocratique, réprimant cruellement la conjuration de Fiesque* (1547), et continua à combattre pour l'empereur (prise de Tunis, 1531).

DORIAN (Pierre Frédéric). ♦ Homme politique français (Montbéliard, 1814 – Paris, 1873). Membre du corps législatif de 1863 à 1870, il fut nommé ministre des Travaux publics dans le gouvernement de la Défense nationale (4 sept. 1870-17 févr. 1871).

DORIDE, *n. f.*, en gr. **Dôris.** ♦ Petite contrée montagneuse de la Grèce centrale. Elle tient son nom des Doriens* qui s'y installèrent avant de gagner la Grèce du Sud.

DORIENS, *n. m. pl.*, en gr. **Dôrieis.** ♦ Peuple indo-européen, le dernier qui émigra en Grèce*. Établis d'abord dans les régions montagneuses de la Grèce du N.. puis en Doride*, ils se répandirent à partir du ~ XIIe s. dans la Thessalie*, peuplée par les Éoliens*, et dans la Grèce centrale **(V. Athènes, Codros),** pour s'installer principalement dans le Péloponnèse*. Ils détruisirent Mycène* et Tyrinthe* et repoussèrent les Achéens* en Arcadie* ou les obligèrent à émigrer. Ensuite ils s'infiltrèrent outre-mer, dans les Cyclades méridionales, en Crète*, à Rhodes*, à Cos*, à Carie* (Halicarnasse*, Cnide*). Leurs principaux centres étaient Corinthe*, Sparte* et Mégare*. L'expansion coloniale de ces trois métropoles les amena aux confins du monde hellénique. – L'apport des Doriens à la civilisation grecque, bien déterminé quant à la langue, aux formes

Ph. Carlo Bevilacqua/Ricciarini
A. Doria, par A. Bronzino.
(La Brera, Milan.)

artistiques *(style dorique)*, à certaines techniques et aux mœurs, reste confus quant aux institutions et à la vie civique.

DORIOT (Jacques). ♦ Homme politique français (Bresle, Oise, 1898 – en Allemagne, 1945). Ouvrier métallurgiste, secrétaire général de la Jeunesse communiste, député (1924) et maire de Saint-Denis, il fut exclu du parti communiste (1934) et évolua vers le fascisme, fondant le *parti populaire français* (P.P.F., 1936) et le journal *la Liberté* et prenant position contre la politique du Front populaire. Partisan de la collaboration avec l'Allemagne (1940), il contribua à la création de la *légion des volontaires français contre le bolchevisme* (L.V.F.) et combattit aux côtés des Allemands sur le front russe.

DORIS. ♦ Une des Océanides*. Selon la légende, elle épousa Nérée* dont elle eut cinquante filles, les Néréides*.

DORKING. ♦ V. du S. de l'Angleterre (Surrey), sur le rebord des *North Downs*. Maisons anciennes. – Patrie de sir Laurence Olivier*.

DORMANS. ♦ Ch.-l. de cant. de la Marne, arr. d'Épernay, sur la Marne. 2 688 hab. Château de style Louis XIII. – Tréfileries. Scieries. ♦ *Hist.* C'est à Dormans qu'Henri de Guise reçut en 1575 le coup d'arquebuse auquel il dut son surnom (« le balafré »). – Destructions lors des deux batailles de la Marne.

DORMOY (Marx). ♦ Homme politique français (Montluçon, 1888 – Montélimar, 1941). Maire de Montluçon (1926), député (1931), puis sénateur socialiste, il fut sous-secrétaire d'État à la présidence du Conseil dans le premier cabinet L. Blum* (1936-1937). Nommé ministre de l'Intérieur dans les cabinets Chautemps (1937-1938) et L. Blum (1938), il lutta contre les terroristes du Comité secret d'action révolutionnaire (la « Cagoule ») et fut assassiné par certains de ses membres à Montélimar, où le gouvernement de Vichy l'avait mis en liberté surveillée.

DORNES. ♦ Ch.-l. de cant. de la Nièvre (arr. de Nevers), au N. de Moulins*, en lisière de la Sologne bourbonnaise, dans la plaine de l'Allier. 1 360 hab. Église des XIIe et XVe siècles. Château des XIVe et XVe siècles.

DORNIER (Claudius). ♦ Industriel allemand (Kempten, 1884 – Genève, 1969). Collaborateur de von Zeppelin*, il construisit par la suite des prototypes d'avions et d'hydravions (1920-1935) et, après la Deuxième Guerre mondiale, se consacra à l'étude des techniques concernant le décollage rapide.

DORON DE BOZEL. *n. m.* ♦ Torrent des Alpes, affl. de l'Isère* (36 km). Il alimente de nombreuses centrales hydro-électriques.

DOROS. ♦ Fils d'Hellen*, ancêtre éponyme des Doriens.

DORPAT. ♦ V. TARTU.

DORSALE GUINÉENNE. *n. f.* ♦ Hauteurs prolongeant le Fouta* Djalon au S.-E. qui comprennent les monts Loma (1 948 m) où le Niger* prend sa source et les monts Nimba* à la frontière guinéenne, ivoirienne et libérienne. Gisements de fer, de bauxite et de diamants.

DORSALE TUNISIENNE. *n. f.* ♦ Chaîne de montagnes de la Tunisie qui prolonge les monts de Tebessa* au S.-O. et aboutit au golfe de Tunis au N.-E. **(V. Atlas).** Elle est limitée au N. par la vallée de la Medjerda* qui la sépare des monts de la Medjerda* et de ceux de Kroumirie* et domine au S.-E. les hautes steppes tunisiennes. Elle culmine au dj. Chambi*. Mines de fer (dj. Harissa), de plomb (dj. Hallouf).

DORSET ou **DORSETSHIRE.** *n. m.* ♦ Comté du S.-O. de l'Angleterre, bordé au N.-E. par le Wiltshire, à l'E. par le Hampshire, à l'O. par le Devon, au N.-O. par le Somerset et au S. par la Manche. 2 524 km², 397 900 hab. *Ch.-l.* Dorchester*. La pêche sur le littoral et l'élevage des ovins sur les escarpements crayeux des Downs* sont les princ. activités. – Patrie de Thomas Hardy* et de William Barnes.

DORSTEN. ♦ V. d'Allemagne occidentale (Rhénanie-Westphalie), à l'extrémité N. du bassin de la Ruhr*, sur la Lippe et le canal de Wesel à Datteln. 36 323 hab. (1961). Houillères, fonderies.

DORTMUND. ♦ V. d'Allemagne occidentale (Rhénanie-Westphalie), à l'extrémité E. du bassin de la Ruhr*, entre la Ruhr et la Lippe, et important port fluvial sur le canal Dortmund-Ems. 647 000 hab. (1969). Université (créée en 1968). Églises médiévales (Marienkirche, XIIe-XIVe s.). Métropole de la Westphalie, Dortmund est l'un des princ. centres industriels de la Ruhr (charbonnages, aciéries, importantes brasseries). ♦ *Hist.* D'abord connue sous le nom de *Throtmannia* (*fin* IXe s.), Dortmund devint ville libre impériale et adhéra à la Hanse au XIIIe siècle. Elle fut l'un des princ. centres commerciaux du bassin rhénan, en relation avec les pays scandinaves. La ville connut au XIXe s. un nouvel essor avec le développement du bassin houiller de la Ruhr. Elle fut détruite à 70 % lors de la Deuxième Guerre mondiale.

Dortmund-Ems *(canal).* ♦ Canal du N.-O. de l'Allemagne occidentale (280 km), reliant la ville de Dortmund* (Ruhr), par l'Ems, au port d'Emden*, sur la mer du Nord.

DORVAL (Marie DELAUNAY, dite **Marie).** ♦ Actrice française (Lorient, 1798 – Paris, 1849). Interprète du drame romantique *(Antony, Marion Delorme, Chatterton)*. Sa liaison avec Alfred de Vigny* (1832-1838) et la rupture dont elle fut suivie ont inspiré au poète quelques-unes de ses pages les plus belles *(Le Journal d'un poète; La Colère de Samson)*.

DORVAL. ♦ Aéroport international de Montréal*, au S.-O. de la ville.

DORYLÉE, en gr. **Dorulaion.** ♦ Anc. V. d'Asie Mineure (Phrygie), près de l'actuelle *Eskişehir** (Turquie). Antigonos y assiégea Lysi-

Arch. Rencontre

J. R. Dos Passos.

maque en ~ 302. Les croisés, commandés par Godefroi* de Bouillon, y vainquirent les Turcs en 1097.

DOS PASSOS (John Roderigo). ♦ Poète, romancier et auteur dramatique américain (Chicago, 1896 – Baltimore, Maryland, 1970). D'origine portugaise, il fit ses études à Harvard (1912-1916), subit l'influence des imagistes et de Gertrude Stein et devint correspondant de guerre en Espagne, au Mexique et dans le Proche-Orient (*Sur toute la Terre,* 1934). *Initiation d'un homme* (*One Mans's Initiation,* 1917) et *Trois Soldats* (1922) sont une transposition désenchantée de son expérience militaire. Féru de recherches esthétiques, il s'inspira des formules cinématographiques pour construire *Manhattan Transfer* (1925), dont New York est le personnage principal. C'est l'Amérique du Nord tout entière qui est protagoniste de sa trilogie *U.S.A.* (1937) : *Le 42ᵉ Parallèle, La Grosse Galette (Big Money).* C'est encore au cinéma que Dos Passos emprunte les procédés de ce roman aux multiples récits entrecroisés interrompus par des « actualités » (petites nouvelles et bouts de chansons) et surtout par « l'œil de la caméra » (rêveries en forme de discours intérieurs). Son autre trilogie, *Le District de Columbia* (*Les Aventures d'un jeune homme,* 1939; *Numéro Un,* 1943; *Le Grand Plan, The Great Design,* 1959), où l'auteur fait part de ses désillusions politiques, présente à la fois les défauts et les séductions d'un roman à clé. Ses œuvres ultérieures ne semblent pas avoir l'importance de *Manhattan Transfer* et de *U.S.A.* Malgré un style sans relief, Dos Passos fit école tant en Amérique qu'en Europe où il fut salué par Sartre, qui subit son influence dans les *Chemins de la liberté,* comme « le romancier de notre temps ». Refusant l'analyse psychologique et l'introspection, il se définit comme le romancier du comportement humain dans la société, observant les réactions et les gestes, leur donnant un sens par la complexité des angles de vision et la structure même de l'œuvre.

DOSSO DOSSI (Giovanni di Luteri, dit**).** ♦ Peintre italien (Ferrare, v. 1490 – *id.,* 1542). Formé dans sa ville natale et à Mantoue, il connut très tôt l'art vénitien et adapta à la tradition fantaisiste de Ferrare le paysage romantique de Giorgione* et la libre énergie de Titien*. Aussi ses premières œuvres sont-elles riches en contrastes et dégagent-elles une grande intensité lyrique, soutenue par le vif scintillement de la lumière sur des paysages souvent fantastiques (*Adoration des Mages, Fuite en Égypte, Massacre des Innocents,* à Ferrare). Ami de l'Arioste*, il produisit une série d'œuvres évoquant les thèmes romanesques du grand poète ferrarais (*Diane et la Nymphe Calypso, Circé,* Rome; *Le Départ des Argonautes,* Washington; *Jupiter,* Vienne). À la fin de sa vie, il durcit son style et peignit des figures mélancoliques, probablement inspirées de la dernière manière de Raphaël (*Saint Jean* et *Saint Bartolomé,* Rome).

DOST MOHAMMED. ♦ **V.** DÛST MUHAMMAD KHÂN.

DOSTOÏEVSKI (Fiodor Mikhaïlovitch) [*Dostojevskí*]. ♦ Romancier russe (Moscou, 1821 – Saint-Pétersbourg, 1881). Son père était médecin, sa mère à laquelle il était très attaché mourut alors qu'il était encore très jeune. À Saint-Pétersbourg, où il était élève à l'École du génie, il apprit la mort tragique de son père qui, trop autoritaire, avait été assassiné sur ses terres par ses propres paysans. Cette nouvelle provoqua sa première crise d'épilepsie (1838). En 1843 il fut nommé officier, puis démissionna l'année suivante. En 1844 il écrivit son premier roman, *Les Pauvres Gens,* où l'on sent l'influence de Gogol*. Bien accueilli par Bielinski*, ce roman, édité en 1846, connut un grand succès. Déjà y apparaît la pitié qu'éprouve Dostoïevski pour l'opprimé. En 1846 il écrivit un deuxième roman, *Le Sosie,* œuvre décevante, ainsi que *La Logeuse* (1847) et quelques autres récits. De 1847 à 1849 Dostoïevski fréquenta le groupe libéral de Pétrachevski. En 1849 tous les membres du groupe furent arrêtés et condamnés à mort. À la dernière minute, au moment où la salve allait être tirée, arriva la grâce du tsar. Dostoïevski rappela cette journée dans *L'Idiot* et dans le *Journal d'un écrivain.* Déporté en Sibérie, il y resta de 1849 à 1853. Ayant eu pour seul livre la Bible, il traversa une crise religieuse, et d'agnostique devint croyant. De ce bagne d'Omsk et de cette crise religieuse témoigne l'œuvre de Dostoïevski la plus célèbre de son vivant : *Souvenirs de la maison des morts* (1861). Libéré par étapes successives il avait pu regagner Saint-Pétersbourg dès 1859, mais il fut victime à cette époque de fréquentes crises d'épilepsie. Cette année-là avait paru son roman : *Le Village de Stepantchikovo et ses habitants,* et en 1860 il avait édité la revue *le Temps,* essayant de trouver un juste milieu entre les occidentalistes* et les slavophiles*. En 1864 parurent les *Mémoires écrits dans un souterrain,* œuvre philosophique et mystique qui éclaire la personnalité de l'auteur et sa vision double de l'homme, dont l'extérieur conscient raisonnable cache un subconscient avide de liberté. En 1866, après le roman *Humiliés et Offensés* (écrit dès 1861) où Dostoïevski exprime toute sa compassion, parurent son grand roman *Crime* et Châtiment,* puis *Le Joueur.* En 1867, malade et accablé de dettes, Dostoïevski partit pour l'Allemagne et l'Italie. Il y fut victime de sa passion du jeu. En 1868 parut *L'Idiot**, en 1870 *L'Éternel Mari* et en 1871 *Les Possédés**. De retour à Saint-Pétersbourg il commença à publier le *Journal d'un écrivain* (1873-1881) qui fut très populaire et dans lequel il écrivit des contes et des articles comme son *Discours sur Pouchkine* (1880). C'est cette même année que parut son dernier roman, qu'il considérait comme son chef-d'œuvre : *Les Frères* Karamazov.* Il mourut le 28 janvier 1881. – Tout au long de son œuvre, Dostoïevski a posé le problème de l'homme déchiré entre la présence du mal et la recherche de Dieu, entre l'inconscient et le conscient. Le style de Dostoïevski, que la critique traditionnelle a pu juger lourd et embrouillé, épouse sa générosité angoissée et son masochisme.

DOTTIGNIES, en néerl. **Dottenijs.** ♦ Comm. de Belgique (Hainaut, arr. de Mouscron). 6 100 hab. Abbaye (tour du XIIᵉ s.). – Brasseries. Indus. du meuble. Textile.

DOU (Gérard). ♦ Peintre, dessinateur et graveur hollandais (Leyde, 1613 – *id.,* 1675). Il s'initia à la peinture sur cuivre et sur verre, puis devint l'élève de Rembrandt* de 1628 à 1631 *(Rembrandt dans son atelier)*; il imita d'abord son style, lui empruntant certains de ses sujets (scènes bibliques, portraits et études de tête), puis représenta dans une veine familière et sentimentale de nombreuses scènes de genre dans des intérieurs. Il créait d'habiles effets de clair-obscur en figurant un éclairage provenant d'une bougie ou d'une fenêtre latérale, décrivait avec méticulosité les objets, employant une facture lisse d'aspect émaillé (*Le Médecin,* 1653). Célèbre de son vivant, il fut très apprécié durant tout le XIXᵉ siècle.

DOUAI. ♦ Sous-préf. du Nord*, ch.-l. d'arr. (6 cant., 64 comm., 252 886 hab.), située sur la Scarpe*. 51 657 hab. *(Douaisiens).* Église Notre-Dame, en partie gothique (XIIIᵉ-XVIᵉ s.; endommagée en 1944); église Saint-Pierre (XVIᵉ, XVIIIᵉ s.); maison du Dauphin (XVIIIᵉ s.); hôtel de ville (partiellement du XVᵉ s.); beffroi (XIVᵉ-XVᵉ s.). Théâtre du XVIIIᵉ s.; hôtels anc. Ville universitaire, école des indus. agricoles. – Centre industriel : houille, indus. métallurgique, fonderie, chaudronnerie; indus. chimiques, alimentaires; confection. – Patrie de J. Aved*, de J. Bellegambe*, de Ch.-A. de Calonne*, de M. Desbordes*-Valmore, de Giambologna*. ♦ *Hist. Duacum* à l'époque gallo-romaine, la ville obtint une charte de commune au XIIᵉ s. alors qu'elle appartenait aux comtes de Flandre. En 1667 Louis XIV prit Douai qui fut fortifiée par Vauban*; par le traité d'Utrecht* (1713) la ville revint définitivement à la France. Elle fut très endommagée pendant les deux guerres mondiales.

DOUALA. ♦ V. et port principal du Cameroun*, située sur l'estuaire commun de plusieurs fleuves côtiers (golfe de Guinée*), reliée à Yaoundé* par voie ferrée. Env. 250 000 hab. (1970). Pêche (installation de surgélation). Centre industriel (indus. alimentaires, chimiques et textiles) dont l'énergie est fournie par les centrales d'Édéa*. Le trafic du port a atteint 1 844 000 t en 1970.

DOUARNENEZ. ♦ Ch.-l. de cant. du Finistère, arr. de Quimper, sur la baie de Douarnenez. 20 184 hab. *(Douarnenistes* ou *Douarnenéziens).* Douarnenez a annexé en 1945 les comm. de Plodré, Tréboul* et Pouldavid. – Église Sainte-Hélène (XVIᵉ s.) remaniée aux XVIIᵉ et XVIIIᵉ siècles. – Station balnéaire. **V. Tréboul.** Important port de pêche (maquereaux, sardines, thon, crustacés). Conserves de poissons; fabrique de boîtes de conserves. Salaisons. Constructions navales.

DOUAUMONT. ♦ Comm. de la Meuse (arr. de Verdun), sur les Hauts-de-Meuse. Le fort de Douaumont fut pris, repris et bombardé lors de l'offensive allemande en 1916, pendant la bataille de Verdun. Un ossuaire a été élevé à cet endroit. – La commune est pratiquement désertée : 12 habitants.

DOUBLE. *n. f.* ♦ Région du Périgord (Dordogne et Gironde), située au N. de l'Isle, à l'O. de Périgueux, et limitée au N. par son affluent la Dronne. Zone de sols argileux, anciennement couverte de forêts et de prairies marécageuses, la Double conserve des bois et des étangs.

DOUBS [du]. *n. m.* ♦ Riv. de l'E. de la France (430 km, alors que la distance à vol d'oiseau de sa source à son confluent n'est que d'env. 90 km). Née dans le Jura français, près de Mouthe* (937 m d'altitude), elle s'oriente S.-O.-N.-E., traversant le lac de Saint-Point, passe par Pontarlier*, Morteau*, puis trace la frontière suisse. Elle franchit alors le lac de Chaillaxon ou Brenets*, formant à sa sortie une chute de 27 m *(le saut du Doubs),* coule très peu de temps en Suisse, où elle forme une boucle, et s'oriente brusquement vers l'O., puis vers le N.; elle traverse le Lomont* et arrose Pont*-de-Roide, puis Audincourt*, où elle s'oriente définitivement N.-E.-S.-O. La riv. arrose ensuite L'Isle*-sur-le-Doubs, Baume*-les-Dames, Besançon* et Dole* et entre dans la plaine de la Saône, où elle reçoit la Loue*. Le bas Doubs coule dans la grande dépression située entre le Jura et la Côte-d'Or; il rejoint la Saône (r. g.) à Verdun-sur-le-Doubs. Le bassin du Doubs a une superficie de 3 022 km².

DOUBS. [**25**]. *n. m.* ♦ Dép. de l'E. de la France, frontalier de la Suisse, région (anciennement C.A.R.) de Franche*-Comté. 5 229 km². – *Orogr. et Hydrogr.* Les plateaux et la montagne jurassienne du dép. **(V. Lomont)** sont profondément creusés par le Doubs et ses affl. **(V. Loue),** dont les cours irréguliers forment des chutes (saut du Doubs) et des gorges pittoresques. La bordure anguleuse et saillante du plateau jurassien s'élève nettement dans l'extrémité sud-orientale du dép., où le mont d'Or atteint 1 460 mètres. Les hivers y sont longs et rudes et les précipitations abondantes. – L'exploitation forestière (sapins) est intense et l'élevage bovin (race montbéliarde), orienté vers la production fromagère, est organisé en coopératives *(fruitières)*. Les indus. de précision et l'horlogerie ont été encouragées par la proximité de la Suisse. Indus. textiles. Les indus. mécaniques (constructions automobiles) sont concentrées dans la région urbaine de Belfort-Montbéliard* (trouée de Belfort*). Centres touristiques et stations de sports d'hiver.
♦ 27 cant., 631 comm., 439 500 hab. *Préf. :* Besançon*. *Sous-préf. :* Montbéliard*, Pontarlier*. *Ch.-l. de cant. :* Amancey (503 hab.), Audeux (149 hab.), Audincourt*, Baume*-les-Dames, Boussières (531 hab.), Clerval*, Hérimoncourt*, Isle*-sur-le-Doubs (L'), Levier (1 610 hab.), Maîche*, Marchaux*, Montbenoît*, Morteau*, Mouthe*, Ornans*, Pierrefontaine-les-Varans (1 412 hab.), Pont*-de-Roide, Quingey*, Rougemont*, Roulans*, Russey (Le) [1 809 hab.], Saint*-Hippolyte, Vercel-Villedieu-le-Camp (1 108 hab.). – *Autres comm. :* Arc*-et-Senans, Béthoncourt*, Grand*-Charmont, Jougne*, Mandeure*, Métabief*, Seloncourt*, Sochaux*, Valentigney*, Villers*-le-Lac. – *Site :* **V. Joux** *(fort de).*

DOUCHAN. ♦ V. Étienne IX Douchan (Dušan).

DOUCHANBÉ ou **DUSHANBE** (de 1929 à 1961 **Stalinâbâd**). ♦ V. d'U.R.S.S., cap. du Tadjikistân*. 374 000 hab. Centre culturel. Université (fondée en 1948). Combinat cotonnier, soierie, machines agricoles, métiers à tisser, câblerie, cimenterie, traitement du cuir, indus. textiles et alimentaires. Nœud ferroviaire.

DOUCHY-LES-MINES. ♦ Comm. du Nord, arr. de Valenciennes. 7 421 hab. Houille.

DOUDART de LAGRÉE (Ernest). ♦ Officier de marine français (Saint-Vincent-de-Mercuze, Isère, 1823 – T'ong-Tch'ouan, Yunnan, 1868). Après avoir participé à l'expédition de Crimée (1854), il commanda les troupes françaises du Cambodge (1862) et mourut lors d'une mission scientifique d'exploration du cours du Mékong jusqu'au Yun-nan.

DOUDINKA ou **DUDINKA.** ♦ V. d'U.R.S.S. (R.S.F.S. de Russie, territoire de Krasnoïarsk), ch.-l. de l'arr. national de Taïmyr (879 300 km², 39 000 hab.) en Sibérie. Port fluvial sur l'Ienisseï, accessible aux navires de l'océan Arctique. 16 300 hab. (1959).

DOUÉ-LA-FONTAINE. ♦ Ch.-l. de cant. du Maine-et-Loire, arr. de Saumur. 6 018 hab. *(Douessins).* Vestiges de la collégiale Saint-Denis (XIIe s.). Église Saint-Pierre (XVe s.). Vestiges de l'anc. château et bâtiments du XVIIIe siècle. Anc. carrières à ciel ouvert, exploitées au Moyen Âge, et transformées en arènes aux XVe-XVIIe siècles. Maisons anc. – Horticulture. Primeurs. Produits pharmaceutiques. Aliments pour animaux. ♦ *Hist.* De violents combats y opposèrent royalistes et républicains pendant l'insurrection vendéenne de 1793.

DOUGGA. ♦ Village de Tunisie proche de Teboursouk* sur l'emplacement des ruines de l'antique *Thugga.*

DOUGLAS. ♦ Famille d'Écosse qui joua un rôle important dès le XIIIe siècle. ♦ William Douglas le Hardi ([mort] 1298). Il participa à la révolte de William Wallace. – James Douglas, son fils (1286 – 1330). Partisan de Robert Bruce, il combattit les Anglais. – Archibald Douglas, son frère ([mort] 1333). Il assura la régence pendant la minorité de David Bruce. ♦ Archibald Douglas, 4e comte de Douglas (1369 – Verneuil, 1424). Il combattit les rois Henri IV et Henri V d'Angleterre. Il combattit pour le compte de Charles VII de France contre les Anglais, lors de la guerre de Cent Ans. – James Douglas, son frère (1371 – 1443). Il participa à la révolte seigneuriale contre Jacques II d'Écosse. ♦ James Douglas, 9e comte de Douglas (1426 – abbaye de Lindores, Fiffes, 1491). Il se révolta contre Jacques II d'Écosse (1455) qui le captura et l'emprisonna (1483).

Ph. Hétier
Le **Doubs**, aux environs de Besançon.

DOUGLAS. ♦ Port et ch.-l. de l'île de Man, sur la côte E. – 21 000 hab. La ville tire son nom des deux riv. qui l'encerclent, le *Dhoo* et le *Glass.* Tourisme. Mécanique de précision, eaux minérales. – Petit village de pêche du XVIe s., Douglas connut un rapide essor au XVIIIe s. grâce à ses activités de contrebande.

DOUGLAS-HOME [-jum] **(sir Alexander Frederick).** ♦ Homme politique britannique (Londres, 1903 –). Membre de la Chambre des lords, il dut se démettre de ses titres nobiliaires pour se faire élire aux Communes, où il siégea comme député conservateur (1931-1945, puis 1950-1951). Ministre des Affaires étrangères (1960-1963), il signa le traité de Moscou limitant les essais nucléaires (1963) et devint Premier ministre. Mais il ne put faire face aux difficultés économiques de la Grande-Bretagne et démissionna en 1964. Edward Heath* l'a rappelé aux Affaires étrangères en 1970.

DOUGLASS (Frederick Augustus Washington Bailey, dit). ♦ Journaliste américain (dans le Maryland, 1817 – près de Washington, 1895). Fils d'une esclave noire et d'un Blanc, esclave lui-même, il s'enfuit et devint l'un des plus grands orateurs noirs et l'un des plus actifs partisans de l'abolition. Il fonda son journal, le *North Star,* en 1847 à Rochester.

DOUKAS. ♦ Famille byzantine très influente à partir du IXe siècle. Elle fournit trois empereurs : Constantin* X, Michel* VII, et Alexis* V. À la même famille appartient Doukas, l'un des meilleurs chroniqueurs byzantins du XVe siècle.

DOULAINCOURT. ♦ Ch.-l. de cant. de la Haute-Marne, arr. de Saint-Dizier. 989 hab. Lingerie. Métallurgie (appareils de levage, de manutention).

DOULLENS [dulɑ̃]. ♦ Ch.-l. de cant. de la Somme* (arr. d'Amiens*) sur l'Authie*. 8 170 hab. *(Doullennais).* Ville industrielle (filatures, tissages, engrais, papeteries, etc.). ♦ *Hist.* Après la rupture du front allié par les Allemands, une conférence franco-britannique y fut réunie à l'instigation de Clemenceau (26 mars 1918); au terme de celle-ci, Foch* fut nommé général en chef des armées alliées (afin de coordonner les actions du Britannique Douglas Haig et du Français Pétain).

DOUMER (Paul). ♦ Administrateur et homme politique français (Aurillac, 1857 – Paris, 1932). Député radical (1888, 1895), ministre des Finances (1895-1896, 1921-1922), gouverneur général de l'Indochine (1896-1902), président du Sénat (1927), il fut élu président de la IIIe République (1931) et assassiné l'année suivante par le russe Gorgulov. Auteur d'un ouvrage sur *L'Indochine française* (1903).

DOUMERGUE (Gaston). ♦ Homme politique français (Aigues-Vives, Gard, 1863 – *id.,* 1937). Avocat, puis juge en Indochine et en Algérie, il fut élu député radical (1893), nommé plusieurs fois ministre de 1902 à 1917 (en particulier aux Colonies et aux Affaires étrangères), et fut président du Conseil (1913-1914). Élu président de la République après la victoire du Cartel des gauches et la démission de Millerand (1924), il se retira de la politique à la fin de son septennat (1931), mais fut rappelé après les manifestations de février 1934 et forma un gouvernement d'union nationale, qui s'attira l'opposition de la gauche par sa volonté de réforme constitutionnelle (renforçant l'exécutif). Il dut se retirer dès novembre 1934.

DOUR. ♦ Comm. de Belgique (Hainaut, arr. de Mons.). 11 350 hab. Indus. alimentaires (brasseries, sucreries) et métallurgiques. Papeteries.

DOURA-EUROPOS. ♦ Colonie grecque sur les bords de l'Euphrate (Syrie), fondée par Séleucos* Ier (~ IIIe s.). Centre stratégique et commercial, elle passa sous la domination parthe, puis sous les Romains et fut détruite par les Perses v. 260. Des fouilles fructueuses ont mis au jour des éléments précieux pour l'étude des cultes juif et chrétien primitifs ainsi que pour la fusion des caractères hellénistiques et orientaux dans l'art.

DOURBIE. *n. f.* ♦ Riv. de France (80 km) qui prend sa source à l'Espérou (mont Aigoual*), elle traverse les Causses* et se jette dans le Tarn* à Millau*.

DOURDAN. ♦ Ch.-l. de cant. de l'Essonne (arr. d'Étampes), sur l'Orge. 6 295 hab. *(Dourdannais).* Vestiges de l'enceinte. Château du XIIIe s. avec un donjon remarquable. Église Saint-Germain (XIIe-XIIIe s.) remaniée. Hôtel-Dieu (XVIIIe s.). Halles (XIIIe s.) restaurées. Village de vacances. Marché de primeurs et de céréales. — Patrie de F. Sarcey*.

DOURGES. ♦ Comm. du Pas-de-Calais, arr. de Lens. 5 746 hab. Indus. du bois.

DOURGNE. ♦ Ch.-l. de cant. du Tarn*, arr. de Castres*. 1 299 hab. [611 aggl.]. *(Dourgnois.)* Église XVIe siècle. Abbayes bénédictines modernes. Carrières. Matières plastiques. Bonneterie.

DOURO. *n. m.*, en esp. **Duero.** ♦ Fl. de la péninsule Ibérique. 850 km. Né dans la sierra d'Urbión, à 2 250 m d'alt., il arrose la Castille*, coule dans la Meseta* au fond de profondes gorges, forme frontière avec le Portugal* qu'il traverse de part en part, avant de se jeter dans l'Atlantique, à Porto*. De puissantes centrales hydro-électriques ont été établies sur son cours : Bemposta, Castro Miranda, Picoste, Saucelle, Villacampo et surtout Aldeadávilla, l'une des plus importantes d'Europe. — *Haut-Douro.* Région du Portugal septentrional, rattachée au Trás*-os-montes.

DOURO LITORAL. *n. m.* ♦ Région du Portugal formée des districts de Porto, d'une partie de ceux de Viseu et d'Aveiro. 3 185 km². 1 391 000 hab. *Cap.* Porto. Importante région vinicole (vins de Porto).

DOUVRES, en angl. **Dover.** ♦ V. du S.-E. de l'Angleterre (Kent) sur le pas de Calais, dominée par de hautes falaises crayeuses. 35 200 hab. Château du XIIe siècle. Station balnéaire. Premier port anglais de passagers relié à la France (Calais, Boulogne, Dunkerque), à la Belgique (Ostende) et aux Pays-Bas (Flessingue). ♦ Hist. *Dubrae* (ou *Dubris*) fut à l'époque romaine un grand croisement routier (Douvres-Canterbury-Londres). La ville acquit sous la conquête normande une importance stratégique considérable. Ce fut avec Hastings*, Romney, Hythe, et Sandwich l'un des « cinq ports » commandant l'entrée en Angleterre. — *Le traité de Douvres* signé secrètement le 22 mai 1670 entre Louis XIV et Charles II d'Angleterre engageait le roi d'Angleterre à se convertir au catholicisme, à suivre Louis XIV dans la guerre contre les Provinces-Unies et à soutenir les droits éventuels de ce dernier au trône d'Espagne moyennant l'aide financière et militaire du roi de France.

DOUVRES-LA-DÉLIVRANDE. ♦ Ch.-l. de cant. du Calvados, arr. de Caen. 2 287 hab. *(Douvrais).* Pèlerinage à La Délivrande*.

DOUVRIN. ♦ Comm. du Pas-de-Calais, arr. de Béthune. 4 659 hab. Indus. céramique et automobile.

DOUZE. *n. f.* ♦ Riv. des dép. du Gers* et des Landes*, sous-affl. de l'Adour* (110 km). À Mont*-de-Marsan, elle s'unit au Midou* pour former la Midouze*.

Douze (Les). ♦ Poème de A. Blok sur la révolution de 1917 en Russie (1918). Douze soldats, précédés d'un Christ invisible, s'en vont à travers Saint-Pétersbourg molester les bourgeois. Outre le symbole poétique, ce poème est un véritable miracle musical alliant les dissonances et les harmonies et atteignant une perfection technique étonnante.

Douze Tables *(loi des)*. ♦ Premier recueil de lois écrites, rédigé à Rome, selon la tradition, par les décemvirs (~ 451 — ~ 449) sur douze tables de bronze et affichées au Forum près des Rostres. La rédaction de ce code aurait été entreprise à la demande de la plèbe qui voulait éviter que le droit, jusque-là uniquement oral, dépendît de l'arbitraire des magistrats. La plupart des lois concernent la religion et les faits de la vie rustique et manifestent un effort de modernisation et de laïcisation quand on les compare aux lois de l'époque royale.

DOVE (Arthur G.). ♦ Peintre et dessinateur américain (Canandaigua, 1880 — Huntington, 1946). D'abord illustrateur de journaux, il se rendit à Paris (1907) et dans le Midi de la France où il réalisa des paysages et natures mortes procédant de l'impressionnisme, mais dénotant aussi l'influence de Cézanne. Revenu aux États-Unis, il exposa dans la galerie de Stieglitz, se révélant comme l'un des pionniers de l'art non figuratif et réalisant une série d'aquarelles et de peintures abstraites aux formes irrégulières et souples, d'un chromatisme sourd et d'une pâte souvent épaisse. La structure de certaines de ses œuvres semble parfois s'inspirer de la nature (collines, arbres, etc.). Il a aussi réalisé des collages non dénués d'humour. Il a parfois été considéré comme un précurseur de l'expressionnisme abstrait en raison du caractère véhément de son œuvre (*Abstraction II,* 1910).

DOVER. ♦ V. des États-Unis, cap. du Delaware*. 7 250 hab. en 1960. Centre commercial de la région. Petites industries.

DOVER. ♦ V. DOUVRES.

Coll. Rui Nogueira

A. P. Dovjenko

DOVJENKO (Aleksandr Petrovitch). ♦ Réalisateur soviétique de cinéma (Sosniza, 1894 — Kiev, 1956). Il fut d'abord instituteur, puis peintre avant de devenir, en abordant le cinéma, un des plus grands poètes épiques de l'histoire du 7e art. Fils de l'Ukraine, il a chanté, en une suite d'œuvres visionnaires, la splendeur de sa terre natale élargie aux dimensions de l'univers. Lyrique et sensuel, il a réalisé l'accord du matérialisme dialectique avec une sorte de paganisme mystique, célébrant la nouvelle naissance de l'homme, fécondé par la Révolution, au sein d'un cosmos devenu intelligible et fraternel. Interrompue à plusieurs reprises par les impératifs de la censure stalinienne, sa carrière est riche de réalisations qui se présentent comme autant de fresques d'une admirable ampleur : *Zvenigora* (1928), *Arsenal* (1929), *La Terre* (*Zemlia,* 1930), *Ivan* (1932), *Aérograd* (1935), *Chtchors* (1939). Écrivain, Dovjenko a composé *Le Poème de la mer, Les Descendants des Cosaques Zaporogues,* ainsi qu'un récit autobiographique, *La Desna magique* et des *Carnets de notes.*

DOWDING (sir Hugues). ♦ Maréchal de l'Air britannique (Moffat, Écosse, 1882 — Tunbridge Wells, Kent, 1970). Il commanda des escadrons en France pendant la Première Guerre mondiale et fut honoré de l'ordre du Bain, des ordres de Saint-Michel et de Saint-Georges. Entre les deux guerres, il fut officier de l'Air en Transjordanie et en Palestine. Membre du Conseil de l'Air, il commanda la chasse britannique pendant la bataille d'Angleterre (1940). Grand stratège, il fut fait baron en 1943.

DOWLAND (John). ♦ Compositeur anglais (près de Dublin, 1562 — Londres, 1626). Sa réputation de luthiste lui valut d'être accueilli par plusieurs cours princières d'Europe. Auteur de psaumes, de chansons (quatre *Livres d'air,* publiés entre 1597 et 1612), il a aussi composé une suite de pavanes pour cinq violes et pour le luth (*Lacrimae,* 1604). Ses œuvres, d'un lyrisme retenu, en font un des meilleurs représentants de la musique élisabéthaine.

DOWN *(comté de).* ♦ Comté d'Irlande du Nord, s'étendant le long de la *mer d'Irlande,* au S. de Belfast. 2 465 km². 286 630 hab. (1966). *Ch.-l.* Downpatrick*. *V. princ.* Bangor*, Newry*. — Correspondant à une zone déprimée, le comté est limité au S. par les *monts Mourne** (852 m). Au N.-E., s'étend le *lough Strangford.* L'économie est surtout agricole (céréales, pomme de terre, élevage), mais le tourisme y connaît une importance croissante (Bangor, Donaghadee).

Downing Street. ♦ Rue de Londres, entre Saint James Park et Westminster, où se trouvent le ministère britannique des Affaires étrangères (Foreign Office) et la résidence du Premier ministre. Par métonymie, l'expression désigne la diplomatie, le gouvernement du Royaume-Uni.

DOWNPATRICK. ♦ V. d'Irlande du Nord et ch.-l. du comté de Down*, au S.-E. de Belfast. 4 235 hab. (1961). Cathédrale (1790) construite sur des ruines romanes (XIe-XIIe s.) et abritant le tombeau de saint Patrick*, inhumé au Ve siècle. — À 3,5 km au N., ruines d'une abbaye cistercienne (fin XIIe s.).

DOWNS. *n. f. pl.* ♦ Collines crayeuses de l'Angleterre méridionale, comprises entre la Tamise et la Manche sur toute la portion méridionale du bassin de Londres (Berkshire, Wiltshire, Hampshire, Sussex, Kent) jusqu'à la Manche (falaises de Douvres). Leur hauteur moyenne est de 300 m. On distingue les *North Downs* et les *South Downs* qui encadrent la boutonnière du *Weald**. C'est une région d'élevage ovin.

DOYEN (Albert). ♦ Compositeur français (Vendresse, 1882 — Paris, 1935). Ami de G. Charpentier*, il fut le fondateur et le principal animateur des « fêtes du Peuple » (1918) dont l'ambition était de susciter, au sein des foules ouvrières, le sens de la beauté et de la fraternité par la pratique de la musique chorale.

DOYLE (sir Arthur CONAN). ♦ Romancier et auteur dramatique écossais (Édimbourg, 1859 — Crowborough, Sussex, 1930). D'origine normande, sa famille était catholique et le fit élever chez les jésuites de Stonyhurst. Devenu médecin, il prit part aux campagnes d'Afrique et à la Première Guerre mondiale. Sous l'influence de Gaboriau*, il écrivit des romans policiers dont le héros, Sherlock Holmes*, est devenu un véritable type. *La Tache écarlate* (*A Study in Scarlet*, 1887), son premier récit policier, décida de sa carrière. *Le Chien des Baskerville* (*The Hound of the Baskervilles*, 1902), où l'angoisse propre au roman fantastique est résolue par des explications rationnelles, est l'un des récits les plus célèbres des *Aventures de Sherlock Holmes* (1891-1927). Sans créer le genre, ni le type du policier amateur à l'intelligence scientifique (Holmes doit beaucoup au Dupin d'Edgar Poe), Conan Doyle l'a porté à son apogée, et lui a donné des dimensions que l'on découvre peu à peu. Conan Doyle se consacra aussi au roman historique dans la tradition de Walter Scott (*Micah Clarke*, 1889 ; *La Compagnie blanche*, 1890 ; *Les Exploits du brigadier Gérard*, 1896). Patriote, il fut anobli grâce à des écrits comme *La Guerre des Boers* (1900), *La Guerre en Afrique du Sud* (1902). Il consacra la fin de sa vie aux sciences occultes et publia une *Histoire du spiritisme* (*History of Spiritualisms*, 1926).

DOZULÉ. ♦ Ch.-l. de cant. du Calvados*, arr. de Pont*-l'Évêque. 1 050 hab. Marché agricole important.

DRAA ou **DRA** *(oued)*. ♦ Fleuve saharien du Maroc*, jalonné d'oasis, qui se forme au pied S. du Haut-Atlas par la réunion de la prolongation de l'oued Ouarzazate et du Dadès, franchit l'Anti-Atlas, puis s'oriente vers l'O. traçant en partie la frontière algéro-marocaine, et se jette dans l'Atlantique au S. du cap Draa (mais ses eaux n'atteignent que très rarement l'Océan). Env. 1 000 km.

DRAC. *n. m.* ♦ Torrent alpestre, affl. de l'Isère*, 150 km. Il prend sa source dans le Champsaur* et conflue en aval de Grenoble*. Il alimente plusieurs usines hydro-électriques.

DRACH (Jules). ♦ Mathématicien français (Sainte-Marie-aux-Mines, 1871 — Cavalaire-sur-Mer, 1949). Il étudia la théorie des groupes de Galois* et, cherchant à en faire une véritable généralisation, il élabora une théorie générale de l'*intégration logique* (1898), associant à chaque système d'équations différentielles à résoudre un *groupe de rationalité* généralement continu ; il donna une notion algébrique d'irréductibilité, fondamentale en analyse, et s'intéressa également à divers problèmes de mécanique et de physique mathématique. (Acad. sc., 1929.)

DRACHMANN (Olger). ♦ Écrivain danois (Copenhague, 1846 — Hornbaek, Sjaelland, 1908). D'abord attiré par la peinture, il se tourna vers la littérature en donnant un récit de voyage en Sicile, publié dans le recueil *Au charbon et à la craie* (1872). S'inspirant de l'esthétique de G. Brandes*, il fit paraître la même année un volume de *Poèmes*, marqué par ses sympathies pour l'Internationale. Cet esprit social laissa progressivement la place à des aspirations romantiques fougueuses, qui s'expriment dans des pièces de théâtre (*Les Marins de Strandley*, 1883), des romans (notamment *Pacte avec le diable*, 1890) et surtout des recueils lyriques. Parfois emphatiques ou négligés, ces derniers contiennent cependant des passages grandioses et manifestent surtout une virtuosité remarquable qui fait du poète le précurseur du néo-romantisme danois : *Chants au bord de la mer* (1877) ; *Pampres et Roses* (1879) ; *Cordes graves* (1884) ; *Livre des chants* (1889).

DRACON. ♦ Législateur athénien (fin du ~ VIIe s.). Il donna les premières lois écrites à Athènes, substituant le pouvoir judiciaire de l'État à la justice coutumière de *genos*. Il supprima surtout la vengeance privée. Parlant de la sévérité de ce code pénal un orateur dit qu'il avait été écrit avec du sang. Solon* atténua la rigueur des lois *draconiennes* et étendit la législation dans les domaines social et politique.

DRA EL-MIZAN. ♦ V. d'Algérie, ch.-l. d'arr. du dép. de Tizi-Ouzou, située en Grande Kabylie*. 14 171 hab. Centre commercial.

DRAESEKE (Félix). ♦ Compositeur allemand (Cobourg, 1835 — Dresde, 1913). Ami de Liszt, de Wagner et de Bülow, il fut un remarquable professeur et théoricien du piano. Il a composé dans les genres les plus divers (opéras, oratorios, messes ; musique vocale, chorale et symphonique).

Dragon. *n. m.*, en lat. **Draco.** ♦ Constellation boréale.

Dragonnades. *n. f. pl.* ♦ Nom donné à des persécutions exercées contre les protestants avant et après la révocation de l'édit de Nantes*. Inaugurées par Marillac en Poitou, elles consistaient à faire loger des dragons chez les protestants en leur permettant toutes sortes de sévices. Les « missionnaires bottés » obtinrent 38 000 « conversions » en quelques mois et Louvois* fit étendre la mesure à toute la France. Les dragonnades du Languedoc et du Béarn furent particulièrement cruelles.

DRAGUIGNAN. ♦ Sous-préf. du Var*, ch.-l. d'arr. (16 cant., 98 comm., 161 433 hab.) 19 465 hab. *(Dracénois)*. Tour de l'horloge XVIIe siècle. Ancien palais d'été des évêques de Fréjus (XVIIIe s.). Centre commercial ; confection, chaussures. — Préf. du Var jusqu'en 1974, date ou Toulon devint préfecture.

DRAIS (Karl Friedrich, *baron von* **SAUERBRONN).** ♦ Ingénieur et sylviculteur allemand (Karlsruhe, 1785 — 1851). Ayant réussi à rendre la roue avant du célérifère orientable, il inventa la *draisienne* (1816), ancêtre de la bicyclette. **V. Michaux.**

DRAKE (*sir* **Francis).** ♦ Navigateur anglais (près de Tavistock, Devonshire, v. 1540 — au large de Portobelo, 1596). Après trois expéditions contre les colonies espagnoles (1570-1572), il entreprit un voyage dans les mers du Sud (1577-1580), explora les côtes du Chili, du Pérou et les îles de la Sonde. Lors de la reprise des hostilités entre Anglais et Espagnols, il prit une part importante à la dispersion de l'Invincible Armada (1588).

Ph. Nino Cirani/Ricciarini
Un Ksar dans la vallée du **Draa,** gorges du Ziz.

DRAKE *(détroit de)*. ♦ Détroit séparant la Terre de Feu (Amérique du Sud) de la terre de Graham (continent Antarctique*).

DRAKE (Joseph Rodman). ♦ Poète américain (1795 — 1820). Ami de Halleck*, il fit partie des « Knickerbockers », collabora aux *Croaker Papers* (1819) et évoqua en vers délicats les rives de l'Hudson dans *La Fée coupable* (1835), recueil posthume publié contre sa volonté.

DRAKE (Edwin Laurentine, dit *le Colonel*). ♦ Industriel américain (Greenville, New York, 1819 — Bethlehem, Pennsylvanie, 1880). Il réalisa la première exploitation industrielle de pétrole en 1859, à Titusville (Pennsylvanie).

DRAKENSBERG. *n. m.* ♦ Grand escarpement du S.-E. de l'Afrique* du Sud (N.-E. de la province du Cap, Natal), formé par un empilement de laves basaltiques qui culmine à 3 650 mètres.

DRAMA. ♦ V. de Grèce (Macédoine), ch.-l. du *nome de Drama :* 3 468 km² ; 91 010 hab. Marché de tabac. Tanneries ; manufactures de cigarettes. 30 630 habitants.

Dramaturgie de Hambourg (La) [*Hamburgische Dramaturgie*]. ♦ Recueil d'articles publiés par G. E. Lessing* entre 1767 et 1769 lorsque, devenu directeur des programmes du *National Theater* de Hambourg, il eut à présenter au public chacun des spectacles montés par ce théâtre. Il s'y livra à une attaque systématique du théâtre français, rendant toutefois hommage à Diderot. Il y glorifie Shakespeare, peu connu jusqu'alors en Allemagne. Incisive et passionnée, sa critique hâtera l'éclosion du drame national allemand.

DRAMMEN. ♦ V. et port de Norvège, au S.-O. d'Oslo*, sur la rivière Dramselva. Ch.-l. du comté de Buskerud. 48 728 hab. (1969). Centre d'exploitation du bois. Constructions navales. Indus. métallurgiques (fonderies).

DRANCE ou **DRANSE.** *n. f.* ♦ Riv. de Suisse (Valais), affl. du Rhône (r. g.) prenant sa source dans les Alpes valaisannes et se jetant dans le Rhône près de Martigny*. Elle est divisée en trois branches : la *Drance de Ferret* à l'O., la *Drance d'Entremont* au centre et la *Drance de Bagnes* à l'E. sur laquelle a été construit le barrage de Mauvoisin (834 millions de kWh).

DRANCY. ♦ Ch.-l. de cant. de la Seine-Saint-Denis, arr. de Bobigny, dans la banlieue N.-E. de Paris. 69 528 hab. *(Drancéens)*. Fabrique de freins. — Un camp de concentration y fut établi en 1941 pour les civils français et étrangers ; Max Jacob* y mourut.

DRANEM (Armand MÉNARD dit). ♦ Chanteur de café-concert (Paris, 1869 — *id.*, 1935). Sa silhouette cocasse, son accent des faubourgs parisiens, la stupidité consciente de son répertoire lui valurent longtemps la faveur d'un vaste public. Interprète de la chanson scie *(Les P'tits Pois, Pétronille)*, il excella aussi dans l'opérette légère *(Là-haut, Un soir de réveillon)*. Il fonda la maison de retraite de Ris-Orangis pour les vieux artistes du music-hall.

DRANGIANE, *n. f.*, en gr. **Draggianê.** ♦ Anc. appellation de la région afghâne et iranienne du Seïstân*.

Drapeau rouge *(ordre du)*. ♦ Ordre militaire soviétique créé en 1918.

DRAPER (Henry). ♦ Astronome américain (Prince Edward County, Virginie, 1837 — New York, 1882). Il fut le premier à étudier les spectres stellaires des étoiles sur plaque photographique (1877) et, pour cette raison, le catalogue fondamental des spectres stellaires porte son nom (le premier *Draper Catalogue*, 10 351 étoiles ; le nouveau *Henry Draper Catalogue*, 240 000 étoiles).

DRAVE. *n. f.*, en all. **Drau.** ♦ Affl. du Danube (r. d.) [707 km] issu des Alpes Carniques en Italie. Elle traverse l'Autriche (Carinthie) et la Yougoslavie, arrose Maribor* en Slovénie*, où elle reçoit la Mur*, et Osijek* en Croatie du Nord-Est. Elle marque la frontière entre Yougoslavie et Autriche. Navigable sur 105 km.

DRAVEIL. ♦ Ch.-l. de cant. de l'Essonne, arr. d'Évry. 25 705 hab. Sur la Seine, près de la forêt de Sénart. Château. — Indus. alimentaires ; matières plastiques ; indus. électrique.

DRÂVIDIENS (sanskrit **Drâvida).** *n. m. pl.* ♦ Groupe de peuples et de langues du S. de l'Inde et du Dekkan, d'origine indo-européenne, comprenant plus de cent millions d'individus, de type mélano-indien. Leurs langues, apparentées, dont les plus connues sont le tamil (ou tamoul), le telugu et le kannara, sont de type agglutinant. Des peuples drâvidiens ont essaimé dans le Sud-Est asiatique, à Ceylan (Tamil) et dans les îles de l'océan Indien.

DRAYTON (Michael). ♦ Poète anglais (Hartshill, Warwickshire, 1563 – Londres, 1631). Fils d'un tanneur, Drayton fut élevé par la famille Goodere où il était page. C'est la fille de son protecteur, Anne Goodere, qu'il chanta sous le nom d'*Idea*, « Idée », dans *Le Miroir d'Idée (Ideas Mirrour)*, 1594; *Idée*, 1619, *Idée, la Guirlande du berger (Idea, the Shepeards' Garland)*, 1593, poèmes influencés par Pétrarque et Spenser. Son œuvre la plus célèbre au XVIIe s. fut les *Épîtres héroïques d'Angleterre* (*England's Heroical Epistles*, 1597) où, comme dans la *Ballade d'Azincourt* (*The Ballad of Azincourt*, 1606), il exalte le patriotisme anglais. *Polyolbion*, document folklorique et topographique, composé entre 1613 et 1622, fut aussi écrit à la gloire d'Albion « aux nombreuses bénédictions ». Drayton se fit le champion des traditions anglaises, qu'il tenta de redécouvrir.

DRDA (Jan). ♦ Romancier et auteur dramatique tchèque (Pribam, 1915 –). Il fut célèbre dès son premier roman, *Une petite ville dans le creux de la main* (1940), qui décrit avec truculence la vie provinciale. Puis, avec des recueils de nouvelles comme *La Barricade muette* (1946), où il décrit la résistance anti-nazie du simple citoyen, et *La Belle Tortiza* (1952), où il glorifie le peuple soviétique, il devint un fervent défenseur du réalisme socialiste.

DREISER (Théodore). ♦ Romancier américain (Terre Haute, Ind., 1871 – Hollywood, 1945). Douzième enfant d'une famille catholique aux idées bornées, il resta toujours marqué par son enfance miséreuse. Il fut journaliste à Chicago et à Saint Louis. Un de ses frères faisait des romances à succès, une de ses sœurs, richement entretenue, menait grande vie à New York et c'est un ami, Frank Norris, alors lecteur à *Doubleday*, qui fit publier *Sister Carrie*, 1900, roman inspiré par sa sœur. Le scandale provoqué par la parution de cette « tranche de vie » l'affecta tellement qu'il attendit 1911 pour publier *Jennie Gerhardt* qui soulevait encore le problème de la femme en traitant des thèmes alors prohibés (l'amour et la maternité hors mariage). *Le Financier* (1912) et *Le Titan* (1914) font partie de la *Trilogie du Désir* (restée inachevée) destinée à prouver que le destin de l'individu n'est pas lié essentiellement à ses défauts ni à ses faiblesses, mais est déterminé par sa constitution organique **(V. Zola).** Le héros en est, personnage typique des mythes américains, magnat de la finance en qui se mêlent le révolutionnaire et le jouisseur. *Le « Génie »* (1915), dont les guillemets sont significatifs, est le symbole de l'anti-héros. Quant à *Une tragédie américaine* (1925), il laisse une impression de cauchemar. Comme la plupart des personnages de Dreiser, le protagoniste, Clyde, vient d'un milieu déshérité et, esclave de ses désirs et de sa vanité, espère se joindre aux nantis, même au prix d'un meurtre. *Le Rempart* et *Le Stoïque* (1947), parus après sa mort, soulèvent des problèmes religieux. Dreiser écrivit aussi des récits de voyage (*Un voyageur de quarante ans*, 1913), des nouvelles (*Le Second Choix*, 1918) et des biographies (*Douze Hommes*, 1919). Malgré un style d'une simplicité assez neutre, c'est à Dreiser qu'il appartint, si l'on en croit Marc Saporter, de donner sa forme définitive au réalisme américain.

DRENTHE. *n. f.* ♦ Prov. des Pays-Bas, limitée au N. par la province de Groningue, à l'E. par l'Allemagne, au S. par l'Overijsel, et à l'O. par la Frise. 2 644 km². 319 600 hab. *Ch.-l.* **V. Assen.** *V. princ.* **V. Emmen.** La Drenthe est un bas plateau qui s'élève à l'E. (Hondsrug). Les cours d'eau du S. se réunissent en deux points : Meppel et Coevorden, ceux du N. en Groningue. Le Steenwijker se jette dans l'Ijselmeer. – Élevage porcin et bovin (lait). Seigle, avoine et pomme de terre. Landes réservées à l'entraînement militaire. Exploitations de pétrole. Indus. chimiques et pharmaceutiques. Aluminium. Céramique. Indus. textile. ♦ *Hist.* Cette province était peuplée dès le mésolithique (Anlo, Diever, Oosterwolde). En 1536, elle fit partie du domaine des Habsbourg. La Drenthe fut sous la domination française de 1795 à 1813 et fut occupée par les Allemands de 1940 à 1945.

Coll. Rui Nogueira
Carl T. Dreyer.

DREPANUM. ♦ **V.** TRAPANI.

DRESCH (Jean). ♦ Géographe français (Paris, 1905). Spécialiste de géomorphologie et auteur d'une étude sur le Grand Atlas (1941), il est directeur de l'Institut de géographie de l'université de Paris depuis 1960.

DRESDE, en all. **Dresden.** ♦ V. d'Allemagne orientale (Saxe-Anhalt) et ch.-l. de district, sur l'Elbe, entre les collines de Lusace et les monts Métallifères. 500 726 hab. (1969). Les monuments baroques, dont la ville était très riche, ont été complètement détruits lors des bombardements anglo-américains de février 1945 qui firent environ 250 000 morts. Seuls le palais du *Zwinger*, la *Hofkirche* et la pinacothèque ont pu être restaurés. Dresde doit son développement à sa situation naturelle particulièrement favorable, à la proximité d'un riche gisement de lignite (au N.) et à la navigabilité de l'Elbe. Bien desservie par un dense réseau de communications (canaux de Hambourg à la Tchécoslovaquie, autoroute jusqu'à Berlin, aéroport), elle a un rôle économique de premier plan où dominent les indus. de transformation : mécanique et électricité, matériel de précision et instruments d'optique, chimie (produits pharmaceutiques, caoutchouc), porcelaine. Par ailleurs, Dresde est traditionnellement une ville d'art, célèbre par son musée de peintures *(Gemäldegalerie)*, l'un des plus riches d'Europe. – Patrie d'Auguste* II et d'Auguste* III de Pologne, du général d'Elbée*, de Frédéric*-Auguste de Saxe, de Max Immelmann*, de Th. Körner*, de Stolypine*, de N.L. von Zinzendorf*. ♦ *Hist.* Développée à partir du XIIIe s. autour d'un groupe de villages slaves, la ville échut en 1485 aux ducs de Saxe (ligue Albertine) qui y établirent leur résidence. Aux XVIIe et XVIIIe s., elle connut, sous Auguste II et Auguste III de Saxe (et rois de Pologne) un grand éclat artistique. – La *paix* (ou *traité*) *de Dresde*, conclue en 1745 entre la Prusse, la Saxe et l'Autriche, garantit à Frédéric II la possession de la Silésie.

DREUX *(comtes de).* ♦ ROBERT Ier *le Grand* (mort en 1188). Fils de Louis VI le Gros, il reçut le comté en 1137. ♦ PHILIPPE DE DREUX (v. 1156 – 1217), son fils. Évêque de Beauvais (1176), il combattit en Terre sainte (1178 et 1190). Il participa à la croisade contre les albigeois.

DREUX. ♦ Sous-préf. d'Eure-et-Loir, ch.-l. d'arr. (7 cant., 125 comm., 81 445 hab.) au confluent de la Blaise et de l'Eure. 30 815 hab. [28 156 aggl.] *(Drouais).* – Église Saint-Pierre (XIIIe, XVe, XVIe s.). Beffroi du XVIe s.; maisons anciennes. – Fonderies; construction métallique; chaudronnerie; mécanique. Appareils de chauffage ménager. Laboratoires pharmaceutiques. – Patrie de Charles Delescluze*, d'Antoine Godeau*, des Métezeau*, célèbres architectes, de François André Danican Philidor*, de Jean Rotrou*.

DREUX-BRÉZÉ (Henri Évrard, ***marquis de*****).** ♦ (Paris, 1762 – 1829). Grand maître des cérémonies du roi de France à partir de 1781, il fut chargé de transmettre aux députés du Tiers État l'ordre de Louis XVI de se retirer de la salle des séances, où il fut accueilli par la fameuse apostrophe de Mirabeau* : « Allez dire à votre maître que nous sommes ici par la volonté du peuple et que nous n'en sortirons que par la force des baïonnettes ». Émigré après le 10 août 1792, il reprit ses fonctions sous Louis XVIII.

DREYER (Carl Theodor). ♦ Réalisateur danois de cinéma (Copenhague, 1889 – *id.*, 1968). Les visages, leur regard, le mouvement imperceptible des lèvres, observés jusqu'à ce qu'ils trahissent le secret de l'être caché dans les profondeurs, le mystère soudain révélé et surgissant en pleine lumière, dans un silence qui est celui des fermentations et des genèses, ainsi pourrait se caractériser l'œuvre de Dreyer. Dépouillé jusqu'à l'abstraction, rigoureux dans sa recherche fervente de la seule réalité qui importe à l'auteur, celle de l'âme, son style rejoint celui des plus grands analystes de la condition humaine. *Réal. princ. : Feuillets du Livre de Satan* (*Blad of Satans Dagbog*, 1920), *La Passion de Jeanne d'Arc* (1928), *Vampyr* (1932), *Dies Irae* (*Vredens dag*, 1943), *Ordet* (*La Parole*, 1955), *Gertrud* (1964).

DREYFUS (Alfred). ♦ Officier français (Mulhouse, 1859 – Paris, 1935). D'une famille juive alsacienne, il entra dans la carrière militaire et fut attaché au 2e bureau de l'état-major de l'armée au ministère de la Guerre. Il fut accusé, sur simple ressemblance d'écriture, d'avoir livré à l'attaché militaire allemand à Paris, le major Schwartzkoppen, des renseignements militaires. Arrêté (oct. 1894), jugé de façon sommaire par le conseil de guerre, il fut condamné à la dégradation militaire et à la déportation à vie à l'île du Diable, Guyane (déc. 1894). Après une première flambée d'antisémitisme dans la presse et l'armée, l'affaire fut oubliée jusqu'en 1896, date à laquelle le commandant Picquart, nouveau chef du service des renseignements, persuadé de la culpabilité de l'officier français Esterhazy, le dénonça et exigea la révision du procès de Dreyfus. Traduit en conseil de guerre, Esterhazy fut acquitté (janv. 1898). Le gouvernement (Méline) s'obstinait à affirmer « il n'y a pas d'affaire Dreyfus », alors même que celle-ci était en train de diviser profondement les Français en *dreyfusards*, intellectuels, socialistes, radicaux, républicains modérés antimilitaristes (réunis dans la *ligue des Droits de l'homme*) et *antidreyfusards* (la droite nationaliste, antisémite et cléricale, regroupée dans la *ligue de la Patrie française*). Après l'acquittement d'Esterhazy, suivi du déplacement de Picquart en Tunisie, É. Zola* publia dans le journal de Clemenceau, *l'Aurore*, une lettre ouverte « J'accuse », prenant la défense de Dreyfus ; il fut condamné à un an de prison et à 3 000 F d'amende. Peu après, la découverte de faux ajoutés au dossier de Dreyfus et dont l'auteur, le colonel Henry, devait se suicider, imposa la révision du procès, qui eut lieu en 1899, alors que la mort du président F. Faure et la crise politique avaient amené au pouvoir une coalition de gauche. Mais un conseil de guerre réuni à Rennes (août 1899) condamna à nouveau Dreyfus, avec circonstances atténuantes, à dix ans de réclusion : quelques jours plus tard, il était gracié par Loubet. Loin d'avoir été seulement une erreur judiciaire, l'affaire Dreyfus fut l'une des crises politiques les plus graves de la IIIe République et suscita un regroupement des forces politiques de droite et de gauche. Ce n'est qu'en 1906 que le jugement de Rennes fut cassé et que Dreyfus fut réintégré dans l'armée avec ses grade et fonction. La publication des carnets de Schwartzkoppen (1930) devait prouver définitivement son innocence et la culpabilité (au moins partielle) d'Esterhazy.

DRIESCH (Hans). ♦ Biologiste et philosophe allemand (Bad Kreuznach, 1867 — Leipzig, 1941). Ses expériences sur les œufs d'oursin lui permirent de mettre en évidence le phénomène de régulation lors du développement embryonnaire. Sa philosophie est un néo-vitalisme qui tente de ressusciter la notion aristotélicienne d'entéléchie (*Histoire du vitalisme*, 1905 ; *Philosophie de l'organisme*, 1909).

DRIEU LA ROCHELLE (Pierre). ♦ Écrivain français (Paris, 1893 — *id.*, 1945). Intellectuel épris d'action et fasciné par l'ordre (il subit l'influence de Kipling, de Barrès et Maurras, plus encore de Nietzsche), Drieu La Rochelle ne s'admit jamais comme « homme de rêve », encore moins comme « homme d'encre ». Espoir d'une « grande action », la guerre de 1914 (où il fut blessé) ne lui apporta que déception (Cf. les poèmes d'*Interrogation*, 1917 et de *Fond de cantine*, 1920, ou les nouvelles de *La Comédie de Charleroi*, 1934). Entre 1919 et 1936, il adhéra successivement aux principaux mouvements littéraires et politiques, exprimant avec lucidité dans ses romans, biographies transposées, son impuissance à vaincre son dilettantisme. *L'Homme couvert de femmes* (1925), *Blèche* (1929), *Le Feu follet* (1931) et *Drôle de voyage* (1933) expriment le drame d'un esprit oscillant, mais hostile à son propre cynisme sentimental et souffrant de ses contradictions intellectuelles. — Nostalgique de l'ordre, pénétré du sentiment de la décadence française (*Mesure de la France*, 1924, ou le roman *Rêveuse Bourgeoisie*, 1937), Drieu La Rochelle se voulut d'abord *Le Jeune Européen* (1927), hésita entre *Genève ou Moscou* (1928) puis se rallia au fascisme, d'abord avec enthousiasme (*Socialisme fasciste*, 1934 ; *Notes pour comprendre le siècle*, 1941), ensuite avec plus de réticences (*Le Français d'Europe*, 1944). Après avoir collaboré avec l'occupant allemand, dédaigneux de se justifier, il se suicida en 1945. — Pour avoir ressenti lui-même, jusqu'au désespoir, l'inutilité de tout engagement (*Gilles*, 1939) et la tentation de la mort (*Histoires déplaisantes*, posth. 1963 ; *Récit secret*) Drieu La Rochelle apparaît comme un témoin particulièrement lucide du malaise moral de sa génération.

DRIN. *n. m.* ♦ Fl. de Yougoslavie et d'Albanie (151 km). Formé de deux branches, le Drin Blanc et le Drin Noir, il se jette dans l'Adriatique.

DRINA. *n. f.* ♦ Rivière yougoslave (346 km), affl. de la r. d. de la Save*.

DRINKWATER (John). ♦ Poète et dramaturge anglais (Leytonstone, Essex, 1882 — Kilburn, près de Londres, 1937). Ancien agent d'assurances, il contribua à fonder le *Birmingham Repertory Theater*, en 1913, et rénova le genre historique par une série de drames : *Abraham Lincoln*, 1918 ; *Mary Stuart*, 1921 ; *Oliver Cromwell*, 1921 ; *Robert E. Lee*, 1923 ; *Robert Burns*, 1925. Ses premiers *Poèmes* (1903) avaient été suivis par *La Mort de Léandre* (1906). *Les Mares d'Olten* (1916), *Moisson d'été* (1933) et *Recueil de poésies* (1935), *Héritage* (1931), *Découverte* (1932), plus autobiographiques, éclairent la personnalité de cet écrivain. Critique, Drinkwater publia des études sur Morris et Swinburne.

DROBISCH (Moritz Wilhelm). ♦ Philosophe et mathématicien allemand (Leipzig, 1802 — 1896). Représentant de l'école d'Herbart*, il a écrit de nombreux traités de logique, de psychologie à laquelle il tenta d'appliquer les mathématiques (*Premières théories fondamentales de la psychologie mathématique*, 1850) et un traité de mathématique (*Principes de la théorie des équations numériques supérieures*, 1834).

DROGENBOS. ♦ Comm. de Belgique (Brabant, arr. de Bruxelles-Communes périphériques). 4 000 hab. Eglise des XIVe et XVIe siècles. — Produits chimiques. Montage de véhicules. Papeterie.

DROGHEDA, en irlandais **Droichead Átha.** ♦ Port de la république d'Irlande (comté de Louth). 16 800 hab. Cimenterie. — Cromwell* s'empara de ce foyer de la résistance royaliste et massacra la garnison et la population (1649).

DROGOBYTCH. ♦ V. d'U.R.S.S. (Ukraine) au pied des Carpates. 42 000 hab. Sel gemme, gisements de pétrole et de gaz naturel dans la région. ♦ *Hist.* Longtemps polonaise, la ville a suivi l'histoire de la Galicie* orientale et fut annexée par l'U.R.S.S. en 1945.

Ph. C.F.L.-Giraudon

Déclaration des droits de l'homme et du citoyen (1795). (Musée des Arts et Traditions populaires.)

Droits *(déclaration des)*, en angl. *Bill of Rights.* ♦ Un des textes constitutionnels les plus importants de l'histoire de l'Angleterre. Élaborée en 1689 par le Parlement pour assurer la continuité de la monarchie après l'abdication de Jacques* II, cette déclaration limitait la prérogative royale en rappelant les libertés et les droits fondamentaux du royaume.

Droits de l'homme et du citoyen (Déclaration des) [1789]. ♦ Préparée par Mirabeau, Mounier, Sieyès, etc., elle fut votée par l'Assemblée* nationale constituante le 26 août 1789 après l'abolition de la féodalité (nuit du 4 août* 1789) et servit de base à la Constitution de 1791. S'inspirant des doctrines des philosophes du XVIIIe s., elle comporte un préambule de dix-sept articles énonçant les « droits naturels et imprescriptibles » de l'homme (liberté, propriété, égalité devant la loi) et ceux de la nation (souveraineté nationale, séparation des pouvoirs — législatif, exécutif et judiciaire). Dépassant les déclarations anglaise et américaine (**V. Déclaration des droits** et **Déclaration d'indépendance**) par son exigence de rationalité et d'universalité, elle porte la marque de la bourgeoisie libérale ; et, dans la pratique, de nombreuses entorses furent faites à ses principes. Elle fut remplacée par la Déclaration de 1793.

Droits de l'homme et du citoyen (Déclaration des) [1793]. ♦ Composée de 35 articles, elle servit de préface à la Constitution adoptée par la Convention* (montagnarde) en juin 1793 (Constitution de 1793). Faisant du bonheur commun le but de la société, cette déclaration dépassait à maints égards celle de 1789 ; elle considérait en effet l'égalité comme étant le droit naturel fondamental, affirmait les droits au travail, à l'assistance et à l'instruction, ainsi que celui de s'insurger contre les oppresseurs. Mais en maintenant le droit de propriété et la liberté économique, qu'elle affirmait explicitement, elle demeurait l'expression des exigences et intérêts de la bourgeoisie libérale.

Droits de l'homme et du citoyen (Déclaration des) [1795]. ♦ Précédant la Constitution de l'an III, adoptée par la Convention* thermidorienne (août 1795), elle se distingue des Déclarations de 1789 et de 1793 par : 1° la suppression de l'article affirmant que « les hommes naissent et demeurent libres et égaux en droit », suppression liée au retour au suffrage censitaire ; 2° la déclaration des devoirs de l'homme qui l'accompagna ; ces devoirs, inspirés des préceptes de l'Évangile selon saint Matthieu, se résumaient dans le respect des lois, des autorités, de la famille, de la propriété.

Droits de l'homme (Déclaration universelle des). ♦ Votée le 10 mars 1948 par l'assemblée générale des Nations unies, malgré l'abstention de l'U.R.S.S. et de 5 démocraties populaires, de l'Arabie Saoudite et de la République Sud-Africaine, elle n'a pas le caractère obligatoire de la charte des Nations unies. Elle affirme la liberté et l'égalité de tous les hommes.

DRÔME. *n. f.* ♦ Affl. du Rhône (110 km). Elle traverse Die, Saillans, Crest et conflue en aval de Livron.

DRÔME. [26]. *n. f.* ♦ Dép. du S.-E. de la France, région (anciennement C.A.R.) Rhône*-Alpes. 6 560 km². — *Orogr.* Situé à l'E. du Rhône, le dép. s'étend à l'E. sur les massifs des Préalpes calcaires : Vercors*, Diois*, Baronnies* ; à l'O. sur des plaines coupées de collines : le Tricastin*, les hautes collines séparant la plaine de Montélimar de la plaine de Valence ; au N. sur le Bas-Dauphiné.

♦ 30 cant., 381 comm., 351 306 hab. *Préf.* Valence* ; *sous-préf.* Die*, Nyons . *Ch.-l. de cant.* Bourdeaux (550 hab.), Bourg*-de-Péage, Buis*-les-Baronnies, Chabeuil*, Chapelle*-en-Vercors (La), Châtillon-en-Diois (563 hab.), Crest *, Dieulefit*, Grand-Serre (Le) [865 hab.], Grignan*, Loriol*-sur-Drôme, Luc-en-Diois (548 hab.), Marsanne (872 hab.), Montélimar*, Motte-Chalancon (La) [515 hab.], Pierrelatte*, Rémuzat (301 hab.), Romans*-sur-Isère, Saillans (1 022 hab.), Saint-Donat*-sur-l'Herbasse, Saint-Paul*-Trois-Châteaux, Saint-Jean*-en-Royans, Saint-Vallier*, Séderon (363 hab.), Tain*-l'Hermitage. *Autres comm.* **V. Châteauneuf-du-Rhône, Donzère, Hauterives, Hermitage (L'), Livron-sur-Drôme, Logis-Neuf (Le), Portes-lès-Valence, Saint-Rambert-d'Albon, Vassieux-en-Vercors.**

DRONGEN. ♦ V. TRONCHIENNES (Belgique).

DRONNE. *n. f.* ♦ Riv. du Périgord*, affl. de l'Isle* (189 km). Elle naît dans le Limousin*, traverse Brantôme* et conflue à Coutras*.

DROPT [dʀo]. *n. m.* ♦ Affl. de la Garonne* (125 km). Il prend sa source dans le sud du Périgord*, traverse Eymet* et conflue en aval de La Réole*.

DROSTE-HÜLSHOFF (Annette Elizabeth *von*). ♦ Poétesse allemande (château de Hülshoff, près de Münster, Westphalie, 1797 — Meersbourg, lac de Constance, 1848). Issue d'une famille aristocratique catholique, elle montra très tôt des dons pour le dessin, la musique et surtout la poésie. Partagée entre son exaltation passionnée, sa soif de vivre et la morale pleine d'interdits dans laquelle elle avait été élevée, elle a exprimé ses contradictions et sa quête de Dieu dans une œuvre originale, singulière, d'un lyrisme tour à tour angoissé et serein et parsemée de descriptions réalistes, minutieuses de la nature (*Poésies*, 1838 ; *L'Année liturgique, Das geistliche Jahr*, 1844 ; *Le Hêtre aux juifs, Die Judenbuche*, nouvelle, 1860).

DROUAIS (François-Hubert). ♦ Peintre et dessinateur français (Paris, 1727 — *id.*, 1775). Il étudia auprès de son père HUBERT (1699 — 1757), miniaturiste et pastelliste, puis fut l'élève de C. Van* Loo, Nonotte, Natoire*, Boucher*. Il se fit une spécialité du portrait féminin et surtout d'enfant; il représentait ses modèles en costume de paysans de pastorales *(Le Comte et le Chevalier de Choiseul en savoyards)*. Il obtint la faveur de la cour et fut le peintre préféré de Mme du Barry. Son métier brillant n'est pas dénué d'une certaine affectation.

DROUÉ. ♦ Ch.-l. de cant. du Loir-et-Cher, arr. de Vendôme. 1 065 hab. — Château (XVIIe s.); mégalithes. — Matières plastiques.

DROUET (Jean-Baptiste). ♦ Homme politique français (Sainte-Menehould, 1763 — Mâcon, 1824). Fils du maître des postes de Sainte-Menehould, il reconnut le roi qui tentait de fuir (21 juin 1791) et, l'ayant précédé à Varennes*, où il donna l'alerte, permit son arrestation. Député de la Marne sous la Convention, il prit part à la guerre et fut arrêté à Maubeuge par les Autrichiens (1793) qui l'échangèrent contre la fille de Louis XVI (déc. 1795). Membre du conseil des Cinq-Cents sous le Directoire, il participa à la conjuration de Babeuf (1796). Emprisonné à l'Abbaye, il réussit à s'évader, émigra jusqu'à l'Empire et fut alors nommé préfet de Sainte-Menehould. Proscrit comme régicide sous la Restauration, il se cacha sous le nom de Merger.

Ph. Giraudon

F.-H. Drouais : « Le comte d'Artois et Madame Clotilde ». (Château de Versailles.)

DROUET (Juliette GAUVAIN, dite). ♦ Actrice française (Fougères, 1806 — Paris, 1883) qui lia sa vie à celle de V. Hugo* de 1833 à sa mort. Le poète l'évoque dans maints poèmes, dont *La Tristesse d'Olympio* **(V. Rayons et les Ombres [Les])** et le second livre des *Contemplations**.

DROUET D'ERLON (Jean-Baptiste, *comte*). ♦ Maréchal de France (Reims, 1765 — Paris, 1844). Volontaire en 1792, il participa aux campagnes de la Révolution et de l'Empire. Incarcéré lors de la Ire Restauration, il se rallia à Napoléon Ier pendant les Cent-Jours, fut fait pair de France et prit part à la bataille de Waterloo. Exilé en Prusse lors de la IIe Restauration et condamné à mort par contumace, il revint en France après la révolution de 1830, fut nommé gouverneur de l'Algérie (1834-1835), où il contribua à la création des bureaux arabes et à l'introduction du régime municipal.

DROUOT (Antoine, *comte*). ♦ Général français (Nancy, 1774 — *id.*, 1847). Nommé colonel major de l'artillerie à pied de la garde impériale (1808), il se distingua à Wagram (1809) et à la bataille de la Moskova (1812). Promu général et surnommé « le Sage de la Grande Armée », il accompagna Napoléon Ier à l'île d'Elbe, en qualité de gouverneur de l'île. Après les Cent-Jours et Waterloo, il fut jugé, mais acquitté sous la Restauration et vécut ensuite dans la retraite.

DROUYN de LHUYS (Édouard). ♦ Homme politique français (Paris, 1805 — *id.*, 1881). Chargé de plusieurs missions diplomatiques, puis élu député (1842) sous la monarchie de Juillet, il fit partie de l'opposition et, après la révolution de février 1848, siégea à l'Assemblée constituante. Nommé ministre des Affaires étrangères sous le Second Empire (1852), il se montra favorable à l'alliance autrichienne, mais dut démissionner après avoir participé aux conférences de Vienne (1855). Rappelé dans ses fonctions en 1862, il fut désavoué par Napoléon III (1866) en raison de son opposition à la politique de la Prusse, dont il avait voulu obtenir des compensations territoriales sur la rive gauche du Rhin.

DROYSEN (Johann Gustav). ♦ Philologue, historien et homme politique allemand (Treptow an der Rega, Poméranie, 1808 — Berlin, 1884). Professeur à Kiel, il participa aux mouvements politiques du Schleswig-Holstein, siégea comme député au parlement de Francfort (1848) et écrivit une *Histoire de la politique prussienne* (1855) où il tente de justifier le rôle historique de la Prusse dans l'organisation de l'Allemagne. Il est également l'auteur d'importants travaux sur l'Antiquité, plus particulièrement sur Alexandre le Grand (1883) et sur l'hellénisme (1878).
♦ GUSTAV DROYSEN, son fils. — Historien allemand (Berlin, 1838 — Halle, 1908). Auteur d'études sur l'histoire de l'Allemagne des XVIe et XVIIe siècles.

DRUDE (Paul). ♦ Physicien allemand (Brunswick, 1863 — Berlin, 1906). Il développa, à la suite des travaux de Lorentz* et de J.J. Thomson*, la théorie électronique des métaux (1900); il expliqua ainsi la conductibilité électrique, la conduction de la chaleur; il montra que les caractéristiques de l'éclat métallique sont dues aux électrons de conduction. Il étudia également la propagation des ondes dans les tuyaux.

DRUG-YUL (« pays du Dragon »). *n. m.* ♦ Nom bhutanais du royaume himalayen du Bhûtan*.

DRUMEV (Vasil). ♦ Prélat et écrivain bulgare (Šumen, 1841 — Tarnovo, 1901). Auteur de nouvelles et d'un drame patriotique, *Ivanko* (1872), il fonda l'Académie bulgare. Membre du parti russophile, il favorisa l'abdication du prince Alexandre* de Battenberg.

DRUMONT (Édouard). ♦ Publiciste et homme politique français (Paris, 1844 — 1917). Journaliste catholique, collaborateur à *l'Univers* de Veuillot, il attaqua les puissances financières, et particulièrement la finance israélite dans *La France juive* (*Essai d'histoire contemporaine*, 1886), et fonda un journal d'inspiration nationaliste et antisémite, *la Libre Parole* (1892), où il dénonça le scandale de Panamá qui est également le thème de son ouvrage *De l'or, de la boue et du sang* (1896). Antidreyfusard notoire, il fut élu député (1898-1902).

DRUON (Maurice). ♦ Romancier français (Paris, 1918). Il rejoignit les F.F.L. à Londres en 1942 (Cf. *La Dernière Brigade*, 1946), puis fut correspondant de guerre (comme son oncle, Joseph Kessel, avec lequel il composa les paroles du *Chant des partisans*, 1943). Puis il composa un cycle romanesque d'inspiration naturaliste, *La Fin des hommes*, chronique cynique et sévère de la grande bourgeoisie d'affaires durant l'avant-guerre. En trois volumes (*Les Grandes Familles*, 1948 ; *La Chute des corps*, 1950 ; *Rendez-vous aux enfers*, 1951), ce tableau social révèle un romancier dans la tradition du XIXe s., renouvelée par une certaine hantise du sexe et de la mort. Dans la série historique des *Rois maudits* (six vol. ; 1955-1960), l'écrivain brosse des tableaux colorés évoquant Philippe IV le Bel et sa descendance, plus soucieux de pittoresque que d'exactitude historique. *Les Mémoires de Zeus*

(1963) sont un recueil de réflexions morales; *Notes et Maximes sur le pouvoir* (1965) marque un intérêt pour les problèmes politiques. Ministre des Affaires culturelles (1973-1974). [Acad. fr. 1966].

DRUSUS, en lat. **Marcus Livius Drusus**. ♦ Tribun de la plèbe à Rome en ~ 122, collègue et adversaire de Caius Gracchus*.

DRUSUS, en lat. **Marcus Livius Drusus**. ♦ Fils du précédent (mort, ~ 91). Tribun de la plèbe en ~ 91, il s'efforça de rétablir la puissance sénatoriale par des lois populaires et s'engagea envers les Italiens à leur obtenir la citoyenneté romaine, ce qui lui valut de mourir assassiné (oct. ~ 91).

DRUSUS, en lat. **Claudius Nero Drusus**. ♦ Fils de Livie*, beau-fils d'Auguste* et frère de Tibère* (~ 38 – 9). De ~ 12 à 9, il mena des campagnes victorieuses en Germanie, créa les provinces de Rhétie et de Vindélicie, annexa le royaume du Norique et reçut le premier le nom de Germanicus. Il fut le père du célèbre Germanicus* et de l'empereur Claude*.

DRUZE *(djebel). n. m.* ♦ Massif volcanique qui occupe le S.-O. de la Syrie aux frontières de la Jordanie, faisant suite au désert syrien. Composé de plateaux basaltiques, il culmine à moins de 2 000 mètres. Élevage de moutons et de chèvres; cultures de céréales (orge, blé) et, sur les pentes ensoleillées, culture d'oliviers et de vigne. – Le massif fut occupé dès le XIXe s. par les Druzes*.

DRUZES ou **DRUSES**. *n. m. pl.* ♦ Membres d'une population arabophone du Proche-Orient comptant 250 000 personnes vivant en Syrie, au Liban et en Israël. À l'origine, ils formaient une secte religieuse émanant du mouvement ismaïlien*. Elle fut fondée par deux missionnaires, Muhammad ibn Ismaël al-Darazi (*druze* vient de l'ar. *duruz*, pl. de *Darazī*) et Hamza ibn 'Alī ibn Ahmad. Plusieurs principes de leur doctrine sont empruntés au messianisme, au gnosticisme et au néo-platonisme. Les Druzes croient à l'incarnation et à la métempsychose. Selon leur système, le calife fâtimide* al-Hâkim* bi Amr-Allah (qui voulut imposer ses croyances ismaïliennes à ses sujets sunnites*) fut la dernière et principale incarnation divine *(maqâm)*. Persécutés par les musulmans orthodoxes en Égypte, ils se réfugièrent en Syrie (1017-déb. de l'ère druze). Ils s'installèrent principalement au sud et dans les montagnes de l'Hawrân, appelées plus tard *Djabal Druze*. Ils arrivèrent à survivre malgré les diverses répressions, mettant en pratique le principe de la *Taqiyah* (« dissimulation »), ce qui leur permettait de ne pas afficher leur croyance en milieu hostile. De plus, au sein même des Druzes, seule une élite d'initiés reconnus comme « Sages » *('Uqqâl)* a accès aux assemblées et aux textes religieux. Au cours de l'histoire, les Druzes durent défendre leur indépendance contre les croisés, les Turcs ottomans (qui n'arrivèrent à les soumettre partiellement qu'au XVIIe s.). Au XIXe s., ils entrèrent en conflit avec les Maronites (massacre de ces derniers, 1860). Plus tard, ils luttèrent contre la présence française dans la région (1925-1926).

DRYDEN (John). ♦ Auteur dramatique et essayiste anglais (Aldwinkle, 1631 – Londres, 1700). Puritain d'origine, il n'en devint pas moins, après 1660, le poète officiel de la Restauration. Soucieux de concilier les traditions de la scène anglaise avec le goût classique français (*Essai sur la poésie dramatique*, 1668), il s'attacha d'abord à la défense du style par l'intérêt qu'il porta à la facture du vers et à l'éloquence du discours. Élaguant Shakespeare de ses « outrances », tout en lui faisant de nombreux emprunts, il est l'auteur de tragi-comédies : *L'Amour vainqueur* (*Love Triumphant*, 1694), de tragédies héroïques : *La Conquête de Grenade* (*The Conquest of Granada*, 1670), *Tout pour l'amour* (*All for Love*, 1677). Défenseur de l'anglicanisme (*Religio laici*, 1682) puis, après sa conversion, du catholicisme, dans *La Biche et la Panthère* (*The Hind and the Panther*, 1687), il traduisit Juvénal et Virgile et composa aussi des odes et des fables d'une inspiration toute classique.

DRYGALSKI (Erich *von***)**. ♦ Géophysicien et explorateur allemand (Königsberg, 1865 – Munich, 1949). Après avoir étudié les glaciers du Groenland (en particulier dans la baie de Disko, 1891-1893), il entreprit à bord du Gauss une expédition dans l'Antarctique au cours de laquelle il découvrit la terre de l'Empereur-Guillaume II.

DRŽIĆ (Džore). ♦ Poète dalmate de langue slave (Raguse, 1461 – 1501). Sa poésie amoureuse témoigne de l'influence de Pétrarque* à Raguse, comme en avait témoigné, peu de temps avant lui, celle de son compatriote Menčetić Sisko (1457 – 1527).

DRŽIĆ (Marin). ♦ Poète dalmate de langue slave (Raguse, 1507 – Venise, 1567). Inspiré par la Renaissance italienne, il écrivit dans une très belle langue des pastorales *(Tirena)* et des comédies (*Maroje*, 1550).

DUBAÏ ou **DUBAY**. ♦ Émirat de la Côte des Pirates (Fédération des émirats arabes), au N.-E. d'Abû* Dhabi avec lequel il est fédéré depuis 1968. 60 000 hab. (majorité d'Arabes). Gisement de pétrole. – La ville de Dubaï (50 000 hab.) est la plus grande ville de la Côte des Pirates. Située au fond d'une crique, c'est un port actif sur le golfe Persique au détriment du port voisin de Sarjah*, en partie ensablé, et aussi de Bahrein* dont l'activité portuaire s'en trouve réduite. Port exportateur de pétrole et centre du trafic de l'or en provenance d'Europe et à destination du Moyen- et Extrême-Orient. ♦ *Hist.* C'est en 1954 que le siège du représentant britannique pour la Côte des Pirates a été transféré de Sarjah à Dubaï.

Ph. Prato/Ricciarini

Dublin : O'Connell Street.

DUBAIL (Augustin Edmond). ♦ Général français (Belfort, 1851 – Paris, 1934). Commandant la 1re armée en 1914, il résista à l'avance allemande sur Sarrebourg et enraya la pénétration ennemie dans les Vosges (Charmes). Gouverneur militaire de Paris (1916), il devint grand chancelier de la Légion d'honneur (1918). Il créa le musée de la Légion d'honneur en 1925.

DUBAN (Félix Louis Jacques). ♦ Architecte, restaurateur et aquarelliste français (Paris, 1797 – Bordeaux, 1870). Il restaura plusieurs monuments *(La Sainte-Chapelle, Blois, Dampierre)* et fut chargé de travaux d'aménagement au *Louvre* (*galerie d'Apollon*, 1848). S'inspirant avec sobriété de la Renaissance, il reconstruisit et aménagea les bâtiments du couvent des Augustins pour *l'École des beaux-arts* (1833).

DU BARRY (Jeanne BÉCU, *comtesse***)**. ♦ Favorite de Louis XV (Vaucouleurs, 1743 – Paris, 1793). Devenue la maîtresse du roi après une jeunesse agitée, elle se trouva au centre des intrigues de la cour, sans toujours le vouloir (elle contribua à la chute de Choiseul* et à l'avènement de Maupeou* et de d'Aiguillon*). Elle quitta la cour à la mort du roi et se retira au château de Louveciennes, que Louis XV avait fait construire pour elle. Elle fut arrêtée et guillotinée lors de la Révolution.

DU BARTAS. ♦ V. BARTAS (du).

DUBAY. ♦ V. DUBAÏ.

DUBČEK (Alexandre). ♦ Homme politique tchécoslovaque (Uhrovec, 1912). Nommé premier secrétaire du Parti communiste le 5 janvier 1968, il voulut donner une orientation plus libérale au régime politique de son pays. Malgré le soutien qu'il apporta à ses concitoyens lors du « Printemps de Prague » (août 1968), il dut capituler devant l'intervention militaire soviétique. Remplacé par Husak à la tête du parti, il se vit confier le titre honorifique de président de l'Assemblée fédérale (avril-août 1969). En août 1969, après avoir refusé de faire son autocritique, il fut exclu du Praesidium, puis du Parti communiste (juin 1970).

DU BELLAY. ♦ V. BELLAY (du).

DÜBENDORF. ♦ V. de Suisse (cant. de Zurich) à l'E. de Zurich. 16 400 hab. Aéroport militaire. Indus. chimique, manufacture de tabac.

DUBLIN, en irl. **Baile Átha Cliath** (« la mare noire »). ♦ Cap. et princ. port de la république d'Irlande (Eire, prov. de Leinster), sur la côte orientale, au fond de la *baie de Dublin*, des deux côtés de l'embouchure de la Liffey. 568 772 hab. en 1970 (650 153 hab. avec l'aggl.). Archevêchés catholique et protestant. Université. La cathédrale Saint-Patrick (XIIIe s., remaniée au XIXe s.), l'anc. parlement (*Four Courts*, XVIIIe s.), les maisons géorgiennes du centre, les ensembles de *Saint Stephen's Green* et de *Parnell Square* (XVIIIe s.) forment l'essentiel des curiosités architecturales de la capitale irlandaise. Dublin s'est considérablement étendue vers le S., jusqu'à l'avant-port de *Dún Laoghaire* (85 000 hab.). – C'est le 1er port d'Irlande pour la pêche, le commerce (4 millions de t de trafic par an) et le transport de voyageurs à destination de la Grande-Bretagne (Liverpool). L'activité industrielle, importante, est traditionnellement représentée par la transformation des produits agricoles de l'arrière-pays (distilleries de whisky, brasseries [Guinness], minoteries, manufactures de tabac, tanneries, tissage de la laine). L'indus. chimique et la petite métallurgie se sont récemment développées. – Importante université, notamment le célèbre *Trinity College*. *National Museum*, *National Gallery of Ireland*. – Patrie du duc de Clarence*, John Dillon*, Arthur Griffith*, sir William Rowan Hamilton*, James Joyce*, Sean O'Casey*, G.B. Shaw*, Sheridan*, de sir Richard Steele*, de Jonathan Swift*, de Wellington*, d'Oscar Wilde*, de Wolseley*. – Le *comté de Dublin* a 922 km² et 705 800 hab. ♦ *Hist.* Fondée au IXe s. par des pirates norvégiens, *Dubh Linn* fut occupée par les Danois (Xe s.), puis par les Anglo-Normands (1170) qui en firent la princ. base anglaise d'Irlande et la capitale du *Pale* (ou enclave anglaise) d'Irlande. Au XVIIIe s., sous l'influence anglaise,

Dublin connut un grand essor économique. Mais, au XIXe et dans le 1er quart du XXe s., elle devint le foyer actif du nationalisme irlandais : mouvement de Robert Emmet (1803), mouvement *fenian* (1867) et, surtout, insurrection de Pâques (1916). En 1922 Dublin devint la capitale de la république d'Irlande.

DUBOIS (Pierre). ♦ Légiste français (près de Coutances, v. 1250 – v. 1320). Il fut représentant aux états généraux de 1302 et de 1308. Partisan de l'absolutisme royal, il prit parti pour Philippe le Bel dans sa lutte contre le pape Boniface VIII. Il se fit le théoricien de l'impérialisme français, rêvant de mettre la France à la tête de l'Europe.

DUBOIS (Jacques), en lat. **Sylvius.** ♦ Médecin français (Amiens, 1478 – Paris, 1555). Anatomiste, il pratiqua de nombreuses dissections d'animaux, mais il resta attaché aux théories d'Hippocrate et de Galien.

DUBOIS (Ambroisius BOSSCHAERT, dit **Ambroise).** ♦ Peintre, dessinateur et décorateur français d'origine flamande (Anvers, v. 1542-1543 – Paris, 1614). Il reçut probablement une formation flamande et succéda à Dubreuil* comme peintre de Henri IV. Brillant décorateur, il travailla au château de Fontainebleau (*Histoire de Clorinde, Histoire de Théagène et Chariclée, galerie de Diane*, en partie disparue), au Louvre* *(La Jérusalem délivrée).* Son art raffiné et érudit, dont le luminisme, la gamme de coloris acides et le répertoire formel dénotent les influences de Primatice*. Spranger* et Goltzius, en fait l'un des plus importants représentants du maniérisme de la deuxième école de Fontainebleau.

DUBOIS (Guillaume). ♦ Cardinal et homme politique français (Brive-la-Gaillarde, 1656 – Versailles, 1723). Fils d'un apothicaire, il devint précepteur de Philippe d'Orléans* qui, devenu régent, l'appela au pouvoir. Vénal, libertin, hypocrite, intrigant, mais intelligent, il fut un habile diplomate. Rapprochant les intérêts du Régent de ceux des Hanovre, qui avaient à se faire accepter en Angleterre comme Philippe d'Orléans en France, il conclut avec l'Angleterre et la Hollande la Triple- puis la Quadruple-Alliance* contre l'Espagne (1717). Après avoir tenu en échec la conspiration de Cellamare* (1718), il dut faire une courte guerre à l'Espagne (1719-1720) pour obtenir le renvoi d'Alberoni* et arrêter la reconstitution de la puissance militaire espagnole. Insatiable, il ne se contenta pas du ministère des Affaires étrangères et obtint, après l'archevêché de Cambrai et le chapeau de cardinal, le titre de Premier ministre (1722). Il devait encore entrer à l'Académie française et se faire nommer président de l'assemblée du clergé.

DUBOIS (Eugène). ♦ Médecin et paléontologue hollandais (Eysden, 1858 – Haelen, 1940). Il participa à des recherches paléontologiques à Sumatra et Java (1889-1895) et découvrit un primate fossile présentant des caractères simiens et hominiens, auquel il donna le nom de *pithécanthrope*, forgé par Haeckel*.

DU BOIS (William Edward Burghard). ♦ Écrivain ghanéen (Great Barrington, Massachusetts, 1868 – Accra, Ghana, 1963). Né citoyen des États-Unis, d'origine métisse, il milita, comme journaliste, éditeur et fondateur de la *National Association for the Advancement of Colored People*, pour la cause des Noirs américains. Après la Première Guerre mondiale, il s'intéressa plus particulièrement à l'éducation politique des Noirs d'Afrique. Il adhéra en 1961 au Parti communiste et prit la nationalité ghanéenne quelques mois avant sa mort. Ses ouvrages les plus marquants sont : *Souls of Black Folk* (1903), *The World and Africa* (1947), *In Battle for Peace* (1952).

DUBOIS-CRANCÉ ou **DUBOIS DE CRANCÉ (Edmond Louis Alexis).** ♦ Général et homme politique français (Charleville, 1747 – Rethel, 1814). Député du tiers état de Vitry aux États généraux (1789), il participa sous l'Assemblée nationale constituante aux réformes militaires. Député des Ardennes sous la Convention, il prit position pour la Montagne et vota pour la mort du roi. Sur un rapport qu'il présenta à la Convention le 7 févr. 1793 furent adoptées la loi de l'amalgame (21 févr.) qui contribua à l'unification de l'armée républicaine en un seul système national et, en 1794, la loi sur l'embrigadement. Accusé de modérantisme et exclu des Jacobins par Robespierre (1794), il devait se joindre à ceux qui l'éliminèrent le 9 Thermidor. Membre du Conseil des Cinq-Cents et ministre de la Guerre sous le Directoire, il s'opposa au coup d'État du 18 Brumaire et abandonna la vie politique.

DU BOIS-REYMOND (Emil). ♦ Physiologiste allemand (Berlin, 1818 – 1896). Élève de J. Müller*, il fut un des principaux fondateurs de la physiologie expérimentale. Ses recherches portent sur l'électricité animale et l'emploi de l'électricité dans la technique physiologique.

DU BOS ou **DUBOS** [dybɔs] **(Jean-Baptiste,** *abbé***).** ♦ Historien, critique et diplomate français (Beauvais, 1670 – Paris, 1742), dont les *Réflexions critiques sur la poésie et la peinture* (1718) fondent l'idée du relativisme esthétique et, dernier écho de la *Querelle des Anciens* et des Modernes*, assurent la primauté du sentiment dans l'appréciation des œuvres d'art. (Acad. fr.)

DU BOS (Charles). ♦ Essayiste français (Paris, 1882 – La Celle-Saint-Cloud, 1939). Après des études a Oxford, il voyagea en Europe, donna des cours libres, très suivis, en France, puis aux États-Unis (1937). Participant activement à la vie littéraire, lié avec Proust, Claudel, Valéry, Mauriac (sur lequel il écrivit un essai : *F. Mauriac et le problème du romancier catholique*, 1933) et Gide* (*Correspondance*, commencée en 1911, publiée en 1950). Charles du Bos s'attacha à l'étude critique d'écrivains tels que Goethe (posth., 1949), Mérimée, Constant, Byron (*Byron et le besoin de la fatalité*, 1929), cherchant avant tout à « s'unir avec un créateur pour le recréer ». De même, les commentaires pénétrants des *Approximations* (sept vol. 1922-1937) posent sans cesse la question : Qu'est-ce que la littérature? (1938). Passionné pour l'analyse morale (« Au fond, je suis un artiste dont l'art propre a pour matière l'art des autres »), Du Bos était habité de préoccupations spirituelles qui l'amenèrent au catholicisme (1927); son *Journal*, tenu dès 1908 (posth., 1946-1957), exprime la subtilité et la profondeur d'une pensée, inquiète, tournée vers le mysticisme.

DU BOURG ou **DUBOURG (Anne).** ♦ Magistrat français (Riom, v. 1520 – Paris, 1559). Ayant protesté officiellement contre les persécutions infligées aux protestants, il fut pendu et brûlé.

DUBOUT (Albert). ♦ Dessinateur français (Marseille, 1905 – Saint-Aunes, 1976). L'effet comique de ses dessins se fonde sur l'aspect grotesque de ses personnages et sur une altération burlesque du décor et des objets quotidiens. Il a illustré Rabelais et Villon, et parmi les contemporains, Frédéric Dard.

DUBREUIL (Toussaint). ♦ Peintre, décorateur et dessinateur français (Paris ?, v. 1561 – Paris, 1602). Il fut élève de Fréminet* le Vieux et travailla au château de Fontainebleau, auprès de Ruggiero de Ruggieri. Il devint le premier peintre de Henri IV, conçut et commença plusieurs décorations (aujourd'hui disparues) à Fontainebleau *(galerie des Cerfs)*, au Louvre* *(Petite Galerie)*, au château de Saint-Germain-en-Laye (*appartements royaux*, dont il reste quelques éléments). À travers ses dessins et cartons de tapisserie s'affirme un style brillant, d'une élégance raffinée, caractéristique de la deuxième école de Fontainebleau. Son maniérisme laisse cependant transparaître une certaine sobriété, une recherche d'équilibre entre les personnages et le décor qui annoncent le classicisme.

DUBROVNIK, anc. **Raguse.** ♦ V. de Yougoslavie (Croatie), sur la côte dalmate. 23 000 hab. C'est l'une des villes les plus pittoresques de la Dalmatie* et un haut lieu du tourisme européen, pourvu de nombreuses curiosités (cathédrale baroque, palais des Recteurs, palais Sponza, fontaines, remparts). Ses activités industrielles sont multiples **(V. Dalmatie).** Son port, Gruž, reçoit un important trafic. ♦ *Hist.* **V. Raguse.**

DUBUFFET (Jean). ♦ Peintre, dessinateur et écrivain français (Le Havre, 1901). Il poursuivit une activité de négociant en vins tout en s'intéressant à l'expression plastique de façon épisodique (*Masques et Marionnettes*, 1933). À partir de 1942, il se consacra entièrement à la peinture, produisant une œuvre très abondante qui s'organise généralement en séries et qu'il s'est efforcé de situer en marge de la culture traditionnelle (*Notes pour les fins lettrés*, 1946; *Positions anti-culturelles*, 1951: *Asphyxiante*

Ph. A. Rey

Dubrovnik.

Culture, 1968). Il a, au contraire, exalté les productions d'êtres « indemnes de culture artistique », étrangers « au professionnalisme de l'art », celles de certains asociaux, « irréguliers », malades mentaux; entreprenant à partir de 1945 de réunir ces ouvrages d'*art brut* et d'en organiser des expositions (1947) : il s'en est expliqué dans *L'Art brut préféré aux arts culturels,* 1949. Admirant les qualités d'ingénuité, de spontanéité et d'invention, il y a vu « la projection très immédiate et directe de ce qui se passe dans les profondeurs d'un être ». Opposé en effet à tout art trop « élaboré », il a, dans son œuvre plastique, souvent recouru à des procédés automatiques (« empreintes ») s'employant « à tirer parti de tout le fortuit à mesure qu'il se présente ». Dans plusieurs séries (*Marionnettes de la ville et la campagne,* 1943-1945; *Mirobolus, Macadam et Cie,* 1945; *Portraits, Plus beaux qu'ils croient,* 1947; *Corps de dames,* 1951) puis avec *Paris-Circus* (1962), il a manifesté une prédilection pour une figuration sommaire et schématisée où l'expressionnisme prend des accents caricaturaux, burlesques et où sont fréquentes les trouvailles saugrenues et cocasses. Utilisant des outils rudimentaires, des matériaux frustes et humbles, souvent de rebut, il a cherché à en exploiter systématiquement « les velléités et aspirations propres ». Dans ses suites de : *Sols et Terrains,* 1952; *Pâtes battues; Phénomènes* ou *Empreintes* lithographiées et *Assemblages,* 1953-1957, *Topographies, Texturologies, Matériologies,* il s'est voulu un « explorateur du monde physique » suggérant, par le mélange des matériaux, le recours au grattage, à l'incision, aux graffiti, au frottage, la variété des « éléments, substances, matières » qui rappellent « les registres auxquels ont affaire la géographie, la géologie, la physique descriptive, la biochimie » et offrent l'aspect d'écorce, de peaux, minéraux, sols, tissus, murs, etc., ces images volontairement indécises tirent leur pouvoir d'évocation de leur ambiguïté même, des références qu'elles mettent en jeu; elles visent à brouiller les catégories de la perception et « font surtout apparaître des êtres, on pourrait aussi bien dire des objets ou des figures, là où la culture n'en voit pas, là où elle ne voit que des objets indifférenciés ». En 1962, Dubuffet aborda le cycle de *l'Hourloupe,* formes proliférantes à l'apparence de puzzle coloré de bleu et de rouge vif, qu'il développa dans l'espace tridimensionnel avec les *peintures monumentées,* puis voulut étendre à la dimension « d'habitacle effectif » en soulignant le vertige qui résulte de cette confrontation entre le réel et l'imaginaire. Ainsi, Dubuffet ne s'est pas seulement voulu un créateur de formes, mais un révélateur : « Mon art est une entreprise de réhabilitation des valeurs décriées; c'est en posture de célébration que se tiennent mes travaux ».

DUBUISSON (Paul). ♦ Écrivain et révolutionnaire français (Laval, 1746 — Paris, 1794). Auteur d'un *Abrégé de la révolution des États d'Amérique* écrit après un séjour en Amérique, ainsi que de tragédies et comédies, il se rallia à la Révolution. Commissaire du Conseil exécutif en Belgique, il y rencontra Dumouriez (début mars 1793) peu avant sa trahison et fut lui-même suspecté. Il fut condamné à mort par le Tribunal révolutionnaire en même temps que les hébertistes, dont il partageait, semble-t-il, les positions extrémistes (mars 1794).

DU CAMP (Maxime). ♦ Écrivain et voyageur français (Paris, 1822 — Baden-Baden, 1894). Ami de jeunesse de Flaubert*, il fit avec ce dernier différents voyages, notamment en Bretagne (1847) — périple qui lui inspira *Par les champs et par les grèves,* écrit en collaboration avec son ami (1847; publ., 1885) — puis en Orient (1849-1851). D'esprit aventureux, il suivit en 1860 l'expédition de Garibaldi. Journaliste (après avoir fait paraître *Madame* Bovary* dans la *Revue de Paris* qu'il avait fondée), il publia de 1869 à 1875 six volumes sur *Paris, ses organes, ses fonctions dans la seconde moitié du* XIX*e siècle,* que vinrent compléter des chroniques sur la Commune, *Les Convulsions de Paris* (1878). Outre de nombreuses relations de voyages, il a laissé d'intéressants *Souvenirs littéraires* (1882-1883) où il évoque de façon familière les artistes et les écrivains qu'il côtoya. (Acad. fr.)

DU CANGE (Charles du Fresne, *seigneur***).** ♦ **V.** CANGE (DU).

DUCASSE (Isidore). ♦ **V.** LAUTRÉAMONT.

DUCASSE (Roger) ou **ROGER-DUCASSE.** ♦ Compositeur français (Bordeaux, 1874 — Paris, 1954). Disciple de Fauré, il se consacra à l'enseignement musical populaire. Il est l'auteur de nombreuses pièces de piano, de musique de chambre et d'orchestre *(Sarabande, Suite française)* d'une grande élégance de style, de poèmes symphoniques *(Au jardin de Marguerite, Ulysse et les Sirènes),* d'un mimodrame lyrique (*Orphée,* 1926) et d'un opéra comique (*Cantegril,* 1932).

DU CAURROY (Eustache). ♦ Compositeur français (Beaurevoir, près de Beauvais, 1549 — Paris, 1609). Compositeur de la Chambre du roi (1595), il accumula les honneurs et exerça une grande influence sur les musiciens de son temps par son œuvre instrumentale (fantaisies, messes) plus que par ses motets (*Preces ecclesiasticae,* 1609) et ses chansons et psaumes à 4 et 6 voix (*Meslanges,* 1610).

DUCCIO di Buoninsegna. ♦ Peintre italien (Sienne, v. 1255 — *id.,* v. 1319). On ignore quelle fut sa formation, mais il était assez connu en 1285 pour recevoir des Florentins la commande d'une *madone* qu'on identifie généralement aujourd'hui à la *Madone Rucellai,* autrefois attribuée à Cimabue* (Offices). Sa seule œuvre signée, et aussi son chef-d'œuvre, est la *Maestà* de Sienne, avec ses scènes de la vie du Christ (Opera del Duomo). Si Duccio a suivi

Arch. Smeets
M. Duchamp : « Nu descendant un escalier ».
(Museum of Art, Philadelphie.)

dans la composition les modèles byzantins, il en a rejeté la sévérité, traduisant pour la première fois par la souplesse gothique de la ligne, la douceur des modelés et de somptueuses couleurs d'enluminures la sensibilité qui devait rester pendant tout le XIVe s. celle de l'école siennoise. — Œuvres attribuées : vitrail du chœur de la cathédrale de Sienne, Vierge des Franciscains (Sienne).

DU CERCEAU. ♦ **V.** ANDROUET DU CERCEAU.

DUCEY. ♦ Ch.-l. de cant. de la Manche*, arr. d'Avranches, sur la Sélune. 1 927 hab. *(Ducéens).* À proximité, barrages de la Roche-qui-Boit et de Vézins sur la Sélune.

DU CHAILLU (Paul). ♦ Explorateur américain d'origine française (Paris ou La Nouvelle-Orléans, 1835 — Saint-Pétersbourg, 1903). De 1855 à 1859, il explora le delta de l'Ogooué et l'estuaire du Gabon et étudia les populations de la région (Pahouins ou Fans). Après une seconde expédition en Afrique (1863-1865), il voyagea dans les pays du nord de l'Europe (*Exploration and Adventures in Equatorial Africa,* 1861).

DUCHAMP (Marcel). ♦ Peintre et dessinateur français (Blainville, 1887 — Paris, 1968). Fils d'un notaire, frère du peintre Jacques Villon* et du sculpteur Raymond Duchamp*-Villon, il fréquenta à Paris l'académie Julian, donna quelques dessins au *Courrier français* et fut momentanément bibliothécaire à Sainte-Geneviève. Ses premières toiles, des paysages, procédaient en partie de l'impressionnisme. Ses œuvres suivantes : *À propos de jeune sœur,* 1911; *Yvonne et Madeleine déchiquetées; Jeune homme triste dans un train,* 1911; *Le Roi et la reine entourés de nus vites,* 1912, dénotent l'influence cézanienne, l'abandon d'une peinture strictement descriptive au profit de recherches apparentées au cubisme. La décomposition prismatique des formes, leur miroitement, la juxtaposition d'éléments représentant les différentes phases du mouvement, qui apparaissent notamment dans le célèbre *Nu descendant un escalier* (1912), offrent des affinités avec les recherches futuristes et semblent s'inspirer des chronogrammes de Marey. Cette œuvre suscita un scandale retentissant à Paris en 1912 et à New York en 1913 lors de sa présentation a l'*Armory-Show.* Mais, s'éloignant des mouvements d'avant-garde de l'époque, comme s'il avait compris leur processus de développement, il manifesta son non-conformisme en introduisant dans des études telles que *Le Moulin à café* (1911), *La Broyeuse de chocolat* (1914), le thème de l'objet manufacturé aux formes mécaniques, répertoire qui correspondait à l'assimilation du comportement humain au fonc-

Arch. Smeets

R. Duchamp-Villon : « L'Athlète ».
(Musée national d'Art moderne, Paris.)

tionnement d'une machine et qu'il allait développer dans son œuvre majeure : *La Mariée mise à nu par ses célibataires, même,* exécutée sur une plaque de verre à New York de 1915 à 1923 et suivie en 1934 par la publication d'une série de documents et commentaires hermétiques. « Nous nous trouvons ici en présence d'une interprétation mécaniste cynique du phénomène amoureux », écrit André Breton, qui ajoute « aucune œuvre ne me paraît jusqu'à ce jour avoir fait si équitablement la part du rationnel et de l'irrationnel ». Il déploya à partir de 1916 une activité ironique et destructrice, en compagnie de Picabia*, de Man Ray* et de plusieurs amis new-yorkais afin de désacraliser l'art ; cette activité annonçait l'esprit dada. Duchamp réalisa à partir de 1914 un nombre limité de *ready-made :* objets manufacturés promus à la dignité d'objets d'art par le choix de l'artiste, exposant notamment un porte-bouteilles (1914), une roue de bicyclette (1916), un urinoir baptisé *Fontaine* et signé R. Mutt (1917), une reproduction de la Joconde avec adjonction de moustache et barbiche. Voulant éviter la répétition et refusant les valeurs traditionnellement impliquées par la notion d'art, il abandonna la peinture à partir de 1923, s'occupa de quelques recherches d'ordre verbal (publiées dans *Marchand de sel*), d'ordre cinétique (*Roto relief,* 1935 ; *Cœurs-Volants*), mais se consacra surtout au jeu d'échec. Il accomplit quelques « gestes » à l'occasion de manifestations surréalistes. L'attitude radicale de Duchamp lui a valu un immense prestige et nombre de ses trouvailles ont été exploitées par les représentants du Pop Art et du Nouveau Réalisme. Développant les conséquences extrêmes qu'impliquait la remise en question des fins et des moyens de l'art, il a mis en évidence sa fonction ludique et les possibilités offertes par la banalité et le hasard. Breton a souligné « jamais originalité plus profonde n'a en effet paru plus clairement découler d'un dessin de négation porté plus haut ».

DUCHAMP-VILLON (Pierre Maurice Raymond DUCHAMP, dit Raymond). ♦ Sculpteur français (Damville, Eure, 1876 – Cannes, 1918). Frère de Marcel Duchamp* et de Jacques Villon*, il subit d'abord l'influence de Rodin puis, s'intéressant aux recherches des cubistes. il chercha à simplifier les formes, à mettre en évidence les structures et à suggérer le mouvement en procédant à l'imbrication des volumes aux formes géométriques. Il représenta aussi des personnages (*Tête de Baudelaire,* 1911) et des animaux, abordant notamment le thème du cheval *(Petit-Cheval, Cheval-Majeur).* Il abandonna progressivement toute préoccupation descriptive pour aboutir à l'articulation de volumes angulaires, sphériques ou cylindriques dont les formes et l'agencement évoquent un dispositif mécanique en action. Malgré la brièveté de sa carrière, il apporta une contribution notable au renouvellement plastique qui s'élabora à partir du cubisme.

DUCHARME (Réjean). ♦ Écrivain canadien d'expression française (Saint-Félix de Valois, 1942). Vision d'un monde perçu par de tout jeunes adolescents d'une étonnante précocité, les récits de R. Ducharme se présentent comme de longs monologues intérieurs, très libres dans leurs associations, courts tableaux entrecoupés de cris de révolte ou de réflexions morales, voire de calembours. Dans *L'Avalée des avalés* (1966), Béatrice, enfant gourmande d'une réalité qui semble parfois vouloir « l'absorber », s'oppose passionnément au milieu familial, au Dieu, puis à la société qu'on lui impose. De même, Mille Milles, le héros du *Nez qui voque,* exprime de façon tragi-comique ses tentatives pour se libérer de l'adolescence, en un discours étincelant de virtuosité où apparaissent en filigrane les problèmes linguistiques et culturels qui se posent au Canada français.

DUCHÂTEL ou **DUCHASTEL (Tanneguy).** ♦ Officier breton (Trémazan, v. 1368 – Beaucaire, v. 1458). Après de nombreux exploits, il fut nommé prévôt de Paris (1413) et fut peut-être l'auteur de l'assassinat de Jean* sans Peur.

DU CHÂTELET *(marquise).* ♦ **V.** CHÂTELET (du).

DUCHENNE DE BOULOGNE (Guillaume Benjamin). ♦ Médecin français (Boulogne-sur-mer, 1806 – Paris, 1875). Il a isolé et décrit l'ataxie locomotrice progressive (*maladie de Duchenne,* 1858), la paralysie labio-glosso-laryngée (*syndrome de Duchenne,* 1860) et étudié les effets de l'électrisation localisée pour le diagnostic et la thérapeutique.

DUCHÉS *(guerre des).* ♦ Ce conflit qui éclata en 1864 avait des causes à la fois nationales et dynastiques **(V. Schleswig-Holstein)** et opposa l'Autriche et la Prusse au Danemark. Celui-ci fut rapidement vaincu et dut renoncer à ses prétentions. Cependant, au lieu de laisser aux duchés leur indépendance sous l'autorité de Frédéric d'Augustenburg, but initial de la lutte, les deux puissances se partagèrent les territoires, l'Autriche administrant le Holstein et la Prusse le Schleswig, le Lauenburg et Kiel (convention de Gastein, 1865). Cette guerre, qui avait servi de terrain d'essai à l'armée prussienne, avait en outre contribué à déconsidérer l'Autriche auprès de l'opinion allemande et préparé une source de litiges, dont allait sortir la guerre austro-prussienne.

Duchesne ou **Duchêne** *(le Père).* ♦ Personnage populaire de farces et de pièces de théâtre, qui, dès les débuts de la Révolution, fut en quelque sorte le porte-parole des masses. – Titre de maints pamphlets et feuilles révolutionnaires dont la plus célèbre fut fondée par Hébert* (1790-1794), qui y exprima dans un langage populaire et cru les positions des sans-culottes et des révolutionnaires extrémistes. D'autres journaux parurent sous ce titre en 1848 et en 1871.

DUCHESNE (Mgr **Louis Marie Olivier).** ♦ Historien ecclésiastique français (Saint-Servan, Ille-et-Vilaine, 1843 – Rome, 1922). Directeur de l'École française de Rome, il a laissé sur l'archéologie chrétienne et l'histoire primitive de l'Église des études pénétrantes dont les thèses ne furent pas toujours appréciées par le Saint-Siège [*Histoire ancienne de l'Église,* 1906-1910 ; *L'Église au VIe siècle,* 1925]. (Acad. fr., 1910.)

DUCHESNE (Maurice). ♦ Astronome français (1913). Inventeur avec Lallemand*, du convertisseur d'images photo-électriques.

DUCI (Milo). ♦ Romancier albanais (XXe s.). Auteur d'un roman historique : *Le Retour de Skanderberg à Kruja* et d'un roman de mœurs : *Entre deux femmes.*

DUČIĆ (Jovan). ♦ Poète serbe (Trebinje, Herzégovine, 1874 – Gary, États-Unis, 1943). D'abord influencée par les parnassiens français, sa poésie prit vite une forme originale et personnelle. Diplomate de carrière, il chanta dans son premier recueil de vers la beauté des pays qu'il avait connus : *Villes et Chimères* (1901). Fidèle à l'esprit national, il écrivit ensuite ses *Sonnets impériaux.* Puis, dans les *Poèmes du Soleil,* il situa l'homme face aux problèmes de l'amour et de la mort. Enfin il évoqua dans de nombreux poèmes la beauté intime de la nature. Ses vers témoignent d'une haute culture et d'une grande maîtrise du langage.

DUCIS (Jean-François). ♦ Poète tragique français (Versailles, 1733 – *id.,* 1816). Adaptateur de Shakespeare*, dont il a tenté de soumettre le théâtre aux règles de la tragédie classique (*Hamlet,* 1769 ; *Roméo et Juliette,* 1775 ; *Le Roi Lear,* 1783 ; *Macbeth,* 1784 ; *Othello,* 1792), il est le premier à avoir révélé l'œuvre du grand dramaturge anglais au public français. (Acad. fr., 1778.)

DUCLAIR. ♦ Ch.-l. de cant. et port de la Seine*-Maritime, arr. de Rouen*, sur la Seine*. 2 705 hab. *(Duclairois).* Église romane et gothique avec un portail Renaissance. Boulonnerie, clouterie. Élevage de canards (race renommée).

DUCLAUX (Émile). ♦ Biochimiste français (Aurillac, 1840 – Paris, 1904). Successeur de Pasteur* à la direction de son institut (1895), il étudia notamment les fermentations et les maladies microbiennes. On lui doit également une théorie des phénomènes capillaires. Il fut l'un des fondateurs de la *Ligue des droits de l'homme.* (Acad. sc., 1888.)

DUCLERC (Charles-Théodore-Eugène). ♦ Homme politique français (Bagnères-de-Bigorre, 1812 – Paris, 1888). Chargé des questions économiques et sociales au journal *le National* (1840-1846), il fut nommé ministre des Finances après la révolution de février 1848, mais se démit de ses fonctions lors de l'insurrection de juin 1848, ne voulant pas assumer la responsabilité de sa répression. Passé en Espagne peu après, il se consacra aux affaires. De retour en France, il fut élu à l'Assemblée nationale (1871) où il siégea avec la gauche républicaine. Sénateur (1875), ministre des Affaires étrangères (1882) et président du Conseil jusqu'en 1883, il fut chargé en 1887 de constituer un nouveau cabinet, mais sans grand succès.

DUCLOS (Charles PINOT). ♦ Romancier et moraliste français (Dinan, 1704 – Paris, 1772), auteur des *Confessions du comte de **** (1741), d'inspiration libertine. Ami des philosophes, il écrivit les *Considérations sur les mœurs de ce siècle* (dédiées à Louis XV, 1751), succession de tableaux des usages et des caractères de l'époque, dont l'intérêt historique et psychologique est indéniable. (Acad. fr.)

DUCLOS (Jacques). ♦ Homme politique français (Louey, Pyrénées, 1896 – Paris, 1975). Pâtissier, il fonda, avec H. Barbusse, l'Association républicaine des anciens combattants au lendemain de la Première Guerre mondiale au cours de laquelle il avait été blessé. Membre de la S. F. I. C. (Parti communiste* français, 1921), il entra au comité central (1926), puis au bureau politique (1931) et fit partie de la commission exécutive de la IIIe Internationale (1935). Député de 1926 à 1932 et de 1936 à 1939, il entra dans l'opposition clandestine du P.C.F. sous l'Occupation (1941-1944). Réélu après la Libération (1945-1958), président du groupe parlementaire communiste (1946-1958), vice-président de l'Assemblée nationale (1946-1948), sénateur (1959), il fut candidat à la présidence de la Ve République (1969). Éditorialiste à *l'Humanité* et directeur de plusieurs journaux, *Démocratie nouvelle, la Voix de l'Est,* etc.

DUCOS (Roger). ♦ Homme politique français (Dax, 1747 – près d'Ulm, 1816). Député montagnard à la Convention, membre du Conseil des Anciens dont il fut exclu après le 22 floréal* an VI **(V. Directoire),** directeur après le 30 prairial an VII (18 juin 1799), il soutint le coup d'État du 18 Brumaire, fut nommé 3e consul et remplacé peu après par Lebrun. Vice-président du Sénat et fait comte d'Empire, il vota pour la déchéance de Napoléon Ier (1814). Il fut néanmoins pair pendant les Cent-Jours. Proscrit comme régicide lors de la Seconde Restauration, il mourut en exil.

DUCOS (Jean-François). ♦ Homme politique français (Bordeaux, 1765 – Paris, 1793). Député d'extrême gauche à l'Assemblée législative, il fut réélu à la Convention où il prit la défense des Girondins dont il devait partager le sort.

DUCOS (Théodore). ♦ Homme politique français (Bordeaux, 1801 – Paris, 1855). Neveu du Girondin J.F. Ducos, il fut nommé ministre de la Marine par Louis-Napoléon Bonaparte (1851) et fut chargé d'organiser la déportation à Cayenne des opposants au coup d'État du 2 décembre 1851. Il contribua ensuite à favoriser la pénétration de la France en Sénégambie, en Nouvelle-Calédonie, et à préparer la guerre de Crimée.

DUCOS DU HAURON (Louis). ♦ Physicien français (Langon, 1837 – Agen, 1920). Il participa à l'invention de la photographie en couleurs, établissant les principes de la *synthèse soustractive* et décrivant les méthodes d'obtention de la *photographie trichrome* (1869). Il imagina également la stéréoscopie par *anaglyphes* (1891). **V. Cros, Lippmann, Lumière.**

DUCRAY-DUMINIL (François Guillaume). ♦ Romancier français (Paris, 1761 – Ville-d'Avray, 1819), auteur de romans populaires, dont *Cœlina ou l'Enfant du mystère* (1798), qui inspirèrent de nombreux mélodrames **(V. Pixerécourt).**

DUCRETET (Eugène). ♦ Industriel et savant français (Paris, 1844 – 1915). Réalisateur du premier appareil de T.S.F. français [1897] **(V. Marconi).** On lui doit aussi la radiotéléphonie (1900) et la téléphonie sans fil par le sol (1902).

DUCROT (Auguste Alexandre). ♦ Général français (Nevers, 1817 – Versailles, 1882). Il servit dans l'armée d'Afrique en Algérie, puis au cours de la campagne d'Italie (1859). Lors de la guerre de 1870 contre la Prusse, il prit part à la bataille de Woerth (ou Reichshoffen, 6 août 1870), fut placé à la tête de l'armée de Châlons en remplacement de Mac-Mahon, mais remplacé presque aussitôt par le général Wimpffen*. Prisonnier après la défaite de Sedan, il réussit à s'évader et commanda avec Trochu la IIe armée de Paris pendant le siège de la capitale. Député monarchiste à l'Assemblée nationale (1871-1872), puis commandant du 8e corps de Bourges (1872-1878), il fut mis à la retraite après la victoire républicaine après avoir tenté de réaliser un coup d'État monarchiste.

Ph. Lauros-Giraudon

J.-F. Ducis, par F. Gérard. (Versailles.)

DU DEFFAND. ♦ V. DEFFAND (du).

DUDELANGE, en all. **Dudelingen.** ♦ V. du grand-duché de Luxembourg (canton d'Esch-sur-Alzette), à 18 km de Thionville. 14 849 hab. Minerai de fer. Sidérurgie. Métallurgie. Engrais. – Émetteur de télévision (Télé Luxembourg).

DUDLEY (John). ♦ Homme politique anglais (1502 – Londres, 1553). L'un des chefs du parti protestant, il bénéficia de la faveur d'Henri VIII, puis de celle d'Edouard* VI, sous lequel il exerça un moment le pouvoir. Il le persuada de désigner comme héritière Jeanne Grey*, sa belle-fille et l'arrière-petite-fille d'Henri VII. Cependant, Marie Tudor étant rapidement parvenue à faire reconnaître ses droits, Dudley, son fils et Jeanne Grey furent condamnés à mort. ♦ ROBERT DUDLEY, comte de Leicester (1532 – 1588), un des fils du précédent, fut un des favoris d'Élisabeth Ire qui faillit l'épouser. Chargé de soutenir les provinces des Pays-Bas révoltées contre Philippe II, il fit preuve de son incapacité. On l'a accusé de nombreux méfaits.

DUDLEY. ♦ V. du centre de l'Angleterre (Worcestershire). 181 380 hab. Important bassin houiller au cœur du pays Noir et centre industriel : métallurgie (chaînes et ancres), fonderies, briqueteries, etc.

DUDOK (Willem Marinus). ♦ Architecte et ingénieur hollandais (Amsterdam, 1884). Marqué par Berlage* et le mouvement *de Stije,* il devint architecte de la ville d'Hilversum (1915) et y construisit la *Mairie* (1924-1930) et l'*école Valérius.* À Paris, il édifia un *pavillon de la cité universitaire.* Il adopta des partis modernistes, fit un large usage de la brique et, dans l'agencement des volumes, mit l'accent sur les effets de masse et dans la disposition des baies, insista sur l'horizontalité.

DUDWEILER. ♦ V. d'Allemagne occidentale (Sarre), à 7 km au N. de Sarrebruck. 28 860 hab. (1961). Sanctuaire celtique. – Centre industriel (houillères, fonderies, matériel électrique et instruments de précision).

DUERO. ♦ V. DOURO.

DU FAIL (Noël). ♦ V. FAIL (du).

DUFAURE (Jules Armand Stanislas). ♦ Avocat et homme politique français (Saujon, Charente-Maritime, 1798 – Rueil, 1881). Député libéral (1834), puis ministre des Travaux publics dans le cabinet Soult (1839-1840), il fut membre de l'Assemblée constituante au lendemain de la révolution de février 1848 et nommé ministre de l'Intérieur par Cavaignac (oct.-déc. 1848). Réélu à l'Assemblée législative (mai 1849), il abandonna la vie politique après le coup d'État du 2 décembre 1851. Après la chute de l'Empire, il siégea à l'Assemblée nationale comme député modéré et fut à plusieurs reprises chargé du ministère de la Justice ou de la présidence du Conseil (mai 1873, 1876) sous la IIIe République. (Acad. fr. 1863.)

DUFAY (Guillaume). ♦ Compositeur franco-flamand (Hainaut, v. 1400 – Cambrai, 1474). Chantre de la Chapelle pontificale à Rome, Florence et Bologne, Maître de chapelle à la cour de Savoie, il devint chanoine de Cambrai (1436) où il s'établit de façon presque définitive (1445) jusqu'à sa mort. Son œuvre, considérable dans l'évolution du style polyphonique, établit la synthèse du contrepoint français, de la mélodie italienne et de l'harmonie anglaise. Elle comprend des messes, des motets, des magnificats, des chansons (*Rondeaux français* à trois voix). Par la nouveauté de la forme et la profondeur de l'inspiration, elle apparaît comme l'une des plus grandes de l'histoire de la musique en Occident.

DU FAY (Charles François de CISTERNAY). ♦ Chimiste et physicien français (Paris, 1698 – *id.,* 1739). Après avoir construit deux magnétomètres (l'un à balance, l'autre à ressort spiral) en 1731, développant les expériences de Gray* il découvrit (1733) l'existence de deux types d'électricité (électricité vitrée et électricité résineuse) dont il donna les premières lois; il perfectionna le *versorium* de Gilbert*, réalisant ainsi l'ancêtre des électromètres à boules de sureau, à feuilles d'or et à fils (1737); il étudia l'étincelle électrique et fut le premier à en tirer une du corps humain. Il établit également, en optique cristalline, une relation fondamentale entre anisotropie et biréfringence.

DUFFEL. ♦ Comm. de Belgique (Anvers, arr. de Malines) sur la Nèthe. 13 500 hab. Indus. alimentaires. Papeteries. Raffinerie d'aluminium.

DUFOUR (Guillaume Henri). ♦ Général suisse (Constance, 1787 – Genève, 1875). Après avoir participé aux campagnes napoléoniennes, il prit la tête de l'armée de la Confédération, fonda l'école militaire de Thoune (1819), dirigea l'établissement de la « carte Dufour » (1852-1864) et commanda les opérations de la guerre du Sunderbund* (1847). Il présida la conférence de Genève au cours de laquelle fut fondée la Croix*-Rouge (1864). Il laissa plusieurs ouvrages : *De la fortification permanente* (1854), *Cours de tactique* (1840).

DUFRÉNOY (Pierre Armand PETIT). ♦ Géologue et minéralogiste français (Sevran, Seine-et-Oise, 1792 – Paris, 1857). Il réalisa avec Élie* de Beaumont la carte géologique générale de la France (1841) et des travaux sur les monts volcaniques d'Auvergne. (Acad. sc., 1840.)

DUFRESNY (Charles). ♦ Écrivain et auteur dramatique français (Paris, 1648 – *id.*, 1724). Représentées au Théâtre italien puis au Théâtre français, ses comédies ont connu en leur temps la faveur du public. Au théâtre, il aurait inspiré Regnard* (*Le Chevalier joueur*, 1697) et par son roman : *Amusements sérieux et comiques d'un Siamois* (1707), le futur auteur des *Lettres persanes*, Montesquieu*.

DUFY (Raoul). ♦ Peintre, dessinateur et graveur français (Le Havre, 1877 – Forcalquier, 1953). Au Havre, il fit la connaissance de Friesz*, puis il vint étudier à Paris dans l'atelier de Bonnat*. Ses premières scènes dénotent l'influence de Toulouse*-Lautrec, tandis que ses paysages et ses marines procèdent de Boudin* et de Monet*. Il subit ensuite l'ascendant de Matisse*, qui venait de peindre *Luxe, Calme et Volupté*, et adopta alors des formes plus schématisées et des couleurs violentes. Il traita avec prédilection des scènes nautiques, représenta des foules animées, des rues pavoisées (*14 Juillet*, 1906) peintes par larges aplats. En 1906, il alla travailler avec Marquet* à Trouville, puis il s'éloigna progressivement du fauvisme et, au cours d'un séjour avec Braque* à l'Estaque (1908), il opta pour une palette plus sobre et amortie, cherchant à donner à ses compositions une structure plus ferme (*Maison dans les arbres*). En raison de difficultés matérielles, il s'orienta vers la gravure (bois gravés du *Bestiaire* d'Apollinaire) et, à partir de 1909, il conçut pour Paul Poiret de nombreux dessins de tissus, travaillant aussi pour une maison de soieries. À partir de 1919, il élabora un style personnel, fit de fréquents séjours dans le Midi, ainsi que des voyages en Italie (1922-1923), au Maroc (1925). Il traita différents thèmes : *Canotiers sur la Marne, Nus* (1928-1930), *Scènes de courses, de cirque, Régates, Divertissements mondains, Portraits, Paysages, Orchestres* (1944), avec un trait d'une prestesse et d'une liberté accrues et une palette lumineuse. S'il sembla parfois se répéter et céder à la facilité, il manifesta cependant une constante inventivité plastique : jouant avec hardiesse des composantes figuratives traditionnelles (espace perspectif, couleurs et contour descriptifs), il dissocie son trait, nerveux et allusif, de la couleur étalée avec hardiesse par taches vives ou par plans uniformes, transcrivant avec une grande économie de moyens, d'une façon apparemment désinvolte et naïve, la sensation immédiate. Dufy exprime une vision allègre et mouvementée de l'univers. Ses nombreuses illustrations (bois, lithographie) révèlent l'élégance de son graphisme d'aspect souvent sténographique. Il réalisa pour le pavillon de l'Électricité (1937) l'immense décoration (60 m × 10 m) *La Fée Électricité* et multiplia les travaux décoratifs, s'intéressant notamment à la céramique, à la tapisserie, réalisant aussi des décors de ballets et de théâtre.

DUGHET (Gaspard, dit le Guaspre Poussin). ♦ Peintre et dessinateur français (Rome, v. 1613 – Florence, 1675). Il devint le beau-frère de Poussin* et adopta sa conception classique du paysage composé. Mais, tempérament plus tourmenté et lyrique, il fut aussi sensible au style d'Elsheimer*, de Bril* puis de Lorrain* et S. Rosa*. Dans ses paysages de la campagne romaine, il affectionne, contrairement à Poussin, les vues plongeantes, les éclairages contrastés et les effets dramatiques (*Fuite en Égypte*). Il produisit abondamment, n'évitant pas la répétition, et obtint un vif succès auprès des amateurs. Il participa aussi à plusieurs grandes décorations (*palais Pitti* à Florence, *Doria-Pamphili, Colonna* et *villa Borghèse* à Rome).

DUGNY. ♦ Comm. de la Seine-Saint-Denis, arr. de Bobigny, au N. du Bourget. 8 695 habitants.

DUGOMMIER (Jacques François COQUILLE, dit). ♦ Général français (La Basse-Terre, Guadeloupe, 1738 – près de Figueras, Catalogne, 1794). Rallié avec enthousiasme à la Révolution, il fut nommé commandant des gardes nationales de la Martinique (1790). Député à la Convention (1792), général de brigade, il servit en Italie (1793) et prit une part active au siège de Toulon (1793-1794). À la tête des armées des Pyrénées-Orientales, il fut tué en combattant les Espagnols.

DUGUAY-TROUIN (René). ♦ Marin français (Saint-Malo, 1673 – Paris, 1736). Il s'illustra pendant les guerres de Louis XIV contre les Hollandais et les Anglais, mais son principal exploit fut la prise de Rio* de Janeiro (1711). Sous Louis XV, il lutta contre les barbaresques.

DU GUESCLIN (Bertrand). ♦ Homme de guerre français (La Motte-Broons, v. 1320 – Châteauneuf-de-Randon, Auvergne, 1380). Il passa au service du roi de France vers 1350 et vainquit Charles* le Mauvais à Cocherel près d'Évreux (1364). Participant aux côtés de Charles de Blois à la bataille d'Auray* (1364), il y fut fait prisonnier. Le roi Charles* V le Sage paya sa rançon et le chargea d'emmener les Grandes Compagnies* hors de France (1366). Il les conduisit en Castille où il soutint Henri* de Trastamare en lutte contre son frère Pierre* le Cruel. Il fut battu par Édouard*, prince de Galles, à la Najera en 1367. De retour en France, il reçut la connétablie et mena contre les Anglais (opposés à la France dans le conflit de la guerre de Cent* Ans) une guerre de harcèlement, les chassant du Poitou, de la Normandie, de la Guyenne, de la Saintonge. – Type du parfait chevalier, héros populaire, des poèmes célèbrent ses exploits. Il cristallisa la haine contre les Anglais et incarna l'une des premières manifestations patriotiques du royaume de France.

Ph. Giraudon

G. Duhamel, par Ch. Berthold-Mahn. (Coll. privée.)

DUGUIT (Léon). ♦ Juriste français (Libourne, 1859 – Bordeaux, 1928). Spécialiste de droit administratif, il a laissé une œuvre importante qui a exercé une influence certaine sur la pensée juridique du XXe siècle. Il faisait de la solidarité sociale le fondement du droit.

DUHA. ♦ V. DOHÂ.

DUHAMEL (Georges). ♦ Écrivain français (Paris, 1884 – Valmondois, 1966). Après avoir passé une partie de sa jeunesse au Havre, il effectua des études de médecine, puis fut membre, à Créteil, de la communauté unanimiste de l'Abbaye*, publiant avec son beau-frère Vildrac un art poétique (*Notes sur la technique poétique*). Durant « cette aventure absurde et monstrueuse » de la guerre de 14-18, la pratique de « la médecine [lui donna] une idée, non pas littéraire, mais véridique et mystérieuse... de la souffrance ». Évocation de choses vues, ses *Récits des temps de guerre* (1949) dénoncent avec sensibilité (*Vie des martyrs*, 1917 ; *Quatre Ballades*, 1920) ou avec âpreté (*Civilisation*, prix Goncourt, 1918) la misère des hommes. Cette protestation contre la guerre devint le procès sans nuances de la civilisation moderne, vouée à la mécanisation (*L'Humanisme et l'Automate*, 1933) et entraînée vers le totalitarisme (*Le Voyage de Moscou*, 1927) où l'inhumanité (*Scènes de la vie future*, 1930, satire peu convaincante du mode de vie américain). Si cette littérature de témoignage révèle une vision pessimiste de l'histoire du monde, elle indique aussi chez Duhamel le grand désir d'« être un ami, [d'] aider à vivre » et un don de sympathie qui guide la création des personnages de ses « mémoires imaginaires ». Dans *Vie et Aventures de Salavin* (six volumes ; 1920-1932), ce « réaliste de l'âme » trace le portrait pénétrant d'un être velléitaire mais lucide, qui, « privé de l'axe métaphysique, ne renonce quand même pas à la vie morale et n'a pas accepté de déchoir ». Histoire d'une famille de bourgeois intellectuels sous la IIIe République, faisceau de destinées individuelles s'organisant suivant une construction musicale autour de la figure quasiment autobiographique de Laurent, la *Chronique des Pasquier* (dix volumes ; 1933-1945) traduit l'ambition généreuse de l'écrivain qui souhaite instaurer le « règne du cœur » en morale, en politique et en philosophie (Cf. *Possession du monde*, 1919). – Cinq ouvrages de souvenirs, réunis sous le titre de *Lumières sur ma vie* (1944-1953), éclairent la pensée de cet humaniste traditionaliste à la recherche d'une sagesse fraternelle et mesurée. (Acad. fr.)

DUHAMEL du MONCEAU (Henri Louis). ♦ Ingénieur et agronome français (Paris, 1700 – *id.*, 1782). Auteur de nombreux ouvrages sur l'agriculture (*Physique des arbres*, 1758), les pêcheries et l'architecture navale, il prépara également la soude pour la première fois en 1736. **V. Leblanc.** Il collabora à l'Encyclopédie* pour de nombreux articles. (Acad. sc., 1728.)

DUHEM [dyɛm] **(Pierre).** ♦ Physicien et philosophe français (Paris, 1861 – Cabrespine, Aude, 1916). Philosophe et historien des sciences, il distingua deux façons d'envisager la théorie physique : liée à un système métaphysique, elle se trouve engagée dans de vaines discussions sur l'Absolu ; au contraire, considérée comme simple classification des faits d'expérience qu'interprète le savant, elle reste ouverte à de nouvelles recherches et découvertes. Développée dans *La Théorie physique, son objet et sa structure* (1906), cette idée sert de fil directeur à l'important ouvrage sur les systèmes cosmologiques, *Le Système du monde, histoire des doctrines cosmologiques de Platon à Copernic* [commencé en 1913; publication achevée en 1959]. (Acad. sc., 1913.)

DÜHRING (Karl Eugen). ♦ Philosophe et économiste allemand (Berlin, 1833 – 1921). Hostile au judaïsme et au christianisme qui aliènent l'homme, et marqué par les idées de Feuerbach et d'A. Comte, il a exposé une philosophie qui tient tout à la fois du matérialisme, du positivisme et de l'idéalisme et un socialisme petit-bourgeois (réformiste) qui firent de nombreux adeptes parmi les sociaux-démocrates allemands (en particulier Bernstein). Ses thèses, opposées aux théories économiques et sociales de Marx et d'Engels*, furent vivement critiquées par ce dernier dans l'*Anti*-Dühring* (*Capital et Travail*, 1865; *Dialectique naturelle*, 1872; *Économie politique et Socialisme*, 1874).

DUILIUS, en lat. **Caius Nepos Duilius**. ♦ Homme politique et général romain. Consul en ~ 260, il remporta à Myles (Milazzo*) la première victoire navale des Romains (**V. Puniques** [guerres]).

DUINGT [dyɛ̃]. ♦ Comm. de la Haute-Savoie* (arr. d'Annecy*), sur le lac d'Annecy. 297 hab. Château du XIe s., restauré au XVIIIe siècle. Château d'Héré, du XVe siècle.

DUISBOURG, en all. **Duisburg**. ♦ V. d'Allemagne occidentale (Rhénanie-Westphalie), au confl. du Rhin et de la Ruhr*. 460 500 hab. Avec ses 50 km de quais, ses 1 000 ha d'installations portuaires et un trafic annuel de près de 17 millions de t, *Duisbourg-Ruhrort* est le plus grand port fluvial du monde. Il exporte des hydrocarbures et importe des minerais (fer, nickel, chrome, cobalt, wolfram). Reliée au bassin de la Ruhr par 500 km de voies ferrées et par le canal Rhin-Herne, la ville, qui a englobé les cités minières de Ruhrort*, Hamborn et Meiderich, est un important centre métallurgique (aciéries et laminoirs [Thyssen-Phoenix, Mannesmann]) et chimique. La *Salvatorkirche*, belle église gothique du XIIIe s., abrite le tombeau de Mercator*.

DUJARDIN (Karel). ♦ Peintre, dessinateur et graveur hollandais (Amsterdam, 1622 – Venise, 1678). En Italie, il fut l'élève et l'ami de N. Berchem* (1642); il travailla ensuite à Amsterdam et à La Haye, de 1652 à 1674, puis revint en Italie. Il exécuta des portraits (*Cinq Régents de l'hospice d'Anvers*, 1665), quelques sujets religieux et mythologiques, mais surtout des pastorales et scènes populaires, le plus souvent situées dans des paysages composés selon la mode italienne et peuplés d'animaux (*Le Berger italien, Le Gué*). Par sa recherche d'un pittoresque de convention (*Charlatans italiens*), le choix de ses thèmes et sa prédilection pour les sites inspirés par la campagne romaine, il s'inscrit dans la lignée des peintres de genre et des paysagistes hollandais de tendance italianisante, sans pour autant abandonner tout caractère national. La vigueur de son trait apparaît particulièrement dans ses eaux-fortes représentant des paysages et des animaux.

DUJARDIN (Félix). ♦ Naturaliste français (Tours, 1801 – Rennes, 1860). Il fit des recherches sur les protozoaires et décrivit le cytoplasme cellulaire (qu'il nomma sarcode, 1835), précisant et rectifiant les travaux d'Ehrenberg*.

Coll. Rui Nogueira

Germaine Dulac.

DUJARDIN (Albert). ♦ Ingénieur français (Lille, 1847 – 1903). Il permit l'emploi de hautes pressions et de températures de surchauffe élevées dans les machines à vapeur en introduisant en France l'usage de pistons-valves équilibrés pour la distribution (1902). **V.** *aussi* **Watt**.

DUKAS (Paul). ♦ Compositeur français (Paris, 1865 – *id.*, 1935). Peu abondante, marquée par la noblesse de l'inspiration et la perfection de l'écriture, son œuvre est née de l'exigence et de la rigueur. Si l'ampleur de son architecture sonore s'inspire de l'exemple de Beethoven, si elle doit la générosité de son lyrisme à Wagner, ses subtilités harmoniques à Debussy, sa couleur orchestrale à Berlioz et à l'école russe, elle demeure cependant l'expression d'une des personnalités musicales considérée comme l'une des plus fortes de son temps. Elle comprend une *Symphonie*, en ut majeur (1896), un scherzo symphonique devenu extrêmement populaire, l'*Apprenti sorcier* (1897), une *Sonate* pour piano (1902), des *Variations sur un thème de Rameau*, pour piano (1903), un opéra, *Ariane et Barbe-Bleue* (1907), un poème chorégraphique, *La Péri* (1911). Professeur au Conservatoire (1910-1927), à l'École normale de musique (1926), Dukas a formé de nombreux élèves. Il fut aussi un critique musical éminent. Ses écrits ont été rassemblés en un volume (1948).

DUKHAN. ♦ Localité d'émirat de Qatar* (émirat d'Arabie*), proche de la côte occidentale. Gisement de pétrole relié par oléoducs au port d'embarquement d'Umm* Saïd sur le golfe Persique.

DULAC (Germaine). ♦ Réalisatrice française de cinéma (Amiens, 1882 – Paris, 1942). Passionnée de recherche, elle considéra très tôt le cinéma comme un art, et fait figure de pionnier avec quelques œuvres d'une facture très personnelle : *La Fête espagnole* (scénario de Louis Delluc, 1920), *La Souriante Madame Beudet*, 1923), *La Coquille et le Clergyman* (scénario d'Antonin Artaud, 1926), *Thème et Variation* (1930). Fondatrice de la Fédération française des ciné-clubs (1924).

Dulcinée. ♦ Personnage de *Don* Quichotte* de Cervantes. C'est une paysanne du Toboso dont le héros fait la dame de ses pensées en l'idéalisant. Cf. Robert.

DULLES (John Foster). ♦ Homme politique américain (Washington, 1888 – *id.*, 1959). Spécialiste de droit international, il fut conseiller de la délégation américaine à la Conférence de la paix et à la Commission des réparations (1919). Entre les deux guerres, il fut chargé par les republicains* de mettre sur pied la politique du parti. Il collabora en 1944 à la rédaction de la charte des Nations unies et en 1951 négocia le traité de paix avec le Japon. Nommé secrétaire d'État par le président Eisenhower* (1952), il mena la politique dite du « containment » pour tenter de « contenir » partout dans le monde la progression du communisme, acceptant ouvertement d'aller pour cela jusqu'au risque de guerre. Avec le même objectif il chercha à renforcer la solidarité entre les États-Unis et ses alliés, notamment en Europe occidentale; cette alliance fut nettement dirigée contre la politique de l'U.R.S.S. (blocus de Berlin*) et contre celle de la Chine (problème de Taïwan [Formose]).

DULLIN (Charles). ♦ Acteur, metteur en scène et directeur de théâtre (Yenne, 1885 – Paris, 1949). Interprète des poètes au cabaret du *Lapin agile*, il se joignit à la troupe que Jacques Copeau* allait constituer au *Vieux-Colombier* (1913). Fondateur de l'École nouvelle du comédien (1921), il ouvrit son propre théâtre, *l'Atelier*, en 1922. Ses créations et ses mises en scène allant d'Aristophane (*Les Oiseaux*) à Pirandello (*Chacun sa vérité*), de Ben Jonson (*Volpone*) à Salacrou (*La Terre est ronde*), de Molière (*L'Avare*) à Achard (*Voulez-vous jouer avec môa?*), de Shakespeare (*Richard III*) à Balzac (*Le Faiseur*) furent parmi les plus remarquables de cette époque. Après 1940, Charles Dullin a dirigé jusqu'en 1947 le théâtre Sarah-Bernhardt (théâtre de la Cité). Fondateur avec Baty*, Jouvet* et Pitoëff* du *Cartel des quatre* (1926), il interpréta de nombreux rôles au cinéma. Fervent de poésie, artisan inspiré, pédagogue incomparable, il a exercé une influence durable sur plusieurs générations de comédiens et de metteurs en scène (J.-L. Barrault*, J. Vilar*).

DULONG (Pierre Louis). ♦ Physicien français (Rouen, 1785 – Paris, 1838). Il réalisa, avec Petit*, un type de thermomètre à liquide, le thermomètre à poids, qui leur permit de perfectionner les techniques calorimétriques (**V.** *aussi* **Berthelot**); ils mesurèrent les coefficients de dilatation cubique de divers métaux, montrant que ces quantités variaient en fonction linéaire de la température (1818), déterminèrent de nombreuses chaleurs spécifiques de corps simples solides (1820) et constatèrent que le produit des nombres obtenus par les poids atomiques alors attribués était une constante (*loi de Dulong et Petit*, la constante étant toujours voisine de 6,4); enfin, ils mesurèrent le coefficient de dilatation absolue du mercure. Étudiant l'état critique, Dulong effectua avec Arago* des expériences de compressibilité (1825), puis il mesura le rapport des chaleurs spécifiques des gaz en utilisant la méthode de la vitesse du son (1829). (Acad. sc., 1823.)

DULUTH (de *Daniel Greysolen, sieur* **du Luth**). ♦ V. et port des États-Unis situé à l'E. du Minnesota, à l'extrémité O. du lac Supérieur*, à l'embouchure de la riv. Saint-Louis. 99 761 hab.; zone urbaine : 262 000. Port indus. important (3 900 000 t, en 1969) : minerai de fer, céréales, pétrole. Indus. (sidérurgie, ciment, etc.).

DULWICH. ♦ Quartier résidentiel de Londres, au S. de la Tamise. Anc. collèges des XVIe et XVIIe s. (*Old College* et *Alleyn's College of God's Gift*). Importante galerie d'art.

Ph. Lauros-Giraudon

Alexandre Dumas fils, par Carpeaux, terre cuite. (Château de Compiègne.)

DUMAS (René François). ♦ Homme politique français (Jussey, Franche-Comté, 1753 – Paris, 1794). Avocat, venu à Paris peu après le début de la Révolution, à laquelle il s'était rallié, il s'inscrivit au Club des jacobins. Vice-président puis président du Tribunal révolutionnaire, il fut guillotiné avec Robespierre et les robespierristes le 10 Thermidor (28 juillet 1794).

DUMAS (Mathieu Guillaume, *comte*). ♦ Général, homme politique et historien français (Montpellier, 1753 – Paris, 1837). Il participa à la guerre d'Indépendance américaine comme aide de camp de Rochambeau* puis de La* Fayette. Député à l'Assemblée législative, où il siégea à droite, il émigra après le 10 août 1792. Membre du Conseil des Anciens, il fut proscrit lors du coup d'État du 18 Fructidor (4 septembre 1797). Revenu en France sous le Consulat, il fut successivement conseiller d'État, général de division (1805), ministre de la Guerre à Naples et Madrid. Député de Paris en 1828, il participa à la révolution de 1830 et devint pair de France. Il a laissé un *Précis des événements militaires* ou *Essai historique sur les campagnes de 1799 à 1814* (1816-1826).

DUMAS (Jean-Baptiste). ♦ Chimiste et homme d'État français (Alès, 1800 – Cannes, 1884). Il énonça les principes de base de la chimie générale; après avoir mesuré de nombreuses densités de vapeur (1827) et déterminé avec précision la composition de l'air, de l'eau et du gaz carbonique, il étudia les alcools, leur éthérification (avec Boulay) et leurs dérivés, puis prépara (avec Péligot*) l'alcool méthylique (1835). Il étudia également les acides et leurs dérivés, notamment l'acide benzoïque; il prépara l'acétamide (avec Malaguti* et Leblanc*, 1830), découvrit l'anthracène (avec Laurent*, 1832). Enfin, ayant entrepris des recherches systématiques sur l'action du chlore sur l'essence de térébenthine et l'acide acétique, il généralisa le phénomène de substitution et aboutit à l'élaboration d'une théorie des types. **V. Gerhardt, Laurent.** (Acad. sc., 1832.)

DUMAS (Alexandre Davy de la Pailleterie, dit). ♦ Écrivain français (Villers-Cotterêts, 1802 – Puys, Seine-Maritime, 1870), fils du général Alexandre Davy Dumas (1762 – 1806). Clerc de notaire à quatorze ans, il vint chercher fortune à Paris (1822) et conquit la notoriété littéraire avec *Henri III et sa Cour* (1829), drame qui annonçait la révolution théâtrale romantique. Enthousiasmé par Shakespeare*, Schiller*, comme par Walter Scott*, il écrivit d'abord pour le théâtre (*Antony**, 1831; *La Tour de Nesle*, 1832; *Kean ou Désordre et Génie*, 1836) puis pour le roman, domaine dans lequel il fit preuve d'une grande fécondité (de nombreux collaborateurs, dont Auguste Maquet, l'aidèrent). Dès 1844, avec *Le Comte* de Monte-Cristo*, il connut un grand succès populaire qui n'allait plus se démentir. Publiés souvent sous la forme de romans-feuilletons, et disposés en « trilogie », parurent *Les Trois* Mousquetaires* (1844), suivi de *Vingt Ans après* (1845) et du *Vicomte de Bragelonne* (1848-1850), récits évoquant l'époque de Louis XIII, tandis que *La Reine Margot* (1845), *La Dame de Monsoreau* (1845) et *Les Quarante-Cinq* (1845) se déroulent lors des guerres de Religion : dans *Les Mémoires d'un médecin*, qui comportent quatre romans (*Joseph Balsamo*, 1849; *Le Collier de la reine; Ange Pitou; La Comtesse de Charny*, 1860), la trame historique va du règne de Louis XV à la Révolution. A. Dumas n'est ni un érudit, ni un compilateur (« Qu'est-ce que l'histoire ? Un clou auquel j'accroche mes romans »); c'est plutôt un scénariste, habile à camper des personnages inoubliables (aventuriers, bretteurs), entraînés dans des intrigues mouvementées par leur goût de l'action, à l'image de leur créateur, qui suivit Garibaldi* dans l'expédition sicilienne des Mille. Sa fécondité et son style alerte se retrouvent d'ailleurs dans les *Mémoires* (1852-1855) ou les *Impressions de voyage* (1835-1859).

DUMAS (Alexandre, dit Dumas fils). ♦ Écrivain et dramaturge français (Paris, 1824 – Marly-le-Roi, 1895). Fils naturel d'Alexandre Dumas*, il fit au théâtre l'exposé des thèses sociales du romantisme, non sans déchaîner le scandale par la vigueur de ses plaidoyers et le réalisme de ses peintures. Avec des œuvres comme *La Dame* aux camélias* (1852), *Le Demi-Monde* (1855), *La Question d'argent* (1857), *Le Fils naturel* (1858), *Monsieur Alphonse* (1874), *Denise* (1885), *Francillon* (1887), etc., apparaît au théâtre la « tranche de vie » qui, par le prosaïsme du langage et la banalité des mobiles psychologiques, donne au spectateur l'illusion de la vie quotidienne. Défenseur des droits de la femme et de l'enfant, particulièrement attentif aux problèmes sociaux (« séduction », divorce, adultère), Dumas fils prête à ceux de ses personnages qui ont charge de défendre ses thèses une éloquence généreuse dont il usera pour son propre compte dans ses nombreuses préfaces, dans des romans (*Diane de Lys*, 1853; *L'Affaire Clémenceau*, 1861) et des brochures d'actualité (*La Recherche de la paternité*, 1883).

DUMAS (Georges). ♦ Philosophe, médecin et psychologue français (Lédignan, Gard, 1866 – 1946). Il contribua par ses travaux au développement de la psychologie expérimentale, fonda avec P. Janet* le *Journal de psychologie normale et pathologique* (1904). Sous sa direction fut publié un important *Traité de psychologie* (1923-1924, réédité 1930-1948).

DU MAURIER (Daphné). ♦ Romancière anglaise (Londres, 1907 –). Fille d'un acteur célèbre, sir Gerald Busson Du Maurier (1873 – 1934), elle fit ses débuts littéraires en publiant une vie de son père, *Gerald, A Portrait* (1934), puis elle fit paraître en 1937 *Les Du Maurier*, qui relate l'histoire de sa famille pendant trois générations. Son goût pour l'atmosphère « gothique » du roman victorien s'exprime dans *Ma cousine Rachel* (1951) et *Rebecca* (1938) qui fut qualifié de « Jane Eyre du XXe siècle ». Elle écrivit d'ailleurs *Le Monde infernal de Branwell Brontë* (1960). Elle publia aussi des romans historiques et des romans d'aventures (*L'Auberge de la Jamaïque*, 1936; *Le Général du roi*, 1946; etc.) qui eurent comme *Rebecca* la faveur du grand public.

DUMBARTON. ♦ V. et port d'Écosse. Ch.-l. du comté de Dumbarton, sur la Levern. 26 335 hab. (1961). Château des XIe-XIIe siècles. Centre industriel (constructions navales, mécaniques et aéronautiques). – Le *comté de Dumbarton (Dumbartonshire)*, sur le cours inférieur de la Clyde, a 637 km² et compte 193 500 habitants. Patrie de saint Gildas* et de Tobias Smollett*.

DUM-DUM. ♦ V. de l'Inde (Bengale, quartier N.-E. de Calcutta), avec ses cités-satellites de *South Dum-Dum* et *North Dum-Dum*. 200 000 hab. Indus. du jute. Usine de munitions qui a donné son nom aux balles « dum-dum ».

DUMÉRY (Henri). ♦ Philosophe français (Aubusson, 1920). Auteur d'études sur la philosophie de l'action (en particulier sur M. Blondel), il est surtout connu par ses travaux de philosophie de la religion (censurés par le Saint-Office en 1958). À l'aide d'une méthode historique et phénoménologique, il a voulu élucider la signification, les catégories et les structures du christianisme à partir du judaïsme et comprendre le lien unissant le plan historique et le plan doctrinal de la religion chrétienne. (*Critique et Religion*, 1957; *Philosophie de la religion, essai sur la signification du christianisme*, 1958; *Phénoménologie et Religion, Structures de l'institution chrétienne*, 1962.)

DUMESNIL (Marie-Françoise Marchand, dite Mlle). ♦ Tragédienne française (Paris, 1711 – *id.*, 1803). C'est en 1737 qu'elle fit ses débuts à la Comédie-Française dans le rôle de Clytemnestre (*Iphigénie en Tauride* de Racine). Elle incarna aussi Phèdre, Athalie et Hermione et créa *Mérope* (1743) de Voltaire. Elle dut sa renommée à un jeu plein de fougue qui méprisait les conventions. Pour répondre aux attaques de sa rivale, la Clairon, elle publia des *Mémoires* en 1800.

DUMFRIES. ♦ V. du S. de l'Écosse et ch.-l. du Dumfriesshire, sur le Nith. 28 450 hab. (1966). Indus. chimiques, laiteries. – Le poète écossais Robert Burns* y séjourna à la fin de sa vie.

DUMFRIESSHIRE. *n. m.* ♦ Comté de l'Écosse méridionale. 2 777 km². 88 425 hab. (1961). *Ch.-l.* Dumfries. C'est l'un des plus pauvres comtés du S. de l'Écosse. Son activité est centrée sur l'élevage (bovin et ovin).

DUMNORIX. ♦ Chef gaulois de la tribu des Éduens* (mort ~ 54). Il se révolta contre César qui le fit mettre à mort.

DUMONSTIER. ♦ Famille de peintres et dessinateurs français des XVIe et XVIIe siècles. ♦ GEOFFROY ([mort] Paris, 1573), enlumineur, graveur et dessinateur de cartons de vitraux. Il subit l'influence de l'art florentin et travailla au service de François Ier et de Henri II, notamment à Fontainebleau sous la direction de Rosso*. Ses trois fils, ÉTIENNE, dit *Étienne II* (Fontainebleau? v. 1520 – Paris, 1603), PIERRE, dit *Pierre Ier* (1524 – 1600) et COSME, dit *Cosme II* (? – 1605) furent peintres de Catherine de Médicis; les portraits qu'ils exécutèrent aux trois crayons, d'un trait fin et minutieux, témoignent de la vogue de ce genre dont les Clouet* avaient été les initiateurs. ♦ DANIEL, fils de Cosme II (Paris, 1574 – *id.*, 1646). Il fut peintre de Louis XIII et perpétua le genre de portraits dessinés aux mines de couleurs et rehaussés de pastel et de gouache, dans un style minutieux, d'une certaine sécheresse

Ph. Giraudon

C.F. Dumouriez, par Rouillard. (Château de Versailles.)

et d'une moins grande virtuosité que celui de ses prédécesseurs. Cultivé et plein d'esprit, il fut l'ami de Malherbe et possédait un cabinet de curiosités et une bibliothèque fréquentée par les gens de lettres.

DU MONT (Henry de Thier, dit). ♦ Compositeur wallon (Villers l'Évêque, près de Liège, 1610 – Paris, 1684). Organiste et claveciniste réputé, il fut compositeur de la Chapelle royale (1672) et maître de musique de la reine Marie-Thérèse. Son œuvre, d'inspiration essentiellement religieuse (cinq messes en plain-chant, 1669; motets, 1681-1686), se caractérise par l'usage régulier de la basse continue.

DUMONT (Arsène Jean François). ♦ Sociologue et démographe français (La Cambe, Calvados, 1849 – Paris, 1902). Dans son ouvrage *Dépopulation et Civilisation, étude de démographie* (1902), il tente de montrer que le besoin d'ascension sociale des individus constitue un frein au développement de la population.

DUMONT D'URVILLE (Jules Sébastien César). ♦ Navigateur français (Condé-sur-Noireau, 1790 – Meudon, 1841). Après avoir participé à des campagnes hydrographiques en mer Égée et en mer Noire (1819-1820) et à l'expédition de circumnavigation de Duperrey* (1822-1825), il entreprit à bord de l'Astrolabe un périple en Océanie (1826-1829) au cours duquel il étudia l'hydrographie de nombreuses îles (Nouvelle-Zélande, Viti, Loyalty, Nouvelle-Bretagne, Nouvelle-Guinée) et découvrit à l'île de Vanikoro* l'épave du navire de La* Pérouse. De 1837 à 1840, il explora, avec Jacquinot*, les régions antarctiques découvrant les terres de Louis-Philippe et Joinville* (1839) et la terre Adélie* (1840). [*Voyages et découvertes autour du monde et à la recherche de La Pérouse,* 1822-1834; *Voyage au pôle Sud et en Océanie;* 1842-1846.]

DUMOULIN (Charles). ♦ Jurisconsulte français (Paris, 1500 – *id.,* 1566). Avocat au Parlement de Paris (1522), il passa du calvinisme au luthéranisme, dut quitter la France et enseigna le droit en Allemagne, notamment à Strasbourg. Rentré en France en 1557, il critiqua l'autorité du pape dans son *Conseil sur le fait du concile de Trente* qui lui valut d'être emprisonné jusqu'en 1564. Il revint à la religion catholique avant de mourir. Surnommé le « prince des jurisconsultes » en raison de ses importants travaux sur l'histoire et les sources du droit français, il montra son hostilité à la féodalité et son désir d'unifier le droit civil dans ses commentaires, notamment la *Révision de la coutume de Paris* (1539).

DUMOURIEZ [-muʀjɛ] **(Charles François DU PÉRIER, dit).** ♦ Général français (Cambrai, 1739 – Turville Park, Oxfordshire, 1823). Officier en 1758, il participa à la guerre de Sept Ans, puis entra dans la diplomatie secrète (1763) et fut chargé par Choiseul de plusieurs missions. Chef de la garde nationale, acquis aux idées révolutionnaires, lié à Mirabeau, à La Fayette et au duc d'Orléans, et membre du Club des jacobins (1790), il fut nommé ministre des Affaires étrangères dans le gouvernement girondin (10 mars 1792) et contribua à décider Louis XVI à déclarer la guerre. Après le renvoi des ministres girondins (13 juin) il démissionna (15 juin). Commandant en chef des armées du Nord, il gagna, avec Kellermann*, la bataille de Valmy* contre les Prussiens, puis celle de Jemappes* contre les Autrichiens, et occupa la Belgique. Après la formation de la première coalition (déb. 1793), Dumouriez proposa un plan d'offensive qui fut adopté, entra en Hollande (16 févr. 1793), s'empara de Breda (25 févr.), mais il fut vaincu à Neerwinden* (18 mars 1793) puis à Louvain (21 mars) par le duc de Saxe*-Cobourg avec qui il entra en relation. Accusé de trahison, Dumouriez livra aux Autrichiens les commissaires envoyés par la Convention pour enquêter sur sa conduite, avant de passer lui-même à l'ennemi. Ses défaites et leurs conséquences (perte de la Belgique et de la Hollande, puis de la rive gauche du Rhin) contribuèrent à la chute des Girondins.

DUNA. ♦ Nom hongrois du Danube*.

DUNAJEC. *n. f.* ♦ Rivière de Pologne*, née dans les hautes Tatras* près de la frontière tchécoslovaque, affl. de la Vistule*. (207 km.)

DUNAN (Charles Stanislas). ♦ Philosophe français (Nantes, 1849 – 1918). Il a donné le nom d'idéalisme expérimental à sa philosophie qui tente d'affirmer le lien de la vie et de l'esprit (*Les Deux Idéalismes,* 1911).

DUNANT (Henri). ♦ Philanthrope suisse (Genève, 1828 – Heiden, canton d'Appenzell, 1910). Venu en Italie pour y rencontrer Napoléon III, il fut profondément affecté par le spectacle des blessés de la bataille de Solférino (juin 1859; *Un souvenir de Solférino,* 1862) et décida de créer un organisme pour le secours aux blessés de guerre. Les nombreuses démarches qu'il fit aboutirent à la réunion de la conférence de Genève (1863), qui adopta une première convention sur les blessés de guerre (1864), et à la création de la Croix*-Rouge. Tombé peu après dans l'oubli et dans la misère, Dunant devait néanmoins recevoir en 1901 le prix Nobel de la paix.

DUNAÚJVÁROS (Sztalinváros, « ville de Staline », de 1950 à 1956**).** ♦ V. de Hongrie, située au centre du pays, sur la r. d. du Danube* *(Donau).* 35 000 hab. Centre industriel. Les établissements sidérurgiques danubiens fournissent 42 % de la fonte, 22 % de l'acier du pays. Indus. textiles et confection. ♦ *Hist.* Danaújváros fut construite à partir de 1950 sur l'emplacement du village de Dunapentele.

DUNBAR (William). ♦ Poète écossais (East Lothian, v. 1460 – Flodden? 1513?). Diplômé de l'université de Saint Andrew en 1479, il entra chez les Franciscains et mena en France la vie d'un moine errant. De retour en Écosse en 1500, il fut pensionné par Jacques IV en l'honneur de qui il écrivit un épithalame, *Le Chardon et la Rose* (*The Thrissill and the Rose,* pub. 1770), dont le début est une sorte de parodie des premiers vers des *Contes de Canterbury* de Chaucer. *Les Deux Femmes mariées et la Veuve* (*Two Maryit women and the wedo,* pub. 1770) aux remarques scabreuses sur le devoir conjugal est une satire burlesque et cynique. L'œuvre de Dunbar, caractérisée par un lexique archaïque et écossais, étonne par l'habileté de son rythme et la richesse de son vocabulaire. Sa curiosité annonce la Renaissance et certains critiques l'ont placé au premier rang des poètes écossais, avant Burns.

DUNBAR. ♦ Port d'Écosse sur la mer du Nord. 4 000 hab. – Édouard* II et Marie* Stuart trouvèrent refuge dans son château. Cromwell* y vainquit les royalistes écossais (1650).

DUNBARTON. ♦ V. DUMBARTON.

DUNCAN Ier. ♦ (mort en 1040?). Roi d'Écosse (1034-1040?). Il fut assassiné par son général Macbeth*. – Père de Malcolm* III et de Donald* VIII. ♦ DUNCAN II (mort en 1094). Roi d'Écosse (1093-1094). Fils de Malcolm* III.

DUNCAN (Isadora). ♦ Danseuse américaine d'origine irlandaise (San Francisco, 1877 – Nice, 1927). En réaction contre les traditions de l'académisme, elle illustra une conception très personnelle de la danse, caractérisée par le souci d'un épanouissement intégral du corps, exprimant dans une improvisation libre les affects les plus spontanés. Elle apparaissait drapée dans une tunique grecque et les pieds nus. Elle devait trouver une mort tragique, étranglée par son écharpe qui s'enroula dans les roues de sa voiture.

DUNDALK, en irl. **Dun Dealgan.** ♦ V. et port de la république d'Irlande, ch.-l. du comté de Louth* (prov. de Leinster), sur la baie de Dundalk. 2 000 hab. (1966). Église du XIIIe s. (*auj.* protestante) remaniée aux XVIe et XIXe siècles. Important nœud ferroviaire (avec l'Irlande du Nord). Indus. alimentaires (distilleries, brasseries, minoteries, conserves de bacon et de poisson). Ateliers de chemins de fer. ♦ *Hist.* Robert Bruce y fut vaincu par Édouard II d'Angleterre en 1318 et y trouva la mort.

DUNDEE. ♦ V. et port d'Écosse orientale (comté d'Angus), sur la r. N. de l'estuaire du Tay. 181 950 hab. Université. Grand port de pêche (morue, baleine), sur la mer du Nord. Centre industriel : confitureries (célèbres marmelades d'orange; fruits des Lowlands); travail du jute; métallurgie; équipement électrique; linoleums; raffineries de pétrole; constructions navales.

DUNEDIN. ♦ V. et port de l'île du Sud de la Nouvelle*-Zélande, sur la côte S.-E. de l'île, au fond d'une baie étroite. 110 000 hab. Université d'Otago. Centre industriel important. Filature de laines; confection. Chaussure. Indus. alimentaires, chimiques (engrais, savonnerie). Cimenterie et matériaux de construction. Papeterie; menuiserie (meubles). Constructions navales et mécaniques. Exportation de laine, viande frigorifiée et produits de laiterie. ♦ *Hist.* La ville fut fondée en 1848 par des Écossais presbytériens.

Dunes *(bataille des).* ♦ Victoire décisive que les Français commandés par Turenne*, remportèrent sur les Espagnols menés par Condé* et don Juan* d'Autriche, entre Dunkerque et Nieuport (1658).

Ph. Giraudon

E. R. Duni, par Carmontelle. (Musée Condé, Chantilly.)

DUNFERMLINE. ♦ V. d'Écosse centrale (Fifeshire), sur la r. N. du Firth of Forth. 51 700 hab. Anc. résidence des rois d'Écosse du XIe au XIVe siècle. Abbatiale romane du XIe s. où sont enterrés plusieurs rois. Ruines du palais épiscopal. – Indus. textiles (lingerie, soie artificielle, cordes). Exploitation de la houille locale. – Patrie de Jacques* Ier, de Charles* Ier d'Écosse et du milliardaire A. Carnegie*.

DUNGANNON. ♦ V. d'Irlande du Nord (comté de Tyrone*) et anc. fief des O'Neill*, comtes de Tyrone. 6 500 hab. (1961). Centre agricole et commercial (textiles, verreries, briqueteries).

DUNGENESS *(cap).* ♦ Pointe de la côte S.-E. de l'Angleterre (Kent), entre Folkestone et Hastings. Centrale nucléaire.

DUNI (Egidio Romualdo). ♦ Compositeur italien (Matera, 1709 – Paris, 1775). Frère d'Antonio (v. 1700 – v. 1766) qui fut compositeur de musique sacrée et violoniste, il vint à Paris et composa, notamment en collaboration avec Favart* et Vadé, une vingtaine d'opéras-comiques pour les théâtres de la Foire, dont le célèbre *Peintre amoureux de son modèle* (1757). Il fut directeur de la Comédie-Italienne.

DUNKERQUE (du néerl. « église des dunes »). ♦ Sous-préf. du Nord*, port sur la mer du Nord et ch.-l. d'arr. (14 cant., 119 comm., 320 624 hab.). 28 082 hab. *(Dunkerquois).* **V.** *aussi* **Rosendaël.** Très endommagée pendant la dernière guerre, la ville a été reconstruite. Elle conserve l'église Saint-Éloi (XVIe, XIXe s.), la chapelle Notre-Dame-des-Dunes (XVIe s., rebâtie au XIXe s.). – Dunkerque est le 3e port français, son trafic est de 29 887 000 t.; il est relié à Valenciennes* par un canal, et a été doté d'un nouveau bassin. Il importe minerai de fer, engrais, laines, coton, jute, céréales, oléagineux, bois, pétrole, et, débouché de la région du Nord, il exporte des produits manufacturés, des produits pétroliers raffinés. Centre industriel important relié par canal à Denain-Valenciennes. Constructions navales, indus. textiles; filatures; importante raffinerie de pétrole. Très important complexe sidérurgique *(Usinor)* construit sur 600 ha conquis sur les dunes et sur la mer, et desservi par un port minéralier créé en 1959 (**V. Nord** [région]). – Patrie de Jean Bart*. ♦ *Hist.* Turenne* reprit la ville à Condé en 1658, elle fut réunie définitivement à la France au traité des Pyrénées (1659). Vauban* la fortifia. Les Anglais essayèrent à maintes reprises de reprendre la ville (notamment en août 1793). – Du 27 mai au 4 juin 1940, l'*opération Dynamo* consista à rembarquer vers l'Angleterre, par le port et les plages de Dunkerque, le corps expéditionnaire britannique et une partie des troupes françaises, menacés d'encerclement par l'avance allemande. **V. Gort** (John). 200 000 Anglais, 130 000 Français et quelques Belges furent ainsi transportés sur des bateaux de toute sorte; deux divisions françaises qui assuraient la protection de l'opération furent capturées.

DÚN LAOGHAIRE, anc. **Kingstown.** ♦ Avant-port de Dublin*.

DUNLOP (John Boyd). ♦ Vétérinaire et inventeur écossais (Dreghorn, Ayrshire, 1840 – Dublin, 1921). Inventeur du bandage pneumatique en caoutchouc pour roue de véhicule (1888). **V.** *aussi* **Michelin.**

DUNOIS (Jean, *comte de* **Longueville,** dit *le Bâtard d'Orléans*). ♦ Homme de guerre français (Paris, v. 1403 – Château de l'Hay, 1468). Fils naturel de Louis, duc d'Orléans*. Compagnon de Jeanne* d'Arc, il participa à la défense d'Orléans et à la victoire de Patay (1429). Il contribua à la reconquête de la Normandie et de la Guyenne (1448-1453). Il participa à la ligue du Bien public contre Louis XI (1465).

DUNOIS. *n. m.* ♦ Région de la petite Beauce, pays de Châteaudun.

DUNOYER (Barthélemy Charles Pierre Joseph). ♦ Économiste français (Carennac, Lot, 1786 – 1862). Fondateur avec F.C.L. Comte* d'un journal libéral, *le Censeur* (1814), il fut, après J.-B. Say, un des principaux représentants du libéralisme optimiste en économie (*De la liberté du travail ou simple exposé des conditions dans lesquelles les forces humaines s'exercent avec le plus de puissance,* 1845, etc.).

DUNOYER DE SEGONZAC (André). ♦ Peintre et graveur français (Boussy-Saint-Antoine, 1884 – Paris, 1974). Il étudia aux Beaux-Arts et à l'académie Julian et se lia avec La Fresnaye, Boussingault, Luc Albert Moreau, A. Mare, formant avec eux « La Bande noire » (ainsi appelée en raison de leur hostilité aux violences chromatiques des « Fauves »). Il peignit paysages, natures mortes, nus et scènes de la vie quotidienne dans une matière épaisse, avec un chromatisme sourd. Ces œuvres s'inscrivent dans la tradition naturaliste et présentent parfois des accents expressionnistes. Dunoyer n'en fut pas moins sensible à l'influence de Cézanne et du cubisme (*Les Buveurs,* 1919; *Les Canotiers,* 1924) et évolua ensuite vers un chromatisme plus vif. Il a consacré une part importante de son activité à l'illustration de livres (Carco, Dorgelès, Flaubert, Colette, etc.), à la gravure (nombreux portraits) et à l'aquarelle, peignant de nombreux paysages du Midi *(Tartanes de Saint-Tropez)* et de l'Île-de-France, aux coloris fluides et lumineux et qui se distinguent par un trait nerveux et souvent discontinu. Sans chercher à renouveler les moyens figuratifs traditionnels, il a exprimé avec sensibilité l'émotion ressentie en face de la nature.

DUNS. ♦ V. d'Écosse, ch.-l. du Berwickshire*.

DUNS SCOT (John). ♦ Théologien et philosophe écossais (Duns, Écosse, v. 1270 – Cologne, 1308). Il entra dans l'ordre des franciscains de Dumfries (1281), étudia à Oxford avant d'y enseigner ainsi qu'à Paris et Cologne où il mourut. Il fut appelé Docteur Subtil en raison de son habileté à manier la dialectique; elle lui servit, dans son *Opus oxoniense,* à critiquer sur bien des points l'aristotélisme et le thomisme. Sa philosophie, qui s'inscrit dans la lignée augustinienne, affirme la priorité de la foi et de la volonté sur la raison. On lui a attribué, sans doute à tort, un traité intitulé *De rerum principio.*

DUNSTABLE (John). ♦ Compositeur anglais (? v. 1400 – Londres, 1453). Musicien du duc de Bedford, il séjourna sans doute en France. Il a laissé des motets et des fragments de messes. Ces œuvres polyphoniques (à 3 ou 4 voix) empruntent leur forme à la chanson profane française.

DUNSTABLE. ♦ V. d'Angleterre (Bedfordshire), sur les pentes des *Chiltern Hills.* 25 645 hab. (1961). Centre commercial et industriel (mécanique, chapeaux de paille).

DUNSTAN *(saint).* ♦ Bénédictin et réformateur de la vie monastique en Angleterre (près de Glastonbury, 924 – Canterbury, 988). Exilé à Gand, en 955, il avait étudié les observances de Gérard* de Brogne; il fut évêque de Worcester (957) puis de Canterbury (960). Fête le 19 mai.

DUN-SUR-AURON. ♦ Ch.-l. de cant. du Cher, arr. de Saint-Amand-Mont-Rond, sur l'Auron et le canal du Berry. 4 074 hab. *(Dunois).* Église collégiale Saint-Étienne bâtie aux XIIe et XIIIe s., remaniée au XVe siècle. Aux environs, ruines du château de Bois-Sir-Aimé où vécut Agnès Sorel, favorite de Charles VII.

DUPANLOUP (Félix). ♦ Prélat français (Saint-Félix, Savoie, 1802 – château de Lacombe, Savoie, 1878). Évêque d'Orléans en 1849, il fut un des chefs du catholicisme libéral, combattit le journal *l'Univers* **(V. Veuillot)** et s'opposa, pour raison d'opportunité, à la définition de l'infaillibilité pontificale (mais après la proclamation, en 1870, il se soumit). Célèbre comme pédagogue, il fit partie de la commission qui élabora la loi de 1850 sur l'enseignement et, comme député (1871), fit voter la loi de 1875 sur l'enseignement supérieur. Violemment opposé à Renan, Taine et Littré, il tenta d'empêcher l'élection de ce dernier à l'Académie française et, après y être parvenu une fois, démissionna quand Littré fut élu. Il fut sénateur en 1876. Auteur d'ouvrages pédagogiques et catéchétiques, et d'une brochure fameuse où il approuva l'encyclique *Quanta* cura* et le *Syllabus**.

DU PARC (marquise Thérèse de GORLE, dite *la*). ♦ Comédienne française (Paris, 1633 – *id.,* 1668). Femme du comédien René Berthelot, sieur DU PARC, dit *Gros-René* (mort à Paris, 1664) qui fut avec brio l'interprète des rôles de valets dans la troupe de Molière, elle appartint aussi à cette troupe jusqu'en 1667. Elle la quitta pour aller créer, la même année, l'*Andromaque* de Racine, à l'hôtel de Bourgogne. Sa mort prématurée donna lieu à de nombreux commentaires dont la malveillance n'épargna point Racine* qui était devenu son amant.

DUPARC (Henri Fouques-Duparc, dit **Henri).** ♦ Compositeur français (Paris, 1848 – Mont-de-Marsan, 1933). Élève de César Franck, il fut un des fondateurs de la Société nationale de musique (1871). Une maladie mentale, qui lui laissa toutefois sa lucidité, mit fin à sa carrière (1885). Auteur de pièces pour le piano (*Laendler,* 1874), pour orchestre (*Lénore,* 1875), il détruisit la majeure partie de son œuvre, ne conservant qu'un recueil de treize mélodies (1868-1883), lyriques d'une grande perfection qui dépassent le cadre du lied traditionnel et s'incrivent parmi les chefs-d'œuvre de l'art vocal (*Soupir,* la célèbre *Invitation au voyage, Extase, Phydilé, La Vie antérieure*).

DUPÉRIER (François). ♦ Jurisconsulte français de la fin du XVIe s. À la suite de la mort de sa fille, son ami Malherbe lui adressa des stances poétiques, connues sous le nom de *Consolation à Dupérier.*

Arch. Smeets

A. Dunoyer de Segonzac : « Les Canotiers ». (Coll. privée.)

DUPERRÉ (Victor Guy, *baron***).** ♦ Amiral et pair de France (La Rochelle, 1775 — Paris, 1846). S'étant distingué dans la lutte contre les navires anglais, surtout aux Antilles (1806-1808), il fut fait baron d'Empire. Préfet maritime de Toulon pendant les Cent-Jours, il fut nommé commandant de la station navale des Antilles (1818). Il prit part ensuite au siège de Cadix (1823), puis à l'expédition d'Alger, au cours de laquelle il organisa le débarquement de Sidi-Ferruch (juillet 1830). Il fut fait pair de France par Charles X. Nommé amiral par Louis-Philippe, il fut quelque temps ministre de la Marine sous la monarchie de Juillet (1834, 1843).

DUPERRÉ. ♦ V. d'Algérie. Nom anc. de Aïn*-Defla.

DUPERREY (Louis Isidore). ♦ Marin et hydrographe français (Paris, 1786 — 1865). Il entreprit deux expéditions de circumnavigation, la première à bord de l'*Uranie* avec C. de Freycinet* (1817-1820), la seconde avec Dumont* d'Urville sur la *Coquille* (1822-1825) au cours de laquelle il étudia particulièrement l'hydrographie des îles de l'Océanie. (Acad. sc., 1842.)

DU PERRON (Jacques DAVY). ♦ Homme d'Église et écrivain français (Val-de-Joux, Suisse, 1556 — Paris, 1618). Calviniste converti, évêque d'Évreux, il obtint à Rome la réconciliation d'Henri IV (1595, **V. Clément VIII**). Il soutint les thèses catholiques à la conférence de Fontainebleau (1600, **V. Duplessis-Mornay**), devint cardinal (1604), archevêque de Sens (1606), membre du Conseil de Régence (1610). Ses *œuvres* comportent des ouvrages de polémique religieuse, d'un esprit assez modéré.

Dupes *(journée des)*. ♦ Les *dupes* furent les adversaires de Richelieu qui se crurent vainqueurs, alors qu'il n'en était rien. Louis XIII, malade, avait promis à Marie* de Médicis, à Gaston d'Orléans* et à Anne* d'Autriche, ligués, de renvoyer le cardinal, mais se ravisa après une entrevue avec lui à Versailles, et lui livra ses ennemis (11 nov. 1630).

DUPETIT-THOUARS (Louis Marie Aubert). ♦ Botaniste français (Saumur, 1758 — 1831). Il a laissé des travaux sur la flore de l'île de France (île Maurice), de la Réunion et de Madagascar. ♦ ARISTIDE AUBERT DUPETIT-THOUARS, son frère. Officier de marine français (Saumur, 1760 — Aboukir, 1798). Après avoir organisé une expédition à la recherche de La Pérouse (1792), il voyagea en Amérique, puis commanda le navire le *Tonnant* lors de l'expédition d'Égypte où il trouva la mort. ♦ ABEL DUPETIT-THOUARS, leur neveu. Amiral français (Saumur, 1793 — Paris, 1864). Il explora les côtes de l'Algérie et contribua à organiser l'expédition d'Alger (juil. 1830). Il entreprit ensuite un voyage de circumnavigation sur le bateau la *Vénus* (1837). En 1842 il fit passer sous protectorat français les îles Marquises et Tahiti, dont il chassa le missionnaire anglais Pritchard. Membre du Conseil d'amirauté, il fut élu député à l'Assemblée législative [1849]. (Acad. sc., 1855.)

DUPIN (André Marie Jean Jacques, dit Dupin Aîné). ♦ Magistrat et homme politique français (Varzy, Nivernais, 1783 — Paris, 1865). Avocat réputé, il plaida de nombreuses affaires (procès de Ney, du chansonnier Béranger). Élu député en 1827, il siégea dans l'opposition libérale et prit une part active aux journées révolutionnaires de juillet 1830. Président de la Chambre des députés (1832-1837), il parut se rallier à la République (1848) et fut nommé président de l'Assemblée législative, mais se rapprocha peu à peu de Louis Napoléon et devint sénateur sous le Second Empire [1857]. (Acad. fr., 1832.)

DUPIN (Charles, *baron***).** ♦ Mathématicien et homme d'État français (Varzy, Nivernais, 1784 — Paris, 1873). Successivement conseiller d'État (1831), ministre de la Marine (1833), il appartint à la Constituante puis à la Législative et fut sénateur en 1852. En mathématiques, disciple de Monge* en géométrie infinitésimale, il détermina la surface dont toutes les lignes de courbure sont circulaires (*cyclide* de Dupin, 1801), étudia les systèmes triples orthogonaux (théorème célèbre sur les intersections de surfaces formant un système triple orthogonal); en théorie des surfaces, il introduisit les notions de directions conjuguées, d'indicatrice et de lignes asymptotiques (**V.** *aussi* **Brianchon**). Il appliqua les résultats à la construction des routes, à l'étude de la stabilité des vaisseaux et à l'optique (*Développements de géométrie pure,* 1813; *Applications de géométrie et de mécanique,* 1822). [Acad. sc., 1818; Acad. sc. mor. et polit., 1818.]

DUPLEIX [dyplɛks] **(Joseph François).** ♦ Administrateur colonial français (Landrecies, 1697 — Paris, 1763). Parti au service de la Compagnie des Indes en 1720, il révéla rapidement ses capacités et acquit une fortune importante. Directeur général des comptoirs français en Inde (1742), il reprit la politique qui avait été celle de son prédécesseur Dumas, non plus purement commerciale, mais conquérante et territoriale, basée sur les principautés indigènes et favorisée par l'état de décomposition politique où était l'Inde à cette époque. L'Angleterre ne pouvait que s'opposer à une telle expansion. Dans une première phase, les Français parurent vainqueurs : Madras fut prise aux Anglais (c'est à cette occasion que La* Bourdonnais fut renvoyé), Pondichéry leur résista et le traité d'Aix*-la-Chapelle était favorable à la France. Mais le conflit s'éternisa ensuite, malgré la valeur de certains des officiers comme Bussy. Dupleix, qui tenait la moitié du Deccan, mais était à court de ressources, fut rappelé (1754), sa politique désavouée (**V. Godeheu),** et la guerre de Sept* Ans anéantit son œuvre, tandis qu'il se débattait en France avec ses difficultés financières, faute d'avoir été remboursé des sommes qu'il avait lui-même avancées.

DUPLESSIS (Maurice Le Noblet). ♦ Homme politique canadien (Trois-Rivières, 1890 — Scherfferville, 1959). Élu député à l'Assemblée législative de Québec en 1927, il créa l'*Union nationale,* organisme de défense des intérêts québécois face à la crise* économique de 1929, qui obtint la majorité aux élections de 1936. Premier ministre de la province de Québec (1936-1939, puis 1944-1959), il s'efforça de mettre sa province en valeur.

DUPLESSIS-MORNAY (Philippe de Mornay, *seigneur du* **Plessis-Marly,** dit**).** ♦ Chef protestant français (Buhy, auj. arr. de Mantes, 1549 — La Forêt-sur-Sèvre, près de Bressuire, Poitou, 1623). Il rejoignit Henri de Navarre dont il devint (1576) le principal conseiller et l'ambassadeur. Après l'abjuration (1593), il se retira à Saumur où il fonda la première académie protestante (1599). Auteur d'un *Traité de l'eucharistie* qui lui valut un débat avec Du* Perron (Fontainebleau, 1600) et de *Mémoires* (4 vol., posthumes).

DUPLOYÉ (*abbé* **Émile).** ♦ Ecclésiastique français (Notre-Dame-de-Liesse, Aisne, 1833 — Saint-Maur-des-Fossés, 1912). Inventeur d'un système d'écriture sténographique.

DUPONT (Pierre). ♦ Chansonnier français (Lyon, 1821 — *id.*, 1870). Remarqué par l'Académie pour son premier poème *Les Deux Anges* (1842), il acquit une popularité considérable avec des *Chansons politiques,* d'inspiration républicaine et socialiste, qu'il chantait lui-même dans les clubs. Inquiété après le coup d'État de 1851, il vécut dès lors dans une semi-retraite, composant sa *Légende du Juif errant* (poème illustré par Gustave Doré, 1862) et se consacrant à la chanson rustique, genre qui exalte les vertus des paysans (Cf. *La Mère Jeanne; Les Bœufs; La Vigne*). Ses *Chants et Chansons* furent réunis (1852-1854) dans une édition illustrée par T. Johannot* et Célestin Nanteuil* et précédée d'une étude de Baudelaire* qui admirait fort le poète.

DUPONT (Gabriel). ♦ Compositeur français (Caen, 1878 — Le Vésinet, 1914). Élève de Massenet et de Widor, il composa pour le théâtre (*La Glu,* 1908; *La Farce du cuvier,* 1912; *Antar,* opéra posthume, 1924). Deux cycles de douze pièces pour piano *(La Maison dans les dunes, Les Heures dolentes)* forment son testament musical, dans la douloureuse attente d'une mort prématurée.

DUPONT DE L'ÉTANG (Pierre Antoine). ♦ Général français (Chabanais, Charente, 1765 — Paris, 1838). Il se distingua à Valmy, Marengo, Ulm, Friedland. Il fut emprisonné après la capitulation de Bailén*. Il fut ministre de la Guerre à la Première Restauration.

DUPONT DE L'EURE (Jacques Charles Dupont, dit**).** ♦ Homme politique français (Le Neubourg, Eure, 1767 — Rouge-Perriers, Eure, 1855). Avocat au parlement de Normandie, membre du Conseil des Cinq-Cents sous le Directoire (1797), membre du Corps législatif en 1813 et de la Chambre des représentants pendant les Cent-Jours, il siégea comme député de l'opposition lors de la Restauration. Après avoir participé à la révolution de juillet 1830, il fut quelque temps ministre de la Justice avant de rejoindre à nouveau les rangs de l'opposition sous la monarchie de Juillet, et d'être nommé président du gouvernement provisoire en 1848.

DUPONT DE NEMOURS (Pierre Samuel). ♦ Économiste et homme politique français (Paris, 1739 — Eleutherian Mills, près de Wilmington, Delaware, 1817). Disciple de Quesnay* et auteur de plusieurs ouvrages d'économie politique (*Physiocratie,* 1767; *Origines et progrès d'une science nouvelle,* 1768; *Table raisonnée des principes de l'économie politique,* 1773), il fut collaborateur de Turgot*. Député du Tiers État (1789), royaliste, il se réfugia aux États-Unis après le 18 Fructidor.

DUPONT DE NEMOURS (Éleuthère Irénée). ♦ Chimiste français (Paris, 1771 — Philadelphie, 1834). Collaborateur de Lavoisier*, émigré aux États-Unis, il fonda une poudrerie (1802), origine de la firme Du Pont de Nemours.

DU PONT DE NEMOURS (Pierre Samuel). ♦ Petit-fils de Éleuthère Irénée Dupont de Nemours. Industriel américain (Wilmington, Delaware, 1870 – 1954). Organisateur du complexe industriel *Du Pont de Nemours,* première société de produits chimiques du monde.

DUPONT DES LOGES (Paul). ♦ Prélat français (Rennes, 1804 – Metz, 1886). Évêque de Metz en 1843, il soutint la France après l'annexion de l'Alsace et de la Lorraine, surtout pendant son mandat de député au Reichstag (1874-1877).

DUPONT-SOMMER (André). ♦ Orientaliste français (Marnes-la-Coquette, 1900). Spécialisé en philologie hébraïque et araméenne et en histoire ancienne de l'Orient, il a notamment publié *Les Araméens* (1949-1950), le *Livre des hymnes découverts près de la mer Morte* (1957), *Écrits esséniens découverts près de la mer Morte* (1959).

DUPONT-WHITE (Charles Brook). ♦ Économiste français (Rouen, 1807 – Paris, 1878). Catholique libéral, il s'émut des conditions de travail et de vie des ouvriers, rendues très précaires par la révolution industrielle, et préconisa, après Sismondi*, l'intervention de l'État dans certains domaines de l'économie et en matière d'assistance publique (*Essai sur les relations du travail avec le capital,* 1845; *L'Individu et l'État,* 1857).

DUPORT ou **DU PORT (Adrien Jean François).** ♦ Homme politique français (Paris, 1759 – Appenzell, Suisse, 1798). Député de la Noblesse de Paris aux États généraux (1789), il fut un des premiers à se rallier au Tiers État. Au sein de l'Assemblée nationale constituante, il forma avec Barnave* et A. de Lameth* le triumvirat qui tenta de concilier les principes révolutionnaires et la monarchie, et se fit remarquer par son rapport sur l'organisation de la justice (1790), qui contribua à faire adopter l'institution des jurys. Après la fuite du roi **(V. Varennes)** il se rallia aux feuillants*. Après le 10 août 1792 il réussit à s'enfuir en Angleterre. Il rentra en France après le 9 Thermidor (juill. 1794), puis dut émigrer en Suisse en 1797.

DUPOUY (Gaston). ♦ Physicien français (Marmande, 1900). Auteur de travaux de magnéto-optique et d'opto-électronique, il construisit le premier microscope électronique français à lentilles magnétiques (1944). **V. Knoll** et **Ruska.** (Acad. sc., 1950.)

DÜPPEL. ♦ Nom allemand de Dybbøl, localité du S. du Jutland (Danemark). ♦ *Hist.* La localité, défendue par des lignes fortifiées, protégeait l'entrée du Jutland. Elle fut l'enjeu de combats entre les Danois et les Allemands en 1848, 1849 et 1864 **(V. Duchés** [*guerres des*]**).**

DUPRAT (Antoine). ♦ Prélat et homme politique français (Issoire, 1463 – Nantouillet, 1535). Avocat, premier président du parlement de Paris (1507), il devint précepteur du futur François* Ier qui le fit chancelier (1515). Il entra dans les ordres en 1516 et devint archevêque de Sens puis cardinal (1527), et fut le négociateur du concordat de Bologne, qu'il eut du mal à imposer en France. Pour soutenir la politique étrangère de François Ier, sa candidature à l'empire puis ses guerres, il eut recours aux expédients diplomatiques et surtout financiers (vénalité des charges), et les utilisa pour son propre compte. Il fut l'inspirateur de la répression du protestantisme.

DUPRÉ (Louis). ♦ Danseur français (Rouen, 1697 – Paris, 1774). Illustre à travers l'Europe du XVIIIe s. par la noblesse de son style et la majesté de ses mouvements, il fut à l'Opéra de Paris le créateur des ballets de Rameau et eut pour élèves Jean-Georges Noverre et Gaétan Vestris.

DUPRÉ (Jules). ♦ Peintre français (Nantes, 1811 – L'Isle-Adam, 1889). Il travailla d'abord comme peintre sur porcelaine dans l'atelier de son père. En 1831, il exposa des études de paysages du Limousin et en 1834, au cours d'un séjour en Angleterre, il fut marqué par Constable et les paysagistes anglais. Lié avec T. Rousseau*, il alla travailler à Barbizon à partir de 1846 et, comme ses compagnons, il ébauchait en plein air mais peignait en atelier. Il observait scrupuleusement la nature, mais se plaisait à en relever surtout les aspects tragiques, exécutant des paysages aux empâtements vigoureux, aux tonalités à dominante brune et ocre, parfois assourdie, et cherchait les effets de relief *(Le Grand Chêne).* Retiré après 1850 à L'Isle-Adam, il élargit sa manière en subordonnant les détails à l'effet d'ensemble.

Arch. Rencontre

J. Dupré : « La Vanne ».

DUPRÉ (Ernest). ♦ Médecin français (Marseille, 1862 – Deauville, 1921). Spécialisé en neurologie et psychiatrie, il étudia les troubles de la sensibilité interne (1907), la mythomanie ou délire d'imagination (1910). [Acad. méd., 1918.]

DUPRÉ (Marcel). ♦ Compositeur et organiste français (Rouen, 1886 – Meudon, 1971). Virtuose et grand improvisateur, il succéda à C.M. Widor au grand orgue de Saint-Sulpice (1936). Il fut directeur du conservatoire de Paris où il enseignait depuis 1926. Il entreprit de nombreuses tournées à travers le monde. Pédagogue très estimé, il a publié d'importants ouvrages théoriques. Il est aussi l'auteur de pièces pour l'orgue (préludes et fugues, messes, chorals, versets, symphonies).

DUPUY de LÔME (Henri). ♦ Ingénieur du génie maritime français (Ploemeur, Morbihan, 1816 – Paris, 1885). Constructeur du premier bâtiment de ligne à hélice (le *Napoléon,* 1850) et du premier cuirassé français (la *Gloire*), il parvint à faire sortir soixante aérostats de Paris durant le siège de 1870.

DUPUYTREN [dypɥitʀɛ̃] **(Guillaume).** ♦ Chirurgien français (Pierre-Buffière, Limousin, 1777 – Paris, 1835). Chirurgien de Louis XVIII et Charles X, il fut un des fondateurs de l'anatomie pathologique, dont il fit la base de la chirurgie. Opérateur habile, il réalisa de nombreuses opérations délicates. Le musée Dupuytren fut fondé par Orfila*.

DUQUE DE CAXIAS. ♦ V. du Brésil, sur la côte E. de la baie de Guanabara*. 173 077 hab. (1960). Raffinerie de pétrole.

DUQUESNE [dykɛn] **(Abraham,** ***marquis*****).** ♦ Marin français (Dieppe, 1610 – Paris, 1688). Il servit un moment la Suède, mais se distingua particulièrement contre les Hollandais en Méditerranée, remportant plusieurs victoires sur Ruyter* (Stromboli, 1675; Augusta, 1676), et contre les barbaresques (Tripoli, 1681; Alger, 1682). Il fut un des rares protestants épargnés par la révocation de l'édit de Nantes*.

DUQUESNOY [dykɛnwa] **(François,** dit **Francesco Fiammingo** ou **François Flamand).** ♦ Sculpteur flamand (Bruxelles, 1597 – Livourne, 1643). Fils et élève de JÉRÔME DUQUESNOY, dit *le Vieux,* auteur du célèbre *Maneken-Pis* à Bruxelles (1617), il s'établit à Rome en 1618 et réalisa alors un très grand nombre de petites sculptures en bois, cire, terre cuite, marbre et ivoire, fit aussi des restaurations d'antiques et exécuta des dessins pour les albums d'Antiquités romaines de Cassiano del Pozzo, le protecteur de Poussin*. En 1627-1628 il travailla pour le Bernin* au *baldaquin de Saint-Pierre de Rome (putti),* puis sculpta la statue de *saint André,* dont le pathos présente des affinités avec le maître baroque. Il traita avec un esprit plus serein et réservé une *sainte Suzanne,* attestant l'emprise de la statuaire antique, et se fit une spécialité des figures d'angelots (*Putti jouant de la musique,* 1642). Il mourut avant de parvenir en France, où il avait été appelé pour devenir sculpteur du roi. ♦ JÉRÔME DUQUESNOY, son frère (Bruxelles, 1602 – Gand, 1654). Architecte, sculpteur et graveur formé dans l'atelier de son père, il travailla en Espagne au service de Philippe IV, séjourna en Italie de 1640 à 1643, puis revint à Bruxelles où il réalisa de nombreuses statues religieuses. Son chef-d'œuvre : le *monument funéraire de l'évêque Triest à Saint-Bavon de Gand,* se caractérise par la finesse du modelé et une grande force expressive. Il fut le premier sculpteur du gouverneur des Pays-Bas, Léopold Guillaume d'Autriche.

DURAN (Charles Durand, dit **Carolus).** ♦ **V.** CAROLUS-DURAN.

DURANCE. *n. f.* ♦ Fl. des Alpes françaises du S. (280 km), prenant sa source au mont Genèvre (1 854 m) et arrosant Briançon*, Embrun*, Sisteron*, avant de se jeter dans le Rhône. Son bassin couvre 15 000 km². Son débit est important (6 milliards de m³) et son régime irrégulier. À partir de Mallemort, ses eaux ont été déviées vers l'étang de Berre et la Méditerranée *(canal de la basse Durance).* L'aménagement hydro-électrique de la Durance doit permettre de produire plus de 6 milliards de kWh annuels.

DURAND (Jean Nicolas Louis). ♦ Architecte, archéologue et théoricien français (Paris, 1760 – Thiais, 1834). Il fut élève de Boullée*, puis professeur à l'École polytechnique. Il restaura la Maison* carrée de Nîmes. Développant les doctrines rationalistes du père Laugier, il préconisa l'adaptation des éléments à leur fonction et fut partisan d'une architecture pratique et solide aux formes simples et symétriques, au décor sobre. Ses *Récits des leçons d'architecture données à l'École polytechnique* (1801) influencèrent les architectes rationalistes du XIXe siècle.

DURANGO. ♦ V. du Mexique septentrional au pied du versant E. de la Sierra Madre* occidentale, cap. de l'État du même nom. 192 934 hab. (1970). Archevêché. – Indus. textiles. Métallurgie du fer (gisements du Cerro de Mercado au N. de la ville). Fonderies de cuivre, de plomb. – *État de Durango.* 119 648 km². 919 000 hab. Élevage sur les hauts plateaux steppiques (bovins, ovins, porcins). Richesses minières (argent, or, plomb, cuivre, fer, charbon). Gaz naturel dans le Nord. *Princ. ville* **V. Gómez Palacio.** – Patrie de Pancho Villa*.

DURANTE (Francesco). ♦ Compositeur italien (Frattamaggiore, 1684 – Naples, 1755). Après avoir fréquenté le conservatoire de Naples, et peut-être celui de Rome, il fut lui-même professeur au conservatoire de San Onofrio (1745). Il eut pour élèves Niccolo Jomelli, Giovanni Paisiello, G.B. Pergolèse, Niccolo Piccinni, Leonardo Vinci. On lui doit de nombreux motets, plusieurs messes *(Messe pastorale à quatre voix),* des hymnes *(Lamentations du* *prophète Jérémie)*, trois oratorios et de la musique instrumentale (pour harpes et instruments à cordes).

DURANTI (Jean-Étienne Durant, dit). ♦ Magistrat français (Toulouse, 1534 — *id.*, 1589). Il montra une grande fermeté dans sa résistance aux ligueurs qui le firent assassiner.

DURANTY (Louis Edmond). ♦ Écrivain français (Paris, 1833 — 1880). Principal représentant, avec Champfleury*, du mouvement réaliste, il écrivit des romans où apparaît son souci de l'objectivité et de la vérité dans la description, comme son talent dans l'analyse psychologique : *Le Malheur d'Henriette Gérard* (1860) et *La Cause du beau Guillaume* (1862), notamment, sont significatifs d'une tentative à laquelle Zola* rendit hommage. Ami de Courbet*, Manet* et Degas*, il fut un des premiers à défendre les impressionnistes (*La Nouvelle Peinture*, 1876).

DURAS (Jacques Henri de Durfort, *duc de*). ♦ Maréchal de France (1626 — 1704). Neveu de Turenne*, il prit part à la conquête de la Franche-Comté. — Son frère, LOUIS (1638 — 1709), servit Charles* II d'Angleterre et initia Marlborough* à l'art militaire.

DURAS (Marguerite). ♦ Ecrivain français (Giadinh, Indochine, 1914). Elle passa son enfance et son adolescence en Indochine. et des récits comme *Un barrage contre le Pacifique*, 1950, et *Le Vice-Consul*, 1965, situés dans des pays d'outre-mer, évoquent cette situation. Venue en France (1927), elle s'y consacra bientôt à la littérature. Depuis *Les petits chevaux de Tarquinia* (1953), l'écrivain s'est orienté vers des œuvres en apparence statiques, où les personnages tentent d'échapper à la solitude pour donner un sens à leur vie : par l'amour absolu (*Dix heures et demie du soir en été*, 1960), par le crime ou la folie (*Moderato Cantabile*, 1958; *L'Amante anglaise*, 1967). Ses héroïnes vivent « sans savoir pourquoi », mais attendent « que quelque chose sorte du monde et vienne à (elles) ». Pourtant, incapables de vraiment communiquer, elles sont contraintes de « rentrer dans le silence » (*Le Square*, 1955). Des dialogues d'une apparente inanité évoquent cette attente pathétique (*L'Après-midi de Monsieur Andesmas*, 1962) ou suggèrent ces « situations ambiguës et inextricables » (*Détruire, dit-elle*, 1969). — Au théâtre, M. Duras a donné *Les Viaducs de Seine-et-Oise* (1960) et *La Bête de la Jungle* (1962); on lui doit aussi le scénario de *Hiroshima mon amour* (film d'A. Resnais, 1959) et d'*Une aussi longue absence* (1961).

DURAS [dyRɑs]. ♦ Ch.-l. de cant. du Lot*-et-Garonne, arr. de Marmande*. 1 298 hab. *(Duraquois)*. Restes d'un château du XVIe s., église du XIIe siècle.

DURAZZO. ♦ V. DURRËS.

DURBAN (officiellement **Durban-Pinetown,** anciennement **Port Natal).** ♦ V. et port d'Afrique* du Sud (prov. du Natal), reliée par voie ferrée à Pietermaritzburg*. 696 254 hab. en 1968 (nombreux Indiens, 207 000 Bantous). La ville est séparée de la mer par des collines. Université. Raffinerie de pétrole. Chantiers navals. Indus. alimentaires et textiles. Pâte à papier. Centre balnéaire et touristique. Nombreux parcs et jardins, dans la partie résidentielle blanche. — Le port, le premier de la République, a un trafic supérieur à 20 000 000 de t annuellement. ♦ *Hist.* La baie fut nommée Port Natal (d'abord Rio de Natal) et la ville fondée en 1824; les Anglais achetèrent une bande côtière à un chef zoulou. Les Boers y proclamèrent une république en 1842; ils attaquèrent la garnison anglaise, mais un colon put s'échapper et chercher de l'aide. Le Natal fut proclamé territoire anglais en 1843 et Durban devint une commune en 1854.

DURBAN-CORBIÈRES. ♦ Ch.-l. de cant. de l'Aude*, arr. de Narbonne, situé dans les Corbières*. 681 hab. — Vins. Miel. — À proximité, le château de Gléon.

DÜREN. ♦ V. d'Allemagne occidentale (Rhénanie du Nord-Westphalie), sur la Roër, dans le bassin d'Aix-la-Chapelle. 53 100 hab. Métallurgie, constructions mécaniques et chimie. — Patrie du mathématicien G. Dirichlet*.

Durendal (ou Durandal). ♦ Nom de l'épée de Roland*, dans la chanson de geste. Arme légendaire dont l'acier « ne se brise ni ne s'ébrèche », épée « belle et très sainte » dont le pommeau renferme des reliques.

DÜRER (Albrecht). ♦ Peintre et graveur allemand (Nuremberg, 1471 — *id.*, 1528). Il fut le plus grand peintre allemand de la Renaissance et le seul qui peut être comparé aux grands maîtres italiens de l'époque. Tout en conservant une base germanique, il assimila les recherches flamandes, s'appropria les découvertes italiennes et contribua à leurs enrichissements tant par ses traités théoriques que par son œuvre peint et gravé. Fils d'un orfèvre hongrois établi à Nuremberg, il acquit une formation traditionnelle. Il commença par s'initier à l'orfèvrerie dans l'atelier de son père avant de suivre un apprentissage chez le peintre-graveur Wolgemut (1486-1489), artiste traditionaliste. En 1490, il entreprit un voyage d'études en Flandres et séjourna ensuite à Colmar (1492) afin de contacter Schongauer*, maître graveur qu'il admirait et qui mourut entre-temps, mais dont l'œuvre lui apprit la concision du dessin et la rigueur de la composition. Avant de retourner à Nuremberg (1494), il résida à Strasbourg et à Bâle, où il aurait réalisé des bois d'illustration. Les œuvres de cette période attestent déjà et l'assimilation de la manière flamande (le *portrait de son père*, 1490, Offices, étant son tableau le plus proche de Van Eyck) et la compréhension de l'art italien l'amenant à s'initier au naturalisme de Mantegna* en copiant certaines estampes. Cet intérêt éloigna Dürer du style archaïsant de son maître Wolgemut et du « gothique maniéré » de Schongauer. À cette époque, il peignit son *Autoportrait en fiancé* (1493, Louvre) que H. Jantzen signale comme le premier autoportrait autonome de l'histoire de la peinture occidentale. En 1495, il voyagea en Italie où il séjourna peu de temps, principalement à Venise. Il se familiarisa ainsi avec la richesse et la variété des grands maîtres italiens (surtout les frères Bellini, A. del Pollaiolo, Mantegna, Lorenzo di Gredi). Dès ce moment, il atteignit une plus grande précision dans le traitement des corps et l'agencement de la perspective. Dans la *Grande Crucifixion* (1495), sur bois, dont la composition dérive de Léonard de Vinci, il établit une intéressante synthèse entre le système de représentation italien et le goût de l'expression hérité de Schongauer. Depuis 1495, Dürer, conscient de sa valeur, installa un atelier indépendant à Nuremberg et entreprit d'imposer en Allemagne un statut social élevé pour les peintres, à l'instar des artistes italiens. Il apposa dès lors le monogramme de ses initiales sur ses peintures et gravures et devint son propre maître d'œuvre. Entre 1495 et 1500, il manifesta une maîtrise complète dans ses premiers cuivres. Il illustra une partie de l'*Apocalypse* (dessins sur bois, 1498) qui atteste son originalité dans l'organisation rationnelle des formes et leur intégration dans un espace construit à la manière renaissante, qui s'harmonise parfaitement avec la persistance d'un certain esprit médiéval. Il commença simultanément le traitement sur bois de la *Grande Passion*, qui sera achevée beaucoup plus tard. Il grava aussi des cuivres où l'on sent le souci d'imitation du nu à l'italienne. Quant aux peintures contemporaines, elles présentent une variété de styles à la mesure de l'intensité de la recherche et de la pluralité de l'expérimentation. En effet, si le *Saint Jérôme* (coll. privée, Norwich, comté de Norfolk) annonce les recherches de l'école du Danube par le traitement du paysage baigné par une lumière crépusculaire, la partie centrale du *retable de Dresde* pousse la rigueur jusqu'aux limites de la froideur. *Hercule et les oiseaux du lac Stymphale* (1500, Nuremberg, Musée germanique) — unique peinture mythologique qui nous est parvenue — est traité dans un style nettement italianisant inspiré de A. del Pollaiolo, tandis que le *Christ de douleur* (Karlsruhe, Kunsthalle) fait intervenir un esprit spécifiquement germanique dans un motif d'inspiration bellinienne. Il peignit aussi une série de portraits de diverses factures (*Autoportrait*, Prado, 1496; *Autoportrait*, pinacothèque de Munich, 1500; *Portrait d'Oswalt Krel*, pinacothèque de Munich, 1499). Après 1500, il s'attacha surtout à résoudre les problèmes de l'anatomie et ceux de la perspective. Le cuivre d'*Adam et Ève* (1504) est le résultat des recherches sur le canon de beauté alors que les panneaux latéraux du *retable Paumgartner* (1502) représentant les saints Georges et Eustache proposent deux études sur les proportions du corps. Les burins de cette période (*Saint Eustache, Némésis*, etc.) montrent un traitement linéaire minutieux où, par la combinaison successive des hachures, se dégagent des effets perspectifs et des dégradés de lumière. Cette méthode sera le fondement de la technique moderne du burin. Ces gravures assurèrent à Dürer une grande renommée européenne, au point que, lorsqu'il séjourna de nouveau à Venise (1505-1507), on y contrefaisait déjà sa manière. Après ce second voyage en Italie, Dürer s'engagea dans de nouvelles recherches. *Adam et Ève* (1507, Prado) révèle des lignes maniéristes où certaines tendances gothiques sont modifiées par le coloris blond. Dans l'*Adoration de la Sainte-Trinité* (1511, Vienne, Kunsthistorisches Museum) figurent des personnages tout irréels fondus dans un coloris éclatant. À partir de 1512, la production picturale de Dürer diminua. Il travailla pour le compte de l'empereur Maximilien, pour qui il dessina des projets de décoration pour un arc de triomphe et des illustrations pour son livre de prières. Il se consacra aussi à la recherche théorique et à la rédaction de traités (*Introduction sur la manière de mesurer*, 1525; *Traité des fortifications*, 1527; *Traité des proportions du corps humain*, publication posthume,

Ph. Nimatallah/Ricciarini

A. Dürer : « Autoportrait » (détail). (Louvre, Paris.)

Ph. Hétier

La ville de **Durham**.

en 1528, qui fut très utilisée par les peintres du XVIe et du XVIIe s.). De plus, si l'on admet avec Panofsky que le cuivre de la *Mélancolie I* (1514) est un « portrait spirituel », on peut croire à la thèse de la lassitude de Dürer à cette époque de sa vie. Après son second voyage aux Pays-Bas (1520-1521), où il fut reçu en triomphe par les grands maîtres flamands (Quentin Metsys, Van Orley, Patenier), il peignit encore moins et se limita à graver des portraits. Cependant, sa dernière œuvre picturale, *« les Quatre Apôtres »* (1526, Munich, Alte Pinakothek), est jugée comme un chef-d'œuvre. Diversement interprétée, elle est considérée comme son testament : les uns affirment que ce tableau est prétexte à une profession de foi luthérienne; d'autres pensent qu'il s'agit d'une exhortation appelant les sectateurs à plus de modération; d'autres enfin n'y voient qu'une simple étude de physionomie. Par son œuvre gravé, Dürer eut une influence européenne durable et, à l'exception de Grünewald, tous les grands peintres de la Renaissance germanique (Cranach, Baldung, Altdorfer) s'inspirèrent de son œuvre peint tout en s'engageant dans des directions différentes. Vers 1600, la renaissance de son prestige en Allemagne amena divers peintres à le copier. Deux siècles plus tard, le romantisme allemand découvrit en lui un ancêtre et ne manqua pas de le glorifier.

DUREY (Louis). ♦ Compositeur français (Paris, 1888). Il appartint au « groupe des Six » et participa plus tard à la fondation de l'Association des musiciens progressistes (1945). Son œuvre comprend des pièces de musique de chambre (trois quatuors à cordes), de la musique de scène, des mélodies *(Images à Crusoé, Madrigaux de Mallarmé, Bestiaire d'Apollinaire, Poèmes de Paul Éluard et d'Hô Chi Minh),* et des cantates : *La Longue Marche* (Mao Tsê tung), *Paix aux hommes par millions* (Maïakovski).

DURG. ♦ V. de l'Inde (Madhya Pradesh), à 30 km à l'O. de Raipur. 65 000 hab. Centre commercial. Durg forme avec Raipur une agglomération de 220 000 habitants.

DURGÂ. ♦ Divinité féminine hindoue, énergie de Śiva* et de Viṣnu* conjugués, souvent représentée dans la sculpture de l'Inde combattant un démon empruntant la forme du buffle, symbole de la mort. Elle est très vénérée et de nombreux temples lui sont consacrés.

DURHAM (John George LAMBTON, *1er comte de***).** ♦ Homme politique anglais (Londres, 1792 – Cowes, 1840). Gouverneur du Canada (1838), il fut l'auteur d'un rapport demandant la réunion du Haut et du Bas-Canada, et l'établissement d'un gouvernement responsable, et qui aboutit à la formation de la Confédération canadienne.

DURHAM. *n. m.* ♦ Comté du N.-E. de l'Angleterre, s'étendant sur le versant oriental des Pennines, il est limité au N. par le Northumberland, au S. par le Yorkshire, à l'O. par le Cumberland et le Westmorland et baigné à l'E. par la mer du Nord. 2 628 km². 1 517 000 hab. *Ch.-l.* Durham*. *V. princ.* **V. Darlington, Gateshead, South Shields, Stockton, Sunderland, West Hartlepool.** L'élevage bovin y est largement pratiqué. Le sous-sol est très riche en houille, surtout de Durham à la mer du Nord. Sidérurgie, carbochimie; constructions navales dans les ports. – Patrie d'Elizabeth Browning* et d'Anthony Eden*.

DURHAM. ♦ V. du N.-E. de l'Angleterre, dans une boucle de la Wear. Ch.-l. du comté de Durham. 20 500 hab. Université. La cathédrale, l'une des plus fameuses d'Angleterre, fut élevée sur l'emplacement d'une église saxonne de 1093 à 1133 et remaniée aux XIIe et XIIIe siècles. – Centre commercial et industriel (métallurgie, textiles).

DURKHEIM (Émile). ♦ Sociologue français (Épinal, 1858 – Paris, 1917). Professeur de pédagogie et sciences sociales à Bordeaux (1887), puis à la Sorbonne (1902, poste qui devint la chaire de sociologie en 1913) et fondateur de la revue *l'Année sociologique* (1896), il anima l'École française de sociologie **(V. C. Bouglé, M. Halbwachs, L. Lévy-Bruhl, M. Mauss),** cherchant dans l'étude des sociétés et des lois qui les régissent la base sûre pour fonder une science des mœurs. Dans la ligne du positivisme d'A. Comte, Durkheim voulut faire de la sociologie une science ayant son objet et sa méthode propres. Aussi affirma-t-il la spécificité des faits sociaux par rapport aux phénomènes organiques ou psychologiques (individuels) et les définit-il comme « manières d'agir, de penser et de sentir, extérieures à l'individu, et qui sont douées d'un pouvoir de coercition en vertu duquel ils s'imposent à lui ». Cette définition parut donner à la sociologie un caractère naturaliste et mécaniste, mais Durkheim, nuançant ce point de vue, attribua une place toujours plus importante dans son œuvre au système des « représentations collectives ». Parti d'une étude sur *La division du travail social* (1893, où il développe l'opposition entre solidarité mécanique et organique), il a donné après l'exposé théorique des *Règles de la méthode sociologique* (1895), une analyse sur *Le Suicide* (1897) et enfin un ouvrage offrant un intérêt ethnographique sur *Les formes élémentaires de la vie religieuse, le système totémique en Australie* (1912).

DURME. *n. f.* ♦ Riv. de Belgique, affl. de l'Escaut*, arrosant Hamme*, Lochristi*, Lokeren*.

DURMITOR. *n. m.* ♦ Massif montagneux des Alpes dinariques* (Montenegro), qui culmine à 2 530 mètres.

DUROC (Géraud Christophe Michel, *duc de* **Frioul).** ♦ Général français (Pont-à-Mousson, Lorraine, 1772 – près de Görlitz, 1813). Il se lia à Bonaparte lors du siège de Toulon (1793) et prit part au coup d'État du 18 Brumaire. Nommé grand maréchal du palais de Napoléon Ier (1805), il fut chargé par l'Empereur de missions diplomatiques. Il se distingua à Austerlitz, Aspern, Wagram et fut tué à Bautzen.

DUROCORTORUM. ♦ Nom de Reims* à l'époque gallo-romaine. Cap. des Rèmes*.

DUROY (Jean). ♦ Homme politique français (Bernay, 1753 – Paris, 1795). Député à l'Assemblée législative, il fut réélu à la Convention, où, siégeant avec la Montagne, il s'opposa vivement à la politique des Girondins et contribua à la répression de l'insurrection fédéraliste en Normandie. Au cours de la réaction thermidorienne, il prit position pour les insurgés lors de la journée du Ier prairial* an III (20 mai 1795). Condamné à mort, il tenta de se suicider et fut guillotiné.

DURRELL (Lawrence George). ♦ Poète et romancier anglais (en Inde, 1912 –). Grand voyageur, Durrell fut attaché à l'ambassade d'Angleterre au Caire en 1939, et le Proche-Orient le marqua profondément. « La bienheureuse Alexandrie » sert de cadre à ses quatre principaux romans : *Justine*, 1957, *Balthazar*, 1958, *Mountolive*, 1958 et *Cléa*, 1960. Ces quatre livres forment une seule œuvre, où des événements identiques sont évoqués de différents points de vue, avec une technique littéraire extrêmement élaborée et une force évocatoire constante. Les personnages, intelligents et subtils, y sont broyés dans le « pressoir de l'amour ». Durrell définissait lui-même l'une de ses premières œuvres, *Le Livre noir* (*The Black Book*, 1938), comme « une étude d'épuisement moral ». Ses récits de voyages sont aussi des romans : *La Cellule de Prospero*, 1945; *Pensées sur une Vénus marine*, 1953; *Citrons acides*, 1957. L'atmosphère, les personnages et les incidents de ses romans se retrouvent également dans ses vers : *Pays privé* (*A Private Country*), *Villes, Plaines et Peuples* (*Cities, Places and People*, 1946), *L'Arbre de la paresse* (*The Tree of Idleness*, 1955). Pour mieux conjurer l'obsession de la mort, Durrell s'efforce d'évoquer le moment présent et de célébrer l'hédonisme.

DÜRRENMATT (Friedrich). ♦ Écrivain et auteur dramatique suisse de langue allemande (Konolfingen, 1921). Expressionnistes par leurs situations et leurs personnages, ses comédies développent une satire de l'actualité et empruntent souvent l'aspect de la fable symbolique, de la parabole ou de la moralité. Œuvr. princ. : *Romulus le Grand* (1949), *Le Mariage de Monsieur Mississippi (Die Ehe des Herrn Mississippi,* 1952), *La Visite de la vieille dame Der Besuch der alten Dame,* 1955).

DURRËS, en it. **Durazzo.** ♦ V. et port d'Albanie*, ch.-l. de district sur la côte adriatique, à l'O. de Tirana. 40 000 hab. C'est l'un des centres industriels les plus actifs du pays : minoteries, constructions navales et mécaniques. Important nœud ferroviaire (ligne Tirana-Elbasan). ♦ Hist. *Epidammos* fut fondée en ~ 625 par des Grecs de Corinthe et de Corcyre, puis rebaptisée *Dyrrachium* en ~ 229 par les Romains; c'est par elle que passait la *via Egnatia*, vers Byzance. – En 1915, l'armée serbe, vaincue, s'y embarqua.

DURRUTI (Buenaventura y Domingo). ♦ Syndicaliste anarchiste espagnol (León, 1896 – Madrid, 1936). Affilié à l'Union générale des travailleurs, puis à la Confédération nationale du travail (1917), il découvrit les théories anarchistes et contribua à la fondation du groupe anarchiste *Los Solidarios* de Barcelone (1922). Exilé en 1923, il revint en Espagne lors de l'instauration de la république (1931) et participa à tous les grands conflits sociaux. Lors de la révolution de 1936 et de la guerre civile, il dirigea le front libertaire de la région de l'Aragon. Appelé à Madrid par le comité central des milices pour lutter contre l'offensive franquiste (oct.-nov. 1936), il y fut tué (19-20 nov.).

DUR-SHARRUKIN. ♦ V. de l'ancienne Assyrie, cap. de Sargon* II. **V. Khórsabad.**

DURTAL. ♦ Ch.-l. de cant. du Maine-et-Loire, arr. d'Angers. 3 161 hab. [2 235 aggl.] *(Durtalois).* Église Saint-Pierre, romane, du XIIe s. Château XVIe s. et de style Louis XIII. auj. hospice. Pont du XIVe s. sur le Loir. Maisons anc. Vestiges de l'anc. enceinte. Forêt. Papeterie. Matériaux de construction. Poterie d'art.

DURUFLÉ (Maurice). ♦ Compositeur et organiste français (Louviers, 1902). Élève de Paul Dukas, assistant de Tournemire et de Vierne, il est titulaire de l'orgue de Saint-Étienne-du-Mont (1930) et professeur au Conservatoire (1944). Il a composé de nombreuses pièces pour orgue (*prélude, adagio* et *chorals* variés sur le *Veni creator*, 1929, *Suite*, 1930, *Prélude et Fugue sur le nom de Jehan Alain*, 1943) ainsi qu'un *Requiem* pour solistes, chœur, orchestre et orgue (1947).

DURUY (Victor). ♦ Historien et homme politique français (Paris, 1811 — *id.*, 1894). Inspecteur général de l'enseignement secondaire (1861-1862), il fut nommé ministre de l'Instruction publique par Napoléon III (1863-1869) et contribua à faire adopter d'importantes réformes libéralisant l'enseignement : rétablissement de l'agrégation de philosophie, introduction de l'histoire contemporaine dans les programmes, développement de l'instruction primaire et secondaire. Auteur de nombreux ouvrages historiques dont une importante *Histoire des Romains* [1876-1885]. (Acad. fr., 1884.)

DURVAL (Jean Gilbert). ♦ Poète dramatique français du XVIIe s. Adversaire de la tragédie régulière, il a protesté contre la victoire de ses partisans dans la préface de *Penthée* (1639).

DURYCH (Jaroslav). ♦ Romancier tchèque (Hradec Králové, 1866 — 1962). Catholique intransigeant, il exalta la souffrance, transcendée par l'amour de Dieu : *Trois Liards* (1926). Puis il renouvela le roman historique en consacrant une sombre trilogie à Wallenstein* : *Errances* (1929).

DU RYER (Pierre). ♦ Auteur dramatique français (Paris, 1605 — *id.*, 1658). Engagés dans des actions aux multiples rebondissements, les héros de ses tragédies témoignent d'une générosité dont Corneille, parfois, saura se souvenir. Avec *Lucrèce* (1636) et *Scévola* (1646), tragédies irrégulières, Du Ryer a occupé quelque temps une place privilégiée dans le théâtre français, en tant qu'adversaire de la stricte application des règles classiques. (Acad. fr., 1646.)

DUSE (Eleonora). ♦ Actrice italienne (Vigevano, 1858 — Pittsburgh, Penn., 1924). Interprète de Dumas fils, d'Ibsen et de G. d'Annunzio sur les principales scènes internationales, elle a marqué chacune de ses créations de sa frémissante sensibilité, de son naturel et de sa poésie.

DU SOMMERARD (Alexandre). ♦ Archéologue français (Bar-sur-Aube, 1779 — Saint-Cloud, 1842). Connu pour sa collection d'objets et d'œuvres du Moyen Âge, installée à l'hôtel de Cluny et acquise par l'État en 1843, il a publié des *Notices sur l'hôtel de Cluny et le palais des Thermes* (1834) ainsi qu'un ouvrage sur *Les Arts au Moyen Âge* (1836-1846). Ce dernier fut achevé par son fils, EDMOND DU SOMMERARD (Paris, 1817 — 1885), premier conservateur du musée de Cluny.

DUSSEK (Johann Ladislas). ♦ Compositeur tchèque (Časlav, Bohême, 1760 — Saint-Germain-en-Laye, 1812). Pianiste virtuose, il fit de nombreuses tournées à travers l'Europe. Il fut au service du prince Louis Ferdinand de Prusse, puis de Talleyrand (1807). Pédagogue de grande valeur, il a publié une méthode de piano (1796) et composé pour cet instrument des concertos, sonates, fantaisies et variations. Il écrivit aussi de la musique de chambre, d'église et des mélodies.

DÜSSELDORF. ♦ V. d'Allemagne occidentale, ch.-l. de la Rhénanie-Westphalie et cap. de la région Ruhr*-Rhin, sur la r. d. du Rhin, à l'embouchure de la Düssel. 683 000 hab. (1969). Université. La vieille ville possède des rues pittoresques. Musées. Centre administratif et financier de la région Rhin-Ruhr, c'est le siège des syndicats ouvriers et patronaux du bassin de la Ruhr. Les grandes firmes sidérurgiques (Thyssen, Mannesmann) y ont leur siège social. Düsseldorf est un important carrefour de communications (voies ferrées, aéroport) et un grand centre industriel : métallurgie lourde (locomotives, automobiles), produits chimiques, confection (1er centre allemand de confection féminine). — Patrie de Sibylle de Clèves*, de Peter von Cornelius*, de Heine*, de F.H. Jacobi*, de F. Klein*, de C. Krieghoff et de Paul Natorp. ♦ *Hist.* Cap. du duché de Berg* à partir de 1288, elle fut occupée par les Français de 1806 à 1815, puis cédée à la Prusse. — Düsseldorf fut le siège d'une école de peinture, l'*école de Düsseldorf*, de 1767 à 1819, et dont le princ. représentant fut P. von Cornelius.

Ph. Hétier

Düsseldorf.

DÔST MUHAMMAD KHÂN [*Dost Muhammad*]. ♦ Émir d'Afghânistân (1793 — Herat, 1863) qui régna de 1826 à 1838, et de 1842 à sa mort. Il s'opposa constamment aux entreprises conquérantes des Anglais, s'allia avec les Sikhs* contre ceux-ci, mais, vaincu en 1840, il conclut la paix avec Londres et agrandit ses possessions, unifiant le pays.

DUTERT (Ferdinand Charles Louis). ♦ Architecte français (Douai, 1845 — Paris, 1906). Il fut nommé inspecteur des travaux de reconstitution de l'*Hôtel de Ville de Paris* en 1875 et devint ensuite l'un des plus audacieux adeptes de l'architecture métallique : il éleva avec l'ingénieur Contamin (1840 — 1893) *la Galerie des machines* (L : 420 m ; l : 115 m; h : 45 m) qui lui vaut d'être considéré comme l'un des pionniers de l'architecture moderne. Il érigea aussi les *nouvelles galeries du Muséum d'histoire naturelle*.

DUTILLEUX (Henri). ♦ Compositeur français (Angers, 1916). Auteur d'une œuvre peu abondante, mais riche de résonance intérieure et de poésie, ce musicien répudie les cadres traditionnels et s'attache à réaliser la fusion d'une écriture claire et du fascinant mystère qu'elle entend traduire. On lui doit une sonate pour piano (1947), deux symphonies (1951-1959), un ballet, *Le Loup* (1953), cinq pièces pour orchestre, *Métaboles* (1964), ainsi que des mélodies (trois sonnets de Jean Cassou, pour chant et orchestre).

DUTOURD (Jean). ♦ Romancier français (Paris, 1920). Après la guerre de 1940 — durant laquelle il participa à la Résistance (Cf. *Le Demi-Solde*, 1965) — il collabora au service français de la B.B.C. (1947 à 1950), puis devint conseiller littéraire, se livrant parallèlement à une activité croissante de chroniqueur et de critique de spectacles. Depuis son premier ouvrage, *Le Complexe de César* (1946), essai sur l'ambition et la confiance en soi, Dutourd sembla avoir exercé sa verve contre la prétention et la médiocrité suffisante; qu'il s'agisse de romans (*Au bon beurre*, satire de la France de l'Occupation, 1952; *Les Horreurs de l'amour*, 1963) et — le plus souvent — de contes philosophiques (*Une tête de chien*, 1950; *Doucin*, 1954), il s'attache à démythifier (Cf. *Les Dupes*, 1960), parfois avec une certaine âcreté (*Les Taxis de la Marne*, 1956), le conformisme qu'il découvre dans les opinions qui l'inquiètent.

DUTRA (Enrico Gaspar). ♦ Général de l'armée brésilienne (Matto Grosso, 1885 —). Il fut élu président de la République brésilienne, le 2 déc. 1945, en remplacement de G. Vargas*, dont il avait été le ministre de la Guerre. C'est durant ce ministère qu'il envoya un corps expéditionnaire combattre aux côtés des armées alliées dans la Deuxième Guerre mondiale. Son régime inaugure une période de tranquillité après les remous provoqués par le régime dictatorial de G. Vargas.

DUTREUIL de RHINS (Jules Léon). ♦ Marin et explorateur français (Saint-Étienne, 1846 — Tong-ouboundo, confins de la Chine et du Tibet, 1894). Après un voyage en Annam (1876-1877), il réalisa le levé du cours de l'Ogooué (1883) puis explora l'Asie centrale, en particulier le Tibet et les régions limitrophes, et mourut en traversant l'empire chinois (1889-1894). On lui doit plusieurs ouvrages, dont *Le Royaume de l'Annam et les Annamites* (1879), *Asie centrale, Tibet et régions limitrophes* et une des premières cartes de l'Indochine.

DUTROCHET (René Joachim Henri). ♦ Physiologiste et physicien français (château de Néons, Poitou, 1776 — Paris, 1847). Ses recherches portèrent sur la structure cellulaire des végétaux, leur physiologie. On lui doit en particulier la découverte de l'osmose et de son rôle dans la vie des plantes, de la diapédèse, etc. (Acad. sc., 1831).

DUTUIT (Eugène). ♦ Écrivain d'art et collectionneur français (Marseille, 1807 — Rouen, 1886), auteur du *Manuel de l'amateur d'estampes* (1881-1884) et de l'*Œuvre complet de Rembrandt* (1884). ♦ AUGUSTE DUTUIT, son frère (Paris, 1812 — Rome, 1902). Peintre et collectionneur. Eugène et Auguste Dutuit formèrent une importante collection, conservée au Petit Palais à Paris et constituée de médailles et monnaies antiques, de manuscrits du Moyen Âge, de livres précieux, objets d'art, gravures et tableaux.

DUUN (Olav). ♦ Écrivain norvégien (Fosnes, Nord-Tröndelag, 1876 — Tönsberg, 1939). Issu d'un milieu paysan, instituteur de 1908 à 1927, il produisit une œuvre romanesque abondante, centrée sur un thème : *Les Hommes et les forces de la nature* (titre de son dernier ouvrage, 1938). *Paa Tvaert* (1909), *Nøkksjølia* (1910), *La Bonne Conscience* (1916) et *A Lyngsøya* sont des études psychologiques menées au sein de la vie sociale. Puis Duun publia la fresque épique que constituent les six volumes des *Juvikalke (Les Gens de Juvik) : Juvikinger* (1918), *I Blinda* (1919), *Grand Mariage* (1920), *Dans les aventures* (1921), *Dans la jeunesse* (1922) et *Dans l'orage* (1923) évoquent la vie des paysans norvégiens de la région de Namsos, de la fin du XVIIIe s. jusque v. 1920. Adoptant le ton de simplicité grandiose des sagas islandaises, Duun s'est attaché à « montrer une famille qui sort de la nuit et

Ph. Keystone

Maurice Duverger.

se dégage des puissances de l'Ombre ». Il aborda ensuite des sujets plus mystiques, notamment avec la trilogie qu'offrent *Nos semblables* (1929), *Raguhild* (1923) et *Dernières années de vie* (1933) pour aboutir à *Dieu sourit* (1935).

DUVAL (Alexandre Pineux-Duval, dit **Alexandre).** ♦ Auteur dramatique français (Rennes, 1767 – Paris, 1842). Acteur, puis directeur de théâtre (Odéon 1807) il est l'auteur de drames historiques (*La Jeunesse de Henri V,* 1806) et de pamphlets hostiles au jeune théâtre romantique (*De la littérature dramatique,* 1833). [Acad. fr., 1812.]

DUVAL (Émile-Victor, dit **le Général).** ♦ Chef militaire de la Commune de Paris (Paris, 1841 – 1871). Ouvrier fondeur, révolutionnaire blanquiste et membre de la Ire Internationale, il participa aux mouvements insurrectionnels d'octobre 1870, et fit partie du Comité central de la Garde nationale qui le nomma général (21 mars 1871). Élu à la Commune de Paris, il devint membre de la commission exécutive et de la commission militaire. À la tête d'une colonne de communards, il tenta d'attaquer l'armée versaillaise (au plateau de Châtillon), mais, après plusieurs heures de combat, fut fait prisonnier (4 avril) et fusillé sur l'ordre de Vinoy.

DUVALIER (François). ♦ Homme politique haïtien (Port-au-Prince, 1909 – *id.,* 1971). Médecin, puis ministre de la Santé publique, il fut élu président de la république de Haïti* en 1954, après avoir obligé le président Magloire à démissionner. Il établit un régime dictatorial et policier et, après s'être fait nommer président à vie en 1964, désigna son fils comme successeur. Il entra en conflit avec l'Église catholique à propos de l'influence grandissante du culte vaudou sur la population haïtienne. – Son fils lui succéda à sa mort.

DUVERGER (Maurice). ♦ Juriste et journaliste français (Angoulême, 1917). Directeur d'études et de recherches à la Fondation nationale des sciences politiques, il a publié *Les Constitutions de la France* (1944), *Les Régimes politiques* (1948), *Droit constitutionnel et institutions politiques* (1955), *Les Partis politiques* (1958). Analysant les deux faces de la politique, à la fois « pouvoir permettant aux individus et aux groupes qui le détiennent d'assurer leur domination sur la société, et d'en tirer profit », et « effort pour faire régner l'ordre et la justice..., moyen de réaliser l'intégration de tous les individus dans la communauté », il a confronté dans son *Introduction à la politique* (1968) les théories marxiste et occidentale, affirmant la relative convergence de leurs évolutions vers un « socialisme démocratique ».

DUVERGIER DE HAURANNE (Jean). ♦ V. SAINT-CYRAN.

DUVERGIER DE HAURANNE (Prosper). ♦ Homme politique français (Rouen, 1798 – Château de Herry, Cher, 1881). Élu député en 1831, il fut d'abord doctrinaire, avant de devenir l'un des principaux représentants de la tendance réformiste, publiant en 1846 un opuscule sur *La Réforme parlementaire et la réforme électorale* et prenant une part active à la campagne des Banquets* (1847-1848) qui précéda la chute de la monarchie de Juillet. Membre de l'Assemblée constituante (1848) et de l'Assemblée législative (1849), il fut détenu puis exilé en raison de son opposition au coup d'État du 2 déc. 1851. Auteur d'une *Histoire du gouvernement parlementaire en France de 1814 à 1848* [1857-1872]. (Acad. fr., 1870.)

DUVERNOY (Georges Louis). ♦ Anatomiste et zoologiste français (Montbéliard, 1777 – Paris, 1855). Il collabora à la rédaction des *Leçons d'anatomie comparée* (1803) de Cuvier* qu'il remplaça à la chaire d'histoire naturelle des corps organisés au Collège de France (1837). [Acad. sc., 1847.]

DUVET (Jean). ♦ Graveur, orfèvre et médailleur français (Langres?, v. 1485 – v. 1570). Il réalisa le *reliquaire de saint Mammès,* fut orfèvre de François Ier et de Henri II, s'exila un temps en Suisse en raison de son protestantisme. Il exécuta alors les coins des monnaies de la République. Comme graveur, il réalisa les planches de l'*Histoire de la licorne* (d'où son pseudonyme de « Maître à la licorne ») et les vingt-cinq grands burins de l'*Apocalypse figurée* (entre 1546 et 1555). Tempérament visionnaire et tourmenté, il donna à ses compositions touffues une grande vigueur expressive et, tout en conservant maints traits archaïques, fit de nombreux emprunts à Dürer*.

DUVEYRIER (Henri). ♦ Explorateur français (Paris, 1840 – Sèvres, 1892). En 1859, il entreprit l'exploration du Sahara algérien jusqu'à la frontière libyenne (Ghadamès) et publia à son retour un ouvrage sur les *Touaregs du Nord* (1864).

DU VIGNEAUD (Vincent). ♦ Biochimiste américain (Chicago, 1901). Auteur de travaux sur les composés sulfurés d'importance biochimique, il réalisa la première synthèse d'hormones protéiques [1953]. (Prix Nobel de chimie, 1955.)

DUVIVIER (Julien). ♦ Réalisateur français de cinéma (Lille, 1896 – Paris, 1967). D'une œuvre abondante et qui illustre des genres très divers se dégage la personnalité d'un créateur dont l'exigence et le talent ont enrichi le cinéma français. Princ. réal. : *David Golder* (1930), *Poil de Carotte* (1932), *La Bandera* (1935), *La Belle Équipe* (1936), *Pépé le Moko* (1937), *Un carnet de bal* (1937), *La Fin du jour* (1938).

DVĀRKĀ ou **DWĀRAKĀ.** ♦ Petit port de l'Inde (Gujarât), dans la péninsule du Kathiâwar, considéré comme une des sept villes sacrées de l'Inde, et antique capitale de Krisna*. Port de pêche. Env. 20 000 habitants.

DVINA OCCIDENTALE. *n. f.,* en russe **Zapadnaja Dvina,** en letton **Daugava,** en all. **Düna.** ♦ Fl. d'U.R.S.S. (1 204 km). Issu des hauteurs des Valdaï* (R.S.F.S. de Russie), il traverse le N. de la Biélorussie où il arrose Vitebsk* et pénètre en Lettonie où il prend le nom de Daugava ; il baigne Daugavpils* et Riga* avant de se jeter dans la Baltique, au golfe de Riga. Difficilement navigable, la Dvina est une puissante source d'énergie hydraulique.

DVINA SEPTENTRIONALE. *n. f.,* en russe **Severnaja Dvina.** ♦ Riv. d'U.R.S.S. (R.S.F.S. de Russie), dans la région d'Arkhangelsk. (750 km). Formée par la confluence des riv. Soukhona [Sukhona] (562 km) et Ioug [Iug] (574 km), elle porte le nom de *Petite Dvina Septentrionale ;* unie avec la Vytchegda*, elle forme la *Grande Dvina Septentrionale* et se jette dans la mer Blanche* après avoir reçu les eaux des riv. Pinega (r. d.) et Vaga (r. g.). Elle est navigable sur toute sa longueur. Flottage du bois. Elle arrose les villes de Kotlas* et d'Arkhangelsk*.

DVIVEDI (Mahâvîr Prâsad). ♦ Écrivain indien (1864 – 1938) dont les œuvres, écrites en pur hindi*, permirent à cette langue nationale indienne de devenir un instrument littéraire moderne.

DVOŘÁK (Antón). ♦ Compositeur tchèque (Nelahozeves, 1841 – Prague, 1904). Fils d'un cafetier, il fit ses études musicales à Prague où il fut successivement musicien d'orchestre à l'opéra et organiste. L'amitié de Brahms et de H. von Bülow, de nombreuses tournées à travers le monde, consacrèrent sa réputation. Il exerça les fonctions de directeur des conservatoires de New York (1895) et de Prague (1901). Son œuvre, très abondante, s'inspire du folklore tchèque, et traduit, dans son romantisme, la double influence de Liszt* et de Brahms*. Il est l'auteur de cinq symphonies (dont la célèbre *Symphonie du Nouveau Monde,* 1893), de plusieurs opéras (dont *Roussalka,* 1901), de concertos pour piano, violon, violoncelle, de musique religieuse (*Stabat Mater,* 1877; *Requiem,* 1890; *Te Deum,* 1893), d'oratorios, de nombreuses œuvres de musique de chambre, d'ouvertures *(Carnaval),* de mélodies et d'œuvres pour orchestre *(Danses slaves).*

DYBOWSKI (Jean). ♦ Agronome et explorateur français d'origine polonaise (Paris, 1856 – Mandres, Seine-et-Oise, 1928). Sorti de l'École nationale d'agriculture de Grignon, il explora le sud algérien (1889), puis les régions du Tchad et du Congo (1891-1892) avant d'être nommé inspecteur général de l'Agriculture coloniale. (*La Route du Tchad, du Loango au Chari,* 1893 ; *Les Jardins d'essai coloniaux,* 1897.)

DYCK (Antoine van). ♦ V. VAN DYCK.

DYGASINSKI (Adolphe). ♦ Écrivain polonais (Negoslavitsy, 1839 – Grodzisk, près de Varsovie, 1902). Dans ses nombreux romans et nouvelles, il décrivit surtout le monde des paysans et des animaux. Son œuvre majeure, *Le Banquet de la vie* (*Gody życia,* 1901) est un hymne à la gloire du paganisme et de l'élan vital.

DYLE ou **DIJLE.** *n. f.* ♦ Riv. de Belgique, affl. du Rupel. 86 km. Née dans le Brabant, elle arrose Malines* et Louvain* ; elle alimente le canal de Louvain. Nombreuses papeteries sur ses rives.

DZERJINSK (jusqu'à 1929, **Rastiapino).** ♦ V. d'U.R.S.S. (R.S.F.S. de Russie), dans la région de Gorki, sur l'Oka*. 221000 hab. Indus. chimiques et alimentaires. Chimie du pétrole.

DZUNGARIE, DZOUNGARIE ou **DJOUNGARIE.** *n. f.* ♦ Région de Chine, dans l'extrême N. du Hsin*-chiang, formant une dépression entre les monts du T'ien*-shan et le massif de l'Altaï. Zone semi-désertique, lieu traditionnel de passage, par la vallée de l'Ili, entre l'Asie centrale et la Chine. ♦ *Hist.* Elle forma le centre d'un royaume mongol du XIe au XIVe s., puis celui d'une confédération de Kalmuk* jusqu'en 1759, date de sa conquête par les Chinois.

Ph. Hétier

East End : le port de Londres.

E

ÉACIDES. *n. m. pl.*, en gr. **Aiakidai.** ♦ Les descendants d'Éaque*.

EALING. ♦ V. de Grande-Bretagne, dans la banlieue O. de Londres (Middlesex) et rattachée à l'aggl. londonienne. 83 000 hab. Quartier résidentiel à l'origine qui s'industrialise rapidement (cycles, produits chimiques, mécanique). — Patrie de Th. Huxley*.

ÉAQUE, en gr. **Aiakos.** ♦ Héros grec, fils de Zeus*, né dans l'île Oenoné qui fut appelée Égine* du nom de sa mère. À sa prière, Zeus transforme en hommes les fourmis qui abondaient dans l'île **(V. Myrmidons).** Père de Pélée* et peut-être de Télamon* (Éacides), fameux pour sa piété et sa justice, il fut placé par Platon parmi les juges des Enfers, avec Minos* et Rhadamante*.

EAST ANGLIA. *n. f.* ♦ Région naturelle et historique de l'Angleterre orientale, baignée au N. par le golfe du Wash*, à l'E. par la mer du Nord, limitée au S. par la vallée de la Tamise et correspondant approximativement aux comtés de Norfolk*, Suffolk* et à une partie du Cambridgeshire* et de l'Essex*. Plaine basse, autrefois marécageuse (Broads et Fens* du Norfolk), l'East Anglia est devenue grâce aux amendements l'une des grandes régions céréalières de l'Angleterre (blé, maïs). La côte, basse et arrondie en arc de cercle, est entaillée au N. par le golfe du Wash et au S. par les estuaires de l'Alde, de la Colne et de la Stour. La pêche **(V. Yarmouth** et **Lowestoft)** y est largement pratiquée ainsi que l'ostréiculture dans la région de Colchester. ♦ *Hist.* **V. Est-Anglie.**

EASTBOURNE. ♦ V. du S. de l'Angleterre (Sussex). 64 600 hab Station balnéaire très fréquentée sur le littoral de la Manche. — Patrie de F. Hopkins*.

East End. *n. m.* (« l'extrémité est »). ♦ Quartiers industriels et populaires de Londres occupant, à partir de Tower Bridge, la partie orientale de Londres, de chaque côté de la Tamise, le long des docks. Au XIXe s., ces quartiers surpeuplés abritaient un sous-prolétariat misérable. Une grande partie en fut détruite lors de la dernière guerre mondiale.

East Ham. ♦ Faubourg industriel, à l'E. de Londres (Essex). 105 400 hab. Indus. chimiques et alimentaires.

EAST KILBRIDE. ♦ V. nouvelle du centre de l'Écosse (Lanarkshire), fondée en 1951 pour décongestionner Glasgow. 47 490 hab. (1961). Important centre industriel (laiteries, matériel agricole et extraction minière).

EASTLEIGH. ♦ V. du S. de l'Angleterre (Hampshire) dans la banlieue N.-E. de Southampton. 36 500 hab. (1961). Matériel ferroviaire (British Railways).

EAST LONDON. ♦ V. et port d'Afrique* du Sud (province du Cap) reliée par voie ferrée aux principaux centres. 116 056 hab. Constructions navales. Indus. diverses. Important gisement de titane à l'E. de la ville.

EAST LOTHIAN. *n. m.*, anc. **Haddingtonshire.** *n. m.* ♦ Comté d'Écosse orientale, à l'E. d'Édimbourg, sur la r. sud du Firth of Forth et la mer du Nord. 268 km². 52 680 hab. *Ch.-l.* Haddington*. *Autres V.* Dunbar*, North* Berwick. *Princ. ressources,* élevage, céréaliculture, pêche.

EASTMAN (George). ♦ Industriel américain (Waterville, New York, 1854 — Rochester, New York, 1932). Réalisateur des premières plaques photographiques au gélatino-bromure d'argent (1878), fondateur de la maison Kodak, il contribua à l'invention du cinématographe, en créant le film de nitrocellulose (1889).

EAST RIVER (« rivière de l'Est ») *n. f.* ♦ Large chenal qui réunit le détroit de Long Island à la baie de New York, bordant à l'E. l'île de Manhattan. La riv. Harlem, séparant Manhattan et Bronx, le relie à l'Hudson.

EAST SAINT LOUIS. ♦ V. des États-Unis (O. de l'Illinois*), sur le Mississippi, face à Saint* Louis. 81 712 hab. (1960).

EAUBONNE. ♦ Ch.-l. de cant. du Val-d'Oise, arr. de Pontoise, au S. de la forêt de Montmorency. 22 508 hab. *(Eaubonnais).* Maisons du XVIIIe s. (de N. Ledoux*).

EAUX-BONNES. ♦ Comm. des Pyrénées*-Atlantiques (arr. d'Oloron*-Sainte-Marie), sur un affluent du gave d'Ossau*. 534 hab. Station thermale (affections des voies respiratoires, rhumatismes). Station de sports d'hiver (Gourette*).

EAUX-CHAUDES. ♦ Station thermale et climatique des Pyrénées*-Atlantiques, comm. de Laruns*, sur le gave d'Ossau*. Les eaux sont employées contre les affections gynécologiques, rhumatismales et respiratoires.

EAUZE [eoz]. ♦ Ch.-l. de cant. du Gers* (arr. de Condom*), sur la Gélise. 4 127 hab. *(Élusates).* Église du XVIe s., maisons anc. Eaux-de-vie d'Armagnac, foie gras, vins.

EBAN (Abba). ♦ Homme politique israélien (Le Cap, 1915 —). Venu en Palestine où il dirigea en 1944 le *Centre arabe du Moyen-Orient,* membre de l'Agence juive, il représenta l'État d'Israël à l'O.N.U. (1948) puis fut ambassadeur de son pays aux États-Unis (1950-1959). Député du Mapaï à la Knesset (à partir de 1959) plusieurs fois ministre, vice-Premier ministre dans le cabinet Lévi Eshkol (1963), il remplaça Mme G. Meir* aux Affaires étrangères (1966) et, après le conflit israélo-arabe de juin 1967, défendit devant l'Assemblée générale de l'O.N.U. la position d'Israël *(Mouvement littéraire moderne en Égypte,* 1944 ; *Le Sionisme et le Monde arabe,* 1947).

EBBINGHAUS (Hermann). ♦ Psychologue allemand (Barmen, 1850 — Halle, 1909). Il fit des recherches de psychologie expérimentale sur la mémoire en utilisant comme matériel des syllabes dépourvues de sens (*Sur la mémoire,* 1885 ; *Fondements de la psychologie,* 1908).

EBBON. ♦ (775 — Hildesheim, 851). Archevêque de Reims à l'avènement de Louis le Pieux, son frère nourricier (813), il prit contre lui le parti de Lothaire en 833-835, fut déposé, rétabli par

Lothaire (840), chassé par Charles le Chauve (841); il tenta de se faire réhabiliter contre Hincmar*. Sa mission au Danemark avait été un échec (822-823).

EBBW VALE. ♦ V. du S.-E. du pays de Galles (Monmouthshire), sur la riv. Ebbw. 28 630 hab. (1961). Important centre houiller et métallurgique (acier et fer-blanc).

EBERSWALDE. ♦ V. d'Allemagne orientale (Brandebourg, district de Francfort-sur-Oder), sur le canal Finow et le canal Oder-Havel. 33 100 hab. (1964). Indus. mécaniques.

EBERT (Friedrich). ♦ Homme politique allemand (Heidelberg, 1871 – Berlin, 1925). Membre du parti social-démocrate allemand dont il prit la direction en 1913, député au Reichstag (1912), il affirma des positions nationalistes en 1914. Après avoir contribué à la répression de l'insurrection spartakiste (1919, **V. K. Liebknecht** et **R. Luxemburg**), il devint le premier président de la République allemande (1919-1925). ♦ FRIEDRICH EBERT, son fils. Socialiste allemand (Brême, 1894 –). Membre du parti social-démocrate allemand, il fut interné de 1933 à 1939. Il forma le parti socialiste unifié (1946) et devint bourgmestre de Berlin-Est (1948).

EBERTH (Karl Joseph). ♦ Médecin et bactériologiste allemand (Würzburg, 1835 – Berlin, Halensee, 1926). On lui doit des travaux sur les rapports du rachitisme et du crétinisme, et surtout la découverte et l'étude du bacille de la thyphoïde (*bacille d'Eberth,* 1881).

EBISU. ♦ Divinité populaire du Japon, une des « sept divinités du Bonheur », représentée par un pêcheur et symbolisant peut-être les populations les plus anciennes des îles.

ÉBLÉ (Jean-Baptiste, ***comte*****).** ♦ Général français (Saint-Jean-Rohrbach, Moselle, 1758 – Königsberg, 1812). Après avoir servi lors des campagnes de la République et de l'Empire, il fut nommé gouverneur de Magdebourg (1807-1808), puis ministre de la Guerre du roi Jérôme de Westphalie (1808-1810). Lors de la retraite de Russie, il contribua grandement à sauver les restes de la Grande Armée en construisant les ponts de la Berezina*.

EBNER-ESCHENBACH (Marie, *baronne von,* née *comtesse* **DUBSKY).** ♦ Femme de lettres autrichienne (Zdlislavice, près de Kroměříž, Moravie, 1830 – Vienne, 1916). Après s'être essayée au théâtre, elle composa surtout des romans et des nouvelles; évocation de la vieille Autriche, de ses classes sociales, cette œuvre au charme provincial et désuet, exprime particulièrement les sentiments humanitaires de l'auteur pour les gens simples et humbles (*Nouvelles du village et du château,* 1883; *L'Enfant de la communauté, Das Gemeindekind,* 1887, un des derniers « romans de formation »).

ÉBOUÉ (Félix). ♦ Administrateur colonial et homme politique français de race noire (Cayenne, 1884 – 1944). Gouverneur à la Guadeloupe, puis au Tchad (1938), premier territoire d'Outre-mer à se rallier à la France libre (1940), il fut nommé gouverneur de l'A.E.F. et fut un des principaux artisans de la conférence de Brazzaville*.

ÈBRE, *n. m.,* en esp. **Ebro.** ♦ Fl. d'Espagne (950 km). Né dans les monts Cantabriques, il coule vers le S.-E. en une large vallée alluviale, irrigue la Navarre* (Logroño*, Tudela), l'Aragon* (Saragosse*) et la partie S. de la Catalogne* (Tortosa*). Il se jette dans la Méditerranée en formant un large delta *(les Alfaques).* De violents combats entre franquistes et républicains se déroulèrent sur ses rives pendant la guerre civile (été 1938).

ÉBREUIL. ♦ Ch.-l. de cant. de l'Allier*, arr. de Montluçon*, sur la Sioule*. 1 347 hab. Église Saint-Léger (anc. abbatiale) : nef et transept romans, chœur gothique, clocher, porche et façade du XIIe s.; fresques des XIIe, XVe et XVIIe siècles.

Ph. de Gregorio/Ricciarini

La vallée de l'**Èbre.**

ÉBROÏN [ebʀɔɛ̃]. ♦ (mort v. 681). Maire du palais de Neustrie et de Bourgogne (657) sous Clotaire* III et Thierry* III, il lutta contre l'aristocratie et le clergé dont il fit assassiner le chef, Léger*. Il vainquit Pépin* de Herstal, maire du palais d'Austrasie, à Leucofao* (680) mais mourut assassiné. Il avait été emprisonné sous le règne de Childéric* II.

ÉBURONS. *n. m. pl.* ♦ Peuple de la Gaule belgique établi entre le Rhin et l'Escaut et dont la cap. était *Aduatuca* (Tongres*). Ils se révoltèrent contre César en ~ 53 sous la conduite d'Ambiorix* mais furent anéantis par les Romains.

EÇA DE QUEIRÓS. ♦ **V.** QUEIRÓS.

E.C.A.F.E. ♦ Sigle international (anglais) de la Commission économique pour le développement de l'Asie et de l'Extrême-Orient (C.E.A.E.O.) dont le siège permanent se trouve à Bangkok* (Thaïlande).

ÉCAUSSINES-D'ENGHIEN [ekosindɑ̃gɛ̃]. ♦ Comm. de Belgique (Hainaut, arr. de Soignies) sur la Senette (affl. de la Senne). 6 700 hab. Château de la Folie (chapelle de 1521). Église Saint-Rémy (XVIIIe siècle). – Marché agricole. Brasseries. Scieries. Chaudronnerie. Briqueterie. Granite.

ECBATANE, en gr. **Ekbatana.** ♦ Anc. capitale de la Médie. Après l'empire mède, elle fut l'une des capitales de l'empire perse, fut pillée par Alexandre* (~ 331), Séleucos (~ 313), Antiochos III (~ 209), et fut plus tard résidence royale des Arsacides et des Sassanides. En l'absence de fouilles, la ville ancienne n'est connue que par les textes. Aujourd'hui Hamadân*.

ECCLES (John Carew). ♦ Neurologue australien (né en 1903). Il partagea le Prix Nobel de médecine (1963) avec A.L. Hodgkin* et A.F. Huxley*.

Ecclésiaste (L'). ♦ Livre de la Bible, un des 5 rouleaux (12 chapitres). Il exprime une philosophie désenchantée (« Vanités des vanités, tout est vanité », 1, 2) qui l'a fait écarter du canon hébraïque jusqu'au synode de Jamnia (90-100). Son titre hébreu est *Qôhéléth* qui peut se traduire par « ecclésiaste » (celui qui prend la parole dans une assemblée du peuple) mais peut aussi être un nom propre. La tradition identifie l'Ecclésiaste à Salomon. Rédaction finale : fin du ~IVe siècle. Récité lors de la fête juive des Tabernacles.

Ecclésiastique (L'). ♦ Livre deutérocanonique* de l'Ancien Testament, nommé dans les Septante* *Sagesse de Sirach* ou *Sagesse de Jésus, fils de Sirach,* d'où l'appellation de *Siracide* (51 chapitres). Traduction grecque (~ 132) d'un original hébreu (~ 190-180) en partie retrouvé en 1896.

ECHEGARAY Y EYZAGUIRRE (José). ♦ Poète et dramaturge espagnol (1832-1916). Ses activités furent aussi variées que son œuvre mais son genre favori fut le mélodrame. Il traita des thèmes réalistes avec une technique romantique. *Le Grand Galérien, Vie joyeuse et Mort triste,* etc., lui valurent un succès constant dans son pays. Il partagea le prix Nobel de littérature avec F. Mistral* en 1904.

ÉCHELLES (Les). ♦ Ch.-l. de cant. de la Savoie*, arr. de Chambéry*, sur le Guiers*-Vif, en face d'Entre-Deux-Guiers, Isère (le Guiers-Vif était autrefois la frontière entre la Savoie et la France). 1 244 hab. Gainerie. Pâte à papier. – Aux environs se trouvent les deux *grottes des Échelles* dont l'une aurait été un repaire du contrebandier Mandrin*. Un tunnel a remplacé l'anc. voie formée de paliers successifs qui donna son nom aux Échelles.

ECHEVERRÍA (Esteban). ♦ Poète argentin (1805 – 1851). Il fut l'introducteur du romantisme en Amérique latine; il est l'auteur notamment d'un conte en vers d'ambiance indienne aux réminiscences hugoliennes : *La Cautiva* (*La Captive,* 1837).

ÉCHIDNA [*Ekhidna*] (« la Vipère »). ♦ Monstre fabuleux, moitié femme, moitié serpent, descendant de Tartare* et de Gaia. Unie à Typhon*, elle engendre Cerbère*, la Chimère*, l'hydre* de Lerne, le lion de Némée* et d'autres monstres que les héros durent abattre pour purger la terre.

ÉCHIROLLES. ♦ Comm. de l'Isère, dans l'arr. et la banlieue S. de Grenoble*. 19 312 hab. Construction de machines pour les travaux publics.

ÉCHO [*Êkhô*]. ♦ Nymphe qui personnifie l'écho. Retenant l'attention d'Héra* avec ses bavardages pour couvrir les aventures amoureuses de Zeus, elle est condamnée par la déesse à ne jamais parler la première. Or, éprise d'amour pour le beau Narcisse* qui restait insensible, elle meurt de chagrin. Selon une autre légende, elle repousse l'amour de Pan* qui la fait déchirer par des bergers. Dans les deux cas, il ne reste d'elle que sa voix répétant les dernières syllabes que l'on prononce.

Échos (Les). ♦ Quotidien économique fondé en 1908 par les frères Schreiber, d'abord avec le titre *Les Échos de l'exportation.* C'est actuellement un grand journal d'informations économiques et politiques qui tire à 60 000 exemplaires (soit env. 300 000 lecteurs) sur format « tabloïde » et s'adresse aux milieux des affaires. *Les Échos* publient tous les deux mois des cahiers consacrés à une branche de l'industrie. Dirigé et animé par J. Beutout, il a P. Morel et M. Tardieu pour rédacteurs en chef.

ECHTERNACH [ɛʃtəʀnak] en all. **Echtern.** ♦ Ch.-l. de canton du Luxembourg. 3 595 hab. Ville ancienne : hôtel de ville du XVe siècle; anc. abbaye bénédictine (XVIIIe s.). Parc. Centre touristique. Capitale de la « Suisse luxembourgeoise » **(V. Sûre).** Célèbre procession dansante du mardi de Pentecôte.

ÉCIJA. ♦ V. d'Espagne méridionale, en Andalousie* (prov. de Séville), sur le Genil. 52 900 hab. Ville d'aspect très pittoresque :

couvent de *Las Teresas*, ancien palais mauresque du XIVe s., églises et palais.

ECK (Johann MAÏER, dit**)**. ♦ Vice-chancelier de l'université d'Ingoldstadt (Eck, Souabe, 1486 – Ingoldstadt, 1543). Il fut un des grands adversaires de la Réforme ; critiqua les thèses de Luther* sur les indulgences dans ses *Obelisci* (auxquels Luther répondit par ses *Asterici*) ; il s'en prit également aux réformateurs Œcolampade* et Melanchthon*.

ECKERMANN (Johann Peter). ♦ Écrivain allemand (Winsen, Hanovre, 1792 – Weimar, 1854). Devenu secrétaire de Goethe* (1822) et directeur de l'édition complète de ses œuvres à Weimar, il a rapporté les entretiens qu'il eut avec lui. Les *Conversations de Goethe avec Eckermann* (1836-1848) constituent l'un des documents les plus précieux sur la personnalité et la pensée de Goethe pendant ses dix dernières années.

ECKHART ou **ECKART (Johannes**, dit *Maître*). ♦ Dominicain et théologien mystique allemand (Hochheim, près de Gotha, v. 1260 – Cologne, 1327 ?). Provincial de son ordre pour la Saxe (1304), puis vicaire général pour la Bohême (1307), il professa la théologie à Strasbourg et fut le maître du mouvement mystique rhénan **(V. Suso, Tauler, Ruysbroek)**. En 1326, l'archevêque de Cologne intenta un procès en inquisition contre lui. Quelques points de sa doctrine, imprégnée du néo-platonisme du Pseudo*-Denys, furent condamnés par Jean* XXII (posthumément, 1329). Il n'écrivit pas, mais des disciples conservèrent ses propos de table *(Propos du discernement)*, ses sermons *(Livret de la consolation divine)*, dont le thème principal est la quête de l'essence divine par l'âme, et la recherche du secret de la génération des êtres.

ECKMÜHL. ♦ Village de Bavière*, au S. de Ratisbonne*. Napoléon y battit les Autrichiens commandés par l'archiduc Charles* le 22 avr. 1809. Davout*, qui s'y distingua, fut fait *prince d'Eckmühl*.

ECKMÜHL *(phare d')*. ♦ Situé à la pointe de Penmarch (Finistère), il s'élève à 60 m au-dessus des plus hautes marées, est visible à 52 km. Il fut construit en 1892 sur l'ordre de la fille de Davout, prince d'Eckmühl.

ÉCLUSE (L'). ♦ V. des Pays-Bas (Zélande), anc. port sur la mer du Nord, auj. *Sluis*. Lors de la guerre de Cent Ans, les Anglais y détruisirent la flotte française (1339).

ECNOME *(cap)*, auj. **Monte Serrato** ou **di Licata**. ♦ Cap montagneux de la Sicile méridionale, théâtre de la victoire navale de Régulus* sur Hamilcar* (première guerre Punique*).

ÉCOCHARD (Michel). ♦ Architecte, urbaniste et archéologue français (Paris, 1905). Il a surtout travaillé au Moyen-Orient et en Afrique. Il restaura de nombreux monuments (*temple de Bêl* à Palmyre) et fut nommé directeur de l'Urbanisme et de l'Habitat au Maroc, de 1946 à 1953. Il est l'auteur de nombreux plans d'aménagement (Casablanca, Fez, Rabat, Meknès, Sabendé [1958], Conakry en Guinée, Saïda, Biblos et Beyrouth au Liban, Dakar au Sénégal). Il a construit de nombreux édifices à usage collectif, sobres et fonctionnels (*musée* de Damas [1936] avec H. Seyrig, *lycée des Antonins* à Beyrouth ; *musée* de Koweit et *université* d'Abidjan).

École de la médisance (L'), *(The School for Scandal)*. ♦ Comédie en prose de R.B. Sheridan* (1777). Brillants personnages de la haute société anglaise, sir Peter Teazle et sa femme reçoivent dans leur salon tout un petit monde frivole, cancanier et mesquin. Pupilles du maître de maison, les deux frères Surface s'en distinguent par le relief de leur caractère : Charles est futile et brouillon, et Joseph, sous l'apparence d'une moralité austère, dissimule habilement d'inavouables vices. Avec les pièces de Shakespeare, cette comédie demeure l'une des plus lues et des plus souvent représentées en Grande-Bretagne.

École des femmes (L'). ♦ Comédie en 5 actes, en vers, de Molière* (1662). Fort de l'expérience universelle qui excite sa belle humeur et sûr de la méthode d'éducation qu'il a choisie pour maintenir Agnès, sa pupille, dans la voie de la vertu, Arnolphe, quadragénaire, se dispose à épouser la jeune fille. Élevée par lui dans l'ignorance et loin de tout regard masculin, elle sera cette épouse fidèle qui lui épargnera la disgrâce dont il a l'obsession. Cependant, remarquée par Horace, Agnès s'est éprise aussitôt de lui. Ce sera le drame d'Arnolphe de devenir, malgré lui, le confident du jeune homme et d'assister au triomphe de cet amour. La peinture des caractères et la gravité des problèmes moraux posés par la pièce font de cette œuvre l'une des plus hardies de Molière et, par la critique des contraintes sociales, l'une de celles qui furent le plus contestées par ses adversaires. **V. Critique de l'École des femmes ;** *et aussi :* **École des maris (L')**.

École des maris (L'). ♦ Comédie en 3 actes, en vers, de Molière* (1661). Est-ce par la contrainte que le barbon Sganarelle parviendra à se faire aimer d'Isabelle, sa pupille ? Est-ce par la douceur que son frère Ariste réussira dans la même entreprise auprès de l'aimable Léonor ? Or, Isabelle, éprise de Valère, va s'enfuir avec lui et, sans le savoir, c'est le naïf Sganarelle qui aura servi leurs desseins. Sur le thème classique du tuteur dupé, la pièce apparaît comme une ébauche sommaire de *L'École* des femmes* (1662).

École militaire (l'). ♦ Monument de Paris situé dans la perspective du Champ*-de-Mars. Institution créée, sur l'instigation de Mme de Pompadour*, pour la formation militaire de 500 gentilshommes, l'École militaire fut construite par J.-A. Gabriel*, de 1751 à 1769. L'édifice présente une façade principale où règne l'ordre colossal, couronnée d'un dôme quadrangulaire et flanquée de deux ailes basses. Dans la cour intérieure, conçue comme le cadre d'une statue pédestre, en marbre, de Louis XV (œuvre de J.-B. Lemoyne*, 1773 ; détruite en 1792), se déploient, de part et d'autre du pavillon central, une double colonnade terminée par un pavillon, puis un élégant portique. La chapelle (terminée en 1773) et le salon des maréchaux offrent une décoration de style Louis XVI. Devenue *École supérieure des cadets* en 1777 (Bonaparte y fut admis en 1784), l'école a gardé auj. une destination militaire (Écoles supérieures de guerre terrestre, navale, aérienne). — Nom du quartier environnant.

Ph. Hétier

Nord de l'**Écosse** : château d'Eilean Donan.

École nationale d'administration (E.N.A.). ♦ Établissement qui dépend du Premier ministre et qui, depuis la réforme de 1945-1946 **(V. M. Debré)**, forme les hauts fonctionnaires de l'administration française (Conseil d'État, Cour des comptes, Inspection des finances, Corps préfectoral, Corps diplomatique ou consulaire, Expansion économique à l'étranger, etc.).

Écoles normales. ♦ **V.** NORMALES (Écoles).

ÉCOMMOY [ekɔmwa]. ♦ Ch.-l. de cant. de la Sarthe, arr. du Mans. 3 905 hab. [2 472 aggl.]. Manoir de Fontenailles. Château de Bezonnais. Manoir fortifié.

Économique (L'). ♦ Dialogue de Xénophon sur l'administration d'une propriété agricole. **V. Xénophon.**

ECONOMO (Konstantin, *baron von***)**. ♦ Neurologue autrichien (Brăila, 1876 – Vienne, 1931). Auteur de travaux sur l'anatomie du cerveau (détermination des aires cérébrales), il a décrit et étudié (1917) les signes cliniques et anatomiques de l'encéphalite épidémique ou léthargique *(maladie de von Economo)*.

Écorcheurs. *n. m. pl.* ♦ Bandes armées souvent commandées par des nobles **(V. Chabannes** [Antoine de]**)** qui ravagèrent la France sous le règne de Charles* VII, puis furent intégrées à l'armée française. Ils disparurent après la fin de la guerre de Cent Ans.

ÉCOSSE, en angl. **Scotland**. ♦ Partie la plus septentrionale de la Grande-Bretagne, limitée au S. par les monts Cheviot et la vallée du Liddel, qui la séparent de l'Angleterre, baignée au N. et au N.-E. par l'Atlantique au S.-O par le canal du Nord* et à l'E. par la mer du Nord. 78 768 km². 5 186 000 hab. *(Écossais)*. *Cap.* Édimbourg*. *V. princ. :* **V. Aberdeen, Alloa, Banff, Buckhaven, Clydebank, Coatbridge, Cumbernauld, Cupar, Dumbarton, Dumfries, Dundee, Dunfermline, East Kilbride, Elgin, Fraserburgh, Galashiels, Girvan, Glasgow, Grangemouth, Greenock, Haddington, Hamilton, Hawick, Inverness, Jedburgh, Kelso, Kilmarnock, Kinross, Kirkcaldy, Kirkcudbright, Lanark, Leith, Motherwell, Nairn, North Berwick, Oban, Paisley, Peebles, Perth, Peterhead, Port Glasgow, Rothesay, Rutherglen, Saint Andrews, Selkirk, Stirling, Stonehaven, Stranraer, Thurso, Wick, Wigtown, Withorn.** *Autres lieux :* **V. Braemar, Forres, Fort William, Melrose.** — *Orogr.* Du S. au N., on distingue : les monts Cheviot*, à la frontière anglo-écossaise, puis les hauteurs des *Southern* Uplands* (Merrick, 843 m). Au centre, s'étend la zone déprimée des *Lowlands** (Basses-Terres), suite morcelée de petites plaines et de collines, entre les estuaires du Forth et de la Clyde. Au delà commence la région des *Highlands** (Hautes-Terres), dont la partie méridionale correspond aux monts Grampians* (ou *Highlands du centre)* culminant au Ben* Nevis (1 343 m). La dépression transversale du Glen* More donne accès aux hauteurs désolées des *North Highlands* (Highlands du Nord), formées de chaînes parallèles : les *North West Highlands* et les monts de Ross (*Mam Sedhail*, 1 182 m). À l'O., l'archipel des Hébrides* appartient également au système des Highlands. Au N., s'étendent les îles Orcades* et les Shetland*. Toutes ces hautes terres sont trouées de lacs intérieurs (lochs Ness* et Lomond*) et échancrées de fjords le long des côtes. Îles d'Écosse : **V. Arran, Bute** (île de)**, Hébrides, Islay, Jura, Lewis,**

Écosse.

Mull, Orcades, Shetland, Skye. – *Hydrographie.* **V. Clyde, Don, Forth, Liddel, Tay** et **Tweed.** Le climat est océanique (adouci par la présence du Gulf Stream) et pluvieux. – *Écon.* L'activité agricole se localise sur les Basses-Terres, où les sols sont les plus fertiles (blé, orge, avoine, pomme de terre, betterave sucrière). L'élevage ovin, présent partout, est la princ. ressource des Highlands; il alimente l'industrie lainière des Cheviot et de la vallée de la Tweed. L'élevage laitier est pratiqué dans les Lowlands et sur les plaines côtières de l'E. des Grampians. L'hydro-électricité des Highlands et la houille des Lowlands (Ayshire, Lanarkshire, Lothians) sont les princ. ressources énergétiques. L'activité industrielle est concentrée presque exclusivement dans les Lowlands, autour de Glasgow* et sur la basse vallée de la Clyde : métallurgie et constructions navales à Glasgow, chimie à Grangemouth, indus. textiles (coton à Paisley*, jute à Dundee*, lainages dans la vallée de la Tweed et aux îles Shetland, indus. alimentaires (confitureries de Dundee, fabrication de whisky). La pêche (hareng, morue) est largement pratiquée sur le littoral de la mer du Nord (Aberdeen, Dundee, Hébrides, Orcades, Shetland). Le tourisme fournit un appoint important aux régions les plus déshéritées (Highlands). ♦ *Hist.* Peuplée au mésolithique, puis au néolithique, par des hommes venus d'Irlande, de la mer du Nord et du Sud, l'Écosse connaissait avant les Celtes plusieurs civilisations déjà évoluées. Les envahisseurs de langue celte s'établirent du ~VIe au ~IIIe s., apportant une structure sociale aristocratique. La conquête et l'occupation romaines (du ~ Ier s. à 410) restèrent superficielles. La région fut visitée par César, par Agricola* (dont les contacts avec les tribus autochtones sont évoqués par Tacite), puis par Hadrien* qui fit construire un mur de défense (121). Antonin* fit bâtir un second mur plus au nord. Ces fortifications furent abandonnées avant la fin du IIe siècle. Mal connue, entourée de légendes (notamment celle du roi Artus*), la période suivante est marquée par les raids barbares. Au départ définitif des Romains (410), quatre peuples dominaient la région, dite *Calédonie :* les *Scots** dans l'Ouest, venant d'Irlande, les *Pictes**, au N. et au N.-E. (Pictes du Sud), les *Britons* au S.-O., de langue gaélique, plus latinisés, divisés en royaumes rivaux, les *Angles* au S.-E., de langue germanique. Alors que les Pictes dominaient numériquement, le royaume scot de Dalriada **(V. Argyll)** exerça une forte influence culturelle et religieuse, notamment grâce à saint Columba* (ou Columba), installé en 563 sur l'île d'Iona (il y avait été précédé par saint Oban). Cette Église chrétienne celte, décentralisée et aristocratique, forgea en grande partie la personnalité écossaise. En même temps, les deux royaumes anglo-saxons s'unirent pour former la Northumbrie* et les Britons de Strathclyde (au S.-O.) perdirent rapidement leur influence politique. Aux VIe-VIIe s., la Northumbrie, sous Edwin*, Oswald*, Oswy*, Egfrid, rançonna les peuples du Nord et domina la région. Mais, unissant Pictes et Britons, Brude Mac Bili, roi des Pictes, vainquit et tua le roi de Northumbrie Egfrid en 685, empêchant la Northumbrie de réunir l'Écosse à l'Angleterre. Au IXe s., Kenneth Mac Alpine réalisa l'unité au profit des Scots : le royaume d'Alba consacra l'assimilation rapide des Pictes, déjà affaiblis par les invasions norvégiennes (raids sur les îles, 794; prise des Hébrides, 850; puis conquête de plusieurs régions). Mais les Scandinaves s'assimilèrent peu à peu, devenant de loyaux sujets du roi des Scots. L'organisation du royaume de Dalriada modifia profondément les coutumes dans le reste de l'Écosse : la succession royale par les cousins ou neveux (pour éviter les régences) remplaça la succession par les femmes en usage chez les Pictes. La désignation de Duncan, son petit-fils, par Malcolm II (en ligne directe) constituait une innovation. Macbeth*, héritier par les femmes, voyant en Duncan un usurpateur, le tua et prit le pouvoir. Mais le fils de Duncan, qui avait fui, revint en Écosse, vainquit et tua Macbeth. Couronné en 1058, Malcolm* III Canmore (« grosse tête ») fut un grand soldat et un habile politique; il entretint des relations ambiguës avec Guillaume le Conquérant, évitant longtemps la guerre; il périt cependant en 1093 dans une expédition contre l'Angleterre. Sa seconde femme, la princesse saxonne Margaret, exerça une très forte influence religieuse et culturelle, réorganisant l'Église (fondation de Dunfermline, reconstruction d'Iona) et favorisant l'influence normande. Une tentative de réaction celte fut écrasée par les fils de Malcolm. Le plus jeune de ceux-ci, David Ier, agrandit et organisa administrativement le royaume, créant notamment un véritable ministère de grands officiers, dont le *Stewart* (qui donna son nom aux Stuarts). Ses successeurs, William, Alexandre II et Alexandre III, enrichirent le pays malgré la mésaventure de William Ier (Guillaume* le Lion) capturé par les Anglais, fait prisonnier à Falaise (1173) et contraint de signer un traité de vassalité au profit d'Henri II (mais Richard Cœur de Lion revendit bientôt son indépendance, à William; 1189). Alexandre III étant mort, laissant comme héritière sa petite-fille âgée de quelques mois, fille du roi de Norvège, le trône fut revendiqué par Robert Bruce*, tandis que le roi d'Angleterre Édouard Ier organisait le mariage de son fils avec l'héritière, qui mourut peu après. Édouard Ier, à la tête d'une forte armée, choisit un prétendant qui lui agréait, John Bailleul* (1292). Celui-ci, couronné, sans cesse humilié par Édouard, se révolta et envahit le nord de l'Angleterre. Le roi d'Angleterre répliqua par le terrible massacre de Berwick et le comte de Surrey battit les Écossais à Dunbar; Bailleul déchu et emprisonné, l'Écosse fut placée sous le joug anglais. Mais la révolte populaire éclata partout et un petit gentilhomme, Wallace*, réunissant des patriotes, parvint à battre le comte de Surrey à Stirling. Mais, abandonné par les nobles, Wallace ne put résister à l'armée d'Edouard, qui l'écrasa en 1298 (Falkirk). Pris, décapité à Londres, coupé en quartiers qui furent envoyés dans les villes d'Écosse pour l'exemple, Wallace devint un martyr national. Robert* Ier Bruce, petit-fils de l'ancien prétendant à la couronne, parvint à se faire couronner, presque en cachette. D'abord battu et exilé, il revint en Écosse après la mort d'Édouard Ier (1307), défit les Anglais et n'échoua que devant le château de Stirling. En 1314, il battit les Anglais envoyés en renfort devant le château et Édouard II dut s'enfuir. Libre, mais exsangue, l'Écosse fut unifiée et réorganisée sous le régime de Robert Ier Bruce, qui mourut en 1329. Mais son fils David* II inaugurait une période de déclin. Après des guerres ruineuses menées par ses successeurs (Robert* II, Robert* III Stuart) le pays sombra dans l'anarchie et la violence; l'autorité royale disparut; les Highlanders pillaient les Basses-Terres, des clans puissants se formèrent. Au XVe s., les forces d'équilibre sont les communes *(burghs),* l'Église, d'ailleurs corrompue, et surtout les rois Stuart, quand ils peuvent effectivement régner **(V. Jacques Ier, Jacques II, Jacques III, Jacques IV, Jacques V, Marie Stuart, Jacques VI).** Jacques Ier réorganisa l'armée et donna plus d'importance au Parlement. Jacques II améliora le sort des fermiers. Jacques IV réforma la justice, constitua une flotte, développa l'université. Jacques V affermit la monnaie. La richesse et la désorganisation de l'Église officielle, scandale pour le pays, rendirent inévitable le triomphe de la Réforme, au milieu du XVIe s. **(V. Knox [John]),** et Marie* Stuart arriva dans son royaume au milieu des luttes religieuses (1561). Malgré sa bonne volonté et son habileté politique, Marie, mal acceptée par l'Écosse protestante, puis placée au centre de rivalités politiques et sentimentales **(V. Darnley, Bothwell)** fut arrêtée et dut abdiquer. Jacques VI, protestant, prépara son accession au trône d'Angleterre; Élisabeth étant morte (1603), il devint Jacques Ier de *Grande-Bretagne* (terme qu'il introduisit). Déjà sensible sous Jacques VI, l'opposition entre le roi et l'Église presbytérienne d'Écosse éclata sous Charles Ier, qui voulait imposer l'anglicanisme. Le *Covenant* de 1638 fut suivi par une révolte armée; Charles Ier, ayant cédé en Écosse, connut de nouvelles difficultés en Angleterre. La croisade presbytérienne après le *Covenant* de 1643, aboutit à la défaite des armées du roi (Marston Moor), lui-même battu par Cromwell (Naseby, 1645). Malgré la campagne des Highlanders de Montrose*, Charles Ier était battu et isolé; il fut livré par les Écossais, et exécuté peu après **(V. Cromwell).** Charles II, proclamé roi de Grande-Bretagne, dut s'enfuir; écrasée par Monck, l'Écosse, sous Cromwell, fut administrée non sans efficacité. Entre 1660 (retour de Charles II) et 1688 (révolution anglaise, fin du règne de Jacques II et début du règne de Guillaume d'Orange), l'Écosse connut encore de graves troubles religieux. En 1690, enfin, l'Église presbytérienne d'Écosse fut établie. Mais l'opposition entre l'Écosse et l'Angleterre, la seconde

Ph. Hétier

Écosse : île de Skye.

empêchant le développement économique de la première, et réprimant parfois sauvagement les marques d'insoumission (massacre des Mac Donald à Glencoe, par Campbell, 1692) finit par se résoudre au bénéfice des Anglais, malgré les dernières tentatives des Stuarts (le fils de Jacques II débarqua en 1705) et malgré la proposition de *Home Rule* écossais (Saltoun) : le traité d'Union de 1707, créant le Royaume-Uni de Grande-Bretagne, intégrait les parlementaires écossais au parlement de Londres ; des avantages économiques encore incertains ne compensaient pas, aux yeux des Écossais, la perte de leur liberté. Le XVIIIe s. vit l'échec des soulèvements jacobites **(V. Charles-Édouard),** la « pacification » des Highlands et le développement économique du pays, qui se traduisit par des bouleversements sociaux (enrichissement des capitalistes terriens, éviction impitoyable des habitants). L'industrialisation du XIXe s. se soldait par une effroyable injustice sociale. Les débuts du syndicalisme, les grèves (réprimées militairement, 1820, Glasgow), conduisirent à des réformes électorales, politiques et sociales (lois sur les pauvres : 1854, 1889, 1894). L'intégration à la Grande-Bretagne s'accélérait sauf en matière religieuse, l'Écosse devenant peu à peu une annexe provinciale de l'Angleterre, en butte à des difficultés économiques spécifiques. Mais le nationalisme écossais, appuyé sur des raisons affectives et économiques, reste vivant. Malgré l'intégration politique, l'originalité de l'Écosse s'affirme par le système légal et le gouvernement *(Scottish Office),* par des plans de développement économique et par une culture qui survit à la quasi-disparition de la langue gaélique, pour ne rien dire d'un folklore mondialement célèbre, mais dont les racines populaires ne sont plus très vivaces.

ÉCOSSE (NOUVELLE-). ♦ V. NOUVELLE-ÉCOSSE.

ÉCOUCHÉ. ♦ Ch.-l. de cant. de l'Orne*, arr. d'Argentan*. 1 390 hab. (*Écubéens* ou *Écouchéens*). Église Renaissance. Fabrique de chaussures.

ÉCOUEN [ekwɑ̃]. ♦ Ch.-l. de cant. du Val-d'Oise, arr. de Montmorency, à l'E. de la forêt de Montmorency. 4 651 hab. Église Saint-Acceul (XVIe-XVIIe s.). Château bâti au XVIe s. pour le connetable Anne de Montmorency, par Jean Bullant* (Jean Goujon* le décora en partie). Napoléon Ier y installa la maison d'éducation de la Légion d'honneur. Des fragments de la façade sont à l'École des beaux-arts de Paris.

Écoute, Israël, en hébr. **« Shema, Israël ».** ♦ Début de la prière liturgique récitée matin et soir chez les juifs (le « shema »). Elle figure dans la Bible (*Deutéronome,* VI, 4-9, et XI, 13-21 ; *Nombres,* XV, 37-41) et contient la profession de foi du judaïsme : « Iahvé notre Dieu est le seul Iahvé ».

ÉCOUVES *(forêt domaniale d').* ♦ 15 000 ha au N. d'Alençon* dans l'Orne* ; elle forme l'extrémité N.-E. du Massif armoricain, un des points culminants de la France de l'O., 417 m.

ÉCRINS *(barre des).* ♦ Point culminant des Alpes du Dauphiné dans le massif du Pelvoux*. 4 103 mètres.

Écrits (Les), en hébr. **Kethoubîm.** ♦ On dit aussi les *Hagiographes.* Troisième partie de la Bible* hébraïque **(V. Bible).**

ÉCROUVES. ♦ Comm. de Meurthe-et-Moselle, arr. de Toul. 6 321 hab. Église (XIIe-XIIIe s.). — Vins.

ÉCULLY. ♦ Comm. du Rhône, dans l'arr. et la banlieue O. de Lyon. 11 194 hab. Huileries. École d'agriculture.

EDAM. ♦ V. des Pays-Bas (Hollande-Septentrionale), au bord de l'IJsselmeer*. 17 867 hab. Église du XVe siècle. — Centre fromager (Zoetmelks Kaas). Jute. Papier. Plastique. ♦ *Hist.* Edam fut au Moyen Âge un port important qui périclita sous Philippe II d'Espagne (1567).

Edda (« art poétique »). ♦ Titre de deux recueils de poésie islandaise. — La *Grande Edda* ou *Edda poétique* ou *Saemundar Edda* (attribuée à Saemund le Sage, lors de sa découverte, en 1643) comporte trente-cinq poèmes anonymes, certains fragmentaires, datés du VIIe au XIIIe siècle. Parmi ceux-ci : la *Völuspâ*,* l'*Havamál* (recueil de sentences d'Odin), les *Baldrs Draumar* (« Les Songes de Baldr »). — La *Petite Edda* ou *Edda prosaïque* ou *Snorra Edda* est l'œuvre de Snorri* Sturluson (v. 1220). Trois parties : la *Gylfaginning* (« Hallucination de Gylfi »), exposé mythologique ; la *Skaldskaparmál* (« Sur le langage des scaldes ») comportant notamment un répertoire des métaphores traditionnelles *(kenningar)* ; le *Háttatal* (« Dénombrement des strophes »), cent deux strophes illustrant les possibilités métriques de la poésie islandaise. — Outre leur intérêt littéraire, les *Edda* constituent les principales sources pour la connaissance de la mythologie scandinave.

EDDINGTON (*sir* **Arthur Stanley).** ♦ Astronome et physicien anglais (Kendal, 1882 — Cambridge, 1944). Assistant principal de l'observatoire royal de Greenwich à partir de 1906, il fut élu en 1913 à la chaire d'astronomie et de philosophie expérimentale de l'université de Cambridge, où il devint l'année suivante directeur de l'observatoire. Son premier ouvrage, sur *Les Mouvements stellaires et la Structure de l'univers* jetait les bases d'une discipline nouvelle : la dynamique stellaire. En 1926, il publiait les résultats de ses recherches sur *La Constitution interne des étoiles,* mettant en évidence la relation constante qui existe entre leur masse et leur rayonnement. En 1919, il vérifia expérimentalement, lors d'une éclipse de soleil, la courbure des rayons lumineux issus des étoiles fixes au voisinage des corps de grande masse, qu'avait prévue la théorie de la relativité. Il contribua pour une large part à la diffusion de cette théorie, à laquelle il s'intéressa toute sa vie, par deux de ses ouvrages : *L'Espace, le Temps et la Gravitation* (1920) et *La Théorie mathématique de la relativité* (1923). On lui doit également deux ouvrages d'inspiration philosophique : *La Nature du monde physique* et *La Philosophie de la physique.* L'influence d'Eddington sur l'astronomie fut considérable, autant par les travaux qu'il avait personnellement menés à bien que par la fécondité des réflexions dont il fut l'initiateur.

EDDY (Mary BAKER). ♦ Réformatrice américaine (New Hampshire, 1821 — Newton, Massachusetts, 1910). Fondatrice de la Science chrétienne *(Christian Science),* et de l'Église du Christ scientiste à Boston en 1879, elle fit paraître plusieurs journaux (*The Christian Science Journal,* 1883 ; *Christian Science Monitor,* 1908) et publia divers ouvrages (*Science and Health with Key to Scriptures,* 1875 ; *Retrospection and Introspection,* 1892 ; *Rudimental Divine Science,* 1908).

EDE [edə]. ♦ V. des Pays-Bas (Gueldre) à 22 km d'Arnhem. 69 886 hab. Musée (Van Gogh). Moulin Doesburger (1507). Indus. alimentaires et textiles (soie artificielle). Métallurgie et constructions mécaniques. Appareillage électrique. Tourisme.

EDE. ♦ V. du Nigeria* (région ouest). 135 000 hab. Cacao.

ÉDÉA. ♦ V. du Cameroun*, sur la Sanaga*. L'équipement de ses chutes a permis la création de centrales hydro-électriques ; l'énergie fournie est utilisée en majeure partie **(V. Douala)** pour la fabrication d'aluminium (alumine importée de Guinée). Centre forestier.

EDEGEM. ♦ V. de Belgique, dans la banlieue S. d'Anvers*. 17 000 hab. — Instruments de précision. Taille du diamant.

ÉDEN [edɛn] (mot hébr., « plaine »). ♦ Dans la Bible (*Genèse,* II, 8), lieu situé « à l'orient » où Dieu dispose un jardin, le paradis terrestre, pour qu'y vivent Adam* et Ève*.

EDEN (William, *1er baron d'***Auckland).** ♦ Homme politique anglais (Londres, 1745 — *id.,* 1814). Il fut le négociateur d'un traité de commerce avec la France en 1786, puis d'un accord colonial avec les Provinces-Unies. Il fit partie des gouvernements Pitt* et Granville*.

EDEN (Anthony, *comte d'***Avon).** ♦ Homme politique britannique (Windlestone Hall, Durham, 1897 — Aldeviston, 1977). Député conservateur en 1923, ministre pour la S.D.N. en janvier 1935, il fut choisi comme ministre des Affaires étrangères à cause de sa fermeté face aux ambitions de Mussolini* en Éthiopie* (déc. 1935). Mesurant peu à peu le danger des agressions d'Hitler en Europe, il préféra démissionner (févr. 1938) devant la « politique d'apaisement » de N. Chamberlain*. Comme Churchill* et F.D. Roosevelt*, il s'inquiéta de la passivité de la Grande-Bretagne et de la France lors de la conférence de Munich* (sept. 1938). Pendant la guerre, Churchill le nomma ministre des Affaires étrangères (1940-1945), ce qu'il renouvela en 1951. En 1955, Eden lui succéda comme Premier ministre. Habile diplomate, soucieux d'apaiser la tension mondiale, il participa activement à toutes les grandes décisions internationales (conférence de Londres de 1954 sur l'admission de l'Allemagne à l'O.T.A.N. ; conférence de Genève en 1954 sur le règlement des problèmes coréens et indochinois, et en 1955, sur la « guerre froide ») et rencontra les principaux chefs d'État, en particulier Boulganine* et Khrouchtchev* en 1956. Refusant la nationalisation du canal de Suez* par le colonel Nasser*, il engagea son pays aux côtés des Français dans une expédition militaire, mais dut retirer ses troupes devant l'opposition travailliste aux Communes et l'opposition américaine et soviétique à l'O.N.U. Il démissionna en janvier 1957 et se retira de la vie politique.

EDEN. *n. m.* ♦ Riv. du N.-O. de l'Angleterre (113 km). Née entre les pentes occidentales des Pennines et les monts du Cumberland (Lake District), elle coule vers le N., arrose Carlisle et se jette dans le *Solway Firth.*

EDER. *n. m.* ♦ Fl. d'Allemagne occidentale (135 km). Né dans le Rothaargebirge (massif schisteux rhénan), il traverse la Hesse, conflue vers la Schwalm, la Werra et la Fulda pour former la Weser*.

Ph. Nino Cirani/Ricciarini

Edirne : la mosquée de Sélim II.

ÉDESSE. ♦ Ancienne V. de haute Mésopotamie, capitale de l'Osrhoène. Une dynastie d'origine arabe dont les princes les plus connus portent le nom d'Abgar* y régna de ~ 132 à 216, date où le royaume d'Édesse tomba devant Caracalla. La ville devint alors colonie romaine. Christianisée de bonne heure, elle vit l'élaboration de la bible syriaque **(V. Peshitto)**, la présence du gnostique Bardesane (IIe s.) et une école chrétienne (IVe-Ve s.) dont la principale figure fut saint Éphrem*. Prise par les Arabes en 638, elle devint sous les croisés la capitale du *comté d'Édesse* (1098-1144) et passa aux Ottomans en 1637. — Aujourd'hui Urfa.

EDFOU, égypt. **Behdet** puis **Edfou**, gr. **Apollinopolis Magna**, ar. **Idfû**. ♦ V. de Haute-Égypte (province d'Assouan) sur la rive gauche du Nil. Env. 18 000 hab. ♦ *Hist.* Capitale du deuxième nome de Haute-Égypte, la ville était consacrée à Horus* dit le *Behdétite*, divinité qui sera identifiée par les Grecs à Apollon*. La ville doit sa célébrité au grand temple d'Horus commencé sous Ptolémée* III Evergète (~237) et achevé sous Ptolémée* XIII Aulète (~57). En excellent état de conservation, ce temple compte parmi les monuments religieux les plus importants d'Égypte. Il est construit selon un plan d'une parfaite clarté et d'une grande harmonie et représente, malgré sa date tardive, le modèle classique du temple égyptien.

EDGAR le Pacifique. ♦ (v. 943 — 975). Roi de Mercie et de Northumbrie (857-959), roi des Anglo-Saxons (959-975). Fils d'Edmond* Ier, il protégea l'Église et nomma saint Dunstan* archevêque de Canterbury. Il fit régner l'ordre entre les Saxons et les Danois. — Père d'Édouard* le Martyr et d'Éthelred* II.

EDGAR ATHELING. ♦ Prince anglais (Hongrie, v. 1057 — v. 1125). Petit-neveu d'Édouard* le Confesseur, à la mort duquel ses droits à la couronne anglaise ne furent pas reconnus (1066). Il se révolta contre Guillaume* le Conquérant mais dut se réfugier en Écosse.

EDGEWORTH (Francis Ysidro). ♦ Économiste britannique (Edgeworthstown, Irlande, 1845 — Oxford, 1926). Fondateur de l'*Economic Journal* (1890), il fut un des continuateurs de W.S. Jevons* (*Mathematical psychics*, 1881).

EDGEWORTH DE FIRMONT (Henri, Essex). ♦ Prêtre irlandais (Edgeworthstown, Irlande, 1745 — Mitau, Courlande, 1807). Fils d'un pasteur converti au catholicisme et réfugié en France, il entra dans les ordres et ne prêta pas le serment constitutionnel. Il devint le chapelain de la princesse Élisabeth, sœur de Louis XVI, et le confesseur du roi qu'il assista sur l'échafaud. Il émigra ensuite en Angleterre.

ÉDIMBOURG (Philippe *d'*). ♦ **V.** PHILIPPE DE GRÈCE, duc d'Édimbourg.

ÉDIMBOURG, en angl. **Edinburgh.** ♦ V. de Grande-Bretagne, capitale historique, administrative, intellectuelle et artistique de l'Écosse. Ch.-l. du Midlothian*, sur les contreforts des *Pentland Hills* et la r. sud du *Firth of Forth*. 465 420 hab. *(Édimbourgeois)*. — La ville médiévale s'organise autour du tertre volcanique de *Castle Rock*, sur lequel s'élève un château fort du XIe s. *(Edinburgh Castle)* contenant le trésor de l'Écosse (Regalia), et s'étend jusqu'à l'anc. résidence royale de *Holyrood* (XVIIe s.). Au bout de *High Street* s'élève la cathédrale gothique de Saint-Gilles (XIVe-XVe s.). Au pied de la colline, vers le N., s'étendent des quartiers du XVIIIe s., bons exemples d'architecture géorgienne (autour de *Prince's Street*, la rue la plus commerçante), et des quartiers modernes. La vocation intellectuelle et artistique d'Edimbourg est très ancienne : université fondée en 1582, nombreux musées et galeries (*National Gallery, Royal Scottish Museum*, bibliothèque nationale d'Écosse), arts graphiques (édition et imprimerie depuis 1507). Important festival international (musique, ballet, théâtre), depuis 1947. — Les fonctions industrielles se sont développées récemment dans les faubourgs du nord (Leith*) et concernent les constructions navales, mécaniques et électriques, le caoutchouc synthétique. Les brasseries et distilleries de whisky sont plus anciennes. — Patrie de Conan Doyle*, Th. Erskine, D. Haig*, Th. C. Hope*, David Hume*, Jacques* Ier, John Law*, James C. Maxwell*, John Napier*, Walter Scott*, R. Stevenson*, George G. Aberdeen*, A.G. Bell*, H. Brougham*. ♦ *Hist.* Probablement fondée au VIIe s. par Edwin* de Northumbrie à qui elle doit son nom (*Edwinsburgh*, du gaélique *Dun-Eideann*, « colline fortifiée d'Edwin »), la V. n'est mentionnée qu'au XIe s., sous le règne de Malcolm* III. Aux XIIe et XIIIe s., Édimbourg se développa autour de l'abbaye de Holyrood, fondée en 1128 par David* Ier. Au XVe s., sous le règne de Jacques II Stuart, la ville supplanta sa rivale, Perth*, et devint la cap. du royaume d'Écosse. Au XVIIe s., Édimbourg fut le siège de violents troubles politiques et religieux (signature du *National Covenant*, occupation par Cromwell* en 1650). Au XVIIIe s., après la signature de l'*Acte d'union* entre l'Angleterre et l'Écosse (1707), la population de la ville se souleva (émeute de Porteous, 1736). Dès cette époque, Édimbourg, qui avait perdu son importance politique, accrut son rayonnement culturel; elle est encore la véritable cap. intellectuelle et artistique de l'Écosse.

EDIRNE, anc. **Andrinople***. ♦ V. de Turquie d'Europe, près de la frontière grecque. Ch.-l. de la province homonyme. 46 091 hab. (1965). La ville conserve des ruines de l'enceinte romaine et de très belles mosquées; la mosquée de Selim* II (1569-1575), la mosquée de Beyazit II (1484-1488), l'Eski Cami (1403-1414). — Manufactures de soie et de coton.

EDISON (Thomas Alva). ♦ Inventeur américain (Milan, Ohio, 1847 — West Orange, 1931). Autodidacte, inventeur d'un télégraphe *duplex* en 1864, devenu ingénieur de plusieurs sociétés télégraphiques, il fonda une usine en 1876 où il fit de nombreuses inventions dont notamment le phonographe [1877] **(V. Berliner, Cros, Scott de Martinville)**, la lampe électrique à incandescence [1878] **(V. Claude, Coolidge)**. Il observa également l'émission thermo-ionique (1881). **V. J.A. Fleming, Richardson.**

ÉDITH *(sainte)*. ♦ Moniale à Wilton, Angleterre (v. 961-984), fille du roi anglo-saxon Edgar le Pacifique. Fête le 16 septembre.

EDJELÉ. ♦ Gisement pétrolier du Sahara algérien (dép. des Oasis), à proximité de la frontière libyenne, au S. de Zarzaïtine. Oléoduc à travers la Tunisie jusqu'au port de La Skhira*.

EDME *(saint)*. ♦ **V.** EDMOND RICH (saint).

EDMOND Ier. ♦ (v. 922 — Pucklechurch, Gloucestershire, 946). Fils d'Édouard* l'Ancien. Roi d'Angleterre (940-946). Il réprima la révolte du Northumberland puis soumit la Mercie. — Père d'Edgar* le Pacifique.

EDMOND II Ironside ou **Côte-de-Fer.** ♦ (v. 981 — 1017). Roi d'Angleterre (1016). Fils d'Éthelred* II. Surnommé Côte-de-Fer à cause de sa force et de son courage, il lutta contre son compétiteur Canut* le Grand et dut lui céder la Mercie et la Northumbrie.

EDMOND RICH *(saint)*, en Bourgogne **saint Edme.** ♦ Archevêque de Canterbury (Abingdon, près d'Oxford, v. 1170 — Soisy, près de Provins, 1240). En opposition avec Henri III et avec son clergé, il se réfugia en France, aux abbayes de Pontigny puis de Soisy. Fête le 16 novembre.

EDMONTON. ♦ V. du Canada, cap. de la prov. d'Alberta et sa principale ville, située à l'E. des Rocheuses dans la vallée de la North Saskatchewan. L'aggl. compte 437 000 hab. (1969). Centre indus. et commercial d'une riche région agricole et minière (pétrole). On y trouve les plus grandes usines de traitement de la viande et les plus grandes raffineries de pétrole de l'O. du Canada. Indus. chimiques. Métallurgie du zinc à proximité. Université de l'Alberta. — Deux lignes ferroviaires intercontinentales passent par Edmonton. Aérodrome important.

EDO, en jap. « porte de la baie ». ♦ Anc. nom de la ville de Tôkyô*, de 1457 à 1868, et capitale des shôgun Tokugawa*.

ÉDOM (en hébr. « le roux »). ♦ Surnom d'Ésaü* (*Genèse*, XXV, 25-30). Le peuple dont il est l'ancêtre éponyme. **V. Édomites, Iduméens.** *Pays d'Édom :* la région habitée par ce peuple, au sud de la mer Morte (vallée d'Araba).

ÉDOMITES (« descendants d'Édom »). ♦ Peuple sémitique de l'Antiquité, établi au sud de la mer Morte vers le ~XIIIe s., soumis à Israël par David. Après la conquête babylonienne (~587), leurs descendants s'installèrent plus à l'ouest, dans la région qui devint l'Idumée*.

ÉDONIDE. *n. f.*, en gr. **Êdônis.** ♦ Région de l'ancienne Thrace sur les bords du Strymon (hab. *Édoniens*). Les Athéniens y fondèrent Amphipolis* et les Macédoniens Philippes*.

ÉDONIENS. *n. m. pl.* ♦ Habitants de l'Édonide*.

ÉDOUARD l'Ancien. ♦ (? — 924). Roi du Wessex (899-924). Fils d'Alfred* le Grand, il lutta contre les Danois avec l'aide de sa sœur Éthelfleda*, régente de Mercie. Il agrandit son royaume vers le N.-E. — Père d'Edmond* Ier.

ÉDOUARD le Martyr *(saint)*. ♦ (962 — Corfe, Dorset, 978). Roi d'Angleterre (975-978). Fils d'Edgar* le Pacifique, il fut assassiné à l'instigation de sa belle-mère Elfrida.

ÉDOUARD le Confesseur *(saint)*. ♦ (v. 1002 – Westminster, 1066). Roi d'Angleterre (1042-1066). Fils d'Éthelred II. Il se préoccupa plus de son salut personnel que de son royaume, où il ne put établir un pouvoir fort. Il désigna comme successeur Guillaume* le Conquérant puis Harold* II.

ÉDOUARD Ier. ♦ (Westminster, 1239 – Burgh, près de Carlisle, 1307). Roi d'Angleterre (1272-1307). Fils d'Henri* III, il mit fin à la révolte des barons par sa victoire sur Simon de Montfort* et assura dès lors le gouvernement réel (1265). Il soumit le pays de Galles (1277-1283), mais ne réussit pas à soumettre l'Écosse malgré son annexion (1297) et la répression de la révolte de Wallace*. Il sut augmenter l'autorité monarchique mais reconnut toutefois les prérogatives financières du Parlement (1295). – Père d'Édouard II.

ÉDOUARD II. ♦ (Carnarvon, pays de Galles, 1284 – Berkeley, 1327). Roi d'Angleterre (1307-1327). Fils d'Édouard Ier. Homosexuel, il laissa gouverner ses favoris **(V. Despenser [Hugh the])** qui durent faire face à des révoltes de barons. Pas plus que son père, il ne réussit à soumettre l'Écosse, où il fut vaincu en 1314 et en 1321 par Robert* Bruce qu'il reconnut roi d'Écosse. Sa femme Isabelle* de France, chargée d'une ambassade en France, revint en Angleterre avec son amant Roger Mortimer* (1326); ayant levé des troupes, ils le forcèrent à abdiquer, puis le firent assassiner. – Père d'Édouard III.

Édouard II. ♦ Drame historique de Christopher Marlowe* (1592). Faible, incapable de gouverner, Édouard II roi d'Angleterre n'a de passion que pour son favori Galveston. La reine Isabelle de France et le puissant lord Mortimer, mettant à profit cette tendance morbide, le contraignent à abdiquer en faveur de son fils. Le roi déchu sera assassiné dans sa prison.

ÉDOUARD III. ♦ (Windsor, 1312 – Richmond, 1377). Roi d'Angleterre (1327-1377). Fils d'Édouard II, il régna d'abord sous la tutelle de sa mère Isabelle* de France et de Roger Mortimer*, dont il se débarrassa par un coup d'État (1330). En Écosse, il soutint Edward Bailleul* contre David* II, qu'il vainquit en 1333, mais ne réussit pas à imposer la domination anglaise. Petit-fils de Philippe IV le Bel par sa mère, il revendiqua la couronne de France (1337), déclenchant ainsi la guerre de Cent* Ans. Il remporta les victoires de l'Écluse* (1340), de Crécy* (1346) et prit Calais* (1347). À la fin de la trêve (1347-1354), son fils Édouard* (le Prince Noir) reprit l'offensive en Aquitaine et infligea le désastre de Poitiers à Jean* II le Bon qu'il captura (1356). Ce dernier accepta le traité de Londres (1359), ratifié à Brétigny* (signé à Calais, 1360), par lequel il abandonnait à l'Angleterre un tiers de la France, notamment l'Aquitaine. Cependant, ces acquisitions furent presque toutes perdues sous Charles* V de France. Son règne fut marqué par la peste noire (1349), la crise économique et des troubles sociaux ainsi que par la naissance de l'hérésie de Wyclif*. A la fin de sa vie, il abandonna le pouvoir à son fils Jean* de Gand. Il créa l'ordre de la Jarretière* – Son petit-fils Richard* II lui succéda.

Arch. Rencontre
Le couronnement d'**Édouard III.**
(Corpus Christi College, Cambridge.)

ÉDOUARD, *prince de Galles,* dit **le Prince Noir.** ♦ Prince anglais (Woodstock, 1330 – Westminster, 1376). Fils d'Édouard* III, il fut l'un des meilleurs généraux de la guerre de Cent Ans. Il vainquit et captura le roi de France Jean* II à Poitiers* (1356). Son père lui confia le gouvernement de l'Aquitaine (1363). En Castille, il soutint Pierre* le Cruel contre Du* Guesclin qu'il battit à Najera (1367). – Père de Richard* II.

ÉDOUARD IV. ♦ (Rouen, 1442 – Westminster, 1483). Roi d'Angleterre (1461-1470 et 1471-1483). Fils de Richard d'York, chef du parti d'York. Lors de la guerre des Deux-Roses*, il disputa le pouvoir, avec l'appui de Warwick*, à Henri* VI de Lancastre. Il tenta d'aider Charles le Téméraire, duc de Bourgogne, contre Louis* XI et débarqua à Calais. Ce dernier acheta son départ (1475). – Père d'Édouard V.

ÉDOUARD V. ♦ (Westminster, 1470 – Londres, 1483). Roi d'Angleterre (1483). Fils d'Édouard IV, il fut assassiné ainsi que son frère Richard d'York par son oncle Richard* III.

ÉDOUARD VI. ♦ (Hampton Court, 1537 – Greenwich, 1553). Roi d'Angleterre (1547-1553). Fils d'Henri* VIII et de Jeanne* Seymour. Le pouvoir fut exercé par son oncle Edward Seymour, puis par John Dudley* qui le persuada de laisser la couronne à Jeanne Grey. Son règne fut marqué par le renforcement de la Réforme.

ÉDOUARD VII. ♦ (Londres, 1841 – *id.*, 1910). Roi de Grande-Bretagne et d'Irlande (1901-1910). Écarté du pouvoir par sa mère, Victoria*, il mena une jeunesse dissipée et fut l'une des personnalités les plus célèbres du Paris de la « belle époque ». Après son avènement, sa francophilie eut une action déterminante sur la politique étrangère de l'Angleterre et la conclusion de l'Entente* cordiale (1904).

ÉDOUARD VIII ♦ (Richmond Park, 1894 – Neuilly, 1972). Roi de Grande-Bretagne et d'Irlande du N. de janvier à décembre 1936. Il participa à la Première Guerre mondiale. Très populaire lorsqu'il succéda à son père George V en janvier 1936, il se heurta au Premier ministre conservateur Stanley Baldwin* lorsqu'il annonça son intention d'épouser Mrs. Simpson, femme divorcée et de nationalité américaine, ce qui provoqua une crise de gouvernement. Le roi abdiqua en faveur de son frère George VI (déc. 1936), devint duc de Windsor et épousa Mrs. Simpson en France en 1937. Compromis par ses relations avec l'Allemagne nazie, il fut nommé gouverneur des Bahamas par Churchill* de 1940 à 1945. Il a laissé des Mémoires : *Histoire d'un roi* (1951).

ÉDOUARD, en port. **Duarte.** ♦ (Lisbonne, 1391 – Tomar, 1438). Roi de Portugal (1433-1438). Fils de Jean* Ier et frère d'Henri* le Navigateur dont il encouragea les expéditions, il combattit sans succès les Maures et fut surtout un prince législateur, ami des lettres. – Père d'Alphonse* V.

ÉDOUARD *(lac).* ♦ Lac d'Afrique centrale, situé au S. du lac Albert* dont il est tributaire et formant la frontière entre le Zaïre et l'Ouganda. 2 150 km². – Appelé aussi lac Idi Amin Dada (du nom du président de l'Ouganda).

EDOUGH *(djebel).* ♦ Massif côtier de la Kabylie* orientale (Algérie), dominant l'E. de la plaine d'Annaba*. 1 008 m. Chênes-lièges.

EDRISI (El-). ♦ V. IDRISI (Al-).

EDSCHMID (Eduard SCHMID, dit **Kasimir).** ♦ Romancier et essayiste allemand (Darmstadt, 1890). Aux premières œuvres expressionnistes (il fut un des premiers à utiliser le terme), qui célèbrent *La Vie frénétique* (1915) et le dépaysement, firent suite des ouvrages de forme plus traditionnelle, récits de voyage, chroniques, biographies (en particulier sur *Albert Schweitzer,* 1949).

Éducation sentimentale (L'). ♦ Roman de Gustave Flaubert* (1869), œuvre de jeunesse, reprise et profondément transformée (de 1864 à 1869), mais évoquant encore la figure, inoubliable pour l'auteur, d'Élisa Schlésinger. Bien des personnages du roman peuvent être identifiés et la fiction romanesque s'insère profondément dans l'histoire (années 1840 à 1850). C'est le récit des « illusions perdues » de Frédéric Moreau, caractère impressionnable et velléitaire, que l'on voit, étudiant à Paris en 1840, nourrir des ambitions artistiques et mondaines. N'osant réaliser sa passion « grave, religieuse » pour Marie Arnoux, il hésite entre les sens et le monde, entre la courtisane Rosanette et la riche Mme Dambreuse qui flatte sa vanité. Mais, toujours indécis dans sa quête d'amour, il connaîtra l'échec. Ce récit d'une vie ratée se double de l'histoire morale de toute une génération qui connaît le règne de Louis-Philippe, la Deuxième République et la fièvre politique et sociale précédant l'avènement du Second Empire. Se soumettant à une scrupuleuse méthode d'information sur les événements évoqués et adoptant un cadre chronologique précis, Flaubert reconstitue les journées révolutionnaires (1848) comme des faits mineurs dont les personnages peuvent être témoins. Le style lui-même est admirablement adapté à l'écoulement du temps : sec et dépouillé, souvent ironique, pour évoquer la grisaille de la vie quotidienne, il s'anime pour peindre les journées d'émeute et atteint un lyrisme retenu dans les portraits, sans cesse repris, de Marie Arnoux.

ÉDUENS. *n. m. pl.,* en lat. **Aedui.** ♦ Peuple de la Gaule, le plus puissant avec les Arvernes*, établi entre la Loire et la Saône dans une partie du Nivernais et de la Bourgogne. Les principaux centres étaient Bibracte* et les ports fluviaux de *Cabillonum* (Chalon*-sur-Saône), *Matisco* (Mâcon*) et *Nivernum* (Nevers*). Alliés des Romains, il soutinrent cependant Vercingétorix* en ~51. Soumis par César*, leurs pays forma la Lyonnaise* Ire avec

Augustodunum (Autun) pour capitale. En 48, Claude* leur accorda le droit de cité.

EDWARDS (George). ♦ Naturaliste anglais (Essex, 1693 – Plaistow, Essex, 1773). Au cours de voyages en Hollande, Norvège et France, il étudia et décrivit les mœurs des animaux, particulièrement des oiseaux. Il a publié entre autres une ***Histoire naturelle des oiseaux peu connus*** (1745, 1747, 1751).

EDWARDS (Jonathan). ♦ Prédicateur et théologien américain (East Windsor, Connect., 1703 – Princeton, N.J., 1758). Enfant précoce, encouragé par des parents très cultivés, il étudia à l'université de Yale et eut la révélation de sa vocation religieuse à dix-sept ans. Il dut renoncer à sa chaire de Northampton (Mass.) après vingt-sept ans de ministère, car ses paroissiens supportaient mal sa rigueur. Il prêcha les Indiens dans le petit village frontalier de Stockton, où la variole l'emporta peu après sa nomination à la présidence de Yale. Les œuvres d'Edwards, malgré la lourdeur de leur style, sont des documents précieux sur la mentalité des colons. Son sermon inexorable *Le Pécheur entre les mains d'un Dieu courroucé* est resté célèbre. Les éléments de la doctrine de ce calviniste sont surtout consignés dans *Le Libre Arbitre* (*Inquiry into the Modern Prevailing Notions of Freedom of the Will,* 1754), où il réfute l'affirmation de Locke selon laquelle la volonté se distingue absolument du désir. Volonté divine, déterminisme et prédestination sont aussi les thèmes essentiels de la *Défense de la grande doctrine chrétienne du péché originel* (*the Great Christian Doctrine of the original Sin Defended,* 1757).

EDWIN ou **EADWIN** *(saint).* ♦ (585 – Heathfield, Yorkshire, 632). Roi de Northumbrie (617-632). Frère d'Éthelfrith*, il unit le Kent à la Northumbrie en se mariant avec Éthelburge, fille du roi de Kent (625). Cette union avec une princesse catholique favorisa l'évangélisation. Il vainquit le Wessex mais fut battu par Penda*, roi de Mercie (632).

EEKHOUD [ekawt] ou [ekɔwt] **(Georges).** ♦ Écrivain belge d'expression française (Anvers, 1854 – Schaerbeeck, 1927). Auteur de recueils poétiques (dont *Myrtes et Cyprès,* 1876), il s'est surtout illustré en tant que romancier, avec des ouvrages hauts en couleur où il prend souvent pour cadre sa Campine natale. Ses aspirations sociales se manifestent par le choix de ses personnages, paysans de la campagne du Polder, ouvriers, parfois hors-la-loi (*Le Cycle patibulaire,* 1892). Animés de passions violentes, dotés d'une psychologie élémentaire, ils offrent à G. Eekhoud l'occasion de brosser des tableaux de mœurs puissants, d'un réalisme que vient tempérer la sympathie pour tous les déshérités : *Kees Doorik* (1883), *Kermesses* et *Nouvelles Kermesses* (1884 et 1887), *Magrice en Flandre* (1927). Après avoir fait partie (avec C. Lemonnier* et E. Demolder*) du groupe *La Jeune-Belgique,* G. Eekhoud le quitta pour fonder la revue littéraire *le Coq rouge* (1895-1897).

EEKLO [eklo]. ♦ V. de Belgique, ch.-l. d'arr. de Flandre*-Orient. près de Gand. 18 900 hab. Église Saint-Vincent (gothique). Hôtel de ville de 1630 (restauré). – Cultures maraîchères. Indus. alimentaires, chimiques et textiles.

ÉETION, en gr. **Êetiôn.** ♦ Roi légendaire de Thèbes en Mysie, père d'Andromaque*. Lors du sac de Troie* il aurait été tué, ainsi que ses fils, par Achille*. Ce dernier, estimant sa vaillance, l'enterra avec ses armes.

EFFEL (François LEJEUNE, dit Jean). ♦ Dessinateur humoriste français (Paris, 1908). Même lorsqu'il se fait polémique, l'humour de ses dessins est beaucoup plus poétique que satirique; il est souvent fondé sur l'illustration tendre et moqueuse de certains thèmes de la tradition républicaine. Jean Effel a publié des caricatures dans les quotidiens, dont certaines ont été réunies en recueils. On lui doit un dessin animé, *La Création du monde.*

EFFIAT (Antoine Coëffier de Ruzé, *marquis d'***).** ♦ Maréchal de France (Effiat, 1581 – Lutzelstein, Lorraine, 1632). Il se distingua

— Elle n'a pas fait une bonne troisième : elle passera en quatrième à la rentrée...

Ph. Lauros-Giraudon

Dessin de **Jean Effel.** (*Lettres Françaises* 30 juin 1945.)

Égine. *Ph. Hétier*

au siège de La Rochelle, négocia le mariage d'Henriette-Marie de France et de Charles* Ier d'Angleterre et fit campagne dans le Piémont. Il eut pour fils Cinq*-Mars.

EGAS (Enrique *de***).** ♦ Architecte espagnol (Tolède ? v. 1455 – *id.,* v. 1534). Neveu de l'architecte et sculpteur *Anequin de Egas,* originaire de Bruxelles et maître d'œuvre de la cathédrale de Tolède. Il édifia pour les « Rois Catholiques » Ferdinand et Isabelle l'***hôpital*** de Saint-Jacques-de-Compostelle (1499) et la ***chapelle funéraire*** de Grenade (1506). Il construisit aussi l'***hôpital de la Sainte-Croix*** à Tolède, l'***hôpital*** de Grenade (1511) et on lui attribue la ***porte principale de l'université*** de Salamanque. Représentant du style plateresque, il adapta à une structure relevant du gothique flamboyant des motifs de la renaissance italienne, avec une exubérance et une fantaisie décorative qui donnent à la pierre un aspect d'orfèvrerie.

ÉGATES, ÉGADES, AÉGATES, ou **ÉGUSES** *(îles),* en lat. **Aegates** ou **Aegusae Insulae.** ♦ Nom anc. du groupe d'îles proche de la côte occidentale de la Sicile (Favignana, Levanzo, Marettimo), en it. *Egadi.* ♦ *Hist.* En ~ 241, Lutatius* Catulus y remporta sur Hannon* le Grand la victoire navale qui mit fin à la première guerre Punique*.

EGBERT le Grand. ♦ Roi du Wessex (802-839 [mort]). Il soumit la Mercie, l'Est-Anglie, l'Essex, le Sussex, le Kent et la Northumbrie (825-829), devenant ainsi roi de toute l'Angleterre. Il dut lutter contre les Danois qu'il battit en 837. – Père d'Ethelwolf*.

EGEDE (Hans). ♦ Missionnaire norvégien (Senjen, Norvège, 1686 – Stubbekjobing, Falster, 1758). Pasteur aux îles Lofoten, il fonda la mission protestante de Godthaab au Groenland (1721). Son travail d'évangélisation des Esquimaux fut poursuivi par son fils Paul (Vaagen, 1708 – Copenhague, 1789).

ÉGÉE, en gr. **Aigeus.** ♦ Roi légendaire d'Athènes*, fils de Pandion*. Il chasse Médée*, sa troisième femme, qui essayait de lui faire tuer son fils Thésée*. Coupable du meurtre d'Androgée*, fils de Minos, il est vaincu par celui-ci et doit accepter le tribut cruel qui donna lieu à l'expédition de Thésée contre le Minotaure. Croyant son fils dévoré par le monstre, il se précipite dans la mer qui porte son nom.

ÉGÉE *(mer),* en gr. **Aigaion.** ♦ Partie de la Méditerranée*, entre la Grèce* continentale, la Crète* et l'Asie* Mineure. Ses îles les plus importantes sont Chio*, Eubée*, Icarie*, Imbros*, Lemnos*, Lesbos*, Samos*, Samothrace*, Ténédos*, Thasos* et les îles groupées en archipel : Cyclades*, Sporades* du N., Sporades du S. (Dodécanèse*). **V.** *aussi* **Arginuses.** Les fleuves Marica* et Méandre* y débouchent. – *Civilisation égéenne,* nom donné aux civilisations préhelléniques, qui rayonnèrent au cours du ~ IIe millénaire dans les îles et sur les côtes de la mer Égée (Égéide). **V. Crète, Cyclades, Mycènes, Troie.** Les découvertes archéologiques à partir de 1871 **(V. Schlieman, Evans)** ont inauguré l'étude de cette grande civilisation dont les origines, remontant au néolithique, sont très discutées.

ÉGÉENS. ♦ V. ÉGÉE (mer).

EGER. *n. m.* ♦ Nom all. de l'Ohře*.

EGER. ♦ V. de Hongrie, ch.-l. du comitat de Heves, située au N.-E. du pays, sur la rivière Eger, entre les monts de Mátra et Bükk. 40 000 hab. La ville possède de nombreux témoins de son passé : restes de donjons, de casemates du Moyen Âge; maisons turques; maisons, palais, églises de style baroque. – Centre de fabrication de vins renommés (Egri Bikavér ou « sang de taureau » d'Eger). Station thermale. ♦ *Hist.* Saint Étienne fit de la ville, qui existait au IXe s., un évêché. Au XIIIe s., Eger fut totalement rasée par les Mongols. Après leur départ, un château fort y fut construit, qui joua un rôle important lors du siège par les Turcs en 1552 : sous la conduite de István Dobó, la garnison hongroise de 2 000 soldats y résista à une armée turque de 150 000 hommes. À la fin du siècle, cependant, les Turcs réussirent à prendre Eger qui subit leur domination pendant cent ans. Libérée en 1687, Eger devint une des résidences de François II Rákoczi.

ÉGÉRIE, en lat. **Egeria.** ♦ Nymphe de l'Italie anc. originaire d'Aricie, dont le culte était lié à celui de Diane*. D'abord déesse des sources, elle passait pour avoir été la conseillère du roi sabin Numa* Pompilius (d'où le nom commun *égérie*, in Robert). Devenue déesse des femmes et des esclaves, elle eut une grande popularité parmi la plèbe.

EGGE (Peter). ♦ Romancier et auteur dramatique norvégien (Trondheim, 1869 – Oslo, 1959). Né d'une famille paysanne pauvre venue à la ville, il peignit avec autant de bonheur la vie des petites gens de la campagne et de la ville du centre de la Norvège dans des récits (*Tableaux de la vie populaire,* 1909), et des romans (*Au fond des fjords,* 1920; *Hansine Solstad,* 1925). Il écrivit aussi des comédies populaires et réjouissantes telles que *Jacob et Kristoffer* (1900). Mais son livre le plus remarquable est sans doute *Jaegtvig et son dieu* (1923), où il évoque les relations entre la vie personnelle d'un homme et son travail. Son œuvre, écrite dans une belle et ferme langue norvégienne, le révèle aussi bon peintre que psychologue.

EGIDIUS ou **le comte Gilles.** ♦ Général gallo-romain ([mort] 464). Lieutenant d'Aetius*, il se constitua un petit royaume indépendant dans le nord de la Gaule. – Père de Syagrius*.

ÉGINE, en gr. **Aigina.** ♦ Île de Grèce dans le golfe Saronique, entre l'Attique et le Péloponnèse. 83 km². 9 500 hab. *(Éginètes). Ch.-l.* Égine. 6 200 hab. – Temple d'Aphaia (~ 480). ♦ *Hist.* Lieu de naissance du héros Éaque*, l'île acquit une puissance maritime dès le ~ VIe s., imposa son système monétaire sur une grande partie de la Grèce et rivalisa avec Athènes*. Après les victoires sur les Perses, auxquelles Égine participa, elle fut soumise par les Athéniens (~ 455-~ 404) et déclina rapidement. – Les célèbres *marbres d'Égine* (glyptothèque de Munich, musées d'Athènes et d'Égine) témoignent du grand développement de l'art statuaire dans l'île, au ~ VIe et au ~ Ve siècle.

ÉGINHARD [ezinar] ou **EINHARD.** ♦ Homme d'État et chroniqueur franc (v. 770 – abbaye de Seligenstadt, 840). Ami de Charlemagne*, il fut chargé d'organiser la construction de la cathédrale et du palais d'Aix*-la-Chapelle, du palais Ingelheim, etc. Après avoir été conseiller de Lothaire, il fonda l'abbaye de Seligenstadt (entre 831 et 834) où il se retira. Il est surtout célèbre pour sa vie de Charlemagne *(Vita Caroli Magni),* inspirée du modèle antique (Suétone), qui est une des principales sources des historiens mais exige une lecture critique.

ÉGISTHE, en gr. **Aigisthos.** ♦ Roi de Mycènes, fils de Thyeste*. Son destin tragique est en tout point digne de la famille des Atrides à laquelle il appartient. Assassin d'Atrée* et d'Agamemnon*, dont il a séduit la femme Clytemnestre* durant l'absence de celui-ci, il tombera à son tour sous les coups d'Oreste*, vengeur du meurtre de son père. Il apparaît dans plusieurs œuvres du théâtre grec (Eschyle, Sophocle, Euripide).

EGK (Werner). ♦ Compositeur allemand (Auchsesheim, près Augsbourg, 1901). Il fut chef d'orchestre de l'opéra de Berlin (1935), puis directeur du conservatoire de cette ville (1950). L'abondance de son œuvre ne nuit pas à sa qualité. Influencée par R. Strauss*, Stravinski* et la musique française, riche de couleur et de lyrisme, dans le cadre d'une tonalité élargie, elle comprend des opéras (*Peer Gynt,* 1938; *Circé,* 1948; *Le Réviseur,* 1958), un oratorio (*Christophe Colomb,* 1934), des ballets (*Joan de Zarissa,* 1940; *Abraxas,* 1947; *Jour d'été,* 1950) ainsi que des pièces d'inspiration française (suites, chœurs et mélodies).

ÉGLETONS. ♦ Ch.-l. de cant. de la Corrèze*, arr. de Tulle*. 5 064 hab. (3 581 aggl.) [*Égletonnais*]. – À 6 km de la ville, ruines du château médiéval de Ventadour. – Important centre scolaire; travail du bois.

Église. *n. f.* ♦ Assemblée des fidèles de la religion chrétienne (Cf. Robert). L'Église universelle, « corps mystique » du Christ, comprend les fidèles actuels *(Église militante),* les élus *(Église triomphante)* et, pour les catholiques, les âmes du Purgatoire *(Église souffrante).* Le chef de l'Église est le Christ et (dans le catholicisme) son vicaire sur terre, le pape. Au cours de l'histoire, l'Église s'est formée de la réunion d'Églises (communautés) locales; elle s'est aussi divisée : **V. Schisme.** Nombre d'Églises se reconnaissent comme parcelles de l'Église universelle **(V. Conseil œcuménique des Églises).** L'Église catholique se considère, elle, comme la seule légitime, issue des fondations apostoliques **(V.** saint **Pierre,** saint **Paul)** et maintenue par la tradition et la succession des évêques; mais, depuis Vatican* II, elle entretient des relations plus étroites, organise des actions communes avec les Églises séparées (œcuménisme). ♦ *Églises orientales :* issues de schismes survenus à différentes époques, elles se répartissent en 5 rites, *arménien* (monophysite*), *byzantin* **(V. Orthodoxes** [Églises]**),** *chaldéen* (en Perse, **V. Nestorius),** *copte* (monophysite), *syrien* (monophysite, **V. Jacques Baradée).** ♦ *Églises uniates :* parcelles des Églises orientales restées ou redevenues unies à Rome (env. 6 % des chrétiens orientaux); elles se répartissent en 6 rites, les 5 précédents, plus le rite *maronite* du Liban. ♦ *Églises protestantes :* **V. Protestantisme.** ♦ *Église gallicane :* **V. Gallicanisme.** ♦ *Petite Église* ou *anticoncordataire :* quelques évêques refusèrent la démission que leur demandait le pape aux termes du concordat* de 1801; leur Petite Église a subsisté dans le Poitou – Autres petites Églises dissidentes : janséniste, en Hollande **(V. Jansénisme);** vieux-catholiques, en Allemagne, refusant le dogme de l'infaillibilité pontificale (1870). ♦ *Hist.* De Jérusalem, le christianisme se répandit dans la Diaspora* juive et le monde gréco-romain. Antioche, l'Asie Mineure et la Grèce **(V. Paul** [saint]), Rome, peut-être Alexandrie eurent des Églises dès le Ier s., Lyon v. 150? **(V. Pothin),** l'Afrique v. 200, l'Italie, la

Coll. Cauboue

États de l'Église : réception du grand duc de Toscane par le pape Pie V dans la salle royale du Vatican, le 18 février 1570. Gravure par E. Duperac.

Gaule, la Germanie, l'Espagne, dans le cours du IIIe siècle. Dès le IIe s., l'évêque de Rome jouissait d'une certaine prééminence (« primat de Pierre », fondement de l'autorité pontificale). Le christianisme se développa dans le cadre de l'Empire romain, subissant parfois des persécutions, locales ou généralisées (sous Néron, Domitien (?), Marc Aurèle, Commode, Septime Sévère, Maximin, Dèce, Valérien, Dioclétien). La victoire de Constantin* et les édits de Milan (313) assurèrent à l'Église une position officielle et marquèrent une étape essentielle dans son histoire. La division entre l'empire d'Occident (tombé en 476) et l'empire byzantin* eut des conséquences capitales : répercussions dans les grandes querelles théologiques **(V. Arianisme, Nestorius, monophysites, monothélètes, iconoclastes, Filioque),** passage de l'Église latine sous la protection des Francs (756, **V. Église** [États de l']), rupture avec l'Église grecque (867, **V. Photios;** 1054, **V. Cérulaire, orthodoxes** [Églises]). Dès le haut Moyen Âge, les évêques se virent revêtus d'une importance civile considérable, ce qui amena Charlemagne et ses successeurs à affirmer leur emprise sur l'Église. En réaction : la réforme grégorienne **(V. Grégoire VII),** soutenue par les ordres monastiques **(V. Cluny, Cîteaux),** la rivalité du pape et de l'empereur **(V. Investitures** [querelle des]; **Décrétales** [Fausses]). Le triomphe de la papauté, au sommet de sa puissance avec Innocent* III (1198-1216), ne dissimulait pourtant pas que la réforme était toujours à reprendre : action de saint Dominique*, saint François*, et grandes hérésies qui, par plusieurs aspects, sont des révoltes contre le confort de l'Église « établie » **(V. Cathares, Pataria, Vaudès, Wyclif, Huss; V.** *aussi* **Inquisition).** Celles-ci aboutirent à la Réforme* protestante (à partir de 1517), schisme qui enleva la moitié de l'Europe à la catholicité. La réforme catholique qui suivit **(V. Contre-Réforme)** ne fut pas seulement une réaction; elle remodela l'Église, lui conférant les traits qui subsistèrent jusqu'à l'époque moderne. Cependant le rationalisme et la Révolution française **(V. Constitution civile du clergé)** lui portèrent des coups que les restaurations napoléonienne **(V. Concordat)** et royaliste ne compensèrent que superficiellement. La sécularisation de la pensée, du savoir, de l'État mit l'Église dans une position défensive difficile : condamnation des courants « modernistes » **(V. Quanta Cura, Syllabus; V.** *aussi* **Pie X, Loisy),** extinction des États pontificaux **(V. Église** [États de]; **Pie IX** *et aussi* **Latran** [accords du]**),** Kulturkampf* en Allemagne, séparation des Églises et de l'État en France (1905, **V. Combes).** De sorte que l'Église contemporaine en est venue à considérer le monde, même de tradition chrétienne, comme pays de missions, et, face à ce nouveau paganisme, à réaliser son *aggiornamento* **(V. Vatican** [IIe concile du]; **Paul VI).**

Église *(États de l')* ou **États pontificaux.** ♦ Territoires, dans l'Italie centrale, qui appartinrent, ou furent soumis comme vassaux, à la papauté, de 756 à 1870. ♦ *Hist.* Dès Grégoire* le Grand (590-604), la papauté était le plus vaste propriétaire terrien d'Italie et manifestait une certaine indépendance vis-à-vis de l'empire, faiblement représenté par les exarques de Ravenne. Sous la pression des Lombards, l'exarchat tomba (v. 751); le pape Étienne II fit appel à Pépin le Bref; celui-ci vainquit (754 puis 756) et « restitua » au pape les territoires conquis, soit l'ancien « patrimoine de Pierre » (région de Rome, Pérouse), puis l'exarchat de Ravenne et la Pentapole (Rimini, Pesaro, Fani, Sinigaglia, Ancône). Charlemagne, définitivement vainqueur des Lombards (774), confirma et étendit cette donation. Par la suite les États s'accrurent, notamment du duché de Spolète et de Ferrare. Au Moyen Âge, l'autorité des papes fut contrebattue par les féodaux, par les potentats et le Sénat romains, par des dictateurs éphémères (**V. Arnaud de Brescia, Rienzo** [Cola di]), tandis que de l'extérieur ils essuyaient les assauts des empereurs germaniques (surtout Frédéric* II) ou des rois de France (**V. Philippe IV** [le Bel], *puis* **Italie** [guerres d']). C'est l'influence de ces derniers, combinée à l'anarchie romaine, qui amena les papes à s'exiler en Avignon* (1309-1377). Très affaiblie par le Grand Schisme* (1378-1417), la papauté se redressa politiquement à la Renaissance, grâce à Alexandre* VI et César Borgia*, et sous Jules* II devint la principale puissance de l'Italie. La Révolution française amena la chute des États de l'Église : non seulement le Comtat Venaissin, possession pontificale depuis 1274, fut réuni à la France (1791), mais les territoires d'Italie furent dépecés par le traité de Tolentino (1797), la création de la République romaine (1798-1799) puis l'incorporation au royaume d'Italie et à l'Empire (**V. Pie VI, Pie VII**). La reconstitution presque intégrale des États de l'Église en 1814 (**V. Consalvi**) ne laissait pas d'être artificielle, face à l'éveil du nationalisme : Grégoire* XVI puis Pie* IX durent faire appel à l'Autriche et à la France pour maîtriser le soulèvement des Légations et de la Marche (1831), et celui de Rome érigée en république (1849). En 1860, la Romagne, puis la Marche et l'Ombrie se donnèrent au Piémont. Seule la présence de troupes françaises permit à Rome de se maintenir contre les nationalistes (**V. Garibaldi**); dès la chute du Second Empire, Rome fut annexée au royaume d'Italie (1870). Malgré la *loi des garanties* (1871), Pie IX se considéra comme prisonnier et il fallut attendre les accords du Latran* et la constitution de l'*État de la cité du Vatican** (1929) pour que fût réglée la « question romaine ».

EGMONT ou **EGMOND (Lamoral,** *comte d'*). ♦ Homme de guerre des Pays-Bas (La Hamaide, Hainaut, 1522 – Bruxelles, 1568). Il fut un grand capitaine et eut un rôle particulièrement brillant à Saint-Quentin* (1557) et à Gravelines (1558). Il mena, avec le comte de Hoorne* et le prince d'Orange, l'opposition à Granvelle*. Bien qu'il fût resté catholique, il fit preuve d'une grande tolérance et soutint Guillaume* le Taciturne. Aussi fut-il exécuté en même temps que son parent Hoorne, malgré l'intervention de l'empereur Maximilien*. Sa mort fut suivie d'une insurrection générale des Pays-Bas. – Sa vie inspira à Goethe une tragédie (**V.** *ci-dessous*) pour laquelle Beethoven* écrivit une musique de scène.

Egmont (Le comte d'). ♦ Tragédie en prose de Goethe (1787). Au moment où, envoyé par Philippe II, le duc d'Albe s'apprête à noyer dans le sang la révolte des Pays-Bas, Egmont est jeté en prison et condamné à mort, tandis que les habitants de Bruxelles l'abandonnent. Seule, Clara, une fille du peuple, lui demeure fidèle. Au moment où elle lui apparaît dans sa prison, elle prend soudain pour lui le visage de la liberté. Dans un admirable élan lyrique, il lui déclare son amour, un amour pour lequel il va donner sa vie. – Beethoven* a composé pour cette épopée dramatique une musique de scène dont l'*Ouverture* est célèbre (1810). D'une structure assez complexe, c'est l'ouvrage où s'exprime le plus complètement l'idéalisme héroïque de Beethoven.

ÉGUZON. ♦ Ch.-l. de cant. de l'Indre, arr. de La Châtre. 1 482 hab. (711 aggl.), sur la Creuse. Ruines de l'ancien château. Barrage sur la Creuse et usine hydro-électrique (100 000 000 de kWh/an).

ÉGYPTE (de l'égypt. **Hikuptah** « Château du « *ka* » [âme] de Ptah* » [un des noms de la ville de Memphis*] dont les Grecs firent **Aiguptos** qu'ils appliquèrent à tout le pays), en ar. **Misr**, officiellement **République arabe égyptienne**, en ar. **Al Jumhuriyah al 'Arabiyah al Muttahidah**. ♦ État s'étendant à l'extrémité N.-E. du continent africain et sur la péninsule du Sinaï, moins la « bande de Gaza », autonome depuis 1962 et revendiquée par Israël depuis 1968, limité à l'O. par la Libye, à l'E. par Israël, au S. par le Soudan, et baigné au N. par la Méditerranée et à l'E. par la mer Rouge. Env. 1 000 000 de km² dont 34 000 km² habitables. 37 230 000 habitants (1975). *Cap.* Le Caire*. *Langue :* arabe. *Religion :* musulmane. *V. princ. :* Alexandrie*, Assouan*, Assiout*, Damanhour*, Embabéh*, Fayoum*, Gizeh*, Ismaïlia*, Mansourah*, Miniéh*, Port*-Saïd, Subra-el-Khema, Suez*, Tantah*, Zagazig*. – *Orogr.* On distingue trois régions naturelles et trois types de paysage : au centre la vallée du Nil, le désert libyque à l'O. et le désert arabique à l'E. *Le désert libyque,* ou désert occidental, couvre les 2/3 du pays et est formé de dunes de 300 à 400 m de haut. Très aride, il est cependant coupé d'oasis (Ouadi Natroum, Fayoum, cuvette saline de Kattara, au N., oasis de Bahariéh, Farafreh, Siouah, Dakhleh, Kargéh plus au S.). À l'E. du Nil, *le désert arabique,* ou désert oriental, s'étend jusqu'à Suez et la mer Rouge et sur la péninsule du Sinaï. Il est hérissé de blocs montagneux dépassant parfois 2 000 m (Jabal el-Shayib : 2 184 m, mont Moïse ou montagne de Moïse, Katharina : 2 637 m). *La vallée du Nil,* longue de 1 500 km et d'une largeur comprise entre 1 et 20 km, draine le pays du S. au N., de la 2ᵉ cataracte jusqu'au Caire (Haute-Égypte). Au N. du Caire, le Nil se ramifie en de

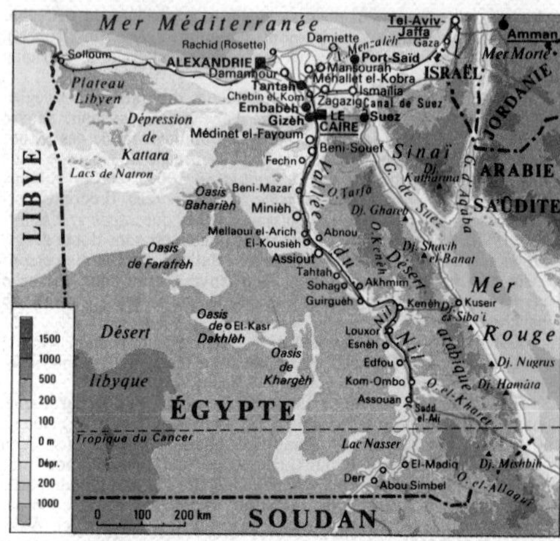

Égypte

nombreux bras (Damiette*, Rosette*) et forme un vaste delta marécageux bordé de lacs (Mariout*, Menzalèh*), appelé la *Basse-Égypte.* – *Climat.* Chaud et aride dans les déserts (influence saharienne et tropicale), il se tempère à proximité de la Méditerranée. – *Écon.* L'activité économique du pays est étroitement liée à la présence du Nil, et toute l'activité se concentre dans la vallée et le delta du fleuve (« Égypte utile »). L'agriculture demeure encore fondamentale, puisqu'elle emploie 60 % de la population. L'effort du gouvernement s'est porté sur l'irrigation des terres et l'extension des zones cultivables. L'irrigation pérenne a été rendue possible grâce à la construction de barrages sur le Nil : Assiout, Nag* Hamadi, Ziftah*, Esna*, et surtout les deux barrages d'Assouan et de Sadd*-el-Ali. Ces initiatives ont permis d'obtenir 2 à 3 récoltes annuelles, de mettre en culture 500 000 ha et d'arracher au désert 300 000 ha entre Assouan et Kattara. Une réforme agraire, mise en œuvre de 1952 à 1961, tenta une plus juste répartition des terres, jusque-là possédées par de grands propriétaires. La limitation de la propriété foncière a été portée de 6 à 12 ha, selon la valeur des terres. La principale culture est le coton (390 000 t), massivement cultivé dans le delta et assurant les trois quarts des exportations égyptiennes vers les pays du bloc socialiste. La canne à sucre, largement cultivée (40 000 ha), alimente les sucreries locales et est en partie exportée. Les céréales représentent la base de l'alimentation. Le blé et le maïs sont cultivés dans la vallée du Nil, le riz sur les terres salées du delta. Le bersim (trèfle), l'orge et le sorgho ont une certaine importance. On encourage la production des légumes (tomates, oignons), des fruits et notamment des fruits secs (dattes, figues) localisés dans le Fayoum* et les oasis de la Nouvelle-Vallée. L'élevage des buffles, des ânes et des volailles est important, mais le troupeau bovin et ovin est insuffisant. – *Indus.* Les principales richesses minières sont les phosphates (Haute-Égypte, côtes de la mer Rouge), le manganèse, le fer, le zinc et le sel marin. L'extraction du pétrole, déjà ancienne, se localise sur les côtes de la mer Rouge (Hourghada*, Sudr, Asl) et représente 11 445 000 t (1975); il est raffiné pour une part au Caire, à Port-Saïd et à Suez, ou exporté. L'énergie électrique, encore insuffisante en 1965, a été considérablement accrue par la centrale hydraulique de Sadd-el-Ali et a dépassé 8 milliards de kWh en 1973. La construction de nouvelles centrales est prévue dans le delta du Nil et dans la dépression de Kattara. Encore faiblement développée, l'industrie égyptienne a connu récemment un essor certain. Elle se localise surtout dans les grandes villes du Caire et d'Alexandrie. Le secteur textile est le plus important, tant pour la main-d'œuvre employée (300 000 ouvriers) que pour la diversité des produits fabriqués : cotonnades (Mehallah*-el-Koubra) dont l'exportation commence, laine, rayonne. L'industrie chimique : savonneries, cimenteries, superphosphates, etc., est en plein essor. Le secteur alimentaire (sucreries, conserveries, huileries, manufactures de tabac) est secondaire. La sidérurgie, de création récente, est basée sur le fer d'Assouan et localisée à Hélouan*. – *Commerce.* Les exportations concernent surtout le coton (90 %), les phosphates, le pétrole à destination des pays du bloc socialiste (50 %), de l'Europe occidentale et des États-Unis. – *Communications.* Le réseau routier couvre 20 280 km, le réseau ferroviaire 6 600 km. Le Caire possède un aéroport international très actif. Les principaux ports sont Alexandrie, Port-Saïd et Suez. Le canal de Suez, nationalisé depuis 1956, a été fermé à la navigation commerciale en 1968. ♦ *Hist.* L'ÉGYPTE PHARAONIQUE. Le peuplement de l'Égypte dut se faire lentement par la fusion d'ethnies venues d'Afrique et peut-être d'Asie occidentale. Vers ~10000 commença l'âge de la pierre polie et deux zones de civilisation apparurent au N. et au S. qui se maintinrent à l'époque néolithique

(~ 5000). À la fin du ~ IVe millénaire, le pays était partagé en deux grands royaumes : celui de Bouto au N. et celui de Nékhen au S. Vers ~ 3300, Ménès* soumit le N., unifia l'Égypte et fonda la *Ire dynastie thinite*. Les noms des pharaons des deux premières dynasties thinites et de la IIIe dynastie memphite (dont Djoser*) nous sont connus par les édifices d'Abydos* et de Saqqarah*. L'Ancien Empire (~ 2720-~ 2300; IVe à VIe dyn.) atteignit son apogée avec les pharaons Khéops*, Khéphren* et Mykérinos* qui firent construire les grandes pyramides de Gizeh*. La capitale fut alors transférée de This* à Memphis*. On entreprit l'exploitation des mines de Nubie* **(V.** *aussi* **Pépi Ier et Pépi II).** Le « style memphite » est caractérisé par un classicisme altier qui se manifeste dans l'harmonie des lignes droites et de larges masses symétriques. La peinture est peu pratiquée, on lui préfère le bas-relief (mastaba de Ti à Saqqarah). C'est à cette époque que commence le développement de la statuaire colossale (Sphinx de Gizèh). Avec la *première période intermédiaire* (~2300-~2065; VIIe à X^e dyn.) commença la lutte entre les rois d'Héracléopolis (Khéti* Ier, II et III), maîtres de la vallée du Nil et du Delta, et les rois de Thèbes, maîtres de la Haute-Égypte. Elle s'acheva par la victoire des Thébains avec Mentouhotep* Ier et la fondation du *Moyen Empire* (~ 2065-~ 1785; XIe et XIIe dyn.). À la XIIe dyn. les Amménémès* et les Sésostris* s'employèrent à la colonisation de la Nubie et à la mise en valeur du Fayoum* et étendirent l'influence de l'Égypte en Phénicie et en Palestine. Thèbes fut abandonnée pour Licht*. Parallèlement au culte d'Amon* de Thèbes, le culte d'Osiris* se développa considérablement. Des tendances hétérogènes se manifestent dans l'art de cette période. Le Moyen Empire voit renaître la grande architecture sacrée avec le temple funéraire de Mentouhotep Ier à Deir* el-Bahari, tandis que se manifeste un certain humanisme dans l'iconographie rituelle. Avec l'apport thébain, la statuaire se dégage peu à peu du hiératisme pour donner des portraits plus réalistes (Sésostris III, [Le Caire, New York]; Amménémès III, [Berlin]). Mais l'académisme de l'école memphite demeure (Sésostris Ier trônant [Licht, Le Caire]. La grande nouveauté est l'apparition de la peinture pure (nécropole de Beni-Hasan). Au Moyen Empire succéda une des périodes les plus obscures de l'histoire égyptienne, la *deuxième période intermédiaire* (~ 1785-~ 1580; XIIIe à XVIIe dyn.) pendant laquelle le pays fut occupé par les Hyksos*. L'expulsion des Hyksos fut l'œuvre d'Amôsis* qui fonda le *Nouvel Empire* (~ 1580-~ 1085; XVIIIe à XXe dyn.). Avec Aménophis* Ier et Touthmôsis* Ier, la XVIIIe dyn. thébaine, désireuse de garantir l'Égypte contre de nouvelles invasions, se lança dans une grande politique de conquêtes : domination sur la Nubie, la Syrie et jusqu'à l'Euphrate supérieur. Interrompue par le règne d'Hatchepsout*, cette politique d'expansion sera reprise par Touthmosis* III et ses successeurs. Désorganisé par la révolution amarnienne **(V. Akhnaton; Tell al-Amarna),** l'empire manqua succomber à la menace hittite. Mais avec Horemheb* la XIXe dyn. vit renaître l'impérialisme égyptien. Ramsès* II, après avoir essayé de reprendre la Syrie aux Hittites*, préféra signer avec eux le traité de ~ 1278 qui assurait à l'Égypte encore quelques années de paix. Le Nouvel Empire est l'époque du plus grand épanouissement artistique de l'Égypte avec les édifices de Thèbes, capitale religieuse (temple funéraire d'Hatchepsout à Deir* el-Bahari, temples d'Amon à Karnak* et à Louxor*, hypogées de la Vallée* des Rois) et les édifices de Nubie (Abou*-Simbel). Sous les Ramsès* de la XXe dyn. l'anarchie politique croissante aboutit au partage de l'empire entre Smendès*, établi à Tanis*, et Hérihor*, à Thèbes. Durant toute la XXIe dynastie (~ 1085-~ 950), deux lignées parallèles de pharaons (au N.) et de grands prêtres (à Thèbes) se succédèrent sur les trônes d'Égypte. Sous les *dynasties libyennes et couchites* (~ 950-~ 663; XXIIe à XXVe dyn.) commença la décadence de l'empire **(V. Chéchonq, Osorkon)** qui tomba bientôt sous la *domination assyrienne*

Ph. Nino Cirani/Ricciarini

Égypte : Le Caire, en premier plan la mosquée d'albâtre, au fond la ville moderne.

(prise de Thèbes par Assurbanipal*, ~ 664). Une courte période de renaissance avec la *XXVIe dynastie saïte* (~ 663-~ 525) fondée par Psammétique* Ier **(V.** *aussi* **Néchao II, Apriès, Amasis)** n'empêcha pas l'Égypte de s'effondrer à la bataille de Péluse (~ 525) devant les Perses de Cambyse* II. Resté plus d'un siècle sous la *domination perse* (~ 525-~ 404; XXVIIe dyn.), le pays retrouva passagèrement son indépendance sous les dernières dynasties (XXVIIIe à XXXe; Néphéritès, Psammouthis, Nectanébo) avant de tomber sous la *deuxième domination perse* dont il fut libéré en ~ 332 par Alexandre* le Grand. — L'ÉGYPTE PTOLÉMAÏQUE, ROMAINE ET BYZANTINE. Après avoir fondé Alexandrie (~ 331), Alexandre se rendit au sanctuaire d'Amon dans l'oasis de Siouah* où il se fit reconnaître comme fils du dieu et donc souverain d'Égypte. À sa mort (~ 323), le pays alla à Ptolémée* Ier, fondateur de la dynastie des Lagides*, dynastie qui régna sur l'Égypte jusqu'à la mort de Cléopâtre* **(V. Ptolémée).** Après la bataille d'Actium* (~ 31) et l'entrée d'Auguste* à Alexandrie, l'Égypte passa sous la domination de Rome. Province relevant personnellement de l'empereur et administrée par un préfet de rang simplement équestre, pour prévenir les usurpations, l'Égypte romaine resta proche de l'Égypte lagide : hellénisme, pas ou peu d'organisation en cités (Alexandrie n'eut une *boulê* que sous Septime Sévère), population autochtone maintenue dans un rang subalterne même après l'édit de Caracalla (212). Alexandrie continua d'être le plus grand port de la Méditerranée et une capitale intellectuelle et religieuse : **V. Alexandrie.** À l'ancienne religion égyptienne survivant dans des cultes à mystères **(V. Isis, Osiris, Sérapis)** et à l'hermétisme **(V. Hermès)** s'ajoutèrent la gnose **(V. Basilide, Carpocrate, Valentin; V.** *aussi* **Nag Hamadi)** et le christianisme **(V. Clément d'Alexandrie, Denys d'Alexandrie, Origène).** C'est d'Alexandrie que partit l'hérésie arienne **(V. Arius)** combattue par l'évêque Athanase*, tandis que dans les déserts (Nitrie, Scété, Thébaïde*) se développait le premier monachisme chrétien **(V. Antoine le Grand, Évagre le Pontique, Macaire l'Ancien, Pacôme, Thaïs).** Après 395, l'Égypte fut une province de l'empire byzantin*, dirigée par un préfet *augustal.* Mais la plus haute autorité était l'évêque d'Alexandrie, reconnu comme patriarche depuis 381. Le particularisme égyptien se traduisit alors par la rivalité des patriarches avec ceux de Constantinople **(V.** *notamment* **Cyrille et Nestorius)** et par l'adhésion de l'Égypte au monophysisme **(V. Monophysites).** L'exploitation féodale, les querelles religieuses, le déclin du port d'Alexandrie affaiblirent l'Égypte : tombée aux mains de Perses (617-629, **V. Khosrô II**), elle ne fut reconquise par Héraclius* que pour passer sous la domination arabe (642). ♦ **Religion de l'Égypte ancienne.** Plus qu'aucune autre, la civilisation égyptienne a été dominée par les exigences matérielles et spirituelles d'une religion. Cette religion s'est formée très tôt et quand, en 384, l'édit de Théodose ferma les temples de la vallée du Nil, elle existait depuis plus de trois millénaires et demi. Extrêmement complexe du fait de la multiplicité de ses dieux et de ses doctrines, la religion égyptienne est avant tout une religion cosmique, fondée sur une conception cyclique de l'univers, dans laquelle les divinités sont l'expression de forces conçues comme moteurs des phénomènes naturels. Le panthéon égyptien compte autant de grands dieux qu'il y eut d'unités territoriales primitives (le même dieu pouvant être adoré dans divers endroits sous un nom et sous un aspect différents) et autant de cosmogonies qu'il y eut de capitales religieuses (Héliopolis*, Hermopolis*, Memphis*, Thèbes*). Représentés sous forme animale ou humaine, les dieux étaient la plupart du temps regroupés en *triade* : père, mère et fils. Au milieu du grand nombre, on vit pourtant s'imposer certaines figures divines communes à tout le monde égyptien et organisées en deux grands cycles complémentaires : le cycle solaire autour de Rê* **(V.** *aussi* **Amon, Aton, Atoum, Horus, Khépri, Khnoum)** et le cycle osirien autour d'Osiris* **(V. Isis, Nephtys, Seth).** Étroitement mêlé au culte solaire, le culte d'Osiris acquit au cours des siècles une popularité croissante et tendit à supplanter toutes les divinités locales. **V. Anubis, Apis, Apopis, Bastet, Bès, Harpocrate, Hathor, Khonsou, Ptah, Sérapis, Sekhmet, Sobek, Thot, Thouéris.** — ÉGYPTE MUSULMANE. Après la conquête arabe dirigée par 'Amr*, l'Égypte fut soumise aux califes 'umayyades* de Damas, puis aux 'Abbâssides* de Baghdâd. Il semble que la majorité de la population adhéra à l'Islâm et adopta la langue arabe dès la fin du VIIIe siècle. C'est dans ce cadre arabe et musulman que l'Égypte connut une brève indépendance sous les Tûlûnides* (879-905). Restaurée par les Ikhshidites* (935), la domination de Baghdâd fut écartée par les shi'ites Fâtimides* (969-1171) qui installèrent leur capitale dans la ville nouvelle du Caire*, siège de l'anti-califat qu'ils fondèrent; ils luttèrent contre les Sunnites* et les 'Abbâssides. Sous leurs règnes, malgré le faste excessif ou l'autoritarisme répressif de certains, l'Égypte fut un pays relativement prospère et Le Caire une des plus belles villes de l'Islâm. Le sunnisme et la suzeraineté nominale des 'Abbâssides furent rétablis par Saladin*, qui abolit le califat fâtimide et fonda la dynastie des Ayyûbides* (1171-1250). Ceux-ci furent renversés par les Mamelouks*, issus de leur garde privée. Les chefs mamelouks, Bahrites (1250-1382) puis Burdjites (1382-1517), préservèrent l'Égypte du péril mongol et renforcèrent le potentiel économique et le poids politique du pays. Ils firent construire au Caire des monuments originaux et magnifiques. Ce fut la plus grande période de l'Égypte depuis l'époque hellénistique. La décadence que connut le pays à la fin du XVe s. est due à un événement extérieur : la découverte du cap de Bonne-Espé-

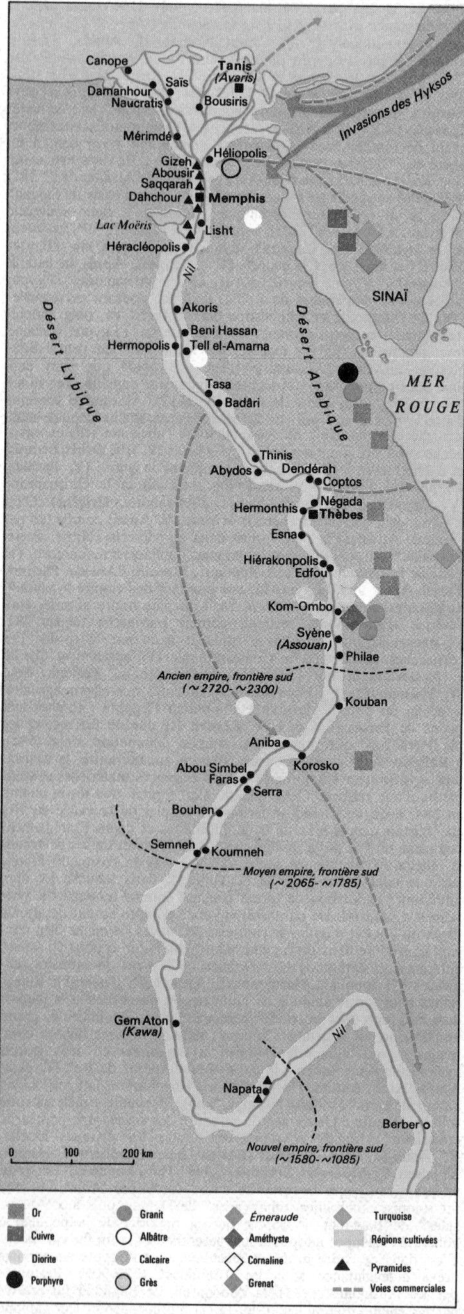

Égypte

rance ravit à l'Egypte le rôle de médiateur entre l'Asie et l'Europe. Par ailleurs, les Mamelouks ne purent repousser l'invasion ottomane (1517) qui fit du pays une province turque de seconde zone (XVIe-XVIIIe s.), bientôt livrée aux convoitises des puissances occidentales. L'expédition de Bonaparte (1798-1801; **V.** *ci-dessous* **Égypte** (campagne d'); **Napoléon)** s'inscrivit dans le contexte de la rivalité de la France avec l'Angleterre. Après le départ des Français, l'Egypte traversa une période de désordre à laquelle mit fin l'énergique Muhammad*-'Ali **(V. Ayyûbides, Fâtimides, Ikhshîdites, Mamelouks, Tûlûnides, 'Alî bey, 'Amr ibn al-As, Barsbay, Baybars, Hakîm bi Amr-Allâh, Ibn Tulûn, Kafûr, Mâlik al-'Adil, Mâlik al-Afdhal, Mâlik al-Kâmil, Mâlik al-Salih, Musta 'li, Mustansîr bi-Llâh. Qâ'tit Bây, Qalâ'ûn, Qansûh, Saladin, Caire** [Le] — L'ÉGYPTE MODERNE. Quand Muhammad*-'Ali devint vice-roi (1805-1849), l'Égypte retrouva une indépendance de fait par rapport à la Turquie. Mais cette indépendance fut limitée d'emblée par l'intervention des puissances occidentales. En effet, Muhammad-'Ali ne put profiter de ses victoires contre les armées turques, car, sous la pression de l'Angleterre, il se résigna à restituer le fruit de ses conquêtes à Istanbul. Sous son règne, l'Égypte entra dans la phase moderne de son histoire : ouverture sur l'Occident, adoption de ses techniques, assimilation de son savoir, investissements occidentaux en Égypte, naissance du nationalisme égyptien et réveil de la culture arabe. Ses successeurs (Abbâs Ier, Sa'id, Isma'îl) ne firent que continuer son œuvre. Mais, très vite, la dette extérieure de l'Égypte s'accumula et les intérêts de l'Angleterre se développèrent; les Anglais imposèrent une occupation militaire à l'Égypte, après avoir défait le nationaliste 'Arabi* Pacha (1882). Le véritable maître de l'Égypte devint le consul britannique, rôle que joua lord Cromer de 1883 à 1907, et la tentative d'indépendance d 'Abbâs* II (1892 — 1914) fut contenue. Mais le mouvement nationaliste, essoufflé depuis la défaite d''Arabi Pacha, reprit force et vigueur, trouvant en Muhammad 'Abduh* le théoricien qui lui manquait (1899); ce personnage inaugure ce qu'on appelle la renaissance arabe *(Nahdha).* Dès cette date, l'Égypte connut un nouvel essor culturel avec la fondation d'écoles, de bibliothèques, d'imprimeries, de journaux. Tout en déposant 'Abbâs II, l'Angleterre profita du déclenchement des hostilités avec la Turquie pour proclamer officiellement son protectorat sur l'Égypte (1914), tandis que le nationalisme égyptien entrait dans une nouvelle phase avec Sa'd Zaghlûl*, qui réclama l'indépendance dès 1918. Malgré un refus initial, l'Angleterre dut admettre une partie des revendications réclamées par le *Wafd**, dirigé par Sa'd Zaghlûl, en accordant à l'Égypte l'indépendance (1922) tout en se réservant la charge de la défense, l'entretien des troupes et les affaires étrangères. Après l'adoption d'une constitution sous Fu'âd* Ier (1917-1936), les élections de 1924 virent le triomphe de Sa'd Zaghlûl et du *Wafd.* Dès lors, l'Angleterre tira parti des antagonismes entre le *Wafd* et le palais, menant, selon la conjoncture, une politique de soutien tantôt en faveur du roi, tantôt en faveur du *Wafd.* C'est ainsi qu'elle imposa comme Premier ministre à Fârûq* (1936-1952) Nahhâs* Pacha, successeur de Zaghlûl à la tête du *Wafd,* afin d'empêcher le roi de mener une politique d'alliance avec les forces de l'Axe (1942). Après 1945, des contradictions internes secouèrent le *Wafd* et l'affaiblirent, tandis que la défaite militaire de l'Égypte contre le nouvel État d'Israël montrait la vulnérabilité du régime (1949). En 1950, le roi fit de nouveau appel à Nahhâs Pacha pour remédier à une situation grave. Mais l'organisation clandestine des « officiers libres », dirigée par Nasser, déclencha le coup d'État (22-24 juil. 1952) qui mit fin au règne de Fârûq et proclama la république (1953). — L'ÉGYPTE NASSÉRIENNE (depuis 1952). Avec Nasser, pour la première fois depuis les pharaons, l'Égypte se trouva dirigée par des nationaux. En effet, après la domination romaine, puis byzantine, les Arabes occupèrent le pays et les dynasties qui s'y installèrent étaient toutes d'origine étrangère. De surcroît, la plupart des officiers qui s'emparèrent du pouvoir avec Nasser étaient issus d'un milieu paysan, souvent modeste. Ces deux caractéristiques ajoutées aux motivations historiques expliquent les tendances nationalistes et socialistes du régime nassérien. Liquidant la présence étrangère en Égypte (évacuation du canal de Suez* et sa nationalisation, 1956), Nasser prôna un nationalisme arabe. Mais l'unique réalisation en ce sens (la ***République arabe unie,*** formée avec la Syrie* : 1958-1961) fut vite avortée. Il théorisa et pratiqua le « neutralisme positif » en profitant des aides des puissances occidentales (R.F.A. et U.S.A.) et des pays du camp socialiste (U.R.S.S., Hongrie...). Après la guerre éclair que déclencha Israël en juin 1967 et l'immédiate défaite de l'armée égyptienne, cette politique fut rompue et la présence soviétique devint dominante. Sadate, successeur de Nasser, limita cette présence en juillet 1972. — Les réformes agraires de 1952 et de 1961 répartirent plus équitablement la propriété paysanne. Le haut barrage d'Assouan* permit d'arracher 800 000 ha au désert et donna à l'industrie une nouvelle source d'énergie. L'ensemble du commerce extérieur fut nationalisé ainsi que plus de 8/10 de l'industrie, des banques, des grands magasins. Cette action débarrassa l'Égypte d'une léthargie féodale séculaire mais, malgré de grandes réalisations économiques, les difficultés demeurent, accrues par un effort militaire démesuré motivé par les tensions et ls conflits avec Israël*. **V. Israélo-arabe; Palestine. (V. 'Abbâs Hilmi Ier, 'Abbâs Hilmi II, 'Arabî Pacha, Fârûq, Frères musulmans, Isma'îl, Lesseps, Muhammad-'Ali, Nahhâs Pacha, Nasser, Néguib, Sa'îd, Suez** [canal de], **Wafd, Zaghlûl, Caire** [Le], **'Abduh, 'Aqqâd, Haykal, Mahfûdh, Tahâ Hussaïn, Taymur** [Mahmûd et Muhammad].)

ÉGYPTE *(campagne d').* ♦ Expédition française destinée à combattre l'Angleterre en Méditerranée et sur la route des Indes. Partie de Toulon en mai 1798, la flotte française s'empara de Malte le 10 juin; Alexandrie était aux mains des Français le 2 juillet et Bonaparte entrait au Caire le 23. Mais, le 1er août 1798, la flotte anglaise de Nelson détruisit la flotte française de Brueys* d'Aigaïliers en rade d'Aboukir et l'Angleterre devenait maîtresse de la Méditerranée. Les Turcs ayant déclaré la guerre en févr. 1799, Bonaparte les battit au mont Thabor le 16 avr. 1799; de retour en Égypte, il empêcha une tentative de débarquement turc à Aboukir; il regagna la France secrètement, laissant le commandement à

Ph. Hétier

Égypte : le Sphinx de Gizèh.

Kléber* qui signa avec les Turcs, le 24 juin 1800, une convention d'évacuation. Mais cette convention ne fut pas ratifiée par les Anglais. Kléber battit les Turcs à Héliopolis le 18 mars, reprit Le Caire, administra le pays. Après son assassinat, son successeur, Menou*, eut des revers et conclut un accord avec les Anglais, qui rapatrièrent en France les restes de l'armée. La conséquence la plus importante de cette campagne fut la décision de la Russie et de la Turquie de se joindre à l'Angleterre dans la deuxième coalition.

ÉGYPTOS, en gr. **Aiguptos.** ♦ Héros éponyme d'Égypte, appelée avant son règne *pays des Mélampodes* (« Pieds noirs »). Ses cinquante fils épousent les cinquante filles de son frère Danaos* (**V. Danaïdes**) et sont massacrés par elles, sauf Lyncée* qui peut s'échapper.

EHRENBERG (Christian Gottfried). ♦ Naturaliste allemand (Delitsch, 1795 – Berlin, 1876). Il fit plusieurs expéditions scientifiques, en Égypte, en Europe centrale et en Asie (avec A. von Humboldt), dont il rapporta de nombreux échantillons de plantes et d'animaux. Ses travaux portèrent essentiellement sur les invertébrés inférieurs et les protozoaires auxquels il attribua une organisation illusoire, interprétation qui fut précisée et rectifiée par F. Dujardin*.

EHRENBOURG (Ilya Grigorievitch) [*Erenburg*]. ♦ Écrivain soviétique (Kiev, 1891 – Moscou, 1967). Il vécut à Paris de 1908 à 1917, et l'on sent l'influence de l'étranger dans sa première grande œuvre, *Les Aventures extraordinaires de Julie Jurenito* (1921). Puis il se mit à écrire une littérature de combat à la gloire du socialisme évoquant des hommes « forgés par la révolution » : *Sans reprendre haleine, Le Deuxième Jour* (1934). À partir de 1935, il fut envoyé comme journaliste en Espagne puis en France. Il écrivit alors *La Chute de Paris* (1940-1941). Après la guerre, profondément marqué par les horreurs qu'il y avait vues, il écrivit *La Tempête* (1947). En 1952, après des voyages effectués dans le monde entier en faveur de la paix, il reçut un prix Lénine international. En 1954 parut *Le Dégel,* critique de la vie soviétique à l'époque stalinienne. Enfin, à partir de 1960 parurent ses mémoires : *Les Hommes, Les Années, Les Jours.* – Auteur d'œuvres nombreuses, puissantes et variées, il connut une popularité aussi grande à l'étranger qu'en U.R.S.S. Très sensible aux souffrances des autres, il lutta pour la sauvegarde de la paix et des vraies valeurs humaines.

EHRENFELS (Christian, *baron von***).** ♦ Philosophe et psychologue autrichien (Rodaun, 1859 – Lichtenau, 1932). Ses travaux sur la perception des objets font de lui un précurseur de la psychologie de la forme (ou gestaltisme, **V. Koffka, Köhler** et **Wertheimer**). Il distingua en effet les qualités sensibles et les qualités formelles (spatiales ou temporelles) des objets, ces dernières étant indépendantes, selon lui, des sensations élémentaires. Il s'occupa par ailleurs de philosophie morale, en particulier du problème de théorie des valeurs.

EHRENHAFT (Felix). ♦ (1879 – 1952). Il conçut la méthode de mesure de la charge de l'électron utilisée par R.A. Millikan* (1907).

EHRLICH (Paul). ♦ Médecin allemand (Strehlen, Silésie, 1854 – Bad Homburg, 1915). Ses travaux portèrent sur les anticorps sécrétés par l'organisme contre les affections microbiennes, et surtout sur le rôle de l'arsénobenzène dans le traitement de la syphilis. (Prix Nobel de méd., 1908.)

EICH (Günther). ♦ Poète lyrique allemand (Lebus, Brandebourg, 1907). Venu à la littérature après des études de sinologie puis de sciences économiques, il fit partie du « Groupe* 47 ». Ses recueils de poèmes (*Rêves,* 1953; *Voix,* 1958) font de lui un des principaux représentants de l'Allemagne d'après-guerre, dont il a exprimé les inquiétudes, le désespoir, la solitude. En 1953, Eich épousa la romancière I. Aichinger*.

EICHENDORFF (Joseph, *baron von***).** ♦ Poète allemand (Lubowitz, Haute-Silésie, 1788 – Neisse, 1857). Considéré comme « le dernier chevalier de l'école romantique », il fut le poète lyrique qui préféra le charme des demi-teintes aux tourments exprimés par ses prédécesseurs. Dans ses romans (*Pressentiment et Temps présent,* 1809; *Poètes et consorts,* 1815), ses nouvelles (*La Statue de marbre,* 1815; *La Vie d'un propre à rien,* 1826; *Le Château de la Durande,* 1837) et un recueil de poèmes (*Chansons de route, Vie des chanteurs, Printemps et Amour,* 1837), il sut chanter à la fois son sentiment de la nature et sa foi catholique.

EICHHORN (Johann Gottfried). ♦ Orientaliste et historien allemand (Dörrenzimmern, 1752 – Göttingen, 1827). Si ses travaux d'histoire politique et littéraire modernes ne présentent plus guère d'intérêt, il reste connu pour ses études critiques et historiques sur l'Ancien et le Nouveau Testament (*Bibliographie générale de littérature biblique,* 1787-1803). ♦ Son fils KARL FRIEDRICH EICHHORN (Iéna, 1781 – Cologne, 1854) fut un spécialiste de l'histoire du droit en Allemagne (*Histoire des États et du droit en Allemagne,* 1808-1823).

EIFEL. *n. m.* ♦ Partie N.-O. du Massif schisteux rhénan (Allemagne occidentale; Rhénanie), situé à l'O. du Rhin, entre la Moselle et l'Ahr et prolongeant les Ardennes. D'une altitude moyenne de 600 m, il est profondément entaillé par les vallées des affl. de la Moselle. Au centre s'étend le *Haut-Eifel (Hohe Eifel),* fortement marqué par l'érosion volcanique (coulées de basalte, lacs de cratère ou *Maare,* sources thermales). Le *Schnee Eifel (Eifel neigeux)* occupe la partie orientale, de part et d'autre de la vallée de la Prüm, région sauvage et deshéritée, et confine à l'E. aux Hautes-Fagnes. Le *Bas-Eifel (Vor Eifel)* au S., moins élevé, longe la vallée de l'Ahr, grande région vinicole.

EIFFEL [ɛfɛl] **(Gustave).** ♦ Ingénieur français (Dijon, 1832 – Paris, 1923). Spécialiste des constructions métalliques, il réalisa de nombreux ponts et viaducs (viaduc de Garabit, 1882), la *tour Eiffel* (1887-1889) pour l'exposition universelle de Paris. **V.** *aussi* **Perronet, Freyssinet.** Ayant établi à Auteuil le premier laboratoire d'aérodynamique (1912), il contribua à l'essor de l'aviation.

Eiffel *(tour).* ♦ Construction métallique située à l'extrémité septentrionale du Champ*-de-Mars et dominant Paris de ses 320 mètres. Élevée de 1887 à 1889 par l'ingénieur G. Eiffel* à l'occasion de l'exposition universelle de 1889, elle se présente comme une pyramide quadrangulaire dont les quatre pieds métalliques sont reliés par d'immenses arceaux et se réunissent à la hauteur de la deuxième plate-forme (la tour en comporte trois). Support d'antennes de radio et, depuis 1959, de télévision (ce qui fit passer sa hauteur de 300 à 320 m), la tour Eiffel, longtemps contestée, apparaît comme la réalisation hardie d'une technique dont « la poutre en treillis » est l'élément essentiel; ce « traitement purement dynamique de l'espace, conçu comme un jeu complexe et instable de nœuds et de champs de forces » (Maurice Besset), s'avéra extrêmement fécond. La tour Eiffel est considérée, notamment hors de France, comme le symbole de Paris.

EIGEN (Manfred). ♦ Chimiste allemand (Bochum, 1927 –). Auteur de travaux sur la mesure de la vitesse des réactions chimiques ultra-rapides, il utilisa, indépendamment de Norrish* et de Porter*, la méthode originale consistant à placer deux réactifs dans un état d'équilibre et à déclencher la réaction par un agent extérieur. (Prix Nobel de chimie, 1967.)

EIGER. *n. m.* ♦ Sommet des Alpes bernoises (Suisse), au S.-E. d'Interlaken*, dominant Grindelwald* à 3 974 m d'altitude. Sa face N.-O., l'*Eigerwand* (mur de l'Eiger), presque toujours verglacée, a été l'objet de nombreuses tentatives d'escalade souvent meurtrières et n'a été conquise qu'en 1938 par une cordée austro-allemande.

EIJKMAN (Christiaan). ♦ Physiologiste hollandais (Nijkerk, 1858 – Utrecht, 1930). Élève de Koch* à Berlin, directeur de l'Institut de bactériologie à Batavia (Indonésie, 1888-1896), puis professeur à Utrecht, il fut spécialiste des avitaminoses et fit en particulier des recherches expérimentales sur le béribéri. (Prix Nobel de méd., 1929.)

EIKE VON REPGAU. ♦ Chevalier et chroniqueur allemand, originaire de l'Anhalt (fin XIIe s. ou début XIIIe s.). Il écrivit en bas allemand un recueil des lois, mœurs et coutumes de Saxe (*Miroir des Saxons,* v. 1225) qui servit de modèle à d'autres ouvrages du genre. Il est également l'auteur d'une *Chronique universelle.*

EILAT. ♦ **V.** ELATH.

EINAUDI (Luigi). ♦ Homme politique et économiste italien (Carru, Piémont, 1874 – Rome, 1961). Professeur d'économie politique à Turin et à Milan, champion du libéralisme, il s'opposa au fascisme* et dut émigrer en Suisse (1936-1945). En 1945, de retour dans son pays, il devint gouverneur de la Banque d'Italie, député, puis ministre des Finances : il acquit à ce poste une certaine popularité par une politique de justice fiscale. Il fut élu président de la République (1948-1955). Auteur de nombreux ouvrages économiques et politiques.

EINDHOVEN. ♦ V. des Pays-Bas (Brabant-Septentrional) sur la Dommel. 187 230 hab. Musée d'art moderne (Zadkine, Picasso, Braque, Mondrian, Miró). – Construction automobile (DAF). Papeteries. Textiles. Indus. du tabac et des produits laitiers. Électromécanique et électronique (Philips). Produits pharmaceutiques.

Ph. Harlingue-Viollet

A. Einstein.

EINHARD. ♦ V. ÉGINHARD.

EINSIEDELN. ♦ V. de Suisse (Schwyz) sur la r. d. du Sihlsee. 8 400 hab. Abbaye bénédictine (reconstruite au XVIIIe s.), église abbatiale baroque (XVIIIe s.); celle-ci est un vaste édifice représentatif du baroque d'Allemagne méridionale, d'extérieur simple et assez sévère, à la façade élégante (hautes tours, façade légèrement convexe) et à la riche décoration, due en partie aux Asam*. Pèlerinage annuel (14 sept.) à la Vierge noire. – Patrie de Paracelse*. ♦ *Hist.* L'abbaye fut fondée après 934 près de la cellule où vécut l'ermite Meinrad, martyrisé en 851. Zwingli* y fut chapelain. En 1602 y fut fondée la communauté bénédictine suisse de l'Immaculée Conception, qui subsiste toujours.

EINSTEIN (Albert). ♦ Physicien allemand, naturalisé suisse (1900), puis américain (1940) (Ulm, Allemagne, 1879 – Princeton, États-Unis, 1955), l'une des figures majeures de la science contemporaine. Admis en 1896 à l'école polytechnique fédérale de Zurich où il fut l'élève de H. Minkowski*, il prit la nationalité suisse et entra comme ingénieur au Bureau des inventions techniques de Berne en 1902. Il consacra ses loisirs à l'étude des problèmes fondamentaux de la physique et publia en 1905 trois mémoires, tous trois d'une importance cruciale : la théorie statistique du mouvement brownien; l'interprétation de l'effet photo-électrique, fondée sur l'hypothèse des quanta de Planck; la théorie de la *relativité restreinte,* qui modifiait les lois de la mécanique newtonienne et posait l'équivalence masse-énergie. Il accepta une chaire à l'université de Berlin en 1913 et, à partir de 1916, commença à publier sa théorie de la gravitation et les lois de la relativité généralisée, qui trouvèrent en 1919 une unité organique au sein de la théorie de la *relativité généralisée,* extension naturelle du principe de la relativité restreinte aux systèmes accélérés et théorie fondamentale du champ de gravitation dans un univers à quatre dimensions, courbe et fini. En 1921, le prix Nobel de physique lui fut décerné « pour la loi photo-électrique et ses travaux dans le domaine de la physique théorique ». Avec la montée du nazisme, étant israélite, il dut quitter l'Allemagne et finit par s'établir à l'université de Princeton, aux États-Unis (1933), où il enseigna et dirigea de nombreuses recherches. Dégagé de tout souci matériel, il essaya de mettre au point une théorie unitaire capable de réunir dans le même schéma géométrique les lois de la gravitation et celles de l'électromagnétisme : cette tentative ne fut pas couronnée de succès, mais elle contenait des résultats mathématiques d'une grande élégance qui furent utilisés par ailleurs. À cette époque, il vit se concrétiser ses travaux théoriques avec la fission de l'uranium effectuée par les physiciens allemands Otto Hahn et Lise Meitner (1939), tandis qu'Enrico Fermi* mettait en évidence l'énergie considérable que représentent les réactions de désintégration en chaîne de ce métal. Einstein avertit le président Roosevelt du danger auquel le monde serait exposé si l'Allemagne en guerre parvenait à maîtriser ces nouvelles découvertes et lui adressa une lettre fameuse, qui est à l'origine du *projet Manhattan* et de la construction de la première bombe atomique. Mais, effrayé des terribles effets qui en résultèrent, Einstein consacra ses dernières années à condamner l'utilisation militaire de l'énergie nucléaire et à œuvrer pour un contrôle international. Il s'occupa aussi activement des problèmes raciaux et des développements du sionisme. L'influence d'Einstein sur la physique contemporaine a été immense : la mutation qu'il a provoquée dans l'histoire des sciences a pu être comparée à celle dont Newton avait été l'initiateur deux siècles plus tôt. Pour n'avoir pas été aussi profond que dans le domaine de la physique, l'ébranlement qu'a provoqué la théorie de la relativité au plan de la pensée philosophique n'en a pas moins été considérable : d'une part en remettant en question la conception kantienne des cadres à priori de l'espace et du temps; d'autre part en montrant clairement que le progrès scientifique ne consiste pas en une accumulation de connaissances considérées comme immuables une fois acquises, mais en une restructuration perpétuelle des principes directeurs de notre connaissance, liant le problème du sujet de connaissance à celui de l'objet de son savoir. Outre les publications faites en 1905 et parues dans les *Annalen der Physik,* on lui doit notamment : *Sur l'électrodynamique des corps en mouvement* (1925); *Fondements de la théorie de la relativité restreinte et généralisée* (1916); *L'Éther et la Théorie de la relativité* (1921); *Géométrie et Expérience* (1921); *Quatre Conférences sur la théorie de la relativité* (1921); *L'Évolution des idées en physique* (1938); deux essais : *Comment je vois le monde* (1934) et, en collaboration avec Sigmund Freud, *Pourquoi la guerre* (1933). [Acad. sc., 1933; prix Nobel de physique, 1921.]

EINTHOVEN (Willem). ♦ Physiologiste hollandais (Semrang, Java, 1860 – Leyde, 1927). Il obtint le prix Nobel de méd. (1924) pour sa découverte de l'électrocardiographie.

EIRE. *n. f.* ♦ Région d'Irlande correspondant à la quasi-totalité de l'île d'Irlande diminuée des comtés d'Ulster rattachés à l'Irlande* du Nord. – De 1937 à 1949, le nom d'EIRE a été officiellement appliqué à la république ou État libre d'Irlande*.

EISDEN-MINES. ♦ Comm. de Belgique (Limbourg, arr. de Tongres) sur le canal de Bois-le-Duc à Maastricht, 11 000 hab. Cité-jardin, Charbonnages. Centrale électrique. Matériaux de construction. Chantiers navals.

EISENACH. ♦ V. d'Allemagne orientale (district d'Erfurt), au N. du Thüringer Wald, sur la Horsel, affl. de la Nesse. 48 000 hab. Églises romanes. Château de la Wartburg, anc. résidence des landgraves de Thuringe, où résida Luther. – Indus. automobiles, métallurgie, chimie. – Patrie de J.-S. Bach*. ♦ *Hist.* Fondée au XIIe s. par les landgraves de Thuringe, elle passa à la Saxe (en 1264 à la branche de Wettin, en 1596 à la branche ernestine puis à la Saxe-Weimar en 1741).

EISENERZ. ♦ V. autrichienne, située en Styrie*, dans les *Alpes d'Eisenerz* (**V. Erzberg**). 1 150 hab. Église Saint-Oswald, gothique, fortifiée au XVIe siècle. Mines de fer.

EISENHOWER (Dwight David). ♦ Général et homme politique américain, 34e président des États-Unis d'Amérique (Denison, Texas, 1890 – Washington, 1969). D'origine modeste, il entra à l'école militaire de West Point en 1919, puis mena une brillante carrière militaire. En 1941, nommé général de brigade, il prépara avec l'état-major britannique des projets de débarquement allié en Europe; en 1942, il commanda en chef le débarquement en Afrique du Nord, puis les campagnes de Tunisie et de Sicile. Nommé en 1943 commandant en chef des forces alliées en Europe, il réussit la difficile coordination des diverses armées, en particulier lors du débarquement de Normandie (**V. Guerre** [Deuxième Guerre mondiale]). Le 9 mai 1945, il reçut la capitulation allemande à Berlin. Placé par H. Truman* à la tête de l'O.T.A.N. en 1950, il y confirma son habileté diplomatique. Il reçut en 1952 l'investiture du Parti républicain* pour les élections à la présidence des États-Unis. Il fut élu et son prestige lui permit de renouveler son mandat (1956-1961). Bien qu'il se soit fait de son rôle de président une idée très traditionnelle, il sut se décharger d'une partie de ses responsabilités sur ses conseillers. George M. Humphrey, secrétaire au Trésor, lutta contre l'inflation et contre la récession économique en relançant les grandes entreprises et libéralisa l'économie sans toutefois revenir sur les nationalisations précédentes; Sherman Adams, chef de cabinet de la Maison-Blanche, coordonna l'action des différents ministères. John Foster Dulles* dirigea la politique étrangère, mais Eisenhower s'efforça de tempérer l'action anticommuniste *(containment)* de son ministre par une politique de contacts directs avec les chefs d'États et de gouvernements étrangers (conférence de Genève en 1955, visite de Khrouchtchev* en Amérique en 1959). Le survol du territoire soviétique par des avions de reconnaissance américains (mai 1960) puis la crise cubaine (1960-1961) remirent en cause son optimisme (**V. États-Unis** [*Hist.*]). Beaucoup plus populaire que son parti (la Maison-Blanche n'était pas pour lui l'« agence d'un parti »), il gouverna après l'échec du maccarthysme (1954) d'une manière assez dynamique, malgré la majorité démocrate au Congrès : sa lutte contre la ségrégation raciale dans les écoles et dans l'armée, par ex., pour laquelle il n'eut pas l'appui de tout son parti, lui assura une certaine renommée qui ne rejaillit pas sur les républicains, battus en la personne du vice-président Nixon aux élections présidentielles de 1960. Eisenhower se retira alors de la vie politique.

EISENHÜTTENSTADT, anc. **Stalinstadt.** ♦ V. d'Allemagne orientale (district de Francfort-sur-Oder), créée en 1960 à l'E. de Calbe-sur-Saale, sur le canal Oder-Sprée, autour d'un important combinat sidérurgique *(Eisenhüttenkombinat Ost)* créé en 1951.

EISENSTADT. ♦ V. autrichienne, située au S. de Vienne près de la frontière hongroise, cap. du Burgenland*. 7 600 hab. Centre d'une région viticole (semaine du vin). — Château des princes Esterházy (XVII-XVIIIe s.). Maison de Haydn (musée). Domkirche (XVIIe s.). ♦ *Hist.* Le site fut occupé dès l'époque préhistorique, puis à l'époque romaine. Ville prospère et fortifiée dès le XIVe s., la cité fut autrichienne de 1491 à 1648, puis passa sous domination hongroise, pour redevenir autrichienne en 1920. Les princes Esterházy y installèrent une cour brillante aux XVIIIe et XIXe s.; c'est à leur cour que Joseph Haydn* passa une grande partie de son existence, en qualité de Kapellmeister.

EISENSTEIN (Ferdinand). ♦ Mathématicien (1823 — 1852). Auteur de travaux d'algèbre, il étudia particulièrement les formes, faisant intervenir, sans toutefois l'expliciter, la notion d'invariance; dans ses recherches sur les formes quadratiques, en théorie des nombres, on lui doit d'importantes études sur le genre, le poids d'un ordre et d'un genre, le nombre des classes (1850). **V.** *aussi* **Boole, A. Cayley, Sylvester.**

EISENSTEIN (Serge Mikhaïlovitch). ♦ Réalisateur soviétique de cinéma (Riga, 1898 — Moscou, 1948). Assistant de Meyerhold, dessinateur, décorateur, il débuta au théâtre par des mises en scène marquées d'une forte originalité (*Proletkult,* 1920-1923) et, au cinéma, s'intéressa aux méthodes de Koulechov* et de Dziga Vertov*. Dès ses premières réalisations cinématographiques, « La Grève » (*Statchka,* 1924) et surtout « Le Cuirassé Potemkine » (*Bromenosetz Potemkine,* 1925), il affirma la puissance d'une personnalité de créateur hors de pair, mettant au service de l'idéologie révolutionnaire le génie d'un poète devenu d'emblée le maître d'une technique remarquable par la rigueur, l'intelligence et l'efficacité (montage, rythme, rôle dévolu aux gros plans). Dans la même inspiration, il devait réaliser « Octobre » (*Oktiabr,* 1927) et la « Ligne générale », ou « L'Ancien et le Nouveau » (*Staroie I Novoie,* 1929). S'il lui fut interdit d'achever le montage de *Que Viva Mexico,* tourné au Mexique (1931-1932) et de *Le Pré de Béjine* (1935), il put encore édifier les deux fresques puissantes que sont *Alexandre Nevski* (1939) et « Ivan le Terrible » (*Ivan Grosnyï,* première partie 1945, deuxième partie 1945-1946, diffusée en 1958). Avec Dovjenko et Poudovkine, Eisenstein est l'un des trois « grands » du cinéma soviétique. Son œuvre critique est essentielle pour l'esthétique du septième art.

EISLEBEN. ♦ V. d'Allemagne orientale (district de Halle), au pied du *Harz.* 34 300 hab. Importants gisements de cuivre. Indus. métallurgiques, confection. — Patrie de Luther*, de sainte Gertrude* la Grande.

EISLER (Hans). ♦ Compositeur allemand (Leipzig, 1898 — Berlin-Est, 1962). Élève de Schönberg* et de Webern*, il émigra aux États-Unis (1937) et revint en Europe après la Deuxième Guerre mondiale (1948). Auteur de l'hymne national de la R.D.A., il a évolué de la musique sérielle aux conceptions esthétiques du réalisme socialiste et voué son œuvre à la cause prolétarienne. Il est l'auteur de chœurs, cantates, musique de films.

EISNER (Kurt). ♦ Homme politique allemand (Berlin, 1867 — Munich, 1919). Écrivain d'origine juive, il devint éditeur de journaux et de revues socialistes à Berlin, à Nuremberg, puis à Munich à partir de 1910. Après l'effondrement de la monarchie bavaroise (7-8 nov. 1918), il proclama la république dont il devint le Premier ministre et le ministre des Affaires étrangères. Il fut assassiné par un officier monarchiste.

EKEBERG (Carl Gustav). ♦ Navigateur et savant suédois (Djursholm, 1716 — *id.,* 1784). Médecin, il fit le récit de son *Voyage aux Indes orientales exécuté dans les années 1770 et 1771* (1773).

EKELÖF (Gunnar). ♦ Poète suédois (Stockholm, 1907). S'apparentant aux surréalistes français, tout en se refusant à être leur disciple, il écrivit les recueils *Dédicace* (1934), *Le Chant du passeur* (1941), *Non serviam* (1945), *L'Automne* (1951) et *Strountes* (1955).

EKELUND (Vilhelm). ♦ Poète suédois (Stehag, 1880 — Saltsjöbaden, 1949). Influencé par les symbolistes français, il écrivit les recueils *Mélodies au crépuscule* (1902), *Élégies* (1903), *Sur le rivage de la mer* (1922).

EKEREN. ♦ Comm. de Belgique (faubourg d'Anvers), sur l'Escaut. 24 100 hab. Château du XVIe siècle. — Indus. navales. Instruments de précision. Taille du diamant. — Patrie de L. Pauwels. ♦ *Hist.* Victoire de Boufflers sur les Hollandais en 1703.

EKHMIM, en ar. **Akhmîm.** ♦ V. de la Haute-Égypte. Ch.-l. de gouvernorat sur la r. E. du Nil, reliée à Sohag par un pont. 40 000 hab. Centre textile (châles).

EL (« dieu » dans les langues sémitiques). ♦ Dieu du ciel et créateur, dans les religions des anciens Sémites occidentaux. Il apparaît notamment dans les poèmes d'Ougarit, où il est le père des dieux (Anat*, Baal*, etc.). — Dans la Bible, El est un des noms du dieu d'Israël; il entre fréquemment dans la composition des noms propres hébraïques (Béthel, Samuel, etc.).

ELA. ♦ 4e roi d'Israël (mort en ~885). Fils du roi Baasa, il fut assassiné avec sa famille par le général Zimri qui lui succéda.

ÉLAGABAL ou **HÉLIOGABALE (Sextus Varius Avitius Bassianus,** dit). ♦ (204 — Rome, 222). Empereur romain (218-222). Prêtre du Soleil *(Baal)* à Émèse (Syrie), il prit le nom de son dieu *El Gebal, Elagabalus* en lat., *Héliogabalos* en grec. Cousin de Caracalla*, il fut proclamé empereur à 14 ans par l'armée de Syrie, vainquit Macrin* et, après de sanglantes exécutions, se consacra à l'organisation et à la pratique de la religion solaire. Son règne ne fut qu'une suite de désordres où le pouvoir réel fut exercé par sa mère et sa grand-mère *Julia Moesa.* Il adopta son cousin Sévère* Alexandre puis chercha à s'en débarrasser; les pretoriens le massacrèrent alors avec sa mère, et leurs corps furent jetés au Tibre.

Ph. Nimatallah/Ricciarini

Elagabal. (Musée du Capitole, Rome.)

ÉLAM. *n. m.* ♦ Région située à l'E. du Tigre inférieur, la *Susiane* des Grecs. Princ. villes : Anshan (non localisée) et Suse*. ♦ *Hist.* L'Élam fut d'abord sous l'influence de Sumer et d'Akkad; il fut soumis à Sargon* l'Ancien, plus tard à Ur-Nammu **(V. Ur).** Après des périodes de lutte et d'expansion (une dynastie élamite installée à Larsa* domina Sumer au ~ XVIIIe s.), l'Élam vécut dans la dépendance de Babylone, fut même soumis à sa dynastie kassite v. ~1350. Aux ~XIIIe-~XIIe s., l'Élam connut un rayonnement exceptionnel avec ses rois Untash-Hupan (v. ~1265), Shutruk-Nahhunté Ier (vainqueur de Babylone en ~1163), Shilhak-Inshushinak (vainqueur de l'Assyrie v. ~1155); il dominait alors la Babylonie, la vallée du Tigre, le Zagros. La révolte de Nabuchodonosor Ier v. ~1135 et les invasions iraniennes mirent fin à cette époque. Le royaume élamite, restauré en ~742 par Hupan-Nugash, soutint Babylone contre l'Assyrie **(V. Sargon II, Sennachérib),** mais fut finalement dominé (sac de Suse par Assurbanipal, ~640). Sous l'Empire achéménide **(V. Cyrus II le Grand),** l'Élam fut une satrapie et, après Alexandre, une province de l'Empire séleucide. — La *civilisation,* l'art, la langue élamites furent imprégnés par ceux de Babylone (akkadisme); à l'apogée politique correspond un rayonnement artistique (statue de la reine Napir-Azu, bronze) et un renouveau de la langue. Le panthéon groupe notamment Gal (« le grand »), Inshushinak (dieu de Suse), Nahhunté (dieu Soleil); sanctuaire : **V. Tchogha-Zanbil.**

ÉLATÉE, en gr. **Elateia.** ♦ Anc. V. de Grèce (Phocide*) sur le Céphise*. Située sur une route stratégique, elle fut prise par les Perses en ~480, puis par Philippe* II en ~338. — Ruines d'un temple d'Athéna.

ELATH ou **EILAT.** ♦ Port commercial d'Israël au fond du golfe d'Aqaba* sur le golfe d'Elath. Situé à la pointe du Néguev* dans la plus petite largeur d'Israël, il fait face, à la frontière israélo-jordanienne, au port jordanien d'Aqaba. Point de départ de l'oléoduc qui aboutit à Haïfa* via Tel*-Aviv. Cuivre. Région minière au N. d'Elath (chrome, phosphates). ♦ *Hist.* La fermeture du golfe d'Aqaba* par Nasser* en 1967, point de départ de la guerre des six jours, risquait d'étouffer les activités portuaires d'Elath.

ELÂZIĞ. ♦ V. de Turquie, en Anatolie* orientale. Ch.-l. de la province homonyme. 78 605 hab. (1965). Centre administratif. Marché agricole. — À proximité, forteresse byzantine de Harput.

ELBASAN. ♦ V. d'Albanie*, ch.-l. de district sur le Shkumbi, au cœur d'une plaine fertile. 30 000 hab. Important marché agricole (olives, maïs) et centre industriel : combinat sidérurgique, indus. textiles et travail du bois.

ELBE. *n. f.,* en tchèque **Labe.** ♦ Fl. d'Europe centrale, né en Tchécoslovaquie et tributaire de la mer du Nord. (1 165 km). Issue du mont des Géants (Bohême), l'Elbe coule d'abord du N. au S. en irriguant dans son cours supérieur la plaine de Bohême, puis décrit un large méandre vers l'ouest. Ses princ. affl. tchécoslovaques sont la Vltava* (Moldau) et l'Ohře* (Eger). Elle passe successivement à Králové, Hradec Králové, Pardubice, Kolín, Litoměřice, Usti et Děčin. Elle pénètre alors en Allemagne, s'oriente vers le N. après la traversée de la Suisse saxonne et arrose toute la grande plaine du N., passant par les villes de Pirna, Dresde,

Meissen, Riesa, Torgau, Magdebourg et Wittenberg. Elle reçoit l'Elster* Noire, la Havel*, l'Elde (r. d.), la Mulde* et la Saale* (r. g.) et se termine par un long estuaire souvent encombré de bancs de sable (env. 100 km), près de Cuxhaven, après s'être scindée en deux bras *(Norder Elbe* et *Süder Elbe)* à la hauteur de Hambourg* (au fond de l'estuaire). Les hautes eaux se situent de février à avril (fonte des neiges), et les basses eaux, plus accentuées vers l'aval, en été, période où les pluies d'orage provoquent parfois de fortes crues. L'Elbe, navigable sur 846 km, est l'une des grandes voies fluviales d'Europe centrale. Un système de canaux la relie à l'Oder (par la Havel), à la Weser et au Rhin (par le Mittellandkanal), à la Baltique (canal Lauenbourg-Lubeck) et à la mer du Nord (canal Elbe-Trave, de Hambourg à Lubeck.) L'estuaire est relié à la presqu'île danoise du Jutland par le canal de Kiel. Le trafic, encore important, a beaucoup diminué depuis la scission des deux Etats Allemands. ♦ *Hist.* Dès le VIIIe s., la ligne Elbe-Saale marqua la limite orientale des possessions germaniques de Charlemagne. Le fleuve eut plus tard un grand rôle économique, comme l'une des principales voies fluviales d'Europe continentale. Le traité de Versailles (1919) le déclara voie navigable internationale, ce qu'il fut jusqu'en 1936. Durant la Deuxième Guerre mondiale, les troupes soviétiques opérèrent leur jonction avec les troupes américaines à Torgau. Depuis la séparation des deux États allemands, l'Elbe leur sert de frontière entre Wittenberg et Lauenbourg.

ELBE *(île d')*, en it. **Elba**. ♦ Île italienne de la mer Tyrrhénienne, située à l'E. de la Corse et séparée de la côte toscane par le canal de Piombino. C'est la plus grande des îles de l'archipel toscan (500 km² env.). 30 000 hab. Ch.-l. Portoferraio. — *Orogr.* L'intérieur est montagneux (Monte Capanne, 1 010 m) et la côte très échancrée. — *Écon.* L'île vit de cultures (vigne, olivier), de pêche et de tourisme. Mines de fer. ♦ *Hist.* L'île (en gr. *Aithalia,* en lat. *Ilva)* fut étrusque, carthaginoise, phocéenne, romaine, pisane au Xe s. et génoise en 1290. Elle fut octroyée aux Médicis par Charles Quint en 1548 et passa ensuite à Florence. Napolitaine en 1736, elle appartint de 1802 à 1803 au royaume d'Étrurie puis à la France. Après son abdication, Napoléon* y séjourna du 4 mai 1814 au 26 févr. 1815, avant de regagner la France. — Elle fut comprise dans le royaume d'Italie en 1860. Les Français y débarquèrent en juin 1944.

ELBÉE (Maurice GIGOST *d'***)**. ♦ Général vendéen (Dresde, 1752 — Noirmoutier, 1794). D'abord partisan de la Révolution, il émigra en 1791. Rentré en France dès 1792, il fut un des premiers chefs de l'insurrection vendéenne **(V. Vendée),** remporta avec Cathelineau* et Stofflet* plusieurs victoires (Thouars, Saumur, etc.), mais échoua devant Nantes. Nommé généralissime de l'armée « catholique et royale », après la mort de Cathelineau, il fut blessé à la bataille de Cholet (17 octobre 1793); il réussit à s'enfuir à Noirmoutier où il fut arrêté et fusillé.

ELBEUF. ♦ Ch.-l. de cant. de la Seine*-Maritime (arr. de Rouen*), sur la Seine*. 19 827 hab. *(Elbeuviens).* Église Saint-Jean du XVIIe s., église Saint-Étienne des XVIe et XVIIe siècles. Elbeuf est une vieille ville drapière et l'industrie textile y prédomine encore. Indus. chimiques, électriques, mécaniques. Patrie d'A. Maurois*.

ELBLĄG, en all. **Elbing**. ♦ V. et port de Pologne* (voïévodie de Gdańsk) situé sur la rivière du même nom, qui le relie à la mer Baltique*. 85 000 hab. Centre industriel en expansion. Métallurgie, appareillage électrique.

ELBROUS ou **ELBROUZ**. ♦ Volcan éteint, point culminant de la chaîne du Caucase* (U.R.S.S.). 5 633 m. La première ascension en fut effectuée en 1868 par une expédition anglaise.

ELBURZ ou **ELBOURZ** ou **ALBORZ**. *n. m.* ♦ Chaîne de montagnes de l'Iran septentrional, culminant au Demavend* (5 671 m). Elle s'étend sur 980 km, dominant la mer Caspienne de ses hauteurs abruptes couvertes de forêts. Du côté iranien, son relief est moins marqué et beaucoup plus aride.

ELCHE, anc. **Illici**. ♦ V. d'Espagne méridionale, dans le Levant (prov. d'Alicante), sur le Vinalopo, au milieu d'une palmeraie unique en Europe, qui a valu à la ville le nom de « Jérusalem espagnole ». 97 850 hab. Église Santa Maria (XVIIIe s.) où fut découverte en 1897 la *Dame d'Elche* (auj. au musée de Madrid), buste féminin en grès du ~ Ve s. d'origine incertaine, probablement œuvre d'un artiste grec ou indigène influencé par l'art grec. Barrage (XVIIe s.) sur le Vinalopo.

Arch. Rencontre

L'Elbrous.

ELCHINGEN. ♦ Localité d'Allemagne (Bavière) située près du Danube. ♦ *Hist.* Le 14 octobre 1805, le maréchal Ney* y remporta une victoire sur les Autrichiens commandés par Mack et il fut fait *duc d'Elchingen.*

ELDORADO. *n. m.* (mot esp. « le doré », le *pays de l'or*). ♦ Contrée fabuleuse d'Amérique du Sud que les conquérants espagnols, conduits par Orellana*, situaient entre l'Amazone et l'Orénoque, et qui, selon eux, regorgeait d'or.

Éléates. *n. m. pl.* ♦ Philosophes de l'école d'Élée (~VIe-~Ve s.). **V. Xénophane, Parménide, Zénon** (d'Élée), **Mélissos.** Leur doctrine, contrairement à celle des ioniens*, affirme l'identité et l'éternité de l'être.

ÉLÉAZAR. ♦ Pers. biblique, fils et successeur du grand-prêtre Aaron* (*Nombres,* XX, 25-28).

ÉLÉAZAR. ♦ Personnage biblique (*II Samuel,* XXIII, 9; *I Chroniques,* XI, 12). Un des trois preux de David.

ÉLÉAZAR, dit **Avaran**. ♦ Fils de Mattathias, frère de Judas Maccabée*, qu'il aida dans sa lutte contre les Séleucides. Tué en ~ 162 à Beth-Zacharia (*I Maccabées,* VI, 43 sqq).

ÉLECTRE, en gr. **Êlektra**. ♦ Fille d'Agamemnon* et de Clytemnestre*, sœur d'Oreste* et d'Iphigénie*. Après le meurtre d'Agamemnon, elle est parvenue à sauver son jeune frère Oreste en l'envoyant en Phocide. Devenue l'esclave d'Égisthe l'usurpateur, elle a préparé en secret sa vengeance et elle l'exécute dès le retour d'Oreste qu'elle assiste dans le double meurtre d'Égisthe et de sa mère Clytemnestre. Condamnée à mort par le tribunal de l'Aréopage qu'Athéna a réuni, elle sera sauvée par Apollon. Cette figure légendaire, pure incarnation de la piété filiale et de la haine justicière, apparaît dans le théâtre des 3 grands tragiques grecs : Eschyle *(Les Choéphores*)*, Sophocle* et Euripide* *(Êlektra).* Dans les temps modernes, elle a inspiré les Français Crébillon (1708) et Jean Giraudoux (1937), l'Espagnol Pérez Galdós (1901), l'Autrichien Hugo von Hoffmansthal (1905) et l'Américain O'Neill (1932).

ÉLÉE, en gr. **Elaia**. ♦ Anc. V. d'Italie (Lucanie), dans la Grande*-Grèce, fondée par des colons de Phocée* v. ~535. Elle fut célèbre pour ses philosophes. **V. Éléates, Melissos, Parménide, Xénophane, Zénon.**

Élégies à Duino *(Duineser Elegien).* ♦ Une des œuvres maîtresses de R.M. Rilke*. Ce recueil poétique, commencé à Duino (Élégies I et II, 1912), poursuivi en 1913 et 1915 (Élégies III et IV) et achevé, en même temps que les *Sonnets à Orphée,* au château de Muzot dans le Valais (1922, Élégies VI à X), développe, dans un langage difficilement traduisible, à l'aide d'images et de symboles parfois étranges et violents, les thèmes essentiels de l'œuvre de Rilke : fragilité de l'existence humaine hantée par la mort, promesse d'un salut qui n'est autre que la possibilité d'être homme sur terre, acceptation d'une mort devenue achèvement et accomplissement de la vie.

ELEKTROSTAL' (jusqu'en 1938, **ZATICHIÉ**). ♦ V. d'U.R.S.S. (R.S.F.S. de Russie) dans la région de Moscou. 123 000 hab. Sidérurgie. Indus. mécaniques.

ÉLÉONORE D'AQUITAINE. ♦ V. ALIÉNOR D'AQUITAINE.

ÉLÉONORE DE HABSBOURG. ♦ (Louvain, 1498 — Talavera, 1558). Fille de Philippe* le Beau et de Jeanne* la Folle, sœur de Charles* Quint, elle épousa Manuel* Ier le Grand, roi de Portugal (1519), puis François* Ier, conformément au traité de Cambrai (1530). Elle vécut à l'écart de la cour et se retira après la mort du roi dans les Pays-Bas, puis en Espagne.

ELEPHANTÂ. ♦ Nom donné par les Portugais à une petite île de la baie de Bombay* (Inde) où se trouvent des grottes creusées au VIIIe s. et décorées de très belles sculptures, parfois de taille gigantesque.

ÉLÉPHANTINE, nom gr. de l'égypt. *Yeb* « la ville des éléphants », auj. **Jazîrat Aswân**. ♦ Île du Nil, en Haute-Égypte, en face d'Assouan*. Porte du Sud et marché de la Nubie dans l'ancienne Égypte (d'où son nom d'*Éléphantine,* sans doute à cause de l'ivoire nubien), l'île était toute proche du gouffre où, selon les croyances, le Nil prenait sa source. Elle était donc consacrée à Khnoum*, dieu de la cataracte. Dans le quai au S.-E. de l'île, on peut voir le célèbre nilomètre décrit par Strabon*. On a retrouvé au début du XXe s. de nombreux papyrus en araméen provenant de la colonie juive qui s'était installée dans l'île au ~ Ve s. pendant la domination perse.

ÉLEUSIS [eløzis]. ♦ V. et port de Grèce (Attique) sur la baie d'Éleusis. 15 527 hab. Cimenterie, métallurgie. — Ruines du sanctuaire de Déméter* et de Perséphone*, notamment du Télestèrion (salle d'initiation, ~ VIe s.). — Patrie d'Eschyle*. ♦ *Hist.* Annexée à Athènes* (~ VIIe s.), Éleusis devint une ville sacerdotale où les Athéniens s'initiaient aux *mystères d'Éleusis* au cours de rites secrets. Ces mystères annuels *(Éleusinies)* provenaient d'un culte agraire primitif du ~XIVe-~XIIe s. **(V. Eumolpe, Triptolème)** par l'intermédiaire de l'orphisme et tenaient une place importante dans la religion grecque.

ÉLEUTHÈRE *(saint).* ♦ 13e pape (174-189 [?] [mort]). Traditionnellement : de Nicopolis, en Épire, et martyr. Fête le 26 mai.

ELGAR (*sir* Edward). ♦ Compositeur anglais (Broadheath, 1857 – Worcester, 1934). Musicien officiel de la cour d'Angleterre, il a laissé une œuvre marquée par le respect de la tradition romantique : *Enigma,* variations pour orchestre (1899), *Le Songe de Gerontius,* oratorio (1900), un *Concerto* et une *Sonate* pour violon (1910), ainsi que deux *Symphonies* et des *Pièces chorales.*

ELGIN (Thomas Bruce, *7ᵉ comte d'***).** ♦ Diplomate anglais (Londres, 1766 – Paris, 1841). Lors de son ambassade en Turquie (1799-1802), il fit transporter au British Museum une partie de la frise du Parthénon, ce qui le fit sévèrement juger.

ELGIN (James Bruce, *8ᵉ comte d'***).** ♦ Homme politique anglais (1811-1863). Il fut gouverneur général du Canada (1846-1854) pour lequel il reconnut l'existence officielle du système parlementaire, puis le premier vice-roi des Indes (1862).

ELGIN. ♦ V. du N. de l'Écosse et ch.-l. du Morayshire, près du *Moray Firth,* entre Banff et Nairn. 11 970 hab. Ruines d'une belle cathédrale de style gothique primitif (XIIIᵉ-XVᵉ s.). Aux environs, restes d'une abbaye cistercienne fondée par David Iᵉʳ au XIIᵉ s. et d'une abbaye bénédictine du XIIIᵉ siècle.

EL GOLÉA. ♦ V. GOLÉA (El).

ELIACIN. ♦ V. JOACHIM.

ELIADE (Mircea). ♦ Historien des religions et romancier roumain (Bucarest, 1907). Il quitta la Roumanie après la Deuxième Guerre mondiale, vécut en France, puis devint professeur à l'université de Chicago. Princ. œuvres : *Maitreyi* (1933) [trad. fr. *La Nuit bengali,* 1950], roman; *Traité d'histoire des religions* (1949, en fr.) où il étudie les « hiérophanies », types fondamentaux de manifestation du sacré; *Le Mythe de l'éternel retour* (1949, en fr.); *Le Chamanisme et les techniques archaïques de l'extase* (1951, en fr.); *Le Yoga, immortalité et liberté* (1964, en fr.).

ÉLIDE. *n.f.* en gr. **Êlis** ou **Êleia.** ♦ Région de l'anc. Grèce, au N.-O. du Péloponnèse. *Auj.* nome; 2 681 km²; 188 861 hab. Ch.-l. Pyrgos (20 558 hab.). – Constituée en cité démocratique, elle quitta l'alliance de Sparte (~ 420) et lutta longtemps contre elle. Elle se rangea du côté des Macédoniens mais, plus tard, participa à la ligue Étolienne **(V. Étolie).** La présence dans son territoire du grand sanctuaire d'Olympie* lui épargna de graves dommages.

ÉLIE (en hébr. **Eliyahû,** « Yahweh est mon Dieu »). ♦ Prophète biblique (*I Rois,* XVII – *II Rois,* II). Il prophétise au temps d'Achab* (v. ~ 873-~ 853) contre le culte des Baals, fait cesser la pluie trois ans, la rétablit au mont Carmel* où il massacre 450 prophètes des Baals, menace Achab de mort à cause du meurtre de Naboth. L'inimitié de Jézabel* le contraint de s'enfuir et il laisse sa succession à Élisée*, avant de s'élever au ciel sur un char de feu. Le *retour d'Élie* fut annoncé par les prophètes pour les temps messianiques, si bien que dans le Nouveau Testament (*Marc,* VI, 15, sqq.) certains prennent Jésus pour Élie.

ÉLIE de Cortone ou **d'Assise,** dit **Frère Élie.** ♦ Frère mineur et peut-être architecte italien (1171 ou 1182 – Cortone, 1253). Il fut des premiers disciples de François* d'Assise qui le nomma vicaire général. Il entreprit en 1228 l'édification de la basilique où le saint devait être enseveli (1230), jetant ainsi les bases du « chantier » d'Assise*. En 1232 il succéda à Pierre de Catane comme général de l'ordre des Franciscains, qu'on lui reprocha d'orienter vers trop de puissance et de luxe. Ses opinions gibelines le firent déposer (1239), exclure de l'ordre et deux fois excommunier (1240, 1245).

ÉLIE (Jacob). ♦ Général français (Wissembourg, 1746 – Varennes, 1825). Après avoir participé aux expéditions de Corse et de Tunis et combattu à Ouessant au cours de la guerre d'Indépendance d'Amérique, il prit part à la journée révolutionnaire du 14 juillet 1789 et fut le premier à pénétrer dans la prison de la Bastille où il reçut la capitulation des mains du gouverneur De Launay. Entré dans la garde nationale parisienne, nommé général en 1793, il fut envoyé en mission dans les Ardennes, où il dut battre en retraite devant les Autrichiens. Il donna sa démission peu après.

ÉLIE DE BEAUMONT (Léonce). ♦ Géologue français (Canon, Calvados, 1798 – 1874). Professeur à l'École des mines (1829) puis au Collège de France (1832), il établit avec Dufrénoy* la carte géologique générale de la France au 1/500 000, et fit également avec lui des travaux sur les monts volcaniques d'Auvergne. Il fut amené à distinguer différents âges dans la formation des chaînes montagneuses (*Recherches sur quelques-unes des révolutions à la surface du globe,* 1829-1830 ; *Notice sur les systèmes de montagnes,* 1849-1852). Il fut par ailleurs un des principaux adversaires de l'hypothèse de Boucher* de Perthes sur l'ancienneté de l'homme. (Secrétaire perpétuel de l'Acad. sc.)

Eli, Eli, lamma sabacthani ? ♦ Premier vers du *Psaume* XXII, signifiant en hébreu : « Mon Dieu, mon Dieu, pourquoi m'as-tu abandonné ? » Dans *Matthieu,* XXVII, 46 et *Marc,* XV, 34, ce sont les derniers mots de Jésus sur la croix.

ÉLIEN, en gr. **Elianos.** ♦ Écrivain italien de langue grecque (Préneste, IIᵉ-IIIᵉ s.). Ses œuvres volumineuses, *De la nature des animaux* et *Histoire variée* ont une valeur philologique.

ÉLIÉZER de Damas. ♦ Personnage biblique (*Genèse,* XV, 2). Abraham le considère comme son héritier avant la naissance d'Isaac. On l'identifie traditionnellement avec le serviteur anonyme de la *Genèse* (XXIV), qui va en Syrie-des-deux-fleuves chercher une épouse pour Isaac (Rébecca).

ELIOT (John). ♦ Prédicateur anglais (Widford, G.-B., 1604 – Roxbury, Mass., 1690). Reçu « Bachelor of Arts » à Cambridge en 1622, il enseigna dans un collège, puis quitta l'Église d'Angleterre pour se rallier aux puritains et gagner l'Amérique. Pasteur et professeur à Roxbury, il se consacra à l'évangélisation des Indiens à partir de 1647. Sa traduction de la Bible en langue algonquin (1661-1663) fut la première Bible imprimée en Amérique. Il fonda une petite ville, Natick, qui se gouverna elle-même suivant le système qu'il avait préconisé dans *The Christian Commonwealth* (1656) : les Saintes Écritures étant les seules à enseigner la loi de Dieu, il serait inutile de créer d'autres lois ou d'avoir un chef d'État. La tendance républicaine de l'œuvre la fit interdire en 1661.

Coll. Viollet

T. S. Eliot.

ELIOT (Mary Ann Evans, dite **George).** ♦ Romancière, journaliste et poétesse anglaise (Arbury Farm, Warwickshire, 1819 – Chelsea, Londres, 1880). Ses dons de conteur se révèlent dans les *Scènes de la vie du clergé* (*Scenes of Clerical Life,* 1858), étude de crises de conscience (de famille très croyante, elle avait adopté un athéisme rationaliste); *Adam Bede* (1859) met en scène des personnages dévoyés mais capables de remords. Ses souvenirs d'enfance lui inspirèrent *Le Moulin sur la Floss* (*The Mill on the Floss,* 1860), roman tragique et émouvant, teinté d'humour. *Silas Marner* (*Silas Marner, the Weaver of Raveloe,* 1860) illustre une idée-force chez George Eliot, selon qui le véritable salut se trouve dans la capacité d'amour et de dévouement. *Romola* est un roman historique. Le poème *La Gitane espagnole* (1878) et *Daniel Deronda* (roman) ont l'antisémitisme pour thème. *Félix Holt (Felix Holt, the Radical,* 1866) et *Middlemarch, étude de la vie de province* (*Middlemarch, a Study of Provincial Life,* 1871-1872) décrivent l'Angleterre moderne. Deux ans après la mort de Lewes (1878), George Eliot se maria, et mourut peu après (1880). Son éthique la rapproche de James et de Tolstoï; Proust fut influencé par elle.

ELIOT (Thomas Stearns). ♦ Poète, critique et auteur dramatique anglais d'origine américaine (Saint Louis, Missouri, 1888 – Londres, 1965 [naturalisé anglais en 1927]). De famille bourgeoise et cultivée, il fit ses études à Harvard et s'enthousiasma pour Henry James, Donne, les métaphysiciens, Browning, Dante, Laforgue et Corbière. Le théâtre élisabéthain, dans ses ultimes manifestations, lui donna le goût du vers flexible et des enjambements. Il s'inscrivit à la Sorbonne et à Oxford (1911) et résolut très vite de se consacrer uniquement à la littérature. Sa première œuvre, *Le Chant d'amour de J. Alfred Prufrock* (*The Love Song of J. Alfred Prufrock,* 1917) rompt avec la tradition poétique du XIXᵉ s. Ezra Pound*, alors à Londres, lui fit connaître la nouvelle école italienne (*Ara Vos Prec,* 1920) et l'introduisit auprès de T.E. Hulme qui forma sa personnalité critique. *La Terre désolée* (*The Waste Land,* 1922) marque le sommet de la production du poète. Pierre Leyris, son traducteur, qualifie ce texte de « fresque à cinq dimensions parsemée de papiers collés qui éprouvent la solidité de l'édifice (où) l'auteur est aussi présent que Courbet dans *L'Atelier du peintre* ». Cependant, Eliot se refuse à considérer la poésie comme une effusion individuelle. Le problème des rapports entre les apparences matérielles et la réalité spirituelle inspire un autre de ses poèmes : *Mercredi des Cendres* (*Ash-Wednesday,* 1930) dont les thèmes sont la pénitence et la rédemption. C'est à cette époque qu'Eliot se proclamait « royaliste, classique et anglican ». *Les Quatre Quatuors* (*Four Quartets,* 1935-1943) font partie d'un domaine plus strictement poétique. Cette œuvre est une évocation de l'expérience dans le temps et au delà du temps (« La musique entendue si profondément – Qu'on ne l'entend plus du tout, mais que l'on est la musique – Tant que la musique dure... »). Le thème de la rédemption dans le temps reste présent

Ph. Carlo Bevilacqua/Ricciarini

Sainte **Élisabeth,** par Holbein l'Ancien. Détail d'un panneau de l'autel du Saint-Sauveur. (Ancienne Pinacothèque, Munich.)

dans *Réunion de famille* (*The Family reunion,* 1939). Dans *Le Roc* (*The Rock,* 1934), composé pour une représentation sacrée, sont insérés d'amples versets bibliques. *Meurtre dans la cathédrale* (*Murder in the Cathedral,* 1935) est le récit mystique de la mort de Thomas* Becket, soutenu par les voix d'un chœur dans la tradition grecque. Le thème de la recherche et de l'acceptation du destin se retrouve dans *The Cocktail-Party* (1950) et dans *The Confidential Clerk,* 1954 *(L'Employé de confiance).* Les œuvres dramatiques d'Eliot ont la même unité de thème que ses œuvres poétiques. Il reste dans la tradition des poètes-critiques anglais (Pope, Dryden, Arnold) et « a créé par son style purifié une manière nouvelle que ses répétitions et son rythme heurté et obsédant rendent presque liturgique » (C.-M. Bowra). Prix Nobel 1948.

ÉLIPAND. ♦ Archevêque de Tolède et hérétique espagnol (v. 717 – 807). Contre le néo-sabellianisme d'un certain Migetius, il professa une doctrine que les moines Beatus et Etherius dénoncèrent, inexactement, comme adoptianiste et nestorienne. Celle-ci fut réfutée par Alcuin et condamnée (Francfort, 794; Rome, 798). **V. Félix d'Urgel.**

ÉLISABETH *(sainte).* ♦ Dans l'Évangile de Luc, I, épouse stérile du prêtre Zacharie*, miraculeusement mère de Jean*-Baptiste. Fête le 5 novembre.

ÉLISABETH DE HONGRIE *(sainte).* ♦ (1207 – Marburg, 1231). Fille du roi André II de Hongrie, veuve à 20 ans de Louis IV de Thuringe, elle entra dans le tiers ordre de Saint-François et se consacra à son hôpital de Marburg. Fête le 17 novembre.

ÉLISABETH Ire, en angl. **Elizabeth.** ♦ (Greenwich, 1533 – Richmond, 1603). Reine d'Angleterre (1558-1603). Fille d'Henri* VIII et d'Anne* Boleyn, elle eut une jeunesse triste et studieuse. Déclarée illégitime après la mort de sa mère, elle fut rétablie dans ses droits en 1544. Malgré le catholicisme qu'elle afficha sous le règne de Marie* Tudor, elle fut compromise dans l'insurrection protestante de Wyatt* (1554) et enfermée à la tour de Londres. Son avènement au trône fut marqué par le rétablissement de l'Église anglicane (Acte d'uniformité, 1559). Ses mobiles étaient au demeurant plus politiques que religieux : elle se défiait à la fois des calvinistes qui contestaient l'autorité épiscopale et des catholiques pour qui elle devait toujours rester la « bâtarde ». Après son excommunication (1570), la confession des Trente-Neuf Articles fut promulguée (1571) et les persécutions contre les catholiques commencèrent, particulièrement cruelles en Irlande. En Angleterre, le parti catholique se regroupait autour de Marie Stuart que ses droits à la succession rendaient encore plus dangereuse. Elisabeth encouragea la révolte protestante écossaise avant d'emprisonner Marie et de la faire finalement exécuter (1587) **V. Marie Stuart.** Sa politique à l'égard des autres nations obéit au même principe de soutien des protestants : l'aide apportée aux Pays-Bas provoqua une guerre de dix ans avec Philippe* II, au cours de laquelle, l'Invincible Armada* détruite, l'Espagne perdit sa suprématie. Cette victoire s'accompagna d'une remarquable expansion maritime : Drake, Hawkins, Chancellor, Raleigh, Davis, parcoururent les mers ou développèrent le commerce. Raleigh nomma la Virginie *(Virginia)* en l'honneur de la « reine vierge » *(virgin queen).* Frobisher ouvrit la Bourse de Londres, la Compagnie des Indes orientales fut fondée, l'industrie se développa (textiles, mines, constructions navales), l'agriculture elle-même se transforma, donnant une part plus importante à l'élevage **(V. Enclosure).** Cet essor explique la transformation de la société, la noblesse devant s'adapter et la bourgeoisie voyant son rôle grandir. Un effort fut fait pour tenter de protéger la paysannerie libre et pour améliorer la condition des classes les plus défavorisées, par les lois sur les pauvres. Le rôle du Parlement s'amenuisa au fur et à mesure du règne et la reine s'orienta vers un exercice de plus en plus personnel du pouvoir, aidée de quelques conseillers choisis avec discernement (Cecil*, Walsingham*) et préparant ainsi les conflits qui allaient éclater sous les Stuarts. Ce fut en effet au fils de Marie Stuart qu'Élisabeth dut laisser son trône : si elle avait eu des favoris dont les plus célèbres furent Robert Dudley* et Essex*, elle ne s'était jamais mariée, en dépit des injonctions du Parlement, et n'avait pas eu d'enfant (d'où son surnom de « reine vierge »). L'ère *élisabéthaine* devait rester une des époques les plus heureuses de l'histoire d'Angleterre, l'essor général du pays ayant correspondu à l'épanouissement d'une civilisation (et notamment d'une littérature) brillante **(V. Shakespeare).**

ÉLISABETH II (reine du Royaume-Uni de Grande-Bretagne et d'Irlande, chef du Commonwealth). ♦ (Londres, 1926 —). Fille du roi George* VI, elle épousa en 1947 Philippe* de Grèce, duc d'Édimbourg et succéda à son père à la mort de celui-ci en février 1952. Bien que symbole de l'unité monarchique, elle joue un rôle politique assez effacé.

ÉLISABETH. ♦ Reine de Roumanie (Neuwied, 1843 – Bucarest, 1916). Elle épousa Carol* de Hohenzollern, qui devint roi de Roumanie en 1881. Elle a publié des œuvres littéraires sous le pseudonyme de *Carmen Sylva.*

ÉLISABETH D'AUTRICHE. ♦ Reine de France (Vienne, 1554 – *id.,* 1592). Fille de Maximilien* II, mariée à Charles* IX, elle joua un rôle très effacé à la cour de France et retourna en Autriche à la mort du roi.

ÉLISABETH DE BAVIÈRE. ♦ Reine des Belges (Possenhofen, 1876 – Bruxelles, 1965). Petite-fille du duc de Bavière, Charles-Théodore, elle épousa en 1900 le futur Albert Ier, roi des Belges. Son courage, pendant la Première Guerre mondiale, la rendit très populaire et par la suite, elle exerça une grande influence sur la vie artistique de son pays.

ÉLISABETH DE FRANCE. ♦ (Fontainebleau, 1545 – Madrid, 1568). Reine d'Espagne. Fille d'Henri* II et de Catherine* de Médicis, elle épousa Philippe* II qui l'avait demandée en mariage pour son fils don Carlos (traité de Cateau*-Cambrésis, 1559). Elle mourut en couches, âgée de vingt-trois ans.

ÉLISABETH DE FRANCE (Philippine Marie Hélène, Madame). ♦ Princesse française (Versailles, 1764 – Paris, 1794). Sœur de Louis* XVI, dévote et tout entière dévouée à son frère, elle fut enfermée au Temple avec la famille royale (1792), puis transférée à la Conciergerie, avant d'être condamnée à mort par le Tribunal révolutionnaire et guillotinée.

ÉLISABETH DE WITTELSBACH. ♦ Impératrice d'Autriche (Possenhofen, 1837 – Genève, 1898). Petite-fille du roi de Bavière Maximilien Ier, elle épousa en 1854 l'empereur François*-Joseph. Elle était l'une des femmes les plus belles et les plus brillantes de la cour autrichienne; mais des épreuves successives (la mort de son fils Rodolphe* et de son beau-frère Maximilien*) accentuèrent l'instabilité de son équilibre mental. Elle vécut dès lors dans la solitude à l'écart de la cour de Vienne et c'est au cours d'un de ses nombreux voyages à l'étranger qu'elle fut assassinée par un anarchiste italien.

ÉLISABETH FARNÈSE. ♦ (Parme, 1692 – Madrid, 1766). Reine d'Espagne (1714-1766). Fille du duc de Parme, elle devint la seconde femme de Philippe* V et se révéla immédiatement énergique et dominatrice. Après avoir fait chasser la princesse des Ursins* à laquelle elle devait son trône, elle donna un grand pouvoir à Alberoni*. Son influence fut à l'origine de la politique agressive de l'Espagne en Italie, qui permit à ses fils (don Carlos et don Philippe) d'hériter des duchés de Parme et de Plaisance.

ÉLISABETH PÉTROVNA. ♦ (Kolomenskoïé, près de Moscou, 1709 – Saint-Pétersbourg, 1762). Impératrice de Russie (1741-1762). Fille de Pierre* le Grand et de Catherine* Ire, elle fut portée au pouvoir par un coup d'État nationaliste qui détrôna le jeune Ivan* VI. Son règne fut marqué par le développement du commerce, de l'industrie et de l'instruction (université de Moscou, 1755; Académie des beaux-arts, 1758. **V. Chouvalov**) et l'influence littéraire et artistique de la France. En politique extérieure, le traité d'Abo (Turku*) assura à la Russie le S.-E. de la Finlande (1743). L'alliance avec l'Autriche contre Frédéric* II, durant la guerre de Sept* Ans, mit la Prusse en péril après Kunersdorf* (1759) et l'occupation de Berlin par les Russes (1760). Frédéric II de Prusse fut sauvé par la mort d'Élisabeth et l'avènement de Pierre* III.

ÉLISABETHVILLE. ♦ Anc. nom de **Lubumbashi.**

ÉLISÉE. ♦ Prophète biblique (*I Rois,* XIX, 16-21; *II Rois* II-XIII). Disciple d'Élie* qui, avec son manteau, lui transmet ses pouvoirs surnaturels.

Arch. Rencontre

Elne : le cloître.

ELISTA (de 1944 à 1957, **Stepnoï**). ♦ V. d'U.R.S.S. (R.S.F.S. de Russie), cap. de la Kalmoukie*. 34 500 hab. (1963). Indus. alimentaires.

ELIZABETH. ♦ V. des États-Unis, au N.-E. du New Jersey, à une vingtaine de km de New York, sur le détroit de Staten Island et la baie de Newark. 107 698 hab. (1960). Nombreuses industries.

ELIZALDE (Federico). ♦ Compositeur et chef d'orchestre espagnol (Manille, 1907). Il fut l'ami de Ravel, Manuel de Falla et Darius Milhaud. Il a composé dans des genres très divers (opéras, ballets, concertos, mélodies sur des poèmes de F. Garcia Lorca).

ELKINGTON (George Richards). ♦ Inventeur anglais (Birmingham, 1801 – Pool Park, Denbighshire, 1865). Il mit au point des procédés d'argenture et de dorure par électrolyse (1840) et l'affinage électrolytique du cuivre (1867). **V. Ruolz, sir W. Siemens.**

ELLESMERE *(terre* ou *île d').* ♦ Île de l'Arctique canadien, la plus vaste des îles de la Reine-Élisabeth-II. Elle s'étend jusqu'à 83° nord. 212 688 km². Montagneuse, elle est en partie couverte par des glaciers. Prospection de pétrole.

ELLICE *(archipel).* ♦ **V.** GILBERT et ELLICE (îles).

ELLINGTON (Edward Kennedy, dit *Duke,* « le duc »). ♦ Pianiste, compositeur et chef d'orchestre de jazz Noir américain (Washington, 1899 – New York, 1974). En 1924, à New York, il dirige une formation qui, souvent remaniée autour de quelques vedettes (Cootie Williams, Johnny Hodges), devint le grand orchestre le plus fameux de l'histoire du jazz. Princ. enregistrements : *Black and Tan Fantasy* (1927), *The Mooche* (1928), *Mood Indigo* (1930), *It don't mean a Thing* (1932), *Solitude* (1934), *Caravan* (1937), *Ko-ko* (1940), *Concerto for Cootie* (1940), *Black, Brown and Beige* (suite orchestrale, 1944), *Diminuendo and Crescendo in Blue* (1937-1956); comme pianiste : *Pitter panther Patter* (avec Jimmy Blanton, 1940), *Money Jungle* (avec Mingus* et Max Roach, 1962).

ELLIOT LAKE. ♦ Site du Canada; gisement d'uranium situé dans la région du lac Huron (Ontario).

ELLIOT SMITH (*sir* **Grafton).** ♦ Anatomiste et ethnologue anglais (1871 – 1937). Il fut un des représentants de l'école dite « hyperdiffusionniste », pour laquelle, après une période de sauvagerie, la civilisation naquit et se développa en Égypte avant de se répandre par diffusion (et imitation) chez les autres peuples. *(In the Beginning; The Origin of Civilization.)*

ELLORÂ ou **ELÛRU.** ♦ Site de l'Inde occidentale (Mahârâstra), à peu de distance au N. d'Aurangâbâd*, célèbre pour ses trois groupes de temples et de sanctuaires (bouddhiques, brahmaniques et jaina) creusés ou taillés dans le roc, et ornés d'admirables hauts-reliefs. Ils furent créés du IVe au XIIIe s. Deux grands temples excavés (dont le Kailâsa) sont particulièrement célèbres.

ELLSLER (Franziska dite **Fanny).** ♦ Danseuse autrichienne (Vienne, 1810 – *id.*, 1884). Contemporaine et souvent rivale de Marie Taglioni* elle suscita l'enthousiasme de Théophile Gautier. Danseuse de caractère, elle se rendit célèbre à l'Opéra de Paris puis à travers le monde par ses interprétations pleines de sensualité du *Diable boiteux* (chor. de J. Coralli, 1836) et de *Gipsy* (chor. de Mazilier, 1839).

ELLSWORTH (Lincoln). ♦ Explorateur américain (Chicago, 1880 – New York, 1951). Après avoir participé avec Amundsen* à deux expéditions au pôle Nord (1925, 1926, à bord du dirigeable *Norge* qui survola le pôle), il décida d'entreprendre un raid aérien au-dessus de l'Antarctique et, après avoir échoué en 1933 et 1934, parvint en 1935 à survoler l'intérieur des terres de l'Antarctique occidentale *(plateau d'Ellsworth).*

ELME *(saint).* ♦ **V.** ÉRASME (saint).

ELMSHORN. ♦ V. d'Allemagne occidentale (Schleswig-Holstein), au N. de Hambourg. 35 000 hab. Métallurgie, indus. alimentaires, chaussures.

ELNE. ♦ Comm. des Pyrénées-Orientales (arr. de Perpignan*) sur le Tech, dans le Roussillon. 5 892 hab. *(Illibériens).* L'anc. cathédrale Sainte-Eulalie, du XIe s., possède une façade crénelée, sa nef et ses bas-côtés sont dans le style roman provençal. Le cloître roman, commencé à la fin du XIIe et achevé au XIVe s. est d'une remarquable architecture, il renferme des sculptures funéraires d'un style spécifiquement roussillonnais. – Cultures maraîchères. Vins ♦ *Hist.* La ville fondée par les Celtibères, devint le siège d'un évêché en 571, elle fut concurrencée par Perpignan.

EL OBEID *(tell).* ♦ Site de basse Mésopotamie, près d'Ur, auj. en Irak, fouillé à partir de 1919. – La *civilisation d'El Obeid* représente le plus ancien stade de la civilisation sumérienne protohistorique. Elle dura du début du ~ IVe millénaire à ~ 3300 env., se caractérise par une céramique monochrome noir ou brun foncé à décor géométrique et par son outillage de pierre, est remarquablement représentée à Eridu* et se répandit jusqu'à la haute Mésopotamie et à la Méditerranée (Ras Shamra). – Des époques postérieures, on retrouva notamment un temple datant de la Ire dynastie d'Ur (1re moitié du ~ IIIe millénaire). **V. Sumer.**

Éloge de la Folie (L'), en gr. *Encomium Moriae.* ♦ Ouvrage satirique d'Érasme*. Paru en 1511 et dédié à son ami Thomas More* (d'où le jeu de mots sur le gr. *Moria* et *Morus*), il est écrit en un latin savant et témoigne d'une très grande érudition. Par la voix de la Folie, Érasme se moque avec esprit et parfois amertume de certaines catégories sociales, philosophes et théologiens en tête. Le but de cette œuvre n'est pas différent de celui de ses autres écrits : enseigner la vérité évangélique. « Nous avons voulu avertir et non mordre; être utile et non offenser; réformer les mœurs et non scandaliser ».

ÉLOHIM. ♦ Mot hébreu (plur.) désignant toute divinité, plus spécialement le Dieu unique d'Israël avant la révélation de son nom propre **(V. Iahvé).**

ÉLOI *(saint).* ♦ (Chaptelat?, Limousin, v. 588 – Noyon, 660). Évêque de Noyon-Tournai de 641 à 660. Orfèvre, auteur du mausolée de saint Denis et de la châsse de saint Martin, il fut maître des monnaies de Clotaire II, puis trésorier de Dagobert Ier. Il fonda le monastère de Solignac (632) qu'il confia à saint Remacle. Il étendit le christianisme dans le nord de la France. Fête le 1er déc. (saint Éloi est le patron des orfèvres et forgerons).

ELORN. *n. m.* ♦ Fl. côtier du Finistère (51 km); il traverse Landivisiau*, Landerneau* et se jette dans la rade de Brest.

EL PASO. ♦ V. des États-Unis, à l'extrême O. du Texas, sur le rio Grande, en face de la V. mexicaine de Ciudad* Juárez. 326 278 hab. Avec sa zone urbaine et Ciudad Juárez, El Paso forme une oasis urbaine de 500 000 hab. – Centre commercial et financier d'une région d'élevage extensif, et de culture du coton. Indus. : métallurgie du cuivre, raffineries de pétrole, vêtements de coton, conditionnement de la viande. Installations militaires et aériennes. – Centre touristique.

ELPHINSTONE (George, *1er vicomte* **KEITH).** ♦ Amiral britannique (Elphinstone Tower, près de Stirling, 1746 – Tullyallen, Louth, Irlande, 1823). Il participa à la guerre d'Amérique, à la guerre contre la France sous la Révolution et l'Empire, à la prise des colonies hollandaises du Cap et des Indes (1795-1797), ainsi qu'à la victoire anglaise en Égypte. ♦ MONTSTUART ELPHINSTONE, son fils. Administrateur colonial britannique (Cumberland, Dumbartonshire, 1779 – Hookwook, Surrey, 1859). Entré dans la Compagnie des Indes orientales (1796), il fut nommé président britannique à Poona (1810) et parvint à vaincre l'insurrection du prince mahratte (1817). Gouverneur de Bombay (1819-1827), il contribua à la réforme du système judiciaire et de l'enseignement. (*Histoire de l'Inde,* 1841.)

EL SALVADOR. ♦ Localité du Chili (Atacama), proche de Copiapó. Importante mine de cuivre qui a remplacé celle de Potrerillo, auj. épuisée.

ELSENEUR, en danois **Helsingør.** ♦ V. et port du Danemark, sur la côte E. du Sjaelland*, à 45 km au N. de Copenhague* et à moins de 5 km de la côte suédoise. 26 700 hab. – V. anc., célèbre pour son château de Kronborg, construit de 1577 à 1585 à l'emplacement d'un château fort plus ancien, où Shakespeare situe l'action de Hamlet. Monastère de carmélites, église Sainte-Marie, pharmacie du Cygne (1577), hôtel de ville (1854), château de Marienlyst. – Constructions navales.

ELSGAU. ♦ Nom all. de l'Ajoie.

ELSHEIMER (Adam). ♦ Peintre, dessinateur et graveur allemand (Francfort-sur-le-Main, 1578 – Rome, 1610). Formé à Francfort, il se rendit ensuite à Munich, puis à Venise, et se fixa à Rome en 1600. Il s'y lia avec Rubens* et Lastman, le maître de Rembrandt*. Il exécuta surtout des tableaux sur cuivre de petites dimensions représentant des sujets bibliques et mythologiques, où le paysage tient souvent une place importante. Son œuvre protéiforme laisse transparaître les influences les plus diverses, notamment des Vénitiens et des caravagesques; cependant, la forte originalité de son tempérament s'affirme particulièrement dans ses paysages crépusculaires ou nocturnes. Il donna souvent à ses scènes un caractère fantastique *(L'Incendie de Troie)*. Si dans ses études on peut déceler un sentiment presque romantique de la nature, plusieurs de ses tableaux présentent une ordonnance équilibrée et des détails pittoresques qui influencèrent de nombreux paysagistes italiens et français.

ELSKAMP (Max). ♦ Poète belge d'expression française (Anvers, 1862 – *id.*, 1931). Très pieux, il fit de son œuvre poétique l'« hymne d'un cœur spirituel », célébrant, avec un symbolisme d'une naïveté voulue qui rappelle Verlaine et Laforgue, « Dimanche, Flandre et la mer entre les arbres ». Cette inspiration à la fois populaire et mystique est manifeste dans *La Louange de la vie* (qui réunit notamment *Salutations, dont d'angéliques* et *Six Chansons de pauvre homme* [...], 1898) et dans *Enluminures* (1898). Une philosophie plus désabusée se fait jour dans *Les Délectations moroses* (1923) et *Aegri somnia* (1922-1924), recueils marqués par les épreuves de l'occupation allemande. – Bon graveur sur bois, Max Elskamp illustra lui-même certains de ses ouvrages; sensible à « ce qui touche à l'âme traditionnelle du peuple », il fut un des fondateurs du musée de folklore d'Anvers.

ELSTER (Julius). ♦ Physicien allemand (Blankenburg, 1854 – Wolfenbüttel, 1920). Auteur de travaux avec Geitel*, il étudia l'électrisation des corps chauds [1880] **(V. *aussi* Edison),** l'ionisation de l'atmosphère et, en physique nucléaire, isola le radium D, mit au point avec Crookes* un procédé de numération de particules et donna la loi de décroissance radioactive.

ELSTER. *n. f.* ♦ Nom de deux fl. d'Allemagne orientale. – *L'Elster Blanche* [*Weisse Elster*] (195 km) naît dans les monts de l'Elster, à la jonction des monts Métallifères et du Fichtelgebirge, traverse les régions morainiques de la Saxe, arrose Plauen, passe près de Gera et de Zeitz et rejoint la Saale en aval de Leipzig. – *L'Elster Noire* [*Schwarze Elster*] (188 km) naît dans les monts de Lusace, irrigue la Saxe et conflue avec l'Elbe en amont de Wittenberg. – La *Glaciation de l'Elster* est l'une des plus anc. d'Allemagne.

EL TAJÍN. ♦ Site archéologique du Mexique, à 20 km de Poza* Rica (Veracruz). Monuments (pyramides des Niches, édifice aux colonnes) de l'une des civilisations dites « classiques » (contemporaines des Mayas). **V. Mexique.** ♦ *Hist.* Les fondateurs de cette grande cité (v. le ve s.), située dans la zone totonaque, sont inconnus.

EL TENIENTE ou **SEWELL-el-TENIENTE.** ♦ Petite V. du Chili central (prov. de O'Higgins), dans la haute cordillère de Rancagua*. Extraction et fonderies de cuivre.

ÉLUARD (Eugène Grindel, dit Paul). ♦ Poète français (Saint-Denis, 1895 – Beynac, Dordogne, 1952). Il fut initié dès l'enfance à la dure réalité de la douleur, contraint d'interrompre ses études pour entrer en sanatorium (1912), puis devint le témoin fraternel, après sa mobilisation (1914), de la souffrance des combattants. Son adhésion aux idées pacifistes (*Le Devoir et l'Inquiétude,* 1917; *Poèmes pour la paix,* 1918) marqua très tôt chez lui la volonté d'un engagement au service de la justice, cause qui ne cessera plus de hanter sa poésie. La guerre terminée, il rencontra Aragon, Breton, Tzara et leurs amis (1920) et participa aux activités du mouvement dada (*Les Animaux et leurs hommes, Les Nécessités de la vie et les Conséquences des rêves,* 1921). Plus durablement, il adhéra au surréalisme qui lui proposait un moyen de connaissance ouvert sur l'inconscient et un mode de rénovation des techniques du langage (*Mourir de ne pas mourir,* 1924). Mais, plus que le goût des hardiesses formelles, c'est l'amour de la vie, la tendresse pour les êtres et les choses qui inspirent sa poésie, dès cette époque. À son retour d'un voyage autour du monde, la rencontre de Maria Benz (Nusch) constitua l'un des événements majeurs de sa vie (1929). Elle lui inspira, au delà même de la mort de Nusch (1946), quelques-uns de ses plus beaux poèmes. De cette période se détachent trois recueils : *Capitale de la douleur* (1926), *L'Amour, la poésie* (1929), *La Vie immédiate* (1932), mémorables célébrations de l'amour fou, et deux textes composés en collaboration : *Ralentir travaux* (avec René Char et André Breton*) et *L'Immaculée Conception* (avec André Breton, 1930). Ces ouvrages marquent la fin de la période surréaliste d'Éluard. Plus que jamais soucieux d'une poésie accessible à tous, il élabore un langage d'une cristalline pureté et riche cependant d'un foisonnement d'images harmonieuses et claires, afin d'exprimer la réalité concrète du monde et son mystère sans transcendance (*Les Yeux fertiles,* 1936; *Cours naturel,* 1938; *Donner à voir,* 1939). En 1926, Éluard adhéra au parti communiste, mais quelques années plus tard, en désaccord avec Aragon, il en fut exclu (1933) mais ne renonça pas à poursuivre la lutte antifasciste. Ainsi, il affirmera sa solidarité avec l'Espagne républicaine (*La Victoire de Guernica,* 1938). Il a écrit dans *L'Évidence poétique* (1936) : « Le temps est venu où tous les poètes ont le droit et le devoir de soutenir qu'ils sont profondément enfoncés dans la vie des autres hommes, dans la vie commune ». Au seuil de la Deuxième Guerre mondiale, le poète de l'amour et du rêve devint un combattant de la liberté et de la dignité humaines. Son engagement dans la Résistance où il assuma la direction du Comité national des écrivains pour la zone Nord, fut marqué par la publication de brochures et de poèmes : *Poésie et Vérité 42* (où paraît *Liberté*), *Les Sept Poèmes d'amour en guerre* (1943), *Les Armes de la douleur* (1944), *Au rendez-vous allemand* (1944). Il rallia le parti communiste clandestin (1943) et dans les années qui suivirent la Libération il poursuivit le combat de la confiance en l'homme en entreprenant de nombreux voyages à travers le monde et en célébrant dans de nouveaux recueils les valeurs qui furent toujours ses raisons de vivre : *Poésie ininterrompue* (1946), *Le dur désir de durer* (1946), *Le temps déborde* (1947), *Corps mémorable* (1947), *Tout dire* (1951). *Le Phénix,* publié après son remariage (1949), est un ardent épithalame. Il fit encore paraître une *Anthologie de la poésie* du passé, et un dernier recueil, *Poésie ininterrompue II* (1951). Poète de l'évidence, d'un miracle quotidien dont l'homme est la merveille réelle, Éluard a restitué à tout ce qu'il a nommé, êtres et choses, désirs et rêves, sa limpidité individuelle, par le pouvoir d'un verbe à la fois fluide et dense. Solidaire de toute pensée généreuse, de tout élan d'amour, il voulut être le prophète d'une humanité délivrée de l'angoisse et de la haine.

Arch. Rencontre

El Tajín : pyramide à niches.

ELÛRU. ♦ **V.** ELLORÂ.

ELVAS. ♦ V. du Portugal (Alentejo), près de la frontière espagnole (Badajoz). 14 800 hab. Importante place forte, cathédrale de style manuélin (XVIe s.), château romano-mauresque.

ELVEN. ♦ Ch.-l. de cant. du Morbihan (arr. de Vannes), près des landes de Lanvaux. 2 862 hab. *(Elvinois)*. Aux environs, ruines du château de Kerlo (Renaissance) où Descartes résida. Château de Kerfily (XVIIe s.). Tours d'Elven : ruines de l'ancienne forteresse féodale de Largoët.

ELVEND ou **ERVEND.** *n. m.* ♦ Massif montagneux d'Iran occidental, dans la chaîne du Zagros, dominant Hamadân. 3 571 m.

ELY. ♦ V. du S.-E. de l'Angleterre *(Isle of Ely)* sur la r. d. de l'Ouse. 9 800 hab. Très belle cathérale (XIe-XVIe s.) alliant divers styles, du roman au gothique perpendiculaire. Abbaye du XIe s. qui fut l'une des plus brillantes du royaume saxon.

ELY *(Isle of)*. ♦ Comté du S.-E. de l'Angleterre rattaché administrativement au Cambridgeshire*. 971 km². 89 180 hab. *Ch.-l.* March*. – Autrefois plaine marécageuse et difficile d'accès, elle est maintenant assainie.

Élysée. ♦ Palais situé à Paris au N. des Champs*-Élysées, résidence du président de la République française depuis 1873. Il fut d'abord *hôtel d'Évreux* (1718) avant d'être restauré par P. Lassurance pour Mme de Pompadour (1753); propriété nationale en 1793, il devint un lieu de divertissements publics *(l'Élysée)*, puis fut remanié par Percier* et Fontaine* pour Caroline Murat (1805 à 1808). Habité temporairement par Napoléon Ier, puis par Louis Napoléon Bonaparte, il est devenu en 1848, puis en 1873, la demeure du président de la République. En 1972, la décoration intérieure a été renouvelée (meubles par P. Paulin).

ÉLYSÉES (Champs). *n. m. pl.*, en gr. ***Êlusia Pedia.*** ♦ Séjour des âmes des héros et des hommes vertueux aux Enfers, dans la mythologie grecque et latine. **V.** *aussi* **Champs-Élysées.**

ELYTIS (Odysséas). ♦ Poète grec (Candie, Crète, 1911 –). Dans sa poésie, tenant du surréalisme, les idées revêtent des images d'un miracle sensible, rehaussées de couleurs et de lumière grecques : *Orientations* (1940), *Soleil premier* (1943), *Il est digne...* (1959).

EL ZAMORANO. ♦ V. du Honduras, reliée à Tegucigalpa par route. École d'agriculture.

ELZÉVIR, ELZEVIER ou **ELSEVIER.** ♦ Famille de libraires et imprimeurs hollandais installés à Leyde, puis à La Haye, Copenhague, Utrecht, Amsterdam, aux XVIe et XVIIe siècles. – Les plus notables sont : LODEWIJK [Louis] (Louvain, v. 1540 – Leyde, 1617), d'abord relieur, établi à Leyde en 1580. ♦ MATHIAS (Anvers, 1565 – Leyde, 1640), fils du précédent. ♦ BONAVENTURE (Leyde, 1583 – 1652), fils de Lodewijk. ♦ ABRAHAM (Leyde, 1592 – 1652), fils de Mathias, le meilleur imprimeur de la famille. Leur marque : *De officina elzeviriana.* Leurs ouvrages sont célèbres par leur petit format (in-12). Cf. Petit Robert.

Émaux et Camées. ♦ Recueil où Th. Gautier* (1852) définit sa poétique *(L'Art)* : c'est au prix d'une discipline nécessaire que l'artiste « scelle dans le bloc résistant » son « rêve flottant ». Sensible au pittoresque exotique et archéologique *(L'Obélisque de Louxor)* et ouvrant en cela la voie à la poésie plastique des parnassiens, Gautier se livre également à des variations sur le thème symboliste des correspondances *(Symphonie en blanc majeur)*.

EMBA. *n. m.* ♦ Riv. d'U.R.S.S. (Kazakhstan*), prenant naissance dans les monts Oural* et se jetant au N. de la mer Caspienne*. 600 km. — Région que traverse cette rivière, riche en gisements de pétrole.

EMBABÉH, en ar. **Imbâbah.** ♦ Faubourg du Caire, sur la r. g. du Nil, relié à la capitale par un pont. 136 430 hab. (1960). ♦ *Hist.* Bonaparte y remporta la bataille des Pyramides en 1798.

EMBIEZ *(île des).* ♦ Île des côtes de Provence, au large de Sanary* (Var). Tourisme.

EMBRUN. ♦ Ch.-l. de cant. des Hautes-Alpes* (arr. de Gap*), sur la Durance*. 4 840 hab. *(Embrunais).* Ancienne place forte. Église Notre-Dame romane de structure provençale, avec une décoration lombarde. Tour Brune (XIIe s.). Station climatique (871 m). — Indus. du bois, indus. électrique. ♦ *Hist.* Fondée à l'époque gauloise, *Ebrodunum* fut une importante station romaine et, sous l'empire, la métropole des Alpes*-Maritimes. Plusieurs conciles s'y tinrent. Embrun fut réuni à la France en 1589.

EMBRUNAIS. *n. m.* ♦ Région des Alpes* françaises du Sud autour d'Embrun*.

EMDEN. ♦ V. d'Allemagne occidentale (Basse-Saxe), près de l'embouchure de l'Ems et du canal Dortmund-Ems. 46 200 hab. Port actif (pêche, stockage du minerai de fer de la Ruhr) et centre industriel (constructions navales, automobiles, raffinage du pétrole).

EMERSON (Ralph Waldo). ♦ Essayiste et philosophe américain (Boston, 1803 — Concord, Mass., 1882). Hostile à toute tradition figée et à tout système dogmatique, il fonda le « transcendantalisme », mouvement de philosophie religieuse, tentant de joindre un individualisme qui s'exprime chez lui sous la forme d'une théorie romantique du génie et un panthéisme mystique (*Méthode de la nature et de l'homme réformé,* 1844 ; *Représentants de l'humanité,* 1845 ; *Les Traits du caractère anglais*). Le discours qu'il prononça à l'université de Harvard en 1837 est considéré comme la « Déclaration d'indépendance intellectuelle américaine ».

ÉMERY (Michel Particelli, d'). ♦ Financier français (Lyon, 1595 — Paris, 1650). Il servit Richelieu* et Mazarin* et remplit à plusieurs reprises la charge de surintendant des finances. Ses créations d'impôts et son recours aux expédients le rendirent très impopulaire.

ÉMERY (*le révérend père* **Jacques André).** ♦ Prélat français (Gex, 1732 — Issy-les-Moulineaux, 1811). Entré dans la Société des prêtres de Saint-Sulpice (1750), il fut nommé supérieur général de son ordre en 1782. Tout en refusant de prêter serment à la Constitution civile du clergé, il tenta d'adopter une attitude modérée à l'égard de la Révolution, mais fut néanmoins incarcéré sous la Terreur. Sous le Directoire, le Consulat et l'Empire, il chercha, par son esprit de conciliation, à éviter la déchristianisation de la France en faisant reconnaître le régime par l'Église, obtint de Napoléon Ier la réouverture du séminaire de Saint-Sulpice (1806), fut nommé conseiller de l'Université (1808) et membre du Conseil ecclésiastique (1811). Il a laissé des ouvrages philosophiques.

ÉMÈSE, en lat. **Emesa,** auj. **Homs.** ♦ V. anc. de Cœlésyrie sur l'Oronte, célèbre par son temple du Soleil dont Élagabal avait été le grand-prêtre. **(V. Élagabal).** En 636, elle fut prise par les Arabes et baptisée Hims **(V. Homs).**

ÉMILE *(saint).* ♦ Martyr (mort en Afrique v. 251). — Fête le 22 mai.

Émile ou **De l'éducation.** ♦ Roman pédagogique de Rousseau* (1762). Il expose (en cinq livres) les étapes d'une éducation (de la naissance au mariage) qui, tout en préservant chez l'individu ses qualités naturelles et le développement spontané de sa personnalité, le prépare à sa vie de citoyen, en formant son corps, son intelligence et son cœur par la découverte du monde naturel, puis de la culture et de la société humaine. La « Profession de foi du vicaire savoyard » où Rousseau formule une morale naturelle (« Conscience, conscience, instinct divin... ») et un déisme reposant sur le sentiment de la beauté et de l'harmonie de la nature, contribua beaucoup à la condamnation de l'œuvre, qui n'en eut pas moins une influence considérable par les idées nouvelles qu'elle apportait sur le problème de l'éducation.

ÉMILIE. *n. f.,* en it. **Emilia.** ♦ Région de l'Italie continentale, limitée au N. par le Pô, à l'E. par l'Adriatique, au S. par l'Apennin, et à l'O. par la vallée de la Trebbia. 22 123 km², 3 400 000 hab. *(Émiliens).* Elle forme avec la Romagne* une seule unité administrative (et géographique) et comprend les prov. de Bologne, Ferrare, Forli, Modène, Parme, Plaisance, Ravenne et Reggio nell'Emilia — *Orogr. L'Apennin ligure,* au N.-O., se poursuit au S.-E. par *l'Apennin toscan* (point culminant : Monte Cimone, 2 163 m). Les *collines émiliennes* s'étendent entre la montagne et la plaine du Pô, et *la plaine,* de Plaisance à l'Adriatique. — *Hydrogr.* Le Pô et ses affluents (Trébie, Secchia, Turo), Reno* *V. princ.* Bologne*, Ferrare*, Forli*, Imola*, Modène*, Parme*, Plaisance*, Ravenne*, Reggio* nell'Emilia, Rimini*. — *Écon.* La plaine d'Émilie-Romagne, très fertile, est l'une des grandes régions *agricoles* de l'Italie (14 % de la production nationale). Les principales productions sont : le blé, la pomme de terre, les tomates, les oignons, les arbres fruitiers, le mûrier, la betterave à sucre (Ferrare), le riz et le chanvre. On y pratique la « coltura promiscua » ou polyculture intensive. On élève des bovins. Le *sous-sol* est riche en méthane et en pétrole (Cortemaggiore*). *L'activité industrielle,* en développement, est en grande partie liée à la production agricole (conserves, raffineries de sucre, à Ferrare). Industries automobiles et machines agricoles (Modène). ♦ *Hist.* Province de la Gaule* cisalpine située à l'E. de la Ligurie*, l'Émilie (*Aemilia provincia,* de la via Aemilia qui la traversait) fut créée au ~ IVe siècle. **V. Romagne.**

Ph. Ostuni-Diamante/Ricciarini
Émilie : Parme.

ÉMILIEN, en lat. **Marcus Aemilius Aemilianus.** ♦ (v. 206 — Spolète, 253). Empereur romain (253). Vainqueur des Parthes, il fut proclamé empereur à la place de Gallus*, puis attaqué par Valérien* et tué par ses propres soldats.

EMINESCU (Mihaïl). ♦ Poète roumain (Ipoteşti, près de Botosani, 1850 — Bucarest, 1889). Il vécut de petits métiers, à Iaşi puis à Bucarest, fut interné pour maladie mentale et tué par un aliéné. Il est considéré comme « le Poète » par excellence de la littérature roumaine et comparé à Leopardi ou à Hölderlin. Son œuvre exprime une personnalité tourmentée, imprégnée du romantisme allemand et du folklore national, férue de philosophie (Schopenhauer, Kant) et vivant une vie intérieure douloureuse, circulant entre le réel et l'imaginaire. Auteur de *Poésies* (regroupées, incomplètement, en 1883, **V. Maiorescu**), *Le Pauvre Denis* (nouvelle poétique, 1872), *Génie stérile* (roman inachevé). De nombreux inédits furent publiés après sa mort.

EMIN PACHA (Eduard SCHNITZER, dit Mohammed). ♦ Explorateur et administrateur allemand (Oppeln, Silésie, 1840 — Kanena, Congo, 1892). Médecin en Turquie, il entra au service du pacha Ismaël Hakki (1871). En 1875, il se rendit au Soudan, passa au service de l'Égypte (1876) et devint gouverneur des provinces équatoriales (1878). Il lutta contre les mahdistes, s'opposa à la traite des Noirs et tenta de développer le commerce de l'ivoire. Il fut tué par les indigènes en explorant, pour le compte de l'Allemagne, la région des lacs.

ÉMIRATS ARABES UNIS *(État des).* ♦ État fédéral composé de six des neuf principautés arabes du golfe Persique (Abû Dhabî, Dubaï, Sarjah, Ajman, Umm al-Qaïwain et Fujaïrah) proclamé en déc. 1971. 83 600 km². 250 000 hab. L'autorité fédérale établie à Abû* Dhabi est dotée d'un conseil suprême réunissant les six souverains, d'un gouvernement et d'une Assemblée consultative. Elle est chargée des affaires étrangères et de la Défense. Après l'occupation de trois îlots dans le détroit d'Ormuz par l'armée iranienne, l'émir de Ras al-Kaïmah décida de rejoindre la Fédération (févr. 1972).

EMMANUEL. ♦ Nom messianique du Christ, selon *Matthieu,* I, 21-23, interprétant *Isaïe,* VII, 14. Il signifie en hébreu « Dieu avec nous ».

EMMANUEL (Maurice). ♦ Compositeur et musicologue français (Bar-sur-Aube, 1862 — Paris, 1938). Docteur ès lettres avec une thèse sur l'*Orchestique grecque* (1895), esprit nourri de culture antique, il fut professeur d'histoire de la musique au Conservatoire (1904-1936) et publia, entre autres ouvrages didactiques, une *Histoire de la langue musicale* (deux vol. 1911-1928). Maître de chapelle à Sainte-Clotilde (1904), il fut un ardent défenseur de la musique modale. Il a laissé une œuvre de qualité dont on retiendra un *Quatuor* dans le mode de *ré,* des *Odelettes anacréontiques,* le *Poème du Rhône,* suite symphonique (1938) et un opéra, *Salamine* (1929).

EMMANUEL (Noël Mathieu, dit Pierre). ♦ Poète français (Gan, Pyrénées-Atlantiques, 1916). Marquée par l'influence de la grande poésie romantique et par celle de quelques-uns des maîtres qui ont annoncé ou incarné la poésie moderne, son œuvre a illustré l'esprit de la Résistance (*Jours de colère, Combats avec tes défenseurs,* 1942 ; *La liberté guide nos pas,* 1945). Elle n'a cessé d'exprimer une angoisse métaphysique fortement nourrie de la Bible (*Sodome,* 1944 ; *Babel,* 1952) et une inquiétude suscitée par la condition de l'homme dans l'âge moderne, inquiétude que l'affirmation chrétienne convertit insensiblement en sérénité [*Évangéliaire,* 1961 ; *La Nouvelle Naissance,* 1963]. (Acad. fr., 1968 [démission 1975]).

EMMANUEL-PHILIBERT, dit **Tête de fer**. ♦ (Chambéry, 1528 – *id.*, 1580). Duc de Savoie (1553-1580). Il servit brillamment Charles* Quint, combattit la ligue de Schmalkalden* (1545) et défit les Français à Saint*-Quentin. Il recouvra ses états par la paix de Cateau*-Cambrésis et épousa Marguerite, fille de François* Ier.

EMMAÜS. ♦ Bourg de Palestine, au N. de Jérusalem, où, selon *Luc*, XXIV, 13-32, Jésus apparut à deux disciples après sa Résurrection. – Icon. : *Les Disciples* ou *Les Pèlerins d'Emmaüs*, peintures par Titien (Louvre), Véronèse (Louvre), le Caravage (Londres, Milan), Le Nain (Louvre) et surtout Rembrandt (1648, Louvre).

EMME. *n. f.* ♦ Nom de deux riv. de Suisse. – La GRANDE EMME (cant. de Berne et de Soleure) prend sa source dans le massif dominant le lac de Brienz*, draine la vallée de l'Emmental*, arrose Burgdorf* et se jette dans l'Aar* en aval de Soleure*. 80 km. – La PETITE EMME (cant. de Lucerne) se jette dans la Reuss* en aval de Lucerne*, après avoir drainé la vallée de l'Entlebuch.

EMMEN. ♦ V. des Pays-Bas (Drenthe). 69 500 hab. Écoles d'agriculture. Indus. de l'amidon ; textile (nylon et bonneterie). Électrotechnique. Produits pharmaceutiques.

EMMEN. ♦ V. de Suisse (cant. de Lucerne) au S. de Lucerne*. 20 600 hab. Indus. textile.

EMMENTAL ou **EMMENTHAL**. *n. m.* ♦ Vallée de Suisse (cant. de Berne), située dans les Préalpes bernoises et drainée par la Grande Emme*. 40 km. Elle s'étend du Hohgant à Burgdorf. L'économie de la vallée est tournée vers l'agriculture, l'élevage, le commerce du bois et la production du fromage d'Emmenthal. *Villes princ.* Burgdorf*, Langnau*.

EMMERICH (Anne Catherine), en all. **Anna Katharina Emmerick**. ♦ Religieuse et visionnaire allemande (Flamske, Westphalie, 1774 – Dülmen, 1824). Entrée chez les augustines de Dülmen en 1802, elle y passa une vie de malade (stigmates) et dicta ses visions au poète Clemens Brentano* : *La Douloureuse Passion de N.-S. Jésus-Christ, Vie de la Sainte Vierge, Vie de N.-S. Jésus-Christ.*

EMPÉDOCLE, en gr. **Empedoklês**. ♦ Philosophe grec (Agrigente, v. ~ 490 – v. ~ 435). La tradition en fit un personnage aux allures excentriques et orgueilleuses et la légende veut qu'il se soit donné la mort en se jetant dans l'Etna. Il a probablement joué un rôle politique important dans sa cité où, comme chef démocrate, il lutta contre les tentatives de tyrannie avant d'être exilé. De ses deux œuvres principales, *De la Nature de l'Univers* et *Purifications* nous sont parvenus 400 vers environ. Sa philosophie y apparaît comme une tentative de synthèse éclectique. Aux Ioniens* il emprunte la théorie matérialiste des quatre éléments, aux Éléates* l'idée que ces éléments sont confondus dans l'unité du tout, à Héraclite* le devenir où alternent les cycles de l'Amour qui unit et de la Haine qui divise. Son œuvre, cependant, constitue une véritable création par la puissance poétique.

Empire latin de Constantinople. ♦ Nom donné à l'empire fondé en 1204 par les croisés lors de la quatrième croisade. Il eut pour souverains Baudouin* de Flandre (1204-1206), Henri* de Flandre (1206-1216), Pierre de Courtenay* (1216-1217), Robert* de Courtenay (1221-1228), Jean de Brienne* (1229-1237), Baudouin* II (1237-1261). Il ne recouvrit jamais l'empire de Byzance qui conserva le despotat d'Épire, l'empire de Trébizonde et l'empire de Nicée.

Empire (Premier). ♦ Gouvernement de la France du 18 mai 1804 au 4 avril 1814 et du 20 mars au 22 juin 1815, qui succéda au Consulat*. Un sénatus-consulte du 18 mai 1804 donna le titre d'empereur au Premier consul Napoléon* Bonaparte, qui fut sacré sous le nom de Napoléon Ier, empereur des Français, par le pape Pie VII (2 déc. 1804). L'œuvre de l'Empire continuait celle du Consulat, mettant en application les institutions **(V. Code civil, Concordat, Napoléon)**. Pour maintenir l'homogénéité du Blocus continental, Napoléon pratiqua une politique d'annexion. Territorialement, l'empire connut son apogée en 1810-1812 ; il comprenait alors : la France, la Belgique, la Hollande, les villes de la Hanse, Brême, Hambourg, la rive gauche du Rhin, l'Italie du Nord, Rome et les provinces illyriennes. Le roi d'Espagne et le roi de Naples étaient les vassaux de l'empereur, Bernadotte (Charles* XIV) régnait en Suède et le Danemark était une puissance alliée. Napoléon Ier était médiateur de la Confédération helvétique **(V. Suisse)**, protecteur de la Confédération* du Rhin. Le Code civil, des institutions et des principes juridiques nouveaux furent introduits dans ces pays, préparant ainsi la transformation de l'Europe. Les guerres napoléoniennes avaient coûté la vie à un million de soldats de la Grande Armée. Mais le bilan économique était plutôt positif pour la France, le blocus ayant favorisé certaines cultures et le développement des industries. Sur le plan social, l'Empire a essentiellement favorisé l'avènement au pouvoir de la classe bourgeoise.

Ph. Hubert Josse
Premier Empire. « La Distribution des Aigles », le 5 décembre 1804, par David. (Château de Versailles.)

Empire (Second). ♦ Gouvernement de la France du 2 déc. 1852 au 4 sept. 1870. Comme le Premier Empire, ce régime fut préparé par une révolution **(V. Révolution française de février 1848)** qui instaura la IIe République*, puis par un coup d'État (2 décembre* 1851). Celui-ci fut suivi par la répression de l'opposition et par la Constitution de janvier 1852, renforçant l'exécutif au détriment du législatif **(V. Conseil d'État, Corps législatif, Sénat)**. Un sénatus-consulte, approuvé par plébiscite (21-22 nov. 1852), permit le rétablissement de l'Empire au profit de Napoléon* III. Cette période fut pour la France une ère de grand essor économique : progrès de l'agriculture, de l'industrie (de Wendel*, Schneider*, Decazes*, Dollfus), de la banque (Mallet, Pereire*, Rothschild*), du commerce (Boucicaut*, Cognacq-Jay) et des communications ; importantes transformations urbaines (Haussmann* à Paris, Vaïsse à Lyon, etc.). La formation du capitalisme industriel et l'affirmation du libéralisme économique (traité de libre-échange, en particulier avec l'Angleterre, 1860) s'accompagnèrent de changements sociaux (organisation progressive de la classe ouvrière) et idéologiques (réalisme, positivisme, socialisme). Du point de vue politique, le régime impérial évolua d'une phase autoritaire (renforcement du pouvoir personnel, limitation des libertés publiques et privées, serment exigé des fonctionnaires, contrôle de l'enseignement, répression de l'opposition renforcée après l'attentat d'Orsini*) de 1852 à 1860 vers un certain libéralisme (accord du droit d'adresse [1860], puis d'interpellation [1867] au Corps législatif, du droit de grève aux ouvriers, etc.), et enfin vers le parlementarisme (1869-1870, ministère Ollivier*, transformation du Sénat en seconde Chambre). Mais cette évolution, loin de consolider les bases de l'Empire, favorisa le développement de l'opposition républicaine et socialiste. Du point de vue de la politique extérieure, le Second Empire remporta un certain nombre de victoires (guerre de Crimée*, 1854-1856 ; campagne d'Italie*, 1859) et poursuivit une politique d'expansion coloniale (Afrique du Nord, Afrique noire, Syrie et Moyen-Orient, Extrême-Orient). Mais des difficultés (problème de la question romaine), des échecs militaires (expédition du Mexique*, 1860-1867) et diplomatiques, notamment dans les relations avec la Prusse, contribuèrent, en même temps que l'opposition intérieure, à ébranler le régime qui s'effondra le 4 septembre* 1870 après les premières défaites françaises et la capitulation de Sedan* (2 sept.), au début de la guerre franco*-allemande **(V. Défense nationale, République [Troisième]**.

EMS. *n. m.* ♦ Fl. d'Allemagne occidentale (320 km). Issu du *Teutoburger Wald*, il draine le bassin de Münster et s'oriente vers le N. en suivant la frontière hollandaise, traverse les *marais de Boutrange* (Basse-Saxe) et se jette dans la mer du Nord (golfe du Dollart). Son rôle de « relais » est particulièrement important : il fait communiquer Dortmund* (Ruhr) et la mer du Nord (Emden*), est relié au Rhin, à la Weser et à la Saale (par le Mittellandkanal).

EMS ou **BAD EMS**. ♦ V. d'Allemagne occidentale (Rhénanie-Palatinat), sur la Lahn, à l'E. de Coblence. 10 500 hab. Station thermale réputée pour le traitement des affections rhino-pharyngées. ♦ *Hist.* « PONCTUATION » D'EMS (25 août 1786). Plan de réformes ecclésiastiques proposé par les évêques de Trèves, Cologne, Mayence et Salzbourg, rejeté par Pie VI. – DÉPÊCHE D'EMS. Réponse à la démarche auprès de Guillaume Ier du représentant français à Berlin, Benedetti, qui exigeait au nom du gouvernement français des garanties contre la candidature d'un prince de Hohenzollern au trône d'Espagne (*entrevue d'Ems*, 8 juill. 1870). Cette réponse négative du roi de Prusse, transmise par son conseiller Abeken à Bismarck*, fut volontairement déformée par ce dernier dans un sens injurieux pour la France (13 juillet). Celle-ci en ayant pris connaissance déclara quelques jours plus tard (19 juillet) la guerre à l'Allemagne.

EMSLAND. *n. m.* ♦ Région d'Allemagne nord-occidentale (Basse-Saxe), s'étendant au N. de Lingen, entre la frontière néerlandaise et la vallée de l'Ems (marais de Boutrange). Extraction de pétrole.

E.N.A. ♦ Sigle de l'École* nationale d'administration et des Écoles nationales d'agriculture.

En attendant Godot. ♦ Action dramatique en deux parties, de Samuel Beckett* (1953). Vladimir et Estragon, couple de clochards, poursuivent un dialogue dont l'inanité est celle de toute parole humaine. L'apparition de Pozzo, le bourreau, et de Lucky, sa victime, couple sado-masochiste, vient compléter pour le spectateur cette évocation saisissante de la déréliction et du néant humains. L'attente jamais comblée est-elle celle de Dieu *(God)*?

ENCARNACIÓN. ♦ V. du Paraguay oriental, port fluvial important sur le Paraná (r. d.), face à Posadas* (Argentine). 40 000 hab environ.

ENCAUSSE-LES-THERMES. ♦ Comm. de Haute-Garonne*, arr. de Saint-Gaudens*, sur le Job. 546 hab. Station thermale déjà connue des Gallo-Romains.

ENCELADE, en gr. **Egkelados.** ♦ Un des Géants* qui, dans la légende, attaquent les Olympiens. Fuyant devant Athéna*, il est enseveli sous la Sicile que lance sur lui la déesse. Ses contorsions, disait-on, provoquaient les tremblements de terre en Sicile.

ENCINA (Juan *del***).** ♦ Poète dramatique et musicien espagnol (La Encina, près de Salamanque, 1469 – León, v. 1529). Protégé du duc d'Albe puis des papes Alexandre Borgia, Jules II et Léon X, il se fit prêtre en 1510. Inspirées de Virgile, mais fortement influencées par la culture humaniste italienne, ses *Eglogas*, courts poèmes dramatiques, sont considérées comme les œuvres les plus anc. du théâtre profane espagnol. Elles mettent en scène des bergers engagés dans des aventures comiques *(Auto del Repelón)* ou tragiques (*Plácida y Victoriano*, 1513). Encina est aussi le compositeur des chants polyphoniques par lesquels s'achevait la représentation.

ENCKELL (Rabbe Arnfinn). ♦ Peintre et poète finlandais de langue suédoise (Tammela, 1903 –). Rénovateur des formes et de la sensibilité poétiques après 1920 avec Södergran*, Diktonius* et Björling*, c'est un poète délicat et raffiné, cherchant à éliminer toute expression du moi de ses ouvrages qui, au dire de lui-même, sont pourtant un autoportrait (Cf. les recueils *Bonheur d'un joueur de flûte* [1925], ou *Le Paysage à l'ombre double* [1933], qui comprend des nouvelles). Il ne reste pas indifférent aux souffrances du monde qui se reflètent dans *La Voûte* (1937), *Penché sur le puits* (1942) et les tragédies en vers d'inspiration antique *Hécube* (1952) et *Alcman* (1959).

Enclosure, mot angl. (« clôture »). ♦ Terme qui désigne une transformation des formes de culture, substituant l'agriculture individuelle à l'agriculture communautaire et évinçant les petits tenanciers au profit des gros propriétaires. Elle s'effectua au XIXe s. dans la majeure partie de l'Europe, mais commença en Angleterre dès le XIIIe s. : poussés par le développement de l'indus. textile, les seigneurs laïcs et ecclésiastiques entreprirent de réunir de vastes pâturages en confisquant les biens communaux morcelés, et de les enclore. Cette évolution, malgré les mesures des gouvernements (Henri VII, 1489, Henri VIII, 1515, Édouard VI, 1548, Élisabeth Ire, 1597), se poursuivit et trouva son achèvement au XVIIIe siècle. Elle fut à l'origine de plusieurs crises sociales, et les tenanciers dépossédés allaient former le prolétariat urbain de l'ère industrielle.

Encyclopédie ou **Dictionnaire raisonné des sciences, des arts et des métiers.** ♦ Ouvrage de vulgarisation scientifique et philosophique (inspiré de l'encyclopédie de Chambers*) dont Diderot* et d'Alembert* furent les animateurs et les principaux rédacteurs (1751 à 1772), aidés de savants, de philosophes et de spécialistes dans tous les domaines (Voltaire*, Montesquieu*, Rousseau*, Jaucourt*, de Prades*,...). Lancés par souscription, ses dix-sept volumes d'articles très riches, illustrés par des planches (onze tomes), présentent un double intérêt, documentaire et philosophique, comme le souligne le *Discours préliminaire*, « Tableau général des efforts de l'esprit humain dans tous les genres », l'œuvre accorde notamment une grande place aux arts mécaniques et aux descriptions de métiers, pour souligner la dignité de l'artisan et son utilité sociale. Car, présenté dans un esprit réaliste et pratique, l'ouvrage veut montrer l'homme capable de transformer l'univers s'il se libère des préjugés en contrôlant par sa raison la religion, la politique et la morale. Pour affirmer la prééminence de la raison sur le dogme, sans effaroucher la censure, on feint l'orthodoxie dans les grands articles ; mais le système des renvois permet d'avancer des opinions plus hardies, qui font de l'*Encyclopédie* une œuvre très représentative des pensées philosophiques du XVIIIe siècle.

Encyclopédie des sciences philosophiques *(Précis de l')*. ♦ Ouvrage de Hegel* (1817). Dans cet exposé du système hégélien, la pensée se développe dialectiquement : la logique **(V. Logique [La Science de la])**, la philosophie de la nature, science de l'Idée dans son altérité, et la philosophie de l'esprit (science de l'esprit subjectif, objet de l'anthropologie, de la phénoménologie et de la psychologie, de l'esprit objectif ou pratique. **V. Philosophie du droit [Principes de la])**, et de l'esprit absolu dans son unité en-soi et pour-soi, et la pure réalisation de soi dans l'art, la religion et la philosophie.

ENDERS (John Franklin). ♦ Bactériologiste américain (1897). Ses travaux sur la culture des virus de la poliomyélite dans différents types de tissus lui valurent, ainsi qu'à T.H. Weller* et F.C. Robbins*, le prix Nobel de méd. (1954).

ENDOR, en hébr. *En-Dor*, « la source de Dor » (*auj.* **Ein-Dour**, en Israël). ♦ Localité de Palestine, au S. du mont Thabor. *La pythonisse d'Endor :* dans la Bible (*I Samuel*, XXVIII), elle fait apparaître à Saül l'ombre de Samuel, qui lui annonce sa défaite et sa mort à la bataille de Gelboë.

ENDYMION [*Endumiôn*]. ♦ Roi légendaire des Éoliens ou berger aimé par Séléné* (la Lune) à qui il donne cinquante filles. Séléné obtient de Zeus le sommeil éternel pour son amant qu'elle rejoint chaque nuit dans une caverne sans le réveiller. Dans une fable latine, il est l'amant de Diane. – Parmi les nombreux ouvrages inspirés de ce personnage depuis la Renaissance, citons l'*Endymion* de John Keats* (1818).

ÉNÉE, en lat. **Aeneas.** ♦ Prince troyen autour duquel s'organisa la légende des origines troyennes de Rome, que devait reprendre Virgile* notamment, dans son poème épique de *L'Énéide**. Fils d'Anchise* et d'Aphrodite* (ce qui permit aux Romains de se placer également sous la protection de Vénus), il épousa Créüse, fille de Priam*, roi de Troie, et joua un rôle important durant la guerre de Troie. Lors de l'incendie de la ville par les Grecs, il sauva les Pénates et s'enfuit, portant sur ses épaules son père, le vieil Anchise, et emmenant son fils Ascagne. Dès lors, jouet docile des dieux, il connut différentes pérégrinations, en Sicile, à Carthage **(V. Didon)**, jusqu'à ce que – sur les injonctions de Jupiter – il abordât aux rivages de l'Italie ; guidé par la sibylle de Cumes, il descendit aux Enfers où lui fut prophétisé le destin exceptionnel de la race qu'il devait fonder. Dès lors confirmé dans sa tâche, le « pieux Énée » gagna la Latium, triompha de Turnus, chef des Rutules, et épousa Lavinia, fille du roi Latinus. La fusion des populations opérée, il fonda la ville de Lavinium ; son fils Ascagne (ou Iule), qui éleva Albe* la Longue, devait être l'ancêtre de Romulus*, dont la naissance miraculeuse assurait aux Romains la faveur toute particulière de Mars. Symbole exemplaire de la piété par sa soumission aux volontés divines, le personnage d'Énée (qui traduisait de façon légendaire la croyance des Anciens en l'origine orientale des Étrusques) connut de nombreuses illustrations littéraires ou artistiques, et cela dès l'Antiquité.

Ph. Nimatallah/Ricciarini

Énée blessé. Fresque de Pompéi. (Musée national, Naples.)

Énéide (L'). ♦ Poème épique de Virgile* en 12 chants (~ 29-~ 19). Récit des pérégrinations d'Énée*, contraint à s'exiler après la chute de Troie, et de son établissement en Italie où il fonde la nation romaine. Le poète a voulu donner à Rome une épopée qui tînt la même place que les poèmes homériques en Grèce ; s'écartant de la narration purement historique et mythologique, il a traité un sujet légendaire mais national parce que lié aux origines de Rome. Cette œuvre est un des éléments essentiels de la culture européenne.

ENESCO (Georges ENESCU). ♦ Compositeur et violoniste roumain (Liveni, 1881 – Paris, 1955). Il fit ses études musicales à Vienne, puis à Paris où il se fixa. Admirable violoniste et pédagogue, il fut le maître de nombreux virtuoses, dont Y. Menuhin. Inspirée du folklore roumain qu'il sut transcender en exploitant ses possibilités modales et harmoniques, son œuvre comprend notamment trois symphonies, deux sonates pour piano et violon, deux quatuors à cordes, deux rhapsodies roumaines pour orchestre et un opéra, *Œdipe* (1936).

ENFANTIN (Prosper Barthélemy, dit le Père Enfantin). ♦ Ingénieur et socialiste français (Paris, 1796 – 1864). Avec Bazard* (qui se sépara de lui en 1831), il fut le principal propagateur du saint-simonisme **(V. Saint-Simon)**, qui devint une véritable religion. Il fonda deux journaux, *le Producteur* et *le Globe*, et créa à Ménilmontant une communauté modèle, qui eut de nombreux adeptes. Après un séjour en Égypte (où il tenta de constituer une société pour le percement du canal de Suez), il fonda et administra une société de chemin de fer (compagnie de la ligne de Lyon). Sa pensée exerça une influence certaine sur Blanqui et Chevalier.

Enfant prodigue (L'). ♦ Une des paraboles de l'Évangile de saint Luc (XV, 11-32) sur la mansuétude divine : un jeune homme abandonne la maison de son père, mais, lorsqu'il revient chez lui dans la misère, son père lui accorde son pardon et tue le veau gras. – Cette

Ph. Hubert Josse

F. Engels et K. Marx, bronze de W. Howard. (Musée communiste, Prague.)

parabole a inspiré de nombreux auteurs, dont Lope de Vega : *El hijo prodigo;* A. Gide : *Le retour de l'enfant prodigue* (1909).

Enfer (L'). ♦ V. Divine Comédie (La).

ENFIELD. ♦ V. d'Angleterre, au N. de Londres (Middlesex). 110 500 hab. Saint Andrew's Church (xive s.). Indus. électriques, mécaniques et textiles.

ENGADI ou **ENGADDI** en hébr. **Ein Gedi,** « source du chevreau ». ♦ Site d'Israël, au-dessus de la côte O. de la mer Morte, célèbre dans la tradition biblique (*I Samuel,* XXIV, 1 ; *Cantique des cantiques,* I, 14).

ENGADINE [ɑ̃gadin], *n.f.*, en all. **Engadin,** en it. **Engadina,** en romanche **Engiadina.** ♦ Partie suisse de la haute vallée de l'Inn* dans le canton des Grisons, s'étendant du S.-O. au N.-E., des sources de l'Inn au Finstermünz. 90 km. 16 849 hab. (1960), en majorité de langue romanche et allemande et de religion protestante. La vallée se divise en *haute Engadine,* de la Maloja aux gorges de Zernez (*V. princ.* Samedan*), et *basse Engadine,* de Zernez à la frontière du Tyrol (*V. Princ.* Scuol*). Son altitude varie de 1 000 à 1 900 m. La haute Engadine, en raison de son altitude élevée, a pour seules ressources l'élevage transhumant et la sylviculture. Dans la basse Engadine, plus fertile, l'économie est surtout agricole (céréales, arbres fruitiers, cultures maraîchères). Mais la principale ressource de la région reste le tourisme : stations de sports d'hiver et stations thermales de Celerina*, Pontresina*, Saint*-Moritz, Sils*-Maria, Silvaplana*, Scuol*, Tarasp* et Vulpera*. C'est dans la basse Engadine que se trouve le Parc national suisse, vaste domaine de sauvegarde de la flore et de la faune (143 km²), d'un grand intérêt touristique. Également caractéristique de l'Engadine est la physionomie des maisons aux fenêtres à encorbellement et aux façades peintes de devises et de motifs héraldiques. ♦ *Hist.* L'Engadine, longtemps dépendante du Tyrol, fut rattachée au canton de Rhétie en 1801. **V. Grisons.**

ENGEBRECHTSZ ou **ENGELBRECHTSZ (Cornelis).** ♦ Peintre et dessinateur flamand (Leyde, 1468 – *id.,* 1533). Il dirigea un important atelier et pratiqua un art où se mêlent les traditions graphiques et l'inspiration religieuse pathétique du gothique finissant et les recherches plastiques italianisantes. Il affectionnait les compositions touffues, les formes allongées et nerveuses, les draperies tourmentées, les effets décoratifs pleins de fantaisie. Coloriste original, il employait des tons vifs et recherchait les accords rares (triptyque des *Douleurs de la Vierge;* portrait de *Dirk Ottens*). Il contribua à faire de Leyde un foyer du maniérisme gothique tardif et fut le maître de Lucas* de Leyde.

ENGEL (Jean-Jacques). ♦ Philosophe, critique et romancier allemand (Parchim, Mecklembourg, 1741 – 1802). Il est surtout connu comme moraliste populaire du Siècle des lumières : *Philosophie pour le monde* (1775-1777); *Miroir des Princes* (1796).

ENGELBERG. ♦ V. de Suisse (Obwald) au pied du Titlis. 2 700 hab. Abbaye bénédictine (xiie s.). – Station d'été et de sports d'hiver très fréquentée. Alt. 1 050-1 800 mètres.

ENGELBREKT ENGELBREKTSSON. ♦ Patriote suédois (v. 1390 – lac Hjälmar, 1436). Il se révolta en 1434 contre Eric* XIII. Il convoqua en 1435 une assemblée où étaient représentées toutes les catégories sociales, fut nommé régent mais fut assassiné.

ENGELMANN (Godefroi). ♦ Lithographe français (Mulhouse, 1788 – 1839). On lui doit l'introduction en France du procédé de Senefelder*.

ENGELS (Friedrich). ♦ Théoricien socialiste et homme politique allemand (Barmen, Rhénanie, 1820 – Londres, 1895). Fils d'un industriel du textile, il fréquenta les « jeunes hégéliens » **(V. Hégélianisme** et **Feuerbach).** Employé de la maison Ermen-Engels à Manchester (1842-1844), il étudia la condition ouvrière, formula une des premières critiques scientifiques de l'économie capitaliste, et, acquis au socialisme, affirma la nécessité de l'émancipation du prolétariat (*Esquisse d'une critique de l'économie politique,* 1844 ; *La Situation de la classe laborieuse en Angleterre,* 1845). En 1844, il se lia avec Marx* qu'il rejoignit à Bruxelles (1845). Ensemble ils écrivirent *La Sainte Famille, L'Idéologie* allemande* **(V. Marx)** et *Le Manifeste* du parti communiste* (1848) pour la Ligue des justes (des communistes) au sein de laquelle Engels lutta contre le socialisme petit-bourgeois **(V. Proudhon).** De retour en Allemagne, il participa à Cologne, Barmen et dans le Palatinat à l'insurrection armée des républicains (1848), et y fit preuve de ses qualités de tacticien. Après l'échec de ce mouvement, il écrivit *La Guerre des paysans* (Londres, 1850), analyse historique de la lutte des paysans lors de la Réforme (déb. xvie s. **V. T. Münzer),** *La Campagne pour la constitution du Reich* (1850) et surtout *Révolution et contre-révolution en Allemagne* (1851-1852). De 1850 à 1869 il travailla dans l'affaire de son père et put ainsi apporter une aide financière à Marx. Il continua à étudier les langues pour mieux comprendre l'histoire des sociétés, et les sciences naturelles, et rédigea de nombreux articles, en particulier sur des questions militaires (*La Guerre civile aux États-Unis; La Question militaire en Prusse et le parti ouvrier allemand,* 1865). Installé définitivement à Londres (1870), il reprit son activité au sein de l'Internationale, tout en suivant le développement de la social-démocratie allemande **(V. Bebel, Liebknecht, Kautsky),** qu'il mit en garde contre le réformisme (*Critique des programmes de Gotha et d'Erfurt,* avec Marx, 1875-1891). Ses derniers ouvrages traitent de questions théoriques : critique du matérialisme positiviste et du réformisme de Dühring* (*L'Anti*-Dühring,* 1877), application de la dialectique aux sciences de la nature (*La Dialectique de la nature,* inachevée, publiée en U.R.S.S. en 1925), étude sociologique et historique (*L'Origine de la famille, de la propriété privée et de l'État,* 1884, **V. L. H. Morgan),** philosophique (*L. Feuerbach* et la fin de la philosophie classique allemande,* 1888). Il acheva enfin les deuxième et troisième tomes du *Capital**. Inséparable de celle de Marx, l'œuvre d'Engels contribua à l'élaboration et à la diffusion du matérialisme dialectique et historique.

ENGELS (de 1914 à 1931, **Pokrovsk,** de 1924 à 1941, cap. de la République des Allemands de la Volga*). ♦ V. d'U.R.S.S. (R.S.F.S. de Russie) dans la région de Saratov, sur la Volga. Indus. mécaniques, chimiques et alimentaires. Traitements du bois. Matériaux de construction.

ENGHIEN [ɑ̃gɛ̃] **(Louis Antoine Henri de Bourbon,** *duc d'***).** ♦ Prince français (Chantilly, 1772 – Vincennes, 1804). Fils unique de Louis Henri Joseph de Condé, il rejoignit l'armée des émigrés en 1789, s'installa ensuite à Ettenheim dans le grand-duché de Bade. Bonaparte, le soupçonnant, très probablement à tort, d'être de connivence avec Cadoudal* et Pichegru* dans le complot fomenté contre lui, le fit enlever dans la nuit du 15 au 16 mars 1804 et traduire en conseil de guerre. Il fut fusillé le 21 mars à Vincennes. Cette exécution sommaire indigna l'Europe.

ENGHIEN-LES-BAINS [ɑ̃gɛ̃]. ♦ Ch.-l. de cant. du Val-d'Oise, sur le *lac d'Enghien,* arr. de Montmorency. 12 152 hab. – Station thermale créée en 1821, dont les eaux sulfurées sont employées pour soigner les maladies des voies respiratoires, les rhumatismes et les maladies de la peau. Lieu de villégiature au xixe s., la ville possède un casino et un hippodrome. – Château de Saint-Gratien à l'O. d'Enghien.

ENGILBERT *(saint).* ♦ V. Angilbert.

ENGUINEGATTE. ♦ V. Guinegatte.

ENIWETOK. ♦ Atoll des îles Marshall* où eurent lieu des expériences atomiques. **V. Bikini.**

ENKI. ♦ Troisième dieu de la principale triade du panthéon sumérien **(V. An, Enlil),** il est le « seigneur du sol », c.-à-d. du gouffre marin sur lequel repose la Terre. Dieu de l'intelligence, il inspire la construction d'une arche lors du Déluge. Culte à Eridu*. Chez les Assyro-Babyloniens, il est nommé Ea.

ENKÛ. ♦ Sculpteur japonais (xviie s.), originaire de la province de Mino et fils d'un charpentier. Il sculpta dans le bois, à la hache, un très grand nombre de statues bouddhiques d'un style très différent de la sculpture religieuse japonaise traditionnelle.

Enlèvement au sérail (L') [*Die Entführung aus dem Serail*]. ♦ Comédie lyrique *(Komisches Singspiel)* en 3 actes de W.A. Mozart, livret de C.F. Bretzner, arrangé par Stéphanie (Vienne, 1782). Prisonnières de Sélim dans son sérail, Constance et Blondine seraient délivrées par leurs fiancés Belmonte et Pédrille si le gardien Osmin ne découvrait le projet d'enlèvement avant qu'il ait pu s'accomplir. Généreux, Sélim pardonne aux amants. Débordante de tendresse et de gaieté, cette partition marque, entre les opéras italiens et les tragédies lyriques à la française, les véritables débuts de l'opéra-comique allemand.

ENLIL. ♦ Deuxième dieu de la principale triade du panthéon sumérien **(V. An, Enki).** « Seigneur de l'air », il régit les relations entre les puissances supérieures et les hommes, veille à l'exécution des décrets et punit : c'est lui qui déclenche le Déluge. Culte à Nippur.

ENNA. ♦ V. d'Italie insulaire. Ch.-l. de prov. au centre de la Sicile. 30 000 hab. Mines de soufre.

Ennéades (Les). ♦ Titre sous lequel les œuvres de Plotin* furent publiées par Porphyre* qui les a classées en six livres de neuf traités dans un ordre parfois artificiel. Document capital pour la connaissance du néo*-platonisme, elles contribuèrent à la formation de la pensée arabo-islamique et de la philosophie médiévale en Occident.

ENNEDI. *n. m.* ♦ Plateaux du S.-E. du Sahara*, « petit Tibesti sans volcanisme » (1 450 m), qui limitent au N.-E. la cuvette du Tchad*.

ENNEZAT. ♦ Ch.-l. de cant. du Puy-de-Dôme (arr. de Riom), sur l'Ambène. 939 hab. Église Saint-Victor et Sainte-Couronne, anc. collégiale fondée au XIe s. Le narthex, la nef, les bas-côtés et le transept sont le prototype du style roman auvergnat. Le chœur, le déambulatoire et les chapelles sont de style gothique. Peintures murales (XVe siècle).

ENNIN. ♦ Religieux bouddhiste japonais (794 – 864) qui séjourna en Chine de 840 à 845, visitant les lieux saints, et qui écrivit le journal de son voyage, ouvrage précieux pour la connaissance de la Chine du IXe siècle.

ENNIS, en irl. **Inis.** ♦ V. du S.-O. de la république d'Irlande et ch.-l. du comté de Clare (prov. de Munster), sur la rivière Fergus. 5 680 hab. (1961). Abbaye ruinée (XIIIe s.). – Minoteries.

ENNISCORTHY, en irl. **Inis Corthaidh.** ♦ V. de la république d'Irlande (comté de Wexford), sur la Slaney, au cœur d'une riche région agricole. 5 900 hab. Vestiges d'un château du XIIIe siècle.

ENNISKILLEN. ♦ V. du S. de l'Ulster (Irlande du Nord) et ch.-l. du comté de Fermanagh*. sur une île située entre les deux *loughs Erne**. 7 440 hab. (1961). Indus. alimentaires (bacon) et textiles (lin). À proximité, abbaye du Ve siècle. ♦ *Hist.* Anc. place forte et fief protestant, la ville adopta, sous le commandement de Maguire, le parti de Guillaume d'Orange contre Jacques II, qu'elle vainquit en 1689.

ENNIUS (Quintus). ♦ Poète latin (Rudiae, Calabre, ~ 239 – Rome, ~ 169). Conduit à Rome par Caton l'Ancien, il devint le protégé de Scipion l'Africain qu'il devait initier, ainsi que les membres des plus grandes familles romaines, à la culture grecque. Il reçut en ~ 184 le droit de citoyenneté romaine. Sous son influence, l'héritage hellénique allait s'adapter à l'esprit latin. Outre les *Annales,* poème épique en 18 livres qui racontait toute l'histoire de Rome, il est l'auteur d'une vingtaine de tragédies inspirées d'Euripide : *Medea exul (Médée en exil), Phœnix (Le Phénicien),* ou d'Eschyle : *Eumenides (Les Euménides), Hectoris lutra (La Rançon d'Hector),* de nombreuses comédies dont il ne subsiste aucun fragment, et de *saturae,* poésies d'inspiration philosophique ou morale.

ENNODE *(saint).* [**Magnus Felix Ennodius**]. ♦ Évêque de Pavie en 513 (Arles, 473-474 – Pavie, 521), auteur d'une *Vie de saint Épiphane.* Fête le 17 juillet.

ENNS. *n. m.* ♦ Riv. d'Autriche, affl. du Danube (r. d.). 260 km. Il prend sa source dans la province de Salzbourg et arrose Steyr et Enns. Aménagements hydro-électriques sur son cours inférieur.

ENNS. ♦ V. autrichienne (Haute-Autriche), située sur la rive gauche de l'Enns*, près de sa confluence avec le Danube. 9 300 hab. Restes de fortifications du XVe s.; *Stadtturm* (XVIe s.), église paroissiale, gothique; hôtel de ville (XVIe s.), château d'Ennsegg (XVIe-XVIIe s.). ♦ *Hist.* Fondé par les Romains, l'ancien *Lauriacum* fut la capitale de la province de Norique.

ÉNOCH. ♦ V. HÉNOCH.

Enoch Arden. ♦ Poème d'A. Tennyson* publié en 1864. L'œuvre évoque le sacrifice d'un marin qui décide, en rentrant chez lui après une longue absence, de repartir pour ne pas troubler le bonheur de sa femme qui s'est remariée.

ENOS ou **ENOSH.** ♦ Personnage biblique (*Genèse,* V, 6). Patriarche antédiluvien, fils de Seth, père de Caïnan.

Enragés. ♦ Nom donné en 1792-1793 aux révolutionnaires extrémistes (J. Roux*, Varlet), qui réclamaient l'égalité non seulement civile et politique mais économique et sociale, et exigeaient la taxation et la réquisition des denrées, une redistribution des fortunes en faveur des indigents, et l'expropriation au profit de l'État. Éliminés dès la fin de 1793, les enragés avaient formulé un programme d'inspiration socialiste qui fut ensuite repris par les hébertistes*, et plus tard par Babeuf.

ENRIQUES (Federigo). ♦ Mathématicien italien (Livourne, 1871 – Rome, 1946). Auteur de travaux sur la théorie des fonctions algébriques de plusieurs variables, il jeta les bases de l'étude géométrique des surfaces algébriques et participa activement à l'essor de la géométrie algébrique, **V. Castelnuovo, Severi.** Ses recherches se sont élargies aux problèmes généraux de la science, de la connaissance scientifique et de la philosophie. L'épistémologie qu'il propose est fondée sur la genèse des connaissances. *Problèmes de la science et de la logique,* 1906-1927; *Scienza e Razionalismo,* 1912; *Per la Storia della logica,* 1922; trad. fr. *L'Évolution de la logique.*

E.N.S. ♦ Sigle des Écoles Normales Supérieures. **V. Normales** (Écoles).

ENSCHEDE. ♦ V. des Pays-Bas (Overijsel) à 6 km de la frontière allemande. 136 883 hab. Musée (Breughel, Holbein). Aéroport à Twente. École technique des indus. textiles. Centre cotonnier. Lin. Métallurgie et céramiques. Produits alimentaires.

ENSENADA. ♦ V. du Mexique, au N. de la basse Californie. 113 320 hab. Grande station balnéaire sur le Pacifique, non loin de Tijuana et de la frontière des États-Unis.

ENSÉRUNE *(montagne d').* ♦ Plateaux calcaires du bas Languedoc entre l'Orb et l'Aude. – *Oppidum d'Ensérune :* Site ibérogrec découvert en 1915 où se sont succédé plusieurs habitats du ~ VIe au ~ Ier s. à l'abri d'enceintes successives. Nécropole des ~ IVe et ~ IIIe siècles. Musée.

ENSISHEIM. ♦ Ch.-l. de cant. du Haut-Rhin* (arr. de Guebwiller*), sur l'Ill et le canal de Vauban. 5 191 hab. Tumuli celtiques. Hôtel de ville du XVIe s., maisons anciennes. – Aux environs, mines de potasse. ♦ *Hist.* Ancienne capitale des possessions de la maison d'Autriche en Alsace.

ENSIVAL. ♦ Comm. de Belgique (Liège, arr. de Verviers) sur la Vesdre. 5 700 hab. Indus. chimiques (laine). Constructions mécaniques.

ENSOR (James Sydney). ♦ Peintre, dessinateur et graveur belge (Ostende, 1860 – *id.* 1949). Il étudia à l'Académie de Bruxelles et débuta par des portraits, des natures mortes et des représentations d'intérieur où les vibrations de la lumière sont rendues avec délicatesse dans une gamme chromatique assourdie. Il évolua ensuite vers des coloris plus francs et contrastés, mais toujours savamment modulés. Dès ses premières œuvres, il introduisit dans des thèmes encore naturalistes des détails insolites révélant une imagination profondément originale tournée vers un fantastique

Arch. Smeets

J. S. Ensor : « L'Entrée du Christ à Bruxelles ». (Collection privée).

et un grotesque à tendance mystique et symbolique (*Portrait de l'artiste au chapeau fleuri,* 1883). Progressivement, ses vues et scènes d'intérieur prirent un caractère d'apparition et sa palette un aspect chatoyant. Il traita souvent le thème de l'autoportrait, du carnaval, du masque, du squelette et du Christ (*Squelettes se chauffant autour d'un poêle,* 1889; *L'Entrée du Christ à Bruxelles,* 1888); se montrant un observateur impitoyable à l'ironie amère, il manifesta un sens original du burlesque. Il employa un dessin schématique et heurté, des couleurs pures librement étalées avec des effets de pâte originaux. Vers 1900, il parut peu à peu perdre sa maîtrise technique et forcer ses effets, sa facture devint sèche à dominante pâle, mais il trouva encore des harmonies de couleurs audacieuses. Son emploi subjectif de la couleur, son sens de l'expression poussé jusqu'à la caricature l'ont fait considérer comme un initiateur de l'expressionnisme. La liberté avec laquelle il transcrivit ses visions en fait un précurseur du surréalisme.

ENTEBBE. ♦ V. de l'Ouganda* sur la rive N. du lac Victoria*. 11 000 hab. C'est sur l'aéroport d'Entebbé qu'eut lieu un raid israélien pour libérer des otages détournés par un commando palestinien (juil. 1976).

Entente (Conseil de l'). ♦ Groupement constitué en 1959 par quatre nouvelles républiques africaines indépendantes : celles de la Côte*-d'Ivoire, du Dahomey*, de la Haute*-Volta et du Niger*, auquel s'est joint le Togo* (1965). Les États de l'Entente font partie de l'O.C.A.M.M. (Organisation* commune africaine, malgache et mauricienne).

Entente (Petite). ♦ Alliance de défense mutuelle signée entre la Yougoslavie, la Roumanie et la Tchécoslovaquie entre 1920 et 1922, avec l'appui de la France, pour prévenir toute tentative de restauration monarchique en Hongrie. Elle révéla son impuissance dès 1936, devant le rapprochement germano-yougoslave, et surtout en 1938, face au démembrement de la Tchécoslovaquie (**V. Munich** [*Conférence de*]).

Entente (Triple-). ♦ Alliance non formelle entre la France, la Grande-Bretagne et la Russie, résultant d'un rapprochement anglo-russe (1907), combiné avec l'alliance franco-russe (1893) et l'Entente* cordiale (France-Angleterre). La Triple-Entente fut rompue par le traité germano-russe de Brest*-Litovsk.

Entente cordiale (l'). ♦ Nom donné par Guizot au rapprochement franco-britannique qui, ébauché à l'époque de la monarchie* de Juillet, permit à la France de sortir de l'isolement diplomatique qui fit suite à la révolution de 1830. Cette politique, que Napoléon III tenta de poursuivre (alliance franco-britannique lors de la guerre de Crimée, 1854-1856), fut longtemps entravée par de nombreuses rivalités, en particulier sur les questions coloniales (**V. Fachoda** [1898]), qui opposèrent les deux pays. Pourtant, face à l'essor de l'Allemagne, la France, qui s'était déjà alliée à l'Italie et à la Russie se rapprocha à nouveau de la Grande-Bretagne où l'ambassadeur Paul Cambon* fut le principal artisan de la politique d'Entente cordiale. Les accords signés en avril 1904 réglaient les divers différends entre les deux pays; en compensation de la cession de ses droits sur l'Égypte, la France obtenait des droits sur le Maroc; ces accords furent renforcés lors de la conférence d'Algésiras (1906), puis avec l'affaire d'Agadir (1911).

ENTRAGUES ou **ENTRAYGUES** [ɑ̃tʀɛg] **(Catherine Henriette de Balzac *d'*).** ♦ Dame française (Orléans, 1583 — Paris, 1633). Fille de François d'Entragues et de Marie Touchet*, elle devint la favorite d'Henri* IV dont elle eut deux enfants. Elle avait l'ambition de se faire épouser du roi, et le mariage de celui-ci avec Marie* de Médicis la jeta dans une conspiration qui échoua.

ENTRAINS-SUR-NOHAIN. ♦ Comm. de la Nièvre (arr. de Clamecy), aux confins du Nivernais* et de la Puisaye*. 1 510 hab. Église Saint-Sulpice (XIIIe et XVIe s.). Indus. du bois. — Patrie de F. Roger de Gaignières. ♦ *Hist.* Des fouilles ont mis au jour de nombreuses antiquités gallo-romaines rappelant l'origine gauloise de la ville (*Intaranum*).

ENTRECASTEAUX (Antoine Raymond Joseph de BRUNI, *chevalier d'*). ♦ Navigateur français (Château d'Entrecasteaux, Provence, 1737 — en mer, près de Java, 1793). Entré dans la marine en 1754, il y fit une brillante carrière, fut nommé commandant de la station des mers de l'Inde (1786-1789), puis gouverneur des îles Mascareignes (1791). Il périt dans une expédition à la recherche de La* Pérouse (1791-1793) au cours de laquelle il explora les côtes de nombreuses îles d'Océanie. Le *Voyage d'Entrecasteaux à la recherche de La Pérouse* fut publié en 1808.

ENTRECASTEAUX (*îles d'*), en angl. **D'Entrecasteaux Islands.** ♦ Archipel volcanique de la Mélanésie* (Océanie), parallèle et au N. de l'extrémité S.-E. de la Nouvelle-Guinée dépendant de l'Australie (*Territoire de Papua.* **V. Nouvelle-Guinée**).

ENTRE-DEUX-MERS. *n. m.* ♦ Région du Bordelais* entre la Garonne* et la Dordogne*, collines recouvertes de vignobles et de riches cultures. **V. Carbon-Blanc, Créon, Sainte-Foy-la-Grande.**

ENTREMONT. ♦ Plateau au N. d'Aix*-en-Provence où l'on découvrit en 1946 un oppidum qui fut la cap. des Salyens* à partir du ~ IVe siècle. Ce peuple avait élaboré une civilisation originale au contact des Grecs et des Ligures*.

ENTREMONT (*val d'*). ♦ Vallée de Suisse (Valais) drainée par la Drance* au pied du Grand-Saint*-Bernard. Elle constitue la voie internationale la plus directe entre l'O. de la Suisse et Turin. La station de Verbier* s'y trouve.

ENTRE-RIOS. ♦ Province d'Argentine, située en Mésopotamie* argentine entre deux importants rios (d'où son nom), le Paraná* à l'O. et au S. et l'Uruguay* à l'E., elle confine avec la prov. de Corrientes* au N. et l'Uruguay à l'E. 78 781 km². 100 000 hab. *Ch.-l.* Paraná*. *V. princ.* : Concordia*. Prolongement naturel de la Pampa, la plaine est riche en cultures et en pâturages. Céréales, luzerne, pommes de terre, légumes, fruits; lin.

Entretiens (Les). ♦ Enseignement d'Épictète* rédigé et publié par Arrien*. Outre des commentaires de textes des anciens stoïciens (Chrysippe) sur la logique et la physique, on y trouve le développement des thèmes moraux stoïciens.

Entretiens sur la pluralité des mondes. ♦ Ouvrage où Fontenelle* (1686) se propose de donner une explication rationnelle et simple des phénomènes célestes sous une forme séduisante pour ses lecteurs, les mondains. En six soirées, au cours de conversations dans un parc avec une marquise, son hôtesse, il expose la marche de l'univers selon Copernic* et en dégage une persuasive leçon de relativite philosophique (*Parabole des roses et du jardinier*). Toujours attaché à la vérité positive en dépit de son apparent badinage, « ce livre fut le premier exemple de l'art délicat de répandre des grâces jusque sur la philosophie » (Voltaire).

ENTREVAUX. ♦ Ch.-l. de cant. des Alpes*-de-Haute-Provence, arr. de Castellane*, sur le Var*, 677 hab. Église du XVIe siècle. La ville est une petite place forte du XVIIIe s. demeurée intacte.

ENUGU. ♦ Métropole économique de l'E. du Nigeria* (**V. Biafra**), cap. de l'État du Centre-Est, reliée à Port*-Harcourt. 140 000 hab. Charbon; fer (projet d'un complexe sidérurgique). Cimenteries; huileries.

ENVALIRA (*col* ou *port d'*). ♦ Col des Pyrénées orientales, dans la principauté d'Andorre. 2 407 mètres.

ENVEITG. ♦ Comm. des Pyrénées-Orientales (arr. de Prades), en Cerdagne*. 667 hab. Église du XVIe siècle. Station d'altitude.

ENVER HOXHA ou **HODJA.** ♦ **V.** HOXHA.

ENVER PACHA. ♦ Général et homme politique turc (Constantinople, 1881 — près de Baljuvan, Tadjikistan, 1922). Il était d'origine balkanique. Entré dans l'armée ottomane, il alla recevoir une formation moderne dans la garde prussienne. Il s'affilia au comité « Union et Progrès » des Jeunes-Turcs, et fomenta, avec Talât pacha et Djamâl pacha les deux coups d'États dont le premier, en 1908, força Abdül*-Hamid II à remettre en vigueur la constitution de 1876, et dont le second, en 1909, contraignit ce sultan à l'abdication. Attaché militaire à Berlin la même année, il s'y fortifia dans sa germanophilie. Lors du conflit italo-turc, qui devint la première guerre balkanique (1911 à 1913), il dirigea les guérillas en Tripolitaine. Durant la seconde guerre balkanique, en l'été de 1913, il prit Andrinople. Nommé ministre de la Guerre en 1914, il contribua à la réorganisation de l'armée turque en collaborant avec la mission militaire allemande dirigée par Liman von Sanders et imposa l'engagement de la Turquie auprès de l'Allemagne pendant la guerre. Il dirigea les forces turques dans le Caucase et fut repoussé par les Russes. En octobre 1918, après l'armistice de Moudros, il entra en contact avec les bolcheviks et intrigua pour ramener le comité « Union et Progrès » à la tête de la Turquie. Envoyé par les bolcheviks au Turkestan pour arrêter la révolte des militants panislamiques, il prit le parti des rebelles et fut tué dans une bataille contre les troupes soviétiques.

ENZENSBERGER (Hans Magnus). ♦ Journaliste, poète lyrique et essayiste allemand (Kaufbeuren, 1929). D'un cynisme mordant, d'une agressivité provocante, ses recueils de poèmes (*Défense des loups,* 1957, etc.) dénoncent le conformisme culturel et moral de l'Allemagne du « miracle économique ». Membre du « Groupe* 47 », il a écrit également un essai intitulé *Culture ou mise en condition?* (1963).

Ph. Nino Cirani-Ricciarini

Entre-Ríos : cimenterie au bord du Paraná.

ENZIO ou **ENZO** (de l'all. *Heinz*, diminutif de *Heinrich*). ♦ (1224 – Bologne, 1272). Roi de Sardaigne (1242-1249). Fils naturel de l'empereur germanique Frédéric* II, il battit le pape et les Génois sur mer à la Meloria (1241). Il conquit la majeure partie du Milanais, mais fut vaincu et capturé à Fossalto (1249).

ÉOLE, en gr. **Aiolos**. ♦ Fils d'Hellen*, ancêtre éponyme des Éoliens. Sisyphe* était l'un de ses fils. – Fils de Poséidon, maître des Vents, père d'Alcyoné*. Il remet à Ulysse* une outre renfermant tous les vents sauf un qui devait pousser son bateau à Ithaque. Mais les compagnons d'Ulysse, pendant son sommeil, ouvrent l'outre et les vents s'en échappent.

ÉOLIDE ou **ÉOLIE**. *n. f.* en gr. **Aiolis** ou **Aiolia**. ♦ Anc. région du N.-O. de l'Asie Mineure. Peuplée par les Éoliens* v. le ~ XIe s., elle s'étendait de l'Hellespont, autour de la Troade*, jusqu'à l'Ionie*, près de Smyrne*, cité éolienne annexée par les Ioniens. L'Éolide insulaire englobait Lesbos* et Ténédos*.

ÉOLIENNES ou **LIPARI** *(îles)*, en it. **Isole Eolie**. ♦ Archipel italien de la mer Tyrrhénienne, au N. de la Sicile, rattaché à la prov. de Messine. 15 000 hab. Il comprend les 7 îles volcaniques de *Lipari, Vulcano, Salina, Alicudi, Filicudi, Panarea* et *Stromboli**. Seul le Stromboli est encore en activité. Ressources : vin (Malvoisie), câpres, olives, pêche, carrières de pierre ponce. Le tourisme est en plein essor. ♦ *Hist.* Les îles, carthaginoises, furent conquises par Rome en ~ 241. Mussolini fit des îles Lipari une résidence surveillée pour les antifascistes.

ÉOLIENS. *n. m. pl.*, en gr. **Aioleis**. ♦ Nom sous lequel les Grecs désignaient une des plus anciennes familles des peuples habitant la Grèce* avant l'arrivée des Doriens*. Probablement mélange d'Hellènes et de Pélasges*, ils apparaissent d'abord en Thessalie*, puis dans une grande partie de la Grèce centrale, notamment en Béotie et dans le Péloponnèse de l'Ouest. Ils se répandirent ensuite dans Lesbos*, Ténédos* et d'autres îles ainsi que sur le littoral de l'Asie Mineure **(V. Eolide)**.

ÉON (Charles de Beaumont, *chevalier d'*). ♦ Agent secret français (Tonnerre, 1728 – Londres, 1810). Il dut sa célébrité au doute qu'il entretint sur son sexe. Éon accomplit en Russie une mission secrète pour Louis XV, en tant que lectrice de l'impératrice Élisabeth, puis combattit pendant la guerre de Sept* Ans, avant d'être secrétaire d'ambassade à Londres. À son retour en France (1777), le chevalier d'Éon reçut l'ordre de ne plus quitter les habits féminins bien qu'il fût très probablement un homme.

ÉOS *(Êôs)*. ♦ Divinité appartenant à la génération des Titans et personnifiant l'Aurore. Sœur d'Hélios* (le Soleil) et de Séléné (la Lune), elle ouvrait les portes du ciel au char d'Hélios. De son union avec Astraeos naissent les Vents (Zéphyr, Borée, Notos), l'Étoile du matin (Eosphoros) et les Astres. Parmi ses nombreux amants les plus célèbres sont Orion*, Céphale* et le Troyen Tithonos à qui elle donna Memnon*.

EÖTVÖS (Jozsef, *baron*). ♦ Écrivain et homme d'État hongrois (Bude, 1813 – *id.*, 1871). Né d'une famille de grande noblesse terrienne, il fit des études de droit et voyagea en 1836-1837 en Europe occidentale. Il avait écrit très jeune des comédies et des poésies, mais l'œuvre qui le rendit célèbre fut *Le Chartreux* (1839-1841), décrivant la France après la révolution de 1830, roman à multiples personnages au style tumultueux et romantique. Ses romans suivants, *Le Notaire du village* (1845), description de la vie provinciale en Hongrie, *La Hongrie en 1514* (1847) racontant la révolte paysanne de Dozsa, sont considérés actuellement comme les premières manifestations du réalisme critique. Eötvös joua un rôle politique, d'abord partisan de Kossuth puis de Szechenyi, il fut ministre de l'Instruction publique. Après la révolution de 1848, il s'exila volontairement à Munich jusqu'en 1850. Il publia ses réflexions sur la politique dans *L'Influence des idées maîtresses du XIXe s. sur le gouvernement* (1851-1854). À partir de 1860, il joua de nouveau un rôle actif dans la vie politique comme ministre de l'Instruction publique dans le gouvernement Deák*.

EÖTVÖS (Loránd). ♦ Physicien hongrois (Budapest, 1848 – *id.*, 1919). Il mit au point une méthode de mesure du champ de pesanteur à l'aide d'une balance de torsion gravimétrique (1888).

ÉOUÉS. ♦ **V.** ÉWÉS.

ÉPAMINONDAS. ♦ Général et homme d'État béotien (Thèbes, v. ~ 418 – Mantinée, ~ 362). Appartenant au parti démocratique, il aida Pélopidas* à chasser les Spartiates de la Béotie et les battit à Leuctres* (~ 371). Il imposa ensuite l'hégémonie thébaine sur la Grèce centrale et enleva la Messénie* aux Lacédémoniens. Après plusieurs campagnes en Thessalie et dans le Péloponnèse, il vainquit les forces alliées de Sparte, d'Athènes et d'autres cités à Mantinée*, où il fut mortellement blessé. Ses victoires, basées sur une nouvelle stratégie d'offensive, abattirent le prestige militaire de Sparte et donnèrent à Thèbes une suprématie provisoire.

ÉPARGES (Les). ♦ Comm. de la Meuse, arr. de Verdun. 72 hab. Elle fut le théâtre de violents combats en 1914 et 1915.

ÉPÉE (Charles, *abbé de L'*). ♦ Pédagogue français (Versailles, 1712 – 1789). Il mit au point un système de communication pour les sourds-muets et fonda une école pour les recevoir.

ÉPERNAY. ♦ Sous-préf. et ch.-l. d'arr. de la Marne (9 cant., 174 comm., 85 741 hab.), sur la Marne. 27 767 hab. *(Sparnaciens)*. Musée et bibliothèque dans le château Perrier, bâti en 1814. Caves de champagne. L'un des princ. centres de commerce des vins de Champagne **(V. Reims, Châlons-sur-Marne)**. Indus. annexes matériel viticole et vinicole, fabrication de bouchons de liège, de caisses,

Ph. Franco Lugli/Ricciarini

Îles **Éoliennes** : la plage noire de l'île Stromboli.

produits œnologiques). Articles métalliques. Minoteries. – Patrie de Flodoard. ♦ *Hist.* Épernay (*Sparnacum* à l'époque mérovingienne) entra dans le royaume en 1284 par le mariage de la comtesse Jeanne de Champagne avec Philippe IV le Bel. La ville fut assiégée par Henri IV en 1592.

ÉPERNON (Jean Louis de Nogaret de la Valette, *duc d'*). ♦ Homme politique français (Caumont, 1554 – Loches, 1642). Il fut l'un des mignons d'Henri* III qu'il servit avec une grande fidélité et par lequel il fut comblé d'honneurs. Il se tint à l'écart sous Henri* IV et contribua à établir la régence de Marie* de Médicis. Il fut définitivement écarté du pouvoir par Richelieu*.

ÉPERNON. ♦ Comm. d'Eure-et-Loir, arr. de Chartres. 3 329 hab. Église des XVe-XVIe siècles. Vestiges de deux prieurés. Celliers du XIIIe s., dits « pressoirs d'Épernon ». – Patrie de Michel Chasles.

ÉPHÈSE, en gr. **Ephesos**. ♦ Anc. V. de la côte O. de l'Asie Mineure (auj. en Turquie). Colonie ionienne, elle devint au ~ VIIIe s. une grande puissance commerciale et ses banquiers finançaient les souverains lydiens. Son fameux temple d'Artémis, une des sept merveilles du monde, incendié en ~ 356 par Érostrate*, fut reconstruit, puis pillé par les Scythes et les Byzantins. Elle fut l'un des premiers centres du christianisme (prédication de saint Paul et tradition johannique). – Patrie d'Agasias*, Apelle*, Callinos*, Héraclite*, Hipponax*, Parrhasios*, Xénophon* d'Éphèse. – Siège du 3e concile œcuménique (voir *ci-dessous*).

ÉPHÈSE *(concile d')*. ♦ Troisième concile œcuménique, réuni en 431 par Théodose II. Il vit l'affrontement de Nestorius* et de Cyrille* d'Alexandrie au sujet de l'union, dans le Christ, des deux natures, divine et humaine, et du titre de mère de Dieu (Theotokos) attribué à la Vierge Marie. Nestorius fut finalement condamné et banni.

ÉPHIALTE, en gr. **Ephialtês**. ♦ Homme politique athénien (mort v. ~ 461). Chef du Parti démocratique, adversaire de Cimon, il s'opposa à l'aide athénienne à Sparte contre les hilotes révoltés (~ 462). Profitant de l'expédition de Cimon dans le Péloponnèse, il introduisit de vastes réformes limitant le pouvoir politique de l'aristocratie **(V. Archonte, Aréopage, Héliée)**. Après son assassinat, son adjoint Périclès* acheva son œuvre.

ÉPHRAÏM. ♦ Personnage biblique (*Genèse*, XLVIII). Fils de Joseph, frère cadet de Manassé, sur qui son aïeul Israël (Jacob) lui donne pourtant le pas. Ancêtre éponyme de la demi-tribu qui, avec celle de Manassé*, représente la tribu de Joseph.

ÉPHREM *(saint)*. ♦ Surnommé le docteur du Saint-Esprit. Docteur de l'Église (Nisibe, 306 – Édesse, 373). Après la prise de Nisibe par les Perses (363), il donna son essor à l'école d'Édesse. La tradition orientale lui suppose une vie d'ermite. Auteur de *Commentaires sur l'Écriture*, de poèmes. Fête le 9 juin.

ÉPI *(île)*. ♦ **V.** NOUVELLES-HÉBRIDES.

ÉPI (l'). ♦ Nom donné à l'étoile α Vierge*. Magnit. 1, 2 ; type spectral B 2.

ÉPICHARME, en gr. **Epikharmos**. ♦ Poète comique grec (v. ~ 525 – Syracuse v. ~ 450). Par l'observation satirique des mœurs, par la solidité et la nouveauté de l'intrigue, il est considéré comme l'un des créateurs de la comédie grecque. Empruntant ses sujets à la vie quotidienne à Syracuse *(Le Paysan, Les Rapines, Les Marmites)* ou parodiant les mythes *(La Folie d'Héraklès, Ulysse transfuge)*, il fait figure, dans les fragments de son œuvre qui nous sont parvenus, d'écrivain subtil et de pertinent moraliste.

ÉPICTÈTE, en gr. **Epiktêtos**. ♦ Philosophe stoïcien (Hiérapolis, Phrygie, 50 – Nicopolis, Épire, 125 ou 130). Il fut emmené à Rome où il fut l'esclave d'un certain Épaphrodite, lui-même affranchi. On raconte qu'à son maître qui lui tordait la jambe dans un appareil de torture, Épictète aurait dit « Tu vas la casser » ajoutant simplement, une fois sa prédiction arrivée, « Ne te l'avais-je pas dit ? ». Il est probable qu'il fut lui-même affranchi. Il étudia la philosophie stoïcienne avec Musonius* Rufus, vécut et enseigna à Rome avant d'être banni par Domitien*. Il se retira à Nicopolis. C'est à Arrien* qu'on doit la rédaction des leçons d'Épictète, les *Entretiens** et le *Manuel** où les préoccupations morales prennent le pas sur la logique et la physique.

ÉPICURE, en gr. **Epikouros**. ♦ Philosophe grec fondateur de l'épicurisme* (Samos ou Athènes, ~ 341 – Athènes, ~ 270). Il passa sa jeunesse à Samos avant de suivre à Athènes (~ 323) les leçons de Xénocrate*, puis celles de Nausiphanes* près de Colophon. En ~ 311, il ouvrit une première école philosophique à Mytilène (Lesbos), puis à Lampsaque en ~ 310 avant de fonder à Athènes en ~ 306 l'école du Jardin*. Épicure écrivit beaucoup d'ouvrages où il expose ses théories **(V. Épicurisme)**, mais la plupart ont disparu. Nous ne possédons de ses œuvres que trois lettres : *Lettre à Hérodote sur la physique, Lettre à Pythoclès sur les météores* (son authenticité est contestée), *Lettre à Ménécée sur la morale.*

Épicurisme. *n. m.* ♦ Doctrine philosophique créée par Épicure*, qui comporte une théorie de la connaissance sensualiste (canonique), une cosmologie atomiste, matérialiste et mécaniste (physique) et une morale hédoniste. L'épicurisme eut son centre à Athènes **(V. Jardin)**, mais se répandit dans le bassin méditerranéen (particulièrement en Italie), jusqu'au début de l'ère chrétienne. **(V. Métrodore, Zénon de Sidon, Philodème** et **Lucrèce)**.

ÉPIDAURE, en gr. **Epidauros**. ♦ Anc. V. de Grèce (Argolide*) sur le golfe Saronique. Son sanctuaire d'Asclépios*, à 8 km au S.-O. de la ville, fréquenté par des malades suppliants dès le ~ VIe s., acquit une renommée universelle au ~ IVe siècle. – Vestiges des temples d'Asclépios et d'Artémis, tholos de Polyclète le Jeune, portiques, stade et théâtre du ~ IVe s. (le mieux conservé des théâtres grecs). – Festival de tragédie et de comédie (juin-juillet).

ÉPIGONES. *n. m. pl.*, en gr. **Epigonoi**. ♦ Les fils des Sept* Chefs. Ils s'emparèrent de Thèbes* dix ans après la fameuse guerre de leurs pères contre la ville. – Les fils des diadoques d'Alexandre le Grand.

ÉPIMÉTHÉE, en gr. **Epimêtheus**. ♦ Titan, fils de Japet* et de Clyméné*, frère d'Atlas* et de Prométhée*. Malgré le conseil de ce dernier, il accepte la belle Pandore* que lui offrait intentionnellement Zeus, et cette première femme répand tous les maux sur la terre. De leur union naît Pyrrha*.

ÉPINAC, *anc.* **ÉPINAC-LES-MINES**. ♦ Ch.-l. de cant. de la Saône-et-Loire, (arr. d'Autun), dans l'Autunois*. 3 120 hab. Anc. château du XVe s. que fit édifier N. Rolin. Exploitation houillère anc. (1755), auj. fermée. Indus. textile.

ÉPINAL. ♦ Préf. du dép. des Vosges, ch.-l. d'arr. [14 cant., 255 comm., 233 015 hab.], sur la Moselle. 39 991 hab. *(Spinaliens)*. Basilique Saint-Maurice (Xe au XIIIe s.). Hôtel de ville (XVIIIe s.) ; maisons anciennes sur la place des Vosges. Musée départemental des Vosges et musée international de l'Imagerie populaire (Jean-Charles Pellerin* créa à Épinal la célèbre fabrique d'images). École supérieure de filature et de tissage de l'Est. – La V. a été très endommagée au cours de la dernière guerre. – Centre industriel important. Chaudronnerie. Dentelles, broderies mécaniques. Indus. alimentaires (huileries, brasseries). Imagerie, lithographie ; livres d'art. Faïencerie, fabrique de meubles. Indus. textiles (coton). – Patrie de M. Bœgner*, E. Durkheim*, L. Lapicque*, J.-Ch. Pellerin*, Daniel*-Rops. ♦ *Hist.* Fondée au Xe s. *(Spinalium)*, Épinal connut un grand essor économique en 1871, après l'installation en France de l'industrie textile alsacienne.

ÉPINAY (Louise Tardieu d'Esclavelles, *dame de* **La Live d'Épinay**, dite *Madame d'*). ♦ Femme de lettres française (Valenciennes, 1726 – Paris, 1783) qui reçut Duclos*, Voltaire*, Grimm* et fut protectrice de J.-J. Rousseau*, dans son domaine de Montmorency. Elle est l'auteur de divers essais, de *Mémoires* et a laissé une vaste correspondance.

ÉPINAY-SUR-ORGE. ♦ Comm. de l'Essonne, arr. de Palaiseau. 9 126 hab. Église en partie du XIVe s. ; verrière (XVIe siècle).

ÉPINAY-SUR-SEINE. ♦ Ch.-l. de cant. de la Seine-Saint-Denis, arr. de Bobigny, au N. de Paris. 41 830 hab. *(Spinassiens)*. Église Notre-Dame-des-Missions (1931). – Métallurgie ; indus. chimique et alimentaire. – Patrie du maréchal Maison*.

ÉPINEUIL. ♦ Comm. de l'Yonne (arr. d'Avallon), dans le Tonnerrois*. 412 hab. Église avec un portail du XIIe s. et un chœur gothique. Vins rouges réputés.

Épinicies, en gr. **Epinikeia**. ♦ **V.** PINDARE.

ÉPIPHANE *(saint)*. ♦ (Éleuthéropolis, Palestine, v. 315 – en mer, 403). Évêque de Salamine de Chypre (367), violent adversaire des ariens et des origénistes, auteur du *Panarion* (ou *Boîte à drogues*). Fête le 12 mai.

ÉPIPHANE *(saint)*. ♦ (Pavie, 438 – 496). Évêque de Pavie (464), il influa sur la politique de son temps, réconciliant l'empereur Anthémius et Ricimer (470), puis l'empereur Julius Nepos et Euric, roi des Wisigoths (475). Fête le 21 janvier.

ÉPIRE. *n. f.*, en gr. **Êpeiros**. ♦ Contrée de la péninsule des Balkans* comprenant la partie N.-O. de la Grèce*, au N. du golfe d'Árta, et la zone S. de l'Albanie*. Région montagneuse, elle est limitée à l'E. par le Pinde* qui la sépare de la Thessalie* et de la Macédoine*. *V. et loc. princ.* : **V. Árta, Dodone, Ioannina, Préveza, Souli.** ♦ *Hist.* Royaume des Molosses* au ~ IVe s., l'Épire atteint son apogée sous le règne de Pyrrhus* II au début du ~ IIIe siècle. **V. Fabricius (Caius).** Dévastée par Paul Émile, elle devint possession romaine en ~ 148. Michel Ier Ange Comnène y fonda le *despotat d'Épire*, État byzantin* (1205-1318). Conquise par les Turcs en 1430, elle se révolta souvent **(V. Skanderbeg, 'Ali Pacha de Tebelen).** La Grèce annexa une partie de l'Épire en 1881 lors de la guerre balkanique, tandis que la partie septentrionale fut donnée à l'Albanie, autonome depuis 1912.

Épîtres (Les), *d'Horace**. ♦ Vingt-trois pièces (y compris l'*Épître aux Pisons* ou *Art* poétique*) réparties en deux livres (de ~ 30 à ~ 20 et de ~ 20 à ~ 8). Elles ne diffèrent des *Satires** que par le ton épistolaire. Horace y prêche une morale toute pratique faite de mesure et d'harmonie.

Épîtres. ♦ Recueil des douze lettres en vers, publiées par Boileau* de 1669 à 1695, et qui abordent l'actualité historique (IVe, *Au roi*, sur le passage du Rhin) comme des thèmes moraux (Ve, nécessité de la *Connaissance de soi*) ou la critique littéraire (VIIe, *À Racine* après l'échec de Phèdre**). Versifiées avec souplesse et très diverses de ton, elles offrent parfois de précieuses confidences personnelles (Xe, *À mes vers*) ou des réflexions esthétiques (IXe : *« Rien n'est beau que le vrai, le vrai seul est aimable »*).

Épîtres du Nouveau Testament. ♦ Ensemble de 21 lettres attribuées à différents apôtres, placées dans le Nouveau Testament à la suite des *Actes*. On distingue 14 épîtres de saint Paul (corpus paulinien) : aux Romains, aux Corinthiens (deux épîtres), aux Galates, aux Éphésiens, aux Philippiens, aux Colossiens, aux Thessaloniciens (deux épîtres), à Timothée (deux épîtres), à Tite, à Philémon, aux Hébreux (les deux à Timothée et celle à Tite, concernant l'institution des pasteurs et la discipline ecclésiastique, sont dites « pastorales »), et 7 épîtres dites « catholiques » parce qu'elles ne s'adressent pas à une Église particulière : épîtres de saint Jacques, de saint Pierre (deux épîtres), de saint Jean (trois épîtres), de saint Jude. L'Église catholique reconnaît l'épître aux Hébreux comme « de filiation paulinienne indirecte », mais la critique indépendante en considère plusieurs autres comme des attributions postérieures, notamment les épîtres pastorales et les épîtres catholiques. Les dates de composition s'échelonneraient entre 50 *(I Thessaloniciens)* et 150 *(II Pierre)*. Épîtres apocryphes **(V. Apocryphes).**

ÉPOISSES. ♦ Comm. de Côte-d'Or (arr. de Montbard), en Auxois*. 696 hab. Château du XVIe s. édifié sur l'emplacement d'un château fort du XIIe siècle. Église du XIIe siècle. – Le bourg a donné son nom à un fromage à pâte molle réputé.

ÉPONINE. ♦ Héroïne gauloise (morte à Rome, 79). Femme de Julius Sabinus*.

Époques de la nature (Les). ♦ Ouvrage scientifique de Buffon*, publié en 1779 comme supplément à *L'Histoire* naturelle*, et où il développe son système définitif de géologie. Il y détermine cinq étapes dans le développement de l'univers, avant l'apparition de l'homme, et se fonde sur les « monuments » (résultats obtenus par l'examen des fossiles, notamment) pour faire succéder aux époques de l'incandescence du globe et de son refroidissement celle où la mer couvrait les terres. Ces théories hardies devaient être vérifiées par les découvertes de Cuvier*. D'autre part, Buffon sait, dans cet ouvrage, manifester une noblesse de style et une clarté d'exposition remarquables pour évoquer le monde à sa naissance.

ÉPRÉMESNIL [epʀemenil] **(Jean-Jacques DUVAL** *d'*). ♦ Magistrat et homme politique français (Pondichéry, 1746 – Paris, 1794). Conseiller au Parlement de Paris, il prit violemment position contre tous les projets de réforme du pouvoir royal et de l'impôt (entre autres ceux proposés par Loménie de Brienne) et se prononça pour la réunion des États généraux, où, député de la noblesse, il siégea avec l'extrême droite à l'Assemblée. Il fut condamné à mort par le Tribunal révolutionnaire et exécuté.

EPSOM. ♦ V. du S. de l'Angleterre (Surrey), au S.-O. de Londres. 71 160 hab. (avec Ewell). Station thermale célèbre au XVIIIe s.,

Ph. Carlo Bevilacqua/Ricciarini
Épire : Metsovon.

elle est maintenant réputée pour ses courses de chevaux : le *Derby d'Epsom* s'y déroule chaque année (mai-juin).

EPSTEIN (sir Jacob). ♦ Sculpteur anglais (New York, 1880 – Londres, 1959). Il étudia à New York puis à Paris à l'École des beaux-arts (à partir de 1902) et s'établit ensuite à Londres. Son œuvre contribua à dégager la sculpture anglaise du conformisme académique. Il conféra à ses sculptures un aspect schématique, rigide, parfois brutal (série de dix-huit statues pour l'immeuble de la *British Medical Association; Tombeau d'Oscar Wilde,* au Père-Lachaise, à Paris). Sensible aux recherches novatrices de l'époque, il découvrit la sculpture primitive et, à Londres, entra en contact avec les « vorticistes » (entre 1913 et 1917), puis participa à la fondation du *London Group.* Ses œuvres monumentales, le plus souvent religieuses, firent scandale. Le caractère tendu des visages, l'élongation, la raideur et l'aspect massif des formes révèlent ses tendances expressionnistes, tout en dénotant une forte imprégnation de la sculpture romane (*Vierge à l'Enfant,* 1952). Ses portraits *(Einstein, B. Shaw, Nehru),* au modelé nerveux et sensible, furent au contraire toujours bien reçus.

EPSTEIN (Jean). ♦ Réalisateur français de cinéma (Varsovie, 1897 – Paris, 1953). Théoricien d'une rare acuité d'intelligence, il a exercé par ses écrits une influence profonde sur l'évolution du cinema français (*Bonjour Cinéma,* 1921; *L'Intelligence d'une machine,* 1946; *Le Cinéma du Diable,* 1947; *Esprit du Cinéma,* 1955). Son œuvre, riche de poésie et d'invention féconde, demeure le témoignage de son exigence d'artiste : *L'Auberge rouge* (1923), *Cœur fidèle* (1923), *La Belle Nivernaise* (1923), *La Chute de la maison Usher* (1927) d'après un conte de Poe, *Finis Terrae* (1929), *L'Or des mers* (1932).

EPTE. *n. f.* ♦ Riv. de Normandie* (101 km), affl. de la Seine. Elle arrose Forges*-les-Eaux, Gisors*, Saint-Clair*-sur-Epte et conflue avec la Seine en aval de cette ville.

ÉQUATEUR, en esp. **Ecuador.** *n. m.* ♦ République d'Amérique du Sud, située en bordure du Pacifique et traversée par l'équateur au N. de Quito; elle s'étend entre la Colombie au N. et le Pérou au S. et à l'E. 283 561 km² (avec les îles Galápagos). Env. 6 000 000 d'hab. en 1968 *(Équatoriens). Cap.* Quito*. *V. princ.* Cuenca, Guayaquil, Riobamba. *Langue :* espagnol (off.), quichua. *Religion :* 90 % env. de catholiques. *Unité monétaire :* Sucre. La population, constituée par des Blancs, des Métis et des Indiens, se trouve répartie sur les hauts plateaux andins et la province côtière du Guayas*, régions fertiles en cultures tropicales et tempérées. Les ressources minières sont importantes mais peu exploitées (mines d'or, gisements de pétrole dans le N.). La richesse en poisson des eaux entre l'Équateur et les Galápagos est de nature à alimenter une industrie de la pêche encore peu développée. Indus. textiles et alimentaires. Le commerce extérieur s'effectue avec les États-Unis. *Exportations* de bananes (50 % des export., 1er pays exportateur du monde), café, cacao, sucre. *Importations* de produits manufacturés. Le réseau ferroviaire et routier est limité, le réseau aérien est essentiellement représenté par la ligne Guayaquil*-Bogotá*. Divisé en 20 provinces dont l'archipel des Galápagos*, l'Équateur comprend 3 regions distinctes. – 1° *La Côte* (costa), vaste plaine qui s'étend du pied des Andes au Pacifique, devient basse et marécageuse en bordure de côte et débouche sur le golfe de Guayaquil au sud. De climat chaud et humide, c'est une région irriguée par de nombreux cours d'eau, aux cultures tropicales et subtropicales (bananes, cacao, café, riz, coton). Élevage de bovins, moutons, porcs sur les collines de l'intérieur. – 2° *La Sierra,* ou région andine, constituée par les Cordillères orientale et occidentale. Élevées et de caractère volcanique, ces chaînes culminent au Chimborazo* (6 267 m) et au Cotopaxi* (5 897 m). Les hauts plateaux qui les séparent sont assez peuplés en raison de leur climat doux qui les rend propices aux cultures tempérées (céréales, pommes de terre). C'est sur le plateau qu'est situé Quito. Élevage d'ovins et de bovins, au-dessus de 3 000 m. Café sur les contreforts andins. Les forêts qui couvrent les pentes offrent de très riches ressources, mais encore peu exploitées, en bois de balsa, caoutchouc. – 3° *L'Oriente,* à l'E. de la cordillère Royale, est constituée par une immense plaine recouverte d'une forêt vierge que traversent les cours d'eau tributaires du Marañón*, le Napo*, affl. de l'Amazone, et où ne vivent que des tribus d'Indiens tels que les Jivaros* et les Aucas. ♦ *Hist.* Incorporé au XVe s. à l'Empire inca*, l'Équateur fut exploré et conquis par Pizarro* et Benalcázar vers 1533. Soumis à la tutelle espagnole, il s'en libéra en 1822 par la victoire du général Sucre à Pichincha. Il devint complètement indépendant en 1830. Le pays connut alors une période de troubles : guerre avec la Colombie, lutte entre conservateurs et libéraux aboutissant à des dictatures ; celle de García Moreno (1861-1875), catholique et conservateur, amena une réaction libérale. Après la guerre avec le Pérou (1941-1942), une junte militaire porta au pouvoir Velasco Ibarra (1944) dont la figure devait longtemps marquer le pays. Après une interruption de quelques années (présidence d'Arosemena), Ibarra revint en 1968 et prit tous les pouvoirs en 1970.

ÈQUES. *n. m. pl.,* en lat. **Aequi.** ♦ Peuple de l'Italie anc. établi dans le Latium*, au N. des Herniques* et des Volsques* et dont le centre principal était Préneste* (auj. Palestrina). Ils étaient alliés aux Étrusques*, aux Sabins* et aux Volsques* contre les Romains qui finirent par les soumettre v. ~ 305.

EQUEURDREVILLE [ekœʀdʀəvil]**-HAINNEVILLE.** ♦ Comm. de la Manche, dans l'arr. et la banlieue de Cherbourg*. 12 263 hab. Métallurgie.

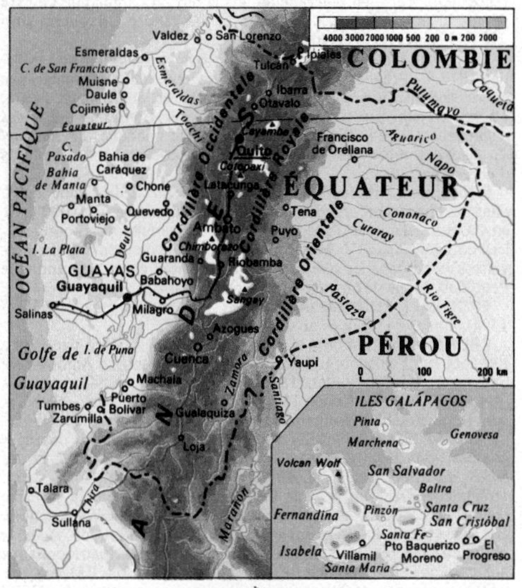

Équateur.

EQUIHEN-PLAGE. ♦ Comm. du Pas*-de-Calais, arr. de Boulogne*-sur-Mer. 2 592 hab. Station balnéaire.

ERÂQI. ♦ Poète mystique persan (Hamadân, 1213 – ?, 1289). Il étudia en Asie Mineure sous la direction de Sadr-al-Dîn de Konya qui fut disciple du célèbre mystique arabe Ibn* Arabi. Il est surtout célèbre par son poème intitulé *Ushâq-nâmé* (« Livre des êtres épris de la divinité ») où il décrit les extases et les degrés de l'amour mystique.

ÉRARD (Sébastien). ♦ Facteur de pianos français (Strasbourg, 1752 – Paris, 1831). Fondateur, avec son frère JEAN-BAPTISTE, de l'établissement qui porte leur nom, il peut être considéré, par les perfectionnements qu'il apporta à la harpe (à double mouvement, 1814) et au piano (à double échappement, 1821), comme le créateur, sous leur forme moderne, de ces deux instruments. Son neveu, PIERRE (Paris, 1796 – *id.,* 1855) a poursuivi son œuvre.

ÉRASISTRATE, en gr. **Erasistratos.** ♦ Médecin et anatomiste grec (Julis, île de Céos–Asie Mineure, v. ~ IIIe s.). Il pratiquait la dissection et aurait distingué les nerfs moteurs et sensitifs. Il avait une conception mécaniste de l'organisme. **V. Hérophile.**

ÉRASME ou **ELME** *(saint).* ♦ Martyr à Formie (Campanie) sous Dioclétien (?). La légende veut qu'on lui ait arraché les intestins en les enroulant sur un treuil. Il était invoqué pour guérir les maux d'entrailles et aider aux accouchements. Il était également invoqué par les marins dans la tempête (d'où l'expression *feux Saint-Elme*). Patron de Gaète. Fête le 2 juin.

ÉRASME (Didier), en lat. **Desiderius Erasmus.** ♦ Humaniste hollandais (Rotterdam, v. 1469 – Bâle, 1536). Fils naturel, il entra au couvent des Augustins de Steyn (près de Gouda) où il prononça ses vœux (dont il sera dispensé par Jules II) et fut ordonné prêtre. Il poursuivit ses études au collège Montaigu à Paris. Devenu précepteur, il se rendit en Angleterre où il rencontra John Colet* dont il suivit les cours de théologie et se lia d'amitié avec Thomas More*. L'histoire de sa vie n'est ensuite que celle de ses voyages et de ses œuvres. Entre 1500 et 1506, il écrit les *Adages* et le *Manuel du chevalier chrétien (Enchiridion militis christiani).* Lors de son séjour en Italie (1506-1509), il fréquenta Aldo Manuce* et apprit le grec, qu'il enseigna ensuite à Cambridge. C'est à cette époque qu'il composa l'*Éloge* de la folie* (dédié à Thomas More). Aux Pays-Bas, où il fut un temps conseiller du futur Charles* Quint, il écrivit pour lui l'*Institution du prince chrétien (Institutio principis christiani)* et publia également son *Novum Testamentum* et la première édition des *Colloques.* En 1521, il s'établit à Bâle où, dans la période de conflits religieux entre catholiques et protestants, il écrivit son *Essai sur le libre arbitre* où il prit position contre la doctrine de la prédestination (et auquel Luther* répondra par son traité *De servo arbitrio*), et son *De sarcienda Ecclesiae concordia.* Cet humaniste dont la pensée est faite de mesure et de prudence chercha à concilier l'étude des Anciens et les enseignements de l'Évangile.

ÉRATO [*Eratô*]. ♦ Une des neuf Muses*. Elle préside à la poésie érotique et aux noces.

ÉRATOSTHÈNE, en gr. **Eratosthenês.** ♦ Astronome, mathématicien et géographe grec (Cyrène, v. ~ 284 – Alexandrie, v. ~ 192). Auteur de travaux en littérature, en philosophie, en grammaire et en chronologie, il est surtout connu par son « crible », méthode pour trouver les nombres premiers, et par l'invention d'un instrument de calcul, le « mésolabe », permettant de résoudre le problème de la moyenne proportionnelle, **V. Ménechme.** Il réalisa la première mesure (relativement) exacte de la longueur de la circonférence de la Terre en déterminant sur le terrain l'amplitude de l'arc de méridien compris entre Syène et Alexandrie ; il obtint ainsi 250 000 stades (près de 40 000 km).

ERBEN (Karel Jaromir). ♦ Poète et ethnographe tchèque (Miletin, 1811 – Prague, 1870). Il établit sa renommée d'ethnographe en recueillant de nombreux contes et chants du folklore slave : *Chansons populaires tchèques* (1842-1864), *Contes et Légendes populaires slaves* (1865). Son unique recueil poétique, *Le Bouquet de légendes nationales* (publié en 1853), comprend des ballades d'un art parfait.

ERBIL, anc. **Arbèles***. ♦ V. d'Iraq située à l'O. du Grand Zab*, dans le Kurdistan* méridional ; ch.-l. de province. 130 000 hab. env. Centre agricole d'une région riche en céréales (blé, orge, millet), coton et tabac **(V. Mésopotamie).** Élevage de moutons. La province s'étend dans les montagnes du Kurdistan entre le Grand et le Petit Zab. Ligne de chemin de fer Erbil-Baghdâd.

ERCILLA y ZUÑIGA (Alonso *de*). ♦ Poète espagnol (1533 – 1594), auteur de l'épopée du Chili l'*Araucana**.

ERCKMANN-CHATRIAN. ♦ Nom de plume adopté par ÉMILE ERCKMANN (Phalsbourg, 1822 – Lunéville, 1899) et ALEXANDRE CHATRIAN (Grand-Soldat, 1826 – Villemomble, 1890), écrivains français. Associés depuis 1847, ils poursuivirent leur collaboration jusqu'en 1889, connaissant leur premier succès avec *L'Illustre Docteur Mathéus* (1859) auquel succédèrent d'autres ouvrages groupés sous le titre *Contes et Romans populaires : Contes des bords du Rhin* (1862), *L'Ami Fritz* (1864, adapté à la scène, 1877), *Histoire d'un homme du peuple* (1865) allient la peinture réaliste des mœurs alsaciennes au charme des vieilles légendes. Les deux écrivains rassemblèrent sous l'appellation de *Romans nationaux* des œuvres animées par un vif sentiment patriotique (ce qui explique leur popularité, après l'annexion de l'Alsace par l'Allemagne, en 1871), mais antimilitaristes et hostiles à la légende impériale : *Le Fou Yégof* (1862), *Madame Thérèse* (1863), *Histoire d'un conscrit de 1813* (1864) suivie de *Waterloo* (1865) et *Histoire d'un paysan* (1868-1870). Ces récits, qui évoquent la période des campagnes de la République et de l'Empire, manifestent chez Erckmann-Chatrian un solide talent de conteur. Leurs œuvres théâtrales furent également bien accueillies, notamment *Le Juif polonais* (drame, 1869) et *Les Rantzan* (comédie, 1882).

ERDRE. *n. f.* ♦ Riv. de l'O. de la France (105 km) qui arrose Candé et conflue avec la Loire à Nantes (r. d.).

ÉRÈBE, en gr. **Erebos**. ♦ Personnification des ténèbres infernales, fils de Chaos et frère de la Nuit.

EREBUS *(mont)*. ♦ Massif volcanique situé dans la partie orientale de l'Antarctique* (île de Ross), d'une altitude de 4 023 m. Il fut découvert en même temps que le mont Terror par l'explorateur J.C. Ross*, qui donna à ces deux volcans le nom de ses navires (1839-1843), et escaladé pour la première fois lors de l'expédition Shackleton (1908).

ÉRECHTHÉE, en gr. **Erekhtheus**. ♦ Une légende tardivement détachée de celle d'Érichthonios* fait d'Érechthée un roi d'Athènes, fils de Pandion*. Combattant les Éleusiniens, il tue leur allié Eumolpe, fils de Poséidon ; sur la prière de celui-ci il est foudroyé par Zeus. Par sa fille Créüse* il est l'ancêtre des Achéens et des Ioniens.

Érechthéion. *n. m.* [*Erekhtheion*]. ♦ Temple sur l'Acropole* d'Athènes, consacré aux cultes traditionnels d'Athéna* Polias, de Poséidon* associé à Érechthée, d'Héphaïstos, de Cécrops et d'autres héros athéniens. L'assemblage de lieux de cultes antérieurs (sanctuaires, traces du trident de Poséidon et de la « mer érechthéide », crypte, tombeau, etc.) explique les différents niveaux et la diversité de l'édifice. Le porche de la façade N., considéré comme le plus bel exemple d'ordre ionique sur l'Acropole, et le fameux porche des Corés (caryatides) sur la façade S. font de ce temple un chef-d'œuvre du style ionique. Construit entre ~ 421 et ~ 405, réparé en ~ 395 après un incendie, il fut transformé en église au VIIe s., puis en harem du commandant turc de l'Acropole (1463). Amputé par lord Elgin* et endommagé lors du siège turc de l'Acropole (1827), le temple fut restauré de 1902 à 1909.

Ph. Hétier
L'Érechthéion : les caryatides.

EREĞLI. ♦ V. de Turquie. **V.** HÉRACLÉE DU PONT.

EREMBODEGEM. ♦ Comm. de Belgique (arr. d'Alost*), sur la Dendre. 11 500 hab. Confections.

ÉRÉTRIE, en gr. **Eretria**. ♦ Anc. V. de Grèce (île d'Eubée*). Voisine et adversaire de Chalcis*, elle était fameuse par sa poterie. Elle participa à la colonisation de la Grande*-Grèce. Détruite par les Perses en ~ 490, elle fut relevée avec l'aide des Athéniens. – Ruines (théâtre, temple d'Apollon, rempart pélasgique) au village Nea Psara.

EREVAN ou **ERIVAN'**. ♦ V. de l'U.R.S.S., cap. de la république fédérée d'Arménie*, située sur le Razdan* à une alt. d'env. 1 000 m, au pied du massif volcanique de l'Alaghez*. 767 000 hab. [1970] (30 000 hab. en 1910). Nombreux musées et monuments historiques. Université. Aéroport. Centre culturel, scientifique, industriel et commercial d'une région de cultures subtropicales (coton, viticulture, vergers) où l'industrie s'est considérablement développée grâce à l'édification des centrales hydrauliques sur le Razdan. Sidérurgie et métallurgie de l'aluminium, machines-outils, matériel électrique. Indus. chimiques (caoutchouc synthétique), textiles et alimentaires (vins, cognacs, conserveries). ♦ *Hist.* Mentionnée à partir du VIIe s., la ville devint au XVIe s. la résidence des rois de Perse. Prise par les Turcs en 1582, reconquise par les Perses en 1604, elle fut cédée à la Russie en 1828 avec l'Arménie orientale.

ERFURT. ♦ V. d'Allemagne orientale (Thuringe) et ch.-l. de district sur la Gera. 193 997 hab. (1969). Cathédrale gothique (XIVe-XVIe s.), anc. couvent des augustins (où vécut Luther). – Important carrefour ferroviaire, centre administratif, commercial et industriel. Indus. métallurgiques et mécaniques (machines à écrire), électriques et chimiques. ♦ *Entrevue d'Erfurt.* Du 27 sept. au 14 oct. 1808, Napoléon Ier rencontra le tsar Alexandre Ier et les souverains d'Allemagne vassaux de l'Empereur, afin de renforcer l'alliance de Tilsit*. Napoléon obtint de la Russie qu'elle soutiendrait la France si l'Autriche lui déclarait la guerre. La Russie obtenait l'annexion de la Finlande, des provinces roumaines de Moldavie et de Valachie. Au cours de cette rencontre, Talleyrand*, tout en secondant Napoléon, conseilla le tsar.

ERHARD (Ludwig). ♦ Homme politique allemand (Fürth, 1897 – Bonn, 1977). Professeur d'économie politique, adversaire du nazisme*, il fut élu en 1949 au Bundestag au côtés des chrétiens-démocrates et fut choisi comme ministre de l'Economie par Adenauer* en 1951. Champion du libéralisme économique (libre concurrence et libre-échange), il est considéré comme le principal artisan du « miracle allemand ». Il succéda à Adenauer à la chancellerie en octobre 1963 et poursuivit la politique d'intégration européenne. Les rivalités au sein de son parti et les difficultés budgétaires déclenchèrent une crise ministérielle : il dut démissionner le 30 novembre 1966 et fut remplacé par K. Kiesinger*.

ÉRIC ou **ERIK.** ♦ Nom de rois de Danemark*. ♦ ÉRIC Ier EJEGOD (« toujours Bon »). (v. 1056 – île de Chypre, 1103). Roi de Danemark (1095-1103). Il mena des campagnes contre les Wendes et mourut au cours d'un pèlerinage à Jérusalem. ♦ ÉRIC II EMUNE [« le Mémorable »] ([mort] Ribe, 1137). Roi de Danemark (1131-1137). Fils du précédent, il lutta contre les pirates de l'île de Rügen et prit Arkona. Il mourut assassiné. ♦ ÉRIC III LAM [« l'Agneau »] ([mort] Odensee, 1147). Roi de Danemark (1137-1147). Il devint moine, sans avoir exercé de pouvoir réel. ♦ ÉRIC IV PLOGPENNING (1216 – 1250). Il soutint une guerre contre son frère Abel et une autre en Estonie. Il mourut assassiné sur l'ordre de son frère. ♦ ÉRIC V GLIPPING [« le Louche »] (v. 1249 – 1286). Roi de Danemark (1259-1286). Il succéda à son père Christophe* Ier. La charte qu'il dut accorder sous la pression de la noblesse resta longtemps dans la Constitution du Danemark. Il mourut assassiné. ♦ ÉRIC VI MENVED (1274 – 1319). Roi de Danemark (1286-1319). Fils et successeur du précédent, il lutta contre les Grands et le clergé. Il s'empara de Lübeck, de Rostock et de Wismar, mais ne put conserver ses conquêtes. ♦ ÉRIC VII. **V. Éric XIII, roi de Suède.**

ÉRIC ou **ERIK.** ♦ Nom de rois de Suède*. ♦ ÉRIC IX JEDVARDSSON, *le Saint.* ([mort] Uppsala, 1160). Roi de Suède (1150-1160). Il christianisa le nord de la Suède et tenta d'imposer le christianisme aux Finnois. ♦ ÉRIC X KNUTSSON (mort à Visingsö, 1216). Roi de Suède (1210-1216). Petit-fils du précédent, il fut le premier souverain couronné de Suède reconnu par le pape (Innocent III). ♦ ÉRIC XI ERIKSSON, *le Bègue* (v. 1216 – 1250). Roi de Suède (1222-1250). Fils du précédent, il lutta contre les Folkungar, famille à qui passa la couronne de Suède après sa mort. ♦ ÉRIC XII MAGNUSSON (1339 – 1359). Roi de Suède (1356-1359). Il lutta contre son père Magnus* VII Eriksson et son frère Haakon* VI. ♦ ÉRIC XIII DE POMÉRANIE (v. 1382 – Rügenwalde, 1459). Roi de Norvège (1389-1442), de Danemark et de Suède (1396-1439). Il fut couronné roi des trois pays à la diète de Kalmar* (1397). Il mena en vain la guerre contre les villes hanséatiques et contre le Holstein et fut déposé par ses sujets, après un règne où il multiplia les erreurs et les cruautés. En 1434-1435, il avait dû faire face à la révolte d'Engelbrekt*. ♦ ÉRIC XIV (Stockholm, 1533 – Örbyhus, 1577). Roi de Suède (1560-1568). Fils de Gustave* Vasa, il dut lutter contre une coalition du Danemark, de la Pologne et de Lubeck (1563-1570). Rendu très impopulaire par son mariage avec une paysanne, son favori et ses assassinats, il fut déposé en faveur de son frère Jean* III (1568) et fut tué en prison. Sa personnalité, sa grande culture et son destin tragique inspirèrent un drame à Strindberg* (1899).

ÉRIC DE POMÉRANIE. ♦ **V.** ÉRIC XIII DE SUÈDE.

ERICEIRA. ♦ Petit port de pêche et station balnéaire de l'Estrémadure portugaise. 3 000 hab. ♦ *Hist.* La famille royale s'y embarqua pour Gibraltar en 1910.

ÉRICHTHONIOS [*Erikhthonios*]. ♦ Un des premiers rois légendaires d'Athènes*, fils d'Héphaïstos* et de la Terre. Selon le mythe, le sperme du dieu se répand sur la cuisse d'Athéna qu'il essayait de violer. Celle-ci s'essuie avec de la laine (en gr. *erion*) qu'elle jette par terre *(kthôn)*, puis elle recueille l'enfant de la Terre ainsi fécondée et l'élève dans son temple sur l'Acropole. Érichthonios succède à Cécrops et a un fils, Pandion*. Il serait l'instaurateur des Panathénées.

ERICSSON (John). ♦ Ingénieur suédois (Långbanshyttan, 1803 – New York, 1889). Inventeur d'une machine à air chaud (1833), d'un propulseur hélicoïdal et d'une éprouvette hydrostatique permettant la mesure du volume des fluides sous pression (1851), il construisit également le cuirassé à tourelles *Monitor* pour les Fédéraux au cours de la guerre de Sécession (1862).

Éridan, en lat. **Eridanus.** ♦ Constellation australe très étendue. **V. Achernar.**

ERIDU. ♦ Anc. cité de basse Mésopotamie, près d'Ur (site actuel : Abû Sharain, Irak). Fouilles en 1946-1949. La ville fut surtout importante aux périodes pré- et protohistorique (période d'El* Obeid) : 18 sanctuaires superposés ont été reconnus, remontant jusqu'au début du ~ IVe millénaire. Cette métropole fut abandonnée au début du ~ IIe millénaire. **V. Sumer.**

ERIE. ♦ V. des États-Unis, au N.-O. de la Pennsylvanie* sur le lac Érié (entre Cleveland et Buffalo). 125 941 hab. (1970) ; plus de 250 000 hab. avec les villes satellites résidentielles. Centre commercial et indus. (métallurgie, indus. alimentaires, papier). Port sur le lac Érié, communiquant avec le Saint-Laurent (importation de bois, minerai de fer).

ÉRIÉ *(lac)*, en angl. **Lake Erie.** ♦ Le plus méridional des grands lacs américains, à la frontière entre Canada (Ontario) et États-Unis (Michigan, Ohio, Pennsylvanie, New York). Il communique avec le lac Huron par la rivière et le lac Saint-Clair* et la rivière de Detroit, et au N.-E. avec le lac Ontario par les chutes du Niagara (que contourne le canal Welland*). 25 800 km²; larg. 100 km. Importante voie de communication, entourée de centres industriels (**V. Toledo, Akron, Cleveland, Buffalo**), à proximité de Detroit, c'est l'une des étendues d'eau les plus polluées d'Amérique. – *Canal Érié* (590 km), reliant Buffalo à Albany et Troy sur l'Hudson*, et par ce dernier, au port de New York.

ÉRIGÈNE (Jean Scot). ♦ **V.** SCOT ÉRIGÈNE.

ERIK. ♦ Rois de Danemark et de Suède. **V. Éric.**

ERIK LE ROUGE. ♦ Explorateur norvégien (Jeeren, v. 940 – v. 1030). Banni à la suite d'un meurtre, il gagna la côte N.-O. de l'Islande, puis le Groenland (c.-à-d. « pays vert ») en 985 et il tenta d'y attirer les colons. ♦ Son fils, LEIV (ou LEIF) ERIKSSON, chercha à évangéliser les Esquimaux du Groenland et aurait, semble-t-il, abordé en Amérique v. 999.

ÉRIN. ♦ Nom poétique de l'Irlande*.

ÉRINYES. *n. f. pl.* [*Erinues*]. ♦ Divinités infernales grecques, assimilées aux *Furies* par les Romains. Filles de Gaia* fécondée par le sang d'Ouranos* que Cronos venait de mutiler, Alecto, Tisiphone et Mégère châtient les crimes, plus particulièrement la démesure, l'homicide et les crimes contre la famille ou contre l'ordre social. **V. Oreste, Euménides** (tragédie d'Eschyle). Avec leur corps ailé, leur chevelure de serpents, munies de torches et de fouets, elles tourmentent leurs victimes et les frappent de folie. Dans la tradition tardive, elles jouent le même rôle aux Enfers, où elles torturent les âmes des injustes.

ERLANGEN. ♦ V. du S.-O. de l'Allemagne (Bavière, Franconie), sur la Regnitz, au N. de Nuremberg. 76 500 hab. Université protestante. Nombreux monuments baroques (hôtel de ville, château des margraves). Indus. chimiques, électriques, textiles (drap, gants) et alimentaires (bières). – Patrie de G. Ohm*. ♦ *Hist.* Mentionnée pour la première fois à la fin du VIIe s., Erlangen appartint d'abord aux évêques de Würzburg, puis à ceux de Bamberg avant de passer à la Bohême (1361). Ville libre en 1398, elle devint ensuite terre des Hohenzollern. Elle connut au XVIIe s. une grande prospérité commerciale grâce à l'effort de protestants français émigrés après la révocation de l'édit de Nantes. La ville devint prussienne en 1810.

ERLANGER (Joseph). ♦ Physiologiste américain (San Francisco, 1874 – Saint Louis, 1965). Ses recherches sur la différenciation fonctionnelle des fibres nerveuses lui valurent le prix Nobel de méd. avec Herbert Gasser* (1944).

ERMENONVILLE. ♦ Comm. de l'Oise*, arr. de Senlis*. 528 hab. *(Ermenonvillois).* Château du XVIIIe siècle. La ville doit sa célébrité à Rousseau* qui y passa les dernières semaines de sa vie (1778). Son hôte et fervent disciple, René de Girardin, le fit inhumer dans une petite île (île des Peupliers) au milieu du parc. Les admirateurs du philosophe en firent un lieu de pèlerinage, même après le transfert de son corps au Panthéon (1794). Au N. de la localité, le *désert d'Ermenonville* (dunes sableuses, plantées de pins et recouvertes de bruyères).

ERMITAGE. *n. m.* ♦ Palais construit par ordre de Catherine II à Saint-Pétersbourg (Léningrad*). Auj. musée, qui renferme l'une des plus vastes et riches galeries de peintures du monde (1 050 salles), notamment en ce qui concerne l'école française (Poussin, Greuze, Chardin, etc.).

ERMITAGE (l'). ♦ Maison dans laquelle vécut J.-J. Rousseau. **V. Montmorency.**

ERMONT. ♦ Ch.-l. de cant. du Val-d'Oise, arr. de Pontoise. 23 943 hab. Chaudronnerie, produits chimiques.

ERNAKULAM. ♦ V. du S.-O. de l'Inde (Kerala) au N. de Kuchi-Bandar. 213 810 hab. (1970). Indus. chimiques (huileries, savonneries).

ERNE. ♦ Riv. d'Irlande (115 km). Née dans l'Eire *(lough Gowna,* comté de Longford), elle coule vers le N., pénètre en Ulster (comté de Fermanagh) où elle s'élargit en deux lacs : l'*Upper* et le *Lower lough Erne,* entre lesquels se trouve la ville d'Enniskillen*, puis se jette dans la *baie de Donegal.* L'estuaire a été aménagé pour produire de l'énergie électrique (centrales de Ballyshannon* et du Cliff, dans le comté de Donegal*).

ERNÉE. ♦ Ch.-l. de cant. de la Mayenne, arr. de Mayenne. 5 447 hab. [4 300 aggl.]. *(Ernéens).* Église du XVIIe siècle. – Confection ; chaussures. Meubles. Objets en matière plastique. Corderie.

ERNEST-AUGUSTE DE BRUNSWICK-LUNEBOURG. ♦ (Herzberg, 1629 – Herrenhausen, 1698). Premier Électeur de Hanovre. **V. Hanovre.**

ERNEST-AUGUSTE Ier. ♦ Roi de Hanovre (Londres, 1771 – Hanovre, 1851). Fils du roi d'Angleterre George III et duc de Cumberland, il combattit les troupes françaises révolutionnaires et impériales. Devenu roi de Hanovre à la mort de Guillaume IV (1837), il pratiqua une politique hostile aux libéraux (viol de la constitution de 1840, renvoi de Struve* en 1850).

ERNESTINE *(ligne).* ♦ Branche aînée de la maison de Saxe, fondée en 1485 lors du partage des États de l'Électeur Frédéric II de Saxe par son fils aîné Ernest, parallèlement à la ligne albertine* fondée par son fils cadet Albert. Elle perdit la dignité électorale en 1547, car elle avait pris la direction de l'opposition protestante à l'empereur.

ERNOUT (Alfred). ♦ Latiniste français (Lille, 1879). Professeur à la Sorbonne puis au Collège de France, il a laissé des traductions d'auteurs latins (Lucrèce, Plaute, Salluste, l'*Histoire naturelle* de Pline) et de nombreux ouvrages sur la langue latine. *Morphologie historique du latin* (1913), *Dictionnaire étymologique de la langue latine,* avec A. Meillet (1932), *Syntaxe latine,* avec F. Thomas (1951).

ERNST (Paul). ♦ Écrivain allemand (Elbingerode, Harz, 1866 – Sankt-Georgen, Styrie, 1933). D'abord partisan du naturalisme et du socialisme (il correspondit avec Engels), il s'orienta progressivement vers un art plus conformiste, néo-classique, conformisme qui se chargea d'ailleurs chez lui d'intentions patriotiques. Il a laissé de nombreuses pièces de théâtre, des épopées, des romans.

ERNST (Max). ♦ Peintre, dessinateur, sculpteur et écrivain français d'orig. all. (Bruhl, Rhénanie, 1891 – Paris, 1976). Il fit des études de philosophie, de psychologie et d'histoire de l'art, s'intéressant particulièrement à la littérature occulte, aux romantiques allemands, à Nietzsche, ainsi qu'aux premiers écrits de Freud. Dès 1910, il s'adonna à la peinture et se lia avec A. Macke*.

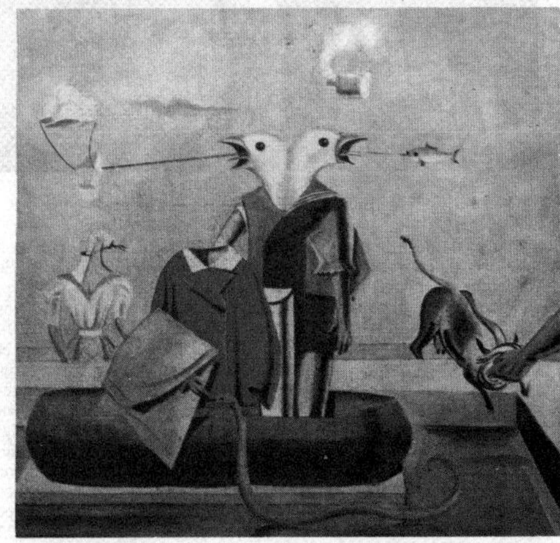

Arch. Smeets

M. Ernst : « Oiseaux, poisson, serpent ».
(Die Neue Sammlung, Munich.)

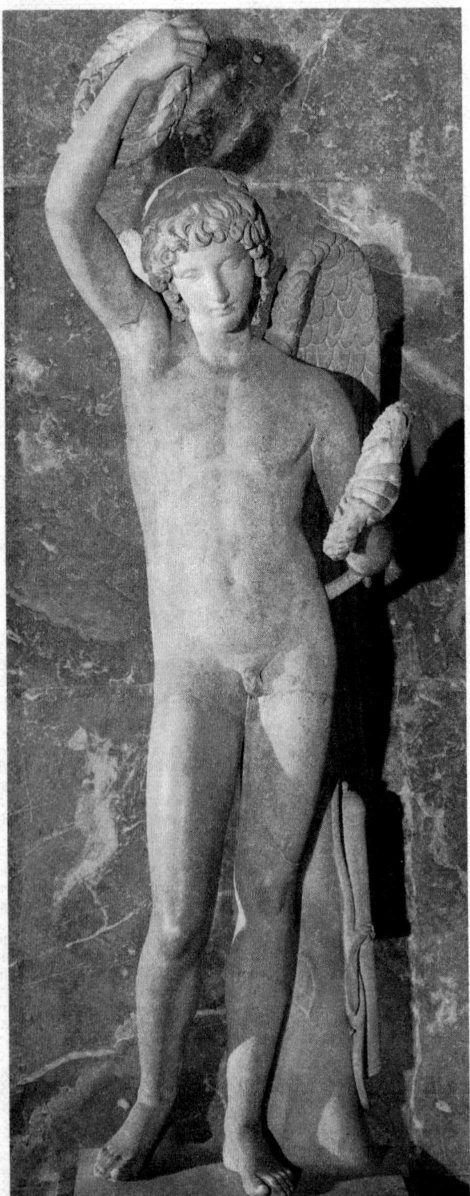

Arch. Smeets

Éros de Thespies. Copie romaine d'une statue de Praxitèle, ~ 350. (Musée du Louvre, Paris.)

Après de premières peintures expressionnistes, il eut la révélation des œuvres de G. De* Chirico et, en 1919, devint avec Baargeld le fondateur du mouvement dada à Cologne, bientôt rejoint par Arp. Avec un esprit irrévérencieux et provocant, il créa alors ses collages (*Fiat Modes,* 1919; *C'est le chapeau qui fait l'homme,* 1920), suivis par les romans-collages de 1929 *(La Femme 100 têtes)* et de 1934 *(Une semaine de bonté).* Ces œuvres visaient à saper les principes de la figuration rationnelle et s'attaquaient aux mythes de la création ex nihilo et de la prééminence du métier; elles étaient réalisées à partir d'illustrations, gravures, vieux catalogues, fragments d'images banales et descriptives juxtaposées irrationnellement. Ernst opérait ainsi un déplacement qui les chargeait d'une pluralité de sens, par le jeu des références et des analogies, et grâce aussi à un intitulé souvent humoristique. Il créa, selon un principe analogue, des assemblages d'objets et peignit à partir de 1922 quelques tableaux selon la technique illusionniste de De Chirico : visions énigmatiques, sortes de collages en trompe l'œil *(L'Éléphant Célèbes; Œdipus Rex).* Plus qu'aucun autre dadaïste, il chercha à faire intervenir « les puissances du rêve ». Installé ensuite à Paris, il participa aux activités surréalistes et multiplia les recherches sur les procédés ou techniques susceptibles de favoriser l'émergence d'images inconscientes (« images enfouies »), misant sur le hasard et interrogeant la matière pour provoquer « l'intensification subite » des « facultés visionnaires ». Ainsi en 1925, il découvrit le frottage (papier posé sur les rainures d'un parquet, puis sur des textures diverses), les images mises à jour étant concrétisées par quelques adjonctions personnelles (*Histoire naturelle,* 1926). Il utilisa aussi d'autres procédés semi-automatiques : empreintes, grattage, décalcomanie, « dripping » (écoulement par oscillation). Émigré à New York en 1941, il travailla ensuite en Arizona, puis revint en France en 1954. Il a réalisé une œuvre à la fois visionnaire et pleine d'humour, d'une rare diversité stylistique et technique, qui va d'un réalisme appliqué et volontairement neutre, à des recherches plastiques raffinées de mise en page, de lignes stylisées et de couleurs, particulièrement dans ses paysages « cosmiques », où apparaît l'obsession du cercle, et qui confinent parfois à l'abstraction. Hanté par le thème des oiseaux *(Loplop, supérieur des oiseaux),* des *Hordes,* des *Forêts* sombres et luxuriantes, il semble par son inspiration s'enraciner profondément dans la tradition germanique. Mêlant le végétal, le minéral et l'organique, il a créé des êtres chimériques *(L'Ange du foyer)* et fait subir aux objets et aux éléments d'étranges métamorphoses *(Le Jardin gobe-avions,* 1935 ; *Les Villes).* Il est aussi l'auteur d'une importante œuvre sculptée (*Le Capricorne,* 1948). Par une œuvre qu'il a lui-même située « au delà de la peinture », il a réussi à élargir le champ jusqu'alors assigné à l'expression plastique. Il s'est affirmé par son sens combinatoire et sa richesse imaginative comme l'un des artistes majeurs du XXe siècle.

ÉROS [*Erôs*]. ♦ Element fondamental du cosmos dans les mythes cosmogoniques grecs. Engendré du chaos primitif, il représente la force attractive qui assure la cohésion de l'univers et la reproduction des espèces. — Il passa plus tard pour la divinité de l'Amour, fils d'Aphrodite* et d'Arès et frère d'*Antéros* (l'amour réciproque), et fut généralement représenté comme un enfant ailé qui blesse les cœurs de ses flèches. La littérature et l'art ont repris souvent ses intrigues et son idylle avec Psyché*.

ÉROSTRATE, en gr. **Hêrostratos**. ♦ Éphésien qui, pour immortaliser son nom, incendia le fameux temple d'Artémis, à Éphèse* (~ 356). Il fut condamné au feu et toute mention de son nom fut interdite sous peine de mort.

Érotocritos. ♦ Poème grec de Vincenzos Cornaros, Crétois ou Vénitien ([mort] Crète, 1677). Ce poème épique et lyrique en langue vulgaire raconte l'amour du chevalier Érotocritos pour la fille de son souverain qu'il n'épouse qu'après de multiples épreuves et exploits guerriers. On a cherché la source du poème dans le roman chevaleresque occidental, notamment dans le roman français de *Paris et Vienne,* fondu dans la forme traditionnelle du roman byzantin. Quoi qu'il en soit, l'*Érotocritos,* monument de la langue vulgaire, vit encore dans la mémoire du peuple grec.

ERQUY. ♦ Comm. des Côtes-du-Nord (arr. de Saint-Brieuc), sur la rive E. de la baie de Saint-Brieuc, au S. du cap d'Erquy. 3 061 hab. (1 757 aggl.). Petit port de pêche, station balnéaire. Grès.

ERROMANGA ou **ERROMANGO** *(île).* ♦ **V.** NOUVELLES-HÉBRIDES.

ERSTEIN [ɛʀstajn]. ♦ Ch.-l. de cant. du Bas-Rhin*, ch.-l. d'arr. (4 cant., 50 comm., 89 316 hab.) sur l'Ill. 6 336 hab. (6 249 aggl.). Indus. textiles, sucrerie, machines agricoles.

ERSTFELD. ♦ V. de Suisse (Uri) sur la Reuss*. 4 100 hab. Centre d'excursions.

ERTVELDE. ♦ Comm. de Belgique (Flandre orientale, arr. d'Eeklo). 6 500 hab. Indus. alimentaires et textiles. Raffinerie de pétrole.

ERVEND. ♦ **V.** ELVEND.

ERVY-LE-CHÂTEL. ♦ Ch.-l. de cant. de l'Aube, situé près de l'Armance. 1 175 hab. Porte Saint-Nicolas (XVIe s.). Église Saint-Pierre-aux-Liens (XVe, XVIIe et XVIIIe s.). Hôpital de 1745. — Fromage.

ERWIN (dit *von* **Steinbach**). ♦ Architecte allemand (? — Strasbourg, 1318). À la suite d'un article élogieux que lui consacra Goethe en 1773 et d'après une épitaphe gravée sur un contrefort de chevet, il a été considéré comme l'architecte principal de la cathédrale de Strasbourg*. Aujourd'hui, on tend à ne lui attribuer que la façade occidentale (jusqu'à la rose) qui se distingue par la finesse et le verticalisme insistant de la structure. Ses deux fils poursuivirent son œuvre.

ÉRYMANTHE, en gr. **Erumanthos**. ♦ Montagne de l'anc. Arcadie (Péloponnèse), appelée aussi *Olonos.* 2 224 m. Héraclès* accomplissant l'un de ses travaux y saisit le sanglier d'Érymanthe et le ramena vivant à Eurysthée.

ÉRYTHRÉE. *n. m.,* en angl. et it. **Eritrea**. ♦ Prov. du N. de l'Éthiopie, sur la mer Rouge. 117 600 km². Plus de 1 500 000 hab. Capitale **V. Asmara.** Autre V. **V. Massaoua.** – Plateau dominant une plaine côtière qui se rétrécit au sud-est. Climat aride et chaud sur la côte. Élevage. Salines. ♦ *Hist.* Colonie italienne en 1890, l'Érythrée fut occupé par les Britanniques en 1941. Il fut incorporé à l'empire d'Éthiopie comme État fédéral (1952), puis, par un vote des parlements, comme province (1962). En 1974, un mouvement autonomiste se développa, qui prit de l'ampleur en 1975.

ÉRYTHRÉE *(mer)*. ♦ Nom par lequel les Anciens désignaient la mer qui baignait la province d'Érythrée (Éthiopie). Ils la concevaient comme une mer fermée, bordée par les côtes d'Afrique et d'Asie qui se rejoignaient au sud. Elle correspondait donc à l'actuelle mer Rouge, au golfe Persique et à une partie de l'océan Indien.

ÉRYX, en gr. **Erux**. ♦ Anc. V. de Sicile*, au pied du mont Éryx (auj. San Giuliano). Fondée par les Phéniciens, elle fut longtemps disputée par les Syracusains et les Carthaginois qui la détruisirent v. ~260. — Fondements du temple d'Aphrodite* à *Erice*.

ERZBERG. *n. m.* (« montagne de fer »). ♦ Montagne d'Autriche, située en Styrie dans les Alpes d'Eisenerz. L'Erzberg, de forme pyramidale et de couleur brun-rouge, est constitué par du minerai de fer; le fer y était exploité dès le Moyen Âge par de petites galeries. Depuis le XIXe s., l'exploitation. plus rationnelle, se fait soit à ciel ouvert, d'immenses gradins ayant été découpés au flanc de la montagne, soit par des galeries en hiver. La production (3 000 000 de t par an) est traitée essentiellement à Donawitz et à Linz*. 90 % du minerai de fer autrichien proviennent de l'Erzberg.

ERZBERGER (Matthias). ♦ Homme politique allemand (Buttenhausen, Wurtemberg, 1875 — Griesbach, Bade, 1921). Élu député au Reichstag en 1903, leader du centre catholique, il se montra, dès 1916, partisan d'une paix honorable et sans annexion. Il accepta, en tant que chef de la délégation allemande, l'armistice du 11 novembre 1918, à Rethondes. Il fut ministre des Affaires étrangères du premier gouvernement de la république de Weimar, mais, favorable au traité de Versailles*, il fut assassiné par des ultranationalistes.

ERZEN. *n. m.* ♦ Fl. d'Albanie* (91 km), tributaire de l'Adriatique.

ERZERUM. ♦ **V.** ERZURUM.

ERZGEBIRGE. *n. m.*, en tchèque **Krušné Hory**, en fr. **monts Métallifères**. ♦ Massif montagneux, formant la majeure partie (160 km) de la frontière entre la République démocratique allemande et la Tchécoslovaquie. Point culminant : 1 244 m. Incliné en pente douce vers la Saxe, il tombe abruptement du côté de la Bohême. Ses filons métallifères (plomb, zinc, argent, cuivre) ont déterminé au XIIIe s. l'établissement de colons germaniques. Les bassins houillers (environs de Zwickau*, de Dresde*) et les gisements de lignite (succession presque ininterrompue, du bassin de Sokolov au bassin de Most* [Bohême]) ont favorisé le développement de centres industriels (carbochimie, métallurgie, indus. mécaniques [grâce à la production d'électricité thermique], etc.). Le massif volcanique de *Doupovské Hory*, qui forme la partie O. de l'Erzgebirge en Tchécoslovaquie, produit des sources d'eau chaude qui ont permis l'installation de stations thermales (Karlovy* Vary, Mariánské* Lázně).

ERZINCAN. ♦ V. de Turquie, dans l'anc. Arménie, au S. de Trébizonde*. Ch.-l. de province. 45 197 hab. (1965). Indus. textile (soie, coton), fabrication d'ustensiles de cuivre. ♦ *Hist.* La ville vit son importance grandir au IVe s.

ERZURUM, ERZERUM ou **ERZEROUM**. ♦ V. de Turquie orientale, dans l'anc. Arménie. Ch.-l. de la province homonyme. 105 317 hab. L'aggl. compte 174 155 hab. (1965). Malgré plusieurs tremblements de terre, la ville conserve le mausolée de l'émir Sultan (XIIe s.) et la medersa aux deux minarets (1253). — C'est un centre commercial important, relié par voie ferrée à Ankara* et au réseau soviétique. ♦ *Hist.* Importante place forte byzantine connue sous le nom de Théodosiopolis, la ville fut l'objet de luttes entre Arabes et Byzantins. En 978, elle devint possession des Arméniens bagratides, puis passa successivement aux mains des Saljûqides*, des Mongols (milieu XIIIe s.), des Ottomans et des Perses. Elle fut finalement rattachée à l'empire ottoman en 1514. Erzurum a souffert des répressions contre les Arméniens; après 1923, elle avait perdu beaucoup de son activité qui, depuis, a repris progressivement.

ESAÏE. ♦ **V.** ISAÏE.

ÉSAÜ. ♦ Personnage biblique (*Genèse*, XXV-XXXIII). Fils d'Isaac et de Rebecca, frère aîné de Jacob à qui il vend son droit d'aînesse pour un plat de lentilles. Il est supplanté par Jacob qui usurpe la bénédiction paternelle. Surnommé Édom*, il est l'ancêtre éponyme des Édomites*.

ESBJAERG. ♦ V. et port du Danemark, sur la côte O. du Jutland*, en face de l'île de Fanø*. 55 200 hab. Collèges techniques et commerciaux. Ville récente (1899), Esbjaerg est le plus important port de pêche du Danemark (plus de 500 bateaux). Exportation de viandes et de produits laitiers, principalement vers la Grande-Bretagne. — Centrale thermique.

ESBOO. ♦ **V.** ESPOO.

ESCANDORGUE. *n. m.* ♦ Plateau basaltique au S. du causse de Larzac*, situé dans l'alignement volcanique allant de l'Aubrac* à Agde*. 866 mètres.

ESCARPIÈRE (L') ou **ÉCARPIÈRE (L')**. ♦ Écart de la comm. de Gétigné (Loire-Atlantique). Usine de concentration chimique de l'uranium, traitant 350 000 t de minerai par an.

ESCARTIN (José Torres). ♦ Anarchiste espagnol (1900 — 1939). Accusé de l'attentat contre l'évêque de Saragosse, il fut emprisonné et torturé. Libéré lors de la révolution de 1931, il fut fusillé par les franquistes.

ESCAUDAIN. ♦ Comm. du Nord*, arr. de Valenciennes*. 11 770 hab. Houille; savonnerie; confection.

ESCAUT [ɛsko]. *n. m.*, en néerl. **Schelde**. ♦ Fleuve de Flandre (N. de la France), de Belgique et des Pays-Bas (430 km). L'Escaut prend sa source en France (Aisne) à 90 m d'altitude et arrose la plaine flamande en France (180 km), en Belgique et aux Pays-Bas, avant de se jeter dans la mer du Nord en formant un estuaire *(bouches de l'Escaut)* qui baigne les îles de la Zélande* et dont le bras principal est le Hond. Ses affluents sont la Sensée*, la Scarpe* et la Lys*, venues des collines d'Artois, ainsi que la Dendre*, la Dyle*, la Gette, la Haine*, la Senne*, cours d'eau coupés par un collecteur rectiligne (Demer*, Rupel*, Escaut inférieur). La marée s'y fait sentir jusqu'à plus de 170 km de son embouchure. Relié au Brabant* par ses affluents de rive droite, l'Escaut assure la liaison des plaines flamandes au bassin de la Seine et l'ouverture vers la Belgique maritime. Canalisé sur la plus grande partie de son cours, il assure un important trafic fluvial. *Princ. V.* arrosées par l'Escaut : Cambrai*, Bouchain*, Valenciennes*, Condé*, Tournai*, Gand*, Termonde*, Rupelmonde*, Anvers*. ♦ *Hist.* Au IXe s., l'Escaut marquait la limite entre la Flandre française et le Brabant belge. Voie commerciale, il ouvrait des débouchés sur la mer à l'industrie drapante de Gand* et d'Anvers. Mais le monde des affaires émigra à Amsterdam* et Rotterdam* lors du traité de Münster* (1648), qui fermait l'accès du port d'Anvers. Le traité d'Utrecht* (1713) donnait à l'Autriche les Pays-Bas espagnols, mais il fallut attendre le traité de La Haye (1795) pour que la liberté de navigation fût de nouveau assurée. Un département français des *Bouches-de-l'Escaut* fut constitué en 1810. Il était formé de la Zélande et avait pour ch.-l. Middelbourg. — La *bataille de l'Escaut* fut livrée lors de l'offensive de 1918.

Arch. Rencontre

Ésaü cédant à Jacob son droit d'aînesse »,
par M. Corneille. (Musée des Beaux-Arts, Orléans.)

ESCHENBACH (Wolfram *von***)**. ♦ **V.** WOLFRAM VON ESCHENBACH.

ESCHINE, en gr. **Aiskhinês**. ♦ Orateur grec (Athènes, v. ~390 — Rhodes, ~314). Il fut, dans sa jeunesse, scribe de l'administration et acteur, puis participa à une mission athénienne dans le Péloponnèse pour organiser la lutte contre les Macédoniens. Déjà modéré, après l'échec de cette mission il embrassa la cause macédonienne en négociant avec Philippe* la paix de Philocrate (~346) et préconisa une politique de concessions. Accusé alors par Démosthène* de duplicité et de corruption, il se défendit avec succès par ses discours *Contre Timarque* et *Sur l'ambassade infidèle*. Dans le discours *Contre Ctésiphon*, il attaqua celui-ci et Démosthène (**V. Couronne**, [*Discours sur la*]), mais il fut condamné comme calomniateur. Il dut se retirer à Éphèse, puis à Rhodes, où il aurait fondé l'école de rhétorique. — Orateur disert et improvisateur brillant, il n'a cependant pas la foi ardente et les hautes vues de son grand rival.

ESCHSCHOLTZ (Johann Friedrich). ♦ Naturaliste et voyageur russe (Dopart, Livonie, 1793 — ?, 1831). Il accompagna O. von Kotzebue* dans son voyage autour du monde (1815-1818), puis dans son expédition aux îles du Pacifique (1823-1826). [*Atlas zoologique*, 1829.]

ESCH-SUR-ALZETTE. ♦ Ch.-l. de canton du grand-duché de Luxembourg, sur l'Alzette*, à la frontière française. 27 921 hab. Indus. alimentaires, chimiques (engrais) et sidérurgiques. Cimenteries.

ESCHWEILER. ♦ V. d'Allemagne occidentale (Rhénanie du Nord-Westphalie), dans le bassin d'Aix-la-Chapelle. 39 590 hab. (1961). Centre métallurgique, tanneries, brasseries.

ESCHYLE, en gr. **Aiskhulos**. ♦ Poète tragique grec (Éleusis, v. ~525 — Gela. Sicile, ~456). Né de famille noble, il participa aux batailles de Salamine* et de Marathon*. Il commença très jeune à écrire pour le théâtre, y fut plusieurs fois lauréat. Sa réputation devait s'étendre à travers le monde méditerranéen. Il fut reçu à la cour d'Hiéron de Syracuse, lors du second séjour qu'il fit en Sicile. Des quatre-vingt-dix pièces qu'il a écrites, sept seulement nous sont parvenues : *Les Suppliantes** (*Iketides*, v. ~490), fable lyrique qui décrit les incertitudes d'Argos accordant sa protection aux Danaïdes ; *Les Perses** (*Persai,* ~ 472) qui célèbrent la victoire de Salamine ; *Les Sept* contre Thèbes* (*Hepta epi Thêbas,* ~ 467) qui forment un dénouement à l'histoire d'Œdipe ; *Prométhée* enchaîné (Promêtheus desmôtês),* poème cosmique à la gloire de la liberté de l'homme ; enfin la trilogie de *L'Orestie,* (*Oresteia,* ~ 458) pour laquelle le poète obtint treize fois la couronne, et qui décrit le retour d'Agamemnon et son meurtre par Clytemnestre et Égisthe *(Agamemnon*),* le châtiment des meurtriers *(Les Choéphores*)* et le procès d'Oreste* *(Les Euménides*).* Justement considéré comme le fondateur de la tragédie grecque, Eschyle a donné au drame théâtral ses lois rigoureuses, en le dégageant du lyrisme choral dont il est issu, en y introduisant le dialogue et l'action. Ses innovations concernent encore le masque, le costume et la mise en scène qui, grâce à lui, évoluent dans le sens de la simplification et d'une puissance expressive accrue. — Interprète des légendes primitives de la Grèce, Eschyle rejette les notions formelles et sommaires de culpabilité collective et d'arbitraire. Philosophe et moraliste, il affirme la prééminence du droit sur l'aveugle désir de vengeance, de la justice sur la loi, de l'esprit sur la force. Poète lyrique par la puissance du verbe, au premier siècle d'or du théâtre, il a conféré sa plus grande dimension au genre tragique.

ESCLANGON (Ernest). ♦ Astronome français (Mison, Basses-Alpes, 1876 — Eyrenville, Dordogne, 1954). Auteur de travaux de mathématiques (fonctions quasi périodiques), de physique (champ de pesanteur, ondes infra-sonores), d'astronomie (réfraction, comètes), il réalisa l'horloge parlante de l'observatoire de Paris [1932]. (Acad. sc., 1929).

Esclarmonde *(La belle).* ♦ Personnage de la chanson de geste *Huon* de Bordeaux;* fille de l'émir de Babylone, que Huon conquiert, aidé par le nain Aubéron **(V. Obéron).**

ESCLAVES *(rivière des ; Grand Lac des),* en angl. **Slave River, Great Slave Lake.** ♦ Riv. (424 km) issue du lac Athabasca (N. de l'Alberta) et qui rejoint le *Grand Lac des Esclaves,* qui est drainé par le Mackenzie*. — Le lac est l'un des plus grands du Canada. 27 800 km². Pêcheries. Sur ses rives se trouve le centre administratif des territoires du N.-O. **V. Yellowknife.** — Mines d'uranium et d'or dans la région ; plomb et zinc au S. (Pine Point).

ESCLAVES *(côte des).* ♦ **V.** GUINÉE (golfe de).

Esclaves *(les).* ♦ Rondes-bosses de marbre, sculptées par Michel-Ange pour le tombeau de Jules II. *L'Esclave mourant* (ou plutôt endormi) et *L'Esclave rebelle* furent exécutés en 1513 pour le deuxième projet et sont aujourd'hui au Louvre. Quatre autres *Esclaves,* exécutés v. 1530-1534 (cinquième projet) sont à l'Académie de Florence et un cinquième, ébauché, à la *Casa Buonarroti.*

ESCOBAR Y MENDOZA (Antonio). ♦ Jésuite espagnol (Valladolid, 1598 — 1669), auteur de traités de théologie morale et de spiritualité : *Lignum vitale* (12 vol.), etc. Casuiste, il fut, parfois injustement, une des cibles de Pascal dans les *Provinciales**.

ESCOMBRERAS. ♦ Localité du S.-E. de l'Espagne (Levant, prov. de Murcie) près de Cartagène. Importante raffinerie de pétrole.

Escorial (El) ou **Escurial.** ♦ Palais et monastère d'Espagne (Nouvelle-Castille, prov. de Madrid). Situé au N.-O. de Madrid, dans un site sauvage au pied de la sierra de Guadarrama, près du village de San Lorenzo del Escorial, cet immense édifice de granit fut édifié par Philippe II, en exécution d'un vœu en l'honneur de saint Laurent (le plan de l'ouvrage s'inspire du gril sur lequel le saint fut supplicié). Confié à l'architecte Juan Bautista de Toledo* (en 1563) et achevé par Juan de Herrera* (en 1584), l'Escorial est un vaste quadrilatère de bâtiments à l'aspect sévère, séparés par des cours intérieures et flanqués de quatre tours d'angle. Au fond de la cour des Rois *(Patio de los Reyes)* se dresse l'église surmontée d'une coupole et d'un lanternon ; décorée de fresques par Luca Giordano*, elle possède un *Christ* de marbre blanc par Benvenuto Cellini*, des tableaux de Zurbarán, Titien, le Greco, Vélasquez. La *Capilla Mayor* est très richement décorée. — Dans le *Pantéon de los Reyes,* aux murs revêtus de marbres précieux, reposent les rois et les reines d'Espagne ayant eu succession. — Dans le palais lui-même, riche bibliothèque et remarquable série de tapisseries (d'après Goya*, notamment).

ESCOUBLAC. ♦ **V.** BAULE-ESCOUBLAC (La).

ESCOUCHY (Mathieu *d'***).** ♦ Chroniqueur français (Quesnoy, près d'Avesnes, 1420 — v. 1483). Il écrivit une *Chronique* des années 1444 à 1461 (fin du règne de Charles VII).

ESCUDERO (Vicente). ♦ Danseur et chorégraphe espagnol (Valladolid, 1889). Au cours de sa longue carrière, il s'institua le défenseur des traditions les plus pures de l'art flamenco. Par le dépouillement du geste, la noblesse hiératique des attitudes, parfois sans le soutien d'un accompagnement musical, il atteignit les sommets de l'expression artistique. Partenaire de la Argentina (*L'Amour sorcier,* 1925), il créa de nombreuses chorégraphies *(Rythmes flamencos primitifs, Romance du moulin, Danse de la Signiriya gitana).*

ESCUINTLA. ♦ V. du Guatemala. Ch.-l. du département du même nom, située au N.-E. de San* José. Plus de 25 000 hab. Raffinerie de pétrole.

ESCULAPE. ♦ Dieu de la médecine dans la religion romaine, assimilé à l'Asclépios grec. **V. Asclépios.**

ESCURIAL. ♦ **V.** ESCORIAL.

ESDRAS ou **EZRA.** ♦ Personnage biblique, scribe et prêtre, artisan avec Néhémie* de la restauration juive au ~ ve siècle.

Esdras *(livres d').* ♦ *I Esdras* (ou, simplement, *livre d'Esdras*) : livre historique de la Bible, racontant en dix chapitres la restauration juive après la captivité à Babylone ; l'auteur serait un disciple du Chroniste (~ IVe s.). — *II Esdras :* dans la Vulgate, titre du livre de Néhémie qui, originellement, ne formait qu'un avec celui d'Esdras. — *III Esdras :* apocryphe de genre historique empruntant des éléments aux *Chroniques,* à *I Esdras* et à Néhémie. — *IV Esdras :* apocryphe de genre apocalyptique [Ier s.] ; (7 visions « expliquent » la destruction du Temple par Titus [70] dans une perspective eschatologique).

ESHER. ♦ V. résidentielle du S. de l'Angleterre (Surrey). 60 610 hab. — Aux environs, *Clarendon House,* demeure du XVIIIe s. où Louis-Philippe mourut en 1850.

ESHIN SÔZU. ♦ **V.** GENSHIN.

ESHKOL (Lévi). ♦ Homme politique israélien (Oratov, Ukraine, 1895 — Jérusalem, 1969). Émigré en Palestine (1913), où il vécut quelque temps en kibboutz, membre du parti Mapaï, dont il fut secrétaire (1944-1948), et du comité exécutif de la Histadrouth et de la Haganah, il fut nommé directeur général au ministère de la Défense nationale et membre du Conseil provisoire de l'État après la fondation d'Israël. Député à la Knesset (1949), ministre (1951-1953), il remplaça Ben Gourion comme Premier ministre avec le portefeuille de la Défense nationale (1963). À la veille du conflit israélo-arabe de juin 1967, il constitua un cabinet d'Union nationale (avec Moshe Dayan* à la Défense) ; il s'est immédiatement prononcé contre l'évacuation des territoires occupés.

ESHMOUN. ♦ Principale divinité de Sidon (relig phénicienne) ; dieu guérisseur que les Grecs assimilèrent à Asclépios.

ESKIL. ♦ (1100 — Clairvaux, 1181). Archevêque de Lund (1137-1177), introducteur de la réforme grégorienne et des cisterciens en Suède. Ami de saint Bernard, il se retira à Clairvaux.

ESKILSTUNA. ♦ V. de Suède, près du lac Mälar*, à l'O. de Stockholm*. 66 195 hab. (1968). Église du XIIe s. (restaurée au XVIIe s.). Musées. — Centre de la coutellerie suédoise. Indus. métallurgiques, constructions mécaniques.

ESKIMOS ou **ESQUIMAUX.** *n. m. pl.* ♦ Peuple des terres arctiques et subarctiques, disséminé au Groenland*, sur la côte E., autour d'Angmassalik, et la côte O. (du cap Farewell* à la baie de Melville* et plus au N. sur le détroit de Smith), dans le N. du Labrador*, sur la terre de Baffin*, la presqu'île de Melville et la côte N.-O. de la baie d'Hudson* (les *Iglulik*), la presqu'île Adélaïde (*Netsilik),* la côte S.-O. de la baie d'Hudson *(Caribou),* la côte S. de l'île Victoria* et la région de *Coronation Gulf (Eskimos du Cuivre),* près de l'embouchure du fleuve Mackenzie*, au N. de l'Alaska* et enfin en Asie (pointe orientale de la Sibérie). On y inclut parfois les habitants des îles Aléoutiennes* et de quelques îles du golfe d'Alaska. Les principaux groupes se trouvent au Groenland (env. 23 000), au Canada (env. 12 000) et en Alaska (env. 16 000). Le nombre total des Eskimos (à l'exclusion des Aléoutes [Aleut]) est estimé à environ 50 000. — *Langues.* La famille Eskimo, branche de la famille Eskimo-Aleut, comprend deux langues, l'*inupik* parlé du bassin de Norton (Alaska) jusqu'à l'E. du Groenland et le *yupik* parlé dans le S.-O. de l'Alaska et la pointe E. de la Sibérie. Ces deux langues comprennent plusieurs dialectes. — Bien qu'actuellement considérablement métissés (Groenland, Labrador), les Eskimos se distinguent physiquement par leur petite taille (entre 1,58 et 1,65 m pour les hommes), leurs traits mongo-

Ph. Nino Cirani/Ricciarini

Enfant **eskimo** en Alaska.

iques, la petitesse de leurs mains et de leurs pieds, leurs cheveux noirs et raides. Seuls quelques groupes du Canada ont conservé presque intact leur mode de vie traditionnel. Dans un milieu de toundra où le sol est couvert de glace et de neige pendant six à neuf mois de l'année, les Eskimos vivaient de chasse et de pêche (caribou [renne du Canada], ours, bœufs musqués, marmottes, phoques, morses et baleines dans certaines régions). Durant l'hiver, plusieurs familles se réunissaient en communauté, puis se dispersaient au printemps. Leurs habitations différaient selon les régions : maisons de bois recouvertes de tourbe isolante, là où les rivières ou l'Océan charriaient des troncs d'arbres (régions du Mackenzie* et du Yukon*, Groenland*); maisons de pierre recouvertes de côtes de phoques et de tourbe; constructions de blocs de neige (les igloos). Lors de la fonte des neiges, ces habitations étaient abandonnées pour des tentes en peaux de phoque ou de renne. — Traditionnellement, les Eskimos croient en l'existence de forces surnaturelles inhérentes à chaque phénomène physique. Ces forces, en général neutres, peuvent parfois devenir hostiles : de là, par exemple, les nombreux tabous concernant la nourriture et destinés à préserver l'harmonie entre l'homme et l'esprit des animaux abattus. Les Eskimos de l'Arctique oriental croyaient en une divinité féminine régnant sur le gibier marin. Ils ne lui rendaient aucun culte, mais pratiquaient le shamanisme. De nombreux Eskimos sont maintenant christianisés.

ESKIŞEHIR. ♦ V. de Turquie, à l'O. d'Ankara*, sur le Porsuk. Ch.-l. de la province homonyme. 173 882 hab. L'aggl. compte 243 033 hab. (1965). C'est l'un des plus grands centres indus. de Turquie : raffineries de sucre, briqueteries, matériel ferroviaire, ateliers de réparation pour les avions et les machines agricoles. — À proximité, emplacement de l'anc. Dorylée*.

ESMEIN [ɛsmɛ̃] **(Jean Hippolyte Emmanuel,** dit **Adhémar).** ♦ Juriste français (Touvérac, Charente, 1848 — Paris, 1913). Directeur de la section des sciences religieuses à l'École pratique des hautes études et de la *Nouvelle Revue historique du droit français et étranger,* il a laissé une *Histoire de la procédure criminelle en France* (1891), un *Cours élémentaire de droit français* (1892), des *Éléments de droit constitutionnel et comparé* (1896).

Esméralda. ♦ Personnage du roman de V. Hugo*, *Notre-Dame de Paris* (1831).

ESNA ou **ESNÈH,** en égypt. **(Ta)-Sny,** en gr. **Latopolis,** en ar. **snâ.** ♦ V. du S. de la Haute-Égypte, sur la rive gauche du Nil. Ch.-l. de gouvernorat. 26 000 hab. Jadis étape importante des caravanes du Sennâr (Soudan), c'est aujourd'hui un centre textile (cotonnades). Barrage sur le Nil. — Vestiges d'un temple de Khnoum* de l'époque ptolémaïque et romaine, élevé à l'emplacement d'un anc. temple de la XVIIIe dynastie.

ESNAULT-PELTERIE (Robert). ♦ Ingénieur français (Paris, 1881 — Nice, 1957). Inventeur du premier moteur d'avion en étoile à nombre impair de cylindres, du dispositif de commande d'avion appelé *manche à balai,* il s'est également intéressé à l'astronautique, prévoyant dès le début du siècle l'utilisation de l'énergie nucléaire. (Acad. sc., 1931) **V.** *aussi* **Tsiolkovski, Goddard, Oberth.**

ESNEUX. ♦ Comm. de Belgique (prov. et arr. de Liège) sur l'Ourthe. 5 700 hab. Minoterie. Scierie. Carrières (pierre à chaux). Tourisme.

ÉSON, en gr. **Aisôn.** ♦ Roi mythique d'Iolcos (Thessalie), père de Jason*. Il est détrôné par son demi-frère Pélias*.

ÉSOPE, en gr. **Aisôpos.** ♦ Fabuliste grec (prob. ~ VIe s.) dont la personnalité reste légendaire. Il aurait été Phrygien ou Thrace, difforme et bègue. Esclave affranchi, il aurait voyagé au Proche-Orient, puis, envoyé de Crésus*, aurait visité Athènes, Corinthe et Delphes*, où il aurait été mis à mort par les prêtres delphiens. — Les *Fables* qu'on lui attribue, populaires dès le ~ Ve s., ont été reprises dans toutes les littératures européennes et dans la littérature arabe **(V. Luqmân).** Recueillies par Démétrios* de Phalère (~ IVe s.), puis mises en vers par Babrias* (~ Ier s.), elles servirent de modèle à Phèdre* et aux fabulistes postérieurs. La rédaction en prose grecque qui nous en est parvenue est une compilation due à Planude* (XIVe s.), auteur d'une romanesque *Vie d'Ésope.* Dans cette version, les apologues ésopiques sont des récits très brefs sans aucune recherche artistique, suivis d'une morale. Les personnages y sont généralement des animaux porteurs des principaux caractères de l'homme. Leur célébrité renouvelée par les *Fables** de La* Fontaine fut à l'origine d'une tradition littéraire. **V. Florian, Krylov, Lessing.**

ESPAGNE. *n. f.,* en esp. **España.** ♦ État du S.-O. de l'Europe comprenant la majeure partie de la péninsule Ibérique, les îles Baléares* et les Canaries*. Elle confine au N.-E. à la France, à l'O. au Portugal et est baignée au N.-O. par l'Atlantique, au S. et à l'E. par la Méditerranée. 504 748 km², 35 470 000 hab. *(Espagnols). Cap.* Madrid*. *Langues :* castillan (off.), catalan, galicien, basque. *Religion :* catholique. On distingue 12 grandes régions : la Navarre (Pampelune); les prov. basques (Bilbao, Saint-Sébastien), les Asturies (Oviedo, Gijón), la Galice (La Corogne, Vigo), le León (Salamanque), la Vieille-Castille (Burgos), la Nouvelle-Castille (Madrid), l'Estrémadure (Badajoz), l'Andalousie (Séville, **Málaga, Cordoue, Grenade, Jerez de la Frontera, Cadix),** le Levant (Valence, **Murcie, Cartagène, Alicante), la Catalogne** (Barcelone), l'Aragon (Saragosse), les Baléares (Palma) et les Canaries (Las Palmas, Santa Cruz de Tenerife). — *Orogr.* Le relief est de type à la fois hercynien et alpin. Le haut plateau hercynien de la Meseta* (660 m) occupe tout le centre de la péninsule (Castilles, Estrémadure). Il est limité par de hauts rebords montagneux : monts Cantabriques au N., monts Ibériques au N.-E. et à l'E., sierra de Cuenca à l'E. et sierra Morena au sud. La Meseta est coupée en son centre par les sierras de Gredos et de Guadarrama séparant la Vieille-Castille, au N. (1 000 m) de la Nouvelle-Castille, au S. (700 m). Entre la Meseta et les rebords montagneux s'étendent deux grands bassins tertiaires : au N.-E., la dépression de l'Èbre (Aragon), au S.-O., celle du Guadalquivir (Andalousie). De part et d'autre de ces bassins s'étendent deux grandes chaînes alpines. Au N.-O., *les Pyrénées**, de l'Atlantique à la Méditerranée, plus larges que les Pyrénées françaises, sont assez élevées (mont Perdu, 3 355 m; pic d'Aneto, 3 404 m). Au S. et au S.-E. *la chaîne bétique** (Andalousie) s'étend de Gibraltar* au cap de la Nao*; le point culminant de l'Espagne s'y trouve (Mulhacén*, 3 481 m, dans la sierra Nevada). Le littoral cantabrique est élevé et échancré (*rias* de Galice). Du S. du Portugal à Tarifa s'étend une zone marécageuse (*marismas* du Guadalquivir, golfe de Cadix). La côte méditerranéenne est assez régulière de Gibraltar au delta de l'Èbre et escarpée jusqu'aux Pyrénées *(Costa Brava). — Hydrogr.* **V. Douro, Èbre, Guadiana, Guadalquivir** (affl. Genil), **Júcar, Tage** (affl. Henares, Manzanares). — Le littoral atlantique a un climat océanique, celui de l'intérieur est continental, méditerranéen dans le sud. — *Population.* Les caractères ethniques régionaux sont fortement accusés (Catalogne, Galice, Andalousie, Pays basque). Le taux d'accroissement est l'un des plus élevés d'Europe. La densité moyenne est de 70 hab./km². Les migrations internes, importantes, se font vers les régions industrielles (Asturies, Catalogne, Levant, région de Madrid). Un grand nombre d'Espagnols travaillent dans le S. de la France et dans des zones industrialisées d'Europe (France, Allemagne...). — *L'écon.* connaît un grand essor depuis 1959 grâce à la conjoncture et à l'initiative de l'État (plans quadriennaux). *L'agriculture* est encore l'une des bases de l'économie et occupe 30 % de la population. On distingue les zones de culture sèche *(secano)* de l'intérieur, sur lesquelles on cultive les céréales (Vieille-Castille, León, Estrémadure), la vigne (Manche, vallées du Douro et de l'Èbre, Andalousie) et des zones de culture irriguée *(regadío)* produisant des légumes, des fruits, du riz (Andalousie, Levant). Le nord du pays, humide, pratique une polyculture basée sur le maïs associée à l'élevage bovin. L'Espagne est le 1er producteur mondial d'huile d'olive, le 3e de vin **(V. Jerez de la Frontera, Málaga),** le 1er exportateur d'Europe d'agrumes et de légumes. Notons enfin la culture du riz (Andalousie, bassin de l'Èbre) et les cultures industrielles (lin, tabac, canne à sucre). L'I.N.C. (Institut national de colonisation) a promu un vaste plan d'irrigation (bassins de l'Èbre, du Guadiana, du Guadalquivir), mais les tentatives de remembrement des terres et de colonisation d'intérêt local se heurtent aux structures sociales (grands domaines) encore en place. *L'élevage* est en déclin : le troupeau ovin (mérinos) alimente une indus. lainière traditionnelle, le troupeau bovin est insuffisant. La pêche (sardines, thon), pratiquée sur tout le littoral, fournit un appoint important et alimente les conserveries. *Ressources énergétiques :* le charbon des Asturies, de Biscaye, du León et de la sierra Morena, produit en grande quantité (10 millions de t), est de mauvaise qualité. Le fer, de bonne teneur, est extrait dans le León, l'Aragon, la Biscaye (4 158 000 t en 1975). Le zinc, le cuivre, le plomb,

Ph. Hétier

Espagne : région de Málaga en Andalousie.

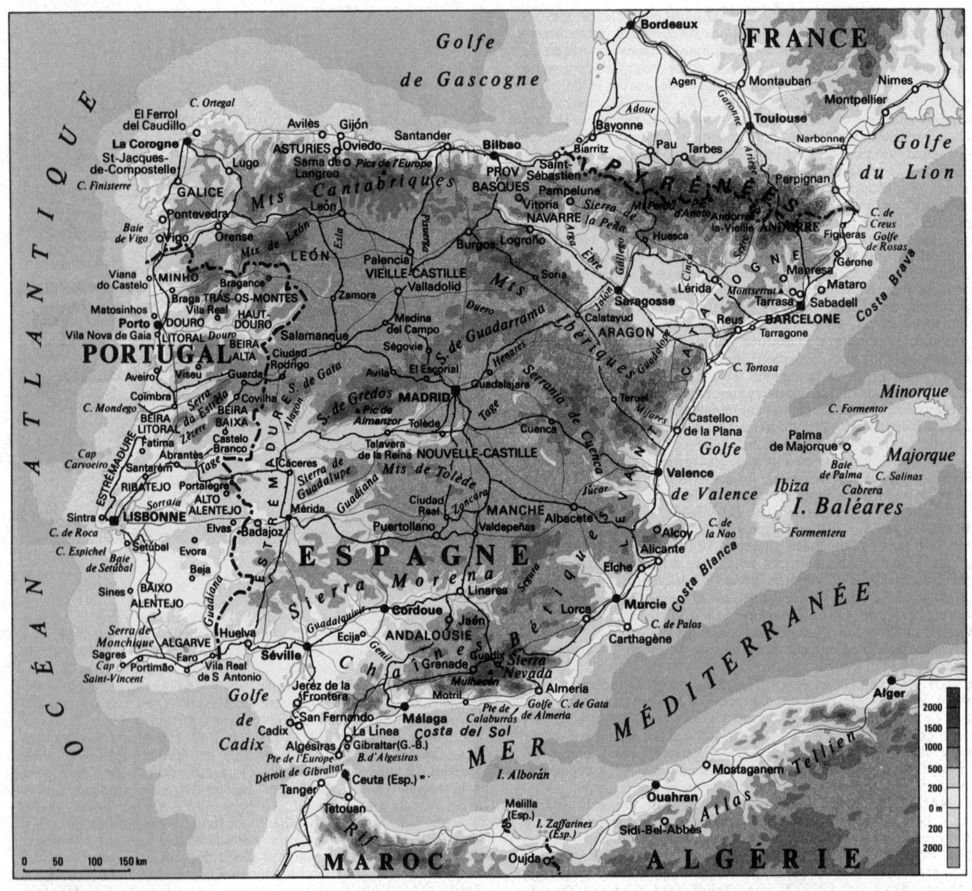

Espagne et Portugal.

l'étain et le mercure sont en bonne place. Citons encore la bauxite et les métaux rares (tungstène, titane). Dépourvue d'hydrocarbures, l'Espagne doit en importer (raffineries : Puertollano*, Cartagène*, Huelva*, Algésiras*, Castellón*, Santa* Cruz de Tenerife). L'énergie électrique (82 milliards de kWh) est aux 3/4 d'origine hydraulique (lacs-réservoirs des bassins de l'Èbre, du Douro, du Guadalquivir). L'énergie thermique est localisée près de Madrid et dans les ports. Les centrales nucléaires de Zorita, los Canes, Santa María de Garona et Vandellos ont été récemment mises en service. — *Indus.* La sidérurgie est localisée dans les Asturies, la Biscaye, à Sagunto (Levant). La production de fonte (6,8 millions de t) et d'acier (11 millions de t) est insuffisante pour les besoins. La construction automobile, en progrès, se fait sous licence étrangère (Renault, Seat [Fiat], Citroën). La construction navale est localisée dans les ports. L'indus. chimique (acide sulfurique, superphosphates, ciment) est très dynamique. L'indus. textile, très ancienne, est surtout concentrée en Catalogne. D'autres postes importants sont les indus. du papier (Pays basque), de la chaussure, de la céramique, de la conserve (fruits, poisson). L'I.N.I. (Institut national pour l'industrialisation), chargé de promouvoir le développement économique du pays, enregistre des résultats importants, mais le revenu individuel est encore très faible et les problèmes sociaux et politiques que posent les rapports entre le monde ouvrier et un régime autoritaire et conservateur influent sur l'économie. — *Communications.* Le réseau ferroviaire atteint 18 000 km, le réseau routier 134 000 km. L'Espagne dispose de 3 aéroports internationaux importants (Madrid, Barcelone et Palma). La flotte marchande (2 millions de tonneaux) assure 95 % des échanges extérieurs. Le déficit chronique de la balance commerciale est en partie comblé par l'apport considérable du tourisme (Costa Brava, Costa del Sol). ♦ *Hist.* La péninsule Ibérique fut habitée dès le néolithique. Au ~IIe millénaire, les côtes méditerranéennes étaient occupées par les Phéniciens et les Grecs; à l'intérieur coexistaient Celtes* et Ibères*, formant le fond celtibère de la population espagnole. Dès le ~Ve s. les Carthaginois s'y établirent (fondant Cartagène), puis furent remplacés par les Romains. La conquête fut longue, mais la « paix romaine » (Ier-Ve s.) assura à l'Espagne une grande prospérité, tandis que le christianisme s'y répandait peu à peu. Les grandes invasions commencèrent au Ve s. avec les Vandales* (en Andalousie) et les Wisigoths*. En 711 les Maures conduits par Târiq passèrent le détroit de Gibraltar, conquirent presque toute la péninsule et ne furent arrêtés qu'à Poitiers par Charles* Martel (732). Les chrétiens d'Espagne se réfugièrent dans des royaumes indépendants, au nord et à l'ouest de la péninsule; cependant la religion et la civilisation musulmanes s'implantaient solidement dans le reste du pays. Au Xe s. le califat de Cordoue*, très étendu, devint un centre culturel et artistique très brillant. Au XIe s. l'Espagne musulmane se divisa en royaumes indépendants *(reyes de taifas)* : ce morcellement facilita la *Reconquête,* qui commença au XIe s. et devint la croisade permanente de l'Espagne chrétienne. Elle fut marquée par la figure du Cid* Campeador, qui s'illustra à Valence (1094), et par celle d'Alphonse* VI (1065-1109), qui s'empara de Tolède. Elle se poursuivit par la reconquête de l'Andalousie et la victoire de las Navas* de Tolosa (1212) contre les Almohades*. La Reconquête avait consolidé l'unité spirituelle mais compromis l'unité politique : les particularismes étaient plus forts que jamais, aussi bien dans la noblesse, guerrière et fière, que dans les communautés urbaines ou paysannes, très attachées à leurs privilèges locaux *(fueros).* Par leur mariage (1469), Ferdinand* d'Aragon et Isabelle* de Castille (les « Rois Catholiques »), tout en achevant la Reconquête (prise de Grenade, 1492), préparaient l'unité nationale. Leur règne fut aussi celui de l'intransigeance religieuse (puissance de l'Inquisition; expulsion des juifs) et des grandes découvertes **(V. Colomb).** En 1516, Charles de Habsbourg, petit-fils de Ferdinand, devint roi d'Espagne sous le nom de Charles Ier : possesseur de Naples, de la Sicile et des Pays-Bas, il fut élu en 1519 empereur d'Allemagne **(V. Charles Quint).** Il se heurta à la noblesse, à la révolte des *Comuneros** et à François* Ier et il dut abdiquer en 1556. Alors s'ouvrit pour l'Espagne une période de prestige intellectuel et de puissance dont le XVIe s. (le « siècle d'or ») marqua le sommet. Charles Quint avait laissé à son fils Philippe* II (1556-1590) son immense empire (à l'exception des possessions allemandes) auquel vinrent s'ajouter les conquêtes américaines de Cortés*, Pizarro*, puis le Portugal (1580). Les métaux précieux affluaient en Espagne, ne servant guère à stimuler l'économie, mais plutôt à financer la guerre. Philippe* II signa avec la France la paix de Cateau*-Cambrésis (1559), mais se heurta à l'Angleterre (défaite de l'Invincible Armada*, 1588). À l'intérieur, le monarque, « champion de la vraie foi », accrut la répression contre les Maures et les juifs, alors que l'économie s'appauvrissait. La décadence se précipita sous les successeurs de Philippe II. Les règnes de Philippe* III et Philippe IV furent dominés par des favoris, Lerma* et Olivares*. Le Portugal reprit son indépendance en 1640 de même que les Pays-Bas (traité de Westphalie*, 1648). Par le traité des Pyrénées* (1659), l'Espagne céda l'Artois et le Roussillon à la France et passa sous l'influence française par le mariage de Louis XIV et de l'infante Marie*-Thérèse. En 1700, Philippe d'Anjou monta sur le trône d'Espagne sous le nom de Philippe* V et inaugura le règne des Bourbons. Le règne fut marqué par la perte des possessions espagnoles (autres que les colonies d'Amérique) et par une politique de centralisation. Charles* III (1759-1788) fut le type du despote éclairé; il tenta de stimuler l'économie et expulsa les Jésuites en 1767. Charles* IV (1788-1808) se laissa dominer par Godoy* et s'allia au Directoire. Il fut déposé par Napoléon* Ier qui installa sur le trône son frère Joseph Bonaparte et envahit l'Espagne. Le peuple de Madrid se souleva et encourut une terrible répression (2 et 3 mai 1808). L'insurrection gagna l'Andalousie, dégénérant en atrocités réciproques. Une junte insurrectionnelle s'était réfugiée à Cadix* d'où elle continua à animer la résistance jusqu'à la libération finale de l'Espagne à la suite de l'alliance anglo-espagnole et des victoires de Wellington* (1814). Dès 1813, les Bourbons étaient restaurés. Dans l'intervalle, presque toutes les colonies d'Amérique s'étaient rendues indépendantes. Ferdinand* VII (1814-1833) inaugura l'« ignominieuse décennie » (1823-1833) qui décapita le libéralisme espagnol. Le XIXe s. fut marqué par les luttes entre les absolutistes, partisans de don Carlos* **(V. Carlistes)**, et les libéraux, partisans de la reine Isabelle*; celle-ci, montée sur le trône en 1844, laissa le pouvoir à O'*Donnel et Narváez* et fut renversée par le coup d'État du général Prim*. La république fut proclamée en 1873; deux ans plus tard, les Bourbons étaient restaurés en la personne d'Alphonse XII (1875-1885). La régence de Marie*-Christine vit la perte des dernières colonies (Cuba, Porto Rico, les Philippines); aucune réforme ne put voir le jour dans une Espagne en pleine crise économique et où les premiers mouvements ouvriers (Asturies) et anarchistes (Catalogne) naissaient. Avec Alphonse* XIII, monté sur le trône en 1902, la situation s'aggrava encore. Le coup d'État de Primo* de Rivera instaura une dictature (1923-1930) acceptée par le roi et qui se solda par un échec (si l'on excepte la pacification du Maroc). En 1931, Alphonse XIII quitta l'Espagne sans abdiquer. L'avènement de la République (avril 1931) éveilla les espoirs du peuple et s'accompagna d'émeutes anticléricales. Les grandes réformes votées (réforme agraire, suffrage universel, statuts d'autonomie aux provinces, réformes juridiques : divorce, etc.) restèrent en grande partie lettre morte. Après un retour de la droite (1933), les élections de 1936 virent le succès de la gauche unie dans le *Frente Popular*. C'est alors que la Phalange* regroupa les opposants au régime et favorisa le pronunciamiento du général Franco* au Maroc et le soulèvement des garnisons. La guerre civile dura jusqu'en 1939. Peu à peu, les armées franquistes s'emparèrent de toute l'Espagne républicaine : Bilbao (juin 1937), Barcelone (janv. 1939), Madrid (mars 1939). À l'intérieur, cette guerre fut une lutte sanglante où « l'on se battit pour Dieu et pour

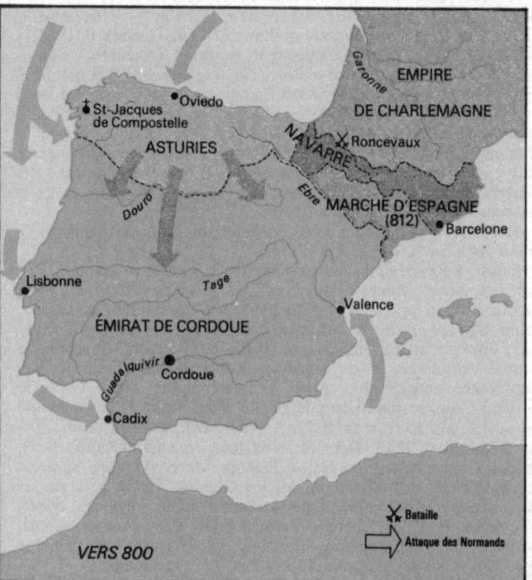

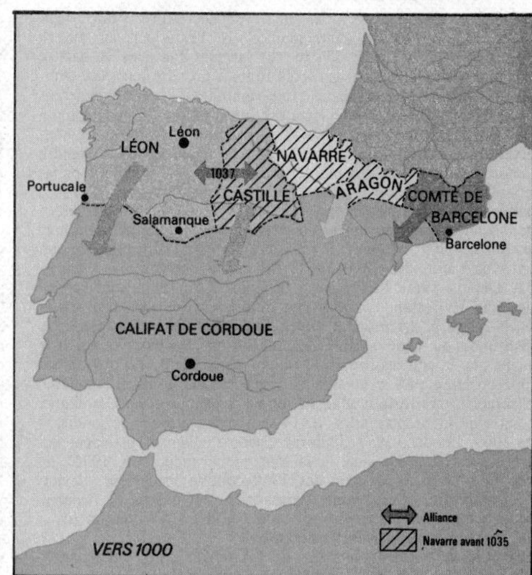

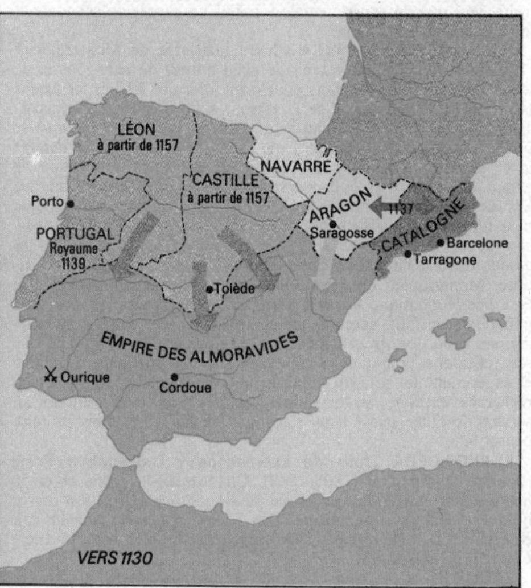

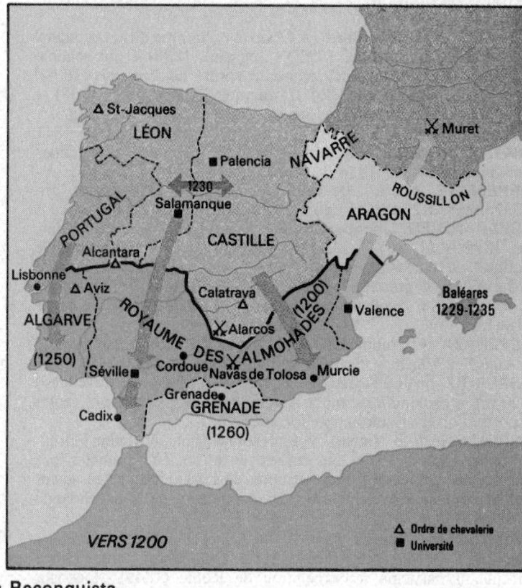

Espagne : la Reconquista.

Ph. Ostuni/Ricciarini

Espagne : Barcelone, vue d'ensemble ; au premier plan, l'Observatoire.

le Diable » (Hemingway), les deux parties représentant deux conceptions du monde inconciliables. À l'extérieur, la guerre d'Espagne servit de banc d'essai aux armées fascistes et nazies, l'Italie et l'Allemagne étant les seuls États à prendre part aux combats, du côté des nationalistes. Les républicains ne bénéficièrent que de l'aide officieuse des brigades* internationales et de l'appui de l'U.R.S.S., Londres et Paris adoptant une politique de « non-intervention ». Les nationalistes, vainqueurs, durent entreprendre un énorme travail de reconstruction. Franco instaura une dictature militaire soutenue par la Phalange, parti unique. En 1947, il publia une loi de succession qui définit l'Espagne « État catholique, social et représentatif », s'instituant régent à vie de la monarchie. Sur le plan extérieur, il réussit à rompre l'isolement de son pays avec l'aide des États-Unis ; l'Espagne entra à l'O.N.U. en 1955. Depuis 1960, l'Espagne a bénéficié d'un renouveau économique tout en restant soumise aux influences des éléments traditionnels : Église, armée. Opus Dei, Phalange* (en régression). La Constitution de 1966 a élargi le nombre des électeurs et établi le principe de la succession de Franco. Cependant, l'évolution du régime est lente : les mouvements d'opposition (ouvriers, étudiants, intellectuels), très forts à Madrid, au Pays basque et en Catalogne, ont entraîné la proclamation de l'« état d'exception » de janvier à mars 1969. En déc. 1973, l'amiral Carrero* Blanco, président du gouvernement, fut assassiné. A la mort de Franco (nov. 1975), le prince Juan* Carlos, désigné dès 1969 comme successeur, devint roi. L'instauration d'un régime parlementaire (Congrès de députés et Sénat remplaçant les Cortes) fut soumise à un référendum (déc. 1976) et approuvée par 94 % de « oui ».

ESPALION. ♦ Ch.-l. de cant. de l'Aveyron*, arr. de Rodez*, sur le Lot*. 4 378 hab. *(Espalionais).* Château de la Renaissance. Pont du XIIIe siècle. Église du XIe siècle. Petites indus. (ganterie, matelas, meubles).

ESPARTERO (Baldomero). ♦ Général et homme d'État espagnol (province de Ciudad Real, 1793 – Logroño, 1879). Il fut séminariste, puis s'engagea comme volontaire contre les Français (1808). En 1833 il se rallia à Isabelle* II, vainquit les carlistes* (1838) et fut fait *duc de la Victoire.* Nommé régent à la place de Marie*-Christine, qui était exilée à Paris, il gouverna en dictateur de 1841 à 1843. Renversé au retour de Narváez*, il dut se retirer, mais revint au pouvoir de 1854 à 1856.

ESPELETTE. ♦ Ch.-l. de cant. des Pyrénées*-Atlantiques, arr. de Bayonne*. 1 258 hab. Église intéressante, maisons basques.

ESPÉRANDIEU (Jacques Henri). ♦ Architecte français (Marseille, 1829 – *id.,* 1874). Élève de Vaudoyer*, il pratiqua un style éclectique de tendance romano-byzantine. Architecte de la ville de Marseille*, il poursuivit l'édification de la nouvelle cathédrale et construisit la basilique de *Notre-Dame-de-la-Garde,* à partir de 1864.

ESPÉRAZA. ♦ Comm. de l'Aude (arr. de Limoux), sur la r. g. de l'Aude*. 2 766 hab. Église. – Chapelleries. Matières plastiques.

ESPÉROU ou **LESPÉROU.** *n. m.* ♦ Crête des Cévennes* (1 420 m), à proximité du mont Aigoual*. Station estivale et centre de sports d'hiver. Exploitation forestière.

ESPINAS (Alfred Victor). ♦ Philosophe français (Saint-Florentin, Yonne, 1844 – 1922). Ses études sur les sociétés animales font de lui un des principaux représentants de l'organicisme (en sociologie). Il contribua également au développement de la psychologie expérimentale.

ESPINASSE (Charles Esprit). ♦ Général français (Saissac, Aude, 1815 – Magenta, 1859). Après avoir servi dans l'armée d'Afrique, il participa à l'expédition de Rome (1849). Il assista Louis Napoléon Bonaparte lors du coup d'État du 2 décembre* 1851 et fut promu général. Nommé ministre de l'Intérieur en 1858, après l'attentat d'Orsini, il contribua à faire adopter la loi de sûreté (1859). Il fut tué lors de la bataille de Magenta.

ESPINEL (Vicente). ♦ Poète et romancier espagnol (Ronda, 1550 – Madrid, 1624). Auteur de poésies et de compositions musicales, il est surtout connu pour son roman picaresque *Vie de l'écuyer Marcos de Obregón* (1618) dont s'inspira Lesage* dans son Gil Blas.

ESPINHAÇO *(serra do). n. f.* ♦ Massif montagneux de l'E. brésilien, qui traverse l'État de Minas* Gerais sur une largeur de 50 à 100 km. Il est formé de crêtes et de gorges profondes s'étendant sur env. 1 000 km et prend le nom de *Chapada Diamantina* dans l'État de Bahia, au N. Le rio Doce* y prend sa source.

ESPINOUSE. *n. m.* ♦ Massif granitique situé dans le prolongement des Cévennes*, entre le causse de Larzac* et la Montagne* Noire. Il sépare les vallées de l'Agout* au N. et de l'Orb au S. Ses deux versants, océanique et méditerranéen, offrent des contrastes saisissants.

ESPÍRITO SANTO. *n. m.* ♦ Petit État du Brésil, sur le littoral, situé au N. de l'État de Rio* de Janeiro et à l'E. du Minas* Gerais dont il est séparé par la serra da Mantiqueira*. 45 597 km². 1 537 000 hab. (faible dens. de pop.). *Cap.* Vitória*. Les deux tiers de l'État sont couverts de chaînes montagneuses (serra dos Aimorès et serra da Mantiqueira). Le climat chaud et humide favorise les cultures du café et du cacao. Minerai de fer dans la vallée du rio Doce*.

ESPIRITU SANTO ou **SAINT-ESPRIT,** anc. **Marina,** appelé ordinairement **SANTO.** ♦ La plus grande des îles de l'archipel des Nouvelles*-Hébrides, appartenant au groupe N. 5 000 km² env. Sur sa côte S.-E. se situe le port de Luganville*. – Première île de l'archipel découverte par un Européen **(V. Queirós [P.F. de]).**

ESPLÁ (Oscar). ♦ Compositeur espagnol (Alicante, 1886 – Madrid, 1976). Docteur en philosophie, il se consacra à la composition. Empruntant au Moyen-Orient l'échelle modale sur laquelle il fonda son système harmonique, il s'est éloigné de l'Espagne traditionnelle pour se rapprocher de l'atmosphère gitane, riche de couleur et de sensualité. Son œuvre comprend un opéra *(La Bella durmiente),* des pièces pour orchestre *(Don Quijote velando las armas),* des œuvres de musique de chambre, une cantate, un ballet et de la musique vocale *(Canciones playeras).*

ESPOO. ♦ V. de Finlande méridionale, dans la banlieue O. d'Helsinki. 84 700 hab.

Esprit. ♦ Revue philosophique mensuelle, fondée en octobre 1932 par Emmanuel Mounier, qui la dirigea jusqu'en 1950, assisté de Georges Izard et Denis de Rougemont. Représentant le catholicisme d'avant-garde, et surtout le personnalisme chrétien de Mounier, *Esprit* parvint, malgré une faible diffusion, à renouveler la pensée catholique et eut sur le plan intellectuel et spirituel une importance considérable. Après une interruption (1941-1944), la revue fut dirigée par Albert Béguin et Jean-Marie Domenach, qui en devint le directeur en 1957. Actuellement, les principaux collaborateurs sont Paul Thibaud, rédacteur en chef, Camille Bourniquel, Casamayor, Luce Giard, Philippe Meyer, Maurice Mourier, René Pucheu, Alfred Simon, Michel Winock. Fidèle à la pensée personnaliste et communautaire de son fondateur, largement ouvert aux courants d'idées contemporaines, *Esprit* diffuse mensuellement environ 15 000 exemplaires et publie régulièrement des numéros spéciaux traitant des grandes questions de notre temps.

Esprit (De l'). ♦ Ouvrage d'Helvétius* (anonyme, 1758). Ce traité de « morale expérimentale » obtint un succès de scandale et fut condamné par l'Église.

Esprit des lois (De l'). ♦ Œuvre maîtresse de Montesquieu* (XXXI livres, 1748) et travail de vingt années de réflexions et de lectures confrontées aux faits pour démontrer que les lois juridiques (synthèse de la nature et de la raison) sont « les rapports nécessaires qui dérivent de la nature des choses », comme l'indique le titre complet de l'ouvrage (« *... ou Du rapport que les lois doivent avoir avec la constitution de chaque gouvernement, les mœurs, le climat, la religion et le commerce* »). Ayant ainsi prouvé que les lois ne sont ni invariables ni arbitraires, Montesquieu distingue trois types de gouvernements dont chacun repose sur un principe : le despotisme, sur la crainte ; la république, sur la vertu, et la monarchie, sur l'honneur. Épris d'un idéal de modération et d'équilibre, Montesquieu opte pour une monarchie constitutionnelle où la « liberté politique » serait garantie par la séparation des trois pouvoirs (législatif, exécutif, judiciaire) et par des corps « intermédiaires, subordonnés et dépendants ». Conscient des bienfaits que ses réflexions politiques, s'appuyant sur une méthode déductive et expérimentale, peuvent apporter au genre humain, Montesquieu recherche un style tantôt simple, tantôt ample, mais toujours au service de l'idée, car « il ne s'agit pas de faire lire, mais de faire penser ».

ESPRONCEDA (José de Espronceda y Delgado). ♦ Poète romantique espagnol (1808-1842). Chantre de la patrie et de la liberté, Espronceda représente par sa vie sentimentale et son œuvre lyrique l'idéal du romantisme. Son œuvre principale (inachevée), en esp. *El Dibalo Mundo* (1840), contient son plus beau poème : *Chant à Thérèse.*

ESQUILIN. *n. m. (mont),* en lat. **Esquilinus Mons.** ♦ Une des sept collines de Rome, située sur la partie E. de la ville. Longtemps désert, l'Esquilin commença à se peupler au ~ Ier s. et devint l'un des quartiers aristocratiques de Rome, où s'étendaient de magnifiques jardins parmi lesquels celui de Mécène*. Principaux vestiges : thermes de Trajan, auditorium de Mécène, porte Majeure, Maison* dorée.

ESQUIMAUX. *n. m. pl.* ♦ **V.** Eskimos.

ESQUIROL (Jean-Étienne Dominique). ♦ Médecin aliéniste français (Toulouse, 1772 – Paris, 1840). Médecin directeur de la Salpêtrière, puis de l'hospice de Charenton (1825), il poursuivit les travaux de Pinel et est considéré comme un des fondateurs de la psychiatrie moderne. *(Des maladies mentales considérées sous le rapport médical, hygiénique et médico-légal,* 1838.)

Essais (Les). ♦ Œuvre essentielle de Montaigne, si « consubstantielle » à son auteur qu'elle se développa de 1572 à sa mort (éditions de 1580 et 1588 ; puis posthume de 1595). **V. Montaigne.** Montaigne confronte l' « essai » de son jugement sur ses lectures (notamment les auteurs anciens) avec les « essais » (expériences) de sa vie. Cette connaissance de soi l'amène à dégager un art de « vivre à propos » qui repose sur un épicurisme nuancé. **V.** *aussi* **Charron** (Pierre).

Essais de critique et d'histoire. ♦ Œuvre de H. Taine* (1858). Suivis des *Nouveaux Essais* (1865) et des *Derniers Essais* (1892), ils comportent en particulier des études sur Racine, Balzac, Michelet et Stendhal.

Essai sur les mœurs et l'esprit des nations. ♦ Œuvre historique de Voltaire* (1756), conçue comme un abrégé de l'histoire universelle. S'intéressant d'abord à l'histoire de l'Orient, l'auteur laisse, pour des raisons d'information, une place privilégiée à celle de l'Europe, depuis Charlemagne* jusqu'au règne de Louis* XIII. Selon une composition dramatique, chaque époque est présentée comme un mouvement essentiel de la lente progression de l'humanité, échappant aux superstitions et au dogmatisme, dans la conquête des progrès matériels et de la raison. C'est donc la civilisation qui est exaltée, plus que les guerres et les héros, car Voltaire veut voir, au milieu des plus grands désordres, « un amour de l'ordre qui anime en secret le genre humain et qui a prévenu sa ruine totale ».

Essai sur l'homme *(An Essay on Man).* ♦ Poème philosophique de Pope*, publié en 1733-1734 et composé de quatre épîtres. La dernière, intitulée *Du Bonheur (Of the Nature and State of Man with Respect to Happiness),* contient ce précepte que « tout notre savoir est de nous connaître nous-mêmes » (... « and all our knowledge is – Ourselves to know »). Les trois premières épîtres évoquent l'homme et la nature, l'homme en face de lui-même et dans la société. Le thème de la bonté et de la dignité naturelle de l'homme fut partout repris dans la littérature européenne du XVIIIe siècle.

ESSAOUIRA, en ar. **Al-Suwayra,** anc. **Mogador.** ♦ V. et port du Maroc (prov. de Marrakech) située sur l'Atlantique. 26 400 hab. Port de pêche. Station balnéaire. Anc. place forte et ville de corsaires.

ESSARTS (Les). ♦ Ch.-l. de cant. de la Vendée, arr. de La Roche-sur-Yon. 3 080 hab. (1 524 aggl.) [*Essartais*]. Église en partie du XIe s. Vestiges de l'anc. château. – Constructions mécaniques.

ESSEN. ♦ V. d'Allemagne occidentale (Rhénanie-Westphalie) sur la Berne, affl. de la Ruhr, au cœur du bassin houiller **(V. Ruhr).** 705 000 hab. (1969). Évêché catholique depuis 1958 ; cathédrale fondée en 852, remaniée aux XIe et XIIe s. sur le modèle de celle d'Aix-la-Chapelle et abritant un trésor d'une grande richesse (orfèvrerie des Xe-XIe s.). Grande cité minière et métallurgique, c'est le siège des usines Krupp*. Les aciéries, la métallurgie lourde et différenciée, les indus. chimiques et les verreries sont les aspects traditionnels de l'activité d'Essen. Depuis les années 60, l'activité industrielle s'oriente en outre vers de nouvelles branches (indus. électriques et électroniques, surtout). Important centre commercial et administratif (siège du syndicat houiller et du centre d'urbanisme de la Ruhr). – Patrie de la famille Krupp. ♦ *Hist.* Occupée de 1923 à 1925 par les troupes françaises, Essen fut détruite à 75 % par l'aviation alliée en 1943.

ESSEN. ♦ V. de Belgique (prov. et arr. d'Anvers) à la frontière néerlandaise. 10 400 hab. Laminoir. Cimenterie.

Ph. René Burri/Magnum

Essen : aciéries.

Esséniens. *n. m. pl.* ♦ Membres d'une secte juive (~ IIe s. – fin Ier s.) dont les principaux caractères étaient : ascétisme, pureté (lustrations rituelles), célibat, communauté des biens, sanctification du repas en commun, vêtement blanc. La communauté de Qumrân, sans doute essénienne, vénérait (ou attendait) un *maître de justice,* annonciateur d'un messie. On n'a pas manqué de rapprocher ces traits du christianisme originel ; mais il est peut-être excessif d'y voir des liens directs. **V. Qumrân.**

ESSENINE (Serge Alexandrovitch) [*Essenin*]. ♦ Poète russe et soviétique (Konstantinovo, gouvernement de Riazan, 1895 – Leningrad, 1925). D'origine paysanne, la campagne lui inspira de nombreux poèmes lyriques : *Tout l'azur du ciel, Soroko pout, Transfiguration* (1919), *L'Accordéon* (1920)... Puis c'est avec enthousiasme qu'il accepta tout d'abord la nouvelle vie que devait amener la révolution et il la chanta avec une émotion religieuse : *Inonia* (1918), et de 1923 à 1925 : *La Russie soviétique, Chant de la Grande Marche, La Ballade des 26.* Après son mariage avec Isadora Duncan et son voyage en Occident, il devint peu à peu hostile aux idées nouvelles et à l'industrialisation qui détruisait l'esprit et la beauté de la nature : *Confession d'un voyou* (1921). De plus en plus déprimé, il écrivit sa dernière œuvre : *L'Homme noir* (1925) et finit par se suicider. – Son œuvre, empreinte de sincérité et d'humanité, eut une influence sur la jeunesse, mais fut mal acceptée par le parti communiste qui la jugeait trop étrangère au prolétariat.

ESSEQUIBO. *n. m.* ♦ Fl. de Guyane qui se jette dans l'Atlantique par un profond estuaire, à l'O. de Georgetown*. 750 km. Gisements de bauxite dans son bassin.

ESSEX (Robert Devereux, *2e comte d'***).** ♦ Homme politique anglais (Netherwood, 1567 – Londres, 1601). Favori d'Élisabeth Ire, il succéda auprès d'elle à son beau-père R. Dudley*. Son incapacité en face de la révolte de l'Irlande (1598) et son mariage secret le firent bannir de la cour. Il conspira alors avec Jacques VI d'Écosse, fut arrêté et condamné à mort après bien des hésitations de la reine. ♦ Robert Devereux, 3e comte d'Essex, son fils (1591 – 1646). Il fit partie de l'opposition à Charles* Ier et prit la tête de l'armée parlementaire.

ESSEX. *n. m.* ♦ Comté de l'E. de l'Angleterre, limité au N. par le Cambridgeshire et le Suffolk, au S. par la Tamise, à l'O. par le Greater London et l'Hertfordshire et baigné à l'E. par la mer du Nord. Il s'étend de la banlieue N.-E. de Londres jusqu'à la Stour. 3 958 km². 2 288 060 hab. *Ch.-l.* Chelmsford*. L'Essex est une région de plaines fertiles où les cultures maraîchères et fruitières sont associées à l'élevage porcin. L'ostréiculture est pratiquée dans les estuaires des rivières (Tamise, Colne, Stour). L'industrie est concentrée à proximité de Londres (Basildon*, East* Ham, Harlow*) ainsi qu'à Chelmsford, Colchester* et Southend* on Sea. Des centrales nucléaires ont été édifiées à Chelmsford et à Bradwell on Sea. – Patrie de John Ray*, de G. M. Hopkins*, et de J. Lister*. ♦ *Hist.* Royaume saxon de l'Angleterre fondé au VIe s. au N. et au N.-E. de l'estuaire de la Tamise, avec Londres pour capitale. Il fut annexé par le Wessex* en 825, puis par les Danois (878-917).

ESSLING. ♦ Village autrichien près de Vienne*. Le 22 mai 1809, un combat sanglant et indécis opposa les Autrichiens de l'archiduc Charles* et les Français. Lannes* y fut mortellement blessé.

ESSLINGEN-AM-NECKAR. ♦ V. d'Allemagne occidentale (Bade-Wurtemberg), sur la r. d. du Neckar, en amont de Stuttgart. 83 000 hab. Église gothique (Frauenkirche) des XIVe-XVe s., vestiges d'une enceinte fortifiée (XIIIe s.), hôtel de ville Renaissance (XVe-XVIe s.). – Indus. mécaniques, électriques, ganteries.

ESSONNE. *n. f.* ♦ Affl. de la Seine, 90 km, qui conflue à Corbeil*-Essonnes.

ESSONNE. [91]. *n. f.* ♦ Dép. de la région parisienne*, créé en 1964, région (anciennement C.A.R.) d'Île-de-France. Il recouvre le S.-E. de l'ancien dép. de la Seine-et-Oise. 1 811 km². – *Orogr.* Le dép. s'étend sur la Brie* et le Hurepoix* ; c'est une région de plateaux peu élevés, découpés par les vallées de la Seine, de l'Yerres, de l'Orge, de l'Yvette et de la Bièvre. Le N. est résidentiel, le S. plutôt rural : cultures maraîchères, fruitières, céréalières. ♦ [32 cant., 188 comm., 682 297 hab.]. *Préf.* Évry*. *Sous-préf.* Étampes*, Palaiseau*. *Ch.-l. de cant.* Arpajon*, Athis*-Mons, Bièvres*, Brétigny*-sur-Orge, Brunoy*, Chilly*-Mazarin, Corbeil*-Essonnes, Dourdan*, Draveil*, Étréchy*, Ferté*-Alais (La), Gif*-sur-Yvette, Juvisy*-sur-Orge, Limours*, Longjumeau*, Massy*, Mennecy*, Méréville*, Milly*-la-Forêt, Montgeron*, Montlhéry*, Morsang*-sur-Orge, Orsay*, Ris*-Orangis, Saint*-Chéron, Saint*-Germain-lès-Corbeil (650 hab.), Saint*-Michel-sur-Orge, Sainte*-Geneviève-des-Bois, Savigny*-sur-Orge, Vigneux*-sur-Seine, Villebon (5 078 hab.), Yerres*. *Autres comm. et localités.* **V. Ballancourt-sur-Essonne, Bouchet (Le), Bures-sur-Yvette, Chamarande, Crosne, Épinay-sur-Orge, Fleury-Mérogis, Igny, Linas, Marcoussis, Melun-Sénart, Morangis, Paray-Vieille-Poste, Saclay, Sénart** (forêt de), **Verrières-le-Buisson, Viry-Châtillon.**

Est *(canal de l').* ♦ Canal de 439 km qui relie la Meuse et la Moselle à la Saône. Il commence à Givet, se confond sur 20 km avec le canal de la Marne au Rhin et rejoint la Saône à Port-sur-Saône.

ESTAGEL. ♦ Comm. des Pyrénées-Orientales (arr. de Perpignan), sur la r. d. de l'Agly*. 2 201 hab. *(Estagellois).* Église du XVIIe s. Vins. – Patrie de F. Arago*.

ESTAING [ɛstɛ̃] **(Jean-Baptiste,** *comte d'***).** ♦ Amiral français (château de Ravel, Auvergne, 1729 – Paris, 1794). Après avoir servi aux Indes sous Lally*-Tollendal, puis avoir été nommé vice-amiral des mers d'Asie et d'Afrique (1777), il prit part à la guerre d'Indépendance* des États-Unis, échoua devant Newport, puis s'empara de la Grenade (1779). Commandant de la garde nationale (1789), promu amiral de France (1792), il fut arrêté sous la Terreur et guillotiné, malgré ses convictions républicaines.

EST-ANGLIE. *n. f.*, en angl. **East Anglia.** ♦ Royaume fondé au milieu du VIe s. par les Angles* et faisant partie de l'Heptarchie. Il fut soumis à la Mercie puis au Wessex*.

ESTAQUE. *n. f.* ♦ Chaînon calcaire des Alpes de Provence prolongeant à l'O. la chaîne de l'Étoile*, au N.-O. de Marseille*; elle ferme au S. l'étang de Berre*.

ESTAUNIÉ (Édouard). ♦ Écrivain français (Dijon, 1862 – Paris, 1942). Ingénieur de valeur, il mena concurremment une carrière de savant et d'écrivain; admirateur de Balzac*, il se plut, dès *L'Empreinte* (1896), à souligner les rapports du personnage et de son milieu, puis se fit le peintre des émotions cachées qui animent des vies, mornes en apparence, dans *La Vie secrète* (1908), *L'Ascension de M. Baslèvre* (1921), *L'Infirme aux mains de lumière* (1924). [Acad. fr.]

ESTE *(famille d')*. ♦ Famille italienne qui régna sur Ferrare* de 1240 à 1597 et sur Modène* de 1288 à 1796. ♦ HERCULE Ier D'ESTE (1433 – 1505), premier duc de Ferrare. Il protégea l'Arioste et Boiardo. ♦ ISABELLE D'ESTE, fille d'Hercule Ier (1474 – 1539). Elle épousa François de Gonzague, marquis de Mantoue. ♦ BÉATRICE D'ESTE (1475 – 1497), sœur d'Isabelle, épousa Ludovic* Sforza le More. ♦ ALPHONSE Ier D'ESTE (1476 – 1534), fils d'Hercule Ier. Duc de Ferrare et de Modène (1505-1534), épousa Lucrèce Borgia en 1501 et protégea l'Arioste. ♦ HIPPOLYTE Ier, frère d'Alphonse Ier, cardinal d'Este (1479 – 1520). L'Arioste lui dédia l'*Orlando furioso*. ♦ HIPPOLYTE II, cardinal d'Este (1509 – 1572), fils d'Alphonse Ier. Il fut archevêque de Milan, de Lyon et de Narbonne et gouverna le duché de Parme pour le compte de la France (1552-1554). Il construisit la *villa d'Este* à Tivoli. ♦ HERCULE II (1508 – 1550). Il épousa Renée de France et accueillit les calvinistes persécutés, dont Marot. ♦ ALPHONSE II mourut sans enfants en 1597, à la suite de quoi le pape Clément VII prit Ferrare (1598). ♦ CÉSAR Ier, fils naturel d'un fils d'Alphonse Ier, fonda à Modène* la branche cadette. ♦ RENAUD D'ESTE (1655 – 1727) réunit par mariage les deux branches de la maison. ♦ HERCULE III, dernier duc de Modène. Il fut déposé par le traité de Campoformio (1797). Sa fille MARIE-BÉATRICE apporta en dot les biens de la maison d'Este aux Habsbourg* par son mariage (1771) avec Ferdinand d'Autriche.

ESTE, anc. **Ateste.** ♦ V. du N.-E. de l'Italie (Vénétie, prov. de Padoue), au pied des *monts Euganéens*. 16 300 hab. Centre agricole. Céramiques réputées depuis le XVIIIe siècle. Berceau de la famille d'Este. ♦ Hist. *Ateste* fut un important centre vénète où subsistent d'intéressants vestiges préhistoriques.

Este *(villa d')*. ♦ V. TIVOLI.

ESTELLA. ♦ V. d'Espagne, en Navarre*, sur l'Ega. 8 200 hab. Anc. cap. des rois de Navarre, elle possède d'intéressants monuments (églises romanes et gothiques, palais seigneuriaux des XVIe et XVIIe s.).

ESTEREL. *n. m.* ♦ Massif cristallin de la Provence maritime, entre Saint-Raphaël* et Cannes*; sa couleur rouge est due aux porphyres qui le composent. Il domine la Méditerranée; de nombreuses stations balnéaires se trouvent le long de la côte. De vastes pinèdes le recouvrent. Le point culminant est le mont Vinaigre, 616 m.

Ph. Hétier

L'Esterel.

ESTERHÁZY. ♦ Noble famille de Hongrie, originaire de Eisenstadt (actuellement en Autriche) dont l'importance est capitale dans l'histoire militaire, politique et culturelle de ce pays. Parmi les princes du XVIIIe s., on retient les noms de PAUL ANTON (1711 – 1762) qui attacha Haydn à son service, de son frère NICOLAS (1714 – 1790) à qui Haydn* dédia la majeure partie de ses œuvres et de PAUL ANTON (1786 – 1866), petit-fils du précédent, pour qui Beethoven* composa sa *Messe en ut majeur* (*opus* 86).

ESTERHÁZY (Marie Charles Ferdinand Walsin). ♦ Officier français d'origine hongroise (en Autriche, 1847 – Harpenden, Hertfordshire, 1923). Attaché à l'état-major de l'armée française, il fut accusé par Picquart* d'être l'auteur du bordereau qui fit condamner Dreyfus pour espionnage (1896). Traduit devant un conseil de guerre, il fut acquitté. Sa culpabilité (au moins partielle) fut néanmoins établie lors de la révision du procès de Dreyfus* et plus nettement encore avec la publication des carnets de Schwartzkoppen.

ESTERNAY. ♦ Ch.-l. de cant. de la Marne, arr. d'Épernay, sur le Grand Morin. 1 579 hab. *(Starnaciens)*. Église avec chœur et transept des XVe et XVIe siècles. Château bâti en 1515. – Outillage. Porcelaine.

ESTEVA (Jean-Pierre). ♦ Amiral français (Reims, 1880 – *id.*, 1951). Commandant des forces maritimes du Sud (1939), il fut nommé résident général en Tunisie (1940-1943) où, suivant les instructions du gouvernement de Vichy, il laissa arriver à Tunis et à Bizerte les renforts allemands contre les forces alliées débarquées en Afrique du Nord (1942-1943) et capturer des bâtiments de guerre français stationnés à Bizerte. Condamné à la détention à vie par la Haute Cour de justice à la Libération, il fut libéré en 1950 pour raison de santé.

ESTÈVE (Maurice). ♦ Peintre français (Culan, Cher, 1904). Il étudia la peinture à l'atelier libre de l'académie Colarossi et fréquenta le Louvre. En 1923, à Barcelone, il dirigea un atelier de dessin dans une fabrique de tissus. Après avoir subi diverses influences, notamment celles de Cézanne, du cubisme et de Léger, et aussi celle de Van* Gogh, il travailla avec Delaunay* à la décoration des *pavillons de l'aviation* et *des chemins de fer* (Exposition de 1937) et évolua progressivement vers un art non figuratif, dans un style qui présente des affinités avec Bazaine*, Manessier*, Singier. Son œuvre crée un espace original à partir de formes simples, calmes, irrégulières, d'un aspect géométrique très lâche (bandes horizontales et verticales, masses ou lignes quadrangulaires ou ovoïdes) formant une structure souple aux rythmes pondérés et savamment élaborés. Ces rythmes sont mis en valeur par des rapports de tons éclatants ou assourdis, étalés par aplats ou d'une touche vibrante et engendrant des effets de transparence ou d'opacité (*Lalongue*, 1959). Il a aussi réalisé des collages, des lithographies, des cartons de tapisserie et des vitraux (*chapelle de Berlincourt*, 1957).

ESTHER. ♦ Personnage de la Bible, héroïne du livre d'Esther. Belle juive vivant à la cour du roi de Perse Assuérus, elle épouse le roi, obtient la grâce des juifs menacés par le vizir Aman et fait élever son cousin Mardochée à la place de ce dernier. Les juifs sauvés massacrent leurs ennemis.

Esther *(Livre d')*. ♦ Livre biblique, un des cinq rouleaux. Il est lu lors de la fête juive des Pourim ou Sorts, fête dont il narre l'institution par Esther et Mardochée. Dix chapitres hébreux rédigés à l'époque des Maccabées (v. ~175-~164). Les Septante et la Vulgate acceptent des compléments grecs au livre d'Esther, rédigés au ~ Ier siècle.

Esther. ♦ Tragédie de Racine*, en 3 actes et avec chœurs (1689), écrite à la demande de Mme de Maintenon pour les demoiselles de Saint-Cyr. Cette œuvre marqua le retour de Racine au théâtre après le silence qui suivit l'échec de *Phèdre* (1677). Elle s'inspire dans sa forme de la tragédie grecque par le rôle assigné au chœur. Un épisode rapporté par la Bible en constitue l'intrigue, non sans allusions à Louis XIV et à ses favorites. Bannissant la reine Vasthi, Assuérus, roi de Perse, a épousé Esther sans savoir qu'elle est juive. Par son oncle Mardochée, la jeune femme apprend qu'Aman, favori du roi, a obtenu de lui un décret d'extermination du peuple juif. Au péril de sa vie, Esther obtient d'Assuérus qu'il renonce à son dessein tandis qu'Aman périt sous les coups des juifs victorieux. (Musique de Jean-Baptiste Moreau.)

ESTIENNE. ♦ Famille d'humanistes français, imprimeurs et éditeurs, dont notamment : ROBERT Ier (Paris, 1503 – Genève, 1559), auteur d'un *Trésor de la langue latine* (1539) et traducteur. ♦ HENRI II, son fils (Paris, 1531– Lyon, 1598), qui donna la première édition des *Odes* d'Anacréon*, aborda ensuite le domaine de la lutte d'idées avec l'*Apologie pour Hérodote* (1566) et couronna un vaste labeur philosophique et grammairien de son *Trésor de la langue grecque* (1572). Passionné pour la langue française, il écrivit notamment son *Livre de la précellence du langage français* (1591), qui toucha un vaste public.

ESTIENNE (Jean-Baptiste). ♦ Général français (Condé-en-Barrois, 1860 – Paris, 1936). Spécialiste des techniques d'artillerie, il fut, au cours de la Première Guerre mondiale, le principal créateur et théoricien du char de combat.

ESTIENNE D'ORVES (Honoré *d'*). ♦ Officier de marine français (Verrières-le-Buisson, Essonne, 1901 – Mont-Valérien, 1941). Polytechnicien, puis officier de marine, il se rallia au général de Gaulle en 1940 et organisa un réseau de renseignements en

France occupée. Trahi par l'un de ses collaborateurs, il fut arrêté par la Gestapo et fusillé. Il a laissé son *Journal de famille* et son *Journal de bord* (1950).

Est-il bon? Est-il méchant? ♦ Comédie en 4 actes de Diderot* (1781). Par une disposition innée à la bienveillance, M. Hardouin, poète un peu bohème, généreux et maladroit, intervient à tout instant dans les affaires des autres pour hâter la réalisation de leurs désirs. Mais c'est toujours au prix d'un mensonge qu'il réussit à atteindre le but désiré. Mis en jugement par ses victimes, il sera acquitté comme ayant agi pour leur bien. Mi-farce, mi-comédie de caractère, la pièce a pour intérêt principal d'offrir le portrait de son auteur.

ESTISSAC. ♦ Ch.-l. de cant. de l'Aube, arr. de Troyes, sur la Vanne. 1 740 hab. Église du XVIe siècle – Bonneterie. – La V. s'est appelée Saint-Liébault jusqu'en 1757.

ESTON. ♦ V. du N.-E. de l'Angleterre, dans le Teeside* (Yorkshire, North Riding), au S.-E. de Middlesbrough. 37 160 hab. (1961). Sidérurgie, chimie et construction navale.

ESTONIE. *n. f.,* en russe **Estonija**, anc. **Estlandija** *(République socialiste soviétique d'; en russe Estonskaja S.S.R.).* ♦ La plus septentrionale des trois républiques baltes* de l'U.R.S.S. Baignée au N. par le golfe de Finlande* et à l'O. par la mer Baltique* et le golfe de Riga*, elle est séparée à l'E. des régions de Leningrad et de Pskov (R.S.F.S. de Russie) par le lac Tchoudsk* et la Narva*; elle confine au S. avec la Lettonie*. Elle englobe également de nombreuses îles de la mer Baltique dont les plus importantes sont Sarema* (eston. *Saarema,* suéd. *Ösel*) et Khiouma* (russe *Dago*). 45 100 km². 1 350 000 hab. dont 1 000 000 d'Estoniens. *Cap.* Tallin* (anc. Reval). *V. princ.* **V. Tartu, Narva.** L'Estonie est dans l'ensemble un pays de plaine. Le point le plus élevé (317 m) se trouve au S.-E. La mer, avec ses dunes de sable et ses rives rocailleuses, d'innombrables lacs et rivières, des terres marécageuses (10 % du territoire), de larges vallées séparant des chaînes de collines forment les traits caractéristiques du paysage estonien. —*Écon.* Le sous-sol est riche en réserves de schistes bitumineux, de tourbe et de phosphorites. – L'activité agricole est représentée par les cultures maraîchères et fourragères, l'élevage bovin et porcin. Exploitations forestières. Sur la côte (625 km), nombreux sovkhoses piscicoles (50 000 t de poisson par an). L'industrie (produits chimiques et alimentaires, textile, machines agricoles) et les centrales hydro-électriques sont surtout concentrées dans la partie N. du pays. L'exploitation des schistes bitumineux permet la production de gaz et de carburants qui constituent la principale source d'énergie (égalant 8 000 000 de t de charbon en 1968). – Patrie de B. Alver*, K. Baer*, A. Jakobson*, M. de La* Gardie, A. Rivikas, A. Oras*, G. Suits*, M. Under*, E. Vilde*. ♦ *Hist.* Aux Xe-XIIe s., la partie S.-E. de l'Estonie fut intégrée à l'ancien État russe. Au début du XIIIe s., les *Estes* (ancêtres des Estoniens, de race finno-ougrienne et païens) furent soumis et convertis au christianisme par les Allemands, puis par les Danois, qui fondèrent Tallin (1219). Après la grande révolte des paysans (1343-1345), l'Estonie fut achetée aux Danois par les chevaliers Teutoniques (1346) qui réduisirent les paysans au servage tandis que la Hanse se réservait le trafic des ports. Sous Ivan* IV le Terrible, les Russes, qui aspiraient à un débouché sur la Baltique, occupèrent Narva et Tartu (1558-1581). Après la dissolution de l'ordre Teutonique* (1561), l'Estonie se trouva occupée par la Suède, le Danemark et la Pologne. Au XVIIe s., elle fut entièrement soumise aux Suédois, qui y apportèrent le luthéranisme et fondèrent l'université de Tartu (1632). Pendant la guerre du Nord (1700-1721), l'Estonie fut conquise par Pierre* le Grand (1710) et cédée par la Suède aux Russes, au traité de Nystad* (1721), en même temps que la Livonie*. Au déb. du XIXe s., le servage fut aboli. À la fin du XIXe s., la politique de russification d'Alexandre* III fut combattue par les écrivains estoniens F. Kreutzwald* et J. Liiv*. Après la révolution de mars 1917 en Russie, le gouvernement provisoire russe accorda l'indépendance à l'Estonie (décret du 12 avr. 1917), mais à la suite de la révolution d'Octobre* le pouvoir soviétique fut instauré en Estonie le 28 novembre 1917. En février 1918, les Allemands attaquèrent l'Estonie, les bolcheviks abandonnèrent Tallin, et le 24 février le gouvernement provisoire estonien proclama l'indépendance. Par le traité de Brest*-Litovsk (3 mars 1918), les Russes cédèrent les pays Baltes* aux Allemands, et l'indépendance fut proclamée de nouveau le jour de la capitulation de l'Allemagne; les bolcheviks la reconnurent par le traité de Tartu (2 févr. 1920). En mars 1934, le président de l'Assemblée nationale K. Präts instaura la dictature. La vie indépendante du pays, décrite par le romancier A. Hansen*-Tammsaare, prit fin quand l'Estonie, occupée par l'Armée rouge, devint une R.S.S. (1er août 1940). Conquise par les Allemands (août 1941), elle fut reconquise par les Russes en 1944.

ESTORIL. ♦ V. du Portugal (Estrémadure), non loin de Lisbonne. 8 000 hab. Station climatique et balnéaire de luxe, très fréquentée.

ESTOURNELLES (Paul BALLUAT, *baron de* **CONSTANT de REBECQUE** *d'*). ♦ Homme politique français (La Flèche, 1852 – Paris, 1924). Député (1895), sénateur (1904), partisan de la conciliation internationale, il fut à l'origine du traité d'arbitrage franco-anglais (1903). Il représenta la France à la conférence de La Haye (1907). Prix Nobel de la paix (1909).

ESTOUTEVILLE (Guillaume *d'*). ♦ Prélat français (v. 1403 – Rome, 1483). Cardinal, il fut chargé de la révision du procès de Jeanne* d'Arc (1450).

Arch. Rencontre

Gabrielle d'Estrées et ses deux fils, par Lehmann.

ESTRADES (Godefroi, *comte d'*). ♦ Maréchal et diplomate français (Agen, 1607 – Paris, 1686). Il fut successivement ambassadeur en Angleterre, où il obtint de Charles II la restitution de Dunkerque, et en Hollande. Il fut l'un des artisans de la paix de Nimègue (1678) et s'illustra à la prise de Liège (1675), ce qui lui valut son bâton de maréchal.

ESTRÉES [etʀe] *(Maison d').* ♦ Famille d'Artois rendue célèbre par quelques-uns de ses membres, aux XVIe et XVIIe siècles. – ♦ GABRIELLE (1573 – Paris, 1599). Fille d'Antoine d'Estrées, grand maître de l'artillerie et gouverneur de l'Île-de-France, elle devint la maîtresse d'Henri* IV qui la fit duchesse de Beaufort. Il songeait à l'épouser, quand elle mourut brutalement. Elle laissait trois enfants légitimés, dont César de Vendôme. ♦ FRANÇOIS ANNIBAL, son frère (1573 – Paris, 1670), d'abord évêque de Noyon, quitta l'Église pour devenir maréchal de France puis ambassadeur à Rome (1636-1648) où il décida de l'élection de Grégoire XV. ♦ JEAN, un des fils de François Annibal (Soleures, 1624 – Paris, 1707), vice-amiral et maréchal de France, reprit Cayenne aux Hollandais (1677). ♦ VICTOR-MARIE, comte de Cœuvres et duc d'Estrées (Paris, 1660 – 1737), commanda la marine lors de la guerre de Succession* d'Espagne et fit partie du conseil de régence en 1715.

ESTRÉES-SAINT-DENIS. ♦ Ch.-l. de cant. de l'Oise* (arr. de Compiègne*). 1 724 hab. *(Dyonisiens).* Patrie des ducs d'Estrées* dont le premier, François, était le frère de Gabrielle d'Estrées.

ESTRELA *(serra da).* ♦ Chaîne montagneuse du Portugal central, entre le Mondego et le Zézere, séparant la Beira Alta de la Beira Baixa. Point culminant : Malhao da Estrela (1 981 m).

ESTRÉMADURE. *n. f.,* en esp. **Extremadura.** ♦ Région historique de l'Espagne, comprise entre les sierras de Gata au N. et de Gredos au N.-E., et la sierra Morena* au S., s'étendant sur la partie sud-occidentale du plateau de la Meseta* et correspondant aux 2 prov. de Badajoz et de Cáceres. 41 602 km², 1 380 000 hab. – *Orogr.* Au N. s'étend *l'Estrémadure de Cáceres,* vaste pénéplaine granitique, et au S. *l'Estrémadure de Badajoz,* ou *Tierra de Barros,* comprise entre les sierras et le bassin du Guadiana. – *Hydrogr.* Tage*, Guadiana* et leurs affl. *V. princ.* Albuquerque, Alcántara*, Badajoz*, Cáceres*, Mérida*, Montijo*, Plasencia. – *Écon.* Les terres du N., arides, sont utilisées comme pacages à moutons, ou plantées de chênes verts et de chênes-lièges : c'est la *montanera,* formant de vastes domaines de 200 à 10 000 ha, les *dehesas.* On cultive des céréales dans les plaines. La *Tierra de Barros,* plus fertile, est vouée à la vigne et à l'olivier. Le barrage de Cijara, sur le Tage, a permis l'irrigation et la mise en culture de 130 000 ha autour de Badajoz. Les villes sont de gros marchés agricoles. ♦ *Hist.* Intégrée à la province romaine de Lusitanie, l'Estrémadure fit partie au VIe s. du royaume wisigothique. Envahie par les Maures en 711, elle fut soumise au califat de Cordoue, puis devint un royaume arabe indépendant. Libérée par Alphonse IX en 1229, elle fut la patrie de nombreux conquistadors (Cortés, Pizarro, etc.).

ESTRÉMADURE PORTUGAISE. *n. f.,* en port. **Estremadura.** ♦ Région côtière du Portugal, entre le bassin du Tage, à l'E., et l'Atlantique, à l'O., comprenant les districts de Leiria, Santarém et Lisbonne. 5 336 km². Env. 2 000 000 d'hab. *V. princ. :* Almada, Barreiro*, Caldas* da Rainha, Leiria, Lisbonne*, Nazaré*,

Peniche*, Seixal*, Setúbal*, Sintra*. – *Orogr.* La région forme un vaste plateau d'une altitude moyenne de 200 m et d'un relief très varié : dorsale calcaire au centre, reliefs karstifiés (Fatima), terrains volcaniques (Leiria, Porto de Mós) ou cristallins (Sintra), collines argilo-gréseuses à l'O. et au Sud. – *Hydrogr.* Zézere, Tage. – *Écon.* La polyculture basée sur le blé et le maïs est présente presque partout ; toutefois, on cultive aussi l'olivier, et surtout la vigne (Tôrres Vedras). La région d'Alcobaça*, mise en culture par les moines cisterciens, produit des fruits et des légumes. Le S. (Sintra) a une végétation tropicale exubérante. La côte est plantée de pinèdes. Les ports (Nazaré, Peniche, Setúbal) pratiquent la pêche. Seule, la région de Lisbonne (Almada, Barreiro, Seixal) est industrialisée. ♦ *Hist.* Après avoir fait partie de la province romaine de Lusitanie*, l'Estrémadure portugaise fut conquise par les Wisigoths et englobée dans le royaume de Tolède (569) puis passa sous la domination des Arabes. Délivrée par les rois portugais de la dynastie de Bourgogne (1147), elle resta au Portugal après 1184 et sa destinée fut liée à celle de Lisbonne*.

ESTREMOZ. ♦ V. du Portugal (Alentejo) de caractère très pittoresque. 10 120 hab. À proximité, carrières de marbre blanc.

ESTRIE. *n. f.* ♦ V. Cantons de l'Est (Canada).

ESZTERGOM. ♦ V. de Hongrie, située au N. du pays, sur la r. d. du Danube*, à la frontière tchécoslovaque. 24 000 hab. Important centre du catholicisme; siège traditionnel du prince primat. Basilique (la plus grande de Hongrie) 1822-1831; chapelle Bakócz du déb. du XVIe siècle. Musée chrétien. ♦ *Hist.* À Esztergom se dressait la forteresse orientale la plus avancée de Charlemagne, dénommée Österringen. Esztergom fut la résidence de la première dynastie hongroise, les Arpad*. Bela* III y fit élever un palais, influencé par l'art français, dont on a remis au jour les fondations.

ÉTABLES-SUR-MER. ♦ Ch.-l. de cant. des Côtes-du-Nord, arr. de Saint-Brieuc, sur la baie de Saint-Brieuc, près de Binic*. 1 954 hab. *(Tagarins).* Église en partie des XIVe-XVe siècles. Station balnéaire.

Établissement *(acte d'),* en angl. *Act of Settlement.* ♦ (1701). Loi qui interdisait la couronne d'Angleterre à un prince non protestant, ce qui écartait de la succession le catholique Jacques* Francis Édouard Stuart en faveur de la maison de Hanovre*.

Établissements de Saint Louis. ♦ Coutumier terminé avant 1273, qui comprend deux ordonnances de Louis IX. Il s'agit d'une œuvre de compilation et non d'un code officiel. Ce coutumier, abusivement placé sous l'autorité de Saint Louis, eut cependant une grande influence en Île-de-France, en Anjou, en Touraine et en Poitou.

ÉTAIN. ♦ Ch.-l. de cant. de la Meuse (arr. de Verdun), sur l'Orne. 2 810 hab. Église Saint-Martin (XIIIe, XIVe et XVe s., restaurée). – Constructions mécaniques; machines agricoles; objets en matière plastique.

ÉTAMPES (Anne de Pisseleu, *duchesse d'***).** ♦ Dame française (Fontaine-Lavaganne, 1508 – Heilly, 1580). Maîtresse de François* Ier, elle fut mariée par lui à Jean de Brosses qui devint duc d'Étampes et gouverneur de Bretagne. Elle eut une grande influence et sa rivalité avec Diane de Poitiers* divisa la cour, qu'elle dut quitter à la mort du roi. Très cultivée, elle se convertit au protestantisme à la fin de sa vie. Le duché d'Étampes passa ensuite à Diane de Poitiers*, à Gabrielle d'Estrées*, puis à César de Vendôme*, fils de cette dernière.

ÉTAMPES. ♦ Sous-préf. de l'Essonne, ch.-l. d'arr. (6 cant., 80 comm., 67 390 hab.) dans la Beauce, au confluent de la Chalouette et de la Juine. 16 826 hab. *(Étampois).* – La ville, riche en monuments anciens, est bâtie en longueur. L'église Saint-Basile (XIe, XVe, XVIe s., restaurée) possède un beau portail roman. L'église Notre-Dame-du-Fort (XIe, XIIe s.) a un beau clocher du XIIe s., avec une flèche octogonale haute de 62 m ; son portail S. présente des sculptures semblables à celles du portail royal de Chartres. Église Saint-Gilles (XIIe au XVIe s.), église Saint-Martin (XIIe, XIIIe, XVIe, XIXe s.), tour penchée carrée (XVIe). Tour Guinette, ancien donjon royal (XIIe s.). Hôtel de ville du XVIe s. (restauré) abritant un musée. Maisons et hôtels anciens, dont celui d'Anne de Pisseleu (XVIe s.). – Marché agricole. Fonderies; imprimeries; indus. textiles. – Patrie d'E. Geoffroy* Saint-Hilaire. ♦ *Hist.* Plusieurs conciles se tinrent à Étampes aux XIe et XIIe siècles. Résidence royale jusqu'à Philippe Auguste, la ville fut érigée en comté en 1327 pour le neveu de Philippe le Bel, puis en duché par François Ier, pour Jean de Brosses qui avait épousé la maîtresse du roi, Anne de Pisseleu. Après être passé en diverses mains **(V. Étampes** [duchesse d']**),** le duché revint à la couronne de France en 1712. – La ville fut très endommagée en 1940 et 1944.

ÉTAPLES. ♦ Ch.-l. de cant. du Pas*-de-Calais (arr. de Montreuil*), sur l'estuaire de la Canche*. 9 108 hab. Port de pêche, construction de bateaux; conserves de poissons. – Patrie de Lefèvre* d'Étaples. ♦ Hist. *Stapulae* fut un port romain vers la Grande-Bretagne; la ville devint un port militaire important sous Philippe* Auguste. En 1492, une paix y fut signée entre Charles* VIII, roi de France, et Henri* VII d'Angleterre.

État et la Révolution (L'). ♦ Œuvre de Lénine* (1917). Reprenant les thèses fondamentales de Marx et d'Engels pour les développer à la lumière de la situation objective de la Russie, cet ouvrage, inachevé, est une étude sociologique de l'État de classes. Contre les positions anarchistes (abolition radicale de l'État) et opportunistes (Plekhanov et Kautsky), Lénine y affirme la nécessité de la dictature du prolétariat comme phase transitoire entre la société capitaliste et la société communiste, précédant l'extinction de l'État.

État français. ♦ Nom officiel donné au régime de la France après la défaite de 1940 par le maréchal Pétain, investi par le Sénat et l'Assemblée nationale de Vichy* des pleins pouvoirs (10 juil. 1940). Les « actes constitutionnels », adoptés pour organiser les pouvoirs publics dans la France occupée par l'Allemagne nazie, furent abrogés par l'ordonnance du 9 août 1944 qui rétablit la république.

ÉTATS DE L'ÉGLISE. ♦ **V.** Église (États de l'); Vatican.

États généraux. ♦ Dans la France de l'Ancien Régime, assemblée politique réunie irrégulièrement par la monarchie et composée de membres des trois ordres ou *états* (noblesse, clergé, tiers état). Ils étaient utilisés par le roi pour le soutenir dans des moments difficiles, et l'on peut les situer dans la lignée de la *Curia regis,* où le roi appelait ses vassaux selon leur devoir de conseil et d'aide. La première convocation des états généraux fut le fait de Philippe* le Bel en 1302, au cours de sa lutte contre le pape Boniface VIII. Ils furent ensuite réunis en 1308 pour l'abolition de l'ordre des Templiers, en 1314 pour l'obtention de subsides dans la guerre de Flandre, en 1317 et en 1328 pour l'exclusion des femmes de la succession dynastique. Ils jouèrent un rôle politique important pendant la guerre de Cent Ans : en 1347, au lendemain du désastre de Crécy-en-Ponthieu, ils votèrent de sévères remontrances; en 1356, pendant la captivité de Jean II le Bon, leurs revendications aboutirent avec la Grande Ordonnance du dauphin Charles en 1357, mais elles furent abolies à la suite de l'émeute d'Étienne Marcel*. L'institution devenait un moyen de pression sur le gouvernement, et les états généraux ne furent réunis que six fois de 1468 à 1558. Ils s'organisèrent alors : les cahiers de doléances rédigés par les assemblées de bailliage où chaque ordre élisait son député sont fondus en un seul. Les votes se font par ordre, chaque ordre disposant d'une voix. Les guerres de Religion rehaussèrent leur rôle. Ils furent réunis en 1560 à Orléans, en 1561 à Pontoise, en 1576 et en 1588 à Blois*. Marie* de Médicis les convoqua en 1614, mais les rivalités entre les trois ordres les déconsidérèrent et ils ne furent plus réunis jusqu'au règne de Louis XVI. Ils furent convoqués par Loménie de Brienne (5 juillet 1788) pour tenter de mettre un terme à la révolte nobiliaire (1787-1788), qui, liée à la crise financière, était dirigée contre le pouvoir absolu et contre la bourgeoisie. La date de leur réunion fut fixée au 1er mai 1789. Les aristocrates souhaitaient un système électoral analogue à celui de 1614 (délibération et vote par ordre), mais les « patriotes » exigeaient la suppression des ordres à l'Assemblée, le doublement des députés du tiers état et le vote par tête. Sur un projet de Necker*, le roi accepta cette dernière mesure. Préparés par l'élection des députés et la rédaction des « cahiers de doléance » par bailliage, les états généraux s'ouvrirent le 5 mai 1789, dans la salle des Menus-Plaisirs, en pleine crise économique et sociale. Dès le lendemain, les ordres se réunirent dans des salles différentes pour procéder à la vérification des pouvoirs, sans que les questions décisives aient été abordées (voterait-on par tête ou par ordre ?). Devant les atermoiements des privilégiés, le tiers état réussit à s'imposer, et, le 17 juin, se déclara Assemblée nationale; il fut suivi par une majorité du clergé (19 juin) et la minorité libérale de la noblesse. Le serment du Jeu* de paume (20 juin) confirma la volonté réformatrice du tiers état, alors que le programme gouvernemental maintenait l'ordre social traditionnel et que, le 23 juin, le roi tentait, en vain, de casser les décisions du tiers état. Le 27 juin, il était obligé de s'incliner devant les positions du tiers état et ordonnait

Ph. Nino Cirani/Ricciarini

États-Unis : indienne Navajo en Arizona.

États-Unis.

à la minorité du clergé et à la majorité de la noblesse de se joindre à l'Assemblée nationale. Celle-ci, le 9 juillet, devint l'Assemblée* nationale constituante. Ainsi s'était accomplie une révolution bourgeoise et pacifique qui, à l'absolutisme royal, substituait une monarchie constitutionnelle.

ÉTATS-UNIS (D'AMÉRIQUE). *n. m. pl.*, en angl. **United States of America** (on emploie parfois l'abréviation anglaise, U.S.A., *n. m. pl.;* l'adjectif et le nom des habitants est ***Américain,*** emploi spécialisé et ambigu). ♦ Pays d'Amérique du N., république fédérale constituée par 50 États et un district fédéral, qui s'étend de l'Atlantique au Pacifique et du Canada au golfe du Mexique et au Mexique (48 États) et comprend en outre l'Alaska et les îles Hawaii. 9 363 353 km² (3ᵉ rang mondial); plus de 212 000 000 d'hab. (4ᵉ rang, derrière la Chine, l'Inde et l'U.R.S.S.). C'est la plus grande puissance économique du monde. *Cap. fédérale* **V. Washington.** *Langues :* anglais (off.), espagnol (notamment Texas, Nouveau-Mexique, Californie), français (Maine, Louisiane), langues indiennes (notamment navajo, hopi), langues des princ. communautés d'immigrés (voir *ci-dessous* pop.). *Monnaie :* dollar. – L'Union est formée de 50 États et d'un district fédéral. **V. Alabama** (admis 22ᵉ État de l'Union; 29ᵉ pour la surface; 19ᵉ pour la pop.); **Alaska** (49ᵉ État; 1ᵉʳ surf.; 50ᵉ pop.); **Arizona** (48ᵉ État; 6ᵉ surf.; 35ᵉ pop.); **Arkansas** (25ᵉ État; 27ᵉ surf.; 31ᵉ pop.); **Californie** (31ᵉ État; 3ᵉ surf.; 2ᵉ pop.); **Caroline du Nord** (12ᵉ État; 28ᵉ surf.; 12ᵉ pop.); **Caroline du Sud** (8ᵉ État; 40ᵉ surf.; 26ᵉ pop.); **Colorado** (38ᵉ État; 8ᵉ surf.; 33ᵉ pop.); **Connecticut** (5ᵉ État;

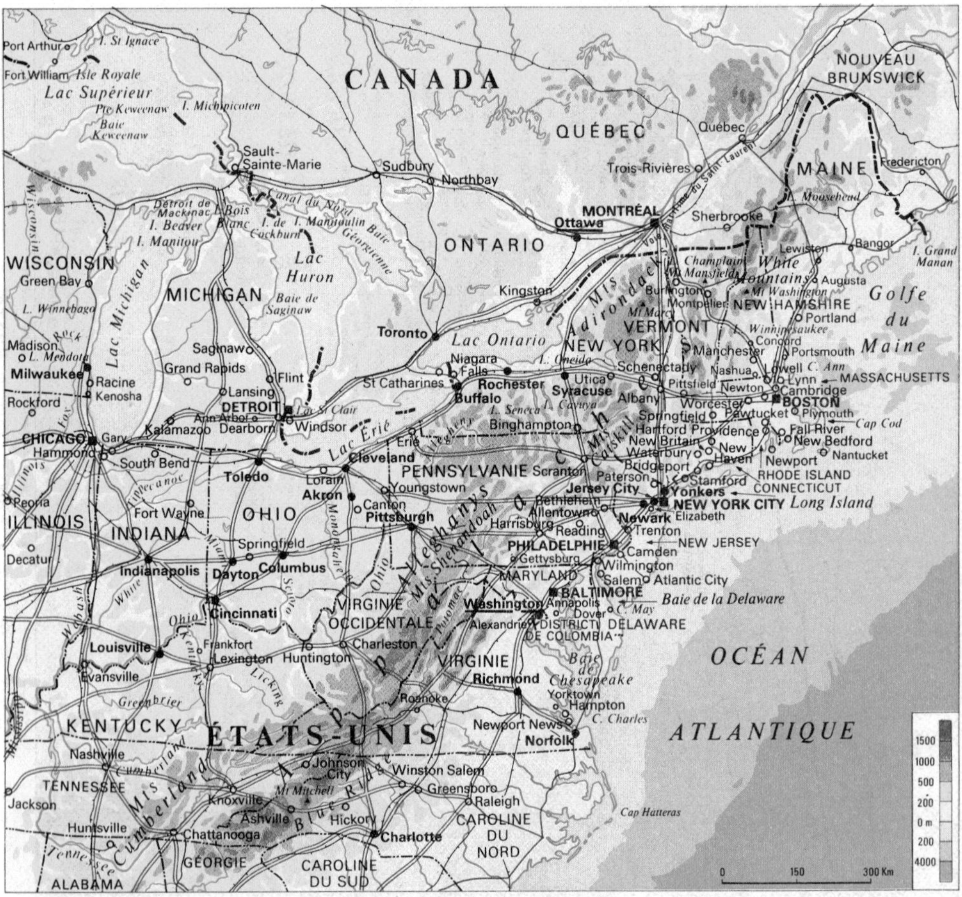

Le Nord-Est des États-Unis.

48ᵉ surf.; 25ᵉ pop.); **Dakota du Nord** (39ᵉ État; 17ᵉ surf.; 44ᵉ pop.); **Dakota du Sud** (40ᵉ État; 16ᵉ surf.; 40ᵉ pop.); **Delaware** (1ᵉʳ État; 49ᵉ surf.; 46ᵉ pop.); **Columbia** [district de] (D.C.); **Floride** (27ᵉ État; 22ᵉ surf.; 10ᵉ pop.); **Géorgie** (4ᵉ État; 21ᵉ surf.; 16ᵉ pop.); **Hawaii** (50ᵉ État; 47ᵉ surf.; 43ᵉ pop.); **Idaho** (43ᵉ État; 13ᵉ surf.; 42ᵉ pop.); **Illinois** (21ᵉ État; 24ᵉ surf.; 4ᵉ pop.); **Indiana** (19ᵉ État; 38ᵉ surf.; 11ᵉ pop.); **Iowa** (29ᵉ État; 25ᵉ surf.; 24ᵉ pop.); **Kansas** (34ᵉ État; 14ᵉ surf.; 28ᵉ pop.); **Kentucky** (15ᵉ État; 37ᵉ surf.; 22ᵉ pop.); **Louisiane** (18ᵉ État; 31ᵉ surf.; 20ᵉ pop.); **Maine** (7ᵉ État; 39ᵉ surf.; 36ᵉ pop.); **Maryland** (6ᵉ État; 42ᵉ surf.; 21ᵉ pop.); **Massachusetts** (6ᵉ État; 45ᵉ surf.; 9ᵉ pop.);

Ph. Nino Cirani/Ricciarini

États-Unis : puits de pétrole sur une île artificielle, Los Angeles.

Michigan (26ᵉ État; 23ᵉ surf.; 7ᵉ pop.); **Minnesota** (32ᵉ État; 12ᵉ surf.; 18ᵉ pop.); **Mississippi** (20ᵉ État; 32ᵉ surf.; 29ᵉ pop.); **Missouri** (24ᵉ État; 19ᵉ surf.; 13ᵉ pop.); **Montana** (41ᵉ État; 4ᵉ surf.; 41ᵉ pop.); **Nebraska** (37ᵉ État; 15ᵉ surf.; 34ᵉ pop.); **Nevada** (36ᵉ État; 7ᵉ surf.; 49ᵉ pop.); **New Hampshire** (9ᵉ État; 44ᵉ surf.; 45ᵉ pop.); **New Jersey** (3ᵉ État; 46ᵉ surf.; 8ᵉ pop.); **New York** (11ᵉ État; 30ᵉ surf.; 1ʳᵉ pop.); **Nouveau-Mexique** (47ᵉ État; 5ᵉ surf.; 37ᵉ pop.); **Ohio** (17ᵉ État; 35ᵉ surf.; 5ᵉ pop.); **Oklahoma** (46ᵉ État; 18ᵉ surf.; 27ᵉ pop.); **Oregon** (33ᵉ État; 10ᵉ surf.; 32ᵉ pop.); **Pennsylvanie** (2ᵉ État; 33ᵉ surf.; 3ᵉ pop.); **Rhode Island** (13ᵉ État; 50ᵉ surf.; 39ᵉ pop.); **Tennessee** (16ᵉ État; 34ᵉ surf.; 17ᵉ pop.); **Texas** (28ᵉ État; 2ᵉ surf.; 6ᵉ pop.); **Utah** (45ᵉ État; 11ᵉ surf.; 38ᵉ pop.); **Vermont** (14ᵉ État; 43ᵉ surf.; 47ᵉ pop.); **Virginie** (10ᵉ État; 36ᵉ surf.; 14ᵉ pop.); **Virginie-Occidentale** (35ᵉ État; 41ᵉ surf.; 30ᵉ pop.); **Washington** (42ᵉ État; 20ᵉ surf.; 23ᵉ pop.); **Wisconsin** (30ᵉ État; 26ᵉ surf.; 15ᵉ pop.); **Wyoming** (44ᵉ État; 9ᵉ surf.; 48ᵉ pop.). — **V.** *aussi* **Aléoutiennes** (îles), **Sporades équatoriales, Vierges** (îles). *V. Princ.* (d'après la pop. des *metropolitan areas* [zones urbaines statistiques], dépassant 1 million). **V. Anaheim** (16ᵉ; 1,4); **Atlanta** (19ᵉ; 1,4); **Baltimore** (14ᵉ; 1,8); **Boston** (7ᵉ; 2,7); **Buffalo** (22ᵉ; 1,3); **Chicago** (3ᵉ; 6,9); **Cincinnati** (21ᵉ; 1,4); **Cleveland** (10ᵉ; 2); **Dallas** (15ᵉ; 1,5); **Denver** (25ᵉ; 1,2); **Detroit** (5ᵉ; 4,2); **Houston** (11ᵉ; 1,96); **Indianapolis** (27ᵉ; 1,1); **Kansas City** (24ᵉ; 1,2); **Los Angeles** (2ᵉ; 6,97); **Miami** (23ᵉ; 1,25); **Milwaukee** (18ᵉ; 1,4); **Minneapolis-Saint Paul** (13ᵉ; 1,8); **Newark** (12ᵉ; 1,8); **New Orleans** (29ᵉ; 1); **New York** (1ʳᵉ; 11,4); **Paterson-Clifton** (20ᵉ; 1,37); **Philadelphie** (4ᵉ; 4,8); **Pittsburgh** (8ᵉ; 2,4); **Saint Louis** (9ᵉ; 2,3); **San Bernardino** (26ᵉ; 1,1); **San Diego** (30ᵉ; 1); **San Francisco** (5ᵉ; 3); **San José** (28; 1); **Seattle** (17ᵉ; 1,4); **Washington** (6ᵉ; 2,8). — Chiffres de 1975, arrondis. Pour les autres villes et les chiffres exacts (recensements de 1960 et 1970), voir les États et les villes.

♦ *Orogr. et Hydrogr.* On peut diviser la partie principale des États-Unis en plusieurs zones d'orientation générale nord-sud. — *1.* À l'E., les plaines côtières, réduites à quelques îles au N. **(V. Nantucket),** s'étendent de la latitude de New York à la Floride, en s'élargissant progressivement. Elles se terminent par une côte basse, découpée par de vastes estuaires **(V. Chesapeake, Delaware)** et prolongée par des flèches littorales **(V. Cod** [cap], **Hatteras)**. La plaine se termine à l'O. par le rebord du plateau appalachien; au S. elle forme la plus grande partie de la Floride **(V. Floride)** et rejoint la plaine côtière du golfe du Mexique. – Les Appalaches, ensemble montagneux orienté N.-E. - S.-O., constituent la plus grande partie de la Nouvelle*-Angleterre et se prolongent jusqu'au S. d'Atlanta, en Georgie. **V. Appalaches, Alleghanys, Cumberland, Blue Ridge** *(Montagnes bleues).* Les monts Adirondacks* prolongent cette chaîne au Nord. La région fournit les fl. tributaires de l'Atlantique **(V. Hudson, Delaware, Potomac)** et du golfe du Mexique (le Chattahoochee, l'Alabama) ainsi que, vers l'O., des tributaires du Mississippi **(V. Ohio, Tennessee)**. – *2.* L'immense *plaine centrale,* entre les Appalaches à l'E. et les Rocheuses à l'O., comprend quatre zones principales. La *région des Grands Lacs** occupe une zone de contact entre le « bouclier canadien » et les terrains primaires et secondaires plissés qui le recouvrent au sud. À la structure des plissements, se sont ajoutées l'érosion fluviale et la glaciation pour former une véritable mer intérieure de 157 000 km² **(V. Érié, Huron, Michigan, Ontario, Supérieur** [lacs]**)**, qui communique avec l'Atlantique par le Saint-Laurent*. – Les *plaines* proprement dites comprennent au N. (sud des Grands Lacs, haut Mississippi. E. du bassin du Missouri) une région glaciaire au relief doux, aux larges vallées, et au S. du confluent du Missouri avec le Mississippi, un relief plus vigoureux (pays de l'Ohio, etc.). – La région montagneuse des Ozarks et des monts Ouachita s'étend à l'O. du cours inférieur du Mississippi; elle est formée de roches plissées et faillées. **V. Ozarks, Ouachita.** – Les *plaines côtières du golfe* s'étendent de la Floride au rio Grande; on peut y rattacher la basse vallée et le delta du Mississippi*. Ce sont des plaines sédimentaires où l'affleurement de couches plus dures forme des lignes en amphithéâtres délimitant des dépressions fertiles (lœss). La côte du golfe est basse et bordée de cordons littoraux. – À l'O., une région de plateaux forme le piémont des Rocheuses; ces *Great Plains* (Grandes Plaines) s'élèvent d'E. en O. et du N. au S. (où elles atteignent près de 2 000 m d'alt.). Ce sont des couches sédimentaires, souvent secondaires, ondulées, érodées et recouvertes de formations détritiques (sables, argiles) ou de laves (dans le Kansas). – L'hydrographie de la plaine centrale est définie par le Mississippi et ses affluents. **V. Mississippi.** – *3.* L'O. des États-Unis est occupé par un vaste ensemble montagneux dont la partie la plus élevée forme les Montagnes Rocheuses *(Rocky Mountains).* **V. Rocheuses.** À l'O. des principales chaînes, une série de plateaux, dont les plus importants sont ceux de la Columbia* au N., le « Grand Bassin* » au centre et les plateaux du Colorado* au sud. À l'O. encore, une série de cordillères **(V. Cascades** [chaîne des], **Nevada** [sierra]**)** domine une dépression **(V. Puget Sound, Willamette** [vallée de la], **Grande Vallée** [de Californie]**)** et d'étroites chaînes côtières ne laissent qu'une bande de moins de 3 km de large avant le Pacifique. – L'Alaska*, à l'extrême N. du continent américain, et les îles Hawaii* constituent des entités géographiques distinctes. – *Climat.* Malgré son extrême variété, due à l'étendue du pays en latitude, aux différences d'altitude, aux influences des courants froids de l'Atlantique et du Pacifique, le climat des États-Unis se définit essentiellement par la circulation sans entraves, dans l'axe N.-S., et l'affrontement des masses d'air chaud et humide de la zone tropicale, venant du golfe du Mexique, et de l'air polaire, froid et sec, qui domine en hiver. La Nouvelle-Angleterre et le Centre-Est ont un climat continental humide, froid en hiver, frais en été. La région de New York, la plaine côtière, le N. des plaines centrales ont un climat tempéré et humide, aux hivers froids, aux étés humides et chauds. Le S. possède un climat subtropical, doux et chaud, avec cependant de brusques refroidissements momentanés. Le climat des *Great Plains* est continental et sec. Celui des Rocheuses, indépendamment de l'altitude, va du climat humide, très froid en hiver et chaud en été, des régions du N. (on a enregistré – 54 °C dans le Montana) au climat sec, parfois aride, et chaud du S. (Arizona, Nouveau-Mexique). La côte californienne présente au N. un climat océanique très humide et au S. (Californie) un régime comparable au climat méditerranéen, relativement frais, mais lumineux, et l'arrière-pays est fréquemment désertique. – *La population* des États-Unis comprend 88 % de Blancs, 10,5 % de Noirs, des Indiens autochtones et des Jaunes. Les Blancs sont surtout d'origine anglaise et irlandaise (plus de 15 000 000), allemande (7), italienne (5,5), austro-hongroise (4,4), russe (3,4), scandinave (2,5), polonaise. Les Noirs, descendants des esclaves africains amenés de force par la traite dans le Sud, seraient environ 22 000 000, grâce à une forte natalité; ils vivent essentiellement dans le S.-E. du pays et dans les grandes villes industrielles du N. (Washington, plus de 60 %, Saint Louis, 41 %, Chicago, Detroit, Cleveland : plus de 33 %, New York, etc.). Les Portoricains sont établis à New York (10 % de la pop.), les Mexicains dans le S. et le S.-O.; des Américains d'origine hispanique, restes de la période espagnole, vivent misérablement au Nouveau-Mexique et au Texas. Quant aux Indiens, dont il ne reste guère plus de 500 000 **(V. *Hist.*)**, la plupart sont groupés par tribus (Arizona, Nouveau-Mexique, Oklahoma, etc.). Les Asiatiques ont vu leur immigration fortement limitée; les 300 000 Japonais et les 250 000 Chinois des États-Unis résident surtout en Californie et à New York. – L'urbanisation est très inégale; les grandes masses urbaines de l'E. **(V. Megalopolis)**, des Grands Lacs (Detroit, Cleveland, Milwaukee, Buffalo) n'ayant leur répondant qu'en Californie (Los Angeles, San Francisco). D'autres foyers urbains se trouvent dans les Appalaches, dans les plaines, dans le S. et le nord-ouest. La seule grande ville de la région des Rocheuses est Denver. – *Écon.* L'économie des États-Unis est la première du monde, tant par les quantités produites (maintenues en deçà des possibilités pour des raisons économiques) que par la dimension des unités productrices et l'efficacité. – *Agriculture.* Les ressources et les paysages conduisent à distinguer au moins 7 grandes unités agricoles. – *1.* Le Nord-Est (Nouvelle-Angleterre, New York, Pennsylvanie), pays frais et humides, boisés, favorables à l'élevage et aux céréales produites pour la nourriture du bétail. Avec la région des Grands Lacs (*Dairy Belt :* « zone des produits laitiers »), la région fournit presque toute la production laitière de l'Union. – *2.* Le Centre-Ouest (Middle West) est le domaine traditionnel du maïs *(Corn Belt),* qui permet le grand élevage producteur de viande (bovins et porcs : env. 50 000 000 de têtes pour chacun d'eux). Cette zone produit la moitié du maïs du monde (100 000 000 de t); son organisation en grandes exploitations très bien équipées est typique de l'agriculture américaine. Des cultures plus variées (tabac dans le Kentucky, pommes de terre, etc.) sont pratiquées sur ses limites. – *3.* La région céréalière du *Centre-Nord* (avant-pays des Rocheuses; N. de la grande plaine) produit du blé de printemps (Dakotas, Montana) et plus au S. du blé d'hiver (Kansas, Nebraska). Ses 70 millions d'ha de terre à blé représentent une possibilité de doublement de production. – *4.* La zone traditionnelle du coton *(Cotton Belt)* comprend le « Vieux Sud » de l'Atlantique au Mississippi et une partie du Texas. Le changement des structures anciennes (disparition du métayage), l'exode de la main-d'œuvre noire, la concurrence du coton californien ont modifié l'agriculture de cette région, à étés chauds et humides, où, à côté du coton (qui diminue quantitativement et s'améliore en qualité), du maïs, des élevages traditionnels, se développent des cultures variées (tabac, légumes, céréales, soja, arachides). – *5.* La côte du *golfe du Mexique* et la *Floride,* zones subtropicales et tropicales, produisent riz, agrumes, canne à sucre, légumes. – *6.* Les régions des *Rocheuses,* où l'altitude et l'aridité (surtout au S.) limitent sévèrement la production, forment une immense région de pâturages (élevage extensif), avec des oasis de cultures irriguées (légumes, coton à longue fibre, par ex. dans l'Arizona). – *7.* La région côtière du *Pacifique* comprend deux zones productrices; au N., les régions humides et boisées de l'O. de Washington et du N. de l'Oregon pratiquent l'élevage laitier et la polyculture. Au S., la Grande Vallée californienne **(V. Californie)** pratique sur une très grande échelle les cultures maraîchères et fruitières (notamment agrumes). – Très concentrée (2 000 000 d'exploitations, plus 1 000 000 de petites exploitations secondaires, soit 50 % des chiffres de 1940) l'agriculture américaine bénéficie d'une productivité très élevée (+ 200 % de 1950 à 1970), avec une population rurale n'excédant pas 5 % (23 % en 1940). Cependant, les productions sont impressionnantes : blé, autour de 58 000 000 de t (2ᵉ du monde); maïs : plus de 140 000 000 de t (1ᵉʳ); pommes de terre : 14 000 000 de t (4ᵉ); betteraves : 26 000 000 de t (2ᵉ); coton : plus de 3 000 000 de t (1ᵉʳ); soja : 39 000 000 de t; agrumes : 12 000 000 de t (1ᵉʳ);

Les États-Unis au XVIIIᵉ s.

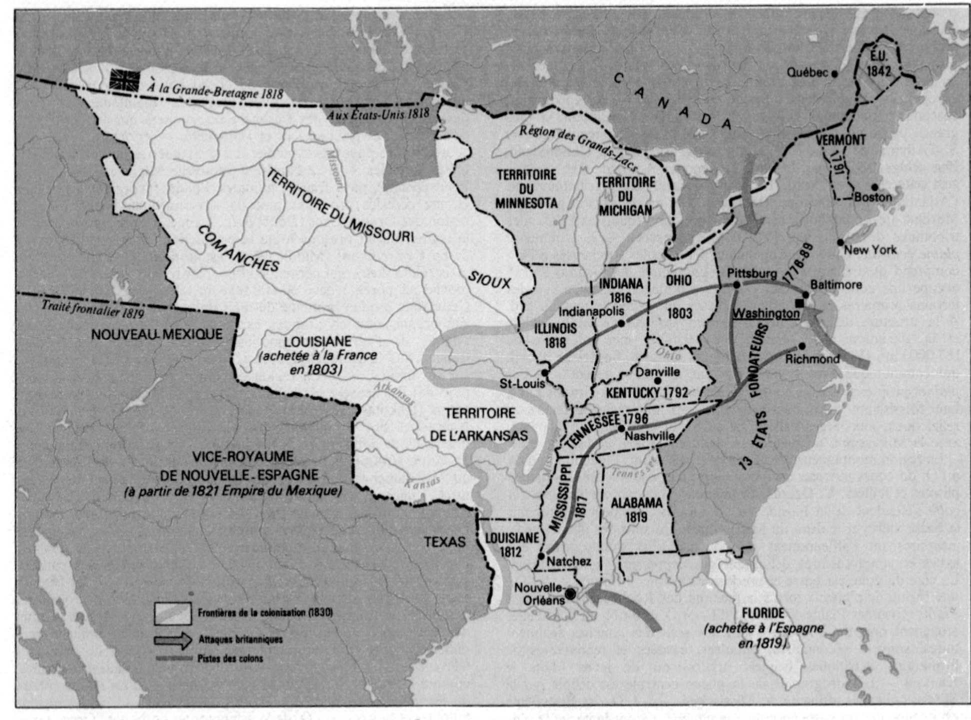

Les États-Unis jusqu'en 1820.

vin : 15 000 000 d'hl; bovins : 131 000 000 de têtes (2e); porcs : 55 000 000 (2e, le 1er étant l'U.R.S.S.); lait : 52 000 000 de t; viande : 16 000 000 de t. – Les principaux problèmes, à l'échelle nationale, sont l'exode rural des régions traditionnelles, ralenti et contrôlé par l'État, et les risques de surproduction. L'État finance des exportations à bas prix vers les pays sous-développés et cherche à développer les exportations classiques (Japon, Europe). – Aux ressources agricoles, il convient d'ajouter celles des forêts (3 000 000 de km², notamment en Nouvelle-Angleterre, dans les Appalaches, dans les Rocheuses, dans la région des Grands Lacs), et celles de la mer (les côtes Atlantique, Pacifique, et du golfe du Mexique); les fleuves côtiers fournissent du poisson; les crustacés sont surtout pêchés en Nouvelle-Angleterre et l'ostréiculture est pratiquée sur la côte Est. – *Ressources minérales et énergétiques*. Les réserves de charbon représentent plus de 100 fois l'extraction totale depuis ses débuts : bassin des Appalaches (anthracite du bassin de Scranton; grand bassin occidental); bassin du S. du lac Michigan. Les grandes réserves des Rocheuses et les plateaux de l'O. (surtout lignites) ne sont exploitées que pour les besoins locaux. La production de houille atteint 584 000 000 de t (1re). – Les réserves connues en hydrocarbure, en revanche, ne représentent qu'une dizaine d'années d'exploitation, mais la prospection semble presque suivre le rythme de la production. Les principales régions productrices de pétrole sont le golfe du Mexique (Texas, Louisiane : 60 % du pétrole; 70 % du gaz) et la Californie (env. 10 % du pétrole et du gaz). Le gaz naturel, outre ces régions, se trouve dans les Appalaches, au N. du Texas, dans le Kansas. La distribution des produits pétroliers, éloignés des principales zones industrielles (du N.-E.), se fait par un réseau de 300 000 km d'oléoducs et de 1 300 000 km de gazoducs. La production de pétrole atteint 412 000 000 de t (2e); celle de gaz 579 milliards de m³ (1re). – L'uranium, aliment de la jeune industrie atomique, se trouve en abondance dans les bassins intérieurs du S. des Rocheuses (Nouveau-Mexique, Utah, ...). – Les États-Unis possèdent presque tous les métaux (sauf l'étain, d'ailleurs extrait en Bolivie* par des compagnies nord-américaines) : fer (région du lac Supérieur, Alabama, ...), cuivre (dans les Rocheuses), aluminium (S. des Appalaches et Arkansas), plomb et zinc (plateaux des Rocheuses, Missouri, Tennessee, etc.), molybdène (Colorado), etc. Production de cuivre : 1 357 000 t (1re), d'aluminium 3 500 000 t (1re). – Le soufre, les phosphates, la potasse, les sels de soude se trouvent aussi en abondance. – Les réserves hydro-électriques les plus facilement utilisables de par leur situation sont celles du N.-E. (Niagara, Nouvelle-Angleterre) et de la *Fall Line* des Appalaches. Mais la vallée du Tennessee et surtout les rivières des montagnes de l'O. (Columbia, Colorado), équipées de grands barrages, supposent le transport d'énergie à grandes distances. Il en serait de même des ressources de la chaîne des Cascades*. L'énergie hydraulique (275 milliards de kWh) représentait, en 1973, 1/7 du courant produit (1re prod. mondiale). – Les industries dépendent des éléments décrits ci-dessus. – *Indus. alimentaires* dans les régions de forte production agricole : produits laitiers dans la zone des Grands Lacs et la Nouvelle-Angleterre; traitement des céréales (minoteries); fruits et légumes (jus, conserves) dans le Middle West (Indiana, Iowa), la plaine atlantique, la Californie, etc.; indus. de la viande dans le Centre-Ouest et les régions d'élevage. La brasserie est surtout localisée dans la région des Grands Lacs. Le whisky du Kentucky (bourbon) est célèbre. – *L'indus. du bois et du papier* (52 000 000 de t de papier; 1re) est tributaire des forêts (pour le papier, il faut y ajouter la fabrication de pâte synthétique, qui prend place dans la pétrolochimie). – L'*indus. textile* est traditionnelle en Nouvelle-Angleterre, en Pennsylvanie et dans les grands centres du N.-E. L'indus. de masse du coton s'est localisée dans le S. près des zones productrices (Carolines, Géorgie). Les États-Unis produisent 1 100 000 t de filés de coton, 225 000 t de filés de laine et 2 460 000 t de fibres synthétiques (1re). L'indus. du vêtement et de la mode est l'affaire des grands centres de l'E. (New York, Philadelphie, Baltimore), de Chicago, de Dallas et de la Californie. La chaussure et la ganterie restent importantes en Nouvelle-Angleterre, où elles se sont initialement installées. – Les *indus. lourdes et mécaniques* dépendent à la fois des sources d'énergie et des ressources minières (voir *ci-dessus*), des concentrations urbaines et des transports (voies d'eau, ports, chemins de fer). La *sidérurgie* représente le quart de la production mondiale (plus de 73 000 000 de t de fonte [3e place mondiale en 1975]; près de 105 000 000 de t d'acier). Elle est localisée pour 80 % dans le N.-E. autour des Appalaches (Pittsburgh, Bethlehem), en Pennsylvanie, le long des lacs Érié (Buffalo, Cleveland) et Michigan (Chicago, Gary,...). Aux minerais de fer du Minnesota et du Michigan s'ajoutent les minerais canadiens (Labrador) transportés par le Saint-Laurent, vénézuéliens (traités près de Baltimore). D'autres noyaux sidérurgiques sont situés au S. des Appalaches (Birmingham), au Texas (Houston), en Californie et dans les Rocheuses (Pueblo, Geneva; Utah). – Les *indus. du pétrole* dépendent de la localisation des ressources (voir *ci-dessus*) et des transports. Les zones de raffinage sont la côte du golfe du Mexique (Texas, Louisiane), qui traite aussi le pétrole du Venezuela; l'Oklahoma (Tulsa); la côte S. des Grands Lacs; les ports de l'Atlantique, qui traitent le pétrole importé; la Californie du Sud. Les régions du pétrole associent la pétrolochimie à la métallurgie et aux constructions navales. – Parmi les indus. complexes, associant mécanique, caoutchouc, etc., l'*automobile* est la plus importante, avec l'aéronautique. Les États-Unis ont construit annuellement près de 11 000 000 de véhicules (1969; un peu plus de 8 900 000 en 1975; le loin le 1er du monde). Cette indus., enrichie de productions annexes (machines-outils, électroménager), est centrée au S. des Grands Lacs, autour de Detroit (Flint, Cleveland, Toledo, Buffalo, Chicago, Milwaukee,...) et plus au S. (Indianapolis, Cincinnati, Saint Louis). Des usines de montage existent dans les grands centres de l'E., dans le S. (Dallas, Atlanta, Memphis), en Californie, etc. L'indus. des machines agricoles reste localisée entre le lac Michigan et le Mississippi. L'indus. du pneu (Akron) produit plus de 200 000 000 d'unités (avec 1 940 600 t de caoutchouc synthétique, les États-Unis sont le 1er producteur mondial). — L'indus. *aéronautique* se trouve surtout sur la côte Pacifique (Californie et Seattle), dans la région des Grands Lacs et du N.-E., mais aussi à Saint Louis, Dallas, Fort Worth et dans l'Arizona. — L'indus. aérospatiale est plus dispersée; associée à l'électronique, ses grands centres sont situés dans le S. (Alabama, Texas, Virginie, Louisiane) et l'O. (Californie, Nevada). — Les indus. électroniques et électromécaniques se sont développées dans les régions qui pratiquaient traditionnellement la mécanique de précision (Nouvelle-Angleterre, New York, New Jersey, Pennsylvanie, Ohio); on les trouve aussi à Chicago, Milwaukee, Saint Louis et dans les nouveaux centres aérospatiaux (voir *ci-dessus*). — De nombreuses indus. différenciées (matériaux de construction : ciment [58 000 000 de t], chimie, indus. alimentaires, mécanique, électrique, etc.) sont représentées dans le N.-E. et dans tous les grands centres urbains (voir les art. consacrés aux États et aux villes). Les États-Unis fabriquent annuellement près de 20 000 000 de postes de radio, de 10 000 000 de téléviseurs. — Les constructions navales correspondent à plus d'1 million de tonneaux de jauge brute — *Transports et communications.* Le système routier est le plus moderne du monde, tant par le kilométrage (1 200 000 km de grandes routes) que par l'importance et l'aménagement des voies principales (autoroutes, échangeurs, etc.). Les chemins de fer, dont le développement a marqué le XIXe s., ont gardé leur importance pour le transport des marchandises; au contraire, le trafic de voyageurs, quoique en légère reprise, est limité, sauf dans la région de New York. Les transports automobiles (lignes d'autocars) et surtout aériens les ont relayés. — Les transports par eau, notamment par les Grands Lacs et la voie maritime du Saint-Laurent*, par l'ensemble Mississippi-Ohio et par les grands canaux du N.-E., jouent un rôle industriel de premier plan. Il en est de même de l'immense réseau de tubes (oléoducs, gazoducs), qui relient notamment les zones productrices du S. aux régions indus. et urbaines du Nord-Est. Les transports aériens, pour le trafic des passagers, ont supplanté les chemins de fer et atteignent des chiffres énormes. Toutes les villes ont leur aérodrome, et ceux de Chicago, New York, Los Angeles, etc., sont les plus actifs du monde. — Le *commerce* intérieur de détail est caractérisé par la concentration et la standardisation sous forme de supermarchés. — Le commerce extérieur est relativement faible (env. 4 % du produit national), sauf dans des secteurs précis : (export) riz, coton, tabac, machines; (import) caoutchouc naturel, sucre, produits tropicaux, manganèse, aluminium, étain, pétrole. Les relations commerciales les plus importantes sont avec le Canada et l'Amérique du Sud, l'Europe, l'Asie (surtout exportation, sauf avec le Japon). — La pénétration des capitaux des États-Unis joue un rôle essentiel dans l'économie de très nombreux pays. On les a estimés à 60 milliards de dollars (1967) investis notamment au Canada (31 %), en Europe occidentale (30 %), en Amérique latine (20 %), au Japon et au S.-E. asiatique. ♦ *Hist.* — LA COLONISATION. Les premiers navigateurs et explorateurs européens (Cavelier de La* Salle, sir Walter Raleigh*) qui pénétrèrent aux XVIe et XVIIe s. sur le territoire des États-Unis actuels rencontrèrent une population qu'ils appelèrent « Indienne » (d'après la première dénomination de l'Amérique, Indes occidentales), population peu nombreuse (500 000 à 1 500 000 personnes selon les estimations) venue probablement d'Asie par le détroit de Béring 10 000 à 30 000 années plus tôt. Ne tenant pratiquement pas compte de ces autochtones, les Européens se partagèrent aux XVIIe et XVIIIe s. les zones qu'ils avaient découvertes et jetèrent ainsi les bases des colonies de peuplement : espagnole sur la Floride, le Texas et la côte Pacifique, française vers les Grands Lacs, puis en Louisiane, mais surtout britannique sur la côte Atlantique. Celle-ci se peupla rapidement d'émigrants chassés de leur pays pour des motifs religieux (ex. les Pères Pèlerins sur le *Mayflower*) ou politiques et se constitua en 13 colonies anglaises (Virginie, Massachusetts [1620], New York, Delaware, New Jersey, New Hampshire, Maryland, les deux Carolines [1663], Pennsylvanie [1681], Géorgie, Connecticut [1662], Rhode Island [1663]). Tandis que s'affirmait dès le XVIIe s. l'autorité royale anglaise sur ces colonies par l'intermédiaire du gouverneur, celles-ci se dotèrent d'assemblées politiques élues par les propriétaires, assemblées qui, en votant le budget, s'habituèrent à une certaine indépendance et refusèrent peu à peu les charges fiscales imposées par Londres. En chassant les Hollandais et les Français des 13 colonies (traité d'Utrecht en 1713 et traité de Paris en 1763), les Anglais avaient éliminé d'autre part tout danger immédiat pour les colons, qui n'avaient plus besoin de l'aide militaire de la métropole. La rupture entre la Grande-Bretagne et ses colonies fut définitive lorsque les Anglais reagirent avec énergie par la fermeture du port de Boston (1774) au boycottage de leurs marchandises par les colons. — L'INDÉPENDANCE ET LA « RÉVOLUTION ». La répression anglaise fit l'unité des 13 colonies

Ph. Nino Cirani/Ricciarini

États-Unis : culture de choux à Half Moon Bay, région de San Francisco.

américaines : la bataille de Bunker* Hill (17 juin 1775) ouvrit la guerre d'Indépendance entre les Anglais et les « Insurgents » qui, avec l'aide française (La* Fayette, Rochambeau*), remportèrent la victoire : la Grande-Bretagne capitula à Yorktown* le 19 octobre 1781 et signa le traité de Versailles en avril 1783. **V. Indépendance** *(guerre de l')*. Au début de la guerre, Thomas Jefferson* avait rédigé la déclaration d'Indépendance, adoptée par le Congrès continental, le 4 juillet 1776 (Independence Day), qui rejetait l'autorité du roi d'Angleterre. La Constitution adoptée le 17 septembre 1787 conciliait avec souplesse, grâce à l'habileté de George Washington* et de B. Franklin*, le souci d'indépendance de chacun des États (tendance du parti républicain*) et la nécessité du renforcement du pouvoir central (tendance du parti fédéraliste*), en créant au-dessus des États un gouvernement fédéral souverain pour la politique extérieure, la défense et le commerce extérieur. Les deux partis politiques, fédéraliste avec G. Washington* et J. Adams*, et républicain avec T. Jefferson* (qui devint le parti démocrate* sous l'influence de A. Jackson* à partir de 1830), pratiquèrent, lorsqu'ils furent au pouvoir pendant la première moitié du XIXe s., la même politique d'expansion territoriale et de développement économique; par la colonisation progressive des terres, par l'achat (Louisiane, Floride) ou par la force (Californie), la « frontière » reculait vers l'O., tandis que les nouveaux territoires accédaient au rang d'État d'où les Indiens, s'ils n'étaient pas exterminés, étaient refoulés ou cantonnés dans des « réserves ». Sur ces nouvelles terres, la mise en valeur fut parfois rapide, grâce à l'accroissement de la main-d'œuvre (accroissement naturel ou par immigration : 4 000 000 d'hab. en 1790; 31 000 000 d'hab. en 1860), grâce au développement des moyens de communication (routes, canaux et chemins de fer) et grâce aussi aux facilités du crédit. Les indus., à l'abri du protectionnisme, se développaient en Nouvelle-Angleterre (filature, tissage), multipliant les villes, tandis que le S. se spécialisait dans la production des matières premières agricoles (tabac, coton), ce qui encourageait l'esclavage, dont le N. réclamait la suppression au nom de la démocratie américaine. Cette question de l'esclavage fut l'enjeu avoué de la guerre de Sécession (**V. Sécession** [*guerre de*]). — LA RECONSTRUCTION ET L'ESSOR DES ÉTATS-UNIS JUSQU'À LA PREMIÈRE GUERRE MONDIALE. Après cinq années de guerre et l'abolition de l'esclavage (1865), il aurait fallu la modération d'Abraham Lincoln* pour reconstruire l'Union avec équité : la victoire militaire des Nordistes les laissait maîtres du S. et à leur volonté de vengeance. Le 14e amendement à la Constitution, voté en 1866, éliminait les « Confédérés » de toute activité politique et administrative. Les Sudistes répondirent par la violence envers les *Carpetbaggers** ou envers les Noirs (Ku* Klux Klan). Pourtant, v. 1875, les tensions finirent par s'apaiser et les Américains, comme leurs président (U.S. Grant*, W. McKinley*, Théodore Roosevelt*, républicains), se préoccupèrent avant tout de la mise en valeur du pays. Tandis que l'immigration permit à la population de tripler entre 1865 et 1914 (95 000 000 d'hab.), elle fournit la main-d'œuvre nécessaire à l'agriculture (les États-Unis sont devenus dès 1900 le 1er producteur agricole du monde), mais surtout au remarquable essor industriel : grâce à ses méthodes (mécanisation, concentration, audace des hommes d'affaires [Carnegie*, Rockefeller*,...]), à l'abondance de matières premières et à son réseau de voies de communication, la production industrielle américaine dépassa au début du XXe s. celle des pays européens. Cette expansion n'alla pourtant pas sans crises économiques violentes (1873-1884-1907), qui provoquèrent du chômage chez les ouvriers et rendirent nécessaire l'élaboration d'un programme social réclamé par les syndicats *(American Federation of Labour,* A.F.L.*), tandis que T. Roosevelt engageait la lutte anti trust v. 1890. C'est à ce moment-là que se dessina dans l'opinion américaine un courant impérialiste qui correspondit à l'achèvement de la conquête intérieure (disparition de la « frontière »). Sous l'impulsion de T. Roosevelt (« politique du « gros bâton » [*Big stick*] ») et de W. Wilson* (« politique du dollar »), les États-Unis organisèrent en Amérique centrale, dans les Antilles et dans le Pacifique des zones d'influence qui devinrent parfois de véritables protectorats (Cuba et Haïti).

intéressée par tout ce qui touchait à son continent, l'opinion américaine restait neutre (malgré quelques interventions [**V. Algésiras**]) dans les affaires européennes. L'entrée en guerre contre l'Allemagne décidée par Wilson le 4 avril 1917 (**V. Guerre mondiale** [*Première*]) ne voulut pas être un engagement moral comme le prouva le refus du Sénat de voter le traité de Versailles (nov. 1919) et l'élection à la présidence d'un républicain traditionaliste, W. G. Harding*, en 1920. – LA PROSPÉRITÉ ET LA CRISE. Une fois vaincues les difficultés de l'après-guerre, les États-Unis connurent une remarquable prospérité qui justifia pendant quelques années la confiance que le gouvernement et les milieux d'affaires (« big business ») mettaient dans le libéralisme : la production industrielle s'accrut alors trop rapidement tandis que le crédit se développait d'une manière anarchique pour ne pas ralentir les ventes. La spéculation fut telle à partir de 1926 qu'il suffit d'une panique boursière (krach de Wall* Street le 24 oct. 1929 ou « Jeudi noir ») pour que s'effondrât pour plusieurs années l'économie américaine (**V. Crise de 1929**). Après l'échec du président Hoover*, F.D. Roosevelt, débordant largement le cadre des prérogatives présidentielles, redressa l'économie par des mesures dirigistes (**V. New Deal, Roosevelt** [**F.D.**]). Absorbé par les problèmes intérieurs et soucieux de l'isolationnisme traditionnel des Américains, Roosevelt ne put alerter que tardivement ses concitoyens de la tension internationale : le bombardement de Pearl* Harbor décida les États-Unis à entrer en guerre contre l'Axe (**V. Guerre mondiale** [*Seconde*]). – LES ÉTATS-UNIS DEPUIS LA SECONDE GUERRE MONDIALE. Sortis de la guerre comme « la nation la plus puissante de l'histoire » (H. Truman), les États-Unis acceptèrent d'assumer les responsabilités mondiales auxquelles ils s'étaient engagés au cours des conférences internationales de Téhéran* (déc. 1943), de Yalta* (févr. 1945) et de Potsdam* (juill. 1945) et adhérèrent à la Charte des Nations unies. Mais en mettant en place le plan Marshall* et l'Organisation* du traité de l'Atlantique Nord, ils se firent les défenseurs de la démocratie de type libéral face au monde communiste et, en resserrant les liens entre l'Europe occidentale et eux-mêmes contribuèrent à la coupure de l'Europe en deux zones, entretenant le climat de « guerre froide » (problème de Berlin). Que ce soit la politique de résistance *(containment)* au communisme du républicain Eisenhower* et de J.F. Dulles* ou celle du démocrate J.F. Kennedy* de « coexistence pacifique », les États-Unis ont été engagés depuis la guerre de Corée*, directement ou indirectement, dans de multiples conflits internationaux (Cuba, Viêt-nam, conflit israélo-arabe, Amérique latine). Cependant, les guerres de 1939-1945 et du Viêt-nam ont permis aux Noirs de prendre conscience de la ségrégation raciale qui sévissait encore, plus économique dans le N., plus institutionnelle et politique dans le S. Malgré les mesures prises en particulier par les présidents Kennedy et Johnson, les Noirs américains réclament une intégration plus réelle et réagissent parfois par la violence *(black power)*, ce qui est à l'heure actuelle, avec les difficultés économiques, l'un des graves problèmes posés au pays. Le dollar est dévalué en 1972. Nixon mène à bien le désengagement au Viêt-Nam, où la guerre prend fin en janvier 1973. Mais l'affaire du Watergate* s'amplifiant, le président est menacé de la procédure de destitution. Il est acculé à la démission le 8 août 1974. Le vice-président Gerald Ford*, prenant sa succession, s'engage à poursuivre la politique de paix des États-Unis, et maintient à son poste Henry Kissinger*. Les républicains sortent très ébranlés de la crise et les démocrates (qui obtinrent un éclatant succès aux élections partielles) triomphent en faisant élire J. Carter* président (1976).

ÉTEL. ♦ Comm. du Morbihan, arr. de Lorient, à l'entrée de la *rivière d'Étel* (ria profonde). 3 419 hab. Port de pêche, station balnéaire, conserves de poissons.

ÉTÉOCLE, en gr. **Eteoklês**. ♦ L'un des enfants de l'inceste d'Œdipe* et de Jocaste. Régnant sur Thèbes* alternativement avec son frère Polynice*, il refuse de lui rendre le trône à l'expiration de son mandat. Les deux frères s'entre-tuent lors de la guerre des Sept* Chefs. **V. Adraste, Sept contre Thèbes** *(tragédie d'Eschyle)*. Le drame se consomme avec l'intervention de Créon* qui interdit l'ensevelissement de Polynice. **V. Antigone, Ismène.**

ÉTEX (Antoine). ♦ Peintre, graveur et sculpteur français (Paris, 1808 – Chaville, 1888). Auteur d'allégories ambitieuses et colossales dans la tradition néo-classique, tant en peinture (*La Gloire des États-Unis*, 1853, pour le City Hall de New York) qu'en sculpture *(hauts-reliefs de l'Arc de Triomphe)*.

ETHELBALD. ♦ (? – 757). Roi de Mercie (716-757). Il conquit l'Angleterre au S. de l'Humber, envahit le Wessex et prit Londres (v. 733). Il protégea saint Boniface. – Oncle d'Offa*.

ETHELBALD. ♦ (? – 860). Roi du Wessex (857-860). Fils d'Ethelwolf*, il lui ravit le trône pendant son pèlerinage à Rome. – Son frère Ethelbert* lui succéda.

ETHELBERT. ♦ (? – 616). Roi du Kent (560-616). Il épousa Berthe, fille de Caribert, roi de Paris, et protégea Augustin* de Canterbury. Il se convertit au christianisme en 597. Il fit rédiger le premier code anglo-saxon.

ETHELBERT. ♦ (? – 865). Roi du Wessex (860-865). Fils d'Ethelwolf*, il succéda à son frère Ethelbald*. – Il eut pour successeur son frère Ethelred* Ier.

ETHELFLEDA. ♦ Princesse anglo-saxonne (? – 918). Fille d'Alfred le Grand, elle gouverna la Mercie (911-918) et aida son frère Édouard* l'Ancien contre les Danois.

ETHELFRITH. ♦ (? – 616). Roi de Northumbrie (593-616). Il

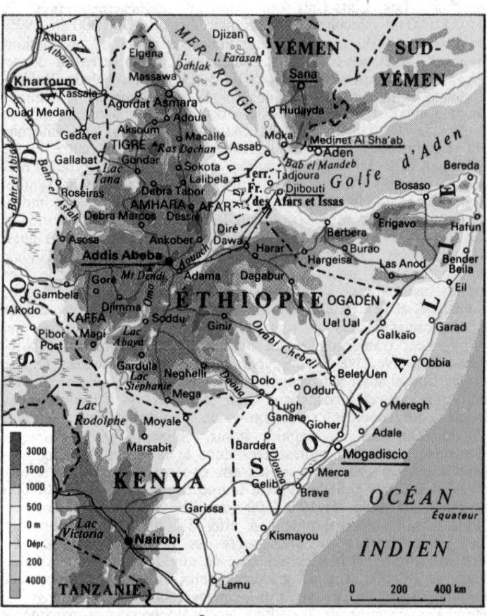

Éthiopie.

lutta victorieusement contre les Bretons et fut supplanté par son frère Edwin*. – Père d'Oswald* et d'Oswy*.

ETHELRED Ier. ♦ (? – 871). Roi du Wessex (865-871). Fils d'Ethelwolf*, il fut vaincu plusieurs fois par les Danois. – Son frère Alfred* le Grand lui succéda.

ETHELRED II. ♦ (v. 965 – Londres, 1016). Roi d'Angleterre (978-1016). Fils d'Edgar* le Pacifique, il tenta de s'opposer aux progrès des Danois en Angleterre. Chassé de son trône en 1013, il réussit à s'y rétablir en 1014. – Père d'Edmond* II et d'Édouard* le Confesseur.

ETHELWOLF. ♦ (? – 858). Roi du Wessex (839-858). Fils d'Egbert*, il lutta contre les Danois et les battit en 851. Il épousa Judith, fille de Charles II le Chauve (856). – Père d'Ethelbald*, Ethelbert*, Ethelred* Ier et Alfred* le Grand.

ETHELWOOD ou **AETHELWEALD** *(saint)*. ♦ Évêque de Winchester (Winchester, v. 908 – Beddington, Surrey, 984). Conseiller du roi Edgar et ami de saint Dunstan, il est l'auteur de la *Regularis Concordia* (965-975), la plus ancienne description du drame liturgique en Occident.

ETHEREGE (*sir* George). ♦ Auteur dramatique anglais (v. 1634 – Paris? 1691). Protégé par les Stuarts, il accompagna Jacques II durant son exil en France. Contemporain de la Restauration, il a composé de brillantes comédies où la fantaisie, la gaieté et, parfois, l'immoralité s'épanchent sans retenue : *La Vengeance comique* (*The Comical Revenge*, 1664); *Elle voudrait bien si elle pouvait* (*She would if she could*, 1667) et, dans l'inspiration de Molière, une œuvre qui crée la comédie de mœurs dans le théâtre anglais : *L'Homme à la mode* (*The Man of Mode*, 1676).

ÉTHÉRIE. ♦ (fin IVe – déb. Ve s.). Dame originaire, semble-t-il, de Galice : le récit de son pèlerinage à Jérusalem *(Peregrinatio Aetheriae)* abonde en détails sur l'Église et la liturgie anciennes.

ÉTHIOPIE. *n. f.*, anc. **Abyssinie**, en amharique **Ityopya.** ♦ État indépendant (empire) d'Afrique orientale. 1 121 894 km². Plus de 23 000 000 d'hab. (1967). [*Éthiopiens*]. Limitée au N. par la mer Rouge, à l'O. par le Soudan, au S. par le Kenya, à l'E. et au S.-E. par le territoire des Afars et des Issas et la Somalie. – La région des montagnes et des hauts plateaux de l'O. est séparée de la plaine orientale par un escarpement qui correspond au fossé tectonique S.-O.-N.-E. et qui gêne considérablement les communications dans le pays. Les plateaux s'abaissent d'E. en O. à l'exception de massifs pouvant dépasser 4 000 m (Simen, Lasta). Au N.-E. se trouve le plateau d'Érythrée*, à l'E. la plaine des Danakils, séparée du Harar par un arc de cercle montagneux, que longe au S.-O. une dépression parsemée de lacs, faisant partie du grand fossé tectonique *(Rift Valley)*. – *Hydrogr.* **V. Bahr el-Azrak** (Nil bleu), **Djouba; Tana** (lac). – *Cap.* **V. Addis-Abeba.** *Princ. V.* Adoua*, Aksoum (ou Axoum), Asmara, Dessié, Diré Dawa, Djimma, Gondar, Harar, Nazareth (plus de 30 000 hab). *Autres V. et sites.* **V. Lalibela, Massaoua.** Princ. régions et prov. **V. Amhara, Choa, Érythrée, Harar, Tigré.** – La pop. est formée d'Abyssins (coptes), de Danakils, de Somalis, de Gallas (musulmans) et de Noirs animistes. *Langue off.* : amharique. *Religions* : chrétienne orthodoxe (copte), judaïque et musulmane. – *Écon.* L'agriculture (céréales : le dourah, fruits et légumes, café dans la zone la plus riche – entre 1 800 et 2 500 m –; coton, maïs au-dessous) et l'élevage (notamment zébus, ânes, mulets, moutons) fournissent l'essentiel du revenu. Les possibilités minières sont peu exploitées. La plupart des indus. (textile, cuir, indus. alimentaires) sont localisées à Addis-Abeba et Asmara. Complexe hydro-électrique sur l'Aouach. Le commerce extérieur repose sur l'exportation du café et de produits agricoles; les importations concernant des produits finis (textiles, machines). Les transports intérieurs, du fait du relief tourmenté, sont tributaires de l'amélioration du réseau routier (moins de 2 000 km de routes goudronnées en 1967). Deux lignes de chemin de fer (dont celle qui relie Addis*-Abeba à Djibouti) et près de 30 aérodromes constituent une infrastructure indispensable. ♦ Hist. *Aethiopia* (les « figures brûlées ») désignait en grec plusieurs pays à pop. de couleur (Nubie, Soudan, Abyssinie). L'Éthiopie actuelle aurait fait partie du royaume de Saba* dont une des reines (la *reine de Saba** biblique, Makéda pour les Éthiopiens) aurait visité le roi d'Israël Salomon* et en aurait eu un fils, Ménélik, fondateur légendaire de la dynastie régnante. Le nom biblique de l'Éthiopie était Coush*. Historiquement, des immigrants d'Arabie du Sud, envahissant pacifiquement le pays peuplé par des tribus couchitiques, fondèrent avant l'ère chrétienne le royaume d'Aksoum*, résultat de la fédération progressive de tribus. Les rois d'Aksoum furent impliqués dans les rivalités entre Rome et la Perse. Le christianisme leur parvint par les communautés gréco-romaines de marchands établies dans les ports de la mer Rouge. Vers les VIe-VIIe s., le royaume s'affaiblit, perdant ses possessions en Arabie, et l'expansion de l'Islâm l'obligea à se tourner vers le Sud. La dynastie des Zague transféra la capitale de Aksoum à Roha, où le roi Lalibela (déb. XIIIe s.) construisit de nombreuses églises **(V. Lalibela).** En 1270, le pouvoir passa aux Salomonides. La lutte entre l'Éthiopie chrétienne et les populations récemment islamisées du S. (sultanat de Choa, puis d'Ifat) dura jusqu'en 1445, année où le roi Zara Yacoub battit le sultan d'Ifat. Ce souverain avait réformé l'Église, limitant l'influence politique croissante des moines, jugulant les hérésies. Au XVe s., les relations entre l'Éthiopie et Jérusalem permirent au christianisme éthiopien de prendre contact avec l'Église d'Occident (concile de Florence). Au XVIe s., les Musulmans de Ahmad ibn Ibrahim conquirent une partie du pays. En 1541, une armée portugaise débarquait à Massaoua pour éviter que l'Islâm ne contrôlât le chemin de la mer Rouge. Le sultanat du Harar fut inquiété par l'armée portugo-éthiopienne, Ahmad tué (1542), mais son successeur battit et tua le négus Claudius (1559). Profitant de l'affaiblissement des adversaires, les tribus Gallas* du sud (Somalie du Sud, nord du Kenya) envahirent alors une partie du pays. Au début du XVIIe s., l'influence du catholicisme espagnol (Pedro Páez) rapprocha un moment le christianisme éthiopien de Rome. Après une période de décadence, le négus Kassa (Theodoros* II) réduisit les féodaux; mais sa politique de répression devint de plus en plus violente et sa xénophobie l'amena à emprisonner des envoyés anglais. Il se suicida en 1868, après l'intervention d'une expédition militaire britannique. Johannès IV lui succéda (1872 – 1889); pendant son règne, les puissances coloniales (Italie, France, Angleterre) entourèrent le pays d'un réseau d'intérêts. L'Égypte l'attaqua au N., le Mahdi du Soudan à l'O. Lorsque Johannès IV fut tué dans une bataille contre l'armée du Mahdi* (Metemma, 1889), il s'apprêtait à lutter contre Ménélik* II. Celui-ci se fit couronner (1889), restaurant la dynastie des Salomonides. Le traité d'Ucciolli avec les Italiens donna lieu à des interprétations divergentes, ces derniers prétendant faire de l'Éthiopie un protectorat et y envoyant une expédition militaire. Le général italien Baratieri fut battu à Adoua (1896), puis Ménélik réduisit les Gallas du Sud et profita des intérêts européens pour conquérir divers territoires, et notamment le Harar (1887), faisant prisonnier le dernier émir. Le successeur de Ménélik, Lidj Yasou, fut détrôné en 1916 à cause de ses amitiés turques. La fille de Ménélik, Zaoditou, fut couronnée impératrice et désigna pour héritier son neveu le ras Tafari, qui fut couronné en 1930 sous le nom de Hailé* Sélassié. Des incidents ayant opposé les Éthiopiens aux Italiens de Somalie, le gouvernement fasciste en prit prétexte pour attaquer l'Éthiopie en 1935. L'armée de Badoglio* envahit le pays et le négus dut s'exiler, plaidant vainement sa cause auprès de la S.D.N. L'Éthiopie fut alors réunie à l'Érythrée et à la Somalie pour former l'Afrique-Orientale italienne et Victor*-Emmanuel III prit le titre d'empereur d'Éthiopie (1936), le maréchal Graziani* succédant à Badoglio comme vice-roi. En 1941, Hailé Sélassié quitta Londres pour Khartoum; les Anglais, vainqueurs des Italiens, lui rendirent sa capitale le 20 mai. Après la guerre, l'Érythrée, d'abord fédérée, s'intégra à l'empire (1962). En septembre 1974, après une longue période de troubles, l'empereur a été déposé. La crise éthiopienne ne paraît pas pour autant résolue.

Éthique (L'). ♦ Œuvre maîtresse de Spinoza*, écrite en latin et publiée après sa mort (1677). « Démontrée selon la méthode géométrique » et divisée en cinq parties (De Dieu; De la nature et de l'origine de l'esprit; De l'origine et de la nature des sentiments; De la servitude humaine ou des forces des sentiments; De la puissance de l'entendement ou de la liberté humaine), le monisme et l'intellectualisme de Spinoza s'y affirment dans toute leur rigueur.

Éthique à Nicomaque (L'). ♦ Traité d'Aristote* sur la morale, adressé à son fils. Eudémoniste, l'éthique aristotélicienne affirme que les vertus sont des dispositions acquises de la volonté, consistant en un « juste milieu », un équilibre entre les extrêmes (courage, tempérance, justice).

ÉTIEMBLE (René). ♦ Écrivain français (Mayenne, 1909). Romancier *(L'Enfant de chœur,* 1937*)*, critique et moraliste des lettres

Ph. Nino Cirani/Ricciarini

Éthiopie : cérémonie copte à Addis-Abeba.

(Hygiène des lettres, 3 vol., 1952-1958; *Le Mythe de Rimbaud,* 1952*)*, il s'est aussi fait connaître par sa passion pour l'Extrême-Orient et par sa critique des influences anglo-saxonnes sur la langue française *(Parlez-vous franglais?,* 1964*)*.

ÉTIENNE *(saint).* ♦ Diacre de la première communauté chrétienne de Jérusalem, lapidé par les juifs (*Actes des Apôtres,* VI-VII). Considéré comme le premier martyr chrétien. Fête le 26 décembre.

ÉTIENNE Ier *(saint).* ♦ 23e pape (254-257 [mort]). Romain, martyr (?). Contre saint Cyprien* il affirma la validité du baptême des hérétiques, les réconciliant par simple imposition des mains.

ÉTIENNE II. ♦ 92e pape (752-757 [mort]). Romain. Devant la menace lombarde **(V. Aistolf),** il se rendit en Gaule auprès de Pépin le Bref dont il renouvela le sacre (754). Celui-ci vainquit les Lombards (754 et 756) et donna au pape les terres conquises (exarchat de Ravenne, Pentapole [origine des États de l'Église*] ; Corse).

ÉTIENNE III. ♦ 94e pape (768-772 [mort]). Sicilien. Élu contre les antipapes Constantin* II, candidat de la noblesse, et Philippe, candidat des Lombards, il réunit un concile (Rome, 769) qui réglementa l'élection pontificale en s'opposant à l'ingérence des laïcs et des non-Romains, annula les actes de Constantin II, condamna les iconoclastes*.

ÉTIENNE IV. ♦ 97e pape (816-817 [mort]). Romain. Il sacra Louis le Pieux à Reims.

ÉTIENNE V. ♦ 110e pape (885-891 [mort]). Romain.

ÉTIENNE VI. ♦ 113e pape (896-897 [mort]). Romain. Instrument du parti de Spolète, il fut étranglé.

ÉTIENNE VII. ♦ 124e pape (928-931) [mort]). Romain.

ÉTIENNE VIII. ♦ 127e pape (939-942 [mort]). Romain.

ÉTIENNE IX (Frédéric, *des ducs de Lorraine***).** ♦ (Lorraine? – Florence, 1058). 152e pape, en 1057-1058, frère de Godefroi, duc de Toscane; ancien abbé du Mont-Cassin.

ÉTIENNE DE BLOIS. ♦ (v. 1097 – 1154). Roi d'Angleterre (1135-1154). Fils d'Étienne, comte de Blois et petit-fils par sa mère de Guillaume* le Conquérant. Il succéda à Henri* Ier en usurpant le trône de Mathilde* qui tenta de reconquérir l'Angleterre, plongeant ainsi le royaume dans l'anarchie. A la mort de son fils (1153), il désigna pour lui succéder le fils de Mathilde **(V. Henri II).**

ÉTIENNE Ier *(saint Étienne).* ♦ (Esztergom, v. 969 – Buda, 1038). Roi de Hongrie (997-1038). Fils du prince Geza*, il fut le premier roi de Hongrie. Il imposa le christianisme à son royaume en accueillant les missionnaires et en combattant l'aristocratie restée attachée au paganisme. Étienne Ier organisa l'Église hongroise en deux archevêchés et dix évêchés. Il abolit le système tribal et divisa le pays en comtés ayant à leur tête un ispan. À l'extérieur, Étienne Ier défendit l'indépendance de la Hongrie contre les Bulgares et l'empereur Conrad* II. Il fut canonisé en 1081.

ÉTIENNE II. ♦ (v. 1101 – Nagyvarad, 1136). Roi de Hongrie (1116-1131). Fils de Koloman*, il mena de nombreuses campagnes qui furent des échecs et fut vaincu par Jean II Comnène. Il abdiqua alors en faveur de son cousin Béla* II et se retira dans un monastère.

ÉTIENNE III. (1147 – Esztergom, 1172). Roi de Hongrie (1162-1172). Fils de Géza* II, il dut lutter contre son oncle, qui porta quelque temps le titre d'Étienne IV grâce à une intervention byzantine, afin de conserver son trône.

ÉTIENNE V (ou IV). ♦ (1239 – 1272). Roi de Hongrie (1270-1272), fils de Béla* IV, il remporta avant la mort de son père de nombreuses victoires sur la Bohême et gouverna la partie orientale de la Hongrie de manière indépendante. Père de Ladislas V.

ÉTIENNE IV le Grand. ♦ (1433 – 1504). Prince de Moldavie (1457-1504). Il combattit les Turcs qu'il vainquit à Rahova en 1475; il avait vaincu aussi les Hongrois conduits par Mathias Corvin. En 1497, il lutta contre les Polonais. Il construisit des églises et des monastères.

ÉTIENNE Ier BÂTHORY. ♦ (1533 – Grodno, 1586). Roi de Pologne* (1576-1586). Prince de Transylvanie* (1571-1576), il épousa Anne* Jagellon, fut élu roi de Pologne avec l'appui de Jan Zamoyski* et eut à combattre la ville de Dantzig* réfractaire à son élection (1576-1577). Vainqueur d'Ivan* IV le Terrible, il

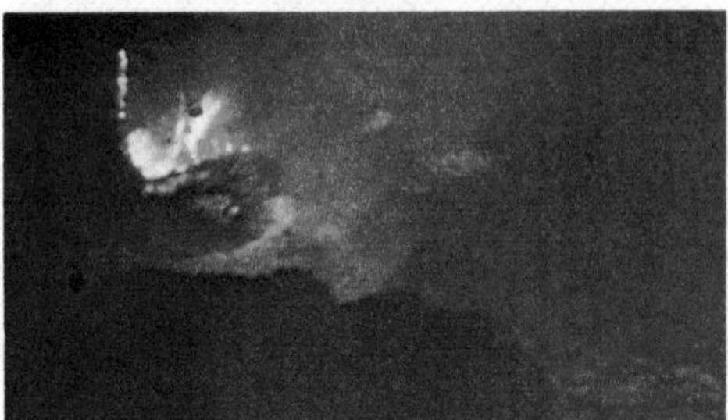

Ph. Giuseppe Pino/Ricciarini

L'**Etna** en éruption.

assura la prépondérance de la Pologne sur la Baltique, par la possession de la Livonie*, et contribua au triomphe de la Contre-Réforme.

ÉTIENNE IX DOUCHAN [Dušan]. ♦ (v. 1308 – Diavoli, 1355). Roi, puis empereur des Serbes (1331-1355). Il fit des Bulgares ses vassaux (1331), puis s'empara de l'Épire, de la Thessalie et de la Macédoine sauf Salonique (1342-1349). Désireux de pallier le péril turc par une force politique substituée à l'Empire byzantin, il put enfin se faire proclamer empereur des Serbes (Slaves) et des « Romains » (Grecs). Il publia un code de lois *(Zakonik Tsara Douchana)* et créa le patriarcat de Serbie.

ÉTIENNE HARDING *(saint)*. ♦ (avant 1066 – Cîteaux, 1134). Bénédictin anglais, 3e abbé de Cîteaux* (1109), dont il avait été un des fondateurs avec Robert* de Molesme. Il developpa l'ordre, rédigea ou fit rédiger la *Carta caritatis* (1119), forma saint Bernard*. Fête le 17 avril.

ÉTIENNE NEMANJA. ♦ (mort au mont Athos, 1200). Prince de Serbie (v. 1170-1196). Il fit l'unité des pays serbes (excepté la Bosnie) contre Byzance. Il fut la tige de la dynastie des Némanjitch qui régnèrent deux siècles. Il renonça au pouvoir et se retira au mont Athos.

ÉTIGNY. ♦ Comm. de l'Yonne, arr. de Sens. 477 hab. sur la r. g. de l'Yonne. Église du XIIIe s. (fresques).

ETNA. *n. m.* ♦ Volcan d'Italie insulaire, au N.-E. de la Sicile, surplombant la plaine de Catane. D'un diamètre de 30 km, d'un périmètre à la base de 212 km, c'est le plus haut volcan actif d'Europe (3 295 m). Constitué d'un cône principal, il est entouré de plus de 200 cônes secondaires. L'Etna est recouvert de cendres et de laves, produits d'éruptions antérieures, qui favorisent la croissance de riches cultures (vigne, oliviers, fruits, légumes). À l'E. s'ouvre la grande entaille du *Valle del Bove*. ♦ *Hist.* La mythologie y plaçait la demeure des géants Typhon et Encelade et les forges de Vulcain. Au cours de l'histoire, l'Etna fut le siège de nombreuses et parfois violentes éruptions. On en compte cent trente-cinq dans l'Antiquité (notamment celles de ~ 476 et de ~ 396), vingt et une au début de l'ère chrétienne. Au Moyen Âge, celles de 1169, de 1329 et surtout celle de 1381 furent les plus spectaculaires. L'éruption la plus importante des temps modernes eut lieu en 1669. On en recense seize au XVIIIe et dix-neuf au XIXe s. (dont celle de 1852). Au XXe s., les plus graves eurent lieu en 1928, 1950-1951, 1964 et 1971.

ÉTOILE *(chaîne de l')*. ♦ Massif calcaire des Alpes de Provence, au N. de Marseille* (781 m). L'Estaque* la prolonge.

Étoile *(ordre de l')*. ♦ Ordre de chevalerie français créé par Jean* II le Bon (1351).

Étoile *(place de l')*. ♦ Place de Paris, à l'extrémité de la perspective ouverte par les Champs*-Élysées, au centre des douze avenues qui rayonnent autour de l'Arc* de triomphe. Bordée de pavillons construits par J. Hittorff* (1854) suivant les dessins de Haussmann*, la place est au centre de quartiers résidentiels et d'affaires. En 1970, elle a été baptisée place Charles-de-Gaulle.

ÉTOLIE. *n. f.*, en gr. **Aitôlia**. ♦ Région de la Grèce centrale au N. du golfe de Corinthe, à l'E. de l'Acarnanie* (dont elle est séparée par l'Aspropotamos*), à l'O. de la Phocide* et de la Locride*. *Nome d'Étolie-et-Acarnanie* : 5 447 km²; 237 738 hab. Ch.-l. Missolonghi*. – Tabac, oliviers, vignes. ♦ *Hist.* Dans la haute Antiquité, l'Étolie, pays arriéré habité par les Illyriens, est connue seulement par Calydon* et son roi légendaire Méléagre*. Alliée à Sparte* contre Athènes* (~ 426), elle fut surtout l'adversaire des Macédoniens depuis ~ 323 **(V. Crannon)**. – La *ligue Étolienne*, englobant l'Acarnanie, l'Élide* et d'autres régions, disputa l'hégémonie de la Grèce avec la ligue Achéenne **(V. Achaïe)** mais perdit la guerre de ~ 220-~ 217, puis participa aux guerres de Macédoine au côté des Romains. Retournée ensuite contre les Romains, elle fut vaincue en ~ 189 et démantelée en ~ 167.

ETON. ♦ V. du S. de l'Angleterre (Buckinghamshire), sur la Tamise, en face de Windsor. 3 900 hab. La plus célèbre des *public schools* anglaises y fut fondée par Henri VI en 1440. Les monuments les plus intéressants sont : la *Lower School* (1445), la tour de l'Horloge (1517), le réfectoire (1450), la bibliothèque (1730) et le cloître (XVe-XVIIIe s.). La chapelle (XVe s.), érigée en style perpendiculaire, contient de belles fresques de la fin du XVe siècle.

Étourdi (L') ou les Contretemps. ♦ Comédie en 5 actes, en vers, de Molière* (1655). Le sujet en est emprunté à l'Italien Niccolo Barbieri* (*L'Inavvertito*, 1629). C'est en vain que Mascarille, valet inventif et rusé, s'emploiera une douzaine de fois à ravir au vieux Truffaldin la jeune esclave Célie dont son maître Lélie est amoureux. À chaque fois, la légèreté et la sottise de Lélie feront échouer la machination que l'ingéniosité de Mascarille avait ourdie. Tout l'esprit de la commedia dell'arte emplit cette divertissante comédie d'intrigue.

Étranger (L'). ♦ Récit d'Albert Camus* (1942). Publié la même année que *Le Mythe de Sisyphe* (essai philosophique), ce bref roman illustre le « malentendu » qui est au cœur même de la condition humaine. Étranger au sein d'un monde dont il constate la « tendre indifférence » et où sa mort n'a pas plus de sens que sa naissance, étranger dans une société qui s'obstine à accuser et à poser des questions (criminel par hasard, à la suite d'un concours de circonstances, il continuera à se sentir « innocent »), indifférent même à son propre destin, le héros, Meursault, s'interdit de privilégier l'avenir au détriment du présent et les sentiments au détriment des sensations. Fidèle à lui-même jusque dans la prison, il saura, à la veille de sa mort, repousser également l'espoir et la résignation. – Par son écriture neutre, *l'Étranger* constitue une étape importante dans la genèse de la sensibilité littéraire moderne.

ÉTRÉCHY. ♦ Ch.-l. de cant. de l'Essonne, arr. d'Étampes. 2 876 hab. Église (XIIe-XIIIe s.).

Être et le Néant (L'). ♦ Essai d'ontologie phénoménologique de J.P. Sartre* publié en 1943. Exposé systématique, souvent difficile d'accès, de l'existentialisme sartrien, cet ouvrage est une description réflexive de la réalité humaine, le *pour-soi* (la conscience) comme néantisation de l'*en-soi* (l'être plein, massif), c'est-à-dire comme liberté. L'auteur analyse ses structures : facticité, temporalité, transcendance (« toute conscience est conscience de quelque chose », donc conscience en situation). Sartre analyse ensuite les modalités des relations de l'être-pour-autrui : désir, amour, haine, sadisme, masochisme, en montrant que sur le plan psychologique celles-ci sont généralement vécues sur le mode du conflit. Puis il traite de la liberté et du projet fondamental de l'être humain, dont la psychanalyse existentielle cherche à déceler la tentative pour « produire la synthèse manquée de la conscience et de l'être sous le signe de la valeur ou cause de soi ». Car, si l'ontologie ne peut par elle-même formuler de prescriptions morales, « elle laisse entrevoir cependant ce que sera une éthique qui prendra ses responsabilités en face d'une réalisation humaine en situation ».

Être et le Temps (L'), en all. **Sein und Zeit**. ♦ Ouvrage de Heidegger* qui parut en 1927. D'un abord souvent difficile, cet ouvrage où le philosophe propose une analyse phénoménologique, existentiale de « l'être-là » *(Dasein)*, devait constituer la première partie d'une œuvre qui ne fut pas achevée. Elle constitue l'un des textes essentiels de son auteur.

ÉTRÉPAGNY. ♦ Ch.-l. de cant. de l'Eure*, arr. des Andelys*, dans le Vexin* normand. 2 735 hab. *(Sterpinaciens)*. Fabrique de caoutchouc, sucrerie, fabrique d'harmoniums.

Être suprême *(culte de l')*. ♦ Culte déiste institué par le décret du 18 floréal an II (7 mai 1794), adopté par la Convention montagnarde sur un rapport de Robespierre*. Celui-ci, profondément marqué par la lecture des philosophes du XVIIIe s., surtout Rousseau, avait vivement attaqué les tendances athées et la politique de déchristianisation des ultra-révolutionnaires (hébertistes), qui avaient institué le culte de la Raison* (fin 1793). Il leur opposa une religion naturelle – reconnaissance de l'existence de l'Être suprême et de l'immortalité – et un culte rationnel (institution des fêtes décadaires célébrant les principales journées révolutionnaires et consacrées aux vertus civiques) dont le but était, selon lui, « de développer le civisme et la morale républicaine » (A. Soboul). Célébrée le 20 prairial an II (8 juin 1794), la fête de l'Être suprême, inaugurant le nouveau culte, avait été préparée par le peintre David et fut présidée par Robespierre lui-même, alors président de la Convention. Malgré l'impression profonde produite par cette fête, le culte de l'Être suprême fut loin de créer l'unité morale entre les révolutionnaires et devait même susciter, peu après son instauration, une crise politique au sein du gouvernement révolutionnaire.

ÉTRETAT. ♦ Comm. de la Seine*-Maritime, arr. du Havre*, sur la côte du pays de Caux*. 1 472 hab. *(Étretanais)*. Église Notre-Dame des XIIe et XIIIe siècles. Célèbre station balnéaire dans un site célèbre (plage de galets, falaises, aiguille de 70 m).

ÉTRURIE. *n. f.*, en lat. **Etruria**. ♦ Province de l'Italie anc., foyer de la civilisation étrusque, limitée au N. par l'Apennin, à l'E. par le Tibre, au S. et à l'O. par la mer Tyrrhénienne et correspondant approximativement à l'actuelle Toscane. Elle fut entièrement soumise par les Romains au début du ~ IIIe s. puis réunie à l'Ombrie au IVe s. pour former une province consulaire. ♦ ROYAUME D'ÉTRURIE. Royaume créé par Bonaparte en 1801 au profit de Louis, duc de Parme. Ce royaume, qui fut réuni à l'Empire français en 1808, fut érigé ensuite en grand-duché de Toscane pour Élisa, sœur de Napoléon.

ÉTRUSQUES. *n. m. pl.*, en étr. **Rasena**, en lat. **Tusci** ou **Etrusci**, en gr. **Tursenoi**. ♦ Apparue au ~ VIIIe s. dans la péninsule italique, la civilisation étrusque, la plus importante civilisation avant celle de Rome, a longtemps été négligée par les historiens. La langue n'a pas encore été déchiffrée et l'on ne sait rien de certain sur les origines de ce peuple. L'hypothèse la plus vraisemblable est celle d'Hérodote* pour qui les Étrusques seraient venus de Lydie*;

mais il faut sans doute situer leur arrivée vers ~ 700 alors que l'historien la faisait remonter au ~ XIIIe siècle. Peuple de marins attirés en Toscane par les gisements métallifères, ils envahirent le Latium dès le ~ VIIe s. et fondèrent Rome qui fut gouvernée par des rois étrusques de ~ 616 à ~ 509. Puis ils s'étendirent au N. dans la plaine du Pô et au S. en Campanie. Après avoir connu leur apogée au ~ VIe s., ils se heurtèrent aux Grecs à Cumes* (~ 474) et, chassés de Rome, furent submergés par les Samnites* puis, après la prise de Véies* (~ 396), définitivement vaincus par les Romains vers ~ 350. Cependant, même après l'effondrement de leur puissance, les Étrusques continuèrent à exercer leur influence sur les Romains dans la construction des villes et dans l'art. Essentiellement urbaine, la civilisation étrusque connut le régime de la cité-état *(lucumonie)* dont le chef fut à l'origine un roi, le *lucumon*, puis le pouvoir passa à l'aristocratie. Les principales villes de l'Étrurie* étaient : Arretium (Arezzo*), Cortona*, Perusia (Pérouse*), Camars (Chiusi*), Volsinies*, Tutere (Todi*), Chisra (Cerveteri*), Velsu (Orvieto*), Véies*, Tarquinia*, Velathri (Volterra*). Cette société où la femme tenait une place éminente (on a même parlé de matriarcat ou de « gynécocratie ») nous donne par son art funéraire l'image d'une vie de luxe, de plaisir et de jeux. Profondément influencé par l'art grec, l'art étrusque témoigne cependant d'une puissante originalité par sa spontanéité, son goût du rythme graphique et de la couleur franche et son réalisme stylisé. Ses thèmes reflètent une certaine hantise de la mort. Parmi les vestiges de l'architecture étrusque, on cite : les tombes de Cerveteri et de Tarquinia, la Porte de l'Arc à Volterra. La statuaire est représentée surtout par des œuvres en terre cuite (*Apollon de Véies, sarcophage des Époux* à la villa Giulia, à Rome) et des bronzes *(Chimère d'Arezzo, Louve du Capitole)*. Les fresques les plus notables décorent les tombes de Cerveteri, de Chiusi (tombe du Singe) et de Tarquinia (tombes des Taureaux, des Lionnes, du Triclinium, des Augures).

ETTELBRÜCK. ♦ V. du grand-duché de Luxembourg (cant. de Diekirch), au confl. de l'Alzette, de la Sûre et de la Warck. 5 100 hab. Métallurgie et indus. textiles.

ETTEN. ♦ V. des Pays-Bas (Brabant septentrional). 19 081 hab. Église du XVIe siècle.

ETTERBEEK. ♦ Comm. de Belgique (Brabant, arr. de Bruxelles — Capitale). 52 300 hab. Musées et parc du Cinquantenaire, créés lors de l'exposition de 1880 (50e anniv. de l'indépendance belge). — Métallurgie (automobile). Indus. chimiques. Cartoucherie. Usine frigorifique. Maroquinerie.

ETTUTOGEI. ♦ Anthologie indienne de poésies en tamil, constituant l'ensemble le plus ancien (Ier-IIIe s.?) de la littérature dravidienne du S. de l'Inde. Elle est composée de huit anthologies antérieures, d'où son nom.

Études de la nature (Les). ♦ Œuvre de Bernardin* de Saint-Pierre (1784), qui exalte les desseins de la Providence qui « n'a rien fait en vain » dans une nature organisée pour le bonheur de l'homme. Si cette philosophie naturelle, malgré l'engouement qu'elle connut, paraît naïvement systématique, restent les pages descriptives qui sont remarquables de précision et de pittoresque ; soucieux d'évoquer le monde des sensations, en particulier celui des couleurs, Bernardin de Saint-Pierre se montre un grand prosateur préromantique : « L'art de rendre la nature est si nouveau que les termes n'en sont pas encore inventés. »

EU [ø]. ♦ Ch.-l. de cant. de la Seine*-Maritime (arr. de Dieppe*), sur la Bresle*. 8 579 hab. *(Eudois)*. Très belle église Saint-Laurent, ancienne collégiale des XIIe et XIIIe s. ; château commencé au XVIe siècle. Fonderie, robinetterie. Patrie de F. et M. Anguier*.

EUBÉE, en gr. **Euboia**. ♦ Île grecque de la mer Égée*, séparée de la Grèce centrale par le canal d'Euripe*. L'extrémité N. de l'île est formée par le cap Artémision*. *Nome de l'Eubée* (englobant les Sporades* du N.) : 3 908 km² ; 166 097 hab. *(Eubéens)*. *Ch.-l.* Chalcis*. Élevage de moutons; céréales, fruits, légumes, lignites. ♦ *Hist.* Grâce à ses minerais, l'île participa à l'activité économique et à la civilisation des Cyclades* dès le ~ IIIe millénaire et fut un centre de l'expansion coloniale ionienne (~ VIIIe-~ VIe s.). Affaiblie par la guerre entre ses cités les plus puissantes, Chalcis et Érétrie* (fin du ~ VIe s.), Eubée fut colonisée par les Athéniens à partir de ~ 506. Les Spartiates et les Béotiens disputèrent à Athènes* la prépondérance sur l'Eubée. Soumise par les Macédoniens (~ 338), elle fut prise par les Romains en ~ 194. Envahie par les croisés en 1205, elle resta sous la domination franque et vénitienne jusqu'à la conquête turque (1470).

Ph. Lauros-Giraudon

Château d'Eu (XVIe s.).

EUCKEN (Rudolf). ♦ Philosophe allemand (Aurich, Frise orientale, 1846 — Iéna, 1926). Sa philosophie est un spiritualisme religieux, d'inspiration chrétienne, qui exerça une certaine influence sur M. Scheler*. Prix Nobel de littérature (1908), Eucken signa le Manifeste des intellectuels allemands (1914). [*La part de vérité contenue dans la religion*, 1901.]

EUCKEN (Walter). ♦ Économiste allemand (1891 — 1950). Chef de l'école néo-libérale allemande (école de Fribourg) dont les positions furent exposées dans la revue *Ordo* (1948), il a tenté de construire une « morphologie économique » et contribua ainsi au développement de la théorie des structures (ou modèles structurels) en économie (*Grundlagen der Nationalökonomie*, 1941).

EUCLIDE, en gr. **Eukleidês**, dit **le Socratique**. ♦ Philosophe grec (Mégare ou Géla, Sicile, v. ~ 450 — v. ~ 380). Après avoir été le disciple de Parménide* et de Socrate*, il fonda l'école de Mégare que fréquenta Platon*. Comme celle des Éléates, sa philosophie nie le mouvement ; elle annonce par ailleurs la théorie platonicienne des Idées.

EUCLIDE, en gr. **Eukleidês**. ♦ Mathématicien grec du ~ IIIe siècle. Fondateur de l'école de mathématique d'Alexandrie, il enseigna au Musée, institution réunissant des savants de toutes disciplines. Son œuvre, très étendue, ne nous est que partiellement parvenue. Son premier écrit, les *Éléments*, a fait autorité jusqu'au siècle dernier dans les mathématiques élémentaires ; à partir de définitions, de cinq demandes (dont le célèbre postulat d'Euclide) et de notions communes, il traite d'abord la géométrie du plan (théorème de Pythagore*, figures polygonales ou circulaires) ; on y trouve ensuite une étude abstraite des rapports et proportions et l'application à la géométrie plane (cas de similitude des triangles, théorème dit « de Thalès »). La partie suivante, contenant les livres arithmétiques, constitue le plus ancien traité conservé de la théorie des nombres et consiste en une étude théorique sur la nature du nombre entier ; il aborda l'étude des nombres irrationnels algébriques les plus simples et traita la géométrie de l'espace, étudiant notamment les cinq polyèdres réguliers connus de Platon*. Les *Données*, sorte de complément aux *Éléments*, d'une forme plus analytique, traitent des propriétés de la fonction linéaire, des figures semblables, de la résolution des équations du second degré, du cercle ; cependant, l'ouvrage garde un caractère encore élémentaire, ce qui n'est pas le cas du traité perdu des Porismes dont une description nous a été transmise par Pappus* et qui, reconstruit par des mathématiciens modernes (surtout R. Simson et M. Chasles), aurait contenu en particulier le théorème de Desargues* sur les triangles homologiques et le théorème de Pappus sur les hexagones inscrits dans une conique dégénérée en deux droites, deux propositions qui sont essentielles en géométrie projective. On lui doit également une *Optique* basée sur la propagation rectiligne de la lumière et dans laquelle il construisit une perspective, énonçant des lois qualitatives. — *Postulat d'Euclide*, dont le texte original fut remanié par Playfair* au XVIIIe s. et qui s'énonce depuis : « par un point du plan on ne peut mener qu'une parallèle à une droite » ; ce postulat, condition nécessaire de l'application du raisonnement mathématique à la géométrie jusqu'au XVIIIe s., est le premier témoignage historique d'une attitude spécifiquement mathématique.

EUDÈME DE RHODES, en gr. **Eudêmos**. ♦ Philosophe grec (vers ~ 320). Disciple d'Aristote, il écrivit un commentaire à la *Physique* de ce dernier ; il est également l'auteur des *Histoires de l'astronomie et de la géométrie* dont les fragments recueillis à travers Geminus*, Porphyre*, Sosigène*, Théon de Smyrne, Proclus*, Eutocius*, Simplicius* et Clément* d'Alexandrie sont très précieux, constituant les seuls documents de cette époque.

EUDES. ♦ (v. 860 — La Fère, 898). Comte de Paris et de Troyes, puis roi de France (888-898). Fils de Robert* le Fort, il défendit victorieusement Paris contre les Normands (885-887). Après l'abdication de Charles* III le Gros, il fut élu roi par les Grands (888). Il combattit Charles* III le Simple, mais le reconnut pour successeur.

EUDES (*saint* Jean). ♦ V. JEAN EUDES (saint).

EUDES (Émile François). ♦ Révolutionnaire français (Roncey, Manche, 1843 — Paris, 1888). Disciple de Blanqui*, il appartint au Comité central de la garde nationale et au 2e Comité de salut public de la Commune de Paris (1871). Exilé en Suisse, puis à Londres, il aida Blanqui à réformer le Comité central révolutionnaire après l'amnistie (1880).

EUDES DE MONTREUIL. ♦ Architecte français (v. 1220 — 1289). Il serait l'auteur (d'après son épitaphe relevée dans l'église des Cordeliers avant l'incendie de 1580) des remparts de Jaffa et de la cathédrale de Nicosie. On lui a attribué l'ancien *hospice des Quinze-Vingts* à Paris (fondé par Saint Louis en 1260) et plusieurs églises parisiennes aujourd'hui détruites.

Eudistes *(congrégation des)*. ♦ V. JEAN EUDES.

EUDOXE (en gr. Eudoxos) de Cyzique. ♦ Navigateur grec du ~ IIe s. originaire de Cyzique de Propontide. Ambassadeur à

Alexandrie, il se serait rendu deux fois en Inde et, selon Pline l'Ancien et Pomponius Mela, aurait fait le tour de l'Afrique du golfe Persique (Arabique) jusqu'à Gadès.

EUDOXE de Cnide, en gr. **Eudoxos**. ♦ Astronome et philosophe grec (Cnide, v. ~406 – v. ~355). Il établit le premier système astronomique conforme aux principes et aux postulats platoniciens **(V. Platon)**, basé sur l'hypothèse des sphères homocentriques, pour rendre compte des mouvements apparents du ciel, la Terre étant supposée immobile; son esquisse fut le véritable point de départ de l'astronomie traditionnelle, **V.** *aussi* **Aristote, Callippos.** On lui doit aussi une évaluation plus exacte de l'année (365 jours 1/4). Auteur d'*Éléments*, il fut également un précurseur d'Euclide*. En philosophie, il essaya d'approfondir la théorie de la participation des choses aux idées et admit que les composants des corps, participant directement aux idées, expliquaient les propriétés de ceux-ci.

EUDOXIE, en lat. **Aelia Eudoxia**. ♦ (? – Constantinople, 404). Impératrice d'Orient. Femme de l'empereur Arcadius*, ambitieuse et intrigante, elle eut une grande influence dans le gouvernement de l'empire et scandalisa les chrétiens par son goût du faste. Elle fut blâmée par saint Jean* Chrysostome qu'elle fit exiler (403).

EUDOXIE, en lat. **Aelia Eudoxia**. ♦ (Athènes – Jérusalem, 460). Impératrice d'Orient. D'abord appelée *Athénaïs*, elle prit le nom d'Eudoxie après sa conversion au christianisme. Elle épousa Théodose* II et, rivale de Pulchérie*, prit une très grande part au gouvernement de l'empire. Accusée d'infidélité, elle s'exila à Jérusalem où elle consacra la fin de sa vie à la méditation religieuse.

EUGÈNE Ier *(saint)*. ♦ 75e pape (654-657 [mort]). Romain. Fête le 2 juin.

EUGÈNE II. ♦ 99e pape (824-827 [mort]), Romain. Il négocia la *Constitution* de 824 réglant les prérogatives respectives de l'empereur et du pape à Rome. Il réforma la discipline ecclésiastique (concile de Rome, 826).

EUGÈNE III *(bienheureux)* [**Bernardo Paganelli di Montemagno**]. ♦ (Pise – Tivoli, 1153). 165e pape (1145-1153). Disciple de saint Bernard*, il fut chassé de Rome plusieurs fois par le sénat romain d'Arnaud* de Brescia, encouragea la deuxième croisade qu'il fit prêcher par saint Bernard (1146), continua la réforme de Grégoire* VII (concile de Reims, 1148).

EUGÈNE IV (Gabriele Condulmer). ♦ (Venise, 1383 – Rome, 1447). 205e pape (1431-1447). Il tenta de dissoudre le concile de Bâle* qui s'affirmait supérieur au pape; pour complaire aux Byzantins, venus chercher une réconciliation, il transfera l'assemblée à Ferrare (1438) puis à Florence (1439). Une fraction restée à Bâle prétendit le déposer et le remplacer par Félix V **(V. Amédée VIII de Savoie)**, mais il l'emporta. Il fit travailler Ghiberti, Pisanello (fresques de Saint-Jean de-Latran), Donatello, Fra Angelico.

EUGÈNE DE SAVOIE-CARIGNAN, dit **le prince Eugène**. ♦ Feldmaréchal et homme politique autrichien (Paris, 1663 – Vienne, 1736), fils du comte de Soissons, Eugène de Savoie-Carignan, et d'Olympe Mancini, nièce de Mazarin*. Déçu dans ses ambitions par Louis* XIV, il passa au service de l'empereur. Au cours de la grande guerre contre les Turcs, il se distingua à Mohács* (1687) avant de remporter la victoire de Zenta* (1697). Il joua un rôle capital dans la guerre de Succession* d'Espagne, tantôt en Italie (il finit par s'emparer du Milanais et de la Lombardie), tantôt aux côtés de Marlborough*, contribuant à la victoire d'Höchstädt (1704) puis, en Flandre, à celles d'Oudenarde (1708) et de Malplaquet (1709); mais il fut vaincu par Villars* à Denain* (1712). Le traité de Rastadt* (1714) révéla ses qualités de diplomate. Il repoussa une nouvelle offensive turque, concluant le traité de Passarowitz* (1718) et, septuagénaire, commanda encore l'armée impériale dans la guerre de Succession de Pologne. Il n'avait pas seulement été un des plus grands hommes de guerre de l'histoire, mais aussi un humaniste et un amateur éclairé (son château du Belvédère à Vienne contenait d'importantes collections).

Ph. Lauros-Giraudon

Le pape **Eugène III**.

EUGENE. ♦ V. des États-Unis (Oregon*). 77 284 hab.; zone urbaine : 212 644 habitants. Indus. du bois, indus. alimentaires.

Eugène Oniéguine. ♦ « Roman en vers » d'Alexandre Pouchkine (1823-1831). Cette œuvre, la plus populaire de Pouchkine, influença toute la littérature russe. De l'histoire simple de deux êtres, Tatiana et Oniéguine, qui n'ont pas su construire leur bonheur, Pouchkine a fait un chef-d'œuvre. Il se dégage de ce poème narratif qui se lit comme une prose rythmée une impression envoûtante de légereté et de liberté. – Tchaïkovski* en a tiré un opéra.

EUGÉNIE *(sainte)*. ♦ Vierge et martyre à Rome (sous Commode ou sous Gallien). Culte ancien à Rome. Fête le 25 décembre.

EUGÉNIE (Eugénia Maria de MONTIJO de GUZMÁN, *comtesse de* **TÉBA)**. ♦ Impératrice des Français (Grenade, 1826 – Paris, 1920). Épouse de Napoléon* III (1853) à qui elle donna un fils (1856), elle devait bientôt jouer un rôle non négligeable dans la vie politique du Second Empire. Catholique rigide, elle soutint le parti ultramontain et contribua à influencer la décision de son mari pour la déclaration de la guerre à l'Allemagne (1870). Après la capitulation de Sedan (4 sept. 1870), elle quitta Paris pour l'Angleterre où la rejoignit Napoléon III.

Eugénie. ♦ Drame en 5 actes, de Beaumarchais* (1767). Séduite par le comte de Clarendon, Eugénie, fille du baron Hartley, apprend que le comte se dispose à épouser une autre femme. Le frère d'Eugénie le provoque en duel. La jeune fille pardonnera à Clarendon. Inspiré de Lesage *(Le Diable* boiteux)* et d'une mésaventure arrivée en Espagne à la propre sœur de Beaumarchais, le sujet de cette comédie larmoyante a été repris par Goethe dans son *Clavijo* (1774).

Eugénie Grandet. ♦ Roman de Balzac* (1833). Ancien tonnelier que d'habiles spéculations ont fabuleusement enrichi sous la Révolution, le père Grandet vit à Saumur avec sa famille qu'il tyrannise de son avarice méthodique. Sa fille Eugénie, riche héritière, objet des convoitises de deux familles de la ville, se montre soumise au despotisme paternel jusqu'au jour où son amour naissant pour son cousin Charles en fait une jeune femme à la volonté opiniâtre qui aide le jeune homme à sortir du malheur. Mais elle l'attendra en vain et finira sa vie immensément riche et solitaire. Dans le déroulement très simple de ce récit, Balzac a enchâssé les portraits saisissants des principaux personnages : Eugénie, dont la discrétion et la générosité sont peintes avec une grande délicatesse, et surtout Grandet, redoutable de froideur et d'obstination, qui, par tous les détails de sa physionomie et de son comportement, manifeste une obsession possessive qui le conduit à des attitudes inhumaines.

EULALIE *(sainte)*. Vierge et martyre à, Mérida (Espagne), d'époque inconnue (traditionnellement sous Maximien, 303-304). Prudence lui consacra un hymne du *Péristéphanon*. Très populaire en Espagne, elle est fêtée le 10 décembre. – À partir du VIIe s. est mentionnée une sainte Eulalie qui aurait subi le martyre à Barcelone, pareillement sous Maximien, et est fêtée le 12 février. Il n'y a probablement pas lieu de la distinguer de la précédente.

EULALIUS. ♦ (v. 380 – v. 450). Antipape (418-419). Remplacé par Boniface* Ier, élu régulièrement, il se soumit et devint évêque de Nepi.

EULER (Leonhard). ♦ Mathématicien suisse (Bâle, 1707 – Saint-Pétersbourg, 1783). Fils de Paul Euler, un pasteur féru de sciences et auprès de qui il apprit les mathématiques, Euler était destiné aux études théologiques. Il suivit les leçons de mathématiques d'un ami de son père : Jean Bernoulli*. En 1727, il rejoignit les fils de son maître Daniel et Nicolas Bernoulli à la nouvelle académie des sciences de Saint-Pétersbourg fondée par Catherine II de Russie. Il enseigna d'abord la physique (1730) puis les mathématiques (1733). À la suite d'un travail intense, il fut atteint d'une congestion cérébrale et perdit l'usage d'un œil en 1735. L'année suivante il publiait le *Mechanica sive motus scientia analytica exposita (Traité de mécanique générale)* dans lequel il appliquait rationnellement les résultats de l'analyse à la mécanique du point matériel et où il définit les *angles* dits *d'Euler* qui permettent de déterminer la position d'un solide en mouvement dans un trièdre trirectangle. Frédéric II de Prusse le sollicita pour diriger la section de mathématiques et de physique de l'académie de Berlin et Euler s'y installa de 1741 à 1766. Après avoir étudié le problème des isopérimètres, il exposa la première méthode générale pour résoudre les problèmes d'extrema, créant le calcul des variations, en 1744, dans les *Methodus inveniendi lineas curvas maximi minimi propiedate gaudentes* ou *Traité des isopérimètres* (équation d'Euler-Cartan*). À Berlin, Euler publia en 1748 un grand ouvrage didactique : *Introductio in analysin infinitorum (Introduction à l'analyse des infiniment petits)* dans lequel il traite des fonctions en général (développements d'Euler-Maclaurin*; constante d'Euler), de la théorie des nombres, de l'étude analytique des courbes planes et des surfaces, des fonctions exponentielles, logarithmiques et trigonométriques pour lesquelles il introduisit et fit adopter les nombres célèbres de l'analyse, e, Π, et mit en évidence les liens entre les fonctions trigonométriques et les fonctions exponentielles **(V. Cotes; Moivre).** Il y exposait en outre des études sur les coniques et les quadriques. Ce traité inspira ses successeurs et surtout Lagrange*. La même année, Euler fut le lauréat d'un concours de

Ph. Roger-Viollet

L. Euler.

l'académie des sciences de Paris pour ses travaux sur les perturbations mutuelles de Saturne et de Jupiter, qui reprenaient des études de mécanique céleste parues en 1744, notamment sur le mouvement parabolique des planètes : *Théorie du mouvement des planètes et des comètes*. Dans un second mémoire, *Théorie de l'aimantation*, il introduisait la notion d'éther dans l'interprétation des champs électriques et magnétiques. Les *Institutiones calculi differentialis* (1755), qui furent utilisées par les mathématiciens jusqu'au milieu du XIXe siècle, rassemblent tous ses résultats d'analyse. Euler y traite des intégrales multiples, des intégrales dites « eulériennes », des formules d'additions des intégrales elliptiques. Après Huygens* et De Seguer, il définit dans *Theoria motus corporum solidorum seu rigidorum* (1760) le centre, les moments et les produits d'inertie, les axes principaux d'inertie, et il réussit à intégrer les équations du mouvement d'un solide autour d'un point, étude reprise et généralisée ultérieurement par Lagrange et Poinsot* (équations d'un solide d'Euler et de Lagrange). Il retourna à Saint-Pétersbourg auprès de Catherine II en 1766 et perdit complètement la vue; mais cette infirmité ne l'arrêta pas dans ses travaux, et il publia les *Institutiones calculi integralis* **(V. Leibniz, Newton)** [1768-1770]. Il écrivit pour la princesse d'Anhalt-Dessau les *Lettres à une princesse d'Allemagne* (1768-1772) où il vulgarisait ses idées. Il lui exposait notamment ses vues en physique et en astronomie, soutenant seul parmi ses contemporains la nature ondulatoire de la lumière. Dans son *Algèbre*, qui parut en russe en 1768, en allemand deux années plus tard, et qui inspira fortement Lagrange puis Gauss*, Euler fonda la théorie des formes quadratiques **(V. Legendre*)** et tenta de démontrer le théorème fondamental de l'algèbre (existence d'au moins une racine complexe dans des équations à coefficient sur le corps des réels ou des complexes). Il attacha aussi son nom à divers travaux sur le calcul des probabilités et les statistiques, étudia la géométrie plane euclidienne : *cercle d'Euler* ou cercle des neuf points (dans un triangle, c'est le cercle passant par les milieux des côtés, les pieds des hauteurs et les milieux des segments joignant l'orthocentre aux trois sommets), *droite d'Euler* (dans un triangle, droite joignant le centre de gravité, l'orthocentre, le centre du cercle circonscrit et le centre du cercle d'Euler). En physique, il généralisa le principe d'hydrostatique de Clairaut* (1755) et établit les lois générales de l'hydrodynamique. Leonhard Euler mourut subitement d'une attaque d'apoplexie, laissant une œuvre qui embrasse l'ensemble des sciences exactes de son temps et dont les mathématiciens qui lui succédèrent tirèrent parti. (Acad. sc., 1755.)

EULER (Ulf *von*). ♦ Biologiste suédois, fils de Hans von Euler (Stockholm, 1905 –). Il partagea le prix Nobel de méd. (1970) avec J. Axelrod* et B. Katz* pour ses travaux sur le rôle des médiateurs chimiques (en particulier la noradrénaline) dans le fonctionnement du système nerveux sympathique.

EULER-CHELPIN (Hans *von*). ♦ Chimiste allemand (Augsbourg, 1873 – Stockholm, 1964). Auteur de travaux sur les enzymes, il découvrit avec Warburg* les coenzymes (coenzyme I ou DPN), dont il établit la formule en 1939 **(V. *aussi* Todd)**; il décela également une provitamine A dans le carotène. (Prix Nobel de chimie, 1929.)

EULMA *(El-)*, anc. **Saint-Arnaud.** ♦ V. d'Algérie, ch.-l. d'arr. du dép. de Sétif, située sur les hautes plaines constantinoises. 15 300 hab. Centre agricole.

Eumée, en gr. **Eumaios.** ♦ Personnage de l'*Odyssée**, porcher fidèle à Ulysse, qu'il hébergea à son arrivée à Ithaque.

EUMÈNE, en gr. **Eumenês.** ♦ Général grec (~ 360 – ~ 316), satrape de Cappadoce et de Paphlagonie. Après la mort d'Alexandre*, il lutta au côté du régent Perdiccas contre les diadoques qui démembraient l'empire, mais il fut vaincu et mis à mort par Antigonos* Monophthalmos.

EUMÈNE Ier. ♦ (mort à Pergame ~ 241). Souverain de Pergame*, il vainquit Antiochos* Ier et assura ainsi l'indépendance de son État (~ 262).

EUMÈNE II. ♦ (mort à Pergame v. ~ 159). Roi de Pergame*, fils et successeur d'Attale* Ier. Allié avec les Romains, il étendit ses États sur presque toute l'Asie Mineure **(V. Persée).**

Euménides (Les). ♦ Tragédie d'Eschyle*, troisième partie de la trilogie l'*Orestie* (~ 458). Après le meurtre d'Égisthe et de Clytemnestre, Oreste* a trouvé refuge à Delphes, dans le sanctuaire d'Apollon où les Érynies* l'ont poursuivi. Lavé de sa souillure, il reparaît à Athènes et se jette au pied de la statue d'Athéna. Chargée par le sort de départager Apollon, qui s'institue le défenseur d'Oreste, et les Érynies, toujours assoiffées de vengeance, la déesse confie au tribunal humain de l'Aréopage le soin de prononcer son arrêt. Partagées par moitié, les voix de l'Aréopage font bénéficier Oreste du doute. Alors intervient l'arbitrage de l'État, qui acquitte l'accusé. Les Érynies le comprennent et, faisant taire leur ressentiment, elles deviennent les Euménides *(Les Bienveillantes)* à qui désormais un culte sera rendu à Athènes. Ainsi s'achève dans le pardon et l'apaisement voulus par les dieux la sanglante histoire des Atrides.

EUMOLPE, en gr. **Eumolpos.** ♦ Personnage légendaire; rhapsode en Thrace, il aurait été chargé par Triptolème* d'instaurer les mystères d'Éleusis*. – La famille des *Eumolpides* d'Athènes donnait toujours les grands prêtres d'Éleusis.

EUPATORIA, en russe **ÏEVPATORIA.** ♦ V. et port d'U.R.S.S. (Ukraine) situé sur la côte O. de la Crimée*, en bordure de la mer Noire. 57 000 hab. Station touristique. ♦ *Hist.* La ville doit son nom à une forteresse fondée au ~ IIe s. par Diophante, général de Mithridate IV Eupator, sur l'emplacement d'une anc. colonie scythe. – Elle fut le principal port de débarquement des Alliés durant la guerre de Crimée* (sept. 1854).

EUPATRIDES. *n. m. pl.* ♦ Membres de l'aristocratie terrienne d'Attique et spécialement d'un *genos* (clan) qui supprima la royauté **(V. Codros)** et monopolisa le pouvoir à Athènes* jusqu'à la réforme de Solon* (~ 594).

EUPEN. ♦ **V.** NÉAU.

EUPHRATE. *n. m.* ♦ Fl. d'Asie occidentale (2 330 km) qui prend naissance sur les hauts plateaux de l'Arménie turque; il est formé de deux branches mères, le Karasu et le Murat, qui s'unissent au N.-O. d'Elâziğ*. Il traverse les contreforts de l'Anti-Taurus avant de pénétrer, à 150 km env. de la Méditerranée, en Syrie où il reçoit son principal affluent, le Khabour* (r. g.); attiré par les dépressions de l'E., il forme un coude et pénètre en Iraq* où sur une longueur de 1 200 km, il va délimiter avec le Tigre* la Mésopotamie* irakienne, avant de confluer avec lui pour former le Chatt* al-Arab en amont de Basra* et se jeter dans le golfe Persique. Le cours inférieur du fleuve forme dans les plaines basses de Mésopotamie de nombreux bras dont les eaux se déversent dans des marais et des lacs marécageux. Pour éviter les inondations catastrophiques provoquées par les eaux de crues **(V. *notamment* Baghdâd)**, on a dû équiper le fleuve de barrages (Ramadi, Hindiyya) qui détournent ces eaux vers des dépressions et préservent les terres cultivées sur son cours. De nombreuses tribus de Bédouins se sont fixées le long du fleuve, qui comporta dans le passé de nombreux points de départ de pistes en direction du désert. Palmeraies de dattiers dans la vallée; riz et agrumes. L'Euphrate arrose d'amont en aval les villes de Deir* ez-Zor et Nasiriyya*. Babylone* se dressait sur son cours (au S. de Baghdâd).

EUPHROSYNE, en gr. **Euphrosunê.** ♦ Une des trois Charites*.

EURASIE. *n. f.* ♦ Masse continentale formée par l'Asie* et son prolongement occidental, l'Europe*.

EURATOM. ♦ Communauté européenne de l'énergie atomique instituée par le traité de Rome (25 mars 1957) pour créer un marché commun spécialisé pour les produits et les personnes se rapportant à l'énergie atomique dans les pays signataires (R.F.A., Belgique, France, Italie, Luxembourg et Pays-Bas). Cette association doit favoriser la formation et le développement des industries nucléaires ainsi que l'augmentation du niveau de vie général. **V. Communauté économique européenne, Communauté européenne du charbon et de l'acier.**

EURE. *n. f.* ♦ Riv. du Bassin parisien (225km), affl. de la Seine, elle prend sa source dans le Perche*, traverse Chartres*, Maintenon*, Pacy*-sur-Eure, Louviers* et conflue en aval de cette ville.

EURE. *n. m.* (ou *dép. de l'*). **[27]**. ♦ Dép. du N.-O. de la France, région (anciennement C.A.R.) de Haute-Normandie*. 6 037 km². – *Orogr.* Le Vexin* normand, la campagne de Neubourg, la plaine Saint-André, le Lieuvin* sont des régions recouvertes d'une couche épaisse de limon fertile, paysage « d'openfield » aux riches cultures; au contraire, le bocage recouvre le Roumois* et le pays d'Ouche*.
♦ 36 cant., 687 comm., 393 080 hab. *Préf.* Évreux*; *sous-préf.* Les Andelys*, Bernay*. *Ch.-l. de cant. :* Amfreville-la-Campagne (477 hab.), Beaumesnil*, Beaumont*-le-Roger, Beuzeville*, Bourgtheroulde*, Breteuil*, Brionne*, Broglie*, Conches*-en-Ouche, Cormeilles*, Damville*, Écos (411 hab.), Étrépagny*, Fleury*-sur-Andelle, Gaillon*, Gisors*, Louviers*, Lyons*-la-Forêt, Montfort*-sur-Risle, Neubourg* (Le), Nonancourt*, Pacy*sur-Eure, Pont*-Audemer, Pont*-de-l'Arche, Quillebeuf*-sur-Seine, Routot (882 hab.), Rugles*, Saint*-André-de-l'Eure, Saint-Georges-du-Vièvres (706 hab.), Thiberville (1 411 hab.), Verneuil*-sur-Avre, Vernon*. *Autres comm. :* **V. Bec-Hellouin** (Le), **Cocherel, Ivry-la-Bataille.**

Europe : carte politique.

EURE-ET-LOIR. [**28**]. *n. m.* ♦ Dép. du centre et de l'O. du Bassin parisien, région (anciennement C.A.R.) du Centre*. 5 940 km². – *Orogr.* À l'E. du département s'étend la vaste plaine limoneuse et sèche de la Beauce*, uniformément plate. Au S.-O. on trouve les collines boisées et humides du Perche et du Thymerais, au soubassement calcaire recouvert d'argile à silex.

♦ 24 cant., 425 comm., 310 538 hab. *Préf.* Chartres*. Sous-préf. Châteaudun*, Dreux*, Nogent*-le-Rotrou. *Ch.-l. de cant.* Anet*, Auneau*, Authon-du-Perche (1 227 hab.), Bonneval*, Brézolles*, Brou*, Châteauneuf-en-Thymerais (2 121 hab.), Cloyes*-sur-le-Loir, Courville*-sur-Eure, Ferté-Vidame [La] (793 hab.), Illiers*, Janville*, Loupe* (La), Maintenon*, Nogent*-le-Roi, Orgères-en-Beauce (856 hab.), Senonches*, Thiron*, Voves*.

EURIC. ♦ (v. 420 – 480). Roi des Wisigoths (466-480). Fils de Théodoric Ier. Il conquit l'Auvergne (474), la Provence (477), étendit son royaume en Gaule jusqu'à la Loire et soumit le nord de l'Espagne.

EURIPE *(canal de l')*, en gr. **Euripos**. ♦ Détroit qui sépare l'île d'Eubée* du continent grec, large de 40 m entre Chalcis* et la côte béotienne. Ce canal, franchi par un pont tournant, est connu pour le phénomène de ses courants alternatifs qui changent de direction plusieurs fois par jour.

EURIPIDE, en gr. **Euripidês.** ♦ Poète tragique grec (Salamine, ~ 480 – Macédoine, ~ 406). Le peu que l'on sait des origines, de la vie et de la mort du poète repose sur des légendes souvent malveillantes. Ami de Socrate, il avait reçu l'enseignement des philosophes et des sophistes avant de se consacrer à la poésie et au théâtre. Médiocrement apprécié de son vivant, il devait connaître après sa mort, survenue à la cour d'Archélaos*, roi de Macédoine, une gloire qui s'étendit à tout le monde grec. Des quatre-vingt-douze pièces qu'il composa, dix-huit nous sont parvenues. Les dates de composition de certaines d'entre elles demeurent incertaines. Elles pourraient se répartir en trois groupes où l'on distinguerait d'abord les œuvres classiques par la forme et le contenu : *Médée** (*Mêdeia*, ~ 431), *Hippolyte** (*Hippolutos stephanêphoros*, ~ 428), *Iphigénie* à Aulis* (*Iphigeneia hê en Aulidi*, ~ 405) et *Les Bacchantes** (*Bakkhai*, ~ 405), puis celles qui marquent un renouvellement de la technique tragique : *Alceste** (*Alkêstis*, ~ 438), *Ion** (*Iôn*, v. ~ 418) et *Électre** (*Êlektra*, ~ 413), enfin les tragédies qui se distinguent des précédentes par des allusions à des événements contemporains : *Héraclides** (*Hêrakleidai*, v. ~ 430), *Andromaque** (*Andromakhê*, v. ~ 426), *Les Troyennes** (*Trôades*, ~ 415) et *Hélène** (*Helenê*, ~ 412). Il faut ajouter aussi les tragédies *Hécube** (*Hekabê*, v. ~ 424), *Les Suppliantes** (*Iketides*, v. ~ 424), *Héraclès* furieux* (*Hêraklês mainomenos*, v. ~ 424), *Iphigénie* en Tauride* (*Iphigeneia hê en Taurois*, v. ~ 414), *Les Phéniciennes** (*Phoinissai*, v. ~ 410) et *Oreste** (*Orestês*, ~ 408). De date inconnue, un drame satirique, *Le Cyclope** *(Kuklôps)*, nous reste du même auteur. – Accusé par ses contemporains de scepticisme, d'irrespect envers les dieux, d'indifférence pour les mythes héroïques de la Grèce, Euripide a composé son œuvre au moment où, dans Athènes affaiblie par les guerres, les diverses classes sociales commençaient à contester les traditions, les lois, les institutions, la morale héritées des anciens âges. Plus attentif à décrire les passions humaines dans leur vérité et leur dépouillement que disposé à célébrer la grandeur tragique des héros légendaires, Euripide se trouvait en plein accord avec la pensée profonde des nouvelles générations. Sa gloire posthume en fut le meilleur témoignage.

EUROPE, en gr. **Europê**. ♦ Fille d'Agénor*, roi légendaire de Phénicie et sœur de Cadmos*. Zeus*, amoureux d'elle, se métamorphose en taureau blanc, l'enlève et la transporte en Crète. De leur union sont nés Minos*, Sarpédon* et Rhadamante*. Ses frères, partis à sa recherche, auraient fondé plusieurs villes.

EUROPE. *n. f.* ♦ Le plus petit (10 000 000 km²) et le plus mal délimité des continents, formant un cap avancé de l'Asie. Comprise entre l'océan Arctique au N., l'océan Atlantique à l'O. et la Méditerranée au S., elle est traditionnellement délimitée à l'E. par la mer Caspienne et l'Oural. Sa position de carrefour, à égale distance des principales terres émergées du globe, lui vaut d'être un des centres de population historiquement et économiquement les plus importants du monde. La structure et le relief permettent de distinguer une Europe septentrionale, celle des vieux socles où prédominent plaines et plateaux, et une Europe méridionale où se trouvent les hautes montagnes d'âge alpin. L'Europe bénéficie dans sa majeure partie d'un climat tempéré, mais le plus ou moins grand éloignement de l'Océan, de même que la structure du relief déterminent d'importantes variations (climat océanique, continental, méditerranéen). La position centrale du continent européen, sa profonde pénétration par les mers ont facilité son peuplement très ancien, très varié et très dense, bien qu'en diminution relative. L'Europe n'a d'unité ni linguistique, ni ethnique, ni politique; elle comprend 33 États et se trouve séparée depuis la IIe Guerre mondiale en deux groupes d'États idéologiquement opposés. Ses richesses minérales et agricoles, sa densité de population, l'existence d'une bourgeoisie d'affaires ayant favorisé les découvertes scientifiques et techniques ont fait de l'Europe des XVIIIe et XIXe s. le berceau des révolutions agricoles et industrielles. Actuellement, elle possède 20 % de la population du globe et 40 % du revenu mondial, ce qui lui assure un niveau de vie relativement élevé, mais très inégalement réparti. ♦ *Hist.* L'Europe ne s'individualisa que fort tard et fut d'abord dominée par les peuples méditerranéens et hellénique. Ce fut grâce à l'apport des Grecs que le centre économique et culturel du monde se fixa en Méditerranée centrale et occidentale, puis se déplaça vers l'O. pour devenir plus européen. L'héritage grec fut transmis par Rome*, qui y ajouta son apport, notamment l'unification du monde antique prolongée par le christianisme. De ces apports, l'Europe tient son unité culturelle. Le IVe s. vit l'entrée des Germains dans l'Empire romain, qui se disloqua malgré les tentatives de Justinien Ier. Le christianisme tenta de rétablir, face à l'Empire romain d'Orient et face aux Arabes arrivés à Poitiers en 732, l'Empire romain d'Occident avec Charlemagne* (800). Ce fut alors que le mot *Europe* se chargea d'une signification politique et culturelle *(Europa vel regnum caroli).* L'idée fut reprise par Othon* Ier qui créa en 962 le Saint Empire romain germanique, lequel se maintint longtemps, mais sans grande cohésion. Les empereurs se heurtèrent à la domination spirituelle des papes, tandis que les rois des pays du N.-O. (Capétiens et Plantagenêts) pratiquèrent une politique nettement nationaliste. Pendant qu'en Europe occidentale, la France et l'Angleterre se faisaient la guerre, l'Europe orientale était envahie par les Mongols; la Russie devait demeurer asiatique jusqu'au XVIIe siècle. Au XVe s., les Turcs entrèrent à Constantinople et au siècle suivant l'Empire ottoman atteignit son apogée. L'Europe était alors déchirée par les querelles religieuses **(V. Réforme)** mais était entrée dans une ère de révolution intellectuelle (Renaissance*) et économique par les grandes découvertes maritimes. Au XVIIIe s., après l'Espagne et la France, ce furent l'Angleterre et les Provinces-Unies qui exercèrent la prépondérance européenne en dominant le commerce maritime et en créant la première industrie moderne. Avec la Révolution française, puis l'Empire de Napoléon, l'idée de l'Europe se fit de nouveau jour, mais la tentative impériale se termina par l'éclatement d'un continent sous domination française tandis que le mouvement des nationalités (doublé d'un mouvement libéral) se

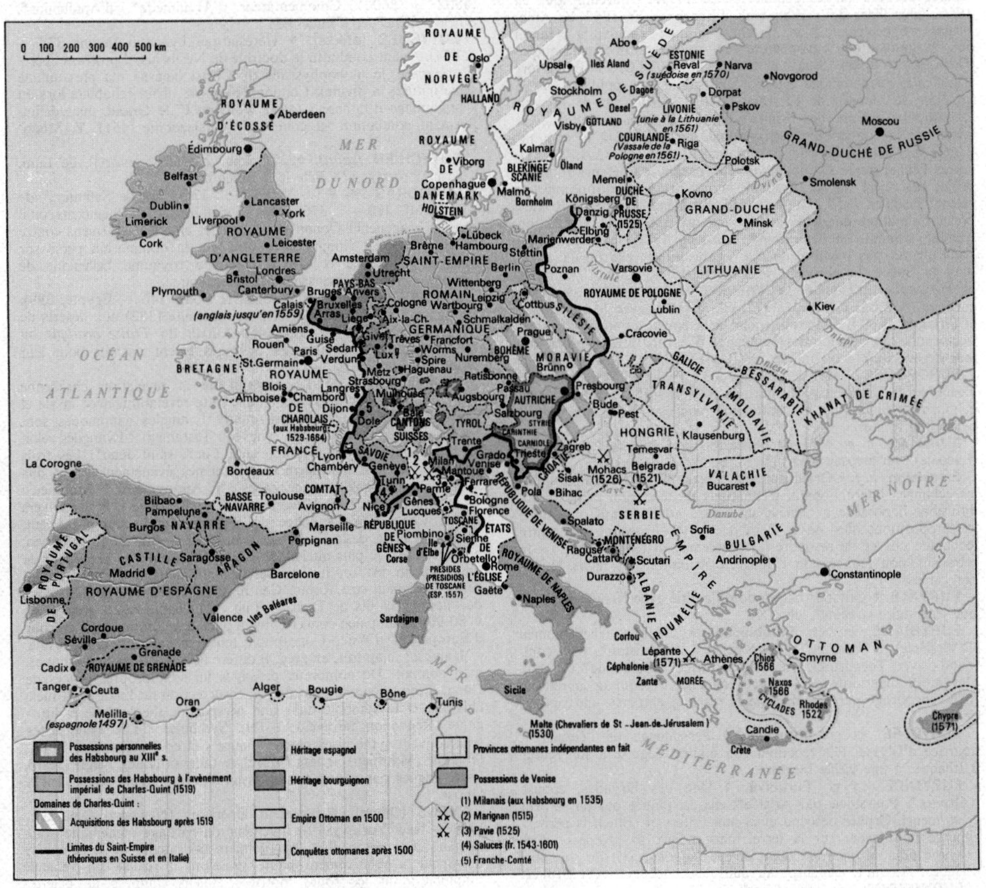

Europe : carte historique XIIIe-XVIe s.

Ph. Bruno Barbey/Magnum

Europe : le siège du Marché commun à Bruxelles.

répandit durant tout le XIXe siècle. L'Europe connut l'essor des mouvements ouvriers et des socialismes en même temps que la naissance de vastes empires coloniaux, déjà ébauchés au XVIIIe siècle. Elle vit l'Amérique lui échapper, mais étendit son influence en Afrique. La prépondérance européenne fut ébranlée par la Première Guerre mondiale. De cette guerre pourtant émergea à l'Assemblée générale de la S.D.N. l'idée d'un «lien fédéral». La période qui suivit vit la crise économique mondiale, l'avènement des fascismes et d'Hitler qui tentèrent d'instaurer une Europe raciste et totalitaire par la Seconde Guerre mondiale. Après ce deuxième conflit, gagné par les démocraties, l'Europe avait perdu sa « faculté de conduire l'histoire ». La décadence économique, les mouvements d'indépendance dans les colonies lui firent prendre conscience de sa faiblesse en face des États-Unis. D'autre part, l'Europe orientale, après la victoire de l'U.R.S.S. sur les troupes de l'axe et la formation de démocraties populaires, se trouva séparée de l'Europe occidentale. – Ce fut W. Churchill* qui, en 1946, lança l'idée des « États-Unis d'Europe ». En 1947, les Américains proposèrent le plan Marshall* auquel répondit la création de l'Organisation européenne de coopération économique (O.E.C.E.) groupant 18 pays et devenue en 1961 l'O.C.D.E. L'effort d'unification économique fut prolongé sur le plan politique par la création du Conseil de l'Europe (1949) : dépourvu de pouvoir exécutif, il n'eut que des résultats limités. Mais bientôt on devait passer de la coopération internationale européenne à la communauté supranationale par la création de la C.E.C.A. (1951). Après l'échec de la Communauté européenne de défense (dont le projet fut rejeté par la France), la construction européenne se ralentit jusqu'en 1957, date à laquelle fut signé le traité de Rome* portant création de deux institutions nouvelles : la C.E.E. ou Marché commun et l'Euratom*. Jusqu'en 1972, la Grande-Bretagne ne fut pas membre de ces organisations; elle faisait partie avec la Suède, la Norvège, le Danemark, la Suisse, l'Autriche, le Portugal et l'Islande, de l'Association européenne de libre-échange (A.E.L.E.). Depuis 1972, elle a rallié, avec le Danemark et l'Irlande, la C.E.E. Parallèlement à la construction de l'Europe occidentale, les démocraties populaires d'Europe orientale ont créé leur organisation économique, le COMECON*.

EUROPOORT (« port de l'Europe »). ♦ Prolongement, dans l'ancienne île de Rozenburg, du port de Rotterdam*. Pétrole. Houille et minerais. Sidérurgie. Constructions navales. Accès aux navires de 65 000 tonnes.

EUROTAS. *n. m.* ♦ Fl. de Grèce (80 km) dans le Péloponnèse (Laconie), qui arrosait Sparte*.

Eurovision. *n. f.* ♦ Organisme qui coordonne au niveau européen les échanges internationaux d'émissions de télévision et de radiodiffusion. Il possède à Genève un centre administratif qui étudie les propositions des pays membres, et à Bruxelles un centre technique chargé de résoudre les problèmes matériels que pose la retransmission (conversion d'image, distribution des relais, liaison par câbles P.T.T.).

EURYALE. ♦ Guerrier troyen dont l'amitié avec Nisus* est devenue légendaire (*Énéide**, ch. IX).

EURYBIADE, en gr. **Eurubiadês**. ♦ Général lacédémonien (~ Ve siècle). Il vainquit la flotte perse à Artémision*, puis commanda avec Thémistocle* la flotte grecque à Salamine* (~ 480). Devant la supériorité de la force ennemie, il esquissa la retraite mais, encouragé par Thémistocle, il resta et emporta une victoire décisive.

EURYCLÉE, en gr. **Eurukleia**. ♦ Personnage de l'*Odyssée**, nourrice d'Ulysse. Elle reconnut son maître, déguisé à son retour à Ithaque, à une vieille blessure.

EURYDICE, en gr. **Eurudikê**. ♦ Une des Dryades, épouse d'Orphée*. Poursuivie par Aristée*, elle est piquée par un serpent et en meurt. Orphée descend alors aux Enfers et obtient la permission de la ramener sur la terre, mais malgré sa promesse il se retourne pour la regarder avant qu'elle ne soit sortie du royaume d'Hadès. Aussitôt, elle disparaît dans les ténèbres. – **V. Orphée.**

EURYMÉDON, en turc **Köprü**. ♦ Petit fleuve côtier d'Asie Mineure (Pamphylie). Les Athéniens, conduits par Cimon*, y écrasèrent sur terre et sur mer les forces perses et phéniciennes en ~ 468, mettant fin aux guerres Médiques*.

EURYSTHÉE, en gr. **Eurustheus**. ♦ Roi légendaire de Mycènes* et de Tirynthe. Cousin d'Héraclès* régnant à sa place par ruse d'Héra, il craignait le héros dont il connaissait l'ascendance divine. Il lui imposa les *douze travaux* et après sa mort poursuivit ses descendants.

EUSÈBE *(saint)*. ♦ 31e pape (309-310 [mort]). Grec, martyr. Il mourut en Sicile, exilé avec son compétiteur Héraclius. Fête le 26 septembre.

EUSÈBE DE CÉSARÉE. ♦ Écrivain grec chrétien (265 – 340). Il travailla dans la bibliothèque laissée par Origène, à Césarée, où il fut prêtre puis évêque (313). Il se montra conciliant à l'égard d'Arius. Auteur d'ouvrages apologétiques et de la première synopse du Nouveau Testament, il est surtout le père de l'histoire religieuse (*Chronique* ou *Canons chronologiques de l'histoire universelle; Histoire ecclésiastique*).

EUSTACHE *(saint)*. ♦ Martyr (IIe s.). Culte ancien à Rome. Sa légende en fait un soldat, nommé Placidius, converti par la rencontre d'un cerf miraculeux. Il aurait été étouffé, avec sa famille, dans un tonneau de bronze sous lequel on aurait allumé le feu. Patron des chasseurs. Fête le 20 septembre.

EUSTACHE DE SAINT-PIERRE. ♦ (v. 1287 – 1371). Chef de la délégation des six bourgeois de Calais qui se livrèrent en otages à Édouard III d'Angleterre pour sauver leur ville en 1347. Ils furent graciés sur les instances de la reine d'Angleterre Philippa* de Hainaut.

EUSTACHI ou **EUSTACHIO (Bartolomeo)**. ♦ Médecin italien (San Severino, Marche d'Ancône, v. 1500 – v. 1574). Célèbre par ses observations anatomiques, en particulier de l'oreille (*trompe d'Eustache*) et du cœur (*valvule d'Eustache*). Ses *Tabulae anatomicae* furent publiées en 1714.

EUTERPE, en gr. **Euterpê**. ♦ Une des neuf Muses* qui présidait aux fêtes. On lui attribuait la flûte et l'invention du dithyrambe.

EUTHYMÈNES. ♦ Navigateur phocéen du ~ VIe siècle. En suivant le littoral africain, il semble qu'il soit parvenu jusqu'au Sénégal.

EUTOCIUS d'Ascalon, en gr. **Eutokios**. ♦ Mathématicien grec (480? – 560?). Commentateur d'Archimède*, d'Apollonius*, d'Ératosthène* et d'Eudème*.

EUTYCHÈS [øtikɛs]. ♦ Hérésiarque byzantin (avant 378 – v. 454). Ayant combattu la doctrine de Nestorius, il professa l'hérésie opposée, le monophysisme (le Christ incarné n'a plus qu'une seule nature, la divine). Condamné en 448, il fut réhabilité lors du « brigandage d'Éphèse » (449), **V. Léon Ier le Grand,** mais définitivement condamné au concile de Chalcédoine (451). **V. Monophysites.**

EUTYCHIEN *(saint)*. ♦ 27e pape (275-283? [mort]), de Luni, Toscane; martyr (?). Fête le 7 décembre.

ÉVAGORAS Ier. ♦ (v. ~ 435 – ~ 376). Roi de Salamine* de Chypre* (~ 410 – ~ 376) après sa victoire sur les Phéniciens, qu'il chassa. Il accueillit Conon* à sa cour et aida les Athéniens contre les Spartiates. Il élimina provisoirement la domination perse sur presque toute l'île et voulut créer un royaume hellénique de Chypre. Il mourut assassiné par un eunuque.

ÉVAGRE le Pontique. ♦ (dans le Pont, 346 – Égypte, 399). Prédicateur à Constantinople, il se fit ermite (382) aux déserts de Nitrie puis des Cellules (Égypte). Auteur du *Traité pratique* ou *Le Moine;* beaucoup de ses ouvrages furent détruits pour leur origénisme.

Évangile. *n. m.* ♦ Le contenu de la révélation chrétienne (**V. Christ**). Livres saints contenant cette révélation, avec la vie et l'enseignement de Jésus*. Les quatre Évangiles canoniques sont les quatre premiers livres du Nouveau Testament : Évangiles selon saint Matthieu*, saint Marc*, saint Luc*, saint Jean*. Les trois premiers, narrant sensiblement les mêmes événements, sont dits synoptiques. Évangiles apocryphes : **V. Apocryphes.** – Matthieu : 28 chapitres, en grec. L'auteur est un juif converti écrivant vers 80-90. Centré sur l'annonce du Royaume et l'accomplissement, en Jésus-Christ, de la Loi et des prophètes. – Marc : 16 chapitres, en grec. C'est le plus ancien (v. 70). Matthieu et Luc procèdent de lui. L'auteur est un juif converti vivant dans une communauté romanisée, peut-être Rome. Centré sur la personne de Jésus, fils de l'homme et fils de Dieu. – Luc : 24 chapitres, en grec. Écrit v. 80-90 par un païen converti vivant dans une communauté grecque d'Europe ou d'Asie. Conception universaliste du christianisme. – Jean : 21 chapitres, en grec. Il diffère nettement des Synoptiques, qu'il connaît. De nombreux passages lui sont propres (noces de Cana, discours sur le pain de vie, résurrection de Lazare). Il mêle l'histoire et le symbole dans une perspective théologique et liturgique. Rédaction tardive (95-100). Symboles : Les évangélistes sont souvent symbolisés par les quatre « êtres » d'*Ézéchiel*, 1, 10 : l'homme (Matthieu), le lion (Marc), le taureau (Luc), l'aigle (Jean), les Évangiles par quatre fleuves issus d'un monticule où se tient le Christ.

EVANS (Oliver). ♦ Ingénieur américain (Newport, Delaware, 1755 – New York, 1819). Inventeur du cardage mécanique pour la laine et le coton, l'un des premiers utilisateurs de la chaudière à vapeur à relativement haute pression, il réalisa un véhicule amphibie dont les roues motrices étaient équipées de palettes (1803).

EVANS (Mary Ann). V. ELIOT (George).

EVANS (*sir* **John**). ♦ Archéologue, numismate et géologue anglais (Britwell Court, Buckinghamshire, 1823 – Berhamsted, Hertfordshire, 1908). Il est l'auteur de plusieurs ouvrages de paléontologie et d'archéologie, en particulier sur *Les Âges de la pierre en Angleterre* (tr. fr., 1878). ♦ *Sir* ARTHUR JOHN EVANS, son fils. Archéologue anglais (Nash Mills, Hertfordshire, 1851 – Boar's Hill, Oxfordshire, 1941). Il participa à des fouilles en Finlande, en Laponie, en Dalmatie, dans les Balkans, en Sicile; et il est surtout connu par sa découverte du site de Cnossos* et de la civilisation crétoise.

EVANS (Herbert Mc Lean). ♦ Biochimiste américain (né en 1882). Auteur de recherches sur les hormones, il étudia notamment celles de l'ovaire (avec Long, 1920), purifia l'*hormone de croissance* (1944); il isola également la vitamine E (avec Emerson, 1936).

EVANS PRITCHARD (Edward). ♦ Ethnologue britannique (Crowborough, Sussex, 1902 –). Auteur d'un ouvrage général sur l'*Anthropologie sociale* (1951; trad. fr., 1969), il a plus particulièrement étudié le *Système politique de l'Afrique* (1940), les institutions et la religion d'un peuple nilotique, *Les Nuers* (1940; trad. fr., 1969); *Nuer Religion*, 1956; *Theories of primitive Religion*, 1965.

EVANSVILLE. ♦ V. des États-Unis (au S.-O. de l'Indiana), sur l'Ohio*. 137 397 hab. (1970). Nombreuses industries.

ÉVARISTE (*saint*). ♦ 5e pape (97-105 ?). Grec de père juif, martyr (?). Il aurait divisé Rome en paroisses. Fête le 26 octobre.

ÉVAUX[evo]**-LES-BAINS.** ♦ Ch.-l. de cant. de la Creuse*, arr. d'Aubusson*, au centre du pays de Combrailles* à plus de 450 m d'alt. 1 878 hab. [1 211 aggl.]. *(Évahonniens).* – L'église Saint-Pierre et Saint-Paul, rebâtie dans le style gothique au XVIe s., a conservé un clocher-porche du XIe siècle. – Centre d'excursions; stations thermales dont les eaux radio-actives sont efficaces contre les rhumatismes et l'arthrite.

ÈVE (hébr. *hawwâh*, anc. forme de *hayyâh*, « vivante »). ♦ Dans la Bible, la première femme, créée simultanément à l'homme (récit élohiste, *Genèse*, I, 27) ou à partir de la côte d'Adam (récit iahviste, *Genèse*, II, 22). Tentée par le serpent, elle mange et fait manger à l'homme le fruit de l'arbre du bien et du mal, ce qui lui attire la malédiction de Dieu : « Tu enfanteras dans la douleur... Ton mari te dominera » (III, 16). Mère de Caïn*, Abel* et Seth*. – *Icon.* Sculpture de Gislebert (Autun, musée Rolin); *Ève vergognosa*, sculpture de Rodin (Paris, musée Rodin); *Eva Prima Pandora*, de Jean Cousin, premier nu de la peinture française (Louvre); *La Création d'Ève*, fresque de Michel-Ange (chapelle Sixtine). **V. Adam.**

EVELLIN (François). ♦ Philosophe français (Nantes, 1835 – Paris, 1910). D'inspiration critique, son « finitisme » **(V. Renouvier)** est lié à une position spiritualiste.

EVERE. ♦ Comm. de Belgique (Brabant, arr. de Bruxelles - Capitale), sur la rive orientale du canal de Willebroek. 23 700 hab. Cultures maraîchères. Fonderies. Siège provisoire de l'O.T.A.N. (oct. 1967).

EVEREST (*sir* **George**). ♦ Officier et géophysicien anglais (Greenwich, 1790 – Londres, 1866). Directeur du Service géodésique de l'Inde (1823), membre de la Royal Society (1827), il réalisa la triangulation des Indes anglaises et découvrit ainsi le point culminant du globe auquel on a donné son nom en Occident (mont Everest-Himâlaya).

EVEREST (*mont*). ♦ Nom donné en Occident au Chomolungma, montagne la plus élevée du globe (8 882 m), située dans l'Himalâya*, à la frontière du Népal et du Tibet. La face sud-ouest, vers le Tibet, est séparée des faces nord et nord-ouest (vers le Népal) par des arêtes. Plusieurs glaciers alimentent des rivières. ♦ *Hist.* L'expédition de 1921 (Howard Bury) emprunta le col nord, vers l'arête du nord-est; celle de 1922 (C.G. Bruce) atteignit la cote 8 326, mais se termina par un tragique accident. En 1924, Norton atteignit 8 570 m, Mallory et Irvine disparurent sur l'arête nord-est. Après deux reconnaissances, trois expéditions, suisse (Wyss Dunant), française et britannique furent décidées. Celle-ci (1953), dirigée par J. Hunt, se termina par la conquête du sommet, où parvinrent Edmund Hillary et le sherpa Tensing (29 mai). Des Suisses (1957) et des Chinois (1963) renouvelèrent cet exploit.

EVERGEM. ♦ Comm. de Belgique (Flandre orientale, arr. de Gand), sur le canal de Gand à la mer du Nord. 12 100 hab. Indus. chimiques.

ÉVERGLADES. *n. m. pl.* ♦ Vaste plaine inondée (par le trop-plein du grand lac Okeechobee), à la végétation tropicale (mangroves), au S. de la Floride (États-Unis). – Une partie de cette région est préservée depuis 1915 et forme un *Parc national* dont la faune (oiseaux, alligators...) et la flore sont exceptionnelles. – Le reste relève d'un programme fédéral (drainage, mise en culture).

ÉVHÉMÈRE, en gr. **Euêmeros.** ♦ Mythographe grec (~ IVe – ~ IIIe s.). Son *Histoire sacrée*, roman mythologique et philosophique en prose, est perdue (ainsi que l'adaptation poétique en latin d'Ennius). Évhémère proposait une révision rationnelle des mythes religieux. Dans sa théogonie, les dieux étaient des hommes supérieurs, divinisés par la crainte et l'admiration de leurs contemporains. Utilisé par les apologistes chrétiens comme argument contre le polythéisme, le système d'Évhémère a donné naissance à une doctrine rationaliste sur les origines des religions (évhémérisme).

ÉVIAN-LES-BAINS. ♦ Ch.-l. de cant. de la Haute-Savoie*, arr. de Thonon*-les-Bains, sur le lac Léman*. 6 052 hab. *(Évianais).* Église des XIVe et XIXe siècles. Station thermale et climatique réputée, dont les eaux minérales et alcalines sont utilisées pour le traitement des maladies des reins et du foie. ♦ *Hist.* Après l'échec des entrevues franco-algériennes de Melun (juin 1960), d'Évian (mai-juin 1961), et de Lugrin (juil. 1961), échec qui entraîna un regain du terrorisme en Algérie, les négociations reprirent le 7 mars 1962 entre les représentants du gouvernement provisoire de la République algérienne ou G.P.R.A. (Krim Belkacem, Ben Tobbal, Dahlab, Yazid) et ceux du gouvernement français (Joxe, Buron, Tricot). Le 18 mars 1962 furent signés les *accords d'Évian* stipulant la reconnaissance de l'indépendance algérienne liée au cessez-le-feu en Algérie (19 mars) et précisant les conditions du référendum d'autodétermination (qui eut lieu le 1er juil. 1962). Pendant qu'était mis en place l'exécutif provisoire algérien (neuf Algériens, en majorité du F.L.N., et trois Français), la population française d'Algérie exprima sa résistance par une grève totale de deux jours (à Alger et à Oran) et une manifestation qui s'acheva par la tragique fusillade de la rue d'Isly, qui fit environ quatre-vingts morts. **V. Algérie,** *Hist.*

ÉVISA. ♦ Ch.-l. de cant. de la Corse*, arr. d'Ajaccio*, près du golfe de Porto*. 631 hab. Station estivale.

EVLIYÂ TCHÉLÉBÎ. ♦ Grand voyageur turc (1611 – 1681). Son *Seyâhat-Nâmé* (« Livre de voyages ») décrit presque toutes les contrées de l'Empire ottoman et ses confins. Écrite dans un style alerte, cette œuvre contient des informations historiques précises malgré une tendance générale à la fantaisie.

***Évolution créatrice* (L').** ♦ (1907). Ouvrage de Bergson*. Critiquant les théories mécanistes et finalistes de l'évolution, l'auteur leur oppose sa conception de l'*élan vital*, force créant de façon imprévisible des formes toujours plus complexes. Voyant dans l'instinct animal et l'intelligence humaine deux voies différentes suivies par l'évolution, il affirme que cette dernière « est destinée à assurer l'insertion parfaite de notre corps dans son milieu [...] à penser la matière »; elle est donc inapte, selon lui, à comprendre la vie, la durée que seule l'intuition nous permet de saisir. Bergson ouvre ainsi la voie à un nouveau spiritualisme.

EVORA. ♦ V. du Portugal. Ch.-l. de district et cap. de l'Alentejo. 34 200 hab. Archevêché. Nombreuses richesses architecturales : temple de Diane (IIe s.), cathédrale (XIIe-fin XIIIe s.), monastère mudéjar São Francisco (XVe s.), couvent Renaissance (XVIe s.). Indus. alimentaires. ♦ *Hist.* D'origine romaine *(Ebora)*, la ville fut prise en 715 par les Maures, puis reprise par les Portugais. Au XVe s., sous Jean III, elle eut un grand rayonnement intellectuel (université) et artistique (école musicale).

ÉVRAN. ♦ Ch.-l. de cant. des Côtes-du-Nord, arr. de Dinan, sur le canal d'Ille-et-Rance. 1 560 hab. Château de Beaumanoir (XVIIe s.).

EVREÏNOFF (Nikolaï Nikolaïevitch). ♦ Auteur dramatique et metteur en scène russe (Moscou, 1879 – Paris, 1953). En réaction contre le réalisme et le naturalisme, il prétendit emprunter à la vie elle-même les éléments d'une « rethéâtralisation » du théâtre et organisa sur les places publiques de Moscou et de Leningrad de vastes spectacles collectifs où étaient évoquées, avec la participation de milliers d'interprètes, les phases historiques de la lutte des classes ou les étapes les plus récentes de la conquête du pouvoir par les soviets. Il quitta son pays en 1925.

ÉVREUX. ♦ Préf. de l'Eure*, ch.-l. d'arr. (14 cant., 288 comm., 195 210 hab.) dans la vallée de l'Iton*. 45 441 hab. *(Ébroïciens).* Cathédrale Notre-Dame du XIIe au XVIIIe s. (très beaux vitraux des XIIIe au XVIIe s.). L'église Saint-Taurin, ancienne abbatiale des XIe et XVe s., conserve la châsse de saint Taurin (XIIIe s.). La tour de l'Horloge est un beffroi du XVe siècle. Évêché. L'industrie se

Ph. Giraudon

Les **Évangiles** de Sainte-Croix-de-Poitiers. Manuscrit du VIIIe s. (Bibliothèque de Poitiers.)

Ph. Ostuni/Ricciarini

Exeter.

développe : indus. textiles ; métallurgie, petite mécanique, fabrication de produits pharmaceutiques. Base aérienne importante. Patrie de Fr. Buzot*, de L. Walras*. ♦ *Hist.* Évreux fut la capitale des Aulerques* (sous le nom de *Mediolanum Aulercorum*). La ville devint comté au Moyen Âge et fut longtemps disputée entre les seigneurs et le roi de France. Elle devint définitivement française au XVIIe siècle. La ville a été en grande partie détruite en 1940, et reconstruite.

ÉVRON. ♦ Ch.-l. de cant. de la Mayenne, arr. de Laval. 4 977 hab. [3 888 aggl.]. *(Évronnais).* Anc. abbatiale (XIe-XVIe s.), possédant des fresques du XIIIe siècle. Salle capitulaire du XIVe siècle. Bâtiments conventuels du XVIIIe siècle. — Indus. laitière. Conserverie. Confection.

ÉVROS. ♦ V. ALEXANDROUPOLIS.

ÉVRY (anc. **Évry-Petit-Bourg**). ♦ Préf. de l'Essonne, ch.-l. d'arr. (9 cant., 53 comm., 276 299 hab.) sur la Seine. 7 287 hab. *(Évryens).* Ville nouvelle qui comprendra une préfecture, un palais de justice et qui doit abriter 420 000 hab. en 1985. — Constructions aéronautiques. Importante et très moderne biscuiterie.

EVTOUCHENKO (Eugène Alexandrovitch) [*Evtušenko*]. ♦ Poète soviétique (Zima, Sibérie, 1933 —). Doué d'une grande sensibilité il aborde dans ses poèmes aux vers souples et rythmés de nombreux sujets d'actualité. Il publia en 1952 son premier recueil : *Les Éclaireurs de l'avenir* puis, en 1955, *La Troisième Neige.* En 1956 parurent le poème *La Station d'hiver* et le recueil *La Chaussée des enthousiastes,* puis en 1957 *La Promesse* et en 1960 *La Pomme.* En 1965 parurent le long poème, discussion symbolique entre la pyramide égyptienne pessimiste et la centrale de Bratsk optimiste : *La Centrale de Bratsk,* ainsi que les deux poèmes de *Les Russes veulent-ils la guerre* et *Derrière le mur des gens ricanent.* Son influence reste très grande sur la jeunesse soviétique.

EWALD (Johannes). ♦ Poète et dramaturge danois (Copenhague, 1743 — *id.,* 1781). Après avoir écrit des poésies d'un lyrisme intense, il rencontra en 1769 l'écrivain allemand Klopstock* qui l'intéressa à la mythologie nordique. Il écrivit alors deux tragédies inspirées par ces thèmes (*Rolf Krage,* 1770 et *La Mort de Balder,* publ. en 1775). Une crise religieuse donna plus de profondeur à son lyrisme et lui inspira des poèmes tels que *Le Pénitent, Ode à l'âme (Ode til Sjaelen).* Après sa mort, furent publiés ses mémoires : *Vie et Opinions* (*Levned og Meninger,* 1804-1808). Il est considéré comme le plus grand poète lyrique danois.

ÉWÉS, EVHÉS ou **ÉOUÉS.** *n. m. pl.* ♦ Population noire du Togo* et du Ghana*.

EWING (*sir* **James Alfred**). ♦ Ingénieur écossais (Dundee, 1855 — Cambridge, 1935). Il étudia particulièrement les machines thermiques, l'aimantation du fer et des autres métaux, découvrit le phénomène d'hystérésis magnétique auquel il donna ce nom (1882) et montra l'importance, dans les ferromagnétiques, du couplage entre aimants élémentaires voisins (1890-1892).

EXCIDEUIL [ɛksidœj]. ♦ Ch.-l. de cant. de la Dordogne*, arr. de Périgueux*. 1 922 hab. — Ruines d'un château (XIVe-XVIe s.), maisons anciennes. Conserves alimentaires. Patrie de Jules Parrot.

EXELMANS (Remi Isidore, *comte***).** ♦ Maréchal et pair de France (Bar-le-Duc, 1775 — Paris, 1852). Engagé comme volontaire dans les armées révolutionnaires (1791), il fit une brillante carrière sous l'Empire. Colonel à Austerlitz, général à Eylau, grand écuyer de Murat, il fut fait prisonnier par les Anglais, réussit à s'évader et prit part aux campagnes de 1812-1814. Pair pendant les Cent-Jours, il battit une division prussienne à Rocquencourt (1815). Exilé en Allemagne lors de la Seconde Restauration, il revint en France (1829). Grand chancelier de la Légion d'honneur et maréchal de France (1851).

EXETER. ♦ V. du S. de l'Angleterre, sur l'Exe, reliée à la Manche par un canal. Ch.-l. du Devon. 82 000 hab. Université. Centre agricole et commercial. La cathédrale, érigée sur l'emplacement d'une anc. église normande, fut commencée en 1112 en style roman, plusieurs fois remaniée en gothique et achevée vers 1365 en style « orné ». La ville possède d'autres monuments : le *Guildhall* (1330-1446), le prieuré *St.Nicholas* (1080) et le *Tucker's Hall* (XVe-XVIe s.). — Patrie de Th. Bodley* et d'Henriette*-Anne Stuart. ♦ *Hist.* Exeter est l'anc. *Isca Dumnoniorum* des Romains et l'*Exanceaster* saxonne. Prise en 1066 par Guillaume le Conquérant, elle fut, pendant la guerre des Deux-Roses, un fief des Lancastre.

EXMOOR. ♦ Hauteur granitique du S.-O. de l'Angleterre, s'étendant sur la partie N. du Devonshire et le N.-O. du Somerset, le long de la r. N. du canal de Bristol et culminant au *Dunkery Beacon* (519 m). — R. D. Blackmore y situa l'action de son roman *Lorna Doone.*

EXMOUTH. ♦ V. et port du S. de l'Angleterre (Cornouailles), à l'embouchure de la Fal, sur la baie de Falmouth (ou *Carrick Roads*). 17 000 hab. Port de plaisance.

Exode (L') [grec *exodos,* « sortie »]. ♦ Deuxième livre du Pentateuque*. Son titre hébreu est *Shemoth,* « les Noms ». 40 chapitres racontent l'asservissement d'Israël en Égypte, sa sortie de ce pays, la révélation de la Loi faite à Moïse sur le mont Sinaï, l'épisode du veau d'or, la rédaction du Décalogue. — Composition : **V. Pentateuque.**

EXPILLY [ɛkspiji] **(Louis).** ♦ Évêque constitutionnel français (Brest, 1742 — 1794). Député du clergé aux États généraux (1789), il participa à la rédaction de la Constitution civile du clergé, à laquelle il fut l'un des premiers à prêter serment, fut nommé évêque constitutionnel du Finistère et sacré par Talleyrand. Lié aux Girondins, il tenta, après leur exclusion de la Convention (2 juin 1793), de s'opposer à la dictature parisienne en lançant un appel aux départements de l'Ouest, et fut condamné à mort.

Exposition du système du monde. ♦ Traité de mécanique céleste publié en 1797 par Laplace* et traitant successivement des mouvements apparents et réels des corps célestes, des lois du mouvement, de la théorie de la pesanteur universelle. Il est accompagné d'un *Précis de l'histoire de l'astronomie.*

EXUPÈRE *(saint).* ♦ Évêque de Toulouse ([mort] Toulouse apr. 411). Il fit achever l'abbaye Saint-Sernin* (auj. basilique Saint-Sernin) et y transporta les reliques du saint. Jérôme lui a dédié son *Commentaire sur Zacharie.* — Fête le 28 septembre.

EYCK (Van). ♦ V. VAN EYCK.

EYLAU [ɛlo]. ♦ V. de l'anc. Prusse orientale, près de Königsberg, auj. *Bagrationovsk* en U.R.S.S. (R.S.F.S. de Russie). Elle fut le théâtre d'une des plus sanglantes batailles de Napoléon* contre les Russes et les Prussiens (7 et 8 févr. 1807 ; 40 000 victimes). Les Russes, sous les ordres de Bennigsen*, Bagration* et Barclay* de Tolly, furent contraints à la retraite, mais la victoire de Napoléon, secondé par Murat, Davout, Ney, Soult, Augereau, Lannes, resta indécise.

EYMET [ɛmɛ]. ♦ Ch.-l. de cant. de la Dordogne*, arr. de Bergerac* sur le Dropt*. 2 356 hab. *(Eymetois).* Bastide fondée en 1271, vieux pont, maisons gothiques. — Conserves alimentaires.

EYMOUTIERS [emutje]. ♦ Ch.-l. de cant. de la Haute-Vienne*, arr. de Limoges*, sur la Vienne*. 3 108 hab. Église des XIe et XVe s., reliquaire et croix émaillée du XIIIe s., collège du XVIIIe s., maisons anciennes. — Appareils frigorifiques, confection.

EYRE (Edward John). ♦ Administrateur colonial britannique (Hornsea, Yorkshire, 1815 — dans le Devonshire, 1901). Parti en Australie en 1833, il y explora les régions intérieures, découvrit la lagune qui porte aujourd'hui son nom (8 880 km²) et y contribua au développement de l'élevage ovin. Nommé gouverneur de la Jamaïque (1864), il fut rappelé en Angleterre (1866) pour avoir réprimé une révolte des ouvriers noirs.

EYRE *(lac),* en angl. **Lake Eyre.** ♦ Lagune de l'Australie*-Méridionale, qu'atteignent parfois les eaux des rivières temporaires, et dont le fond, en grande partie asséché, est recouvert par une couche de sel et de gypse. Il se trouve à — 11 m. 8 880 km². Il fut découvert par l'explorateur anglais E.J. Eyre*.

EYSINES. ♦ Comm. de la Gironde, arr. de Bordeaux. 8 286 hab. *(Eysinois).* Vins des Graves.

EYZIES [ezi] **-DE-TAYAC (Les).** ♦ Comm. de la Dordogne*, arr. de Sarlat*-la-Canéda, sur la Vézère. 877 hab. *(Eyzicois).* — Église fortifiée des XIe-XIIe siècles. — Le site préhistorique des *Eyzies* et ses environs constituent un centre essentiel pour le paléolithique supérieur. Les découvertes s'y sont succédé de 1862 (E. Lartet, etc.) à 1901. Les principaux sites sont : les grottes du Moustier*, de Font-de-Gaume et des Combarelles (ces dernières ornées de remarquables gravures et peintures), l'abri de Cro*-Magnon, les gisements de la Madeleine*, et de Laugerie-Basse. Aux Eyzies même, musée national de la Préhistoire.

ÈZE. ♦ Comm. des Alpes-Maritimes, arr. de Nice. 1 792 hab. Village très pittoresque, bâti en nid d'aigle sur un piton. Jardin exotique. — À 427 m au-dessous du village, station balnéaire d'*Èze-sur-Mer.* — Nietzsche a séjourné près d'Èze.

EZÉCHIAS. ♦ Roi de Juda* (de ~ 716 à ~ 688), fils et successeur d'Achaz. Il restaura le culte de Iahvé, prit conseil d'Isaïe*, subit le siège de Jérusalem par Sennachérib* (~ 701), construisit l'aqueduc souterrain de la source Gihon à la piscine de Siloë. Récit biblique : *II Rois,* XVIII-XX.

ÉZÉCHIEL. ♦ Prophète juif (activité : ~ 592-~ 570). Aux juifs captifs à Babylone il annonça la ruine de Jérusalem puis la restauration future d'Israël.

Ézéchiel (livre d'). ♦ Livre biblique, le troisième des grands prophètes (48 chapitres). Certains oracles semblent remonter au prophète lui-même. Principales visions : le chariot (I), le livre avalé (III), les ossements desséchés (XXXVII).

EZO [*Yezo*]. ♦ Anc. nom de l'île japonaise de Hokkaidô*.

Ph. Bernand

D. Fabbri : Le procès Karamazov.

FABBRI (Diego). ♦ Auteur dramatique italien (Forli, 1911 –). Son théâtre reflète l'inquiétude de la conscience chrétienne devant le monde d'aujourd'hui. Œuvr. princ. *Inquisition* (1950), *Procès à Jésus* (*Processo a Gesù,* 1955), *Portrait d'un inconnu* (*Ritratto d'ignoto,* 1962).

FABERT (Abraham *de***).** ♦ (Metz, 1599 – Sedan, 1662). Maréchal de France. Entré à quatorze ans dans les gardes françaises, il se distingua dans les guerres contre les protestants et dans les sièges, particulièrement à Stenay (1654). Gouverneur de Sedan depuis 1642, il accrut les fortifications de Sedan de ses propres deniers. Il fut nommé maréchal de France en 1658.

Fabian Society. *n. f.* ♦ Société socialiste anglaise fondée en 1883. Se référant à un idéal moral, elle voulait reconstruire la société par une action progressive, selon les méthodes de temporisation de *Fabius* Cunctator et rejetait les théories marxistes. Associée dès 1900 aux Trade Unions, elle fut à l'origine du parti travailliste* sur lequel elle a encore une grande influence. Elle comptait parmi ses membres des intellectuels, des écrivains, des économistes, des artistes, parmi lesquels on peut citer G.B. Shaw, H.G. Wells, Sidney et Béatrice Webb.

FABIEN *(saint).* ♦ 20e pape (236 – 250 [mort]), Romain, martyr (persécution de Dèce). Il partagea Rome en 7 diaconies. Fête le 20 janvier.

FABIEN (Pierre GEORGES, dit *le Colonel***).** ♦ Résistant français (Paris, 1919 – Habsheim, Haut-Rhin, 1944). Membre du Parti communiste français, il milita très tôt dans la Résistance, contribua à la création des *Bataillons armés de la jeunesse* et fut l'auteur du premier attentat qui coûta la vie à un officier allemand (21 août 1941). Chef d'un groupe des F.T.P., puis chef de brigade des F.F.I. de l'Île-de-France, il fut tué lors de la campagne d'Alsace, dans les rangs de la Ire armée.

FABIOLA de MORA y ARAGÓN. ♦ (Madrid, 1928). Reine des Belges (1960), épouse de Baudouin Ier.

FABIUS, en lat. **Quintus Maximus Rullianus Fabius.** ♦ Homme politique romain (~ IVe s. – ~ IIIe s.). Cinq fois consul et deux fois dictateur, il remporta des victoires sur les Samnites (~ 325), les Étrusques (~ 310) et les Gaulois (~ 295).

FABIUS, en lat. **Quintus Maximus Verrucosus Fabius,** dit **Cunctator** (le temporisateur). ♦ Homme politique romain (Rome, ~ 275 – *id.,* ~ 203). Cinq fois consul entre ~ 233 et ~ 209, nommé dictateur en ~ 217 après la défaite de Trasimène* (**V. Puniques** [guerres]), il mena contre Hannibal* la guerre d'usure qui lui valut son surnom. Après avoir failli obtenir la victoire près de Casilinum* (~ 216), il ne put empêcher les Romains d'abandonner sa tactique et de livrer la désastreuse bataille de Cannes. Nommé à nouveau consul après la défection de Capoue* (~ 215), il remporta quelques succès, puis, lors de son dernier consulat (~ 209), reprit Tarente*. Avant de mourir, il s'opposa en vain à la politique de Scipion* l'Africain qui voulait continuer la guerre.

FABIUS PICTOR (Quintus). ♦ Premier historien romain (v. ~ 254 – v. ~ 201). Il composa son *Histoire des actions romaines* en grec et en latin.

Fables, de *La* Fontaine.* ♦ Parues en trois recueils successifs (1668, 1678 et 1694) qui comprennent douze livres d'apologues inspirés de sources différentes, elles témoignent d'une évolution de la technique ainsi que de la pensée de leur auteur. Reprenant, dans son premier recueil, des thèmes « familiers » traités par Ésope* et Phèdre*, La Fontaine présente des évocations pittoresques et concises du monde animal, transpositions plaisantes de la société humaine et de ses travers (Cf. *Les Grenouilles qui demandent un roi*). S'il se sert « d'animaux pour instruire les hommes », il peint aussi ces derniers directement dans des croquis pénétrants (Cf. *Le Meunier, son Fils et l'Âne*), où le langage est adapté au caractère et à la condition des personnages. Dès le second recueil, influencé par les philosophes et les savants rencontrés chez Mme de La Sablière et trouvant des mérites à la sagesse hindoue, La Fontaine « enrichit » ses fables de réflexions satiriques sur la société (Cf. *Les Animaux malades de la peste*) ou de méditations plus graves (Cf. *Les Deux Amis; Le Paysan du Danube*) qui laissent apparaître sa morale. Constatant que les forts et les habiles dominent les faibles, l'auteur conseille à son lecteur la prudence envers autrui (Cf. *Les Obsèques de la Lionne*) et la connaissance de ses propres limites. Loin de prôner une « philosophie dure, froide, égoïste » (Lamartine), peut-être dangereuse (Rousseau), il propose une morale à la mesure de l'homme, où le travail et l'entraide s'allient au culte de l'amitié et de la liberté. Cet épicurisme raffiné s'exprime dans les apologues tantôt lyriques, tantôt réalistes, mais généralement bâtis sur une structure dramatique simple et utilisant des dialogues pleins d'un humour qui provient du mélange des tons et des interventions narquoises de l'auteur. Quant à la vérité comique du langage, elle s'appuie sur une versification originale et souple (« vers irréguliers ») et une grande science de l'harmonie suggestive, qui assurèrent aux Fables un succès éclatant qui ne s'est pas démenti.

Fables, de Florian. ♦ (1792.) Ces quatre-vingt-neuf narrations expriment une conception « pastorale » de la vie. Mettant en scène des personnages débonnaires, Florian professe avec malice et élégance une morale bienveillante : partisan de la saine clarté *(Le Singe qui montre la lanterne magique),* il exalte aussi la solidarité humaine *(L'Aveugle et le Paralytique).*

FABRE (François-Xavier Pascal, *baron***).** ♦ Peintre et dessinateur français (Montpellier, 1766 – *id.,* 1837). Élève de David*, prix de

Arch. Rencontre

Jean-Henri Fabre.

Rome en 1787, auteur de peintures historiques, de paysages de tradition classique et de portraits, il fut lié avec la comtesse d'Albany et hérita des riches collections de tableaux et d'objets d'art qu'Alfieri avait laissées à celle-ci. Fabre en fit don à sa ville natale en même temps que d'une importante série de ses œuvres *(musée Fabre)*.

FABRE (Jean-Henri). ♦ Écrivain et entomologiste français (Saint-Léons, Aveyron, 1823 – Sérignan-du-Comtat, Vaucluse, 1915). Il a laissé des observations minutieuses sur le monde des insectes, popularisées en France par l'enseignement primaire (*Souvenirs entomologiques*, 1870-1889).

FABRE (Henri). ♦ Ingénieur français (Marseille, 1882). Spécialiste de l'aviation, il étudia particulièrement l'hydravion et son appareil réussit le premier vol, décollant et se reposant sur l'eau (étang de Berre, 28 mars 1910).

FABRE (René). ♦ Pharmacien français (Annecy, 1889 – Paris, 1966). Professeur de toxicologie à la faculté de pharmacie de Paris, dont il fut doyen de 1946 à 1960, il fut l'un des grands spécialistes de toxicologie et de ses applications. *Leçons de toxicologie* (1944), *Législation et toxicologie pharmaceutiques* (1945), *Toxines végétales* (1947), etc. [Acad. sc., 1955.]

FABRE D'ÉGLANTINE (Philippe Nazaire François FABRE, *dit*). ♦ Écrivain et homme politique français (Carcassonne, 1755 – Paris, 1794). C'est à l'occasion d'une victoire aux jeux Floraux de Toulouse, où il avait gagné une églantine en métal précieux, qu'il se fit appeler *Fabre d'Églantine*. Venu à Paris en 1787, il y connut un certain succès comme écrivain de théâtre, en particulier avec son *Philinte de Molière ou la Suite du Misanthrope* (1790) et *Les Précepteurs* (1794). Poète, il est l'auteur de la romance populaire « Il pleut, il pleut bergère... ». Acquis aux idées révolutionnaires, il s'inscrivit au club des Cordeliers, où il se lia avec Danton (dont il fut le secrétaire au ministère de la Justice, août-nov. 1792) et Camille Desmoulins. Membre de la Commune insurrectionnelle après le 10 août 1792 et député montagnard à la Convention (1792), il créa le calendrier* républicain qui fut adopté en octobre 1793. Trafiquant et opportuniste, il dénonça à l'Assemblée la conspiration de l'étranger (Cloots, Proli, etc.) et surtout le scandale de la liquidation de la Compagnie des Indes dans lequel il s'était compromis. Il fut condamné à mort et guillotiné en même temps que Danton et les indulgents (avril 1794).

FABRE d'OLIVET (Antoine). ♦ Poète et auteur dramatique français (Ganges, 1768 – Paris, 1825), surtout connu comme précurseur des félibres avec son roman provençal en langue d'oc, *Azalaïs et le gentil Amar* (1794) et le *Troubadour, poème occitanique du XIIIe s.* (1803).

FABREZAN. ♦ Comm. de l'Aude (arr. de Narbonne), au N. des Corbières. 1 137 hab. Anc. château (XIIe s.) et enceinte du XIIIe s. Église du XIVe s. ; chapelle, cloître. – Patrie de Ch. Cros*.

FABRIANO (Francesco di Gentile da). ♦ V. GENTILE DA FABRIANO.

FABRIANO. ♦ V. d'Italie péninsulaire, dans les Marches (prov. d'Ancône). 29 000 hab. Papeteries remontant au XIIe siècle. – Patrie du peintre Gentile* da Fabriano.

FABRICE DE HILDEN. ♦ Chirurgien allemand (1560 – 1636). Il pratiqua des opérations délicates pour son époque (trépanations, bronchotomies) et fut considéré comme le créateur de la chirurgie scientifique en Allemagne.

Fabrice del Dongo. ♦ Personnage principal du roman de Stendhal*, *La Chartreuse* de Parme* (1839). Inspiré par le modèle historique d'Alexandre Farnèse (devenu pape sous le nom de Paul III), Fabrice, par sa sensibilité passionnée, est l'incarnation de toutes les aspirations de Stendhal : charmant, enthousiaste et traversant les intrigues avec une aisance aristocratique, il va essentiellement à la « chasse au bonheur ».

FABRICI D'ACQUAPENDENTE. ♦ V. ACQUAPENDENTE.

FABRICIUS, en lat. **Caius Fabricius Luscinus.** ♦ Homme politique romain (~ IIIe s.) célèbre pour son incorruptibilité. Envoyé en ambassade auprès de Pyrrhus* après la défaite d'Héraclée (~ 280), il provoqua l'admiration du roi par son intégrité et obtint la libération des prisonniers sans rançon. Il est le héros d'une des *Vies* de Plutarque.

FABRICIUS (David). ♦ Astronome et théologien hollandais (Esens, 1564 – Osteel, 1617). Il entretint avec Képler une correspondance qui est la principale source d'informations sur les observations qu'il fit sur la 1re étoile variable, Mira Ceti (1596) et sur les taches solaires (1610).

FABRICIUS (Johann Christian). ♦ Naturaliste danois (Tønder, 1745 – Kiel, 1808). Après avoir voyagé et suivi les cours de Linné (1762-1764), dont il fut un des principaux disciples, il enseigna dans diverses facultés (en particulier l'histoire naturelle et l'économie à Kiel). Auteur de nombreux ouvrages, il est surtout connu pour ses travaux d'entomologie (*Systema entomologiae,* 1775 ; *Genera insectorum,* 1777 ; *Philosophia entomologica,* 1778 ; *Nomenclator entomologicus,* 1795-1796), où il proposa, entre autres, une nouvelle classification des insectes fondée sur la structure de la bouche.

FABRITIUS (Carel). ♦ Peintre et dessinateur hollandais (Midden-Beemster, v. 1622 – Delft, 1654). Initié à la peinture par son père, il travailla ensuite comme forgeron, puis fut élève de Rembrandt* à Amsterdam (1641-1643), subissant fortement son influence *(Resurrection de Lazare,* 1643). Devenu membre de la gilde de Delft en 1652, il affirma progressivement l'originalité de son talent en pratiquant une peinture plus claire et colorée, se préoccupant particulièrement des problèmes de perspective et de trompe-l'œil. Il peignit des têtes d'expression ainsi que des décorations murales probablement dans le genre de sa *Vue de Delft au joueur de luth,* mais très peu d'œuvres ont subsisté. Coloriste raffiné, il modelait les volumes d'une touche onctueuse et fine et agençait ses compositions avec un dépouillement recherché (*Autoportrait,* 1654 ; *Le Chardonneret,* 1654).

FABRY (Charles). ♦ Physicien français (Marseille, 1867 – Paris, 1945). Inventeur, avec Pérot*, d'interféromètres à ondes multiples, il découvrit, avec H. Buisson*, l'ozone de la haute atmosphère (1913). On lui doit également un photomètre universel sans écran diffusant [1920]. (Acad. des sc., 1927.)

FABVIER [favje] **(Charles Nicolas, *baron*).** ♦ Général français (Pont-à-Mousson, 1782 – Paris, 1855). Entré dans l'armée impériale, il fut envoyé à Constantinople, puis en Perse pour y réorganiser l'armée. De retour en France, il prit part aux dernières campagnes de l'Empire. Nommé colonel (1815), il se signala lors de la Restauration par ses positions libérales, tenta de s'opposer à l'expédition d'Espagne, puis combattit aux côtés des Grecs contre les Turcs (1823-1827). Rentré en France (1830), il fut nommé commandant de Paris après la révolution de juillet 1830. Après avoir contribué à l'organisation de l'armée danoise (1848), il fut élu député (1849).

FACHES-THUMESNIL. ♦ Comm. du Nord, dans l'arr. et la banlieue S. de Lille*. 16 801 hab. – Indus. textiles, chimiques, électro-acoustiques. Constructions mécaniques. Biscuiterie. Confiserie.

Fâcheux (Les). ♦ Comédie-ballet de Molière* en 3 actes et en vers (1661). Commandée par Fouquet, la pièce fut représentée au château de Vaux-le-Vicomte devant Louis XIV et Anne d'Autriche. Eraste attend sa maîtresse Orphise, mais une douzaine d'importuns, ridicules et bavards, vient retarder le moment de leur rencontre.

FACHODA. ♦ Anc. nom de *Kodok** (Soudan*). ♦ *Hist.* La France avait tenté de devancer l'Angleterre sur le haut Nil* en y envoyant la mission Marchand* qui, rejointe par Kitchener* (juillet 1898), dut évacuer Fachoda sur l'ordre de Delcassé*, successeur de Hanotaux*, après un ultimatum britannique. Cet échec, profondément ressenti en France, entraîna l'accord franco-anglais de mars 1899 qui consacra le renoncement de la France sur le Nil*.

FACINO CANE (Bonifacio CANE, dit). ♦ Condottiere italien (Casale Monferrato, Piémont, v. 1360 – Pavie, 1412). Ayant reçu plusieurs seigneuries de Jean Galéas Visconti, il repoussa l'empereur Robert de Bavière sous Brescia (1401). À la mort de Jean Galéas (1402), il resta au service de ses fils Jean-Marie et Philippe Marie, mais se rendit indépendant de fait, s'emparant d'Alexandrie (1403), de Plaisance (1406) et de Pavie (1410). Philippe Marie épousa sa veuve Béatrice Lascaris de Tende et rentra ainsi en possession de ses biens.

FADEÏEV ou **FADÉEV (Aleksandr Aleksandrovitch).** ♦ Écrivain soviétique (Kimry, gouvernement de Tver, 1901 – Moscou, 1956). Adhérent du parti communiste (1918) où il devait assumer d'importantes fonctions, il combattit contre l'amiral Koltchak durant la guerre civile. Un des promoteurs du réalisme socialiste, il est l'auteur de deux romans considérés parmi les meilleurs de la littérature soviétique. *La Défaite* (1927), récit de la guerre civile en Extrême-Orient est dans la tradition tolstoïenne; *La Jeune Garde* (1945) décrit la lutte des jeunes « komsomols » durant l'occupation allemande et exalte le courage des combattants et l'amour du pays. Secrétaire (1939) puis président (1953) de l'Union des écrivains soviétiques, il contribua avec Jdanov* au redressement de la ligne idéologique du parti, mais, violemment critiqué par Cholokhov, fut contraint de démissionner (1955). Il se serait suicidé au cours d'une crise d'éthylisme.

FADES *(viaduc des)*. ♦ Viaduc le plus élevé de France, construit à 132,50 m au-dessus de la Sioule (Puy-de-Dôme).

FAENZA. ♦ V. d'Italie du Nord, en Émilie* (prov. de Ravenne). 51 000 hab. Dès le XIIe s., la ville devint célèbre pour la fabrication de la vaisselle de céramique à qui elle a donné son nom (Cf. Faïence, *in* Robert). Cet artisanat est encore florissant de nos jours. Musée international de la céramique. — Patrie de Torricelli*. ♦ *Hist.* La ville fut rattachée par Jules II aux États pontificaux (1509).

FAEROE. ♦ **V.** FÉROÉ.

FAGNANO dei TOSCHI e di SANT'ONOFRIO (Giulio Cesare). ♦ Mathématicien italien (Senigallia, 1682 — 1766). Il participa aux débuts du calcul infinitésimal **(V.** *aussi* **Leibniz, Newton)** et aborda géométriquement le problème de la rectification de l'ellipse et de l'hyperbole (1716); ses recherches, ébauche d'une théorie de nouvelles fonctions dites elliptiques, publiées en 1750 *(Produzioni matematiche)*, furent reprises en 1756 analytiquement par Euler*.

FAGNES (Hautes), en néerl. **Veene** (du bas lat. *fania*. Cf. Fange). ♦ Plateau de l'Ardenne* belge dont les points culminants sont le signal de Botrange* et la Baraque Michel (672 m), refuge près duquel le chevalier Fischbach de Malmédy fit construire en 1827 la chapelle qui porte son nom. L'université de Liège y a établi un laboratoire de recherches. Le plateau s'étend entre les vallées de la Vesdre (N.), de la Warche et de l'Amblève (S.) et de la Roer (E.). Le sol, formé d'argile et de quartzite, est recouvert d'une couche de tourbe ayant jusqu'à 6 m d'épaisseur. Flore et faune subalpine. Réserve naturelle. Les Fagnes ont été assainies grâce aux engrais et au reboisement (plantations de pins).

FAGON (Guy-Crescent). ♦ Médecin français (Paris, 1638 — 1718). D'abord professeur de botanique au Jardin des Plantes, il devint médecin à la cour de Louis XIV qui l'attacha à sa personne en 1693. Saint-Simon l'a peint dans ses *Mémoires*.

FAGUET (Émile). ♦ Critique français (La Roche-sur-Yon, 1847 — Paris, 1916). Sa thèse de doctorat ès lettres, *la Tragédie française du XVIe s.*, lui fit obtenir rapidement une chaire de poésie française en Sorbonne (1897). Critique littéraire et dramatique (opposé aux symbolistes), conservateur érudit, souvent brillant, il consacra des *Études littéraires* aux XVIe, XVIIe, XVIIIe, XIXe et déb. du XXe s. et collabora à de nombreuses revues (*Propos littéraires*, 1902-1909; *Propos de théâtre*, 1903-1907). Ses qualités de psychologue se remarquent dans *Politiques et Moralistes* (1891-1899). Il écrivit en outre des ouvrages de politique théorique : *L'Anticléricalisme* (1906), *Le Socialisme* (1907), *Le Pacifisme* (1908), *Le Féminisme* (1910) [Acad. fr., 1900].

FAHRENHEIT (Daniel Gabriel). ♦ Physicien allemand (Dantzig, 1686 — La Haye, 1736). Intéressé depuis 1709 par la thermométrie, constructeur d'aréomètres et de thermomètres, il définit de manière empirique la première échelle thermométrique encore utilisée de nos jours *(échelle Fahrenheit)*, prenant comme points fixes la température d'un mélange réfrigérant (probablement glace pilée et sel d'ammoniac) et celle du corps humain, l'intervalle étant divisé en 96 degrés. Il fut le premier à utiliser systématiquement le mercure comme liquide thermométrique, et les thermomètres de dimensions réduites qu'il put ainsi réaliser connurent un grand succès. **V.** *aussi* **Celsius.**

FA HSIEN *(Fa Hien, Fa Xian)*. ♦ Religieux bouddhiste chinois qui, en 399, entreprit un long pèlerinage vers Sumatra et l'Inde, afin d'en rapporter des textes religieux sanskrits qu'il passa le reste de sa vie à traduire. Il laissa de son périple une intéressante description (416).

FAHUD. ♦ Important gisement pétrolier du sultanat d'Oman* (État des Émirats* arabes unis), situé à quelques kilomètres à l'O. de Nazwa* sur un oléoduc de près de 300 km qui relie le gisement de Yibai* (à l'O. de Fahud) au port pétrolier de Saih* al-Malih à proximité de Mascate.

FAÏÇAL. ♦ **V.** FAYSÂL.

FAIDHERBE (Louis Léon César). ♦ Général et colonisateur français (Lille, 1828 — Paris, 1889). Il commença sa carrière en Algérie (1842-1847, 1849-1852) et à la Guadeloupe (1848-1849). Envoyé au Sénégal* en 1852, il y fut gouverneur de 1854 à 1865, luttant contre les tribus (Maures, Toucouleurs), annexant le pays des Ouolofs et le Cayor, organisant l'administration et la mise en valeur économique du pays. Après avoir commandé les armées du Nord lors de la guerre de 1870, il participa à une mission scientifique en haute Égypte [1879] (*L'Avenir du Sahara et du Soudan*, 1863; *Épigraphie phénicienne*, 1873; *Le Sénégal*, 1889, etc.).

FAIL [faj] **(Noël du Fail**, *seigneur de* **La Hérissaye).** ♦ Jurisconsulte et conteur français (manoir de Château-Letard, v. 1520 — Rennes, 1591). Conseiller au parlement de Rennes, il publia les *Mémoires extraits des plus notables et solennels arrêts du parlement de Bretagne* (1579). Il composa en outre une œuvre gaie où il se montre un habile conteur : *Treize Propos rustiques* (1547). Ce texte, qui évoque la vie champêtre, constitue un témoignage précieux sur les mœurs et la langue rustiques au XVIe siècle.

Faim (La). ♦ Roman de Knut Hamsun* (1890). Hamsun y évoque les réactions physiques et physiologiques que la faim produisait en lui au temps où il avait décidé de vivre de sa plume avant son premier départ pour l'Amérique. « Ce qui m'intéresse, c'est l'infinie variété des mouvements de ma petite âme, l'étrangeté originale de ma vie mentale, le mystère des nerfs dans un corps affamé!... », écrivait-il.

FAIRBANKS (Douglas Ullman, dit **Douglas).** ♦ Acteur américain de cinéma (Denver, 1883 — New York, 1939). Par le charme d'un sourire irrésistible et la vaillance de ses exploits acrobatiques, il a imposé un type de jeune premier qui fut populaire dans les grandes années du cinéma muet (1920-1928). Fondateur, avec Mary Pickford, Charles Chaplin et D.W. Griffith, des Artistes associés (*United Artists*, 1919).

FAIRBANKS. ♦ V. du centre de l'Alaska* (États-Unis), deuxième ville de l'État et seule ville notable de l'intérieur. Terminus de la route de l'Alaska. 13 311 hab. (1960). Université.

FAIRFAX (Thomas, *3e baron*). ♦ Général anglais (Denton, 1612 — Nunappleton, 1671). Presbytérien, il combattit les royalistes à Marston Moor (1644) et partagea le commandement avec Cromwell* à la bataille de Naseby* (1645), mais il s'opposa à la condamnation de Charles* Ier et contribua à la restauration de Charles* II.

FAISANS *(île des)* ou **CONFÉRENCE** *(île de la)*. ♦ Petite île située au milieu de la Bidassoa*, condominium franco-espagnol. En 1659 y fut signé le traité des Pyrénées* et conclu le mariage de Louis XIV avec Marie-Thérèse.

Faiseur (Le) ou **Mercadet.** ♦ Comédie en 5 actes en prose, de Balzac* (v. 1838-1840). Réduite à 3 actes par Dennery* et reprise dans des adaptations scéniques par Ch. Dullin (1935) et J. Vilar (1957). Ruiné par la fuite de Godeau, son associé, Auguste Mercadet, homme d'affaires véreux, a besoin du luxe pour soutenir son crédit. Afin de sauver une situation que l'âpreté de ses créanciers va rendre désastreuse pour lui, Mercadet décide de marier sa fille à La Brive, un jeune homme qu'il croit riche. Mais ce dernier n'est lui-même qu'un aventurier. À bout d'expédients, Mercadet désespère, lorsque le retour inopiné de Godeau, qui a fait fortune aux Indes, le sauve du déshonneur.

FAIVRE (Abel). ♦ Peintre et caricaturiste français (Lyon, 1867 — Nice, 1945). Il travailla quelque temps auprès de Renoir mais fut surtout célèbre comme caricaturiste, collaborant notamment aux journaux satiriques (*L'Assiette au beurre, Le Rire*, etc.).

FAIZÂBÂD. ♦ V. de l'Inde (Uttar Pradesh) sur la riv. Gogrâ (Gaghrâ). Env. 100 000 hab. Monuments du XVIIIe siècle. — Indus. alimentaires et marché agricole important. ♦ *Hist.* La ville fut fondée en 1732 pour être la capitale de la province d'Oudh, près de l'antique ville d'Ayodhyâ (capitale de Râma*).

FAIZÎ (Abûl Faizî ibn-Mubarak). ♦ Poète indo-musulman (Âgra, 1547 — 1595) de la cour d'Akbar*, et frère d'Abû*-l Fazl. D'expression persane, il traduisit le *Mahâbhârata**, et écrivit un *Diwan* de 18 000 vers.

FAKHR AL-DÎN II ou (en Occident) **FICARDIN.** ♦ Émir druze

Coll. Rui Nogueira

Douglas Fairbanks dans « Les Trois Mousquetaires ».

Ph. Giraudon

Falaise : le château.

(1572 – Constantinople, 1635). De la famille des Banû Ma'an, il devint émir du Liban* à la mort de son père. Il favorisa l'installation des chrétiens dans le sud du pays, le développement de l'agriculture, contribua à faire fortifier et embellir la ville de Beyrouth. La politique d'expansion qu'il pratiqua inquiéta rapidement le sultan turc Ahmad qui fit intervenir contre lui le pacha de Damas. Laissant alors le pouvoir à son fils 'Alî, Fakhr al-Dîn quitta le pays (1613), séjourna plusieurs années auprès des cours d'Europe, en particulier celle des Médicis, sans obtenir toutefois un appui effectif de leur part. Revenu au Liban en 1618, il reprit sa politique, étendit sa principauté de Beyrouth jusqu'au mont Carmel; mais, vaincu à la bataille de Safad (1633), il fut emmené à Constantinople où il fut décapité.

FALAISE. ♦ Ch.-l. de cant. du Calvados*, arr. de Caen*. 7 599 hab. *(Falaisiens).* Enceinte du XIIIe s. à 16 tours, château des premiers ducs de Normandie, donjon du XIIe siècle. Église de la Trinité (XVe-XVIe s.) avec un porche Renaissance. Église Saint-Gervais (XIe-XIIIe s.). – Appareils ménagers, fromagerie, bonneterie. – Patrie de Guillaume* le Conquérant, de A. de Montchrestien*, J. Vauquelin* de La Fresnaye. ♦ *Hist.* Guillaume le Conquérant naquit dans le château en 1027 et y séjourna souvent. La ville fut presque totalement détruite en 1944.

FALCON. ♦ Mécanicien français (Lyon, v. 1705 – 1765). Il imagina l'utilisation de cartes perforées pour faire fonctionner automatiquement certains organes de machines (1728). **V. Jacquard, Vaucanson.**

FALCON (Marie Cornélie). ♦ Cantatrice française (Paris, 1812 – *id.*, 1897). Soprano dramatique à la riche tessiture, elle fut, à l'opéra de Paris, la créatrice du *Don Giovanni* de Mozart, ainsi que d'œuvres d'Halévy *(La Juive)* et de Meyerbeer *(Les Huguenots).* Son nom désigne de nos jours la plus étendue des voix de soprano.

FALCON *(cap).* ♦ Cap d'Algérie, qui ferme à l'O. la rade de Mers*-el-Kébir.

FALCONET (Étienne). ♦ Sculpteur français (Paris, 1716 – *id.*, 1791). Élève de J.-B. Lemoyne* et admirateur de l'œuvre de Puget*, il fut reçu à l'Académie en 1754 avec un *Milon de Crotone,* baroque par le caractère tourmenté et l'animation des masses. Il eut la faveur de Mme de Pompadour (*La Musique,* 1751 ; *L'Hiver,* 1765), qui lui confia la direction des ateliers de sculpture de la manufacture de Sèvres (1757 à 1766). Il fournit de nombreux modèles de « biscuits » dont la grâce délicate et sensuelle, parfois maniérée, plut au public. Il triompha avec un *Pygmalion et Galatée* (1763) exécuté dans le même esprit et considéré par Diderot comme un chef-d'œuvre. L'audace de la présentation et la vigueur de l'exécution du *Monument à Pierre le Grand* (1766-1778) à St-Pétersbourg (*auj.* Leningrad), commandé par Catherine II, en font son œuvre majeure. En 1761, il publia des *Réflexions sur la sculpture.*

FALÉMÉ. *n. f.* ♦ Affl. du Sénégal*, né sur le versant N. du Fouta*-Djalon, traçant en partie la frontière du Sénégal* et du Mali* (env. 650 km).

FALÉRIES, en lat. **Falerii.** ♦ V. anc. d'Italie, près de Véies. Centre important de l'Étrurie* méridionale, cap. des Falisques, elle fut prise par Camille* en ~ 396 et détruite par les Romains en ~ 241. *Civita Castellana,* province de Viterbe, se trouve sur son site (vestiges : tombes et temple étrusques).

FALERNE. ♦ Célèbre vignoble de l'Italie anc. (Campanie), sur le Vulturne.

FALGUIÈRE (Alexandre). ♦ Sculpteur et peintre français (Toulouse, 1831 – Paris, 1900). Il produisit d'abord des sculptures imitées du style florentin, puis exécuta des œuvres monumentales d'une facture académique et froide (sa *République triomphante,* couronnant l'*Arc de triomphe* [1881], fut enlevée en 1886). Il sculpta avec un certain réalisme des nus sensuels *(Diane)* et peignit des grandes décorations peu expressives. Ses dessins sont d'une plus grande fermeté de facture.

FALIERO. ♦ Famille vénitienne qui donna trois doges à Venise.

♦ MARINO FALIERO (v. 1274 – Venise, 1355). Il fut président du Conseil des Dix* (1320-1327). Élu doge en 1354, il fomenta, avec l'aide du peuple, une insurrection contre le gouvernement des patriciens, mais fut arrêté et exécuté. – Sa destinée héroïque a inspiré Byron (1820), Hoffmann (1821), Casimir Delavigne (1829), Swinburne (1885).

FALK (Adalbert). ♦ Homme politique allemand (Metschkau, Silésie, 1827 – Hamm, 1900). Il appliqua le *Kulturkampf* de Bismarck, en tant que ministre de l'Instruction publique et des Affaires ecclésiastiques, et fut notamment l'auteur des « lois de mai ». Il se retira quand Bismarck changea de politique.

FALKBERGET (Johan). ♦ Romancier norvégien (Röros, 1879 – *id.*, 1967). Après avoir été lui-même ouvrier mineur, il s'attaqua aux problèmes sociaux de son temps soit à travers des romans historiques tels que *Christianus Sextus* (1927-1935) sur les mineurs de Röros au XVIIIe s., soit à travers des romans décrivant les travailleurs des villes ou de la campagne à son époque, tel le cycle romanesque *Le Pain de la nuit* (1940-1961).

FALKENHAYN (Erich von). ♦ Général allemand (Burg Belchau, Graudenz, 1861 – Schlosshinstedt, près de Potsdam, 1922). Ministre de la Guerre de Prusse en 1913, il fut après la défaite de la Marne le successeur de Moltke le Jeune comme chef du Grand État-Major général (sept. 1914-août 1916). Son échec à Verdun amena sa démission et son remplacement par Hindenburg*. Il commanda alors l'armée austro-allemande qui envahit la Roumanie (1916) puis commanda en Palestine (1917-1918). **V. Guerre mondiale** *(Première).*

FALKIRK. ♦ V. du centre de l'Écosse (comté de Stirling), au S. du Firth of Clyde. 38 045 hab. (1961). Centre industriel (métallurgie de l'aluminium, chimie, textiles). ♦ *Hist.* Victoire d'Édouard Ier sur les troupes écossaises de William Wallace (1298).

FALKLAND (Lucius Cary, *2e vicomte***).** ♦ (Burford, Oxfordshire, v. 1610 – Newbury, 1643). Homme politique anglais. Élu membre du Court Parlement en 1638 puis réélu au Long Parlement, il se rangea dans l'opposition contre la politique de Strafford et de Laud puis se sépara des parlementaires pour chercher un compromis avec Charles Ier. Nommé à la secrétairerie d'État en 1642, il tenta de réconcilier les partis opposés et fut tué à la bataille de Newbury.

FALKLAND *(îles),* anc. *îles* **MALOUINES** (en esp. **Malvinas**). ♦ Archipel situé au sud de l'océan Atlantique (de 51° à 52°30' de latitude S. dans les Terres australes*). D'une surface totale de 16 835 km², l'archipel est formé de deux terres principales (*Falkland occidentale* ou Grande Malouine et *Falkland orientale* ou Soledad, en anglais *West* et *East Falkland*), séparées par le *détroit des Falkland,* d'une largeur de 4 à 30 km et entourées d'îles et d'îlots. Leur relief est peu accidenté, leur climat frais et humide, leur flore est constituée de phanérogames, mousses, lichens (tourbières), et leur faune comprend entre autres de nombreuses espèces d'oiseaux d'eau douce, et quelques-unes d'oiseaux marins. Le groupe a une population de 2 500 hab. environ. Située sur la côte est d'*East Falkland,* la ville de Port Stanley est le siège des *Falkland Island Dependencies,* et une base importante de pêche à la baleine. Les habitants de l'archipel vivent essentiellement de l'élevage du mouton. ♦ *Hist.* Aperçu par J. Davis (1592), l'archipel fut colonisé par des Malouins et Bougainville en prit possession au nom de Louis XV (1763). Occupées ensuite par des Espagnols et des Anglais (1767), puis par une colonie de la république Argentine (1829), les îles Falkland et leurs dépendances (Géorgie* du Sud, Sandwich* du Sud, Orcades* du Sud et Shetland* du Sud, ces deux dernières étant aussi revendiquées par l'Argentine) sont devenues définitivement britanniques en 1832. – Lors de la Première Guerre mondiale, la *bataille* navale *des Falkland* opposa l'escadre allemande de von Spee aux Britanniques de l'amiral Sturdee qui furent victorieux (8 décembre 1914).

FALLA (Manuel de). ♦ Compositeur espagnol (Cadix, 1876 –

Alta Gracia, Argentine, 1946). Élève de Pedrell, à Madrid, il composa d'abord des zarzuelas, mais il fit ses véritables débuts avec un opéra, *La Vie brève* (*La Vida breve*, 1905, représenté à Paris, 1913, puis à Madrid, 1915). Son séjour à Paris (1907-1914) devait lui permettre de rencontrer Debussy, Ravel, Dukas et Albeniz et, se liant d'amitié avec eux, de subir leur influence. Artiste raffiné, soucieux de perfection et d'équilibre, Falla mûrit alors les œuvres qui allaient bientôt le consacrer comme l'un des musiciens les plus représentatifs de son temps. Il composa successivement les sept *Chansons populaires* (1914), l'*Amour sorcier* (*El Amor brujo*, 1915), ballet, *Les Nuits dans les jardins d'Espagne* (*Noches en las jardines de España*, 1916), pour piano et orchestre, *Le Tricorne* (*El Sombrero de tres picos*, 1919) et ces œuvres, nourries d'inspiration populaire, constituent aussi l'affirmation d'une personnalité singulière, à la fois pudique et conquérante. – De retour dans son pays, Manuel de Falla composa encore, entre autres œuvres, l'adaptation, haute en couleur, d'un passage du *Don Quichotte*, *Le Retable de maître Pierre* (*El Retablo de maese Pedro*, 1923) et un *Concerto* pour clavecin et cinq instruments (1926), hommage rendu à la musique espagnole du XVIIIe s., aux étonnantes hardiesses de langage. Il entreprit enfin la composition d'une œuvre qu'il ne devait pas achever, *l'Atlantide*. Réduit à un douloureux silence, tant par la maladie que par un souci d'exigence de nature mystique, le musicien quitta son pays après la guerre civile pour s'établir en Argentine où il devait mourir.

FALLADA (Rudolf DITZEN, dit Hans). ♦ Écrivain allemand (Greifswald, Mecklembourg, 1893 – Berlin, 1947). Expressionniste dans ses premiers ouvrages, il donna ensuite plusieurs romans « sociaux » de style naturaliste, *Paysans, Bonzes et Bombes* (1931, sur les révoltes paysannes lors de la crise économique de 1928-1929), *Et maintenant mon bonhomme ?* (*Kleiner Mensch, was nun ?* [1932] sur la vie des petites gens de Berlin), etc, Après le régime nazi et la guerre au cours desquels il vécut retiré, Fallada publia un récit évoquant la résistance d'une famille allemande au nazisme (*On meurt seul, Jeder stirbt für sich allein*, 1947).

FALLIÈRES [faljɛʀ] **(Armand).** ♦ Homme politique français (Mézin, Lot-et-Garonne, 1841 – 1931). Député de la gauche républicaine en 1876, président du Conseil (janvier-février 1883), il fut nommé plusieurs fois ministre de 1882 à 1892. Président du Sénat (1899), il fut élu comme candidat de la gauche à la présidence de la République (1906-1913), mais ne joua qu'un rôle politique assez effacé. Il fut remplacé par Poincaré.

FALL LINE. *n. f.* (« ligne de chute »). ♦ Ligne de faille qui termine à l'E. le Piedmont des Appalaches*, dans l'E. des États-Unis ; elle est jalonnée par les rapides et les cascades des fleuves côtiers qui coulent vers l'Atlantique (énergie hydro-électrique).

FALLOPE (Gabriel), en ital. **Falloppia** ou **Falloppio**. ♦ Chirurgien et anatomiste italien (Modène, 1523 – Padoue, 1562). Élève de Vésale et maître de F. d'Acquapendente*, on lui doit de nombreuses découvertes anatomiques : *« aqueduc de Fallope »* (qui livre le passage dans le rocher à une partie du facial), *« ligament de Fallope »* (inséré à l'épine iliaque et à l'épine du pubis), *« trompe de Fallope »* (qui conduit les ovules de l'ovaire à l'utérus). Il a particulièrement fait progresser l'ostéologie. – *Observationes anatomica* (1561).

FALLOT (Étienne Louis Arthur). ♦ Médecin français (Marseille, 1850 – 1911). Il a donné son nom à plusieurs types de malformation cardiaque, dont celle qui constitue la base anatomique la plus courante de la maladie bleue ou cyanose (*Tétrade ou tétralogie de Fallot*, 1888).

Coll. Cauboue

Manuel de Falla.

FALLOUX (Frédéric Albert, *comte de***).** ♦ Homme politique français (Angers, 1811 – *id.*, 1886). Député en 1846, il fut également élu à l'Assemblée constituante après la révolution de février 1848. Après avoir contribué à la fermeture des Ateliers nationaux, il soutint la candidature de Louis Napoléon Bonaparte à la présidence de la République. Nommé ministre de l'Instruction publique (1848-1849), il élabora le projet de loi sur la liberté de l'enseignement, projet qui, voté le 15 mars 1850, favorisait l'enseignement confessionnel. La *loi Falloux* fut plusieurs fois modifiée : affirmation de la laïcité de l'enseignement primaire public (1882, 1886), interdiction de l'enseignement congréganiste (1901, 1902, 1904). Élu député à l'Assemblée législative (mai 1849), Falloux devait s'opposer à la politique du Prince-Président. Il fut arrêté lors du coup d'État du 2 décembre 1851. Sous le Second Empire, il collabora au journal de tendance catholique libérale *le Correspondant*, et, après l'abdication de Napoléon III, travailla au rapprochement des légitimistes et des orléanistes dans l'espoir d'une restauration de la monarchie. *Mémoires d'un royaliste* [1888]. (Acad. fr., 1856.)

FALL RIVER. ♦ V. des États-Unis, au S. du Massachusetts, près de Providence. 95 678 hab. Indus. (textiles, etc.).

FALMOUTH. ♦ V. du S.-O. de l'Angleterre (Cornouailles), au fond de la baie de *Carrick Roads*, sur la Manche. 17 000 hab. Yachting.

FALRET (Jean-Pierre). ♦ Médecin français (Marcillac, Lot, 1794 – 1870). Élève d'Esquirol, il fut un partisan de l'origine lésionnelle de la folie. Il a donné des études sur les alternances de manie et de mélancolie (sous le nom de folie circulaire), sur la folie du doute, sur l'hypocondrie et le suicide (1822), sur *La Législation relative aux aliénés* (1837). ♦ JULES-PHILIPPE-JOSEPH FALRET, son fils. Médecin aliéniste français (Vanves, 1824 – 1902). On lui doit des *Recherches sur la folie paralytique et les diverses paralysies générales* (1853), sur l'épilepsie, ainsi qu'un ouvrage sur *Les Aliénés et les Asiles d'aliénés* (1890).

Falstaff (*déformation de* **Fastolf***). ♦ Personnage de Shakespeare, ivrogne cynique et bouffon, l'une des figures les plus truculentes de son théâtre, par l'énormité de sa vantardise et de sa poltronnerie, et l'une des plus significatives par sa lucidité amère. Il apparaît dans *Henri IV* (au lieu du nom de sir John Oldcastle* employé dans la première version) et dans *Les Joyeuses Commères de Windsor*. – Il a inspiré un film à Orson Welles*.

FALSTER. ♦ Île du Danemark, dans la Baltique, entre les îles de Lolland* à l'O. et de Møn* à l'est. Deux ponts la relient aux îles de Lolland* et de Sjaelland*. 645 km². 46 700 hab. *Ch.-l.* Nykøbing*. – De relief assez plat et de sol fertile, elle produit des céréales et des fruits. Gros bétail.

FALUN. ♦ V. de Suède centrale, près du lac Runn, au N.-O. de Stockholm*. Ch.-l. du comté de Kopparberg. 18 700 hab. Ses mines de cuivre sont épuisées. Papeteries, constructions mécaniques, indus. du cuir, textiles.

FAMAGOUSTE, en gr. **Ammokhôstos**. ♦ V. et port de Chypre sur la côte E. de l'île (baie de Famagouste). 40 000 hab. – Exportation d'agrumes. – Plusieurs églises romanes et gothiques, dont la cathédrale Saint-Nicolas (1290-1315). ♦ *Hist.* Fondée à l'époque byzantine sur l'emplacement de l'ancienne cité hellénistique, Famagouste devint la capitale de la dynastie des Lusignan*. Les colonies génoise et vénitienne s'y disputèrent longuement les prérogatives du pouvoir. Elle fut prise par les Turcs (1571).

FAMECK. ♦ Comm. de la Moselle, dans l'arr. et l'aggl. de Thionville-Ouest. 14 034 hab.

FAMENNE. *n. f.* ♦ Région de Belgique située sur le plateau ardennais **(V. Ardenne)** entre les vallées de la Lesse et de l'Ourthe, au sud du Condroz. *Marche-en-Famenne* en est le centre.

Famille *(pacte de)*. ♦ Traité conclu par les Bourbons de France, d'Espagne et de Parme (1761) pendant la guerre de Sept* Ans. Choiseul* en fut l'artisan. Le traité freina l'expansion anglaise, mais obligea la France à céder la Louisiane à l'Espagne, en compensation de la perte de la Floride, prise par l'Angleterre.

Famine *(pacte de)*. ♦ Contrat que la rumeur publique accusa Louis XV et Terray* d'avoir conclu avec les négociants, lors de la fondation du monopole royal sur les grains ; ils auraient agi dans le but d'accaparer les grains et de provoquer ainsi une hausse.

FANFANI (Amintore). ♦ Homme politique italien (Pieve Santo Stefano, Arezzo, 1908 –). Secrétaire du Parti démocrate-chrétien (1954-1959), il devint Premier ministre après la victoire électorale de son parti (1958-1959), puis le fut à nouveau de 1960 à 1963. En 1965, il fut choisi comme ministre des Affaires étrangères par Aldo Moro* (1965-1968). Ferme partisan de l'Alliance atlantique et de la Communauté européenne, il ne s'en montra pas moins l'un des pionniers de la politique de détente avec l'Est. Élu président du Sénat, il démissionna pour redevenir le secrétaire de la démocratie chrétienne. Il revint à la présidence du Sénat après les élections de 1976. **V. Italie.**

Fanfan la Tulipe. ♦ Type du soldat français, gai et insouciant, se battant pour la gloire et les femmes (le surnom était répandu dans les armées des XVIIe et XVIIIe s.). Il fut le héros d'une chanson populaire d'Émile Debraux (1819), écrite sur un air beaucoup plus ancien, et de plusieurs pièces de théâtre et films.

FANGATAUFA. ♦ **V.** TUAMOTU (îles).

FANGEN (Ronald). ♦ Romancier, essayiste et auteur dramatique norvégien (Kragerø, 1895 – près d'Oslo, 1946). Il fonda en 1923 la revue *Vår Verden* dans laquelle il exprima sa foi dans les valeurs traditionnelles, s'opposant par là au groupe de S. Hoel*. Il subit lui aussi l'influence de Freud*. Dans ses drames il s'attaqua surtout à des problèmes moraux : *La Chute dans le péché* (1920), *l'Ennemi* (1922), *Le Jour promis* (1926). Puis, dans des romans pleins de poésie, il évolua vers le christianisme, exaltant la volonté et la responsabilité : *Éric* (1931), *Duel* (1932), *La Voie d'une femme* (1933), *À même le fond* (1936), *Un ange de lumière* (1945).

FANGIO (Juan Manuel). ♦ Coureur automobile argentin (Balcarce, Argentine, 1911). Il devint champion d'Argentine en 1934 et remporta cinq fois le titre de champion du monde des conducteurs. Alliant une science du pilotage proverbiale à un remarquable sang-froid, il était devenu l'une des plus prestigieuses figures de la course automobile lorsqu'il abandonna la compétition, en 1958.

FANGS, FANS ou **PAHOUINS.** *n. m. pl.* ♦ Population noire du Gabon*, de la partie méridionale du Cameroun* et du Rio Muni ayant sans doute atteint la zone côtière à la fin du XIXe siècle. La civilisation fang est notamment remarquable par des sculptures de têtes et de statuettes en bois dur d'une beauté sereine.

FA NGUM. ♦ Premier souverain historique du Laos* (v. 1316 – v. 1398). Petit chef thaï exilé au Cambodge, il reconquit le pays qu'il nomma Lan Chang (Lan Xang) [« du million d'éléphants »] et installa sa capitale à Luang* Prabang. Battant les Siamois, il réalisa en 1368 l'unité du peuple lao.

FANJEAUX. ♦ Ch.-l. de cant. de l'Aude* (arr. de Carcassonne), situé aux confins du Languedoc*. 789 hab. Église classée (1278-1281) bâtie sur les ruines d'un temple de Jupiter. – À proximité s'élève le monastère des dominicaines et la basilique Notre-Dame de Prouille.

FAN K'UAN *(Fan K'ouan, Fan Kuan).* ♦ Peintre chinois originaire du Shan-hsi ([mort] v. 1030), appelé le « maître taoïste des hauteurs et des lointains ». Il peignait à petites touches rondes.

FANØ. ♦ Île du Danemark, à l'O. du Jutland*, dans l'archipel Frison septentrional. 2 600 hab. Stations balnéaires. *V. princ.* Nordby.

FANON (Frantz). ♦ Psychiatre et révolutionnaire d'origine antillaise (Fort-de-France, 1925 – Washington, 1961). Médecin-chef de l'hôpital psychiatrique de Blida (1953-1957), il étudia chez les autochtones les phénomènes de dépersonnalisation propres à la situation coloniale. Dès cette époque, il prit position pour la révolution algérienne. Expulsé d'Algérie, il poursuivit à Tunis son activité médicale et politique et fut représentant diplomatique du G.P.R.A. Ses analyses sociologiques et politiques du colonialisme et des dangers du néo-colonialisme sont dominées par le problème de la lutte de libération de toute l'Afrique, et celui de la spécificité de la révolution des pays du tiers monde (*Peau noire, masques blancs*, 1952; *L'An V de la révolution algérienne*, 1959; *Les Damnés de la Terre*, 1961; *Pour la révolution africaine*, 1969).

Fantasio. ♦ Comédie en deux actes, en prose, d'Alfred de Musset* (1834). Pour échapper aux poursuites d'un créancier, le jeune Fantasio a pris le déguisement d'un fou, à la cour du roi de Bavière. Le sentiment qu'il inspire à la princesse Elsbeth, qu'il sauve d'un désastreux mariage avec le grotesque prince de Mantoue, ne le guérit pas lui-même de sa lassitude de vivre et de sa mélancolie.

FANTIN-LATOUR (Henri). ♦ Peintre, pastelliste, dessinateur et lithographe français (Grenoble, 1836 – Buré, Orne, 1904). Il étudia le dessin avec son père, travailla dans l'atelier de Boisbaudran puis passa dans celui de Courbet* et fit de nombreuses copies au Louvre. Dans ses natures mortes et bouquets de fleurs, peints avec une grande maîtrise technique et fort appréciés par sa clientèle bourgeoise, l'influence du naturalisme est tempérée par les références aux maîtres du passé. Quant à ses élégants portraits, ils sont empreints d'un certain sentimentalisme. Ami des impressionnistes et surtout de Manet*, Whistler* et Degas*, il subit assez superficiellement leur influence. Dans de grands portraits collectifs empreints d'une certaine froideur il rendit hommage aux artistes de son époque (*Hommage à Delacroix*, 1864; *Un atelier aux Batignolles*, 1870; *Le Coin de table*, 1872). Ses dessins et lithographies inspirés par des œuvres musicales révèlent des préoccupations symbolistes (*Tannhäuser*, 1886; *L'Or du Rhin*, 1888, etc.).

Arch. Smeets

H. Fantin-Latour : « Fleurs et Fruits ». (Musée du Louvre, salle du Jeu de paume, Paris.)

FAO. ♦ V. et port d'Irak, à l'embouchure du Chatt* al-Arab, sur le golfe Persique. Saline. Port d'exportation des pétroles du Sud iranien (Narhr Umr, Zubair*, Rumaïla, Rashi) ainsi que de dattes des palmeraies du Chatt al-Arab.

F.A.O. (Food and agriculture organization, *« Organisation pour l'alimentation et l'agriculture » :* **O.A.A.).** ♦ Créée en 1945, elle siège à Rome et vise à l'amélioration de la nutrition, des rendements agricoles, du niveau de vie. C'est une institution spécialisée de l'O.N.U., financée par cent pays.

FAOU (Le) [ləfu]. ♦ Ch.-l. de cant. du Finistère (arr. de Châteaulin), sur la riv. du Faou, au fond de la rade de Brest. 1 313 hab. – Église du XVIe s., chapelle Saint-Joseph (XVIe s.); maisons anciennes. – Port de pêche; conserves.

FAOUËT (Le) [ləfawɛt]. ♦ Ch.-l. de cant. du Morbihan, arr. de Pontivy. 3 224 hab. *(Faouëtais).* – Église du XVIe s.; halles (XVIe s.). Centre de tourisme. – Aux environs, chapelle Sainte-Barbe, chapelle Saint-Fiacre et chapelle Saint-Nicolas de style gothique flamboyant (les deux dernières possèdent de beaux jubés).

FÂRÂBÎ *('Abû Nasr Muhammad ibn Muhammad ibn Tarkhân ibn Uzalagh al-), dit en Europe* **Alfarabius.** ♦ Philosophe et mystique arabo-islamique originaire du Türkestan occidental (près de Fárâb, 872 – Damas, 950). Il vécut à Bagdad. Maître d'Avicenne*, grand commentateur d'Aristote, il tenta d'accorder sa philosophie avec celle de Platon *(L'Accord entre les doctrines des deux sages : Platon et Aristote).* Il est également l'auteur de traités de philosophie politique (*Livre du gouvernement de la cité;* commentaire sur les *Lois** de Platon) et d'un ouvrage d'inspiration mystique *(Gemmes de la sagesse).*

FARADAY [faʀadɛ] **(Michael).** ♦ Physicien et chimiste anglais (Newington, 1791 – Hampton Court, 1867). Il participa à la mise en évidence de l'essentiel des propriétés magnétiques des courants par ses expériences (1820-1822), au cours desquelles il conçut le premier moteur électromagnétique [aimant et fil flottants] **(V.** *aussi* **Ampère, Oersted)**; il découvrit l'induction électromagnétique [1831] **(V. Lenz)**, réalisa la première génératrice à courant continu, montrant la réversibilité de la machine de Barlow* **(V.** *aussi* **Pixii, Pacinotti)**; après avoir énoncé les lois quantitatives de l'électrolyse [*lois de Faraday*, 1833-1834] **(V. Carlisle** et **Nicholson),** il découvrit l'influence des diélectriques sur les phénomènes électrostatiques (1837), la polarisation rotatoire magnétique (1845) puis, après avoir découvert le diamagnétisme (1845), il montra la généralité des propriétés magnétiques de la matière et comprit que les actions électriques et magnétiques ne sont pas des actions à distance instantanées mais transmises par le diélectrique **(V.** *aussi* **Cavendish)**. Par ailleurs, il liquéfia le chlore et d'autres gaz (1823), découvrit le benzène (1824) et fabriqua un verre lourd au borosilicate de plomb (1825-1829). – *Cage de Faraday :* conducteur creux constituant un écran pour les actions électrostatiques. – *Cylindre de Faraday :* cylindre métallique creux dont la hauteur est grande par rapport au diamètre; relié à un électroscope, il permet d'évaluer les charges électriques qu'on y introduit.

FARAFRÉH ou **FARAFRA,** en ar. **al-Farâfirah.** ♦ Oasis d'Égypte, dans le désert libyque, au S.-O. de l'oasis de Bahariéh. 1 000 hab. C'est la plus pauvre des oasis égyptiennes.

FARAZDAQ (al-). ♦ V. FARZDAQ (AL-).

FARCIENNES. ♦ Comm. de Belgique (Hainaut, arr. de Charleroi), sur la Sambre. 11 3000 hab. – Charbonnage.

FARÉBERSVILLER. ♦ Comm. de la Moselle, arr. de Forbach. 8 001 hab.

FAREHAM. ♦ V. du S. de l'Angleterre (Hampshire) et port sur la Wallington, au S.-E. de Southampton. 58 310 hab. Centre industriel (constructions navales, industries électriques, briqueteries, etc.).

FAREL (Guillaume). ♦ Réformateur religieux français (Les Fareaux, Gap, 1489 – Neuchâtel, 1565). Après avoir été disciple de Lefèvre d'Étaples, il adhéra aux doctrines de la Réforme et dut se réfugier à Bâle, puis à Strasbourg où il retrouva Lefèvre* d'Étaples. Ayant regagné la Suisse, il fut influencé par les idées du réformateur Zwingli*. C'est lui qui fit adopter la Réforme à Genève, avec Calvin* qu'il y avait fait venir, et à Neuchâtel où il se retira et mourut.

FAREMOUTIERS. ♦ Comm. de Seine-et-Marne, arr. de Meaux. 1 088 hab. Abbaye de femmes fondée au VIIe s., détruite en 1792. Auj. est établie une communauté de bénédictines. Église du XIIe s., remaniée au XVIe siècle.

FARET (Nicolas). ♦ Poète et moraliste français (Bourg-en-Bresse, v. 1596 – Paris, 1646). Protégé par Richelieu*, il participa aux réunions littéraires chez Conrart* et aida à fixer les statuts de l'Académie* française dont il fut membre. On lui doit surtout

L'Honnête Homme ou l'Art de plaire à la cour (1630), traité du comportement dans le monde.

FAREWELL (*cap,* en angl. *cape*). ♦ Cap à l'extrémité S. du Groenland*.

FARGHÂNÎ (Muhammad ou **Ahmed ibn Kathîr Al-)** ou **AL-FRAGANUS.** ♦ Astronome arabe (dans le Fergâna, IXe s.). Auteur du *Livre de la science des étoiles et des mouvements célestes* (traduit en latin par Jean de Séville et Girard de Crémone), des *Éléments* d'astronomie comportant des tables, on lui doit la première notion de la tangente.

FARGUE (Léon-Paul). ♦ Poète français (Paris, 1876 – *id.,* 1947). Disciple de Mallarmé, il a recueilli la leçon de Verlaine, de Jammes et de Laforgue, confiant au poème en prose ou en vers libres le soin d'exprimer, avec un lyrisme contenu, sa fantaisie, sa fidélité au souvenir, sa mélancolie (*Tancrède,* 1895; *Poèmes,* 1912; *Pour la musique,* 1914). Aussi éloigné de la recherche surréaliste que de l'engagement révolutionnaire, indifférent à la métaphysique, cet ami de Larbaud, de Gide, de Valéry a revendiqué avec éclat, pour le poète, le droit à la solitude. Maître d'une langue riche en images insolites et en trouvailles cocasses, il a célébré sa ville natale avec une tendre ferveur (*D'après Paris,* 1932; *Le Piéton de Paris,* 1939) et évoqué, dans de brillantes chroniques, la société parisienne, ses artistes et ses artisans, des premières années du siècle à l'après-guerre de 1945 (*Haute Solitude,* 1941; *Refuges,* 1942; *Lanterne magique,* 1944; *Méandres,* 1947; *Portraits de famille,* 1947).

FARIA (José Custódio *De,* connu sous le nom d'**abbé de FARIA).** ♦ Magnétiseur portugais (Goa, Indes portugaises, v. 1756 – Paris, 1819). Ordonné prêtre à Rome, il vint à Paris où il participa à la Révolution puis acquit une certaine réputation comme magnétiseur, soutenant une théorie psychologique de l'hypnose. (Il a inspiré à Alexandre Dumas un des personnages du *Comte de Monte-Cristo.*)

FARINA (Jean-Marie ou **Giovanni Maria).** ♦ Chimiste et négociant italien (Crana, prov. de Novare, 1685 – Cologne, 1766). Venu habiter Cologne, il fabriqua l'*eau de Cologne* (1709) selon une recette que lui aurait fournie Gian Paolo Feminis, marchand ambulant.

FARINELLI (Carlo Broschi, dit**).** ♦ Chanteur italien (Naples, 1705 – Bologne, 1782). Il fut l'un des castrats qui remportèrent le plus de succès et se produisit dans toute l'Europe (1732-1737). Il s'établit ensuite à Madrid où, grâce à la faveur de la reine, il exerça une grande influence, et fut nommé chancelier de Calatrava. Il se fixa à Bologne à la mort de Ferdinand VI.

Farines *(guerre des).* ♦ Nom donné à l'agitation populaire (mai 1775; Paris, Versailles, Dijon, Pontoise) qui suivit la promulgation de l'édit de Turgot* du 13 sept. 1774 établissant la liberté du commerce des grains. Ces troubles, qui coïncidèrent avec une mauvaise récolte, ont sans doute été fomentés par des monopoleurs opposés aux réformes. Mais, Turgot ne cédant pas, son édit fut appliqué avec rigueur.

FARMAN [faʀman] *(les frères).* ♦ Aviateurs et constructeurs d'avions français d'origine anglaise. ♦ HENRI (Paris, 1874 – 1958), le premier à réussir en Europe un circuit aérien fermé de 1 km (Issy-les-Moulineaux, 1908), il effectua le premier vol avec passager (28 mars 1908), le premier vol de ville à ville (Bouy-Reims, 30 oct. 1908), détint des records de vitesse et d'altitude (1910). Il fonda la première école de pilotage sans visibilité (Toussus-le-Noble, 1911), l'une des premières compagnies de navigation aérienne ouvertes aux passagers (1919) et une entreprise de constructions aéronautiques. ♦ MAURICE (Paris, 1877 – 1964). Promoteur du tourisme aérien, il conçut un type d'avion biplan avec lequel Eugène Renaux put atterrir sur le puy de Dôme (1910).

FARNBOROUGH. ♦ V. du S. de l'Angleterre (Hampshire), au S.-O. de Londres. 31 910 hab. – Siège d'importantes manifestations aéronautiques annuelles. – Abbaye Saint-Michel où reposent les dépouilles de Napoléon III, du prince Napoléon et de l'impératrice Eugénie.

FARNESE, en fr. **Farnèse.** ♦ Maison princière, connue dès le XIIe s., et originaire des environs d'Orvieto, qui détint les duchés de Parme et de Plaisance de 1545 à 1731. Elle avait établi sa puissance grâce au pape Paul* III (Alessandro Farnese). ♦ PIER LUIGI FARNESE (v. 1490 – Plaisance, 1547), fils de Paul III, il reçut de lui ses duchés et fut poignardé à la suite de troubles encouragés par Charles* Quint. ♦ OTTAVIO son fils (1524 – 1586), marié à Marguerite* d'Autriche, fut cependant un adversaire de Charles Quint et eut pour fils Alexandre Farnese **(V. Alexandre).** ♦ ÉLISABETH FARNESE **(V. Elisabeth)** fut la nièce du dernier duc.

Farnèse *(palais).* ♦ Palais élevé à Rome pour le cardinal Alessandro Farnèse, plus tard Paul III, par Antonio da Sangallo le Jeune (à partir de 1517?). Achevé par Michel-Ange qui réalisa (à partir de 1546) la grande fenêtre à colonnes (façade), la corniche, la grande salle (angle gauche) et son vestibule, la frise en travertin (1er étage de la cour), le 2e étage de la cour. – Siège d'une des ambassades de France à Rome.

Farnésine (La). ♦ À Rome, villa construite en 1508-1511 par B. Peruzzi, pour le banquier Agostino Chigi. Peintures de Raphaël, Jules Romain, Sebastiano del Piombo, le Sodoma. Elle passa aux Farnèse en 1580. Actuellement siège de l'Académie *dei Lincei.* – Le palais moderne *della Farnesina,* résidence du ministère des Affaires étrangères, sert à le désigner, ainsi que la diplomatie italienne *(la Farnésine).*

Ph. Hubert Josse
Léon-Paul Fargue, par P. de Belay (Bibliothèque nationale, Paris.)

FARO. ♦ V. du Portugal méridional. Cap. de l'Algarve et ch.-l. de district. 30 000 hab. Pêche (sardine, thon), conserveries, commerce de figues, d'amandes et de liège. Tourisme.

FAROUK. ♦ V. FÂRÛQ.

FARQUHAR (George). ♦ Auteur dramatique anglais (Londonderry, Irlande, 1678 – Londres, 1707). D'abord acteur, il se fit le peintre impertinent d'une société hypocrite et bien ordonnée dont il dénonça avec brio, dans ses sept comédies, les tares cachées. Œuvres princ. *Le Sergent recruteur* (*The Recruiting officer,* 1706), *Le Stratagème des roués* (*The Beaux' stratagem,* 1707).

FARRAGUT (David Glascoe). ♦ Amiral américain (Campbell Tennessee, 1801 – Portsmouth, New Hampshire, 1870). Il se distingua pendant la guerre de Sécession*, du côté nordiste, par la prise de La Nouvelle-Orléans (1862) et la victoire décisive de Mobile (1864). Le grade d'amiral fut créé aux États-Unis pour le récompenser.

FARRELL (James Thomas). ♦ Écrivain américain (Chicago, 1904). Il fit ses études dans les écoles catholiques de la banlieue de Chicago, puis à l'université de cette ville. Après une nouvelle (*Studs,* 1929), il publia en 1932 un premier roman, *Young Lonigan,* évoquant une jeunesse pauvre dans les milieux de souche irlandaise de Chicago. *Gas House Mc Ginty* (1933) évoque une journée dans une entreprise de transports, et reflète à la fois l'influence de Joyce et du roman américain simultanéiste. Mais l'essentiel de son œuvre, suite de la vie de son héros Studs Lonigan (*La Jeunesse de Studs Lonigan,* 1934; *Le Jugement dernier,* 1935) ou récits autobiographiques (*Père et Fils,* 1940; *Mes jours de colère,* 1943), et évocations de destins d'Irlando-Américains, s'inscrit dans la tradition naturaliste de Dreiser.

FARRÈRE (Frédéric Bargone, dit **Claude).** ♦ Officier de marine et écrivain français (Lyon, 1876 – Paris, 1957). Capitaine de corvette en 1919. Il publia plusieurs ouvrages à la manière de Pierre Loti, dont *Les Civilisés* (1905), *Thomas l'Agnelet* (1913), *Les Petites Cousines* (1953). On lui doit une nouvelle de science-fiction, dans une atmosphère de réalisme fantastique : *Où?* (Acad. fr., 1935.)

FARROKHI (Abu al-Hasan Ali ibn Djulugh). ♦ Poète persan ([mort] 1037). Il écrivit des poésies amoureuses dans une langue simple. Il fut panégyriste officiel à la cour de Mahmûd* de Ghaznî.

FÂRS ou **FÂRSISTÂN.** *n. m.* ♦ Prov. du S.-O. de l'Iran, limitée au N. par le Khûzistân* et la prov. d'Ispahan, à l'E. par le Kerman et au S. par les gouvernorats des ports et îles du golfe Persique et du golfe d'Oman. 148 700 km². 1 700 000 hab. (1966). *Ch.-l.* Chirâz*. La région est formée par la partie méridionale du Zagros* qui, au S. de Chirâz, commence à s'abaisser et à se morceler en bassins. Les populations Kashkai (d'origine et de langue turques), Kamseh (de langues turque, persane et arabe) cultivent des arbres fruitiers (dattiers) et de la vigne (dans le piémont), du riz, du coton et du tabac (régions de Chirâz, Dârâb, Fasâ, Neyriz) et pratiquent l'élevage des moutons et des chèvres. ♦ *Hist.* Le Fârs, région d'origine des Perses (c'est l'anc. Perside), fut le centre des Empires achéménide et sassanide (ruines de Persépolis* et de Pasargades*).

Ph. Ricerche editoriali/Ricciarini

Fascisme : affiche militaire italienne de 1930.

FÂRÛQ ou **FAROUK**. ♦ (Le Caire, 1920 – Rome, 1965). Roi d'Égypte (1936-1952). Fils et successeur de Fuad* Ier il fut formé en Égypte et en Angleterre. Il tenta de neutraliser le principal parti politique égyptien (le *Wafd**) mais, en 1942, l'Angleterre lui imposa Nahhas* Pacha, leader du Wafd, comme Premier ministre afin d'éliminer les partisans égyptiens de l'Axe, dont il s'était entouré. Obligé d'abdiquer en 1952, après le coup d'État militaire des « officiers libres », il vécut depuis cette date et jusqu'à sa mort hors de l'Égypte.

FAR WEST. *n. m.* (« Ouest lointain »). ♦ Nom traditionnel donné aux États-Unis (XIXe s.) aux plaines à l'O. du Mississippi (et d'abord aux territoires situés à l'O. des Appalaches [XVIIIe s.]), c'est-à-dire aux territoires de la « frontière » qui n'étaient pas encore organisés en États.

FARZDAQ (al-). ♦ Poète arabe (Basra, v. 640 – *id.*, 732). Connu par ses démêlés bruyants avec son confrère Jarîr* et sa vie dépravée, il fut un satirique d'un cynisme impitoyable. Malgré ses expressions ordurières et grossières, il est apprécié à cause de l'immense richesse de son vocabulaire.

Fascisme. *n. m.* (de l'it. *fascio* « faisceau », voir *ci-dessous*). ♦ Mouvement fondé en 1919 en Italie par B. Mussolini*, qui rassemblait des petits groupes d'anciens combattants et d'anciens syndicalistes *(Fasci italiani di combattimento)*. De la Marche sur Rome en 1922 à l'établissement d'une constitution en 1925 et 1926 (**V. Italie** [*Hist.*]), le mouvement se transforma en un véritable régime politique dont la « doctrine », tout à fait empirique, se dessina au gré des événements, en vue de la conquête et de la conservation du pouvoir total (totalitarisme). Né de l'impuissance du régime parlementaire et de la déception des nationalistes humiliés par les traités de 1919-1920, défini par Mussolini en 1921 comme « réactionnaire, antiparlementaire, anti-démolibéral, antisocialiste », le fascisme a été un refus total de l'individualisme libéral issu des philosophes français du XVIIIe siècle. L'individu s'effaçait devant l'État totalitaire et centralisateur (« tout est dans l'État, rien contre l'État, rien en dehors de l'État ») et, selon une tradition proprement italienne, trouvait son idéal dans la « grandeur romaine ». Au service de l'État, il y avait le *duce* (« chef ») qui cumulait les pouvoirs exécutif et législatif et dont la volonté n'avait pas de limite, et le parti. Fondé en 1921, le parti fasciste devait jouer le rôle d'une élite parmi laquelle étaient choisis les fonctionnaires et les membres des formations paramilitaires (milice volontaire pour la sécurité nationale). Par son intermédiaire, le fascisme encadrait l'individu pour annihiler tout esprit critique et pour réduire les antagonismes sociaux : le système corporatiste (organisation de syndicats dans lesquels patrons et ouvriers coopèrent) devait supprimer la lutte des classes. Embrigadés dès leur enfance dans leur travail et leurs loisirs, les Italiens devaient fonder un puissant empire autour de la « nouvelle Rome ». De nombreux mouvements plus ou moins inspirés du fascisme se sont développés autour des années 1930 (Phalange, en Espagne, Rexisme* de L. Degrelle en Belgique, ligues Croix-de-feu en France); mais le contexte doctrinal et les composantes sociales des mouvements ont présenté d'importantes divergences. Quant au nazisme* allemand, il a emprunté au fascisme la mystique totalitaire, y ajoutant le racisme.

Fastes, en lat. **Fasti**. ♦ Poème d'Ovide*, composé entre les années 3 et 8.

FASTNET. *n. m.* ♦ Îlot rocheux situé au large des côtes S.-O. de l'Irlande, qui a donné son nom à une célèbre course de yachting (Cowes-Plymouth).

FASTOLF (*sir* John). ♦ Homme de guerre anglais (v. 1378 – 1459). Il participa à la guerre de Cent Ans et se distingua à Azincourt. Il fut régent de Normandie et gouverneur du Maine et de l'Anjou. En 1429, il gagna la bataille des Harengs*. – Un personnage de Falstaff* (Shakespeare) utilise son nom.

FASTRADE. ♦ (morte à Francfort-sur-le-Main, 794). Fille d'un duc de Franconie, troisième femme de Charlemagne (783) dont elle eut deux filles. Elle fut inhumée à Saint-Alban de Mayence.

Fatah (al-) ou **al-Fath**. ♦ Mouvement de libération de la Palestine par la lutte armée contre Israël. Fondé en janvier 1965, ce mouvement est membre de l'Organisation* de libération de la Palestine. Actuellement dirigé par Yasser Arafat*, al-Fatah, qui tente difficilement de maintenir de bonnes relations avec les divers gouvernements arabes, a formulé un programme de lutte pour la création d'une « nouvelle Palestine [...] progressiste, démocratique et non confessionnelle ». Sur le plan militaire, al-Fatah, qui a largement contribué à la formation d'un front commun de lutte armée contre Israël, possède le groupe de combat le plus important et le mieux armé, al-Assifa.

FATCHAN. ♦ **V.** FO-SHAN.

FATEHPUR SIKRÎ. ♦ Ancienne ville de l'Inde (Uttar Pradesh), à 40 km à l'O. d'Âgra. Fondée en 1569 par Akbar* qui y fit construire, dans le style syncrétique indo-moghol qui lui était particulier, d'immenses palais et mosquées, dans l'intention d'en faire la capitale de l'empire moghol; cette cité fut abandonnée en 1605. Elle est fort bien conservée (tourisme).

FÂTIMA. ♦ Fille de Muhammad (Mahomet*) et de sa première femme Khadîja (La Mecque, v. 606 – Médine, 632). Elle épousa son cousin Ali* et leurs fils Hassan* et Hussaïn* devinrent les seuls descendants mâles de la lignée de Muhammad. Elle fut – comme les autres membres de sa famille – divinisée par les shi'ites* qui l'appelèrent « la Vierge ». Son emblème, « la main de Fâtima », est fréquemment exhibé pendant les processions religieuses. Les Sunnites* vénèrent aussi Fâtima et ses descendants, mais refusent de lui attribuer tout caractère divin, caractère qu'ils n'accordent d'ailleurs pas même à Muhammad.

FATIMA. ♦ V. du Portugal, en Estrémadure* (district de Santarém). 5 000 hab. – En 1917, trois jeunes bergers déclarèrent avoir vu, sur la *Cova di Iria* (« fosse d'Irène »), leur apparaître la Vierge. Lieu de pèlerinage très fréquenté.

FÂTIMIDES. *n. m. pl.* ♦ Membres d'une dynastie arabe (909-1171) se déclarant appartenir à la descendance du prophète par sa fille Fâtima* (d'où leur nom). À la fin du IXe s., quand l'agitation shi'ite* se généralisait dans les provinces du Moyen-Orient, l'imâm* caché de la secte shi'ite isma'ilienne*, 'Ubaydullah*, chargea son propagandiste Abû 'Abd-Allah al Hussaïn al-shi'î de lui préparer l'accession au pouvoir. Celui-ci, avec l'aide des Berbères Qutama, forma une armée et vainquit les troupes des Aghlabides*, gouverneurs de l'Ifriqyâ (actuelle Tunisie et Est algérien) fidèles aux 'Abbâssides*. Cette victoire permit à 'Ubaydullah d'entrer en triomphateur à Raqqada (près de Kairouan*), s'identifiant au Mahdi* attendu et se proclamant imâm* et calife (décembre 909). Fondateur de la dynastie fâtimide, il voulut imposer le shi'isme par des méthodes violentes. Préparant une expédition vers l'Orient, il procéda à des prélèvements fiscaux abusifs qui provoquèrent par la suite une révolte dirigée par le Berbère khârijite* Abu-Yazîd qui, avant d'être défait, menaça le pouvoir des premiers califes fâtimides (Abû-al Qâssim et al-Mansûr). Le successeur d'al-Mansûr, son fils al-Mu'izz, sut imposer son autorité sur la Tunisie, l'Algérie, une partie du Maroc ainsi que la Sicile. Il lança ensuite son affranchi le général Jawhar à la conquête de l'Égypte (969). Trois ans plus tard, al-Mu'izz transféra sa cap. au Caire* (al-Qâhira), ville construite sur ordre de Jawhar juste au N. de l'anc. cap. al-Fustât. Dès lors, la puissance fâtimide atteignit son apogée et favorisa l'éclosion d'une civilisation très brillante. Mais très vite le pouvoir des Fâtimides déclina et leur territoire s'émietta. En Sicile, la conquête des Normands ne put être contenue (prise de Palerme par Roger* Ier en 1072). En Orient, les Saljûqides* s'emparèrent de la Syrie et de Jérusalem (1070). Au début du XIIe s., des schismes internes ébranlèrent la base du régime : al-Musta'li (1094-1101) se sépara de l'isma'ilisme en fondant la nouvelle secte des Assassins*. Les Yéménites isma'iliens ne reconnurent plus les successeurs d'al-Amîr (mort 1101). Et ce fut en 1171 que le Kurde Saladin* (Salâh-al-Dîn al-Ayyoubî) détrôna les Fâtimides et réinstaura en Égypte la légitimité 'abbâsside* et le rite sunnite*.

FAUCHER [foʃɛ] **(César** et **Constantin *de*)**. ♦ Généraux français (La Réole, 1760 – Bordeaux, 1815). Frères jumeaux, ils se rallièrent ensemble à la Révolution, firent la guerre de Vendée, furent tous deux blessés et nommés généraux de brigade. En 1815, opposés aux Bourbons, ils furent accusés d'avoir un dépôt d'armes chez eux, furent condamnés à mort et exécutés.

FAUCHET (Claude). ♦ Prélat et homme politique français (Dornes, Nivernais, 1744 – Paris, 1793). Grand vicaire de l'archevêque de Bourges, il se montra partisan des idées nouvelles et de la Révolution, au début de laquelle il transforma une loge maçonnique en club révolutionnaire, le Cercle* social, et fonda le journal la *Bouche de fer* avec N. de Bonneville. Évêque constitutionnel du Calvados, il fut député à l'Assemblée législative, puis à la Convention où il siégea avec les Girondins. Il fut guillotiné au début de la Terreur pour avoir voulu suspendre les prêtres mariés de son diocèse.

FAUCIGNY. *n. m.* ♦ Région de Haute-Savoie* à la frontière suisse, drainée par l'Arve* et le Giffre*. Les villes princ. sont : Bonneville* (son anc. cap.), Saint*-Jeoire, Samoëns*, Taninges*. ♦ *Hist.* La *baronnie de Faucigny* date du XIe s.; elle fut cédée à la Savoie en 1355 et revint à la France en 1860.

FAUCILLE *(col de la).* ♦ Col du Jura (Ain) dominant le pays de Gex à 1 320 m d'altitude. Station de sports d'hiver.

FAUCILLES *(monts).* ♦ Plateaux calcaires ou gréseux correspondant en partie à la région de la Vêge, et situés entre les Vosges et le plateau de Langres.

FAUCOGNEY-ET-LA-MER. ♦ Ch.-l. de cant. de la Haute-Saône, arr. de Lure. 784 hab. – Restes de fortifications (anc. place forte). Chapelle (XIIe-XIVe s.). Église du XVIIIe s. – Indus. textiles.

FAUJAS [foʒas] **de SAINT-FOND (Barthélemy).** ♦ Géologue français (Montélimar, 1741 – Saint-Fond, Isère, 1819). Premier professeur de géologie nommé en France (1793), il reconnut la nature volcanique du basalte.

FAULKNER (William Falkner, dit). ♦ Romancier américain (New Albany, Miss., 1897 – Oxford, Miss., 1962). Issu d'une vieille famille aristocratique ruinée par la guerre de Sécession, en sudiste méprisant des Yankees, il fit la guerre dans l'aviation canadienne, connut Anderson* dont il s'inspira pour écrire *Monnaie de singe (Soldier's Pay).* Il s'installa définitivement en 1931 dans sa propriété de Rowanoak (Oxford) où il rédigea *Lumière d'août* (*Light in August,* 1932). Il vécut en gentleman-farmer, refusant la dénomination d'écrivain, vocation qu'il avait pourtant assumée dès 1924 en publiant à compte d'auteur sa première œuvre, *Le Faune de marbre* (1924), recueil de vers champêtres. En 1930, il donna quelques nouvelles à des revues. Amoureux de la terre, de son Sud natal, il immortalisa le comté d'Oxford qui sert de décor (sous le nom de Yoknapatawpha) à ce qu'il appela « le Livre », cette « saga de Jefferson » (alias Oxford) qui comprend *Sartoris* (1929), *Le Bruit et la Fureur* (*The Sound and the Fury,* 1929), *Absalon! Absalon!* (1936), *L'Invaincu* (1938), *Descends, Moïse,* (1942), *L'Intrus* (*Intruder in the Dust,* 1948), *Requiem pour une nonne* (1951). Longtemps ignoré en Amérique, Faulkner eut rapidement une immense influence sur la mutation du roman en Europe. Sartre, qui fut l'un des premiers à le faire connaître en France, s'attacha à l'étude de *La Temporalité chez Faulkner* en notant la valeur symbolique du geste de Quentin (dans *The Sound and the Fury*) qui brise sa montre, instaurant un temps sans horloge. Malraux voyait dans *Sanctuaire* « l'intrusion de la tragédie grecque dans le roman policier ». Le problème du temps et de la fatalité qui s'inscrivent dans la déchéance humaine marque cette œuvre non seulement dans sa thématique, mais dans sa structure; la multiplicité des narrateurs, l'éclatement temporel du récit, le refus de l'introspection font de Faulkner un des grands précurseurs du roman contemporain. (Prix Nobel, 1949.)

Ph. Harlingue-Viollet

W. Faulkner.

FAULQUEMONT [fokəmɔ̃]. ♦ Ch.-l. de cant. de la Moselle, arr. de Boulay-Moselle. 5 499 hab. Extraction de charbon.

FAUNUS. ♦ Divinité romaine dont le culte était localisé sur le Palatin. Dieu bienfaisant (favorable : *qui fauet*), protecteur en particulier des troupeaux et des bergers, il fut très vite identifié à Pan. **V. Pan.** On lui adjoint parfois l'épithète de *Lupercus* (« le Loup »). Son culte comportait la procession des Luperques* (Cf. Faune, *in* Robert).

FAURE (Félix). ♦ Homme politique français (Paris, 1841 – *id.,* 1899). Après avoir fait fortune dans le commerce du cuir au Havre, il fut élu comme républicain modéré (1881), puis chargé de divers ministères (Colonies, Marine, 1883-1885). En janvier 1895, il fut élu président de la Troisième République par la coalition monarchiste et modérée. Son mandat fut marqué par le renforcement de l'alliance avec la Russie (Félix Faure accueillit le tsar Nicolas II à Paris [1896] et se rendit lui-même à Kronstadt [1897]), la poursuite de la colonisation de Madagascar, des difficultés diplomatiques avec la Grande-Bretagne à la suite de l'affaire de Fachoda et l'examen pour la révision du procès Dreyfus à laquelle il se montra hostile. Sa mort soudaine, survenue dans des conditions qui firent scandale, fut suivie d'une importante agitation politique **(V. Déroulède).**

FAURE (Sébastien). ♦ Anarchiste français (Saint-Étienne, 1858 – Royan, 1942). D'abord membre du Parti ouvrier français **(V. Guesde [Jules]),** il devint anarchiste dès 1888 et fonda le journal *le Libertaire* (1895). Auteur de la *Philosophie libertaire* (1895) et de *La Douleur universelle* (1895), il dirigea *L'Encyclopédie anarchiste* à laquelle collabora Voline*.

FAURE (Jean-Louis). ♦ Chirurgien français (Sainte-Foy-la-Grande, Gironde, 1863 – Saint-Laurent-des-Combes, Gironde, 1944). On lui doit plusieurs traités de gynécologie, notamment sur *Le Cancer de l'utérus.* Ses œuvres non techniques furent réunies sous le titre *En marge de la chirurgie.*

FAURE (Paul). ♦ Homme politique français (Périgueux, 1878 – Paris, 1960). Membre du Parti ouvrier français de Jules Guesde et fondateur du journal *le Populaire du Centre* (1904), qu'il dirigea jusqu'en 1914, il fut nommé secrétaire général de la S.F.I.O. après la scission des socialistes au congrès de Tours (1920). Ministre d'État dans les cabinets de Front populaire (Léon Blum, Chautemps, 1936-1937, 1937-1938) et député, il se montra partisan de la signature des accords de Munich (sept. 1938), puis de l'armistice, après la défaite de 1940 et fut exclu de la S.F.I.O. en 1944.

FAURE (Edgar). ♦ Avocat et homme politique français (Béziers, 1908). Juriste, il fut député radical-socialiste (1946-1958) et fit partie de plusieurs gouvernements de la Quatrième République comme ministre ou comme président du Conseil (janv.-févr. 1952, févr. 1955-janv. 1956). Son second ministère rétablit le sultan Muhammad ibn Yusuf sur le trône du Maroc* et accorda l'autonomie à la Tunisie*. Mis en minorité par l'Assemblée nationale qu'il fit dissoudre (déc. 1955), il fut écarté du pouvoir après la victoire du Front républicain et dirigea le Rassemblement des gauches démocratiques après son exclusion du Parti radical. Nommé ministre des Finances dans l'éphémère cabinet Pflimlin (mai 1958), puis élu sénateur (1959-1966), il se rallia au général de Gaulle et fut officieusement chargé de l'établissement des relations diplomatiques avec la Chine populaire (1963). Représentant des « gaullistes de gauche », il fut chargé du portefeuille de l'Agriculture (cabinet Pompidou, janv. 1966). Appelé au ministère de l'Éducation nationale après la crise de mai 1968, il fit adopter la loi d'orientation pour la réorganisation de l'enseignement, plus particulièrement des universités. En 1972, il fut nommé ministre d'État chargé des Affaires sociales dans le cabinet Messmer. Après les élections législatives de 1973, il devint président de la Chambre des députés.

FAURÉ (Gabriel). ♦ Compositeur français (Pamiers, 1845 – Paris, 1924). Élève de Niedermeyer et de Saint-Saëns, il fut maître de chapelle à la Madeleine (1877) puis organiste titulaire de cette même église (1896). Succédant à Massenet comme professeur de composition au Conservatoire, il devint directeur de cette institution (1905-1920). Toute une génération, de F. Schmitt, Ch. Koechlin et M. Ravel jusqu'à G. Enesco, R. Ducasse et N. Boulanger, fut marquée par son enseignement. De formation classique et traditionaliste, il fit usage des modes grégoriens pour élargir le domaine harmonique. Novateur par la sinuosité de la ligne mélodique, la constante indécision tonale, il est inimitable par le sens de la mesure et l'équilibre de la construction. Son art exprime avec pudeur et raffinement une tendresse diffuse et une sensualité très vive qui se teinte de mélancolie. – Bien qu'organiste, Fauré n'a pas composé pour cet instrument, mais il a excellé dans la mélodie, la musique pour piano et la musique de chambre. De ses œuvres vocales, on retiendra les 3 recueils de ***Mélodies,*** composées entre 1868 et 1900, les ***Cycles,*** inspirés par des poèmes de Verlaine (*La Bonne Chanson,* 1891), de Van Leberghe (*La Chanson d'Ève,* 1916), de Mme de Brimont (*Mirages,* 1919), de J. de la Ville de Mirmont (*L'Horizon chimérique,* 1922) et le ***Requiem*** (1887), œuvre sereine et forte par la pureté de sa mélodie, la richesse de ses harmonies. Pour le piano, Fauré a composé une cinquantaine de pièces, dont les 4 ***Valses caprices*** (1883-1894), les 6 ***Impromptus*** (1883-1913), les 13 ***Nocturnes*** (1883-1922), les 13 ***Barcarolles*** (1883-1921), les 9 ***Préludes*** (1910) ainsi que la ***Ballade*** (1881) et la

Ph. Carlo Bevilacqua/Ricciarini
Scène de **Faust**, gravure du XIXe s. (Musée Goethe, Francfort.)

Fantaisie (1919) pour piano et orchestre. – Atteint par la surdité dès 1903, il eut une fin de vie douloureuse. De cette ultime période, marquée par l'épreuve de son infirmité et par un souci croissant d'exigence datent ses œuvres les plus dépouillées, celles où, dans le genre de la musique de chambre, il atteint à une sorte de sérénité lumineuse, digne de ce génie hellénique dont il fut un familier (2e *Quintette* avec piano, 1921 ; 2 *Sonates* de violoncelle, 1918-1922 ; *Trio* pour piano, violon, violoncelle, 1923 ; *Quatuor* à cordes, 1924). On lui doit encore des musiques de scène (*Caligula*, 1888 ; *Shylock*, 1889 ; *Pelléas et Mélisande*, 1898 ; *Masques et Bergamasques*, 1920) et 2 tragédies lyriques, *Prométhée* (1900) et *Pénélope* (1913) qui marquent l'extension de la mélodie fauréenne au théâtre. – Disciple de Chopin, continuateur de Schumann, Fauré a subi l'influence de Wagner mais, indifférent aux systèmes, il a suivi une voie toute personnelle. Fluide, génératrice de mystère, sa mélodie évite la sentimentalité pour mieux traduire l'effusion. Il est le créateur de la musique de chambre française, au début du siècle, et, avec Debussy*, l'initiateur d'une nouvelle sensibilité musicale.

Fausses Confidences (Les). ♦ Comédie en trois actes, en prose, de Marivaux*, dont la première représentation eut lieu à Paris en 1737. Les deux jeunes premiers, Araminte et Dorante, y sont manœuvrés par un valet comparable à Scapin, Dubois.

Faust (all. **Faustus**). ♦ Personnage qui vécut en Allemagne au début du XVIe s., et qui est rapidement devenu un héros de légende. C'est dans le *Livre populaire* (*Volksbuch*, 1587) qu'est narrée pour la première fois l'histoire de l'homme qui vendit son âme au diable pour satisfaire un insatiable désir de jouissance et une curiosité intellectuelle infinie. Le démon l'initiera aux sciences occultes et lui conférera le pouvoir d'accomplir des miracles. – Successivement, Marlowe*, en Grande-Bretagne, Lessing, Goethe*, Klinger (1791) et Lenau (1836) en Allemagne, Valéry en France, traiteront le thème et enrichiront la légende de Faust. À leur tour, les musiciens contribueront à les populariser par des œuvres importantes : Berlioz (1846), Schumann (1853), Liszt (1854) et Gounod (1859). En peinture, Delacroix demeure l'interprète le plus passionné de la légende allemande. – *Faust*. Drame de Marlowe, tragédie de la volonté de puissance et du châtiment sans rémission (1588). – *Faust*. Poème dramatique de Goethe. Commencée en 1773 *(Urfaust)*, poursuivie en 1790 *(Faust, ein Fragment)*, la première partie du poème dramatique fut publiée en 1808 *(Faust, eine Tragödie)*. On y voit le héros séduire l'innocente Marguerite qu'il abandonnera peu après avec son enfant. Meurtrière de l'enfant, Marguerite est condamnée à mort, mais son repentir la sauvera de la damnation. Quant à Faust, entre Méphistophélès, qui s'est juré de le réduire à l'animalité, et Dieu qui lui laisse les moyens d'assurer son salut par ses seules forces, il apparaît comme le symbole de la condition humaine et de son écartèlement permanent entre le mal et le bien. – *Le Second Faust (Faust der Tragödie zweiter Teil in fünf Akten*, 1832), bien qu'inachevé, est une œuvre d'une ampleur philosophique supérieure à la première par les problèmes qu'elle pose, problèmes qui constituent les fondements de toute morale et de toute métaphysique. Introduit dans le monde serein de la Grèce, Faust, devenu l'époux d'Hélène de Troie, accède à cette sérénité qui est le partage de quiconque n'a cessé de tendre vers un idéal. La première partie du *Faust* de Goethe a été traduite par Gérard de Nerval (1828) et la seconde par Alexandre Arnoux (1947).

FAUSTA, en lat. **Flavia Maxima Fausta**. ♦ Impératrice romaine (v. 289 – 326). Fille de Maximien* et seconde femme de Constantin* Ier le Grand (307) dont elle eut Constantin* II, Constance* II et Constant* Ier. Elle s'éprit de son beau-fils Crispus et, irritée de son indifférence, l'accusa devant Constantin qui le fit mettre à mort, puis, ayant découvert la vérité, la fit périr.

FAUSTIN Ier. ♦ V. SOULOUQUE.

FAUTRIER (Jean). ♦ Peintre, sculpteur, dessinateur et graveur français (Paris, 1898 – Châtenay-Malabry, 1964). Après une formation à Londres, il débuta à Paris (1919) en peignant des natures mortes, des paysages et des figures sombres de tendance expressionniste *(Gibiers écorchés)*. Vers 1929, il s'intéressa à la peinture *a tempera* et à partir de 1940-1943 aborda la non-figuration. Soutenu par Malraux, Paulhan, Ponge, il s'imposa comme l'un des créateurs de la peinture dite ensuite informelle. Dans ses séries des *Otages*, *Objets* (1955), *Nus* (1956), *Partisans* (1957), les effets de matières deviennent le sujet principal de l'œuvre : utilisant une peinture à la colle mêlant les masses de pigments aux encres transparentes ou opaques d'où émergent des harmonies pâles et recherchées, il a créé des empâtements et des textures variés où semble transparaître une certaine angoisse.

FAUVILLE-EN-CAUX. ♦ Ch.-l. de cant. de la Seine-Maritime, arr. du Havre. 1 404 hab. *(Fauvillais)*. Nœud routier (Loc. « On entre ici comme à Fauville »).

FAUX-LA-MONTAGNE. ♦ Comm. de la Creuse*, arr. d'Aubusson*. 565 hab. Barrage sur le Dorat, centrale hydro-électrique (6 100 000 kWh par an).

Faux-Monnayeurs (Les). ♦ Roman d'André Gide* (1925). Préoccupé par le problème de la technique romanesque, l'écrivain composa une œuvre complexe où il mêlait les faits divers, l'enseignement moral, la pratique du journal intime et le thème du livre à écrire. Autour d'Édouard, écrivain qui tient le journal d'un roman qu'il veut écrire (et qui portera le titre allégorique et moral de *Faux-Monnayeurs*), évoluent de nombreux personnages dont chacun se définit en fonction du romancier qui « se poursuit lui-même sans cesse, à travers tous, à travers tout ». Parallèlement à l'aventure d'Olivier Molinier, qui illustre une morale de l'instant et représente un séduisant ensemble de virtualités (il sera, pour un temps, lié par une passion homosexuelle à son oncle Édouard), est présentée l'évolution de Bernard Profitendieu son ami, qui, lui, se pense en fonction de l'avenir ; en révolte contre son milieu familial, il connaîtra la riche et contradictoire morale de rupture et de dénuement que Gide avait déjà exaltée dans *Le Retour de l'enfant prodigue* (1907 ; publ., 1909). Dédié « à ceux que les questions de métier intéressent », *Le Journal des Faux-Monnayeurs* (1926), qui fit suite au roman, est une réflexion critique du romancier sur sa propre création.

FAVART (Charles Simon). ♦ Auteur dramatique français (Paris, 1710 – Belleville, 1792). Il a longtemps bénéficié de la faveur du public qui le tint à juste titre pour le créateur du vaudeville dramatique et de la comédie musicale. Il débuta au théâtre de la Foire (1732) puis produisit, dans le goût du temps, des ouvrages dont les nombreux couplets s'orientent vers l'opéra comique : *La Chercheuse d'esprit* (1741), *Les Amours de Bastien et Bastienne* (1753), *Les Trois Sultanes* (1761), *Annette et Lubin* (1762). Ayant épousé l'actrice Marie Duronceray (1745), il devint directeur du théâtre du maréchal de Saxe à l'armée des Flandres. Il prit ensuite la direction de l'Opéra-Comique (1757), puis celle du théâtre parisien qui devait porter son nom. Sa femme, Mme Favart (Avignon, 1727 – Belleville, 1772), par l'intelligence et la qualité de son talent, la sûreté de son goût, son esprit novateur, a joué à ses côtés un rôle non négligeable dans la nouvelle orientation du théâtre.

FAVERGES. ♦ Ch.-l. de cant. de Haute-Savoie, arr. d'Annecy. 4 847 hab. Indus. textile, métallurgie, appareils de chauffage.

FAVORITE (La). ♦ Château d'Italie du N. (Lombardie), près de Mantoue, où Bonaparte vainquit les Autrichiens (1797), provoquant ainsi la chute de Mantoue.

FAVRAS [favʀɑs] **(Thomas de MAHY, *marquis de*)**. ♦ Homme politique français (Blois, 1744 – Paris, 1790). Premier lieutenant des Suisses de la garde de Monsieur, comte de Provence (le futur Louis* XVIII), en 1772, il tenta en vain de porter secours à la Hollande contre la Prusse à la tête d'une légion patriotique (1787). Auteur d'un projet de réforme des finances françaises (*Déficit des finances de la France vaincue*, 1789) qui attira l'attention de Mirabeau et de Necker, il fut, dès le début de la Révolution, un agent du comte de Provence. Chargé de recruter des volontaires royalistes pour faciliter la sortie de Louis XVI de Paris, il fut dénoncé par deux de ses agents, qui affirmèrent à La Fayette qu'on projetait de le tuer ainsi que Bailly, maire de Paris. Impliqué dans ce complot, le comte de Provence désavoua Favras qui fut condamné à mort et pendu.

FAVRE (Antoine, dit *le président Faber*). ♦ Jurisconsulte français (Bourg-en-Bresse, 1557 – Chambéry, 1624). Spécialiste de droit romain, il publia les premiers livres des *Conjecturae juris civilis libri* qui suscitèrent l'admiration de Cujas. – Père de Vaugelas*.

FAVRE (Jules). ♦ Homme politique français (Lyon, 1809 – Versailles, 1880). Avocat célèbre, député à l'Assemblée constituante (avril 1848), puis à l'Assemblée législative (mai 1849), il se prononça contre le coup d'État du 2 décembre 1851. Membre du Corps législatif (1857), il fit partie de l'opposition républicaine au régime impérial et se chargea de la défense d'Orsini* (1858). Hostile à l'expédition du Mexique (1861), puis à la déclaration de la guerre à la Prusse (1870), il prit une part décisive à la journée révolutionnaire du 4 septembre* 1870, qui, après la défaite de Sedan, eut pour conséquence la chute du Second Empire* et la formation d'un gouvernement de la Défense nationale dont il fut ministre des Affaires étrangères. Ayant refusé de céder aux exigences de Bismarck lors de l'entrevue de Ferrières* (19-20 septembre 1870), il chargea Thiers d'une mission diplomatique auprès des puissances européennes neutres, puis d'une nouvelle entrevue avec Bismarck (novembre 1870). L'une et l'autre échouèrent. Le siège et le bombardement de Paris par les Prussiens l'amenèrent à capituler (signature de l'armistice le 28 janvier 1871). Resté ministre des Affaires étrangères dans le gouvernement de Thiers, Favre négocia la paix de Francfort* (mai 1871) et démissionna peu après. Il a laissé un ouvrage sur *Le Gouvernement de la Défense nationale* [1871-1875] (Acad. fr., 1867).

FAWLEY. ♦ Localité du S.-O. de l'Angleterre, près de Southampton (Hampshire). Importante raffinerie, pétrolochimie.

FAYDHERBE ou **FAYD'HERBE** [fɛdɛʀb] **(Luc** ou **Lucas).** ♦ Sculpteur et architecte flamand (Malines, 1617 – *id.*, 1697). Il assimila la leçon du Bernin* et fut surtout marqué par Rubens*, dont il fut l'élève de 1636 à 1639. Représentant caractéristique du baroque flamand, il éleva l'église *Notre-Dame d'Hanswijck* à Malines et décora de statues monumentales et de hauts-reliefs de nombreuses églises flamandes *(Monument de l'archevêque André Cruesen).* Il tenta d'adapter à la sculpture la plastique de Rubens.

FAYE [faj] **(Hervé).** ♦ Astronome français (Saint-Benoît-du-Sault, 1814 – Paris, 1902). Il découvrit une comète périodique (*comète de Faye,* 1843) dont il précisa les éléments et établit une théorie (1865) dans laquelle le soleil est considéré comme une machine thermique et mettant en cause le système cosmogonique de Laplace*. (Acad. sc., 1847.)

FAYENCE. ♦ Ch.-l. de cant. du Var*, arr. de Draguignan*. 1 768 hab. *(Fayençois).* Ancien centre de céramique.

FAYET [fajɛ] **(Le).** ♦ Écart de la comm. de Saint-Gervais*-les-Bains, dans la Haute-Savoie. Église due à l'architecte Novarina (1938). Station thermale et de sports d'hiver. Usine hydro-électrique sur l'Arve.

FAYLAKA *(île). n. f.* ♦ Île du golfe Persique qui ferme l'embouchure de la baie de Kuweit* (émirats d'Arabie*).

FAYL-BILLOT [febijo]. ♦ Ch.-l. de cant. de la Haute-Marne, arr. de Langres. 1 463 hab. Indus. du meuble (rotin, vannerie). – Fusionnée avec Broncourt et Charmoy, la comm. est devenue Fayl-La-Forêt [1 754 hab.].

FAY-LEZ-MANAGE. ♦ V. de Belgique (Hainaut, arr. de Charleroi). 5 600 hab. – Brasseries. Indus. électriques.

FAYOL (Henri). ♦ Ingénieur et administrateur français (Constantinople, 1841 – Paris, 1925). Directeur général de la Compagnie de Commentry-Fourchambault-Decazeville (1888), il exposa dans son ouvrage *Administration générale et industrielle* (1916) un projet de réforme de l'administration des entreprises. Ce programme (connu sous le nom de *Fayolisme*) affirme la nécessité d'une organisation hiérarchique des diverses fonctions (administrative, technique, commerciale, financière, comptable de sécurité) au sein de l'entreprise, et sur le rôle primordial de la fonction administrative.

FAYOLLE (Émile). ♦ Maréchal de France (Le Puy, 1852 – Paris, 1928). S'étant distingué lors de la défense de Nancy (1914), il fut nommé à la tête du 32ᵉ corps d'armée (1915), puis de la VIᵉ armée (1916) avec laquelle il participa à la bataille de la Somme. Après avoir commandé les six divisions franco-britanniques envoyées en Italie après la défaite de Caporetto, il organisa la contre-attaque menée par Mangin sur le Matz, qui permit de sauver Compiègne et de contribuer à la deuxième victoire de la Marne (1918). Président de la Commission de contrôle alliée (jusqu'en 1920), il fut promu maréchal de France en 1921.

FAYOUM, en ar. **al-Fayyûm.** *n. m.* ♦ Région de la Haute-Égypte, située à l'O. du Nil. 840 000 hab. *Ch.-l.* Médinet* el-Fayoum. C'est une vaste dépression (40 m au-dessous du niveau de la mer) irriguée par des eaux dérivées du Nil (canal du Bahr Youssouf) et du lac Karoun*. On y pratique de riches cultures de blé, de coton et d'arbres fruitiers (oliviers, figuiers). L'élevage des ovins et surtout des volailles y est florissant. ♦ *Hist.* **V. Karoun** et **Médinet el-Fayoum.**

FAYSÂL ou **FAÏÇAL Iᵉʳ.** ♦ (Tâ'if, Arabie Saoudite, 1883 – Berne, 1933). Roi d'Iraq (1921-1933). Fils du cheikh de La Mecque et roi du Hedjaz, Husayn (Ibn 'Alî), il prit, avec l'appui de Lawrence*, le commandement de la révolte arabe contre l'Empire ottoman (1916-1918) et participa, aux côtés du général britannique Allenby*, à la prise de Damas (1918). Ayant dû renoncer au trône de Syrie en raison de l'opposition de la France (1920), il devint, grâce au soutien de la Grande-Bretagne, roi d'Iraq* (monarchie hâchémite). Après avoir obtenu l'indépendance de son pays (fin du protectorat britannique, 1930), il parvint à le faire admettre à la S.D.N. (1932). ♦ FAYSÂL II, son petit-fils (Bagdad, 1935 – *id.*, 1958). Roi d'Iraq (1939-1958). Après la mort accidentelle de son père Rhâzî Iᵉʳ (1939), le jeune Faysâl II fut proclamé roi sous la régence de son oncle 'Abd Allâh. À la suite du coup d'État de Rashîd 'Alî (1941), la reine mère l'emmena à l'étranger. De retour en Iraq, Faysâl II, qui assuma les fonctions royales à sa majorité (1953), devint chef de l'Union arabe formée par les deux monarchies hâchémites d'Iraq et de Jordanie, pour faire face à la création de la République arabe unie (1958). Renversé peu après lors de la révolution irakienne de juillet 1958 **(V. Kassem),** il fut assassiné.

Arch. Rencontre

Paysage du **Fayoum.**

FAYSÂL Iᵉʳ IBN 'ABD AL-'AZÎZ. ♦ (Riyad, 1905 – *id.*, 1975). Roi d'Arabie* Sa'ûdite (1964-1975). Frère et successeur de Sa'ûd*, il démit son frère après avoir acquis une influence prépondérante dans la gestion du royaume depuis 1962. Il pratiqua une politique prudente de réformes visant à doter le pays d'une infrastructure moderne. Il fut assassiné par un de ses neveux en mars 1975. Son frère Khaled* lui succéda.

F.B.I. *n. m.* ♦ Sigle du *Federal* Bureau of Investigation.*

FDERIK (anc. **Fort-Gouraud).** ♦ Localité de la Mauritanie, proche de la frontière du Sahara espagnol, au pied du versant O. de la Kedia d'Idjil* (minerai de fer), reliée par voie ferrée à Nouadhibou*. Salines.

FEBVRE [fɛvʀ] **(Lucien).** ♦ Historien français (Nancy, 1878 – Saint-Amour, Jura, 1956). Fondateur avec M. Bloch* des *Annales d'histoire économique et sociale* (1929), professeur d'histoire de la civilisation moderne au Collège de France (1933). Influencé par le géographe Vidal* de La Blache, il publia *La Terre et l'évolution humaine* (avec M. Bataillon, 1922) où il montra les liens existant entre l'histoire et la géographie. Il publia notamment par la suite : *Un destin, Martin Luther* (1928); *Le Problème de l'incroyance au XVIᵉ siècle; La Religion de Rabelais* (1942). Sa conception de l'Histoire, comprise comme une synthèse des éléments politiques, économiques, sociaux, religieux, culturels et mentaux, est exposée dans ses *Combats pour l'histoire* (1953).

FÉCAMP. ♦ Ch.-l. de cant. et port de la Seine*-Maritime (arr. du Havre*), sur la côte du pays de Caux*. 21 745 hab. *(Fécampois).* Église de la Trinité des XIIᵉ et XIIIᵉ siècles. Vestiges du château des ducs de Normandie (Xᵉ-XIᵉ s.). Port de pêche important : premier port morutier français, pêche à Terre-Neuve et en Islande. Station balnéaire fréquentée. Indus. liées aux activités portuaires (traitement de la morue, des harengs, conserves). Engrais, corderies, constructions navales. Constructions mécaniques, confection. Indus. alimentaires; fabrique de liqueur (Bénédictine).

FECHNER (Gustav Theodor). ♦ Physiologiste et philosophe allemand (Gross-Särchen, 1801 – Leipzig, 1887). Ses rêveries métaphysiques sur l'âme universelle poursuivent la tradition de la philosophie de la nature et font apparemment contraste avec la précision de ses recherches en psycho-physique. Se fondant sur les travaux de Weber*, Fechner crut pouvoir établir la formule exacte de la relation entre la sensation (psychique) et l'excitant (physique), loi selon laquelle la sensation varie comme le logarithme de l'excitant. Des vérifications expérimentales ont mis en évidence le caractère seulement approché de cette loi (par ailleurs critiquée par Bergson). [*Éléments de psycho-physique,* 1860.]

FÉDALA. ♦ **V.** MOHAMMÉDIA.

Federal Bureau of Investigation ou **F.B.I.** (« Bureau fédéral d'enquêtes »). ♦ Organisme fédéral des États-Unis, chargé d'enquêter sur les violations des lois fédérales. Créé en 1908 par le président T. Roosevelt* sous le nom de *Bureau of Investigation,* il fut dirigé par J.E. Hoover de 1924 à 1972, puis par Patrick Gray (1972-1973). Disposant de moyens puissants, le F.B.I. a, en particulier, lutté contre la prohibition; débordant le cadre de ses attributions fédérales, il reçut en 1932 et 1934 le droit de s'occuper des affaires touchant à plusieurs États de l'Union en même temps (enlèvements d'enfants, par ex.). À partir de la Seconde Guerre mondiale, il élargit son champ d'action à la lutte contre l'espionnage et la subversion (en particulier contre les communistes), ce qui lui donna une orientation plus politique, d'ailleurs critiquée par une partie de l'opinion américaine.

Fédéraliste (Insurrection). ♦ Mouvement contre-révolutionnaire qui fit suite à l'élimination des Girondins* de la Convention (2 juin 1793). Après l'installation de la Commune insurrectionnelle à Paris (10 août 1792), la crainte d'une dictature parisienne avait suscité dans plusieurs régions la création de comités révolutionnaires des départements (fin 1792) qui se transformèrent en *Comités révolutionnaires fédéralistes* (5 mai 1793). Ce mouvement sectionnaire prit la forme d'une véritable insurrection à la nouvelle de la proscription des chefs girondins, dont plusieurs (Barbaroux, Buzot, Pétion de Villeneuve, Rebecqui, etc.), ayant réussi à s'échapper, prirent la tête du mouvement. Dirigée par la grande bourgeoisie d'affaires, avec l'appui des partisans de l'Ancien Régime, l'insurrection fédéraliste s'étendit à plusieurs grandes communes de province (Caen, Bordeaux, Lyon, Toulon, Marseille, etc.), où des tribunaux jugèrent de nombreux patriotes (ainsi Chalier* à Lyon). Jugulée dès juillet en Normandie, en septembre à Bordeaux, l'insurrection se prolongea davantage dans le sud-est de la France, où les royalistes finirent par dominer le mouvement (Lyon se rendit le 9 octobre et Toulon le 19 décembre 1793). Violemment réprimée par les représentants en mission de la Convention montagnarde, l'insurrection fédéraliste, comme la guerre de Vendée, constitua une des plus graves menaces intérieures contre la Révolution et eut pour conséquence le développement du régime de la Terreur et le renforcement du pouvoir central.

Fédéraliste *(Parti)*. ♦ Parti américain, datant de l'élaboration de la Constitution américaine. Mené par Washington*, puis par Alexander Hamilton* et John Adams*, il préconisait la centralisation et un gouvernement aristocratique. Il fut affaibli par la rivalité d'Hamilton et d'Adams et disparut lors de la guerre avec l'Angleterre (1812-1814). Cependant, ses idées inspirèrent plus tard le parti républicain, tandis que ses adversaires, conduits par Jefferson* et appelés alors républicains, furent à l'origine du parti démocrate.

Fédération de la gauche démocratique et socialiste (F.G.D.S.). ♦ Nom donné au rassemblement de la gauche française non communiste qui regroupa en septembre 1965 principalement le Parti socialiste* (S.F.I.O.), le Parti radical*, la Convention des institutions républicaines. Après avoir mis le général de Gaulle en ballottage aux élections présidentielles (1965), F. Mitterrand* fut nommé président de la F.G.D.S. et tenta de constituer un contre-gouvernement. En 1967, la F.G.D.S. remporta un net succès aux élections législatives, mais connut un recul lors des élections de 1968. À la veille des élections législatives de 1973, la F.G.D.S. fit place à l'*Union de la gauche socialo-communiste* (Programme commun de la gauche, 1972) et à l'*Union de la gauche socialiste et démocrate* (U.G.S.D., regroupant socialistes et radicaux de gauche). Ces formations, sans obtenir la majorité des sièges, parvinrent à doubler leur représentation à l'Assemblée nationale.

Fédération nationale. ♦ Mouvement issu des provinces en 1789, qui visait à l'affirmation de l'unité nationale de la France et à la lutte contre les ennemis de la liberté, pour la défense de la Révolution. Chaque fédération était constituée par l'association des gardes nationaux de départements voisins. La fête de la Fédération nationale fut célébrée au Champ-de-Mars à l'occasion de l'anniversaire de la prise de la Bastille (14 juillet 1790). Talleyrand* célébra la messe sur l'autel de la patrie, au nom des fédérés, La* Fayette prononça le serment « qui unit les Français entre eux et les Français à leur roi pour défendre la liberté, la Constitution et la loi », et Louis XVI prêta lui aussi serment à la Constitution. C'est dans l'enthousiasme que fut affirmée une réconciliation, qui s'avéra vite fragile, entre la Révolution et le roi.

Fédération nationale des républicains indépendants (F.N.R.I.). ♦ Parti politique créé en mai 1966 par V. Giscard* d'Estaing. « Favorable au renforcement du dialogue dans la vie publique, à la décentralisation, au progrès social orienté sur des mesures concrètes pour les catégories les plus défavorisées », à l'élargissement du Marché commun ainsi qu'à la formation d'une Europe politique, ce parti constitue l'aile modérée (centriste) de la majorité gaulliste élargie (organes officiels : *France moderne, l'Économie*).

Fédération syndicale mondiale (F.S.M.). ♦ Créée en 1945, elle a son siège à Prague. Face à la Confédération* internationale des syndicats libres (C.I.S.L., formée en 1949), la F.S.M. groupe essentiellement les représentants des syndicats des pays socialistes et les syndicats de tendance communiste (comme la Confédération* générale du travail - C.G.T.) et compte plus de 100 000 000 d'adhérents.

Fédérés *(mur des)*. ♦ Mur situé au cimetière du Père*-Lachaise à Paris. Le 28 mai 1871, y furent fusillés par les versaillais les derniers défenseurs de la Commune, après une journée de combat au milieu des tombes. Cet événement est commémoré annuellement.

FEDINE (Constantin Alexandrovitch) [*Fedin*]. ♦ Conteur et romancier soviétique (Saratov, 1892 –). Il adhéra au groupe des Frères* Sérapion. Ses premières œuvres furent des récits ou romans réalistes et psychologiques : *Le Verger* (1920), *Les Paysans* (1926), puis ses romans eurent pour toile de fond la Révolution : *Les Cités et les Années* (1924), *Les Frères* (1928). Pour ses deux épopées historiques et sociales célébrant la Révolution, Fedine reçut le prix Staline : *Premières Joies* (1945), et *Un été extraordinaire* (1947).

FEDJ-M'ZALA. ♦ Comm. d'Algérie (dép. de Constantine). 22 992 hab. Gisement de cinabre (mercure).

FÉDOR Ier ou FIODOR Ier Ivanovitch. ♦ (1557 – 1598). Tsar de Russie (1584-1598). Fils d'Ivan* IV le Terrible, dernier prince de la dynastie de Riourik, il laissa le pouvoir (1588) à son beau-frère Boris* Godounov qui fut élu tsar à sa mort.

FÉDOR II Borissovitch. ♦ (1589 – Moscou, 1605). Tsar de Russie (1605). Fils de Boris* Godounov, il régna après lui, mais fut assassiné la même année sur ordre du premier des faux Dimitri* qui s'empara du trône.

FÉDOR III Alexeïevitch. ♦ (1661 – 1682). Tsar de Russie (1676-1682). Fils d'Alexis* Ier Mikhaïlovitch auquel il succéda. Son règne est marqué par l'abolition définitive du *mestnitchestvo*, le droit des boyards aux préséances. À sa mort, les Streltsy* imposèrent deux tsars, Ivan* V et Pierre Ier (le Grand) sous la régence de Sophie* Alexéievna.

FEDOROV ou FIODOROV (Jevgraf Stepanovitch). ♦ Minéralogiste russe (Orenburg, 1853 – Leningrad, 1919). Il s'est surtout consacré à la cristallographie physique, inventa un goniomètre, utilisa le microscope polarisant, etc.

Arch. Smeets

L. Feininger : « Le Pont III ».
(Wallraf-Richartz Museum, Cologne.)

FEDTCHENKO (Alexeï Pavlovitch). ♦ Explorateur et naturaliste russe (Irkoutsk, 1844 – dans le massif du Mont-Blanc, 1873). Spécialisé en géologie et en zoologie, il a exploré le Turkestan russe et chinois (*Voyages au Turkestan*, publiés en 1874).

FEHLING (Hermann). ♦ Chimiste allemand (Lübeck, 1811 – Stuttgart, 1885). Il découvrit (1848) une réaction permettant notamment de déceler et de doser le glucose, à l'aide de la *liqueur de Fehling* (solution de sulfate de cuivre, de sel de Seignette et de soude) qui donne avec les aldéhydes un précipité d'oxyde cuivreux rouge.

FEHRBELLIN. ♦ Petite ville d'Allemagne (R.D.A. ; région de Potsdam), au N.-O. de Berlin. 1 600 hab. En 1675, les Suédois y furent écrasés par Frédéric*-Guillaume, Électeur de Brandebourg.

FEIGNIES. ♦ Comm. du Nord (arr. d'Avesnes-sur-Helpe). 6 666 hab. – Indus. céramique. Constructions métalliques.

FEININGER (Lyonel). ♦ Peintre et dessinateur américain (New York, 1871 – *id.*, 1956). Il étudia à Hambourg, Berlin, et pendant quelques mois à Paris. Débutant à Berlin comme caricaturiste, il se consacra à la peinture à partir de 1907. Sensible au divisionnisme de Seurat*, aux recherches cubistes, futuristes et constructivistes ainsi qu'à Delaunay*, il exposa au *Blaue Reiter*, puis devint professeur au Bauhaus* de 1919 à 1933. Il a surtout représenté des marines et des vues urbaines (notamment de New York, après 1936). Avec un rigoureux souci de construction, il procéda à un découpage angulaire des formes, leur donnant l'apparence de cristaux prismatiques et accentuant l'effet de verticalisme par la répartition et le traitement des plans lumineux aux tonalités pâles et froides ; il chercha des effets de transparence, d'irisation et de rayonnement et créa par cette géométrisation raffinée un climat onirique, souvent de caractère visionnaire.

FELDBERG. *n. m.* ♦ Sommets d'Allemagne occidentale. Point culminant de la Forêt*-Noire (1 493 m) et du Taunus* (880 m).

FÉLIBIEN (André Félibien des Avaux et de Javercy). ♦ Historiographe, architecte et théoricien français (Chartres, 1619 – Paris, 1695). Secrétaire d'ambassade à Rome auprès du marquis de Mariesi, il se lia avec Poussin, puis devint en 1666 historiographe des bâtiments et, en 1671, secrétaire de l'Académie d'architecture. Auteur de : *Origine de la peinture* (1660), *Entretiens sur les vies et les ouvrages des plus excellents peintres anciens et modernes* (1666), *Principes de l'architecture, de la sculpture, de la peinture, et les arts qui en dépendent* (1676-1690), il participa aux controverses qui agitèrent l'Académie et apparaît comme l'un des théoriciens du classicisme français.

FÉLICIEN et PRIME *(saints)*. ♦ Martyrs romains (fin IIIe s. ?). Un pèlerinage avait lieu sur leur sépulture, via Nomentana (fin IVe s.). Lors de la construction de Saint-Étienne-le-Rond, au Caelius (VIIe s.), leurs reliques y furent apportées, ce qui passe pour le premier transfert de ce genre. Leurs actes sont légendaires. Fête le 9 juin.

FÉLICITÉ *(sainte)*. ♦ Martyre chrétienne. Esclave, elle fut arrêtée avec une matrone noble, Perpétue, et livrée aux bêtes en 203, à Carthage, sous Septime Sévère. ♦ Dame romaine martyrisée au IIe s., à Rome, après ses sept fils.

FÉLIX *(saint)*. ♦ Prêtre de Nole, Campanie (v. 200 – v. 260), il survécut au martyre, sous Dèce, et déclina le titre d'évêque. Son culte fut favorisé par saint Paulin*. Fête le 14 janvier.

FÉLIX Ier *(saint)*. ♦ 26e pape (269-274 [mort]). Romain, martyr (?). Fête le 30 mai.

FÉLIX II. ♦ Antipape (355-365 [mort]) désigné par Constance à la place de Libère* exilé. Au retour de celui-ci (358), il s'enfuit en Campanie, où il mourut.

FÉLIX III *(saint)*. ♦ 48e pape (483-492 [mort]), Romain. Il condamna l'édit d'union ou *hénotique* (482) de Zénon l'Isaurien et en excommunia l'inspirateur, Acace, patriarche de Constantinople :

ce qui ouvrit un schisme sinon monophysite* du moins antichalcédonien (**V.** *aussi* **Hormisdas**). Fête le 1er mars.

FÉLIX IV *(saint)*. ♦ 54e pape (526-530 [mort]), de Bénévent (?). Fête le 30 janvier.

FÉLIX V. ♦ Antipape. **V. Amédée VIII de Savoie.**

FÉLIX D'URGEL. ♦ (v. 750 – Lyon, 818). Évêque d'Urgel et hérétique espagnol. Il approuva et précisa la doctrine d'Élipand* : Jésus, fils adoptif de Dieu dès sa naissance. Cette expression équivoque le fit taxer d'adoptianisme (Jésus, homme ordinaire adopté par Dieu à son baptême), condamner et reléguer à Lyon. Ses sectateurs furent nommés *féliciens.*

FELLETIN. ♦ Ch.-l. de cant. de la Creuse* (arr. d'Aubusson), dans la Marche* près de la Creuse. 3 323 hab. (2 146 aggl.). [*Felletinois*]. Église du Moûtier du XIIe s., reconstruite au XVe s.; église N.-D.-du-Château du XVe s., maisons du XVIe siècle. – Felletin a, depuis le Moyen Âge, des ateliers de tapisserie. Indus. de la taille du diamant, implantée en 1912 par un industriel belge.

FELLINI (Federico). ♦ Réalisateur italien de cinéma (Rimini, 1920). Assistant et coscénariste de Rossellini (*Rome, ville ouverte, Païsa)* et de Lattuada *(Sans pitié)*, il a subi l'influence du néoréalisme (*Les Feux du music-hall, Luci di varieta,* 1951, avec Lattuada*; *Courrier du cœur, Lo Sceicco bianco,* 1952; *I Vitelloni,* 1953), avant de s'affirmer, dans une suite d'œuvres d'une étonnante richesse formelle, comme un des très rares auteurs complets du cinéma. Mystique qui se délivre d'un message chrétien et qui instruit le procès d'une société fondée sur l'aliénation de la femme (*La Strada,* 1954), ou sur l'escroquerie et le mensonge (*Il Bidone,* 1955), il croit, malgré les victoires de l'imposture, au triomphe final de l'innocence (*Les Nuits de Cabiria, Le Notti di Cabiria,* 1957), et de la volonté du bonheur (*Juliette des Esprits, Giuletta dei Spiriti,* 1965). Témoin et juge de la décadence morale des privilégiés de la fortune : *La Dolce Vita* (1959), Fellini est devenu, depuis *Huit et demi* (*Otto e Mezzo,* 1963), le poète à la fois le plus rigoureux et le plus inspiré d'un cinéma onirique et visionnaire, aux images fabuleuses par leur insolite, leur ironie et leur magnificence. Des œuvres comme *Fellini Satyricon* (1968), *Fellini Roma* (1971), outre qu'elles constituent une pathétique recherche du temps perdu, se proposent comme une quête haletante et tumultueuse du bonheur, une implacable description de la condition humaine.

FELLNER (William). ♦ Économiste américain. S'appuyant sur les travaux de l'économiste E.D. Domar, il a étudié la croissance économique à long terme et critiqué la thèse de Keynes sur le rôle des investissements publics dans le développement harmonieux de l'économie, affirmant au contraire que celui-ci dépend essentiellement de l'accroissement des investissements privés (*Tendances et cycles dans l'activité économique,* 1956).

FELTRE *(duc de)*. ♦ Ministre de la Guerre sous Napoléon Ier (Landrecies, 1765 – Neuwiller, 1818). Il se rallia à Louis XVIII qui lui rendit le ministère de la Guerre et lui donna le bâton de maréchal. Le duc de Feltre est également connu sous le nom d'Henri Clarke, comte d'Hunebourg.

FELTRE. ♦ V. d'Italie septentrionale, en Vénétie (prov. de Belluno). 22 000 hab. ♦ *Hist.* Elle fut érigée en duché par Napoléon pour le général Clarke.

Fémina *(prix)*. ♦ Fondé en 1904 par Mme C. de Broutelles sous le nom de « prix Fémina-Vie heureuse », il est décerné par un jury féminin, quelques jours avant le prix Goncourt, à une œuvre d'imagination.

Femmes savantes (Les). ♦ Comédie de Molière* en 5 actes et en vers (1672). Bourgeoise autoritaire et pédante, Philaminte impose sa loi à Chrysale*, son époux, esprit borné et âme prosaïque qu'irritent les prétentions au savoir de sa sœur Bélise et de sa fille Armande. Poète ridicule, Trissotin aspire à épouser Henriette, fille cadette de Chrysale et de Philaminte, dont la fine intelligence réprouve les artifices du pédantisme. L'intérêt de l'intrigue le cède à la force de la satire sociale et intellectuelle, qui trahit une angoisse devant l'évolution des mœurs.

FENAIN. ♦ Comm. du Nord (arr. de Douai), dans le bassin houiller. 5 093 habitants.

FÉNELON (François de Salignac de La Mothe). ♦ Prélat français (château de Fénelon, Périgord, 1651 – Cambrai, 1715). Protégé par Bossuet*, doté d'une grande habileté dialectique (*Dialogues sur l'éloquence,* 1681 – 1686, publ. 1718) et professant déjà des idées pédagogiques très modernes par leur tolérance (*Traité de l'éducation des filles,* 1687), Fénelon devint le précepteur du duc de Bourgogne (1689 à 1694) pour lequel il composa des *Fables* en prose (1690), les *Dialogues des morts* (publ. 1712), œuvre d'édification, et surtout les *Aventures de Télémaque** (publ. 1699, sans l'aveu de l'auteur), dont les vues politiques hardies déplurent à Louis XIV. – Chrétien scrupuleux, il rêvait d'une communion spirituelle avec Dieu et s'adonna avec sincérité au quiétisme, répandu par Mme Guyon*. Mais l'orthodoxie de ses *Maximes des saints* (1697) fut contestée par Bossuet* et condamnée par l'Église. Administrant dès lors avec abnégation son archevêché de Cambrai, il rédigea pour l'Académie* française (dont il était membre depuis 1693) un programme de travaux, la *Lettre* sur les occupations de l'Académie* (1714; publ. 1716), qui apparaît comme son véritable testament littéraire. **V.** aussi **Anciens*** *(querelle des)*, **Houdar* de la Motte.** Âme « sensible » qui voulut assurer le bonheur de l'individu en se faisant l'apôtre séduisant d'un rêve mystique, et celui de la société, en exaltant la vertu civique au détriment de l'absolutisme (*Tables de Chaulnes,* 1711), écrivain dont la prose poétique annonce celle de Rousseau*, Fénelon apparaît comme un précurseur des utopistes du XVIIIe siècle.

FÉNÉON (Félix). ♦ Écrivain français (Turin, 1861 – Châtenay-Malabry, 1947). Il fonda la *Revue indépendante* en 1884, puis dirigea la *Revue blanche* (1895-1904). Lié aux symbolistes, il fut dans ses nombreux articles (réunis dans ses *Œuvres,* 1948) un critique littéraire et artistique pénétrant (*Les Impressionnistes,* 1886; *Bottin des lettres,* 1893).

FÉNÉTRANGE. ♦ Ch.-l. de cant. de la Moselle (arr. de Sarrebourg), sur la Sarre. 1 251 hab. Vestiges d'une enceinte. Château (XIIIe, XVIe s.). Église du XVe siècle.

FENG KUO-CHANG *(Fong Kouo-Tchang, Feng Guozhang)*. ♦ Homme politique chinois (1858 – 1920). En 1917, il succéda à Li* Sung-ch'in en tant que président de la République chinoise du Nord. Il ne resta au pouvoir qu'une seule année, et fut remplacé par Hsü* Shih-ch'ang, président de la République chinoise du Sud.

FENG YÜ-HSIANG *(Fong You-siang, Feng Yuxiang)*. ♦ Général chinois chrétien (An-Hui, 1880 – mer Noire, 1948). Il occupa plusieurs commandements au service de Chiang Kai-shek puis se retourna contre celui-ci en 1930. Il périt dans un naufrage alors qu'il se rendait en U.R.S.S.

Fenian *(mouvement)*. ♦ Société secrète révolutionnaire irlandaise qui tenait son nom des *Fiana,* défenseurs légendaires de l'Irlande épique. Fondée aux États-Unis en 1858, elle avait pour but d'obtenir l'indépendance irlandaise et se répandit dans de nombreux pays, puis en Irlande même. Ses entreprises furent des échecs, la police ayant arrêté ses chefs (1865), mais son esprit lui survécut et devait animer le mouvement Sinn* Fein.

FENNOSCANDIE. *n. f.* ♦ Nom donné à l'ensemble formé par la Norvège*, la Suède* et la Finlande*.

FENOUILLÈDES ou **FENOUILLET.** *n. m.* ♦ Dépression allongée entre les Corbières* et les Pyrénées*, empruntée tour à tour par la Boulzane et le Maury, affl. de l'Agly*. Elle prend en amont un aspect semi-montagnard, puis en aval débouche dans un pays presque entièrement consacré à la vigne et aux cultures méditerranéennes.

FENRIS. ♦ Myth. germanique. Loup géant, ennemi des dieux Ases et symbolisant le chaos du monde. Les dieux tentent de l'enchaîner (**V. Tyr**) mais, lors du Ragnarök*, il dévore Odin*. Ensuite, il est tué par le fils de celui-ci, Vidar.

FENS. *n. f. pl.* (« les marais »). ♦ Région marécageuse de l'Angleterre sud-orientale (**V. East Anglia**), s'étendant sur env. 3 000 km² autour du *golfe du Wash,* sur les comtés de Norfolk, d'Huntingdon et Peterborough et sur le Cambridgeshire. Naturellement humides et infertiles, les Fens ont été pourvues d'un important réseau de canaux. La région est devenue l'une des plus fertiles d'Angleterre et produit céréales, betteraves sucrières, légumes et fleurs.

FENTSCH. *n. f.* ♦ Affl. de la Moselle, en Lorraine. 42 km. Sa vallée est industrielle. **V. Hayange.**

Féodalité. *n. f.* ♦ Organisation sociale et politique de l'Europe occidentale du IXe s. au XIIIe s. qui disparut en France à la Révolution de 1789, en Allemagne au XIXe siècle. Elle naquit dans un contexte de désagrégation de l'État, d'émiettement du pouvoir et de disparition presque complète du commerce avec, par contrecoup, un recul de l'économie monétaire. Cette société féodale fut carac-

Ph. Hubert Josse

Fénelon. École française du XVIIe s. (Château de Versailles).

térisée par l'effacement de l'État et la prépondérance de l'économie agricole. La société féodale procède de la structure de la société seigneuriale. Dans une économie où la rareté de la monnaie ne permettait pas le salariat agricole, le propriétaire répartissait ses terres entre des colons qui les cultivaient contre des redevances ou des corvées. De même, les services publics étaient assurés contre des terres qui devinrent bientôt héréditaires (capitulaire de Quierzy-sur-Oise, 877). Le système féodal eut le mérite d'assurer la défense du pays, lors des invasions normandes (IXe s.) et hongroise (Xe s.). Lorsque l'élément réel (fief) prima l'élément personnel **(V. Vassalité),** il y eut véritablement *féodalité.* Pour consolider sa puissance, le roi situé au sommet de la pyramide féodale (suzerain) dut tirer parti du système féodal lui-même; il tenta de se réserver le privilège de l'hommage lige. La *féodalité* s'implanta avec divers caractères en Europe : solidement dans la France du Nord, faiblement dans le Midi où survivaient les *alleux* (terres sans seigneur). En Allemagne, elle se développa plus tard mais survécut jusqu'au XIXe s., maintenant ainsi la division de l'Allemagne jusqu'à cette époque. L'Italie et la Flandre féodales furent transformées par la renaissance du commerce (XIe et XIIIe s.). En Angleterre, la féodalité fut implantée tard, lors de la conquête normande (1066) et le roi garda tout son pouvoir aux XIe et XIIe s. car aucune seigneurie ne put acquérir une puissance capable de s'opposer à celle du roi. — Cette organisation fut propre à l'Occident médiéval mais elle ne fut pas unique (ex. du Japon des XIIe-XVIe s.).

Fer (Croix de) [*ordre de la Croix de fer*]. ♦ Décoration militaire prussienne créée par Frédéric*-Guillaume III en 1813 qui fut ensuite décernée en Allemagne pendant les guerres de 1870 et 1914-1918 et pendant toute la durée du IIIe Reich. Elle a été reconnue en 1956 par la République fédérale d'Allemagne.

FER *(île de),* en esp. *Isla de* **Hierro.** ♦ La plus occidentale et la plus méridionale des îles Canaries*. 9 000 hab. Ch.-l. Valverde. Une assemblée de mathématiciens nommée par Louis XIII en 1634 y fixa le méridien d'origine. Cette décision fut adoptée aux XVIIe et XVIIIe s. par la plupart des nations d'Europe.

FERAOUN (Mouloud). ♦ Écrivain algérien d'expression française (Tizi-Hibel, Kabylie, 1913 — Alger, 1962). Ses romans décrivent le peuple berbère qui souffre de misère, de traditionalisme, d'aspiration confuse au progrès, posant le problème du conflit entre l'Islâm et le monde occidental. *Le Fils du pauvre* (1950), *La Terre et le Sang* (1953), *Les chemins qui montent* (1955). Son *Journal* fut publié après son assassinat par l'O.A.S.

FÉRAUD ou **FERRAUD (Jean).** ♦ Homme politique français (Arreau, Hautes-Pyrénées, 1764 — Paris, 1795). Député de la Convention (1792), il vota la mort du roi, mais s'opposa à la proscription des Girondins et se montra particulièrement hostile à Robespierre. Adjoint à Barras lors du 9 thermidor an II (27 juillet 1794), il fut tué par les insurgés qui envahirent la Convention (20 mai 1795). **V. Prairial.**

FERDINAND Ier. ♦ (Alcalá de Henares, Espagne, 1503 — Vienne, 1564). Roi de Bohême et de Hongrie (1526). Roi des Romains (1531), Empereur d'Allemagne (1556) après l'abdication de son frère aîné Charles Quint. Il avait été élevé en Espagne, mais Charles Quint lui reconnut (traité de Worms) la possession des cinq États des Habsbourg et le fit gouverneur d'Allemagne du Sud, du Tyrol et de la haute Alsace. Marié à Anne de Hongrie (1521), il fut élu roi de Bohême et de Hongrie après la mort de Louis* II à Mohács* (1526), contre Jean Szápolyai. Il dut immédiatement faire face à l'offensive turque (Vienne fut assiégée en 1529), échoua devant Buda (1541) et dut signer la trêve de huit ans (1562) : il devait verser un tribut aux Turcs et reconnaître Szápolyai en Transylvanie. Influencé par l'humanisme, il mit une certaine tolérance dans sa lutte contre le protestantisme. S'il constitua dans ce but une « Union chrétienne » avec cinq cantons suisses (1529) et s'il écrasa une révolte tchèque (1547), il désirait un rapprochement entre luthériens et catholiques par une réforme de l'Église : après avoir participé à l'assemblée de Ratisbonne (1524), il tenta en vain d'imposer ses vues réformatrices au concile de Trente, négocia la diète d'Augsbourg (1555) et en donna une interprétation favorable aux protestants.

FERDINAND II de Habsbourg. ♦ (Graz, 1578 — Vienne, 1637). Empereur d'Allemagne (1619-1637). Succédant à son cousin Mathias* II, il se trouva aux prises avec le soulèvement protestant de la Bohême qui fut à l'origine de la guerre de Trente* Ans. Déchu et remplacé par l'Electeur palatin Frédéric* V que la noblesse tchèque avait élu roi, il écrasa son adversaire à la Montagne* Blanche (1620). En 1626, Christian* IV, qui avait repris la tête du parti protestant en Allemagne, était écrasé à son tour (Lutter) et Ferdinand imposait la paix de Lübeck (1629). Les excès de la répression (édit de Restitution) provoquèrent une reprise des hostilités, Gustave* II Adolphe, poussé par la France, intervint et remporta une suite de victoires (Breitenfeld, le Lech*, Lützen*), mais sa disparition permit à l'empereur un rétablissement (Nördlingen*). Il avait été secondé par de brillants généraux (Tilly*, Wallenstein*, Maximilien* de Bavière). On l'accuse généralement d'avoir obéi à un catholicisme et à un autoritarisme excessifs et intransigeants, mais sans doute agissait-il surtout dans le désir de consolider les possessions des Habsbourg.

FERDINAND III de Habsbourg. ♦ (Graz, 1608 — Vienne, 1657). Empereur d'Allemagne (1637-1657), roi de Bohême (1625), roi de Hongrie (1627), roi des Romains. Il succéda à son père Ferdi-

Ph. Cauboue

Ferdinand de Bulgarie rend à Chukri Pacha son épée. (*Le Petit Journal* du 13 avril 1913.)

nand* II : il avait déjà battu avec Gallas* les Suédois à Nördlingen* (1634) et dut continuer la guerre de Trente* Ans contre la Suède et la France, et signer la paix de Westphalie* (1648).

FERDINAND Ier. ♦ (Vienne, 1793 — Prague, 1875). Empereur d'Autriche (1835-1848). Fils aîné de l'empereur François* Ier, il succéda à son père en 1835, mais, faible d'esprit, laissa le pouvoir aux mains d'un conseil de régence présidé par Metternich*. Schwarzenberg* le força à abdiquer après la révolution de 1848, en faveur de son neveu François*-Joseph.

FERDINAND (*prince de* **Saxe-Cobourg-Gotha).** ♦ Roi de Bulgarie (Vienne, 1861 — Cobourg, 1948). Élu, grâce à Stamboulov*, prince de Bulgarie en 1887, il fut ensuite reconnu par la Russie en 1894 et par différents pays européens; gouvernant avec habileté, il réussit à apaiser les tensions internes et à unifier et moderniser la Bulgarie. En 1908, profitant de la révolution des Jeunes-Turcs, il prit le titre de roi ou tsar des Bulgares. Convoitant la Macédoine, il forma une ligue balkanique avec la Serbie et la Bulgarie, qui écrasa rapidement la Turquie (1913); déçu par les traités, il se retourna alors contre la Serbie et, vaincu, perdit ses conquêtes par le traité de Bucarest. Après des hésitations, il fit entrer son pays dans la Première Guerre mondiale aux côtés des Empires centraux et dut abdiquer en faveur de son fils Boris le 3 octobre 1918.

FERDINAND Ier, dit le Grand. ♦ (v. 1017 — 1065). Roi de Castille (1035-1065). Il agrandit son royaume du León et de la Navarre et s'illustra dans la lutte contre les Maures. Il fut le véritable précurseur des grands rois de la monarchie castillane.

FERDINAND II. ♦ (v. 1145 — 1188). Roi de León (1157-1188). Fils d'Alphonse* VII, il fut un remarquable administrateur et poursuivit la *Reconquête* contre les Maures.

FERDINAND III *(saint).* ♦ (1199 — 1252). Roi de Castille et de León (1230-1252). Fils d'Alphonse IX de León et de Bérengère de Castille, il réunit définitivement les deux royaumes (1230), chassa les Maures de Cordoue (1236) et de Séville (1248) et fonda l'université de Salamanque*. Il fut canonisé en 1671.

FERDINAND IV dit l'Ajourné. ♦ (1285 — 1312). Roi de Castille et de León (1295-1310). Il s'empara de Gibraltar en 1310.

FERDINAND Ier d'Aragon, dit le Juste. ♦ (v. 1380 — 1416). Roi d'Aragon et de Sicile (1412-1416). Il s'illustra en combattant victorieusement les Maures de Grenade (1410). Il s'assura le trône d'Aragon et de Sicile et gouverna le royaume avec énergie. Il eut une grande influence en Italie et dans l'empire germanique.

FERDINAND II d'Aragon, dit le Catholique. ♦ (Sos, Aragon, 1452 — Madrigalejo, 1516). Fils de Jean* II d'Aragon, roi d'Aragon et de Sicile (1479-1516), roi de Castille sous le nom de *Ferdinand V* (1474-1504), roi de Naples sous celui de *Ferdinand III* (1504-1516). Son mariage avec Isabelle* de Castille (1469) scella l'unité espagnole, associant à l'expansion atlantique de la Castille les ambitions méditerranéennes de l'Aragon. Il exerça une grande influence dans le gouvernement des deux royaumes, limita l'indépendance de la noblesse, convoqua plus rarement les Cortes et accomplit d'importantes réformes financières et administratives. Sur le plan religieux, il fonda l'Inquisition* (1479), expulsa les juifs (1492) et acheva la *Reconquête* par la prise de Grenade* (1492). Cette politique valut au couple royal le titre de *Rois Catholiques (Reyes Católicos),* décerné par le Pape. À la mort d'Isabelle (1504), Ferdinand devint régent de Castille, conquit la

Navarre, le Milanais, Oran, Bougie et Tripoli (1511) et eut à lutter contre la noblesse. Remarié à Germaine de Foix il n'en eut point d'héritier et accepta d'offrir la couronne à son petit-fils Charles de Gand, déjà roi de Castille. **V. Charles Quint.**

FERDINAND VI, le Sage. ♦ (Madrid, 1713 – Villaviciosa, 1759). Roi d'Espagne (1746-1759). Fils de Philippe* V et de Marie-Louise de Savoie, il participa à la fin de la guerre de Succession* d'Autriche et y gagna Parme et Plaisance. Il eut ensuite un règne pacifique, au cours duquel il maintint l'équilibre entre la France et l'Angleterre, et accomplit d'utiles réformes avec l'aide de son ministre La* Ensenada.

FERDINAND VII. ♦ (San Ildefonso, 1784 – Madrid, 1833). Roi d'Espagne (en 1808, puis 1814-1833), fils de Charles* IV et de Marie*-Louise de Parme. Il rallia autour de lui une opposition hostile à Godoy*, favori de la reine Marie-Louise. Il entra en contact secrètement avec Napoléon. Le 17 mars 1808, l'insurrection d'Aranjuez provoqua l'abdication de Charles IV en sa faveur **(V. Godoy).** Après l'occupation de Madrid par Murat*, Charles IV et Ferdinand se rendirent à Bayonne, contraints par Napoléon qui obtint l'abdication de Ferdinand, le 2 mai 1808, en faveur de Joseph Bonaparte. Ferdinand fut interné au château de Valençay jusqu'en mars 1814. Rentré en Espagne, il abolit la constitution libérale de 1812, restaura l'absolutisme et persécuta les libéraux. Mais après la révolte du général Riego (1820), Ferdinand rétablit un régime libéral, acceptant de remettre en vigueur la constitution de 1812. Encouragés par Ferdinand les royalistes firent alors appel à la Sainte-Alliance, et le duc d'Angoulême lui permit de rétablir un pouvoir absolu. Ayant eu une fille de sa quatrième épouse Marie*-Christine, il abolit la loi salique afin que sa fille Isabelle* lui succédât.

FERDINAND Ier ou **Ferrante.** ♦ (Valence, 1423 – 1494). Roi de Naples (1458-1494). Fils naturel d'Alphonse V d'Aragon, il reçut Naples, lutta victorieusement contre René d'Anjou et chassa les Turcs d'Otrante (1481). Prince de la Renaissance, il tint une cour fastueuse, favorisa le commerce et l'industrie et introduisit l'imprimerie à Naples (1474). – Père de Frédéric Ier, roi des Deux-Siciles.

FERDINAND II, dit **Ferrandino.** ♦ (Naples, 1467 – *id.*, 1496). Roi de Naples (1495-1496). Fils d'Alphonse* II de Naples et petit-fils du précédent, il dut lutter contre Charles VIII de France dont la retraite lui permit de regagner Naples avec l'armée de Gonzalve* de Cordoue.

FERDINAND III, *roi de Naples.* ♦ **V.** FERDINAND II D'ARAGON.

FERDINAND Ier. ♦ (Lisbonne, 1345 – *id.*, 1383). Roi de Portugal (1367-1383). Il succéda à son père Pierre* Ier et s'obstina sans succès à faire valoir ses prétentions au trône de Castille ; il ne put que marier sa fille à Jean Ier de Castille, ce qui devait amener l'invasion du Portugal par les Castillans. Son frère naturel, Jean* Ier, lui succéda.

FERDINAND Ier. ♦ (Sigmaringen, 1865 – Sinaïa, 1927). Roi de Roumanie (1914-1927). Il hérita de son oncle Carol* Ier de Roumanie. Malgré ses origines allemandes, il entra en guerre aux côtés des Alliés (août 1916). Son petit-fils Michel* lui succéda.

FERDINAND Ier. ♦ Roi de Sicile. **V. Ferdinand Ier**, roi d'Aragon.

FERDINAND Ier de Bourbon. ♦ (Naples, 1751 – *id.*, 1825). Roi de Naples sous le nom de Ferdinand IV (1759-1816), puis roi des Deux-Siciles (1816-1825). Il succéda à son père quand celui-ci monta sur le trône d'Espagne (Charles III) et laissa gouverner sa femme, Marie*-Caroline d'Autriche. L'ascendant de John Acton sur celle-ci orienta la Sicile vers l'alliance britannique et la coalition contre la France (1798). Obligé de s'enfuir par deux fois en Sicile et ayant laissé s'accomplir entre-temps une sanglante réaction (1799), il y resta jusqu'en 1815, subissant la domination anglaise qui lui imposa une constitution. À son retour, il abolit les réformes, fit fusiller Murat*, et prit le titre de roi des Deux-Siciles.

FERDINAND II. ♦ (Palerme, 1810 – Caserte, 1859). Roi des Deux-Siciles (1830-1859). Il fut le successeur de François* Ier et délaissa rapidement ses premières tendances libérales. Obligé en 1848 d'accorder une constitution, il fit triompher l'absolutisme quand il eut repris le pouvoir et fait bombarder Messine (d'où son surnom de *Re Bomba*).

FERDINAND Ier, FERDINAND II. ♦ Grands-ducs de Toscane. **V. Medicis.**

FERDINAND III. ♦ (Florence, 1769 – *id.*, 1824). Archiduc d'Autriche, grand-duc de Toscane, deuxième fils de l'empereur Léopold II. Dépouillé de ses États par le Directoire (1799), puis les ayant recouvrés par le traité de Lunéville (1801), il obtint en compensation la principauté de Salzbourg (1803), qu'il échangea contre le grand-duché de Würzburg (traité de Presbourg, 1805). Les événements de 1814 lui rendirent la Toscane.

FERDINAND de Portugal, dit **Ferrand.** ♦ (1186 – Douai, 1233). Comte de Flandre et de Hainaut (1211-1233). Fils de Sanche* Ier, roi de Portugal, il fut marié en 1212 à Jeanne de Flandre par son suzerain Philippe* Auguste. Mais il ne se montra pas un vassal docile et prêta hommage au roi d'Angleterre (1214). Fait prisonnier à la bataille de Bouvines*, il dut céder Lille, Douai et l'Écluse, et resta désormais fidèle à son suzerain français.

FERDINAND d'Espagne (dit le Cardinal-infant). ♦ Cardinal espagnol (Madrid, 1609 – Bruxelles, 1641). Troisième fils de Philippe* III et frère de Philippe* IV, archevêque de Tolède (1619), puis vice-roi de Catalogne et enfin gouverneur des Pays-Bas (1634). Après avoir participé, à la tête d'une armée espagnole, à la bataille de Nördlingen* (1634), il se distingua aux Pays-Bas comme administrateur et comme capitaine ; il arrêta l'invasion franco-hollandaise et parvint, en France, jusqu'à Corbie* (1636).

FERDUSI. ♦ **V.** FIRDŪSĪ.

FÈRE (La). ♦ Ch.-l. de cant. de l'Aisne*, au confluent de la Serre et de l'Oise* (arr. de Laon*). 4 399 hab. *(Laférois).* Église XIIIe-XVe s. (façade moderne). ♦ *Hist.* Anc. place forte, la ville eut à soutenir de nombreux sièges. En 1595, elle résista plusieurs mois à Henri IV. Pendant la Première Guerre mondiale, ce fut un bastion important de la ligne Hindenburg.

FÈRE-CHAMPENOISE. ♦ Ch.-l. de cant. de la Marne, arr. d'Épernay, sur la Vaure. 2 195 hab. *(Fertons).* Église (tour du XIIIe s., chœur du XVe s.). – Indus. alimentaire et textile. ♦ *Hist.* Défaite française en 1814 lors de la campagne de France.

FÈRE-EN-TARDENOIS (La). ♦ Ch.-l. de cant. de l'Aisne* sur la r. d. de l'Ourcq (arr. de Château-Thierry). 2 804 hab. *(Férois).* Vestiges d'un important château fort (XIIIe-XVIe s.). Église gothique et Renaissance (XVe-XVIe s.). Halle anc., dont la construction remonte à 1540 (un des rares édifices de cette époque conservés en France). Constructions métalliques, fabriques de tuyaux et de fil électrique. ♦ *Hist.* De durs combats s'y déroulèrent en 1918.

FERENCZI (Sandor). ♦ Neurologue et psychiatre hongrois (Miskolc, 1873 – ?, 1933). Disciple et ami de S. Freud* à partir de 1907, il fut un des principaux promoteurs de la psychanalyse tant sur le plan thérapeutique que théorique. Il a publié de nombreuses études sur les symptômes névrotiques et l'hystérie et surtout *Thalassa, psychanalyse des origines de la vie sexuelle* (1924). « Application du point de vue psychanalytique à la biologie des processus sexuels, et, bien au delà, à la vie organique tout entière » (S. Freud), cette œuvre, reprenant la loi biogénétique fondamentale de Haeckel, établit un parallélisme entre les étapes du développement sexuel et affectif de l'individu (ontogenèse) et de l'espèce (phylogenèse).

FERGÂNA ou **FERGHÂNA.** *n. m.* ♦ Vallée d'U.R.S.S. faisant partie de l'Ouzbékistan*, du Kirghizistan* et du Tadjikistan*, et formant une dépression fertile dans les monts T'ien*-shan (Tianshan). Env. 22 000 km². Alt. 30 à 1 020 m. Sa partie centrale est une plaine désertique. Arrosé par le Syr*-Dariâ, le Fergâna est l'une des principales régions en U.R.S.S. où on pratique la culture intensive du cotonnier. Extraction et raffineries de pétrole, constructions mécaniques, indus. textiles. *V. princ.* **V. Andijan, Fergâna, Kanibadam, Kokand, Leninâbâd, Namangan, Och.** ♦ *Hist.* Conquis par les Arabes dès 719, ravagé par Temüjin* et Tîmûr*-i Lang, annexé par les Ouzbeks qui y fondèrent le khanat de Kokand* au XVIIIe s., le Fergâna fut annexé par la Russie en 1875 et Skobelev* fut nommé gouverneur de la région.

FERGÂNA ou **FERGHÂNA,** anc. **Novyi Marghelan,** puis **Skobelev** (1907-1924). ♦ V. d'U.R.S.S. (Ouzbékistan*), ch.-l. de la région du même nom (10 300 km². 1 324 000 hab.) dans le S. de la vallée de Fergâna. 111 000 hab. Indus. textiles (coton, soie) et alimentaires.

Ph. Nimatallah/Ricciarini

Ferdinand VII, par Goya.
(Académie San Fernando, Madrid.)

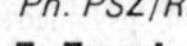

Ph. PSZ/Ricciarini

E. Fermi.

Arch. Rencontre

P. de Fermat.

FERGUSSON (James). ♦ Archéologue écossais (Ayr, Écosse, 1808 – Londres, 1886). Il visita l'Europe et l'Asie (Inde, Chine) et publia une *Description des temples de l'Inde* (1845), un ouvrage sur *L'Architecture ancienne de l'Hindoustan* (1847), une *Histoire de l'architecture ancienne et moderne* (1865), etc.

FERLO. *n. m.* ♦ Région du centre du Sénégal*, comprise entre le fl. Sénégal* et l'enclave de la Gambie*, parfois qualifiée de désert (nappe phréatique très profonde). Elle est constituée de grès siliceux et de sables, couverts d'une savane aux maigres arbustes épineux. Les oueds Saloum* et Ferlo (affl. du Sénégal) y ont des cours intermittents. Les Peuls y pratiquent l'élevage. *V. Princ.* **V. Linguère.**

FERMANAGH *(comté de).* ♦ Comté du S.-O. de l'Ulster (Irlande du Nord) s'étendant de part et d'autre du *Lough Erne.* 1 691 km². 53 000 hab. – *Ch.-l.* Enniskillen*. – L'agriculture et l'élevage prédominent. À l'indus. textile traditionnelle (fil de coton, tweed), toujours vivace, s'est adjointe la fabrication de tissus en fibres synthétiques (nylon).

FERMAT (Pierre *de***).** ♦ Mathématicien français (Beaumont-de-Lomagne, 1601 – Castres, 1665). Passionné par les mathématiques, et bien que partisan de démonstrations synthétiques serrées, il passa d'une découverte à une autre sans prendre le temps bien souvent de l'exposer, donnant seulement les résultats. Ses travaux qui nous sont parvenus en font cependant un des plus grands mathématiciens de son temps. Il inventa, avec Pascal*, le calcul des probabilités [1654] **(V.** *aussi* **Huygens);** ses travaux sur l'analyse diophantienne **(V. Diophante)** l'amenèrent à créer la théorie des nombres (1658), les principales découvertes en étant : la méthode de descente infinie, le « petit théorème de Fermat », des propositions diverses (nombres parfaits, nombres premiers, carrés magiques), le « grand théorème de Fermat » ($x^n + y^n = z^n$ pour $n > 2$ est impossible en nombres rationnels; la démonstration, qui ne nous en est pas parvenue, n'a jamais pu être faite), l'équation de Pell*-Fermat. Il semble également avoir imaginé les principes de la géométrie analytique un peu avant Descartes*, parvenant à la notion de propriété spécifique d'une courbe; il conçut les principes fondamentaux du calcul infinitésimal (1629) qui ne seront publiés qu'en 1679 parmi ses principaux écrits *(Varia Opera Mathematica).* **V. Leibniz, Newton.** Citons enfin le principe d'optique qui porte son nom et qui, légèrement transformé, devient l'un des plus importants principes de la mécanique (principe de moindre action). – *Principe de Fermat :* en optique géométrique, principe selon lequel la lumière, pour aller d'un point à un autre, prend le chemin de durée minimale ou maximale.

FERMI (Enrico). ♦ Physicien italien (Rome, 1901 – Chicago, 1954). Spécialiste de physique nucléaire, il généralisa le principe de Pauli* dans le cas des électrons (1926), élaborant une statistique quantique qui explique notamment les propriétés des électrons dans les métaux (statistique de Fermi et Dirac*). **V. Einstein** et **Bose.** Ayant découvert que l'emploi du neutron permettait de provoquer la transmutation des atomes lourds, il obtint de cette façon des isotopes radioactifs de très nombreux éléments puis en 1934, réalisa la première fission de l'uranium. **V. Frisch, Joliot-Curie.** En 1936, il établit la théorie du neutrino. **V. Pauli.** Opposé à Mussolini, il partit pour les États-Unis en 1939, il y construisit la première pile atomique à uranium et graphite (Chicago, 1942). On lui doit également des travaux sur la physique des plasmas, notamment l'étude des bras spiraux des galaxies avec Chandrasekhar* (1953). **V.** *aussi* **Alfvén.** (Prix Nobel de phys., 1938.)

FERNANDEL (Fernand CONTANDIN, dit**).** ♦ Acteur français (Marseille, 1903 – Paris, 1971). Il débuta au café-concert dans l'emploi des comiques troupiers, interpréta l'opérette et la comédie, mais c'est au cinéma qu'il dut une exceptionnelle popularité, durant plus de quarante années. Tour à tour naïf, rusé, émouvant et pudique, mais toujours d'une irrésistible drôlerie, il a excellé dans les films de M. Pagnol (*Angèle,* 1934; *Regain,* 1937; *Le Schpountz,* 1938; *La Fille du puisatier,* 1940) ainsi que dans la série des *Don Camillo* et dans de nombreuses autres compositions.

FERNANDES (Mateus). ♦ Architecte portugais (? – 1518). Il travailla comme maître d'œuvre au monastère de Batalha* à partir de 1490, et y réalisa notamment le portail monumental de la rotonde des *Capelas imperfeitas* (chapelles inachevées), l'un des plus brillants exemples du style manuélin.

FERNÁNDEZ (Diego). ♦ Capitaine et historien espagnol (Pabucia, v. 1520 – Séville, 1581). Il est connu par son histoire du Pérou (*Primera y segunda parte de la historia del Perú,* 1571).

FERNÁNDEZ (Juan). ♦ Navigateur espagnol du XVIᵉ s. (Cartagène, v. 1536 – v. 1599). Il explora les côtes du Chili, découvrit les îles San Felice (ou San Félix) et, plus au sud, celles qui portent son nom (et où séjourna pendant quatre ans Alexandre Selkirk qui a inspiré De Foe dans son *Robinson Crusoé*).

FERNANDO DE NORONHA. ♦ Archipel du Nordeste brésilien, situé au large de la côte atlantique, constituant un petit territoire de 26 km², compris dans le Pernambouc*. Colonie pénitentiaire. 2 000 hab. dont 1 400 forçats environ.

FERNANDO PÓO ou **FERNANDO PO.** ♦ Île volcanique de la Guinée* équatoriale, dans le golfe de Guinée, face au mont Cameroun*. 90 000 hab. *Ch.-l.* Santa* Isabel. Production de cacao, café, banane, huile. L'île a pris de nom de MACIAS NGUEMA en 1973.

FERNEL (Jean). ♦ Astronome, mathématicien et médecin français (Clermont-en-Beauvaisis, 1497 – Paris, 1558). Reprenant la méthode de mesures directes des Anciens **(V. Eratosthène),** il entreprit la détermination de la longueur du degré du méridien en mesurant la hauteur méridienne du Soleil et en évaluant la distance Paris-Amiens. Il fut également l'un des plus grands médecins de son siècle, appelé le Galien* moderne; auteur de la première étude monographique moderne sur la physiologie [*De naturali parte medicinae,* 1542] **(V. Vésale),** il guérit Diane de Poitiers* d'une grave maladie et devint médecin d'Henri* II.

FERNEY-VOLTAIRE. ♦ Ch.-l. de cant. de l'Ain* (arr. de Gex*), à la frontière suisse. 3 250 hab. *(Ferneysiens).* Le château conserve quelques souvenirs de l'époque de Voltaire. – Fabrication de grès; poteries; tuilerie. Accès direct à l'aéroport de Genève-Cointrin. ♦ *Hist.* Le village fut créé par Voltaire en 1760 autour du *château de Ferney* où il vécut de 1758 à 1778.

FÉROÉ ou **FAEROE** *(îles),* en danois **Faerøerne** (de *Faer,* mouton), en féroïen **Føroyar.** ♦ Archipel danois de l'Atlantique N., à 350 km au N. de l'Écosse, composé de 17 îles habitées plus quelques îlots. *Îles princ.* Strømø, Østerø, Vågø, Syderø, Sandø et Bordø. 1 400 km². 37 100 hab. (*Féringiens* ou *Féroïens*). *Ch.-l.* Thorshavn (dans Strømø). *Langue :* féroïen. – Les Féroé forment un département danois bénéficiant de l'autonomie pour les affaires d'intérêt local et représenté par deux députés au Parlement. Les îles sont formées de crêtes basaltiques pouvant dépasser 800 m et séparées par des chenaux. Le *climat,* océanique, est influencé par le Gulf Stream : l'amplitude thermique est faible. Les précipitations sont fréquentes et abondantes. – *Écon.* Cultures de pommes de terre, d'orge et de raves. Élevage de moutons, chevaux et bovins. Pêche côtière et de haute mer. – Patrie de N. Finsen*. ♦ *Hist.* Colonisées au IXᵉ s. par les Norvégiens, ces îles devinrent danoises par l'Union de Kalmar (1397). Occupées par l'Angleterre de 1807 à 1814, elles furent rendues au Danemark en 1814. Elles obtinrent l'autonomie locale en 1948. L'Assemblée législative reste favorable au maintien des liens constitutionnels avec le Danemark.

FERRANTE. ♦ V. FERDINAND Iᵉʳ, roi de Naples.

FERRARE, en it. **Ferrara.** ♦ V. d'Italie du N.-E., en Emilie*. Ch.-l. de prov. sur le cours inférieur du Pô. 158 000 hab. Archevêché. Université (fin XIVᵉ s.). Cathédrale de style lombard (XIIᵉ-XIIIᵉ s.) avec un campanile Renaissance dû à L.B. Alberti. Château d'Este (XIVᵉ-XVIᵉ s.). Nombreux palais Renaissance. Musée gréco-étrusque. Indus. chimiques. – Patrie de Frescobaldi*, Savonarole*. ♦ *Hist.* Un concile, opposé à celui de Bâle (concile de Ferrare-Florence), s'y déroula de 1438 à 1445. Du XIIIᵉ au XVIᵉ s., la ville fut annexée par la maison d'Este* qui en fit un centre intellectuel et artistique. Une célèbre école de peinture y fleurit autour de Cosme Tura*, de Francesco del Cossa* et d'Ercole de' Roberti*. En 1598, la ville devint possession de l'Eglise. Occupée tour à tour par les Français (1797) et par les Autrichiens, elle fut intégrée au royaume d'Italie en 1860.

FERRARI (Ludovico). ♦ Mathématicien italien (Bologne, 1522 – *id.,* 1565). Élève de Cardan*, il donna la résolution de l'équation du quatrième degré dans un chapitre de l'*Ars Magna* de son maître. **V. Ferro.**

FERRAT *(cap).* ♦ Presqu'île de la Méditerranée, arr. des Alpes*-Maritimes, sur laquelle est située la station de Saint-Jean*-Cap-Ferrat.

FERRÉ (dit **le Grand).** ♦ Patriote français (Rivecourt, Picardie, v. 1330 – ?). Après avoir participé à la Jacquerie, il se rendit célèbre par ses exploits contre les Anglais lors de la guerre de Cent* Ans.

FERRÉ (Charles-Théophile). ♦ Révolutionnaire français (Paris, 1845 – 1871). Disciple d'A. Blanqui*, il fut membre de la Commune de Paris (1871) et prit part à la résistance contre les versaillais par lesquels il fut fusillé le 2 septembre 1871.

FERRÉOL *(saint).* ♦ Il existe plusieurs saints de ce nom : un martyr à Besançon avec saint Ferjeux (IIIᵉ s.); un soldat martyr à Vienne, Dauphiné (IIIᵉ s.); un évêque de Limoges (v. 520-591)

Coll. Rui Nogueira

Fernandel, dans « Ignace ».

mentionné par Grégoire de Tours; un abbe-évêque d'Uzès (mort en 581), auteur d'une règle monastique *(Regula Ferreoli)* inspirée de celle de saint Césaire* d'Arles.

FERRER (Jaime). ♦ Navigateur catalan du XVe s. né à Vidreras (Gérone). C'est lui qui traça la ligne de démarcation (à 370 lieues à l'ouest des îles du Cap-Vert) partageant le Nouveau Monde entre l'Espagne et le Portugal lors de la controverse qui opposa Jean II de Portugal à Ferdinand et Isabelle d'Espagne (traité de Tordesillas, 1494).

FERRER GUARDIA (Francisco). ♦ Anarchiste espagnol (près de Barcelone, 1859 – Barcelone, 1909). Secrétaire du leader des républicains radicaux Ruiz Zorrilla, il s'orienta très tôt vers l'anarchisme et dut se réfugier à Paris (1885). De retour en Espagne, il ouvrit dans les faubourgs de Barcelone une école laïque et rationaliste (1901), puis une maison d'édition. Jugé idéologiquement responsable des émeutes anticléricales au moment de la guerre du Maroc (1909), il fut condamné à mort et fusillé.

FERRERO (Gugliemo). ♦ Historien italien (Portici, 1871 – Mont-Pèlerin, Genève, 1943). Élève de Lombroso*, connu lui-même comme criminaliste, journaliste et sociologue, il doit surtout sa renommée à son ouvrage *Grandeur et décadence de Rome* (1902-1907), suivi de *Ruine de la civilisation antique* (1921). Dans sa brillante description et analyse du développement de la civilisation romaine, il insiste sur le rôle des facteurs économiques et sociaux. Opposé au régime fasciste, Ferrero quitta en 1930 l'Italie pour la Suisse, où il fut titulaire d'une chaire universitaire. Il avait épousé Gina Lombroso, fille du criminaliste.

FERRET. ♦ Nom de deux vallées de Suisse et d'Italie, sur le versant oriental du mont Blanc, séparées par le *Grand Col Ferret* (2 543 m).

FERRI (Enrico). ♦ Criminologue et homme politique italien (San Benedetto Po, prov. de Mantoue, 1856 – Rome, 1929). Élève de Lombroso*, il appartint à l'école positiviste de sociologie et fut un des fondateurs de la criminologie moderne. Socialiste puis marxiste orthodoxe (1893), il adhéra par la suite au fascisme.

FERRIÉ (Gustave). ♦ Général et savant français (Saint-Michel-de-Maurienne, Savoie, 1868 – Paris, 1932). Il se consacra à l'établissement d'une télégraphie sans fil puissante et perfectionnée. Après avoir mis au point le détecteur électrolytique (1900), ses travaux (1903-1908) permirent de faire passer la portée de l'émetteur de la tour Eiffel de 400 à 6 000 km, firent de la radio-télégraphie militaire française la première de l'armement allié durant la Première Guerre mondiale; il remplaça les ondes amorties par les ondes entretenues, fit construire les lampes triodes par son collaborateur H. Abraham* **(V. De Forest)**; il réalisa des postes émetteurs-récepteurs pour la marine et les colonies dont il équipa le réseau. Ses disciples étudièrent particulièrement les ondes courtes qui permirent d'établir le principe du radar. **V. Watson-Watt.** (Acad. sc., 1922.)

FERRIÈRE (Adolphe). ♦ Pédagogue suisse (Genève, 1879 – *id.*, 1960). Partisan d'une réforme scolaire, il créa un établissement expérimental à Glarisegg (Suisse), puis l'Office international des écoles nouvelles (1899), enfin la Ligue internationale pour les écoles nouvelles (Calais, 1921). Il a insisté dans ses ouvrages sur la nécessité de laisser s'exprimer la spontanéité de l'enfant, de promouvoir un enseignement capable d'éveiller son intérêt et de le préparer à la vie active. (*Transformons l'école,* 1920; *L'Autonomie des écoliers,* 1921; *L'École active,* 1922.)

FERRIÈRE-LA-GRANDE. ♦ Comm. du Nord (arr. d'Avesnes-sur-Helpe). 5 346 hab. – Machines-outils pour l'indus. des matières plastiques. – Monastère de dominicaines.

FERRIÈRES. ♦ Comm. de la Seine-et-Marne, arr. de Meaux. 943 hab. Château reconstruit au XIXe s.; église (XIIIe siècle). ♦ *Hist.* Après la capitulation de Sedan (2 sept. 1870) et la chute de l'Empire (4 sept.), J. Favre* eut à Ferrières une entrevue avec Bismarck* pour négocier un éventuel armistice (19-20 sept.); mais la fermeté du gouvernement de la Défense* nationale, qui, le 6 septembre, avait affirmé son refus de toute cession territoriale, fit échouer les conférences.

FERRIÈRES ou **FERRIÈRES-EN-GÂTINAIS.** ♦ Ch.-l. de cant. du Loiret, arr. de Montargis. 1 581 hab. *(Ferriérois).* – Église (XIIe-XIIIe siècle). Anciens bâtiments conventuels (XVe siècle).

FERRIÈRES-EN-BRAY. ♦ Comm. de la Seine*-Maritime (arr. de Dieppe), dans le pays de Bray. 1 332 hab. Cidrerie, fromagerie (usines Gervais).

FERRO (Scipione del). ♦ Mathématicien italien (Bologne, 1465? – 1526). Il découvrit la résolution d'une forme réduite de l'équation du troisième degré ($x^3 + px + q = 0$), première étape dans la découverte de la résolution générale. **V. Cardan, Ferrari, Tartaglia.**

FERROL (El), dit **El Ferrol del Caudillo.** ♦ V. d'Espagne septentrionale, en Galice, près de La Corogne. 74 800 hab. Port militaire. Patrie du général Franco*.

FERROUD (Pierre Octave). ♦ Compositeur français (Chasselay, Rhône, 1900 – Debrecen, Hongrie, 1936). Élève de F. Schmitt et de G. Ropartz, il a affirmé, au cours de sa brève existence, une personnalité riche de contrastes et de vitalité. Son œuvre comprend une symphonie, de la musique de chambre (sonates, trio, quatuor à cordes), deux poèmes symphoniques, *Foules* (1924), *Au parc Monceau* (1925), un opéra bouffe, *Chirurgie* (1928). Avec J. Rivier et E. Bondeville, il fut le fondateur du *Triton* (1932), société de musique de chambre contemporaine dont l'activité, d'une portée internationale, fut particulièrement féconde pour les jeunes musiciens français.

FERRUS (Guillaume Marie André). ♦ Médecin français (Château-Queyras, Dauphiné, 1784 – Paris, 1861). Assistant de Pinel, médecin en chef de l'hôpital Bicêtre, puis inspecteur général des établissements d'aliénés (1835), il préconisa des réformes dans le traitement des aliénés (insistant entre autres sur le rôle du travail physique) et l'organisation des asiles; il fut, avec Esquirol*, à l'origine de la loi de 1838 sur l'hospitalisation dans les établissements publics et privés et la protection des malades et de leurs biens, loi qui contribua au développement du système asilaire en France. Ferrus a laissé de nombreux ouvrages de médecine légale psychiatrique.

FERRY (Jules François Camille). ♦ Avocat et homme politique français (Saint-Dié, 1832 – Paris, 1893). Rédacteur au *Temps,* il se fit connaître à la fin de l'Empire en publiant des brochures dénonçant les abus du régime *(Les Comptes fantastiques d'Haussmann*)*. Député républicain au Corps législatif (1869), il fut nommé préfet de la Seine puis maire de Paris après la déchéance de l'empereur (4 septembre 1870). Chargé du ravitaillement de la population et du maintien de l'ordre pendant le siège de la capitale, il se rendit rapidement impopulaire, au point de recevoir le surnom de *Ferry-la-Famine.* Député en 1871, ministre plénipotentiaire en Grèce (1872-1873), ce républicain positiviste et anticlérical siégea à l'Assemblée nationale dans l'opposition au régime de Mac-Mahon et, après la démission de ce dernier (janvier 1879), occupa tour à tour les postes de ministre de l'Instruction publique et des Beaux-Arts (février 1879-novembre 1881, janvier-août 1882, février-novembre 1883), de président du Conseil (septembre 1880-novembre 1881, février 1883-mars 1885). Dans ces différentes fonctions, il fit adopter, en collaboration avec F. Buisson* et C. Sée*, les principales mesures de réforme de l'enseignement public : laïcité, gratuité, caractère obligatoire de l'enseignement primaire, extension de l'enseignement secondaire d'État aux jeunes filles, 1880-1881. Il contribua à établir les grandes libertés publiques (libertés de réunion, de presse, liberté syndicale) et à réorganiser l'administration locale (élection des maires par les conseillers municipaux). Enfin, il donna un essor considérable à la politique coloniale de la France (protectorat sur la Tunisie par le traité du Bardo*, 1881; colonisation de Madagascar, conquête du Bas-Congo par Brazza*, conquête du Tonkin). Sa politique coloniale lui attira l'hostilité de l'opposition (en particulier de Clemenceau*), et, après l'incident de Lang*-son (mars 1885), qui lui valut le surnom de *Ferry-Tonkin,* il dut donner sa démission. Membre du Sénat (1891), il en assura la présidence.

FERRYVILLE. ♦ V. MENZEL-BOURGUIBA.

FERSEN [fɛʀsɛn]. ♦ Famille noble suédoise. ♦ FREDRIK AXEL, *comte de* FERSEN (Stockholm, 1719 – *id.*, 1794). Feld-maréchal suédois. Il défendit les privilèges de la noblesse contre le pouvoir royal. ♦ HANS AXEL, *comte de* FERSEN (Stockholm, 1755 – *id.*, 1810), fils de Fredrik Axel. Il participa à la guerre d'Indépendance américaine sous les ordres de Rochambeau. Très amoureux de la reine Marie*-Antoinette, il favorisa la fuite de la famille royale en 1791. Rentré en Suède, il fut accusé d'avoir empoisonné le prince royal Christian Auguste et fut lapidé par le peuple lors des funérailles.

FERTÉ-ALAIS (La). ♦ Ch.-l. de cant. de l'Essonne (arr. d'Étampes), sur l'Essonne. 1 448 hab. *(Fertois).* Anc. place forte. Église Notre-Dame (XIe-XIIe siècle). – *Ferté,* dans ce nom comme dans les suivants, est une forme ancienne de *fermeté* « forteresse ».

FERTÉ-BERNARD (La). ♦ Ch.-l. de cant. de la Sarthe, arr. de Mamers, sur l'Huisne. 8 039 hab. *(Fertois).* Église Notre-Dame-des-Marais, de style gothique flamboyant et Renaissance, possédant un précieux ensemble de verrières des XVe et XVIe siècles. Porte Saint-Julien, XVe s., vestige de l'anc. rempart. Aqueduc du XVe siècle. Halles en charpente du XVIe s., auj. salle des fêtes. Hôtels et maisons anciennes. – Métallurgie. Appareillage électrique et électronique. Textile. Caoutchouc. Cartonnage. – Patrie de Jehan Texier, dit Jehan de Beauce, architecte et sculpteur, constructeur du clocher neuf de la cathédrale de Chartres*, de Robert Garnier*.

FERTÉ-GAUCHER (La). ♦ Ch.-l. de cant. de la Seine-et-Marne (arr. de Provins), sur le Grand Morin. 3 258 hab. *(Fertois).* Église (XIIIe s., remaniée au XVIe siècle). – Briqueterie ; minoteries ; matériel sanitaire.

FERTÉ-MACÉ (La). ♦ Ch.-l. de cant. de l'Orne*, arr. d'Alençon*. 7 136 hab. *(Fertois).* Marché agricole, petit centre industriel (textiles, chaussures, bois, matières plastiques).

FERTÉ-MILON (La). ♦ Comm. de l'Aisne* (arr. de Château-Thierry) sur l'Ourcq*. 1 803 hab. *(Fertois).* Ruines d'un château du XIVe s. Église Saint-Nicolas (XVe-XVIe s.); église Notre-Dame (XIIe-XVIIe s.). Patrie de J. Racine*. Plastiques, stylos.

FERTÉ-SAINT-AUBIN (La). ♦ Ch.-l. de cant. du Loiret, arr. d'Orléans. 4 307 hab. *(Fertésiens).* – Château (XVIIe s.). Église XIIe et XVIe s. – Fonderies. Armement. Outillage.

FERTÉ-SOUS-JOUARRE (La). ♦ Ch.-l. de cant. de la Seine-et-Marne (arr. de Meaux), au confluent de la Marne et du Petit Morin. 6 227 hab. Gisements de pierre meulière ; fabrication de meules et de matériel de meunerie. Papeterie. Bonneterie.

FERTÉ-VIDAME (La). ♦ Ch.-l. de cant. d'Eure-et-Loir, arr. de Dreux. 657 hab. *(Fertois).* Château du XIXe s. C'est à La Ferté-Vidame que Saint-Simon rédigea ses *Mémoires.*

FERTÖ *(lac).* ♦ **V.** NEUSIEDL.

FÈS ou **FEZ.** ♦ V. du Maroc, ch.-l. de prov. et préf. urbaine située dans la *plaine de Fès* (Saïs), bassin fertile des causses du Moyen Atlas, et sur l'*oued Fès,* affl. de g. du Sebou*. 217 000 hab. *(Fassis).* Centre religieux et universitaire musulman. Remparts percés de portes (Bâb Boujeloud). Mosquées (Andalous et Qarawiyyîn). Medersas (el Attarîn). Palais impérial. Tombeau des Marînides au N.-E. de *Fès el- Bali,* quartier le plus ancien qui se distingue de *Fès el-Djedid* tandis que la ville européenne se situe plus au sud-ouest. Patrie de Muhammad* V ibn Yusuf. La *prov. de Fès* compte 830 000 hab. ♦ *Hist. Fès el-Bali* fut fondée en 809 par Idris II et se peupla d'émigrés venus d'Espagne et de Kairouan. Au XIe s. les Almoravides en firent une des cités les plus importantes du Maroc et du XIIIe au XVe s. elle devint la capitale des Marînides* qui fondèrent *Fès el-Djedid* (la nouvelle ville) tandis que la ville

Arch. Rencontre

Fès : cuves de tanneurs.

continuait à se peupler de réfugiés andalous. En 1911, Fès fut occupée par les troupes françaises, appelées par le sultan Mûlây Hâfiz, assiégé dans son palais par les Berbères révoltés. Quelques mois plus tard (mars 1912), le sultan signa la *Convention de Fès,* établissant le protectorat français sur le Maroc. En nov. 1912, la France assigna à l'Espagne une zone N. **(V. Rif)** et une zone S. **(V. Ifni** et **Tarfaya). V.** *aussi* **Maroc espagnol.**

FESCH [fɛʃ] **(Joseph).** ♦ Prélat français (Ajaccio, 1763 – Rome, 1839); oncle maternel de Napoléon Ier. Archidiacre à Ajaccio (1793), il renonça à la prêtrise et fut nommé commissaire des guerres à l'armée d'Italie. À nouveau homme d'église (1800), il fut nommé archevêque de Lyon (1802), puis cardinal (1803). Ambassadeur auprès du Saint-Siège, il décida le pape Pie* VII à venir couronner Napoléon. Bien qu'il fût comblé d'honneurs et nommé grand aumônier de l'Empire, comte, puis sénateur (1805), il s'opposa à la conduite de Napoléon envers le pape et fut alors disgracié. En 1814, il se retira à Rome.

FESSENHEIM. ♦ Comm. du Haut-Rhin*. arr. de Guebwiller*. 869 hab. Centrale hydro-électrique sur le grand canal d'Alsace*, production annuelle de 1 016 000 kWh.

Festin de pierre (Le). ♦ **V.** DON JUAN.

FET (Afanasi Afanasievitch CHENCHINE [*Šenšin*]**).** ♦ Poète russe (Novosselski, près de Mtsensk, 1820 – Moscou, 1892). Il fut le grand défenseur de la poésie pure et de « l'art pour l'art ». Son œuvre, peu abondante, a surtout pour sujet la nature et la nuit : *Un murmure, un souffle étouffé...* (1850), *Pluie printanière* (1859), *Feux du soir* (1883) qui est le titre d'une série de petits volumes rassemblant ses meilleures poésies. Tchaïkovski a dit de lui : « On peut dire que Fet sort des limites de la poésie et empiète sur notre domaine. Il n'est pas simplement poète, il est poète-musicien. »

FÉTIS (François Joseph). ♦ Musicologue et compositeur belge (Mons, 1784 – Bruxelles, 1871). Élève de Boieldieu. il fut professeur de composition au conservatoire de Paris (1821), puis directeur du conservatoire de Bruxelles (1833). Théoricien de la musique, il a laissé des ouvrages qu'il destinait à la formation du compositeur, de l'interprète et de l'auditeur. Puriste rigoureux attaché à la défense des valeurs classiques, historien et érudit, il fut un des précurseurs de l'ethno-musicologie. Son œuvre comprend un *Traité complet de la théorie et de la pratique de l'harmonie* (1844), une *Biographie universelle des musiciens et bibliographie générale de la musique* (1835-1844, 8 vol.) et une *Histoire générale de la musique* (1869-1876, 5 vol.) demeurée inachevée. Illustrant tous les genres, son œuvre de compositeur n'a pu atteindre à la pérennité.

FEUARDENT (François). ♦ Moine et prédicateur français (Coutances, 1539 – Paris, 1610), de l'ordre des Frères mineurs observants (Cordeliers). Il fut l'un des plus violents meneurs de la Ligue, célèbre par ses invectives contre les protestants, Henri III et Henri IV.

FEUERBACH (Paul Johann Anselm *von***).** ♦ Jurisconsulte allemand (Hainichen, près d'Iéna, 1775 – Francfort-sur-le-Main, 1883). Père du philosophe Ludwig Feuerbach*, il fut un des instigateurs de la réforme judiciaire en Bavière (abolition de la torture, rédaction du Code pénal, 1813, puis du Code Maximilien). Comme criminaliste, il soutint un des premiers la thèse de la relativité et de la contrainte psychologique. Il prit également une part active au mouvement nationaliste (1813-1814), publiant une brochure *Sur la liberté allemande* (1814).

FEUERBACH (Ludwig). ♦ Philosophe allemand (Landshut, 1804 – Rechenberg, près de Nuremberg, 1872). D'abord disciple de Hegel, il s'orienta peu à peu vers l'athéisme. Devenu le chef de file des « jeunes hégéliens » **(V. Hégélianisme),** il publia une *Contribution à la critique de la philosophie hégélienne,* puis son œuvre centrale *L'Essence du christianisme* (1841). En faisant de Dieu et de ses attributs (Raison, Amour, Volonté) l'essence de l' homme objectivée (aliénée) et en considérant l'aliénation religieuse comme un moment de l'histoire humaine, nécessaire mais à dépasser, il affirmait que l'anthropologie est « le secret de la théologie ». Après les *Principes de la philosophie de l'avenir* (1842), sa pensée s'infléchit vers un naturalisme matérialiste, en partie à la suite d'une polémique avec M. Stirner* (*Sciences naturelles et Révolution,* 1850). L'humanisme athée et matérialiste de Feuerbach est généralement interprété à la lumière des analyses et des critiques qu'en firent Marx* et Engels* ; mais il contribua aussi, en raison de son caractère religieux, au renouvellement de la théologie protestante.

FEUERBACH (Anselm *von***).** ♦ Peintre et dessinateur allemand (Spire, 1829 – Venise, 1880). Neveu du précédent, fils de l'archéologue et philologue (1798 – 1851), il étudia à Düsseldorf, Munich et à Paris (de 1850 à 1852), auprès de Thomas Couture* qui exerça sur lui une influence déterminante. Attiré par l'Italie, il y séjourna de 1855 à 1873, puis devint professeur à Vienne jusqu'en 1876. De son œuvre, en grande partie tributaire des schémas académiques, se dégage le sentiment romantique et nostalgique d'une antiquité idéale. Il représenta avec un certain éclectisme stylistique de grandes compositions figées et théâtrales (*Banquet de Platon,* 1873), des figures à l'antique (*Médée en fuite,* 1869) et des portraits plus sensibles et vigoureux (*Nanna Risi, La Belle-Mère de l'artiste,* 1878).

FEUILLADE (Louis). ♦ Réalisateur français de cinéma (Lunel, 1874 – Paris, 1925). Travailleur à l'activité prodigieuse (plus de 800 films en vingt ans). il a affranchi le cinéma des contraintes et des artifices que lui imposaient le « film d'art » et ses vedettes grandiloquentes pour lui donner le sens du réel, de la simplicité (Série de « La vie telle qu'elle est » : *La Tare, Les Braves Gens,* 1911-1913, série enfantine des « Bébé » et des « Bout de Zan », 1913-1917) et d'une poésie fantastique qui devait faire l'enchantement des surréalistes (Série des films à épisodes : *Fantômas,* 1913-1914 ; *Les Vampires,* 1915 ; *Judex,* 1917). À cette école d'un naturalisme inspiré d'Antoine et qui n'excluait pas la poésie la plus ingénue, il sut aussi former des comédiens comme Musidora et des metteurs en scène (Henri Fescourt, Jacques Feyder*, René Clair*).

Feuillants (Club des). ♦ Club né, après l'affaire du Champ*-de-Mars (17 juillet 1791), de la scission du Club des jacobins* que quittèrent les modérés, hostiles à la déchéance de Louis XVI et partisans du maintien d'une monarchie constitutionnelle. Parmi eux La* Fayette, Barnave*, Duport*, les frères Lameth*, Beugnot*, Sieyès*, Girardin*, Pastoret*, etc., animèrent le Club qui se réunissait au couvent des *Feuillants,* rue Saint-Honoré. Plus de deux cents députés de l'Assemblée législative (aile droite de l'Assemblée) s'y inscrivirent. Ses positions étaient exprimées dans le *Logographe* et *L'Indicateur.* Après la journée révolutionnaire du 10 août 1792, les partisans d'une république bourgeoise, libérale (brissotins et girondins) remplacèrent les monarchistes constitutionnels.

Feuilles d'automne (Les). ♦ Recueil de poésies lyriques de V. Hugo* (1831), qui manifeste son ambition d'atteindre à une poésie de la totalité, obéissant à une triple inspiration : confidences personnelles, questions politiques et problèmes religieux ou philosophiques. « Ce sont des vers [...] de l'intérieur de l'âme, dit-il ; c'est un regard mélancolique et résigné jeté... surtout sur ce qui a été. » Ému par « les mille objets de la création qui souffrent », il célèbre la charité *(Pour les pauvres)* et ajoute à sa « lyre une corde d'airain » pour fustiger toutes les formes d'oppression (poème XL). Enfin, il écoute les voix mêlées de la Nature et de l'Humanité *(Ce qu'on entend dans la montagne),* illustrant sa conception du poète, « âme de cristal [...] que [...] Dieu [...] mit au centre de tout comme un écho sonore ».

FEUILLET (Octave). ♦ Écrivain français (Saint-Lô, 1821 — Paris, 1890) dont les romans idéalistes obéissent à une inspiration bourgeoise et moralisatrice : *Le Roman d'un jeune homme pauvre* (1858) et *Julia de Trécœur* (1872), appréciés de l'impératrice Eugénie, connurent le succès. (Acad. fr.)

FEUQUIÈRES (Isaac Manassès de Pas, ***marquis de*****).** ♦ Général français (Saumur, 1590 — Thionville, 1640). De vieille souche picarde, il prit part au siège de La Rochelle*, resserra les liens entre la France et la Suède pendant la guerre de Trente* Ans (1633), et fut blessé et fait prisonnier par Piccolomini* à Thionville. Il laissa des *Mémoires* sur ses négociations en Allemagne.

FEURS [fœʀ]. ♦ Ch.-l. de cant. de la Loire* (arr. de Montbrison*), près de la Loire*. 6 692 hab. *(Foréziens).* Église du XVe siècle. Vestiges romains. — Centre commercial et industriel : indus. métallurgiques ; articles de voyage. Source d'eau minérale. ♦ *Hist.* L'anc. *Forum Segusianorum* a donné son nom au Forez* ; elle fut le chef-lieu du dép. de la Loire de 1793 à 1801.

FÉVAL (Paul). ♦ Écrivain français (Rennes, 1817 — Paris, 1887). Avocat sans succès, il commença sa carrière littéraire par la publication de contes et de romans-feuilletons dans la *Revue de Paris* et le *Courrier français : Le Club des Phoques* (1841), *Les Amours de Paris* (1845), *Le Fils du Diable* (1846-1847), *Les Mystères de Londres* (1848). En 1858, parut *Le Bossu**, qui connut un immense succès. De son vivant, trois de ses romans furent portés à la scène. Converti au catholicisme en 1877, il écrivit son autobiographie : *Les Étapes d'une conversion.*

FÉVRIER (Henry). ♦ Compositeur français (Paris, 1875 — *id.*, 1957). Élève de Massenet et de Fauré, il a composé de la musique de chambre *(sonate pour piano et violon, trio pour piano et cordes)* et, pour le théâtre, divers drames lyriques dont *Monna Vanna* (1909), d'après Maeterlinck, ouvrage d'une rare qualité poétique. Son fils, JACQUES (Saint-Germain-en-Laye, 1900), pianiste de réputation internationale, fut en France le créateur du *Concerto pour la main gauche,* de M. Ravel.

Février 1848 (***journées des*** **22, 23, 24).** ♦ V. RÉVOLUTION FRANÇAISE DE FÉVRIER 1848.

Février 1934 (***manifestations des*** **6** ***et*** **9).** ♦ A la suite du scandale de l'affaire Stavisky*, une violente campagne de presse contre le régime et la corruption parlementaires fut menée par l'*Action* française* (janv. 1934). Appelé au pouvoir, Daladier* exigea la démission du préfet de police Chiappe*, connu pour ses sympathies à l'égard des ligues de droite (Croix* de Feu) et d'extrême droite (militants de l'Action française, Camelots* du roi, Jeunesses patriotiques, etc.). Ces dernières participèrent, le 6 Février* 1934, à une manifestation Place de la Concorde. Débordée par la foule, la police ouvrit le feu ; il y eut une quinzaine de tués. Au même moment, sur la rive gauche, les Croix* de Feu manifestaient aussi, mais dans le calme. Attaqué par les journaux de tous bords, Daladier dut se retirer (7 février) et fut remplacé par Doumergue, tandis que les partis de gauche (socialistes et communistes) contre-manifestaient le 9 février pour dénoncer « la menace fasciste », manifestation qui provoqua à nouveau une répression policière qui fit également plusieurs morts.

Arch. Smeets

A. von Feuerbach : « Iphigénie ».
(Hessisches Landesmuseum, Darmstadt.)

FEYDEAU [fɛdo] **(Georges).** ♦ Auteur dramatique français (Paris, 1862 — Rueil, 1921). Observateur, témoin et complice de cette société « fin de siècle » dont les feux devaient s'éteindre en 1914, il a porté à son point de perfection le vaudeville, genre comique qu'avait illustré avant lui, sous le second Empire, Eugène Labiche*. Entre la farce et la comédie, son théâtre est un perpétuel jaillissement de situations cocasses, de péripéties tumultueuses et absurdes où se trouvent engagés des personnages dénués de réalité et cependant rigoureusement fidèles, dans leur inconséquence, aux modèles proposés par la vie. Une logique rigoureuse, renouvelée par le sens de l'inattendu, et la vivacité d'un mouvement vertigineux font la valeur durable de ce théâtre. Œuv. princ. : *Monsieur chasse* (1892), *Un fil à la patte* (1894), *Le Dindon* (1896), *La Dame de chez Maxim's* (1899), *La Puce à l'oreille* (1907). *Occupe-toi d'Amélie* (1908), *Mais n'te promène donc pas toute nue* (1912).

FEYDER [fɛdɛʀ] **(Jacques Frédérix, dit Jacques).** ♦ Réalisateur français de cinéma (Ixelles, Belgique, 1888 — Genève, 1948). Créateur du réalisme poétique, coscénariste de tous ses films, il donna au cinéma muet quelques-unes de ses œuvres les plus marquantes : *L'Atlantide* (1921), *Crainquebille* (1925), *Thérèse Raquin* (1928), *Les Nouveaux Messieurs* (1929), avant de réaliser pour le cinéma parlant *Le Grand Jeu* (1934), *Pension Mimosas* (1935) et *La Kermesse héroïque* (1935), film truculent et poétique, somptueux hommage rendu aux grands artistes de sa Flandre natale.

FEYNMAN (Richard P.). ♦ Physicien américain (New York, 1918). Un des auteurs de la « théorie quantique des champs », il simplifia la méthode de perturbation. **V. Schwinger, Tomonaga.** (Prix Nobel de phys., 1965.)

FEYZIN [fɛzɛ̃]. ♦ Comm. du Rhône (arr. de Lyon*), dans la banlieue de Lyon. 5 604 hab. Raffineries de pétrole. Usine de films.

FEZ. ♦ **V.** FÈS.

FEZENSAC [fəzɑ̃sak]. *n. m.* ♦ Ancien comté de Gascogne* (dép. du Gers*) qui avait pour cap. *Vic-Fezensac.* Il fut séparé de l'Armagnac* au Xe s., mais le réintégra au XVe siècle.

FEZZAN. *n. m.* ♦ Région saharienne du S.-O. de la Libye, confinant au pays des Ajjers à l'O. et au Tibesti au S., constituée de vastes plateaux (Hamada el Homra), terrains de parcours, où s'alignent des oasis dans les escarpements — Dattiers (11 000 000 d'arbres) — Population arabe et berbère (Touareg). V. princ. **V. Ghadamès, Mourzouk** et **Sebha.** ♦ *Hist.* Anc. prov. romaine *(Phazania)* envahie par les Arabes (666), elle fut vers le XIIIe s. sous la suzeraineté du Bornou, puis un chérif marocain y fonda une dynastie au XVIe siècle. Elle fut annexée à l'empire turc après 1840, et les Senoussis y eurent une influence prépondérante. Elle fut conquise par les Italiens en 1913-1914 et 1929-1930. Lors de la Seconde Guerre mondiale la colonne Leclerc, après s'être emparée de Koufra (1941), y déclencha une offensive en liaison avec les Britanniques. La brillante *campagne du Fezzan* aboutit à la jonction avec l'armée de Montgomery à Tripoli en janv. 1943. La France établit alors au Fezzan plusieurs garnisons qu'elle évacua après le traité franco-libyen de 1955.

F.F.I., F.F.L. ♦ Sigles des Forces* françaises de l'intérieur et des Forces* françaises libres.

FIACRE *(saint).* ♦ Ermite scot (v. 610 — 670) venu en Gaule. Son ermitage, près de Meaux, devint le monastère, puis la ville de Breuil (Saint-Fiacre-en-Brie). Patron des jardiniers et des cochers (par jeu de mots). Fête le 30 août.

FIALIN (Jean Gilbert Victor). ♦ **V.** PERSIGNY (duc de).

FIANARANTSOA. ♦ V. de Madagascar*, dans le Betsiléo*, reliée à Manakara* par voie ferrée. 40 000 hab. Centre administratif et gros marché agricole. Rizeries. Conserveries. Manufactures de tabac. Savonneries. Huileries.

Fiancée de Messine (La) [*Die Braut von Messina*] ou **Les Frères ennemis.** ♦ Tragédie en 5 tableaux et en vers, avec chœurs, de Schiller (1803). L'œuvre marque une tentative de résurrection de la tragédie grecque. Réconciliés par les soins de leur mère, doña Isabelle, princesse de Messine, les deux frères, don Emmanuel et don César, se découvrent soudain d'implacables rivaux, étant tous deux devenus amoureux de Béatrice. Surprenant César dans les bras de la jeune fille, Emmanuel le tue. Il apprendra bientôt que Béatrice était leur sœur. À l'annonce de cette nouvelle, il se donnera la mort.

Fiancés (Les), en it. **I Promessi Sposi.** ♦ Roman historique de Manzoni*, publié avec le sous-titre : *Histoire milanaise du XVIIe siècle, découverte et rédigée par A. Manzoni.* Écrits entre 1821 et 1823, repris en 1825 et publiés sous leur forme définitive en 1842, ces trois volumes, dont le thème est inspiré par Walter Scott*, sont pour l'écrivain le fruit d'un long travail. Désireux de réaliser la « représentation d'un état donné de la société par le moyen de faits et de caractères si semblables à la réalité qu'on puisse la croire une histoire véritable », Manzoni trace le tableau de la Lombardie entre 1626 et 1630, sous la domination espagnole, par le biais d'une histoire d'amour longtemps contrariée entre deux jeunes gens du peuple. Prétexte à des analyses de caractères et de sentiments souvent citées pour leur finesse, l'intrigue romanesque est pourtant moins importante aux yeux de l'auteur que le tableau de la vie économique et sociale en Italie et, surtout, que l'enseignement moral et patriotique qui se cache sous la satire ; la tyrannie espagnole y représente la domination autrichienne, et le roman de Manzoni contribua, plus que tout autre, à l'essor du Risorgimento. Évocation mesurée de la réalité faite sur un ton empreint d'indulgence ou d'humour, importante sur le plan de l'histoire de la langue littéraire italienne (puisqu'elle fut rédigée en toscan), cette œuvre réussit la fusion entre le réel et l'imaginaire, entre l'histoire et l'art. Pourtant, dans son essai critique, *Du Roman historique* (*Del Romanzo storico*, 1845), Manzoni lui-même déclara impossible désormais de réaliser « une unité avec deux matières nécessairement dissemblables ».

Fianna Fáil (en gaélique *« Guerriers de la destinée »*). ♦ Nom d'un parti politique irlandais créé en 1926, lorsque la coupure de l'Irlande parut définitive, par Eamon De* Valera avec les anciens *sinn feiners* qui refusaient le traité du 6 décembre 1921. Majoritaire au *Dail* (chambre irlandaise) de 1932 à 1948, le Fianna Fáil l'est à nouveau depuis 1951.

FIBIGER (Johannes). ♦ Médecin danois (Silkeborg, 1867 – Copenhague, 1928). Il fut un des pionniers des recherches expérimentales sur le cancer. (Prix Nobel de méd., 1926.)

FIBONACCI. ♦ V. LÉONARD DE PISE.

Fiches *(affaire des)*. ♦ Système instauré par le général André*, ministre de la Guerre sous la Troisième République (1901-1904) et consistant à faire dépendre l'avancement des officiers de leurs opinions religieuses et politiques. Leurs opinions étaient consignées sur des fiches, établies avec le concours de sociétés secrètes, en particulier des loges maçonniques, et directement transmises au ministre. La découverte de cette affaire suscita une violente polémique et un regain de l'opposition antiparlementaire.

FICHET (Guillaume). ♦ Théologien et érudit français (Le Petit-Bornand, Savoie, 1433 – Rome, v. 1480). Recteur de la Sorbonne (1467) où il fut également professeur de rhétorique et où il introduisit le premier atelier de typographie français, il fut ambassadeur de Louis XI, puis camérier du pape Sixte IV. Sa *Rhétorique* fut publiée en 1471.

FICHTE (Johann Gottlieb). ♦ Philosophe allemand (Rammenau, Saxe, 1762 — Berlin, 1814). Sa brillante carrière à l'université d'Iéna fut interrompue par une accusation d'athéisme et de jacobinisme (1794-1799). Bien qu'il assumât par la suite la fonction de recteur de l'université de Berlin (1810), sa philosophie était déjà éclipsée par le succès de celles de Schelling* et surtout de Hegel* qu'elle avait largement contribué à former par son langage et sa méthode (dialectique). — Admirateur de Kant* et philosophe de la liberté. Fichte expose dans ses *Principes de la théorie de la science* (1794) un « idéalisme absolu », cherchant à justifier dialectiquement l'existence du « non-moi » (objet, nature) à partir du « moi » (sujet, esprit) et posant leur identité comme idéal de l'action dont l'homme ne peut que se rapprocher indéfiniment. C'est une doctrine de l'homme concret, de sa liberté comme pouvoir effectif de transformer le monde, que Fichte développe à partir de là dans les *Fondements du droit naturel* (1796), la *Doctrine des mœurs* (union des consciences dans le perfectionnement moral, 1798) et *L'État commercial fermé* (1800) où, critiquant les conséquences du libéralisme et du mercantilisme, il préconise une forme de socialisme d'État. Après une phase de « réalisme absolu » (1800-1802) [peut-être influencé par Schelling], Fichte s'orienta vers un christianisme philosophique dont le problème central est celui des rapports du moi fini et de l'Absolu (par la médiation du Verbe) [*Exposé de la doctrine de la science*, 1804, paru après sa mort]. Dans *Destination de l'homme* (1800) et *Initiation à la vie bienheureuse* (1806), il a donné des exposés plus populaires de sa philosophie. ♦ EMMANUEL HERMANN FICHTE, son fils. Philosophe allemand (Iéna, 1796 – Stuttgart, 1879). Il contribua à faire connaître la pensée de son père.

FICHTELGEBIRGE ou **FICHTE-GEBIRGE.** *n. m.* ♦ Massif anc. d'Allemagne centrale, au N.-E. de la Bavière, entre le Thüringerwald à l'O., les monts Métallifères au N.-E., la forêt de Bohême et la forêt de Bavière au sud-est. Il a la forme d'un grand plateau rectangulaire d'où divergent en étoile les massifs du Frankenwald au N.-O., l'Elstergebirge au N.-E. et la forêt du Haut-Palatinat au sud-ouest. Formé de gneiss et de granite, il culmine à 1 051 m au Schneeberg.

FICIN (Marsile), en ital. **Marsilio Ficino.** ♦ Philosophe et humaniste italien (Figline, Toscane, 1433 – Careggi, Florence, 1499). Ce prêtre, helléniste et philosophe, fut le maître de l'école « platonicienne » de Florence **(V. Gémiste Pléthon),** comptant parmi ses disciples et correspondants Marguerite de Navarre, Paracelse*, John Colet* et Laurent* de Médicis (le Magnifique) qui fut aussi son protecteur **(V. *aussi* Pic de la Mirandole).** Il a traduit non seulement les dialogues de Platon mais une partie du *Corpus hermeticum*, les œuvres des néo-platoniciens (Porphyre, Plotin et Proclus) et celles qui sont attribuées à Denys* l'Aréopagite. Il a écrit lui-même une *Théologie platonicienne* et *De christiana religione*. Sa philosophie spiritualiste s'accordait avec les préoccupations morales des intellectuels de son temps et leur désir d'une transformation de l'Église.

Fidelio *(Leonore oder die eheliche Liebe)*. ♦ Opéra de L. van Beethoven (Vienne, 1805, remanié en 1806 et 1814), d'après l'opéra français Léonore (livret de J.N. Bouilly, musique de P. Gaveaux, Paris 1798). Le travail accompli sur le livret initial par S. von Breuning (1806), puis par F. Treitschke (1814) permit à Beethoven de donner à l'ouvrage une forme achevée et d'assurer définitivement son succès. Déguisée en garçon, Léonore pénètre dans la prison où son mari Florestan est injustement emprisonné par le tyran Pizarro et parvient à le délivrer. Partition vocale et orchestrale d'une extraordinaire richesse, cet ouvrage constitue une apologie de l'amour conjugal et de la liberté.

FIDÈNES, en lat. **Fidenae.** ♦ Anc. V. d'Italie dans le pays des Sabins* à 9 km de Rome. Colonie étrusque, elle ne fut définitivement conquise par les Romains qu'en ~ 425.

FIDJI ou **FIJI** *(îles)*. ♦ Archipel de la Mélanésie* (Océanie), dans l'océan Pacifique du S.-O., traversé par le méridien 180°, antipode du méridien de Greenwich. L'archipel est constitué de 844 îles, îlots volcaniques et atolls. Les deux îles principales sont Viti* Levu et Vanua* Levu. *Autres îles :* Taveuni (435 km²), Kandavu (409 km²), Ovalau (104 km²), Ngau (140 km²), Koro (104 km²) ; le groupe de Lau, à l'O., forme une chaîne d'îles incurvée dont la principale est Vanuambalavre (54 km²) ; le groupe de Yasawa (135 km²), à l'E., constitue une chaîne d'env. 16 îles ; l'île de Rotuma, au N. de l'archipel, est une dépendance. *Superf. totale :* 18 272 km². 550 000 hab. [1975]. *(Fidjiens).* D'origine mélanésienne* : 202 176 ; Indiens (240 960), Chinois, Européens et autres races du Pacifique (Polynésiens vers l'E.). — *Orogr.* Les plus grandes îles sont d'origine volcanique, montagneuses et accidentées, frangées sur leur pourtour de plaines alluviales discontinues entourées de récifs coralliens. Le *climat* est du type tropical humide, dominé par les alizés du S.-E., les zones « sous le vent » sont le domaine de la savane boisée, tandis que les zones orientales sont couvertes d'une forêt dense. Une partie de l'archipel est frappée de fréquents cyclones. — *L'économie*, outre l'agriculture de subsistance (riz, maïs, taro, igname, manioc), est dominée par la production de la canne à sucre (cultivée pour 95 % par les Indiens). Celle-ci représente la moitié des exportations ; viennent ensuite les cocotiers, un peu de cacao et des bananes. Les industries sont pour la plupart de transformation agricole, l'industrie sucrière étant la plus importante (également traitement du coprah). Manufacture de cigarettes (à Suva). Cimenteries. La production aurifère est importante dans l'île de Viti* Levu. En outre, l'industrie touristique s'accroît rapidement. D'autre part, les Fidji forment une base stratégique importante et un centre de communications au carrefour de nombreuses lignes aériennes et maritimes. ♦ *Hist.* Découvertes en partie par Abel Tasman* en 1643, puis visitées par J. Cook* (1774), W. Bligh* (1789), Dumont* d'Urville (1827), les îles reçurent en 1835 les premiers missionnaires wesleyens **(V. J. Wesley).** Après avoir évincé les Allemands et les Américains, les Anglais annexèrent juridiquement les îles Fidji en 1874 et en firent une colonie de

Ph. Alinari-Giraudon

Marsile Ficin et Paolo Dal Pozzo Toscanelli, par G. Vasari. (Palazzo Vecchio, Florence.)

la Couronne britannique, en maintenant néanmoins une certaine autonomie locale. Rotuma (population polynésienne) fut annexée en 1881. L'archipel forme aujourd'hui un État indépendant (monarchie) – depuis le 10 oct. 1970 – membre du Commonwealth*

Fief. *n. m.* ♦ Tenure noble concédée par le seigneur à son vassal. À partir du Xe s. le fief devint la cause de l'engagement vassalique (hommage). Le *fief* consistait le plus souvent en un domaine, mais il pouvait aussi être d'autre nature (moulin, église, dîmes, somme d'argent : c'est le fief de bourse). Contre le fief, le vassal devait aide (financière et militaire) et conseil (judiciaire) à son seigneur. La transmission héréditaire fut soumise au consentement du seigneur et à une compensation financière (rachat ou relief). Le *fief* devint la base juridique de toute la société féodale et les terres libres (alleux) étaient très rares dès le Xe siècle. **(V.** *aussi* **féodalité.)**

FIELD (John). ♦ Compositeur et pianiste irlandais (Dublin, 1782 – Moscou, 1837). Élève de Clementi* et d'Albrechtsberger*, il fit une brillante carrière de virtuose à travers toute l'Europe. Il a écrit pour le piano une œuvre abondante (concertos, sonates, fantaisies), mais c'est avec ses 18 *Nocturnes* qu'il a exercé, au moins par la nouveauté de la forme, une indéniable influence sur Chopin*.

FIELD (Cyrus West). ♦ Industriel américain (Stockbridge, Massachusetts, 1819 – New York, 1892). Réalisateur du premier câble sous-marin Amérique-Europe (1858-1866).

FIELDING (Henry). ♦ Romancier, journaliste, dramaturge et poète anglais (Sharpham Park, Glastonbury, Somersetshire, 1707 – Lisbonne, 1754). Fils du général Edmund Fielding, il fréquenta Eton et fit son droit à Leyde avant de s'installer à Londres où il produisit une douzaine de comédies dont *Tom Pouce* (*Tom Thumb,* 1729) que Swift appréciait. Directeur du *Little Theatre* de Haymarket, il représenta des satires contre Walpole qui furent à l'origine du *Licensing Act* de 1737. Fielding conçut alors un roman satirique contre Walpole, la *Vie de Jonathan Wild le Grand* (1743, dont De* Foe composa la pseudo-autobiographie [J. Wild vécut de 1682 à 1725]). La même amertume, digne de Swift, caractérise *Le Voyage de ce monde-ci à l'autre.* A la tête du *True Patriot* et du *Jacobite Journal* (1746), il soutint la politique gouvernementale. Avocat (1740), il s'opposa au sentimentalisme de Richardson* qu'il parodia dans *Une défense de la vie de Mme Shamela Andrews* et dans les *Aventures de Joseph Andrews,* 1742, dont le protagoniste est une Paméla du sexe masculin. Mais les dix-huit livres de *Tom* Jones* (1749), malgré leur verve picaresque, ne sont pas dénués de cette sentimentalité reprochée à Richardson. *Amélie* (1751) se déroule aussi dans la tranquillité d'un milieu bourgeois. Son *Journal d'un voyage à Lisbonne* fut publié un an après sa mort. Walter Scott voyait en lui le « père du roman anglais ».

FIELDING (Anthony Vanduck Copley). ♦ Aquarelliste anglais (Londres, 1787 – Worthing, 1855). Il subit l'influence de Girtin* et représenta d'abord la région des lacs et la côte sud de l'Angleterre. Il alla en France, sans doute vers 1817, où en compagnie de ses deux frères Thales et Newton il fréquenta Delacroix* et ses amis. Ses aquarelles finement observées et d'une grande luminosité furent une révélation au Salon de 1824 à Paris. Delacroix alla lui rendre visite à Londres en 1825. Comme Bonington*, il influença les paysagistes de 1830.

FIENNES (Robert, dit **Moreau** *de***).** ♦ Connétable de France (château de Fiennes, près de Boulogne-sur-Mer, v. 1308 – v. 1385). Il apporta son appui au dauphin Charles* (V) contre les Anglais, reprit Auxerre (1360) et lutta contre les Grandes Compagnies. Il démissionna de sa charge de connetable en faveur de Du Guesclin (1370).

FIER. *n. m.* ♦ Riv. des Préalpes (66 km), Haute-Savoie*, affl. du Rhône. Il conflue à Seyssel après avoir traversé des gorges étroites.

FIER ou **FIERI.** ♦ V. d'Albanie*. 18 000 hab. Centre d'indus. chimiques (raffinerie, extraction du méthane, fabrique d'engrais azotés). Centrale thermique (225 millions de kWh).

Fier-à-Bras. ♦ Nom d'un géant sarrasin des chansons de geste du *Cycle carolingien* (*Fierabras,* 1170). Ce valeureux guerrier s'était emparé du baume du Christ, liqueur miraculeuse dont se souvinrent Cervantes pour écrire *Don Quichotte* et Calderón de la Barca (*Le Pont de Mantible,* 1635).

FIERAVANTI (Aristotile ou **Aristotile da Bologna).** ♦ Architecte et ingénieur italien (Bologne, v. 1415 – Moscou, v. 1486). Auteur du « campanazzo » de Bologne (1459). Il travailla pour les Sforza, réalisant des travaux hydrauliques. En Hongrie (1467), il édifia un pont sur le Danube, puis collabora à la reconstruction du Kremlin de Moscou en élevant notamment l'église de la *Dormition* (1476-1479).

FIESCHI. ♦ V. FIESQUE (famille génoise).

FIESCHI [fjɛski] **(Giuseppe).** ♦ Conspirateur corse (Murato, 1790 – Paris, 1836). Condamné pour vols et escroquerie en Corse, il vint à Paris où il servit quelque temps d'agent secret à la police. Poussé par les mouvements républicains, il fomenta un complot contre la monarchie de Juillet. Tandis que Louis-Philippe et sa suite se rendaient à la Bastille pour la fête de la révolution de 1830 (28 juillet 1835), il fit éclater une machine infernale. Après cet attentat qui n'atteignit pas la famille royale, tout en faisant dix-neuf morts (dont le maréchal Mortier*), Fieschi et ses complices, Pépin et Morey, furent condamnés à mort.

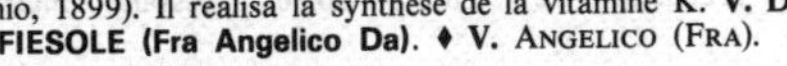

FIESER (Louis Frederick). ♦ Biochimiste américain (Columbus, Ohio, 1899). Il réalisa la synthèse de la vitamine K. **V. Doisy.**

FIESOLE (Fra Angelico Da). ♦ **V.** ANGELICO (FRA).

Coll. Cauboue

Le mariage de Figaro.
Gravure de Gautier Ainé, 1809.

FIESOLE, anc. **Fesulae.** ♦ V. d'Italie centrale, en Toscane (prov. de Florence), sur une colline dominant Florence*. 13 000 hab. ♦ *Hist.* Ancien foyer de civilisation étrusque (enceinte), puis romaine. Cathédrale (XIe-XIVe s.). Couvents de San Domenico, Badia di Fiesole, musée Bandini.

FIESQUE, en it. **Fieschi** ou **Fiesco.** ♦ Famille de l'aristocratie génoise dont sont issus deux papes, Innocent* IV et Adrien* V, une sainte et un grand nombre de cardinaux. Elle représenta avec les Grimaldi* le parti guelfe contre les Spinola* et les Doria*. ♦ GIAN LUIGI FIESCO, comte de Lavagna (Gênes, 1523 – 1547). Appuyé par François* Ier, puis par le duc de Plaisance et par Paul* III, il tenta de renverser Andrea Doria. Sa mort accidentelle fit échouer la conjuration qui fut impitoyablement réprimée. Une partie des Fieschi se réfugia alors en France ou ils francisèrent leur nom. L'histoire de la conjuration fut racontée par le cardinal de Retz* et inspira un drame de Schiller*.

FIFESHIRE. *n. m.* ♦ Comté d'Écosse orientale, le long de la mer du Nord, entre les estuaires du Tay et du Forth. 1 306 km². 320 000 hab. *Ch.-l.* Cupar*. *V. princ.* **V. Buckhaven (and Methil), Dunfermline, Kirkcaldy, Saint Andrews.** – Élevage et agriculture (céréales, betteraves sucrières, pommes de terre). Extraction de houille. Indus. alimentaires; textiles. – Patrie de R. Wemyss*.

FIGARI (Pedro). ♦ Peintre uruguayen (Montevideo, 1861 – *id.,* 1938). Après une carrière d'avocat et de député, il se consacra à partir de 1911 à la littérature et surtout à la peinture. Établi à Paris de 1921 à 1935 et devenu l'ami de Bonnard, il peignit des formes vivement colorées, peu modelées et sinueuses qui évoquent avec verve et naïveté des scènes pittoresques de son pays natal.

Figaro. ♦ Personnage de Beaumarchais*, héros de la trilogie composée du *Barbier de Séville* (1775), du *Mariage de Figaro* (1784) et de *La Mère coupable* (1791). **V.** *aussi* **Mozart** *(Les Noces de Figaro)* et **Rossini** *(Le Barbier de Séville).*

Figaro (Le). ♦ Journal parisien fondé en 1826 sous la forme d'un hebdomadaire satirique. Repris par H. de Villemessant en 1854, devenu quotidien en 1866, il exprima des positions monarchistes au début de la Troisième République, puis évolua vers une tendance républicaine modérée, reflétant les opinions de la bourgeoisie. Dirigé successivement par F. Magnard, G. Calmette jusqu'à son assassinat en 1914, puis par R. de Flers et A. Capus, il devint la propriété et l'organe politique du parfumeur F. Coty de 1922 à 1933 avec L. Romier et A. Chaumeix comme rédacteurs en chef. Repris par Mme Cotnareanu – ex-Mme F. Coty –, *Le Figaro* eut P. Brisson comme chroniqueur littéraire puis comme directeur jusqu'en 1964. L'un des organes politiques et littéraires de la presse bourgeoise, il accueillit les éditoriaux de F. Mauriac et les articles de Lacretelle, Giraudoux, Maulnier, Gaxotte. Un hebdomadaire, *Le Figaro littéraire,* lui fut adjoint de 1946 à 1970. Placé sous la direction de Jean d'Ormesson qui a succédé à L.-G. Robinet, *Le Figaro* appartient depuis 1965 au groupe Béghin-Prouvost.

FIGEAC [fiʒak]. ♦ Sous-préf. du Lot*, ch.-l. d'arr. (9 cant. 120 comm., 53 357 hab.), sur le Célé*. 10 545 hab. (8 462 aggl.) [*Figeacois*]. Abbatiale XIIe-XIVe s., église XIIe-XIIIe s., hôtel de la Monnaie. Petites indus. : pièces d'aéronautique, charpentes métalliques, minoteries, tanneries, confection. Patrie de J.F. Champollion*. ♦ *Hist.* À l'origine, lieu de refuge (abbaye), Figeac devint rapidement une ville importante; elle fut pillée par les Normands.

FIGNER (Vera Nikolaïevna). ♦ Révolutionnaire russe (1852 – 1942). Membre du comité exécutif de la *Volonté du peuple* **(V. Narodniki)** dès 1879, elle prit part à l'organisation des attentats contre Alexandre* II. Elle fut condamnée à mort en 1884, mais sa peine fut commuée en réclusion à vie. Emprisonnée dans la forteresse de Schlüsselburg* (1884-1904), puis déportée (1904-1906), elle émigra et regagna la Russie en 1915.

FIGUEIRA DA FOZ. ♦ V. et port du Portugal (Beira Litoral), à l'embouchure du Mondego. 12 000 hab. Station balnéaire très fréquentée.

FIGUIG. ♦ Oasis saharienne du Maroc (prov. d'Oujda), située aux confins S.-O. du pays, théâtre du conflit frontalier algéro-marocain en 1963. 13 200 hab. Palmeraies. Textiles.

FIKRET (Tevfik). ♦ Poète turc (Istanbul, 1867 – *id.,* 1915). Lyrique et sentimental, il introduisit dans la poésie turque les formes de la poésie française et osa s'attaquer aux croyances musulmanes.

FILARETI (Antonio di Petro Avalino, dit**).** ♦ Sculpteur et architecte italien (Florence, v. 1400 – Rome, v. 1469). Après avoir collaboré avec Ghiberti* à la réalisation des portes du baptistère de Florence, il fut appelé par le pape Eugène IV à Rome afin de décorer les portes de la basilique Saint-Pierre (1433-1445). Cette œuvre, dérivée du classicisme hiératique, exerça une forte influence sur les sculpteurs romains de la Renaissance. Invité par le duc Sforza, il s'installa à Milan (1451-1465) et y élabora les plans de l'*Ospidale Maggiore* (1457-1465), première œuvre renaissante de Lombardie qui présente encore divers éléments gothiques. Il y écrivit aussi un *Traité d'architecture* (1460-1464) où il décrit la ville idéale de *Sforzinda,* conçue selon un plan polygonal à huit branches inscrit dans un cercle dont le centre est occupé par la place principale. Ce projet, l'un des grands moments de la réflexion artistique de la Renaissance, organisé en fonction d'une symbolique urbanistique cohérente, se fonde sur une vaste érudition qui mêle souvenirs classiques (*République,* de Platon) et traditions chrétiennes.

FILIMON (Nicolae). ♦ Écrivain roumain (Bucarest, 1819 – 1869). Critique musical et dramatique, il est surtout l'auteur d'un roman idéologique, *Ciocoii vechi si noi* (« Parvenus anciens et nouveaux », 1863).

Filioque (querelle du). ♦ C'est en Espagne, semble-t-il, au VIe s., qu'apparut une addition au Symbole de Nicée*, exprimant que le Saint-Esprit procède à la fois du Père « et du Fils » (en lat. *filioque*). C'était alors une façon de s'opposer à l'arianisme* des Wisigoths. L'usage passa en Gaule, en Germanie et fut adopté par Charlemagne. Les papes en autorisèrent l'usage, mais se refusèrent à l'adopter avant le XIe siècle. Néanmoins, les Orientaux se scandalisèrent de cet ajout, proscrit par les conciles, et en tirèrent argument dans leurs controverses avec la papauté, déclarée par eux hérétique. Il pesa lors du schisme de Photios* (qui le combattit dans sa *Mystagogie du Saint-Esprit*) et encore lors du schisme de Cérulaire* (1054). Aujourd'hui, le *Credo* catholique le conserve; l'Église orthodoxe le repousse.

FILITOSA. ♦ Site archéologique de Corse* au N. de Propriano*. Fouillé et étudié à partir de 1954, il groupe les vestiges trouvés dans les environs : statues-menhirs d'une civilisation mégalithique, dont certaines portent des armes sculptées, œuvres de la population autochtone et forteresses cyclopéennes de la civilisation dite torréenne (qui se substitua à la précédente), œuvre des envahisseurs.

FILLASTRE [filɑtʀ] **(Guillaume).** ♦ Prélat et savant français (La Suze, Maine, 1348 – Rome, 1428). Doyen de Reims, il lutta pour réduire le schisme* d'Occident, participa au concile de Pise* (1409), fut créé cardinal en 1411 par Jean* XXIII (Baldassare Cossa), participa au concile de Constance* (1414-1418) où, avec Pierre d'Ailly*, il soutint la supériorité du concile sur le pape. Son intervention amena effectivement l'élimination du schisme et l'élection de Martin* V, qui en fit son légat en France. Il y fut l'intermédiaire de la paix entre Armagnacs et Bourguignons. Comme savant, on lui doit une traduction de la *Syntaxe mathématique* (ou *Almageste*) de Ptolémée et une carte d'Europe, la première à indiquer le Groenland.

Filles du feu (Les). ♦ Recueil de nouvelles de G. de Nerval* (1854) dont les deux premières notamment, *Angélique* et *Sylvie,* mêlent la poésie des descriptions réalistes à la magie du « souvenir à demi-rêvé ». Les douze lettres qui composent *Angélique* évoquent la campagne du Valois (Chaalis, Senlis, Ermenonville), son folklore et ses récits légendaires. Dans *Sylvie* (1853), le poète épris vainement de l'actrice Aurélie évoque, au cours du voyage qui le ramène dans le Valois de son enfance, son « amitié tendre » pour la brune Sylvie et l'« amour vague et impossible » que lui inspira la blonde Adrienne, jeune châtelaine rencontrée deux fois et, depuis lors, entrée en religion. Finalement déçu par la réalité (Sylvie est fiancée) et par la chimère (Adrienne est morte au couvent), Nerval retourne à son amour pour Aurélie, peut-être réincarnation d'Adrienne. Ce récit, où le symbolisme poétique (apparition d'Adrienne) succède à l'intimisme familier (le souper chez la tante), est caractéristique des hantises de l'auteur et manifeste l'éveil de son mysticisme sentimental.

Ph. A. Rey

Filitosa : statues-menhirs.

FILLMORE (Millard). ♦ Homme politique américain (Summerhill, New York, 1800 – Buffalo, 1874), 13e président des États-Unis. Ouvrier, il devint avocat, représentant de l'État de New York au Congrès, et fut élu vice-président de Zachary Taylor*, auquel il succéda. Antiesclavagiste, il essaya de concilier le Sud et le Nord.

Fils naturel (Le), ou **les Épreuves de la vertu.** ♦ Comédie en cinq actes et en prose de Diderot* (1757; jouée en 1771), inspirée par Goldoni*. Illustration des théories de l'auteur sur le « drame bourgeois », cette pièce est précédée par des *Entretiens* où Diderot préconise de représenter sur scène les hommes dans leur condition ordinaire et dans leurs sentiments normaux.

FINCK (Heinrich). ♦ Compositeur allemand (Bamberg, v. 1445 – Vienne, 1527). Maître de chapelle à la cour de plusieurs princes polonais et allemands, il fut, avec Josquin* des Prés, le plus illustre représentant de la polyphonie, au XVIe siècle. On lui doit une œuvre abondante (messes, motets, magnificat, hymnes, lieder).

FINE (Oronce). ♦ Mathématicien et cartographe français (Briançon, 1494 – Paris, 1555). Premier titulaire de la chaire de mathématiques du Collège Royal (av. 1532), il publia un cours élémentaire de mathématiques pures et appliquées (*Protomathésis,* 1530-1532), s'intéressa au calcul sexagésimal, à la construction des figures géométriques et à leurs transformations les unes dans les autres. Auteur de la première carte de France imprimée dans notre pays (1525), il réalisa également divers instruments de mathématiques et d'astronomie. Il est l'auteur du *De rebus mathematicis, hactenus desideratis,* 1556 – où il prétendit résoudre le problème de la quadrature du cercle et qui fut vivement critiqué.

Fingal. ♦ Œuvre poétique de Macpherson (1761), attribuée à Ossian*.

FINGAL *(grotte de).* ♦ Fameuse grotte basaltique d'Écosse occidentale, dans l'île de Staffa (Hébrides) longue de 6,9 km. La mer, en y pénétrant, produit un bruit musical qui inspira à Mendelssohn* le thème de son ouverture, *La Grotte de Fingal* (ou *Les Hébrides,* 1830).

FINI (Léonor). ♦ Peintre italien (Buenos Aires, 1918). Ayant reçu à Trieste une formation où les préraphaélites et les romantiques allemands, Lewis Carroll et Sade jouèrent un rôle, après une période où elle maîtrisa les techniques picturales du passé, elle rejoignit le mouvement surréaliste, élaborant un style personnel qui doit beaucoup à l'élégance graphique boticellienne et à l'esprit maniériste. Utilisant toutes les techniques, mariant une extrême habileté et un constant souci de recherche à l'utilisation du hasard, L. Fini propose dans ses tableaux, ses illustrations, ses décors et costumes un univers ambigu et sensuel, aux nombreuses implications psychanalytiques. Plus que ses portraits, ses toiles symbolistes (*Les Fileuses,* 1954; *La Gardienne du phénix,* 1954) ou cosmologiques (*Les Devenants,* 1958; *Mémoire géologique,* 1959; *La Terre rouge,* 1961) sont caractéristiques d'une démarche qui semble tendre au dévoilement d'un univers intérieur imprévisible et complexe par l'intériorisation de recherches picturales fort éclectiques.

FINIGUERRA (Maso ou **Tommaso).** ♦ Orfèvre, graveur et dessinateur italien (Florence, 1426 – *id.,* 1464). Peut-être élève de Ghiberti et collaborateur de Pollaiolo, il a été considéré à tort par Vasari comme l'inventeur de la gravure au burin sur métal. Remarquable nielleur, il fut l'un des premiers graveurs italiens à acquérir la célébrité. On lui attribue notamment un *Couronnement de la Vierge* (1459-1464).

FINISTÈRE *(dép. du).* **[29].** ♦ Dép. de l'O. de la France à l'extrémité de la Bretagne, région (anciennement C.A.R.) de Bretagne*. 7 029 km^2. – *Orogr.* Le dép. s'étend sur la péninsule armoricaine. Le bassin de Châteaulin au centre est drainé par l'Aulne; il est encadré au N. par les monts d'Arrée* (384 m) et au S. par les montagnes* Noires (325 m). La mer pénètre profondément les terres : rade de Brest*, baie de Douarnenez*, baie d'Audierne*. La région côtière du N. ou pays de Léon* est ouverte par des rias (les *abers*); la région côtière du S. (Cornouaille*) est plus basse et moins dangereuse. À l'O., la pointe du Raz*, la presqu'île de Crozon* sont des promontoires granitiques. Nombreuses îles : Batz*, Ouessant*, Sein*, Glénan*.

♦ (43 cant., 286 comm., 799 081 hab.). *Préf.* Quimper*; *sous-préf.* Brest*, Châteaulin*, Morlaix*. *Ch.-l. de cant. :* Arzano (1 206 hab.), Bannalec*, Briec*, Carhaix*-Plouguer, Châteauneuf*-du-Faou, Concarneau*, Crozon*, Daoulas*, Douarnenez*, Faou* (Le), Fouesnant*, Huelgoat*, Landernau*, Landivisiau*, Lanmeur*, Lannilis*, Lesneven*, Locronan, Ouessant*, Plaben-

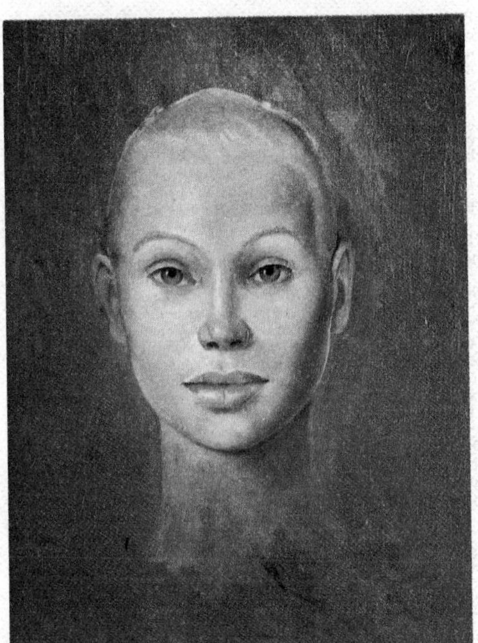

Ph. L. Courteville/Réalités

Sylvia Monfort par **Léonor Fini.**

nec*, Pleyben*, Plogastel*-Saint-Germain, Plouescat*, Ploudalmézeau*, Ploudiry*, Plouigneau (2 944 hab.), Plouzévédé (1 583 hab.), Pont*-Aven, Pont*-l'Abbé, Pont*-Croix, Quimperlé*, Rosporden*, Saint*-Pol-de-Léon, Saint-Renan*, Saint-Thégonnec*, Scaër*, Sizun*, Taulé (2 284 hab.). *Autres comm. ou localités,* **V. Aber-Wrach** (L'), **Audierne, Batz** (île de), **Beg-Meil, Belon, Bénodet, Brennilis, Cabellou** (Le), **Camaret-sur-Mer, Carantec, Conquet** (Le), **Folgoët** (Le), **Forêt-Fouesnant** (La), **Glénan, Guilvinec, Guipavas, Lanvéoc, Locronan, Loctudy, Morgat, Penmarch, Plougasnou, Plougastel-Daoulas, Plouguernau, Plouhinec, Pont-de-Buis-lès-Quimerch, Pouldu** (Le), **Primel-Trégastel, Relecq-Kerhuon** (Le), **Riec-sur-Belon, Roscoff, Saint-Guénolé, Sein** (île de), **Tréboul.**

FINISTERRE *(cap).* ♦ Promontoire de l'Espagne septentrionale, en Galice* (prov. de La Corogne), à l'extrémité N.-E. de la péninsule Ibérique et surplombant l'Atlantique. Les Romains l'appelaient *Promontorium Atrabum* ou *Nerium.*

FINLANDE [*n. f.*] en finnois **Suomi.** ♦ État de l'Europe du N., limité à l'E. par l'U.R.S.S., au N. par la Norvège, au N. O. par la Suède et baigné au S.-O. et au S. par la Baltique (golfes de Botnie* et de Finlande). Elle comprend aussi les îles d'Åland*. 337 032 km². 4 710 000 hab. [1975] (*Finlandais,* dont environ 2 500 Lapons). *Cap.* Helsinki*. *V. princ.* **V. Hämeenlinna, Imatra, Joensuu, Jyväskylä, Karhula, Kemi, Kotka, Kuopio, Lahti, Lappeenranta, Oulu, Pori, Rovaniemi, Tampere, Turku, Vaasa.** *Langues off. :* finnois (92,4 %), suédois (7,4 %). *Religions :* luthérienne (93 %) et orthodoxe (1,6 %). La république de Finlande est divisée en 12 comtés *(lääni).* – *Orogr.* La Finlande se présente comme une vaste pénéplaine granitique, fortement rabotée au quaternaire par les glaciers qui ont laissé des alignements de moraines. (La Salpausselkä forme une double crête de sables et de graviers au S. et au S.-E. du pays.) L'altitude (en moyenne 400 m) ne s'élève qu'à l'extrême N., où les montagnes, appartenant à la chaîne scandinave, culminent à l'Haltiatunturi (1 324 m). D'innombrables lacs (plus de 60 000) couvrent le dixième de la surface du pays, principalement au S. où, reliés entre eux, ils forment un vaste système lacustre souvent navigable **(V. Saimaa, Päijänne).** Les fleuves, de cours irrégulier, entrecoupés de rapides et de chutes (chutes d'Imatra*), sont difficilement navigables. Les côtes, très découpées, sont bordées d'une myriade d'îlots. – À cause de sa latitude élevée, la Finlande subit un *climat* rigoureux, cependant quelque peu adouci par les vents du sud-ouest. Les saisons sont peu marquées : l'été est court, tiède et souvent humide, l'hiver est long et rigoureux. La température moyenne varie entre – 8 °C en janvier et 16,9 °C en juillet à Helsinki, – 15,6 °C et 16,5 °C à Kuopio. La neige recouvre le sol pendant plus du tiers de l'année et il arrive parfois que les golfes de Botnie et de Finlande soient pris par les glaces. – *Végétation.* La forêt couvre près des deux tiers du territoire : conifères et bouleaux dans le N. et le centre, feuillus (chênes, ormes, érables) près du golfe de Finlande. Au N. du lac Inari* commence la zone de la toundra. – *Écon.* L'agriculture occupe 8 % des terres, essentiellement sur les plaines côtières. La production se compose de céréales (1 423 000 t d'avoine, 1 155 000 t d'orge, 559 000 t de blé, 69 000 t de seigle, en 1975), de pommes de terre (680 000 t) et de betteraves à sucre (613 000 t). Dans le N., les cultures sont remplacées par des pâturages : l'élevage tient en effet un place importante dans l'économie. On comptait (en 1974) 1 884 000 bovins, 1 177 000 porcins et 168 000 ovins. Les animaux sont surtout élevés pour la production laitière qui est considérable (3 086 000 t de lait en 1975). Les rennes de Laponie (159 000 têtes en 1968) sont une ressource non négligeable. – La pêche est pratiquée dans les lacs, les fleuves et la Baltique (autour de l'archipel d'Åland*) [surtout harengs]. – Les forêts couvrent 64,6 % du sol finlandais, aussi l'industrie du bois est-elle la première du pays : plus de 40 000 000 de m³ sont exploités annuellement. Les scieries sont en général installées aux débouchés des fleuves qui permettent le flottage des troncs (Kotka*, Pori*, Oulu*, Kemi*). La transformation du bois est de plus en plus industrialisée (4 138 000 t de cellulose, 2 690 000 t de papier; pâte de bois, allumettes). Les ressources hydro-électriques sont importantes, grâce aux rapides des rivières (10,250 milliards de kWh en 1973). Les ressources minières, bien que diversifiées, sont en quantité limitée. La plus grande mine de cuivre se trouve à Outokumpu ; son minerai contient aussi du soufre, du fer et du zinc. Des gisements de fer sont exploités à Kärväsvaara, Otanmäki et Jussarö, ainsi qu'une mine de plomb à Orijärvi et quelques mines de molybdène et de cobalt. L'industrie métallurgique (1 315 000 t de fonte et de ferro-alliages en 1975) et les constructions mécaniques (moteurs, machines électriques, automobiles, locomotives, navires marchands) se sont développées depuis la Deuxième Guerre mondiale. L'industrie textile est aussi en expansion, surtout dans le secteur des filés artificiels et synthétiques (Turku*, Tampere*, Vaasa*). La porcelaine d'Helsinki* et les verreries de Karhula* sont réputées. – *Commerce.* La Finlande exporte plus du quart de sa production (papier, pâte de bois, machines, produits laitiers). Les importations de machines et de matières premières sont indispensables à son industrie. Ses principaux partenaires sont le Royaume-Uni, l'Allemagne (R.F.A.), la Suède et les États-Unis. – *Transports.* Les communications intérieures se font par route (71 870 km) et par navigation sur les lacs et certaines rivières. Le réseau ferré (5 751 km) est formé principalement de trois lignes orientées nord-sud. Pendant l'hiver, les ports du S. sont maintenus ouverts grâce à des brise-glace. Le pays possède plusieurs aéroports dont les principaux se trouvent à Helsinki et à Turku. – Patrie d'A. Aalto*, J. Aho*, U.K. Kekkonen*, A.S. Kivi*, E. Lönnrot*, C. G. Mannerheim*, P. Nurmi*, J. Runeberg*, E. Saarinen*, J. Sibelius*, F. Sillanpää, A. Soumarokov*, Z. Topelius*, E. Westermarck*. ♦ *Hist.* À un premier peuplement de Lapons, vers la période glaciaire, succéda au cours du second millénaire un peuplement issu d'Europe centrale, qui disparut lors de l'ère chrétienne. À la fin du Iᵉʳ s., les Finnois d'Estonie s'établirent dans le sud du pays et atteignirent v. 800 la Carélie, où d'autres peuples d'origine finno-ougrienne, venus de l'Est, étaient apparus. Ils pratiquèrent un commerce prospère de fourrures, jusqu'à ce qu'ils soient concurrencés par les Vikings, qui occupèrent peu à peu le sud du pays. La Finlande, encore peu peuplée et sans existence politique, devait être soumise en 1150 par les Suédois, qui y introduisirent le christianisme et eurent à lutter contre Novgorod* jusqu'au XIIIᵉ siècle. À cette époque, la Finlande devint un duché suédois dont l'indépendance et le particularisme se développèrent. À partir du XIVᵉ s., l'assimilation légale à la Suède fut presque complète. Une noblesse suédoise forma les cadres du pays, tandis que les villes accueillaient de nombreux Allemands, amenés par la Hanse. La culture et la langue suédoises devaient laisser leur empreinte dans le pays. Le XVIᵉ s. vit l'apparition de la Réforme et la mise en valeur du pays, sous l'impulsion de Gustave* Vasa, qui fonda Helsinki (1550) et confisqua les biens ecclésiastiques. Les luttes avec la Russie reprirent, et la Finlande fut particulièrement éprouvée par les guerres de Charles* XII ; après les pertes successives de la Carélie et d'une partie du S.-E., au cours du XVIIIᵉ s., elle fut conquise en 1809 par Alexandre* Iᵉʳ (traité de Hamina). La domination russe lui laissa d'abord une certaine indépendance, et lui permit un réveil culturel et politique, arrêté dès la fin du XIXᵉ s. par une campagne de russification. Elle allait pouvoir obtenir son indépendance lors de la révolution russe : après un an de guerre civile entretenue par les ingérences étrangères, le général Mannerheim*, à la tête de l'armée blanche et grâce à l'aide allemande (von der Glotz), écrasa les troupes communistes. Après une tentative de gouvernement royal, la république fut proclamée en 1919, et l'indépendance finlandaise reconnue par l'U.R.S.S. au traité de Turku (1920). À une période de troubles succéda l'avènement au pouvoir du mouvement conservateur de Lapua. Celui-ci accomplit un redressement économique et social (90 % des fermiers purent acheter leur terre). Cependant cet essor fut arrêté par l'invasion russe de 1939. Malgré une résistance héroïque qui dura trois mois en dépit du déséquilibre des forces, la Finlande dut accepter au traité de Moscou des pertes territoriales considérables (Carélie et une partie de la Laponie : 11 % de ses ressources industrielles et agricoles). Entraînée malgré elle à reprendre les hostilités aux côtés de l'Allemagne, elle évita de participer à des opérations communes et parvint, grâce à l'habileté diplomatique de Mannerheim, à signer un armistice séparé en 1944 : c'est alors que les troupes allemandes, contraintes de quitter son territoire, dévastèrent la Laponie. Les clauses du traité de

Finlande

Ph. Hétier

Finlande : environs de Kuopio.

Paris (1947) furent très sévères : aux pertes de 1940 s'ajoutèrent celle de Petsamo et l'obligation de verser de lourdes réparations, qui ne furent acquittées qu'en 1953. Le pays était diminué et ruiné, mais il avait pu préserver sa liberté. La prudence de Paasikivi et de Kekkonen lui permit de se maintenir à l'écart des grands conflits internationaux. En 1955, le traité d'amitié soviéto-finlandais (accords de Moscou) a reconduit pour vingt ans l'accord commercial conclu en 1950. Admise à l'O.N.U. la même année, la Finlande a adhéré au marché commun nordique en 1960.

FINLANDE *(golfe de)*. ♦ Golfe formé par la Baltique, entre la Finlande au N. et l'U.R.S.S. à l'E. et au S. (Carélie*, Ingrie*, Estonie*). Long. 400 km. Il baigne Helsinki*, Leningrad*, Tallin*.

FINLAY (Carlos Juan). ♦ Médecin cubain (Camagüey, Cuba, 1833 – Cuba, 1915). Il découvrit, avant Agramonte*, le mode de transmission de la fièvre jaune par les moustiques.

FINNMARK. *n. m.* ♦ Région de la Norvège septentrionale, formant un comté *(fylke)* limité à l'O. par l'océan Atlantique, au N.-E. par l'U.R.S.S., à l'E. et au S.-E. par la Finlande. 48 646 km². 75 000 hab. *Ch.-l.* Vadsø. *V. princ.* Hammerfest*, Kirkenes, Vadsø, Vardø. – Le relief formé principalement de hauts plateaux et la latitude élevée **(V. Hammerfest)** poussent les humains à se concentrer près des fjords abrités. – Pêche à la morue de février à avril. Congélation de poissons. Élevage de rennes par les Lapons. Tourisme d'été.

FINSEN (Niels Ryberg). ♦ Médecin danois (Thorshavn, îles Féroé, 1860 – Copenhague, 1904). Il obtint le prix Nobel de méd. (1903) pour sa découverte de l'utilisation des rayons lumineux (concentrés et refroidis) dans le traitement de certaines maladies (finsenthérapie ou photothérapie).

FIODOR Ier. ♦ V. FÉDOR.

FIONIE, *n. f.*, en danois **Fyn**. ♦ Île du Danemark, entre la péninsule du Jutland* et l'île de Sjaelland*, baignée par le Petit-Belt* à l'O. et le Grand-Belt* à l'est. 3 486 km². 422 300 hab. *Ch.-l.* Odense. *V. princ.* Assens, Faaborg, Middelfart, Nyborg*, Odense*, Svendborg. L'île est divisée en deux départements : Odense et Svendborg. Composée de moraines et de terres fertiles, elle offre un paysage de plaines et, au S.-E., de collines boisées de hêtres. – L'*économie* est essentiellement agricole : céréales, arbres fruitiers. Forêts. Élevage de volaille, bovins et porcs. Pêche.

FIORAVANTI (Leonardo). ♦ Médecin italien (Bologne, 1518 – 1588). Il doit sa réputation à l'invention d'un calmant contre les rhumatismes et les coliques néphrétiques (*baume* ou *alcoolat de Fioravanti*), encore utilisé de nos jours.

FIORENTINO (Giovanni). ♦ Narrateur italien (XIVe s.), auteur d'un recueil de cinquante nouvelles inspirées de Boccace*, *Il Pecorone* (v. 1390). Shakespeare* puisa dans l'une d'elles le sujet de son *Marchand de Venise.*

FIRDÛSÎ (Abû al-Qâsim Mansûr ibn Hasan). ♦ Poète épique persan (Bâj, district de Tâbarân, v. 940 – *id.,* 1020). Son « Livre des rois » *(Shâ*-Nâme)* compte parmi les grandes épopées de la littérature universelle. Vers 980, Firdûsi reprit le projet de Daqiqi* et commença la rédaction de l'épopée nationale. En 998, il acheva la versification de la compilation réalisée par Abû Mansûr (957). Il continua ensuite son œuvre en s'inspirant d'autres sources. L'ensemble du poème, terminé en 1010, fut dédié à Mahmûd* de Ghaznî, sultan ghaznavide* ; mais diverses raisons (dont la différence de doctrine religieuse, Mahmûd étant sunnite*, Firdûsî shi'ite*) amenèrent à un désaccord et Firdûsî serait allé jusqu'à écrire une satire contre Mahmûd. « Le Livre des rois », composé dans un mètre reprenant les principes quantitatifs de la prosodie arabe, dépasse les cinquante mille distiques. L'auteur y relate l'histoire de l'ancien Iran des temps mythiques jusqu'à la chute du roi Khosrô II (590-628) et l'invasion arabe. Tout en glorifiant la nation iranienne, l'auteur y célèbre la sagesse des rois amenés à affronter l'« Esprit mauvais » et à se venger. La simplicité du style, la justesse du vocabulaire, le mélange de narrations et d'exhortations morales, l'ample description de la nature et des scènes guerrières et héroïques firent de ce poème un modèle souvent imité dans la littérature persane. Par ailleurs, la tradition attribue à Firdûsî divers poèmes lyriques. Mais les critiques modernes renoncent à lui attribuer *Yusûf et Zulaïkha,* poème racontant l'histoire du Joseph biblique, qui occupe une place importante dans le Coran*.

FIRENZE. ♦ V. FLORENCE.

FIRMICUS MATERNUS (Julius). ♦ Écrivain latin né à Syracuse (IVe s.), auteur des *Matheseos libri VIII (Huit Livres d'astronomie)* et, après sa conversion au christianisme, du *De errore profanarum religionum* (v. 346-350), violent traité contre le paganisme.

FIRMIN *(saint)*. ♦ Traditionnellement, premier évêque d'Amiens, martyr (IIIe s. ?). Fête le 25 septembre.

FIRMINY. ♦ Ch.-l. de cant. de la Loire* (arr. de Saint*-Étienne), sur l'Ondaine. 25 354 hab. Église des XIIe et XVIe siècles. Ensemble architectural de Le* Corbusier. – Exploitation de houille, grand centre d'indus. métallurgiques (aciéries) et d'indus. textiles.

FÎRÛZÂBÂDÎ (Muhammad ibn Ya'qûb al). ♦ Écrivain persan (Kâzarûn, 1329 – Zabîd, 1414). Il voyagea en Égypte et en Inde et composa plus de quarante ouvrages. Mais son écrit le plus célèbre est un dictionnaire arabe, *Al-qâmûs al-muhît* (« L'Océan qui embrasse tout »), abrégé d'un très long dictionnaire perdu qui comprenait plus de soixante volumes. Les dictionnaires arabes

Miniature indienne du XVIe s. illustrant le « Livre des Rois » de **Firdûsî** (Musée Condé, Chantilly.)

contemporains, conçus par des Occidentaux, s'inspirent largement de cet ouvrage.

FÎRÛZ-KUH. *n. m.* ♦ Haute chaîne de montagnes du centre de l'Afghânistân*, prolongeant le massif du Kuh-i Bâbâ à l'O. et culminant à 3 900 mètres. Elle est aride et désertique.

FÎRÛZ SHÂH TUGHLÛQ. ♦ Sultan de Delhi (Inde, 1305 – 1388). Parvenu au trône en 1351, il tenta, mais en vain, d'agrandir ses États, reconstruisit Delhi* qu'il nomma Fîrûzâbâd, et créa la ville de Jaunpur*. Administrateur avisé, il laissa de nombreuses constructions et réforma les pratiques judiciaires, abolissant l'usage de la torture.

FISCHART (Johann, surnommé **Mentzer).** ♦ Humaniste et auteur satirique alsacien (Strasbourg, 1546 ou 1547 – 1590). Après avoir fréquenté le gymnase protestant de Strasbourg (alors dirigé par l'humaniste J. Sturm), il fit des études dans diverses villes d'Europe (Worms, Paris, Sienne, Bâle). Ses premiers écrits sont des pamphlets dirigés contre l'Église catholique et les Jésuites; d'abord partisan de Luther, Fischart prit la défense des huguenots français et pencha lui-même vers le calvinisme. Il est également connu pour son adaptation en vers de *Till* Eulenspiegel* (1572) et du premier livre de *Gargantua* de Rabelais (1585).

FISCHER (Johann). ♦ Compositeur et mélodiste allemand (Augsbourg, 1646 – Schwedt, v. 1720). Après un séjour à Paris où il fut copiste de Lully (1665-1670), il revint en Allemagne où il contribua à introduire le style français, et notamment l' « ouverture à la française ». Il a laissé des motets et des divertissements.

FISCHER (Johann Kaspar Ferdinand). ♦ Compositeur allemand (? 1660 – Rastatt, 1746). Claveciniste de grande réputation, il a laissé des pièces pour orgue, clavecin, de la musique d'église et de cour.

FISCHER (Johan Michael). ♦ Architecte et décorateur allemand (Burglengenfeld, Haut-Palatinat, 1691 – Munich, 1766). Il fut l'un des principaux représentants du baroque bavarois dans le domaine de l'architecture religieuse. Il collabora sans doute avec Cuvilliés* à l'église d'Aufhauser (1736-1751) et de *Saint-Michel de Berg am Laim,* à Munich. Recherchant l'animation des masses, il mit en valeur de vastes espaces lumineux, éleva des églises, soit à nef avec vaste rotonde centrale recouverte de coupoles, soit à plan central. Ses réalisations avec les décors fastueux des retables et des voûtes, l'abondance des cartouches en stuc aux formes mouvantes, irrégulières et déchiquetées ressortant sur de vastes espaces blancs, sont parmi les exemples les plus caractéristiques de la décoration rococo en Bavière et en Souabe : *églises d'Ottobeuren* (1737-1766) et de *Diessen.*

FISCHER (Kuno). ♦ Philosophe allemand (Sandewalde, Silésie, 1824 – Heidelberg, 1907). Professeur à Iéna et Heidelberg, il fut un disciple de Hegel **(V. Hégélianisme)** et consacra la plupart de ses travaux à l'histoire de la philosophie (*Histoire de la philosophie moderne,* 1860).

FISCHER (Emil). ♦ Chimiste allemand (Euskirchen, Prusse-Rhénane, 1852 – Berlin, 1919). Auteur de travaux sur la structure des sucres simples, les fermentations des glucides, il étudia les protéines et les amino-acides et réalisa la synthèse de nombreux composés biochimiques. (Prix Nobel de chimie, 1902.)

FISCHER (Franz). ♦ Chimiste allemand (Fribourg-en-Brisgau, 1877 – Munich, 1948). Il imagina avec Tropsch un procédé de production de nombreux hydrocarbures et produits dérivés à partir du charbon par conversion catalytique de l'oxyde de carbone *(procédé Fischer-Tropsch).* **V.** *aussi* **Bergius.**

FISCHER (Hans). ♦ Chimiste allemand (Höchst am Main, 1881 – Munich, 1945). Auteur de recherches sur la chimie des chromoprotéides porphyriques, il précisa la composition de l'hémoglobine **(V. Kendrew** et **Perutz)** et réalisa la synthèse de l'un de ses principaux constituants, l'hématine (1929); on lui doit également d'importants travaux sur la chlorophylle. **V. Willstätter.** (Prix Nobel de chimie, 1930.)

FISCHER (Edwin). ♦ Pianiste suisse (Bâle, 1886 – Zurich, 1960). Fondateur, en Allemagne et en Suisse, d'orchestres de chambre dont il prit la direction, il fit ensuite une carrière internationale de pianiste et fut un remarquable interprète de J.-S. Bach, Schumann et Beethoven.

FISCHER von ERLACH (Johann Bernhard). ♦ Architecte, décorateur, sculpteur et historien d'art autrichien (Graz, 1656 – Vienne, 1723). Il se forma à Rome dans l'atelier du Bernin* et entreprit à Vienne une brillante carrière d'architecte. Assimilant les leçons du baroque italien, il élabora un style original, grandiose et théâtral qui tendait à la glorification de la puissance impériale et de l'Église catholique et qui en fait l'un des plus importants créateurs du baroque autrichien. Dans ses premières œuvres se décèle surtout l'influence de Borromini* (*église de la Trinité* à Salzburg, 1694-1702; *château du comte Michel II Althan* à Frain, Moravie). puis il s'inspira de Versailles dans les plans du vaste château de *Schönbrunn,* adoptant cependant un corps central circulaire. Il éleva de nombreuses résidences de campagne, notamment le *palais Schwarzenberg* (1697-1715). Il s'intéressa aussi à l'architecture antique et, à l'*église Saint-Charles-Borromée* (Vienne, 1716-1732), intégra d'une façon audacieuse les éléments romains (répliques des colonnes trajane et antonine, péristyle) à des ailes inspirées de Mansart* en insistant sur les contrastes dynamiques. Il aimait les décors exubérants et fit un large emploi du motif de l'Atlante. Il donna à la fin de sa vie les plans de la *Bibliothèque impériale,* du *Manège espagnol* et de la *chancellerie de Bohême,* à Vienne. Son ouvrage *Architecture historique* (1721) est une tentative originale d'histoire comparée de l'architecture.

FISCHER von ERLACH (Joseph Emmanuel). ♦ Architecte autrichien, fils de Johann Bernhard (Vienne, 1693 – *id.,* 1742). Il travailla avec son père et termina plusieurs de ses œuvres, notamment la *Bibliothèque impériale, le Manège espagnol* et *la chancellerie de Bohême,* à Vienne, en y apportant souvent de profondes modifications allant dans le sens d'une plus grande sobriété. Il éleva aussi le *château d'Austerlitz* et l'*hôtel des Invalides* à Budapest.

FISHER (*saint* **John).** ♦ Homme d'Église et humaniste anglais (Beverley, v. 1469 – Londres, 1535). Ami d'Érasme, chancelier de l'université de Cambridge et évêque de Rochester (1504). Il refusa de prêter les serments reconnaissant le mariage de Henri VIII avec Anne Boleyn et la position de ce roi à la tête de l'Église d'Angleterre : il fut exécuté quelque temps avant Thomas More* et canonisé en même temps que lui en 1935. Fête le 22 juin.

FISHER (John Arbuthnot Fisher, devenu en 1909 le *1er baron Fisher of Kilverstone***).** ♦ Amiral anglais (Ramboda, Ceylan, 1841 – Londres, 1920). Premier lord naval *(first sea lord)* en 1904, il conféra à la marine britannique une puissance qui allait se révéler décisive au cours de la Première Guerre mondiale; le cuirassé de type *dreadnought,* notamment, fut créé à son instigation (1905-1907). Après sa retraite en 1910, il fut rappelé comme premier lord naval en octobre 1914, se heurta à Churchill* à propos de l'expédition des Dardanelles* et démissionna en mai 1915, non sans provoquer un remaniement ministériel où Churchill fut écarté.

FISHER (Irving). ♦ Économiste américain (Saugerties, New York, 1867 – New York, 1947). Professeur de mathématiques puis d'économie politique à laquelle il appliqua les méthodes mathématiques, il a donné à la théorie quantitative de la monnaie une formulation moderne, mettant en relation la quantité de monnaie en circulation, la vitesse de circulation et le niveau des prix. (*Mathematical Investigations in the Theory of Value and Prices,* 1892; *The Nature of Capital and Income,* 1906; *The Purchasing Power of Money,* 1907.)

FISHTA (R.P. Gjergj). ♦ Poète et homme politique albanais (Fishta, dans la Zadrima, 1871 – Shkodër, Scutari, 1940). Il retraça dans ses poèmes, rassemblés sous le titre de *La Flûte de la montagne,* l'histoire du peuple albanais luttant pour son indépendance.

FISMES [fim]. ♦ Ch.-l. de cant. de la Marne (arr. de Reims), sur la Vesle, près de son confluent avec l'Ardre. 3 809 hab.

(Fismois). Église (XIIe et XVIe s.). Fonderie. Tréfilerie. Sucreries. ♦ *Hist.* Fismes est bâtie à l'emplacement de *Fines Suessionium,* station romaine, et fut presque entièrement détruite lors de la bataille de Champagne (1918).

FITZGERALD. ♦ Famille anglo-normande, établie en Irlande dès le XIIe s., et qui, par ses origines, fut amenée à jouer un rôle difficile dans les luttes qui opposèrent l'Angleterre et l'Irlande. Elle se divisa en deux branches, celle de Kildare et celle de Desmond. ♦ GÉRALD LE GRAND ou GARRET MÓR, 8e *comte de Kildare* (mort 1513), gouverneur d'Irlande depuis 1481, joua un rôle d'arbitre, en respectant les traditions irlandaises sans perdre son loyalisme envers l'Angleterre. ♦ GÉRALD LE JEUNE ou GARRET OG, 9e *comte de Kildare* (mort Londres, 1534), gouverneur d'Irlande (1513-1520, 1522-1534), fut suspecté et emprisonné à Londres où il mourut. ♦ THOMAS, 10e *comte de Kildare,* fils du précédent (mort 1537), contraint à la rébellion, fut pris et pendu avec cinq de ses oncles. ♦ THOMAS, 8e *comte de Desmond* (v. 1426 – Drogheda, 1468). Député, compromis avec les opposants d'Édouard* VI, il fut condamné à mort, malgré sa défense de la cause anglaise en Irlande. ♦ GÉRALD, 15e *comte de Desmond,* (mort Kerry, 1583). Poussé à la révolte par l'hostilité des Ormonde, il fut finalement pris, après de longues luttes, et exécuté.

FITZGERALD (George Francis). ♦ Physicien irlandais (Dublin, 1851 – *id.,* 1901). Par son explication du résultat négatif des expériences de Michelson*, faisant l'hypothèse d'une contraction des longueurs dans le sens du mouvement (1893), il fut à l'origine de la révolution relativiste. **V. Einstein, Lorentz.**

FITZGERALD (Francis Scott). ♦ Romancier américain (St. Paul, Minn., 1896 – Hollywood, Cal., 1940). D'ascendance irlandaise et de tempérament religieux, il se passionna dès son plus jeune âge pour la littérature. Négligeant les autres disciplines, c'est sans avoir obtenu de diplôme qu'il quitta l'université de Princeton pour devenir l'aide de camp du général Ryan, charge qui lui laissait la liberté d'écrire ses nouvelles et ses contes, dont certains parurent dans le magazine *Smart Set. De ce côté-ci du Paradis* (*This Side of Paradise,* 1920), roman composé dans les camps, fut en quelque sorte un manifeste, l'image même de la jeunesse d'après-guerre (« tous les dieux, morts ; toutes les guerres, faites ; tous les espoirs en l'homme, trompés »). Parmi ses autres œuvres, il faut mentionner : *La Belle et Damnée* (*The Beautiful and Damned,* 1921), *Gatsby le Magnifique* (*The Great Gatsby,* 1925) où Fitzgerald nous fait assister à la destruction d'un jeune bootlegger victime d'une femme avide, stupide et sans cœur. *Tendre est la nuit* (1934) raconte la lente désagrégation d'un ménage et d'une conscience. Cette histoire n'est pas sans rappeler celle de Fitzgerald lui-même dont la femme sombra dans la folie. Cet émouvant représentant de la « génération perdue » connut l'effondrement physique et psychologique qu'il avait dépeint chez ses héros et mourut alcoolique. Ses livres et ses lettres ont été réunis sous le titre général *L'Effondrement* (1945).

FITZGERALD (Ella). ♦ Chanteuse de jazz noire américaine (Newport News, Virginie, 1918 –). Engagée en 1934 dans l'orchestre de Chick Webb, elle en assura la direction en 1939-1941, après la mort de ce dernier. Depuis, elle s'est produite dans le monde entier. Princ. enregistrements : *Lady Be Good* (1946), *Porgy and Bess* (avec Armstrong*, 1958), *How High the Moon* (1960).

FITZ-JAMES (Jacques Stuart, *duc de* **Berwick** *et de***).** ♦ Maréchal anglais naturalisé français (Moulins, 1670 – Philippsburgh, 1734). Il remporta la victoire d'Almansa, en Espagne (1707). Il dut son titre de duc de Fitz-James à Louis XIV (1710).

FIUME. ♦ Nom italien de Rijeka*.

FIZEAU (Hippolyte). ♦ Physicien français (Paris, 1819 – La Ferté-sous-Jouarre, 1896). Intéressé par la photographie, il obtint avec Foucault* le premier daguerréotype de la surface solaire [1845] **(V. Daguerre)** ; il mit au point la première méthode physique pour la mesure de la vitesse de la lumière (méthode de la roue dentée, 1849) et étendit à l'optique l'effet découvert par Doppler* dans le cas des ondes sonores, ce qui permit notamment de mesurer des vitesses radiales d'étoiles et de découvrir des étoiles doubles **(V. Huggins, Vogel)** ; on lui doit également des travaux sur la dilatation et les propriétés optiques des corps solides [1866]. (Acad. des sc., 1860.)

FLACHAT (Eugène). ♦ Ingénieur français (Nîmes, 1802 – Arcachon, 1873). Constructeur, avec Stéphane Mony*, du chemin de fer Paris-Saint-Germain-en-Laye, il dirigea la construction des lignes Paris-Rouen (1840) et Rouen-Le Havre (1842).

FLACOURT (Étienne de). ♦ Colonisateur et géographe français (Orléans, 1607 – dans l'Atlantique, 1660). Envoyé à Madagascar par la Compagnie des Indes orientales, il écrit un des premiers ouvrages précis sur *La Grande Isle de Madagascar* (1653-1658) ainsi qu'un *Dictionnaire de la langue de Madagascar* (1658).

FLAGSTAD (Kirsten). ♦ Cantatrice norvégienne (Oslo, 1895 – *id.,* 1962). Soprano d'un éclat exceptionnel, remarquable tragédienne lyrique, elle fut à Bayreuth (1933-1934) et au Metropolitan Opera de New York (1935-1952) une des plus grandes interprètes de Wagner*.

FLAHAUT DE LA BILLARDERIE (Auguste, *comte de***).** ♦ Général et diplomate français (Paris, 1785 – *id.,* 1870). Enfant naturel de Talleyrand et de la comtesse de Flahaut, il fut officier de l'état-major de Bonaparte. Il eut de sa relation avec la reine Hortense un fils qui devint le duc de Morny*. Émigré en Angleterre de 1815 à 1827 (où il epousa la fille de lord Keith), il retrouva son grade de général de division à l'avènement de Louis-Philippe qui le fit pair de France en 1830, le nomma ministre plénipotentiaire à Berlin (1831), puis ambassadeur en Angleterre (1842-1848). Sénateur en 1853, il fut promu grand chancelier de la Légion d'honneur en 1855.

Coll. Rui Nogueira

Image de « Louisiana Story » de **R. Flaherty.**

FLAHERTY (Robert). ♦ Réalisateur américain de cinéma, d'origine irlandaise (Iron Mountains, Michigan, 1884 – Dummerston, Vermont, 1951). Explorateur du Grand Nord canadien, minéralogiste et cartographe, il dut au hasard d'une commande passée par une grande maison de fourrures de devenir le créateur du documentaire et d'élever ce genre à la dignité de l'œuvre d'art. Observateur minutieux de la vie saisie sous ses aspects les plus humbles et les plus quotidiens, en ces quelques lieux du monde où il perçoit l'innocence des premiers âges, Flaherty a su en célébrer la grandeur cachée et l'harmonie. Dédiée aux génies complémentaires de l'homme et de la nature, son œuvre recèle la tendresse et la sympathie d'un mystique panthéiste. Réal. princ. : *Nanouk* (*Nanook of the North,* 1922), *Moana* (1926), *Ombres blanches* (avec Van Dyke, 1928), *Tabou* (avec Murnau, 1931), *L'Homme d'Aran* (*Man of Aran,* 1934), *Louisiana Story* (1948).

FLAINE. ♦ Station de sports d'hiver, de Haute-Savoie, créée dans une combe débouchant sur le plateau dit « désert de Platé ».

FLAMAN (Eugène). ♦ Ingénieur français (Moulins-sur-Céphons, Indre, 1842 – Rainfreville, Seine-Maritime, 1935). Il perfectionna le matériel ferroviaire, imaginant une chaudière à deux corps (1889) et un indicateur-enregistreur de vitesse pour locomotives.

FLAMEL (Nicolas). ♦ Écrivain juré de l'université de Paris (Pontoise, v. 1330 – Paris, 1418). Personnage dont s'est emparée la légende, qui le fit passer pour alchimiste en raison de l'importante fortune qu'il avait accumulée et des donations qu'il aurait faites à de nombreux hôpitaux et chapelles. On lui attribua, à tort semble-t-il, des ouvrages d'hermétisme.

FLÄMING. *n. m.* ♦ Région d'Allemagne orientale (Brandebourg) située entre l'Elbe et Berlin et appartenant à l'ensemble de la grande plaine du Nord. C'est une région assez déshéritée de collines morainiques.

FLAMINIUS, en lat. **Titus Quinctius Flaminius.** ♦ Général romain (mort ~ 175). Consul en ~ 197, il mit fin à la deuxième guerre de Macédoine par sa victoire sur Philippe* V à Cynocéphales (~ 197) et proclama à Corinthe la liberté des Grecs (~ 196). Il décida Prusias* Ier à livrer Hannibal* qui préféra s'empoisonner.

FLAMINIUS NEPOS (Caius). ♦ Homme politique et général romain (mort à Trasimène en ~ 217). L'un des chefs du parti démocratique dès ~ 232, il mena la lutte contre le parti sénatorial comme tribun de la plèbe. Consul en ~ 223, censeur en ~ 220, nommé à nouveau consul en ~ 217 lors de la seconde guerre Punique*, il fut vaincu et tué près du lac Trasimène*. Étant censeur, il fit construire à Rome le cirque Flaminien et commencer la via Flaminia.

FLAMMARION (Camille). ♦ Astronome français (Montigny-le-Roi, Haute-Marne, 1842 – Juvisy-sur-Orge, 1925). Auteur de *La Pluralité des mondes habités* (1862) et d'une *Astronomie populaire* (1880), il fonda l'observatoire de Juvisy (1883) et la Société astronomique de France (1887).

FLAMSTEED (John). ♦ Astronome anglais (Denby, Derbyshire, 1646 – Greenwich, 1719). L'observatoire de Greenwich fut fondé sur sa proposition en 1676, par Charles II qui le nomma « astronome royal »; il y observa systématiquement les planètes et les étoiles brillantes jusqu'à sa mort. Il améliora les instruments et les techniques d'observation *(méthode des déclinaisons correspondantes),* mit au point une méthode de projection à laquelle son nom est resté attaché (méridien du milieu de la carte et parallèles développés en lignes droites, autres méridiens courbes), rédigea l'*Historia caelestis Britannica* (ouvrage posthume publié en 1725) qui contient le premier grand catalogue moderne (positions de près de 3 000 étoiles). **V.** *aussi* **Halley.**

FLANAGAN (Hallie). ♦ Universitaire et animatrice de théâtre américaine (Red Field, 1890 –). Directrice du *Federal Act Project* (1936-1939), elle élabora, à la demande du Département d'État, une théorie du théâtre populaire dont l'avenir devait démontrer le caractère prophétique. Selon Mme Flanagan, le théâtre doit s'adapter aux conditions géopolitiques et linguistiques des différentes populations. Afin d'atteindre les couches les plus pauvres de la population, le théâtre doit devenir un service public, pratiquant des tarifs très bas, sinon même une totale gratuité.

FLANDIN (Étienne). ♦ Homme politique et écrivain français (Paris, 1853 – 1922). Député républicain (1893-1909), auteur d'ouvrages historiques et politiques (*La Révolution française et l'enseignement supérieur,* 1880, etc.). ♦ FLANDIN (PIERRE-ÉTIENNE). Homme politique français (Paris, 1889 – Saint-Jean-Cap-Ferrat, 1958). Son fils. Chef de l'Alliance démocratique à la Chambre des députés où il avait été élu, il fut plusieurs fois ministre à partir de 1924. Président du Conseil (nov. 1934-mai 1935), il fut chargé du portefeuille des Affaires étrangères en 1936. Il approuva les accords de Munich (sept. 1938). Il fit partie du gouvernement de Vichy (1940), dont il dut se retirer (1941) à la demande des autorités allemandes. Il y fut remplacé par Darlan*. En 1946, il fut condamné par la Haute Cour de justice à cinq ans d'indignité nationale, mais relevé de la peine pour actes de résistance.

FLANDRE. *n. f.* ou **FLANDRES.** *n. f. pl.* ♦ Plaine qui s'étend en bordure de la mer du Nord en France et en Belgique, entre l'Artois* et les bouches de l'Escaut* en Belgique. On distingue la *Flandre intérieure* et la *Flandre maritime,* où se trouvent les ports de Calais*, Dunkerque*, Zeebrugge*, Ostende*. **V. Nord** (région du).

FLANDRE-OCCIDENTALE. *n. f.,* en néerl. **West-Vlaanderen.** ♦ Province belge limitée au N. et au N.-O. par la mer du Nord, à l'O. et au S. par la France, au S.-E. par le Hainaut*, à l'E. par la Flandre*-Orientale et au N.-E. par la Hollande. 3 224 km². 1 029 000 hab. *Ch.-l.* Bruges. *8 arr.* **V. Ypres, Thielt, Roulers, Ostende, Furnes, Dixmude, Courtrai** et **Bruges.** La Flandre-Occidentale fait partie de la région naturelle des Flandres. C'est une plaine – avec quelques collines au S. et à l'E. (monts de Flandres) – dont le littoral, bordé de dunes, possède des stations balnéaires renommées (La Panne, Knokke). Elle est drainée par la Lys*, l'Yser* et de nombreux canaux (d'Ostende, de Damme). – *Écon.* La Flandre-Occidentale produit du lin, de l'avoine, de l'orge, du houblon, du tabac, de la garance, de la chicorée. Oléiculture. Élevage (bétail, volaille, gibier, pisciculture). Brasseries. Distilleries. Tanneries. Teintureries. Raffineries de sucre et de sel. Savonneries. La Flandre-Occidentale est réputée pour ses « villes drapantes » (coton, soierie, dentelle).

FLANDRE-ORIENTALE. *n. f.,* en néerl. **Oost-Vlaanderen.** ♦ Province belge limitée au N. par la Hollande, à l'E. par les provinces d'Anvers* et du Brabant, au S. par le Hainaut* et à l'O. par la Flandre*-Occidentale. 2 982 km². 1 311 700 hab. *Ch.-l.* Gand. *6 arr.* **V. Alost, Audenarde, Eeklo, Gand, Saint-Nicolas** et **Termonde.** La Flandre-Orientale fait partie de la région naturelle des Flandres. C'est une plaine argileuse entièrement située dans le bassin de l'Escaut* qui draine toute la région. – *Écon.* La Flandre-Orientale produit du blé, du lin, du houblon, des plantes oléagineuses. Horticulture. Indus. textiles (laine, coton et lin) dans les « villes drapantes » **(V. Gand).** Tanneries. Brasseries. Distilleries. Raffineries de sucre. Savonneries.

FLANDRES *(monts de).* ♦ Buttes sableuses dont trois se trouvent en France et deux en Belgique, aux environs d'Ypres. – Champ de bataille pendant la guerre 1914-1918.

FLANDRIN (Hippolyte). ♦ Peintre et dessinateur français (Lyon, 1809 – Rome, 1864). Il fut un fidèle élève d'Ingres* et subit l'influence des nazaréens. Il exécuta de grandes compositions murales (Saint-Séverin, Saint-Germain-des-Prés et Saint-Vincent-de-Paul) d'un style froid et conventionnel. Peintre idéaliste et religieux, représentant de l'académisme officiel, il fut aussi le portraitiste attitré de Napoléon III.

FLATTERS (Paul). ♦ Officier et explorateur français (Paris, 1832 – Bir-el-Garama, 1881). Fils du sculpteur J.J. Flatters, il vint en Algérie après la guerre de 1870; il y dirigea deux expéditions (1880 et 1881) en vue de la construction du transsaharien et fut tué par les Touaregs. Le récit de ses deux missions a été donné par Derrécagaix en 1882 et par Brosselard en 1889.

FLAUBERT (Gustave). ♦ Écrivain français (Rouen, 1821 – Croisset, 1880). Grandi dans le cadre de l'Hôtel-Dieu de Rouen dont son père était médecin-chef (il y acquit peut-être « ce coup d'œil médical de la vie » qu'il préconisera plus tard), il partagea l'exaltation romantique de sa génération et se passionna très tôt pour la littérature, oscillant déjà entre un réalisme caricatural, qui s'en prend à la « sottise bourgeoise » (*Le Dictionnaire des idées reçues,* posth. 1911), et l'exaltation sentimentale, comme dans *Les Mémoires d'un fou* (1837-1838), récit autobiographique où il évoque sa grande passion pour Mme Schlésinger. Alors qu'il entreprenait, sans goût, des études de droit à Paris (où il rencontre V. Hugo*), il fut atteint d'une maladie nerveuse qui l'obligea à se retirer dans sa propriété de Croisset, près de Rouen (1846). Désormais, son labeur d'écrivain ne fut plus interrompu que par quelques séjours à Paris (liaison avec la poétesse Louise Colet*), de grands voyages, notamment en Orient (de 1849 à 1851) avec Maxime Du* Camp, et la rédaction d'une volumineuse *Correspondance* avec ses amis, L. Bouilhet*, Gautier*, George Sand* et, plus tard, Daudet*, les Goncourt* ou Maupassant*. L'œuvre de Flaubert, dans sa dualité, correspond bien aux « deux bonshommes distincts » qui se disputent en lui, « un qui est épris de lyrisme, [...] de toutes les sonorités de la phrase; un autre qui fouille le vrai tant qu'il peut, [...] qui voudrait vous faire sentir presque matériellement les choses qu'il reproduit ». Ainsi, l'inspiration romantique domine dans *Salammbô** (1862), roman carthaginois, dans *La Tentation* de saint Antoine* (1849-1856-1874) et dans *Hérodias* ou *La Légende de saint Julien l'Hospitalier* (qui appartiennent au recueil *Trois* Contes,* 1877). Pourtant, même dans ces récits aux images somptueuses, à la prose éclatante, apparaît le souci de vérité historique (obtenue par une scrupuleuse enquête documentaire) si remarquable dans les œuvres « réalistes » : *Madame* Bovary* (1857), *L'Éducation* sentimentale* (1869) ou le roman satirique, *Bouvard* et Pécuchet* (inachevé, 1881). C'est pour acquérir « cette vue du vrai » que Flaubert observe l'âme humaine « avec l'impartialité qu'on met dans les sciences physiques », car « le grand art est scientifique et impersonnel ». Pour atteindre cette objectivité nécessaire, il faut donc « se transporter dans les personnages et non pas les attirer à soi ». Reproduire la réalité n'est cependant pas suffisant pour l'artiste; ce qui importe, c'est de « partir du réalisme pour aller jusqu'à la beauté ». Pour Flaubert, « plus l'expression se rapproche de la pensée, plus le mot colle dessus, et plus c'est beau ». D'où ces « affres de style » que connaît l'écrivain, recherchant la propriété des termes par d'innombrables retouches et éprouvant l'harmonie de son texte par l'épreuve du « gueuloir » pour s'adonner avec passion à la « recherche par-dessus tout de la beauté ».

FLAVIEN *(saint).* ♦ Patriarche de Constantinople en 446 (mort à Hypaypa, Lydie, 449). Ayant condamné la doctrine d'Eutychès* (Constantinople, 448), il reçut du pape Léon* Iᵉʳ un important document approuvant son attitude et explicitant la doctrine romaine pour l'Incarnation *(Tome à Flavien).* Molesté, déposé et exilé lors du « brigandage d'Éphèse » (août 449), il mourut peu après. Fête le 18 février.

FLAVIENS. ♦ Nom donné aux empereurs romains de la dynastie fondée en 69 par Vespasien* (69-79) et représentée après lui par ses deux fils, Titus* (79-81) et Domitien* (81-96).

FLAVIGNY-SUR-OZERAIN. ♦ Comm. de la Côte-d'Or (arr. de Montbard), dans l'Auxois. 437 hab. *(Flavigniens).* Restes de l'abbaye fondée en 745. Cryptes carolingiennes. La maison Lacordaire est un anc. couvent de dominicains. Maisons gothiques. Église Saint-Genest en grande partie du XIIIᵉ s. (bas-côtés et tribunes du XVᵉ s.), contenant l'Ange de l'Annonciation, beau spécimen de l'école bourguignonne du XVᵉ s., et des stalles de la fin du XVᵉ s. – Spécialité de bonbons à l'anis *(anis de Flavigny).*

FLAVIUS JOSÈPHE. ♦ Historien juif (Jérusalem, 37 – Rome, v. 100). D'une famille sacerdotale, il prit le parti des pharisiens. En 66, il participa à la révolte juive contre Rome à Jotapa; ayant échappé au massacre après la prise de la ville, il s'attira l'amitié de Vespasien auquel il prédit l'Empire et qui le libéra. Ayant ajouté à son nom celui de son protecteur Flavius, c'est dans le camp des Romains qu'il assista au siège de Jérusalem, comme interprète de Titus (70). Parmi ses ouvrages, outre une autobiographie où il fait sa propre apologie, il faut citer son récit de *La Guerre juive* (sans doute écrit primitivement en araméen), son traité *Contra Apionem,* où il tente de démontrer contre Apion la haute antiquité du peuple juif et de défendre la conception juive de l'histoire, et les

Ph. Jacques Dupaquier/Atlas-Photo

Flandre-Occidentale : le port d'Ostende.

Arch. Rencontre

La Flèche : chapelle Saint-Louis, Prytanée militaire.

Antiquités judaïques, dont un célèbre passage (18, 3, 3), seul témoignage historique direct et non chrétien concernant Jésus*, est considéré par de nombreux critiques comme une interpolation ou une « forgerie » (Guignebert).

FLAXMAN (John). ♦ Sculpteur, dessinateur et graveur anglais (York, 1735 – Londres, 1826). Il se lia avec Romney* et Blake*, exécuta des reliefs, des portraits en médaillon et des modèles pour les faïences de Wedgwood inspirés de l'Antique. Après un séjour à Rome où il subit l'influence des théories néo-classiques de Winckelmann*, il devint célèbre dans toute l'Europe et travailla à de nombreux monuments *(tombeau de Nelson à l'abbaye de Westminster).* Il s'inspira des vases grecs dans les illustrations de *l'Iliade* et de *l'Odyssée* (1793): son sens de la ligne, sa prédilection pour les contours épurés influencèrent les nazaréens et Ingres*.

FLÈCHE (La). ♦ Sous-préf. de la Sarthe, ch.-l. d'arr. (7 cant., 71 comm., 80 571 hab.), sur le Loir. 15 951 hab. [9 536 aggl.] *(Fléchois).* Église Saint-Thomas, en partie des XIIe et XIIIe siècles. Chapelle Notre-Dame-des-Vertus, romane, renfermant d'intéressantes boiseries du XVIe siècle. Dans l'enceinte du Prytanée militaire, chapelle Saint-Louis, chef-d'œuvre de l'art baroque du XVIIe s., possédant de remarquables orgues des XVIIe-XVIIIe siècles. Château des Carmes (XVe s.), auj. mairie. ♦ *Hist.* En 1607, Henri IV fonda à La Flèche un collège dont la direction fut confiée aux jésuites. Après l'expulsion de ceux-ci (1764), le collège devint école militaire, puis Prytanée national militaire sous l'Empire. – Patrie de Paul Balluat de Rebecque d'Estournelles*, prix Nobel de la paix en 1909, et de Marie Pape*-Carpantier.

FLÉCHIER (Esprit). ♦ Prédicateur et narrateur français (Pernes, Comtat Venaissin, 1632 – Nîmes, 1710). Aumônier de la Dauphine, ce prêtre mondain qui fréquenta l'hôtel de Rambouillet* manifesta son esprit dans des *Lettres,* des *Portraits* et ses *Mémoires sur les Grands Jours d'Auvergne* (posthumes, 1844). Il est connu pour ses *Sermons,* au ton simple mais à l'expression travaillée, et surtout par ses *Oraisons funèbres* (notamment celle de Turenne*, 1672, et celle de Marie*-Thérèse d'Autriche, 1683) d'une éloquence ingénieuse (goût des antithèses) et nuancée. (Acad. fr.)

FLECKER (James Elroy). ♦ Poète et dramaturge anglais (Lewisham, 1884 – Davos, Suisse, 1915). Il fit ses études à Oxford, enseigna à Londres et fit partie du corps diplomatique. Ses voyages, notamment à Constantinople et en Syrie, eurent une grande influence sur son œuvre, bien que Flecker se fût réclamé de l'école parnassienne française. Une pièce de théâtre *Hassan* (posth. 1922) lui valut la célébrité, mais l'on découvre aujourd'hui sa poésie rassemblée en 1916 : *Le Pont de feu,* 1908; *Trente-six poèmes,* 1910; *Quarante-deux poèmes,* 1911; *Le Voyage doré à Samarkande,* 1913; *Les Vieux Bateaux,* 1915.

FLEETWOOD. ♦ V. du N. de l'Angleterre (Lancashire) et port de pêche sur la mer d'Irlande, à l'embouchure de la Wyre *(Morecambe Bay).* 27 690 hab. (1961).

FLEGEL (Eduard Robert). ♦ Explorateur russe (Vilnious, 1855 – Brass, Nigeria, 1886). Après avoir atteint le Nigeria par le massif du Cameroun et remonté le cours de la Bénoué jusqu'à sa source, il entreprit l'exploration de l'Adamaoua (1882-1884).

FLÉMALLE *(Maître de).* ♦ V. CAMPIN (Robert).

FLÉMALLE-GRANDE. ♦ Comm. de Belgique (Liège) dans la banlieue de Liège, sur la Meuse. 6 300 hab. – Eglise du IXe siècle. Charbonnages (coke).

FLÉMALLE-HAUTE. ♦ Comm. de Belgique (Liège) dans la banlieue de Liège, sur la Meuse. 7 800 hab. – Carrières. Métallurgie.

FLEMING ou **FLEMMING (Paul).** ♦ Poète allemand de l'époque baroque (Hartenstein, Saxe, 1609 – Hambourg ? 1640). Dans ses poèmes, publiés peu après sa mort (1642), il a exprimé tour à tour son amour pour sa patrie alors bouleversée par la guerre de Trente Ans, l'érotisme le plus libre et un sentiment religieux sincère.

FLEMING (*sir* John Ambrose). ♦ Electricien anglais (Lancaster, 1849 – Sidmouth, Devon, 1945). Après avoir étudié l'effet thermoionique découvert par Edison*, **V. Richardson,** il imagina de l'utiliser pour la détection des ondes radio-électriques et mit au point, à cet effet, la *valve de Fleming* (appelée depuis *diode*) qu'il fit breveter en 1904 **(V. De Forest)**; cette invention, à l'origine de toutes les lampes utilisées dans les radiocommunications, en fait un pionnier de la radiotélégraphie.

FLEMING (*sir* Alexander). ♦ Médecin et bactériologiste anglais (Lochfield Farme, Darvel Ayrshire, 1881 – Londres, 1955). Il découvrit la pénicilline et ses propriétés bactéricides (en particulier pour le streptocoque) [1927-1929]. Chain* et Florey* reprirent ses travaux (1939), purent isoler chimiquement la pénicilline, en faire l'étude pharmacologique et clinique, permettant ainsi la production industrielle de cet antibiotique. Fleming obtint avec eux (1945) le prix Nobel de médecine (*La Pénicilline, ses applications pratiques,* 1945).

FLEMMING (Jakob Heinrich, *comte de*). ♦ Général et diplomate saxon, d'origine suédoise (1667 – Vienne, 1728). Au service de Frédéric-Auguste Ier, Électeur de Saxe, il contribua puissamment à l'élection de ce dernier au trône de Pologne (1697, **V. Auguste II)** et commanda peu après les troupes contre Charles XII de Suède. Il devint feld-maréchal en 1711.

FLENSBURG. ♦ La plus septentrionale des villes d'Allemagne occidentale (Schleswig-Holstein), sur la Baltique, au fond du Flensburger Förde, près de la frontière danoise. 92 600 hab. Important port de pêche et de commerce (rhum et spiritueux). Constructions navales et mécaniques.

FLÉNU. ♦ Comm. de Belgique (Hainaut, arr. de Mons) dans le Borinage*. 6 400 hab. – Charbonnages.

FLERS [flɛʀ] **(Robert Pellevé de La Motte-Ango,** *marquis de***).** ♦ Auteur dramatique français (Pont-l'Évêque, 1872 – Vittel, 1927). En collaboration avec G.A. de Caillavet*, il a écrit des comédies légères : *Le Roi* (1908), *L'Habit vert* (1912), *La Belle Aventure* (1913). Après la mort de Caillavet (1915), il collabora avec Francis de Croisset [*Les Vignes du Seigneur,* 1923]. (Acad. fr., 1920.)

FLERS (ou Flers-de-l'Orne). ♦ Ch.-l. de cant. de l'Orne, arr. d'Argentan*. 18 507 hab. *(Flérois).* Château des XVIe-XVIIIe siècles. Indus. diverses : fonderie, chaudronnerie, imprimerie, textiles, constructions métalliques, électricité. – La ville, très endommagée en 1944, a été reconstruite.

FLERS-EN-ESCREBIEUX. ♦ Comm. du Nord, dans l'arr. et la banlieue de Douai. 5 855 hab. Houille.

FLERS-LÈZ-LILLE. ♦ Comm. du Nord, arr. de Lille. 10 561 hab. Englobée par Villeneuve*-d'Ascq en 1970.

FLESSELLES (Jacques *de*). ♦ Administrateur français (Paris, 1721 – 1789). Maître de requêtes, puis intendant, successivement à Moulins, en Bretagne et à Lyon, il devint prévôt des marchands de Paris peu avant la Révolution, et fut tué par les émeutiers révolutionnaires lors de la prise de la Bastille* (14 juillet 1789) pour s'être opposé au mouvement populaire.

FLESSINGUE, en néerl. **Vlissingen.** ♦ V. et port des Pays-Bas (Zélande) à l'embouchure de l'Escaut occidental. 39 328 hab. Place du Vieux-Marché. Tour des Prisonniers (1563). – Constructions navales. Pétrolochimie. Pêche. Station balnéaire. – Patrie de M.A. Ruyter*, de Constantin Guys*. ♦ *Hist.* Philippe II, lors de son départ des Pays-Bas (1559), s'y embarqua. Flessingue fut donné à l'Angleterre (1585-1616) après l'assassinat de Guillaume le Taciturne.

FLETCHER (John). ♦ Auteur dramatique anglais (Rye, Sussex, 1579 – Southwark, 1625). Fils d'un évêque de Londres, il fit à Cambridge des études classiques avant de se consacrer au théâtre. Avec son collaborateur Francis Beaumont*, il écrivit une vingtaine de comédies dans le goût baroque par le romanesque de l'invention, l'imprévu des situations, l'audace dans la peinture des passions et l'éloquence soutenue du langage. Après la mort de Beaumont (1616), Fletcher collabora avec Massinger*, Ben Jonson*, Tourneur*, Middleton*.

FLEURANCE. ♦ Ch.-l. de cant. du Gers* (arr. de Condom*), sur le Gers*. 5 320 hab. *(Fleurantins).* Bastide du XIIIe s., église des XIVe et XVe siècles. – Commerce d'eaux-de-vie d'Armagnac ; marché agricole important. Charpentes métalliques.

FLEURIE. ♦ Comm. du Rhône* (arr. de Villefranche*-sur-Saône), dans le Beaujolais*. 1 416 hab. Vins renommés.

FLEURIEU (Pierre CLARET, *comte de***).** ♦ Marin et homme politique français (Lyon, 1738 – Paris, 1810). Inventeur de la montre marine à secondes (1769), directeur général des arsenaux (1776), il établit le plan des opérations navales pour la guerre d'Indépendance des États-Unis, puis les instructions pour le voyage de La Pérouse. Ministre de la Marine (1790-1791), il fut emprisonné sous la Terreur. Membre du Conseil des Anciens jusqu'au 18 Fructidor, il fut ensuite nommé conseiller d'État et gouverneur des Tuileries. *(Découverte des Français dans le sud-est de la Nouvelle-Guinée.)*

Fleurs du mal (Les). ♦ Recueil de poèmes de Charles Baudelaire* (1857; augmenté en 1861; édition définitive et posth., 1868). D'abord intitulée *Les Lesbiennes,* puis *Les Limbes,* cette œuvre fut condamnée par la justice impériale; l'auteur l'enrichit, en 1861, de trente-cinq poèmes nouveaux. Suivant une architecture secrète et voulue se succèdent six parties, évocations symboliques des tentatives de l'homme pour échapper à sa misère et « trouver du nouveau » *(Le Voyage).* Dans *Spleen et Idéal,* l'âme oscille entre la dépression et l'exaltation; au sentiment d'un exil parmi les hommes *(L'Albatros; Le Cygne)* s'ajoute l'obsession du temps *(Le Guignon; L'Horloge)* et du péché; pourtant subsiste la conscience d'un paradis perdu *(Moesta et errabunda)* qui explique une douloureuse soif de pureté *(Réversibilité; Recueillement)* et l'aspiration au Beau, donc à l'Art *(Hymne à la Beauté; Les Phares).* Les *Tableaux parisiens* illustrent cette loi de l'analogie, fondamentale chez Baudelaire *(Correspondances)* : « Dans certains états de l'âme presque surnaturels, la profondeur de la vie se révèle tout entière dans le spectacle, si ordinaire qu'il soit, qu'on a sous les yeux. Il en devient le symbole »; aussi, grâce à la « magie suggestive » d'un langage symbolique et allégorique, la correspondance entre le monde moderne quotidien et les obsessions de l'âme sera-t-elle traduite *(A une passante; Les Aveugles)*; puis c'est la recherche de l'évasion sous toutes ses formes, *Le Vin; Les Fleurs du mal;* mais à la volupté succède toujours le remords et à *L'Invitation au voyage,* le désenchantement. Dès lors, après la *Révolte,* le poète aspire à l'anéantissement dans *La Mort.*

FLEURUS. ♦ Comm. de Belgique (Hainaut) au N.-E. de Charleroi, près de la Sambre. 8 500 hab. Indus. variées. Métallurgie. Extraction de la houille. ♦ *Hist.* Victoire de Luxembourg* sur les alliés de la ligue d'Augsbourg* (1690). Victoire décisive de Jourdan* sur les Autrichiens (1794), ouvrant la Belgique à la France.

FLEURY (Claude). ♦ Prêtre et historien français (Paris, 1640 – 1723), sous-précepteur des enfants du roi aux côtés de Fénelon*, puis confesseur de Louis XV. Auteur des *Mœurs des israélites* (1681), des *Mœurs des chrétiens* (1682), d'une *Histoire ecclésiastique* (1691-1720, 20 vol.).

FLEURY (André Hercule *de*). ♦ Cardinal et homme politique français (Lodève, 1653 – Paris, 1743). Évêque de Fréjus et précepteur de Louis XV dont il sut gagner la confiance, il fut appelé à remplacer le duc de Bourbon* comme ministre d'État (1726) et fut fait cardinal. Il devait exercer le pouvoir avec souplesse et fermeté, prudence et désintéressement. À l'intérieur, sa politique fut marquée par le rétablissement de l'équilibre budgétaire, dû à des mesures d'économie, et à une meilleure administration financière. La monnaie fut stabilisée (et devait le rester jusqu'à la Révolution), le colbertisme fut repris, avec ses dangers **(V. Orry),** mais donna une impulsion au commerce et à l'industrie. Fleury dut faire face à une reprise de la querelle janséniste **(V. Jansénisme)** et, s'il parvint à l'apaiser, il ne put arrêter l'opposition parlementaire qui s'était greffée sur elle, et avait pris figure de rempart contre l'arbitraire royal. Sa politique extérieure, basée sur une alliance avec l'Espagne qui favorisa le commerce, tendit toujours au maintien de la paix. Entraîné cependant dans la guerre de Succession de Pologne, il la termina rapidement par un compromis (traité de Vienne, 1738) : Stanislas et, par lui, la France, recevaient la Lorraine, en échange de l'abandon de la Pologne. Il ne put empêcher la guerre de Succession d'Autriche. L'opinion contemporaine avait mal accepté cette politique qu'elle jugeait timorée et dépourvue de grandeur, mais le ministère de Fleury correspondit à une des époques les plus heureuses du règne de Louis XV.

FLEURY (Émile Félix, *comte*). ♦ Général français (Paris, 1815 – *id.,* 1884). Après avoir participé au coup d'État du 2 décembre* 1851, il fut nommé aide de camp de Louis Napoléon Bonaparte qui le chargea de plusieurs missions diplomatiques et le nomma ambassadeur de Russie (1867). Après la chute du Second Empire (septembre 1870), Fleury fut un des chefs du parti bonapartiste sous la Troisième République.

FLEURY *(abbaye de).* ♦ **V.** SAINT-BENOÎT-SUR-LOIRE.

FLEURY ou **FLEURY D'AUDE.** ♦ Comm. de l'Aude (arr. de Narbonne), à proximité de Narbonne*. 2 030 hab. Restes du château. Chapelle N.-D.-de-Liesse. Vignoble.

FLEURY-LES-AUBRAIS. ♦ **V.** AUBRAIS (LES).

FLEURY-MÉROGIS. ♦ Comm. de l'Essonne, arr. d'Évry. 4 311 hab. (299 aggl.). Centre pénitentiaire de conception très moderne mis en service en 1968.

FLEURY-SUR-ANDELLE. ♦ Ch.-l. de cant. de l'Eure*, arr. des Andelys*. 1 604 hab. Indus. textile.

FLEUVE BLEU. ♦ **V.** YANG-TSÊ KIANG.

FLEUVE JAUNE. ♦ **V.** HUANG-HO.

FLEUVE ROUGE *(Rivière rouge).* ♦ **V.** SÔNG KÔI.

FLEVOLAND. ♦ Nom de deux polders du Zuiderzee *(Flevoland-Est, Flevoland-Sud).*

FLEXNER (Simon). ♦ Bactériologiste américain (Louisville, Kentucky, 1863 – New York, 1946). Il a isolé le bacille de la dysenterie, fait des recherches sur la diphtérie, la poliomyélite, etc. (Acad. sc., 1937.)

FLIMS, en romanche **Flem.** ♦ Localité de Suisse (Grisons) dans une vallée affluente du Rhin, au pied du Flimserstein. 1 100 hab. Flims se répartit en deux agglomérations : *Flims-Dorf,* le village, et *Flims-Waldhaus,* la station de sports d'hiver. Alt. 1 150-2 800 mètres.

FLINDERS (Matthew). ♦ Officier de marine et explorateur anglais (Donington, Lincolnshire, 1774 – Londres, 1814). Il explora la côte S.-E. (1795-1797) et S. (1801-1803) de l'Australie et reconnut le caractère insulaire de la terre de Van Diemen (Tasmanie). À son retour, il fut retenu prisonnier à l'Île de France (Île Maurice) jusqu'en 1810. *(A Voyage to Terra Australia,* 1814.)

FLINDERS RANGE. ♦ Chaîne de hauteurs de l'Australie* méridionale, orientée N.-S., dominant le golfe de Spencer, et au pied de laquelle se situe Port* Pirie. Altitude maximum 950 mètres.

FLINES-LÈZ-RÂCHES. ♦ Comm. du Nord (arr. de Douai), près d'un lac dit *mer de Flines.* 5 163 hab. – Anc. abbaye cistercienne du XIIIe siècle. Centre industriel (poterie, brasserie; engrais; meubles; confection).

FLIN FLON. ♦ V. et centre minier du Canada (O. du Manitoba; la zone minière s'étend aussi au Saskatchewan). 11 104 hab. Mines de cuivre, zinc et plomb. Important gisement de nickel à l'est.

FLINS [flɛ̃]**-SUR-SEINE.** ♦ Comm. des Yvelines, arr. de Mantes-la-Jolie. 1 423 hab. Église (XIIe, XVIe s.). – Usines d'automobiles (Renault).

FLINT. ♦ V. du N. du pays de Galles (Flintshire) et station balnéaire sur la r. g. de l'estuaire de la Dee. 13 710 hab. (1961). Château construit à la fin du XIIIe s. par Édouard Ier. Extraction de houille et fonderie de plomb.

FLINT. ♦ V. des États-Unis, au S.-E. du Michigan*. 193 571 hab. (1970). C'est, après Detroit, un des grands centres de l'indus. automobile *(General Motors)*; la zone urbaine compte près de 500 000 hab.

FLINTSHIRE. *n. m.* ♦ Comté du N.-E. du pays de Galles, baigné au N. par la mer d'Irlande et l'estuaire de la Dee*, bordé à l'E. et au S. par le Cheshire et à l'O. par le Denbighshire. 663 km². 150 000 hab. *Ch.-l.* Mold*. *V. princ.* **V. Flint, Rhyl.** Élevage laitier, extraction de houille et de fer, fabrication d'acier et de textiles artificiels.

FLIZE. ♦ Ch.-l. de cant. du dép. des Ardennes, arr. de Mézières, sur la Meuse. 1 228 hab. *(Fliziens).* Métallurgie (forges et aciéries).

F.L.N. *n. m.* ♦ **V.** FRONT DE LIBÉRATION NATIONALE.

FLOCON (Ferdinand). ♦ Publiciste et homme politique français (Paris, 1800 – Lausanne, 1866). Rédacteur en chef du journal *La Réforme* en 1845, il fut membre du gouvernement provisoire et nommé ministre de la Guerre après la révolution* de février 1848. Député à l'Assemblée constituante (1848-1849), il vécut en exil après le coup d'État du 2 décembre 1851.

FLODOARD. ♦ Chroniqueur et poète franc (Épernay, 894 – Reims, 966), archiviste et chanoine de la cathédrale de Reims. Il est l'auteur d'*Annales* dont subsiste un fragment couvrant les années 911-966, d'une *Histoire de l'Église de Reims* souvent légendaire et des *Triomphes du Christ et des saints de Palestine,* cycle de 302 poèmes hagiographiques.

FLOGNY. ♦ Ch.-l. de cant. de l'Yonne (arr. d'Avallon), dominant l'Armançon et le canal de Bourgogne*, au S. de la forêt d'Othe*. 473 hab. *(Floviniens).* Fromageries.

FLOIRAC. ♦ Comm. de la Gironde, dans l'arr. et la banlieue de Bordeaux*. 8 284 hab. – Vins. Entrepôts de pétrole. Centrale thermique. Observatoire de Bordeaux.

FLOKI VILGERDARSON. ♦ Navigateur norvégien du IXe s. qui atteignit en 870 Gardarsholm (Rocher de Gardar [**V. Gardar Svafarson**]) qu'il appela *Island,* c.-à-d. Terre de Glace.

FLOQUET (Charles). ♦ Homme politique français (Saint-Jean-Pied-de-Port, 1828 – Paris, 1896). Député républicain à l'Assem-

Ph. Lauros-Giraudon

Le cardinal de **Fleury,** par Rigaud. (Château de Versailles.)

Ph. Carlo Bevilacqua/Ricciarini
Florence : le Palazzo Vecchio.

blée nationale (1871), il présida la Chambre (1885-1888, 1889-1893). Président du Conseil (1888) à l'époque du boulangisme, auquel il se montra hostile, il se rendit surtout célèbre en blessant Boulanger en duel. Sénateur de 1894 à 1896.

FLORAC. ♦ Sous-préf. de la Lozère, ch.-l. d'arr. (7 cant., 52 comm. 13 221 hab.) sur la r. g. du Tarnon, appuyée au rebord du causse Méjean*. 1 800 hab. *(Floracois).* Église (1830). La source du Pêcher au rocher de Rochefert (1 083 m). Centre d'excursions vers les gorges du Tarn* et les Cévennes*. — Extraction de baryte, galène. Confection. ♦ *Hist.* Siège d'une des huit baronnies du Gévaudan*. Centre de résistance des camisards*.

FLORANGE. ♦ Ch.-l. de cant. de la Moselle, arr. de Thionville-Ouest. 12 543 hab. *(Florangeois).* Métallurgie; mécanique; constructions métalliques. Cimenterie.

FLORE, en lat. **Flora.** ♦ Déesse italique et romaine de la puissance végétative, présidant à tout ce qui fleurit. L'identifiant à la nymphe grecque Chloris*, Ovide en fait l'épouse de Zéphyr*.

Floréal an VI (loi du 22). ♦ La poussée néo-jacobine, qui suivit la répression antiroyaliste, après le coup d'État du 18 fructidor* an V, constitua une menace pour les modérés libéraux du Directoire* et les Conseils. Les élections de l'an VI, qui avaient désigné un nombre important de jacobins (qualifiés en l'occurrence de terroristes), furent donc truquées par le Directoire, avec l'appui des Conseils par la loi du 22 Floréal (11 mai 1798) qui invalida les élus jacobins. Après le coup d'État du 30 prairial* an VII, les Directeurs jugés responsables du 22 Floréal durent démissionner.

FLORENCE, en it. **Firenze.** ♦ V. d'Italie centrale, en Toscane, sur l'Arno. Ch.-l. de prov. 460 000 hab. *(Florentins).* Elle est bâtie au bord de l'Arno, dans une conque entourée de collines plantées de cyprès et d'oliviers. Elle est par excellence la ville de la Renaissance, mais elle conserve des vestiges de l'époque romaine (plan quadrangulaire de la vieille ville) et médiévale *(Ponte Vecchio).* L'héritage archéologique et artistique de la ville est immense : le Dôme, le Baptistère; les églises décorées de fresques; les palais civiques, comme celui de la Seigneurie (dit aussi *Palazzo vecchio,* « palais vieux ») et du *Bargello*; les palais privés, comme celui des Médicis et des Pitti; les musées, comme ceux des Offices* *(Uffizi :* l'une des plus importantes collections d'art italien existant au monde) ou de *San Marco* (Fra Angelico). C'est un haut lieu du tourisme international. De nos jours, elle reste un centre culturel important (siège d'académies artistiques, littéraires et scientifiques). Elle s'enorgueillit de jardins et de villas qui s'accrochent aux pentes des collines. — La fonction *économique* de la ville s'est développée. La ville industrielle s'étend vers le nord *(Sesto Fiorentino).* A côté des industries traditionnelles de la laine, du verre, de la teinturerie, elle s'adjoint la fabrication d'appareils ménagers, de matériel textile, d'automobiles, d'industries chimiques (firme Montecatini). L'artisanat de qualité est encore vivant (orfèvrerie, travail de la paille et du cuir, broderies, porcelaine, confection). — Patrie de nombreux personnages illustres : Botticelli*, Cellini*, Cherubini*, Concini*, Dante*, Donatello*, Lully*, Machiavel*, les Médicis*, Uccello*, le pape Urbain* VIII, Amerigo Vespucci*. ♦ *Hist.* Municipe romain depuis ~ 200, elle passa aux Goths puis aux Byzantins (539) et aux Lombards (580) et fut au IXᵉ s. un chef-lieu de comté, dépendant de la Toscane. Elle devint ville libre à la mort de la comtesse Mathilde* (1115), conquit Prato en 1107 et Empoli en 1182. Elle institua le consulat en 1138, battit l'armée de Frédéric Iᵉʳ Barberousse (1173) et prit la tête de la révolte contre le pouvoir impérial en 1197. Au XIIIᵉ s., Florence vit l'affrontement entre guelfes* et gibelins. Après une brève direction de la cité par les gibelins (1239-1250), les guelfes revinrent au pouvoir à la mort de l'empereur Frédéric II, furent chassés par les gibelins en 1260, mais se réinstallèrent définitivement grâce à Charles Iᵉʳ d'Anjou en 1266. En 1293, furent prises les fameuses ordonnances de justice qui enlevèrent aux nobles et à certains bourgeois enrichis la réalité du pouvoir. Ces ordonnances donnaient aux arts de métier assistés de conseils la direction totale du gouvernement. En 1300, les guelfes se divisèrent en deux factions rivales, les Blancs* et les Noirs dont la dernière réussit à s'imposer. Après deux gouvernements dictatoriaux, celui du fils de Robert d'Anjou, Charles de Calabre (1326-1327), et celui de Gautier de Brienne (1342-1343), Florence institua une seigneurie composée des 21 guildes. Elle avait conquis Pistoia (1331), Cortona (1332) et Arezzo (1337). Par la suite, la seigneurie fut menacée par l'opposition populaire qui éclata par la révolte des Ciompi (1378). Le peuple ne put se maintenir au pouvoir et en 1382, les Albizzi et les Alberti rétablirent le règne de la bourgeoisie. En 1406, Florence conquit Pise* et en 1421 acheta le port de Livourne*. Malgré les luttes intérieures et extérieures, Florence réussit à susciter une vie culturelle remarquable, s'embellissant de nombreux et admirables monuments (voir *ci-dessus*), employant et honorant des poètes et des artistes qui sont parmi les plus grands qu'ait comptés l'humanité (tels Dante, Giotto, etc.). Les arts furent soutenus par la prospérité du commerce et de l'industrie, par de grandes familles de marchands et de banquiers, comme les Tornabuoni, les Strozzi, les Acciaiuoli, les Bardi, les Scali, les Peruzzi, qui pratiquaient le mécénat **(V. Médicis).** Ces grandes familles, souvent en lutte (complot des Pazzi* contre les Médicis), furent souvent les créancières des rois de France et d'Angleterre. Jouissant d'un grand pouvoir, elles accédèrent même, comme les Médicis en 1434, au pouvoir réel (jusqu'en 1737). Parmi les grands noms qui illustrèrent la Florence du XVᵉ s. et du début du XVIᵉ s., on peut citer Léonard* de Vinci, Michel*-Ange, Raphaël* et Machiavel*. À la fin du XVIᵉ s., l'histoire de Florence coïncide désormais avec celle de la Toscane*.

FLORENSAC. ♦ Ch.-l. de cant. de l'Hérault (arr. de Béziers) dans le bas Languedoc*. 2 876 hab. *(Florensacois).* Église (XIIᵉ-XIVᵉ-XVIIIᵉ s.). — Vins. Construction de matériel vinicole. — Patrie de L. Montbrun.

FLORENTIN *(saint).* ♦ Abbé de Saint-Pierre d'Arles (483 — 553), inhumé à Sainte-Croix d'Arles.

FLORENVILLE. ♦ Comm. de Belgique (Luxembourg, arr. de Virton) à la frontière française, sur la Semois. 2 378 hab. — À 8 km, abbaye d'Orval, fondée en 1076.

FLORES. ♦ Île portugaise de l'archipel des Açores*. 143 km². 8 250 habitants.

FLORES. ♦ Petite île indonésienne de la Sonde* orientale. 14 275 km². 700 000 hab. Île volcanique, couverte de savanes, à population malaise et papoue pratiquant l'agriculture (riz et café) et la pêche. *V. princ.* Ende. Elle fut colonisée au XVIᵉ s. par les Portugais, et devint hollandaise en 1667. — *Mer de Flores :* nouveau nom de la mer de la Sonde.

FLOREY (*sir* Howard Walter). ♦ Médecin australien (Adélaïde, Australie, 1898 — Oxford, 1968). Ses travaux sur la pénicilline lui valurent le prix Nobel de médecine (1945) avec E.B. Chain* et A. Fleming*.

FLORIAN (Jean-Pierre Claris *de*). ♦ Écrivain français (Languedoc, 1755 — Sceaux, 1794). Petit-neveu de Voltaire*, longtemps bien en cour, il connut une fin de vie troublée par la Révolution. Son œuvre est marquée par une inspiration tendre où l'optimisme tempère la malice : comédies ou *Arlequinades (Le Bon Ménage)* et romans, chevaleresques ou pastoraux (*Galatée,* 1783), manifestent également son goût pour l'idylle sentimentale, hérité de Rousseau* et de Gessner*. Il reste qu' « un des charmes et aussi une des supériorités de Florian, c'est d'avoir sensibilisé » ses *Fables** (G. Saillard). [Acad. fr.]

FLORIANÓPOLIS. ♦ V. et port du S. brésilien. *Cap.* de l'État de Santa* Catarina, située dans l'île de Santa Catarina. 130 000 hab.

FLORIANUS (M. Antonius). ♦ **V.** Florien.

FLORIDABLANCA (Don Francisco Antonio Moñino, *comte de*). ♦ Homme politique espagnol (Murcie, v. 1730 — Séville, 1808). Il contribua à la dissolution de l'ordre des Jésuites (1773). Premier ministre de Charles* III en 1777, il administra l'Espagne avec talent, conformément à l'esprit du despotisme éclairé, mais ne put faire accepter ses réformes par la masse du pays. Une guerre malheureuse contre l'Angleterre (1779-1783) provoqua sa disgrâce. Il fut cependant choisi comme chef de la junte formée en 1808 contre Napoléon. — Célèbre portrait par Goya*.

FLORIDE, *n. f.,* en angl. **Florida (V.** ci-dessous *Hist.***).** ♦ État du S.-E. des États-Unis, péninsule située entre l'Atlantique, à l'E., et le golfe du Mexique à l'O., et le long duquel l'État occupe une zone allongée (la « queue de la poêle », *the panhandle*). 151 940 km². 4 951 560 hab. (1960). *Cap.* Tallahassee*, *V. princ.* **V. Fort Lauderdale, Jacksonville, Miami, Saint Petersburg, Tampa;** *autres V. et sites,* **V. Canaveral** (cap), **Everglades, Key West, Saint Augustine.** — *Orogr.* L'État correspond à la péninsule de Floride et à une partie de la plaine côtière du golfe du Mexique. Le relief, à part quelques zones de collines (Tallahassee; le centre de la péninsule), est très plat. De nombreux lacs (plus de 30 000) et marais (dont les Everglades*, alimentés par le lac Okeechobee, le plus grand des États-Unis après les Grands Lacs). De petites îles prolongent au S. la péninsule entre la baie de Biscayne et Key* West. — *Climat* ensoleillé et doux. — *Écon.* L'agriculture (agrumes : les 2/3 de la production américaine, légumes) a donné naissance à d'importantes indus. alimentaires (jus de fruits, etc.). Élevage de bovins. Forêts. Pêche en mer. Outre les indus. alimentaires, la chimie, la fabrication du papier, l'impression et l'édition, les équipements électriques fournissent un revenu important. Les bases spatiales **(V. Canaveral** [cap]) ont déterminé des indus. électroniques. Mais la plus grande industrie de Floride est le tourisme : plus de 14 000 000 de visiteurs annuellement ; la proximité des Bahamas* accentue le caractère touristique de la région (croisières, voyages organisés). L'hôtellerie (notamment dans la région de Miami) et les divertissements (projet du *Disneyworld*) sont à l'échelle du pays aux revenus les plus élevés du monde. De nombreux retraités venant d'autres États séjournent en Floride. — Patrie de J. Stilwell. ♦ *Hist.* Découverte par Juan Ponce de Leon le jour de *Pascua florida* (Pâques fleuries, le jour des Rameaux) en 1513, elle fut explorée par Alvaro Nuñez puis colonisée par des huguenots français, mais leurs établissements furent détruits par Menendez de Avilés en 1565. L'Espagne céda la Floride à l'Angleterre (1763), la reprit vingt ans après et la vendit en 1819 aux États-Unis. Devenue territoire (1822), la Floride fut le théâtre de violents combats entre colons et Indiens Séminoles (1835-1842). Elle devint (1847) le 27e État de l'Union, et rejoignit la confédération sudiste (1861). Après la défaite des Sudistes et la « reconstruction », l'État connut une rapide prospérité (agrumiculture, tourisme, développement industriel). Récemment, le S. de la Floride (Miami, etc.) est devenu un centre pour les réfugiés de Cuba* et les ennemis du régime castriste.

FLORIEN, en lat. **Marcus Antonius Florianus**. ♦ Empereur romain (mort en 276). Il se fit reconnaître par le Sénat à la mort de Tacite*, mais, battu à Tarse par Probus* qui avait été proclamé empereur par les légions d'Orient, il fut tué par ses soldats après quelques semaines de règne.

FLORIS DE VRIENDT (Cornelis). ♦ Architecte, dessinateur et graveur flamand (Anvers, 1514 — *id.*, 1575). Franc-maître à la gilde d'Anvers en 1539, il séjourna ensuite en Italie (1540-1545) et copia notamment les motifs de grotesques. Par ses nombreux recueils de gravures, adaptations pleines de fantaisie et d'exubérance des ornements italiens, il contribua à diffuser le nouveau vocabulaire décoratif aux Pays-Bas, dans les pays germaniques, au Danemark et en Angleterre. Dans *l'hôtel de ville* d'Anvers (1561-1565), dont il fut le principal architecte, il manifesta un souci de clarté et de logique et mêla un décor italien à des motifs flamands traditionnels. Dans le *tabernacle monumental* de *Léau* (1552), le *tombeau de Christian III de Danemark* (1550-1552) et le *jubé de la cathédrale* de Tournai (1568-1575), sa tendance à conserver le verticalisme gothique et sa verve décoratrice se mêlent à un parti pris dans l'italianisme.

FLORIS DE VRIENDT (Frans). ♦ Peintre, graveur et dessinateur flamand (Anvers, 1516-1520 — *id.*, 1570). Élève de Lambert Lombard à Liège, il fut ensuite reçu franc-maître à Anvers, puis séjourna en Italie ; à Rome, il fit de nombreux croquis d'antiques et eut la révélation du *Jugement dernier* de Michel*-Ange. À Anvers, il dirigea un atelier très fréquenté qui contribua à propager la mode italianisante. Considéré comme l'un des romanistes les plus importants de l'école anversoise, il adopta les thèmes érudits allégoriques et mythologiques ainsi que le répertoire formel des Italiens (*La Chute des anges rebelles*, 1554), tout en conservant des caractères flamands (familiarité et même prosaïsme de certains détails). Cet éclectisme apparaît souvent dans ses tableaux religieux *(La Sainte Famille)*, mais la facture ample de ses portraits, la souplesse du modelé, le naturel des poses, la vigueur et la mobilité de l'expression annoncent les grands portraitistes flamands du XVIIe siècle (*Portrait de femme*, 1554).

FLORUS (Publius Annaeus Florus). ♦ Historien latin (Ier siècle). Rhéteur originaire d'Afrique, il composa deux livres sur les guerres romaines que nous avons conservés sous le titre de *Résumé de Tite-Live (Epitome Titi Livii)*.

FLOTE ou **FLOTTE (Pierre)**. ♦ Homme politique français (en Languedoc, ? — Courtrai, 1302). Chancelier de Philippe* IV le Bel (1295), il participa à la lutte contre Boniface VIII, lors du conflit entre le Saint-Siège et le roi.

FLOTOW (Friedrich von). ♦ Compositeur allemand (Teutendorf, 1812 — Darmstadt, 1883). Élève de Recha, à Paris, lié d'amitié avec les plus célèbres musiciens de théâtre de son temps, il a surtout composé pour la scène, laissant une œuvre abondante d'où se détachent 2 opéras : *Alessandro Stradella* (1844) et *Martha* (1847), drame lyrique d'inspiration romantique qui fut longtemps populaire.

Ph. G. Bouten/Atlas-Photo

Floride : Miami Beach.

FLOURENS (Pierre). ♦ Physiologiste français (Maureilhan, Hérault, 1794 — Montgeron, Seine-et-Oise, *auj.* Essonne, 1867). Il fit plusieurs découvertes sur la physiologie du système nerveux : localisation du centre respiratoire dans le bulbe au niveau de l'origine des nerfs pneumogastriques *(nœud de Flourens)* ; étude sur les fonctions du cervelet et sur son rôle dans le sens de l'équilibre. On lui doit également des recherches sur le rôle du périoste dans la formation des os, sur l'utilisation du chloroforme comme anesthésique. Formé à l'école de Cuvier*, il fut l'un de ceux qui critiquèrent le transformisme de Darwin*. (*Recherches expérimentales sur les propriétés et les fonctions du système nerveux dans les animaux vertébrés*, 1824 ; *Examen de l'origine des espèces de Darwin*, 1864.) [Acad. fr.]

FLOURENS (Gustave). ♦ Fils de Pierre Flourens, professeur et révolutionnaire français (Paris, 1838 — Chatou, 1871). Il participa en Crète au soulèvement contre les Turcs (1866) et fut nommé député, puis plénipotentiaire des Crétois à Athènes. Rentré en France, il collabora à la revue *La Marseillaise* de Rochefort. Hostile à l'Empire, il manifesta aussi son opposition au gouvernement de la Défense nationale et prit part à la journée révolutionnaire du 31 octobre 1870. Emprisonné, il fut libéré par les gardes nationaux (21 janvier 1871). Membre de la Commune de Paris, il fut tué par le gendarme Desmarets (3 avril 1871). Il avait fondé deux journaux, à Constantinople et à Athènes.

FLUMENDOSA. *n. m.* ♦ Fl. de Sardaigne* (122 km), né dans les monts Gennargentu, il se jette dans la Méditerranée, au N.-E. de l'île. Son cours a été équipé de barrages fournissant env. 650 millions de kWh.

Flûte enchantée (La) [*Die Zauberflöte*]. ♦ Opéra en deux actes, de W.A. Mozart, livret de E. Schikaneder (Vienne, 1791). L'inspiration maçonnique de cet ouvrage, ultime chef-d'œuvre de son auteur au théâtre, s'y conjugue avec une exquise féerie et un sentiment poignant de l'au-delà. Affirmation d'une foi optimiste dans la victoire de la lumière sur les ténèbres, il mêle tous les modes d'expression et ouvre une ère d'une prodigieuse fécondité pour l'opéra allemand, annonçant les œuvres dramatiques de Beethoven, Weber et Wagner.

FO. ♦ Un des noms chinois du Bouddha*, le plus répandu, et qui entre dans la composition de nombreux noms.

FOCH (Ferdinand). ♦ Maréchal de France (Tarbes, 1851 — Paris, 1929). Élève chez les jésuites, il entra à Polytechnique (1871) et devint capitaine en 1877. Élève (1885), professeur, puis commandant (1907) de l'École supérieure de guerre, il publia des traités militaires, exposant ses conceptions stratégiques (*Principes de la guerre*, 1903 ; *Conduite de la guerre*, 1904). Commandant du 20e corps d'armée de Nancy, il participa à la bataille des frontières au début de la Première Guerre mondiale (août 1914), qui bloqua l'avance des armées allemandes en Lorraine. Placé par Joffre à la tête de la IXe armée, il contribua, par son attaque dans les marais de Saint-Gond, à la première victoire de la Marne (sept. 1914). Il dirigea ensuite le groupe des armées du Nord, coordonnant les actions des troupes alliées (françaises, belges et anglaises), qui permirent d'arrêter « la course à la mer » des forces ennemies, puis livra les offensives de l'Artois* en 1915. Disgracié quelque temps, après la bataille de la Somme (1916), dont les résultats avaient été jugés insuffisants, il remplaça Pétain à la tête de l'État-Major général de l'armée à la suite de la destitution de Nivelle (1917), et fut envoyé en Italie pour rétablir la situation (après le désastre de Caporetto) et y préparer la formation du Conseil suprême de la guerre (constitué par les représentants des gouvernements alliés, conférence de Rapallo*, nov. 1917). Face à la gravité de la situation consécutive à l'attaque allemande d'Amiens (1918), Foch fut nommé, avec l'appui de Clemenceau et de lord Milner, ministre britannique de la Guerre, généralissime des troupes alliées (conférence franco-anglaise de Doullens, mars 1918). Après avoir arrêté l'offensive de la Somme (avril 1918), il contre-attaqua les forces allemandes de Ludendorff à Villers-Cotterêts et remporta la seconde victoire de la Marne* (juillet 1918), puis déclencha l'offensive générale (8 août), qui s'acheva par la défaite allemande. Promu maréchal dès le début du mois d'août (dignité que les gouvernements alliés lui reconnurent après la victoire), Foch signa l'armistice qui mit fin à la Première Guerre mondiale (11 novembre 1918). Président du Conseil supérieur de la guerre (1919), il défendit, pendant les négociations pour la paix, la thèse du Rhin comme frontière militaire de la France, mais se heurta à l'opposition des gouvernements alliés. Il a laissé des *Mémoires de guerre*. (Acad. fr., 1918.)

FOE (Daniel De). ♦ V. DE FOE (Daniel).

FOGAZZARO (Antonio). ♦ Écrivain italien (Vicence, 1842 — 1911). Docteur en droit, il quitta le barreau pour la poésie et, surtout, pour le roman par lequel il obtint un succès international. Analysant avec subtilité l'âme féminine dans *Miranda* (1871), nouvelle en vers, puis dans des romans comme *Malombra* (1881), *Daniel Cortis* (1885) et *Mystère d'un poète* (1888), Fogazzaro dépeignit surtout la lutte des passions contre l'élan mystique dans une tétralogie qui suscita des polémiques passionnées. *Le Petit Monde d'autrefois* (*Piccolo mondo antico*, 1895), fresque humaine d'une grande richesse, allie le conflit d'opinion au drame politique à l'époque du Risorgimento (1848 à 1859) tandis que *Le Petit Monde d'aujourd'hui* (1901) marque chez le héros le passage de l'athéisme à la foi ; pourtant *Le Saint* (1905), jugé par l'Église trop moderniste dans ses projets de réforme, fut mis à l'index ; *Leila*

(1910), véritable testament spirituel, montre Fogazzaro soumis à cette condamnation. Ce drame moral et religieux, dont on retrouve l'écho dans l'œuvre romanesque de l'écrivain, fut exprimé avec netteté dans son *Journal intime* et dans le *Cahier de confessions* qui traduisent bien les tendances anti-matérialistes de Fogazzaro.

FOGGIA. ♦ V. d'Italie méridionale, dans les Pouilles du Nord. 133 000 hab. Ch.-l. de prov. Gisements de gaz naturel. Important marché agricole.

FOIX (Gaston *de*). ♦ **V.** GASTON DE FOIX.

FOIX *(comté de)*. ♦ Anc. comté compris aujourd'hui approximativement dans le dép. de l'Ariège*. Il appartenait vers l'an Mil aux comtes de Carcassonne et fut érigé en comté v. 1050. Roger-Bernard II (comte de 1223 à 1241) embrassa la cause de Raymond VII de Toulouse et combattit du côté des albigeois; son fils Roger-Bernard III acquit le Béarn par mariage (1290). L'histoire du comté de Foix fut brillante au XIVe s. avec Gaston III Phoebus **(V. Gaston* de Foix).** Par la suite, le comté passa à la maison de Grailly* par mariage (fin du XIVe s.), puis à la maison de Navarre (fin du XVe s.) et à la maison d'Albret. Le dernier comte de Foix, Henri IV de France, réunit son domaine à la couronne en 1607.

FOIX. ♦ Préf. de l'Ariège*. Ch.-l. d'arr. (8 cant., 139 comm., 52 652 hab.), sur l'Ariège*. 10 110 hab. (*Foxiens* ou *Fuxéens*). Église Saint-Volusien (XIVe-XVIIe s.), château XIIe-XVe siècles. Ponts et maisons anciennes. — La ville a principalement une fonction administrative. Patrie de Ch. de Freycinet*, de F. Soulié*. ♦ *Hist.* Anc. cap. du comté de Foix, assiégée en 1210 par les albigeois*, en 1272 par Philippe* le Hardi; le comté fut réuni au royaume en 1607 par Henri* IV.

FOKINE (Michel). ♦ Danseur et chorégraphe russe (Saint-Pétersbourg, 1880 — New York, 1942). Danseur à Saint-Pétersbourg, marqué par l'influence d'Isadora Duncan, il s'affirma comme un grand chorégraphe par des créations présentées par les « Ballets russes » de Diaghilev* *(Le Pavillon d'Armide, Les Sylphides, Cléopâtre, Le Festin, Les Danses polovtsiennes du prince Igor,* 1909). Il réalisa ensuite *Shéhérazade, l'Oiseau de feu, Les Orientales* (1910), *Sadko, Le Spectre de la rose, Pétrouchka* (1911), *Daphnis et Chloé* (1912), *Le Coq d'or* (1914). Réformateur de l'art du ballet, Fokine l'a défini comme une synthèse harmonieuse de la danse, de la musique et de la peinture, afin d'atteindre au maximum d'expression dramatique, dans un style renouvelé avec chaque sujet. Des nombreuses chorégraphies qu'il a composées après sa brouille avec Diaghilev qui lui préféra Nijinski* (1914), il convient de retenir *Diane de Poitiers, Boléro* et *La Valse* (pour Ida Rubinstein, 1931), *L'Épreuve d'amour* (Mozart), *Don Juan* (Gluck, 1936), *Cendrillon* et *Paganini* (1938-1939).

FOKKER (Anthony). ♦ Aviateur et constructeur d'avions néerlandais (Kediri, Java, 1890 — New York, 1939). Fondateur de l'une des plus importantes entreprises aéronautiques allemandes qui réalisa notamment des appareils de chasse réputés (1914-1918).

FOLARD (Jean-Charles, *chevalier de*). ♦ (Avignon, 1669 — *id.*, 1752). Officier français. Il participa aux guerres de la fin du règne de Louis XIV puis passa au service du roi de Suède, Charles XII, et se distingua au siège de Fredrikshald. De retour en France, il fit sa dernière campagne en 1719 comme mestre de camp. Il a écrit des ouvrages militaires (*Nouvelles Découvertes sur la guerre dans une dissertation de Polybe,* 1724; *Commentaires sur l'histoire de Polybe,* 1735).

Coll. Cauboue

Michel Fokine et Vera Fokina dans « Shéhérazade ». Aquarelle de Valentine Gross-Hugo. (Coll. particulière.)

FOLENGO (Girolamo, dit Teofilo). ♦ Poète italien (Mantoue, 1491 — Campese de Bassano, 1544). Disciple, à Bologne, du philosophe matérialiste Pomponazzi*, Folengo n'en devint pas moins bénédictin (1513); il quitta la vie monastique en 1524, puis, après dix années de vie dans le siècle, revint au couvent, se consacrant désormais à la poésie religieuse, notamment avec *L'Humanité du Fils de Dieu* (*Umanità del Figliul di Dio,* 1533). Mais son œuvre la plus notable appartient au genre « macaronique » qu'il porta à la perfection; s'inspirant d'une tradition universitaire médiévale, il développa des thèmes satiriques (politiques et littéraires) en une langue savoureuse où l'italien dialectal ou bien argotique se mêle au latin incorrect, voire à des termes fantaisistes. Il parodia la poésie pétrarquisante dans la *Zanitonella,* proposa (peut-être) une satire de *La Divine Comédie* de Dante avec *Le Chaos de Triperuno* (1527) et caricatura les œuvres épiques dans *Le Petit Roland* (*L'Orlandino,* 1526). Son chef-d'œuvre reste *Baldus* (1517; 25 chants à l'édition posthume de 1552), à la fois satire bouffonne des institutions ou des croyances de son époque, et parodie pleine de vivacité de la littérature chevaleresque. Cette œuvre, publiée sous le pseudonyme de Merlin Coccaie, inspira Rabelais* pour la création de *Gargantua* et *Pantagruel.*

FOLGOËT (Le) [lə fɔlgɔɛt]. ♦ Comm. du Finistère (arr. de Brest), dans le Léon*. 1 500 hab. — Église Notre-Dame du Folgoët (XVe s.) de style gothique flamboyant (très beau jubé du XVe s. en granit). Doyenné (XVIe s.) restauré.

FOLIGNO. ♦ V. d'Italie, en Ombrie, près d'un affl. du Tibre. 50 000 hab. Cathédrale romane, églises des XIe et XIIIe siècles. Musée de peinture (palais Trinci, XVe s.). Centre commercial et industriel. Patrie d'Angèle de Foligno.

FOLKESTONE. ♦ V. d'Angleterre (Kent), port sur le Pas de Calais. 45 200 hab. — Importante station balnéaire et port de voyageurs en liaison avec la France (Boulogne, Calais). — Patrie de W. Harvey*.

FOLLAIN (Jean). ♦ Poète français (Canisy, 1903 — Paris, 1971). Par la tendresse du regard qu'il a posé sur les choses, ce poète des natures mortes a su en dégager, à l'instar d'un Chardin, l'âme secrète et la vivante présence. Par le vers irrégulier ou le poème en prose, avec une rare sobriété de moyens, son œuvre, riche de sortilèges et d'enchantements, est évocatrice d'un réel quotidien qui se confond avec le rêve. Princ. recueils : *Usage du temps* (1943), *Exister* (1947), *Chef-lieu* (1950), *Les Choses données* (1952), *Territoires* (1953), *Objets* (1955), *Tout instant* (1958), *Appareil de la Terre* (1963).

FOLQUET (dit Folquet de Marseille). ♦ Prélat et poète provençal (Marseille, v. 1160 — Toulouse, 1231). Poète de cour, il composa des chansons d'une inspiration raffinée dont une trentaine nous sont parvenues. Abbé du Thoronet puis évêque de Toulouse (1205), il fut, aux côtés de Simon de Montfort, l'un des adversaires les plus déterminés de l'hérésie albigeoise. Il introduisit l'Inquisition et l'ordre des Dominicains dans son diocèse.

FOLSCHVILLER. ♦ Comm. de la Moselle, arr. de Forbach. 4 825 hab. Extraction de charbon.

FOLZ ou **FOLTZ (Hans).** ♦ Poète allemand (Worms, v. 1450 — Nuremberg, avant 1515). Barbier-chirurgien, il fut surtout le grand rénovateur à Nuremberg de la poésie des Maîtres* chanteurs (Meistergesang). Il a composé des poèmes religieux et profanes.

FOMALHAUT. ♦ Nom donné à l'étoile α Poisson* austral. Magnit. 1,3; type spectral A 3; distance 20 années-lumière.

FOMBEURE (Maurice). ♦ Poète français (Jardres, Vienne, 1906). Par la fraîcheur de son inspiration, la robustesse de son vocabulaire, son humour et son ingénuité, il s'inscrit dans une des traditions les plus riches de la poésie française, celle qui, de Rutebeuf à Max Jacob, s'illustre dans le genre de la chanson populaire, de la comptine ou de l'air à danser. Fils du terroir poitevin devenu professeur, il est demeuré fidèle à un réalisme paysan spontanément ouvert à la truculence verbale et au fantastique des mythes populaires. Plusieurs de ses poèmes ont inspiré des musiciens (Florent Schmitt, Francis Poulenc, Louis Beydts). Princ. recueils poétiques : *La Rivière aux oies* (1932), *À Dos d'oiseau* (1942), *Arentelles* (1943), *Aux créneaux de la pluie* (1946), *Pendant que vous dormez* (1953), *Une forêt de charme* (1955).

FONCK (René). ♦ Officier aviateur français (Saulcy-sur-Meurthe, 1894 — Paris, 1953). Premier « as » français de la Première Guerre mondiale (75 victoires homologuées).

Fondements de la métaphysique des mœurs (Les). ♦ Traité de philosophie morale (pratique) de Kant* (1785), qui examine « tout à fait à priori » la possibilité du devoir moral (impératif catégorique) et pose la liberté (autonomie de la volonté) comme principe suprême de la moralité **(V. Kant).**

Fonds monétaire international (F.M.I.). ♦ Organisme fondé en 1944 (en vertu des accords de Bretton-Woods) pour assurer le fonctionnement du système monétaire international (stabilité des changes, coopération internationale sur le plan monétaire et commercial, etc.). Le F.M.I., qui comptait en 1966 plus de 110 États membres (dont chacun verse sa quote-part), a droit de regard sur les dévaluations envisagées par les gouvernements des pays qui en font partie et peut, en cas de besoin temporaire, apporter à ceux-ci une aide financière sous forme de devises étrangères. Si le F.M.I. a contribué à assurer une relative stabilité monétaire, ses ressources, trop limitées par rapport au volume des transactions internationales, ne lui permettent pas de répondre parfaitement aux conditions actuelles de l'économie mondiale.

FONS. *n. m. pl.* ♦ Population noire du Dahomey* méridional. Les Fons constituèrent trois royaumes, dont celui de Porto* Novo et de Dan-Homi **(V. Abomey).**

FONSECA (Pedro *da***).** ♦ Théologien portugais (Cortiçada, 1528 – Lisbonne, 1599). Entré en 1548 dans la Compagnie de Jésus, il enseigna la philosophie à Coimbra* avec un éclat qui le fit surnommer *l'Aristote portugais.* Sa doctrine dite de la « science moyenne » est une conciliation entre le libre arbitre et la prédestination.

FONSECA *(golfe de). n. m.* ♦ Golfe formé par le Pacifique, et baignant les côtes du Salvador et du Nicaragua. La côte du Honduras au fond du golfe est large de 90 km environ. La route panaméricaine qui fait communiquer le Salvador et le Nicaragua passe non loin, à l'intérieur des terres; la voie ferrée venant du Guatemala y aboutit.

FONTAINE (Nicolas). ♦ Théologien français (Paris, 1625 – Melun, 1709). Il fut un des solitaires de Port*-Royal, embastillé (1664-1668) comme janséniste. Auteur de la *Bible de Royaumont* (1670) et de *Mémoires pour servir à l'histoire de Port-Royal* (1736, posthume).

FONTAINE (Pierre François Léonard). ♦ Architecte français (Pontoise, 1762 – Paris, 1853). Collaborateur de Percier*, il garda ses charges officielles sous la Restauration et éleva pour les Bourbons la *Chapelle expiatoire* (1820-1826).

FONTAINE (Hippolyte). ♦ Ingénieur français (Dijon, 1833 – Paris, 1917). Il découvrit la réversibilité de la machine Gramme* et réalisa le premier transport d'énergie sous forme d'électricité (Vienne, Isère, 1873).

FONTAINE. ♦ Comm. de l'Isère, dans l'arr. et la banlieue de Grenoble*. 22 327 hab. – Indus. chimiques et électriques. Matériaux de construction. Tanneries.

FONTAINEBLEAU. ♦ Ch.-l. de cant. de Seine-et-Marne (arr. de Melun), au milieu de la forêt de Fontainebleau. 19 803 hab. *(Bellifontains).* La ville réunit des activités différenciées : culture de raisin de table (chasselas); fabrication du fromage de Brie; constructions métalliques. – Les touristes viennent nombreux visiter le *château.* Il se compose de plusieurs bâtiments construits sans unité de style. À l'origine, c'était un rendez-vous de chasse des rois de France; un château fort fut construit par Saint Louis; Charles V y installa une importante bibliothèque. François Ier, après avoir fait raser le château fort, fit construire un nouveau palais à partir de 1527, dans l'esprit de la Renaissance; Gilles le Breton traça les plans; la décoration intérieure fut exécutée par des Italiens, dont le Primatice* et le Rosso* qui, avec quelques autres, formèrent la première *école de Fontainebleau (ci-dessous)* caractérisée par des peintures à fresque et des figures en stuc. Philibert Delorme* et Jean Bullant* travaillèrent ensuite à Fontainebleau. Sous Henri IV, le château s'agrandit considérablement (cour des Offices, cour des Princes, jeu de Paume). L'escalier en fer à cheval date de Louis XIII. Louis XIV fit transformer les jardins par Le Nôtre; il signa à Fontainebleau la révocation de l'édit de Nantes* (1685). Le château s'agrandit sous Louis XV et fut épargné par la Révolution. Napoléon Ier y entreprit de nombreux aménagements. C'est là que fut conclu le concordat de Fontainebleau (1813) et que l'empereur signa sa première abdication (1814). Ses représentants (Caulaincourt, Macdonald, Ney) obtinrent qu'il conserve son titre d'empereur, la souveraineté de l'île d'Elbe et une rente de deux millions, que les duchés de Parme et de Plaisance soient attribués à Marie-Louise. Napoléon III vint souvent à Fontainebleau. Depuis 1921, les écoles d'art américaines sont installées dans une aile du château. De 1945 à 1966, le siège de l'état-major interallié des forces de l'O.T.A.N. pour l'Europe occupa une partie du château. C'est actuellement un très riche musée de mobilier, de tapisseries, de peintures. – Patrie de Dancourt*, Élisabeth* de France, François* II, Gaston d'Orléans*, Henri III, Lachelier* (Jules), Louis XIII, Louis de France dit le Grand Dauphin, Philippe* le Bel.

FONTAINEBLEAU *(école de).* ♦ Nom donné à un courant artistique dont le centre d'activité fut le château de Fontainebleau, à partir de 1526. Dirigé, à la demande de François Ier, par des artistes italiens (le Rosso*, le Primatice* et Niccolò Dell'* Abate), il marqua notamment les Cousin*, F. Clouet*, A. Caron* et plusieurs peintres anonymes (dont le maître de Flore). Art de cour, raffiné, visant à l'apologie royale à travers des allégories érudites, il constitue l'un des développements originaux du maniérisme et se caractérise par le goût des sujets mythologiques, souvent de caractère érotique, une prédilection pour le nu aux formes élégantes et étirées et pour la *« forma serpentina ».* Ce style se manifesta dans la grande décoration (fresque et décor en stuc), la tapisserie et tous les arts appliqués et eut une rapide diffusion internationale grâce à la gravure. ♦ *Deuxième école de Fontainebleau :* Elle se développa à la suite de l'avènement de Henri IV et de la reprise des travaux à Fontainebleau. Elle constitue l'une des dernières étapes du maniérisme international. Les artistes flamands et français y jouèrent un rôle prépondérant (T. Dubreuil*, A. Dubois*, M. Fréminet*).

FONTAINEBLEAU *(forêt domaniale de).* ♦ Forêt située dans le dép. de la Seine-et-Marne (16 997 ha., et 25 000 ha. avec les bois contigus). Le sous-sol est composé de sables, partiellement recouverts de chaos de rochers gréseux séparés par des gorges (gorges d'Apremont, gorges de Franchard), des vallées et des plaines.

Ph. Simion/Ricciarini

Fontainebleau : le château.

Chênes, hêtres, charmes, bouleaux, pins, constituent les essences principales de la forêt qui est un lieu très fréquenté par les promeneurs et les futurs alpinistes (écoles d'escalade). Barbizon* et Fontainebleau* sont les localités les plus importantes.

FONTAINE-DE-VAUCLUSE. ♦ Comm. du Vaucluse*, arr. d'Avignon*. 698 hab. Église romane. Ruines du château des évêques de Cavaillon. Exposition spéléologique Norbert Casteret*. Musée Pétrarque*, dans la maison où le poète aurait vécu. La fontaine de Vaucluse est une résurgence très importante de la Sorgue, fleuve souterrain alimenté par les eaux de pluie.

FONTAINE-FRANÇAISE. ♦ Ch.-l. de cant. de la Côte-d'Or (arr. de Dijon), dans le Dijonnais*. 658 hab. *(Fontenois).* Église du XIIIe siècle. Maisons du XVIe siècle. Château du XVIIIe s. où séjournèrent Voltaire, Rousseau, Mme de Staël. Fabrique de meubles. ♦ *Hist.* Anc. enclave de la couronne de France dans le duché de Bourgogne, d'où sa qualification de *française.*

FONTAINE-LÈS-DIJON. ♦ Comm. de la Côte-d'Or (arr. de Dijon), située dans l'aggl. dijonnaise. 3 698 hab. Église de la fin du XIVe siècle. Sanctuaire Saint-Bernard (pèlerinage). – Patrie de saint Bernard* de Clairvaux.

FONTAINE-L'ÉVÊQUE. ♦ V. de Belgique (Hainaut, arr. de Charleroi). 9 300 hab. – Château Bivort, de style Renaissance. Église Saint-Christophe (XIIIe, XVe-XVIe s.). – Métallurgie. ♦ *Hist.* En 1247, l'évêque de Cambrai devint seigneur de la ville.

FONTAINES-SALÉES (Les). ♦ Lieu-dit de la comm. de Saint-Père*-sous-Vézelay, dans l'Yonne. Des fouilles archéologiques ont mis à jour un établissement thermal datant des époques celtique et gallo-romaine, et un sanctuaire consacré aux divinités des sources salées (thermes, bassins, cuvelages en bois de chênes évidés au fer).

FONTANA (Domenico). ♦ Architecte et urbaniste italien (Melide, Tessin. 1543 – Naples, 1607). Architecte officiel sous le pontificat de Sixte V (1585-1590), il construisit la chapelle Sixtine à Santa Maria Maggiore et éleva la façade du palais du Latran (1587). Urbaniste, il dirigea les travaux d'aménagement du quartier de Santa Maria Maggiore en traçant six voies larges partant de l'église. À la mort de Sixte V, Fontana s'installa à Naples (Palais royal, 1600-1602). Son style, partant de Michel*-Ange et de Vignole*, annonce certaines réalisations de Maderna* et du Bernin*.

FONTANA (Carlo). ♦ Architecte, décorateur et sculpteur italien (Brusata, 1634 – Rome, 1714). Cousin de Domenico Fontana*, établi à Rome v. 1650, il se forma auprès de P. de Cortone* et de C. Rainaldi*, puis fut longtemps le collaborateur du Bernin*. Les nombreuses églises et chapelles qu'il éleva à Rome, notamment la façade incurvée de San Marcello del Corso, la chapelle Cibo à Santa Maria del Popolo (1683-1687), le portique de Sainte-Cécile-du-Transtevere (1702) en font l'un des représentants les plus brillants du baroque romain. Il fut le maître de Juvara* et exerça une influence notable sur les architectes du baroque autrichien, notamment par ses écrits théoriques *(discorsi)* et par la tendance rococo qu'il donna à l'église des Saints-Apôtres (1702-1714) qu'il termina.

FONTANE (Theodor). ♦ Écrivain allemand (Neuruppin, marche de Brandebourg, 1819 – Berlin, 1898). Descendant de huguenots gascons, il fut employé pharmacien à Berlin puis devint journaliste (1852) et voyagea en Angleterre, en Écosse et en France où, correspondant de guerre, il fut arrêté comme espion en 1870. Il débuta très tôt dans la carrière littéraire avec des poèmes dont le lyrisme se teinta progressivement d'ironie, des récits de voyage (*Pérégrinations à travers la marche de Brandebourg,* 1862-1882), à la fois anecdotiques et descriptifs. Mais il ne connut le succès qu'avec ses romans. Les premiers, s'inspirant de W. Scott et de W. Alexis*, ont un caractère historique (*Avant la tempête, Vor dem Sturm,* 1878). Avec *Adultera* (1882), *Errements et Tourments* [*Irrungen, Wirrungen*] (1888), *Effi Briest* (1895), *Stechlin* (publié en 1899), Fontane s'orienta vers le roman contemporain réaliste. Psychologique et sociale, son œuvre romanesque ne donne pas, comme celle d'un Balzac, un tableau d'ensemble de son époque, mais plutôt des descriptions des mœurs et coutumes, de la vie, des sentiments des diverses classes sociales de l'Allemagne (hobereaux, bourgeois, artisans, etc.). C'est avec un humour et un scepticisme désabusés que l'auteur analyse et juge la société de son temps.

Ph. Lauros-Giraudon

Fontenelle, par Rigaud (Musée Fabre, Montpellier).

FONTANES (Louis *de*). ♦ Poète, administrateur et critique français (Niort, 1757 – Paris, 1821). Auteur de poèmes à la facture classique, il fonda *Le Mercure,* avec La* Harpe, et publia des *Essais critiques* sur Chateaubriand*, dont il devint l'ami. Sous l'Empire, il fut grand maître de l'Université (1808). [Acad. fr.]

FONTANGES (Marie-Angélique de Scorraille de Roussille, *duchesse de***).** ♦ Favorite de Louis XIV, rivale de Madame de Montespan (Cropières, 1661 – Port-Royal, 1681). Elle mit à la mode un type de coiffure féminine.

FONTARABIE, en esp. **Fuenterrabia,** en basque **Ondarribia** (« fleuve plein de sable »). ♦ V. d'Espagne du N., dans la prov. basque de Guipúzcoa*, à la frontière franco-espagnole, sur la Bidassoa*. 8 600 hab. Remparts du XVe siècle. ♦ *Hist.* Elle fut assiégée par Condé*, puis par Moncey* en 1794.

FONTENAY. ♦ Hameau de la comm. de Marmagne (Côte-d'Or), près de Montbard. Abbaye cistercienne fondée en 1119 par saint Bernard. Tombée en décadence au XVIe s., l'abbaye, restaurée en 1906, est aussi renommée que celle de Clairvaux.

FONTENAY-AUX-ROSES. ♦ Comm. des Hauts-de-Seine, arr. d'Antony, au S. de Paris. 23 700 hab. *(Fontenaisiens).* École normale supérieure de jeune filles. Centre d'études nucléaires, dans le fort de Châtillon. Office national d'études et recherches aérospatiales, possédant la plus puissante soufflerie hypersonique d'Europe.

FONTENAY-LE-COMTE. ♦ Sous-préf. de la Vendée, ch.-l. d'arr. (9 cant., 112 comm., 116 904 hab.), sur la Vendée. 13 453 hab. [10 884 aggl.] *(Fontenaisiens).* Église Notre-Dame (XVe-XVIe s.). Église Saint-Jean, gothique, des XVIe et XVIIe siècles. Château de Terre-Neuve (XVIe s.). Vestiges de l'anc. rempart. Fontaine des Quatre-Tias (XVIe s.). Maisons anciennes. – Emboutissage. Manufacture de tabac. Confection. Indus. du bois. ♦ *Hist.* La ville fut aux XVe et XVIe s. un important centre intellectuel. Les guerres de Religion et la révocation de l'édit de Nantes amorcèrent son déclin, qui s'accentua sous l'Empire lorsque la préfecture, dont elle était le siège depuis 1790, fut transférée à La Roche-sur-Yon. – Patrie du mathématicien François Viète*, des jurisconsultes André Tiraqueau* et Barnabé Brisson*, du poète Nicolas Rapin*.

FONTENAY-LE-FLEURY. ♦ Comm. des Yvelines, arr. de Versailles. 12 035 hab. Église du XVIe siècle.

FONTENAY-SOUS-BOIS. ♦ Ch.-l. de cant. du Val-de-Marne (arr. de Nogent-sur-Marne), à l'orée du bois de Vincennes. 39 372 hab. – Église Saint-Germain-l'Auxerrois (en partie du XVe s.). – Produits chimiques; métallurgie; matériaux de construction.

FONTENELLE (Bernard Le Bovier *de*). ♦ Philosophe et poète français (Rouen, 1657 – Paris, 1757). Fils d'avocat et neveu des Corneille*, bel esprit fréquentant les salons (*Lettres galantes,* 1685), il prit parti pour les modernes dans sa *Digression sur les Anciens et les Modernes* (1687) et s'adonna, sans succès, à la composition dramatique. Son originalité apparaît dès ses vingt-quatre *Dialogues des morts* (1683), à la manière de Lucien*, qui développent de brillants paradoxes littéraires ou philosophiques, et se manifeste de façon éclatante dans les *Entretiens* sur la pluralité des mondes* (1686), élégant ouvrage de vulgarisation scientifique auquel succédera l'*Histoire des oracles* (1687) où, Fontenelle analyse avec une ingénieuse irrévérence la théologie et le merveilleux chrétiens (exemple de *La Dent d'or*). – Élu à l'Acad. fr. (1691), puis à l'Acad. des sc.. (1697), il perpétua dans ses *Éloges* et ses *Préfaces,* rédigés en un style nerveux et d'une élégante clarté, cette alliance de la science et de la littérature qui lui assura une audience considérable : « l'ignorant l'entendit, le savant l'admira » (Voltaire). Ainsi, s'attachant à offrir à ses lecteurs mondains une synthèse attrayante des progrès scientifiques accomplis en son temps (Copernic* et Descartes*) et professant avec hardiesse sa foi dans le progrès, Fontenelle apparaît bien comme le précurseur des philosophes du XVIIIe siècle.

FONTENOY. ♦ Comm. de Belgique (Hainaut). 600 hab. ♦ *Hist.* Victoire du maréchal de Saxe* à la tête des Français, sur les Anglais et les Hollandais (1745) au cours de la guerre de Succession* d'Autriche.

FONTENOY, *anc.* **FONTENET.** ♦ Comm. de l'Yonne (arr. d'Auxerre), dans l'Auxerrois*. ♦ *Hist.* Une bataille y fut livrée le 25 juin 841, au cours de laquelle Lothaire* fut battu par ses frères. Elle s'acheva par le traité de Verdun qui fixait les limites de la France.

FONTEVRAULT [fɔ̃təvʀo]**-L'ABBAYE.** ♦ Comm. du Maine-et-Loire, arr. de Saumur. 1 848 hab. Restes de l'anc. abbaye : église abbatiale romane du XIIe s., renfermant les tombeaux des Plantagenêts; remarquables cuisines du XIIe s. Cloître et salle capitulaire du XVIe s. ♦ *Hist.* Fondée v. la fin du XIe s. par Robert d'Arbrissel, cette abbaye groupait sous l'autorité d'une abbesse une communauté d'hommes et une communauté de femmes. L'ordre fut supprimé en 1792. Les bâtiments conventuels abritèrent une maison centrale de détention de 1804 à 1963. – REM. L'orthographe officielle de la commune est *Fontevraud,* mais l'ancienne graphie, *Fontevrault,* est encore employée.

FONTFROIDE *(abbaye de)*. ♦ Abbaye située dans une gorge des Corbières (Aude). Elle fut fondée au XIe s. et affiliée à l'ordre cistercien au XIIe s., elle devait acquérir dès lors et jusqu'au XIVe s. une grande puissance. Église (*fin* XIIe s.) à nef voûtée en berceau brisé; cloître du XIIIe s. (voûtes à huit branches, colonnettes de marbre); salle capitulaire (*fin* XIIe s.). L'architecture témoigne des règles de simplicité de l'ordre cistercien, auxquelles s'ajoutent quelques influences méridionales.

FONTOY. ♦ Ch.-l. de cant. de la Moselle, arr. de Thionville-Ouest. 3 718 hab. Appareils de levage et de manutention.

FONT-ROMEU-ODEILLO-VIA. ♦ Comm. des Pyrénées-Orientales (arr. de Prades), sur le versant ensoleillé de la Cerdagne*, à 1 800 m d'altitude. 2 932 hab. Station climatique bénéficiant d'un climat particulièrement agréable. Centre de sports d'hiver. Centre pré-olympique. – À ODEILLO, station annexe du four solaire du C.N.R.S., mise en service depuis 1969 (centre de recherches). À l'*Ermitage Font-Romeu,* pèlerinage à la fontaine miraculeuse. Chapelle.

FONTVIEILLE [fɔ̃vjɛj]. ♦ Comm. des Bouches*-du-Rhône, arr. d'Arles*. 2 440 hab. *(Fontvieillois).* Carrières de pierre et gisements de bauxite. Cultures de primeurs. – Aux environs, se trouve le moulin d'Alphonse Daudet* qui lui inspira les *Lettres de mon moulin.*

FONVIZINE (Denis Ivanovitch) [*Fonvizin*]. ♦ Dramaturge russe (Moscou, 1745 – Saint-Pétersbourg, 1792). Sa première pièce, *Le Brigadier* (publié en 1786), est une comédie de mœurs, et son chef-d'œuvre, *Le Mineur* ou *Le Dadais* (1782), encore joué actuellement avec succès, est une satire très réaliste de la noblesse campagnarde.

FOOTE (Samuel). ♦ Comédien et auteur dramatique anglais (Truro, Cornouailles, 1720 – Douvres, 1777). Directeur du théâtre Haymarket (1747), il s'y fit remarquer par des imitations d'acteurs célèbres, mais la franchise de ses attaques entraîna la fermeture du théâtre. Pour un cercle privé d'amateurs, il composa alors des farces satiriques et des comédies. Œuvres princ. *L'Anglais à Paris* (1753) et, en collaboration avec l'acteur Garrick*, *Le Mariage clandestin.*

FORAIN (Jean-Louis). ♦ Peintre, dessinateur et graveur français (Reims, 1852 – Paris, 1931). Élève de Gérome, il fréquenta ensuite des écrivains (Verlaine, Rimbaud, Huysmans), se lia et exposa avec les impressionnistes et devint célèbre comme caricaturiste, multipliant à partir de 1893 les satires politiques. Il fonda le *Fifre* et, avec Caran* d'Ache, le *Psst'.* Marqué par Daumier* et Toulouse*-Lautrec, il traita avec un esprit caustique des scènes de la vie parisienne (*Nous, vous, eux,* 1893). Ses aquarelles, pastels et peintures laissent transparaître son admiration pour Manet* et Degas*. Il traita à la fin de sa vie des sujets religieux.

FORBACH [fɔʀbak]. ♦ Sous-préf. de la Moselle, ch.-l. d'arr. [6 cant., 88 comm., 190 835 hab.]. 23 433 hab. *(Forbachois).* Extraction de charbon; indus. du verre; constructions mécaniques. Cokerie et carbochimie à Marienau*. ♦ *Hist.* Le 6 août 1870, à la bataille de Forbach-Spicheren, le général Frossard fut battu par les Prussiens: la route de Nancy leur était ainsi ouverte.

FORBIN (Claude, *chevalier,* puis *comte***).** ♦ Marin français (Gardanne, Bouches-du-Rhône, 1656 – château de Saint-Marcel, près de Marseille, 1733). Sous le commandement de d'Estrées et de Duquesne, il servit lors des campagnes de Messine (1675), des Antilles (1680), et d'Alger (1682). Il fut ensuite nommé grand amiral du roi du Siam (1686-1688), auprès duquel il avait accompagné l'ambassadeur français, puis participa à la lutte contre l'Angleterre aux côtés de Jean Bart (Plymouth, 1689) et de Duguay-Trouin. Chargé de conduire à Édimbourg le chevalier de Saint-Georges, prétendant au trône d'Angleterre, il échoua et se démit de ses fonctions. Ses *Mémoires* parurent en 1730.

FORBIN (Louis Nicolas Philippe Auguste, *comte de***).** ♦ Peintre, archéologue et administrateur français (château de La Roque-d'Anthéron, Bouches-du-Rhône, 1777 – Paris, 1841). Venu à Paris où il suivit les leçons du peintre David, il servit quelque temps dans l'armée sous le Consulat et l'Empire, donna sa démission en 1809 et se rendit à Rome où il se consacra aux beaux-arts. Rentré en France, il fut nommé directeur général des musées sous la Restauration, contribua à agrandir le Louvre, à créer le musée des antiquités étrusques et égyptiennes et celui du Luxembourg.

FORBIN-JANSON (Charles Auguste, *comte de***).** ♦ Prélat français (Paris, 1785 – château de Guilhermy, près de Marseille, 1844). Ordonné prêtre en 1811, nommé évêque de Nancy (1824-1830), il contribua au renouveau missionnaire sous la Restauration, fondant avec Rauzan la *Société des missions de France*. De 1839 à 1841, il partit comme missionnaire au Canada, et, à son retour en France, créa l'œuvre de la *Sainte-Enfance* (1843).

FORCALQUIER. ♦ Sous-préf. des Alpes*-de-Haute-Provence. ch.-l. d'arr. (11 cant., 96 comm., 57 651 hab.), 3 094 hab. Église, ancienne cathédrale romane et gothique. Fontaine du XVe siècle.

Force *(la)*. ♦ Anc. prison de Paris, située dans le Marais*. Prison pour dettes en 1780, elle devint prison politique *(Grande Force)* et prison de femmes *(Petite Force)* sous la Révolution. Les *massacres de Septembre* (1792) y firent de nombreuses victimes, notamment la princesse de Lamballe. En 1850, la Force fut supprimée.

Forces françaises de l'intérieur (F.F.I.). ♦ Forces militaires françaises, formées au début de 1944 par l'unification (de principe) des groupements militaires clandestins de la Résistance intérieure : Armée secrète (A.S.), Organisation de résistance de l'armée (O.R.A.), Franc-Tireurs et Partisans (F.T.P.), etc. Elles furent commandées de Londres par le général Koenig* (avr. 1944) et jouèrent un rôle d'appoint lors des débarquements en Normandie (juin) et en Provence (août), par le sabotage des communications et le harcèlement des convois allemands. Elles participèrent à la libération du territoire, notamment en Bretagne, dans le Massif central, le Sud-Ouest et le Sud-Est, ainsi qu'à Paris, Toulon, Marseille, où elles déclenchèrent des insurrections. Une partie des F.F.I. fut intégrée à la Ire armée de de Lattre. **V. Guerre mondiale** *(Deuxième)*.

Forces françaises libres (F.F.L.). ♦ Ensemble des forces militaires françaises qui, après l'armistice de juin 1940, continuèrent la guerre aux côtés des Alliés, sous les ordres du général de Gaulle*. Formées de troupes de Narvik*, de volontaires de l'Empire français, et réunies à l'armée d'Afrique après 1943, elles combattirent notamment en Libye et en Syrie, et représentèrent l'armée française dans les débarquements en Normandie et en Provence. Les Américains laissèrent à la 2e division blindée (Leclerc) l'honneur d'entrer à Paris (24-25 août 1944). **V. Guerre mondiale** *(Deuxième)*.

FORCHIES-LA-MARCHE. ♦ Comm. de Belgique (Hainaut, arr. de Charleroi), dans le bassin houiller dit du Centre. 6 800 habitants.

FORCLAZ (La) [lafɔʀkla]. ♦ Col des Alpes suisses (Valais) entre Martigny* et Chamonix*, à 1 523 m d'alt. – Col des Préalpes (Haute-Savoie) dans le massif des Bornes, au-dessus du lac d'Annecy. Alt. 1 157 mètres.

FORD (John). ♦ Auteur dramatique anglais (Ilsington, Devonshire, 1586 – Devon, 1639). D'abord collaborateur de Dekker, Webster et Rowley, il fit représenter en 1628 sa première tragédie, *La Mélancolie de l'amant (The Lover's Melancholy)*. Plus que ses comédies, d'inspiration et de facture assez conventionnelles, ses onze tragédies participent de l'exubérance sensuelle et imaginative du baroque par la vigueur et la beauté du verbe autant que par la tension psychologique. Ce débordement de vitalité s'impose avec une somptueuse violence dans trois chefs-d'œuvre : *Dommage qu'elle soit une putain* (*'Tis Pity she's a Whore,* 1626), *Le Cœur brisé* (*The Broken Heart,* 1629) et *Sacrifice d'amour* (*Love's Sacrifice,* 1630).

FORD (Henry). ♦ Industriel américain (Greenfield, Michigan, 1863 – Dearborn, 1947). Pionnier de l'industrie automobile américaine, il réalisa pièce à pièce sa première automobile (1892-1893), un quadricycle au moteur (4 CV) refroidi par eau et fonda successivement une société d'études (Henry Ford Company, 1902) et une entreprise (Ford Motor Company, 1903) qui devint la plus importante d'Amérique. Promoteur de la construction en série et de la standardisation des pièces; il fut l'un des premiers à comprendre l'intérêt de l'exportation et acquit à cet effet une flotte marchande conséquente (1925).

FORD (Sean Aloysius O'Fearna, dit **John).** ♦ Réalisateur américain de cinéma, d'origine irlandaise (Cape Elizabeth, Maine, 1895 – Hollywood, 1973). Pour son talent robuste et sa fécondité (plus de 100 films), il est considéré comme l'un des piliers du cinéma américain de la grande époque. Spécialiste du western, il a su conférer à ce genre une signification sociale et une grandeur épique inconnues jusqu'à lui. Vouée le plus souvent à célébrer la fraternité virile et la justice, son œuvre, à ses meilleurs moments, exalte l'héroïsme et l'aventure poursuivie jusqu'à sa conclusion tragique. Réal. princ. : La Patrouille perdue (*The Lost Patrol,* 1934), Toute la ville en parle (*The Whole Town's talking,* 1935), Le Mouchard (*The Informer,* 1935), La Chevauchée fantastique (*Stage coach,* 1939), Les Raisins de la colère (*Grapes of Wrath,* 1940), La Conquête de l'Ouest (*How the West was won,* 1962).

FORD (Gerald Rudolf, Jr.). ♦ Homme d'État américain (Omaha, Nebraska, 1913). 38e président des États-Unis. Successeur de R. Nixon* (1974), il fut battu aux élections de 1976 par J. Carter*.

Foreign Office. *n. m.* ♦ Ministère britannique des Affaires étrangères constitué, depuis les réformes d'A. Eden (1943), par les services diplomatiques, commerciaux et consulaires.

FOREL (Auguste). ♦ Médecin et naturaliste suisse (Morges, 1848 – Yvorne, 1931). Il est surtout connu par ses études sur *Le monde social des fourmis du globe comparé à celui des hommes* (1921-1923).

FOREST (Fernand). ♦ Inventeur français (Clermont-Ferrand, 1851 – Monaco, 1914). Il imagina le moteur déjà conçu par Lenoir, en introduisant le pétrole comme carburant [1881] (**V.** *aussi* **Lebon**), et étudia de nombreux éléments de l'automobile (magnéto, moteur à quatre cylindres monobloc, moteur à sept cylindres en étoile à refroidissement par air, etc.).

FOREST, en néerl. **Vorst.** ♦ V. de Belgique (Brabant, arr. de Bruxelles-Capitale). 55 200 hab. – Église Saint-Denis (des XIIe, XIIIe, XIVe, XVe et XVIe s.). Palais abbatial (place Saint-Denis). – Indus. métallurgiques (automobiles), textiles et chimiques. Papeterie. Travail du cuir.

FORESTER (Cecil Scott). ♦ Romancier anglais (1899 – 1966). Son premier roman, *Paiement différé* (1926), fut porté à la scène. En 1937, il commença une chronique maritime dont le héros, Hornblower, d'abord jeune officier, fait une carrière glorieuse : *Un vaisseau de ligne, Le Commodore,* 1944 ; *Hornblower et l'Atropos,* 1953. Forester, qui est aussi l'auteur de *Brown sur le « Résolution »,* 1929, *Le Canon,* 1933, *Le Navire,* 1943, se situe dans la tradition des romanciers de la mer, tels Marryat ou Ballantyne.

FOREST HILL. ♦ V. du Canada (Ontario), près de Toronto. 25 000 hab.

FORÊT, en néerl. **Trooz.** ♦ Ville de Belgique (prov. et arr. de Liège) sur la Vesdre. 5 400 hab. – Carrières. Indus. chimiques (zinc et cobalt). Armurerie.

FORÊT-FOUESNANT (La). ♦ Comm. du Finistère, arr. de Quimper. 1 778 hab. Église (XVIe s.) de style gothique flamboyant. Station balnéaire.

FORÊT-NOIRE. *n. f.,* en all. **Schwarzwald.** ♦ Massif montagneux d'Allemagne occidentale (Bade-Wurtemberg), s'étendant en bordure du fossé rhénan qui la sépare des Vosges, de Karlsruhe à Bâle, sur env. 170 km de long et 60 de large. La région est abondamment drainée par les affl. du Rhin (Murg, Nagold, Kinzig). Au N. s'étend une zone de hauts plateaux gréseux (500 à 800 m) couverts de conifères. Plus au S., la zone cristalline (granite, gneiss) forme une succession de ballons arrondis rappelant ceux des Vosges et culminant au *Feldberg** (1 493 m). L'économie se concentre surtout dans les vallées. La vie agricole est réduite à l'élevage, à une céréaliculture plus ou moins riche, parfois associée à des cultures fruitières dans les vallées du S. de la Kinzig. Les villes (Fribourg*-en-Brisgau, Lörrach*, Schwenningen, Furtwangen) se consacrent au travail du bois, à l'indus. textile et à l'horlogerie. La Forêt-Noire est l'une des grandes régions touristiques d'Allemagne.

FOREY (Élie Frédéric). ♦ Maréchal de France (Paris, 1804 – *id.,* 1872). Après avoir contribué au coup d'État du 2 décembre 1851, il prit part à la guerre de Crimée (1854-1855), puis à la campagne d'Italie (1859). Commandant en chef des forces fruitières dans les vallées du S. de la Kinzig. Les villes (Fribourg*-en-Brisgau, Lörrach, Schwenningen, Furtwangen) se consacrent

FOREZ [fɔʀɛ]. *n. m.* ♦ Région du Massif central (Puy-de-Dôme, Loire) comprenant à l'O. les *monts du Forez,* qui culminent à Pierre-sur-Haute (1 640 m) et à l'E. le *bassin du Forez,* bassin d'effondrement drainé par la Loire. ♦ *Hist.* Anc. comté, il passa à la maison des Bourbons en 1372 et fut rattaché à la couronne en 1527.

FORFARSHIRE. *n. m.* ♦ Nom porté jusqu'en 1928 par le comté écossais d'Angus*.

FORGES-LES-EAUX. ♦ Ch.-l. de cant. de la Seine*-Maritime, arr. de Dieppe*, dans le pays de Bray*. 3 258 hab. *(Forgiens)*. Station thermale (eaux ferrugineuses employées contre l'anémie).

FORLI. ♦ V. d'Italie du Nord, en Emilie, au sud de Ravenne. Ch.-l. de prov. 100 000 hab. Indus. chimiques et textiles.

FORMÉ (Nicolas). ♦ Compositeur français (Paris, 1567 – *id.,* 1638). Successeur de Du Caurroy à la chapelle royale (1609),

Coll. Rui Nogueira

John Ford et Dorothy Lamour.

apprécié de Richelieu et de Louis XIII, il contribua à dégager la musique religieuse française de l'influence encore dominante de la polyphonie renaissante. Il a composé une messe à double chœur (1638), des motets et des magnificat.

FORMENTERA *(île de)*, en lat. **Pythiusa Minor**. ♦ La plus méridionale et la plus petite (115 km²)des îles Baléares*, près d'Ibiza. Céréales, vigne, pêche, tourisme balnéaire.

FORMENTOR *(cap)*. ♦ Promontoire rocheux situé à l'extrémité N. de l'île de Majorque (Baléares). Hautes falaises.

FORMIA. ♦ V. d'Italie dans le Latium (prov. de Latina) sur le golfe de Gaëte. 21 000 hab. Station balnéaire. Pêche. ♦ Hist. *Formiae* (Formies) était considérée par les anciens comme la capitales des Lestrygons*. Ville des Volsques*, elle devint au ~ Ier s. une importante résidence estivale pour les Romains. Cicéron* y fut assassiné près de sa villa de Formianum (~ 43). La ville fut détruite par les Arabes au IXe siècle.

FORMIGNY. ♦ Comm. du Calvados*, arr. de Bayeux*. 299 hab. ♦ *Hist.* La victoire de Formigny, remportée par le connétable de Richemont* et le comte de Clermont sur les Anglais le 15 avril 1450, rendit la Normandie à la France.

FORMIGUÈRES. ♦ Comm. des Pyrénées-Orientales (arr. de Prades), anc. ch.-l. du Capcir*. 370 hab. Église contenant un christ en bois du XIIIe siècle. – Station estivale et de sports d'hiver à 1 506 m d'altitude.

FORMOSA. ♦ V. d'Argentine, ch.-l. de la province du même nom, sur le rio Paraguay*. 47 700 hab. – La *province de Formosa* est située entre le rio Pilcomayo* qui la sépare au N. du Paraguay, le rio Bermejo* qui forme la limite avec la prov. de Chaco* au S., le rio Paraguay* à l'E., et la prov. de Salta* à l'O., 72 066 km². 215 000 hab. Cultures subtropicales (canne à sucre, coton, tabac). Fabriques de produits tannants aux alentours de la ville.

FORMOSE. ♦ 111e pape (891-896 [mort]). Évêque de Porto (864), légat de Nicolas* Ier en Bulgarie (866), il devint le chef d'une faction romaine. Étant pape, il sacra empereur Lambert de Spolète, puis lui préféra Arnulf de Carinthie (896), ce qui lui valut condamnation et outrages posthumes de la part du parti spolétin.

FORMOSE. *n. m.* (*Formoza,* « la belle »). ♦ Nom donné par les Portugais au XVIe s. à l'île chinoise de Taiwan*.

FORNARINA (Margherita Luti, dite **la)**. ♦ Fille d'un boulanger *(fornaro)* de Rome, elle devint la maîtresse de Raphaël v. 1510 et lui inspira de puissantes figures de femmes, entre autres la *Donna Velata* (palais Pitti, Florence). *La Fornarina* de la galerie Barberini (Rome) est attribuée à Jules Romain, élève de Raphaël.

FORNOUE, en it. **Fornovo**. ♦ Ville d'Italie (Émilie), prov. de Parme, au S.-O. de Parme. 6 400 hab. ♦ *Hist.* Charles* VIII, battant en retraite pour regagner la France, força le passage contre l'avant-garde de la coalition formée par Venise, Milan, Maximilien d'Autriche, Ferdinand d'Aragon et le pape (1495). Cette bataille resta célèbre par l'impétuosité des Français, alors qualifiée par les Italiens de *furia francese (la furie française)*.

FORRES. ♦ V. du N. de l'Écosse (Morayshire) et anc. bourg royal. 4 475 hab. Guillaume* le Lion, Macbeth* et Duncan* Ier y séjournèrent, Donald II et Malcolm Ier y furent assassinés. C'est près de Forres que Shakespeare a situé l'action de sa tragédie *Macbeth**. – Aux environs, se dresse la *Sweno's Stone,* élevée en 1008 en commémoration d'une victoire du roi de Norvège Sweyn sur Malcolm II.

FORREST (John, *Ier baron)*. ♦ Explorateur, homme d'État et premier pair australien (Bunbury, Australie occidentale, 1847 – en mer, 1918). Entré dans le service topographique, il dirigea une expédition dans le continent australien. Après la proclamation de l'autonomie gouvernementale de l'Australie, il forma le premier cabinet (1890) et assuma successivement les fonctions de Premier ministre (1890-1901), de ministre de la Défense (1901-1903) et de ministre de l'Intérieur [1903]. (*Explorations in Australia,* 1876; *Notes on Western Australia,* 1884-1887.)

FORSSMANN (Werner Theodore Otto). ♦ Médecin allemand (1904). Ses travaux sur le cathétérisme du cœur lui valurent le prix Nobel de médecine (1956) avec A.F. Cournand* et D.W. Richards*.

FORST. ♦ V. d'Allemagne orientale (Brandebourg, district de Cottbus), sur la Neisse, près de la frontière polonaise. 38 000 hab. Centre textile.

FORSTER (Johann Reinhold). ♦ Naturaliste et voyageur allemand (Dirschau, 1729 – Halle, 1798). Avant d'être nommé directeur du jardin botanique de Halle, il avait fait une expédition scientifique en Russie et participé, comme naturaliste, au second voyage de Cook, avec son fils, JEAN GEORGE ADAM FORSTER (Dantzig, 1754 – Paris, 1794). Celui-ci, naturaliste également, publia, entre autres, le récit de ce *Voyage autour du monde sur le vaisseau de Sa Majesté sous le commandement de Cook* (1777).

FORSTER (Edward Morgan). ♦ Romancier et critique anglais (Londres, 1879 – Midlands, 1970). Après des études à Cambridge, il passa une année en Italie et en Grèce, visita l'Inde en 1912 et séjourna en Égypte en 1922. Les conférences qu'il donna à Cambridge furent réunies dans *Aspects du roman,* 1927. Il fit également paraître en 1942 une étude sur Virginia Woolf* et collabora au *New Statesman* et au *Spectator*. Forster confronta les points de vue des Anglais, des hindous et des musulmans dans *Route des Indes* (1924). Après deux romans inspirés par son expérience de l'Italie (*Où les anges ont peur d'avancer,* 1905 et *Une chambre d'où l'on voit,* 1908), il avait déjà publié plusieurs œuvres d'inspiration indienne (*Le Plus Long Voyage,* 1907; *Howards end,* 1910; *La Colline du Dévi,* 1953). *L'Omnibus du ciel* (1923) et *L'Instant éternel* (1928) sont des recueils de nouvelles.

Ph. Giraudon

La Fornarina, par Raphaël (Palais Pitti, Florence).

FORT (Paul). ♦ Poète français (Reims, 1872 – Argenlieu près Montlhéry, 1960). Fidèle à l'esthétique symboliste, il fonda le théâtre d'Art (1890-1893) en réaction contre le naturalisme d'Antoine*. Il publia ses premiers vers au *Mercure de France* et à *l'Ermitage,* avant de devenir l'animateur de la revue *Vers et Prose* (1905-1914) et des réunions poétiques de la Closerie des Lilas. Reprenant la tradition de la ballade, il a su en renouveler la forme et l'esprit dans une suite monumentale, *Ballades françaises* (publiées à partir de 1896), dont l'édition comporte quarante volumes (1922-1951). Alliant les ressources de la prose rythmée à celles de l'assonance, la poésie de Paul Fort, souvent proche de la chanson populaire, se définit par une grâce légère et une fantaisie aimable qui ont le charme des paysages et des villages de l'Île-de-France à laquelle il resta attaché tout au long de sa vie. Dramaturge, Paul Fort a fait représenter *Louis XI, curieux homme* (1921). Il a publié des *Mémoires* (1944).

FORTALEZA. ♦ V. et port du N.-E. brésilien sur la côte atlantique. Cap. de l'État de Ceara*. 850 000 hab. (avec l'aggl.). Archevêché. Université. Pêcheries. Industries textiles et alimentaires.

FORT-ARCHAMBAULT. ♦ V. du S.-E. de la République du Tchad*, sur le Chari*. 35 000 hab. Grand marché agricole. Point de départ des safaris.

FORT-BAYARD. ♦ V. CHAN-CHIANG (Chine).

FORT-DAUPHIN. ♦ V. et port de l'extrémité sud-orientale de Madagascar*. Huilerie de ricin. Traitement du sisal.

FORT-DE-FRANCE. ♦ Ch.-l. de la Martinique* (Antilles françaises), situé sur la côte occidentale de l'île, à l'entrée de la baie du même nom. Env. 100 000 hab. Évêché. Sucreries et distilleries (rhum). Port actif exportant vers les Grandes Antilles, l'Amérique du Sud et la France.

FORTEBRACCIO (Niccolo). ♦ Condottiere italien (? – 1435). Formé par son oncle *Andrea Braccio di Montone,* il se mit au service de Florence, vainquit Volterra en 1429, mais ne put soumettre Lucques. Au service du pape Eugène* IV, il le trahit (1433), envahit les États du Saint-Siège et réussit à entrer dans Rome (1434). Trahi par Francesco Sforza*, il fut tué en combattant le pape. – Il eut pour successeur un de ses parents, Niccolo Piccinino*.

FORTESCUE (*sir* **John)**. ♦ Juriste anglais (Norris, près de South Brent, Somersetshire, v. 1385 – ?, v. 1476). Élu au Parlement (1421), il fut nommé sous Henri* VI grand juge du Banc du roi (1442) et armé chevalier (1443). Alors qu'il venait d'être fait chancelier (1461), il s'enfuit en Écosse avec le roi Henri VI, puis s'exila en France. De retour en Angleterre après la défaite finale de la maison des Lancastre (1471), il se soumit à Édouard IV et vécut dès lors dans la retraite. Son ouvrage *De laudibus legum angliae* (publié en 1546) est un éloge de la monarchie constitutionnelle anglaise.

FORT-GOURAUD. ♦ V. FDERIK.

FORTH. *n. m.* ♦ Fl. d'Écosse orientale (106 km). Issu des contreforts sud des Grampians, il arrose Stirling et se jette dans la mer du Nord en formant un large estuaire *(Firth of Forth)* que traverse l'un des ponts (ferroviaire et routier) les plus longs d'Europe.

FORT-LAMY, auj. **N'DJAMENA**. ♦ Cap. du Tchad*, port fluvial sur la r. d. du Chari* à son confluent avec le Logone*, à proximité de la frontière camerounaise. 150 000 hab. – Centre d'une riche région agricole. Égrenage du coton. Abattoirs et frigorifiques.

FORT LAUDERDALE. ♦ V. des États-Unis, sur la côte E. de la Floride, au N. de Miami. 139 122 hab.; zone urbaine (avec Hollywood) 612 000 hab. 3e port de la Floride (importation de carburants). Station balnéaire renommée.

FORT-MAHON-PLAGE. ♦ Comm. de la Somme (arr. d'Abbeville). 976 hab. – Station balnéaire sur la Manche.

FORT-NATIONAL. ♦ **V.** LARBAÂ-NATH-IRATEN.

FORTOUL (Hippolyte). ♦ Homme politique français (Digne, 1811 – Ems, 1856). Député à l'Assemblée constituante (1848), réélu à l'Assemblée législative (1849), il approuva la politique de Louis Napoléon Bonaparte, qui le nomma ministre de la Marine (octobre 1851) dans le cabinet qui contribua à la préparation du coup d'État du 2 décembre 1851. Devenu ministre de l'Instruction publique dès le 3 décembre, il se signala par ses mesures autoritaires et réactionnaires : décret permettant au ministre de révoquer les professeurs de l'enseignement supérieur, suppression des agrégations de philosophie et d'histoire, etc.

FORT SMITH. ♦ V. de l'Arkansas* (la seconde en importance; env. 61 549 hab.). Commerce des produits agricoles. Gaz naturel. Indus. du zinc, etc.

FORTUNA. ♦ Divinité du Hasard dans la religion romaine identifiée à la Tyché (Tukhê) grecque (Cf. Fortune *in* Robert). Elle est représentée sous les traits d'une femme, la plupart du temps le visage voilé, tenant une corne d'abondance ou un gouvernail. Ses sanctuaires les plus célèbres étaient ceux d'Antium et de Préneste.

FORTUNAT (*saint* Venance). ♦ (Près de Trévise, v. 530 – Poitiers, 600). Évêque de Poitiers (v. 597), auteur de poèmes latins (11 livres de *Carmina*), de biographies pieuses *(Vita Radegundis, Vita Martini)* et des hymnes *Pange, lingua* et *Vexilla regis*. Fête le 14 décembre.

FORTUNÉES *(îles)*. ♦ Anc. nom des îles Canaries*.

FORTUNY (Mariano). ♦ Peintre, aquarelliste, graveur et dessinateur catalan (Reus, 1838 – Rome, 1874). Il fut d'abord peintre d'histoire et de scènes religieuses, mais se spécialisa dans les scènes orientales (croquis, aquarelles et gravures inspirés par son voyage au Maroc) et dans les tableaux de genre en costume. Héritier des petits maîtres romantiques, il acquit dans cette manière un renom considérable, notamment auprès des peintres napolitains, fit preuve d'un souci de vérisme proche du réalisme anecdotique de Meissonier* et surtout d'une grande virtuosité technique recherchant avec complaisance les effets chatoyants de lumière et les souvenirs de Goya (*La Vicaria*, 1870).

FORT WAYNE. ♦ V. des États-Unis (N.-E. de l'Indiana). 175 082 hab. (1970). Indus. (électricité, radio).

FORT WILLIAM. ♦ Localité du N. de l'Écosse (Inverness-shire), au fond du *loch Linghe*. 3 170 hab. Centre touristique fréquenté, à la porte des *Highlands* (excursions au *Ben Nevis*). Usine d'aluminium.

Arch. Smeets

Le **Forum** romain et le Colisée.

FORT WILLIAM. ♦ V. du Canada (Ontario), sur la rive N.-O. du lac Supérieur. 48 208 hab. Elle forme une conurbation avec Port Arthur. Centre d'une région minière (or, cuivre...) et du commerce des fourrures, et surtout centre de transports (chemins de fer, port sur le lac Supérieur; stockage de grains). Indus. diverses : papeteries, mécanique, fonderies, etc.

FORT WORTH. ♦ V. des États-Unis (Texas), située à 50 km à l'O. de Dallas. 388 123 hab.; zone urbaine, 757 100 hab. Indus. aéronautique et bases aériennes; extraction de pétrole. Centre de commerce du bétail; conditionnement de la viande. Indus. variées. Siège de l'Université chrétienne du Texas.

Forum romanum. ♦ (cf. Forum *in* Robert). Établi par les Étrusques (~ VI s.) dans la dépression qui s'étendait entre le Capitole*, l'Esquilin* et le Palatin*, le Forum servit à l'origine exclusivement de marché mais devint bientôt le centre de la ville, non seulement sur le plan commercial, mais politique et religieux. Sous la royauté étrusque, la République et l'Empire, il fut orné de nombreux édifices : les Rostres, la basilique Julia, la Curie, la maison des Vestales, le temple des Dioscures, les arcs de Titus et de Septime Sévère. À l'époque impériale, d'autres forums furent créés au N. du Forum romanum, parmi lesquels le *forum d'Auguste* et le *forum de Trajan* où s'élevaient l'arc de Trajan, la basilique Ulpia et la colonne Trajane. Rome possédait d'autres forums à usage exclusivement commercial : le *forum boarium :* marché aux bestiaux, et le *forum holitorium :* marché aux légumes. À l'image du Forum romain, des forums furent aménagés dans de nombreuses cités de l'Empire : Arles, Pompéi, Palmyre, Timgad. Des travaux de restauration ont été entrepris au Forum et au Palatin en septembre 1972.

FOS *(golfe de)*. ♦ Golfe de la côte méditerranéenne, à l'E. du delta du Rhône*; un canal relie le golfe à l'étang de Berre*. Ports pétroliers **V. Lavéra, Fos-sur-Mer.**

FOSCARI (Francesco). ♦ (Venise, v. 1373 – *id.*, 1457). Doge de Venise (1423-1457). Il combattit Milan (1427, 1431, 1433) et lui prit Bergame, Crémone et Brescia. Il conquit Ravenne sur Bologne (1441) puis fit la guerre au pape (1443-1445). – Il inspira Byron et Verdi.

FOSCOLO (Ugo). ♦ Écrivain italien (Zante, 1778 – Turnham Green, près de Londres, 1827). Vénitien par son père, Grec par sa mère, Foscolo passa son enfance en Dalmatie, puis vint à Venise (1794) où il se passionna pour la littérature, lisant aussi bien les auteurs classiques que les poètes modernes (Young*, Gessner*, Ossian*...). Vite mêlé aux luttes patriotiques, il s'enthousiasma pour l'Europe napoléonienne (*Ode à Buonaparte liberatore,* 1797), combattit avec Masséna* contre les Austro-Russes, fut un temps rédacteur au *Monitore italiano,* à Milan (où il rencontra Monti* et Parini*), avant de devoir s'exiler en Suisse (1814), puis près de Londres (1816) où il mourut. – L'œuvre de Foscolo reflète sa sensibilité préromantique, unie à un culte tout classique de la beauté antique. Son roman par lettres (inspiré du *Werther* de Goethe*) *Les Dernières Lettres de Jacopo Ortis* (*Ultime Lettere di Jacopo Ortis,* 1799; éd. déf., 1816), imprégné d'une foi patriotique (qui prépare les luttes du Risorgimento), contient également les thèmes poétiques chers au préromantisme. *Les Tombeaux* (*Dei Sepolcri,* 1806), long poème, inspiré des *Nuits* de Young* ou des poèmes de Th. Gray*, est cependant très original par le ton (ardent et héroïque) comme par le thème : le culte des morts qui assure la pérennité de l'affection et du souvenir incite également aux exploits qu'immortalisera la poésie. Retour aux thèmes de la poésie antique. *Les Grâces* (*Le Grazie,* inachevé, 1813) devait comporter trois hymnes à Vénus, Vesta et Pallas. Ces déesses, dépeintes comme « des divinités intermédiaires entre le ciel et la terre », prétexte à des tableaux d'une plastique sévère ou délicate (l'œuvre est dédiée à Canova*), sur des rythmes habilement variés, font de Foscolo un des premiers poètes de l'Italie moderne.

FO-SHAN [*Fo-chan, Foshan*]. ♦ V. de Chine (Kuang-tung). 150 000 hab. Centre indus. et commercial célèbre pour ses fours céramiques.

FOSS (Lukas). ♦ Compositeur américain d'origine allemande (Berlin, 1922). Élève de Koussevitzky et de P. Hindemith, il est l'auteur de cantates, de pièces de musique de chambre et de scène, de musique instrumentale et de deux opéras (*The Jumping frog,* 1949; *Griffelkin,* 1955).

FOS-SUR-MER. ♦ Comm. des Bouches*-du-Rhône (arr. d'Aix*-en-Provence), près du *golfe de Fos**. 2 873 hab. Chapelle et église romanes, ruines d'un château médiéval. Fabrique de chaux et de ciment, cartonnerie. Le nouveau port pétrolier et minéralier de Fos alimentera la zone industrielle (ci-dessous). – Station balnéaire aux environs. – La commune est le centre d'une zone indus. (région de FOS-ÉTANG-DE-BERRE comportant 14 comm., en très rapide expansion, (150 000 hab. en 1972; 1 000 000 d'hab. prévus à la fin du siècle). Indus. chimiques, gaz, air liquide, et surtout très importante aciérie en construction. Le développement de cette zone donne lieu à de nombreuses controverses (problèmes socio-économiques; nuisances, pollution).

FOUAD. ♦ V. FU'ÂD.

FOUCAULD [fuko] **(Charles-Eugène,** *vicomte de,* dit **le père**

Coll. Viollet

Le père de **Foucauld** en 1915.

de Foucauld). ♦ Explorateur et missionnaire français (Strasbourg, 1858 – Tamanrasset, 1916). Officier, il accomplit un premier voyage d'exploration au Maroc, déguisé en rabbin, repérant plus de 2 000 km d'itinéraires nouveaux (1883-1884). Il se convertit en 1886, quitta l'armée, entra à la trappe de N.-D.-des-Neiges, Ardèche (1890), fit plusieurs séjours en Palestine, Syrie, Algérie, fut ordonné prêtre (1901) et devint ermite missionnaire au Sahara : d'abord à Beni Abbès puis à Tamanrasset (1905). Il fut assassiné par des Senoussis. Auteur d'une *Reconnaissance du Maroc* (avec l'aide de Duveyrier*, 1888), de travaux sur les Touaregs : *Grammaire et Dictionnaire français-touareg, touareg-français, Poésies touareg,* et d'œuvres spirituelles. – Un procès de béatification est instruit depuis 1926.

FOUCAULT [fuko] **(Léon).** ♦ Physicien français (Paris, 1819 – 1868). Après avoir utilisé, avec Fizeau*, la photographie en astronomie (1845) et effectué des recherches en photométrie et en spectroscopie, il mit au point une méthode de mesure de la vitesse de la lumière, applicable à la fois dans l'air et dans l'eau et les résultats obtenus, différents dans les deux milieux, confirmèrent définitivement la théorie de Fresnel* (1850). Il établit l'existence de courants électriques dans les conducteurs soumis à des champs magnétiques variables, conséquence directe des lois de l'induction *(courants de Foucault).* **V. Faraday.** En 1851, il réalisa une célèbre expérience au Panthéon destinée à mettre en évidence la rotation de la terre, avec un pendule de 28 kg suspendu à un fil d'acier de 67 m *(démonstration physique du mouvement de rotation de la Terre au moyen du pendule)* puis, l'année suivante, inventa le *gyroscope,* instrument beaucoup plus pratique donnant le même résultat. En 1857, il imagina de remplacer le miroir sphérique des télescopes par un miroir parabolique en verre argenté, supprimant ainsi l'aberration de sphéricité. **V. Newton, Schmidt, Steinheil.** (Acad. sc., 1865.)

FOUCAULT (Michel). ♦ Philosophe et essayiste français (Poitiers, 1926). Universitaire, il fit paraître en 1961 l'*Histoire de la folie à l'âge classique,* où il étudiait, à travers la modification du concept de « folie » et l'élaboration, au XVIIe s., de l'opposition « folie-raison », le besoin historique pour une culture de définir ce qui la limite, ce qui est hors d'elle (ici, la « déraison », cernant la « raison » classique). Cette étude présentait déjà l'évolution des idées comme soumise à des mutations (le « fou », envoyé de Dieu pour la culture médiévale, devient un être échappant à la norme de rationalité). *Naissance de la clinique, une archéologie du regard médical* (1963) élargit l'entreprise et introduit un mot clé : *archéologie,* désignant le projet de méthode qui organise l'œuvre de Foucault, projet d'analyse du domaine des « choses dites », véritablement sémiologique. Le sous-titre de *Les Mots et les Choses* (1966) est en effet *une archéologie des sciences humaines.* Dans cet important ouvrage, l'auteur considère les connaissances concernant l'homme, de la biologie à la psychologie, à la linguistique et à l'économique, comme le produit de mutations, remaniant de fond en comble l'organisation du savoir et recréant un ensemble (ou champ) épistémologique *(épistémé)* qui définit en tous domaines les conditions et les limites de leur développement. L'analyse dégage ainsi une *épistémé* régie par la loi des correspondances (ou ressemblances) propre à la Renaissance, remplacée au XVIIe s. par une attitude analytique commandée par la notion abstraite de « raison ». Le XIXe s., selon Foucault, en introduisant l'idée de « temps historique » a détruit le savoir analytique organisé en « représentations » pour soumettre les connaissances aux lois de leur évolution : ainsi devint possible une connaissance « scientifique » de l'homme, vouée d'ailleurs à une proche disparition. L'ouvrage constitue une critique aiguë de la notion de « science de l'homme » au nom d'un structuralisme capable de « purifier la vieille raison empirique par la constitution de langages formels » et défini, non comme une méthode, mais, assez métaphoriquement, comme « la conscience éveillée et inquiète du savoir moderne ». *Les Mots et les Choses* ont rapidement eu une audience considérable, tout en suscitant des critiques. Selon Piaget, « Foucault s'est fié à ses intuitions et a substitué l'improvisation spéculative à toute méthodologie scientifique », et son approche mérite d'être qualifiée de « structuralisme sans structures » ; mais de tels reproches pourraient reposer sur des interprétations, sujettes à discussion, d'un texte souvent ambigu. Dans *L'Archéologie du savoir* (1969), l'auteur s'est d'ailleurs livré à une remarquable analyse de sa propre démarche et à une tentative d'explication, mettant en perspective et critiquant ses travaux antérieurs, définissant ainsi son entreprise : « prendre la mesure des mutations qui s'opèrent en général dans le domaine de l'histoire », mettre « en question les méthodes, les limites, les thèmes propres à l'histoire des idées », « dénouer les dernières sujétions anthropologiques ».

FOUCHÉ (Joseph). ♦ Homme politique français (près de Paimbœuf, Loire-Inférieure, 1759 – Trieste, 1820). Élève des oratoriens puis professeur à l'Oratoire, il se rallia en 1789 aux idées révolutionnaires. Élu à la Convention (1792), il siégea avec les députés de la Montagne et vota la mort du roi. Chargé avec Collot d'Herbois de réprimer l'insurrection fédéraliste et royaliste de Lyon, il y organisa la Terreur et fut alors surnommé *le Mitrailleur de Lyon.* Personnage intrigant et sans scrupules, il fut un des instigateurs du 9 thermidor an II (27 juillet 1794), mais fut néanmoins exclu de la Convention thermidorienne, arrêté, puis amnistié. Nommé ministre de la Police grâce à Barras en 1799 (30 prairial* an VII), il mit au service de Bonaparte, pour la préparation du coup d'État du 18 Brumaire, le réseau d'agents et d'espions qu'il avait créé en France. Maintenu dans ses fonctions jusqu'en 1809 et remplacé à la suite d'intrigues avec Talleyrand, il devint *duc d'Otrante* (1809) et gouverneur des Provinces-Illyriennes. Ministre de la Police pendant les Cent-Jours, il fut membre du gouvernement provisoire après Waterloo et contribua à préparer le retour des Bourbons. Il fut à nouveau nommé ministre de la Police, puis ambassadeur à Dresde (1815). Atteint comme régicide par la loi de 1816, il s'installa à Prague, Linz, obtint la nationalité autrichienne et se retira à Trieste.

FOUCHER DE CHARTRES. ♦ Religieux et chroniqueur français (Chartres, 1058 – Jérusalem ?, après 1127). Il participa à la première croisade et en écrivit l'histoire *(Histoire de Jérusalem).*

FOUCHET (Christian). ♦ Diplomate et homme politique français (Saint-Germain-en-Laye, 1911 – Genève, 1974). Rallié à la France libre (1940), diplomate (en Russie et Pologne, 1944-1945, aux Indes, 1945-1947), il fut élu député R.P.F. (1951-1955). Ministre des Affaires marocaines et tunisiennes du cabinet Mendès France (1954-1955), ambassadeur au Danemark (1958-1962), haut-commissaire de la république en Algérie au lendemain des accords d'Évian (19 mars-4 juil. 1962), il fut plusieurs fois ministre (chargé de l'Information ; de l'Éducation nationale, 1962, 1966-1967 ; de l'Intérieur, avr. 1967-mai 1968).

FOUCQUET. ♦ V. FOUQUET.

FOUESNANT [fwenɑ̃]. ♦ Ch.-l. de cant. du Finistère, arr. de Quimper en Cornouaille près de la baie de la Forêt. 4 129 hab. (1 144 aggl.) [*Fouesnantais*]. – Église romane, modifiée au XVIIIe siècle. – Conserves alimentaires. Cultures fruitières ; cidre réputé.

FOUGÈRES. ♦ Sous-préf. d'Ille-et-Vilaine, ch.-l. d'arr. (6 cant., 57 comm. ; 79 847 hab.) sur le Nançon. 26 854 hab. *(Fougerais).* – Ancienne ville forte, possédant de nombreux monuments : église Saint-Léonard (XVe-XVIIe s.) ; église Saint-Sulpice, de style gothique flamboyant (XVe-XVIIe s.) ; tours du XIVe s. ; hôtel de ville (XIVe-XVIe s.) ; château féodal (XIIe-XVe s.) dont l'enceinte est flanquée de treize tours (tour Mélusine, XIVe s.). Maisons anciennes. – Marché agricole ; laiterie ; abattoirs. Indus. de la chaussure ; confection ; travail du métal ; scieries ; verrerie ; faïencerie ; mécanique de précision. – Patrie de J. Drouet*, de J. Guéhenno*, de Ch. et J. de Lariboisière*. ♦ *Hist.* Ancienne baronnie de Bretagne et place forte maintes fois assiégée, la ville fut bombardée au cours de la dernière guerre.

FOUGEROLLES. ♦ Comm. de la Haute-Saône, arr. de Lure. 4 316 hab. Fonderie d'aluminium. Constructions mécaniques. Indus. textiles. Distilleries (kirsch).

FOUILLÉE (Alfred). ♦ Philosophe français (La Pouëze, Maine-et-Loire, 1838 – Lyon, 1912). Son positivisme spiritualiste **(V. Ravaisson)** a pour thème central la notion de force qui, appliquée à la nature et à l'activité de l'esprit, lui paraît offrir la possibilité d'affirmer les conditions positives de la connaissance tout en sauvegardant les valeurs spirituelles (*L'Évolutionnisme des idées-forces,* 1889, *Psychologie des idées-forces,* 1893, *Morale des idées-forces,* 1907).

FOUJITA (Fujita Tsuguharu, dit). ♦ Peintre japonais (Tôkyô, 1886 – Paris, 1968) de l'école de Paris, célèbre pour ses peintures de femmes et de chats d'un style traditionnel et d'un graphisme élégant. Converti au christianisme vers la fin de sa vie, il adopta le prénom de Léonard et peignit des scènes religieuses.

FOUJIWARA. ♦ V. FUJIWARA.

FOUJI-YAMA. ♦ V. FUJI-SAN.

FOULBÈS. ♦ V. PEULS.

FOULD. ♦ Famille d'hommes d'affaires et de banquiers français d'origine israélite. ♦ BÉNÉDICT FOULD (Paris, 1792 – 1858). Fils du fondateur de la banque Fould, Oppenheim et Cie, il contribua à la création de la compagnie d'assurances l'Union (septembre 1828) et de plusieurs sociétés financières. ♦ ACHILLE FOULD, son frère. Banquier et homme politique français (Paris, 1800 – Laloubère, Hautes-Pyrénées, 1867). Député (1842), il se fit connaître par ses *Observations sur la question financière adressées à l'Assemblée nationale* (mai 1848), et, en octobre 1849, fut nommé ministre des Finances par Louis Napoléon Bonaparte, fonction qu'il assuma jusqu'en janvier 1852. Fondateur des caisses de retraite et de secours à la vieillesse et du Crédit mobilier (avec Pereire* en 1852) et organisateur de l'Exposition universelle de 1855, il fut sénateur, ministre d'État (1852-1860) et membre du Conseil privé sous le Second Empire; partisan du libéralisme économique, il contribua à faice signer le traité de commerce avec la Grande-Bretagne (1860) et, rappelé au ministère des Finances (1861-1867), tenta, sans grand succès, de limiter les dépenses du régime.

FOULLON (Joseph François). ♦ Administrateur français (Saumur, 1717 – Paris, 1789). Intendant général des armées, de la marine, adjoint au ministre de la Guerre, il fut chargé de l'approvisionnement de « l'armée de siège » (12 juillet 1789). Après la révolution populaire parisienne et la prise de la Bastille (14 juillet 1789), il fut condamné à mort par l'Assemblée des électeurs de l'Hôtel de Ville comme « affameur » du peuple et pendu le 22 juillet, peu avant son gendre, l'intendant Bertier* de Sauvigny.

FOULQUES. ♦ Prélat franc (v. 840 – 900). Archevêque de Reims, il soutint Charles le Simple contre Eudes et le couronna à Reims.

FOULQUES. ♦ Nom de plusieurs comtes d'Anjou, dont *Foulques V* (près de Ptolémaïs, 1095 – Palestine, 1143), comte d'Anjou (1109-1131), puis roi de Jérusalem (1131-1143) par son mariage avec Mélisende, fille de Baudouin II, roi de Jérusalem. – Père de Geoffroi* V d'Anjou.

FOULQUES de Neuilly. ♦ Religieux français ([mort] Neuilly-sur-Marne, 1201). Il fut chargé par Innocent III de prêcher la quatrième croisade*.

FOUQUÉ (Friedrich, *baron de* La Motte). ♦ Écrivain allemand (Brandebourg, 1777 – Berlin, 1843). Ses drames (***Sigurd,*** 1808, *Le Héros du Nord,* 1813) et ses romans où il développe les thèmes chers aux Romantiques (nostalgie du Moyen Âge et de ses preux chevaliers) sont moins connus que ses contes, particulièrement *Ondine,* plein de fraîcheur et de délicatesse, et qui a inspiré la pièce de Giraudoux (1939).

FOUQUÉ (Ferdinand André). ♦ Géologue et minéralogiste français (Mortain, Manche, 1828 – Paris, 1904). Il fit des recherches sur les éruptions et les roches volcaniques. Il fut également un des premiers à utiliser le microscope en pétrographie et publia avec Michel*-Lévy un traité de *Minéralogie micrographique* (1879), où il établit les bases de la classification moderne (composition et structure minéralogique, données chimiques). [Acad. sc. 1881]

FOUQUET ou **FOUCQUET (Jean).** ♦ Peintre et miniaturiste français (Tours, v. 1420 – *id.,* 1477-1481). On suppose qu'il se forma dans les ateliers parisiens et le style de ses miniatures indique qu'il prit connaissance des manuscrits des Limbourg*. Il exécuta probablement le *Portrait de Charles VII,* avant de se rendre en Italie (v. 1445-1448). Déjà célèbre, il fut chargé de peindre le portrait (perdu) du pape Eugène IV; lors de son séjour, il assimila les découvertes d'Alberti* sur la perspective, se lia avec Filareti* et adopta les modèles d'architectures et les motifs ornementaux italiens. Revenu à Tours, il travailla pour Charles VII et pour Étienne Chevalier, puis devint le peintre officiel de Louis XI (1474). Peu de ses peintures ont été conservées. Le portrait de *Juvenal des Ursins* et le *diptyque* dit *de Melun* représentant *Étienne Chevalier présenté par saint Étienne* et, au centre, *La Vierge à l'Enfant,* figurée sans doute sous les traits d'Agnès Sorel (v. 1450) témoignent de l'originalité de son style : acuité psychologique, attention portée au réel mais subordination des détails à l'effet d'ensemble, sens de l'organisation des masses, équilibre de la composition, caractère sculptural des formes aux volumes lisses et arrondis; ces traits stylistiques s'allient chez lui à un attachement à la mentalité médiévale, notamment dans l'expression du sentiment religieux. Il fut aussi un peintre sur émail *(Autoportrait)* et l'organisateur des fêtes et entrées solennelles du roi. Son œuvre de miniaturiste révèle la variété de ses recherches : dans les *Heures d'Étienne Chevalier* (entre 1450 et 1480), il appliqua strictement le procédé de perspective à point de fuite central; dans le *Boccace* (v. 1458), les *Grandes Chroniques de France* et surtout les *Antiquités judaïques* (v. 1467-1476), il échelonna souvent les plans parallèles en profondeur et employa divers systèmes perspectifs dans une même composition. Il fut un observateur précis, un fidèle chroniqueur de son époque, particulièrement doué pour prendre les foules, et surtout un remarquable paysagiste, s'attachant à rendre la qualité de l'atmosphère, exprimant avec un coloris nuancé l'éclat et la transparence du ciel. L'ampleur de sa vision, son caractère synthétique en font le plus important peintre français du XVe siècle.

FOUQUET ou **FOUCQUET (Nicolas).** ♦ Homme politique français (Paris, 1615 – Pignerol, 1680 ?). Lié à Mazarin, il succéda à Servien* à la surintendance des Finances. Son crédit personnel lui permit de regagner la confiance des traitants et de faire face aux dépenses de l'État après la Fronde*. Cependant, il profita de sa situation pour acquérir une fortune prodigieuse, entretenir toute une clientèle et même établir une force militaire personnelle (fortification de Belle-Isle). Il s'entoura au château de Vaux*, qu'il avait fait construire, d'un groupe d'écrivains et d'artistes choisis avec discernement (La* Fontaine, Molière*, Le* Vau, Poussin*, Le* Brun). Colbert*, qui convoitait sa succession, dénonça ses malversations à Louis XIV. Une fête trop somptueuse à Vaux, où il invita le roi, acheva sa perte. Arrêté à Nantes (1661), il fut jugé avec partialité et irrégularité au cours d'un procès qui dura trois ans et à l'issue duquel il fut enfermé à Pignerol. La fidélité dont ses amis firent alors preuve (La* Fontaine, Mme de Sévigné*, Mlle de Scudéry*) témoigne en sa faveur. Les circonstances de sa mort sont restées obscures.

FOUQUIÈRES-LÈS-LENS. ♦ Comm. du Pas-de-Calais, arr. de Lens. 8 801 hab. – Houille. Fabrication de jouets. Constructions mécaniques.

FOUQUIER-TINVILLE (Antoine Quentin). ♦ Magistrat et homme politique français (Hérouël, Aisne, 1746 – Paris, 1795). Acquis aux idées révolutionnaires, il fut nommé accusateur public au Tribunal révolutionnaire, où il devint le symbole de la rigueur impitoyable et de la cruauté terroriste. Lié aux cordeliers et aux ultra-révolutionnaires, il fut décrété d'accusation sous la Convention thermidorienne et condamné à mort après un long procès.

FOURAS [fuʀa]. ♦ Comm. de Charente-Maritime, arr. de Rochefort. 3 634 hab. *(Fourasiens).* Station balnéaire, près de l'embouchure de la Charente. Donjon du XIVe s., renforcé au XVIIe s. par Vauban d'une triple enceinte. Port de pêche. Mytiliculture.

FOURASTIÉ (Jean Joseph Hubert). ♦ Économiste français (Saint-Benin, Nièvre, 1907). Comme C. Clark* et contrairement aux analyses plus pessimistes de G. Friedmann*, il a vu dans le progrès technique le facteur essentiel du progrès économique et social et affirmé que les sociétés industrielles évoluent vers une civilisation où prédominera le secteur tertiaire (*Le Grand Espoir du XXe siècle,* 1949; *Machinisme et Bien-être,* 1950, etc.).

Fourberies de Scapin (Les). ♦ Comédie de Molière* en 3 actes et en prose (1671). Fils d'Argante, Octave a épousé Hyacinthe durant l'absence de son père, tandis que Léandre, fils de Géronte, s'est épris de Zerbinette. Inquiets pour leurs amours et fort démunis d'argent, les deux jeunes gens en informent Scapin, valet de Léandre. Le génie de l'intrigue et la ruse, chez lui inépuisables, inspirent à Scapin les moyens d'obtenir des deux pères pistoles et écus nécessaires aux jeunes amants. Les habituels procédés de la comédie italienne (reconnaissances, etc.) sont exploités avec un bonheur scénique constant et une imagination verbale étincelante.

FOURCHAMBAULT. ♦ Comm. de la Nièvre (arr. de Nevers), sur la r. d. de la Loire*. 6 279 hab. [*Fourchambaultais*] (l'aggl. compte 9 526 hab. avec Garchizy). Indus. anc. autour des forges; constructions mécaniques (motos, automobiles). Indus. électriques (transformateurs) et électroniques. Tréfilerie. Eaux minérales (source de Garchizy).

Fourches caudines. ♦ V. CAUDIUM.

FOURCROY (Antoine François, *comte de*). ♦ Chimiste et homme politique français (Paris, 1755 – 1809). Il participa à l'établissement d'une nomenclature chimique rationnelle (1787) avec une équipe dont faisaient partie notamment Lavoisier* et Guyton* de Morveau, fit des recherches sur les affinités **(V. *aussi* Richter),** et définit l'analyse immédiate. Il fut un membre suppléant de la Convention à tendance très modérée. (Acad. sc., 1784.)

FOUREAU (Fernand). ♦ Explorateur français (Saint-Barbant, Haute-Vienne, 1850 – Paris, 1914). Après avoir participé à plusieurs expéditions dans le sud algérien et le Tassili des Azdjers pour l'étude scientifique du Sahara (1888-1896), il entreprit, avec Lamy*, la traversée du Sahara et du Soudan, d'Ouargla au Tchad, puis atteignit le Congo (1898-1900). (En 1906, il fut nommé gouverneur de Mayotte et des Comores. [*Rapport sur ma mission*

Ph. Louis Monier

Jean Fourastié.

au Sahara et chez les Touaregs Azdjers, 1894; *D'Alger au Congo par le Tchad,* 1902; *Documents scientifiques de la mission saharienne,* 1903-1905, et une carte de la partie septentrionale du Sahara, 1908].)

FOURIER (*saint* Pierre). ♦ V. PIERRE FOURIER *(saint).*

FOURIER (Joseph, *baron*). ♦ Mathématicien et physicien français (Auxerre, 1768 – Paris, 1830). À la fondation de l'École polytechnique, il fut l'un des premiers membres du corps enseignant. Emmené en Égypte par Bonaparte, il fut commissaire français auprès du sultan; de retour en France, devenu préfet de l'Isère (1802), la chute de l'Empire bouleversa sa carrière. Rallié aux Bourbons, il ne s'opposa pas au retour de Napoléon; en 1815, Louis XVIII lui retira tout emploi et refusa de confirmer sa première élection à l'Académie des sciences (1816); il y entra cependant plus tard ainsi qu'à l'Académie française. Ses travaux concernent la théorie de la chaleur; son étude (*Théorie analytique de la chaleur,* 1822) le conduisit à la découverte des séries procédant suivant les sinus et cosinus d'arcs multiples (*séries de Fourier,* 1812) dont l'importance fit occuper à Fourier une place prépondérante parmi les mathématiciens du XIXe siècle. On lui doit également un théorème important sur les racines d'une équation algébrique, perfectionnant celui de Descartes*. (Acad. sc., 1817; secrétaire perpétuel, 1822; Acad. fr., 1826.)

FOURIER (Charles). ♦ Philosophe et économiste français (Besançon, 1772 – Paris, 1837). Fils d'un riche commerçant, il perdit sa fortune à la suite d'une spéculation manquée (1793) et fut successivement commis voyageur et caissier d'une entreprise à Lyon, avant de se consacrer entièrement à l'élaboration de son projet de réforme économique, sociale et humaine, publiant ses œuvres à Paris (*Traité de l'association domestique et agricole,* 1822 et *Le Nouveau Monde industriel et sociétaire,* 1829) et fondant l'hebdomadaire *Le Phalanstère.* Il critiqua la société industrielle bourgeoise, mais s'en prit également aux théories d'Owen* et au saint-simonisme. L'organisation sociétaire qu'il prône a pour centre la phalange (ou phalanstère), petit groupe de travailleurs associés en une sorte de coopérative par actions. Cette organisation doit avoir pour résultat l'harmonie universelle. Ce projet utopique ne put se réaliser, malgré les tentatives de Fourier, mais le fouriérisme eut des adeptes **(V. Considérant, Godin).**

FOURMIES. ♦ Comm. du Nord* (arr. d'Avesnes*), sur l'Helpe. 15 832 hab. *(Fourmiésiens* ou *Fourmisiens*). – Matériel de photo, de cinéma; appareils électro-ménagers. Travail de la laine; confection. ♦ *Hist.* Le 1er mai 1891, lors d'une manifestation ouvrière, la troupe tira sur la foule, tuant neuf personnes et en blessant soixante.

FOURNEAU (Ernest). ♦ Pharmacologiste français (Biarritz, 1872 – Ascain, 1949). Auteur de recherches sur les arsenicaux pentavalents, sur les sulfamides, sur les antipaludéens et sur les anesthésiques locaux, il contribua au développement de la chimiothérapie. (Acad. sc., 1919.)

FOURNELS. ♦ Ch.-l. de cant. de la Lozère* (arr. de Mende*), aux confins du Gévaudan* et de l'Aubrac*. 349 hab. Château de Brion. Tour de Montaleyrac (1 263 m).

FOURNEYRON (Benoît). ♦ Ingénieur français (Saint-Étienne, 1802 – Paris, 1867). Inventeur de la turbine hydraulique à réaction (1827). **V. Bourdin, Boyden.**

FOURNIER (Pierre Simon), dit le Jeune. ♦ Imprimeur et fondeur de caractères français (Paris, 1712 – 1768), créateur du type qui porte son nom, de caractères musicaux, de vignettes. Auteur d'un *Manuel typographique* (1766).

FOURNIER (Claude, dit l'Américain). ♦ Révolutionnaire français (Auzun, Auvergne, 1745 – Paris, 1823 ou 1825). Distillateur de tafia à Saint-Domingue (1772), il fit fortune puis se ruina et revint à Paris où il participa activement à plusieurs journées révolutionnaires (en particulier à celle du 20 juin 1792) ainsi qu'aux massacres de septembre 1792. Emprisonné sous la Terreur, il fut déporté aux Seychelles sous le Consulat, après l'attentat de la rue Saint-Nicaise, réussit à s'évader et gagna la Guadeloupe et revint en France en 1808.

FOURNIER (Henri). ♦ V. ALAIN-FOURNIER.

FOURQUES. ♦ Comm. du Gard (arr. de Nîmes), sur le Petit Rhône. 1 492 hab. Départ du canal d'irrigation du Languedoc.

FOURVIÈRE. ♦ Colline dominant Lyon sur la r. d. de la Saône et sur laquelle est bâtie la basilique Notre-Dame de Fourvière.

FOUTA-DJALON. ♦ Massif montagneux de la Guinée, à l'O. de la Dorsale* guinéenne. Disloqué en blocs, son socle cristallin porte, par places, les grès siliceux de la couverture primaire (1 538 m). Il isole le pays côtier de la basse Guinée et constitue un château d'eau d'où sortent le Sénégal*, la Falémé*, la Gambie*, le Konkouré*. Région d'élevage pratiqué par les Peuls*. Cultures vivrières (maïs, fonio).

FOVILLE (Achille Louis). ♦ Médecin français (Pontoise, 1799 – Toulouse, 1878). Chef de l'asile des aliénés de Rouen puis de la maison de Charenton, il s'est consacré à l'étude des maladies nerveuses et mentales et se signala surtout par ses travaux sur le cerveau (*Mémoire sur les fonctions du cerveau,* 1821; *Traité complet de l'anatomie, de la physiologie et de la pathologie du système nerveux cérébro-spinal,* 1844, inach.).

FOWLER (Ralph Howard). Astrophysicien américain (né en 1889). Auteur de recherches sur les processus évolutifs, il montra que la *naine blanche* (terme de l'évolution de l'étoile) est formée d'un gaz « dégénéré » d'électrons au sens de Fermi*-Dirac* (1926) et fit progresser la théorie de la structure interne des étoiles en précisant le cycle proton-proton (1951). **V. Bethe, Chandrasekhar, Gamow, Milne.**

Ph. Carlo Bevilacqua/Ricciarini

J.-H. Fragonard : « Les Hasards heureux de l'escarpolette ». (Wallace Collection, Londres.)

FOX (George). ♦ Fondateur de la secte des quakers (Drayton, Leicestershire, 1624 – Londres, 1691). Cordonnier. Il sentit l'appel du Saint-Esprit et commença à prêcher en 1647. Ses disciples formèrent la Société des Amis ou *quakers* (« trembleurs », d'après un mot de Fox recommandant à un juge de « trembler devant la parole de Dieu »). – Les quakers refusent toute liturgie, tout clergé, ne s'attachant qu'à la présence de l'Esprit-Saint dans la conscience individuelle. Ils furent souvent persécutés, passèrent en Amérique à partir de 1654 et y exercèrent une forte influence, aux XVIIe-XVIIIe s., grâce à William Penn*.

FOX (Charles James). ♦ Homme politique anglais (Londres, 1749 – Chiswick, 1806). Député à dix-neuf ans (1768), tout en menant une jeunesse tapageuse, il fut admis dans le ministère North*, dont il se sépara en 1774 pour entrer dans l'opposition regroupée autour de Burke* et du prince de Galles. Devenu le porte-parole des whigs, il défendit les colonies américaines et contribua à la chute de North (1782). Il fit alors partie du cabinet Shelburne*, conclut la paix avec l'Amérique et la France, s'opposa aux malversations de la Compagnie des Indes, mais dut se retirer devant l'hostilité de l'opinion. Sa sympathie pour la Révolution française l'opposa à Pitt* et à la plupart de ses amis. Redevenu secrétaire d'État aux Affaires étrangères à la mort de Pitt, il tenta un rapprochement avec Napoléon, prépara l'abolissement de la traite des Noirs, sans avoir le temps de mener à bien ses projets. Il fut l'un des plus grands orateurs britanniques.

FOXE *(bassin de)*, en angl. **Foxe Basin.** ♦ Mer intérieure de l'Arctique canadien, située au N. de la baie d'Hudson dont elle est séparée par le *détroit de Foxe (Foxe Channel).* Elle est bordée au N., à l'E., et au S.-E. par la côte O. de la terre de Baffin.

FOY (Maximilien Sébastien). ♦ Général et homme politique français (Ham, 1775 – Paris, 1825). Engagé dans les armées républicaines, il fut maintenu dans ses fonctions sous l'Empire malgré ses relations avec Moreau* et son hostilité au régime, et participa à plusieurs campagnes impériales. Nommé inspecteur général de l'armée (1814), rallié à Napoléon Ier aux Cent-Jours, il fut élu député en 1819 et, siégeant parmi les *indépendants,* se signala à l'Assemblée par ses prises de position en faveur de la liberté de presse, de la liberté individuelle. Auteur d'une *Histoire des guerres de la péninsule.*

FOYLE. *n. f.* ♦ Rivière d'Irlande du Nord (30 km). Née dans le Donegal (Eire), elle marque la frontière entre les deux Irlande, arrose Strabane* et se jette dans la mer d'Irlande en formant un vaste estuaire, le *Lough Foyle,* au fond duquel se trouve Londonderry*.

FRA ANGELICO. ♦ V. ANGELICO.

Fracasse, en it. **Fracasso.** ♦ Personnage de la comédie italienne et française, type du soldat fanfaron et prompt à la débandade devant un adversaire résolu, il est le descendant du *miles gloriosus,* de Plaute, et le frère du *Matamoros* espagnol. – Le personnage donne son nom au héros du roman de Théophile Gautier (1863), le *Capitaine* Fracasse*.

FRACASTOR (Jérôme), en it. **Fracastoro Girolamo**. ♦ Médecin italien (Vérone, 1478 – 1553). Comme médecin, on lui doit une des premières études sur la syphilis. Il fut également un précurseur de la paléontologie.

FRACHON (Benoît). ♦ Syndicaliste français (Chambon-Feugerolles, Loire, 1892 – Les Bordes, 1975). Il adhéra à la C.G.T. puis au Parti communiste français au lendemain de la Première Guerre mondiale. Lors de la scission de la C.G.T., il se rallia à la C.G.T.U. dont il fut nommé secrétaire général (1933) et poursuivit son activité après la réunification des deux mouvements syndicaux (1936). Sous l'occupation, il fut un des organisateurs de l'action clandestine du Parti communiste puis reprit ses fonctions de secrétaire général de la C.G.T. (1944-1967).

FRA DIAVOLO (*« Frère Diable »*) [**Michele Pezza**, dit]. ♦ Aventurier italien (Itrie, 1771 – Naples, 1806). Brigand en Calabre, il passa au service des Bourbons et des Anglais, contre les Français, touchant des subsides du cardinal Raffo et de la reine Marie-Caroline. Il fut pris par trahison et mis à mort sous Joseph Bonaparte.

FRAGONARD (Jean-Honoré). ♦ Peintre et dessinateur français (Grasse, 1732 – Paris, 1806). Boucher* lui conseilla d'étudier chez Chardin* puis l'accepta dans son atelier. En 1752, il obtint le prix de Rome avec *Jéroboam sacrifiant aux idoles;* il se rendit en Italie en 1756, y admira particulièrement Solimena* et Tiepolo*. Devenu l'ami d'Hubert Robert*, il fit la connaissance de l'abbé de Saint-Non, antiquaire et graveur, et visita avec eux la campagne romaine. Il prit alors de nombreux croquis, peignit des paysages *(Les Jardins de la villa d'Este)* et des portraits (*L'Abbé de Saint-Non en costume espagnol,* 1759). Malgré le succès obtenu par son morceau de réception à l'Académie : *Le Grand Prêtre Corésus se sacrifiant pour sauver Callirhoé,* 1765, il abandonna vite la peinture d'histoire. Avec *Les Hasards heureux de l'escarpolette* (1766), il acquit la réputation de peintre galant et ses scènes libertines furent très recherchées par les amateurs *(La Chemise enlevée, La Gimblette, Le Feu aux poudres)*. Ces œuvres sensuelles et gracieuses, toujours enjouées et pleines d'esprit, révèlent au même titre que ses portraits la virtuosité de sa technique : peignant avec une grande rapidité, laissant souvent à son tableau une apparence d'esquisse *(Les Baigneuses, La Bacchante endormie)*. Il exprima toutes les nuances du sentiment amoureux *(L'Escalade, La Poursuite, La Déclaration, L'Amant couronné,* 1771-1772) et fut aussi un paysagiste sensible et un chroniqueur alerte *(La Fête à Saint-Cloud,* 1775). Il voyagea une seconde fois en Italie (1773) et, après son mariage, représenta de nombreuses scènes allégoriques familières et sentimentales, des portraits d'enfants dont les sujets rappellent Greuze*, mais dont la facture et la vivacité dénotent une personnalité originale. L'emploi de couleurs chaudes, vibrantes, la touche apparente, la matière peu épaisse leur confèrent un caractère d'improvisation. Vers la fin de sa vie, il subit l'influence du néo-classicisme et entreprit des œuvres d'une veine très différente : sa facture devint plus lisse et il habilla ses personnages à l'antique, mais il continua d'exprimer une fougue, parfois empreinte de mélancolie, qui lui est propre et qui n'est pas sans annoncer le romantisme (*La Fontaine d'Amour,* 1785). Si la nature de son inspiration, l'univers galant et gracieux qu'il évoque s'inscrivent dans l'esprit de la peinture rococo, l'extrême liberté de sa manière n'en annonce pas moins certaines des audaces techniques du XIXᵉ siècle.

FRAIZE. ♦ Ch.-l. de cant. des Vosges (arr. de Saint-Dié), sur la Meurthe. 3 486 hab. Filature, tissage du coton.

FRAMERIES. ♦ Comm. de Belgique (Hainaut, arr. de Mons). 11 800 hab. – Houille. Indus. du cuir.

FRANÇAIX (Jean). ♦ Compositeur et pianiste français (Le Mans, 1912). Élève de N. Boulanger, il a composé dans des genres très divers (opéras, concertos, musique de chambre et de film, cantates, mélodies, oratorio). Son œuvre se caractérise, dans l'esprit de M. Ravel et de J. Ibert, par une verve enjouée et une fertile invention mélodique.

Franc archer de Bagnolet (Le). ♦ Monologue comique du XVᵉ s. (entre 1468 et 1473), d'auteur inconnu. Pernet, membre de la milice créée par Charles VII en 1448, se vante de ses hauts faits contre les Anglais, mais l'apparition d'un épouvantail, revêtu d'une casaque d'arbalétrier, suffit à le mettre en déroute. Héritier du *Soldat fanfaron* de Plaute*, le personnage a fourni quelques-uns de ses traits au Panurge* de Rabelais.

FRANCE (Anatole François THIBAULT, dit Anatole). ♦ Écrivain français (Paris, 1844 – Saint-Cyr-sur-Loire, 1924). Fils d'un libraire bibliophile qui lui communiqua son amour des beaux livres, Anatole France connut une enfance heureuse (évoquée dans *Le Livre de mon ami,* 1885, suivi de *Petit Pierre,* 1918, et de *La Vie en fleur,* 1923). Devenu bibliothécaire au Sénat, il y rencontra Leconte* de Lisle et fit paraître des vers parnassiens, *Les Poèmes dorés* (1873). Récit délicat « fait dans l'ombre des livres », *Le Crime de Sylvestre Bonnard* (1881) reçut un accueil enthousiaste, comme le roman *Le Lys rouge* (1894) et *Thaïs* (1890), « histoire d'une pécheresse sauvée et d'un ermite damné », prétexte à l'évocation de la civilisation grecque (cette œuvre fournit l'argument d'un opéra de Massenet*, 1894). L'épicurisme délicat et le goût d'un raffinement formel incarnés par le XVIIIᵉ s. se retrouvent dans les critiques littéraires données par A. France au journal *Le Temps* (1886 à 1891), dans *La Rôtisserie de la Reine Pédauque* (1893) et *Les Opinions de Jérôme Coignard (id.)*. Ces récits, voltairiens d'esprit et de forme, font apparaître le personnage cher à A. France du moraliste érudit, ironique et bienveillant, qui considère les hommes avec une souriante indulgence. Sous ses dehors sceptiques et malgré son pessimisme, l'écrivain était habité de l'« ardente charité du genre humain », comme en témoignent le texte satirique de *Crainquebille* (1901) ou le conte moral, *La Révolte des anges* (1914). Se mêlant de plus en plus aux luttes politiques (dans l'affaire Dreyfus*, France s'associa à la campagne de Zola*), l'auteur de *L'Histoire* contemporaine* (quatre volumes, de 1897 à 1901) rattacha son anticléricalisme à sa critique de l'ordre social, et prêta son appui au socialisme, puis au communisme naissant. Pourtant, il resta en dehors des partis, et le récit symbolique de *L'Île des Pingouins* (1908) comme le roman historique *Les Dieux ont soif* (1912), qui dénonce le danger des mystiques politiques modernes, sont significatifs de la méfiance d'A. France à l'égard de tout dogmatisme. Lauréat du prix Nobel (1921), A. France a renouvelé l'humanisme profane en mettant son ironie subtile et son style limpide et sûr au service d'un scepticisme conciliant qui n'implique jamais l'indifférence aux problèmes humains. (Acad. fr.)

FRANCE. *n. f.* ♦ Pays d'Europe occidentale, bordé au N. par la mer du Nord et la Manche, à l'O. par l'océan Atlantique, au S. par la Méditerranée. La France est limitée au N.-E. par la Belgique, le Luxembourg et l'Allemagne ; à l'E. par l'Allemagne dont la sépare le Rhin, par la Suisse et l'Italie, dont la séparent le Jura puis les Alpes ; au S. par l'Espagne, dont la séparent les Pyrénées ; elle comprend plusieurs îles, dont la principale, située en Méditerranée, est la Corse. 550 000 km². 52 000 000 d'hab. *(Français)*. *Cap.* **V. Paris**. – *Langues :* français (off.), breton, alsacien, catalan, basque, dialectes de langue d'oïl et franco-provençaux, occitan. – *Monnaie :* franc. – La France est constituée de 22 régions (anciennement C.A.R.) : **V. Alsace** (Bas-Rhin, Haut-Rhin); **Aquitaine** (Dordogne, Gironde, Landes, Lot-et-Garonne, Pyrénées-Atlantiques) ; **Auvergne** (Allier, Cantal, Haute-Loire, Puy-de-Dôme); **Bourgogne** (Côte-d'Or, Nièvre, Saône-et-Loire, Yonne) ; **Bretagne** (Côtes-du-Nord, Finistère, Ille-et-Vilaine, Morbihan) ; **Centre** (Cher, Eure-et-Loir, Indre, Indre-et-Loire, Loir-et-Cher, Loiret) : **Champagne-Ardenne** (Ardennes, Aube, Marne, Haute-Marne); **Corse; Franche-Comté** (Doubs, Jura, Haute-Saône, Belfort); **Languedoc-Roussillon** (Aude, Gard, Hérault, Lozère, Pyrénées-Orientales); **Limousin** (Corrèze, Creuse, Haute-Vienne); **Loire** [*pays de la*] (Loire-Atlantique, Maine-et-Loire, Mayenne, Sarthe, Vendée); **Lorraine** (Meurthe-et-Moselle, Meuse, Moselle, Vosges); **Midi-Pyrénées** (Ariège, Aveyron, Haute-Garonne, Gers, Lot, Hautes-Pyrénées, Tarn, Tarn-et-Garonne); **Nord** (Nord, Pas-de-Calais); **Normandie** [**Basse-**] (Calvados, Manche, Orne); **Normandie** [**Haute-**] (Eure, Seine-Maritime); **Parisienne** [*Région;* auj. **Île-de-France**] (Essonne, Hauts-de-Seine, Paris, Seine-et-Marne, Seine-Saint-Denis, Val-de-Marne, Val-d'Oise, Yvelines); **Picardie** (Aisne, Oise, Somme) ; **Poitou-Charentes** (Charente, Charente-Maritime, Deux-Sèvres, Vienne) ; **Provence-Côte d'Azur** (Alpes-de-Haute-Provence, Alpes-Maritimes, Hautes-Alpes, Bouches-du-Rhône, Var, Vaucluse) ; **Rhône-Alpes** (Ain, Ardèche, Drôme, Haute-Savoie, Isère, Loire, Rhône, Savoie). – Elle comprend en outre des départements d'outre-mer **(V. Guadeloupe, Guyane, Martinique, Réunion, Saint-Pierre-et-Miquelon)** et des territoires d'outre-mer **(V. Mayotte, Wallis et Futuna** [*îles*], **Polynésie française, Nouvelle-Calédonie** et dépendances, **Afars et Issas** [*territoire français des*], **Nouvelles-Hébrides)**. – *Anc. régions.* **V. Anjou, Artois, Béarn, Berry, Boulonnais, Bourbonnais, Champagne, Comtat Venaissin, Dauphiné, Dombes, Flandre, Foix** *(comté de)*, **Gascogne, Guyenne, Île-de-France, Languedoc, Lyonnais, Maine, Marche, Nice** *(comté de)*, **Nivernais, Normandie, Orléanais, Picardie, Poitou, Provence, Roussillon, Saintonge, Savoie, Touraine.** – *Princ. V.* **V. Paris** ; *(métropoles d'équilibre)* **Lille-Roubaix-Tourcoing, Nancy-Metz-Thionville, Strasbourg, Lyon-Saint-Étienne-Grenoble, Marseille-Aix-en-Provence, Tou-**

Ph. Gourio/Galliphot

France : La Meije (Hautes-Alpes).

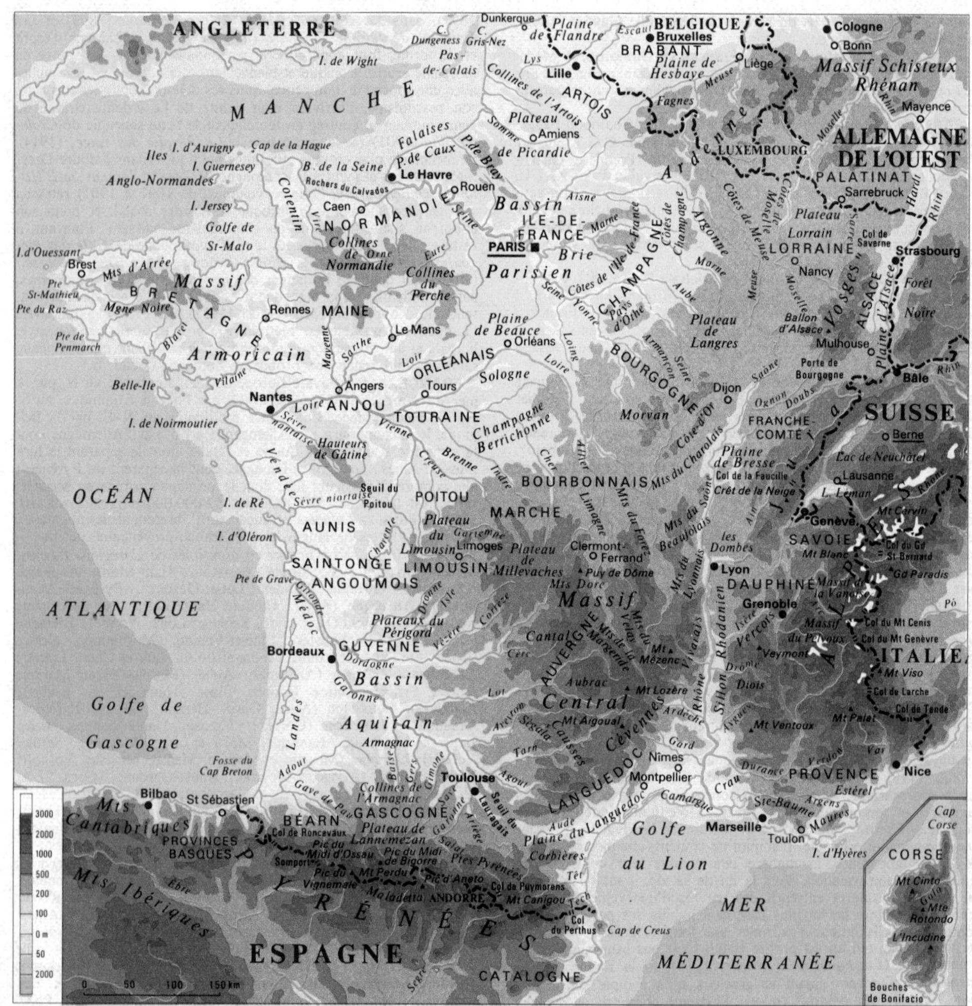

France : le relief.

louse, Bordeaux, Nantes-Saint-Nazaire. – Villes de plus de 100 000 hab. **V. Nice, Havre (Le), Rennes, Toulon, Montpellier, Brest, Reims, Clermont-Ferrand, Dijon, Mans (Le), Limoges, Angers, Tours, Nîmes, Rouen, Amiens, Mulhouse, Besançon, Caen, Perpignan** (voir aux départements la liste complète des préfectures, sous-préfectures, chefs-lieux de cantons et les princ. communes). ♦ Situation générale. La France occupe entre l'Atlantique et la Méditerranée un isthme étroit où se rassemblent les grands ensembles structuraux de l'Europe. De l'imbrication de ces éléments résulte la grande variété des paysages français. Pays d'altitude moyenne, où les plaines et les collines couvrent les 2/3 du territoire, elle présente pourtant des barrières montagneuses élevées au S. et à l'E., mais ces zones montagneuses restent toujours en corrélation avec les plaines. Cette topographie est le résultat d'une longue évolution. ♦ Formation du relief. L'édification des reliefs est scandée par des phases de sédimentation, des poussées orogéniques et des phénomènes d'érosion. Les grands ensembles structuraux furent mis en place durant l'ère primaire (cycle orogénique hercynien). Ils furent érodés jusqu'à la fin de l'ère primaire et réduits à l'état de pénéplaines. Puis ils furent soumis à des affaissements partiels, mettant en saillie les massifs actuels. Les massifs forment un V : Massif armoricain*, Massif* central, Vosges*, Ardennes*, massifs enrobés dans les Alpes (mont Blanc*, Pelvoux*), et Maures*. Avec l'ère secondaire apparaît une phase de transgressions marines et lagunaires submergeant la pénéplaine. Au fond des mers et des lacs se déposent des séries sédimentaires, esquissant les Bassins parisien et aquitain. La régression marine au crétacé s'accompagne de l'élaboration des fosses géosynclinales d'où surgiront Alpes et Pyrénées et où s'accumulent les sédiments. L'ère tertiaire est marquée par un paroxysme orogénique. À l'éocène et surtout à l'oligocène, puis au miocène, apparaissent les Pyrénées et les Alpes. On suppose une poussee venue de l'E., ayant fait surgir des môles et plisser le matériel. Pour expliquer cette poussée, de nombreuses hypothèses ont été élaborées : courant de convection, compensation isostatique, écoulement par gravité ; mais, en dépit des observations, elles renferment encore des incertitudes. Dans les Pyrénées, le matériel rocheux rigide de la zone axiale a subi un mouvement de surrection, et s'est fracturé, tandis que les couches sédimentaires du N. se sont plissées, et ont formé les Prépyrénées à l'E. Dans les Alpes, la couverture calcaire a glissé et repoussé vers l'O. les couches sédimentaires, formant les Préalpes. Les sédiments compressés ont fait apparaître des phénomènes de métamorphisme et des nappes de charriages à l'Est. L'origine du Sillon alpin est un décrochement. À la même époque apparaît le Jura ; mais ses origines restent obscures (poussée sous l'effet du soulèvement alpin ou écoulement par gravité). Le plissement qui s'est effectué à deux reprises, a formé des plis serrés à l'E. et au S. (Jura des chaînes), tandis qu'au N. et à l'O., les plis ont été plus influencés par les accidents du socle (Jura des plateaux). Le contrecoup du plissement alpin a affecté les vieux massifs (rajeunissement) ; il s'est accompagné d'éruptions volcaniques (Auvergne). Le quaternaire se présente comme l'alternance de quatre glaciations (de Günz, Mindel, Riss, Würm) et de quatre périodes de réchauffement, dites « interglaciaires ». Les glaciers ont retouché les surfaces des montagnes, modelant les sommets, creusant des amphithéâtres morainiques, des cuvettes (lacs d'Annecy*, du Bourget*), élaborant des vallées en auge et coupant les versants de replats. Les régions hors des zones englacées furent surtout marquées par les actions du gel (modelé périglaciaire). Dès la fin du Würm, le climat froid et sec explique les vastes dépôts de loess éolien. Le quaternaire est surtout marqué par l'apparition de l'homme : chasseurs du paléolithique, chasseurs-prédateurs du mésolithique. Enfin, au néolithique, apparaissent les premiers cultivateurs, maîtrisant les techniques agricoles et pratiquant l'élevage. La découverte de nombreuses stations préhistoriques en France permet de retracer cette évolution. **V. Solutré, Madeleine (La), Lascaux, Arcy-sur-Cure, Châtelperron, Cro-Magnon, Gravette (La), Moustier (Le).** ♦ PAYSAGES MORPHOLOGIQUES. A la France de l'O. et du N.-O., où s'interpénètrent deux domaines géologiques : socles usés et bassins, s'oppose la France alpine aux chaînes élevées et aux plaines étroites (couloir Saône-Rhône). Au Nord, dans les Flandres*, finit la grande plaine nord-européenne à laquelle succède le Bassin parisien, encadré par la Manche et par les socles usés, et occupant la plus grande partie de la France septentrionale. Du centre du bassin (où se trouve Paris*) vers la périphérie, se succèdent des couches plus ou moins inclinées vers le centre de la cuvette et disposées en auréoles grossièrement concentriques. Ces couches se terminent souvent en rebords de cuestas. À l'E., la Lorraine* et la Champagne* sont des plaines et des plateaux interrompus par des cuestas (côtes de Moselle et de Meuse); au N. et au N.-O., les bombements crayeux érodés et entaillés de dépressions en « boutonnières » constituent le pays de Bray, et se terminent par les côtes à falaises du Boulonnais. Le Bassin parisien se termine par l'Artois*; au delà commencent les plaines de Flandre* et du Hainaut*. Au centre du Bassin parisien* prédominent les plateaux calcaires : Beauce*, Valois* et Brie*, limités par la côte de l'Île-de-France. Autour du Bassin parisien s'articulent les massifs témoins de l'Europe centrale hercynienne. À l'E., les Vosges*, massif hercynien aux altitudes modestes est constitué en partie de terrains cristallins et cristallophylliens. L'ensemble, formé de sommets lourds (ballons de Guebwiller et d'Alsace), est caractérisé par des versants dissymétriques : au versant lorrain en pente douce s'oppose le versant alsacien à pente forte, profondément faillé, fracturé (collines sous-vosgiennes) parallèlement à celui du rebord O. de la Forêt-Noire. Au S. du Bassin parisien, le Massif central est un fragment du socle hercynien, largement étalé entre Alpes et Pyrénées, et couvrant 1/8 de la France. C'est un massif aux vastes pénéplaines, prenant souvent l'allure de plateaux aux altitudes modestes, surtout dans la partie occidentale (Limousin). Le S. du Massif central est affaissé en une sorte de fosse où se sont accumulés les sédiments; cette zone forme les Causses, encadrés par le Ségala* à l'O., la Montagne* Noire au S. et les Cévennes* à l'E. C'est aussi un massif dissymétrique, relevé à l'E. et au S. à la suite du plissement alpin. Le socle rigide, brisé dans sa partie orientale et centrale, est découpé en horsts et fossés qui constituent les plaines du Forez, du Puy, de Roanne et les Limagnes. De grands édifices volcaniques s'alignent le long de ces cassures en Auvergne*, donnant de multiples reliefs : cheminées du Velay, plomb du Cantal, planèzes de Saint-Flour, de l'Aubrac, chaîne des Puys, Mont-Dore (1 880 m). À l'extrême ouest, le Massif armoricain **(V. Bretagne)**, témoin moins* complexe de l'Europe hercynienne, est constitué de nombreux plateaux (de Léon, de Trégor, de Cornouaille, de Vannetais, de Vendée). L'érosion y a dégagé des crêts de roches dures, racines des plis de la chaîne hercynienne. Le S.-O. de la France est occupé par le Bassin aquitain, drainé par la Garonne* et s'appuyant sur le Massif central à l'E. et sur les Pyrénées au S. De part et d'autre de la gouttière formée par la Garonne s'opposent au S. un avant-pays pyrénéen formé de collines de molasse et, le long de la côte atlantique, les Landes*; au N. les Charentes*, le Périgord* et le Quercy*, dont l'ordonnance rappelle l'organisation des bassins sédimentaires. Au S. de la France, de l'Atlantique à la Méditerranée, s'étale la chaîne-barrière des Pyrénées* (410 km de long); c'est une chaîne tertiaire pourtant différente des Alpes par son aspect massif et volumineux. Les Hautes-Pyrénées, avec des sommets dépassant 3 000 m, s'étendent de la vallée d'Aspe au val d'Aran. Elles se terminent vers l'Atlantique par les Pyrénées occidentales, moyennes montagnes aux nombreuses vallées. Vers la Méditerranée, les Pyrénées orientales ont un relief à la fois plus vigoureux (Canigou, 2 786 m; mont Vallier, 2 839 m) et aéré par de nombreux bassins (Cerdagne*, Capcir*, Conflent*, Vallespir*). Le Plantaurel et les

Ph. Tétrel

France : oies dans les Landes.

Ph. Rémy

France : les calanques de Piana (Corse).

Corbières sont une chaîne calcaire des Prépyrénées. — Les Alpes françaises sont constituées par le versant occidental de l'arc alpin. Tout comme les Alpes suisses et italiennes, elles sont le domaine des hauts reliefs couverts de glaciers et entaillés de vallées profondes (Maurienne, Tarentaise). Du point de vue structural, trois ensembles se dégagent d'O. en E. : les Préalpes calcaires avec le Chablais, les Bauges, la Grande-Chartreuse, le Vercors, le Diois, les Baronnies, le Ventoux, le Dévoluy, la Haute-Provence et les Alpes-Maritimes; puis les massifs centraux cristallins : mont Blanc (4 807 m), Beaufort, Belledone, Pelvoux, Mercantour; enfin, la zone intra-alpine aux roches variées, avec la Vanoise, l'Embrunais, l'Ubaye, le Briançonnais, le Queyras. **V. Alpes.** Le couloir de la Saône et du Rhône sépare la France hercynienne de la France alpine et constitue le seul passage de la mer du Nord à la Méditerranée. C'est une dépression aux paysages multiples, où se succèdent plaines et défilés étroits. Il n'a d'unité que par sa position de fossé méridien entre deux systèmes montagneux. Au N. du système alpin, le Jura* oppose monts et plateaux. Dans sa partie orientale, il se caractérise par des plis serrés issus du mouvement alpin, tandis que sa partie occidentale est dominée par les plateaux ondulés révélant l'existence d'un socle résistant (prolongement du Massif central) et recouvert de couches sédimentaires peu épaisses, qui furent le plus souvent cassées en même temps que le socle, plutôt que plissées. Au S., les Alpes entrent en contact avec les massifs cristallins des Maures* et de l'Esterel* et les chaînons de la Basse-Provence calcaire. La Corse **(V. Corse)**, île montagneuse de 8 750 km^2, est constituée en majeure partie par un massif ancien; le relief en fut rajeuni par le contrecoup du plissement alpin, opposant ainsi la Corse cristalline de l'O. à la Corse schisteuse du N.-O. ♦ CÔTES. L'aspect des côtes françaises (3 200 km de littoral) est imposé par le relief continental. Le littoral actuel fut tracé, après le retrait des glaciers, par la transgression flandrienne (ouverture de la communication entre Manche et mer du Nord). Aux côtes de la mer du Nord, rectilignes, bordées de dunes, succèdent les falaises des côtes du Boulonnais, du pays de Caux et du Cotentin, prolongement d'anticlinaux, interrompus par des estuaires (Seine, Somme) correspondant aux creux des synclinaux. Les côtes atlantiques, des Pyrénées à la Gironde, sont régulières, puis se caractérisent au N. de la Gironde par une succession de golfes et de caps épousant les ondulations N.-O. - S.-E. de l'Aunis et de la Saintonge. Les côtes bretonnes sont au contraire déchiquetées. À grande échelle, leur dessin répond à la projection des plis de l'Armorique vers l'Atlantique; mais les attaques de la mer les ont retouchées dans le détail. Elles abondent en îles, caps, baies, estuaires et en sites portuaires (Brest, Quimper, Lorient, Nantes, Saint-Nazaire). Les côtes méditerranéennes sont alluviales, des Pyrénées au delta du Rhône; la côte languedocienne, bordée d'étangs, offre peu de sites portuaires en dehors de Sète. Du delta du Rhône jusqu'à la frontière italienne, les côtes deviennent rocheuses, suivant l'agencement du relief (Maures, Esterel, Alpes maritimes), et elles sont très découpées (calanques entre Marseille et La Ciotat et en Corse). ♦ HYDROGRAPHIE. L'organisation du réseau hydrographique est commandée par l'agencement du relief. Chaînes et massifs forment des lignes de partage des eaux. Le Massif central joue le rôle de pôle de dispersion des eaux en 4 grands bassins : la Seine* au N., la Loire* au N.-O., le Rhône* à l'E. et la Garonne* au S.-O. Les Alpes séparent le bassin du Pô de celui du Rhône et les Pyrénées celui de l'Èbre des fleuves français. Le Bassin aquitain et le Bassin parisien apparaissent comme des centres de convergence des eaux. Parfois, de véritables fossés dirigent les fleuves : Rhin-Saône-Rhône. Le régime des cours d'eau est réglé par le climat. Les fleuves côtiers, alimentés par les pluies océaniques, ont de hautes eaux d'hiver (Somme, Charente). Les cours d'eau méditerranéens ont de hautes eaux de printemps, provoquées par les pluies et la fonte des neiges, et des crues violentes en automne. **V. Aude, Hérault, Var, Ardèche, Gard, Têt.** Les cours d'eau alpestres ont un régime nival réglé par la fonte des neiges. **V. Isère, Arve, Durance.** Dans de nombreux cas, le régime est nivopluvial, bénéficiant de l'apport des eaux de pluies et de fonte. **V. Ain, Lot, Pau** ***(gave de).*** Les grands fleuves ont des régimes beaucoup plus complexes. La *Loire,* née dans les montagnes, a des crues de printemps (fonte des neiges du Massif central) et des pluies

Bauxite
Minerai de fer
Pétrole
Gaz naturel
Raffinerie
Bassin houiller
Uranium
Centre industriel
Centrale nucléaire
Centre de recherche nucléaire
Fleuve aménagé avec centrales hydrauliques
Centrale thermique
Sidérurgie, grosse métallurgie
Construction automobile
Construction aéronautique
Construction navale
Industrie textile (laine)
Industrie textile (coton)
Industrie chimique
Pneumatiques
Vignes
Zones principales de culture du blé
Forêts
Prairies et pâturages d'altitude
Autoroute
Voie ferrée
Canal
Ville de plus de 1 000 000 d'hab.
De 200 000 à 1 000 000
De 50 000 à 200 000
Moins de 50 000
Port de pêche
0 50 100 150 km

France : économie.

Ph. J.-C. Thiallier-Galliphot
France : la Loire à La Charité-sur-Loire.

d'automne (eaux des Cévennes). La *Garonne* reçoit des eaux du Massif central et des Pyrénées. Le *Rhône,* fleuve puissant, reçoit les eaux du Jura, des Alpes (Isère, Arve), les eaux d'hiver de la Saône et les eaux d'automne des affluents cévenols (Gard, Ardèche). Le *Rhin* conserve longtemps l'influence alpestre de son cours supérieur. La *Seine* est en majeure partie alimentée par les pluies océaniques, mais des crues peuvent se produire, car elle reçoit de l'Yonne les eaux du Morvan. V. ces fleuves. ♦ CLIMAT ET VÉGÉTATION. À la fois exposé aux influences continentales, océaniques et méditerranéennes, le climat de la France est riche en nuances. — Le climat *océanique,* caractéristique de la Bretagne et de la Normandie, s'étend d'une façon générale et sous des formes légèrement modifiées à tout l'O. de la France. Les contrastes thermiques y sont peu accusés; les hivers sont doux et les étés frais. Les précipitations, abondantes toute l'année, sont amenées par des vents de secteur O. (noroît : N.-O.; suroît : S.-O.). Au N., le type normand est une variante fraîche du climat océanique et favorise la prairie, tandis que le type aquitain est marqué par des étés plus chauds. Ce dernier climat correspond à des régions forestières, précocement défrichées et occupées par la lande artificiellement boisée. — Le climat à tendance *continentale* prédomine sur l'ensemble des régions de l'Est. Les hivers sont rudes et enneigés; les étés chauds connaissent des orages fréquents. Le type parisien, transitoire, reçoit surtout en été et en automne des pluies toutefois peu abondantes. Les plaines de l'Est sont souvent boisées ; hêtres, chênes et charmes y dominent, tandis que le sapin et l'épicéa se localisent sur les versants des moyennes montagnes. Les vignobles et les arbres fruitiers s'étagent sur les versants bien exposés. – Le climat *méditerranéen* correspond aux plaines du bas Languedoc, à la Provence, au bas Rhône et à la Corse. Il se caractérise par des étés secs et chauds, des hivers doux ; les pluies abondantes tombent sous forme d'averses, surtout en automne et au printemps. Des vents locaux soufflent du secteur N. entre Sète et Toulon (mistral) et à l'O. de Sète (tramontane). La végétation, adaptée aux conditions de sécheresse, est constituée par des forêts de chênes-lièges et de chênes verts, des forêts de résineux (pins). Maquis et garrigues se partagent les sols siliceux et les sols calcaires. Les montagnes ont leurs climats propres ; les pluies, abondantes, augmentent avec l'altitude ; les hivers rigoureux reçoivent d'abondantes chutes de neige. La végétation étagée est fonction de l'altitude et de l'opposition des versants : le versant ensoleillé (adret), favorable aux cultures, s'oppose à l'ubac. ♦ DÉMOGRAPHIE. La population française était évaluée en 1975 à 52 910 000 hab. Sa densité de 96 hab./km² est relativement faible par rapport à celle de ses voisins (Belgique et R.F.A. supérieure à 200 ; Italie : 185 ; Pays-Bas : 403). Pourtant, au déb. du XIXe s., la France était beaucoup plus peuplée que l'Allemagne ou que le Royaume-Uni. Mais, v. 1850, à la différence des pays voisins, la natalité recula en France plus vite que la mortalité (mortalité infantile anormalement élevée). Les pertes de la guerre de 1914-1918 (1 300 000 victimes) furent partiellement comblées par l'immigration. La reprise de la

Ph. Tétrel

France : récolte de betteraves à Mayenne.

France : divisions administratives.

Ph. A. Sala/Galliphot

France : les falaises d'Étretat.

natalité après la Seconde Guerre mondiale a pour origine une politique délibérée de la famille (allocations familiales). Le taux de natalité est passé de 14,6 ‰ en 1936 à 21 ‰ en 1947 pour revenir à 16-17 ‰ après 1967 (16,8 ‰ en 1967; 16,7 ‰ en 1970; 17,1 ‰ en 1971). La baisse de la mortalité fut après la guerre plus accusée en France que dans d'autres pays (Sécurité sociale, progrès techniques, développement d'infrastructures médico-sociales). De 27,7 ‰ au déb. du XIXe s., le taux de mortalité est passé à 11 ‰ en 1968, 10,6 ‰ en 1970 et 10,7 ‰ en 1971. Les structures par âge (12 % de plus de 65 ans; 34 % de moins de 20 ans) expriment les variations du passé démographique de la France. En dépit d'un accroissement naturel de 6 ‰ (faible par rapport aux pays voisins), le pays doit, pour équilibrer son économie, faire appel massivement à l'immigration. En 1971, les travailleurs algériens formaient le plus fort contingent (750000); cette population est suivie par les populations portugaise (685 000), espagnole (650 000), italienne (590 000), marocaine (170 000), polonaise, tunisienne et les groupes venus d'Afrique noire. On dénombre actuellement 3 200 000 étrangers en France. Depuis 15 ans, près de 1 500 000 rapatriés d'outre-mer (d'Algérie surtout) ont regagné la métropole. La répartition de la population française est très inégale. Elle est concentrée surtout autour des bassins miniers (région du Nord et de l'Est), dans les grands foyers urbains et industriels (région parisienne, Rhône-Alpes, basse Seine, aggl. marseillaise) et sur la côte méditerranéenne (Provence-Côte d'Azur) L'accroissement de la population urbaine (29 % de 1936 à 1962) se fait aux dépens du milieu rural. Dans de nombreuses régions sévit l'exode rural qui pose des problèmes spécifiques **(V.** aux régions : **Aquitaine, Auvergne, Normandie** [**Basse-**], **Bretagne, Centre, Limousin, Midi-Pyrénées, Loire** [*pays de la*], **Poitou-Charentes).** ♦ ÉCON. – *Agriculture.* L'espace agricole français représente près de 90 % du sol national (47 000 000 d'ha.) dont les 2/3 sont cultivés (33 665 000 ha.); il constitue 47,5 % de la S.A.U. de l'« Europe des Cinq », le reste étant occupé par les forêts et les bois. Les grandes plaines limoneuses (Île-de-France, Picardie, Nord, Alsace), la Champagne, le Berry, à vocation céréalière (3/4 du blé français), ont des rendements élevés (36 quintaux de blé à l'ha, et jusqu'à 50, en fonction de la dimension des exploitations). La betterave sucrière est souvent associée au blé. Le maïs, avec l'apparition de nouveaux hybrides, a fait des progrès constants de 1938 (541 000 t) à 1975 (8 143 000 t). De façon plus traditionnelle, la Bretagne, associant polyculture et élevage, participe à cet ensemble céréalier. Les cultures fruitières et maraîchères, localisées autour des grandes villes (tels les hortillonnages d'Amiens), font aujourd'hui l'objet de spécialisations dans le Midi méditerranéen (cultures irriguées du Comtat Venaissin, de la basse Durance, du Roussillon et des pays de la Garonne), sur le littoral breton, la région nantaise et le Val de Loire. La viticulture tient une place de choix dans la production française : vignobles de masse du Languedoc, crus divers et localisés en fonction des microclimats dans les plaines du Bordelais et aux flancs des coteaux de la Bourgogne*, du Val de Loire, de la Champagne*, en Alsace et dans les Côtes du Rhône. La production végétale ne représente que 38 % de la valeur des produits agricoles. Elle est nettement devancée par les produits animaux (62 % de cette même valeur). Les herbages se localisent plus spécialement dans l'O. de la France, les montagnes du Centre, le Jura, les Alpes et les Pyrénées. 75 % de la viande et env. 65 % du lait sont produits dans le Charolais, le Nivernais, la Bretagne, la Normandie, la Vendée et le Limousin. Le cheptel français se compose de 25 000 000 de bovins, 12 000 000 d'ovins et de porcins. Malgré des atouts certains (grande variété de la production), l'agriculture française reste peu compétitive par rapport à ses voisins. Les rendements laitiers sont inférieurs à ceux des Pays-Bas et la motorisation, malgré son essor (34 tracteurs pour 1 000 ha en France, mais 91 en Allemagne), souffre de l'exiguïté des exploitations. Aussi la production n'intervient-elle que pour 10 % dans le P.N.B., bien que le secteur emploie 15 % de la population active. – *Industrie.* Le secteur secondaire constitue l'activité dominante de la France. Il emploie 40 % de la population active et entre pour 50 % dans le P.N.B. Au niveau de la production, l'industrie se caractérise par une grande diversité. Les *sources d'énergie,* insuffisantes pour satisfaire aux besoins, sont en évolution. L'économie utilise de moins en moins de charbon (la production est passée de 45 000 000 de t en 1968 à 22 500 000 t en 1975), la production houillère étant surtout localisée dans le bassin du Nord-Pas-de-Calais, le bassin lorrain, à Saint-Étienne, Blanzy, Alès. Les ressources en hydrocarbures sont limitées (Parentis*) et l'on a recours à une forte importation de pétrole brut. Les raffineries sont localisées près des ports, en basse Seine, au départ de l'oléoduc Le Havre-Paris, sur l'étang de Berre, au départ de l'oléoduc sud-européen; capacité de raffinage : 108000000 de t (1971). Le gaz de Lacq* alimente l'Ouest, la région parisienne et la région lyonnaise. La production d'hydro-électricité est surtout localisée dans les Alpes (68 %), la vallée du Rhône et celle du Rhin. À l'électricité d'origine thermique (48 % dans le Nord et la région parisienne) s'ajoute l'appoint croissant d'énergie d'origine nucléaire (6,5 %). Production totale d'électricité : 178 milliards de kWh (91,5 d'origine thermique; 48,8 hydraulique; 8,7 nucléaire). – La sidérurgie, concentrée à proximité des minerais de Lorraine et de Normandie, s'est implantée récemment sur les côtes (Dunkerque*, Fos*) afin de traiter du minerai importé. Production d'acier : autour de 21 000 000 de t (les 2/3 en Lorraine). L'indus. de l'aluminium (près de 50 % dans les Alpes du Nord) est concentrée en deux entreprises (Péchiney et Ugine-Kuhlmann). Les indus. mécaniques sont géographiquement dispersées, mais structurellement très concentrées. La construction automobile, secteur massif, occupant près de 200 000 personnes et surtout concentrée dans la région parisienne, se décentralise de plus en plus. Il en est de même pour l'aéronautique, qui emploie 100000 personnes (la moitié venant de la région parisienne), mais tend à se décentraliser (Toulouse*). Les chantiers navals, dans les ports de la côte atlantique, subissent actuellement de sérieuses concurrences. L'indus. chimique (6e rang mondial) emploie 2300000 personnes. Elle est implantée sur les gisements de potasse et de sel gemme dans l'Est, ainsi que dans les grandes villes; elle se développe actuellement à proximité des raffineries (pétrolochimie). L'indus. textile traverse une crise, mais conserve son importance dans le Nord et défend sa position en développant les textiles synthétiques. – Le secteur tertiaire occupe 40 % des actifs et participe pour 1/3 au P.N.B. – Le tourisme, en développement rapide, souffre de structures anciennes (hôtellerie), partiellement rénovées; le développement des stations balnéaires (par ex. l'aménagement du littoral du Languedoc*) et de sports d'hiver ainsi que celui des transports (autoroutes, aviation intérieure) contribue à le stimuler. – STRUCTURES ÉCONOMIQUES. L'intégration progressive dans le Marché commun, l'ouverture des barrières douanières, le progrès technique posent à l'économie française divers problèmes de restructuration. – Spécificité de l'*agriculture* française : elle se caractérise par une pléthore de petites exploitations soumises à une forte pression concurrentielle, trop nombreuses et trop exiguës pour une économie intensive (en 1970, 31 % de moins de 5 ha [3,3 % de la S.A.U.], 38,1 % de 5 à 20 ha

Ph. Hétier

France : environs du Mont-Dore.

[23,5 %]; 29,2 % de 20 à 100 ha [58,7 % de la S.A.U.] et 1,7 % de 100 ha et plus [14,7 %]); aussi assiste-t-on depuis 1955 à un « délestage », voie brutale préconisée par le plan Mansholt et le rapport Vedel : l'agriculture, qui comptait en 1926 38 % des actifs, n'en comptait plus en 1971 que 15 % (Allemagne et Suisse : 11 %; Belgique : 6 %; Grande-Bretagne : 4 %). Par la création des S.A.F.E.R. (Sociétés d'aménagement foncier et d'établissement rural), le gouvernement a favorisé l'étoffement de la petite propriété et tenté d'arrêter la trop grande concentration de la propriété foncière. On a cherché à définir un seuil de dimension visant à la rentabilité dans le cadre du F.A.S.A.S.A. (Fonds d'action sociale pour l'aménagement des structures agricoles); des indemnités viagères de départ ont incité un certain nombre d'exploitants âgés à se retirer. L'exiguïté du marché et la forte concurrence, depuis l'ouverture des frontières, rendent nécessaire une politique de soutien des prix agricoles. Les subventions à l'agriculture sont financées par des organismes qui doivent régulariser les cours de certains produits : O.N.I.C. (Office national interprofessionnel des céréales), F.O.R.M.A. (Fonds de régularisation des marges agricoles) pour les viandes et les produits laitiers. — L'*industrie* et les *services* comprennent à la fois des secteurs modernes et concentrés et des entreprises artisanales et commerciales menacées par la suppression des barrières douanières. Les petites entreprises commerciales, devant la concurrence des magasins à succursales multiples, des supermarchés et « hypermarchés », résistent difficilement. On doit noter l'importance du rôle de l'État : le secteur public représente 20 % du P.N.B., bien que l'indus. française reste fondée sur l'entreprise privée. L'État intervient notamment dans le secteur de l'énergie (charbonnages, E.D.F.), les indus. mécaniques (arsenaux, régie Renault, aéronautique), les transports (S.N.C.F., participation dans les compagnies de navigation, Air France). De même, les postes et télécommunications sont des services publics. Les hôpitaux, certains logements (sociétés publiques d'H.L.M.) sont aussi du domaine de l'Etat. Enfin, les banques (Banque de France et banques de dépôt), les compagnies d'assurance, les entreprises de matériel militaire et d'aviation appartiennent aussi au secteur public. ♦ Communications et échanges. Le développement de l'économie, la décentralisation industrielle, l'insertion de la France dans le Marché commun exigent des efforts de restructuration des transports. Si le *réseau routier* fut longtemps le plus dense d'Europe (82 000 km de routes nationales), aujourd'hui le programme de construction d'autoroutes (3 500 km en 1976) est relativement modeste. De nombreuses liaisons routières sont prévues dans le schéma directeur pour relier Paris aux métropoles d'équilibre et aux grands centres internationaux (frontière belge : Lille, Valenciennes; frontière allemande : Sarrebruck; frontière italienne : Menton). Le *réseau ferroviaire,* centralisé autour de Paris, représente 70 % du trafic total. Il assure le transport de près de 63 milliards de t/km de marchandises et des liaisons rapides de trains d'affaires. Les *voies navigables* (15 000 km) ne sont fréquentées que sur une faible partie du réseau. Les canaux, souvent vétustes, ne sont que pour 1/5 au gabarit européen (plus de 1 350 t). Il s'agit de l'Escaut*, relié à la mer du Nord par l'axe Douai-Dunkerque, de la Seine*, reliée au bassin du Nord par l'Oise et le canal du Nord, du Rhin*, de la Moselle* et du grand canal d'Alsace. Un grand effort de modernisation a été entrepris pour le canal de la Marne au Rhin et le canal de Saint-Quentin. D'autre part, une liaison Dunkerque-Valenciennes accessible aux navires de 3 000 t a été créée. On espère beaucoup des travaux du C.N.R. pour l'aménagement du grand axe fluvial Rhin-Rhône. Les *transports maritimes* assurent 70 % des importations et 30 % des exportations. La flotte marchande jauge 10 000 000 de tonneaux (10ᵉ rang mondial). Elle assure encore un trafic modeste, se heurtant à la dispersion portuaire et à la concurrence britannique, norvégienne, libérienne, qui détourna longtemps le trafic vers les ports belges et hollandais (Rotterdam). Pour lutter contre l'insuffisance des infrastructures, l'État a créé des ports autonomes (Marseille*, Le Havre*, Dunkerque*) et modernisé de grands groupes portuaires : Marseille et ses annexes de l'étang de Berre et du golfe de Fos, Dunkerque. Récemment, les structures des compagnies de navigation ont été réaménagées. Marseille, Le Havre, Dunkerque, Rouen*, Nantes*-Saint-Nazaire, Bordeaux* assurent près de 80 % du trafic; Sète*, La Rochelle*, Caen* assurent une grande part du reste. Le trafic des passagers, concurrencé par les transports aériens, s'effectue par Calais*, Marseille, Boulogne*, Le Havre, Dieppe*, Dunkerque. — *Carrefour aérien,* la France est dotée d'un réseau intérieur mettant en liaison toutes les grandes villes (Air Inter). Le réseau international est exploité par Air France et UTA (Union des transports aériens). L'aéroport de Paris (Orly*, Le Bourget*), rapidement saturé, s'adjoint l'aéroport Paris-Nord à Roissy*-en-France. — L'économie française implique d'importants échanges. La France est la 4ᵉ nation commerçante du monde. Depuis quelques années, la structure de ses échanges a évolué, en raison de la libération du commerce à l'intérieur du Marché commun (abrogation des droits de douane en juil. 1968) et l'adoption d'un tarif extérieur commun avec le reste du monde. Les échanges se font surtout avec les pays du Marché commun, les États-Unis, l'A.E.L.E., le Comecon (Europe orientale), les pays d'Amérique latine, les pays scandinaves et le Canada et progressent avec le Japon et la Chine. Les échanges avec les pays de la zone franc, qui représentaient 1/4 du commerce extérieur jusque dans les années 1960, semblent en baisse. La France importe pour

Ph. Mario Russo/Ricciarini

France : le Rhône à Avignon.

50 % des matières premières (pétrole du Moyen-Orient, d'Algérie, de Libye, charbon, coton, laine d'Australie, phosphates du Maroc, métaux non ferreux d'Amérique), pour 1/6 des produits agricoles, et pour 1/3 des machines et des biens de production (matériel agricole, machines électroniques, automobiles, avions). Les exportations. qui représentent 1/7 du P.N.B., sont constituées pour les 2/3 de produits manufacturés, de biens d'équipement et le reste s'équilibre entre produits agricoles et matières premières. Ses exportations comportent des points faibles, par rapport à ses voisins. Elle exporte moins de produits finis que l'Allemagne et l'Angleterre, mais beaucoup plus de matières premières et de produits alimentaires qui sont soumis plus que les produits finis aux fluctuations de prix. D'une façon générale, les importations l'emportent sur les exportations; la balance commerciale déficitaire est généralement équilibrée par les transactions invisibles (beaucoup plus par les devises de touristes étrangers que par les brevets), qui équilibrent aussi la balance des comptes. Pour faire face à la détérioration de la balance touristique à partir de 1960, des efforts sont faits pour aménager les côtes (Languedoc), chercher à attirer les touristes de saison d'hiver (Jeux Olympiques à Grenoble) et tenter d'améliorer l'équipement hôtelier. Bien qu'elle développe ses investissements vers les pays de la zone franc et vers l'Amérique latine (Brésil, Colombie), en implantant des filiales, la France ne parvient pas à compenser les investissements étrangers (américains). ♦ Croissance économique et aménagement du territoire. Le rythme de croissance du produit national pour la période 1965-1970 fut en moyenne de 5,8 %, plus rapide que celui du Royaume-Uni, il était légèrement inférieur à celui de l'Italie (5,9 %) [le taux maximum, celui du Japon, était de 12,3 %]. En termes géographiques, une analyse de la croissance permet d'établir une diagonale Le Havre-Marseille mettant en évidence, d'un côté la région parisienne, qui crée 1/4 du P.N.B., le Nord (8 %), l'Alsace-Lorraine (8 %), la région Rhône-Alpes (9 %), et de l'autre côté les zones « en marge du développement » de l'O. et du S.-O. de la France. Ces disparités régionales que l'on retrouve dans de nombreux pays européens (Mezzogiorno italien, E. de l'Allemagne) ont des causes historiques : c'est avec la révolution industrielle qu'elles furent accusées; de grandes régions urbaines et industrielles se sont créées là où se trouvaient les ressources minières de base et les capitaux, tandis que les régions périphériques conservaient des types économiques traditionnels (agriculture) maintenus par une politique protectionniste et subissaient l'exode rural. Aujourd'hui, sur ces faits, se greffe la crise des bassins miniers, liée aux modifications de l'économie de l'énergie (diminution de l'importance relative du charbon). Cette crise est surtout sensible dans le centre de la France d'abord (Blanzy, Saint-Étienne, Alès), de l'Est et du Nord ensuite. Les effets indirects des investissements industriels, une politique de centralisation administrative et économique vieille de plusieurs siècles expliquent le « poids de Paris » et sa concentration économique et démographique. **V. Paris, parisienne** *(Région).* La Région parisienne compte 9 000 000 d'hab. (1 Français sur 6); elle concentre plus de 60 % de l'indus. automobile et de l'indus. aéronautique, près de la moitié de l'indus. pharmaceutique et mécanique; elle rassemble une part très importante des activités administratives, culturelles et scientifiques (enseignement supérieur, recherche scientifique et technique). — L'Aménagement du territoire a pour objectif de rééquilibrer la croissance et de freiner le développement de la Région parisienne. Cette volonté d'aménager l'espace national a conduit d'abord à l'établissement de cadres régionaux. Ainsi 22 régions programmes, furent délimitées en fonction de normes administratives (**V.** la liste ci-dessus, en début d'article). Mais ce découpage a fait l'objet de nombreuses critiques : les circonscriptions furent souvent jugées trop petites, formant un « microdécoupage » n'offrant qu'à quelques régions la possibilité d'harmoniser leur développement (telle la région Rhône-Alpes). Afin de donner aux régions, et surtout aux zones déshéritées, un plus grand rôle, une politique de décentralisation industrielle fut élaborée : agissant par des mesures d'incitation (primes, exonérations fiscales, indemnités) et par l'appel aux investisseurs étrangers. De fait, des investissements ont fait

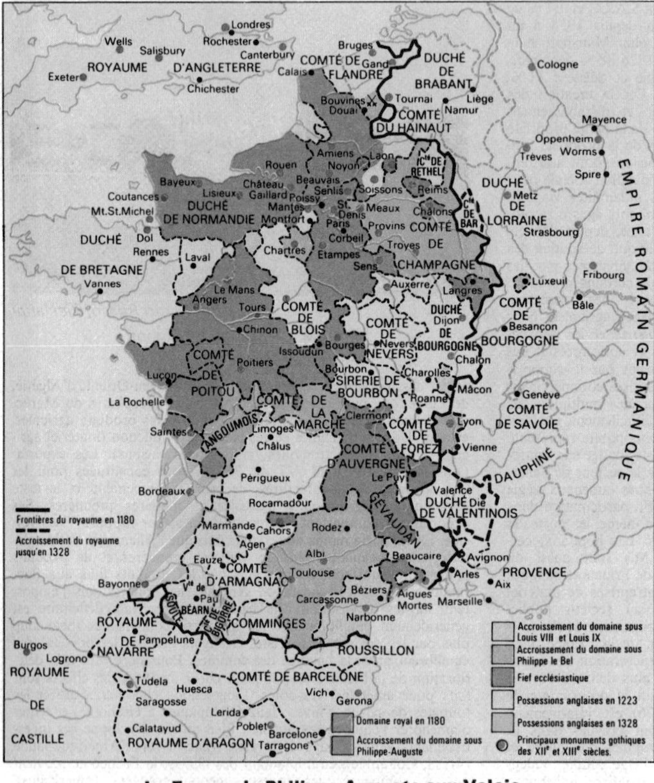

La France de Philippe Auguste aux Valois.

Ph. Tétrel

Couronnement de Philippe Auguste en 1179. (Bibl. nationale, Paris.)

Ph. Giraudon

Mort de Philippe VI de Valois. Chroniques de J. Froissart. (Musée Condé, Chantilly.)

glisser vers l'O. un certain nombre d'indus., notamment l'indus. automobile (Caen, Rennes, Cléon, Lorient, La Rochelle, Bordeaux) et vers les zones en crise (Saint-Étienne, Valenciennes, Montbéliard, Mulhouse). La région est en partie structurée par le rayonnement des grandes villes, qui s'exerce par l'intermédiaire d'une série de relais urbains. Huit *métropoles d'équilibre* furent retenues pour assurer ce rôle de polarisation régionale : Lille-Roubaix-Tourcoing; Nancy-Metz-Thionville; Strasbourg; Lyon-Saint-Étienne-Grenoble; Marseille-Aix-en-Provence; Toulouse; Bordeaux; Nantes-Saint-Nazaire. Afin de promouvoir l'essor de ces métropoles, et de créer le réseau urbain hiérarchisé, des organismes furent créés : L'OREAM (Organisation d'études d'aménagement des aires métropolitaines), dont la tâche est de prévoir et d'organiser les infrastructures de service, de transport, et la constitution d'une gamme d'industries variées. L'Aménagement du territoire fut doté au niveau national d'organismes exécutifs, la DATAR (Délégation à l'aménagement du territoire et à l'action régionale), qui réalise les objectifs fixés par le comité interministériel, et la commission nationale de l'Aménagement du territoire. Au niveau régional, l'élaboration de la politique d'aménagement se fait par l'intermédiaire du préfet de région, aidé par la Commission de développement économique régional (CODER) qui établit des programmes régionaux de développement et d'équipement. De nombreux organismes spécialisés : SAFER (Société d'aménagement foncier et d'établissement rural), FDES (Fonds de développement économique et social), ont pour tâche de répartir les équipements sociaux et économiques, et de tenter une restructuration agricole. La loi de réforme régionale de 1973 instaura de nouveaux organismes, délibératifs (conseil régional) et consultatifs (comité économique, social et culturel), recevant les instructions du préfet de région. ♦ ***Hist.*** On peut faire coïncider le début de l'histoire de France avec l'arrivée des Francs*, qui sont à l'origine de son nom (pour la période antérieure **V. Gaule**), et qui, prenant part au mouvement des grandes invasions germaniques du Ve s. **(V. Germains),** exercèrent bientôt leur suprématie en Gaule, en dépit de leur nombre relativement restreint et du retard de leur civilisation. Leur force résidait en partie dans la personnalité de leurs chefs, dont les plus marquants furent Mérovée*, Clovis*, puis Dagobert* chez les Mérovingiens*, puis quand les Carolingiens, maires du palais d'Austrasie*, purent s'imposer, grâce à la dégénérescence des « rois fainéants », Pépin de Herstal, Charles* Martel (vainqueur des Sarrasins à Poitiers en 732), Pépin* le Bref, qui parvint à la royauté, et surtout Charlemagne qui rétablit l'unité du monde occidental et déplaça le centre de l'autorité franque vers l'E. Mais le plus grand facteur de réussite des deux dynasties fut leur lien avec l'Église : Clovis, en se faisant baptiser à Reims (496 ?) devint le seul roi non hérétique au milieu d'ariens. Cette conversion lui acquit l'appui de l'Église et constitua en outre un facteur d'assimilation entre Francs et Gallo-romains. De la même façon, Charlemagne, après Pépin le Bref, se fit le champion de la papauté face au péril lombard et byzantin, et son sacre à Rome (800) lui valut un prestige spirituel considérable. **V. Charlemagne.** De même qu'elle en avait bénéficié, l'expansion des monarques francs accéléra la diffusion du christianisme : encore très lente au VIe s., malgré les efforts des conciles, malgré le monachisme irlandais et bénédictin (saint Colomban), elle connut ensuite une stagnation jusqu'à l'avènement des Carolingiens qui restaurèrent l'institution épiscopale, entreprirent une réforme générale (Pépin le Bref réunit trois conciles) et encouragèrent l'action de saint Boniface ou de saint Benoît. Au IXe s., les derniers îlots de paganisme étaient résorbés. — Ces royaumes furent fragiles, d'abord à cause du problème des successions, qui amenèrent de nombreux partages et des luttes incessantes. Le royaume de Clovis se trouva divisé entre ses quatre fils et ne devait être reconstitué fugitivement que sous Clotaire* II et Dagobert* Ier (v. 613-639). Il donna naissance notamment à l'Austrasie et à la Neustrie*, dont la rivalité occupa toute la fin de l'époque mérovingienne. L'empire de Charlemagne connut le même sort, malgré l'*Ordinatio Imperii* de Louis* le Pieux (817); en 843, Charles* le Chauve reçut au traité de Verdun* la *Francia Occidentalis,* distinguée par sa langue romane, mais qui devait se restreindre encore au cours de son règne, se limitant au N. de la Loire. Cependant la plus grande faiblesse des deux dynasties résida dans l'émiettement du pouvoir politique dû au développement de la féodalité et lié à l'évolution des structures économiques. En effet, comme elles durent poursuivre la lutte des Romains contre les Germains (entreprises contre la Thuringe et la Bavière, au VIe s., puis contre les Saxons), ces dynasties héritèrent les structures économiques et sociales de la fin de l'Empire. La conception franque du roi — chef de tribu, dont le royaume est une possession personnelle, et non plus un Etat — accéléra encore le recul du pouvoir central au profit des grands propriétaires, indépendants, chefs francs que le roi ne pouvait s'attacher qu'en leur donnant des terres, ou aristocrates gallo-romains, qui faisaient échec aux « comtes », seuls représentants de l'autorité royale. La terre était devenue la seule source de richesse : l'expansion islamique et la chute de l'Empire romain avaient fait totalement disparaître le commerce, qui s'était maintenu jusqu'au VIe s., entraînant la raréfaction de la monnaie. La civilisation

Coll. Viollet
Louis XI.
(Gravure de Morin.)

Ph. Hubert Josse
Henri IV. Détail d'une peinture, école flamande du XVIe s.
(Musée Carnavalet, Paris.)

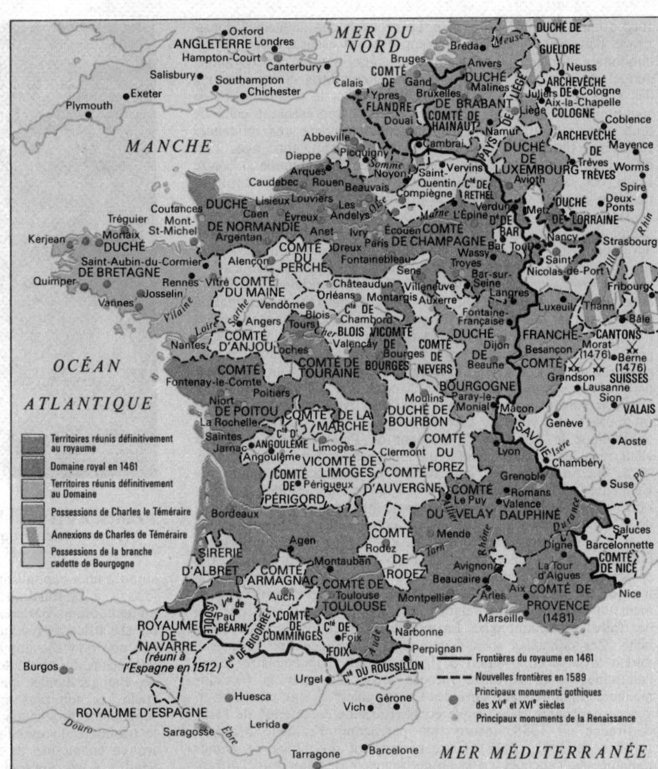

La France de Louis XI à Henri IV.

urbaine acheva de disparaître au profit des domaines, de plus en plus importants, consolidés par les invasions, où esclaves et tenanciers s'étaient « donnés » aux propriétaires, en échange de la protection militaire et de l'usufruit. Le terme de « franc » en arriva à désigner au VIIe s. non plus un peuple, mais une classe minoritaire restée libre. Le recul démographique fut considérable, les mœurs devinrent très frustes et le déclin de la culture et de l'art atteignit même les techniques et l'artisanat (seule subsista la métallurgie : orfèvrerie, joaillerie). Les Carolingiens, contraints de la même façon à encourager le développement de la féodalité, échouèrent à rétablir l'Empire romain en raison du caractère domanial de l'économie, malgré une légère reprise des échanges au déb. du VIIIe siècle. L'œuvre juridique, législative, financière de Charlemagne, quoique considérable, resta souvent lettre morte, et l'autorité des *missi dominici*, limitée et très temporaire. La renaissance culturelle et religieuse qui accompagna le redressement politique, si décisive qu'elle ait été face aux invasions et à l'Empire byzantin, eut, elle aussi, un caractère très partiel et n'affecta qu'un milieu restreint, essentiellement clérical, que ses intérêts, son mode de vie et son idéologie séparaient de la masse. La féodalité, qui se renforça encore au IXe s., acheva de faire disparaître un pouvoir central incapable de résister aux invasions qui se multiplièrent alors (Scandinaves à l'O., qui acquirent la Normandie; Hongrois; Sarrasins, qui parvinrent jusqu'à Paris en 886, date où ils furent arrêtés par le comte Eudes). À la fin du siècle, le royaume n'était plus qu'une poussière de plus de trois cents comtés quasi indépendants. — LES PREMIERS CAPÉTIENS. En 987, un descendant d'Eudes, Hugues* Capet fut élu roi. Jusqu'au XIIe s., la dynastie capétienne resta trop faible pour prendre part aux grands événements politiques de l'époque : le roi de France n'intervint ni dans la conquête de l'Angleterre ni dans la lutte entre l'Empire et la papauté. Tandis que le pouvoir était passé aux mains du clergé ou des seigneurs (les trois « ordres », qui allaient persister jusqu'à la Révolution, étaient désormais constitués), la royauté pouvait apparaître comme une fonction essentiellement spirituelle et inefficace. Cependant, alors qu'elle s'exerçait encore au IXe s., en pleine décomposition féodale, elle devait se trouver au milieu du XIIe s. en position de force. Les Capétiens eurent en effet l'habileté d'établir immédiatement le principe de l'hérédité royale, en faisant sacrer leur fils de leur vivant, avantage dont ne disposaient pas les empereurs, par exemple. Leur attitude soumise vis-à-vis de l'Église, contraire à celle du roi d'Angleterre ou de l'empereur, leur acquit son soutien : c'est en France que fut prêchée la première croisade, par un pape français, Urbain II, et les croisés furent désignés par le terme de « francs ». Le monachisme y connut un grand épanouissement (Cluny : réforme grégorienne; Cîteaux; Clairvaux : mouvement cistercien). L'art roman, immense mouvement de renaissance architecturale et plastique, qui devait être suivi par le développement du gothique, y fut abondamment représenté. Enfin, les rois surent exploiter leur situation privilégiée au cœur du système féodal. À la tête eux-mêmes d'un important domaine foncier, ils peuvent être considérés comme des seigneurs qui auraient peu à peu étendu leurs possessions à presque toute la France (fin du XIIIe s.). Leur position de suzerain leur permit, quand ils disposèrent d'une puissance suffisante, de s'immiscer dans les affaires de leurs vassaux, et, éventuellement de s'emparer de leurs biens. Louis* VI inaugura une politique de « justicier », qui allait être constamment poursuivie par ses successeurs, avec succès, malgré la perte de l'Aquitaine lors de la répudiation d'Aliénor par Louis VII. Elle permit au roi de se substituer peu à peu à la féodalité, à la faveur du conflit qui l'opposait à la bourgeoisie naissante. — Cette époque vit en effet la renaissance et l'émancipation des villes, fondées sur une fonction essentiellement commerciale, et aux mains d'une bourgeoisie née, elle aussi, du renouveau de l'économie, sensible du Xe au XIVe s. L'amélioration des techniques agraires (substitution du fer au bois, amélioration du collier, exploitation de l'énergie hydraulique, assolement triennal) entraîna un remarquable essor démographique (on estime que la population passa de 8 000 000 v. l'an 1000 à 20 000 000 v. 1300), accompagné du progrès du défrichement. La circulation des hommes (pèlerinages à Rome, à Jérusalem, à Saint-Jacques-de-Compostelle) reprit comme celle des marchandises et des biens. Le commerce, bénéficiaire des croisades, réapparut et se perfectionna : les marchands se groupèrent en guildes ou hanses, la lettre de change apparut dans les foires de Champagne qui furent le centre de la vie économique de l'Europe médiévale, situé sur la route commerciale des draps de Flandre et des épices d'Italie. Malgré les nombreux conflits qui troublèrent les villes (entre artisanat et patriciat, dans les Flandres, par exemple) ou les campagnes (croisade* des enfants, 1212; Pastoureaux*, 1251), l'évolution sociale se fit plus sensible au XIIIe s., par la mobilité de la société et la disparition progressive du servage. De cet ensemble de progrès qu'elle avait favorisés, la royauté tira un prestige accru. — LE RAYONNEMENT FRANÇAIS AU XIIIe SIÈCLE. Le XIIIe s. marqua en effet l'apogée de la puissance française au Moyen Âge, et son hégémonie en Occident. L'O. du pays fut acquis par Philippe* II Auguste, qui mena une lutte heureuse contre l'Angleterre, et remporta à Bouvines* (1214) la première victoire réellement « française » face à une coalition européenne. La croisade des albigeois* consacra la défaite du S. du pays devant le N., et assura, au prix d'une diminution forcée de la culture occitane, l'unité du royaume, auquel ne manquait plus que la Guyenne. Paris était alors une des villes les plus importantes de l'Europe, et le rayonnement de son université s'étendait à tout l'Occident, représentant celui de toute une civilisation française, largement ouverte aux influences étrangères (littérature des dialectes d'oïl; architecture avec l'art dit gothique, originaire de l'Île-de-France; polyphonie...). Avec Louis* IX, le roi de France bénéficia d'un grand prestige spirituel, renforcé par son rôle dans les croisades, et devint l'arbitre des conflits européens. Les progrès de l'administration, continuels depuis Philippe Auguste, atteignirent sous Philippe* le Bel un grand développement et assurèrent partout la représentation de l'autorité royale. La formation d'une classe de légistes, familiarisés avec le droit romain, entraîna une conception nouvelle de l'État, dans lequel le roi n'était plus un seigneur, mais la représentation vivante de la loi. Elle devait provoquer le conflit qui opposa Philippe le Bel à l'Église (affaire des Templiers*, attentat d'Anagni*). Elle fut également à l'origine de la première réunion d'états* généraux (1302). L'idée d'État se doublait enfin d'un sentiment national, opposé à l'universalisme du XIIIe s. et qui allait s'épanouir au siècle suivant. — LA GUERRE DE CENT ANS ET L'ACHÈVEMENT DE L'UNITÉ. La crise de succession qui éclata à la mort des fils de Philippe le Bel et à l'avènement de Philippe* VI de Valois allait réveiller le vieux conflit qui opposait la France et l'Angleterre, encore accru par leur rivalité en Flandre. La guerre de Cent Ans **(V. Cent Ans)** fut pour la France une période particulièrement sombre. Elle s'inscrivait cependant dans une crise générale de l'Occident européen, dont l'aspect économique peut être attribué à un arrêt de l'expansion agricole au XIVe s. (il y eut de nombreuses famines, en particulier celles de 1316-1317, qui entraînèrent des épidémies et une diminution de la population). La domination franque en Proche-Orient avait marqué un net recul. Le développement du trafic maritime vénitien et génois provoqua la disparition des foires de Champagne. La monnaie connut une grande instabilité. Ces difficultés socio-économiques, aggravées par la guerre, mirent le pays en position de faiblesse face à l'adversaire; ainsi, l'anarchie et les révoltes, menées aussi bien par la féodalité menacée (ligue féodale, Grandes Compagnies*...) que par la bourgeoisie contrainte et le peuple écrasé (Grande Jacquerie* de l'Isle-de-France en 1358, insurrection parisienne d'Étienne Marcel*, révoltes de 1382, 1413). Cette période vit du moins de grands remaniements sociaux : à la fin de la guerre de Cent Ans, l'affranchissement des serfs était à peu près général, tandis que les seigneurs commençaient à se détacher de la terre, sous l'effet des difficultés financières, et au bénéfice de la bourgeoisie. Celle-ci donna naissance à un patriciat qui exerça une action politique (Étienne Marcel; Jacques Cœur), et à une classe de paysans aisés. Elle bénéficia en effet du renouveau économique au lendemain de la guerre, que Charles* VII et Louis* XI surent encourager par des mesures hardies (réglementation des corporations urbaines, développement de l'indus. de la soie, des foires de Lyon, assainissement de la monnaie, mesures favorisant le rapprochement entre noblesse et bourgeoisie). Leur politique centralisatrice correspondait au renforcement du pouvoir royal qui sortit accru de l'épreuve, l'unité nationale s'étant faite autour du roi, face à l'Angleterre (Jeanne* d'Arc). Le pays avait acquis en outre une armée permanente. Aussi, malgré la dangereuse politique des apanages qui régna au XIVe et au XVe s. (maison de Bourgogne, d'Orléans, de Bourbon, d'Armagnac, d'Albret), le royaume s'agrandit-il de la Bourgogne, de l'Artois, et, à la fin du XVe s., de la Bretagne. — APOGÉE ET DÉCLIN DE LA MONARCHIE. La France, dans son déclin, avait laissé à l'Italie la prééminence culturelle. Son prestige explique l'attirance qu'elle exerça alors. Les guerres d'Italie* marquèrent une rupture, moins dans la vie politique que dans la civilisation, bien qu'elles aient été précédées par les tentatives des princes d'Anjou sur le royaume de Naples, au XIIIe siècle. Leurs droits sur ce royaume servirent de prétexte aux expéditions de Charles* VIII et de Louis* XII, celui-ci y ajoutant des visées sur le Milanais. L'idée d'une vaste croisade contre les Ottomans n'était pas absente de leur projet. Si les ambitions italiennes n'aboutirent qu'à des occupations temporaires, elles avaient peu coûté au pays et avaient eu l'avantage de canaliser l'agitation de la noblesse. Cependant, elles eurent pour conséquence de former à plusieurs reprises contre la France une coalition européenne, qui dégénéra en lutte entre la maison de France et celle d'Autriche (**V. François Ier** et **Charles Quint**), à la faveur du problème de l'héritage bourguignon. À la paix de Cateau*-Cambrésis, Henri* II renonça définitivement aux ambitions italiennes de ses prédécesseurs pour acquérir des avantages dans le N. et l'E. du pays (les Trois-Évêchés). Or, ce traité fut particulièrement mal considéré par l'opinion contemporaine. Cette paix de compromis était le fruit d'une usure financière des deux adversaires : la guerre s'était doublée dès l'origine d'un aspect économique. L'Italie avait aussi exercé une attraction grâce à ses banquiers. Les deux rivaux tentèrent de drainer vers eux le plus de capitaux possible pour en priver l'adversaire; c'est à ce jeu que la France perdit, au moment de l'élection impériale de Charles Quint, soutenu par les Fugger. On a pu considérer qu'en matière d'économie également, le XVIe s. marqua une rupture par rapport aux cadres médiévaux; ceux-ci éclatèrent pour faire place,

Ph. Hubert Josse

France XVIIe s. : Louis XIV reçoit l'ambassadeur de Perse, Mehmet Riza Beg à Versailles en 1715, par A. Coypel. (Château de Versailles.)

sinon à un « capitalisme », du moins à une économie très large, qui laissait à la fonction commerciale une place prépondérante (les contemporains parlèrent de mercantilisme). Les grandes découvertes et l'afflux de métaux précieux qu'elles entraînèrent vinrent donner une nouvelle impulsion à l'économie du XVe s. déjà en pleine expansion. Le crédit se développa, ainsi que la pratique de la lettre de change, tandis que naissait une activité véritablement industrielle, et non plus artisanale. Cette évolution s'accompagna de remaniements sociaux. La montée des prix eut pour conséquence le triomphe du mobilier sur l'immobilier : la bourgeoisie riche se trouva en mesure de racheter les biens de la noblesse obligée de vendre et se rapprocha d'elle (il se forma ainsi une nouvelle aristocratie, dont devait sortir les Villeroi ou les Gondi, par exemple), se séparant toujours davantage des classes populaires. Le soutien financier que lui apportait la bourgeoisie, qu'il favorisait, l'affaiblissement de la noblesse, contribuèrent à court terme au renforcement du pouvoir royal. François Ier fit en effet triompher une conception de la monarchie absolue, annonciatrice de celle de Louis XIV, puisqu'elle devint une délégation divine. Le roi eut tous les pouvoirs, il devint même le chef temporel de l'Église (concordat de Bologne), mais il dut respecter un certain nombre de contrats et de coutumes. La Bretagne, déjà rattachée sous Louis XII, fut définitivement intégrée au royaume. Les derniers grands fiefs disparurent, tandis que naissait la notion de l'inaliénabilité du royaume, en vertu de laquelle le Parlement devait casser le traité de Madrid* qui donnait la Bourgogne à Charles Quint. L'autorité fut renforcée par le développement des « officiers », par celui de la cour. À cette conception, les guerres de religion* allaient encore opposer celle d'un pouvoir exercé par les grands féodaux : la minorité des rois (François* II, Charles* IX), comme plus tard celle de Louis XIII ou la Fronde, permit aux princes, à la tête de provinces et prêts à faire appel à l'étranger, d'exploiter les troubles nés de la Réforme*. À long terme, ceux-ci, en arrêtant le développement de l'économie et la montée de la bourgeoisie, allaient favoriser l'absolutisme (contrairement à ce qui se produisit en Angleterre). Dans l'immédiat, la continuité monarchique, près de sombrer sous Henri* III, ne fut sauvée que par les gens de robe (cette époque fut très riche du point de vue législatif, **V. L'Hospital** [Michel *de*] qui établirent son principe abstrait, indépendant de la personne du roi. La guerre civile et religieuse avait dégénéré en guerre étrangère : Philippe II pensait même à placer sa fille sur le trône de France. Le ralliement du parti des politiques qui s'était peu à peu développé, essentiellement face au péril extérieur, permit à Henri* IV de rétablir la paix. Les Espagnols durent se retirer (traité de Vervins) et les passions religieuses durent faire place à un compromis **(V. Nantes** [*édit de*]**).** La pacification et le relèvement du pays s'accompagnèrent de la restauration de l'autorité royale, dont le développement allait être poursuivi sous Louis* XIII, Richelieu*, puis Mazarin*, et trouver son achèvement dans la monarchie absolue de Louis* XIV : gouvernant par lui-même et par lui seul (les ministres ne furent plus que de simples exécutants), il établit une véritable mystique du pouvoir de droit divin, consacrée par Versailles, et acheva ainsi l'unité de l'État, préparant l'idée d'État moderne. Les mesures antiprotestantes de Richelieu, la révocation de l'édit de Nantes, furent une conséquence logique de l'absolutisme. La rivalité avec la maison de Habsbourg reprit. Seul son assassinat empêcha Henri IV d'entrer en guerre contre l'Espagne. Ce fut Richelieu qui intervint à la fin de la guerre de Trente* Ans (1635), et Mazarin continua la lutte avec succès : le traité de Westphalie*, uis celui des Pyrénées*, consacrèrent l'hégémonie française en urope. Elle allait être portée à son comble par Louis XIV : le aité de Nimègue* marqua l'apogée extérieur du règne et un grandissement notable du royaume. Cependant sa politique gressive devait entraîner une suite de coalitions finalement ctorieuses **(V. Succession d'Espagne,** [*guerre de*]**).** La lutte tra-tionnelle contre les Habsbourg fit peu à peu place sous Louis XV une rivalité économique et coloniale avec l'Angleterre (renverse-ent des alliances, **V. Sept Ans** [*guerre de*]) déjà esquissée sous le ègne précédent. L'effort de redressement diplomatique et mili-aire **(V. Choiseul)** allait porter ses fruits avec la politique étran-ère de Louis XVI. Mais si le royaume ne retrouva pas sous ouis XV sa place prépondérante en Europe, il conserva avec les lumières » l'extraordinaire rayonnement culturel du « grand iècle ». Du XIVe s. à la fin du XVIIIe s., les structures agricoles aient restées immuables, laissant le pays à la merci de disettes ui entraînaient famines, épidémies et chute démographique. La tuation se fit particulièrement grave au XVIIe siècle. Elle s'ins-rivit dans une période de crise générale en Europe, traduite par a stagnation, puis la dépression des prix entre les hausses du VIe s. et celles du XVIIIe siècle. Cette conjoncture défavorable peut eut-être rendre compte de l'échec final des efforts gouvernemen-aux **(V. Colbert)** après les réussites du début du siècle (Sully, affemas). Famines, pression fiscale pesant sur le monde rural, industrie se trouvant favorisée dans la perspective d'une économie nercantiliste, devaient entretenir un climat de guerre civile larvée il y eut une centaine de révoltes dans la première moitié du VIIe s., Croquants, Nu-Pieds...), dirigée contre le fisc royal, mais usceptible d'être exploitée par l'aristocratie ou la bourgeoisie, omme ce fut le cas pendant les régences. À une situation moins ramatique, le XVIIIe s. substitua l'écart considérable entre exploi-ants, restés dans la misère, et « rentiers », bénéficiaires des ausses des prix, et dont les revenus étaient davantage orientés ers la consommation de luxe ou la spéculation que vers le progrès de la Régence à la Révolution, le grand commerce, et notamment e commerce colonial, connut une forte expansion, faisant la ichesse de villes comme Nantes ou Bordeaux). Le manque de essources des campagnes est manifesté par le développement de 'industrie rurale, qui devait totalement disparaître au XIXe siècle. La tension politique et sociale s'en trouva aggravée. L'appauvris-ement de la noblesse terrienne se poursuivit, tandis que persis-aient ses ambitions féodales. Comme au XVIe s., à la théorie de 'autorité unique s'opposait la notion de pouvoir aristocratique : 'agitation des grands qui troubla toutes les minorités devait eprendre à la fin du règne de Louis XIV et aboutit, sous la Régence, a la polysynodie qui fut un échec. Les ambitions de la noblesse se rouvaient renforcées par la montée de la bourgeoisie qui poursui-vit son ascension à travers tout le XVIIe et le XVIIIe siècle. La olitique intérieure du règne de Louis XV fut dominée par l'oppo-ition des cours souveraines (dont le rôle avait été déterminant endant la Fronde) qui, tout en ralliant l'opinion par une défense héorique de la liberté face aux empiètements du pouvoir royal, défendaient en réalité leurs privilèges et arrêtèrent toute possibi-ité de réforme. Le roi se trouvait en perpétuelle détresse financière, en raison d'une part de l'importance de ses besoins, dus aux guerres, et, d'autre part, de la mauvaise administration : la véna-ité des charges qui datait de François Ier, mais avait été aggravée par l'édit de la Paulette*, donna en effet une grande indépendance aux « officiers ». La « dette publique » datait elle aussi du XVIe siècle. L'échec de l'entreprise de Law* fut lourde de conséquences. Le pouvoir était obligé de faire appel aux « traitants » et le Parle-ment eut beau jeu de s'opposer aux décisions royales, aidé en cela par l'indécision de Louis XV : après avoir soutenu les réformes de Machault* d'Arnouville, il céda et son recul fut manifesté par e renvoi des jésuites, victoire pour le parlement janséniste ; le roi reprit à la fin du règne une politique autoritaire, avec le triumvirat Maupeou*-d'Aiguillon*-Terray*. Cette politique devait être aban-donnée à sa mort. — LA RÉVOLUTION ET LA FIN DE L'ANCIEN RÉGIME (1774-1799). Roi honnête, doux et religieux, Louis* XVI, qui monta sur le trône en 1774, était peu préparé à faire face aux profondes transformations économiques (essor du commerce, de la production manufacturière), démographique (accroissement de la population, urbanisation), sociale (montée de la classe bourgeoise) et idéolo-gique (mouvement des idées philosophiques et économiques : encyclopédistes, physiocrates, formation de « société de pensée », favorables à l'égalité et à la liberté). Si la participation de la France à la guerre d'Indépendance des États-Unis (1778-1783) accrut son prestige à l'extérieur, elle aggrava la situation finan-cière, que les dépenses inconsidérées de la cour **(V. Marie-Antoinette)** rendaient plus précaire encore. Les tentatives de réformes proposées par Calonne*, Loménie* de Brienne, puis Necker*, aboutirent à la « révolte nobiliaire » (1787-1788), qui, dans une situation économique difficile, constitua une remise en question de l'absolutisme royal en même temps qu'une tentative pour maintenir les privilèges de la noblesse. Cette crise aboutit à la convocation des États* généraux (mai 1789), qui marquèrent le début d'une révolution libérale nationale bourgeoise **(V. Révo-lution française).** Avec la formation de l'Assemblée* nationale constituante (9 juill. 1789), la royauté absolue de « droit divin » faisait place à une monarchie constitutionnelle, qui, avec la prise de la Bastille* (14 juillet), l'abolition des privilèges (4 août* 1789 ; Déclaration des droits* de l'homme), mettait fin à l'Ancien Régime au profit de la bourgeoisie. Celle-ci entreprit une œuvre de réfor-mes administratives, sociales et religieuses **(V. Assemblée natio-nale constituante, Assemblée législative, Constitution civile du clergé).** Mais le compromis entre le roi et la Révolution s'avéra fragile (fuite et arrestation du roi à Varennes* [juin 1791], affaire du Champ*-de-Mars). Les menaces de complot contre-révo-lutionnaires, fomentés par les nobles émigrés, et les échecs mili-taires qui suivirent la déclaration de la guerre à l'Autriche (avr. 1792) eurent raison de la monarchie (10 août* 1792, Com-mune* insurrectionnelle de Paris, massacres de Septembre*). La Ire République* française fut proclamée le 21 septembre 1792 par la Convention*, qui, d'abord dominée par les Girondins*, fut marquée par le procès et l'exécution de Louis XVI (déc. 1792-janv. 1793), immédiatement suivie de la formation de la Ire Coali-tion* contre la France révolutionnaire. Les difficultés économiques, sociales et politiques (développement de la contre-révolution ; guerre de Vendée* ; chouannerie*) et les menaces extérieures aboutirent à l'exclusion des Girondins au profit des Montagnards* (juin 1793). Pendant un an, les jacobins* **(V. Robespierre, Saint-Just, Couthon)** instaurèrent en France une dictature révolution-naire, réprimant les mouvements contre-révolutionnaires, rempor-tant des victoires extérieures et adoptant les mesures sociales exigées par les extrémistes (hébertistes*, enragés*). Mais les excès de la Terreur*, les dissensions politiques, entraînèrent fina-lement la chute de Robespierre et de ses alliés (9 Thermidor* [1794]). La bourgeoisie libérale et modérée reprenait en main les rênes du pays. Époque de réaction et de corruption, la Convention thermidorienne (1794-1795), puis le Directoire* (1795-1799), furent marqués par la répression des insurrections, tant jacobines que royalistes. Mais l'instabilité intérieure et la poursuite de la guerre permirent l'exécution du coup d'État du 18 brumaire* (1799) qui mit fin à l'époque révolutionnaire. — LE CONSULAT (1799-1804) ET L'EMPIRE (1804-1814, 1815). Napoléon Bonaparte **(V. Napoléon Ier),** dont le prestige était lié à de nombreuses victoires, parvint rapidement à monopoliser à son profit le renfor-cement du pouvoir exécutif en se faisant nommer consul à vie (1802), puis sacrer empereur (déc. 1804). Les différentes formes d'opposition ayant été supprimées ou réprimées, le Consulat et l'Empire furent marqués en politique intérieure par une réorganisa-tion administrative (institution des préfets et sous-préfets), reli-gieuse (Concordat* de 1801, qui mit un terme aux tensions reli-gieuses issues de la Révolution), juridique (Code* civil), financière (Banque* de France, franc germinal), scolaire et universitaire ; cette réorganisation a influencé la vie intérieure de la France jus-qu'à nos jours. Cette période de l'histoire française fut dominée par la politique militaire conquérante de Napoléon (campagnes de l'Empire, **V. Napoléon Ier, Blocus continental,** auxquelles répondit la formation des diverses coalitions* contre la France) ; l'Empe-reur étendit sa domination sur la plus grande partie de l'Europe, plaçant les membres de sa famille **(V. Bonaparte)** et ses plus proches partisans sur plusieurs trônes d'Europe, et préparant indirectement les mouvements nationalistes du XIXe siècle. Mais aux succès devaient bientôt succéder les échecs militaires qui, avec la campagne de France (1814), l'occupation de Paris par les troupes « alliées » et le traité de Paris* (1814) obligèrent l'Empe-reur à abdiquer. La défaite de Waterloo* (1815) mit fin à l'épisode des Cent*-Jours pendant lesquels Napoléon avait tenté d'interrom-

Ph. Tétrel

France XVIIIe s. : la prise de la Bastille le 14 juillet 1789. Gravure du XVIIIe s. (Bibliothèque nationale, Paris.)

pre la Restauration, et l'Empereur laissa la France moins étendue qu'il ne l'avait trouvée, dans ses frontières de 1792. — LA RESTAURATION (1814-1815, 1815-1830) ET LA MONARCHIE DE JUILLET (1830-1848). Sous les règnes de Louis* XVIII (1814-1824) et de Charles* X (1824-1830), la France, où fut instaurée une monarchie constitutionnelle non démocratique **(V. Charte de 1814)** traversa une période de réaction politique et idéologique qui suscita une double opposition : celle des ultras*-royalistes qui escomptaient de la Restauration un retour intégral à l'Ancien Régime, et celle des libéraux. La Restauration, dont les débuts furent marqués par un net redressement financier mais une trop faible croissance économique, s'acheva par la révolution* de Juillet 1830, qui réagissait au caractère de plus en plus autoritaire et réactionnaire du régime et qui mit fin au règne des Bourbons au profit de la branche d'Orléans avec Louis*-Philippe. Aux hommes politiques du Parti du Mouvement* succédèrent rapidement ceux du parti de la Résistance (conservateurs), tandis que le régime de la monarchie* de Juillet devait faire face à de nombreux mouvements d'opposition politique et sociale, et que le roi et son gouvernement, tout en recherchant la paix par une politique d'entente cordiale avec l'Angleterre, menaient à l'extérieur une politique de conquêtes coloniales (Afrique du Nord et Afrique noire, Extrême-Orient, Pacifique). Mais l'essor économique, dont profita la grande bourgeoisie, et qui s'accompagna de bouleversements sociaux et idéologiques (catholicisme libéral, débuts du socialisme), fut suivi d'une crise économique et financière (1846-1847). Une politique de plus en plus conservatrice **(V. Guizot)** provoqua la révolution* de Février 1848. — LA RÉVOLUTION DE 1848 ET LE SECOND EMPIRE. La révolution qui avait entraîné l'abdication de Louis-Philippe et la proclamation de la IIe République* fut rapidement contrôlée par les républicains modérés au détriment des socialistes; les insurrections de mai et surtout de juin* 1848 furent violemment réprimées **(V. Cavaignac; Assemblée constituante).** Le conflit qui opposa ensuite le prince-président Louis Napoléon Bonaparte **(V. Napoléon III)** et l'Assemblée* législative (1849), qui mena une politique de réaction (loi Falloux*, suppression du suffrage universel, expédition de Rome*) aboutit finalement au coup d'État du 2 décembre* 1851. La IIe République ne survécut pas longtemps à ce coup d'État et à la répression de l'opposition qui lui fit suite; en 1852, le Prince-Président se faisait décerner le titre d'empereur par un sénatus-consulte. Le Second Empire (1852-1870) fut d'abord pour la France une période de prodigieux essor économique, accompagné de transformations urbaines **(V. Haussmann)**. Cette phase d'expansion du capitalisme libéral eut pour contrepartie la formation d'un prolétariat de plus en plus important et défavorisé. En politique intérieure, l'empereur et son gouvernement menèrent d'abord une politique autoritaire; dès 1860, toutefois, apparaissaient les premières mesures de libéralisation du régime, qui, en 1869 **(V. Ollivier)** retrouva un caractère parlementaire. En politique extérieure, la France connut un certain prestige dans les premières années de l'Empire par sa participation à la guerre de Crimée* (1854-1856), la campagne d'Italie* (1859) et sa politique d'expansion coloniale. Mais des revers militaires (expédition du Mexique*) ne tardèrent pas à affaiblir progressivement le régime impérial qui, à l'intérieur, rencontrait une opposition républicaine et socialiste croissante. Cependant que la France, déconsidérée par sa politique extérieure, se trouvait isolée, une tension accrue des relations diplomatiques avec la Prusse devait amener l'empereur à lui déclarer la guerre (juill. 1870). Le Second Empire, comme le Premier, allait s'effondrer après de cuisants échecs militaires (capitulation de Sedan*, le 2 sept. 1870, suivie de la journée insurrectionnelle du 4 Septembre* et de la proclamation de la IIIe République). — LA IIIe RÉPUBLIQUE (1870-1940). Les débuts de la IIIe République, avec la formation d'un gouvernement de la Défense* nationale (sept. 1870-févr. 1871), puis l'élection de l'Assemblée* nationale et la formation du gouvernement de Thiers* furent une période particulièrement sombre de l'histoire du pays. Au désastre de la guerre franco*-allemande (traité de Francfort* [mai 1871] et perte de l'Alsace-Lorraine) s'ajoutait en effet la douloureuse guerre civile qui opposa le gouvernement officiel à la Commune* de Paris, dont l'insurrection, parfois violente, fut sauvagement réprimée (mai 1871). Thiers s'attacha ensuite à une œuvre de redressement économique et financier du pays (1871-1873). Mais les dissensions politiques de l'Assemblée (monarchistes, bonapartistes, républicains) contribuèrent à son renversement. La tentative de restauration de la monarchie au profit du comte de Chambord échoua, mais le gouvernement dit d'Ordre* moral **(V. Mac-Mahon)** n'en fut pas moins une époque de conservatisme et de réaction politique et idéologique (1873-1879). Toutefois, les républicains parvinrent progressivement à s'imposer. Après l'adoption de la Constitution en 1875, un régime républicain, démocratique et laïque, put s'instaurer (loi de séparation de l'Église et de l'État, 1905). Alors que se poursuivait l'essor économique et que la politique extérieure était dominée par une expansion coloniale sans précédent **(V. Ferry [Jules])** et un effort pour sortir de l'isolement et nouer des relations confiantes avec la Russie, l'Italie et surtout la Grande-Bretagne **(V. Entente cordiale),** s'organisait le type de vie politique de la France contemporaine, caractérisé par le parlementarisme. Tandis que le régime était périodiquement secoué par des crises diverses : opposition nationaliste et antiparlementaire du boulangisme* **(V. Boulanger),** scandale de l'affaire de Panamá*, et surtout affai[re] Dreyfus*, à l'occasion de laquelle se regroupèrent les forces d[e] droite et de gauche, se formaient les grands partis politique[s] (radical*, socialiste*, S.F.I.O., dont se sépara la majorité com[muniste]* en 1920) et s'organisait la vie syndicale (C.G.T.). Dan[s] une situation internationale tendue, la gauche, victorieuse e[n] 1914, ne put faire triompher les tendances pacifistes; et, aprè[s] la déclaration de la guerre d'août 1914, se ralliait au gouverne[ment] d'Union sacrée **(V. Poincaré).** Si la France sortit victorieuse d[e] la Première Guerre* mondiale (1914-1918), le traité de Versailles lui rendant l'Alsace et la Lorraine, celle-ci n'en fut pas moin[s] épuisante et coûteuse. Au lendemain de cette guerre, la scèn[e] politique fut tour à tour occupée par le Bloc* national, puis pa[r] le Cartel* des gauches (1924), qui ne put faire face aux difficulté[s] financières, enfin par le gouvernement d'Union nationale d[e] Poincaré* (1926). La crise économique internationale de 1929 q[ui] devait également affecter la France s'accompagna dans divers pay[s] d'Europe d'une dangereuse montée des mouvements d'extrêm[e] droite **(V. Fascisme, nazisme).** Pour faire face à ce péril, les forces de gauche françaises tentèrent de s'unir (1934). Mais, malgr[é] la victoire socialiste et communiste aux élections législatives d[e] 1936, l'expérience de gouvernement de Front* populaire (cabinet L. Blum*, puis Chautemps*) fut, en définitive, un échec relatif e[n] dépit de quelques mesures sociales. Tandis que se précisaient le[s] menaces de guerre, le gouvernement Daladier* (1938-1940), aprè[s] avoir signé les accords de Munich* (sept. 1938), faisait adopte[r] diverses mesures financières et économiques. Le désastre militair[e] qui suivit, après plus de six mois d'inaction (« drôle de guerre ») l'entrée en guerre contre l'Allemagne **(V. Guerre mondiale [*Deuxième*])** eut raison de la IIIe République. Tandis que le général de Gaulle* appelait de Londres (18 juin 1940) le peuple françai[s] à poursuivre la lutte aux côtés de la Grande-Bretagne, le maréchal Pétain*, qui remplaça P. Reynaud* au gouvernement, acceptai[t] de signer l'armistice avec l'Allemagne (22 juin 1940) et, la majorit[é] du Sénat et de l'Assemblée nationale lui ayant voté les plein[s] pouvoirs (10 juill. 1940), substituait à la IIIe République l'État* français et lançait la « révolution nationale » dont les thème[s] moraux (« Travail, Famille, Patrie »; retour à la terre) recou[vraient] les réalités de la démission nationale. — APRÈS LA IIe GUERRE MONDIALE. Tandis que le gouvernement de Vichy* (1940-1944; **V. Darlan, Laval**) s'orientait de plus en plus nette[ment] vers une politique de collaboration* avec l'Allemagne hitlé[rienne] qui occupa d'abord la moitié nord du pays, s'organisai[t] parallèlement la Résistance* intérieure (1943 : Conseil* nationa[l] de la Résistance) et se constituaient, à l'instigation du général d[e] Gaulle, les Forces* françaises libres. Après le débarquement alli[é] en Afrique du Nord (fin 1942), alors que les Allemands déci[daient] l'occupation de la zone sud de la France, était créé, e[n] Algérie, le Comité* français de libération nationale (déb. juin 1943) sous la double présidence des généraux Giraud* (qui fut élimin[é] dès novembre 1943) et de Gaulle. Ce Comité devint le Gouverne[ment] provisoire de la République française (3 juin 1944) et fu[t]

Coll. Violle[t]

France XXe s. : le général de Gaulle à Londres en 1941 assisté d'une Assemblée consultative provisoire. Dès la fin de 1943, la libération du territoire avait commencé en Corse. Après le débarquement allié en Normandie (6 juin 1944), les Alliés et la Résistance libéraient Paris (25 août), où s'installait le gouvernement provisoire du général de Gaulle, tandis que la plupart des membres du gouvernement de Vichy gagnaient Sigmaringen. Alors que se poursuivaient aux frontières les opérations militaires jusqu'à la capitulation de l'Allemagne (8 mai 1945), le gouvernement français, tenu à l'écart des conférences de Yalta et de Potsdam, devait faire face à une situation économique, sociale et politique cruciale (paralysie presque totale de l'économie, problèmes posés par l'épuration des « collaborateurs »). Après la victoire des communistes, du M.R.P. et des socialistes à la première Assemblée* constituante (1945) qui confirma le général de Gaulle dans ses fonctions de chef de gouvernement et adopta un certain nombre de mesures économiques (nationalisations) et sociales, de Gaulle, en désaccord avec les partis, donna sa démission (janv. 1946); il fut remplacé par F. Gouin. La deuxième Assemblée constituante (1946) adoptait par référendum la Constitution de la IVe République* qui entra en vigueur après l'élection de V. Auriol* à la présidence (déb. 1947). L'expérience de gouvernement tripartite (communistes, socialistes, M.R.P.) s'acheva en mai 1947 avec l'exclusion des communistes. La IVe République entreprit à l'intérieur une œuvre de reconstruction économique et financière, avec l'appui du plan Marshall*, adhéra au pacte Atlantique (1949), et admit l'entrée de la R.F.A. dans l'O.T.A.N. (1954), posant les bases du Marché commun européen et de l'Euratom. Mais le régime fut surtout caractérisé par une instabilité ministérielle chronique, aggravée par les problèmes de la décolonisation : à la guerre d'Indochine (1946-1954), à laquelle le gouvernement Mendès* France mit fin après Diên*-Biên-Phû, s'ajoutèrent les troubles en Afrique du Nord (Tunisie, Maroc et Algérie). G. Mollet*, porté à la tête du gouvernement, adopta une politique coloniale conforme aux souhaits des partisans de l'Algérie française. Mais l'échec de l'expédition de Suez* (nov.-déc. 1956) et les problèmes financiers l'obligèrent à démissionner. Les gouvernements qui se succédèrent ne purent résoudre la crise algérienne et les tensions internes qu'elle suscita. Après l'insurrection du 13 mai* 1958 à Alger, le président de la République R. Coty* (1953-1959) faisait appel au général de Gaulle*, qui, le 1er juin 1958, constituait un gouvernement qui fit adopter une nouvelle Constitution renforçant le pouvoir exécutif et surtout celui du président. Élu à la présidence de la Ve République* en décembre 1958, réélu en 1965, le général de Gaulle, disposant d'une majorité confortable (U.N.R., puis U.D.R.*) à l'Assemblée nationale, gouverna successivement avec M. Debré* (1959-1962), G. Pompidou* (1962-1968) et M. Couve* de Murville (1968-1969). Il s'employa d'abord, non sans difficultés (semaines des barricades, 1960; putsch d'Alger, 1961, action de l'O.A.S.), à mettre fin à la guerre d'Algérie. La signature des accords d'Évian* (mars 1962) faisait accéder l'Algérie à l'indépendance. Sur le plan extérieur, le général de Gaulle chercha à rendre à la France son prestige sur la scène mondiale, à lui rendre son indépendance diplomatique et militaire (sortie de l'O.T.A.N., de 1959 à 1966, création d'une force atomique dite « de dissuasion »), et tenta de lui donner une place de premier plan dans la construction d'une « Europe des États » (par opposition à des « États-Unis d'Europe »). En politique intérieure, les mesures économiques et financières (plan Rueff-Pinay, 1958-1959; plan de stabilisation de V. Giscard d'Estaing) ne suffirent pas à empêcher l'inflation et le développement d'un malaise économique, social et culturel. Toutefois, la grave crise que traversa le régime gaulliste en mai-juin 1968 **(V. Mai 1968)** ne suffit pas à l'ébranler gravement. La majorité U.D.R. sortit victorieuse des élections législatives de juin 1968, mais le général de Gaulle, ayant essuyé un échec à un référendum portant sur la régionalisation et la réforme du Sénat, se retira en avril 1969. Élu président de la République, G. Pompidou* et ses gouvernements successifs (Chaban*-Delmas, 1969-1972; P. Messmer*, 1972) poursuivirent, élargirent ou modifièrent, selon les domaines, la politique gaulliste, dans un climat de malaise social, scolaire et universitaire. Après la mort de G. Pompidou* le 2 avril 1974, V. Giscard* d'Estaing a été élu président de la République le 19 mai 1974 avec 50,70% des voix devant F. Mitterrand* (49,30%). V. Giscard d'Estaing avait mis l'accent sur une « volonté de changement », qui s'est manifestée, avec le gouvernement de J. Chirac* (1974-1976), par l'abaissement à dix-huit ans de la majorité et par la loi sur l'interruption de la grossesse. Tandis que J. Chirac, démissionnaire, transformait l'U.D.R. en R.P.R., R. Barre* était nommé Premier ministre-ministre des Finances et chargé de définir un plan austère de lutte contre l'inflation. Cette inflation et le chômage demeurent les principaux soucis du gouvernement. Une poussée sensible de la gauche (52% des voix) se manifesta aux élections municipales de 1977.

FRANCE *(île de)*. ♦ Anc. nom de l'île Maurice*.

France-Presse *(agence)*, **A.F.P.** ♦ Principale agence de presse française. Elle possède des bureaux ou des correspondants dans 157 pays ou territoires et diffuse environ 500 000 mots par jour.

FRANCESCA (Piero della). ♦ V. PIERO DELLA FRANCESCA.

FRANCESCA DA RIMINI. ♦ (Mort Rimini v. 1284-1285). Fille du seigneur de Ravenne, elle épousa Gianciotto Malatesta*, seigneur de Rimini. Elle devint la maîtresse de son beau-frère et fut assassinée en même temps que lui par son mari. — Elle inspira Dante dans *L'Enfer*.

Arch. Rencontre

France XXe s. : manifestation à Paris en mai 1968.

FRANCESCO DI GIORGIO MARTINI. ♦ Architecte, sculpteur et peintre italien (Sienne, 1439 — *id.*, 1502). Élève du peintre et sculpteur Vecchietta, il s'intéressa aux recherches nouvelles. Ses premiers tableaux, non encore débarrassés des hésitations empiriques, allient le charme des couleurs et la finesse des traits propres à l'école siennoise à une solide construction du paysage et de l'architecture inspirée de l'acquis florentin (*Annonciation; Couronnement de la Vierge,* 1472, Sienne). Plus tard il assimila l'enseignement de l'Ombrien Signorelli* (*Nativité,* 1490, Sienne). Son activité architecturale s'exerça surtout dans les Marches. Appelé en 1477 par le duc Federigo de Montefeltro, il acheva le palais ducal d'Urbino commencé par Laurana*, subissant l'influence de Piero* della Francesca. Les marqueteries du *studiolo* du duc Federigo auraient été réalisées à partir de ses cartons tandis qu'on lui attribue un des panneaux peints représentant des villes idéales, applications rigoureuses de la perspective et du triomphe de l'esthétique architecturale nouvelle. Cependant sa grande réalisation est l'église *del Calcinaio* (Cortona). Cette église à coupole octogonale offre un espace abstrait tout albertien amplifié par la lumière.

FRANCEVILLE. ♦ V. du S.-E. du Gabon*, sur l'Ogooué*; à proximité se trouvent le gisement de manganèse de Moanda* et les mines d'or et d'uranium de Mounana*.

FRANCFORT-SUR-LE-MAIN, en all. **Frankfurt am Main.** ♦ V. d'Allemagne occidentale (Hesse), sur le Main, à 30 km de son confluent avec le Rhin. 661 800 hab. (1969). Université (1914). Détruite à 60 % lors de la Deuxième Guerre mondiale, Francfort a conservé cependant un certain nombre de monuments anciens, disposés autour d'un noyau de maisons du XVe s., le *Römerberg,* cathédrale et Rathaus du XVe s., plusieurs églises gothiques (Saint-Leonard, XVe-XVIe s.; Sainte-Catherine, XIVe-XVIIe s.), tour-porte de 1426; maison natale de Goethe. — Au contact d'importantes voies de communications terrestres, fluviales et aériennes, Francfort est, depuis une époque ancienne, une importante métropole financière (grandes banques, première bourse de la R.F.A.) et commerciale (foires célèbres, siège social de grandes firmes). Sa fonction industrielle, beaucoup plus récente (fin du XIXe s.), est à la mesure de son rôle commercial. La chimie, avec ses trusts multinationaux (Hoechst, A.E.G.), est la mieux représentée, mais la métallurgie de transformation (construction de machines, automobiles : firme Opel à Rüsselsheim*), l'équipement électrique, le travail du cuir **(V. Offenbach)** et les indus. alimentaires ont une grande importance. À ce rôle économique est associée une fonction culturelle (Exposition internationale du livre, musée Städel, riche en œuvres de primitifs allemands et hollandais). — Patrie de Marie d'Agoult*, de Bettina von Arnim*, de Charles* II le Chauve, d'Adam Elsheimer*, de F. von Klinger*, d'O. Loewi*, de W. Messerschmitt*, de D. Roentgen*, de Meyer Amschel Rothschild*, d'A. Weismann*. ♦ *Hist.* La ville fut bâtie au VIIIe s. sur l'emplacement d'un anc. camp romain établi au ~ Ier siècle. Elle fut choisie sous Charlemagne pour être la capitale de la Franconie et résidence impériale. Célèbre au Moyen Âge par ses foires, Francfort devint une importante place commerciale et financière. Ville libre impériale, elle devint le siège du couronnement des empereurs germaniques (bulle de 1356), puis ville du couronnement (1562) jusqu'en 1806, date à laquelle Napoléon en fit la capitale d'un grand-duché. Elle redevint ville libre en 1815 et capitale de la Confédération germanique, puis fut annexée par la Prusse en 1866. C'est à Francfort que fut signé en 1871 le traité mettant fin à la guerre franco-allemande **(V. *ci-dessous*).** Occupée en 1920 par les troupes françaises pour garantir l'application du traité de Versailles, la ville fut détruite à 60 % lors de la Deuxième Guerre mondiale, puis reconstruite à partir de 1945. — *Traité de Francfort.* Après les préliminaires de Versailles entre Bismarck et Thiers (26 févr. 1871), ce traité, qui mit fin à la guerre franco-allemande de 1870-1871, fut signé le 10 mai 1871. La France vaincue cédait à l'Allemagne l'Alsace* (moins Belfort*) et le nord-est de la Lorraine (avec Thion-

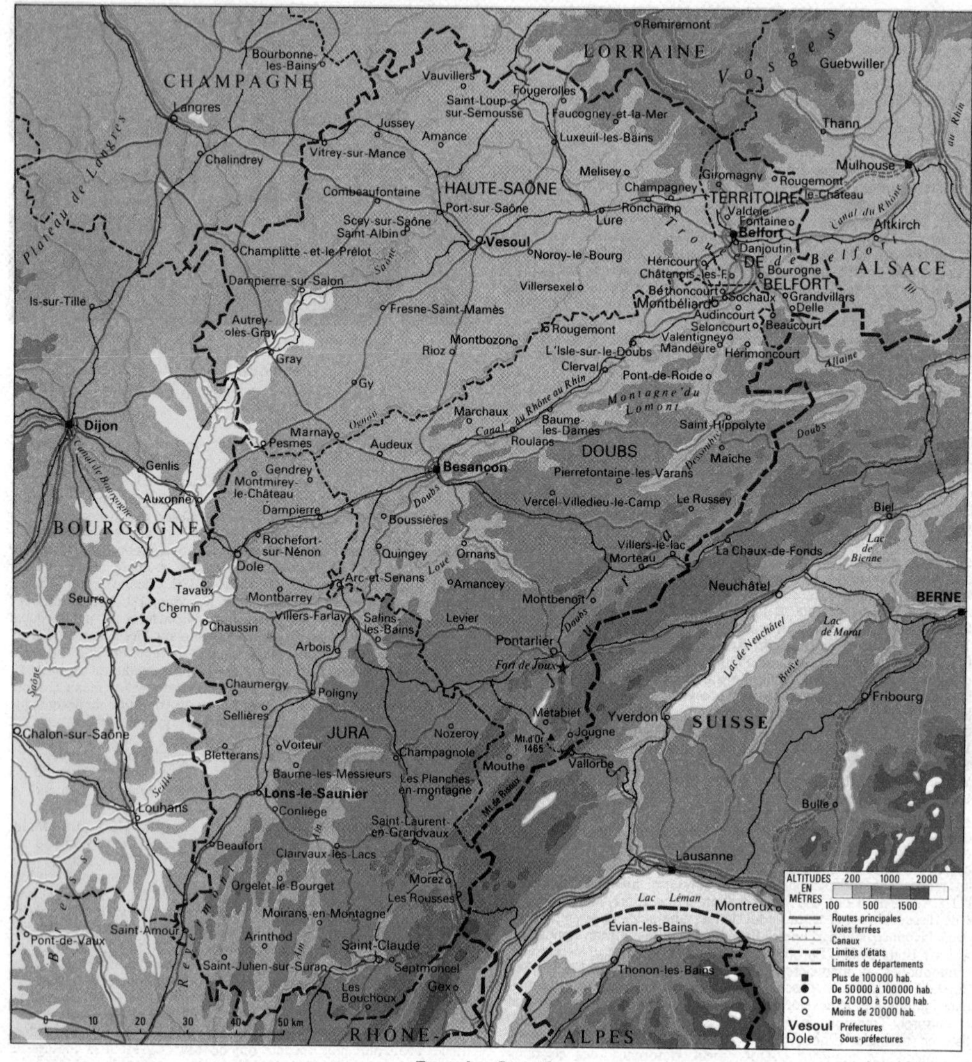

Franche-Comté.

ville et Metz), à l'exclusion du bassin de Briey. En outre, elle versait au vainqueur une indemnité de cinq milliards de francs-or, dont le paiement fut garanti par l'occupation de vingt et un départements français par les troupes allemandes. La politique d'emprunts menée par Thiers* permit de payer le dernier versement dès sept. 1873 et de libérer le territoire national.

FRANCFORT-SUR-L'ODER, en all. **Frankfurt an der Oder**. ♦ V. d'Allemagne orientale (Brandebourg) et ch.-l. de district, sur l'Oder, à la frontière polonaise. 58 000 hab. Église du XIIIe s. et Rathaus du XVe siècle. Centre administratif. Indus. textiles, chimiques et mécaniques. – Patrie d'Heinrich von Kleist*.

FRANCHE-COMTÉ. *n. f.* ♦ Anc. province française dont la majeure partie forme auj. les dép. de la Haute-Saône, du Doubs et du Jura. ♦ *Hist.* Cette anc. province fut constituée très tôt et recouvrait le Jura central et la Haute-Saône. Elle eut pour cap. Dole, puis Besançon. Les Romains y trouvèrent une population de Séquanes* et en firent la Maxima Sequanorum. Après avoir subi la domination burgonde*, puis carolingienne*, elle fut intégrée aux royaumes de Provence*, puis de Bourgogne* et enfin à l'Empire (1169). Devenue comté de Bourgogne (par opposition au duché), comté palatin d'empire, elle accueillit un moment à Dole la cour brillante de Frédéric* Barberousse. Le terme de Franche-Comté n'apparut qu'au XIVe s. : à cette époque, après avoir échu successivement à la France, au duc de Bourgogne, à Marguerite de Flandre, elle revint à la Bourgogne et, par Marguerite de Bourgogne, passa à l'Empire et enfin aux Habsbourg d'Espagne. Comprise dans la « marche de Bourgogne » (1548), elle tint alors un rôle capital dans les communications entre l'Espagne et les Pays-Bas, ce qui lui valut une certaine autonomie et une grande prospérité. Envahie par Henri IV et par Louis XIII, elle fut revendiquée par Louis XIV au nom de Marie-Thérèse. Obligé de la rendre après l'avoir envahie, au traité d'Aix*-la-Chapelle, il l'acquit définitivement à celui de Nimègue* (1678).

FRANCHE-COMTÉ. *n. f.* ♦ Région (anciennement C.A.R.) française. 4 départements : Doubs*, Jura*, Haute-Saône*, Territoire de Belfort*. 16 188 km² (3 % de la France). 1 060 300 hab. (2 %; 20e rang). Densité : 61 hab./km². – Vieille prov. frontière dont, au Moyen Âge, la limite occidentale séparait la France de l'Empire, elle était centrée sur les plateaux de calcaires jurassiques qui s'étendent de Dole et Besançon jusqu'au pied des Vosges* (de 230 à 350 m) au contact de la plaine séquanaise et de la montagne jurassienne **(V. Jura)** : cette complémentarité en fit une véritable unité économique et lui permit au long des siècles d'affirmer sa personnalité, « ni suisse ni bourguignonne ». Les « bas pays » appartiennent au sillon rhodanien **(V. Rhône)**, fossé d'effondrement comme la plaine d'Alsace* avec laquelle ils communiquent par le seuil de Belfort, large de 20 km entre Vosges et Jura, et intégré à la prov. Ouverts au N.-O. sur la Lorraine et la Bourgogne (450 m), ils s'inclinent vers le S. en un glacis de plateaux gréseux et calcaires (Haute-Saône), accidentés de cassures multiples et irrégulières : le socle hercynien y affleure au massif de la Serre. Sévères et rudes, boisés et rocailleux, ces plateaux disparaissent sous les dépôts tertiaires uniformes des plaines de la Saône* (200 m) où convergent les eaux descendues des bordures (Saône, Ognon, Doubs et leurs nombreux affl.). A l'E., ces plaines se heurtent au talus convexe, correspondant à un pays riant et animé

Revermont, vignoble), haut de 400 à 500 m et percé de « reculées »; celles-ci, de l'Ain à la r. g. du Doubs et au Lomont (900 m), constituent la retombée du *Jura tabulaire*. C'est une succession de plateaux calcaires, larges de 50 km, disloqués et cloisonnés (Ornans, Lons-le-Saunier, Poligny, Champagnole, Nozeroy), aux tracés hydrographiques souvent insolites (Doubs, Loue,...), où la topographie karstique se mêle à une riche végétation arborescente et herbacée, liée à des placages d'argiles glaciaires et à une forte pluviosité (de 1 à 2 m). Étagés par larges plans entre 500 et 900 m, ces plateaux conduisent insensiblement aux chaînes jurassiennes ou *Jura plissé* dont la région ne possède qu'un étroit liséré (mont Risoux, 1 400 m) : plissement tertiaire d'une régularité exemplaire, où les synclinaux dessinent des « vals » (Valserine, Valmijoux) alternant avec des « monts » (voûtes anticlinales) creusés de « combes » que dominent les arêtes vives des « crêts » et tranchés par des « cluses », seules voies de passage d'un val à un autre. Très arrosée, la montagne porte de magnifiques forêts d'épicéas et de sapins. L'amplitude thermique est, dans tout le Jura, de type continental (Besançon [alt. 300 m], janv. 1,6 °C, juil. 19 °C); l'enneigement y est persistant, les hivers longs. — *Pop.* Ce n'est cependant pas le haut Jura qui alimenta l'exode (de 967 000 hab. en 1861 à 912 000 en 1911 : — 5,6 %; et — 11,8 % de 1921 à 1946 : 804 000 hab.), mais les « bas pays » et les plateaux jurassiens; en montagne, l'appoint hivernal de l'industrie (bois et horlogerie) à une solide économie forestière et laitière — celle-ci fondée sur l'association (« fruitières ») — maintint une densité exceptionnelle (+ de 50). Aujourd'hui marquée par un fort exode (— 61,2 % de 1946 à 1968) et par un mouvement de concentration plus rapide qu'ailleurs (exploitations de + de 20 ha : 75 % de la S.A.U.), l'agriculture, qui occupe 15,4 % des actifs (10 % en 1975), reste de type sylvopastoral. L'élevage (80 % du revenu) est orienté surtout vers la production laitière (10 000 000 d'hl; 3,7 % du lait français) et la fabrication du gruyère (60 000 t), préoccupé d'améliorer ses coûts, sa qualité et ses débouchés. Le vignoble (86 000 hl) diffuse ses excellents crus d'Arbois, Poligny, Château-Chalon. Quant à la forêt (taux de boisement 37 %, 2e r.), elle place la région au 4e rang pour la production du bois et constitue toujours pour les collectivités publiques une importante source de revenus. La population s'est accrue de 225 000 hab. depuis 1946, dépassant 1 000 000 d'hab. au 1er janv. 1971 (natalité 18,4 %; mortalité 10,4 % [France 16,8; 11]; 35 % de moins de 20 ans [France 32 %]; solde migratoire positif). Mais les densités du Territoire de Belfort (200 +) et du Doubs (86) contrastent avec celles du Jura (48) et de la Haute-Saône (41) : de 1968 à 1975, les premiers ont absorbé 83 % de l'accroissement régional. Le vieux foyer industriel de la Porte de Bourgogne, en expansion continue depuis 1971, est devenu une forte concentration, dominée par l'automobile (28 % de la main-d'œuvre : Peugeot, 35 000 salariés, première entreprise provinciale, 21 % des voitures françaises), les cycles, les constructions électriques, le matériel de bureau (100 % des machines à écrire) autour de Belfort* (8 000 hab. en 1870, 40 000 en 1911, 71 000 en 1968) et Sochaux*-Montbéliard* (aggl. 115 000 hab.) : l'aire urbaine (80 communes) de 240 000 hab. en 1968 [280 000 en 1975] (26 % du total) passera à 350 000 en 1985. À ce pôle d'attraction excentrique s'oppose la dispersion industrielle du reste de la région : mécanique de précision surtout (horlogerie : 85 % des montres françaises, optique, électromécanique). Elle a permis de retenir les ruraux : sept villes secondaires : Dole*, Tavaux* (chimie, 29 000), Lons*-le-Saunier (25 000), Vesoul* (21 000), Pontarlier* (19 000), Gray* (15 000), Saint-Claude* (15 000) — et une douzaine de centres intermédiaires (Ornans, Champagnole, Morez [lunetterie], Saint-Loup [ameublement], Delle) — totalisent respectivement 22 % et 18 % de la population urbaine. Spécialisation et concentration industrielles progressent (53 % des salariés travaillent dans des unités de plus de 200 personnes, contre 41 % en 1954), mais l'artisanat conserve un rôle important de sous-traitance. En somme, une indus. triversifiée, dynamique, exportatrice : avec 25 % d'emplois de plus qu'en 1954, elle occupe 50,4 % des actifs (comme la Lorraine) et repose sur un système très évolué de formation générale, professionnelle et continue (taux de scolarisation des 15-19 ans : 58,8 % [France 41], 1er rang pour l'Europe). — Sur l'axe du Doubs, cœur de la province (+ de 50 % de la population), enserrée dans la boucle du fleuve, Besançon est la cap. administrative, économique et culturelle. Son aggl. compte 116 000 hab. Son développement est lié à celui du secteur tertiaire, dont la déficience reflète celle de la région (34,2 %; France 44,7 %), ainsi qu'à la réalisation des grandes infrastructures de transport, notamment l'aérodrome et l'autoroute Mulhouse-Besançon (1976) — Beaune (1979). À plus long terme (et le « Centre de réflexion sur le futur » d'Arc-et-Senans ne peut que l'inciter à la prospective), la Franche-Comté, qui a besoin d'emplois nouveaux pour retenir ses frontaliers (3 500 personnes vont chaque jour travailler en Suisse) et conserver sa jeunesse, fonde le plein épanouissement de sa vocation industrielle sur la réalisation de l'axe mer du Nord-Méditerranée.

FRANCHET D'ESPEREY [dɛpɛʀɛ] **(Louis Félix Marie François).** ♦ Maréchal de France (Mostaganem, 1856 — château d'Amancet, Tarn, 1942). Sorti de Saint-Cyr, il servit en Algérie, en Tunisie, puis au Tonkin. Il fut nommé membre de l'état-major de l'armée et du cabinet de Freycinet (1886), participa à l'expédition de Chine contre les Boxers (1900), puis fut appelé au Maroc par Lyautey (1912). Nommé par Joffre à la tête de la Ve armée en remplacement de Lanrezac* (après la bataille de Guise, 1914), il commanda ensuite les groupes d'armées de l'Est (1916) et du Nord (1917). Commandant en chef des armées alliées d'Orient (1918), il lança une rapide et victorieuse offensive contre les Bulgares (prise de Dobro Polje) qu'il contraignit à signer l'armistice en septembre 1918. Promu maréchal (1921), il devint inspecteur général des troupes d'Afrique du Nord (1923), où il contribua à l'installation des grandes lignes de communication transsahariennes. De retour en France, il fonda en 1934 les *Amitiés africaines,* pour l'aide aux anciens combattants musulmans. (Acad. fr., 1934.)

Ph. Marcay/Galliphot
Franche-Comté :
cirque de Baume-Les-Messieurs (Jura).

FRANCIA (Francesco RAIBOLINI, dit). ♦ Peintre italien (Bologne, v. 1450 — *id.,* 1517). Principal maître de l'école bolonaise à la fin du XVe s., il fut influencé par le style ferrarais et travailla en collaboration avec Lorenzo Costa*. Sa manière tardive, s'inspirant du Pérugin*, offre des paysages sereins, des personnages calmes et une lumière uniforme (*Annonciation et Six Saints,* 1504, Berlin; *Mariage de sainte Cécile* et *Enterrement de la sainte,* fresques, 1506).

FRANCIA (José Gaspar Rodriguez). ♦ Homme politique paraguayen (Asunción, 1766 — *id.,* 1840). Il fut secrétaire de la junte lors de la révolution qui chassa les Espagnols de Buenos Aires (1811). S'étant fait élire consul au Paraguay, il y institua une dictature terroriste et xénophobe mais développa l'économie du pays (1814-1840).

Franciade (La). ♦ Épopée inachevée de Ronsard* (1572), dont les quatre premiers chants, en décasyllabes, s'inspirent de l'*Énéide* et attribuent à Francus, fils d'Hector, la fondation du royaume de France.

FRANCINI ou **FRANCHINE** *(les).* ♦ Famille d'origine florentine attirée en France par Louis XIV. Elle possédait la charge d'intendant des eaux et fontaines.

FRANCIS (James Bicheno). ♦ Ingénieur anglais (Southleigh, Oxfordshire, 1815 — Lowel, Massachusetts, 1892). Il réalisa un type de turbine hydraulique à réaction (*turbine Francis,* 1849) fonctionnant selon un principe suggéré par Jean Victor Poncelet*. **V.** *aussi* **Fourneyron, Kaplan.**

FRANCIS (Sam). ♦ Peintre américain (San Matteo, Californie, 1923). Élève de Clifford Still à San Francisco, il réalisa ses premières toiles non figuratives vers 1947, puis résida à différentes reprises au Japon, à Paris et en Suisse. Adepte de la technique du *« dripping »* (écoulement), il a cherché à créer sur de vastes formats un espace pictural original, en jouant souvent des rapports entre le blanc de la toile et des taches ovoïdes, filets ou éclaboussures de peinture, dont la répartition assez régulière, suivant des verticales ou vers les bords de la toile, crée des effets rythmiques à dominantes claires *(Rouge et jaune).* Dans ses œuvres, ces formes semblent conserver la trace du geste impulsif qui les a fait naître et en tirer leur pouvoir expressif. Considéré comme l'un des principaux représentants de l'« abstraction lyrique » américaine, il a affirmé : « Je fais du Monet* de la dernière époque en pur. »

Franciscains. *n. m. pl.* ♦ **V.** FRANÇOIS D'ASSISE (saint).

Francisme. *n. m.* ♦ Ligue de tendance fasciste fondée par M. Bucard* (1933) [hebdomadaire *le Franciste*]. Dissoute par Léon Blum (1936), elle fut reconstituée et devint le *Parti franciste,* un des organes de la collaboration sous l'occupation allemande.

FRANCK (Sebastian). ♦ Théologien et écrivain allemand (Donauwoerth, Bavière, 1499 — Bâle, 1542). Ordonné prêtre en 1524, il passa peu après à la Réforme. Humaniste, croyant dans la bonté éternelle de Dieu ainsi que dans la raison et la liberté morale de l'homme, il se sépara de Luther; il fut dès lors rejeté des diffé-

Coll. Cauboue

César Franck.

rentes communautés religieuses en raison de ses positions indépendantes. (Trad. all. de *L'Éloge de la folie* d'Erasme ; *Du vice de l'ivrognerie,* 1528 ; *Petit Livre de guerre de la paix contre la guerre,* 1539 ; *Paradoxa, Proverbes allemands,* 1532 ; etc.)

FRANCK (Melchior). ♦ Compositeur allemand (Zittau, v. 1580 – Cobourg, 1639). Demeuré fidèle à l'ancien style polyphonique, il contribua cependant au développement de formes musicales nouvelles, influencées par les techniques venues d'Italie et par la chanson populaire. Son œuvre, abondante, comprend des pièces de musique vocale, religieuse et profane.

FRANCK (Johann Wolfgang). ♦ Compositeur allemand (Unterschwanlingen, v. 1644 – Londres, v. 1700). Au cours d'une existence aventureuse, il séjourna à Venise puis se fixa quelques années à Hambourg où il composa une vingtaine d'opéras. Il fut l'un des premiers musiciens allemands à utiliser les procédés de l'opéra vénitien.

FRANCK (Adolphe). ♦ Philosophe français (Liocourt, Meurthe, 1809 – Paris, 1893). Auteur d'une *Esquisse d'une histoire de la logique* (1838) et d'un ouvrage sur *La Kabbale,* il est surtout connu par son *Dictionnaire des sciences philosophiques* (1875).

FRANCK (César). ♦ Compositeur et organiste français, d'origine belge (Liège, 1822 – Paris, 1890). À l'issue de ses études au conservatoire de Paris, il entreprit une carrière de pianiste virtuose. Il y renonça bientôt pour l'enseignement du piano. Organiste de diverses églises parisiennes, il devint titulaire de la tribune de Sainte-Clotilde (1859) et fut nommé professeur au Conservatoire, dans la classe d'orgue (1872). Durant cette première partie de son existence, Franck, à la recherche de lui-même, composa des œuvres d'une faible originalité, accueillies par l'insuccès (3 *Trios concertants,* 1843 ; *Ruth,* oratorio, 1846 ; 6 *Pièces pour grand orgue,* 1860). Il ne commença à sortir de l'obscurité qu'après la cinquantaine, avec un poème symphonique, *Rédemption* (1871-1872), et un oratorio en 8 parties, *Les Béatitudes* (1869-1879), œuvres par lesquelles il affirmait une personnalité généreuse, équilibrée, marquée par le romantisme, mais capable de rénover les formes anciennes. Ses grands poèmes symphoniques, *Le Chasseur maudit* (1882), *Les Djinns** (1884), *Psyché* (1887) où la mélodie s'enrichit d'apports modaux qui lui confèrent une couleur singulière, établirent définitivement sa réputation de chef d'école. Le même lyrisme se retrouve encore dans les *Variations symphoniques,* pour piano et orchestre (1885) et dans la *Symphonie en ré* (1888). Au reste, pédagogue et maître au grand rayonnement personnel, il allait former une génération de disciples **(V. V. Indy, H. Duparc, Ch. Bordes, E. Chausson, G. Pierné, G. Lekeu, G. Ropartz** et **L. Vierne)** qui lui vouèrent un culte dont l'excès, chez quelques-uns, engendra parfois fanatisme et intolérance. Cependant, c'est par les œuvres de sa dernière période que Franck se révéla dans la plénitude de son génie. Bien loin du leitmotiv wagnérien, mais proche du Beethoven des derniers quatuors, il élabore alors une conception cyclique de la construction où les mêmes thèmes circulent d'un bout à l'autre de l'œuvre, se transformant de manière insensible pour assurer le triomphe final d'un thème élu. Cette liberté de modulation, ce chromatisme, marquent un refus délibéré des conventions harmoniques et, sans nuire à l'unité de l'œuvre, en font la nouveauté. Cette technique est particulièrement sensible dans les derniers ouvrages de Franck qui rayonnent de passion contenue et de sérénité : *Quintette avec piano* (1880), *Prélude, choral et fugue* (1884), *Sonate pour violon et piano* (1886), *Prélude, aria et finale pour piano* (1887). *Quatuor à cordes* (1890), 3 *Chorals pour orgue* (1890). Marquée par l'influence de J.-S. Bach et de Beethoven, l'œuvre de César Franck se caractérise par la tendresse et l'ampleur de la mélodie, la fraîcheur et la spontanéité de l'improvisation.

FRANCK (James). ♦ Physicien américain d'origine allemande (Hambourg, 1882 – Göttingen, 1964). Auteur, avec G. Hertz*, de recherches sur la cinétique des électrons atomiques qui fournirent les lois régissant le choc d'un électron et d'un atome et confirmèrent notamment les idées de Bohr*[1913]. (Prix Nobel de phys., 1925.)

FRANCK (Philipp). ♦ Philosophe et logicien allemand contemporain. Néo-positiviste, membre du cercle de Vienne, il s'est surtout consacré à l'étude des rapports entre *La Théorie de la connaissance et la Physique moderne* (1934), en particulier la théorie de la relativité d'Einstein ; *La Fin de la physique mécaniste,* 1936 ; *Les Fondements de la physique,* 1946.

FRANCO (João). ♦ Homme politique portugais (Alcaide, 1855 – Lisbonne, 1929). Avocat, puis député aux Cortes, il fonda le *Centro generador liberal* et se distingua comme le dernier monarchiste du Portugal. Appelé au pouvoir en 1907, il inaugura un régime dictatorial, assainit les finances, mais ne put empêcher l'assassinat du roi Charles* Ier (1908). Il démissionna et quitta le Portugal.

Franco-allemande (*guerre* – de 1870-1871). ♦ Elle opposa pour la première fois la totalité des États allemands sous la conduite de la Prusse* à la France. Depuis la guerre des Duchés (1864) et la campagne de Bohême (défaite des Autrichiens devant les Prussiens à Sadowa, 1866), la politique d'unité allemande menée par Bismarck avait peu à peu détérioré les relations de la Prusse et de la France, qui se vit marchander et refuser les compensations territoriales promises en échange de sa neutralité dans le conflit. Si Guillaume Ier mit fin à l'incident provoqué par la candidature de Charles-Antoine de Hohenzollern au trône d'Espagne (début 1870), il refusa fermement mais courtoisement au chargé d'affaires de France, Benedetti*, de prendre un engagement de ne jamais plus soutenir la candidature d'un Hohenzollern. Ce refus, présenté en termes insultants dans un communiqué que Bismarck fit tenir à la presse (dépêche d'Ems*, 13 juillet 1870), conduisit Napoléon* III à déclarer la guerre à la Prusse, malgré les conseils de modération de plusieurs hommes politiques et l'opposition de la gauche républicaine du Corps législatif. Si l'armée française ne manqua ni d'ardeur au combat, ni d'héroïsme, elle ne put faire face aux forces allemandes, supérieures en nombre, parfaitement réorganisées par Moltke*, Manteuffel* et Roon* et mieux équipées techniquement. Après les premières défaites françaises aux frontières (Wissembourg*, Froeschwiller*-Reichshoffen*, Forbach*-Spicheren, début août 1870), qui permirent aux Allemands l'occupation de Strasbourg* (sept.) et de Nancy*, l'armée de Bazaine fut contrainte de se replier sur Metz* (18 août) et capitula le 27 octobre ; l'armée de Mac-Mahon (réorganisée à Châlons), qui tenta en vain de se porter à son secours, fut défaite à Sedan* (2 sept.). La capitulation française, suivie de la journée révolutionnaire du 4 septembre* 1870 (chute du Second Empire, proclamation de la Troisième République et formation d'un gouvernement de la Défense* nationale), permit aux forces ennemies de se diriger sur la capitale : Paris* et Versailles* furent investies les 18 et 19 septembre. L'entrevue de Ferrières* ayant échoué, les Français tentèrent d'opposer une résistance héroïque à Paris comme en province : armées de la Loire, avec Aurelle de Paladines et Chanzy, du Nord avec Faidherbe, de l'Est avec Bourbaki et le colonel Denfert-Rochereau. Mais en dépit de quelques succès (Coulmiers*, Villersexel*, Bapaume*), les armées françaises furent rapidement battues sur tous les fronts (Orléans, Le Mans, Saint-Quentin ; Héricourt*) et à Paris (Le Bourget*, Buzenval*). Le 28 janvier 1871, le gouvernement de la Défense nationale signait l'armistice. Refusée par le peuple parisien, cette capitulation accrut la tension entre le gouvernement officiel (Assemblée nationale et Thiers) et les forces révolutionnaires qui, le 18 mars 1871, constituèrent un gouvernement insurrectionnel : la Commune* de Paris. En dépit de cette opposition, finalement réprimée (fin mai), le gouvernement signa les préliminaires de la paix à Versailles (28 février), puis le traité de Francfort* (10 mai 1871). Cette guerre, qui enleva à la France l'Alsace et une grande partie de la Lorraine, devait rapidement aiguiser chez beaucoup le nationalisme et l'esprit de revanche.

FRANCO BAHAMONDE (Francisco). ♦ Général et homme politique espagnol (El Ferrol, 1892 – Madrid, 1975). Sorti de l'école militaire de Tolède, il servit au Maroc où ses succès dans la guerre du Rif lui valurent d'être nommé général à trente-trois ans. En 1934, le gouvernement de la République fit appel à lui pour réprimer à la tête des troupes africaines le soulèvement des mineurs des Asturies. Devenu chef d'état-major de l'armée en 1935, il perdit ce poste après les élections de 1936 qui amenèrent le Front populaire. Éloigné aux Canaries, il resta en liaison avec les officiers mécontents et se trouva à la tête du soulèvement nationaliste de juillet 1936 aux côtés des généraux Sanjurjo* et Mola*. Il réussit à faire passer du Maroc en Espagne la Légion étrangère et les unités marocaines, fer de lance de l'armée nationaliste. Nommé généralissime par la junte de Burgos (1936), puis chef du gouvernement national, il dirigea personnellement la conduite de la uerre, s'assurant le concours de l'Allemagne hitlérienne et de Italie fasciste. Ayant pris le titre de *caudillo* (« guide », terme équivalant à Führer), il devint chef de l'État et du gouvernement en 938. Après la défaite des républicains, il entreprit la reconstruction de l'Espagne qu'il dota d'un régime catholique autoritaire et orporatif. Malgré les pressions allemandes (entrevues de Hendaye vec Hitler, 1940), il resta neutre pendant la Seconde Guerre mondiale. Après la victoire des Alliés, il voulut briser l'isolement politique de son pays et s'aida pour cela des États-Unis. En 1947, il onsolida son régime en rétablissant la monarchie dont il s'institua : régent à vie. En 1955, il fit admettre son pays à l'O.N.U. Malgré a réforme constitutionnelle de 1966, approuvée par referendum, Franco ne libéralisa que très progressivement son régime. L'agitation sociale (étudiants et ouvriers), l'opposition de la Catalogne, les attentats commis par les autonomistes basques (ETA) et le Front révolutionnaire antifasciste et politique (FRAP) déclenchent la répression (exécutions de sept. 1975). Il meurt le 20 nov. 1975 après une longue agonie, laissant le pouvoir à Juan* Carlos de Bourbon, qu'il avait désigné comme son successeur dès 1969.

FRANÇOIS (Le). ♦ Ch.-l. de cant. de la Martinique (arr. de Fort-de-France), près de la côte E. 15 294 hab. (3 195 aggl.).

FRANÇOIS. ♦ Prénom (allem. **Franz**) porté par plusieurs saints et souverains, classés ci-dessous dans l'ordre : *a*) saints (par ordre alphabétique du nom complet); *b*) empereurs d'Allemagne; *c*) archiduc et empereur d'Autriche; *d*) ducs de Bretagne; *e*) rois de France; *f*) rois des Deux-Siciles.

FRANÇOIS BORGIA *(saint).* ♦ (Gandie, royaume de Valence, 1510 – Rome, 1572). Troisième général des jésuites (1565), ancien vice-roi de Catalogne (1539-1543), duc de Gandie. Veuf en 1546, il fonda le premier collège des jésuites, à Gandie (1547), puis entra dans la Compagnie : son généralat contribua à la développer, notamment en Amérique. Il était petit-neveu d'Alexandre VI et fils de Jean Borgia et de Jeanne d'Aragon. Fête le 10 octobre.

FRANÇOIS D'ASSISE *(saint),* surnommé **il Poverello,** « le petit pauvre ». ♦ Religieux italien (Assise, 1181 ou 1182 – 1226), fondateur de l'*ordre des Frères mineurs* ou *franciscains.* Fils d'un riche marchand, il rompit avec sa famille (1206), se fit ermite puis prédicateur itinérant. Sa pauvreté évangélique attira à lui des compagnons (1208-1209); la confrérie fut approuvée oralement par Innocent III (1210). Avec l'afflux des disciples, l'ordre dut s'organiser, contre les vœux du fondateur (création de « provinces » avec des « ministres », 1217), si bien qu'après un voyage en Égypte auprès des croisés et une tentative pour convertir le sultan (1219), François en abandonna la direction à Pierre de Catane. Il rédigea pourtant les règles dites *Regula prima* (1221), très strictement évangélique, et *Bullata* (1223), plus juridique. Il se retira dans son ermitage de la Portioncule, à Assise, affaibli par la maladie, les extases et l'apparition de stigmates (1224). Son *Cantique du frère Soleil (Cantico di Frate Sole)* ou *Cantique des créatures* (1224) est le premier grand poème de la langue italienne (dialecte ombrien). Sa vie a été écrite par Thomas* de Celano puis par saint Bonaventure*; sa légende fait l'objet des *Fioretti,* recueil anonyme du XIVe siècle. – Giotto* a peint les fresques de Florence *(Santa Croce)* et peut-être celles de la cathédrale d'Assise, représentant les épisodes de sa vie. Fête le 4 octobre. – L'*ordre des Frères mineurs,* approuvé officiellement par Honorius III (1223), était voué à la pauvreté mendiante et à la prédication itinérante. Les nécessités de l'apostolat (et la difficulté de la règle) firent adopter la vie conventuelle et les études; mais souvent des fractions revinrent à une observance stricte. Actuellement, l'ordre comporte trois branches principales : les *Frères mineurs* (O.F.M.) ou franciscains proprement dits, issus du mouvement d'observance des XIVe-XVe s. et regroupés sous ce nom en 1897; les *capucins* (O.F.M.C.) [1619]; les *conventuels* (O.F.M. conv.). Un ordre féminin *(clarisses)* avait été fondé en 1212, **V. Claire** (sainte), et un tiers ordre *(frères et sœurs de la Pénitence)* en 1221. Parmi les plus célèbres franciscains, **V. Élie de Cortone, Bonaventure** (saint), **Guillaume d'Occam, Duns Scot, Antoine de Padoue** (saint), **Bacon** (Roger), les missionnaires **Plan Carpin, Rubruquis** (Guillaume *van*), **Montcorvin, Odoric de Pordenone; Jean de Capistran, Bernardin de Sienne.**

FRANÇOIS DE PAULE *(saint)* [**Francesco MARTOTILLA**]. ♦ Ascète italien (Paola [Paule], Calabre, v. 1416 – Plessis-lez-Tours, 1507). Ermite à quatorze ans, il se trouva à dix-neuf ans à la tête d'une communauté ascétique qui devint l'ordre des Frères minimes, voués au carême perpétuel (approuvé en 1474). Louis XI malade le fit venir en France dans l'espoir de guérir; après la mort du roi, François resta en France et fonda les couvents d'Amboise et de Montils-lez-Tours. Canonisé en 1519. Fête le 2 avril.

FRANÇOIS DE SALES *(saint).* ♦ Evêque *in partibus* de Genève, docteur de l'Église (château de Sales, Thorens, Savoie, 1567 – Lyon, 1622). Prêtre (1593), il se consacra à la conversion des calvinistes du Chablais, devint coadjuteur (1599) puis titulaire (1602) de l'évêché de Genève, fonda l'ordre de la Visitation avec sainte Jeanne* de Chantal (1610). Auteur de l'*Introduction* à la vie dévote* (1608-1609) et du *Traité de l'amour de Dieu* (1616), il enseigna une piété de la vie quotidienne, fondée sur une spiritualité proche de celle de sainte Thérèse, et qui sut conquérir la bonne société du XVIIe siècle. Son œuvre est un des plus beaux exemples de la prose française préclassique. Fête le 24 janvier.

FRANÇOIS RÉGIS *(saint).* ♦ **V.** JEAN-FRANÇOIS RÉGIS (saint).

FRANÇOIS XAVIER *(saint)* [**Francisco de JASSU,** dit **de Javier** ou en fr. **Xavier**]. ♦ Jésuite et missionnaire espagnol (château de Javier, Navarre, 1506 – île de Sancian, au large de Canton, Chine, 1552). Étudiant à Paris (1525-1536), il fut parmi les premiers compagnons d'Ignace* de Loyola et participa à la fondation de la Compagnie de Jésus. Il débarqua à Goa comme nonce apostolique (1542), et évangélisa Malacca puis (1549) le Japon. Fête le 3 décembre.

FRANÇOIS Ier. ♦ (Nancy, 1708 – Innsbruck, 1765). Empereur d'Allemagne (1745-1765), duc de Lorraine, sous le nom de *François III Stéphane* (1729-1735), et grand-duc de Toscane, sous le nom de *François II* (1737-1765). Il fut le fondateur de la branche des Habsbourg-Lorraine. Époux de Marie*-Thérèse, avec laquelle il avait été élevé, il fut contraint, à la suite de la guerre de Succession* de Pologne, à échanger son duché de Lorraine contre le grand-duché de Toscane. À la mort de Charles* VI (1740), son rival, l'électeur de Bavière, l'emporta sur lui et devint empereur sous le nom de Charles* VII, et François ne put obtenir la couronne impériale qu'en 1745 **(V. Succession d'Autriche).** Impopulaire à cause de ses défaites militaires, peu intéressé par les affaires, il laissa gouverner sa femme, dont il avait eu seize enfants, parmi lesquels Joseph* II, Léopold* II et Marie*-Antoinette.

FRANÇOIS II. ♦ (Florence, 1768 – Vienne, 1835). Dernier empereur du Saint Empire romain germanique (1792-1806), premier empereur héréditaire d'Autriche (1804-1835). Fils de Léopold* II, il était le neveu de Marie*-Antoinette. La France entra en guerre contre lui en 1792; après de nombreuses défaites, il dut céder des territoires d'Italie (Lombardie) et de l'Empire (Pays-Bas, r. g. du Rhin). **V. Campoformio, Lunéville** *(traités de).* Ayant dû reconnaître la Confédération* du Rhin (1806), il prit le nom de François Ier et abdiqua la couronne du Saint Empire (6 août 1806). Depuis 1804, il portait le titre d'empereur héréditaire d'Autriche, qu'il conserva. En 1810, il donna sa fille Marie*-Louise en mariage à Napoléon, pour sceller la paix, après ses défaites de 1809 **(V. Eckmühl, Wagram).** En 1813, conseillé par Metternich*, il se joignit à la coalition des alliés contre Napoléon. Par le congrès de Vienne*, il recouvra ses territoires, mais n'obtint pas la restauration du Saint Empire (déc. 1814). Il devint président de la Confédération germanique (1815). Sa politique autoritaire, hostile à tout libéralisme, fut soutenue par Metternich.

FRANÇOIS-FERDINAND DE HABSBOURG. ♦ (Graz, 1863 – Sarajevo, 1914). Archiduc d'Autriche, neveu et héritier présomptif de l'empereur François*-Joseph, attaché aux traditions autoritaires de l'armée et de l'Église, il fut cependant favorable au fédéralisme pour remplacer le dualisme austro-hongrois afin de donner une place plus importante dans l'Empire aux Slaves du Sud. Nommé inspecteur général des armées en 1913, il fut assassiné à Sarajevo* le 28 juin 1914 par un Bosniaque, ce qui, par le système des alliances, fut une des causes directes de la déclaration de la Première Guerre* mondiale.

FRANÇOIS-JOSEPH Ier. ♦ Empereur d'Autriche (château de Schönbrunn, Vienne, 1830 – *id.*, 1916). Fils de l'archiduc François-Charles, petit-fils de l'empereur François* II, il monta sur le trône à l'abdication de son oncle l'empereur Ferdinand* Ier lors de la révolution de 1848 à Vienne. Les premières années de son règne furent consacrées à reconquérir l'hégémonie des Habsbourg* en Europe et à l'intérieur de l'empire; pour faire face aux ambitions prussiennes en Allemagne il refusa en 1848 l'entrée de l'Autriche dans une « Grande Allemagne, puis en 1850 à Olmütz*, la création de la « Petite Allemagne » **(V. Allemagne** [hist.]). En 1849, après la

Arch. Rencontre

Innocent III approuve la Première Règle de saint **François d'Assise,** par Giotto. (Musée du Louvre, Paris.)

victoire de Novare*, il rétablit la domination autrichienne sur la Lombardie et dans le même temps, avec l'aide du tsar Nicolas Ier, amena la capitulation des Hongrois qui avaient prononcé en avril 1849 la déchéance de la dynastie autrichienne. À l'intérieur, sur les conseils de Schwarzenberg*, il avait dès 1851 annulé la constitution de 1849. Conscient de son rôle de souverain, féru d'absolutisme, il gouverna d'une manière autoritaire en s'appuyant sur l'armée, sur la police et sur la bourgeoisie allemandes par l'intermédiaire d'une bureaucratie centralisée qu'il imposa à tout l'empire. Mais par la suite, de graves échecs en politique extérieure (fin de l'alliance avec la Russie, perte des territoires d'Italie, mais surtout défaite de Sadowa* contre la Prusse) l'amenèrent à souscrire aux exigences des nationalités non allemandes de son empire; après l'expérience malheureuse de fédéralisme (1860) et la « patente » centralisatrice de 1861, il signa avec la Hongrie (1867) un compromis qui associait l'empire et le royaume sur un pied d'égalité; François-Joseph et son épouse l'impératrice Élisabeth* furent couronnés roi et reine de Hongrie. Le dualisme accentuait les problèmes des autres nationalités de l'empire austro-hongrois, notamment ceux des Tchèques **(V. Masaryk)** et des Slaves du Sud, dont les ministres de François-Joseph s'efforçaient de recueillir les suffrages tandis que l'empereur, intervenant parfois avec autorité dans le conflit dans le sens de l'unitarisme, l'envenimait davantage. En politique intérieure, il dut faire des concessions à l'opposition libérale et sociale-démocrate qui se manifestait au *Reichsrat* (depuis 1861, l'empereur avait accepté la création d'un parlement à Vienne). Sans majorité stable, accablé par les drames familiaux, il ne prenait plus de décisions vers la fin de son règne qu'au jour le jour, pour résoudre par décrets ou ordonnances les questions les plus urgentes. Sa décision d'exiger des réparations de la Serbie* après l'assassinat de son neveu François*-Ferdinand déclencha la Première Guerre mondiale. Il mourut deux ans avant la dislocation de son empire.

FRANÇOIS Ier. ♦ (1414 – 1450). Duc de Bretagne (1442-1450).

FRANÇOIS II. ♦ (1435 – Château de Couëron, près de Nantes, 1488). Duc de Bretagne (1458-1488). Successeur d'Arthur* III, il participa à la ligue du Bien public contre Louis* XI (1465), puis s'allia au frère du roi mais fut contraint de signer la paix d'Ancenis* (1468). Lors de la régence d'Anne de France, il participa à la Guerre* folle (1485) mais fut vaincu à Saint*-Aubin-du-Cormier et signa le traité de Sablé*-sur-Sarthe (1488). – Père d'Anne* de Bretagne.

FRANÇOIS Ier. ♦ (Cognac, 1494 – Rambouillet, 1547). Roi de France (1515-1547). Fils de Charles de Valois, comte d'Angoulême, et de Louise* de Savoie, il épousa Claude* de France, fille de Louis* XII (1514), auquel il succéda (1515). Il prit avec fougue la suite de ses prédécesseurs en Italie : la victoire de Marignan* (1515) lui ouvrit le Milanais et lui donna une alliance perpétuelle avec les Suisses. Sa rivalité avec Charles* Quint s'accrut lors de l'élection au trône impérial (1519) : Charles Quint l'ayant emporté grâce aux subsides des Fugger*, faisait peser une lourde menace d'encerclement sur la France. Les tentatives faites pour obtenir l'alliance de l'Angleterre (camp* du Drap d'or, 1520) furent un échec; la défection du connétable de Bourbon* affaiblit encore le pays, et, à la défaite de La Bicoque* (1523), le Milanais fut perdu. Les Impériaux qui avaient envahi la Provence, furent contraints de se retirer devant la résistance de Marseille, mais la contre-attaque de François Ier aboutit à la défaite de Pavie* (1525), où il fut fait prisonnier. Il dut accepter le sévère traité de Madrid* (1526), qu'en fait il n'appliqua pas, conservant la Bourgogne et reprenant la guerre, après avoir conclu la ligue de Cognac (1526) avec le pape, Venise et Francesco Sforza*. La paix de Cambrai* ou paix des Dames (1529) ne fut qu'un compromis, qui permit au roi de France de se rapprocher des protestants allemands et des Turcs, au grand scandale de la chrétienté, et de reprendre les hostilités dès 1536. Malgré la prise de Nice et la victoire de Cérisoles* (1544), la paix de Crépy*-en-Laonnois n'eut encore rien de définitif. À l'intérieur, l'attitude en face des protestants passa d'une tolérance née des sympathies érasmiennes de la sœur du roi, Marguerite* de Navarre, à la répression et aux persécutions, après l'affaire des placards* (1534). Le règne fut marqué par un renforcement de l'absolutisme royal appuyé sur l'administration et annonçant déjà le règne de Louis XIV, tout comme le développement de la vie de cour. Le roi, personnage séduisant et léger, qui alliait une grande bravoure physique à une culture certaine, multiplia les liaisons, notamment avec la comtesse de Chateaubriant et la duchesse d'Étampes*, et laissa gouverner ses favoris (Duprat*, Montmorency*) ou sa mère Louise de Savoie. Le luxe de la cour favorisa l'essor des arts, et François Ier fut un des grands introducteurs de la Renaissance italienne en France. Parmi les artistes qu'il attira, on peut citer Léonard* de Vinci, Benvenuto Cellini*, le Primatice*. Il fit construire des châteaux tels que Chambord, Villers-Cotterêts, Saint-Germain-en-Laye, et fonda le Collège de France (1530).

FRANÇOIS II. ♦ (Fontainebleau, 1544 – Orléans, 1560). Roi de France (1559-1560). Fils aîné de Catherine* de Médicis et d'Henri* II, il épousa Marie* Stuart, et, après être monté sur le trône, laissa gouverner les oncles de cette dernière, les Guise*. Ce fut pour le soustraire à leur influence que les chefs du parti protestant montèrent la conjuration d'Amboise* (1560).

FRANÇOIS Ier. ♦ (Naples, 1777 – *id.*, 1830). Roi des Deux-Siciles (1825-1830). Fils de Ferdinand* Ier et de Marie*-Caroline il exerça le pouvoir en 1812, sous le contrôle des Anglais qui avaient imposé une constitution, et en 1820, lors de la révolte du général Pepe. Après son accession au trône, il déçut les espoirs qu'avaient fait naître ses réformes d'alors, laissa gouverner ses favoris et eut une politique réactionnaire conforme aux désirs de Metternich*.

FRANÇOIS II. ♦ (Naples, 1836 – Arco, 1894). Roi des Deux-Siciles (1859-1861). Il succéda à son père Ferdinand II. Il refusa l'alliance avec la Sardaigne, préconisée par son ministre Filangieri, et le partage des États pontificaux. L'expédition des Mille* de Garibaldi* (1860) l'obligea, malgré la promulgation tardive d'une constitution, à se réfugier à Gaëte, puis à quitter ses États.

FRANÇOIS DE NEUFCHÂTEAU (Nicolas, *comte* **FRANÇOIS, dit).** ♦ Écrivain et homme politique français (Saffais, Lorraine, 1750 – Paris, 1828). Enfant précoce qui, élève à *Neufchâteau,* publia ses premiers poèmes *(Pièces fugitives),* il fut procureur général à Saint-Domingue en 1783, et, de retour en France (1788), fut élu député suppléant à l'Assemblée nationale constituante, puis chargé de l'organisation du département des Vosges. Réélu à la Convention (1792), il refusa son siège de député. Emprisonné en 1783 pour sa comédie *Paméla ou la Vertu récompensée* et libéré après le 9 Thermidor, il fut nommé ministre de l'Intérieur (1797). Directeur en remplacement de Carnot après le coup d'État du 18 fructidor an V (4 septembre 1797), il reprit ses fonctions de ministre de 1798 à 1799 et s'occupa de la réorganisation de l'administration, de l'instruction et de l'agriculture. Président du Sénat (1804-1806), comte d'Empire, il se rallia à la Restauration mais refusa le titre de pair. (Acad. fr.)

FRANÇOISE Romaine *(sainte)* [**Francesca di BUSSI di LEONI**]. ♦ (Rome, 1384 – 1440). Dame romaine, épouse de Lorenzo Ponziani, qui se fit connaître par sa charité (notamment lors de la peste de 1413-1414). Veuve (1436), elle se retira au monastère de Tor de Specchi, où elle avait fondé la congrégation des *oblates olivétaines* sous la règle bénédictine (1433). Fête le 9 mars.

FRANÇOIS-FERDINAND. ♦ **V.** *ci-dessus* sous FRANÇOIS (archiduc d'Autriche).

FRANÇOIS-JOSEPH. ♦ **V.** *ci-dessus* sous FRANÇOIS (empereur d'Autriche).

FRANÇOIS-JOSEPH *(archipel).* ♦ Archipel soviétique de l'Arctique, situé à l'E. du Svalbard par 80° de latitude N. et 50-50 de longitude E. 20 000 km² environ.

François le Champi. ♦ Roman de George Sand* (1848) qui peint l'évolution des sentiments de François, enfant trouvé (ou *champi,* mot berrichon), pour Madeleine, la jeune meunière mal mariée. À la mort du vieux meunier, et malgré les calomnies, ils pourront s'épouser. Ce récit idyllique est mené avec une grande délicatesse et le style en est d'une savante simplicité.

FRANÇOIS-PONCET (André). ♦ Diplomate français (Provins, 1887). Ambassadeur à Berlin (1931-1938) puis à Rome (1938-1940), il mit en garde à plusieurs reprises le gouvernement français de la menace de guerre. Déporté (1943-1944), il fut à nouveau ambassadeur de France en Allemagne de 1953 à 1955 et s'intéressa à l'unité européenne. Il publia ses souvenirs (*Souvenirs d'une ambassade à Berlin,* 1946). [Acad. fr., 1952.]

FRANCON (*dit* **Francon de Cologne).** ♦ Compositeur et théoricien allemand (XIIe s.). Confondu longtemps avec Francon de Paris (à moins que les deux auteurs n'en forment qu'un seul), il fut l'un des premiers à énoncer dans son traité *Ars cantus mensurabilis* (v. 1260) les principes de la notation mesurée, en remplacement de la notation modale. Son importance fut capitale jusqu'au XVe siècle.

Ph. Carlo Bevilacqua/Ricciarini

François Ier, par Titien. (Musée du Louvre, Paris.)

FRANCONIE [*n. f.*], en all. **Franken.** ♦ Anc. État d'Allemagne qui s'étendait sur les rives du Rhin, à l'O. de Mayence et de part et d'autre du Main et de la Hesse. Cette région, occupée par les Francs dès le VIIe s., devint le centre du royaume des Francs orientaux, puis du royaume de Germanie, au Xe s., avec Conrad* Ier, duc de Franconie. Celui-ci étant mort sans héritier, Othon* Ier, fils d'Henri* l'Oiseleur, s'empara définitivement de la Franconie, contre son frère Conrad, et établit la dynastie saxonne. Le pays ne tarda pas à être divisé, mais il fut la terre d'origine de la dynastie salienne, qui parvint au pouvoir avec Conrad* II le Salique. Les évêques de Würzburg portèrent encore le titre de *ducs de Franconie,* et Maximilien* en fit un des dix cercles de l'Empire.

FRANCONVILLE. ♦ Ch.-l. de cant. du Val-d'Oise (arr. de Pontoise). 18 837 hab. *(Franconvillois).*

FRANCS. *n. m. pl.* (du francique *wrang,* « errant » ou *frak,* « brave »). ♦ Peuple germanique composé de diverses ethnies (Bructères, Chamaves, Chattes, Chérusques, Ripuaires, Saliens, Sicambres...), établi v. 250 à l'embouchure du Rhin puis, surtout entre Meuse et Escaut et sur le Rhin, dans la région de Cologne (fin IVe-début Ve s.). Lors des grandes invasions*, ils pénétrèrent en Gaule entre 430 et 450. C'est de ce peuple qu'est issue la dynastie des Mérovingiens* et celle des Carolingiens*.

Francs-Tireurs et Partisans français (F.T.P.F. ou **F.T.P.).** ♦ Organisation militaire de résistance créée par le Front* national (1940-1945). Constitués en grande partie de communistes, dont beaucoup avaient combattu dans les brigades internationales en Espagne, les F.T.P. formèrent une véritable armée populaire. Dirigés par M. Prenant, puis Ch. Tillon, ils furent intégrés aux Forces* françaises de l'intérieur (1944).

Franc-Tireur (Le). ♦ Mouvement de la Résistance française (zone Sud), créé en 1940 sous le nom de France-Liberté. Dirigé par J. P. Lévy, A. Bayet, M. Bloch, etc., il fit paraître la *Revue libre* et *le Père Duchesne,* et organisa les premiers maquis du Vercors. Au printemps 1943, il forma avec les réseaux Combat et Libération-Sud le Mouvement uni de résistance.

FRANK (Jacob) [Jacob ben Judah LEIB]. ♦ Hérésiarque juif polonais (Korolowka, Podolie; auj. Korolevo, 1726 – Offenbach, 1791). Chef de la secte *sabbatienne* (de Sabbataï Żevi, 1626 – 1676), il eut des controverses avec les juifs orthodoxes, fit brûler le Talmud* (au nom du Zohar*) par l'autorité catholique (1757), adopta extérieurement le christianisme (Lvov, 1759), tout en se proclamant messie et réincarnation de S. Żevi. Emprisonné (1760-1772), il n'en continua pas moins à nouer des intrigues politiques dans toute l'Europe centrale. Les *frankistes* (ou *zoharistes*) se répandirent en Allemagne, Pologne et Hongrie.

FRANK (Leonhard). ♦ Romancier allemand (Würzburg, 1882 – Munich, 1961). Expressionnistes, ses œuvres sont aussi celles d'un écrivain engagé politiquement. Après son premier roman *La Bande de brigands* (1914), il publia une série de nouvelles (*L'homme est bon,* 1918) où s'affirment ses convictions socialistes, comme plus tard dans son essai à caractère autobiographique *À gauche où est le cœur* (1952). Comme beaucoup d'autres écrivains allemands, il quitta son pays à l'avènement du national-socialisme.

FRANK (Ilya M.). ♦ Physicien soviétique (1908). Auteur, avec Tamm*, de travaux sur les plasmas. **V. Tchérenkov.** (Prix Nobel de phys., 1958.)

FRÄNKEL (Leo). ♦ Révolutionnaire hongrois (Budapest, 1844 – Paris, 1896). Exilé à Londres où il rencontra Marx, il fut membre du Conseil central de l'Association internationale des travailleurs (Ire Internationale). Installé à Paris (1867), il fut député du 13e arr., puis délégué au Travail et à l'Industrie lors de la Commune de Paris (1871). Condamné à mort et réfugié à Londres, il revint en Hongrie où il participa à la création des premiers congrès ouvriers; après avoir subi une peine de prison dans son pays, il mourut en exil.

Frankenstein. ♦ Héros et titre d'un roman de Mary Godwin* Shelley. *Frankenstein ou le Prométhée moderne* (*Frankenstein or The Modern Prometheus,* 1817) est l'histoire d'un savant qui construit un homme artificiel à l'aide de parties de cadavres. Le monstre, puissant et conscient, souffre de la peur qu'il inspire et du besoin d'amour, sentiment qu'il est incapable d'éprouver; c'est un être maudit condamné à la solitude par son essence même et qui se venge de la race humaine par le mal en détruisant les proches de Frankenstein puis, après une fuite dans les régions désolées de l'Arctique, en tuant le savant lui-même. – Ce thème romantique, influencé par Byron, complètement détourné de son sens, est devenu un classique du récit de terreur, *Frankenstein* désignant souvent le monstre, et non son créateur. Ce personnage, devenu un croque-mitaine de science-fiction, a été mis en film (J. Whole, 1931, interprété par Boris Karloff; 1942, etc.).

FRANKENWALD. *n. m.* ♦ Massif d'Allemagne centrale, dans le N.-E. de la Bavière, entre le Fichtelgebirge et le Thüringerwald (785 m).

FRANKFORT (corruption de *Frank's Ford,* « le gué de Frank », un des premiers colons). ♦ V. des États-Unis, cap. du Kentucky, située entre Louisville et Lexington. 18 365 hab. (1960). Centre commercial régional (tabac, chevaux de course). Distilleries, indus. diverses.

FRANKLAND (*sir* Edward). ♦ Chimiste britannique (Churchtown, près de Lancaster, 1825 – Golaa, Norvège, 1899). Auteur d'une synthèse des hydrocarbures [1850] **(V.** *aussi* **Wurtz)** il esquissa dès 1852 la notion de valence. Il participa également, avec son compatriote N. Lockyer*, à l'identification de l'hélium (1868).

Ph. Carlo Bevilacqua/Ricciarini

Benjamin Franklin, par Houdon. (Musée du Louvre, Paris.)

FRANKLIN (Benjamin). ♦ Homme politique, mémorialiste et pamphlétaire américain (Boston, 1706 – Philadelphie, 1790). Quinzième enfant d'une famille probablement d'origine française, il n'alla guère à l'école, mais entra tout jeune en apprentissage chez son frère imprimeur. Autodidacte, il acquit une technique littéraire en plagiant les articles d'Addison* qu'il lisait dans le *Spectator.* Collaborant lui-même au *New England Courant* fondé par son frère, un désaccord avec ce dernier le fit partir pour New York en 1723. À Philadelphie, il fut remarqué par le gouverneur de Pennsylvanie qui l'envoya à Londres, où il écrivit *De la liberté et de la nécessité du plaisir et de la peine.* Devenu le comptable d'un riche commerçant, Denham, il revint à Philadelphie en 1726 et fonda une imprimerie en 1730. En 1729, il avait racheté la *Gazette de Pennsylvanie* et publiait, sous le pseudonyme de Richard Saunders, son célèbre *Almanach* (*Poor Richard's Almanach,* 1732). Appartenant à la loge maçonnique de Philadelphie, il fonda la « Junte », société de discussion libre, en 1727, créa la première bibliothèque publique des colonies, et la Société philosophique américaine (1743) qui deviendra l'université de Pennsylvanie. Maître général des postes d'Amérique en 1753, il proposa une union des colonies, mais le projet fut rejeté. Ses *Écrits sur l'électricité et la météorologie* nous apprennent qu'il découvrit avant Faraday* le rôle des isolants dans les phénomènes électriques. Il fut l'inventeur du calorifère (« cheminée à la Franklin ») et du paratonnerre (il remarquait en 1752 l'identité de l'électricité et de la foudre). Choisi pour défendre les intérêts de la Pennsylvanie à Londres, où il vécut de 1757 à 1762 et se lia avec Hume, le succès de sa mission le fit nommer ambassadeur extraordinaire des colonies en Grande-Bretagne. D'abord impérialiste, il se rapprocha des physiocrates français à la suite de taxes injustes sur le thé et le sucre. Ses pamphlets de 1773 : *Règles pour faire d'un grand État un petit, Édit du roi de Prusse,* eurent un énorme retentissement, et la Déclaration d'indépendance (4 juillet 1776), composée par Jefferson, fut corrigée par lui. Chargé de solliciter l'aide française, il fut reçu triomphalement à Paris où, grâce à Buffon, il faisait partie de l'Académie des sciences. Il rencontra Robespierre et Danton, collabora avec Mirabeau *(Considérations sur l'ordre des Cincinnati).* Malgré la réticence de Louis XVI et de Turgot, il obtint, assisté de La Fayette, l'envoi d'une armée (1780), d'une flotte (1781) et une aide financière appréciable. Président du Conseil exécutif de Pennsylvanie, c'est lui qui rédigea en 1787 la Constitution fédérale. On peut encore citer parmi ses œuvres : *Plan pour faire du bien à des pays lointains et déshérités* (1771), *Avis à ceux qui voudraient émigrer en Amérique* (1784) et surtout ses *Mémoires,* l'un des documents les plus vivants sur les origines de l'Amérique moderne.

FRANKLIN (*sir* John). ♦ Marin et explorateur anglais (Spilsby, Lincolnshire, 1786 – 1847). Il explora à bord du *Trent* la côte septentrionale de l'Amérique du Nord (1818) et plus particulièrement le littoral entre l'embouchure de la Coppermine River et celle du Mackenzie (1825). Après avoir été gouverneur de Tasmanie (1836-1843), il mourut lors d'une expédition dans l'Antarctique à la recherche d'un passage maritime au Nord-Ouest.

FRANKLIN. ♦ District des territoires du Nord*-Ouest canadien, s'étendant du cercle Arctique au pôle Nord et incluant la terre de Baffin*, les îles Ellesmere, Victoria, Banks, Devon, Melville, Axel Heiberg et Prince-de-Galles, les péninsules de Boothia et de Melville. 1 422 565 km², 5 758 hab. (1961).

FRANKLIN *(détroit de),* en angl. **Franklin Strait.** ♦ Détroit de l'Arctique canadien séparant la péninsule de Boothia* de l'île du Prince*-de-Galles, au nord-ouest.

FRANZ (Rudolph). ♦ Physicien allemand (né en 1827). Auteur de recherches sur la conductibilité des solides. **V. Wiedemann.**

FRANZÉN (Frans Mikael). ♦ Poète finlandais de langue suédoise (Oulu, 1772 – Säbrå, Suède, 1847). Lauréat de l'Académie suédoise en 1797 pour son *Éloge de Creutz**, il introduisit un romantisme teinté d'ossianisme dans la poésie suédoise. Professeur à l'université de Turku, il avait publié des poèmes religieux et philosophiques (*Le Visage humain; Ode à Selma* [1793] ; *Le Nouvel Éden* [1794]) ou patriotiques, comme *Le Vétéran* [1793]. Il s'établit en Suède en 1811, fut secrétaire de l'Académie et évêque d'Härnösand.

FRASCATI (anc. **Tusculum**). ♦ V. d'Italie centrale (Latium), près de Rome. 16 000 hab. Huiles, vins renommés. Centre de recherche nucléaire. Célèbre lieu de villégiature, villas du XVIe siècle. ♦ *Hist.* **V. Tusculum.**

FRASER. *n. m.* ♦ Fl. de l'O. du Canada (1 200 km). Il prend sa source dans les Rocheuses, traverse la Colombie britannique du S.-E. au N.-O., puis vers le S., traverse la chaîne côtière (canyons) et se jette dans le détroit de Géorgie, près de Vancouver. Il arrose Prince* George. Le *plateau* du Fraser et sa basse vallée sont de riches régions agricoles **(V. Colombie britannique).** Affl. **V. Nechako.**

FRASERBURGH. ♦ V. de l'Écosse nord-orientale (Aberdeenshire) et princ. centre de pêche au hareng d'Écosse, sur la mer du Nord, au sud du *cap Kinnaird.* 10 800 habitants.

FRASHËRI (Naim). ♦ Écrivain albanais (Frashëri, 1846 – Kiziltoprak, près de Constantinople, 1900). Défenseur acharné de l'indépendance, qui ne fut déclarée qu'en 1912, il écrivit un célèbre poème épique sur son village natal : *L'Épopée de Qerbelaja* (1898), de nombreux poèmes lyriques dont *Les Fleurs de l'été,* et une épopée historique : *Histoire de Skanderberg.*

FRATELLINI *(les).* ♦ Famille de clowns, d'origine italienne. PAUL (Catane, 1877 – Le Perreux, 1940), FRANÇOIS (Paris, 1879 – *id.*, 1951), ALBERT (Moscou, 1885 – Épinay, 1961). Fils de GUSTAVE (Florence, 1842 – Paris, 1902) et survivants d'une famille de dix enfants, ils débutèrent dans les divers emplois du cirque avant de constituer l'une des équipes de clowns les plus fameuses de toute l'histoire de la piste. Le flegme de Paul, la grâce de François et la cocasserie d'Albert firent merveille dans de nombreuses entrées comiques, tant au cirque Médrano qu'au cirque d'Hiver de Paris et dans de nombreuses tournées en France et à l'étranger. Excellents musiciens et fantaisistes d'une rare poésie, ils inspirèrent J. Copeau, J. Cocteau et le costumier P. Poiret.

Fraticelles. *n. m. pl.* ♦ Secte chrétienne hérétique (fin XIIIe s. – seconde moitié XVe s.) issue du parti des « spirituels » franciscains. Sous la direction d'Ange Clarino, ils prétendirent pratiquer « à la lettre et sans glose » la règle de saint François*, se heurtèrent à la hiérarchie ecclésiastique et professèrent différentes doctrines hérétiques, notamment celles de Joachim de Flore sur l'eschatologie. Condamnés par Jean XXII (1317), leurs groupes, en Italie, en Sicile, en Provence, furent poursuivis par l'Inquisition. Mais le mouvement influa sur la création des franciscains « de l'observance » (XIVe s.).

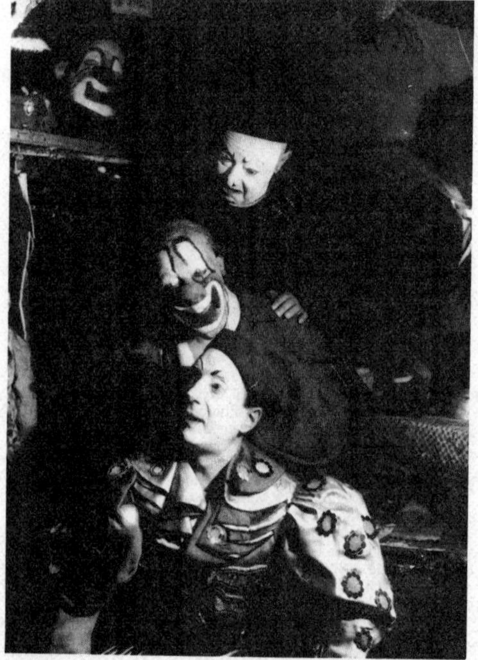

Coll. Viollet

Les **Fratellini.**

FRAUENFELD. ♦ V. de Suisse, ch.-l. du canton de Thurgovie, sur la Murg, affl. de la Thur*. 16 300 hab. – Château (XIIIe s.), église Saint-Laurent (vitraux du XIVe s.). Indus. métallurgique et textile (soie, coton), conserves. Aux environs : châteaux de Sonnenberg (XIIe s.) et de Wellenberg (XIIIe s.). – Patrie de W.R. Hess*.

FRAUNHOFER (Joseph *von***).** ♦ Physicien allemand (Straubing, 1787 – Munich, 1826). Inventeur du réseau (1814), il précisa la présence de raies sombres dans le spectre solaire *(raies de Fraunhofer)* et en identifia 576. **V. Wollaston, Kirchhoff.** Il découvrit ensuite la diffraction de la lumière par les réseaux optiques qu'il utilisa pour établir une classification spectrale des étoiles. **V.** *aussi* **Rowland.**

FRAYSSINOUS [frɛsinus] **(Denis Antoine,** *comte de***).** ♦ Prélat français (Curières, Rouergue, 1765 – Saint-Geniez-d'Olt, Aveyron, 1841). Entré dans les ordres, il refusa de prêter serment à la Constitution civile du clergé et réussit à se cacher sous la Terreur. Sous le Consulat, il entreprit des conférences aux Carmes, puis à Saint-Sulpice ; interdites par Napoléon Ier (1809), elles furent reprises sous la Restauration (1814-1822) et furent publiées sous le titre *Défense du christianisme.* Nommé aumônier du roi (1821), grand maître de l'Université (1822), puis ministre des Affaires ecclésiastiques (1824-1828), il fit adopter plusieurs mesures réactionnaires (fermeture de l'École normale, des cours des écoles de médecine, etc.). Retiré à Rome après la révolution de juillet 1830, il revint en France en 1838. (Acad. fr., 1822.)

FRAZER (*sir* **James George).** ♦ Ethnologue écossais (Glasgow, 1854 – Cambridge, 1941). Ses travaux de traduction et d'exégèse sur *Pausanias* (1898) et les *Fasti* d'Ovide (1929) fournissent des renseignements ethnologiques sur les sociétés antiques grecque et latine. Mais il est surtout connu par ses recherches sur le totémisme et l'exogamie (*Totémisme et Exogamie,* 1910, ouvrage basé sur la théorie du tabou des unions consanguines), et par ses études sur les religions, qu'il fait dériver de la magie. Son œuvre centrale *Le Rameau d'or* (1890-1900-1915). à laquelle on peut ajouter *La Croyance en l'immortalité et le Culte des morts* (1913-1924), *Le Folklore* dans l'Ancien Testament* (1918), tente de donner une conception synthétique des mythes et rites primitifs et du folklore, des coutumes symboliques des sociétés civilisées. La valeur de cette œuvre, qui connut un grand succès, fut plus tard mise en question en raison de la fragilité des matériaux et des méthodes utilisées, et de son évolutionnisme.

FRÉCHETTE (Louis-Honoré). ♦ Écrivain canadien (Lévis, Québec, 1839 – Montréal, 1908). Admis au barreau de Québec en 1864, il se mêla aux luttes politiques, siégeant dans l'opposition libérale au Parlement d'Ottawa de 1874 à 1878, fonda divers journaux de tendances libérales, et manifesta son talent de pamphlétaire dans le recueil poétique *La Voix d'un exilé* (1868), où il fustige ses adversaires politiques (les conservateurs) et littéraires (les traditionalistes). Admirateur de O. Crémazie* et, plus encore, de V. Hugo*, qui le reçut à Paris, il voulait exprimer les sentiments collectifs de ses compatriotes. À la suite de nombreux recueils poétiques (*Pêle-Mêle,* 1877 ; *Les Fleurs boréales,* 1879 ; *Les Oiseaux de neige,* 1880), il donna dans *La Légende d'un peuple* (1887) de grandioses descriptions de la nature nord-américaine (dont « l'immensité semblait garder encore – La majesté des premiers jours ») et des évocations épiques de l'histoire du Canada. – Prosateur plein d'humour, il a laissé un recueil de contes, très populaire, *Originaux et Détraqués* (1892). Dans ses *Mémoires intimes* (posth., 1961) sont évoqués avec bonne humeur « flotteurs de cage » et « sédentaires » de son enfance à Pointe-Lévis.

FRÉDÉGAIRE. ♦ Auteur présumé d'une chronique des Mérovingiens* (VIIe-VIIIe siècle).

FRÉDÉGONDE. ♦ Reine de Neustrie (Montdidier, v. 545 – Paris, 597). Elle poussa Chilpéric* Ier à assassiner sa femme Galswinthe* (568) puis l'épousa. Ce crime déclencha la guerre entre la Neustrie et l'Austrasie. Brunehaut*, sœur de Galswinthe et femme de Sigebert* Ier, le poussa à conquérir la Neustrie. *Frédégonde* fit assassiner Sigebert (575), puis après la mort de Chilpéric (584) exerça la régence pour son fils Clotaire* II et vainquit Brunehaut à Leucofao* (596). – Elle avait également fait assassiner, entre autres, Prétextat*.

FRÉDÉRIC. ♦ Prénom porté par plusieurs saints et souverains, classés ci-dessous dans l'ordre : a) saint ; b) empereurs germaniques ; c) électeurs de Brandebourg ; d) rois de Danemark ; e) électeur palatin ; f) stathouder des Provinces-Unies ; g) rois de Prusse ; h) électeurs de Saxe ; i) rois de Sicile et des Deux-Siciles ; j) roi de Suède.

FRÉDÉRIC *(saint).* ♦ Évêque d'Utrecht en 825, mort, dit-on, assassiné en 838. Fête le 18 juillet.

FRÉDÉRIC Ier BARBEROUSSE. ♦ (Waiblingen, v. 1122 – dans les eaux du Selef, Cilicie, Asie Mineure, 1190). Empereur germanique (1152-1190). De la famille des Hohenstaufen*, neveu et successeur de Conrad* III, il s'entendit avec Henri* le Lion à qui il restitua la Bavière (1155). mais ce dernier devenant trop puissant, il le dépouilla de la Bavière (qu'il donna à Othon* de Wittelsbach) et de la Saxe (1181). Après de bons rapports avec le Saint-

Ph. Carlo Bevilacqua/Ricciarini

Frédéric Ier Barberousse.
(Château Sforza, Milan.)

Siège (appelé par le pape Adrien* IV, il chassa de Rome Arnaud* de Brescia en 1155), Frédéric qui désirait imposer sa primauté au Saint-Siège et rendre permanente sa domination en Italie du Nord, dut faire face à la ligue Lombarde* fomentée par Alexandre* III contre lequel il avait suscité l'antipape Victor IV (1160). Malgré la destruction de Milan (1162), Frédéric fut vaincu à Legnano (1176), signa la paix de Venise (1177) et reconnut l'indépendance des villes lombardes à la paix de Constance (1183). Cet échec en Italie du Nord fut compensé par le mariage du fils de l'empereur Henri* (VI) avec Constance, héritière du royaume des Deux-Siciles (1186). Il fut l'un des chefs de la troisième croisade* (1189) mais après quelques succès, se noya dans le *Selef* (antique Cydnus*). Cette fin tragique contribua à embellir la légende de l'empereur. On raconta qu'il n'était pas mort mais dormait dans une montagne de Thuringe, attendant le moment de revenir rendre sa grandeur à l'Allemagne. — Père de Philippe* de Souabe.

FRÉDÉRIC II. ♦ (Iesi, marche d'Ancône, 1194 — château de Fiorentino, Pouilles, 1250). Empereur germanique (1212-1250). Fils d'Henri* VI (empereur germanique) et de Constance de Sicile, il devint roi de Sicile (1197) puis fut opposé comme empereur à Othon* IV de Brunswick par le pape Innocent* III. Il renouvela le serment d'allégeance au Saint-Siège, promit de prendre la croix mais s'attarda en Italie et fut excommunié par Honorius III (1227). Malgré son excommunication, Frédéric fit cependant la sixième croisade* qu'il mena en diplomate et non en guerrier, obtenant du sultan d'Égypte Jérusalem, Bethléem et Nazareth et se faisant couronner roi de Jérusalem. La Sicile fut l'objet de tous ses soins; Frédéric, plus préoccupé des affaires italiennes que des affaires allemandes, s'opposa constamment au Saint-Siège, inquiet d'un éventuel accroissement de la puissance germanique en Italie et qui suscita contre lui la seconde ligue Lombarde*. À son retour de croisade, Frédéric dut réprimer un soulèvement en Italie (1230) et imposa au pape Grégoire IX la paix de San Germano. En 1235, il réprima en Allemagne la rébellion de son fils Henri* (VII) qu'il avait fait couronner roi des Romains, il le fit prisonnier et lui substitua son autre fils Conrad* (IV). Il vainquit en Italie les villes lombardes à Cortenuova (1237), ce qui lui valut une nouvelle excommunication. En 1241, il arrêta les cardinaux chargés de le condamner en concile et fut déposé par Innocent* IV au concile de Lyon (1245). Aucune réconciliation avec le Saint-Siège n'advint avant sa mort, le pape suscita même contre lui un compétiteur : Guillaume* de Hollande. Contrairement à ses prédécesseurs, Frédéric mena une politique double, en accord avec la complexité de son caractère. En Allemagne, il protégea la féodalité, donna des gages à l'Église, aux princes laïcs, aux seigneurs et aux villes, favorisant ainsi l'anarchie et le déclin de l'autorité impériale. En Italie, il pratiqua au contraire une politique d'autorité et de dirigisme, établissant par les *Constitutions de Melfi* (1231) une monarchie absolue. L'administration fut bien organisée, les villes perdirent leur autonomie, des fonctionnaires royaux remplaçant les consuls élus; les nobles furent surveillés et réduits à l'obéissance. L'empereur se préoccupa de développer le bien-être matériel de ses sujets, protégeant l'agriculture, attirant des colons et les favorisant, abolissant les douanes intérieures pour développer le commerce, abolissant le servage sur les domaines royaux. L'organisation financière, très efficace, servit notamment à entretenir le luxe de la cour de Palerme où Frédéric réunit des savants grecs, arabes, italiens, juifs... Très cultivé, il possédait des connaissances en mathématiques, en astronomie, en sciences naturelles; il parlait plusieurs langues, écrivit des poésies en italien ainsi que des lettres et un traité de vénerie en latin. Il protégea les lettres et les arts **(V. Castel del Monte, 1240)**, fit traduire en latin Aristote, Averroès, Ptolémée, Galien, protégea les études à Padoue, Bologne et Salerne (exigeant le diplôme de son université de médecine pour les médecins), fonda l'université de Naples (1224). Sceptique, Frédéric fut accusé d'irréligion et surnommé « l'Antéchrist » de son vivant, mais il se fit le défenseur de l'orthodoxie, voulant devenir un chef religieux autant qu'un chef politique. Sous son règne, la persécution fut aussi dure en Allemagne et en Italie qu'en Languedoc. Cependant, élevé en Sicile, véritable creuset de civilisations où se côtoyaient sans heurts les civilisations occidentale, byzantine et musulmane, Frédéric se montra très tolérant envers les autres religions, principalement l'islâm dont il avait adopté les mœurs (il possédait un harem). Figure originale, personnage étonnamment moderne, probablement athée en cette époque de foi intense. Frédéric II, malgré toute la souplesse de sa politique, ne put cependant conserver un pouvoir intact en Allemagne. Sa mort marque la fin d'une époque, celle d'une domination impériale sur l'Allemagne et l'Italie et accessoirement la fin des Hohenstaufen*. — Père de Manfred* et d'Enzio*.

FRÉDÉRIC III. ♦ (Innsbruck, 1415 — Linz, 1493). Empereur germanique (1440-1493). Successeur d'Albert* II, il fut le dernier empereur à aller se faire couronner à Rome (1452). Il hérita en 1457 de la Haute et de la Basse-Autriche qui lui furent enlevées ainsi que Vienne en 1485 par Mathias* Corvin, roi de Hongrie, et restituées seulement en 1490. — Père de Maximilien* Ier qu'il maria avec Marie de Bourgogne en 1477. Il amorça ainsi la politique matrimoniale qui devait aboutir à l'empire de Charles Quint. Il adopta la devise des Habsbourg : ***A.E.I.O.U., Austriae est imperare orbi universo***, « Il appartient à l'Autriche de gouverner le monde ».

FRÉDÉRIC Ier. ♦ (Nuremberg, 1372 — Kadolzburg, Franconie, 1440). Burgrave de Nuremberg (Frédéric VI, 1398-1440), premier Électeur de Brandebourg (1415-1440) Il abattit la puissance de la famille des *Quitzow* et ramena la noblesse à l'obéissance.

FRÉDÉRIC II, l'Homme de fer. ♦ (Tangermünde, 1413 — Neustadt an der Aisch, 1471). Électeur de Brandebourg (1440-1470). Fils du précédent, il dompta les villes dont Berlin (1442-1448) et racheta la Nouvelle Marche à l'ordre Teutonique.

FRÉDÉRIC-GUILLAUME, dit **le Grand Électeur.** ♦ (Berlin, 1620 — Potsdam, 1688). Électeur de Brandebourg, il fut le véritable fondateur de la future puissance prussienne. Succédant à son père Georges-Guillaume pendant la guerre de Trente* Ans, il réorganisa son armée, établit l'absolutisme, développa le commerce et l'économie. Un des facteurs de sa réussite fut l'édit de Potsdam (1685), par lequel il accueillit les huguenots chassés de France. Il agrandit ses possessions aux traités de Westphalie* (1648) et par ses guerres contre la Pologne (traité d'Oliva*), contre la France et contre la Suède (Fehrbellin*, 1675).

FRÉDÉRIC Ier. ♦ (Königsberg, 1657 — Berlin, 1713). Électeur de Brandebourg, puis roi en Prusse (1701-1713). Fils de Frédéric*-Guillaume auquel il succéda. Il soutint l'empereur contre Louis* XIV et les Turcs et obtint en échange la couronne royale.

FRÉDÉRIC Ier. ♦ (Copenhague, 1471 — Gottorp, 1533). Roi de Danemark et de Norvège (1523-1533). Il introduisit le luthéranisme dans ses États (1526). ♦ FRÉDÉRIC II (Haderslev, 1534 — Antvorskov, 1588). Roi de Danemark et de Norvège (1559-1588). Il ne put remporter la victoire dans la guerre contre la Suède (1563-1570). ♦ FRÉDÉRIC III (Haderslev, 1609 — Copenhague, 1670). Roi de Danemark et de Norvège (1648-1670). Fils de Christian* IV. Il fit la guerre contre la Suède et dut lui céder la Scanie, le Halland et le Blekinge en 1658 (paix de Roskilde*). Il établit la monarchie héréditaire (1660). ♦ FRÉDÉRIC IV (Copenhague, 1671 — Odense, 1730). Roi de Danemark et de Norvège (1699-1730). Allié à Pierre* Ier contre Charles* XII, il dut signer la paix de Travendhal (1700). Après Poltava, il prit sa revanche au traité de Frederiksborg (1720), où il obtint le Schleswig méridional. Il favorisa l'instruction et abolit le servage de la glèbe (1702). ♦ FRÉDÉRIC V (Copenhague, 1723 — *id.*, 1766). Roi de Danemark et de Norvège (1746-1766). Il favorisa les sciences, l'enseignement et le commerce. Il fit affranchir les paysans. Sa politique de réformes fut appliquée par le ministre Bernstorff*. ♦ FRÉDÉRIC VI (Copenhague, 1768 — *id.*, 1839). Roi de Danemark (1808-1839) et de Norvège (1808-1814). Allié de Napoléon, il dut céder la Norvège à la Suède en 1814 contre la Poméranie suédoise et l'île de Rügen. Il protégea les arts, les sciences, l'agriculture et le commerce. ♦ FRÉDÉRIC VII (Copenhague, 1808 — Glücksborg, 1863). Roi de Danemark (1848-1863). Il donna la constitution démocratique de 1849. ♦ FRÉDÉRIC VIII (Copenhague, 1843 — Hambourg, 1912). Roi de Danemark (1906-1912). Père de Christian* X, roi

Ph. L'Esperto/Ricciarini

Frédéric-Guillaume Ier, le Roi-Sergent.

de Danemark et de Haakon* VII, roi de Norvège. ♦ FRÉDÉRIC IX (château de Sorgenfri, 1899 – Copenhague, 1972). Roi de Danemark (1947-1972).

FRÉDÉRIC V. ♦ (Amberg, 1596 – Mayence, 1632). Électeur palatin (1610-1623) et roi de Bohême (1619-1620). Poussé par sa femme Élisabeth, fille de Jacques* Ier d'Angleterre, il prit la tête du parti protestant dans la guerre de Trente* Ans (Union évangélique). Lors de la révolte de Bohême, il accepta la couronne enlevée à l'empereur. Vaincu à la Montagne* Blanche (1620) et dépossédé, il dut s'enfuir dans les Provinces-Unies.

FRÉDÉRIC-HENRI, prince d'Orange-Nassau. ♦ (Delft, 1584 – 1647). Il succéda à Maurice* de Nassau au stathouderat des Provinces-Unies. Il remporta une série de victoires sur les Espagnols et encouragea les savants et les artistes (Rembrandt, Ruysdaël, Descartes).

FRÉDÉRIC-GUILLAUME Ier, dit **le Roi-Sergent**. ♦ (Berlin, 1688 – Potsdam, 1740). Roi de Prusse (1713-1740). Fils de Frédéric* Ier auquel il succéda, il avait reçu une éducation très rudimentaire et se comporta toujours en conséquence. Il poussa l'économie, en réaction contre les dépenses excessives de son prédécesseur, jusqu'à l'avarice, mais fut le véritable continuateur de l'œuvre du Grand Électeur Frédéric*-Guillaume. L'administration fut rénovée (formation d'un Directoire supérieur des finances, de la guerre et des domaines), l'économie encouragée par un système d'économie fermée, l'agriculture améliorée ainsi que la condition paysanne (sur les terres de la couronne, qui représentaient le tiers du pays à la fin du règne, le servage fut aboli), et l'immigration développée. Cependant, c'est sur l'armée que Frédéric-Guillaume fit porter son principal effort : il lui donna une dimension disproportionnée à la taille du pays. Formée de mercenaires et de « cantonistes », elle fut encadrée par des officiers issus de la noblesse terrienne. Cette caste militaire *(Junkertum)* allait ensuite constituer la base de l'autorité du souverain. Sa politique extérieure resta timorée : il n'osa se dégager de l'alliance autrichienne, et ne prit les armes qu'à la fin de la guerre du Nord, ce qui lui permit de gagner la Poméranie occidentale et Stettin (traité de Stockholm, 1720). Il avait été le véritable artisan de la puissance prussienne et laissait à son fils Frédéric* II les moyens de la porter à son apogée.

FRÉDÉRIC II le Grand. ♦ (Berlin, 1712 – Potsdam, 1786). Roi de Prusse (1740-1786). Dès sa jeunesse, il affirma un goût certain pour les lettres et les arts, qui devait rapidement le faire entrer en conflit avec son père Frédéric*-Guillaume Ier. Sa tentative pour fuir l'éducation militaire et spartiate qui lui était imposée se solda par un échec : emprisonné à Küstrin (1732), il dut assister à l'exécution de son complice Katte. Écarté de la vie politique, il s'initia à l'administration et à la vie militaire, et put ensuite vivre à sa guise au château de Rheinsberg où il s'entoura de « beaux esprits ». En contact avec Voltaire*, formé à l'école des philosophes français et anglais, initié à la franc-maçonnerie, il élabora sa théorie du pouvoir, telle qu'il allait la formuler dans ses œuvres, écrites en français (*Antimachiavel*, 1740 ; *Histoire de mon temps*, 1746...) : selon laquelle, le pouvoir n'était plus fondé sur le droit divin, mais sur un contrat. Cependant, ses modèles semblent avoir toujours été Louis XIV et Charles XII et, sous la rhétorique officielle, il ne cessa de pratiquer une politique de grandeur très réaliste qui utilisait les « lumières » pour sa propagande. En effet, monté sur le trône en 1740, il ne fit que reprendre et prolonger la politique intérieure de son père. En matière sociale, la noblesse conserva ses privilèges ; le code projeté pour améliorer la justice ne fut pas promulgué. Mais Frédéric II sut être un bon administrateur ; le redressement du royaume au lendemain de la guerre de Sept Ans est particulièrement révélateur à cet égard (l'établissement de monopoles d'État permit une grande amélioration de la fiscalité, des institutions de crédit furent fondées pour aider les junkers, les prix furent bloqués). Le roi conserva à l'économie son caractère purement mercantiliste, tout en la soumettant au dirigisme le plus strict et en donnant la priorité à l'industrie. Sa politique extérieure, au contraire, rompit totalement avec celle de son prédécesseur : elle fut tout entière dirigée contre l'Autriche et menée avec une absence parfaite de scrupules. Lors de la guerre de Succession* d'Autriche, il envahit en effet la Silésie, sans même avoir déclaré la guerre, et n'hésita pas à conclure des paix séparées, selon les besoins du moment. Son rapprochement avec l'Angleterre (traité de Westminster, 1756) fut en fait une erreur de calcul, puisqu'il aboutit au renversement des alliances et à la guerre de Sept* Ans. Celle-ci mena la Prusse au bord du désastre, malgré la valeur militaire du roi, qui avait combattu sous le prince Eugène*, et qui était secondé par de bons généraux (Schwerin, Winterfeldt, Keith...). Sauvé par la mort de la tsarine Élisabeth*, Frédéric prit encore l'initiative du partage de la Pologne (1772) et s'opposa fermement à l'Autriche lors de la guerre de Succession* de Bavière (1779), formant contre elle la *ligue des princes* (Fürstenbund, 1785). Pourtant, il ne semble avoir aucunement pressenti l'unité allemande. Il avait mené la puissance prussienne à son apogée, mais il lui léguait en même temps de graves faiblesses : la rigidité et le risque de sclérose, nés de la centralisation excessive et de l'autoritarisme, peuvent faire mieux comprendre l'effondrement de la Prusse devant Napoléon.

FRÉDÉRIC-GUILLAUME II. ♦ (Berlin, 1744 – *id.*, 1797). Roi de Prusse (1786-1797). Il succéda à son oncle Frédéric II. Malgré sa grande ambition, il se laissa dominer par ses favoris et ses maîtresses, et influencer par les croyances illuministes. Après être intervenu en 1787 dans la guerre entre la Russie, l'Autriche et la Turquie, il signa avec Léopold II la déclaration de Pillnitz* (1791), et ses armées, commandées par Brunswick*, envahirent la Champagne, mais furent arrêtées à Valmy*. Cependant, il signa une paix séparée avec la France en 1795, lors des partages de la Pologne. Il laissa un pays considérablement affaibli.

FRÉDÉRIC-GUILLAUME III. ♦ (Potsdam, 1770 – Berlin, 1840). Roi de Prusse (1797-1840), fils et successeur de Frédéric-Guillaume II. En 1793, il épousa Louise de Mecklembourg-Strelitz ; veuf en 1810, il se remaria avec la comtesse Augusta Harrach en 1824. Au début de son règne (1797), il entreprit des réformes libérales (censure moins sévère, tolérance religieuse) et améliora les finances. Inquiété par la formation de la Confédération* du Rhin et n'ayant pas obtenu le Hanovre, il entra en guerre contre la France en sept. 1806, entraîné par le tsar Alexandre. Iéna*, Auerstaedt*, l'entrée des Français à Berlin contribuèrent à l'écroulement de la Prusse, qui fut réduite de moitié à la paix de Tilsit*. Le roi encouragea des hommes d'État tels que Stein*, Scharnhorst* et Hardenberg* à mettre en place des institutions libérales et à réorganiser l'administration. L'université de Berlin fut créée en 1809. En 1813-1814, la Prusse de Frédéric-Guillaume participa activement à la guerre de libération et en 1815, le congrès de Vienne* rétablit la Prusse dans son ancienne puissance et l'installa sur le Rhin. Dans la dernière partie de son règne, Frédéric-Guillaume III adopta une politique réactionnaire, refusant d'accorder une constitution. Il fonda en 1834 le Zollverein* qui est à l'origine de l'unité politique de l'Allemagne.

FRÉDÉRIC-GUILLAUME IV. ♦ (Berlin, 1795 – Potsdam, 1861). Roi de Prusse (1840-1861). Prince romantique, d'une grande irrésolution, il déçut les espoirs qu'avait fait naître son avènement, en ajournant les réformes qu'il avait d'abord promises. Contraint par la révolution de 1848, il accorda une constitution libérale qu'il n'eut de cesse de modifier ensuite. Ayant refusé la couronne impériale offerte par l'Assemblée nationale de Francfort, il soutint cependant la politique de la « petite Allemagne » menée par son ministre Radowitz*. Il fut atteint de démence en 1858 et le pouvoir passa alors au futur Guillaume* Ier.

FRÉDÉRIC III. ♦ (Potsdam, 1831 – *id.*, 1888). Roi de Prusse et empereur d'Allemagne (1888). Il mourut quelques mois après son père Guillaume* Ier auquel il avait succédé, et n'eut pas le temps de réaliser les réformes libérales qu'avait pu faire attendre son opposition à Bismarck*. Il avait épousé une fille de Victoria, et s'était distingué pendant la guerre de 1870-1871 (Frœschwiller-Woerth, Sedan, blocus de Paris).

FRÉDÉRIC Ier le Querelleur. ♦ (Altenburg, 1370 – *id.*, 1428). Électeur de Saxe (1423-1428). Il fonda l'université de Leipzig (1409). ♦ FRÉDÉRIC II *le Placide* (Leipzig, 1412 – *id.*, 1464). Électeur de Saxe (1428-1464). Fils du précédent. Ses deux fils fondèrent les branches albertine* et ernestine* de la maison de Saxe. ♦ FRÉDÉRIC III *le Sage* (Torgau, 1463 – château de Lochau, Annaburg, 1525). Électeur de Saxe (1486-1525). Petit-fils du précédent, il fonda l'université de Wittenberg (1502) et protégea Luther*.

FRÉDÉRIC-AUGUSTE III. ♦ (Dresde, 1750 – *id.*, 1827). Électeur de Saxe (1763-1806), Premier roi de Saxe sous le nom de FRÉDÉRIC-AUGUSTE Ier, *le Juste* (1806-1827). Petit-fils d'Auguste* III, roi de Pologne, il évita de prendre position contre la Révolution française et fut un allié fidèle de Napoléon, qui érigea son État en royaume et le mit à la tête du grand-duché de Varsovie.

Il fut fait prisonnier par les Alliés en 1813, et dut donner en 1815 une grande partie de la Saxe à la Prusse.

FRÉDÉRIC Ier ROGER. ♦ Roi de Sicile. **V. Frédéric II,** empereur allemand.

FRÉDÉRIC II. ♦ (1272 – Palerme, 1337). Roi de Sicile (1296-1337). Fils de Pierre* III, roi d'Aragon et de Constance de Souabe, fille de Manfred. Il refusa de rendre la Sicile cédée par son frère Jacques II d'Aragon à Charles II d'Anjou, roi de Naples. Il résista à une guerre menée par la France, Naples et l'Aragon mais signa la paix en 1302, prit le titre de roi de Trinacrie et épousa Éléonore, fille de Charles II, ne gardant la Sicile qu'à titre viager. Son fils Pierre II lui succéda en Sicile.

FRÉDÉRIC III le Simple. ♦ (Catane, 1342 – Messine, 1377). Roi de Sicile (1355-1377). Il lutta contre la maison d'Anjou de Naples mais signa la paix en 1372 avec la reine Jeanne Ire de Naples et se reconnut son vassal.

FRÉDÉRIC Ier. ♦ (Naples, 1452 – Tours, 1504). Roi des Deux-Siciles (1496-1501). Fils de Ferdinand* Ier, roi de Naples, il succéda à son neveu Ferdinand* II mais Louis XII, roi de France, le spolia de son royaume et lui donna en compensation le duché d'Anjou.

FRÉDÉRIC Ier. ♦ (Kassel, 1676 – Stockholm, 1751). Roi de Suède (1720-1751). Il avait épousé la sœur de Charles* XII qui lui laissa son autorité. Il dut liquider la situation difficile laissée par Charles XII et termina la guerre du Nord (traités de Stockholm, de Nystad). Ses tentatives pour exercer pleinement le pouvoir échouèrent et le Riksdag l'emporta définitivement en 1723. Le gouvernement fut alors dirigé par Horn*, qui essaya de préserver la paix en relevant économiquement le pays, à la tête du parti des « Bonnets », mais qui fut renversé en 1738 par les « Chapeaux ». Ceux-ci engagèrent en 1741 une guerre contre la Russie qui aboutit à un désastre (paix d'Åbo, 1743).

FREDERIC (Harold). ♦ Journaliste et romancier américain (Utica, N.Y., 1856 – Hornby, G.-B., 1898). Intéressé par la photographie et le journalisme, il se fit engager à vingt ans comme reporter à l'*Utica Observa.* Dès 1882, il fonda l'*Albany Evening Journal* et devint en 1884 correspondant, à Londres, du *New York Times.* Il fit des reportages sur le choléra qui sévissait alors dans le sud de la France et en Italie, et visita la Russie en 1891 pour se documenter sur la persécution des juifs. On peut grouper ses romans d'après leurs thèmes : *La Femme du frère de Seth* (1887) et *La Jeune Lawton* (*The Lawton Girl,* 1890), histoire ouvrière, concernent New York; *Dans la vallée* (1890) évoque la révolution américaine; *Le Retour de O'Mahoney* (1892), l'Irlande; et *Marsena et autres histoires* (1894), la guerre civile américaine. Son meilleur roman, *La Damnation de Theron Ware (Illumination of the Damnation)* met en scène de façon réaliste un jeune pasteur qui, découvrant la science, les arts et l'amour, abandonne une carrière religieuse devenue pour lui vide de sens. L'Angleterre lui inspira son dernier roman : *La Place du marché* (1899).

FRÉDÉRIC-CHARLES. ♦ Prince de Prusse (Berlin, 1828 – près de Potsdam, 1885) et feld-maréchal prussien. Neveu de Guillaume Ier, il combattit brillamment à Sadowa (1866) et prit la tête de la IIe armée lors de la guerre de 1870-1871 (siège de Metz).

FRÉDÉRIC-GUILLAUME *(le Kronprinz).* ♦ (Potsdam, 1882 – Hechingen, 1951). Fils aîné de l'empereur Guillaume* II, il commanda un groupe d'armée à Verdun* en 1916. Après la défaite allemande de 1918, il abdiqua avec son père.

FREDERICIA. ♦ V. et port du Danemark, sur la côte E. du Jutland*, en face de la Fionie*, 28 700 hab. – Indus. chimiques, textiles, manufacture de tabac. Foire indus. et agricole en août. Port de voyageurs. ♦ *Hist.* Bâtie en 1650 par Frédéric* III, elle fut assiégée en 1848-1849 et sa résistance détermina la paix de Berlin (1850). Elle fut prise par les Autrichiens en 1864.

Ph. Hétier

Cap **Fréhel**

FREDERICTON. ♦ V. du Canada, cap. du Nouveau-Brunswick, sur le Saint-Jean. 22 460 hab. (1966). Centre administratif et commercial. Indus. du bois, des matières plastiques et de la chaussure. Université du Nouveau Brunswick. – La ville a tenu un rôle important dans l'histoire de la littérature canadienne.

FREDERIKSBERG. ♦ Faubourg de Copenhague* (Danemark). 115 000 hab. Grand parc.

FREDERIKSBORG. ♦ Château royal, situé dans l'île de Sjaelland* (Danemark), au bord du lac de Slotssø. Édifié de 1602 à 1620 par Christian* IV, il fut partiellement détruit par un incendie puis reconstruit en 1875 selon les plans originaux. C'est maintenant un musée historique national.

FREDERIKSHAAB. ♦ Village de la côte S.-O. du Groenland*.

FREDERIKSHAVN. ♦ V. et port du Danemark, à l'extrême N.-E. du Jutland*, sur le Kattégat*. 20 900 hab. Ville ancienne. – Importantes activités portuaires : commerce, pêche, abattoir d'exportation, conserveries, chantier naval.

FREDHOLM (Erik Ivar). ♦ Mathématicien suédois (Stockholm, 1866 – Mörby, près de Stockholm, 1927). Auteur de recherches d'analyse pure, il étudia particulièrement la mécanique, la physique mathématique et les équations intégrales, dont l'*équation de Fredholm :* $f(M) + \lambda \int_V K(M, P)\, f(P)\, dv_P = g(M)$, où K(M, P) et g(M) sont des fonctions données, λ une constante donnée et f la fonction inconnue. **V. Volterra.**

FREDRIKSHALD. ♦ V. HALDEN.

FREDRIKSTAD. ♦ V. et port de Norvège, à l'embouchure du Glåma*, sur le fjord d'Oslo. 14 100 hab. Anc. fortifications (XVIe s.). – Papeteries. Matières plastiques. Constructions navales. Port de pêche.

FREDRO (Alexandre). ♦ Auteur dramatique polonais (Sourokhovo, Galicie, 1793 – Lvov, 1876). Influencé par Molière et Goldoni, il écrivit de nombreuses comédies de caractères et de situations, parmi lesquelles les plus caractéristiques sont : *Monsieur Geldhab* (1818), *Les Dames et les Hussards* (*Damy i huzary,* 1825), *Monsieur Jowialski* (1832), *La Vengeance* (*Zemsta,* 1833) et *Les Vœux de jeunes filles ou le Magnétisme du cœur* (1833). Il a laissé aussi de vivants *Mémoires* et des poèmes.

FREETOWN. ♦ Cap. de la Sierra* Leone, sur la r. S. de l'estuaire du Rokol, face à un port minéralier. Base navale et port commercial (excellente rade); tête de ligne de voies ferrées. 150 000 hab. Évêché. Indus. alimentaires (rizeries, huileries). ♦ *Hist.* Fondée en 1788 pour accueillir les esclaves affranchis venus d'Amérique **(V. Sierra Leone).**

FREGE (Gottlob). ♦ Mathématicien, logicien et philosophe allemand (Wismar, 1848 – Bad Kleinen, Mecklembourg, 1925). Cherchant un « idéal d'une méthode strictement scientifique en mathématiques », il fut amené à rénover profondément la logique, fondant la logique mathématique moderne. Ayant constaté l'inadéquation du langage courant, il reprit le projet de Leibniz, construisant une langue symbolique. Celle-ci rendit possible le calcul des propositions sous la forme d'un système déductif et l'analyse de la structure interne de la proposition elle-même (*Begriffschrift, Eine der arithmetischen nachgebildete Formelsprache des reinen Denkens,* 1879). Dépassant la logique aristotélicienne et l'ontologie qui la sous-entend, Frege analysa la proposition en termes, non plus de sujet et de prédicat, mais de *fonction* propositionnelle (expression logique contenant une ou plusieurs variables) et d'*argument* (terme défini susceptible d'être substitué à une variable dans une fonction logique). Avec le calcul des fonctions et l'utilisation des quantificateurs, il devenait possible de retrouver et de fonder la logique des classes. Par ses réflexions logiques, Frege devait également ouvrir la voie à la sémantique, en introduisant la distinction entre sens *(Sinn)* et « référence » ou dénotation *(Bedeutung)* des signes, et en préparant celle entre logique et métalogique, langue et métalangue. « On doit à Frege, outre la première présentation de la logique sous la forme d'un système axiomatisé, la plupart des notions de base de la logique moderne » (R. Blanché), et une tentative pour fonder l'arithmétique sur la seule logique (logicisme), où il donna la première définition logique du nombre cardinal et une ébauche de la théorie des ensembles. Les travaux de Frege, qui passèrent presque inaperçus lors de leur parution, influencèrent ceux de Russell*, de Wittgenstein*, de Carnap, Hilbert *(Fondements de l'arithmétique,* 1884 ; *Fonction et concept, Sens et dénotation, Concept et objet,* 1891-1892 ; *Lois fondamentales de l'arithmétique,* 1893-1903 ; *Recherches logiques,* 1916-1925).

FREGOLI (Leopoldo). ♦ Acteur italien (Rome, 1867 – Viareggio, 1936). Sur des canevas dont il était l'auteur, il interpréta à travers le monde de véritables comédies en miniature où il alla parfois jusqu'à incarner plus de soixante rôles différents. Ses métamorphoses sont restées légendaires.

FREGOSO. ♦ Puissante famille de Gênes qui fut longtemps en rivalité avec la famille des Adorno (XIVe-XVe siècle).

FRÉHEL *(cap).* ♦ Cap de la côte bretonne (Côtes-du-Nord), au N.-E. de la baie de Saint-Brieuc. Des falaises splendides, formées de grès et de schistes, y dominent la mer d'une hauteur de 70 mètres.

FREIBERG. ♦ V. d'Allemagne orientale (Saxe, district de Karl-Marx-Stadt), au pied de l'Erzgebirge, sur la Mulde. 48 438 hab. (1964). Vestiges de fortifications (XVIe s.); cathédrale gothique

Fréjus : le cloître. *Ph. Atlas-Photo*

(fin XVe s.). – Carrefour ferroviaire sur la ligne Dresde - Karl-Marx-Stadt. Important centre minier (plomb, zinc), indus. chimiques, textiles, porcelaines, travail du cuir. ♦ *Hist.* Victoire des Prussiens sur les Autrichiens lors de la guerre de Sept Ans (1762).

FREIDANK. ♦ Nom ou peut-être surnom (« libre penseur ») d'un poète allemand (? – v. 1235). Auteur d'un recueil de sentences connu sous le nom de *Bescheidenheit* (Discernement), il fut parfois considéré comme le précurseur de la littérature bourgeoise. Freidank, sans renoncer totalement aux valeurs courtoises, a su dénoncer les injustices de son temps au nom de l'idéal « démocratique » du christianisme.

FREILIGRATH (Ferdinand). ♦ Poète allemand (Detmold, principauté de Lippe, 1810 – Cannstadt, Wurtemberg, 1876). Si ses premières *Poésies* (1838) sont d'inspiration romantique et exaltent l'exotisme, son adhésion au socialisme fit de lui un poète militant révolutionnaire (*Profession de foi,* 1844; *Ça ira,* 1846). Réfugié en Suisse, puis en Angleterre pour raison politique, il revint en Allemagne en 1848 lors de la révolution démocratique, collabora avec Marx à la *Nouvelle Gazette rhénane* et publia ses *Nouvelles Poésies politiques et sociales* (1849). À nouveau exilé (1851), il vécut dix ans à Londres. La guerre franco-allemande de 1870-1871 le fit revenir à un patriotisme bien proche de celui des romantiques. Outre ses poèmes, il a donné des traductions de Musset, Hugo et W. Scott.

FREI MONTALVA (Eduardo). ♦ Homme politique chilien (Santiago, 1911). Fondateur du parti démocrate-chrétien (1935), élu président de la République en sept. 1964, il représentait la tendance de la « révolution dans la liberté ». Ses projets de réforme agraire lui valurent l'hostilité de la droite tandis que la gauche l'accusait de faire le jeu des États-Unis. Le marxiste S. Allende* lui succéda à la présidence de la République (sept. 1970).

FREINET (Célestin). ♦ Éducateur français (Gars, 1896 – Vence, 1966). Instituteur (1920), fondateur de la Coopérative de l'enseignement laïc, il fut amené à pratiquer une pédagogie, qui, refusant l'autoritarisme comme le « laisser-faire qui ne résout aucun problème », tenta de concilier la théorie et la pratique, de promouvoir la formation de la personnalité ainsi que le travail par groupe, en développant les « méthodes actives » (telles que celles de l'imprimerie à l'école – journaux scolaires, correspondance interscolaire –, du texte libre). Ayant démissionné de son poste à la suite de difficultés avec la municipalité de Vence, il créa sa propre école (qui devint bientôt une école expérimentale). Ses positions, exposées dans divers ouvrages, *Essai de psychologie sensible appliquée à l'éducation, L'Éducation du travail,* etc., inspirèrent de nombreuses réformes de l'enseignement, tant en France qu'à l'étranger.

Freischütz (Der). ♦ Opéra en trois actes de Weber, sur un livret de F. Kind, représenté à Berlin en 1821. C'est l'histoire d'un jeune chasseur qui, pour emporter le prix de tir dont dépend son mariage, utilise des balles maudites, fondues dans la forêt à minuit par un suppôt du diable. Cet opéra garde la forme du *Singspiel* et fait alterner dialogue parlé et airs chantés. Il exprime les idées nationalistes et romantiques de Klein et Klopstock et illustre remarquablement la tendance romantique au satanisme.

FREISING. ♦ V. d'Allemagne occidentale (Bavière) et ch.-l. de district sur la r. g. de l'Isar. 29 000 hab. – Cathédrale gothique du XIIIe s., remaniée au XVIIe siècle. À proximité, anc. abbaye bénédictine (1671-1705). – Indus. mécaniques et textiles, brasseries. – Patrie de L. Prandtl*. ♦ *Hist.* L'évêché de Freising, fondé au début du VIIIe s. par saint Boniface, fut jusqu'en 1803 le siège d'un évêché princier indépendant, avant d'être transféré à Munich et de former (depuis 1817) l'évêché de Munich-Freising.

FREITAL. ♦ V. d'Allemagne orientale (Saxe-Anhalt, district de Dresde), au S.-O. de Dresde. 39 000 hab. Sidérurgie.

FREITAS BRANCO (Luis *de***).** ♦ Compositeur et musicologue portugais (Lisbonne, 1890 – *id.,* 1955). Promoteur de l'impressionnisme (*Paraisos artificials,* 1910) et de la musique atonale dans son pays, il a laissé une œuvre abondante et variée (symphonies, poèmes symphoniques, musique de chambre, motets et chœurs, arrangements de chants populaires). Il a publié des ouvrages sur la théorie et l'histoire de la musique et créa en 1950 la revue *Gazeta musical.* ♦ Son frère, PEDRO (Lisbonne, 1896 – *id.,* 1963), fit une carrière internationale de chef d'orchestre.

FRÉJUS [fʀeʒys]. ♦ Ch.-l. de cant. du Var*, arr. de Draguignan*, au confluent de l'Argens* et du Reyran. 25 736 hab. (*Fréjussiens* ou *Forojuliens*). Importantes ruines romaines : restes d'un aqueduc, d'un théâtre, d'un amphithéâtre. Cathédrale des XIe et XIIe s. avec vantaux Renaissance. Le baptistère du Ve s. est un témoignage architectural remarquable du haut Moyen Âge. Église Saint-François-de-Paule du XVe siècle. Évêché. – Indus. alimentaires, indus. du liège. Béton. – Patrie de C. Agricola*, A. Désaugiers*, E. Sieyès*. ♦ *Hist.* Ville ancienne, fondée sans doute par les Massaliotes, elle fut colonisée en ~ 49 par J. César* *(Forum Julii).* Elle devint ensuite un arsenal et un port important et fut détruite plusieurs fois par les Sarrasins. C'est de Fréjus que Napoléon* s'embarqua pour l'île d'Elbe en 1814. Le 2 décembre 1959, à la suite de la rupture du barrage de Malpasset situé dans la vallée du Reyran, le quartier O. de la ville fut dévasté et il y eut plus de 400 victimes. – *Fréjus-Plage,* au fond du golfe de Fréjus, est une station et un centre d'aviation maritimes.

FRÉJUS *(col de).* ♦ Col des Alpes occidentales, séparant la France (vallée de la Maurienne) et l'Italie (Piémont) [2 542 m]. Emprunté par un tunnel improprement appelé « tunnel du Mont-Cenis ». Un tunnel routier est en construction.

FREMANTLE. ♦ V. et port d'Australie*-Occidentale, sur l'océan Indien, à l'embouchure de la riv. Swan. C'est l'avant-port de Perth*. Premier port d'escale d'Australie pour les navires en provenance de Grande-Bretagne, d'Europe, d'Afrique du Sud et du S.-E. de l'Asie. Raffinerie de pétrole. Aluminium. Aciérie. Minoteries. Exportation de minerais et de produits agricoles.

FRÉMIET (Emmanuel). ♦ Sculpteur français (Paris 1824 – *id.,* 1910). Formé par son oncle Rude*, il s'affirma comme animalier (*Dromadaire,* 1847; *Chevaux et Dauphins,* de la fontaine de l'Observatoire, 1870). Il satisfit ses goûts exotiques en évoquant le monde préhistorique et primitif (*Gorille et Négresse,* 1887) et prolongea la tradition du romantisme historique en réalisant de nombreuses statues équestres (*Jeanne d'Arc,* à Paris) qui lui valurent une gloire officielle (*Statue de Bolivar,* à Bogotá). Il possédait une grande maîtrise technique, mais conserva un sens académique de la forme et de l'expression.

FRÉMINET (Martin). ♦ Peintre, décorateur et dessinateur français (Paris, 1567 – Barbeaux, 1619). Fils du peintre Frédéric Fréminet, il compléta sa formation en Italie (1592) et travailla à Turin pour le duc de Savoie. Il devint en 1603 peintre de Henri IV. Il est l'auteur de nombreux dessins et surtout de la *décoration de la voûte de la chapelle au château de Fontainebleau* (1608), qui reflète, notamment dans le traitement des anatomies, son admiration pour Michel*-Ange. Principal représentant de la deuxième école de Fontainebleau avec Dubois* et Dubreuil*, il insista, contrairement à ces derniers, sur les effets plastiques, les recherches illusionnistes et préféra la vigueur expressive à l'élégance raffinée.

FRÉMINVILLE (Charles de LA POIX de). ♦ Ingénieur français (Lorient, 1856 – Paris, 1936). Entré aux établissements Panhard-Levassor (1899), après avoir travaillé à la Compagnie des chemins de fer de Paris à Orléans, il fit des recherches sur l'utilisation des métaux (méthode des essais par choc et par empreinte de billes pour la connaissance de leur résistance). Grand admirateur de la théorie de l'organisation scientifique du travail de F. W. Taylor*, il contribua à la diffuser en France et tenta de l'appliquer à l'industrie française. Il présida le 1er Comité national de l'organisation française (1926-1932).

FRÉMONT (John Charles). ♦ Officier, homme politique et explorateur américain (Savannah, 1813 – New York, 1890). Après avoir exploré le haut Mississippi, il participa à la conquête de la Californie (1846-1848) dont il devint gouverneur. Républicain libéral, il s'opposa à l'esclavage.

FRÉMY (Edmond). ♦ Chimiste français (Versailles, 1814 – Paris, 1894). Il fit des recherches sur les ciments, la composition de l'or et du platine, la fermentation lactique. Il réussit à isoler l'acide palmitique et l'oléine. Il est l'auteur, avec Pelouze, d'un important *Traité de chimie générale* (1854-1857), d'une *Chimie élémentaire* et d'un *Abrégé de chimie.* Dès 1882, il collabora à l'*Encyclopédie chimique.* (Acad. sc., 1857.)

FRÉNAUD (André). ♦ Poète français (Montceau-les-Mines, 1907). Voué à la solitude au sein d'un monde qu'il pressent dépourvu de signification comme de transcendance, il confie au poème le soin d'exprimer son orgueil d'homme engagé dans une aventure héroïque et désespérée. Par le sarcasme et l'invective, éloquentes manières d'exprimer le chagrin d'un cœur blessé dans sa quête d'un absolu insaisissable, sa poésie se définit aussi comme un pathétique hommage à la beauté du monde et à l'insondable mystère d'un destin humain pour lequel la mort est peut-être une transfiguration. Princ. recueils : *Les Rois mages* (1943), *Soleil irréductible* (1946), *Il n'y a pas de paradis* (1952), *La Sainte Face* (1968).

FRENAY (Henri). ♦ Officier et homme politique français (Lyon, 1905). Résistant de la première heure, il contribua à la création du réseau et du journal *Combat*, à la fondation de l'Armée secrète et fut l'un des trois chefs des Mouvements unis de résistance. Membre du *Comité français de libération nationale*, il fut commissaire, puis ministre dans le Gouvernement provisoire (1943-1945).

FRENCH (John), *1er comte d'Ypres*. ♦ Maréchal anglais (Ripple, Kent, 1852 — Deal Castle, Kent, 1925). Chef d'état-major impérial (1911), il fut, lors de la Première Guerre* mondiale, le premier commandant du corps expéditionnaire britannique en France. Remplacé par Douglas Haig (déc. 1915), il fut vice-roi d'Irlande (1918-1921) puis gouverneur du Kent.

FRENCH SHORE. ♦ Privilège de pêche à Terre*-Neuve (1713-1904).

FRENDA. ♦ V. d'Algérie, ch.-l. d'arr. du dép. de Tagdempt, sur le versant S. des monts de Saïda* en contact avec les Hauts Plateaux. 15 883 hab. Centre agricole et commercial.

FRENEAU (Philip Morin). ♦ Poète, journaliste et pamphlétaire américain (New York, 1752 — Freehold près Middletown Point, 1832). Descendant de huguenots, il mit son talent satirique au service des patriotes de la guerre d'Indépendance : *Soliloque du général Gage* (1775), *Confession du général Gage* (1775). Son emprisonnement par les marins d'un croiseur britannique (1780) lui inspira un poème *Le Bateau-Prison britannique* (1781). Rédacteur, en 1791, à la *National Gazette*, il attaqua, au profit de Jefferson, la politique financière de Hamilton et l'administration de Washington en général. Il inaugura le genre familier et humoristique *(Le Soldat ivre)*, écrivit le premier sur des thèmes indigènes *(Le Cimetière indien)*; il décrivit les Antilles *(Les Merveilles de Santa Cruz)* et fit preuve d'une sensibilité romantique en évoquant la nature (*Le Chèvrefeuille sauvage : The Wild Honeysuckle*, 1786, *À propos d'une abeille*) ou la mort *(Le Cimetière indien)*.

FREPPEL (Charles Émile). ♦ Prélat et homme politique français (Obernai, Bas-Rhin, 1827 — Angers, 1891). Évêque d'Angers (1869), où il fonda l'université catholique (1875), il se fit connaître par ses qualités d'orateur et de polémiste, attaquant Renan ou défendant le dogme de l'infaillibilité pontificale. Élu député conservateur (1880), il prit position à la Chambre contre la politique antireligieuse de la Troisième République.

FRÈRE (Aubert). ♦ Général français (Grévillers, Pas-de-Calais, 1881 — camp du Struthof, Alsace, 1944). Après avoir servi lors de la Première Guerre mondiale, il entra à l'état-major de Gouraud, puis fut nommé commandant de l'école militaire de Saint-Cyr (1931-1935). Général de corps d'armée et gouverneur de Strasbourg (1939), il commanda la VIe armée (1940) qui se battit sur la Somme. Entré dans la Résistance peu après l'armistice (juin 1940), il contribua à la création de l'Organisation de la résistance de l'armée (O.R.A.) en 1942. Arrêté par les Allemands, il fut interné à Fresnes (juin 1943), puis transféré au Struthof.

FRÈRE-ORBAN (Hubert Joseph Walter). ♦ Homme politique belge (Liège, 1812 — Bruxelles, 1896). Député de Liège, chef du parti libéral, il fut président du conseil de 1878 à 1884. Ayant introduit la neutralité confessionnelle dans l'école publique, il provoqua la rupture diplomatique de la Belgique avec le Vatican (1880).

Frères de la pureté (ou les « Amis fidèles »), en ar. **Ikhwân al-safâ'**. ♦ Groupe de savants qui avait constitué une société semi-secrète, vivant à Basra (fin xe s.) sur une base communautaire d'entraide matérielle et intellectuelle soutenue par une doctrine politique, philosophique et mystique. Ils firent diffuser une encyclopédie composée de 52 épîtres présentant la somme du savoir de l'époque (mathématiques, logique, sciences naturelles, métaphysique, mystique, astrologie, magie,...) exposée d'une manière hétérodoxe dans un style simple et rigoureux, accessible au grand public. Répudiant délibérément les commentaires classiques du Coran, ils proposèrent une interprétation allégorique aboutissant à une sorte de panthéisme esthétique, pur et raffiné, fondé sur l'harmonie universelle. Une des originalités de cette encyclopédie est l'exposé des techniques et des métiers, la valorisation du travail manuel et de la classe des artisans auprès de qui l'ouvrage fut distribué gratuitement. — Devenus le manuel d'éducation de la secte ismaïlienne*, ces traités, jugés impies par les docteurs orthodoxes, furent par deux fois brûlés à Baghdâd (1101, 1150). Néanmoins, un manuscrit illustré nous est parvenu (copié en 1287).

Frères Karamazov (Les). ♦ Roman de Dostoïevski* (1880). Déjà en 1870, Dostoïevski préparait ce roman et écrivait à Maïkov : « Ce sera mon dernier roman (...). Le problème principal auquel est consacrée toute l'œuvre est celui qui m'a fait souffrir tout le long de mes jours : l'existence de Dieu. » Des quatre frères Karamazov, Ivan est l'intellectuel athée qui détruit tout, Aliocha l'être pur et mystique, Dmitri l'athée passif, et Smerdiakov, l'enfant naturel, celui qui tue le père sur l'incitation d'Ivan et qui en subit le châtiment en se suicidant, alors qu'Ivan devient fou.

Frères mineurs *(ordre des)* ou **Franciscains**. ♦ V. FRANÇOIS D'ASSISE *(saint)*.

Frères moraves *(les)*. ♦ V. ZINZENDORF.

Frères musulmans. *n. m. pl. (Ikhwân al-Muslimûn)*. ♦ Confrérie religieuse fondée en 1920 par Hasan al-Banna et qui joua un rôle politique important surtout en Égypte. Prônant le retour intégral à l'islâm archaïque fondé uniquement sur le Coran* et le hadîth, opposés à toute influence morale de l'Occident sur le monde musulman, mais admettant le progrès technique et scientifique, les Frères musulmans proposaient un système économique et social spécifique, différent du capitalisme et du socialisme. Antibritanniques, ils entrèrent en 1940 en contact avec les forces de l'Axe, et le « chef suprême » de la confrérie, Hasan al-Banna, doubla son mouvement d'une organisation secrète terroriste qui eut à son actif l'assassinat des Premiers ministres Ahmad Mahar (1945) et Nuqrashy Pacha (1948). Après ce dernier attentat, Hasan al-Banna fut lui-même assassiné (1949). Organisés à l'échelle du monde arabe, les Frères musulmans contribuèrent à la chute de Fârûq*. Refusant la relative laïcisation de l'État élaborée par le « conseil de la révolution », leur organisation fut dissoute (janv. 1954). À la suite d'un attentat manqué contre Nasser* (oct. 1954), une terrible répression s'abattit sur leurs chefs et militants et affaiblit considérablement l'organisation, sans parvenir pour autant à l'éliminer.

Frères Sérapion *(Les)*. ♦ Groupe littéraire russe formé en 1918 et qui recherchait « la liberté de l'imagination et l'indépendance de la création artistique ». Ce groupe tira son nom d'un héros du romantique allemand Hoffmann*. Les principaux représentants en furent Fédine* et Kavérine*.

FRÉRON (Élie). ♦ Critique français (Quimper, 1718 — Paris, 1776). Auteur de pamphlets contre Voltaire* et les philosophes, il fonda l'*Année* littéraire* (1754-1776) dont son fils assura la continuation jusqu'à la Révolution : ses études sur le mouvement des idées de son temps et la littérature étrangère apparaissent fort sérieuses.

FRÉRON (Louis Stanislas). ♦ Publiciste et homme politique français (Paris, 1754 — Saint-Domingue, 1802), fils d'Élie Fréron (ci-dessus). Directeur de l'*Année littéraire* de 1776 à 1789, il se rallia à la Révolution et fonda le journal l'*Orateur du peuple*. Membre du Club des cordeliers, il prit part aux grandes journées révolutionnaires (affaire du Champ-de-Mars, 17 juillet 1791, 10 août 1792, massacres de septembre 1792). Élu à la Convention, où il siégea avec la Montagne, il fut envoyé en mission à Marseille et Toulon pour y réprimer l'insurrection fédéraliste et royaliste. Menacé par Robespierre, il contribua à sa chute et passa ouvertement à la réaction sous la Convention thermidorienne. Amant de Pauline Bonaparte, il approuva le coup d'État du 18 Brumaire (9 novembre 1799) et fut nommé administrateur des hospices puis commissaire à Saint-Domingue.

FRESCOBALDI (Girolamo). ♦ Compositeur et organiste italien (Ferrare, 1583 — Rome, 1643). Organiste de Saint-Pierre de Rome (1608), il ne quitta guère son poste, sauf pour un séjour de quelques années à la cour de Florence (1628-1633). Sa réputation de compositeur et de théoricien de la musique s'étendit à l'Allemagne où Froberger fut son disciple, et à la France, où le père Mersenne

Ph. Lunel/Ricciarini

Girolamo Frescobaldi, estampe.

sut apprécier ses mérites. Sans être le créateur de techniques ou de formes instrumentales nouvelles, Frescobaldi a pourtant accompli, dans le domaine de l'orgue et du clavecin, une transformation profonde des procédés d'expression et de style. Tout en conservant les dénominations anciennes *(toccata, ricercare, canzone)*, il assouplit les formes héritées de la Renaissance, y introduisant des structures plus riches et plus développées d'où naquirent, au siècle suivant, le prélude et fugue et la grande passacaille. Son influence sur J.S. Bach* fut grande. Frescobaldi a publié plusieurs recueils de musique vocale (*Madrigaux et airs* à une, deux, trois et cinq voix) et instrumentale (*Fiori musicali*, 1635).

FRESNAY [fʀɛnɛ] **(Pierre LAUDENBACH dit Pierre).** ♦ Acteur français (Paris, 1897 – Neuilly, 1975). Élève de G. Berr, il débuta à la Comédie-Française (1915) et poursuivit ensuite sa carrière sur les scènes du boulevard (1927), interprétant notamment des œuvres de S. Guitry (*Un miracle*, 1928), M. Pagnol (*Marius*, 1929), J. Anouilh (*L'Hermine*, 1932), É. Bourdet (*Margot*, 1937). Marié à la comédienne Yvonne Printemps, il devint, avec Victor Boucher, son associé à la direction du théâtre de la Michodière (1937). Il y créa des œuvres nouvelles d'Anouilh, Bourdet, Achard et Roussin. Comédien lettré, remarquable interprète des textes classiques, il a conçu l'adaptation scénique de plusieurs œuvres littéraires (*Mon Faust*, de P. Valéry. 1962; *Le Neveu de Rameau*, de Diderot, 1963; *L'Idée fixe*, de P. Valéry, 1966). Caractérisée par l'intelligence et la diversité, la carrière de P. Fresnay s'est poursuivie au cinéma où il parut dans de très nombreux films dont *Marius, Fanny* et *César*, de M. Pagnol, *La Grande Illusion*, de J. Renoir (1937), *Le Corbeau*, de H.G. Clouzot (1943), *Monsieur Vincent*, de M. Cloche (1947).

FRESNAY-SUR-SARTHE. ♦ Ch.-l. de cant. de la Sarthe, arr. de Mamers. 2 619 hab. *(Fresnois)*. Église Notre-Dame (XIIe siècle). Vestiges de l'anc. château (XIIe-XIIIe siècle).

FRESNEAU (François). ♦ Ingénieur français (Marennes, 1703 – 1770). En Guyane où il reconstruisait les fortifications de Cayenne. il identifia l'arbre qui fournissait le caoutchouc [1747] **(V. La Condamine),** auquel le botaniste Fusée Aublet donna le nom d'*hévéa*. De retour en France, il présenta un mémoire sur l'hévéa et le caoutchouc en 1751 à l'Académie royale des sciences et découvrit en la térébenthine un solvant pour le caoutchouc (1763).

FRESNEL (Augustin). ♦ Physicien français (Chambrais [auj. Broglie, 1788 – Ville-d'Avray, 1827). Après avoir repris les expériences de Young sur les interférences lumineuses, il imagina des dispositifs personnels dont les *miroirs de Fresnel* et donna avec Arago* la théorie du phénomène. Il étudia également la diffraction de la lumière et présenta son grand mémoire à l'Académie en 1819; créateur de l'optique vibratoire et de l'optique cristalline, il y montrait en fait que la théorie newtonienne de l'émission ne pouvait rendre compte de nombreux faits, mais que le *système ondulatoire* pouvait tout expliquer, notamment les phénomènes de polarisation. **V. Malus.** Après des résistances, une confirmation expérimentale à sa théorie fut apportée en 1850 par Foucault*. La théorie de Fresnel, établie pour les phénomènes d'optique, put s'appliquer par la suite aux autres rayonnements électromagnétiques. On lui doit également la lentille à échelons qui augmente considérablement le pouvoir éclairant des phares [1821]. (Acad. sc., 1823.)

FRESNES. ♦ Comm. du Val-de-Marne (arr. de Créteil). 26 847 hab. *(Fresnais)*. – Prison. – Matériaux de construction.

FRESNES-SAINT-MAMÈS. ♦ Ch.-l. de cant. de la Haute-Saône, arr. de Vesoul. 482 hab. Église en partie du XIIe siècle.

FRESNES-SUR-ESCAUT. ♦ Comm. du Nord, arr. de Valenciennes. 9 069 hab. – Chocolaterie. Engrais. Indus. électrique. Construction de locomotives.

FRESNO. ♦ V. des États-Unis (Californie* centrale), dans la vallée de San Joaquin. 162 326 hab. (1970); zone urbaine : plus de 400 000 hab. Important marché agricole au centre d'une riche région productrice (coton, céréales, alfa, fruits...).

FRÉTEVAL. ♦ Comm. de Loir-et-Cher, arr. de Vendôme. 899 hab. – Richard* Cœur de Lion y vainquit Philippe* Auguste (1194).

FREUD (Sigmund). ♦ Neurologue et psychiatre autrichien fondateur de la psychanalyse (Freiberg, Moravie, 1856 – Londres, 1939). Docteur en médecine, spécialisé en neurologie, il s'installa comme praticien à Vienne (1886). Sous l'influence de Charcot* (Paris, 1885) et de Bernheim* (Nancy, 1889), il fit, en collaboration avec Breuer*, ses premiers travaux sur l'étiologie de l'hystérie et l'utilisation de l'hypnose dans sa thérapeutique (*Études sur l'hystérie*, 1895). S'il n'est pas le premier à avoir refusé l'identification du psychisme et du conscient, il a, par contre, créé une méthode originale d'exploration de l'inconscient. Dès 1895, il substitua à l'hypnose la technique « psycho-analytique » de la libre association des images, souvenirs, idées, etc., permettant de décrypter les significations inconscientes de conduites irréductibles à la logique du conscient, de dévoiler dans les rêves (« voie royale qui conduit à l'inconscient »), les actes manqués (lapsus, oublis) ou les symptômes névrotiques (angoisses, phobies, obsessions, etc.), les substituts symboliques de désirs refoulés sous la pression des exigences sociales, morales. Mécanisme inconscient de défense du moi contre les sollicitations de la libido (pulsion sexuelle liée au principe de plaisir et se heurtant dans son développement au principe de réalité), le *refoulement* est en effet ressenti lors du travail psycho-analytique sous la forme d'une *résistance*: celle-ci met en œuvre la répétition par *transfert* du conflit qui est à l'origine de la névrose. Le noyau central de cette situation conflictuelle est le « complexe d'Œdipe » (attachement jaloux de l'enfant pour le parent du sexe opposé et ambivalence affective à l'égard de l'autre). En étudiant les stades d'évolution de la libido, *oral, anal, phallique* et *génital* (puberté) succédant à la période de latence (et de sublimation de la libido), Freud réalisa une véritable archéologie de la personnalité. Les névroses purent, dès lors, être caractérisées comme une *régression* (impliquant *fixation*), un retour à la sexualité polymorphe et perverse de l'enfant, correspondant à un échec du complexe d'Œdipe. La pratique de l'analyse, l'étude des perversions sexuelles (en particulier le *sadisme* et le *masochisme*), la découverte du *narcissisme* amenèrent Freud à remanier sa première théorie des pulsions et de l'appareil psychique. À l'opposition de la libido et de l'instinct du moi (conservation de l'idéal moral du moi), il substitua celle d'Éros qui, sous ses formes narcissique, objectale ou sublimée « assure la conservation et la persistance de tout ce qui est vivant » et de la pulsion de mort (en gr. *Thanatos*), de destruction, dont le but est la dissolution des conflits par le retour à l'inorganique. Il distingua les trois instances psychiques du *ça* (all. *Es*), ensemble de pulsions impersonnelles, inconscientes, du moi ou *ego*, différenciation du *ça* au contact de la réalité extérieure et du *sur-moi*, instance de censure née de la différenciation du moi par identification de l'enfant à ses parents, *introjection* des interdits moraux. Ainsi, la psychanalyse fut d'abord une thérapeutique des névroses visant à rendre conscients les conflits qui en sont la cause. Mais, dès 1913, Freud en appliqua les découvertes à l'étude de certains phénomènes obscurs de la psychologie collective, comparée à celle de l'enfant et du névrotique (*ex. :* rapport du complexe d'Œdipe et de la prohibition de l'inceste dans les sociétés totémiques); et il fut amené à considérer les valeurs culturelles (religion, art, etc.) comme une satisfaction sublimée des pulsions réprimées par la société. Malgré les résistances rencontrées par la psychanalyse et le scandale qu'elle provoqua à une époque puritaine, elle fit à partir de 1903 de nombreux adeptes (K. Abraham*, A. Adler*, Bleuler*, M. Bonaparte*, S. Ferenczi*, Anna Freud*, E. Jones*, C.G. Jung*, M. Klein*, O. Rank*, W. Reich*, W. Steckel*) [Cf. Psychanalyse]. Le régime nazi condamna les théories de Freud qui, en raison de ses origines israélites, fut contraint de quitter Vienne pour Londres (1938). [*L'Interprétation des rêves*, 1899-1900; *Psychopathologie de la vie quotidienne*, 1901; *Trois Essais sur la théorie de la sexualité*, 1905; *Cinq Psychanalyses*, 1905-1918; *Cinq Leçons sur la psychanalyse*, 1910; *Totem et Tabou*, 1913; *Introduction à la psychanalyse*, 1916; *Essais de psychanalyse*, 1927; *Malaise dans la civilisation*, 1930; *Moïse et le Monothéisme*, 1939, posthume.]

Ph. Tétrel
Louis-Claude de Saulses de Freycinet : illustration de son « Voyage autour du monde ».

FREUD (Anna). ♦ Psychanalyste anglaise d'origine autrichienne, fille de S. Freud* (Vienne, 1895). Auteur d'un ouvrage sur *Le Moi et les Mécanismes de défense* (1949), elle s'est spécialisée dans la psychanalyse infantile où elle s'est opposée à certaines vues de M. Klein* sur le développement de l'enfant *(Le Traitement psychanalytique des enfants*, 1951).

FREUNDLICH (Otto). ♦ Peintre et sculpteur allemand (Stolp, Poméranie, 1878 – Lublin-Maidenek, Pologne, 1943). D'abord marqué par le *Jugendstil*, il s'établit ensuite à Paris au Bateau-Lavoir et rencontra notamment Picasso, Delaunay, Kandinsky, Herbin. En Allemagne (1914-1924), il s'intéressa au vitrail et à la mosaïque. À partir de 1919, il réalisa des œuvres non figuratives, puis devint à Paris membre de *Cercle et Carré* et d'*Abstraction-Création*. Il établissait des zones irrégulières, d'abord angulaires, puis courbes, chacune d'une tonalité dominante, à partir de petits quadrilatères inégaux étalés en aplat de couleurs à la fois denses et subtilement nuancées. Il formait ainsi un espace plan qui, par le jeu des valeurs et le rapport des zones entre elles, engendre des rythmes solidement établis et vibrants. Il a laissé des écrits sur l'art et influença Poliakoff. Il fut en butte aux persécutions nazies.

FRÉVENT. ♦ Comm. du Pas-de-Calais, arr. d'Arras. 4 632 hab.

– Église du XVIe siècle. – Indus. textile. Aérodrome. – Patrie de Joseph Lebas et d'Adrien Lamourette.

FREYCINET (Louis-Henri de SAULSES, *baron de***).** ♦ Amiral français (Montélimar, 1777 – Rochefort, 1840). Il participa en 1800 à l'expédition du capitaine Baudin* en Nouvelle-Hollande. Après avoir participé à la lutte contre les Anglais (1811), il fut nommé administrateur de l'île Bourbon (Réunion), puis de la Guyane, et de la Martinique sous la Restauration. Nommé major général de la marine à Toulon (1830), il termina sa vie comme préfet maritime de Rochefort (1834). ♦ LOUIS-CLAUDE DE SAULSES DE FREYCINET, son frère. Marin français (Montélimar, 1779 – Freycinet, Drôme, 1842). Après avoir participé à l'expédition de Baudin* (et Hamelin) au cours de laquelle il contribua à établir la carte de la terre Napoléon (terre Flinders des Anglais), de la Nouvelle-Hollande, etc. (1800), il accompagna Duperrey* et Arago (1817-1820) dans un voyage scientifique autour du monde (*Voyage autour du monde,* 1820). [Acad. sc., 1826.]

FREYCINET (Charles Louis de SAULSES *de***).** ♦ Homme politique français (Foix, 1828 – Paris, 1923). Neveu des navigateurs L.-H. et L.-C. de Saulses de Freycinet, ingénieur des Mines, il fut le collaborateur de L. Gambetta* comme délégué à la Guerre dans le gouvernement de la Défense nationale (septembre 1870-février 1871). Sénateur (1876-1892), nommé ministre des Travaux publics (1877-1879), grâce à l'appui du président J. Grévy*, il tenta de réaliser un vaste programme de développement des voies de communication et d'aménagement des ports. Président du Conseil (1879, 1882, 1886, 1890) avec tour à tour le portefeuille des Affaires étrangères et de la Guerre, il accepta la nomination de Boulanger* comme ministre de la Guerre (1886) mais prit ensuite position contre le boulangisme et il contribua à réorganiser l'armée (exemptions des exemptions, création et organisation du conseil supérieur de la Guerre, etc.). Il fut ministre d'État et a laissé un ouvrage sur *La Guerre en province de 1870 à 1871* (1872) et des *Souvenirs* [1912]. (Acad. fr., 1891.)

FREYJA. ♦ Déesse germanique, de la famille des Vanes*, fille de Njördhr, sœur et épouse de Freyr*. C'est une déesse de la fécondité. La mythologie scandinave, la confondant avec Frîja*, en fait l'épouse d'Odin*.

FREYLYNGHAUSEN (Johann). ♦ Théologien protestant et musicien allemand (Bad Gandersheim, 1670 – Halle, 1739). Gendre du piétiste A.H. Francke, il a publié 2 livres de cantiques (1704-1714) où figurent plus d'un millier de mélodies qui connurent longtemps la faveur des fidèles.

FREYMING [fʀemin ; rég. fʀɛmɛ̃] **-MERLEBACH.** ♦ Ch.-l. de cant. de la Moselle (arr. de Forbach), formé de la fusion de Freyming avec Merlebach. 17 604 hab. Extraction de charbon.

FREYR. ♦ Dieu germanique, le principal des Vanes*, fils de Njördhr. C'est un dieu de la prospérité ; on lui sacrifiait le cheval et le verrat. Dans le mythe, il possède des accessoires merveilleux : épée se mouvant seule dans les airs, cheval franchissant tous les obstacles, navire rentrant toujours au port, sanglier d'or.

FREYRE (Gilberto). ♦ Écrivain et sociologue brésilien (Recife, 1900). Son œuvre principale *Casa Grande e Senzala* (1933 ; en fr. *Maîtres et Esclaves*) donne une description et une étude des mœurs et coutumes du N.-E. du Brésil.

FREYSSINET (Eugène). ♦ Ingénieur français (Objat, Corrèze, 1879 – Saint-Martin-Vésubie, 1962). Inventeur du *compactage* du béton par vibration (1917), il mit au point la technique du *béton précontraint* (1928), permettant le développement moderne de la construction en béton armé. **V. Monier.**

FRIA. ♦ Localité de Guinée*, proche de la r. g. du Konkouré* et reliée par voie ferrée à Conakry*. Usine d'alumine alimentée en énergie par le barrage de Kalé sur le Konkouré.

FRIANT (Louis, *comte***).** ♦ Général français (Morlancourt, Picardie, 1758 – Gaillonnet, près de Meulan, 1829). Nommé général (1794) après s'être distingué lors des batailles d'Arlon et de Fleurus, il servit en Allemagne, en Italie, en Égypte et prit part aux principales campagnes de l'Empire. Rallié aux Bourbons en 1814, puis à Napoléon Ier pendant les Cent-Jours, il fut blessé à Waterloo et mis à la retraite lors de la Seconde Restauration (1815).

FRIBOURG, en all. **Freiburg im Üchtland.** ♦ V. de l'O. de la Suisse, ch.-l. du canton de Fribourg, sur la Sarine*. 39 500 hab. *(Fribourgeois),* dont 10 000 de langue allemande. – Évêché. Université catholique (fondée en 1889). Ville anc. dans un site pittoresque : cathédrale St-Nicolas (XIIIe-XVe s.), église des Cordeliers (XIIIe s.), collège et église St-Michel (XVIe s.), hôtel de ville (XVIe s.). – Indus. alimentaire (chocolat, brasseries), photochimie, fonderie, indus. électrique, emballages métalliques. – Patrie de P. Girod*. ♦ *Hist.* La ville fut fondée en 1157 par les Zähringen*. La *Paix perpétuelle,* traité d'alliance entre la France et la Suisse, y fut signée en 1516 **(V. François Ier).** Au XVIe s., le canton de Fribourg devint le centre de la réforme catholique. – LE CANTON DE FRIBOURG, bordé par le canton de Vaud à l'O. et celui de Berne à l'E., représente la frontière linguistique de la Suisse. 1 670 km². 174 000 hab. dont les deux tiers de langue française (O. et S.) et le tiers de langue allemande (E. et N.). *V. princ.* Bulle, Gruyères, Morat. La partie N. du canton, formée de collines arrosées par la Broye et la Sarine, touche au lac de Neuchâtel* à l'ouest. C'est une des plus importantes régions agricoles de Suisse (céréales, tabac, fruits, vins blancs du mont Vully). La partie S., plus montagneuse (Moléson 2 003 m, Vanil Noir 2 389 m), est consacrée à un élevage essentiellement tourné vers la fabrication du fromage de Gruyère.

FRIBOURG-EN-BRISGAU, en all. **Freiburg im Breisgau.** ♦ V. d'Allemagne occidentale (Bade-Wurtemberg), sur la Dreisam, au pied de la Forêt-Noire et au cœur du pays de Brisgau. 163 500 hab. (1969). Archevêché, université. Cathédrale en grès rouge (XIIe-XVe s.), l'une des plus belles églises gothiques d'Allemagne. – Important centre commercial et industriel (papeteries et travail du bois, textiles, indus. chimiques et mécaniques). Centre touristique à proximité de la Forêt-Noire. – Patrie de B. Schwarz*, O. Warburg*. ♦ *Hist.* La V. se développa autour d'une forteresse construite en 1190 par Berthold II de Zähringen, et fut du XIVe au déb. du XIXe s. sous la domination habsbourgeoise. Condé* y remporta sur le général autrichien Mercy une éclatante victoire (août 1644). Fribourg fut réunie en 1806 au duché de Bade.

FRIEDEL [fʀidɛl] **(Charles).** ♦ Chimiste et minéralogiste français (Strasbourg, 1832 – Montauban, 1899). Auteur de recherches sur les synthèses des minéraux, ses travaux concernent surtout la chimie organique ; il imagina notamment une réaction permettant la synthèse des carbures benzéniques et promut l'emploi de la notation atomique. **V. Crafts.** (Acad. sc., 1878.)

FRIEDLAND. ♦ V. de l'anc. Prusse-Orientale, près de Königsberg, auj. Pravdinsk* en U.R.S.S. (R.S.F.S. de Russie). – Napoléon* y remporta une éclatante victoire sur les Russes commandés par Bennigsen* (14 juin 1807). Elle fut suivie par la paix de Tilsit*. De nombreux généraux français (Lannes, Ney, Davout, Soult, Mortier, Victor, Murat, Oudinot, Lobau, Grouchy, Dupont de l'Étang) se distinguèrent durant la bataille. Bagration* y participa.

Friedlingen *(bataille de)***.** ♦ Victoire de Villars* sur le margrave de Bade, près de Huningue (1702).

FRIEDMAN (Milton). ♦ Économiste américain (Brooklyn, 1912). Théoricien de l'« école de Chicago », il a prétendu que les fluctuations de l'activité économique dépendent non pas des variations de l'investissement, ainsi que l'affirme Keynes*, mais de celles de l'offre de monnaie. Rétablissant ainsi la théorie quantitative de la monnaie, d'où le qualificatif de « monétariste » qui s'applique à sa théorie, et remettant en cause, à la suite des libéraux, l'efficacité d'une intervention de l'État (soutenue par Keynes) pour favoriser l'expansion économique ; il a joué un rôle influent sur la politique économique des États-Unis. (*Studies in the Quantity Theory of Money,* 1956; *A Theory of the Consumption Fonction,* 1957.) Prix Nobel de sciences économiques (1976).

FRIEDMANN (Georges Philippe). ♦ Sociologue français (Paris, 1902). À l'encontre des positions optimistes de J. Fourastié*, il a montré le caractère déshumanisant de l'organisation du travail dans la société industrielle **(V. Taylor)** [*Problèmes humains du machinisme industriel,* 1947 ; *Où va le travail humain ?,* 1950 ; *Le Travail en miettes,* 1956]. On lui doit également une étude sociologique sur *La Fin du peuple juif* (1966) et des réflexions d'ordre moral et philosophique sur l'avenir de la civilisation (*La Puissance et la Sagesse,* 1971).

Ph. Hubert Josse

Fribourg : vue générale sur le cours de la Sarine.

Arch. Smeets

Othon Friesz : « Vue de Méounes », 1925. (Coll. privée.)

FRIEDRICH (Caspar David). ♦ Peintre et graveur allemand (Greifwald, 1774 – Dresde, 1840). Après des études à Copenhague de 1794 à 1798, il fréquenta à Dresde P.O. Runge* et les écrivains L. Thieck, Kleist, Arnim et Brentano. Il sut donner à ses représentations (cimetières et ruines sous la neige, vues de glaciers, voyageurs contemplant le clair de lune en montagne ou le crépuscule sur le rivage) un caractère mélancolique exprimant l'angoisse de l'homme liée au sentiment de la nature. Ses paysages à la surface lisse et brillante, peints avec précision dans une tonalité souvent froide sont parmi les plus représentatifs de l'art romantique allemand.

FRIEDRICHSHAFEN. ♦ V. du P.O. de l'Allemagne (Bade-Wurtemberg), sur les bords du lac de Constance. 39 600 hab. Importante station touristique. Indus. mécaniques, travail du cuir. – Ancien centre de construction et d'essais des dirigeables Zeppelin.

FRIESZ [fʀijɛz] **(Othon).** ♦ Peintre et dessinateur français (Le Havre, 1879 – Paris, 1949). Il se lia avec Dufy* aux Beaux-Arts du Havre, puis travailla dans l'atelier de Bonnat* à Paris. Après ses premières œuvres impressionnistes, stimulé probablement par les exemples de Gauguin* et de Van* Gogh, il accorda le primat à la couleur, l'étalant avec une grande liberté (*Portrait de Fernand Fleuret,* 1907). Il fit partie du groupe des « fauves », voyagea à Anvers avec Braque (*Les Canaux,* 1906), puis alla peindre des paysages dans le Midi et sur la côte normande. Il recourut alors à des couleurs plus mêlées, moins stridentes. Dès 1908, il s'éloigna du fauvisme, manifestant sous l'influence de Cézanne des préoccupations constructives, sans développer pour autant les spéculations spatiales de ce dernier. Il adopta un chromatisme plus austère et assourdi (bruns, ocres verts et bleus foncés), il chercha à donner une vigueur expressive à ses compositions élaborées selon des schémas classiques, insistant sur les volumes, simplifiant les formes suivant de puissantes arabesques ou des lignes rigides, et resta fidèle aux thèmes traditionnels du nu, du paysage, du portrait ou de la nature morte.

FRÎJA (vieux norrois, **Frigg**). ♦ Déesse germanique de l'amour. Son nom signifie « la bien-aimée » et les Romains l'assimilèrent à Vénus (l'allemand *Freitag* désigne le *Veneris dies,* le vendredi). Dans la mythologie scandinave, elle est l'épouse d'Odin* et la mère de Balder*; elle connaît l'avenir mais ne le dévoile à personne. Freyja* est souvent confondue avec elle.

FRILEUSE. ♦ Camp militaire situé dans les Yvelines, à proximité de Versailles.

FRIOUL, en it. **Friuli.** ♦ Région historique de l'Italie dont elle constitue l'extrémité nord-orientale. Elle forme avec la *Vénétie Julienne* une région autonome depuis 1963. L'ensemble comprend les prov. d'Udine*, de Gorizia* et de Trieste* (7 684 km², 1 250 000 hab.). Il est limité au N. par les Alpes* Carniques, faisant frontière avec l'Autriche; au S. par le golfe de Trieste; à l'O. par la Piave*; et à l'E. par l'Isonzo* et les Alpes* Juliennes **(V. Yougoslavie, Istrie, Slovénie).** *V. princ.* Trieste*, Udine*. Montfaucon. – *Orogr.* Le Nord est un pays de montagnes et de collines que bordent les Alpes Carniques et Juliennes. Le Sud, au contraire, est une zone de plaine fertile, à l'est, stérile ou gorgée d'eau à l'ouest. Les lagunes côtières ont été drainées et bonifiées. – *Hydrogr.* Fleuves : Piave*, Tagliamento*, Isonzo*. C'est une région d'économie résolument agricole. La montagne vit d'élevage et de sylviculture. L'ouest de la plaine est couvert de pâturages tandis que l'est vit de cultures céréalières basées sur le maïs. La région d'Udine pratique la culture maraîchère. L'industrie est peu importante : soie, meubles (dans toute la région). La métallurgie lourde est localisée à Udine et Montfaucon, qui, avec Trieste*, est l'un des grands ports italiens. ♦ *Hist.* Le nom de *Frioul* vient de l'ancienne ville *Forum Julii.* Duché lombard au VIe s., il fut annexé par Charlemagne (775) et passa en 1077 aux patriarches d'Aquilée qui en cédèrent la majeure partie à Venise (1420). Le reste du duché passa à l'Autriche en 1500, d'où la distinction entre un *Frioul autrichien* à l'est (cap. *Trieste*) et un *Frioul vénitien* (cap. *Udine*) qui passa à l'Autriche au traité de Campoformio (1797). La majeure partie de la région rejoignit le royaume d'Italie (1866). En 1947, l'Italie céda à la Yougoslavie le ***Frioul oriental*** moins Trieste.

FRISCH (Karl von). ♦ Zoologiste autrichien (Vienne, 1886 –). Il a émis une hypothèse sur le mode de communication utilisé par les abeilles, en étudiant leur comportement (le rythme et la direction de leur vol [ou « danse »] au retour du butinage étant supposés indiquer aux autres abeilles la direction et la distance de la zone reconnue). Cette hypothèse, actuellement contestée, eut le mérite d'orienter les recherches sur les codes communicatifs employés par les animaux (zoosémiotique). ***Aus dem Leben der Bienen, Du und das Leben*** (1955), ***Tanzsprache und orientierung der Bienen*** (1965). [Prix Nobel de méd., 1973.]

FRISCH (Ragnar). ♦ Économiste suédois (1895 – 1973). Auteur de travaux d'économétrie, en particulier sur l'amplitude des cycles économiques successifs *(Propagation Problems in Dynamic Economics),* il reçut le prix Nobel avec J. Tinbergen* (1969). *Maxima et minima, théorie et applications économiques* (trad. fr., 1960).

FRISCH (Otto Robert). ♦ Physicien autrichien naturalisé anglais (Vienne, 1904). Spécialiste de physique nucléaire, il interpréta l'existence des transuraniens en utilisant le modèle nucléaire de la « goutte liquide » de Niels Bohr*, donnant ainsi une preuve physique de l'existence de la fission. **V. F. Joliot, Meitner.**

FRISCH (Max). ♦ Auteur dramatique suisse (Zurich, 1911). Architecte de profession, il témoigne, dans la construction de ses pièces, conçues souvent comme des paraboles, dans la conception de ses personnages plus allégoriques qu'individualisés, d'une indifférence presque totale pour la psychologie, l'atmosphère, l'étude de mœurs. Sans dédaigner les ressources du lyrisme et de l'humour, il achemine le spectateur jusqu'au point final d'une démonstration qu'il conduit avec la plus exigeante rigueur. L'influence de Brecht* est sensible dans des œuvres comme ***Biedermann et les Incendiaires*** (***Biedermann und die Brandstifter,*** 1952), satire des préjugés et des faiblesses de la bourgeoisie zurichoise, ***Don Juan ou l'Amour de la géométrie*** (***Don Juan oder die Liebe zur Geometrie,*** 1953), négation de l'amour et du couple, ***Andorra*** (1961), dénonciation mélodramatique du racisme.

FRISE, *n. f.,* en néerl. **Friesland.** ♦ Province du N. des Pays-Bas limitée à l'E. par les provinces de Groningue et de Drenthe, au S. par l'Overijsel et les polders de l'Ijselmeer et au N. par la mer du Nord. 3 388 km². 487 100 hab. *Ch.-l.* **V. Leeuwarden.** *V. princ.* **V. Harlingen, Heerenveen, Sneek.** *Langues :* néerlandais et frison; religion protestante. – Plaine fertile grâce à l'assèchement des tourbières au S. et à l'E., située pour la majeure partie au-dessous du niveau de la mer, la province est célèbre pour son élevage bovin (race frisonne pie noir). Pommes de terre. Blé. Betterave sucrière. Vergers. – L'indus., surtout alimentaire, n'occupe que 25 % de la population. ♦ *Hist.* Peuplant un territoire aux contours mal définis, mais beaucoup plus vaste que la Frise actuelle, les Frisons (parents des Saxons) apparurent au début de l'ère chrétienne parmi les tribus germaniques de la côte de la mer du Nord, entre la Meuse et la Weser. Cette région était par ailleurs le berceau des Francs Saliens. Se livrant à la piraterie puis au commerce maritime, les Frisons, petit à petit refoulés vers le Nord par les Mérovingiens d'Austrasie, furent définitivement soumis à la monarchie franque au VIIIe s. et christianisés. Au Moyen Âge, la Frise, faisant partie du Saint Empire germanique, se trouva morcelée en de nombreux États (comtés de Hollande et de Zélande, évêché d'Utrecht. seigneurie de Groningue). Sous cette appellation subsistaient alors la ***Frise*** proprement dite et la ***Frise orientale.*** La première, longtemps pomme de discorde entre les comtes de Hollande et les ducs de Saxe, échut à ces derniers en 1498 quand l'empereur Maximilien nomma Albert, duc de Saxe, gouverneur perpétuel de Frise. Elle passa ensuite sous l'autorité de Charles, duc de Gueldre, puis, en 1515, du futur empereur Charles Quint. En 1579, la Frise adhéra à l'Union d'Utrecht et suivit désormais le sort des Provinces*-Unies. Quant à la ***Frise orientale,*** elle fut soumise à plusieurs comtes jusqu'en 1744, date à laquelle elle passa sous la domination de la Prusse. Napoléon Ier la rattacha au royaume de Hollande, puis à la France : elle constituait le département de l'Ems-Oriental. En 1814, la Frise orientale fut rendue à la Prusse qui la céda au Hanovre.

FRISE ORIENTALE, en all. **Ostfriesland.** ♦ Région de la côte allemande de la mer du Nord (Basse-Saxe), prolongeant la Frise néerlandaise et comprise entre l'estuaire de l'Ems et celui de la Weser. C'est un pays de polders et de terres endiguées conquises sur la mer (Marschen), voué aux prairies et à l'élevage d'embouche. La côte est bordée d'un cordon d'îles sableuses, les *îles Frisonnes orientales* (Borkum, Nordeney), prolongées le long de la presqu'île du Jylland (Jutland) par Helgoland* et les *îles Frisonnes du Nord* (Nordstrand, Föhr, Sylt*).

FRISONNES *(îles)*. ♦ Îles des Pays-Bas, restes d'un ancien cordon littoral morcelé; quatre d'entre elles appartiennent à la Frise*. L'archipel comprend les îles Vlieland, Terschelling, Ameland, Schiermonnikoog, Texel (archipel Frison occidental, aux Pays-Bas); Borkum, Juist, Norderney, Langeoog, Spiekeroog, Wangerooge (archipel Frison oriental, en Allemagne); Pellworm, Nordstrand, Halligen, Amrun, Föhr, l'île de Sylt*, Rømø* et Fanø (archipel Frison septentrional, partagé entre l'Allemagne et le Danemark). Nombreuses plages. Réserve naturelle pour les oiseaux de mer. Phoques. ♦ *Hist.* Au XIIIᵉ s., la mer du Nord élargit progressivement les embouchures de la Vlie qui la mettait en communication avec le lac Flevo, et l'arrière-pays, ainsi envahi, devint le Zuiderzee*. Une digue construite en 1871 entre Ameland et la côte frisonne se rompit en 1882.

FRITSCH (Werner *von***)**. ♦ Général allemand (Benrath, 1880 – Varsovie, 1939). Il commanda les forces terrestres allemandes, qu'il réorganisa, à partir de 1934. Il fut destitué par Hitler en 1938.

FRÖBEL (Friedrich). ♦ Pédagogue allemand (Oberweissbach, Thuringe, 1782 – Marienthal, 1852). Influencé par Pestalozzi, il a exposé les principes d'une pédagogie insistant sur la nécessité de réaliser un équilibre harmonieux des facultés psychologiques de l'enfant, auquel il entend laisser une grande spontanéité. En 1837, il fonda à Blankenburg (Thuringe) le premier « jardin d'enfants » (en all. Kindergarten); mais son entreprise fut considérée comme favorisant l'irréligiosité et le socialisme et interdite dans plusieurs États allemands (*Die Menschenerziehung, L'Éducation de l'homme,* 1826).

FROBENIUS (Leo). ♦ Ethnologue et philosophe allemand (Berlin, 1873 – Riganzolo, lac Majeur, 1938). Il fit de nombreux voyages d'étude en Afrique à laquelle il consacra une grande partie de ses ouvrages. Représentant de l'école diffusionniste (qui insiste sur les relations et la filiation entre civilisations), il affirma l'analogie entre les cultures guinéo-congolaises et australiennes, auxquelles il attribua une origine commune, et il fut le premier à utiliser en ethnologie la notion d'aires culturelles, cherchant à établir une théorie scientifique des cultures. (*Der Ursprung der westafrikanische Kulturen,* 1898; *Die afrikanischen Kulturkreise,* 1897-1899; *Atlas Africanus,* 1921-1931; *Vom Völkerstudien zur Philosophie,* 1925; etc.)

FROBERGER (Johann Jakob). ♦ Compositeur et organiste allemand (Stuttgart, 1616 – Héricourt, 1667). Il reçut de son père, maître de chapelle à la cour de Stuttgart, sa première éducation musicale. Des divers séjours qu'il fit dans les capitales d'Europe, il convient de retenir ceux de Rome (1637-1641), où il fut élève de Frescobaldi, et de Vienne (1645), où il remplit la charge d'organiste de la cour. Bien qu'aucune de ses œuvres n'ait été imprimée de son vivant, il a exercé une influence considérable sur la musique de son siècle, et même au delà, jusqu'à J.-S. Bach et Haendel. Réalisant la synthèse des styles italien, français et allemand, il a laissé des pièces pour orgue et clavecin, d'une facture très personnelle.

FROBISHER (*sir* **Martin)**. ♦ Navigateur anglais (Altofts, près de Wakefield, Yorkshire, v. 1539 – Plymouth, 1594). Cherchant une voie maritime vers la Chine par le nord du continent americain, il entreprit en 1576 une expédition au cours de laquelle il longea la côte meridionale du Groenland, le littoral oriental du Labrador et la terre de Baffin jusqu'à la baie qui porte aujourd'hui son nom. En 1585, il se rendit avec Drake aux Indes occidentales, puis participa à la lutte victorieuse de l'Angleterre contre l'« Invincible Armada » (1588).

FROBISHER BAY. ♦ Village eskimo situé au fond de la *baie de Frosbisher,* au S.-E. de la terre de Baffin* (Canada; territoires du N.-O.). Comptoir de la Compagnie de la baie d'Huson. Base aerienne.

Ph. M. Pedone/Ricciarini
Les Alpes du **Frioul.**

Ph. Giraudon
« Chroniques » de **Jean Froissart :** l'auteur présente son ouvrage. (Musée Condé, Chantilly.)

FRŒSCHWILLER [fRœʃvilɛR]. ♦ Comm. du Bas-Rhin (arr. de Wissembourg), 465 hab. ♦ *Hist.* Après la défaite de Wissembourg*, l'armée française sous le commandement de Mac*-Mahon, espérant couvrir les routes de Bitche, Saverne et Haguenau, fut concentrée à Frœschwiller, où elle fut battue par les troupes du prince royal de Prusse (5-6 août 1870) qui occupèrent Woerth tandis que Mac-Mahon se repliait sur Reichshoffen. Cette défaite eut pour conséquence l'occupation de l'Alsace par l'ennemi **(V. Franco-allemande** [*guerre*]**)**.

FROGES. ♦ Comm. de l'Isère, arr. de Grenoble. 2 631 hab. Électrométallurgie. Indus. du papier.

FROISSART (Jean). ♦ Chroniqueur français (Valenciennes, v. 1337 – Chimay, v. 1400), qui fut aussi poète et romancier. Ses enquêtes en Angleterre, en Écosse, en Aquitaine, en Italie lui permirent d'écrire (de 1370 à 1400) ses quatre livres de *Chroniques*, commençant en 1325. – Ses jugements peuvent être changeants, mais son goût des « beaux faits d'armes » et sa langue colorée en font « l'incomparable metteur en scène d'une époque passionnée et tumultueuse » (J. Bastin).

FROMENT (Nicolas). ♦ Peintre français (Uzès, v. 1425 – Avignon, 1483-1486). Il séjourna en Italie v. 1461 et y exécuta un retable, *La Résurrection de Lazare,* où la dureté des formes, leur caractère tourmenté portent l'empreinte de l'art nordique. Il travailla ensuite à Avignon comme peintre attitré du roi René et reçut la commande du *Buisson ardent* (1475-1476); certains éléments du paysage et la qualité de la lumière découpant avec netteté les formes apparaissent comme des traits caractéristiques de l'art provençal. Son style révèle un certain éclectisme : la minutie de la description d'inspiration flamande est mêlée d'emprunts florentins (notamment les lointains du paysage). Il semble avoir influencé plusieurs peintres travaillant dans la région d'Avignon.

FROMENTIN (Eugène). ♦ Peintre et écrivain français (La Rochelle, 1820 – Saint-Maurice, 1876). Il passa son enfance en Saintonge; adolescent, il s'éprit d'une jeune créole, son aînée, qui se maria, puis mourut en 1844. *Dominique** (1863), son unique roman, évoque avec un lyrisme retenu la « volupté déchirante de [ce] souvenir » (E. Henriot). Devenu paysagiste, Fromentin se sentit attiré par l'Orient et fit différents voyages (notamment en Afrique du Nord, en 1846, 1848 et 1852), dont il rapporta des tableaux aux couleurs vigoureuses, et des volumes de souvenirs, notamment *Une année dans le Sahel* (1858) qui lui attira les éloges de George Sand, Michelet et Sainte-Beuve. À la suite d'un voyage en Belgique et en Hollande, il publia *Les Maîtres d'autrefois* (1876) où il se révèle un pénétrant critique d'art. Estimé pour une œuvre picturale qui adopte le goût romantique de la couleur locale, Fromentin doit surtout sa célébrité à l'expression littéraire : la lucidité de l'analyse et l'aptitude à peindre les sentiments les plus subtils font de *Dominique* un chef-d'œuvre du roman idéaliste.

FROMENTINE *(goulet de)*. ♦ Étroite passe (700 m) séparant l'île de Noirmoutier du continent. Un pont la franchit depuis 1972.

Fronde. *n. f.* (Cf. Fronder et Fronde, *in* Robert). ♦ Troubles qui agitèrent la France pendant la minorité de Louis XIV et le gouvernement de Mazarin*, mettant en question l'œuvre de Richelieu* et la monarchie absolue. Ses causes profondes furent d'ordre politique, social, économique et son point de départ immédiat, l'opposition du parlement de Paris aux mesures financières du gouvernement. Sous l'influence de Gondi (futur cardinal de Retz*) et de Broussel*, il se réunit par l'acte (ou arrêt) d'union* (1648) aux autres cours souveraines et tenta de limiter le pouvoir royal (Déclaration des vingt-sept articles). Le gouvernement fit arrêter Broussel et deux autres meneurs, ce qui provoqua l'insurrection (journée des Barricades*). La *Fronde parlementaire* commençait. La cour se réfugia à Saint-Germain tandis que Condé* assiégeait Paris et le décidait à céder et à signer la paix de Rueil* (1649). Condé, déçu de ne pas obtenir la place de Mazarin, rejoignit les frondeurs, qui avaient pour la plupart été des importants* : son frère le prince de Conti*, sa sœur la duchesse de Longueville*, Turenne* qu'elle avait entraîné, La* Rochefoucauld, la duchesse de Chevreuse*, Anne de Gonzague*, le duc de Beaufort*, Gaston d'Orléans*... Son emprisonnement à Vincennes provoqua l'agitation de ses amis qui soulevèrent la province, celle de Gondi qui rallia les parlementaires. Mazarin fut contraint de relâcher Condé et de se retirer en Rhénanie (1652). Condé prit alors la tête de la *Fronde des princes,* mais des rivalités ne tardèrent pas à naître entre chefs (Condé et Gondi) et entre nobles et parlementaires. Condé, obligé de quitter Paris, rejoignit Bordeaux, s'alliant au mouvement de l'Ormée* et aux Espagnols. Après la bataille de Bléneau* (1652), il marcha sur Paris et se heurta à Turenne qui avait rejoint la cause royale, au faubourg St-Antoine. Seule l'intervention de la Grande Mademoiselle **(V. Montpensier, Anne,** ***duchesse de*****)**, qui fit tirer le canon à la Bastille, lui permit d'entrer dans la ville dont il fut bientôt chassé par les bourgeois. Son départ chez les Espagnols marqua la fin de la Fronde. Louis XIV et Anne d'Autriche rentrèrent à Paris, suivis peu après de Mazarin, et reçurent un accueil triomphal : le pouvoir royal sortait renforcé de cette épreuve.

FRONDIZI (Arturo). ♦ Homme d'État argentin (dans la prov. de Corrientes, 1908). Il fut président de la république Argentine (1958-1962).

FRONSAC. ♦ Ch.-l. de cant. de la Gironde*, arr. de Libourne*, sur la Dordogne. 1 155 hab. (369 aggl.) [*Fronsadais*]. Vins rouges célèbres.

Front de libération nationale (F.L.N.). ♦ Parti nationaliste algérien formé lors de l'insurrection de novembre 1954 par la fusion de divers groupements nationalistes. Porte-parole politique du gouvernement* provisoire de la République algérienne (G.P.R.A.), le F.L.N. dirigea aussi l'Armée de libération nationale (A.L.N.) et fut l'élément moteur de la lutte pour l'indépendance. Quand l'Algérie accéda à l'indépendance (1962), le F.L.N., devenu parti unique, fut le centre où s'exprimèrent les diverses tendances du nationalisme algérien. Après le coup d'État qui évinça Ben Bella (juin 1965), l'aile gauche du parti fut éliminée.

Front démocratique et populaire pour la libération de la Palestine (F.D.P.L.P.). ♦ Organisation palestinienne issue en 1969 d'une scission du Front* populaire pour la libération de la Palestine. S'affirmant comme révolutionnaire, c'est l'un des seuls mouvements palestiniens à avoir insisté sur l'éducation politique des réfugiés des camps et à avoir proposé une solution démocratique au conflit du Moyen-Orient (« créer un pouvoir démocratique et populaire en Palestine, où juifs et Arabes cohabitent sans discrimination, ni oppression nationale ou de classes »). Le mouvement a été attaqué pour ses prises de position sur les groupes et partis israéliens progressistes (Matzpen et Rakah) auxquels il fit explicitement appel dans la lutte contre l'impérialisme.

FRONTENAC (Louis de BUADE, ***comte de*** **PALLUAU** et ***de*****).** ♦ Administrateur français (Saint-Germain-en-Laye, 1622 – Québec, 1698). Nommé gouverneur général de la Nouvelle-France (Canada) en 1672, il contribua à y étendre et à y affermir les possessions françaises; mais, gouvernant de façon trop autoritaire, il fut rappelé en France en 1682. En 1689, il fut rétabli dans ses fonctions en raison de la situation rendue difficile par les attaques des Iroquois et celles des Anglais.

FRONTIGNAN. ♦ Ch.-l. de cant. de l'Hérault (arr. de Montpellier) [aggl. de Sète*], situé au bord de l'étang d'Ingril (ou de Frontignan). Port sur le canal du Rhône à Sète. 11 141 hab. *(Frontignanais).* Église (XIVe siècle). – Vins muscats naturels célèbres. Raffinerie de pétrole et de soufre; pétrolochimie. Cimenterie. Salines.

Front national. ♦ Mouvement de résistance française à l'occupation allemande, créé en mai 1941. D'origine communiste, il s'ouvrit à toutes les tendances, chercha à réunir les divers mouvements, mais refusa de s'intégrer aux regroupements opérés à partir de 1943. Il fut le seul mouvement à couvrir les deux zones, nord et sud; à la Libération, il était devenu le plus important des mouvements de la Résistance. Armé par le général Giraud*, il avait organisé l'insurrection et la libération de la Corse (sept. 1943). Princ. chefs : P. Villon, Maranne, F. Joliot-Curie, J. Godart, Mgr Chevrot. – Le Front national des écrivains, avec Aragon, publia *Les Lettres françaises.*

FRONTON (Marcus Cornelius Fronto). ♦ Rhéteur latin (Cirta, Constantine, v. 100 – v. 175). Orateur réputé de son temps et maître de Marc* Aurèle, il entretint avec lui une correspondance familière. Soucieux avant tout de la forme, il laissa des *Éloges de la fumée, de la poussière, de la négligence.*

FRONTON. ♦ Ch.-l. de cant. de la Haute-Garonne*, arr. de Toulouse*. 2 272 hab. *(Frontonais).* Vins, distilleries. Cultures de fruits.

Ph. Lauros-Giraudon

Le comte de **Frotté,** par L. Bouteiller. (Musée de Cholet.)

Front populaire. ♦ Nom donné, par analogie avec le *Frente popular* espagnol, à la coalition des partis de gauche qui arriva au pouvoir en France en juin 1936. La formation de cette coalition eut pour origine la crise économique mondiale qui affecta la France (fin 1930-début 1931) et l'évolution politique européenne : montée du fascisme en Italie, du nazisme en Allemagne, développement des ligues d'extrême droite en France (Action* française, Croix*-de-Feu, Jeunesses patriotiques) qui avaient organisé la manifestation du 6 février* 1934 et donnèrent une impulsion à l'unification des partis de gauche (pacte d'unité d'action socialo-communiste de juillet 1934). Enfin, l'échec de la politique déflationniste de P. Laval (1935) accéléra cette tendance. Constitué le 14 juillet 1935, le Front populaire regroupa les partis politiques de gauche (Parti communiste français avec M. Thorez, S.F.I.O. avec Léon Blum, Union socialiste républicaine de P. Ramadier, Parti radical avec Daladier), les syndicats (C.G.T. et C.G.T.U. réunifiés au congrès de Toulouse, 1936), des organisations d'intellectuels de gauche (Ligue des droits de l'homme de V. Basch, mouvement contre la guerre et le fascisme, dit d'Amsterdam-Pleyel avec H. Barbusse et Romain Rolland, Comité de vigilance des intellectuels antifascistes, créé en mars 1934, avec le philosophe Alain, P. Rivet, P. Langevin, etc.). Le programme du Front populaire, présenté en janvier 1936, était plus précis sur le plan politique et social (interdiction des ligues d'extrême droite, affirmation des droits syndicaux, école laïque, etc.) que sur le plan économique. Après sa victoire aux élections législatives (avril-mai 1936), il imposa un gouvernement composé de radicaux et de socialistes (les communistes apportant leur soutien, mais sans participation). Ce gouvernement, sous la présidence de Léon Blum*, imposa plusieurs mesures de réformes sociales à la suite de grèves avec occupation des locaux : signature des accords Matignon* entre le patronat et la C.G.T. (6 juin 1936), augmentation des salaires, semaine de quarante heures, congés payés, réorganisation de la Banque de France et des finances **(V. Auriol** [Vincent]**)**, création d'un Office du blé, nationalisation des chemins de fer, etc. Toutefois, des difficultés financières et des troubles sociaux amenèrent le gouvernement de Léon Blum à marquer une pause dans les réformes sociales, suscitant une vive opposition de la gauche, en particulier des communistes qui critiquèrent également sa politique de non-intervention dans la guerre civile espagnole. Léon Blum dut céder la présidence du Conseil à Chautemps* (juin 1937-mars 1938), qui tenta de poursuivre l'expérience entreprise tout en l'atténuant. Après la constitution d'un second cabinet Blum (mars-avril 1938), le ministère Daladier qui lui succéda marqua la fin du Front populaire. Celui-ci, qui avait été salué en U.R.S.S. comme l'exemple donné par la classe ouvrière française « à tout le prolétariat international... de la façon dont il faut combattre le fascisme », connut de nombreuses difficultés; mais les principales réformes qu'il imposa constituèrent un acquis pour le prolétariat.

Front populaire pour la libération de la Palestine (F.P.L.P.).

♦ Organisation palestinienne, dirigée (1973) par le docteur Georges Habache. Ayant refusé d'adhérer à l'Organisation de libération de la Palestine (O.L.P.), le F.P.L.P., qui a été l'instigateur de plusieurs détournements d'avions de la compagnie israélienne *El Al*, a tenté de s'implanter dans les territoires occupés. Partagé entre les exigences socialistes révolutionnaires et le nationalisme panarabe, le F.P.L.P. a subi de nombreuses scissions.

FROSSARD (Charles Auguste). ♦ Général français (Versailles, 1807 – Château-Villain, Haute-Marne, 1875). Aide de camp de Napoléon III, il prit part à la campagne d'Italie de 1859, après laquelle il fut nommé chef de la maison militaire et gouverneur du prince impérial. Au début de la guerre franco-allemande, il fut battu par la Ire armée allemande de Steinmetz* à Forbach*-Spicheren (6 août 1870); après cette défaite qui ouvrit aux ennemis les portes de la Lorraine, Frossard fut fait prisonnier à Metz où il s'était replié avec son armée.

FROST (Robert Lee). ♦ Poète américain (San Francisco, Calif., 1874 – Boston, 1963). Son père, journaliste, mourut alors qu'il avait onze ans et c'est sa mère, d'ascendance écossaise, femme au sens religieux profond, qui forma son talent littéraire. Après des études de droit, il s'établit à la campagne (à Derry, N.H.) où il devint fermier, mais il géra mal sa propriété et dut se résoudre à enseigner (1906-1912). C'est à Derry que fut écrite la majeure partie des poèmes qu'il publia en Grande-Bretagne où il vécut après avoir vendu sa ferme. *La Volonté d'un jeune garçon* (*A Boy's will*, 1913) et *Au nord de Boston* (*North of Boston*, 1914) parurent à Londres. Frost s'inspire de la campagne *(Tree at my window, Storm Fear)* et cherche la simplicité dans le vocabulaire et l'emploi du vers libre. Son œuvre complète parut à New York en 1930. J. Kennedy, qui l'estimait, lui confia des missions dans divers pays (Israël, Grèce, Russie, Amérique du Sud).

FROTTÉ (Marie Pierre Louis, *comte de*). ♦ Chef de la chouannerie* normande (Alençon, 1755 – Verneuil, Eure, 1800). Issu d'une famille protestante, il se convertit au catholicisme et fut officier avant la Révolution. Émigré à Londres en 1792, il revint en Normandie en 1795 et tenta d'y fonder la *Compagnie des hommes de la Couronne*. Il rentra en Angleterre après la pacification de l'Ouest par Hoche (1796), puis revint en France comme agent des princes pour y poursuivre la lutte insurrectionnelle. Ayant obtenu un sauf-conduit pour se rendre à Alençon afin de s'y soumettre (1799), il fut arrêté et fusillé sur les ordres de Bonaparte.

FROUARD. ♦ Comm. de la Meurthe-et-Moselle (arr. de Nancy), sur la Moselle. 7 425 hab. Sidérurgie, métallurgie.

FROUDE (William). ♦ Ingénieur anglais (Darlington, Devon, 1810 – Simonstown, colonie du cap de Bonne-Espérance, 1879). Spécialiste de mécanique des fluides, il utilisa la loi de similitude pour l'étude expérimentale de la résistance exercée sur un corps en mouvement. Il mit également au point un frein hydraulique utilisé en mécanique pour la mesure des couples moteurs au banc d'essai (1858). V. *aussi* **Prony.**

FROUNZÉ ou **FRUNZE (Mikhaïl Vassilievitch).** ♦ Commandant de l'armée rouge (Piçhpek, auj. Frounzé, 1885 – Moscou, 1925). Il dirigea les opérations dans le Turkestan contre le général Bielov (1919), puis contre le général Wrangel, opérations qui aboutirent à l'occupation de la Crimée (1920). Commissaire adjoint à la Guerre (1924), commissaire aux Affaires militaires et navales (1925), il est l'auteur de plusieurs ouvrages militaires.

FROUNZÉ ou **FRUNZE,** av. 1926 **Piçhpek.** ♦ V. d'U.R.S.S., cap. du Kirghizistan*. 431 000 hab. Centre culturel. Université. Métallurgie. Machines agricoles. Manufacture de tabac. Indus. alimentaires. – Patrie de M.V. Frounzé*.

Fructidor an V (coup d'État du 18). ♦ Coup d'État exécuté le 4 sept. 1797 par les membres républicains du Directoire* (Barras, La Révellière-Lépreaux, Rewbell) avec le soutien de l'armée (Hoche*, Augereau* envoyé d'Italie à Paris par Bonaparte) contre les modérés et les royalistes (absolus et constitutionnels) du club de Clichy*. Après leur victoire aux élections de germinal an V, ces derniers avaient remplacé Letourneur par le royaliste Barthélemy* au Directoire, nommé Barbé-Marbois président du Conseil des Anciens et Pichegru* président du Conseil des Cinq-Cents. Ils avaient adopté plusieurs mesures en faveur des émigrés et des prêtres réfractaires. Le coup d'État aboutit à l'arrestation et à la déportation de Barthélemy, L. Carnot ayant réussi à s'enfuir, de onze membres du Conseil des Anciens et de quarante-deux du Conseil des Cinq-Cents, à l'annulation des élections dans quarante-neuf départements ainsi que des mesures en faveur des émigrés (cent soixante furent condamnés à mort). Il marqua ainsi un renforcement du pouvoir exécutif au détriment du pouvoir législatif.

Ph. Hubert Josse

Coup d'État du 18 Fructidor an V.
Gravure de la fin du XVIIIe s.
(Bibliothèque nationale, Paris.)

FRUGES. ♦ Ch.-l. de cant. du Pas*-de-Calais (arr. de Montreuil*), dans l'Artois*. 2 781 hab. *(Frugeois)*. Faïences.

FRY (Christopher). ♦ Poète et auteur dramatique anglais (Bristol, 1907 –). D'abord acteur, directeur de théâtre et metteur en scène de Shakespeare, de Shaw et de Wilde, il a écrit en 1940 *Le Songe des prisonniers (The Sleep of Prisoners)*, évasion poétique hors du temps des catastrophes mondiales; *La Dame ne brûlera pas (The Lady's not for burning*, 1948), fantaisie d'inspiration médiévale, puis *Vénus au zénith* (*Venus observed*, 1950), nouvelle évasion vers les pays de la chimère, hors d'un monde de douleur et de désespoir.

FRYCZ-MODRZEWSKI (Andrej), en lat. **Fricius Modrevius.** ♦ Théologien et écrivain polonais d'expression latine (Modrzev, v. 1503 – *id.*, v. 1572). Humaniste et protestant, il fut partisan d'un compromis entre catholiques et réformés. En 1543, il écrivit *Homicide et Châtiment (Lascius, sine de poema homicidii)* en s'élevant contre l'inégalité devant la justice. Dans son *Du redressement de l'État (Commentariorum de Republica emendanda)*, qui est l'un des grands livres du siècle, il exposa son programme de réformes (la première éd. en trois livres, *Des mœurs, Des lois, De la guerre*, 1551, fut complétée par *De l'Église* et *Des écoles* dans la 2e éd. en 1554; trad. polonaise, 1577).

FRÝDEK-MISTEK. ♦ V. de Tchécoslovaquie, en Moravie-Septentrionale sur l'Ostravice. 30 000 hab. environ. La ville fait partie de l'importante conurbation indus. d'Ostrava* : indus. sidérurgique, textiles.

FU'ÂD Ier, francisé en **FOUAD.** ♦ (Le Caire, 1868 – *id.*, 1936). Roi d'Égypte (1922-1936). Fils du khédive Ismâ'îl*, il succéda à son frère Husayn* Kamâl (1917). Élevé en Suisse et en Italie, il acquit une réputation d'intellectuel et fonda une université égyptienne en s'inspirant des modèles occidentaux (1908). Prenant le titre de roi en 1922, il s'efforça de gouverner sans heurter les intérêts anglais et fut amené à lutter contre le parti nationaliste du *wafd** (surtout à partir de 1928). Son fils Fârûq* lui succéda.

FUALDÈS (Antoine). ♦ Magistrat français (Mur-de-Barrez, 1761 – Rodez, 1817). Magistrat sous l'Empire, il fut retrouvé assassiné. Le procès de ses meurtriers (l'agent de change Jausion et le beau-frère de celui-ci, Bastide, qui avaient tué pour ne point régler leurs dettes) fit grand bruit et servit de thème à une complainte, restée longtemps célèbre.

FU-CHOU [*Fou-tcheou, Fuzhou*]. ♦ V. et port de Chine orientale, sur le Min*-chiang. Cap. de la prov. du Fu*-kien. Env. 700 000 hab. Centre agricole important. Artisanat de qualité (laque, bois, cuir). Manufactures de papier. Le port, qui a perdu de son importance, exporte du thé, du bois. ♦ *Hist.* La ville fut fondée au VIe siècle. – Elle fut bombardée en 1884 par Courbet.

FUCHS (Leonhart). ♦ Botaniste et médecin allemand (Wemding, Bavière, 1501 – Tübingen, 1566), auteur de nombreux traités de botanique (*Remarques sur l'histoire des plantes*, 1546, etc.). Le genre « fuchsia » lui a été dédié par Plumier. Il fit également des études sur la lèpre.

FUCHS (Immanuel Lazarus). ♦ Mathématicien allemand (Moschin, près de Posen, 1833 – Berlin, 1902). Disciple de Riemann*, il perfectionna les méthodes algébrico-géométriques, étudia les équations différentielles linéaires et certaines fonctions transcendantes (appelées *fonctions fuchsiennes* par H. Poincaré*) invariables dans certaines transformations et à partir desquelles il généralisa la théorie des fonctions elliptiques.

FUCHÛ. ♦ V. du Japon, dans la banlieue O. de Tôkyô. 153 000 hab. Indus. diverses.

FUČÍK (Julius). ♦ Journaliste et critique littéraire tchèque (Smichov, Prague, 1903 – exécuté à Berlin, 1943). Auteur communiste, il fut surtout célèbre par son *Reportage écrit sous la potence* (1945), qu'il écrivit dans une prison hitlérienne.

FUENTES (Carlos). ♦ Écrivain mexicain (Mexico, 1928 –). D'abord collaborateur de revues politiques, Fuentes est passé au roman où il excelle à recréer l'atmosphère de sa ville natale. Dans *La Plus Limpide Région* (1958), Mexico se dévoile sous le regard impitoyable du personnage central qui se fait la conscience critique de la société mexicaine contemporaine. *La Muerte de Artemio Cruz* (1962) décrit un Mexique trahi par un révolutionnaire roué et arriviste. Ces deux romans, comme les suivants (*Zona sagrada*, 1967), font une large place au monologue intérieur et à l'imaginaire.

FUENTES DE OÑORO. ♦ Localité d'Espagne (prov. de Salamanque). Env. 1 300 hab. – Wellington y remporta la victoire sur les armées françaises de Masséna (mai 1811).

FUERTEVENTURA. ♦ **V.** CANARIES (îles).

FUGGER. ♦ Famille de banquiers allemands, dont l'activité commerciale était connue dès le XIVe s., qui prit un essor parti-

Arch. Rencontre

Fulbert prêchant. Miniature, vers 1030. (Bibliothèque municipale, Chartres.)

culier avec JACOB II FUGGER, dit *le Riche* (1459 – 1525). Celui-ci développa le commerce avec le Levant et l'exploitation minière (Tyrol, Carinthie, Thuringe, Hongrie), contrôlant le marché du cuivre à Venise, et étendit son empire commercial sur toute l'Europe occidentale et centrale. Magnifique dans ses dons, il fonda des établissements philanthropiques. Il devint le financier des empereurs Maximilien et Charles Quint (celui-ci lui dut son élection et des victoires comme Pavie), mais ce soutien des Habsbourg, poursuivi sous Philippe II, fut une des causes de la ruine des Fugger. Leur maison, en effet, ne fit que décliner, après la mort d'ANTON FUGGER (1493 – 1560), au cours de la seconde moitié du XVIe siècle.

FU-HSI [*Fou-hi, Fuxi*]. ♦ Roi mythique chinois (~ 2852 – ~ 2737 selon la tradition), considéré comme le premier législateur du pays. On lui attribue l'invention du calendrier et de l'écriture; selon la légende, il avait une queue de serpent et quatre yeux.

FU-HSIN [*Fou-Sin, Fuxin*]. ♦ V. de Chine (Liao-ning), cité indus. à l'E. de Shen-yang. 250 000 hab.

FUJAÏRAH. ♦ Émirat de la Côte des Pirates* (État des Émirats* arabes unis) au S. de la pointe N.O. d'Oman* sur le golfe d'Oman. De petite étendue, l'État est peu peuplé et pauvre en cultures. Principale ressource : la pêche. Prospection du sous-sol (pétrole) par une société allemande. ♦ *Hist.* C'est en 1952 que la Grande-Bretagne reconnut son indépendance et signa avec son souverain Muhammad ibn Hamad al-Sharki un traité de protectorat. Il adhéra à la Fédération des émirats d'Arabie dès sa constitution (déc. 1971).

FUJI. ♦ V. du Japon sur la baie de Suruga (préf. de Shizuoka), au S.-O. de Tôkyô. 178 000 hab. Port de pêche et station balnéaire.

FUJI-SAN. *n. m.*, en fr. **Fuji-yama** (autre prononciation du caractère *san* « montagne »). ♦ Volcan (3 776 m) du centre de l'île de Honshû (Japon), dont la dernière éruption eut lieu en 1708. De forme conique parfaite, il est entouré à sa base de cinq lacs d'origine volcanique. Très vénéré des Japonais, il fut un des modèles préférés des artistes.

FUJISAWA. ♦ V. du Japon (Honshû, Kanagawa) sur la baie de Sagami, fondée en 1325. 230 000 hab. Station balnéaire et centre agricole.

FUJIWARA. ♦ Grande famille de nobles japonais, fondée au VIIe s. par Nakatomi no Kamako (ou Kamatari) et qui fournit à la cour impériale du Japon presque tous les premiers ministres, régents et grands hommes d'État jusqu'à la fin du XIIe siècle. Cette famille compta parmi ses membres quelques-uns des plus célèbres poètes et écrivains du Japon « classique ». À partir du Xe s., les Fujiwara s'allièrent à la famille impériale par mariages et devinrent tout-puissants, mais au XIIe s., ils furent supplantés par les clans rivaux des Taira* et des Minamoto*.

FUJIWARA no KINTÔ. ♦ Ministre japonais (Kyôto, 966 –1041), poète, calligraphe et musicien célèbre, auteur d'anthologies poétiques et de vers d'une grande délicatesse.

FUJIWARA no SADAIE ou **FUJIWARA no TEIKA.** ♦ Homme politique, poète, homme de lettres et calligraphe japonais (1162 – 1241). On lui attribue une collection de cent poèmes par cent poètes différents *(Hyakunin-isshu)*, encore très appréciée.

FUJIWARA no SEIKA. ♦ Philosophe japonais confucéen (1561 – 1619), fondateur d'une école de confucianisme. Il fut protégé par Tokugawa* Ieyasu et eut pour disciple Hayashi* Razan.

FUJI-YAMA. *n. m.* ♦ V. FUJI-SAN.

FUKAZAWA SHICHIRÔ. ♦ Écrivain et musicien japonais (1914 –) auteur de plusieurs romans et nouvelles originaux, dont *Études à propos des chansons de Narayama* (1956).

FU-KIEN [*Fu-chien, Fou-kien, Fujian*]. n. m. ♦ Prov. montagneuse de Chine sud-orientale, située face à l'île de Taïwan, et limitée au N. par le fl. Chê-kiang, à l'O. par le Chiang*-hsi, et au S.-O. par le Kuang*-tung. *Ch.-l.* Fu*-chou. De climat maritime et chaud, extrêmement fertile (thé, riz, canne à sucre), c'est une région très peuplée, en particulier près de la côte (18 000 000 d'hab. pour 123 000 km²). Ressources en bois (forêts de pins, bois de rose) et en minerais (charbon, fer, cuivre, or, argent, graphite).

FUKUI. ♦ V. du Japon, ch.-l. de préf. (Honshû), sur la mer du Japon, renommée depuis le Xe s. pour ses tissages de soie. 196 000 hab. (1969). Elle fut partiellement détruite par un tremblement de terre le 28 juin 1948.

FUKUOKA. ♦ V. et port du Japon, ch.-l. de préf., dans le N. de l'île de Kyûshû*. Centre politique et culturel (université) du Kyûshû. 853 000 hab. (1970). Important centre industriel : sidérurgie, chantiers navals, indus. textiles. Exportation de farine et de bois. Mines de charbon à proximité. La ville fait partie du complexe industriel de Kita*-Kyûshû.

FUKUSHIMA. ♦ V. du Japon et ch.-l. de préf. dans le N. du Honshû. 225 000 hab. Culture du mûrier, indus. de la soie.

FUKUYAMA. ♦ V. du Japon et port du S.-E. de Honshû, près de Hiroshima. 250 000 hab. Port exportateur d'huiles et de caoutchouc (produits manufacturés).

FUKUZAWA YUKICHI. ♦ Littérateur, philosophe et éducateur japonais (Ôsaka, 1834 – Tôkyô, 1901). Conseiller d'État, il voyagea en Europe et en Amérique, fonda des établissements d'enseignement et écrivit de nombreux ouvrages éducatifs prônant la civilisation occidentale qu'il contribua à introduire dans le pays.

FULBERT. ♦ Évêque de Chartres (Italie, v. 960 – Chartres, 1028). Élève de Gerbert*, il ouvrit une école à Chartres* qui possédait une importante bibliothèque d'historiens, de poètes latins classiques et chrétiens. Plusieurs élèves s'y distinguèrent :

Ph. René Burri/Magnum

Le **Fuji-San.**

Ph. C.F.L.-Giraudon

Loïe Fuller, par Toulouse-Lautrec, (Bibliothèque nationale, Paris.)

Bernard et Thierry de Chartres, Guillaume de Conches. Il fit commencer la cathédrale de Chartres. Il est l'auteur d'un texte célèbre, une lettre adressée au duc d'Aquitaine où il définit les obligations féodo-vassaliques (v. 1200).

FULDA. *n. f.* ♦ Riv. d'Allemagne occidentale (Hesse) [218 km]. Née dans le massif de la Rhön, elle arrose successivement Fulda, Hersfeld, Kassel et Münden, où elle s'unit à l'Eder, à la Schwalm et à la Werra pour former la Weser*. Gisements de potasse.

FULDA. ♦ V. d'Allemagne occidentale (Hesse), sur la Fulda, entre le Vogelsberg et la Rhön. 44 500 hab. Église carolingienne Saint-Michel (IXe s.), monuments baroques (château; cathédrale du début du XVIIIe s.). — Indus. textiles et chimiques (pneumatiques). — Patrie de Ferdinand Braun*. ♦ *Hist.* Fulda s'est développée autour d'une abbaye bénédictine fondée en 744 par un disciple de saint Boniface, Sturmius. Cette abbaye devint au Moyen Âge un grand foyer religieux, intellectuel et culturel, primat de tous les monastères bénédictins d'Allemagne **(V. Raban Maur).** Au milieu du XVIIIe s., elle devint siège épiscopal et l'abbé reçut le titre de prince. L'abbaye fut sécularisée en 1803 et la ville passa successivement à la Hesse (1813), puis à la Prusse (1866). L'épiscopat allemand y tient sa réunion annuelle.

FULGENCE (saint). [*Claudius Fulgentius*]. ♦ Écrivain latin chrétien (Télepte, Afrique, v. 467 — Ruspe, 533). Fonctionnaire, moine, puis évêque de Ruspe (508), il professa l'augustinisme, lutta contre l'arianisme des rois vandales, fonda le monastère de Cagliari lors de son exil en Sardaigne (517-523). Auteur d'ouvrages théologiques *(De fide...).* Fête le 1er janvier.

FULLER (Marie-Louise, dite **Loïe).** ♦ Artiste américaine de music-hall (Fullersbourg, près de Chicago, 1862 — Paris, 1928). Elle fut la créatrice d'un type de spectacle chorégraphique d'une grande originalité, par l'usage de projections lumineuses jouant sur les voiles mobiles des danseuses. Ces féeries *(danse du papillon, danse serpentine, danse du feu)* furent longtemps appréciées. — Toulouse-Lautrec l'a représentée.

FULLER (Richard Buckminster). ♦ Constructeur américain (Milton, Massachusetts, 1895). Surtout intéressé par les problèmes techniques, il conçut et réalisa en 1927 la *Dymaxion House :* prototype d'un ensemble d'équipements strictement fonctionnels. Il poursuivit ensuite ses recherches expérimentales surtout dans le domaine des couvertures à grande surface : voûtes hémisphériques appelées aussi dômes géodésiques, constituées par l'assemblage d'éléments identiques autoportants légers et transparents. Il est l'auteur de la plus vaste couverture réalisée jusqu'alors en acier et plastique *(coupole de l'Union Tank Car Co.,* à Baton Rouge, 1958).

FULLER (Samuel). ♦ Réalisateur américain de cinéma (Worcester, Massachusetts, 1911). Riche en paroxysmes, son style tend à susciter l'émotion sous ses formes élémentaires, cultivant la violence sans en exalter les héros. Réalisateur de films d'aventure, d'espionnage : « Ordres secrets aux espions nazis » (*Verboten!,* 1958), policiers : « Les Bas-Fonds de New York » (*Under World U.S.A.,* 1960), « Police spéciale » (*The Naked Kiss,* 1963); de guerre : « Les maraudeurs attaquent » (*Merrill's Marauders,* 1961).

FULTON (Robert). ♦ Mécanicien américain (Little Britain [auj. Fulton], Pennsylvanie, 1765 — New York, 1815). Il construisit, en France, en 1798, son premier sous-marin à hélice, propulsé manuellement en plongée et à la voile en surface [le *Nautulus,* devenu plus tard le *Nautilus*] **(V.** *aussi* **Bushnell, Zédé)**, puis, utilisant les résultats acquis par ses prédécesseurs et ses propres études sur la propulsion des bateaux par la vapeur **(V. Jouffroy d'Abbans),** il réalisa en 1807 le *Clermont,* premier bateau pratique qui assura la liaison New York-Albany sur l'Hudson.

FULVIE, en lat. **Fulvia.** ♦ (~ Ier s.). Patricienne romaine. Elle eut pour amant Q. Curius, complice de Catilina* et révéla à Cicéron* le secret de la conjuration.

FULVIE. ♦ Femme du tribun Clodius* puis d'Antoine* ([mort] Sicyone, Grèce, ~ 40). Elle profita des proscriptions pour venger son premier mari et contribua au meurtre de Cicéron*. Bien qu'Antoine l'ait abandonnée pour Cléopâtre*, elle prit le parti de son mari contre Octave* et provoqua la guerre de Pérouse* (~ 41). Vaincue par Octave, elle s'enfuit en Grèce où, après une entrevue orageuse avec son mari, elle mourut de chagrin.

FUMAY. ♦ Ch.-l. de cant. du dép. des Ardennes, arr. de Mézières, situé sur une presqu'île de la r. g. de la Meuse. 6 246 hab. *(Fumaciens).* Église néo-gothique (1874). Fonderies. Carrières de pierres. Ardoisières.

FUMEL. ♦ Ch.-l. de cant. du Lot*-et-Garonne, arr. de Villeneuve*-sur-Lot, sur le Lot*. 7 164 hab. *(Fumélois).* Aux environs, château de Bonaguil (XVe-XVIe s.). — Aggl. indus. de Fumel, Monsempron et Libos (métallurgie : tuyaux de fonte; centrale thermique).

FUNABASHI. ♦ V. du Japon (Honshū, préf. de Chiba). Env. 300 000 hab. Centre artisanal, petites industries.

FUNAN ou **FOUNAN.** *n. m.* ♦ Nom chinois d'un ancien royaume hindouisé du S. du Cambodge* et du Viêt*-nam (Ier-Ve s.), dont l'influence s'étendit jusque sur la péninsule malaise. On ignore le nom originel de ce pays, qui pourrait avoir été Bnam (?), « montagne ». Il avait sa capitale sur le bas Mekong*.

FUNCHAL. ♦ Ch.-l. et port d'escale sur la côte orientale de l'île portugaise de Madère*. 50 600 hab. Évêché. Cathédrale. Importante station hivernale et lieu de séjour touristique.

FUNDY *(baie de).* ♦ Baie de l'océan Atlantique, sur la côte E. du Canada et des États-Unis. Elle sépare le Nouveau-Brunswick et le nord du Maine de la Nouvelle-Écosse. Saint* John (Nouveau-Brunswick) est sur la côte O.; la baie de Passamaquoddy* s'ouvre sur elle.

FUNK (Casimir). ♦ Biochimiste américain d'origine polonaise (1884 — 1967). Promoteur des recherches sur les vitamines (1912), il isola en particulier la vitamine B antibéribérique.

FUNK (Walther). ♦ Économiste allemand (Trakehnem, Prusse-Orientale, 1890 — Düsseldorf, 1960). Conseiller financier du parti national-socialiste **(V. Nazisme),** il prit la succession de Schacht* en fév. 1938 à la tête du ministère de l'Économie nationale, et en 1939, fut nommé président de la *Reichsbank.* Condamné à l'emprisonnement à vie au procès de Nuremberg*, il fut libéré en 1957.

FURENS [fyrɑ̃], *n. m.* ♦ Riv. de France, affl. r. d. de la Loire. Née au pied du mont Pilat (Massif central), elle arrose Saint*-Étienne. 40 km.

FURETIÈRE (Antoine). ♦ Écrivain français (Paris, 1619 — *id.,* 1688), ecclésiastique et grammairien. Admis à l'Académie* française (1662), il en fut exclu (1685) pour avoir rivalisé avec elle par son *Essai d'un dictionnaire universel* (posthume, 1690), qui ajoute à la description du lexique de l'honnête homme (celui du *Diction-*

Coll. Rui Nogueira

S. Fuller

Arch. Smeets

J. H. Füssli : « Titania caresse Bottom à la tête d'âne ». (Kunsthaus, Zurich.)

naire de l'Académie française) celle des vocabulaires techniques et pratiques, langue de la bourgeoisie montante. On lui doit le *Roman* bourgeois* (1666), évocation réaliste des gens de loi et satire de la littérature romanesque.

FURIES. *n. f. pl.* ♦ Divinités du monde infernal dans la religion romaine. Elles furent très tôt assimilées aux Érinyes grecques. **V. Érinyes.**

FURKA *(col de la)*. ♦ Col des Alpes suisses entre la vallée du Rhône supérieur et celle de la Reuss*. Alt. 2 431 mètres.

FURNES, en néerl. **Veurne**. ♦ V. de Belgique, ch.-l. d'arr. de Flandre-Occidentale, située à la jonction des canaux de Dunkerque, de Bergues, de Lo et de Nieuport. 7 500 hab. — La ville conserve son caractère médiéval. Ancienne boucherie de 1615. Pavillon des officiers espagnols (gothique). Maison du Faucon (1624). Palais de justice (ancienne châtellenie de 1613). Beffroi gothique. Hôtel de ville (1596-1612). Église Sainte-Walburge. Église Saint-Nicolas, du XIIIe s. (triptyque de Pieter de Coecke d'Alost, 1534). — Sucreries. Manufactures de vêtements. ♦ *Hist.* D'abord seigneurie des comtes de Flandre, la ville appartint au comte d'Artois, allié des Anglais, en 1297. Elle fit partie du département de la Lys en 1793. Capitale de la « Belgique libre » durant la Première Guerre mondiale.

FURNESS. *n. m.* ♦ District d'Angleterre (Lancashire*) compris entre la baie de Morecambe, la mer d'Irlande, l'estuaire du Duddon, le Cumberland et le Westmorland. La richesse du sous-sol en fer a été à l'origine de l'essor de la métallurgie autour de Barrow*-in-Furness. — À proximité de Barrow, ruines de *Furness Abbey*, abbaye bénédictine du XIIe siècle.

FÜRST (Walter). ♦ Héros légendaire de l'histoire suisse (fin XIIIe siècle). Beau-père de Guillaume* Tell, il aurait représenté le canton d'Uri au serment de Rütli*.

FÜRSTENBERG. ♦ Famille allemande originaire de Souabe, connue surtout par Wilhelm Egon (1619 — 1704), évêque de Strasbourg (1684-1704). Fidèle allié de Louis XIV, il dut se réfugier en France. Sa candidature à l'électorat de Cologne, soutenue par Louis XIV, fut une des causes de la guerre de la ligue d'Augsbourg*.

FÜRSTENWALDE. ♦ V. d'Allemagne orientale (Brandebourg, district de Francfort-sur-l'Oder), sur la Sprée, près du canal Oder-Sprée. 32 700 hab. Centre industriel (aciéries, pneumatiques, travail du cuir).

FÜRTH. ♦ V. d'Allemagne centrale (R.F.A., Bavière), au confluent de la Rednitz et de la Pegnitz (qui forment la Regnitz), à l'O. de Nuremberg. 96 600 hab. — Église du XIVe s., maisons des XVIIe-XVIIIe siècles. — Électrotechnique. — Patrie de L. Erhard*. ♦ *Hist.* Mentionnée en 1007, Fürth appartint au duché de Bamberg, puis au margraviat d'Anspach, avant d'être rattachée à la Bavière (1805), puis à la Prusse (1816). Le premier chemin de fer allemand fut construit en 1835 entre Fürth et Nuremberg.

FURTWÄNGLER (Wilhelm). ♦ Chef d'orchestre allemand (Berlin, 1886 — Baden-Baden, 1954). Successeur de Nikisch à Leipzig, puis de Weingartner à Vienne, il fut, à la tête de l'Orchestre philharmonique de Berlin, par la noblesse et la générosité de son inspiration, l'un des plus grands interprètes de Beethoven, Brahms et Wagner.

FUSAN. ♦ **V.** BUSAN.

FUSE. ♦ V. du Japon (Honshû) près d'Ôsaka. 260 000 hab. Indus. métallurgiques, indus. des matières plastiques, de la céramique.

FU SHAN [*Fou Chan*]. ♦ Peintre chinois (1602 — 1683), de facture non classique, calligraphe, poète et médecin taoïste. Opposé à la dynastie manchoue des Ch'ing*, il devint une sorte de divinité populaire symbolisant la fidélité à la dynastie chinoise des Ming*.

FU-SHUN [*Fou-chouen*]. ♦ V. de Chine (Liao*-ning), à l'E. de Shen*-yang, établie depuis le XIIIe s. sur l'emplacement de schistes bitumineux exploités à ciel ouvert. 1 000 000 d'hab. Indus. chimiques et électriques. Centrale thermique.

FÜSSLI (Johan Heinrich Fuessli ou, en anglais, **Henry Fuseli)**. ♦ Peintre, dessinateur, graveur et écrivain suisse (Zurich, 1741 — Londres, 1825). Fils de peintre, il fit ses études théologiques et dut partir pour Berlin puis pour Londres après avoir signé, avec son ami Lavater*, un pamphlet politique. Il traduisit en anglais Winckelmann*. Il vécut à Rome (1770-1778) où il admira particulièrement Michel-Ange, puis s'établit à Londres en 1779. Il traita des thèmes historiques et tragiques inspirés de Shakespeare, Milton, des Nibelungen ou de Goethe, et aussi des scènes de folie (*Lady Macbeth,* 1784), des monstres (*Le Cauchemar,* 1782), thèmes où se manifeste sa prédilection pour l'étrange, le démoniaque, le surnaturel. Il aimait les personnages aux formes allongées, issus du maniérisme italien, et les clairs-obscurs accentués. Sa puissante imagination fantastique a marqué l'école anglaise **(V. Blake).** Il est l'un des représentants les plus importants du préromantisme.

FUST (Johann). ♦ Orfèvre et imprimeur allemand (Mayence, v. 1400 — Paris, 1466). Il s'associa avec Gutenberg*, mais se brouilla avec lui en 1455, et continua à diriger l'imprimerie qu'ils avaient fondée avec P. Schöffer*. Ils publièrent entre autres ouvrages, en 1457, le *Psautier de Mayence* (premier livre imprimé daté), puis la *Bible de Mayence.*

FUSTEL de COULANGES (Numa Denis). ♦ Historien français (Paris, 1830 — Massy, 1889). Élève de l'École normale supérieure et membre de l'École d'Athènes, il enseigna à la faculté de Strasbourg (1860), puis à Paris (1870) où, désireux d'inspirer « le respect pour les générations qui nous ont précédés », il entama son *Histoire des institutions politiques de l'ancienne France* (premier volume) dont, après sa mort, son disciple Camille Jullian fit paraître les volumes suivants. Fustel de Coulanges a défini sa méthode dans diverses études, notamment les *Questions historiques :* « L'Histoire n'est pas un art, elle est une science pure »; elle demande une documentation rigoureuse, une objectivité totale (par un constant effort de dépaysement) et un parfait esprit critique. Ces principes se trouvent illustrés dans *La Cité antique* (1864) où Fustel de Coulanges fait du sentiment religieux le principe constitutif de la famille et de la cité antiques. Cet ouvrage, qui souleva de vives polémiques, manifeste le talent littéraire de son auteur, qui sait être évocateur avec sobriété et sans recourir au pittoresque.

FUTABATEI SHIMEI. ♦ Écrivain japonais (Tôkyô, 1864 — baie du Bengale, 1909), spécialiste de la littérature russe. Il adapta de cette langue de nombreux romans et fut l'un des promoteurs de l'utilisation en littérature du langage parlé. Il périt lors d'un naufrage.

FUTUNA et **ALOFI**. ♦ Îles de la Polynésie (Océanie), appelées parfois *îles de Horn,* et appartenant au territoire d'outre-mer français de Wallis*-et-Futuna. 92 km². 2 945 hab. (1968).

Futurisme. *n. m.* ♦ École littéraire russe qui a succédé à l'acméisme* et dont la théorie se basait sur une révolution linguistique en créant des mots nouveaux où l'élément phonétique aurait son importance dans la magie qu'ils pourraient exercer. Le plus brillant représentant en fut Vladimir Maïakovski*. **V.** *aussi* **Khlebnikov.**

Futurisme. ♦ Mouvement intellectuel et artistique créé en Italie (1909). Ses principaux représentants furent Marinetti*, Boccioni*, C. Carra*, Ballà*. Severini*.

FUVEAU. ♦ Comm. des Bouches-du-Rhône, arr. d'Aix-en-Provence. 3 028 hab. Le *bassin de Fuveau* produit du lignite.

FUX (Johann Joseph). ♦ Compositeur et théoricien autrichien de la musique (Hirtenfeld, 1660 — Vienne, 1741). Maître de chapelle à la cour de Vienne (1715), il composa une œuvre d'inspiration baroque, très abondante dans les domaines divers de l'opéra, de la musique instrumentale (ouvertures, sonates) et sacrée (messes, requiem, oratorios). C'est surtout par un important ouvrage didactique, *Gradus ad Parnassum* (1725), où il fixa les règles du contrepoint, qu'il a exercé une profonde influence sur les musiciens qui en firent l'étude, de J.-S. Bach à Haydn, Mozart et Schubert.

FUZULI (Mehmet Süleyman Oğlu). ♦ Poète turc d'origine kurde (Baghdâd, v. 1494 — 1560). Il composa trois *Divans,* en turc, persan et arabe. Il rédigea en turc un long roman en vers *(masnavî)* inspiré de la légende arabe de l'amour absolu entre Laïla et Majnûn.

FYN. ♦ **V.** FIONIE.

FYNE *(loch)*. ♦ Long fjord (65 km) de la côte occidentale de l'Écosse (Argyllshire), formant la branche septentrionale de l'estuaire de la Clyde.

Ph. Hétier

Gabès : palmeraie.

GABAON. ♦ Anc. ville de Palestine, env. 10 km au N.-N.-O. de Jérusalem (*auj.* El Djib). Dans la Bible (*Josué,* X) victoire de Josué* sur cinq rois cananéens; arrêt miraculeux du soleil.

GABÈS. ♦ V. et port de la Tunisie méridionale, ch.-l. de gouvernorat (209 100 hab.), situé au fond du golfe du même nom. 24 000 hab. Belles palmeraies sur les rives de l'oued Gabès. Arbres fruitiers. – Port de pêche (thon). Conserveries de poissons. Complexe chimique. – *Le golfe de Gabès,* anc. golfe de la Petite Syrte*, est compris entre les côtes du Sahel de Sfax* et les îles Kerkennah* au N. et l'île de Djerba* au sud. *V. princ.* **V. Sfax, Skhira** et **Gabès.**

GABIN (Jean Alexis MONCORGÉ, dit **Jean).** ♦ Acteur français (Paris, 1904-Neuilly-sur-Seine, 1976). Figurant aux Folies-Bergère, puis chanteur d'opérettes, il commença une longue carrière au cinéma en 1930. Il a tourné dans plus de cent films dont plusieurs classiques de J. Duvivier (*Pépé le Moko,* 1935), Marcel Carné (*Quai des Brumes,* 1938). Son personnage de jeunesse, généreux, révolté et populaire, évolua avec l'âge et le physique de l'homme pour devenir, sans jamais perdre sa spontanéité et sa forte « présence », celui d'un homme mûr, puis d'un vieillard souvent non conformiste, toujours autoritaire et énergique, le comédien élargissant son registre à toutes les situations sociales.

GABLE (Clark). ♦ Acteur américain de cinéma (Cadiz, Ohio, 1901 – Hollywood, 1960). Alliant le charme à l'autorité et la désinvolture à la puissance, il fut l'une des figures les plus marquantes du cinéma américain.

GABO (Naum PEVSNER, dit**).** ♦ Sculpteur et théoricien américain d'origine russe (Briansk, 1890). Frère d'Antoine Pevsner*, il entreprit à partir de 1906 des études de médecine et de physique à Munich. En 1911-1912, il suivit les cours de Wölfflin, puis voyagea en Italie et en France, s'intéressant aux mouvements d'avant-garde. En 1915 à Oslo, il réalisa avec son frère des sculptures à partir de surfaces découpées et pliées en métal, carton, bois ou celluloïd : le découpage des formes en angles tranchants, l'adoption de matériaux prosaïques et l'abandon de la notion de volume plein procédaient des expériences cubistes et se rapprochaient des recherches d'Archipenko* et de Tatlin. En Russie soviétique, il participa à partir de 1917 à l'activité artistique alors en pleine effervescence; mais, s'opposant aux conceptions utilitaristes de Tatlin, il publia en 1920 *Le Manifeste réaliste,* signé aussi par son frère et où étaient exposés les principes du constructivisme. Il y défendait vigoureusement l'indépendance de l'art, refusait la tradition, et notamment l'imitation réaliste, prônait l'adoption de matériaux modernes (acier, celluloïd, verre), soulignait l'importance de l'espace et du temps dans l'expression plastique et refusait les notions de statisme et de masse. Séjournant en Allemagne de 1922 à 1932, il contribua avec Moholy-Nagy et Lissitzky à diffuser les idées constructivistes en Allemagne, notamment au *Bauhaus**, dès 1922. À Paris, il adhéra au groupe *Abstraction-Création.* Il se rendit ensuite en Angleterre (1935), puis se fixa aux États-Unis (1946). Dans ses constructions aux formes géométriques dépouillées, les surfaces angulaires souvent en matières transparentes, les tubes ou fils d'acier et de nylon définissent un espace aérien où joue la lumière. Dès 1920, il fit intervenir le temps en créant ses premières constructions cinétiques; très tôt, il voulut donner des dimensions monumentales à ses œuvres fortement architectoniques (*Monument pour un aérodrome,* 1922; *Au prisonnier politique inconnu,* 1953). Utilisant surtout, à partir de 1935, des matériaux souples (matières plastiques), il créa des formes d'une complexité croissante, surfaces courbes, gauches, hyperboloïdes offrant l'apparence de structures végétales aux rythmes d'une élégante rigueur. Adepte d'un art non figuratif, il a fortement contribué au renouvellement de l'expression plastique.

GABON. *n. m.* ♦ Estuaire commun de plusieurs rivières non navigables, qui a donné son nom à la république du Gabon* et sur les bords duquel se situe Libreville*.

GABON *n. m.* (du port. *gabaõ* « manteau à capuchon » – Cf. *caban* – à cause de la forme de l'estuaire du fleuve). ♦ État d'Afrique équatoriale traversé par l'équateur, limité au N. par le Rio* Muni et le Cameroun*, à l'E. et au S. par le Congo*-Brazzaville et baigné par l'Atlantique à l'Ouest. 267 000 km². 530 000 hab. *(Gabonais). Cap.* Libreville. *Langues :* français (off.), langues africaines. *Pop.* **V. Bantous, Bakélés, Fangs.** *V. princ.* **V. Franceville, Lambaréné** et **Port-Gentil.** – Le Gabon s'étend pour les deux tiers sur le bassin de l'Ogooué* dominé par les monts de Cristal* au N.-ouest. Son climat est typiquement équatorial humide. Ses principales ressources sont les bois de la forêt vierge (okoumé, ébène), les minerais, notamment le manganèse **(V. Moanda)** et l'uranium **(V. Mounana),** ainsi que le pétrole **(V. Ozouri** et **Port-Gentil).** Fer à Ouanda-Balniga. ♦ *Hist.* La côte gabonaise fut découverte au XVᵉ s. par les Portugais. Après l'établissement de missions catholiques et de forts au XIXᵉ s., le Gabon fut rattaché au Congo français (1889). En 1910, il devint une des colonies de l'Afrique-Équatoriale française, puis une république indépendante en 1960.

GABOR (Dennis). ♦ Physicien et technicien britannique d'origine hongroise (Budapest, 1900 –). Auteur de travaux sur les oscillographes à rayons cathodiques, les machines à lentilles magnétiques les décharges des gaz et la théorie de l'information, il est surtout connu pour son invention d'une méthode d'enregistrement photographique des images (holographie, 1948), permettant notamment une reconstitution à trois dimensions de l'objet photographié. (Prix Nobel de phys., 1971.)

GABORIAU (Émile). ♦ Romancier français (Saujon, 1832 – Paris, 1873). S'inspirant avec brio des *Histoires extraordinaires* d'Edgar Poe* (qui venaient de paraître), É. Gaboriau donna

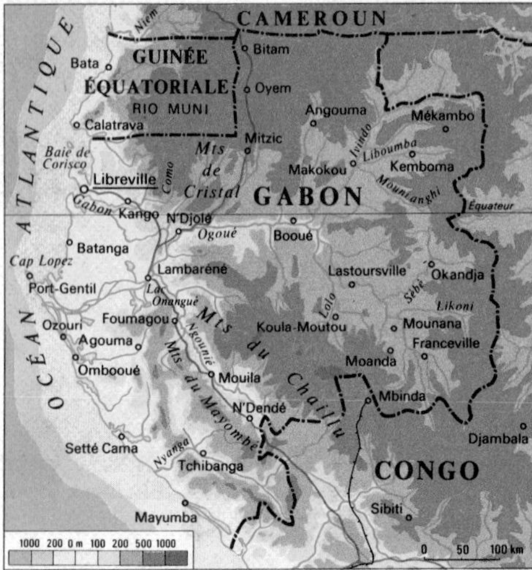

Gabon.

L'Affaire Lerouge (1866), prototype du roman policier à énigme, qui allait connaître un succès considérable. Maître de l'angoisse, mais associant son lecteur à une enquête menée selon les plus classiques procédés judiciaires, il élucidait avec un grand souci de précision technique une affaire mystérieuse. Dans *Le Crime d'Orcival* et *Le Dossier 113* (1867) apparaissait le type du « fin limier », le policier Lecoq, qui procède par observation et raisonnement, suivant la formule que devait illustrer Conan Doyle*, avec son Sherlock Holmes*.

GABORONE. ♦ Cap. du Botswana*, au S.-E. du pays, reliée par voie ferrée à Bulawayo* (Rhodésie) et au Cap* (Afrique du Sud). 18 000 habitants.

GABRIEL (en hébr. « homme de Dieu »). ♦ Un des archanges des traditions juive (postérieure à l'exil), chrétienne et musulmane. Dans le livre de *Daniel*, VIII, 15 sqq. et IX, 21, il interprète visions et prophéties. Dans l'Évangile de *Luc*, I, 19 et 26, il annonce à Zacharie la naissance de Jean-Baptiste et à Marie celle de Jésus. Dans le *Coran*, II, 91, il révèle à Mahomet sa vocation de prophète. – L'Église catholique le fête le 29 septembre.

GABRIEL (Jacques Ange). ♦ Architecte et décorateur français (Paris, 1698 – *id.*, 1782). Il travailla avec son père JACQUES GABRIEL (1667 – 1742), auteur de l'hôtel Biron à Paris, termina certaines de ses réalisations *(place Royale de Bordeaux)* et lui succéda en 1742 comme premier architecte du roi et directeur de l'Académie d'architecture. Il remania plusieurs residences royales (*Fontainebleau*, 1749 ; *Compiègne*, 1751 ; *Choisy*, 1752 ; *Blois*) et à Versailles commença la reconstruction des ailes latérales donnant sur la cour, édifia l'*Opéra* (1753) et le *Petit Trianon* (1762-1768), caractérisé par l'élégance et le raffinement des proportions et du

Ph. Hétier

Gabon : usine de contre-plaqué à Port-Gentil.

décor. À Paris, il conçut les plans de la *place Royale* (auj. la *Concorde*) et construisit les deux édifices qui la bordent (1762-1770) ; il entreprit aussi l'*École militaire* en 1751-1775. Se montrant fidèle à l'esprit de l'architecture classique française, il eut l'art d'agencer les volumes et d'intégrer avec mesure le décor à l'architecture. En même temps, la sobriété et l'ampleur de ses parties annoncent le néo-classicisme.

GABRIELI (Andrea). ♦ Compositeur et organiste italien (Venise, v. 1515 – *id.*, 1586). Chanteur puis organiste à Saint-Marc de Venise où il succéda tardivement à C. Merulo (1584), il fit la majeure partie de sa carrière en Bavière. Novateur dans le domaine de la polyphonie vocale, il s'opposa à l'art traditionaliste d'un Lassus. Sa musique profane (*madrigali* à 3, 5 et 6 voix, *greghesche, giustianiane, mascherate*) s'enrichit des joyeuses couleurs de l'inspiration populaire. Fidèle à l'emploi des « cori battenti » sa musique sacrée *(cantiones, psalmi, concerti)* se caractérise par la richesse de l'instrumentation et l'usage nouveau qu'il fait des cuivres et des violons. Dans cette manière, il composa la musique des fêtes de Venise à l'occasion de la victoire de Lépante (1571) et de la visite de Henri III (1574). Pour l'orgue, il est le créateur des « intonazioni preludianti », ancêtres du prélude choral. Par l'usage de formes rythmiques plus mobiles, parfois proches de l'improvisation, A. Gabrieli fut, avec C. Merulo*, un des maîtres incontestés de la musique vénitienne au XVIe siècle.

GABRIELI (Giovanni). ♦ Compositeur et organiste italien (Venise, 1557 – *id.*, 1612). Adjoint de R. de Lassus à Munich (1575), il fut second organiste à Saint-Marc de Venise. Poursuivant l'œuvre de C. Merulo* et celle d'A. Gabrieli* (dont il était le neveu), il enrichit la « canzon da sonare » (chanson à jouer) et la libéra de l'influence de la chanson française. Dans ses « canzoni », il utilise une tres riche instrumentation, diversifiant les timbres, variant les rythmes. Il y emploie une architecture thématique où les formules se répondent en écho ou s'opposent en larges masses. Son génie harmonique éclate dans les « Sacrae symphoniae » *(canzoni et sonates)* et les « Symphoniae sacrae » (*motets*, jusqu'à 19 voix). Cet emploi de grands ensembles vocaux et instrumentaux (jusqu'à 33 instruments) fait de lui le véritable créateur du style concertant. Son influence fut considérable sur toute la musique allemande et, en particulier, sur Schütz, son élève et fervent admirateur.

GABRIEL LALEMANT *(saint)*. ♦ Missionnaire français (Paris, 1610 – Saint-Ignace, Canada, 1649). Entré chez les jésuites (1630), il partit comme missionnaire à Québec (1646), puis rejoignit le père de Brébeuf chez les Hurons à Sainte-Marie-du-Sault. Torturé par les Iroquois, il mourut des suites de ses blessures. Il fut canonisé en 1930 [fête le 26 sept.].

GABROVO. ♦ V. de Bulgarie. Ch.-l. de district sur les terrasses prébalkaniques, dans la vallée de la Jantra. 60 000 hab. Important centre textile (laine, coton, drap).

GACÉ. ♦ Ch.-l. de cant. de l'Orne, arr. d'Argentan. 2 526 hab. *(Gacéens)*. Château du XVIe siècle. Indus. laitière.

GACE BRÛLÉ. ♦ Trouvère champenois (v. 1159 – ap. 1213). Protégé de Marie de Champagne et de Louis de Blois, il composa des chansons d'une fraîche inspiration pastorale, illustrant les thèmes de l'amour courtois. Parmi les 84 qui nous sont parvenues, 69 ont été authentifiées, dont 57 sont pourvues de notations musicales.

GACHET (Paul Ferdinand). ♦ Médecin, peintre, graveur et amateur d'art français (Lille, 1828 – Auvers-sur-Oise, 1909). Il se lia avec de nombreux peintres (Degas, Manet, Monet, Renoir, Pissarro, Cézanne, Van Gogh) qu'il devait accueillir dans sa maison d'Auvers-sur-Oise. Une partie de sa collection (œuvres de Cézanne, Renoir, Van Gogh) se trouve actuellement au musée du Louvre. Lui-même exposa au Salon des artistes indépendants sous le pseudonyme de Van Ryssel. – Son portrait par Van Gogh est célèbre.

GAD. ♦ Personnage biblique (*Genèse*, XXX, 11). Fils de Jacob* et de Zilpah, servante de Léa. Ancêtre éponyme d'une des douze tribus d'Israël, dont le territoire se situait en Transjordanie.

GADDA (Carlo Emilio). ♦ Romancier italien (Milan, 1893 – 1973). Après avoir donné une vision satirique de la bourgeoisie milanaise dans *La Madone des philosophes* (*La Madonna dei filosofi*, 1931), Gadda dénonça la collusion de cette dernière avec le régime fasciste dans *La Connaissance de la douleur* (*La Cognizione del dolore;* inachevé, 1938 à 1941), roman violent et bouffon où se manifeste une technique narrative très libre. *Adalgisa, croquis milanais* (1944) est un recueil de nouvelles où l'auteur se met lui-même en scène pour mieux dépeindre, une fois encore, la vanité et l'hypocrisie qui régissent ce monde clos. *L'Affreux Pastis de la rue des Merles* (*Quel pasticciaccio brutto de Via Merulana*, 1957) connut un grand succès ; par le moyen d'une intrigue policière farfelue, l'écrivain évoque avec humour et sympathie l'univers populaire romain en une sorte d'épopée savoureuse que sert un style héroï-comique original. Tous les ouvrages de Gadda se caractérisent, au niveau de l'expression, par le syncrétisme de l'italien courant, des dialectes (milanais ou romain) et du langage technique (Gadda était ingénieur).

GADDI (Taddeo). ♦ Peintre italien (Florence, v. 1300 – *id.*, 1366). Fils du peintre mosaïste *Gaddo di Zanobi* et filleul de Giotto*, il travailla plus de vingt ans auprès de celui-ci et fut réputé après sa mort le meilleur peintre florentin ; mais, élève fidèle, il ne put être que le meilleur représentant du giottisme. Il décora, à Santa Croce, la chapelle Baroncelli (fresques de la *Vie de la Vierge*,

Ph. Tétrel

J. A. Gabriel : la place de la Bourse à Bordeaux.

v. 1338) et les armoires de la sacristie. ♦ AGNOLO DI TADDEO, son fils et élève (Florence, v. 1345 – *id.*, 1396). Il travailla au Vatican avec son frère *Giovanni*, puis à Florence (*Légende de la Croix*, chœur de Santa Croce, v. 1380) et dans ses environs (cappella della Cintola, au Dôme de Prato, v. 1395). Inscrit dans la tradition narrative du XIVe s. florentin, son style s'apparente au goût siennois par la recherche du joli. (Il eut pour disciples Starnina, Lorenzo Monaco, Stefano da Zevio, Cennino Cennini.)

GADES. ♦ V. CADIX.

GADSDEN. ♦ V. des États-Unis (N.-E. de l'Alabama*) située au pied des Appalaches. 58 088 hab. Centre agricole (coton, bétail). Sidérurgie.

GAËLS. *n. m. pl.* ♦ Peuple celte qui envahit les îles britanniques v. ~500 et s'établit surtout au pays de Galles et en Irlande.

GAESEONG [*Kaesong*]. ♦ V. de Corée* du Nord, au N. de Séoul*. 140 000 hab. Deuxième ville du pays, ce fut l'anc. cap. de l'État du Goryeo* du Xe au XIVe siècle. Indus. de la porcelaine.

GAÉTAN DE THIENE *(saint)*. ♦ Fondateur des Clercs réguliers théatins* (Vicence, 1480 – Naples, 1547). Prêtre à Rome (1516), il fut un des membres les plus actifs de l'oratoire du Divin Amour, société de piété où il recruta les premiers membres de sa fondation (approuvée en 1524 et vouée à la réforme de l'Église). **V. Contre-Réforme, Paul IV.** – Fête le 8 août.

GAÈTE (en it. **Gaeta**, anc. **Caieta**). ♦ V. d'Italie, dans le Latium (prov. de Latina), sur la mer Tyrrhénienne, sur le *golfe de Gaète*. 21 000 hab. Port de pêche. ♦ *Hist.* L'ancienne Caieta fut romanisée en ~340. Capitale d'un duché au IXe s., elle fut annexée au royaume de Sicile au XIIe. Souvent assiégée entre le XVIe et le XIXe s., elle servit de refuge au pape Pie IX en 1848. Les Bourbons de Naples y capitulèrent en 1861, ce qui mit fin à l'existence du royaume des Deux-Siciles.

GAFSA. ♦ V. de la Tunisie méridionale, ch.-l. de gouvernorat (291 000 hab.), située au débouché d'un oued qui traverse les *monts de Gafsa*. 24 300 hab. Oasis présaharienne. Palmeraie. Centre d'une riche région de gisements de phosphate **(V. Metlaoui)** exporté par Sfax*.

GAGARINE (Youri Alexeïevitch). ♦ Officier aviateur et cosmonaute soviétique (près de Smolensk, 1934 – 1968). Le premier homme ayant effectué un vol spatial, à bord du *Vostok*, satellite artificiel placé sur orbite autour de la Terre (12 avr. 1961).

GAGERN (Heinrich, *baron* von). ♦ Homme politique allemand (Bayreuth, 1799 – Darmstadt, 1880). Chef du parti libéral dans le grand duché de Hesse, il devint président de l'assemblée de Francfort (1848) puis président de l'Assemblée nationale. Partisan de la « petite Allemagne », qui excluait l'Autriche et se mettait sous l'autorité de la Prusse, il vit ses espérances déçues quand Frédéric*-Guillaume IV refusa la couronne impériale (1849). Il devait se rallier à l'Autriche en 1862, par opposition à Bismarck.

GAGLIANO (Marco da). ♦ Compositeur italien (Gagliano, v. 1575 – Florence, 1642). Compositeur officiel de la cour des Médicis, il reçut l'influence de Peri et de Monteverdi. Auteur de nombreuses œuvres religieuses (messes, psaumes, hymnes, magnificat) et profanes (madrigaux), il prit une part importante à la vie théâtrale de son temps. Il a fait évoluer la forme de l'opéra (*Dafne*, 1607) en dépouillant le récitatif, qu'il rapprocha du langage parlé et en posant les bases d'une véritable mise en scène. Gagliano représente la seconde génération de la Camerata florentina.

GAGNOA. ♦ Comm. de Côte-d'Ivoire. 76 000 hab. Plantations de café et de cacao, commercialisés sur place.

GAGNON. ♦ V. du Canada (N.-E. du Québec). 4 000 hab. Exploitation du minerai de fer venant du gisement proche du lac Jeannine*.

GAGNY. ♦ Ch.-l. de cant. de la Seine-Saint-Denis (arr. du Raincy). 35 780 hab. Plâtrières.

GÂHADAVÂLA. ♦ Anc. dynastie de la région du moyen Gange (Inde du Nord) qui succéda vers 1030 à celle des Pratihâra de Kanauj*. Elle fut détruite à la fin du XIIe s. par l'invasion musulmane de Muhammad* Ghori.

GAÏA ou **GÉ, GÊ.** ♦ Personnification de la Terre dans la cosmogonie hésiodique **(V. Théogonie)**, ancêtre maternel des races divines et des monstres. Sortie après Chaos et avant Éros, elle engendre d'abord, sans intervention d'élément mâle, Ouranos* (le Ciel), les Montagnes et Pontos* (le Flot). Unie à Ouranos, elle engendre les Titans* et les Titanides*, les Cyclopes*, les Hécatonchires*. Ouranos contraignait Gaïa à garder leurs enfants dans son sein ou les précipitait dans le Tartare. Le dernier des Titans, Cronos*, armé par sa mère d'une faucille, tranche les testicules de son père. Le sang d'Ouranos féconde Gaïa qui enfante alors les Érinyes*, les Géants* et les nymphes des arbres. Des embrassements d'un autre de ses fils, Pontos, elle engendre les divinités marines, dont Nérée*. De son union avec Tartare* sont nés Typhon* et Échidna*. D'autres théogonies lui attribuent la maternité du géant Antée*, du serpent (ou dragon) Python* et de bien d'autres monstres. Associée plus tard à Cybèle ou à Déméter, elle apparaît comme une divinité chthonienne.

GAIGNIÈRES (Roger *de*). ♦ Érudit et collectionneur français (Entrains-sur-Nohain, Nivernais, 1642 – Paris, 1715). Gouverneur de la principauté de Joinville (1679), il constitua une collection de documents pour l'histoire ecclésiastique et des généalogies, collection qu'il céda en 1711 à la Bibliothèque du roi et qui se trouve à présent à la Bibliothèque nationale (département des Manuscrits et cabinet des Estampes).

GAIL. *n. m.* ♦ Riv. d'Autriche (125 km), affl. de la Drave.

GAILLAC. ♦ Ch.-l. de cant. du Tarn*, arr. d'Albi*, sur le Tarn*. 10 720 hab. *(Gaillacois)*. Églises XIIe, XIIIe, XIVe siècle. Maisons XIIe, XIIIe siècle. Tour XIIIe siècle. Fontaine du Griffon. Vins blancs réputés. Distillerie. Plastiques.

GAILLARD D'AIMÉ (Félix). ♦ Homme politique français (Paris, 1919 – Jersey, 1970). Résistant (1943), député radical-socialiste (1946), membre de plusieurs cabinets de la IVe République, il fut appelé à la présidence du Conseil en novembre 1957 après la crise ministérielle qui suivit la chute du ministère Bourgès-Maunoury. Son cabinet eut à faire face à une crise financière catastrophique et à la difficile question algérienne. Le vote de la loi-cadre, très amendée pour l'Algérie (janv. 1958), le bombardement par l'aviation française des bases du F.L.N. dans le village de Sakieth Sidi Youssef en Tunisie, après lequel F. Gaillard fit appel à la médiation anglo-américaine, soulevèrent de vives oppositions tant de la part des partisans extrémistes de l'Algérie française que d'une partie de la gauche. Mis en minorité par l'Assemblée, le gouvernement F. Gaillard démissionna le 15 avril 1958, démission qui ouvrit en France une nouvelle crise ministérielle et aboutit en Algérie à l'insurrection du 13 mai* 1958. Membre du parti F.G.D.S. à l'Assemblée (1966). Il disparut en mer sur son bateau de plaisance.

GAILLON. ♦ Ch.-l. de cant. de l'Eure*, arr. des Andelys*, dans la vallée de la Seine. 3 604 hab. *(Gaillonnais)*. Vestiges d'un château construit au début du XVIe s. pour le cardinal Georges d'Amboise* (pavillon d'entrée de style Renaissance et deux tours); le portique est à l'École des beaux-arts de Paris.

GAINSBOROUGH (Thomas). ♦ Peintre et dessinateur anglais (Sudbury, Suffolk, 1727 – Londres, 1788). Installé à Londres en 1740, il étudia à l'école de dessin fondée par Gravelot (vers 1752-1759). Il séjourna à Ipswich où il exécuta de nombreux paysages qui dénotent l'influence du paysage hollandais, notamment de Ruysdael et de Rubens, mais révèlent une sensibilité mélancolique à la nature. La simplicité de son approche, la liberté de sa facture annoncent parfois Constable*. Une conception identique se retrouve dans plusieurs de ses portraits où l'importance de la figure tend à diminuer au profit du paysage (*Portrait de M. et Mme Andrews*, vers 1748). En 1749, il se fixa à Bath où il devint un portraitiste très prisé, puis il s'installa à Londres en 1774. Marqué par l'art de Van Dyck, il peignit d'élégantes figures aux proportions allongées, aux poses à la fois recherchées et désinvoltes, n'évitant pas toujours dans ses portraits mondains certaines conventions expressives. Mais il fut souvent spontané et eut l'art d'animer les visages *(Les Filles de l'artiste)*. Brillant coloriste, il utilisait des harmonies raffinées et savait rendre les tissus délicats et soyeux, les lointains embrumés, avec une facture légère et fluide (*Mrs. Sheridan*, 1785; *La Promenade du matin*, 1785). Pour défier Reynolds*, qui considérait la dominante bleue comme trop froide, il exécuta le célèbre *Blue Boy* (1779). Le caractère lyrique, presque onirique, de certaines de ses œuvres se retrouve dans ses portraits imaginaires *(Musidora)* et les « caprices » où il chercha à créer une atmosphère poétique, révélant une sensibilité préromantique. Ses paysages et portraits idylliques rappellent Greuze* par leur sujet (*La Jeune Campagnarde à la cruche avec son chien*, 1785) mais sont d'une facture souple, d'une fluidité presque comparable à celle de l'aquarelle. Il fut à la suite de Hogarth et de Reynolds le plus important paysagiste anglais du XVIIIe s. et influença fortement le portrait et le paysage anglais.

Gai Savoir (Le). ♦ [*Die fröhliche Wissenschaft.*] ♦ Ouvrage philosophique de Nietzsche* (1883-1887), composé d'un prologue, de cinq livres d'aphorismes et d'un épilogue. On y trouve déjà l'idée de l'Éternel Retour. « Les chants du prince Hors-la-Loi, écrit l'auteur, rappellent expressément la *Gaya Scienza* et cette fusion du troubadour, du chevalier et de l'esprit libre qui distingue la précoce civilisation de Provence de toutes les civilisations équivoques. »

GAIUS. ♦ Jurisconsulte romain (110 – 180) qui se rattachait

Ph. Maltini-Solaini/Ricciarini

Îles **Galápagos** : iguanes.

à l'école des sabiniens, auteur de 4 livres d'*Institutiones* et de 7 livres de *Cotidianae*.

GAJ (Ljudevit). ♦ Écrivain et homme politique croate (Kaprina, 1809 – Zagreb, 1872). Il fut le principal animateur du « Mouvement illyrien », renaissance politique et culturelle croate. Suivant l'exemple de Karadžić* en Serbie, il entreprit de créer une orthographe nationale avec un alphabet latin adapté à la phonétique yougoslave : *Principes essentiels de l'orthographe croato-slave* (1830). Par le journal qu'il fonda : *La Danitsa illyrienne*, il fit adopter en Croatie le dialecte štokavien parlé en Dalmatie, Serbie et Slavonie croate et non le dialecte kajkavien parlé à Zagreb.

GAJAH MADA. ♦ Homme d'État javanais, ministre du roi Jayanâgara de Madjapahit (1331-1364) et du roi Hayam Wuruk (1350-1389). Il conquit l'île de Bali et rédigea des codes de lois.

Galaad. ♦ Personnage du *cycle de la Table* ronde*. Fils de Lancelot*, il allie la pureté au courage et obtient de contempler les mystères du Graal*.

GALAAD. ♦ Anc. pays de la Palestine*, situé entre le Jourdain et le désert de Syrie, et correspondant à l'actuelle province montagneuse d'Ajlûn* (N.-O. de la Jordanie). Il échut au VIIe s. à la tribu de Manassé*. Ce fut un pays prospère grâce à un important commerce avec l'Égypte (notamment de bestiaux).

GALÁPAGOS (*îles*, ou *archipel des*). [Officiellement **Archipelago de Colón.**] ♦ Archipel du Pacifique (dont le nom vient des tortues géantes qu'on y trouve) qui constitue une province de la république de l'Équateur*, à 1 000 km env. de ses côtes. *Prov. de Colón :* 7 800 km². 2 400 hab. Il est constitué par 13 îles de caractère volcanique, et plus de 40 îlots. Le climat équatorial est tempéré par le courant froid de Humboldt. L'île la plus peuplée et cultivée (canne à sucre, café) est San Cristóbal, où se trouve le ch.-l. *Puerto Baquerizo*. Autres ressources : guano et pêche. La faune de reptiles (iguanes) suscite un intérêt touristique. [*Carte.* **V. Équateur.**] ♦ *Hist.* Découvert par T. de Berlanga, l'archipel fut annexé par l'Équateur en 1832.

GALASHIELS. ♦ V. du S. de l'Écosse (Selkirkshire), sur la *Gala Water*. 12 380 hab. (1961). Manufactures de tweed, tanneries.

GALATA. ♦ Quartier de Beyoğlu, à Istanbul*, au N. de la Corne* d'Or, près du pont de Karaköy.

GALATÉE, en gr. **Galateia.** ♦ Une des Néréides*, aimée du cyclope sicilien Polyphème* qu'elle méprise pour l'amour d'Acis*. Selon une autre légende, elle s'unit à Polyphème et en a trois fils, Galos, Celtos et Illyrios, héros éponymes des Galates, des Celtes et des Illyriens. — Nom de la statue aimée par Pygmalion* et animée par Aphrodite*.

GALAȚI, en fr. **Galatzi.** ♦ V. et port de Roumanie sud-orientale fondée par les Galates au ~ IIIe s. sur la r. g. du Danube, au confluent du Siret et du Prut. 151 420 hab. Siège de la Commission européenne du Danube, la ville a une fonction portuaire importante à la fois fluviale et maritime (branche du Sulina). L'industrialisation est très développée : l'un des plus grands combinats sidérurgiques d'Europe a été achevé en 1970 (sa production annuelle atteindra 4 000 000 de t). Constructions navales, indus. chimiques, textiles et alimentaires.

GALATIE [galasi]. *n. f.* ♦ Anc. région de l'Asie Mineure limitée par la Paphlagonie* au N., la Phrygie* à l'O., la Cappadoce* au S. et le Pont* à l'E. Occupée par les Galates, peuple celte qui envahit l'Asie Mineure au ~ IIIe s., le pays fut annexé en ~ 25 par l'Empire romain pour former la province de *Galatie* (ch.-l. Ancyre) qui comprit aussi la Lycaonie*. Les Galates furent évangélisés au Ier s. par saint Paul* *(Épître aux Galates).*

GALAXIE. *n. f.* ♦ Système stellaire de forme spiralée contenant une centaine de milliards d'étoiles dont le Soleil*, qui y occupe une position excentrique. Vue par la tranche (par un observateur terrestre), la Galaxie prend la forme d'une traînée brillante constituée par un fourmillement d'étoiles (Voie* lactée). Son diamètre est évalué à 90 000 années-lumière, l'épaisseur au centre étant de 15 000 années-lumière. On y observe des *amas globulaires* formés de dizaines de milliers d'étoiles, des *nébuleuses galactiques* non résolubles en étoiles, dues à l'existence d'une matière interstellaire. — Le mot *galaxie* (nom commun) désigne toute nébuleuse spirale.

GALBA, en lat. **Servius Sulpicius Galba.** ♦ (Terracina, ~ 5 – Rome, 69). Empereur romain (68-69). Gouverneur de l'Espagne Tarraconaise sous Néron, il s'associa à la révolte de Vindex*, promit un fort *donativum* aux prétoriens et fut reconnu empereur par le Sénat, ce qui provoqua le suicide de Néron* (juin 68). Mais par sa sévérité et sa ladrerie, il s'aliéna bientôt les légions, leur refusant le *donativum*, et fut massacré par les prétoriens avec le jeune Pison* qu'il avait désigné pour successeur (janv. 69). Othon* lui succéda.

GALBRAITH (John Kenneth). ♦ Économiste américain (Boston, 1908). Dans sa description de l'avenir des sociétés industrielles (particulièrement du capitalisme américain : *Le Capitalisme américain, Le Concept du pouvoir compensateur*, 1952, trad. fr. 1958), il a mis l'accent sur l'apparition d'une « technostructure », appareil collégial de décision qui « va des responsables les plus élevés de la firme jusqu'à sa périphérie » et posé le problème d'une réorientation de la production vers la satisfaction des besoins humains individuels et collectifs et une expansion équilibrée de l'économie (*The Affluent Society*, trad. fr., *L'Ère de l'opulence*, 1961, *Le Nouvel État industriel*, 1967).

GAŁCZYNSKI (Konstantyn Ildefons). ♦ Poète polonais (1906 – 1953). Il est l'auteur de purs poèmes lyriques : *La Fin du monde* (*Koniec świata*, 1930), *Œuvres poétiques* (*Utwory poetyckie*, 1937), *Le Fiacre enchanté* (*Zaczarowana dorożka*, 1948), *Les Alliances* (*Ślubne obraczki*, 1949), *Niobé* (1951), *Les Chants* (1953), ainsi qu'un roman burlesque et baroque : *Porfirion le bourricot ou le Club des sacrilèges* (*Porfirion Osiełek, czyli Klub świetokradców*, 1929).

GALDAN. ♦ Qân (khan) mongol des Choros ou Oirat (1645 – 1697). Il se fit moine lamaïque à Lhassa, mais reprit les armes en 1676 et conquit une grande partie de l'Asie centrale sur les autres tribus mongoles. En 1690, il attaqua la Chine, mais sans succès, et fut finalement vaincu par les Manchous de la dynastie des Ch'ing, grâce à l'artillerie des jésuites de Pékin (1696).

GALDÓS (Benito Pérez). ♦ V. PÉREZ GALDÓS *(Benito).*

Galeão. ♦ Aéroport international de Rio* de Janeiro, situé dans l'île de Governador, dans la baie de Guanabara*.

GALÈRE, en lat. **Caius Galerius Valerius Maximianus.** ♦ (mort Rome, 311). Empereur romain (305-311). Berger d'origine dace, il s'illustra dans l'armée et reçut de Dioclétien*, dont il devint le gendre, le titre de césar pour l'Illyrie, l'Achaïe et le Danube. En 303, il fut l'instigateur de la persécution dite « de Dioclétien » contre les chrétiens. Il devint auguste en 305 avec Constance* Chlore à la place de Dioclétien et de Maximien* qu'il avait forcé à abdiquer et publia avant sa mort un édit de Tolérance (311) envers les chrétiens.

GALGALA. ♦ V. GILGAL.

GALIANI (*abbé* **Ferdinando).** ♦ Diplomate, économiste et écrivain italien (Chieto, 1728 – Naples, 1787). Secrétaire d'ambassade du roi de Naples à Paris où il fréquente les encyclopédistes (1759-1764), il est l'auteur d'ouvrages d'économie (*La Monnaie*, 1748-1751 ; *Dialogue sur le commerce du blé*, 1770) où il critique les physiocrates, et formule une théorie de la valeur en fonction de l'utilité et de la rareté des biens. Il a laissé un *Éloge du pape Benoît XIV* (1758), un *Dialogue sur les femmes*, ainsi qu'une vaste *Correspondance* échangée avec Madame d'Épinay* : ces lettres, spirituelles ou graves, permettent de comprendre la transformation de la société du XVIIIe s. au contact des idées nouvelles, et témoignent de l'intelligence aiguë de cet « Arlequin à tête de Machiavel » (Marmontel).

GALIBIER *(col du).* ♦ Col des Hautes-Alpes (2 645 m). La route de Briançon à la Maurienne le traverse par un tunnel à 2 556 m.

GALICE, *n. f.* en esp. **Galicia.** ♦ Région historique de l'Espagne, formant l'angle N.-O. de la péninsule Ibérique, bordée au N. et à l'O. par l'Atlantique, au S. par le Portugal* et à l'E. par le León*. 29 434 km², 2 595 000 hab. *(Galiciens).* Elle est formée des prov. de La Corogne, Lugo, Orense et Pontevedra. — *Orogr.* Le relief, très typé, est surtout montagneux. Il est formé par le coin N.-O. de l'ancien socle granitique de la Meseta* (Cabeza de Manzadena, 1 178 m). Le littoral (Ribeira), très rocheux, compte 1 289 km de côtes découpées de nombreuses *rias* (ria de Vigo, Pontevedra, Arosa, El Ferrol, La Corogne) et est surplombé de hauts caps rocheux (Finisterre, Ortegal). — *Hydr.* Miño, Sil. *V. princ.* **V. Corogne (La), Lugo, Orense, Ortigueira, Pontevedra, Saint-Jacques-de-Compostelle, Vigo.** Le climat, océanique, est doux et humide. — *Écon.* Les paysages ruraux sont ceux de la lande et de la prairie. Malgré la médiocrité du sol, les terres ont ingénieusement été mises en culture (polyculture intensive basée sur le maïs dans l'intérieur, légumes et pommiers sur le littoral). La pêche, très active (*rias* de Vigo, de La Corogne), représente la moitié du tonnage national et a favorisé l'essor des conserveries. La région est en cours d'industrialisation. La centrale thermique de Puentes de García Rodriguez, les centrales hydro-électriques du Sil, l'usine d'aluminium de La Corogne en sont les premiers exemples. Vigo, La Corogne et El Ferrol sont les princ. centres industriels de la région. Grâce à la création sur place d'emplois nouveaux, l'émigration traditionnelle vers Cuba et l'Amérique du Sud se ralentit. ♦ *Hist.* Elle doit son nom aux antiques *Callaici,* peuple probablement celte. Occupée par les Germains Suèves, puis par les Wisigoths (VIe s.), la Galice fut soumise par les rois des Asturies au VIIIe siècle. Elle fut réunie au royaume de León et à la Castille (1071).

GALICIE, *n. f.*, en all. **Galizien**, en polon. **Galicja**. ♦ Anc. prov. de l'empire d'Autriche*, située au N. des Carpates*, et divisée auj. entre la Pologne*, où elle forme dans sa partie occidentale les voïévodies de Cracovie* et de Rzeszów* et l'Union soviétique où elle constitue dans sa partie orientale les régions de Lvov*, Ivano*-Frankovsk, Drogobytch*, et Ternopol'* dans la république d'Ukraine*. ♦ *Hist.* Rattachée à la Pologne dans sa partie occidentale, la *Galicie* dans sa partie orientale fut conquise par la Russie kievienne et forma, après sa réunion avec la Volhynie (1199), une principauté indépendante avec Halicz pour capitale, avant d'être annexée à la Pologne, par Casimir* III le Grand en 1349. Attribuée à l'Autriche* lors du premier partage de la Pologne (1772) à l'exception de Cracovie* (annexée en 1795), la *Galicie occidentale* fut rattachée au grand-duché de Varsovie* de 1809 à 1815, puis à nouveau à l'Autriche (en dehors de Cracovie épargnée jusqu'en 1846) elle fit partie de la Cisleithanie* de 1867 à 1918. Durant la Première Guerre mondiale, elle fut le théâtre de violents affrontements entre les Russes (qui l'occupèrent de 1914 à 1915) et les Autrichiens appuyés par les Allemands de Mackensen* et d'une dernière offensive des troupes russes de Broussilov* (1916-1917). Le rattachement de toute la *Galicie* à la Pologne, en 1918, entraîna de nouveaux combats entre les Ruthènes ukrainiens et les Polonais qui conquirent la partie orientale. En 1945, la conférence de Potsdam* attribua la *Galicie orientale* avec Lvov à la république d'Ukraine* tandis que la *Galicie occidentale* restait à la Pologne.

GALIEN (Claude), en gr. **Klaudies Galênos**, en lat. **Claudius Galenus**. ♦ Médecin grec (Pergame, v. 131 – Rome ou Pergame, v. 201). Il étudia la philosophie puis la médecine qu'il exerça à Pergame et à Rome. Ses dissections d'animaux lui permirent en anatomie de faire d'importantes découvertes (en particulier sur le système nerveux et le cœur). Sa physiologie repose, comme celle d'Hippocrate, sur une théorie des humeurs (malgré le proverbe qui affirme : « Hippocrate dit oui, mais Galien dit non »). Son influence fut considérable jusqu'au XVIIe siècle.

GALIGAÏ (Eleonora DORI, dite **Léonora)**. ♦ Dame italienne (Florence, 1568 – Paris, 1617). Elle suivit Marie de Médicis en France et eut sur elle un grand ascendant, ce qui lui permit d'assurer la carrière de son mari Concini*, durant la régence. Après l'assassinat de celui-ci, elle fut condamnée à mort.

GALILÉE (Galileo GALILEI, dit**)**. ♦ Mathématicien, physicien et astronome italien (Pise, 1564 – Arcetri, 1642), fils du musicien Vincenzo Galilei. Fondateur de la dynamique, il fut le premier véritable expérimentateur. Il découvrit les lois du mouvement pendulaire (selon la tradition, à l'âge de dix-neuf ans, en observant le balancement d'un lustre dans la cathédrale de Pise). Étudiant la cycloïde, il détermina expérimentalement le rapport entre la surface du cercle générateur et celle d une arche de cycloïde. Reprenant les raisonnements de Simon Stevin*, il réagit contre la théorie d'Aristote* concernant la chute des corps dans le vide; il énonça le principe de l'inertie, la loi de composition des vitesses et entreprit l'étude des lois de la pesanteur dans la chute sur un plan incliné, trouvant expérimentalement les relations entre l'espace et le temps dans le mouvement accéléré (1602) [**V. Beeckmann**]; dans ses *Discorsi intorno a due nuove scienze* (1638), résumé de toutes ses recherches sur la mécanique, écrits avec Torricelli, il indiqua que la trajectoire d'un projectile est une parabole. Réalisateur d'un des premiers microscopes, il construisit la lunette qui porte son nom (1609) [**V. Jansen, Lippershey**] grâce à laquelle il se tourna vers l'astronomie et observa notamment les satellites Jupiter, l'anneau de Saturne, la rotation du Soleil. Soutenant les idées coperniciennes (**V. Copernic**), il fut condamné par le tribunal de l'Inquisition qui le fit abjurer. Il se serait ensuite écrié : « *Eppur', si muove!* » (« Et pourtant, elle se meut! »).

GALILÉE. *n. f.* ♦ Région du N. de la Palestine*, faisant partie de l'État d'Israël, comprise, d'O. en E., entre la Méditerranée et les frontières syrienne et jordanienne (Jourdain* et lac de Tibériade*) et limitée au N. par le Liban. Elle est traversée par la chaîne montagneuse qui s'étend du Liban au Sinaï. La *haute Galilée* (monts de Galilée, voir *ci-dessous*) s'étend de la vallée du Houlé* (E.) jusqu'aux montagnes et de la frontière libanaise (N.), jusqu'au S. de Safed*. La *basse Galilée*, vallonnée (mont Thabor*), est située entre la vallée de Bet Kerem et la vallée de Jezréel. Enfin, le long de la plaine côtière, s'étend la *Galilée occidentale.* Les forêts des pentes montagneuses furent peu à peu dévastées et remplacées par des marécages. Grâce à une pluviosité relativement forte, la région est un réservoir d'eau et un centre de cultures, surtout dans la plaine côtière (céréales, vigne, fruits, olives, tabac). Pêche et pisciculture. Gisements de fer dans le Nord. – Berceau du christianisme, dont les villes et les bourgs ont pour la plupart des références bibliques. (**V. Capharnaüm, Magdala, Nazareth, Tibériade.**) ♦ *Hist.* **V. Israël, Palestine.**

GALILÉE *(mer de).* ♦ **V.** TIBÉRIADE (lac de).

GALILÉE *(monts de).* ♦ Zone montagneuse de la *haute Galilée** faisant suite au djebel Liban*. Ils culminent au mont Meiron* à l'O. du lac Houlé et sont bien arrosés. De nombreux Arabes s'y sont réfugiés depuis la création de l'État d'Israël en 1948.

GALIMAFRE (Auguste GUÉRIN, dit**)**. ♦ Pitre français (Orléans, 1791 – Paris, 1870), célèbre sous la Restauration par la drôlerie du numéro qu'il exécutait boulevard du Temple avec Bobèche*.

GALITZINE ou **GOLITSYN**. ♦ Famille princière russe, descendant du prince Gédymin*. ♦ VASSILI VASSILIEVITCH GALITZINE (1643 – Poustoziorsk, 1714). Prince, chef de la Chancellerie (ministre des Affaires étrangères), général, favori de la régente Sophie* Alexeievna. Il signa avec la Pologne le traité de Moscou* (1686) et mena les campagnes contre la Crimée (1687-1689). Renversé en même temps que Sophie par Pierre* le Grand, il fut exilé dans le gouvernement d'Arkhangelsk. ♦ DIMITRI MIKHAÏLOVITCH GALITZINE (1665 – 1737). Prince, ministre des Finances. Adversaire des réformes sous Pierre* le Grand, membre du Conseil secret (1726-1730), il chercha à restreindre le pouvoir de l'impératrice Anna* Ivanovna, et fut emprisonné dans la forteresse de Schlüsselburg* où il mourut. ♦ MIKHAIL MIKHAILOVITCH GALITZINE (1675 – 1730). Frère du précédent, stratège, feld-maréchal (1724), compagnon d'armes de Pierre le Grand. Il prit part aux campagnes contre Azov (1695-1696), ainsi qu'à la guerre du Nord (1700-1721).

GALL (Franz Joseph). ♦ Médecin allemand (Tiefenbronn, Bade, 1758 – Montrouge, 1828). Professeur à Vienne, puis à Paris, il créa la phrénologie (ou cranioscopie), étude des fonctions du cerveau (et de leurs localisations) d'après la forme extérieure du crâne; il voulut en faire la base de toute philosophie de l'esprit humain (*Fonctions du cerveau,* 1808). Malgré son caractère scientifiquement discutable, la phrénologie contribua au développement des recherches sur les localisations cérébrales.

GALLAND (Antoine). ♦ Orientaliste français (Rollot, Somme, 1646 – Paris, 1715). Il apprit l'arabe, le turc et le persan au cours de ses voyages à Constantinople (1670-1675) avec l'ambassadeur Nointel et en Orient (1676 à 1679), ce qui lui permit d'être nommé professeur d'arabe au Collège de France. Il publia ses souvenirs de voyage : *Journal* (1672-1680), *Relation de la mort du sultan Osman* (1676), *Paroles remarquables, bons mots et maximes des Orientaux,* ainsi que des traductions qui le rendirent célèbre : *Origine et progrès du café* (1699), le *Coran* et surtout les contes des *Mille et Une Nuits* en douze volumes (1704-1717). [Acad. des inscript., 1701.]

GALLA PLACIDIA. ♦ (v. 390 – Rome, 450). Impératrice romaine. Fille de Théodose* Ier, elle fut mariée d'abord au beau-frère d'Alaric, Athaulf*, roi des Wisigoths, puis épousa le futur Constance* III, général de son frère Honorius* auquel elle fit donner le titre d'auguste. A la mort d'Honorius, elle gouverna l'empire d'Occident pendant la minorité de son fils Valentinien* III. Fidèle à l'Église, elle soutint le pape Léon* Ier dans sa lutte contre l'hérésie d'Eutychès* et fit construire à Ravenne son mausolée, célèbre par ses mosaïques.

GALLAS. *n. m. pl.* ♦ Peuple chamito-sémitique vivant en Éthiopie* depuis le XVIe s., originaire du sud. Les Gallas sont en majorité musulmans.

Ph. Carlo Bevilacqua/Ricciarini

Galilée, par J. Sustermans.
(Musée des Offices, Florence.)

GALLAS (Matthias). ♦ Général autrichien (Trente, 1584 – Vienne, 1647). Lieutenant de Wallenstein*, il le dénonça à l'empereur Ferdinand* et fut chargé de son assassinat. Après la victoire de Nördlingen*, il ne subit plus que des défaites.

GALLE (André). ♦ Médailleur français (Saint-Étienne, 1761 – Paris, 1844). Inventeur de la chaîne sans fin à maillons articulés.

GALLE (Johann Gottfried). ♦ Astronome allemand (Pabsthaus, près de Gräfenhainichen, Prusse, 1812 – Potsdam, 1910). Auteur d'une méthode de mesure de la parallaxe solaire, il est surtout connu pour avoir découvert la planète Neptune dont l'existence et les éléments avaient été déterminés par les calculs de Le* Verrier (1846). **V. J.C. Adams.**

GALLE. ♦ V. de la côte S.-O. de Ceylan*, ch.-l. de la prov. du même nom. Centre commercial. 80 000 hab. ♦ *Hist.* La ville fut créée en 1597 par les Portugais et occupée en 1643 par les Hollandais qui y installèrent un fort et en firent la capitale de leurs possessions. L'importance de son port diminua fortement lors de la création de la ville de Colombo*.

GALLÉ (Émile). ♦ Verrier, céramiste et ébéniste français (Nancy, 1846 – *id.*, 1904). Contribuant au renouvellement des arts décoratifs, il devint le principal initiateur de l'école de Nancy et ouvrit en 1874 un atelier de verrerie (qui fut ensuite dirigé jusqu'en 1914 par Prouve), puis en 1883 un atelier d'ébénisterie. Adoptant des motifs empruntés à la botanique et à l'entomologie, il fit preuve d'une grande virtuosité technique, réalisant des effets de transparence et d'opacité, par superposition de couches d'épaisseur et de couleurs variées et se livrant à des expériences sur la pâte en créant ses « marqueteries de verre » avec effet de relief et de ciselure. Il fut l'un des créateurs de l'art nouveau (ou art 1900) et acquit une réputation internationale. Il créa aussi des meubles souvent marquetés, aux formes ondulantes et au décor d'un symbolisme raffiné.

GALLEGOS (Rómulo). ♦ Romancier et homme politique vénézuélien (Caracas, 1884 – *id.*, 1969). Ses romans sont imprégnés de couleur locale : le plus célèbre, *Doña Bárbara*, dépeint la vie des *llanos*, pampas vénézuéliennes. Gallegos fut président de la République pendant quelques mois (1948).

GALLEGOS *(río)*. ♦ Fl. côtier d'Argentine (Patagonie méridionale) qui se jette dans l'Atlantique par un estuaire qui baigne le port de *Rio Gallegos*, ch.-l. de la prov. de Santa* Cruz. 6 000 hab.

GALLES *(pays de)*, en angl., **Wales**, en gallois, **Cymru**. ♦ Région de Grande-Bretagne située à l'O. de l'Angleterre, baignée au N. par la mer d'Irlande, à l'O. par le canal Saint* George et au S. par le canal de Bristol. 20 767 km². 2 700 000 hab. *(Gallois)*. Il comprend 13 comtés (du S. au N.) et chefs-lieux. **V. Monmouthshire** (Newport), **Glamorganshire** (Cardiff [Caerdydd]), **Breconshire** (Brecon), **Carmarthenshire** (Carmarthen), **Pembrokeshire** (Haverfordwest), **Cardiganshire** (Aberystwyth), **Radnorshire** (Presteigne), **Montgomeryshire** (Welshpool), **Merionethshire** (Dolgelley ou Dolgellau), **Carnarvonshire** (Carnarvon), **Anglesey** (Beaumaris), **Denbighshire** (Denbigh), **Flintshire** (Mold). *Autres V.* **V. Bangor, Barmouth, Barry, Caerphilly, Carmarthen, Cardigan, Colwyn Bay, Cwmbran, Dolgelley, Ebbw Vale, Flint, Galligaer, Llandrindod Wells, Llandudno, *Llanelly, Margam, Merthyr-Tydfil, Milford Haven, Mold, Monmouth, Montgomery, Neath, Pembroke, Port Talbot, Pontypool, Pontypridd, Rhondda, Rhyl, Saint David's, Swansea, Wrexham.** – *Orogr. et hydrogr.* Le pays de Galles est un haut plateau hercynien au relief tourmenté, modelé par l'érosion glaciaire quaternaire, et dont l'ossature est constituée par les *monts Cambriens**. Les points les plus élevés, au N., sont les massifs du *Snowdon** (1 085 m) et du *Cader* Idris* (892 m). Au S., l'altitude est moindre (886 m aux *Brecon* Beacons*). Les cours d'eau (Dee*, Dovey, Severn*, Taff, Tawe, Teifi, Towy*, Usk* et Wye*), de taille modeste, creusent des vallées profondes et souvent pittoresques (Dee, Wye). La côte est largement échancrée de baies (Carnarvon*, Tremadoc*, Cardigan*, Milford*, Carmarthen* et Swansea). Au N., l'île d'Anglesey* est séparée du continent par le *détroit de Menai**. Le climat, océanique, est plus frais dans l'intérieur. – *Écon.* L'intérieur du pays vit de l'élevage ovin et de maigres cultures fourragères. Le sous-sol est très riche en houille au N.-E. (Wrexham*) et au S.-E. (Rhondda et vallée de l'Usk), en plomb et en zinc. Le N. n'est pas industrialisé, contrairement au S. où les V. de Merthyr*-Tydfil, Rhondda*, Ebbw* Vale sont de grands centres houillers. La métallurgie s'y est amplement développée, ainsi que dans les ports charbonniers de Swansea*, Cardiff* et Newport*. Milford* Haven est le plus grand port pétrolier du Royaume-Uni et Swansea possède d'importantes indus. chimiques. Le tourisme fournit à l'économie un appoint important (comtés du N., côtes, presqu'île de Gower). – Le pays de Galles est la patrie de saint Maclou*, d'H.-M. Stanley*, des familles Tudor* et Mortimer* de Wigmore. **V.** *aussi* **Monmouthshire.** ♦ *Hist.* Région occupée par les Celtes, le pays de Galles fut évangélisé dès le Vᵉ siècle. En lutte contre les Celtes d'Irlande, les Gallois durent s'allier avec eux au VIᵉ s. pour contenir les envahisseurs anglo-saxons **(V. Angleterre).** Divisé en royaumes concurrents (du S. au N. : Morgannweg, Gwent, Dyfed, Powys, Gwynned), le pays était unifié par la civilisation et la religion, de type irlandais (saint David). À la fin du VIIIᵉ s., le roi de Mercie* (Offa*) éleva des fortifications à la frontière du pays de Galles. L'invasion normande après Hastings se heurta à une forte résistance. Au XIIIᵉ s., le roi du Gwynned, Llewelyn* ap Iorwerth (mort en 1240) parvint à dominer l'ensemble du pays et son petit-fils Llewelyn* II ap Gruffydd fut reconnu par Henri* III comme *prince de Galles* (1267). Mais Édouard* Iᵉʳ, plus entreprenant que son père, attaqua Llewelyn, le battit et le força à signer le traité qui l'assujettissait (Aberconway, 1277) ; le roi du Gwynned se rebella, mais fut tué (1282) et Édouard Iᵉʳ annexa son royaume. En 1301, le titre de *prince de Galles* fut conféré à l'héritier du trône d'Angleterre (futur Édouard II), coutume qui se perpétua. Fidèles à leur civilisation celtique, les Gallois se révoltèrent souvent (fin XIIIᵉ s. ; 1316 ; 1400) et le parlement anglais exerça sur eux diverses contraintes. Mais avec les Tudors et par le fait d'alliances familiales, les oppositions s'atténuèrent. Les actes d'Union de 1536 et 1543 réunirent le pays de Galles à l'Angleterre. À partir de cette époque, et en dépit d'une originalité culturelle persistante et d'un courant autonomiste, l'histoire politique du pays de Galles se confond avec celle de l'Angleterre, puis de la Grande-Bretagne. **V. Angleterre** *(Hist.)*.

Ph. Hétier

Pays de **Galles** : région de Harlech.

GALLES *(prince de)*. ♦ Titre porté par les fils aînés des rois d'Angleterre depuis 1301.

GALLES du SUD *(Nouvelle)* ♦ **V.** NOUVELLE GALLES DU SUD.

Gallicanisme. *n. m.* ♦ Doctrine instituant une certaine indépendance de l'Église catholique de France à l'égard de la papauté (Cf. Robert). – *Théologiquement*, elle revient à nier la suprématie absolue du pape ; ce fut l'œuvre du concile de Constance* (1417) qui, ainsi, mit fin au Grand Schisme*, **V. Gerson, Ailly** (Pierre d'). Cette suprématie du pape fut pourtant réaffirmée dès le XVᵉ s., et définitivement avec la proclamation de l'infaillibilité pontificale en 1870 (**V. Vatican,** 1ᵉʳ concile du). – *Historiquement*, elle est liée à la politique religieuse des souverains. Charlemagne, Philippe Auguste et surtout Philippe IV le Bel affirmèrent leur autorité entière sur les affaires ecclésiastiques (nominations, fiscalité), ce que consacrèrent la pragmatique* sanction de Bourges (1438) et le concordat* de Bologne (1516). En 1594, *Les Libertés de l'Église gallicane*, de P. Pithou*, définirent l'attitude du gallicanisme parlementaire (l'ouvrage fut mis à l'index). Si les prétentions de Richelieu à ériger la France en patriarcat indépendant n'aboutirent pas, la crise principale éclata sous Louis XIV : **V. Régale** (affaire de la), **Déclaration du clergé de France.** Au XVIIIᵉ s., le gallicanisme politique se trouva lié au jansénisme*. Il aurait disparu avec la Révolution et le concordat* de 1801 si les *Articles organiques* ajoutés à celui-ci ne l'avaient fait survivre au XIXᵉ siècle. Le *Syllabus** de 1864 en condamna les dernières particularités.

GALLIEN, en lat. **Publius Licinius Egnatius Gallienus.** ♦ (v. 218 – Milan, 268). Empereur romain (253-268). Fils de Valérien*, il partagea d'abord le pouvoir avec son père, puis régna seul à la mort de ce dernier (260). Il mit fin à la persécution contre les chrétiens, réforma l'armée et gouverna uniquement l'Italie, trente de ses généraux, dont Postumus* en Gaule et Odenat* en Orient, s'étant proclamés empereurs dans les provinces **(V. Trente Tyrans).** Il écrasa les Alamans à Milan (261) et refoula l'invasion des Goths dans les Balkans (265-267). Il fut assassiné par ses officiers au siège de Milan alors qu'il tentait de réprimer la révolte d'Aureolus, chef de la cavalerie (268).

GALLIENI (Joseph Simon). ♦ Général et administrateur français (Saint-Béat, Haute-Garonne, 1849 – Versailles, 1916). Sorti de Saint-Cyr, il participa à la guerre franco-allemande (1870) au cours de laquelle il fut fait prisonnier. Il se distingua ensuite au Sénégal, au Niger, obtenant d'Ahmadou, chef des Toucouleurs de Ségou, la signature d'un traité accordant à la France l'exclusivité du commerce dans le haut Niger (1881), puis au Soudan dont il fut nommé gouverneur (1886) et au Tonkin (1893-1895). Envoyé

Ph. Hubert Josse

Le maréchal **Gallieni,** par J. F. Bouchor. (Château de Versailles.)

comme gouverneur général à Madagascar (1896-1905), il mit fin à la rébellion, déposa la reine Ranavalona* III et organisa la colonisation de l'île en associant l'action militaire et l'action politique. Membre du Conseil supérieur de la guerre (1908), il fut nommé gouverneur de Paris (1914) et eut une part décisive à la Ire victoire de la Marne (sept. 1914) pour avoir engagé Joffre, qui suivit cet avis, à faire contre-attaquer par la VIe armée (Maunoury) le flanc de l'armée von Kluck (bataille de l'Ourcq). Ministre de la Guerre (1915-1916), il fut fait maréchal de France à titre posthume (1921). — Princ. ouvr. : *Mission d'exploration du haut Niger* (1885), *Deux Campagnes au Soudan* (1890), *La Pacification de Madagascar* (1899), *Mémoires* (1926).

GALLIFFET (Gaston Auguste, *marquis de***).** ♦ Général français (Paris, 1830 — *id.,* 1909). Après avoir participé à la guerre de Crimée (1854-1855) et à la campagne d'Italie (1859), il devint officier d'ordonnance de Napoléon III. Envoyé au Mexique (1862), il fut grièvement blessé lors de la prise de Puebla (1863). Après avoir servi en Algérie, il fut placé à la tête des chasseurs d'Afrique au début de la guerre de 1870 et fut fait prisonnier à Sedan (2 septembre 1870). De retour en France, il prit le commandement de l'armée de Versailles et se signala par la violence avec laquelle il réprima la Commune* de Paris. Envoyé peu après comme commandant de la subdivision de Batna en Algérie, il dirigea une expédition dans le Sud algérien (Ouargla, El-Goléa). Gouverneur de Paris (1880), il fut nommé ministre de la Guerre dans le cabinet Waldeck-Rousseau au moment de l'affaire Dreyfus (1899), mais fut remplacé dès 1900 par le général André.

GALLIGAER. ♦ Cité minière du S. du pays de Galles (Glamorganshire), à la frontière anglo-galloise. 34 580 hab.

GALLI-MARIÉ (Célestine Marié de l'Isle, dite**).** ♦ Cantatrice française (Paris, 1840 — Vence, 1905). Elle fit une longue et brillante carrière à l'Opéra-Comique où elle fut la créatrice de *Mignon,* d'A. Thomas (1866) et de *Carmen,* de G. Bizet (1875).

GALLIPOLI, en turc **Gelibolu.** ♦ V. de Turquie, sur la rive européenne du détroit des Dardanelles*. 16 000 hab. environ. — Ruines de la forteresse byzantine de l'anc. *Callipolis.* — Port de pêche actif. ♦ *Hist.* L'armée franco-britannique y établit ses cantonnements lors de la guerre de Crimée*. Ce fut aussi l'un des objectifs militaires des Alliés pendant la Première Guerre mondiale.

GÄLLIVARE. ♦ V. du N. de la Suède. 27 100 hab. Elle s'est développée à proximité des mines de fer de Malmberget. Important nœud ferroviaire sur la ligne de Luleå*-Narvik*. — Foire annuelle lapone.

GALLOIS (Lucien). ♦ Géographe français (Metz, 1857 — Paris, 1941). Fondateur avec Vidal de La Blache des *Annales de Géographie* (1893), auteur d'un ouvrage sur les *Régions naturelles et Noms de pays* (1908), il assuma à partir de 1918 la direction de la *Géographie universelle* **(V. Vidal* de La Blache).**

GALLOWAY. *n. m.* ♦ Région historique et administrative du S.-O. de l'Écosse, correspondant aux comtés de Wigtownshire* (West Galloway) et de Kirkcudbrightshire* (East Galloway), jusqu'au golfe *(Mull of Galloway)* qui est le point le plus méridional de l'Écosse. L'ancien royaume, qui comprenait en outre le S. de l'Ayrshire, subsista jusqu'en 1234.

GALLUP (George Horace). ♦ Journaliste et statisticien américain (Jefferson, Iowa, 1901). Fondateur d'un institut (1935) destiné à effectuer des sondages d'opinion publique. Le terme *gallup* est parfois utilisé pour désigner ce genre de sondage.

GALLUPPI (Pasquale, *baron***).** ♦ Philosophe italien (Tropea, Calabre, 1770 — Naples, 1846). Élève de Genovesi, il fut l'un des représentants du kantisme en Italie et publia plusieurs ouvrages de logique et de métaphysique dans lesquels il soutint l'objectivité de la connaissance contre le scepticisme. Il conçut également le projet d'une *Histoire de la philosophie,* dont il ne réalisa que le premier volume (1842).

GALLUS (Cornelius). ♦ Poète latin ami de Virgile* (v. ~ 69 — ~ 26). Il donna sa forme classique à l'élégie romaine.

GALLUS, en lat. **Caius Vibius Trebonianus Gallus.** ♦ (mort en Ombrie, 253). Empereur romain (251-253). Général en Mésie, il aurait trahi Dèce* dans une expédition contre les Goths et causé sa mort. Proclamé empereur, il traita avec les Barbares et fut tué alors qu'il marchait contre Émilien* qui avait été déclaré empereur à sa place.

GALOIS (Évariste). ♦ Mathématicien français (Bourg-la-Reine, 1811 — Paris, 1832). Reçu à l'École normale en 1830, expulsé de l'École en 1831 à la suite d'un article violent où ses idées républicaines lui faisaient dénoncer « l'esprit réactionnaire du directeur de l'École normale », l'essentiel de son œuvre réside dans un mémoire *Sur les conditions de résolubilité des équations par radicaux* (1831), dans lequel il fondait la théorie des groupes de substitution. **V. Jordan.** Mort en duel à moins de vingt et un ans, il rédigea la nuit précédente deux mémoires sur les sujets qui l'avaient passionné : un manifeste, *À tous les républicains,* et un testament mathématique où il résuma l'essentiel de ses découvertes : sa théorie des équations algébriques, des résultats sur les intégrales abéliennes (leur classification et leurs périodes) que Riemann* devait établir vingt-cinq ans plus tard. L'idée centrale des travaux de ce mathématicien génial fut la notion de groupe qui devint fondamentale pour les mathématiques. **V.** *aussi* **Klein, Lie.**

GALSWINTHE. ♦ Reine de Neustrie (v. 540 — 568). Fille d'Athanagild*, roi des Wisigoths, elle épousa Chilpéric* Ier qui la fit assassiner pour épouser sa maîtresse Frédégonde*.

GALSWORTHY (John). ♦ Romancier et dramaturge anglais (Coombe, Surrey, 1867 — Hampstead, Londres, 1933). Issu d'une famille d'hommes de loi, il fit ses études à Harrow et à Oxford, puis devint avocat en 1890. Peu attiré par sa profession, il voyagea en Russie, en Amérique, en Océanie et devint l'ami de Joseph Conrad qui le dépeignit comme un « moraliste humanitaire ». En 1898, il p blia *Jocelyn, Des quatre vents, Un homme de Devon,* sous le pseudonyme de John Sinjohn. Mais sa véritable carrière littéraire débuta en 1904 avec *Les Pharisiens de l'île,* critique des classes riches. Le même souci de peinture critique des classes possédantes caractérise son chef-d'œuvre, *La Saga des Forsyte* (1922), vaste fresque allant de l'ère victorienne à l'entre-deux-guerres (1886-1926) et comprenant : *Le Propriétaire* (1906), *L'Été de la Saint-Martin d'un Forsyte* (1917), *Aux aguets* (1920), *À louer* (1921), *Le Singe blanc* (1924), *Le Chant du cygne* (1928). Ce vaste roman, malgré ses intentions satiriques, représente l'aboutissement d'un genre littéraire traditionnel, d'une écriture très conservatrice. — Au théâtre, ses pièces, de tendance naturaliste, eurent un retentissement politique : une réforme de l'administration pénitentiaire fut décidée à la suite de l'émotion suscitée par *Justice* en 1910. Amoureux de la nature *(Terre libre, The Freelands),* Galsworthy s'efforça de vivre à la campagne, loin des servitudes de la popularité. (Prix Nobel, 1932.)

GALTON (*sir* Francis). ♦ Physiologiste, anthropologue et psychologue anglais (Birmingham, 1822 — Haslemere, 1911). Cousin de Ch. Darwin, il fut un des premiers à appliquer la méthode statistique à l'étude de l'hérédité et des différences individuelles, en particulier en psychologie **(V. Quételet** et **Laplace-Gauss** [loi de]**).** Il étudia ainsi le niveau d'intelligence d'un individu à l'aide de l'étalonnage des tests **(V. Cattell)** et il parvint à établir la mesure du degré de liaison entre des variations individuelles (coefficient de corrélation). [*Hereditary Genius,* 1869 ; *Inquires into Human Faculty and its Development,* 1883 ; *Natural Inheritance,* 1889.] Il fut également un des fondateurs de « l'eugénique » (eugénisme) [*Essays on Eugenics,* 1909].

GALUPPI (Baldassare, dit **il Buranello).** ♦ Compositeur italien (Île de Murano, Venise, 1706 — Venise, 1785). Maître de chapelle à Saint-Marc (1762), il fut appelé à Saint-Pétersbourg par Catherine II pour y remplir les mêmes fonctions (1765-1768). Son œuvre est abondante et variée (concertos, sonates, oratorios). Il composa plus de cent opéras et eut parfois Goldoni* pour collaborateur (*Il Filosofo di campagna,* 1754 ; *La Cameriera spiritosa,* 1766).

GALVANI (Luigi). ♦ Médecin et physicien italien (Bologne, 1737 — *id.,* 1798). Professeur à l'université de Bologne, il fut mis, par hasard, sur la voie d'une importante découverte en physique (1786) : sur la table où fonctionnait une machine électrique, un de ses aides approcha un scalpel des nerfs cruraux internes d'une grenouille fraîchement tuée, ce qui provoqua chez elle une violente contraction musculaire **(V. Matteucci).** Galvani refit l'expérience de différentes façons et conclut à l'existence d'une électricité propre à l'animal (courant galvanique). Sa théorie, discutée par Volta*, conduisit ce dernier à la découverte de la pile électrique. Galvani a laissé son nom au procédé de *galvanisation* (galvanoplastie).

GALVESTON. ♦ V. et port des États-Unis (Texas) dans l'*île de Galveston* sur le golfe du Mexique, au S.-E. de Houston. 60 714 hab. ; zone urbaine 165 669 hab. Indus. navales et pétrolochimie. Centre financier (assurances, banques). — Le port et la ville, plusieurs fois éprouvés par des tornades, sont protégés par une haute digue.

GÁLVEZ (José *de***).** ♦ Administrateur espagnol (Vélez Málaga,

Ph. Prato/Ricciarini

Vasco de Gama.
(Musée de la Marine, Lisbonne.)

1729 – Madrid, 1786). Il fut nommé visiteur *(visitador)* général en Nouvelle-Espagne (Mexique). Ministre des « Indes » à son retour (1775), il remplaça les 200 alcades par 12 intendants, substituant au mercantilisme un certain libéralisme commercial.

GALWAY [*n. m.*], en irl. **Gaillimh**. ♦ V. et port d'Irlande occidentale (Eire, prov. de Connacht), sur la r. N. de la baie de Galway, à l'extrémité S. du *Corrib Lough.* 25 000 hab. (1966). Évêché catholique, collège universitaire. – Pêche (saumon). Minoteries. Fonderie. Fabrique de meubles. – Patrie d'Hudson Lowe*. ♦ *Hist.* Fondée en 424, Galway fut au Moyen Âge un important port de commerce en relation avec l'Espagne. – Le *comté de Galway* (5 937 km², 148 340 hab.) s'étend de part et d'autre de la *baie de Galway,* à l'O. sur les *monts de Connemara* (730 m au *Twelve Pins*), au S. et à l'E. sur la plaine centrale. Presque toute la région (surtout l'O.) forme une zone de tourbières et de lacs (loughs *Corrib* et *Mask*). Les côtes sont très découpées. Au large, s'étendent les *îles d'Aran**, presque inhabitées. Le Galway est l'une des régions les plus déshéritées de l'Eire. On y pratique l'élevage ovin et, plus récemment, la culture de betteraves sucrières.

GAMA (Vasco *de***).** ♦ Navigateur portugais (Sines, Alentejo, v. 1469 – Cochin, Inde, 1524). Il découvrit la route des Indes par le cap de Bonne-Espérance (1497) et atteignit Calicut (auj. Kozhicode) en 1498. Nommé amiral des Indes par le roi Manuel, il entreprit une seconde expédition (1502) au cours de laquelle il fonda les comptoirs portugais sur les côtes africaines (Sofala, Mozambique). Il devint vice-roi des Indes portugaises en 1524. Le récit de ses découvertes, qui inspira les *Lusiades* de Camoens* a été rapporté par Castanheda (*Historia e conquista da India,* 1551).

GAMA (Estêvão *da***).** ♦ Capitaine portugais, fils de Vasco de Gama* (mort en 1575). Parti pour les Indes en 1524, il fut gouverneur de Malaka* (1536) et de Goa (1540). En 1541, il entreprit une campagne en Abyssinie (dans le Tigré) au cours de laquelle son frère, CRISTÓVÃO DA GAMA (Evora, v. 1516 – dans le Tigré, 1542), périt pour avoir refusé d'embrasser l'islâm (?). De retour au Portugal, Estêvão fut disgracié.

GAMA (José Basilio *da***).** ♦ Poète brésilien (Minas Gerais, 1741 – Lisbonne, 1795). Il est l'auteur de *Uruguay* (1769), poème épique qui évoque la guerre hispano-portugaise contre les populations indiennes révoltées de l'Uruguay. Avec de remarquables descriptions de paysans, B. da Gama est le précurseur de l'indianisme romantique.

GAMACHES. ♦ Ch.-l. de cant. de la Somme* (arr. d'Abbeville*) sur la Bresle*. 3 337 hab. *(Gamachois).* Église (XIIe-XVe s.). Verrerie.

GAMALIEL. ♦ Nom de six docteurs juifs, descendants de Hillel, qui remplirent la charge de *nasî* (« prince » du sanhédrin, représentant politique du peuple juif) du Ier au Ve siècle. ♦ « Rabban » [Rabbi] GAMALIEL HA-ZAKÊN, « l'Ancien » (première moitié du Ier s.), est l'auteur de trois lettres conservées dans le Talmud. Il aurait été le maître de saint Paul (*Actes,* XXII, 3). ♦ « Rabban » GAMALIEL II, petit-fils du précédent, mort av. 116, fut vers 80 le premier *nasî* du sanhédrin de Jamnia*, après la destruction du Temple.

GAMBETTA (Léon). ♦ Homme politique français (Cahors, 1838 – Paris, 1882). Avocat, il se fit remarquer en 1868 par un réquisitoire contre le régime impérial (défense de Delescluze). Candidat aux élections de 1869, auteur du programme radical de Belleville* (avril 1869), il siégea au Corps législatif avec la minorité républicaine qui prit position contre la guerre de 1870. Après la défaite de Sedan (2 septembre), il participa à la journée révolutionnaire du 4 septembre* 1870 au cours de laquelle furent proclamées la déchéance de l'empereur et la Troisième République. Ministre de l'Intérieur dans le gouvernement de la Défense nationale, il quitta Paris en ballon (7 octobre) afin d'organiser à Tours, où il prit également le portefeuille de la Guerre, la résistance à l'ennemi. Hostile à la capitulation (janvier 1871) et partisan de la guerre à outrance, il donna sa démission. Député du Bas-Rhin (février 1871), il refusa de signer le traité de paix et, après l'annexion de l'Alsace-Lorraine par l'Allemagne, quitta la Chambre avec quelques députés (dont Hugo). Réélu dès juillet 1871, il siégea à l'extrême gauche où, à la tête de l'Union républicaine, il soutint la politique de Thiers et fonda le journal *la République française* (novembre 1871). Après la victoire de Mac-Mahon soutenu par la coalition monarchiste de l'Ordre moral (mai 1873), Gambetta, afin de lutter contre la politique conservatrice, se fit le champion de « l'opportunisme » et s'allia au centre, parvenant ainsi à faire adopter les lois constitutionnelles qui instauraient la république (1875). Après l'affaire du 16 mai 1877, il travailla à renforcer la résistance républicaine au régime et contribua à la chute de Mac-Mahon (1879), remplacé par Jules Grévy. Président de la Chambre (1879), il fut néanmoins maintenu à l'écart du pouvoir jusqu'à la victoire de son parti, l'Union républicaine (1881). Le gouvernement qu'il tenta de former alors (« le grand ministère », novembre 1881) fut rapidement renversé (janvier 1882) et remplacé par celui de Freycinet. Gambetta devait mourir peu après, d'une septicémie consécutive à une blessure accidentelle.

GAMBIE. *n. f.* ♦ Fl. d'Afrique occidentale né dans le Fouta*-Djalon, il arrose le S.-E. du Sénégal*, puis constitue l'axe E.-O. de la Gambie* et se jette dans l'Atlantique par un vaste estuaire d'accès facile **(V. Bathurst).** Voie d'eau navigable jusqu'à plus de 300 km à l'intérieur (480 km en territoire gambien).

GAMBIE. *n. f.* en angl. **Gambia.** ♦ État d'Afrique occidentale, sur l'Atlantique, enclave en territoire sénégalais située de part et d'autre de la vallée inférieure de la Gambie*. 11 300 km² (le plus petit État africain indépendant). 370 000 hab. *Cap.* Bathurst. *Langues :* anglais (off.), nombreux dialectes. *Pop.* Mandingues (50 %), Ouolofs, Peuls, etc. – La Gambie forme une étroite bande de terre, au climat semblable à celui de la Casamance* et couverte de forêts fluviales et de savanes. Les problèmes liés à la monoculture de l'arachide (90 % des exportations) ont entraîné, comme au Sénégal*, un plan de développement agricole plus diversifié [*carte.* **V. Sénégal**]. ♦ *Hist.* Englobé dès le XIVe s. dans l'empire du Mali*, le territoire gambien se fractionne ensuite en plusieurs petits royaumes mandingues. Les Portugais **(V. Ca' da Mósto)** y établirent les premiers comptoirs européens (XVe s.) mais furent chassés par les Anglais (XVIIIe s.), et le traité de Versailles (1783) confirma la possession de la Gambie à l'Angleterre. D'abord dépendante de la Sierra* Leone, elle devint une colonie autonome en 1888. Depuis 1965, elle forme un État indépendant, membre du Commonwealth*, et une constitution républicaine y a été promulguée en 1970. Son chef d'État est Daouda Jawara. (Association avec le Sénégal **V. Sénégambie.**)

GAMBIER (James, *baron***).** ♦ Amiral anglais (Bahamas, 1756 – comté de Buckingham, 1833). Il bombarda Copenhague en 1807, obligeant la flotte danoise à capituler.

GAMBIER *(îles)***.** ♦ Archipel de la Polynésie* française (Océanie), prolongement des Tuamotu* comprenant quatre îles principales : Taravai, Akamaru, Aukena et Mangareva, d'origine volcanique et où se situe le ch.-l. *Rikitea.* – Coprah. ♦ *Hist.* Découvertes en 1797 par le capitaine anglais Wilson qui leur donna le nom de l'amiral Gambier, les îles furent annexées par la France en 1881 **(V. Polynésie française** [T.O.M.]**).**

GAMELIN (Maurice Gustave). ♦ Général français (Paris, 1872 – *id.,* 1958). Sorti de Saint-Cyr, il fut membre de l'état-major de Joffre (1902-1911) dont il devint chef de cabinet en 1914, participa à la Première Guerre mondiale, puis fut envoyé en Syrie à la tête des troupes françaises du Levant pour y réprimer la révolte des Druzes* (1925-1927). Membre du Conseil supérieur de la guerre (1930), chef d'état-major de la Défense nationale (1938), il fut nommé commandant en chef des forces alliées en septembre 1939, mais remplacé dès mai 1940 par Weygand. Après avoir comparu au procès de Riom (1942), il fut interné au Portalet puis déporté en Allemagne (1943). Ses mémoires furent publiés après la guerre sous le titre *Servir* (1946-1947).

GAMOW (George Anthony). ♦ Physicien américain d'origine russe (Odessa, 1904 –). Auteur de recherches sur la structure de l'atome, il étudia notamment la barrière de potentiel due aux forces coulombiennes répulsives défendant l'accès du noyau aux particules chargées *(crête* ou *cuvette de Gamow).* Il étudia la cosmologie relativiste, l'origine des éléments chimiques et les réactions thermonucléaires dans les étoiles **(V.** *aussi* **Teller)**; il découvrit également l'isomérie nucléaire. Il est l'auteur d'ouvrages de vulgarisation très répandus.

GANCE (Abel). ♦ Réalisateur français de cinéma (Paris, 1889). Ambitieuse, démesurée, son œuvre a contribué à former le langage cinématographique, au lendemain de la Première Guerre mondiale, par la puissance de son lyrisme et de sa générosité visionnaire. Utilisant des techniques dont il fut le premier à faire usage : polyvision (1927), perspective sonore (1929), stéréophonie (1933), pictographie (1938), multipliant les surimpressions et la mobilité des caméras, il a réalisé des œuvres inspirées : *Mater dolorosa* (version muette, 1917 ; version sonore, 1937), *La Xe Symphonie* (1918), *J'accuse* (version muette, 1919 ; version sonore, 1938), *La Roue* (1921), *Napoléon* (version muette, 1926 ; version sonore, 1934).

GAND, en néerl. **Gent.** ♦ V. et port de Belgique, ch.-l. de la Flandre*-Orientale, au confluent de la Lys* et de l'Escaut*, sur le canal de Terneuzen. 250 000 hab. avec les faubourgs : Gentbrugge*, Mont*-Saint-Amand *(Gantois).* Dans une île du confluent des deux rivières, la vieille ville comporte de nombreux monuments : hôtel de ville (gothique et Renaissance, 1600-1622), halle aux draps (commencée en 1426, achevée en 1903), beffroi (1313-1321), quai aux herbes *(Graslei),* ensemble de maisons des corporations (gothique et roman tournaisien). Cathédrale Saint-Bavon, gothique (commencée en 1228), contenant le *Polyptyque de l'Agneau mystique* par H. et J. Van Eyck. Petit béguinage Notre-Dame fondé vers 1234, reconstruit vers 1600. Musée d'archéologie *(Bijloke museum)* dans l'ancienne abbaye Sainte-Élizabeth (XIIIe s.). Musée de folklore dans un bâtiment du XIVe siècle. Musée des beaux-arts (J. Bosch, Daumier, Géricault, Rouault, Rubens). Palais des floralies, à l'emplacement d'une citadelle construite par Wellington après la bataille de Waterloo. — Indus. alimentaires (brasseries, distilleries). Premier centre cotonnier belge, Gand possède aussi des filatures de lin, de jute et de chanvre. Elle partage la renommée de Courtrai pour les toiles dites « de Hollande ». Le port a permis le développement de la papeterie, de l'indus. chimique, de la métallurgie. La zone industrielle de la r. E. du canal de Terneuzen* est spécialisée dans le montage automobile, la sidérurgie, le raffinage et la pétrolochimie. — Patrie de Charles* Quint, M. Maeterlinck*, G. Minne*, Quételet*, Van* de Woestijne. ♦ *Hist.* Établie sur le territoire de *Ganda* (« confluent »), la mission évangélique de saint Amand (VIIe s.) fonda Saint-Bavon. La ville fut le chef-lieu de la Flandre dès le Xe s., quand le comte Philippe d'Alsace fit construire le *château des Comtes* « pour réfréner l'orgueil des bourgeois », enrichis grâce à l'industrie drapière. Aux XIVe et XVe s., ce n'est qu'avec l'aide de leur suzerain, le roi de France, que les comtes purent maintenir leur autorité, malgré l'opposition des tisserands (Jacques Van Artevelde, qui négocia avec l'Angleterre). La période bourguignonne, au XVe s., fut un âge d'or pour les arts (Van Eyck). Accablés d'impôts par Charles Quint, les Gantois se révoltèrent (1540), mais la commune y perdit ses privilèges. Après une première renaissance au XVIIe s. (épiscopat de Mgr Triest), une nouvelle période de prospérité commença pour Gand vers 1750. Le travail du coton remplaça l'industrie drapière. En outre, Guillaume Ier, roi des Pays-Bas, créa une université (1816) qui fit de la ville le centre scientifique le plus important de Flandre.

GANDER. ♦ Base aérienne du Canada, dans l'île de Terre-Neuve. Elle fut une escale importante pour les lignes transatlantiques, avant l'ère des avions à réaction.

GANDHÂRA. *n. m.* ♦ Nom anc. d'une région couvrant le N.-O. de l'Inde, le N. du Pâkistân et l'E. de l'Afghânistân, où la civilisation grecque influença fortement l'art et la religion bouddhiques. Une florissante école de sculpture bouddhique s'y développa du Ier au Ve siècle. De nombreuses influences s'y font sentir, et la dénomination d'art gréco-bouddhique, bien qu'habituelle, est largement arbitraire.

GANDHARVA. *n. m. pl.* ♦ Génies ou demi-dieux des religions hindoue et bouddhique, contrepartie masculine des Apsaras*, généralement musiciens célestes, avec un corps mi-humain, mi-animal, réputés d'une force prodigieuse.

GÂNDHI (Mohandas Karamchand). ♦ Philosophe et homme politique indien (Purbandar 1869 — Delhi, 1948). Né dans une famille aisée, il fit ses études à Ahmadâbâd puis à Londres où il devint avocat. Il exerça tout d'abord à Bombay, puis en Afrique du Sud, où il se fit le défenseur des Indiens contre la politique de ségrégation raciale pratiquée dans ce pays (1893). De retour en Inde, il mena une vigoureuse campagne anti-anglaise et fut plusieurs fois emprisonné pour « désobéissance civile », car il prêchait le boycott des produits importés d'Angleterre, demandant à chaque Indien de filer et de tisser ses propres vêtements. Il fut le plus fervent avocat de la doctrine de l'*Ahimsa* (non-violence active) et de l'égalité des droits entre les hommes, réclamant la réhabilitation des Hârijân* (intouchables). Son influence politique fut très grande sur le Parti du Congrès. Emprisonné pendant la guerre (1942-1944), il participa néanmoins aux négociations pour l'indépendance de l'Inde (15 août 1947). Un brâhmane fanatique l'assassina le 30 janvier 1948. On lui donne souvent le titre de *Mahâtma* (« grande âme »).

GÂNDHI (Indîrâ). ♦ Femme politique indienne (Allâhâbâd, 1917). Fille de Jawaharlâl Nehru*, elle épousa un avocat, Feroze Gândhi (mort en 1960), sans lien de parenté avec le héros de l'indépendance indienne. Cependant, après avoir fait ses études en Suisse et à Oxford, elle devint la collaboratrice du Mahâtma Gândhi* et fut élue membre du Congrès en 1938. Elle en devint la présidente en 1959. En 1966, elle succéda comme Premier ministre de l'Inde à Lâl Bahâdur Sâstri. Réélue en 1967, elle dut démissionner après l'échec de son parti aux élections législatives de mars 1977.

GANDRANGE. ♦ Comm. de la Moselle, arr. de Thionville-Ouest. 2 706 hab. Sidérurgie.

Ganelon. ♦ Personnage de *La Chanson de Roland** qui, cédant à une rancœur injustifiée vis-à-vis de son beau-fils Roland*, le trahit en incitant le roi sarrasin Marsile à l'embuscade de Roncevaux*. — *Ganelon* devient le symbole du chevalier félon.

GANEŚA. ♦ Divinité hindoue, fils de Śiva et de Pârvatî, patron des commerçants, des voyageurs et des voleurs. Il est censé « écarter les obstacles ». On le représente avec une tête d'éléphant, symbolisant la sagesse ; son « animal-support » est un rat.

GANGA ou **GANGGA.** ♦ Dynastie indienne qui régna du IIIe s. au XIe s. dans la région de l'actuel Maisûr (Mysore*) et jusqu'au XVIe s. dans l'Orissa*.

GANGE, en sanskrit et hindî **Gangâ**. *n. m.* ♦ Fl. principal du N. de l'Inde (3 090 km) dont le bassin forme la *plaine gangétique* qui s'étend de l'O. à l'E. entre les monts Vindhya et l'Himâlaya*. Il naît vers 4 500 m d'alt. dans l'Himâlaya occidental, aux confins du Tibet* et, après un cours torrentueux, arrive dans la plaine à Hardwâr*, à seulement 311 m d'altitude. Son cours se fait alors large et lent, très limoneux. Il reçoit de nombreux affluents dont les principaux sont la Yamunâ*, la Sone, le Gandak, la Gumtî et le Gogrâ (ou Gaghrâ). Il se jette finalement, après avoir arrosé Vârânasî* et Allâhâbâd*, dans le golfe du Bengale où, avec le Brahmapoutra*, il forme un immense delta composé de multiples bras drainant une région très marécageuse, appelée Sundarban. Fleuve sacré, c'est le plus vénéré des fleuves de l'Inde.

GANGES. ♦ Ch.-l. de cant. de l'Hérault (arr. de Montpellier), sur l'Hérault. 4 934 hab. [l'aggl. compte 6 326 hab.] *(Gangeois).* Église romane. Beffroi. — Centre de filature ; l'indus. de la soie, en difficulté, est relayée par le nylon, les fabriques de chaussures, la confection. Cartonnages. — Patrie de Fabre* d'Olivet, de J. et F. Planchon, d'A. Sabatier. — À proximité les *gorges de l'Hérault,* la *grotte des Demoiselles* (anc. aven bouché, aménagé, aux gigantesques stalagmites). ♦ *Hist.* La ville fut le fief du diocèse de Maguelone ; elle accueillit en 1703 les camisards.

GANGTOK. ♦ Cap. du Sikkim*, sise à plus de 1 500 m d'alt., sur le haut cours de la rivière Tistâ. 15 000 hab. Centre caravanier important entre le Tibet* et l'Inde*, et capitale religieuse du bouddhisme lamaïque dans cette région. Plus de quarante-quatre monastères y sont installés.

GANIVET (Ángel). ♦ Écrivain espagnol (Grenade, 1865 — Riga, Lettonie, 1898). Il se lia d'amitié avec Miguel de Unamuno avec qui il entretint une correspondance sur l'*Avenir de l'Espagne (El Porvenir de España).* D'Anvers (1894), d'Helsinki (1896), de Riga (1898), il envoya à Grenade des chroniques : *Grenade la belle* (*Granada la bella,* 1895), *Lettres finlandaises* (*Cartas finlandesas,* 1896), *Les Hommes du Nord* (*Hombres del Norte,* 1905). L'admiration qu'il portait à son pays se note dans *Idearium español* (1897). Observateur réaliste et plein d'humour dans ses romans, *La Conquête du royaume de Maya* (*la Conquista del reino de Maya por el último conquistador español Pio Cid,* 1897), il composa également un drame en vers, *Le Sculpteur de son âme* (*El Escultor de su alma,* 1916) avant de se suicider dans une crise de folie. Il est considéré avec Unamuno comme le précurseur de la « génération de 98 ».

GANJIN. ♦ Nom japonais d'un religieux bouddhiste chinois (688 — 763) qui arriva au Japon en 754, accompagnant de nombreux disciples et artisans. Architecte renommé, il inaugura la

Ph. Prato/Ricciarini

Le **Gange** à Vârânasi (Bénarès).

construction modulaire, réduisant les structures à un petit nombre d'éléments préfabriqués. Il fonda au Japon une secte bouddhique.

GANKŪ. ♦ Peintre japonais (1749 – 1858) originaire d'Echizen, élève de Maruyama Ōkyo. Il fut célèbre pour ses peintures de tigres.

GANNAT. ♦ Ch.-l. de cant. de l'Allier*, arr. de Vichy*. 6 289 hab. *(Gannatois).* Enceinte et tours d'un anc. château. Église Sainte-Croix, église Saint-Étienne (roman XIe et XIIe s.). – Électrométallurgie, confection.

GANNE (Louis). ♦ Compositeur français (Buxières-les-Mines, 1862 – Paris, 1923). Élève de C. Franck, il se consacra à l'opéra-comique et à l'opérette. Deux de ses ouvrages furent longtemps populaires : *Les Saltimbanques* (1899) et *Hans, le joueur de flûte* (1906). Il est l'auteur de la célèbre *Marche lorraine* (1892).

GANSHOREN. ♦ V. de Belgique (Brabant, arr. de Bruxelles-capitale). 18 300 hab. Métallurgie. Indus. alimentaires. Feutrerie. Vannerie.

GANTEAUME (Honoré, *comte*). ♦ Amiral français (La Ciotat, 1755 – La Pauligne, près d'Aubagne, 1818). Capitaine de vaisseau en 1794, il rentra de la campagne d'Égypte avec Bonaparte. Vice-amiral de la flotte de Brest (1804), commandant de l'escadre de la Méditerranée (1809), il se rallia aux Bourbons (1814) et fut nommé pair de France par Louis XVIII.

GANTT (Henry Laurence). ♦ Ingénieur américain (Calvert Country, Maryland, 1861 – Pine Island, New York, 1919). Collaborateur de Frederick W. Taylor*, il développa l'aspect social de l'organisation scientifique du travail ; il introduisit l'emploi de nombreux graphiques, dont l'un porte son nom, pour la gestion des entreprises.

GANYMÈDE, en gr. **Ganumêdês.** ♦ Prince légendaire de Troie*, fils de Tros*. Adolescent fameux pour sa beauté, il est aimé par Zeus* qui, changé en aigle, l'enlève et l'emporte sur l'Olympe. Devenu immortel, Ganymède servait d'échanson, remplaçant Hébé*.

GAO. ♦ V. du Mali*, sur la r. g. du Niger*. 15 000 hab. Centre commercial. Cité caravanière. Exportation des produits de l'élevage de la région (peaux, laine, bétail). Abattoirs. ♦ *Hist.* Fondée vers 670, elle devint au XIe s. la cap. de l'Empire songhaï*, passa sous la suzeraineté de l'empire du Mali*, puis redevint cap. au XVIe s. sous la dynastie des Askias (nouvel Empire songhaï), avant de tomber aux mains des conquérants marocains.

GAP. ♦ Préf. des Hautes-Alpes*, ch.-l. d'arr. (18 cant., 140 comm. 71 070 hab.) sur la Luye. 25 994 hab. *(Gapençais* ou *Gapençois).* Cathédrale du XIXe siècle. Évêché. La ville dans une situation de carrefour au débouché du col Bayard*, lieu de passage, est un marché qui redistribue les produits des environs. Transformation des produits alimentaires (minoteries, lait condensé) ; travail du bois, fabrication de briques, de tuiles, de ciment. ♦ *Hist.* Ancien camp militaire romain de *Vapincum* fondé par Auguste, la ville devint « cité » en 382 et siège d'un évêché au Xe siècle. Elle fut annexée à la couronne de France en 1512. Elle fut dévastée par les guerres de Religion.

GAPENÇAIS. *n. m.* ♦ Pays du Dauphiné, limité par la Durance et le Drac, et s'étendant autour de Gap*.

GARABIT *(viaduc de)*. ♦ Viaduc permettant au chemin de fer (ligne Béziers - Clermont-Ferrand) de franchir la gorge de la Truyère, profonde de 125 m, dans le Cantal. Construit par Eiffel*, d'après les plans de Léon Boyer, de 1882 à 1884, et long de 564 m, à 122 m au-dessus de la rivière, le viaduc comporte, en son centre, une arche métallique de 165 m de portée.

GARAMOND (Claude). ♦ Graveur et fondeur de caractères français (Paris, 1499 – 1561), créateur des *grecs du roi,* pour François Ier, et de types romains et italiques qui furent la base de la typographie classique, et portent son nom.

GARAT (Dominique Joseph). ♦ Homme politique français (Bayonne, 1749 – Ustaritz, Basses-Pyrénées, 1833). Avocat, élu député du Tiers État aux États généraux (1789), il succéda à Danton comme ministre de la Justice (novembre 1792), puis fut nommé ministre de l'Intérieur (mars 1793). Accusé de modérantisme, il fut défendu par Robespierre contre qui cependant il se retourna les 8 et 9 thermidor. Membre du Conseil des Anciens (1796), sénateur et comte sous Napoléon Ier, il fut élu à l'Académie française (1806), mais en fut éliminé lors de la Restauration. (*Considérations sur la Révolution française,* 1792.)

GARAUDY (Roger). ♦ Universitaire et homme politique français (Marseille, 1913). Membre du Comité central du Parti communiste français (1945), député (1945-1958), puis sénateur (1959-1962), il a publié de nombreux ouvrages sur diverses questions touchant au marxisme. Il est l'auteur de *Théorie matérialiste de la connaissance,* 1953 ; *Dieu est mort,* 1962 ; *De l'anathème au dialogue,* 1965, tentative pour rétablir un dialogue entre marxistes et chrétiens ; *Marxisme du XXe siècle,* 1966, des études sur le « réalisme socialiste » ; une étude sur *Lénine,* 1968. Ses prises de position après les événements de Tchécoslovaquie (1968) lui valurent d'être successivement exclu du bureau politique du P.C.F. (où il était entré en 1956), puis du Parti.

GARAY (Juan *de*). ♦ Général et explorateur espagnol (Villalba de Losa, Burgos, v. 1527 – près d'Asunción, Paraguay, 1583). Explorateur de la vallée de Paraná et fondateur de Santa* Fe de Vera Cruz (Argentine, 1573), il contribua à la reconstruction de Buenos Aires (1580) et fut tué par les Indiens.

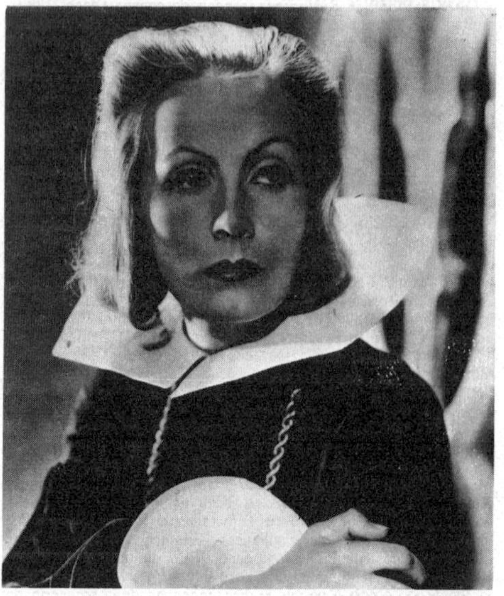

Coll. Rui Nogueira

G. Garbo dans « La reine Christine ».

GARBO (Greta Gustafson, dite **Greta).** ♦ Actrice américaine de cinéma, d'origine suédoise (Stockholm, 1905). Par la magie de son regard, la pureté et la noblesse de ses attitudes, le caractère presque désincarné de ses interprétations, elle s'est imposée de façon mémorable à l'admiration du public, justifiant par sa poésie l'épithète de *divine. Princ. films :* en Suède : *La Légende de Gösta Berling,* de Stiller* (*Gösta Berlings Saga,* 1924) ; aux États-Unis : *Grand Hôtel* (1932), *La Reine Christine* (1933), *Anna Karénine* (1935), *Le Roman de Marguerite Gautier* (*Camille,* 1937), *Marie Walewska* (1937).

GARBORG (Arne Aadne). ♦ Romancier, auteur dramatique, poète et journaliste norvégien (Time, Jaeren, 1851 – Asker, 1924). Fils de paysan, il devint instituteur puis journaliste. De 1877 à 1882, il édita l'hebdomadaire « la Patrie » dans l'idiome populaire norvégien *(landsmaal).* Élevé dans un esprit piétiste, il évolua sous l'influence de Bjørnson* vers la libre pensée comme en témoigne son premier grand roman *Étudiants-Paysans* (1883). Puis, avec le roman naturaliste *Hommes,* où il réclamait la liberté de l'amour, il s'aliéna la critique officielle, et les milieux bourgeois. Après quelques œuvres polémiques, dont la pièce satirique *Les Intransigeants* (1888), il revint à un certain mysticisme cherchant à réconcilier la foi et la vie dans des romans tels que *Hommes las* (1891), *Paix* (1892), *Le Père prodigue* (1899), et dans son conte en vers en « landsmaal » (*Haugtussa,* 1895).

GARCHES. ♦ Ch.-l. de cant. des Hauts-de-Seine (arr. de Nanterre), au S.-O. de Paris. 14 385 hab. *(Garchois).* Annexe de l'Institut Pasteur. Hôpital.

GARCHINE (Vsevolod Mikhaïlovitch) [*Garšin*]. ♦ Nouvelliste russe (Voronej, 1855 – Saint-Pétersbourg, 1888). Ayant vécu l'abolition du servage, il voulut partager les souffrances du peuple sur le front durant la guerre contre la Turquie, et c'est là qu'il écrivit sa première nouvelle *Quatre Jours* (1877), où il évoque les horreurs de la guerre. Particulièrement sensible à la souffrance, il tomba dans un état dépressif qui le conduisit au suicide. Il écrivit de nombreuses nouvelles imprégnées de pitié et d'ironie tragique dont *Attalea Princeps* (1880), *Une très courte histoire,* et *La Fleur rouge* (1883) où il montre comment seul un fou peut imaginer lutter contre le mal dans le monde.

GARCÍA (Carlos P.). ♦ Homme d'État philippin (1897 – Manille, 1971). Président de la république des Philippines, successeur en 1957 de Magsaysay*. Macapagal* lui succéda en 1961.

GARCÍA CALDERÓN (Ventura). ♦ Diplomate et écrivain péruvien (Paris, 1887 – *id.,* 1959). Il a révélé au Pérou les formes les plus avancées de la littérature française et aux Français les chefs-d'œuvre de son pays. Il est l'auteur de poèmes et de recueils de contes (*La Vengeance du condor,* 1925).

GARCÍA GUTIÉRREZ (Antonio). ♦ Auteur dramatique espagnol (Chiclana, province de Cadix, 1813 – Madrid, 1884). Dès sa jeunesse, il composa des drames : *Une nuit d'émotions (Una noche de emociones).* Plus tard, il abandonna son métier de médecin pour revenir à la poésie, influencé par les romantiques français. Rédacteur à la *Revue espagnole,* il s'enrôla dans l'armée de Mendizabal, mais fit cependant représenter *le Trouvère* (*El Trovador,* 1836) qui inspira Verdi*. À son retour de Cuba et du Mexique où il avait dû émigrer, il obtint un grand succès avec *Juan Lorenzo* (1865), *Vengeance catalane (Venganza catalana)* et il publia ses *Œuvres* *choisies* en 1866. Nommé consul d'Espagne à Bayonne puis à Genève (1868-1869), il obtint en 1872 la charge de directeur du Musée archéologique de Madrid.

GARCÍA LORCA (Federico). ♦ Poète et auteur dramatique espagnol (Fuentevaqueros, Grenade, 1899 – Grenade, 1936). Issu de la bourgeoisie andalouse libérale et aisée, incroyant mais nourri de tradition chrétienne, doué pour les arts (notamment la musique), « poète de naissance irrémédiablement », il s'est rangé tout de suite du côté des exploités et a su concilier dans son œuvre l'héritage populaire du folklore et l'art le plus actuel. Son lyrisme procède à la fois des thèmes traditionnels andalous et de la poésie savante, parfois surréaliste : *Canciones* (1921); *Romancero gitano* (1928); *Poema del Cante Jondo* (1931); *Poète à New York* (qui contient l'ode à Walt Whitman); *Chant funèbre à Sanchez Mejias* (1934), torero mort dans l'arène. En 1935, il fonda *La Baraca,* troupe théâtrale qui fit connaître les classiques (Lope de Vega, Calderón, Cervantes) dans les petites villes espagnoles. Lorca écrivit alors des pièces fantaisistes pleines de verve andalouse : *L'amour de don Perlimplin avec Bélise en son jardin; La Savetière prodigieuse* (1929-1933). Plus importante est la trilogie : *Noces de Sang* (*Bodas de Sangre,* 1933); *Yerma* (1935); *La Maison* de Bernarda* (1936), où l'amour qui conduit à la mort, la chair, le Soleil et la Terre sont les thèmes d'une dramaturgie proche de la tragédie grecque et pourtant politiquement actuelle. – L'art de Lorca reste toujours « parole », refus actif de la séparation entre les êtres, désir de communiquer; il voyait dans ce désir la source de tout art, la raison de sa soif d'expression lyrique. Il mourut fusillé par la garde franquiste aux premiers jours de la guerre civile.

GARCÍA MORENTE (Manuel). ♦ Philosophe espagnol (Arjolina, Andalousie, 1886 – Madrid, 1942). Il eut le mérite de faire connaître en Espagne les principaux courants de la pensée de son époque (le néokantisme, l'historisme de Spengler, le bergsonisme, la phénoménologie).

GARCILASO DE LA VEGA y Vargas (Sebastián). ♦ Conquistador du Pérou (Badajoz, 1495 – Cuzco, 1559). Au service de Cortés au Mexique, il aida ensuite Pizarro au Pérou et fut nommé gouverneur de Cuzco (1548). Père de Garcilaso de la Vega dit l'Inca.

GARCILASO DE LA VEGA. ♦ Poète espagnol (Tolède, 1503 – Bataille du Muy, 1536). Homme de cour à l'âme chevaleresque, poète aimé des dames, soldat valeureux, Garcilaso de la Vega représente le type humain idéal de la Renaissance, celui que propose Castiglione* dans son *Courtisan.* L'amour est la principale source du lyrisme de Garcilaso, un amour contrarié et douloureux qu'il situe dans un cadre pastoral et mythologique inspiré de Virgile*. Son exaltation a un caractère fondamentalement profane, cas unique dans la spiritualité de l'Espagne d'alors. Ses œuvres parues bien après sa mort (1543) se composent de sonnets, d'églogues, d'élégies; elles marquent une innovation non pas seulement par la métrique (importée d'Italie par l'ami intime de Garcilaso, Juan Boscán*) mais aussi par la musicalité exceptionnelle de l'hendécasyllabe, la fraîcheur d'une poésie jamais mièvre et qui présente un monde harmonieux sous son aspect le plus sensoriel.

GARCILASO DE LA VEGA (dit l'Inca). ♦ Chroniqueur de langue espagnole (Cuzco, 1539 – Cordoue, 1616). Né d'un Espagnol Sebastián Garcilaso* de la Vega, et d'une princesse inca, il est l'auteur des *Commentaires royaux.* Cette œuvre retraçant l'histoire glorieuse des Incas fut considérée comme subversive par les Espagnols.

GARÇON (Maurice). ♦ Écrivain et avocat français (Lille, 1889 – Paris, 1967). Fils d'un juriste renommé, Maurice Garçon se destina au barreau où il acquit une grande réputation en assumant la défense dans des procès littéraires et criminels. Il s'intéressa particulièrement à l'histoire (*Louis XVII ou la Fausse Énigme,* 1952; *Histoires curieuses,* 1959) et à la sorcellerie (*La Vie exécrable de Guillemette Babin,* 1925; *Magdelaine de la Croix, abbesse diabolique,* 1939). Outre d'importants plaidoyers, on lui doit un *Essai sur l'éloquence judiciaire* (1941) et une *Histoire de la justice sous la IIIᵉ République* (1957). [Acad. fr., 1946.]

Garçon et l'Aveugle (Le). ♦ La plus anc. farce française conservée (entre 1266 et 1282). Près de la ville de Tournai, un aveugle, riche mendiant, se trouve dépouillé de tout son bien par Jeannet, son valet, qui l'a d'abord assailli et roué de coups en contrefaisant la voix d'un bourgeois.

GARD. *n. m.* ♦ Riv. du Languedoc, affl. du Rhône (130 km). Elle est formée par la réunion des Gardons (Gardons d'Anduze et d'Alès) descendus des Cévennes*. Entre Dions et Collias, elle coule dans un canyon aux parois criblées de grottes. Elle conflue en amont de Beaucaire*. Son régime pluvio-nival lui impose des crues souvent violentes. *Le pont du Gard,* aqueduc romain de Nîmes, franchit la vallée à proximité de Remoulins*. Il mesure 273 m de long et 49 m de haut, et se compose de 3 rangs d'arcades.

GARD. [**30**]. ♦ Dép. du S. de la France, région (anciennement C.A.R.) Languedoc*-Roussillon. 5 848 km². – *Orogr.* À l'O., les Cévennes*, d'où descendent les Gardons, dominent une région de plateaux accidentés de chaînons calcaires, les « Garrigues », souvent d'aspect aride. Entre les Garrigues et la mer s'étend la plaine alluviale, grand domaine de la vigne. La création d'un canal d'irrigation du bas Rhône-Languedoc et l'aménagement du Gard doivent permettre de diversifier les cultures. Le littoral est bordé de lagunes ou d'étangs communiquant avec la mer par des graus. Au S. du département s'étend la région marécageuse de la Petite Camargue*. ♦ *Préf.* Nîmes*. *Sous-préf.* Alès*, Le Vigan*. *Ch.-l. de cant.* Anduze*, Aigues*-Mortes, Aramon*, Alzon (280 hab.), Bagnols*-sur-Cèze, Barjac*, Beaucaire*, Bessèges*, Génolhac*, Grand*-Combe, Lasalle (1 201 hab.), Lédignan (752 hab.), Lussan (286 hab.), Marguerittes (2 572 hab.), Pont*-Saint-Esprit, Quissac*, Remoulins*, Roquemaure*, Saint-Chaptes (714 hab.), Saint*-Gilles, Saint-Mamert-du-Gard (413 hab.), Saint*-Ambroix, Saint*-Jean-du-Gard, Saint-André-de-Valborgne (524 hab.), Saint*-Hippolyte-du-Fort, Sauve*, Sommières*, Sumène*, Trèves* (151 hab.), Uzès*, Valleraugue (1 017 hab.), Vauvert*, Vezenobres (914 hab.), Villeneuve*-lès-Avignon. *Comm. et sites.* **V. Ardoise (L'), Bellegarde, Fourques, Grau-du-Roi (Le), Laudun, Marcoule, Mas-Soubeyran (Le), Navacelles** *(cirque de),* **Orgnac** *(aven d'),* **Port-Camargue, Saint-Laurent-le-Minier, Salindres, Salles-du-Gardon (Les), Vergèze** [43 cant., 353 comm., 490 957 hab.].

GARDAFUI *(cap).* ♦ V. GUARDAFUI.

GARDANNE. ♦ Ch.-l. de cant. des Bouches*-du-Rhône, arr. d'Aix*-en-Provence, 12 893 hab. [8 068 aggl.] *(Gardannais).* Lignite, centrale thermique, usines de ciment et d'alumine. – Patrie de C. Forbin*.

GARDAR SVAFARSON. ♦ Navigateur scandinave du IXᵉ s. qui, en 864, échoua sur une terre qu'il appela Gardarsholm (« rocher de Gardar ») et que Floki* Vilgerdarson nomma Island en 870.

GARDE (La). ♦ Comm. du Var, arr. de Toulon. 9 629 hab. Église romane. – Indus. du meuble.

GARDE *(lac de).* ♦ Lac glaciaire d'Italie du N., servant de frontière entre la Lombardie et la Vénétie. 370 km². Il est traversé par le Mincio. Lieu de villégiature fréquenté.

Ph. Hétier

Le pont du **Gard.**

GARDEL (Maximilien, dit **Gardel l'Aîné).** ♦ Danseur et chorégraphe français (Mannheim, 1741 – Paris, 1787). Interprète du rôle d'Apollon dans le *Castor et Pollux* de Rameau, il fut le premier à paraître sur scène sans masque ni perruque, et libéré du lourd costume qui était de tradition (1772). Devenu maître de ballet au départ de Noverre (1781), il composa pour l'opéra de Paris de brillantes chorégraphies à grand spectacle : *Le Déserteur* (1784), *Le Premier Navigateur* (1785), *Les Sauvages* (1786), *Le Coq du village* (1787).

GARDEL (Pierre). ♦ Danseur et chorégraphe français (Nancy, 1758 – Paris, 1840). Frère cadet de Maximilien et son élève, il le remplaça plus tard à l'Opéra (1787) en qualité de maître de ballet et chorégraphe. Jalonnée de succès, sa longue carrière fut celle d'un créateur (*Psyché,* 1790; *Le Jugement de Pâris,* 1793; *La Dansomanie,* 1800; *Paul et Virginie,* 1806) autant que d'un professeur. Carlo Blasis* fut son élève.

GARDEN (Mary). ♦ Cantatrice écossaise (Aberdeen, 1877 – *id.,* 1967). Douée d'un éclatant soprano, elle remplaça Marthe Rioton à la création de *Louise,* de G. Charpentier (1900), et fut la créatrice des rôles de Mélisande, de *Pelléas et Mélisande,* de C. Debussy (1902) et de *Salomé,* de R. Strauss (1909). Elle connut une carrière triomphale aux États-Unis, et fut directrice de l'opéra de Chicago.

GARDEN REACH. ♦ V. de l'Inde, un des faub. de l'O. de Calcutta* (Bengale). 150 000 habitants.

GARDINER (Stephen). ♦ Prélat et homme politique anglais (Bury Saint Edmunds, v. 1483 – Whitehall, 1555). Chargé des négociations avec le pape pour l'annulation du mariage d'Henry VIII et Catherine d'Aragon (1528-1529), il échoua dans sa mission mais fut néanmoins nommé secrétaire d'État et évêque de Winchester (1531). Son traité, *De vera obedientia* (1535), affirme la supériorité du roi sur le pape. Hostile aux protestants, il contribua au conservatisme des *Six Articles* (1539). Incarcéré sous Édouard VI (1548), il fut réhabilité par Marie Tudor qui le fit lord grand chancelier (1553). Il changea alors de sentiments à l'égard du pape, et soutint la soumission de l'Angleterre à Rome (*Palidonia,* 1554).

GARDĪZI (Abū Sa'īd Abd al Hayy). ♦ Historien persan (XIe s.), auteur de *L'Ornement des informations,* ouvrage comportant une somme hétéroclite d'informations concernant le prophète, les rois perses, les califes, la province du Khorassan et les tribus turques. Ce texte reste un document historique très important.

GARDNER (Erle Stanley). ♦ Romancier américain (Malden, Mass., 1889 – Temecula, Cal., 1970). Ayant débuté en 1911 au barreau de Ventura (Californie), il exerça pendant plus de vingt ans la profession d'avocat. C'est en 1923 qu'il commença d'écrire ses histoires policières, notamment pour le magazine *Black Mask.* Son premier roman policier (*The Case of the Velvet Claws,* 1933) eut tant de succès qu'il abandonna le barreau pour se mettre à produire au moins trois romans policiers par an. E.S. Gardner est également connu pour ses recherches dans les domaines de la criminalité et de la répression pénale.

GARENNE-COLOMBES (La). ♦ Ch.-l. de cant. des Hauts-de-Seine (arr. de Nanterre), au N.-O. de Paris. 26 777 hab. Indus. automobile; produits chimiques et pharmaceutiques.

GARFIELD (James Abram). ♦ Homme politique américain (Orange, Ohio, 1831 – Long Branch, New Jersey, 1881), 20e président des États-Unis. Autodidacte, il devint professeur de langues anciennes (1857-1860), et prit part à la guerre de Sécession. Représentant de l'Ohio, il devint leader du Parti républicain (1876) et président (1880). Il fut assassiné peu après, en mars 1881.

GARGALLO (Pablo). ♦ Sculpteur espagnol (Maella, Aragon, 1881 – Reus, Catalogne, 1934). Après des études aux Beaux-Arts de Barcelone où il rencontra Picasso, il fit à partir de 1902 différents séjours à Paris, fréquentant les artistes du Bateau*-Lavoir et subissant l'influence des cubistes et s'y installa définitivement en 1925. Des réminiscences néo-classiques imprègnent certaines de ses figures en marbre et pierre, mais Gargallo se montra plus novateur en réalisant à partir de 1911 des masques d'une expression originale. Quant à ses grandes sculptures en métal, elles révèlent un traitement très libre de la figure humaine à laquelle il donna fréquemment l'aspect d'une ossature, en ménageant des volumes convexes, des claires-voies et en utilisant parfois des barres rigides ou ployées. Nombre de ses œuvres dénotent simultanément des tendances expressionnistes, une volonté de stylisation et le goût des détails fantaisistes et décoratifs (*Le Prophète,* 1933: *L'Arlequin à la flûte,* 1927-1932).

GARGANO. *n. m.* ♦ Promontoire du sud-est de l'Italie péninsulaire, sur la côte adriatique, dans les Pouilles* (c'est l' « éperon » de la « botte » italienne). Il culmine au monte Gargano (1 056 m). Gisements de bauxite.

Gargantua (Vie inestimable du grand). ♦ *Livre I* (1534) de l'œuvre de Rabelais*, écrit postérieurement au *Pantagruel** (1532) et inspiré d'un vieux roman anonyme. Composé d'épisodes variés, bouffons ou satiriques, qui relatent la vie du géant Gargantua, fils de Grandgousier et père de Pantagruel, ce récit livre un enseignement précieux (« La substantifique moelle ») sur l'idéal humaniste de Rabelais. – Aux attaques portées contre l'éducation scolastique médiévale succèdent le rêve d'une pédagogie moderne et l'énoncé d'une morale complète où le corps, l'énergie et l'esprit sont également cultivés (Cf. *L'Abbaye de Thélème**). La « guerre picro-

Ph. Hubert Josse

Garibaldi au combat en 1871. Image d'Épinal.

choline » permet à Rabelais de critiquer les guerres de conquêtes, réprouvées par la sagesse antique et l'Évangile.

GARGENVILLE. ♦ Comm. des Yvelines, arr. de Mantes-la-Jolie. 4 906 hab. Raffinerie de pétrole; ciment, céramiques; appareils sanitaires.

GARGES-LÈS-GONESSE. ♦ Ch.-l. de cant. du Val-d'Oise (arr. de Montmorency), près du Bourget. 27 312 hab. Pavillon (XVIIIe s.). Nouvelle cité de la Dame-Blanche (14 000 logements). Verrerie.

GARGILESSE-DAMPIERRE. ♦ Comm. de l'Indre, arr. de La Châtre. 400 hab. Village pittoresque, célèbre par les descriptions qu'en fit George Sand. Église romane du XIIe s. avec des peintures murales du XVe s. – La maison où résida George Sand de 1857 à 1876 est conservée.

GARIBALDI (Giuseppe). ♦ Homme politique italien (Nice, 1807 – Caprera, 1882). Fils d'un marin d'origine génoise, il entra lui-même dans la marine sarde, avant d'être contraint à l'exil par ses sympathies pour l'action de Mazzini* (1834). Après un séjour en Amérique du Sud, au cours duquel il prit part à une insurrection au Brésil et combattit pour l'Uruguay, il revint en Italie au moment de la révolution de 1848. De nouveau obligé de s'exiler en Amérique, il ne put rentrer qu'en 1854 et se rallia à la maison de Piémont et à Cavour*. En 1859, à la tête d'un corps d'armée de 5 000 chasseurs qu'il avait levé lui-même, il vainquit les Autrichiens à Varese et à Brescia. L'année suivante, il s'empara de la Sicile (expédition des Mille* ou des Chemises rouges) et rejoignit à Naples les armées piémontaises. Élu député, il fut indigné par la cession de Nice à la France, et il ne tarda pas à entrer en conflit avec Cavour* à propos du problème des États pontificaux. Battu à Aspromonte (1862) puis à Mentana (1867), lors d'une seconde expédition, il se rapprocha de Mazzini et se retira dans l'île de Caprera. Il devait encore prendre part à la guerre de 1870, aux côtés de la France et fut élu député par quatre départements français. Élu à Rome (1875), il bénéficia d'une rente nationale. ♦ MENOTTI GARIBALDI (Mostardas, Brésil, 1840 – Rome, 1903), son fils. Il prit part aux campagnes de son père et fut député d'extrême gauche de 1876 à 1900. ♦ RICCIOTTI GARIBALDI (Montevideo, 1847 – Rome, 1924), frère du précédent. Il combattit aux côtés des Grecs contre les Turcs, et forma en 1914 la *Légion garibaldienne* qui servit la France. Il se rallia à Mussolini.

GARIGLIANO. *n. m.* ♦ Fl. d'Italie centrale, au sud de Gaète, servant de frontière entre le Latium et la Campanie. ♦ *Hist.* Les Français y furent battus par Gonzalve de Cordoue en 1503 **(V. Bayard).** Le 11 mai 1944, le corps expéditionnaire français, sous les ordres du général Juin*, y remporta une grande victoire qui ouvrit aux Alliés la route de Rome **(V. Rome, Guerre mondiale** [Deuxième]**).**

Garin de Monglane. ♦ Héros d'un cycle de chansons de geste (*fin* XIIIe, *déb.* XIVe s.). Ses descendants, Girart* de Vienne et Guillaume* d'Orange, défendirent contre les Sarrasins la Provence, le Languedoc et la Catalogne.

GARIZIM *(mont).* ♦ Montagne de Jordanie au S. de l'anc. Sichem, près de l'actuel Balata. Les Samaritains la considéraient comme un lieu sacré où ils situaient les sacrifices de Melchisédech et d'Abraham. Au ~ IVe s., ils y firent édifier un temple semblable à celui de Jérusalem, qui fut remplacé en ~ 175 par un sanctuaire à Jupiter Xenios, que fit raser Jean Hyrcan v. ~ 108. Au Ve s., les chrétiens y élevèrent une église à la Vierge qui fut fortifiée par Justinien au VIe s. et dont il reste encore des vestiges. Les Samaritains célèbrent encore la Pâque chaque année sur cette colline.

GARMISCH-PARTENKIRCHEN. ♦ V. d'Allemagne du S.-O. (Bavière), dans les Alpes bavaroises, au pied du Zugspitze, à l'alt. de 708 m. 28 000 hab. Station de sports d'hiver de réputation internationale, où se déroulèrent en 1936 les Jeux Olympiques d'hiver (alt. 708 à 2 963 m).

GARNEAU (Saint-Denys). ♦ **V.** SAINT-DENYS GARNEAU (Hector de).

GARNERIN (André Jacques). ♦ Aéronaute français (Paris, 1769 – *id.,* 1823). Il effectua la première descente en parachute (Paris, 1797), à partir d'un ballon libre à une altitude de 1 000 m. Sa femme, Jeanne Geneviève LABROSSE, fut la première femme aéronaute et parachutiste. **V. Blanchard.**

GARNIER (Robert). ♦ Poète tragique français (La Ferté-Bernard, 1544 — Le Mans, 1590). Son style de poète érudit annonce celui de la tragédie classique, mais le statisme de l'action et le caractère épique, et parfois déclamatoire, du vers portent préjudice à l'intérêt dramatique dans les sept pièces qu'il a composées. Il connut toutefois la faveur d'un large public avec *Antigone* (1580), *Les Juives** (1583) et une tragi-comédie, *Bradamante* (1582) pour les allusions aux préoccupations morales, religieuses et politiques du temps que ces œuvres contenaient. La puissance de son style et une grande variété rythmique font de lui un des plus authentiques poètes du XVIe s. français.

GARNIER (Charles). ♦ Architecte français (Paris, 1825 — *id.*, 1898). Il devint architecte de la Ville de Paris et remporta en 1861 le concours ouvert par Napoléon III pour l'édification d'un nouvel Opéra; les travaux durèrent de 1862 à 1875. Dans cette œuvre, devenue le symbole du style Napoléon III, Garnier révéla un tempérament de tendance baroque; il usa en effet d'une décoration éclectique, surchargée et fastueuse, qui masque la structure interne. Il construisit aussi le *casino de Monte-Carlo* (1878) et le *théâtre Marigny*.

GARNIER (Marie Joseph François, dit **Francis).** ♦ Officier de marine français (Saint-Étienne, 1839 — Hanoi, 1873). Il participa aux campagnes contre la Chine et l'Annam (1860-1862), puis à l'exploration du Mékong (1866-1868) entreprise par Doudart de Lagrée. Revenu en Extrême-Orient après s'être distingué au cours de la guerre franco-allemande (1870-1871), il contribua a préparer l'établissement de la France au Tonkin et fut tué devant Hanoi par les pirates chinois. *Voyage d'exploration en Indochine, 1866-1868* (1873).

GARNIER (Tony). ♦ Architecte et urbaniste français (Lyon, 1869 — La Bédoule, 1948). Prix de Rome en 1899, il conçut de 1901 à 1904 un projet de *cité industrielle* (publié en 1917), qui prenait en considération la transformation de la vie urbaine et proposait des solutions révolutionnaires tant sur le plan urbanistique (séparation et articulation des zones d'activité, aménagements d'espaces verts, voies de circulation pour piétons, etc.) que dans le domaine de la construction et de l'esthétique (utilisation systématique du béton en éléments standardisés, adoption de formes géométriques simples : pilotis, mur-rideau, fenêtres en bandeau, toits-terrasses). Architecte de la ville de Lyon à partir de 1905, il réalisa notamment le *Stade olympique*, remarquable réalisation en béton armé (1913-1916), l'*hôpital de la Grange-Blanche* (1915-1930). Alors qu'il joua un rôle de précurseur comme théoricien, il resta souvent attaché dans ses réalisations à une tradition postclassique.

GARNIER-PAGÈS (Étienne Joseph Louis). ♦ Homme politique français (Marseille, 1801 — Paris, 1841). Élu député après la révolution de 1830 à laquelle il avait pris part, il fut l'un des représentants du parti républicain et lutta pour le suffrage universel sous la monarchie de Juillet. ♦ LOUIS ANTOINE GARNIER-PAGÈS, son frère. Homme politique français (Marseille, 1803 — Paris, 1878). Révolutionnaire lors des journées de juillet 1830, il siégea comme député d'opposition à partir de 1842. Membre du gouvernement provisoire, maire de Paris et ministre des Finances après la révolution* de février 1848, il fut élu à l'Assemblée constituante (avril 1848) et fit partie de la Commission* exécutive (mai-juin 1848). Représentant de l'opposition dans le Corps législatif sous le Second Empire, il entra dans le gouvernement de la Défense nationale après l'abdication de Napoléon III (septembre 1870). Il a publié une *Histoire de la révolution de 1848* (1860-1872).

GAROFALO (Benvenuto Tisi, dit **il).** ♦ Peintre italien (Ferrare, v. 1481 — *id.*, 1559). Auteur de sujets religieux *(Nativité)*, de thèmes mythologiques (*Pallas et Neptune*, 1512), il continua d'abord la tradition de B. Boccaccino et de Costa. Vasari indique qu'il fut l'ami de Giorgione*, et il semble en avoir retenu la leçon (traitement de la lumière et du paysage). Après un séjour à Rome, il s'inspira fortement de Raphaël (*Madone en majesté entourée de saints*, 1533), puis dans ses œuvres ultérieures, empreintes d'un sentiment élégiaque, il révéla ses affinités avec Dosso Dossi.

GARONNE. *n. f.* ♦ Fl. du N. de l'Espagne et du S.-O. de la France, drainant le bassin d'Aquitaine*. 575 km. (650 km avec la Gironde*). Torrent pyrénéen depuis sa source située au pic de la Maladetta* (à 1 800 m d'altitude) et jusqu'à Toulouse*, la Garonne traverse le val d'Aran*, formée de deux branches, la *Garona de Ruda* et la *Garona de Joueù*. Elle arrose Saint*-Béat, Boussens*, encadrée de terrasses (Montréjeau*, Saint*-Gaudens), et devient à partir de Toulouse le grand fleuve aquitain, grâce à ses affl. pyrénéens, la Pique*, la Neste* d'Aure, le Salat*, l'Ariège*, la Save*, la Gimone*, l'Arrats, le Gers*, la Baïse* et surtout ses affl. issus du Massif central, le Tarn* et le Lot*. Les pluies océaniques et la fonte des neiges font redouter ses crues, cependant génératrices d'un limon fertile, la *lize*, fixé par des plantations de saules et de peupliers *(bioulades)*. La Garonne rejoint la Dordogne* dans un estuaire commun **(V. Gironde)**. La vallée de la Garonne est un domaine de polyculture (cultures maraîchères et fruitières, vignes [Graves]). Le fleuve produit peu d'énergie électrique, ne bénéficiant pas d'une politique d'aménagement suffisante. La Garonne, lien entre la Méditerranée et l'Atlantique, n'est plus guère utilisée pour la navigation que dans son cours inférieur. Les villes sont nombreuses, hormis aux confluents rendus dangereux par les crues. Deux métropoles régionales sont situées sur ses rives **(V. Bordeaux, Toulouse)**.

Garonne *(canal latéral à la)*. ♦ Canal longeant la r. d. de la Garonne de Toulouse à Agen, puis sa r. g. jusqu'à Casterets. 193 km. Construit de 1838 à 1856, il sert notamment à l'acheminement du pétrole.

GARONNE *(dép. de la* **HAUTE-)**. **[31]**. ♦ Dép. du S.-O. de la France, région (anciennement C.A.R.) Midi*-Pyrénées (**V.** ce mot). Il recouvre le Comminges*, une partie des Pyrénées* et de la plaine de la Garonne*. 6 372 km². — *Orogr.* Les premiers contreforts cristallins du Massif central occupent l'E. du dép., les larges vallées de l'Ariège* et de la Garonne* le centre. L'O. est une région de collines; le S.-O. s'étend sur l'extrémité du plateau de Lannemezan*, et plus au S., sur l'arête granitique des Pyrénées découpée par les glaciers en cirques, lacs, défilés.
♦ (39 cant. 592 comm. 706 803 hab.). *Préf.* Toulouse*. *Sous-préf.* Muret*, Saint-Gaudens*. *Ch.-l. de cant.* Aspet, 1 312 hab.; Aurignac, 1 149 hab.; Auterive*, Bagnères*-de-Luchon, Barbazan, 516 hab.; Boulogne-sur-Gesse, Cadours, 737 hab.; Caraman, 1 717 hab.; Carbonne*, Castanet-Tolosan, 1 847 hab.; Cazères*, Cintegabelle, 1 818 hab.; Fousseret (Le), 1 470 hab.; Fronton*, Grenade*-sur-Garonne, Isle-en-Dodon (L'), 2 046 hab.; Lanta, 874 hab.; Léguevin, 1 622 hab.; Montastruc-la-Conseillère, 1 404 hab.; Montesquieu*-Volvestre, Montgiscard, 873 hab.; Montréjeau*, Nailloux, 678 hab.; Revel*, Rieumes, 1 987 hab.; Rieux, 1 194 hab.; Saint-Béat*, Saint-Lys, 1 794 hab.; Saint-Martory*, Salies*-de-Salat, Verfeil, 1 545 hab.; Villefranche*-de-Lauragais, 2 771 hab.; Villemur*-sur-Tarn. *Autres comm.* **V. Boussens, Colomiers, Encausse-les-Thermes, Montmaurin, Pibrac, Saint-Bertrand-de-Comminges, Saint-Ferréol, Saint-Marcet, Superbagnères.**

GARRET MÓR; GARRET OG. ♦ **V.** FITZGERALD *(Gérald le Grand; Gérald le Jeune)*.

GARRETT (João Baptista de ALMEIDA). ♦ Romancier et dramaturge portugais (Porto, 1799 — Lisbonne, 1854). Initiateur du romantisme au Portugal, il fut aussi le défenseur des idées libérales, ce qui lui valut l'exil et la prison. Il écrivit des drames romantiques comme *Camões* (1825), *Dona Branca*, ou patriotiques, tel *L'Armurier de Santarém* (1842), des romans et surtout de très beaux poèmes : *Feuilles tombées* (1853), un des sommets de la poésie portugaise. Toute l'activité de Garrett, comme orateur, historien et dramaturge, révèle sa conscience du devoir civique, sa volonté d'arracher à la léthargie un pays dont il était devenu « le maître à vivre ».

GARRICK (David). ♦ Acteur anglais (Hereford, 1717 — Londres, 1779). La riche diversité de son talent lui permit d'interpréter avec le même bonheur tragédie, comédie et farce. Directeur du théâtre de Drury Lane (1747-1776), il sut, malgré les réticences de Pope et de Hume, restituer Shakespeare à l'Angleterre par de mémorables interprétations de ses drames. Il a composé une quarantaine de pièces de théâtre, dont une avec S. Foote*.

GARRIGOU-LAGRANGE (Gontran Marie, en religion **Reginald).** ♦ Dominicain et théologien français (Auch, 1877 — Rome, 1964). Professeur à l'*Angelicum* de Rome (1909-1960), il fut l'un des maîtres du renouveau thomiste. *Le Sens commun* (1908), *L'Amour de Dieu et la croix de Jésus* (1929), *Synthèse thomiste* (1947).

GARRIGUES. *n. f. pl.* ♦ Région du Languedoc, s'étendant entre la vallée de l'Hérault, et au delà de celle du Gard. Les Garrigues, constituées de calcaires, modérément plissées et nivelées, prennent souvent l'aspect de plateaux qui ne s'élèvent qu'au voisinage des Cévennes (633 m au pic Saint-Loup). Ces plateaux arides, couverts de buissons et de chênes-kermès, sont compartimentés par les

Ph. Atlas-Photo

La **Garonne** à La Réole.

défilés calcaires qu'empruntent les affl. du Rhône : Cèze, Gard* et les fl. côtiers : Vidourle*, Lez, Hérault*, Orb*. En dehors des bassins fertiles s'adonnant aux cultures méditerranéennes, le pays est surtout voué à l'élevage.

GARROD (Dorothy Annie Elizabeth). ♦ Archéologue et anthropologue anglaise (1892). Elle participa à des fouilles à Gibraltar (1926) et en Palestine au mont Carmel (1928-1931) où elle découvrit des hommes fossiles du mésolithique.

GARROS [gaʀos] **(Roland).** ♦ Officier aviateur français (Saint-Denis, la Réunion, 1888 — près de Vouziers, 1918). Il réussit la première traversée de la Méditerranée (Saint-Raphaël-Bizerte, 23 sept. 1913). — *Stade Roland-Garros :* stade de tennis de la porte d'Auteuil à Paris.

GARTEMPE. *n. f.* ♦ Riv. du Poitou* et du Limousin* (190 km), affl. de la Creuse*. Elle arrose Montmorillon, Le Grand*-Bourg, Châteauponsac, Saint*-Savin et conflue près de La Roche-Posay.

Garuda. ♦ Roi des oiseaux, fils du Vent dans la mythologie indienne, et animal-support de Viṣṇu. Il est réputé voler à la vitesse de la lumière. Il symboliserait les paroles du *Veda**. C'est l'ennemi des serpents (puissances chthoniennes).

GARY (Romain). ♦ Romancier français d'origine russe (Moscou, 1914). Il passa son enfance en Russie, suivit sa famille en Pologne, fut combattant de la France libre, puis entra dans la carrière diplomatique en 1945. Dans son œuvre romanesque s'expriment un « grand besoin de croire à quelque chose » et la volonté de « disputer aux dieux absurdes et ivres de leur puissance, la possession du monde » pour « rendre la terre à ceux qui l'habitent de leur courage et de leur amour ». Une condamnation véhémente de tout ce qui est « ruse, mensonge, deguisement », déjà notoire dans *Éducation européenne* (évocation de la résistance polonaise aux nazis ; 1945), s'affirme dans les romans *Les Couleurs du jour* (1952) et *Les Racines du ciel* (1956) dont les héros sont peut-être des « épaves », mais sont habités d'un ardent « besoin d'amitié,... de fraternité ». Un humanisme sincère marque également *La Promesse de l'aube* (autobiographique ; 1960), *La Danse de Gengis Cohn* (1967) et le scénario d'un film *Les oiseaux vont mourir au Pérou* (1968).

GARY. ♦ V. des États-Unis (N.-O. de l'Indiana), sur la rive du lac Michigan, près de Chicago. 174 132 hab. ; l'ensemble Gary-Hammond-East Chicago atteint 630 000 hab. **(V. Chicago).** Indus. métallurgiques.

GASCAR (Pierre FOURNIER, dit Pierre). ♦ Romancier, journaliste et conteur dramatique français (Paris, 1916). Capable, même dans l'évocation de souvenirs de son enfance (*La Graine,* 1955 ; *L'Herbe des rues,* 1957), de faire apparaître derrière le monde quotidien tout un univers insolite, P. Gascar a acquis la notoriété avec *Les Bêtes* (recueil de nouvelles ; 1953) où le monde animal est en fait « notre propre face tourmentée comme un miroir griffu ». Le même univers d'une obsédante cruauté apparaît dans *Le Temps des morts* (1953), où l'auteur évoque de façon retenue son expérience concentrationnaire. Dans ses nouvelles ultérieures (*Les Femmes,* 1955), dans la pièce de théâtre *Les Pas perdus* (1958) ou dans les essais que lui ont inspirés ses voyages (*Chine ouverte,* 1955 ; *La Barre de corail,* 1958 ; *Soleils,* 1960), P. Gascar se veut toujours le porte-parole de la « race unanime que des couleurs de peau, des formes de visage, des dieux opposés ne divisent pas, race d'un seul regard et parlant le même silence ».

GASCOGNE. *n. f.* ♦ Anc. région française située entre la Garonne et les Pyrénées. ♦ *Hist.* Comprise dans l'Aquitaine IIIe sous la domination romaine, elle fut conquise par les Wisigoths, puis par les Francs. Elle doit son nom aux *Vascones* (Basques), qui l'envahirent vers le milieu du VIe s., avant d'être réunis au duché d'Aquitaine. La Gascogne, qui, après une révolte, avait formé un duché à partir de 768, passa en 1036 à la maison de Poitiers-et-Aquitaine et subit désormais le même sort que l'Aquitaine. **V. Aquitaine.** Elle fut définitivement réunie à la France en 1453, à la fin de la guerre de Cent Ans.

GASCOGNE *(golfe de),* anc. **golfe de Biscaye.** ♦ Golfe de l'Atlantique, bordant la côte d'Aquitaine et les côtes septentrionales d'Espagne.

GASCOIGNE (George). ♦ Poète et auteur dramatique anglais (Cardington, v. 1535 — Bernack, 1577). Avec *Les Supposés* (*The Supposes,* 1566), pièce adaptée de l'Arioste, il est l'auteur de la première comédie anglaise en prose. Il a écrit une comédie originale : *Le Miroir du gouvernement* (*The Glass of Government,* 1575) et composé un art poétique : *Notes et conseils sur la façon de faire des vers.*

GASKELL (Elizabeth Cleghorn STEVENSON, *dame***).** ♦ Romancière anglaise (Chelsea, 1810 — Holyburn, Hampshire, 1865). Épouse du révérend W. Gaskell. Les lieux où elle passa sa jeunesse fournissent le cadre de plusieurs de ses romans : elle évoqua les conflits industriels dans *Mary Barton* (1848), et le contraste entre la civilisation agricole du Sud et l'industrialisation du Nord dans *North and South* (1855). Elle décrivit des scènes et des épisodes de la vie provinciale dans *Les Dames de Cranford* (*Cranford,* 1853) qu'elle publia dans *Household Words,* où elle collaborait avec Dickens depuis 1850. On lui doit un roman à thèse, *Ruth* (1853), ou elle traite de la réprobation dont est victime la femme séduite, ainsi qu'une *Vie de Charlotte Brontë* (*Life of Charlotte Brontë,* 1857), intéressante malgré quelques inexactitudes.

GASPARD. ♦ Un des rois mages de la légende chrétienne, généralement dépeint comme un jeune homme de type asiatique.

Ph. Giraudon

Un veneur reçoit l'ouvrage des mains de **Gaston III de Foix.** Le livre de la chasse. (B.N., Paris.)

GASPARIN (Thomas *de***).** ♦ Homme politique français (Orange, 1754 — 1793). Capitaine au début de la Révolution, il fut élu à l'Assemblée législative, puis à la Convention, où il siégea avec les Montagnards, vota la mort du roi et s'opposa aux Girondins, qu'il accusa d'intelligence avec l'ennemi. Membre du Comité de salut public, il fut envoyé comme représentant en mission en Vendée, dans les Alpes, et, lors du siège de Toulon*, auquel il participa, il approuva le plan d'attaque de Bonaparte. Celui-ci devait léguer 100 000 F aux fils et petit-fils du conventionnel.

GASPARIN (Adrien, *comte de***).** ♦ Agronome et homme politique français (Orange, 1783 — *id.,* 1862). Fils de Thomas de Gasparin, il fut quelque temps ministre de l'Intérieur sous la monarchie de Juillet (1836), puis dirigea l'institut agronomique de Versailles (1848-1852). Il est l'auteur de nombreux ouvrages qui ont contribué à faire de l'agronomie une science : problèmes posés par l'application de la physique et de la chimie à l'agriculture, aspects économiques de l'agronomie. *Recueil de mémoires d'agriculture et d'économie rurale* (1829-1841) ; *Cours d'agriculture* (1843-1849) ; *Principes d'agronomie* [1854]. (Acad. sc., 1840.)

GASPARRI (Pietro). ♦ Cardinal italien (Capovalloza de Ussita, Pérouse, 1852 — Rome, 1934). Secrétaire d'État de Benoît XV et de Pie XI, il participa à la condamnation de l'Action française (1926) et à la conclusion des accords du Latran (1929).

GASPÉ (Philippe Aubert *de***).** ♦ Écrivain canadien d'expression française (Saint-Jean-Port-Joli, 1786 — Québec, 1871). Avocat, puis shérif, il passa quatre ans en prison pour sa mauvaise administration. Après avoir traduit les *Waverley Novels* de Walter Scott, il écrivit à l'âge de 74 ans son unique roman, *Les Anciens Canadiens,* qui parut dans les *Soirées canadiennes* en 1863. *Les Anciens Canadiens* sont deux amis que la guerre sépare physiquement et moralement. De nombreuses digressions servent de prétexte au rappel des coutumes et des traditions dont l'auteur a la nostalgie. Gaspé a laissé ses *Mémoires* (1866).

GASPÉ. ♦ Petite ville et port du Canada (Québec), à l'extrémité de la Gaspésie* au fond de la baie de Gaspé, dans le comté du même nom. 2 900 hab. ♦ *Hist.* Jacques Cartier y débarqua en 1534.

GASPÉ *(péninsule de)* ou **GASPÉSIE.** *n. f.* ♦ Péninsule du Canada (Québec) comprise entre le Saint-Laurent au N., le golfe du Saint-Laurent, à l'E., la baie des Chaleurs et le Nouveau-Brunswick au sud. Zone de collines boisées, dont le centre est occupé par une chaîne continuant les Appalaches (Shickshock, 1 219 m). Seule la côte est habitée. Pêche, indus. du bois. Petites mines (zinc, plomb). Grosses réserves de cuivre (raffinerie). Tourisme. Parc provincial.

GASPERI (Alcide DE). ♦ **V.** DE GASPERI (Alcide).

GASSENDI [gasɛ̃di] **(Pierre GASSEND, dit).** ♦ Philosophe et savant français (Champtercier, près de Digne, 1592 — Paris, 1655). Prévôt du chapitre de Digne, il enseigna les mathématiques au collège de France. Partisan du système de Copernic et admirateur de Galilée, il fit lui-même de nombreuses observations en astronomie et en physique (en particulier en acoustique : études sur la hauteur des sons et leur vitesse de propagation). Adversaire d'Aristote et de Descartes* (*Objections* aux *Méditations**), il renoua avec le matérialisme atomiste, le sensualisme et la morale d'Épicure (*De vita et moribus Epicuri,* 1647 ; *Syntagma philosophiae Epicuri,* 1659), tout en la nuançant de thèmes spiritualistes.

GASSER (Herbert). ♦ Physiologiste américain (Platteville, Wisconsin, 1888 — New York, 1963). Il obtint avec J. Erlanger* le prix Nobel de méd. (1944) pour ses recherches sur les différenciations fonctionnelles des fibres nerveuses.

GASSI (el-) ou **HASSI-el GASSI.** ♦ Gisement pétrolier du Sahara algérien (dép. des Oasis) situé au S.-O. d'Hassi*-Messaoud auquel il est relié par pipe-line.

GASSIER (Paul DEYVAUX-GASSIER, dit H.P.). ♦ Dessinateur caricaturiste français (Paris, 1883 — *id.,* 1951). L'un des créateurs de la caricature politique journalistique, il publia ses dessins au trait dans *l'Humanité* (1908-1926), dans *le Journal du peuple,* puis dans *le Journal* (1926-1939).

GASSIN. ♦ Comm. du Var*, arr. de Draguignan*, 1 107 hab. Village provençal perché.

GASSION (Jean *de*). ♦ Maréchal de France (Pau, 1609 – Lens, 1647). Il servit sous les ordres de Gustave* II Adolphe en Saxe, puis se distingua à Rocroi* (1643), mais fut tué au siège de Lens.

GASTOLDI (Giovanni Giacomo). ♦ Compositeur italien (Caravaggio v. 1556 – Milan, 1622). Maître de chapelle à Mantoue puis à Milan, il a laissé de nombreuses œuvres de musique religieuse (psaumes, motets, messes) où il se révèle bon polyphoniste. Il a surtout excellé dans la musique profane (balletti, canzonette, madrigali) et son influence fut sensible sur Monteverdi *(Scherzi musicali).*

GASTON III de FOIX, dit **Gaston Phœbus.** ♦ (1331 – Orthez, 1391). Comte de Foix (1343-1391). Grand batailleur et bon chevalier, il fut le type du grand seigneur du XIVe s., ami des lettres et des arts. Lors de la guerre de Cent Ans, il parut incliner d'abord pour le parti français sous le règne de Philippe VI, mais Jean II le Bon ayant pris parti pour son adversaire le comte d'Armagnac, il refusa l'hommage pour le Béarn, observa une neutralité absolue et alla même en Prusse combattre les infidèles dans les rangs des Teutoniques (1356). De retour en France, il participa à la répression de la Jacquerie* (1358). Toujours en guerre contre le comte d'Armagnac, il le combattit avec l'aide des Grandes Compagnies et le vainquit à Lannac (1362). Il le libéra contre une énorme rançon, qui lui permit d'entretenir une cour fastueuse. Il eut également des démêlés avec Jean de France, duc de Berry. Il légua ses domaines à la couronne (il avait tué son unique fils légitime dans une crise de colère en 1382).

GASTON IV de FOIX. ♦ (1423 – 1472). Comte de Foix (1436-1472). Fils de Jean de Grailly*, il chercha à acquérir la Navarre en épousant Éléonore d'Aragon, héritière de la Navarre (1434). Louis XI refusa de reconnaître ses droits à ce royaume et Gaston souleva la Guyenne contre le roi (1471).

GASTON de FOIX, *duc de* **Nemours.** ♦ Homme de guerre français (1489 – Ravenne, 1512). Fils de Jean de Foix et de Marie d'Orléans, sœur de Louis XII, petit-fils d'Éléonore d'Aragon, reine de Navarre, il fut fait duc et pair en 1505, puis prit le titre de roi de Navarre. Il avait vingt-trois ans quand il prit la tête de l'armée d'Italie et révéla son talent militaire. Au cours d'une campagne foudroyante, après avoir libéré Bologne, il prit Brescia, mais fut tué lors de la bataille de Ravenne.

GATCHINA (de 1929 à 1944, **Krasnogvardeïsk).** ♦ V. d'U.R.S.S. (R.S.F.S. de Russie), dans la région de Leningrad. 36 700 hab. (1959). Construction de machines. Nœud ferroviaire. – Anc. résidence impériale (château et parc) du XIIIe s., détruite en 1941-1943 et en partie reconstruite.

GATESHEAD. ♦ V. du N.-E. de l'Angleterre (Durham), sur la r. d. de la Tyne, en face de Newcastle. Env. 100 000 hab. Chantiers navals, minoteries, indus. mécaniques et métallurgiques à proximité d'un bassin houiller.

GATIEN [gasjɛ̃] *(saint).* ♦ Traditionnellement, un des sept apôtres de la Gaule et premier évêque de Tours (IIIe s.). Fête le 18 décembre.

GÂTINAIS. *n. m.* ♦ Région du Bassin parisien, de part et d'autre de la vallée du Loing, limitée au N.-E. par les cours de la Seine et de l'Yonne, au S. par la Puisaye et la vallée de la Loire, à l'O. par la Beauce. Le *Gâtinais oriental,* à l'E. du Loing, se consacre à l'élevage des ovins et de la volaille. Le *Gâtinais occidental* est un pays de polyculture, où l'apiculture joue un rôle non négligeable (miel du Gâtinais). *V. princ.* **V. Montargis.** ♦ *Hist.* Le comté du Gâtinais, fondé en 993, fut réuni à la couronne par Philippe Ier en 1069.

GATINEAU. *n. f.* ♦ Riv. du Canada (Québec), affl. de l'Ottawa (r. g.), confluant à Hull. 440 km. Hydro-électricité. – Nom d'un comté du Québec et d'une ville sur la riv., non loin d'Ottawa.

GÂTINE DE TOURAINE ou **TOURANGELLE.** ♦ **V.** TOURAINE.

G.A.T.T. (sigle de *General Agreement on Tariffs and Trades*). ♦ Accord signé à Genève en 1947 pour organiser de concert les politiques douanières des signataires. L'*Organisation de coopération commerciale* de 1955 le complète. Il contrôle près de 60 % des tarifs douaniers dans le monde.

GATTAMELATA (Erasmo da Narni dit **il).** ♦ Condottiere italien (Narni, v. 1370 – Padoue, 1443). Il combattit au service des papes puis de Venise qui le nomma capitaine général (1437). Donatello* fit sa statue équestre à Padoue (1453).

GATTI (Armand). ♦ Auteur dramatique et metteur en scène français (Monaco, 1924). Annulant les frontières du rêve et du réel, il met au service de sa foi révolutionnaire toutes les ressources d'un théâtre militant, qui a recueilli la leçon de Piscator et celle de Brecht. Œuvres princ. : *La Vie imaginaire de l'éboueur Auguste Geai* (1962), *V comme Viêt-nam* (1967).

GATÚN *(lac de).* ♦ Lac de Panamá*, dont une partie, traversée par le canal de Panamá, se trouve dans la zone du canal. Les *écluses de Gatún,* au nord du lac, font communiquer le canal avec l'Atlantique.

GAUBE *(lac de).* ♦ Lac des Pyrénées, dominé par le massif de Vignemale*. Situé à 1 789 m d'alt., il est alimenté par les glaciers du Vignemale, sa superficie est de 17 ha.

GAUBERT (Philippe). ♦ Compositeur français (Cahors, 1879 – Paris, 1941). Flûtiste virtuose, il s'orienta vers la direction d'orchestre et la composition. Chef d'orchestre de la Société des concerts (1919), de l'Opéra (1920), il enseigna la flûte au Conservatoire. On lui doit des pièces de musique de chambre (2 *Sonates pour piano et flûte,* 1925), de musique symphonique (*Concerto de violon,* 1928) et des ballets (*Alexandre le Grand,* 1937 ; *Le Chevalier et la Damoiselle,* 1941).

GAUCELM FAIDIT. ♦ Troubadour limousin (Uzerche, 1180 – env. 1220). Issu d'une famille bourgeoise, il participa à la quatrième croisade (1202-1204). Il connut une réputation européenne. Il a laissé 65 chansons dont plusieurs sont pourvues de notation musicale.

Gauche prolétarienne. ♦ Groupe maoïste fondé en juin 1968. Dénonçant l'attitude du Parti communiste et de la C.G.T. lors de la crise de mai 1968, ce mouvement entendait poursuivre la lutte en organisant dans les entreprises une force révolutionnaire indépendante par rapport aux syndicats, et en prônant le recours à la « justice populaire ». Animée par A. Geismar, J.-P. Le Bris et P. Le Dantec, la Gauche prolétarienne (organe officiel : *la Cause du peuple*) fut dissoute en mai 1970. Elle réapparut sous la forme du *Mouvement du 27 Mai,* et contribua à la création du *Secours rouge.*

Gauche républicaine. ♦ Issu de l'ancienne gauche du Corps législatif du Second Empire, ce mouvement politique, dirigé par J. Ferry, J. Grévy et J. Simon, eut de nombreux représentants à l'Assemblée nationale puis à la Chambre des députés, et, après la mort de L. Gambetta (1882), intégra une grande partie des membres de l'Union* républicaine (pour former l'Union des gauches à la veille des élections de 1885).

GAUDE (La). ♦ Comm. des Alpes-Maritimes, arr. de Grasse. 1 631 hab. À proximité du village, centre de recherches électroniques (I.B.M.).

GAUDIER-BRZESKA (Henri). ♦ Sculpteur français (Saint-Jean-de-Braye, Loiret, 1891 – Neuville-Saint-Vaast, 1915). Il étudia à Orléans, séjourna en Angleterre et en Allemagne et réalisa ses premières sculptures vers 1910. Il rencontra à Paris Sophie Brzeska, puis s'établit avec elle à Londres, où il fréquenta les vorticistes, se liant notamment avec Pound. Admirateur de Rodin et marqué par le symbolisme, il orienta ses recherches dans des voies très diverses. Plusieurs de ses œuvres annoncent certaines des orientations futures de la sculpture, notamment l'abstraction *(La Danseuse rouge, Caritas).* Une vie tumultueuse et une mort prématurée ont entraîné la formation d'une légende autour de lui.

GAUDIN (Martin Michel Charles). ♦ Financier et homme politique français (Saint-Denis, 1756 – Gennevilliers, 1841). Il fut membre de la Trésorerie (1791-1795) et ministre des Finances après le 18 Brumaire et entreprit alors une réorganisation financière. Il créa un corps de fonctionnaires permanents chargés de la levée des impôts directs ; il établit le cadastre (1807) afin de répartir plus équitablement l'impôt foncier. La Banque de France, dont il fut gouverneur de 1820 à 1834, fut créée sous son ministère. Napoléon le fit *duc de Gaète* (1809). Pendant les Cent-Jours, il fut à nouveau ministre des Finances.

Gaudissart (Félix). ♦ Personnage de la *Comédie humaine* de Balzac. Bouffon, voire grotesque, jovial et sûr de lui, il est le type de l'homme intéressé et ambitieux, ancêtre des propagandistes modernes.

GAUDÍ Y CORNET (Antonio). ♦ Architecte, urbaniste, sculpteur et peintre espagnol (Reus, près de Tarragone, 1852 – Barcelone, 1926). Fils d'un chaudronnier, il étudia puis exerça pratiquement toute son activité à Barcelone. Lié aux milieux intellectuels et artistiques qui participaient à la « renaissance catalane », il partagea leur admiration pour le gothique et leur attachement aux traditions populaires. Esprit intensément religieux, il fut marqué par le symbolisme, par les écrits de Ruskin et les théories de Viollet-le-Duc. Il révéla sa personnalité hors du commun par ses réalisations insolites, qui provoquèrent l'admiration de nombre de ses compatriotes en même temps que de multiples controverses. Refusant en effet les principes académiques

Ph. Roger Viollet

Armand Gatti, dans Le Crapaud-Buffle.

de l'architecture néo-classique, il usa très librement des souvenirs de l'art médiéval byzantin, musulman, mudéjar et gothique, élaborant un style à la fois éclectique et éminemment personnel. Il chercha dans la *casa Vicens* (1878-1880), le *palais épiscopal d'Astorga* (1887-1897) et surtout dans le *palais Güell* (1885-1899) les mélanges de matériaux et les contrastes de texture. Il adopta de plus en plus un décor végétal et fantastique *(grille de la Finca Güell).* Partisan du travail artisanal, il concevait les moindres détails de l'aménagement (ébénisterie, sculpture, ferronnerie) et eut tendance à refuser la symétrie, la régularité des lignes orthogonales. Il innova en adoptant des motifs et surtout des éléments structurels inspirés de schèmes naturels, organiques et végétaux (arbre, coquille, vague, etc.), souhaitant que le décor fasse partie intégrante de la structure au lieu d'être plaqué. Préoccupé de problèmes techniques, il fit de nombreuses expériences empiriques à partir de maquettes et, ainsi, adopta des piliers inclinés, d'apparence instable, dans la *chapelle de la colona Güell* (1898-1914), des arcs paraboliques et des colonnes hélicoïdales au *collège de Sainte-Thérèse-de-Jésus* (1889-1894). Dans la *casa Batlló* (1905-1907) puis dans la *Casa Milá* (1905-1910) la plupart des éléments prennent un aspect sinueux et mouvant ; les masses semblent modelées et acquièrent relief et forces plastiques (balcon, cheminées, ferronneries). Dans le *parc Güell* (1900-1914) s'affirment des préoccupations urbanistiques audacieuses et une conception nouvelle de l'espace en même temps que se déploie une imagination délirante dans le décor sculpté, les « collages » de mosaïques « informelles ». C'est dans la construction de l'église de la *Sagrada Familia* (dès 1883), à laquelle il finit par consacrer toute son énergie (elle fut continuée après sa mort, mais laissée inachevée), que s'impose avec le plus de force son tempérament visionnaire (métamorphose de l'inspiration originale néo-gothique, piliers obliques, hautes tours-flèches comme érodées, sculpture abondante et symbolique traitée avec naturalisme ou avec une extrême liberté). Son art, qui provoqua l'admiration des surréalistes, notamment de Dali, a été soit assimilé à l'historicisme (volonté « d'améliorer » l'art gothique), soit considéré comme révolutionnaire. Représentant d'un baroque tardif, maître de l'Art nouveau (1900), précurseur de l'architecture expressionniste ou organique, Gaudi manifesta une faculté de transmuer les emprunts. La multiplicité de ses propositions formelles met en échec les tentatives de classification d'une œuvre puissamment imaginative et non conformiste.

GAUDRY (Albert). ♦ Paléontologue français (Saint-Germain-en-Laye, 1827 – Paris, 1908). Auteur d'un *Essai de paléontologie philosophique* (1896), il fit des recherches sur les fossiles de reptiles, de mammifères. (Acad. sc., 1882.)

GAUGAMÈLES [-melɛs], en grec **Gaugamêla.** ♦ Plaine d'Assyrie, où Alexandre* le Grand vainquit Darios* III en ~ 331. **V. Arbèles, Ninive.**

GAUGUIN (Paul). ♦ Peintre, sculpteur et graveur français (Paris, 1848 – Atuana, îles Marquises, 1903). Une partie de son enfance se passa au Pérou (1850-1855). Il s'engagea dans la marine de 1865 à 1871, travailla ensuite chez un agent de change, mais, s'intéressant à la peinture, il commença à travailler avec Pissarro* et, accepté au Salon en 1876 *(Paysage de Viroflay),* il exposa ensuite avec les impressionnistes (1880, 1881, 1882, 1886). Comme eux, il fut d'abord attentif au rendu atmosphérique mais évolua ensuite vers une peinture moins descriptive, travailla en 1881 avec Cézanne*, admira l'art de Degas et fut attiré par Redon et Puvis de Chavannes. En 1883, il quitta son emploi, abandonnant femme et enfants pour se consacrer exclusivement à son art. En 1886, il se rendit en Bretagne, à Pont-Aven, où il rencontra É Bernard*, puis à Paris fit la connaissance de Van* Gogh. Il se rendit à la Martinique en 1887, se détacha alors définitivement de l'impressionnisme, exécuta une série de vases inspirés des motifs

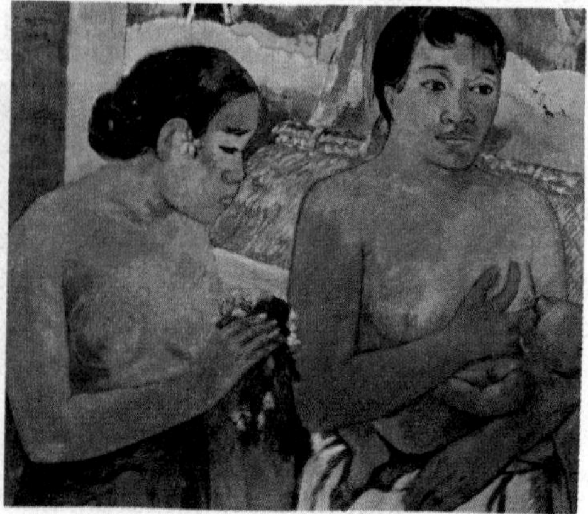
Arch. Smeets

P. Gauguin : « L'Offrande ». (Collection privée.)

précolombiens et se rendit à nouveau en 1888 à Pont-Aven où, avec É. Bernard, il élabora le synthétisme. Torturé par le désir de conférer à la peinture une dimension spirituelle, il s'intéressa aux conceptions symbolistes, mit en avant la primauté de l'idée et voulut rejoindre les sources primitives de l'art. Il eut recours, sous l'influence des estampes japonaises, aux formes simplifiées et cernées, à des couleurs saturées étalées par aplats et recherchа les rythmes linéaires à caractère décoratif, ce qui l'amena à abandonner souvent le système perspectif traditionnel au profit d'un espace sans profondeur. Il exerça un profond ascendant sur Sérusier* et les peintres de l'école de Pont-Aven. Après un séjour de trois mois à Arles avec Van Gogh qui se solda par un douloureux échec, il exécuta plusieurs œuvres où s'affirme l'originalité de son style (*Le Christ jaune,* 1889 ; *La Vision après le sermon,* 1889, et *B.M. Gauguin,* 1889). Il s'intéressa momentanément aux théories néo-impressionnistes de la couleur (*Nature morte « ripipoint »,* 1889). Il décida de partir pour Tahiti où il peignit *Sur la plage,* 1891 ; *Quand te maries-tu ?,* 1892 et *L'esprit des morts veille,* 1893, œuvres où s'exprime un symbolisme personnel influencé par des apports exotiques (précolombiens, javanais, japonais, polynésiens, etc.). Déçu dans sa recherche d'une magie symboliste, malade, il rentra à Paris en 1893 et, après une vente de ses œuvres qui lui attira l'admiration de Bonnard*, Vuillard* et Denis*, il retourna à Tahiti en 1895, peignit *Never More,* 1897 ; *Les Seins aux fleurs rouges,* 1897, et l'œuvre qu'il considérait comme son testament artistique : *D'où venons-nous ? Que sommes-nous ? Où allons-nous ?* (1897). Après une tentative de suicide, il se réfugia dans les îles Marquises où il tenta en vain de défendre le droit des indigènes contre l'administration coloniale toute-puissante. Il ne cessa d'écrire, de sculpter (portraits, masques et idoles) et de peindre (*Et l'or de leur corps,* 1901 ; *Cavaliers sur la plage,* 1902), manifestant un sens original de l'organisation des figures auxquelles il confère un caractère monumental. Il créa un répertoire formel qui influença profondément les peintres et les sculpteurs du XXe s. (Derain, Picasso, Modigliani, etc.), et sa conception subjective de la couleur marqua les fauves. Conscient de son rôle d'initiateur, il affirma : « J'ai voulu établir le droit de tout oser ».

GAUHATI. ♦ V. de l'Inde, au N.-O. de l'Assam*, sur le Brahmâputra*. 224 000 hab. (1970). Université. Grand centre commercial. Importantes raffineries de pétrole. ♦ *Hist.* Gauhati fut le siège de l'administration britannique de la région de 1826 à 1874.

GAULE. *n.f.,* en lat. **Gallia.** ♦ Nom donné par les Romains à deux régions occupées par les Celtes*, la *Gaule cisalpine,* en deçà des Alpes **(V.** *ci-dessous***)** et la *Gaule transalpine* ou Gaule proprement dite, située (par rapport a eux) au delà des Alpes. Cette dernière comprenait les régions situées entre les Alpes, les Pyrénées, l'océan Atlantique et le Rhin, c'est-à-dire non seulement la France actuelle, mais la Belgique, la Suisse et la r. g. du Rhin. – *Avant la conquête romaine.* Dès le ~ IIe millénaire, la Gaule fut envahie par les Celtes qui s'y établirent en plusieurs étapes **(V. Celtes),** se heurtant aux peuples déjà en place, comme les Ibères* (Aquitaine) et les Ligures* (Méditerranée). Ils étaient fixés depuis ~ 500 entre la Garonne et la Seine quand les Belges s'installèrent (~ IIIe s.) au nord. C'est à l'ensemble de ces différents peuples que les Romains donnèrent le nom de *Gaulois.* À l'appel des habitants de Marseille *(Massalia)* menacés par une coalition de Ligures et de Gaulois, les Romains intervinrent en Gaule pour la première fois (~ 125). Ils conquirent alors toute la région méditerranéenne, le couloir du Rhône et le Languedoc et en firent la *Provincia* (~ 120). Cette campagne ruina l'hégémonie que détenaient les Arvernes* sur le peuple gaulois. Les Romains distinguaient deux parties dans la Gaule : la *Provincia* et la *Gaule libre* ou *« chevelue » ;* César* divisa la Gaule libre en trois parties : la *Gaule belgique* au N. entre le Rhin et la Seine **(V. Belgique)** ; la *Gaule celtique* au centre entre la Seine, la Garonne et le Rhin inférieur, peuplée par les Helvètes*, les Séquanes*, les Éduens*, les Lingons*, les Sénons*, les Carnutes*, les Vénètes*, les Pictaves*, les Santons*, les Bituriges*, les Cadurques*, les Lémovices* et les Arvernes* ; l'*Aquitaine** au sud-ouest. C'est par les *Commentaires* de César que nous connaissons l'état de la Gaule au ~ Ier siècle. Le pays était couvert en grande partie de forêts et de marais. Essentiellement agriculteurs, les Gaulois ne connaissaient pratiquement pas la vie urbaine ; les « villes » comme Bibracte* étaient des places fortes *(oppidum)* où les paysans se réfugiaient en cas d'invasion. La société gauloise, à l'image de la société celte, était divisée en trois classes : la noblesse guerrière, le peuple et les druides, dépositaires du savoir et des traditions religieuses. L'art gaulois d'avant la conquête romaine est directement dérivé de l'art celte*. Il en reste des vestiges dans plusieurs villes du centre et du S. de la France et notamment à Vix*, Ensérune*, Roquepertuse*, Entremont*, Glanum*. – *La conquête romaine.* Nommé proconsul de la Gaule cisalpine et de la Province en ~ 58, César, voulant acquérir une gloire militaire qui éclipsât celle de son rival Pompée*, décida d'entreprendre la conquête de la Gaule. Poussés par les Germains*, les Helvètes* s'apprêtaient alors à s'établir en Gaule. À l'appel des Éduens, César intervint et obligea les Helvètes à regagner leur pays (~ 58). La même année, il vainquit Arioviste* et repoussa les Suèves*, puis installa ses légions en Gaule. Il battit la coalition des Belges (~ 57) et détruisit la flotte des Vénètes (~ 56), tandis que Crassus* soumettait l'Armorique* et l'Aquitaine. Attaqué par Ambiorix*

Gaule.

dans les Ardennes, il appela tous les peuples de la Gaule et les Germains contre le roi des Éburons. Croyant s'être ainsi assuré la complicité des Gaulois et avoir pacifié le pays, César rentra en Italie. Mais pendant son absence, l'Arverne Vercingétorix organisa un soulèvement général (~ 52) que César ne réprima qu'en ~ 51 mettant ainsi fin à la guerre des Gaules **(V. Vercingétorix).** – La *romanisation.* C'est Auguste* qui fixa en ~ 27 les bases administratives de la Gaule romaine. Le pays fut divisé en quatre provinces : la *Narbonnaise** (l'anc. *Provincia*) au S., l'*Aquitaine** au S.-O., agrandie jusqu'à la Loire, la Celtique ou *Lyonnaise** au centre, la *Belgique** au nord. Sous Dioclétien*, la *préfecture des Gaules* comprenait, outre la Gaule, la Bretagne*, l'Espagne* et la Mauritanie* Tingitane ; la Gaule elle-même fut divisée en deux diocèses. – Le *diocèse des Gaules* comprenait : la Germanie Ire, la Germanie IIe, la Belgique Ire, la Belgique IIe, la Lyonnaise Ire, la Lyonnaise IIe, la Lyonnaise IIIe, la Lyonnaise IVe et la Grande Séquanaise* et le *diocèse de Vienne* huit provinces : l'Aquitaine Ire, l'Aquitaine IIe, l'Aquitaine IIIe, la Narbonnaise Ire, la Narbonnaise IIe, la Viennoise, les Alpes maritimes, les Alpes Grées et Pennines. Avec la conquête romaine, la Gaule passa du stade rural au stade urbain. De grandes villes furent créées, comme Lyon (~ 43), Autun, Clermont, Troyes, Trèves. Le pays fut doté de ponts, d'aqueducs (pont du Gard) et d'un réseau routier étendu qui lui permit de s'engager dans un commerce actif. La production de blé augmenta, la culture de la vigne se développa, le vin remplaçant la bière qui avait été jusqu'alors la boisson nationale des Gaulois.

Ph. Lauros-Giraudon

Gaule : buste de guerrier. (Musée archéologique, Nîmes.)

Une des indus. principales était celle de la poterie. Dès l'époque d'Auguste s'élevèrent des monuments publics construits sur le modèle gréco-romain, amphithéâtres (Nîmes*, Arles*), théâtres (Orange*, Vaison*, Lyon, Autun*), temples comme la Maison* carrée de Nîmes, le temple de Janus à Autun, le grand temple d'Orange, monuments commémoratifs (arcs de Saint-Rémy [**V. Glanum**], de Carpentras). L'assimilation se fit aussi sur le plan religieux, sans que les Romains fussent intervenus directement. La caste des druides perdit son importance et les Gaulois identifièrent leurs dieux avec les dieux romains. Teutatès* tantôt avec Mars, tantôt avec Mercure, tantôt avec Saturne, Taranis avec Jupiter. C'est en partie grâce à l'Église que la romanisation fut si durable. La religion nouvelle pénétra en Gaule dès le Iᵉʳ s. ; le martyre des chrétiens de Lyon (Blandine*, Pothin*) en 177 en fut la première manifestation, mais ce n'est qu'à partir du IIIᵉ s. qu'apparurent les grands apôtres de la Gaule (Denis*, Gatien*, Martial*, Hilaire*). Les campagnes ne furent évangélisées qu'au IVᵉ s. par saint Martin* de Tours. A partir de 406, les Germains commencèrent à pénétrer en Gaule par des infiltrations successives. Ils s'installèrent dans le pays au titre de fédérés, en alliés des Romains, seule force militaire au service de l'Empire. Après la chute de l'empire d'Occident (476), de véritables royaumes barbares se constituèrent en Gaule, celui des Wisigoths* au S. et celui des Burgondes* le long de la Saône et du Rhône. Mais les Francs* installés au N. devaient conquérir toute la Gaule sous la direction de Clovis* et les Gaulois adopter le nom de Francs **(V. France).**

GAULE CISALPINE. ♦ Nom donné par les Romains à la région du N. de l'Italie comprise entre les Alpes, le Rubicon et l'Arno. Elle était divisée en quatre parties : la *Gaule cispadane,* au S. du Pô ; la *Transpadane,* au N. du Pô ; la *Ligurie*,* au S.-O. et la *Vénétie*,* au N.-E. Envahie par les Celtes* vers ~ 400, elle fut conquise par les Romains au ~ IIIᵉ s. **(V. Sénons),** organisée en province par Sylla* et réunie à l'Italie en ~ 42.

GAULLE (Charles André Joseph Marie *de*). ♦ Homme d'État et général français (Lille, 1890 – Colombey-les-Deux-Églises, 1970). D'une famille catholique, libérale et cultivée, marqué très tôt par la lecture de Barrès, Bergson, Boutroux, Péguy, il s'orienta vers la carrière militaire. Reçu à Saint-Cyr, il fut, à la sortie de l'école, affecté au 33ᵉ régiment commandé par le colonel Pétain. Fait prisonnier à Douaumont en 1916, il fut interné, après plusieurs tentatives d'évasion, au fort d'Ingolstadt. Il y entreprit la rédaction de son ouvrage *La Discorde chez l'ennemi* (publié en 1924). Libéré, il participa à la guerre de la Pologne contre la Russie soviétique (1920), enseigna l'histoire militaire à Saint-Cyr et fut successivement nommé à l'état-major de l'armée du Rhin, membre du cabinet Pétain (alors vice-président du Conseil supérieur de la guerre, 1925), commandant d'un bataillon de chasseurs à pied à Trèves (1929-1931), puis membre de l'état-major français à Beyrouth (1929-1931. Cf. *Histoire des troupes du Levant,* 1931). Plus que par son activité militaire, Ch. de Gaulle se fit connaître à cette époque par ses écrits d'histoire politique (*Le Fil de l'épée,* 1932) et de stratégie militaire. Dans *Vers l'armée de métier* (1934), il préconisait une armée motorisée et blindée, conception déjà défendue par le général Estienne, en France, et notamment par le général Guderian, en Allemagne, qui se heurta à l'incompréhension des dirigeants militaires de l'époque, mais reçut l'appui de Paul Reynaud*. Nommé à la tête de la 4ᵉ division cuirassée au début de la Deuxième Guerre mondiale, il mena quelques contre-offensives (Montcornet, Abbeville, mai 1940), et fut promu général de brigade (à titre temporaire). Appelé par Paul Reynaud comme sous-secrétaire à la Défense nationale le 6 juin 1940, il se montra déterminé à la poursuite de la guerre avec, au besoin, un repli du gouvernement hors du territoire métropolitain, et rencontra l'opposition des partisans de l'armistice (Weygand, Pétain). Ayant gagné Londres le 17 juin, après la formation du cabinet Pétain, Ch. de Gaulle y lança le fameux « appel du 18 juin » pour la continuation de la lutte contre les forces de l'Axe aux côtés de la Grande-Bretagne. Il organisa progressivement les Forces* françaises libres, échouant à Dakar (fin sept. 1940), mais parvenant à rallier à la France libre le Tchad, l'Afrique-Équatoriale, Madagascar, la Réunion, et constitua le Comité de défense de l'Empire (oct. 1940), tout en cherchant à diriger et à coordonner l'action de la Résistance* française de l'intérieur. Ses efforts aboutirent à la création du Conseil* national de la Résistance, à l'instigation de Jean Moulin* (1943). Soutenu par Staline depuis 1942, de Gaulle se heurta rapidement à la méfiance de Roosevelt et fut tenu à l'écart du débarquement allié en Afrique du Nord, où, après l'assassinat de l'amiral Darlan* (fin 1942), les Anglo-Américains reconnaissaient l'autorité du général Giraud*. Toutefois, après la conférence de Casablanca entre Churchill et Roosevelt (janv. 1943), une entrevue fut organisée entre les généraux de Gaulle et Giraud ; elle aboutit à la création du Comité* français de libération nationale (juin 1943), comité dont Ch. de Gaulle parvint rapidement à éliminer le général Giraud (nov. 1943), et qu'il fit assister d'une Assemblée consultative provisoire. Dès cette époque, il tenta de définir la nouvelle orientation à donner à la politique coloniale, préconisant le développement autonome et l'intégration des populations des territoires français d'outre-mer dans le cadre de l'Union française (conférence de Brazzaville, janv. 1944). Arrivé à Bayeux après le débarquement allié en Normandie, puis à Paris libéré en août 1944, Ch. de Gaulle s'imposa alors comme chef politique incontesté, rétablissant l'autorité du pouvoir central, faisant dissoudre les milices patriotiques (communistes) et reconstituer l'armée française pour participer aux combats de la Libération aux côtés des Anglo-Américains et procédant à l'épuration des partisans de la collaboration*. Choisi par la première Assemblée nationale constituante comme président du Gouvernement* provisoire de la République française (nov. 1945), Ch. de Gaulle, qui craignait un retour aux institutions et aux pratiques de la Troisième République (division des partis, parlementarisme), avait proposé un projet de constitution qui devait renforcer le pouvoir exécutif. Ce projet se heurta aux partisans de la priorité du pouvoir législatif (notamment les socialistes et les communistes). Ce désaccord avec les partis amena de Gaulle à démissionner de ses fonctions dès le mois de janvier 1946. À l'écart de la vie politique officielle, il entreprit alors de nombreux voyages dans l'Union française. De 1954 à 1959, il rédigea ses *Mémoires de guerre,* tout en prenant position contre la Quatrième République et en créant le Rassemblement du peuple français ou R.P.F. (avril 1947 ; *Instructions sur l'organisation du Rassemblement du peuple français,* 1948). Ce mouvement qui, au-delà de la division des partis politiques, devait, dans l'esprit de son promoteur, réaliser l'Union nationale, remporta quelques succès électoraux (élections municipales de 1947, législatives de 1951), mais ne parvint pas à exercer son action autrement que sous la forme d'une opposition parlementaire, qui accrut l'instabilité du régime de la Quatrième République. Alors que s'aggravait le conflit en Algérie et que la tension croissait dans les milieux militaires et politiques (*déb.* 1958), une campagne en faveur du retour du général de Gaulle au pouvoir se développa (*fin* avr.- *déb.* mai 1958), avec l'appui des partisans de l'Algérie française. Peu après l'insurrection du 13 mai* 1958 à Alger, Ch. de Gaulle, avec lequel de nombreux parlementaires avaient pris contact depuis le début de la crise, fut appelé par le président R. Coty* (29 mai) pour faire face à une situation comportant la propagation de rumeurs de guerre civile et de dictature militaire. En dépit d'une forte opposition de la gauche (communistes, socialistes et quelques radicaux) le général de Gaulle fut investi par l'Assemblée nationale comme chef du gouvernement (1ᵉʳ juin) avec les pleins pouvoirs pour six mois et des pouvoirs spéciaux pour l'Algérie. La première tâche à laquelle il s'attacha fut la réforme des institutions. Approuvée par référendum le 28 septembre 1958, la nouvelle Constitution allait instaurer en France un régime de type présidentiel marqué par un net renforcement du pouvoir personnel du chef de l'État (article 16) et appuyé sur des relations plus directes entre la population et le chef de l'État par un recours fréquent au référendum. Là où les partisans du général voyaient un appel à la volonté populaire et un gage de la souveraineté nationale, les opposants dénonçaient un système démagogique et plébiscitaire où l'autorité de l'exécutif limitait étroitement le mécanisme du parlementarisme démocratique. Après la victoire de l'Union pour la nouvelle République

(U.N.R.) aux élections législatives de novembre 1958, Ch. de Gaulle fut élu président de la Cinquième République* (déc. 1958), et, entré en fonction en janvier 1959, choisit alors M. Debré* comme Premier ministre (1959-1962). Il exposa les grandes lignes de sa politique intérieure (redressement économique, financier, social et culturel) et de sa politique coloniale (nouveau type d'association avec les territoires d'outre-mer dans le cadre de la Communauté et la pacification en Algérie); la politique extérieure avait pour but de redonner à la France sa place et son prestige dans le monde. Le difficile règlement de la question algérienne marqua les débuts du régime gaulliste; après avoir apporté son soutien aux Français d'Algérie (il s'écria à Alger, le 4 juin 1958, « Je vous ai compris » et, à Mostaganem le 7 juin, « Vive l'Algérie française! », laissant entendre, selon l'interprétation unanime que donna l'opinion, qu'il cautionnait la politique de l'Algérie française), Ch. de Gaulle, en fait, donna rapidement une nouvelle direction à sa politique algérienne. Malgré l'activité des partisans de l'Algérie française (révolte des généraux, 1961; développement de l'O.A.S.), cette politique aboutit, après de nombreux pourparlers avec le F.L.N. et le G.P.R.A., aux accords d'Évian* (mars 1962) et à l'indépendance de l'Algérie. Peu après, le général de Gaulle échappait de justesse à un attentat (Petit-Clamart, août 1962; **V. Bastien-Thiry**). La question algérienne ainsi réglée, de Gaulle, avec le gouvernement de G. Pompidou* (1962-1968), s'attacha surtout à pratiquer une politique extérieure exprimant l'indépendance de la France, en préconisant le rapprochement entre l'Est et l'Ouest, la réconciliation avec l'Allemagne (traité de coopération franco-allemande, 1963), le retrait de la France de l'Organisation* de l'Atlantique Nord (O.T.A.N.) en 1966, tout en demeurant membre de l'alliance, enfin la création d'une « force de frappe » atomique. Favorable à une Europe unie économiquement mais hostile à l'entrée de la Grande-Bretagne dans le Marché commun, le général de Gaulle prit position sur les grands problèmes de politique internationale (Viêt-nam, Chine, Biafra, Proche-Orient [condamnation d'Israël lors de la guerre des six jours, 1967], Canada français [« Vive le Québec libre » proclama-t-il en 1967]). Cette politique de prestige n'alla pas sans difficultés, sociales, économiques et financières : l'inflation dès 1962 fit suite à la relative stabilité consécutive à la dévaluation de fin 1958. Le régime gaulliste dut faire face à une opposition politique et syndicale qui s'exprima une première fois à l'occasion de l'élection présidentielle au suffrage universel lors de laquelle le général de Gaulle fut d'abord mis en ballottage par le candidat de la gauche, F. Mitterrand* (1965) avant d'être réélu. Lors des élections législatives de 1967, la majorité gaulliste perdit de nombreuses voix au profit de la gauche. Le malaise économique, social et culturel de la France éclata en Mai* 1968. Le président de Gaulle pensa d'abord pouvoir résoudre la crise par un référendum sur la participation. Il ne parvint à l'enrayer qu'aux élections législatives de juin 1968, après une campagne où il avait inlassablement invoqué le danger de « chaos » et du « communisme totalitaire ». Le régime gaulliste était néanmoins ébranlé. Les concessions faites aux revendications des syndicats (accords de Grenelle, fin mai 1968) et le programme de réformes scolaires et universitaires proposé par Edgar Faure* ne suffirent pas à résoudre la situation. Après l'échec qu'il subit lors du référendum sur le double projet de « régionalisation » et de transformation du Sénat (1969), projet qui fut repoussé par 52,5 % de non, Ch. de Gaulle abandonna le pouvoir. Ainsi prenait fin la carrière politique d'un homme certain d'avoir été investi par l'Histoire d'une mission exceptionnelle (« C'était à moi d'assumer la France »). La figure du général de Gaulle a dominé pendant trente ans la vie politique française. À l'étranger, en Occident, il a été critiqué, mais partout on lui attribua un immense prestige sur les Français, alors qu'en France même il fut contesté par une partie de l'opinion. Capable de susciter les dévotions les plus absolues (M. Debré, A. Malraux) comme les haines les plus vives, tirant ses plus grandes réussites des circonstances les plus défavorables, homme d'État conscient de tous les problèmes du monde contemporain qu'il situait dans un cadre de références souvent archaïques, Ch. de Gaulle et son destin n'ont pas fini de susciter des commentaires et des jugements contradictoires. Son œuvre écrite, qui expose son action en la justifiant toujours, révèle en outre des qualités d'écrivain orchestrées dans les *Mémoires de guerre* (*L'Appel*, 1954; *L'Unité*, 1956; *Le Salut*, 1959); suivant un plan d'une clarté rigoureuse, le récit des événements est entrecoupé de portraits incisifs ou de méditations sur la philosophie de l'histoire; le style, sobre volontairement et d'une pureté toute classique, laisse alors se développer d'amples périodes, non exemptes de métaphores hardies.

Coll. Viollet

Le comité français de libération nationale à Alger en juin 1943 : Giraud, **de Gaulle** et Catroux.

GAULTIER [gotje] **DE LAGUIONIE** [lagyijɔni] **(Jules *de*)**. ♦ Essayiste français (Paris, 1858 — Boulogne-sur-Mer, 1942). Collaborateur au *Mercure de France*, il fut un des principaux représentants du nietzschéisme en vogue dans les milieux littéraires de l'époque et fut surtout connu par sa théorie du « bovarysme » **(V. Flaubert)**, par laquelle il entend la nécessité permanente où se trouve l'homme « de se concevoir autre qu'il n'est », de se mentir à lui-même. *De Kant à Nietzsche*, 1900; *Le Bovarysme, essai sur le pouvoir d'imaginer*, 1902; etc.

GAULTIER-GARGUILLE (Hugues Guéru, *dit*). ♦ Comédien français (Sées, v. 1573 — Paris, v. 1634). Il forma avec Turlupin et Gros-Guillaume le plus célèbre des trios de farceurs, à l'hôtel* de Bourgogne. **V. Guillot-Gorju.**

GAUMÂTA, dit en gr. **Pseudo-Smerdis**. ♦ V. BARDIYA.

GAUMONT (Léon). ♦ Inventeur et industriel français (Paris, 1864 — Sainte-Maxime, 1946). Esprit fécond et entreprenant, il construisit, avec Demeny, peu après les frères Lumière, le chronophotographe (1895), l'un des premiers appareils de cinéma, puis le chronophone (1902), première tentative de cinéma sonore; il installa aux Buttes-Chaumont les premiers studios français de cinéma (1906). Il devait y produire un grand nombre de films dont il confia la direction artistique à plusieurs réalisateurs (Émile Cohl, Henri Fescourt, et surtout Louis Feuillade). Fondateur aux États-Unis, à Flushing, de studios et laboratoires de cinéma (1911), il inventa encore le chronochrome (1912), ébauche du cinéma en couleur. Pionnier de l'indus. cinématographique, il a fortement contribué à la diffusion du film français à travers le monde. **V. *aussi* Lumière, Pathé.**

GAUNILON. ♦ Théologien et philosophe français (fin du XIe s. — après 1073). Moine de l'abbaye de Marmoutier près de Tours, il écrivit un ouvrage contre l'argument ontologique de l'existence de Dieu soutenu par saint Anselme*, *Liber pro insipiente*.

GAUR. ♦ Anc. cap. hindoue et musulmane du Bengale, conquise vers 1200 par les Musulmans, et florissante jusqu'à 1576, date à laquelle elle fut incorporée à l'Empire moghol. Elle garde de nombreux monuments en brique datant surtout du XVIe siècle. Son nom moderne est Lakhnauti.

GAURĪSANKAR. *n. m.* ♦ Un des sommets de l'Himalaya (7 145 m), au Népal, non loin du Chomolungma (Everest*).

GAUSS (Carl Friedrich). ♦ Astronome, mathématicien et physicien allemand (Brunswick, 1777 — Göttingen, 1855). Il n'avait pas seize ans quand il imagina une méthode de calcul des éléments de l'orbite d'une planète. Plus tard, la découverte de la planète Cérès par Piazzi* (1801) l'amena à entreprendre de nombreuses études de mécanique céleste *(Theoria motus)* qui le firent nommer directeur de l'observatoire de Göttingen (1807). Intéressé par la géodésie, il inventa alors l'héliotrope pour l'envoi de signaux lumineux. En mathématiques, dans son premier grand travail sur la théorie des nombres (*Disquisitiones arithmeticae*, 1801), il étudia notamment les congruences, les formes quadratiques et établit un théorème sur la construction de certains polygones réguliers par la géométrie élémentaire; on y trouve également, sous-jacentes, les notions de corps et de groupes. **V. Galois.** Citons encore ses importants travaux ultérieurs concernant surtout la représentation conforme, la courbure des surfaces (célèbre théorème dans *Disquisitiones generales circa superficies curvas*, 1827), l'introduction de la série hypergéométrique, des formules nouvelles sur les fonctions eulériennes; enfin, des notes non publiées montrent qu'il découvrit les fonctions elliptiques (en considérant l'intégrale donnant l'arc de la lemniscate) [**V. *aussi* Weierstrass**] et la géométrie non euclidienne (1799) [**V. Bolyai, Lobatchevski**]; il exposa également la théorie des erreurs (1821) et la méthode des moindres carrés (qu'il utilisa dès 1795) [**V. Legendre**]. En physique, il effectua de nombreux travaux en magnétisme, imaginant le magnétomètre (1832) et donnant l'explication mathématique du magnétisme (*Théorie générale du magnétisme terrestre*, 1839), en électricité et en optique (théorie des systèmes centrés). [Acad. des sc., 1820]. — *Approximation de Gauss :* simplification permettant une étude des systèmes optiques centrés dans le cas de rayons lumineux para-axiaux, les systèmes étant alors grossièrement stigmatiques et aplanétiques. — *Courbe de Gauss :* courbe « en cloche » utilisée en calcul des probabilités. — *Loi de Gauss :* loi selon laquelle, pour une grandeur soumise à un grand nombre de causes de variations petites et indépendantes, les résultats s'accumulent autour de la moyenne symétriquement, avec une fréquence décroissant très rapidement en s'éloignant de cette moyenne. — *Théorème de Gauss :* expression donnant le flux électrique ou magnétique sortant d'une surface fermée placée dans un champ. — On a donné le nom de *gauss* (voir *in* Robert) à l'unité d'induction.

GAUTAMA. ♦ Nom sous lequel est parfois désigné le Bouddha*, de son nom complet Siddhârta Gautama.

GAUTHERET (Roger). ♦ Botaniste français (Paris, 1910). Auteur de travaux sur la culture des tissus végétaux isolés, sur les hormones végétales et leurs applications à l'agriculture. (Acad. sc., 1958.)

GAUTIER (Théophile). ♦ Écrivain français (Tarbes, 1811 — Neuilly-sur-Seine, 1872). Lié très jeune avec G. de Nerval* et Pétrus Borel*, il est tenté par la peinture, puis opte pour la littérature et se montre un des plus véhéments défenseurs de V. Hugo*, durant la bataille littéraire d'*Hernani** (1830). Pourtant, dès le long poème descriptif et fantastique d'*Albertus* (1832) et *Les Jeunes-France* (1833), recueil de contes ironiques, apparaît son indépendance vis-à-vis des romantiques. La *préface* de son roman, *Mademoiselle de Maupin* (1836), exprime son exigence de beauté pure. « Tout ce qui est utile est laid »; aussi l'art, par nature désintéressé, doit-il se détourner des circonstances extérieures (engagement politique et moral) comme des événements intimes de la vie de l'artiste (lyrisme personnel). Dès lors, pour s'évader d'une réalité médiocre, Gautier cherche le dépaysement dans l'espace (chroniques de ses voyages en Orient, en Espagne) et dans le temps : dans un essai littéraire, *Les Grotesques* (1844), il réhabilite l'époque de Louis XIII, qui lui inspirera son roman, *Le Capitaine* Fracasse* (1863); avec *Arria Marcella* (1852), il évoque l'antique Pompéi; dans le *Roman de la momie* (1858), l'ancienne Égypte; enfin, avec *Le Spirite* (1866), « il invente l'idéal » transposé sur le plan surnaturel. Persuadé que l'art est un but et que sa seule possibilité de pérennité est la perfection technique (*L'Art,* 1857), il cisèle ses poèmes, véritables « transpositions » plastiques, comme *Ribeira* (*España,* 1845), ou variations musicales, comme de nombreuses pièces d'*Émaux* et Camées* (1852) qui s'appuient sur une forme châtiée et savante, un vocabulaire recherché (« mots-diamants ») et des rythmes rares (Terza Rima). Maître et précurseur de la poésie parnassienne*, Gautier fut également salué par Baudelaire* (dédicace des *Fleurs du mal*) comme le « poète impeccable », le « parfait magicien ès lettres françaises ».

GAUTIER (Armand). ♦ Chimiste et médecin français (Narbonne, 1837 — Cannes, 1920). Il étudia notamment les alcaloïdes, les composés organiques arsenicaux et les eaux minérales.

GAUTIER (Judith Louise). ♦ Écrivain français, fille de Théophile Gautier et de la cantatrice italienne E. Grisi (Paris, 1845 — Dinard, 1917). Un mandarin chinois accueilli par son père l'initia aux cultures extrême-orientales; elle publia une adaptation de poètes chinois (*Le Livre de jade,* signé Judith Walter, 1876) et des traductions du japonais (*Poèmes de la libellule,* 1885). Outre des romans inspirés par l'Extrême-Orient (dont *Le Dragon impérial,* 1869), elle a composé des drames (l'un en collaboration avec Loti). Ses mémoires, publiés de 1902 à 1909, sont d'un grand intérêt, Judith Gautier ayant connu dans son enfance et son adolescence la plupart des grands écrivains français de l'époque (Nerval, Baudelaire, Flaubert, les Dumas, les Goncourt). Elle fut l'épouse de Catulle Mendès, dont elle se sépara rapidement. Aimée de Wagner, elle contribua à faire connaître son œuvre en France.

GAUTIER de COINCY. ♦ Bénédictin français (Coincy, 1177 — Soissons, 1236). Grand prieur à Saint-Médard. On lui doit un recueil d'environ 30 000 vers, intitulé *Miracles de Notre-Dame* où il s'inspira, pour célébrer le culte de la Vierge, de mélodies et de schémas poétiques préexistants qu'il sut adapter de façon très personnelle (**V. Tombeur de Notre-Dame** [le]).

Coll. Cauboue

L. J. Gay-Lussac.
Gravure de A. Tardieu, 1824.

GAUTIER SANS AVOIR. ♦ Chevalier français ([mort] Civitot, Asie Mineure, 1096 ou 1097). Il conduisit une partie de la croisade* populaire qui fut massacrée avant d'atteindre Constantinople.

Gauvain. ♦ Personnage du *Cycle breton.* Neveu du roi Artus* dont il est le fidèle chevalier, *Gauvain* apparaît dans les œuvres de R. Wace* (XIIe s.) et celles de Chrétien* de Troyes (*fin* XIIe s.).

GAVARNI (Sulpice Guillaume CHEVALIER, dit [1829] **Paul).** ♦ Dessinateur, lithographe, aquarelliste et peintre français (Paris, 1804 — *id.,* 1866). Il fut d'abord commis d'architecte, puis employé au cadastre de Tarbes. Il exécuta plus de 8 000 gravures dont beaucoup parurent dans *la Mode, la Caricature, le Charivari,* accompagnées de légendes dont il était l'auteur. Il décrivit sans indulgence les *Étudiants* (1838-1840), les *Lorettes* (1841), les *Actrices,* les *Hommes et Femmes de plume,* etc. « Il faudra feuilleter ces œuvres-là pour comprendre l'histoire des dernières années de la monarchie », écrivit Baudelaire. Après un séjour en Angleterre (1847), son art s'approfondit, reflétant un humour plus amer (*Masques et Visages,* 1852-1853; *Propos de Thomas Vireloque*). Ses nombreuses aquarelles révèlent un graphisme élégant et un sens original de l'éclairage.

GAVARNIE *(cirque de).* ♦ Vaste site des Hautes-Pyrénées*, au S. du village de Gavarnie (167 hab.), dans la haute vallée du gave de Pau*. De nombreuses cascades tombent des montagnes en gradins (à 1 500 m d'alt. env.).

Gaveau. ♦ Maison française de facteurs de pianos, fondée en 1847 par JOSEPH GAVEAU (Romorantin, 1824 — Paris, 1903). Son fils ÉTIENNE (Paris, 1872 — *id.,* 1943) établit à Fontenay-sous-Bois la grande fabrique de pianos (1896) et fit construire à Paris l'immeuble et la salle de concerts qui portent leur nom (1908). La société Gaveau a fusionné avec la firme Érard (1959).

GAVESTON (Piers). ♦ Comte de Cornouailles. Chevalier gascon ([mort] Blacklow Hill, près de Warwick, 1312). Favori d'Édouard II d'Angleterre, il fut assassiné par les barons. Ce meurtre entraîna la guerre ouverte entre le roi et les barons.

GAVINIÈS (Pierre). ♦ Violoniste français (Bordeaux, 1728 — Paris, 1800). Violoniste virtuose, il s'illustra au Concert spirituel. Directeur du Concert spirituel de 1773 à 1777 avec Le Duc et Gossec, puis professeur au Conservatoire, en 1795, il a formé de nombreux élèves et composé pour son instrument diverses pièces (sonates, concertos, symphonies) dont plusieurs sont aujourd'hui perdues. Il est l'auteur des *Vingt-Quatre Matinées pour le violon* (1800), suite d'exercices pour la formation du violoniste.

GÄVLE. ♦ V. et port de Suède, à l'embouchure du *Gävleån* dans le golfe de Botnie*. Ch.-l. du comté de Gävleborg. 72 704 hab. (1968). Ville anc., reconstruite à la suite d'un incendie (1869). — Important centre industriel : chantiers navals, constructions mécaniques, indus. métallurgiques, chimiques, textiles, papeteries.

GAVRINIS [-nis] *(île de)* ou *île de la* **Chèvre.** ♦ Île du golfe du Morbihan*. Tumulus haut de 8 m et mesurant 100 m de tour, dans lequel se trouvent des pierres gravées.

Gavroche. ♦ Personnage du roman de V. Hugo*, *Les Misérables**, type du *gamin* parisien frondeur et généreux, symbole de l'esprit irréductible de liberté dans le peuple.

GAXOTTE (Pierre). ♦ Historien et journaliste français (Revigny, Meuse, 1895). Disciple de Jacques Bainville*, il appartint au groupe l'*Action française* et fut le secrétaire de Charles Maurras*. Fondateur et rédacteur en chef de l'hebdomadaire *Candide* (1924), puis directeur de *Je suis partout* jusqu'en 1937, il collabore depuis 1945 au *Figaro* et au *Bulletin de Paris.* Historien, il s'est spécialisé dans l'étude des deux derniers siècles de l'Ancien Régime (*Le Siècle de Louis XV,* 1933; *La France de Louis XIV,* 1946; *Paris au XVIIIe s.,* 1968) et de *La Révolution française* (1928). Il est en outre l'auteur de plusieurs ouvrages généraux : *Histoire des Français* (1951); *Histoire de l'Allemagne* (1962). (Acad. fr. 1953.)

GAY (John). ♦ Poète dramatique anglais (Barnstaple, 1688 — Londres, 1732). Son goût pour la parodie se manifesta dès ses premières publications, imitations burlesques de pastorales ou de poèmes héroï-comiques. Mais c'est avec *L'Opéra des gueux* (*The Beggar's Opera,* 1728), œuvre exceptionnelle dans l'histoire du théâtre par la vigueur de la satire, qu'il parvint à la notoriété. Cette œuvre où alternent la prose et le chant comme dans un opéra de Haendel qu'elle parodie, dénonce avec force les tares de la haute société londonienne. Sa transposition, à l'époque contemporaine, a inspiré à Bertolt Brecht* le célèbre *Opéra* de quat' sous (Die Dreigroschenoper).*

GAY (Delphine). ♦ **V.** GIRARDIN *(Delphine* GAY, *Mme Émile de Girardin).*

GAYÂ. ♦ V. de l'Inde (S. du Bihâr). 180 000 hab. C'est l'une des sept cités saintes des hindous, près du site sacré pour les bouddhistes de Bodh*-Gayâ. Ville de pèlerinage et centre commercial.

GAY-LUSSAC (Louis Joseph). ♦ Physicien français (Saint-Léonard-de-Noblat, 1778 — Paris, 1850). Après des recherches sur la dilatation des gaz et des vapeurs, il énonça la loi sur le coefficient thermique (*Loi de Gay-Lussac,* 1802) [**V. Dalton**]. Il effectua deux ascensions en ballon, battant le record d'altitude et vérifiant la constance de composition de l'air (1804). Des recherches réalisées avec Humboldt* dans le cas de l'oxygène et de l'hydrogène (1805) l'amenèrent à formuler la loi volumétrique des combinaisons gazeuses (*Loi de Gay-Lussac,* 1808) [**V. Avogadro**]. Avec Louis-

Jacques Thenard*, après avoir préparé et étudié les métaux alcalins, il prépara leurs péroxydes et leurs alliages; ils analysèrent les hydrogènes phosphoré et sulfuré, étudièrent les propriétés chimiques du phosphore et du soufre, découvrirent le bore, isolèrent le silicium (sans l'identifier) [**V. Berzelius**], préparèrent les ammoniures alcalins, les acides fluorhydrique et fluoborique; enfin, ils montrèrent que l'acide muriatique oxygéné était un corps simple, le chlore (1809). Après avoir effectué les premières mesures de densité de vapeur (1811) [**V.** *aussi* **Dumas**]. Gay-Lussac étudia encore l'iode, découvrit le cyanogène et l'acide cyanhydrique (1815). Il construisit également le baromètre à siphon (1816), inventa l'alcoomètre centésimal et mit au point des procédés d'affinage des métaux précieux et la tour de récupération des produits nitreux dans la fabrication de l'acide sulfurique (Acad. sc., 1806). ♦ LOIS DE GAY-LUSSAC – ***Loi de dilatation des gaz :*** loi selon laquelle le coefficient thermique a la même valeur pour tous les gaz. – ***Loi volumétrique de combinaison des gaz :*** loi selon laquelle les gaz se combinent entre eux selon des rapports volumétriques simples et, lorsque la réaction a lieu avec contraction, le rapport du volume obtenu avec celui des constituants est toujours simple et entier.

GAZA. ♦ V. de la Palestine du Sud, située à proximité de la Méditerranée, sur le même parallèle que la mer Morte. Cap. d'un territoire occupé par l'Égypte, puis conquis et administré par Israël. 120 000 hab. env. (réfugiés musulmans compris). – *Territoire de Gaza :* 363 km². 400 000 hab. env. Agriculture. ♦ *Hist.* La ville fut un important centre philistin. Elle fut prise par Alexandre* le Grand après un long siège, puis détruite lors des guerres civiles de Judée. Rebâtie, conquise par les Arabes (632), elle fut le siège de combats pendant les croisades, puis au XVIᵉ s., dans le conflit entre les Turcs et les mameluks. Bonaparte la prit en 1799, lors de l'expédition d'Égypte*. Après la Deuxième Guerre mondiale, Gaza et son territoire furent placés sous administration égyptienne (1948). Israël, qui l'avait occupée en nov. 1956, dut céder la place aux forces de l'O.N.U. en mars 1957. La « bande de Gaza », étroit couloir parallèle à la côte, fut rendue à l'Égypte en mai 1967, à la demande de Nasser et malgré l'opposition des Israéliens. Ce fut l'une des causes du déclenchement de la guerre de 1967, au cours de laquelle les troupes israéliennes occupèrent Gaza et son territoire.

Gazette (la) [à partir de 1762, **la Gazette de France**]. ♦ Fondée par Théophraste Renaudot* (1631) avec l'appui de Richelieu, *La Gazette,* premier journal français, fut l'organe officieux du gouvernement. Rendu officiel par Louis XV (1762), il devint la *Gazette de France* et parut deux fois par semaine. Sous la Révolution, il prit le titre de *Gazette nationale de France* et parut quotidiennement après le 10 août 1792. Au XIXᵉ s., il devint un des organes royalistes auquel collabora Ch. Maurras (1892-1908). Il cessa de paraître en 1914.

GAZIANTEP, anc. **Aïntab.** ♦ V. de Turquie, sur le Sadjour (affl. de l'Euphrate*), au N. de la frontière syrienne. Ch.-l. de la prov. homonyme. 160 152 hab. L'aggl. compte 235 472 hab. (1965). – Ruines d'une forteresse médiévale. Musée archéologique. – Centre commercial (pistaches). Indus. textiles.

GDAŃSK, en all. **Dantzig** ou **Danzig.** ♦ V. et port de la Pologne* septentrionale, ch.-l. de voïévodie, situé à l'extrémité du bras O. de la Vistule*, à 6 km de la mer Baltique*. 370 000 hab. – Nombreux monuments (hôtel de ville, XIVᵉ-XVᵉ s.; grand arsenal, XVIIᵉ s.; église Notre-Dame, XIVᵉ-XVᵉ s.) en majeure partie restaurés après la Seconde Guerre mondiale. – Important centre culturel, scientifique, commercial et industriel, elle forme avec Sopot* et Gdynia* une conurbation d'env. 600 000 hab. et constitue avec cette dernière un grand complexe portuaire (reconstruit après 1945). – Indus. mécanique, chimique, textile et alimentaire. Constructions navales (70 % de la prod. polonaise). – *La baie de Gdańsk,* tributaire de la Baltique*, dont elle est en partie séparée par la presqu'île de Hel*, baigne la majeure partie de la *voïévodie de Gdańsk* qui s'étend de part et d'autre de la Vistule*, en Poméranie* orientale et compte env. 1 400 000 hab. ♦ *Hist.* **V. Dantzig.** En décembre 1971, Gdańsk, Sopot et Gdynia furent le théâtre de violentes émeutes ouvrières qui aboutirent à la chute de Gomulka*.

GDYNIA, en allem. **Gdingen.** ♦ V. et port de Pologne* (voïévodie et conurbation de Gdańsk) situé sur la baie occidentale de Gdańsk*, à l'extrémité du couloir créé en Poméranie par le traité de Versailles. 182 400 hab. Centre culturel, scientifique, industriel et commercial. Chantiers navals en expansion. – Édifié sur l'emplacement d'un petit village de pêcheurs (558 hab. en 1919) entre 1924 et 1939, afin de suppléer le port de Dantzig* (devenu ville libre), Gdynia est auj. le plus grand port artificiel de Pologne, dont l'activité économique est étroitement liée à Gdańsk*.

GÉ ou **GÊ.** ♦ **V.** GAIA.

GÉANTS. *n. m. pl.,* en gr. **Gigantes.** ♦ Fils de Gaia*, fécondée par le sang d'Ouranos* que Cronos venait de mutiler. Monstres de taille énorme et d'aspect effroyable, au corps terminé en serpent, ils attaquent les Olympiens. Zeus* les vainc avec l'aide d'Athéna*, de Styx*, d'autres dieux et d'Héraclès*. **V. Encelade, Pallas.** Ce combat *(gigantomachie),* thème habituel de l'art classique, pourrait symboliser la victoire d'une religion humanisée sur les cultes primitifs en Grèce. **V. Olympe.** (Ne pas confondre la race des Géants avec les Titans, les Cyclopes* et autres monstres gigantesques tels qu'Antée, Géryon, les Aloades, etc.)

Arch. Smeets

Geertgen tot sint Jans : « L'Histoire des os de saint Jean-Baptiste ». (Kunsthistorisches Museum, Vienne.)

GÉANTS *(monts des).* ♦ **V.** KRKONOŠE.

GEBER. ♦ Nom latinisé de Jâbir ibn Hâyyan, à qui fut attribué un important ensemble de textes alchimiques et philosophiques. **V. Jâbir.**

GÉBIDES. *n. m. pl.* ♦ **V.** GÉPIDES.

GÉDALGE (André). ♦ Compositeur et pédagogue français (Paris, 1856 – *id.,* 1926). Second grand prix de Rome en 1885. Professeur de fugue et de contrepoint au Conservatoire de Paris (1905), il a compté, parmi ses élèves, quelques-uns des musiciens les plus éminents de l'époque : G. Enesco, F. Schmitt, M. Ravel, J. Ibert, A. Honegger, D. Milhaud. Il a composé dans des genres divers (opéras, symphonies, musique de chambre, mélodies) et publié des ouvrages didactiques (*Traité de la fugue,* 1901).

GÉDÉON, dit **Jeroubbaal.** ♦ Juge d'Israël (~ XIIᵉ-XIᵉ s.), vainqueur des Madianites. Récit biblique : *Juges,* VI-VIII.

GÉDROSIE, *n. f.,* en lat. **Gedrosia.** ♦ Anc. région d'Asie correspondant approximativement au Baluchistân* [Bélouchistan] (O. du Pâkistân*). Elle constituait un district de l'Hariana, province de l'empire d'Alexandre. Les armées de celui-ci y connurent la soif lors du retour de l'Indus, en ~ 325-~ 324.

GÉDYMIN. ♦ (v. 1275 – 1341). Prince de la grande principauté de la Lituanie* (1316), souche de la famille princière russe Galitzine*; il fixa son siège à Vilnius*.

GEEL. ♦ Comm. de Belgique (prov. d'Anvers, arr. de Turnhout) sur la Nèthe, à 68 km de Bruxelles. 28 200 hab. – Hôtel de ville (1679). Hôpital du XVᵉ siècle. Églises des XIVᵉ et XVᵉ-XVIᵉ siècles. Chambre des malades (XVIᵉ s.), institution créée pour les aliénés. La ville abrite une colonie de malades mentaux, fondée sous le patronage de sainte Dymphne, princesse irlandaise du VIIᵉ s., égorgée par un père qui voulait l'épouser (une église de la ville lui est dédiée). – Indus. du meuble. Brasseries. Cigares.

GEELONG. ♦ V. et port de l'État de Victoria* (Australie), situé à l'O. de la baie de Port Philipp, au S.-O. de Melbourne*. 104 974 hab. Centre d'enseignement. Raffinerie de pétrole. Indus. de la laine. Engrais phosphatés. Constructions mécaniques. Indus. frigorifique. Silos pour l'exportation. Liqueurs. Centre touristique.

GEERTGEN TOT SINT JANS ou **GÉRARD DE SAINT JEAN.** ♦ Peintre néerlandais actif à la fin du XVᵉ siècle. Il se forma auprès de Van Ouwater. Dans des œuvres comme *La Crucifixion,* le *Christ de pitié* (v. 1484), il trahit une sensibilité inquiète qui n'est pas sans annoncer Bosch* et manifeste des tendances expressionnistes. Il exécuta aussi des portraits collectifs de corporations, observés avec précision et qui sont les premiers exemples connus du genre. Il recherchait les tonalités précieuses et brillantes *(Vierge en gloire),* explorait les effets de lumière nocturne *(Nativité)* et réservait une place importante au paysage qu'il traitait avec fraîcheur *(Saint Jean-Baptiste).* Par plusieurs traits, son art semble annoncer l'école hollandaise.

GEFFROY (Gustave). ♦ Journaliste, écrivain et critique d'art français (Paris, 1855 – *id.,* 1926). Ses chroniques, qui parurent notamment dans *La Justice,* furent réunies en 1887 (*Notes d'un journaliste*). Ses articles de critique d'art favorable à l'impressionnisme sont groupés dans les huit volumes de la *Vie artistique.* Il est l'auteur d'études sur des musées, ainsi que de monographies : *Gustave Moreau* (1900), *Daumier* (1901), *Rubens* (1902), *Constantin Guys* (1904), *Lalique* (1922), *Claude Monet* (1924). On lui doit également des romans : *L'Enfermé* (1893), *L'Apprentie* (1904), *Cécile Pommier, Herminie Gilguin* (1907), *L'Idylle de Marie Biré* (1909). Grâce à son administration (1908), la manufacture des Gobelins connut des innovations (modèles impressionnistes, teintures synthétiques).

GEIGER (Hans). ♦ Physicien allemand (Neustadt, 1882 – Berlin, 1945). Il détermina la charge des particules α (1908), montra que le numéro atomique d'un élément est le nombre de charges de son noyau (1913) et inventa (1913), avec Rutherford*, un dispositif permettant de compter les particules électrisées d'un rayonnement; il perfectionna son appareil (1928), avec Müller notamment (*compteur Geiger-Müller,* utilisé en particulier pour la prospection de l'uranium).

GEIJER (Erik Gustaf). ♦ Poète et historien suédois (Ränsater, 1783 – Stockholm, 1847). En 1811, il fonda la « Ligue gothique » et publia dans la revue de cette association, *Iduna,* ses poèmes les plus connus : *Manhem, Le Paysan* et *Le Viking.* Nommé professeur d'histoire à l'université d'Uppsala en 1817, il écrivit les *Annales de l'histoire de Suède* (1825) et l'*Histoire du peuple suédois* (1832-1836); ces ouvrages marquèrent dans l'historiographie suédoise le triomphe de la méthode de Savigny.

GEILER von KAYSERSBERG (Johannes). ♦ Prédicateur de langue allemande (Schaffhouse, Suisse, 1445 – Strasbourg, 1510). Élevé près de Kaysersberg, il étudia la théologie et la philosophie à Fribourg-en-Brisgau et à Bâle. Prédicateur à Strasbourg où, en son honneur, une chaire de pierre fut sculptée dans la nef centrale de la cathédrale (achevée par Hans Hammer en 1486), il a voulu exprimer à l'aide d'images et de paraboles la vérité des Évangiles, reprenant et commentant fréquemment le thème de la *Nef des fous* **(V. S. Brant).** Ses *Sermons* ont exercé une profonde influence sur la langue allemande.

GEISÉRIC. ♦ **V.** GENSÉRIC.

GEISLINGEN. ♦ V. du S.-O. de l'Allemagne (Bade-Wurtemberg), au pied du Jura souabe. 26 000 hab. Églises et château du XVe siècle. Centre de villégiature.

GEISPOLSHEIM. ♦ Ch.-l. de cant. du Bas-Rhin, arr. d'Erstein. 3 758 hab. (2 166 aggl.). Indus. alimentaires (choucroute).

GEISSLER (Heinrich). ♦ Mécanicien et physicien allemand (Igelshieb, Thuringe, 1815 – Bonn, 1879). Inventeur des *tubes de Geissler* permettant de caractériser les gaz, il contribua à l'essor de la spectroscopie (1856). On lui doit également la première pompe à vide à mercure, qui permettait d'obtenir une pression de 1/100 de millimètre de mercure (1857). **V.** *aussi* **Guericke.**

GEITEL (Hans Friedrich). ♦ Physicien allemand (Brunswick, 1855 – Wolfenbüttel, 1923). Auteur de divers travaux avec Elster*, il remarqua également que le rayonnement d'une ampoule contenant du radium provoquait des brûlures, observation à l'origine des premières tentatives d'utilisation thérapeutique pour les cancers de la peau.

GELA. ♦ V. d'Italie, au sud-ouest de la Sicile (prov. de Caltanisetta*), 60 000 hab. Important centre d'extraction et de raffinage de pétrole. Indus. chimiques différenciées. ♦ *Hist.* La ville antique fut fondée au ~ VIIe s. par les Rhodiens et les Crétois qui élevèrent ensuite Agrigente. D'un gouvernement oligarchique, elle passa au pouvoir de tyrans **(V. Gélon)** et fut détruite par Hamilcar en ~ 404. En 1230, une nouvelle ville, *Terranova,* fut construite, et reprit le nom antique en 1927. Les troupes alliées y débarquèrent en 1943.

GÉLASE Ier *(saint).* ♦ 49e pape (492-496 [mort]), Africain. Il prit des mesures charitables dans l'Italie ravagée par Théodoric, s'opposa à une restauration des Lupercales païennes, définit l'autorité pontificale dans l'Église et face au pouvoir temporel et promulgua définitivement le canon des Livres saints *(décret gélasien).* Le *Sacramentaire gélasien* (*fin* VIIe s.) garde trace de ses transformations liturgiques. – Fête le 21 novembre.

GÉLASE II (Jean de Gaète). ♦ (v. 1058 – Cluny, 1119). 159e pape (1118-1119). Chassé de Rome par Henri* V qui suscita l'antipape Grégoire* VIII, il les excommunia et se réfugia en France.

GELBOÉ ou **GUELBOÉ** [gɛlbɔe]. ♦ Montagne de Palestine (auj. Djebel Fuqu'a). Défaite et mort de Saül devant les Philistins (*I Samuel,* XXXI).

GELENBEVI (Baha). ♦ Réalisateur turc de cinéma (Istanbul, 1902) qui occupa une place prépondérante dans le cinéma national à ses débuts. Parmi ses nombreuses œuvres, on peut citer : *La Fontaine triste* (1943), *La Sirène* (1944), *La Flûte enchantée* (1946), *La Folle* (1948), *Le Pacha* (1951), *Barberousse* (1951), *Le Beau Pêcheur* (1953).

GELIMER. ♦ Dernier roi vandale d'Afrique (530-534). En déposant le souverain légitime Hildéric favorable au catholicisme, il fournit à Justinien Ier le prétexte à la reconquête de l'Afrique. Vaincu près de Carthage en 533 et 534 par Bélisaire, il se rendit. Il mourut en Asie.

GELLÉ (Marie Ernest). ♦ Médecin français (Beauvais, 1834 – Paris, 1923). Ses travaux sur l'anatomie, la physiologie et la pathologie de l'oreille font de lui un des fondateurs de l'otologie.

GELLÉE (Claude). ♦ **V.** LORRAIN (le).

GELLERT (Christian Fürchtegott). ♦ Écrivain allemand (Gräfenhainichen, Saxe, 1715 – Leipzig, 1769). Étudiant, puis professeur de poésie, d'éloquence et de morale à Leipzig, il fut l'un des écrivains les plus représentatifs et les plus célèbres de son époque, au point de mériter (après Melanchthon) le titre de « Praeceptor Germaniae ». Cependant ni ses *Fables et Récits* (1746), aux qualités plus morales que littéraires, ni ses comédies sentimentales, voire larmoyantes (*Die zärtliche Schwester,* 1747), ni même son roman psychologique dont le thème audacieux fit alors scandale (*La Vie de la comtesse suédoise de G.,* 1747) ne survécurent vraiment à leur temps.

GELL-MANN (Murray). ♦ Physicien américain (New York, 1929 –). Auteur de recherches sur les particules élémentaires pour lesquelles on lui doit une tentative d'établissement de classification. (Prix Nobel de phys., 1969.)

GÉLON. ♦ Tyran de Gela* et de Syracuse* (~ 540 – ~ 478). Commandant la cavalerie de Gela sous le tyran Hippocrate, il succéda à ce dernier en ~ 491. Ensuite il profita d'un appel des grands propriétaires terriens de Syracuse pour établir son pouvoir sur cette ville (~ 485), où il fit transporter la moitié de la population de Gela. Maître d'une grande partie de la Sicile, menacé par les Carthaginois qui prenaient pied dans l'île, il les défit à Himère (~ 480) et arrêta leur pénétration. Sous Gélon, Syracuse prospéra considérablement, fut agrandie et embellie. Son frère Hiéron* lui succéda.

GELONG-PA [*dGe-lûgs-pa*]. ♦ Nom donné au Tibet, à partir de 1357, à la secte lamaïque dite « des bonnets jaunes », fondée par Tsong*-Kha-pa.

GELOS [gelos]. ♦ Comm. des Pyrénées-Atlantiques, dans l'arr. et la banlieue O. de Pau*, sur le gave de Pau. 3 699 hab. Vins (jurançon*). Tanneries. Sandales. – Haras dans un château du XVIIIe siècle.

GELSENKIRCHEN. ♦ V. d'Allemagne occidentale (Rhénanie-Westphalie) au N.-E. d'Essen, sur l'Emscher et le canal Rhin-Herne. 351 000 hab. (1969). Premier centre charbonnier de la Ruhr*, la ville groupe des cokeries, des fonderies, aciéries et verreries. Depuis 1960, Gelsenkirchen a dû faire face à des problèmes de reconversion posés par la fermeture de nombreux puits de mine. D'autres secteurs d'activité (constructions automobiles, chimie, raffinage du pétrole, indus. de pointe) ont pris, surtout depuis 1966, une importance croissante.

GEMBLOUX, en néerl. **Gembloers.** ♦ Comm. de Belgique (prov. et arr. de Namur), à 43 km de Bruxelles. 11 256 hab. Abbaye bénédictine fondée au Xe s. (bâtiments du XVIIIe s.). Abbatiale bâtie sur une crypte romane. À quelques kilomètres, château du XIIIe s. (Corroy-le-Château). – Institut agronomique de l'État. Indus. alimentaires (brasseries). Mécanique de précision ; matériel chirurgical. Coutellerie. Indus. chimiques (laboratoires pharmaceutiques). Travail du cuir. – Édition. ♦ *Hist.* Victoire de don Juan d'Autriche sur les Flamands révoltés contre Philippe II (1578); des Français sur les Autrichiens (1794). – La ville fut occupée par l'armée française qui dut battre en retraite en 1940 (opération *Dyle*).

GÉMEAUX. *n. m. pl.,* en lat. *Gemini, -orum.* ♦ Constellation zodiacale; ses deux étoiles principales, Castor et Pollux, sont situées vers la limite N. de la constellation. Troisième signe du zodiaque (21 mai-22 juin). **V. Pollux.**

GÉMIER (Firmin TONNERRE, dit Firmin). ♦ Acteur et directeur de théâtre français (Aubervilliers, 1869 – Paris, 1933). Formé à l'école du mélodrame, interprète à ses débuts de Courteline, Jarry et François de Curel, il reçut l'influence d'Antoine avant d'assurer la direction de plusieurs théâtres parisiens, dont celle de l'Odéon (1922-1930). Sa pensée dominante fut de créer un théâtre populaire, mais aucune de ses tentatives (*Théâtre national ambulant,* 1911; *spectacles du cirque d'Hiver,* 1919; *Théâtre national populaire,* 1920; *festival d'art dramatique,* 1927) n'aboutit de façon durable. Il n'en demeure pas moins l'un des principaux artisans du mouvement théâtral moderne.

Ph. Ostuni-Diamante/Ricciarini

Gênes : vue générale.

GEMINIANI (Francesco). ♦ Compositeur et violoniste italien. (Lucques v. 1680 – Dublin, 1762). Élève de Corelli et de A. Scarlatti, il connut ses plus grands succès de virtuose à Londres, Paris et Dublin. Il a laissé plusieurs recueils (sonates, concertos grossos, trios) dans le style de Corelli. Ses écrits didactiques (*The Art of Playing on the Violin,* 1731; *A Treatise of Good Taste,* 1749) posent les bases d'une technique moderne du violon.

GEMINUS de Rhodes. ♦ Astronome et géomètre grec du ~ Ier siècle. Auteur d'une *Introduction aux phénomènes* et de nombreux écrits de vulgarisation.

GEMISTE PLÉTHON (Georges), en gr. **Geôrgios Gemistos Plêthôn.** ♦ Philosophe et humaniste byzantin (Constantinople, v. 1355 – dans le Péloponnèse, v. 1450). Fondateur de l'Académie platonicienne de Florence **(V. Ficin),** il écrivit un *Traité sur les lois* ainsi qu'un ouvrage sur la *Différence entre Aristote et Platon.*

GEMMI *(col de la),* en all. **Gemmipass.** ♦ Col des Alpes bernoises (Suisse) dominant Loèche-les-Bains à 2 314 m d'alt.

GÉMOZAC. ♦ Ch.-l. de cant. de la Charente-Maritime, arr. de Saintes. 2 257 hab. [1 032 aggl.]. Église XIIe-XIIIe siècle. – Distillerie.

GENABUM. ♦ Nom d'Orléans* à l'époque gallo-romaine. Cap. des Carnutes*.

GENDEBIEN (Alexandre). ♦ Homme politique belge (Mons, 1789 – Bruxelles, 1869). À la tête du parti libéral francophile, il prit part à la révolution de 1830 et soutint la candidature du duc de Nemours au trône de Belgique. Ministre de la Justice, il se retira de la politique en 1839, par opposition à Léopold Ier et à la perte du Limbourg et du Luxembourg.

Gendre de M. Poirier (Le). ♦ Comédie en cinq actes d'Émile Augier et de Jules Sandeau, représentée pour la première fois à Paris en 1854. C'est une variation sur le thème du *Bourgeois gentilhomme.*

GENDREY. ♦ Ch.-l. de cant. du Jura, arr. de Dole. 256 hab. Vignobles.

Généalogie de la morale (La). [*Zur Genealogie der Moral*]. ♦ Ouvrage de Nietzsche* (1887), écrit dans un style polémique et destiné à « accentuer la portée » de *Par*-delà le bien et le mal.* La première dissertation porte sur la psychologie du christianisme qui, selon Nietzsche, a pour origine le ressentiment des faibles à l'égard de la morale des maîtres; la seconde fait de la conscience morale, plus exactement de la mauvaise conscience et du sentiment de la faute, une forme intériorisée de la cruauté; la troisième analyse la signification de l'idéal ascétique, « idéal de décadence » où la volonté malade se transforme en négation de la vie en « un vouloir-mourir ».

GÉNELARD. ♦ Comm. de Saône-et-Loire (arr. de Charolles), entre le canal du Centre* et de la Bourbince*, à proximité de Montceau*-les-Mines. 1 909 hab. Église du XVIIe s., château du XVIIIe siècle. Indus. métallurgique et mécanique (matériel de mines et de manutention).

Generalife. *n. m.,* en ar. **Jannal-al-Arif.** ♦ Résidence d'été des souverains maures de Grenade*, décorée au XIVe siècle. Elle est composée de plusieurs corps de bâtiments souvent remaniés après la conquête. Le Generalife est surtout connu pour ses jardins, ses jets d'eau et son panorama sur l'Alhambra*.

GENERAL SAN MARTÍN. ♦ V. d'Argentine (banlieue O. de Buenos* Aires). Important centre industriel. 279 000 hab.

GENERAL SANTOS. ♦ V. des Philippines (île de Mindanao, prov. de Cotobato del Sur) sur la baie de Sarangani, dans l'extrême S. de l'île. 115 000 hab. Port de pêche et d'exportation de produits agricoles.

GÊNES, en it. **Genova.** ♦ V. d'Italie nord-occidentale, au fond du *golfe de Gênes,* cap. de la Ligurie*. 850 000 hab. *(Génois).* Encastrée entre l'Apennin et la mer, Gênes s'est attachée à vaincre les obstacles naturels et est devenue le premier port d'Italie et le second de Méditerranée après Marseille (plus de 52 millions de tonnes de trafic). Le port reçoit des produits lourds (minerai, fer, charbon, hydrocarbures) pour les grandes villes d'Italie continentale et les pays d'Europe occidentale (Suisse, Allemagne) et exporte des produits manufacturés. C'est la 3e ville industrielle d'Italie avec ses chantiers navals, ses raffineries, sa pétrolochimie, sa métallurgie lourde (aciéries de Carnigliano). La ville ancienne est tassée contre le port tandis que la nouvelle s'étend d'ouest en est, englobant les localités avoisinantes (Carnigliano, Sestri, Ponente, Voltri, Nervi). Capitale de la « riviera » ligurienne, Gênes est aussi une ville de tourisme et possède de nombreux monuments tels que le palais Bianco (XVIIe-XVIIIe s.), le palais San Giorgio (1260-1571), la cathédrale (XIe-XVIIIe), le Campo Santo. ♦ *Hist.* Alliée (*fin* ~ IIIe s.) puis municipe de Rome (v. ~ 200), elle appartint ensuite aux Hérules, aux Goths, aux Byzantins, aux Lombards et à Charlemagne. Au XIe s., elle lutta de concert avec Pise contre les musulmans de la mer Tyrrhénienne et de la Méditerranée occidentale. Ayant conquis son indépendance au XIIe s., elle l'aliéna bientôt à des consuls annuels puis à des podestats et ensuite à un « capitaine du peuple » (le premier fut G. Boccanegra*, 1257-1262). En 1339, *Gênes* calqua sur Venise l'institution du doge. Elle vit l'affrontement des grandes familles gibelines, comme les Spinola et les Doria*, et guelfes, comme les Fieschi (Fiesque*) et les Grimaldi*. Les croisades auxquelles les Génois participèrent leur donnèrent des concessions dans les pays du Levant puis dans l'Empire de Constantinople. En 1261, Gênes remporta une victoire temporaire sur Venise et en 1284 à la Meloria, une victoire défini-

Ph. Louis Monier

Jean Genet.

tive sur Pise*, ce qui lui donna la Sardaigne* et la Corse*. Rivale de Venise, Gênes avait acquis de l'empereur Michel VIII Paléologue des privilèges commerciaux très importants à Smyrne et à Constantinople (1261). Grâce aux Zaccaria, elle s'implanta à Phocée (Ionie) en 1275, puis à Chio (1304). D'autres comptoirs furent fondés en mer Égée aux XIVe et XVe s., ce qui permit à Gênes de faire du commerce en mer Noire où un comptoir avait déjà été établi à Caffa (Crimée) v. 1275. D'autres comptoirs furent établis sur la mer Noire au XIVe s.; ces derniers établissements étaient régis par l'institution de l'*Officium Gazarie,* dirigée par le consul de Caffa. De plus, Gênes s'établit à Famagouste* (Chypre) de 1373 à 1464. De 1376 à 1381, eut lieu le violent affrontement, dit guerre de Chioggia, où Venise fut finalement vainqueur. Au XVe s., Gênes ne pouvait plus lutter contre sa rivale et constitua ses compagnies privées, les *mahones,* en Banque de Saint-Georges (1407). Elle se donna aux rois de France, aux Visconti* et aux Sforza*. Après la prise de Constantinople (1453), son commerce déclina en Orient où elle perdit ses possessions. En 1528, Andrea Doria rechercha l'alliance de Charles Quint et établit une nouvelle constitution avec, à la direction du gouvernement, des doges élus pour deux ans, deux consuls et un censeur. Les Doria réussirent à faire échouer une conjuration des Fiesque en 1547. Bombardée sur l'ordre de Louis XIV en 1684, Gênes subit une brève occupation autrichienne en 1746. En proie à de graves ennuis d'argent, elle vendit la Corse* à la France en 1768. Elle fut occupée en 1796 par la France et devint la république Ligurienne en 1797. Défendue contre les Autrichiens par Masséna en 1800, annexée à la France en 1805, elle fut donnée au Piémont-Sardaigne par le congrès de Vienne (1815). – *Conférence de Gênes* (10 avr.-19 mai 1922). Tenue pour procéder à la reconstruction économique de l'Europe, elle n'aboutit à aucun résultat, excepté le traité germano-russe de Rapallo qui fut signé par la suite. – La V. fut bombardée par l'escadre française en 1940.

GÉNÉSARETH ou **GENNÉSARETH.** ♦ Dans les Évangiles synoptiques, localité située au N.-O. du lac de Tibériade*, et par extension nom donné à ce lac.

Genèse. *n. f.* (gr. *genesis,* traduisant l'hébreu *tôledôth,* « générations, généalogie »). ♦ Le premier livre du Pentateuque* et de la Bible. Son titre hébreu est *Berêshîth,* « Au commencement ». 50 chapitres racontent la Création, la faute d'Adam, le Déluge, la tour de Babel, les patriarches, l'installation d'Israël en Égypte. – Composition : **V. Pentateuque.**

GENEST ou **GENÈS** *(saint).* ♦ Parodiant, dans un mime représenté devant l'empereur Dioclétien, les cérémonies de l'Église chrétienne, il aurait reçu la révélation de la grâce. Cette conversion soudaine entraîna sa condamnation à mort. C'est le sujet de la tragédie de Rotrou*, *Saint Genest* (1646).

GENET (Jean). ♦ Écrivain et auteur dramatique français (Paris, 1910). Abandonné par sa mère à l'Assistance publique, il fut accusé de vol à dix ans; ce choc décisif (... « un mot vertigineux – Venu du fond du monde abolit le bel ordre ») détermina une vie errante jalonnée de séjours en prison, « ravine » d'un système social où règne, à ses yeux, « la force à l'état pur ». Désormais pour Genet, le mal sous toutes ses formes (vol, prostitution homosexuelle et délation) est érigé en critère éthique et esthétique : « Je décidai [...] de poursuivre mon destin [...] à l'inverse de vous-mêmes, et d'exploiter l'envers de votre beauté ». Écrits en prison, les poèmes d'apparence néo-classique de *Chant secret* (1945), puis des romans à la prose baroque, violente et raffinée (tels *Notre-Dame des Fleurs,* 1946, *Miracle de la rose,* 1947) célèbrent les héros du « monde délicat de la réprobation » et exaltent les « fastes de l'abjection » qui seuls, pour Genet, permettent de s'introduire « loin des voies banales, dans les parages infernaux ». Cette volonté délibérée de sacrilège (qui s'accompagne d'une haine violente pour le mensonge social) traduit en effet chez l'auteur la fascination devant la mort : « le mal a des rapports intimes avec la mort et c'est avec l'esprit de pénétrer les secrets de la mort que je me penche avec

Ph. Hétier

Genève.

tant de ferveur sur les secrets du mal ». Mise à jour privilégiée (depuis 1950) des hantises de son monde intérieur, le théâtre de J. Genet manifeste également son sens et son goût d'un cérémonial de la profanation; apologie constante de l'inversion des valeurs, *Les Bonnes* (1947), *Les Nègres* (1958), *Le Balcon* (1960), et *Les Paravents* (1966) déroulent des jeux ambigus suivant un rituel inspiré des fastes liturgiques; réaliste et lyrique au plus haut degré, ce théâtre provocant, et qui a suscité de tumultueux scandales, s'appuie sur une prose somptueuse et maîtrisée (« Ma victoire est verbale »). Auteur « excrémentiel » (F. Mauriac) ou « moraliste » (J.-P. Sartre, dans son considérable essai *Saint Genet, comédien et martyr,* 1952), J. Genet s'est expliqué sur son dessein avec une rigueur extrême dans le *Journal du voleur,* paru en 1949.

GENÈVE, en all. **Genf**, en it. **Ginevra**. ♦ V. de Suisse, ch.-l. du cant. de Genève, à l'extrémité S.-O. du lac Léman*. 169 500 hab. *(Genevois).* Aggl. 307 500 hab. Université. La ville est bâtie sur un site de collines réparties de part et d'autre du Rhône, à l'endroit où il reçoit l'Arve (r. g.) : sur la rive gauche s'étend la vieille ville (quartier de la Cité) avec ses hautes maisons anciennes (maisons de Calvin*, J.-J. Rousseau*, Saussure*) et ses rues étroites (rue de la Cité, Grand'Rue, rue de l'Hôtel-de-Ville) dominées par la cathédrale Saint-Pierre du XIIe s. (péristyle corinthien de Benoît Alfieri, 1749). Hôtel de ville (XVIe s.), musée d'Art et d'Histoire (retable de Konrad Witz*). Sur la rive droite s'étend la ville neuve : place et gare de Cornavin, quai du Mont-Blanc. La cité est entourée de nombreux parcs : jardin botanique, parc Barton, parc Mon-Repos, sur la rive droite, jardin anglais, parc des Eaux-Vives, parc de la Grange sur la rive gauche. Dans le port, à l'extrémité de la jetée des Eaux-Vives, se dresse le célèbre jet d'eau. — Important centre industriel : machines textiles, horlogerie, bijouterie, mécanique de précision, indus. chimique et alimentaire, manufacture de tabac. Centre commercial et financier. Aéroport international de Genève-Cointrin. — La ville abrite de nombreux organismes internationaux : le siège de l'O.N.U. pour l'Europe se trouve au palais des Nations, primitivement destiné à la S.D.N. (qui s'y réunit de 1937 à 1939). Genève est également le siège de l'Organisation internationale du travail (O.I.T.), de l'Organisation mondiale de la santé (O.M.S.), de l'Union internationale des télécommunications (U.I.T.), de l'Organisation météorologique mondiale (O.M.M.) et de la Croix-Rouge internationale. — Patrie de G. Ador*, H.F. Amiel*, Ch. Bonnet*, A. de Candolle*, I. Casaubon*, V. Cherbuliez*, D. Colladon*, H. Dunant*, J.-E. Liotard*, F. Martin*, G. Moynier*, Necker*, R. Pictet*, J. Pradier*, J.-J. Rousseau*, F. de Saussure*, Sismondi*, C. Sturm*, R. Tœpffer*, J.R. Tronchin*. ♦ *Hist.* Dès le ~ Ve ou ~ IVe millénaire, de nombreuses habitations sur pilotis s'établirent sur les bords du lac Léman. Oppidum des Allobroges, *Geneva* ou *Genva* passa sous la domination romaine au ~ IIe s. pour faire partie de la prov. de Vienne **(V. Narbonnaise)** au IVe siècle. Conquise par les Burgondes* en 443, elle tomba au pouvoir des Francs* en 534 puis fut rattachée au Saint-Empire en 1032. Le gouvernement de la ville était alors exercé par les évêques qui ne tardèrent pas à entrer en conflit avec les comtes du Genevois (le comté de Genevois, constitué au XIe s., comprenait la partie S.-O. de l'actuelle Savoie, sans Genève) et les ducs de Savoie. Les habitants de Genève, désireux de conquérir leurs libertés municipales, après s'être rapprochés tantôt des évêques, tantôt de la Savoie **(V. Amédée de Savoie)**, luttèrent à la fois contre l'un et l'autre parti. En 1530, le duc de Savoie dut reconnaître l'indépendance de la ville par le traité de Saint-Julien, mais les Genevois ne triomphèrent qu'après l'apparition de la Réforme, dont Guillaume Farel* fut le principal introducteur. Avec l'aide de Berne, Farel chassa définitivement l'évêque (1533) et fit de Genève une république libre. La Réforme fut officiellement adoptée le 21 mai 1536. C'est alors que Calvin donna à la ville une forte constitution, soumettant les habitants à une discipline morale très dure qu'il fit observer par un système de répression énergique (exécution de Michel Servet* en 1553). Avec l'aide de Théodore de Bèze*, il fonda l'académie de Genève en 1559 **(V. Calvin)**. Devenue la métropole du calvinisme, la cité accueillit les persécutés religieux de tous les pays (Clément Marot*, John Knox*). En 1602, le duc de Savoie, Charles-Emmanuel Ier tenta vainement de reprendre la ville par le coup de main de l'*Escalade* et dut signer le traité de Saint-Julien (1603) par lequel il renonçait définitivement à Genève. Le gouvernement de la ville étant peu à peu passé aux mains d'une aristocratie très fermée, le XVIIIe s. connut quelque agitation sociale : en 1707 (affaire Fatio), 1738, 1762-1768 (condamnation des livres de Rousseau), 1782, 1792 (renversement de l'aristocratie et proclamation de l'égalité de tous les citoyens). Occupée par les Français en avril 1798, Genève fut annexée à la France et devint chef-lieu du département du Léman. Elle ne recouvra son autonomie qu'en 1814. Centre commercial, bancaire et intellectuel, Genève commença à devenir dans la seconde moitié du XIXe s. la capitale diplomatique internationale qu'elle est encore de nos jours. — *Conférences de Genève.* Du 26 avril au 21 juillet 1954, une conférence groupant dix-neuf puissances dont celles de l'Alliance atlantique, l'U.R.S.S. et la Chine, se réunit pour régler les questions de Corée* et du Viêt*-nam. Échouant sur le premier point, la conférence, sur l'impulsion de P. Mendès France (devenu président du Conseil le 17 juin), aboutit à un cessez-le-feu entre la France et les représentants du Viêt-nam, du Laos et du Cambodge. Le Viêt-nam était divisé en deux zones limitées par le 17e parallèle. En juillet 1955, une conférence au sommet réunit les États-Unis (Eisenhower), l'U.R.S.S. (Khrouchtchev et Boulganine), le Royaume-Uni (Eden) et la France (E. Faure); elle eut pour effet d'atténuer le climat de guerre froide. — *Conventions de Genève.* Nom donné à plusieurs conventions internationales sur la protection des victimes de guerre, signées par 58 gouvernements et par le Saint-Siège. La première fut conclue le 24 août 1864 sur l'initiative de la Croix-Rouge **(V. Croix-Rouge)**. Quatre autres furent signées le 12 août 1949. — *Canton de Genève.* 283 km². La population du canton est légèrement supérieure à celle du Grand Genève. Très urbanisé, le canton correspond dans sa presque totalité à l'agglomération genevoise. Vignobles, cultures maraîchères. — Patrie de J. Mallet* du Pan (Céligny), H.B. Saussure* (Conches).

GENÈVE *(lac de).* ♦ **V.** LÉMAN (lac).

GENEVIÈVE *(sainte).* ♦ Vierge chrétienne, patronne de Paris (Nanterre, v. 422 — Paris, 502). Ses prières auraient détourné de Lutèce les armées d'Attila (451). Elle fut enterrée sur la montagne Sainte-Geneviève (actuel Panthéon) et ses reliques passèrent pour capables d'éloigner les désastres de la ville. — Fête le 3 janvier.

Geneviève de Brabant. ♦ Légende populaire du Moyen Âge dont la première transcription fut donnée par Jacques* de Voragine dans sa *Légende dorée* (XIIIe s.). Fille du duc de Brabant, Geneviève épouse Siegfried, comte palatin de Trèves. Peu après leur mariage, il part combattre les Sarrasins avec Charles Martel, laissant sa jeune épouse, dont il ignorait qu'elle était enceinte, à la garde de son intendant Golo. Celui-ci, ayant en vain tenté de la séduire, l'accuse, par dépit, d'adultère auprès de Siegfried, qui la condamne à mort. Sauvée par ses serviteurs qui l'abandonnent dans les bois avec son enfant, elle est reconnue après plusieurs années par son époux, venu chasser en ces lieux. Elle peut lui prouver son innocence et le traître Golo est châtié. Toutefois Geneviève, incarnation de la vertu persécutée mais victorieuse, meurt peu après. Cette légende inspira de nombreux écrivains (F. Müller, Tieck, Hebbel) et musiciens (Haydn, Schumann, J. Offenbach).

GENEVOIS. *n. m. (massif du).* ♦ Autre nom du massif des Bornes*.

GENEVOIX (Maurice). ♦ Écrivain français (Decize, 1890). Brillant normalien qui connut l'épreuve de la Première Guerre mondiale (il fut gravement blessé aux Éparges), M. Genevoix se fit connaître avec *Ceux de Quatorze* (*Sous Verdun,* 1916; *Nuits de guerre,* 1917; *Au seuil des guitounes,* 1918; *La Boue,* 1921), inspiré par ses souvenirs de soldat. Habile à percevoir « l'innombrable toucher de l'espace familier », il s'attacha ensuite à célébrer son pays de Loire, « ce pré carré français », évoquant avec une tendresse pudique gens et bêtes auprès des bois, landes et étangs de Sologne : *Rémi des Rauches* (1922), puis *Raboliot* (prix Goncourt, 1925) peignent des êtres, passionnés jusqu'à la violence, mais toujours en accord avec le pays qui les entoure, la nature étant pour eux le refuge et l'exemple : qu'ils s'inspirent des mœurs rustiques de l'Orléanais (*Rrôu,* 1930; *Marcheloup,* 1934; *Agnès, la Loire et les garçons,* 1965; *La Forêt perdue,* 1967), évoquent les paysages du Canada (*Laframboise et Belle-Humeur,* 1942; *Éva Charlebois,* 1944) ou fassent le portrait de l'Afrique (*Fatou Cissé,* 1954; *Afrique blanche et noire,* 1949), les récits de Genevoix illustrent, sans emphase, un naturalisme optimiste : « Quels miracles d'invention, quelle fantaisie sans trêve inspirée, quels éblouissants prodiges » offre la nature! Particulièrement inspiré pour évoquer avec un réalisme poétique des figures d'animaux (*La Dernière Harde,* 1938, analyse l'attitude complexe de la bête envers l'homme), l'écrivain a rattaché des réflexions morales à ses descriptions dans *Tendre Bestiaire* (1969), suivi de *Bestiaire enchanté* et de *Bestiaire sans oubli,* ouvrages tout nourris de sa vie intérieure. (Acad. fr., 1946; secrétaire perpétuel, 1958-1974.)

GENÈVRE *(col du mont)*. ♦ Col des Alpes (Hautes-Alpes*), au-dessus de Briançon*, à la frontière franco-italienne. 1 850 m. Hannibal* utilisa peut-être cette route. Aujourd'hui station d'été et de sports d'hiver.

GENGENBACH (Pamphilus). ♦ Écrivain suisse d'expression allemande (Bâle, v. 1480 – 1524 ou 1525). Il est connu pour ses *Fastnachtspiele* (farces de carnaval), *Les Dix Âges de la vie* (1516), *Nollhart* (1517), *Le Camp des fous d'amour* (1521) et *Le Dévoreur de cadavres* (*Der Totenfresser*, 1521), satire de la messe des morts qu'il écrivit après être passé à la Réforme.

GENGIS QÂN ou **GENGIS KHÂN.** ♦ **V.** TEMÜJIN.

GENGOU (Octave). ♦ Bactériologiste belge (Ouffet, 1875 – 1957). Élève de J. Bordet*, il isola avec lui le bacille de la coqueluche *(bacille de Bordet-Gengou)*.

Génie du christianisme (Le). ♦ Œuvre de Chateaubriand* (1802), conçue pour répondre aux critiques des philosophes du XVIIIe s. en soulignant les « beautés morales et poétiques » du christianisme. Voulant « porter un grand coup au cœur et [...] frapper vivement l'imagination », Chateaubriand recherche ce que les chefs-d'œuvre doivent à l'esprit chrétien (contribuant ainsi à fonder la critique historique) et conclut par la supériorité du merveilleux chrétien sur le merveilleux païen, en exaltant le Moyen Âge et l'art gothique, qui connaîtront désormais la faveur des romantiques. Cette démonstration plus poétique que théologique, dont le succès fut immense et qui contribua à ranimer le sentiment religieux, est notamment prétexte à des descriptions admirables des grands spectacles naturels.

GENIL. *n. m.* ♦ Fl. d'Espagne méridionale (Andalousie*), affl. de la r. g. du Guadalquivir*. 211 km. Né dans la sierra Nevada, il arrose Grenade et Ecija. La canalisation de ses eaux a permis l'irrigation et la mise en culture de vastes étendues.

GÉNISSIAT. ♦ Localité de l'Ain*, comm. d'Injoux. Grand barrage sur le Rhône et puissante usine hydro-électrique. Le barrage, haut de 103 m, long de 140 m, retient 53 000 000 de m^3 d'eau (submergeant les gorges du Rhône, près de Bellegarde*-sur-Valserine). La centrale produit 1 800 000 000 de kWh par an (elle se place au 2e rang de la production française, après Donzère*-Mondragon). En aval, le barrage de Seyssel*.

GENIUS. ♦ Divinité symbolisant le principe spirituel inhérent à chaque individu, à chaque lieu et à chaque personne morale (collège, cité), dans la religion romaine. Le *Genius* avait pour fonction essentielle de conserver en vie l'homme ou la chose à laquelle il était lié. Le *Genius Augusti* fut l'objet d'un culte très important dans la Rome impériale. Peu à peu, le Génie fut identifié aux mânes* et considéré comme un élément immortel (Cf. Génie, *in* Robert).

GENJI. ♦ **V.** MINAMOTO.

Genji-monogatari (« Roman de Genji »). ♦ Célèbre ouvrage romancé, en cinquante-quatre chapitres, dû à la poétesse japonaise Murasaki* Shikibu (1004), racontant les aventures d'un noble et de son fils à la cour de Heian* à la fin du Xe siècle. Ce fut le premier grand roman japonais. Il est précieux pour l'histoire sociale de l'époque. Il est écrit en caractères syllabiques hiragana.

GENK. ♦ Comm. de Belgique (Limbourg, arr. de Hasselt) caractéristique de la Campine (740 ha de bruyères, 1 420 ha d'anciennes dunes couvertes de pins). 55 800 hab. Indus. alimentaires (brasseries). Imprimerie. Constructions mécaniques. Houillères.

GENLIS (Stéphanie Félicité du CREST de SAINT-AUBIN, *comtesse de***).** ♦ Écrivain français (Champcéri, Bourgogne, 1746 – Paris, 1830). Dame d'honneur de la duchesse de Chartres (1770), elle se vit confier l'éducation des enfants de la famille d'Orléans (notamment celle du futur Louis-Philippe) et s'inspira ingénieusement pour mener à bien cette tâche, des idées de Rousseau. Elle écrivit de nombreux ouvrages pédagogiques : *Théâtre d'éducation* (1779), *Adèle et Théodore* (roman, 1782), *Veillées du château* (contes, 1784)... Attachée aux idées des philosophes, elle se montra d'abord favorable à la Révolution ; puis elle émigra (Angleterre, Suisse, Belgique et Allemagne) pour rentrer en France en 1800, et se voir nommer par Bonaparte dame inspectrice des écoles primaires. Moins bien en cour à la Restauration, elle continua cependant à composer d'innombrables ouvrages. Outre *Les Petits Émigrés* (1798), *La Duchesse de La Vallière* (1804), *Mademoiselle de Clermont* (1802), etc., on peut citer ses *Mémoires inédits sur le XVIIIe siècle et sur la Révolution* (dix vol. ; 1825) où elle narre quantité d'anecdotes, parfois scandaleuses, sur la cour et la société qu'il lui fut donné de connaître.

Ph. Hétier

Génissiat : le barrage sur le Rhône.

GENLIS. ♦ Ch.-l. de cant. de la Côte-d'Or (arr. de Dijon), dans le Dijonnais*. 3 219 hab. Château du XVIIIe s. Importantes verreries. Constructions mécaniques ; électronique.

GENMEI-TENNÔ. ♦ Nom posthume de l'impératrice japonaise Ame no Hime-Mido (662 – 722) qui régna de 708 à 714. Elle fit frapper les premières pièces de monnaie japonaises, et ordonna la rédaction des deux plus anciennes chroniques historiques du Japon, le *Kojiki** et le *Nihonji* (712 et 720). Elle transféra sa capitale à Nara* (alors appelée Heijô-kyô).

GENNES. ♦ Ch.-l. de cant. du Maine-et-Loire, arr. de Saumur. 1 447 hab. (794 aggl.). – Églises Saint-Eusèbe et Saint-Vétérin (XIe-XIVe s.). Aqueduc gallo-romain. – Conserverie.

GENNEVILLIERS. ♦ Ch.-l. de cant. des Hauts-de-Seine (arr. de Nanterre) sur la Seine, au N. de Paris. 46 099 hab. Port sur la Seine, annexe principale du port de Paris. – Eglise Sainte-Marie-Madeleine (XVIe-XVIIe s.). – Cultures maraîchères ; champs d'épandage des égouts de Paris. Gazomètres ; centrale électrique. Indus. automobile ; matériel ferroviaire ; produits pharmaceutiques ; aciéries ; fonderies ; raffineries de pétrole.

GÉNOLHAC [ʒenɔlak ; – jak]. ♦ Ch.-l. de cant. du Gard (arr. d'Alès). 977 hab. Tour de l'église du XIe siècle. Anc. écuries des dragons de Villars (XVIIe s.). – Station estivale. – Produits tannants, plomb argentifère.

GENOUDE (Antoine Eugène GENOUD, connu sous le nom de**).** ♦ Journaliste français (Montélimar, 1792 – Hyères, 1849). Après avoir été disciple des philosophes du XVIIIe s. (Voltaire, Helvétius, d'Holbach), il devait mettre sa plume au service du catholicisme, collaborant au journal *le Conservateur* (1818) et assumant à partir de 1830 la direction de *la Gazette de France*. Hostile à la monarchie de Juillet, il se fit le porte-parole de la branche légitime, tout en revendiquant à cette époque le suffrage universel.

Gens de lettres *(Société des)*. ♦ Fondée en 1838, elle doit défendre les intérêts des écrivains.

GENSÉRIC ou **GEISÉRIC.** ♦ Premier roi vandale d'Afrique (428-477, date de sa mort). Il conduisit les Vandales* à la conquête de l'Afrique (429). Après avoir vaincu Boniface à Hippone (Bône) en 431 et pris Carthage (439) où il établit sa capitale, il se rendit maître d'une partie de l'Afrique romaine en 442. Il dépouilla les Romains de leurs terres et persécuta les catholiques. Il conquit le littoral de l'Afrique du Nord, jusqu'à la Tripolitaine, les îles de la Méditerranée occidentale et mena des expéditions de pillage dans tout l'Empire romain (principalement à Rome en 455).

GENSHIN. ♦ Religieux bouddhiste japonais (942 – 1017) et peintre connu sous le nom de Eshin Sôzu. Il écrivit de nombreux ouvrages édifiants sur la dévotion à Amida **(V. Amitâbha)** et peignit des sujets religieux.

GENSONNÉ (Armand). ♦ Homme politique français (Bordeaux, 1758 – Paris, 1793). Avocat au parlement de Bordeaux, il fut un des principaux représentants du mouvement girondin* et siégea à l'Assemblée législative, où il contribua à faire voter le décret d'accusation contre les frères du roi et la déclaration de la guerre à l'Autriche (avr. 1792). À la Convention, il se montra un des plus violents adversaires des Montagnards. Après l'élimination des chefs girondins de la Convention (2 juin 1793), il fut arrêté, condamné à mort et guillotiné.

GENT. ♦ Nom néerlandais de Gand*.

GENTBRUGGE. ♦ V. de Belgique, faubourg de Gand* (Flandre-Orientale), sur la r. d. de l'Escaut. 23 100 hab. Horticulture. – Terrains de sports.

GENTIL (Émile). ♦ Explorateur français (Volmunster, Moselle, 1866 – Bordeaux, 1914). Après avoir exploré la région du Chari et du lac Tchad (1895-1898), il rejoignit la mission de Foureau* et Lamy* (Fort-Archambault, 1900) et contribua à la chute de l'empire de Rabah ; il fut ensuite nommé commissaire du gouvernement au Congo français.

GENTIL (Louis). ♦ Explorateur et géologue français (Alger, 1868 – Paris, 1925). Il explora le bassin de la Tafna (1902) puis le Maroc [en particulier l'Atlas] *(Au cœur de l'Atlas*, 1910 ; *Le Maroc physique*, 1912. Il est l'auteur de la première carte géologique du Maroc).

GENTILE (Giovanni). ♦ Philosophe et homme politique italien (Castelvetrano, Sicile, 1875 – Florence, 1944). Néo-hégélien **(V. Hégélianisme),** disciple de Spaventa* et ami de Croce*, il développa dans sa *Théorie générale de l'Esprit comme acte pur* (1916) un « idéalisme actualiste qui tend vers le subjectivisme ». Ministre de l'Éducation nationale sous Mussolini (1922-1924), puis membre du conseil fasciste, il fut exécuté par les partisans de la Résistance.

GENTILE da Fabriano. ♦ Peintre italien (Fabriano [Marches], v. 1370 – Rome, 1427). Passé maître dans l'art gothique international, il séjourna à Venise (1408 –) où il enseigna à J. Bellini* (Jacobello del Fiore, Giambono), puis à Brescia (1414-1419), Florence (1422-1425) et Rome, enrichissant toujours de traits locaux son style précieux, dont il reste peu d'exemples : le plus brillant est l'*Adoration des Mages* de 1423 (Offices et Louvre), composition élégante et savante où le peintre a représenté avec un égal talent, dans un luxe de détails, hommes et bêtes, nature et architectures. Pisanello* acheva, à Venise et Rome, ses fresques (disparues) qui durent contribuer à maintenir son influence durant tout le XVe siècle.

GENTILESCHI (Orazio LOMI, dit). ♦ Peintre et décorateur italien (Pise, 1565 – Londres, 1647). Marqué lors de sa formation par le maniérisme toscan, il se rendit à Rome vers 1585, fut l'un des premiers à saisir la nouveauté des œuvres de Caravage, puis fut sensible à G. Reni. Si dans ses premières œuvres le « ténébrisme » et la composition se mêlent à des réminiscences formelles issues du maniérisme *(Les Martyrs Valériens),* il sembla incliner ensuite l'apport caravagesque dans un sens plus classique, évitant les contrastes brutaux d'ombre et de lumière et employant des tons moins vifs. Il adoucit les passages *(Joueuse de luth)* et plaça les figures en pleine lumière en insistant sur le modelé. Il réalisa quelques grandes décorations (*Logetta Rospigliosi* à Montecavalo, 1611-1612), travailla dans les Marches, à Gênes (1621 à 1623), à Paris (1624) et devint peintre de la cour d'Angleterre à partir de 1626. Il fut l'un des principaux propagateurs d'un caravagisme familier et populaire, aux accents parfois mélancoliques et retenus. ♦ ARTEMISIA (Rome, 1597 – Naples, après 1651), sa fille, qui travailla dans un style assez proche, séjourna à Londres vers 1638-1640 et éclipsa la gloire de son père. Elle peignit de nombreux portraits et des scènes bibliques cruelles *(Judith et sa servante)* et revint à Naples en 1642 où elle fut chargée de trois œuvres destinées à la cathédrale de Pozzuoli.

GENTILINI (Enrico). ♦ Publiciste italien (Alessandria, 1806 – ? après 1874). Impliqué en 1833 dans une tentative révolutionnaire du mouvement « Jeune Italie » **(V. G. Mazzini)**, il se réfugia à Genève, puis en France. Socialiste, il fut avant tout un théoricien de la guerre révolutionnaire (*Guida del milite*, 1836 ; *La Guerre des francs-tireurs ou des partisans,* 1848).

GENTILLY. ♦ Comm. du Val-de-Marne (arr. de Créteil) sur la Bièvre. 18 812 hab. Métallurgie. Indus. électrique et électronique.

GENVAL. ♦ Comm. de Belgique (Brabant, arr. de Nivelles) aux environs de Bruxelles. 6 000 hab. Reproduction du hameau de Marie-Antoinette à Versailles, au bord d'un lac de 18 hectares. Etablissement thermal sur la r. sud. – Marché agricole. Papeterie.

GEOFFRIN [ʒɔfʀɛ̃] **(Marie-Thérèse RODET, *Mme*).** ♦ (Paris, 1699 – 1777). Elle tint un salon célèbre où elle réunissait artistes, savants, écrivains et philosophes (notamment Helvétius* et d'Alembert*). Subventionnant l'Encyclopédie* et recevant des étrangers de marque, elle acquit une renommée européenne.

GEOFFROI. ♦ Nom de six comtes d'Anjou, dont *Geoffroi V* le Bel, surnommé *Plantagenêt* à cause de la branche de genêt qu'il portait à son casque (1111 – 1151). Comte d'Anjou et du Maine (1131-1151). Fils de Foulques* V d'Anjou, il acquit la Normandie par son mariage avec Mathilde*, fille d'Henri Ier d'Angleterre (1128) et réussit à s'y maintenir après 1135 contre Étienne* de Blois, roi d'Angleterre. – Père d'Henri* II d'Angleterre.

Arch. Smeets

Gentileschi : « Joueuse de Luth ». (National Gallery, Washington D.C.)

GEOFFROI Ier DE VILLEHARDOUIN, *prince d'Achaïe.* ♦ (v. 1209 – v. 1230). Neveu du chroniqueur. **(V. Villehardouin).** ♦ GEOFFROI II, prince d'Achaïe* (v. 1230 – 1246), fils du précédent.

GEOFFROY (Étienne François), dit **GEOFFROY l'Aîné.** ♦ Médecin et chimiste français (Paris, 1672 – 1731). Il présenta, en 1718, à l'Académie des sciences, un tableau donnant l'ordre dans lequel les substances sont déplacées les unes par les autres dans leurs composés (première table d'affinités). **V. Glauber.** Il étudia également les sels métalliques. (Acad. sc., 1699.)

GEOFFROY (Claude Joseph), dit **GEOFFROY le Jeune.** ♦ Chimiste et botaniste français (Paris, 1685 – 1752). Il détermina la composition du sulfate de soude [1732] **(V. Glauber),** étudia le bismuth [1753] et les laitons ; en botanique, il effectua notamment des travaux sur la fécondation (*Mémoire sur la structure et sur l'usage des diverses parties des fleurs,* 1711). **V. *aussi* Boerhaave.**

GEOFFROY (Étienne Louis). ♦ Médecin et naturaliste français (Paris, 1725 – Chéry-Chartreuse, Aisne, 1810). On lui doit une classification des coléoptères. (Acad. sc., 1798.)

GEOFFROY SAINT-HILAIRE (Étienne). ♦ Naturaliste français (Étampes, 1772 – Paris, 1844). Il s'intéressa à la minéralogie avant de devenir professeur de zoologie au Muséum (1793), où Cuvier* travailla avec lui. En 1798, il participa à l'expédition de Bonaparte en Égypte, où il recueillit de nombreuses observations sur diverses espèces animales (en particulier reptiles et poissons). Ses travaux d'anatomie comparée et de paléontologie furent guidés par l'idée d'un plan unique d'organisation des êtres vivants et des principes féconds tels que celui du balancement des organes et surtout celui des connexions anatomiques. Il découvrit ainsi le véritable système dentaire des oiseaux, mit en évidence les analogies des squelettes de tous les vertébrés et montra le rôle de l'embryogénie pour comprendre l'organisation de l'être vivant. Fondateur de l'embryologie et de la tératologie expérimentale, il fut amené par ses recherches à soutenir contre Cuvier* la théorie de l'épigenèse et le transformisme, affirmant que les modifications des espèces sont dues à l'influence directe du milieu. Œuv. : *Philosophie anatomique,* 1818-1822 ; *Principes de philosophie zoologique,* 1830. ♦ ISIDORE GEOFFROY SAINT-HILAIRE, son fils. Naturaliste français (Paris, 1805 – 1861). Il poursuivit ses travaux, particulièrement en tératologie, enseigna au Muséum et à la Sorbonne, et fonda la Société d'acclimatation de France.

GEORGE Ier (Hanovre, 1660 – Osnabrück, 1727). ♦ Roi de Grande-Bretagne et d'Irlande (1714-1727), Électeur de Hanovre sous le nom de *George-Louis* (1698-1727). – Fils d'Ernest-Auguste, 1er Électeur de Hanovre, et petit-fils, par sa mère, de Jacques* Ier d'Angleterre, il épousa sa cousine Sophie-Dorothée de Zelle, qu'il fit emprisonner en 1694. À la mort d'Anne* Stuart, il fut appelé à lui succéder en vertu de l'Acte d'établissement*, mais continua à résider le plus souvent possible en Allemagne, laissant le gouvernement de l'Angleterre aux mains du parti whig qui l'avait mis sur le trône (Stanhope*, puis Walpole*). Sous son règne, l'Angleterre prit part à la Triple puis à la Quadruple-Alliance* (1718) contre l'Espagne.

GEORGE II. ♦ (Herrenhausen, près de Hanovre, 1683 – Londres, 1760). Roi de Grande-Bretagne et d'Irlande, Électeur de Hanovre (1727-1760). Comme son père George* Ier, il laissa d'abord gouverner le parti whig, sous l'autorité de Walpole*. Cependant, le pacifisme de celui-ci mécontenta l'opinion. Son ministère tombé, l'Angleterre s'engagea dans la guerre de Succession d'Autriche (1741-1748) mais cette campagne tourna au désastre, malgré l'élection de Pitt* dont l'ascendant ne cessa de croître avec la guerre de Sept Ans (1756-1763) et l'expansion coloniale de l'Angleterre aux Indes et en Amérique. La victoire de Culloden* (1746), acquise par le fils de George II, William, duc de Cumberland*, avait définitivement affermi la dynastie des Hanovre. George II a été le fondateur de l'université de Göttingen.

GEORGE III. ♦ (Londres, 1738 – Windsor, 1820). Roi de Grande-Bretagne et d'Irlande (1760-1820), Électeur puis roi de Hanovre. Petit-fils de George* II, il fut le premier roi de la dynastie des Hanovre qui eût reçu une éducation britannique et qui voulût exercer une autorité. Mais sa politique trop contraire aux libertés traditionnelles et aux grands intérêts économiques lui aliéna l'opinion. Ses ministres Bute*, puis North* durent se retirer. Le traité de Paris, qui conclut la guerre de Sept Ans, fut jugé trop doux, et des mesures maladroites avaient entraîné la guerre avec l'Amérique, dont l'indépendance fut reconnue en 1783. À cette date, George III, qui était en proie à des troubles mentaux depuis 1765, avait renoncé à tout gouvernement personnel ; il sombra définitivement dans la folie en 1810. Son règne fut dominé par le second Pitt*. Le roi avait eu pour fils les futurs George IV, Guillaume IV, Édouard (père de Victoria) et Ernest-Auguste, roi de Hanovre.

GEORGE IV. ♦ (Londres, 1762 – Windsor, 1830). Roi de Grande-Bretagne et d'Irlande, roi de Hanovre (1820-1830). Régent pendant la fin du règne de son père George* III, dément, il devint roi en 1820 et encouragea la politique conservatrice menée par Castlereagh* et Wellington*, alors qu'il avait été le chef de l'opposition libérale quand il était prince de Galles. Il eut cependant Canning* pour ministre et accorda l'émancipation des catholiques. Sa vie dissolue, son divorce scandaleux d'avec Caroline de Bruns-

Arch. Rencontre

Saint Georges et le dragon.
(Icône du XVIe s.) (Musée russe de Leningrad).

wick (épousée de force, alors qu'il était marié secrètement à Mrs Fitzherbert) contribuèrent à discréditer la couronne.

GEORGE V. ♦ (Londres, 1865 – Sandringham, 1936). Roi de Grande-Bretagne et d'Irlande (1910-1936). Second fils d'Édouard* VII auquel il succéda, en raison de la mort de son frère aîné, le duc de Clarence. Son règne fut dominé par la Première Guerre mondiale et les difficultés économiques et sociales qui la suivirent, et par la constitution du Commonwealth. Son attitude démocratique et constitutionnelle contribua à la popularité de la couronne.

GEORGE VI. ♦ Roi de Grande-Bretagne et d'Irlande (Sandringham, 1895 – *id.*, 1952). Second fils de George V, il succéda à son frère Édouard VIII après l'abdication de ce dernier et, par sa simplicité, acquit une certaine popularité auprès des Anglais lors de la Seconde Guerre mondiale. Il créa la décoration dite *George Cross.*

GEORGE (Marguerite WEIMER, dite ***Mlle*****).** ♦ Actrice française (Bayeux, 1787 – Passy, 1867). Sociétaire de la Comédie-Française où elle interpréta avec talent la tragédie classique, elle se voua, après 1830, au drame romantique.

GEORGE (Henry). ♦ Publiciste et homme politique américain (Philadelphie, 1839 – New York, 1897). Journaliste, éditeur, il s'est intéressé aux problèmes économiques et sociaux et, dans son ouvrage *Progrès et Pauvreté* (1879), il préconisa l'instauration d'une taxe unique sur la plus-value comme moyen de lutter contre le bénéfice réalisé par les propriétaires fonciers. Ses positions influencèrent le mouvement *fabian* en Angleterre (S. et B. Webb).

GEORGE (Lloyd). ♦ **V.** LLOYD GEORGE.

GEORGE (Stefan). ♦ Poète allemand (Büdesheim, Rhénanie, 1868 – Minusio, près de Locarno, 1933). Élevé dans une famille catholique, il perdit la foi vers 14 ans; mais son œuvre garde l'empreinte d'une profonde religiosité. D'inspiration romantique, ses premiers poèmes publiés sous le titre *L'Abécédaire* laissent déjà apparaître les thèmes propres de son œuvre (mission du poète, volonté de maîtriser la vie). Parti à l'étranger (1888) afin de parfaire sa connaissance des langues, pour lesquelles il montrait un don précoce, il fréquenta à Paris les milieux symbolistes et y précisa sa conception de la poésie. Rigueur formelle et symbolisme ésotérique : tels sont les caractères essentiels de son esthétisme aristocratique, qui s'opposait au naturalisme et à la littérature sociale **(V. A. Holz).** Les poèmes qu'il écrivit de retour en Allemagne expriment sa recherche du divin, d'un idéal de perfection (*Hymnes,* 1890; *Pèlerinages,* 1891; *Algabal,* 1892). En 1891, il fonda avec H. von Hofmannsthal une revue littéraire, *Les Feuilles pour l'art (Blätter für die Kunst).* Bientôt se réunit autour de lui un cénacle qui devint un cercle de disciples fervents (L. Derleth, F. Gundolf, M. Kommerel, K. Wolfskehl). Si *Le Livre des églogues et des louanges* (1895) et *L'Année de l'âme* (1897) expriment la lassitude et la mélancolie d'un poète enfermé dans sa solitude et dénonçant, après les penseurs orientaux, « le mensonge de l'être et du monde », *Le Tapis de la vie* (1899) marque une étape décisive dans l'évolution spirituelle de S. George. L'esthète en quête d'un idéal hors du réel se fit progressivement mage, prophète d'une nouvelle communauté spirituelle, poète-éducateur. Dans *Le Septième Anneau* (1907), *L'Étoile de l'alliance* (1913) et *Le Nouveau Règne* (1928), il formule une éthique dont certains caractères rappellent la morale aristocratique de Nietzsche (hostilité à l'égard de la décadence, de la vulgarité, etc.). Le caractère prophétique et le patriotisme de son œuvre ont permis de la déformer dans le sens du national-socialisme, à l'avènement duquel il quitta pourtant l'Allemagne. Rénovateur du lyrisme, S. George fut aussi l'un des artisans et « purificateurs » de la langue allemande. Outre un recueil en prose (*Jours et Actes; Tage und Taten,* 1903-1933), il a donné de nombreuses traductions (les sonnets de Shakespeare, Dante, Mallarmé, Baudelaire, Verlaine, Rimbaud).

GEORGE (Pierre). ♦ Géographe français (Paris, 1909). Spécialisé en géographie humaine, il a publié des ***Précis de géographie*** *économique* (1956), *urbaine* (1961), *rurale* (1963) et de très nombreuses monographies.

George Cross. ♦ Décoration britannique créée en 1940 par George VI, pour récompenser les actes de bravoure ne relevant pas des honneurs militaires.

George Dandin ou le Mari confondu. ♦ Comédie en 3 actes, en prose, de Molière* (1668). Riche paysan, Dandin a épousé Angélique de Sottenville, fille d'un gentilhomme ruiné. Berné par sa femme qui le trompe avec Clitandre, il se voit bâtonné sur l'ordre de celle-ci pour avoir osé mettre sa fidélité en doute. Il lui faudra même présenter des excuses à Clitandre et solliciter le pardon d'Angélique. La différence des origines sociales et les inconvénients qui découlent de telles mésalliances sont clairement soulignés par Molière dans cette comédie cruelle et misogyne où la femme infidèle demeure impunie et où le mari trompé reste seul avec sa disgrâce.

GEORGES *(saint).* ♦ Martyr chrétien dont le culte existait à Lydda (Palestine) dès le Ve s. et qui n'est connu que par une légende : officier, il tue le Dragon à qui une princesse va être sacrifiée. Ce combat est traditionnellement localisé à Beyrouth. Le culte de saint Georges se répandit à partir du VIe s. en Orient et en Occident, mais se développa en Europe au retour des croisades. Saint Georges devint alors le type du paladin. Patron de Gênes, Venise, Barcelone et de l'Angleterre. – Fête le 23 avril.

GEORGES Ier. ♦ Roi de Grèce (Copenhague, 1845 – Thessalonique, 1913). Fils de Christian* IX roi de Danemark, il fut élu roi après la destitution d'Othon* (1863). Son règne coïncide avec l'agrandissement territorial de la Grèce, la guerre malheureuse de 1897 et les guerres balkaniques. Il fut assassiné. Son fils cadet Georges fut nommé haut commissaire de la Crète* autonome. Son fils aîné Constantin* lui succéda.

GEORGES II. ♦ Roi de Grèce (palais de Tatoï, Athènes, 1890 – Athènes, 1947). Il monta sur le trône en 1922, après l'abdication de son père Constantin* Ier, mais fut détrôné en 1923 par le mouvement républicain de Vénizélos*. Rappelé en 1935 par le plébiscite de Condylis*, il confia le gouvernement à Métaxas* qui instaura la dictature. Exilé de nouveau lors de l'occupation de la Grèce en 1941, il ne rentra qu'en 1946, après une période de régence assurée par Damaskinos*. Son frère Paul* lui succéda.

GEORGES Podiébrad. ♦ (Podébrady, Bohême, 1420 – Prague, 1471). Roi de Bohême (1458-1471). Hussite, chef du parti utraquiste, il prit Prague aux catholiques (1448) et administra le royaume. Proclamé roi à la mort de Ladislas, il dut faire face à la croisade de Mathias Corvin en 1466-1469 et parvint à la chasser. Son successeur fut Ladislas Jagellon.

GEORGES (Joseph). ♦ Général français (Montluçon, 1875 – Paris, 1951). Sorti de Saint-Cyr, il servit en Afrique du Nord puis lors de la Première Guerre mondiale. Directeur du service économique de la Ruhr (1923), puis chef d'état-major du maréchal Pétain (dans le Rif, 1925-1926), il fut nommé adjoint du général Gamelin en 1939 et chargé des opérations dans le N.-E. de la France au début de la Deuxième Guerre mondiale. Ayant rejoint le général Giraud en Afrique du Nord (1943), il fit quelque temps partie du Comité français de libération nationale.

GEORGET (Étienne Jean). ♦ Médecin aliéniste français (Vernou, près de Tours, 1795 – Paris, 1828). Directeur du service des aliénés à la Salpêtrière, il affirma l'origine cérébrale de la folie. Collaborateur au *Dictionnaire de médecine* par des articles sur les maladies nerveuses et mentales, il laissa un ouvrage intitulé *De la folie* (avec des dessins de Géricault).

GEORGETOWN. ♦ Cap. de la Guyana, fondée en 1772 sous le nom de *Stabrok.* 192 700 hab. Principal port du pays, exportant les produits tropicaux (sucre, café) et la bauxite. Aéroport à Atkinson.

GEORGE TOWN ou **PENANG** [*Pinang*]. ♦ Cap. de l'Etat de Penang* en Malaysia*, sur la côte O. de la péninsule malaise, établie sur une petite île qui fut anglaise jusqu'en 1946. Aéroport international. Port important de transit de caoutchouc et d'étain. Chantiers navals. 300 000 hab. (surtout chinois).

GÉORGIE, *n. f.,* en angl. **Georgia** (du nom de *George II*). ♦ État du S.-E. des États-Unis, situé entre le Tennessee et la Caroline du Nord (au N.) et la Floride (au S.) et bordé par l'Atlantique, au S.-E. 152 589 km². 3 943 116 hab. en 1960. *Cap.* Atlanta*. *V. princ.* **V. Colombus, Savannah.** – *Orogr.* Au N. de l'État, se trouve la région montagneuse appartenant au système appalachien : plateau du Cumberland, séparé de la chaîne des *Blue Ridge* à l'E., par la Grande Vallée **(V. Appalaches).** Puis, vers le S.-E., on trouve la région de collines du Piedmont appalachien et enfin la plaine côtière (à l'E. et au S.), région naturelle la plus étendue. –

Géorgie (U.R.S.S.).

Climat tempéré chaud. – *Écon.* L'agriculture de la Géorgie reposait traditionnellement sur le coton ; mais après la chute de production des années 1920, une reconversion s'est faite : le tabac, les arachides et poivrons, l'élevage de qualité et les volailles ont largement remplacé la diminution des revenus cotonniers. Ces productions et d'importantes forêts ont permis le développement d'industries (bois, papier, etc. ; indus. textiles). – Université ; nombreux établissements d'enseignement supérieur. ♦ *Hist.* Disputée au XVIIe s. par les Espagnols et les Anglais, la région fut colonisée par ces derniers (J. Oglethorpe). Colonie en 1732, premier État du Sud à ratifier la Constitution des États-Unis (1788), la Géorgie se montra indépendante et, son économie étant esclavagiste (plantations de coton), fit sécession en 1861. L'État souffrit beaucoup de la guerre, fut dévasté par Sherman* (1864) et fut l'objet des sévices des « carpet baggers ». Bien que le Ku Klux Klan s'y soit développé à la fin du XIXe s., la Géorgie est devenue l'un des États du Sud les moins ségrégationnistes.

GÉORGIE *(détroit de),* en angl. **Strait of Georgia**. ♦ Bras de mer formé par le Pacifique, entre l'île de Vancouver et le continent (Colombie britannique). Au N. (détroit de la Reine-Charlotte), il est étroit et parsemé d'îles; il s'élargit au S. vers le delta du Fraser, puis aboutit au détroit de Juan de Fuca. Vancouver* et Victoria* sont sur ses rives.

GÉORGIE *(République socialiste soviétique de),* en russe **Gruzija** [Grouziia] ou **Gruzinskaja** S.S.R. ♦ Une des quinze républiques fédérées de l'U.R.S.S. qui s'étend au centre et à l'O. de la Transcaucasie*. Baignée à l'O. par la mer Noire, elle confine au N. avec les républiques soviétiques de la Fédération de Russie, à l'E. avec la république d'Azerbaïdjan et au S. avec la Turquie et la république d'Arménie*. 69 700 km². 4 785 000 hab. (janv. 1972) dont 70 % env. de Géorgiens. *Cap.* Tbilissi*. *V. princ.* **V. Koutaïssi, Roustavi.** Elle englobe en bordure de la mer Noire les républiques autonomes d'Abkhazie* (cap. Soukhoumi) et d'Adjarie* (cap. Batoumi) et à l'E. la région autonome d'Ossétie* du S. Couverte en grande partie par les montagnes et les contreforts formés par les chaînes du Grand Caucase* au N. (mont Kazbek, 5 047 m) et du Petit Caucase au S., et de forêts sur env. le tiers de son territoire, la république de Géorgie est partagée par le plateau de Souram (900 m) en deux bassins hydrographiques bien distincts par le climat et l'économie. La *Géorgie occidentale* ou sublittorale, la plus fertile et la plus peuplée, ouverte sur la mer Noire et drainée par le Rion* (Colchide) bénéficie d'un climat chaud et humide et d'une luxuriante végétation subtropicale. La *Géorgie orientale* ou intérieure, plus étendue et plus montagneuse, connaît un climat plus sec et plus continental et une végétation semi-steppique. Seul le bassin irrigué de la Koura* comprend une zone agricole. En dépit de la faible surface cultivée (17 % du territoire), la Géorgie, du fait de la particularité de son climat, est l'une des plus importantes régions agricoles de l'U.R.S.S. (vignobles, vergers, céréales, cultures maraîchères) et la principale pour de nombreuses cultures subtropicales, notamment le thé (95 % env. de la production de l'Union), les agrumes (98 % de la production de l'Union) et le tabac (surtout en Abkhazie). Parallèlement, l'élevage ovin et bovin, l'apiculture, la sériciculture sont largement développés. Outre l'indus. alimentaire (traitement du thé, conserveries, indus. vinicole) qui représente 40 % env. de la production nationale, la production d'énergie hydraulique a permis le développement de nombreuses branches industrielles. Exploitation du manganèse (Tchiatoura) et du charbon (Tkibouli, Tkvartchéli), sidérurgie (Roustavi), constructions mécaniques (Tbilissi, Koutaïssi), indus. chimique, électrotechnique et textile. Raffinerie de pétrole à Batoumi. Patrie de Bagration*, de Béria*, de Maïakovski* et de Staline*. ♦ *Hist.* L'actuel territoire de la Géorgie fut habité dès le paléolithique inférieur, et de nombreux vestiges témoignent au néolithique d'une riche culture matérielle, attestée par des haches de pierre, des couteaux, des outils, par un artisanat du tissage et de la poterie et enfin par la métallurgie d'art (~ IIIe millénaire). Entre le ~ VIe et le ~ IVe s., deux États se formèrent sur le territoire géorgien : sur la mer Noire, la Colchide, dont la richesse mythique engendra probablement la légende de la Toison* d'or, et qui fut colonisée par les grecs de Milet (v. ~ 600), et l'Ibérie, formée par les régions de Kartli et de la Kakhétie en Géorgie orientale. Dominés par les Perses, les Géorgiens se soumirent à Alexandre le Grand ; après son règne, ils acquirent leur indépendance. Alliés de Mithridate, ils furent vaincus par Pompée (~ 65) et gardèrent leurs souverains, mais la partie occidentale de l'actuelle Géorgie (Colchide) fut soumise à la suzeraineté de Rome, tandis que la partie orientale (Ibérie) passa peu après sous la domination de la Perse Arsacide, puis Sassanide. L'adoption du christianisme (IVe s.) fut suivie par l'implantation de nombreux temples et monastères qui favorisèrent considérablement l'écriture, puis la littérature géorgienne ancienne, notamment après la construction de monastères à l'étranger (laure de Mar-Saba, près de Jérusalem, en 483 ; monastère d'Iviron au mont Athos, v. 980). Disputée entre les Perses et les Byzantins, occupée par les Arabes dès la seconde moitié du VIIe s., la Géorgie se libéra partiellement à la fin du VIIIe s. avant d'être unifiée par Bagrat III (974-1014) qui réunit la Géorgie occidentale à la Géorgie orientale à l'exception de Tbilissi* (Tiflis). Cette ville fut reprise aux musulmans (1122) par David III le Constructeur (1089-1125). L'apogée de la puissance de la Géorgie se situe sous le règne de la reine Thamar (1184-1213), dont le royaume s'étendait de la mer Noire à la Caspienne, du Caucase du Nord à l'Azerbaïdjan iranien et à Erzeroum. Du XIe au milieu du XIIIe s., la culture médiévale géorgienne connaît son plus grand épanouissement, surtout sur le plan architectural (temple de Bagrat, Koutaïssi [XIe s.], ensemble monastique de Ghélati) et littéraire (Roustavéli). Dévastée par Timûr-i Lang (Tamerlan) entre 1386 et 1405, isolée de la chrétienté occidentale après la prise de Constantinople* (1453), la Géorgie devint l'enjeu de la lutte entre les Turcs et les Perses durant trois siècles, avant de passer sous protectorat perse en 1736. Dès 1783, le pays sollicita la protection de la Russie, qui l'annexa en 1801. La réforme agraire et l'abolition du servage n'apportèrent aucune amélioration au problème paysan, et en 1893 fut créé un parti social démocrate clandestin, dont l'un des animateurs était Staline*. Lors de la révolution de 1917, la Géorgie, contrôlée par les mencheviks, proclama son indépendance (1918) et se plaça sous la protection des Allemands. Réintégrée dans la Russie, au sein de la Transcaucasie (1921), elle en fut détachée en déc. 1936 et forme depuis une république socialiste soviétique. **V. U.R.S.S.**

GÉORGIE DU SUD. *n. f.,* en angl. **South Georgia**. ♦ Île appartenant à l'Empire britannique, située au sud de l'océan Atlantique, dépendance des Falkland*. Longue de 160 km et large de 30 à 40 km, elle est accidentée, de climat rude et très venteux. Découverte par l'espagnol A. de La Roche (1675), elle fit l'objet de nombreuses expéditions scientifiques (Cook, Bellingshausen). Peuplée d'env. 1 400 hab., dont 1 100 à 1 200 dans le chef-lieu, Grytviken, elle est un centre important d'industrie baleinière (2/3 env. de la production mondiale d'huile de baleine) et possède une station radio, un observatoire météorologique et un laboratoire biologique.

GÉORGIENNE *(baie),* en angl. **Georgian Bay**. ♦ Baie formée par la partie N.-E. du lac Huron*, bordant le littoral canadien. Elle est presque entièrement fermée par la péninsule de Bruce et les îles Fitzwilliam et Manitoulin.

Georgiens. *n. m. pl.* ♦ Se dit des poètes anglais des années 1910 pour qui les considérations formelles étaient primordiales : le parnassien J.E. Flecker, John Freeman, Lascelles Abercrombie, Walter De* La Mare, W.H. Davies, Alfred Noyes et John Masefield*.

Géorgiques (Les). ♦ Poème didactique de Virgile* en 4 chants (v. ~ 38 – v. ~ 29). Épopée d'inspiration cosmique et religieuse imitée d'Hésiode*, consacrée au spectacle du monde et au travail des hommes. Elle traite successivement des présages, de la culture des arbres et de la vigne, de l'élevage du gros et du petit bétail,

Ph. Hétier

Géorgie (U.R.S.S.)
Tbilissi (Tiflis).

des abeilles. Chaque chant comporte une digression (légende d'Aristée* sur les abeilles au liv. IV). C'est dans ce poème, véritable préparation du mythe épique de l'*Énéide**, qu'apparaît la notion de providence en la personne d'un Jupiter pédagogue qui élève l'humanité par le travail.

GÉPIDES ou **GÉBIDES**. *n. m. pl.* ♦ Peuple germanique établi aux Ier-IIe s. à l'embouchure, puis aux sources de la Vistule au IIIe siècle. Fixés sur le Danube v. 350, ils furent soumis par les Huns* et reprirent leur indépendance à la mort d'Attila (453). Ils fondèrent alors en Dacie* un royaume qui fut détruit par les Lombards* et les Avars (567).

GER *(pic de)*. ♦ Sommet des Pyrénées-Atlantiques, sur la route du col d'Aubisque. 2 612 m.

GERA. ♦ V. d'Allemagne orientale (Thuringe) et ch.-l. de district sur l'Elster Blanche. 111 190 hab. (1969). *Rathaus* du XVIe s.; église du XVIIe siècle. — Carrefour ferroviaire et centre industriel : indus. métallurgiques et mécaniques, textiles et travail du cuir. Mines d'uranium à proximité.

GERAL *(serra). n. m.* ♦ Large plateau basaltique du Brésil méridional situé sur la partie N. de l'État de Rio* Grande do Sul, à l'O. de la serra do Mar*. Une forte pluviosité en fait un réservoir naturel d'énergie électrique. L'Uruguay* y prend sa source.

GÉRALDY (Paul Le FÈVRE, dit Paul). ♦ Écrivain français (Paris, 1885). Un recueil de poésies amoureuses, intimistes et d'une facture très traditionnelle, lui valut un grand succès (*Toi et Moi*, 1913). Il est en outre l'auteur de nombreuses pièces de théâtre psychologiques et sentimentales, de souvenirs, de maximes.

GÉRANDO (Joseph-Marie, *baron de*) ou **DEGÉRANDO**. ♦ Publiciste et érudit français (Lyon, 1772 — Paris, 1842). Philosophe de la tendance des idéologues, il est l'auteur d'une *Histoire comparée des systèmes de philosophie relativement aux principes des connaissances humaines* (1804), de traités sur l'éducation des sourds-muets (1827) et d'un ouvrage sur la philosophie des signes. Il a donné également un des premiers guides d'enquête ethnologique, à l'occasion de la mission de découverte en Terres australes dirigée par Baudin*; il y affirma, avant B. Malinowski*, la règle de l'observateur participant.

GÉRARD (François, *baron*). ♦ Peintre et illustrateur français (Rome, 1770 — Paris, 1837). D'abord auteur d'œuvres qui révèlent une conception idyllique de l'Antiquité (*Psyché reçoit le premier baiser de l'Amour*, 1798), il exécuta ensuite des peintures d'histoire et surtout des portraits élégants d'une facture lisse et délicate (*Mme Récamier*, 1802) qui prennent parfois des accents romantiques *(Mme Visconti)*. Chargé par Napoléon des portraits de la famille impériale et de la cour, il devint pourtant le peintre officiel de Louis XVIII, représenta Charles X, et fut très prisé par les cours étrangères.

GÉRARD (Étienne Maurice, *comte*). ♦ Maréchal de France (Damvillers, Lorraine, 1773 — Paris, 1852). Engagé comme volontaire dans les armées républicaines, il se distingua lors des campagnes de l'Empire, en particulier en Russie (1812), fut blessé à Leipzig, puis combattit en France (La Rothière et Montereau). Il se rallia à Napoléon Ier aux Cent-Jours et contribua à la victoire de Ligny* (16 juin 1815). Obligé de s'exiler lors de la Seconde Restauration, il revint en France dès 1817, fut élu député de Paris (1822, 1827), siégea dans les rangs de l'opposition libérale et participa aux journées révolutionnaires de juillet 1830. Fait maréchal et nommé ministre de la Guerre par Louis-Philippe (1830), il prit part en 1832 à l'expédition de Belgique (siège d'Anvers). Pair de France (1833), il fut rappelé dans ses fonctions de ministre de la Guerre et fut nommé président du Conseil (1834). Louis Napoléon le fit sénateur (1852).

GÉRARD de BROGNE *(saint)*. ♦ Abbé réformateur flamand (Stapsoul, près de Stave, 880 — Brogne, près de Namur, 959). Fondateur de l'abbaye bénédictine de Brogne, dont il devint abbé (923), il réforma les monastères Saint-Pierre et Saint-Bavon, à Gand, ainsi que Saint-Wandrille et le Mont-Saint-Michel. — Fête le 3 octobre.

GÉRARD de SAINT-JEAN. ♦ V. GEERTGEN TOT SINT JANS.

GÉRARDMER [ʒeraʀme]. ♦ Ch.-l. de cant. des Vosges (arr. de Saint-Dié), à l'E. du lac de Gérardmer. 9 890 hab. *(Géromois)*. Station climatique et station de sports d'hiver; lycée climatique. Centre industriel : carrières de granit, de sable; fabriques de papier, de carton; tissage du lin; fabrication de linge, dentelles, ateliers de broderie; scieries; jouets. Fabrication des fromages dits « géromés ».

GERBAULT (Alain). ♦ Navigateur français (Laval, 1893 — Dili, île Timor, 1941). En solitaire sur un voilier (le *Firecrest*), il traversa l'Atlantique et effectua le tour du monde (1923-1929). Reparti en 1932 dans les îles du Pacifique, où il fit des études géographiques et historiques, il y mourut de la malaria. *Seul à travers l'Atlantique* (1925), *À la poursuite du soleil* (1929).

GERBERT d'Aurillac, d'Aquitaine ou **de Reims**. ♦ Théologien et savant, pape de 999 à 1003 (en Auvergne, v. 938 — Rome, 1003). Moine clunisien, il enseigna à Reims la dialectique et la logique, commentant l'*Isagoge* de Porphyre* et les œuvres d'Aristote*. Il fut sans doute à l'origine d'un mouvement scientifique (on lui doit un *Traité sur l'astrolabe*, la construction d'un globe céleste reproduisant le mouvement des astres, l'invention d'un orgue à vapeur, etc.). Il s'intéressa aussi à la musique, à la médecine, à l'art oratoire. Grand politique, il favorisa l'élection d'Hugues Capet (987), devint archevêque de Reims après la déposition d'Arnoul

Ph. Stella

Mont **Gerbier-de-Jonc.**

(991), puis archevêque de Ravenne (998, **V. Grégoire V**), et enfin pape sous le nom de SYLVESTRE II (999) grâce à Othon III dont il avait été le précepteur. Il inspira à ce dernier son rêve de renouveler l'empire de Constantin, mais tous deux durent quitter Rome devant les rébellions locales (1001). La légende vit en lui un alchimiste et un sorcier.

GERBÉVILLER [ʒɛʀbevile]. ♦ Ch.-l. de cant. de la Meurthe-et-Moselle (arr. de Lunéville), sur la Mortagne. 899 hab. — Château (XVIIIe s.) restauré. La ville a été en partie détruite en août 1914. — Brasserie; fabrique de meubles.

GERBIER-DE-JONC *(mont)*. ♦ Formation phonolithique de l'Ardèche, se dressant à 150 m au-dessus d'un plateau et dominant les sources de la Loire*. Altitude : 1 551 m.

GERBILLON (Jean). ♦ Jésuite français (Verdun, 1654 — Pékin, 1707). Il fit partie de l'équipe de mathématiciens envoyés par Louis XIV en Chine où il parvint en 1687, après avoir traversé le Siam. Nommé supérieur de la mission jésuite française de Chine, il a laissé des *Observations historiques sur la Grande Tartarie* ainsi qu'un *Traité de géométrie* en chinois et en tartare.

GERGONNE (Joseph Diez). ♦ Mathématicien français (Nancy, 1771 — Montpellier, 1859). Auteur de travaux sur le principe de dualité en géométrie projective [principe à la base de la théorie classique des pôles et polaires] (**V. Poncelet, Chasles**), il s'intéressa également aux problèmes de construction et participa au renouveau de la géométrie analytique. **V. Monge.**

GERGOVIE, en lat. **Gergovia**. ♦ Anc. V. de Gaule, cap. des Arvernes*, située sur un plateau du Massif central à 6 km de Clermont*-Ferrand. Sanctuaire, marché et oppidum à l'époque de Vercingétorix*, elle ne devint une véritable cité qu'à l'époque gallo-romaine (Ier siècle). Elle fut entièrement désertée sous Tibère*. Vercingétorix y soutint victorieusement un siège contre César* (~ 52).

GERHARD (Johann). ♦ Théologien luthérien allemand (Quedlinburg, 1582 — Iéna, 1637), professeur de théologie à Iéna (1616), auteur des *Meditationes sacrae* (1607) et des *Loci communes theologici* (1621, 9 livres).

GERHARDT (Paul). ♦ Pasteur et poète allemand (Gräfenhainichen, Saxe, 1607 — Lübben, Basse-Lusace, 1676). Il fut, après Luther, un des grands créateurs du cantique protestant et sut donner à ses poèmes un accent personnel tout en s'inspirant de la forme et des rythmes populaires (Volkslied).

GERHARDT (Charles). ♦ Chimiste français (Strasbourg, 1816 — *id.*, 1856). Il réforma, avec Laurent*, le système des poids atomiques (1843-1846), créant ainsi le nouveau système chimique [notation atomique] (**V. *aussi* Cannizzaro**); établissant une classification des composés organiques, il mit en évidence deux notions fondamentales : les séries homologues et les fonctions chimiques; il élabora ensuite une théorie des types, qui amena peu après la notion de valence. **V. Dumas, Frankland.** Il effectua également d'importantes recherches sur les anhydrides d'acides organiques (1852).

GÉRICAULT (Théodore). ♦ Peintre, dessinateur et lithographe français (Rouen, 1791 — Paris, 1824). Il étudia dans l'atelier de Carle Vernet* puis dans celui de Guérin* et reçut des conseils de Gros*. Il se fit remarquer au Salon de 1812 en exposant *Officier de chasseur à cheval chargeant*, qui témoigne de son admiration pour Gros et Rubens. *Le Cuirassier blessé quittant le feu*, 1814, possède la même vigueur de coloris. Il voyagea en Italie, copia Michel-Ange, et travailla à *La Course des chevaux barbes* (1817), d'une composition ample et classique. En 1819, sa très grande toile, *Le Radeau de la Méduse*, inspirée par un fait divers, provoqua de violentes polémiques; exposée à Londres, l'œuvre obtint un vif succès et apparut comme un manifeste de l'école romantique. Durant son séjour en Angleterre, il s'initia à la lithographie et exécuta *Course de chevaux à Epsom*, 1821. Il exécuta des portraits de fous, des têtes de suppliciés, 1819, d'un réalisme pathétique, qui témoignent de son attirance pour le morbide. Il s'initia ensuite à la sculpture, mais mourut prématurément des suites d'une chute de cheval. Géricault avait le culte de l'énergie, le goût du mouvement, le sens du tragique, autant de caractères qui en font l'un des premiers romantiques; Delacroix lui voua une profonde admiration. Il fut aussi, notamment par ses portraits, l'un des initiateurs du réalisme.

GERING (Ulrich). ♦ Imprimeur allemand (Constance, v. 1440 – Paris, 1510). Appelé à Paris par l'humaniste G. Fichet, il créa, avec ses compatriotes Friburger et Crantz, un atelier typographique à la Sorbonne, le premier en France.

GÉRIN-LAJOIE (Antoine). ♦ Écrivain canadien (Québec, 1824 – Ottawa, 1882). Il composa très jeune un chant patriotique, *Un Canadien errant* et une tragédie, *Le Jeune Latour* (1844). Avocat et rédacteur à *la Minerve* de Montréal, il fut l'un des fondateurs des *Soirées canadiennes* et du *Foyer canadien*. On lui doit un ouvrage historique, *Dix Ans d'histoire du Canada* (1840-1850) et un autre de science politique. C'est cependant à son œuvre de romancier à thèse et moralisant que Gérin-Lajoie doit sa renommée. Dans *Jean Rivard le défricheur* (1862) et *Jean Rivard économiste* (1864), l'auteur propose un remède, le défrichement, aux deux maux de son époque : l'émigration des Canadiens français vers les centres industriels américains et l'encombrement des professions libérales.

GERLACH (Walther). ♦ Physicien allemand (Biebrich, 1889 –). Utilisant, avec Stern*, la méthode des jets atomiques **(V. Rabi)**, il vérifia avec lui par une expérience directe la « quantification dans l'espace » des moments magnétiques atomiques.

GERLACHE de GOMERY (Adrien *de*). ♦ Navigateur et explorateur belge (Hasselt, 1866 – Bruxelles, 1934). Il dirigea les expéditions de la *Belgica* dans les mers antarctiques (1897-1899), puis au Groenland (1905) et dans la mer de Kara (1907).

GERLACHOVKA. ♦ Point culminant de la chaîne des Hautes Tatras*, dans les Carpates (Slovaquie). 2 663 m.

GERLIER (Pierre). ♦ Prélat français (Versailles, 1880 – Lyon, 1965). Avocat, il devint prêtre à quarante et un ans. Évêque de Tarbes et de Lourdes (1929), archevêque de Lyon et cardinal (1937), il s'intéressa activement aux problèmes sociaux.

GERMAIN *(saint)*. ♦ Évêque de Paris en 555 (près d'Autun, v. 496 – Paris, 576), fondateur avec Childebert Ier de l'église Saint-Vincent, devenue plus tard Saint-Germain-des-Prés. Fête le 28 mai.

GERMAIN. ♦ Famille d'orfèvres parisiens dont les membres les plus célèbres furent : PIERRE (v. 1646 – 1684). Employé à la décoration des résidences royales, il réalisa entre autres la couverture d'ouvrages relatant les conquêtes de Louis XIV. ♦ Son fils THOMAS (1673 – 1748) travailla pour la Cour et les souverains étrangers; il exécuta pour la dauphine Marie Leszczyńska une grande toilette d'or, à l'occasion du mariage de Louis XV. ♦ FRANÇOIS-THOMAS (1726 – 1791), quatrième fils de Thomas Germain, influença les formes et le décor de l'orfèvrerie du XVIIIe siècle. Il dota Lisbonne (1757) d'un admirable ensemble de vaisselle princière.

GERMAIN (Sophie). ♦ Mathématicienne française (Paris, 1776 – *id.*, 1831). Auteur de travaux sur les surfaces élastiques en vibration **(V. *aussi* Chladni)**, elle approfondit également les études entreprises par Le* Gendre sur la théorie des nombres.

GERMAIN (Henri). ♦ Financier et homme politique français (Lyon, 1824 – Paris, 1905). Fondateur du Crédit* lyonnais, dont il présida le conseil d'administration (1863), il fut élu député au Corps législatif (1869) où il siégea avec le centre gauche. Membre de l'Assemblée nationale (1871 à 1889), il s'occupa essentiellement des questions financières.

GERMAIN D'AUXERRE *(saint)*. ♦ (Auxerre, v. 378 – Ravenne, 448). Évêque d'Auxerre (418), envoyé en Grande-Bretagne par le pape Célestin Ier pour combattre le pélagianisme (429, avec saint Loup* de Troyes; 445, avec Sévère de Trèves). Il mourut alors qu'il plaidait la cause des Armoricains à la cour impériale. – Fête le 31 juillet.

GERMAIN de CONSTANTINOPLE *(saint)*, en gr. **Germanos.** ♦ (634 – 733). Patriarche de Constantinople (715), il résista à l'iconoclasme de Léon l'Isaurien mais dut démissionner (730). **V. Iconoclastes.**

GERMAINE de FOIX. ♦ Fille de Jean de Foix et de Marie d'Orléans (v. 1488 – 1538). Son grand-oncle, Ferdinand II le Catholique, l'épousa en 1506 dans l'espoir d'obtenir des droits sur la Navarre et sur Naples.

GERMAINS. *n. m. pl.* ♦ Barbares* de Germanie*. Les Germains eux-mêmes ne se donnèrent jamais de nom générique : aucun sentiment national n'animait cette multitude de peuples **(V. Germanie).** Leur origine est incertaine. Venus probablement des pays scandinaves, ils émigrèrent vers le sud, sans raison apparente, au ~ IIIe siècle. Battus par Marius, puis par César, ils furent établis par Auguste dans les nouvelles provinces de Germanie. Après l'abandon de la province par Tibère, le *limes*, haute levée de terre, sépara sur l'ordre d'Hadrien le monde germanique du monde romain. Des peuples entiers de Germains furent alors fédérés aux frontières, un traité *(foedus)* leur accordant des terres à cultiver et à défendre. Au IIIe s., ils attaquèrent la Gaule, l'Espagne, l'Italie du Nord, les côtes de la Bretagne. Aurélien puis Probus les repoussèrent, mais la Dacie conquise par Trajan fut cependant abandonnée aux Goths. À la fin du IIIe s., l'armée romaine, devenue professionnelle, enrôla des mercenaires germaniques qui accédèrent même au commandement. Au début des grandes invasions (*fin* IVe s.), les Germains étaient déjà au cœur de l'empire **(V. Invasions** [Grandes]**).** Les Germains vivaient en communauté : les cadres sociaux étant la famille ou clan *(sippe)* et la tribu dont le chef était élu une fois par an par les hommes libres. La famille était solidaire : le père a un pouvoir absolu sur elle (le *mund*), la vengeance privée (la *faide*) était codifiée par l'institution du « prix du sang » *(wergeld)* proportionnel aux dommages effectués. Le mariage se faisait par l'achat d'une épouse, sous la forme du « don du matin » *(morgengabe)*, sorte de dot versée à l'épouse le lendemain du mariage. Les langues germaniques, très nombreuses, peuvent être classées en trois groupes (osthique, westhique, nordique).
♦ *La mythologie* germanique ne nous est connue que par une version scandinave tardive : les Edda*. On y distingue deux groupes de divinités, les Ases* et les Vanes* dont l'opposition aboutit à une guerre acharnée, puis à une réconciliation. Les principaux dieux ou êtres mythologiques sont : Balder*, Fenris*, Freyja*, Freyr*, Frîja*, Hagen*, Loki*, Nibelungen*, Nornes*, Odin*, Siegfried*, Thor*, Tyr*, Walkyries*, Yggdrasil*.

Ph. Giraudon

Germanicus. Grand camée de la Sainte-Chapelle. (Bibliothèque nationale, Médailles, Paris.)

GERMANICUS, en lat. **Julius Caesar**, dit **Germanicus.** ♦ Général romain (Rome, ~ 15 – Epidaphné, près d'Antioche, 19). Fils de Drusus* et d'Antonia, nièce d'Auguste*, il fut adopté sur l'ordre de ce dernier par son oncle Tibère*. Il soumit les Dalmates et les Pannoniens (7-9) et fut nommé consul en 12. Jouissant de la confiance d'Auguste, il se vit confier par lui avec Tibère la garde de la frontière du Rhin. Après la mort de l'empereur, il battit Arminius*, le vainqueur de Varus*, et rétablit l'ordre en Germanie (16). Ses victoires lui valurent le nom de *Germanicus* (« le Germanique »). Mais Tibère, voyant en lui un rival, le fit envoyer en Orient; il pacifia l'Arménie, mais entra en conflit avec Cneius Calpurnius Pison*, gouverneur de Syrie; il le chassa de sa province et mourut subitement près d'Antioche. Sa femme Agrippine*, petite-fille d'Auguste, accusa Pison de l'avoir assassiné. Sa mort causa une vive douleur à Rome où il avait acquis une grande popularité par sa bonté, sa générosité et sa justice.

GERMANIE. *n. f.*, en lat. **Germania.** ♦ Nom de deux provinces romaines impériales organisées par Auguste v. ~ 7 : la *Germanie inférieure* au N., avec pour capitale Cologne*, et la *Germanie supérieure* au S. (cap. Mayence*), limitées à l'E. par le Rhin et à l'O. par la province de Belgique. Après la victoire d'Arminius* sur Varus (Teutoburger* Wald, 9), Auguste renonça à sa conquête. Ce terme de Germanie désigna alors d'une part les territoires de la r. g. du Rhin et d'autre part une vaste région qui devait s'étendre du Rhin au Pont-Euxin, entre l'empire romain à l'O. et les Sarmates à l'est. Au IVe s., la Germanie était peuplée de nombreux peuples : à l'E., les Goths* (Ostrogoths* et Wisigoths*), les Gépides*, les Vandales*, les Burgondes*; à l'O., les Alamans*, les Francs* Ripuaires et Saliens*, qui ont absorbé Sicambres*, Chamaves, Bruchères, Chattes*; au N., à côté des populations scandinaves, les Angles*, les Varnes, les Jutes, les Saxons*, les Frisons, les Lombards* **(V. Germains).**

GERMANIE *(royaume de)*. ♦ Nom donné à l'État issu du démembrement de l'empire carolingien* et formé par les territoires des Francs orientaux, qui furent attribués en 843 à Louis*II le Germanique; il comprenait, outre des possessions sur la r. g. du Rhin, les grands-duchés de Saxe*, Thuringe*, Franconie*, Alémanie* et Bavière*, auxquels s'ajouta ensuite une partie de la Lotharingie* (870) et que défendaient les marches de l'E. (notamment l'Autriche, la Carinthie, la Bohême). Devenu purement honorifique en raison de la puissance des grands féodaux, le titre de *roi de Germanie* fut porté par les fils de Louis II, Louis* III le Jeune et Charles* III le Gros, puis par Arnoul* de Carinthie et Louis* IV l'enfant, avant de passer à Conrad* de Franconie, puis à la maison de Saxe avec Henri* Ier l'Oiseleur, dont le fils Othon* Ier le Grand prit le titre d'empereur (962). **V. Allemagne,** *Hist.*

GERMER (Lester Halbert). ♦ Physicien américain (Chicago, 1896 –). Il découvrit fortuitement, avec C.J. Davisson*, la diffraction des électrons par les cristaux (1927).

GERMIGNY-DES-PRÉS. ♦ Comm. du Loiret, arr. d'Orléans. 368 hab. Église carolingienne (en grande partie reconstituée au XIXe s.) construite par Théodulf, abbé de Saint-Benoît-sur-Loire. Mosaïque de style byzantin du IXe siècle.

Germinal an III (Journées des 12 et 13). ♦ Insurrection jacobine et populaire contre la Convention (1er-2 avr. 1795), consécutive à la crise économique de l'hiver 1794-1795, et à la crise politique qui opposait la majorité thermidorienne de la Convention* à la minorité montagnarde. Le 12 germinal, les manifestants envahirent la Convention en réclamant « Du pain ! La Constitution de l'an I ! La liberté des patriotes ! ». Ils furent rapidement dispersés par des bataillons de la Garde nationale. Dans la nuit du 12 au 13, la Convention décidait la déportation sans jugement des « Quatre » (Barère, Billaud-Varenne, Collot d'Herbois, Vadier) en Guyane, et elle fit décréter l'état de siège pour rétablir l'ordre dans les quartiers populaires, où l'agitation avait persisté le 13 germinal. Plusieurs députés montagnards furent également arrêtés après ces journées. Cet échec, et celui de l'insurrection de Prairial* an III, mit fin au mouvement révolutionnaire.

Germinal. ♦ Roman d'Émile Zola* (1885), qui fait partie des *Rougon*-Macquart.* Peinture puissante de la vie misérable des mineurs (ici l'« immoralité... tient aux conditions mêmes de l'existence »), cet ouvrage souligne également le conflit dramatique entre le travail et le capital. Renvoyé de son atelier pour ses opinions socialistes, l'ouvrier Étienne Lantier prend contact, dans son nouveau travail à la mine, avec tout un monde de souffrances et d'injustices. Une grève se déclenche, dont il prend la tête. Après quelques mois de lutte désespérée, les grévistes que la faim a poussés à la violence, sont réduits par la troupe. Vaincus, les mineurs reprennent le travail, un nihiliste russe fait sauter la mine, et Lantier quitte ce pays désolé ; devenu « un soldat raisonneur de la révolution », il espère cependant en un « Germinal », un printemps que connaîtra l'humanité du travail. Zola fait preuve dans certaines scènes d'un souffle épique incontestable, glissant de la description réaliste des masses humaines à « la vision rouge de la révolution [...] balayant le vieux monde ».

GERMISTON. ♦ V. d'Afrique* du Sud (Transvaal) dans le Witwatersrand*. 214 393 hab. Grande raffinerie d'or. Indus. chimiques et mécaniques.

GERNEZ [ʒɛʀnɛ] **(Désiré).** ♦ Physicien français (Valenciennes, 1834 – Paris, 1910). Auteur de travaux sur les corps en équilibre physique instable, il étudia notamment la cristallisation des solutions sursaturées et l'ébullition (particulièrement le phénomène de surchauffe, 1875).

GERNSBACK (Hugo). ♦ Ingénieur américain d'origine luxembourgeoise (Luxembourg, 1884 –). Véritable précurseur, il donna le premier le principe du radar (1911) [**V. Watson-Watt**] et la description de la « triode à cristal », cinq ans avant l'invention du transistor (**V. Bardeen, Brattain** et **Schrockley**) ; il introduisit également l'expression *science-fiction.*

GEROLSTEIN. ♦ Localité d'Allemagne occidentale (Rhénanie-Palatinat) et station thermale (eaux gazeuses) dans le massif de l'Eifel. 3 000 hab.

GÉRON ou **GERO.** ♦ Margrave germanique (v. 900 – 965). Il lutta contre les Polonais et les Slaves, et fonda un État important entre l'Elbe et l'Oder, origine du futur Brandebourg*. Othon* le Grand lui donna le titre de margrave. C'est l'un des héros des *Nibelungen.* La dynastie des Wettin succéda à sa descendance.

GÉRONE, en esp. **Gerona.** ♦ V. d'Espagne orientale, en Catalogne*. Ch.-l. de prov. sur le Ter. 46 160 hab. Anc. place forte qui a conservé d'intéressants monuments médiévaux catalans. Cathédrale fondée par Charlemagne en 786 et reconstruite au XIVe siècle. Nœud de communications avec la France.

GERS [ʒɛʀ ; région. ʒɛʀs]. *n. m.* ♦ Riv. de France (178 km), affl. de la Garonne*, née au plateau de Lannemezan*. Elle arrose Auch*, Fleurance et Lectoure. Elle se jette dans la Garonne* en amont d'Agen*.

GERS *(dép. du).* **[32].** ♦ Dép. du Bassin aquitain*, région (anciennement C.A.R.) Midi-Pyrénées*. 6 299 km². – *Orogr.* Le relief de collines et vallées forme transition avec le plateau de Lannemezan* et la plaine de la Garonne*. Le dép. présente une unité géographique : il s'étend sur des dépôts de mollasse de l'avant-pays pyrénéen, qui sont divisés en lanières ou « serres » par un réseau de rivières issues de la région de Lannemezan* au S. du Gers. Les vallées sont dissymétriques : le versant occidental est raide et boisé, le versant oriental est le domaine de la polyculture. ♦ (29 cant., 466 comm., 186 968 hab.). *Préf.* Auch*. *Sous-préf.* Condom*, Mirande*. *Ch.-l. de cant.* Aignan, 965 hab. ; Cazaubon, 1 691 hab. ; Cologne, 407 hab. ; Condom*, Eauze*, Fleurance*, Gimont*, Isle*-Jourdain (L'), Jégun, 1 161 hab. ; Lectoure*, Lombez, 1 333 hab. ; Marciac, 1 065 hab. ; Masseube*, Mauvezin, 1 899 hab. ; Miélan, 1 369 hab. ; Miradoux, 728 hab. ; Mirande*, Montesquiou, 645 hab. ; Montréal*, Nogaro*, Plaisance, 1 535 hab. ; Riscle*, Saint-Clar, 1 143 hab. ; Samatan*, Saramon, 779 hab. ; Valence*-sur-Baïse, Vic*-Fezensac.

GERSHWIN (George). ♦ Compositeur américain (Brooklyn, 1898 – Hollywood, 1937). Il eut une enfance malheureuse dans les quartiers pauvres de New York et emprunta de nombreux éléments de son œuvre musicale au jazz et au ragtime. Il parvint à la célébrité avec la *Rhapsody in Blue* (1924), pour piano et orchestre, et un *Concerto en fa,* pour piano (1925). Dénué de formation classique, il reçut les conseils de M. Ravel, qui tenta de développer en lui le sens de la finesse et des sonorités délicates. Outre de nombreuses comédies musicales et des mélodies pour films et revues, il a composé un poème symphonique, *Un Américain à Paris* (1928), une *Seconde Rhapsodie,* pour piano et orchestre (1932) et un opéra, *Porgy and Bess* (1935) inspiré du folklore noir.

GERSON (Jean Charlier, dit *de***).** ♦ Théologien et prédicateur français (Gerson, Ardennes, 1363 – Lyon, 1429). Il reçut le surnom de Docteur très chrétien. Grand chancelier de l'université de Paris, il participa au concile de Constance (1414-1418) pour tenter de mettre fin au Grand Schisme d'Occident. Sa mystique est celle du mouvement de la Devotio Moderna (**V. Ruysbroek** [van]).

GERSTHEIM. ♦ Comm. du Bas-Rhin* (arr. d'Erstein). 2 057 hab. (1 758 aggl.). Construction d'une usine hydro-électrique (aménagement du Rhin).

GERTRUDE de NIVELLE *(sainte).* ♦ (Landen, Brabant, v. 626 – Nivelle, 659). Fille de Pépin de Landen et de sainte Itte, sœur de sainte Begge, elle devint en 647 abbesse du monastère de Nivelle fondé par sa mère. – Fête le 17 mars.

GERTRUDE la Grande *(sainte).* ♦ Moniale et mystique allemande (Eisleben, 1255 – Helfta, Saxe, 1301-1302), figure centrale du groupe bénédictin de Helfta, auteur des *Révélations.* – Fête le 16 novembre.

GERVAIS et **PROTAIS** *(saints).* ♦ Frères martyrs d'époque inconnue dont les reliques furent miraculeusement trouvées en 386 par saint Ambroise, à Milan. – Fête le 19 juin.

GERVINUS (Georg Gottfried). ♦ Historien et homme politique allemand (Darmstadt, 1805 – Heidelberg, 1871). Libéral et nationaliste, député au parlement de Francfort en 1848, il laissa transparaître ses positions politiques dans ses ouvrages historiques : *Histoire de la littérature nationale allemande* (1835-1842) et *Histoire du XIXe siècle depuis les traités de Vienne jusqu'en 1830* (1855-1866).

GÉRYON, en gr. **Gêruoneus.** ♦ Géant aux trois têtes et trois troncs, habitant, selon la légende, l'île d'Érythie (peut-être près de l'Espagne). Héraclès* le tue et s'empare de ses troupeaux de bœufs.

GERYVILLE. ♦ V. BAYAD (EL-).

Gesar de Ling. ♦ Épopée tibétaine rédigée antérieurement à 1035 et retraçant les exploits d'un héros légendaire, Gesar. Composée de chants et de récits en prose, cette « geste » est d'inspiration bouddhique.

GESELL (Arnold Lucius). ♦ Psychologue américain (Alma, Wisconsin, 1880 – 1961). Il apporta une contribution importante à l'étude et à la mesure de l'intelligence des enfants d'âge pré-

Ph. Carlo Bevilacqua/Ricciarini

Gérone : la cathédrale.

scolaire, utilisant les méthodes « transversale » (étude de groupes d'enfants du même âge) et « longitudinale » (étude d'un ou plusieurs enfants à des stades différents d'évolution).

GESSLER. ♦ Personnage légendaire de l'histoire de la Confédération suisse (*fin* du XIIIe s.). Ce nom a été donné au bailli autrichien d'Uri qui aurait ordonné à Guillaume* Tell de tirer sur une pomme posée sur la tête de son propre fils et aurait ensuite été assassiné par Guillaume. ♦ Le nom de Gessler est celui d'une famille de serviteurs de l'Autriche aux XIVe et XVe siècles.

GESSNER (Salomon). ♦ Poète suisse d'expression allemande (Zurich, 1730 – 1788). Écrites en prose rythmée, ses *Idylles* (1756) [en particulier son idylle paysanne – *La Mort d'Abel* – 1757-1758] connurent un succès considérable et furent traduites en français par Diderot et Huber. Contemporain de J.-J. Rousseau, Gessner a chanté lui aussi le retour à la vie champêtre et innocente, sur un ton parfois douceâtre et manquant de naturel.

Gestapo. *n. f.* (abrév. de *Geheime Staatspolizei* « Police secrète d'État »). ♦ Police politique du Parti national-socialiste dont le rôle fut essentiel au sein du IIIe Reich. Créée par Goering* en 1933, elle fut réorganisée par Himmler* en 1936. L'Abwehr*, service de contre-espionnage, devait lui être subordonné en 1944. Disposant de moyens illimités (tortures, délation, exécutions sommaires, camps de concentration), la Gestapo fit régner la terreur aussi bien en Allemagne que dans les pays occupés. Sous la direction de Heydrich, elle combattit avec acharnement les mouvements de résistance européens, traqua les communistes, les juifs et tous les ennemis du nazisme. Jugée comme organisation, la Gestapo fut reconnue criminelle par le tribunal de Nuremberg* pour ses procédés inhumains, et condamnée.

GESÙ, en fr. **Jésus** *(église du).* ♦ A Rome, principale église des jésuites, bâtie par Vignole (1568) après qu'un projet de Michel-Ange eut été refusé (1554). Façade de G. Della Porta (1594). Sépulture de saint Ignace de Loyola.

GESUALDO (Carlo, *prince de* **Venosa).** ♦ Compositeur italien (Naples, v. 1560 – *id.*, 1613). Neveu de saint Charles Borromée, il eut une existence aventureuse et tragique. Virtuose du luth, il vécut entouré des plus grands musiciens de son temps. Il compta le Tasse parmi ses amis. Il a composé de la musique religieuse *(Sacrae cantiones, psalmi, messe)* et profane *(Madrigali* à 5 ou 6 voix, *canzonette)* d'un langage harmonique hardi et d'un style expressif dont l'intensité dramatique préfigure le baroque.

GETA, en lat. **Publius Septimius Geta.** ♦ (189 – 212). Empereur romain (211-212). Second fils de Septime* Sévère, il partagea le pouvoir avec son frère Caracalla*, qui le fit assassiner un an plus tard.

GÈTES. *n. m. pl.*, en lat. **Getae.** ♦ Anc. peuple thrace établi entre le Danube inférieur et les Balkans. Les Gètes furent soumis par Darios Ier (v. ~513); puis, vaincus par Alexandre le Grand (~335), ils remontèrent vers le N. et se mêlèrent aux Daces. – Le nom de Gètes a été donné à tort aux Goths par les écrivains tardifs.

GETHSÉMANI (en araméen « le pressoir d'huile »). ♦ Domaine ou jardin, au pied du mont des Oliviers*, à Jérusalem, où, selon les Évangiles, Jésus, trahi par Judas* Iscariote, pria parmi ses disciples endormis, avant son arrestation et sa Passion.

GÉTIGNÉ. ♦ V. ESCARPIÈRE (L').

GETS [ʒɛ] **(Les).** ♦ Comm. de Haute-Savoie*, arr. de Bonneville*. 857 hab. Station d'été et centre de sports d'hiver.

GETTYSBURG. ♦ Petite V. des États-Unis (Pennsylvanie). 7 960 hab. (1960). ♦ *Hist.* Durant la guerre de Sécession*, les fédéraux y remportèrent une victoire décisive sur les sudistes du général Lee (1-3 juillet 1863).

GÉTULES. *n. m. pl.*, en lat. **Gaetuli.** ♦ Peuple de l'anc. Afrique nomadisant entre les montagnes d'Afrique du Nord (Aurès, Atlas) et l'Atlantique ou les oasis septentrionales du Sahara. Ils accueillirent Jugurtha en lutte contre Rome. Ils furent vaincus par les Romains au ~Ier siècle.

GEULINCX [gœlɛ̃ks] **(Arnold).** ♦ Philosophe flamand (Anvers, 1624 ou 1625 – Leyde, 1669). Professeur à Louvain et à Leyde, il contribua à faire connaître en Hollande la philosophie de Descartes*, tout en se rapprochant de Malebranche* (occasionnalisme). Il a formulé une philosophie morale dans l'esprit du rationalisme cartésien *(Metaphysica vera* et *Metaphysica ad mentem peripateticam).* Auteur d'une *Logique.*

GEVAERT (François Auguste, *baron***).** ♦ Compositeur et musicologue belge (Huysse, 1828 – Bruxelles, 1908). Succédant à Fétis, il fut directeur du conservatoire de Bruxelles (1870) et maître de chapelle à la cour de Belgique. Auteur de nombreux opéras et pièces de musique religieuse, il est surtout connu pour ses ouvrages théoriques : *Traités d'instrumentation* (1885-1892), *Traité d'harmonie* (1905-1907) et ses écrits musicologiques, *Histoire et Théorie de la musique de l'Antiquité* (1875-1881).

GEVAERT. ♦ Société belge fondée en 1894 par LIÉVIN GEVAERT, et transformée en 1920. Elle se consacre surtout à la fabrication de films photographiques et cinématographiques.

GÉVAUDAN. *n. m.* ♦ Anc. pays de France, entre la Margeride et l'Aubrac. Élevage sur les plateaux cristallins. ♦ Hist. *Gabalitanus Pagus*, habité par les *Gabales* à l'époque gauloise, avec pour princ. centre *Anderitum* (auj. Javols), le Gévaudan fut rattaché à la Gaule celtique par les Romains, et occupé par les Wisigoths au Ve siècle. Il passa au royaume d'Austrasie avant d'être gouverné dès le IXe s. par les comtes-évêques de Mende. Louis IX le rattacha à la

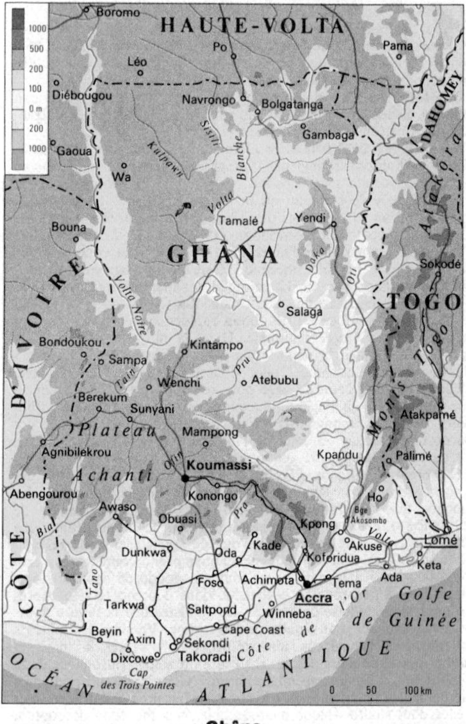

Ghâna.

couronne en 1258, le retirant de la maison de Toulouse. Entre 1765 et 1768, la disparition d'une cinquantaine de personnes accrédita l'existence d'une mystérieuse bête féroce *(la bête du Gévaudan).* En 1787, on attribua le massacre à un loup-cervier tué près de Saint-Flour.

GEVREY-CHAMBERTIN. ♦ Ch.-l. de cant. de la Côte-d'Or (arr. de Dijon), en bordure de la Côte de Nuits*, au débouché de la combe de Lavaux. 2 613 hab. *(Gibriacois).* L'église du XIVe s. s'élève sur un édifice roman. Restes d'un château édifié au milieu du XIIIe s. Indus. chimiques. Appareils de chauffage. Confitureries. La ville est surtout célèbre par ses vins : chambertin, clos de Bèze. Chaque année, la confrérie des Chevaliers du tastevin organise la fête de saint Vincent.

GEX *(pays de).* ♦ Anc. pays de France, situé en bordure du Jura (dép. de l'Ain*). La baronnie de Gex appartint aux comtes de Genève et aux ducs de Savoie. Elle fut reprise par Genève en 1593 et cédée à la France en même temps que la Bresse et le Bugey au traité de Lyon (1601). – *V. princ.* **V. Ferney-Voltaire, Gex.**

GEX [ʒɛks]. ♦ Sous-préf. de l'Ain*, ch.-l. d'arr. (3 cant., 30 comm., 23 513 hab.), au pied du col de la Faucille, sur le Journan. 3 192 hab. *(Gessiens).* Centre de villégiature. Tanneries, fromages. – Patrie de J. Émery*.

GÉZA. ♦ Prince hongrois (950 – 997). Après un traité avec l'empereur Othon* en 973, il accepta la venue de missions chrétiennes en Hongrie. Il se convertit au christianisme ainsi que son fils Vajk qui prit le nom d'Étienne. **V. Étienne Ier** *(saint).* Des églises et des monastères furent fondés en Hongrie (Pannonhalma).

GÉZA Ier. ♦ (1044 – 1077). Roi de Hongrie (1074-1077). Fils de Béla* Ier, il devint roi après avoir vaincu Salomon Ier. Il régna protégé par Byzance. Il reçut du basileus Michel VII Doukas une couronne qui, jointe à celle qu'avait envoyée le pape à saint Étienne*, forma la sainte couronne de Hongrie. Frère de Ladislas* Ier, qui lui succéda.

GÉZA II. ♦ (1130 – 1161). Roi de Hongrie (1141-1161). Fils de Béla* II, il se tourna vers l'Allemagne et rendit hommage à Conrad* III en 1151. Il lutta victorieusement contre Manuel Ier Comnène (1155). Il attira des colons allemands en Transylvanie et soumit la Serbie à un tribut.

GEZELLE (Guido). ♦ Poète belge d'expression flamande (Bruges, 1830 – *id.*, 1899). Ordonné prêtre en 1854, il composa des pièces de circonstance, d'inspiration liturgique et prit conscience de sa vocation poétique; dans *Fleurs de cimetière* (1858, *Kerkhofblommen*), puis dans *Poèmes, chansons et prières* (1862, *Gedichten, gezangen en gebeden*) apparaît la sensibilité particulière de Gezelle, faite d'une mélancolie innée que traversent des accès d'enthousiasme. De 1860 à 1880, il se consacra à des revues où il se fit le champion du nationalisme littéraire flamand, notamment *Rond den Heerd (Autour du foyer).* Ses derniers recueils poétiques, *Guirlande* *du temps* (1893, *Tijdkrans*) et *Collier de rimes* (1897, *Rijmsnoer*), auxquels succéderont *Derniers Vers* (posth., 1901), le montrent en possession d'une technique très sûre et célébrant avec une naïveté savante l'harmonie de la nature, dont les moindres beautés (fleurs, insectes, arbres) lui sont prétexte à louer Dieu. Ce lyrisme franciscain s'exprime en des vers d'une musicalité très suave, où la vision mystique du monde s'appuie cependant sur un réalisme d'une grande fraîcheur.

GÉZIREH (la), en ar. **Al-Djazira** (« les Îles »). ♦ Région agricole du Soudan* située entre le Bahr* el-Abiad et le Bahr* el-Azrak, périmètre irrigué par le barrage de Sennar*. Cultures vivrières. Coton.

GHAB. *n. m.* ♦ Plaine de l'O. syrien, de direction N.-S., resserrée entre les djebels Aamsarîhé (Aamsarîya*) et Zâwiya. Drainée par l'Oronte*, elle est couverte de pâturages où viennent paître les troupeaux de moutons des Bédouins après la migration estivale. Importants travaux d'irrigation entrepris pour accroître la surface des terres cultivées.

GHADAMÈS ou **RHADAMÈS**. ♦ Oasis de Libye, dans le N.-O. du Fezzân* à proximité de la frontière algérienne et tunisienne. 7 000 hab. Palmeraies. Jardins.

GHÂLIB (Mirzâ Asâdallâh khân). ♦ Poète indien (Âgra, 1797 – Delhi, 1869), d'expression urdû et persane. Ses poèmes contribuèrent pour beaucoup au développement de la langue urdû. Il est également connu sous le nom de Ghâli Ghâlib.

GHÂNA *(royaume du)*. ♦ Anc. État africain du Soudan occidental dont la cap. au XIe s. appelée *Koumbi* ou *Ghana* se trouvait au S. de la Mauritanie actuelle et qui tirait sa puissance de l'exportation de l'or soudanais. Fondée dès le IVe s. de notre ère par des Berbères, la dynastie fut renversée à la fin du VIIIe s. par un Noir Sarakolé, connu sous le nom de Kaya Maga Cissé (« le maître de l'or »). Le royaume du Ghâna connut son apogée au XIe s. et sa splendeur fut décrite par le voyageur arabe al-Bakri*. Cependant, ce royaume païen encerclé par l'Islâm (Toucouleurs et Peuls avaient été convertis) s'écroula après la prise de sa cap. par les Almoravides* en 1076. Très diminué après le départ des conquérants marocains, il végéta jusqu'à son absorption au XIIIe s. par l'empire du Mali*.

GHÂNA, *n. m. (République du)*, anc. **Côte de l'Or**, en angl. **Gold Coast**. ♦ État de l'Afrique occidentale, baigné au S. par le golfe de Guinée*. Il est limité à l'O. par la Côte-d'Ivoire, au N.-O. et au N. par la Haute*-Volta, et à l'E. par le Togo*. 239 000 km². 9 870 000 d'hab. *(Ghanéens)*. Cap. **V. Accra.** *Langues :* anglais (off.), nombreux dialectes. *Pop. :* **V. Achantis, Agnis, Ewés, Haoussas** et **Peuls.** *V. et localités princ.* **V. Akosombo, Koumassi, Sekondi, Takoradi, Tema.** – Le Ghâna, drainé par les trois Volta* comprend : Une zone côtière forestière similaire à celle de la Côte*-d'Ivoire (climat subéquatorial), très arrosée (2 000 mm), région vitale du pays, le centre, triangle achanti*, pays du cacao, le N. formé de plateaux granitiques appartenant à la zone soudanaise. Si son agriculture vivrière est suffisante, ses cultures commerciales restent soumises à la monoculture du cacao (1er producteur mondial). D'autre part, la production forestière (12 % des exportations) et la pêche constituent des ressources non négligeables. Ses réserves d'or (2e producteur africain), de diamant, de manganèse (5e rang mondial) et de bauxite, font du Ghâna un grand pays minier. Son indus. est diversifiée. La mise en valeur du S. a entraîné une forte migration des populations des pays voisins. Le Ghâna et la Côte-d'Ivoire sont les deux pays les plus développés économiquement d'Afrique occidentale. ♦ *Hist.* Les Portugais attirés par les richesses aurifères s'établirent sur ses côtes (1471), puis d'autres Européens s'y implantèrent. Elles furent un des principaux centres du trafic des esclaves. En 1871, l'Angleterre acheta les comptoirs hollandais et fonda la Côte* de l'Or. Les Britanniques durent lutter contre le royaume Achanti* pour s'établir dans l'intérieur. Colonie britannique (1874), le Togo* britannique y fut rattaché après référendum (1956), et ce fut le premier pays d'Afrique occidentale à acquérir son indépendance (1957), il prit le nom de Ghâna*, bien qu'il ne couvre pas le même territoire que l'anc. royaume. K. Nkrumah* présida la république (rattachée au Commonwealth*) à partir de 1960, mais fut renversé par une junte militaire en 1966. Rétablissement d'un gouvernement civil en 1969.

Ph. Hétier

Ghâna : l'université d'Accra.

GHARB ou **RHARB**. ♦ Plaine du N.-O. du Maroc, en bordure de l'Atlantique, limitée à l'E. par le Rif* et au S. par la Meseta*, traversée par l'oued Sebou*. Ancienne zone de marécages. Riches sols noirs. Agrumes. Riz. *V. princ. :* **V. Kenitra, Ksar el-Kébir, Larache** et **Sidi-Kacem.**

GHARDAÏA. ♦ Oasis du N. du Sahara algérien (dép. des Oasis) au cœur du Mzâb*. 15 000 hab. Ville pittoresque. Dattes de qualité. Tapis. Tissus. – Au N.-O. se situe le gisement de gaz et de pétrole d'Hassi*-R'Mel.

GHASSÂNIDES. *n. m. pl.* ♦ Dynastie originaire de l'Arabie du Sud qui régna sur les tribus arabes de la Palmyrène et du sud de la Palestine (IIIe-VIIe s.). Vassaux de Byzance, ils obtinrent le titre de *Phylarques* sous le règne de Justinien*. Ils embrassèrent le christianisme monophysite et entretinrent des rapports commerciaux et littéraires avec d'autres tribus du désert arabique. Al-Hârith (Arétas, mort v. 570) fut le premier prince ghassânide dont l'existence n'est pas hypothétique.

GHÂT(S). *n. m. pl.* ♦ Nom donné aux rebords montagneux E. et O. du plateau du Dekkan* (Inde). Les *Ghâts occidentaux,* les plus élevés (entre 800 et 3 000 m), formés de roches basaltiques, longent à peu de distance la côte occidentale indienne. Ceux de l'E., moins élevés (de 500 à 800 m) et moins longs, bordent le plateau du Dekkan à quelque distance de la côte orientale de l'Inde.

GHAZÂLÎ (Abû Hâmid Muhammad al-, connu sous le nom d'**Algazel)**. ♦ Théologien et penseur de l'islâm (Tûs, Khûrassan, 1058 – 1111). Après avoir été professeur et recteur à Baghdâd, il devint pèlerin errant pendant près de dix ans (Palestine, Arabie). Il revint enseigner à Nîshâpûr, avant de se retirer à Tûs où il vécut comme Sûfi. Son œuvre principale, *Ihyâ 'ulûm al-dîn* (trad. *Revivification des sciences religieuses*), est un des documents essentiels pour la connaissance des sciences et de la foi islamique. Il est par ailleurs l'auteur de nombreux traités de polémique philosophique *Tahâfut al-falâsifa (Incohérence de la philosophie)* auquel répondit Averroès*, *Al-Munqidh min al dhalâl (erreur et délivrance),* et de soufisme - *al-Jawâhir al-ghawâli (Les Perles précieuses)*. Sa doctrine religieuse fut essentielle dans l'évolution de l'islâm **(V. Soufisme).**

GHAZAOUET, anc. **Nemours**. ♦ V. et port d'Algérie, ch.-l. d'arr. du dép. de Tlemcen, près de la frontière marocaine. 15 600 hab. Pêche. Station balnéaire. Port exportateur des produits miniers du Maroc oriental.

GHAZNAVIDES ou **GHAZNÉVIDES**. *n. m. pl.* ♦ Dynastie des Türk qui régna sur l'Afghânistân et le Pañjâb (Xe-XIIe s.). Elle fut fondée par Alptegîn* (962), anc. capitaine des gardes des émirs samânides de Boukkara et de Samarkand. Il s'empara de la ville de Ghaznî* (Afghânistân) et en fit la cap. de la dynastie. Au début, les Ghaznavides furent les vassaux des Samânîdes; mais ils s'affranchirent de cette tutelle en 999. L'apogée de la dynastie fut le règne de Mahmûd* de Ghaznî (998-1030) qui entreprit des raids fructueux contre le Khorasan, l'Irak et l'Inde du Nord-Ouest. Mais ses descendants furent médiocres. Ghaznî fut prise par les princes de Ghor (1173) et le dernier des Ghaznavides se réfugia dans ses possessions indiennes; mais il fut vaincu par Muhammad Ghorî (1186). Après avoir été pendant deux siècles un brillant centre de civilisation, Ghaznî – prise par Ögödei, fils de Temüjin (1221) et par Timûr-i Lang (*fin* XIVe s.) – était une ville de second ordre quand elle fut annexée à l'Empire mogol par Bâbur (1504).

GHAZNÎ. ♦ V. de l'Afghânistân*, au S.-O. de Kâbul*. 30 000 hab. ♦ *Hist.* Anc. cap. des Türk ghaznavides* (de Ghaznî), fondée vers la fin du Xe siècle. La ville, ornée de monuments intéressants, fut intégrée à l'Afghânistân en 1737. Elle fut prise et détruite par les Anglais en 1842. Le souverain le plus célèbre des Ghaznavides fut Mahmûd* de Ghaznî (999-1030).

GHELDERODE (Michel *de*). ♦ Auteur dramatique belge de langue française (Ixelles, 1898 – Bruxelles, 1962). La violence d'une nature tourmentée, une angoisse métaphysique aspirant à l'absolu du bien comme du mal, une bouffonnerie et un lyrisme proches de Bruegel l'Ancien et de Jérôme Bosch, s'incarnent dans les personnages de ces farces où la mort est toujours présente : *Escurial* (1929), *L'École des bouffons* (1937), *Hop Signor!* (1938), *Fastes d'Enfer* (1942).

GHÉON (Henri Léon Vangeon, dit **Henri)**. ♦ Poète dramatique français (Bray-sur-Seine, 1875 – Paris, 1944). Il participa à la fondation de la *Nouvelle Revue française* (1909) et fut, avec Jacques Copeau, l'un des animateurs du théâtre du Vieux-Colombier (1913). Il fit représenter, par la troupe des « Compagnons de Notre-Dame », des pièces d'une inspiration à la fois chrétienne et populaire : *Le Pauvre sous l'escalier* (1921), *Le Noël sur la place* (1935), *Le Mystère de la messe* (1936).

GHEORGHIU-DEJ (Gheorghe). ♦ Homme politique roumain (Bîrlad, Moldavie, 1901 – Bucarest, 1965). Il fit partie du parti communiste dès 1930, mais fut incarcéré de 1933 à 1944 pour avoir favorisé une grève de cheminots. Ayant exercé plusieurs

Arch. Smeets

Ghirlandajo : « Vieillard avec un enfant ». (Musée du Louvre, Paris.)

ministères de 1944 à 1949, il devint secrétaire général du parti communiste et chef du gouvernement (1952-1955), et président de la République (1961). Partisan du « communisme national », il s'opposa à Khrouchtchev.

GHERARDESCA. ♦ Famille italienne qui joua un rôle important à Pise dans la querelle des guelfes et des gibelins (XIIIe-XIVe s.). ♦ UGOLIN GHERARDESCA (m. à Pise, 1288). Gibelin, il se rapprocha du chef des guelfes, Jean Visconti, et fut banni de Pise, mais l'aide des Florentins et des Lucquois lui permit de prendre le pouvoir et d'établir un régime de terreur. Renversé par une conspiration menée par l'archevêque Ruggiero Degli Ubaldini, il fut enfermé avec ses fils et ses neveux dans une tour (tour de la Faim) dont on jeta les clefs et où, selon la légende, il serait mort de faim, le dernier, après avoir tenté de manger ses enfants. Son supplice inspira Dante*, dans l'*Enfer*.

GHERARDI (Evaristo). ♦ Acteur italien (Prato, 1663 — Paris, 1700). L'un des plus prestigieux arlequins, il fit toute sa carrière à Paris, au Théâtre-Italien.

GHERASSIMOV (Alexandre Mikhaïlovitch). ♦ Peintre soviétique (Mitchourinsk, 1881 — Moscou, 1963). Il commença par réaliser des affiches de propagande célébrant la révolution d'Octobre. Précédant les théories jdanoviennes prônant une esthétique didactique et héroïque (« réalisme socialiste »), il peignit dès 1926 le portrait du maréchal Vorochilov avec une technique « vériste ». Il représenta les principales personnalités du Parti communiste, selon le même principe, avec cependant un accent plus fougueux, et devint l'un des peintres officiels du régime (*Lénine à la tribune,* 1932).

GHIBERTI (Lorenzo). ♦ Orfèvre, architecte et sculpteur italien (Florence, 1378 ou 1381 — 1455). Il remporta devant six concurrents, dont Brunelleschi* et Jacopo* della Quercia, le concours de 1401 pour la deuxième porte du baptistère de Florence et exécuta celle-ci (1403-1424), réplique, dans son plan, de celle d'Andrea Pisano*, puis la troisième porte, son chef-d'œuvre, que Michel-Ange appela « porte du Paradis » (1425-1452). Accomplissement d'une évolution déjà lisible dans le *Saint Matthieu d'Or, San Michele* (1419-1423) et les reliefs des fonts baptismaux de Sienne (1425-1427), elle conserve du style gothique international de la deuxième porte la grâce précieuse et l'élégance, mais les dernières découvertes de la peinture et de la sculpture sont appliquées dans le traitement de l'espace et du mouvement (perspective, éléments naturels et architecturaux, influences de l'antique, de Donatello). Architecte, Ghiberti travailla avec Brunelleschi à Santa Maria del Fiore. Il a écrit des *Commentaires* qui nous renseignent sur sa vie et l'art du Trecento.

GHIKA. ♦ Famille princière roumaine, d'origine albanaise, qui a donné de nombreux princes de Moldavie et de Valachie du XVIIe au XIXe siècle.

GHIL (René). ♦ Écrivain français d'origine belge (Tourcoing, 1862 — Niort, 1925). Disciple de Mallarmé*, persuadé que la poésie est par le symbole le moyen d'accès au monde des idées, il débuta par un essai poétique, *Légende d'âmes et de sangs* (1885), puis composa un triptyque, *Dire du mieux* (1889), *Dire des sangs* (1898) et *Dire de la loi*. Dans son *Traité du Verbe* (1887), il s'inspire de Rimbaud* (*Alchimie du Verbe,* 1873) pour exposer ses théories sur la valeur colorée et instrumentale des voyelles.

GHIRLANDAJO (Domenico di Tommaso Bigordi, dit). ♦ Peintre italien (Florence, 1449 — *id.,* 1494). Il ne quitta la ville qu'en 1481-1482, appelé par Sixte IV, pour un voyage à Rome où il composa la célèbre *Vocation des apôtres Pierre et André* (Sixtine*). Aîné de trois frères, il dirigeait leur atelier commun, où Michel*-Ange étudia, représentant dans ses fresques, avec un réalisme sobre, la Florence de son siècle et les grands bourgeois florentins, ses clients (*Vie de saint François,* à Santa Trinita, *Vies de la Vierge et de saint Jean-Baptiste,* à Santa-Maria-Novella). Alliant l'art du portrait à celui de la fresque, il sut joindre, au métier qu'il possédait, à son sens de la décoration et de la couleur, l'apport de recherches nouvelles (perspective) et d'influences enrichissantes : celles de son maître Baldovinetti*, de ses contemporains italiens ou flamands, comme en témoigne le *Vieillard avec un enfant* au Louvre (qui possède aussi de lui une *Visitation*).

GHLIN. ♦ Comm. de Belgique (Hainaut, arr. de Mons), dans le Borinage*. 7 600 hab. Houillères.

GHOR. *n. m.* ♦ Dépression du Moyen-Orient, séparée de la Bekaa* libanaise par le massif de l'Hermon*. Partagée entre l'État d'Israël et la Jordanie **(V. Cisjordanie),** elle constitue, du lac de Tibériade à la mer Morte, sur plus de 100 km, la vallée du Jourdain* que prolonge celle du wadi (oued) Araba de la mer Morte au golfe d'‘Aqaba (Akaba).

GHRIB. ♦ Barrage-réservoir d'Algérie (dép. d'El Asnam), sur le Chélif*. Il a une retenue de 280 000 000 de m^3 et permet l'irrigation de 30 000 ha. Centrale hydro-électrique.

GHYDAN *(monts)*. ♦ V. KOLYMA (monts).

GIAC (Pierre *de*). ♦ Homme politique français (?, v. 1380 — Dun-le-Roi, 1426). Il prit une grande influence sur le dauphin Charles (Charles* VII), détourna l'argent destiné aux réformes militaires du connétable de Richemont. Mais celui-ci s'empara de lui et le fit jeter à l'eau dans un sac.

GIACOMETTI (Alberto). ♦ Sculpteur, dessinateur et peintre suisse (Stampa, Grisons, 1901 — Coire, 1966). Fils du peintre impressionniste Giovanni Giacometti (1868 — 1933) et cousin du dadaiste zurichois Augusto Giacometti (1877 — 1947). Il poursuivit ses études à Genève (1919), séjourna en Italie, puis s'établit à Paris en 1922 où il devint élève de Bourdelle (1922-1925). Il évolua vers une interprétation très stylisée des formes humaines, sous l'influence de Brâncusi, Lipchitz, Laurens, de la sculpture africaine et de l'art des Cyclades. Il créa des œuvres aux volumes élémentaires, massifs et lisses qui, par leur titre et la nature de leur agencement, prennent une valeur symbolique teintée d'humour et d'érotisme, révélant des affinités avec les préoccupations surréalistes (*Le Couple,* 1926; *Femme cuiller,* 1928). Il adhéra au surréalisme en 1930, réalisant des constructions plus linéaires, souvent placées sur des tablettes qui concrétisent un espace imaginaire (*La Cage,* 1931; *Le Palais à quatre heures,* 1932-1933) ainsi que des objets « à fonctionnement symbolique » (*La Boule suspendue,* 1930), des figures mystérieuses (*L'Objet invisible,* 1934-1935). Il rompit ensuite avec le surréalisme et, poursuivant une recherche solitaire, axa ses préoccupations sur le rendu du visage et du corps humain, revint au modèle, cherchant une « ressemblance » qui ne soit ni vériste ni minutieuse, mais qui exprime sa volonté et en même temps sa difficulté à appréhender la réalité des formes dans l'espace. Ainsi, à partir de 1935, il modela dans le plâtre des statuettes aux dimensions de plus en plus réduites, aux volumes comme aplatis et étirés, à la surface d'aspect accidenté. Vers 1945, pratiquant le dessin et une peinture presque monochrome, il représenta des personnages isolés, cherchant à les définir en les encerclant d'un trait insistant et fouillé. Il eut ensuite tendance à augmenter les dimensions de ses sculptures, figura des personnages immobiles aux pieds énormes comme enracinés dans le sol et aux membres étirés. Il leur donna l'apparence d'une frêle armature allongée et réduite à une surface corrodée. Puis il les représenta en mouvement *(L'homme qui marche, l'homme qui chavire)* et groupa aussi sur un socle des personnages et des têtes selon des échelles différentes (*La Forêt,* 1950). Toujours angoissé et insatisfait, il reprit inlassablement les mêmes thèmes et donna à ses personnages des contours indistincts comme s'ils étaient saisis à distance, choisissant, écrit Sartre, « de sculpter l'apparence située, et il s'est révélé que par elle on atteignait l'absolu ».

GIA DINH. ♦ V. du Sud Viêt-nam, dans la banlieue N. de Saigon. 69 000 hab. Ch.-l. de la province homonyme.

GIA-LONG. ♦ Nom de règne de l'empereur d'Annam Nguyên Thê Tô (1762 — 1820) qui régna à partir de 1802, à Huê, membre de la dynastie impériale des Nguyên* qui dura jusqu'en 1945. Aidé d'officiers français et sur les conseils de l'évêque Pigneau de Béhaine, il s'allia avec la France et conquit la plus grande partie du Viêt-nam actuel. Il ouvrit ainsi le pays à l'influence française. Bon administrateur, il étendit sa suzeraineté sur le Cambodge, réforma son armée et son administration et ouvrit de nouvelles routes.

GIAMBELLINO. ♦ V. BELLINI (Giovanni).

GIAMBOLOGNA (Giovanni da Bologna ou **Jean Bologne,**

en fr. **Boulogne).** ♦ Sculpteur d'origine flamande (Douai? 1529 – Florence, 1608). Formé probablement à Anvers, il séjourna à Rome de 1555 à 1557 et se fixa ensuite à Florence où il obtint la protection de François de Médicis; il travailla aussi à Bologne, réalisant pour le pape Pie IV *La Fontaine de Neptune* (1563-1567). L'emprise du naturalisme flamand et de la sculpture hellénistique se mêla chez lui aux apports du maniérisme florentin, aboutissant à la formation d'un style varié et d'une grande maîtrise technique. Il créa des nus sensuels et raffinés (*Vénus de Petraïa,* 1567) d'un formalisme élégant et original (*Vénus des jardins Boboli,* 1570). Il eut aussi le goût du mouvement, cherchant les effets gracieux d'une composition en équilibre instable (*Mercure* dit *de Médicis,* 1580) ou plus puissant, grâce à une ordonnance dynamique, ouverte et tumultueuse *(Enlèvement des Sabines* pour la *loge des Lanzi).* Il réalisa de nombreux travaux de décoration pour les jardins (le colossal et surprenant *Apennin,* dieu-fleuve, d'esprit maniériste du parc de Pratolino) et travailla aussi pour les églises (*chapelle Saint-Antonin* à Saint-Marc de Florence, 1581-1589). Il fit preuve dans la *statue équestre de Cosme I*er (1587-1594) d'un esprit plus mesuré et traditionnel et exerça une influence notable sur la sculpture européenne, plus particulièrement à Versailles.

Giaour (Le). ♦ Poème de Byron (1813). Le héros, appelé le *Giaour,* du terme péjoratif employé par les Turcs pour désigner les non-mahométans, sauve Leila injustement jetée à la mer par son maître Hassan. Il incarne la fatalité romantique. Delacroix s'inspira de ce poème pour son tableau, *Le Giaour et le Pacha.*

GIAP. ♦ **V.** Vô Nguyên Giap.

GIARD (Alfred). ♦ Biologiste français (Valenciennes, 1846 – Orsay, Seine-et-Oise, auj. Essonne, 1908). Fondateur de la station zoologique maritime de Wimereux, il contribua à faire connaître les théories évolutionnistes. (Acad. sc., 1900.)

GIAUQUE (William Francis). ♦ Physicien et chimiste américain (Niagara Falls, Canada, 1895 –). Il proposa avec Debye*, en 1926, une méthode d'obtention de très basses températures par désaimantation adiabatique avec laquelle il obtint la température de 0,25 °K [1923] **(V.** *aussi* **Kamerlingh Onnes).** Il découvrit également les isotopes lourds de l'oxygène [1929]. (Prix Nobel de chimie, 1949.)

GIBBON (Edward). ♦ Historien anglais (Putney, 1737 – Londres, 1794). Fils unique d'un gentilhomme campagnard, Gibbon vécut surtout à Lausanne chez un érudit calviniste, lut Pascal et Montaigne, connut Voltaire et Suzanne Curchod (qui deviendra la mère de Mme de Staël) dont il s'éprit. Un voyage à Rome (1764) lui donna l'idée d'une étude historique de l'Empire romain (*Histoire du déclin et de la chute de l'Empire romain,* 1776). Gibbon y soutenait que le triomphe de l'Église est lié au déclin de l'Empire romain, thèse approuvée par Hume. Louis XVI se sentit visé par certaines considérations sur Arcadius et Honorius. Par son sens de la synthèse, l'œuvre de Gibbon est sans doute l'une des premières tentatives d'histoire scientifique; cependant, l'auteur y est toujours présent et pose les problèmes de son temps, le siècle des lumières. Enfin ses qualités littéraires (portraits de Marc-Aurèle, Constantin, Attila, etc.) donnèrent du lustre aux sciences historiques, avant A. Thierry et Michelet. Les mémoires de Gibbon (*Autobiographie,* 1795) éclairent la personnalité complexe de leur auteur.

GIBBONS (Orlando). ♦ Compositeur et organiste anglais (Oxford, 1583 – Canterbury, 1625). Benjamin d'une famille de musiciens, il fut organiste de la chapelle royale (1605) et de l'abbaye de Westminster (1623). Fidèle à la tradition polyphonique du XVIe s. qu'il sut enrichir d'harmonies et d'ornements d'une savante recherche, il a composé de la musique d'église (services, anthems, verse anthems) et de la musique profane (madrigaux, fantaisies, pavanes, gaillardes, pièces pour virginal et violes). Égal de Byrd, il demeure le plus illustre représentant de la musique élisabéthaine.

Arch. Smeets

Giambologna : « L'Apennin ».
(Villa Médicis, Pratolino.)

GIBBS (James). ♦ Architecte anglais (Aberdeen, 1682 – Londres, 1754). À Rome, il étudia auprès de Carlo Fontana de 1703 à 1709. Il fut ensuite chargé avec Wren* de la reconstruction des églises londoniennes et, subissant fortement l'influence de ce dernier, il éleva : *St-Mary-in-the-Strand* (1714-1717) ainsi que *St-Martin-in-the-Fields* (1722-1726). Il est aussi l'auteur de la cathédrale de Derby, de *Senate House* à Cambridge (1722-1730) et de la bibliothèque *(Library)* à Oxford (1737-1742), sur plan circulaire. Subissant moins que ses contemporains l'emprise du palladianisme, il adopta souvent des partis pris empruntés au baroque romain. Son ouvrage, *A Book of Architecture,* inspira de nombreux architectes américains jusqu'au XIXe siècle.

GIBBS (Josiah Willard). ♦ Physicien américain (New Haven, 1839 – 1903). Auteur de travaux sur l'analyse vectorielle et la mécanique statistique à la base de la physique théorique moderne **(V. Boltzmann),** il énonça la loi des phases, fondamentale dans l'étude des équilibres physico-chimiques. **V. Van't Hoff.**

Gibelins. *n. m. pl.* ♦ Partisans des Hohenstaufen, seigneurs de Waiblingen. **V. Guelfes.**

GIBRALTAR, en ar. **Djabal-Al-Târiq** (« montagne de Târiq »). ♦ Colonie britannique (6 km²) à l'extrémité méridionale de la péninsule ibérique, dominée par le *rocher de Gibraltar* (425 m). 26 400 hab. (Espagnols, Génois). Port de transit international (ravitaillement pétrolier) et importante base aéronavale britannique. ♦ *Hist.* L'anc. *Calpé* (Colonnes d'Hercule) fut envahie par les Maures de Târaq*, qui malgré quelques interruptions, y restèrent jusqu'en 1462. Elle fut reprise par les Espagnols, puis les Anglais s'en emparèrent lors de la guerre de Succession* d'Espagne (1704) et leurs droits furent reconnus par le traité d'Utrecht* (1713). Elle servit de base militaire lors des 2 conflits mondiaux. La population locale a refusé d'être rattachée à l'Espagne (référendum de 1967) qui revendique la souveraineté de Gibraltar.

GIBRALTAR *(détroit de).* ♦ Bras de mer séparant l'Europe de l'Afrique, l'Atlantique de la Méditerranée. Sa largeur est de 15 km env. et sa profondeur de 350 m. C'est une importante voie de passage où s'abritent de nombreux ports : Gibraltar*, Algésiras* et Tarifa* en Espagne, Ceuta* et Tanger* en Afrique.

GIBSON *(désert de).* ♦ Désert de l'Australie* occidentale, entre le Grand Désert de Sable* et le Grand Désert de Victoria*.

GIDDINGS (Franklin Henry). ♦ Sociologue américain (près de Sherman, Connecticut, 1851 – Scarsdale, près de New York, 1931). Il a fait de la « conscience d'espèce » la base essentielle de l'organisation sociale et étudié les facteurs psychiques (communication, imitation, sympathie, etc.) de l'intégration des individus dans le groupe (*Principes de sociologie,* 1896; *The Theory of Socialization,* 1897; *The Scientific Study of Human Society,* 1924; etc.).

GIDE (Charles). ♦ Économiste français (Uzès, 1847 – Paris, 1932). Fondateur (avec Gouth) de l'Association protestante pour l'étude et l'action sociale (1887), il fut un des principaux théoriciens du coopératisme [école de Nîmes]. (*Principes d'économie politique,* 1884; *La Coopération,* 1900; *Histoire des doctrines économiques,* avec Rist, 1909; *Les Sociétés coopératives de consommation,* 1910.) Oncle d'André Gide.

GIDE (André). ♦ Écrivain français (Paris, 1869 – 1951). Issu, par son père, d'une famille protestante du Languedoc, par sa mère, de la bourgeoisie catholique normande, A. Gide attribua à cette double ascendance la double postulation sensible dans son œuvre. Tôt orphelin de père et élevé, selon une morale rigide, par une mère autoritaire, il épousa en 1895 sa cousine Madeleine à laquelle l'unissaient des sentiments sur lesquels il s'était déjà exprimé dans *Les Cahiers d'André Walter* (1891), recueil de proses poétiques. À la même veine symboliste appartiennent *Le Traité du Narcisse* (1893) et *La Tentative amoureuse* ou *Le Traité du vain désir (id.).* Parti chercher la convalescence physique en Algérie (1893), Gide y traversa une crise spirituelle déterminante; prônant désormais la légitimité d'un bonheur humaniste (« Rien que la terre ») et le refus des acquisitions de l'éducation ou des impératifs de la morale, l'écrivain exalta la « ferveur » et l'ivresse d'une disponibilité sensuelle dans *Les Nourritures* terrestres* (1895), dont l'influence sur la jeunesse fut immense. Déjà nuancé dans le drame de *Saül* (publ., 1903), puis dans le conte philosophique, *Prométhée mal enchaîné* (1899), cet idéal individualiste fut nettement tempéré dans *L'Immoraliste* (1902). Toujours désireux d'apporter l'inquiétude (« inquiéter, tel est mon rôle »), l'écrivain se voulait aussi un « être de dialogue » : en 1909 paraissait (dans *la Nouvelle Revue française,* qu'il venait de fonder avec Copeau* et J. Schlumberger*) *La Porte étroite* où, manifestant une impartialité austère, Gide respectait l'« évasion vers le sublime » de son héroïne Alissa. Tendu vers la recherche d'un équilibre intérieur qui tînt compte également de la sensualité et de l'intelligence, de l'égoïsme et de l'altruisme, l'écrivain composa successivement

Ph. Hubert Josse

André Gide, par Mac Avoy.
(Musée municipal d'Art moderne, Paris.)

Les Caves du Vatican (1914), « sotie » à l'ironie réjouissante dont le héros, Lafcadio, se fait le champion de « l'acte gratuit », signe d'une liberté absolue, puis un récit symbolique, *La Symphonie pastorale* (1919), drame moral et conjugal d'un pasteur protestant (d'où l'équivoque du titre), où le classicisme de l'expression sert la ferveur sincère du ton. En 1925, un roman complexe, à la fois lyrique et critique, *Les Faux*-Monnayeurs,* reprenait le problème de la création littéraire, abordé dans la jeunesse de l'écrivain avec *Paludes* (1895). Orienté vers un idéal humanitaire, après un voyage en Afrique noire, il dénonça les excès du colonialisme (*Voyage au Congo,* 1927; *Retour du Tchad,* 1928) et s'inscrivit au parti communiste, nuançant cependant sa position dans *Retour de l'U.R.S.S.* (1936) avant de s'opposer nettement aux communistes. En 1946, *Thésée* allait apporter la conclusion de la pensée morale de l'auteur en exaltant toute forme d'action qui rend aux hommes leur liberté intérieure. Parallèlement, dans son *Journal* (publ. 1943 à 1953) tenu depuis 1889, l'écrivain rendait compte avec une sincérité lucide et une constante exigence littéraire de la complexité de sa vie morale, sentimentale et intellectuelle, complétant ainsi un roman autobiographique, *Si le grain ne meurt* (1920 et 1924), un essai ancien, *Corydon* (1911; 1920; signé, 1924), où il avait fait une courageuse et minutieuse apologie de l'homosexualité masculine, et ses *correspondances,* riches et élaborées (avec F. Jammes*, 1948; P. Claudel*, 1949; Rilke*, posth., 1952, et Valéry*, 1955). Bien qu'étranger à toute métaphysique religieuse, Gide, moraliste exigeant, refuse toute règle étrangère à l'individu, mais n'hésite pas à faire l'« apologie du dénuement ». L'essentiel étant pour l'être humain d'être cohérent avec soi-même tout en respectant ses ambiguïtés, il faut « s'exiger tel qu'on est » et « suivre sa pente, pourvu que ce soit en montant ». (Prix Nobel de littérature, 1947.)

GIÉ (Pierre, *maréchal de* **Gié,** *vicomte de* **Rohan).** ♦ Maréchal de France (Mortier-Crolles, Anjou, 1451 – Paris, 1513). Au service de Louis* XI, il reconquit les places de Flandre reprises par Maximilien d'Autriche.

GIEN [ʒjɛ̃]. ♦ Ch.-l. de cant. du Loiret, arr. de Montargis, sur la r. d. de la Loire. 12 769 hab. [11 655 aggl.] *(Giennois).* Église avec clocher du XVe siècle. Le château, construit par Anne de France (XVe s.) et situé sur une hauteur dominant le fleuve, abrite un important musée de la chasse. – Faïencerie. Produits pharmaceutiques. – Très endommagée pendant la Deuxième Guerre mondiale, la V. a été élégamment reconstruite.

GIENS *(presqu'île de).* ♦ Ancienne île de la Méditerranée, dép. du Var*, reliée au continent par deux langues de sable; elle sépare le golfe de Giens de la rade d'Hyères.

GIER. *n. m.* ♦ Affl. du Rhône* (r. d.), confluant à Givors. 44 km.

GIEREK (Edward). ♦ Homme politique polonais (Porabka, 1913). Mineur dans le Pas-de-Calais, il adhéra au parti communiste français (1931), mais, à la suite d'une grève, il fut renvoyé en Pologne en 1934. En 1937, il émigra en Belgique. De retour en Pologne en 1948, il devint secrétaire du parti communiste pour la voïévodie de Katowice. Membre du Comité central en 1954, puis du Bureau politique en 1956, il a succédé à Władysław Gomułka comme chef du parti ouvrier unifié en 1970.

GIESEKING (Walter). ♦ Pianiste allemand (Lyon, 1895 – Londres, 1956). Virtuose de réputation internationale, il fut l'un des meilleurs interprètes de la musique française pour piano (Debussy, Ravel) qu'il contribua à faire connaître en Allemagne. Avec son maître K. Leimer, il a publié un *Traité du piano moderne* (1931). Compositeur, il est l'auteur d'œuvres pour piano, cordes et instcuments à vent.

GIESSEN. ♦ V. d'Allemagne occidentale (Hesse), dans la vallée de la Lahn. 71 100 hab. Université. Châteaux des XIVe et XVIe s., maisons anciennes. – Métallurgie et constructions mécaniques. Mines de manganèse dans les environs. – Patrie de Fr. Diez*, W. Liebknecht*, K. Vogt*.

GIFFARD (Henry). ♦ Ingénieur français (Paris, 1825 – *id.,* 1882). Auteur de nombreuses inventions dont le premier dirigeable (1851), propulsé par une machine à vapeur et un injecteur de vapeur qui porte son nom (1858). **V. Tissandier.**

GIFFRE. *n. m.* ♦ Affl. de l'Arve*, en Haute-Savoie*. 50 km. Il traverse Samoëns*, Taninges* et conflue en amont de Bonneville*.

GIF-SUR-YVETTE. ♦ Ch.-l. de cant. de l'Essonne (arr. de Palaiseau), sur l'Yvette. 8 036 hab. – Église (XIIIe, XVe, XVIe s.). Anc. abbaye de Gif. – Le C.N.R.S. est installé dans un château : plusieurs laboratoires (le laboratoire de physiologie végétale est équipé d'un phytotron). – Des pourparlers entre Vietnamiens du Nord (Le Duc-Tho) et Américains (Kissinger) y ont eu lieu (1973).

GIFU. ♦ V. du Japon (Honshû*) et préfecture. Centre indus. important (céramiques, filatures, petite métallurgie). 393 000 hab. (1969). La ville est célèbre pour ses fabriques de papier, ses lanternes et ses pêches nocturnes au cormoran sur la rivière Nagara.

GIGLI (Beniamino). ♦ Ténor italien (Recanati, 1890 – Rome, 1957). Il s'illustra, de 1914 à 1955, sur les plus grandes scènes du monde, interprétant avec éclat le répertoire lyrique italien (Boïto, Verdi, Puccini, Mascagni).

GIGNAC. ♦ Ch.-l. de cant. de l'Hérault (arr. de Lodève). 2 772 hab. Tour romaine. La chapelle Notre-Dame-de-Grâce domine la ville au S., sur l'emplacement d'un temple de Vesta. – Vignobles. Distilleries, huileries. Agglomérés.

GIGNOUX (Maurice). ♦ Géologue français (Lyon, 1881 – Grenoble, 1955), connu pour ses travaux de stratigraphie, en particulier sur les zones internes des Alpes. *Traité de géologie stratigraphique,* 1925. (Acad. sc., 1946.)

GIJA. ♦ Souverain légendaire de Corée qui, en ~ 1122, aurait fondé le royaume du « matin calme » (Joseon) et promulgué les premières lois coréennes. Il aurait également introduit dans la péninsule l'écriture chinoise, ainsi que la technique de la culture du riz.

GIJÓN. ♦ V. d'Espagne, dans les Asturies* (prov. d'Oviedo*), sur le golfe de Gascogne*. 145 000 hab. Port industriel (El Musel), exportant houille et minerai de fer. Ind. sidérurgiques et chimiques.

GILA *(désert de),* en angl. **Gila Desert.** ♦ Zone désertique du S.-O. des États-Unis, formant notamment la partie sud de l'Arizona*. Elle est drainée par le *rio Gila.*

GILBERT (William). ♦ Médecin et physicien anglais (Colchester, 1544 – Londres, 1603). Il fut premier médecin de la reine Élisabeth. Auteur du premier traité sur le magnétisme (*De Magnete,* 1600), il établit une théorie d'ensemble du magnétisme terrestre : se basant sur des expériences précises, il assimila la Terre à un aimant, remarqua les règles de répulsion et d'attraction des aimants par leurs pôles, l'aimantation d'un barreau de fer doux dans un champ magnétique et l'influence de la chaleur sur le magnétisme du fer. Il donna également les premières notions sur l'électricité, dont une liste des corps électrisables par frottement. **V. Du Fay.**

GILBERT (Nicolas Joseph Laurent). ♦ Poète français (Fontenay-le-Château, 1750 – Paris, 1780). Adversaire des philosophes, il dénonça l'athéisme et la facilité des mœurs de son temps dans une véhémente satire en vers, *Le Dix-Huitième Siècle* (1775), avant de manifester une sensibilité élégiaque dans l'*Ode imitée de plusieurs psaumes,* souvent intitulée les *Adieux à la vie* (1780) : ce thème préromantique du poète malheureux et méconnu fut repris par Vigny* dans *Stello** et *Chatterton**.

GILBERT de Neuffonts *(saint).* ♦ (en Auvergne – Neuffonts, 1152). Après l'échec de la deuxième croisade où il avait suivi Louis VII, il distribua ses biens et fonda l'abbaye de Neuffonts, en Limagne, rattachée à l'ordre des Prémontrés, tandis que sa femme Pétronille fondait celle d'Aubepierre, au diocèse de Clermont. Fête le 6 juin.

GILBERT de Sempringham *(saint).* ♦ (Comté de Lincoln, v. 1083 – Sempringham, 1189). Religieux anglais, fondateur à Sempringham, en 1131, de l'ordre des *gilbertines* (sous la règle bénédictine) puis, en 1147, des *gilbertins* (chanoines réguliers et frères lais), ordre supprimé en 1538 par Henri VIII. – Fête le 4 février.

GILBERT ET ELLICE *(îles),* en angl. **Gilbert and Ellice Islands.** ♦ Colonie britannique comprenant trente-sept atolls et îles dispersés dans l'océan Pacifique O. et central, de part et d'autre de l'équateur. Elle est formée de seize îles formant les îles Gilbert (Micronésie*) avec l'île excentrique Océan, de neuf îles Ellice (Polynésie*) au S., huit îles Phœnix (Polynésie) à l'E. dont deux, Canton et Enderbury, sont sous administration anglo-américaine et trois, Washington, Fanning et Christmas (cette dernière étant revendiquée par les États-Unis), constituent les îles de la Ligne*. Env. 1 000 km². 60 000 hab. (1975). Le centre administratif est *Tarawa**, dans les îles Gilbert. – À l'exception de l'île Océan qui est une agglomération de corail et de phosphates surélevée par l'action volcanique, l'ensemble des archipels est formé d'îles de basse altitude entourées de récifs coralliens ou d'îlots, atolls de corail encerclant des lagons de forme irrégulière. La plus grande partie des îles est couverte de forêts denses de cocotiers. Les îles Phœnix et la partie méridionale des îles Gilbert sont soumises à des périodes de sécheresse. Les principales exportations sont le coprah et le phosphate de l'île Océan. ♦ *Hist.* Nikunau fut découverte en 1765 par J. Byron*, les autres îles Gilbert par les capitaines Gilbert et J. Marshall en 1788. Certaines des îles Ellice furent probablement aperçues par l'Espagnol Alvaro de Mendaña* de Neyra en 1568 et 1595. Certaines îles Phœnix furent aussi aperçues par des navigateurs espagnols et les autres furent découvertes au début du XIXe siècle. L'île Christmas fut sans doute découverte par Hernando de Grijalva en 1537 et relevée sur la carte par J. Cook* en 1777. Les autres « îles de la Ligne » furent découvertes en 1798 par E. Fanning. La Grande-Bretagne établit un protectorat sur les îles Gilbert et Ellice en 1892, puis les annexa en 1915 comme colonie. Les îles Ellice ont fait sécession (1975) et sont devenues *territoire des Tuvalu.* Les îles Gilbert sont dotées depuis 1977 du statut d'autonomie interne.

Gil Blas de Santillane (Histoire de). ♦ Roman de Lesage* (publ. en quatre livres; 1715-1724-1735), qui, s'inspirant de sources espagnoles nombreuses, illustre le genre des récits picaresques. Le jeune « écolier » Gil Blas, à la fois sagace et naïf, connaît de multiples aventures et avatars parmi les hommes, et se forge, à mesure de ses besoins, une morale aimable et facile. Les aventures que connaît le personnage central sont prétexte à des rencontres variées dans toutes les classes sociales, et à de nombreuses histoires secondaires qui se greffent sur le récit principal. Profondément originales apparaissent la vérité et la variété des portraits brossés avec un réalisme coloré qui n'exclut pas la peinture des détails (« c'est le premier roman où l'on mange »); ainsi cette fiction espagnole se transforme-t-elle en une satire de la société de la Régence, et même, comme le dit La Harpe, en « un tableau moral et animé de la vie humaine ; toutes les conditions y paraissent pour recevoir ou donner un leçon ».

GILBRETH (Frank Bunker). ♦ Ingénieur américain (Fairfield, Maine, 1868 – Lakawanna, New Jersey, 1924). Promoteur, avec Taylor*, de l'étude des mouvements et de l'organisation du travail.

GILDAS *(saint).* ♦ (Dumbarton, Écosse, *fin* Ve s. – île d'Houat, Bretagne, 570.) Disciple de saint Illtud, il prêcha le christianisme dans le nord de l'Angleterre, réorganisa l'Église d'Irlande, se retira à l'île d'Houat (538) et fonda le monastère de Rhuys, près de Vannes. Auteur d'un *Sommaire de l'histoire d'Angleterre depuis la conquête romaine.* – Fête le 29 janvier.

GILGAL ou **GUILGAL**, ou **GALGALA.** ♦ Montagne de Palestine (*auj.* Djeldjulieh) entre le Jourdain et Jéricho. Premier sanctuaire des Israélites après l'entrée en Canaan (*Josué*, IV, 20).

Gilgamesh. ♦ Héros sumérien, roi d'Uruk*, l'un des principaux personnages de la mythologie assyro-babylonienne. Avec son ami Enkidu, il combat le géant Humbaba. La déesse Inanna **(V. Ishtar)** le proclame un héros, mais il refuse ses faveurs. La déesse se venge en envoyant contre les deux compagnons un « taureau céleste », qui est vaincu. Elle fait alors mourir Enkidu. Saisi de douleur et d'effroi, Gilgamesh part en quête de l'immortalité. Il finit par la trouver, sous l'espèce d'une plante marine, mais celle-ci lui est volée par un serpent. De retour, il se résigne à la condition mortelle. ♦ *L'Épopée de Gilgamesh* est connue par des fragments sumériens et surtout par la version akkadienne trouvée parmi la bibliothèque d'Assurbanipal à Ninive*.

GILIOLI (Émile). ♦ Sculpteur français (Paris 1911 – *id.*, 1977). Il étudia à Nice, puis à Paris et s'installa à Grenoble en 1939. Les œuvres de Brâncusi, Laurens, Duchamp-Villon, et d'Arp l'incitèrent à approfondir les recherches d'ordre plastique et à abandonner toute référence à la figuration traditionnelle. Ainsi, il élabora dans un style strictement non figuratif des volumes apparemment simples, mais subtilement irréguliers, infléchis ou tranchants. Tirant parti des matériaux précieux (marbres de couleurs variées, onyx, bronze doré, cristal), il donna aux surfaces lisses un aspect poli, produisant ainsi des jeux de reflet, des effets de luminosité (*L'Oiseau prisonnier,* 1958). Il a su faire preuve d'un puissant sens monumental : *Le Mémorial de Voreppe,* 1946; *Le Monument aux déportés de Grenoble,* 1950; *Le Gisant de Vassieux,* dans le Vercors, 1952; *Monument-sculpture de la Résistance,* sur le plateau des Glières (1973).

GILL (*sir* **David).** ♦ Astronome et géodésien britannique (Aberdeen, 1843 – Londres, 1914). Directeur de l'observatoire du Cap, l'un des premiers utilisateurs de la photographie en astronomie, il réalisa le relevé des étoiles polaires australes *(Durchmusterung)* et ses travaux fournirent de nombreux éléments au système conventionnel actuel **(V. Auwers)**; on lui doit également des recherches sur la parallaxe solaire et des opérations géodésiques en Afrique du Nord.

GILLEN (Francis James). ♦ Administrateur colonial et ethnographe anglais (1856 – 1912). Il publia avec W.B. Spencer* les résultats de ses recherches sur les tribus du nord et du centre de l'Australie.

GILLES *(saint).* ♦ Ermite (VIIIe s.?) qui donna son nom au monastère et à la ville de Saint-Gilles, près de Nîmes. On ne connaît guère sur lui que des légendes, dont celle de la biche miraculeuse qui indiqua au roi l'emplacement de son ermitage. Elle est représentée sur un triptyque du Maître de saint Gilles, (peintre flamand, fin XVe siècle). – Fête le 1er septembre.

GILLES (de Rome), en lat. **Egidio Romano** ou **Columna.** ♦ Théologien italien (Rome, v. 1243 – Avignon, 1316). Il appartint à l'ordre des Augustins dont il fut le général, après avoir été l'élève de saint Thomas d'Aquin et avoir lui-même enseigné la théologie. Il fut archevêque de Bourges puis cardinal. Son *De ecclesiastica potestate* est une des œuvres les plus caractéristiques de ce qu'on a appelé l'augustinisme politique **(V. Cité de Dieu** [La] de saint Augustin).

GILLES (Jean, dit **Jean de Tarascon).** ♦ Compositeur français (Tarascon, 1669 – Avignon, 1705). Malgré sa courte carrière, la profondeur et la majestueuse beauté de ses œuvres lui valurent une renommée considérable. On a conservé de lui 5 *Motets à grand chœur et symphonie,* 10 *Motets,* à voix seule, 3 *Psaumes,* et surtout un *Requiem* qui fut donné aux obsèques de Rameau et de Louis XV.

GILLESPIE (John, dit **Dizzy).** ♦ Trompettiste, chanteur et chef d'orchestre de jazz Noir américain (Cheraw, Caroline du Sud, 1917 –). Trompettiste dans l'orchestre de Cab Calloway (1939-1941), il devint à partir de 1943 un des créateurs du *be*-bop.* Associé avec Charlie Parker* en 1945, il fonda ensuite son grand orchestre ; depuis 1950 il dirige de petites formations. Princ. enre-

Arch. Smeets

Le héros **Gilgamesh,** palais de Khorsabad. Albâtre, art assyrien, ~ VIIIe s. (Musée du Louvre, Paris.)

Ph. Hubert Josse

C. Gillot : « Les Deux Carrosses ». (Musée du Louvre, Paris.)

gistrements : *Groovin'high* (avec Parker, 1945), *Night in Tunisia* (1946).

GILLET (Guillaume). ♦ Architecte français (Fontaine-Chaalis, 1912). Fils de l'écrivain d'art LOUIS GILLET (Paris, 1876 – *id.*, 1943). Prix de Rome en 1946, il a été marqué par la leçon de son maître A. Perret* (église en béton de Notre-Dame de Royan, 1954-1959). Visant la prouesse technique, il a souvent cherché à en tirer des solutions plastiques élégantes (couvertures en verre mince des églises Saint-Crépin de Soissons, Saint-Joseph d'Avignon, du pavillon français de l'exposition universelle de Bruxelles, 1958). Il est l'auteur de nombreux châteaux d'eau, de constructions scolaires et d'établissements pénitenciers (Fleury-Mérogis, 1968, avec la collaboration notamment de Claude Charpentier).

GILLIÉRON (Jules). ♦ Linguiste français d'origine suisse (Neuveville, 1854 – Cergnaux-sur-Gléresse, Suisse, 1926). Après des études à Bâle, puis à Paris où il fut l'élève de G. Paris*, il enseigna la dialectologie à l'École des hautes études (1883). Il entreprit en 1897, appuyé par G. Paris et assisté par E. Edmont, la vaste enquête qui aboutit à l'*Atlas linguistique de la France* (1902-1923).

GILLINGHAM. ♦ V. du S.-O. de l'Angleterre (Kent), à l'embouchure de la Medway. 72 600 hab. Gillingham forme avec les « villes de la Medway », Rochester et Chatham, une vaste agglomération industrielle. Jadis, palais des archevêques de Canterbury.

GILLOT (Claude). ♦ Peintre, dessinateur, graveur et décorateur français (Langres, 1673 – Paris, 1721). Il représenta des scènes de genre qui montrent son attachement à la tradition hollandaise du XVIIe siècle. Fertile décorateur, il sut adapter sa peinture à l'esprit léger de l'époque et à ses besoins décoratifs. Il fut chargé de diriger les décors et les costumes de l'Opéra *(Dessins d'habillements à l'usage des ballets, opéras, comédies)*. Passionné par le théâtre, il représenta avec verve mais sans éviter une certaine sécheresse de facture les types et des scènes de la commedia dell'Arte *(Théâtre-Italien; Livre de scènes comiques; le Tombeau de Maître André)*. Il fut le maître de Watteau* et de Lancret* puis se consacra à la gravure (*Fables* de La Motte).

GILLY. ♦ Comm. de Belgique (Hainaut, arr. de Charleroi), 24 600 hab. Abbaye de Soleilmont (vestiges des XVIe et XVIIe s.). – Houillères. Indus. métallurgiques. Verreries.

GILOLO, DJILOLO, ou **JILOLO.** ♦ V. HALMAHERA.

GIL ROBLES (José María). ♦ Homme politique espagnol (Salamanque, 1898 –). Professeur de droit, journaliste et député, il fut l'un des leaders de la droite catholique (1933). Il se rallia à la République en 1933, et fut ministre de la Guerre en 1935. Après la victoire du Front populaire aux élections de 1936, son attitude, jugée ambiguë, éloigna de lui une partie de ses militants de droite au profit de la Phalange* ou des monarchistes. Exilé pendant la guerre civile, il revint en Espagne, où il fut l'un des dirigeants démocrates chrétiens jusqu'en 1977.

GILSON (Paul). ♦ Compositeur et pédagogue belge. (Bruxelles, 1865 – *id.*, 1942). Professeur aux conservatoires de Bruxelles et d'Anvers, il a joué un rôle important dans la vie musicale flamande. Son œuvre, abondante, comprend des opéras (*Princesse rayon de soleil*, 1903), un oratorio, *Francesca da Rimini* et un poème symphonique, *La Mer* (1892), des suites pour orchestre, de la musique de chambre et de ballets. Fondateur de la *Revue musicale belge* (1942), il est l'auteur d'un *Traité d'harmonie* qui fait autorité.

GILSON (Étienne). ♦ Philosophe français (Paris, 1884), l'un des principaux spécialistes de la philosophie scolastique médiévale, en particulier du thomisme **(V. Thomas d'Aquin** [saint]**)** dont il a montré l'actualité [*Le Thomisme*, 1921; *La Philosophie au Moyen Âge*, 1922; *L'Esprit de la philosophie médiévale*, 1932]. (Acad. fr., 1945.)

GIM DAE SONG [*Kim Tae Sung*]. ♦ Célèbre architecte et sculpteur coréen du VIIIe s., auteur des monuments de pierre du monastère de Bulgug-Sa.

GIMEL. ♦ Comm. de Corrèze*, arr. de Tulle*. 558 hab. Célèbre par ses trois belles cascades. Église renfermant la châsse de saint Étienne, du XIIe siècle.

GIM HONG DO [*Kim Hung Do*]. ♦ Peintre coréen (1760 – v. 1820) de paysages, portraits, oiseaux et fleurs. Il est surtout renommé pour ses peintures décrivant avec humour les scènes de la vie quotidienne populaire.

GIM IL SEONG [*Kim Il Sung*]. ♦ Homme politique coréen (Pyeong-yang, 1912). Après avoir organisé en 1943-1945 l'armée populaire coréenne contre les Japonais, il devint Premier ministre de la république populaire de Corée du Nord en 1948. Il fut le commandant en chef des armées nord-coréennes lors de la guerre civile de 1950-1953.

GIMOND (Marcel). ♦ Sculpteur français (Tournon, 1894 – Nogent-sur-Marne, 1961). Après des études aux Beaux-Arts de Lyon, il travailla auprès de Maillol et subit son influence. Il reçut aussi des conseils de Renoir. Fidèle à la tradition figurative, il a réalisé des statues, surtout des nus féminins (*Baigneuse*, 1925) aux formes calmes et élégantes, aux volumes arrondis dont la surface finement bosselée fait jouer la lumière. Il s'intéressa ensuite au portrait, donnant généralement à ses modèles une expression tranquille et recherchant l'équilibre et le dépouillement des formes par l'élimination du détail *(Madame Vincent Auriol; Hébertot)*. Si sa démarche semble renouer avec la tradition classique, sa volonté de stylisation et l'accent mis sur les volumes élémentaires révèlent chez lui l'influence indirecte du cubisme et de la sculpture primitive.

GIMONE. *n. f.* ♦ Affl. de la Garonne (r. g.). Née au plateau de Lannemezan, elle atteint la Garonne en amont de Castelsarrasin, après avoir arrosé Gimont. 122 km.

GIMONT. ♦ Ch.-l. de cant. du Gers*, arr. d'Auch*. 2 959 hab. *(Gimontois)*. Anc. bastide du XIVe s., église du XVIe s. reconstruite au XVIIIe s. – Aux environs, restes de l'abbaye cistercienne de Gimont. – Conserves alimentaires.

GIM SO WEOL [*Kim So Wŏl*]. ♦ Poète coréen d'inspiration folklorique (1903 – 1934), dont plusieurs poèmes furent mis en musique.

GINASTERA (Alberto). ♦ Compositeur argentin (Buenos Aires, 1916). D'une facture traditionnelle, bien que ses dernières compositions s'inspirent de techniques modernes, son œuvre comprend une symphonie, des concertos, des cantates, des ballets et un opéra (*Don Rodrigo*, 1964).

GINI (Corrado). ♦ Statisticien, sociologue et économiste italien (Motta di Livenza, 1884 –). Il a tenté d'établir les bases d'une science générale de la population et d'une sociologie économique (ou « économie intégrale »). *Alle basi della scienza economica*, 1943; *La logica della statistica*, 1962; etc.

GINSBERG (Allen). ♦ Poète américain (Newark, New Jersey, 1926). Après des études à l'université de Columbia, il voyagea en Amérique du Sud, en Afrique du Nord, en Europe et en Inde. Protégé de William Carlos William, il se fit connaître par des poèmes (*Howl and Other Poems*, 1956; *Kaddish and Other Poems*, 1961, *Reality Sandwiches and Later Poems*, 1963; *Baby Poems*, 1968). Chantre de l'« individualité contemplative », Ginsberg s'oppose à la civilisation américaine et au « système », voyant dans l'histoire moderne « une vaste conspiration pour réduire l'humanité à la seule conscience mécanique et détruire cette part de connaissance que tout être partage avec son Créateur ». Il figure comme l'une des personnalités marquantes de la *Beat Generation* (beatniks).

GIOBERTI (Vincenzo). ♦ Prêtre, philosophe et homme politique italien (Turin, 1801 – Paris, 1852). Ses idées libérales et ses sympathies pour le mouvement « Jeune Italie » **(V. G. Mazzini)** lui valurent d'être exilé (1833); il vécut à Paris, puis à Bruxelles. Influencé par Rosmini* Serbati, il prétendit allier le renouveau philosophique et le catholicisme. Dans son ouvrage principal *Primato morale et civile degli Italiani* (1843), il prôna l'idée d'une fédération italienne sous la direction du pape s'opposant ainsi aux conceptions républicaines de G. Mazzini*. Rentré en Italie au moment de la guerre d'indépendance du Piémont contre l'Autriche (1848), il assuma d'importantes charges politiques (auprès du roi Charles-Albert), mais dut finalement démissionner et revint en France.

GIOIA (Melchiore). ♦ Économiste et philosophe italien (Piacenza, 1767 – Milan, 1829). Penseur libéral, il contribua à faire connaître en Italie les théories de Condillac et des idéologues* (*Elementi di filosofia*, 1818). En économie politique, il introduisit l'utilisation des statistiques (*Nuovo Prospetto delle scienze economiche*, 1815-1819; *Filosofia della statistica*, 1826).

GIOLITTI (Giovanni). ♦ Homme politique italien (Mondovi, 1842 – Cavour, 1928). D'origine piémontaise, il fut élu député en 1882 et devint ministre des Finances de Crispi* (1889-1890), puis ministre de l'Intérieur de 1901 à 1903. Président du Conseil presque sans interruption de 1908 à 1914, gouvernant indifféremment avec la gauche ou la droite, il exerça une sorte de « dictature parlementaire », grâce à la solide majorité qu'il s'était constituée à la Chambre. Partisan du réformisme socialiste, il calma l'agitation ouvrière par des mesures en faveur des travailleurs (réduction du temps de travail, développement de l'enseignement) et instaura le suffrage universel (1912). À nouveau président du Conseil en 1920, il réussit à calmer l'extrême agitation de l'Italie d'après-guerre et à rétablir l'ordre. Mais ce succès profita à Mussolini*, et Giolitti démissionna après les élections de mai 1921 **(V. Italie** [*Hist.*]**)**. Croyant pouvoir « absorber » les forces fascistes, Giolitti avait soutenu quelque temps le régime de Mussolini. Il passa dans l'opposition après l'assassinat du député socialiste Matteotti* (1924).

GIONO (Jean). ♦ Écrivain français (Manosque, 1895 – *id.*, 1970). Dans *Jean le Bleu* (1932), il évoque avec vivacité et fraicheur la figure de son père, cordonnier, son enfance sur les bords de la Durance, un séjour auprès des bergers de la montagne, puis sa lecture enthousiaste des Grecs et des Latins comme des lyriques américains (Melville, Whitman). Autodidacte, Giono lut Virgile ou « L'Iliade au milieu des blés purs », et adopta à son tour le ton lyrique ou épique pour célébrer la nature et la vie paysanne. Empreints d'une savoureuse vigueur, *Colline* (1928), *Un de Baumugnes* (1929) et *Regain* (1930) composent la *Trilogie de Pan* qui exalte la sensation (« Si l'on a ce don du ciel d'avoir de beaux sens, il n'y a qu'à se servir de ces instruments-là pour pénétrer le monde »). Pacifiste convaincu, après la guerre de 14-18 (le *Refus d'obéissance,* 1937 ; Giono sera emprisonné en 1939, puis en 1944), l'écrivain dénonça la guerre (*Le Grand Troupeau,* 1931), le machinisme et la ville (*Les Vraies Richesses,* 1936), magnifiant en revanche la communion avec la terre en des textes que soulève un grand souffle panique : *Le Chant du monde* (1934), *Que ma joie demeure* (1935), *Bataille dans la montagne* (1937), *Le Poids du ciel* (1938). Ce lyrisme cosmique inspire notamment un long poème en prose, *Le Serpent d'étoiles* (1934), et le théâtre de Giono (Cf. *Le Bout de la route,* 1941). Adoptant depuis *Un roi sans divertissement* (1947) un style de facture classique, rapide et d'une sécheresse stendhalienne, Giono composa des *Chroniques* légendaires de la France et de l'Italie entre 1830 et 1848 ; *Noé* (1948), *Mort d'un personnage* (1949), *Les Âmes fortes* (1950), *Le Moulin de Pologne* (1952), *Les Deux Cavaliers de l'orage* (1965) et, surtout, *Le Hussard sur le toit* (1951) présentent des héros aristocratiques, en marge de la société et des lois, qui cultivent l'art de ne pas être dupes et se sentent « au comble du bonheur » dans l'exercice de leur liberté. (Acad. Goncourt.)

GIORDANI (Pietro). ♦ Écrivain italien (Plaisance, 1774 – Parme, 1848). Il collabora à *la Bibliothèque italienne,* revue littéraire où il publia la traduction de l'essai de Mme de Staël sur l'utilité des traductions. On lui doit des panégyriques de *Napoléon* (1807) et de *Canova* (1810).

GIORDANO (Luca). ♦ Peintre et décorateur italien (Naples, 1634 – *id.*, 1705). Fils d'un marchand de tableaux et copiste, il se distingua par son habileté à pasticher les maîtres du XVIe s. et par la virtuosité et la rapidité de son exécution, qui lui valurent le surnom de *Fa Presto.* Sous l'influence de Ribera*, il peignit d'abord dans une manière dense et sombre. Devenant à Rome vers 1650 l'assistant de P. de Cortone* et séjournant ensuite à Florence et à Venise, il évolua vers un style plus léger et lumineux exécutant une multitude de tableaux religieux et mythologiques, ainsi que de grandes décorations à fresque, notamment l'*Apothéose des Médicis* au palais Riccardi à Florence, puis en Espagne, à la demande de Philippe II (1792), des décorations à *L'Escorial,* au *Buen Retiro,* à la cathédrale de Tolède et à Naples : *L'Histoire de Judith* (Chartreuse de Saint-Martin, 1702, 1704). Assimilant les apports les plus divers, il élabora un style à la fois décoratif et représentant de l'école napolitaine de la seconde moitié du XVIIe s. et annonça le style rococo, par la grâce sensuelle de ses personnages et sa tendance à peupler l'espace de figures tourbillonnantes et volantes.

GIORGI (Giovanni). ♦ Électricien et physicien italien (Lucques, 1871 – Castiglioncello, 1950). Créateur, en 1901, du système d'unités rationnelles dit MKSA (mètre-kilogramme-seconde-ampère), qui fut adopté en 1935 par la Commission électrotechnique internationale.

GIORGIONE (Giorgio da CASTELFRANCO, dit). ♦ Peintre italien (Castelfranco, v. 1477 – Venise, 1510). La carrière fulgurante de Giorgione eut de grandes conséquences sur l'évolution de la peinture vénitienne. Sa vie et son œuvre sont si mal connues que « chacun fabrique son propre Giorgione » (Venturi). Toutefois, Vasari, informé par Titien, rapporte que Giorgione fut élève chez Giovanni Bellini* auprès de qui il assimila le traitement de la lumière tel qu'il fut introduit à Venise par Antonello* da Messina. L'amateur vénitien Marcantonio Michiel (v. 1543) cite douze peintures de Giorgione parmi lesquelles il est aisé d'identifier la *Tempête* (Venise) et les *Trois philosophes* (Vienne). À ces deux tableaux, il faut ajouter le *Portrait Laura* (Vienne), la *Palla de Castelfranco* et le fragment (femme nue) qui subsiste des fresques du *Fondaco dei Tedeschi* (Venise) pour obtenir l'œuvre absolument certaine de Giorgione. Ces travaux, à eux seuls, illustrent la nouveauté du message de leur auteur, qui développa la manière tonale et luministe de son maître Bellini et réussit par l'adoucissement des contours à fondre aisément les personnages dans un paysage traité par petites taches. Ainsi, dans la *Pala de Castelfranco,* le *sfumato* léonardesque est détourné vers un chromatisme tout vénitien, alors que le paysage vibrant de la célèbre et énigmatique *Tempête* (Venise) rend sensibles la fugacité et la soudaine clarté d'un éclair. D'après Vasari, Giorgione peignait directement, sans recours au dessin. Peut-être est-ce pour cette raison que ses couleurs, pénétrant l'essence picturale des matières (eau, étoffe, chair), proposent un monde investi par l'enchantement et la poésie. – L'œuvre de Giorgione influença profondément l'école vénitienne (Titien*, Sebastiano* del Piombo) et ses dérivations de Vélasquez* à Manet*.

Arch. Smeets

Giorgione : « Les Trois philosophes ». (Kunsthistorisches Museum, Vienne.)

GIORNICO. ♦ Village de Suisse (Tessin) sur le Tessin*. 1 100 hab. Église Saint-Nicolas (XIIe s.).

GIOTTO di Bondone. ♦ Peintre, sculpteur et architecte italien (Colle di Vespignano, 1266 ? – Florence, 1337). Il est malaisé de connaître Giotto à cause du nombre de ses œuvres perdues (œuvres profanes) ou dont l'attribution est incertaine. On peut admettre avec la tradition qu'il fut (à Florence, Rome et Assise ?) l'élève de Cimabue*, puis travailla vers 1296-1299 au cycle franciscain de l'église supérieure d'Assise. Son activité, lors d'un deuxième séjour romain très enrichissant (1300), le rendit célèbre : on l'appela à Padoue, où il décora la chapelle des Scrovegni, à l'Arena (v. 1305-1310), puis travailla à Rome, à Rimini, à Florence où la restauration de ses fresques de Santa Croce (v. 1318-1325) a mis en valeur l'utilisation spatiale de la lumière et de la couleur, à Naples aussi (v. 1329), et à Milan (v. 1335). En 1334, il devint maître d'œuvre des fortifications et du dôme de Florence, et dirigea les premiers travaux du Campanile (dit Campanile de Giotto), pour lequel il sculpta des bas-reliefs. Partout il avait formé écoles et disciples – dont Daddi*, T. Gaddi* – qui réagirent à son influence selon leur tradition locale. Mais, après 1350, le giottisme tendit à une imitation formelle, académique. Giotto, lui, s'il avait appris de Cimabue, Cavallini*, Arnolfo* di Cambio, Nicola et Giovanni Pisano*, n'avait imité personne. Sa vision moderne de l'espace, sa manière d'individualiser les personnages, liés dans un réseau de gestes, son sens de la nature et de l'humain contrastaient résolument avec les conventions de la « manière grecque » et la perception médiévale. Un passage de Dante* *(Purgatoire)* témoigne du rapide succès de ce réalisme.

GIOVANNI DA MILANO. ♦ Peintre italien, connu de 1346 à 1369. Né et formé en Lombardie, il devint citoyen florentin et associa dans ses fresques et polyptyques les traits septentrionaux et giottesques. Il décora la chapelle Rinuccini à Santa Croce (v. 1365, Florence).

GIOVANNI DA UDINE. ♦ Peintre et stucateur italien (Udine, 1487 – Rome, 1564). Après un séjour à Venise, il devint collaborateur de Raphaël*, qui l'engagea pour décorer les loges du Vatican (1517-1519). Là, il inventa le système décoratif dit « des grotesques » en déployant un monde fantaisiste librement inspiré des motifs découverts dans les « grottes » de la *Maison Dorée* de Néron, sur l'Esquilin. Ce décor devint à la mode et Giovanni en proposa des variantes à la Farnésine et à la villa Madama comme au *Palazzo Vecchio* de Florence. Il fut un grand rénovateur de l'art décoratif occidental.

GIOVANNI PISANO. ♦ V. PISANO.

GIRAL (Jean-Antoine). ♦ Architecte français (Montpellier, 1720 – *id.*, 1787). Il aménagea à Montpellier la promenade du Peyrou commencée par son père, édifiant notamment les escaliers en terrasse et le château d'eau auquel il donna la forme d'un temple hexagonal (1774).

GIRALDA. *n. f.* (mot esp. « girouette »). ♦ Tour de Séville*, minaret de l'anc. mosquée hispano-mauresque, construite au XIIe s. (à la même époque que la Koutoubia à Marrakech* et que la tour Hassan à Rabat*). Elle est haute d'env. 97 m à la base, sur plan carré de 13,60 m de côté. Ses murs de brique ont une épaisseur de 2,50 m, percés de fenêtres simples et à arcs lobés. Son nom provient d'une statue de Bartolomé Morel (1568) placée au sommet, et qui, malgré son poids (1 288 kg), tourne comme une girouette.

GIRAL PEREIRA (José). ♦ Homme politique espagnol (Santiago de Cuba, 1879 – Mexico, 1962). Professeur de chimie, ami d'Azaña*, il contribua à l'avènement de la République espagnole, dont il fut Premier ministre en 1936. Démissionnaire, il céda la place à Largo* Caballero. Il fut plusieurs fois ministre, notamment des Affaires étrangères, dans le cabinet Negrín* (1937). De 1945 à 1947, il présida le gouvernement républicain en exil.

GIRARD (Philippe *de*). ♦ Inventeur et industriel français (Lourmarin, Provence, 1775 – Paris, 1845). Inventeur des lampes hydrostatiques à niveau constant et des globes dépolis (1805), d'une lunette achromatique (1806) et d'une machine à filer le lin (1810) dont l'intérêt fut méconnu en France et lui valut d'être appelé par le tsar Alexandre Ier; il fonda une filature près de Varsovie (1833) et devint ingénieur en chef de l'industrie polonaise (**V. Zyrardów**).

GIRARDIN (Louis-Stanislas-Cécile-Xavier, *comte de***).** ♦ Général et homme politique français (Lunéville, 1762 – Paris, 1827). Formé par J.-J. Rousseau qui fut son précepteur, il se montra partisan des idées nouvelles au début de la Révolution. Élu député à l'Assemblée législative, il siégea néanmoins aux côtés des monarchistes constitutionnels (Feuillants*) et se rapprocha de la cour. Il fut emprisonné sous la Terreur et libéré après le 9 Thermidor. Sous le Consulat, il siégea au tribunat (1799) dont il assuma la présidence (1802). Préfet en 1812, puis aux Cent-Jours, il fut disgracié après Waterloo. Nommé préfet de Côte-d'Or en 1819, il devint un des chefs de l'opposition libérale.

GIRARDIN (Delphine GAY, *Madame* **Émile** *de***).** ♦ Écrivain français (Aix-la-Chapelle, 1804 – Paris, 1855). Fille de Sophie Gay, élevée dans un milieu très littéraire, elle publia dès 1824 ses *Essais poétiques*, où se font jour des sentiments fort nobles, et divers poèmes de circonstance qui la firent surnommer la « Muse de la patrie ». Après un voyage en Italie (1826-1827), où elle reçut un accueil triomphal, et son mariage (1831) avec Émile de Girardin*, elle composa des romans (*Le Lorgnon*, 1831; *Le Marquis de Pontanges*, 1835) et un charmant récit *La Canne de M. de Balzac* (1836). Également spirituelles, ses *Lettres parisiennes* (publiées dans *la Presse* sous le pseudonyme de Vicomte de Launay; 1836 à 1848) lui valurent un grand succès. Elle composa pour le théâtre des tragédies (*Judith*, 1843; *Cléopâtre*, 1847) et de nombreuses comédies, dont *La joie fait peur* (1854).

GIRARDIN (Émile *de***).** ♦ Publiciste et homme politique français (Paris, 1806 – *id.*, 1881). Après plusieurs publications à succès, il fonda *la Presse** (1836), premier journal à prix modique, accessible au grand public. Cette innovation, qui suscita de vives querelles dans le monde du journalisme, devait opposer en duel Girardin à A. Carrel*, qui fut tué (1836). Opportuniste politique, Girardin, élu député (1834), puis membre de l'Assemblée législative (1849), fut expulsé après le coup d'État du 2 décembre 1851. Dès son retour en France, il poursuivit la publication de *la Presse* et fonda le journal *la Liberté* (1866), où il se fit le défenseur de l'Empire libéral, avant de soutenir le gouvernement de Thiers dans *le Moniteur universel* et *le Petit Journal* (1872) et de s'attaquer ensuite à Mac-Mahon et de Broglie dans *la France* (1877). Considéré comme le fondateur de la presse moderne, Girardin laissa une œuvre abondante dont le succès fut très éphémère.

GIRARDON (François). ♦ Sculpteur français (Troyes, 1628 – Paris, 1715). Il passa dans l'atelier de François Anguier* et devint le protégé du chancelier Séguier qui l'envoya parfaire sa formation à Rome. Reçu académicien en 1657, il devint l'un des principaux collaborateurs de Le* Brun et réalisa d'importantes œuvres pour les jardins de Versailles, notamment le groupe d'*Apollon servi par les nymphes* (1666-1675), représentatif du style classique qui s'élaborait à Versailles. L'influence de la sculpture antique, plus particulièrement de l'art hellénistique, s'y allie à un sens de l'élégance, de la mesure qui lui est personnel. Dans le relief du *Bain des nymphes*, le caractère de l'inspiration, la délicatesse du modelé, la grâce sensuelle des gestes s'inscrivent dans la ligne de Jean Goujon*. Girardon fut un portraitiste soucieux d'observer de près le modèle (*Lamoignon*, 1673; *Arnauld*) ou d'exprimer la majesté royale (*Statue équestre de Louis XIV* pour la place Louis-le-Grand, détruite à la Révolution). Il pratiquait un art exempt de froideur ou de statisme et certaines de ses réalisations présentent un accent baroque (*Enlèvement de Proserpine*, 1694-1699; *Tombeau de Richelieu*, 1675-1694).

Arch. Smeets

F. Girardon : « Apollon servi par les Nymphes ». (Bosquet d'Apollon, Versailles.)

GIRART de VIENNE (ou de Roussillon). ♦ Comte de Vienne (Dauphiné) [819-877] qui batailla contre les Normands en Provence, puis dut abandonner sa ville à la suite d'un désaccord avec Charles* le Chauve. Ayant donné son nom à l'épopée créée par Bertrand de Bar-sur-Aube (XIIIe s.) et apparaissant dans le *Cycle carolingien**, le *Cycle de Guillaume* d'Orange* (Cf. *Geste de Garin* de Monglane*) et la *Geste de Doon* de Mayence*, il est le champion du particularisme méridional en face de la politique absolutiste des Francs et évoque les vieilles luttes féodales. – Ce personnage sait faire preuve de générosité quand, tenant en ses mains l'empereur prisonnier (ici Charlemagne*), il se soumet à ce dernier, repoussant les conseils de son neveu, Aymeri* de Narbonne, désireux d'en finir avec son ennemi.

GIRAUD (Henri). ♦ Général français (Paris, 1879 – Dijon, 1949). Commandant la VIIe puis la IXe armée en mai 1940, il fut fait prisonnier par les Allemands, mais s'évada de Königstein en avril 1942. Il prit la tête des forces françaises d'Afrique du Nord au lendemain du débarquement allié de novembre 1942 puis, après l'assassinat de Darlan* (déc. 1942), représenta la souveraineté française à Alger, avec le titre de « commandant civil et militaire », et bénéficia du soutien américain. Malgré son hostilité au général de Gaulle*, il fut amené à coprésider avec lui le Comité français de libération nationale (C.F.L.N.) constitué à Alger en juin 1943. Il fut progressivement supplanté par de Gaulle, dut abandonner la coprésidence du C.F.L.N. (nov. 1943) et finalement démissionna de son poste de commandant en chef (avr. 1944). Il avait cependant reconstitué en Afrique du Nord, après le ralliement du général Juin*, une armée française équipée par les Américains. Les victoires de Tunisie, la libération de la Corse (à partir du 9 sept. 1943) et la constitution de l'armée française qui débarqua en Italie avaient été en partie le résultat de ses initiatives personnelles (**V. Front national). V.** *aussi* **Guerre mondiale** *(Deuxième).*

GIRAUDOUX (Jean). ♦ Écrivain français (Bellac, 1882 – Paris, 1944). La province française où il est né, son entrée à l'École normale supérieure (1903), un premier séjour en Allemagne (1905), les Affaires étrangères où il fera une longue carrière (1910-1940), la Grande Guerre où il est blessé (1914), la mission aux États-Unis qui lui est confiée (1916), enfin sa rencontre avec Louis Jouvet* (1928) ont successivement offert à Jean Giraudoux, avec quelques-uns de ses thèmes majeurs, la meilleure justification de son génie d'écrivain. Romancier dont la fantaisie et l'humour se paraient de tous les prestiges d'un style chatoyant, riche d'images insolites et rares (*Simon le Pathétique*, 1918; *Siegfried et le Limousin*, 1922; *Bella*, 1925; *Combat avec l'ange*, 1934; *Choix des élues*, 1939), créateur d'un univers harmonieux où la plus tendre intelligence présidait aux rapports entre les hommes, les bêtes et la nature, tout tragique étant exclu de ce commerce, Giraudoux apparut d'emblée comme un poète, le poète d'une ravissante utopie. À ce rêve d'un monde régi par la bonté et devenu prétexte permanent à l'effusion poétique la plus subtile, la plus éloquente et parfois la plus précieuse, Giraudoux n'allait pas tout à fait renoncer en abordant le théâtre. La rigueur de Jouvet* s'exerçant sur une forme trop prompte aux amples développements et le poids d'une réalité devenant plus tragique à chaque année nouvelle de l'immédiat avant-guerre allaient pourtant opérer dans cette œuvre d'insensibles mais profondes métamorphoses. Tandis que, sans rien perdre de sa virtuosité, le verbe gagnait en efficacité, la conscience du mal, de l'opacité du monde et de sa cruauté, peu à peu révélée, imposait à la voix du poète des accents d'une gravité nouvelle. D'un humanisme optimiste, fait du refus de toute démesure et, partant, de tout tragique : *Siegfried** (1928), *Amphitryon 38* (1929), *Judith* (1931), *Intermezzo* (1933), la pensée de Giraudoux allait évoluer dans le sens de l'inquiétude (*La guerre* de Troie n'aura pas lieu*, 1935), de l'interrogation pathétique (*Électre*, 1937; *Ondine*, 1939) et du désespoir (*Sodome et Gomorrhe*, 1943). Représentée après sa mort, *La Folle de Chaillot* (1945), loin d'être la féerie un peu factice que l'on crut longtemps y voir, pose avec force quelques-uns des problèmes les plus aigus de la civilisation contemporaine. Interrompue par la mort, cette réflexion teintée d'amertume et qui se fait souvent accusatrice s'exprimait déjà dans un essai, *Pleins pouvoirs* (1939). Péchant sans doute et trop longtemps par un excès de pudeur, par le refus d'une réalité jugée ignoble, le théâtre de Giraudoux, témoin des incertitudes et des désenchantements d'une époque tragique, a rendu en son temps une éclatante dignité à la scène française.

GIRESUN. ♦ V. de Turquie orientale, sur la mer Noire. Env. 25 000 hab. – Ruines d'une forteresse et de remparts byzantins. – Commerce de noisettes.

GIREY-DUPRÉ (Joseph). ♦ Publiciste français (Paris, 1769 – 1793). Il dirigea le *Patriote français* (début 1793 – après Brisset) et fut condamné à mort après l'élimination des chefs girondins.

GIRGENTI. ♦ **V.** Agrigente.

GIRNÂR. *n. m.* ♦ Montagne sacrée des Jaina* de l'Inde, située dans le Saurâstra, lieu saint fréquenté depuis l'époque d'Asoka et où se trouvent de nombreux temples. Réserve zoologique comprenant les derniers lions d'Asie (au nombre de quelques dizaines seulement).

GIROD (Paul). ♦ Ingénieur et industriel français d'origine suisse (Fribourg, Suisse, 1878 – Cannes, 1951). L'un des fondateurs de l'électrométallurgie, spécialiste de la fabrication des ferro-alliages,

Ph. Lauros-Giraudon

Jean Giraudoux, par J. E. Blanche. (Musée des Beaux-Arts, Rouen.)

créateur (1908) à Ugine de la Compagnie Paul Girod devenue la Société d'électrochimie, d'électrométallurgie et des aciéries électriques d'Ugine, il imagina un procédé de déphosphoration instantanée dans l'affinage rapide de l'acier. **V.** *aussi* **Thomas, Martin.**

GIRODET (Anne Louis GIRODET de ROUCY, dit **GIRODET-TRIOSON)**. ♦ Peintre français (Montargis, 1767 – Paris, 1824). Élève de David*, il subit aussi l'influence de Prud'hon*. Il séjourna cinq ans en Italie, exposa au Salon de 1792 le *Sommeil d'Endymion* qui, malgré son thème antiquisant et le traitement sculptural des figures, révèle une inspiration déjà romantique, sensible notamment dans le traitement. En 1801, il exécuta pour la Malmaison une œuvre d'après un thème d'Ossian et, en 1808, s'inspira de Chateaubriand* pour *Les Funérailles d'Atala.* Il est aussi l'auteur de portraits *(Chateaubriand),* de paysages, de deux peintures d'histoire, d'un poème *(Le Peintre)* et d'essais.

GIROKASTËR. ♦ V. d'Albanie* méridionale. Ch.-l. de district. Centre agricole.

GIROMAGNY. ♦ Ch.-l. de cant. du Territoire de Belfort, aggl. de Belfort*. 3 267 hab. Fontaine du XVIIIe siècle. Cimetière américain. – Métallurgie. Indus. cotonnière et chimiques. Carrière de pierre.

GIRONDE. *n. f.* ♦ Estuaire formé par la Garonne* et la Dordogne* réunies au bec d'Ambès* en aval de Bordeaux.

GIRONDE *(dép. de la).* [**33**]. ♦ Dép. du S.-O. de la France, région (anciennement C.A.R.) de l'Aquitaine*. 10 726 km^2. – *Orogr.* A l'O. et au S.-O., pays bas et sablonneux, en grande partie recouvert par la forêt de pins des Landes*, la côte rectiligne est bordée de dunes. Au N., plateaux calcaires séparés par les vallées de la Dordogne* et de la Garonne*, région des vignobles du Bordelais*.

♦ 548 comm., 51 cant., 1 030 263 hab. *Préf.* Bordeaux*, *sous-préf.* Blaye*, Langon*, Lesparre*-Médoc, Libourne*. *Ch.-l. de cant. :* Arcachon*, Audenge*, Auros (623 hab.), Bazas*, Belin*, Blanquefort*, Branne (750 hab.), Bourg*, Cadillac*, Captieux*, Carbon*-Blanc, Castelnau*-de-Médoc, Castillon*-la-Bataille, Coutras*, Créon*, Fronsac*, Grignols (1 266 hab.), Guîtres*, Labrède*, Lussac (1 598 hab.), Mérignac*, Monségur*, Pauillac*, Pellegrue (1 343 hab.), Pessac*, Pondensac (1 823 hab.), Pujols (534 hab.), Réole* (La), St*-André-de-Cubzac, St-Ciers-sur-Gironde (2 156 hab.), Ste*-Foy-la-Grande, St*-Laurent-et-Benon, St*-Macaire, St*-Savin, St-Symphorien (1 393 hab.), St*-Vivien-de-Médoc, Sauveterre*-de-Guyenne, Targon*, Teste* (La), Villandraut*. *Autres comm. et régions importantes :* **V. Ambès, Andernos-les-Bains, Cap-Ferret (Le), Caudéran, Entre-deux-Mers, Eysines, Gradignan, Grave** (pointe de), **Graves, Gujan-Mestras, Hourtin, Lacanau, Lormont, Margaux, Médoc, Montalivet, Pilat-Plage, Pomerol, Pyla-sur-Mer, Saint-Émilion, Saint-Estèphe, Saint-Médard-en-Jalles, Sauternes, Soulac-sur-Mer, Talence, Villenave-d'Ornon.**

Girondins. *n. m. pl.* ♦ Nom des membres d'un groupe politique sous la Révolution française, groupe dont plusieurs chefs étaient députés de la Gironde (d'où leur nom). Les plus connus furent Barbaroux*, Brissot* (les Girondins furent également appelés Brissotins*), Buzot*, Condorcet*, Gensonné*, Guadet*, Isnard*, Louvet* de Couvray, Pétion* de Villeneuve, Roland* de la Platière et son épouse Madame Roland*, Vergniaud*. Souvent journalistes ou avocats, les Girondins étaient liés à la grande bourgeoisie d'affaires, hostile au rétablissement de l'Ancien Régime mais aussi aux réformes économiques et sociales en faveur de la classe laborieuse. Les Girondins, qui furent généralement inscrits au Club des jacobins* jusqu'en septembre 1792, siégèrent à gauche à l'Assemblée* législative où ils s'opposèrent aux monarchistes constitutionnels **(V. Feuillants)** et où ils contribuèrent, avec leur ministère (mars-juin 1792), à faire voter la déclaration de guerre à l'Autriche (avril 1792). Bien que la bourgeoisie libérale ait été dépassée par les forces populaires après la journée révolutionnaire du 10 août 1792 (chute de la royauté), les Girondins dominèrent encore dans les débuts de la Convention* (où ils siégèrent à droite), où ils ne tardèrent pas à s'opposer violemment aux députés montagnards*. Le procès de Louis XVI, que la Gironde tenta de retarder, la généralisation de la guerre avec l'Europe aristocratique (« Manœuvre politique ou idéalisme révolutionnaire, la Gironde voulut faire de la France la libératrice des peuples opprimés », A. Soboul) et les défaites des armées révolutionnaires (trahison de Dumouriez*), les menaces de la contre-révolution et les difficultés économiques et sociales aggravèrent le conflit entre Montagnards et Girondins et amenèrent la chute de ces derniers sous la pression des sans-culottes, dirigés par les Hébertistes et les Enragés (31 mai-2 juin 1793). Certains chefs girondins, qui, par crainte d'une dictature populaire parisienne (les députés montagnards étaient surtout des élus de Paris), s'étaient appuyés sur les administrations locales, tentèrent alors de diriger dans certaines provinces une révolte fédéraliste* contre la Montagne, mais sans succès. Vingt et un d'entre eux furent condamnés à mort par le Tribunal révolutionnaire et guillotinés (fin octobre 1793).

GIRONELLA (José María). ♦ Romancier espagnol (Gerone, 1917). Profondément catholique, il a tenté de donner une explication « objective » de la guerre civile espagnole pour répondre aux œuvres prorépublicaines de Malraux et Hemingway (*Les Cyprès croient en Dieu,* 1953 ; *Un million de morts,* 1961 ; *La Paix a éclaté,* 1966). Autres œuvres : *Un Homme* (1946), *La Marée* (1949).

GIROTTE *(lac de la).* ♦ Lac des Alpes de Haute-Savoie, dans le Beaufortin, à 1 753 m d'altitude. Dès 1923, il alimentait sept centrales hydro-électriques entre Belleville et Venthon. On réussit à doubler sa capacité de retenue, en permettant l'apport d'eaux de fonte glaciaire, prélevées dans le massif du Mont-Blanc grâce au percement d'un tunnel sous le glacier de Tré-la-Tête. Le barrage (à voûtes multiples) a été édifié de 1946 à 1948.

GIRTIN (Thomas). ♦ Aquarelliste et graveur anglais (Londres, 1775 – *id.,* 1802). Élève du topographe Edward Dayes, il fut soutenu, comme son ami Turner*, par James Moore et Thomas Monro. Il exécuta une série : *Ruines monastiques et châteaux anciens de l'Angleterre et du pays de Galles* (1792), qui tiennent encore du relevé topographique à la manière du XVIIIe siècle. Mais ses œuvres postérieures influencèrent le paysage anglais et indirectement de nombreux peintres français. Il libéra en effet l'art de l'aquarelle de ses liens avec la gravure et le dessin coloré. Avec sa facture large, ponctuée par des détails subtils, il eut l'art de suggérer le sentiment fugitif et poétique que lui inspiraient la nature ou les monuments. Turner, Constable*, Cox*, Cotman* et Wint subirent son influence.

GIRVAN. ♦ V. et port de pêche du S.-O. de l'Écosse (Ayrshire) sur le *Firth of Clyde.* 6 160 hab. (1961). Centre touristique, indus. textiles (tweed et laine).

GISCARD D'ESTAING (Valéry). ♦ Homme politique français (Coblence, 1926). Ancien élève de Polytechnique et de l'E.N.A., inspecteur des Finances (1954) et membre du Centre national des indépendants et paysans (C.N.I. ou C.N.I.P.), il fut élu député en 1956 et nommé secrétaire d'État aux Finances (1959-1962). Chargé du portefeuille des Finances et des Affaires économiques (1962-1966), il fut l'instigateur du plan de stabilisation de 1963 (restriction des crédits, blocage des prix, contrôle des changes) pour enrayer l'inflation. S'étant séparé du C.N.I. qui était passé à l'opposition, Giscard d'Estaing fonda en 1966 la Fédération* nationale des républicains indépendants, alliée à la majorité, qu'il dirigea jusqu'en 1974. Ministre de l'Économie et des Finances pendant la présidence de G. Pompidou*, il prit sa succession le 19 mai 1974, élu par 50,70 % des voix contre F. Mitterrand*. Ses efforts portèrent sur la libéralisation de la société (majorité abaissée à 18 ans, avortement et divorce facilités, justice fiscale plus grande) et sur l'amélioration de la qualité de la vie. **V. France.**

GISCHIA (Léon). ♦ Peintre et décorateur français (Dax, 1903). Il a conçu des costumes polychromes pour plusieurs des grandes mises en scène de Jean Vilar au T.N.P. *(Le Cid, Richard II, Lorenzaccio, Le Prince de Hombourg).*

GISCON. ♦ Général carthaginois (~ IIIe s.) qui se distingua lors de la première guerre Punique, notamment à Lilybée (Sicile), et fut massacré à son retour par les mercenaires* révoltés (~ 239).

Giselle ou **les Wilis.** ♦ Ballet fantastique en deux actes, sur une musique d'Adolphe Adam et une chorégraphie de Jean Coralli, d'après un poème de Heinrich Heine. Représenté pour la première fois en 1841 avec C. Grisi* et L. Petipa* dans les principaux rôles, *Giselle* est devenu le symbole du ballet romantique.

GISLEBERT, en lat. **Gislebertus.** ♦ Sculpteur bourguignon du XIIe s., connu par une inscription au tympan de la cathédrale

Arch. Smeets

Gislebert, auteur présumé d' « Ève ». Linteau d'une porte de la cathédrale d'Autun. (Musée Rolin, Autun.)

d'Autun* *(Gislebertus hoc fecit)* et à qui l'on attribue ce tympan *(Jugement dernier)*, un fragment du tympan du portail N. *(Ève)* et certains chapiteaux de la cathédrale. Leur style allie la puissance expressive (allongement des corps, force du modelé, attitudes véhémentes) à l'utilisation savante des formes (jeu des courbes formées par les végétaux, les corps [Ève] et les drapés, et des angles [membres des personnages longilignes du tympan, registres rectangulaires]).

GISORS. ♦ Ch.-l. de cant. de l'Eure*, arr. des Andelys*, sur l'Epte*. 7 660 hab. *(Gisorciens* ou *Gisorsiens).* Église Saint-Gervais et Saint-Protais (XIIIe au XVIe s.), avec une belle façade Renaissance. Vestiges d'un château construit aux XIe et XIIe s. (donjon octogonal et enceinte). Marché agricole et appareillage électrique. ♦ *Hist.* Ancienne ville frontière tenue par les ducs de Normandie, Gisors était la capitale du Vexin* normand. Plusieurs traités y furent signés entre les rois de France et d'Angleterre (1113, 1158, 1180). La ville a été très éprouvée en 1940.

Gîtâ-Govinda. ♦ Célèbre poème vishnuite indien, écrit en sanskrit par Jayadeva* v. 1200, en forme de drame lyrique racontant les amours de Krişna* et de Râdhâ, symbolisant la dévotion au Seigneur Vişnu*. Ce poème fut traduit dans presque toutes les langues indiennes.

GIULIO ROMANO. ♦ **V.** Jules Romain.

GIUNTA, JUNTE ou **ZONTA.** ♦ Famille d'imprimeurs florentins, également éditeurs. ♦ Filippo Giunta (1450-1517) publia des classiques grecs et latins. Il était représenté dans toutes les grandes villes d'Italie. Les membres de sa famille s'établirent à travers toute l'Europe (Venise, Madrid, Lyon...) et collaborèrent avec les Manuce.

GIURGIU, anc. **Theodoropolis.** ♦ V. de Roumanie méridionale (Muntenie), sur le Danube. 35 000 hab. Important port pétrolier relié par oléoduc à Ploiesti et à Ruse* (Bulgarie) par un grand pont métallique sur le Danube. Indus. alimentaires.

GIUSTI (Giuseppe). ♦ Poète italien (Monsummano, 1809 – Florence, 1850). Davantage intéressé par la vie littéraire ou les activités politiques que par ses études de droit, lié avec Manzoni*, Giusti se montra vite un critique mordant des vices de la société dans ses *Poésies* satiriques (1844-1853) qui connurent un grand succès populaire et contribuèrent même, par leurs accents patriotiques, au mouvement du Risorgimento.

GIVATAIM. ♦ V. de l'État d'Israël, dans la banlieue de Tel*-Aviv. 42 000 hab. (1969).

GIVET. ♦ Ch.-l. de cant. des Ardennes (arr. de Mézières) à la frontière de la Belgique, sur la Meuse, au confluent de la Houille et au début du canal de l'Est (port fluvial). 7 954 hab. *(Givetois).* Église Saint-Hilaire bâtie par Vauban en 1682. Aux environs fort de Charlemont (1555). Tour Grégoire (XIe s.). – Centrale thermonucléaire. Faïencerie et produits réfractaires. Indus. textile (fil) et mécanique. Fonderie de cuivre. Fabriques de papier. Carrières de pierre et de marbre. – Patrie de Méhul*. ♦ *Hist.* Givet appartint d'abord aux évêques de Liège, puis, au XVIe s., à Charles Quint, enfin, en 1680, à Louis XIV (paix de Nimègue).

GIVORS. ♦ Ch.-l. de cant. du Rhône, arr. de Lyon. 19 048 hab. (17 537 aggl.). Château du XIIe s. en ruine. V. industrielle : métallurgie, verrerie, soie artificielle.

GIVRY. ♦ Ch.-l. de cant. de Saône-et-Loire (arr. de Chalon-sur-Saône), en bordure de la côte chalonnaise. 2 285 hab. *(Givrotins).* Église du XVIIIe siècle. Porte de 1771. Vins réputés. – Patrie du Baron Denon.

GIZEH ou **GUIZÈH,** en ar. **al-Jîzah.** ♦ V. d'Égypte, sur la r. g. du Nil, formant l'un des faubourg du Caire*. 711 900 hab. Cap. d'un gouvernorat. Université. – Patrie de Fu'âd* Ier. ♦ *Hist.* À 8 km de la ville, sur le plateau, s'élèvent, alignées du N.-E. au S.-O., les trois pyramides de Khéops* (la *Grande Pyramide,* haute de 137 m, une des Sept Merveilles du monde), Khéphren* (136 m) et Mykérinos* (66 m), ainsi que le Sphinx* (l. 57 m ; h. 20 m), représentation de Khéphren veillant sur sa nécropole.

GJELLERUP (Karl). ♦ Écrivain danois (Roholte, 1857 – Klotzsche, près de Dresde, 1919). Influencé par Georg Brandes*, il écrivit des romans : *Un idéaliste* (1878), *Le Jeune Danemark* (1879), et *Antigonos* (1880), qui traduisent son opposition au christianisme. Puis, il subit l'influence de Tourgueniev (*Romulus,* roman, 1883), de Schiller (*Brynhild,* drame, 1884), de Schopenhauer (*Le Moulin,* roman, 1896, considéré comme son chef-d'œuvre). Le bouddhisme inspire sa pièce de théâtre *Le Feu du sacrifice,* 1903, et un roman, *Le Pèlerin Kamanita,* 1904. Ses romans *Les Amis de Dieu* (1916) et *La Branche dorée* (1917) marquent un retour au christianisme. Prix Nobel 1917 (avec Pontoppidan*).

GJORGJEVIĆ (Vladan). ♦ Homme politique et écrivain serbe (Belgrade, 1844 – près de Vienne, 1930). Il fut ministre de l'Instruction publique en 1887 et président du Conseil en 1897. Il écrivit des *Nouvelles* (1879), et une étude historique sur *La Serbie au congrès de Berlin* (1891).

GLACE *(mer de).* ♦ Glacier des Alpes françaises dans le massif du Mont-Blanc* (Haute-Savoie*). Il s'étend sur une longueur de 12 kilomètres.

GLACIAL *(océan).* ♦ **V.** Arctique *(océan Glacial)* et Antarctique *(océan Glacial).*

GLADBECK. ♦ V. d'Allemagne occidentale (Rhénanie-Westphalie), dans la Ruhr*, à l'E. de Gelsenkirchen. 84 200 hab. Centre industriel (houillères, cokeries, métallurgie, indus. textile).

GLADKOV (Fiodor Vassilievitch) [*Gladkov*]. ♦ Romancier soviétique (Tchernovka, Samara, 1883 – Moscou, 1958). Sur le thème de l'industrialisation de la Russie soviétique, il écrivit successivement *Le Ciment* (1925) et *L'Énergie* (1932-1938), insistant sur le renouveau des rapports humains. Ses quatre volumes autobiographiques (1949-1958), mêlant lyrisme et épopée, décrivent le paysan russe et le peuple travailleur.

GLADSTONE (William Ewart). ♦ Homme politique britannique (Liverpool, 1809 – Hawarden, Flintshire, 1898). Issu d'une riche famille commerçante d'Écosse, il abandonna sa première vocation de pasteur pour se tourner vers la politique, mais toute son action fut commandée par ses certitudes religieuses et morales, et sa croyance en une Angleterre triomphante par la justice. Après avoir évolué du torysme au libéralisme, sous l'effet de l'échec de Peel*, dont il avait partagé le libre-échangisme, et d'une confrontation avec les méfaits du conservatisme au royaume de Naples, il avait pris la tête des libéraux, face à Disraeli* qui prenait celle des conservateurs. Il poursuivit avec son rival un véritable duel tout au long de sa carrière. Ses principes se traduisirent en politique intérieure par une série de réformes prises lors de son premier ministère (1868-1874) et concernant l'Église (séparée de l'État irlandais), l'éducation populaire, l'armée (réforme Cardwell), la justice, le bulletin secret (*Ballot Act,* 1872), et, plus tard, une loi électorale qui rendit le suffrage presque universel (1885). Son attitude face au problème irlandais domina son second ministère (1880-1885) : le *Home* Rule,* qu'il ne put imposer, provoqua sa chute (1885), puis la scission de son propre parti (constitution des libéraux unionistes, sous la direction de Chamberlain*). En politique étrangère, son pacifisme l'amena à un effacement (devant la défaite française de 1870 et l'avènement de la puissance allemande, ou la reconstitution de la flotte russe, ou encore en Égypte avec la défaite de Gordon* à Khartoum) qui fut l'un des principaux arguments de ses adversaires. Il réprouvait en revanche l'égoïsme de leur politique, soucieux qu'il était de défendre les minorités opprimées, et c'est ainsi qu'il fit tomber le cabinet Disraeli en 1880 à propos de la question bulgare. Après son dernier ministère (1892-1894), au cours duquel le Home Rule échoua encore devant la Chambre des lords, il se retira définitivement.

GLAIS-BIZOIN (Alexandre). ♦ Homme politique français (Quintin, Côtes-du-Nord, 1800 – Lamballe, 1877). Député (1831-1849), membre du Corps législatif (1863-1869), il fit partie de la délégation du gouvernement de la Défense nationale à Tours (septembre-octobre 1870-février 1871). Il publia un ouvrage sur cette période de l'histoire française, sous le titre *Dictature des cinq mois* (1872).

GLÅMA ou **GLOMMEN.** *n. m.* ♦ Le plus long fleuve de Norvège (570 km), prenant sa source dans un petit lac du Sor-Trondelag et se jetant dans le Skagerrak* à Fredrikstad*. Nombreuses usines hydro-électriques sur son cours. Il arrose Sarpsborg*.

GLAMORGANSHIRE ou **GLAMORGAN.** *n. m.,* en gallois *sir* **Forgannwg.** ♦ Comté du S.-O. du pays de Galles, s'étendant à l'O. du Monmouthshire, en bordure du *canal de Bristol.* 2 118 km². 1 255 100 hab. *Ch.-l.* Cardiff*. *V. princ.* **V. Aberdare, Barry, Caerphilly, Galligaer, Margam, Merthyr Tydfil, Neath, Pontypridd, Port Talbot** (Margam), **Rhondda** et **Swansea.** C'est la partie la plus industrialisée du pays de Galles. Le bassin houiller occupe le S. et le S.-O. du comté (vallée de Rhondda*) autour de Pontypridd, Merthyr Tydfil, Neath. La métallurgie a acquis une grande importance dans les ports charbonniers de Cardiff, Port Talbot et Swansea. Seule, la *presqu'île de Gower*,* très pittoresque, a une vocation touristique.

GLANGEAUD (Louis). ♦ Géologue et géographe français (Tulle, 1903). Directeur du Centre de recherches géodynamiques, il est l'auteur de travaux sur l'Afrique du Nord, sur l'évolution géologique du bassin méditerranéen, du Jura, etc. (Acad. sc., 1968.)

GLANUM. ♦ Anc. cité gallo-grecque puis gallo-romaine découverte en 1921 à 2 km au S. de Saint*-Rémy-de-Provence. D'abord lieu de culte des Salyens* au ~ VIe s., puis riche établissement marseillais (~ IIIe s.), elle fut détruite en ~ 102, puis rétablie en ~ 50 par les Romains. Elle connut une grande prospérité sous l'Empire, mais fut anéantie en 270 par des envahisseurs germaniques et définitivement désertée au Ve siècle. À cette cité appartenaient les « Antiques » : arc municipal et mausolée de l'époque augustéenne.

GLAREANUS ou **GLAREAN (Heinrich LORITI** ou **LORITZ,** dit). ♦ Humaniste suisse (Mollis, canton de Glaris, 1488 – Fribourg-en-Brisgau, 1563). Poète, géographe, qui écrivit une *Helvetiae Des-*

cription et un *De Geographia,* auteur de traités de musique (*Isagogue in Musicen,* 1516; *Dodekachordon,* 1547), il adhéra à la Réforme mais revint ensuite au catholicisme.

GLARIS, en all. **Glarus**. ♦ V. de Suisse sur la r. g. de la Linth* dans les *Alpes de Glaris,* ch.-l. du *canton de Glaris.* 5 900 hab. La ville a été presque entièrement détruite par un incendie en mai 1861. Le musée d'art *(Kunsthaus)* abrite une importante collection de peintures des XIXe et XXe siècles. — Le *canton de Glaris* est limité par le cant. de Saint*-Gall au N. et à l'E., les Grisons* au S., les cant. d'Uri* et de Schwyz* à l'ouest. 684,3 km². 42 600 hab., en majorité de langue allemande, de religion protestante (2/3) ou catholique (1/3). La région, entièrement située dans les Alpes, est constituée par un ensemble de vallées formées par la Linth qui descend des glaciers du Tödi* à l'extrémité S.-O. du canton. — L'économie du pays est essentiellement tournée vers l'industrie textile (filatures, impression sur coton, tissages). — Indus. mécanique, appareillage électrique, papeteries. Centrales hydro-électriques sur la Linth. Mines de soufre à Stachelberg et de fer à Elm. La diminution de l'activité agricole a été compensée par l'extension de l'élevage. Fabrication de « Zieger », fromage aux herbes. ♦ *Hist.* La région de Glaris aurait été christianisée au VIe s. par le moine irlandais saint Fridolin, fondateur de l'abbaye de Säckingen (à l'E. de Bâle, sur la r. d. du Rhin) dont dépendit longtemps le pays. Glaris passa ensuite sous la domination des Habsbourg* et entra en 1352 dans la Confédération helvétique. Zwingli* y fut curé de 1506 à 1516 et Glaris adopta vite le protestantisme. Les partisans du réformateur furent éliminés en 1564, mais ceci n'empêcha pas les rivalités sur le plan administratif entre protestants et catholiques. La situation fut réglée par la constitution de 1836.

GLASER (Donald Arthur). ♦ Physicien américain (Cleveland, 1926 —). Il conçut le principe de la chambre à bulles (1952) qui permet d'étudier la physique des particules élémentaires **(V. Wilson).** [Prix Nobel de phys., 1960.]

GLASGOW. ♦ V. de Grande-Bretagne, la plus grande d'Écosse et la 3e du Royaume-Uni, dans les Lowlands, de part et d'autre de l'estuaire de la Clyde (Lanarkshire). 1 054 915 hab. Centre indus. et commercial. Le port a un trafic d'env. 12 millions de tonnes et possède les plus grands chantiers navals du Royaume-Uni. La sidérurgie, les fonderies, chaudronneries et constructions mécaniques, la chimie, les textiles (coton, tapis, dentelles) et les indus. alimentaires sont les activités traditionnelles. Ces branches traditionnelles de l'industrie connaissent des difficultés et le chômage est deux fois plus important que la moyenne du Royaume-Uni. Des nouvelles industries se développent : électronique; énergie nucléaire; automobiles, mécanique de précision; imprimerie, édition. L'agglomération *(Clydeside)* s'étend sur 35 km le long de la Clyde. Elle englobe les villes satellites de Paisley* (aéroport), Motherwell*, Hamilton*, Grangemouth* et les villes nouvelles d'East* Kilbride et de Cumbernauld*. Conurbation env. 2 000 000 d'hab. — Glasgow présente un assez faible attrait touristique. La cathédrale Saint-Mungo, édifiée du XIIIe à la fin du XVe s. en style gothique primitif, est le monument le plus intéressant. L'*Art Gallery and Museum* abrite l'une des plus riches collections picturales de Grande-Bretagne. — Patrie de Th. Campbell* et sir Colin Campbell* de James G. Frazer*, de Th. Graham*, de W. Hamilton*, de J. A. Mac* Donald, de W. Ramsay*, de W. Wallace*. ♦ *Hist.* Fondée au VIe s. par saint Mungo, la ville s'est développée autour de l'évêché (fondé en 1175) puis, plus tard, de l'université (1450). À partir de 1707 (rattachement de l'Écosse à l'Angleterre), l'essor de Glasgow est directement lié au port et au commerce des épices (rhum, sucre, tabac, coton) avec les Indes occidentales. Au XIXe s. l'aménagement de la Clyde (canal du Forth à la Clyde, élargissement et dragage de l'estuaire) associé à la découverte de houille et de fer dans la région, donnèrent à Glasgow une grande expansion économique.

GLASSBRENNER (Adolf BRENNGLAS, dit). ♦ Écrivain allemand (Berlin, 1810 — 1876). De tendance politique libérale, il est surtout connu par ses écrits satiriques sur la vie berlinoise de l'époque.

GLAUBER (Johann Rudolf). ♦ Chimiste et pharmacien allemand (Karlstadt, 1604 — Amsterdam, 1668). Il reconnut les propriétés thérapeutiques du sulfate neutre de sodium auquel son nom est resté attaché *(sel de Glauber)* et établit l'ordre des affinités des différents métaux pour le mercure (1648).

GLAUCOS [*Glaukos*]. ♦ Roi légendaire de Corinthe*, fils de Sisyphe* et père de Bellérophon*. Il empêchait ses juments de s'accoupler pour les rendre plus rapides. Aphrodite*, vexée, le fit dévorer par ses cavales.

GLAZOUNOV (Alexandre [Aleksandr] **Constantinovitch).** ♦ Compositeur russe (Saint-Pétersbourg, 1865 — Paris, 1936). Sa précocité fit l'admiration des milieux musicaux russes, Balakirev et R. Kossakov dirigeant tour à tour sa *Première Symphonie* (1882). En France d'abord, puis en Angleterre, il fit connaître la musique russe à l'Europe occidentale. Il devait plus tard se fixer à Paris (1928) où, au début du siècle (1907) il avait participé aux premières saisons des Ballets russes de S. de Diaghilev. Nommé professeur au conservatoire de Saint-Pétersbourg, il en fut ensuite le directeur (1905-1928). La qualité de son enseignement, son désintéressement, exercèrent une influence profonde sur la jeune génération de musiciens russes (Stravinski, Prokofiev, Scriabine, Chostakovitch). Par le caractère monumental de l'architecture, la richesse de la polyphonie, la fraîcheur et la profondeur de l'invention mélodique, l'œuvre de Glazounov demeure l'une des plus populaires de la musique russe, après le célèbre « Groupe des Cinq ». Il a abordé tous les genres : poème symphonique (*Stenka Razine,* 1889), ballet (*Raymonda,* 1898; *Ruses d'amour, Les Saisons,* 1900), compositions pour orchestre (8 *Symphonies; ouvertures, fantaisies, suites*), pour solistes (*concertos* p. violon, p. violoncelle, p. saxophone; 2 *concertos* pour piano), musique de chambre (*quatuors* à cordes, *sonates*) et chorale, ainsi que de nombreuses mélodies.

GLEIM (Johann Wilhelm Ludwig). ♦ Poète allemand (Ermsleben, 1719 — Halberstadt, 1803). Fondateur et principal poète de l'anacréontisme, il a célébré en vers non rimés l'amour et le vin dans ses *Chants nouveaux sur le mode plaisant* et ses *Nouvelles Odes* (1744-1747); il a laissé également des poèmes d'inspiration patriotique (*Les Chants d'un grenadier prussien,* 1758).

GLEIZES (Albert). ♦ Peintre, dessinateur et théoricien français (Paris, 1881 — Avignon, 1953). Il peignit d'abord sous l'influence de l'impressionnisme puis, en 1906, il fonda avec Duhamel et Vildrac *l'Abbaye* de Créteil. Les œuvres de Braque et de Picasso, ainsi que le *Portrait de Jouve* par Le Fauconnier (1909) le poussèrent à modifier sa technique; il réduisit les volumes à des formes simples d'allure prismatique tout en conservant souvent un traitement plus réaliste pour les visages *(Portrait de Jacques Nayral).* En 1911, il exposa au *Salon d'Automne* dans la salle dite des « cubistes » et, intéressé par les théories néo-platoniciennes, il participa aux réunions de Puteaux dans l'atelier de Jacques Villon* et exposa à la section d'Or. Il publia en 1912 avec Metzinger* le premier livre théorique sur le mouvement *Du Cubisme,* où apparaissait le souci de fonder un ordre, voire un système en même temps que la volonté de mettre en évidence les liens avec la tradition. Certaines de ses œuvres présentèrent ensuite un caractère non-figuratif plus prononcé *(Brooklin Bridge)* sous l'influence de Picabia*. Après avoir défendu les idées socialisantes et pacifistes, il retrouva la foi catholique, tenta d'intégrer des apports cubistes à la peinture religieuse traditionnelle. Mu par un idéal communautaire, il fonda le groupement agricole et artisanal de Moly-Sabata.

GLÉNAN [nommé à tort **Les Glénans**] *(îles de).* ♦ Groupe de neuf îlots de l'océan Atlantique, dépendant de la commune de Fouesnant (Finistère). Centre nautique : école de navigation à voile. Ces îles sont quasi inhabitées.

GLENDALE. ♦ V. des États-Unis (Californie*), immédiatement au N. de Los* Angeles. 119 442 hab. (1960). Importantes indus. (aéronautique, optique, matières plastiques).

GLENDALOUGH *(vallée de),* en irl. **Gleann da Locha** (« le vallon des Deux-Lacs »). ♦ Vallée d'Irlande (Eire, comté de Wicklow). Saint Kevin y vécut en ermite au VIe s. et une tradition monastique s'y développa. — Il subsiste de nombreuses ruines (notamment église St. Mary du XIIe s., croix celtique du XIIe s.). — Tourisme.

GLEN MORE. *n. m.* ♦ Profonde dépression du N. de l'Écosse. De direction N.-E.-S.-O., le Glen More sépare les *monts Grampians** (S.) des *Highlands* du Nord* (N.) et le *Moray firth* (E.) du *loch Linghe* (O.). Il est occupé par de nombreux lochs dont le plus connu est le *loch Ness** et traversé en partie par le *canal calédonien**.

Arch. Smeets

A. Gleizes : « Composition ». (Collection privée.)

Ph. Hétier

Monument de **M. I. Glinka** à Leningrad.

GLENN (John). ♦ Cosmonaute américain (Cambridge, Ohio, 1921). Il effectua le premier vol orbital américain, dans le cadre du programme Mercury (janv. 1962).

GLEY (Émile). ♦ Physiologiste français (Épinay, 1857 – Paris, 1930). Ses travaux portèrent sur la physiologie des parathyroïdes (1891) et du système nerveux.

GLIDDEN (Joseph Farwell). ♦ Inventeur américain (Charleston, New Hampshire, 1813 – mort en 1906). Il participa, avec Sholes* et Soule, à la réalisation de la première machine à écrire présentant un intérêt pratique (1867).

GLIÈRE (Reinhold Moritsevitch). ♦ Compositeur soviétique (Kiev, 1875 – Moscou, 1956). Professeur au conservatoire de Moscou, il forma plusieurs générations de musiciens, dont Prokofiev. Fidèle à la tradition des classiques russes mais animé par l'esprit nouveau de la Révolution, son œuvre comporte des opéras, de la musique symphonique, des concertos (pour harpe, pour coloratura), de la musique de chambre, des ballets (dont *Le Pavot rouge*, 1927, premier ballet soviétique à sujet révolutionnaire).

GLIÈRES *(plateau des)*. ♦ Plateau du Chablais, en Haute-Savoie. En février-mars 1944, un furieux combat entre maquisards et miliciens et Allemands s'y déroula. Les Allemands, beaucoup plus nombreux, anéantirent leurs adversaires.

GLINKA (Mikhaïl Ivanovitch). ♦ Compositeur russe (Novospaskoïé, 1804 – Berlin, 1857). Issu d'une riche famille de la noblesse russe, il aborda la musique en dilettante. Au retour d'un voyage en Italie et en Allemagne (1830) il prit conscience de sa vocation de compositeur et affirma sa résolution de doter son pays d'un opéra national. Ce fut *La vie pour le tzar* (*Ivan Soussaline,* 1836) où à l'influence italienne, encore prédominante, s'opposent des chants populaires d'une allure typiquement russe. Dans le même esprit, Glinka composa encore *Rousslan et Ludmilla* (1842). Ces deux ouvrages eurent un profond retentissement. Cependant, lié d'amitié avec Bellini, Donizetti et Berlioz, il ne rompit jamais avec les traditions et les formes classiques occidentales, ce qui explique le caractère hybride de sa musique et permet de comprendre, avec l'échec final du compositeur, son départ pour l'étranger où il devait mourir. On lui doit encore des ouvertures espagnoles, une fantaisie russe (*La Kamarinskaïa,* 1848), des pièces de musique de chambre *(trio, sonate, quatuor, sextuor),* de la musique d'église et des mélodies.

GLIŠIĆ (Milovan). ♦ Conteur et auteur dramatique serbe (1847 – 1908). Il décrivit avec fidélité la vie des paysans serbes dans des nouvelles (*Le Premier Sillon,* 1891) et dans des drames comme *La Tromperie* (1885).

GLISSON (Francis). ♦ Médecin et philosophe anglais (Rampisham, Dorsetshire, 1596 – Londres, 1677). On lui doit la découverte de l'enveloppe fibreuse du foie (capsule de Glisson). Sa théorie de la substance en fait, en philosophie, un précurseur de Leibniz *(Tractatus de natura substantiae...)*.

GLIWICE, en all. **Gleiwitz.** ♦ V. de Pologne* (voïévodie de Katowice) en haute Silésie*. 170 000 hab. Industries minières, chimiques et métallurgiques.

Globe (le). ♦ Journal philosophique, littéraire et politique fondé en septembre 1824 par P. Dubois et P. Leroux et auquel collaborèrent Jouffroy, Sainte-Beuve, Thiers, Guizot. Journal d'opposition sous la Restauration, il devint un des principaux organes d'expression des saint*-simoniens après 1830, mais cessa de paraître peu après (1832).

GLOMMEN. ♦ **V.** GLÅMA (Norvège).

Glorieuses *(les trois)*. ♦ Nom donné aux journées révolutionnaires des 27, 28, 29 juillet 1830 qui mirent fin à la Restauration (**V. Révolution française de 1830**).

GLOUCESTER. ♦ V. et port du S.-E. de l'Angleterre. *Ch.-l.* du Gloucestershire*, sur la Severn, au pied des Cotswold Hills. PHREY, duc de *Gloucester* (1391 – Bury St. Admunds, 1447). Fils d'Henri IV, il assura la régence lors du séjour de son frère Henri V en France (1420-1421). Il épousa Jacqueline* de Bavière en 1422, mariage qui fit passer le duc de Bourgogne dans le camp français. Dès lors, sa puissance diminua et il fut même arrêté pour haute trahison (1447).

GLOUCESTER. ♦ V. et port du S.-E. de l'Angleterre. *Ch.-l.* du Gloucestershire*, sur la Severn, au pied des Costwold Hills. 88 000 hab. La ville est particulièrement riche en monuments médiévaux : cathédrale romane du XIe s., remaniée en gothique aux XIIIe et XVe s.; deux cloîtres des XIVe et XVe s. – Constructions aéronautiques. – Patrie du physicien Ch. Wheatstone*, inventeur du stéréoscope. ♦ *Hist.* Camp militaire romain *(Glevum)* fondé vers ~ 36 par Nerva, puis occupée par les Celtes vers le IVe s., Gloucester fut rattachée au royaume saxon de Mercie, et en devint la capitale. Un monastère bénédictin y fut fondé en 681. La ville connut une grande prospérité commerciale du XIIe au XVIe siècle (travail de la laine, commerce du grain et du vin).

GLOUCESTERSHIRE. *n. m.* ♦ Comté du N.-O. de l'Angleterre, s'étendant sur les Cotswold* Hills, la vallée inférieure de la Severn et la forêt de Dean*, entre le pays de Galles et la Tamise. 3 258 km². 1 000 500 hab. *Ch.-l.* Gloucester*. *V. princ.* **V. Berkeley, Bristol, Cheltenham, Tewkesbury.** La vallée de la Severn est une riche région d'élevage laitier, auquel s'adjoint dans les Cotswold, la céréaliculture. Les vergers sont nombreux dans le vallon de Berkeley. L'O. du comté (forêt de Dean) est riche en houille. L'industrie est surtout concentrée à Bristol, la plus grande ville. Une centrale nucléaire a été édifiée à Berkeley. – Patrie de James Bradley* et de Vaughan* Williams.

GLOZEL. ♦ Hameau de l'Allier*, près de Vichy*. En 1925, on y découvrit des pièces préhistoriques qui furent reconnues plus tard comme inauthentiques.

GLUBB (*sir* **John Bagot,** dit **Glubb Pacha**). ♦ Général britannique (Preston, Lancashire, 1897 –). Après avoir participé à la Première Guerre mondiale, il fut ingénieur, puis administrateur en Arabie et en Iraq. Nommé ensuite adjoint du colonel Peake, il lui succéda à la tête de la Légion* arabe (1939). Bien que devenu citoyen jordanien, il fut relevé de ses fonctions par le roi Husayn en 1956. Il est l'auteur de souvenirs (*Soldat avec les Arabes,* 1958).

GLUCK (Christoph Willibald). ♦ Compositeur allemand (Erasbach, Haut-Palatinat, 1714 – Vienne, 1787). Fils d'un garde-chasse du prince Lobkowitz, il commença ses études musicales à Prague, gagna ensuite Vienne où il perfectionna ses connaissances, puis se rendit à Milan où il reçut les leçons de Sammartini (1736). Familiarisé avec les formes de l'opéra italien, il fit représenter, entre 1741 et 1752, ses premiers ouvrages dramatiques dans un grand nombre de villes d'Europe. Installé à Vienne (1752), il fut nommé maître de chapelle de la cour (1754). Sur l'invitation du comte Durazzo, intendant des théâtres impériaux, il procéda à de libres adaptations des opéras-comiques français à la mode (*La Rencontre imprévue,* de Favart, 1764) et n'en continua pas moins à composer des opéras italiens *(Il Re Pastore, Telemacco, Antigono).* C'est à un renouvellement total du style de l'opéra qu'il allait procéder en composant, avec son librettiste Calsabigi, *Orfeo ed Euridice* (1762). Marqué par le souci de la simplicité et du naturel, ce style nouveau imprégnait encore *Alceste* (1767), *Paride ed Elena* (1770), et *Iphigénie en Aulide* (1773) qu'il fit représenter à Paris sur un livret français du bailli du Rollet. Le triomphe de cet opéra, ainsi que celui d'*Orphée,* traduit en français par Moline (1774) déchaîna alors la réaction des partisans de l'opéra italien **(V. Piccinni).** C'était le début d'une querelle qui se poursuivit durant plusieurs années et fut marquée par de nouveaux succès de Gluck (*Armide,* 1777 ; *Iphigénie en Tauride,* 1778) et par l'échec retentissant de *Écho et Narcisse* (1779). Malade, blessé par l'incompréhension du public parisien, le musicien, à l'issue d'un quatrième séjour dans la capitale, la quitta définitivement (1779). Outre ses 107 opéras, ses opéras-comiques, ses ballets-pantomimes, Gluck a composé 10 symphonies, 7 sonates, un concerto pour flûte et 7 lieder sur des poèmes de Klopstock. Il est aussi l'auteur de pièces de musique sacrée *(De Profundis, Psaume a capella, Cantate).* C'est sa qualité de réformateur du théâtre lyrique qui a assuré sa gloire. S'attachant au resserrement de l'action, recherchant le « langage du cœur », il voulut « exprimer de grandes passions, créer une musique énergique et touchante ». Dans ses opéras, le chant n'est jamais entravé par l'accompagnement, car celui-ci doit être réglé « selon l'intérêt et la passion ». Le chœur participe à l'action comme dans la tragédie grecque, et l'orchestre est entièrement intégré à la vie dramatique de l'œuvre : les instruments « chantent en même temps que le chanteur, ils souffrent ses souffrances, ils pleurent ses larmes » (Berlioz).

GLYCERIUS (Flavius). ♦ (mort à Salone, 480). Empereur romain d'Occident (473-474), détrôné par Julius* Nepos.

GMELIN (Johann Georg). ♦ Voyageur et naturaliste allemand (Tübingen, 1709 – 1755). De 1733 à 1743, il explora la Sibérie de l'Oural au Kamtchatka et publia ensuite une *Flora Sibirica* (1747-1770) et *Reise durch Sibirien* (1751-1752).

GNEISENAU (August, *comte* **Neidhardt** *von*). ♦ Feldmaréchal prussien (Schildau, Saxe, 1760 – Posen, 1831). Il servit l'Angleterre en Amérique et entra au service de la Prusse en 1786. Collaborateur de Stein* et de Scharnhorst* à partir de 1808, il réorganisa l'armée de Frédéric*-Guillaume III. En 1813 et 1814, il fut chef d'état-major de Blücher*. Son intervention à Waterloo* fut décisive.

GNIEZNO, en all. **Gnesen**. ♦ V. de Pologne* (voïévodie de Poznań) en Grande Pologne. 48 000 hab. Archevêché. Première capitale de la Pologne, et siège des primats polonais depuis le début du XVᵉ siècle. – Industrie chimique.

Gnosticisme. *n. m.* ♦ Doctrine de philosophie religieuse dont les adeptes prétendent avoir une connaissance (en gr. *gnôsis*) totale par une illumination intérieure soudaine qui libère la partie divine de leur être (esprit, souffle, en gr. *pneuma*) de la matière. Si les gnostiques admettent généralement la théorie de l'émanation **(V. Néo-platonisme)**, ils identifient le monde matériel, œuvre d'un mauvais démiurge, au Mal. La gnose s'est développée en même temps que le christianisme dès le premier siècle ; on distingue parfois une gnose légitime (Clément* d'Alexandrie et Origène*), et une gnose hérétique **(V. Simon le Magicien, Basilide, Valentin, Carpocrate, Marcion)**. Toutefois le gnosticisme n'est pas un fait propre au christianisme ; on le retrouve dans le judaïsme avec la kabbale*, et chez les théosophes de l'islâm iranien (shi'ite).

GOA *(territoires de* **Goa**, **Damân** *et* **Diu***)*. ♦ Territoires de l'Inde occidentale, anciennes possessions portugaises formant un district de 3 805 km². 660 000 hab. Ch.-l. *Panjim* (anc. *Nova Goa*). 32 000 hab. – Mines de fer et de manganèse, indus. textiles, pêche. Le commerce maritime est la principale activité ; le port de Marmagoa exporte des produits miniers, des épices. ♦ *Hist.* Le territoire de Goa fut colonisé en 1510 par Albuquerque* qui en fit la capitale des colonies portugaises de l'Orient ; saint François Xavier l'évangélisa à partir de 1542. Revendiqué depuis longtemps par l'Inde, celle-ci l'annexa en 1962. – GOA. V. de l'Inde, anc. et nouvelle cap. des territoires de Goa. ♦ *Hist.* L'anc. *Velha Goa*, abandonnée vers le XVIIIᵉ s., compte encore de beaux monuments (cathédrale du Bon-Jésus, XVIᵉ s., tombeau de saint François Xavier).

GOBEL (Jean-Baptiste Joseph). ♦ Prêtre et homme politique français (Thann, 1727 – Paris, 1794). Administrateur de la partie française du diocèse de Bâle (1772), il fut élu député du clergé aux États généraux (1789). Nommé archevêque constitutionnel de Paris en 1791, il renonça à ses fonctions sacerdotales (1793) lors du mouvement de déchristianisation dirigé par les ultra-révolutionnaires *(hébertistes)* auxquels il était lié et avec lesquels il fut condamné à mort et guillotiné (mars 1794).

Gobelins *(Manufacture nationale des)*. ♦ Manufacture de tapisseries, située à Paris dans le 13ᵉ arr. À une célèbre famille de teinturiers (les Gobelins), installés sur les bords de la Bièvre depuis le XVᵉ s. succédèrent en 1601 des tapissiers venus de Flandre pour introduire en France la technique bruxelloise. En 1662, Colbert* créa la *Manufacture royale de meubles et de tapisseries de la Couronne* dont la direction fut confiée à Ch. Le* Brun (1663-1690) ; il fournit à son équipe d'artisans les cartons de nombreuses tapisseries à la gloire de la monarchie. Après lui, Mignard* (1690-1695), Robert de Cotte* (1695-1735) comme directeurs, les Coypel*, Audran*, Boucher* comme peintres, fournirent de remarquables sujets de tentures aux Gobelins. Incendiée sous la Commune (1871), une partie des bâtiments a été reconstruite en 1914. La manufacture regroupe actuellement les *ateliers des Gobelins* (haute lice), les *ateliers de Beauvais* (basse lice) et les *ateliers de la Savonnerie* (tapis) ; elle travaille essentiellement pour l'État (décoration des édifices publics).

GOBI *(désert de)*, en chin. **Sha-mo** (« désert de sable »). ♦ Désert du S. de la Mongolie, s'étendant aussi sur la partie chinoise de la Mongolie intérieure, sur un plateau d'une altitude variant de 800 à 1 200 m. D'une longueur excédant 1 500 km et d'une largeur variant entre 500 et 900 km, c'est l'un des plus grands déserts du monde. Torride en été et glacial en hiver (– 25 °C), il est balayé par des vents violents. De sol rocheux ou parfois sablonneux, il ne comporte une végétation steppique que sur ses confins ou dans les dépressions.

GOBINEAU (Joseph Arthur, *comte de***)**. ♦ Diplomate et écrivain français (Ville d'Avray, 1816 – Turin, 1882). Il servit en Perse, en Grèce, au Brésil ; il écrivit plusieurs ouvrages d'érudition et des récits de voyages (*Trois Ans en Asie*, 1859 ; *Traité des écritures cunéiformes*, 1861 ; *Les Religions et les Philosophies dans l'Asie centrale*, 1865), des nouvelles où la pénétration et l'art du récit sont remarquables (*Nouvelles asiatiques*, 1876) et des romans (*Le Prisonnier chanceux*, 1847 ; *Les Pléiades*, 1874 ; etc.). Dans *Les Pléiades*, notamment (dont le cadre fut fourni à Gobineau par les souvenirs de sa vie de diplomate) apparaissent, au sein d'une idylle héroïque et sentimentale, trois personnages, divers de nationalité comme de caractère, mais qui ont en commun le sentiment d'être supérieurs, d'être des « fils de roi » qui manifestent leur noblesse originelle par l'indépendance de leur esprit. Ces vues sur la nature humaine sont reprises dans l'*Essai sur l'inégalité des races humaines* (1853-1855) où il prétend fonder sur une base physique et réaliste la théorie de la supériorité de la race nordique, germanique. Sa doctrine fut exploitée par des pangermanistes **(V. Chamberlain** [H.S.]**)**. et par le national-socialisme hitlérien.

GOBLET (René). ♦ Homme politique français (Aire-sur-la-Lys, Pas-de-Calais, 1828 – Paris, 1905). Fondateur du journal républicain *le Progrès de la Somme*, puis directeur de *la Petite République*, il siégea à l'Assemblée nationale (1871), puis à la Chambre des députés (1877-1889, 1893-1898) où il fit partie des radicaux

Ph. Nimatallah/Ricciarini

Tapisserie des **Gobelins**, XVIIᵉ s. : Louis XIV recevant l'ambassadeur espagnol. (Château de Versailles.)

Coll. Rui Nogueira

J.-L. Godard préparant un plan du film *« Deux ou trois choses que je sais d'elle. »*

modérés (ou radicaux du gouvernement). Ministre de l'Intérieur dans le cabinet de C. de Freycinet (1882), puis de l'Instruction publique dans le gouvernement Brisson (1885-1886), il fut président du Conseil (déc. 1886-mai 1887), puis fut chargé du portefeuille des Affaires étrangères (cabinet Floquet, avril 1888-février 1889).

GOBLOT (Edmond). ♦ Philosophe et logicien français (Mamers, 1858 – Labaroche, Haut-Rhin, 1935). Il a laissé des études de logique (en particulier sur la théorie de la démonstration et le raisonnement téléologique) et de philosophie des sciences. *Essai sur la classification des sciences,* 1898; *Traité de logique,* 1918; *Système des sciences,* 1921.

GO-DAIGO TENNÔ. ♦ 96ᵉ empereur du Japon (1287 – 1338), qui succéda en 1319 à Hanazono tennô. Son règne se caractérisa par la lutte constante qu'il mena avec ses partisans contre le *bakufu* (gouvernement militaire) de Kamakura*. Battu et exilé dans l'île d'Oki (1331), il réussit à s'enfuir et, aidé par Ashikaga* Takauji, abattit la puissance des régents Hôjô* de Kamakura (1333). Il régna seul pendant trois ans, mais Ashikaga, se retournant contre lui, l'obligea à s'enfuir (1336) dans le Yoshino où il établit une cour légitime. Celle-ci s'opposa à la « cour du nord » établie par Ashikaga Takauji qui fut proclamé shôgun.

GODARD (Eugène). ♦ Aéronaute français (Clichy, Seine, 1827 – Bruxelles, 1890). Après sa première ascension (Paris, 1846), il en effectua de nombreuses dont la fameuse du *Géant* avec Nadar* (1863) et organisa la poste aérienne pendant le siège de Paris (1870-1871).

GODARD (Benjamin). ♦ Compositeur français (Paris, 1849 – Cannes, 1895). Auteur fécond, il se rendit célèbre par ses opéras (*Jocelyn,* 1888; *La Vivandière,* 1895). On lui doit aussi des pièces pour orchestre (symphonies, concertos), de la musique de chambre et des mélodies.

GODARD (Jean-Luc). ♦ Réalisateur français de cinéma (Paris, 1930). Rebelle à la logique convenue, décidé à susciter l'émotion par le scandale d'une écriture déconcertante, il ignore le souci du découpage établi à l'avance et multiplie dans sa hâte à improviser, les provocations qui enchantent, déconcertent ou indignent le spectateur. Auteur d'une œuvre au rythme haletant et tragique, reflet critique de l'absurdité contemporaine, Godard, assumant une attitude politique à l'égard de l'idéologie dominante, est l'auteur de plusieurs films d'importance : *À bout de souffle* (1960), *Les Carabiniers* (1963), *Pierrot le Fou* (1965), *Made in U.S.A.* (1966), *La Chinoise* (1967), *Week-End* (1968).

GODÂVARI. *n. f.* ♦ Fl. de l'Inde. (1 500 km). Né dans les Ghâts* occidentaux, il traverse le Dekkan* d'O. en E. et se jette dans le golfe du Bengale par un grand delta. C'est l'un des grands fleuves sacrés des Hindous.

GODBOUT (Adélard). ♦ Agronome et homme politique canadien (Saint-Éloi, 1892 – 1956). Premier ministre libéral du Québec (1939-1944).

GODDARD (Robert Hutchings). ♦ Ingénieur et physicien américain (Worcester, Massachusetts, 1882 – Baltimore, 1945). Chercheur solitaire, il se consacra à l'étude des fusées (*Méthode pour atteindre les altitudes extrêmes,* 1919) et, ayant adopté l'emploi du propergol liquide (1923) préconisé par Tsiolkovski*, il parvint à réaliser des fusées capables d'atteindre 2 200 m à des vitesses de 1 100 km/h et qui, à la veille de la Deuxième Guerre mondiale, possédaient déjà tous les organes des futurs lanceurs d'engins spatiaux. **V.** *aussi* **Oberth.**

GODEAU (Antoine). ♦ Évêque et écrivain français (Dreux, 1605 – Vence, 1672). Après des débuts mondains (à l'hôtel de Rambouillet il était surnommé « le nain de Julie »), il entra dans les ordres, obtint l'évêché de Grasse (1636), le cumula avec Vence pour lequel il dut opter (1653). Auteur abondant de paraphrases de l'Écriture, en vers, et des *Instructions et prières chrétiennes pour toute sorte de personnes.*

GODEFROI ou **GODEFROY de BOUILLON (Godefroi IV de Boulogne,** dit**).** ♦ (Baisy, près de Genappe, 1061 – Jérusalem, 1100). Duc de Basse-Lorraine ou de Lothier (1082-1095) et homme de guerre. Il conduisit l'armée des chevaliers des régions de la Meuse et du Rhin à la première croisade*. Après la prise de Jérusalem (1099), il fut élu comme souverain et prit le titre d'« avoué* du Saint-Sépulcre ». **V.** *aussi* **Assises de Jérusalem.**

GODEHEU (Charles). ♦ Administrateur français envoyé en Inde pour remplacer Dupleix* (1754). Il ruina l'œuvre de celui-ci en signant avec l'Angleterre un traité désastreux d'après lequel les territoires conquis devaient être évacués.

GÖDEL (Kurt). ♦ Logicien américain d'origine autrichienne (Brünn, auj. Brno, 1906). Installé aux États-Unis (1938), puis naturalisé américain (1948), il enseigne depuis 1953 les mathématiques à l'*Institute for Advanced Study* de Princeton. Il mit au point en logique mathématique le procédé d'*arithmétisation de la syntaxe* « qui permet de formuler la syntaxe logique de l'arithmétique à l'intérieur même de l'arithmétique » (R. Blanché), et il fut amené par l'application même de ce procédé, à formuler deux théorèmes célèbres de métamathématique (1931). Selon ces théorèmes (dits *de Gödel*), une arithmétique non contradictoire comporte des énoncés « indécidables » (c.-à-d. ne constitue pas un système complet); parmi ces énoncés ne pouvant être démontrés, figure l'affirmation de la non-contradiction du système lui-même. Ces théorèmes établis grâce à des méthodes formelles mettent en évidence les limites de la possibilité de formalisation d'un système. (*Über formal unentscheidbare Sätze der « Principia mathematica » und verwandter Systeme,* 1931.)

GODIN (Jean-Baptiste André). ♦ Industriel et homme politique français (Esquéhéries, Aisne, 1817 – Guise, 1888). Il créa un établissement industriel (1859), qui, à sa mort, devint la copropriété du personnel : *le Familistère de Guise,* coopérative s'inspirant en partie des idées de Fourier*.

GODINHO (*le père* **Manuel).** ♦ Missionnaire jésuite et écrivain portugais (Villa-de-Montalvâo, 1633 ou 1634 – 1712). Missionnaire en Inde portugaise (1650), il revint au Portugal en faisant un long périple (1663); il passa par Surate, débarqua dans le golfe Persique, longea l'Euphrate et fut un des premiers Européens à visiter les ruines de Babylone, avant de gagner Alep. Il a laissé une relation de son voyage (*Relaçao do novo caminho que fer por terrae e mar vindo da India para Portugal* [1665]).

Godiva *(lady).* ♦ Héroïne d'un récit de Roger de Wendower, chroniqueur anglais du XIIIᵉ siècle. Femme d'un comte de Chester au XIᵉ s., elle aurait demandé vainement à son mari d'alléger les impôts qui écrasaient la population de Coventry. Le comte Leofric n'accepta qu'à la condition étrange que son épouse traversât la ville entièrement nue. Ce qu'elle fit à cheval, sauvegardant peut-être la décence grâce à sa longue chevelure. Ce récit est resté célèbre dans les pays de culture anglaise.

GODOUNOV (Boris). ♦ **V.** Boris Godounov.

GODOY (Manuel *de, duc de* **Alcudia,** *prince de* **La Paz).** ♦ Homme politique espagnol (Badajoz, 1767 – Paris, 1851). De petite noblesse, il entra à dix-neuf ans dans les gardes du corps; devenu l'amant de la reine Marie-Louise, il influença fortement grâce à elle le roi Charles* IV. Son ascension politique fut très rapide; il était Premier ministre en 1792. L'Espagne étant en lutte contre la France républicaine (1793-1795), Godoy put mettre fin au conflit par le traité de Bâle (1795) et fut créé alors « prince de la paix » par le roi d'Espagne. Il voulut réorganiser son pays selon les principes du despotisme éclairé, mais jalousé à la cour et haï par le futur Ferdinand* VII, il dut démissionner en 1798. Revenu au pouvoir en 1800, Godoy mena une campagne facile contre le Portugal. Alliée de la France depuis 1796, l'Espagne dut entrer en guerre contre l'Angleterre en 1804; en 1805, elle subit en même temps que la France la défaite de Trafalgar*; et en 1806, l'Angleterre occupait Buenos Aires qui appartenait à l'Espagne. Après avoir favorisé en secret la coalition contre Napoléon, Godoy, dès que la victoire d'Iéna fut connue, soumit entièrement son pays à Napoléon. L'Espagne adhéra alors au Blocus* continental et signa le traité de Fontainebleau. Godoy, devenu extrêmement impopulaire, voulut faire fuir le couple royal au Mexique. Les troupes françaises de Murat ayant occupé l'Espagne, une insurrection se déclencha à Aranjuez en 1808, et le projet de Godoy échoua. Godoy fut emprisonné pour trahison, puis délivré par Murat, qui le conduisit à Bayonne où il rédigea l'acte d'abdication de Charles IV en faveur de Joseph Bonaparte. Il suivit Charles IV et Marie-Louise dans leur exil, puis vécut à Paris où il rédigea ses *Mémoires* (1836-1838).

God save the King. *n. m.* (« Dieu sauve le roi »). ♦ Hymne national anglais. Composé par Henry Carey, il fut chanté la première fois en 1746 après la victoire de George II à Culloden.

GODTHAAB (en danois *« Bonne Espérance »).* ♦ Port de mer et cap. du Groenland* sur le détroit de Davis. 4 300 hab. Centre de radio-communications. Godthaab fut fondé en 1721 par un missionnaire norvégien, Hans Egede.

GODWIN. ♦ Homme politique anglais ([mort] 1053). Il exerça un grand pouvoir sous les règnes de Canut le Grand, Canut III et Édouard le Confesseur. – Père d'Harold* II.

GODWIN (William). ♦ Publiciste et romancier anglais (Wisbech, Cambridgeshire, 1756 — Londres, 1836). Pasteur, devenu athée sous l'influence des philosophes français du XVIIIe s., il s'est consacré à l'étude des questions sociales. Mettant en question le libéralisme et le droit de propriété, il a formulé les principes d'une société sans gouvernement où chacun profiterait du travail commun à proportion de ses besoins (*Essai sur la justice politique et son influence sur la moralité et le bonheur,* 1793). Dans ses *Recherches sur la population* (1820), il a tenté de donner une critique des théories de Malthus*. Il est également l'auteur de romans (*Aventures de Caleb Williams,* 1794; *Saint Léon,* 1799; etc.) et d'une *Histoire du Commonwealth* (1824-1828). ♦ MARY WOLLSTONECRAFT, Mrs GODWIN, sa femme (Hoxton, 1759 — Londres, 1797), fut une des premières féministes (*Revendications des droits de la femme,* 1792).

GODWIN (Mary). ♦ Romancière anglaise (Londres, 1797 — *id.,* 1851). Fille de William Godwin* et seconde femme de Percy Bysshe Shelley*, elle n'avait pas vingt ans quand elle composa *Frankenstein*, ou le Prométhée moderne* (1818), roman pseudo-scientifique qui évoque la création artificielle d'un être humain et le drame du démiurge. *Valperga* (*Valperga : or the Life and Adventures of Castruccio, Prince of Lucca,* 1823), roman historique, et *Le Dernier Homme* (1826) sont sans doute ses meilleures œuvres. Ses livres de voyage et sa correspondance éclairent la vie de Shelley.

GODWIN AUSTEN. *n. m.* ♦ V. DAPSANG.

GOEBBELS (Joseph Paul). ♦ Homme politique allemand (Rheyd, 1897 — Berlin, 1945). Fils d'un contremaître dans une filature, il passa un doctorat de philosophie puis devint journaliste. Rallié dès 1922 au national-socialisme, il s'attacha d'abord à Gregor Strasser et fit partie de l'aile gauche du mouvement nazi. Mais, en 1925, il se rapprocha d'Hitler. Député au Reichstag en 1928, il révéla ses qualités exceptionnelles d'orateur et de propagandiste (notamment dans ses articles du journal *Der Angriff*). À l'avènement d'Hitler (1932), il fut ministre de l'Information et de la Propagande. Il utilisa systématiquement tous les moyens de communication pour servir la politique et l'idéologie nazies; par son action efficace sur les foules, il eut une responsabilité essentielle dans l'excitation de la haine contre les juifs. Il fut, avec Hitler et Rosenberg*, le théoricien du nazisme. En 1944, Goebbels fut chargé de la direction de la guerre totale. Il sut maintenir le moral et la foi des populations jusque dans le bunker de la Chancellerie où il s'empoisonna avec sa femme et ses enfants après la mort du Führer.

GOEBEN (August *von*). ♦ Général prussien (Hanovre, 1816 — Coblence, 1880). Membre de l'armée carliste (1837), entré dans l'armée prussienne (1842), il prit part à la campagne du Danemark (1864), puis à celle de Bohême contre l'Autriche (1866). Nommé commandant du 8e corps prussien au début de la guerre franco-allemande (1870-1871), il se distingua lors des batailles de Forbach-Spicheren, Gravelotte* (Rezonville); battu par Faidherbe à Bapaume* (2-3 janvier 1871), il remporta peu après la victoire de Saint*-Quentin (18-19 janvier 1871).

GOEPPERT-MAYER (Maria). ♦ Physicienne américaine d'origine allemande (Katowice, 1906 — San Diego, Californie, 1972). Spécialiste de physique nucléaire, à la suite des expériences qui montrèrent l'existence de nombres « magiques », elle proposa (indépendamment de H.D. Jensen*) le modèle nucléaire en couches à interaction spin-orbite et les règles qui doivent y être appliquées (1950). **V. Haxel.** (Prix Nobel de phys., 1963.)

GOERDELER (Carl Friedrich). ♦ Homme politique allemand (Schneidemuhl, 1884 — Berlin, 1945). Premier bourgmestre de Leipzig (1931-1937), conservateur de tradition bismarckienne, il s'opposa au régime nazi et dut démissionner. Il conspira contre Hitler et, après l'attentat du 20 juil. 1944, fut arrêté et exécuté.

GOERG (Édouard). ♦ Peintre dessinateur et graveur français (Sydney, Australie, 1893 — Callian, Var, 1969). A partir de 1912, il suivit les cours de Maurice Denis et de Paul Sérusier à l'académie Ranson. Après une période expressionniste où s'affirma son sens de la critique sociale, puis une vision angoissée et tragique de la condition humaine, il évolua durant la guerre vers une peinture plus intimiste aux accents souvent mystérieux, fantastiques et sensuels, adoptant un dessin anguleux, une pâte dense où jouent des éclats de tonalités intenses (série dite des *Filles-Fleurs*). Il est l'auteur de nombreuses illustrations de livres, d'eaux-fortes et de lithographies.

GOERING (Hermann). ♦ Maréchal et homme politique allemand (Rosenheim, 1893 — Nuremberg, 1946). Il fut plusieurs fois décoré comme aviateur durant la guerre de 1914. En 1922, il rencontra Hitler qui l'impressionna fortement, et adhéra au Parti national-socialiste. Nommé chef des S.A. (sections d'assaut), il participa au putsch manqué de Munich (1923). Élu député en 1928, il fut président du Reichstag en 1932 et usa de son influence (en particulier dans les milieux d'affaires) pour faciliter l'accession de Hitler au poste de chancelier (1933). Ce dernier l'appela alors aux plus hautes fonctions : il fut ministre de l'Air et commandant de la Luftwaffe* (1935), maréchal du Reich et chef suprême de l'économie de guerre (1940). Comblé d'honneurs, il mena une vie de satrape, amassant une fortune considérable, constituant d'inestimables collections d'œuvres d'art volées dans les territoires occupés par les nazis. Avec les échecs qu'essuya la Luftwaffe, le prestige de Goering déclina; il fut désavoué par Hitler (qui l'avait pourtant pressenti pour sa succession) et expulsé du parti en 1945. Condamné à mort par le tribunal de Nuremberg*, il réussit à s'empoisonner dans sa prison.

GOES (Hugo *Van der*). ♦ Peintre et miniaturiste flamand (Gand?, v. 1440 — près de Bruxelles, 1482). Il fut l'ami de Juste de Gand et se trouvait inscrit en 1467 à la guilde des peintres de Gand. Il travailla aussi à Bruges et fut chargé de plusieurs travaux décoratifs. En 1475, il entra au monastère de Rouge-Cloître, et, bien qu'en proie à des troubles mentaux, il continua à peindre jusqu'en 1480. Il subit l'influence de Van* Eyck et, dans une certaine mesure, fut marqué par Van* der Weyden, manifestant cependant une personnalité originale. Il est considéré comme l'un des peintres flamands les plus importants de la seconde moitié du XVe siècle. Son chef-d'œuvre, le triptyque de *L'Adoration des bergers* (v. 1476), commandé par T. Portinari, exerça une profonde influence sur la peinture florentine, notamment sur Ghirlandajo*. Cette œuvre, à la polychromie précieuse, où dominent les tons saturés, exprime une spiritualité anxieuse : les attitudes théâtrales, la caractérisation poussée des visages, les volumes d'une grande plasticité sont puissamment expressifs. Dans une autre *Adoration des bergers,* le traitement de la lumière, les expressions hallucinées accentuent cette tendance au lyrisme qui prend dans la *Mort de la Vierge* un caractère pathétique. Inventeur de types, d'attitudes, il influença de nombreux peintres, particulièrement le Maître de Moulins*.

GOES (Albrecht). ♦ Poète lyrique, nouvelliste et essayiste allemand (1908). Pasteur, aumônier sur le front Est lors de la Deuxième Guerre mondiale, il a exprimé dans ses récits (*Jusqu'à l'aube,* 1949; *La Flamme du sacrifice,* 1954) un sens aigu du mal qui règne dans le monde, auquel il oppose, en humaniste chrétien, un amour capable d'abnégation, de sacrifice. Comme celles de Mörike, auquel il consacra un essai (1938), ses poésies lyriques évoquent sa Souabe natale.

GOES. ♦ V. des Pays-Bas (Zélande). 17 631 hab. Église Marie-Madeleine (gothique). — La ville doit sa prospérité au commerce du sel et de la garance. Prairies et vergers. Métallurgie. Centre émetteur de télévision. ♦ *Hist.* Anc. résidence des comtes de Zélande, elle accueillit Jacqueline de Bavière (1401-1436) qui soutint une lutte malheureuse contre Philippe le Bon à qui ses États furent cédés en 1428.

GOETHE (Johann Wolfgang *von*). ♦ Écrivain allemand (Francfort-sur-le-Main, 1749 — Weimar, 1832). « Voilà un homme », disait de lui Napoléon; un homme dont la personnalité a dominé pendant plus d'un demi-siècle la vie littéraire de l'Allemagne, un homme qui ne cessa d'agir et de créer pour s'assumer. Issu d'une famille bourgeoise aisée et cultivée, il disait tenir de son père « la conduite sérieuse de la vie », de sa mère « la nature joyeuse et le goût de conter ». Après avoir fait ses premiers pas dans le monde de la culture (langues, littérature, musique, dessin) sous la conduite de précepteurs, il entreprit, sur les conseils de son père, des études de droit à Leipzig (1765), mais déjà sa vocation le poussait vers la poésie et le théâtre. La vie mondaine du « petit Paris » de l'Allemagne ne fut pas pour lui déplaire; le jeune Goethe, qui y noua une liaison vite orageuse avec la jolie Kätchen (ou Annette) Schönkopf

Arch. Smeets

É. Goerg : « Les Modèles ». (Collection privée.)

Arch. Smeets

Gœthe dans un paysage romain, par Tischbein. (Städelsches Institut, Francfort.)

et une amitié plus sereine avec la fille de son professeur de dessin, Frédérique Oeser, s'y livra à des premiers essais littéraires : des poèmes (*Les Nouveaux Lieder,* publiés en 1769, qui révèlent déjà un sens de la précision que donna à Goethe son goût du dessin), deux comédies (*Le Caprice de l'amant – Die Laune des Verliebten,* 1767-1768, pastorale; *Les Complices – Die Mitschuldigen,* 1768-1769, premiers fragments de sa « grande confession poétique »). Gravement malade, Goethe revint à Francfort (1768) où, sous l'influence d'une amie de sa mère, Suzanne von Klettenberg (la « Belle Âme » du *Wilhelm Meister*), il traversa une phase piétiste, se plongea dans des ouvrages d'occultisme et d'alchimie. Sa santé et son « ardeur juvénile » revenues, il poursuivit ses études à Strasbourg (1770-1771), où trois événements déterminèrent son évolution vers la période des « génies » du *Sturm* und Drang :* son admiration pour la cathédrale, chef-d'œuvre de l'art gothique et incarnation, à ses yeux, du génie germanique (*De l'architecture allemande,* 1773, dédié à Erwin von Steinbach); sa rencontre avec Herder* qui lui révéla les œuvres de Hamann* et la poésie populaire dont il l'incita à chercher les traditions en Alsace; enfin un amour platonique pour la jeune Frédérique Brion, fille du pasteur de Sesenheim, qui lui inspira quelques-uns de ses plus beaux poèmes d'amour *(Chant de mai, Bienvenue et Adieu).* De retour en Allemagne, Goethe put exprimer alors la force « titanesque » qu'il sentait en lui, les contradictions de son « démon intérieur », tour à tour exalté par un sentiment presque mystique pour la nature, renforcé par la lecture de Spinoza (1773), et envahi par des tentations morbides. Telle est l'inspiration des grands poèmes de cette époque (*Le Voyageur; Le Chant de Mahomet,* et surtout *Prométhée*), de ses drames (*Götz* von Berlichingen,* 1773; *Clavigo,* 1774; *Stella,* publiée en 1776; et le *Faust** primitif, *Urfaust,* 1773-1775), de son intermède lyrique (*Erwin et Elmire,* 1775), rempli du souvenir de Lili Schönemann qu'il avait quittée après l'avoir demandée en mariage; enfin, et peut-être surtout, de son roman *Les Souffrances du jeune Werther** (1774), inspiré par un amour sans espoir pour Charlotte Buff. L'année 1775 marqua un tournant dans la vie et l'œuvre de Goethe. Appelé à Weimar par le grand-duc Charles-Auguste, qui avait été l'élève de Wieland*, il y fut chargé d'importantes fonctions administratives. Conseiller de légation (1776), conseiller secret (1779), ministre (avec anoblissement, 1782), il assuma sa tâche avec cœur et intérêt, s'adonnant pour mieux l'accomplir à l'étude des sciences (botanique, géologie, ostéologie, discipline à laquelle il apporta sa découverte de l'os intermaxillaire chez l'homme). Cette période fut également marquée par son amour pour Mme de Stein, qui fut sans doute plus qu'un simple « mariage d'âmes ». Cette passion lui fit d'abord retrouver les élans et les tourments de Werther mais, peu à peu, opéra en lui une profonde transformation : ce fut le début de sa victoire sur ses forces « démoniaques », de son acceptation des *« Limites de la condition humaine »* (poème de 1780), qui transparaissent dans les œuvres auxquelles il travaillait alors (*Iphigénie* en Tauride,* 1779-1787; *Egmont*,* 1787; *Torquato Tasso,* achevé en 1789); cet apprentissage de la sagesse marqua aussi chez Goethe un éloignement par rapport au christianisme (ainsi qu'il l'écrivit à Lavater* dont le prosélytisme l'agaçait), une orientation vers le déisme rationaliste de Lessing et de la franc-maçonnerie à laquelle il s'affilia, et peu à peu vers le panthéisme. Ses fonctions finirent toutefois par lui peser, tout autant que le ciel gris de Weimar; « comme un oiseau pris dans des lacets », il ne comprenait plus comment le destin avait pu faire de lui « une pièce cousue dans l'administration d'un État et d'une famille princière ». Il rêvait de lumière, du pays où « les citronniers fleurissent et où les oranges d'or resplendissent dans le sombre feuillage » (*chant de Mignon,* dans *Wilhelm Meister),* et il quitta Weimar pour l'Italie, pour la Ville Éternelle (1786-1788) où s'acheva sa métamorphose; avec la clarté, il découvrit la paix, « une solidité intérieure dont l'esprit reçoit en quelque sorte l'empreinte, un sérieux sans sécheresse, une nature posée ». De retour à Weimar, « le temps des soupirs nostalgiques a pris fin » (J. Ancelet-Hustache), et c'est la vie simple, ardente et sensuelle du monde latin qu'exaltent *Les Elégies romaines* (1790). Aux relations avec Mme de Stein, qui se dénouèrent progressivement, succéda la liaison, légalisée en 1806, avec Christiane Vulpius qui lui donna cinq enfants dont un seul survécut. Mal accueillie par la haute société de Weimar, cette liaison avec la fille d'un petit bureaucrate contribua à isoler Goethe de ses anciens amis. Chargé par le grand-duc de la direction de la culture (musées, écoles d'art, université d'Iéna et théâtre de Weimar), Goethe s'adonna à ses travaux scientifiques, créant le concept et le mot de *morphologie* (*Métamorphose des plantes,* 1790; *Contribution à l'optique,* que devait compléter en 1810 *De la théorie des couleurs).* Lors de la Révolution française, sur laquelle il émit des réserves, il prit part à la campagne des Prussiens contre la France (Valmy, 1792, etc.). En 1794, une amitié solide s'établit entre lui et Schiller*; depuis 1786, leurs conceptions sur l'art s'étaient rapprochées et, ensemble, ils précisèrent et défendirent, contre leurs ennemis, l'idéal grec tel qu'ils le découvraient à travers Winckelmann*. Sous l'influence de son ami, Goethe sentit en lui un « nouveau printemps dans lequel tout germa joyeusement côte à côte » : des ballades (*L'Apprenti sorcier; Le Dieu et la Bayadère; La Fiancée de Corinthe,* 1797), une épopée bourgeoise en hexamètres (*Hermann* et Dorothée,* 1797), son *Faust** (dont la première version fut publiée en 1806), la première partie de son grand roman de formation (*Les Années d'apprentissage de Wilhelm* Meister,* 1797). Les bouleversements politiques de l'Europe, l'occupation de l'Allemagne par Napoléon (dont il admirait le génie), affectèrent Goethe, dont la vie privée fut elle aussi assombrie par la mort prématurée de Schiller (1805) et par la routine d'une vie conjugale dont il sentait les limites. Quelques passions vinrent encore lui donner le sentiment d'une nouvelle jeunesse : Minna Herzlieb, qui sera Odile dans son roman *Les Affinités* électives* (1808-1809), Marianne von Willemer, la Suleika de son *Divan* occidental-oriental* (1814-1816), Ulrique von Levetzow, qui lui inspira *L'Élégie de Marienbad* (1821). Mais Goethe avait vieilli, et sa sagesse semblait l'éloigner de la réalité allemande de son temps, tantôt vers son passé qu'il tenta alors de reconstituer et de juger (*Poésie* et Vérité,* 1811-1814, 1831; *Le Voyage en Italie,* 1816-1829; *La Campagne de France,* 1821), tantôt vers un monde de vérités intemporelles où l'entraînaient ses réflexions sur l'art, la morale, la religion. C'est le cas dans *Pandora* (1808), drame allégorique qui exalte une civilisation où l'art et la science, le beau et le vrai seront pleinement réalisés, dans *Les Années de voyage de Wilhelm* Meister* (1821-1829), dans le second *Faust** enfin (1832), dont la scène finale fut commentée ainsi à Eckermann* : « En Faust une activité toujours plus haute et plus pure jusqu'à la fin et l'amour éternel qui vient d'en haut à son secours »; cette fin « catholique », qui contraste apparemment avec les positions antérieures de Goethe, n'est peut-être que la pleine acceptation des limites de l'homme (« Tout l'éphémère n'est que symbole »). – « Les dieux infinis donnent tout à leurs favoris – pleinement – : Toutes les joies infinies, Toutes les douleurs infinies – pleinement – »; Goethe fut l'un de ces favoris du destin. Génie universel, il ne correspond pas vraiment à l'image de l' « olympien » qu'on a donnée de lui; sa vie et son œuvre apparaissent bien plutôt comme la volonté toujours renouvelée « de conquérir sa liberté de créateur sur la fatalité des passions » (H. Plard).

GOG. ♦ Dans la Bible (*Ézéchiel,* XXXVIII-XXXIX), prince légendaire du pays de Magog*. Le caractère fantastique de la prophétie où il apparaît a inspiré l'*Apocalypse,* XX, 8, qui dit « Gog *et* Magog », pour désigner les nations révoltées à la fin des temps.

GOGOL ou **GOGOL' (Nicolas Vassilievitch).** ♦ Romancier et dramaturge russe (Sorotchinsky, 1809 – Moscou, 1852). Né en Ukraine, Gogol sut évoquer avec humour le folklore de son pays natal dans la première œuvre qui le rendit célèbre, un recueil de contes pittoresques et fantastiques : *Les Veillées a la ferme de Dikanka* (1831-1832). Déjà on sent percer l'angoisse qu'il ressent devant les forces du mal dans les deux recueils de récits qu'il écrivit ensuite sur l'Ukraine : *Mirgorod* et *Arabesques* (1835). L'humour y devient désillusion. Les plus célèbres de ces contes sont : *Le Portrait,* qui exprime encore un certain romantisme, *Tarass* Boulba* qui, seul de son espèce, évoque dans un style coloré la lutte héroïque des cosaques ukrainiens contre les Polonais au XVIIe s., *Le Journal d'un fou* et *La Perspective Nevski* qui ont pour cadre Saint-Pétersbourg et où le rêve se mêle à la réalité, et enfin *Le Nez* farce absurde et inquiétante. Sa comédie, *Revizor** (*L'Inspecteur général,* 1836) est une caricature satirique et réaliste des fonctionnaires russes. C'est encore l'histoire malheureuse, simple et ridicule d'un petit fonctionnaire que raconte *Le Manteau* (1842). Enfin Gogol écrivit la grande œuvre de sa vie : *Les Aventures de Tchitchikov* ou *Les Âmes* mortes* (1842). C'est alors qu'une crise intérieure l'ébranla, et voulant réhabiliter les personnages qu'il avait si durement caricaturés, il écrivit une deuxième partie aux *Âmes mortes* dans laquelle il glorifia les vertus russes. Puis, estimant qu'il avait échoué, il brûla lui-même cette deuxième partie (1852). Il mourut dans la souffrance, persuadé d'avoir failli à sa vocation en calomniant l'humanité et la Russie qu'il adorait. – Mal adapté au monde, Gogol a compris son prochain dans la difficulté et l'angoisse; plus à l'aise dans les descriptions des comportements que dans l'analyse psychologique, il sut observer le ridicule d'une situation ou d'un personnage et fut un maître de la caricature. En proie à l'angoisse du mal, il atteignit dans son art un génial équilibre et sut élaborer, au prix d'un travail acharné, une prose riche et savoureuse.

GOGRÂ ou **GHÂGHRÂ**. *n. f.* ♦ Riv. de l'Inde et du Népal (850 km), affl. du Gange* (r. g.). Née dans l'Himâlaya*, elle traverse le Teraï* népalais et se jette dans le Gange non loin de Patna*.

GOGUET (Antoine-Yves). ♦ Magistrat et érudit français (1716 — 1758). Auteur d'un ouvrage intitulé *De l'origine des lois, des arts et des sciences et de leurs progrès chez les anciens peuples,* il a tenté d'indiquer les étapes de l'évolution de l'industrie humaine (pierre, cuivre, fer, 1758).

GOGURYEO [*Kokuryŏ*]. *n. m.* ♦ Ancien royaume coréen fondé en ~ 37 et dont les vingt-huit souverains régnèrent jusqu'en 666 dans le N. de la péninsule coréenne. Il fut finalement conquis et absorbé par le royaume de Silla*.

GOHELLE. *n. f.* ♦ Plaine du N. de la France, dominée par les collines de l'Artois*, au N. d'Arras*. Les activités agricoles y sont faibles, et sa principale ressource est, depuis le XIXe s., le charbon (le premier centre d'extraction est Lens*). Indus. chimique et métallurgique.

GOHIER (Louis Jérôme). ♦ Homme politique français (Semblançay, Touraine, 1746 — Montmorency, 1830). Avocat au parlement de Bretagne, député à l'Assemblée législative puis à la Convention, ministre de la Justice en 1793, il fut membre du Directoire* en 1799. Hostile à Sieyès, contraint de démissionner après le coup d'État du 18 Brumaire, il fut néanmoins nommé consul de France à Amsterdam (1802-1810).

GOIÂNIA. ♦ V. du Brésil, cap. de l'État de Goiás* (depuis 1937), située dans la partie la plus prospère de l'État. 380 000 hab. Archevêché. Centre administratif.

GOIÁS. *n. m.* ♦ État du centre brésilien situé au S. de l'État de Maranhão, entre les États de Pará et Mato Grosso. 642 092 km^{2}. 2 854 000 hab. *Cap.* Goiânia. — Sur le *plateau de Goiás* à l'E. de la source du Tocantins*, qui traverse la région du S. au N., fut édifiée en 1960 Brasília*, la capitale du Brésil, au centre d'un district fédéral soustrait à l'État de Goiás. Élevage extensif de bovins. Cultures vivrières. Importants gisements de nickel.

GOIS ou **GUA** *(passage du)*. ♦ Chaussée de 4,5 km entre l'île de Noirmoutier* et le continent, praticable à marée basse.

GOITO. ♦ V. d'Italie continentale, en Lombardie (prov. de Mantoue), sur le Mincio. 9 500 hab. Les Autrichiens y furent battus par les Piémontais en 1848. Patrie de Sordello*.

GOLAN. *n. m.* ♦ Plateau syrien proche de la frontière israélo-syrienne, et qui fait partie des régions occupées et administrées par Israël depuis la guerre de 1967. Quelques milliers d'habitants, Arabes et Druzes*, y cultivent un sol insuffisamment irrigué (céréales, légumes, fruits).

GOLBÉRY (Sylvain Meinrad Xavier *de*). ♦ Officier et voyageur français (Colmar, 1742 — Paris, 1822). Après un voyage d'exploration au Sénégal et en Gambie (1785), il publia des *Lettres sur l'Afrique* (1791) et des *Fragments d'un voyage en Afrique* (1802).

GOLBEY. ♦ Comm. des Vosges (arr. d'Épinal). 8 840 hab. *(Golbéens).* Fonderie d'aluminium, chaudronnerie. Indus. textile (coton).

Ph. San-Viollet

N. V. Gogol.

GOLCONDE ou **GOLKONDA**. ♦ Anc. cité de l'Inde (Dekkan) à l'O. d'Haidarâbâd, fondée en 1518 par Qûli Qutb Shâh et prise en 1688 par Aurangzeb*. Elle était célèbre pour ses diamants ainsi que pour son école de peinture. Sa forteresse, immense, est en ruine. — Le *royaume de Golconde* eut en Occident, à partir du XVIIe s., une réputation de richesse légendaire.

GOLDBACH (Christian). ♦ Mathématicien allemand (1690 — 1764). Il est surtout connu pour une proposition qu'il énonça dans une lettre à Euler* (1742) selon laquelle tout nombre pair est la somme de deux nombres premiers.

GOLDBERG (Johann Gottlieb). ♦ Compositeur allemand (Dantzig, 1727 — Dresde, 1756). Virtuose du clavecin, il fut l'élève de W. F. Bach, puis de J.-S. Bach qui composa pour lui les 30 *Variations* qui portent son nom. On lui doit des pièces pour orgue et pour clavecin.

GOLD COAST. ♦ **V.** CÔTE DE L'OR; GHÂNA.

GOLDMAN (Emma). ♦ Révolutionnaire anarchiste américaine d'origine juive russe (1869 — 1940). Émigrée aux États-Unis (1886), elle y devint anarchiste, lutta surtout pour les droits de la femme, publiant le journal *Mother Earth.* Expulsée des États-Unis, elle gagna la Russie soviétique (1919) et y resta jusqu'à la révolte de Kronstadt (1921). Elle poursuivit ensuite en Europe et en Amérique son activité (*Living my life,* 1934).

GOLDMANN (Lucien). ♦ Philosophe et critique français (Bucarest, 1913 — Paris, 1970). Dans sa thèse, *La Communauté humaine et l'univers chez Kant* (1945), il tenta d'analyser les conditions sociales lues à travers les institutions et les pratiques, et d'établir leurs relations avec le travail créateur des philosophes, des écrivains et des artistes. Développant cette recherche d'un système de rapports intelligibles et fonctionnels entre la totalité sociale et la créativité culturelle, Goldmann fut amené à définir une véritable « sociologie de la littérature », dépassant à la fois l'histoire littéraire (description extérieure et commentaire textuel) et le sociologisme causaliste, dont les constatations et les statistiques étaient à ses yeux incapables de saisir la nature du phénomène artistique. *Le Dieu caché,* étude sur la vision tragique dans les « Pensées » de Pascal et le théâtre de Racine (1956), illustre ce projet par une démarche dialectique. Celle-ci vise à rendre concrètement compte du réel (les textes et leur structure conceptuelle) et de dégager la totalité rationnelle (sociale) qui a rendu ce réel possible; à rendre compte du lien réciproque et nécessaire entre création individuelle et vie sociale, celle-ci étant conçue dans l'optique du matérialisme dialectique (**V.** *aussi* **Lukács**). Goldmann a publié une étude sur le roman (*Pour une sociologie du roman,* 1964) et des travaux plus généraux de méthodologie (*Sciences humaines et philosophie,* 1952; *Recherches dialectiques,* 1958).

GOLDMARK (Karl). ♦ Compositeur hongrois (Festhely, 1830 — Vienne, 1915). Autodidacte, admirateur de Wagner, il trouva dans le folklore hongrois le meilleur de son inspiration. Il connut une gloire européenne avec son opéra, *La Reine de Saba* (1875). Il est l'auteur de 5 autres opéras, d'ouvertures *(Sakuntala),* de pièces pour orchestre, de musique de chambre, de chœurs et de mélodies.

GOLDONI (Carlo). ♦ Auteur comique italien (Venise, 1707 — Paris, 1793). L'abandon d'une carrière d'avocat lui permit, la quarantaine venue, de se consacrer entièrement au théâtre. Dès ce temps, il affirma la nécessité d'une renaissance de la scène italienne, livrée aux jeux devenus décadents de la commedia dell'arte, marquant avec force sa préférence pour le naturel et l'observation directe de la vie. Cette attitude devait lui valoir l'hostilité de Carlo Gozzi* qui l'accusa d'avoir trahi le théâtre italien. Goldoni répliqua en faisant représenter, en une seule saison (1749-1750), seize de ses pièces par la compagnie Medebac, installée à Venise. Il avait auparavant composé (en italien ou en dialecte vénitien) plusieurs de ses comédies parmi les plus fameuses : *Le Serviteur de deux maîtres* (*Il Servitore di due padroni,* 1745), *Le Café* (*La Bottega del caffè,* 1750), *L'Aubergiste* (*La Locandiera*,* 1753), *Les Rustres* (*I Rusteghi,* 1759). Les attaques de Gozzi le déterminèrent à quitter Venise pour Paris où il devait mener le même combat contre la tradition des masques, des improvisations et des lazzi de la commedia dell'arte, en écrivant d'excellentes comédies de caractère, en français (*Le Bourru bienfaisant,* 1771; *L'Avare fastueux,* 1773). Devenu précepteur des princesses royales, il mourut dans la misère sous la Révolution.

GOLDSCHMIDT (Victor). ♦ Minéralogiste allemand (Mayence, 1853 — Salzbourg, 1933). Il a donné une nomenclature des cristaux (*Index der Kristallformen der Mineralien,* 1886-1891) et publié un atlas cristallographique (*Atlas der Krystallformen,* 1912-1913). Il s'intéressa à la théorie des nombres.

GOLDSMITH (Oliver). ♦ Romancier, poète et dramaturge anglais (Pallas, Longford, Irlande, 1728 — Londres, 1774). D'origine irlandaise, de famille modeste, il dut travailler pour financer ses études à Dublin. Il fit sa médecine à Édimbourg, se rendit à Leyde et, sans ressources, à pied, parcourut la France, la Suisse et l'Italie (*Le Voyageur,* 1764). Comme Voltaire et Rousseau, il critiqua les mœurs et les idées, notamment dans *l'Abeille* (*The Bee,* 1759), journal qu'il fonda et où il publia ses meilleurs poèmes *(Nocturne citadin). Le Vicaire de Wakefield* (1766), roman sentimental et bourgeois dans la lignée de Richardson*, Fielding* et Smollett*, lui valut la célébrité. Par contre, ses comédies (*L'Homme au bon naturel* et *Les Fautes d'une nuit,* 1768) réagissent contre le sentimentalisme de l'époque. Dans le genre épistolaire alors en

Ph. Hétier
El-Goléa.

vogue, Goldsmith donna *L'Histoire d'Angleterre en une série de lettres* et *Le Cosmopolite* (1762), lettres chinoises dans l'esprit des *Lettres persanes* de Montesquieu. Son *Village abandonné* (*The Deserted Village*, 1770) est un chef-d'œuvre de poésie rustique qu'appréciait Goethe.

GOLDSTEIN (Eugen). ♦ Physicien allemand (Gleiwitz, 1850 – Berlin, 1930). Auteur de recherches sur les décharges électriques dans les gaz raréfiés, il démontra que l'émission des rayons cathodiques ne se faisait pas de façon diffuse (cas de la lumière) mais presque uniquement dans la direction normale (1876) et découvrit les rayons positifs, longtemps appelés rayons canaux (1886). **V. Crookes, Hittorf.**

GOLDSTEIN (Kurt). ♦ Neuropsychiatre américain d'origine allemande (Kattowitz, auj. Katowice, 1878 – New York, 1965). C'est à partir d'observations cliniques sur les troubles consécutifs à des lésions cérébrales qu'il fut amené à formuler sa conception globale de l'organisme dans ses rapports avec le milieu. Refusant la dissociation entre le biologique et le psychique, et l'opposition du normal et du pathologique, qu'il considère comme un cas limite du normal, sa théorie s'apparente au gestaltisme **(V. Koffka, Köhler, Wertheimer)**, et comporte une critique de la réflexologie **(V. Pavlov)** et du behaviorisme **(V. Watson).** Outre son ouvrage sur *La Structure de l'organisme* (trad. fr., 1952), Goldstein fit d'importants travaux sur l'aphasie, considérée par lui comme l'expression d'une atteinte de l'attitude catégorielle (*Analyse de l'aphasie et l'étude du langage*, 1927). Son œuvre exerça une grande influence, en particulier sur Merleau*-Ponty.

GOLDZIHER (Ignác). ♦ Orientaliste hongrois (Székesfehérvár, 1850 – Budapest, 1921). Professeur d'arabe, il est connu par ses travaux sur l'Islâm et Mahomet (*Muhammedanische Studien*, 1888-1890; *Vorlesungen über den Islâm*, 1910).

GOLÉA (El-). ♦ Oasis du Sahara algérien (dép. des Oasis) en bordure E. du Grand Erg occidental. 12 500 hab. Palmeraie de plus de 100 000 arbres.

GOLFE-JUAN. ♦ Station balnéaire des Alpes-Maritimes, sur le golfe situé entre le cap d'Antibes (à l'E.) et les îles de Lérins (à l'O.), non loin de Juan*-les-Pins. ♦ *Hist.* Napoléon débarqua de l'île d'Elbe le 1er mars 1815 sur la plage du *golfe Juan.*

GOLGI (Camillo). ♦ Médecin italien (Corteno, Brescia, 1844 – Pavie, 1926). Il mit au point une technique de coloration du tissu nerveux, par imprégnation de nitrate d'argent. Ses travaux sur l'histologie du système nerveux lui valurent le prix Nobel de méd. (en même temps que Ramón y Cajal*) [1906]. – *Appareil de Golgi*, granulations en réseau dans le protoplasme cellulaire (animal et végétal), situées près du noyau (découvertes par Golgi, 1898) et dont le rôle a donné lieu à plusieurs interprétations. – *Cellules de Golgi*, neurones d'association intersensitive situés à la corne postérieure de la moelle.

GOLGOTHA. *n. m.* (forme grecque pour l'araméen **gulgolta**, « crâne »; rendu en latin par **calvaria**, d'où *calvaire*). ♦ Dans les Évangiles, colline où eut lieu la crucifixion de Jésus. La tradition ancienne localisant l'endroit au N.-O. de Jérusalem, au lieu où fut élevée la basilique du Saint-Sépulcre (IVe s.), a été très discutée.

Goliards. *n. m. pl.* ♦ Nom qui fut donné à un groupe d'intellectuels des XIIe et XIIIe s., souvent des étudiants, qui pratiquaient le « vagabondage intellectuel » (J. Le Goff). Représentatifs de l'extrême mobilité sociale du XIIe s., ces clercs « évadés » de l'ordre contraignant de la société médiévale, artistes, poètes ou bouffons, critiquaient par leur mode de vie et attaquaient la société établie, et principalement l'Église (exception faite du clergé séculier pauvre). Antimilitaristes, les goliards, même s'ils furent parfois gibelins, ne coïncidèrent jamais avec le parti de l'empereur germanique.

GOLIATH. ♦ Dans la Bible, géant philistin vaincu par David* (*I Samuel*, XVII) ou par Elkhanan (*II Samuel*, XXI, 19).

GOLITSYN. ♦ **V.** GALITZINE.

GOLO. *n. m.* ♦ Fl. le plus important de Corse* (75 km) qui prend sa source dans la forêt de Valdo-Niello, parcourt le Niolo* et se jette dans la mer au S. de Bastia.

GOLTZ (Friedrich). ♦ Physiologiste allemand (Posen, Poznań, 1834 – Strasbourg, 1902). Il étudia la physiologie des centres nerveux et montra le rôle des canaux semi-circulaires de l'oreille interne dans le sens de l'équilibre.

GOMAR (François), en lat. **Gomarus.** ♦ Théologien protestant néerlandais (Bruges, 1563 – Groningue, 1641). Professeur de théologie à Leyde (1594), puis à Saumur (1614) et Groningue (1617). Il affirma, contre le libéralisme d'Arminius*, que la prédestination est antérieure à la chute d'Adam (supralapsisme). Ses thèses l'emportèrent au synode calviniste de Dordrecht (1618-1619) et les ministres arminianistes durent s'exiler.

GOMBAULD (Jean Ogier *de*). ♦ Poète français (Saintonge, v. 1588 – Paris, 1666). Ami de Conrart* et académicien, il admirait Malherbe* mais fréquentait l'hôtel de Rambouillet*. On lui doit des romans allégoriques, une tragédie, *Les Danaïdes* (1640-1644) et des poèmes, dont les *Sonnets chrétiens* (1646), œuvres au style dense et précieux.

GOMBERT (Nicolas). ♦ Compositeur franco-flamand (Bruges? v. 1500 – v. 1555). Maître de chapelle de Charles Quint dont il suivit les déplacements en Espagne, en Italie et en Allemagne, il fut chanoine de Tournai. Il a porté à sa perfection le « style imitatif », créé par Josquin des Prés, style officiel de l'école franco-flamande. Il a composé une centaine de *Chansons* (de 3 à 6 voix), très différentes des *Chansons françaises* de Janequin, bien qu'il s'en inspire parfois. On lui doit encore 6 *Messes*, 8 *Magnificats*, et surtout 60 *Motets* où l'adéquation entre les thèmes musicaux et les textes crée un nouveau langage.

GOMBERVILLE (Marin LE ROY *de*). ♦ Écrivain français (Paris, 1600 – *id.*, 1674). Il publia, dès 1620, des romans dans lesquels les voyages des personnages lui servaient de prétextes pour des dissertations géographiques, première incursion de l'exotisme dans la littérature française : *Polexandre* (1629-1632). Dans ses poèmes, il s'efforça d'allier le romanesque et le merveilleux. Devenu janséniste, il écrivit des ouvrages pieux et fut même soupçonné en 1656 d'être l'auteur de la première *Provinciale*. (Acad. fr. 1634).

Gombette *(loi)*. ♦ Loi des Burgondes rédigée après 501 sur l'ordre de Gondebaud*.

GÖMBÖS (Gyula). ♦ Général et homme politique hongrois (Murga, 1886 – Munich, 1936). Chef de l'opposition à Bethlen*, il devint ministre de la Défense en 1929 et Premier ministre après la démission de Bethlen (1932-1936). Il fut partisan d'un gouvernement de type dictatorial, mais se heurta à de fortes oppositions.

GOMBROWICZ (Witold). ♦ Écrivain polonais (Maloszyce, 1904 – Vence, 1969). Après des études de philosophie, puis de droit, il fit ses débuts littéraires en 1933 et se plaça dès 1937 parmi les écrivains contemporains les plus significatifs, et fut sans doute le plus audacieux de la littérature polonaise, avec son premier roman : *Ferdydurke.* Dans cette analyse sarcastique et douloureuse de la condition humaine, l'auteur décrit, avec un humour impitoyable, l'homme créé de l'extérieur, inauthentique, déformé et enfermé dans un cadre schématique (« Être un homme, cela veut dire ne jamais être soi-même »). De là une disproportion tragique entre la maturité que l'être humain simule, et l'immaturité, – entre la forme qui le détermine et sa profonde indétermination. Surpris par la guerre en Argentine, où il se fixa de 1939 à 1963, il fut critiqué par les Polonais qui lui reprochaient des positions politiques qu'il expliqua dans son roman *Le Transatlantique* (*Trans-Atlantyk*, 1953). Refusant de s'enrôler, pour protester contre les pressions sociales qui déforment l'homme et l'oppriment, il choisit la défense de sa propre indépendance contre la défense de l'indépendance de son pays. Comme pour Georges Bataille, la trame essentielle de l'œuvre littéraire, pour Gombrowicz, est l'érotisme : « Je ne crois pas à une philosophie non érotique. Je ne me fie pas à une pensée désexualisée » (extrait du *Journal, Dziennik*, 1953-1956, 1957, 1961-1966), et n'écarte ni l'horreur, ni la dégradation, ni la mort. (*La Pornographie, Pornografia*, 1960). Établi en France (Vence, 1965) où il fut traduit dès 1958, il publia *Cosmos* (*Kosmos*, 1957), roman pessimiste et grinçant où il fit ressortir la bêtise, la banalité et la mesquinerie de la vie.

GOMEL'. ♦ V. d'U.R.S.S. (Biélorussie*), ch.-l. de la région du même nom (40 400 km²). 1 529 000 hab.) sur la Soj*. 272 000 hab. Nœud ferroviaire. Indus. alimentaires et textiles. Machines-outils et machines agricoles. Traitement du bois.

GOMERA. ♦ Troisième île du groupe occidental de l'archipel des Canaries*. 378 km². 25 350 hab. *Cap.* San Sebastián.

GOMES (Diego). ♦ Navigateur portugais (seconde moitié du XVe s.). Il découvrit la Gambie (1456) et les îles du Cap-Vert (1460).

GOMES (Estévão). ♦ Navigateur portugais du XVIe siècle. Entré au service de l'Espagne, il partit avec Magellan (1520) mais, à la suite de conflits, fit demi-tour au détroit Magellan et regagna l'Espagne (1521). Voulant trouver un passage maritime au nord-ouest vers les Moluques, il entreprit une expédition (1524) qui le mena sur les côtes orientales de l'Amérique du Nord qu'il explora (les terres qu'il découvrit figurent sur la carte de Diego Ribero, 1529).

GÓMEZ DE AVELLANEDA (Gertrudis). ♦ Poétesse espagnole (Cuba, 1814 – Séville, 1873). Son œuvre abondante est d'inspiration romantique et mystique : *Poesías; Devocionario; Adieu*, 1841-1851.

GÓMEZ DE LA SERNA (Ramón). ♦ Écrivain espagnol (Madrid, 1888 – Buenos Aires, 1963), l'un des plus prolifiques et des plus originaux de son temps. Sa vision du monde a été dénommée le *ramonisme.* Son œuvre consiste en la négation systématique de la réalité et la prédominance de la métaphore doublée d'humour. L'incohérence de ses romans vient bouleverser la tradition de la narration suivie et introduit dans la littérature espagnole un courant purement intellectuel où une vision ironique domine la conception du monde : *Le Marché aux puces* (1915), *Le Docteur invraisemblable* (1921), *La Veuve blanche et noire* (1917). Il est l'auteur des *greguerías,* sortes d'aphorismes humoristiques qui donnent une image caricaturale des êtres et des choses.

GÓMEZ PALACIO. ♦ V. du Mexique (Durango) située en face de Torreón (Coahuila). 135 743 hab. (1970). Centre agricole et industriel.

GOMORRHE. ♦ Cité biblique qu'on situe au S. de la mer Morte, détruite, avec Sodome, par le soufre et le feu (*Genèse,* XIX, 24). **V. Sodome.**

GOMPERS (Samuel). ♦ Syndicaliste américain d'origine anglaise (Londres, 1850 – San Antonio, Texas, 1924). Fondateur de la Fédération des syndicats ouvriers américains (*American Federation of Labor,* 1886) dont il prit la direction, il adopta des positions réformistes et affirma son nationalisme lors de la Première Guerre mondiale.

GOMUŁKA (Władysław). ♦ Homme politique polonais (Krosno, Galicie, 1905). Ouvrier, il milita dans les syndicats dès son adhésion au parti communiste clandestin (1927). Incarcéré (1932-1934, 1936), il réussit à s'évader lors de l'invasion allemande (1939) et devint chef de la résistance communiste en Pologne. Il fut l'un des fondateurs du Parti ouvrier unifié, dont il fut le secrétaire général de 1943 à 1948. Limogé en 1948 pour « déviation droitière et nationaliste » et incarcéré de 1951 à 1955, il fut réhabilité et retrouva son poste de secrétaire général du parti en 1956. Dès 1959, il accepta ouvertement l'appui des Soviétiques et fut contraint de démissionner à la suite de la crise de décembre 1970, pour avoir tenté de réprimer trop durement les révoltes ouvrières.

GONAÏVES. ♦ V. de l'île d'Haïti* sur le golfe de Gonaïves. 15 634 hab. Port exportateur de sucre, café, bananes.

GONÇALVES (Nuño). ♦ Peintre portugais (connu de 1450 à 1480). Il fut peintre du roi du Portugal Alphonse V, entre 1450 et 1467. Employant la technique de la peinture à l'huile, il réalisa le célèbre *Polyptyque de saint Vincent* qui révèle une puissante personnalité. Le traitement des figures et le rendu des détails y dénotent l'influence du « réalisme flamand »; le caractère décoratif et monumental de la composition, l'absence de fond de paysage ou d'intérieur semblent hérités de la tradition de la tapisserie. Mais l'œuvre est surtout remarquable par l'intensité expressive des visages aux traits fortement individualisés; elle donne une image variée de la société portugaise. La facture franche, l'utilisation du modelé en méplat accentuent encore le caractère synthétique de la composition.

GONCOURT (Edmond Huot *de*). ♦ Historien et écrivain français (Nancy, 1822 – Champigny, 1896). Intéressé tôt à la littérature, il associa à son œuvre son frère Jules. La collaboration de ces deux tempéraments très différents refléta la même volonté de création esthétique (par le « style artiste ») appuyée sur la connaissance systématique du réel. Collectionneurs passionnés, ils s'intéressèrent spécialement au XVIIIe s. (*L'Art du XVIIIe siècle,* 1859-1875). Féru de peinture, Edmond fut un de ceux qui révélèrent à leurs contemporains l'art japonais du XVIIIe s., avec notamment *Outamaro* (1891). L'histoire leur donnant le goût du document précis, les deux frères, d'abord « raconteurs du passé », voulurent aussi être « raconteurs du présent » et écrivirent de nombreux romans réalistes, reposant sur une documentation « d'après nature » : *Sœur Philomène* (1861) dépeint la vie d'hôpital; *René Mauperin* (1864) évoque la « jeune bourgeoisie ». Chacun de ces romans se présente comme l'étude d'un cas pathologique, étudié avec un souci d'objectivité « scientifique »; *Germinie Lacerteux* (1865) relate les tristes aventures d'une servante hystérique. Se flattant d'avoir ouvert la voie au naturalisme par l'intérêt pour le pathologique et pour les « basses classes », ils se distinguent de cette école par leur « écriture artiste », accumulation impressionniste de notations, « sténographie ardente » qui peut atteindre à « l'intensité de la vie ». À la mort de Jules, Edmond continua le *Journal** (1851-1896), et publia *La Fille Élisa* (1877), *La Faustin* (1882) et *Chérie* (1884). Il désigna les premiers membres de l'*Académie Goncourt,* instituée par son testament : officiellement fondée en 1902, elle se compose de dix membres chargés de décerner chaque année un prix « au meilleur volume d'imagination en prose ».

GONCOURT (Jules Huot *de*). ♦ Historien et écrivain français (Paris, 1830 – 1870) qui collabora étroitement à l'œuvre de son frère Edmond, avant de mourir prématurément.

GONDAR. ♦ V. d'Éthiopie, capitale de province à l'O. du pays, au N. du lac Tana. Plus de 30 000 hab. Capitale de l'Éthiopie, du XVIe s. au XIXe s., la ville conserve des palais et des églises du XVIIe et XVIIIe s. (période dite du *royaume de Gondar*). Elle fut ruinée par le négus Théodoros II.

GONDEBAUD. ♦ ([mort] Genève en 516). Roi des Burgondes (v. 480-516). Fils de Gondioc*, il s'empara des États de ses frères et les tua **(V. Gondemar Ier).** Il étendit ses possessions jusqu'à la Loire et la Méditerranée. Après avoir fait la guerre à Clovis, il s'allia à lui. Il fit publier la loi Gombette*. – Père de Gondemar* II, Sigismond* et oncle de Clotilde*.

GONDEMAR Ier. ♦ (? – Vienne, 479). Roi des Burgondes (463-476). Fils de Gondioc, il fut spolié de ses États par son frère Gondebaud* qui le fit assassiner.

GONDEMAR II. ♦ (? – 541). Roi des Burgondes (524-534). Fils de Gondebaud*, il fut vaincu par Childebert* Ier, Clotaire* Ier et Thierry* Ier, fils de Clovis, et son royaume fut réuni au royaume franc (534).

GONDI. ♦ Famille florentine de banquiers et de diplomates, qui s'établit en France à la suite de Catherine* de Médicis, et acquit une grande influence. Le cardinal de Retz* était issu de cette famille, qui s'éteignit à la fin du XVIIe siècle.

GONDICAIRE. ♦ ([mort] près du Rhin, 436). Roi des Burgondes (413-436). Il installa son peuple entre le Rhin et les Alpes. – Père de Gondioc*.

GONDIOC. ♦ (? – 463). Roi des Burgondes (436-463). Fils de Gondicaire*, il conquit les régions de la Saône et du Rhône. – Père de Gondebaud* et de Gondemar* Ier.

GONDISALVI (Dominique). ♦ Philosophe espagnol (XIIe s.). Archidiacre de Ségovie, il fut un des premiers à traduire et à faire connaître les œuvres d'Avicenne* et *Source de vie* d'Avicébron*. Ses traités *(De Divisione scientae; De immortalitate animae)* sont influencés par le péripatétisme des penseurs arabes.

GONDRECOURT-LE-CHÂTEAU. ♦ Ch.-l. de cant. de la Meuse (arr. de Commercy). 1 118 hab. – Église du XIIe au XVIe siècle. Tour du XVe s., vestige d'un château. – Fabrique de meubles.

GONDWANA. *n. m.* ♦ Nom donné à un continent hypothétique qui, selon la théorie de la dérive des continents, aurait été constitué par le bloc indien du Dekkan* rattaché à celui de l'Afrique du Sud et qui s'en serait détaché pour venir se coller au bloc asiatique. La chaîne de l'Himâlaya* serait issue de ce rapprochement.

GONESSE. ♦ Ch.-l. de cant. du Val-d'Oise (arr. de Montmorency). 21 236 hab. [8 893 aggl.] *(Gonessiens).* Église Saint-Pierre (XIIe-XIIIe s.). Vestiges d'un hôtel-Dieu (XIIIe s.). Cultures de fleurs.

GONFREVILLE-L'ORCHER. ♦ Comm. de la Seine*-Maritime, arr. du Havre*, près de l'embouchure de la Seine. 8 691 hab. *(Gonfrevillais).* Importante raffinerie de pétrole reliée au Havre par oléoduc. Indus. chimiques, matières plastiques.

GÓNGORA Y ARGOTE (Luis *de*). ♦ Poète et ecclésiastique espagnol (Cordoue, 1561 – Cordoue, 1627). Durant les premières années de son ministère (qui ne le passionnait guère), Góngora voyagea beaucoup en Espagne : tout ce qu'il observa lui fut sujet de satire; son poème *Pyrame et Thisbé* est un chef-d'œuvre de style raffiné et de parodie burlesque. En 1613, il publia deux grandes compositions : *La Fable de Polyphème et Galatée* et les *Solitudes,* poèmes mythologiques et pastoraux caractéristiques de ce que l'on nomma le « gongorisme » : style baroque souvent obscur et affecté, riche d'hyperboles et de métaphores ingénieuses qui fit de Góngora le type du poète « cultiste ». Tombé dans l'oubli après avoir eu une grande influence en Europe au XVIIe s., il fut réhabilité par les poètes espagnols contemporains.

GONTAUT-BIRON. ♦ **V.** BIRON (ARMAND, CHARLES, ARMAND LOUIS).

GONTCHAROV (Ivan Alexandrovitch) [*Gončarov*]. ♦ Romancier russe (Simbirsk, 1812 – Saint-Pétersbourg, 1891). Entré dans la fonction publique, il y resta jusqu'à la fin de sa vie. Son premier roman, *Une histoire banale* (1846), qui conte la déception d'un jeune idéaliste, fut l'un des premiers romans réalistes russes. Après une mission au Japon, Gontcharov relata son voyage dans *La Frégate « Pallada »* (1855-1857). C'est en 1859 qu'il publia son chef-d'œuvre : *Oblomov**, qui l'a rendu célèbre. Enfin, en 1869, parut son troisième roman *La Falaise.*

GONTCHAROVA (Natalia Sergueïvna) [*Gončarova*]. ♦ Peintre et dessinateur russe (district de Toula, Russie 1881 – Paris,

Ph. Hétier

Gondar.

1962). Après des études à Moscou et des voyages en Europe, elle revint en Russie soviétique et participa activement auprès de Larionov* aux recherches d'avant-garde, et notamment au mouvement rayonniste. Elle réalisa alors, entre 1909 et 1913, des œuvres violemment colorées où se déploie un jeu de stries, de lignes sinueuses, de formes en facettes où aucune référence à la réalité n'est perceptible *(Les Chats; Lampes Électricité)*. Elle s'affirmait ainsi comme l'un des pionniers de l'art abstrait. Revenue à Paris avec Larionov, elle peignit des tableaux où les influences du cubisme se mêlent aux souvenirs de l'art populaire et des icônes russes et qui parfois dénotent des tendances expressionnistes. Elle réalisa de nombreux décors et costumes pour les Ballets russes de Diaghilev* en s'inspirant de la tradition folklorique slave (*Coq d'or; Noces*, 1923).

GONTRAN. ♦ (v. 545 – Châlons-sur-Marne, 593). Roi de Bourgogne et d'Orléans (561-593). Fils de Clotaire* Ier, il tenta de jouer un rôle d'arbitre dans la guerre qui opposait la Neustrie et l'Austrasie (**V. Frédégonde** et **Brunehaut**). Au traité d'Andelot, signé avec Brunehaut (587), il désigna Childebert* II pour successeur. Il protégea l'Église.

GONZAGUE. ♦ Famille italienne qui régna sur Mantoue* de 1328 à 1708. Elle fut fondée par LOUIS Ier (1278 – 1361). ♦ JEAN FRANÇOIS II (mort en 1519), après avoir commandé les troupes opposées à Charles VIII, s'allia à Louis XII. Sa femme, Isabelle d'Este, fit de Mantoue un brillant foyer intellectuel. ♦ FERDINAND (mort en 1557) servit Charles Quint. Devenu vice-roi de Sicile et gouverneur de Milan, il se rendit coupable de telles exactions qu'il fut déposé par Philippe II. La ville de Guastalla fut érigée en duché pour lui. ♦ Les principales branches de la famille, outre la branche aînée, qui régna de 1328 à 1627, furent la branche de Nevers qui lui succéda **(V. Mantoue)**, soutenue par la France, et la branche de Guastalla (1557-1746) qui bénéficiait de l'appui de l'empereur. *Charles Ier de Nevers* l'emporta. Il eut pour filles *Louise-Marie*, reine de Pologne, et *Anne*, princesse palatine (Cf. ci-dessous). *Charles II de Nevers* vendit à Mazarin toutes ses possessions françaises (1659).

GONZAGUE (Anne, dite la **Princesse Palatine).** ♦ Dame française (Paris, 1616 – *id.*, 1684). Destinée au couvent, elle séduisit Henri de Guise, archevêque de Reims, qui la fit sortir du cloître. Elle épousa le fils de l'électeur palatin Frédéric* V, prit part à la Fronde et tenta de faire libérer les princes emprisonnés. Bossuet* prononça son oraison funèbre.

GONZÁLEZ (Julio). ♦ Sculpteur, peintre et dessinateur espagnol (Barcelone, 1876 – Arcueil, 1942). Fils d'orfèvre, il s'initia, avec son frère, au travail des métaux et étudia aux Beaux-Arts de Barcelone. Fixé à Paris en 1900, il peignit des tableaux sous l'influence de Puvis* de Chavannes et de Degas* et se lia avec Picasso et les artistes du Bateau*-Lavoir. Il se mit vers 1911 à la sculpture, réalisant une série de masques en métal découpé et repoussé et, surtout après 1927, chercha à exploiter les possibilités plastiques du fer. Il réalisa des œuvres aux formes identifiables (*Montserrat*, 1937) ou des constructions non figuratives d'une grande fantaisie inventive où l'on décèle parfois une transposition extrêmement libre et pleine d'humour de la figure humaine. Pratiquant la soudure autogène, forgeant ou rivant et martelant le métal, il combina des volumes arrondis, parfois en partie évidés, des éléments linéaires obliques, sinueux ou orthogonaux et des surfaces tranchantes (*Le Baiser*, 1930; *Femmes se coiffant*, 1934; *Hommes cactus*, 1940).

GONZALVE DE CORDOUE, en esp. **Gonzalo Fernández de Córdoba.** ♦ Homme de guerre espagnol (Montilla, 1443 – Grenade, 1515), dit *el gran capitán*. Il remporta ses premiers succès contre les Maures (prise de Grenade, 1492). Après avoir sauvé Zante des Turcs pour les Vénitiens (1500), il fut envoyé contre Louis XII dans le royaume de Naples que sa victoire de Cérignole* donna à l'Espagne. Il fut disgracié et mourut peu après à Grenade.

GO-OC-EO. ♦ **V.** OC-EO.

GOODYEAR (Charles). ♦ Inventeur américain (New Haven, Connecticut, 1800 – New York, 1860). Il découvrit fortuitement la vulcanisation du caoutchouc **(V. *aussi* Hancock)** et obtint l'ébonite (1839).

GOOSE BAY (« baie de l'oie »). ♦ Localité et base aérienne du Canada (prov. de Terre-Neuve), située au Labrador*, au fond d'un profond fjord **(V. Hamilton, *n. m.*)**. La base eut une grande importance militaire au cours de la Deuxième Guerre mondiale.

GÖPPINGEN. ♦ V. d'Allemagne occidentale (Bade-Wurtemberg), au pied du Jura souabe. 47 500 hab. Église du XVe s. et château du XVIe. – Indus. mécaniques, chimiques, textiles, instruments de précision, travail du cuir. – À proximité, se trouve le berceau de la famille Hohenstaufen*.

GORAKHPUR. ♦ V. de l'Inde (Uttar Pradesh) sur la riv. Tapti, à 160 km au N. de Vârânasî (Bénarès). Env. 250 000 hab. Elle fut fondée vers 1400. – Ateliers de chemins de fer, métallurgie.

GORDES. ♦ Ch.-l. de cant. du Vaucluse*, arr. d'Apt*. 1 536 hab. (470 aggl.). [*Gordiens*]. C'est un village perché. Musée Vasarely*, dans un château du XVIe siècle. Aux environs, abbaye cistercienne de Sénanque, église *fin* XIIe s., cloître *déb.* XIIIe siècle.

GORDIAS. ♦ Roi légendaire de Phrygie* qui fonda Gordion*. Simple paysan, rentrant un jour chez lui sur un char, il aurait été proclamé roi par l'assemblée des Phrygiens, grâce à un oracle désignant comme roi le premier homme qui arriverait dans un char. Son fils Midas* aurait consacré le char au temple de Zeus.

Arch. Smeets

Gordien III. Détail du sarcophage d'Acilia, IIIe s. (Musée national romain.)

GORDIEN Ier, en lat. **Marcus Antonius Gordianus**, dit **Gordien l'Ancien** ou **l'Africain.** ♦ (Rome, v. 157 – Carthage, 238). Empereur romain (238). Proconsul d'Afrique, il fut proclamé empereur à 80 ans avec son fils Gordien II et se tua trois semaines plus tard à l'annonce de la mort de son fils. ♦ GORDIEN II, en lat. MARCUS ANTONIUS GORDIANUS SEMPRONIANUS (v. 192 – Carthage, 238). Empereur romain (238). Fils de Gordien Ier, associé avec lui à l'Empire, il fut tué à Carthage par Capellianus, général de Maximin*. GORDIEN III, en lat. MARCUS ANTONIUS GORDIANUS, dit GORDIEN LE PIEUX (Rome, v. 224 – Zaïtha, près de l'Euphrate, 244). Empereur romain (238-244). Petit-fils de Gordien Ier, il fut porté au pouvoir à l'âge de 13 ans après la mort de Pupien* et de Balbin*. Il gouverna d'abord sous la direction de son beau-père Mésithée, préfet du prétoire, mais fut tué par le successeur de ce dernier, Philippe* l'Arabe, qui voulait s'emparer du pouvoir.

Gordien *(nœud)*. ♦ **V.** GORDION.

GORDION. ♦ Anc. cap. de la Phrygie* (Asie Mineure). Alexandre* le Grand, au début de sa campagne contre les Perses (~ 334) y trancha avec son épée le *nœud gordien* qui attachait le joug au timon du char de Gordias* dédié à Zeus. Un oracle avait promis l'empire de l'Asie à celui qui dénouerait ce lien très compliqué.

GORDON (Charles, dit **Gordon pacha).** ♦ Général britannique (Woolwich, 1833 – Khartoum, 1885). Il combattit à Sébastopol, puis en Chine (1860) et réprima la révolte des T'ai* P'ing pour l'empereur de Chine. Passé au service de l'Égypte et nommé gouverneur de la province équatoriale (1877-1879), il soumit le Soudan oriental, lutta contre la traite et arrêta la révolte du Darfour*. Retourné au Soudan lors de la révolte du Mahdi* (1884), il parvint à résister dix mois, malgré la faiblesse de ses effectifs, et fut tué quand Khartoum tomba. Sa popularité était immense et sa mort fut une des causes de la chute de Gladstone* en 1885.

GORDON BENNETT. ♦ **V.** BENNETT (James Gordon).

GORÉE *(île de)*. ♦ Petite île de la côte du Sénégal, face à Dakar. Prise par les Hollandais en 1619, l'amiral d'Estrées la leur enleva en 1677 et elle devint le principal comptoir français de l'Afrique occidentale.

GORGÂNI (Fakhr al-Dîn As'ad). ♦ Poète persan du XIe siècle. Il est célèbre par son *Wîs et Râmîn* (trad. fr., Paris 1955) épopée courtoise qui s'inspira d'une ancienne légende écrite en pehlevi et dont le sujet est situé à l'époque des rois parthes. Ce long poème, écrit dans une langue simple, compte parmi les plus grandes œuvres de la littérature persane.

GORGIAS. ♦ Sophiste grec (Leontium, Sicile, v. ~ 487 – Larissa, v. ~ 380). Il vint à Athènes en ~ 427 pour plaider la cause de ses compatriotes contre les ambitions de Syracuse; là, il aurait non seulement convaincu les Athéniens, mais serait resté dans leur ville pour y enseigner la rhétorique. Périclès* et Thucydide* eux-mêmes auraient été ses auditeurs. Une de ses œuvres principales, *Du non-être ou de la nature*, conservée par Sextus Empiricus, met en question la notion d'être de Parménide*.

Gorgias (Le). ♦ Sur la Rhétorique. Dialogue platonicien. À la conception sophistique de la rhétorique (art de persuader) soutenue par Gorgias et Polos, Socrate* oppose le discours vrai qui amène les hommes à la justice et au bien. Puis, face à Calliclès qui, avant Nietzsche, revendique la loi naturelle du plus fort contre le droit, défense du faible, Socrate maintient qu'il vaut mieux subir l'injustice que la commettre.

GORGONES. *n. f. pl.* ♦ Monstres fabuleux de la génération préolympienne, avec une chevelure de serpents, des dents de sangliers et des ailes d'or, et qui changeaient en pierre quiconque les fixait. Elles étaient trois sœurs, Sthéno, Euryalé et Méduse*.

GORGONZOLA. ♦ V. d'Italie, en Lombardie (prov. de Milan). 9 500 hab. Fromages renommés.

GORI. ♦ V. de l'U.R.S.S. (Géorgie) sur la Koura*. 35 100 hab. (1959). Indus. textiles et alimentaires. — Patrie de Staline*.

GORINCHEM ou **GORKUM.** ♦ V. des Pays-Bas (Hollande-Méridionale) au confluent de la Merwede et de la Linge, en aval de la jonction du Waal* et de la Meuse. 25 162 hab. Église des XVe-XVIe siècles. — Plaque tournante du trafic fluvial du S. de la Hollande. Indus. alimentaires. Métallurgie. Chantiers navals. ♦ *Hist.* Fondée au XIIIe s., la ville fut pillée par Guillaume de La Marck qui commandait les « gueux de mer » (1572).

GÖRING (Hermann). ♦ **V.** GOERING.

GORIZIA, en serbe **Gorica**, en all. **Görz.** ♦ V. d'Italie nord-orientale, en Vénétie. Ch.-l. de prov. sur l'Isonzo*, située à la frontière yougoslave. 42 000 hab. Fonderies, indus. chimiques et textiles. ♦ *Hist.* Possession autrichienne dès le XVIe s., elle fut âprement disputée de 1916 à 1918 par l'Italie et l'Autriche. Elle est partagée entre l'Italie et la Yougoslavie depuis 1947.

GORKI (Alexis Maximovitch PECHKOV, dit **Maxime)** [*Gorki*]. ♦ Poète, romancier et dramaturge russe (Nijni-Novgorod, 1868 — Moscou, 1936). Élevé dans la pauvreté, Gorki (mot qui signifie en russe l'amer) commença sa vie comme apprenti cordonnier. Puis, après avoir exercé de nombreux métiers et avoir même été vagabond, il devint clerc chez un avocat de Nijni-Novgorod. En 1892, parut sa première nouvelle *Makar Tchoudra*, légende romantique qui connut un grand succès. En 1895, lorsque sa nouvelle *Tchelkach* parut dans une revue influente, sa renommée fut établie. Il écrivit alors quelques contes réalistes sur l'homme au travail, dont *Vingt-Six Gars et une Fille* (1899). Il voulut devenir un maître à penser, et les romans qu'il écrivit ensuite cherchent à développer des thèses philosophiques et socialistes : *Foma Gordeiev* (1899), *Trois d'entre eux* (1900-1901), *La Mère** (1907) son œuvre la plus célèbre et la plus révolutionnaire, *Une confession* (1908), *La Petite Ville d'Okourov* (1909), *La Vie de Matveï Kojemiakine* (1910). Sa célébrité et sa fortune s'étaient par ailleurs affirmées avec ses pièces de théâtre : *Les Petits Bourgeois* (1902) et *Les Bas-Fonds* (1902), drame qui met en scène des êtres déclassés. Arrêté en 1905 pour ses idées révolutionnaires, il écrivit en prison sa pièce de théâtre *Les Ennemis* (1906) qui a pour sujet la lutte des classes. Libéré un an plus tard grâce à sa célébrité, il partit pour l'étranger, voyageant surtout aux États-Unis et en Italie. C'est à Capri qu'il écrivit *Enfance* (1913) où il décrit avec sensibilité les événements et les personnages qui marquèrent sa dure enfance, puis un volume de *Souvenirs* (sur Tolstoï*, Korolenko*, Tchekhov*, Andreiev*...). Dans ces deux œuvres, il se montre un spectateur attentif et un narrateur de talent. Il écrivit encore quelques pièces qui ont pour sujet le déclin et la corruption de la bourgeoisie, dont *Vassa Jeleznova* (1910). Après la Révolution, Gorki rentra en U.R.S.S. où il tenta de jouer le rôle de défenseur de la culture. En 1921, il dut à nouveau quitter l'U.R.S.S. et s'installa en Allemagne puis en Italie (jusqu'en 1928). Il continua alors son œuvre autobiographique avec *Notes de journal* (1924) et *Mes universités* (1925). En 1929 il retourna en U.R.S.S. où il mourut dans la gloire en 1936. — Gorki fut un romantique réaliste et sans doute le premier écrivain « social » russe qui eut une influence sur la littérature mondiale.

GORKI (jusqu'à 1932, **Nijni-Novgorod).** ♦ V. d'U.R.S.S. (R.S.F.S. de Russie), ch.-l. de la région du même nom (74 800 km², 3 671 000 hab.), grand port fluvial au confluent des riv. Volga* et Oka*. 1 170 000 hab. Centre culturel. Université fondée en 1918. Indus. mécaniques, pétrolières et alimentaires. Verreries. Traitement du bois. Nœud ferroviaire. Aux env., centrale hydroélectrique. — Patrie de Dobrolioubov*, Gorki*, Melnikov*. ♦ *Hist.* Fondée en 1221, par un prince de Souzdal-Vladimir, Nijni-Novgorod fut intégrée à l'État moscovite (1392) dont elle devint une des villes les plus florissantes. Les foires annuelles de Novgorod furent de 1817 à 1917 les plus importantes manifestations commerciales de la Russie. La ville fut rebaptisée en 1932 en l'honneur de Maxime Gorki.

Arch. Smeets

Gorgone en course. Fronton du temple d'Artémis, ~ VIe s. (Musée de Corfou.)

GORKY (Wostanig Adoyan, dit **Arshile).** ♦ Peintre et dessinateur américain d'origine géorgienne (Ajotz Droze, 1904 — New York, 1948). Après des études en Géorgie à Tiflis (1916-1918), il se rendit aux États-Unis en 1920. Il fut marqué par diverses influences (Picasso, Soutine, Léger, Miró et Kandinsky) et évolua progressivement vers une peinture non figurative. La rencontre d'A. Breton* et la découverte des œuvres de Matta* jouèrent un rôle décisif sur son évolution : exploitant les possibilités de l'automatisme, il dessina d'un trait nerveux et fin, peignit par larges coups de brosse rapides, exploita les effets d'écoulement de matière, avec une grande richesse chromatique. Il créa des formes de caractère organique, souvent empreintes d'allusions sexuelles et qui prirent un aspect de plus en plus nerveux et pathétique (*The Liver is the Cock's Courb*, 1944). Initiateur de l'« abstraction lyrique » new-yorkaise, il annonce l'art de Pollock*.

GÖRLITZ. ♦ V. d'Allemagne orientale (Saxe-Anhalt, district de Dresde), sur la Neisse, au N. des monts Métallifères. 89 000 hab. Église gothique, restes d'un château du XIVe s. et maisons du XVIe siècle. Indus. mécaniques, textiles. Extraction de lignite dans la région. — Patrie d'O. Morgenstern*.

GORLOVKA. ♦ V. d'U.R.S.S. (Ukraine) dans le Donbass*. 335 000 hab. Centre houiller et sidérurgique. Usine de matières plastiques et de fibres chimiques. Constructions mécaniques. Matériel minier.

GORNO-ALTAÏSK (anc. **Oulala**, de 1932 à 1948 **Oïrot-Toura).** ♦ V. d'U.R.S.S. (R.S.F.S. de Russie*), ch.-l. de la région autonome de Gorno-Altaï (79 600 km², 169 000 hab.) dans le territoire de l'Altaï*, en Sibérie occidentale. 29 000 hab. (1962). Indus. alimentaire. Traitement du bois.

GORNO-BADAKHCHAN ou **BADAKHSHAN.** *n. m.* ♦ Région autonome au sein du Tadjikistan*, dans la partie O. du Pamir* soviétique. Elle confine avec la Chine et l'Afghānistān. 63 700 km². 98 000 hab. (dont env. 88 000 de Tadjiks pamiriens). Élevage bovin et ovin. Constructions mécaniques, chaussures, soieries, indus. alimentaires. *Ch.-l.* Khorog*.

GÖRRES (Johann Joseph *von*). ♦ Publiciste allemand (Coblence, 1776 — Munich, 1848). D'abord admirateur de la Révolution française, il devint l'un des principaux animateurs du cénacle des poètes romantiques et nationalistes à Heidelberg (**V. Arnim, Brentano**, etc.) et réunit avec les frères Grimm les légendes et contes germaniques. Dans son journal le *Mercure rhénan*, il se fit le défenseur du nationalisme allemand. Accusé de libéralisme, il s'enfuit à Strasbourg (1819). De retour en Allemagne (1827), il propagea l'idée d'un parti catholique allemand (*Aphorismes sur l'art*, 1802; *Histoire des mythes du monde asiatique*, 1810; *Mystique chrétienne*, 1836-1842).

GORRON. ♦ Ch.-l. de cant. de la Mayenne, arr. de Mayenne. 2 400 hab. *(Gorronais)*. Meubles. Chaussures.

GORSAS (Antoine Joseph). ♦ Publiciste et homme politique français (Limoges, 1752 — Paris, 1793). Auteur, avant la Révolution, de plusieurs pamphlets qui lui valurent la prison (1781), il fonda en 1789 le *Courrier de Versailles*. Après avoir pris part aux journées révolutionnaires du 20 juin et du 10 août 1792, Gorsas fut élu à la Convention, où, siégeant avec les Girondins, il prit violemment position contre les députés montagnards, particulièrement contre Marat. Décrété d'accusation après l'élimination des chefs girondins (2 juin 1793), il fut condamné à mort et exécuté.

GORSKI (Alexandre) [*Aleksandr*]. ♦ Danseur et chorégraphe russe (Saint-Pétersbourg, 1871 — Moscou, 1924). Maître de ballet dans sa ville natale puis à Moscou (1902), pédagogue et réformateur, il a introduit dans l'art du ballet un esprit de liberté et un réalisme qui lui ont permis de renouveler la présentation d'œuvres classiques (*Don Quichotte*, 1902; *Le Lac des cygnes*, 1911) et de créer, dans un esprit qui devait fortement imprégner les premières réalisations du ballet soviétique, des ouvrages d'une grande originalité formelle : *Notre-Dame de Paris* (1912), *Eunice et Pétrone* (1915), *Stenka Razine* (1918), *La Grotte de Vénus* (1923).

GORT (John Vereker, *vicomte*). ♦ Maréchal britannique (Londres, 1886 — *id.*, 1946). Chef de l'état-major impérial (1937), il commanda le corps expéditionnaire britannique en France (oct. 1939-juin 1940) et, quoique subordonné en principe aux généralissimes Gamelin* puis Weygand*, il prit l'initiative de la retraite britannique vers Dunkerque*. Il fut ensuite gouverneur de Gibraltar (1941) puis de Malte qu'il défendit avec succès (1942-1944) et enfin haut-commissaire en Palestine et en Transjordanie (1944-1945). **V. Guerre mondiale** (Deuxième).

GORTCHAKOV (Alexandre Mikhaïlovitch, prince). ♦ Homme politique russe (Saint-Pétersbourg, 1798 — Baden-Baden, 1883). Après avoir participé aux congrès de la Sainte-Alliance à Troppau, Laïbach (1821) et Vérone (1822), il occupa divers postes diplomatiques à Londres, Rome, Berlin, Florence, Vienne et Stuttgart. Ambassadeur à Vienne (1854), il fut nommé par Alexandre II ministre des Affaires étrangères (1856-1882) en remplacement de Nesselrode*. En 1866, il devint chancelier de l'Empire. Partisan d'un rapprochement avec la Prusse, il tomba à partir de 1863 sous l'influence de Bismarck. Au congrès de Berlin (1878), il entraîna la Russie dans la plus humiliante défaite diplomatique de son histoire.

GORTYNE, en gr. **Gortunê**. ♦ Anc. V. de Crète* au pied du mont Ida*. Importante dès le ~VIIe s., elle ruina Phaïstos (~IVe s.) et lutta contre Cnossos*. Capitale de la province romaine de la Crète et de la Cyrénaïque, elle déclina pendant la conquête arabe (IXe s.). Patrie de Thalétas. – Ruines importantes : odéon romain, temple archaïque d'Apollon Pythios et basilique Saint-Tite (VIIe s.). Les fameuses *lois de Gortyne* du ~VIe s., gravées en dialecte dorien sur des blocs de pierre, sont précieuses pour l'étude des conditions sociales en Crète archaïque.

GÖRTZ (George Heinrich). ♦ Homme politique suédois (1668 – Stockholm, 1719). D'origine hessoise, il fut ministre des Finances de Charles* XII. Très impopulaire en raison des expédients auxquels il avait eu recours pour subvenir aux dépenses militaires, il fut condamné à mort après la disparition de Charles XII, pour haute trahison.

GORYEO [*Koryŏ*]. n. m. ♦ Royaume coréen qui succéda à celui de Silla* en 918 et dura jusqu'en 1392, date à laquelle il fut déplacé par les empereurs de la dynastie des Yi*. Il comporta trente-quatre souverains.

GORZE. ♦ Comm. de la Moselle, arr. de Metz-Campagne. 289 hab. (22 aggl.). Église de la fin du XIIe s., anc. abbatiale, dont l'extérieur roman contraste avec l'intérieur gothique. Les bâtiments de l'abbaye sont de style baroque. – Pèlerinage à *Notre-Dame de Gorze.*

GORZÓW WIELKOPOLSKI, en all. **Landsberg**. ♦ V. de Pologne* (voïévodie de Zielona Góra), port fluvial sur la Warta* en grande Pologne. 68 000 hab. Industries textiles synthétiques.

GOSHUN. ♦ Peintre japonais (Kyôto, 1752 – 1811), élève d'Onishi Suigetsu et Maruyama Ōkyo. Il inaugura le style dit *Shijo-ha* et eut de nombreux élèves. Il œuvra surtout dans le style décoratif de son dernier maître.

GOSLAR. ♦ V. d'Allemagne occidentale (Basse-Saxe), sur la bordure O. du massif du *Harz (Rammelsberg)*. 41 000 hab. Anc. ville impériale qui a conservé des remparts et de belles tours du XVIe s., des églises gothiques et un hôtel de ville des XVe-XVIIe siècles. Extraction de plomb et de zinc dans le Rammelsberg.

GOSPORT. ♦ V. du S. de l'Angleterre (Hampshire), sur la r. O. de la baie de Portsmouth. 62 400 hab. Constructions navales et aéronautiques.

GOSSART ou **GOSSAERT (Jan**, dit **Mabuse)**. ♦ Peintre et dessinateur flamand (Maubeuge, v. 1478 – Midleburg ou Breda, v. 1535). Franc-maître à la gilde d'Anvers en 1503, il travailla ensuite au service de Philippe de Bourgogne et se rendit en 1508-1509 à Florence, Rome et Venise; il y copia les antiques et fut conquis par l'art italien. Plus qu'aucun autre peintre flamand de son époque, il introduisit et propagea le répertoire formel de la Renaissance. Il créa notamment de grandes compositions à sujet mythologique, dans lesquelles le nu tient une place importante, et qui portent aussi l'empreinte de Dürer* (*Hercule et Omphale; Neptune et Amphitrite; Danaé*, 1527). Romaniste passionné, il se montra maniériste dans sa recherche de l'effet, faisant étalage de sa culture « antiquisante », de sa virtuosité à manier la perspective, plaçant ses personnages dans de monumentales architectures au décor composite, donnant un caractère sculptural aux formes et insistant sur les musculatures. Il employait des coloris brillants et denses, aimait les modelés souples où jouent les ombres. Sa science du modelé apparaît aussi dans ses portraits, sensibles, vigoureusement expressifs et d'une inspiration plus sobre *(Les Enfants de Christian II de Danemark)*.

GOSSAU. ♦ V. de Suisse (cant. de Saint-Gall). 10 700 hab. Église du XVIIIe siècle. Indus. textile et mécanique.

GOSSEC (François Joseph). ♦ Compositeur français (Vergnies, 1734 – Passy, 1829). Protégé de Rameau, il fut successivement au service du fermier général La Pouplinière, du prince de Conti et de la princesse de Condé, à Chantilly. Fondateur du concert des Amateurs (1770), il réorganisa, avec Gaviniès, le Concert spirituel (1773) et fut nommé directeur de l'Opéra (1782). Révolutionnaire convaincu, il composa de nombreux hymnes et chants de guerre (*Te Deum*, 1790; *Hymne à la liberté*, 1793; *Marche lugubre*, 1793; *Marche victorieuse*, 1794). Il reçut de la Première République des honneurs insignes. Membre de l'Institut, il poursuivit sous l'Empire des activités essentiellement pédagogiques. Il est l'auteur d'une œuvre abondante qui comprend de la musique religieuse (*Messe des morts*, 1760; *oratorios, motets*), des opéras, pastorales, ballets et divertissements; des œuvres instrumentales (une soixantaine de *symphonies*), de la musique de chambre *(sonates, quatuors, sextuors)*.

GOSSELIES. ♦ V. de Belgique (Hainaut, arr. de Charleroi) sur le canal de Bruxelles à Charleroi. 10 900 hab. Houillères. Métallurgie.

GOSSEN (Hermann Heinrich). ♦ Économiste allemand (1811 – 1858). Dans son ouvrage *Exposition des lois de l'échange* (1854), il apparaît comme le précurseur de l'école marginaliste **(V. C. Menger)** par la manière dont il a établi les lois de la consommation humaine. Il a préconisé également la nationalisation des terres.

GOSSET (Antonin). ♦ Chirurgien français (Fécamp, 1872 – Paris, 1944). Professeur de clinique chirurgicale, il est l'auteur d'articles dans le *Traité de chirurgie* de Duplay et Reclus et du *Précis de pathologie chirurgicale*. Spécialisé en néphrologie, il est l'auteur de plusieurs techniques chirurgicales dont la gastrotomie et la gastro-entérostomie. (Acad. sc., 1934.)

GOSZCZYŃSKI (Seweryn). ♦ Poète polonais (1801 – 1876). D'origine ukrainienne, il prit part à la lutte contre le tsarisme et écrivit des poèmes patriotiques et révolutionnaires : *Le Château de Kaniow* (*Zamek Kaniowski*, 1826-1827), *Musique de combat* (*Muzyka wojskowa*, 1835), *Œuvres* (*Pisma*, 1838) et *Les Trois Cordes* (*Trzy struny*, 1839-1840).

GÖTA ÄLV. *n. m.* ♦ Fl. de Suède méridionale (93 km), reliant le lac Vänern*, dont il est émissaire, au Kattegat*. Il arrose Trollhättan*, Göteborg*. Station hydro-électrique.

GÖTALAND. *n. m.* ♦ Partie méridionale de la Suède, la plus fertile. *V. princ.* **V. Borås, Göteborg, Hälsingborg, Malmö.**

GÖTEBORG. ♦ V. et port de Suède, sur la riv. Göta* Älv, à 6 km du Kattegat*. Ch.-l. du comté de Göteborg-Bohus et deuxième ville du pays. 446 875 hab. (l'aggl. compte 661 308 hab. [1969]). Évêché. Université (fondée en 1955). Aéroport de Göteborg-Torslanda (19 km à l'E.). Carrefour ferroviaire et routier. – En raison des terrains marécageux, la ville fut construite sur le modèle des cités hollandaises (réseau de canaux dont certains sont encore visibles). Musée historique; musée des Beaux-Arts; parc du Slottsskogen. – Göteborg est le premier port du pays (35 % du trafic portuaire national, soit environ 27 000 000 de t). Exportation de bois de construction, de papier, de pâte à papier. Importation de pétrole, de fer et de denrées alimentaires. ♦ *Hist.* Fondé en 1619 par Gustave II Adolphe, le port se développa lors de la fondation de la Compagnie suédoise des Indes orientales, puis lors du Blocus continental imposé par Napoléon Ier en 1806 : il fut alors le principal entrepôt des produits anglais, destinés à être introduits en Europe, en forçant plus ou moins ouvertement le blocus.

GOTHA. ♦ V. d'Allemagne orientale (Thuringe, district d'Erfurt) et anc. cap. du duché de Saxe-Cobourg-Gotha, au pied du Thüringer Wald. 17 800 hab. Église du XIIe s.; hôtel de ville des XIe-XIIe s.; château de Friedenstein (XVIIe s.), institut géographique fondé en 1786 par Justus Perthes. – Nœud ferroviaire. Indus. mécaniques, électriques, graphiques. ♦ *L'almanach de Gotha*, qui établissait la généalogie des grandes familles nobles d'Europe, y fut édité de 1764 à 1945. – Patrie de F. Blumenbach, L. Brehm. ♦ Hist. *Programme de Gotha.* **V. Critique du programme de Gotha et d'Erfurt.**

GOTHS [go]. *n. m. pl.* ♦ Peuple germanique originaire de Scandinavie, établi à l'embouchure de la Vistule, puis, v. 150-200, sur les bords de la mer Noire (Ukraine actuelle). Installés aux frontières de l'Empire romain, les *Goths* l'attaquèrent v. 230, pillant l'Asie Mineure et les Balkans, obtenant en 275 la province de Dacie* malgré la sévère défaite subie en 269 devant Claude* II. Ils furent les premiers parmi les Barbares à accepter le christianisme **(V. Ulfilas)**. L'attaque des Huns* contre les *Goths* (v. 375) eut pour résultat de dissocier définitivement les deux rameaux fixés de part et d'autre du Dniepr **(V. Wisigoths** et **Ostrogoths)**.

GOTLAND. ♦ Île de Suède, dans la Baltique. 3 173 km². 75 000 hab. Ch.-l. Visby. C'est un plateau calcaire, tombant sur la mer en falaises abruptes. Le climat très doux favorise l'agriculture (betterave à sucre). Élevage de moutons et de poneys. Pêche (harengs). Manufacture de ciment à Slite. Tourisme développé. ♦ *Hist.* L'île fut au Moyen Âge un important carrefour commercial, membre de la ligue Hanséatique, ainsi qu'un repaire de pirates. Elle perdit sa prospérité lors de l'invasion des Danois en 1361. Par le traité de Bromsebrö, elle fut cédée à la Suède en 1645.

GOTTFRIED de Strasbourg. ♦ Poète de langue allemande (*fin* XIIe s. – *déb.* XIIIe siècle). Après le trouvère Béroul, Eilhart

Ph. Hétier

Gotland : Visby.

d'Oberg (v. 1170) et l'Anglo-Normand Thomas (v. 1180), dont il connut sans doute les œuvres, il conta la vieille légende celtique de *Tristan* et Iseult*. Cette œuvre inachevée, où l'amour-passion semble prendre le pas sur l'idéal courtois et les vertus morales (chrétiennes), est écrite en un style au « caractère ondoyant, chatoyant » (G. Zink).

GOTTHELF (Jeremias, pseudonyme d'**Albert BITZIUS)**. ♦ Écrivain suisse d'expression allemande (Morat, canton de Fribourg, 1797 – Lützelflühe, canton de Berne, 1854). Il fit des études théologiques à Berne puis à Göttingen et, à partir de 1832, fut pasteur à la cure de campagne de Lützelflühe. Démocrate libéral dans sa jeunesse, devenu patriote, conservateur résolu ensuite, il a laissé des récits et tableaux de la vie paysanne de l'Emmental où, à côté des intentions didactiques du moraliste, s'affirment les qualités de l'observateur plein d'humour, de fantaisie et de réalisme (*Miroir des paysans ou histoire de la vie de Jeremias Gotthelf racontée par lui-même, Bauernspiegel*, 1836; *Uli le valet, Uli der Knecht*, 1841).

GÖTTINGEN. ♦ V. d'Allemagne occidentale (Basse-Saxe), sur la Leine. 114 000 hab. (1969). Célèbre université fondée en 1737 et nombreux instituts scientifiques. Maisons à colombages, hôtel de ville du XVIe siècle. Matériel optique et photographique. – Patrie de R. Bunsen.

GOTTSCHALK, ou **Gotescalc (d'Orbais)**. ♦ Théologien allemand (Mayence, v. 805 – v. 868). Sa doctrine sur la prédestination, d'un augustinisme extrême (**V. Augustin** [saint]), fut condamnée par Hincmar* au synode de Chiersey (849); lui-même fut mis en prison où il mourut.

GOTTSCHED (Johann Christoph). ♦ Écrivain allemand (Juditten, près de Königsberg 1700 – Leipzig, 1766). Défenseur de l'idéal classique, il est l'auteur de *Théâtre allemand conçu selon les règles des Grecs et des Romains* (1741-1745). Ses positions furent vivement critiquées, en particulier par Lessing*.

GOTTWALD (Klement). ♦ Homme politique tchèque (Dědice, Moravie, 1896 – Prague, 1953). Ouvrier, il adhéra au parti communiste tchécoslovaque dès sa fondation (1921). Rédacteur en chef de l'organe du parti, *Rudé Pravo*, il devint secretaire général du parti en 1929 et, après le Deuxième Guerre mondiale pendant laquelle il s'était réfugié en U.R.S.S., président du Conseil (1946). En 1948, il organisa le coup d'État qui mit les communistes à la tête du pays et il succéda à Beneš à la présidence de la République.

GOTTWALDOV. ♦ V. de Tchécoslovaquie, en Moravie méridionale, sur le Drevnice. 63 880 hab. (1967). Musées. – C'est le centre de l'indus. tchécoslovaque de la chaussure (fondée par T. Bat'a). Indus. mécaniques (pièces détachées pour automobiles), chimiques (caoutchouc, matières plastiques), textiles. Studios cinématographiques.

GÖTZEN (Adolf, *comte von*). ♦ Officier, explorateur et administrateur colonial allemand (Scharfeneck, Silésie, 1866 – Berlin, 1910). Après avoir fait la traversée de l'Afrique d'est en ouest (*Durch Afrika von Ost nach West*, 1895), il fut gouverneur de l'Afrique orientale allemande de 1900 à 1906.

Götz von Berlichingen. ♦ Drame de Goethe (1773). Construite sur le modèle des drames historiques shakespeariens et conçue dans un esprit de révolte contre l'influence exercée par le siècle des lumières, la pièce est, avec *Les Brigands* de Schiller (1782), l'œuvre la plus représentative du *Sturm* und Drang*. Elle met en scène, dans une suite de tableaux hauts en couleur, le condottiere allemand Götz von Berlichingen* (mort 1562), héros de la justice et de la liberté, au temps de la guerre des paysans. – Jean-Paul Sartre* a fait revivre ce personnage dans son drame, *Le Diable et le Bon Dieu*.

GOUDA. ♦ V. des Pays-Bas (Hollande-Méridionale) au confluent de l'Ijsel et de la Gouwe. 46 339 hab. – Église Saint-Jean (XVe s., vitraux). Hôtel de ville (1603). Poids public (Waag) de 1668. Musées. – Indus. alimentaires (célèbres fromages). Faïencerie et ceramiques. Pipes en terre; métallurgie. (La ville fut un grand centre de draperie au Moyen Âge.)

GOUDÉA. ♦ V. GUDEA et aussi LAGASH.

GOUDIMEL (Claude). ♦ Compositeur français (Besançon, v. 1520 – Lyon, 1572). Il fréquenta les cercles humanistes et connut Ronsard dont il mit en musique plusieurs odes et sonnets (*Les Amours*, 1552). Outre des *Chansons* profanes et spirituelles, il composa, jusqu'à 1559, des œuvres qui relèvent de la liturgie catholique *(messes, motets, magnificat)*. Gagné à la Réforme, il se consacra ensuite à l'interprétation polyphonique du psautier, dans la traduction de Marot et T. de Bèze (150 *Psaumes de David*, 1564-1568) où il s'affirme comme un maître de l'écriture contrapuntique. Réfugié à Lyon, il y fut surpris par la Saint-Barthélemy et périt assassiné.

GOUDJERATE. *n. m.* ♦ **V.** GUJARÂT.

GOUDSMIT (Samuel Abraham). ♦ Physicien américain d'origine hollandaise (La Haye, 1902 –). Il conçut avec Uhlenbeck* la notion de spin de l'électron (1925) qui leur permit, en attribuant ainsi à l'électron un moment de quantité de mouvement et un moment magnétique « propres », d'interpréter les phénomènes spectroscopiques et magnétiques des atomes. **V. Stark, Zeeman.**

GOUFFÉ (Jules). ♦ Cuisinier français (Paris, 1807 – Neuilly-sur-Seine, 1877). Auteur de plusieurs livres de cuisine, il fut souvent comparé à Marie-Antoine Carême.

Ph. Lauros-Giraudon

C. Gounod, par A. Carolus-Durand.
(Château de Versailles.)

GOUJON (Jean). ♦ Sculpteur, dessinateur et architecte français (Normandie? 1510 – Bologne, v. 1566). Sa formation est mal connue, mais sa connaissance de l'art antique et des œuvres italiennes laisse supposer qu'il effectua un voyage en Italie. Esprit cultivé, il s'affirma aussi comme un théoricien de l'art et réalisa notamment une série de gravures pour la traduction française du *Vitruve** de Jean Martin (1547). Il travailla à Rouen en 1540 à la *tribune des orgues de Saint-Maclou*. Sculpteur du roi (1547), il travailla aussi à Écouen pour le duc de Montmorency. À Paris (1544), il effectua comme collaborateur de l'architecte P. Lescot* les *bas-reliefs du jubé de Saint-Germain-l'Auxerrois*, puis ceux des *Quatre Saisons* de l'*hôtel de Ligneris* (musée Carnavalet*) et les six *Nymphes* de la *fontaine des Innocents* (1549), ainsi que quelques-unes des *allégories de la façade de la cour carrée du Louvre**, puis les *cariatides de la tribune des musiciens* (1550). Son inspiration mythologique, le canon allongé des figures, la sinuosité des formes et leur sensualité relèvent de l'esthétique maniériste, que Goujon infléchit d'une façon très personnelle vers une retenue et une grâce qui renouent directement avec l'esprit classique de la sculpture grecque dont il imita les effets de draperies mouillées. La pureté de son trait, l'extrême délicatesse de son modelé, son art des raccourcis font de lui l'une des figures majeures de la sculpture française de la Renaissance.

GOULART (João). ♦ Homme d'État brésilien (São Borja, 1918 – Mercedes, 1976). Vice-président en 1956, sous Quadros*, il lui succéda comme président en 1962 dans un climat de crise économique et financière. Mais l'armée, hostile, le contraignit à quitter le pouvoir (1964) et il se réfugia alors en Uruguay.

GOULETTE (La). ♦ V. et port de Tunisie situé sur le golfe de Tunis*, avant-port de la capitale. 26 300 hab. Centrale électrique. Port de commerce et exportateur de minerais. Pêche.

GOUMILIOV (Nicolas Stepanovitch) [*Gumiljov*]. ♦ Poète russe (Kronstadt, 1886 – Pétrograd, 1921). Il fut le fondateur de l'école *acméiste** (1912) avec Anna Akhmatova* qu'il avait épousée en 1910 et dont il divorça en 1918. Il considérait que la principale vertu était le courage, et son œuvre poétique est empreinte d'un romanesque viril. Dans son premier recueil de vers, *Perles* (1910) on sent encore l'influence de Brioussov*. Dans le recueil auquel il a donné pour titre *La Tente* (1921) apparaît son amour pour l'aventure et l'exotisme qu'il connut en Afrique équatoriale. Ses meilleurs recueils sont sans doute *Le Bûcher* (1918) et *La Colonne de feu* (1921) dans lesquels sa poésie atteint dans la perfection technique à une force émouvante. Accusé de conspiration, il fut fusillé par la Tchéka en 1921.

GOUNOD (Charles). ♦ Compositeur français (Paris, 1818 – *id.*, 1893). Élève au Conservatoire, de Halévy, Paer et Lesueur, prix de Rome (1839), il eut en Italie la révélation de Palestrina, en Allemagne, celle de Bach, Mozart, Beethoven et Schumann. D'abord attiré par la musique religieuse *(Te Deum, Requiem)*, organiste et maître de chapelle, il fut sur le point d'entrer dans les ordres. Cependant, il débutait bientôt au théâtre avec un opéra, *Sapho* (1851), et un opéra-comique, *Le Médecin malgré lui* (1858), œuvres qui ne connurent qu'un faible succès. C'est avec *Faust* (1859), opéra d'abord médiocrement accueilli qu'il allait enfin atteindre la gloire. Un peu plus tard, *Mireille* (1864) et *Roméo et Juliette* (1867) connurent un succès immédiat. L'échec de son

Ph. Cauboue

Le général **Gouraud** enlève le camp du Roghi (Maroc). (*Petit Journal* du 17 mai 1914.)

dernier opéra, *Le Tribut de Zamora* (1881), l'amena à consacrer ses dernières années à la musique religieuse (*Rédemption*, 1882; *Mors et Vitae*, 1885; *Requiem*, 1893). Gounod est encore l'auteur de 2 *symphonies*, de 13 *messes*, de *motets*, de *cantiques*, de *mélodies* et de *chœurs* ainsi que de *pièces* pour piano et pour orgue. Bien qu'il ne réussisse pas toujours à se dégager des influences d'Auber et de Meyerbeer, il témoigne dans ses ouvrages dramatiques d'admirables dons de mélodiste. La générosité de son lyrisme, l'harmonie et la pondération de son style, sa science de la voix humaine et de l'orchestre ont imprégné Bizet, Franck, Duparc, Fauré et même Debussy. Contemporain de Wagner, il a su échapper à son emprise et trouver, dans la ligne de Gluck l'expressivité d'une mélodie soutenue par la richesse des sonorités. Ses opéras constituent un des apports essentiels de la musique française à l'art lyrique du XIXe siècle.

GOURARA. ♦ Groupe d'oasis du Sahara algérien (dép. de la Saoura) au S. du Grand Erg occidental et à l'O. du Tademaït*, peuplées par les Berbères Zénatas*. La principale oasis est Timimoun.

GOURAUD (Henri Joseph Eugène). ♦ Général français (Paris, 1867 – 1946). Sorti de Saint-Cyr, il fit une carrière coloniale au Soudan (1898) où il captura le souverain Samory* Touré, puis au Maroc (où il fut appelé par Lyautey en 1910). Lors de la Première Guerre mondiale, il commanda une division en Argonne, le corps des Dardanelles. Nommé à la tête de la quatrième armée en Champagne, il fit échouer l'ultime offensive allemande dans ce secteur, et prit victorieusement la contre-offensive (juil. 1918). Haut-commissaire en Syrie (1919-1923), il réprima les révoltes de Damas et de Cilicie. De 1923 à 1937, il fut gouverneur militaire de Paris.

GOURDON. ♦ Sous-préf. du Lot*, ch.-l. d'arr. (9 cant. 85 comm. 39 958 hab.). 5 096 hab. (3 770 aggl.). *(Gourdonnais)*. Église fortifiée (XIVe-XVe s.), maisons anciennes. Indus. alimentaires. Centre commercial. – Patrie de J.-B. Cavaignac*.

GOURDON de GENOUILLAC (Nicolas). ♦ Héraldiste, romancier et journaliste français (Paris, 1826 – *id.*, 1898). Outre de nombreux ouvrages sur le blason et l'histoire de la noblesse, il publia plusieurs romans-feuilletons, et collabora à plusieurs journaux.

GOURETTE. ♦ Station estivale et de sports d'hiver sur le territoire de la comm. d'Eaux-Bonnes (Pyrénées-Atlantiques), non loin du col de l'Aubisque.

GOURGAUD (Gaspard, *baron*). ♦ Général français (Versailles, 1783 – Paris, 1852). Officier d'ordonnance de Napoléon Ier, il le suivit à Sainte-Hélène où il rédigea, avec Montholon, les *Mémoires pour servir à l'histoire de France sous Napoléon* (éd. 1822-1825). De retour en Europe en 1818, il s'efforça, auprès des souverains réunis à Aix-la-Chapelle, de faire améliorer le sort de l'empereur captif. Nommé lieutenant général en 1835 par Louis-Philippe dont il devint l'aide de camp, il prit part au retour des cendres de Napoléon en 1840 et fut élu à l'Assemblée législative (1849).

GOURGUES (Dominique *de*). ♦ Aventurier et navigateur français (Bordeaux, ? – Tours, 1593). À l'insu de Catherine de Médicis, il entreprit une expédition en Floride (1567-1568) pour venger R. de Laudonnière*, J. Ribault* et leurs compagnons dont la plupart avaient été massacrés par les Espagnols. Il prit plusieurs forts espagnols et fit exécuter les survivants. Il fut désavoué et sa victoire n'eut guère de portée.

GOURIEV. ♦ V. et port d'U.R.S.S. (Kazakhstan*), ch.-l. de la région du même nom (278 600 km². 510 000 hab.), sur les bords de la mer Caspienne*, à l'embouchure de l'Oural*. 113 000 hab. Raffinerie de pétrole. Pêcheries. Combinat de conserves.

GOURIN. ♦ Ch.-l. de cant. du Morbihan, arr. de Pontivy. 5 669 hab. Église gothique (XVe-XVIe s.); chapelle Notre-Dame-des-Victoires (XVIe s.). – Ardoisières, carrières de pierres. Élevage de chevaux, de bovins, de volailles (important marché). Conserves alimentaires.

GOURMONT (Remy *de*). ♦ Écrivain français (Bazoches-en-Houlme, Orne, 1858 – Paris, 1915). L'article sur le *Joujou patriotique* qu'il fit paraître dans le *Mercure de France*, revue dont il était l'un des fondateurs, le fit révoquer en 1891 de son poste de bibliothécaire à la Bibliothèque nationale, qu'il occupait depuis 1884. Il fut le cofondateur avec Alfred Jarry* de la revue *l'Ymagier* (1894). Il est l'auteur de poèmes (les *Oraisons mauvaises*, 1900; *Simone*, 1901), de romans (*Merlette*, 1886; *Un cœur virginal*, 1907). Dramaturge, il a composé des pièces philosophiques, *Lilith* (1892), *Théodat* (1893), *Le Vieux Roi* (1897); critique du groupe symboliste, il a contribué au mouvement en publiant les *Proses moroses* (1894), *Le Livre des masques* (1896). Son œuvre comporte également des essais : *Le Latin mystique* (1892), *La Physique de l'Amour* (1903), *Promenades littéraires* (1913), *Lettres d'un satyre* (1913), *Lettres à Sixtine* (1921).

GOURNAY (Marie LE JARS *de*). ♦ Femme de lettres française (Paris, 1566 – *id.*, 1645). Elle devint la « fille d'alliance » de Montaigne*, dont les *Essais** l'avaient enthousiasmée (elle les fit rééditer en 1595). On lui doit *L'Ombre de Mademoiselle de Gournay* (1626), recueil de vers et d'œuvres morales, et des textes polémiques.

GOURNAY (Jean-Claude Marie Vincent, *seigneur de*). ♦ Économiste français (Saint-Malo, 1712 – Cadix, 1759). Influencé par les théories des physiocrates **(V. Quesnay)**, il fut un partisan du libéralisme économique (« Laissez faire, laissez passer »), préconisa la liberté de l'industrie, la suppression des règlements et monopoles. (*Éloge de Gournay* par Turgot*.)

GOURNAY-EN-BRAY. ♦ Ch.-l. de cant. de la Seine*-Maritime, arr. de Dieppe*, sur l'Epte*. 6 040 hab. Église Saint-Hildebert romane et gothique. Marché agricole. Indus. laitière.

GOURNAY-SUR-MARNE. ♦ Comm. de la Seine-Saint-Denis (arr. du Raincy), sur la Marne, à l'E. de Paris. 3 922 hab. – Plage. – Patrie d'E. Carrière*.

GOUROU (Pierre). ♦ Géographe français (Tunis, 1900). Il s'est spécialisé dans la géographie humaine, en particulier des pays d'Extrême-Orient. (*Pays tropicaux, principes d'une géographie humaine et économique*, 1947.)

GOURSAT (Édouard). ♦ Mathématicien français (Lanzac, Lot, 1858 – Paris, 1936). Auteur de nombreux travaux sur les équations aux dérivées partielles et en analyse fonctionnelle. **V. *aussi* Hilbert, Pérès, Volterra.** (Acad. sc., 1919.)

GOUSSAINVILLE. ♦ Ch.-l. de cant du Val-d'Oise (arr. de Montmorency). 19 059 hab. *(Goussainvillois)*. Église Renaissance. Sucrerie.

GOUSTARD (Michel). ♦ Biologiste et psychologue français (né en 1920). Ses travaux semblent montrer l'existence de facteurs endogènes dans le déclenchement des tropismes, ainsi que de comportements intermédiaires entre tropisme et instincts.

GOUTÉENS ou **GUTI.** *n. m. pl.* ♦ Peuple montagnard du Zagros qui domina la Mésopotamie pendant environ un siècle après ~ 2250. Sans culture, il ruina pour un temps la civilisation d'Akkad* et de Sumer*.

GOUTHIÈRE (Pierre). ♦ Ciseleur-doreur français (Bar-sur-Aube, 1732 – Paris, 1813), l'un des plus célèbres ornemanistes de la seconde moitié du XVIIIe s., artiste de transition entre ce siècle et le style Empire. Il aurait été l'inventeur de la dorure au mat.

Gouvernement provisoire de la République algérienne (G.P.R.A.). ♦ Organe exécutif constitué le 19 sept. 1958 par le Front* de libération nationale pendant la guerre d'indépendance. Il fut présidé par Farhat 'Abbâs* puis par Ben Khedda (1961). Il disparut en 1962 au profit du Comité central dont s'entoura Ben* Bella.

Gouvernement provisoire de la République française (G.P.R.F.). ♦ Nom que prit (déb. juin 1944 à Alger) le Comité français de libération nationale sous la présidence du général de Gaulle. Installé à Paris en août 1944 après le débarquement allié en Normandie, reconnu officiellement par les gouvernements alliés (oct. 1944), le G.P.R.F. avait proclamé le retour à la légalité républicaine (abolition des « actes constitutionnels de l'État français », août 1944). Remanié en novembre 1944 avec l'entrée de membres de la Résistance française de l'intérieur (dont G. Bidault), il participa à la lutte contre l'Allemagne aux côtés des forces alliées (regroupement des F.F.L. et F.F.I., fin 1944-1945 jusqu'à la signature de l'armistice, 8 mai 1945). Successivement présidé par le général de Gaulle (qui démissionna en janv. 1946 en raison de son opposition aux partis politiques), F. Gouin (janv.-juin 1946), G. Bidault (juin-nov. 1946) et L. Blum (déc. 1946-janv. 1947), le G.P.R.F., qui dès 1944, signa un accord avec l'U.R.S.S., eut à faire face à une situation particulièrement difficile : problèmes de la reconstruction économique et sociale de la France (mesures de nationalisation des grands moyens de production, réformes sociales, scolaires, etc.), de l'épuration (instauration d'un corps de Justice et de chambres civiques pour juger les collaborateurs), enfin celui des institutions de la France (opposition entre le projet de Constitution du général de Gaulle voulant limiter les pouvoirs de l'Assemblée au profit d'un exécutif fort et celui des socialistes et communistes favorables au contraire à la souveraineté de l'Assemblée). Fin 1946, la IIe Assemblée nationale constituante fit adopter par référendum la Constitution de la IVe République, dont le premier président, V. Auriol, fut élu en janvier 1947 (dissolution du G.P.R.F.).

GOUVIEUX. ♦ Comm. de l'Oise, arr. de Senlis, située à la bordure N. de la forêt de Chantilly*. 4 908 hab. Vestiges d'un camp romain. Joints en caoutchouc. Impression sur tissu. Contre-plaqué. — Séminaire des missions.

GOUVION-SAINT-CYR (Laurent, *marquis de***).** ♦ Maréchal de France (Toul, 1764 — Hyères, 1830). Après des études de dessin et de peinture à Rome et à Paris, il s'engagea comme volontaire dans les armées révolutionnaires (1792). Ambassadeur à Madrid sous le Consulat (1802), il participa aux campagnes de l'Empire, en Prusse (1806-1807), en Espagne, en Russie (victoire de Polotsk sur Wittgenstein qui lui valut le bâton de maréchal). Chargé de la défense de Dresde (1813), il fut contraint de capituler, faute de munitions. Nommé ministre de la Guerre par Louis XVIII (1815, 1817), il fit voter une loi pour la réorganisation de l'armée (*loi Gouvion-Saint-Cyr,* 10 mars 1818), loi réglant les modalités de la conscription et de l'avancement (obtention des grades à l'ancienneté, ne permettant plus aux nobles d'entrer directement comme officier dans l'armée). Pair dès 1815, Gouvion-Saint-Cyr dut démissionner de ses fonctions de ministre face à l'opposition des ultras, 1819. (*Mémoires pour servir à l'histoire militaire sous le Directoire, le Consulat et l'Empire,* 1831.)

GOVIND SINGH. ♦ Dixième et dernier guru (chef spirituel) de la secte des Sikhs* (1666 — 1708). Il combattit contre les Moghols* d'Aurangzeb* et fut un excellent poète en sanskrit et en persan. Il mourut assassiné.

GOWER (John). ♦ Poète anglo-normand (dans le Kent v. 1325 — Southwark, 1408). Gentilhomme, il fut peut-être clerc sans, pourtant, recevoir les ordres. Propriétaire terrien, il fut terrifié par la révolte paysanne de 1381 qui lui inspira *La Voix du prophète (Vox Clamantis),* poème didactique en latin qui se termine par une supplication au jeune roi Richard II de ramener la vertu à la cour. Faite pour l'enseignement moral, sa *Confessio Amantis,* 1383, énorme compilation de contes en quarante mille octosyllabes, a le mérite d'être écrite dans un anglais vif et aisé. *Le Miroir de l'homme (Speculum Meditantis* ou *Miroir de l'Omme),* poème allégorique de 30 000 vers français, contient un portrait vivant de la société contemporaine. Féru d'histoire, il relata les dernières années de Richard II dans une *Chronique Tripartite* (en latin), fut grand admirateur de la langue française qu'il utilisa encore dans ses *Cinquante Ballades.* Son contemporain Chaucer* lui dédia *Troïlus et Cressida* en l'appelant, surnom qui lui resta, « Gower le moraliste » (« moral Gower »).

GOWER *(presqu'île de).* ♦ Péninsule du S.-O. du pays de Galles (Glamorganshire), sur le canal de Bristol, s'étendant approximativement entre Llanelly et Swansea. Tourisme.

GOYA Y LUCIENTES (Francisco *de***).** ♦ Peintre, dessinateur et graveur espagnol (Fuendetodos, près de Saragosse, 1746 — Bordeaux, 1828). Fils d'un maître doreur, il se forma à Saragosse auprès du peintre baroque Luzán à partir de 14 ans. Après avoir échoué au concours de l'académie San Fernando en 1763 et en 1766, il se rendit à ses frais en Italie, puis revint à Saragosse en 1791. Il réalisa alors des commandes religieuses (*pour la cathédrale,* 1771-1772; *la chapelle du palais Sobradiel,* v. 1770-1772, et la *chartreuse d'Aula Dei,* 1774) dans lesquelles les réminiscences baroques sont parfois contrebalancées par une certaine influence de la peinture française du XVIIe siècle. Cependant, la facture vigoureuse et l'apparence d'esquisse de ces œuvres présentent des accents déjà personnels. En 1773, il épousa Josefa Bayeu, sœur de Francisco Bayeu qui était disciple de Mengs et peintre de la chambre du roi. Goya s'établit alors à Madrid et, grâce à la protection de son beau-frère, il obtint la commande d'une série de cartons de tapisserie pour la manufacture royale; il allait en réaliser env. soixante-trois, représentant des scènes de genre et particulièrement des divertissements populaires où apparaissent une grâce et une légèreté parfois nuancée d'humour, ainsi qu'un sens de l'atmosphère lumineuse et une gamme de tons clairs et raffinés qui s'accordent avec l'esprit de l'époque tout en révélant une rupture avec la production conventionnelle de la peinture de genre. La liberté du ton, le caractère plus direct de l'approche et du sens aigu de l'observation y sont en effet évidents (*La Danse sur les bords du Manzanares,* 1777; *La Novilla,* 1780; *L'Ombrelle,* 1777; puis la *Gallina Ciega; La Pradera de san Isidro,* 1787; *Le Maçon blessé,* 1787). Une fraîcheur identique imprègne les scènes champêtres destinées à la *Alameda de Osuna* (*L'Escarpolette, Le Mât de cocagne,* 1787). À partir de 1778, Goya grava les tableaux de Velázquez, maître auquel il vouait une grande admiration et qui influença notablement sa conception du portrait. Élu à l'Académie en 1780, il entreprit alors une brillante carrière officielle. Témoignant dans le genre du portrait d'une rare maîtrise, il saisissait avec une acuité particulière le caractère de chaque individu, sachant se montrer un analyste lucide (*Portrait de Floridablanca,* 1783), souvent impitoyable, notamment dans ses portraits royaux réalisés après l'avènement de Charles IV et de Marie-Louise, époque où il avait obtenu la charge de peintre de la chambre du roi (1788). Il révéla dans ses portraits féminins et ses portraits d'enfants une sensibilité délicate (*Maria Teresa de Borbón y Vallabriga,* 1783; *La Marquise de Pontejos,* 1786; *La Duchesse d'Osuna, Manuel Osorio,* 1788) et tout en utilisant une facture de plus en plus libre et désinvolte, il conserva une palette aux nuances délicates (*Jovellanos,* 1798; *La Comtesse Chinchón,* 1800; *Doña Isabel Carlos de Porcel,* 1806). Il avait dès 1780-1782 affirmé l'indépendance de son tempérament à l'occasion de l'exécution des fresques de *Nuestra Señora del Pilar* à Saragosse, entrant en conflit avec son beau-frère qui lui reprochait sa négligence et son incorrection. La fréquentation des milieux libéraux et intellectuels élargirent l'ordre de ses préoccupations. Atteint d'une grave maladie à Cadix en 1792-1793, il fut frappé de surdité et se trouva en proie à une crise profonde. Son inspiration prit un tour plus sombre et violent, et sa facture devint très audacieuse et expressive *(Le Préau des fous; L'Enterrement de la Sardine).* Le sens de la critique sociale *(Le Tribunal de l'Inquisition)* s'y fait jour. Durant un séjour en Andalousie auprès de la duchesse d'Albe, il entreprit une série de croquis qui allait aboutir à la suite des *Caprices** dans laquelle il attaque avec un sens aigu du grotesque la superstition, la bêtise, les vices, et fait une large place aux scènes fantastiques, décrivant avec complaisance des scènes de sorcellerie traitées avec des mises en page originales et des raccourcis audacieux (ces planches, publiées en 1799, furent retirées de la vente par peur de l'Inquisition). En 1797-1798, il avait aussi réalisé les fresques de *San Antonio de la Florida* près de Madrid, prétexte à un rassemblement animé présentant les types populaires les plus variés traités avec une facture brutale et d'audacieuses abréviations formelles. Nommé premier peintre de la chambre du roi en 1799, il réalisa de grands portraits d'apparat qui portent la marque du regard féroce avec lequel il observe l'humanité (*Famille de Charles IV,* 1800). En 1808, l'effondrement de la monarchie et l'arrivée des Français entraînèrent une nouvelle crise, et Goya réalisa de 1810 à 1823 les quatre-vingt-deux eaux-fortes des *Désastres de la guerre,* dénonçant avec une rare violence la cruauté humaine et l'atrocité de la guerre. Il commémora en 1814 les débuts de l'insurrection espagnole dans deux tableaux dramatiques et fougueux *(Le 2 Mai; Le 3 Mai 1808),* puis il publia les trente-trois estampes de la *Tauromachie,* s'initia en 1819 à la lithographie, commença les estampes visionnaires et mystérieuses des *Disparates,* et réalisa dans sa propre maison (« la quinta del sordo ») les « peintures noires » : visions hallucinées, dont certains thèmes sont encore inexpliqués et qui semblent libérer un univers d'angoisse et de cauchemar *(Saturne).* En 1824, fuyant l'absolutisme et la répres-

Arch. Rencontre

F. de Goya y Lucientes : « Autoportrait ». (Musée Goya, Castres.)

Ph. Giraudon

La quête du Graal. Livre de Lancelot du Lac. (Bibliothèque de l'Arsenal, Paris.)

sion (l'Inquisition avait condamné comme obscène sa *Maja desnuda* en 1814), il s'établit à Bordeaux, peignant des portraits et des scènes de genre d'une inspiration plus sereine *(La Laitière)* et réalisant les lithographies des *Taureaux de Bordeaux*. Goya, tout en poursuivant une carrière officielle de portraitiste, refusa progressivement les conventions stylistiques et thématiques de son époque, et libéra une imagination visionnaire, en se forgeant un langage plastique très personnel. « Il préfigurait tout l'art moderne parce que l'art moderne commence à cette liberté » (Malraux).

GOYEN (Jan *van***).** ♦ Peintre et dessinateur hollandais (Leyde, 1596 – La Haye, 1656). Elève de Esaias Van* de Velde à partir de 1617, il travailla ensuite à Leyde et à Haarlem, voyagea en France, en Angleterre, dans les Flandres d'où il ramena de nombreuses études de sites, puis il se fixa à La Haye en 1631. Jusqu'à 1640 environ, il peignit des scènes de patinage et des paysages sereins et assez minutieux, il évolua ensuite vers un style plus inquiet et nerveux ; avec une palette réduite, presque monochrome (bistre, brun, or, vert sombre), il exprima le caractère spécifique du paysage hollandais, donnant au ciel nuageux, aux reflets dans l'eau, une place primordiale. Il plaçait la ligne d'horizon très bas et créait d'audacieux effets de contre-jour nuancés avec finesse. Il éclaircit ensuite sa palette, représentant de préférence des berges de rivière, des bords de mer où le sens de l'espace, l'atmosphère brumeuse et la mobilité des éléments sont rendus par une modulation délicate des valeurs (*Vue du Rhin près de Etten,* 1655). Il joua un rôle capital dans le développement du paysage hollandais et influença plusieurs de ses compatriotes.

GOYTISOLO (Juan). ♦ Romancier espagnol (Barcelone, 1931 –). Révélé en 1954 par *Jeux de mains* (évocation de la jeunesse), Goytisolo s'affirma dans d'autres romans d'une intéressante portée sociale : *Deuil en paradis* (1955) ; *Le Ressac* (1958) ; *Fin de fête* (1962) sont une critique de la société espagnole de l'après-guerre et surtout de sa bourgeoisie. Sa technique romanesque l'a fait comparer aux romanciers américains (Truman Capote) et à Robbe-Grillet.

GOZO ou **GOZZO** (ancienn. *Gaulus).* ♦ Île de la Méditerranée, dépendant de Malte, et dont la V. princ. est Victoria (anc. Rabat). Temple préhistorique de Ggantija. – Gozo est parfois assimilée à l'île légendaire d'Ogygie, où Ulysse rencontra Calypso, dans l'Odyssée.

GOZZI (*comte* **Carlo).** ♦ Écrivain italien (Venise, 1720 – *id.,* 1806). Frère cadet du satiriste vénitien *Gasparo Gozzi* (1713 – 1786), il s'institua, avec Chiari, le défenseur de la tradition théâtrale italienne contre Goldoni*, opposant au réalisme de ce dernier tous les pouvoirs poétiques de la *fiaba,* conte transcrit pour la scène en vers non rimés. Il restitua tous leurs pouvoirs aux personnages traditionnels de la commedia dell'arte en leur confiant le libre commentaire d'intrigues souvent ténébreuses ou fantastiques. Avec *L'Amour des trois oranges (L'amore delle tre melarancie), Le Corbeau (Il Corvo), Le Roi cerf (Il Rè cervo), Turandot,* féeries dramatiques composées entre 1761 et 1765, il ouvrait la voie où devait s'engager plus tard le romantisme allemand. Son œuvre inspira plusieurs musiciens.

GOZZOLI (Benozzo di Lese, dit **Benozzo).** ♦ Peintre italien (Florence, 1420 – Pistoia, 1497). Formé chez Ghiberti* et Fra Angelico*, dont il fut, à Rome et Orvieto, le principal assistant (1447-1449), il travailla au couvent San Fortunato de Montefalco, et à Viterbe, Pérouse, Rome, avant de décorer à Florence la chapelle du palais Médicis (Riccardi) où il a représenté dans son célèbre *Cortège des Mages* des personnalités de son temps et des paysages du val d'Arno (1459-1460). Actif de 1463 à 1465 à San Gimignano *(Scènes de la vie de saint Augustin),* il séjourna à Pise de 1468 à 1484, mais ses fresques du Campo Santo furent presque complètement détruites durant la Seconde Guerre mondiale (on travaille à la reconstitution de certaines d'entre elles). Son style narratif et précieux qui révèle une imagination riche, le sens de la couleur, du décor, du détail joli ou exotique, conserve des accents trecentesques, bien que le peintre ait assimilé les découvertes contemporaines.

GRAAF (Reinier *de***).** ♦ **V.** DE GRAAF.

Graal [gʀal] **(le)** ou **le Saint-Graal.** ♦ Vase sacré qui, après avoir servi à Jésus-Christ pour la Cène, aurait à la Crucifixion recueilli le sang jailli de ses plaies. – Aux XIIe et XIIIe s., les romans de Robert* de Boron et de Chrétien* de Troyes racontent la « quête » allégorique du Graal par les chevaliers de la Table* ronde, Perceval*, Lancelot* et le pur Galaad*.

GRABBE (Christian Dietrich). ♦ Poète dramatique allemand (Detmold, 1801 – *id.,* 1836). S'il a échoué dans sa tentative de doter le théâtre allemand de grands drames historiques (*L'Empereur Frédéric Barberousse,* 1829), il est l'auteur de pièces où s'affirme, avec le goût du baroque, une étrange ironie destructrice : *Don Juan et Faust* (1829), *Napoléon ou les Cent-Jours* (*Napoleon oder die hundert Tage,* 1831).

GRACCHUS. ♦ Nom de famille d'une branche plébéienne de la gens Sempronia. ♦ TIBERIUS SEMPRONIUS GRACCHUS. Général romain (mort v. ~ 150), père des Gracques. Préteur en ~ 180, il apaisa la révolte des Celtibères par sa modération. Il défendit Scipion* l'Africain dont il épousa la fille Cornélie* (v. ~ 163). ♦ TIBERIUS SEMPRONIUS GRACCHUS. Tribun et réformateur romain (Rome, ~ 162 – *id.,* ~ 133), fils du précédent. Tribun du peuple en ~ 133, il tenta une réforme agraire en proposant la *lex Sempronia :* elle retirait aux grandes familles une part de l'*ager publicus* (domaine public) qu'elles avaient accaparé et le redistribuait aux citoyens pauvres. Son collègue Cneius Octavius lui ayant opposé son veto, Tiberius le fit déposer par le peuple. La loi fut adoptée. Mais la plèbe romaine ne manifestait aucun enthousiasme pour le retour à la terre et Tiberius fut massacré au cours d'une émeute provoquée par les patriciens réactionnaires. ♦ CAIUS SEMPRONIUS GRACCHUS. (Rome, ~ 154 – *id.,* ~ 121), frère du précédent. Tribun en ~ 124, il reprit les projets de son frère et s'assura l'alliance des chevaliers, du prolétariat et des villes fédérées d'Italie. Pour donner des terres aux citoyens et restaurer l'économie des régions ravagées par les guerres, il fonda des colonies à Tarente, Capoue, Carthage et Corinthe. Il fit vendre le blé à bas prix et se proposait d'accorder la citoyenneté romaine à tous les Italiens. Ces projets, qui paraissaient annoncer l'organisation du monde romain en une vaste démocratie politique et économique, effrayèrent. Caius ne put obtenir sa réélection au tribunat et mourut sur l'Aventin avec 3 000 de ses partisans au cours d'une bataille contre les troupes du consul Opimius*.

GRÂCE-BERLEUR. ♦ Comm. de Belgique (prov. et arr. de Liège). 8 700 hab. Houillères. Machines à vapeur.

GRÂCES, en lat. **Gratiae.** ♦ **V.** CHARITES.

GRACIÁN Y MORALES (Baltasar). ♦ Moraliste et essayiste espagnol (Aragon, 1601 – Aragon, 1658). Jésuite rebelle, il publia avec maintes difficultés des œuvres qui ont influencé la pensée morale européenne jusqu'à nos jours. *Le Héros* (1630) est une sorte de traité politique sur le chef idéal. *L'Homme de cour* (*El oráculo manual,* 1647) est une série de maximes morales. Son chef-d'œuvre *L'Homme détrompé* (*El Criticón,* 1651), pessimiste et baroque, tient du roman allégorique et du conte philosophique. L'homme naturel et l'intellectuel y sont opposés dans un foisonnement de réminiscences livresques et de mythes antiques. Gracián s'exprime en formules denses et ramassées : son intelligence subtile, son imagination et sa culture lui permettent de peindre l'homme et d'en dévoiler la misère par une impitoyable morale de la désillusion.

GRACQ (Louis POIRIER, dit **Julien).** ♦ Écrivain français (Saint-Florent-le-Vieil, 1910). Professeur d'histoire et de géographie (ses romans soulignent l'influence des milieux géographiques sur l'homme), J. Gracq a exprimé sa conception exigeante de la littérature dans des essais où il s'oppose à « ces valeurs pilotes dont les hauts et bas enfièvrent le marché » (*La Littérature à l'estomac,* 1950) ou révèle son penchant pour les romantiques et les surréalistes (*Préférences,* 1961). – Notable dans son théâtre (*Le Roi pêcheur,* 1948) et dans ses poèmes en prose (*Liberté grande,* 1946), l'emprunt aux légendes du Moyen Âge et aux contes des romantiques allemands est sensible également dans ses récits qui en utilisent les riches symboles pour mieux susciter le sentiment de l'étrange (*Au château d'Argol,* 1938). Le « secret [d'un roman] est la création d'un milieu homogène, d'un éther romanesque où baignent gens et choses et qui transmet les vibrations dans tous les sens ». Les longues descriptions, organisées suivant une construction musicale, sont la projection du paysage intérieur des personnages et en complicité avec leurs passions ou leurs rêves. Les héros attendent l'irruption de l'insolite ou du danger dans leur vie (*Un beau ténébreux,* 1945 ; *Un balcon en forêt,* 1958), quand ils ne cristallisent pas avec leurs propres désirs la tentation intime et fiévreuse de tout un peuple (*Le Rivage des Syrtes,* 1951 ; prix Goncourt, refusé par l'auteur). Pour Gracq, le langage est l'instrument qui permet de « communier avec le monde, [de] le comprendre mystiquement »; accumulation d'amples images et de symboles, prose hiératique d'une apparente froideur composent un style recherché qui distille une angoisse feutrée et sert admirablement ces récits insolites.

GRACQUES (les). ♦ V. GRACCHUS.

GRADIGNAN. ♦ Comm. de la Gironde, arr. de Bordeaux. 12 620 hab. Ruines de l'anc. prieuré de Gaillac du XIIIe s. et d'un château féodal. Vin des Graves. Confection.

GRAEBNER (Fritz). ♦ Ethnologue autrichien (1877 – 1934). Avec ceux du père W. Schmidt*, ses travaux furent à l'origine de l'école « cyclo-culturelle », diffusionniste (école de Vienne) pour laquelle les analogies entre faits culturels s'expliquent par les relations et la filiation entre civilisations. (*Methode der Ethnologie,* 1911; *Das Weltbild der Primitiven,* 1924.)

GRAF (Urs). ♦ Graveur, dessinateur et peintre suisse (Soleure, v. 1485 – *id.,* 1527). Il se forma à Bâle, fit deux séjours à Strasbourg (1503 et 1508). Engagé comme lansquenet, il participa à plusieurs campagnes et fut exilé de Bâle à plusieurs reprises, en raison de son inconduite. Il subit l'influence de Schongauer* et de Dürer* et son style s'apparente à celui de Niklaus Manuel Deutch, lui aussi représentant de l'école dite *les lansquenets,* et parfois à Hans Baldung* Grien. Le thème de la mort hante ses féroces évocations de la guerre et de la prostitution. Son graphisme aigu et contourné à l'extrême, au service d'une inspiration érotique et morbide, souvent satirique, se caractérise par des déformations volontaires qui témoignent d'une forte tendance expressionniste.

GRAFFENSTADEN. ♦ V. ILLKIRCH-GRAFFENSTADEN.

GRAFIGNY ou **GRAFFIGNY (Françoise d'Issembourg d'Happoncourt,** *dame de***).** ♦ Écrivain français (Nancy, 1695 – Paris, 1758). Mariée très jeune à un homme brutal, elle put s'en séparer et vint se réfugier auprès de Voltaire*, chez Mme du Châtelet* à Cirey. Ses *Lettres,* assez indiscrètes, furent publiées en 1820. Elle gagna Paris en 1743, y tint un salon, et obtint un vif succès avec ses *Lettres d'une Péruvienne* (1747), spirituel pastiche des *Lettres persanes* de Montesquieu, où elle se livrait à une critique assez vive de la société de son temps. Un drame, *Cénie* (1750), reçut également un bon accueil.

GRAHAM (Thomas). ♦ Chimiste écossais (Glasgow, 1805 – Londres, 1869). Après sa découverte précisant le mode de constitution des acides polybasiques (1823) et ses travaux sur l'éthérification, il énonça en 1846 la loi de la diffusion des gaz à travers les cloisons poreuses (*loi de Graham :* vitesse de diffusion inversement proportionnelle à la racine carrée de la densité du gaz, à température et pression données) et établit la distinction entre colloïdes et cristalloïdes (1850).

GRAHAM (Martha). ♦ Danseuse et chorégraphe américaine (Pittsburgh, Pennsylvanie, 1893 –). Engagée dans des recherches esthétiques dont elle puisa l'inspiration chez les peuples indiens d'Amérique autant que dans les traditions de la Grèce antique, elle a produit de nombreuses chorégraphies caractérisées par le souci de restituer à la danse son caractère rituel en mettant en valeur la totalité des ressources corporelles. Pédagogue, elle a exercé une influence profonde. Réal. princ. : *Primitive Mysteries* (1931), *Letter to the World* (1940), *Appalachian Spring* (1944), *Night Journey* (1947), *Clytemnestra* (1958), *Phaedra* (1962).

GRAHAM *(Terre de).* ♦ Nom donné à la péninsule Antarctique* **(V.** *aussi* **Palmer).** Revendiquée par la Grande-Bretagne, puis par l'Argentine et le Chili.

GRAIES *(Alpes).* ♦ **V.** GRÉES *(Alpes).*

GRAILLY. ♦ Famille noble qui acquit par mariage le captalat de Buch, près d'Arcachon (1336). ♦ *JEAN III DE GRAILLY, captal de Buch* (1321 – Paris, 1376). Il combattit pour les Anglais, lors de la guerre de Cent Ans et acquit ainsi la Bigorre. Il participa à la victoire de Poitiers (1336). Édouard III d'Angleterre le nomma connétable d'Aquitaine (1371), mais il fut capturé par les Français en 1372. – Père de Gaston* IV de Foix. – La maison de *Grailly* acquit le comté de Foix* par mariage en 1398.

GRAISIVAUDAN. ♦ **V.** GRÉSIVAUDAN.

GRAISSESSAC. ♦ Comm. de l'Hérault (arr. de Béziers), à proximité des monts de l'Espinouse*. 1 510 hab. (2 012 aggl.). Centre d'un bassin houiller, auj. fermé. Centrale thermique.

GRAM (Hans Christian Joachim). ♦ Médecin danois (1853 – 1938). Il mit au point une méthode de coloration des microbes permettant la différenciation des espèces microbiennes. La *méthode de Gram* consiste à faire agir la *liqueur de Gram* (solution iodo-iodurée) sur une préparation microbienne déjà colorée par le violet de gentiane; lorsqu'on lave ensuite cette préparation à l'alcool, certains microbes se décolorent (c'est-à-dire ne retiennent pas le Gram), d'autres non.

GRAMAT. ♦ Ch.-l. de cant. du Lot*, arr. de Gourdon*, sur le *causse de Gramat.* 3 494 hab. (2 392 aggl.).[*Gramatois*]. Tumulus, couvent. Église XVe-XVIe siècles. Eau minérale. Confections.

GRAMME (Zénobe). ♦ Électricien et inventeur belge (Jehay-Bodegnée, prov. de Liège, 1826 – Bois-Colombes, Seine, 1901). Il perfectionna les machines à courant alternatif (1867), imagina le *collecteur* (1869), retrouvant le principe de l'induit à anneau permettant d'obtenir des appareils à courants continus et présenta (1871) à l'Académie des sciences la première dynamo utilisable *(machine de Gramme).* **V. Faraday, Pacinotti.**

GRAMMONT, en néerl. **Geraardsbergen.** ♦ V. de Belgique (Flandre-Orientale, arr. d'Alost) sur la Dendre, à la frontière linguistique. 9 300 hab. Hôtel de ville du XIVe siècle. Église gothique Saint-Barthélemy. Hôpital Notre-Dame de Grammont (1100). Château Saint-Adrien (XVIIIe siècle). – Indus. textile (coton). Brasserie. Cigares. ♦ *Hist.* Appelée « Ville de Gérard », du nom du comte qui, en 1068, proclama les libertés communales, Grammont est le théâtre d'une cérémonie très ancienne (av. 1398) où l'on offre aux grands de la ville une coupe de vin remplie de poissons vivants.

GRAMONT *(maison de).* ♦ Famille d'origine navarraise dont les membres les plus connus sont : ANTOINE III, *duc de* GRAMONT (Hagetmau, 1604 – Bayonne, 1678). Il se distingua sous Louis XIII pendant la guerre de Trente* Ans et resta fidèle au roi pendant la Fronde*. Il a laissé des *Mémoires.* ♦ PHILIBERT, *comte de* GRAMONT, frère du précédent (1621 – 1707). Il combattit en Franche-Comté et en Hollande (1668-1671) et se rendit célèbre par ses aventures galantes. Antoine Hamilton* a écrit *Les Mémoires de la vie du comte de Grammont* (1715). ♦ ARMAND DE GRAMMONT, *comte de* GUICHE (1638 – 1673) fut le premier à passer le Rhin à la nage, pendant la campagne de 1672.

GRAMONT (Antoine Agénor, *duc de***).** ♦ Diplomate et homme politique français (Paris, 1819 – *id.,* 1880). Ministre plénipotentiaire à Kassel (1852), Stuttgart, puis Turin (1853), ambassadeur à Rome (1857) et à Vienne (1860), il s'était prononcé en 1860 pour l'intervention française en Italie pour assurer l'indépendance du pape, puis pour le rapprochement avec l'Autriche (contre la Prusse). Nommé ministre des Affaires étrangères avec l'appui de l'impératrice Eugénie (mai 1870), il eut, par ses interventions, une part de responsabilité dans la déclaration de guerre de la France à la Prusse (15 juillet 1870). Il vécut dans la retraite après la chute de l'Empire.

GRAMPIANS *(monts).* ♦ Bloc montagneux du N. de l'Écosse, appartenant à l'ensemble des *Highlands** (on les nomme parfois *Highlands du centre*), compris du N. au S. entre la dépression du Glen More qui les sépare des *Highlands du Nord,* et les *Lowlands**, et d'O. en E. entre le *loch Linghe* et le *firth of Moray**. L'E., le long de la mer du Nord, est formé de plateaux d'altitude moyenne, et de reliefs arrondis. L'O., en revanche, est nettement plus élevé (*Ben* Nevis,* 1 343 m, point culminant de la Grande-Bretagne). Les reliefs sont plus aigus que dans l'Est. Les hauteurs sont parcourues de nombreux cours d'eau et entaillées de *lochs* (lacs) intérieurs ou côtiers (loch Linghe). L'économie des Grampians est axée sur l'élevage et le tourisme.

GRAMSCI (Antonio). ♦ Théoricien et homme politique italien (Ales, Sardaigne, 1891 – Rome, 1937). Jeune militant socialiste, il prit très tôt position contre les interprétations réformistes et mécanistes du marxisme. Il vit dans la révolution soviétique le modèle de toute révolution prolétarienne, et, dès 1920, élabora la théorie des conseils *(soviets)* d'usine, premières cellules de l'État prolétarien. Il contribua à la formation du parti communiste italien (1921) dont il prit la direction en 1923. Député (1924), il tenta, avec les socialistes, de lutter contre le fascisme, et, tout en donnant son adhésion à la majorité stalinienne, chercha à éviter les mesures excessives. Arrêté en 1926, il poursuivit en prison (où il mourut) son œuvre de théoricien du marxisme. Philosophe de la

Ph. Giraudon

Urs Graf : « Joueur de musette ».
(École des Beaux-Arts, Paris.)

praxis. Gramsci estime que le marxisme contient les bases « pour construire une totale et intégrale conception du monde, mais aussi pour vivifier une intégrale organisation pratique de la société ». Pour lui, la tâche des dirigeants et théoriciens marxistes consiste donc à promouvoir cette philosophie révolutionnaire face à l'idéologie de la bourgeoisie (*Opere di Antonio Gramsci,* 9 vol. 1947-1955; *Lettres de prison,* 1947, trad. française 1953).

GRANADA. ♦ V. du Nicaragua (Amérique centrale), ch.-l. de département, située au S. de Managua* sur la rive O. du lac de Nicaragua*. 42 000 hab. Évêché. Indus. alimentaires. Terminus de la voie ferrée qui part de Puerto* Morazán. ♦ *Hist.* Au XIXᵉ s., Granada était le centre politique des conservateurs nicaraguayens, opposés au foyer libéral de León*.

GRANADOS Y CAMPIÑA (Enrique). ♦ Compositeur espagnol (Lerida, 1867 – victime du torpillage du « Sussex », 1916). Élève de F. Pedrell à Barcelone, il acheva ses études à Paris avec le pianiste Ch. de Bériot. Fondateur du conservatoire de Barcelone, il s'est attaché, à l'exemple de Goya pour qui il éprouva toujours une fervente admiration, à retrouver les sources de son art dans le génie populaire espagnol. Outre des opéras (*Maria del Carmen,* 1898; *Picarol; Petrarca*), des pièces de musique symphonique et de chambre, il est l'auteur des 12 *Danses espagnoles* pour piano (1892), des *Goyescas,* deux suites pianistiques (1911), des *Canciones amatorias* et des *Tonadillas,* pour chant et piano (1913). Sa musique, tout en puisant aux sources de l'art populaire (Zarzuelas, etc.), est d'un grand raffinement harmonique.

GRANBOIS (Alain). ♦ Poète canadien d'expression française (Saint-Casimir, 1900 – Québec, 1975). Avant de se fixer à Montréal puis à Québec, A. Granbois a longtemps habité l'Europe (Cf. les contes nostalgiques d'*Avant le chaos,* 1945) et voyagé sur presque tous les continents, à l'image de ces explorateurs et de ces conquérants, présents dans son œuvre en prose : *Né à Québec* (1933) et *Les Voyages de Marco Polo* (1942). Poète de l'évasion, de la recherche de « ce formidable secret du bout de la nuit », il a composé des recueils, parfois ésotériques (par mépris de la « plèbe carnassière »), qui expriment sur un mode dramatique l'angoisse d'être au monde; *Les Îles de la nuit* (1944), *Rivages de l'homme* (1948) et *L'Étoile pourpre* (1957) suggèrent cette quête des « îles miraculeuses » que sont l'amour et la poésie et le désenchantement inévitable qui saisit le poète, égaré dans « ces espaces de l'ombre conduisant vers la solitude des néants »; la mort, toujours présente bien que conjurée, appelle des images de nuit, de pluie glacée, tandis que le thème de l'amour est lié à celui de la mer au « grand calme fraternel » (*Noces*). Riches d'images somptueuses, ces poèmes écrits en vers libres offrent un jeu savant de sonorités insolites, qui sont sans doute inspirées des musiques orientales et africaines, ou de certaines compositions contemporaines.

GRANBY. ♦ V. du Canada (Québec) située à l'E. de Montréal, dans le S. de la province. 31 463 hab. (1961). Centre commercial et industriel (textiles, matières plastiques, caoutchouc, meubles).

GRAN CHACO. ♦ **V.** CHACO.

GRANCHER (Jacques Joseph). ♦ Médecin français (Felletin, Creuse, 1843 – Paris, 1907). Il se spécialisa dans l'étude des maladies infantiles et de la tuberculose (*signes de Grancher,* fournis par l'auscultation du sommet du poumon). [Acad. méd., 1892.]

GRAND BASSIN. ♦ **V.** BASSIN *(Grand).*

GRAND-BELT. ♦ **V.** BELT.

GRAND-BORNAND (Le). ♦ Comm. de la Haute-Savoie, arr. d'Annecy. 1 557 hab. Station de sports d'hiver. Production et commerce de reblochon.

GRAND-BOURG. ♦ Comm. et port de Marie-Galante (dépendance de la Guadeloupe). 6 710 hab. Sucrerie. Distillerie. Pêche.

GRAND-BOURG (Le). ♦ Ch.-l. de cant. de la Creuse*, arr. de Guéret*, sur la Gartempe*. 1 908 hab. (440 aggl.). Église du XIIᵉ siècle.

GRANDCAMP (-les-Bains). ♦ Comm. du Calvados*, arr. de Bayeux*. 1 536 hab. Port de pêche, station balnéaire.

GRAND CANYON. *n. m.* ♦ Gorge du Colorado* au N.-O. de l'Arizona (U.S.A.). Site touristique (parc national).

GRAND-CHAMP. ♦ Ch.-l. de cant. du Morbihan, arr. de Vannes. 2 662 hab. Église (XVᵉ-XVIᵉ s.).

GRAND-CHARMONT. ♦ Comm. du dép. du Doubs, arr. et aggl. de Montbéliard*. 7 328 hab. Outillage.

GRAND-COMBE (La). ♦ Ch.-l. de cant. du Gard, arr. d'Alès, sur le gardon d'Alès, à proximité du bassin houiller des Cévennes. 13 259 hab. (l'aggl. compte 20 143 hab.). – Houillères.

GRAND COULÉE *(barrage de),* en angl. **Grand Coulee Dam.** ♦ Barrage situé sur la Columbia (États-Unis; État de Washington*). Il permet d'irriguer plus de 200 000 ha et sa puissance hydro-électrique est de 2 000 000 de kW.

GRAND-COURONNE. ♦ Ch.-l. de cant. de la Seine*-Maritime, arr. de Rouen*, sur la Seine*. 6 887 hab. *(Couronnais).* Produits chimiques, papeterie.

GRAND-COURONNÉ. *n. m.* ♦ Collines escarpées de Lorraine, situées à l'E. de Nancy. Elles furent le théâtre d'une bataille (5-12 sept. 1914) au cours de laquelle Castelnau* sauva la ville de Nancy en arrêtant l'avance allemande.

GRAND-CROIX (La). ♦ Comm. de la Loire, arr. de Saint-Étienne. 5 238 hab. Indus. textile (soie) et métallurgique (boulonnerie, cycles).

Grand Cyrus (Artamène ou le). ♦ Roman à clefs de Madeleine de Scudéry*, composé de 1649 à 1653 et publié d'abord sous la signature de son frère Georges de Scudéry*. On y retrouve, sous des noms supposés, Madame de Rambouillet*, Montausier*, Voiture*, Conrart*, Chapelain*.

Ph. Carlo Bevilacqua/Ricciarini

Grande Bretagne : Big Ben et le Parlement, à Londres.

GRANDE *(rio). n. m.* ♦ Riv. du Brésil, née dans la serra da Mantiqueira*, elle constitue un tronçon de frontière entre le Minas* Gerais et l'État de São* Paulo et conflue avec le Paranaíba* avant de former le Paraná*. 1 000 km environ.

GRANDE-BRETAGNE [*n. f.*], en angl. **Great Britain.** ♦ La plus grande et la plus orientale des deux îles formant l'archipel britannique, baignée au N. et au N.-O. par l'Atlantique, à l'E. par la mer du Nord, au S. par la Manche, et à l'O. par la mer d'Irlande. Elle comprend trois grandes régions : au S. et au centre, l'*Angleterre** (cap. Londres), à l'O. le *pays de Galles** (cap. Cardiff) et au N. l'*Écosse** (cap. Édimbourg). ♦ *Hist.* Nom donné à son royaume par Jacques IV d'Écosse, lorsqu'il hérita en 1603 du trône d'Angleterre (à la mort d'Élisabeth). Le pays de Galles, l'Écosse et l'Angleterre étant réunis sous la même autorité, la plus grande des îles britanniques (*Britannia,* Bretagne* romaine) reçut cette désignation. – On emploie aussi *Grande-Bretagne* pour Royaume-Uni de Grande-Bretagne et d'Irlande (jusqu'en 1927; **V. Irlande**), puis Royaume-Uni de Grande-Bretagne et d'Irlande du Nord, depuis l'indépendance de l'Eire (république d'Irlande). **V. Royaume-Uni.** – En pratique, les rois d'Angleterre ayant politiquement régné sur l'ensemble des îles britanniques, puis l'empire britannique, on emploie souvent Angleterre, en politique internationale, pour Grande-Bretagne et pour Royaume-Uni.

GRANDE DE SANTIAGO *(río).* ♦ Fl. du Mexique qui se forme dans le lac de Chapala*, traverse les États de Jalisco* et de Nayarit* et dont le río Lerma* constitue le cours inférieur. Il se jette dans le Pacifique. 442 km.

GRANDE GRÈCE. ♦ Nom donné par les Grecs à l'Italie* du S. colonisée à l'époque archaïque (*mil.* du ~ VIIIᵉ s. – *fin* du ~ VIᵉ s.). Des colons ioniens d'Érétrie* et de Chalcis* fondèrent Cumes* et Neapolis (Naples*) en Campanie, puis Rhêgion (Reggio* di Calabria), des Ioniens de Phocée* créèrent Élée* en Lucanie. Des Achéens colonisèrent Sybaris* **(V. Thurium)** et Crotone* dans le golfe de Tarente, puis Poséidonia (Paestum*) en Lucanie. Les Parthéniens (exilés de Sparte) fondèrent Tarente* **(V. Héraclée).** Ces colonies, comme celles de Sicile*, connurent un développement rapide culminant au ~ VIᵉ s., devinrent des foyers des sciences (Pythagore) et de la philosophie (éléates) et firent rayonner la civilisation grecque dans la péninsule. Toutefois, la Grande Grèce ne constitua jamais une unité politique, malgré la suprématie temporaire de Sybaris, de Crotone ou de Tarente. En proie à des déchirements d'abord entre cités achéennes et cités ioniennes, puis à des crises sociales et guerres civiles, elle résista de moins en moins à la pression des Étrusques et des autres peuples italiques et fit appel à l'appui de Rome qui établit sur elle son autorité en ~ 272.

GRANDE-MOTTE (La). ♦ Écart de la comm. de Mauguio* (Hérault). Nouvelle station balnéaire; port de plaisance creusé à proximité de l'embouchure du Vidourle*. Elle doit constituer l'une des princ. stations de l'unité touristique de la *Grande-Motte - Carnon,* englobant Le Grau*-du-Roi, Carnon-Plage, Palavas* et les plans d'eau que constituent l'étang du Ponant et l'étang de Mauguio*. Son architecture caractéristique (immeubles pyramidaux) en fait l'un des essais d'urbanisme balnéaire les plus remarquables de France.

GRANDE-SYNTHE. ♦ Comm. du Nord, dans l'arr. et la banlieue de Dunkerque*. 12 561 hab. Soudure de tubes d'acier.

Grandet. ♦ Personnages de Balzac*. **V. Eugénie Grandet.**

GRANDE-TERRE. ♦ Île orientale de la Guadeloupe, constituée par un plateau de moindre altitude que Basse*-Terre. *Ch.-l.* Pointe*-à-Pitre. **V. Guadeloupe.**

GRAND'EURY (François). ♦ Paléobotaniste français (Hondreville, Meurthe, 1839 – Malzéville, 1917). Il a étudié les végétaux du carbonifère du gisement de Saint-Étienne, et découvert les ptéridospermées. (*Sur la formation de la houille,* 1882 ; *Géologie et paléontologie du bassin houiller du Gard,* 1890.)

GRANDE VALLÉE. *n. f.,* en angl. **Central Valley** (« vallée centrale »). ♦ Nom que l'on donne à la partie centrale de la Californie*, bassin drainé au N. par la vallée de Sacramento*, au S. par celle de San* Joaquin ; elle est bordée par la Coast* Range et par la Sierra Nevada.

GRAND-FORT-PHILIPPE. ♦ Comm. du Nord, arr. de Dunkerque. 4 712 hab. Pêche au hareng.

GRAND-FOUGERAY. ♦ Ch.-l. de cant. d'Ille-et-Vilaine, arr. de Redon. 2 239 hab. Église en partie romane. Tour Du Guesclin, vestiges d'une forteresse du XIIIe siècle.

Grandgousier. ♦ Personnage de *Gargantua* et de *Pantagruel* de François Rabelais. Géant au grand cœur et plein de bon sens, il est le père de Gargantua*, et sait se montrer un véritable chef de guerre lors de la guerre « picrocholine », où il incarne l'image de la monarchie des premiers Capétiens.

GRANDIDIER (Alfred). ♦ Voyageur, naturaliste et ethnographe français (Paris, 1836 – 1921). Il explora l'Amérique du Sud, les Indes et Madagascar où il résida de 1865 à 1870. (*Histoire physique, naturelle et politique de Madagascar,* 1876.) ♦ GUILLAUME GRANDIDIER, son fils (Paris, 1873). Il explora surtout le centre et le sud de Madagascar et publia une *Collection des ouvrages anciens concernant Madagascar* (en collaboration avec son père et Froidevaux, 1903-1922), ainsi qu'une *Bibliographie de Madagascar* (1905-1906).

GRANDIER (Urbain). ♦ Curé de Saint-Pierre de Loudun (Rovère, près de Sablé, 1590 – Loudun, 1634). Ecclésiastique mondain et libertin, il inspira une sorte de passion hystérique à la Mère Jeanne* des Anges et à plusieurs ursulines de Loudun. Après les troubles qui les saisirent à partir de 1632, elles se déclarèrent envoûtées par lui et il fut brûlé comme sorcier.

GRAND-LEMPS (Le). ♦ Ch.-l. de cant. de l'Isère*, arr. de La Tour*-du-Pin. 1 726 hab. Indus. textile, chaussures.

GRAND-LIEU *(lac de).* ♦ Lac de la Loire-Atlantique, au S.-O. de Nantes.

GRAND-LUCÉ (Le). ♦ Ch.-l. de cant. de la Sarthe, arr. du Mans. 1 830 hab. *(Lucéens).* Église de style gothique flamboyant (XVe s.). Château du XVIIIe s., auj. maison de santé. – Marché.

Grand Meaulnes (Le). ♦ Roman d'Alain-Fournier (1913). **V. Alain-Fournier.**

GRAND PARADIS. ♦ **V.** PARADIS (Grand).

GRANDPRÉ. ♦ Ch.-l. de cant. des Ardennes, arr. de Vouziers, sur l'Aire, dans l'un des cinq défilés de l'Argonne. 542 hab. Église des XVe et XVIe siècles.

GRAND-PRESSIGNY (Le). ♦ Ch.-l. de cant. d'Indre-et-Loire, arr. de Loches. 1 415 hab. (740 aggl.). Vestiges d'un château (XIVe-XVIe s.) ; église (XIIe, XVe, XVIe s.). – Engrais chimiques. ♦ *Hist.* À l'époque néolithique, le site du Grand-Pressigny abritait un important atelier de taille du silex.

GRANDPUITS. ♦ Comm. de Seine-et-Marne (arr. de Melun). 321 hab. Raffinerie de pétrole.

GRAND-QUEVILLY (Le). ♦ Comm. de la Seine*-Maritime, arr. de Rouen*. 28 119 hab. *(Grand-Quevillais).* Métallurgie ; constructions navales. Raffinage du pétrole, indus. chimique. Papeterie.

GRAND RAPIDS. ♦ V. des États-Unis (O. du Michigan). 195 892 hab. (zone urbaine 535 702). C'est le principal centre commercial de l'O. du Michigan (prod. agricoles, etc.). L'indus. principale est celle du meuble. Appareils ménagers.

GRANDRIEU [gʀɑ̃ʀjø]. ♦ Ch.-l. de cant. de la Lozère, arr. de Mende, dans la Margeride*. 1 048 hab. Église du XIIIe siècle. – Minerai d'uranium.

GRANDSON ou **GRANSON.** ♦ V. de Suisse (Vaud), au S. du lac de Neuchâtel*. 2 100 hab. Château (XIIIe s.), église (XIe-XIIe s.). Manufacture de tabac. ♦ *Hist.* Les Suisses y remportèrent une victoire célèbre sur Charles* le Téméraire en 1476.

GRANDVILLARS. ♦ Comm. du Territoire de Belfort. 3 101 hab. Indus. textiles.

GRANDVILLE (Jean Ignace Isidore GÉRARD, dit). ♦ Dessinateur et graveur français (Nancy, 1803 – Vanves, 1847). Fixé à Paris en 1825, il s'y fit remarquer avec les *Métamorphoses du jour,* 1829, dans lesquelles il donnait un aspect zoomorphe à ses personnages. Ses caricatures parurent dans l'*Artiste,* la *Caricature,* le *Charivari,* le *Magasin pittoresque.* Il illustra La Fontaine, Florian, Béranger, Swift, De Foe. Peu avant de mourir fou, il publia : *Un autre monde,* 1844, et les *Fleurs animées,* 1847. « C'est par le côté fou de son talent que Grandville est important », écrivait Baudelaire, et les surréalistes le considérèrent comme un précurseur.

GRANET (François). ♦ Peintre et aquarelliste français (Aix-en-Provence, 1775 – *id.,* 1849). Il travailla dans l'atelier de David*, puis se fixa à Rome où il se lia avec Ingres*. Auteur de portraits et spécialiste de sujets médiévaux et religieux, il se plut à peindre des intérieurs d'églises, des cloîtres ou des chapelles abandonnées qui obtinrent un vif succès (*chœur de l'église des Capucins,* 1819). Ses peintures d'une facture lisse et précise révèlent un sens subtil de la lumière, hérité des maîtres hollandais du XVIIe siècle. Ses aquarelles et dessins, particulièrement les vues de Rome, préfigurent l'art de Corot.

GRANET (Marcel). ♦ Sinologue français (Luc-en-Diois, Drôme, 1884 – Paris, 1940). Fondateur de l'Institut des études chinoises de l'École des Hautes Études, il appliqua la méthode sociologique à l'analyse des documents ethnographiques sur la Chine. Ses travaux porterent sur les *Fêtes et Chansons de la Chine* (1919), *La Polygonie sororale dans la Chine féodale* (1920), *La Religion des Chinois.* Ouvrages de synthèse, *La Civilisation chinoise* (1929) et *La Pensée chinoise* (1934) retracent l'évolution historique de la Chine ancienne.

GRANGEMOUTH. ♦ V. et port d'Écosse (comté de Stirling), sur la r. S. du *Firth of Forth.* 21 380 hab. (1966). C'est le deuxième port d'Écosse après Glasgow. Raffineries de pétrole, indus. chimiques et constructions navales.

GRANGES. ♦ **V.** GRENCHEN.

GRANIQUE. *n. m.,* en grec **Granikos.** ♦ Petit fl. côtier d'Asie Mineure (Mysie) qui se jetait dans la Propontide. Alexandre* le Grand y remporta sa première victoire sur Darios* III en ~ 334, s'assurant la domination des Détroits.

GRANIT (Raguar Arthur). ♦ Biologiste suédois (Finlande, 1900). Il obtint avec H.K. Hartline* et G. Wald* le prix Nobel de méd. (1967) pour ses recherches sur les processus chimiques et physiologiques de la vision.

GRANJA (La) ou **Real Sitio de San Ildefonso.** ♦ Résidence royale d'Espagne, située dans la sierra de Guadarrama, au S.-E. de Ségovie. Construite et aménagée sous Philippe V d'Espagne, v. 1720, sur les plans de l'architecte d'origine allemande Ardemans, elle forme un rectangle avec quatre ailes parallèles (une collégiale centrale se situe sur la façade postérieure). Les jardins, tracés par divers dessinateurs français, rappellent l'art de Versailles. Tombeau de Philippe V et de sa seconde épouse, Élisabeth* Farnèse, qui fit édifier à proximité le *palais de Riofrio.*

GRAN SASSO D'ITALIA. *n. m.* ♦ Massif des Abruzzes, où les Apennins culminent à 2 914 m (Corno Grande ou Monte Corno).

GRANT (Ulysses Simpson). ♦ Général américain (Point Pleasant, Ohio, 1822 – Mount MacGregor, New York, 1885), 18e président des États-Unis. Sorti de West Point, il combattit pendant la guerre du Mexique (1845-1848), et reprit les armes, après un retour à la vie civile, lors de la guerre de Sécession*. Rapidement promu général, il se signala par la victoire de Belmont et la prise des forts Donelson et Henry (1862). Victorieux à Vicksburg et dans la vallée du Mississippi qu'il dégagea (1863), il prit la tête des forces nordistes de l'Ouest, puis le commandement en chef. Ses nombreuses victoires furent couronnées par la prise de Richmond (1865) et la reddition de Lee* qu'il reçut à Appomattox*. Élu président par le Parti républicain (1868, 1872), il se révéla un médiocre homme d'État et, malgré son intégrité personnelle, favorisa les abus et les scandales, aussi bien par les mesures de répression prises contre le Sud *(carpetbaggers*)* que par celles qui renforcèrent le capitalisme industriel. Sa politique souleva l'opposition dans son propre parti, et il ne put être réélu.

GRANT (Archibald Alexander Leach, dit Cary). ♦ Comédien américain (Bristol, 1904). Très populaire, créateur d'un personnage désinvolte, il tourna principalement des comédies malgré les

Coll. Cauboue

Illustration de **Grandville** pour les Fables de La Fontaine · « Le Lion et le rat ».

Ph. Louis Monier

G. Grass.

emplois que lui offrit Hitchcock (*Les Enchaînés* [*Notorious*], 1946; *La Main au collet* [*To catch a thief*], 1955; *La Mort aux trousses* [*North by Northwest*], 1959). Films princ. : *Bringing up baby* (*L'Impossible M. Bébé,* Howard Hawks, 1938); *Arsenic and Old Lace* (*Arsenic et Vieilles Dentelles,* F. Capra, 1944); *Charade* (Stanley Donen, 1963).

GRANTHAM. ♦ V. de l'E. de l'Angleterre (Lincolnshire, Kesteven) au pied des Lincoln Heights. 25 030 hab. Église du XIIIe s., manoir des XIVe et XVe siècles.

Granth Sahib ou **Guru Granth.** *n. m.* ♦ Livre sacré de la secte indienne des Sikhs*, composé des textes religieux et des poèmes écrits par les dix gurus (chefs religieux) de la secte, en hindî et pañjâbî. Il fut terminé à la fin du XVIIe siècle.

GRANVELLE (Antoine Perrenot *de*). ♦ Cardinal et ministre de Charles* Quint et de Philippe* II (Besançon, 1517 – Madrid, 1586). Fils d'un ministre de Charles* Quint, il participa très tôt aux affaires. Il fut l'un des artisans des négociations qui suivirent Mühlberg* (1547), du traité de Passau* (1552) et de la paix d'Augsbourg* (1555). Il sut remplacer l'alliance qu'il avait conclue avec l'Angleterre grâce au mariage de Philippe II et de Marie Tudor, par une alliance avec la France (traité de Cateau-Cambrésis, 1559). Son libéralisme se changea en intolérance à l'avènement de Philippe II. Chargé de rétablir l'unité religieuse et politique aux Pays-Bas, il s'attira par son inflexibilité l'hostilité de tout le peuple et dut se retirer. Après avoir exercé la charge de vice-roi à Naples (1571-1575), il fut rappelé à Madrid et son retour amena une reprise de la politique d'expansion espagnole.

GRANVILLE (John Carteret, *1er comte*). ♦ Homme politique anglais (1690 – Londres, 1763). Il fut ambassadeur en Suède (1719-1722) puis secrétaire d'État, s'opposa à Walpole, fut nommé lieutenant d'Irlande (1724-1730) et prit ensuite la tête de l'opposition. De nouveau secrétaire d'État, il favorisa la politique extérieure de George II et les désastres que subit l'armée anglaise, dans son intervention contre la France, amenèrent sa chute.

GRANVILLE (George Leveson Gower, *2e comte de*). ♦ Homme politique anglais (Londres, 1815 – *id.,* 1891). Appartenant au parti whig libre-échangiste, il fit partie des gouvernements Palmerston* et Aberdeen*. Il fut ministre des Affaires étrangères de 1870 à 1874 et de 1880 à 1885 dans le cabinet de Gladstone* dont il était le principal conseiller et qu'il persuada de permettre l'annexion de l'Alsace-Lorraine par l'Allemagne. Sa correspondance avec lui fut publiée en 1852.

GRANVILLE. ♦ Ch.-l. de cant. de la Manche*, arr. d'Avranches*, sur la Manche. 13 967 hab. *(Granvillais).* Église Notre-Dame des XVe-XVIIIe siècles. Des fortifications du XVIIIe s. entourent la ville haute. – Port de pêche et de commerce sur la Manche. Station balnéaire très fréquentée. – Indus. alimentaires (conserves), fonderie, constructions électriques. – Patrie de M. Denis*. E. Guépratte*.

GRAPPELLI (Stéphane). ♦ Violoniste et pianiste de jazz (Paris, 1908). Abandonnant la musique classique pour le jazz en 1927, il fut membre du quintette du Hot Club de France dès sa formation en 1934 aux côtés de Django Reinhardt*. C'est l'un des meilleurs violonistes de jazz dont le style, très mélodique et charmeur, a toujours conservé une grande fraîcheur et une grande sûreté rythmique.

GRAS (Félix). ♦ Poète et écrivain français de langue d'oc (Malemort, Vaucluse, 1844 – Avignon, 1901). Ami de Mistral, beau-frère de Roumanille* à qui il succéda comme capoulié du félibrige en 1891. Il collabora à de nombreuses revues dont l'*Armana Provençau,* la *Revue félibréenne.* Son œuvre est abondante : outre une épopée en douze chants, *Les Charbonniers* (*Li Carbounié,* 1876), il s'est attaché à faire revivre le Moyen Âge méridional dans *Toulouse* (*Toloza,* 1882), *La Romancière provençale* (*Lou Romancero provençau,* 1887), *Les Papelines* (*Li Papalino,* 1891), contes sur la papauté à Avignon. On lui doit *Le Catéchisme d'un bon félibre* (1892), ainsi qu'un roman sur la Révolution : *Les Rouges du Midi* (*Li Rouge dou Miejour,* 1896).

GRASLIN (Louis-François *de*). ♦ Publiciste et économiste français (Tours, 1727 – Nantes, 1790), il fut un des adversaires de la doctrine des physiocrates (*Essai analytique sur la richesse et l'impôt,* 1767).

GRASMERE *(lac de).* ♦ L'un des plus pittoresques des lac anglais du *Lake* District,* près duquel Wordsworth* séjourna de 1799 à 1808.

GRASS (Günter). ♦ Écrivain allemand (Dantzig, 1927). Membre du « Groupe* 47 », il fut, comme beaucoup d'autres écrivains à cette époque, le porte-parole d'une génération meurtrie, avilie par le nazisme et la guerre dont elle fut la victime. Ses vers, ses pièces de théâtre (*Encore dix minutes jusqu'à Buffalo,* 1958; *Les Méchants Cuisiniers,* 1961; *Les plébéiens répètent l'insurrection*) et surtout ses romans (*Le Tambour,* 1959; *Le Chat et la Souris,* 1961; *Les Années de chien,* 1963) font pénétrer dans un univers cruel, absurde et inquiétant. Nihiliste, Grass dénonce et tourne en dérision les valeurs de l'adulte sans pourtant trouver refuge dans l'univers de l'enfant qui, lui aussi, connaît l'expérience décisive de la peur, de la haine, de la méchanceté. Écrite dans une langue tour à tour savoureuse et grossière, aimant à décrire avec la précision d'un réaliste le monde le plus fantastique ou le plus grotesque, cette œuvre, où le cynisme cache souvent pitié et tendresse, fut diversement accueillie; elle enthousiasma ou scandalisa.

GRASSE (François Joseph Paul, *marquis de* Grasse-Tilly, *comte de*). ♦ Marin français (Le Bar, Provence, 1722 – Paris, 1788). Chef d'escadre (1779), il participa à la guerre d'Indépendance des États-Unis (1780-1781); surpris par la flotte anglaise entre la Dominique et les Saintes (avril 1782), il fut fait prisonnier. À son retour en France, il fut traduit devant un conseil de guerre qui l'acquitta (1784).

GRASSE. ♦ Sous-préf. des Alpes*-Maritimes, ch.-l. d'arr. (10 cant., 62 comm., 280 810 hab.). 32 096 hab. (24 938 aggl.) [*Grassois*]. Ancienne cathédrale du XIIIe siècle. Grasse est la ville des parfums, une trentaine d'usines y traitent les fleurs récoltées dans la région. Fruits confits, huile d'olive. C'est une grande station climatique. Patrie de J. H. Fragonard* (musée), de M. Isnard*. ♦ *Hist.* De fondation romaine, la ville forma au XIIe s. une petite république et fut réunie à la Provence en 1226. Elle fut troublée par les guerres de religion au XVIe siècle.

GRASSÉ (Pierre Paul). ♦ Biologiste français (Périgueux, 1895). Il étudia la cytologie des protozoaires ainsi que la biologie et le comportement des insectes sociaux (en particulier des termites). [Acad. sc., 1948.]

GRASSET (Joseph). ♦ Médecin français (Montpellier, 1849 – 1918). Ses travaux portèrent sur les maladies nerveuses, la pathologie générale et la déontologie médicale. En philosophie, il fut un représentant de l'école vitaliste (*Les Limites de la biologie,* 1902; *La Biologie humaine*). [Acad. méd., 1898.]

GRASSET (Bernard). ♦ Éditeur français (Chambéry, 1881 – Paris, 1955). Il fonda en 1905 la maison d'édition qui porte son nom, publiant dès ses débuts les auteurs contemporains (Mauriac, Giraudoux, Proust). Dans les années 1920, les éditions Bernard Grasset jouèrent un rôle important dans la vie littéraire française, avec notamment la collection des *Cahiers verts* et la parution d'ouvrages de Morand, Montherlant, Drieu La Rochelle, L. Hémon, Radiguet, ... B. Grasset a publié lui-même plusieurs essais, dont *Remarques sur l'édition* (1928) et *La Chose littéraire* (1929).

GRASSMANN (Hermann Günther). ♦ Mathématicien et linguiste allemand (Stettin, 1809 – 1877). Il exposa les notions de base du calcul vectoriel étendues aux espaces à plusieurs dimensions [Ausdehnungslehre, 1844] **(V. Hamilton, Hankel)** et introduisit, dans son calcul géométrique, le concept de matrice **(V. A. Cayley)**; il s'intéressa également à la physique (électricité, optique acoustique) et à la linguistique (étude du sanskrit).

GRATIEN, en lat. **Flavius Gratianus.** ♦ (Sirmium, 359 – Lyon, 383). Empereur romain (375-383). Fils de Valentinien* Ier et formé par le poète Ausone*, il fut associé à l'Empire par son père à l'âge de huit ans et lui succéda en Occident avec son frère Valentinien* II. À la mort de Valens*, il confia le trône d'Orient à Théodose* (379). Sous l'influence d'Ambroise* et de Théodose, il combattit le paganisme et, malgré la protestation de Symmaque*, fit enlever du Sénat la statue de la Victoire. Il fut renversé et tué par l'Espagnol Maxime*.

GRATIEN. ♦ (Chiusi, Toscane – Bologne, v. 1160). Moine camaldule et canoniste à Bologne, auteur d'une *Concordia discordantium canonum,* connue sous le nom de *Décret* (v. 1140), première compilation raisonnée du droit canonique; elle en resta le fondement jusqu'en 1918.

GRATIOLET (Louis Pierre). ♦ Physiologiste français (Sainte-Foy-la-Grande, 1815 – Paris, 1865). Professeur d'anatomie comparée au Muséum, il fit des études sur l'anatomie et la physiologie du cerveau et du système nerveux (*Mémoire sur les plis cérébraux de l'homme,* 1854; deuxième tome de *L'Anatomie comparée du système nerveux* de Leuret, 1838-1857).

GRATRY (Auguste Joseph Alphonse). ♦ Oratorien et philosophe français (Lille, 1805 – Montreux, 1872). Il restaura l'Oratoire en France avec Pététot, curé de Saint-Roch (1852); mais, opposé au dogme de l'infaillibilité du pape, il dut démissionner en 1870. Critiquant la philosophie hégélienne (et les penseurs qu'il en estime proches : Renan, Vacherot*, Scherer*), il renoua avec le rationalisme et le mysticisme de Platon. (*De la connaissance de Dieu,* 1853; *Les Sophistes et la Critique,* 1864; *Les Sources,* 1862.) [Acad. fr., 1867.]

GRAUBÜNDEN. ♦ V. GRISONS.

GRAU D'AGDE. ♦ Petit port de pêche de la côte languedocienne. Séparé de La Tamarissière par l'Hérault*, il forme avec celle-ci, Marseillan* et Cap d'Agde* l'unité touristique du *Cap d'Agde.*

GRAU-DU-ROI (Le). ♦ Comm. du Gard, arr. de Nîmes, sur la Méditerranée (golfe d'Aigues-Mortes). 3 666 hab. Port de pêcheurs relié par un chenal maritime à Aigues*-Mortes (1724); « le grau » sépare la station en deux. Station balnéaire. Port marchand jadis actif. Englobé dans l'unité touristique de la Grande*-Motte-Carnon, il bénéficie des aménagements de la côte languedocienne.

GRAUFESENQUE (La). ♦ Site archéologique, près de Millau* (Aveyron). On y a retrouvé et étudié les restes d'ateliers de céramique gauloise et gallo-romaine.

GRAULHET [gʀojɛ]. ♦ Ch.-l. de cant. du Tarn*, arr. de Castres*, sur le Dadou. 12 073 hab. (*Graulhetois).* Château XVIIe s., reconstruit au XIXe siècle. Délainage, maroquinerie.

GRAVE (Jean). ♦ Anarchiste français (Le Breuil, Puy-de-Dôme, 1854 – Paris, 1939). Ouvrier cordonnier, il édita *le Révolté,* journal fondé par Kropotkine, à Genève (1883), puis *la Révolte* et *les Temps nouveaux* à Paris (1894). Il publia plusieurs ouvrages dont *La Société au lendemain de la Révolution* (1882), *La Société mourante et l'Anarchie* (1893), ouvrage pour lequel il fut poursuivi en justice.

GRAVE (La). ♦ Ch.-l. de cant. des Hautes-Alpes*, arr. de Briançon*, sur la Romanche, 562 hab. *(Graverots).* Église du XIVe s.; chapelle du XVIIe siècle. Important centre d'alpinisme.

GRAVE *(pointe de).* ♦ Cap situé à l'embouchure de la Gironde*.

GRAVELINES. ♦ Ch.-l. de cant. du Nord*, arr. de Dunkerque*, sur l'Aa*. 8 249 hab. *(Gravelinois).* Anc. place forte conservant ses remparts (XVIe-XVIIe s.). Église de style gothique flamboyant (XVIe s.). – Port de pêche et port de commerce vers l'Angleterre. Indus. textiles; machines agricoles. ♦ *Hist.* Le 13 juillet 1558, les Espagnols commandés par le comte d'Egmont y battirent les Français. La ville devint définitivement française au traité des Pyrénées* (1659) et Vauban la fortifia.

GRAVELOT (Hubert François BOURGUIGNON, dit). ♦ Peintre, graveur et dessinateur français (Paris, 1699 – *id.,* 1773). Après avoir travaillé auprès de Restou et de Boucher, il se consacra au dessin et à la gravure. Installé à Londres de 1732 à 1745, il fonda une école de dessin où étudia notamment Gainsborough et publia un *Traité de perspective.* Il s'adonna aussi à la caricature, se lia avec Hogarth* et illustra une édition de Shakespeare. À Paris, il devint un ornemaniste et un illustrateur réputé *(La Nouvelle Héloïse, Le Décaméron),* réalisant des portraits, des satires et des scènes galantes avec un trait fin et élégant.

GRAVELOTTE. ♦ Comm. de la Moselle, arr. de Metz-Campagne. 428 hab. ♦ *Hist.* Au cours de la guerre franco-allemande de 1870, une violente bataille y opposa les forces françaises aux troupes prussiennes sous les ordres de Goeben* (16-18 août 1870). **V. Rezonville.**

GRAVES (Robert Ranke). ♦ Poète et romancier anglais (Wimbledon, 1895). Fils de l'un des chefs de la renaissance littéraire irlandaise, le poète Alfred Perceval Graves (1846 – 1931), il servit pendant la Première Guerre mondiale et son *Adieu à tout cela* (1929) est devenu un classique des mémoires de guerre. Poète georgien* typique avant 1914, Graves changea peu à peu de style, mêlant aux poèmes d'amour poignants le goût du grotesque (*Recueil de poésies,* 1938; *Poèmes,* 1938-1940). Bien qu'il méprisât son œuvre en prose, c'est surtout par elle que Graves est connu : *Moi, Claude,* 1934; *La Toison d'or,* 1944; *Le Roi Jésus,* 1947; *La Fille d'Homère,* 1955; *Les Marches,* 1959; romans inspirés par l'histoire. Graves fut professeur de poésie à l'université d'Oxford de 1961 à 1966.

GRAVES. *n. m. pl.* ♦ Région du Bordelais* dans la Gironde* sur la r. g. de la Garonne*. Vignobles célèbres.

GRAVESANDE (Willem Jacob 'S). ♦ Physicien hollandais (Bois-le-Duc, 1688 – Leyde, 1742). Il inventa l'anneau qui porte son nom pour montrer que les diamètres intérieur et extérieur d'un anneau (ou d'un tube) se dilatent dans la même proportion. On lui doit également le premier héliostat (1720).

GRAVESEND. ♦ V. et port de Grande-Bretagne (Kent), sur la r. d. de l'estuaire de la Tamise. 55 160 hab. Centre commercial et industriel.

GRAVIER (Charles). ♦ Zoologiste français (Orléans, 1865 – Paris, 1937). Spécialisé dans l'étude des mollusques, il publia de nombreux mémoires sur ce sujet, ainsi que sur les annélides et les zoophytes, sous la direction d'Edmond Perrier. (Acad. sc., 1922.)

GRAVINA (Federico Carlos, *duc de*). ♦ Amiral espagnol (Palerme, 1756 – Cadix, 1806). Chef d'escadre en 1793, il accompagna Langara à Toulon et combattit aux côtés des Français à Saint-Domingue (1802). Ambassadeur d'Espagne à Paris (1805), il accompagna l'amiral français Villeneuve aux Antilles et commanda avec lui la flotte espagnole réunie à la flotte française au Ferrol et à Trafalgar (1805) : s'étant battu héroïquement, il devait succomber à ses blessures.

GRAVINA IN PUGLIA. ♦ V. d'Italie méridionale, dans les Pouilles (prov. de Bari). 34 000 hab. Centre agricole.

GRAY (Stephen). ♦ Physicien anglais (v. 1670 – Londres, 1736). Il redécouvrit la conduction de l'électricité (1729) en précisant par des expériences la découverte de Guericke*, remarquant notamment l'existence de corps conducteurs et isolants et découvrit l'électrisation par influence. **V. Désaguliers, Du Fay, Franklin.**

GRAY (Thomas). ♦ Poète anglais (Londres, 1716 – Cambridge, 1771). Fils d'un courtier, il fit ses études à Eton et à Cambridge où il devint l'ami d'Horace Walpole qu'il accompagna en 1739 sur le continent. Il écrivit en 1747 une *Ode sur une perspective lointaine du collège d'Eton* et publia en 1751 un poème composé de quatrains à rimes alternées, l'*Élégie écrite dans un cimetière campagnard,* qui lui valut la célébrité. Évoquant la nature avec une sensibilité discrète, il fut, avec Collins*, le poète de transition entre le classicisme et le romantisme, par sa sensibilité mélancolique, son goût pour les littératures galloise et scandinave, qui lui inspirèrent *Le Barde, Les Parques, La Descente d'Odin.* Ses lettres, spontanées et spirituelles, abondent en jugements littéraires et en développements sur le sentiment du paysage cher à Wordsworth*. Professeur d'histoire moderne à Cambridge en 1768, c'est dans cette ville qu'il mourut trois ans plus tard et on l'enterra dans le cimetière que célébrait son élégie.

GRAY (Elisha). ♦ Inventeur américain (Barnesville, 1835 – Newtonville, Massachusetts, 1901). Inventeur, en même temps que G. Bell*, d'un téléphone à *microphone à liquide* (1876), il fit breveter un téléautographe transmettant à distance, par fil, des textes manuscrits (1888).

GRAY. ♦ Ch.-l. de cant. de la Haute-Saône (arr. de Vesoul), sur la r. g. de la Saône. 9 028 hab. *(Graylois).* Église gothique (XVe s.). Hôtel de ville du XVIe siècle. Musée abritant l'œuvre gravée de Prud'hon. – Électronique. Constructions mécaniques. Fonderie. Tôlerie. Indus. textiles (coton). Confection. – Patrie de Romé* de l'Isle, A. Cournot*.

GRAZ. ♦ Ville autrichienne, capitale de la Styrie*, située sur les rives de la Mur. 252 900 hab. Université depuis 1586. Nombreux monuments (XVe-XVIIIe s.). *Hauptplatz, Landhaus* (siège de la diète de Styrie), arsenal du XVIIe s., *Schlossberg,* avec la tour de l'Horloge; porte Saint-Paul (XVIe s.); cathédrale du XVe s.; musée du Joanneum. – Constructions mécaniques. ♦ *Hist.* D'abord petit village de pêcheurs, Graz prit de l'importance au XIIe s. avec la construction d'une forteresse sur la butte de la rive gauche; elle devint la gardienne de la frontière hongroise toute proche. Après 1379, Graz devint la résidence de la lignée styrienne. L'empereur Frédéric III y séjourna souvent et y fit construire la cathédrale. En 1619, l'Autriche étant définitivement unie, Graz perdit la cour royale. Les Français occupèrent la ville en 1797, 1805 et 1809, mais ne purent s'emparer du Schlossberg qui fut démantelé après le traité de Schönbrunn*; seule la tour de l'Horloge fut conservée. La ville connut encore un vif éclat grâce

Ph. Giraudon

Gravelot : illustration pour Polyeucte de Corneille. (Bibliothèque de l'Arsenal, Paris.)

à l'archiduc Jean qui y vécut et y mourut en 1857, y fonda le musée du *Joanneum* et encouragea la vie artistique. La ville connut de graves destructions durant la Deuxième Guerre mondiale, mais elle fut reconstruite et restaurée avec habileté.

GRAZIANI (Rodolfo, *marquis de* **Neghelli).** ♦ Maréchal italien (Filettino, prov. de Frosinone, 1882 – Rome, 1955). Il combattit en Libye, commanda le front de Somalie en 1936, devint vice-roi d'Éthiopie en 1937. Commandant les forces italiennes de Libye en 1940, il esquissa l'attaque de l'Égypte, mais, dès janvier 1941, fut mis en déroute par les Anglais (Wavell*) et perdit toute la Cyrénaïque. En 1943, dans la république établie par Mussolini à Salo, il reçut le commandement des forces armées. Condamné par un tribunal italien, il fut emprisonné de 1945 à 1950.

Graziella. ♦ Récit, peut-être autobiographique, de Lamartine*, publié dans ses *Confidences* (1849), puis à part en 1852. L'auteur raconte une aventure de jeunesse dans une famille de pêcheurs napolitains.

GREATER WOLLONGONG. ♦ **V.** WOLLONGONG (Australie*).

GREAT MALVERN. ♦ **V.** MALVERN.

GREAT PLAINS. ♦ **V.** PLAINES (grandes).

GREAT YARMOUTH. ♦ **V.** YARMOUTH.

GRÉBAN (Arnoul). ♦ Poète dramatique français (Le Mans, v. 1420 – *id.*, 1471). Bachelier en théologie, maître de chapelle à Notre-Dame de Paris, il composa avant 1452 son monumental *Mystère de la Passion,* œuvre dont l'importance est considérable dans l'histoire du théâtre français. En 34 574 vers, l'ouvrage constitue la somme dramatique la plus grandiose qu'ait inspirée le christianisme. Sous une forme dialoguée où interviennent des morceaux de pur lyrisme, mêlant le tragique et le comique et usant de toutes les ressources du réalisme, la pièce, dont la représentation se déroulait en quatre journées, devait connaître pendant plus d'un siècle la faveur des foules. Simon Gréban, frère d'Arnoul, a composé, sans doute en collaboration avec celui-ci, *Le Mystère des Actes des Apôtres* (v. 1465).

GRÈCE. *n. f.,* en gr. **Hellas** ou **Hellada.** ♦ État du S.-E. de l'Europe occupant l'extrémité de la péninsule des Balkans* qui s'avance dans la Méditerranée entre la mer Égée à l'E. et la mer Ionienne à l'O. Le nom de *Grèce* (en lat. *Graecia*) dérive des Graeci (en gr. *Graikoi*), la première des tribus helléniques installées en Italie (~ VIIIe s.). – Limitée au N. par l'Albanie, la Yougoslavie et la Bulgarie, à l'E. par la Turquie, la Grèce s'étend sur toutes les îles de la mer Égée (sauf Imbros et Ténédos), la Crète*, le Dodécanèse* et les îles Ioniennes*. 131 944 km². 8 768 641 hab. (recensement de 1971) dont 98 % Grecs (ou Hellènes), 1,5 % Turcs. Densité moyenne 66,47 hab. au km². – *Cap.* Athènes*. – *Langue :* grec. – *Religion :* chrétiens orthodoxes 97,9 %, musulmans 1,35 %, catholiques de rite grec ou romain 0,45 %. – *Unité monétaire :* drachme (*drakhmê*). – *Division administrative :* sept circonscriptions administratives partagent les neuf grandes régions géographiques : Grèce centrale et Eubée, Thessalie*, Épire*, Macédoine*, Thrace*, Péloponnèse*, îles de la mer Égée, Crète*, îles Ioniennes. Elles sont subdivisées en 52 *nomes* (départements) entre lesquels sont répartis 147 *éparchies* (arrondissements), 256 *dèmes* (municipalités) et 5 805 comm., en tout 11 692 localités. *Nomes et ch.-l.* **V. Achaïe** (Patras), **Arcadie** (Tripolis), **Argolide** (Nauplie), **Arta, Attique** (Athènes), **Béotie** (Lévadhia), **Candie** ou **Héraklion, Canée (La), Carditsa, Cavalla, Céphalonie** (Argostoli), **Chalcidique, Chio, Corfou, Corinthe, Cyclades** (Hermoupolis), **Dodécanèse** (Rhodes), **Drama, Élide** (Pyrgos), **Étolie-et-Acarnanie** (Missolonghi), **Eubée** (Chalcis), **Évros** (Alexandroupolis), **Ioannina, Laconie** (Sparte), **Lárissa, Lesbos** (Mytilène), **Leucade, Magnésie**

Ph. Hétier
Grèce : monastère des Météores (Thessalie).

(Volo), **Messénie** (Calamata), **Phocide** (Amphissa), **Phthiotide** (Lamia), **Pirée (Le), Préveza, Rhodope** (Comotini), **Samos** (Vathy), **Serrès, Thessalonique** ou **Salonique, Trikala, Xanthi, Zante** et *aussi* **Athos.** – *Autres V. et loc. princ.* **V. Delphes, Dodone, Éleusis, Épidaure, Gythion, Laurion, Leucopetra, Mégalopolis, Naupacte** (Lépante), **Némée, Olympie, Olynthe, Pella, Phères, Philippes, Platées, Potidée, Tégée, Thespies, Trézène.** – *Orogr.* **V. Ida, Olympe, Pangée, Parnasse, Pélion, Pinde, Rhodope, Taygète.** – *Hydrogr.* **V. Égée, Ionienne** (mers); **Achéloos, Alphée, Marica, Pénée, Struma, Vardar.** – L'aspect géographique du pays est caractérisé surtout par l'interpénétration de la terre et de la mer par le morcellement du relief. Les montagnes occupent 45 % de la superficie totale et les régions « semi-montagneuses » plus de 25 %. D'autre part, la Grèce insulaire (437 îles dont 154 habitées) forme 20 % de la superficie. Les chaînes plissées du Pinde, prolongement des Alpes Dinariques, traversent la Grèce occidentale et se terminent par les chaînes du Péloponnèse. Au N.-E., la partie méridionale du Rhodope, les chaînes de la Chalcidique, de la Thrace et de la Macédoine et les massifs de la Thessalie, séparés ou bordés par de larges plaines, appartiennent à un système ancien effondré. Le Parnasse et les montagnes de l'Eubée sont le prolongement de ce système vers le sud-est. Dans l'effondrement de la mer Égée, les archipels (Sporades*, Cyclades*) et les îles dispersées sont les témoins des montagnes englouties. Un arc insulaire (Cythère, Crète, Rhodes) limite au S. le continent effondré. Les fréquentes secousses telluriques (mer Ionienne, mer Égée, golfe de Corinthe, Thessalie) et l'activité volcanique (Santorin) résultent de la jeunesse de cette formation géologique. Le morcellement du relief, défavorable aux communications terrestres, explique en grande partie la fragmentation traditionnelle en petites unités politiques, la diversité économique des régions et l'importance de la mer dans la vie grecque. On peut cependant distinguer deux grandes zones. D'une part, la Grèce occidentale, la Grèce centrale, méridionale et insulaire, plus montagneuse, avec d'étroites vallées et des plaines côtières, au littoral très découpé et souvent accidenté; elle est dominée par Athènes et traditionnellement tournée vers la Méditerranée et l'Europe occidentale. D'autre part, la Grèce septentrionale, avec de vastes bassins, au littoral plat (à l'exception de la Chalcidique), annonce déjà le paysage balkanique et danubien; repliée sur Thessalonique, elle est plutôt liée aux traditions balkaniques et orientales. – *Climat.* Le climat est généralement méditerranéen : été long, chaud et sec; hiver doux et pluvieux; printemps et automne soudains et courts. Cependant, le relief arrête les influences maritimes, aussi le climat dans les montagnes et les bassins intérieurs est-il plutôt continental (balkanique); la limite de l'olivier marque ce changement. Les différences de température sont plus accusées en hiver qu'en été : la moyenne de janvier est de 5,5 °C à Thessalonique, 9,2 °C à Athènes, 10 °C dans le Péloponnèse, tandis que la moyenne de juill. est de 25,9 °C à Thessalonique, 27,2 °C à Athènes, 27 °C dans le Péloponnèse. Les versants occidentaux sont plus humides que les versants égéens. Les précipitations annuelles (en mm) sont : Athènes 407, Ioannina 1 000, Thessalonique 384, Lárissa 396, Samos 785, Candie 604. – *Écon.* Pauvreté et dégradation des sols par l'érosion, sécheresse, fragmentation du relief, insuffisance des sources d'énergie et des matières premières sont les entraves naturelles au développement économique de la Grèce. Bien que le pays soit entré depuis 20 ans dans une période de croissance économique, certaines structures de sous-développement sont loin d'avoir disparu. Les surfaces cultivées couvrent 30 % de la superficie totale et les surfaces arables env. 20 %. L'irrigation est peu étendue, couvrant 1/5 des surfaces arables. Il faut ajouter l'émiettement successoral des parcelles (90 % des cultivateurs possèdent chacun moins de 5 ha de terre), le retard et la répartition inégale de la mécanisation, impossible d'ailleurs dans les cultures en terrasses des régions montagneuses. – *Cultures.* La triade méditerranéenne (blé-olivier-vigne) constitue toujours la culture de base. La production de blé (2 078 000 de t en 1975) laisse souvent des excédents. Des autres céréales, la production de riz (94 000 t) est assez élevée et celle de maïs en progression (537 000 t). Troisième producteur d'huile d'olive dans le monde (220 000 t). La Grèce a des excédents difficilement exportables. La viticulture, relativement stable, donne une production annuelle de 160 000 t de sultanine, raisins secs de Corinthe, 150 000 t de raisin de table et 5 000 000 d'hl de vin. Parmi les cultures industrielles, le tabac, en régression commerciale après la guerre (80 à 100 000 t annuellement), couvre cependant 20-25 % des exportations en valeur. Le coton (207 000 t), une culture développée après la guerre, couvre les besoins de l'industrie locale et participe aux exportations. La production des betteraves à sucre (1 300 000 t), inaugurée après 1960 autour de 3 sucreries en Thessalie et Macédoine, répond aux 3/4 de la consommation de sucre. Les fruits frais (1 600 000 t), les légumes (2 045 000 t) et les agrumes (env. 800 000 t), cultures relativement nouvelles et en expansion, subissent la concurrence des autres producteurs méditerranéens. – *Élevage, pêche.* Stagnant au niveau médiocre de l'avant-guerre (1 206 000 bovins, 858 000 porcins, 8 400 000 ovins en 1975), le cheptel ne satisfait pas la demande nationale en viande et produits laitiers (297 000 t de viande, 1 322 000 t de lait, 7 000 t de beurre). Les formes traditionnelles d'élevage (la transhumance) sont en voie de disparition. La pêche côtière, peu moder-

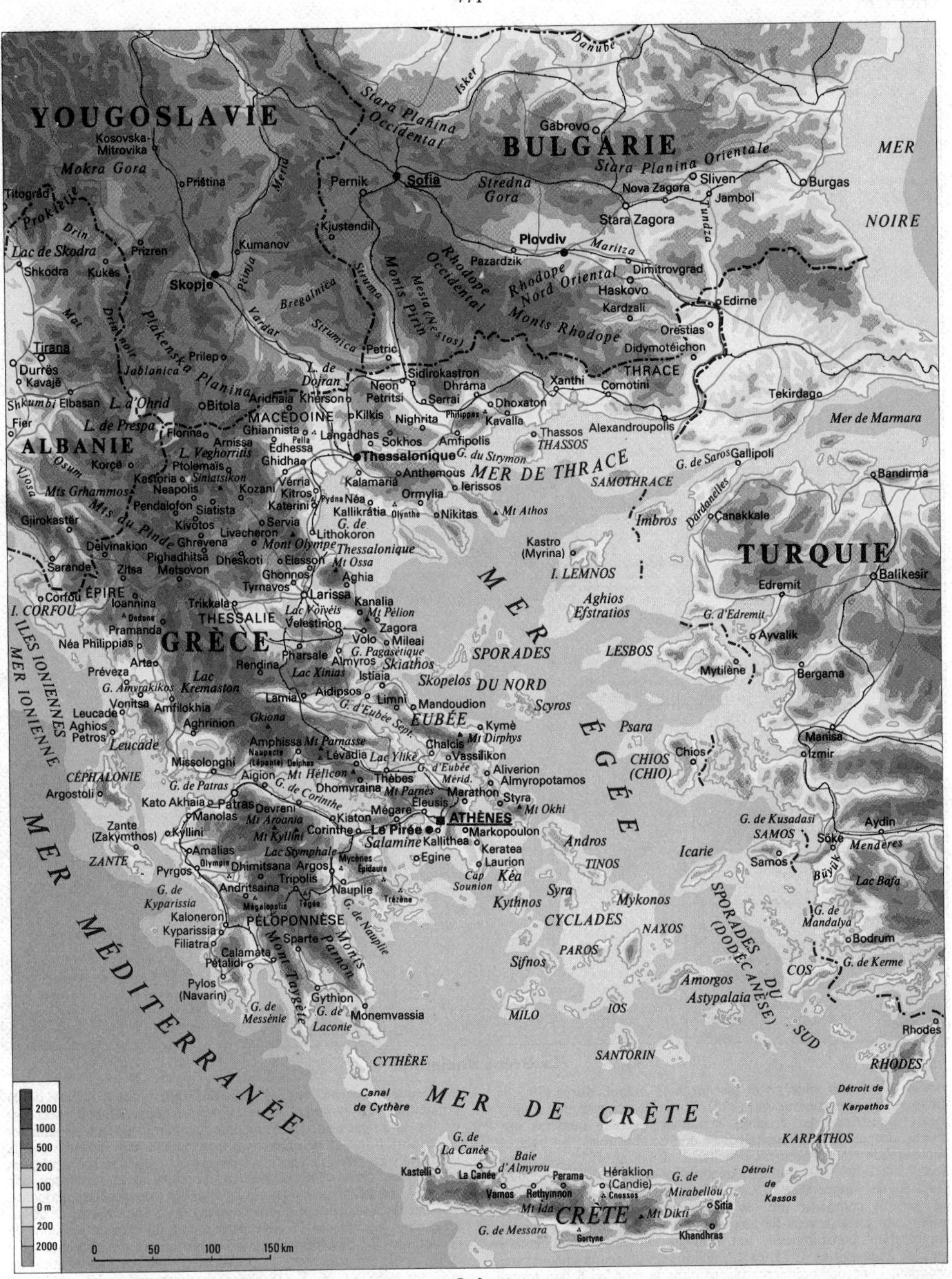

Grèce.

nisée, est encore moins importante (1 % du revenu national). Occupant encore 41 % de la population active, l'agriculture ne fournit que 18 % du produit national brut (1971). – *Indus.* En l'absence de pétrole et de charbon, l'extraction de lignite progresse rapidement depuis 15 ans (17 907 000 t) avec, notamment, l'exploitation des gisements de Ptolémaïs en Macédoine. La bauxite grecque (3 243 000 t) représente 4 % de la production mondiale. Les minerais de magnésie, fer, chrome, plomb, soufre, nickel, etc., sont moins importants. Grâce à l'abondance des lignites et au développement rapide des sources hydro-électriques, la production d'énergie électrique s'accroît rapidement : 14 627 000 000 de kWh en 1975 (645 000 000 de kWh en 1950). Ce développement a permis l'essor des branches nouvelles de l'industrie. De vastes complexes et des usines modernes, contrôlés essentiellement par des groupes financiers étrangers, sont implantés à proximité d'Athènes, de Salonique ou des sources de matières premières : raffinerie de pétrole et usine pétrolochimique (Esso-Tom Pappas), aciérie (Republic Steel), industrie d'engrais (Saint-Gobain) en Salonique ; industrie d'alumine et d'aluminium (Pechiney-groupe américain) près des bauxites du Parnasse, usines de pneumatiques à Patras (Pirelli) et à Salonique (Goodyear), deux hauts fourneaux à Éleusis, raffinerie de pétrole d'Aspropyrgos et chantier de constructions navales de Skaramanga (Niarchos). La sidérurgie, à l'exception des aciéries d'Éleusis (potentiel de 1 000 000 de t en 1973) et de Salonique, est peu développée. La production de ciment (Pirée, Éleusis, Volo) atteint 7 872 000 t. Pour le reste, l'industrie grecque, peu modernisée, est limitée à la production des biens de consommation : textiles, cigarettes, alimentation, boissons. L'industrie, occupant 22,4 % de la population active, contribue pour 31 % du P. N. B. (1970). – *Comm.* Exportant des produits agricoles (env. 50 % du total des

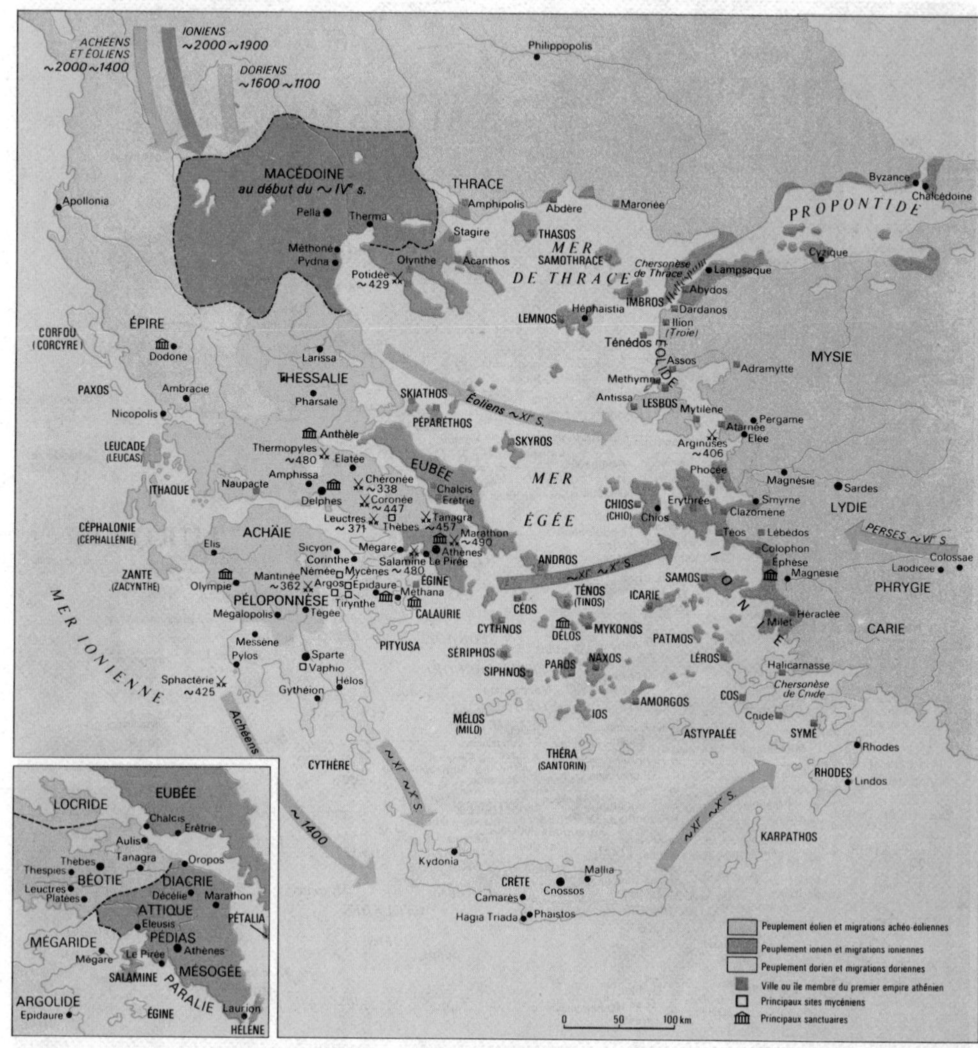

La Grèce ancienne.

exportations), des minerais et des produits manufacturés (38,7 % du total des exportations en 1972), la Grèce importe des équipements industriels, des produits manufacturés, des matières premières, des produits alimentaires et des combustibles. Sa balance commerciale reste largement déficitaire. Ainsi, en 1972 : importations 2 407 400 000 dollars, exportations 835 500 000 dollars (34,7 % des importations). Ce déficit, qui s'aggrave rapidement, est presque compensé par les ressources « invisibles ». La plus importante est le revenu lié aux activités de la marine marchande. Augmentant constamment son tonnage, la flotte commerciale grecque dépassait en 1975 les 22 millions de tonneaux jauge brute, occupant l'une des premières places dans le monde ; il faut toutefois remarquer qu'une partie encore plus importante de la flotte marchande appartenant à des armateurs grecs est enregistrée sous pavillons étrangers. Le tourisme, constamment développé depuis 15 ans, est la seconde des ressources « invisibles » : les entrées, régulièrement augmentées de 20 %, ont atteint en 1972 2 731 587 et les recettes touristiques près de 400 millions de dollars. Les envois d'argent de la main-d'œuvre expatriée, enfin (env. 400 millions de dollars), contribuent à équilibrer la balance. Pour le reste, le déficit est comblé par l'importation de capitaux (env. 500 millions de dollars) composée en majeure partie d'investissements privés non productifs, de crédits commerciaux et de prêts bancaires. Les services représentent 50,4 % du P. N. B. – L'économie grecque, en voie de développement, demeure retardataire. Le P. N. B., qui a dépassé en 1972 les 1 000 dollars par hab. (taux de croissance 8 %), reste de beaucoup inférieur (1/3-1/2) à celui des pays de la Communauté européenne. Il faut aussi tenir compte de l'importance du secteur public dans sa composition et de la grande disparité des revenus des différentes couches de la population. La politique économique du gouvernement grec vise depuis de longues années à soutenir l'économie agricole, à stimuler les exportations et à obtenir le financement des investissements industriels en attirant les investisseurs étrangers et les armateurs grecs. Les prix d'intervention traditionnellement accordés par l'État à certains produits et l'annulation des dettes agricoles, mesures de soulagement non accompagnées d'une réforme de structure, n'ont pas résolu la crise permanente du secteur primaire de l'économie. Le développement des exportations des produits agricoles, après un élan dans la première période de l'association de la Grèce avec la C. E. E. (1962), est pratiquement arrêté : d'un taux de 12 % pour la période 1963-1966, il est passé à 2 % pour la période de 1968-1971 et sa part dans l'ensemble des exportations de 4/5 à 1/2. Par contre, l'indice de la production manufacturière (base 1959 = 100) s'élève rapidement (1971 : 278,4 ; 1972 : 312,9). Aujourd'hui encore, avec un taux de croissance élevé (9,6 % en 1971, 12,4 % en 1972), l'industrie grecque a un retard considérable : le secteur fondamental des constructions mécaniques est peu développé, la production d'équipements industriels est quasi nulle. La base même de l'industrialisation se révèle fragile : la dépendance du pays à l'égard du capital étranger pour le financement des investissements est permanente. Les fonds étrangers ou provenant du trafic maritime sont attirés par l'existence d'une réserve de main-d'œuvre sous-employée et peu coûteuse, par des privilèges fiscaux (exonération fiscale presque totale pour les armateurs grecs), etc. Mais le marché intérieur, numériquement limité, offre des possibilités réduites, notamment à cause de la faiblesse du revenu agricole. La main-d'œuvre qualifiée et les cadres lui font défaut. Ainsi le total des capitaux étrangers investis ne dépasse pas un milliard et demi de dollars et le rythme d'expansion dans les branches nouvelles de l'industrie a commencé à fléchir. Les capitaux français, au deuxieme rang (après les américains), sont représentés par Pechiney, Saint-Gobain et Alsthom qui a obtenu la construction de 80 % des centrales électriques prévues. La création d'une usine de montage automobile (Renault-Peugeot), d'une usine de réparation d'avions, la construction d'un nouvel aérodrome à Athènes ont été obtenues. Quant à l'industrie traditionnelle, en majeure partie non concurrentielle, elle ne peut survivre que grâce aux barrières douanières qui seront maintenues jusqu'en 1984, date à laquelle la Grèce serait intégrée au Marché commun, selon l'accord de l'association avec la C.E.E. Cet accord, appliqué dans sa partie commerciale, a été «gelé» dans sa partie évolutive dès l'installation à Athènes d'un régime militaire en avril 1967, à cause de l'impossibilité de formation d'une commission parlementaire mixte, exigée par les statuts de la C.E.E. La situation financière, sans être alarmante, demeure assez précaire. Le déficit grandissant de la balance extérieure est comblé par des ressources extrêmement instables, telles que le trafic maritime et les envois de fonds des travailleurs émigrés. Ayant recours à des prêts bancaires étrangers à court ou moyen terme, la Grèce voit sa dette extérieure grossir à un rythme croissant (près d'un milliard de dollars en 1970). Suivant le dollar, la drachme a été dévaluée deux fois (8 % en 1971 et 10 % en 1973), ce qui a donné une forte impulsion à la hausse des prix ; la lutte contre l'inflation a entraîné le freinage de l'augmentation des salaires. En somme, l'économie grecque, dans une conjoncture de mutation difficile, évolue non sans problèmes graves et contradictions internes. — Les répercussions démographiques en sont évidentes. Le dernier recensement (1971) témoigne d'une accélération inquiétante du dépeuplement de la campagne dans la décennie écoulée ; son rythme est deux fois plus important que celui de la décennie de la guerre et de la guerre civile (1941-1951). La population émigrée est récupérée par les grandes villes et par l'étranger. La région d'Athènes, avec son port du Pirée, groupe près de 30 % de la population du pays (2 540 000 hab.). L'exode vers l'étranger, encore plus important, a pris des dimensions inquiétantes : l'émigration nette (de population active) et à long terme est de 550 000 et l'émigration totale de 750 000 dans la décennie 1962-1972. Près de 50 000 jeunes Grecs font leurs études à l'étranger (contre 82 000 étudiants en Grèce) préférant ensuite, pour la plupart, les débouchés offerts à l'étranger. La population active en régression, représente 37 % de la population de plus de 10 ans, contre 43 % en 1961. D'autre part, le taux de natalité est passé de 28,2 ‰ (1946) à 16,3 ‰ (1970) [l'un des plus bas en Europe], et le taux de mortalité a respectivement augmenté à cause du vieillissement de la population (env. 9 ‰ en 1970). Le taux de croissance de la population, qui était de 1,49 % avant la guerre, est passé à 0,9 % pour la décennie 1951-1961 et s'abaisse encore à 0,49 % dans la décennie 1961-1971 (moyenne de l'Europe 0,8 %). — *Communications.* Le réseau ferroviaire est peu développé : 2 581 km de voies ; toute la Grèce occidentale et les îles sont privées de chemin de fer. Deux autoroutes relient Athènes à Salonique et à Corinthe et des routes nationales asphaltées desservent toutes les villes. Quant à l'usage de l'automobile, la Grèce occupe le dernier rang en Europe (22 voitures de tourisme pour 1 000 hab.) avec un total de 343 731 automobiles dont 106 729 voitures utilitaires (1971). 18 lignes aériennes intérieures relient Athènes à 19 villes. Plusieurs ports, dont ceux du Pirée et de Salonique, servent le trafic maritime. ♦ Hist. *Le monde égéen. Cyclades, Crète, Mycènes.* L'âge néolithique dans l'espace grec est représenté par le monde égéen **(V. Égée)** déjà ouvert aux influences de l'Asie Mineure. On a constaté ces influences dans la poterie de Thessalie* et des Cyclades*, ainsi que dans les formes architecturales. Les sites néolithiques de Dimini et de Sesklo (~ IVe millénaire), près de la côte thessalienne, sont les plus anciens témoins de la citadelle préhellénique, formée par le *mégaron* (palais) entouré de maisons et d'une enceinte. L'âge du bronze débute dans l'*Égéide* avec l'arrivée vers ~ 2 600 d'envahisseurs d'origine inconnue venus par mer de l'Asie Mineure et conventionnellement appelés Pélasges*. Ils apportèrent de nouvelles cultures (la vigne, l'olivier) et surtout de nouvelles techniques, la métallurgie du bronze, la charrue, une céramique vernissée et raffinée. Les Cyclades d'abord, puis la Crète* bénéficièrent de ce progrès. La civilisation cycladique, essentiellement maritime, s'épanouit en relation avec Troie*, Chypre*, la Crète et l'Égypte. C'est en Crète que l'éclosion de la civilisation préhellénique prit toute son ampleur vers le milieu du ~ IIe millénaire avec la thalassocratie de Cnossos* et la puissance de la monarchie (dynastie des Minos*). En contact avec l'Égypte et la Phénicie, mais aussi avec la Grèce continentale et insulaire, la Crète minoenne influencera profondément la première civilisation grecque. Dans la période du bronze ancien (~ 2000 -~ 1580) apparurent les premiers Hellènes. Appartenant au mouvement indo-européen qui depuis le milieu du ~ IIIe millénaire se développait des régions danubiennes vers les côtes égéennes, les Ioniens* (v. ~ 1950), puis les Achéens* **(V. *aussi* Éoliens)** refoulèrent les Pélasges dans les montagnes ou se mêlèrent avec eux **(V. Minyens).** La période suivante, celle du bronze récent (~ 1580-~ 1100) est pour la Grèce celle de la civilisation mycénienne. **V. Mycènes*, *et aussi* Argos, Tirynthe, Sicyone, Corinthe, Athènes, Thèbes, Orchomène.** Produit de fusion avec les éléments déjà enracinés et de fructueux échanges avec la

Ph. Carlo Bevilacqua/Ricciarini

Grèce : Nauplie en Argolide.

Crète minoenne, cet épanouissement est considéré comme la première civilisation hellénique. En effet, le déchiffrement en 1953 par Michael Ventris du système d'écriture « linéaire B » des inscriptions sur les tablettes trouvées à Pylos, Mycènes et Cnossos, a prouvé que le dialecte dit mycénien est le plus ancien grec connu. L'Empire achéen ou mycénien est formé d'une multitude d'États monarchiques dont les légendes héroïques et surtout l'*Iliade* avec l'énumération des vaisseaux ont donné une idée. Le palais est au centre d'une puissante enceinte ou sur une acropole, la population agraire est groupée en collectivités familiales de cultivateurs. Peuple guerrier, militairement supérieur grâce au dressage du cheval et au char de guerre, les Indo-Européens apprirent des Crétois l'art de la navigation et du commerce, ce qui leur permit de détruire l'État minoen et de pousser leur commerce jusqu'aux îles Britanniques. L'expédition contre Troie, vers ~ 1230, aurait été une phase de leur expansion ou simplement une entreprise de piraterie. L'influence crétoise est attestée dans l'administration palatiale et bureaucratique de l'État mycénien, dans le système d'écriture « linéaire B » (issu du crétois « linéaire A »), dans le goût raffiné de la vie urbaine, dans la céramique et l'orfèvrerie, mais l'architecture mycénienne des palais et des tombes à coupole ainsi que la technique des fortifications (mur « cyclopéen ») sont originales. Le panthéon grec se forme essentiellement à cette époque par la synthèse des cultes agraires, orientaux ou crétois, notamment celui de la Terre-Mère, avec les divinités ouraniennes et mâles des Indo-Européens. **V. Zeus, Olympe.** Le culte des morts, qui fournit le fond héroïque de la tradition, y débute également. Une littérature épique semble être élaborée dans la tradition orale des aèdes, les épopées homériques étant considérées comme une élaboration ultérieure de cette tradition. — *L'invasion dorienne et l'époque archaïque.* Dernier flot indo-européen, les Doriens submergèrent le monde mycénien vers la fin du ~ XIIe siècle. Avec leur arrivée, la composition ethnique et dialectale de l'hellénisme s'acheva, mais aussi de profonds bouleversements démographiques, politiques et culturels intervinrent. La destruction de la civilisation palatiale et maritime, l'abandon du commerce aux Phéniciens, l'instauration d'une aristocratie militaire dorienne aux mœurs et aux goûts rudimentaires correspondent au recul qui fut appelé « Moyen Âge hellénique ». Quant à l'apport dorien dans la vie grecque, mis à part le folklore et la hiérarchie strictement patriarcale qui se reflète même dans la religion **(V. Olympe)**, il reste problématique. Certaines pratiques nouvelles, comme la crémation des morts, se répandirent avec l'afflux dorien. Par contre, deux nouveautés contemporaines, la métallurgie du fer et la céramique à décoration géométrique (qui donne son nom à la nouvelle période historique), furent vraisemblablement étrangères à cet événement. L'*époque géométrique* proprement dite (~ 900-~ 750) fut une période de transition et d'adaptation des nouveaux venus à la civilisation égéenne. Les populations non soumises, d'abord refoulées dans les régions préservées de l'invasion (Arcadie, Béotie, Eubée, Attique) s'acheminèrent vers les îles et le littoral égéen de l'Asie Mineure

Ph. Hétier

Grèce (Chalcidique) : péninsule d'Athos.

(V. Ionie, Éolide), suivies par une vague de migration dorienne **(V. Crète, Rhodes, Carie).** L'Attique, avec Athènes*, resta la grande réserve ionienne, tandis que les Doriens dominaient le reste de la Grèce centrale et plus solidement le Péloponnèse, créant de nouveaux centres sur les ruines des cités mycéniennes **(V. Argos, Corinthe, Sparte, Mégare).** Mais le centre de gravité de l'hellénisme était déplacé pour quelques siècles sur les rivages orientaux de la mer Égée où le contact avec l'Orient lui fut une fois de plus extrêmement profitable. Une renaissance s'amorça dès la fin du ~ IXe siècle. La diffusion des épopées homériques venues d'Ionie et la propagation d'une écriture alphabétique, imitée de l'écriture phénicienne, forgèrent la conception d'un patrimoine grec culturel et religieux, voire national. Les Jeux Olympiques célébrés pour la première fois en ~ 776 (départ de la chronologie grecque) devinrent la grande fête panhellénique. Les premiers temples, souvent sur les acropoles et dans les palais, apparurent au ~ IXe siècle. Mais l'évolution fut surtout économique et politique. L'éclatement de l'ancien *genos* (clan) communautaire en familles dont les plus puissantes s'approprièrent les terres les plus fertiles entraîna l'avènement d'une aristocratie (~ VIIIe s.) qui étouffa graduellement la fonction royale et accapara la magistrature. Athènes donna le modèle le plus célèbre du gouvernement aristocratique des Eupatrides* **(V. Archonte, Aréopage),** tandis que Sparte conserva la double royauté contrôlée par les *éphores,* sur la pyramide d'une société militaire et, en principe, égalitaire. Pendant l'*époque archaïque* (~ 750-~ 500) de grands bouleversements ainsi préparés modifièrent profondément l'aspect du monde grec. L'expansion dans toute la Méditerranée, les luttes intestines, l'apparition de l'économie mercantile et la naissance d'une bourgeoisie, la crise sociale, l'avènement des tyrans et des législateurs caractérisent cette période. La « Grèce d'Asie » fut fondée (~ XIe s.) par des colons fuyant l'invasion dorienne, mais les grands mouvements de colonisation de l'époque archaïque eurent des causes différentes, notamment la surpopulation, l'émiettement des lots agricoles et la spoliation des terres par l'aristocratie. Fils cadets, marginaux poussés par la famine, victimes des crises sociales et des luttes politiques, souvent des clans entiers, chassés ou fuyant l'asservissement, fondèrent vers le milieu du ~ VIIIe s. les premières colonies agricoles à l'ouest. **V. Grande-Grèce, Sicile.** La reprise du commerce grec à la même époque, puis le développement des échanges avec l'invention de la monnaie vers ~ 680, donnèrent une grande impulsion à la colonisation commerciale durant les deux siècles suivants. Après Corinthe, Chalcis* et Érétrie*, les cités d'Ionie établirent de nombreux comptoirs sur les routes maritimes du blé, des esclaves et des métaux. Ainsi, Milet* fonda plus de 80 colonies en Thrace, dans l'Hellespont, la Propontide et le Pont-Euxin, ainsi que Naucratis sur le delta du Nil; Phocée* créa des centres florissants en Italie, sur les côtes septentrionales de l'Asie Mineure, dans la Sardaigne, sur la côte méridionale de la Gaule **(V. Marseille)** et de l'Espagne. Cyrène* fut fondée par des colons de Théra. Mégare* fonda Byzance*, Chalcis colonisa la Chalcidique et Athènes la Chersonèse. États indépendants qui conservaient des liens religieux et commerciaux avec les cités-mères *(métropoles),* les colonies rivalisèrent parfois avec celles-ci et établirent à leur tour de nouveaux comptoirs. **V. Syracuse, Marseille, Sinope.** Ainsi, la Méditerranée devint «mer grecque». Les conséquences en furent d'abord économiques et sociales, ensuite politiques. Possédant la richesse mobilière, la classe des fabricants et des marchands, jusqu'alors méprisée, revendiquait un rôle politique analogue à son importance économique. D'autre part, la rapacité des aristocrates aggravait la crise agraire permanente, les cultivateurs, jetés dans la misère et souvent spoliés de leurs terres par l'endettement, se révoltaient. Dès le milieu du ~ VIIe s. et durant tout le ~ VIe s. des mouvements populaires dans toute la Grèce portèrent au pouvoir des « tyrans », souvent chefs de la guerre, appuyés par la bourgeoisie, qui répondaient à la tension sociale par l'abolition des dettes et par des réformes plus ou moins efficaces. Ainsi, l'***âge des tyrans*** fut une période de prospérité et d'éclat culturel pour plusieurs cités dont Argos, Corinthe, Athènes, Sicyone, Mégare, Samos, Lesbos, Milet, Syracuse. Plusieurs tyrans furent de grands constructeurs et des mécènes, ils réunirent à leur cour et protégèrent les savants et les poètes. Périandre* de Corinthe, et Pittacos* de Lesbos furent admis parmi les Sept Sages. Pisistrate* et ses fils contribuèrent à la splendeur d'Athènes et à la sauvegarde des épopées homériques. Quelques tyrans toutefois s'érigèrent en dynasties héréditaires (Cypsélides, Pisistratides, etc.) et eurent recours à la répression sanglante, d'où le sens péjoratif du mot tyrannie, en grec et en français. À Athènes notamment, les législateurs alternant avec les tyrans **(V. Dracon, Solon, Clisthène)** substituèrent les premières lois écrites de l'État à la justice coutumière dont l'aristocratie se faisait l'arbitre. Pendant qu'Athènes évoluait ainsi vers la démocratie, Sparte, figée dans son immobilisme, puisait sa force dans le travail des vaincus *(hilotes, périèques)* et la discipline des « égaux ». Un grand épanouissement des arts et des lettres accompagna cette évolution de la Grèce archaïque. Les ordres *dorique* et *ionique* apparurent dans l'architecture qui créa certains des plus fameux temples grecs à Sélinonte, Paestum, Syracuse, Éphèse, Corinthe, Delphes, etc. Grande époque de la sculpture, l'archaïsme est représenté par le type du *couros* (adolescent) et de la *coré* (jeune fille). Argos et Sicyone (ateliers de bronziers, premiers peintres), Corinthe (poterie à décor orientalisant), l'Attique (céramique à figures noires), Chio, Samos (corés drapées), Cyclades (nu masculin), les villes de l'Ionie (figures assises grossièrement taillées), Rhodes, Thèbes et Tanagra (figurines en terre cuite) sont les grands centres artistiques. Si le ~ VIIe s. débuta avec les épopées d'Hésiode*, témoignage réaliste de la vie paysanne et des croyances des Grecs, le ~ VIe s. vit le grand essor du lyrisme, expression de l'individualisme et du raffinement de l'esprit grec. Sappho* et Alcée* illustrent le lyrisme éolien (Lesbos), Archiloque*, Anacréon* le lyrisme ionien, Pindare le lyrisme béotien. Sparte était le centre dorien de culture musicale et poétique **(V. Alcman, Tyrtée).** La philosophie, la géographie et la science grecques, en Ionie **(V. Héraclite, Thalès, Hécatée de Milet)** et en Grande-Grèce **(V. Pythagore),** illuminèrent aussi le ~ VIe siècle. – *Grèce classique. L'apogée d'Athènes**. La Grèce d'Asie succombait à partir de ~ 546 sous la pression de l'Empire perse*. L'affrontement des deux mondes en expansion devint inévitable. La révolte des cités ioniennes (~ 500) servit de prétexte aux deux invasions de la Grèce par les armées de Darios* et de Xerxès*, qui aboutirent aux défaites de Marathon (~ 490) et de Salamine (~ 480). **V. Médiques** (guerres). Les défaites des Carthaginois à Himère* (~ 480) et des Étrusques à Cumes* (~ 474) complétaient le triomphe grec. Athènes, protagoniste de la victoire grecque et première force navale grâce à la politique de Thémistocle*, transforma la ligue de Délos* en Empire athénien. À l'intérieur, les grandes réformes politiques d'Éphialte* et de Périclès* créaient à la même époque les institutions qui firent d'Athènes le modèle de la cité démocratique. C'est dans cette conjoncture extraordinaire que se déroula la grande aventure de l'esprit que constitua l'élaboration de la civilisation grecque ou classique. Se tournant de la nature vers l'homme, la pensée grecque inaugura la philosophie éthique et la science politique. **V. Anaxagore, Socrate, Éléates.** La tragédie **(V. Eschyle, Sophocle, Euripide)** dégageait le sens moral des mythes et interrogeait le fond de l'âme humaine. Hérodote créait l'histoire. **V. Thucydide, Xénophon.** De grands sculpteurs, dont Myron* et Polyclète*, recherchaient l'idéal du corps humain, Phidias*, maître du chantier de l'Acropole*, conduisait à son apogée l'art classique. **V. Callicratès, Ictinos, Mnésiclès.** Mais l'euphorie de l'hellénisme triomphant sur les « Barbares », uni et prospère dans la paix, ne dura guère. L'impérialisme athénien exaspérait les alliés dont les révoltes étaient durement réprimées et alarmait les cités maritimes. **V. Corinthe.** La coalition péloponnésienne, sous la direction de Sparte, se dressait menaçante contre Athènes. La *guerre du Péloponnèse** (~ 431-~ 404) qui aboutit à la défaite athénienne ouvrit la longue période des déchirements grecs qui ne s'acheva qu'avec la soumission aux Romains. Dans la lutte pour l'hégémonie, Sparte n'hésita pas à conclure la paix d'Antalcidas* (~ 386) avec le Grand Roi, lui abandonnant la Grèce d'Asie en échange de son appui contre Athènes. Par un jeu d'alliances et de contre-alliances, la guerre s'éternisa. Après une courte période d'hégémonie béotienne (~ 371-~ 362) due au génie militaire et politique d'Épaminondas* et de Pélopidas* **(V. Thèbes, Leuctres, Mantinée),** une seconde confédération athénienne prit de nouveau le dessus. Pendant ce temps, les Perses consolidaient leur domination en Asie Mineure, les Carthaginois progressaient en Sicile et les peuples italiotes étouffaient les cités de la Grande-Grèce. Pourtant, la floraison classique se prolongea dans cette période troublée. L'art n'avait plus la pureté et la sérénité de l'école de Phidias, ses réalisations reflétaient les angoisses et l'individualisme de son temps. **V. Scopas, Praxitèle, Lysippe.** En revanche, la pensée grecque atteignit son sommet avec l'œuvre de Platon* et d'Aristote*. La tragédie était toujours vivante et la comédie

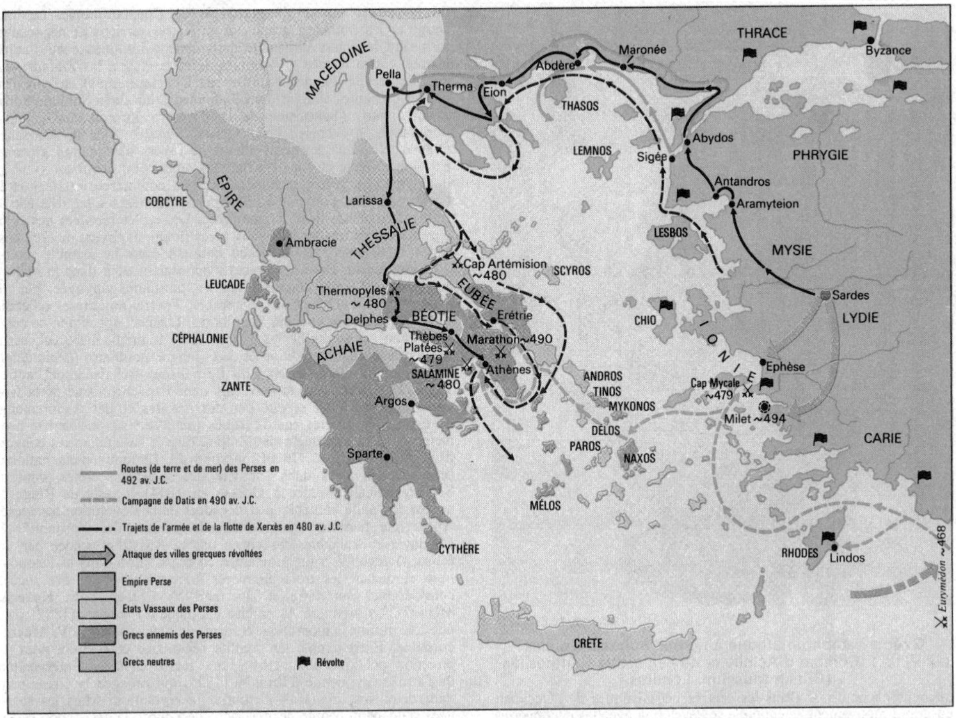

Grèce : les guerres médiques.

attique culmina avec Aristophane*. Issue de la sophistique **(V. Gorgias, Protagoras),** l'éloquence quitta (*fin* ~ ve s.) l'enclos des écoles pour descendre au tribunal **(V. Lysias),** réfléchir sur les choses publiques **(V. Isocrate),** et enfin s'engager dans les luttes politiques. Les discours passionnés de Démosthène* furent le chant du cygne de la cité démocratique. Ce type de petite unité politique avait fait son temps ; ses structures économiques, la fragmentation territoriale, l'absence de coordination des institutions étaient autant d'obstacles au développement des échanges et à l'essor de l'économie monétaire. Une nouvelle force se réveilla dans le nord de la Grèce pour submerger bientôt la péninsule. **V. Macédoine.** – *L'ère macédonienne. Époques hellénistique et romaine.* Appartenant à la famille grecque, les Macédoniens étaient des demi-barbares en marge de la civilisation classique qui pourtant pénétrait les milieux aristocratiques. À l'écart des remous grecs, la Macédoine maintenait son unité sous une puissante royauté. Disposant de richesses considérables grâce aux mines d'or du mont Pangée, Philippe* II adopta dès son avènement une politique d'expansion sur les rivages de la mer Égée. On ne sait si l'ambition de soumettre la Grèce préexistait dans sa pensée ou si elle se forma au fur et à mesure de ses succès. Quoi qu'il en soit, grâce à la supériorité de son armée (la *phalange* macédonienne), à ses moyens financiers et à son habileté diplomatique, Philippe devint en vingt ans le maître de la Grèce, après sa victoire décisive contre l'alliance d'Athènes et de Thèbes à Chéronée* (~ 338). Les cités grecques, excepté Sparte, groupées dans la ligue panhellénique de Corinthe, sauvegardaient leur indépendance politique tout en reconnaissant Philippe comme chef militaire de la Grèce. Proposant la reprise de l'expansion grecque vers l'Orient, arrêtée par les Perses, le Macédonien faisait espérer une solution de la crise économique, caressant en même temps l'idée de l'unité hellénique ; il divisait ainsi l'opinion et mettait le parti anti-macédonien dans une position inconfortable. C'est son fils Alexandre qui réalisa et dépassa même ce projet de ~ 334 à ~ 323. **V. Alexandre III le Grand.** L'« Empire » qu'Alexandre laissait à sa mort comprenait la Grèce, l'Égypte et l'Asie occidentale jusqu'à l'Indus. Il fut disputé et démembré par ses lieutenants (les *diadoques*) qui, au bout d'une lutte de 40 ans, se partagèrent trois grands royaumes : l'Égypte des Lagides* **(V. Ptolémée),** la Syrie des Séleucides*, la Macédoine et la Grèce des Antigonides **(V. Antigonos Monophthalmos).** Ces derniers se heurtèrent longtemps à la résistance d'Athènes, qui déclencha la guerre lamiaque **(V. Lamia),** de Rhodes, d'Étolie* et du Péloponnèse. **V. Achéenne** (ligue). Au Proche-Orient, dans les royautés où le culte du souverain fut consacré, les luttes étaient essentiellement dynastiques. Au cours de ces affrontements se formèrent le royaume du Pont* et celui, beaucoup plus important, de Pergame* avec les Attalides **(V. Attale).** Les descendants des anciens soldats et les nouveaux colons venus de Grèce formaient la classe dirigeante ou recevaient un lot de terre en échange de leur service dans l'armée. Mais la fusion avec les indigènes, souhaitée par Alexandre, ne se réalisa pas, l'hellénisation non plus si ce n'est à l'échelle de la noblesse locale. Le développement du commerce et de l'industrie et la centralisation de ces vastes États furent à l'origine du nouvel urbanisme. Des villes dépassant le demi-million d'habitants **(V. Alexandrie, Antioche, Pergame)** devinrent les grands centres de la civilisation hellénistique, née du contact du classicisme expirant avec l'Orient. Dans la religion, les cultes à mystères et notamment l'orphisme **(V. Orphée)** remplacèrent graduellement les divinités *poliades* de l'ancienne communauté dissoute. De même, le pessimisme gagna la philosophie **V. Épicurisme, pythagorisme, stoïcisme.** L'art et la poésie se tournèrent vers le genre, le pittoresque et le sentiment. Ainsi naquirent l'idylle bucolique, la « petite épopée », le mime **(V. Théocrite),** l'érudition et la philologie avec Callimaque*, Aristarque* de Samothrace et les autres gram-

Ph. Gino Begotti/Ricciarini

Grèce : île de Samos.

Ph. Carlo Bevilacqua/Ricciarini

Grèce : amphore attique à figures noires d'Exékias (~ VIe s.). Combat d'Achille et de l'amazone Penthésilée. (British Museum, Londres.)

mairiens alexandrins. Dans les centres hellénistiques de l'Occident un grand mouvement scientifique se développa avec les découvertes d'Archimède*, d'Euclide*, d'Ératosthène*, d'Aristarque* de Samos. – L'*ère romaine* commença avec le ~ IIe siècle. Après avoir dominé l'Italie et la Sicile, Rome* intervint en Grèce. Ayant vaincu Philippe* V de Macédoine **(V. Cynocéphales),** Flamininus proclama la liberté de la Grèce aux Jeux Isthmiques* de ~ 196. Mais la Macédoine fut réduite en province en ~ 148 après la résistance de Persée* **(V. Pydna),** et la ligue Achéenne*, seule puissance en Grèce, fut dissoute avec la prise de Corinthe par Mummius* (~ 146). La Grèce devint alors prov. romaine sous l'autorité du proconsul de Macédoine. Mêlées aux guerres de Mithridate* du Pont contre les Romains, puis aux luttes intestines romaines, les cités grecques et l'Égypte des Ptolémées se soumirent définitivement au cours du ~ Ier s. (prise d'Athènes en ~ 86 par Sylla*, défaite d'Antoine* et de Cléopâtre* en ~ 31 à Actium). La paix romaine favorisa la pénétration de la civilisation grecque à Rome et sous les Antonins (IIe s.); Athènes et d'autres cités grecques connurent les bienfaits des grands empereurs et des dignitaires épris de l'esprit classique. **V. Hadrien, Marc Aurèle, Hérode Atticus.** L'histoire **(V. Polybe, Arrien, Appien),** la rhétorique, la philosophie **(V. Épictète),** la littérature **(V. Lucien, Plutarque, Longus)** prirent leur essor. Mais cette renaissance fut brève. La proscription du paganisme par Théodose Ier (381) lui porta le coup de grâce. En 393, la dernière célébration des Jeux Olympiques marque symboliquement la fin de l'Antiquité grecque. – *La Grèce au Moyen Âge.* Faisant partie de l'empire d'Orient après la division de l'Empire romain (395) la Grèce partagea le sort de cet État chrétien qui fut rapidement hellénisé. **V. Byzantin** (Empire). Troublée par les invasions barbares, la péninsule fut pénétrée par des Slaves, puis par des Albanais et des Valaques, qui s'assimilèrent progressivement. Aux invasions arabes du IXe s. succéda l'invasion bulgare (918 et 997), puis, à partir de 1081, les incursions normandes et vénitiennes. À l'issue de la Quatrième Croisade (1204), les Vénitiens dominaient la Grèce insulaire tandis que la Grèce continentale se partageait en principautés franques, vassales de l'Empire latin de Constantinople, qui introduisirent le système féodal : royaume de Thessalonique, principauté d'Achaïe ou de Morée* (Péloponnèse), duché d'Athènes. Le despotat d'Épire* fut l'un des refuges de l'empire déchiqueté. Après la reconquête byzantine, le despotat de Morée ou de Mistra* fut un État grec de courte durée dans la période de l'écroulement de l'empire et un grand centre intellectuel **V. Bessarion, Gémiste.** L'invasion turque qui submergea l'Empire byzantin s'acheva avec la prise de Mistra en 1460 par Mehmet* II. – *La domination turque et la guerre de l'Indépendance.* Sous l'Empire ottoman, la population de la Grèce fut réduite au servage. Une longue suite de révoltes, éclatant à chaque occasion favorable (guerres turco-vénitiennes et turco-russes), jalonne les quelque quatre siècles de la domination turque (Armatoles*, Klephtes). Conformément à la loi islamique reconnaissant l'autonomie religieuse et communale aux peuples soumis, la communauté grecque fut constituée autour du patriarcat de Constantinople. Le haut clergé et les notables, grands propriétaires terriens et négociants, formaient la classe dirigeante dans cette communauté auto-administrée. Caste fermée au sommet de cette classe, les *Phanariotes,* aristocrates de Phanar (quartier de Constantinople), se voyaient confier de hautes charges dans l'administration de la Sublime Porte. D'autre part, l'hellénisme de la diaspora formait des colonies florissantes à Venise, Pise, Gênes, Trieste, Vienne, Marseille, Odessa, etc., qui devinrent autant de foyers d'éducation grecque. En Grèce même et dans les Balkans apaisés au début du XVIIIe s., la bourgeoisie grecque, monopolisant le commerce intérieur et le trafic maritime, s'ouvrait à l'Europe des lumières à laquelle elle se rattachait par des liens économiques. Les écoles réputées des colonies et des centres commerciaux grecs furent les foyers de la renaissance intellectuelle et de l'éveil national dans la seconde moitié du XVIIIe siècle. Deux tendances s'opposaient déjà dans la culture néo-grecque, l'une conservatrice et puritaine, appuyée par le patriarcat et l'aristocratie phanariote, l'autre novatrice, reflétant les aspirations des couches plus larges. L'aspect spécifique de cette opposition est le conflit linguistique entre le mouvement vulgariste des partisans de la tradition et de la langue populaire *(démotique),* d'une part, et les défenseurs du formalisme archaïsant de l'autre. Tandis que l'Empire ottoman, clos dans l'anachronisme de la féodalité militaire, était secoué par des révoltes et des déchirements de castes, les guerres russo-turques (*fin* XVIIIe s.) posaient le problème du démembrement de l'Empire turc et suscitaient les convoitises européennes. **V. Orient** (question d'). Le mouvement national se concrétisa alors dans l'activité des sociétés secrètes, dont la Société amicale (fondée à Odessa en 1814) et celle de Rhigas*, apôtre de l'unité balkanique et des idées de la Révolution française. Après une tentative insurrectionnelle d'Alexandre Ypsilanti* en Moldavie et Valachie, désavouée par la Russie et soldée par un échec, la révolution fut proclamée en mars 1821 dans le Péloponnèse et durant les trois premières années elle obtint des succès considérables sur terre et sur mer. **V. Colocotronis, Kanaris, Miaoulis.** La première Assemblée nationale d'Épidaure (1822) vota une constitution démocratique et forma un gouvernement. **V. Mavrocordatos.** Entre-temps, les conflits régionaux et sociaux pour la direction politique aboutirent à une guerre civile et l'intervention de l'armée égyptienne d'Ibrâhîm (1825) qui ravagea la Grèce pendant deux ans, menaçait d'étouffer la révolution. Mais les sacrifices d'un petit peuple, le massacre de Chio*, la résistance légendaire de Missolonghi* ravivaient le mouvement du philhellénisme en Europe **(V. Byron).** Révisant sa politique négative, la Triple-Alliance proposa en vain à la Turquie l'autonomie de la Grèce sous la souveraineté du sultan. La tension qui suivit le refus turc provoqua la bataille navale de Navarin* (1827) et la destruction de la flotte turco-égyptienne. Vaincue dans la guerre russo-turque qui s'ensuivit, la Turquie reconnut par le traité d'Andrinople (1829) l'autonomie de la Grèce. Le protocole de Londres (1830) proclamait l'indépendance hellénique sous la protection des trois puissances, Angleterre, France et Russie. Par le traité de Constantinople (1832), la Turquie reconnaissait l'indépendance de l'État grec. – *Le royaume de Grèce.* L'État ainsi créé comprenait le Péloponnèse, la Grèce centrale et l'Eubée, au total 600 000 habitants. Sa vie politique était dominée par les influences étrangères, affichées d'ailleurs par les noms des partis : « russe », « anglais », « français ». Dans l'éducation et la vie intellectuelle les tendances conservatrices prédominaient et la question linguistique se compliquait d'un compromis entre l'usage archaïsant et la langue vivante **(V. Coraïs),** tandis que la tradition vulgariste et libérale trouvait son expression dans l'école ionienne. **V. Solomos, Calvos.** Sous le gouverneur Capo* d'Istria (1827-1831), un ancien ministre du tsar appuyé par le parti « russe » (Colocotronis), le problème fondamental d'une réforme agricole resta entier pour handicaper pendant un siècle l'évolution économique : les « terres nationales » (quittées par les Turcs) avaient été accaparées par les notables, tandis que la grande masse de la paysannerie (80 %) était dénuée de terres. Dans la confusion qui suivit l'assassinat du gouverneur, les puissances « protectrices » imposèrent aisément la monarchie absolue avec un prince bavarois, Othon* Ier, comme roi. L'autocratie othonienne, appuyée sur les troupes et la bureaucratie bavaroise, domina la politique d'où les Grecs étaient exclus ; l'allemand devint seconde langue officielle. Dans un climat de désordre, de misère et de banqueroute, les revendications libérales débouchèrent sur le coup d'État de 1843 qui obligea Othon à convoquer une Assemblée nationale et à accepter la Constitution, d'ailleurs très conservatrice, de 1844. Entre-temps, la crise orientale rallumait les sentiments nationaux alimentés aussi par la politique russe. Mais les revendications nationales, répondant aux luttes des populations grecques encore asservies, étaient déformées dans la « Grande Idée », mirage d'un empire hellénique et orthodoxe de Constantinople. Tout en servant de diversion aux problèmes réels, cet anachronisme devint le dogme quasi officiel de la politique extérieure et de l'éducation. Tandis que la cour violait la Constitution et que la corruption régnait, les révoltes de Thessalie, d'Épire, de Macédoine, de Crète, abandonnées par la Grèce furent écrasées et des forces franco-anglaises occupèrent Le Pirée (1854-1857) pour surveiller la neutralité grecque. Au bout d'une longue période d'insurrections et de mutineries, Othon, destitué, quitta la Grèce en 1862. Aussitôt les Anglais choisirent pour le trône le prince Guillaume de Danemark, devenu Georges* Ier, et cédèrent les îles Ioniennes* à la Grèce (1864). Avec une constitution plus démocratique (1864) et avec le fonctionnement du régime parlementaire, la vie politique se normalisa à partir de 1875. La Thessalie fut rattachée en 1897, mais l'union de la Crète, autonome à cette date, ne se réalisa qu'en 1908. Vers la fin du XIXe s. les structures économiques du pays se transformèrent sensiblement. Une bourgeoisie, jusqu'alors exclusivement mercantile, s'ouvrit aux activités industrielles et bancaires et au trafic transocéanique. Conscients de cette mutation, Charilaos Tricoupis*, puis, à partir de 1909, Vénizélos* mirent en œuvre une politique de réformes, institutionnalisées en 1911. Un mouvement intellectuel axé sur la question de la langue s'accompagnait d'un essor littéraire. **V. Psichari** *(Jean),* **Palamas** *(Kostis),* **Vizyinos, Papadiamandis,** *et aussi* **Makriyannis.** La politique nationale de Vénizélos aboutit à l'Entente balkanique (Grèce, Serbie, Bulgarie) de 1912. Les deux guerres balkaniques (1912-1913), la première entre l'Entente et la Turquie, la seconde entre la Grèce et la Serbie d'une part et la Bulgarie de l'autre, rapportèrent à la Grèce l'Épire, la Macédoine, les îles de la mer Égée et la ratification de l'union de la Crète. **V. Balkans.** Pendant la Première Guerre mondiale, le pays est secoué par l'affrontement des libéraux (Vénizélos), favorables à la Triple-Entente, et les partisans de la neutralité rassemblés autour du roi germanophile Constantin* Ier. Révoqué par le roi, Vénizélos forma un gouvernement insurrectionnel à Salonique (1916) et, avec l'aide de l'armée française, destitua Constantin. Le fils de celui-ci, Alexandre* Ier (1917), devint roi et la Grèce se battit aux côtés des Alliés. Le parti royaliste, au pouvoir en 1920, rappela Constantin de l'exil. Entreprise en fonction d'une clause du traité de Sèvres confiant à la Grèce l'administration de la région de Smyrne*, une expédition grecque rencontra la farouche résistance turque menée par Mustafa* Kemal, tandis que l'Entente abandonnait la Grèce, utilisant comme prétexte le retour de Constantin. La défaite militaire et la tragédie des populations grecques de l'Asie Mineure (1922) marquèrent la fin de cette aventure; la « Grande Idée » avait fait naufrage. Un coup d'État des officiers vénizélistes menés par Plastiras* obligea Constantin à abdiquer au profit de son fils Georges* II (1923). À l'issue de ces guerres de dix ans, la Grèce était radicalement transformée. Avec les nouvelles régions rattachées au cours des guerres balkaniques et une partie de la Thrace restituée par le traité de Lausanne (1923), sa superficie était doublée, ainsi que sa population. L'échange des minorités avec la Bulgarie et surtout l'échange obligatoire des populations avec la Turquie établit l'homogénéité ethnique des régions du nord, mais surtout modifia le cadre social du pays avec l'afflux de 1 500 000 réfugiés. En l'absence de structures capables d'absorber des masses d'inemployés, la tension sociale devenait inquiétante. Le cabinet de Vénizélos, puis le Comité révolutionnaire de 1922 répondirent par les lois agraires de 1917-1923 et par une série de mesures stimulant l'industrie et protégeant le travail. Le développement du mouvement ouvrier (fondation d'une centrale syndicale en 1918 et d'un parti ouvrier en 1919, le futur Parti communiste), l'apparition de partis républicains témoignent en politique de cette transformation. Une nouvelle vie littéraire traduit la fermentation sociale **(V. Sikélianos, Cavafis, Kazantzakis, Varnalis, Voutyras);** la poésie prolongera cette éclosion jusqu'à nos jours **(V. Séféris, Ritsos, Vrettacos, Élytis).** Après l'échec d'un coup d'État royaliste, le roi abdiqua (1923) et la Chambre proclama la république (1924). Une période d'instabilité, accusée par la dictature du général Pangalos* (1925) et le coup d'État du général Condylis* (1926), se termina avec le gouvernement Vénizélos (1928-1932). La République, hésitant entre les réformes radicales proposées par les partis républicains et le libéralisme de Vénizélos, n'avait pu transformer les structures économiques ni résoudre le grave problème social posé par la pression démographique. Sa politique extérieure, plus heureuse, améliora les relations avec la Turquie et les pays balkaniques. Mais la crise économique de 1932 et l'attitude modérée de Vénizélos

Coll. Viollet

Grèce : partisans de l'E.L.A.S. pendant la résistance de 1941-1944.

au sujet de Chypre et du Dodécanèse, revendiquant l'union avec la Grèce, provoquèrent une crise politique. La droite royaliste, au pouvoir en 1933, après avoir réprimé un coup d'État vénizéliste en 1935, restaura la monarchie. Devant le malaise social, le général Métaxas*, en accord avec le roi Georges II, imposa la dictature du 4 août 1936. Rangée aux côtés des Alliés, la Grèce repoussa victorieusement l'offensive italienne (oct. 1940), mais elle fut submergée par l'invasion allemande (avril-mai 1941). Tandis que le roi et le gouvernement quittaient le pays, le peuple crétois opposait une farouche résistance aux forces d'élite hitlériennes en décimant le corps des parachutistes. L'héroïque résistance grecque pendant 7 mois retarda considérablement l'offensive allemande contre l'U.R.S.S. La triple occupation (allemande, italienne et bulgare) fut particulièrement lourde pour la Grèce, isolée par le blocus et privée de ressources qui étaient accaparées par les occupants. La famine (2 000 morts par jour pendant le premier hiver) et des représailles sanglantes ravagèrent le pays. Dès septembre 1941, dans les villes et les campagnes, la résistance fut organisée rapidement par l'E.A.M. (Front national de libération), coalition des gauches animée par les communistes. Son puissant mouvement de guérilla, l'E.L.A.S. (Armée populaire grecque de libération), harcela les forces d'occupation et contrôla progressivement les deux tiers du territoire national. D'autres organisations, dont l'E.D.E.S. (Armée grecque démocratique nationale), d'origine républicaine, participèrent à la résistance. Mais bientôt des heurts dans le maquis, alternant avec la lutte contre l'occupant, l'effervescence et l'épuration de l'armée grecque d'Afrique, enfin l'action sanglante dans les villes des milices organisées par les nazis annonçaient la guerre civile. Après de longues tractations, un gouvernement d'union nationale se forma à la veille de la libération avec la participation de la gauche. En fonction du partage des influences dans les Balkans, conclu dès juin 1944 entre Churchill et Staline et ratifié plus tard (1945) à Yalta, les Anglais, intervenant en Grèce, « sphère d'activité britannique », réussirent à désarmer l'E.L.A.S. après un mois de combats (décembre 1944). Dans un climat de désordre et de terreur, la guerre civile se déclencha vers la fin de 1946 avec l'action de l'« Armée démocratique de la Grèce » (communiste). Après trois ans de combats, l'armée gouvernementale remporta une victoire décisive contre les forces communistes (sept. 1949). Le Dodécanèse fut rattaché à la Grèce (1947), tandis que Chypre* s'érigea en république indépendante (1959). Paul* Ier succéda à son frère Georges II, mort en 1947. La Grèce s'intégra au bloc occidental; elle fit partie du Conseil de l'Europe en 1949, adhéra à l'O.T.A.N. en 1951 et se lia avec la C.E.E. en 1963. Parallèlement à une lente évolution économique, les conflits sociaux et politiques bouleversèrent le pays, gouverné par la droite jusqu'en 1963. Ensuite, le gouvernement centriste de G. Papandréou* (1964-1965) ne put résoudre les problèmes de la démocratisation de l'appareil étatique. À la veille des élections qui devaient clore une longue crise politique marquée par l'intervention du roi Constantin* II (1965), le coup d'État du 21 avril 1967 porta au pouvoir une junte militaire qui abolit la Constitution et le système parlementaire. Après une tentative avortée pour renverser le pouvoir des colonels (déc. 1967), le roi Constantin quitta la Grèce. Le gouvernement militaire fit approuver par référendum (1968) sa Constitution, d'une extraordinaire rigueur, qui d'ailleurs ne fut appliquée qu'en partie. La loi martiale restait en vigueur à Athènes, le régime limitait considérablement la liberté de la presse. En 1972, le général Papadopoulos*, chef de la junte, réunit tous les pouvoirs entre ses mains. En 1973, il abolit la monarchie, déposa le roi Constantin et, proclamant la république, se nomma président pour huit ans. Mais en juillet 1974, le régime dit « des colonels », aussi impopulaire qu'autoritaire, s'effondra à la suite de la défaite grecque devant les Turcs à Chypre **(V. Chypre).** Constantin Caramanlis, rappelé alors à Athènes, fit triompher les modérés aux élections générales de novembre 1974. **(V. Caramanlis.)**

GRECO (Domenikos Theotokopoulos, dit le). ♦ Peintre, sculpteur et architecte espagnol d'origine crétoise (Candie, 1541 — Tolède, 1614). Formé sans doute dans un couvent où se maintenait la tradition byzantine de la peinture d'icône, il se rendit ensuite à Venise où il fut probablement l'élève de Titien* de 1566 à 1568. L'influence de son maître, et plus particulièrement du Tintoret* et de Bassano*, imprègne ses premières œuvres connues (complexité de la composition, perspective ascendante, éclairage nocturne, touche vibrante, canon étiré, poses contournées). Peut-être découvrit-il à Parme les œuvres du Corrège et du Parmesan avant de se rendre à Rome où il subit l'ascendant de Michel-Ange et des maniéristes. Il se rendit en Espagne en 1577 et y peignit le *Retable de Santo Domingo el Antiguo* et celui de *L'Espolio.* Pour Philippe II, il réalisa v. 1580 l'*Adoration du nom de Jésus* puis le *Martyre de saint Maurice* (1582-1584) qui n'obtint pas la faveur du roi. Il se fixa alors définitivement à Tolède, ville qui devint sa terre d'élection (Cf. Barrès, dans *Greco ou le Secret de Tolède*). *L'Enterrement du comte d'Orgaz* (1586), où s'affirme pleinement l'originalité de son style, lui valut de multiples commandes pour les couvents : vastes compositions des retables ou multiples figures isolées de saints et d'apôtres *(Retable de la charité* à Illescas, 1603; peinture au *monastère de Santa María de la Sislas; Saint François d'Assise; Saint Sébastien*). Ces œuvres sont révélatrices d'un mysticisme exalté qui semble croître au cours des ans et l'entraîner à une expression de plus en plus singulière et personnelle, lui attirant peu à peu l'incompréhension du public. En effet, à partir de son

Arch. Smeets

Le Greco : « Saint Martin et le mendiant ». (National Gallery of Art, Washington, D.C.)

séjour à Tolède, les influences de son maniérisme italien se métamorphosent tandis que réapparaît l'emprise du byzantinisme (espace peu approfondi, type du Christ, gestes des mains, éléments de paysages inspirés des mosaïques). Il se forgea ainsi des moyens d'expression originaux, créant des figures très allongées, nerveuses, à l'apparence fébrile, inquiète, et qui semblent perdre de leur matérialité pour acquérir une intense mobilité. Les mouvements sont exaspérés, les proportions volontairement déformées par souci expressif et au déséquilibre des formes correspond la dissymétrie des mises en page, tandis que la lumière violemment contrastée est distribuée très librement, s'étirant en taches ondoyantes et irrégulières, structurant l'espace et perdant tout caractère réaliste ou scénographique. La couleur fluide est étalée largement et a des éclats parfois stridents. Si les éléments descriptifs et narratifs tendent à disparaître, Greco n'en néglige pas pour autant l'individualité du visage humain comme en témoignent ses multiples portraits de chevaliers militaires, docteurs et religieux qu'il peint avec une facture audacieuse et des moyens réduits (austérité du chromatisme, mépris du détail) mais avec une rare force de suggestion (intensité du regard, insistance sur les mains) [*Le Chevalier à l'épée; Juan de Tavera*]. Son tempérament visionnaire et la modernité de sa technique s'imposent particulièrement dans ses dernières œuvres (*Vue de Tolède,* 1608, *Laocoon*). Elles attestent l'impossibilité de le situer à la suite du courant maniériste (qu'il dépasse par son mépris du formalisme) ou à l'origine du baroque (car il exprime une spiritualité plus intérieure et hallucinée). On peut le considérer comme un lointain précurseur de l'expressionnisme du XXe siècle.

GREEN (George). ♦ Mathématicien anglais (Sneinton, près de Nottingham, 1793 – 1841). Auteur de travaux sur l'électricité et le magnétisme, il introduisit le terme « potentiel » (*Essay on the Application of Mathematical Analysis to the Theory of Electricity and Magnetism,* 1828) et démontra le théorème des « écrans électriques ». Étudiant les problèmes de Dirichlet* et de Carl Neumann*, il énonça une formule permettant de transformer une intégrale double en intégrale curviligne **(V. *aussi* Riemann, Stokes),** généralisa l'équation de Laplace* au cas où le potentiel dépend d'une attraction non newtonienne et introduisit une fonction auxiliaire (fonction de Green) permettant de résoudre le problème de Dirichlet. Il étudia également la statique et la dynamique des fluides.

GREEN [gʀin] **(Julien).** ♦ Écrivain français d'origine américaine (Paris, 1900). Élevé dans la nostalgie de la Virginie, au sein d'une famille américaine et puritaine, il éprouva à quinze ans des élans mystiques qui l'amenèrent à se convertir au catholicisme, puis connut à l'université des passions homosexuelles qui engendrèrent le conflit intérieur dont procède son œuvre, et d'abord le triptyque autobiographique, *Partir avant le jour* (1963), *Mille Chemins ouverts* (1964) et *Terre lointaine* (1966). « Il n'y a jamais que deux types d'humanité que j'aie vraiment bien compris, c'est le mystique et le débauché, parce que tous deux volent aux extrêmes et cherchent, l'un et l'autre, à sa manière, l'absolu. » Aussi, *Mont-Cinère* (1926), *Adrienne Mesurat* (1927) et *Léviathan* (1929) présentent-ils des personnages tourmentés et excessifs jusqu'au désordre et à la folie où les pousse l'ennui d'une existence morne. Dénonçant le monde (« moi, je n'en pouvais plus d'exister »), les héros de Green se détournent de la réalité quotidienne pour le rêve et l'hallucination où leurs obsessions (le péché, la mort) peuvent se transfigurer (*L'Autre Sommeil,* 1931 ; *Le Visionnaire,* 1934). Drame de la chair, qui torture le jeune puritain de *Moïra* (1950), aspiration à la méditation spirituelle (*Minuit,* 1936 ; *Chaque homme dans sa nuit,* 1960) sont les deux pôles d'une œuvre au pathétique discret et où s'impose en un style tendu une certaine mystique de l'imaginaire. – Écrivain qui obéit à une double inspiration, réaliste et fantastique, créateur d'un univers sombre et violent, Julien Green a donné avec son *Journal* (huitième tome en 1967) le miroir et le complément de son œuvre romanesque et théâtrale (*Sud,* 1953 ; *L'Ennemi,* 1954 ; *L'Ombre,* 1956). [Acad. fr., 1972.]

GREENE (Robert). ♦ Poète dramatique et romancier anglais (Norwich, 1558 – Londres, 1592). D'inspiration tour à tour précieuse (*Mamillia,* 1583), pastorale (*Ménaphon,* 1589) ou réaliste (*Deux Liards d'esprit au prix d'un million de repentir ; A Groat's Worth of Wit, bought with a Million of Repentance,* 1592), ses romans témoignent d'une grande richesse d'imagination. Auteur érudit, il a composé une allègre satire de la science dans sa comédie : *Frère Bacon et frère Bungay* (*Friar Bacon and Friar Bungay,* 1589). Il peut être considéré comme un des initiateurs du théâtre élisabéthain.

GREENE (Henry Graham). ♦ Auteur dramatique, journaliste et romancier anglais (Great Berkhamstead, Hertfordshire, 1904). Tenté par le journalisme, il collabora au *Times* et fut correspondant de guerre au Libéria (*Voyage sans cartes,* 1936), au Mexique, en Malaisie, en Indochine, à Cuba et Haïti. Romancier, Graham Greene met en scène les violences de l'histoire et leurs victimes : *Tueur à gages* (*A Gun for Sale,* 1936), *C'est un champ de bataille* (*It's a Battlefield,* 1934), *Le Ministère de la peur* (*The Ministry of Fear,* 1943), *Notre agent à La Havane* (*Our Man in Havana,* 1958). Dans cette œuvre amère, les sentiments et les passions sont également dépeints avec pessimisme : *L'Homme et lui-même* (*The Man within,* 1929), *L'Orient-Express* (*Stamboul Train,* 1932), *Le Rocher de Brighton* (*Brighton Rock,* 1938). Les nouvelles de *Pouvez-vous nous prêter votre mari ?* (*May we borrow your Husband ?,* 1967) sont de la même veine. Greene, converti depuis 1926 au catholicisme, évoque les problèmes religieux dans ses *Essais* (1951). *La Puissance et la Gloire* (*The Power and the Glory,* 1940) est l'histoire d'un prêtre mexicain déchu. Il faudrait encore citer *Le Fond du problème* (*The Heart of the Matter,* 1948), *La Fin d'une liaison* (*The End of the Affair,* 1951) et une pièce de théâtre, *Living-Room* (1953). Par son pessimisme et sa tendresse cachée, par l'intensité dramatique des situations, Graham Greene, romancier chrétien, a pu être comparé à Mauriac*, mais son art est profondément différent.

GREEN MOUNTAINS (« montagnes vertes »). ♦ Massif montagneux du N.-E. des États-Unis, prolongement du système appalachien.

GREENOCK. ♦ V. d'Écosse occidentale (comté de Renfrew), sur l'estuaire de la Clyde. 79 900 hab. Important centre industriel (métallurgie, constructions navales et mécaniques, indus. chimiques). – Patrie de James Watt*. – Importante base des Forces françaises libres lors de la Deuxième Guerre mondiale.

GREENSBORO. ♦ V. des États-Unis (Caroline* du Nord). 140 672 hab. ; zone urbaine env. 600 000 hab. Centre commercial et indus. (textiles, etc.). Importants collèges. – Patrie de O. Henry*.

GREENWICH. ♦ Anc. V. d'Angleterre, aujourd'hui rattachée à l'agglomération londonienne, sur la r. d. de la Tamise. 231 150 hab. École navale (Royal Navy College) établie dans les anciens locaux du *Greenwich Hospital* (XVIIe-XVIIIe s.). C'est par l'*observatoire de Greenwich* que passe le méridien d'origine, adopté par presque tous les pays. Fondé en 1675 par Charles II et construit sur les plans de sir Christopher Wren, cet observatoire a été transféré en 1948 à Herstmonceux* [ou Hurstmonceux] (Sussex). – Patrie d'Elisabeth* Ire, d'Henri* VIII.

GRÉES ou **GRAIES** *(Alpes). n. f. pl.* ♦ Massif des Alpes occidentales, s'étendant dans la partie méridionale du val d'Aoste* (Italie) et faisant suite aux Alpes Cottiennes, du mont Cenis au col du Petit-

Saint-Bernard. Les points les plus élevés sont le *Grivola* (3 960 m) et le *Grand Paradis** (4 061 m).

GRÉGOIRE Ier dit GRÉGOIRE le Grand *(saint)*. ♦ (Rome, v. 540 – 604). 64e pape, de 590 à 604, docteur de l'Église. De famille sénatoriale, il fut préfet de Rome (573) mais vendit son héritage et, de sa demeure du mont Caelius, fit le monastère bénédictin de Saint-André (575). Pélage* II en fit son apocrisiaire (nonce) à Constantinople (579-585) puis son secrétaire. Élu malgré lui, il fit de la papauté la principale puissance d'Occident, organisant la défense contre les Lombards, traitant directement avec eux (592), réformant l'administration pontificale et la vie ecclésiastique, intervenant en Afrique contre les donatistes, en Espagne contre les ariens, en Gaule où il rétablit le primat d'Arles, en Grande-Bretagne où il envoya la mission d'Augustin* de Canterbury, en Orient même contre l'empereur Maurice qui refusait la prêtrise aux soldats et fonctionnaires et contre les prétentions du patriarche « œcuménique » de Constantinople. Il simplifia la liturgie : le *Sacramentaire grégorien* fut à la base du missel romain. Il prit le titre de « Serviteur des serviteurs de Dieu » que les papes conservèrent. Auteur des *Moralia in Job*, des *Dialogues*, de la *Regula pastoris*, traité d'administration de l'Église. Le *chant grégorien*, dont la tradition lui attribue la création, est postérieur (v. 680/730). – Fête le 3 septembre.

GRÉGOIRE II *(saint)*. ♦ (Rome, 669 – 731). 89e pape (715-731). Il sacra saint Boniface* évêque missionnaire de Germanie (723), résista aux édits iconoclastes* (726-730) de Léon III l'Isaurien, releva l'abbaye du Mont-Cassin* avec l'aide de Gisulphe, duc de Bénévent. – Fête le 11 février.

GRÉGOIRE III *(saint)*. ♦ 90e pape (731-741 [mort]). Syrien. Il réunit un synode (Rome, 731) qui excommunia les iconoclastes*, nomma saint Boniface* archevêque de Mayence (732), sollicita sans succès l'intervention de Charles Martel contre les Lombards (739). – Fête le 10 décembre.

GRÉGOIRE IV. ♦ 101e pape (828-844 [mort]). Romain. Il se rendit près de Colmar (« champ du mensonge », 833) pour arbitrer la querelle entre Louis le Pieux et ses fils, mais se retira déçu.

GRÉGOIRE V *(Brunon, des comtes de Carinthie)*. ♦ (973 – 999). 137e pape (996-999). Cousin et chapelain d'Othon III qui le fit élire, il se heurta à la faction romaine de Crescentius qui suscita l'antipape Jean* XVI; il l'emporta grâce à l'empereur (998). Il régla le différend d'Arnoul et de Gerbert* pour le siège de Reims en nommant ce dernier archevêque de Ravenne.

GRÉGOIRE VI *(Jean Gratien)*. ♦ (en Rhénanie, 1048 [mort]). 146e pape, en 1045-1046. Il acheta l'abdication de son filleul Benoît* IX mais fut contraint d'abdiquer par l'empereur Henri III (concile de Sutri, 1046).

GRÉGOIRE VII *(saint)* [*Hildebrand*]. ♦ (Soano, Toscane, v. 1015/1020 – Salerne, 1085). 155e pape, de 1073 à 1085. Moine clunisien à Rome, il fut le conseiller des papes Grégoire* VI, qu'il suivit en Allemagne après son abdication (1046), Léon* IX, avec qui il rentra de Cluny à Rome (1049) et dont il fut le légat contre Bérenger* de Tours (1054), Victor* II, Étienne* IX, Nicolas* II qu'il fit élire et qui le nomma archidiacre, enfin Alexandre* II, à qui il succéda. Il fut le principal promoteur de la réforme dite *grégorienne* visant à purifier les mœurs ecclésiastiques (contre le mariage des prêtres) et à émanciper l'Église du pouvoir temporel (lutte contre les investitures conférées par les laïcs et contre la simonie), réforme dont il exposa les principes dans les *Dictatus papae* (1074-1075). Ses décrets de 1074 et 1075 déclenchèrent la *querelle des Investitures** : l'empereur Henri* IV ayant prétendu le faire déposer (assemblée de Worms, 1076), il l'excommunia et délia ses vassaux de leur serment de fidélité. Ceux-ci entrèrent en rébellion et l'empereur implora son pardon à Canossa* (janv. 1077). Néanmoins le pape fut amené à le réexcommunier, reconnaissant alors le prétendant Rodolphe de Souabe (1080), et à résister à l'antipape Clément* III qu'Henri parvint à installer à Rome (1084). La ville fut reprise par Robert* Guiscard, allié du pape, mais les pillages provoquèrent l'hostilité de la population; Grégoire VII se réfugia dans le Sud où il mourut. – Fête le 25 mai.

GRÉGOIRE VIII *(Maurice Bourdin)*. ♦ (Eyburie, Limousin – Fumon, Latium, v. 1126 [mort]). Antipape, du parti de l'empereur, contre Gélase II (1118), ancien archevêque de Braga. Il fut emprisonné après le concordat de Worms (1122).

GRÉGOIRE VIII *(Alberto di Mora)*. ♦ (Bénévent – Pise, 1187 [mort]). 171e pape, en oct.-déc. 1187.

GRÉGOIRE IX *(Ugolino, des comtes de Segni)*. ♦ (Anagni, v. 1145 – Rome, 1241). 176e pape, de 1227 à 1241. Il lutta contre l'empereur Frédéric* II qu'il excommunia (1227 et 1239) et dont il envahit les États (Sicile) [1229] pendant sa croisade. Il organisa l'Inquisition*.

GRÉGOIRE X [bienheureux] *(Tebaldo Visconti)*. ♦ (Plaisance, 1210 – Arezzo, 1276). 182e pape, de 1271 à 1276. Il réunit le concile de Lyon* (1274).

GRÉGOIRE XI *(Pierre Roger de Beaufort)*. ♦ (Rosiers-d'Égletons, Corrèze, 1329 – Rome, 1378). 199e pape (1370-1378), neveu de Clément VI, cardinal dès 1346. Il reçut Catherine* de Sienne en Avignon et se laissa convaincre de rétablir la papauté à Rome (1377).

GRÉGOIRE XII *(Angelo Correr)*. ♦ (Venise, v. 1325 – Recanati, 1417). 203e pape (1406-1415). Il tenta des démarches auprès de Benoît* XIII, pape d'Avignon, pour réduire le grand schisme* d'Occident, mais ni l'un ni l'autre ne voulut abdiquer. Il ne céda pas davantage au concile de Pise* qui le déposa (1409) et ne démissionna qu'au concile de Constance*. Il se retira comme cardinal-évêque de Porto.

GRÉGOIRE XIII *(Ugo Buoncompagni)*. ♦ (Bologne, 1502 – Rome, 1585). 224e pape, de 1572 à 1585. Pour continuer le mouvement de Réforme catholique **(V. Contre-Réforme)**, il fonda ou réorganisa de nombreux collèges confiés généralement aux jésuites; il développa les missions et multiplia les nonciatures. Il publia le *Corpus Juris canonici*, recueil du Droit canonique entrepris sous Pie V. ♦ *Calendrier grégorien :* le calendrier julien se trouvant décalé par rapport au temps réel, il fit étudier une solution par des experts (card. Sirleto, le P. Clavius*) et « supprima » dix jours; le lendemain du 4 oct. 1582 fut le 15 oct. ♦ *Université grégorienne :* nom porté par le *Collège romain* fondé par saint Ignace* (1551) en souvenir des agrandissements opérés par Grégoire XIII.

GRÉGOIRE XIV *(Niccolo Sfondrati)*. ♦ (Somma, Milanais, 1535 – Rome, 1591). 227e pape (1590-1591) Il renouvela l'excommunication d'Henri* IV.

GRÉGOIRE XV *(Alessandro Ludovisi)*. ♦ (Bologne, 1554 – Rome, 1623). 232e pape (1621-1623). Il créa la congrégation de la Propagande (chargée des missions) [1622], fit donner l'électorat du Palatinat à Maximilien de Bavière (catholique), érigea l'évêché de Paris en métropole et créa Richelieu cardinal (1623).

GRÉGOIRE XVI *(Bartolomeo Alberto Cappellari)*. ♦ (Belluno, 1765 – Rome, 1846). 252e pape (1831-1846), ancien camaldule sous le nom de Fra Mauro, abbé de Saint-Grégoire de Caelius (1805). Très conservateur, il fit appel à l'Autriche (1831) et à la France (occupation d'Ancône, 1832) contre les mouvements révolutionnaires. Il condamna, sinon nommément Lamennais, du moins les doctrines libérales qu'il défendait (*Mirari vos*, 1832).

GRÉGOIRE (Henri). ♦ Ecclésiastique et homme politique français (Vého, Meurthe-et-Moselle, 1750 – Auteuil, Paris, 1831). Député du clergé aux États généraux (1789), il se rallia au Tiers État et fut un des représentants de l'extrême gauche à l'Assemblée constituante, ou il se montra partisan non seulement de l'abolition totale des privilèges, mais aussi du suffrage universel, et fut le premier à prêter le serment de fidélité à la Constitution civile du clergé (novembre 1790). Évêque constitutionnel de Blois (1791), il fut élu à la Convention où il contribua à faire voter les décrets accordant les droits civils et politiques aux juifs et l'abolition de l'esclavage. Membre du Conseil des Cinq-Cents (1795-1798) puis du Corps législatif (1800), sénateur (1802), il tenta, mais sans succès, d'organiser l'Église gallicane (conciles de 1797 et 1802). Opposé au Premier Consul et au Concordat, il se prononça pour la déchéance de Napoléon Ier et, sous la Restauration, siégea dans l'opposition libérale comme député de l'Isère (1819). Auteur de : *Histoire des sectes religieuses* (1810), *Essai sur les libertés gallicanes* (1818), *Mémoires* (1839, posthume).

GRÉGOIRE DE NAZIANZE *(saint)*. ♦ Docteur de l'Église (Arianze, Cappadoce, v. 330 – v. 390). D'abord rhéteur, il préféra la retraite aux charges ecclésiastiques. C'est ainsi qu'ordonné prêtre (361) par son père, évêque de Nazianze dont il fut le coadjuteur, il rejoignit d'abord la communauté monastique de saint Basile, son ami; n'occupa pas le siège épiscopal de Sasimes où Basile l'avait nommé (372); démissionna du siège de Constantinople où l'avait placé le concile de 381. Auteur de deux discours *Contre Julien* (l'Apostat), de cinq *Discours théologiques* définissant le dogme trinitaire contre l'arianisme, de poèmes théologiques et autobiographiques *(Sur sa vie)*, de sermons, d'un recueil de *Lettres*. – Fête le 2 janvier.

GRÉGOIRE DE NYSSE *(saint)*. ♦ Père de l'Église d'Orient (Césarée de Cappadoce, v. 335 – Nysse, v. 395), frère de saint Basile qui le nomma évêque de Nysse (371). Il fut dépossédé de son siège par les ariens en 376-378, participa au concile de Constantinople (381) et devint conseiller religieux de l'empereur. Nombreux

Ph. Hubert Josse

Couronnement du pape Grégoire XI.
Manuscrit français XVe s. (Bibliothèque nationale, Paris.)

ouvrages dogmatiques anti-ariens *(Contre Eunome, Grande Catéchèse)* et exégétiques dans la lignée d'Origène *(Vie de Moïse, Homélie sur le Cantique des Cantiques)*. — Fête le 9 mars.

GRÉGOIRE DE TOURS *(saint)*. ♦ (Clermont, v. 538 — Tours, v. 594). Noble auvergnat, évêque de Tours (573), il défendit les droits de l'Église au milieu des querelles franques, refusa de livrer à Chilpéric Brunehaut et Mérovée, défendit Prétextat de Rouen qui les avait unis, négocia le traité d'Andelot (587) entre Childebert II et Gontran, roi de Bourgogne. Auteur d'ouvrages hagiographiques et d'une *Histoire des Francs (Historia Francorum)* [40 volumes] qui en fait le père de l'histoire de France. — Fête le 17 novembre.

GRÉGOIRE le Thaumaturge *(saint)*. ♦ (Néocésarée, *auj.* Niksar, dans le Pont, v. 213 — 270). Disciple d'Origène, évêque de Néocésarée (v. 240), célèbre par les guérisons miraculeuses et les conversions qu'il aurait obtenues. Auteur d'un *Éloge d'Origène*, d'un *Symbole de foi* trinitaire. — Fête le 17 novembre.

GRÉGOIRE l'Illuminateur *(saint)*. ♦ (v. 240 — mont Sebon, v. 326). Évangélisateur et premier patriarche de l'Arménie, après avoir converti le roi Tiridate (280-290). — Fête le 30 septembre.

GRÉGOIRE PALAMAS (*saint*, dans l'Église grecque). ♦ Théologien grec orthodoxe (Constantinople, 1296 — Thessalonique, 1359). Ermite au mont Athos, il fut un maître de l'« hésychasme » (mystique de la contemplation sensible de Dieu, par le silence et l'immobilité) et, à partir de 1340, fut chargé de le défendre contre le moine Barlaam. Une série de conciles (Constantinople, de 1341 à 1351) et le *Tome synodal* de 1351 consacrèrent sa doctrine. Arrêté lors de la guerre civile entre Paléologues* et Cantacuzènes*, il devint archevêque de Thessalonique à la victoire de ces derniers (1347), fit pénétrer dans la vie de l'Église les valeurs de l'hésychasme, lutta contre le ritualisme et la superstition. Sa théologie des « énergies divines » permettait d'inclure le *Filioque** ; elle aurait pu être une base d'entente entre orthodoxes et catholiques.

GRÉGORAS (Nicéphore). ♦ Savant et historien byzantin (Héraclée du Pont, v. 1295 — Constantinople, v. 1360). Il enseigna au couvent de Chora (Constantinople) les principes platoniciens contre la scolastique aristotélicienne. Dans son œuvre étendue et variée, il faut noter *l'Histoire romaine*, histoire de l'empire de Nicée et de l'empire latin de 1204 à 1359, et sa *Correspondance*.

GREGORČIĆ (Simon). ♦ Poète catholique slovène (Vrsno, 1844 — Gorica, 1906). Il exprima dans ses recueils de *Poésies* (1882-1902) tout l'amour qu'il portait à son pays.

GREGORY (James). ♦ Mathématicien et opticien écossais (Aberdeen, 1638 — Édimbourg, 1675). Il exposa la théorie du télescope à réflexion (télescope de Gregory, 1663). **V. Cassegrain, Hadley, Newton.** En mathématiques, il est l'auteur de travaux en géométrie pure et en géométrie analytique, il découvrit les développements en série de $\frac{\pi}{4}$ et de l'arc-tangente et étudia les séries convergentes (*Vera circuli et hyperbolae quadratura*, 1667).

GREIFSWALD. ♦ V. d'Allemagne orientale (Poméranie, district de Rostock) et port sur une baie de la Baltique. 47 425 hab. (1964). Université créée en 1456. Nœud ferroviaire et centre industriel (indus. textiles et alimentaires). — Patrie de H. Fallada*.

GRÉMILLON (Jean). ♦ Réalisateur français de cinéma (Bayeux, 1902 — Paris, 1959). D'abord auteur de nombreux documentaires industriels, il appliqua à ce genre le sens d'un réalisme et d'une rigueur classique qui allaient caractériser son œuvre, l'une des plus méconnues et des plus fortes du cinéma français. Réal. princ. : *Gardiens de phare* (1929), *La Petite Lise* (1930), *Gueule d'amour* (1937), *Remorques* (1939-1941), *Lumière d'été* (1943), *Le ciel est à vous* (1944), *Pattes blanches* (1948).

GRENADE, en esp. **Granada**. ♦ V. d'Espagne méridionale, en Andalousie. Ch.-l. de prov. au pied de la *sierra Nevada*. 161 900 hab. Son riche passé artistique en fait un lieu touristique très fréquenté : cathédrale de styles gothique et Renaissance contenant les tombeaux de Ferdinand d'Aragon et d'Isabelle la Catholique, de Philippe le Beau et de Jeanne la Folle ; églises baroques (XVIe s.) ; *torres bermejas* (tours vermeilles) ; palais de Charles Quint (XVIe-XVIIe s.). La ville est surtout célèbre par le palais mauresque de l'Alhambra* (XIIIe-XIVe s.) et les jardins du Generalife. Grenade est aussi un centre agricole et commercial actif, à proximité de *la Vega*, riche plaine irriguée. La prov. de Grenade a 12 531 km² et 769 000 hab. ♦ *Hist.* La ville fut fondée en 756 par les Arabes. Après avoir fait partie du califat de Cordoue, elle devint, au XIIIe s., la capitale du royaume musulman de Grenade. Elle connut alors la plus brillante civilisation, dont témoignent encore ses monuments, mais fut affaiblie par les luttes continuelles entre grandes familles (dont la plus célèbre fut celle des Abencérages*). En 1492, elle fut reprise par les Rois Catholiques qui marquèrent ainsi l'achèvement de la Reconquête. **V.** *aussi* **Andalousie**, *Hist.*

GRENADE. ♦ État indépendant des Petites Antilles* *(îles du Vent*)*. 334 km². 103 000 hab. L'archipel des Grenadines qui lui fait suite dépend en partie de Grenade, en partie de l'île Saint-Vincent. Elle termine, au S., l'arc de cercle formé par les *îles au Vent* et est de caractère volcanique. Forêts. *Ch.-l.* Saint-Georges par où s'effectuent les exportations de l'île. L'économie est basée sur l'agriculture : canne à sucre, cacao, bananes, noix muscade, coton. ♦ *Hist.* Découverte par Colomb en 1498, l'île fut d'abord française puis anglaise. Grenade fut membre du Commonwealth de 1967 à 1974.

GRENADE *(Nouvelle-)*. ♦ Anc. nom de la Colombie*.

GRENADE-SUR-GARONNE. ♦ Ch.-l. de cant. de la Haute-Garonne*, arr. de Toulouse*, sur la Save*. 4 108 hab. (3 322 aggl.). Église XIVe siècle. Halles XVIe siècle. Bonneterie. Machines agricoles. ♦ *Hist.* Ancienne bastide fortifiée, fondée au XIIIe siècle.

GRENADE-SUR-L'ADOUR. ♦ Ch.-l. de cant. des Landes*, arr. de Mont*-de-Marsan. 2 046 hab. Église du XVIIIe siècle.

GRENADINES. *n. f. pl.* ♦ Archipel des Petites Antilles britanniques, constitué d'env. 600 îlots divisés administrativement entre Saint-Vincent et Grenade.

GRENAY. ♦ Comm. du Pas-de-Calais, arr. de Lens. 8 063 hab. Houille. Confection. ♦ *Hist.* Condé s'y arrêta après sa victoire à Lens en 1648.

GRENCHEN, en fr. **Granges**. ♦ V. de Suisse (cant. de Soleure). 19 500 hab. — Important centre horloger.

Grenelle. ♦ Quartier du XVe arr. de Paris. Anc. domaine des abbayes Sainte-Geneviève et Saint-Germain-des-Prés, Grenelle fut érigé en commune en 1830 et incorporé à Paris en 1860. Camp militaire pendant la Révolution, le quartier est actuellement en voie de modernisation rapide. — *Accords de Grenelle*. **V. Mai 1968.**

GRENOBLE. ♦ Préf. de l'Isère*, ch.-l. d'arr. (27 cant., 297 comm., 539 497 hab.), sur l'Isère*, dans la plaine du Grésivaudan*. 165 902 hab. *(Grenoblois)*. La situation de la ville, entourée de montagnes, est très pittoresque. Cathédrale Notre-Dame (XIIe-XIIIe s. ; remaniée) ; église Saint-André du XIIIe s. (restaurée) ; église Saint-Laurent (XIe-XIIe s.), dont la crypte date de la fin du VIe siècle. Édifices classiques : église Saint-Louis, porte Saint-Laurent, du XVIIe s. Palais de justice (XVe et XVIe s.). Remarquable musée d'art. Nombreuses réalisations d'architecture contemporaine : nouvel hôtel de ville, conservatoire de musique, les Trois Tours, maison de la culture (par Wogenscki), etc. — Évêché. Ville universitaire. Marché agricole ; indus. métallurgique fournissant l'équipement hydro-électrique des Alpes ; laboratoire de recherche hydraulique. Constructions mécaniques et électriques ; indus. chimique, alimentaire et textile, ganterie. Centre de recherche nucléaire. La ville est un lieu de passage vers les stations de sports d'hiver. — Patrie de A. Barnave*, H. Capitant*, J. Charrat*, É. Condillac*, H. Fantin*-Latour (musée), E. Hébert*, H. de Lionne*, G. Mably*, E. Mounier*, J.-J. Mounier*, C. Perier*, J.-C. Randon*, A. Servien*, Stendhal* (musée dans l'anc. hôtel de ville), P. Tencin*, J. de Vaucanson*. ♦ *Hist.* D'abord ville des Allobroges* *(Cularo)*, l'agglomération prit le nom de l'empereur Gratien* au IVe s. *(Gratianopolis)*. Aux IXe-XIe s., elle fit partie du royaume de Bourgogne-Provence. Elle fut réunie à la France avec le Dauphiné, au XIIIe siècle. Une importante université y fut fondée au XIVe siècle. La ville fut disputée pendant les guerres de Religion. — Les Jeux Olympiques d'hiver se déroulèrent à Grenoble en février 1968, et à cette occasion, la ville, qui comprenait déjà de nouveaux quartiers, se modernisa encore.

Grenouilles (Les), en gr. **Batrakhoi**. ♦ Comédie d'Aristophane* (~ 405). Pour rendre au théâtre athénien le lustre qu'il vient de perdre avec la mort d'Euripide, le dernier grand tragique grec, Dionysos descend aux Enfers, conseillé par Héraklès dont il prend l'apparence. La traversée des marais infernaux où pullulent les grenouilles ne va pas sans périls pour le dieu paralysé par la peur. Mais le chœur des initiés aux mystères d'Éleusis l'assistera dans l'épreuve. Devant Pluton, un débat s'engage entre Eschyle et Euripide, Sophocle s'effaçant par courtoisie ; débat dont l'enjeu sera la royauté poétique des Enfers. Par la qualité de son style, de ses idées, la supériorité d'Eschyle éclate et c'est lui que Dionysos ramènera sur la Terre en vainqueur.

GRENVILLE (sir Richard). ♦ Marin anglais (? 1542 — en mer,

Ph. Hétier

Grenade (Espagne).

près des Açores, 1591). Il commanda en 1585 une flotte chargée de coloniser la région de Roanoke Island (auj. en Caroline du Nord). En 1591, il devint le second de Thomas Howard et son vaisseau, le *Revenge,* fut séparé de l'escadre attaquée par une flotte espagnole de 53 vaisseaux. Le *Revenge* fut capturé et Grenville mourut peu après de ses blessures. — Tennyson l'a célébré dans une ballade : *The Revenge.*

GRENVILLE (George). ♦ Homme politique anglais (Buckinghamshire, 1712 — Londres, 1770). Député en 1741, il se rangea parmi les « Patriotes », succéda à Bute* comme Premier ministre (1763-1765), et fut à l'origine des troubles des colonies d'Amérique, en les obligeant à participer aux dépenses impériales par la loi du Timbre *(Stamp Act),* 1765. George* III, auquel il s'opposait, le fit destituer. Il était le frère de Richard Grenville-Temple*.

GRÉOUX-LES-BAINS. ♦ Comm. des Alpes-de-Haute-Provence, arr. de Digne, dans la vallée du Verdon. 1 182 hab. Station thermale.

GRESHAM (*sir* Thomas). ♦ Financier anglais (Londres, 1519 — 1579). « Marchand du roi » à Anvers, puis grand financier de la couronne sous Élisabeth Ire, il contribua à restaurer la monnaie et fonda la Bourse de Londres *(Royal Exchange,* 1571). Dans son *Enquête sur la chute du change* (1558), il reprit la loi selon laquelle, lorsque dans un pays circulent deux monnaies « la mauvaise chasse la bonne ».

GRÉSIVAUDAN ou **GRAISIVAUDAN.** *n. m.* ♦ Portion de la vallée de l'Isère* prolongeant la Combe* de Savoie; bordée à droite par le massif de la Grande-Chartreuse et à gauche par la chaîne de Belledonne*, cette dépression fait partie du sillon alpin. C'est une plaine agricole; nombreuses centrales hydro-électriques au pied des montagnes.

GRESSET (Jean-Baptiste Louis). ♦ Poète et dramaturge français (Amiens, 1709 — 1777). Auteur de poésies humoristiques (dont *Ver-Vert,* 1734, qui plaisante les mœurs des couvents), il connut le succès avec sa comédie, *Le Méchant* (1734) qui lui ouvrit l'Académie française.

GRESSONEY-SAINT-JEAN. ♦ Station climatique et de sports d'hiver italienne (Val d'Aoste), dans la *vallée de Gressoney,* au pied du mont Rose, à 1 385 m d'altitude.

GRETCHANINOV (Alexandre Tikhonovitch). ♦ Compositeur russe (Moscou, 1864 — New York, 1956). Élève de Rimski-Korsakov, il en subit l'influence et fut, par son goût de la couleur folklorique russe, le continuateur du groupe des Cinq. Imprégnée de mélancolie romantique, son œuvre comprend des opéras, des symphonies, des concertos, des pièces de musique de chambre et chorale, de la musique religieuse *(Messes, Psaumes)* et des mélodies pour enfants.

GRÉTRY (André Modeste). ♦ Compositeur franco-belge (Liège, 1741 — Montmorency, 1813). Il reçut une formation musicale à Rome et Bologne où il fut l'élève du père Martini. Voltaire l'engagea à venir à Paris où il obtint la protection de Marmontel. Là commença véritablement sa carrière, dans un genre proprement français, l'opéra-comique, que Duni, Monsigny, Dauvergne et Philidor avaient illustré avant lui et qu'il porta à son plus haut point de perfection par le naturel, la verve et la fraîcheur mélodique. De l'œuvre abondante qu'il écrivit pour le théâtre, il convient de détacher *L'Ingénu ou le Huron* (1768), *Lucile* (1769), *Zémire et Azor* (1771), *L'Amant jaloux* (1778), ouvrages remplis d'humour et de tendresse. Son chef-d'œuvre, *Richard Cœur de Lion* (livret de Sedaine, 1784), d'une parfaite expressivité dramatique, assura sa gloire. Sous la Révolution, il composa des œuvres de circonstance (*La Rosière républicaine,* 1794). Écrivain, il rédigea les *Réflexions d'un solitaire,* d'un ton rousseauiste, et des *Mémoires* (1789-1797).

GRETZ-ARMAINVILLIERS. ♦ Comm. de Seine-et-Marne (arr. de Melun). 4 559 hab. Appareillage électrique.

GREUZE (Jean-Baptiste). ♦ Peintre, pastelliste et dessinateur français (Tournus, 1725 — Paris, 1805). Élève du portraitiste Grandon, il se rendit à Paris vers 1750. Peintre de genre, il se souvint des maîtres hollandais du XVIIe s. et conforma sa peinture à la sensibilité de l'époque, marquée par Rousseau, Fielding et Richardson. Au salon de 1755, il triompha avec *Un père de famille expliquant la Bible à ses enfants.* Sa peinture, sentimentale et édifiante, évolua vers un pathétisme moralisateur *(Le Mauvais Fils puni)* en accord avec le drame bourgeois et la comédie larmoyante de Diderot*, qui fut son admirateur enthousiaste. Il voulait hisser la peinture de genre au niveau de la peinture d'histoire. Auteur de portraits vigoureux et sensibles, d'une facture délicate *(Sophie Arnould, le Graveur Wille),* il se plut aussi à représenter des visages d'enfants et de jeunes filles d'une grâce mièvre, dont l'expression innocente apparaît savamment équivoque (*La Cruche cassée,* 1789). Il eut de nombreux imitateurs mais la gloire de David* éclipsa la sienne.

Grève *(place de).* ♦ Place de Paris, baptisée *place de l'Hôtel-de-Ville* en 1806. Descendant en pente douce jusqu'à la Seine (d'où son nom), lieu de réunion des ouvriers sans ouvrage (Cf. Grève, *in* Robert), elle fut le théâtre de fêtes populaires, mais surtout le lieu des exécutions capitales, de 1310 à 1830. Agrandie en 1769 et en 1817, elle accueillit l'administration municipale dès 1357 **(V. Hôtel de Ville).**

GREVENMACHER. ♦ V. et port du Luxembourg, sur la Moselle. 2 800 hab. Vignobles.

Arch. Smeets

J.-B. Greuze : « Le Guitariste ». (Musée des Beaux-Arts, Nantes.)

GRÉVIN (Jacques). ♦ Poète et médecin français (Clermont-en-Beauvaisis, 1538 — Turin, 1570). Poète lyrique, il composa, sous l'influence de Ronsard* et de J. du Bellay*, des pièces de vers qui furent publiées en un recueil (*L'Olympe de Jacques Grévin,* 1560). C'est surtout au théâtre qu'il fait figure de novateur avec la tragédie de *César* (1561) où l'éloquence du discours ne pâtit point d'un audacieux réalisme. — Médecin réputé, il a publié un *Traité d'anatomie* (1562). Converti au protestantisme, il quitta la France pour l'Angleterre, puis se fixa à Turin où il devint le médecin de la duchesse de Savoie.

Grévin *(musée).* ♦ Musée de figures de cire créé en 1882 à Paris par Alfred Grévin (1827 — 1892), caricaturiste et peintre de costumes de théâtre.

GRÉVY (Jules). ♦ Homme politique français (Mont-sous-Vaudrey, Jura, 1807 — *id.,* 1891). Avocat, de tendance républicaine, il fut nommé commissaire de la Deuxième République (1848); élu à l'Assemblée constituante (avril 1848) puis à l'Assemblée législative (mai 1849), il siégea avec la gauche, prit position pour la liberté de la presse et contre l'expédition de Rome **(V. Oudinot)** et se retira de la vie politique après le coup d'État du 2 décembre 1851. Député d'opposition au sein du Corps législatif en 1868, hostile à la déclaration de la guerre à l'Allemagne (1870), il se rangea parmi les républicains modérés après la chute de l'Empire (4 septembre 1870). Député à l'Assemblée nationale de Bordeaux en février 1871, puis membre de la Chambre des députés en 1876, il fut élu président de la Troisième République après Mac-Mahon (1879) et tenta de mener une politique hostile au nationalisme revanchard et à l'expansion coloniale. Il écarta du pouvoir des hommes comme Léon Gambetta et Jules Ferry. Le scandale du trafic des décorations dans lequel fut mêlé son gendre Wilson l'obligea à donner sa démission (1887).

GREY (Jeanne). ♦ Dame anglaise (Bradgate, 1537 — Londres, 1554). Arrière-petite-fille d'Henri VII par sa mère, elle avait reçu une instruction remarquable. Elle faillit épouser Édouard VI et fut mariée au fils de Dudley*. Celui-ci, qui représentait le parti protestant, convainquit Édouard VI de désigner Jeanne comme héritière. Elle fut en effet reconnue, bien contre son gré. Marie Tudor, ayant cependant fait triompher ses droits, Jeanne et son mari furent exécutés.

GREY (Charles, *2e comte* Grey). ♦ Homme politique anglais (Fallodon, Northumberland, 1764 — Howick House, Northumberland, 1845). Député whig aux Communes dès 1786, il devint le second de Fox* et lutta contre Pitt*. Il occupa le ministère des Affaires étrangères dans le cabinet Grenville (1806-1807), prit la tête des whigs à la Chambre des lords, et fit campagne pour l'émancipation des catholiques et la réforme parlementaire, qu'il imposa quand il fut Premier ministre (1832). Il obtint également l'abolition totale de l'esclavage. ♦ HENRY GEORGE, *3e vicomte* GREY (Howick, Northumberland, 1802 — *id.,* 1894), son fils. Il fit partie des ministères Melbourne* et Russell*, et se montra particulièrement libéral dans sa politique coloniale, essayant d'établir des gouvernements responsables (au Canada, en 1847). Ses difficultés en Afrique du Sud l'obligèrent à quitter le gouvernement, mais il continua à soutenir les thèses libérales.

GREY (*sir* George). ♦ Administrateur colonial et explorateur anglais (Lisbonne, 1812 – Londres, 1898). Successivement gouverneur de l'Australie méridionale (1840-1845), de la Nouvelle-Zélande (1845-1853, puis 1861-1868) et du Cap (1854-1860), puis Premier ministre (1877-1879), il a publié le journal de son voyage en Australie où il décrivit les coutumes totémiques des tribus australiennes (*Journal of two expeditions of discovery in North-West and Western Australia,* 1841).

GREY (Edward, *1er vicomte* **Grey of Fallodon).** ♦ Homme politique anglais (Londres, 1862 – *id.,* 1933). Entré aux Communes en 1885 comme député whig, il fut ministre des Affaires étrangères dans les cabinets Campbell-Bannerman et Asquith* (1905-1916), et domina la politique étrangère anglaise dans la période précédant la guerre de 1914. La menace allemande lui fit resserrer l'Entente* cordiale et établir la Triple-Entente* (1907) avec la Russie. Pacifiste, il tenta par divers moyens d'éviter la guerre et fit ensuite preuve d'une grande habileté diplomatique en gagnant à la cause des Alliés l'Italie (traité secret de Londres, 1915) et l'opinion américaine. Retiré de la vie politique, il publia plusieurs œuvres, dont ses mémoires (*Twenty five years,* 1925).

GRIAULE (Marcel). ♦ Ethnologue français (Aisy-sur-Armançon, Yonne, 1898 – Paris, 1956). Après avoir passé plusieurs mois en Abyssinie (1928-1929), il organisa la traversée de l'Afrique centrale d'ouest en est (mission Dakar-Djibouti, 1931-1933), inaugurant l'ère des enquêtes ethnographiques sur le terrain. Au cours de cette expédition, il entra en contact avec les Dogons des falaises de Bandiagara sur lesquels portèrent la plupart de ses recherches : les *Masques dogons* (1938), *Dieu d'eau* (entretiens avec Ogotemmeli, ouvrage qui révèle les structures de la pensée dogon, 1948), *Renard pâle, ethnologie des Dogons,* en collaboration avec G. Diéterlen*.

GRIBEAUVAL (Jean-Baptiste VAQUETTE *de*). ♦ Général et ingénieur militaire français (Amiens, 1715 – Paris, 1789). L'artillerie française devint, grâce à lui, la première d'Europe en 1789 et les nouveaux canons qu'il avait créés furent utilisés pour toutes les campagnes de la Révolution et de l'Empire.

GRIBOÏEDOV (Alexandre Sergueievitch) [*Gribojedov*]. ♦ Dramaturge russe (Moscou, 1795 – Téhéran, 1829). Il est célèbre pour sa comédie en vers *Le malheur d'avoir trop d'esprit* (*Gorie ot ouma,* 1824, joué en 1831) satire réaliste de la haute société moscovite. Griboïedov appartient à l'école classique de comédie, et sa pièce rappelle à certains égards *Le Misanthrope** de Molière. Envoyé comme ambassadeur à Téhéran, il y fut assassiné. Un grand nombre de ses vers sont devenus des proverbes couramment employés.

GRIEG (Edvard). ♦ Compositeur norvégien (Bergen, 1843 – *id.,* 1907). Ses études au conservatoire de Leipzig ne lui inspirèrent qu'une durable hostilité pour la musique romantique allemande. Le jeune compositeur R. Nordraak, mort prématurément, lui révéla la mélodie populaire norvégienne. Désormais, il n'allait plus chercher les thèmes de son inspiration que dans la vie quotidienne des hommes de son pays, dans la nature et le folklore norvégiens. Sensible toutefois à l'influence de Liszt* et de Wagner*, il collabora avec Ibsen et se lia d'amitié avec B. Bjørnson. Pianiste et chef d'orchestre, il interpréta ses ouvrages à travers toute l'Europe. Son œuvre instrumentale comprend des *Pièces lyriques* pour piano (1867-1901), des *Danses norvégiennes,* de la musique de chambre (*Sonates* pour violon, pour violoncelle; *Quatuor à cordes*) de la musique symphonique (*En automne,* ouverture pour orchestre), de la musique de scène (pour *Peer* Gynt,* d'Ibsen, 1875; pour *Sigurd Jorsalfar,* de Bjørnson) et 125 *Lieder,* pour piano ou avec orchestre (1864-1898), où parfois la poésie vaporeuse de la mélodie annonce Fauré. Harmoniste souvent audacieux, malgré un certain maniérisme, Grieg est le créateur d'une musique norvégienne originale.

GRIEG (Nordahl). ♦ Poète, romancier et auteur dramatique norvégien (Bergen, 1902 – Berlin, 1943). Il participa à la révolution chinoise en 1927, séjourna à Moscou, puis en Espagne révolutionnaire en 1937. Parti à Londres en 1940 lors de l'invasion allemande en Norvège, il fut tué dans le ciel de Berlin lors d'un raid en 1943. Auteur lyrique et éloquent, il fit preuve à travers son œuvre d'un patriotisme enthousiaste, que ce soit dans ses recueils de vers *Pierres dans les cours d'eau* (1925), *La Norvège dans nos cœurs* (1929), dans ses drames : *Barabbas* (1927), *Notre puissance et notre gloire* (1935), *La Défaite* (1937). Dans son roman *Il faut que le monde reste jeune* (1938) il mit son pays en garde contre l'humanisme inactif de l'Occident et exalta l'Union soviétique.

GRIFFITH (Arthur). ♦ Homme politique irlandais (Dublin, 1872 – *id.,* 1922). Éditeur et rédacteur du journal nationaliste irlandais *United Irishman* (1901), fondateur du mouvement Sinn* Fein, il refusait violemment le Home* Rule qui devait partager l'Irlande, mais ne participa pas à la révolte de 1916 (**V. Irlande** [*Hist.*]). Emprisonné pourtant après celle-ci par les Anglais, il garda son influence auprès des nationalistes irlandais, ce qui lui permit de prendre part à l'élaboration du traité de Londres (1921) qu'il accepta, contrairement à Eamon De* Valera. Il fut alors élu président de l'État libre d'Irlande.

GRIFFITH (David Wark). ♦ Réalisateur américain de cinéma (Crestwood, Kentucky, 1875 – Hollywood, 1948). Issu d'une famille ruinée par la guerre de Sécession (son père, médecin, avait été capitaine dans l'armée sudiste), il tenta une carrière littéraire,

Coll. Rui Nogueira

D. W. Griffith (à droite) et son opérateur.

devint comédien puis scénariste avant de se consacrer à la mise en scène de cinéma (1908). En quelques années, il devait réaliser plus de 400 films et s'affirmer, par la force et la générosité d'un génie purement autodidacte, comme le créateur le plus fécond du langage cinématographique aux États-Unis, avec Thomas Ince*. Distinguant dans l'art du cinéma un mode d'expression différent de celui du théâtre, il en affirma l'autonomie par la nouveauté et la diversité des thèmes, une solide direction d'acteurs, et par un usage magistral de quelques procédés techniques transformés par lui en éléments d'expression d'une haute valeur esthétique (échelle des plans, découpage analytique, montage alterné et parallèle, travellings). Il ouvrait ainsi la voie aux plus grandes réalisations des cinéastes soviétiques (Eisenstein*), allemands (Murnau*), américains (Stroheim*) et français (Gance*) qui devaient plus tard se reconnaître pour ses disciples. D'une filmographie importante (1908-1931) se détachent ses chefs-d'œuvre : *Naissance d'une nation* (*The Birth of a Nation,* 1915), film où la passion sudiste alimente un racisme violent, *Intolérance* (1916), triptyque grandiose et parfois naïf, *Le Lys brisé* (*Broken Blossoms,* 1919), *Pauvre Amour* (*True Heart Susie,* 1919), *À travers l'orage* (*Way Down East,* 1920). – Son art détermina Poudovkine* à s'adonner au cinéma.

GRIFFUELHES (Victor). ♦ Syndicaliste révolutionnaire français (Nérac, 1874 – Paris, 1923). Ouvrier cordonnier, il fut d'abord blanquiste, puis milita au sein du mouvement syndicaliste et fut nommé secrétaire général de la C.G.T. (1902-1909). *L'Action syndicaliste,* 1908.

GRIGNAN (Françoise Marguerite de Sévigné, *comtesse de***).** ♦ Dame française (Paris, 1646 – Mazargues, 1705). Très aimée de sa mère, la marquise de Sévigné*, elle entretint avec elle une correspondance célèbre, après que son mari, le comte de Grignan, eut été nommé lieutenant général de Provence.

GRIGNAN. ♦ Ch.-l. de cant. de la Drôme, arr. de Nyons*. 1 113 hab. Église du XVIe s. (tombeau de Madame de Sévigné*); beffroi du XVIIe s., château du XVIe s. Cultures de lavande. Cartonnages. ♦ *Hist.* En 1669, le comte de Grignan y épousa la fille de Madame de Sévigné*, qui y vécut.

GRIGNARD (Victor). ♦ Chimiste français (Cherbourg, 1871 – Lyon, 1935). Il découvrit (1900) la technique des organo-magnésiens, l'une des plus souples méthodes de synthèse organique. (Prix Nobel de chimie, 1912; Acad. sc., 1926.)

GRIGNION DE MONTFORT (Louis-Marie). ♦ **V.** LOUIS-MARIE GRIGNION DE MONTFORT (saint).

GRIGNON (Claude Henri). ♦ Écrivain canadien d'expression française (Sainte-Adèle, 1894 –). Auteur de *Pamphlets* redoutables, littéraires et politiques (publiés sous le pseudonyme de Valdombre, de 1938 à 1943), C. H. Grignon a connu un notable succès avec *Un homme et son péché* (publ. 1933), considéré comme le premier roman réaliste du Canada; ce portrait puissant d'un avare, tracé avec précision, a été adapté pour la radio et la télévision.

GRIGNON. ♦ Hameau de la comm. de Thiverval-Grignon (Yvelines). – École nationale supérieure d'agronomie dans le château de Grignon (XVIIe s.).

GRIGNY (Nicolas *de*). ♦ Organiste et compositeur français (Reims, 1672 – *id.,* 1703). Organiste de l'abbaye de Saint-Denis, puis de la cathédrale de Reims, il eut une fin prématurée. Son *Livre d'orgue* (1699) groupe une messe avec offertoire et élévation, et des versets pour cinq hymnes. La fugue à 5 parties s'apparente aux grands chœurs à 5 voix de Lalande*; elle est animée d'un lyrisme fervent et noble. L'art du dialogue et le souffle du grand *Offertoire* révèlent la nature mystique et passionnée de ce compositeur épris d'ordre et de clarté, et dont J.-S. Bach recopia intégralement l'œuvre, après sa réédition (1711).

GRIGNY. ♦ Comm. du Rhône, arr. de Lyon. 8 022 hab. Indus. chimiques et alimentaires (pâtes). Faïences et porcelaines.

GRIGORIEV (Apollon Alexandrovitch) [*Grigorev*]. ♦ Poète et critique russe (Moscou, 1822 – Saint-Pétersbourg, 1864). Défenseur de « l'art pour l'art », il fut aussi un poète et son œuvre fut découverte par Blok*. Ses critiques enthousiastes sur Ostrovski* lui servirent à exposer sa théorie d'une civilisation organique. Il voulait défendre l'originalité de l'esprit russe.

GRIGOROVITCH (Dimitri Vassilievitch) [*Grigorovič*]. ♦ Romancier russe (Simbirsk, 1822 – Saint-Pétersbourg, 1899). Auteur réaliste et optimiste, il décrivit la vie des paysans dans ses nouvelles *Le Village* (1846), *Antoine le Malheureux* (1847) et ses romans *Les Pêcheurs* (1853), *Les Émigrés* (1855-1856). En 1845, il fut le premier à déceler le génie de Dostoïevski* et le fit connaître à ses amis Nekrassov* et Bielinski*.

GRIGURESCU (Nicolae). ♦ Peintre roumain (Pitaru, 1838 – Cimpina, 1907). Formé auprès d'un peintre d'icônes, il réalisa d'abord des décorations d'église (*Zamfira,* 1856) puis se rendit à Paris en 1867. Il alla ensuite peindre auprès de Millet à Barbizon, recevant aussi les conseils de Corot. Revenu en Roumanie en 1869, il réalisa lors de la guerre d'indépendance des tableaux de bataille (1877-1878). Il fit un autre séjour à Paris de 1880 à 1886 et subit l'influence de l'impressionnisme. Il contribua à affranchir la peinture roumaine des conventions académiques en peignant des portraits, types populaires et paysages de son pays natal dans des tonalités claires et avec une touche nerveuse et apparente.

GRIJALVA (Juan *de*). ♦ Navigateur espagnol (Cuellar, Vieille-Castille, v. 1489-1490 – Nicaragua, 1527). Il fut chargé par le gouverneur de Cuba, D. Velázquez, d'explorer la côte du Yucatán (1518), déjà reconnue par H. De Córdova. Il fut massacré par les Indiens.

GRILLPARZER (Franz). ♦ Auteur dramatique autrichien (Vienne, 1791 – *id.,* 1872). Directeur du service des archives au ministère des Finances, il mena, parallèlement à sa carrière de fonctionnaire, une longue et féconde carrière d'auteur dramatique que l'insuccès ne parvint pas à interrompre. L'influence de Goethe* s'est fortement exercée sur son théâtre où le romantisme le plus passionné se tempère d'une délicatesse et d'un souci de la nuance tout classiques. Cette harmonieuse synthèse est sensible dans des œuvres d'une grande richesse poétique : *Sapho* (*Sappho,* 1818), *La Trilogie de la Toison d'Or* (*Das Goldene Vliess,* 1818-1820), *La Haute Fortune et la fin du roi Ottokar* (*König Ottokars Glück und Ende,* 1823) et surtout *Les Vagues de la mer et de l'amour* (*Des Meeres und der Liebe Wellen,* 1826).

GRIMALDI. ♦ Localité d'Italie (Ligurie), près de la frontière française. Des fouilles, entreprises dès 1872 par E. Rivière et continuées par L. de Villeneuve en 1901 avec l'aide du prince Albert de Monaco, permirent la découverte, dans les neuf grottes de Grimaldi, de squelettes humains fossiles d'une race voisine de celle de Cro*-Magnon, l'*homme de Menton.* D'autre part, deux squelettes, trouvés dans la grotte des Enfants, plus anciens, avec des caractères nigritiques, constituent le prototype de la *race* dite *de Grimaldi.*

GRIMALDI. ♦ Famille d'origine génoise, connue dès le XIIe siècle. Alliée des Fiesque* et avec eux à la tête du parti guelfe de Gênes, elle lutta contre les Doria*. En 1297, RAINIER GRIMALDI, chassé de Gênes, se réfugia à Monaco. Il fut amiral de France sous Philippe le Bel. Pour l'histoire de cette branche de la famille, **V. Monaco.** ♦ ANTONIO GRIMALDI, amiral génois, combattit avec succès les Catalans et les Aragonais (1332), mais fut vaincu ensuite par les Vénitiens en 1353. Cette défaite décida Gênes à accepter la protection de Giovanni Visconti*, seigneur de Milan. ♦ DOMENICO GRIMALDI (v. 1510 – 1592). Après avoir combattu à Lépante (1571), il entra dans les ordres, fut évêque de Cavaillon (1584), archevêque d'Avignon et vice-légat (1585).

GRIMALDI (Francesco Maria). ♦ Jésuite et physicien italien (Bologne, 1618 – 1663). Auteur, avec Riccioli*, d'une carte de la Lune [1650] **(V. *aussi* Gassendi),** on lui doit l'actuelle toponymie des détails orographiques; mais il est surtout connu pour avoir mis en évidence la diffraction de la lumière (*De Lumine,* 1665).

GRIMAUD. ♦ Ch.-l. de cant. du Var*, arr. de Draguignan*. 1 672 hab. *(Grimaudois).* Ruines féodales, petite église romane.

GRIMBERGEN. ♦ Comm. de Belgique dans la banlieue N. de Bruxelles. 10 200 hab. Église Saint-Servais, baroque (1660). Ancienne abbatiale de Prémontrés. Château-ferme de Charles Roy (XVIIe s.). – Indus. alimentaires et chimiques.

GRIMM (Melchior, *baron de*). ♦ Écrivain et critique allemand (Ratisbonne, 1723 – Gotha, 1807). Il succéda à l'abbé Raynal comme rédacteur d'une correspondance littéraire, philosophique et critique (*17 volumes,* 1812-1813) dont le but était de renseigner plusieurs princes étrangers (la duchesse de Saxe-Gotha, le roi de Pologne, la reine Catherine de Suède, etc.) sur la vie intellectuelle à Paris. On lui reprocha parfois la sévérité de ses critiques et son scepticisme philosophique.

GRIMM (Jakob ou Jacob). ♦ Philologue et écrivain allemand (Hanau, 1785 – Berlin, 1863). Fondateur de la philologie allemande, il réunit et publia avec son frère WILHELM (Hanau, 1786 – Berlin, 1859) et Görres* les contes et légendes germaniques : *Poésie des maîtres chanteurs,* 1811; *Contes d'enfants et du foyer* (1812), dont les plus connus sont *Blanche-Neige et les Sept Nains; Hänsel et Gretel,* etc.; *Légendes allemandes* (1818) et *Légende héroïque allemande* (1829). On leur doit également une *Histoire de la langue allemande* (1848) et un *Dictionnaire allemand* (1852-1858) partiellement publié de leur vivant.

GRIMMELSHAUSEN (Hans Jakob Christoffel *von*). ♦ Romancier allemand (Gelnhausen? v. 1620 – Renchen, Bade, 1676). Protestant converti au catholicisme, il fut tour à tour soldat-secrétaire pendant la guerre de Trente Ans, viticulteur, maquignon et aubergiste, avant d'être nommé par l'évêque de Strasbourg maire de Renchen où il assuma les fonctions de notaire, de percepteur et de juge de paix, tout en publiant ses romans sous divers pseudonymes. Le plus célèbre d'entre eux (dont les critiques mirent longtemps à identifier l'auteur), *Les Aventures de Simplicius Simplicissimus* (1668-1669), joint au récit autobiographique des renseignements recueillis dans différents ouvrages pour tracer un tableau vivant de la réalité allemande de l'époque de la guerre de Trente Ans. S'inspirant du roman picaresque espagnol tout en rappelant à maints égards les aventures truculentes de Till Eulenspiegel*, cette œuvre offre un témoignage caractéristique de l'esprit baroque, dominé par le sentiment aigu de la vanité du monde et de l'inconstance du destin qui mène peu à peu le héros vers une recherche de la connaissance de Dieu. Après le succès de ce roman (qui fut ultérieurement plusieurs fois adapté en allemand moderne), Grimmelshausen publia d'autres récits dans le même esprit (*Simplicianische Schriften,* 1669-1672) parmi lesquels *L'Aventurière Courage (Die Erzbetrügerin und Landstörzerin Courasche)* devait inspirer B. Brecht dans *Mère Courage.*

GRIMOALD. ♦ (? – 656). Fils de Pépin* l'Ancien, il fut maire du palais d'Austrasie (642). Il tenta de placer son fils sur le trône à la mort de Sigebert* II, mais fut tué par Clovis II de Neustrie.

GRIMSBY, anc. **Great Grimsby**. ♦ Port d'Angleterre (Lincolnshire) sur la r. d. de l'estuaire de la Humber. 97 000 hab. C'est avec ses 300 bateaux le plus grand port chalutier d'Angleterre et l'un des premiers du monde. C'est aussi un port de commerce (importation de bois) et un port de voyageurs en liaison avec la Scandinavie. Conserveries.

GRIMSEL *(col du)*, en all. **Grimselpass**. ♦ Col des Alpes bernoises, situé entre les vallées du Rhône et de l'Aar* et faisant communiquer les cantons du Valais* et de Berne*. Alt. 2 164 mètres.

GRINDELWALD. ♦ V. de Suisse (cant. de Berne), située dans l'Oberland* bernois sur les contreforts de l'Eiger* à 20 km d'Interlaken*. 3 200 hab. Station d'été et de sports d'hiver. Important centre d'alpinisme. Alt. 1 050-3 454 mètres.

GRINE (Alexandre, pseudonyme de **A. Stepanovitch Grinievski)** [*Grin*]. ♦ Conteur et romancier soviétique (1880 – 1932). Il écrivit des contes fantastiques : *Le Bonnet magique* (1908) et des romans d'aventure : *Le Monde brillant* (1924), *Le chemin qui ne mène nulle part* (1929).

GRINGORE (Pierre). ♦ Poète dramatique français (Thury-Harcourt, v. 1475 – en Lorraine, v. 1538). La célébrité qu'il doit au roman de Victor Hugo, *Notre-Dame de Paris,* est aussi à l'origine de la déformation de son nom (Gringoire pour Gringore). Animateur de la troupe des « Enfants sans souci », auteur de nombreuses « soties », il mit sa verve au service de Louis XII en lutte contre le pape Jules II dans des poèmes satiriques (*Les Folles Entreprises,* 1505; *La Chasse du cerf des cerfs,* 1510). Mais c'est surtout dans le *Jeu* du prince des Sots et de la mère Sotte,* représenté aux Halles de Paris le Mardi gras de 1512, qu'il donna libre cours à l'inspiration militante la plus heureuse.

GRIPENBERG (Bertel Johan Sebastian). ♦ Poète finlandais de langue suédoise (Saint-Pétersbourg, 1878 – Sävsjö, Suède, 1947). Esthète conservateur aux idées aristocratiques, il atteint une

Ph. Hétier

Grindelwald.

Ph. Simion/Ricciarini

J. Gris : « Le Dé ».
(Musée national d'Art moderne, Paris.)

grande perfection formelle dans des recueils de vers comme *Le Portail* (1905), *Sonnets noirs* (1908). Après des poèmes patriotiques comme *Sous le drapeau* (1918) et *Après le combat* (1923), il revint à sa première manière et conclut même, dans ses dernières collections comme *Le Dernier Round* (1941), à la vanité de toute gloire.

GRIS (José VICTORIANO GONZÁLEZ, dit **Juan).** ♦ Peintre, dessinateur et graveur espagnol (Madrid, 1887 – Boulogne-sur-Seine, 1927). Il étudia à Madrid et débuta en donnant des dessins humoristiques qui portent la marque de l'Art Nouveau. Installé au Bateau-Lavoir à Paris, en 1906, il collabora au *Charivari* et à l'*Assiette au beurre* et se lia avec Apollinaire, Max Jacob et surtout avec P. Reverdy. Se consacrant v. 1910 à la peinture, il peignit ses premières œuvres sous l'influence du cubisme analytique de Braque et de Picasso, pratiquant la fragmentation des objets par dissociation et multiplication des plans, mais conservant le principe d'un éclairage en diagonale et le rendu des volumes par le modelé. En 1912, il participa à l'exposition de la Section d'or et, durant l'été de 1913, il séjourna à Céret en compagnie de Picasso. Les œuvres de cette époque constituent une contribution personnelle au développement du cubisme dit synthétique. Recourant largement à la technique du papier collé, Gris chercha à intégrer plastiquement les fragments de papiers peints, de journaux, les cartes à jouer, etc., mû par une recherche de rythmes, de construction formelle. Procédant à une reconstruction originale des éléments constitutifs des objets représentés, il chercha à rendre cohérents et lisibles ses agencements, accordant souvent un rôle unificateur à la couleur. Il a ainsi défini sa démarche « Cézanne va vers l'architecture, moi j'en pars. C'est pourquoi je compose avec des abstractions (couleurs) et j'arrange quand ces couleurs sont devenues des objets... ». La poursuite de cette « restructuration » de l'objet et de la figure humaine est bien représentée dans la *série des Pierrots et Arlequins* de 1919. Sa santé précaire l'obligea à séjourner souvent dans le Midi. Il s'intéressa à la gravure, à la sculpture et réalisa quelques décors pour les *Ballets russes* (1922-1923). Il manifesta progressivement une tendance à la simplification, cherchant à mettre en évidence des analogies formelles entre les objets *(Guitare jaune)*. Il resta toute sa vie fidèle au cubisme et est considéré comme l'un des principaux représentants de ce mouvement auprès de Braque* et de Picasso*.

Grisélidis ou **Griselda.** ♦ Héroïne du *Décaméron* (Boccace), symbole de la soumission et de la fidélité à l'époux. Son histoire inspira Pétrarque et Chaucer *(Contes de Cantorbéry)* qui traduisit Boccace.

GRISI (Carlotta). ♦ Danseuse italienne (Visinada, Istrie, 1819 – Saint-Jean, près de Genève, 1899). Cousine de GIUDITTA GRISI (1805 – 1840) et de JULIA GRISI (1811 – 1869), qui furent toutes deux cantatrices de grande renommée à l'époque romantique, elle a été, avec Marie Taglioni* et Fanny Ellsler*, la danseuse la plus célèbre en Europe, durant la même période. Elle dansa en Italie, puis à l'Opéra de Paris, dans le ballet de *Giselle** (1841) dont son admirateur, Théophile Gautier, avait composé l'argument. Consacrée danseuse étoile pour sa grâce ravissante et pudique autant que pour la perfection de sa technique, elle interpréta les plus grands rôles du ballet romantique de Paris à Londres et à Saint-Pétersbourg.

GRIS-NEZ *(cap).* ♦ Cap du Boulonnais*, dans le Pas*-de-Calais, entre Wissant et Ambleteuse*. Falaises.

GRISONS *(canton des),* en all. **Graubünden**, en ital. **Grigioni**, en romanche **Grishun** (de la *Graue Bund,* « ligue grise ». **V.** ci-dessous *Hist.*). ♦ Cant. du S.-E. de la Suisse limité par les cant. de Glaris* et de Saint*-Gall, le Liechtenstein* et l'Autriche* au N., l'Italie* à l'E. et au S., le Tessin et le cant. d'Uri à l'ouest. C'est le plus étendu des cantons suisses (7 108,9 km²) et celui dont la densité est la plus faible : 154 000 hab., de langue allemande, italienne et romanche et en majorité de religion protestante. *Ch.-l.* Coire* (Chur). – Entièrement située dans les Alpes, la région comprend les massifs du Tödi* au N., de l'Adula* au S.-O. et de la Bernina* au sud-est. Les deux vallées principales sont les vallées du Rhin* et de l'Inn* **(V. Engadine).** L'économie du canton est essentiellement rurale. Le climat sec et ensoleillé a favorisé le développement de cultures variées dans les vallées les plus basses : maïs, noisetiers dans le val Mesocco, vignes près de Malans au-dessous de Coire, tandis que les hautes vallées sont consacrées à l'élevage et à la sylviculture. Spécialité de viande séchée. – Les ressources hydroélectriques sont importantes. Les rares industries sont centralisées autour du chef-lieu. L'indus. touristique, de plus en plus prospère, reste la principale ressource économique de la région : centre thermal de Scuol*-Tarasp*-Vulpera*, stations d'été et de sports d'hiver d'Arosa*, Celerina*, Davos*, Flims*, Klosters*, Lenzerheide*, Pontresina*, Saint*-Moritz, Samedan*, Sils*-Maria, Silvaplana*, Thusis*. – Patrie de A. Giacometti*. ♦ *Hist.* Habitée primitivement par les Celtes rhétiens, la région formait la partie S. de la Rhétie*. Elle fut conquise en ~ 15 par les Romains puis au Ve s. par les Germains et entra dans le duché de Souabe*. À partir de 452, le pays fut gouverné par les évêques de Coire. Devenus princes d'Empire en 1170, ces derniers s'allièrent aux Habsbourg contre la volonté des populations grisonnes qui pour leur résister constituèrent en 1367 la *Gotteshausbund (ligue de la Maison-Dieu),* en 1395 la *Obere Bund* ou *Graue Bund (ligue Grise),* formée par les habitants de la vallée supérieure du Rhin qui a donné son nom au canton, et en 1436 la *Zehngerichtenbund* (*ligue des Dix Juridictions,* formée par le N. de la région). S'étant alliées entre elles, ces trois ligues établirent une entente avec la Confédération helvétique (1497-1498) et vainquirent les Habsbourg à Calven (mai 1499). En 1512, les trois ligues grisonnes s'emparèrent de la Valteline* et du pays de Chiavenna et de Bormio qu'elles dominèrent jusqu'en 1797, date à laquelle une partie des Grisons fit partie de la République cisalpine*. Les Grisons constituèrent le 18e canton suisse lors de l'Acte de médiation de 1803.

GRIVEGNÉE. ♦ Comm. de Belgique (prov. et arr. de Liège) sur l'Ourthe. 23 800 hab. Indus. textiles. Fonderies. Hauts fourneaux.

GROBBENDONK. ♦ Comm. de Belgique (Anvers, arr. de Turnhout) sur le canal de l'Escaut à la Meuse. 5 100 hab. Fouilles d'une villa et d'un camp romains. – Cultures maraîchères. Conserveries. Taille du diamant.

GROCK (Adrien WETTACH, dit**).** ♦ Artiste de cirque suisse (Loveresse, près de Reconvilier, 1880 – Imperia, 1959). Dès son enfance, il passa ses vacances dans un cirque où il débuta comme acrobate et musicien avec un piano et un violon pour accessoires. Devenu le partenaire du clown Brick en 1903, il adopta alors le nom de Grock ; ils firent tous deux des tournées en France, en Afrique du Nord et en Amérique du Sud. Grock s'associa ensuite à Antonet. Il se produisit en Angleterre, puis à partir de 1924 en Europe, jusqu'à ses adieux à la scène à Hambourg en 1954. Il est l'auteur d'une autobiographie : *Die Memorien des Königs der Clowns,* 1956 (Mémoires du roi des clowns).

GRODECK (Georg). ♦ Médecin autrichien (1866-1934). Fondateur de la médecine psychosomatique, il correspondit avec S. Freud à qui il suggéra la possibilité d'une interprétation psychanalytique des maladies somatiques. *(Au fond de l'homme cela.)*

GRODNO. ♦ V. d'U.R.S.S. (Biélorussie*), ch.-l. de la région du même nom (25 000 km². 1 124 000 hab.) sur le Niémen*, près de la frontière polonaise. 132 000 hab. Indus. textiles. Verreries. Chaussures. Équipements électriques. – Patrie d'Éliza Orzeszkowa*. Dans la région est né Sokolovski*. ♦ *Hist.* En 1793, la Diète polonaise y signa avec la Russie le traité du second partage de la Pologne. La ville, autrefois lituanienne puis polonaise, fut annexée par la Russie en 1795 après que Stanislas* Poniatowski y eut abdiqué.

GROENLAND. *n. m.,* en dan. **Grønland** (« Terre verte »). ♦ Territoire danois, immense île située au N.-E. du Canada, entre les latitudes 59° 46′ N. (cap Farvel) et 83° 39′ N., en bordure de l'océan

Arctique (cap Morris Jesup). Elle est entourée au N. par l'océan glacial Arctique, à l'E. par la *mer du Groenland*, au S.-E. et au S. par l'océan Atlantique, et séparée à l'O. de l'archipel arctique américain par une série de mers et de détroits (dont la mer de Baffin*). 2 175 600 km². 33 700 hab. *(Groenlandais)*. Ch.-l. Godthaab*. ***Langues.*** Danois (off.), eskimo, anglais. ***Religion*** luthérienne. ***Pop.*** Eskimo, la plupart métissée, Danois. *V. princ.* Egedesminde, Godthaab, Holsteinborg, Julianehaab, Sukkertoppen. – L'administration dépend du ministre du Groenland à Copenhague. Les affaires locales sont gérées par le Conseil du Groenland et le Parlement danois. – ***Orogr.*** Une immense calotte glaciaire, peu accidentée, recouvre presque tout le territoire. Cet *inlandsis*, partout en recul, est percé par endroits de pics rocheux pouvant atteindre près de 4 000 mètres. Le littoral (surtout au S.-O.) est parfois déglacé sur plus de 100 km de large. La population s'y concentre, ainsi qu'au S., sur 88 000 km² environ. – ***Climat*** polaire : hiver de six à neuf mois, selon les régions. – ***Écon.*** La pêche (morues, saumons, crevettes) est l'activité principale, la chasse (renard, bœuf musqué, lièvre) est en régression. Élevage de moutons et de rennes. Gisements de cryolite, de charbon, de plomb et de zinc. Industrie embryonnaire (conserveries). Bases militaires des États-Unis **(V. Thulé)**, lignes aériennes transarctiques. ♦ ***Hist.*** Découvert par Érik le Rouge au xᵉ s., le Groenland commença dès lors à être colonisé par les Scandinaves sur la côte ouest. En 1261, il fit allégeance à la Norvège. Pendant le xvᵉ s., et jusqu'en 1578, date à laquelle il fut redécouvert, les contacts avec l'Europe se perdirent à la suite d'un refroidissement climatique. À partir de 1721, les Danois s'établirent et explorèrent systématiquement la côte ouest. Peary fit plusieurs expéditions sur la côte N.-O., de 1892 à 1909. Les États-Unis commencèrent à installer des bases militaires en 1941 (la base de Thulé* fut établie à la suite de l'accord américano-danois de 1951, dans le cadre de l'O.T.A.N.). En 1953, le Groenland, jusque-là colonie, devint partie intégrante du Danemark. Des expéditions scientifiques (P.-É. Victor, 1948-1951 ; W. Simpson, 1952-1954) y étudient l'orographie et la géologie, les conditions climatiques (météorologie, glaciologie) ou les populations autochtones (Eskimo).

GROIX *(île de)*. ♦ Île de l'Atlantique au large de Lorient, ch.-l. de cant. du Morbihan, arr. de Lorient. 3 161 hab. *(Groisillons* ou *Grésillons)*. L'île a une longueur de 8 km, une largeur de 2 à 3 km, une superficie de 1 476 ha. Port de plaisance à Port-Tudy. Pêche au thon.

GROMAIRE (Marcel). ♦ Peintre, dessinateur et graveur français (Noyelles-sur-Sambre, 1892 – Paris, 1971). Il étudia la peinture dans les académies libres de Montparnasse, admirant surtout Matisse* et Léger*. Il élabora un style personnel où transparaît une certaine influence du cubisme dans son souci d'établir des formes fortement architecturées et schématisées. Il chercha les rythmes vigoureux, recourut à une palette sombre et limitée, à dominante brune ou ocre, traitant sans pittoresque des thèmes d'inspiration populaire qui dénotent des préoccupations sociales et humanitaires (*La Guerre,* 1925 ; *La Loterie foraine,* 1923). L'expression grave qui s'en dégage ainsi que le canon trapu et rigide présentent des affinités avec l'expressionnisme belge. Il est aussi l'auteur de nombreux nus aux coloris denses, parfois plus chatoyants, de vues urbaines d'une grande liberté formelle, de multiples gravures et de vastes compositions décoratives. Avec Lurçat*, il contribua fortement au renouveau de la tapisserie.

Groenland.

GROMBALIA. ♦ V. de la Tunisie septentrionale, ch.-l. du gouvernorat du cap Bon* (279 400 hab.), située dans une plaine comprise entres les montagnes de la Dorsade* tunisienne à l'O. et celles de la presqu'île du Cap Bon*. 7 000 hab. Vignobles. Oliviers. Usine de jus de fruits et de conserves.

GROMYKO (Andrei Andreievitch). ♦ Diplomate et homme politique soviétique (Minsk, 1909). Après avoir occupé plusieurs postes diplomatiques, il dirigea la délégation soviétique à la conférence de Dumbarton Oaks, préparant la formation de l'O.N.U. Il y fut délégué permanent de l'U.R.S.S. au Conseil de sécurité (1946-1948). Il fut nommé ministre des Affaires étrangères de l'U.R.S.S. en 1957, après avoir été vice-ministre, puis ambassadeur à Londres.

GRONCHI (Giovanni). ♦ Homme politique italien (Pontedera, 1887). Militant du parti démocrate chrétien, il se détourna du fascisme dès 1923 et fut l'un des chefs de la résistance italienne à partir de 1942. Président de la chambre des députés (1948-1955), il a été élu président de la République (1955-1962).

GRÖNER (Wilhelm). ♦ Général allemand (Lugdwigsburg, Wurtemberg, 1867 – Potsdam, 1939). Spécialiste des services de l'arrière (il avait organisé la concentration et les transports de troupes en 1914-1916 et avait dirigé la production d'armements en 1917), il remplaça Ludendorff* comme quartier-maître général le 26 octobre 1918 avec la tâche d'organiser la retraite. Démocrate, il favorisa la chute de Guillaume* II et joua un rôle important dans la reconstruction de l'Allemagne. Il fut ministre des Transports (1920), de l'Armée *(Reichswehr)* [1928], de l'Intérieur (1931). Il avait lutté contre le communisme lors des émeutes de 1918-1919 ; il lutta contre la montée du nazisme, provoqua l'interdiction des S.S. et des S.A., mais dut démissionner en 1932.

GRONINGUE. *n. f.,* en néerl. **Groningen.** ♦ Prov. des Pays-Bas, limitée au N. par le Waddenzee (mer de Wadden), au N.-E. par l'estuaire de l'Ems, à l'E. par l'Allemagne, au S. par la Drenthe et à l'O. par la Frise et le Lauwerszee. 2 246 km². 477 700 hab. *Ch.-l.* **V. Groningue.** *V. princ.* **V. Delfzijl.** Les îles de Westerwolds font partie de la Groningue. Production de blé, de betterave à sucre, de pomme de terre. Oléiculture. Élevage bovin. Chevaux. L'activité industrielle est surtout représentée autour du ch.-l., Groningue. Gisements de gaz naturel. ♦ *Hist.* L'histoire de la province consiste en une suite de luttes entre sa capitale et ses régions constituées au Moyen Âge en républiques agricoles indépendantes. La seigneurie de Westerwolde fut achetée en 1619 par Groningue. Il fallut attendre 1795, après l'occupation française, pour que l'union se réalisât.

GRONINGUE, en néerl. **Groningen.** ♦ Ch.-l. de la prov. de Groningue et princ. V. du N.-E. des Pays-Bas. 199 122 hab. La ville domine une vaste région de polders et de tourbières (au N.). *Grote Markt* du xviiiᵉ siècle. Église Saint-Martin (xvᵉ et xviᵉ s.). Musée d'art et d'histoire. Importante université (fondée en 1614). – Centre commercial (céréales, bétail, chevaux) et indus. (métallurgie, constructions mécaniques, chantiers navals, indus. électriques, chimiques et textiles). Carton. Gisement de gaz de Slochteren. ♦ *Hist.* Prospère au ixᵉ s., la ville fut ravagée par les Normands. Elle fut fortifiée au xiiᵉ s., et une convention conclue en 1251 avec les cantons voisins (Groningue y était reconnu comme le seul marché de la région) lui assura six siècles de prospérité. Elle adhéra (1284) à la Ligue hanséatique et passa en fief, en 1515, aux ducs de Gueldre puis entra en 1579 dans l'Union d'Utrecht, après avoir été cédée à Charles Quint en 1536. En 1810, Groningue devint le ch.-l. du dép. de l'Ems-Occidental.

GROOTE (Geert), latinisé en **Gerardus Magnus.** ♦ Prédicateur et mystique néerlandais (Deventer, 1340 – 1384), fondateur des *Frères de la vie commune* (1381) à Deventer. Le courant de la *Devotio moderna* et l'*Imitation* de Jésus-Christ* proviennent de lui.

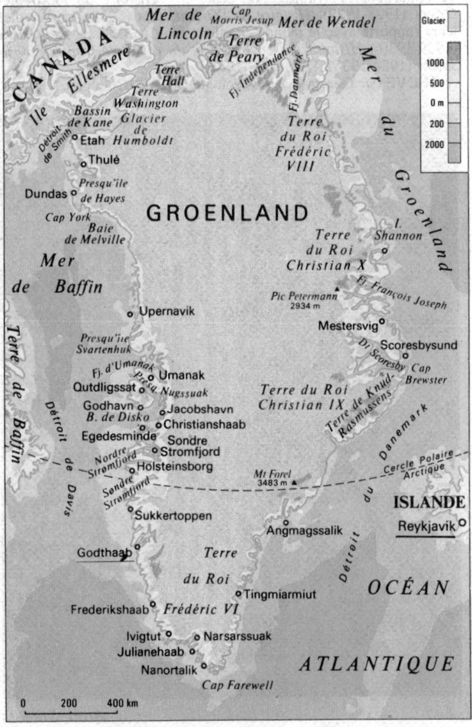

GROPIUS (Walter). ♦ Architecte, urbaniste, professeur et théoricien américain d'origine allemande (Berlin, 1883 – Boston, 1969). Il fit ses études d'architecture à Berlin et à Munich et travailla auprès de Behrens* de 1907 à 1910. Il s'imposa avec la construction des *usines Fagus* à Alfed an der Leine (collaborateur A. Meyer), l'une des œuvres clés de la construction en verre et acier (structure apparente, mur-rideau transparent, recours à de sobres orthogonales). Il réalisa ensuite l'usine modèle pour l'exposition du *Deutscher Werkbund* à Cologne (1916). Chargé de succéder à H. Van* de Velde, il fonda en 1919 le Bauhaus* et en édifia les nouveaux bâtiments en 1925-1926. Ceux-ci étaient caractérisés par l'abandon de la symétrie axiale, l'articulation d'édifices de hauteurs différentes et l'emploi systématique du mur-rideau. Gropius dirigea le Bauhaus jusqu'en 1928 ; poussé par des préoccupations d'ordre social, il s'intéressa à l'urbanisme, concevant notamment la cité Törten (1926-1927), celle du Dammerstock près de Karlsruhe (1928) et celle de Berlin Siemmenstadt (1928), où apparaît un type d'habitation lamelliforme implanté perpendiculairement à la rue. Lors de la montée du nazisme, il émigra en Angleterre, édifiant notamment l'*Impington College* avec Edwin Maxwell Fry. Il s'établit en 1937 aux États-Unis, s'associant avec Breuer* jusqu'en 1941. Partisan du travail en équipe, il fonda une agence, *The Architect collaborative (T.A.C.)* qui édifia de nombreux bâtiments (*nouveau centre administratif et commercial* de *Back Bay* à Boston). Par son rôle de théoricien et de professeur, comme par ses réalisations sobres, d'un rationalisme rigoureux et où une large place est faite à la standardisation et à la préfabrication, Gropius s'est affirmé comme l'un des créateurs du style international qu'il contribua à diffuser.

GROS (Antoine, *baron*). ♦ Peintre et dessinateur français (Paris, 1771 – Meudon, 1835). Fils d'un miniaturiste, il entra en 1785 dans l'atelier de David et devint l'un de ses élèves favoris. Parti pour l'Italie en 1793, il gagna la protection de Joséphine de Beauharnais, et fut présenté à Bonaparte. Il peignit *Bonaparte au pont d'Arcole* (1798) : le rendu d'un mouvement fougueux, le chromatisme riche et vibrant (inspiré en partie de Rubens et allant à l'encontre des théories davidiennes) ainsi que le souffle épique qui animait l'œuvre, constituaient des caractères nouveaux, annonçant directement le romantisme. Gros suivit les campagnes d'Italie, puis devint peintre officiel de Napoléon, contribuant par ses grandes compositions (*Bonaparte visitant les pestiférés de Jaffa* [1804], où se manifeste un souci de pittoresque oriental; *la Bataille d'Aboukir* [1806]; *Le Champ de bataille d'Eylau* [1808]) à forger le mythe de l'épopée impériale. Il fit aussi les portraits des membres de la cour et des héros de l'Empire. Sous la Restauration, il réalisa encore quelques œuvres traitant d'événements contemporains (*Départ de Louis XVIII*, 1817), mais surtout des portraits et, par fidélité à David dont il avait reçu la charge de diriger l'atelier, il peignit de froides et sèches compositions mythologiques. Sa position officielle lui valut de devenir la cible à la fois des ingristes et des partisans de la nouvelle école romantique, à laquelle il avait cependant ouvert la voie. Il se suicida en se jetant dans la Seine.

GROSBLIEDERSTROFF. ♦ Comm. de la Moselle (arr. de Sarreguemines), sur la Sarre. 3 218 hab. Importante centrale thermique.

GROSBOIS. ♦ Localité du Val-de-Marne dans la comm. de Boissy-Saint-Léger. Château du XVIe s. rebâti au XVIIe s. Après avoir appartenu successivement au comte de Provence (futur Louis XVIII) et à Barras, il devint la propriété du maréchal Berthier qui y donna de grandes fêtes où se rendit souvent l'impératrice Joséphine jusqu'en 1809. Le château renferme un mobilier Empire, des portraits et des bustes par Mignard, Prud'hon, Gros, Canova, ainsi que des fresques d'A. Bosse.

GROS-GUILLAUME (Robert Guérin, dit). ♦ Comédien français (v. 1554 – Paris, 1634). Avec Gaultier-Garguille et Turlupin, il excella dans la farce à l'hôtel de Bourgogne* où le public le reconnaissait à son visage enfariné et à son ventre énorme, sanglé de deux ceintures.

GROSLAY. ♦ Comm. du Val-d'Oise (arr. de Montmorency). 5 478 hab. Église (XIIIe-XVIe s.). Cultures fruitières (principalement les poires).

GROSSETESTE (Robert). ♦ Religieux et érudit anglais (Stradbroke, Suffolk, v. 1170 – Buckden, près d'Huntingdon, 1253). Franciscain, il fut maître des études à Oxford (1210) où il eut Roger Bacon* pour élève, puis évêque de Lincoln (1235). Héritier de saint Augustin et du néoplatonisme, il fut partisan d'une cosmogonie accordant à l'optique le rôle essentiel; préconisant la méthode de « falsification », son œuvre est surtout négative mais il fut également l'un des adeptes de la méthode expérimentale en science.

GROSSETO. ♦ V. d'Italie centrale, en Toscane. Ch.-l. de prov. 56 000 hab. Centre principal de la Maremme* méridionale.

GROSSGLOCKNER. ♦ Point culminant des Alpes autrichiennes dans le massif des Hohe Tauern. 3 797 m.

GROSZ (Georges). ♦ Peintre, dessinateur et graveur allemand naturalisé américain (Berlin, 1893 – *id.*, 1959). Formé à Dresde et à Berlin, il remarqua au cours d'un séjour à Paris (1913) les œuvres de Picasso, Chagall, Delaunay et des cubistes. Blessé durant la guerre, il exprima avec virulence ses sentiments antimilitaristes et antibourgeois dès 1916 et donna des dessins satiriques aux journaux spartakistes. À partir de 1918, il participa activement au mouvement dada berlinois, contribuant à lui donner un caractère politique plus marqué. Il réalisa des dessins, des photomontages et des tableaux en procédant souvent à un découpage des formes. Il donna alors à ses compositions un aspect kaléidoscopique, un rythme heurté déformant les proportions, et traitant les visages d'une façon très fouillée et violemment expressive (*Obsèques du poète Panizza*, 1918). Il tendit à prendre de plus en plus de libertés formelles : « Pour atteindre un style correspondant à la laideur et à la cruauté de mes modèles, j'ai copié le folklore des urinoirs (...) et aussi les dessins d'enfant à cause de leur sincérité ». Il publia diverses séries de gravures satiriques et avec *Ecce Homo* (1929), il fut accusé d'offense aux sentiments de pudeur et de moralité du peuple allemand. Il avait adopté à partir de 1925 un style plus réaliste et, exilé aux États-Unis (1932), il peignit des paysages, des nus, des scènes fantastiques et prit aussi pour cible la société américaine. Par son sens du grotesque, il s'est affirmé comme l'un des dessinateurs les plus impitoyables de son époque.

GROTEWOHL (Otto). ♦ Homme politique allemand (Brunswick, 1894 – Berlin, 1964). Député social-démocrate au Reichstag (1925-1933), il fut plusieurs fois interné dans des camps de concentration par les nazis. En 1949, il devint chef du gouvernement de la République démocratique allemande et conserva ses fonctions jusqu'à sa mort.

GROTIUS (Hugo de Groot, dit). ♦ Juriste et diplomate hollandais (Delft, 1583 – Rostock, 1645). Historiographe de Hollande, il fut condamné à la prison comme partisan d'Oldenbarnevelt et arminien (**V. Arminius**). Il put se réfugier en France, où il fut nommé ambassadeur en Suède. Il est surtout connu pour son *De jure belli ac pacis*, code du droit international public qui lui valut d'être appelé « Père du droit des gens ».

GROUCHY (Emmanuel, *marquis de*). ♦ Maréchal de France (Château de Villette, 1766 – Paris, 1847). Officier aux gardes en 1789, puis rallié à la Révolution, il participa à toutes les grandes campagnes napoléoniennes (Friedland, Wagram, Borodino...). Fidèle à Napoléon au moment des Cent*-Jours, il fut fait maréchal. À la tête de la cavalerie de réserve de l'armée du Nord, il ne put empêcher, après la victoire de Ligny*, Blücher* de faire sa jonction avec Wellington*, ce qui le rendit en partie responsable de la défaite française à Waterloo*. Réfugié en Amérique, il revint en France en 1821. Louis-Philippe le fit nommer pair de France en 1832. *Mémoires* (1873).

Groupe 47. ♦ « Société amicale » d'écrivains allemands fondée à Munich en 1947 par H.W. Richter (né en 1908) et A. Andersch*. De tendance démocratique, quoique sans programme défini, elle entendait regrouper, après la guerre, « des publicistes engagés politiquement et pourvus d'ambitions littéraires » (Richter) et lutter aussi bien contre les séquelles du nazisme que contre le confort intellectuel et moral de l'Allemagne du « miracle économique ». Cette association qui aida et fit connaître, en créant un prix littéraire, de jeunes écrivains, compta parmi ses membres I. Aichinger*, I. Bachmann*, H. Böll*, G. Eich*, H.M. Enzensberger*, G. Grass*, U. Johnson*.

GROUSSET (Pascal). ♦ Journaliste et homme politique français (Corte, Corse, 1845 – Paris, 1909). Membre de la deuxième commission exécutive de la Commune de Paris (1871) qui le nomma délégué aux relations extérieures, il fut condamné à la déportation en Nouvelle-Calédonie (1872) d'où il s'évada avec Rochefort* en 1874. Il fut député de Paris de 1898 à 1909.

GROUSSET (René). ♦ Historien orientaliste français (Aubais, Gard, 1885 – Paris, 1952). Il fut conservateur au musée Cernuschi, secrétaire du *Journal asiatique*, puis professeur à l'École des langues orientales vivantes. Son intérêt pour les recherches des philologues et les découvertes archéologiques en Orient lui permit d'approfondir la connaissance des civilisations orientales, de faire de remarquables synthèses de celles-ci : *Histoire de l'Extrême-Orient* (1928-1929), *Histoire de l'Orient latin* (1938), et d'étudier leurs rapports avec le monde chrétien : les *Civilisations de l'Orient* (1929-1930), *Histoire des croisades et du royaume franc de Jérusalem* (1934-1936). [Acad. fr. 1946.]

GROVE (*sir* George). ♦ Musicologue anglais (Clapham, Londres,

Arch. Smeets

G. Grosz : « Obsèques du poète Oskar Panizza », 1918. (Staatsgalerie, Stuttgart.)

1820 – Sydenham, Londres, 1900). Secrétaire de la *Society of Arts* en 1850, il collabora avec William Smith au *Dictionary of the Bible*. Premier directeur du *Royal College of Music* fondé en 1882 (1882-1894), il est l'auteur d'un très important *Dictionary of Music and Musicians* qui parut de 1879 à 1899 (5e éd. 1955) et de *Beethoven and his nine symphonies* (1896).

GROZNYÏ. ♦ V. d'U.R.S.S. (R.S.F.S. de Russie), cap. de la Tchétchéno*-Ingouchie. 341 000 hab. Centre de la région pétrolifère du même nom. Indus. pétrolières, mécaniques, chimiques et alimentaires.

GRUBER (Francis). ♦ Peintre, dessinateur et graveur français (Nancy, 1912 – Paris, 1948). Il fut à l'Académie scandinave élève de Friesz et resta fidèle à la tradition figurative réaliste au moment où se développaient les expériences plastiques les plus variées. Atteint de tuberculose, et de tempérament inquiet, tourmenté par le sentiment tragique de la vie, il s'éloigna des milieux artistiques et travailla dans la solitude. Admirateur des grands maîtres du passé, particulièrement Grünewald, Dürer, Altdorfer et Callot, il réalisa quelques vastes compositions allégoriques (*Hommage à Le Nôtre*, 1936; *Hommage à Callot*, 1942) où se manifeste un sens monumental de la composition. Il peignit des natures mortes, des paysages désolés, des portraits, des figures féminines et des nus situés souvent dans un monde clos et lugubre et dont les formes maigres et étirées, l'expression accablée suggèrent un sentiment d'angoisse et de misère. Dans son œuvre prévaut un graphisme nerveux et insistant, sans pour autant exclure les effets chromatiques (parties plus intenses ressortant sur des tonalités à dominante sombre). Gruber est considéré comme le principal créateur du « misérabilisme » et certains ont vu dans sa description d'une humanité en détresse la transcription de l'angoisse existentielle.

GRUDEN (Igo). ♦ Poète slovène (1893 – 1948). Dans un de ses premiers recueils de vers, *La Souris sellée* (1922), il se révéla poète de l'enfance. Dans d'autres recueils tels que *La Douzième Heure* (1939) ou *Le Cœur du poète* (1946), il se pencha sur des problèmes sociaux ou personnels.

GRUDZIADZ ou **GRUDZIANDZ**, en allem. **Graudenz.** ♦ V. de Pologne (voïévodie de Bydgoszcz), port fluvial sur la r. d. de la Vistule*. 72 000 hab. Centre industriel important. Nœud ferroviaire.

GRUISSAN. ♦ Comm. de l'Aude (arr. de Narbonne), à proximité de la côte méditerranéenne. 1 260 hab. Pittoresque village de pêcheurs, bordant l'*étang de Gruissan*. Station balnéaire sur pilotis à *Gruissan-Plage*. L'unité touristique de Gruissan est constituée par Gruissan-Plage, Narbonne-Plage et Saint-Pierre-sur-Mer.

GRÜN (Anastasius – pseudonyme littéraire d'**Anton Alexander**, *comte von* **AUERSPERG).** ♦ Écrivain et homme politique autrichien (Laibach, 1806 – Graz, 1876). Quoique d'origine aristocratique, il fut un des initiateurs de la poésie politique bourgeoise, libérale, anticléricale et fondamentalement hostile à Metternich (*Promenades d'un poète viennois, Spaziergänge eines Wiener Poeten*, 1830-1831). À partir de 1848, il joua un rôle au sein du Parti libéral autrichien, fut élu à l'Assemblée nationale (1848) et au Reichstag autrichien (1860), tout en publiant encore un recueil de poèmes slovènes (1850) et un cycle de ballades (1864).

GRUNDTVIG (Nicolaï Frederik Severin). ♦ Écrivain danois (Udby, 1783 – Copenhague, 1872). Fils d'un pasteur protestant, fervent admirateur de l'ancienne civilisation nordique, il écrivit *Mythologie nordique* (1808), *La Scandinavie et le déclin du monde héroïque* (1809). Ordonné prêtre, il composa de nombreux psaumes et chants *(Recueil d'hymnes)* qui se chantent aujourd'hui encore dans les églises et les écoles danoises. Dans les années 1830, il lança l'idée des *hautes écoles populaires (folkehøjskoler)* qui contribuèrent puissamment à la diffusion de la culture scandinave. Ses conceptions religieuses (le christianisme étant pour lui une révélation historique et non une idée philosophique, il mit l'accent sur la tradition orale et la culture populaire) exercèrent une grande influence au Danemark et en Norvège *(grundtvigianisme)*.

GRUNENWALD (Jean-Jacques). ♦ Organiste et compositeur français (Annecy, 1911). Improvisateur remarquable, il a surtout composé des pièces pour orgue *(Impromptus, Suites, Élévations, Hymnes, Variations)*. Il est aussi l'auteur d'œuvres pour orchestre (*Bethsabée*, 1944), pour piano et orchestre (*Concerto*, 1940) et d'un opéra (*Sardanapale*, 1955).

GRÜNEWALD (Matthias). ♦ Nom donné par J. van Sandrant en 1675 au peintre identifié ultérieurement comme Mathis Gothardt Neithardt ou Mathis Nithart (Würzburg ?, v. 1460 ou v. 1475 – Halle, 1528). Le lieu de sa formation est sujet à controverse. Les premiers documents le concernant datent de 1503. Vers 1509, il entra au service des Électeurs de Mayence, travailla à Selingenstadt (entre 1503 et 1519) à Aschaffenburg, en Alsace, puis à Mayence. Il s'exila à Francfort, sans doute en raison de ses sympathies pour la Réforme et, en 1527, il travaillait à Halle à des travaux d'hydraulique. Ses tableaux (dont sept sont attribués avec certitude) et ses dessins (une quarantaine) attestent sa connaissance des gravures de Cranach et de Dürer, mais, contrairement à ce dernier (qui réalisa le panneau central du *retable Heller* dont Grünewald fit les grisailles), il semble ne pas avoir été touché par l'idéal de la Renaissance italienne, évitant les sujets profanes et mythologiques, les motifs ornementaux ou modèles architecturaux italiens, tout en possédant leur science des raccourcis. Son inspiration, d'un mysticisme exalté et tragique, étranger à tout souci d'équilibre et d'harmonie, peut être considéré comme une manifestation paroxystique du gothique tardif germanique (*Crucifixions* de Bâle et de Karlsruhe). Son chef-d'œuvre, le monumental *Retable d'Issenheim* (1512-1515), exécuté pour la confrérie des Antonins, laisse apparaître un tempérament visionnaire. Sensible dans l'aspect tourmenté des gestes, la tension des mimiques, les détails réalistes qui confinent à l'horreur, en même temps que dans l'utilisation de l'éclairage et le choix des accords chromatiques, ces tendances sont profondément expressionnistes. Une intensité expressive et des qualités de coloriste identiques apparaissent même quand son inspiration est plus sereine *(Saint Érasme* et *Saint Maurice)*. Réussissant à donner à ses tableaux une exceptionnelle luminosité, il accorde à la lumière une valeur symbolique et aboutit à la formation d'un langage plastique original.

Ph. Hétier

Gruyères : la fabrication du fromage.

GRUNITZKY (Nicolas). ♦ Homme politique togolais (Atakpamé, 1913 – Paris, 1969). Premier ministre de la Rép. du Togo* (1956), il fut après l'assassinat de Sylvanus Olympio (1963) président de la République jusqu'à la prise du pouvoir par le colonel Eyedeme (1966).

GRUNWALD. ♦ Anc. localité de Prusse* orientale, *auj.* en Pologne (voïévodie d'Olsztyn) à proximité du champ de bataille de *Grunwald-Tannenberg*. – Ladislas* II Jagellon y remporta sur les chevaliers Teutoniques* une victoire connue également sous le nom de Tannenberg* (1410).

GRÜTLI. ♦ **V.** RÜTLI (Suisse).

GRUYÈRES. ♦ V. de Suisse (cant. de Fribourg) dans la Gruyère. Alt. 830 m. 1 300 hab. – Fromages. – La ville, bâtie sur une colline dominant la vallée de la Sarine*, a gardé son aspect moyenâgeux. Maisons anciennes (XVe-XVIIe s.), château (XIIe-XVe siècle).

GRYPHIUS (Andreas GREIF, dit). ♦ Poète et dramaturge allemand (Glogau, Silésie, 1616 – *id.*, 1664). Considéré comme l'une des figures les plus représentatives de la littérature allemande baroque, il fut profondément marqué par les malheurs de sa patrie, bouleversé politiquement et spirituellement par la guerre de Trente Ans. Ses *Sonnets pour dimanches et jours fériés* (1639) et ses *Méditations sur le cimetière et la dernière demeure des défunts* expriment, avec des accents plus sincères et avec moins d'emphase que beaucoup de ses contemporains, son sentiment tragique de la fragilité de l'existence humaine et de la vanité du monde auquel il oppose une foi chrétienne teintée de stoïcisme. Ce thème est également au centre de son théâtre, qui tente de faire la synthèse des drames historiques de Shakespeare dont il eut la révélation à Leyde, du théâtre français et surtout de Corneille, dont il retint la règle des trois unités, et de la tragédie grecque, à laquelle il emprunta le rôle joué par le chœur. Représentées dans les universités et les collèges, ses tragédies (*Cardenio et Célinde*, 1649; *Catherine de Géorgie*, 1647; *Charles Stuart*, 1649; *Léon l'Arménien*, 1650) et ses comédies (*Peter Sequentz*, 1657; *Horribilicribifax*, 1663), dont les intrigues sont souvent complexes, sont dominées par un souci didactique et éthique.

GSELL (Stéphane). ♦ Archéologue et historien français (Paris, 1864 – *id.*, 1932). Il effectua des fouilles importantes en Algérie, fut nommé directeur du musée d'Alger, puis professeur au Collège de France. *Histoire ancienne de l'Afrique du Nord* (1913-1929).

GSTAAD. ♦ V. de Suisse (cant. de Berne) dans la vallée de la Sarine*. 1 600 hab. Station d'été et de sports d'hiver de renommée internationale. Alt. 1 100-3 000 mètres.

GUADALAJARA. ♦ V. d'Espagne (Nouvelle-Castille), sur le Henares, à 56 km de Madrid. 21 200 hab. Palais des ducs (XVe siècle). Église Santa-Maria (XIIIe siècle). Église baroque Saint-Nicolas (1691). – Métallurgie. ♦ *Hist.* Combats pendant la guerre civile (1937).

GUADALAJARA. ♦ V. du Mexique central située au N. du lac Chapala* sur les terres arrosées par le río Grande* de Santiago, à 1 500 m d'altitude. Cap. de l'État de Jalisco*. 1 196 218 hab. (1970). Archevêché. Université. Le centre ancien contient de nombreux édifices de style colonial dont l'une des cathédrales les plus composites du Mexique (XVIe-XVIIe siècle). Place d'armes. Palais du gouvernement (XVIIIe siècle). Église baroque Santa Mónica (XVIIe siècle). Musée. – Grand centre commercial et industriel (indus. alimentaires, textiles [laine], métallurgie).

La **Guadeloupe.**

GUADALCANAL. ♦ Île volcanique et montagneuse (2 240 m) de la chaîne occidentale de l'archipel des Salomon*, la plus étendue après Bougainville*. 6 500 km². Cocotiers sur la côte N.-E., où se situe Honiara*. ♦ *Hist.* Les Japonais occupèrent l'île en juillet 1942, mais les Américains y débarquèrent au mois d'août suivant et, après des combats très meurtriers et la victoire aéronavale de Santa* Cruz (oct. 1942) reconquérirent l'île. Ce fut le premier grand succès des Alliés dans la guerre du Pacifique.

GUADALQUIVIR. *n. m.* anc. **Bétis.** ♦ Fl. de l'Espagne méridionale. 680 km. Né dans la sierra Segura, il irrigue l'Andalousie* (Séville et Cordoue) et reçoit le Genil*. Ses eaux sont utilisées pour l'irrigation et la production d'énergie électrique.

GUADALUPE *(sierra de).* ♦ Chaîne montagneuse de l'Espagne centrale, en Estrémadure*, entre le Tage et le Guadiana (1 558 m à la Cabeza del Moro). Sur son versant S.-E. s'élève un monastère hiéronymite fondé en 1340 par Alphonse IX et dédié à la Vierge de Guadalupe *(Virgen de Guadalupe).* Lieu de pèlerinage très ancien, vénéré par les Rois Catholiques, Christophe Colomb et les conquistadores.

Guadalupe Hidalgo *(traité de).* ♦ Traité qui mit fin à la guerre des États-Unis et du Mexique (2 février 1848). Le Mexique cédait aux États-Unis le Nouveau-Mexique, le Texas et la Californie.

GUADARRAMA *(sierra de).* ♦ Chaîne montagneuse de l'Espagne centrale, séparant la Vieille de la Nouvelle-Castille (col de Somosierra, 1 430 m). Point culminant : pic de Peñalara, 2 405 m. Lieu de villégiature et de sports d'hiver, non loin de Madrid.

GUADELOUPE. *n. f.* ♦ La plus grande île des Antilles* françaises, formant un département français et située au N. de la Martinique, dont elle est séparée par la Dominique (G.-B.) dans l'archipel des Petites Antilles, avec ses dépendances (Marie-Galante, la Désirade, les Saintes, Saint-Barthélemy et la partie française de Saint-Martin). 1 780 km². 325 000 hab. en 1968 *(Guadeloupéens). Ch.-l.* Basse*-Terre. *V. princ.* **V. Pointe-à-Pitre, Capesterre-de-Guadeloupe, Abymes** (Les), **Lamentin, Morne-à-l'eau, Saint-Claude, Sainte-Anne, Sainte-Rose.** La Guadeloupe est formée de deux îles : *Basse-Terre* et *Grande-Terre,* séparées par un étroit bras de mer à hauteur du *Petit* et du *Grand Cul-de-Sac.* De caractère volcanique, *Basse-Terre* est la plus élevée des deux îles et culmine à *la Soufrière* (1 484 m); les hauteurs sont couvertes de forêts très denses. En revanche, *Haute-Terre* est un plateau de faible altitude, assez monotone, propre à l'élevage (bovins, ovins). — *Climat* chaud, aux pluies plus abondantes « au vent » que « sous le vent »; fréquents cyclones (derniers en date : 1964 et 1966). — *Écon.* La canne à sucre occupe 50 % des terres et fait de l'île un important producteur de sucre et de rhum, exportés vers la France ainsi que les bananes, les ananas, le café, le cacao et la vanille. La population active, composée en majorité de noirs et de mulâtres, est surtout formée d'agriculteurs employés dans les plantations. L'insuffisance des cultures vivrières et l'absence d'industries importantes posent de sérieux problèmes économiques en dépit du développement du tourisme. Forte émigration de Guadeloupéens vers la France. ♦ *Hist.* Découverte par C. Colomb en 1493, la Guadeloupe devint possession française sous l'égide de Richelieu en 1635 et les Indiens Caraïbes* originaires de l'île furent dépossédés au profit des colons, après 1658. L'île devint possession anglaise à la fin du XVIIe s., et la libération des esclaves africains amena les Anglais à recruter leur main-d'œuvre aux Indes. Une longue rivalité devait opposer les colons anglais et français dans un climat social tendu (tentatives de révoltes des esclaves). Occupée une dernière fois par les Anglais à la chute de l'Empire (1815), l'île redevint définitivement française en 1816. L'abolition de l'esclavage y fut proclamée en 1848. Ayant obtenu son autonomie, l'île fut érigée en département français d'outre-mer en 1946.

GUADET (Marguerite Élie). ♦ Homme politique français (Saint-Émilion, Gironde, 1758 — Bordeaux, 1794). Avocat, inscrit au club des Jacobins peu après le début de la Révolution, il fut un des orateurs les plus brillants du groupe girondin*, siégea à l'Assemblée législative, puis à la Convention où il vota la mort de Louis XVI avec sursis et se montra un des plus violents adversaires des Montagnards. Après l'élimination des Girondins (31 mai-2 juin 1793), il prit la tête de l'insurrection fédéraliste en Normandie, mais échoua, réussit à se cacher quelque temps, puis, découvert, fut condamné à mort et guillotiné.

GUADIANA. *n. m.* ♦ Fl. d'Espagne* et du Portugal*. 820 km. Né dans la Manche*, il irrigue la Nouvelle-Castille*, l'Estrémadure* (Mérida, Badajoz), sert de frontière avec le Portugal qu'il irrigue sur 220 km et se jette dans l'Atlantique.

GUADIX. ♦ V. d'Espagne méridionale, en Andalousie* (prov. de Grenade), au fond d'une *vega* fertile. 25 000 hab. Anciens remparts (IXe s.), ruines mauresques (XVe s.), cathédrale (XVIe-XVIIIe siècle).

GUAIRÁ. ♦ Département du Paraguay (Centre-Est). Tabac. Coton. Sucre.

GUAIRA (LA). ♦ V. du Venezuela, port de Caracas. 10 100 hab. Bâtiments de la douane du XVIIIe siècle. Indus. alimentaires.

GUAM ou **GUAHAM.** ♦ La plus grande et la plus peuplée des îles Mariannes*, au S. de l'archipel (Micronésie*). 549 km². 67 044 hab. (1970). *Cap.* **V. Agaña.** *Langues*: Anglais (off.), chamorro. — Île volcanique frangée de récifs coralliens, où les tremblements de terre sont fréquents ainsi que les typhons durant les mois d'été. Le *climat* est tropical humide. Les vallées du S. sont arrosées par des rivières permanentes, aux vallées bien cultivées. Cependant, la quasi-totalité de l'île est couverte par la forêt dense. *L'économie* de subsistance est suffisante (igname, taro, cocotier, riz). L'installation des bases militaires après la Deuxième Guerre mondiale a amené un développement de la production agricole (fruits et légumes; volailles, porcs et bétail). Le tourisme est considéré comme un important potentiel pour l'île. ♦ *Hist.* Elle fut sans doute découverte en 1551 par F. Magellan*; les Espagnols s'y établirent à la fin du XVIIe s. (réduisant les indigènes Chamorros). En 1898 (traité de Paris), après la guerre hispano-américaine, Guam fut cédée aux États-Unis. Les traditions culturelles espagnoles y sont très fortes et 95 % de la population est catholique romaine, comme dans la plupart des îles Mariannes*. Durant la Deuxième Guerre* mondiale, les Japonais occupèrent l'île en 1941; elle fut reprise par les Américains en 1944 et devint une des principales bases des bombardiers chargés d'attaquer le Japon à la fin de la guerre. Depuis 1950, Guam est un territoire non incorporé des États-Unis. C'est l'une des principales bases aéronavales américaines du Pacifique. La base aérienne d'Andersen, à l'extrémité N.-E. de l'île, possède une force nucléaire. Ses B 52 commencèrent les raids sur le Viêt-nam* du Nord à partir des années 60.

GUANABARA. *n. m.* ♦ Petit État côtier du S.-E. du Brésil*, qui s'étend à l'O. de la baie du même nom. Ex-district fédéral (1808-1960) et enclave dans l'État de Rio* de Janeiro. 1 356 km². 4 343 000 hab. *Cap.* Rio* de Janeiro. La *baie de Guanabara* ou *baie de Rio,* dont les rives abritent Rio* de Janeiro et Niterói*, est parsemée d'îlots parmi lesquels l'île de Governador, où est situé l'aéroport de Galeão*. Second foyer industriel du pays après São Paulo. Élevage de bovins autour de Rio.

GUANAJUATO. ♦ V. du Mexique central, située dans un bassin au N.-O. de Mexico. Cap. de l'État du même nom. Env. 30 000 hab. Université (rénovée en 1955). Vieille ville qui dut sa prospérité aux mines d'argent de la région. Monuments d'époque coloniale (place du Zócalo; églises San Diego [1780], Nuestra Señora de Guanajuato [*fin* XVIIe s.], temple de la Compañia [*milieu* XVIIIe s.], etc.). Fonderies. — Patrie de D. Rivera*. — L'État de Guanajuato s'étend au S. du haut plateau mexicain sur les contreforts de la sierra

Ph. Hétier
La **Guadeloupe** : Basse-Terre.

Madre* occidentale. 30 589 km². 2 193 000 hab. (forte densité). Importants gisements miniers (argent, or, cuivre, plomb...). *Cap.* Guanajuato. *Autres villes :* **V. León, San* Miguel de Allende.**

GUANCHES. *n. m. pl.* ♦ Population, sans doute d'origine berbère, qui habitait les îles Canaries* à l'arrivée des Espagnols (XVe siècle). Les Guanches semblaient encore être à l'âge de pierre.

GUANTÁNAMO. ♦ V. de Cuba*, située dans la partie orientale de l'île (province d'Oriente) à env. 15 km au N. de la baie de Guantánamo. Env. 160 000 hab. Centre d'une région agricole, indus. alimentaires (café, sucre, chocolat, liqueurs). Base aéronavale des États-Unis, établie par un traité de 1903 et revendiquée par Cuba depuis le régime castriste.

GUAPORÉ. *n. m.* ♦ Riv. d'Amérique du Sud qui prend sa source dans le Mato* Grosso (Brésil), et forme une frontière naturelle entre le Brésil et la Bolivie* avant de se jeter dans le rio Mamoré*. 1 700 km.

GUARANIS. *n. m.* ♦ Indiens de l'Amérique du Sud, faisant partie du groupe linguistique et culturel tupi-guarani. Établis auj. au Paraguay* où leur langue prédomine, les Guaranis ont connu aux XVIIe et XVIIIe s. sous la direction des jésuites un développement remarquable et sans lendemain **(V. Paraguay,** *Hist.***).**

GUARDAFUI ou **GARDAFUI** *(cap).* ♦ Promontoire situé à l'extrémité N.-E. de l'Afrique, en Somalie*, à l'entrée du golfe d'Aden*.

GUARDI (Francesco). ♦ Peintre et dessinateur italien (Venise, 1712 — *id.*, 1793). Il se forma auprès de son frère aîné Gianantonio (Vienne, 1699 — Venise, 1760) qui reprit l'atelier familial fondé par son père, Domenico (1678 — 1716). Jusqu'à la mort de ce dernier, il est très difficile de préciser avec certitude la part de chacun : en effet, ils exécutèrent ensemble des scènes de genre et surtout des scènes religieuses (*La Jérusalem délivrée; Histoire de Tobie,* 1750) d'une facture nerveuse, comme hachée, aux effets de lumière scintillante, qui dénotent les influences conjuguées de Ricci*, Piazzetta* et de Tiepolo*, leur beau-frère. Dans un esprit très proche, Francesco signa un *Saint en extase,* 1747, et le *Miracle de saint Dominique.* Cependant il est surtout célèbre comme peintre de vues de Venise. Il semble s'être consacré aux « vedute » surtout à partir de 1760. Comme Canaletto*, il représenta les fêtes vénitiennes *(Le Départ du Bucentaure pour le Lido),* mais abandonna le caractère rigoureusement topographique et statique de ce dernier et donna à ses vues un aspect mouvant. Par quelques touches rapides, il rendit ses personnages et étudia avec une grande subtilité la qualité particulière de l'atmosphère, les vibrations de la lumière : limpide, dense ou diffuse, révélant une sensibilité frémissante, apte à rendre le caractère fugitif des choses. La liberté et la légèreté de sa facture, son sens de la mise en page élégante, ponctuée de quelques coups de pinceau incisifs, sont particulièrement notables dans ses paysages imaginaires ou *Capricci,* d'un caractère souvent élégiaque. Guardi sut imposer un style personnel, que l'on a parfois qualifié de pré-impressionniste, à l'époque même où triomphait le néo-classicisme. Il fut l'un des derniers représentants de la peinture vénitienne.

GUARINI (Gian Battista). ♦ Poète italien (Ferrare, 1538 — Venise, 1612). Il occupa la chaire de poétique et de rhétorique à Ferrare (1557), se mit successivement au service du duc Alphonse II d'Este (1567 à 1588), de Vincent de Gonzague (1592), des Médicis (1599) et des ducs d'Urbino (1602-1604). Il fut chargé de nombreuses missions diplomatiques, à Turin (1570), à Venise (1572), à Rome, puis en Pologne (1574 et 1575 ; Cf. son *Discours sur les choses de Pologne, Discorso sulle cose di Polonia*). Auteur de *Poésies* (*Rime,* 1598), de *Lettres* (*Lettere,* 1593), d'une comédie en prose, *L'Hydropique* (*L'Idropico,* 1584), il reste surtout celui d'une tragi-comédie en vers, *Le Pasteur fidèle* (*Il Pastor fido,* entre 1580 et 1583 ; publiée en 1590 et représentée en 1595) qui peut rivaliser avec *L'Aminta* du Tasse*, son ami. Inspirée du pétrarquisme platonicien, cette œuvre, à l'expression admirablement musicale, eut un succès considérable dans toute l'Europe. Elle fut cependant critiquée par les partisans d'Aristote. G.F. Haendel* s'en inspira pour deux opéras (1712 et 1734).

GUARINI (Guarino). ♦ Architecte, mathématicien et théologien italien (Modène, 1624 — Milan, 1683). Entré dans l'ordre des Théatins en 1639, il s'initia aux mathématiques et à l'architecture, subissant dans ce domaine l'ascendant de Borromini*. Ayant quitté la cour de Modène à la suite de démêlés, il alla enseigner et édifier à Parme, Messine (églises des *Théatins,* des *Mayolites* et de *Saint-Philippe,* détruites), Paris (projet de *Sainte-Anne-la-Royale* à la demande de Mazarin), Munich et peut-être Lisbonne. Établi à Turin après 1666, il fit un usage original de la brique nue et édifia notamment le fastueux *palais de Carignan* (1680), avec une façade ondulante et un hall d'entrée en ellipse. Parmi ses nombreuses œuvres religieuses, les églises de *la Consolata* (1678-1679), de *Saint-Laurent-des-Théatins,* à la coupole tendue de huit arcs paraboliques entrecroisés, la chapelle du *Saint-Suaire* de la cathédrale *San Giovanni* (1668-1694), dont la coupole en tronc de cône présente une succession d'arcs en accolades, révèlent la singularité de son talent, sa virtuosité technique, ses fantaisies savantes de géomètre et sa prédilection pour les imbrications ou juxtapositions de volumes circulaires et elliptiques. Représentant le plus brillant du baroque dans l'Italie du Nord, il influença fortement l'architecture baroque et rococo en Europe centrale.

GUARNERI ou **GUARNERIUS (Giuseppe Antonio,** dit **del Gesu).** ♦ Luthier italien (Crémone, 1698 — *id.,* 1744). Issu d'une famille de luthiers crémonais, il égala en réputation Antonio Stradivarius*, son illustre aîné. Ses violons, environ un millier, sont toujours recherchés par les virtuoses pour leur riche sonorité.

Ph. Leigheb/Ricciarini

Un Indien **Guarani** au Paraguay.

GUARRAZAR. ♦ Localité d'Espagne, près de Guadamur (prov. de Tolède) où l'on découvrit en 1858 des couronnes votives wisigothes, aujourd'hui au Musée archéologique de Madrid.

GUATEMALA. ♦ République d'Amérique centrale, bordée à l'E. par la mer des Antilles sur une très courte distance, et à l'O. par le Pacifique ; elle est limitée par le Mexique au N., le Honduras britannique à l'E., le Honduras et le Salvador au sud. 108 889 km². 5 200 000 hab. en 1974 *(Guatémaltèques).* C'est la plus peuplée des républiques d'Amérique centrale. *Cap.* Guatemala*. — *Langues :* espagnol (officielle), langues indiennes. — *Unité monétaire :* le quetzal. — *V. princ. :* **V. Champerico, Cobán, Escuintla, Livingstone, Ocos, Puerto Barrios, Quezaltenango, San Carlos Borromeo, San José.** — *Orogr.* et *hydrogr.* La côte du Pacifique est bordée de terres basses marécageuses couvertes par une forêt dense entrecoupée de savanes. Cette bande côtière, d'une quarantaine de kilomètres au nord, se rétrécit vers le sud jusqu'à disparaître à la frontière du Salvador, où de hauts plateaux surplombent l'océan. Les chaînes montagneuses bordent cette zone littorale, prolongeant par-delà l'isthme de Tehuantepec*, la sierra Madre* del Sur mexicaine en une cordillère de type volcanique, tandis que les massifs montagneux s'étalent en lignes parallèles jusqu'à l'est, entaillés de gorges étroites et de cuvettes formant des lacs (comme le lac Atitlán*). Les deux principales dépressions du Guatemala central sont les vallées du Chixoy et de l'Usumacinta, prolongées au sud par la vallée du río Motagua*. Le nord du pays est constitué par le plateau du Petén, de même caractère que le plateau du Yucatan mexicain qu'il borde, et couvert d'une forêt dense de type tropical et quasi désertique. **V.** *aussi* **Amatitlán** (lac), **Izabal** (lac), **Santa María, Tacana, Tajumulco** (volcans). — Le *climat,* dans son ensemble tropical, chaud et humide (pluies d'été), varie en fonction de l'altitude et de l'orientation. Les alizés chargés de pluie, qui soufflent du golfe du Mexique, favorisent la végétation sur ce versant où coulent les cours d'eau les plus marquants (Motagua, Usumacinta). — *Écon. :* C'est sur les terres hautes de l'ouest, qui séparent les chaînes volcaniques, d'une alt. moyenne de 2 500 à 3 000 m et fertilisées par la lave des volcans, que s'est installée la population. Les Indiens descendants des Mayas* forment de petites agglomérations rurales isolées. Ils vivent des produits de leur terre et fournissent une main-d'œuvre très peu payée aux grandes propriétés. La grande agriculture est pratiquée dans les immenses plantations *(latifundias)* des plaines du Pacifique, pour la plupart entre les mains de sociétés américaines (bananes, café, coton, canne à sucre, tabac), et contraste avec l'agriculture archaïque des communautés indiennes (maïs, blé, haricots, fruits). Élevage de bovins, d'ovins et de porcins sur les hauts plateaux. Les activités de transformation, en dehors de l'industrie du bois, sont artisanales (grands marchés locaux). Quelques industries textiles et alimentaires. La grande industrie est représentée par des cimenteries et deux raffineries de pétrole (Escuintla et Puerto Barrios). Le commerce extérieur se fait essentiellement avec les États-Unis. Exportations des produits tropicaux par les ports d'Ocos, Champerico et San José (Pacifique), Livingstone et Puerto Barrios (Atlantique). Les moyens de transport sont la route panaméricaine, la voie ferrée interocéanique qui relie Puerto Barrios aux trois ports du Pacifique et l'avion. — Administrativement, le pays est divisé en 22 départements. [*Carte* **V. Mexique**]. ♦ *Hist.* Lorsque Pedro de Alvarado* sur ordre de Cortés*, entreprit en 1513 une mission pacifique au Guatemala, la civilisation maya* qui y avait connu son apogée du VIIe au IXe s., était déjà décadente. Alvarado fonda en 1513 la capitale, Santiago de Guatemala, qui changea d'emplacement en 1541 et en 1773. En 1544, le pays fut érigé en capitainerie générale et gouverna toute l'Amérique centrale. Une université y fut créée en 1678. Les populations indiennes, qui vivaient de l'agriculture, restèrent isolées tandis qu'une aristocratie ter-

Ph. Nimatallah/Ricciarini

Gudea. (Musée du Louvre, Paris.)

rienne se développait. En 1821, le Guatemala accéda à l'indépendance qui ne fut officielle qu'en 1847, car le pays dut se libérer de la tutelle du Mexique, puis de celle des Provinces-Unies, auxquels il avait été successivement rattaché. Dès lors, son histoire se confondit avec celle de quatre grandes dictatures dont celle de Rufino Barrios* (1873-1885); ce dernier s'attaqua à l'aristocratie et au clergé, stimula la culture du café et développa l'infrastructure économique; mais il échoua dans sa politique d'union centro-américaine. Bientôt, le pays s'ouvrit aux influences étrangères et notamment aux compagnies fruitières nord-américaines *(United Fruit Company)*. Des gouvernements progressistes dont celui du colonel Arbenz Guzmán (1951-1954), tentèrent une réforme agraire qui avait lésé les intérêts capitalistes américains (notamment l'*United Fruit*); un nouveau coup d'État ramena au pouvoir les conservateurs. Les régimes actuels ont du mal à réaliser les réformes nécessaires, préoccupés qu'ils sont par la lutte contre la guérilla procastriste qui a débuté en 1962 et donné naissance en retour à des mouvements d'extrême droite. Les problèmes sociaux restent aigus (taux d'analphabétisme très élevé).

GUATEMALA *(de la Asunción)* ou **CIUDAD GUATEMALA**. ♦ Cap. du Guatemala et ch.-l. du dép. du même nom, situé à 1 500 m d'alt. sur les hauts plateaux de la Cordillère centrale. 730 991 hab. (1970). Centre administratif, commercial et de communications (voie ferrée Puerto* Barrios-le Pacifique). Centre économique le plus important du pays (manufactures de coton et de tabac, brasseries). Principal aéroport. Située sur une ligne de séismes, la ville fut presque entièrement détruite en 1917.

GUAYAQUIL. ♦ V. et port de l'Équateur, et cap. de la province du Guayas*, située au fond du *golfe de Guayaquil,* face à l'île de Puna. 738 591 hab. Archevêché. Aéroport. Le plus important port exportateur du pays sur le Pacifique (bananes, cacao, café), et son plus grand centre indus. et commercial. Indus. textiles, chimiques, fabriques de chaussures, cimenteries. Raffinerie de pétrole. Patrie de J. Olmedo*.

GUAYAS *(province du). n. m.* ♦ Province côtière de l'Équateur. *Cap.* Guayaquil*. 21 078 km². 986 600 hab. La fertilité du sol alluvial en fait la province la plus peuplée du pays. Cultures tropicales (bananes, cacao, café...). Élevage important (ovins, bovins).

GUBBIO, anc. **Iguvium**. ♦ V. d'Italie, en Ombrie (prov. de Pérouse). 33 000 hab. Ancienne ville étrusque et romaine, où l'on découvrit en 1444 les *tables Eugubines,* inscriptions religieuses rédigées en Ombrie. Cathédrale du XIIIe siècle. Palais (XIVe-XVIe siècles). Centre de majolique réputé aux XVe et XVIe siècles. Eaux thermales.

GUDEA ou **GOUDÉA.** ♦ *Patesi* (vicaire, gouverneur) de la cité de Lagash* (~ XXIe siècle). Probablement vassal des Goutéens*, il fit pourtant de Lagash le principal centre de la civilisation néo-sumérienne. — Douze statues de Gudea sont au Louvre.

GUDERIAN (Heinz). ♦ Général allemand (Kulm, *auj.* Chełmno, 1888 — Schwangau, Bavière, 1954). Théoricien des chars, il fut à l'origine de la création des divisions blindées *(Panzerdivisionen)* qui furent la principale force offensive de la Wehrmacht en 1939-1941. Il commanda en Pologne (1939), dans les Ardennes, où son action personnelle fut capitale (1940), en Russie (1941). Relevé de son commandement lors de l'échec devant Moscou (déc. 1941), il fut rappelé comme inspecteur général des blindés en 1943 et fut chef d'état-major de l'armée de terre en 1944 (destitué en mars 1945). Fait prisonnier par les Alliés en 1945, puis libéré, il se retira en Bavière.

GUDULE *(sainte).* ♦ Dame charitable (morte à Moorsel, près d'Alost, Belgique, 712). C'était la filleule de sainte Gertrude* de Nivelles, qui l'éleva. Patronne de Bruxelles, où ses reliques furent transférées en 988. Fête le 8 janvier.

GUÈBRES (persan **gabr**, « infidèles »). *n. m. pl.* ♦ Persans qui, refusant l'islamisation consécutive à la conquête arabe du VIIe s., conservèrent la religion zoroastrienne **(V. Zarathoustra).** Beaucoup émigrèrent, notamment en Inde dès le VIIIe s. **(V. Parsis).** Leur sort fut précaire jusqu'en 1882 où ils obtinrent l'égalité avec les autres Persans. Ils sont concentrés dans les provinces de Yezd et de Kermân; ils seraient environ 30 000.

GUEBWILLER [gɛbvilɛʀ]. ♦ Sous-préf. du Haut-Rhin*, ch.-l. d'arr. (4 cant., 47 comm., 63 788 hab.) sur la Lauch. 11 143 hab. *(Guebwillérois).* Église Saint-Léger (*fin* XIIe siècle). Église Notre-Dame (XVIIIe siècle). Musée local dans l'ancienne église des dominicains (XIVe-XVe siècle). Hôtel de ville XVIe siècle. Indus. textiles, alimentaires. Production de vins (le kitterlé). — Patrie de A. Kastler*.

GUEBWILLER *(ballon de).* ♦ Point culminant des Vosges (1 424 m), situé à l'O. de Guebwiller, et dominant le S. de la plaine d'Alsace.

GUÉDRON ou **GUESDRON (Pierre).** ♦ Compositeur français (Dunois, v. 1570 — ?, v. 1620). Intendant des musiques de la Chambre du roi, il joua un rôle de premier plan comme compositeur de musique profane et participa à la création des ballets de la cour sous Henri IV et Louis XIII. On lui doit la conception du « ballet mélodramatique », préfiguration de l'opéra italien, forme qui fut abandonnée après sa mort et que l'on ne retrouva plus tard que chez J.-B. Lully*. Auteur d'« airs de cour », il s'y attache, comme dans ses récits de ballets, à une déclamation expressive, souple, et libérée de toute emphase.

GUÉHENNO (Jean). ♦ Essayiste français (Fougères, 1890). Fils d'un cordonnier et d'une piqueuse, Jean Guéhenno eut très tôt la notion de « lutte des classes » et rapporta cette expérience dans le *Journal d'un homme de quarante ans* (1934). *Le Journal d'une révolution* (1936-1938) est un témoignage sur le Front populaire. C'est encore un témoignage, mais sous forme de réquisitoire, que *Le Journal des années noires, 1940-44* écrit en 1946. On doit aussi à Jean Guéhenno une étude sur Michelet, *L'Évangile éternel* (1927). [Acad. fr., 1962.]

GUELDRE. *n. f.,* en néerl. **Gelderland.** ♦ Prov. des Pays-Bas, limitée au N. par l'Overijsel et les polders de l'IJselmeer, à l'E. par l'Allemagne, au S. par le Limbourg et le Brabant septentrional, à l'O. par la Hollande méridionale et la prov. d'Utrecht. *Ch.-l.* **V. Arnhem.** *V. princ.* **V. Ede, Nimègue, Wageningen, Zutphen.** Le N. de la prov. se divise en deux régions : la Veluwe*, à l'O., et l'Achterhoek, à l'est. Le S. de la prov. est arrosé par le Rhin, le Waal et la Meuse; c'est la Betuwe*, la plus riche des trois régions. Production de fruits (pommes et cerises) et de légumes. Élevage bovin (viande et lait) et ovin. Production d'œufs; canards d'Harderwijk. Indus. textiles (au S., à Winterswijk, soie). Mobilier (Nijkerk). Métallurgie (Dieren). Distilleries et raffineries de sucre. ♦ *Hist.* Après avoir appartenu au Saint Empire, la province de Gueldre devint un duché (maison de Nassau), puis passa à Charles le Téméraire de 1472 à 1477 et enfin à l'Autriche et à l'Espagne. La Basse-Gueldre se joignit aux Pays-Bas protestants en 1579 et la Haute-Gueldre passa aux mains de la Prusse lors de la guerre de Succession d'Espagne. Occupée par la France sous Napoléon, la Gueldre fut divisée entre les Pays-Bas et la Prusse par la paix de Vienne en 1815.

Guelfes et gibelins, *n. m. pl.,* en it. **parte guelfa, parte ghibellina.** ♦ Factions rivales italiennes partisanes, pour les guelfes, des *Welfen,* famille princière allemande, et, pour les gibelins, des Hohenstaufen, seigneurs de *Waiblingen* (v. 1215). Les guelfes étaient partisans du pouvoir du pape en Italie, les gibelins, partisans de l'empereur. Lors des guerres d'Italie, les guelfes devinrent les partisans du roi de France.

GUELMA. ♦ V. de l'Algérie orientale, ch.-l. d'arr. du dép. d'Annaba, située dans la vallée de l'oued Seybouse*. 34 800 hab. Oliviers. Élevage bovin. — Ruines de l'anc. cité romaine de *Calama.* Patrie de Houari Boumediene*.

GUELPH. ♦ V. du Canada (Ontario), située à l'O. de Toronto. 51 377 hab. Centre indus. : mécanique, métallurgie, matériel électrique, meubles.

GUÉMÉNÉ-PENFAO. ♦ Ch.-l. de cant. de la Loire-Atlantique, arr. de Châteaubriant. 4 978 hab. [1 617 aggl.] *(Guéménois).* Châteaux de Boisfleury, Brossais, Bruc, Juzet. — Marché agricole. Carrières.

GUÉMÉNÉ-SUR-SCORFF. ♦ Ch.-l. de cant. du Morbihan, arr. de Pontivy. 2 381 hab. *(Guéménois).* Église Notre-Dame-de-la-Fosse (XVIIe siècle). Vestiges d'un château (XIe s.) reconstruit *fin* XVe s. et démantelé sous Louis XIII. Maisons anciennes. — Spécialité d'andouilles.

GUÉNANGE. ♦ Comm. de la Moselle (arr. de Thionville-Est). 10 064 habitants.

GUÉNÉGAUD (Henri *de, marquis de* **Plessis-Belleville)**. ♦ Financier français (1609 – Paris, 1676). Garde des Sceaux de Louis XIV et secrétaire d'État, il eut Colbert* pour successeur.

Guenièvre. ♦ Personnage du *cycle de la Table* ronde*. Femme du roi Artus, elle est aimée de Lancelot* auquel elle impose de cruelles épreuves selon le code courtois de l'amour.

GUÉNOLÉ, GUIGNOLET, GUINGALOIS ou **WALFROY** *(saint)*. ♦ (461 – 532?). Fondateur de l'abbaye de Landévennec, près de Brest (v. 493). Il est invoqué en Bretagne contre la stérilité des femmes et pour la sécurité des marins en mer. – Fête le 3 mars.

GUÉNON (René). ♦ Philosophe français (Blois, 1886 – Le Caire, 1951). Fondateur de la revue *la Gnose* (1909), il s'est livré à une étude approfondie des principaux textes mystiques (hindous, taoïstes, musulmans), opposant à l'aspect exotérique des religions historiques constituées une tradition unique, originelle, la connaissance ésotérique (*La Métaphysique orientale,* 1939; *Aperçus sur l'initiation,* 1946).

Guépéou ou **G.P.U.** (abrév. des mots russes *Gossoudarstvennoïé polititcheskoïé oupravlénié,* « administration politique d'État »). ♦ Police politique soviétique. Ayant remplacé la Tchéka* (6 févr. 1922), elle fut dirigée par Dzerjinski, et après sa mort (1926) par Menjinski (1926-1934). Rattachée au commissariat du peuple aux Affaires intérieures (N.K.V.D.) elle reçut des attributions légales comportant « l'exécution d'ordres spéciaux émanant du Comité central du parti, pour la protection de l'ordre révolutionnaire ». En fait, elle disposait de pouvoirs quasi illimités. En 1923, détachée du N.K.V.D., rebaptisée O.G.P.U. (*Obiédinionnoïé G.P.U.* G.P.U. unifié) elle devint une administration indépendante. Iagoda, qui dirigea dès 1930 la *Gulag* (*Glavnoïe oupravlénié lagheréï,* administration principale des camps de travail disciplinaires), fut nommé par Staline adjoint de Menjinski en 1931. Une nouvelle interprétation des anciens règlements reconnut à l'O.G.P.U. le droit d'ordonner des exécutions (mars 1933), et le décret du 8 juin 1934 imposa le principe des otages. Le 10 juillet 1934, elle fut absorbée par le N*. K.V.D.

Guêpes (Les), en gr. **Sphêkes.** ♦ Comédie d'Aristophane* (~ 422) dont Racine s'est inspiré dans *Les Plaideurs.* Philocléon, atteint de la maladie de juger, se voit contraint de rester à la maison par son fils Bdélycléon. Armés d'un aiguillon qui les fait ressembler à des guêpes, les juges, qui composent le chœur, tentent de délivrer Philocléon, mais sans y parvenir. Le vieillard satisfera sa manie en jugeant le chien Labès qui vient de voler un fromage. Guéri, il renonce à sa folie et entraîne tous les personnages dans une danse délirante.

GUÉPRATTE (Émile). ♦ Amiral français (Granville, 1856 – Brest, 1939). Il commanda la division qui, en 1915, fut chargée, aux côtés des forces britanniques, de forcer les détroits des Dardanelles. Nommé ensuite préfet maritime de Bizerte, il fut député de 1919 à 1924.

GUER [gɛʀ]. ♦ Ch.-l. de cant. du Morbihan, arr. de Vannes. 6 992 hab. (1 348 aggl.). Carrières; cidre. Aux environs, le camp de Coëtquidan* abrite l'école militaire de Saint-Cyr.

GUÉRANDE. ♦ Ch.-l. de cant. de la Loire-Atlantique, arr. de Saint-Nazaire. 6 678 hab. [3 163 aggl.] *(Guérandais).* Église Saint-Aubin, de style gothique (XIIe-XVIe siècle). Anc. église Saint-Jean (XVe siècle). Chapelle Notre-Dame-la-Blanche (XIVe siècle). Enceinte presque intacte des XIVe et XVe s. flanquée de tours. Porte Saint-Michel, auj. mairie. – Marché. Marais salants. ♦ *Hist.* Le traité de Guérande (1365), par lequel Jean IV de Montfort reconnaissait la suzeraineté du roi de France, mit fin à la guerre de Succession de Bretagne.

GUÉRANGER (*Dom* **Prosper Louis Pascal).** ♦ Bénédictin français (Sablé, 1805 – Solesmes, 1875). Lecteur des Pères de l'Église, il se familiarisa aussi avec la pensée de J. de Maistre* et de Bonald*. Il acheta le monastère de Solesmes (1833), et, en 1837, obtint l'approbation du pape Grégoire XVI pour son projet de réorganisation de l'ordre bénédictin, faisant de Solesmes l'abbaye mère de la Congrégation de France. Partisan de l'ultramontanisme, ami de L. Veuillot* avec lequel il collabora au journal *l'Univers,* il fut un des principaux restaurateurs de l'ordre liturgique romain (*Institutions liturgiques,* 1840-1851; *L'Année liturgique,* 1841-1866).

Ph. Giraudon

Gilles Guérin :
« Chevaux du Soleil abreuvés par les tritons ».
(Parc du château de Versailles.)

GUERASSIMOV (Alexandre). ♦ **V.** GHERASSIMOV (Alexandre).

GUERCHE-DE-BRETAGNE (La). ♦ Ch.-l. de cant. d'Ille-et-Vilaine, arr. de Rennes. 3 622 hab. Église (XVe-XVIe siècle). Maisons anciennes. – Cidre; marché de porcs. Indus. alimentaires. Chaussures. ♦ *Hist.* Du Guesclin fut seigneur de Guerche au XIVe siècle.

GUERCHE-SUR-L'AUBOIS (La). ♦ Ch.-l. de cant. du Cher, arr. de Saint-Amand-Mont-Rond. 3 717 hab. Église romane et gothique. Château du XVe siècle. – Fabrique d'outillage. Importantes cimenteries aux environs.

GUERCHIN (Giovanni Francesco Barbieri, dit **Il Guercino,** et en fr. **le).** ♦ Peintre, dessinateur et graveur italien (Cento, près de Bologne, 1591 – Bologne, 1666). D'abord marqué par les œuvres ferraraises, il devint à Bologne l'élève de Ludovic Carrache* puis à Venise (1618) admira les maîtres du XVIe siècle. Ses premières œuvres, dont le luminisme contrasté est traité d'une touche dense et vibrante, dérivent de la tradition vénitienne plus que de l'exemple du Caravage et révèlent un tempérament lyrique et dramatique (*Et in Arcadia ego,* v. 1618; *Martyre de saint Pierre,* 1619). Appelé à Rome en 1621 par Grégoire XV, influencé par les théories classiques et subissant l'attraction du Dominiquin*, puis de G. Reni* (*L'Aurore, au casino de la villa Ludovisi,* 1621), il donna un caractère plus calme et gracieux à ses œuvres qu'il traita dans une gamme subtile (*La Mort de Didon,* v. 1630). Revenu à Cento en 1626 il se fixa définitivement à Bologne en 1630. Il a laissé des paysages aux accents personnels et des dessins à la plume rehaussés de lavis qui se distinguent par la nervosité du trait et le raffinement des effets de lumière.

GUÉRET. ♦ Préf. de la Creuse*, ch.-l. d'arr. (13 cant., 144 comm., 105 157 hab.), située dans la Haute-Marche*. 14 080 hab. [12 441 aggl.] *(Guérétois).* Hôtel des Moneyroux des XVe et XVIe s., musée (émaux limousins, tapisseries d'Aubusson). Bijouterie, serrurerie.

GUERICKE (Otto *von***).** ♦ Physicien allemand (Magdebourg, 1602 – Hambourg, 1686). Il fut bourgmestre de Magdebourg (1646-1681). Inventeur du premier modèle de pompe pneumatique (v. 1650), il effectua des expériences sur le vide dont notamment celle des *hémisphères de Magdebourg* en 1654 devant la diète de Ratisbonne (deux demi-sphères de laiton, de 80 cm de diamètre environ, le vide étant fait à l'intérieur, ne purent être séparées que par deux attelages de huit chevaux). **V. Geissler.** Il acquit les premières notions sur l'élasticité de l'air et sur son poids, construisit un baromètre à eau, un baroscope et observa que la combustion s'arrête dans une enceinte fermée. Inventeur également de la première machine électrostatique **(V. Cabeo, Hauksbee),** il découvrit les effets de répulsion, la conduction de l'électricité et observa la luminosité qui accompagne le fonctionnement de la machine. **V. Gray.**

GUÉRIGNY. ♦ Comm. de la Nièvre (arr. de Nevers), sur la Nièvre*. 3 047 hab. *(Guérignois).* (L'aggl. compte 4 140 hab. avec Urgy.) Château du XVIIIe siècle. Aciéries (chaînes; ancres de marine).

GUÉRIN (Gilles). ♦ Sculpteur français (Paris, 1606 – *id.,* 1698). Il fut probablement élève de Simon Guillain et fut chargé des tombeaux d'Henri de Bourbon à Valéry et du duc de La Vieuville (1653). Il travailla pour Sarazin au *pavillon de l'Horloge* du *Louvre (La Renommée)* et réalisa des travaux de décoration pour des églises (jubé de Saint-Gervais de Soissons) ainsi que pour les *châteaux de Cheverny* et de *Maisons-Laffitte.* Auteur de la statue de *Louis XIV terrassant la Discorde* à Paris (1654), il fit partie de la première équipe de sculpteurs, travaillant au château de Versailles et réalisa notamment *Les Chevaux du Soleil abreuvés par les tritons* où s'affirme son goût du mouvement et du rendu naturaliste.

GUÉRIN (Pierre Narcisse, *baron***).** ♦ Peintre français (Paris, 1774 – Rome, 1833). Élève de Brenet, puis de Regnault*, il devint célèbre en exposant le *Retour de Marcus Sextus,* 1799, dans lequel on vit une allusion au retour des émigrés. Choisissant ses thèmes dans l'histoire et la littérature ancienne, empruntant les modèles de ses figures à la statuaire antique, il produisit des œuvres d'une facture sèche, agencées avec clarté et solidité. Son style doit beaucoup à David*, mais ses contemporains le considéraient comme son égal et Stendhal avouait le préférer. Il eut pour élèves Géricault*, Delacroix* et Scheffer*.

GUÉRIN (Eugénie *de***).** ♦ Écrivain français (château du Cayla, près d'Albi, 1805 – *id.,* 1848). Elle entretint une correspondance passionnée avec son frère, Maurice (voir ci-dessous), dont le panthéisme païen contraste avec son christianisme. Auteur de poèmes et d'un *Journal,* elle contribua à recueillir l'œuvre manuscrite de son frère.

GUÉRIN (Maurice *de***).** ♦ Poète français (Le Cayla, près d'Albi, 1810 – 1839). Après une enfance rêveuse et religieuse, M. de Guérin se destina à l'état ecclésiastique, puis y renonça lors d'un séjour en

Bretagne, auprès de Lamennais* (1832-1833). Il mena une vie mondaine à Paris, se lia avec Barbey* d'Aurevilly et composa *Le Centaure** (posth., 1840), puis *La Bacchante* (inachevé et posth., 1861). La phtisie dont il était atteint l'emporta. Sa sœur Eugénie (voir ci-dessus) se consacra à la publication de son œuvre et de son journal *(Le Cahier vert)*. Âme profondément mystique, partagée entre une formation morale catholique et la séduction d'un panthéisme païen, M. de Guérin recourt à des images et à des mythes empruntés à un hellénisme symbolique, dans des poèmes en prose au style harmonieux et dense, inaugurant une nouvelle forme d'art, qu'illustreront A. Bertrand*, Baudelaire*, Mallarmé*, Rimbaud*...

GUÉRIN (Camille). ♦ Savant français (Poitiers, 1872 – Paris, 1961). Après des études vétérinaires, il se consacra à des travaux de microbiologie. Il est surtout connu pour avoir mis au point la vaccination contre la tuberculose avec Calmette* (B.C.G.).

GUERNESEY *(île de)*. ♦ La plus occidentale des îles anglo-normandes. 63 km². 48 000 hab. *(Guernesiais)*. *Ch.-l.* Saint*-Peter Port. Cultures maraîchères en serre dans l'intérieur et élevage bovin réputé. Pêche et tourisme balnéaire sur le littoral. Le *bailliage de Guernesey* comprend, outre l'île de Guernesey, les îles d'Aurigny et de Sercq. – Victor Hugo* y vécut en exil de 1855 à 1871.

GUERNICA Y LUNO. ♦ V. d'Espagne du Nord (prov. de Biscaye*), dans la vallée du Mundaca. 8 000 hab. C'est la cité sainte du Pays Basque espagnol. Ferdinand d'Aragon et Isabelle de Castille y jurèrent de respecter les libertés basques. ♦ *Hist.* La ville fut bombardée par l'aviation allemande au service des nationalistes, lors de la guerre civile, le 27 avril 1937, faisant près de 2 000 victimes. Ce drame inspira à Pablo Picasso* une toile célèbre (musée d'Art moderne, New York).

GUÉROULT (Martial). ♦ Philosophe français (Le Havre, 1891). Historien des systèmes philosophiques, il étudia la pensée de Fichte (1930), Malebranche (1938), Descartes et S. Maïmon (1953), Berkeley (1956), etc.

Guerre *(croix de)*. ♦ Nom donné à des décorations attribuées en temps de guerre dans différents pays (Autriche-Hongrie, Belgique, France [croix de guerre 1914-1918 ; croix de guerre 1939-1945], Grèce, Italie, Pays-Bas, Tchécoslovaquie).

Guerre de 1870-1871. ♦ V. FRANCO-ALLEMANDE (guerre).

Guerre des Gaules (Sur la). ♦ V. COMMENTAIRES (de Jules César).

Guerre de Troie n'aura pas lieu (La). ♦ Pièce en deux actes de Jean Giraudoux* (1935). Dans Troie assiégée par les Grecs, Hector est décidé à faire la paix en leur restituant Hélène que Pâris a accepté de quitter. Andromaque et les Troyennes sont, elles aussi, convaincues de la sanglante vanité de la guerre. Mais le poète Démokos, Priam et les vieillards de Troie condamnent cette attitude où ils ne veulent voir que lâcheté. En dépit de la bonne volonté d'Ulysse, chef des Grecs, et des efforts désespérés d'Hector, sous le regard indifférent des dieux, la guerre aura lieu, annoncée par Cassandre et provoquée par un dramatique incident dont Démokos est le seul responsable.

Guerre et Paix. ♦ Roman de Léon Tolstoï (1863-1869). Parlant de son livre, Tolstoï a dit : « *Guerre et Paix* n'est pas un roman, encore moins un poème et encore moins une chronique historique. C'est ce que l'auteur a voulu et pu exprimer dans la forme où cela s'est exprimé [...]. L'historien s'occupe des résultats d'un événement ; l'artiste de l'événement lui-même. » Ces quatre tomes forment une étude très vivante sur la nature humaine et sur la liberté d'action. Natacha Rostov, femme russe idéale, le général Koutouzov, héros national, André Bolkonski, fiancé de Natacha et qui fut l'ami de celui qu'elle épousera, Pierre Bézoukhov, sont tous analysés avec une grande finesse dans leur comportement, leur langage et leurs affects, et le roman, d'une extraordinaire richesse de structure, insère cet intérêt pour les personnes humaines dans une vision globale de l'histoire.

Guerre folle. ♦ Nom donné à la révolte des nobles contre la régente Anne* de France, pendant la minorité de Charles* VIII (1485). Louis, duc d'Orléans (le futur Louis XII de France), et François* II, duc de Bretagne, s'unirent à d'autres seigneurs, mais ils furent battus par Louis II de La* Trémoille à Saint*-Aubin-du-Cormier (1488). François II dut signer le traité de Sablé*-sur Sarthe (1488).

Guerre mondiale (Première). ♦ Conflit qui, du 28 juillet 1914 au 11 novembre 1918, vit la guerre des *Empires centraux* (Allemagne et Autriche-Hongrie) et de leurs alliés contre l'*Entente* franco-anglaise et ses alliés, et se termina par la défaite des premiers. Les principaux théâtres d'opération furent la Belgique et la France (front de l'Ouest), la Russie (front de l'Est) ; la guerre se déroula aussi en Italie et dans les Balkans, en Asie (détroits des Dardanelles, Mésopotamie, Palestine), dans les possessions allemandes d'Afrique (Togo, Sud-Ouest africain) et d'Extrême-Orient (base de Chiao-chou), ainsi que sur les principales mers du globe. La participation des États-Unis en fit une guerre mondiale, la première de l'histoire. Le nombre des victimes et la quantité des destructions la firent appeler la Grande Guerre jusqu'à ce que le conflit de 1939-1945 apporte la preuve que plus de ravage encore était possible. ♦ *La montée vers la guerre.* Au début du XXe s., l'Europe bismarckienne s'était défaite et on avait assisté à un renversement des alliances dont la principale bénéficiaire était la France qui était sortie de son isolement. Le principal bloc était formé par l'Allemagne et l'Autriche-Hongrie (liées par la *Duplice* depuis 1879, alliance élargie en *Triplice*, avec l'Italie en 1882). De l'autre côté, la Russie était liée à la France par l'accord défensif de 1892 contre l'Allemagne. La France s'était alliée à l'Angleterre par l'*Entente* cordiale* de 1904, élargie en *Triple Entente* avec la Russie, en 1907. Le Japon était l'allié de l'Angleterre depuis 1902. L'Italie se trouvait dans une position ambiguë : sans quitter la *Triplice*, elle avait signé avec la France l'entente d'Algésiras (1906). Les principaux antagonismes opposaient la France, où subsistait depuis 1870 l'idée d'une revanche (question d'Alsace*-Lorraine) et l'Allemagne, en pleine expansion et aux fortes ambitions coloniales : les crises de Tanger (1905) et d'Agadir (1911) furent les principaux heurts. L'Angleterre, soucieuse de rester maîtresse du commerce international, cherchait à limiter l'expansion allemande. Un autre sujet de discorde important opposait l'Autriche-Hongrie et la Russie à propos de la question balkanique, liée à la question d'Orient : la Russie, à la faveur de son rôle de protectrice « naturelle » des Slaves, cherchait à étendre son influence vers la Méditerranée ; l'Autriche-Hongrie, dont l'Empire incorporait de fortes minorités slaves, voulait briser ce nationalisme soutenu, de l'extérieur, par la Serbie depuis l'avènement du roi Pierre Ier (1903). Une première crise fut provoquée par la révolution jeune-turque dans l'Empire ottoman (1908) : ce fut l'occasion, pour l'Autriche-Hongrie, d'annexer la Bosnie-Herzégovine, et pour la Bulgarie de proclamer son indépendance. Les guerres des Balkans (1912-1913), qui achevèrent le démembrement de la Turquie d'Europe et agrandirent notablement la Serbie (traité de Bucarest, 1913), constituèrent une deuxième crise. Enfin, l'attentat de Sarajevo* (28 juin 1914) décida l'Autriche à en finir avec le foyer de slavisme que constituait la Serbie : après un temps de concertation avec l'Allemagne, elle remit à la Serbie, le 23 juillet, un ultimatum contenant une clause inacceptable (participation de l'Autriche à l'enquête menée à Belgrade) ; sur son refus, prévu, elle lui déclara la guerre (28 juillet). Ce qui aurait pu n'être qu'une nouvelle guerre balkanique devint en quelques jours, par le jeu des alliances et des intérêts, une guerre européenne. La mobilisation en Russie (à partir du 29 juillet) entraîna celle de l'Allemagne (1er août) qui lui déclara la guerre (1er août au soir). La France, qui avait mobilisé le 1er août, reçut la déclaration de guerre de l'Allemagne le 3, alors que celle-ci avait déjà violé la neutralité belge. La Grande-Bretagne réagit en déclarant la guerre à l'Allemagne (4 août). L'état de guerre avec l'Autriche fut relativement tardif : déclaration de guerre de l'Autriche à la Russie (5 août), de la France (11 août), puis de la Grande-Bretagne (13 août) à l'Autriche. La Turquie, liée

Ph. Hubert Josse

Première Guerre mondiale : Verdun ; la Voie Sacrée (1916). (Musée de l'Armée, Paris.)

Ph. Hubert Josse

« Assaut de chars anglais en Picardie », par Beltrame.

Ph. Lauros-Giraudon

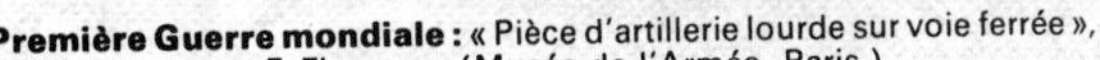

Première Guerre mondiale : « Pièce d'artillerie lourde sur voie ferrée », par F. Flameng. (Musée de l'Armée, Paris.)

Ph. Hubert Josse

« Bombardement italien en Autriche », par Beltrame.

à l'Allemagne par un pacte secret dès le 2 août, accueillit deux navires de guerre allemands le 10, tergiversa, mais se trouva en état de guerre de fait avec la Russie le 29 octobre. Le Japon, visant les possessions allemandes d'Extrême-Orient, déclara la guerre à l'Allemagne le 23 août; il reçut la déclaration de guerre de l'Autriche le 25. ♦ *Histoire politique de la guerre.* Les relations internationales, jusqu'en 1917, furent dominées par les efforts de chacun des deux camps pour se concilier les pays neutres. Dès le début de la guerre, le Luxembourg et la Belgique furent envahis par les troupes allemandes. La quasi-totalité de la Belgique subit un régime d'occupation. Mais, tandis que le ministère belge se regroupait à Sainte-Adresse, près du Havre, le roi Albert Ier, resté à La Panne, entendait conserver à la Belgique une indépendance de principe et demeurer seul chef des armées (à la fin de la guerre, il reçut toutefois l'assistance d'un major général, Degoutte). La violation de la Belgique, qui exposait directement les côtes anglaises, fut la principale cause de l'entrée en guerre de la Grande-Bretagne. Dès les premiers jours, les pays scandinaves, les Pays-Bas, l'Espagne affirmèrent leur neutralité; néanmoins, le Danemark n'osa pas éluder l'ordre allemand de mouiller des mines à l'entrée de la Baltique, pour en interdire l'accès à la flotte anglaise (5 août). La Suisse, dont l'économie et l'approvisionnement étaient à la merci des belligérants, parvint à conserver sa neutralité; elle fut, surtout en 1917-1918, une sorte de plaque tournante des relations diplomatiques discrètes entre belligérants; elle fut aussi un foyer des mouvements pacifistes et socialistes [conférence de Zimmerwald, sept. 1915] (c'est de Zurich, où il était réfugié, que Lénine regagna la Russie en 1917). L'Italie, après avoir proclamé sa neutralité (3 août), hésita à maintenir cette neutralité, qu'elle espérait monnayer contre des cessions de territoires par l'Autriche (Trentin, îles Dalmates), qui, en cas de victoire, pouvait lui procurer les mêmes avantages, et y ajouter des avantages coloniaux. Après des négociations avec les deux camps et des débats intérieurs (le leader libéral Giolitti et la majorité des socialistes et des catholiques étaient neutralistes, tandis que des minorités interventionnistes étaient animées par Mussolini et le poète d'Annunzio), l'Italie se rangea du côté de l'Entente par le traité secret de Londres (26 avr. 1915). Elle entra en guerre le 24 mai suivant contre l'Autriche, mais seulement le 28 août 1916 contre l'Allemagne. Même si le conflit s'était déplacé, les Balkans restaient un enjeu considérable : l'Entente chercha à créer un bloc balkanique, mais les intérêts inconciliables des différents États en cause la firent renoncer. La Bulgarie visait les territoires qui lui avaient échappé après sa défaite de 1913, principalement la Macédoine serbe; seule la victoire des Empires centraux pouvait la lui assurer; après bien des marchandages, elle entra dans la guerre à leurs côtés (5 oct. 1915). La conséquence immédiate fut l'écrasement de la Serbie, prise en tenaille entre les Austro-Allemands au N. et les Bulgares à l'est. L'armée et le gouvernement serbes se réfugièrent à Corfou (déc. 1915); les troupes furent réorganisées pour être incorporées à l'armée franco-anglaise de Salonique et, plus tard, participèrent à la reconquête **(V. Dobropol)**; le *pacte de Corfou* (juill. 1917) prépara l'union des peuples yougoslaves (Serbes, Croates, Slovènes). Une deuxième conséquence fut l'écrasement de la Roumanie. Après de longues hésitations, celle-ci entra en guerre aux côtés de l'Entente (28 août 1916) et occupa même une partie de la Transylvanie (austro-hongroise mais de peuplement roumain). La réplique bulgare au S., puis l'intervention allemande amenèrent son repli, sa défaite et l'occupation de Bucarest (6 déc. 1916); blé et pétrole roumains servirent à ravitailler les puissances centrales. Quant à la Grèce, sa neutralité constituait un danger pour les forces alliées débarquées à Salonique (oct. 1915). Le roi Constantin, personnellement germanophile, finit par abdiquer sous la pression française en faveur de son fils Alexandre; le retour au pouvoir de Vénizélos amena l'engagement de la Grèce dans le camp de l'Entente (26 juin 1917). Enfin, l'attitude du plus puissant des neutres, les États-Unis, détermina le sort de la guerre. Le président Wilson (élu en 1912, réélu en 1916) était un neutraliste convaincu, position qui correspondait aux tendances de l'opinion américaine : à côté de la population anglo-saxonne, les Américains d'origine allemande ou irlandaise étaient hostiles à l'Entente; les immigrés juifs et polonais espéraient la défaite de la Russie. En outre, cette neutralité épargnait aux États-Unis le coût de la guerre, tout en les enrichissant par l'augmentation de leur commerce extérieur (matières premières, matériel, denrées alimentaires à destination de l'Angleterre et de la France). Plusieurs tentatives de médiation américaine, proposant une paix sans annexion fondée sur la liberté des peuples à disposer d'eux-mêmes, échouèrent; Wilson eut même du mal à obtenir des belligérants qu'ils précisent leurs *buts de guerre* (janv. 1917). Ceux-ci étaient pour l'Entente : évacuation des territoires envahis (Belgique, N.-E. de la France, Serbie et Monténégro, Pologne, Lituanie) et indemnités, retour de l'Alsace-Lorraine à la France, émancipation des minorités nationales incluses dans les Empires austro-hongrois et ottoman et réorganisation de l'Europe selon le principe des nationalités; pour les Empires centraux : maintien d'un certain contrôle allemand sur la Belgique, rattachement à l'Allemagne du Luxembourg, du bassin minier de Briey-Longwy, d'un État polonais vassal, et maintien intégral de l'Empire austro-hongrois. Cependant l'état-major allemand jugeait que l'issue de la guerre passait par le torpillage des approvisionnements de l'Entente en provenance des États-Unis; la guerre sous-marine, qui avait été réduite à la suite de plaintes américaines (indignation après le torpillage du *Lusitania,* 7 mai 1915), reprit le 1er février 1917, Guillaume II prenant, contre son chancelier Bethmann-Hollweg, le risque d'une entrée en guerre des États-Unis et escomptant la victoire avant qu'une armée américaine soit mise sur pied et devienne opérationnelle. En effet, après la rupture des relations diplomatiques dès le 3 février, le Congrès américain vota la guerre contre les Empires centraux le 6 avril 1917. — Cette année 1917 fut d'ailleurs une année charnière. Dans les deux camps, le prolongement de la guerre et l'absence de résultat militaire décisif engendrèrent des crises morales, sociales et politiques. Les principes socialistes, plaçant la solidarité internationale des classes laborieuses au-dessus des intérêts des patries retrouvèrent en partie l'audience perdue avec la formation des diverses « unions sacrées » au début du conflit. En France, en mai-juin, il y eut jusqu'à 100 000 grévistes protestant contre l'augmentation du coût de la vie; au front, des régiments refusèrent de monter en ligne; ces troubles amenèrent la chute des cabinets Ribot*, puis Painlevé* et ne cessèrent qu'avec la prise en main des affaires par Clemenceau* (16 nov.). L'Angleterre, en mai, connut aussi de grandes grèves, mais de moindre influence politique, le «cabinet de guerre» formé par Lloyd* George depuis 1916 dominant la situation, En Italie, des émeutes se produisirent en août, tandis que reprenait la propagande neutraliste; ce désarroi se traduisit en octobre par le désastre de Caporetto*, effondrement du « moral » autant que défaite militaire. Flottements aussi en Allemagne (125 000 grévistes dans les usines de munitions, mutineries de marins) où s'affirmait l'opposition de l'état-major et de la majorité du Reichstag, acquise à l'idée d'une paix sans annexions; ces troubles amenèrent la démission de Bethmann-Hollweg (12 juil.). En Autriche-Hongrie, la nécessité de mettre un terme à « l'aventure de la guerre » était telle que l'empereur Charles Ier, par l'intermédiaire de son beau-frère Sixte de Bourbon-Parme, entra en pourparlers secrets avec l'Entente (mars-mai); mais la tentative avorta. Une autre négociation d'importance fut menée par le Saint-Siège (le pape Benoît XV et son nonce à Munich, Mgr Pacelli, futur Pie XII); le programme de paix pontifical, rendu public le 14 août,

Ph. Hubert Josse

Première Guerre mondiale : « L'offensive de juillet 1918 ; Saint-Pierre-de-l'Aigle », par F. Flameng. (Musée de l'Armée, Paris.)

était plutôt favorable à l'Allemagne, mais il n'entraîna pas son adhésion, encore moins celle de l'Entente. De plus de conséquence fut, en Russie, la chute du tsarisme, liée au mécontentement général ; une période de transition aboutit à la révolution* d'Octobre 1917 (nov., selon le calendrier grégorien) ; un des premiers actes des Soviets fut de retirer la Russie de la guerre (armistice, 15 déc. 1917, et traité de Brest*-Litovsk, 3 mars 1918), ce qui entraîna le retrait de la Roumanie (traité de Bucarest*, 7 mai 1918). Ces défections permettaient à l'Allemagne de dégager 700 000 hommes du front Est, et lui permettaient en outre d'exploiter économiquement la Roumanie et l'Ukraine. La balance des forces semblait donc pencher en sa faveur. L'histoire des opérations militaires montre que cet avantage ne fut pas suffisant pour forcer la décision. ♦ *Les opérations militaires.* Alors que le plan français (plan XVII) prévoyait la défense de l'Est, le plan allemand (plan Schlieffen) envisageait le contournement des défenses françaises, l'invasion de la Belgique, l'attaque de la France par le Nord et, après une victoire acquise en six semaines, le transport des troupes sur le front russe et une victoire en quelques mois. La *bataille des frontières* se déroula conformément au plan allemand ; après les batailles des Ardennes* et de Charleroi*, l'armée française dut battre en retraite pour éviter l'enveloppement (24 août-5 sept. 1914). Du 6 au 9 septembre, la bataille de la Marne* permit à Joffre de redresser la situation et de repousser les Allemands jusqu'à l'Aisne. Alors se développèrent une série d'offensives et contre-offensives connues sous le nom de *course à la mer,* chacune des deux armées tentant d'envelopper l'autre par le Nord ; le principal épisode fut la bataille de l'Yser* (19 oct.-17 nov.), après laquelle les deux armées se trouvèrent immobilisées face à face sur un front étendu de la Suisse à la mer du Nord. La guerre de mouvement allait laisser place à une guerre d'usure. A l'est, après avoir envahi la Prusse-Orientale, les troupes russes, vaincues à Tannenberg* par Hindenburg (27-30 août 1914) durent évacuer le pays ; mais, après des revers face aux Austro-Hongrois, elles progressèrent en Galicie à l'automne 1914 ; elles parvinrent donc assez bien à « fixer » une partie des forces centrales, rôle que lui assignait la Triple-Entente. Enfin la Serbie, envahie en août 1914 par les Autrichiens, résista (victoire du Cer, 24 août) et, après la bataille de Rudnik, libéra Belgrade (qui avait été occupée du 6 nov. au 13 déc. 1914). Sur mer, l'escadre allemande de von Spee, d'abord victorieuse à Coronel*, fut détruite aux îles Falkland*. De sorte qu'à la fin de 1914, la victoire rapide qu'escomptaient les Empires centraux était remise en question. En 1915, l'initiative appartint encore à la stratégie allemande ; la stabilisation du front Ouest permit à Falkenhayn*, successeur de Moltke* le Jeune au commandement suprême, de porter son effort contre la Russie. D'avril au 25 septembre, les offensives de Hindenburg et de Mackensen chassèrent les Russes de Pologne et de Lituanie ; le nouveau front, établi de Riga à Czernowitz, subit peu de modifications jusqu'à l'armistice de Brest-Litovsk ; la moitié de l'armée russe était hors de combat (900 000 prisonniers, près de 700 000 blessés), mais la Russie n'était pas réduite à la paix, peut-être parce que l'entrée en guerre de l'Italie avait « fixé » une partie des troupes austro-hongroises sur le front du Karst* (été) ; néanmoins, à partir du 6 octobre, les forces austro-allemandes et bulgares envahirent la Serbie ; le 23 novembre les restes de l'armée serbe entamaient leur retraite à travers l'Albanie. Ces succès étaient possibles parce que le front de l'Ouest, installé dans la guerre des tranchées, résistait : les assauts de Joffre en Artois* puis en Champagne* se soldèrent, finalement, par de sanglants échecs (1 000 000 de blessés, 400 000 morts ou prisonniers). Par ailleurs, les Anglais, ayant organisé leur armée **(V. Kitchener),** portaient leurs efforts sur d'autres théâtres d'opérations : débarquement dans le golfe Persique et progression en Mésopotamie (depuis nov. 1914), conquête de colonies allemandes d'Afrique (Togo, fin 1914 ; Sud-Ouest africain, juill. 1915 ; Cameroun, janv. 1916), expédition des Dardanelles* (févr. 1915-févr. 1916) et participation à l'expédition de secours à la Serbie (oct. 1915), dont les échecs respectifs aboutirent cependant à maintenir un corps expéditionnaire franco-anglais à Salonique **(V. Sarrail).** 1916 fut une année de batailles indécises et sanglantes : tandis que Joffre préparait une vaste série d'offensives pour juillet, Falkenhayn en attaquant sur Verdun* (févr.-déc.) espérait épuiser les ressources françaises en hommes et en matériel. Malgré les sollicitations des défenseurs **(V. Pétain, Nivelle),** Joffre sut limiter les effectifs destinés à Verdun (**V. Chantilly** [conférences de]) et répliquer par ses attaques sur la Somme (juill.-oct.). Mais en définitive, les deux batailles « usèrent » également les deux armées. De même en Italie, l'attaque austro-hongroise dans le Trentin (mai) fut brisée par les contre-attaques italiennes **(V. Isonzo)** et sur mer la bataille anglo-allemande du Jutland (31 mai) resta indécise. Seuls succès de quelque portée : à l'actif des Russes, l'offensive du grand-duc Nicolas en Arménie (janv.-sept.) et l'offensive de Broussilov* en Galicie et en Bucovine (juin-août) ; à l'actif des Empires centraux, l'invasion de la Roumanie **(V. Arges)** que l'armée franco-anglo-serbe de Salonique, peinant pour prendre Bitola* (nov.), n'avait pu empêcher ; en Mésopotamie, succès turcs : les Anglais évacuèrent Baghdâd et capitulèrent à Kut al-Amara (28 avr.). L'année 1917 vit la reprise de la guerre sous-marine à outrance (1er févr.) ; l'état-major allemand en attendait l'asphyxie de l'économie alliée et la fin de la guerre en six mois ; il fut déçu et la principale conséquence, l'entrée en guerre des États-Unis, entraîna finalement la victoire des Alliés. Cependant, Nivelle, le nouveau généralissime français, entendait emporter le front adverse par une vaste offensive brusquée : précédée d'une offensive de fixation en Artois* (9 avril), ce fut l'attaque, et l'échec, du Chemin* des Dames (16 avril) ; Pétain, successeur de Nivelle, se limita désormais à des attaques partielles (La Malmaison, oct.). En Italie, les succès italiens dans le Carso (mai-août, **V. Karst**) entraînèrent la réplique austro-allemande et le désastre de Caporetto* (24 oct.). A l'est, l'affaiblissement du front russe, lié aux circonstances politiques (voir *ci-dessus*), permit la reconquête de la Galicie et de la Bucovine par les Allemands et aboutit à l'armistice de Brest*-Litovsk (15 déc.). Les Anglais remportèrent des succès contre les Turcs : entrée à Baghdâd (11 mars) et à Jérusalem (9 déc., **V. Allenby**). Au début de 1918, la plupart des belligérants constataient leur épuisement. L'Entente, manquant d'effectifs, s'imposait de « tenir » jusqu'à l'intervention des troupes américaines (juill.); l'Allemagne, renforcée par 700 000 hommes récupérés du front russe, devait absolument chercher la décision avant cette intervention et avant l'effondrement de ses alliés. De mars à juillet, Hindenburg et Ludendorff déclenchèrent la ***grande bataille de France :*** offensive du 21 mars qui rompit le front allié, créant la poche de Montdidier*, offensives du 9 avril sur Armentières, du 27 mai sur le Chemin* des Dames, créant la poche de Château*-Thierry, du 15 juillet sur la Marne (à nouveau franchie) et en Champagne*. Mais aucune de ces victoires ne fut décisive. Foch*, général en chef interallié depuis le 17 avril (l'unité de commandement s'était enfin imposée, **V. Doullens, Beauvais** [conférence de]), déclencha le 18 juillet la « seconde bataille de la Marne* ». Il exploita le succès par une série d'offensives (8 août, 21 août, 26 sept., 17 oct.) qui contraignirent les Allemands à se replier progressivement et finalement à demander un armistice, signé le 11 novembre à Rethondes*. De semblables succès se produisirent sur les autres fronts : en Macédoine, les forces franco-serbes de Franchet* d'Esperey rompirent le front bulgare **(V. Dobropol),** obtinrent la capitulation de la Bulgarie (armistice de Salonique, 29 sept.), menacèrent l'Autriche et la Turquie; en Orient, Allenby et Lawrence reprirent l'offensive à partir du 19 septembre, conquérant successivement Damas, Beyrouth, Alep, et, en Mésopotamie, Marshall progressa vers Mossoul, tandis que la menace de l'armée de Macédoine sur Constantinople amenait la Turquie à signer l'armistice de Moudros* (30 oct.); en Italie, Diaz*, qui retardait depuis l'été le moment de lancer l'offensive demandée par Foch, profita de la désorganisation autrichienne et conquit Vittorio* Veneto (24-29 oct.), ce qui conduisit l'Autriche à l'armistice de Villa Giusti, près de Padoue (3 nov.). ♦ *La paix.* Les conséquences de la victoire alliée furent la chute des Empires et, d'une part le remodelage de l'Europe (érection de républiques en Tchécoslovaquie, Allemagne, Hongrie, Autriche, Pologne, Lituanie, Lettonie, Estonie; création du royaume de Yougoslavie, agrandissement de la France qui récupéra l'Alsace-Lorraine, de l'Italie, de la Roumanie, de la Grèce; restauration de la Belgique), d'autre part le démembrement définitif de l'Empire ottoman (dont les prov. du Proche-Orient furent soumises aux influences anglaise et française, en vertu des accords Sykes-Picot de mars 1916, tandis que la révolte de Mustafa* Kemal faisait naître la Turquie moderne). Pour ce qui est de l'Europe du moins, triomphait presque partout le principe des nationalités. Ce principe figurait, avec l'évacuation des pays conquis, la liberté des mers et la création d'une Société des Nations, dans les *Quatorze Points,* programme posé par Wilson dès janvier 1918 et d'après lequel il s'efforça de dicter la paix lors de la conférence de Paris (1919). Cette conférence élabora entre les vainqueurs le pacte de la Société* des Nations (28 avr. 1919, non ratifié par le sénat américain) et imposa aux vaincus les traités de Versailles* (Allemagne, 28 juin 1919), Saint*-Germain-en-Laye (Autriche, 10 sept. 1919), Neuilly* (Bulgarie, 27 nov. 1919), Trianon* (Hongrie, 6 juin 1920), Sèvres* (Turquie, 10 août 1920; remplacé par le traité de Lausanne*, 24 juill. 1923, après la guerre d'indépendance turque et la guerre gréco-turque). Les différends italo-yougoslaves furent réglés par le traité de Rapallo* (12 nov. 1920), complété par l'accord de Rome sur Fiume (1924) et la guerre soviéto-polonaise s'acheva sur le traité de Riga* (18 mars 1921). Cette paix wilsonienne n'était pourtant pas parfaite : les conditions faites à l'Allemagne (fortes indemnités de guerre, occupation de la Rhénanie, **V. Degoutte**) et sa ruine économique favorisèrent indirectement la montée du nazisme et le découpage de la carte (minorité allemande en Tchécoslovaquie, corridor polonais de Dantzig*) fournit à Hitler les prétextes de la Deuxième Guerre mondiale (voir *ci-dessous*). ♦ *Chiffres :* la guerre vit l'affrontement au total, de 65 000 000 de soldats (Russie : 12 000 000; France : 8 400 000; Empire britannique : 8 900 000; Italie : 5 600 000; États-Unis : 4 350 000; Allemagne : 11 000 000; Autriche-Hongrie : 7 800 000; Turquie : 2 850 000; Bulgarie : 1 200 000). Elle fit dans les armées 8 500 000 morts (Russie : 1 700 000; France : 1 350 000; Empire britannique : 900 000; Italie : 650 000; États-Unis : 115 000; Roumanie : 335 000; Allemagne : 1 770 000; Autriche-Hongrie : 1 200 000; Turquie : 325 000; Bulgarie : 87 000) et quelque 2 100 000 blessés. Parmi les civils, on estime qu'env. 10 000 000 de personnes périrent du fait de la guerre, directement ou indirectement. ♦ *Princ. chefs militaires.* Allemands : **V. Bissing, Bülow** (Karl von), **Falkenhayn, Gröner, Hindenburg, Kluck, Ludendorff, Mackensen, Moltke** le Jeune. Américain : **V. Pershing.** Anglais : **V. Allenby, Beatty, Fisher of Kilverstone, French, Haig, Jellicoe, Lawrence, Wilson** (sir Henry). Autrichien : **V. Hötzendorff** *(comte* Conrad *von).* Français : **V. Castelnau, Debeney, Degoutte, Dubail, Fayolle, Foch, Franchet d'Esperey, Gallieni, Gouraud, Guillaumat, Joffre, Langle de Cary, Lanrezac, Lyautey, Mangin, Maunoury, Nivelle, Pétain, Sarrail, Weygand.** Italiens : **V. Cadorna, Diaz.** Russes : **V. Broussilov, Denikine, Kornilov, Samsonov.**

Guerre mondiale (Deuxième). ♦ Conflit qui, du 1er septembre 1939 au 2 septembre 1945, opposa les pays de l'*Axe* (Allemagne, Italie, Japon) et les *Alliés* (France, Grande-Bretagne, U.R.S.S., États-Unis, Chine). Il débuta par des succès rapides des pays de l'Axe qui imposèrent leur domination à de vastes mais fragiles empires; l'année 1942 vit leur plus grande expansion et le début de leurs revers (Midway, El Alamein, Stalingrad); la puissance de l'U.R.S.S. et surtout celle des États-Unis déterminèrent alors la victoire progressive des Alliés, qui démantelèrent les vaincus avant de s'opposer eux-mêmes en un nouvel et instable équilibre mondial. Conséquence à maints égards de la Première Guerre mondiale, ou plutôt de l'état politique et économique où celle-ci avait laissé l'Europe, la Deuxième Guerre mondiale n'en est pourtant pas la réplique. Elle en diffère sur plusieurs points essentiels. 1°) L'étendue : la quasi-totalité des pays d'Europe ont été touchés, et cette guerre engloba aussi la Méditerranée, l'Afrique et l'océan Atlantique; une deuxième guerre eut pour théâtre l'Extrême-Orient et le Pacifique, avec des distances encore plus considérables. 2°) La totalité de l'engagement : non seulement les belligérants levèrent d'immenses armées mais, pour les équiper, ils mobilisèrent toutes leurs ressources économiques, ainsi que celles des pays envahis, et tout leur potentiel humain; en outre, la portée des armes modernes rendit en partie caduque la notion traditionnelle de « front » et l'Angleterre puis l'Allemagne et le Japon subirent des bombardements massifs, visant à détruire leur économie et à terroriser les populations. 3°) La signification idéologique : la lutte ne fut pas seulement celle de nations cherchant à conquérir ou à défendre des territoires, mais aussi celle des démocraties (libérales ou communiste, et cette opposition ne cessa d'être un germe de conflit entre les Alliés) contre les dictatures nazie, fasciste ou militaire japonaise et contre les doctrines totalitaires ou racistes véhiculées par ces régimes; cette lutte idéologique teinta de façon caractéristique les mouvements de « collaboration » ou, au contraire, de « résistance » dans les pays occupés par l'Axe. ♦ LA MONTÉE VERS LA GUERRE. La paix wilsonienne (V. ci-dessus **Guerre mondiale** [Première]) et le pacte Briand-Kellogg* de 1928, auquel avaient adhéré la plupart des pays, y compris les États-Unis et l'U.R.S.S., avaient pu laisser croire qu'un équilibre international avait été trouvé et que la guerre était écartée pour longtemps. Il n'en fut rien, et les années 1930 virent la montée des dictatures en Allemagne et au Japon (en Italie, Mussolini* était au pouvoir depuis 1922), allant de pair avec une politique d'annexions fondée sur la théorie de l'*espace vital* et contre laquelle la Société des Nations se révéla impuissante. Les principaux épisodes de cette évolution furent : en 1931, l'affaire de Mandchourie aboutissant à la constitution du Man-chu-kuo sous l'égide japonaise (1932) et amorçant une série d'annexions japonaises en Chine, prélude à la guerre entre les deux pays déclenchée dès 1937; l'invasion de l'Éthiopie par l'Italie, qui rompit l'entente franco-britannico-italienne signée à Stresa quelques mois plus tôt (1935); en 1936, la réoccupation militaire de la Rhénanie par Hitler, sans réaction de la France, préoccupée par sa situation intérieure; fin 1936, la réconciliation italo-allemande (*Axe Rome-Berlin,* octobre) complétée par le *pacte antikomintern* entre l'Allemagne et le Japon (novembre); en 1938, le rattachement (Anschluss*) de l'Autriche au IIIe Reich, sans opposition internationale non plus; puis les accords de Munich* (29 septembre 1938) où, pour tenter de sauvegarder la paix à tout prix, la France et la Grande-Bretagne reconnurent l'annexion par l'Allemagne d'une partie de la Tchécoslovaquie (les Sudètes); la rupture de ces accords dès mars 1939, Hitler mettant la main sur la totalité de la Tchécoslovaquie (administration allemande en Bohême-Moravie; satellisation de la Slovaquie proclamée « indépendante »); en avril 1939, l'invasion de l'Albanie par l'Italie; en juillet-août, les négociations sur la Pologne (Dantzig* et son « corridor » formaient une enclave polonaise en Allemagne), aboutissant au *pacte germano-soviétique* (23 août), par lequel les deux puissances s'entendaient pour dépecer leur voisine et qui libérait momentanément Hitler du souci d'un front oriental. Enfin, le 1er septembre 1939, les forces allemandes entraient en Pologne. Le 3, la Grande-Bretagne, qui avait pris un engagement envers la Pologne, et la France, décidée cette fois-ci à soutenir son alliée, déclaraient la guerre à l'Allemagne. L'Italie, pour achever sa préparation, se proclama en état de « non-belligérance »; elle n'entra en guerre que le 10 juin 1940,

Ph. Hubert Josse

Deuxième Guerre mondiale : la ligne Maginot; transport de troupes. (Bibliothèque nationale, Paris.)

Deuxième Guerre mondiale : l'Europe sous la domination de l'Axe (été 1942).

alors que la victoire allemande était pratiquement acquise. ♦ LA CAMPAGNE DE POLOGNE. La Pologne s'était fait fort de résister à l'Allemagne ; en interdisant l'éventuelle entrée de son territoire aux armées soviétiques, elle avait fait avorter une entente défensive avec l'U.R.S.S. En fait, l'armée polonaise se révéla hors d'état de résister à l'assaut conjugué de l'aviation et des blindés allemands ; en huit jours l'armée allemande arrivait devant Varsovie, qui capitula le 26 septembre ; le 1er octobre Hitler célébrait sa victoire. De son côté l'Armée rouge avait pénétré en Pologne (18 sept.). L'U.R.S.S. annexa les provinces peuplées de Biélorussiens et d'Ukrainiens, et engloba la Lituanie dans sa zone d'influence ; l'Allemagne annexa Dantzig, la Poznanie, la haute Silésie, et constitua autour de Varsovie et de Cracovie un « gouvernement général des provinces occupées » dirigé par un nazi. Cependant, conformément aux conventions franco-polonaises, l'armée française avait pénétré en Sarre (7 sept.) sans pousser une offensive qui ne rencontrait pas de résistance sérieuse ; elle se retira le 16 octobre sans que son intervention ait eu de conséquence. ♦ LA « DRÔLE DE GUERRE ». Hitler avait prévu de se retourner contre la France sitôt la guerre polonaise achevée, mais l'insuffisance des équipements terrestres (chars) et aériens, ainsi que les conditions atmosphériques le contraignirent, en novembre-décembre, à ajourner l'offensive. Jusqu'en mai 1940, s'instaura un état d'inaction, éprouvant pour le moral des armées et des populations et qu'on appela « drôle de guerre ». Les Alliés se tenaient sur la défensive, le corps expéditionnaire britannique ayant pris position le long de la frontière belge depuis octobre 1939 (les projets pour avancer le dispositif allié se heurtant toujours au refus des Belges et des Hollandais, jaloux de leur neutralité). Sur mer, la supériorité, réelle, de la *Royal Navy* ne put s'imposer de façon décisive ; certes, elle contraignit le cuirassé *Admiral Graf von Spee* à se saborder en rade de Montevideo (17 déc.), mais elle ne put empêcher les pertes causées par les mines magnétiques et les sous-marins allemands (plus de 600 000 t de navires de commerce détruits en 1939). En outre, le blocus de l'Allemagne était peu efficace, puisque celle-ci s'approvisionnait chez divers neutres (pétrole roumain, fer suédois) et que ses accords avec l'U.R.S.S. lui assuraient des matières premières et du ravitaillement. Cependant l'U.R.S.S., pour se couvrir au N.-O., attaquait la Finlande* (30 nov.), non sans se heurter à une sérieuse résistance ; néanmoins le traité du 12 mars 1940 consacrait sa victoire ; elle annexait notamment Vyborg et des territoires dans l'isthme de Carélie, commandant l'accès à Leningrad. Dans le même temps elle imposait son « protectorat » aux États baltes (Lituanie, Lettonie, Estonie) avant de les occuper en juin 1940. Pour sortir de l'inaction, les Alliés avaient échafaudé des projets chimériques (ouverture d'un front balkanique, bombardement des puits de pétrole caucasiens), ainsi qu'une expédition en Norvège, destinée à couper la « route du fer » (le minerai suédois à destination de l'Allemagne transitait, quand la Baltique était prise par les glaces, par le port norvégien de Narvik). Le 21 mars 1940, Daladier fut remplacé par Paul Reynaud à la tête du gouvernement français, et les Franco-Anglais manifestèrent leur fermeté par une déclaration commune (28 mars). Mais une fois de plus l'initiative vint des Allemands. Le 9 avril, ils entrèrent au Danemark sans coup férir, ainsi qu'en Norvège, où ils rencontrèrent plus de résistance et où le roi et le gouvernement aimèrent mieux s'exiler que s'incliner. De sorte qu'au lieu de neutres tacitement favorables, l'expédition franco-britannique trouva en face d'elle l'ennemi déjà installé et à qui un millier d'avions et la libre disposition des aérodromes donnaient une supériorité décisive. Les troupes qui purent prendre pied à Namsos et à Aandalnes (14 avr.) durent être rembarquées le 2 mai, et en Angleterre cet échec causa la chute de Chamberlain*, remplacé le 10 mai par Churchill*. Seul Narvik* put être conquis le 28 mai, par Béthouart. Mais il était trop tard, les troupes victorieuses durent abandonner d'elles-mêmes leur conquête (2-7 juin) car, en France, à cette date, la victoire allemande était sur le point d'être acquise. ♦ LA DÉFAITE FRANÇAISE. L'offensive allemande avait commencé le 10 mai. Alors que les Alliés l'attendaient vers la Belgique, où le gros de leurs forces devait pénétrer aussitôt après l'invasion, Hitler avait adopté le plan de Manstein*, consistant à porter l'attaque principale à travers les Ardennes*. Celles-ci, jugées infranchissables, étaient peu défendues. Les blindés de Guderian*, couverts par une aviation maîtresse des airs, réussirent en deux jours la percée vers Sedan. Trouvant devant eux une défense inadaptée et prise de vitesse, ils poursuivirent leur action par Saint-Quentin, Amiens, Abbeville pour enfermer les armées alliées. Weygand, nouveau généralissime allié (19 mai ; il succédait à Gamelin*), tenta d'organiser la contre-offensive. Mais les Pays-Bas avaient capitulé dès le 15 mai ; la Belgique en fit autant le 28 ; et lord Gort* prit sur lui de rapatrier le corps expéditionnaire britannique (27 mai-4 juin, **V. Dunkerque**), suivi par des éléments de l'armée française encerclés dans la même région. Du 4 au 8 juin, le front établi par Weygand sur la Somme et sur l'Aisne fut enfoncé. À partir du 10, tandis que les armées allemandes progressaient dans toutes les directions, ce fut l'exode des populations et la fuite du gouvernement, qui alla chercher refuge à Bordeaux le 14. Le 17, le maréchal Pétain* forma un nouveau gouvernement, partisan d'une paix qui préserverait ce qui restait de l'ordre public et, peut-être, l'avenir du pays. L'armistice fut signé le 22 juin avec l'Allemagne, symboliquement à Rethondes*, et le 24 à Rome avec l'Italie qui, entrée en guerre le 10 juin, n'avait guère remporté de succès (au contraire, la flotte française avait bombardé Gênes le 14). L'Allemagne annexa l'Alsace-Lorraine ; les départements du Nord, à cause de l'importance stratégique du pas de Calais, furent rattachés au commandement allemand de Bruxelles ; le reste de la France fut divisé en deux par une « ligne de démarcation » : au nord et à l'ouest, les Allemands s'assurèrent une *zone d'occupation* avec une voie de communication vers l'Espagne ; au sud, subsista une *zone* dite *libre* où le maréchal Pétain institua un nouveau régime **(V. État français)** de tendance antiparlementaire et antisyndicaliste. Hitler avait eu l'habileté de conserver une souveraineté française théorique pour s'éviter les difficultés d'une administration directe et surtout pour empêcher la flotte et l'empire colonial de se rallier à la Grande-Bretagne. À Londres, le 18 juin, le général de Gaulle invita les Français à continuer la guerre **(V. Gaulle** [Charles de]) et créa, en accord avec la Grande-Bretagne, l'organisation de la « France libre » qui devint ensuite la « France combattante ». ♦ LA BATAILLE D'ANGLETERRE. Restée seule en guerre, la Grande-Bretagne affirma sa volonté de poursuivre la lutte, et d'abord elle coupa court, par un acte de guerre, aux incertitudes concernant la flotte française (3 juillet, **V. Mers-el-Kébir)**. En juillet 1940, Hitler tenta d'organiser un débarquement en Angleterre (opération *Seelöwe*) ; mais il y renonça, sa marine se reconnaissant incapable de mener à bien l'opération et Goering* assurant que l'aviation suffirait à écraser l'Angleterre. La bataille aérienne commença le 10 juillet par le harcèlement des convois maritimes et des ports de la Manche ; à partir du 13 août, les bombardements visèrent usines, aérodromes et voies de communications ; à partir du 6 septembre, ce furent, jusqu'à la fin de l'année, des bombardements quotidiens sur les villes (Liverpool, Londres ; destruction de Coventry* dans la nuit du 14 au 15 novembre). Néanmoins, l'efficacité de la défense anti-aérienne (grâce notamment au radar nouvellement inventé) et la supériorité technique, sinon numérique, de l'aviation de chasse britannique, consacrèrent l'échec de la Luftwaffe*. ♦ LA GUERRE MÉDITERRANÉENNE. En attendant que ses efforts d'armement portent leurs fruits, la Grande-Bretagne disposait de deux atouts : sa flotte et le Commonwealth avec sa principale artère, Suez. En août 1940, l'Italie avait conquis la Somalie britannique, non défendue ; elle avait pénétré au Soudan et au Kenya ; ses forces d'Éthiopie et de Libye pouvaient prendre l'Égypte en tenaille. Mais l'avance de Graziani* vers Alexandrie (sept.) se heurta à une contre-attaque de Wavell* et tourna à la déroute (déc. 1940-janv. 1941). Les « Français libres » de Leclerc*, venus du Tchad et ralliés à de Gaulle, s'emparèrent de Koufra* (mars). De janvier à mai 1941, les Britanniques envahirent la Somalie italienne, l'Érythrée et l'Éthiopie où le négus Hailé* Sélassié fut rétabli. La clé de cette guerre africaine était la Méditerranée, tenue par les flottes britanniques de Gibraltar et d'Alexandrie, et traversée du nord au sud par les convois italiens vers la Libye. Au centre, Malte jouait un rôle stratégique considérable. Les Anglais au début surclassés par le nombre (il ne leur resta un moment que deux croiseurs valides en Méditerranée) reprirent peu à peu la maîtrise. Néanmoins, d'autres événements devaient souligner la faiblesse des Britanniques, capables de l'emporter sur les Italiens, mais non sur les Allemands. En octobre 1940, l'Italie avait envahi la Grèce ; elle y subit de durs revers. Mussolini, vaincu sur mer, en Afrique et en Grèce, sollicita l'aide de Hitler (10 janv. 1941). Quoique peu intéressé par la Méditerranée (il préparait l'invasion de la Russie, cf. ci-dessous), celui-ci intervint. En Libye, il dépêcha Rommel* et

Coll. Viollet

Deuxième Guerre mondiale : L'invasion de la Russie. (Tank soviétique pris par les Allemands.)

l'*Afrikakorps** au moment même où les Britanniques arrêtaient leur offensive et transféraient des troupes en Grèce pour ouvrir un front balkanique (fév.-mars) ; le 12 avril, Rommel avait reconquis le terrain perdu par Graziani, sauf Tobrouk*. En Yougoslavie et en Grèce, Hitler déclencha une guerre éclair (9 avr.). Les deux pays furent occupés, les Anglais furent contraints de rembarquer fin avril et, fin mai, furent chassés de Crète. Seul succès : les Britanniques vinrent à bout d'une rébellion de l'Iraq (avr.-mai) et mirent la main sur le Liban et la Syrie après une campagne menée d'abord par les Français libres seuls, contre les Français du général Dentz* (juin-juillet). L'indépendance du Liban et de la Syrie, proclamée par le général Catroux*, ne devint effective qu'à la fin de la guerre. ♦ L'INVASION DE LA RUSSIE. Le pacte germano-soviétique n'était pour les deux parties qu'une mesure d'opportunité. Les annexions prononcées par l'U.R.S.S. (Finlande, mars 1940, cf. ci-dessus ; Bucovine et Bessarabie, juin 1940 : pays baltes, août 1940) mécontentaient Hitler. Surtout, les doctrines nazies reposaient à la fois sur l'anticommunisme, violent en Allemagne avant la guerre, et sur le racisme, destinant les Slaves à l'asservissement ; la théorie de l'espace vital assignait l'Europe de l'Est à la colonisation germanique. En attaquant l'U.R.S.S., Hitler suivait donc les implications fondamentales de sa politique, mais il allait aussi au-devant de graves difficultés, puis de son échec final. Car l'U.R.S.S. se révéla assez puissante pour contenir l'envahisseur, et c'est sur son sol que l'Allemagne épuisa ses forces. Cependant, Hitler avait pensé triompher par une nouvelle guerre éclair. Le plan *Barbarossa* (déc. 1940) fixait l'invasion au 15 mai 1941. L'intervention dans les Balkans la fit reporter au 21 juin. De la Baltique à la mer Noire, une immense armée fut lancée, appuyée par quelque 4 000 chars et 3 000 avions ; l'armée finlandaise reprenait l'offensive dans l'isthme de Carélie ; au sud, agissaient des forces hongroises, roumaines, slovaques et un corps expéditionnaire italien. Les objectifs étaient à la fois Leningrad, Moscou et l'Ukraine. L'avance fut rapide, moins que prévu, cependant, car les Soviétiques, tout en se repliant et en perdant des centaines de milliers de prisonniers, purent livrer des batailles de retardement (Smolensk, 10 juillet-10 août). Leningrad fut assiégé début septembre, Kiev tomba le 24, l'attaque sur Moscou commença le 2 octobre. Elle échoua (déc.) et ce fut le premier échec de la Wehrmacht, dû à l'étirement des lignes d'approvisionnement, à l'immensité des fronts à tenir, à l'hiver russe, à l'énergie de Joukov* qui, dans l'hiver, reconquit une part du terrain perdu. Au printemps 1942, les Allemands reprirent l'offensive vers la Crimée, le Don, la Volga, le Caucase ; les Soviétiques perdirent encore près de 600 000 prisonniers, mais le pétrole caucasien ne fut pas atteint ; et l'attaque de Stalingrad (sept.) allait marquer un tournant de la guerre (Cf. ci-dessous). ♦ L'ATTITUDE DES ÉTATS-UNIS ; LA BATAILLE DE L'ATLANTIQUE. Au début du conflit, le courant isolationniste était très fort aux États-Unis, pays neutre. L'économie, certes, trouvait profit à la guerre qui se déroulait en Europe, mais pour éviter les aléas qui avaient entraîné l'entrée en guerre en 1917, il avait été imposé aux États clients (notamment la Grande-Bretagne) de payer comptant leurs achats et de transporter eux-mêmes les marchandises (clause *cash and carry*). Roosevelt, cependant, réussit à faire évoluer l'opinion, en montrant que les intérêts économiques et moraux des États-Unis étaient opposés au succès du nazisme. En décembre 1940, la Grande-Bretagne voyait venir la fin de ses réserves de dollars ; il lui fallait pourtant continuer d'acquérir du matériel américain. Roosevelt fit voter la loi *prêt-bail* (mars 1941) : les États-Unis fourniraient aux États unis en guerre contre l'Allemagne du matériel payable après la guerre. Progressivement, en 1941, les États-Unis étendirent leur « zone de sécurité » dans l'Atlantique, s'associèrent à la Grande-Bretagne pour les questions stratégiques à l'échelle mondiale et assurèrent la livraison du matériel qu'ils livraient. Comme en 1914-1918, l'Allemagne livrait une guerre sous-marine aux convois. Cette *bataille de l'Atlantique* qui dura tout le temps de la guerre connut sa phase culminante en 1942 (8 000 000 de t furent coulées). Ce n'est qu'à partir de mars 1943 que le tonnage lancé par les Alliés dépassa le tonnage perdu. En même temps, la guerre faite aux sous-marins de l'amiral Dönitz* progressait en efficacité (151 sous-marins coulés en 1939-1943 ; 630 en 1943-1945). ♦ L'EXPANSION JAPONAISE ET L'ENTREE EN GUERRE DES ÉTATS-UNIS. Depuis 1931, le Japon n'avait cessé d'intensifier sa pénétration en Chine. À partir de 1937, il se trouva en état de guerre de fait avec la Chine où le Kuo-min-tang et les communistes avaient conclu un accord contre l'envahisseur (déc. 1936). De 1937 à 1939, le Japon s'empara des principales villes et des ports, refoulant hors de la Chine « utile » le gros des forces chinoises (sauf les troupes en guérilla). En juillet 1940, le gouvernement de Vichy accepta la présence japonaise dans le nord de l'Indochine française, présence étendue à la totalité de la péninsule par le protocole de « défense commune de l'Indochine » (juillet 1941). Cette expansion, protégée au nord par le pacte de non-agression mutuelle avec l'U.R.S.S. (avr. 1941) et complétée par une pénétration pacifique au Siam, constituait un danger économique pour les États-Unis, qu'inquiétaient en outre les visées japonaises sur le reste de l'Asie du S.-E. et sur le Pacifique sud. En juin-juillet 1941, la politique américaine se durcit (embargo sur les exportations vers le Japon, notamment le pétrole) et le 26 novembre, une note exigeait l'évacuation de l'Indochine française et l'abandon du gouvernement Wang Tsing-wei installé par le Japon en Chine occupée. Entre-temps la politique japonaise s'était durcie aussi par l'arrivée au pouvoir (16 oct.) du général Tôjô*, partisan d'une conquête rapide qui profiterait de l'impréparation américaine. En réplique à la note du 26 novembre, le général Tôjô décida l'attaque de Pearl* Harbor (8 déc. 1941). La flotte américaine du Pacifique, sauf trois porte-avions, se trouva hors de combat. Le Japon s'était assuré la maîtrise des mers d'Asie, condition nécessaire de son expansion. Mais, ce faisant, il avait provoqué l'entrée en guerre des États-Unis. Par le jeu des alliances, l'Allemagne et l'Italie déclarèrent alors la guerre aux États-Unis (11 déc.). La guerre achevait ainsi de devenir mondiale. La puissance américaine s'ajoutait à la capacité de résistance soviétique. Néanmoins, dans l'immédiat, le Japon réalisa de rapides conquêtes : Birmanie (janv., puis mars-mai 1942), Malaisie (janv.), Singapour (févr.), Indonésie (janv.-mars), Philippines (janv.-mai, **V. Corregidor**) et les îles du Pacifique, Guam*, Wake*, les îles Gilbert (déc. 1941), débarquement en Nouvelle-Guinée (janv.-févr. 1942), îles Aléoutiennes (juin), Guadalcanal* (juillet). Mais la résistance des Alliés en Nouvelle-Guinée, dans la mer de Corail* (mai) et leur victoire aux Midway* (juin) marquèrent un tournant de la guerre. ♦ LES EMPIRES DE L'AXE. Au printemps de 1942, l'Allemagne, le Japon, l'Italie même, grâce à l'aide allemande, atteignaient à leur plus grande expansion. Les trois pays, liés par le *pacte tripartite* (27 sept. 1940), semblaient s'être proposé le partage du monde. Le plus faible des trois vainqueurs était l'Italie. Son domaine réservé était, en principe, le bassin méditerranéen et l'Afrique orientale. En fait, elle n'avait annexé que l'Albanie, une partie de la côte dalmate, quelques districts des Alpes françaises (en nov. 1942, à la faveur de l'extension de l'occupation allemande, elle occupa tout le S.-E. de la France, avec Nice et la Corse) ; elle n'avait vassalisé la Croatie que grâce à l'invasion allemande en Yougoslavie ; l'effondrement de son empire africain avait commencé avec la reconquête de l'Éthiopie, et la Libye ne tenait que par la présence de l'*Afrikakorps*. Aussi bien l'empire italien disparut-il après septembre 1943. Presque toute l'Europe se trouvait en fait sous la domination allemande. Le Reich, agrandi des annexions pacifiques d'avant-guerre (Autriche, Sudètes), avait annexé en outre une partie de la Pologne, Eupen, Malmédy, le Luxembourg, l'Alsace-Lorraine et une partie de la Slovénie. Dans ces régions, les lois et la langue allemande étaient introduites; des transferts de populations brisaient les particularismes. La Bohême, le « gouvernement général » de Pologne, les pays baltes, la Russie blanche, l'Ukraine, sans faire partie du Reich, étaient administrés par lui. Le Danemark, la Norvège, les Pays-Bas, la Belgique, la zone nord de la France puis la zone sud, après novembre 1942, la

Ph. Harlingue-Viollet

Deuxième Guerre mondiale : Pearl Harbor. (Le cuirassé américain « West Virginia » en flammes, après l'attaque japonaise du 7 décembre 1941.)

Grèce, le reste de la Russie envahie (de Leningrad au Caucase) étaient des territoires occupés, soumis à l'administration militaire. D'autres pays conservaient leur indépendance théorique, mais n'étaient en fait que des satellites du Reich, dirigés par des dictateurs s'inspirant plus ou moins du nazisme : ainsi de la Slovaquie sous Mgr Tiso, de la Hongrie **(V. Horthy),** de la Roumanie **(V. Antonescu),** de la Serbie du général Nedić et, à un degré moindre, de la France du maréchal Pétain ; de même, la Bulgarie de Boris* III et la Finlande du président Ryti avaient été entraînées dans l'alliance allemande. En outre, la Suède et la Turquie neutres étaient des alliées commerciales de l'Allemagne, et l'Espagne son alliée morale (trop affaiblie par la guerre civile de 1936, elle n'était pas entrée dans le conflit mondial comme Hitler l'avait demandé à Franco, à Hendaye [octobre 1940]). L'exploitation des pays conquis se faisait par des réquisitions et des confiscations (notamment en Pologne et U.R.S.S.), par d'énormes contributions imposées pour l'entretien des troupes d'occupation (France), par la surévaluation systématique du taux du mark, par des « accords » économiques drainant les ressources de plusieurs pays (Europe centrale), par l'utilisation, comme main-d'œuvre, des prisonniers de guerre et des réquisitionnés du Service du travail obligatoire (S.T.O.), plus de 7 000 000 de travailleurs étrangers étant incorporés à l'économie allemande en 1944, par l'attribution de terres à des colons germaniques (en Pologne, en U.R.S.S., en Lorraine ; l'organisme responsable en était l'*Ostland*). En même temps, étaient mises en œuvre les doctrines nazies : persécution des juifs, des communistes, des résistants ; exécutions sommaires ; massacres collectifs ; bref, instauration d'une terreur dont la Pologne et l'U.R.S.S. supportèrent le plus grand poids mais que l'Europe occidentale connut aussi à partir de 1943. Les principaux agents en étaient les hommes des « sections de protection » **(V. S.S.)** ; l'institution la plus caractéristique et la plus horrible était les camps de concentration (Auschwitz*, Bergen*-Belsen, Buchenwald*, Chełmno*, Dachau*, Dora, Flossenbürg, Gross Rosen, Mauthausen*, Neuengamme*, Oranienburg*-Sachsenhausen, Ravensbrück*, Struthof*-Natzweiler, Stutthof, Treblinka*) ; des millions de personnes y périrent, notamment des juifs voués à l'extermination. Dans tous les pays, cette terreur suscita des mouvements de résistance clandestine, accomplissant toutes actions capables de nuire à l'ennemi : sabotages, réseaux de renseignement, secours aux victimes de l'occupant, filières d'évasion, faux papiers, grèves (Danemark), assassinat de militaires isolés, de personnalités nazies (Heydrich fut abattu par des Tchèques en juin 1942) ou de collaborateurs ; actions militaires d'envergure (U.R.S.S., Yougoslavie) ; insurrections (Corse, 1943 ; Slovaquie, 1944 ; Varsovie, Paris, août 1944). Mais la résistance intérieure ne pouvait survivre qu'avec l'aide des Alliés : en Europe occidentale, l'Angleterre fournit des armes et souvent des directives d'action ; en Yougoslavie, elle soutint les « partisans » de Tito* à la fois contre les Allemands et contre les « tchetniks » de Mikailovic. En Europe centrale et orientale, l'aide vint surtout de l'U.R.S.S. qui favorisa la résistance communiste et ce fut sur le sol même de l'Union soviétique que l'action conjuguée de la population, du parti et des vastes débris de l'Armée rouge restés dans les territoires occupés put avoir la plus grande efficacité. Dans des pays tels que la France, où la résistance (Forces* françaises de l'intérieur, Front national) eut un rôle plus limité, elle eut pourtant une signification politique et fournit des cadres pour l'après-guerre. — Quant au troisième empire de l'Axe, c'était la « grande Asie japonaise ». Il groupait autour du Japon la Mandchourie satellite, le Siam allié, la partie occupée de la Chine, l'Indochine (où l'administration française avait été maintenue, mais sous l'influence japonaise) et toutes les conquêtes (îles du Pacifique occidental et de l'Asie du S.-E., Birmanie, Malaisie) placées généralement sous l'administration militaire. Le Japon s'était assigné la mission de « libérer » les peuples asiatiques colonisés et, de fait, il chercha à se lier avec les chefs nationalistes. Mais la nécessité d'exploiter son empire au bénéfice de son industrie de guerre le plaça dans la position d'un nouveau colonisateur, qui introduisit sa langue, ses lois et des méthodes souvent comparables à celles du nazisme. La résistance chinoise fut organisée notamment par Chiang* Kai-shek et Mao* Tsê-tung. ♦ LE TOURNANT DE LA GUERRE. Si la Grande-Bretagne, même avec le Commonwealth, se trouvait dans une situation d'infériorité par rapport à l'Allemagne en 1940-1941, la mise en cause de l'U.R.S.S. et des États-Unis avait renversé l'équilibre des forces. En U.R.S.S., l'invasion allemande avait touché les principales régions industrielles, mais le démontage des usines et leur transport vers l'Oural (juillet-nov. 1941), le transfert forcé de 10 000 000 de personnes pour les faire fonctionner, la discipline imposée par le parti communiste, le bénéfice de la loi prêt-bail américaine permirent la constitution d'une puissante industrie de guerre (plus de 25 000 avions produits en 1942, et presque autant de chars et automitrailleuses, chiffres qui augmentèrent chaque année). De même, en 1939, les États-Unis ne possédaient, comme force importante, que leur flotte ; mais, dès avant leur entrée en guerre, ils avaient commencé leur équipement militaire (4 000 chars et près de 20 000 avions produits en 1941) ; une fois lancée, leur industrie fut capable non seulement d'équiper la plus puissante armée du monde (7 200 000 hommes sous les armes ; 17 500 chars et 96 000 avions produits en 1944), mais de devenir « l'arsenal des démocraties », selon la volonté de Roosevelt. Dans ces conditions, les revers subis par l'Axe à partir de l'été 1942 ne sauraient être imputés aux hasards de la guerre ou à une moindre

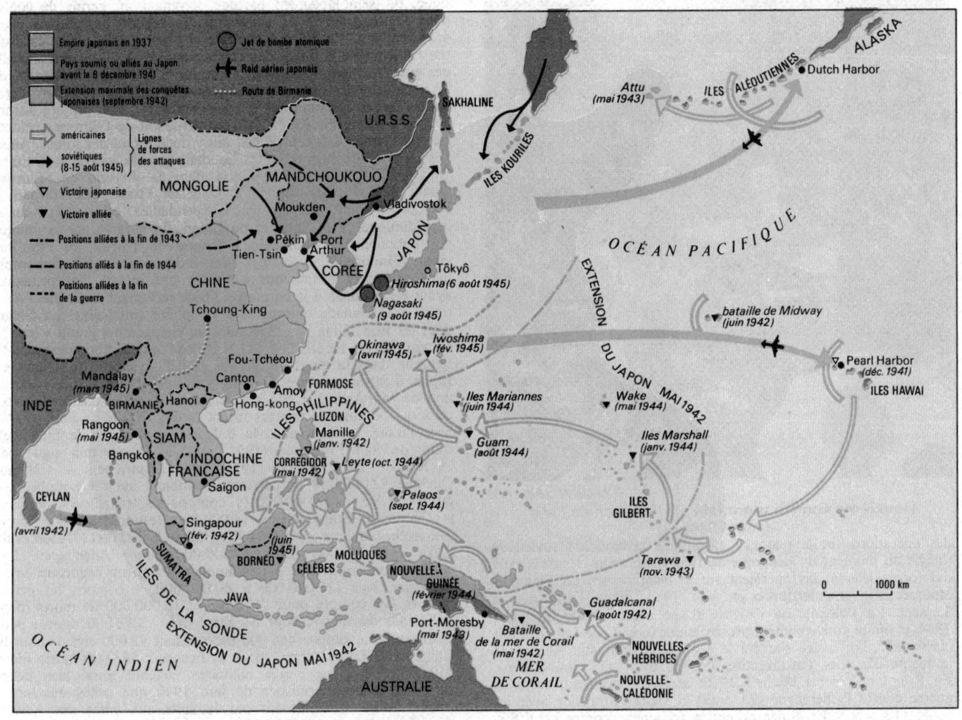

Deuxième Guerre mondiale : carte de la guerre du Pacifique.

valeur des hommes ou des chefs. L'expansion japonaise fut arrêtée dans le Pacifique : après avoir dû faire demi-tour dans la mer de Corail (7 mai 1942), leur flotte fut battue à Midway* (4-5 juin); en août, les Américains débarquèrent à Guadalcanal*. En Libye, la guerre avait consisté en une succession d'offensives et contre-offensives; en juin 1942, Rommel était parvenu à 60 km d'Alexandrie **(V. *aussi* Bir Hakeim)**; Montgomery*, après une minutieuse préparation matérielle, contre-attaqua à El Alamein* (23 oct. 1942) et atteignit Tripoli (23 janv. 1943), cette action s'inscrivant dans une stratégie plus vaste (débarquement allié en Algérie). Enfin, en U.R.S.S., la prise difficile de Stalingrad (sept.) tourna au désastre : encerclée dans la ville (nov. 1942), la VIe armée allemande (Paulus) dut capituler (2 févr. 1943), précipitant d'autres reculs allemands. ♦ La guerre en Afrique du Nord française. Le 8 novembre 1942, un débarquement anglo-américain dirigé par le général Eisenhower eut lieu à Casablanca, Oran et Alger. L'opposition de l'administration française, fidèle à Vichy, avait été en partie neutralisée le jour même par un putsch qui, d'ailleurs, échoua au Maroc, où Béthouart fut arrêté par Noguès*, et tourna court en Algérie **(V. *aussi* Clark).** Les conséquences du débarquement furent, en France, l'invasion de la zone sud par les forces allemandes et italiennes (la flotte française se saborda à Toulon, 26 nov.); en Tunisie, la création immédiate d'une tête de pont allemande (Tunis, Bizerte); en Algérie, une situation politique confuse (« imbroglio d'Alger »), du fait de l'installation paradoxale de l'amiral Darlan*, partisan du gouvernement de Vichy, comme autorité supérieure française. À la conférence de Casablanca (14-24 janv. 1943), Churchill et Roosevelt proclamèrent leur intention de lutter jusqu'à la capitulation des pays de l'Axe et décidèrent d'en finir tout d'abord avec l'Italie; le général Giraud*, successeur de Darlan assassiné le 24 décembre précédent, et le général de Gaulle* y affichèrent, en dépit de leur hostilité réciproque, une réconciliation de l'autorité française légitime avec la France combattante et la Résistance. Mais c'est seulement le 3 juin que fut fondé le *Comité* français de libération nationale,* coprésidé par les deux hommes et d'où Giraud fut progressivement éliminé. Militairement, les forces allemandes avaient réussi à renforcer leur tête de pont et protégeaient la retraite de Rommel, poursuivi par Montgomery. *La campagne de Tunisie* (déc. 1942-mai 1943) vit le retour dans la guerre de l'armée française (armée d'Afrique et Forces* françaises libres) aux côtés des forces alliées; elle aboutit à la capitulation italo-allemande du cap Bon (12 mai). ♦ La conquête de l'Italie. De Tunisie, les Anglo-Américains débarquèrent en Sicile (10 juillet, 1er août), provoquant la chute de Mussolini, déposé par le Grand Conseil fasciste (24 juillet) et emprisonné. Le roi Victor*-Emmanuel III et le maréchal Badoglio*, nouveau chef du gouvernement, tout en s'appliquant à calmer les inquiétudes de l'Allemagne, négocièrent secrètement avec les Alliés : la capitulation fut signée le 3 septembre et divulguée le 8. En même temps, Montgomery débarquait en Calabre (3 sept.) et Clark* à Salerne (9 sept.); la Corse se soulevait et était libérée par des troupes françaises envoyées par Giraud (13-17 sept.). Mais les Allemands occupèrent le nord et le centre du pays, désarmèrent les troupes italiennes, libérèrent Mussolini (12 sept.) qui constitua une *République sociale italienne* à Salò; surtout, ils s'établirent fortement sur la *ligne Gustav* (Garigliano-Sangro) où, malgré le débarquement à Anzio* (22 janv. 1944) et les attaques sur Cassino* (janv.-mai), ils retardèrent jusqu'en mai 1944 la progression alliée. Celle-ci reprit, en partie grâce à l'action du corps expéditionnaire français de Juin* (entrée à Rome, 4 juin). Après une nouvelle stabilisation du front au sud de Bologne (18 déc. 1944-9 avr. 1945), l'ultime offensive de Clark libéra l'Italie du Nord, les forces allemandes d'Italie ayant capitulé à Caserte* (29 avr.). ♦ La libération de la France. Réunis à la conférence de Téhéran (28 nov.-2 déc. 1943). Churchill et Roosevelt, sur l'insistance de Staline, décidèrent l'ouverture d'un front européen plus important que celui d'Italie. Préparé à partir de janvier 1944 par la concentration de 3 500 000 hommes en Angleterre, avec un énorme matériel, et par des bombardements méthodiques tant sur l'Allemagne que sur la France, le débarquement dirigé par le général Eisenhower eut lieu en Normandie, le 6 juin 1944. Le « mur de l'Atlantique » étant percé, les têtes de pont étendues, le matériel débarqué à Arromanches*; le front fut reporté à Avranches* (1er août), les forces alliées, après le raid de Patton* en Bretagne, progressèrent vers la Seine, puis vers le N.-E. À Paris, où l'insurrection avait été proclamée le 16 août, l'entrée de la IIe division blindée française (Leclerc*) amena la capitulation de la garnison allemande (25 août). Un second débarquement fut mené en Provence (15 août) par les Américains et la Ire armée française (De Lattre* de Tassigny); progressant par les Alpes et la vallée du Rhône, ces forces firent leur jonction le 12 septembre avec celles du nord. L'action des Forces françaises de l'intérieur, l'insurrection des villes ou des maquis (Glières, Vercors*) précédaient ou achevaient l'œuvre des forces de libération. Le *Comité français de libération nationale* s'était constitué en *Gouvernement* provisoire* de la République présidé par le général de Gaulle (mai 1944); celui-ci s'imposa aux Alliés malgré leurs réticences et il prit la relève de l'administration de Vichy. La Belgique fut libérée en septembre, mais l'échec de l'opération aéroportée d'Arnhem* (17 sept.) fit abandonner le plan d'une attaque de l'Allemagne par la plaine du nord. À l'automne, Metz fut atteinte par Patton (22 nov.), Mulhouse par de Lattre (20 nov.) et Strasbourg par Leclerc (23 nov.). ♦ Les victoires soviétiques. La capitulation allemande de Stalingrad n'avait été que le principal épisode d'une plus vaste contre-offensive soviétique. Les Allemands avaient dû quitter le Caucase et une partie de l'Ukraine. Malgré la contre-attaque de Manstein*, qui reprit Kharkov (15 mars-23 août 1943), la suite

Ph. M. d'Heilly/Galliphot

Deuxième Guerre mondiale : la libération de Paris (août 1944).

des opérations fut une longue et difficile progression soviétique (même au moment du débarquement en Normandie, les deux tiers des forces allemandes opéraient sur le front russe). La Finlande, attaquée sur son territoire en juin 1944, signa l'armistice le 19 sept. En Pologne, où l'Armée rouge avait pénétré en juillet 1944, et où un gouvernement prosoviétique (comité de Lublin) avait été installé, l'offensive s'arrêta le 4 août, laissant aux Allemands le temps d'écraser l'insurrection de Varsovie* (1er août-2 oct.). En Roumanie, le roi Michel* Ier fit arrêter Antonescu, entra en guerre contre l'Allemagne (25 août) et signa l'armistice avec les Alliés (12 sept.). La Bulgarie, entrée en guerre contre l'U.R.S.S. (5-11 sept.) se retourna contre l'Allemagne après un putsch communiste et l'entrée de l'Armée rouge à Sofia (18 sept.). En Yougoslavie, où l'Armée rouge et les forces yougoslaves avaient fait leur jonction (15 sept.), Belgrade fut libérée le 20 octobre. En Hongrie, le régent Horthy fut déposé par les Allemands; ceux-ci résistèrent à Budapest jusqu'au 13 février 1945. En mars, l'Armée rouge pénétrait en Autriche (prise de Vienne, 12 avr.). ♦ LA DÉFAITE ALLEMANDE. En Allemagne, où un complot avait tenté de supprimer Hitler (20 juillet 1944, **V. Beck, Canaris**), le régime nazi et l'économie de guerre, malgré les bombardements intensifs, manifestèrent une résistance étonnante. En décembre 1944-janvier 1945, la puissante contre-offensive de Rundstedt* dans les Ardennes* arrêta l'avance alliée; la « poche » allemande de Colmar ne fut réduite qu'en février 1945 et le Rhin ne fut franchi que le 23 mars. L'effondrement allemand se produisit en avril : capitulation de l'armée de la Ruhr encerclée (17 avr.), effondrement de la ligne Oder-Neisse attaquée par les Soviétiques (20 avr.), entrée de Joukov* dans Berlin (22 avr.), jonction des forces américaines de Patton* et des forces soviétiques de Koniev* sur l'Elbe (25 avr.), suicide quasi certain de Hitler (30 avr.), capitulations à Reims (7 mai) et à Berlin (8 mai) [**V. Dönitz, Jodl, Keitel**]. ♦ LA RECONQUÊTE DU PACIFIQUE ET LA DÉFAITE JAPONAISE. À partir de 1943, les Américains, vainqueurs à Guadalcanal et désormais équipés de forces aéronavales supérieures à celles des Japonais, progressèrent dans le Pacifique, sous le commandement de MacArthur* et de Nimitz*. Chaque île, chaque atoll fut le théâtre d'une longue résistance japonaise, mais les débarquements successifs en Nouvelle*-Guinée (1943-1944), les batailles des Mariannes* (juin 1944) et de Leyte* (oct. 1944) affirmèrent l'avantage des Américains. En janvier 1945, ils débarquèrent aux Philippines* et, de février à juillet, conquirent Iwo* Jima et Okinawa*, d'où ils bombardèrent le Japon. En Chine, cependant, ils avaient subi des échecs (abandon de leurs dernières bases aériennes, 1944) et si la « route de Birmanie » servant à ravitailler l'armée chinoise avait pu être rouverte, la conquête du pays n'aboutit que tardivement (prise de Rangoon; 2 mai 1945). Il fallut l'entrée en guerre de l'U.R.S.S. contre le Japon (8 août) pour que la Chine de Chiang Kai-shek, alliée aux Soviétiques (14 août) obtienne la capitulation japonaise (15 août); et il fallut le jet d'une première, puis, trois jours plus tard, d'une deuxième bombe atomique (6 août, **V. Hiroshima**; 9 août, **V. Nagasaki**) pour que l'empereur Hiro-Hito ordonne l'arrêt des combats avec les Américains (15 août) et capitule devant MacArthur (2 sept.). ♦ LA FIN DE LA GUERRE. Les conférences de Yalta* (févr. 1945) et de Potsdam* (juillet 1945) avaient préparé la réorganisation du monde. La Charte des Nations unies fut adoptée le 26 juin et l'Organisation* des Nations unies remplaça la Société des Nations. L'Allemagne fut totalement occupée et divisée à cet effet en quatre zones, américaine, britannique, française et soviétique; Berlin, en zone soviétique, fut semblablement partagé, devenant un germe de conflit pour l'après-guerre; les survivants du régime nazi furent jugés à Nuremberg. En Europe centrale et orientale, les pays satellisés par l'Allemagne le furent désormais par l'U.R.S.S. qui avait installé des gouvernements communistes au fur et à mesure de l'avance de l'Armée rouge; mais en Grèce, Staline laissa l'Angleterre écraser les forces communistes et, en Yougoslavie, Tito prit ses distances vis-à-vis de l'U.R.S.S. La reconstruction de l'Europe occidentale fut l'œuvre des États-Unis, qui y maintinrent des forces. Ainsi, l'opposition idéologique entre les deux grands vainqueurs, États-Unis et U.R.S.S., se matérialisa dans la division de l'Europe. Quant aux empires coloniaux, celui de l'Italie avait disparu : Éthiopie, Somalie, Libye furent indépendantes; celui de la France, déjà diminué de la Syrie et du Liban, fut ébranlé par la montée des nationalismes (Indochine, Afrique du Nord), les Pays-Bas virent l'Indonésie proclamer son indépendance (**V. Sukarno**); même l'empire britannique ne resta pas intact, l'indépendance ayant été promise à la Birmanie, l'Inde réclamant la sienne, l'Australie et le Canada entrant dans la sphère américaine. La Chine, dont les États-Unis voulaient faire un cinquième « grand » (entrée au conseil de sécurité de l'O.N.U. comme membre permanent), retomba dans la guerre civile dès la défaite japonaise. Quant au Japon, il fut occupé et reconstruit par les États-Unis, sous la direction de MacArthur. Cette guerre s'achevait sans traités de paix; ceux qui purent être conclus furent tardifs : traité de Paris (1947, avec l'Italie, la Roumanie, la Bulgarie, la Hongrie, la Finlande), traité de San Francisco (1951, avec le Japon, non signé par l'U.R.S.S.), traité d'État (1955, avec l'Autriche). — *Chiffres.* Quelque 92 000 000 de personnes semblent avoir été mobilisées, dont U.R.S.S. : 22 000 000 (y compris les travailleurs, hommes et femmes); États-Unis : 14 000 000 (estimation supérieure); Empire britannique : 12 000 000; Chine : 6 000 000 (?); forces de l'Axe : 30 000 000 (dont 17 000 000 pour l'Allemagne). Les chiffres concernant les pertes humaines varient beaucoup selon les estimations (35 000 000 à 60 000 000, y compris les pertes civiles). On compte pour l'U.R.S.S. : 18 000 000 de morts (dont 7 000 000 de civils); pour les États-Unis : 298 000 morts; pour l'Empire britannique : 466 000 morts (dont 92 000 civils); pour la Chine : 1 300 000 morts; pour la France : 563 000 morts (dont 350 000 civils; les pertes militaires incluant aussi bien celles survenues avant l'armistice de juin 1940 que celles des forces françaises qui combattirent par la suite aux côtés des Alliés); pour la Pologne : 5 800 000 morts (dont 5 675 000 civils, sur lesquels 3 200 000 juifs). Le nombre total des juifs qui périrent de la persécution nazie s'élèverait à 5 700 000. Du côté de l'Axe, l'Allemagne perdit 4 200 000 morts (dont 780 000 civils); l'Italie : 395 000 morts (dont 152 000 civils); le Japon : 2 000 000 de morts (dont 700 000 civils). — *Chefs militaires.* Américains : **V. Arnold, Bradley, Clark, Eisenhower, King, Leahy, MacArthur, Marshall, Nimitz, Patch, Stilwell.** Allemands : **V. Bock, Brauchitsch, Canaris, Choltitz, Dönitz, Goering, Guderian, Jodl, Keitel, Kesselring, Kleist, Kluge, Manstein, Model, Paulus, Raeder, Rommel, Rundstedt.** Britanniques : **V. Alexander, Montgomery, Mount-**

Coll. Cauboue

Jules Guesde, par Noël Derville.

batten, Tedder, Wavell. Français : V. Argenlieu (d'), Billotte, Catroux, Dentz, Frère, Gamelin, Georges, Giraud, Juin, Kœnig, Lattre de Tassigny (de), Leclerc, Noguès, Weygand. Finlandais : V. Mannerheim. Grec : V. Papagos. Italiens : V. Badoglio, Balbo, Cavallero, Graziani. Japonais : V. Terauchi, Yamamoto. Soviétiques : V. Joukov, Koniev, Malinovski, Rokossovski, Sokolovski, Timochenko, Tolboukhine, Vassilevski, Vlassov, Vorochilov.

GUERRERO. *n. m.* ♦ Etat du Mexique méridional en bordure du Pacifique. 63 794 km². 1 524 000 hab. *Cap.* Chilpancingo de los Bravos. — Tout entier implanté dans la sierra Madre* del Sur, cet État connaît, selon l'alt. une variété de climats qui permet des cultures tropicales et tempérées. Ressources minières : plomb, argent, or, mercure. C'est sur sa côte que se trouve la plage fameuse d'Acapulco*. — V. *aussi* Taxco.

GUERVILLE. ♦ Ch.-l. de cant. des Yvelines, arr. de Mantes-la-Jolie. 1 360 hab. Ciment.

GUESCLIN (Bertrand *du*). ♦ V. Du Guesclin.

GUESDE [gɛd] **(Jules BAZILE, dit Jules).** ♦ Homme politique français (Paris, 1845 — Saint-Mandé, 1922). Ayant adhéré au marxisme, qu'il contribua à faire connaître en France, fondant le premier journal marxiste français *l'Égalité* (1877-1883), il créa avec P. Lafargue* le parti ouvrier français (1880); il le voulut internationaliste, collectiviste et révolutionnaire. Député de Roubaix (1893-1896), puis de Lille (1906-1922), Jules Guesde, à l'encontre de Jaurès*, s'opposa à la participation socialiste à un ministère bourgeois (1899). Il devait néanmoins accepter la fonction de ministre d'État (1914-1916) et adopter des positions nationalistes lors de la Première Guerre mondiale.

GUÉTHARY. ♦ Comm. des Pyrénées*-Atlantiques, arr. de Bayonne* sur la côte. 1 034 hab. Station balnéaire et climatique.

GUETTARD (Jean-Étienne). ♦ Naturaliste et géologue français (Étampes, 1715 — Paris, 1786). Il fit des travaux de botanique, de minéralogie; il fut le premier à reconnaître la nature volcanique de la chaîne des puys d'Auvergne. (Acad. sc., 1743.)

GUEUGNON. ♦ Ch.-l. de cant. de la Saône-et-Loire (arr. de Charolles), sur les rives de l'Arroux, au S. de l'Autunois*. 9 268 hab. *(Gueugnonnais).* Port, centre industriel; aciéries et forges anc. (1721), fabrication de tôles fines, carrosserie. Usine de traitement de l'uranium, fournissant Marcoule* en combustible.

GUEULLETTE (Thomas). ♦ Écrivain et magistrat français (Paris, 1683 — Charenton, 1766). Conteur (*Les Soirées bretonnes,* 1702), auteur dramatique (*L'Amour précepteur,* 1726), il a publié une édition de *La Farce de maître Pathelin* (1748).

Gueux, en néerl. **Geuzen.** ♦ On ignore l'origine exacte de cette appellation donnée aux gentilshommes flamands et néerlandais qui présentèrent à la régente Marguerite* de Parme le compromis des nobles (1566). Cette pétition, dirigée contre l'Inquisition, demandait le respect des libertés des provinces des Pays-Bas. Les Gueux, qui groupaient à l'origine des catholiques et des protestants, unis par un même sentiment national, se divisèrent après les émeutes iconoclastes d'Armentières (1566). Guillaume de La* Marck réunit des corsaires appelés *Gueux de mer,* qui furent reconnus par Guillaume* le Taciturne dès 1568. Leur grande offensive de 1572 déclencha l'insurrection générale.

GUEVARA (Antonio de). ♦ Franciscain et historien espagnol (Treceño, v. 1480 — Mondoñedo, 1548). Confesseur de Charles Quint, évêque de Cadix (1528) puis de Mondoñedo (1539), il a tracé le portrait du prince idéal dans *El libro llamado Relox de Príncipes, en el cual va encorporado el muy famoso libro del emperador Marco Aurelio* (*Le livre appelé Horloge des Princes, auquel est incorporé le plus fameux livre de Marc Aurèle,* 1529).

GUEVARA (Luis Vélez *de*). ♦ V. Vélez de Guevara (Luis).

GUEVARA (Ernesto, dit Che). ♦ Révolutionnaire cubain d'origine argentine (Rosario, Argentine, 1928 — Bolivie, 1967). Issu de la bourgeoisie, il délaissa la médecine pour se joindre à Fidel Castro* avec qui il dirigea la révolution cubaine (1956-1959). Ministre de l'Industrie à Cuba (1961-1965), il quitta ses fonctions pour organiser la guerre révolutionnaire en Amérique latine, et il fut tué en Bolivie. Le mythe du « Che » ne doit pas estomper l'originalité de sa pensée politique révolutionnaire. Le marxisme de Guevara est un humanisme révolutionnaire, prolétarien et internationaliste, le but de la révolution socialiste est pour lui la création d'un homme nouveau, libéré de toutes les formes de l'aliénation. Ce thème sous-tend ses analyses économiques, ainsi que sa conception stratégique de la guerre révolutionnaire. Œuvres : *La Guerre de guérilla,* trad. fr. en 1959; *Le Socialisme et l'Homme à Cuba,* 1966; *Journal de Bolivie,* 1968.

GUÈVREMONT (Germaine). ♦ Femme de lettres canadienne d'expression française (Saint-Jérôme, Québec, 1896). D'un réalisme discret et anecdotique, son œuvre se situe dans le genre du roman d'observation : les gestes et les paroles priment sur l'analyse psychologique. Dans sa trilogie, *En pleine terre* (1942), *Le Survenant* (1945) et *Marie-Didace* (1947), l'intrigue est simple et les descriptions précises. Germaine Guèvremont a adapté pour la télévision *Le Chenal du moine* et *Le Survenant.* Elle a donné une analyse réaliste du monde paysan du Québec, en utilisant de nombreux canadianismes.

GUEZ DE BALZAC. ♦ V. Balzac (Jean-Louis).

Guggenheim *(musée Solomon R.).* ♦ Musée d'art contemporain de New* York, édifié sur un plan circulaire et avec une élévation en plans inclinés en spirales par F.L. Wright*, entre 1956 et 1959. On doit sa création à Solomon R.Guggenheim, qui créa en 1937 la fondation portant son nom, qui était consacrée à la diffusion de l'art non figuratif.

Ph. Ian Berry/Magnum

Che Guevara, à l'O.N.U. (1967).

GUI, VITE ou **VITH** *(saint).* ♦ Martyr en Lucanie (sous Dioclétien ?), dont le culte est attesté à la fin du Vᵉ siècle. La légende en fait un enfant de 12 ans qui, après avoir échappé une première fois à la persécution, aurait évangélisé la Lucanie. Très populaire au Moyen Âge, il protégeait de l'épilepsie et de la chorée ou *danse de Saint-Gui.* Fête le 15 juin.

GUI d'Arezzo, en it. **Guido d'Arezzo.** ♦ Bénédictin italien (? v. 990 — Sainte-Croix-d'Avellano, v. 1050). Professeur à l'école de la cathédrale d'Arezzo et théoricien de la musique de grande réputation, il publia d'importants traités (dont le *Micrologus,* universellement répandu jusqu'au XIVᵉ s.). Il a inventé une méthode de notation musicale ainsi qu'une méthode d'éducation de l'oreille, permettant la lecture puis la notation de la mélodie entendue (jusqu'à lui, le répertoire grégorien s'apprenait par l'imitation du chant du maître). Il fut sans doute le premier à préconiser l'écriture des notes (voir gamme et ut *in* Robert) sur une «portée» aux lignes régulièrement espacées.

GUI de Dampierre. ♦ (1225 — Compiègne, 1305). Comte de Namur (1263-1297) et de Flandre (1278-1305). Il hérita du comté de Flandre par sa mère (**V. Flandre,** *Hist.*) et dut faire face aux ambitions françaises. Alors que Philippe* le Bel tentait de placer directement le pays sous l'autorité royale, en encourageant les désirs d'indépendance de l'oligarchie citadine, Gui de Dampierre s'appuyait sur le peuple. Son alliance avec l'Angleterre, alors en guerre avec la France, aboutit finalement à l'invasion du pays (1300). Capturé, il resta prisonnier jusqu'à sa mort.

GUIBERT de Nogent. ♦ Bénédictin français (Clermont, Oise, 1053 — Nogent-sous-Coucy, v. 1124), abbé de N.-D. de Nogent-sous-Coucy, auteur d'une histoire des croisades *(Gesta Dei per Francos),* d'une autobiographie *(De Vita sua),* d'un traité des reliques *(De Pignoribus sanctorum)* publié en 1651 et où il montre une remarquable lucidité.

GUIBERT de Ravenne. ♦ Antipape. **V. Clément III.**

GUICHARDIN (François), en it. **Francesco Guicciardini.** ♦ Historien et homme politique italien (Florence, 1483 — Arcetri, 1540). Il accomplit de délicates missions diplomatiques pour la République florentine (en particulier, en Espagne, auprès de Ferdinand le Catholique), et occupa des charges importantes auprès de Clément* VII et de Laurent de Médicis*. Cette expérience fut consignée dans ses *Souvenirs politiques et civiques* (*Ricordi politici e civili,* commencés en 1525). Ayant ainsi tenu d'excellents postes d'observateur, « il lui fut facile de connaître nombre de choses, d'intervenir en personne dans beaucoup d'autres, ou encore de traiter sans intermédiaire ». Son *Histoire de Florence* (*Storie fiorentine,* commencée en 1508 et inachevée; publiée en 1859) et surtout l'importante *Histoire d'Italie* (*Storie d'Italia,* commencée en 1535; posth., 1561) développent sa conception d'un gouvernement modéré, échappant aussi bien aux pressions populaires qu'à une autorité tyrannique. — Grand historiographe de la Renaissance, Guichardin se distingue par son souci de l'objectivité et son sens de la mesure, rapportant les faits avec un réalisme proche de celui de Machiavel*

GUICHE. ♦ Nom porté par les fils aînés des ducs de Gramont* à partir de 1485.

GUICHEN. ♦ Ch.-l. de cant. d'Ille-et-Vilaine, arr. de Redon. 3 314 hab. (810 aggl.). Cidre. — Plusieurs manoirs anciens aux environs.

Ph. Giraudon

Guillaume le Conquérant.
(Tapisserie de la reine Mathilde ; musée de Bayeux.)

GUIDE (le). ♦ V. RENI (Guido).

GUIERS [gjɛʀ]. *n. m.* ♦ Riv. torrentueuse, affl. du Rhône. 48 km. Il prend sa source en deux branches dans le massif de la Grande-Chartreuse*, et se forme par la réunion aux Échelles* du *Guiers Vif* et du *Guiers Mort ;* il traverse Le Pont*-de-Beauvoisin et conflue près de Saint-Genix*-sur-Guiers. C'est l'anc. frontière entre la France et la Savoie.

GUIGNARD (Léon). ♦ Biobotaniste français (Mont-sous-Vaudrey, Jura, 1852 – Paris, 1928). Il a étudié les mécanismes de la reproduction et du développement chez les espèces végétales (observant la double fécondation chez les angiospermes, le comportement des chromosomes lors de la mitose, etc.). [Acad. sc., 1895.]

GUIGNEBERT (Charles). ♦ Historien français des religions (Villeneuve-Saint-Georges, 1867 – Clamecy, 1939). Professeur d'histoire du christianisme à la Sorbonne, il pratiqua une critique indépendante qu'il voulait aussi éloignée des vues traditionalistes que des conjectures de l'hypercritique. *Jésus* (1933), *Le Monde juif vers le temps de Jésus* (1935), *Le Christ* (1943, posthume).

Guignol. ♦ Personnage populaire, symbolisant une impertinence railleuse et rebelle à toute autorité. Ce pantin sans fil, venu d'Italie, fut introduit en France par Laurent Mourguet qui l'installa à Lyon en 1795, dans un théâtre devenu rapidement populaire. Avec son compère Gnafron, Guignol devait susciter de nombreux imitateurs.

GUIGNON (Jean-Pierre). ♦ Compositeur et violoniste français d'origine italienne (Turin, 1702 – Paris, 1774). « Roi des violons » dans la musique de Louis XV, il a composé des concertos et des sonates pour violon.

GUIL. *n. m.* ♦ Torrent des Alpes, affl. de la Durance*, 56 km. Sa vallée forme le pays du Queyras*.

GUILBERT (Yvette). ♦ Chanteuse française (Paris, 1867 – Aix-en-Provence, 1944). L'étrangeté de sa silhouette, son visage blafard et sa chevelure rousse, qu'une robe verte et de longs gants noirs mettaient singulièrement en valeur, ont été immortalisés par Toulouse-Lautrec. D'abord interprète, au café-concert, de la chanson rosse ou grivoise *(Le Fiacre, Madame Arthur)*, elle se fit, au cours de nombreuses conférences et tournées à l'étranger, l'ambassadrice de la chanson populaire française, des complaintes du Moyen Âge jusqu'à Béranger et à Nadaud. Sa diction incisive, son intelligence et son esprit y firent merveille. Elle a publié ses mémoires (*La Chanson de ma vie*, 1929).

GUILDFORD. ♦ V. d'Angleterre, au S.-O. de Londres (Surrey), au pied des North Downs, sur le Wey. 54 000 hab. Ruines d'un château normand du XIIe siècle. – Centre industriel. – Patrie de l'économiste Th. Malthus*.

GUILDHALL. *n. m.* ♦ Hôtel de ville de la Cité* de Londres, comprenant un ensemble du début du XVe s. (le porche d'entrée, une partie du Grand Hall et une double crypte) ; la façade fut refaite en style gothique au XVIIIe s., l'aile orientale rebâtie en 1909.

GUILLAIN (Simon). ♦ Sculpteur, graveur et dessinateur français (Paris, 1581 – *id.*, 1658). Élève de son père Nicolas Guillain (dit Cambray), il séjourna à Rome où il étudia aussi l'architecture et la gravure. De retour à Paris en 1612, il réalisa des travaux de décoration pour plusieurs églises (Saint-Eustache, Saint-Gervais, Les Carmes) et compta parmi les membres fondateurs de l'*Académie royale de peinture et de sculpture* (1642). Dans son œuvre majeure, le monument en bronze du Pont-au-Change (1647, maintenant au Louvre) représentant Louis XIII, Anne d'Autriche et le jeune Louis XIV, il manifeste son goût pour le détail réaliste (rendu du costume) ainsi qu'un sens de l'effet et une recherche expressive d'esprit quelque peu baroque.

GUILLAUMAT (Louis). ♦ Général français (Bourgneuf, Charente-Inférieure, 1863 – Nantes, 1940). Il commanda la IIe armée à Verdun* (1916). D'août à décembre 1917, il reconquit le terrain perdu sur la rive gauche de la Meuse (cote 304, le Mort-Homme). Il fut alors nommé commandant en chef de l'armée d'Orient, poste où il fut remplacé par Franchet* d'Esperey quand il fut nommé gouverneur militaire de Paris (juin 1918). Il participa aux offensives de la victoire à la tête de la Ve armée. **V. Guerre mondiale (Première).**

GUILLAUME. ♦ Nom français, anglais *(William)*, allemand *(Wilhelm)*, etc., de souverains, classés comme suit : a) princes d'Achaïe ; b) rois d'Angleterre et d'Écosse ; c) empereur germanique, roi de Prusse et empereur d'Allemagne ; d) stathouders et roi des Pays-Bas ; e) rois de Sicile. ♦ *N.B.* Les autres personnages dont le nom est qualifié (Guillaume de Champeaux, etc.) sont classés dans l'ordre alphabétique, après le nom de famille Guillaume.

GUILLAUME le Grand *(saint).* ♦ (v. 755 – Gellone, Languedoc, 812). Il fut gouverneur de la marche d'Espagne sous le règne de Charlemagne (789) et s'empara de Barcelone (801). Il devint le héros d'un cycle de chansons de geste sous le nom de *Guillaume* d'Orange.*

GUILLAUME Ier DE CHAMPAGNE. ♦ Seigneur de Champlitte (en Champagne, seconde moitié du XIIe siècle. – Italie, 1210). Prince d'Achaïe (1205-1209). Il participa à la quatrième croisade puis entreprit de conquérir l'Achaïe. Il eut à lutter contre les Vénitiens et les Grecs. Geoffroi Ier de Villehardouin lui succéda.

GUILLAUME II DE VILLEHARDOUIN. ♦ Prince d'Achaïe (1246-1278). Fils de Geoffroi Ier de Villehardouin il releva la principauté d'Achaïe qui connut un brillant essor sous son règne. Vaincu par l'empereur byzantin, il dut se reconnaître vassal de Charles Ier de Sicile qui lui succéda.

GUILLAUME Ier, dit **GUILLAUME le Conquérant.** ♦ (Falaise, 1027 ou 1028 – Rouen, 1087). Duc de Normandie (1035-1087) et roi d'Angleterre (1066-1087). Fils illégitime du duc de Normandie Robert* Ier qui le désigna pour successeur, il ne s'imposa en Normandie qu'en 1047. Il y fut en conflit avec Henri* Ier de France, qu'il vainquit (1054). Cousin d'Édouard* le Confesseur, roi d'Angleterre, qui le reconnut pour héritier (1051), il s'assura le trône par sa victoire d'Hastings* sur le roi Harold* II (1066). Il établit une monarchie forte, implantant le régime féodal, enlevant les terres aux Saxons pour constituer des fiefs aux Normands, nommant un sheriff par comté et créant une administration efficace **(V. Domesday Book)**, en s'appuyant sur l'Église **(V. Lanfranc).** Il eut à faire face à des révoltes en Angleterre **(V. Edgar Atheling)** et en Normandie où son fils Robert* Courteheuse fut soutenu par le roi de France Philippe* Ier. – Mari de Mathilde* de Flandre, père de Guillaume II, de Henri* Ier, de Robert* II Courteheuse.

GUILLAUME II le Roux. ♦ (v. 1056 – New Forest, près de Southampton, 1100). Roi d'Angleterre (1087-1100). Fils de Guillaume le Conquérant. Son frère Henri* Ier lui succéda.

GUILLAUME IV. ♦ (Londres, 1765 – Windsor, 1837). Roi de Grande-Bretagne et d'Irlande, roi de Hanovre (1830-1837). Il succéda à son frère George* IV et laissa gouverner ses ministres, Wellington*, Grey*, Melbourne*, Peel*. Il soutint cependant Grey quand il fit voter la réforme électorale de 1832. Ses successeurs furent Victoria* en Grande-Bretagne et son frère Ernest*-Auguste Ier au Hanovre.

GUILLAUME Ier le Lion (William the Ist). ♦ (v. 1145, 1150 – Stirling, 1214). Roi d'Écosse (1165-1214). Frère de Malcolm IV à qui il succéda. Il fit la guerre à Henri II d'Angleterre qui le captura à Falaise (1173) et ne le libéra que contre rançon et reconnaissance de vassalité (1174). Richard Cœur de Lion lui revendit sa souveraineté contre 10 000 marcs d'or (1189).

GUILLAUME DE HOLLANDE. ♦ (Leyde, 1227 – en Frise, 1256). Empereur germanique (1247-1256). Comte de Hollande, il fut opposé comme empereur par le pape à Frédéric* II, puis à Conrad* IV.

GUILLAUME Ier. ♦ (Berlin, 1797 – *id.*, 1888). Roi de Prusse (1861-1888). Second fils de Frédéric-Guillaume III et de la reine Louise, il prit part aux campagnes de 1814-1815, et s'intéressa d'abord à la carrière militaire. Lors de la révolution de 1848, il incarna la réaction et réprima l'insurrection de Bade en 1849. Il prit le pouvoir en 1858, en tant que régent, en raison de la démence de son frère Frédéric-Guillaume IV. Son désir de réforme militaire se heurta à l'opposition du Landtag (1861) et faillit provoquer son abdication. C'est alors qu'il fit appel à Bismarck*, à qui il devait laisser la direction des affaires jusqu'à sa mort, sans être toujours en accord avec sa politique (en particulier lors du conflit avec l'Autriche, engagé contre son gré, et conclu moins sévèrement qu'il n'aurait voulu, ou avec la France, grâce à la falsification de la dépêche d'Ems*). De la même façon, il devait désapprouver le Kulturkampf*. Il avait été proclamé empereur le 18 janv. 1871.

GUILLAUME II. ♦ (Potsdam, 1859 – Doorn, Pays-Bas, 1941). Empereur d'Allemagne (1888-1918), petit-fils de Guillaume* Ier. Après une stricte formation militaire, il devint empereur à la mort de son père. Impatient de régner, il renvoya Bismarck*, dont il ne partageait pas les idées en matière de politique sociale et étrangère. Désireux de jouer le rôle de chef moderne d'un pays dynamique, il lança le « nouveau cours » *(neue Kurs)* économique et social qui fit de l'Allemagne une grande puissance industrielle, mais qui, malgré une législation sociale très avancée, ne put supprimer le malaise ouvrier. Tandis que des mesures libérales ne diminuaient en rien la gravité des problèmes posés par les minorités rattachées au Reich (Alsace-Lorraine et Pologne, notamment), il mena une politique impérialiste conquérante (par ex. dans l'Empire ottoman) sous l'influence du chancelier Bülow*, ce qui tendit les rapports de l'Allemagne avec la France et l'Angleterre (question du Maroc, 1905-1911). Rompant l'alliance traditionnelle avec la Russie, il se rapprocha de l'Autriche et de l'Italie (renouvellement de la Triple-Alliance*, 1907 et 1912) et entreprit un vaste effort de réarmement. Il abdiqua le 9 novembre 1918 et se retira en Hollande. Il fut déclaré responsable du déclenchement de la Première Guerre mondiale.

GUILLAUME D'ORANGE-NASSAU, dit **le Taciturne**. ♦ Stathouder de Hollande (Dillenburg, Nassau, 1533 – Delft, 1584). Prince allemand, fils du comte de Nassau-Dillenburg, il hérita de la principauté d'Orange et de possessions en Hollande, et fut, de ce fait, fondateur de la branche des Orange-Nassau. Élevé à la cour de Bruxelles, il gagna par ses brillantes qualités la faveur de Charles* Quint et devint stathouder de Hollande, de Zélande et d'Utrecht. Il fit partie du conseil de la régente Marguerite* de Parme et ne tarda pas à se heurter à Granvelle*, dont il obtint le renvoi (1564), avec l'aide de Hoorne* et d'Egmont*. Son opposition à l'absolutisme espagnol était beaucoup plus politique que religieuse : il avait été élevé dans le catholicisme, mais ses convictions étaient peu fermes et il ne cessa de se rapprocher des protestants, sous l'influence de sa famille, et prit pour seconde femme la fille de Maurice de Saxe. Son but était d'obtenir pour les Pays-Bas des libertés égales à celles des pays d'empire. Il tenta d'abord d'utiliser des moyens pacifiques (*compromis des Nobles*, 1566). Cependant, l'extension du protestantisme et les révoltes iconoclastes aggravèrent la répression espagnole : le duc d'Albe* ordonna des milliers d'exécutions, et soumit la Flandre et le Brabant, tandis que Guillaume, exilé, tentait d'obtenir le soutien des princes protestants et de l'empereur. En 1572, la Hollande et la Zélande se soulevèrent à la suite des Gueux*, appuyés par Guillaume d'Orange en Gueldre et Louis de Nassau en Wallonie. La lutte fut longtemps incertaine, les Espagnols reprenant l'avantage au moment de la Saint*-Barthélemy, le reperdant au départ du duc d'Albe, pour reprendre le combat à l'arrivée de Requeséns*. Louis et Henri de Nassau y trouvèrent la mort (1574), mais les Gueux résistaient et Guillaume parvint à dégager Leyde. À la mort de Requeséns, don Juan*, qui lui succéda, ne put décider le Taciturne, qui s'était converti au calvinisme, à se rallier, et dut ratifier la Pacification de Gand* (1576) qui lui donnait le stathoudérat de dix-sept provinces. Alexandre* Farnèse remporta des succès militaires, mais l'union d'Arras* précipita la rupture entre Nord et Sud, par la formation de l'Union d'Utrecht* (1579). Les Provinces-Unies étaient fondées, la rupture avec l'Espagne consommée (1581) et Guillaume avait fait appel à la France qui lui avait envoyé le duc d'Alençon, frère de Henri III, quand il fut assassiné par un fanatique.

GUILLAUME II D'ORANGE-NASSAU. ♦ (La Haye, 1626 – *id.*, 1650). Stathouder de Hollande (1647-1650). Il prit la succession de son père Frédéric*-Henri. Il épousa la fille de Charles* Ier. Sa mort prématurée arrêta un conflit qui allait l'opposer aux notables hollandais.

GUILLAUME III D'ORANGE-NASSAU. ♦ (La Haye, 1650 – Londres, 1702). Stathouder de Hollande (1674-1702), roi d'Angleterre, d'Écosse et d'Irlande (1689-1702). Fils posthume de Guillaume* II, il fut élevé par Jan de Witt*. Quand Louis XIV envahit la Hollande en 1672, un soulèvement populaire le porta au stathoudérat. Il sauva sa patrie en provoquant l'inondation et en ménageant d'habiles alliances (paix de Nimègue*, 1678) et se posa dès lors en champion du protestantisme face à l'hégémonie française catholique. Petit-fils de Charles Ier par sa mère et gendre de Jacques* II par sa femme, il fut appelé lors de la révolution anglaise, pour partager la couronne avec Marie* II et n'eut guère à lutter contre Jacques* II. Il accepta le régime constitutionnel (Déclaration des droits, 1689), s'intéressant davantage à la politique extérieure : il entra en effet en lutte avec la France dans la guerre de Succession du Palatinat. Vaincu à Steinkerque* (1692) et Nerwinde (1693), vainqueur à la Hougue* (1692), il fut reconnu roi par Louis* XIV à la paix de Ryswick* (1697). La mort le surprit en pleins préparatifs de la guerre de la Succession* d'Espagne.

GUILLAUME IV DE NASSAU-DOETZ. ♦ (Leeuwarden, 1711 – La Haye, 1751). Stathouder de Hollande (1747-1751). Il appartenait à une ligne cadette de la maison d'Orange et prit le pouvoir au moment de la guerre de la Succession* d'Autriche. Il ne sut pas arrêter l'opposition aristocratique.

GUILLAUME V. ♦ (La Haye, 1748 – Brunswick, 1806). Le dernier et le moins brillant des stathouders de Hollande (1751-1795). Chassé une première fois, il fut rétabli par l'armée de son beau-frère, le roi de Prusse, mais fut contraint à la fuite par les armées révolutionnaires.

GUILLAUME Ier. ♦ (La Haye, 1772 – Berlin, 1843). Roi des Pays-Bas et grand-duc de Luxembourg (1815-1840). Il régna aussi sur la Belgique. Il subit la révolution de 1830 et n'accorda son indépendance à la Belgique qu'en 1839. Il consentit au régime constitutionnel mais abdiqua. ♦ GUILLAUME II (La Haye, 1792 – Tilburg, 1849). Roi des Pays-Bas et grand-duc de Luxembourg (1840-1849). Il commanda l'armée hollandaise à Waterloo. Il donna une constitution libérale à la Hollande en 1848. ♦ GUILLAUME III (Bruxelles, 1817 – château de Loc, 1890). Roi des Pays-Bas et grand-duc de Luxembourg (1849-1890). Père de Wilhelmine.

GUILLAUME Ier le Mauvais. ♦ (v. 1120 – 1166). Roi de Sicile (1154-1166), fils de Roger* II. ♦ GUILLAUME II LE BON (1154 – 1189), son fils. Roi de Sicile (1166-1189). Il organisa le mariage de sa tante et héritière Constance avec le fils de l'empereur d'Allemagne (le futur Henri VI). Tancrède de Lecce lui succéda.

GUILLAUME (James). ♦ Révolutionnaire anarchiste suisse (Londres, 1844 – 1916). Professeur au Locle (Suisse), il y fonda une section de l'Internationale (1866), rencontra Bakounine (1869) dont il partageait les idées anarchistes.

GUILLAUME (Charles Édouard). ♦ Physicien suisse (Fleurier, 1861 – Sèvres, 1938). Inventeur, avec Benoit*, du métal *invar* qui leur permit de mettre au point, avec Carpentier*, un appareil Jäderin* universellement utilisé aujourd'hui ; il devint directeur du Bureau international des poids et mesures [1915]. (Prix Nobel de phys., 1920.)

GUILLAUME (Paul). ♦ Psychologue français (né en 1878). Outre ses travaux sur *L'Imitation chez l'enfant* (1925), *La Formation des habitudes* (1936), *La Psychologie animale* (1940), il fit connaître en France le gestaltisme **(V. Köhler, Wertheimer)** par son ouvrage sur *La Psychologie de la forme* (1937).

GUILLAUME (Gustave). ♦ Linguiste français (Paris, 1883 – *id.*, 1960). Autodidacte, il fut remarqué par A. Meillet alors qu'il était employé de banque. Ayant suivi l'enseignement de Meillet et après avoir écrit deux essais, il traita, d'une manière originale, *Le problème de l'article* [...] (1919) et ceux que posent *Temps et Verbe* (1929). À peu près inconnu, il ne reçut un poste universitaire qu'en 1938. Guillaume, hors de toute école, a élaboré une théorie linguistique originale, centrée sur la temporalité (chronogenèse), œuvre à la fois sémantique, structurale et génétique et qui s'appuie sur des considérations psychologiques et formelles *(psychosystématique)*. Le *guillaumisme* a exercé une forte influence sur plusieurs linguistes français contemporains (G. Moignet, B. Pottier, P. Guiraud, etc.). Ses *Leçons de linguistique* sont en cours de publication (par son élève canadien Roch Valin).

GUILLAUME (Paul). ♦ Critique d'art et collectionneur français (Paris, 1893 – *id.*, 1934). L'importante collection personnelle qu'il avait réunie a été léguée en 1960 à l'État par sa veuve, remariée à l'architecte Jean Walter*.

GUILLAUME DE CHAMPEAUX. ♦ Théologien et philosophe (1070 – 1121). Élève de Roscelin* et d'Anselme de Laon, évêque de Châlons, maître de l'école épiscopale de Paris où il eut Abélard* pour disciple. Dans la querelle des Universaux, il soutint la position réaliste, critiquée par Abélard.

Guillaume de Dole (ou **Roman de la Rose**). ♦ Roman de chevalerie français en vers (v. 1210) du trouvère Jean Renart*. Liénor, sœur de Guillaume, dont la pureté a été mise en doute, confond son accusateur, fait reconnaître son innocence et conquiert l'amour de Conrad, empereur de Germanie.

GUILLAUME DE LORRIS. ♦ Poète français (*déb.* XIIIe s. – v. 1238), auteur de la première partie (env. 4 000 octosyllabes) du *Roman* de la Rose*, véritable code de l'amour courtois.

GUILLAUME DE MACHAUT. ♦ Musicien et poète français (v. 1300 – v. 1377), chanoine de Reims après avoir servi divers princes de France et de Navarre. Ses recherches musicales ont inauguré les messes polyphoniques des XVe et XVIe siècles. Renouvelant l'art lyrique et soucieux de perfection formelle, il a également forgé des règles musicales et littéraires pour le lai, le virelai, la ballade, le rondeau, le chant royal, poèmes dits à forme fixe. On lui doit aussi des romans personnels en vers et en prose, les *Dits*, dont le *Voir dit (Le Dit de la vérité)*, qui conte les amours tardives du poète avec une jeune fille.

GUILLAUME DE MALMESBURY. ♦ (Dans le Somerset, v. 1093 – abbaye de Malmesbury, 1143). Bénédictin anglais, bibliothécaire

Arch. Smeets

Paul Guillaume, par de Chirico.
(Musée des Beaux-Arts, Grenoble.)

Arch. Smeets

Tombeau de **Guillaume d'Orange-Nassau, dit le Taciturne,** par Hendrik de Keyzer. Marbre et bronze 1614-1621. (Voir page 803.)

de l'abbaye de Malmesbury. Ses *Gesta regum Anglorum* complétés par l'*Historia novella,* et ses *Gesta pontificum Anglorum* en font le meilleur chroniqueur anglais du XIIe siècle.

GUILLAUME DE MOERBECKE. ♦ Théologien (près de Gramont, 1215 – Corinthe? 1286). Dominicain, il fut envoyé comme missionnaire en Grèce et devint archevêque de Corinthe. Bon helléniste, il traduisit des œuvres des philosophes grecs.

GUILLAUME DE NANGIS. ♦ Chroniqueur et moine français (mort en 1300) à qui l'on doit trois ouvrages historiques en latin, dont une *Gesta Philippi III* et une *Chronique universelle (Chronicon)* décrivant l'histoire du monde jusqu'en 1301. Cette dernière œuvre fut continuée jusqu'en 1368 par d'autres moines de Saint-Denis.

GUILLAUME DE SAINT-AMOUR. ♦ Théologien français (Saint-Amour, Jura, 1202 – *id.,* 1272). Il enseigna à la Sorbonne où il fut le principal adversaire des ordres mendiants, contre lesquels il écrivit son *Tractatus de periculis novissimorum temporum* (v. 1256). Il fut condamné par Alexandre IV et exilé en 1257.

GUILLAUME DE SAINT-THIERRY. ♦ (Liège, v. 1085 – Signy, 1148). Abbé bénédictin de Saint-Thierry, diocèse de Reims (1113), il adopta le parti de saint Bernard* contre Pierre* le Vénérable, et prit l'habit cistercien à Signy (1135). Il déclencha la controverse qui aboutit à la condamnation d'Abélard* (1140). Auteur de la *Lettre aux frères du Mont-Dieu* ou *Lettre d'or,* de l'*Expositio super Cantica canticorum,* de traités polémiques et théologiques.

GUILLAUME DE TYR. ♦ Prélat et chroniqueur de Terre sainte (en Palestine, v. 1130 – v. 1184, 1185). Archevêque de Tyr (1175), il écrivit l'histoire du règne d'Amaury Ier, roi de Jérusalem *(Gesta Amaurici)* et assura la régence de son fils Baudouin IV. Il prêcha la troisième croisade et écrivit l'histoire de l'Orient latin au XIIe siècle *(Historia rerum in partibus transmarinis gestarum).*

GUILLAUME DE VOLPIANO, dit de **Dijon** ou de **Fécamp.** ♦ (Près de Novare, 962 – Fécamp, 1031). Moine italien, conduit à Cluny par saint Maïeul*, il devint abbé de Saint-Bénigne de Dijon (990), rebâtit cette abbaye et en réforma plusieurs dizaines en Bourgogne et en Normandie. – Parfois fêté comme bienheureux, le 1er janvier.

GUILLAUME D'OCCAM (ou *d'***Ockham).** ♦ Théologien et philosophe anglais (Ockham, Surrey, *fin* du XIIIe s. – Munich, 1349 ou 1350). Il appartenait à l'ordre des Franciscains. Il étudia à Oxford et Paris. Ayant pris le parti de Michel de Césena, général de son ordre, contre le pape Jean XXII dans une controverse sur la pauvreté de Jésus-Christ, il fut excommunié et, menacé d'arrestation, s'enfuit à Pise, puis à Munich auprès de Louis de Bavière. C'est là qu'il écrivit ses pamphlets politiques contre la papauté. Ses principales œuvres théologiques et philosophiques sont un *Commentaire* sur les Sentences **(V. Pierre Lombard),** *Centilogium theologicum; Summa totius logicae* et des traités de physique. Nominaliste, il n'admet comme source de connaissance que l'intuition externe ou interne; il annonce ainsi l'empirisme des grands philosophes anglais (Locke*, Hume*), tout en étant un de ceux par qui se fit la séparation de la théologie et de la philosophie.

GUILLAUME D'ORANGE (ou **le Grand,** *saint*). ♦ Comte de Toulouse qui lutta contre les Sarrasins au VIIIe s., avant de fonder l'abbaye de Saint-Guilhem-du-Désert. *Guillaume d'Orange* devint le personnage central de *La Chanson de Guillaume* où il lutte contre les païens, assisté de son neveu, Vivien qui, tel Roland*, trouve une mort héroïque. ♦ Héros de l'épopée française, Guillaume au « corb nez » allie la bravoure à la piété la plus ardente.

GUILLAUME LE VINIER. ♦ Trouvère français (v. 1190 – 1245). Il appartint au Pui d'Arras. On conserve de lui 32 chansons, jeux partis, pastourelles, descorts et ballades.

GUILLAUME (Wilhelm) TELL. ♦ Héros légendaire de l'indépendance suisse (fin du XIIIe siècle). D'après la tradition, les habitants des trois vallées d'Uri, de Schwyz et d'Unterwald – autour du lac des Quatre-Cantons – se sentirent menacés dans leurs libertés, à la fin du XIIIe s., par les baillis des ducs d'Autriche. L'exaction dont fut victime Arnold de Melchtal* (d'Unterwald) fut, dit-on, à l'origine de la révolte. Arnold de Melchtal rejoignit Werner Stauffacher de Schwyz et ils se concertèrent avec Walter Fürst* d'Uri pour rendre la liberté à la Suisse. Ils amenèrent chacun dix hommes (dont Guillaume Tell) dans la prairie du Rütli* (ou Grütli) au-dessus du lac des Quatre-Cantons et prêtèrent le serment de chasser les baillis. Cependant, Gessler*, bailli d'Uri, résolut de mettre à l'épreuve la fidélité du peuple : il fit planter une perche surmontée d'un chapeau aux couleurs des Habsbourg sous le tilleul de la place d'Altdorf* en Uri et exigea que les passants saluent cet emblème. Guillaume Tell refusa de saluer et Gessler l'aurait obligé alors à percer d'une flèche une pomme placée sur la tête de son propre fils. Guillaume réussit mais, ayant déclaré au bailli qu'il lui avait destiné une autre flèche en cas d'échec, il fut emprisonné. Embarqué sur le lac avec Gessler, il lui échappa à la faveur d'une tempête et le tua. – Cette tradition est vivement contestée depuis le XIXe siècle. Il semble que l'histoire de l'arc et de la pomme soit d'origine scandinave et bien antérieure à l'époque présumée de Guillaume Tell. Il est également possible que la légende ait des fondements réels qui correspondent au pacte de 1291, fondement de la Confédération helvétique **(V. Suisse).** – Guillaume Tell inspira une pièce à Schiller (1804) et un opéra à Rossini (1829).

GUILLEBERT DE BERNEVILLE. ♦ Trouvère français (milieu du XIIIe s.). Originaire de Picardie, il appartint au Pui d'Arras. On connaît de lui une trentaine de chansons d'amour, pourvues de notation musicale.

GUILLÉN (Jorge). ♦ Poète espagnol (Valladolid, 1893). Il est le traducteur de Valéry* dont il adopta les théories esthétiques. Dans ses œuvres, *Cantico* (maintes fois réédité) et *Clamor* (1936-1950) il parvient à la clarté et à une parfaite rigueur de la construction. Guillén cherche à évoquer plus qu'à décrire, d'où son usage fréquent de la métaphore. Il a tenté d'exprimer l'homme dans son double destin de présence au monde et de déchirement.

GUILLÉN (Nicolás). ♦ Poète cubain (Camagüey, 1904). Sans renier la culture hispanique et européenne, il a su lui allier la tradition noire en s'inspirant du folklore national. Il chante les sentiments profonds de sa race : *Motivos de son* (1930); *España, poema en cuatro augustias y una esperanza* (1937).

GUILLERAGUES (Gabriel *de* **Lavergne,** *sieur de***).** ♦ Magistrat et écrivain français (Bordeaux, 1628 – Constantinople, 1685). Grand administrateur du roi, qui l'envoya en ambassade à Constantinople, il fréquenta les milieux littéraires et se lia avec Molière, Racine, Boileau ainsi qu'avec Mme de Sévigné et Mme de La Fayette. – Outre des lettres et des pièces galantes, on lui doit la traduction des *Lettres* portugaises,* dont il serait peut-être l'auteur.

GUILLET (Léon). ♦ Ingénieur métallurgiste français (Saint-Nazaire, 1873 – Paris, 1946). Spécialiste des alliages, il étudia particulièrement les traitements thermiques, la micrographie, les propriétés mécaniques des aciers spéciaux, des bronzes et des laitons. (Acad. sc., 1925.)

GUILLOT-GORJU (Bertrand Hardouin de Saint-Jacques, dit). ♦ Farceur français (Paris, 1600 – *id.,* 1648). Il prit à l'hôtel de Bourgogne la succession du célèbre Gaultier-Garguille et se rendit fameux dans les emplois de médecin.

GUILLOTIN (Joseph Ignace). ♦ Médecin et homme politique français (Saintes, 1738 – Paris, 1814). Professeur d'anatomie et député de Paris aux États généraux, il demanda, pour l'exécution des condamnés à mort, la création d'une machine, à laquelle on donna son nom, en dépit de ses protestations.

GUILLOUX (Louis). ♦ Romancier français (Saint-Brieuc, 1899). Élevé dans un milieu familial prolétarien où l'on se fait « à la force du poignet », il s'est attaché à évoquer ces vies « sans importance » mais rendues ferventes de la ferveur révolutionnaire. *La Maison du peuple* (1927) rappelle son enfance de fils de militant socialiste, et la même chaleur humaine s'exprime dans *Compagnons* (1930), *Hyménée* (1932) et *Angélina* (1932). L'accusation sociale devient plus âpre dans *Le Sang noir* (1935) où apparaît le personnage tragique et complexe de Cripure, dérisoire victime de la bêtise qu'il dénonce et porte-parole de la révolte de l'auteur (« La vérité de cette vie, ce n'est pas qu'on meurt, c'est qu'on meurt volé »). Construction minutieuse de détails concrets, *Le Jeu de patience* (1949) se présente comme la chronique de la vie provinciale entre les deux guerres; de cette image de la réalité quotidienne se dégage une protestation généreuse contre la souffrance de vivre, qui fait de cette fresque une œuvre puissante, quasi lyrique.

GUILMANT (Alexandre). ♦ Organiste et compositeur français (Boulogne-sur-Mer, 1837 – Meudon, 1911). Titulaire de l'orgue de la Trinité, il fut, avec V. d'Indy* et Ch. Bordes, l'un des fondateurs de la *Schola Cantorum.* Éminent virtuose autant que pédagogue de valeur, il a composé de nombreuses œuvres pour son instrument (sonates, messes, noëls, motets), et publié des éditions de musique d'orgue ancienne.

GUILVINEC. ♦ Comm. du Finistère, arr. de Quimper. 5 012 hab. *(Guilvinistes).* Port de pêche (langouste); conserveries. Station

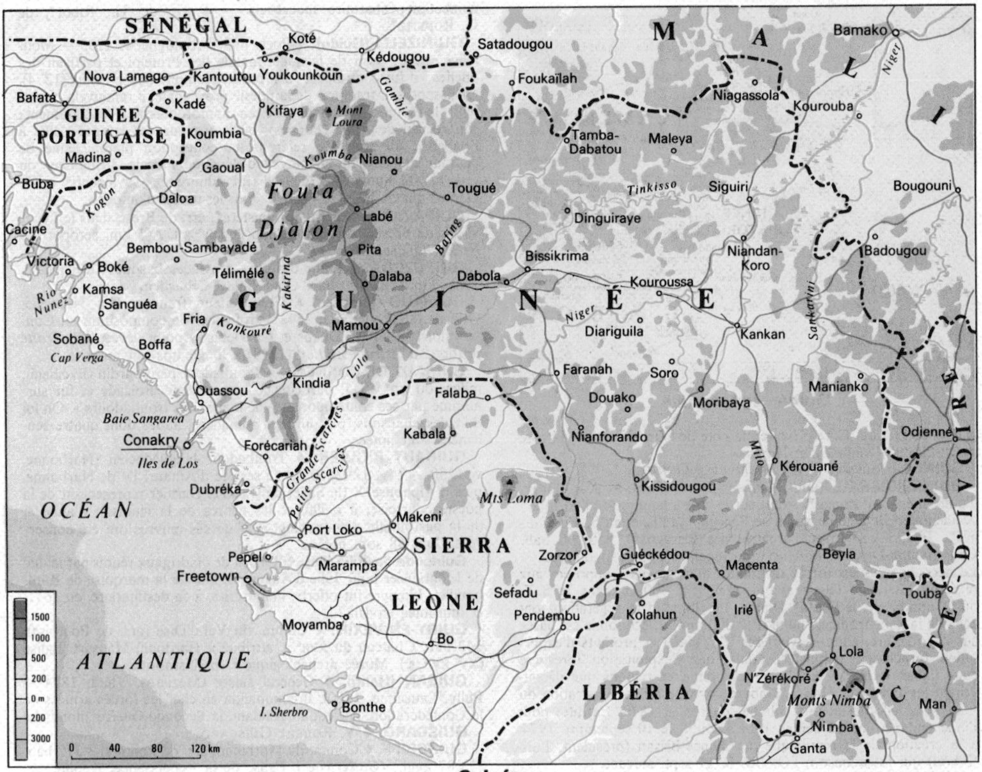

Guinée.

balnéaire.

GUIMARÃES. ♦ V. du Portugal septentrional, dans le Minho* (district de Braga). 23 200 hab. L'artisanat (filatures de lin, tanneries, coutellerie, quincaillerie) y est très vivant. ♦ *Hist.* La ville fut la première capitale du Portugal, et vit naître en 1109 le premier roi du Portugal. Alphonse Ier Enriquez. Patrie de Gil Vicente*, créateur du théâtre national.

GUIMARD (Hector). ♦ Architecte et décorateur français (Lyon, 1867 – New York, 1942). Ennemi du répertoire ornemental traditionnel, il imposa le style Art Nouveau (modern'style) dans l'architecture parisienne avec *le Castel Béranger,* 1897-1898, où il mêla avec fantaisie pierre de taille, brique, fer, céramique, et créa dans ses moindres détails un décor floral et végétal à dominante courbe. Il joua des formes asymétriques et incurvées dans d'autres réalisations à Auteuil, et publia un album de meubles et d'ornements. Il contribua au succès populaire du nouveau style avec ses entrées du métropolitain (1899-1904) à propos desquelles on a pu parler d'un « style métro », mais ne parvint pas à tirer les conséquences architectoniques que semblaient impliquer ses théories et l'emploi des matériaux modernes.

GUIMET (Émile). ♦ Industriel et érudit français (Lyon, 1836 – Fleurieu-sur-Saône, 1918). Ayant constitué au cours de voyages en Asie (Chine, Inde, Japon) une importante collection d'objets d'art, il fonda le musée qui porte son nom (Lyon, 1879); cette collection qu'il légua à l'État (1884) fut transférée à Paris et rattachée aux musées nationaux en 1945. Auteur d'œuvres musicales, il publia également *Le Dieu d'Apulée, Plutarque en Égypte, L'Isis romaine.*

GUINÉE. *n. f.* ♦ Terme ancien désignant autrefois la zone côtière de l'Ouest-Africain entre le cap Vert* (Sénégal) et l'Angola*, baignée en partie par l'actuel golfe de Guinée*.

GUINÉE. *n. f.* (ou *République de*). ♦ État d'Afrique* occidentale, ouvert sur l'Atlantique* entre la Guinée*-Bissau au N. et la **Sierra*** Leone au sud. Elle est limitée au N. par le Sénégal* et le Mali* qui la contourne à l'E., la Côte*-d'Ivoire à l'E. et le Liberia* au sud. 246 000 km². 4 420 000 hab. *Cap. :* Conakry. *Langues :* français (off.), nombreux dialectes soudanais. *Pop.* **V. Malinkés, Peuls, Toucouleurs.** *V. et localités princ. :* **V. Boké, Fria, Kankan, Kindia.** On y distingue quatre régions naturelles : la basse Guinée, pays des « rivières* du Sud » où coule le Konkouré*, la moyenne Guinée ou Guinée du Fouta*-Djalon, la haute Guinée orientale, plateau au climat tropical soudanien (forêt claire) drainé par le bassin supérieur du Niger* et la Guinée forestière au S. E., la plus élevée, formée par le prolongement de Fouta-Djalon **(V. Dorsale Guinéenne** et **Nimba** [mont]). Son climat est tropical humide bien que les précipitations soient moins abondantes au nord. Pays très varié, elle est un point de rencontre sur le plan ethnique et religieux (islâm 60 %, animisme 30 %, christianisme dans les centres urbains). Si son agriculture d'exportation (bananes, café, palmistes) reste limitée et ses cultures vivrières insuffisantes, ses possibilités minières sont immenses, fer (arrière-pays de Conakry*, mont Nimba*), bauxite **(V. Boké, Fria, Los** [îles de]), diamants (région forestière). En outre, la Guinée possède déjà une indus. légère florissante. L'économie guinéenne, de type socialiste, a fait appel à des capitaux étrangers pour la mise en valeur des ressources naturelles (notamment, transformation de la bauxite par un consortium franco-américain).

GUINÉE *(golfe de).* ♦ Golfe de l'océan Atlantique Sud baignant les côtes de l'Afrique occidentale de la Côte*-d'Ivoire à l'embouchure de l'Ogooué (Gabon); entre le Ghana* et le delta du Niger* une large échancrure forme le golfe du Bénin*, puis à l'E. le golfe du Biafra où se situent les îles volcaniques d'Annobón* au S., à Fernando* Póo au N. *Le courant équatorial de Guinée* longe les côtes du golfe et déplace d'O. en E. des masses d'eaux chaudes qui apportent de hautes températures et une abondante humidité sur la côte. Autrefois les côtes du golfe étaient nommées successivement :

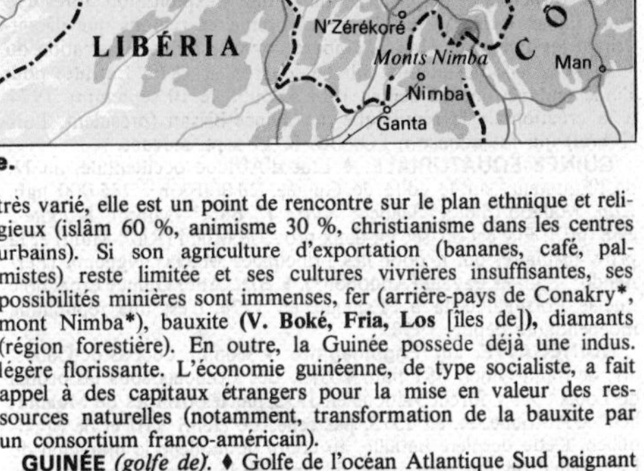

Ph. Vincent/Afrique Photo

Guinée : un village.

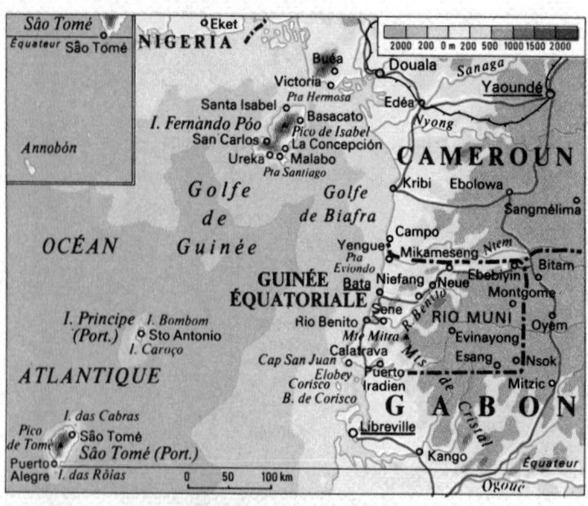

Guinée équatoriale.

la côte de l'Ivoire (Côte-d'Ivoire), la côte de l'Or (Ghana) et la côte des Esclaves (Dahomey et Nigeria).

GUINÉE (Nouvelle-). ♦ V. NOUVELLE-GUINÉE.

GUINÉE-BISSAU (anc. *Guinée portugaise).* ♦ Anc. prov. d'outre-mer du Portugal*, située sur le côte atlantique de l'Afrique* occidentale, elle confine au N. au Sénégal*, à l'E. et au S. à la Guinée*. 36 125 km² (avec l'archipel des Bissagos*). 650 000 hab. *Cap.* Madina-Do-Boe. *Langues :* portugais, dialectes soudaniens. — Le tiers du pays est formé de plaines marécageuses opposées aux plateaux intérieurs (élevage) qui atteignent 300 m dans le S.-E. où ils annoncent le Fouta* Djalon. Le climat et la végétation sont ceux de la zone tropicale humide (2 000 mm). L'économie est basée sur l'agriculture, cultures vivrières (riz, maïs) et produits d'exportation (arachides, palmistes) tandis que l'exploitation forestière reste faible. ♦ *Hist.* C'est l'une des premières régions que découvrirent les Portugais (1446), d'abord soumise à l'administration du Cap*-Vert elle devint une colonie séparée en 1879. La lutte pour l'indépendance menée depuis 1966 aboutit, le 10 septembre 1974, à la création de la république de Guinée-Bissau (président, Luis Cabral) qui fut admise à l'O.N.U. le 17 sept. suivant.

GUINÉE ÉQUATORIALE. ♦ État d'Afrique occidentale, au N. de l'Équateur, sur le golfe de Guinée. 28 000 km². 285 000 hab. *Cap.* Malabo (Santa* Isabel). *Autre V.* Bata* (Mbini). *Langue :* esp. (off.). Elle est divisée en deux prov., le Mbini (Río* Muni) et la prov. insulaire, qui a pour îles principales Macias Nguema (Fernando* Póo) et Pagalu (Annobón*). ♦ *Hist.* Anc. Guinée espagnole que le Portugal céda à l'Espagne en 1778, c'est une république indépendante depuis 1958.

GUINEGATTE, auj. **Enguinegatte.** ♦ Comm. du Pas-de-Calais. arr. de Saint-Omer. 381 hab. ♦ *Hist.* Les Français sous les ordres de Louis* XI y furent vaincus en 1479 par les troupes de Maximilien* d'Autriche, et, en 1513, par celles de Henri VIII et de Maximilien. Cette dernière bataille, au cours de laquelle le maréchal de La* Palice fut fait prisonnier, fut appelée la *journée des Éperons,* car les Français s'enfuirent sans presque combattre.

GUÎNES. ♦ Ch.-l. de cant. du Pas*-de-Calais, arr. de Calais*, en Flandre*. 5 042 hab. *(Guînois).* Brasseries; aliments pour le bétail.

GUINGAMP [gɛ̃gɑ̃]. ♦ Sous-préf. des Côtes-du-Nord, ch.-l. d'arr. (12 cant., 91 comm., 101 830 hab.). 11 297 hab. *(Guingampais).* Église Notre-Dame-de-Bon-Secours (XIVᵉ-XVᵉ-XVIᵉ s.), où a lieu un pardon annuel. Maisons anciennes. — Centre administratif. Marché agricole. Constructions de machines agricoles, de bateaux; confection; abattoirs industriels. — Patrie de Th. Ribot*, de G. Ropartz*.

Guinée portugaise (Bissau).

GUINIZELLI (Guido). ♦ Poète italien (Bologne, v. 1235 — Monfelice, 1276). Issu de la noble famille des Principi et partisan des guelfes, il fut contraint à l'exil par le triomphe des gibelins (1274). Obéissant à la tradition de la poésie provençale, il renouvela cependant la symbolique habituelle en approfondissant le sentiment; son recueil de *Rime* (Poésies), où la vigueur des images s'allie à l'élégance du style, se réfère à la conception platonicienne de l'amour qui devient un moyen d'élévation morale. Instigateur du « dolce stil nuovo », Guinizelli fut admiré de Cavalcanti* et de Dante* qui en faisait le « père de tous les poètes d'amour ».

GUIPAVAS. ♦ Comm. du Finistère*, arr. de Brest, dans le Léon, au N. de Brest. 7 461 hab. Chapelle (XVᵉ s.). À 1 km, aéroport de *Brest-Guipavas.*

GUIPÚZCOA. ♦ L'une des trois provinces basques* d'Espagne. 1 997 km². 581 000 hab. *Ch.-l.* Saint*-Sébastien.

GUIRAUD (Ernest). ♦ Compositeur français (La Nouvelle-Orléans, 1837 — Paris, 1892). Professeur de composition au Conservatoire, il eut P. Dukas et Cl. Debussy pour élèves. Son *Traité pratique d'instrumentation* (1895) a longtemps fait autorité.

GUIRAUT DE BORNELH. ♦ Troubadour périgourdin (Excideuil, milieu du XIIᵉ s.). Il participa à la quatrième croisade et fut surnommé par ses contemporains « le maître des troubadours ». On lui doit des chansons, pastourelles, romances, aubes dont quatre seulement sont notées.

GUIRAUT RIQUIER. ♦ Troubadour languedocien (Narbonne, v. 1230 — ? v. 1292). Il fut au service d'Amauri IV de Narbonne, puis d'Alphonse X (le Sage) de Castille. Dernier représentant de la poésie courtoise, il a illustré les genres de la chanson d'aube et de la pastourelle. Quatre-vingt-neuf de ses œuvres ont été conservées, dont 48 sont notées.

Guirlande de Julie (La). ♦ Recueil de madrigaux réunis par le duc de Montausier pour Julie d'Angennes, fille de la marquise de Rambouillet. L'œuvre fut offerte, manuscrite, à sa destinataire, en 1641, et imprimée en 1653.

GUIRY-EN-VEXIN. ♦ Comm. du Val-d'Oise (arr. de Pontoise). 142 hab. Château du XVIIᵉ s. attribué à Hardouin-Mansart. Église (XVᵉ-XVIᵉ s.). Musée archéologique et préhistorique.

GUISAN (Henri). ♦ Général suisse (Mézières, Vaud, 1874 — Pully, Lausanne, 1960). Il commanda en chef les forces armées de la Confédération helvétique pendant la Seconde Guerre mondiale.

GUISCARD. ♦ V. ROBERT GUISCARD.

GUISCRIFF. ♦ Comm. du Morbihan, arr. de Pontivy. 3 377 hab. [1 087 aggl.] *(Guiscrivites).* Église de la Renaissance. Kaolin.

GUISE [giz] ou [gɥiz] *(maison de).* ♦ Branche de la maison de Lorraine, issue d'un fils cadet de René II de Lorraine : CLAUDE DE LORRAINE, *1ᵉʳ duc de Guise* (Condé-sur-Moselle, 1496 — Joinville, 1550). Il servit François* Iᵉʳ, fut blessé à Marignan*, et écrasa une jacquerie en Lorraine. Sa fille, reine d'Écosse, fut la mère de Marie* Stuart **(V. Marie* de Guise).** ♦ FRANÇOIS Iᵉʳ DE LORRAINE, *2ᵉ duc de Guise* (Bar, 1519 — Saint-Mesmin, 1563), son fils, fut un brillant homme de guerre. Surnommé *le Balafré,* à la suite d'une blessure reçue à Boulogne, il se distingua contre Charles* Quint, en particulier par sa résistance à Metz*. En 1553, il prit la direction des troupes envoyées en Italie au secours de Paul* III (victoire de Renti, 1554, expédition contre Naples, 1557), mais fut rappelé après le désastre de Saint*-Quentin et redressa la situation (prise de Calais*). La montée sur le trône de François* II, son neveu par alliance, lui permit d'exercer le pouvoir avec son frère, et il appliqua une politique d'hostilité aux protestants (répression de la conjuration d'Amboise*, 1560, condamnation à mort de Condé*). Après la mort de François II, qui sauva Condé, il fit échouer la politique de conciliation de la régente Catherine* de Médicis en déclenchant la première guerre de Religion par le massacre de Wassy* (1562) et remporta une victoire sur Condé à Dreux avant d'être assassiné au siège d'Orléans par Poltrot* de Méré. ♦ HENRI Iᵉʳ DE LORRAINE, *3ᵉ duc de Guise,* dit *le Balafré* (1550 — Blois, 1588). Il servit l'empereur contre les Turcs (1566), puis combattit les huguenots (Jarnac*, Moncontour*). Inquiet de la paix de Saint*-Germain, il prépara un attentat contre Coligny*, qui échoua, puis la Saint*-Barthélemy (1572). La paix de Monsieur* (1575), qu'il considéra comme une trahison, lui fit prendre la tête de la Ligue*, se rapprocher de Philippe* II et il refusa d'accepter Henri* de Navarre comme héritier du trône. Après avoir remporté les victoires d'Auneau* et de Vimory* sur les mercenaires allemands calvinistes, il entra à Paris où il était très populaire et où la Ligue se souleva en sa faveur **(V. Barricades).** Il laissa le roi s'enfuir de la ville mais celui-ci l'attira à Blois où il le fit assassiner. ♦ LOUIS II DE GUISE, son frère, cardinal de Lorraine (Dampierre, 1555 — Blois, 1588), mena également la Ligue et fut assassiné peu après son frère. — Le duché de Guise passa ensuite aux Condé (1704), puis aux Orléans.

GUISE [gɥiz]. ♦ Ch.-l. de cant. de l'Aisne* sur l'Oise* (arr. de Vervins*). 6 976 hab. *(Guisards).* Ruines d'un château fort (XIIᵉ-XVIᵉ s.). Indus. diverses (brasserie, confection, fonderie, tanneries). Importante usine d'appareils de chauffage fondée (1846) par J.-B. A. Godin qui sut réaliser dans son indus. l'association capital-travail, et légua son entreprise avec toutes ses créations sociales (le *familistère de Guise*) à ses ouvriers. Patrie de C. Desmoulins*. ♦ *Hist.* Propriété de la maison de Lorraine, comté depuis 1360,

Ph. Giraudon

François de Guise.
École de Clouet, vers 1550.
(Musée Condé, Chantilly.)

Ph. Giraudon

Henri de Guise.
École de Clouet, vers 1585.
(Musée Condé, Chantilly.)

Ph. Hubert Josse

François Guizot,
par Vibert.
(Château de Versailles.)

érigé en duché par François Ier (1528), Guise donna son nom à une illustre famille **(V. Guise** [maison de]**)**, puis passa aux mains de la famille de Condé (1688) et de la famille d'Orléans (1832). En 1914, le général Lanrezac* y remporta une victoire, freinant l'avance allemande vers Paris.

GUITON (Jean). ♦ Armateur français (La Rochelle, 1585 – *id.*, 1654). Protestant, il était maire de La Rochelle* lors du siège de la ville organisé par Richelieu (1627-1628). Ayant dû capituler après avoir résisté vaillamment, il fut exilé quelque temps, puis nommé capitaine de vaisseau de la marine royale.

GUÎTRES. ♦ Ch.-l. de cant. de la Gironde*, arr. de Libourne*, sur l'Isle*. 1 279 hab. Église, anc. abbatiale bénédictine, XIIe, XIIIe et XIVe siècles.

GUITRY (Lucien). ♦ Acteur français (Paris, 1860 – *id.*, 1925). Après une brillante carrière où il symbolisa l'élégance fin de siècle, il fut le créateur du rôle de Flambeau dans *L'Aiglon* (1900) et de *Chantecler*, il joua quelques mois à la *Comédie-Française* avant de devenir directeur du théâtre de la *Renaissance*. Père de Sacha Guitry.

GUITRY (Sacha). ♦ Acteur et auteur dramatique français (Saint-Pétersbourg, 1885 – Paris, 1957). Fils de Lucien Guitry, il fut, entre 1901 et 1953, l'auteur de plus de cent trente pièces. Parisien, demeuré boulevardier de la Belle Époque, il en eut le charme, la verve facile, le goût du bon mot. De ce théâtre de divertissement dont le thème dominant est l'adultère bourgeois, quelques œuvres subsistent qui firent en leur temps l'enchantement d'une saison : *Faisons un rêve* (1916), *Mon père avait raison* (1919), *Le Mot de Cambronne* (1936), *Quadrille* (1937), *N'écoutez pas, Mesdames* (1942). L'œuvre du cinéaste, nombreuse et variée, témoigne de qualités originales (*Le Roman d'un tricheur,* 1935 ; *Remontons les Champs-Élysées,* 1938 ; *Ceux de chez nous,* 1939 ; *Si Versailles m'était conté,* 1953).

GUITTON (Jean). ♦ Philosophe français (Saint-Étienne, 1901). Représentant de la pensée catholique contemporaine, il a publié des ouvrages philosophiques (*Le Temps et l'Éternité chez Plotin et saint Augustin,* 1933 ; *Pascal et Leibniz,* 1950) et apologétiques (*La Pensée moderne et le Catholicisme,* 1930-1955 ; *Jésus,* 1956). [Acad. fr., 1961.]

GUITTONE D'AREZZO. ♦ Poète italien (Santa Firmina, v. 1230 – Florence, 1294). Les premiers volumes de ses poèmes chantent des sentiments amoureux idéalisés ou obéissent à une inspiration politique ; partisan des guelfes, en effet, Guittone fut (1261) exilé loin d'Arezzo, puis entra dans les ordres. Dès lors ses *Rime* ou les *Lettere* abordent des sujets moraux ou didactiques. – Situé entre l'école sicilienne et le « dolce stil nuovo », Guittone sut allier le goût de la préciosité à la recherche de tournures populaires.

GUIZÈH. ♦ **V.** Gizeh.

GUIZOT (François Pierre Guillaume). ♦ Homme politique et historien français (Nîmes, 1787 – Val-Richer, Calvados, 1874). Fils d'un avocat protestant partisan de la Révolution, mais qui fut guillotiné sous la Terreur comme fédéraliste, il fut élevé de façon austère à Genève où sa famille avait émigré. Venu à Paris en 1805, il publia plusieurs ouvrages et obtint grâce à l'appui de Fontanes une chaire d'histoire moderne à la Sorbonne (1812). Il se lia à Royer*-Collard qui le lança dans la vie politique et avec qui il devait créer le parti des doctrinaires*. Secrétaire du ministère de l'Intérieur lors de la Première Restauration (1814), il passa à Gand pendant les Cent-Jours, puis assuma des charges importantes dans le ministère de la Justice (1816-1820). Après la chute du cabinet libéral de Decazes, il reprit ses fonctions dans l'enseignement, mais fut suspendu en 1822, en raison de son opposition au régime. Il publia à cette époque une *Histoire des origines du gouvernement représentatif* (1821-1822). Collaborateur au journal *le Globe*, président de la société libérale « Aide-toi le ciel t'aidera », il fut élu député au début de 1830, prit position contre le cabinet conservateur de Polignac* puis contre les ordonnances de Saint-Cloud du 25 juillet 1830, qui provoquèrent l'insurrection des 27, 28 et 29 juillet et la chute de Charles X. Rallié au duc d'Orléans (Louis*-Philippe), Guizot fut sous la monarchie de Juillet le chef du parti de la *Résistance**. Ministre de l'Intérieur (1830), ministre de l'Instruction publique (1832-1836, 1836-1837), il fit adopter une loi sur la liberté et l'organisation de l'enseignement primaire (*loi Guizot* du 28 juin 1833). Après avoir été ambassadeur à Londres, il remplaça Thiers au ministère des Affaires étrangères (1840) et, à partir de cette époque, devint le véritable chef du gouvernement, bien qu'il n'ait assumé la présidence du Conseil qu'en 1847-1848. Il travailla à favoriser l'entente cordiale franco-anglaise, bien que certains événements (affaire Pritchard, affaire des mariages espagnols, 1846) l'aient empêché de mener à bien son projet, ainsi que le rapprochement avec l'Autriche. Sa politique intérieure, favorable à la grande bourgeoisie d'affaires, à laquelle il donnait le conseil de s'enrichir par le travail et l'épargne, contribua à accroître la misère ouvrière et à susciter une opposition croissante. Conservateur, Guizot ne saisit pas la portée du mouvement réformiste et commit la maladresse de prendre énergiquement position contre la campagne des Banquets* (22 février 1848), déclenchant ainsi le mouvement insurrectionnel qui marqua la fin de la monarchie de Juillet **(V. Révolution de 1848).** Après un exil en Belgique et en Angleterre, il revint en France (1849), mais sans se mêler à la vie politique. *Mémoires pour servir à l'histoire de mon temps* [1858-1867]. (Acad. fr., 1836.)

GUJAN-MESTRAS. ♦ Comm. de la Gironde, arr. de Bordeaux. 6 687 hab. Station balnéaire. Port de pêche, ostréiculture, conserverie de poissons. Construction de bateaux.

GUJARÂT ou **GUJRÂT** ou **GOUDJERATE.** *n. m.* ♦ État du N.-O. de l'Union indienne. 23 885 000 hab. *Cap.* Gandhinagar. Grande région cotonnière (Ahmadâbâd*, Baroda*). Culture du riz, du mil, du tabac, des arachides. Carrières de gypse. L'industrialisation de la zone de Bombay* s'est étendue au Gujarât. Le commerce y a été longtemps actif et tend à le redevenir, grâce au développement des voies ferrées et à la modernisation des ports. ♦ *Hist.* Le Gujarât fut en contact avec les civilisations de l'Indus avant d'être dominé successivement entre le IVe et le VIIIe s. par les Maurya, les Śaka, les Gupta et les Valabhî. Du Xe au XIIIe s., il fut gouverné par les Châlukya puis fut conquis par les musulmans (1298). Englobé dans le sultanat de Delhi, puis dans l'empire mogol, il passa sous protectorat britannique en 1760. Il est devenu un État de la République indienne en 1960. L'État contient de nombreuses richesses architecturales (temples hindous, mosquées datant de la domination musulmane).

GUJRÂNWÂLA. ♦ V. du Pâkistân, à 60 km au N. de Lahore*, et ch.-l. de district, env. 300 000 hab. Commerce des céréales, petites indus. textiles (coton, laine), de l'aluminium et du fer.

GULBARGA. ♦ V. de l'Inde (Mysore) à 200 km à l'O. d'Haidarâbâd*, fondée au XIVe s. par des sultans türk. Sa mosquée est d'un style unique en Inde et pourrait être inspirée de celle de Cordoue. – Petites indus. (fabrique d'huile et de peinture). 109 000 hab. (1960).

GULDBERG (Cato Maximilian). ♦ Mathématicien et chimiste norvégien (Christiania, 1836 – *id.*, 1902). Il découvrit, avec Waage*, en 1867, la loi d'action de masse qui, traduisant l'influence des variations de concentration sur les équilibres physico-chimiques en milieu homogène, permit d'en entreprendre une étude quantitative. **V. Gibbs, Van'T Hoff.**

GULF STREAM, *n. m.* (« courant du golfe »). ♦ Courant chaud (25 °C) de l'Atlantique* N., signalé en 1513 par Ponce de León, étudié par Franklin, Maury et Pillsburg. Ce courant déplace 55 millions de m³ d'eau par seconde. Il passe au large de la côte O. de l'Afrique, au large du Brésil, entre les Antilles et l'Amérique centrale et contourne la Floride. Au delà de Terre-Neuve, où le contact des eaux froides (Labrador) et tièdes favorise la formation de bancs de poissons, le Gulf Stream (ou « dérive nord-atlantique ») affecte considérablement, en l'adoucissant, le climat de l'Europe occidentale.

Gulistân *(La Roseraie)*. ♦ Œuvre du poète persan Sa'di* « contenant (selon son auteur) les préceptes les plus utiles pour la conduite de la vie ». Le *Gulistân* fut la première œuvre persane connue en France, et même en Europe, grâce à une traduction d'André de Ryer (*Gulistân ou l'Empire des roses,* 1634).

GULL (*sir* **William Witley**). ♦ Médecin anglais (Colchester, 1816 – Londres, 1890). Éminent clinicien, il identifia le myxœdème en 1882.

Gulliver (Voyages de), en angl. **Gulliver's Travels**. ♦ Roman satirique de Jonathan Swift* publié anonymement en 1726 et divisé en quatre parties ou voyages : au pays de Lilliput, de Brobdingnag, à l'île volante de Laputa et chez les Houyhnhnms. Les aventures de Gulliver commencent comme celles de Robinson* : après un naufrage, c'est l'abandon sur une île que Swift peuple d'êtres déplaisants organisés en sociétés toujours critiquables. Swift réserve sa sympathie aux bons et vertueux chevaux (Houyhnhnms) qui ont domestiqué des êtres répugnants et obscènes, les Yahous (ou hommes). « Homme-montagne » chez les Lilliputiens, Gulliver est une poupée vivante pour les géants de Brobdingnag. Le passage sans transition du sentiment de supériorité à celui d'infériorité pose le problème de la difficulté d'un équilibre dont manqua Swift à la fin de sa vie. À Laputa enfin, Gulliver découvre les limites de l'intelligence et de la religiosité : les savants sont des maniaques et les immortels condamnés à un ennui affligeant. Ses voyages terminés, Gulliver garde la nostalgie du paradis des Houyhnhnms, souffre du système de valeurs de ses contemporains et conclut, contrairement à Robinson, en désapprouvant le « système de la conquête-colonie-esclavage » (Gilbert Sigaux). Cette œuvre pessimiste, écrite en une prose dense et forte, remplie d'idées critiques, est devenue paradoxalement un des titres les plus célèbres de la littérature enfantine, ce qui lui valut d'être adaptée, résumée, défigurée de cent manières.

GULLSTRAND (Allvar). ♦ Médecin suédois (Landskrona, 1862 – Stockholm, 1930). Ses travaux sur l'optique physique et la physiologie des dioptries de l'œil lui valurent le prix Nobel de méd. (1911).

GUMBINNEN, auj. **Goussev**. ♦ V. de l'anc. Prusse-Orientale, auj. en U.R.S.S. (R.S.F.S. de Russie) dans la région de Kaliningrad. ♦ *Hist.* Théâtre d'une victoire des Russes sur les Allemands (1914-1915), la ville fut conquise par les Soviétiques en janv. 1945.

GÜNDERODE (Caroline *de***)**. ♦ Poétesse allemande (Karlsruhe, 1780 – Winkel am Rhein, 1806). Quelques poèmes et surtout l'ouvrage que lui a consacré son amie Bettina Brentano von Arnim ont fait connaître cet être romantique qui mit fin à ses jours à la suite d'un amour déçu pour Creuzer*.

GUNDOLF (Friedrich GUNDELFINGER, dit Friedrich). ♦ Écrivain allemand (Darmstadt, 1880 – Heidelberg, 1931). Historien de la littérature, auteur d'études critiques sur Goethe (1916), Kleist (1922), il fit partie du cénacle de Stefan George*, dont il contribua à faire connaître la pensée.

GUNDULIĆ (Ivan). ♦ Poète dalmate (Raguse, 1589 – *id.,* 1638). Catholique fervent, il incarna avec raffinement la littérature baroque ragusaine. Son œuvre la plus célèbre est un poème épique en vingt chants, *Osman,* où il célèbre la première victoire des Slaves contre l'Empire ottoman (guerre polono-turque de 1621). Il laissa aussi un poème sur la fragilité humaine : *Les Larmes de l'enfant prodigue* (1622) et un drame pastoral : *Dubravka* (1628) à la gloire de Dubrovnik.

GUNNBJÖRN. ♦ Navigateur islandais du IXᵉ s. qui atteignit le Groenland en 876.

GÜNTHER (Johannes Christian). ♦ Poète allemand (Stiegau, Silésie, 1698 – Iéna, 1723). Qu'il chante tour à tour son désir de vivre ou la lassitude qui le pousse à invoquer une mort libératrice, il fut un peu le poète maudit de l'époque, et sa vie brève et tourmentée, tout entière consacrée au « dieu de la poésie », donne à son œuvre des accents personnels qui le distinguent de la plupart des poètes baroques (*Poésies,* publ. 1724-1735).

GÜNTHER (Hans F.K.). ♦ Ethnologue allemand (né à Fribourg-en-Brisgau, 1891). Comme Gobineau* et Vacher de Lapouge, il fut un des théoriciens du racisme et vit dans l'affaiblissement de l'élément nordique une des causes essentielles de la décadence européenne (*Rassenkunde des deutschen Volkes,* 1922 ; *Rassenkunde Europas,* 1924).

GUNTÛR. ♦ V. de l'Inde (Andhra Pradesh) sur l'embouchure de la Kistnâ. 280 000 hab. Manufactures de tabac et de cotonnades. – La ville fut fondée au XVIIIᵉ s. par des Français et cédée aux Britanniques en 1823.

GUPTA. *n. m. pl.* ♦ Dynastie indienne qui régna sur le N. de l'Inde de 320 à 480 env. et qui donna son nom à un des plus beaux styles de sculpture de l'Inde. Sous le règne de ces rois, eut lieu la construction des premiers temples en pierre de l'Inde, d'un style encore apparenté à celui des « cella » grecques. La littérature, dont ils furent de grands mécènes, se développa considérablement sous leur égide. Les Gupta établirent une ère qui débuta le 26 février 320 de la nôtre.

GURKHA (S). *n. m. pl.* ♦ Clan de Râjput* hindous chassés de l'Inde occidentale et centrale par les invasions musulmanes et qui se réfugièrent au Népal dans la vallée de Kâtmându*. Ils conquirent le pays en 1768. Après une défaite devant les Britanniques en 1816, ils s'allièrent avec eux et devinrent de fidèles serviteurs de la Grande-Bretagne, lui fournissant des corps de troupes d'une grande valeur militaire.

Ph. L'Esperto/Ricciarini

Gustave II Adolphe.

GÜRSEL (Cemal). ♦ Général et homme politique turc (Erzurum, 1895 – Ankara, 1966). Partisan du mouvement national de Mustafa* Kemal, il renversa le 27 mai 1960 le régime de Menderes*. Nommé chef de l'État et commandant des forces armées, il fut élu président de la République (1961-1966) et s'efforça de reprendre les réformes de Mustafa Kemal.

Guru Granth. ♦ V. GRANTH SAHIB.

GURVITCH (Georges). ♦ Sociologue français (Novorosisk, Russie, 1897 – Paris, 1965). Il fut l'un des rénovateurs en France des études sociologiques et l'un des fondateurs de la sociologie structurale. Tout en reconnaissant la diversité des faits sociaux, s'intéressant tout particulièrement à la sociologie du droit et à la sociologie de la connaissance, il voulut en mettre en évidence le caractère global, total du phénomène social. (*Idée du droit social,* 1935 ; *Morale théorique et Science des mœurs,* 1937 ; *Essais de sociologie,* 1939 ; *Éléments de sociologie juridique,* 1940 ; *Tendances actuelles de la philosophie allemande,* 1950 ; *La Vocation actuelle de la sociologie,* 1950 ; *Déterminismes sociaux et Liberté humaine,* 1955 ; *Traité de sociologie,* 1958-1960 ; *Dialectique et Sociologie,* 1962 ; *Les Cadres sociaux de la connaissance,* 1965).

GUSTAVE Iᵉʳ VASA. ♦ (Lindholm, v. 1495 – Stockholm, 1560). Roi de Suède (1523-1560). Otage de Christian II, il parvint à s'échapper, souleva la Dalécarlie, et chassa les Danois (1523), brisant l'union de Kalmar. Élu roi, il imposa le luthéranisme, ce qui lui permit de séculariser les biens ecclésiastiques. Il favorisa le développement économique de la Suède, fit durement réprimer les révoltes des paysans, et son œuvre de réorganisation fit de son royaume une puissance de premier plan. Il fit reconnaître l'hérédité de la couronne.

GUSTAVE II ADOLPHE. ♦ (Stockholm, 1594 – Lützen, 1632). Roi de Suède (1611-1632). Aidé du chancelier Oxenstierna*, il rétablit la situation de la Suède : paix avec le Danemark (traité de Knäred, 1613), avec la Russie (Stolbova, 1617), avec la Pologne (trêve d'Altmark, 1629). Il accomplit une profonde réorganisation de l'État et de l'armée. Après quoi, il intervint avec éclat dans la guerre de Trente* Ans, comme champion des protestants face aux Impériaux, en alliance avec la France. Il écrasa Tilly* à Breitenfeld (1631), s'avança à travers la Rhénanie jusqu'en Allemagne du Sud et l'emporta sur Wallenstein* à Lützen (16 nov. 1632), mais trouva la mort au cours de la bataille. Sa fille Christine* n'avait que cinq ans.

GUSTAVE III (Stockholm, 1746 – *id.,* 1792). ♦ Roi de Suède (1771-1792). Il succéda à son père Adolphe*-Frédéric. Neveu de Frédéric* II de Prusse, il avait été élevé à la française, avait correspondu avec les philosophes, et s'était lié au parti des « Chapeaux » (V. **Bonnets** [les]). Un coup d'État militaire favorisé par les subsides français et par l'action de Vergennes*, dans un pays lassé de la lutte des factions, lui permit de reprendre le pouvoir à l'aide d'une nouvelle constitution (août 1772). En politique extérieure, la lutte contre la Russie et le Danemark n'obtint qu'un succès relatif (paix blanche de Varela, 1790). À l'intérieur, des mesures conformes au despotisme éclairé et un rapprochement avec les ordres inférieurs (tolérance religieuse, abolition de la torture, de la vénalité des charges), lui aliénèrent la noblesse. Il fut assassiné par un officier noble, alors qu'il s'apprêtait cependant à intervenir contre la Révolution française.

GUSTAVE IV ADOLPHE. ♦ (Stockholm, 1778 – Saint-Gall, Suisse, 1837). Roi de Suède (1792-1809). Il perdit la Poméranie suédoise (1807) et la Finlande qu'il céda à la Russie (1808). Il fut chassé par un coup d'État militaire.

GUSTAVE V. ♦ (château de Drottningholm, 1858 – *id.*, 1950). Roi de Suède (1907-1950). Sous son règne la Suède se tint à l'écart des deux conflits mondiaux.

GUSTAVE VI ADOLPHE. ♦ (Stockholm, 1882 – Hälsingborg, 1973). Roi de Suède depuis 1950, il avait une réputation de sagesse, de grande culture et d'esprit démocratique exemplaire.

GUSTAVO A. MADERO. ♦ Aggl. de la banlieue N.-E. de Mexico, dépassant 1 180 000 hab. (chiffres off. de 1970).

GUTENBERG (Johannes GENSFLEISCH, dit). ♦ Imprimeur allemand (Mayence, av. 1400 – *id.*, 1468). Inventeur de la presse à imprimer (1434) et d'une encre qui permettait l'impression des deux faces du papier (1441), il comprit les inconvénients des caractères mobiles en bois **(V. Coster)** tant pour la pratique que pour la qualité de l'imprimerie et se consacra à la fabrication de caractères métalliques. De 1450 à 1455, il mit au point la technique typographique ; puis, alors que son premier livre (la fameuse *Bible* à « trente-six lignes ») était en cours d'impression, il perdit un procès contre son commanditaire **(V. J. Fust)** et fut contraint de tout abandonner. En 1465, il fut anobli par l'archevêque de Mayence qui lui redonna les moyens de reprendre ses travaux. V. *aussi* **Senefelder.**

GÜTERSLOH. ♦ V. d'Allemagne occidentale (Rhénanie du Nord-Westphalie). 54 000 hab. Indus. mécaniques, filatures de soie et de coton. – Patrie de Hans Werner Henze*.

GUTHNICK (Paul). ♦ Astronome allemand (Hitdorf am Rhein, 1879 – Berlin, 1947). Auteur d'une classification des étoiles variables [1921] **(V. *aussi* Pickering),** il fut l'un des premiers utilisateurs des cellules photo-électriques au potassium pour la mesure des magnitudes stellaires et la photométrie de la Lune [1922] **(V. Rougier, Whitford) ;** on lui doit également une étude photographique systématique du ciel (1928).

GUTLAND *(« Bon pays »). n. m.* ♦ Bas-plateau du grand-duché de Luxembourg, formé surtout de terrains triasiques sablonneux et calcaires. La région doit son nom à son agriculture : vigne, céréales et surtout pâturages.

GUTZKOW (Karl). ♦ Écrivain allemand (Berlin, 1811 – Sachsenhausen, Francfort-sur-le-Main, 1878). Ami de G. Büchner* et animateur du mouvement de la « Jeune*-Allemagne », il se fit connaître par plusieurs romans, critique violente et ironique de l'Église, de l'État et de la morale (*Maha Guru, histoire d'un dieu,* 1833 ; *Wally le sceptique,* 1835). Il est également l'auteur de drames (*Perruque et Épée,* 1844 ; *Uriel Acosta,* 1847) et de vastes romans où il tente de donner une image complète et détaillée de la société (*Les Chevaliers de l'esprit,* 1850-1851).

GUI. ♦ **V.** Gui (saint).

GUY, *duc* **de Spolète.** ♦ (mort en 894). Après avoir battu Bérenger marquis d'Ivrée et partisan d'Arnoul, empereur germanique, à la Trebbie (889), il se fit proclamer roi d'Italie et sacrer empereur à Rome (891), mais fut vaincu par Arnoul (894).

GUYANA, anc. **GUYANE BRITANNIQUE.** *n. f.* ♦ République d'Amérique du Sud (depuis 1970), membre du Commonwealth*, sur la côte Atlantique, qui s'étend entre le Surinam* à l'E., le Venezuela à l'O. et le Brésil dont la sépare la serra Acarai au sud. 214 970 km². 721 000 hab. en 1969 *(Guyanais). Cap.* Georgetown*. *Autre V. :* **V. New Amsterdam.** *Langue off. :* anglais (dialectes amérindiens). *Unité monétaire :* dollar de Guyane. Établi sur le massif des Guyanes, le pays, bien irrigué par l'Essequibo* et ses affl., comprend une étroite plaine côtière qui s'élève vers le plateau intérieur, lequel fait place à la montagne aux frontières vénézuélienne et brésilienne (point culminant : le Roraima*). La forêt, de caractère équatorial, couvre les 2/3 du pays. Le S.-O. et le N.-O. sont recouverts de savanes (savane Rupununi) où pâturent de nombreux troupeaux de bovins. La population, formée en majorité d'Indiens d'origine asiatique et de Noirs africains, est concentrée sur la côte et dans le N.-O. (cours du Mazaruni). Quelques Indiens vivent dans les régions montagneuses de l'intérieur. – *Écon.* Elle repose sur une agriculture de type tropical (canne à sucre, café, bananes, agrumes, riz) et sur l'importance des gisements miniers : bauxite dans le N.-E. (3ᵉ producteur mondial), manganèse (N.-O.), or et diamants dans les riv. de l'O. Les ressources forestières en bois tropicaux sont encore peu exploitées. L'indus. reste embryonnaire : raffineries de sucre, distilleries de rhum. *Exportations* de bauxite, manganèse, pierres précieuses, bois et produits tropicaux dont le rhum, principalement en direction des États-Unis. *Importations* de denrées alimentaires, de produits finis et de pétrole. ♦ *Hist.* D'abord possession hollandaise, la Guyane fut assiégée par les Anglais (1796) qui la reprirent définitivement en 1814 et cédèrent Surinam* aux Hollandais. Devenue colonie en 1831, elle connut une période troublée par les conflits entre planteurs et partisans du mouvement progressiste du docteur Jagan. Après lui avoir accordé l'autonomie, Londres déclara la Guyane indépendante (1966).

Guyanes.

GUYANE FRANÇAISE. *n. f.* ♦ Département français d'outre-mer (depuis 1946), sur la côte N.-E. de l'Amérique du Sud. Il s'étend sur le massif des Guyanes, entre le Surinam* et le Brésil ; ses frontières naturelles sont les rios Maroni* à l'O. et Oyapock* à l'E., la serra de Tumucumaque au sud. 91 000 km². 41 023 hab. en 1967 *(Guyanais). Ch.-l.* Cayenne*. *2 arrond.* Cayenne, Saint-Laurent-du-Maroni. *Langue off.* français (langues indiennes). La quasi-totalité du pays, soumise à un climat équatorial, est couverte d'une forêt dense peuplée d'Indiens semi-nomades. Le reste de la population vit sur la côte bordée de mangrove, où se trouvent les principales cultures (canne à sucre, bananes, riz, manioc, maïs, tabac). La pêche ne constitue qu'une faible ressource. La forêt est riche en bois tropicaux, mais reste inexploitée faute de main-d'œuvre. Il en est de même du sous-sol, en dépit d'importants gisements de bauxite dans la région de Kaw. Un centre spatial français (champ de tir de fusées et satellites) est installé depuis 1966 sur le littoral, entre les embouchures des fleuves Kourou* et Sinnamary*. ♦ *Hist.* La Guyane fut reconnue au déb. du XVIIᵉ s. et Cayenne fondée en 1637. Après plusieurs tentatives de colonisation française et hollandaise, une compagnie française s'y installa. Prise par les Anglais, puis par les Hollandais (traité de Breda, 1667), la Guyane fut reconquise par l'amiral d'Estrées. Les tentatives de colonisation et d'assainissement, au XVIIIᵉ s., se soldèrent par de terribles échecs et la mort des colons. Pendant la Révolution (1794-1805), la Guyane servit de lieu de déportation politique **(V. Sinnamary).** Collot d'Herbois, Billaud-Varenne, Tronson du Coudray, F. Barthélemy, y furent notamment exilés. Le rétablissement de l'esclavage (1804) fit fuir les Noirs. Après une période de souveraineté portugaise (1809-1814) et des contestations de frontières, une colonisation française fondée sur l'esclavage (plantations) fut ruinée par son abolition (1848-1849). Le bagne, institué en 1852, supprimé en 1945 **(V. Cayenne, Saint-Laurent-du-Maroni, Salut** [îles du]**),** donna à la colonie une sinistre réputation.

GUYANE HOLLANDAISE. ♦ **V.** Surinam.

GUYANES (les). *n. f. pl.* ♦ Région naturelle du N.-E. de l'Amérique du Sud limitée par l'Orénoque* à l'O., l'Atlantique au N., et l'Amazone* et ses derniers affluents de gauche à l'E. et au S. Elle s'étend sur l'E. du Venezuela (État de Bolívar et territoire d'Amazonas*), le N. du Brésil (territoire d'Amapá*), la Guyana* (ex-

Ph. Prato/Ricciarini

Guyane Britannique : la récolte du coprah.

Arch. Smeets

Constantin Guys : « Cavaliers ».
(Collection privée.)

Guyane britannique), le Surinam (ex-Guyane hollandaise) et la Guyane* française, sur une superficie de plus de 1 000 000 de km². Essentiellement formée par le *massif* ancien *des Guyanes,* dont les reliefs culminent à l'O. dans la sierra Pacaraima ou Roraima* (2 810 m), et couverte par de vastes zones forestières coupées de savanes, elle est bordée au N. par une plaine alluviale et marécageuse. Le climat et les cultures sont de type équatorial. Principale ressource minière : la bauxite, mais la plupart des ressources du sous-sol (or, pierres précieuses) restent inexploitées. ♦ *Hist.* Les côtes de la Guyane furent aperçues par Colomb en 1498. Cette région, habitée par des Indiens caraïbes, attira au XVIe s. des aventuriers de tous pays. Les Français, les Anglais et les Hollandais s'y intéressèrent et se partagèrent le territoire (1814). Les Français fondèrent Cayenne* en 1637. **V. Guyane française.**

GUYAU (Jean-Marie). ♦ Poète et philosophe français (Laval, 1854 — Menton, 1888). Il a cherché non dans une réalité transcendante, mais dans la spontanéité vitale, les racines et les principes de la morale, de l'esthétique et du sentiment religieux. (*Esquisse d'une morale sans obligation ni sanction,* 1884 ; *Les Problèmes de l'esthétique contemporaine,* 1884 ; *L'Irréligion de l'avenir,* 1887, etc.).

GUYE (Charles Eugène). ♦ Physicien suisse (Saint-Christophe, 1866 — Genève, 1942). Il montra avec Lavanchy (1916) que la masse totale d'un électron variait suivant la loi relativiste (augmentation de la masse avec la vitesse). **V. Lorentz.**

GUYENNE. *n. f.* ♦ Anc. province française qui se confondit avec l'Aquitaine* jusqu'au XIIIe s. Elle désigna alors les possessions françaises du roi d'Angleterre, après le traité de Paris (1259). Elle comprenait le Limousin, le Périgord, le Quercy, l'Agenois, une partie de la Saintonge, et la Gascogne. Définitivement reprise par la France en 1453 (bataille de Castillon), elle fut donnée en apanage par Louis XI à son frère Charles (1469), puis revint à la couronne. Elle forma, avec la Gascogne, la Saintonge, le Limousin et le Béarn, un grand gouvernement qui avait Bordeaux pour capitale.

GUYÉNOT (Émile). ♦ Biologiste français (Lons-le-Saunier, 1885 — Genève, 1963). Auteur d'ouvrages sur *L'Idée d'évolution* (1941), *L'Hérédité* (1943), etc., il a affirmé l'irréductibilité de la vie aux phénomènes physicochimiques (Acad. des sc., 1952).

GUYNEMER [gin(ə)mɛʀ] **(Georges Marie).** ♦ Officier aviateur français (Paris, 1894 — au-dessus de Poelkapelle, Belgique, 1917). Titulaire de 54 victoires, il commandait la célèbre escadrille des « Cigognes » lorsqu'il fut abattu. Héros légendaire de l'aviation française, sa devise « Faire face » a été adoptée par l'École de l'air.

GUYON (Jeanne-Marie BOUVIER de LA MOTTE, *madame*). ♦ Mystique française (Montargis, 1648 — Blois, 1717), mariée à Jacques Guyon du Chesnoy (1624). Veuve en 1676, elle répandit son mysticisme en Savoie (Gex, Thonon, Turin, Grenoble, Verceil : 1681-1686), puis à Paris. Après un premier internement en 1688, dû aux intrigues financières de l'archevêque de Paris, Harlay, elle rencontra Fénelon* qu'elle ouvrit au « pur amour » et avec qui elle exerça son influence sur les dames de Saint-Cyr. Mais, en 1693, tous deux perdirent la faveur de Mme de Maintenon et furent en butte à l'hostilité de Bossuet*. Mme Guyon vit ses œuvres condamnées en 1694 et 1695 (entretiens d'Issy) ; elle-même fut arrêtée (1695) et mise à la Bastille (1698-1703). Retirée à Blois, elle devint le centre d'un cercle quiétiste (catholiques et protestants). Son œuvre, très abondante, est restée en majeure partie manuscrite de son vivant : *Les Torrents spirituels* (écrit en 1682), vingt volumes de *Commentaires* mystiques sur la Bible (écrits en 1684), *Moyen court et très facile pour faire oraison* (publié en 1685), sa *Vie* (écrit en 1688).

GUYON (Félix). ♦ Chirurgien français (Saint-Denis, la Réunion, 1831 — Paris, 1920). Il fut, avec son élève Albarran*, le fondateur de l'urologie en France. (Acad. méd., 1878 ; Acad. sc., 1892.)

GUYOT (Arnold). ♦ Géographe américain d'origine suisse (1807 — 1884). Il fut un des fondateurs et théoriciens de la géographie humaine.

GUYOT (Yves). ♦ Économiste et homme politique français (Dinan, 1843 — Paris, 1928). Député de la Seine (1885) et ministre des Travaux publics (1889-1892), rédacteur au *Journal des économistes,* il fut un des représentants du libéralisme.

GUYOTVILLE. ♦ **V.** AÏN-BENIAM.

GUYS (Constantin). ♦ Dessinateur, aquarelliste et graveur français (Flessingue, 1805 — Paris, 1892). Engagé volontaire lors de la guerre d'Indépendance en Grèce, il envoya des croquis à l'*Illustrated London News* puis à l'*Univers illustré* ; il fut le témoin de la révolution de 1848, de la guerre de Crimée et fit paraître des illustrations de ses voyages en Espagne, Algérie, Égypte. Dans ses dessins à la plume ou au fusain rehaussés de lavis, il traitait des scènes de la vie militaire, parisienne et surtout galante. Il possédait un trait cursif et savait rendre les effets fugaces de lumière. L'essai de Baudelaire, *Le Peintre de la vie moderne,* témoigne de l'admiration que le poète lui portait.

GUYTON DE MORVEAU (Louis Bernard, *baron*). ♦ Magistrat et chimiste français (Dijon, 1736, — Paris, 1816). Avocat général au parlement de Dijon (1755), député à l'Assemblée législative puis à la Convention, il fut membre du Comité de salut public. Il réalisa la liquéfaction de l'ammoniac, fut le premier à avoir l'idée d'une réforme radicale de la nomenclature chimique qu'il établit avec Lavoisier*, Berthollet* et Fourcroy* (1787) et effectua des recherches sur les affinités.

Guzmán de Alfarache. ♦ Roman picaresque de Mateo Alemán*.

GWÂLIOR. ♦ Anc. cité-forteresse de l'Inde (Madhya Pradesh) à 100 km au S. d'Âgra, appartenant aux Mahrâta* qui la prirent aux Râjput*. Un énorme fort et des palais y furent élevés sur une falaise de plus de 100 m de hauteur. Une ville moderne, fondée v. 1800, se trouve au pied de cette forteresse **(V. Lashkar).**

GWANGJU [*Kwangju*]. ♦ V. de Corée du Sud, au S. de Séoul. 450 000 hab. Centre industriel, commercial (coton) et militaire. Nœud ferroviaire important. — Aux env., ruines d'une nécropole royale et temples bouddhiques anciens.

GY. ♦ Ch.-l. de cant. de la Haute-Saône, arr. de Vesoul. 1 096 hab. — Église du XVIIIe siècle. Fontaine (XVIIIe s.). Anc. maison des archevêques de Besançon. — Centre indus. et vinicole. Fromages.

GYANG-TSE [*Jiangzi*]. ♦ V. du Tibet (Chine) à env. 160 km au S.-O. de Lhasa* sur un petit affl. du Tsang-po. Env. 5 000 hab. Point de jonction important des caravanes en provenance du Sikkim*. Spécialité de vêtements de laine et de tapis.

GYEONG JU [*Kyŏngju*]. ♦ V. de Corée* du Sud, dans le S.-E. de la péninsule. 50 000 hab. Mines de charbon. — Nombreux vestiges de monuments et châteaux de l'époque de Silla (X[e]-XIVe s.), dont la ville était la capitale.

GYEONG-SEONG. ♦ **V.** SEOUL.

GYGÈS [*Gugês*]. ♦ Roi de Lydie* (~ 687 ? — ~ 648 ?), fondateur de la dynastie des Mermnades*. Sous son règne, la Lydie parvint à l'apogée de sa puissance. Il repoussa les Cimmériens, puis les Assyriens et s'empara de Colophon, mais il périt en combattant les Cimmériens. Selon la légende rapportée par la littérature grecque, il aurait déposé Candaule* et épousé sa femme dans des conditions romanesques (Hérodote) et aurait eu le pouvoir de devenir invisible, grâce à un anneau magique (Platon).

GYLIPPOS [*Gulippos*]. ♦ Général lacédémonien (seconde moitié du ~ Ve s.) qui défendit Syracuse* et fit échouer l'expédition de Sicile des Athéniens en ~ 413 **(V. Nicias).** Après la prise d'Athènes, accusé d'avoir dérobé une partie du butin destiné à Sparte, il dut s'exiler.

GYLLENBORG (Gustaf Fredrik). ♦ Poète suédois (Strömsbro, 1731 — Stockholm, 1808). Influencé par Boileau, il écrivit des satires et des poèmes d'esprit stoïcien, tels que le *Contempteur du monde* (1754). Il laissa aussi d'excellentes adaptations suédoises des *Fables* de La Fontaine.

GYÖR. ♦ V. de Hongrie, ch.-l. du comitat de Györ-Sopron, située à l'O. du pays, sur un bras du Danube à la confluence du Raab. 72 000 hab. — Église des Carmélites, de style baroque. Cathédrale fondée au XIIe s., remaniée plusieurs fois ; palais épiscopal du XVIe siècle. Nombreux bâtiments de style baroque. — Indus. mécaniques. Constructions de wagons et ponts de fer. ♦ *Hist.* À l'emplacement de Györ, existait au ~ Ve s., un établissement celte qui se développa sous les Romains *(Arrabona).* L'histoire de la ville fut mouvementée ; plusieurs guerres et sièges s'y succédèrent.

GYROWETZ (Adalbert). ♦ Compositeur austro-tchèque (Budejovice, 1763 — Vienne, 1850). Maître de chapelle à la cour de Vienne, il fréquenta Haydn et Mozart. Son œuvre, très abondante (symphonies, ballets, lieder), comporte aussi des pièces de musique religieuse et de la musique de chambre (quatuors à cordes). Ses opéras *(Agnès Sorel, L'Épreuve)* connurent le succès en Europe.

GYTHION, en gr. **Guthêion.** ♦ V. et port de Grèce (Péloponnèse) sur le golfe de Laconie. 7 000 hab. Elle était le port de Sparte.

GYULAI (Ferencz, *comte de* **Maros-Németh** *et* **Nádaska).** ♦ Général hongrois (Pest, 1798 — Vienne, 1868). Ministre de la Guerre, commandant en chef l'armée d'Italie en 1859, il fut destitué de son commandement après la défaite de son armée devant les Français à Magenta*.

Arch. Smeets

Haarlem : « Le Grand Marché », par Gerrit Berckheyde. (Musée Frans Hals, Haarlem.)

HAAKON ou **HAKON** ou **HAKAN**. ♦ Nom de plusieurs souverains norvégiens. ♦ HAAKON Ier *le Bon* (v. 920 – Fitje, v. 961). Roi de Norvège (v. 935-961). Il prit le trône à son demi-frère Érik mais fut tué par les partisans de ce dernier. ♦ HAAKON IV HAAKONARSSON *l'Ancien* (près de Skarpsborg, 1204 – Kirkwall, Orcades, 1263). Roi de Norvège (1217-1263). Il réunit l'Islande et le Groenland à la Norvège (1262). Il a inspiré à Ibsen *Les Prétendants à la couronne.* ♦ HAAKON V MAGNUSSON (1270 – 1319). Roi de Norvège (1299-1319). Il lutta contre les grands féodaux, et à l'extérieur, contre le Danemark et la Suède. Il établit sa capitale à Oslo. ♦ HAAKON VI MAGNUSSON (1340 – 1380). Roi de Norvège (1343-1380), fils de Magnus* VII. En épousant Marguerite*, fille du roi du Danemark Valdemar IV, il fit quelque temps l'union de la Suède, de la Norvège et du Danemark (1363). Il fut obligé de donner la Suède, qu'il gouvernait avec son père, à Albert de Mecklembourg. – Sa femme, qui devint régente de Norvège à sa mort, reprit sa politique d'unification des trois pays scandinaves.

HAAKON VII. ♦ (Charlottenlund, Danemark, 1872 – Oslo, 1957). Roi de Norvège (1905-1957). Fils de Frédéric VIII de Danemark, il fut élu roi de Norvège* après la séparation d'avec la Suède. Il s'exila en Angleterre de 1940 à 1945.

HAANPÄÄ (Pentti). ♦ Nouvelliste et romancier finnois (Piippola, 1905 – *id.*, 1955). Il était fils d'un cultivateur aisé, alors qu'une légende tenace en fait un vagabond presque analphabète. Il étudia par correspondance, lut Joyce* dans l'original et adapta deux de ses nouvelles en finnois dans *Le Bonheur amer de la vie humaine* (1939). Mais il ne quitta jamais sa région natale, dont il décrit les gens simples dans de courts récits. On le considéra comme communiste à cause d'un recueil antimilitariste *Le Champ de manœuvres et la caserne* (1928), et plusieurs de ses ouvrages furent refusés par les éditeurs et publiés à titre posthume. C'est le cas des romans *Le Cercle magique* et *Le Cas de l'adjudant Sato* (*Œuvres*, 1956-1958). Haanpää oppose un humour amer à l'absurdité de la vie et satirise les classes supérieures dans les nouvelles *La Caravane* (1930), *Iisakki le Taciturne* (1955) et le roman *La Farine* (1949).

HAARLEM. ♦ V. des Pays-Bas, ch.-l. de la Hollande-Septentrionale, sur la Spaarne reliée au canal de la mer du Nord, à l'O. d'Amsterdam. 262 330 hab. – Centrée sur le *Grote Markt* (cathédrale Saint-Bavon, gothique; *Vleeshal* de style Renaissance, *Stadhuis* du XVIe s.), la ville, proche d'Amsterdam, est résidentielle et élégante. Musées Teyler et Frans Hals. La proximité d'Ijmuiden et d'Amsterdam a permis le développement d'industries métallurgiques, mécaniques, chimiques, textiles, alimentaires (chocolat) et de chantiers de construction navale. Au S. de la ville s'étendent les champs de fleurs (tulipes et jacinthes) : Haarlem expédie des fleurs et des oignons de fleurs dans le monde entier. – Ruysdael* et Frans Hals* y vécurent. ♦ *Hist.* Fondée au IXe s., Haarlem fut fortifiée au XIIe s. et devint la résidence des comtes de Hollande. C'était un grand centre commercial (draperies). Assiégée par don Federico, fils du duc d'Albe, de 1572 à 1573, la ville fut décimée. Les protestants français émigrés contribuèrent à la reconstruction et à son développement commercial et culturel. Le XVIIe s. fut son siècle d'or et c'est vers 1636 que la « tulipomanie » y prit naissance.

HAARLEMMERMEER. *n. m.* ♦ Polder occupant l'emplacement de l'anc. mer de Haarlem (long. 24 km, larg. 11 km) asséchée en 1840-1843. 45 100 hab. La princ. aggl. est Hoofddorp.

HAAS (Joseph). ♦ Compositeur allemand (Maihingen, 1879 – Munich, 1960). Professeur à l'*Akademie der Tonkunst* de Munich. il a exercé un grand rôle par son enseignement. Il fut, avec Hindemith*, l'un des maîtres de la musique allemande contemporaine. On lui doit de nombreuses pièces de musique de chambre, pour piano, pour orgue, deux opéras, des oratorios, cantates et plus de deux cents lieder dont certains d'une fraîche poésie. Son écriture, tonale, utilise parfois une thématique d'inspiration populaire.

HAAVIKKO (Paavo Juhani). ♦ Poète, prosateur et auteur dramatique finnois (Helsinki, 1931 –). Il fut l'un des innovateurs de la poésie après 1950 avec Anhava* et Manner*. Son œuvre, d'accès difficile, combine les métaphores mentales et matérielles en une vue personnelle du monde. (Il définit le poème *Le Palais d'hiver* [1959] comme « un voyage à travers une langue inconnue ».) Après ses premiers recueils d'une inspiration individuelle, *Les Chemins vers le lointain* (1951), *Les Feuilles des feuilles* (1958), il multiplia les allusions à l'histoire et à la politique récentes dans *Les Arbres, toute leur verdure* (1966), *Quatorze Souverains* (1970), œuvres qui expriment une philosophie conservatrice de la vie.

HÁBA (Alois). ♦ Compositeur tchèque (Vizovice, Moravie, 1893). Promoteur d'un système original de composition par quarts de ton (puis, plus tard, par sixièmes et douzièmes de ton) qu'il appliqua dans des œuvres écrites pour des instruments spéciaux, il est l'auteur de trois opéras (dont *La Mère*, 1931), d'une dizaine de quatuors, de pièces pour piano, orgue, d'œuvres chorales et de lieder.

HABACUC. ♦ Prophète juif (*fin* ~ VIIe siècle ?).

Habacuc *(livre d')*. ♦ Livre biblique, un des douze petits prophètes (3 chapitres); rédigé en majeure partie pendant l'exil, entre ~ 597 et ~ 549.

HABBÂNIYYA *(lac d')*. n. m. ♦ Vaste cuvette d'eau douce située au S. de l'Euphrate*, en Iraq central. Aménagé pour détourner les eaux de crues du fleuve des terres cultivées, il sert de réservoir au barrage de Ramadi.

Habeas corpus Act. ♦ Bill voté en 1679 par le Parlement anglais, instituant officiellement les garanties de la liberté individuelle, déjà formulées dans la Pétition* des Droits (1628). Il devait limi-

Ph. Giraudon

Maison de **Habsbourg :** armoiries de Charles Quint. (Abbaye de la Bylocke, Gand.)

ter les arrestations et les détentions arbitraires.

HABENECK (François). ♦ Violoniste et chef d'orchestre français (Mézières, 1781 – Paris, 1849). Il assuma la direction de la *Société des concerts du Conservatoire* (1828) et fut aussi chef d'orchestre à l'Opéra de Paris. Ce fut lui qui révéla au public français les symphonies de Beethoven. Il a composé des œuvres pour le violon.

HABER (Fritz). ♦ Chimiste allemand (Breslau, 1868 – Bâle, 1934). Appliquant les principes de l'équilibre de la thermodynamique chimique **(V. Le Chatelier),** il mit au point le premier procédé de synthèse commerciale de l'ammoniac à partir d'azote et d'hydrogène **(V. Bosch)**; il introduisit également, avec M. Born*, le concept de cycle thermodynamique, très utile pour l'étude des composés ioniques [1919]. (Prix Nobel de chimie, 1918.)

HABSBOURG *(maison de).* ♦ Dynastie qui régna sur l'Autriche de 1278 à 1918. Elle tire son nom du château d'Habichtsburg (par corruption, *Habsbourg*) construit vers 1020 en Suisse (canton d'Argovie). Albert le Riche (XIIe s.) reçut de Frédéric Barberousse le landgraviat d'Alsace et le comté de Zurich. La famille accéda à l'Empire avec Rodolphe* Ier en 1273 et acquit en 1278 les duchés d'Autriche, de Styrie et de Carniole. Les *Habsbourg* acquirent ensuite la Carinthie (1335), le Tyrol (1363) et, sous Léopold* III, Fribourg (1368), Trieste (1382), le Vorarlberg, mais ils furent affaiblis lors des guerres soutenues contre les montagnards suisses de la fin du XIIIe s. à la fin du XVe s. **(V. Suisse)** et par les divers partages successoraux (1379, 1406 et 1411). Les domaines des *Habsbourg* ne furent réunis sous une seule autorité qu'en 1490 par l'empereur Frédéric* III. La maison de *Habsbourg* donna à l'Allemagne les empereurs Albert* II, Frédéric III (1440-1493) et sauf une exception (de 1740 à 1745), tous les empereurs allemands furent choisis dans la famille jusqu'en 1806, fin du Saint Empire. Les *Habsbourg* augmentèrent leur puissance par leur politique de mariages (*Bella gerant alii, tu, felix Austria, nube :* « Que les autres fassent la guerre, toi, heureuse Autriche, tu te maries ») : mariage de Maximilien* Ier avec Marie* de Bourgogne (1482); mariage de Philippe* le Beau avec Jeanne* la Folle, héritière de l'Aragon et de la Castille (1496) qui lui apporta l'Espagne et Naples (1506-1516); mariage de Ferdinand* Ier avec Anne qui lui apporta la Bohême et une partie de la Hongrie (1526). L'apogée de la maison de *Habsbourg* eut lieu sous Charles* Quint, mais ce dernier donna ses États autrichiens à son frère Ferdinand Ier, ce qui eut pour conséquence la naissance de la ligne espagnole (Espagne et Pays-Bas) qui continua avec Philippe* II, fils de Charles Quint, et s'éteignit en 1700; et d'une ligne autrichienne qui se partagea en trois à la mort de Ferdinand Ier (1564). La ligne autrichienne s'éteignit en 1619 avec l'empereur Mathias* II; la ligne styrienne donna l'empereur Ferdinand* II à l'Allemagne et hérita des possessions de la ligne tyrolienne en 1665. Les *Habsbourg* de Vienne acquirent l'héritage des Pays-Bas, du Milanais, de la Sicile et de Naples en 1700 et, par victoire sur les Turcs, la Hongrie entière (1699). Ils perdirent la Sardaigne (1720), Naples (1735) et la Sicile (1738). La nouvelle dynastie de *Habsbourg-Lorraine* fut fondée par le mariage de Marie*-Thérèse avec le duc François de Lorraine (1736). En 1804, les *Habsbourg* prirent le titre d'empereur d'Autriche et en 1867 le titre de roi de Hongrie qui consacrait la monarchie double. Au XIXe s., ils durent se retirer d'Italie (1859-1866) puis d'Allemagne (1866). Le dernier empereur Charles* Ier abdiqua en 1918.

HABSHEIM. ♦ Ch.-l. de cant. du Haut-Rhin, arr. de Mulhouse. 2 207 hab. Hôtel de ville construit en 1578. Bonneterie.

HACELDAMA, en hébr. *champ du sang.* ♦ Dans l'Évangile, champ acheté avec les trente deniers que Judas rendit aux Juifs après le crucifiement de Jésus-Christ. Depuis le IVe s., on le situe dans la vallée de Gê-Hinnom (Géhenne).

HÂCHÉMITES ou **HÂSHIMITES.** *n. m. pl.* ♦ Famille Qurayshite* qui serait descendante de Hâshim ibn 'Abd Manaf (considéré comme l'aïeul du prophète Mahomet*) et qui, depuis le XIe s., a fourni les chérifs héréditaires de La Mecque, gardiens des Lieux saints de l'islâm. Au début du XXe s., Husayn* ibn 'Ali, qui devint roi du Hedjaz en 1916, fut l'instigateur du mouvement nationaliste panarabe, soutenu par la Grande-Bretagne; ses deux fils, Faysâl* Ier et 'Abd* Allâh (Abdullâh), fondèrent respectivement les monarchies hachémites d'Iraq* (1921-1958) et de Jordanie*.

HACHETTE (Jeanne LAISNÉ, dite **Jeanne).** ♦ Héroïne française (v. 1454 – [morte] Beauvais?). Elle prit la tête de la défense de Beauvais assiégé par Charles* le Téméraire qu'elle força à la retraite (1472).

HACHETTE (Jean Nicolas Pierre). ♦ Mathématicien français (Mézières, 1769 – Paris, 1834). Auteur de travaux de géométrie analytique avec Monge*, notamment sur la tranformation des coordonnées et la classification des quadriques (*Application de l'algèbre à la géométrie,* 1802), il fut son adjoint pour la géométrie descriptive à l'ouverture de l'École polytechnique. (Acad. sc., 1831.)

HACHIMAN. ♦ Au Japon, divinité shintô de la guerre et patron protecteur de la famille des Minamoto*. Il serait une divinisation de l'empereur Ôjin (IIIe siècle).

HACHINOHE ou **HACHINOE.** ♦ V. du Japon (Honshû), préf. de Aomori, grand port de pêche sur la côte du Pacifique. 220 000 hab. – Indus. textiles et chimiques, cimenteries.

HACHIÔJI. ♦ V. du Japon à 40 km à l'O. de Tôkyô. 250 000 hab. – Important aérodrome militaire. Indus. textiles et chimiques.

HACKS (Peter). ♦ Auteur dramatique allemand (Munich, 1928). Disciple de Brecht*, moins dans le didactisme que dans l'intention de divertir. Œuvre princ. : *La Bataille de Lobositz* (*Die Schacht bei Lobositz,* 1956).

HADAD. ♦ Dieu de l'orage chez les Sémites occidentaux, correspondant à l'Adad* mésopotamien.

HADAMARD (Jacques). ♦ Mathématicien français (Versailles, 1865 – Paris, 1963). Auteur de travaux sur les nombres premiers, la théorie des ensembles **(V.** *aussi* **Cantor),** les fonctions de variables complexes pour lesquelles il précisa les notions de genre et d'ordre de la fonction entière, les équations aux dérivées partielles (dont notamment une étude du problème de Dirichlet*), il s'intéressa particulièrement à l'analyse fonctionnelle **(V.** *aussi* **Volterra)** et à l'analyse générale. (Acad. sc., 1912.)

HADDA. ♦ Site de l'Afghânistân* où furent retrouvées les ruines de temples et monuments bouddhiques du ~ IIe au IVe siècle. Le site vit les débuts de l'art bouddhique du Gandhâra*.

HADDINGTON. ♦ V. d'Écosse et ch.-l. du comté d'East* Lothian, sur la r. g. de la Tyne, à l'E. d'Édimbourg. 5 505 hab. Abbatiale de style gothique décoré (XIIIe-XIVe s.), demeure du XVIIe siècle. - Patrie de John Knox*.

HADDON (Alfred Cort). ♦ Anthropologue anglais (Londres, 1855 – Cambridge, 1940). Après s'être consacré à la zoologie et l'embryologie (*Introduction to the Study of Embryology,* 1887), il se tourna vers l'anthropologie et dirigea deux expéditions en Indonésie et en Mélanésie (1899).

HADERSLEV. ♦ V. du Danemark, au S.-E. du Jutland*, au fond du *Haderslevfjord.* 19 400 hab. Ch.-l. du dép. homonyme. – Évêché. Cathédrale Notre-Dame (*déb.* XIVe siècle). – Minoteries. – Patrie de Frédéric* II, Frédéric* III, J. Friksen.

HADÈS, en gr. **Haidês** (« l'Invisible »). ♦ Dieu grec des morts, fils de Cronos* et de Rhéa*. L'un des trois maîtres de l'univers; après la défaite des Titans, il règne aux Enfers, comme Zeus* régnait au Ciel et Poséidon* sur la Mer. Son casque, don des Cyclopes*, le rendait invisible. Ayant enlevé Perséphone*, la fille de Déméter*, il n'en eut pas de progéniture. Héraclès* le blessa pour avoir accès aux Enfers. On lui donnait souvent le surnom de *Plouton* (le « Donneur des richesses ») et on le représentait tenant la corne de l'abondance.

Hadîth. *n. m.,* en ar. « conversation » ou « récit ». ♦ Informations rapportées par un grand nombre de chaînes orales relatant les actes et les paroles de Mahomet* et de ses compagnons. Pour les musulmans, *al-hadîth* fait autorité juste après le Coran*. Des recueils rassemblant ces traditions furent constituées, les plus réputés étant ceux de Muslim ibn al-Hajjaj (v. 820-875) et d'al-Bukhârî (810-870).

HADJOUT, anc. **Marengo.** ♦ Comm. d'Algérie (dép. d'Alger), sur la bordure occidentale de la Mitidja*, au pied du massif de Miliana*. 17 600 hab. Centre commercial et agricole.

HADLEY (John). ♦ Mécanicien et astronome anglais (dans le Hertfordshire, 1682 – East Barnet, Hertfordshire, 1744). Après avoir, le premier après Newton*, réalisé un télescope grégorien **(V. Gregory)** [1720], il réalisa en 1731 l'*octant,* dispositif imaginé par Newton et qui est à l'origine du sextant de marine.

HADLEY (Henry). ♦ Compositeur américain (Sommerville, 1871 – New York, 1937). Dans un style post-wagnérien, il a écrit des opéras, des symphonies, des ouvertures. On lui doit aussi des opérettes, de la musique chorale, de chambre et de films.

HADRAMAOUT. *n. m.* ♦ Région montagneuse du Yémen* du Sud, comprise entre le désert du Rub* al Khali et la mer (golfe d'Aden et mer d'Oman), dont elle n'est séparée que par une étroite plaine côtière. Cette région culmine dans le Chukra* et est arrosée par le *wadi Hadramaout,* qui se perd dans les sables. Cultures dans sa vallée et dans les oasis qui bordent la plaine littorale. Pêche (sardine).

HADRIEN ou **ADRIEN,** en lat. **Publius Aelius Hadrianus.** ♦ (Italica, Bétique, 76 – Baïes, 138). Empereur romain (117 – 138), fils adoptif de Trajan* dont il épousa la petite-nièce, Sabine. Il était légat en Syrie lorsque l'armée l'appela pour succéder à Trajan. Associant à une volonté tyrannique le désir du bien de l'État et le souci de vivre en aristocrate cultivé, il remplaça la politique offensive de son prédécesseur par une politique défensive, limitant l'Empire à ses frontières stratégiques et abandonnant les conquêtes de Trajan au delà de l'Euphrate pour ne garder que l'Arabie et la Dacie. Il renforça les défenses du *limes* germanique et fit construire en Grande-Bretagne, de l'embouchure de la Tyne au golfe du Solway, le *mur d'Hadrien* ou mur des Pictes* (122), destiné à repousser les invasions. Il eut cependant à affronter les Juifs qui se soulevèrent à la suite de la fondation d'une colonie militaire à Jérusalem qui prit le nom d'Aelia Capitolana ; mais les juifs furent vaincus et la paix rétablie en 135. Il organisa de manière durable l'administration impériale, partagea l'Italie en quatre districts confiés à quatre consulaires (ex-consuls), ce qui enlevait au Sénat l'administration de l'Italie, et codifia le droit en un édit perpétuel, rédigé par le jurisconsulte Salvien*. Grand voyageur, il inspecta toutes les provinces (de 121 à 125, de 128 à 134), accompagné jusqu'en 122 de son favori Antinoüs*. Il fit construire dans son domaine *(Villa Adriana)* de Tibur les reproductions des monuments qu'il avait admirés au cours de ses voyages et fit exécuter par ses sculpteurs grecs des répliques des originaux de la belle époque athénienne. Les ruines de la villa d'Hadrien constituent l'un des vestiges les plus émouvants de l'art romain. Épris de littérature, de science, d'art et de philosophie, il favorisa une réaction classique d'inspiration hellénique, et fit élever à Rome le mausolée impérial, *Moles Adriani,* devenu le château Saint-Ange.

HADRUMÈTE ou **ADRUMÈTE,** en lat. **Hadrumetum,** auj. **Sousse*** (Tunisie). ♦ V. et port de l'Afrique anc., au S.-E. de Carthage. Fondée par les Phéniciens, elle devint cité romaine au ~IIe s. et colonie sous Hadrien* puis capitale du Byzacène **(V. Afrique).** Elle fut détruite par les Vandales en 434.

HADUR NABI SHU 'AYB *(djebel).* n. m. ♦ Massif montagneux du Yémen du Nord, à l'O. de Sanaa*. Point culminant du Moyen-Orient. 3 770 mètres.

Arch. Smeets

Hadrien. Marbre.
(Musée national romain, Rome.)

HAECKEL (Ernst). ♦ Naturaliste allemand (Potsdam, 1834 – Iéna, 1919). Professeur de zoologie à Iéna (1865), où il eut Dohrn* et W. Roux* pour élèves, il fut un partisan convaincu du transformisme de Darwin. Affirmant le parallélisme entre l'ontogenèse et la Phylogenèse (loi biogénétique fondamentale, **V. Baer** [*von*] et **F. Müller,** reprise par S. Ferenczi*), il tenta de retracer les étapes de l'évolution depuis les formes élémentaires de la vie apparues, selon lui, par génération spontanée. Il fit d'importants travaux sur les unicellulaires végétaux et animaux (qu'il réunit pour en faire le règne des *protistes*). Cherchant à appliquer les thèses transformistes au problème de l'origine de l'homme, il émit l'hypothèse (confirmée par la découverte d'E. Dubois) d'une forme intermédiaire, nommée par lui *Pithécanthrope,* entre les singes anthropoïdes et l'espèce humaine. Mêlant souvent à ses recherches scientifiques des spéculations purement théoriques, il formula un monisme naturaliste qui prit de plus en plus la forme d'une philosophie animiste. (*Histoire de la création des êtres organisés d'après les lois naturelles,* 1868 ; *L'Anthropogénie,* 1874 ; *Les Merveilles de la vie,* 1904.)

HAELEN, en néerl. **Halen.** ♦ V. de Belgique (Limbourg, arr. de Hasselt) sur la Grande Gette. 5 400 hab. – Église du XVe siècle. – Matériaux de construction. Commerce du bois. ♦ *Hist.* 3 000 soldats belges y soutinrent contre les Allemands un combat victorieux en 1941.

HAELTERT, en néerl. **Haaltert.** ♦ V. de Belgique (Flandre-Orientale, arr. d'Alost). 6 900 hab. Marché agricole. Indus. textile (coton).

HAENDEL (Georg Friedrich). ♦ Compositeur allemand naturalisé anglais (Halle, 1685 – Londres, 1759). Fils d'un barbier chirurgien du prince de Saxe, il fut l'élève de Zachow qui lui donna une solide connaissance de l'écriture polyphonique. Il la perfectionna par la pratique de l'orgue. Interrompant ses études de droit, il se rendit à Hambourg (1703), où il fit représenter ses premiers opéras italiens (*Almira,* 1705). Leur succès lui assura la protection de Giovanni Gaston de Médicis. Il partit alors pour l'Italie où il rencontra Corelli, A. et D. Scarlatti (1706). Le triomphe de son opéra *Agrippina* (Venise, 1709), sa réputation de virtuose à l'orgue et au clavecin, la qualité de ses nouvelles compositions (cantates, oratorios) lui valurent la gloire. Il quitta cependant l'Italie pour revenir à Hanovre où il fut nommé maître de chapelle de l'Électeur (1710). Presque aussitôt, il demanda un congé pour se rendre à Londres où l'élite de la société intellectuelle (Pope, Swift) lui fit fête. Désormais, à l'exception de courts séjours à l'étranger, il ne devait plus quitter l'Angleterre, pays auquel il allait marquer son attachement en prenant la nationalité anglaise (1726). L'immense succès de son opéra *Rinaldo* (1711) fut suivi d'un nouveau triomphe, celui de son *Te Deum,* composé pour célébrer la paix d'Utrecht (1713). Considéré comme un nouveau Purcell, il rentra en grâce auprès de l'Électeur de Hanovre, devenu roi d'Angleterre sous le nom de George Ier, en lui dédiant la célèbre *Water Music* (1716). Nommé maître de chapelle du duc de Chamdos (1718-1721), il composa, durant ces années fécondes, les *Anthems Chamdos,* grands motets pour soli, chœur, orgue et orchestre ; les *Chamdos Te Deum ; Acis et Galathée,* pastorale ; *Esther,* oratorio et huit suites pour le clavecin. En 1719, fut fondée la *Royal Academy of Music,* dont Haendel prit la direction musicale et pour laquelle il composa une quinzaine d'opéras dans le goût italien (*Floridante,* 1721 ; *Ottone,* 1723 ; *Julio Cesare,* 1724 ; *Rodelinde,* 1725 ; *Scipione,* 1726 ; *Admeto,* 1727 ; *Siroe,* 1728). Ces ouvrages connurent le succès, non seulement à Londres, mais aussi sur les principales scènes d'Europe. Cependant, les intrigues de son rival Bononcini, le triomphe du *Beggar's opera,* de Gay et Pepusch (1728), de forme et d'esprit entièrement anglais, aboutirent à la dissolution de l'*Academy of Music* (1728). Lutteur infatigable, Haendel créa une seconde, puis une troisième compagnie, écrivant sans relâche de nouvelles œuvres lyriques (*Lotario,* 1729 ; *Partenope,* 1730 ; *Alessandro Nell'Indie,* 1731 ; *Orlando,* 1733) et s'opposant à la concurrence de deux nouveaux venus, Porpora, puis Hasse. C'est aussi durant cette période d'intense activité qu'il composa presque toute sa musique instrumentale (douze sonates pour violon et basse ; treize sonates pour deux violons et basse ; six concerti grossi ; vingt concertos d'orgue), ainsi que son premier oratorio anglais, *Deborah* (1733). Les autorités religieuses ayant interdit de porter à la scène des sujets bibliques, Haendel décida d'abandonner définitivement l'opéra pour se consacrer presque exclusivement à l'oratorio (1740). À cette dernière période appartiennent *Saül* (1739), *Le Messie** (1742), son chef-d'œuvre, *Samson* (1742), *Judas Macchabée* (1746), *Josué* (1747), *Salomon* (1748), *Jephta* (1751), ouvrages célèbres dont certains comme *Heraklès* (1747) n'ont aucun caractère religieux. Bien que sa vue faiblît à partir de 1751, il n'en continua pas moins à composer (*The Triumph of Time and Truth,* 1757) et à tenir la partie d'orgue lors de l'exécution de ses œuvres. Il mourut aveugle et fut inhumé dans l'abbaye de Westminster. – Marqué par l'influence des Italiens (Scarlatti, Corelli), des Français (Lully, Rameau, Lalande), des Allemands (Buxtehude), il assimila également la musique anglaise de théâtre et d'église (Purcell). Dans ses quarante opéras, genre qu'il ne parvint pas à faire adopter par le public anglais, il a recours aux conventions italiennes, mettant en valeur la virtuosité vocale des

Ph. Gino Begotti/Ricciarini

G.F. Haendel. (Collection Bertarelli, Milan.)

interprètes et utilisant des ornements à fonction expressive. Il excelle surtout dans le récitatif, d'une grande intensité dramatique. Ses thèmes historiques sont traités de façon très différenciée : tragique, burlesque, merveilleux, héroïque. Ses vingt-huit oratorios offrent la même variété que ses opéras. Traités dans un esprit théâtral, plusieurs appartiennent au genre de l' « épopée dramatique ». Animés d'un souffle épique, les chœurs sont intimement liés à l'action. Sa musique instrumentale se caractérise par un aspect improvisé. Les dix-huit concerti grossi sont parmi les plus beaux concerti baroques par la richesse de leur instrumentation. — Personnalité impérieuse et passionnée, possédant un incomparable don mélodique, maître du contrepoint et de l'harmonie, ouvert à tous les styles, Haendel a contribué au développement de l'expressivité musicale et préparé la venue des grands maîtres viennois (Haydn, Mozart, Beethoven).

HA-ÊRH-PIN [*Haerbin, Harbin*], en russe **Kharbin**, en chinois **Pin-chiang** [*Binjiang, Pin-Kiang*]. ♦ V. de la Manchourie chinoise, cap. de la prov. chinoise de Hei*-lung chiang («Dragon noir », nom chinois du fleuve Amour*). 1 552 000 hab. (1957). — La ville prit un rapide développement grâce à ses industries (métallurgie, constructions mécaniques, appareillage électrique, indus. alimentaires). Cet essor fut favorisé par la présence, dans la province, de gisements de charbon, pétrole, fer, cuivre, plomb, tungstène, etc. ♦ *Hist.* Elle fut le berceau de la dynastie manchoue des Ch'ing* qui régna sur la Chine de 1644 à 1912.

HAFIDH IBRAHÎM (Muhammad). ♦ Poète égyptien (Dayrut, 1872 — Le Caire, 1932). Il introduisit des thèmes politiques et sociaux dans sa poésie qui reste de facture classique.

HÂFIZ (Shams al-Dîn Muhammad). ♦ Le plus grand poète lyrique persan (Chirâz, v. 1320 — *id.*, v. 1389). En dehors de brefs séjours à Yezd et à Ispahan, il ne quitta jamais sa ville natale, malgré les offres des princes iraniens des diverses régions. Après de brillantes études en théologie et en langue et littérature arabes, il enseigna ces matières ainsi que l'exégèse coranique (d'où son nom littéraire : *Hâfiz* « celui qui connaît par cœur le Coran ») dans une madarsa à Chirâz. Il n'acquit la gloire littéraire qu'après avoir rassemblé ses poésies en un *Divan* (1368). Hâfiz s'inspira de l'habituelle thématique de la poésie persane, tout en renouvelant tous les genres. Il habilla le panégyrique, qui occupe une place restreinte dans son divan, d'une forme lyrique inconnue jusqu'à lui. Il perfectionna le *ghazal* (poèmes d'amour) en unissant l'expression et la pensée par un équilibre savant entre le rythme musical et la profusion des images. Une partie de sa poésie s'enveloppe de mystère en raison d'une symbolique profonde et ésotérique. Dans son œuvre, les poèmes littéralement bachiques côtoient ceux qui dégagent l'ambiguïté propre au genre mystique. Aussi, malgré la précision et la simplicité de la langue, sa poésie suscite-t-elle de multiples interprétations s'appuyant sur la richesse des nuances et l'exubérance des images. Hâfiz est toujours populaire en Iran et son tombeau, aux portes de Chirâz, est encore un lieu de pèlerinage.

HÂFIZ (Mûlây). ♦ (Fès, 1875 — Enghien-les-Bains, 1937). Sultan du Maroc (1907-1912). Traditionaliste, il se révolta contre son frère Abd-al-'Azîz. Ce dernier se plaça sous la protection de la France, après l'intervention de 1907, mais Mûlây Hâfiz fut proclamé sultan à Marrakech. Il fut reconnu au déb. de 1909 et régna jusqu'en 1912, date où il dut abdiquer en faveur de son frère Yûsuf.

HAFSIDES. *n. m. pl.* ♦ Dynastie maghrébine qui régna sur la Tunisie (1228-1574). Descendant d'Abû Hafs 'Umar, lieutenant de l'Almohade Abd* al-Mûmin, les Hafsides assurèrent, dans l'Empire almohade, le gouvernement de l'*Ifriqiyyâ* **(V. Almohades).** Profitant de la décadence des Almohades (défaite contre les Espagnols à Las Navas de Tolosa, juillet 1212), Abû Zakariyâ Yahyâ se déclara indépendant (Tunis, 1228). Son fils, al-Mustansir (1249-1279), qui s'attribua le titre d'« émir des croyants » et qui fut même reconnu comme calife en Orient (1259-1261), était le prince musulman le plus puissant de son époque. Possédant un royaume économiquement prospère, il signa des traités avec les puissances chrétiennes (Venise, Pise, Gênes). Au XIVᵉ s., la dynastie faillit périr à la suite d'incessants désordres. Sous Abû Fâris (1394-1434), qui continua l'œuvre de restauration de son père, les Hafsides connurent une période brillante. Ils s'effondrèrent quand le Turc Khayr al Dîn (Barberousse) s'empara de Tunis (1534). Rétablis par Charles Quint (1535), ils furent définitivement vaincus par les Turcs (prise de Tunis, 1574).

Haganah. *n. f.* (hébr. « défense »). ♦ Organisation juive d'autodéfense, fondée à l'époque du mandat britannique pour assurer l'implantation et la défense des colonies juives de Palestine contre la population arabe. Tolérée, mais non officiellement reconnue par le gouvernement britannique, la Haganah acquit rapidement l'expérience de la lutte; certains de ses membres furent même entraînés (en 1937) par un capitaine britannique. À l'époque du 3ᵉ livre blanc, limitant l'immigration juive en Palestine (1939), l'administration britannique arrêta et jugea plusieurs militants de la Haganah. Beaucoup, pourtant, s'engagèrent aux côtés de l'armée britannique contre les forces de l'Axe pendant la Deuxième Guerre mondiale; certains constituèrent même un groupe de combattants de choc (le Palmach). En 1945, la politique britannique n'ayant pas varié sur la question de l'immigration juive, la Haganah qui, jusqu'alors avait condamné l'action des groupes terroristes extrémistes (Irgoun*, Stern*), prit part également à la lutte pour l'indépendance contre la puissance mandataire. Avec ses 60 000 volontaires environ (1945), elle fournit les cadres de l'armée de défense d'Israël après la proclamation de l'Indépendance (mai 1948).

HAGEDORN (Friedrich *von*). ♦ Poète allemand (1708 — 1754). Influencées par Anacréon, Horace et La Fontaine, ses poésies sont considérées comme l'incarnation du style rococo, « style artificiel, d'une légèreté convenue [...], style badin, quelquefois leste, toujours riche en métaphores bucoliques » (P. Grappin). *Fables et Contes* (1738).

Hagen. ♦ Héros de la mythologie allemande. Fidèle vassal de Brünhild*, il tue Siegfried* traîtreusement au cours d'une partie de chasse. **V. Nibelungen** *(Chanson des)*. Il correspond au Guttorm scandinave **(V. Völsunga saga).**

HAGEN (Etienne *van der*). ♦ Navigateur hollandais de la fin du XVIᵉ s., déb. du XVIIᵉ siècle. Envoyé aux Indes orientales, il explora les îles de la Sonde, l'île d'Amboine (archipel des Moluques), les mers de Chine (1599-1600). Lors d'une deuxième expédition, il battit les Portugais à Calicut (1603) et contribua au développement du commerce hollandais aux Indes.

HAGENBACH (Peter, *sire de*). ♦ (mort à Brisach, 1474). Charles le Téméraire le nomma en 1469 bailli de Haute-Alsace et de Brisgau, mais il se fit détester et fut décapité au cours d'une révolte. Le Téméraire chercha à venger sa mort, mais il se heurta aux Suisses, à l'archiduc d'Autriche, et à Louis XI de France.

HAGER (Georg). ♦ Poète allemand du XVIᵉ siècle. Il fut l'un des derniers maîtres* chanteurs de l'école de Nuremberg où il réintroduisit la stricte observance des règles de composition, ce qui contribua à la sclérose et au déclin du *Meistergesang*.

HAGETMAU [aʒɛtmo]. ♦ Ch.-l. de cant. des Landes*, arr. de Mont*-de-Marsan. 3 758 hab. *(Hagetmautiens).* Belle crypte romane conservée de l'église St-Grons. — Sièges, conserves. — Patrie d'Antoine de Gramont*.

HAGONDANGE. ♦ Comm. de la Moselle, arr. de Metz-Campagne. 10 567 hab. — Important complexe sidérurgique; forges, hauts fourneaux. Cimenterie.

HAGUE (La). ♦ Cap du Cotentin*, au N.-O. de la presqu'île. Usine atomique (plutonium).

HAGUENAU. ♦ Sous-préf. du Bas-Rhin*, ch.-l. d'arr. (3 cant., 57 comm., 96 250 hab.) sur la Moder, au S. de la forêt de Haguenau. 24 379 hab. *(Haguenoviens).* Églises Saint-Georges (XIIᵉ-XIIIᵉ s.), Saint-Nicolas (XIIIᵉ s.); hôtel de la Douane (XVIᵉ s.). Musée. — Indus. textiles, constructions mécaniques, roulements à billes, matériel de construction. Indus. laitière. Centre commercial; aérodrome. Importante prison de femmes. ♦ *Hist.* Ville impériale en 1257, doyenne de la Décapole d'Alsace, ou Union des dix villes, à partir du XIVᵉ s., foyer de la Réforme au XVIᵉ siècle. Victoire des Français sur les Autrichiens et les Prussiens en 1793.

HAHN (Reynaldo). ♦ Compositeur français (Caracas, 1875 — Paris, 1947). Élève de Massenet, il fut l'ami de Sarah Bernhardt et de Marcel Proust. Il acquit la renommée par ses mélodies (*Chansons grises*, de Verlaine), ses ballets (*Le Bal de Béatrice d'Este*, 1909) et surtout ses opérettes (*Ciboulette*, 1923; *Brummel*, 1931; *Ô mon bel inconnu*, 1933; *Malvina*, 1935) remarquables de grâce mélodique et d'esprit. Il fut aussi l'auteur de plusieurs opéras (*La Carmélite*, 1902; *Le Marchand de Venise*, 1935) ainsi que de concertos et de pièces de musique de chambre. Critique musical, spécialiste de l'art du chant, il a laissé de pertinents ouvrages (*Du chant*, 1920; *L'Oreille au guet*, 1937).

HAHN (Otto). ♦ Physicien allemand (Francfort, 1879 – Göttingen, 1968). Il isola le radiothorium et le mésothorium (1905), le protactinium (avec L. Meitner*, 1918), découvrit le phénomène d'isomérie nucléaire. En 1939, il donna avec Strassmann* la théorie de la fission de l'uranium. **V. Bohr.** (Prix Nobel de chimie, 1945.)

HAHNEMANN (Christian Friedrich Samuel). ♦ Médecin allemand (Meissen, Saxe, 1755 – Paris, 1843). C'est à partir d'observations et d'expériences sur les effets du quinquina et autres produits sur l'organisme qu'il fonda l'homéopathie ou « traitement du semblable par le semblable » (*Mémoire sur l'empoisonnement par l'arsenic*, 1786; *Doctrine et traitement homéopathiques des maladies chroniques*, 1822).

HÂIBRIA. ♦ V. Apriès.

HAIDARÂBÂD [*Hyderâbâd, Haiderâbâd*]. ♦ V. de l'Inde, anc. cap. de l'État de ce nom, maintenant ch.-l. de l'Andhra Pradesh. 1 300 000 hab. Située sur un plateau à plus de 600 m d'alt., la ville est la plus grande agglomération du Dekkan intérieur, en raison de ses fonctions administratives et culturelles (université d'Osmania). L'industrie est concentrée dans les banlieues : aéronautique, machines-outils, équipement électronique, produits chimiques. ♦ *Hist.* La ville fut fondée en 1589 par Muhammad Qulî Qutb Shâh et fut prise par Aurangzeb* en 1687. Elle redevint indépendante de 1724 à 1768.

HAIDAR ALÎ KHÂN BAHÂDÛR. ♦ Râja du Mysore. État de l'Inde (1718 – 1782), qui régna à partir de 1761. Il s'allia avec les Français contre les Anglais à qui il infligea de nombreuses défaites avant d'être finalement vaincu en 1781. Son fils Tippu* sahib lui succéda et continua la lutte entreprise par son père.

HAÏFA ou **HAIFFA.** ♦ V. et port d'Israël, sur la Méditerranée, à l'embouchure du Kishon*, en Galilée. La ville, qui s'étage sur les flancs du mont Carmel*, épouse les contours du cap Carmel. Anc. village, Haïfa devint en 1939 le centre de l'immigration clandestine juive; c'est aujourd'hui la troisième ville du pays, et un ch.-l. de district. 214 500 hab. (1970). – Centre culturel (musées, université), commercial et industriel. Indus. de transformation (huileries, savonneries); indus. textiles, métallurgiques, mécaniques; usines d'engrais traitant les phosphates du Néguev*; raffineries de pétrole. Centre de recherche en informatique. Premier port d'Israël, construit en 1929, Haïfa traite plus de la moitié du trafic maritime du pays, et reçoit par oléoduc le pétrole d'Elath* ainsi que les pétroles irakiens **(V. Kirkûk).** Cependant, le port pétrolier est concurrencé par le nouveau port d'Ashdod*. La ville est desservie par l'autoroute Tel*-Aviv-Haïfa et la voie ferrée côtière en provenance du Liban. – *District de Haïfa* : 854 km². 450 000 hab. environ.

HAIG (Douglas, *1er comte*). ♦ Feld-maréchal britannique (Édimbourg, 1861 – Londres, 1928). En déc. 1915 il succéda à French* à la tête des forces britanniques en France. Il collabora avec Joffre lors de l'offensive sur la Somme* (juil. 1916), ne subit qu'à contrecœur, sur l'insistance de Lloyd George, l'autorité de Nivelle lors de l'offensive du printemps 1917 **(V. Artois, Chemin des Dames),** engagea la première grande bataille de chars (Cambrai, nov. 1917). Après avoir refusé longtemps l'unité de commandement, il accepta l'autorité de Foch à Doullens* et participa à ses côtés aux offensives victorieuses de l'été 1918.

HAI JUEI [*Hai Jouei, Hai Rui*]. ♦ Célèbre homme d'État chinois musulman (Hainan, 1513 – 1587) qui combattit les superstitions et défendit la cause des pauvres. Il mourut lui-même dans la misère, ayant distribué toutes ses richesses aux nécessiteux.

HAI-K'OU [*Hai-K'eou, Haikou*]. ♦ V. princ. de l'île de Hainan (Kuang-tung) sur la côte S. de la Chine. 150 000 hab. – Port important ouvert aux échanges extérieurs en 1876.

HAILÉ SÉLASSIÉ Ier. ♦ Nom de règne du *ras* Tafari Makkonen (Harar, 1892 – Addis-Abeba, 1975), empereur d'Éthiopie (1930). Fils du ras Makkonen, il fut désigné comme héritier et régent (1917) par l'impératrice Zaoditou, fille de Ménélik II. À ce titre, il fit rentrer l'Éthiopie à la S.D.N., abolit l'esclavage en 1924 et commença à moderniser son pays. Chassé par les Italiens, il se réfugia en Angleterre, puis alla (1941) à Khartoum, d'où il put reprendre son trône après l'offensive anglaise. En septembre 1974, après une longue période de troubles, l'empereur fut déposé par l'armée, malgré son prestige sur le plan international.

HAILLICOURT. ♦ Comm. du Pas-de-Calais, arr. de Béthune. 6 089 hab. *(Haillicourtois).* – Mines de houille.

HAINAN. ♦ Île chinoise du golfe du Tonkin, appartenant à la province chinoise du Kuang*-tung. 34 000 km². Plus de 3 000 000 d'hab. (appartenant aux minorités Li et Yao). Le relief de l'île, très accidenté et volcanique, permet cependant, grâce à un climat tropical, la culture du riz, du thé, du café et des arachides. Quelques mines de fer et d'uranium.

HAINAUT. *n. m.* ♦ Région historique située de part et d'autre de la frontière franco-belge; elle est arrosée par l'Escaut et la Sambre. C'est un pays de plateaux découpés par des vallées. Sa fonction économique est importante; région agricole, région d'élevage, mais principalement région industrielle : bassin houiller, sidérurgie, métallurgie, indus. textiles, chimiques. Les villes principales sont Valenciennes* et Maubeuge*. ♦ *Hist.* C'est au IXe s. que le Hainaut devint un comté. Au XIe s., il fut réuni à la Flandre par mariage, ce qui provoqua de longues luttes auxquelles Saint Louis mit fin par l'arbitrage de Péronne (1246) : le Hainaut était attribué à la maison d'Avesnes, la Flandre à la maison de Dampierre. En 1300, le Hainaut s'agrandit des comtés de Frise, de Hollande, de Zélande. En 1433, Jacqueline de Bavière dut céder ces États au duc de Bourgogne, Philippe le Bon. Le Hainaut suivant alors le sort des États bourguignons passa aux Habsbourg (1482). Le traité des Pyrénées (1659) et celui de Nimègue (1678) cédèrent à la France sa partie méridionale qui forma le *Hainaut français*. La partie restée autrichienne fut conquise par les armées révolutionnaires, incorporée à l'Empire, puis devint en 1814 une province des Pays-Bas et en 1830 une province belge. **V. Belgique.**

HAINAUT [*n. m.*], en néerl. **Henegouwen.** ♦ Prov. belge limitée au N. par la Flandre*-Occid. et la Flandre*-Orient., au N.-E. par le Brabant*, à l'E. par la prov. de Namur*, au S. et au S.-O. par la France. 3 790 km². 1 332 000 hab. *(Hainuyers). Langue :* français. *Ch.-l.* Mons. 7 arr. **V. Ath, Charleroi, Mons, Mouscron, Soignies, Thuin, Tournai.** Le Hainaut possède une grande variété de reliefs (plaine flamande, plateau ardennais). On le divise en cinq régions géographiques : à l'O., la vallée de l'Escaut* supérieur, qui reçoit la Haine; la région située entre l'Escaut et le cours supérieur de la Dendre, culminant à 160 m (Pottelberg, Mont-Saint-Aubert, au N. de Tournai); à l'E., la région située entre le cours supérieur de la Dendre, la Senne et la Senette; la vallée de la Sambre* (sillon synclinal du N. de l'Ardenne), à la frontière française; la région de Chimay*, à l'O. de l'Ardenne, s'étendant jusqu'au massif de Rocroi. Le Hainaut est drainé par la Sambre*, l'Escaut* (canalisés), et leurs affluents ainsi que par de nombreux canaux (de Mons à Condé, de Blaton à Ath, canal du Centre, etc.). À l'exception de la région ardennaise, le Hainaut (limoneux) pratique une agriculture intensive (blé, betterave sucrière). Élevage de chevaux; élevage bovin et porcin. La présence du bassin du Borinage* permit une industrialisation rapide (Mons*, à l'O., La Louvière, au centre, Charleroi*, à l'E.). Sidérurgie. Indus. chimiques (Tertre). Verreries. Matériel électrique. Indus. alimentaires. Tabac. L'indus. textile est florissante à l'O., notamment à Tournai*. – La province compte plus de cent châteaux classés monuments historiques.

HAINE-SAINT-PAUL. ♦ Comm. de Belgique (Hainaut, arr. de Soignies). 7 400 hab. Métallurgie.

HAINE-SAINT-PIERRE. ♦ Comm. de Belgique (Hainaut, arr. de Thuin). 7 200 hab. Métallurgie. Indus. du cuir. Céramique.

HAIPHONG. ♦ Port important du Viêt*-nam du Nord, sur le delta du Sông Kôi (fleuve Rouge). Plus de 400 000 hab. – Importantes indus. métallurgiques, chantiers navals, filatures, cimenteries, fabriques de verre et de céramiques. Mines de fer, de bauxite et de charbon à proximité. ♦ *Hist.* Créée par les Français v. 1880 pour servir de débouché au Tonkin, la ville fut ravagée par les bombardements américains (1967-1973).

HAÏTI. *n. m.* ♦ État (république) situé dans la partie occidentale de l'île d'Hispaniola* ou île d'Haïti (limité à l'E. par la République dominicaine), entre l'Atlantique et la mer des Caraïbes. 27 750 km². 4 768 000 hab. (1969) *(Haïtiens). Cap.* Port-au-Prince. *Autres villes :* **V. Cap Haïtien, Gonaïves.** *Langues :* français (officielle), créole. *Unité monétaire :* Gourde. – *Orogr.* La côte présente à l'O. une très large échancrure, le golfe de Gonaïves, au fond de laquelle s'abrite la capitale, et où se trouve la petite île de la Gonave proche des côtes. D'autres îles, comme celle de la Tortue au N. de l'île à Vache au S., dépendent de l'État d'Haïti. L'intérieur du pays est montagneux; il comprend une cordillère centrale qui s'élève vers le N., jusqu'à la péninsule massive qui ferme le golfe, et une cordillère méridionale plus élevée, formée par le massif de la Hotte que prolonge le massif de la Selle (2 700 m), dans la péninsule étirée du sud. Le *climat*, tropical, est tempéré par l'altitude et l'influence atlantique. Pluies abondantes sur les versants couverts de forêts. Savane dans la plaine du *Cul de Sac* proche de la frontière dominicaine. – *Écon.* Le pays est parmi les plus pauvres d'Amérique latine, et la masse paysanne doit émigrer vers les villes. Cependant, l'agriculture occupe encore 70 % de la population active. Principale culture : le café, qui vient en tête des exportations, la canne à sucre, les bananes, le cacao, le coton, le sisal, et, pour les besoins locaux, le riz, le maïs et le tabac. Les ressources minières se réduisent à quelques gisements de bauxite et de cuivre. L'industrie de transformation concerne les produits de consommation courante : cigarettes, vêtements. Sucreries. Cimenteries. 120 km de voies ferrées sont réservées au transport de la canne à sucre et du sisal. Le tourisme est l'une des grandes ressources potentielles de l'île, mais il concerne surtout les capitaux américains. – Île d'Haïti, nom donné à la totalité de l'île, comprenant la ***République dominicaine****.

Haïti.

Ph. Sandro Prato/Ricciarini

Haïti : la citadelle.

Pour éviter la confusion avec l'État d'Haïti, on dit, de nouveau, *Hispaniola**. ♦ *Hist.* Découverte par Colomb en 1492, l'île d'Hispaniola* devint la première des colonies espagnoles et le pivot de l'expansion en Amérique latine. Malgré les efforts de Las* Casas, les Indiens y furent décimés, puis remplacés par des esclaves noirs. Au milieu du XVIIe s., l'île fut séparée de sa partie occidentale, cédée aux Espagnols par le traité de Ryswick (**V. Dominicaine,** ***république***). Les Français s'y installèrent et firent d'Haïti une colonie prospère où les richesses (tabac, ébène, canne à sucre) étaient aux mains d'une aristocratie de planteurs créoles. Les rapports avec la métropole se détériorèrent bientôt : à l'agitation autonomiste des grands blancs (1790) succéda la révolte des esclaves noirs dirigée par Toussaint*-Louverture : celui-ci fut maître du pays jusqu'en 1802. Sur ordre de Bonaparte, il fut capturé par surprise et emprisonné en France, où il mourut. Le général noir Dessalines* prit sa suite, chassa les Français et proclama l'indépendance en 1804. Après son assassinat, un autre Noir, Henri Christophe*, prit le titre de roi sous le nom de Henri Ier (1811-1820). Cependant, une nouvelle république s'était formée sous la direction de Pétion*, comprenant le sud et la partie espagnole de l'île. En 1843, la partie orientale fit sécession et forma un État indépendant sous le nom de république Dominicaine. À l'O., le nouvel État d'Haïti, après avoir connu l'empire de Soulouque* (Faustin Ier 1849-1859) devint une république, troublée par les guerres civiles, les problèmes agraires (remplacement de la canne à sucre par le café) et les rapports entre l'aristocratie mulâtre et la masse noire. Cette situation provoqua l'intervention économique et financière des États-Unis (1915 à 1934). En 1950, le colonel Magloire instaura une dictature à laquelle succéda, en 1957, celle de François Duvallier. Ce dernier, à l'aide d'une police redoutable entièrement à sa main (dont les membres furent surnommés en créole les « tontons macoutes »), réduisit toute opposition. Il se présenta comme le champion de la négritude. Son fils, Jean-Claude Duvallier lui a succédé en 1971. Il semble hésiter entre une relative libéralisation et une politique autoritaire, mais pencher pour l'ouverture économique vers les États-Unis, bien que certaines activités privées américaines aient été contrôlées ou interdites (1972).

HAJAR (al) ou **HADJAR** (« les pierres »). ♦ Massif montagneux du sultanat d'Oman* (principauté d'Arabie*) qui surplombe du N. au S. le golfe d'Oman et culmine au djebel Cham*.

HAKAM II (al-). ♦ Calife 'Umayyade d'Espagne (? – Cordoue, 976), continuateur de 'Abd* al-Rahmân III. La puissance musulmane espagnole atteignit son apogée sous son règne. **V. 'Umayyades.**

HAKIM (Tawfiq al-). ♦ **V.** TAWFIQ AL-HAKIM.

HAKÎM BI-AMR ALLÂH (Al-). ♦ Calife fâtimide* d'Égypte (996 – 1021). Il proclama sa propre divinité (1017) sous l'influence des Ismaïliens* Hamza et Darazî. Les Druzes* voient en lui l'incarnation de la divinité et attendent son retour.

HAKLUYT (Richard). ♦ Géographe anglais (Londres, v. 1553 – 1616). En relation avec les grands voyageurs de l'époque (**V. Lancaster**), il publia son ouvrage *The Principal Navigations, Voyages and Discoveries of the english Nation* (1588-1600) et introduisit en Angleterre l'usage des globes terrestres.

HAKODATE. ♦ Port de l'île d'Hokkaidô*, dans le N. du Japon, sur le détroit de Tsugaru. 280 000 hab. – Pêche. Constructions navales et cimenteries. ♦ *Hist.* Anc. cap. de l'île, à laquelle succéda Sapporo*, ce fut l'un des premiers ports ouverts aux étrangers, en 1854.

HAKONE. ♦ Région touristique du centre du Japon, au pied du Fuji*-san et non loin de très beaux lacs. Sources thermales. Volcan éteint à six cônes avec cratère de 91 km².

HAKÔRIS, ACHORIS ou **ACORIS.** ♦ Troisième pharaon de la XXIXe dynastie mendésienne (v. ~390 – ~378). Il fit alliance avec les Grecs contre Artaxerxès* III. Néphéritès* II lui succéda.

HAKUIN. ♦ Peintre japonais (1685 – 1768) et religieux zen. Il peignit dans un style rapide et schématique et écrivit des ouvrages religieux ainsi que des poèmes de style haikai.

HAL ou **HALLE.** ♦ V. de Belgique (Brabant, arr. de Hal-Vilvorde) sur la Senne* et sur le canal de Bruxelles* à Charleroi, à 14 km de Bruxelles. 19 900 hab. – Basilique Notre-Dame (XIVe s., pèlerinage de la Vierge Noire). Hôtel de ville de style Renaissance. – Indus. textiles, alimentaires et chimiques. Laminage. Papeterie. ♦ *Hist.* En 1404, le duc de Bourgogne, Philippe le Hardi, y mourut. La ville fut assiégée par les calvinistes en 1580. – *L'arrondissement de Hal-Vilvorde* a été constitué par la loi du 2 août 1963, qui subdivisait l'ancien arr. de Bruxelles en trois.

HALBE (Max). ♦ Écrivain allemand (Guetland, près de Dantzig, 1865 – Gut Neuötting, Bavière, 1944). Si ses premiers drames s'inscrivent dans la ligne du naturalisme et dénoncent non sans violence les préjugés sociaux (*Le Dégel, Der Eisgang,* 1892; *Jeunesse, Jugend,* 1893), il donna par la suite des romans de type « régionaliste », en particulier dans une œuvre à caractère autobiographique *Glèbe et Destin* (*Scholle und Schicksal,* 1933).

HALBERSTADT. ♦ V. d'Allemagne orientale (Saxe-Anhalt, district de Magdebourg), au pied du Harz. 45 900 hab. (1964). Église romane (XIe-XIIIe s.); cathédrale gothique (XIIIe-XIVe s.). *Rathaus* (XIVe s.). – Nœud ferroviaire sur la ligne Magdebourg-Goslar (R.F.A.) et centre industriel actif (indus. chimiques, mécaniques, textiles et alimentaires). – Patrie de J. A. Eberhard*. ♦ *Hist.* Siège d'un évêché fondé en 804, cette anc. principauté ecclésiastique, l'une des plus importantes de l'empire, fut sécularisée, puis rattachée au Brandebourg (1648).

HALBWACHS (Maurice). ♦ Sociologue français (Reims, 1877 – en déportation à Buchenwald, 1945). Disciple d'E. Durkheim, président de l'Institut de sociologie (1938), il s'est intéressé aux problèmes des rapports de la psychologie et de la sociologie et aux questions de démographie, témoignant dans ses recherches d'un sens très vif des réalités concrètes et tentant d'utiliser les méthodes statistiques (*La Classe ouvrière et les niveaux de vie,* 1912; *Les Cadres sociaux de la mémoire,* 1925; *Les Causes du suicide,* 1930; *La Morphologie sociale,* 1934; *Mémoire et Société,* 1950; *Esquisse d'une psychologie des classes sociales,* 1955).

HALDEN, anc. **Fredrikshald.** ♦ V. et port de Norvège, au S.-E. d'Oslo*, sur la frontière suédoise. 9 900 hab. – Forteresse de Fredrikssten. Les activités principales sont liées à l'industrie du bois : usines de pâte à papier. Indus. du cuir. Réacteur atomique à eau lourde. ♦ *Hist.* En 1718, Charles* XII, roi de Suède, fut tué alors qu'il assiégeait la ville.

HALE (George Ellery). ♦ Astronome américain (Chicago, 1868 – Pasadena, Californie, 1938). Il se consacra surtout à l'étude du Soleil : inventeur du spectrohéliographe permettant d'observer la partie optique de l'éruption, il révéla l'existence d'un champ magnétique général dipôle dans le Soleil, mesura les champs magnétiques dans les taches solaires dont il établit la théorie du mouvement. Grand précurseur d'astrophysique, il conçut le télescope géant du mont Palomar (5 m d'ouverture).

HALEK (Viteslav). ♦ Poète et conteur tchèque (Dolinek, 1835 – Prague, 1874). Ami de Jan Neruda*, il débuta sous l'influence de Byron et de Shakespeare avec des recueils de poésies épiques exaltant la liberté : *Goar* (1864), *Le Drapeau noir* (1867). Puis il évoqua avec réalisme la nature dans des recueils lyriques (*Dans la nature,* 1874). Il laissa enfin des recueils de contes sur la vie paysanne.

HALES (John). ♦ Homme politique et économiste anglais (Halden, Kent ? – 1571). Membre du Parlement, il fit partie de la « Commission des Clôtures » (1548) où il soutint les droits des paysans pauvres. Dans son *Discours sur la prospérité publique de ce royaume d'Angleterre* (écrit v. 1541, publié en 1581) il a exposé les principes fondamentaux de la doctrine mercantiliste.

HALES (Stephen). ♦ Chimiste et naturaliste anglais (Bekesbourne, 1677 – Teddington, 1761). Il mit au point et fit connaître les appareils et les méthodes pour recueillir les gaz (**V. Mayow**); auteur de travaux sur la respiration des végétaux, les fermentations et toutes les réactions chimiques produisant un dégagement de gaz, il effectua les premières recherches sur l'ascension de la sève (*Vegetable staticks,* 1727); il étudia également la physiologie de la circulation sanguine (**V. Poiseuille**), mettant en évidence par des mesures sur le cheval, le chien et la brebis, que la pression sanguine est différente dans les artères et dans les veines, qu'elle varie selon la systole et la diastole, qu'elle est caractéristique de l'espèce animale considérée et qu'elle est un test de l'état du cœur (*Haemastaticks,* 1733).

HALESOWEN. ♦ V. d'Angleterre centrale (Worcestershire). 49 480 hab. – Ruines d'un monastère prémontré (XIIIe-XIVe s.).

HALEVI (Judah). ♦ Poète et philosophe juif espagnol (Tolède, av. 1075 – Alexandrie ?, 1141). Il vécut notamment à Tolède et à Grenade, pratiqua la médecine, enseigna puis, parti en pèlerinage pour Jérusalem, mourut en Égypte. Il est l'auteur d'env. 800 poèmes dont certains sont encore chantés dans les synagogues, et du *Kuzari* (écrit originellement en arabe : *al-Hazarî*), dialogue où, contre le christianisme et l'islâm, il définit l'excellence propre du judaïsme (*Livre de l'argument et de la preuve pour faire triompher la religion méprisée*).

HALÉVY (Jacques Fromental LÉVY, dit). ♦ Compositeur français (Paris, 1799 – Nice, 1862). Second grand prix de Rome en 1819. Professeur au Conservatoire de Paris, il eut Bizet et Gounod pour élèves. De la trentaine d'opéras qu'il composa, il convient de détacher son plus grand succès, *La Juive* (1835).

HALÉVY (Ludovic). ♦ Écrivain français (Paris, 1834 – *id.*, 1908). Dramaturge (*Froufrou,* 1869) et romancier (*L'Abbé Constantin,* 1882), il doit le meilleur de sa réputation aux livrets des principaux opéras bouffes d'Offenbach qu'il écrivit en collaboration avec Henri Meilhac : *La Belle Hélène* (1864), *La Vie parisienne* (1866), *La Grande-Duchesse de Gérolstein* (1867), *La Périchole* (1868).

HALÉVY (Élie). ♦ Écrivain politique et historien français (Étretat, 1870 – Sucy-en-Brie, 1937), fils de Ludovic Halévy. Agrégé de philosophie, auteur d'études sur la *Théorie platonicienne des sciences* (1896), sur *La Formation du radicalisme philosophique* (1901-1904), il a publié également une *Histoire du peuple anglais au XIXe siècle* (1913-1923). ♦ DANIEL HALÉVY, son frère. Historien français (Paris, 1872 – *id.*, 1962). Ami de Péguy*, il collabora aux *Cahiers de la quinzaine.* Auteur d'études sur Nietzsche, Péguy, Michelet, Proudhon, d'un *Essai sur le mouvement ouvrier en France* (1910), il a laissé également des analyses historiques sur les débuts de la IIIe République (*La Fin des notables,* 1936 ; *La République des ducs,* 1937), ainsi qu'un *Essai sur l'accélération de l'histoire* (1948).

HALICARNASSE, en gr. **Halikarnassos.** ♦ Anc. V. d'Asie Mineure (Carie), dans le golfe de Cos. Auj. *Bodrum* (Turquie). Fondée par les Doriens* de Trézène*, elle fit partie de l'Hexapole dorienne. D'abord cap. d'un petit royaume dont Artémise* Ire fut la reine la plus célèbre, elle devint ensuite cap. de la Carie sous Mausole*. À la mort de celui-ci, son épouse et sœur Artémise* II lui éleva le tombeau monumental (Mausolée) qui était une des Sept* Merveilles du monde. Ayant résisté à Alexandre le Grand, elle fut prise et détruite en ~ 334. Patrie d'Hérodote* et de Denys*. Ruines de l'enceinte de la ville, d'un gymnase et du château des Chevaliers de Saint-Jean (1400).

HALIFAX (George SAVILE, *1er marquis***).** ♦ Homme politique anglais (Thornhill, 1633 – Londres, 1695). En grand crédit auprès de Charles* II, dont il avait favorisé la restauration, puis de Jacques* II, il fut brutalement disgracié par ce dernier et passa au service de Guillaume* d'Orange. Il avait un grand talent oratoire.

HALIFAX (Edward Frederick Lindley WOOD, *vicomte de***).** ♦ Homme politique britannique (Powderham castle, Devon, 1881 – York, 1959). Député conservateur aux Communes (1910-1940), il fut vice-roi des Indes de 1925 à 1931, puis succéda à Antony Eden* au ministère des Affaires étrangères en 1938. Favorable à la politique d'« apaisement » de N. Chamberlain* vis-à-vis de l'Allemagne et de l'Italie, il prépara la conférence de Munich* (1938). À partir de 1940, nommé ambassadeur de Grande-Bretagne à New York, il favorisa l'entente entre les alliés.

HALIFAX. ♦ V. de Grande-Bretagne (Yorkshire, West Riding), au S.-E. de Bradford, sur la Hebble, affl. de la Calder. 96 120 hab. Important centre textile (laine, coton, soie, fabrique de tapis), machines-outils.

HALIFAX. ♦ V. et port du Canada, cap. de la Nouvelle-Écosse, située sur la côte S. de la péninsule de Nouvelle-Écosse. Env. 90 000 hab. ; zone urbaine (comprenant Dartmouth*), 204 000 hab. (1969). La ville possède quelques monuments historiques : église anglicane Saint-Paul (1750), bâtiments officiels du déb. du XIXe siècle. Port très actif, exportant produits de la pêche, denrées agricoles et bois. Indus. : fonderies, raffineries de pétrole, constructions navales, montage d'automobiles ; électronique ; indus. alimentaires (poisson, confiserie). Terminus oriental des lignes de chemin de fer transcanadiennes. Aéroport international (Kelly Lake). – Université Dalhousie, Univ. catholique *Saint Mary's.*

HALIT ZIYA (Uşakligil). ♦ Écrivain turc (Istanbul, 1869 – *id.*, 1945). Il fut le premier Turc à réussir dans le genre occidental du roman. Ses œuvres, écrites dans un style dépouillé, présentent une fine analyse de la vie des grandes villes turques.

HALL (James). ♦ Géologue et paléontologue américain (Hingham, Massachusetts, 1811 – dans le New Hampshire, 1898). Il a principalement étudié le phénomène de sédimentation et défini la notion de *subsidence.*

HALL (Charles Francis). ♦ Explorateur américain (Rochester, New Hampshire, 1821 – en mer, 1871). Il entreprit l'exploration des régions arctiques (terre de Baffin, 1863 ; île de Melville et terre du Roi-Guillaume, 1864-1869) et mourut lors d'une expédition vers le Smithsound. On a donné le nom de *terre de Hall* à la partie nord-ouest du Groenland.

HALL (Granville Stanley). ♦ Psychologue et pédagogue américain (Ashfield, Massachusetts, 1846 – Worcester, Massachusetts, 1924). Élève de Wundt, fondateur avec J.M. Baldwin* de l'*American psychological Association* (1892), il étudia surtout le développement intellectuel et affectif de l'enfant et de l'adolescent, par la méthode des questionnaires.

HALL (Charles Martin). ♦ Chimiste américain (Thompson, Ohio, 1863 – Daytona, Floride, 1914). Inventeur en 1886, indépendamment de P. Héroult*, du procédé industriel moderne d'obtention de l'aluminium (par électrolyse de l'alumine dissoute dans la cryolithe).

HALLĀJ (Abū Abd-Allah al-Husayn ibn Mansūr al-). ♦ Sûfî musulman (Al-Bayda, sud de l'Iran, v. 858 – Baghdâd, 922). Après avoir été le disciple de plusieurs maîtres en soufisme*, il rompit avec eux et devint prédicateur en Iran, puis en Inde et jusqu'aux frontières de la Chine. Revenu à Baghdâd, il fut suspecté aussi bien par les sunnites* que par les shî'ites* pour ses idées mystiques et son influence sur les foules. Il fut condamné à mort et exécuté après un long emprisonnement. Ses adversaires lui reprochèrent sa conception de l'amour mystique et de l'union de l'âme et de Dieu. Ses œuvres principales sont le ***Dîwân*** et le ***Kitâb al-Tawasîn*** (sur le sens ésotérique des lettres).

HALLE. ♦ V. d'Allemagne orientale et ch.-l. de district sur la r. d. de la Saale. 261 190 hab. (1969). Importante université (fondée en 1694 par Frédéric III de Brandebourg et rattachée en 1815 à celle de Wittenberg). Églises et hôtel de ville des XIVe-XVIe s. – Développée sur des gisements de sel gemme et de charbon, la ville est un important centre industriel (raffineries de sucre, construction de machines, chimie et pétrolochimie, travail du cuir). – Patrie de G.F. Haendel*, F. Hoffmann*, S. Scheidt*. ♦ *Hist.* Anc. possession de l'évêché de Magdebourg (Xe s.), la ville dut son essor à la proximité de gisements de sel et de potasse. Entrée au XIVe s. dans la Ligue hanséatique, elle devint prussienne à la fin du XVIIe s. (traité de Westphalie), passa à la Westphalie en 1806 et fut incluse en 1945 dans la zone d'occupation soviétique.

HALLE. ♦ V. HAL (Belgique).

HALLECK (Fitz-Greene). ♦ Poète américain (Guilford, Conn., 1790 – *id.*, 1867). Employé de banque à New York à dix-huit ans, il conserva ce poste sa vie durant bien qu'il travaillât confidentiellement pour John Jacob Aster et collaborât en 1819 avec Joseph Rodman Drake*, son ami, au *Croaker Papers,* odes satiriques à propos de l'actualité. *Fanny* (1819), satire byronnienne de la société, connut un vif succès. Délaissant cette veine au profit d'un romantisme passionné, il écrivit *Alnwick Castle* (1822), une histoire d'amour qui fut très prisée à son époque. Halleck fut le chef de file du groupe des « knickerbockers » en vogue vers 1820, et que Poe critiquait.

HALLER (Albrecht *von***).** ♦ Savant et écrivain suisse d'expression allemande (Berne, 1708 – 1777). Étudiant en médecine et en sciences, professeur de botanique et de chirurgie à Göttingen (1736-1753) où il créa le Jardin botanique, puis chargé de fonctions administratives dans sa ville natale, il a laissé des travaux de botanique (*Enumeratio stirpium helveticarum,* 1742), d'anatomie et de physiologie. Plus que ses traités de morale et ses romans,

Ph. CFL-Giraudon

Ludovic Halévy et A. Boulanger Cavé, par Degas. (Musée du Louvre, Paris.)

ce sont ses *Poésies suisses* (1732), en particulier son poème descriptif sur *Les Alpes* (1729), où il exalte la vie naturelle, qui lui valurent une gloire littéraire d'ailleurs vite contestée.

HALLER (Józef). ♦ Général polonais (près de Cracovie, 1873 – Londres, 1960). Il collabora avec Piłsudski à l'organisation des légions polonaises en 1914. En 1918, après le traité de Brest-Litovsk, il battit les Allemands et parvint à gagner la France, par Mourmansk. Il commanda les forces polonaises luttant aux côtés des Alliés. De retour en Pologne, il combattit les Soviétiques en 1920. Pendant la Deuxième Guerre mondiale, il fut ministre du gouvernement polonais de Londres.

HALLEY (Edmond). ♦ Astronome anglais (Haggerston, Londres, 1656 – Greenwich, 1742). Auteur du premier catalogue des étoiles du ciel austral (1679), il observa en 1681-1682 la comète à laquelle son nom est resté attaché, avant et après son passage au périhélie; il calcula son orbite et prédit son retour pour 1758, annonçant pour la première fois le retour au périhélie des comètes périodiques (confirmation de la théorie de Newton*). Il découvrit l'amas d'Hercule (1715) et mit en évidence le mouvement propre des étoiles (1718) en montrant que certaines s'étaient déplacées depuis Ptolémée*. **V. Clairaut, Lalande.** (Acad. sc., 1729.)

HALLSTATT. ♦ Village autrichien (Haute-Autriche), situé au S.-E. de Salzbourg*, au bord du lac de Hallstatt. Église paroissiale du XIVe s.; chapelle Saint-Michel (gothique). – Mines de sel. ♦ *Hist.* Depuis l'époque néolithique l'extraction du sel fit sa prospérité. Les sépultures découvertes étaient si nombreuses (2 000) que le nom du village fut donné au premier âge du fer (~ 1000 – ~ 500) en Europe centrale. C'est la *période de Hallstatt*, divisée en *Hallstatt I* (~ 1000 à ~ 700) et *Hallstatt II* (~ 700 à ~ 500). Les épées de bronze et les grandes épées de fer sont caractéristiques de la première période; les glaives courts, les objets de parures (bagues, bracelets, colliers) ainsi que les chars sont nombreux durant la seconde période. La poterie est faite au tour, décorée de motifs géométriques (triangles, cercles concentriques) ou de motifs très stylisés (oiseaux) avec des contrastes de couleurs. L'incinération et l'inhumation furent également pratiquées, le mobilier funéraire comprenant des armures, des chars de guerre et des parures.

HALLSTRÖM (Per). ♦ Écrivain suédois (Stockholm, 1866 – *id.*, 1960). Symboliste, influencé par Schopenhauer*, il est l'auteur de poèmes (*Lyrisme et Fantaisies*, 1891), de nouvelles (*Oiseaux perdus*, 1894; *Le Bijou de brillants*, 1896, *Les Quatre Éléments*, 1906) et de romans (*Chute morte*, 1902; *Roman de Gustaf Sparfvert*, 1903; *Un roman espiègle*, 1906).

HALLUIN. ♦ Comm. du Nord, arr. de Lille, à la frontière belge. 14 829 hab. Indus. textiles, chimiques et alimentaires. Papiers peints.

HALMAHERA. ♦ Île principale de l'archipel indonésien des Moluques [Maluku], montagneuse et couverte de forêts, peuplée de Papous et d'Indonésiens. 80 000 hab. – Elle produit du riz, du coprah, du cacao, des épices, du café et possède quelques mines de cuivre, de charbon et d'or. Son port principal est DJILOLO, nom sous lequel cette île est parfois connue.

HALMSTAD. ♦ V. et port de Suède méridionale, sur le Kattegat*, à l'embouchure du Nissan. Ch.-l. du comté de Halland. 40 700 hab. – Église du XVe s. – Port de pêche. Constructions mécaniques, fonderies, papeteries, indus. textiles, etc. – Patrie de J. Rydberg*.

HALPERN (Bernard Nathalie). ♦ Médecin français (Tarnov, Russie, 1904). Auteur d'importants travaux sur la physiopathologie et la thérapeutique des maladies allergiques et sur le système réticulo-endothélial. (Acad. sc., 1964.)

HALPHEN (Georges). ♦ Mathématicien français (Rouen, 1844 – Versailles, 1889). Auteur de travaux en géométrie infinitésimale, en théorie des nombres, sur les séries et les équations différentielles, il précisa les conditions d'application du « principe de correspondance » établi par Chasles* (pour sa méthode dite « des caractéristiques » en géométrie énumérative), participa aux débuts de la géométrie algébrique et publia un *Traité des fonctions elliptiques* (1886-1891), prenant pour base la théorie de Weierstrass*. (Acad. sc., 1886.)

HALS (Frans). ♦ Peintre hollandais (Anvers, 1581 ou 1585 – Haarlem, 1666). Sa famille revint probablement à Haarlem v. 1585. De 1600 à 1603 env., il étudia auprès du maniériste Carel Van Mander. Inscrit à la gilde de Haarlem en 1610, il fit pratiquement toute sa carrière dans cette ville, entra en 1616 à la chambre de rhétorique et fit ensuite partie de la garde civique. Sa première œuvre connue, le *Portrait de Jacobius Zaffius* (1611), se distingue déjà par le caractère direct et plein de vivacité de l'expression. Le talent de Hals s'imposa surtout avec ses tableaux corporatifs, renouvelant en effet le genre du portrait collectif. Il insuffla à ce type d'œuvre, jusqu'alors statique et figé, un dynamisme et une allure naturelle qui dénotent sa maîtrise de la composition d'ensemble, son art de caractériser les visages et d'en tirer l'expression fugitive en même temps que la richesse de son chromatisme (*Banquet des officiers de Saint-Georges*, de 1616, puis de 1627; *Banquet des officiers de Saint-Adrien*, 1632). La nervosité de sa facture apparaît aussi dans ses portraits isolés (*Pieter Cornelisz van der Mosch*, 1616). Vers 1625-1630, il subit l'attrait du caravagisme de l'école d'Utrecht et traita alors des thèmes populaires toujours sous forme de portraits *(La Bohémienne; Les Joyeux Buveurs)* avec un coloris clair et chatoyant et une touche désinvolte. Vers 1640, probablement sous l'influence de Rembrandt, ses œuvres perdirent leur caractère exubérant et allègre pour acquérir une profondeur psychologique nouvelle et une plus grande austérité (*Les Régents de l'hôpital Sainte-Élisabeth*, 1641), sa technique toujours audacieuse visant à l'essentiel : il modelait avec une touche apparente, ample et peu épaisse, peignant rapidement, souvent directement sur la toile, sans recourir au dessin. Il réduisit sa palette, faisant largement dominer les noirs. Il atteint à la fin de sa vie, époque où il était réduit à la misère, à une dimension dramatique (*Portrait des régentes de l'hospice des vieillards*, 1664). Il eut pour élèves Brouwer, Molenaer, Van Ostade. Sa technique ample et rapide fut surtout admirée par Hogarth, puis Manet et les impressionnistes.

HÄLSINGBORG. ♦ V. et port de l'extrémité méridionale de la Suède, au point le plus étroit de l'Øresund. 81 451 hab. (1968). Reliée par ferry-boat à Elseneur* (Danemark). Restes d'une citadelle construite au Moyen Âge. Église gothique (XIIIe s.). Musées. – Centre indus. et commercial, grâce à la proximité du bassin houiller de Höganäs : indus. mécaniques, textiles, chantiers navals, indus. du caoutchouc, verreries.

HALSKE (Johann Georg). ♦ Ingénieur allemand (Hambourg, 1814 – Berlin, 1890). Fondateur à Berlin, avec Werner Siemens*, de la société allemande de constructions électrotechniques « Fabrique de constructions de télégraphes » (1847).

HAM. ♦ Ch.-l. de cant. de la Somme*, sur la Somme (arr. de Péronne*). 5 775 hab. *(Hamois)*. Vestiges d'un château du XVe siècle. Église (XIIe-XIIIe s.). Anc. abbaye du XVIIIe siècle. – Indus. métallurgique (laminage) et chimique. Patrie de Vadé* et du général Foy*. ♦ *Hist.* Les princes de Condé* et de Polignac*, les généraux Cavaignac* et Changarnier*, ainsi que Louis-Napoléon Bonaparte furent détenus au château de Ham.

HAMÂ. ♦ V. de l'O. syrien, située dans une riche oasis, sur le cours supérieur de l'Oronte*, entre Alep et Damas. Ch.-l. de prov. 260 000 hab. env. – Marché commercial fréquenté par les Bédouins, anc. halte pour les caravanes. C'est un important centre textile (coton) où survit l'artisanat (soieries réputées). Indus. alimentaires (sucrerie, raffinerie d'huile d'olive); travail du cuir. Sidérurgie. – La population de la région est en majorité musulmane (ismaéliens).

HAMADÂN ou **HAMADHÂN**, anc. **Ecbatane.** ♦ V. d'Iran occidental (Ve prov.), au pied du mont Elvend*. Ch.-l. du gouvernorat homonyme. 124 200 hab. (1967). – La ville conserve une tour funéraire de l'époque saljuqide (Gonbad-e-Alâviân, *fin* XIIe s.), plusieurs autres mausolées et un lion de l'époque parthe. – Indus. des tapis renommée. Centre commercial régional (laine, peaux, coton, vins, fruits séchés,...). ♦ *Hist.* Au ~ VIIe s. Ecbatane fut la capitale des Mèdes. D'après Hérodote, elle aurait été protégée par sept murailles aux créneaux peints de couleurs différentes. Elle fut ensuite la capitale d'été de l'empire achéménide. Sur son emplacement se trouve maintenant un quartier de la ville moderne.

HAMADHÂNI (Ahmad ibn al-Hussain al-). ♦ Écrivain arabe (Hamadân, 967 – Herat, 1007), connu aussi par son surnom Badî 'al-Zamâne (« Merveille du Temps »). Il est l'inventeur du genre littéraire d'*al-maqâma* (pl. *maqâmat*) [« La séance »] qui raconte une courte anecdote comique, écrite en prose rimée imitant des passages du Coran*. Ces *maqâmat*, avec celles d'al-Harîrî*, illustrent la seule prose de fiction de la littérature classique arabe, mis à part les romans populaires (*Les Mille* et Une Nuits*, *La Geste des Bani Hilal*, etc.) et les paraboles philosophiques d'Ibn Sinâ (Avicenne*), d'Ibn* Tufayl (*Hayy ibn Yaqdhân*) et d'Abû*

Ph. PSZ/Ricciarini

Edmond Halley.

Ph. Tani Capacchione/Ricciarini

Hambourg : l'hôtel de ville.

al-'Alâ *(Épître du Pardon)*. Le genre *Al-maqâma*, très répandu après al-Hamadhani et al-Hariri, devint souvent prétexte à l'élaboration de recherches stylistiques gratuites qui l'entachèrent irrémédiablement de préciosité.

HAMAMATSU. ♦ V. du Japon, dans le S. de l'île de Honshû*. 425 000 hab. (1969). – Indus. chimiques, filatures. Factorerie d'instruments de musique. Culture des algues alimentaires.

HAMANI DIORI. ♦ V. DIORI (Hamani).

HAMANN (Johann Georg). ♦ Écrivain et philosophe allemand (Königsberg, 1730 – Münster, 1788). Appelé le Mage du Nord, il opposa au rationalisme classique et à celui de Kant *(Métacritique du purisme de la raison pure,* 1784) une pensée mystique, qui influença Herder*, Goethe*, et ouvrit la voie au « Sturm* und Drang ». (*Croisade du philologue,* 1762; *Dernière Opinion du chevalier de la Rose-Croix sur l'origine divine et humaine du langage,* 1773.)

HAMAR. ♦ V. de Norvège, sur le lac Mjøsa*, au N. du fjord d'Oslo. Ch.-l. du comté de Hedmark. 14 500 hab. – Évêché. Musée de plein air (fermes de la région). – Gros marché régional. Fabrique de matériel agricole et de locomotives. – Station de sports d'hiver.

HAMBOURG, en all. **Hamburg.** ♦ V. d'Allemagne occidentale et ch.-l. du *Land* homonyme (747 km²), au confl. de l'Elbe et de l'Alster, au fond d'un estuaire profond de 110 km. 1 818 600 hab. (1969). La ville s'est d'abord développée de part et d'autre de l'Alster qui la partage en deux parties : *Binnenalster* et *Aussenalster;* puis elle s'est étendue le long de l'Elbe et a absorbé en 1937 les villes prussiennes d'Altona*, d'Harburg* et de Wandsbek. C'est, après Berlin, la deuxième ville d'Allemagne et l'un des grands centres économiques de la R.F.A. Reliée à Lübeck* par le canal hanséatique, à la Baltique par le canal de Kiel et aux princ. villes allemandes par un réseau ferroviaire très dense, Hambourg est l'un des premiers ports européens (après Rotterdam et Londres). La zone portuaire (40 km²) s'étend sur la r. g. de l'Elbe et compte près de 60 bassins. Elle reçoit des navires de très fort tonnage (qui peuvent depuis peu remonter l'estuaire de l'Elbe jusqu'à l'avant-port de Cuxhaven*). Hambourg importe principalement de la houille, du pétrole, du bois et des céréales et exporte des produits manufacturés. Le trafic annuel est de l'ordre de 48 500 000 de t. Hambourg est par tradition une ville d'armateurs. Reliée à 1 100 ports, elle est la tête de nombreuses et importantes lignes maritimes internationales (dont la *Hamburg-Amerika-Linie*). Les activités industrielles, en liaison étroite avec la fonction portuaire, se sont intensifiées pour compenser la réduction de cette dernière, lors de la scission des deux États allemands (perte des débouchés vers l'Allemagne centrale et orientale). Les constructions navales et mécaniques, les fonderies (cuivre, aluminium), le raffinage du pétrole et la chimie (caoutchouc, margarine), les indus. alimentaires et les brasseries, les manufactures de tabac sont les principaux secteurs. Université. La V. possède un opéra réputé et un intéressant musée de peintures. – Patrie de H. Barth*, P. Behrens*, J.E. Bode*, W. Borchert*, Johannes Brahms*, Hennig Brand*, F. von Hagedorn*, G. et H. Hertz*, Ulrich de Lœwendal*, F. Mendelssohn*, J.C. Poggendorff*, H. Reichenbach*. ♦ *Hist.* Fondée au IXᵉ s. autour d'un évêché voué à l'évangélisation de la Scandinavie, Hambourg acquit une importance progressive, d'abord en obtenant de Frédéric Barberousse des franchises commerciales, puis en devenant avec Lübeck cofondatrice de la Ligue hanséatique (1188). Au XIVᵉ s., Hambourg était l'un des plus grands ports d'Europe. Elle fut promue ville impériale en 1510. Au XVIIᵉ s., son rayonnement s'accrut grâce aux relations commerciales qu'elle noua avec les pays de la Baltique. Elle devint alors le premier port d'Europe. Dès la fin du XVIIIᵉ s., elle établit les premières liaisons maritimes avec l'Amérique. Elle souffrit beaucoup des guerres de la Révolution et de l'Empire et fut occupée à maintes reprises. Napoléon en fit le ch.-l. du département français des Bouches-de-l'Elbe. En 1815, elle fut reconnue « ville libre et souveraine » et adhéra à la Confédération de l'Allemagne du Nord, puis à la Confédération germanique (1866) avant d'être rattachée à l'Empire allemand (1871). Très endommagée durant la Deuxième Guerre mondiale, elle a été en grande partie reconstruite.

HAMDÂNIDES. *n. m. pl.* ♦ Dynastie arabe, issue de la famille de Hamdân, de la tribu de Taghlib (Xᵉ s.). Elle régna sur Mossoul* et Alep*. Elle est surtout célèbre par le prince d'Alep. Sayf* al-Dawla (« le Glaive de l'État »), qui lutta constamment contre les Byzantins, notamment l'empereur Nicéphore Phocas (959-969). Amateur de lettres et de sciences, il abrita à sa cour le philosophe al-Farabi* et le poète al-Mutanabbi*.

HÄMEENLINNA. ♦ V. de Finlande méridionale, sur le Vanajavesi. Ch.-l. du comté de Hämeen. 38 171 hab. (1971). – Château édifié en 1249 par Birger Jarl. – Centre administratif. Indus. du bois (papeteries, contre-plaqué), indus. textiles. – Patrie de J. Sibelius*. – À proximité, parc national d'Aulanko.

HAMELIN (Ferdinand Alphonse). ♦ Amiral français (Pont-l'Évêque, 1796 – Paris, 1864). Jeune mousse sur la frégate *La Vénus,* il participa à une expédition aux Indes orientales (1806). Il se distingua ensuite lors de l'expédition d'Espagne (1823), de la prise d'Alger (1830), fut nommé commandant en chef de la division navale dans l'océan Pacifique (1844) et chargé de négocier avec l'Angleterre la question de la possession des îles Marquises. Après avoir pris part à la guerre de Crimée comme commandant de l'escadre de la mer Noire (1854-1855), il fut nommé ministre de la Marine (1855-1860) puis grand chancelier de la Légion d'honneur.

HAMELIN (Octave). ♦ Philosophe français (Le Lion-d'Angers, Maine-et-Loire, 1856 – Hucket, Landes, 1907). Sa doctrine idéaliste, inspirée du néo-criticisme de Renouvier et de la dialectique hégélienne, prétend construire de façon synthétique le système des rapports généraux (catégories) de l'expérience et s'achève sur une philosophie de la personne humaine et divine. (*Essai sur les éléments généraux de la représentation,* 1907; *Système de Descartes,* 1911; *Système d'Aristote,* 1920, d'après ses cours). Il mourut noyé, en tentant de sauver une personne en danger.

HAMELN. ♦ V. et port d'Allemagne occidentale (Basse-Saxe), sur la r. d. de la Weser. 51 000 hab. Cette vieille cité hanséatique a conservé des maisons des XVIᵉ et XVIIᵉ siècles. Pêche, tourisme.

HAMERLING (Rupert Hammerling, dit Robert). ♦ Poète autrichien (Kirchberg am Walde, 1830 – Graz, 1889). Deux importants poèmes épiques, l'un évoquant la Rome impériale (*Ahasvérus à Rome,* 1866), l'autre l'époque de la Réforme (*Le Roi de Sion,* 1869), lui valurent une certaine célébrité. Il a laissé par ailleurs un drame, *Danton et Robespierre* (1871), et un roman, *Aspasie* (1876).

HAM HEUNG. ♦ V. de Corée du Nord, ch.-l. de préf. 150 000 hab. – Ville moderne, centre industriel (indus. chimiques; fibres synthétiques).

HAMILCAR, en phénicien « grâce du dieu Melkart ». ♦ Général carthaginois. Il fut vaincu et tué en ~ 480 à la bataille d'Himère* (Sicile).

HAMILCAR « Barca » (l'« orage »). ♦ (v. ~ 290 – Elche, ~ 229 ou ~ 228). Commandant en chef en Sicile à partir de ~ 248. Lors de la première guerre Punique*, il opposa une vive résistance aux Romains, notamment au mont Heirktê près de Palerme et au mont Éryx. Secondé par Hannon* le Grand, il réprima à Carthage la révolte des Mercenaires* (~ 238). Dédaignant le pouvoir à Carthage, il alla conquérir en Espagne un État où il prépara la revanche, inculquant sa haine de Rome à son fils Hannibal*.

HAMILTON (Anthony, en franç. **Antoine).** ♦ Écrivain irlandais d'expression française (Roscrea, comté de Tipperary, 1646 – Saint-Germain-en-Laye, 1720). Venu en France après l'exécution de Charles Iᵉʳ, il fit la biographie romancée de son propre beau-frère, publiée en 1715 sous le titre de *Mémoires de la vie du comte de Gramont,* également connue sous le nom d'*Histoire amoureuse de la Cour d'Angleterre,* et d'un style digne des grands maîtres du XVIIIᵉ siècle. On lui doit également un pastiche des *Mille et Une Nuits* et diverses poésies (*Œuvres mêlées en prose et en vers,* posth., 1731).

HAMILTON (Alexander). ♦ Homme politique américain (Nevis, Antilles, 1757 – New York, 1804). Aide de camp et secrétaire de Washington*, il prit part à la guerre d'Indépendance* et fut l'un des inspirateurs de la Constitution américaine. À la tête du parti fédéraliste*, il fut l'un des plus habiles secrétaires du Trésor des États-Unis, organisa la Banque nationale et garantit la dette de l'Union; il se trouva en conflit avec Jefferson*. Cependant, son opposition à John Adams* fut à l'origine de l'échec du parti fédéraliste.

HAMILTON (*sir* **William**). ♦ Philosophe écossais (Glasgow, 1788 – Édimbourg, 1856). Sa philosophie tente d'allier la théorie réaliste de la perception de Reid* et la thèse kantienne des limites de notre connaissance, affirmant ainsi le caractère inconnaissable de l'inconditionné (ou absolu). Ses travaux de logique ont contribué à la formation de la logistique. (*The Philosophy of the Unconditioned; The Philosophy of Perception; Logic,* trois articles parus dans *The Edinburgh Review,* 1829-1833.)

HAMILTON (*sir* **William Rowan**). ♦ Mathématicien et astronome irlandais (Dublin, 1805 – Dunsink, près de Dublin, 1865). Après des travaux fondamentaux sur l'optique géométrique et sur la dynamique, il s'orienta vers l'algèbre; fondateur de la théorie des nombres complexes en les définissant comme couples de nombres réels (1833), il aboutit en 1843 à sa théorie des quaternions fondés sur une extension à l'espace de la représentation plane du calcul sur les nombres complexes [*Lectures on Quaternions,* 1853; *Elements of Quaternions,* 1866] **(V. Jacobi, Tait)**; il développa une théorie différentielle des quaternions et en fit l'application à la cinématique, à la dynamique et à l'astronomie; on lui doit encore le terme de *vecteur* et la constitution en corps de doctrine des opérations vectorielles. **V. Grassmann.**

HAMILTON. *n. m.* ♦ Fl. du N.-E. du Canada (Labrador; Terre-Neuve). Il se déverse dans le lac Melville, avant de se jeter dans l'Atlantique par un fjord de 250 km de long (Hamilton Inlet). Env. 1 000 km au total. Grande centrale hydro-électrique aux chutes Churchill (anc. Grand Falls). Le fl. est appelé auj. CHURCHILL.

HAMILTON. ♦ V. et port du Canada (Ontario), à l'extrémité O. du lac Ontario *(baie d'Hamilton).* L'aggl. compte 479 000 hab. (1969); c'est la 6ᵉ du Canada. Port actif (8 000 000 de t annuellement). C'est le principal centre métallurgique du Canada, produisant 50 % de l'acier canadien. Indus. électriques, chimiques. – Université McMaster (recherches nucléaires). Jardin botanique.

HAMILTON. ♦ V. du centre de l'Écosse (Lanarkshire), près du confl. de l'Avon et de la Clyde, à 20 km au S.-E. de Glasgow. 44 040 hab. (1966). Équipement électrique, indus. textiles et alimentaires.

HAMILTON. ♦ V. de l'île du Nord de la Nouvelle*-Zélande, sur la riv. Waikato, reliée par voie ferrée à Auckland et à Wellington. 63 000 hab. Branche de l'université d'Auckland*. Centre d'une vaste zone d'élevage. Indus. du bois. Laiteries. Cartonnerie. Confection. Matières plastiques.

HAMITES ou **CHAMITES.** *n. m. pl.* ♦ Population du N. de l'Afrique orientale. De peau sombre, ils diffèrent des peuples voisins par des particularités physiques (cheveux lisses), linguistiques et culturelles (pasteurs nomades utilisant le chameau et construisant en pierre). Les Somalis et les Gallas en font partie.

HAMLET. ♦ Prince danois devenu légendaire, mentionné pour la première fois au XIIIᵉ s. par Saxo Grammaticus, et héros de nombreuses sagas islandaises. Il aurait vécu vers le IIᵉ s., aurait été le fils de Horvendill, roi de Jutland (Jylland), assassiné par son frère Fengo qui épousa sa veuve, et il aurait dû se faire passer pour fou pour échapper à la mort. – La légende servit de base à la célèbre pièce de Shakespeare (ci-dessous).

Hamlet. ♦ Drame en cinq actes de William Shakespeare (v. 1600). Un récit de l'historien Saxo* Grammaticus (XIIIᵉ s.) a fourni à Shakespeare le sujet de ce drame, le plus célèbre de son théâtre. Apparu sur les remparts du château d'Elseneur, au Danemark, le spectre du roi apprend à Hamlet, son fils, qu'il a péri assassiné par Claudius, son frère, en accord avec la reine. Préparant sa vengeance, Hamlet va simuler la folie, abandonnant sa fiancée Ophélie qui perd la raison et se noie. Dans le duel qui l'oppose à Laertes, frère d'Ophélie, Hamlet est blessé par une épée empoisonnée. Avant de mourir, il tue Claudius l'usurpateur, tandis que Gertrude, sa mère, périt empoisonnée par le breuvage qu'il a préparé pour elle. Dans un monde où la science a pris ce pouvoir sur la nature, un pouvoir que la religion attribuait jusqu'alors à la divinité, toute notion de fatalité désormais abolie, Hamlet est le drame de l'accession à la conscience et à la liberté. – Parmi de nombreuses traductions ou adaptations, citons celles de Ducis (1769), Alexandre Dumas et Paul Meurice (1847), Eugène Morand et Marchel Schwob (1899), André Gide (1946), Marcel Pagnol (1950) ainsi que le film de Laurence Olivier (1948). L'histoire d'Hamlet a inspiré de nombreux peintres, dont Delacroix.

HAMM. ♦ V. d'Allemagne occidentale (Rhénanie-du-Nord-Westphalie), sur la Lippe, au N.-E. du bassin de la Ruhr*. 72 600 hab. (1967). Important nœud ferroviaire (l'une des plus grandes gares de triage d'Europe occidentale), houille, métallurgie.

HAMMÂD AL-RÂWIYAH (Abû al-Qâssim Hammâd ibn Laïlâ Sabûr). ♦ Collectionneur et anthologiste arabe (Kufa, v. 694 – ? v. 772). Il vécut longtemps à Damas où il jouissait des faveurs des califes 'Umayyades* (surtout Hishâm et al-Walîd II). Réputé l'homme le plus instruit de son temps, tant en histoire anc. et en généalogie qu'en poèmes et dialectes, il fut suspecté d'avoir réécrit les *Mu'allaqat** de la poésie arabe antéislamique qu'il avait recueillies et collectionnées.

HAMMÂD IBN BULUKKÎN. ♦ Fondateur de la dynastie des Hammâdides (mort à Qal'a, 1028). **V. Hammâdides.**

HAMMÂDIDES ou **Banû Hammâd.** *n. m. pl.* ♦ Dynastie berbère de la famille Sanhâja qui régna dans l'Est algérien (1017-1152). Fondée par Hammâd Ibn Bulukkîn (1017-1028), elle constituait une branche des Zirides* de Tunisie. Hammâd fit construire dans les monts du Hodna une ville fortifiée, la Qal'a des Banû Hammâd qui devint sa capitale (1007). Il se déclara indépendant quand son neveu Bâdîs de Kairouan voulut le relever de ses fonctions de gouverneur (1016). Le successeur de Bâdis, son fils al-Mu'izz, reconnut son indépendance (1017). Ses descendants abandonnèrent la Qal'a (1091) et s'installèrent à Bougie (Bejaia*), ville édifiée par al-Nâsir (1063). Les Hammâdides furent destitués par les Almohades* (1152).

HAMMAGUIR. ♦ Site du Sahara algérien (dép. de la Saoura) dénommé d'après le *Hammada du Guir,* située à proximité, au S.-O. de Béchar. Hammaguir fut de 1961 à 1967 une importante base du « Centre interarmées d'essais d'engins spéciaux ».

HAMMAM-BOU-HADJAR. ♦ Comm. d'Algérie (dép. d'Ouahran). 14 300 hab. Eaux thermales.

HAMMAMET. ♦ V. de Tunisie (gouvernorat du cap Bon) sur le golfe du même nom. 7 100 hab. Remparts. Casbah. Agrumes. Station balnéaire. – *Le golfe de Hammamet* borné au N. par la presqu'île du cap Bon* connaît un important développement touristique. *V. princ. :* **V. Nabeul; Sousse; Monastir.**

HAMMAM LIF. ♦ Comm. de Tunisie, située sur les pentes du djebel Kornine, dominant le golfe de Tunis*. 20 000 hab. Station balnéaire et thermale.

HAMMAM-MESKOUTINE. ♦ Comm. d'Algérie (dép. d'Annaba). Station thermale.

HAMMAR *(lac).* n. m. ♦ Important lac marécageux d'Iraq, long de 130 km, dans lequel se déversent les eaux de l'Euphrate avant qu'il ne conflue avec le Tigre; il est relié au golfe Persique par le Chatt* al-Arab.

HAMMARSKJÖLD (Dag). ♦ Homme politique suédois (Jönköping, 1905 – Ndola, Rhodésie du N., 1961). Professeur d'économie politique, ministre d'État, il siégea dans plusieurs organismes internationaux et fut élu secrétaire général de l'O.N.U. en 1953. Réélu en 1957, il fut tué dans un accident d'avion. (Prix Nobel de la paix, 1961).

HAMME. ♦ Comm. de Belgique (Flandre-Orientale, arr. de Termonde), sur la Durme. Indus. textile et métallurgique.

HAMMERFEST. ♦ V. et port de Norvège, sur la côte O. de l'île de Kvaløy (Finnmark*). C'est la ville la plus septentrionale d'Europe. 5 200 hab. (1960). – Aéroport. – Port de pêche, exportation de poissons séchés. La ville, rasée par les Allemands en 1944, a été reconstruite.

HAMMETT (Samuel Dashiell). ♦ Écrivain américain (St. Mary, Md., 1894 – New York, 1961). C'est en étant détective pendant neuf ans qu'il apprit à devenir l'un des maîtres du roman policier. Ses premières nouvelles « noires » parurent en 1923 au *Black Mask,* un magazine auquel collaborait E.S. Gardner*. Sa vie de

Ph. Lauros-Giraudon

Hamlet devant le corps de Polonius, par Delacroix. (Musée des Beaux-Arts, Reims.)

Arch. Rencontre
Hampton Court Palace.

détective lui inspira notamment *Rouge Moisson* (1929). *Le Faucon maltais* (*The Maltese Falcon,* 1932) est considéré comme une très grande réussite. La complexité de son héros et la rapidité du récit furent appréciées de Gide, qui compara le style de Hammett à celui d'Hemingway. Le livre fut remarquablement adapté à l'écran par J. Huston. Dans *L'Homme mince* (*The Thin Man,* 1934), la trame policière elle-même est faible et sert de prétexte à une brillante comédie. Hammett renonça à sa carrière littéraire en 1934, mais il exerça une influence appréciable sur les auteurs de romans policiers du XXe siècle.

HAMMOND. ♦ V. des États-Unis (N.-O. de l'Indiana), immédiatement à l'E. de Chicago **(V. Gary).** 107 108 hab. Centre indus. (mécanique, chimie, imprimeries). Raffineries de pétrole.

HAMMURABI ou **HAMMOURABI** ou **HAMMURAPI.** ♦ Sixième roi de la dynastie amorite* et véritable fondateur du premier empire de Babylone. Il régna 43 ans, sans doute à partir de ~ 1730. Sa domination s'étendit sur les pays d'Akkad et de Sumer, sur le royaume de Mâri, sur l'Assyrie. Il fut moins un conquérant militaire qu'un diplomate, entreprit d'unifier son empire sous une administration centralisée et promut le dieu Marduk* au sommet du panthéon mésopotamien. Son règne marqua le début de la grande civilisation babylonienne; son fils Samsu*-Iluna lui succéda. — *Code de Hammurabi :* stèle trouvée à Suse en 1901-1902 (auj. au Louvre) **[V. Shutruk-Nahhunté Ier].** Il s'agit d'un recueil de 282 arrêts, en cunéiformes et en langue akkadienne, confirmant ou modifiant une jurisprudence antérieure. La société s'y montre divisée en 3 classes (hommes libres, subordonnés, esclaves). Le principe du talion, avec certains adoucissements, apparaît dans le droit criminel. Le droit familial (statut de l'épouse, héritages, etc.) manifeste un souci d'équité individuelle. Le droit commercial favorise la puissance des marchands. Quoique ce recueil ne constituât pas un véritable « code » de lois et laissât toute sa place à la coutume, il exerça une influence considérable sur la législation de l'ancien Orient.

HAMON (Jean). ♦ Médecin français (Cherbourg, 1618 — Paris, 1687). Janséniste, il se retira à Port*-Royal, où il fut un des maîtres de Racine.

HAMONT. ♦ Comm. de Belgique (Limbourg, arr. de Maeseyck) près de la frontière néerlandaise. 6 500 hab. Briqueterie. Cigares.

HAMPDEN (John). ♦ Homme politique anglais (Londres, 1594 — Thame, 1643). Cousin de Cromwell*, il s'était opposé à la taxe de mer *(shipmoney)* en 1637 et son influence était telle qu'il fut l'un des cinq députés dont l'arrestation déclencha la guerre civile.

HAMPSHIRE [*n. m.*], off. **Southamptonshire,** abrév. **Hants.** ♦ Comté du S. de l'Angleterre, limité au N. par le Berkshire, à l'O. par le Dorset et le Wiltshire, à l'E. par le Surrey et le Sussex et baigné au S. par la Manche. 3 894 km². 1 336 800 hab. *Ch.-l.* Winchester*. *V. princ.* **V. Aldershot, Basingstoke, Bournemouth, Eastleigh, Lymington, Portsmouth, Southampton.** — Le Hampshire, qui s'étend sur les collines calcaires des Downs, est une région d'élevage réputée (ovins et porcins). Ses centres industriels les plus importants sont les grands ports de Portsmouth et Southampton. — Patrie de Jane Austen*.

HAMPSTEAD. ♦ Aggl. résidentielle de la banlieue N. de Londres. 98 000 habitants.

HAMPTON. ♦ Aggl. du S.-O. de Londres (Middlesex), sur la r. g. de la Tamise. 13 000 hab. — HAMPTON COURT PALACE : anc. manoir saxon transformé en prieuré, qui, de 1514 à 1525, appartint au cardinal Wolsey. Ce dernier dut le céder à Henri VIII qui en fit une fastueuse résidence. La partie O. date de l'époque Tudor, tandis que l'aile E. fut construite de 1689 à 1719, en style classique, sur les plans de Christopher Wren*. Hampton Court, qui fut jusqu'en 1760 l'une des résidences favorites des souverains britanniques, est maintenant un musée renfermant de riches collections de peinture (J. Bassano, Clouet, le Corrège, le Tintoret, Dürer, Holbein, Mantegna, Van Dyck).

HAMPTON. ♦ V. des États-Unis, au S.-E. de la Virginie. 118 584 hab. Elle forme une conurbation avec Newport* News. — Établissement anglais datant de 1611.

HAMPTON ROADS. ♦ Port naturel des États-Unis, au confluent de trois riv. à l'O. de la baie de Chesapeake (Virginie*). La zone comprend les villes de Norfolk, Portsmouth, Newport News et Hampton (plus de 600 000 hab.). Tête de ligne de huit lignes ferroviaires. Centre maritime et aérien.

HAMSUN (Knut PEDERSEN, dit). ♦ Romancier norvégien (Garmostraeet, près de Lom, Gudbrandsdal, 1859 — Nörholm, près de Grimstad, 1952). Issu d'une famille paysanne, il exerça de nombreux métiers avant d'émigrer pour deux ans en Amérique. À son retour, il publia un roman *La Faim** (1890) qui le rendit aussitôt célèbre. Subissant l'influence de Strindberg*, de Byron* et de Dostoïevski*, il exalta le primitivisme, la vie mentale de l'âme en éveil, dans des romans comme *Mystères* (1892), *Pan* (1894), *Victoria* (1898). Plus tard, son roman *La Dernière Joie* (1912) marqua un tournant : l'homme primitif a vieilli, son élan vital est devenu lassitude et égoïsme. Dans le même esprit il écrivit encore des romans tels que *Vagabonds* (1927), *August* (1930), *La vie continue* (1933). Le primitif, cher à Hamsun, est devenu une épave. Dans son roman *Les Fruits de la terre,* il prêche le retour à la terre. Ce fier individualiste qui voulait « secouer le monde par le choc de quelques idées absurdes » termina sa vie dans le pessimisme et la hantise de la mort. Par son style pur et ample, par son sens de l'inattendu, il est considéré comme l'un des rénovateurs de la prose norvégienne. (Prix Nobel, 1920.)

HAMÛLÎ ('Abdo al). ♦ Chanteur et musicien égyptien. (Tanta, 1845 — Le Caire, 1901). Il remit en honneur les genres traditionnels arabes et tenta une synthèse avec les genres instrumentaux turco-persans.

HAMY (Ernest). ♦ Anthropologue et ethnologue français (Boulogne-sur-Mer, 1842 — Paris, 1908). Fondateur du musée d'ethnographie du Trocadéro (1880), il publia un *Précis de paléontologie humaine* (1870) et une *Crania Ethnica* avec Quatrefages* (1875-1882).

HAMZAH (Amîr). ♦ Poète indonésien (Sumatra, 1911 — 1946), d'une famille noble. Il traduisit en bahasa indonesia la *Bhagha-vad* Gîtâ* et écrivit en cette langue des romans empreints de poésie et de patriotisme : *Buah Rindu* (« Fruits de la nostalgie », 1941), *Njanji Sunji* (« Solitudes », 1937), *Setanggi timur* (« Odeurs d'Orient », 1939). Il fut fusillé lors des troubles de 1946.

HAN. *n. m. pl.* ♦ Nom de plusieurs dynasties chinoises. Les plus célèbres sont celles des *Han antérieurs* (Ch'ien Han, ~ 206-24) et des *Han postérieurs* (Tung Han, ou Hou Han, 25-220). Les Chinois se désignent eux-mêmes du nom de « fils de Han » (Han jên).

HAN *(grottes de).* ♦ Situées à Han-sur-Lesse (Namur), ces grottes s'étendent sur 3 000 m (cours souterrain de la Lesse).

HANABUSA. ♦ **V.** ITCHÔ HANABUSA.

HANAFITES. *n. m. pl.* ♦ Adeptes de Abû* Hanifa, fondateur d'une des quatre écoles juridiques de l'islâm orthodoxe.

HANAU. ♦ V. d'Allemagne occidentale (Hesse) au confluent du Main et de la Kinzig, à l'E. de Francfort. 50 100 hab. Église du XIIIe s., château de Phillipsruhe (XVIIIe s.). — Grand centre de la taille du diamant et de l'orfèvrerie. Métallurgie et indus. chimique. — Patrie des frères Grimm*, de Paul Hindemith*.

Hanbalites. *n. m. pl.* ♦ Adeptes du docteur Ibn* Hanbal, fondateur d'une des quatre écoles juridiques (« rites ») de l'islâm sunnite*.

HAN CHIANG [*Han kiang, Han jiang*]. ♦ Fl. de Chine (1 500 km), affl. du Yang*-tsé kiang. Artère fluviale très fréquentée.

HANCOCK (Thomas). ♦ Inventeur et industriel britannique (1786 — 1865). Inventeur du premier *masticateur* à caoutchouc, il découvrit la propriété qu'a le caoutchouc de se recoller à lui-même (1819); associé avec Mackintosh*, tous deux mirent au point la fabrication de tissus imperméables (1823); c'est également lui qui appela *vulcanisation* le procédé découvert par Goodyear*.

HÄNDEL (Georg Friedrich). ♦ **V.** HAENDEL.

HANDY (William Christopher). ♦ Compositeur noir américain (Florence, Alabama, 1873 — New York, 1958), auteur d'un très grand nombre de *blues* du répertoire traditionnel du jazz : *Memphis blues* (1909), *Saint Louis blues* (1914), *Beale Street blues* (1916), *Aunt Hagar's blues* (1920).

HANEDA (« Le champ aux ailes »). ♦ Aéroport international de Tôkyô*.

HAN FEI. ♦ Philosophe chinois ([mort] ~ 233), célèbre commentateur du *Tao*-tê ching* et un des meilleurs argumentateurs de l'école des « légistes ». Accusé de trahison, il fut obligé de se suicider sur ordre impérial.

HANG-CHOU [*Hang-Tcheou, Hangzhou*]. ♦ V. de Chine, cap. de la prov. de Chê-kiang [Tchökiang, Zhejiang]. 900 000 hab. — Bien située au fond de la baie de Hang-chou où se jette la riv. Chien-tang et à proximité du delta du Yang*-tsê kiang, la ville fut toujours un centre commercial de grande importance (thé, riz). Manufacture de soieries. — Fondée vers 600, elle fut la capitale des Sung* du Sud (Nan Sung, de 1127 à 1276). Marco Polo* y vécut.

Han-Geul. ♦ Nom de l'alphabet coréen, inventé selon la tradition en 1443 par le roi Se Jong (1418 — 1450) et comprenant vingt-huit signes. L'alphabet actuellement utilisé est le même, avec quatre signes de moins. Il représentait un énorme progrès sur l'écriture chinoise.

HANG-TCHEOU. ♦ **V.** HANG-CHOU.

HAN GUK [*Han Kuk*]. *n. m.* ♦ Nom coréen de la Corée*.

HAN JÊN [*Han ren*]. *n. m. pl.* («hommes des Han»). ♦ Nom que

Ph. Marc Riboud/Magnum

Hanoi.

se donnent les Chinois, afin de se distinguer des peuples minoritaires de la Chine. Souvent abrégé en *Han.*

HANKEL (Hermann). ♦ Mathématicien allemand (Halle, 1839 – Schramberg, Forêt-Noire, 1873). Il permit l'utilisation par les mathématiciens des notions de base du calcul vectoriel établies par Grassmann* en en faisant un exposé plus clair (1867); en logique, il énonça le « principe de permanence » des lois formelles du calcul; auteur de travaux sur les nombres complexes et sur la théorie des fonctions, il s'intéressa également à l'histoire des mathématiques.

HAN K'OU [*Han-k'eou, Hankou*]. ♦ V. de Chine établie au confluent du Yang*-tsê kiang et du Han* chiang et devenu un des quartiers de la conurbation de Wuhan. Elle abrita de 1861 à 1868 des concessions anglaises, françaises et japonaises. Grand port fluvial sur le Yang-tsê, à plus de 1 000 km de l'embouchure du fleuve. Plus de 1 000 000 d'habitants.

Han lin yuan « Académie de la forêt des pinceaux ». ♦ Nom pris en 754 par le Conseil privé des empereurs de Chine, qui devint par la suite une académie érudite, la plus haute de Chine. Elle fut dissoute en 1911.

HAN MAC TU. ♦ Poète vietnamien (1912 – 1940) connu aussi sous le nom de François Tri. Il était lépreux. Ses poèmes écrits en vietnamien chantent la souffrance, l'angoisse et la foi chrétienne.

HANNIBAL, en phénicien « Grâce au dieu Baal ». ♦ Général et homme d'État carthaginois (Carthage, v. ~ 247 – Bithynie, ~ 183). Élevé dans la haine de Rome par son père Hamilcar* Barca, qu'il accompagna enfant en Espagne, il s'y distingua sous les ordres de son beau-frère Hasdrubal le Beau, puis, après l'assassinat de ce dernier, il fut nommé commandant en chef (~ 221). Décidé à prendre une revanche sur Rome, il attaqua son alliée Sagunto* (~ 219), déclenchant ainsi la seconde guerre Punique*. Devançant les Romains, il passa les Alpes* dans l'intention de provoquer des défections parmi les alliés de Rome. Malgré de brillantes victoires **(V. Tessin, Trébie, Trasimène),** il n'osa attaquer Rome et prit ses quartiers d'hiver à Capoue* sans exploiter sa victoire de Cannes* (~ 216). Mal soutenu par Carthage, où Hannon* le Grand travaillait contre lui, coupé de l'Espagne, il noua alors des alliances en Italie du Sud, en Sicile et en Macédoine **(V. Philippe* V),** mais, malgré son intelligence stratégique, ne put s'opposer à la guerre d'usure de Fabius* Maximus Cunctator. Vaincu à Nole* par Claudius Marcellus* en ~ 216 et en ~ 215, il était déjà isolé dans ses conquêtes lorsqu'il tenta de marcher sur Rome (~ 211). Les armées de secours commandées par ses frères Hasdrubal Barca et Magon* ayant été détruites **(V. princ. Métaure)** en ~ 207 et ~ 205 et Rome ayant attaqué en Afrique, il fut rappelé par Carthage et vaincu à Zama* par Scipion* l'Africain (~ 202). Malgré les sévères conditions de paix, Hannibal ne désespéra pas de redresser la situation; il devint le chef du parti démocratique et tenta de profondes réformes politiques, militaires et économiques. Lorsqu'il se fit élire suffète, ses ennemis le dénoncèrent à Rome; il se réfugia alors en Syrie à la cour d'Antiochos* III (~ 196); puis, en Bithynie (~ 189) où il tenta de continuer la lutte contre Rome. Lorsque la diplomatie romaine obtint du roi Prusias* Ier qu'il lui fut livré, Hannibal s'empoisonna, vraisemblablement à Libyssa, près de Prusa (Brousse*). Cultivé, avec des aspects de prince hellénistique, Hannibal ne fut pas seulement un général habile qui tint les Romains en échec sur leur propre territoire. Il est considéré comme l'un des plus grands chefs de guerre de l'Antiquité.

HANNON. ♦ Navigateur carthaginois qui effectua (v. ~ 470) un voyage d'exploration le long de l'Afrique occidentale par les colonnes d'Hercule (Gibraltar), les Canaries, le cap Vert, jusqu'au fond du golfe de Guinée **(V. Fernando Póo).** La relation de ce voyage traduite en grec est connue sous le nom de *Périple d'Hannon.* Elle serait apocryphe.

HANNON. ♦ Nom de plusieurs généraux carthaginois dont le plus connu est : HANNON *le Grand* (~ IIIe s.). Général et homme politique, chef du parti aristocratique favorable à la paix avec Rome, il fut vaincu aux îles Égates*, puis, lors de la première guerre Punique*, réprima avec son adversaire Hamilcar* Barca la révolte des Mercenaires* (~ 240-~ 238). Lors de la seconde guerre Punique, il empêcha l'envoi de secours à Hannibal* après la victoire de Cannes* (~ 216) et fut l'un des négociateurs de la paix (~ 201).

HANOI. ♦ Cap. de la république socialiste du Viêt-nam, sur le delta du Sôn Kôi. Env. 1 000 000 d'hab. Universités, musées, jardin botanique. Centre industriel (ateliers de ch. de fer, indus. textiles et chimiques, rizeries, céramiques) et commercial (port fluvial) important. ♦ *Hist.* Anc. cap. des royaumes tonkinois. Prise par les Français en 1873, elle devint la cap. de l'Indochine française en 1887. Cap. du Viêt-nam du Nord en 1954. Elle a subi de violents bombardements par l'aviation américaine, de 1954 à 1972. Elle fut choisie comme cap. du Viêt-nam réunifié (juin 1976).

HANOTAUX (Albert Auguste Gabriel). ♦ Homme politique et historien français (Beaurevoir, Aisne, 1853 – Paris, 1944). Attaché aux Affaires étrangères dès 1879, député (1886-1889), il fut nommé ministre des Affaires étrangères (1894-1898) et contribua dans cette fonction à préparer l'alliance franco-russe, à renforcer la présence française en Extrême-Orient, en Tunisie et au Soudan où, contre la Grande-Bretagne, il soutint l'expédition Marchand. Délégué de la France à la S.D.N. (1918), ambassadeur extraordinaire à Rome (1920), il a laissé une *Histoire du cardinal de Richelieu* (1893-1947, achevée par le duc de La Force), une *Histoire de la France contemporaine* (1903-1908), une *Histoire illustrée de la guerre de 1914* (1915-1936) et dirigé la publication de l'*Histoire de la Nation française* [1920-1929]. (Acad. fr., 1897.)

HANOVRE. *n. m.,* en all. **Hannover.** ♦ Anc. État d'Allemagne du Nord, situé au S. de la Basse-Saxe. Peuplé à l'origine de Chérusques*, de Lombards* et de Chauques (peuple germanique), le Hanovre passa sous la domination saxonne et fit partie du duché de Brunswick*. Les territoires appartenant à diverses branches de la maison de Brunswick furent regroupés à la fin du XVIIe s. par Ernest-Auguste, qui obtint de l'empereur Léopold Ier le titre d'électeur, et fit de la ville de Hanovre sa capitale. Son fils, George-Louis, ajouta tout le Brunswick à ses possessions par son mariage avec Sophie-Dorothée de Brunswick, et accéda au trône d'Angleterre **(V. George Ier).** Le Hanovre fut alors gouverné par les rois d'Angleterre, ce qui lui valut d'abord une grande prospérité, mais il eut à souffrir de la guerre de Sept* Ans et de l'occupation napoléonienne. Devenu un royaume et remanié en 1814, il resta à la couronne d'Angleterre jusqu'à Victoria, qui ne put en hériter (1837). Il revint alors au duc de Cumberland, frère de Guillaume* IV, qui dut modifier sa politique lors de la révolution de 1848. Partisan de l'Autriche, le Hanovre fut annexé par la Prusse et fit une opposition persistante au *Kulturkampf* (Windthorst* était hanovrien). Il fait actuellement partie du land de Basse-Saxe*, dans la République fédérale allemande.

HANOVRE, en all. **Hannover.** ♦ V. d'Allemagne occidentale et cap. de la Basse-Saxe, sur la Leine et le Mittellandkanal. 519 700 hab. (1969). Bien située au contact de la grande plaine du Nord et à la lisière des massifs hercyniens de l'Allemagne moyenne (monts de la Weser, Harz), la ville est une grande voie de passage (liaisons ferroviaires) et un centre commercial très actif (foires réputées). Les indus. chimiques (pneumatiques, raffinage du pétrole), textiles, mécaniques (automobiles, camions) et alimentaires (sucreries, chocolateries) sont localisées dans les faubourgs de Linden et de Recklingen. – Patrie de J. von Bernstorff*, de F. von Lindemann*, d'O. Meyerhof*, de sir William Herschel*, d'A.W. von Schlegel*, de F. Wedekind*, de M. Wigman*. ♦ *Hist.* Fondée au XIIe s., la ville adhéra à la Hanse à la fin du XIVe s. et fut de 1495 à 1866 la résidence des princes de Hanovre. Au XIXe s., elle devint un important centre indus. et commercial.

HANRIOT (François). ♦ Révolutionnaire français (Nanterre, 1761 – Paris, 1794). Chef de la section des sans-culottes lors de la journée révolutionnaire du 10 août 1792, il prit part aux massacres de Septembre (1792). Nommé commandant général provisoire de la Garde nationale parisienne (mai 1793), il dirigea les émeutes des sans-culottes et hébertistes contre la Convention*, émeutes qui provoquèrent l'élimination des principaux chefs girondins (31 mai et 2 juin 1793). Bien que lié aux ultra-révolutionnaires hébertistes, il ne fut point condamné avec eux (mars 1794), mais fut arrêté et guillotiné en même temps que Robespierre et ses alliés (9-10 thermidor an II, 27-28 juillet 1794).

Hanse. *n. f.* ♦ Association de marchands allemands, puis de villes de l'Allemagne du Nord et de l'Europe septentrionale. Les plus anciens comptoirs (XIIe s.) se trouvaient à Londres, Bruges, Visby, Novgorod, Bergen et dans l'île de Gotland. Les associations cherchaient à s'assurer des privilèges auprès des souverains étrangers et à assurer la sécurité de leur commerce de terre et de mer. La première association eut lieu entre Hambourg et Lübeck (1241) déjà à la tête des villes comptoirs : Riga (v. 1201), Dantzig (v. 1224). En 1259, Lübeck se mit à la tête d'une confédération de villes maritimes (Rostock, Wismar, Stralsund). La Hanse connut son apogée de la fin du XIIIe s. à la fin du XVe s., mais elle n'eut de véritable constitution qu'en 1367 (confédération de Cologne) pour se défendre contre la menace danoise. Les Danois durent signer la paix de Stralsund (1370) et accorder à la Hanse d'importants privilèges. Désormais la Hanse était la maîtresse de la mer Baltique et de tout le commerce de l'Europe septentrionale. Aucun traité d'alliance ne la constitua jamais à l'état de corps unique; cependant, Lübeck, cour suprême des villes (au nombre de soixante-dix environ) où se tenaient les « Grands Jours » de la Hanse, était considérée comme sa capitale. Outre les villes précédemment citées, la Hanse comptait notamment les ports de Brême, Stettin, Königsberg, Reval et les villes continentales de Thorn et Cracovie, Breslau, Magdebourg, Erfurt et Cologne. En plus de sa prépondérance commerciale, la Hanse joua un rôle politique en contrôlant la succession au trône de Danemark et en intervenant en Scandinavie; elle fut à l'origine de la dissolution de l'Union de Kalmar* en 1523. Cependant, dès cette époque, la Hanse n'était plus une grande puissance. Des États nouveaux s'étaient constitués en Europe, les villes hollandaises s'étaient retirées de la confédération à la fin du XVe s. et la concurrençaient gravement. Les grandes découvertes transportèrent ailleurs le centre du commerce européen au détriment de la Méditerranée et de la Baltique. À la fin du XVIe s., l'affirmation de l'Angleterre comme grande nation maritime s'ajouta à ces éléments défavorables. La guerre de Trente* Ans, qui fut nuisible à toutes les villes allemandes et arrêta le commerce de la Baltique, consomma la ruine de la Hanse dont la dernière diète se réunit en 1669.

HANSEN (Gerhard Armaner). ♦ Médecin et botaniste norvégien (Bergen, 1841 – 1912). Il a découvert le bacille de la lèpre (*bacille de Hansen*, 1874).

HANSEN (Alvin Harvey). ♦ Économiste américain (Viborg, 1887). Conseiller au département d'État de Washington (1934-1935) et aux Banques fédérales (1940-1945), il a étudié, à partir des analyses de Keynes, le cycle des affaires, affirmant que le déséquilibre économique provient d'une insuffisance chronique de l'investissement et développant une théorie pessimiste sur l'avenir des pays capitalistes, voués, selon lui, à la stagnation économique [thèse dite « stagnationniste »] (*Cycles of Prosperity and Depression*, 1921; *Full Recovery or Stagnation*, 1938).

HANSEN-TAMMSAARE (Anton). ♦ Romancier estonien (1879 – 1940). Il fut célèbre pour son roman, *Vérité et Justice* (1926-1934), représentatif de l'indépendance de l'Estonie de 1918 à 1940 et qui décrit l'existence âpre de l'homme du Nord.

HAN SHAN. ♦ Poète chinois, un des « huit immortels » (Pa Hsien), qui vécut en ermite de la fin du VIIIe au début du IXe siècle. D'inspiration ch'an (zen), il écrivait ses poèmes sur divers supports naturels : murs, arbres, pierres. Il fut inséparable de son compagnon-poète Shih-tê. Ses œuvres sont très réputées en Chine.

Han Shu. ♦ Œuvre historique chinoise écrite au Ier s. par l'historien Pan* Ku et sa sœur Pan Chao, contant les heurs et malheurs de la dynastie des Ch'ien* Han, depuis ~206 jusqu'à l'an 8 de notre ère.

HANSI (Jean-Jacques Waltz, dit). ♦ Écrivain, dessinateur et caricaturiste français (Colmar, 1872 – 1951). Né et élevé dans l'Alsace occupée par les Allemands, il étudia les beaux-arts à Lyon et Mulhouse et se fit connaître par un premier ouvrage, satire des instituteurs allemands, *Le Professeur Knatschke* (1912), suivi de *L'Alsace racontée aux petits enfants par l'oncle Hansi* (1912) et de *Mon village* (1913), qui lui valurent quelques démêlés avec les autorités allemandes. Au lendemain de la guerre, il publia encore *L'Alsace heureuse, Les Clochers dans les vignes*, tout en assumant, après son père, les fonctions de conservateur du musée des Unterlinden de Colmar. Lue et relue par de nombreuses générations, son œuvre s'est intégrée au folklore alsacien.

HANSKA (Eveline RZEWUSKA, *comtesse*). ♦ Dame polonaise (en Ukraine, 1800 – Paris, 1881). Elle fut la correspondante de Balzac*, à partir de 1832, et l'épousa en 1850, neuf ans après son veuvage.

HANSLICK (Eduard). ♦ Musicologue autrichien (Prague, 1825 – Vienne, 1904). Professeur à l'université de Vienne, il a exposé dans son principal ouvrage plusieurs fois réédité : *De la beauté musicale* (*Vom musikalischen Schönen*, 1854) une théorie de la musique pure qui exclut toute possibilité de représentation et conduit à une condamnation de l'esthétique wagnérienne.

HANUMÂN. ♦ Guerrier-singe mythique qui, dans l'épopée indienne du *Râmâyana**, aide le roi Râma* (incarnation de Viṣnu) à reconquérir son épouse Sîtâ enlevée par le démon Râvana, roi de Lankâ (Ceylan). Il est souvent adoré comme une divinité.

HANYANG. ♦ V. chinoise, fondée au VIIe s. sur le Yang*-tsê kiang, et formant auj. un quartier de la conurbation de Wu*-han. Arsenal.

HAN YÜ. ♦ Philosophe et lettré chinois (768 – 824) qui prêcha le retour à la prose ancienne et aux traditions perdues. Dans ses écrits, il s'opposa avec violence au bouddhisme et fut exilé pour cette raison.

HAO ♦ V. TUAMOTU (îles).

HAOURÂN. *n. m.* ♦ Région de l'Asie occidentale partagée entre la Syrie et la Jordanie; elle est formée d'un plateau fertile culminant à 1 839 m et peuplé par des Druzes.

HAOUSSAS. *n. m. pl.* ♦ Peuple noir d'Afrique occidentale, islamisé, métissé de Peuls*, établi surtout au N. du Nigeria* et au Niger*. Cultivateurs, artisans, commerçants, ils effectuent de longs parcours qui les amènent jusqu'en Afrique du Nord. Leur langue est répandue du golfe de Guinée au Sahara jusqu'en Libye. ♦ *Hist.* Ils fondèrent vers la fin du Xe s. sept États « légitimes » dont celui de Kano*, puis des États « illégitimes » (les Haoussas y étaient en minorité) entre le Songhaï et le Bornou*. L'Islâm y pénétra lentement jusqu'à l'annexion au XIXe s. des royaumes par les Peuls* **(V. Sokoto).**

HAOUZ. *n. m.* ♦ Plaine du Maroc méridional, dépression S.-E. de la Meseta*, au pied du Haut Atlas, limitée au N. par le Djebilet*, et irriguée par le cours supérieur du Tensift*. Oliviers. Arbres fruitiers. Élevage ovins. *V. princ.* : **V. Marrakech*.**

HARALD. ♦ Nom de souverains danois. ♦ HARALD HILTETAND [« Dent de combat »] (VIIe-VIIIe s.). Roi à demi légendaire. ♦ HARALD KLAK ([mort] v. 860). Il fit évangéliser le Danemark par saint Anschaire. ♦ HARALD BLAATAND [« Dent bleue »] (v. 910 – v. 985). Roi de Danemark (v. 950-985). Il favorisa le christianisme et repoussa les Wendes jusqu'à l'Oder.

HARALD. ♦ Nom de souverains norvégiens. ♦ HARALD Ier HAARFAGER [« à la belle chevelure »] (v. 850 – 933). Roi de Norvège (872-933). Il unifia le pays, en réduisant les principautés indépendantes (872). ♦ HARALD II ([mort] Danemark, 970). Roi de Norvège (961-970). Il succéda à son oncle Haakon* Ier le Bon. ♦ HARALD III HAARDRAADE [« le Sévère »] (mort au Stamford Bridge, 1066). Roi de Norvège (1046-1066). Il séjourna à Novgorod, puis à Constantinople, s'empara d'Athènes en 1040 et revint en Russie où il se maria. En Norvège, il contraignit son neveu Magnus* Ier à lui céder la moitié de ses États et s'empara de l'autre moitié à sa mort. Il tenta d'envahir l'Angleterre mais fut tué quelques jours avant le débarquement de Guillaume le Conquérant. ♦ HARALD IV GILLE ([mort] 1136). Roi de Norvège (1135-1136), il s'empara du trône, mais fut tué par un autre prétendant.

HARAPPÂ. ♦ Site du Pâkistân*, dans le Pañjâb*, sur la Ravi, éponyme d'une civilisation rurale caractérisée par des cités aux murs de briques et à l'urbanisme régulier que l'on a qualifiée de « civilisation de l'Indus. ». De très nombreux sites dans le Pañjâb, la vallée de l'Indus et le Kathiâwâr* appartiennent à cette civilisation qui demeure mal connue. Elle dut connaître son apogée vers la fin du IIIe millénaire avant notre ère et disparut, sous les coups conjugués des inondations et des tribus descendues des montagnes afghânes, vers ~1500.

HARAR ou **HARRAR.** *n. m.* ♦ Prov. du S.-E. de l'Éthiopie. 259 700 km². 3 300 000 hab. – Capitale de cette province (42 700 hab.). Patrie de Hailé*-Sélassié, A. Rimbaud* y vécut.

HARÂT ou **HÉRAT.** ♦ V. de l'Afghânistân*, sur le Harî* Rûd. Env. 90 000 hab. – Centre de traitement de la laine et gros marché des peaux d'astrakhan. Tapis réputés. ♦ *Hist.* Fondée vers le Xe s. sur le site de l'antique Alexandrie d'Arie, dans le Khûrasan, la ville fut détruite de nombreuses fois par les Mongols et les Ouzbeks. Elle constitua longtemps un sultanat indépendant, puis revint à l'Afghânistân en 1862.

HARBIN. ♦ **V.** HA-ÊRH-PIN.

HARBURG. ♦ Anc. V. d'Allemagne occidentale (Basse-Saxe),

Ph. Lauros-Giraudon

Affiche de **Hansi.**
(Bibliothèque des Arts décoratifs, Paris.)

sur la r. g. de l'Elbe et dans la banlieue S. de Hambourg à laquelle elle a été rattachée en 1937.

HARCOURT *(famille d').* ♦ Famille noble de Normandie qui eut pour fondateur au IXe s. un compagnon de Rollon, Bernard le Danois. La seigneurie d'Harcourt devint comté sous Philippe VI en 1328 puis duché en 1700. ♦ JEAN II, seigneur d'Harcourt ([mort] 1302). Il fut maréchal de France sous Philippe III le Hardi et amiral de France en 1293. ♦ RAOUL D'HARCOURT ([mort] 1307). Il fonda le collège d'Harcourt en 1280. ♦ GODEFROI D'HARCOURT, dit *le Boiteux* ([mort] près de Coutances, 1356). Tenant d'Édouard III d'Angleterre depuis 1345, il lui conseilla une descente en Normandie qu'il conduisit lui-même, conquit Cherbourg, Saint-Lô, et commanda une partie de l'armée anglaise à Crécy (1346). Il se réconcilia avec Philippé VI, mais en 1355 passa de nouveau du côté anglais. Il mourut en combattant les Français. ♦ HENRI DE LORRAINE, comte d'Harcourt, dit *Cadet la Perle* (1601 – 1666). Il commanda en Piémont et prit Turin (1640). Vice-roi de Catalogne (1644), il dut lever le siège de Lérida (1646). En Flandre, il vainquit les Espagnols à Valenciennes et prit Condé (1649). Rallié à la Fronde des princes, il reçut le gouvernement de l'Anjou pour prix de sa soumission. ♦ HENRI, *duc d'*HARCOURT (1654 – Paris, 1718). Maréchal de France. Il fut aide de camp de Turenne*, puis ambassadeur à Madrid (1697).

HARCOURT (Robert, *comte d'***).** ♦ Écrivain français (Lumigny, Seine-et-Marne, 1881 – Pargny-lès-Reims, Marne, 1965). Spécialiste de la littérature et de l'histoire de l'Allemagne, il a publié des études sur Goethe, Schiller, des ouvrages sur les *Catholiques d'Allemagne* (1938), *Les Allemands d'aujourd'hui* (1948), *L'Allemagne et l'Europe* (1960). [Acad. fr., 1946.]

HARDELOT-PLAGE. ♦ Station balnéaire du Pas*-de-Calais, comm. de Neufchâtel-Hardelot.

HARDEN (*sir* **Arthur).** ♦ Chimiste anglais (Manchester, 1865 – Bourne End. Buckinghamshire, 1940). Auteur de travaux, avec W.J. Young, sur les fermentations, sur les enzymes **(V.** *aussi* **Buchner, Willstätter)** et sur l'utilisation du sucre par les cellules vivantes. (Prix Nobel de chimie, 1929.)

HARDENBERG (Karl, August, *prince von***).** ♦ Homme politique prussien (Essenrode, Hanovre, 1750 – Gênes, 1822). En 1790, il entra dans l'administration et négocia le traité de Bâle* (1795). Premier ministre de Frédéric*-Guillaume III en 1804, chancelier d'État en 1810, il continua l'œuvre de Stein* : il abolit les corporations, affranchit les paysans (1811), émancipa les juifs (1812). L'hostilité de la noblesse l'empêcha d'aller jusqu'au bout de ses réformes. Il souleva l'Allemagne contre la domination française. Représentant de la Prusse au congrès de Vienne*, il obtint des accroissements de territoire ; il était favorable au démembrement de la France. Après la paix, il voulut instaurer un régime constitutionnel mais se heurta alors à Metternich. Il a laissé des *Mémoires*.

HARDIE (James Keir). ♦ Homme politique britannique (Legbrannock, Lanarkshire, 1856 – Glasgow, 1915). Après une enfance difficile (il travailla dès l'âge de dix ans dans les mines), il devint très tôt un membre actif des *Trade Unions* et fonda un journal : *The Miner* (1887). Passé du libéralisme au socialisme, il fut à l'origine du Parti travailliste écossais, puis du Parti travailliste indépendant (1893), dont devait sortir directement le parti actuel. Élu aux Communes en 1892, puis en 1900, il fut le premier député socialiste et resta l'un des principaux chefs du parti travailliste auquel il essaya de rallier les *Trade Unions*. Il devait garder sur son parti une influence capitale jusqu'en 1914, date à laquelle il ne put imposer ses vues pacifistes. Il demeura le symbole du travaillisme à ses débuts.

Coll. Rui Nogueira

Oliver Norvell **Hardy** (à droite).

HARDING (Warren Gamaliel). ♦ Homme politique américain, 29e président des États-Unis (Corsica, Morrow County, Ohio, 1865 – San Francisco, 1923). Élu au Sénat à plusieurs reprises à partir de 1898, il se fit remarquer par ses dons d'orateur et engagea les républicains* dans une voie très conservatrice. C'est sur le thème d'un « retour à la normale », avec le programme nationaliste de « l'Amérique d'abord », qu'il fit sa campagne présidentielle, et entama son mandat (mars 1921) : à l'encontre du président Wilson*, il refusait la S.D.N., souhaitait limiter l'émigration et rétablit un protectionnisme rigide qui favorisa les grands trusts. Compromis, à travers son entourage, dans des scandales financiers, il mourut subitement, et le vice-président Coolidge* lui succéda.

HARDOUIN-MANSART (Jules). ♦ **V.** MANSART.

HARDT ou **HAARDT.** *n. f.* ♦ Massif gréseux d'Allemagne occidentale prolongeant au N. les Vosges et culminant à 687 m au Donnersberg*.

HARDWAR. ♦ V. du N.-O. de l'Inde, au débouché du Gange sur la plaine indo-gangétique. Ville sainte des Hindous, qui y viennent nombreux en pèlerinage. Sa population (normalement 50 000 hab.) peut atteindre 500 000 hab. en temps de pèlerinage.

HARDY (Alexandre). ♦ Poète dramatique français (Paris, v. 1570 – v. 1632). D'abord comédien ambulant et poète à gages, il composa pour la troupe de Valleran-Lecomte puis pour celle de l'hôtel de Bourgogne, quelque 700 tragédies, tragi-comédies et pastorales dont une trentaine seulement ont été publiées. Fidèle aux formes de la tragédie humaniste, son œuvre doit à une longue fréquentation du public d'être souvent très proche de la tragédie irrégulière par le caractère mélodramatique des sujets traités, la richesse et la crudité du style, la violence des passions éprouvées par ses héros, lucides et volontaires jusqu'à leur anéantissement *(Marianne, Didon, Lucrèce)*. Ses tragi-comédies, inspirées pour certaines de Lucien ou de Cervantes *(La Force du sang. Elmire)* témoignent d'un total affranchissement à l'égard des règles.

HARDY (Thomas). ♦ Poète, romancier et dramaturge anglais (Stinsford, Dorset, 1840 – Dorchester, 1928). De petite bourgeoisie terrienne, il apprit chez lui le grec et le latin et devint stagiaire chez un architecte à Dorchester, puis à Londres où il étudia la théologie, la littérature et l'astronomie. Son premier roman, *Le Pauvre et la Dame*, écrit en 1867, et apprécié par Meredith, ne fut jamais publié, mais servit plus tard de base à *Une indiscrétion dans la vie d'une héritière*. La carrière de Thomas Hardy débuta avec *Les Remèdes désespérés* (1871), *Sous la verte feuillée* (1872), *Deux Yeux bleus* (1873), roman inspiré par son amour pour Emma Lavinia qu'il épousera en 1874. Puis il délaissa le roman pour le théâtre et la poésie : *Poème du Wessex* (1898). Aussi pessimistes que ses romans, les poèmes de Hardy sont imprégnés de thèmes stoïciens et romantiques : l'idée de la mort, de l'éphémère, de la cruelle beauté de la nature imprègne toute son œuvre. Cette atmosphère écrasante se détend grâce à l'humour, dans les nouvelles : *Contes du Wessex*, 1888, *Un cercle de dames nobles*, 1891, *Petites Ironies de la vie*, 1894, *Un homme transformé et autres contes*, 1913. Hardy doit surtout sa célébrité à des romans dits de caractère et d'atmosphère : *Loin de la foule hallucinante* (1874) ; *Le Retour au pays natal* (1878) ; *Le Maire de Casterbridge* (1886) ; *Les Forestiers* (1887). La clé de sa philosophie se trouve dans le drame des *Dynastes* (1904), vaste fresque sur les guerres napoléoniennes. Comme Schopenhauer, Hardy fonde sa vision du monde sur le concept de volonté et de force. Sensible aux crimes que la société commet contre l'individu, Hardy voyait « la race humaine [comme]... un immense filet qui frémit partout lorsqu'il est heurté en l'un de ses points, ainsi qu'une toile d'araignée quand on la touche ».

HARDY (Godfrey Harold). ♦ Mathématicien anglais (Cranleigh, Surrey, 1877 – Cambridge, 1947). Auteur de travaux sur la théorie des nombres, il mit au point avec Littlewood* une méthode de « théorie analytique des nombres » qui leur permit notamment d'améliorer le résultat de Hilbert* concernant le problème de Waring* et, étudiant le problème de Goldbach*, de montrer que tout nombre impair assez grand est la somme de trois nombres premiers. **V.** *aussi* **Vinogradov.** (Acad. sc., 1947.)

HARDY (Oliver Norvell). ♦ Acteur américain de cinéma (Harlem, Géorgie, 1892 – Burbank, Californie, 1957). Issu d'une famille de bourgeoisie aisée, il débuta au cinéma dans l'emploi des traîtres et des mauvais garçons, puis il aborda avec sensibilité et imagination celui des rondeurs comiques avant de rencontrer Stan Laurel et d'entreprendre avec lui la longue série des « Laurel et Hardy » (1926-1951). **V. Laurel.**

HARELBEKE. ♦ Comm. de Belgique (Flandre-Occidentale, arr. de Courtrai). 18 000 hab. – Église (nef de 1769, mobilier des XVIIe et XVIIIe s.). – Indus. textile. Huileries. Tabac. – Patrie du compositeur romantique Peter Benoit (1834 – 1901).

Harelle *(la).* ♦ Émeute populaire qui sévit à Rouen, d'oct. 1381 à fév. 1382. Comme la révolte des maillotins* à Paris, elle eut pour cause les impôts arbitrairement levés à Paris par le duc d'Anjou. Un marchand drapier, Le Gras, fut même proclamé roi par les Rouennais. Les chefs de l'insurrection furent tués.

Harengs *(journée des)*. ♦ Bataille livrée à Rouvray, au N. d'Orléans par les Français qui furent vaincus par Fastolf* (1429). Cette bataille fut appelée ainsi parce que les Anglais transportaient des harengs pour ravitailler Orléans.

HARFLEUR. ♦ Comm. de la Seine*-Maritime, arr. du Havre*, sur la Lézarde. 15 598 hab. *(Harfleurais)*. Église Saint-Martin des XVe et XVIe s., château du XVIIe siècle. Port sur le canal de Tancarville; métallurgie.

HARGEISA. ♦ V. du N. de la Somalie*. 50 000 hab. – Anc. cap. de la Somalie britannique.

HARGREAVES (James). ♦ Mécanicien anglais (Blackburn, v. 1710 – Nottingham, 1778). Constructeur de la première machine à filer pratique dite « spinning jenny » (1768), il fit également breveter le premier métier à filer à plusieurs broches (1770). **V. Arkwright, Crompton.**

HARIANA ou **HARYANA.** *n. m.* ♦ Le plus petit État de l'Union indienne, formé en 1966 d'une partie du Pañjâb. *Cap.* Chandigârh*. 8 600 000 hab. *Langue :* le hindî. La plus grande partie de l'État appartient à la plaine indo-gangétique. – *Écon.* L'agriculture domine : riz, maïs, canne à sucre, coton. Élevage laitier. L'industrie se développe. – Indus. alimentaires, textiles, fabriques de ciment, cycles, machines-outils.

Hârijân. *n. m. pl.*, (hindî « enfants du Seigneur »). ♦ Nom donné par le mahâtma Gandhi* aux castes de réprouvés de l'Inde et aux intouchables afin de les faire mieux accepter par les Hindous des castes.

HARINGTON (*sir* Charles Robert). ♦ Biochimiste anglais (Llanerfyl, pays de Galles, 1897 –). Il a élucidé la formule de la thyroxine (1926). **V. Kendall.**

HARÎRÎ (Abû Muhammad al Qâsim al-). ♦ Écrivain et philologue arabe (Basra, 1054 – *id.*, 1122). Il est considéré comme un des premiers maîtres du style dans la littérature arabe. Il rédigea un poème didactique de grammaire *(Mulhal al-'Irab)* et composa 50 *maqâmât* (pl. de *maqâmâ)* en enrichissant ce genre inventé par al-Hamadhâni*. Classées juste après le Coran, ces *maqâmât*, où sont éloquemment combinées prose rimée et poésie, sont présentées comme un modèle de perfection dans la langue arabe. Les *maqâmât* d'al-Harîrî racontent les aventures d'un vagabond, Abû Zayd, et contiennent des allusions érudites sur l'histoire et la poésie arabes, ainsi que sur des problèmes linguistiques.

HARÎ RÛD. *n. m.* ♦ Fl. d'Afghânistân* (1 100 km). Issu des hauteurs de la chaîne du Kûh*-i Bâbâ, il arrose la plaine d'Harât* et se perd dans les sables du Karakoum dans le Türkestân soviétique.

HARISCHANDRA. ♦ Écrivain indien (1850 – 1885) qui écrivit de nombreuses œuvres populaires en langue hindî. Il est considéré comme le père de la littérature hindî moderne.

HARÎTH (ibn Hilliza al-). ♦ Poète arabe antéislamique (VIe s.). Auteur d'une des *mu'allaqat**, qui n'est qu'un long plaidoyer tribal.

HARIVARMAN (I à V). ♦ Nom de plusieurs souverains du Champâ* (moderne Annam) qui régnèrent de 802 à 1139, luttant sans trêve contre les empiétements des Vietnamiens et tentant de s'opposer aux Khmers*.

HARLAY (Achille *de, comte de* Beaumont). ♦ Magistrat français (Paris, 1536 – *id.*, 1619). Président du Parlement, il resta inébranlablement fidèle au roi, même après la journée des Barricades*, et fut un des plus marquants des « politiques »*. Emprisonné par les Seize*, il ne fut libéré qu'à la mort de Henri* III, et servit immédiatement Henri* IV. Il fut un ardent gallican et fit condamner les ouvrages de Mariana et de Bellarmin. ♦ ACHILLE DE HARLAY, comte de Beaumont, petit-fils du précédent. Magistrat français (Paris, 1639 – *id.*, 1712). Il fut premier président du parlement de Paris (1689) et s'occupa de la légitimation des bâtards de Louis XIV. Il soutint avec violence les gallicans contre le pape.

HARLAY DE CHAMPVALLON (François *de*). ♦ (Paris, 1625 – Conflans, 1695). Archevêque de Paris en 1671, il fut un prélat mondain et ambitieux, un des principaux conseillers religieux de Louis XIV et le chef des gallicans. Son rôle fut déterminant dans l'affaire de la régale* (il présida l'assemblée générale du clergé), dans les persécutions contre Mme Guyon* et contre Port*-Royal, dans la révocation de l'édit de Nantes*. En 1684, il célébra le mariage secret du roi avec Mme de Maintenon.

Harlem. ♦ Quartier de New* York City, au N. de l'île de Manhattan*, habité presque exclusivement par la communauté noire. La *rivière Harlem* fait communiquer l'Hudson et l'East River.

HARLEY (Robert, *1er comte* d'Oxford et *comte* Mortimer). ♦ Homme politique anglais (Londres, 1661 – *id.*, 1724). Député whig au Parlement depuis 1689, il soutint en général les tories à la Chambre, où il acquit une grande influence. Speaker des Communes de 1701 à 1704, il devint secrétaire d'État en 1704 (jusqu'en 1708) et conclut l'Acte d'union avec l'Écosse. Combattu par Marlborough et par Godolphin, il fut forcé d'offrir sa démission à la reine Anne. Il conserva cependant sa puissance par l'intermédiaire de sa cousine lady Masham, très influente sur la reine. Chancelier de l'Échiquier en 1710, il créa des loteries et entama des négociations avec la France; le traité d'Utrecht fut signé en 1713. Harley, jalousé par Bolingbroke, fut destitué en 1714 et vécut désormais dans la retraite après avoir été acquitté en 1717. Il forma une importante bibliothèque, composée de 6 000 volumes manuscrits et de 14 000 chartes, qui se trouve actuellement au British Museum.

Ph. Grégoire de Brouhns

Harmodios et Aristogiton.
(Musée national archéologique, Naples.)

HARLINGEN. ♦ V. et port des Pays-Bas (Frise). 12 621 hab. – Église et hôtel de ville du XVIIIe siècle. Pêche. Exportations vers la Grande-Bretagne. Chantiers navals. Constructions mécaniques. ♦ *Hist.* Harlingen est construit sur l'emplacement d'une ville engloutie par la mer en 1134.

HARLOW (Harlean Carpentier, dite Jean). ♦ Actrice américaine de cinéma (Kansas City, 1911 – Hollywood, 1937). Un film de Frank Capra, *Platinum Blonde* (1932) rendit célèbre sa ligne aux courbes généreuses, son regard clair et sa blondeur capiteuse. Sa mort prématurée plongea dans la consternation le public innombrable de ses admirateurs.

HARLOW. ♦ V. d'Angleterre, dans la banlieue N.-E. de Londres (Essex). 62 000 hab. Créée récemment (1951) sur l'axe routier Londres-Cambridge, elle doit accueillir 80 000 habitants.

HARMEL (Léon). ♦ Industriel français (La Neuville-lès-Wasigny, Ardennes, 1829 – Nice, 1915). Il poursuivit au Val-des-Bois (Marne) les œuvres sociales entreprises par son père. D'abord représentant du catholicisme social **(V. Mun** [Albert de]; **La Tour du Pin** [R. de]) et auteur d'un *Manuel d'une corporation chrétienne* (1876), il fut ensuite partisan de la démocratie chrétienne (qui reconnut le syndicalisme ouvrier).

HARMODIOS. ♦ Citoyen athénien qui complota avec son ami Aristogiton* contre les tyrans Hippias* et Hipparque* (~ 514). Ayant mis leur plan à exécution lors de la procession des panathénées, ils réussirent à tuer seulement Hipparque, le moins important des deux tyrans. Harmodios fut tué sur-le-champ et Aristogiton, arrêté, succomba aux tortures. Thucydide donne des motifs personnels au complot, mais la tradition fit des deux conjurés des martyrs de la liberté. Des statues commémoratives (les *Tyrannochtones*) ornaient la ville et leur sacrifice était célébré dans des chansons.

HARMONIE, en gr. **Harmonia.** ♦ Fille d'Arès et d'Aphrodite*, épouse de Cadmos*. Les cadeaux divins de leurs noces portaient le malheur à leurs descendants. **V. Sémélé, Ino.**

Harmonies poétiques et religieuses (Les). ♦ Recueil poétique de Lamartine* (1830). Ces quarante-huit poèmes obéissent à une inspiration religieuse : tout dans la création révèle l'existence de Dieu. Si la veine est parfois personnelle *(Milly ou la Terre natale)*, le lyrisme est plutôt métaphysique quand il s'agit de souligner les rapports entre la nature *(Le Chêne)*, l'homme *(L'Humanité)* et Dieu *(Jéhovah)*. Ces « psaumes modernes » inspirèrent à Franz Liszt* des œuvres pour piano.

HARNACK (Adolf *von*). ♦ Théologien et historien allemand du christianisme, luthérien libéral (Dorpat, Livonie, 1851 – Heidelberg, 1930). Professeur à Leipzig (1874) puis à Marbourg (1886) et Berlin (1888), il est l'auteur, avec tout un laboratoire, de travaux magistraux sur l'histoire ancienne de l'Église et la critique des textes qui s'y rapportent : *Lehrbuch der Dogmengeschichte* (*Histoire des dogmes*, 1886-1889), *Geschichte der altenchristlichen Literatur bis Eusebius* (*Histoire de l'ancienne littérature chrétienne jusqu'à Eusèbe*, 1893-1904), *Beiträge zur Einleitung in das neue Testament* (*Études sur le Nouveau Testament*, 1906-1916), *Marcion* (1921).

HARNES. ♦ Comm. du Pas-de-Calais, arr. de Lens. 14 622 hab. Pétrolochimie. Cokerie. Centrale thermique.

HÄRNÖSAND. ♦ V. et port de Suède, sur le golfe de Botnie, à l'embouchure de l'Ångermanälven*. Une partie de la ville se trouve

Ph. Giraudon

Harold II. Tapisserie de Bayeux. (Musée de Bayeux.)

dans l'île de Härnö. Ch.-l. du comté de Västernorrland. 17 000 hab. (1968). — Évêché (fondé en 1778). Important musée de plein air (vieilles maisons de la prov.). — Centre indus. : chantiers navals, constructions mécaniques, usines de pâte à papier.

HAROLD Ier Harefoot ou **Pied de lièvre**. ♦ ([mort] Oxford, 1040). Roi d'Angleterre (1035-1040). Il succéda à son père Canut* le Grand.

HAROLD II. ♦ (v. 1022 — Hastings, 1066). Roi d'Angleterre (1066). Fils de Godwin*, il seconda le roi Édouard* le Confesseur. Il prit le pouvoir à la mort de ce dernier (1066), mais il fut vaincu et tué à Hastings* par Guillaume* Ier le Conquérant.

HAROLD-BARTON (Derek). ♦ Chimiste britannique (Gravesend, 1918). Auteur de recherches en analyse conformationnelle (**V. Hassel**), il étendit les travaux de Hassel à des molécules plus complexes et élabora une théorie qui prédit leurs structures. (Prix Nobel de chimie, 1969.)

HAROUÉ. ♦ Ch.-l. de cant. de Meurthe-et-Moselle, arr. de Nancy. 468 hab. — Château (XVIIIe s.). — Patrie de F. de Bassompierre*.

HAROUN AL-RACHID. ♦ **V.** HÂRÛN AL-RASHÎD.

Harpagon (du gr. *harpagê*, « rapacité »). ♦ Personnage principal de *L'Avare** de Molière. La passion qui le dévore a tué chez ce riche bourgeois le sentiment de sa dignité. Méfiant et brutal envers ceux qui l'entourent, il est aussi mauvais père que mauvais maître. Moins qu'à la jeune Marianne dont il est devenu amoureux, c'est à sa chère cassette que vont toutes ses pensées. L'échec de ses desseins amoureux le bouleversera moins que le vol, provisoire, de son trésor.

HARPALE, en gr. **Harpalos**. ♦ Officier d'Alexandre le Grand, chargé de la garde de son trésor à Babylone pendant l'expédition du conquérant dans l'Inde. Réfugié à Athènes avec 5 000 talents en or et emprisonné pour être livré, il réussit à s'enfuir en Crète où il périt assassiné (~ 324). L'enquête constatait alors que la moitié de l'or placé sous séquestre avait disparu. Dans le célèbre procès intenté aux commissaires pour corruption, Dinarque* fut le principal accusateur de Démosthène*, l'un des commissaires.

HARPIES ou **HARPYES** [*Harpues*], n. f. pl. ♦ Divinités grecques de la génération préolympienne. Monstres au corps d'oiseau et à tête de femme, elles étaient des ravisseuses d'enfants et d'âmes.

HARPIGNIES (Henri). ♦ Peintre et aquarelliste français (Valenciennes, 1819 — Saint-Privé, Yonne, 1916). Il exécuta des vues d'Italie et surtout des paysages du centre de la France qui reflètent l'influence de Corot et des paysagistes de l'école de Barbizon*. Sa facture heurtée, ses compositions simples surent plaire à la société bourgeoise de la fin du XIXe siècle.

HARPOCRATE, en gr. **Harpocratês**, en égypt. **Har-pekhrad**, « Horus l'enfant ». ♦ Dieu égyptien représenté comme un enfant suçant son doigt. Il figurait un des aspects d'Horus*, Horus enfant, et était adoré à Philae* avec Isis* et Osiris*. Les Grecs et les Romains l'adoptèrent et en firent le dieu du silence, honoré par les philosophes mystiques.

HARRACH *(oued)*. ♦ Riv. d'Algérie (95 km), tributaire de la Méditerranée, née dans l'Atlas de Blida*, qui draine la Mitidja*, passe à El-Harrach* et traverse les collines du Sahel* d'Alger.

HARRACH (El-), anc. **Maison-Carrée**. ♦ Anc. comm. d'Algérie, auj. incorporée au Grand Alger*, située sur l'oued Harrach*, dans la Mitidja*, au pied des collines du Sahel*. Zone industrielle. École nationale d'agriculture.

HARRIMAN (William Averell). ♦ Homme politique américain (New York, 1891). Important homme d'affaires (ch. de fer) et financier, il devint en 1941 le conseiller de F.D. Roosevelt pour la mise en application de la loi prêt-bail. Ambassadeur, puis secrétaire d'État au Commerce, il fut chargé de mission en Europe, où il s'occupa du « plan Marshall », puis, après avoir été gouverneur de l'État de New York, il fut à nouveau chargé de mission par le président Kennedy (1961). Chargé du secrétariat d'État aux Affaires d'Extrême-Orient, puis aux Affaires politiques (1963-1965), il fut surtout un négociateur (traité sur l'arrêt des essais nucléaires, Moscou, 1963 ; conférence États-Unis - Viêt-nam du Nord, 1968).

HARRINGTON (James). ♦ Théoricien politique anglais (Upton, Northamptonshire, 1611 — Londres, 1677). Républicain convaincu, il a dédié à Cromwell son projet de réorganisation (idéale) de la société (*Oceana*, 1656).

HARRIOT (Thomas). ♦ Mathématicien, astronome et géographe anglais (Oxford, 1560 — Londres, 1621). Dans son ouvrage posthume *Artis analyticae praxis...* (1631), il développa les théories de Viète*, perfectionnant notamment sa méthode de résolution numérique approchée des équations algébriques ; il simplifia la notation et introduisit les signes > et < pour les inégalités. **V. Oughtred.**

HARRIS (Zellig Sabbetai). ♦ Linguiste américain d'origine russe (Balta, 1909 —). Immigré aux États-Unis en 1913, il prit la nationalité américaine en 1921 ; depuis 1931, il enseigne à l'université de Pennsylvanie. D'abord représentant de l'école bloomfieldienne, il élabora une théorie extrêmement rigoureuse de l'analyse descriptive induisant d'un corpus de phrases les éléments et les règles qui s'y appliquent par la détermination de « somme des environnements » — ou *distribution* — de chaque unité (linguistique dite « distributionnelle » ; *Methods in Structural Linguistics,* 1957). Il est aussi le théoricien de l'analyse linguistique au delà des limites de la phrase *(discourse analysis)*. Peu après 1950, Harris eut pour étudiant N. Chomsky* et, modifiant ses méthodes, élabora une linguistique transformationnelle palliant certaines insuffisances de l'analyse distributionnelle et recourant à la notion de *transformation,* règle appliquée à un « noyau » pour engendrer des énoncés équivalents.

HARRISBURG. ♦ V. des États-Unis, cap. de la Pennsylvanie, sur la Susquehanna. 65 828 hab. (1970). La zone métropolitaine compte plus de 400 000 hab. Centre commercial, administratif et industriel (aciéries). — Le dôme du Capitole est imité de Saint-Pierre de Rome.

HARRISON (John). ♦ Inventeur anglais (Foulby, Yorkshire, 1693 — Londres, 1776). Après avoir inventé un pendule compensateur pour remédier aux irrégularités que les variations de température font subir à la marche des horloges (1726), il réalisa le chronomètre de marine pour la détermination des longitudes (1736, 1745, 1749) qui lui valut la plus haute récompense de la *Royal Society* (la médaille Copley).

HARRISON (William Henry). ♦ Homme politique américain (Berkeley, Virginie, 1773 — Washington, 1841). 9e président des États-Unis. Gouverneur de l'Indiana, il lutta contre les Indiens et combattit les Anglais. Élu en 1840, comme président républicain, il mourut un mois après le commencement de son mandat.

HARRISON (Benjamin). ♦ Homme politique américain (North Bend, Ohio, 1833 — Indianapolis, 1901), 23e président des États-Unis. Petit-fils de William Henry Harrison, il prit part à la guerre de Sécession*. Élu comme républicain, il imposa le tarif protecteur de McKinley* et fut battu par Cleveland en 1892.

HARROGATE. ♦ V. de Grande-Bretagne (Yorkshire, West Riding). 56 300 hab. Princ. station thermale du N. de l'Angleterre, possédant 88 sources d'eaux salines et sulfureuses.

HARROW-ON-THE-HILL. ♦ Faubourg du N.-O. de Londres (Middlesex). 214 000 hab. Célèbre par sa *public school* fondée en 1574. Byron, Winston Churchill, parmi de nombreux personnages devenus célèbres, y furent élèves.

HARṢA ou **HARṢAVARDHANA**. ♦ Roi indien de Kanauj dans le N. de l'Inde (606-647). Il affirma la suprématie de sa dynastie sur tout le N. du pays et s'opposa aux dynasties du Dekkan* qu'il ne put conquérir. Il est cependant plus célèbre comme lettré, poète et dramaturge que comme conquérant. Son historien, Bhâna, nous laissa de nombreuses notes sur la vie de ce mécène des arts, de la littérature et de la religion. Après sa mort, son royaume se désagrégea.

HARSANYI (Tibor). ♦ Compositeur français d'origine hongroise (Magyarkanisza, 1898 — Paris, 1954). Élève de Z. Kodály*, il vint s'établir à Paris (1923) où il participa au mouvement de l'avant-garde musicale. Ses recherches dans le domaine du rythme et de l'harmonie manifestent l'influence de Bartók* et de Debussy. On lui doit des opéras, des ballets, de la musique symphonique, des œuvres pour piano et de la musique de chambre.

HARSDÖRFER (Georg-Philipp). ♦ Poète lyrique allemand de l'époque baroque (Nuremberg, 1607 — 1658). Fondateur à Nuremberg du groupe poétique des « bergers de la Pegnitz » (Pegnitzschäfer ou Blumenhirten-Orden), où il prit le nom de Strefon, il pratiqua une poésie de style précieux et se fit surtout connaître comme l'auteur de *L'Entonnoir poétique* (*Poetischer Trichter,* 1650), sorte de recueil poétique à l'usage des apprentis poètes ou des « poétereaux à court d'imagination » (M. Gravier).

HARTE (Francis Brett, dit Bret). ♦ Écrivain américain (Albany,

New York, 1836 – Camberley, Surrey, 1902). Venu de l'Est, non pour chercher de l'or, mais pour des raisons familiales, il débarqua en 1854 à San Francisco. Il fut employé de diligences, apothicaire, précepteur, secrétaire de la Monnaie et directeur de l'*Overland Monthly* où il fit paraître *La chance entre au camp* (*The Luck of Roaring Camp,* 1868) récit fictif de l'accouchement d'une prostituée qui donne lieu à un mouvement de solidarité des prospecteurs. Un lecteur écrivit à la revue pour donner des détails supplémentaires : le fait, disait-il, avait effectivement eu lieu. Inventeur de l'exotisme du Far West, Bret Harte créa des personnages hauts en couleur : maîtresses d'école innocentes, joueurs professionnels et tueurs au grand cœur (le colonel Pendleton) dont s'inspirèrent les réalisateurs de westerns ainsi que Mark Twain* avec qui Bret Harte collabora (*Ah! Péché! : Ah! Sin!,* 1877). Ses meilleures nouvelles sont réunies dans *Contes des Argonautes* (*Tales of the Argonauts,* 1875) et *Les Maris de Mrs. Skaggs* (1873). Son équipée en Californie est contée dans son unique roman *Gabriel Conroy* (1876).

HARTECK (Paul). ♦ Chimiste autrichien (Vienne, 1902). Membre de l'équipe de E. Rutherford*, qui identifia le tritium en 1934.

HARTFORD. ♦ V. des États-Unis, cap. et V. la plus importante du Connecticut*, sur la riv. du même nom. 155 858 hab.; zone urbaine : plus de 650 000 hab. – Centre indus. (mécanique, électricité, brosseries, machines de précision) et financier (assurances). – Nombreux collèges. – Patrie du lexicographe Noah Webster.

HARTH. *n. f.* ♦ Région forestière de la plaine d'Alsace*, dans le Haut-Rhin*.

HARTLEBEN (Otto Erich). ♦ Écrivain et auteur dramatique allemand (Clausthal, Harz, 1864 – Salo, Italie du Nord, 1905). Esprit bohème qui mania volontiers un humour d'étudiant, chanta le vin, l'amour et s'en prit aux philistins, il composa des comédies (*Les Grenouilles,* 1889; *Hanna Jagert,* 1893) et des nouvelles dont le naturalisme se teinte d'ironie. Une de ses dernières œuvres, *Lundi gras* (*Rosenmontag,* 1900) marquait un retour au drame bourgeois.

HARTLEY (Ralph Windon Lyon). ♦ Ingénieur électricien américain (Spruce, Nevada, 1888 –). Il montra comment mesurer la grandeur correspondant à la notion d'information sélective (1927) et établit que la transmissibilité d'un message en un temps donné est mesurable et limitée, donnant la loi de proportionnalité de la puissance d'un moyen de transmission à la largeur de la bande de fréquences propre à ce moyen (1928). **V. Shannon.** On lui doit également un oscillateur à tubes électroniques.

HARTLEY (Leslie Poles). ♦ Romancier anglais (Wittlesea, 1895 – Londres, 1972). Fasciné par le monde de l'enfance, il écrivit une trilogie, formée de *La Crevette et l'Anémone* (1944), *Le Sixième Ciel* (1946) et *Eustache et Hilda* (1947), qui évoque la tragique histoire d'une amitié fraternelle. Cette œuvre, parfois comparable aux romans de Colette, évoque l'éveil de l'enfance au monde esthétique ou à la complexité du monde des adultes *(Chassé-croisé, The Go-between,* 1953, adapté à l'écran par J. Losey : *Le Messager);* comme H. James, L.P. Hartley écrivit des contes fantastiques. Il se considéra avant tout comme un moraliste : « Ce qui m'intéresse le plus dans le roman est l'esprit moral d'une situation. Mes livres montent vers une crise psychologique qui se dénoue dans une tragédie. »

HARTLINE (Haldan Keffer). ♦ Biophysicien américain (1903). Ses travaux sur l'œil et les mécanismes de la vision lui valurent le prix Nobel de médecine (1967) avec R. Granit* et G. Wald*.

HARTMANN (Eduard *von***).** ♦ Philosophe allemand (Berlin, 1842 – Grosslichterfelde, 1906). Sous l'influence de divers courants de pensée (Kant, Schelling, Hegel, Schopenhauer) et d'une réflexion sur les êtres vivants, il fut amené à affirmer l'existence d'un inconscient psychique. Volonté et intelligence, cette force impersonnelle crée et anime le monde dont le but final est l'anéantissement total, que l'homme atteint par la conscience (*Philosophie de l'inconscient,* 1869; *Histoire de la métaphysique,* 1899; *La Psychologie moderne,* 1901).

HARTMANN (Nicolaï). ♦ Philosophe allemand (Riga, 1882 – Göttingen, 1950). Influencé par le néo-kantisme de l'école de Marburg et la méthode phénoménologique de Husserl, il tenta de les dépasser, renouant avec la métaphysique d'Aristote et posant de façon originale le problème de l'être (*Fondement de l'ontologie,* 1935; etc.).

HARTMANN (Karl Amadeus). ♦ Compositeur allemand (Munich, 1895 – *id.,* 1963). Élève de Scherchen et de Webern*, il fut le fondateur de la société *Musica Viva* à Munich, pour la diffusion de la musique contemporaine. Son œuvre, marquée par l'influence de Schoenberg*, comprend sept symphonies, une ouverture symphonique (*La Chine au combat,* 1942), un opéra de chambre *(La Jeunesse de Simplicissimus,* 1955), des concertos et de la musique de chambre.

HARTMANNSWILLERKOPF. ♦ Sommet des Vosges (956 m) appelé familièrement le *Vieil Armand.* Un monument commémore les combats acharnés qui s'y déroulèrent en 1915-1916. Ossuaire (10 000 morts inconnus). Vierge de Bourdelle. Au sommet, monument des chasseurs de la garde prussienne.

HARTMANN von AUE. ♦ Poète allemand originaire de Souabe (deuxième moitié du XIIe s. – entre 1210 et 1220). Chevalier de naissance non libre, il fut au service des seigneurs d'Aue (sans doute Eglisau, près de Schaffhouse en Suisse). Poète courtois, il fut le premier à introduire en Allemagne les thèmes du roi Artus et des chevaliers de la Table ronde. S'inspirant des œuvres de Chrétien de Troyes *(Érec, Yvain),* il écrivit deux poèmes courtois *Érec* (v. 1185) et *Iwein* (v. 1205). Entre les deux, il avait composé deux poèmes d'inspiration religieuse, *Gregorius* et *Le Pauvre Henri.*

HARTREE (Douglas). ♦ Physicien anglais (né en 1897). Auteur de la méthode d'approximation du *champ* dit en anglais *self-consistent* en mécanique quantique (1928), il put expliquer presque toutes les propriétés du solide; il développa la théorie du magnétron à cavités multiples **(V.** *aussi* **L. Brillouin, Slater)** et, avec Appleton*, établit la théorie magnéto-ionique de l'ionosphère.

HARTUNG (Hans). ♦ Peintre, dessinateur et graveur français d'origine allemande (Leipzig, 1904). Il s'intéressa très jeune à la peinture et subit l'influence de Kokoschka, Nolde et F. Marc. L'attraction qu'exercèrent sur lui les premières aquarelles abstraites de Kandinsky* le poussa sans doute à miser sur l'impulsivité du geste en évitant le contrôle de la volonté consciente. C'est alors qu'il peignit des lavis et gouaches non figuratifs et vivement colorés (1921-1922). En 1925, il rencontra Kandinsky et, jusqu'en 1928, poursuivit des études d'histoire de l'art et de philosophie à Dresde, Leipzig et Munich. Il s'établit à Berlin en 1932, puis, fuyant le nazisme, s'installa à Paris en 1935. À l'écart des mouvements picturaux de l'époque, il poursuivit ses recherches non figuratives. Évitant la régularité et la géométrie, il a peint des formes non identifiables qui semblent enregistrer l'élan du geste. Les lignes souples ou taches posées sur un fond uniformément coloré ou finement modulé, d'abord nerveuses, fouillées, zébrées, se multipliant en motifs variés puis formant des faisceaux de traits élancés ou s'épaississant jusqu'à constituer quelques larges bandes sombres, prennent l'aspect de signes élégants et impérieux et s'apparentent formellement à la calligraphie orientale. Considéré comme l'un des maîtres de l'abstraction lyrique, de la peinture gestuelle ou du tachisme, il s'est toujours situé dans un registre d'expression modéré et a surtout exploité les possibilités plastiques du graphisme, utilisant avec sobriété la couleur et la matière. Il a aussi brillamment pratiqué le pastel et la gravure.

HARTZENBUSCH (Juan Eugenio). ♦ Auteur dramatique espagnol (Madrid, 1806 – id., 1880). Il a écrit des drames historiques et des comédies. Œuvr. princ. : *Les Amants de Teruel* (*Los Amantes de Teruel,* 1836).

HÂRÛN AL-RASHÎD. ♦ Le plus célèbre calife 'abbâsside* (Ray, Perse, 766 – Tûs, Khurâsân, 809). Il nomma vizir le Barmakide* Yahiâ, qui exerça avec ses deux fils le pouvoir effectif jusqu'en 803, date à laquelle les Barmakides furent chassés et exécutés. Il se rendit populaire par ses victoires contre les Byzantins. Ses relations avec Charlemagne semblent légendaires, les sources arabes étant muettes sur ce fait. Sous son règne, Baghdâd était la ville la plus riche et la plus cultivée du monde méditerranéen. La vie fastueuse qu'il mena, le grand luxe qu'il déploya, la présence de plusieurs poètes, musiciens et savants à sa cour firent de lui le héros de plusieurs contes des *Mille* et Une Nuits.*

HARUNOBU (Suzuki Harunobu). ♦ Peintre japonais d'estampe Ukiyo-e (Edo, 1724 – 1770). Il popularisa la technique de la gravure sur bois polychrome et grava principalement des images de beautés féminines. Il est l'auteur d'illustrations de livres et d'estampes érotiques. Il eut de nombreux disciples qui imitèrent sa façon de travailler et parfois même signèrent de son nom, pratique alors courante en Asie et considérée comme un hommage rendu au maître.

HARVARD *(université).* ♦ La plus ancienne et l'une des plus importantes universités des États-Unis, fondée en 1636 par le puritain Harvard, à Cambridge*, Massachusetts.

HARVEY (William). ♦ Médecin anglais (Folkestone, 1578 – Hampstead, Essex, 1657). Après des études médicales à Cambridge et Padoue où il fut l'élève de F. d'Acquapendente* et se familiarisa avec les théories physiques de Galilée, il enseigna l'anatomie et la chirurgie au collège royal, puis fut le médecin de

Ph. Nino Ricciarini/Ricciarini

Étudiants de l'Université de **Harvard** dans le campus.

Jacques Ier et Charles Ier. Préparée par les travaux de Colombo*, sa découverte du mécanisme de la petite et de la grande circulation sanguine est exposée dans *Exercitatio anatomica de motu cordis et sanguinis in animalibus* (1628). Il fit également des recherches en embryologie, observa le développement de l'embryon de poulet, et les premiers stades de la formation du fœtus des mammifères (*Exercitationes de generatione animalium*, 1651).

HARZ. *n. m.* ♦ Massif montagneux d'Allemagne centrale, entre l'Elbe et la Weser. Il est partagé entre les deux États allemands. Il se présente comme un haut plateau hercynien faillé (Horst) surélevé au-dessus d'un paysage de collines. Le point culminant, le Brocken (1 142 m) est situé dans la partie occidentale (ou *Ober-Harz*), la plus élevée, qui s'oppose à la zone orientale (ou *Unter-Harz*). Les pentes sont en partie couvertes de forêts, alors que les sommets sont dénudés. On y exploite les métaux non ferreux (plomb, cuivre, zinc). Le Harz est une grande région touristique.

HASA. ♦ **V.** HASSA (Arabie Sa'ûdite).

HASAN (Mûlaỳ Hasan ou **Has[s]an Ier)**. ♦ (mort en 1894). Sultan du Maroc (1873-1894). Il tenta de retarder le développement des intérêts européens au Maroc (**V. Maroc**, *Hist.*). Son fils 'Abd* al-'Aziz lui succéda.

HASAN ou **HASSAN II**. ♦ (Rabat, 1929). Roi du Maroc, fils aîné du sultan Muhammad V. Il succéda à son père en 1961, le Maroc étant indépendant depuis 1956. Son règne fut marqué par des difficultés sociales, puis par des complots militaires. **V. Maroc**, *Hist.*

HASAN IBN AL-SÂBBÂH. ♦ Fondateur de la secte ismaïlienne* des Assassins* (mort à Alamût, Iran, 1124). Il écrivit plusieurs ouvrages en persan qui furent détruits lors de la prise de la forteresse de Alamût par les Mongols.

HASAN ZAFAR KHÂN. ♦ Général türk ou afghân qui se révolta contre Muhammad ibn-Tughluq de Delhi et qui, en 1347, fonda dans le Dekkan la dynastie indo-musulmane des Bahmanî*, avec Gulbargâ comme capitale. Il agrandit aussitôt ses États aux dépens de ses voisins. Son fils Muhammad Shâh Bahmanî lui succéda à sa mort en 1358.

HASDRUBAL. ♦ Nom de plusieurs généraux carthaginois. ♦ HASDRUBAL, dit LE BEAU (v. ~ 270, mort assassiné en Espagne, v. ~ 221). Gendre d'Hamilcar* Barca et associé à son pouvoir en Espagne, il lui succéda à sa mort, fonda Cartagène* et négocia le traité de ~ 226 avec Rome, traité qui délimitait les zones d'influence à l'Èbre. ♦ HASDRUBAL BARCA (v. ~ 245 — près du Métaure, ~ 207). Frère d'Hannibal* qui lui confia l'Espagne au début de la deuxième guerre Punique*, il remporta quelques succès sur les Romains avant d'être vaincu par Scipion* l'Africain (~ 209). Franchissant les Alpes à son tour, il réussit à gagner l'Italie à la tête d'une armée de secours, mais fut vaincu et tué au Métaure* (~ 207). ♦ HASDRUBAL (mort en Italie, v. ~ 146). Malgré sa défaite de ~ 153 devant Masinissa*, il fut chargé d'assurer la défense de Carthage* lors de la troisième guerre Punique. Après avoir rempli cette tâche avec énergie, il se rendit secrètement à Scipion Émilien et mourut prisonnier en Italie.

HAŠEK (Jaroslav). ♦ Écrivain tchèque (Prague, 1863 — Lipnice, 1923). Anarchiste, puis communiste, il combattit en Russie. Journaliste, auteur de nombreux récits humoristiques et satiriques, il créa le type populaire de Švejk* (Chveik) dans *Le Brave Soldat Švejk* (1912), *Le Brave Soldat Švejk dans la Grande Guerre* (en Russie, 1917), développé dans les quatre volumes des *Aventures du brave soldat Švejk* (1920-1923). Il laissa cette œuvre inachevée et mourut prématurément, ruiné par l'alcool.

HASEKURA TSUNENAGA. ♦ Samouraï japonais (1561 — 1622) du clan de Sendai et attaché à Date* Masamune. En 1613, sur l'ordre de celui-ci, il conduisit en Europe une ambassade qui traversa pour la première fois le Pacifique par Hawaï, le Mexique et l'Espagne. Il reçut le baptême à Madrid en 1615 et revint au Japon, en 1620. Son fils Tsuneyori, chrétien lui aussi, fut cependant mis à mort par le fils de Date Masamune, en 1640, les édits sur la proscription du christianisme ayant été renforcés par le shôgunat d'Edo.

HASENCLEVER (Walter). ♦ Poète et dramaturge allemand (Aix-la-Chapelle, 1890 — Les Milles, 1940). Son théâtre, de style expressionniste, porte témoignage de la révolte de la jeunesse intellectuelle allemande contre des valeurs sociales qu'elle jugeait périmées, dès le début de la Première Guerre mondiale. Œuvr. princ. : *Le Fils* (*Der Sohn*, 1914); *Antigone* (1916).

HASHÂSHÎN. *n. m. pl.* ♦ **V.** ASSASSINS.

HASKIL (Clara). ♦ Pianiste roumaine (Bucarest, 1895 — Bruxelles, 1960). Élève de A. Cortot au conservatoire de Paris, partenaire d'Isaye, d'Enesco et de Casals, elle fut une interprète exceptionnelle de Mozart, Schubert et Schumann.

HASKOVO ou **KHASKOVO**. ♦ V. de Bulgarie centrale. Ch.-l. de district dans le bassin de la Marica. 56 500 hab. Transformation des produits agricoles de la région (manufacture de tabac, laiteries, minoteries), indus. textiles (soie, coton). Source thermale à 20 kilomètres.

HASPARREN. ♦ Ch.-l. de cant. des Pyrénées*-Atlantiques, arr. de Bayonne*. 5 340 hab. *(Haspandars)*. Fabrique de chaussures. — Francis Jammes* y a passé la fin de sa vie.

HASSA ou **HASA**. *n. m.* ♦ Prov. orientale de l'Arabie* Sa'ûdite, qui s'étend en bordure du golfe Persique, entre le Kuweit* et la péninsule de Bahrein*. 1 390 000 km². Env. 2 000 000 d'hab. *(Bédouins)*. *Cap.* Hofouf*. *Autres villes.* **V. Damman, Dharan.** La province est essentiellement constituée par une plaine côtière large d'une soixantaine de kilomètres et de près de 500 kilomètres de long, parsemée d'oasis et de lacs de boue. C'est dans l'oasis de Hassa que se trouve située Hofouf. Cette région est la plus fertile de la péninsule arabique (céréales, fruits, palmiers dattiers). Les Bédouins nomades y pratiquent l'élevage des chameaux, des moutons et des ânes blancs utilisés en agriculture. Le Hassa possède le plus grand nombre de champs pétrolifères de toute l'Arabie (Abqayq*, Ayn Dar, Damman*, Qatif), exploités par l'Aramco et d'où partent les oléoducs transarabiques (**V. Arabie Sa'ûdite**).

HASSAN (entre 624-626 — Médine, 669) et **HUSSAÏN** (Médine, 626-627 — Karbalâ, 680). ♦ Premier et second fils de 'Ali* et de Fatima*. Après la mort de 'Ali, Hassan fut nommé par les shi'ites* cinquième calife. Mais, au lieu de s'opposer à Mu'âwiyya*, il s'entendit avec lui et monnaya sa renonciation au califat avant de se retirer à Médine où il mena une vie luxueuse. Il est le second imâm* des shi'ites. Son frère Hussaïn ne reconnut pas le calife Yazîd (680). Ses partisans l'appelèrent en Iraq pour le proclamer calife. Avant d'arriver à Kûfa, il fut tué avec plusieurs membres de sa famille à Karbalâ. Troisième imâm des shi'ites, son assassinat est célébré au jour d'*al-'Âshû-râ*.

HASSAN IBN THABIT. ♦ Poète arabe (Médine, v. 563 — ?, v. 674). Il adhéra à l'islâm et devint le premier poète religieux, utilisant dans ses vers plusieurs versets du Coran.

HASSE (Johann Adolf). ♦ Compositeur allemand (Bergedorf, 1699 — Venise, 1783). Chanteur d'opéra à Hambourg puis à Brunswick, il fut à Naples l'élève de Porpora* et de A. Scarlatti*. Ses premiers opéras assurèrent bientôt sa renommée. Devenu maître de chapelle à Venise, à Dresde, puis au service du Prince Électeur de Saxe (1734-1763), il entreprit de nombreux voyages à travers toute l'Europe et acquit la gloire. Il avait épousé la célèbre cantatrice Faustina Bordoni. Il partagea ses dernières années entre Vienne et Venise où finalement il se retira (1773). Hasse fut un compositeur très fécond (plus de soixante-dix opéras, oratorios, intermezzos). On lui doit encore de nombreuses œuvres de musique religieuse (messes, requiem, psaumes, litanies, motets) et profane (concertos, musique de chambre, sonates). Par ses opéras, il participa à l'épanouissement du style baroque napolitain en Allemagne.

HASSEL (Odd). ♦ Chimiste norvégien (Oslo, 1897). Auteur de recherches sur la forme réelle des molécules dans l'espace et sur leurs transformations mutuelles (analyse conformationnelle), il étudia notamment les molécules fermées à six atomes de carbone. (Prix Nobel de chimie, 1969.)

HASSELT. ♦ V. de Belgique, ch.-l. du Limbourg*, sur le Demer, près du canal Albert. 39 368 hab. *Grote Markt* (maisons du XVIe s.). Béguinage (maisons mosanes du XVIIIe s.). Refuge de l'abbaye d'Herkenrode (1544). Église Saint-Quentin (du XIIe au XVIe s.). Église Notre-Dame. de 1728 (œuvres de Delvaux, Quellin, etc.). — À quelques kilomètres, domaine provincial de Bokrijk, réserve naturelle de 514 hectares. — Patrie de l'explorateur De Gerlache. — Distilleries renommees (genièvre, eau-de-vie de grain dite *Hasselt*). ♦ *Hist.* Du XIVe au XVIIIe s., la ville dépendit de l'évêché de Liège.

HASSI-MESSAOUD. ♦ Centre pétrolier du Sahara algérien (dép. des Oasis) situé au S.-E. d'Ouargla*, au N. d'El-Gassi*, relié par oléoducs au port de Bejaïa* et d'Arzew*.

HASSI-R'MEL. ♦ Gisement de gaz naturel et de pétrole du Sahara algérien (dép. des Oasis), situé au N.-E. de Ghardaïa*, relié par gazoducs à Arzew*, Ouahran (Oran) et Alger.

HASSLER (Hans Leo). ♦ Compositeur allemand (Nuremberg, 1564 — Francfort, 1612). Issu d'une célèbre famille de musiciens, il fut l'élève de A. et de G. Gabrieli à Venise. Organiste et maître de chapelle de plusieurs villes allemandes, il a laissé de la musique chorale, profane (canzonette, madrigali) et religieuse (messes, psaumes, motets, cantiques spirituels). Son œuvre établit la synthèse du style polyphonique de Lassus* et de l'art vénitien.

Ph. Hétier

Épurateurs de gaz à **Hassi-Messaoud.**

HASTING. ♦ Pirate normand originaire du Danemark ou de Normandie (v. 810 – v. 890). Il fit des expéditions de pillage sur les rives de la Loire (845), en Italie (861), en Anjou, en Poitou et en Touraine (866). Charles le Chauve lui concéda le comté de Chartres.

HASTINGS (Warren). ♦ Administrateur colonial anglais (Churchill, Oxfordshire, 1732 – Daylesford, 1818). Entré en 1750 au service de la Compagnie des Indes, il fut gouverneur du Bengale (1772), puis gouverneur général de l'Inde de 1773 à 1785. Il assainit les finances de l'Inde et s'efforça de protéger la langue et la culture indiennes. Très critiqué en Grande-Bretagne, il démissionna en 1784. Rentré dans son pays, il fut accusé de malversations et sortit acquitté, mais ruiné, d'un procès retentissant (1788-1795).

HASTINGS. ♦ V. et port de Grande-Bretagne (Sussex), sur la côte du pas de Calais. 66 700 hab. Importante station balnéaire. Établissement d'hydrothérapie. ♦ *Hist.* Guillaume* le Conquérant y remporta, le 14 octobre 1066, une éclatante victoire sur le dernier roi anglo-saxon, Harold* II, victoire qui lui assurait la couronne d'Angleterre. Hastings fut au XIIIe s. l'un des plus actifs des « cinq ports » qui défendaient l'entrée en Angleterre.

HATAMOTO. *n. m. pl.* ♦ Nom donné au Japon à partir de 1600 aux samouraïs de la suite de Tokugawa* Ieyasu qui avaient combattu avec lui à Sekigahara. Ils étaient formés de petits seigneurs au revenu modeste et étaient placés sous l'autorité directe du shôgun. Vers la fin du XVIIe s., ils échangèrent leurs possessions contre une rente qui leur était généralement payée en riz. Ces petits seigneurs oisifs, querelleurs, furent à l'origine de nombreux troubles à l'époque d'Edo*. Leur classe fut dissoute lors de la « Restauration de l'ère Meiji », en 1868.

HATA SAHACHIRÔ. ♦ Bactériologiste japonais (1872 – 1925), collaborateur de Ehrlich*. Il découvrit avec celui-ci le remède 606 (Salvarsan) contre la syphilis.

HATCHEPSOUT. ♦ Reine d'Égypte de la XVIIIe dynastie (Nouvel Empire) [v. ~1504-~1483]. Fille de Touthmôsis* Ier, elle épousa son demi-frère Touthmôsis* II, puis à la mort de ce dernier, son neveu, Touthmôsis* III qui avait été proclamé roi. Elle régna d'abord comme régente de son époux et obtint bientôt tous les pouvoirs d'un pharaon. Elle mena une politique pacifiste et fit construire le célèbre temple à terrasse de Deir*-el-Bahari. Après sa mort, Touthmôsis III persécuta sa mémoire et fit disparaître son nom de tous les monuments.

HÂTEF (Seyyed Ahmad). ♦ Écrivain persan (né à Ispahan – [mort] 1783). Il écrivit des ouvrages en arabe et en persan tant en prose qu'en vers. Il laissa un recueil contenant des *qasidas,* des *ghazals* et des *tardjibands* (« poèmes strophiques »).

HATFIELD. ♦ V. d'Angleterre (Hertfordshire), dans la banlieue N. de Londres. L'anc. ville abrite le château *(Hatfield House)* et les tombes des comtes de Salisbury ainsi qu'une église du XIIIe s. Une nouvelle ville, HATFIELD NEW TOWN, fut créée en 1948 pour décongestionner Londres. Elle compte 20 510 hab. (1961) et doit en accueillir encore 25 000. Constructions aéronautiques.

Hatha-yoga. *n. m.* ♦ Technique d'« union avec le divin », caractéristique de certaines philosophies de l'Inde, consistant principalement en exercices corporels et de respiration destinés à permettre la concentration et, dans certains cas limites (comme dans le tantrisme par exemple), à provoquer des états extatiques par l'éveil des forces sexuelles latentes et leur sublimation. Les postures et rythmes respiratoires jouent un grand rôle dans ces techniques spirituelles. L'Occident a depuis peu adapté certaines des techniques physiques du hatha-yoga pour un développement harmonieux du corps et de l'esprit. Il fait partie des yoga.

HATHOR (« demeure d'Horus »). ♦ Déesse égyptienne représentée sous la forme d'une vache ou d'une femme à tête de vache portant le disque solaire entre ses cornes en forme de lyre. Elle était à l'origine la personnification du ciel, la vache qui avait enfanté le soleil (Horus*), tour à tour séduisante jeune femme, donc déesse de la joie, de la musique et de l'amour, et redoutable lionne – mythe du retour d'Hathor-Tefnout – identifiée à Sekhmet*, selon les deux aspects de la pleine ou de la nouvelle lune qui inspiraient quiétude ou terreur. Elle était honorée comme telle dans son grand temple de Dendérah*. À Thèbes*, elle devint déesse de la montagne des morts et c'est dans ce rôle que la montre la vache découverte dans sa chapelle de Deir* el-Bahari. Les Grecs l'identifièrent à Aphrodite*.

HATOYAMA ICHIRÔ. ♦ Homme politique japonais (1883 – 1959), fondateur, en 1931, du parti libéral. Devenu Premier ministre en 1954, il signa deux ans plus tard d'importants accords avec l'U.R.S.S. Obligé de démissionner pour raisons de santé, il fut remplacé par Ishibashi Tanzan.

HATTA (Muhammad). ♦ Homme politique indonésien (Sumatra, 1902 – ? après 1958), un des fondateurs du parti nationaliste indonésien en 1932. Il fut arrêté plusieurs fois par les autorités coloniales hollandaises et, en 1945, après la libération de l'Indonésie, devint vice-président de l'Union (1950-1956). Révolté contre le gouvernement, il s'enfuit à Sumatra en 1958, mais fut attaqué et battu par les forces gouvernementales.

HATTERAS *(cap).* ♦ Cap de la côte Atlantique des États-Unis (Caroline* du Nord), flèche de sable séparant l'Océan d'une lagune intérieure (Pamlico Sound).

HATTI. *n. m. pl.* ♦ Populations d'Anatolie vaincues au ~IIe millénaire par les Hittites* et dont la langue était le *hatti* ou proto-hittite.

Ph. Hétier

Hathor. (Musée du Caire.)

HATTOUSAS ou **HATTUSAS.** ♦ Anc. capitale de l'Empire hittite*, fondée par Hattousil Ier (~1650 – 1620). Elle fut plusieurs fois détruite par des envahisseurs Gasgas, notamment sous *Mouwalli,* et définitivement vers 1200, à la chute de l'Empire hittite. – Ses ruines, aujourd'hui à Boğazkale, en Turquie centrale (province [*il*] *de Yozgat*), ont été identifiées par H. Winckler (1906). Fortifications, ruines de temples et de palais, magasins dont l'un livra des archives royales qui permirent de reconstituer l'histoire hittite.

HATTOUSIL ou **HATTUSIL III.** ♦ Roi des Hittites v. ~1283. La situation s'étant détériorée sous le règne de son neveu Ouri-Teshoub (Uri-Teshub), il le déposa et traita avec les puissances voisines, notamment l'Égypte (v. ~1280). **V. Hittites.**

HATZFELD (Adolphe). ♦ Universitaire et lexicographe français (Paris, 1824 – *id.,* 1900). Il est l'auteur, avec A. Darmesteter* et A. Thomas, du *Dictionnaire général de la langue française* (1890-1900), œuvre à laquelle il conféra une grande clarté et une rigueur logique dans l'analyse des significations.

HAUBOURDIN. ♦ Ch.-l. de cant. du Nord*, dans la banlieue de Lille*, sur la Deûle*. 12 374 hab. *(Haubourdinois).* Indus. textiles ; chaux, ciment ; savonnerie ; indus. du cuir ; indus. mécaniques.

HAUFF (Wilhelm). ♦ Poète, romancier et conteur allemand (Stuttgart, 1801 – 1827). Mort trop jeune, sans avoir pu atteindre l'expression de sa propre originalité, ce représentant de l'école souabe **(V. J. Kerner)** s'est essayé dans les genres les plus divers : roman historique, conte fantastique, nouvelle.

HAUG (Émile). ♦ Géologue français (Drusenheim, Bas-Rhin, 1861 – Niederbronn, 1927). Auteur d'un important *Traité de géologie* (1908-1911), où il précise notamment l'opposition entre les aires continentales et les géosynclinaux.

HAUGESUND. ♦ V. et port de Norvège, sur la côte O., reliée à l'île de Karmøy par un pont. 22 200 hab. – Important port de pêche (hareng). Conserveries.

HAUGWITZ (Christian, *comte von***).** ♦ Homme politique prussien (Peuke, Silésie, 1752 – Venise, 1832). Ministre des Affaires étrangères en 1792, il conclut le traité de Bâle en 1795. Il obtint de Napoléon des agrandissements territoriaux en faveur de la Prusse. Il se retira après Iéna*, en 1806.

HAUKSBEE ou **HAWKSBEE (Francis).** ♦ Physicien anglais ([mort] v. 1713). Auteur des premières recherches sur les décharges électriques dans les gaz raréfiés, il réalisa une machine électrostatique à cylindre de verre **(V. Cabeo, Guericke).** Il montra également que la vibration sonore était transmise par l'air. **V. Boyle, J. Picard.**

HAUPTMANN (Gerhardt). ♦ Écrivain allemand (Obersalzbrunn, 1862 – Agnetendorf, 1946). Son œuvre dramatique témoigne de multiples influences. D'abord inspirée d'Antoine et de Zola, elle est vériste, avec ses premiers drames : *Avant le lever du soleil* (*Vor Sonnenaufgang,* 1899), *Les Tisserands* (*Die Weber,* 1892), *Le Voiturier Henschel* (*Fuhrmann Henschel,* 1898) ; puis mystique et symboliste : *La Cloche engloutie* (*Die versunkene Glocke,* 1896) ; ou orientée vers la comédie de mœurs : *La Pelisse de castor* (*Der Biberpelz,* 1893). Ses romans se caractérisent par la même diversité d'inspiration, où un lyrisme d'essence religieuse (*L'Hérétique de Soana, Der Ketzer von Soana,* 1918) alterne avec les élans d'une poésie épique et visionnaire : *Le Grand Rêve* (*Der grosse Traum,* 1942). Prix Nobel de littérature, 1912.

HAURIOU (Maurice). ♦ Jurisconsulte français (Ladiville, Charente, 1856 – Toulouse, 1929). Partisan d'un socialisme humaniste, il est l'auteur de travaux qui contribuèrent à orienter la jurisprudence administrative française *(Principes du droit public,* 1910-1916 ; *Précis de droit administratif).*

Ph. Hétier

Haute-Volta : marché à Ouagadougou.

HAUSHOFER (Karl). ♦ Général et géographe allemand (Munich, 1869 – Paehl. près de Weilheim, Bavière, 1946). Directeur de l'*Institut de géopolitique* (1921) et fondateur de la revue de géopolitique (1924), il fut d'abord conseiller des dirigeants nazis, mais tomba en disgrâce et fut déporté (1938). Convoqué devant le tribunal de Nuremberg, il se suicida après avoir été libéré.

HAUSSMANN (Georges Eugène, *baron*). ♦ Administrateur et homme politique français (Paris, 1809 – *id.*, 1891). Entré dans la carrière administrative peu après la révolution de juillet 1830, il se rallia dès la fin de 1848 à la politique du président Louis Napoléon Bonaparte qui le nomma successivement préfet du Var (1849), de l'Yonne et de la Gironde. Favorable au coup d'État du 2 décembre 1851 puis au rétablissement de l'empire, Haussmann devint préfet de la Seine (1853). Dans ce poste qu'il occupa dix-sept ans, tout en étant fait baron et sénateur (1857), il s'entoura de nombreux ingénieurs (Alphand*, Belgrand*) pour réaliser ses projets d'embellissement et d'assainissement de la capitale (création des jardins, des grandes avenues aux tracés rectilignes, des égouts, des réservoirs pour l'approvisionnement en eau de la capitale, etc.). Ces travaux, qui contribuèrent à rehausser le prestige du régime impérial, avaient aussi pour but politique la démolition des vieux quartiers parisiens qui, depuis 1789, constituaient les principaux foyers révolutionnaires, et de faciliter l'action des forces de police et de l'artillerie contre d'éventuelles barricades. Ils contraignirent la population ouvrière à émigrer vers les banlieues. Haussmann, qui, pour réaliser son programme de transformation de la capitale, s'était livré à des opérations de crédit assez douteuses, fut vivement attaqué par l'opinion publique et par le Corps législatif. Après la publication des *Comptes fantastiques d'Haussmann* par Jules Ferry, il fut renvoyé par le ministre É. Ollivier (1869).

HAUST (Jean). ♦ Philologue et lexicographe belge (Verviers, 1868 – Liège, 1946). Spécialiste de la dialectologie wallonne, il publia un *Dictionnaire liégeois* (1933) et dirigea l'enquête qui aboutit à la publication de l'*Atlas linguistique de la Wallonie.* (Acad. royale, 1920.)

HAUT-DOURO. *n. m.* ♦ Région du Portugal septentrional, que l'on rattache au Trás*-Os-Montes.

HAUTECOMBE. ♦ Abbaye située près de la comm. de Saint-Pierre-de-Curtille, dans le dép. de la Savoie*, sur la rive O. du lac du Bourget*. Fondée en 1125 par Amédée III de Savoie, elle fut confiée aux cisterciens en 1135. Elle était protégée par les princes de Savoie qui se firent inhumer dans la chapelle des Princes. Des bénédictins de Solesmes occupent l'abbaye depuis 1922. L'église du XIIe s. a été restaurée au XIXe siècle. Monuments funéraires et nombreuses statues.

HAUTEFORT (Marie *de*). ♦ Dame française (Hautefort, Périgord, 1606 – Paris, 1691). Fille d'honneur d'Anne d'Autriche, elle fut aimée de Louis XIII. Ses intrigues contre Richelieu* puis contre Mazarin* la firent à deux reprises renvoyer de la cour. Elle épousa le maréchal de Schomberg*.

HAUTEFORT. ♦ Ch.-l. de cant. de la Dordogne, arr. de Périgueux*. 1 022 hab. Château du XVIIe s. en grande partie dévasté par un incendie (août 1968).

HAUTE-GARONNE, HAUTE-LOIRE, HAUTE-MARNE. ♦ V. GARONNE, LOIRE, MARNE.

HAUTE-NORMANDIE. ♦ V. NORMANDIE.

HAUTERIVES. ♦ Comm. de la Drôme*, arr. de Valence*, sur la Galaure. 1 123 hab. Ruines d'un château féodal. « Palais idéal » construit par le facteur Cheval à la fin du XIXe siècle.

HAUTES-ALPES, HAUTE-SAÔNE, HAUTE-SAVOIE, HAUTES-PYRÉNÉES. ♦ V. ALPES, SAÔNE, SAVOIE, PYRÉNÉES.

HAUTEVILLE (Tancrède *de*). ♦ Seigneur normand (Xe-XIe s.). Père des conquérants normands d'Italie, dont Robert* Guiscard et Roger* Ier de Sicile.

HAUTEVILLE-LOMPNES [lɔ̃pnɛs]. ♦ Ch.-l. de cant. de l'Ain*, arr. de Belley*, dans le Bugey*. 5 511 hab. *(Hautevillois)*. Centre de cure (sanatoriums). Sports d'hiver. Carrières de calcaire marbrier froid. Scieries.

HAUTE-VOLTA, *n. f. (République de)* ou **VOLTAÏQUE.** ♦ État intérieur de l'Afrique du N.-O., limité à l'O. et au N. par le Mali*, à l'E. par le Niger*, au S. par le Dahomey*, le Togo*, le Ghâna* et au S.-O. par la Côte*-d'Ivoire. 274 000 km². 5 200 000 hab. *Cap.* Ouagadougou. *Langues :* français (off.), dialectes (moore, bobo, dagera, dioule). *Pop.* Deux grandes familles ethniques, Mandings* et Voltaïques **(V. Mossis)**; Peuls* au N., Haoussas*, Touareg* nomades dans l'extrême N. – La Haute-Volta forme une pénéplaine (sols souvent latéritiques) qui appartient au bassin des Volta* (blanche, rouge et noire). Climat soudanien (1 200 mm), sahélien au N. (500 mm). Son économie est surtout agro-pastorale. L'agriculture vivrière (mil, maïs, riz, sorgho) suffit à peine aux besoins (la Haute-Volta constitue un réservoir de main-d'œuvre pour le Ghâna et la Côte-d'Ivoire), et le seul potentiel industriel est fondé sur le coton. Cependant l'élevage y joue un rôle essentiel (76 % des exportations), des abattoirs frigorifiques ont été aménagés à Ouagadougou* et Bobo*-Dioulasso. D'autre part, un important gisement de manganèse a été découvert au N. du pays (Tambao). ♦ *Hist.* Composée de divers peuples dominés par les Mossis*, la Haute-Volta fut annexée par la France en 1896. Colonie séparée du Haut-Sénégal-Niger en 1919, rattachée à l'Afrique*-Occidentale française (A.-O.F.), son territoire fut réparti entre les États voisins (1932-1947). République autonome au sein de la Communauté* (1959), elle adhère au Conseil de l'Entente* (1959) et devient indépendante en 1960. À la suite d'un coup d'État (1966), l'armée a pris le pouvoir.

HAUTMONT. ♦ Ch.-l. de cant. du Nord*, arr. d'Avesnes*-sur-Helpe, sur la Sambre*. 17 870 hab. *(Hautmontois)*. Métallurgie, sidérurgie, indus. chimiques.

HAUT-RHIN. ♦ V. RHIN.

HAUTS-DE-SEINE. [**92**]. *n. m. pl.* ♦ Dép. de la région parisienne, créé en 1964 (région [anciennement C.A.R.] d'Île-de-France), situé au S. et à l'O. de Paris. Le dép. recouvre l'O. de l'anc. dép. de la Seine et quelques comm. de l'anc. Seine-et-Oise. 175 km². – *Orogr.* Le dép. s'insère dans un méandre de la Seine à l'O. de Paris. La zone industrielle est située en bordure de la Seine et au N. du dép., la zone résidentielle est située principalement à l'O. et au sud. – *Hydrogr.* **V. Seine.**

♦ 40 cant., 36 comm., 1 472 835 hab. – *Préf.* Nanterre*, *sous-préf.* Antony*. *Ch.-l. de cant.* Asnières*-sur-Seine, Bagneux*, Bois*-Colombes, Boulogne*-Billancourt, Bourg*-la-Reine, Châtillon*, Chaville*, Clamart*, Clichy*, Colombes*, Courbevoie*, Garches*, Garenne*-Colombes (La), Gennevilliers*, Issy*-les-Moulineaux, Levallois*-Perret, Malakoff*, Meudon*, Montrouge*, Neuilly*-sur-Seine, Plessis*-Robinson (Le), Puteaux*, Rueil*-Malmaison, Sceaux*, Saint-Cloud*, Sèvres*, Suresnes*, Vanves*, Villeneuve*-la-Garenne. *Autres comm. et localités.* **V. Bellevue, Buzenval, Châtenay-Malabry, Croix-de-Berny** (La), **Fontenay-aux-Roses, Marnes-la-Coquette, Saint-Cucufa** (bois de), **Vaucresson, Ville-d'Avray.**

HAUTVILLERS. ♦ Comm. de la Marne, arr. de Reims, sur les pentes de la montagne de Reims. 824 hab. Église abbatiale édifiée en 1518, remaniée aux XVIIe et XXe siècles. ♦ *Hist.* Dom Pérignon, de l'abbaye d'Hautvillers, y inventa au XVIIe s. le procédé pour

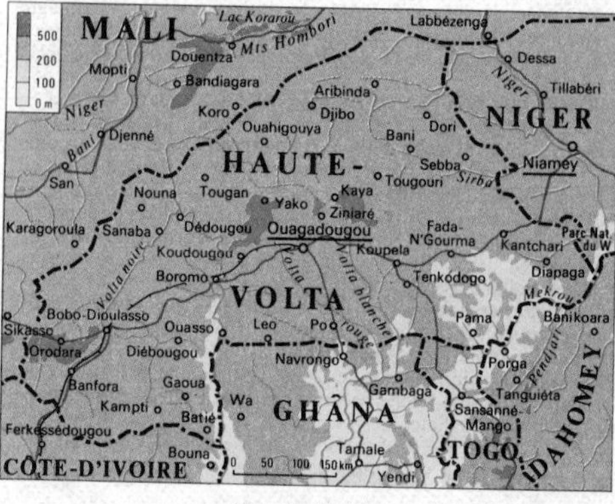

Haute-Volta.

rendre mousseux les vins de Champagne.

HAÜY [aɥi] (*abbé* **René Just**). ♦ Minéralogiste français (Saint-Just, Picardie, 1743 – Paris, 1822). Auteur d'une théorie des cristaux établie sur une base physique, il est le créateur de la minéralogie moderne **(V. Bergman, Romé)**. Il élabora tout d'abord une théorie des « molécules intégrantes » à trois dimensions (1784), dans laquelle il formula les règles géométriques suivies par les décroissements et permettant de dériver du noyau cristallin toutes les formes secondaires (*loi des troncatures rationnelles,* selon laquelle les arêtes d'une forme cristalline sont coupées dans des rapports simples et rationnels par les faces d'une autre forme du même système). Il montra ensuite que les ordres de symétrie des axes sont limités dans les cristaux aux valeurs 2, 3, 4 et 6. En 1815, il énonça la *loi de symétrie* en vertu de laquelle toute modification de la forme cristalline se répète sur tous les éléments de même espèce (faces, angles ou arêtes). Il appliqua les lois de la structure des minéraux à leur classification.

HAVANE (La), en esp. **La Habana**. ♦ Cap. de l'île de Cuba*, située sur le détroit de Floride. 990 000 hab. Aggl. 1 565 700 hab. (1966). C'est le plus grand port et le principal centre commercial de l'île, au carrefour de lignes aériennes et maritimes. La ville, qui est l'une des plus belles d'Amérique du Sud, offre ses vieux quartiers de l'époque coloniale et des monuments comme le château de Morro. Le tourisme, très prospère au temps où les États-Unis avaient un monopole sur l'île, en fit alors une ville moderne, luxueuse, dotée de nombreux palaces et de plages à la mode. L'avènement du castrisme **(V. Castro),** en transformant les objectifs de la politique, a sensiblement modifié la physionomie de la ville. Les 2/3 des exportations de Cuba passent par La Havane (sucre, fruits tropicaux, tabac). Importantes industries de transformation (sucreries, distilleries de rhum, conserveries de viande). Manufactures de tabac (cigares). **V.** *aussi* **Marianao.**

HAVEL. *n. f.* ♦ Riv. d'Allemagne orientale et affl. r. d. de l'Elbe (341 km). Née dans la région morainique des « Croupes de la Baltique » (Mecklembourg), elle traverse une zone de lacs *(Müritz See)* et coule vers le S. jusqu'à Berlin, puis s'oriente vers l'O. en direction de l'Elbe. Un système de canaux la relie à l'Oder (canal de Finow) et à l'Elbe (canal Havel-Elbe). Rivière de plaine, elle est navigable sur 328 km. *Princ. affl.* **V. Spree.**

HAVERFORDWEST, en gallois **Hwlffordd**. ♦ V. du S.-O. du pays de Galles, ch.-l. du Pembrokeshire*, sur la Western Cleddan. 10 330 hab. (1968). Château du XIIe s., église romane (déb. XIIIe-XVe s.). – Marché agricole et centre administratif.

HAVLIČEK BOROVSKY (Karel). ♦ Publiciste et polémiste tchèque (Borova, Pribyslav, 1821 – Prague, 1856). D'esprit modéré, il s'opposa dans *la Gazette nationale* (qu'il fonda en 1848) à l'absolutisme autrichien et il fut déporté de 1851 à 1855. Ses écrits satiriques introduisirent un ton nouveau dans la littérature tchèque, que ce soit avec *Le Baptême de saint Vladimir* (1848-1854), attaquant le despotisme religieux, avec *Les Élégies tyroliennes* (1853), décrivant avec humour son arrestation, ou avec *Le Roi Lavra* (1854), ridiculisant la bureaucratie autrichienne.

HAVRE (Le). ♦ Sous-préf. de la Seine*-Maritime, ch.-l. d'arr. (17 cant., 117 comm., 373 989 hab.), sur la rive droite de l'estuaire de la Seine*, 200 940 hab. *(Havrais).* La ville, en grande partie détruite pendant la Deuxième Guerre mondiale, a été rebâtie selon les plans d'Auguste Perret*. – Grâce à ses aménagements, le port du Havre est accessible aux plus gros navires; c'est le 1er port français transatlantique (plusieurs compagnies maritimes desservent principalement les États-Unis et l'Angleterre); 2e port français de marchandises, après Marseille*; 3e port d'Europe, il importe (plus de 57 000 000 de tonnes en 1975) des denrées tropicales, mais surtout des hydrocarbures (82 % des importations); les raffineries de Petit*-Couronne, Port*-Jérôme et Gonfreville* ainsi que la région parisienne sont reliées au Havre par oléoducs. – Constructions navales, constructions mécaniques, indus. pétrolochimiques, travail du bois, appareillage électrique, indus. alimentaires. En juillet 1959, fut ouvert à la circulation le pont de Tancarville*, qui a permis au Havre d'accroître ses possibilités industrielles. La ville est économiquement liée à Rouen pour former l'avant-port de la région parisienne. – La commune de Sainte-Adresse* est la station balnéaire du Havre. – Patrie de L. Archinard*, Bernardin* de Saint-Pierre, A. Caplet*, R. Coty*, C. Delavigne*, R. Dufy*, A. Honegger*, A. de Kersaint*, A.L.P. Lemaître* (dit Frédérik), R. Queneau*, G. et M. Scudéry*, A. Siegfried*. ♦ *Hist.* Le Havre-de-Grâce fut fondé en 1517 par François* Ier. Il fut transformé en port de guerre par Richelieu* et Vauban*. C'est au XIXe s. que le Havre connut un essor commercial. Le port fut complètement anéanti pendant la Deuxième Guerre mondiale et la ville à moitié détruite.

HAVRÉ. ♦ V. de Belgique (Hainaut, arr. de Mons). 5 400 habitants.

HAWAÏ *(îles)*. ♦ Archipel de Polynésie situé près du centre de l'océan Pacifique Nord, et l'un des États des États-Unis d'Amérique. 632 772 hab. *(Hawaïens)* en 1960. *Cap.* **V. Honolulu.** C'est le groupe le plus septentrional du Pacifique central, formé d'îles coralliennes et volcaniques. Ses principales îles sont Hawaï (la « grande île »), Oahu*, Maui, Kauai, Molokai, Canai. – L'île d'HAWAÏ, la plus méridionale des grandes îles, forme un triangle défini par cinq éléments volcaniques : la chaîne de Koala au N., Mauna* Kea, la plus haute, au N.-E., Hualalai au S.-O., Mauna Loa, immense dôme de lave qui donne plus de lave qu'aucun autre

Ph. Prato/Ricciarini

Hawaï : le canyon Waimea dans l'île de Kauai.

volcan (dernière éruption : 1914); Kilauea, le plus grand cratère et le plus actif (éruptions en 1924, 1954, 1960). Nombreux phénomènes volcaniques : tremblements de terre, raz de marée *(tsunami).* – La princ. ville est Hilo (26 000 hab.), sur la côte E. de l'île. – MAUI est formée par deux montagnes (le Haleakala possède le plus vaste cratère éteint du monde) reliées par un isthme. Wailuku compte env. 7 000 hab. – MOLOKAI, un peu plus au N., est elle aussi formée de deux sommets. – OAHU* abrite la cap. **(V. Honolulu)** et Pearl* Harbor. – KAUAI, au N.-O. d'Oahu est formée par une seule montagne. Au S.-E., le canyon de Waimea est un des paysages les plus grandioses de l'archipel. – *Climat.* Les vents de N.-E. et la grande altitude des îles donnent un climat plus frais, des températures plus égales qu'il n'est habituel sous cette latitude. L'ensoleillement est élevé. – La population est mêlée, les polynésiens indigènes ne formant plus que 1,5 %, les métis 13,5 %. Les groupes immigrés les plus importants sont : les Japonais (env. 30 %), les Caucasiens (id.), les Philippins (11 %). Les Portugais forment un groupe actif. – *Écon.* Basée sur l'agriculture et le tourisme (700 000 visiteurs en 1966), elle s'est développée au XXe s. à mesure que l'archipel s'intégrait aux États-Unis. La principale production est la canne à sucre, suivie par les ananas; cultures mécanisées et donnant naissance à des industries (raffineries; conserveries, etc.). Élevage. Café de qualité supérieure (district de Kona, à l'O. d'Hawaï). Fleurs. Pêche. Outre les indus. du sucre et de l'ananas, de nombreuses petites indus. répondent aux besoins locaux. L'artisanat, l'indus. du vêtement exportent. – Les îles possèdent 3 000 km de routes modernes. Le trafic portuaire est important (2 000 arrivées par an). Lignes aériennes actives (notamment entre la Californie et Honolulu). ♦ *Hist.* L'archipel fut découvert par Cook* (1778) qui y fut assassiné l'année suivante. Du moins, les explorateurs antérieurs, s'il y en eut, n'en revinrent-ils pas. Quatre royaumes se partageaient les îles, mais Kamehameha Ier parvint à conquérir presque tout l'archipel en 1795, organisant l'administration et éliminant la piraterie espagnole. Des missionnaires américains arrivèrent en 1820, introduisant l'écriture et l'imprimerie et implantant le christianisme (conversion des femmes de Kamehameha). Les missionnaires catholiques français (1827) ne parvinrent à imposer leur religion que vers 1840, les Mormons suivirent en 1850. Sous l'influence des missionnaires protestants, Kamehameha III avait promulgué une Déclaration des droits (1839) et la Ire Constitution (1840). L'indépendance d'Hawaï fut reconnue, mais la France (1839-1851) et l'Angleterre (1843) la menacèrent; elle fut restaurée par un amiral britannique. Les luttes d'influence, menées avec succès par les Américains au nom de la démocratie, aboutirent après les règnes de Kamehameha, de Kalauka, qui tenta de restaurer l'absolutisme, enfin de sa sœur Liliuokalani, qui fut déposée en 1893. La république fut instituée, et l'annexion aux États-Unis fut un fait accompli, en 1898. Le développement économique, l'utilisation de l'île comme base américaine **(V. Pearl Harbor),** le développement des transports maritimes, puis aériens avec la Californie firent la fortune d'Hawaï, mais en firent aussi la cible des Japonais en 1941 (Pearl* Harbor). L'accession au rang d'Etat, différée par la guerre de Corée (1950), ne fut votée, après plusieurs tentatives, qu'en 1959.

HAWICK. ♦ V. du S.-E. de l'Écosse (Roxburghshire), sur la Teviot, affl. de la Tweed. 16 210 hab. (1961). Travail de la laine (tweed) et bonneterie. La ville fut brûlée par Sussex en 1570.

HAWKINS ou **HAWKYNS (John)**. ♦ Amiral anglais (Plymouth, 1532 – Porto Rico, 1595). Il fut le premier Anglais à pratiquer la traite des Noirs en Afrique, et lutta, comme vice-amiral, contre l'Invincible Armada*.

Ph. Nicoletta Zalaffi

Howard Hawks.

HAWKINS (Coleman). ♦ Saxophoniste de jazz noir américain (Saint Joseph, Missouri, 1904 – New York, 1969). De 1922 à 1934, il joua dans l'orchestre de Fletcher Henderson, définissant le style classique au saxophone ténor. Puis il mena une carrière indépendante, comportant de nombreuses tournées en Europe (1934-1939) et la fréquentation des jeunes musiciens *be*-bop* dans les années 1940. Princ. enregistrements : *Star Dust* (1934), *Body and Soul* (1939).

HAWKS (Howard). ♦ Réalisateur américain de cinéma (Goshen, Indiana, 1896 –). Indifférent à l'idéologie, esprit soucieux de morale mais non dépourvu d'humour, cet ancien pilote d'aviation devenu scénariste et producteur est le créateur d'un type de héros remarquables par leur courage, leur sens de l'honneur et de la dignité, leur culte d'une fraternité virile qui se révèle dans l'épreuve. La sobriété de ses mises en scène s'est imposée dans des genres très divers; films d'aviation ou de guerre : *La Patrouille de l'aube* (*The Dawn Patrol,* 1930), *Seuls les anges ont des ailes* (*Only Angels have wings,* 1939), *Air Force* (1943); westerns : *Sergent York* (*Sergeant York,* 1941), *Rio Bravo* (1958), *Hatari* (1961); policiers : *Scarface* (1932), *Le Grand Sommeil* (*The Big Sleep,* 1946); comédies dramatiques : *Train de luxe* (*Twentieth Century,* 1934); comédies légères : *L'Impossible Monsieur Bébé* (*Bringing up Baby,* 1938), etc.

HAWKWOOD (John). ♦ Condottiere anglais (dans l'Essex, v. 1320 – Florence, 1394). Lors de la guerre de Cent Ans, il s'illustra aux batailles de Crécy et de Poitiers. Après le traité de Brétigny, il combattit en Italie, au service de Pise, des Visconti, du pape et de Florence.

HAWORTH (*sir* Walter Norman). ♦ Chimiste anglais (Chorley, 1883 – Barnt Green, 1950). Auteur de travaux sur la structure cyclique des sucres (1924), il établit en 1933 la formule de l'acide ascorbique (vitamine C) et en réalisa la synthèse [avec Reichstein*] (**V. Karrer, Szent-Györgyi**); on lui doit également le concept de conformation pour désigner l'arrangement spatial des atomes constituants vis-à-vis d'atomes de carbone adjacents unis par une liaison simple. (Prix Nobel de chimie, 1937.)

HAWTHORNE (Nathaniel). ♦ Romancier américain (Salem, Mass., 1804 – Plymouth, 1864). Descendant d'un persécuteur des sorcières de Salem*, élevé dans la tristesse par une mère veuve et puritaine, il prit très tôt l'habitude d'une solitude peuplée de légendes fantastiques. Ses lectures dans sa maison lugubre et ses longues promenades dans les bois firent de lui ce mystique que salua Edgar Poe*. Il haïssait l'égoïsme et l'orgueil et voulait conjurer, en écrivant, le sort maléfique qui planait sur sa famille. Son premier travail littéraire fut *The Spectator,* une revue pour jeunes dont il eut l'idée pendant ses études. Il se retira dans sa « maison hantée » (*La Maison aux sept pignons,* 1851) pour entreprendre un long voyage spirituel (sa retraite dura douze ans). L'expérience de Brook Farm qui lui inspira *Valjoie* (*The Blithedale Romance,* 1852) ne pouvait que l'intéresser, bien qu'il ne fût pas transcendantaliste. Il avait trente-huit ans quand il épousa Sophie Peabody à qui il voua un culte. Le succès de *La Lettre écarlate* (1850) lui permit de s'installer dans une ferme du Berkshire et de rencontrer H. Melville* qui lui écrivait : « Vous connaître me persuade plus que la Bible de notre immortalité. » C'est après avoir visité l'Angleterre où il fut consul, la France et l'Italie qui sert d'arrière-plan au *Faune de marbre* (1860), « histoire naturelle » de l'âme humaine, que sa santé se détériora sans cause apparente, et qu'il mourut. Procédant volontiers par symboles, ce grand observateur imaginatif avait un style dépouillé et sensible que lui enviait l'auteur de *Moby Dick.*

HAXEL (Otto). ♦ Physicien allemand (né en 1909). Auteur, avec Jensen* et Suess*, d'un modèle nucléaire en couches à interaction spin-orbite (1950). **V. Goeppert-Mayer.**

HAXO (François Nicolas Benoît). ♦ Général et ingénieur français (Lunéville, 1774 – Paris, 1838). Spécialiste de la guerre de siège et surnommé le « Vauban du XIXᵉ siècle », il réalisa de nombreux travaux de fortification en France et à Constantinople (1807), et dirigea le siège d'Anvers (1832) dont il obtint la reddition en vingt-quatre heures.

HAYAGRÎVA. ♦ Divinité hindoue et bouddhique, forme de Viṣnu* à tête de cheval. Elle est parfois considérée comme une forme d'un cheval sauveur, incarnation d'Avalokiteśvara*. Quelque peu oubliée en Inde et dans les pays du bouddhisme du Mahayâna*, cette divinité est encore très vénérée au Japon sous le nom de Batô Kannon. Elle est alors représentée avec deux têtes de cheval dans sa coiffure.

HAYAMI GOSHÛ. ♦ Peintre japonais (Tôkyô, 1894 – 1935), créateur d'un style pictural nouveau, interprétation moderne de la peinture traditionnelle japonaise.

HAYAM WURUK. ♦ Roi de Java oriental (1334 – 1389) qui régna à partir de 1350 sous le nom de *Râjasanagara,* son ministre Gajah* Mada continuant d'exercer le pouvoir. Sous son règne, la plus grande partie des îles indonésiennes fut conquise et la péninsule malaise occupée. Il mit un de ses oncles sur le trône de l'île de Bali et envoya plusieurs ambassades en Chine. Il fut également le fondateur du temple de Panataran. Son neveu et gendre Vikramavardhana lui succéda.

HAYANGE. ♦ Ch.-l. de cant. de la Moselle, arr. de Thionville-Ouest, sur la Fentsch*. 22 966 hab. (10 218 aggl.). – Sidérurgie (hauts fourneaux, aciéries, laminoirs). – La comm. de Marspich a été intégrée à Hayange.

HAYASHI RAZAN. ♦ Lettré japonais (1583 – 1657) confucéen, farouchement opposé au bouddhisme. Devenu secrétaire du Bakufu d'Edo*, il écrivit de très nombreux ouvrages sur le confucianisme d'État et se montra un fervent partisan de l'autoritarisme shôgunal comme de l'instauration de règles de conduite rigides pour le peuple.

HAYDN (Joseph). ♦ Compositeur autrichien (Rorhau, 1732 – Vienne, 1809). Fils d'un charron amateur de musique, il témoigna très jeune de dons exceptionnels. Devenu enfant de chœur dans la maîtrise de la cathédrale Saint-Étienne, à Vienne (1740), il ne dut proprement qu'à lui seul sa formation musicale, étudiant les œuvres de Fux, Mattheson et Carl Phil. Em. Bach. Il reçut aussi les conseils de Porpora. Invité par le baron von Fürnberg (1757), il écrivit pour lui ses premiers quatuors à cordes, puis le comte von Morzin, chambellan de l'impératrice, l'accueillit pour un séjour de courte durée dans son château de Bohême (1759). Son entrée au service de la famille Esterhazy* (1761) décida de sa carrière musicale. Nommé maître de chapelle de Nicolas Iᵉʳ dit le Magnifique (1766), il trouva en ce prince un mécène fastueux, tyrannique, mais passionnément épris de musique. C'est pour les fêtes du château d'Esterhaz que Haydn, à la tête d'un petit orchestre de grande qualité, composa des opéras, symphonies, sonates, concertos et un grand nombre de pièces de musique religieuse qui furent bientôt connus de toute l'Europe. De cette époque de maturité datent le *Stabat Mater* (1767), la *Symphonie* dite *des Adieux* (1772) et la *Missa Sancta Caecilia* (1773), œuvres d'un romantisme exalté qui le placent au rang des grands maîtres. D'une inspiration différente, mais aussi généreuse naquirent encore d'autres ouvrages (*Quatuors op. 20, Trauersymphonie op. 44,* les *Sept Paroles du Christ,* oratorio, 6 *symphonies « parisiennes »*), des opéras, des concertos et des nocturnes. La mort du prince Nicolas (1790) permit à Haydn de répondre à l'appel de l'Angleterre qui le sollicitait depuis plusieurs années. Reçu à Londres avec un enthousiasme extraordinaire, il y fit deux séjours (1791-1792; 1794-1795). Il y dirigea l'exécution de ses symphonies, en composa de nouvelles (dont les *symph. nº 102, 103 et 104,* qui comptent parmi les plus achevées) et produisit aussi pour le théâtre (l'*Anima del Filosofo, Orfeo*). Rentré en Autriche où l'écho de ses triomphes londoniens n'était point parvenu, il reprit son poste de maître de chapelle auprès de Nicolas II Esterhazy, protecteur despotique et grand amateur de musique sacrée. De cette dernière période datent les 2 oratorios, la *Création* (1798) et *Les Saisons* (1801), considérés à juste titre comme les chefs-d'œuvre de Haydn, les 6 dernières messes (1796-1802), ouvrages de vastes dimensions où la puissance du souffle n'a d'égale que la perfection formelle, et les 6 derniers quatuors à cordes (1797) où le langage musical témoigne de surprenantes hardiesses. Assombries par la maladie, les guerres, les dernières années de Haydn furent désenchantées, bien qu'il eût reçu l'hommage de l'Europe entière. Il mourut trois semaines après l'entrée de Napoléon à Vienne (31 mai 1809). ♦ Musicien d'une étonnante fécondité, Haydn a composé plus d'une centaine de symphonies, des ouvertures, des divertissements, 20 concertos pour le piano, 9 pour le violon, 6 pour le violoncelle, de très nombreuses sonates et variations, 77 quatuors à cordes, une vingtaine d'opéras ou *singspiels* (dont plusieurs pour marionnettes) et un grand nombre de pièces de musique sacrée (messes, oratorios, Stabat Mater, Te Deum, offertoires, motets). C'est surtout dans le domaine de la musique instrumentale qu'il a exercé une profonde influence. Elle fut reconnue par Beethoven et Mozart, ce dernier ayant inspiré lui-même Haydn. Architecte des sons, épris de rigueur et de clarté, de symétrie et d'élégance, il a imposé à la sonate classique autant qu'à la symphonie leur forme définitive, assignant quatre voix de valeur égale pour le quatuor. Nature optimiste et candide, il a affirmé dans son œuvre religieuse une foi robuste qui ignore le doute, l'angoisse, et trouvé spontanément pour l'affirmer les accents alternés de la tendresse et de la force. Contemporaine à ses débuts du baroque finissant, son œuvre évolue vers des formes de la sensibilité qui annoncent le romantisme.

HAYDN (Michaël). ♦ Compositeur autrichien (Rorhau, 1737 – Salzbourg, 1806). Frère de Joseph, il fut comme lui, enfant de chœur à Saint-Étienne de Vienne avant de devenir maître de chapelle de Grosswardein (1757), puis de l'archevêque de Salzbourg (1762) et organiste de la cathédrale (1781), fonctions où il succéda à W. A. Mozart. Il compta parmi ses élèves C. M. von Weber, Diabelli et Reicha. Son œuvre, abondante, manque de la puissance dramatique qui caractérise celle de son frère. Elle comprend de nombreuses pièces de musique religieuse (messes, requiem, Te Deum, graduels, offertoires, répons) et profane (opéras, symphonies, musique de chambre).

HAYE (La) [laɛ], en néerl. **Den Haag** ou **'s-Gravenhage.** ♦ V. des Pays-Bas, ch.-l. de la Hollande-Méridionale, à 3 km de la mer du Nord et à 169 km de Bruxelles. 736 642 hab. Ville administrative et diplomatique, La Haye est le siège de la Cour internationale de justice, de la Cour permanente d'arbitrage et de l'Académie de droit international. Résidence de la famille royale, elle abrite le siège du gouvernement. Palais comtal (1250). Palais royaux du XVIIe siècle. « Grande Église » (XIVe-XVe s.); église des Vieux Catholiques (XVIIIe s.). Musées (Mauritshuis, qui abrite une collection unique des chefs-d'œuvre des grands peintres hollandais, Bredius, Mesdag, musée municipal [école française]). – Patrie de Guillaume* II et III d'Orange-Nassau, Guillaume* Ier et II des Pays-Bas, Jean Second*. – Artisanat artistique. Ébénisterie. Produits pharmaceutiques. Matières plastiques. Tourisme. Station balnéaire à Scheveningen*. ♦ *Hist.* Rendez-vous de chasse au Xe s., La Haye devint résidence de la cour de Hollande au XIIIe siècle. La triple alliance entre la Hollande, la Suède et l'Angleterre y fut scellée contre Louis XIV. ♦ *Traité de La Haye,* traité signé sous la Convention* thermidorienne le 27 floréal an III (16 mai 1795) entre la République française (Rewbell et Sieyès) et la Hollande. La France reçut la Flandre hollandaise, Maastricht et Venloo, et annexa les Pays-Bas autrichiens (Belgique actuelle). Les deux puissances concluaient une alliance défensive-offensive. La Hollande s'engageait à payer une contribution de guerre et à apporter son soutien militaire et maritime à la France contre l'Angleterre. Avec les traités de Bâle*, le traité de La Haye disloquait la première coalition.

HAYE-DESCARTES (La). ♦ V. DESCARTES.

HAYE-DU-PUITS (La). ♦ Ch.-l. de cant. de la Manche*, arr. de Coutances*. 1 682 hab. *(Haytillons).* Donjon carré et bâtiments du XVIe s. – Marché agricole. Distillerie, produits laitiers.

HAYEK (Friedrich A. *von*). ♦ Economiste autrichien (né en 1889). Néo-libéral (et néo-marginaliste), il est connu pour sa théorie du cycle des affaires qui tente d'expliquer les crises économiques par l'insuffisance de l'épargne (*La Théorie monétaire et le Cycle des affaires,* 1928). Prix Nobel de sc. écon. (1974).

HAYEM (Georges). ♦ Médecin français (Paris, 1841 – 1933). Il découvrit les hématoblastes et pensa qu'ils se transformaient en hématies (interprétation qui n'est plus admise auj.).

HAYES (Rutherford Birchard). ♦ Homme politique américain (Delaware, Ohio, 1822 – Fremont, Ohio, 1893), 19e président des États-Unis. Avocat, il prit part à la guerre de Sécession* et devint gouverneur de l'Ohio. Appartenant au parti républicain, il fut élu président après des votes contestés. Sa politique conciliante à l'égard du Sud lui aliéna son propre parti et il ne put être réélu.

HAYKAL (Muhammad Hussayn). ♦ Écrivain égyptien (1888 – 1956). Il est le créateur du premier grand roman de la littérature arabe moderne (*Zaynab,* 1914) qui inaugure le roman de mœurs paysannes.

HAŸ-LES-ROSES (L') [lailɛʀoz]. ♦ Ch.-l. de cant. du Val-de-Marne (arr. de Créteil). 24 378 hab. Célèbre roseraie. – Matériaux de construction.

Haymarket (« le marché du foin). ♦ Rue du S.-O. de Londres, entre Piccadilly et Pall Mall. Célèbre théâtre fondé en 1720.

HAYNAU (Julius, *baron von*). ♦ Général autrichien (Kessel, 1786 – Vienne, 1853). Fils naturel de Guillaume Ier de Hesse, il passa au service de l'Autriche et commanda les troupes de la répression en 1848-1849, en Italie et en Hongrie. Sa rigueur le fit surnommer « la hyène de Brescia ».

HAZÂRA. *n. m.* ♦ Région limitrophe de l'Afghânistân* et du Pâkistân*, montagneuse (monts Sulaiman), où nomadisent des tribus musulmanes issues d'un métissage d'Iraniens et de Türko-Mongols et contre lesquelles les Anglais, à la fin du XIXe s. (guerres anglo-afghânes), éprouvèrent de terribles revers. – Ce peuple afghân, semi-nomade, est formé d'env. 1 000 000 de pasteurs-guerriers, musulmans shi'ites.

HAZARD (Paul). ♦ Universitaire français (Noordpeene, Nord, 1878 – Paris, 1944). Auteur d'études importantes sur l'histoire de la littérature et des idées, en particulier au XVIIIe s. (*La Révolution française et les lettres italiennes,* 1910; *La Crise de la conscience européenne, 1680-1715,* 1935; *La Pensée européenne au XVIIIe siècle,* 1946). [Acad. fr., 1940.]

Ph. Pierre Tétrel

La Haye :
le Vijver et le Binnenhof (Parlement).

HAZEBROUCK. ♦ Ch.-l. de cant. du Nord*, arr. de Dunkerque*, sur la Bourre. 20 070 hab. *(Hazebrouckois).* Église Saint-Éloi (XVIe s.). L'anc. couvent des augustins (XVIe-XVIIe s.) abrite un musée. – Marché agricole, indus. alimentaires; indus. textiles; constructions mécaniques; fabrique de meubles.

HAZÎN (Ibn al-Haytham al-), dit aussi **ALHAZEN.** ♦ V. IBN AL-HAYTHAM.

HAZLITT (William). ♦ Essayiste, critique et journaliste anglais (Maidstone, Kent, 1778 – Londres, 1830). Fils d'un pasteur unitarien, il étudia au collège de Hockney, mais acquit sa véritable culture en lisant Boccace et Shakespeare ainsi que les romanciers et les philosophes du XVIIIe s., Rousseau, Fielding*, Smollett*. A Paris (1802-1803), il fit des recherches sur la peinture et s'enthousiasma pour Napoléon dont il écrivit une *Vie* (*Life of Napoleon,* 1828). À Londres, il rencontra Coleridge* et Wordsworth* et fréquenta les cercles politico-littéraires de Lamb* et de Godwin* pour lesquels il prépara des conférences philosophiques : *Essai sur les principes de l'activité humaine,* 1805; *Développement et progrès de la philosophie moderne,* 1812. Journaliste, ses talents de critique furent hautement appréciés : *Shakespeare et les personnages de ses pièces,* 1821, inaugure l'analyse psychologique du personnage de théâtre. On doit encore à Hazlitt un *Panorama du théâtre anglais* (1818), des *Conférences sur les poètes* (1818) et *sur les écrivains comiques anglais* (1819), des *Opinions sur les livres, les hommes et les choses* (1826) que la critique moderne ne renie pas.

HEAD (Henry). ♦ Neurophysiologiste britannique (Londres, 1861 – 1940). Ses travaux portèrent principalement sur la sensibilité cutanée (en particulier de certaines zones dites « zones de Head »).

HEARD (*île de*). ♦ Île du sud de l'océan Indien (terres Australes* – 52°05′ S. – 73°30′ E.), d'une longueur de 50 km pour une largeur maximale de 24 km. Culminant à 2 759 m (Big-Ben), elle est la plus proche par son climat du continent Antarctique, et la glaciation y est considérable; la faune et le flore y sont extrêmement rares. Sa découverte par un phoquier anglais (Peter Kemp, 1833) est généralement attribuée au capitaine américain J.J. Heard (1853). Cédée par la Grande-Bretagne à l'Australie (1947), elle sert de base à une station scientifique.

HEARST (William Randolph). ♦ Journaliste américain (San Francisco, 1863 – Beverley Hills, 1951). Propriétaire du *Morning Journal* de New York, du *New York American,* puis d'une chaîne de quarante journaux et magazines, il fut l'un des créateurs de la presse à sensation, en couleurs et à grand tirage. Magnat tout puissant, de tendance conservatrice et isolationniste, il fut vivement critiqué.

HEATH (Edward). ♦ Homme politique britannique (Broadstairs, Kent, 1916). D'origine modeste, il fut élu à la Chambre des communes en 1950 et fut nommé en 1961 lord du Sceau privé chargé des négociations de Bruxelles pour ses convictions européennes. Chef des Conservateurs, il devint Premier ministre après le succès de son parti aux élections de juin 1970. Il s'efforça de résoudre avec autorité les difficultés sociales de son pays (vote de la loi Carr en janv. 1971, pour réduire les grèves) et financières (flottaison de la livre décidée en juin 1972). Il fit entrer définitivement la Grande-Bretagne dans la Communauté* économique européenne en janv. 1972. Remplacé en mars 1974 à la tête du gouvernement par M. Wilson, par suite du refus des libéraux de participer à un gouvernement conservateur, il dut également abandonner, en février 1975, la direction du parti conservateur, à laquelle Mrs Margaret Thatcher* lui succéda.

HEATHROW ou **HEATH ROW.** ♦ Localité de la banlieue O. de Londres. Le principal aéroport de Londres y est situé.

Héautontimoroumenos *(Le Bourreau de lui-même).* ♦ Comédie de Térence* (~ 162) imitée de Ménandre. Pour fuir les rigueurs de son père Ménédème, le jeune Clinias a quitté la maison et s'est engagé dans une armée étrangère. Ce départ fait la désolation du père qui va se mortifier, regrettant amèrement sa dureté.

HEAVISIDE (Oliver). ♦ Mathématicien et physicien anglais

Ph. Louis Monier

Anne Hébert.

(Londres, 1850 – Torquay, 1925). Il retrouva (1876) dans toute sa généralité l'*équation des télégraphistes* établie par Kirchhoff*, introduisit la notion d'impédance (1886), étudia la dynamique de l'électron (1888-1889), mit au point le calcul opérationnel pour l'étude des régimes électriques variables (1892) et, en 1902, à la suite des calculs de Poincaré* prouvant que la diffraction ne pouvait expliquer la transmission transatlantique réalisée par Marconi*, il suggéra que les ondes pouvaient contourner la Terre par réflexion sur une couche supérieure ionisée de l'atmosphère (couche d'Heaviside).

HEBBEL (Friedrich). ♦ Dramaturge allemand (Wesselburen, 1813 – Vienne, 1863). Analyste objectif de la réalité, il décrit dans son théâtre le conflit de la morale individuelle et d'un milieu social médiocre. Rénovateur de la tragédie bourgeoise avec *Marie-Madeleine* (1844), drame de la femme abandonnée, composé sous l'influence du *Faust* de Goethe, il apparaît comme un précurseur d'Ibsen dans des œuvres inspirées par des mythes célèbres : *Judith* (1839), *Gygès et son anneau* (*Gyges und sein Ring,* 1954). Sa trilogie des *Nibelungen** (1961), illustration de la légende allemande, témoigne aussi d'un grand talent de création dramatique.

HÉBÉ [*Hêbê*]. ♦ Fille de Zeus* et d'Héra*, personnifiant la Jeunesse. C'est elle qui servait le nectar aux dieux avant le rapt de Ganymède* et qui aidait aux travaux domestiques. Elle épousa Héraclès* après l'apothéose de celui-ci.

HÉBERT (Louis). ♦ Apothicaire français (Paris, 1575 – Québec, 1627). Parti pour l'Amérique du Nord, il s'installa dans la région de Québec où il fut l'un des premiers colons. Il en étudia la flore et y introduisit plusieurs variétés de plantes européennes, dont le pommier.

HÉBERT (Jacques René). ♦ Journaliste et homme politique français (Alençon, 1757 – Paris, 1794). Rallié aux idées révolutionnaires, il fonda dès 1790 *le Père* Duchesne* qui, dans un style populaire et violent, devint le porte-parole des révolutionnaires extrémistes. Substitut de Chaumette à la Commune* insurrectionnelle de Paris après le 10 août 1792 et chef du Club des cordeliers*, il mena sous la Convention une lutte acharnée contre les Girondins, qui le firent arrêter par la commission des Douze (18 mai 1793). Son arrestation, en déclenchant le mouvement populaire de la sans-culotterie (31 mai-2 juin 1793), précipita la chute des chefs de la Gironde. Libéré, Hébert adopta le programme des enragés, réussit à faire adopter certaines mesures économiques et sociales par la Convention et prit part au mouvement de déchristianisation. Après avoir dénoncé l'offensive des indulgents (Danton, Camille Desmoulins) qui réclamaient la fin de la Terreur (déc. 1793-janv. 1794), il critiqua « la nouvelle faction des endormeurs, c'est-à-dire les robespierristes [... et] la politique gouvernementale d'équilibre entre les factions » (A. Soboul) et proposa un programme social précis. Menacé d'être débordé sur sa droite comme sur sa gauche, le Comité de salut public dirigé par Robespierre fit d'abord arrêter Hébert et les extrémistes ou hébertistes* (12 mars 1794), qui furent condamnés à mort par le Tribunal révolutionnaire. L'arrestation et l'exécution des ultra-révolutionnaires, qui furent suivies peu après de celles des indulgents, désorientèrent le mouvement populaire de la sans-culotterie, et furent peut-être un prélude à la chute de Robespierre et des robespierristes.

HÉBERT (Antoine Auguste Ernest). ♦ Peintre et dessinateur français (Grenoble, 1817 – La Tronche, Isère, 1908). Élève de David d'Angers et de Paul Delaroche, il obtint le prix de Rome en 1839. Auteur de portraits *(Napoléon III),* de vastes compositions historiques, allégoriques et religieuses, il eut une prédilection pour les thèmes orientalisants et les sujets empreints de sentimentalisme et de pittoresque (*La Mal'aria,* 1850) ; il les traita avec une facture assez terne et académique, tout en empruntant timidement aux courants picturaux qui se développaient en dehors des salons. Professeur aux Beaux-Arts et directeur de la villa Médicis de 1867 à 1873, il eut une carrière jalonnée de récompenses officielles.

HÉBERT (Georges). ♦ Éducateur français (Paris, 1875 – Deauville, 1957). Promoteur d'une méthode naturelle d'éducation physique (connue sous le nom d'*hébertisme*) qui se distingue à la fois de la gymnastique suédoise et de la spécialisation sportive.

HÉBERT (Anne). ♦ Poète canadien d'expression française (Québec, 1916). Dans son œuvre en prose, elle se montre hantée par la solitude, l'étouffement au sein de la famille ou de la société : *Le Torrent* (nouvelles ; 1950), *Le Temps sauvage* (poème dramatique ; 1963) et *Les Chambres de bois* (roman ; 1958). La même angoisse existentielle se fait jour dans ses recueils poétiques, au symbolisme constant mais extrêmement mesuré, dont la succession et les titres soulignent la progression du poète dans sa quête. *Les Songes en équilibre* (1942) dressent l'inventaire du monde (puisque « Il faut bien vivre ici – En cet espace joli ») en des images d'une grande fraîcheur qu'assombrit progressivement un sentiment de mélancolie « Toute la féerie – Devenue figurante » désormais, le poète s'enfonce dans son monde intérieur, exploration où « La mort (l') accompagne – Comme une grande personne qui (lui) tiendrait la main » (*Le Tombeau des rois ;* 1953). Puis soudain « des chants de coqs trouent la nuit comme des lueurs » et, succédant à cette plongée derrière le « miroir » du monde, les poèmes du *Mystère de la parole* (1960), d'une grande sérénité, exaltent la fonction du poète, mais le tragique domine dans *Kamouraska* (1970), roman «de fureur et de neige», adapté au cinéma. Besoin de saisir le monde dans sa totalité, et de conjurer la solitude, l'œuvre d'Anne Hébert manifeste la même exigence dans sa forme : «Un verbe austère et sec, rompu, soigneusement exclu de la musique» (P. Emmanuel).

Hébertistes. *n. m. pl.* ♦ Nom donné aux ultra-révolutionnaires, partisans de Jacques René Hébert* (Chaumette*, Réal, Bouchotte*, Ronsin*, Rossignol*, Hanriot*, Momoro, Cloots*, Proli, Collot d'Herbois et Billaud-Varenne). Maîtres de la Commune* insurrectionnelle de Paris (après le 10 août 1792) et du Club des cordeliers*, ils prirent la direction du mouvement révolutionnaire populaire des sans*-culottes, après l'élimination des enragés (J. Roux*), et réussirent à faire adopter à la Convention montagnarde des mesures politiques contre les suspects **(V. Terreur),** et un programme économique et social. Ils dirigèrent le mouvement de déchristianisation qui aboutit à l'institution du culte de la Raison* (fin 1793). Critiqués par les indulgents (Camille Desmoulins*, Danton*) et par le Comité de salut public, dominé par Robespierre*, Saint-Just et Couthon, ils furent arrêtés et condamnés à mort par le Tribunal révolutionnaire (mars 1794).

HÉBREUX. *n. m. pl.* ♦ Peuple sémitique du Moyen-Orient ancien. Son nom *(Ibrim)* signifie « ceux d'au-delà » (de l'Euphrate ?). Son histoire, dans ses grandes lignes, est reflétée par la tradition biblique qui en fait le « peuple de Dieu ». ♦ *Hist.* Vers le ~ XVIIIe s. des tribus sémitiques émigrèrent de Mésopotamie (traditionnellement, d'Ur en Chaldée) vers Harrân, en pays araméen (« Syrie des deux fleuves »). Vers les ~ XVIIe-~ XVIe s. elles progressèrent vers l'O. et se mêlèrent aux populations de Canaan*. Une de ces tribus, les fils d'Israël, dut transhumer jusqu'en Égypte (~ XVe s.) où elle fut acceptée puis opprimée et d'où elle sortit progressivement (~ XIIIe s.). Après avoir nomadisé dans le désert, ses descendants conquirent peu à peu Canaan et s'y sédentarisèrent (~ XIIe s.), adoptant de nombreux traits de la civilisation cananéenne, pour former le peuple d'*Israël* **(V. Israël).** *Princ. pers. bibliques* correspondant à cette histoire : **V. Abraham, Isaac, Jacob, Joseph, Moïse, Josué.** – Pasteurs nomades, devenant agriculteurs après l'installation en Canaan, ils étaient répartis en clans et tribus, selon un système patriarcal avec traces d'un matriarcat primitif. – *Relig.* Avant la révélation mosaïque, culte patriarcal très simple (pierres dressées, sacrifices), pratiques magiques, connaissance d'un « dieu des pères » ou d'un dieu anonyme personnel à tel ancêtre (le « fort d'Israël »). Après l'Exode, révélation rapportée à Moïse, d'un dieu unique et exclusif : Yhwh *(Iahvé*)* et d'une loi religieuse (code d'Alliance), cimentant l'unité de la nation d'Israël.

HÉBRIDES *(îles)* ou **WESTERN ISLANDS.** *n. f. pl.* ♦ Archipel britannique, proche des côtes N.-O. de l'Écosse, comprenant env. 500 îlots, dont une centaine seulement sont habités. 1 994 km². On distingue généralement les *Inner Hebrides,* formées des îles de Skye*, Mull*, Iona, Staffa (où se trouve la célèbre *grotte de Fingal**), Tiree, Coll, Eigg, Rhum et Canna et les *Outer Hebrides* (Lewis*, North Uist, Benbecula, South Uist et Barra), séparées des Inner Hebrides par le *détroit de Minch.* Très montagneuses, les îles appartiennent à l'ensemble des Highlands. Le climat est doux et humide. L'*élevage,* la pêche, le tissage artisanal (Lewis) et le tourisme sont les princ. ressources.

HÉBRIDES *(Nouvelles-).* ♦ **V.** NOUVELLES-HÉBRIDES.

HÉBRON. ♦ Ville ancienne de Palestine (auj. al-Khalîl*), au S.-O. de Jérusalem. Aux temps bibliques, Abraham* y ensevelit Sara*. Elle fut la capitale de David* quand il régna sur Juda.

HÉCATE, en gr. **Hekatê.** ♦ Divinité grecque apparentée à Artémis*, à Séléné*, ou à Perséphone. Considérée primitivement comme une déesse bienveillante qui dispense les richesses, les talents et les victoires, elle acquiert plus tard un caractère maléfique : elle préside à la magie et à la divination. On dresse sa statue aux carrefours, la représentant comme une femme à trois corps ou à trois têtes.

HÉCATÉE DE MILET, en gr. **Hekataios**. ♦ Historien et géographe grec (v. ~ 540 – v. ~ 480), le plus célèbre des logographes ioniens. Il joua un rôle politique lors de la révolte des cités ioniennes contre les Perses et voyagea en Asie, en Égypte et en Europe. Dans ses *Généalogies* et son *Voyage autour du monde*, dont il ne nous reste que des citations, il fait preuve d'esprit de recherche. Il est considéré comme un précurseur d'Hérodote*.

HÉCATONCHIRES. *n. m. pl.*, en gr. **Hekatogkheires**. ♦ Trois fils d'Ouranos* et de Gaia*, géants doués de cent bras (d'où leur nom) et de cinquante têtes. Délivrés du Tartare* par Zeus*, ils aident les Olympiens à combattre les Titans*.

HECTOR (Hektôr). ♦ Le plus vaillant des défenseurs de Troie*, fils de Priam* et d'Hécube*, époux d'Andromaque* qui lui donne Astyanax*. Dans *L'Iliade**, Hector, protégé par Arès*, livre des combats victorieux contre les Grecs et tue, parmi d'autres héros, Patrocle*. Il est tué à son tour par Achille*.

HÉCUBE, en gr. **Hekabê**. ♦ Épouse de Priam*, roi de Troie*, à qui elle donne 19 enfants. **V. Hector, Hélénos, Pâris, Cassandre, Créüse, Polyxène.** Elle figure dans *L'Iliade* et surtout dans la tragédie comme le symbole de la douleur maternelle.

Hécube, en gr. **Hekabê**. ♦ Tragédie d'Euripide (v. ~ 424). Hécube a vu périr presque tous ses enfants dans la guerre de Troie, avant d'être elle-même conduite en esclavage chez Polymnestor, roi de Thrace. Elle tire vengeance de ce dernier en lui crevant les yeux et en tuant ses fils.

HEDA (Willem Claesz). ♦ Peintre hollandais (Haarlem, 1594 – *id.*, 1670/1680). La vie de ce peintre, qui s'imposa comme le représentant majeur de la nature morte hollandaise, est mal connue. Plusieurs fois cité à la gilde d'Haarlem à partir de 1631, il peignit d'abord des portraits et des scènes religieuses. Il se spécialisa ensuite dans la représentation de « Vanités » et, comme Claesz*, de « Desserts » (restes de repas). À l'encontre du faste et de l'ostentation des natures mortes flamandes, il agença ses compositions avec une simplicité et une rigueur calculée, bien qu'il ait parfois représenté à la manière de Kalf des objets précieux mis en place avec un certain apparat *(Nature morte à la coupe d'or)*. Il se limita en général à un répertoire peu diversifié, de caractère plus humble; avec une grande délicatesse, il joua des contrastes de matières, des textures mates ou luisantes, des reflets sur le verre et le métal. Il utilisait une touche souple et une gamme de tons discrets et raffinés (*Nature morte au tabac*, 1637). Sa virtuosité s'affirma particulièrement dans des œuvres presque monochromes où la finesse des valeurs est exaltée par quelques touches plus vives.

HEDÂYAT (Sadegh). ♦ Écrivain iranien (1903 – 1951). Ses écrits reflètent les angoisses de la Perse contemporaine. L'un de ses ouvrages, *La Chouette aveugle*, connut un succès international.

Hedda Gabler. ♦ Drame d'Ibsen* (1890). Révoltée par la médiocrité de son milieu provincial autant que par celle des hommes qui l'entourent, Hedda Gabler, fille de général et habituée aux façons militaires, contraint au suicide un écrivain, son ami d'enfance, dont elle a volontairement brûlé un précieux manuscrit, et se donne ensuite la mort.

HÉDÉ. ♦ Ch.-l. de cant. d'Ille-et-Vilaine, arr. de Rennes. 637 hab. *(Hédéens)*. Église en partie du XIIe s.; ruines d'un château (XIVe s.). Le bourg est situé près du canal d'Ille-et-Rance **(V. Ille)** qui est alimenté par l'étang de Hédé.

HEDERA. ♦ V. de l'État d'Israël, située dans la plaine côtière entre Haïfa et Tel-Aviv. 30 100 hab. (1969). Plantations d'orangers. Indus. textile. Fabrique de papier. Passage du pipe-line Elath-Haïfa.

HEDJAZ ou **HIJÂZ**. ♦ Barrière montagneuse d'Arabie Sa'ûdite qui s'étend sur près de 1 000 km du port d'"Aqaba* au petit port de Lith (au S. de La Mecque). L'Asîr* la prolonge. Parallèle à la côte, la chaîne culmine à 3 000 m env. – Prov. septentrionale de l'Arabie Sa'ûdite, située en bordure de la mer Rouge. 400 000 km² env. 2 000 000 d'hab. – *Cap.* **V. Mecque** (La). *Princ. villes* **V. Djeddah, Médine, Taïf.** Des Bédouins nomades, éleveurs de chameaux, forment les deux tiers de la population. Exportation des dattes des oasis; importation de denrées alimentaires. Le chemin de fer du Hedjaz réunissait Damas (Syrie) à Médine.

HEDWIGE, en pol. **Jadwiga**. ♦ (Cracovie, 1370 – *id.*, 1399). Reine de Pologne* (1384-1399). Fille cadette de Louis* Ier, roi de Hongrie et de Pologne, reconnue et couronnée en 1384, elle épousa Ladislas* II Jagellon, prince de Lituanie, qui fut élu roi de Pologne en 1386.

HEERENVEEN. ♦ V. des Pays-Bas (Frise). 30 915 hab. Indus. alimentaires et textiles. Métallurgie.

HEERLEN. ♦ V. des Pays-Bas (Limbourg). 75 000 hab. – Église du XIIe siècle. Musée géologique. École des mines. – Houille. Métallurgie. Verreries.

HEGEL (Georg Wilhelm Friedrich). ♦ Philosophe allemand (Stuttgart, 1770 – Berlin, 1831). Après des études au lycée de Stuttgart, il entra au séminaire protestant de Tübingen (1788). Condisciple de Schelling* et d'Hölderlin* dont il partagea l'admiration pour la Grèce antique, il s'enthousiasma avec eux pour la Révolution française. Précepteur à Berlin (1793-1796), à Francfort (1797-1800), puis professeur libre de philosophie à Iéna (1801-1807), il forma sa pensée au contact des bouleversements politiques de l'époque et par l'étude de l'histoire religieuse et spirituelle des peuples. Succédant à la totalité belle, heureuse et libre de la cité antique (union immédiate de la volonté subjective et objective générale), le christianisme lui apparut alors comme le moment du déchirement où le monde objectif est devenu le destin de la conscience, ou la conscience de soi comme d'un ennemi (*Vie de Jésus*, 1795; *L'Esprit du christianisme et son destin*, 1798). Enfin, il approfondit et critiqua les philosophies de Kant* (son subjectivisme et son formalisme moral), de Fichte* et de Schelling (*Différence des systèmes de Fichte et de Schelling*, 1801). Réconcilier l'histoire dans sa positivité et ses contradictions et la raison dans son exigence d'unité, d'universalité, résoudre l'opposition du réel et de la pensée, tel fut désormais le but de sa philosophie dont le projet essentiel est celui de l'homme total, de sa liberté réelle et de son bonheur. En 1807, il publia la *Phénoménologie* de l'esprit*, introduction anthropologique à la *Science de la logique** (1812-1816), écrite alors qu'il était directeur du gymnase de Nuremberg (1808-1816) et suivie de l'*Encyclopédie* des sciences philosophiques* (1817), rédigée à l'intention de ses étudiants à Heidelberg (1818-1831). Reconnu comme le philosophe majeur de l'époque, il obtint une chaire à Berlin (1818-1831), où il enseigna la *Philosophie* du droit* (1820-1821), la *Philosophie* de l'histoire*, l'*Esthétique*, la *Philosophie de la religion* et l'*Histoire de la philosophie* (œuvres posthumes publiées d'après ses cours). – Opposant à l'intellectualisme abstrait kantien et à l'irrationalisme romantique (intuition selon Schelling) la rigueur et la rationalité du concept, il chercha « à affronter en philosophie la chose même, c.-à-d. la connaissance effectivement réelle de ce qui est en vérité ». Comprendre toute réalité particulière dans son avenir et sa finitude, c'est la saisir sous l'aspect de la totalité (universel concret), comme une manifestation de l'absolu. Celui-ci est réalisation progressive et dramatique de soi, qui implique « son engagement dans l'être-autre et l'aliénation » (négation, différence) et « dans le mouvement de surmonter cette aliénation ». Ainsi, la dialectique est l'ensemble des lois du développement de la pensée et de la réalité; elle est une logique du mouvement, de l'altération où les « sauts qualitatifs » brisent la continuité de la progression quantitative et où les contradictions sont surmontées, dépassées. On ne peut la réduire, comme on le fait trop souvent, au schéma thèse-antithèse-synthèse. Englobant « le cercle total des sciences », le système hégélien est la présentation de l'absolu se développant selon un rythme triadique : posé et pensé en-soi (logique), il s'objective hors-de-soi et pour-soi (philosophie de la nature) pour revenir auprès de soi, à la fois en-soi et pour-soi (philosophie de l'esprit). Cette tentative pour rendre la réalité transparente à la pensée conduit à faire de l'histoire l'œuvre de la raison, utilisant « l'intérêt particulier des passions », la « ruse de la raison », pour réaliser l'idée absolue, réconciliation du sujet et de l'objet, du particulier et de l'universel, du fini et de l'infini, et accomplissement de la liberté **(V. Hégélianisme).**

Hégélianisme. *n. m.* ♦ Mouvement de pensée qui se développa à partir de la philosophie de Hegel*. On distingue habituellement *a)* les hégéliens « orthodoxes » qui furent les commentateurs et continuateurs du système (Biedermann*, Erdmann, Fischer*, Rosenkranz, Vischer et Zeller*); *b)* les hégéliens de « gauche » (ou jeunes hégéliens) qui s'attachèrent surtout aux conséquences de la méthode dialectique et s'orientèrent généralement vers des positions philosophiques matérialistes, athées et libérales (Strauss*, Bauer*, Feuerbach*, Hess*, Ruge*, von Stein). Certains se séparèrent du mouvement comme Stirner* et Marx*; *c)* les néo-hégéliens qui retinrent de la philosophie hégélienne son idéalisme et parfois sa conception de l'État (Spaventa*, Croce* et Gentile* en Italie; Bosanquet*, Bradley*, Royce*, Stirling en Angleterre).

HÉGÉSIAS, en gr. **Hêgêsias**. ♦ Philosophe grec de l'école cyrénaïque (v. ~ 300). Son hédonisme se teinte de pessimisme; doutant que l'homme puisse atteindre le bonheur, il préconisait, dit-on, le suicide.

HEIAN ou **HEIAN-JIDAI**. *n. m.* ♦ Période historique et artis-

Arch. Smeets

Willem Claesz Heda : « Nature morte », 1653. (Musée Frans Hals, Haarlem.)

Ph. Hétier

Heidelberg.

tique du Japon, allant de la fondation de Heian*-kyô (Kyôto) en 794 jusqu'à 1185, date de la fondation du Bakufu de Kamakura*. Cette période, caractérisée par la politique pacifique des régents Fujiwara*, vit l'éclosion de la période « classique » des arts et de la littérature japonais.

HEIAN-KYÔ (mots jap. « capitale paisible »). ♦ Ancien nom de la ville japonaise actuelle **(V. Kyôto)** fondée en 794 par l'empereur Kanmu-tennô et planifiée de manière régulière selon un plan inspiré de celui de la capitale chinoise des T'ang*. Ch'ang-an. Elle demeura la capitale impériale du Japon jusqu'en 1868, date à laquelle l'empereur Meiji* transféra sa cour à Edo* qu'il renomma Tôkyô (« la capitale de l'Est »).

HEIBERG (Peter Andreas). ♦ Écrivain danois (1758-1841). Influencé par les idées nées de la Révolution française, il écrivit le roman-feuilleton *Aventures d'un billet de banque,* une pièce de théâtre *Les « Von » et les « Van » (De Vonner og de Vanner)* et des poèmes satiriques, dirigés contre la noblesse et la royauté. Ses œuvres lui valurent l'exil : il passa en France les quarante dernières années de sa vie. Établi à Paris, il entra au ministère des Affaires étrangères grâce à Talleyrand.

HEIBERG (Johann Ludvig). ♦ Écrivain danois (Copenhague, 1791 – Bonderup, 1860). Fils de P.A. Heiberg (ci-dessus), il passa quelques années à Paris (1819-1822) auprès de son père, en s'intéressant au vaudeville français dont il combina l'esprit satirique avec la sentimentalité allemande dans le *Roi Salomon et le chapelier Georges* (1825). Critique, fondateur de journaux, professeur de logique, il devint au Danemark le maître à penser de l'époque de 1830 à 1850. Son poème *Une âme après la mort,* satire dirigée contre l'esprit bourgeois, fut publié en 1841, en même temps que le roman *Les Nouveaux Époux (De Nygiffe)* et le cycle des poèmes philosophiques *Le Protestantisme dans la nature.*

HEIBERG (Gunnar). ♦ Auteur dramatique et essayiste norvégien (Christiania [Oslo], 1857 – Oslo, 1929). Il fut directeur du théâtre de Bergen de 1884 à 1888 et, bien qu'il fût lui-même issu de la bourgeoisie, n'hésita pas à attaquer la morale de sa classe dans des pièces satiriques telles que *Tante Ulrike* (1884), *Le Roi Midas* (1890), *Le Gros Lot* (1895), *Le Conseil du peuple* (1897). Rompant avec les conventions sociales, exaltant le désir sexuel, il fit aussi scandale avec des pièces (*Le Balcon,* 1894; *La Tragédie de l'amour,* 1904).

HEIDE. ♦ V. d'Allemagne occidentale (Schleswig-Holstein). 23 000 hab. Marché agricole. Constructions mécaniques. Petit gisement de pétrole.

HEIDEGGER (Martin). ♦ Philosophe allemand (Messkirch, Bade, 1889 – *id.,* 1976). Il étudia la théologie. Disciple d'E. Husserl*, il lui succéda à l'université de Fribourg-en-Brisgau (1928) dont il devint recteur (1933-1934). Son attitude à l'égard du parti nazi, auquel il donna d'abord son adhésion officielle, lui valut de vives critiques; il reprit néanmoins son enseignement à Fribourg en 1946. (Œuvr. princ. : *L'Être et le Temps,* 1927; *Kant et le Problème de la métaphysique,* 1929; *Qu'est-ce que la métaphysique?* 1929; *De l'essence de la vérité,* 1943; *Lettre sur l'humanisme,* 1947; *Chemins qui ne mènent nulle part,* 1950; *Approche de Hölderlin,* 1951; *Introduction à la métaphysique,* 1953.) – Renouveler la signification de l'ontologie fondamentale, tel est le propos de Heidegger. Le problème de l'être, que l'homme est seul capable de poser, nécessite d'abord une phénoménologie de l'existence humaine, une analyse existentiale de ce que Heidegger nomme l'être-là (en allem. *Dasein*). La description de la vie quotidienne, de la relation au monde (lieu de toutes les significations) et aux autres permet d'expliciter la structure globale de l'être-là, le souci et les racines ontologiques de sa temporalité, qui est le fondement de l'historicité et l'horizon de toute compréhension de l'être. Jeté au monde (déréliction) et se découvrant comme pouvoir-être (projet), l'être-là peut se perdre dans une vie inauthentique (banalité quotidienne, anonymat) ou accéder à l'existence authentique par l'expérience (affective) privilégiée de l'angoisse, au cours de laquelle « l'étant reflue dans sa totalité, le paysage rassurant de notre agir disparaît » (R. Munier), révélant ainsi le néant. Mais, en découvrant ainsi sa finitude essentielle (son être-pour-la-mort), l'être-là s'ouvre aussi au dévoilement, à la vérité de l'être. Car l'homme est vraiment homme non en s'assurant, par la connaissance (pensée théorétique) et l'action, la domination du monde (étant), mais en sauvant de l'oubli la question de l'être, en se faisant « le berger de l'être ». Il s'agit donc de « nous libérer de l'interprétation technique de la pensée », afin de restituer à celle-ci sa dimension originelle qui est d'accomplir « la relation de l'être à l'essence de l'homme » et de libérer la parole de son caractère usuel, des liens de la grammaire, afin qu'elle redevienne poésie; car « riche en mérites, c'est poétiquement cependant que l'homme habite cette terre » (Hölderlin).

HEIDELBERG. ♦ V. d'Allemagne occidentale (Bade-Wurtemberg), au S. de l'Odenwald, dans la vallée du Neckar*. 122 000 hab. (1969). Célèbre université, fondée en 1386. Château composite (en partie du XVe s.), anc. résidence des Électeurs palatins. Maisons anc. dans la partie historique située au pied du château et le long du Neckar. Surtout universitaire et résidentielle, la ville, qui s'est beaucoup étendue, possède aussi des industries (constructions électriques, cimenteries). – Patrie de F. Ebert*, F.A. Schomberg*, G.H. Vossius*. ♦ *Hist.* Résidence des Électeurs palatins à partir du XIIIe s., la ville connut grâce à son université un grand renom, et fut l'un des foyers de la théologie protestante (calviniste). Le *Cathéchisme* (ou *Confession) d'Heidelberg,* tentant de concilier l'inspiration calviniste avec le luthéranisme, y fut écrit en 1563. La ville fut, à plusieurs reprises, dévastée par les Français au cours du XVIIIe s. (guerre du Palatinat). Au début du XIXe s., Heidelberg fut l'un des hauts lieux du romantisme allemand.

HEIDENHEIM. ♦ V. d'Allemagne occidentale (Bade-Wurtemberg), à l'E. du Jura souabe, sur la Brenza. 50 300 hab. Château de Hellenstein (XIe-XVIIe s.). – Constructions mécaniques, textiles (laine, coton), manufactures de tabac. – Patrie d'E. Rommel*.

HEIDENSTAM (Carl Gustaf Verner *von*). ♦ Écrivain suédois (Olshammar, 1859 – Stockholm, 1940). Descendant d'une famille allemande anoblie, il fit de longs voyages pour sa santé. À Paris, il étudia la peinture avec Gérome. Revenu dans sa patrie en 1887, il publia son premier recueil de poésies, *Années de pèlerinage et de vagabondage* (1888), rempli des impressions, des couleurs et des images luxuriantes du Proche-Orient. Son roman *Endymion* (1889) prêche un épicurisme indifférent aux graves problèmes moraux et sociaux. Dans un pamphlet, *Les Noces de Pepita,* écrit en collaboration avec Levertin*, il déclare le naturalisme dépassé. Ses *Poésies* (1895) parurent à ses contemporains l'expression d'une révolte du rêve et de l'imagination contre un réalisme terre-à-terre. Après un voyage en Russie et en Turquie, il publia deux romans historiques et patriotiques (*Pèlerinage de sainte Brigitte,* 1901, et *L'Arbre des Folkungar,* 1905-1907), ainsi que ses *Nouveaux Poèmes* (1915). [Prix Nobel, 1916.]

HEIFETZ (Jascha). ♦ Violoniste américain d'origine russe (Vilna, 1901). Élève du conservatoire de Pétrograd, il émigra aux États-Unis (1925). Des tournées internationales le firent connaître comme l'un des plus grands violonistes de son époque.

Heiji-Monogatari. ♦ « Récit de la guerre de l'ère Heiji », geste épique japonaise racontant, en trente-six chapitres romancés, les troubles qui eurent lieu au Japon en 1159 et qui portèrent le clan des Taira* au sommet de sa puissance. Le théâtre et la littérature se sont souvent inspirés des épisodes de cette « chanson de geste » probablement rédigée au XIIIe siècle.

HEIJÔ-KYÔ. ♦ Ancien nom de la ville japonaise actuelle de Nara*, alors qu'elle était capitale du Japon (de 709 à 784). L'empereur Kanmu* l'abandonna pour fonder, dix ans plus tard en 794, la ville capitale de Heian*-kyô (Kyôtô*).

HEIKE. ♦ Famille japonaise. **V. Taira.**

Heike-Monogatari. ♦ « Histoire des Heike », geste épique japonaise, rédigée entre 1202 et 1221, et contant l'ascension et la décadence du clan des Taira* (ou Heike). Cette chanson de geste, haute en couleur, était chantée par des moines aveugles itinérants qui s'accompagnaient d'un Biwa (luth japonais). Elle fut réécrite de nombreuses fois et connut jusqu'à nos jours un immense succès. Le théâtre, la littérature et le cinéma se sont emparés de ses thèmes principaux et en ont fait des sujets populaires. Les personnages principaux en sont Minamoto*-no-Yoshitsune, le frère de Minamoto*-no-Yoritomo et son fidèle moine-écuyer Benkei, à la force herculéenne.

HEILBRONN. ♦ V. d'Allemagne occidentale (Bade-Wurtemberg) et port sur le Neckar, à 50 km au N. de Stuttgart. 93 000 hab. Église gothique (XIIIe-XVe s.) avec une tour Renaissance. – Centre industriel (mécanique, chimie, textiles et produits alimentaires). – Patrie de R. von Mayer*. – Kleist y a situé son drame, *La Petite Catherine de Heilbronn.*

HEILMANN (Josué). ♦ Industriel et inventeur français (Mulhouse, 1796 – *id.,* 1848). On lui doit de nombreuses inventions dans le domaine de l'industrie textile : le métier mécanique à tisser vertical (1823), la machine à broder à pantographe (1828) et surtout la peigneuse rectiligne (1846).

HEI-LUNG CHIANG. n. m. [*Hei-long kiang, Heilong-jiang*]. ♦ Prov. de Chine du Nord-Est et de Manchourie séparée par le fl. du même nom (l'Amour) de l'U.R.S.S. Env. 21 000 000 d'hab. 463 600 km². *Cap.* Ha*-êrh-pin. Fertile dans sa partie orientale, elle est quasi désertique à l'O., confinant à la Mongolie-Intérieure. Son sous-sol, riche en minerais de fer et en houille, a permis aux Japonais, puis aux Chinois, d'y installer d'immenses complexes sidérurgiques qui en font une des plus importantes régions industrielles de la Chine. ♦ *Hist.* La province fut sous le contrôle des Japonais de 1932 à 1945, et ceux-ci y établirent l'État fantoche du Man-chu-kuo. ♦ Nom chinois («fleuve du Dragon noir») du fleuve qui sert de frontière entre la Manchourie soviétique et la province chinoise. Le même fleuve se nomme *Amour* en bouriat et *Sakhalin* en manchou.

Heimskringla (la) [« la sphère du monde »]. ♦ Titre, d'après les premiers mots du fragment conservé, d'une saga islandaise, œuvre de Snorri* Sturluson (première moitié du XIIIe siècle). Elle comporte seize vies de rois de Norvège, dont deux seulement sont parvenues dans le texte original.

HEINE (Heinrich). ♦ Poète lyrique et publiciste allemand (Düsseldorf, 1797 — Paris, 1856). S'il garda de ses origines juives un sentiment d'insécurité matérielle et spirituelle et la conscience de sa différence, sa conversion au protestantisme (1825) fut pour lui, comme il le dit avec quelque ironie, un « billet d'entrée donnant accès à la civilisation européenne ». Pour poursuivre ses études de droit à Göttingen puis à Berlin, il dut accepter, non sans en être humilié, les subsides de son oncle, riche banquier de Hambourg. Il débuta dans la carrière littéraire par les deux genres où il devait exceller : la poésie lyrique (*Les Grenadiers,* romance datée de 1816 mais probablement plus tardive, un recueil de poèmes *Rêve et Chant,* 1820, qui fut refusé par l'éditeur Brockhaus) et le journalisme (*Lettres de Berlin,* 1821). *Le Livre des chants* (*Jeunes Souffrances, Intermezzo, Le Retour, Mers du Nord,* 1827) connut un succès considérable. Dans ce recueil d'inspiration romantique (plaintes mélancoliques, désespoirs d'amoureux, rire moqueur à l'égard de sa propre sentimentalité, évocations de la mer qui comptent parmi les plus belles de la poésie allemande), Heine se révèle un musicien du verbe qui sut retrouver les rythmes de la mélodie populaire (ainsi sa *Lorelei**) et qui inspira des musiciens comme Schumann et Schubert. Les *Tableaux de voyage* (*Reisebilder,* 1825-1831) sont l'œuvre d'un journaliste de talent, plein de verve, dont l'esprit satirique et le ton polémique firent scandale. Patriote et libéral, Heine, qui, en raison de ses origines juives, avait des difficultés à trouver un emploi, quitta l'Allemagne pour Paris (1831). Il y fréquenta les salons mondains, les milieux politiques libéraux et socialistes allemands et collabora à divers journaux (*La Revue des Deux Mondes, Globe, Vorwärtz* qui devint la revue des socialistes, les éphémères *Annales franco-allemandes* de K. Marx et A. Ruge). Médiateur entre les cultures allemande et française, il compléta et rectifia l'ouvrage de Mme de Staël *(De l'Allemagne)* en publiant (en français et en allemand) *De l'école romantique* (1833-1835) où il dénonçait l'idéologie conservatrice et *La Religion et la Philosophie en Allemagne* (1835) où il affirmait l'importance pour l'Europe de la pensée de Hegel. En même temps, il donnait plusieurs études sur la situation de la France sous la Monarchie de Juillet (*Les Peintres français,* 1830; *De la France,* 1835; *Lutezia,* 1843). Sa poésie prit à cette époque le ton de la satire politique et sociale (*Atta Troll,* 1843, où il critique les écrivains libéraux allemands; *Nouvelles Poésies,* 1844, qui contient le poème *Tannhäuser*; Allemagne, conte d'hiver,* 1844; *Les Tisserands de Silésie,* etc.), mais revint au lyrisme dans *Romanzero* (1851 : *Lamentations, Mélodies hébraïques, Livre de Lazare*) qui exprime « le monde intérieur de la maladie, les songes nés de la solitude, de la morphine et de l'ennui » (C. David) ainsi que le retour de ce juif converti, athée ou panthéiste, à « une vieille superstition : la croyance au Dieu personnel ». D'une sensibilité presque maladive, d'une humeur instable et d'une intelligence caustique, sachant manier avec brio la formule provocante et le mot d'esprit *(Witz)* pour dénoncer les philistins de la culture ou pour déjouer la censure, Heine fut l'homme des contradictions, si ce n'est des compromissions. « Romantique défroqué », proche par ses positions du mouvement Jeune*-Allemagne (à l'égard duquel il ne ménagea pas ses critiques), européen libéral critiqué par les nationalistes allemands et dont le nom fut rayé des histoires littéraires sous le nazisme, ou prophète de la révolution prolétarienne, représentant d'une civilisation décadente ou annonciateur de l'avenir, il n'a pas fini de susciter, par sa vie et son œuvre, des discussions passionnées.

Arch. Rencontre

Heinrich Heine.

HEINKEL (Ernst). ♦ Ingénieur de l'aéronautique allemande (Grünbach, Wurtemberg, 1888 — Stuttgart, 1958). Après avoir réalisé son premier avion en 1911, il installa en 1936 à Oranienburg des usines importantes de construction aéronautique qu'il dirigea jusqu'en 1945.

HEINRICH VON LAUFENBERG. ♦ Prêtre et écrivain allemand du XVe siècle. Prêtre à Fribourg-en-Brisgau de 1429 à 1444, il fut, avant Luther, le plus important auteur de cantiques en langue allemande.

HEINRICH VON MEISSEN, connu sous le nom de **FRAUENLOB.** ♦ Poète allemand (Meissen, v. 1260 — Mayence, 1323). D'un style souvent compliqué, ses poèmes (lais religieux à la Vierge, lieder) annoncent à maints égards la poésie des maîtres chanteurs (le *Meistergesang*); la tradition vit même parfois en lui le fondateur de la première école de maîtres chanteurs à Mayence.

HEINRICH VON MELK. ♦ Chevalier du XIIe siècle. Retiré dans un couvent, il écrivit en allemand deux poèmes d'inspiration ascétique *La Pensée de la mort (Erinnerung an den Tod)* et *La Vie des prêtres (Vom Priesterleben)* où il s'élève contre les mœurs de son temps.

HEINRICH VON MÜGELN. ♦ Poète de langue allemande du XIVe siècle. Considéré comme un des premiers maîtres* chanteurs, il s'est distingué dans les genres poétiques les plus divers. On possède, entre autres, de lui un *Psautier* (texte latin, traduction allemande et commentaire), un poème d'inspiration religieuse sur le mode allégorique *(Der meide Kranz).*

HEINRICH VON PLAUEN. ♦ (Plauen, v. 1370 — Lochstedt, 1429). Grand-maître de l'ordre Teutonique (1411-1413). Il défendit la ville de Marienburg contre les Polonais après le désastre de Tannenberg* et fut élu grand-maître de l'ordre Teutonique. Il fut déposé peu après et fut emprisonné, car ses novations portaient atteinte à l'autorité des chevaliers.

HEINRICH VON VELDEKE. ♦ Poète courtois allemand du XIIe s., originaire du Limbourg. Auteur de poésies lyriques et d'une *Légende de saint Servais,* il est surtout connu pour son important poème *L'Énéide* (v. 1171) qui s'inspire de l'œuvre de Virgile et plus encore du poème français *Le Roman d'Énéas.* Comme l'ensemble des œuvres de Heinrich, l'Énéide fut écrite en bas-francique; mais il la transcrivit dans l'allemand du pays de Thuringe, où il s'était installé en 1183.

HEINROTH (Johann Christian Friedrich August). ♦ Médecin, physiologiste et psychologue allemand (Leipzig, 1773 — 1843). Attiré par le mysticisme auquel il consacra un ouvrage *(Histoire et critique du mysticisme,* 1830), il vit dans les maladies mentales une perte de la liberté spirituelle. Il a laissé des études sur *Les Altérations des facultés intellectuelles et leur traitement* (1818), un *Traité de médecine psychologique* (1824-1825) et des travaux de médecine et psychologie criminelles *(Principes de la psychologie du crime,* 1833).

HEINSE (Johann Jacob Wilhelm). ♦ Romancier allemand (près d'Aschaffenburg, 1746 — Mayence, 1803). Il fut d'abord l'élève de Wieland, mais s'en sépara dès son premier roman *Laidion ou les Mystères d'Éleusis* (publié anonymement en 1774). C'est un séjour de trois ans en Italie qui inspira à cet esthète immoraliste sa meilleure œuvre *Ardinghello ou les Îles fortunées* (1787, tr. fr., 1944); il situe dans l'Italie de la Renaissance les aventures de son héros, être sensuel et passionné, courageux et violent, épris de liberté autant que de conquêtes; « son univers extravagant, violent, arbitraire et coloré est celui dont a rêvé la génération des génies » (P. Grappin) du *Sturm* und Drang.* L'œuvre de Heinse, qui publia encore *Hildegard von Hohenhal* (roman historique sur la passion de la musique des Allemands, 1795-1796), fut découverte par le mouvement « Jeune-Allemagne » (1830).

HEINSIUS ou **HEINS (Daniel).** ♦ Humaniste et historien néerlandais (Gand, 1580 — Leyde, 1655). Auteur de poésies latines et de nombreuses éditions d'auteurs anciens, il fut historiographe de Gustave-Adolphe et secrétaire du synode national de Dordrecht (1618-1619), où il se rallia à la majorité. ♦ NICOLAS HEINSIUS (Leyde, 1620 — La Haye, 1682), fils du précédent, diplomate et humaniste, édita notamment les œuvres d'Ovide et de Virgile.

HEINSIUS (Anthonie). ♦ Grand pensionnaire de Hollande

Ph. Giraudon

Miroir en bronze : « Aphrodite persuadant **Hélène** de suivre Pâris à Troie ». Art étrusque, ~ Ve s. (Villa Giulia, Rome.)

(Delft, 1641 – La Haye, 1720). Ennemi acharné de Louis XIV, il joua un rôle important dans la grande alliance de La Haye (1701), lors de la guerre de Succession* d'Espagne, et devint chef de la coalition à la mort de Guillaume* III d'Orange.

HEINZ. ♦ V. ENZIO.

HEISENBERG (Werner). ♦ Physicien allemand (Würzburg, 1901 – Munich, 1976). Il est l'auteur de postulats de la mécanique quantique **(V.** *aussi* **Bohr, Born, Dirac, Pauli)** tels que les *relations de commutation* et le *principe d'incertitude.* Après avoir introduit le concept de résonance (1926) afin d'interpréter les états quantiques de l'atome d'hélium, il donna une interprétation du ferromagnétisme (1928) avec interprétation quantique du champ moléculaire et élabora la notion de champ moléculaire local **(V. L. Landau, Néel, P. Weiss).** Auteur du modèle actuellement admis pour le noyau de l'atome, il découvrit également les formes allotropiques de l'hydrogène. Il écrivit plusieurs ouvrages remarquables de haute vulgarisation. (Prix Nobel de phys., 1933.)

HEIST AAN ZEE. ♦ Comm. de Belgique (Flandre-Occidentale, arr. de Bruges) au débouché du canal de Schipdonk et du canal Léopold, à 29 km d'Ostende. 9 446 hab. Pêche. Station balnéaire.

HEIST-OP-DEN-BERG. ♦ Comm. de Belgique (Anvers, arr. de Malines). 13 200 hab. Brasseries. Céramiques. Instruments de précision. Matériel de chauffage.

HEITLER (Walter). ♦ Physicien allemand (Karlsruhe, 1904 –). Auteur en 1927, avec F. London*, de la théorie quantique de liaison chimique (étude faite sur la molécule d'hydrogène) qui est à l'origine de la chimie théorique **(V.** *aussi* **Pauling, Slater, Hund, Lennard-Jones** et **Mulliken),** il élabora avec Bethe* la théorie des gerbes photoélectroniques (1934). **V.** *aussi* **Auger.**

HEKLA. *n. m.* ♦ Volcan en activité du S. de l'Islande. 1 447 m. Dernières éruptions en 1947 et 1970.

HEKTOROVIĆ (Petar). ♦ Poète dalmate (Cittavecchia, île de Hvar, 1487 – *id.,* 1572). Il est l'auteur d'un poème à tendance philosophique, inspiré de poésie populaire : *La Pêche et le Bavardage des pêcheurs* (1556).

HEL. ♦ Localité de Pologne* (voïévodie de Gdańsk) à l'extrémité de la *presqu'île de Hel.* Port de pêche et station balnéaire de la Baltique. 3 000 hab. – Dernier point de résistance polonaise lors de l'invasion allemande de 1939. – *La presqu'île de Hel,* formée par une étroite bande de terre sablonneuse et boisée, prolonge la côte poméranienne dans la baie de Gdańsk*.

HELBRONNER (Paul). ♦ Géodésien français (Compiègne, 1871 – Paris, 1938). Il réalisa la triangulation des Alpes et la relation trigonométrique de la Corse à la France. (Acad. sc., 1927.)

HELDER (Le), en néerl. **Den Helder.** ♦ Port militaire des Pays-Bas (Hollande du Nord), sur le détroit de Marsdiep qui le sépare de l'île de Texel. 48 600 hab. Station de recherches zoologiques marines. Point d'aboutissement d'une digue de 10 km et haute de 77 m. Métallurgie. Conserverie. Chantiers navals. ♦ *Hist.* Village de pêcheurs au XVIIIe s., Le Helder fut transformé en place forte par Napoléon en 1811. Théâtre de batailles navales en 1673, en 1795 et en 1799.

HELENA. ♦ V. des États-Unis, cap. du Montana, dans l'O. de cet État, dans les Rocheuses et près de la riv. Missouri. 20 227 hab. (1960). Centre régional de commerce et de la finance. Indus. (béton, briques et tuiles, peinture). La ville a dû son développement aux mines d'or et d'argent, vers la fin du XIXe siècle.

HÉLÈNE, en gr. **Helenê.** ♦ Princesse légendaire de Sparte*, célèbre pour sa beauté néfaste. Fille de Léda* et de Tyndare*, elle est sœur de Clytemnestre* et des Dioscures **(V. Castor et Pollux),** mais, selon la tradition la plus répandue, elle naît de l'union de Léda avec Zeus* métamorphosé en cygne ; d'après une tradition posthomérique, l'œuf d'où sort Hélène (ou Hélène et Pollux) est pondu par Némésis*. Le premier rapt d'Hélène, le moins connu, a Thésée* et Pirithoos* comme auteurs. Ils la tirent au sort et Thésée, à qui elle échoit, la cache près d'Athènes. Mais les Dioscures la reprennent pendant l'absence de Thésée et de Pirithoos descendus aux Enfers et la ramènent à Sparte. Hélène, en âge de se marier, choisit, parmi les nombreux prétendants qui affluent de toute la Grèce, Ménélas* ; elle lui donne une fille, Hermione*. Tyndare, roi de Sparte, époux légitime de Léda, craignant le mécontentement des prétendants déçus, et conseillé par Ulysse*, leur avait fait prêter serment de respecter le choix d'Hélène et de secourir l'élu si quelqu'un portait atteinte à son honneur. C'est ainsi que l'enlèvement d'Hélène par Pâris* aidé d'Aphrodite*, quelques années plus tard, provoque l'expédition des Grecs contre Troie*. Dans les poèmes homériques, Hélène aide secrètement les Grecs et, ramenée à Sparte, donne l'exemple de la vertu domestique. Selon d'autres mythographes, elle est consentante à cet enlèvement et a plusieurs aventures chemin faisant vers Troie, surtout en Égypte **(V. Protée).** Mais les versions sur sa conduite, ses péripéties et ses unions varient infiniment.

Hélène, en gr. **Helenê.** ♦ Tragédie d'Euripide* (~ 412). Alors que Pâris n'a emmené à Troie qu'un fantôme, la véritable Hélène vit en Égypte à la cour de Protée. Au moment où le fils du roi s'apprête à l'épouser de force, Ménélas survient qui, avec le secours des Dioscures, la ramène en Grèce.

HÉLÈNE *(sainte).* ♦ Mère de l'empereur Constantin (née à Drepanum, Bithynie – v. 327 à Nicomédie). Concubine de Constance Chlore, répudiée lorsqu'il épousa Théodora (289), elle fut rappelée par son fils qui la proclama Augusta, en 325. La légende lui attribue l'invention de la Sainte Croix et d'autres reliques insignes, lors d'un pèlerinage à Jérusalem et à Bethléem, en 326. Fête le 18 août.

HÉLÉNOS. ♦ Héros troyen, fils de Priam* et d'Hécube*. Ayant reçu d'Apollon le don de divination comme sa sœur jumelle Cassandre*, il avertit que l'enlèvement d'Hélène par son frère Pâris serait néfaste pour la ville de Troie*. Quand, après la mort de Pâris, Priam donne Hélène comme femme à son frère Déiphobe, mécontent, il se retire sur le mont Ida. Arrêté par les Grecs, il finit par révéler les conditions requises pour la prise de la ville. Selon une variante, esclave de Pyrrhos*, il épouse Andromaque après la mort de celui-ci et règne en Épire.

HELGOLAND, anc. **Héligoland.** ♦ Petite île rocheuse de la mer du Nord, au large des bouches de l'Elbe et des côtes du Holstein. 35 ha. Tourisme balnéaire. ♦ *Hist.* Danoise (de 1714 à 1807), puis anglaise jusqu'en 1890, elle fut acquise par l'Allemagne en échange de Zanzibar. Importante base navale (sous-marins) entre les deux guerres, elle fut démantelée en 1945.

HÉLI ou **ÉLI.** ♦ Personnage biblique. Juge et grand-prêtre des Juifs (~ XIe s.). Il éleva Samuel* dans le temple de Silo*. Il mourut de douleur lorsque les Phéniciens vainquirent les Israélites. **(V. Israël.)**

HÉLIADES [*Hêliades*]. *n. f. pl.* ♦ Filles d'Hélios* (« le Soleil » dans la mythologie grecque) et de la nymphe Clyméné*, au nombre de trois ou de cinq. Elles pleurent si amèrement la mort de leur frère Phaéton* que les dieux, ayant pitié d'elles, les métamorphosent en peupliers ; leurs larmes deviennent des gouttes d'ambre.

Heliand. ♦ Poème biblique de six mille vers (allitérés) écrit en bas-allemand (langue des Saxons) vers 830 et constituant une des œuvres maîtresses de l'époque carolingienne.

HÉLICON [*Helikôn*]. *n. m.* ♦ Massif montagneux de Grèce en Béotie*. 1 748 m. – Illustré par Hésiode* (originaire d'Ascra* sur l'Hélicon), c'est, dans la légende, un des séjours favoris des Muses* qui se réunissaient autour de la fontaine Hippocrène* et dans le bois sacré où s'élevait leur sanctuaire *(Mouseion)* sur le versant N.-E. près de Thespies*. Les jeux *Mouseia,* concours de musique et de poésie, s'y célébraient tous les quatre ans. Constantin le Grand pilla les statues du sanctuaire pour orner Constantinople.

HÉLIE (Faustin). ♦ Jurisconsulte français (Nantes, 1799 – Paris, 1884). Fondateur du *Journal de droit criminel* (1828), auteur d'une *Théorie du Code pénal* (1834-1843) et d'un *Traité de l'instruction criminelle* (1845-1860), où il analyse les rapports du droit criminel et de la législation civile ou des progrès sociaux.

Héliée. *n. f.,* en gr. **Hêliaia.** ♦ Le grand tribunal populaire d'Athènes, qui siégeait à ciel ouvert, « sous le soleil » *(hêlios).* Juridiction d'appel sur les arrêts rendus par les magistrats, créée par Solon* v. ~ 594, l'héliée était composée au ~ Ve s. de 6 000 membres (600 par tribu) tirés au sort annuellement et formant 10 sections. Par les réformes d'Éphialte-Périclès (~ 461), elle hérita d'une partie des pouvoirs de l'Aréopage et sa compétence était quasi générale. Les *héliastes* étaient tirés au sort quotidiennement à partir de ~ 404. Institution démocratique, l'héliée n'était pas pour autant exempte de faiblesses exploitées par les démagogues. Aristophane railla l'oisiveté, la crédulité et l'incompétence des héliastes.

HÉLINAND DE FROIDMONT. ♦ Trouvère picard (1160) qui mourut à l'abbaye de Froidmont (près de Beauvais) v. 1229, après une vie mondaine. Auteur d'une *chronique* et de sermons en latin, il composa (v. 1197) le poème didactique français *Les Vers de la mort,* en strophes de douze octosyllabes : c'est une méditation vigoureuse sur l'égalité devant la mort et la nécessité du salut.

HÉLIODORE, en gr. **Hêliodôros.** ♦ Ministre de Séleucos* IV Philopator de Syrie (mort en ~ 175). Sur l'ordre de son souverain, il tenta sans succès de s'emparer des trésors du temple de Jérusalem : d'après le IIe livre des Maccabées, il en aurait été empêché par une intervention divine (thème d'Héliodore chassé du Temple, fréquent dans l'iconographie, par ex. dans les *Loges* de Raphaël). En ~ 175, il empoisonna Séleucos et essaya de se faire déclarer roi, mais il fut renversé et mis à mort par Antiochos* IV Épiphane.

HÉLIODORE, en gr. **Hêliodôros.** ♦ Romancier grec (Émèse, Syrie, IIIe ou IVe siècle). Son œuvre, *Les Ethiopiques* ou *Théagène et Chariclée* (en dix livres), réunit tous les éléments traditionnels du roman grec : la beauté exceptionnelle de deux héros, le coup de foudre et la séparation forcée, le merveilleux, l'opposition des méchants et des bons, l'intrigue touffue d'incroyables péripéties de pays en pays, le dénouement heureux. Ce roman, très populaire chez les Byzantins, trouvait encore des admirateurs pendant la Renaissance.

HÊLIOGABALE. ♦ **V.** ÉLAGABAL.

HÉLIOPOLIS, nom gr. de l'égypt. *Iounou* ou *Onou,* « la ville du pilier », dans la Bible *On,* auj. **Tell Hasan.** ♦ Anc. V. d'Égypte à l'extrémité S. du delta du Nil, auj. faubourg N.-E. du Caire*. « Pays du berceau de tout dieu », elle était le centre du culte du dieu solaire Atoum*, puis Rê, puis Hélios ou Apollon et joua un rôle religieux prépondérant dès les temps les plus anciens. Elle possédait un collège de prêtres renommé **(V. Imhotep)** ainsi qu'une célèbre école de philosophie où aurait séjourné Platon. Les Ptolémée* et les Romains exploitèrent la ville comme une carrière et transportèrent ses colonnes et ses obélisques à Alexandrie et à Rome (obélisque de Séthi* Ier sur la *Piazza del popolo,* à Rome). Du grand temple de Rê, il ne reste aujourd'hui qu'un des deux obélisques de Sésostris* Ier. Dans la plaine d'Héliopolis, le sultan Sélim défit les mamelouks* en 1517 et Kléber* l'armée turque d'Ibrahim Bey en 1800.

HÉLIOPOLIS. ♦ **V.** BAALBEK (Liban).

HÉLIOS. ♦ Divinité personnifiant le Soleil (en gr. *Hêlios).* Précédé d'Éos* (l'Aurore) et suivi de Séléné* (la Lune), il traverse le ciel sur un char de feu traîné par quatre chevaux. De son union avec Clyméné*, il eut Phaéton* et les Héliades*. D'une autre de ses femmes, il eut Circé* et Pasiphaé*.

HELLAAKOSKI (Aaro Antti). ♦ Poète finnois (Oulu, 1893 — Helsinki, 1952). Viril, énergique et satirique, il s'opposa avec *Poèmes* (1916) à l'académisme élégiaque en vogue avec Koskenniemi* et tenta des expériences formelles inspirées d'Apollinaire* dans *Le Miroir de glace* (1928). Incompris, il se livra à des travaux scientifiques et devint docteur en géologie en 1929. À partir de 1944, des recueils comme *La Nouvelle Poésie* (1944), *Les proues qui oscillent* (1946), *Suites* (1952) le font reconnaître comme l'un des plus grands poètes finlandais. Auteur philosophique et méditatif, il chercha à déterminer la place de l'homme dans l'univers et la nature ainsi que des impératifs moraux. Œuvres posthumes, dont *Boules de neige* (1955), publiées par son ami P. Mustapää*.

HELLADE. *n. f.,* en gr. **Hellas.** ♦ Nom qui a désigné dans l'Antiquité une partie de la Grèce : la Phthiotide chez Homère, la Grèce moyenne chez les Romains. Conservé par les Grecs modernes, il désigne la Grèce actuelle. Habitants : *Hellènes.*

HELLÉ. ♦ **V.** PHRIXOS et HELLÉ.

HELLEMMES-LILLE. ♦ Comm. du Nord*, dans la banlieue de Lille*. 18 732 hab. *(Hellemmois).* Indus. textile ; meubles, brasseries, bonneterie.

HELLEN, en gr. **Hellên.** ♦ Fils de Deucalion* et de Pyrrha*, qui donna son nom aux Hellènes. De ses trois fils, Doros*, Éole* et Xouthos*, descendaient les races qui se mêlèrent en Grèce : les Doriens, les Éoliens, les Achéens et les Ioniens.

Ph. Nino Cirani/Ricciarini

Le Caire : une rue à **Héliopolis.**

Helléniques (Les). ♦ Œuvre de Xénophon*.

HELLENS (Frédéric Van Ermenghem, dit **Franz).** ♦ Écrivain belge d'expression française (Bruxelles, 1881 — *id.,* 1972). Soucieux d'« esprit nouveau », il fonda, vers 1920, avec H. Michaux, la revue poétique *le Disque vert,* d'inspiration présurréaliste. Il accorda, dans son œuvre personnelle, une place majeure aux *Réalités fantastiques* (recueil de nouvelles, 1923), à ce qu'il appelle *La Vie seconde* (1963) ; ce goût pour le surnaturel est notable dans *Mélusine* (1920) et *L'Œil de Dieu* (1925). Attiré également par les analyses psychologiques, il donna, à travers des ouvrages semi-autobiographiques, de pénétrantes études de l'enfance (*Le Naïf,* 1926) et de l'adolescence (*Les Filles du désir,* 1930), abordant enfin des explorations plus hardies avec *La Femme partagée* (1929) et *Frédéric* (1935).

HELLESPONT, en gr. **Hellêspontos.** ♦ Anc. nom du détroit des Dardanelles*, lié à la légende de Phrixos* et Hellé. Les Grecs colonisèrent ses rivages dès le ~ VIIe s. (Abydos, Sestos, Lampsaque). Xerxès* relia les deux rives du détroit par un pont de bateaux pour envahir la Grèce (~ 481) et Alexandre le Grand le franchit en ~ 334.

HELLEU (Paul César). ♦ Peintre, dessinateur et graveur français (Vannes, 1859 — Paris, 1927). Élève de Gérome, il réalisa d'abord des travaux de décoration pour les églises et peignit aussi des paysages, des marines et des scènes de plein air. Il réalisa une multitude de portraits gravés qui obtinrent un succès considérable. Ses portraits féminins aux silhouettes allongées, flexibles et maniérées, brossés d'un pinceau nerveux et habile, sont très représentatifs de la « Belle Époque » ou esprit 1900.

HELLÍN. ♦ V. d'Espagne du S.-E. (Murcie*, prov. d'Albacete). 30 000 hab. Mines de soufre connues depuis les Romains.

HELLO (Ernest). ♦ Publiciste catholique français (Lorient, 1828 — 1885). Contre le scientisme de son siècle, il proposa l'exemple des mystiques. Auteur de *L'Homme* (1872) et de *Contes extraordinaires* (1879).

HELMERT (Robert). ♦ Géodésien allemand (Freiberg, Saxe, 1843 — Potsdam, 1917). Il fut l'un des promoteurs des théories modernes en géodésie.

HELMHOLTZ (Hermann Ludwig Ferdinand *von***).** ♦ Physicien et physiologiste allemand (Potsdam, 1821 — Charlottenbourg, 1894). Il énonça en toute généralité le principe de l'énergie (*Über die Erhaltung der Kraft,* 1847) affirmant la conservation de l'énergie, interprétant les phénomènes physiques comme changement de forme de l'énergie et définissant l'énergie potentielle **(V. Mayer, Joule).** Étudiant les piles réversibles et les phénomènes électrocapillaires, il démontra que la force électromotrice d'une pile mesure l'*énergie libre* de la réaction chimique qui s'y produit et donna l'équation reliant la variation d'énergie interne à la variation d'énergie libre (1882). En hydrodynamique, il énonça les lois dynamiques du mouvement tourbillonnaire (1858). En acoustique, il interpréta le timbre des sons par l'existence d'harmoniques superposés (1862), imagina ses résonateurs pour démontrer que les harmoniques peuvent être extraits du son total (1863-1877). **V.** *aussi* **Boussinesq.** En optique, il précisa la théorie mécanique pressentie par Maxwell* pour étudier la dispersion de la lumière (1875), aboutissant à l'existence de fréquences propres (1892) dont le rôle fut important dans l'élaboration de la théorie des électrons **(V. Lorentz)** ; il montra également l'influence de la diffraction sur la limite de résolution du microscope. Enfin, il démontra en 1881 qu'il fallait attribuer à l'électricité une structure atomique.

HELMOND. ♦ V. des Pays-Bas (Brabant-Septentrional). 57 443 hab. — Château du XIIIe s. — Centre textile. Métallurgie.

HELMONT. ♦ **V.** VAN HELMONT.

HELMSTEDT. ♦ V. d'Allemagne occidentale (Basse-Saxe), au N. du Harz, à la frontière de la R.D.A. 30 000 hab. Église paroissiale du XIIIe siècle. Siège d'une université protestante de 1576 à 1809. Houillères, filatures, chimie.

HÉLOÏSE. ♦ (Paris, 1101 — couvent du Paraclet, 1164). Nièce du chanoine parisien Fulbert, elle eut Abélard* pour précepteur, devint sa maîtresse et en eut un fils. Après l'émasculation de son amant, elle entra au couvent d'Argenteuil. Abbesse au Paraclet, près de Nogent-sur-Seine, elle garda Abélard comme directeur et échangea avec lui une correspondance remarquable par sa passion et son élévation spirituelle.

HÉLOUAN, en ar. **Hûlwân.** ♦ V. de la Basse-Égypte (gouvernorat de Gizéh) au S. du Caire. 24 000 habitants. Station thermale créée par Ismaïl* au XIXe s. sur l'ancien site. Observatoire astronomique et météorologique. — Hélouan est devenu après 1952 la princ. banlieue industrielle du Caire. Complexe sidérurgique (le plus grand du Moyen-Orient) construit en 1956 avec l'aide de l'U.R.S.S. à *Abou Saal.* Indus. textiles (coton, soie), pharmaceutiques. Verrerie. Cimenterie. — À proximité, nécropole de fonctionnaires des Ire et IIe dynasties.

HELPMANN (Robert). ♦ Danseur, chorégraphe et acteur anglais, d'origine australienne (Mount Gambier, Australie, 1909). Il débuta dans la compagnie d'Anna Pavlova, en tournée dans son pays natal. Venu à Londres, il devint premier danseur du Sadler's Wells Ballet où il fut, aux côtés de Margot Fonteyn, l'interprète de ses propres chorégraphies *(Hamlet, Miracle in the Gorbals,*

Ph. Tore Johnson/Magnum

E. M. Hemingway.

Elektra). Acteur de théâtre et metteur en scène, il a consacré une part de ses activités au cinéma *(Les Chaussons rouges, Les Contes d'Hoffmann).*

HELSINGFORS. ♦ Nom suédois de Helsinki*.

HELSINGØR. ♦ V. ELSENEUR.

HELSINKI, en suéd. **Helsingfors.** ♦ V. princ. et cap. de la Finlande, premier port du pays, sur une presqu'île du golfe de Finlande. Ch.-l. du comté d'Undenmaan. 529 091 hab. (aggl. 700 856 hab.) [1968]. Les faubourgs d'Helsinki, tel Tapiola, présentent des exemples d'urbanisme et d'architecture modernes remarquables. Université. Aéroport international d'Helsinki-Seutula. Ses larges artères, ses parcs (Kaisaniemi, Kaivopuisto) et ses bâtiments modernes ont valu à Helsinki le surnom de « ville blanche du Nord ». Les quartiers centraux sont groupés autour de la Kauppatori (place du Marché) et de l'Esplanade. La ville possède de beaux monuments de style classique (la Grande Église Saint-Nicolas, 1830-1852, l'université et le Conseil d'État, dus à l'architecte C.L. Engel), des constructions de la fin du XIXe s. (gare, musée national par Eliel Saarinen) et du XXe s. (stade olympique, maison de la culture par A. Aalto* [1955-1958], etc.). Musée municipal. Bibliothèque de l'université. Librairie académique. — Helsinki est le principal centre indus. du pays : chantiers navals, métallurgie, constructions mécaniques, indus. chimiques, alimentaires, textiles (confection). Imprimeries. Porcelaines réputées. — La ville possède cinq ports pouvant accueillir les plus gros vaisseaux et drainant la moitié du trafic national. Exportation de produits métallurgiques, bois d'œuvre, cellulose, papier, produits laitiers. Importation de matières premières, d'automobiles, de produits alimentaires. — Patrie d'E. Westermarck*. ♦ *Hist.* Fondée en 1550 par Gustave* Vasa, fortifiée en 1750, Helsinki devint en 1812 capitale du grand-duché de Finlande (possession russe), remplaçant ainsi Turku*. Lors de la guerre d'Indépendance, en 1918, elle fut le siège d'un gouvernement provisoire communiste renversé le 13 avril 1918 par les troupes de Mannerheim*.

HELVÈTES. *n. m. pl.* ♦ Peuple celte établi en Allemagne du S. à la fin du ~ IIe siècle. Au ~ Ier s., ils occupaient la majeure partie de l'actuelle Suisse occidentale. Pour fuir les Suèves* que commandait Arioviste*, ils émigrèrent vers la Gaule, mais César* les vainquit à Montmort (Morvan) en ~ 58 et les contraignit à retourner dans leur pays d'origine. Sous Auguste*, l'Helvétie* fut rattachée à la Belgique puis à la Lyonnaise* Ire. L'invasion des Alamans* et des Burgondes* au Ve s. contraignit les Helvètes à se réfugier dans les montagnes.

HELVÉTIE. *n. f.* ♦ Anc. partie orientale de la Gaule* occupant à peu près le territoire de la Suisse actuelle. Pays des Helvètes*.

HELVÉTIUS (Claude Adrien). ♦ Philosophe français (Paris, 1715 — Versailles, 1771). Fermier général, il collabora à l'Encyclopédie*. Dans ses traités (*De l'esprit,* 1758, condamné par le conseil du roi ; et *De l'homme, de ses facultés intellectuelles et de son éducation,* 1772), il formula une philosophie matérialiste, sensualiste et athée, affirmant le rôle prépondérant de la société et de l'instruction dans la formation de l'individu (contre *l'Émile* de Rousseau). Ses positions suscitèrent les critiques de Diderot*.

HEM. ♦ Comm. du Nord, arr. de Lille, dans la banlieue sud de Roubaix*. 16 742 hab. — Chapelle moderne (par Hermann Baur, 1960). Indus. textile.

HEMACHANDRA. ♦ Philosophe indien jaina (1089 — 1172), conseiller du roi Kumârapâla de Dhâra. Il écrivit de nombreux ouvrages religieux et philosophiques et est considéré comme l'un des plus éminents docteurs de la foi jaina.

HEMEL HEMPSTEAD. ♦ V. de la banlieue N. de Londres* (Hertfordshire). 63 800 hab. Église romane (XIIe s.), maisons des XVe, XVIe et XVIIe siècles. — Un important projet d'urbanisme y fut réalisé en 1948. Indus. électriques.

HEMIKSEM. ♦ Comm. de Belgique (prov. et arr. d'Anvers), sur l'Escaut, à 35 km de Bruxelles. 10 300 hab. — Vestiges de l'abbaye Saint-Bernard fondée en 1235. — Chantiers navals. Métallurgie du cuivre. Indus. chimiques. Cimenteries. Montage d'automobiles. Céramiques.

HEMINGWAY (Ernest Miller). ♦ Romancier américain (Oak Park, Ill., 1898 — Sun Valley, Idaho, 1961). Fils d'un médecin de Chicago, qu'il accompagnait dans ses visites, et d'une mère musicienne et peintre qui sut éveiller sa sensibilité, il préféra devenir reporter au *Kansas City Star* plutôt qu'étudiant à l'université de l'Illinois. Après avoir été ambulancier sur le front italien pendant la Première Guerre mondiale, expérience qui le marqua, il s'installa à Paris où il fut correspondant du *Star* de Toronto. C'est là que, dans le sillage de Twain*, il commença, en publiant *Trois Histoires et Dix Poèmes,* 1923, une carrière littéraire sous le patronage de Gertrude Stein*, Ezra Pound* et Sherwood Anderson* qu'il parodia avec *Les Torrents du printemps,* 1926. Sa formation journalistique explique en partie le style de ses récits, elliptique, discret, « sans truquage ni tricherie ». Décrivant des comportements, sans jamais prétendre rendre compte des pensées de ses personnages, il contribua fortement à l'élaboration du style romanesque contemporain. *Le Soleil se lève aussi* (1926) est avec *L'Adieu aux armes* (1929) une des plus grandes réussites d'Hemingway. Quant à ses nouvelles (*Les Neiges du Kilimandjaro, Hommes sans femmes,* 1927) dont les héros sont presque toujours des violents, leur classicisme est reconnu. Romancier de la mort, « inévitable réalité, la seule chose dont un homme puisse être sûr, la seule certitude », il se passionnait pour la corrida (*Mort dans l'après-midi,* 1932) et aimait l'Espagne dont la guerre civile inspira son plus grand succès populaire *Pour qui sonne le glas* (*For whom the Bell tolls,* 1940), récit lyrique qui se veut réaliste dont le thème, que l'on retrouve dans *Le Vieil Homme et la mer* (1952), est celui de la victoire dans la défaite. Ce chef de file de l'école des durs *(tough),* de la « génération perdue », mourut comme il avait vécu, dans une atmosphère d'aventure. On attribue souvent sa mort accidentelle à un suicide. (Prix Nobel, 1954.)

HÉMON (Louis). ♦ Écrivain français (Brest, 1880 — Chapleau, Canada, 1913). À la mort de sa femme, il vécut huit ans en Angleterre, puis s'établit (1911) au Canada, menant quelque temps la vie des bûcherons de la forêt avant de mourir accidentellement. Publié d'abord dans *le Temps* (1914), *Maria* Chapdelaine, récit du Canada français* (Canada, posth., 1916 ; France, 1921) connut un succès universel. La même émotion, simple sans être mièvre, se retrouve dans le recueil de nouvelles, *La Belle que voilà* (posth., 1923). *Monsieur Ripois et la Némésis* (posth., 1950) narre, dans un climat très différent, les entreprises de séduction d'un jeune Français à Londres.

HÊMÛ. ♦ Général et ministre hindou du sultan musulman Âdil Shâh (vers 1554). Ayant conquis Âgra* et Delhi* pour le compte de son maître, il trahit celui-ci et se proclama roi de Delhi sous le nom de Râja Vikramâditya, s'opposant ainsi au successeur de Sher Shâh Sûri et à Akbar*. Ce dernier l'attaqua et le battit à Panipat en 1556. Le premier grand Moghol l'abattit de sa propre main, gagnant ainsi le titre envié de Ghâzi ou « tueur d'infidèles ».

HENARES. *n. m.* ♦ Riv. d'Espagne (150 km), affl. r. g. de la Jarama, arrosant la Nouvelle-Castille (Guadalajara, Alcalá* de Henares).

HÉNAULT (Jean François). ♦ Magistrat et écrivain français (Paris, 1685 — 1770). Fils d'un fermier général, il fit carrière dans la magistrature, brilla à la cour et dans les salons (il régna sur celui de Mme du Deffand*) et fut un ami des philosophes, en particulier de Voltaire. Il peut être considéré comme particulièrement représentatif de la grande bourgeoisie éclairée du XVIIIe siècle.

HENCH (Philipp Showalter). ♦ Médecin américain (Pittsburgh, 1896 — 1965). La découverte de la constitution chimique de la cortisone et de ses effets thérapeutiques (sur les rhumatismes [polyarthrite chronique évolutive]), en 1949, lui valut le prix Nobel de méd. (1950) avec E.C. Kendall* et T. Reichstein*.

HENDAYE [ɑ̃daj]. ♦ Comm. des Pyrénées*-Atlantiques (arr. de Bayonne*), sur l'estuaire de la Bidassoa*, à la frontière espagnole. 8 872 hab. Église Saint-Vincent du XVIe siècle. — P. Loti y est mort (1923). — *Hendaye-Plage* est une station balnéaire très fréquentée.

HENDON. ♦ V. d'Angleterre (Middlesex), dans la banlieue N.-O. de Londres. 155 800 hab. Aéroport.

HENGELO. ♦ V. des Pays-Bas (Overijsel) à la frontière allemande. 69 094 hab. — Métallurgie. Électromécanique. Gisements de sel.

HENG-HA. ♦ Nom des deux maréchaux chinois de l'époque

mythique des Chou qui furent déifiés et qui étaient réputés être de puissants magiciens. Obligés de se combattre, ils se détruisirent mutuellement, faisant usage de tous leurs sortilèges. Leur effigie se trouve représentée sur les portes de la plupart des temples chinois dont ils sont réputés être les gardiens célestes. Les légendes concernant ces deux personnages (que l'on ne dissocie jamais) varient selon les taoïstes et les bouddhistes.

HENG SHAN. *n. m.* ♦ Nom d'une des cinq montagnes sacrées *(Wu shan)* de Chine, dans la province du Hu-nan, culminant à environ 900 m et comprenant soixante-douze pics sur lesquels sont érigés de très nombreux sanctuaires, tant bouddhiques que taoïques. Chaque année, des milliers de pèlerins gravissent ces sommets aux paysages enchanteurs que presque tous les peintres chinois ont tenté d'immortaliser. C'est un des sites les plus célèbres de la Chine.

HENG-YANG. ♦ V. de Chine, dans le Hunan, sur la riv. Hsi-an, important centre de communications. 235 000 hab. (1953).

HENIE (Sonja). ♦ Patineuse norvégienne (Oslo, 1912). Elle fut championne du monde à quinze ans et gagna tous les grands concours entre 1927 et 1937. Hollywood en fit par la suite une vedette dans des spectacles de patinage artistique.

HÉNIN-BEAUMONT, anc. **Hénin-Liétard.** ♦ Ch.-l. de cant. du Pas*-de-Calais, arr. de Lens*. 27 026 hab. *(Héninois).* Important centre charbonnier. Centrale thermique. Confections.

HENLEIN (Konrad). ♦ Homme politique allemand (Maffersdorf, 1898 – 1945). Chef du Parti allemand des Sudètes* en Tchécoslovaquie soumis aux ordres d'Hitler à partir de 1935, il facilita leur rattachement au Reich, puis fut nommé *Gauleiter* des Sudètes en 1938.

HENLEY-ON-THAMES. ♦ V. d'Angleterre (Oxfordshire), au pied des Chiltern Hills, dans la vallée de la Tamise. 9 140 hab. – Régates célèbres depuis 1839. – Tombe du général Dumouriez*.

HENNEBIQUE (François). ♦ Ingénieur français (Neuville-Saint-Vaast, 1842 – Paris, 1921). Constructeur du premier immeuble parisien en béton armé (Paris, rue Danton, 1892) [**V. Monier**], il obtint une répartition judicieuse des contraintes entre les armatures métalliques tendues et le béton comprimé en utilisant des fers ronds reliés avec des étriers en feuillards.

HENNEBONT. ♦ Ch.-l. de cant. du Morbihan, arr. de Lorient, sur le Blavet*. 12 011 hab. *(Hennebontais).* – Église Notre-Dame-du-Paradis de style gothique flamboyant (XVIe s.); puits du XVIIe siècle. Ville close (cité médiévale du XIIIe s. dont il reste quelques maisons; les remparts ont été reconstruits au XVe s.). – Importants haras. Forges; carrières de granit en difficulté; constructions mécaniques. Travail du bois. ♦ *Hist.* Pendant la guerre de Succession de Bretagne, Jeanne, veuve de Jean de Montfort, soutint avec témérité un siège dans Hennebont contre Charles de Blois. L'arrivée de la flotte anglaise sauva la ville. En 1372, Du Guesclin reprit la ville aux Anglais. – Aux environs, abbaye cistercienne de la Joie fondée en 1275.

Ph. Lauros-Giraudon

J. J. Henner : « La Chaste Suzanne ». (Musée du Louvre, Paris.)

HENNER (Jean-Jacques). ♦ Peintre français (Bernwiller, Haut-Rhin, 1829 – Paris, 1905). Auteur de portraits habilement peints et de compositions religieuses d'un esprit et d'un style conventionnels, il acquit une immense réputation auprès de la clientèle bourgeoise européenne, avec des nus féminins aux chairs pâles et nacrées sur fond de paysage estompé à tonalité brune qui dénotent les influences conjuguées de Corrège, Titien et Prudhon (*La Chaste Suzanne,* 1865; *Biblis changée en source,* 1867).

HÉNOCH ou **ÉNOCH.** ♦ Patriarche biblique; fils de Caïn et père d'Irad (*Genèse,* IV, 17) ou fils de Jared et père de Mathusalem (*Genèse,* V, 18-24). La tradition veut qu'il ait été enlevé au ciel.

Hénoch *(livre d').* ♦ Apocryphe biblique des ~ IIe-~ Ier siècles. Ensemble composite, de genre apocalyptique.

HÉNON (Jacques-Louis). ♦ Médecin et homme politique français (Lyon, 1802 – Montpellier, 1872). Républicain sous la monarchie de Juillet, il fit partie du Comité pour la réforme électorale (1847-1848). Élu député au Corps législatif (1852) après le coup d'État du 2 décembre 1851, il fut considéré comme démissionnaire pour avoir refusé de prêter serment à l'empereur. Réélu en 1857, il accepta de siéger avec l'opposition républicaine (groupe des Cinq : Darimon, J. Favre, E. Ollivier, E. Picard). Après la chute du Second Empire (4 septembre 1870), il devint maire de Lyon.

HENRI. ♦ Nom de souverains. Ils sont classés ci-après dans l'ordre suivant : a) rois et empereurs germaniques (Allemagne); b) rois d'Angleterre; c) souverains de Bavière; d) roi de Castille; e) rois de France; f) roi du Portugal.

HENRI Ier l'Oiseleur. ♦ (876 – Memleben, 936). Roi de Germanie (919-936). Duc de Saxe (912), il succéda à Conrad* Ier, fondant ainsi la dynastie saxonne. Il rattacha la Lotharingie à l'Allemagne (925), lutta contre les Slaves à l'est de l'Elbe et contint les Hongrois. – Père d'Othon* Ier.

HENRI II le Saint. ♦ (Abbach, Bavière, 973 – Grona, près de Göttingen, 1024). Empereur germanique (1002-1024). Duc de Bavière, parent d'Othon* III à qui il succéda, il lutta contre le duc (et futur roi) de Pologne Boleslas* Ier le Vaillant, à qui il dut abandonner le pays à l'est de l'Elbe (1015). Préoccupé de la réforme du clergé, il favorisa notamment la réforme clunisienne et protégea l'Église. Il fonda l'évêché de Bamberg* en 1007. Il fut canonisé en 1146. Dernier empereur saxon, il eut pour successeur Conrad* II le Salique.

HENRI III le Noir. ♦ (1017 – Bodfeld, dans le Harz, 1056). Empereur germanique (1039-1056). Fils de Conrad* II le Salique, il exerça le pouvoir avec autorité, lutta contre la féodalité et jouit d'un grand pouvoir en Allemagne. Il fit des Slaves de Bohême (1041), des Polonais (1041) et des Hongrois (1045), les vassaux de l'Empire. Descendu en Italie, il mit la papauté en tutelle, déposant le pape Grégoire VI et faisant élire pape des évêques allemands (Clément II, 1046; Damase II, 1048; Léon IX, 1049). – Père d'Henri IV.

HENRI IV. ♦ (1050 – Liège, 1106). Empereur germanique (1056-1106). Fils d'Henri III, il régna d'abord sous la régence de sa mère Agnès de Poitiers puis des archevêques Annon de Cologne et Adalbert de Brême. Profitant de cette minorité, les grands féodaux reprirent leur indépendance; les Saxons révoltés (1073) furent toutefois vaincus en 1075. Lors de ces difficultés en Allemagne et l'autorité impériale étant battue en brèche à Rome, éclata la querelle des Investitures* (1076). S'opposant au décret de Grégoire* VII qui interdisait les investitures laïques (1075), Henri IV fit déposer le pape par le concile de Worms (janvier 1076). Le pape excommunia et déposa l'empereur [février 1076] **(V. Rodolphe de Souabe),** délivrant ses sujets du devoir d'obéissance. La révolte éclata chez les féodaux, la fidélité du clergé allemand n'était plus sûre. Abandonné de tous, il fut contraint d'implorer en plein hiver le pardon de son adversaire au château de Canossa (25-28 janvier 1077). La levée de l'excommunication permit à Henri IV, rentré en Allemagne, de triompher des féodaux révoltés, de rompre à nouveau avec Grégoire VII, de le déposer et de faire élire l'antipape Clément* III. Indifférent à une nouvelle excommunication (1080), il descendit en Italie, assiégea et prit Rome (1084) où il se fit couronner empereur par l'antipape. À la mort de Grégoire VII (1085), *Henri* faisait figure de vainqueur. Cependant l'élection d'Urbain* II (1088) fit triompher la cause pontificale compromise à la mort de son prédécesseur. Le nouveau pape, appuyé par les Normands et les villes lombardes hostiles à la domination germanique, réussit à reprendre Rome (1093) et à chasser l'empereur Henri IV d'Italie. La fin de sa vie fut attristée par les révoltes de ses fils, d'abord Conrad qu'il avait fait nommer roi des Romains en 1093, puis son second fils Henri V qui fit déposer son père par la diète de Mayence (1105). Abandonné de tous, Henri IV mourut à Liège.

HENRI V. ♦ (1081 – Utrecht, 1125). Empereur germanique (1106-1125). Fils d'Henri IV, il se révolta contre son père (1104-1105) avec l'appui du pape Pascal* II mais s'opposa à lui par la suite, suscita contre lui l'antipape Sylvestre* IV (1105) et l'emprisonna (1111). Vaincu par les princes saxons (1115), il descendit en Italie et prit Rome (1117). Il chassa de Rome le nouveau pape Gélase* II, lui opposa l'antipape Grégoire* VIII en 1118. Cepen-

Ph. Giraudon

Henri V. Châsse dite de Charlemagne. Trésor du Dôme. Aix-la-Chapelle.

dant, il dut s'entendre avec le pape Calixte* II et signa le concordat de Worms* (1122) qui mettait fin à la querelle des Investitures*. – Il eut pour successeur Lothaire* III.

HENRI VI. ♦ (Nimègue, 1165 – Messine, 1197). Empereur germanique (1190-1197). Fils de Frédéric* Ier Barberousse à qui il succéda. Marié à Constance de Sicile (1186), il devint roi de Sicile (1194) mais dut conquérir l'île sur Tancrède*. Il garda prisonnier Richard* Cœur de Lion à son retour de croisade. Il eut pour successeur son frère Philippe* Ier de Souabe. – Père de Frédéric* II.

HENRI VII. ♦ (1211 – Martirano, Calabre, 1242). Fils de Frédéric* II (empereur germanique), il fut élu roi des Romains (1220), assura la régence de l'Allemagne, sous la tutelle d'Engelbert, archevêque de Cologne, mais se révolta contre son père et se soumit (1235). Emprisonné en Italie, il s'empoisonna.

HENRI VII de Luxembourg. ♦ (Valenciennes ?, v. 1275 – Buonconvento, près de Sienne, 1313). Empereur germanique (1308-1313). Comte de Luxembourg, il inféoda le royaume de Bohême à son fils Jean* Ier de Luxembourg, après son accession à l'Empire (1310). Il eut pour successeur Louis* IV de Bavière.

HENRI Ier BEAUCLERC. ♦ (Salby, Yorkshire, 1068 – près de Gisors, 1135). Roi d'Angleterre (1100-1135). Fils de Guillaume* le Conquérant et successeur de Guillaume* II le Roux. Il usurpa en 1100 le trône de son frère Robert* II Courteheuse à qui il enleva également la Normandie (1106). Il s'opposa à saint Anselme* à propos de la question des investitures (1107). Bien qu'il ait désigné sa fille Mathilde* comme héritière, Étienne* de Blois lui succéda.

HENRI II. ♦ (Le Mans, 1133 – Chinon, 1189). Roi d'Angleterre (1154-1189), successeur d'Étienne* de Blois, fils de Geoffroi* V Plantagenêt et de Mathilde*, duc de Normandie (1150), comte d'Anjou (1151) et duc d'Aquitaine par son mariage avec Aliénor* (1152). Il augmenta l'autorité monarchique, rétablissant l'ordre en luttant contre l'opposition féodale, organisant l'administration, nommant des fonctionnaires. Il restreignit les droits de l'Église anglaise (1164), mais se heurta à l'opposition de l'archevêque de Canterbury Thomas* Becket. Les révoltes de ses fils (1173, 1183 et 1188-1189) furent encouragées à partir de 1183 par Philippe* Auguste. Père de Richard* Cœur de Lion et de Jean* sans Terre.

HENRI III. ♦ (Winchester, 1207 – Westminster, 1272). Roi d'Angleterre (1216-1272). Fils de Jean* sans Terre, il ne put reprendre à Louis* IX les fiefs français confisqués à son père (1242) et dut signer le traité de Paris (1259). Les barons dirigés par Simon de Montfort* se révoltèrent et l'obligèrent à signer les provisions d'Oxford* qui limitaient le pouvoir royal (1258). Ayant refusé de les appliquer, il dut faire face à une guerre des barons (1261-1265), fut vaincu (1264) et obligé de confirmer la Grande Charte* (1265). **V. Édouard* Ier.**

HENRI IV. ♦ (Bolingbroke, Lincolnshire, 1367 – Westminster, 1413). Roi d'Angleterre (1399-1413). Fils de Jean* de Gand et petit-fils d'Édouard III. Premier de la dynastie des Lancastre*. Devenu le chef de l'opposition féodale après son exil et la confiscation de ses domaines, il força Richard* II à abdiquer. Il lutta avec succès contre les Gallois **(V. Owen* Glendower)**, les Écossais et la noblesse. Père d'Henri* V.

Henri IV. ♦ Drame en deux parties de Shakespeare (v. 1597). Banni par Richard II, le duc de Lancastre a contraint son adversaire à l'abdication et s'est fait couronner roi d'Angleterre. Mais il lui faut affronter la révolte des Écossais et des Gallois, cependant que les Français menacent la Gascogne. Il triomphera de ses ennemis et assurera avant de mourir la prépondérance de sa maison. Mêlé aux événements dramatiques de la pièce, le personnage de Falstaff*, compagnon de débauche du jeune prince de Galles, y introduit son énorme bouffonnerie.

HENRI V. ♦ (Monmouth, 1387 – Vincennes, 1422). Roi d'Angleterre (1413-1422), fils d'Henri IV. Il lutta contre les Lollards* en Angleterre. Profitant des troubles en France **(V. Armagnacs** et **Bourguignons)**, il reprit la lutte et vainquit les Français à Azincourt* (1415). Après avoir conquis la Normandie, il se fit désigner comme régent et héritier du royaume de France au traité de Troyes* (1420) et épousa Catherine de Valois, la fille de Charles VI. Père d'Henri VI.

HENRI VI. ♦ (Windsor, 1421 – Londres, 1471). Roi d'Angleterre (1422-1461 et 1470-1471). Fils d'Henri V. Il régna d'abord sous la tutelle de ses oncles Humphrey, duc de Gloucester, et de Bedford* pour la France. Il fut sacré roi de France à Paris (1431). Il dut faire face à de nombreuses révoltes **(V. Cade** [John]**)**. La fin de la guerre de Cent* Ans, le gouvernement de Suffolk et l'emprise trop forte de la reine Marguerite* d'Anjou déclenchèrent la guerre des Deux-Roses* (1455). Il fut détrôné par Édouard* IV (1461) puis replacé sur le trône (1470), mais Édouard IV reprit le pouvoir et l'assassina (1471).

Henri VI *(Henry VI)*. ♦ Drame historique en trois parties, de cinq actes chacune, écrit entre 1590 et 1592 par W. Shakespeare* et fondé principalement sur la *Chronique* de Holinshed (1577). Le dénouement en est l'assassinat d'Henri VI par Richard, duc de Gloucester, le futur Richard III.

HENRI VII. ♦ (Pembroke, 1457 – Richmond, 1509). Roi d'Angleterre (1485-1509). Fils d'Edmond Tudor et de Margaret Beaufort, il était par sa mère le dernier descendant des Lancastre. Contraint à l'exil sous Édouard* VI, il prit l'offensive sous Richard* III et, par la victoire de Bosworth* où Richard trouva la mort, il mit fin à la guerre des Deux-Roses*. Il épousa Élisabeth, héritière de la maison d'York, et fonda la dynastie des Tudors*. Il consolida l'hégémonie anglaise en Irlande, maria sa fille à Jacques* IV d'Écosse et gouverna avec fermeté, restaurant l'ordre et la prospérité.

HENRI VIII. ♦ (Greenwich, 1491 – Westminster, 1547). Roi d'Angleterre (1509-1547). Par son intelligence, sa culture, son autorité, il fut l'un des princes les plus représentatifs de la Renaissance. Sa politique extérieure tendit à maintenir l'équilibre entre François Ier et Charles Quint. L'alliance anglaise alla de l'un à l'autre. Sous son règne, le pays de Galles fut annexé (1535), mais, malgré d'importantes victoires, l'Écosse resta indépendante. C'est en matière de politique intérieure que ce règne a été le plus marquant, par la prospérité économique, les débuts de l'expansion maritime, et surtout le schisme religieux **(V. Anglicanisme)**. L'attitude de « défenseur de la Foi », qui avait d'abord été celle du roi, se renversa quand le pape refusa d'annuler son mariage avec Catherine* d'Aragon, tante de Charles* Quint, qui dictait alors ses volontés à Rome. Les raisons politiques se mêlaient chez le roi aux motifs personnels, le désir d'assurer sa succession à la passion qu'il éprouvait alors pour Anne* Boleyn. L'influence de Wolsey* et de Cranmer* fut déterminante, le divorce fut prononcé et la rupture avec Rome consommée par l'Acte de suprématie* (1534) qui établissait le roi comme unique chef de l'Église anglaise. Cependant, l'intégrité du dogme fut maintenue par le statut des Six* Articles (1539). Les ordres religieux furent dispersés, et la rigueur avec laquelle on poursuivit les catholiques (Thomas More fut exécuté en 1535) provoqua des réactions, comme le Pèlerinage* de grâce, qui furent sévèrement réprimées. Henri VIII, après l'exécution d'Anne Boleyn, épousa encore quatre femmes : Jane* Seymour qui mourut en couches, Catherine* Howard, exécutée, Anne* de Clèves, répudiée et enfin Catherine* Parr qui survécut au roi. Il eut trois enfants, deux filles, Marie* Tudor et Élisabeth*, et un fils, Édouard* VI.

Henri VIII *(Henry VIII)*. ♦ Drame historique en cinq actes de W. Shakespeare*, écrit en collaboration avec John Fletcher et publié en 1623.

HENRI II le Querelleur. ♦ (951 – 995). Duc de Bavière (955-976 et 985-995). Il se révolta contre l'empereur Othon II. ♦ HENRI *le Superbe* ([mort] Quedlinburg, 1139). Duc de Bavière (1126-1139). Il fut également investi du duché de Saxe par l'empereur Lothaire III (1137), puis s'empara de la Toscane et des États de la comtesse Mathilde*. Déçu de n'avoir pas été élu empereur, il refusa de reconnaître l'empereur Conrad III et fut dépouillé de ses fiefs.

HENRI le Lion. ♦ (Ravensburg, 1129 – Brunswick, 1195). Duc de Saxe (1139-1180) et de Bavière (1156-1180). De la famille des Guelfes*, fils d'Henri le Superbe, il se fit reconnaître la possession de la Bavière par Frédéric* Ier Barberousse. Il fonda la ville de Munich (1158) et lutta contre les Slaves, soumettant le Mecklembourg et une partie de la Poméranie. Après avoir refusé son concours à Frédéric Barberousse pour une expédition en Italie (1176), ce dernier lui confisqua ses duchés, ne lui laissant que Brunswick et Lunebourg (1181) et l'exila. Il tenta en vain de reprendre ses possessions à la fin du règne de Frédéric (1189-1190), puis sous Henri VI (1192-1194). Père de l'empereur Othon* IV de Brunswick.

HENRI II, dit **le Magnifique.** ♦ (Séville, 1333 – Santo Domingo de la Calzada, Vieille Castille, 1379). Comte de Trastamare, roi de Castille et de León (1369-1379). Fils naturel d'Alphonse* XI, il prétendit au trône et s'assura l'aide de Du* Guesclin contre son frère Pierre* le Cruel. Il fut battu à Najera (1367), mais remporta la victoire à Montiel (1369) et tua son frère de sa propre main.

HENRI Ier. ♦ (1008 – Vitry-aux-Loges, près d'Orléans, 1060). Roi de France (1031-1060). Fils de Robert* II le Pieux, il épousa Anne de Kiev (1051), il céda le duché de Bourgogne à son frère Robert pour mettre fin à l'opposition des grands vassaux qui lui auraient préféré ce dernier comme roi. Après avoir accordé son soutien en Normandie à Guillaume* Ier (le Conquérant), il lui fit la guerre mais fut vaincu (1054). Père de Philippe* Ier.

HENRI II. ♦ (Saint-Germain-en-Laye, 1519 – Paris, 1559). Roi de France (1547-1559). Fils de François* Ier et de Claude* de France. Sous l'influence de sa favorite, Diane de Poitiers*, il laissa se développer la puissance des Guise*, combattit les calvinistes (édits de Châteaubriant, 1552, d'Écouen, 1559) et renforça la centralisation du pouvoir par l'administration. Sa politique extérieure continua celle de son père : après la prise de Boulogne sur les Anglais (1554), il reprit contre les Habsbourg une longue lutte ponctuée de trêves. Il conclut une alliance avec les Turcs et les protestants allemands (traité de Chambord, 1552) et s'empara des Trois-Évêchés (1552), sans que Charles Quint puisse reprendre Metz (1553). La grave défaite de Saint*-Quentin (1558) fut compensée en partie par la prise de Calais, mais les difficultés intérieures amenèrent le roi à signer la paix désavantageuse de Cateau*-Cambrésis (1559). La même année, Henri II fut mortellement blessé d'un coup de lance, au cours d'un tournoi contre Montgomery*. Marié à Catherine* de Médicis, il en avait eu dix enfants, dont trois fils qui régnèrent : François* II, Charles* IX et Henri* III.

HENRI III. ♦ (Fontainebleau, 1551 – Saint-Cloud, 1589.) Roi de France (1574-1589). Troisième fils d'Henri* II et de Catherine* de Médicis, il fut d'abord nommé duc d'Anjou, puis d'Orléans. Il s'était brillamment illustré à Jarnac* et à Moncontour*, quand sa mère le fit élire roi de Pologne (1573). Il revint bientôt en France pour succéder à son frère Charles* IX, et épousa Louise* de Lorraine. Personnalité complexe, intelligent et cultivé, il ne sut pas réaliser l'unité autour de lui, en raison de son indécision et aussi de son homosexualité qui lui fit accorder un crédit excessif à ses mignons (Épernon*, Joyeuse*). Après avoir lutté contre les protestants, il suivit le parti des Politiques* et signa la paix de Monsieur* (1576). Celle-ci provoqua la formation de la Ligue **(V. Ligue)**, sous la conduite d'Henri de Guise*. Henri III s'en déclara le chef, sans obtenir pour autant l'adhésion des catholiques fanatiques, et dut, en fait, lui obéir et reprendre contre les huguenots une guerre qui aboutit à la paix de Nérac (1580), moins favorable que celle de Monsieur. Mais les problèmes de la succession, à la mort du duc d'Alençon (1584), rouvrirent les hostilités. Ce fut la guerre dite des « Trois Henri » : *Henri III* à la tête des royalistes, *Henri de Guise* dirigeant la Ligue et *Henri de Navarre* les protestants. Après la défaite de Joyeuse à Coutras (1587), la journée des Barricades* contraignit le roi à fuir Paris (1588). L'assassinat du duc de Guise fut sans effet et le roi dut se rapprocher d'Henri de Navarre. Il allait s'emparer avec lui de Paris, défendu par Mayenne*, quand il fut assassiné par le moine ligueur J. Clément*.

HENRI IV. ♦ (Pau, 1553 – Paris, 1610). Roi de France (1589-1610) et de Navarre (1572-1610). Fils d'Antoine* de Bourbon et de Jeanne* d'Albret, reine de Navarre, il fut élevé par sa mère dans le protestantisme, mais semble plutôt avoir hérité l'indifférence relative de son père. Il devint très tôt le chef du parti calviniste, sous la tutelle de Coligny*, et se distingua au combat dès la bataille d'Arnay-le-Duc (1570). À la suite du traité de Saint*-Germain, il épousa Marguerite* de Valois, sœur de Charles* IX, huit jours avant la Saint*-Barthélemy à laquelle il n'échappa qu'en abjurant. Il dut attendre 1576 pour parvenir à s'enfuir, renoncer au catholicisme, et reprendre la tête de l'armée huguenote. La mort du duc d'Alençon, frère d'Henri* III, fit de lui l'héritier de la couronne de France, ce qui ranima les passions religieuses. L'assassinat des Guise* sur l'ordre du roi conduisit ce dernier à se rapprocher d'Henri. Quand le roi fut à son tour assassiné, Henri de Navarre ne fut pas reconnu comme son successeur par les catholiques. Il parvint cependant à établir son autorité grâce à ses succès militaires (Arques* 1589, Ivry* 1590), aux excès de la Ligue* (les Seize*), trop soumise aux ambitions de Philippe II, ce qui favorisa le développement du parti des Politiques*, et enfin à son abjuration. La paix était déjà rétablie, les Espagnols chassés par le traité de Vervins* (1598), quand fut signé l'édit de Nantes* (1598). L'épuisement des deux partis avait été le facteur principal de la pacification, mais celle-ci avait été grandement facilitée par les qualités personnelles du roi, son humour, sa bonhomie, son autorité liée à une grande adresse qui lui avait permis de faire de sa générosité naturelle une politique, en ne recherchant aucune revanche. Il allait désormais s'employer à restaurer l'autorité royale et à relever les ruines. Aidé de Jeannin*, de Laffemas*, qui fit porter ses efforts sur l'industrie et le commerce, et de Sully qui donna au contraire la primauté à l'agriculture, il opéra un redressement financier et économique spectaculaire, utilisant, pour cela comme pour l'édit de Nantes, les grandes ordonnances de Charles IX et d'Henri III, qui n'avaient pu être mises en application. L'édit de la Paulette* (1605) rendit les offices héréditaires et vénaux, ce qui dans l'immédiat, attachait les fonctionnaires au régime, et constituait une importante source de revenus. Son premier mariage annulé, le roi épousa Marie* de Médicis dont il eut quatre enfants (Louis* XIII, Gaston d'Orléans*, Élisabeth, qui épousa Philippe IV d'Espagne, et Henriette*, future femme de Charles Ier). Mais la vie sentimentale du « Vert Galant » resta aussi mouvementée que par le passé. Ses maîtresses les plus célèbres furent Gabrielle d'Estrées*, Henriette d'Entragues* et Charlotte des Essarts. – En politique extérieure, le roi poursuivit la politique de méfiance à l'égard des Habsbourg, s'alliant aux protestants allemands et aux Suisses. Le traité de Lyon (1601), imposé à la Savoie, mit Lyon à l'abri d'éventuelles incursions. Le « grand dessein » de l'économie royale paraît bien être davantage celui de Sully que celui du roi, plus réaliste, mais on peut penser que lors de l'affaire de Clèves (1610), le roi était décidé à la guerre contre l'Espagne. Or le pays acceptait mal cette idée, le mécontentement des paysans, accablés d'impôts, grondait (révoltes des croquants), l'hostilité des extrémistes catholiques et protestants n'avait pas désarmé. Henri IV est devenu pour la postérité le plus populaire des rois de France, en partie à cause de son assassinat par Ravaillac*.

HENRI V. ♦ **V.** CHAMBORD (comte de).

HENRI, dit **le Cardinal.** ♦ (Lisbonne, 1512 – Almeirim, 1580). Roi de Portugal (1578-1580). Grand inquisiteur et cardinal de Lisbonne, il fut porté au trône par la mort du roi Sébastien*, son neveu. Il se montra faible et irrésolu et mourut sans s'être choisi de successeur. Ce fut le dernier souverain de la dynastie d'Aviz*. Philippe* II, roi d'Espagne, s'empara du Portugal (1580).

HENRI DE BOURGOGNE. ♦ (Dijon, v. 1057 – Astorga, 1114). Comte de Portugal (1097-1114). Petit-fils de Robert* Ier de Bourgogne, il obtint de son beau-père Alphonse* VI, roi de Castille et de León, le comté de Portugal ; il se déclara indépendant en 1109.

HENRI DE CHAMPAGNE. ♦ (v. 1150 – Akkon, 1197). Comte de Champagne et roi de Jérusalem (1192-1197) par son mariage avec Isabelle* d'Anjou, fille d'Amaury Ier de Jérusalem.

HENRI DE FLANDRE ET DE HAINAUT. ♦ (Valenciennes, v. 1174 – Thessalonique, 1216). Empereur latin de Constantinople

Ph. Giraudon

Henri IV, école française du XVIe s. (Château de Versailles.)

Ph. Giraudon

Henri le Navigateur, par Gonçalvès. Détail du Polyptyque de saint Vincent. (Musée d'Art ancien, Lisbonne.)

(1206-1216). Frère de Baudouin IX, premier empereur latin d'Orient à qui il succéda. Il vainquit les Bulgares (1208) et les Byzantins.

HENRI DE PRUSSE. ♦ Prince de Prusse (Berlin, 1726 – Rheinsberg, 1802). Doué de grandes qualités, il entretint avec son frère Frédéric* II des rapports aussi malheureux que celui-ci avec son père. Il eut un rôle très brillant pendant la guerre de Sept* Ans.

HENRI le Letton ou **HENRI de Livonie.** ♦ Chroniqueur allemand (Iméra, 1187 – v. 1260). Auteur d'une chronique des peuples de la Baltique en latin (*Annales Livonici,* 1184-1226).

HENRI le Navigateur. ♦ Prince portugais (Porto, 1394 – Sagres, 1460). Troisième fils de Jean Ier de Portugal, il fut fait chevalier à la prise de Ceuta (1417). Ayant décidé alors de découvrir et d'évangéliser les populations noires du Sahara, il fit construire à Sagres (sud-est du cap Saint-Vincent) un arsenal (Villa do Infante) et engagea plusieurs navigateurs qui furent chargés d'explorer le littoral occidental de l'Afrique (Madère, 1418, Vaz Teixeira et Zarco ; les Açores, G. Velho en 1432 ; Río de Oro, 1436, N. Tristam ; Guinée, 1444, D. Dias ; Sénégal, Ca'da Mósto et A. Da Noli, etc.). Il eut ainsi le mérite de favoriser le développement des sciences.

HENRI le Pieux. ♦ Prince polonais, descendant des Piast, duc de Silésie de 1238 à 1241. Il arrêta l'invasion des Mongols en Silésie à la bataille de Wahlstatt, près de Legnica* où il trouva la mort (1241).

HENRI le Sournois, en all. **Heinrich der Glichesaere** ou **der Gleissner.** ♦ Poète satirique alsacien du XIIe siècle. S'inspirant de sources françaises **(V. Roman de Renart),** il a écrit son *Reinhard Fuchs* (v. 1180), épopée animale, satire mordante de la société, qui n'épargne ni la noblesse ni le clergé.

HENRI RASPE. ♦ (1202 – La Wartburg, 1247). Landgrave de Thuringe (1227-1239 et 1241-1247). Il exerça la régence au nom du jeune roi Conrad, fils de Frédéric II (1242), puis fut élu à l'Empire lors de l'excommunication de Frédéric II.

HENRICHEMONT. ♦ Ch.-l. de cant. du Cher, arr. de Bourges, dans le Sancerrois. 2 001 hab. *(Henrichemontais).* La ville, fondée par Sully, était destinée à servir de refuge aux protestants. La construction n'en fut jamais achevée. – Tanneries. Jouets en matière plastique.

HENRIETTE-ANNE D'ANGLETERRE. ♦ Duchesse d'Orléans (Exeter, 1644 – Saint-Cloud, 1670). Fille de Charles* Ier et d'Henriette*-Marie de France, elle épousa Philippe d'Orléans*, frère de Louis XIV. Belle, spirituelle, elle inspira un moment à son beau-frère un vif penchant. Elle négocia avec son frère Charles* II le traité de Douvres* (1670) et mourut subitement. Bossuet* prononça son oraison funèbre.

HENRIETTE-MARIE DE FRANCE. ♦ (Paris, 1609 – Colombes, 1669). Reine d'Angleterre. Fille de Henri* IV, elle épousa Charles* Ier d'Angleterre en 1625 et son influence contribua à l'orienter vers le catholicisme et l'absolutisme.

HENRIOT (Émile). ♦ Écrivain et critique littéraire français (Paris, 1889 – *id.,* 1961). D'abord poète (notamment avec *La Flamme et les Cendres,* 1909), il s'orienta vers le genre romanesque (*Le Diable à l'hôtel,* 1919) et sut tracer de fins portraits individuels se détachant sur un fond de chronique sociale : *Valentin* (1920) et, surtout, *Aricie Brun ou les vertus bourgeoises* (1924). À l'élaboration d'une œuvre abondante et variée, où alternent les recueils de souvenirs (*Le Livre de mon père,* 1938), les romans (*L'Enfant perdu,* 1926 ; *La Rose de Bratislava,* 1948) et les poèmes (*Les Jours raccourcissent,* 1954), E. Henriot ajouta une notable activité de critique littéraire (Au *Temps,* depuis 1919, puis au *Monde*) ; ses articles furent réunis dans *Livres et Portraits* (1923-1927), *Épistoliers et Mémorialistes* (1931), *Portraits de femmes* (1935-1937), recueils auxquels on peut ajouter *Livres du second rayon* (1925) où l'auteur portait son attention sur les écrivains « secondaires » du XVIIe et du XVIIIe siècle. (Acad. fr., 1945.)

HENRIOT (Philippe). ♦ Homme politique français (Reims, 1889 – Paris, 1944). Membre d'organisations d'extrême droite, député (1932, 1936), il fut un partisan actif de la politique de collaboration au lendemain de l'armistice de juin 1940. Secrétaire d'État à l'Information dans le gouvernement Laval, il fut condamné à mort et exécuté par la Résistance peu avant la Libération.

HENRY (Joseph). ♦ Ingénieur-physicien américain (Albany, New York, 1797 – Washington, 1878). Auteur de recherches sur le télégraphe, il découvrit les effets d'auto-induction [1832] **(V. Faraday)** ; il observa également la transmission à distance par induction d'impulsions électriques produites par de puissantes étincelles (1842), étape de l'histoire de la découverte de la T.S.F. **V. H. Hertz.**

HENRY (Hubert Joseph). ♦ Officier français (Pogny, Marne, 1846 – Mont-Valérien, près de Paris, 1898). Après avoir servi en Tunisie (1882) et au Tonkin (1887), il entra dans le service de renseignements de l'armée (1893). Persuadé de la culpabilité de Dreyfus*, il rédigea une lettre (datée d'oct. 1896) adressée – soi-disant – par l'attaché militaire italien, Panizzardi, à son collègue allemand Schwartzkoppen et mentionnant le nom de Dreyfus. Cette lettre, qui fut utilisée comme principale pièce à charge contre Dreyfus et dont l'existence fut révélée lors du procès de Zola (1898), fut découverte comme étant un faux peu après. Interné au Mont-Valérien, le colonel Henry s'y suicida le lendemain.

HENRY (William Sydney Porter, dit **O.).** ♦ **V.** O. HENRY.

HENRY *(les frères).* ♦ Astronomes français. PAUL (Nancy, 1848 – Montrouge, Seine, 1905) et PROSPER (Nancy, 1849 – La Vanoise, Savoie, 1903). Ils mirent au point un astrographe (1885) équatorial composé de deux lunettes solidaires : l'une, photographique ; l'autre, servant de contrôle visuel de l'entraînement. Les résultats obtenus furent à l'origine d'un congrès international (1887) au cours duquel dix-huit observatoires acceptèrent de collaborer à l'exécution d'une *Carte du ciel* générale. **V. Gill, Mouchez.**

HENZE (Hans Werner). ♦ Compositeur allemand (Gütersloh, 1926). D'abord influencé par Stravinski, il adopta l'atonalité dans son *Concerto pour violon* (1947), mais la technique dodécaphonique resta pour lui un moyen parmi d'autres. Il est avant tout un néo-romantique, préoccupé par la couleur orchestrale, les recherches sonores et le dessin mélodique. Son œuvre cultive les styles les plus divers. Il est l'auteur d'opéras (*Boulevard Solitude,* 1952), de ballets (*Undine,* 1958), de musique vocale (*Apollon et Hyacinthe,* cantate surréaliste), de musique instrumentale (5 symphonies) et de musique de chambre.

HEO GYUN [*Hŏ Kyun*]. ♦ Écrivain coréen (1569 – 1618), auteur de *La Vie de Hong Gil dong jeon,* le premier roman écrit en langue coréenne pure, les œuvres antérieures étant jusqu'alors rédigées en chinois.

HEOU... [chinois]. ♦ **V.** HU...

HEPBURN (James Curtiss). ♦ Médecin et missionnaire américain (1815 – 1911) au Japon, auteur de dictionnaires anglo-japonais et du système de romanisation de la langue japonaise qui porte son nom et qui a été universellement adopté pour la transcription de cette langue.

HÉPHAÏSTOS [*Hêphaistos*]. ♦ Dieu grec du feu et des métaux, fils de Zeus* et d'Héra* – ou d'Héra seule – identifié avec le *Vulcain* des Latins. Précipité du haut de l'Olympe par Zeus qu'il irrite en prenant le parti de sa mère dans une querelle, il reste boiteux après sa chute ; ou c'est Héra elle-même qui le précipite, honteuse d'avoir donné naissance à un fils aussi hideux. Forgeron habile, il fabrique les foudres de Zeus et les armes des dieux et des héros, avec les Cyclopes* comme auxiliaires, dans son atelier sous les montagnes volcaniques ; c'est lui qui attache Prométhée* sur le Caucase. Il est le créateur de Talos*, le fameux robot de Crète. Informé que son épouse Aphrodite* le trompe avec Arès*, il place autour de son lit un filet invisible qui se referme sur les deux amants et les expose ainsi liés aux moqueries des autres dieux. De son sperme tombé sur la cuisse d'Athéna, puis par terre, naquit Érichthonios*.

Heptaméron (L'), *Contes ou Nouvelles de la reine de Navarre.* ♦ Ouvrage inachevé (1559) de Marguerite* de Navarre, inspiré du *Décaméron* de Boccace* : il s'agit de soixante-douze nouvelles, contes lestes dans la lignée des fabliaux, ou récits sérieux tout imprégnés d'une morale mondaine (« La gloire de bien aimer ne connaît honte », aussi Marguerite de Navarre recommande-t-elle aux dames la vertu et la prudence). Au réalisme des descriptions (décors familiers, peinture de mœurs où le raffinement s'allie à la grossièreté) l'auteur ajoute en une langue sobre des considérations sur les sentiments que doit éprouver le « parfait amant », se faisant ainsi l'écho d'un platonisme modéré.

HEPTARCHIE. *n. f.* ♦ Nom donné aux sept royaumes fondés par les Anglo-Saxons en Grande-Bretagne (VIe-IXe siècle). **V. Essex, Est-Anglie, Kent, Mercie, Northumbrie, Sussex, Wessex.**

HÉRA [*Hêra*]. ♦ Déesse grecque, fille de Cronos* et de Rhéa*. Elle est l'épouse (la troisième et dernière, selon la *Théogonie**) de Zeus*, son frère, dont elle eut Arès*, Ilithye*, Hébé* et Héphaïstos*. Protectrice du mariage et des femmes mariées, elle est souvent représentée sous les traits d'une épouse querelleuse et jalouse. Elle se venge des infidélités de son divin mari en persécutant ses complices (**V. Alcmène, Callisto, Europe, Io, Léto, Sémélé, Écho, Ino**) et leurs enfants adultérins (**V. Dionysos, Héraclès**). Elle suscite pourtant quelquefois la jalousie de Zeus. **V. Ixion.** Offensée du jugement de Pâris* qui lui préfère Aphrodite*, elle secourt les Grecs et contribue au sac de Troie. Mécontente d'un jugement de Tirésias* elle le frappe de cécité.

HÉRACLÉE. ♦ Anc. V. d'Italie du S. (Lucanie), dans la Grande* Grèce. Colonie de Tarente*, fondée v. ~ 433, elle fut le théâtre de la victoire de Pyrrhus* II sur les Romains en ~ 280. On y a découvert les « tables d'Héraclée », tables de bronze avec inscriptions grecques d'une loi de Jules César.

HÉRACLÉE DU PONT, en grec **Hêrakleia.** ♦ Anc. V. d'Asie Mineure (Bithynie) sur la mer Noire. Fondée en ~ 560 par des colons de Mégare*, elle fut très prospère et puissante au ~ IVe siècle. Appelée par les Romains *Heraclea Pontica,* elle fut détruite pendant la guerre contre Mithridate. Patrie d'Héraclide* du Pont et de Nicéphore Grégoras*. L'actuelle *Ereğli* (province de Zonguldak, en Turquie*) est une ville industrielle (aciérie) et un port d'exportation de minerais. 18 500 habitants.

HÉRACLÈS [**Hêraklês**]. ♦ Héros grec, le plus célèbre de la mythologie classique. Sa légende, très populaire, ne cessa d'évoluer de l'époque préhellénique à l'époque romaine, d'Homère à Virgile, rejoignant celle d'Hercule*, son double latin. Il est fils de Zeus* et d'Alcmène*, la plus noble des mortelles, à qui le dieu s'était présenté sous la forme de son mari absent, Amphitryon*. Né à Thèbes*, où ses parents argiens étaient réfugiés, il reçoit d'abord le nom d'*Alcide,* de celui de son grand-père Alcée*. Le nom d'*Héraclès,* signifiant « la gloire d'Héra », est dû à l'épreuve permanente que fut sa vie terrestre, épreuve inspirée par la haine de la déesse. Zeus, plein de joie de son union avec Alcmène, avait déclaré que le descendant de Persée* qui allait naître deviendrait roi de Tirynthe et de Mycènes. Héra*, furieuse, ordonne alors à sa fille Ilithye*, déesse des accouchements, de retarder la naissance d'Héraclès et d'avancer celle d'Eurysthée*, son cousin. Mais le héros, dès son berceau, montre sa force et son courage en étranglant deux grands serpents qu'Héra avait envoyés contre lui. En Béotie*, il réalise ses premiers exploits. Il tue d'abord le lion de Cithéron* qui dévastait le pays. Le roi Thespios, son hôte pendant les cinquante jours de la chasse, le fait coucher successivement avec ses cinquante filles et le héros, fatigué de ses journées, pense s'unir toujours à la même; il en a cinquante fils. Il vainc ensuite le roi d'Orchomène, libérant les Thébains du lourd tribut qu'ils lui payaient. En récompense, il reçoit pour femme la fille du roi de Thèbes, Mégara, qui lui donne trois ou huit fils. Mais le héros, frappé de folie par Héra, tue ces fils (Euripide raconte d'une autre façon le crime du héros dans *Héraclès furieux*). En expiation du meurtre, Héraclès est alors envoyé par un oracle à Tirynthe (ou à Mycènes) pour se mettre au service d'Eurysthée et, sur son ordre, exécute les *douze travaux : 1.* Il tue le *lion de Némée** qui était invulnérable, en l'étouffant, puis revêt sa peau. *2.* Il tue l'*hydre* de Lerne* et trempe ses flèches dans le sang du monstre. *3.* Il capture le *sanglier d'Érymanthe**. À cet exploit se rattache la lutte du héros contre les Centaures* d'Arcadie*, au cours de laquelle il tue accidentellement les deux Centaures bienveillants : son ancien éducateur Chiron* et son hôte Pholos*. *4.* Il saisit à la course la *biche de Cérynie** aux pieds d'airain. *5.* Il abat les *oiseaux du lac Stymphale**, aidé par

Arch. Rencontre

Héra et Zeus. (Musée national, Palerme.)

Athéna*. *6.* Il nettoie les *écuries d'Augias** en dérivant le cours de l'Alphée* et du Pénée*. Plus tard, il tue Augias qui lui avait refusé son salaire et institue en Élide les Jeux Olympiques. *7.* Il capture le *taureau de la Crète** qui, rendu furieux par Poséidon, dévastait le pays de Minos*. *8.* Il s'empare des *juments de Diomède**, roi de Thrace, qui les nourrissait de la chair des étrangers, après lui avoir fait subir le même sort. Pendant son passage en Thessalie, ému du sacrifice d'Alceste*, il l'arrache à Thanatos (la Mort) et la rend à la vie. *9.* Il conquiert la *ceinture de la reine des Amazones**, Hippolyte*, qu'il tue dans un combat provoqué par une machination d'Héra. À son retour, passant à Troie*, il délivre Hésione*, mais son père Laomédon* refuse son salaire au héros, ce qui provoque plus tard l'expédition d'Héraclès contre Troie. *10.* Il capture les *troupeaux de bœufs de Géryon**, après avoir tué ce géant, et les ramène en Argolide. Son retour par les côtes européennes est semé d'aventures, surtout dans les légendes tardives qui se confondent souvent avec des mythes occidentaux. *11.* Il s'empare des *pommes d'or des Hespérides**, soit avec l'aide d'Atlas*, soit seul, en tuant le dragon qui gardait le jardin. Chemin faisant, il réalise d'autres exploits, tuant le géant Antée* et le roi d'Égypte Busiris* qui sacrifiait les étrangers, délivrant Prométhée*, capturant les Pygmées*, etc. *12.* Il ramène *Cerbère** des Enfers, puis le reconduit au royaume des morts; lors de sa descente aux Enfers, il blesse Hadès* et libère Thésée*. — Les aventures d'Héraclès se poursuivent après les douze travaux. Expiant un meurtre commis au cours d'une nouvelle crise de folie, il doit se rendre comme esclave chez la reine de Lydie*, Omphale*, qui l'oblige à porter des robes de femme et à filer la laine à ses pieds. Pendant son esclavage, il prend pourtant part à la chasse au sanglier de Calydon* et à l'expédition des Argonautes*. Ensuite, il réunit une armée, avec son ami Télamon*, s'empare de Troie et punit Laomédon. De même en Grèce, il mène des expéditions triomphales contre ses ennemis les Lapithes* et les Dryopes, s'empare d'Élide, de Pylos et de Sparte. Il prend enfin une part décisive à la victoire des Olympiens sur les Géants*. À la suite d'un nouveau crime involontaire, il doit s'exiler avec sa dernière femme Déjanire* (**V. Achéloos**) et son fils Hyllos*. Pendant ce voyage, le centaure Nessos* tente de violer Déjanire et le héros le blesse mortellement d'une flèche. Le centaure, avant de mourir, remet à la jeune épouse quelques gouttes de son sang empoisonné, l'assurant qu'il s'agit d'un philtre de fidélité conjugale. Or, quelque temps plus tard, Déjanire, souffrant de l'amour d'Héraclès pour sa captive Iole*, imprègne de ce « philtre » une tunique et l'envoie à son mari. Héraclès, l'ayant revêtue, se sent consumé de brûlures. Accompagné de son fils et de son ami Philoctète, il gravit le mont Œta* et se fait brûler sur un bûcher. C'est la version la plus répandue, celle de Sophocle dans les *Trachiniennes**. Vient enfin l'*apothéose d'Héraclès,* qui, monté au ciel, se réconcilie avec Héra et prend comme femme Hébé*, symbole de l'éternelle jeunesse. Ses descendants, les Héraclides*, conquièrent le Péloponnèse. — Le cycle d'Héraclès s'étendit dans toute la Grèce, ainsi qu'à l'E. et à l'O. suivant l'expansion coloniale et commerciale grecque dans la Méditerranée, mais aussi l'évolution des connaissances géographiques et astronomiques (la sphéricité de la Terre, etc.). Au delà des significations religieuses et raciales, le personnage du héros se dégage de la légende très vivant et humain, pourvu des traits physiques et moraux qui lui assurent sa grande popularité.

Héraclès furieux, en gr. **Hêraklês mainomenos.** ♦ Tragédie d'Euripide* (~ 424). Descendu aux Enfers, Héraclès en revient pour sauver sa famille menacée de mort par Lykos, tyran de Thèbes. Héraclès tue Lykos, mais aussitôt, saisi de folie, il extermine sa femme et ses enfants. Revenu à la raison, il sera sauvé du désespoir par Thésée. Son sanglant délire est le prix qu'il lui a fallu payer aux puissances sauvages qu'il a domptées.

HÉRACLIDE DU PONT, en gr. **Hêrakleidês.** ♦ Astronome grec (Héraclée du Pont, ~ 388 ? — ~ 312). Disciple de Platon*, il fut cependant le premier astronome à admettre la rotation de la Terre sur elle-même pour expliquer le mouvement apparent de la sphère des fixes (**V. Aristote, Eudoxe** *de Cnide,* **Philolaos**); il présenta un système semi-héliocentrique, avec la Terre au centre du monde mais accordant au Soleil deux satellites [Mercure et Vénus] (**V. Aristarque** *de Samos*). Il est également l'auteur d'un *Traité sur l'âge d'Homère et d'Hésiode.*

HÉRACLIDES *(les). n. m. pl.,* en gr. **Hêrakleidai.** ♦ Les soixante fils d'Héraclès* et, en général, les descendants du héros qui, après plusieurs générations, auraient reconquis et partagé le Péloponnèse. Par la suite, la conquête dorienne du Péloponnèse fut appelée le *retour des Héraclides.* **V. Hyllos.** Plusieurs dynasties de l'Antiquité jusqu'à l'époque hellénistique, même des familles romaines, se donnaient le nom d'*Héraclides,* en faisant remonter leur ascendance jusqu'au héros; ceux de Lydie* prétendaient descendre d'Héraclès par Omphale*. **V. Candaule.** (Ne pas confondre avec les Héraclides de l'Empire byzantin*, descendants et successeurs d'Héraclius*.) — Le sort des enfants d'Héraclès et de Déjanire*, auxquels se rattache particulièrement cette appellation, est dépeint dans le drame d'Euripide* les *Héraclides* (~ 430 ?). Pourchassés par la haine d'Eurysthée* et errant d'une cité à l'autre, les Héraclides trouvent enfin refuge à Athènes. Dans la guerre qui s'ensuit, les Athéniens et leurs protégés sont vainqueurs, Eurysthée est arrêté et exécuté sur l'ordre d'Alcmène, assoiffée de vengeance, et cela malgré la loi athénienne qui garantit la vie sauve aux enne-

Ph. Rapho

L'Hérault traversant Agde.

mis pris sur le champ de bataille. Eurysthée, avant de mourir, prédit la guerre future entre les Héraclides (Péloponnésiens) et les Athéniens.

HÉRACLITE, en gr. **Hêrakleitos**. ♦ Philosophe grec de l'école ionienne (Éphèse, v. ~576 – v. ~480). Misanthrope, il aurait vécu en solitaire. Il fut surnommé « l'Obscur » en raison, sans doute, du caractère énigmatique de sa pensée. Celle-ci nous est connue par les citations qu'en firent les compilateurs, doxographes et philosophes de l'Antiquité. Il a été le philosophe de l'éternel devenir où les contraires s'opposent et s'unissent tour à tour et dont le principe premier est le feu. Depuis Hegel, qui eut pour lui une grande admiration, il est souvent considéré comme le père de la pensée dialectique moderne.

HÉRACLIUS Ier. ♦ (Cappadoce, v. 575 – 641). Empereur byzantin (610-641), fondateur de la dynastie des Héraclides (610-711). Monté sur le trône, il organisa la défense de l'empire menacé de toutes parts et déchiré par les querelles religieuses (orthodoxes-monophysites). Ayant acheté la retraite des Avars qui étaient arrivés devant Constantinople (617-619), il chassa les Perses Sassanides **(V. Khosro II)** de l'Asie* Mineure et de l'Arménie, les écrasa en Mésopotamie et les obligea à rendre à l'empire l'Égypte*, ainsi que la vraie Croix qu'il rapporta triomphalement à Jérusalem (630). Les dernières années de son règne furent marquées par l'afflux arabe en Égypte et dans les provinces frontalières de l'E. et par la pénétration des Slaves au S. du Danube. L'un des plus grands empereurs byzantins, Héraclius introduisit d'importantes réformes administratives (dont la création des *thèmes* en Asie Mineure) et voulut apaiser la querelle religieuse par un compromis qui aboutit à une hérésie **(V. Monothélètes)**. Il imposa le grec comme langue officielle et inaugura l'hellénisation de l'empire d'Orient.

HÉRACLIUS II, Héracléonas. ♦ (618 – 645). Empereur byzantin, fils du précédent. Régnant conjointement avec son demi-frère aîné Constantin* III (641), il se laissa mener par sa mère Martine, dont l'influence devint dominante après la mort de Constantin. Il fut déposé par une émeute et banni à Rhodes après avoir été mutilé.

HÉRAKLION. ♦ V. de Grèce (Crète). **V. Candie.**

HÉRÂT. ♦ V. HARÂT.

HÉRAULT. *n. m.* ♦ Fl. côtier du Bas-Languedoc prenant sa source au pied de l'Aigoual*. 160 km. Il descend les Cévennes en pente rapide et traverse les Garrigues* en aval du Pont-d'Hérault, par de magnifiques défilés. Il se jette dans la Méditerranée par le grau d'Agde. Son régime pluvio-nival est marqué par des crues soudaines.

HÉRAULT, *n. m.* **[34]**. ♦ Dép. du S. de la France dans la région (anciennement C.A.R.) Languedoc-Roussillon. 6 224 km². Il est bordé par la Méditerranée au S. – *Géographie :* Au N., le rebord du causse du Larzac forme la chaîne calcaire de la Séranne, et sur l'une de ses ramifications, s'étend le plateau volcanique de l'Escandorgue. Au N.-O., les monts granitiques de l'Espinouse et le Haut-Minervois sont séparés par la vallée du Jaur. En contrebas, les plateaux calcaires des Garrigues, arides, parfois élevés (630 m au pic Saint-Loup), sont ouverts de bassins par l'Hérault (Garrigue de Montpellier). Au S., la plaine alluviale du Languedoc est le domaine du vignoble de masse. Les travaux de la Compagnie nationale du Bas-Rhône-Languedoc tentent par l'irrigation de diversifier les productions (maraîchères, fruitières) de ce pays de monoculture. Le littoral est bordé de cordons littoraux s'appuyant sur des pointements rocheux et volcaniques (Montagne d'Agde, de Sète), et isolant des lagunes qui communiquent avec la mer par des graus. Un effort d'aménagement est porté sur ces côtes, afin d'encourager l'indus. touristique (Grau d'Agde, la Grande-Motte). Sète, princ. port et centre industriel du littoral languedocien, avec ses raffineries à Frontignan, développe des activités de commerce.
♦ 342 comm., 36 cant., 603 744 hab. *Préf.* **V. Montpellier.** *Sous-préf.* **V. Béziers, Lodève.** *Ch.-l. de cant. :* Agde*, Aniane*, Bédarieux*, Béziers*, Capestang*, Castries*, Caylar* (Le), Claret*, Clermont*-l'Hérault, Florensac*, Frontignan*, Ganges*, Gignac*, Lodève*, Lunas (670 hab.), Lunel*, Matelles (Les) [328 hab.], Mauguio*, Mèze*, Montagnac*, Murviel*-lès-Béziers, Olargues*, Olonzac*, Pézenas*, Roujan (1 610 hab.), Saint*-Chinian, Saint-Gervais-sur-Mare (873 hab.), Saint-Martin-de-Londres (710 hab.), Saint*-Pons, Salvetat-sur-Agout (La) [1 361 hab.], Servian*, Sète*. – *Autres comm. et sites* **V. Balaruc-les-Bains, Bessan, Bousquet-d'Orb, Bouzigues, Castelnau-le-Lez, Demoiselles** *(grotte des),* **Graissessac, Grande-Motte (La), Grau d'Agde, Lamalou-les-Bains, Lattes, Marseillan, Marsillargues, Minerve, Nissan-lez-Enserune, Palavas-les-Flots, Pérols, Saint-Guilhem-le-Désert, Sérignan, Valras-Plage.**

HÉRAULT DE SÉCHELLES (Marie Jean). ♦ Magistrat et homme politique français (Paris, 1759 – 1794). Avocat au parlement de Paris, il se rallia à la Révolution, siégea parmi les députés de gauche à l'Assemblée législative, puis avec la Montagne à la Convention, dont il était le président lors de la proscription des principaux chefs de la Gironde (2 juin 1793). Il rédigea la Constitution de l'an I (adoptée par la Convention le 24 juin 1793). Entré au Comité de salut public, il contribua à organiser la Terreur. Mais, ami de Danton et lié aux hébertistes, il se rendit vite suspect et fut accusé d'avoir divulgué des secrets du Comité. Il fut condamné à mort par le Tribunal révolutionnaire et guillotiné avec Danton et les indulgents (avril 1794).

HERBART (Johann Friedrich). ♦ Philosophe et pédagogue allemand (Oldenbourg, 1776 – Göttingen, 1841). Influencé par Pestalozzi, il se consacra d'abord à la pédagogie (*Pédagogie universelle,* 1808). Philosophe, il critiqua l'idéalisme de son temps et préconisa un retour à l'expérience (*Introduction à la philosophie,* 1813). Il fut enfin un des premiers à vouloir faire de la psychologie une science en lui appliquant les mathématiques et en considérant toujours les représentations psychiques (idées) comme un ensemble de forces en harmonie ou en conflit [statique et mécanique psychologiques]. (*Manuel de psychologie,* 1816). **V. Drobisch.**

HERBAULT. ♦ Ch.-l. de cant. du Loir-et-Cher, arr. de Blois. 1 134 hab. – Château et église du XVIIIe siècle.

HERBERSTEIN (Siegmund *von*). ♦ Diplomate et écrivain autrichien (Vipava, Slovénie, 1486 – Vienne, 1566). Ambassadeur de Maximilien puis de Charles Quint au Danemark, en Pologne et en Russie, il est l'auteur de *Rerum Moscovitarum commentarii* (1549) avec des cartes de la Russie qui comptent parmi les plus anciennes.

HERBERT (George). ♦ Poète et essayiste anglais (Montgomery Castle, pays de Galles, 1593 – Bemerton, près de Salisbury, 1633). Frère de lord Edward Herbert of Cherbury, il fut élevé par sa mère, Magdalen, l'inspiratrice de John Donne*. L'œuvre d'Herbert abonde en recherches formelles, pouvant aller jusqu'aux calligrammes : dans l'un des poèmes du *Temple (The Temple,* 1633) intitulé *L'Autel,* les vers sont disposés en forme d'autel. Quant aux thèmes, l'inspiration en est religieuse et morale. Un traité suit le recueil de poèmes, *Le Prêtre du temple ou le Pasteur de village* (*A Priest to the Temple, or the Country Parson, his Character and Rule and holy Life,* posth., 1652).

HERBIERS (Les). ♦ Ch.-l. de cant. de la Vendée, arr. de La Roche-sur-Yon. 9 366 hab. [5 713 aggl.] *(Herbretais).* – Église du XVe s. avec clocher-porche du XIIe siècle. – Marché agricole. Constructions métalliques. Construction navale. Meubles. Confection, chaussures.

HERBIGNAC. ♦ Ch.-l. de cant. de la Loire-Atlantique, arr. de Saint-Nazaire. 3 078 hab. (1 035 aggl.). – Marché agricole.

HERBIN (Auguste). ♦ Peintre et théoricien français (Quiévry, 1882 – Paris, 1960). Installé à Paris en 1901, il fut d'abord marqué par l'impressionnisme, puis les premières œuvres cubistes l'incitèrent à donner un aspect angulaire aux volumes et aux ombres et à insister sur le caractère architectural et massif des formes, tout en faisant jouer à la couleur un rôle constructif. Il développa ensuite une stylisation linéaire et géométrique, réalisant dès 1918 des œuvres abstraites. Après un bref retour à la figuration, il se consacra définitivement à l'abstraction géométrique et créa en 1931, avec Vantongerloo, le groupe *Abstraction-Création.* Compartimentant la surface de la toile, il y répartit avec rigueur des formes géométriques simples et planes ; carrés, rectangles, triangles, losanges et cercles de couleurs pures contrastant avec éclat. Il chercha par ses écrits à donner un fondement théorique à ses partis-pris plastiques. À la suite de Kandinsky et en s'appuyant sur les théories de Goethe, il chercha à souligner et à préciser la signification spirituelle de la couleur. Il tenta aussi d'établir les principes d'une grammaire plastique (*L'Art non figuratif, non objectif,* 1949).

HERBLAY. ♦ Ch.-l. de cant. du Val-d'Oise (arr. d'Argenteuil) sur la Seine. 12 264 hab. *(Herblaysiens).* – Église (XIe-XIIe siècles). Yatching. – Indus. métallurgiques.

HERCULANO (Alexandre). ♦ Poète et historien portugais (Lisbonne, 1810 – près de Santarém, 1877). Engagé dès sa jeunesse dans le mouvement romantique et libéral, il publia deux poèmes, *La Voix du prophète* (1836) et *La Harpe du croyant* (1838) où se mêlent la religiosité et une dialectique austère, à caractère politique. Son œuvre historique, une *Histoire du Portugal* (4 vol., 1846-1853) et quelques romans ont fait de lui le grand historien romantique du Portugal, jouissant du plus grand prestige moral et intellectuel de sa génération.

HERCULANUM, auj. **Ercolano**. ♦ V. anc. de Campanie, au S.-E. de Naples, au pied du Vésuve*. Après avoir été sous la domination successive des Osques*, des Étrusques* et des Samnites*, elle fut conquise par Rome en ~ 89. Elle couvrait plus d'une dizaine d'hectares et comptait env. 5 000 hab. quand elle fut engloutie en 79 sous une coulée de lave lors de l'éruption du Vésuve qui ensevelit aussi Pompéi*. Entreprises au XVIIIe s. et poursuivies au XIXe et au XXe s. (particulièrement de 1806 à 1814, de 1869 à 1876 et à partir de 1927) les fouilles ont mis au jour des habitations, des monuments (thermes, palestres, théâtre) et des objets de la vie quotidienne en parfait état de conservation. Peintures, mosaïques au musée national de Naples.

HERCULE, en lat. **Hercules**. ♦ Demi-dieu romain, dont le nom est la forme latinisée du grec Héraclès. **V. Héraclès.** Sa légende correspond pour l'essentiel à celle de son modèle grec. Parmi les épisodes spécifiquement romains du mythe d'Hercule, le plus célèbre est celui de la lutte du héros avec Cacus*. Un autel, aujourd'hui détruit, l'*Ara Maxima Herculis*, lui fut consacré à Rome près du *Forum Boarium*.

Hercule, en lat. **Hercules**. ♦ Constellation boréale, à droite de la Lyre*. En forme de trapèze, elle contient de nombreuses étoiles doubles géantes et une étoile orbitale découverte par Herschel en 1782. Le Soleil* semble se diriger vers le point de l'espace situé entre Hercule et Lyre.

HERDER (Johann Gottfried). ♦ Écrivain et philosophe allemand (Mohrungen, Prusse orientale, 1744 — Weimar, 1803). Ses théories sur le langage et la littérature, exaltant le génie populaire contre l'idéal classique, influencèrent le jeune Goethe* et la formation du « Sturm* und Drang » (*Fragments sur la littérature allemande*, 1767; *Silves critiques*, 1769; *Chansons de tous les peuples*, 1778-1779). Il se sépara de Kant **(V. Kantisme)** dont il avait été l'élève, tant par sa philosophie de la nature (apparentée au spinozisme) que par sa conception de l'histoire, qui est une étude des types de civilisations humaines, de leurs langues, de leurs cultures où il voit l'expression de l'âme populaire : *Idées sur la philosophie de l'histoire de l'humanité* (1784-1791); *Lettres sur les progrès de l'humanité* (1793-1798).

HERÉ (Emmanuel HERÉ de CORNY). ♦ Architecte et décorateur lorrain (Nancy, 1705 — Lunéville, 1763). Élève de Boffrand*, il travailla au service du roi Stanislas Leszczyński et sut satisfaire les goûts exotiques de son souverain en édifiant le *château de faïence de la Malgrange*, le *château de Chanteleux* et des pavillons et « fabriques » pleins de fantaisie et de pittoresque. Il fit preuve d'un sens monumental dans ses amples réalisations nancéennes : la *place Royale*, 1752 à 1760 (maintenant place Stanislas), la *place de la Carrière* avec sa colonnade en hémicycle, et le *palais du gouvernement*. Ces réalisations, caractérisées par la recherche d'effets de perspective, le goût des terrasses, balustrades et des ornements, constituent l'un des plus brillants ensembles monumentaux de style rocaille en France et furent décorées par les grilles d'aspect fastueux et chantourné de Jean Lamour (1698 — 1771).

Ph. Carlo Bevilacqua/Ricciarini

Hercule et l'Hydre, par Pollaiolo. (Musée des Offices, Florence.)

HÉRÉDIA (José Maria de). ♦ Poète français (près de Santiago de Cuba, 1842 — Condé-sur-Vesgre, 1905). D'origine cubaine, mais élevé en France, élève de l'École des chartes, il composa des vers, dès 1862. Ami de Sully* Prudhomme et de Catulle Mendès*, il dut à son maître Leconte* de Lisle de collaborer au « recueil de vers nouveaux », le *Parnasse contemporain* (1866). Lui-même, dès la parution des *Trophées* (1893), recueil de 118 sonnets, fit figure de maître dans l'école parnassienne en joignant à un rare talent d'évocation une impeccable facture métrique. Successivement sont ressuscités *La Grèce et la Sicile, Rome et les Barbares, Le Moyen Âge et la Renaissance, L'Orient et les Tropiques, La Nature et le Rêve*, sous forme de tableaux ou de miniatures, raccourcis saisissants enfermés dans le cadre étroit du sonnet, portés par des rythmes savants et des termes évocateurs par leur sonorité ou leur rareté. (Acad. fr., 1894.)

HEREDIA. ♦ V. du Costa Rica (Amérique centrale) et ch.-l. de province, située dans la zone volcanique du centre, au N.-E. de San* José, non loin du volcan Irazú*. Centre commercial (café).

HEREFORD. ♦ V. d'Angleterre, sur la Wye, affl. de la Severn. Ch.-l. du Herefordshire*. 46 100 hab. Centre agricole et commercial. — Siège d'un évêché depuis 672, la ville possède une très belle cathédrale normande du XIIe s. abritant la châsse de saint Thomas Cantalupe et la *mappa mundi*, dessinée vers 1290 par un moine du Lincolnshire et représentant le monde tel qu'on se l'imaginait à l'époque. — Patrie de David Garrick*.

HEREFORDSHIRE. *n. m.* ♦ Comté d'Angleterre, situé le long de la frontière galloise, confinant au Shropshire au N., au Gloucestershire et au Monmouth au S., au Breconshire et au Radnorshire à l'O., et au Worcestershire à l'Est. 2 181 km². 142 060 hab. *Ch.-l.* Hereford*. L'Herefordshire a la forme d'une cuvette faiblement inclinée au centre, bordée de collines et traversée par la Wye. C'est une région d'élevage (viande). — Patrie de W. Langland*.

HÉRELLE (Félix Hubert d'). ♦ Bactériologiste canadien (Montréal, 1873 — Paris, 1949). En étudiant le bacille de la dysenterie, il découvrit le phénomène de la bactériophagie (1918). On a appelé *phénomène d'Hérelle* la dissolution d'une émulsion bactérienne par l'addition d'une trace de liquide contenant le principe bactériophage.

HÉRENS *(val d')*, en all. **Eringerthal**. ♦ Vallée de Suisse (Valais) drainée par la Borgne*, affl. du Rhône. Élevage de bovins. Tissage. *Villages princ.* Arolla*, Évolène, Les Haudères.

HERENT. ♦ Comm. de Belgique (Brabant, arr. de Louvain) sur la Dyle. 9 600 hab. — L'église est l'un des plus anciens édifices gothiques de Belgique. — Indus. alimentaires et chimiques.

HERENTALS. ♦ Comm. de Belgique (Anvers, arr. de Turnhout), à la jonction du canal Albert et du canal de l'Escaut à la Meuse, à 59 km de Bruxelles. 18 300 hab. — Musée Fraikin dans l'hôtel de ville (halle aux draps du XIVe siècle). Béguinage (*fin* XVIe siècle). Église Sainte-Waudru (1417, fonts baptismaux du XIIIe siècle). — Indus. textiles. Taille du diamant. Verrerie.

HERENTHOUT. ♦ V. de Belgique (Anvers, arr. de Turnhout), à 7 km de Herentals. 6 400 hab. Cultures maraîchères. Taille du diamant.

HERFORD. ♦ V. d'Allemagne occidentale (Rhénanie du Nord-Westphalie), entre le Wiehengebirge et le Teutoburger Wald, au confl. de l'Aa et de la Werre. 55 663 hab. (1961). — Belle église gothique (Münster) du XVe siècle. Indus. textiles et alimentaires.

HÉRIAT (Raymond Gérard PAYELLE, dit Philippe). ♦ Romancier et auteur dramatique français (Paris, 1898 — *id.*, 1971). D'abord acteur et metteur en scène, Ph. Hériat s'est tourné vers le roman avec *L'Innocent* (1931) où il montrait déjà sa prédilection pour les analyses psychologiques hardies (à propos d'un inceste). Élargissant ensuite son étude, il a donné une vaste chronique sociale avec *Les Boussardel* (*Famille Boussardel*, 1946; *Les Enfants gâtés*, 1939; *Les Grilles d'or*, 1957), peinture post-balzacienne d'une famille bourgeoise à travers quatre générations (de 1815 au début du XXe siècle). Fidèle au théâtre, il a fait jouer *L'Immaculée* (1947), *Belle de jour* (1950) et *Les Noces de deuil* (1953). Puis il a livré ses souvenirs dans *Retour sur mes pas* (1959). [Acad. Goncourt 1949.]

HÉRICOURT. ♦ Ch.-l. de cant. de la Haute-Saône, arr. de Lure. 7 498 hab. — Temple en partie du XVIe siècle. Anc. château des princes de Montbéliard, restauré au XVIe siècle. — Centre indus. (métallurgie, textiles). ♦ *Hist.* Victoire des Suisses sur les Bourguignons (1474). — L'armée de l'Est sous le commandement de Bourbaki y livra aux Prussiens la bataille dite de la Lisaine (15-17 janv. 1871), mais, battue, fut contrainte de se replier vers la frontière suisse.

HÉRIHOR. ♦ Grand prêtre égyptien chef du clergé d'Amon* (~ XIe siècle). Il fut maître de la Haute-Égypte v. ~ 1100 et roi de Thèbes v. ~ 1085, alors que Smendès, établi à Tanis*, régnait sur la Basse-Égypte **(V. Ramsès XI).** Il n'est connu que par quelques reliefs du temple de Khonsou* à Karnak*.

HÉRIMONCOURT. ♦ Ch.-l. de cant. du Doubs, arr. et aggl. de Montbéliard*. 3 500 hab. Petit outillage (cycles).

HERISAU. ♦ V. de Suisse, princ. ville du demi-canton des Rhodes-Extérieures (cant. d'Appenzell). 15 300 hab. Maisons de bois typiques (XVIIIe siècle). Indus. mécanique et textile (broderies, tulle, cotonnades).

Hermandad (« fraternité ») ou **Santa Hermandad.** *n. f.* ♦ Institution espagnole fondée au XVe s. pour lutter contre le brigandage. Véritable gendarmerie, elle fut même dotée d'un pouvoir de juridiction. Elle ne disparut en Castille qu'en 1835.

HERMANN Ier. ♦ ([mort] Gotha, 1217). Comte de Thuringe (1190-1217). Neveu de Frédéric Barberousse, il le soutint dans sa lutte contre Henri le Lion (1180), puis hésita entre Philippe* de Souabe et Othon* IV de Brunswick, lors de leur opposition pour l'empire. Il contribua à l'élection de Frédéric* II. Protecteur des lettres, il présida la lutte des poètes allemands connue sous le nom de *Combat de la Wartburg* (1207).

HERMANN (Jacob). ♦ Mathématicien suisse (Bâle, 1678 – 1733). Auteur de nouvelles expressions de π en séries permettant de déterminer un plus grand nombre de chiffres de son développement **(V. Viète),** il participa aux débuts de la géométrie analytique de l'espace, s'intéressant aux plans et aux surfaces, notamment aux quadriques dont il donna une première classification encore incomplète.

HERMANN BILLUNG. ♦ ([mort] Quedlingburg, 973). Comte, puis duc de Saxe (936-973). Il battit les Slaves à Reckenitz, sous le règne d'Othon* Ier (955).

Hermann et Dorothée, en all. **Hermann und Dorothea.** ♦ Épopée bourgeoise de Goethe* (1797), écrite en hexamètres et comprenant neuf chants. Avec pour arrière-plan la Révolution française et ses conséquences pour l'Allemagne, l'auteur a décrit l'amour, entre une jeune fille, dont la famille a dû fuir devant les armées d'invasion, et le fils de négociants d'Allemagne du Sud. Celui-ci finira par l'épouser en dépit de l'opposition qu'il rencontra tout d'abord chez ses propres parents. Cette œuvre qui fut considérée comme une des plus réussies de la poésie classique weimarienne, fut aussi celle qui connut le plus grand succès après *Götz von Berlichingen* et *Werther.*

HERMANN-NEISSE (Max). ♦ Poète lyrique allemand (en Silésie, 1886 – Londres, 1941). Collaborateur de la revue expressionniste *Die Aktion,* il quitta l'Allemagne nazie (1933) en raison de ses positions communistes. À la violence des premiers poèmes fait place, en exil, un lyrisme plus apaisé qui chante avec nostalgie le pays natal (*Autour de nous, la terre étrangère,* 1936 ; *Loin du pays natal,* 1947).

HERMANN VON SACHSENHEIM. ♦ Poète allemand (v. 1365 – Constance, 1458). Auteur d'un important poème allégorique *La Négresse,* où il reprend, tout en les parodiant parfois, les thèmes de l'amour courtois, il contribua également à faire connaître le personnage de Tannhäuser*.

HERMANN VON SALZA. ♦ (Langensalza, v. 1170 – Barletta, 1239). Grand maître de l'ordre Teutonique* (1210-1239). Conseiller de l'empereur Frédéric II, il eut d'abord une carrière diplomatique. Conrad, duc de Mazovie, lui donna pour son ordre le pays de Kulm en Pologne, à charge de conquérir la Prusse, ce qu'il commença en 1230. Il fortifia le pays en créant des villes. Cette conquête fut à l'origine de la naissance de la Prusse. En 1230, Hermann von Salza négocia la paix de San Germano entre le pape Grégoire IX et l'empereur.

HERMANVILLE-SUR-MER. ♦ Comm. du Calvados*, arr. de Caen*, sur la Manche. 1 160 hab. Un port artificiel y fut créé en 1944 où débarquèrent les Alliés.

HERMAPHRODITE, en gr. **Hermaphroditos.** ♦ Fils d'Hermès* et d'Aphrodite* auxquels il doit son nom. Adolescent d'une rare beauté, il repousse l'amour d'une nymphe. Celle-ci alors l'enlace et s'unit à lui pour toujours ; les dieux, exauçant sa prière, font de leurs deux corps une seule personne à la double nature. Cf. *Hermaphrodite* in Robert.

HERMAS. ♦ Prophète judéo-chrétien, vivant à Rome au début du IIe siècle. Son *Pasteur,* longtemps considéré comme inspiré, ne fut écarté du canon néo-testamentaire qu'au IVe siècle.

HERMÈS. ♦ Dieu grec, messager des Olympiens, identifié avec le *Mercure* des Latins. Fils de Zeus* et de Maia, il naît sur le mont Cyllène en Arcadie*. Guide des voyageurs et conducteur des âmes des morts, il est surtout la personnification de l'habileté et de la ruse. Ses attributions sont multiples : dieu du vol et du mensonge, patron des orateurs et des commerçants, inventeur des poids et mesures, des premiers instruments musicaux, il est aussi le dieu berger et le dieu de la santé. Le jour de sa naissance, il dérobe le bétail d'Apollon* et fait effacer les traces en attachant des branches aux queues des animaux. Obligé par Zeus de le rendre à Apollon, il l'échange contre la lyre. Il échange aussi la flûte contre le caducée qui devient un de ses attributs. Il eut plusieurs enfants dont Pan*. – Identifié avec la divinité égyptienne de *Thot*.* Il fut appelé *Hermès Trismégiste* (« Trois fois le plus grand »). Grâce à une interprétation évhémériste de l'époque hellénistique, celui-ci fut considéré comme un ancien roi d'Égypte, inventeur de toutes les sciences. Cf. *Hermétique, hermétisme,* in Robert.

HERMIAS (d'Atarnée). ♦ Philosophe et homme politique grec (~ IVe siècle). Il fut disciple de Platon* et ami d'Aristote*. S'étant emparé du pouvoir à Atarnée, il y fit venir ce dernier en ~ 348 (ou ~ 347). Livré aux Perses, il fut mis à mort par Artaxerxès III. Aristote qui avait épousé Pythias, sa sœur (ou sa nièce ?), quitta Atarnée pour Lesbos.

HERMIONE, en gr. **Hermionê.** ♦ Fille de Ménélas et d'Hélène, femme de Pyrrhos puis d'Oreste. Amoureuse insatisfaite et jalouse, elle figure dans l'*Andromaque* d'Euripide et dans l'*Andromaque** de Racine.

HERMITAGE (l') ou **ERMITAGE (l').** ♦ Coteau de la Drôme, dominant la vallée du Rhône (comm. de Tain*-l'Hermitage). Vins estimés depuis plusieurs siècles (côtes-du-rhône).

HERMITAGE (L'). ♦ Comm. d'Ille-et-Vilaine, arr. de Rennes. 1 401 hab. – Église en partie romane. – Distillerie. Laiterie.

HERMITE (Charles). ♦ Mathématicien français (Dieuze, 1822 – Paris, 1901). Éminent analyste, il découvrit d'importantes propriétés sur la transformation des fonctions elliptiques (1844), rattachant la théorie de ces fonctions aux fonctions θ (séries d'exponentielles) déjà utilisées par Jacobi*, au lieu de la baser sur les intégrales de Le* Gendre ; il découvrit la fonction modulaire qu'il utilisa à la résolution de l'équation générale du cinquième degré au moyen des fonctions elliptiques ; en 1850-1851, en théorie des nombres dont il avait montré le lien avec les fonctions elliptiques, il établit des théories arithmétiques de réduction des formes quadratiques, en particulier sa méthode fondamentale de « réduction continue » **(V. Klein, H. Poincaré)** ; enfin, en 1872, il établit la transcendance du nombre *e.* **V. Lindemann, Liouville.**

HERMON. *n. m.* ♦ Massif montagneux de l'Anti*-Liban, situé entre la plaine libanaise de la Békaa* et la dépression du Ghor*, aux confins du Liban, de la Syrie et d'Israël ; il culmine à 2 760 m. Le Jourdain* y prend sa source.

HERMOPOLIS (« la ville d'Hermès »), en égypt. **Kmounou** « la ville des huit » auj. **Al-Ashmunayn** (province d'Assiout). ♦ V. de l'anc. Égypte à 300 km au S. du Caire. Centre religieux très important dans l'Antiquité, Hermopolis possédait une théologie particulière selon laquelle huit dieux (l'Ogdoade), parmi lesquels Amon*, étaient à l'origine de la création du monde. À ces dieux vint s'ajouter Thot* (identifié par les Grecs à Hermès*) auquel la ville fut désormais consacrée. Il ne reste actuellement de cette cité que des ruines dispersées. L'intérêt archéologique d'Hermopolis réside dans sa nécropole située à 12 km à l'O. (*auj.* Tuna al-Jabal), où G. Lefèbvre découvrit en 1919 le tombeau de Pétosiris, grand-prêtre de Thot sous Alexandre* le Grand. Ses bas-reliefs témoignent d'un essai de fusion original entre les techniques traditionnelles du dessin égyptien et l'apport esthétique grec.

HERMOSILLO. ♦ V. du Mexique, cap. de l'État de Sonora*, située sur le río Sonora. 206 663 hab. (1970). Archevêché. – Centre minier.

HERMOUPOLIS ou **HERMOPOLIS** ou **SYROS.** ♦ V. et port de Grèce, sur la côte E. de l'île de Syra*, ch.-l. du nome des Cyclades. Princ. port des Cyclades et centre touristique. 15 180 hab. – Archevêché grec et archevêché catholique. La haute ville *(Anô Syra),* fondée par les Vénitiens au XIIIe s., fut habitée par des catholiques. Protégée par la France lors de la guerre de l'Indépendance, la ville prospéra au XIXe siècle.

Arch. Rencontre

L'Hermès de Véies, terre cuite ~ IIIe – ~ IIe s. (Villa Giulia, Rome.)

HERNÁNDEZ ou **FERNANDEZ (Gregorio).** ♦ Sculpteur espagnol (Pontevedra, Galice, v. 1576 – Valladolid, 1636). Il travailla surtout à Valladolid et il est considéré comme l'un des plus brillants représentants de la sculpture polychrome castillane. S'il traita le corps humain avec un sens plastique proche de la tradition classique, il insista sur le caractère individuel des traits, et son réalisme souvent féroce dans l'expression de l'extase ou de la douleur apparaît en accord avec le mysticisme espagnol (*Christ gisant* du couvent des capucins, Prado). Ses statues de dévotion (*Immaculée Conception*, 1620), ses retables (San Miguel à Vitoria, 1624-1632; maitre-autel de Plasencia, 1624-1634) ainsi que les « pasos » (groupes sculptés portés en procession et représentant des scènes de la Passion) allient force expressive et sens de la mise en scène mouvementée.

HERNÁNDEZ (José). ♦ Écrivain argentin (San Martín, 1834 – Buenos-Aires, 1886), auteur de *Martín Fierro*, sorte de poème épique sur la vie des gauchos. Œuvre caractéristique de la littérature «gauchesque», c'est le poème national argentin.

HERNÁNDEZ (Mateo). ♦ Sculpteur et graveur espagnol (Béjar, province de Salamanque, 1888 – Meudon, 1949). Fixé en France à partir de 1913, resté fidèle à la tradition naturaliste, il fut surtout un animalier affectionnant les volumes puissants, sans pour autant négliger les détails précis, et s'inspirant dans une certaine mesure de la sculpture assyrienne et égyptienne (*Marabout*, 1926). Il réalisa aussi des portraits et s'intéressa à la fresque et à la gravure.

HERNÁNDEZ (Miguel). ♦ Poète espagnol (1909 – 1942). Il participa à la guerre civile dans les rangs républicains et mourut en prison. Dans ses poèmes, il a chanté l'amour sensuel, la mort, la justice et la révolte, *Vent du peuple* (1937), *Œuvres choisies* (publiées en 1952).

Hernani ou l'Honneur castillan. ♦ Drame en 5 actes et en vers de Victor Hugo* (1830). Doña Sol est aimée de trois hommes, son oncle, le vieux Ruy Gomez, le bandit Hernani, et don Carlos, roi d'Espagne, le futur Charles Quint. De multiples péripéties, destinées à faire éclater la grandeur d'âme des héros, révèleront la véritable origine d'Hernani, proscrit et Grand d'Espagne. Son amour pour doña Sol triompherait à la fin du drame si le respect de la parole donnée à Ruy Gomez ne lui imposait de se donner la mort. Doña Sol le suit, tandis que le vieillard se tue sur leurs cadavres. S'inspirant de Shakespeare* et des romantiques allemands, résolument affranchie de toute règle, la pièce eut d'abord des représentations tumultueuses et sa « première » (21 février 1830), devenue historique, fut le prétexte à une véritable lutte entre les classiques et les romantiques.

HERNE. ♦ V. d'Allemagne occidentale (Rhénanie-Westphalie) dans la Ruhr*, sur le canal Rhin-Herne. 101 500 hab. (1969). – Charbonnages, tôlerie, indus. chimique (ammoniaque).

HERNING. ♦ V. du Danemark, dans le centre du Jutland* (*amt* [dép.] de Ringkøbing). Carrefour routier et ferroviaire. – Indus. textile.

HERNIQUES. *n. m. pl.*, en lat. **Hernici.** ♦ Peuple de l'Italie anc. établi dans le Latium* au S.-E. de Rome. Ils furent soumis par les Romains en ~ 306.

HÉRODE Ier le Grand. ♦ (Ascalon, ~ 73 – Jérusalem, ~ 4). Roi des Juifs (~ 40-~ 4). Fils d'Antipatros, le ministre d'Hyrcan* II, il se fit reconnaître comme roi des Juifs par les Romains et Marc Antoine l'installa sur le trône (prise de Jérusalem, ~ 37, **V. Antigonos**). Il fut l'allié d'Antoine, mais se rallia à Octave après Actium (~ 31). Pour affermir son pouvoir, il fit périr les derniers membres de la famille asmonéenne, y compris sa propre femme Mariamne* Ire. Il fit exécuter de grands travaux à Césarée, Sébasté (l'ancienne Samarie*) et surtout Jérusalem où il rebâtit le Temple dans le style hellénistique. À sa mort, son royaume fut partagé entre ses fils Archélaos*, Hérode* Antipas et Hérode* Philippe le Tétrarque. – C'est à lui que l'Évangile de Matthieu rapporte le massacre des Innocents*.

HÉRODE AGRIPPA Ier. ♦ (~ 10 – 44). Petit-fils d'Hérode* le Grand, il régna sur les tétrarchies d'Hérode* dit Philippe et de Lysanias (37), sur la Galilée (39), et sur la Judée et la Samarie (41), reconstituant ainsi le royaume d'Hérode le Grand. Frère d'Hérodiade*; père de Bérénice*. – C'est à lui que les *Actes des apôtres*, XII, rapportent la mise à mort de Jacques* le Majeur et l'emprisonnement de Pierre*.

HÉRODE AGRIPPA II. ♦ (27 – Rome, v. 100). Fils du précédent, roi de Chalcis (50), puis des tétrarchies d'Hérode* dit Philippe et de Lysanias (53), du district de Varus avec d'autres possessions. Il prit le parti de Rome lors de la révolte juive de 66-70.

HÉRODE ANTIPAS. ♦ Tétrarque de Galilée et de Pérée (~ 4 – 39), fils d'Hérode* le Grand. Il répudia sa femme pour épouser Hérodiade*, femme de son demi-frère Hérode* dit Philippe. Dans les Évangiles, il emprisonne Jean*-Baptiste qui lui a adressé des reproches et, après la danse de « la fille d'Hérodiade » **(V. Salomé)**, le fait décapiter. C'est devant lui que Pilate renvoie Jésus (*Luc*, XXIII). Il fut déposé et exilé par Caligula.

HÉRODE ATTICUS (Tiberius Claudius). ♦ Rhéteur grec (Marathon, 101 – v. 177). Il assuma des hautes charges dans l'éducation de Marc* Aurèle. Grand mécène, il consacra ses richesses à orner de monuments Athènes* (notamment l'Odéon sous l'Acropole), Delphes, Olympie, Corinthe et d'autres cités grecques. De son œuvre oratoire, représentative du retour à l'atticisme pur, il ne nous reste qu'un discours.

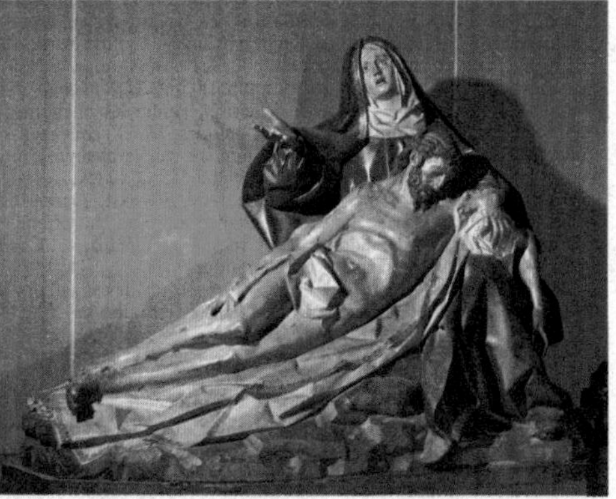

Arch. Smeets

Gregorio Hernández : « Pietà », bois polychrome. Église San Martin, Valladolid

HÉRODE dit **PHILIPPE.** ♦ Prince juif (~ Ier s.) auquel le nom de Philippe a été donné par erreur, semble-t-il, dans les Évangiles de Matthieu et de Marc. Fils d'Hérode* le Grand, premier mari d'Hérodiade* et père de Salomé*.

HÉRODE PHILIPPE le Tétrarque. ♦ ([mort] 34). Fils d'Hérode* le Grand, tétrarque à la mort de celui-ci de la région située à l'E. du lac de Tibériade (Icturée, Trachonitide...). Il épousa Salomé*.

HÉRODIADE ou **HÉRODIAS.** ♦ Princesse juive (~ 7 – 39). Petite-fille d'Hérode le Grand, fille d'Aristobule, elle épousa Hérode* Philippe. Sa liaison avec Hérode* Antipas, son oncle et beau-frère, scandalisa les juifs et notamment, selon l'Évangile (*Matthieu*, XIV, 4; *Marc*, VI, 18), Jean*-Baptiste dont elle finit par obtenir la tête. **V. Salomé*.** – Son personnage a inspiré les écrivains : *Hérodias (Trois Contes)* de Flaubert; fragments d'*Hérodiade* de Mallarmé; et les musiciens : *Hérodiade*, opéra de Massenet, livret de Milliet et Grémont (1881).

HÉRODOTE, en gr. **Hêrodotos.** ♦ Historien grec (Halicarnasse, v. ~ 484 – v. ~ 425) considéré comme le « père de l'histoire » (Cicéron) et le premier prosateur dont l'œuvre nous soit parvenue. Appartenant à une famille aristocratique, il dut la suivre en exil à Samos, puis participa à l'insurrection de ses concitoyens qui renversa la tyrannie v. ~ 454. Il s'établit quelque temps à Athènes où il se lia d'amitié avec Sophocle* et suivit les Athéniens fondateurs de Thurium* en Italie du Sud, où il se fixa. C'est peut-être là qu'il mourut. Dans l'intention d'écrire ses *Histoires*, il visita les cités, les grands sanctuaires et les champs de bataille de Grèce et de Lydie, les colonies grecques de la mer Noire, l'Égypte, Cyrène et la Grande Grèce. Ses *Récits assyriens* sont perdus. On lui attribua d'autre part une *Vie d'Homère** qui est considérée comme apocryphe. – Les *Histoires*, écrites en dialecte ionien littéraire, sont divisées par les éditeurs alexandrins en 9 livres portant chacun le nom d'une muse. Les guerres Médiques* sont le sujet principal du récit qui commence par l'accroissement de la force perse et aboutit à la victoire de l'Égypte, de la Scythie, de l'Ionie, des cités grecques et de leurs luttes internes. Dans ce cadre s'accumule une masse d'informations sur les mœurs, les croyances, les institutions et la vie quotidienne, de descriptions géographiques ou des monuments, d'anecdotes et de légendes. La lutte entre le monde grec et le monde barbare en est le thème principal. Héritier des logographes ioniens, notamment d'Hécatée* de Milet, Hérodote se situe entre l'histoire légendaire et l'histoire méthodique de Thucydide*. L'ampleur et la diversité de ses recherches, l'importance qu'il a accordée au cadre géographique sont ses mérites d'historien. On lui a reproché une grande crédulité et un manque de « science sérieuse » (Plutarque). Néanmoins il indique toujours ses sources, écrites ou orales. Impartial devant les guerres Médiques, il se montre « philathénien » dans les conflits grecs, par son admiration pour la politique de Périclès, mais jamais passionné ou aveugle. Avant tout, il est un conteur de grande qualité. Sa prose est pleine de charme, de familiarité et de bonhomie.

HÉROËT (Antoine, dit **de la Maisonneuve).** ♦ Poète français (1492 – *id.*, 1568), protégé par François Ier et auteur de pièces galantes ou de circonstance. Son poème philosophique *La Parfaite Amie* (1542) expose une conception platonicienne de l'amour et connut un vif succès.

HÉROLD (Ferdinand). ♦ Compositeur français (Paris, 1791 – *id.*, 1833). Élève de son père, François Joseph Hérold (1755 – 1802) qui fut disciple de Ph. Em. Bach, il connut le plus grand succès avec 2 opéras, *Zampa* (1831) et *Le Pré aux clercs* (1832). Son œuvre comprend encore des ballets, de la musique pour orchestre et de la musique de chambre.

HÉRON l'Ancien ou **d'Alexandrie**, en gr. **Hêrôn.** ♦ Mathématicien et mécanicien grec du Ier s., né à Alexandrie. Auteur de nombreux ouvrages de mécanique, dont les traités sur les machines de guerre, des *Pneumatiques*, un traité *Des automates* et surtout le *Dioptre* qui contient la description et les usages de ce premier instrument universel de mesure longtemps utilisé comme instrument de nivellement et comme théodolite pour les observations terrestres et astronomiques; en optique, il composa une *Catoptrique* dans laquelle il exposa une théorie de la vision, étudia les phénomènes de réflexion de la lumière sur des miroirs plans, convexes ou concaves et posa en principe que la lumière suit le chemin le plus court démontrant ainsi la loi fondamentale de la réflexion [angle de réflexion égal à l'angle d'incidence] **(V. Fermat, Descartes)**; dans trois livres de *Métriques*, de tendance utilitaire exceptionnelle dans les traités mathématiques des Grecs, il apporta des solutions concrètes à des problèmes d'ordre pratique.

HÉRONDAS. ♦ Poète grec (*déb.* ~ IIIe s.), un des créateurs du *mime* alexandrin. Neuf de ses mimes ont été retrouvés en 1889 sur un papyrus. La vie quotidienne, les mœurs, les préoccupations des petites gens y sont peintes avec précision, finesse, et une charmante naïveté.

HÉROPHILE, en gr. **Hêrophilos**. ♦ Médecin et anatomiste grec de la famille des Asclépiades (Bithynie, *fin* ~ IVe s., *début* ~ IIIe siècle). Pratiquant la dissection, il peut être considéré, avec son rival Érasistrate*, comme un des créateurs de l'anatomie.

HÉROULT (Paul Louis Toussaint). ♦ Métallurgiste français (Thury-Harcourt, Calvados, 1863 – baie d'Antibes, 1914). Inventeur (1886) du procédé électrolytique moderne d'obtention industrielle de l'aluminium **(V. C.M. Hall)**, il mit également au point le four électrique en acier qui porte son nom (1900) et qui permit l'essor de l'industrie électrométallurgique.

Hérout ou **Hérouth.** *n. m.* ♦ Groupe politique israélien fondé en 1948 par des membres de l'Irgoun* Zvaï Leumi. Sioniste nationaliste, le mouvement Herout prône l'intégrité territoriale de la « Terre d'Israël » *(Eretz-Israël)* dans ses frontières historiques et le libéralisme en matière économique et sociale.

HÉROUVILLE-SAINT-CLAIR. ♦ Comm. du Calvados dans l'arr. et la banlieue de Caen*. – Église en partie romane, au village ancien. Ville nouvelle en expansion. 14 219 habitants.

HERRADE VON LANDSBERG. ♦ Abbesse et érudite alsacienne (v. 1125 – 1195). Abbesse du couvent du Mont-Sainte-Odile (Alsace), elle écrivit pour l'instruction des novices un ouvrage encyclopédique sur l'histoire spirituelle de l'humanité, *Hortus Deliciarum* (en all. *Garten der Köstlichkeit*). Ce texte, brûlé lors de l'incendie de la bibliothèque de Strasbourg (guerre de 1870), a pu être reconstitué à partir de nombreuses copies.

HERRERA (Juan Bautista de). ♦ Architecte espagnol (Mobellan, 1530 – Madrid, 1597). Il étudia à Valladolid, puis à Bruxelles et participa aux campagnes de Charles Quint en Italie. À la mort de Juan Bautista de Toledo*, Philippe II le chargea de continuer les travaux de l'*Escorial** (1567-1584) : la façade principale et l'église portent la marque de sa personnalité : un sens de la grandeur et du dépouillement poussé jusqu'à l'austérité. Il s'inspira surtout de Serlio* et de Vignole*. Il devint le directeur de l'Académie royale d'architecture de Madrid. Il fut le représentant le plus important de la Renaissance espagnole. Il conçut notamment les projets de transformation d'Aranjuez, *de la façade méridionale de l'Alcazar* de Tolède et de *la Lonja* de Séville, édifiée par Juan de Mijares.

HERRERA (Fernando de). ♦ Poète espagnol (Séville, 1534 – *id.*, 1597). Auteur de « canciones » dont la plus célèbre évoque la bataille de Lépante (*A la batalla de Lepanto*, 1571), Herrera, surnommé *El Divino* (Le Divin), fut un poète raffiné dans la tradition pétrarquiste. Il enrichit considérablement le vocabulaire castillan et la poésie et fit la transition entre Garcilaso*, qu'il a beaucoup commenté, et Góngora*.

HERRERA (Francisco de, dit **le Vieux).** ♦ Peintre et graveur espagnol (Séville, 1576? – Madrid, 1656). Formé sans doute auprès de Pacheco*, il semble qu'il ait longuement séjourné à Madrid et qu'il ait joué un rôle notable dans le développement de l'école de Séville. Certaines de ses compositions, chargées et mouvementées, sont empreintes de réminiscences maniéristes (*Pentecôte*, 1617; *Jugement dernier*, à San Bernardo de Séville). Généralement, il développa un style aux accents réalistes plus affirmés, notamment dans certaines décorations destinées aux couvents et églises de Séville (cycle de la vie de saint Bonaventure, commandé par les franciscains en 1627). Dans l'*Apothéose de sainte Herménégilde*, apparaît son tempérament impulsif et violent, sa recherche d'une expression héroïque, souvent emphatique, mais qui atteint parfois au lyrisme dramatique (tête coupée du martyr). Il peignait souvent très rapidement à la brosse, utilisait des clairs-obscurs contrastés, mais il semble à la fin de sa vie avoir recherché une expression plus mesurée et équilibrée. ♦ Son fils, FRANCISCO HERRERA, dit *le Jeune* (Séville, 1622 – Madrid, 1685) fut aussi peintre et architecte, et séjourna longuement en Italie. Il manifesta des tendances baroques.

HERRERA Y REISSIG (Julio). ♦ Poète uruguayen (1875 – 1910). Il est le représentant le plus caractéristique du modernisme; son inspiration tient du Parnasse* et du symbolisme *(Les Pianos crépusculaires, Les Extases de la montagne)*.

HERRICK (Robert). ♦ Poète anglais (Londres, 1591 – Dean Prior, 1674). Fils d'un orfèvre de Londres, il fit ses études à Cambridge et ne se résolut à prendre les ordres que pour gagner sa vie. Son recueil *Les Hespérides* (1648) contient aussi bien ses poèmes profanes que religieux réunis sous le titre de *Rimes saintes (Holy Numbers)*. Son esthétique est celle de la « jolie négligence », et la justesse et la finesse de ses images évoquent Horace ou Catulle. *La Rentrée de la moisson (The Hock-cart)* ne manque ni de verve ni de saveur; et *Corinna allant cueillir le Mai*, cinq stances de quatorze vers, est devenu classique en Angleterre. Ce recueil possède une réelle unité de ton malgré la diversité de la forme : églogues, épîtres, épigrammes, épithalames, épitaphes, chansons.

HERRIOT (Édouard). ♦ Écrivain et homme politique français (Troyes, 1872 – Saint-Genis-Laval, Rhône, 1957). Sorti de l'École normale supérieure, il adhéra au moment de l'affaire Dreyfus au parti radical qu'il présida de 1919 à 1957. Élu maire de Lyon (1905), il y entreprit d'importants travaux d'urbanisation. Sénateur (1912-1919), ministre des Travaux publics (1916-1917), député (1919-1940), il fut l'un des instigateurs du regroupement de la gauche face au Bloc national. Après la victoire du Cartel des gauches aux élections de 1924, il fut appelé à former un cabinet et chargé du portefeuille des Affaires étrangères (juin 1924-avril 1925); mais son gouvernement, qui reconnut l'U.R.S.S. et évacua la Ruhr, ne put faire face aux difficultés financières. Après avoir tenté de former un second ministère (juillet 1926), É. Herriot dut se retirer et fut remplacé par Poincaré* qui le nomma ministre de l'Instruction publique (1926-1928). Président du Conseil (juin-décembre 1932), ministre d'État (1934-1936), il fut élu président de la Chambre des députés (1936-1940). Après avoir lancé un appel à l'union autour du maréchal Pétain (1940), il se sépara du gouvernement de Vichy par lequel il fut mis en résidence surveillée avant d'être déporté en Allemagne (1944). Président de l'Assemblée nationale (1947-1954). Il a laissé plusieurs ouvrages de critique [*Madame Récamier et ses amis*, 1904; *La Vie de Beethoven*, 1929; *Lyon n'est plus*, 1939-1940; *Jadis*, 1948-1952]. (Acad. fr., 1946.)

HERRLISHEIM. ♦ Comm. du Bas-Rhin, arr. de Haguenau. 3 108 hab. Raffinerie de pétrole.

HERS [ɛʀs]. *n. m.* ♦ Nom de deux riv. de l'Aquitaine. L'*Hers-Mort* est un affl. de la Garonne* (90 km). L'*Hers-Vif* se jette dans l'Ariège* (120 km).

HERSCHEL. ♦ Famille d'astronomes anglais d'origine allemande. ♦ *Sir* WILLIAM (Hanovre, 1738 – Slough, Buckinghamshire, 1822). Constructeur de ses télescopes, il entreprit l'observation systématique des étoiles doubles; au cours de ses recherches, il découvrit la planète Uranus [1781] **V. Bessel)**, mit en évidence le déplacement du système solaire vers l'apex dont il donna les coordonnées [1783] **(V. Airy)**, découvrit deux satellites d'Uranus (Titania et Obéron, 1787) et deux satellites de Saturne (Encelade et Mimas, 1789). Le premier à entreprendre une étude systématique de la répartition des étoiles, il conçut une méthode d'estimation des magnitudes à l'œil, par comparaison des éclats de deux étoiles

Ph. Nimatallah/Ricciarini

F. de Herrera, dit **le Vieux :** « Apothéose de saint Herménégilde ». (Musée du Prado, Madrid.)

observées simultanément; il découvrit le rayonnement infrarouge (1801) et établit l'existence des systèmes binaires [1803] **(V. Struve).** [Acad. sc., 1789.] ♦ *Sir* JOHN (Slough, Buckinghamshire, 1792 – Collingwood, Kent, 1871), fils de sir William. Auteur d'importantes recherches sur les nébuleuses et les étoiles doubles, il perfectionna les méthodes d'estimation des magnitudes stellaires conçues par son père; on lui doit la première échelle photométrique stellaire [1836]. (Acad. sc., 1855.)

HERSEAUX, en néerl. **Herzeeuw**. ♦ Comm. de Belgique (Hainaut, arr. de Mouscron). 7 400 hab. Indus. chimiques (produits pharmaceutiques) et textiles. Imprimerie.

HERSELT. ♦ Comm. de Belgique (Anvers, arr. de Turnhout), à 9 km d'Aarschot. 7 200 hab. Cultures maraîchères.

HERSERANGE. ♦ Comm. de Meurthe-et-Moselle, arr. de Briey. 7 044 hab. – Extraction de fer. Centrale thermique.

HERSFELD ou **BAD HERSFELD**. ♦ V. et station thermale d'Allemagne occidentale (Hesse), sur la r. g. de la Fulda. 25 000 hab. Ruines d'une collégiale romane *(Stiftskirche)* des XIe-XIIe s., où se tient chaque été un festival d'art dramatique. – Indus. textile.

HERSHEY (Alfred). ♦ Biologiste américain (Owosso, Michigan, 1908). Il partagea le prix Nobel de médecine (1969) avec M. Delbruck* et S. Luria*.

HERSKOVITS (Melville Jean). ♦ Anthropologue américain (1895). Ses travaux concernent l'anthropologie physique et culturelle. (*Man and his Work*, 1948; tr. fr. *Les Bases de l'anthropologie culturelle*, 1952.)

HERSTAL. ♦ Comm. de Belgique (prov. et arr. de Liège) sur la Meuse. 29 800 hab. Éléments de combustible nucléaire. Armureries. Montage automobile. Indus. électrique. ♦ *Hist.* La ville donna son nom au maire du palais, Pépin* le Jeune, dit *de Herstal* ou *d'Héristal*, père de Charles Martel, aïeul de Pépin le Bref. Possession de la maison de Nassau (1444), le domaine d'Herstal dépendit du roi de Prusse en 1713 et fut acquis par le chapitre de Liège (1740).

HERSTMONCEUX ou **HURSTMONCEUX**. ♦ Château de Grande-Bretagne (Sussex) où fut transféré en 1948 l'observatoire de Greenwich*.

HERS-VIF *(l'). n. m.* ♦ Riv. de France (120 km), dans les Pyrénées ariégeoises, qui arrose Mirepoix* et Mazères. Il se jette dans l'Ariège* près de Cintegabelle.

HERTEL (Rodolphe DUBÉ, dit **François)**. ♦ Écrivain canadien d'expression française (Rivière-Ouelle, 1905). Jésuite, il fut professeur de lettres et de philosophie. Comme écrivain, il toucha à tous les genres : *Leur inquiétude* (1936) expose l'angoisse de ses contemporains; avec *Pour un ordre personnaliste* (1942) et *Nous ferons l'avenir* (1945), il exprime son dégoût du régionalisme et son aspiration à une culture universelle. On lui doit des romans : *Le Beau Risque* (1939), *Anatole Laplante, curieux homme* (1944). Une crise morale, qu'il analysa dans *Un Canadien errant* (1953), le poussa à abandonner l'état ecclésiastique et il se fixa à Paris de 1949 à 1967. Son œuvre poétique, où l'on sent parfois l'influence de François Villon, est abondante : *Les Voix de mon rêve* (1934); *Strophes et Catastrophes* (1943); *Cosmos* (1945). Les poèmes écrits en France, *Quatorze* (1948), *Mes naufrages* (1951), *Jeux de mer et de soleil* (1951), *Poèmes européens* (1961), sont souvent empreints de la nostalgie de l'exilé. François Hertel est aussi l'auteur d'essais : *Méditations philosophiques* (1963), *Vers une sagesse* (1965).

HERTEN. ♦ V. d'Allemagne occidentale (Rhénanie du Nord-Westphalie), dans la Ruhr*. 52 300 hab. – Centre minier.

HERTFORD. ♦ V. de Grande-Bretagne, à 40 km au N. de Londres. Ch.-l. du Hertfordshire*, sur la Lea. 18 700 hab. Centre commercial. – Château où Jean le Bon fut emprisonné en 1359.

HERTFORDSHIRE, abrév. **Herts**. ♦ Comté de Grande-Bretagne, au N. de Londres, bordé au N. par le Cambridgeshire, au N.-O. par le Bedfordshire, au S. par le Greater London et à l'E. par l'Essex. 1 634 km². 860 060 hab. *Ch.-l.* Hertford*. L'Hertfordshire appartient géologiquement au bassin londonien et s'étend sur une partie des *Chiltern Hills*. La région est grande productrice de céréales. – Patrie de Cecil Rhodes*.

HERTOGENBOSCH ('s). ♦ **V.** BOIS-LE-DUC (Pays-Bas).

HERTWIG (Oscar). ♦ Biologiste allemand (Friedberg, Hesse, 1849 – Berlin, 1922). Il a étudié le mécanisme de la division cellulaire et montré que la fécondation résulte de l'union de deux noyaux des gamètes mâle et femelle. ♦ RICHARD HERTWIG, son frère. Biologiste (Friedberg, 1850 – Schlederloh, près de Munich, 1937). Ses recherches portèrent principalement sur la cytologie des protozoaires.

HERTZ (Heinrich). ♦ Physicien allemand (Hambourg, 1857 – Bonn, 1894). Après avoir conçu son résonateur et son oscillateur **(V. Branly)**, il découvrit les ondes électromagnétiques qui portent son nom et montra qu'elles suivent les mêmes lois que la lumière [1888]; il découvrit en outre l'effet photo-électrique [1887] **(V. P. Lenard)**, établissant un nouveau lien entre l'optique et l'électricité. Ses découvertes confirmèrent définitivement la théorie de Maxwell*.

HERTZ (Gustav). ♦ Physicien allemand (Hambourg, 1887 – 1975), neveu de H. Hertz. Auteur de recherches de physique atomique, avec J. Franck*, il réalisa en 1913 une expérience de bombardement d'atomes d'une vapeur par des électrons d'énergie réglable, prouvant directement que l'énergie ne peut être absorbée

Ph. Harlingue-Viollet

É. Herriot.

que par quantités discrètes et que chaque perte d'une de ces quantités Δ E s'accompagne d'une émission d'une radiation de fréquence déterminée $\nu = \Delta E/h$ [confirmation de la théorie de Bohr*]. (Prix Nobel de phys., 1925.)

HERTZSPRUNG (Ejnar). ♦ Astronome danois (Fredericksberg, près de Copenhague, 1873 – 1967). Il découvrit l'existence de deux types d'étoiles de luminosités très différentes qu'il nomma « géantes » et « naines » (1905, 1907); spécialiste d'astronomie stellaire, il s'intéressa notamment aux étoiles doubles, aux étoiles variables à éclipses, aux céphéïdes dont il découvrit la nature supergéante en même temps que H.N. Russell* (1913). ♦ *Diagramme de Hertzsprung-Russell.* **V. Russell.**

HÉRULES. *n. m. pl.* ♦ Peuple germanique originaire de Scandinavie établi v. 250 à l'embouchure du Rhin et sur les bords de la mer Noire. Les *Hérules* des bords de la mer Noire furent soumis au IVe s. par les Ostrogoths, puis par les Huns*. Après la mort d'Attila (453), ils fondèrent un empire sur le Bas-Danube puis, sous Odoacre*, conquirent l'Italie et mirent fin à l'empire d'Occident (476). Vaincus par Théodoric* le Grand, chassés d'Italie (493), ils ne jouèrent plus de rôle important.

HERVÉ (Florimond RONGÉ, dit). ♦ Compositeur français (Houdain, 1825 – Paris, 1892). Une fantaisie malicieuse et débridée caractérise ses opérettes dont plusieurs furent longtemps populaires : *L'Œil crevé* (1867), *Le Petit Faust* (1869), *Mam'zelle Nitouche* (1883).

HERVIEU (Paul). ♦ Auteur dramatique et écrivain français (Neuilly-sur-Seine, 1857 – Paris, 1915). Peintre impitoyable des gens du monde, il écrivit des études de mœurs pessimistes et sévères, comme *Peints par eux-mêmes* (1893), avant de manifester au théâtre son tempérament de moraliste dans des drames du couple et de la famille qui abordent, avec une grande sobriété de moyens, des problèmes sociaux (*Les Tenailles*, 1895; *La Loi de l'homme*, 1897) ou des problèmes passionnels (*L'Énigme*, 1901; *La Course du flambeau*, 1901). [Acad. fr.].

HERWEGH (Georg). ♦ Poète allemand (Stuttgart, 1817 – Baden-Baden, 1875). La poésie fut pour lui une arme politique, révolutionnaire, un appel à la liberté dont il chanta les héros (Winkelried, Hutten). Réfugié en Suisse (1839), il y commença la publication des *Poésies d'un vivant* (*Gedichte eines Lebendigen*, 1841-1844) qui connurent un grand succès en Allemagne où il revint en 1842. À nouveau exilé à Paris, il y contacta Marx et A. Ruge, et lors de la révolution démocratique de 1848 dirigea en Souabe un corps franc qui fut battu. Installé en Suisse, il continua à écrire et donna en particulier son *Chant de la Confédération générale des travailleurs* (*Bundeslied des allgemeinen Arbeitervereins*, 1863, **V. Lassalle**) qui appelle les travailleurs à la grève générale.

HÉRY. ♦ Comm. de l'Yonne (arr. d'Auxerre), en bordure de la forêt d'Othe*. 1 401 hab. Église de la fin du XVIe s. Importante usine de détonateurs.

HERZBERG (Gerhard). ♦ Physicien canadien d'orig. allemande (Hambourg, 1904). Auteur de recherches sur les méthodes d'analyse spectroscopique permettant de déterminer la structure électronique et la géométrie de nombreuses molécules dont les radicaux libres. Ses travaux ont notamment permis de mieux connaître l'atmosphère des planètes et des comètes, ainsi que l'espace interplanétaire. (Prix Nobel de chimie, 1971.)

HERZÉGOVINE. *n. f.* ♦ Région de la Yougoslavie occidentale, au S. de la Bosnie* avec laquelle elle forme une des six républi-

Ph. Giraudon

Hésiode. (Musée du Capitole, Rome.)

ques de la Fédération yougoslave. Elle présente un relief de plateaux calcaires, de « poljès » karstiques et de plaine. On y pratique l'élevage ovin. *V. princ.* Mostar*. – **V. Bosnie-Herzégovine.** ♦ *Hist.* La province fut incluse dans l'Empire ottoman en 1482. Elle fut cédée aux Habsbourg en 1718 et son histoire se confond dès lors avec celle de la Bosnie.

HERZEN (Alexandre Ivanovitch), en russe **Ghertsen**. ♦ Philosophe, critique littéraire et écrivain russe (Moscou, 1812 – Paris, 1870). Parti de l'idéalisme hégélien, il se tourna vers le matérialisme et fut en Russie un des représentants de la « gauche hégélienne ». Exilé en raison de ses positions politiques, il fit paraître une revue antitsariste, *l'Étoile polaire*, puis *la Cloche* (revue politique et littéraire). Il expose dans ses œuvres un socialisme utopique à tendance slavophile (*Sur le développement des idées révolutionnaires en Russie*, 1851; *Le Peuple russe et le Socialisme*, 1855). Il est également l'auteur d'œuvres littéraires à caractère politique (un roman : *Qui est coupable?*; des *Lettres de France et d'Italie*, sur 1848).

HERZL (Theodor). ♦ Écrivain juif hongrois (Budapest, 1860 – Edlach, Autriche, 1904). Correspondant du plus important quotidien viennois *(Neue Freie Presse)* à Paris, il assista à la vague d'antisémitisme suscitée par le procès du capitaine Dreyfus. Cette expérience le persuada de l'impossibilité d'une réelle assimilation des juifs. Afin d'apporter « une solution moderne à la question juive », il publia *L'État juif* (*Der Judenstaat, Versuch einer modernen Lösung der Judenfrage*, 1896). Il n'était pas le premier à affirmer l'existence d'une nation juive et la nécessité pour celle-ci de retrouver une patrie, mais il fut le fondateur du sionisme*, dont il réunit le premier congrès à Bâle (août 1897). Ce congrès constitua l'Organisation sioniste mondiale, qu'il présida jusqu'à sa mort. Malgré le peu d'enthousiasme qu'il rencontra chez ses coreligionnaires, il multiplia les démarches diplomatiques pour obtenir l'appui officiel nécessaire à l'établissement d'un foyer national juif en Palestine. Ainsi, Herzl rencontra, mais sans résultat probant, le sultan Abdül-Hamid (la Palestine était sous domination ottomane), puis le kaiser Guillaume II. Peu après le pogrom de Kichinev, Herzl, indécis sur la localisation du futur État juif, proposa, à l'instigation de la Grande-Bretagne, d'affecter l'Ouganda aux juifs; mais cette solution fut rejetée par le VIe congrès sioniste (1903). Fondateur du sionisme, Herzl, qui avait encore publié un roman d'anticipation sur la vie en Palestine, *Terre ancienne-Terre nouvelle* (*Altneuland*, 1902), peut être considéré comme le promoteur de l'État d'Israël*.

HERZLIA (de *Théodore Herzl**). ♦ V. de l'État d'Israël, située au N. de Tel-Aviv, à proximité de la mer, dans la plaine de Saron*. 38 200 hab. (1969). Fondée en 1924, la ville est devenue un centre intellectuel (indus. cinématographique) et une station balnéaire.

HERZOG (Maurice). ♦ Alpiniste et explorateur français (Lyon, 1919). Il atteignit avec Lachenal le sommet de l'Annapūrnâ* (Himâlaya, 3 juin 1950). En 1958, il fut nommé haut-commissaire à la Jeunesse et aux Sports, et le fut jusqu'en 1966.

HESBAYE [ɛsbɛ] *n.f.*, en néerl. **Haspengouw**. ♦ Région naturelle de Belgique (N.-E.). Plateau peu élevé (150-200 m), limité au N. par la Campine*, au S. par la Meuse*, entre Nivelles* et Liège*. Région très urbanisée, à l'agriculture intensive sur des sols limoneux : céréales, betteraves sucrières, plantes fourragères, bétail. La Hesbaye du N., moins limoneuse, se consacre aux arbres fruitiers. Au delà de la Gette, à l'O., la Hesbaye est une région d'herbages et de bois.

HESDIN [edɛ̃] **(Jacquemart** *de***)**. ♦ Enlumineur français (connu de 1384 à 1410-1411). Il travailla pour le duc Jean de Berry. Il imita le graphisme de Jean Pucelle*, subit aussi l'influence italienne, notamment dans ses tentatives d'approfondissement de l'espace. Le caractère linéaire, pittoresque et anecdotique de ses œuvres, sa prédilection pour les arabesques raffinées sont caractéristiques du style gothique international. Il est l'auteur des *Très Belles Heures du duc de Berry*, v. 1402; des *Grandes Heures du duc de Berry*, v. 1409; on lui attribue aussi les *Petites Heures du duc de Berry*.

HESDIN [edɛ̃]. ♦ Ch.-l. de cant. du Pas*-de-Calais, arr. de Montreuil*, sur la Canche*. 3 249 hab. *(Hesdinois)*. – Hôtel de ville (XVIIe s.); église gothique du XVIe s. (portail Renaissance). – Distillerie; sucrerie; chaussures. – Patrie de l'abbé Prévost*. ♦ *Hist.* La ville fut fondée par Charles Quint en 1554.

HÉSIODE, en gr. **Hêsiodos**. ♦ Poète grec (Ascra, Béotie, ~ VIIIe – ~ VIIe s.). Pasteur sur les pentes de l'Hélicon*, il devint poète par une impulsion morale et didactique. Ainsi, *Les Travaux et les Jours*, contenant quelques faits autobiographiques, sont destinés à son frère prodigue Persès qui lui intenta un procès pour le spolier de sa part d'héritage. D'autre part, sa poétique est énoncée dans les préliminaires de sa *Théogonie** où les Muses renoncent à leurs « mensonges » pour le charger de dire des « vérités ». On lui attribua aussi *Le Bouclier d'Héraclès*, poème apocryphe dont les 54 premiers vers seulement seraient empruntés à un des poèmes perdus qu'on lui attribuait. Mais on a établi l'existence d'une école poétique béotienne d'où proviennent certaines de ces œuvres. – Si Hésiode imita la langue et la technique d'Homère*, sa poésie est aux antipodes de l'épopée homérique. Paysan continental à une époque où la dégradation de l'ancienne société patriarcale s'achève par la crise agraire, la migration et la royauté despotique, il se détourne avec mépris des exploits guerriers et des fictions des navigateurs, agréments d'une civilisation raffinée. Prophète de la « race de fer » qu'il fait succéder à la « race des héros », il dénonce la rapacité des rois, l'injustice et la guerre, et veut y remédier par des recommandations de piété et de rude labeur. Esprit positif, il essaie d'ordonner les mythes, l'évolution humaine et les travaux quotidiens, pour en dégager une idée morale : la supériorité de la justice sur la démesure. Son œuvre constitue un document sur les modes de production et les croyances archaïques mais aussi un témoignage précieux sur la pensée grecque à son origine. L'expression sobre et parfois prosaïque sert fidèlement son réalisme. Cette poésie, souvent empreinte d'une humeur pessimiste et maussade, est animée par un vif sentiment de la nature. Virgile* l'imita dans ses *Géorgiques**.

HÉSIONE, en gr. **Hêsionê**. ♦ Princesse légendaire de Troie*, fille de Laomédon*. Offerte en pâture à un monstre marin, pour expier le parjure de son père, elle est délivrée par Héraclès*. Comme le roi lui refuse le prix convenu, Héraclès prend la ville et donne la main d'Hésione à son compagnon Télamon*, qui a d'elle un fils, Teucer*. Hésione rachète la vie de son jeune frère Podarcès ou Priam*.

HESNARD [ɛnaʀ] **(Angelo Louis Marie)**. ♦ Psychiatre français (Pontivy, 1886). Il contribua à faire connaître en France la théorie et la méthode psychanalytiques de S. Freud et pratiqua lui-même une « psychanalyse ouverte », s'appuyant sur les recherches biologiques, psychologiques, linguistiques, etc. (*La Psychanalyse des névroses et des psychoses*, en coll. avec E. Régis*, 1912; *L'Univers morbide de la faute*; *Les Phobies et la Névrose phobique*, etc.).

HESPÉRIDES *(les)*. *n. f. pl.* ♦ « Nymphes du Couchant », au nombre de trois, qui gardaient, avec l'aide d'un dragon, le jardin des dieux, aux limites occidentales de la Terre, où poussaient les arbres donnant les célèbres *pommes d'or*. Héraclès* ravit ces fruits divins, soit seul, soit avec l'aide d'Atlas*, qu'il remplace dans sa tâche en soutenant sur ses épaules la voûte céleste.

HESPÉRIDES. *n. f. pl.* (du grec *hespera*, « couchant »). ♦ Îles mythiques que les géographes anciens situaient au large de la côte O. de l'Afrique. On a tenté de les identifier aux Canaries ou aux îles du Cap-Vert.

HESPÉRIE, en gr. **Hesperia**. ♦ Nom par lequel les Grecs désignaient l'Italie, située au couchant (*hespera* en gr.), et les Latins l'Espagne.

HESS (Moses). ♦ Écrivain politique et philosophe allemand (Bonn, 1812 – Paris, 1875). Sa *Triarchie européenne* (1841) affirme la nécessité du lien entre la philosophie allemande et le socialisme français. Il collabora avec K. Marx à la rédaction de la *Gazette rhénane* (1842) et à la *Nouvelle Gazette* à Bruxelles (1845), fut un des membres fondateurs de la ligue des communistes, mais s'en sépara en 1848. Il devint alors un précurseur du sionisme en préconisant l'implantation de colons juifs en Palestine.

HESS (Walter Rudolf). ♦ Physiologiste suisse (Frauenfeld, 1881 – 1973). Ses travaux sur le traitement des affections du système nerveux et la neurochirurgie lui valurent le prix Nobel de médecine (1949).

HESS (Victor Franz). ♦ Physicien autrichien naturalisé américain (Waldstein, Styrie, 1883 – New York, 1964). Il affirma l'origine extra-terrestre, pressentie par C.T.R. Wilson*, du rayonnement qu'il observa lors d'une série d'ascensions en ballon (1912) et qui, reconnu par tous seulement en 1926, reçut le nom de rayonnement cosmique. **V.** *aussi* **Leprince-Ringuet.** (Prix Nobel de phys., 1936.)

HESS (Rudolf). ♦ Homme politique allemand (Alexandrie, 1894). Ami de la première heure de Hitler, il fut choisi par lui comme deuxième successeur (après Goering) et devint en 1939 membre du Conseil de la défense du *Reich*. Pensant pouvoir conclure avec la Grande-Bretagne une alliance contre la Russie, il partit seul pour l'Écosse (1941), mais fut incarcéré par les Anglais. Traduit devant le tribunal de Nuremberg (1945), il fut jugé partiellement irresponsable en raison de son état mental et condamné à la prison à vie.

HESSE (Ludwig Otto). ♦ Mathématicien allemand (Königsberg, 1811 – Munich, 1874). Auteur de travaux sur la théorie des formes algébriques et celle des invariants qu'il appliqua en géométrie analytique, obtenant ainsi une présentation simple des résultats de Plücker*, il introduisit un déterminant important, le « hessien », étudia les courbes du troisième ordre et certaines singularités et rédigea deux traités de géométrie analytique (*Espace*, 1861; *Plan*, 1865). **V. Cayley.**

HESSE (Hermann). ♦ Écrivain allemand naturalisé suisse (Calw, Wurtemberg, 1877 – Montagnola, Tessin, 1962). Élevé dans un milieu de missionnaires protestants et destiné lui-même au pastorat, il se révolta dans son adolescence contre le piétisme de ses parents, s'enfuit du séminaire de Maulbronn et exerça plusieurs métiers (horloger, libraire) avant de se consacrer à la littérature. Le thème central de ses premiers romans est la solitude : solitude d'un écrivain qui, déçu par la vie parisienne et la civilisation occidentale, revient dans son village natal de Suisse et trouve, dans une communion avec la nature et une vie de charité, paix et consolation (*Peter Camenzind*, 1904, « roman de formation »), solitude de l'enfance brimée par l'autorité des parents et des maîtres (*L'Ornière*, en all. *Unterm Rad*, « Sous la roue », 1906), solitude de l'homme mal marié (*Rosshalde*, transposition symbolique de l'échec du mariage de Hesse, 1914). Esprit tourmenté, animé par une profonde nostalgie d'évasion, Hesse partit pour les Indes (1911). Tout en restant au fond de lui-même attaché au protestantisme, ce bon connaisseur des philosophies et religions de l'Inde et de la Chine vit dans l'Orient moins une réalité géographique que « patrie et jeunesse de l'âme », qu'évoqueront sa nouvelle *Siddhartha* (1922), qui s'inspire de la mythologie hindoue, et *Le Voyage en Orient* (1932). Établi en Suisse, dont il obtint la nationalité en 1923, il affirma des positions pacifistes et libérales au début des hostilités de 1914-1918; mais cette guerre et des problèmes personnels provoquèrent en lui une grave crise psychologique et morale qui l'amena à entreprendre une cure psychanalytique avec un disciple de C.G. Jung. Enrichies de cette expérience, les œuvres qu'il écrivit alors expriment les conflits, les contradictions intérieures de l'homme et tentent d'y apporter une solution : opposition et réconciliation du divin et du démoniaque dans *Demian* (histoire de la jeunesse d'E. Sinclair, 1919), de l'animalité et de la spiritualité dans l'âme de Harry Haller, héros du roman *Le Loup des steppes* (dont bien des aspects sont proches du surréalisme, 1927), de la vie contemplative et de la passion ou de l'esprit de rébellion dans *Narcisse et Goldmund* (1930). Roman d'anticipation ou utopie romantique, *Le Jeu* des perles de verre* (1943) crée, pour la dépasser, l'image d'une cité idéale où règne une aristocratie de l'esprit. Car, pour Hesse qui assista à la décadence et à l'effondrement du monde occidental et de ses valeurs, ni la civilisation technique ni une culture purement intellectuelle ne peuvent apporter une réponse satisfaisante à la quête spirituelle de l'homme dans sa réalité individuelle unique, à « la recherche d'une unité cachée de l'univers et de l'esprit humain ». Prix Nobel de littérature (1946).

HESSE. *n. f.*, en all. **Hessen.** ♦ *Land* de la République fédérale allemande, formé en 1945 par la réunion d'anciens territoires prussiens de Hesse-Nassau et du pays de Hesse proprement dit, s'étendant d'O. en E. entre le massif schisteux-rhénan et le Thüringer Wald, et du N. au S. entre la vallée du Diemel et celle du Neckar. 21 109 km². 5 218 400 hab. *Cap.* Wiesbaden*. *V. princ.* **V. Darmstadt, Francfort-sur-le-Main, Fulda, Giessen, Hanau, Hersfeld, Höchst, Kassel, Marbourg, Offenbach-sur-le-Main, Wetzlar.** – *Orogr.* La Hesse est une région composite, à la frontière de la grande plaine du Nord et du fossé rhénan, allant des contreforts occidentaux du Massif schisteux rhénan (Taunus) au *Thüringer Wald;* son relief tourmenté et complexe est caractéristique des pays de l'Allemagne moyenne. Ce relief est formé de plateaux gréseux et boisés d'où surgissent des éminences volcaniques : la Rhön* (950 m) au S.-E., le Vogelsberg* (772 m) au centre, et le relief tabulaire du Meissner* (749 m) au nord-est. Au N. de Francfort, le long du Rheingau*, s'étend le Taunus*, appartenant à l'ensemble hercynien schisteux rhénan. L'extrémité O. du Taunus, aux plateaux gréseux, correspond à la grande voie de passage du couloir de Hesse, formé d'une succession de petits bassins et dépressions (Giesen, Kassel, Marbourg), jusqu'à la Wetterau. – *Hydrogr.* Le Rhin* et ses affl. r. d. (Lahn, Main* et leurs affl.), la Weser* et ses affl. (Eder, Fulda, Schwalm). – *Écon.* La forêt couvre 40 % du territoire hessois et l'agriculture y est dans l'ensemble médiocre, sauf dans le couloir de Hesse et le long des vallées du Rhin et du Main, qui portent de belles cultures fruitières et de la vigne. Les ressources énergétiques sont assez peu nombreuses (fer du Taunus, sel et potasse de la Fulda, lignite autour de Francfort et Kassel). La zone la plus industrialisée s'étend sur l'axe Rhin-Main, de Wiesbaden à Francfort et autour de Kassel et Darmstadt. La métallurgie et les constructions mécaniques (Francfort, Kassel), la construction électrique et l'électronique (Darmstadt), la chimie (Höchst) et l'indus. textile constituent l'essentiel des activités industrielles. ♦ *Hist.* Occupée primitivement par les Chattes*, la Hesse fut envahie par les Francs dès le VIIIe s. et évangélisée (saint Boniface* y fonda le monastère de Fulda en 720). Elle appartint ensuite à la Franconie* puis à la Thuringe*, avant de devenir un margraviat indépendant sous Henri dit l'Enfant (1264). Elle connut son apogée au XVIe s., avec Philippe* Ier le Magnanime, mais fut divisée à la fin du XVIe siècle. – HESSE-KASSEL ou *Hesse électorale*. À partir du XVIIe s., cet État tira ses principales ressources de la vente des mercenaires. Frédéric de Hesse-Kassel, mari de la sœur de Charles* XII, devint roi de Suède sous le nom de Frédéric* Ier, mais laissa sa principauté à son frère, qui seconda brillamment la Prusse lors de la guerre de Sept* Ans. Les Hesse-Cassel reçurent la dignité électorale en 1803, et furent chassés par Napoléon (la Hesse fut alors incorporée dans le royaume de Westphalie et résista à l'occupation française). Ayant pris parti pour l'Autriche, la Hesse fut annexée par la Prusse (1866) et entra en 1868 dans la principauté de *Hesse-Nassau*. – HESSE-DARMSTADT. Elle fut ravagée pendant la guerre de Trente* Ans. Allié de Napoléon, membre de la Confédération* du Rhin, Louis X changea son titre de landgrave contre celui de grand-duc. Il prit ensuite parti contre la France, ce qui lui permit de conserver d'importants territoires. S'étant rangée aux côtés de l'Autriche contre la Prusse, la Hesse dut entrer dans la Confédération* d'Allemagne du Nord. Elle adopta une constitution démocratique en 1919. – HESSE-HOMBOURG. Issue de la Hesse-Darmstadt en 1624, elle comprenait Hombourg et Meissen et fut annexée par la Hesse-Darmstadt en 1806, puis par la Prusse en 1866. – HESSE-NASSAU. Province créée en 1868 par la réunion de la Hesse-Kassel, de la Hesse-Hombourg, et Nassau et de Francfort-sur-le-Main.

Ph. Lauros-Giraudon

Hesse : le château de Johannisberg.

HESTIA. ♦ Déesse grecque du foyer, fille aînée de Cronos* et de Rhéa*, identifiée avec la *Vesta* des Romains. Vierge, impassible et immuable, elle incarnait la stabilité religieuse et sociale, la continuité de la civilisation.

HETTANGE-GRANDE. ♦ Comm. de la Moselle, arr. de Thionville-Est. 5 399 hab. – Mines de fer; hauts fourneaux.

HEULE. *n. f.* ♦ Riv. de Belgique, affl. de la Lys; elle arrose la ville de Heule.

HEULE. ♦ Comm. de Belgique (Flandre-Occidentale, arr. de Courtrai) sur la Heule. 9 101 hab. – Église du XVIe siècle. – Marché agricole. Indus. textile. Patrie de Stijn Streuvels*.

HEURES. *n. f. pl.*, en gr. **Hôrai.** ♦ Divinités de l'ordre dans la société et, selon la tradition la plus connue, de l'ordre dans la nature, représentant les saisons ou le cycle de la végétation. Ce sont trois filles de Zeus* et de Thémis*, nommées *Eunomia* (l'Ordre des bonnes lois), *Diké* (la Justice) et *Eirénè* (la Paix) ou, chez les Athéniens, Thallô, Auxô et Carpô (noms dérivés d'abstractions : la poussée, la croissance, la fructification). Elles figurent parmi les compagnes de Dionysos, d'Aphrodite et des Muses et, parfois, comme servantes d'Héra ou d'Hélios. Dans la tradition tardive, elles sont associées aux heures du jour et leur nombre est porté à douze.

Heures de Rohan *(Maître des)*. ♦ On désigne sous ce nom l'auteur des soixante-cinq enluminures du manuscrit dit des *Grandes Heures de Rohan* (v. 1420), où s'affirme un talent original. Cet artiste, probablement d'origine flamande, semble s'être formé dans les ateliers parisiens. Peu préoccupé par les recherches figuratives contemporaines (qui visaient à la représentation illusionniste du réel), il resta attaché au mode de présentation médiéval, soumettant tous les éléments de la composition, et même les formes, où un souci réaliste de tendance macabre apparaît, à une volonté expressive tragique et profondément mystique. La prépondérance de l'élément graphique le rattache au gothique international, mais la tension dramatique qui s'en dégage l'éloigne de l'idéalisme courtois dont ce style était le véhicule privilégié.

HEUSDEN. ♦ Comm. de Belgique (Limbourg, arr. de Hasselt). 12 000 hab. Élevage de bétail. Matériaux de construction. Commerce du bois.

HEUSDEN. ♦ Comm. de Belgique (Flandre-Orientale, arr. de Gand) sur l'Escault, 5 900 hab. Abbaye cistercienne. – Indus. textiles.

HEUSS (Theodor). ♦ Homme politique allemand (Brackhenheim, Wurtemberg, 1884 – Stuttgart, 1963). Rédacteur de la revue libérale *Die Hilfe* (1905 à 1912), il fut, à partir de 1924, deux fois représentant du Parti démocrate au Reichstag. Après la guerre, il prit la tête de la *Freie Demokratische Partei* (F.D.P.) et fut le premier président de la R.F.A. (1949-1959).

HEUSY. ♦ Comm. de Belgique (Liège, arr. de Verviers). 5 400 hab. Indus. textiles (laine).

HEUYER (Georges). ♦ Médecin français (Pacy-sur-Eure, 1884). Auteur d'un ouvrage sur la narco-analyse, il s'est surtout préoccupé de médecine sociale (enfance abandonnée, délinquante, orientation professionnelle). [Acad. méd., 1917.]

HÈVE *(cap de la).* ♦ Cap crayeux sur la Manche au N. de l'estuaire de la Seine. 105 m d'altitude.

HEVERLEE. ♦ Comm. de Belgique dans la banlieue S. de Louvain, à la frontière linguistique. 17 300 hab. – Château d'Arenberg (reconstruit en 1550 sur l'emplacement du château des sires d'Heverlee), où fut reçu Voltaire. Annexe de l'université de Louvain. – Cultures maraîchères.

HEVESY DE HEVES (Georg). ♦ Chimiste suédois d'origine hongroise (Budapest, 1885 – [mort] 1966). Promoteur de l'emploi comme traceurs des isotopes radioactifs dès leur découverte [1913] **(V. Soddy, Paneth),** notamment en biologie, il étudia les méthodes de séparation des isotopes; il isola l'hafnium (avec D. Coster*, 1923) et montra que le samarium est radioactif [1932] **(V. Lecoq de Boisbaudran)**; en analyse chimique des minéraux, il conçut une méthode de recherche rapide des éléments par spectroscopie de fluorescence des rayons X [1932]. (Prix Nobel de chimie, 1943.)

HEYDUK (Adolf). ♦ Poète tchèque (près de Skuteč, 1835 – Pisek, 1923). Ami de Jan Neruda*, il fut un auteur fécond et chanta sans prétention l'amour, la nature et la liberté, dans des recueils inspirés de la poésie populaire : *Poésies* (1859-1865), *Chansons* (1884), *Ritournelles* (1902).

HEYM (Georg). ♦ Poète lyrique allemand (1887 – 1912). Tout en étant écrits dans une forme rigoureuse qui doit beaucoup à S. George, ses poèmes évoquent un univers cauchemardesque de violence, de souffrance, de mort, par quoi ils se rattachent au mouvement expressionniste (*Le Jour éternel,* 1911; *Le Voleur,* 1912, nouvelles ou poèmes en prose; *Umbra vitae,* recueil de vers posthume).

HEYMANS (Gerardus). ♦ Philosophe et psychologue hollandais (1857 – 1930). Utilisant la méthode des questionnaires, il établit (avec Wiersma) une classification des caractères qui repose sur la distinction de trois facteurs psychiques : émotivité, activité, primarité (ou secondarité). La combinaison de ces facteurs donne huit types psychologiques (amorphe [n-E,n-A,P], apathique [n-E,n-A,S], sanguin [n-E,A,P], flegmatique [n-E,A,S], nerveux [E,n-A,P], sentimental [E,n-A,S], colérique [E,A,P], passionné [E,A,S]). Cette classification fut reprise en France par G. Berger*, Le Senne.

HEYMANS (Cornelius Jean François). ♦ Médecin et pharmacologue belge (Gand, 1892 –). Ses travaux sur le métabolisme des fonctions respiratoires et circulatoires lui ont permis de mettre en évidence le rôle des sinus et de l'aorte dans la régulation de la respiration. (Prix Nobel de méd., 1938.)

HEYROVSKÝ (Jaroslav). ♦ Chimiste tchèque (Prague, 1890 – *id.,* 1967). Auteur de recherches sur l'électrode à goutte, il mit au point la polarographie, nouvelle méthode instrumentale d'analyse chimique applicable dans le cas d'ions minéraux faiblement concentrés et pour des groupes organiques facilement réductibles. (Prix Nobel de chimie, 1959.)

Ph. Ostuni/Ricciarini

Ruines d'**Hiérapolis.**

HEYSE (Paul Johann Ludwig *von*). ♦ Écrivain allemand (Berlin, 1830 – Munich, 1914). Auteur fécond qui s'est essayé dans les genres littéraires les plus variés : tragédies à caractère historique, poèmes, romans, il a surtout réussi dans la nouvelle (*Arrabiata,* 1854), « récit aimable, qui fuit l'analyse et la subtilité, genre libertin et sceptique destiné à distraire une société oisive » (C. David). Auteur de traductions de poètes italiens (en particulier Leopardi), il obtint le prix Nobel de littérature (1910).

HEYTING (Arnold). ♦ Logicien néerlandais (Amsterdam, 1898). Sa logique « intuitionniste » est une tentative de formalisation des règles du raisonnement admises comme valables par le mathématicien Brouwer*, qui refusait d'assimiler les mathématiques à la logique. Cette logique est dite « affaiblie » dans la mesure où elle abandonne certains axiomes du calcul logique classique. *Les Fondements des mathématiques,* 1935; *Intuitionnisme, une introduction,* 1956.

HEYWOOD (Thomas). ♦ Auteur dramatique anglais (v. 1570 – Londres, 1641). Acteur de la troupe de Henslowe, il écrivit plus de 200 pièces dont une trentaine seulement nous sont connues, parmi lesquelles : *Une femme tuée par la douceur* (*A Woman Killed with kindness,* 1603 ?), sorte de drame larmoyant. Il collabora avec Rowley.

HI... [chinois]. ♦ **V.** Hsi...

HIA... [chinois]. ♦ **V.** Hsia...

HICKS (John Richard). ♦ Économiste britannique (1904). Il est l'auteur d'importants travaux qui ont contribué à renouveler la théorie de la valeur et des prix, l'analyse mathématique des fluctuations économiques et de leur amplitude (*Valeur et Capital,* 1934-1938; *Contributions à la théorie du cycle des affaires,* 1956).

HIDALGO. *n. m.* ♦ État du Mexique central, situé sur les hauts plateaux en bordure de la sierra Madre* orientale. 20 987 km². 1 218 000 hab. (1967). *Cap.* Pachuca* de Soto. – Importants gisements miniers (or, argent, cuivre, plomb, antimoine, mercure...). – Site toltèque de Tula*.

HIDALGO Y COSTILLA (Miguel). ♦ Prêtre mexicain (Corralejos, 1753 – Chihuahua, 1811). En 1810, il proclama l'indépendance de sa patrie, prit les armes et marcha sur Mexico. Arrêté, il fut fusillé en 1811. Ce fut le point de départ d'une révolution nationale et sociale **(V. Morelos y Pavón).**

HIDDEN PEAK. ♦ Sommet de l'Himâlaya, dans le Karakoram. 8 068 m. Objectif de la première grande expédition française dirigée par Henry de Ségogne, en 1936.

HIDEYOSHI. ♦ Homme de guerre et d'État japonais (Nakamura, 1536 – Fushimi, 1598). Né dans une famille pauvre de la province de Owari, dans l'est du Japon, il fit ses premières armes sous des noms différents avant de se mettre au service d'Oda* Nobunaga dont il devint l'un des meilleurs généraux. Ce n'est qu'en 1562 qu'il prit le nom de Hideyoshi. Il conquit pour le compte de Nobunaga un grand nombre de fiefs et de châteaux et à la mort de son maître (1582) il prit la succession de celui-ci, s'alliant avec un autre général de Nobunaga, Tokugawa* Ieyasu, après s'être un temps opposé à lui. Devenu tout puissant, il obligea ses vassaux à lui élever le gigantesque château d'Ôsaka*. L'empereur le nomma *Kanpaku* (régent) et lui octroya le patronyme de Toyotomi. Il continua néanmoins ses conquêtes, afin d'unifier le Japon et de pacifier le peuple. Son but presque atteint (il n'osait pas encore s'opposer à Ieyasu qui possédait d'immenses fiefs dans le Nord-Est, ni aux puissants Daimyô de Kyûshû), il conçut le désir insensé de conquérir la Chine. Pour ce faire, dès 1592, il envahit la Corée qui montra peu de résistance. Mais les Chinois, outrés de la prétention de Hideyoshi, envoyèrent des troupes qui repoussèrent bientôt les Japonais, malgré l'héroïsme de ceux-ci. Hideyoshi, qui montrait des signes de dérangement mental, s'éteignit alors que ses troupes se voyaient obligées de quitter la Corée, en 1598. Deux ans après, Tokugawa* Ieyasu, nommé tuteur du fils de Hideyoshi, le jeune Hideyori, ayant vaincu ses rivaux à Sekigahara, devenait le maître incontesté du Japon et terminait l'unification du pays, fondant à Edo* son *Bakufu.*

HIEI-ZAN. *n. m.* ♦ « Montagne froide » sacrée du Japon (830 m), située au N.-E. de Kyôto. Un grand monastère bouddhique y fut érigé en 806 par le religieux bouddhiste Dengyô*-daishi (Saichô) à son retour de Chine. Ce monastère abrita bientôt quelque 3 000 moines turbulents qui provoquaient sans cesse des troubles. Ne pouvant en avoir raison politiquement, Oda* Nobunaga, en 1571, détruisit les temples et massacra tous les moines qui s'y trouvaient. Quelques bâtiments furent par la suite reconstruits, mais la montagne sacrée ne recouvrit jamais sa prospérité. Elle demeure cependant un des hauts lieux du Japon et est encore très vénérée.

HIÉRAPOLIS. ♦ Anc. V. d'Asie Mineure (Phrygie) près de Laodicée*. Fondée par Eumène* II (~ IIᵉ s.), elle passa aux Romains (~ 133). Détruite par un tremblement de terre et reconstruite, elle fut très prospère aux IIᵉ et IIIᵉ siècles. Saint Philippe* (l'apôtre) y fut crucifié v. 80. Importants vestiges romains et byzantins à l'actuelle *Pamukkale,* centre touristique fameux pour la beauté de son paysage et pour ses cascades.

HIÉROCLES, en gr. **Hieroklês.** ♦ Philosophe grec néo-platonicien (Alexandrie, vᵉ s.). Après avoir étudié à Athènes, il fut persécuté à Constantinople pour son attachement au paganisme. Il enseigna à Alexandrie et écrivit des *Commentaires sur les Vers*

Ph. Hétier

Highlands.

dorés de Pythagore et un *Traité sur la Providence et le Destin.*

HIÉRON Ier. ♦ (mort v. ~ 466). Tyran de Syracuse* (~ 478-~ 466), frère et successeur de Gélon*. Il étendit sa domination sur toute la Sicile et battit les Étrusques à Cumes. Grand mécène, il rassembla à sa cour les coryphées des lettres grecques (Eschyle, Pindare, Simonide, Bacchylide).

HIÉRON II, dit le Jeune. ♦ (v. ~ 306 – ~ 215). Roi de Syracuse*. Stratège vainqueur des Mamertins (~ 269), il fut proclamé roi en ~ 265. Allié des Carthaginois pendant la première guerre Punique, assiégé dans Syracuse, il fit la paix avec les Romains et assura une grande prospérité à sa patrie entre les deux premières guerres Puniques (~ 241-~ 218). Archimède*, parent de Hiéron, contribua à la fortification de la ville et à sa défense, pendant 4 ans, lors du deuxième siège romain.

HIERS-BROUAGE. ♦ V. BROUAGE.

HIGASHI-ÔSAKA (« Ôsaka de l'Est »). ♦ V. du Japon et quartier industriel de la V. d'Ôsaka*. 468 000 habitants.

HIGHLANDS. *n. f. pl.*, en fr. « Hautes Terres ». ♦ Régions montagneuses occupant, au N. des *Lowlands**, toute la partie septentrionale de l'Écosse. On y distingue deux grands ensembles. Au S., les monts Grampians*, entre les Lowlands et la dépression du *Glen* More*, au delà duquel s'étendent, au N., les 2 chaînes parallèles des *North West Highlands* (à l'intérieur) et des *monts de Ross* (à l'extérieur) formant le bloc des *Highlands du Nord.* La *presqu'île de Kintyre** au S., les *Hébrides** à l'O., les *Orcades** et les *Shetland** au N., appartiennent géographiquement à l'ensemble des Highlands, contrairement aux *Southern* Uplands* (parfois improprement appelées Highlands du Sud). Le relief des Highlands présente un caractère glaciaire nettement accusé : étroites vallées ou *glens*, dont le plus connu est le Glen More, lacs intérieurs remplis d'eau douce (**V.** lochs **Lomond, Ness, Tay** [dans les Grampians], lochs **Maree** et **Shin** [dans les Highlands du Nord]) ou fjords étroits s'ouvrant dans la mer (Dornoch firth, loch Linghe et Moray firth, aux deux extrémités du Glen More). Les Highlands sont entaillées par les vallées de nombreux cours d'eau dont les plus importants sont le Tay*, la Dee* et le Spey. Le *Ben* Nevis* (Grampians) est le point culminant des Highlands et de la Grande-Bretagne (1 343 m). Le *Ben Wyvis* (1 045 m), le *Sgurr Mor* (1 109 m) et le *Mam Sedhail* (1 182 m) sont les plus hauts sommets des Highlands du Nord. La région des Highlands est la plus déshéritée d'Écosse. L'économie est essentiellement pastorale et repose sur l'élevage ovin et bovin, la sylviculture, la polyculture vivrière et les plantes fourragères. La chasse et la pêche (saumon, truite) constituent des revenus importants. La beauté des paysages, le maintien des traditions font des Highlands la grande région touristique de l'Écosse.

HIGHTOWER (Rosella). ♦ Danseuse américaine d'origine indienne (Ardmore, Oklahoma, 1920). Elle appartint à diverses troupes (Ballet russe de Monte-Carlo, Ballet Théâtre, Ballet Markova-Dolin), avant de se joindre à la compagnie du Grand Ballet du marquis de Cuevas où elle connut une gloire internationale, en qualité de danseuse étoile. Ses interprétations *(Le Cygne noir, Giselle, Le Lac des Cygnes, Rondo Cappricioso, Les Sylphides)* ont mis en valeur sa technique et le brio de son jeu.

HIGH WYCOMBE. ♦ V. d'Angleterre centrale (Buckinghamshire), au pied des *Chiltern Hills.* 56 980 hab. (1966). Produits alimentaires et petites indus. mécaniques.

HIJÂZ. ♦ V. HEDJAZ.

Hikayat. *n. m.* ♦ Roman ou geste épique, ou récit de voyages fantastiques ou allégoriques. Ce genre illustra, à partir du XIVe s. et jusqu'au XIXe s., les littératures malaise et indonésienne. Certains des plus célèbres hikayat ne furent composés que très tardivement, se fondant sur des récits ou des légendes anciennes. Les plus connus sont : le *Hikayat Abdullâh,* le *Hikayat Amîr Hamzah,* le *Hikayat Salasilah Perak.* De valeur littéraire inégale, ces *Hikayat* n'ont parfois qu'une valeur historique douteuse.

HIKMET (Nazim). ♦ **V.** NAZIM HIKMET.

HIKONE. ♦ Ville du Japon (île de Honshû, préfecture de Shiga, sur les bords du lac Biwa*). 60 000 hab. Centre industriel important (textiles et métallurgie). Vestiges d'un grand château élevé en 1604 et défendant le N.-E. de Kyôto.

HILAIRE *(saint).* ♦ Père et docteur de l'Église latine (Poitiers, v. 315 – v. 367). Évêque de Poitiers v. 350, il lutta contre l'arianisme*, ce qui le fit exiler en Phrygie (356-360). Princ. œuv. : *Sur la Trinité* (12 livres), *Traité des mystères,* des hymnes. Fête le 14 janvier.

HILAIRE *(saint).* ♦ 46e pape (416-468 [mort]), Sarde. Il institua des conciles gaulois annuels sous la direction de l'archevêque d'Arles (origine du primat des Gaules). Fête le 28 février.

HILÂL (Banû) ou **HILALIENS.** *n. m. pl.* ♦ Tribu arabe établie à l'origine au S. de l'Arabie, puis en Égypte, et qui fut envoyée par le calife fâtimide al Mustansîr (IXe s.) pour envahir la partie orientale de l'Afrique du N. où les dirigeants zirides* se libérèrent de sa tutelle et réinstaurèrent le sunnisme*. La tradition historique arabe impute à cette tribu nombre de massacres et de destructions. Cette expédition inspira de nombreux poèmes et romans chevaleresques.

HILARION *(saint).* ♦ Selon saint Jérôme, ermite (près de Gaza, 290 – 371), disciple de saint Antoine et fondateur des premiers monastères palestiniens. Fête le 21 octobre.

HILBERT (David). ♦ Mathématicien allemand (Königsberg, 1862 – Göttingen, 1943). Dans un mémoire capital publié en 1890, il énonça les lois fondamentales de la théorie des invariants **(V. Kronecker)** et jeta les bases de la théorie des idéaux de polynômes dont le rôle est essentiel en géométrie algébrique et en algèbre moderne ; auteur d'un important rapport sur la théorie des corps de nombres algébriques [1897] **(V. Kummer),** il présenta dans ses *Grundlagen der Geometrie* (1899) une synthèse des résultats antérieurs et ses propres recherches sur les fondements de la géométrie, posant le problème de l'axiomatisation rigoureuse **(V. Bourbaki)** ; il compléta la démonstration de Riemann* concernant le problème de Dirichlet* (1900), donna la solution au problème posé par Waring* cent cinquante ans auparavant (1910) et donna les bases de la théorie spectrale des opérateurs hermitiens.

HILBERT (Jaroslav). ♦ Auteur dramatique tchèque (Louny, 1871 – Prague, 1936). Il donna un nouvel essor au théâtre tchèque avec des pièces telles que *La Faute* (1896), drame où une femme est détruite par un homme brutal, *Le Poing* (1898), sur le problème de la foi, *Falkenštein,* tragédie historique, et *Un nid sous l'orage* (1916) qui évoque les milieux bourgeois.

HILDEBERT DE LAVARDIN. ♦ (Lavardin, près du Mans, 1056 – Tours, 1133). Évêque du Mans (1096), archevêque de Tours (1125), auteur de sermons, de vies de saints, de poèmes : *Physiologus,* bestiaire symbolique ; *Lamentatio peccatricis animae ; Par tibi Roma* et *Dum simulachra mihi,* panégyrique de Rome, païenne et chrétienne.

HILDEBRAND. ♦ V. GRÉGOIRE VII.

HILDEBRAND (Bruno). ♦ Économiste et statisticien allemand (Naumburg an der Saale, 1812 – Iéna, 1878). Fondateur des *Jahrbücher für Nationalökonomie und Statistik* (1863), il fut un des représentants de l'école historique allemande qui s'est efforcée d'établir une science économique à partir d'une étude des faits historiques, de l'évolution des institutions (*L'Économie politique du présent et de l'avenir,* 1848). **V. Knies, Roscher, Schmoller...**

HILDEBRAND (Adolf *von***).** ♦ Sculpteur allemand (Marbourg, 1847 – Munich, 1921). Il vécut en Italie entre 1872 et 1897 et se lia avec le peintre Hans von Marées*. Admirateur de la statuaire antique, il s'inspira notamment des principes du style sévère grec et s'opposa aux tendances naturalistes alors en vogue. Il construisait avec clarté les masses, recherchant l'équilibre des formes. Il exécuta des statues isolées, des bustes et des reliefs (*La Fontaine de Wittelsbach* à Munich, 1891-1894). En 1893, il publia *Le Problème de la forme dans l'art plastique* qui influença un esthéticien comme Wölfflin.

HILDEBRANDT (Johann Lukas *von***).** ♦ Architecte, décorateur et ingénieur autrichien (Gênes, 1668 – Vienne, 1745). Il se forma auprès de C. Fontana* et fit des études d'ingénieur militaire, fonction dans laquelle il s'établit à Vienne vers 1696. Il s'y affirma à la suite de Fischer von Erlach comme le plus important représentant du baroque autrichien. Influencé par l'art de Guarini* (*église Saint-Laurent* à Gabel), il fut aussi profondément marqué, dans ses bâtiments civils, par l'architecture française de l'époque Louis XIV. Son œuvre abondante contribua à propager le baroque autrichien en Europe centrale. Il avait le goût de la grandeur, agençant avec majesté les façades à pilastres, juxtaposant différentes formes de toits (dômes à pans coupés, coupoles, etc.), et de la décoration fastueuse. Il est l'auteur du château *Schönborn* à Vienne (1705-1711) et du célèbre ensemble du *Belvédère* (1700-1723). Il donna aussi les plans de l'immense abbaye de *Gottweig* et du château de *Mirabell* à Salzburg (1721-1727).

HILDEGARDE *(sainte).* ♦ Mystique et bénédictine (Bermersheim, près d'Alzey, 1098 – Rupertsberg, près de Bingen, 1179). Fondatrice des monastères de Rupertsberg (1147) et d'Eibingen (1165), elle a laissé, entre autres, un ouvrage mystique en latin, *Sci vias* (*Connais les chemins,* 1141-1151). [Fête le 17 septembre.]

Arch. Rencontre

N. Hilliard : portrait d'un inconnu.

HILDESHEIM. ♦ V. d'Allemagne occidentale (Basse-Saxe) et ch.-l. de district au N. du Harz, sur l'Innerste, affl. de la Leine. 99 400 hab. Église Saint-Michel (XIe-XIIIe s.), Godehardkirche (XIIIe s.), cathédrale (XIe s.) avec un cloître roman, anc. abbaye bénédictine. – Port fluvial relié au Mittellandkanal. Indus. métallurgiques et mécaniques, chimiques, électrotechniques et alimentaires.

HILFERDING (Franz Van Wewen). ♦ Danseur et chorégraphe autrichien (Vienne, 1710 – *id.*, 1768). Artiste raffiné, réformateur de l'art de la danse, il fut le créateur du ballet-pantomime. Caractérisées par le vérisme de l'action, par le naturel du jeu des interprètes, ses créations s'inspirèrent davantage des règles de l'art dramatique que de celles de la danse. Successivement maître de ballet à Vienne, Dresde, Stuttgart et Saint-Pétersbourg, il a appliqué ses conceptions à la réalisation du *Britannicus* de Racine (1740) et de l'*Alzire* de Voltaire, avant de créer ses grands ballets-pantomimes, *Psyché, Pygmalion* (1752), *La Victoire de Flore sur Borée* (1760), *Olympiade* (pour le couronnement de l'impératrice Catherine II, 1762), *Apollon et Daphné* (1764).

HILFERDING (Rudolf). ♦ Homme politique allemand d'origine autrichienne (Vienne, 1877 – Paris, 1941). Social-démocrate et leader de la IIe Internationale, il publia *Le Capital financier* (1910), ouvrage qui, malgré « une certaine tendance à concilier le marxisme et l'opportunisme..., constitue une analyse théorique éminemment précieuse de la phase la plus récente du développement du capitalisme » (Lénine : *L'Impérialisme*, stade suprême du capitalisme*). Il devint avec Kautsky* un des principaux représentants de la politique réformiste et opportuniste du parti social-démocrate indépendant, et occupa le poste de député au Reichstag (1924) et de ministre des Finances (1923, 1928-1929). Lors de l'arrivée d'Hitler au pouvoir, il se réfugia à Prague, puis à Paris où il fut arrêté par la Gestapo et se suicida.

HILL (George William). ♦ Astronome américain (New York, 1838 – West Nyack, New York, 1914). Auteur de travaux sur les mouvements de Jupiter, de Saturne, de la Lune pour laquelle il introduisit des axes de références mobiles (1877), il étudia la variation des éléments des orbites planétaires, le mouvement d'un système de points matériels dans un champ de pesanteur ; par ses travaux sur le problème restreint des trois corps **(V. H. Poincaré)**, il contribua au développement de la théorie des perturbations.

HILL (Archibald Vivian). ♦ Physiologiste anglais (Bristol, 1886 –). Il obtint le prix Nobel de médecine (1922) avec O.F. Meyerhof* pour ses travaux sur la production de la chaleur lors de la contraction musculaire.

HILLA. ♦ V. d'Irak, ch.-l. de province, située en basse Mésopotamie au S. de Baghdâd sur le *Chatt al-Hilla,* l'une des branches de l'Euphrate qui alimente de nombreux canaux d'irrigation. Plus de 50 000 hab. Cimenterie. Centre d'excursion en direction des ruines de Babylone*. Station sur la voie ferrée qui relie la Turquie au golfe Persique via Baghdâd.

HILLARY (*sir* Edmond Percival). ♦ Alpiniste et explorateur néo-zélandais (Auckland, 1919). Il atteignit le sommet du Chomolungma [Everest] (1953). Puis il participa au raid du pôle Sud (Antarctique, 1957-1958) et entreprit une expédition scientifique au Népal (1960-1961).

HILLEL l'Ancien. ♦ Docteur juif pharisien, né à Babylone, « prince » du shanhédrin *(nasi)* pendant une vingtaine d'années vers le début de l'ère chrétienne. Il renouvela l'herméneutique, interprétant la Loi dans un sens libéral. – L'école ou « maison » de Hillel *(Bet Hillel)* s'opposa à celle de Shammai*, jusque vers la fin du Ier siècle.

HILLEL II. ♦ Docteur juif (330 – 365), « prince » du shanhédrin *(nasi).* Face aux circonstances politiques, il renonça à fixer les fêtes et promulgua un calendrier fixe, ce qui marque la fin de toute autorité centrale chez les juifs.

HILLER (Johann Adam). ♦ Compositeur allemand (Wendisch-Ossig, 1728 – Leipzig, 1804). Animateur fécond de la vie musicale à Leipzig, il fut le premier chef de l'orchestre qui allait devenir plus tard le *Gewandhaus* (1781) et cantor à l'église Saint-Thomas (1789). Il est l'auteur d'un grand nombre de lieder, chorals, arrangements, et l'un des créateurs du *Singspiel* allemand.

HILLERØD. ♦ V. du Danemark, au N. de l'île de Sjaelland*. Ch.-l. du dép. de Frederiksborg. 11 100 hab. À proximité, château de Frederiksborg*. – Distilleries, conserveries.

HILLIARD (Nicholas). ♦ Peintre miniaturiste et orfèvre anglais (Exeter, Devonshire, 1547 – Londres, 1619). Fils d'un orfèvre, il semble avoir débuté comme miniaturiste vers 1560 *(Autoportrait).* Vers 1577, il séjourna en France où il fréquenta notamment Ronsard et travailla au service du duc d'Alençon. Peintre de la reine Élisabeth, il fut à partir de 1583-1584 le seul habilité à reproduire les traits de la souveraine et en 1603, à l'avènement de Jacques Ier, conserva son titre de peintre de la cour. Il énonça les principes de son art dans un traité, *L'Art de la miniature,* et exécuta des portraits de jeunes hommes élégants et graciles et des visages féminins d'une grande finesse. La fraîcheur de ses coloris souvent acides, un sentiment original et délicat de la nature font de lui l'un des rares peintres notables de l'époque élisabéthaine. Il eut pour élève Isaac Olivier.

HILLMAN (Sidney). ♦ Syndicaliste américain (1887 – 1946). Il présida la « corporation industrielle russo-américaine », organisée par les ouvriers américains pour apporter une aide économique à la Russie soviétique.

HILMAND RÛD ou **HELMAND ROD.** *n. m.* ♦ Fleuve d'Afghânistân*. Né dans le Kûh-i Baba à 3 000 m d'alt., il serpente à travers le massif montagneux du Hazârajat et se jette finalement dans les marais du Séistân* à la frontière iranienne. Env. 1 200 km. Son cours, très irrégulier, arrache à la montagne des quantités importantes de limon qui tendent à colmater les lacs Hamun. Il reçoit de nombreux petits affluents montagneux qui, en saison des hautes eaux, grossissent son cours et provoquent des inondations. Il arrose la ville de Kandahâr*.

HILSZ (Maryse). ♦ Aviatrice française (Levallois-Perret, 1903 – Moulin-des-Ponts, Ain, 1946). Parachutiste de 1922 à 1929, elle effectua les raids Paris-Tananarive-Paris (1932) puis Paris-Tôkyô-Paris (1934), et battit plusieurs records d'altitude. Elle mourut en service commandé.

HILVERSUM. ♦ V. des Pays-Bas (Hollande-Septentrionale), grande banlieue résidentielle d'Amsterdam, dans les landes et les bois de Gooi. 100 404 hab. Constructions électriques. Stations de radiodiffusion (cinq) et de télévision des Pays-Bas.

HIMÂCHAL PRADESH. *n. m.* ♦ Province du N. de l'Inde, aux confins orientaux du Cachemire, sur les pentes himalayennes. Couverte de forêts, elle jouit d'un climat très tempéré. *Cap.* Simla. Env. 3 000 000 d'hab. Culture de riz, blé, maïs, arbres fruitiers dans les vallées.

HIMÂLAYA (« séjour des neiges »). *n. m.* ♦ Immense chaîne montagneuse s'étendant sur 2 800 km de long et 250 à 500 km de large entre l'Inde et le Tibet, et dont les princ. sommets se trouvent à la frontière népalo-tibétaine. Faisant partie du plissement hercynien, et de soulèvement relativement récent, cette chaîne a un relief jeune et très accidenté qui sépare complètement le continent indien du reste de l'Asie **(V. Gondwana)** et se continue à l'O. par le Pamîr jusqu'en Afghânistân* et à l'E. par les plissements du Yunnan. Ses sommets sont très élevés (plus de cent dépassent 7 000 m) et culminent au Chomolungma (Everest*) à 8 882 m (au Nepal). Les pentes, brusques du côté népalais et indien (au-dessus des collines des Siwaliks), s'étagent au N. (Tibet*) en une série de plateaux d'une alt. supérieure à 5 000 m, bordés de chaînes parallèles arides. Les neiges éternelles ne descendent pas au-dessous de 5 000 m. Véritable château d'eau de l'Asie méridionale, l'Himâlaya donne naissance à de nombreux et importants cours d'eau dont les principaux sont : l'Indus*, le Gange*, la Yamunâ*, le Brahmâputra*. Parmi les sommets, citons le Nânga Pârbat (8 125 m), l'Annapûrnâ* (8 078 m), le Kanchenjunga (8 579 m), le Dapsang* [Godwin Austen] (8 611 m), le Dhaulagiri* (8 172 m). Les cols sont peu nombreux et d'alt. élevée; on ne les trouve qu'aux extrémités du massif central, au Sikkim* et au Cachemire* principalement; ils furent très tôt utilisés par les caravanes reliant la Chine et l'Inde. Les fonds des vallées et des bassins abritent des cultures de riz, d'orge, maïs, pomme de terre, etc. Au-dessus de 1 800 m, on trouve un élevage de chèvres, yacks, moutons. En 1950 l'Annapûrnâ fut vaincu par une cordée française, et en 1953 le Néo-Zélandais Hillary* gravit l'Everest.

HIMEJI. ♦ V. du Japon (île de Honshû, préfecture de Hyôgo) sur la mer intérieure. 405 000 hab. (1969). La ville est surtout connue pour son château dit « du héron blanc » en raison de ses murs d'une blancheur immaculée, élevé en 1608, et comportant un très beau donjon à sept étages. Indus. textiles florissantes.

HIMÈRE, en gr. **Himera.** ♦ Anc. V. de Sicile* fondée par des Grecs de Messine* en ~ 648. Soumise aux tyrans d'Agrigente, elle fut prise et détruite en ~ 409 par les Carthaginois qui se vengèrent d'une ancienne défaite en massacrant la population. – Ruines de temple dorique.

HIMIKO. ♦ Nom d'une reine japonaise du début du IIIe s. qui aurait eu des pouvoirs chamaniques. Elle est citée par les chroniques chinoises comme régnant sur une centaine de « pays » ou provinces. On ignore encore son identité exacte.

HIMILCON. ♦ Navigateur carthaginois (v. ~ 450). Il longea les côtes de l'Europe occidentale, atteignit les Cornouailles et peut-être l'Irlande. Son voyage semble avoir été entrepris dans le but d'attirer vers Gadès le commerce du plomb et de l'étain.

HIMMLER (Heinrich). ♦ Homme politique allemand (Munich, 1900 – Lüneburg, 1945). Issu d'une famille catholique, il fit des études d'agronomie. Il participa au putsch nationaliste de Munich en 1923. Entré peu après dans les S.S., il fut remarqué par Hitler qui le nomma *Reichsführer* (1929). Il organisa ce corps d'élite sur la base d'une stricte sélection raciale et d'une fidélité absolue au régime. En 1934 il devint le chef de la Gestapo* et joua un rôle décisif dans la liquidation de Röhm*, chef des S.A. (sections d'assaut). Dès lors à la tête de toutes les forces de répression, il fit régner la terreur et fut l'organisateur méthodique des camps d'extermination. Nommé ministre de l'Intérieur en 1943, il accrut encore ses pouvoirs par la répression du complot du 20 juil. 1944. En 1945 le Führer, ayant appris qu'il avait pris contact avec les Alliés par l'intermédiaire du comte Bernadotte, le démit de ses fonctions. Arrêté par les Anglais, il s'empoisonna.

Hînayâna. *n. m.* ♦ « Petit véhicule », nom quelque peu méprisant donné par les tenants des sectes du Mahâyâna* ou « grande voie de progression » bouddhique à l'ensemble des sectes et écoles du bouddhisme du Sud (surtout pratiqué à Ceylan et dans le Sud-Est asiatique) qui honorent le Bouddha* comme un maître et non comme une divinité. En réalité, le Hînayâna est une religion (ou plutôt une philosophie) bouddhique différente des religions déistes du Mahâyâna*; il est fondé principalement sur la division sociale existant entre les moines et les laïcs.

HINCMAR. ♦ (v. 806 – Épernay, 882). Archevêque de Reims en 845, il affronta de nombreuses querelles, contre les « clercs d'Ebbon* », son prédécesseur déposé, contre l'évêque Torhade de Soissons dont Nicolas* Ier lui imposa la réintégration (865), contre son neveu Hincmar de Laon qui fut déposé (871). Conseiller de Charles le Chauve, il le couronna empereur (869). Théologien, il fit condamner Gottschalk* (849) et écrivit de nombreux ouvrages dont le *De una et non trina Deitate.*

HINDEMITH (Paul). ♦ Compositeur et théoricien allemand (Hanau, 1895 – Francfort-sur-le-Main, 1963). Chef d'orchestre à l'opéra de Francfort (1915), il fit connaître ses premières œuvres, de caractère révolutionnaire, aux festivals de Donaueschingen et de Baden-Baden (1922-1929). Professeur de composition à Berlin (1927), il quitta l'Allemagne dès les premières manifestations du nazisme et se fixa un peu plus tard aux États-Unis (1940). Professeur à l'université de Yale, il ne revint en Europe qu'en 1951. Marquée d'abord par l'influence de Schoenberg*, son œuvre acquit très tôt un style personnel, de caractère plus mélodique et de structure polyphonique, où se reconnaît l'influence de J. S. Bach. Recherchant la dissonance, elle fonde son harmonie sur les résonances harmoniques naturelles et se convertit spontanément en musique pure, justifiant les théories de Hanslick. Bien loin de mériter le reproche d'intellectualisme qui lui fut parfois adressé, elle est riche de sensualité, de couleur et d'émotion. Hindemith a composé dans tous les genres : opéra (*Cardillac,* 1926, revu en 1952; *Mathis le peintre,* 1934); ballet (*Nobilissima visione,* 1938; *Hérodiade,* 1944); musique symphonique (*Métamorphoses symphoniques,* 1943; *Harmonie du monde,* 1951). Elle comprend encore des concertos pour divers instruments, une abondante musique de chambre (quatuors à cordes, sonates) des lieder (*Das Marienleben,* sur des poèmes de R. M. Rilke, 1923). Altiste de qualité, Hindemith fit partie, avec son frère Rudolf, violoncelliste (Hanau, 1900) du quatuor Amar. Théoricien de la musique, il a publié *Initiation à la phrase musicale* (1937-1948), *Devoirs pour l'élève d'harmonie* (1946), *J.-S. Bach* (1950).

Ph. Nino Cirani/Ricciarini

L'**Himâlaya** : culture du riz dans la région d'Islâmâbâd.

HINDENBURG (Paul von Beneckendorff *und von*). ♦ Maréchal et homme d'État allemand (Posen, 1847 – Neudeck, Prusse-Orientale, 1934). Général à la retraite, il fut rappelé en août 1914 pour enrayer l'invasion russe. Il vainquit Samsonov à Tannenberg* (27-30 août) et Rennenkampf aux lacs Mazures (sept.), reçut le commandement de tout le front oriental (nov.), dirigea les campagnes victorieuses de 1915 en Pologne et en Lituanie. Il succéda à Falkenhayn* comme chef du Grand État-Major général (27 août 1916) et obtint le commandement unique des forces allemandes et autrichiennes (6 sept. 1916). Il exerça alors une influence prépondérante non seulement sur la conduite de la guerre, mais sur la politique, imposant ses vues à Guillaume II, provoquant la démission de Bethmann*-Hollweg (juil. 1917), puis le renvoi du secrétaire d'État aux Affaires étrangères von Kühlmann (juil. 1918), leur attitude lui semblant trop conciliante vis-à-vis de l'ennemi. Après les victoires de Foch*, il fut à l'origine de la première demande d'armistice allemande (3 oct. 1918) et, lors de la démission de Ludendorff* (son principal collaborateur depuis 1914), il resta en fonction, son prestige assurant la cohésion de l'armée dans la défaite. Élu à la présidence du Reich en 1925 et réélu en 1932, il appela Hitler* à la chancellerie (1933). **V. Guerre mondiale** *(Première),* **Allemagne, nazisme.**

Hindî. *n. m.* ♦ Groupe de langues et dialectes de l'Inde gangétique, dérivés à une date assez tardive (vers le XIIe s.) de prâkrit (langues vernaculaires) régionaux, eux-mêmes apparentés au sanskrit. Ce groupe linguistique est grossièrement divisé en deux, celui du hindî occidental (parmi lequel on distingue l'urdû, langue adoptée surtout par les musulmans et écrite en caractères persans, et l'hindustanî, formé de parlers voisins avec de nombreux emprunts persans et arabes) et celui du hindî oriental. Ce groupe linguistique, parlé par près de 100 millions de personnes, est devenu en 1949 langue nationale indienne, ce qui a provoqué de nombreuses protestations de groupes linguistiques différents qui, à l'inverse du hindî, possèdent une riche et ancienne tradition littéraire.

HINDÛ-KÛSH. *n. m.* ♦ Importante chaîne montagneuse du N. de l'Afghânistân*, prolongement occidental de l'Himâlaya*, allant du Pamîr au Kûh-i Baba, orientée du N.-E. au S.-O. et longue de près de 600 km. Le massif oriental, le plus élevé, culmine au Ter Ajmîr, à 8 400 m. Composé de plusieurs chaînes parallèles et en prolongement les unes des autres, le massif de l'Hindû-kûsh est aride, dépourvu de végétation. Il donne naissance à de nombreux torrents, affl. pour la plupart de la Kâbul* et de l'Indus*.

HINDUSTÂN ou **HINDOUSTAN.** *n. m.* ♦ Ancien nom persan donné au sub-continent indien, et plus particulièrement à la région indo-gangétique.

Hindustânî. *n. m.* ♦ Langue hybride, formée de parlers du hindî occidental enrichis d'un apport lexical arabo-persan. **V. Hindî.**

HINKLEY POINT. ♦ Localité du S.-O. de l'Angleterre (Somerset). Importante centrale nucléaire.

HINO ASHIHEI. ♦ Journaliste et romancier japonais (1903 – 1960) qui fut révélé au grand public par ses livres sur la guerre, alors qu'il était soldat en Chine. Ses ouvrages (*Le Blé et le Soldat,* 1938; *La Fleur et le Soldat,* 1939) constituent d'excellents documents sur la condition et l'état d'esprit des Japonais en guerre.

HINSHELWOOD (*sir* **Cyril Norman).** ♦ Chimiste anglais (Londres, 1897 – *id.,* 1967). Auteur de recherches sur la cinétique chimique, il perfectionna l'hypothèse des collisions en précisant les processus chimiques élémentaires. **V. Semionov.** (Prix Nobel de chimie, 1956.)

HIONG-NOU. ♦ V. HSIUNG-NU.

HIPPARQUE, en gr. **Hipparkhos.** ♦ Tyran d'Athènes (~ 527- ~ 514 [mort]), fils de Pisistrate*. Il gouverna conjointement avec son frère Hippias* mais, selon Thucydide, fut simple figurant du pouvoir. Ami des lettres, il accueillit à sa cour Anacréon* et constitua une grande bibliothèque. Il fit surtout recueillir les poèmes d'Homère*. Il fut assassiné par Harmodios* et Aristogiton*. **(V. Harmodios.)**

HIPPARQUE, en gr. **Hipparkhos.** ♦ Astronome et mathématicien grec du ~ IIe siècle. Observateur plus précis et plus méthodique que tous ses prédécesseurs, il conçut un procédé trigonométrique basé sur le calcul des cordes pour obtenir une expression mathématique des observations astronomiques : il introduisit en Grèce la division du cercle en 360 degrés, de chaque degré en 60 minutes et de

Ph. Anderson-Viollet

Hippocrate. (Musée du Capitole, Rome.)

chaque minute en 60 secondes; le diamètre étant divisé en 120 « parties », il calcula la valeur des cordes par rapport à ces parties du diamètre. Il réalisa le premier véritable catalogue d'étoiles, déterminant les positions d'environ 800 étoiles et attribuant à chacune d'elles une grandeur déterminée selon sa luminosité. Auteur d'une théorie des excentriques et des épicycles, la plus grande de ses découvertes fut celle de la précession des équinoxes. En géographie, il poursuivit dans la voie mathématique indiquée par Ératosthène* et introduisit notamment l'emploi systématique des coordonnées (parallèles et méridiens). Il inventa également un dioptre et un astrolabe. **V. Ptolémée.**

HIPPIAS. ♦ (? – ~ 490). Tyran d'Athènes (~ 527-~ 510). Fils aîné de Pisistrate*, gouvernant conjointement avec son frère Hipparque*, il assuma effectivement tout le pouvoir. Il continua d'abord la politique conciliante de son père, assurant la prospérité et le rayonnement culturel d'Athènes. Mais la menace perse, de plus en plus imminente, et les progressions de Sparte sous Cléomène Ier ranimaient l'opposition, et l'assassinat d'Hipparque en ~ 514 **(V. Harmodios, Aristogiton)** poussa Hippias à la répression. L'opposition des Alcméonides **(V. Clisthène)** eut recours à Cléomène qui envahit l'Attique. Assiégé dans l'Acropole, Hippias dut se rendre. Exilé à Lampsaque, puis à Sardes, à la cour de Darios, il le suivit dans son expédition contre la Grèce et combattit à Marathon dans les rangs perses. Il périt pendant la retraite perse, probablement à Lemnos.

HIPPOCRATE, en gr. **Hippokratês**. ♦ Médecin grec (Cos, v. ~ 460 – Larissa, Thessalie, v. ~ 377). Sans doute fils d'un prêtre d'Asclépios (Esculape), il étudia avec Démocrite et Gorgias, voyagea dans toute la Grèce et l'Asie Mineure avant de se fixer à Cos. Initiateur de l'observation clinique, il préconisait, en thérapeutique, des traitements simples (préférant laisser agir la nature); il pratiqua la chirurgie (une des parties les plus avancées de la méd. en Grèce). Sa physiologie repose tout entière sur la théorie des humeurs (sang, lymphe, bile jaune et bile noire), dont dérive celle des tempéraments : leur équilibre (ou bonne proportion) constitue la santé, l'excès ou le défaut de l'une d'entre elles entraînant la maladie. Le *Corpus Hippocratum* est un ensemble de traités (dont les plus connus sont : *Traité du pronostic;* des *fractures;* des *luxations;* des *airs, des eaux et des lieux; Aphorismes*) qui, s'ils ne sont certainement pas tous écrits par Hippocrate, appartiennent du moins à la même école. On peut faire une place particulière au texte du *Serment* que prêtaient alors les futurs médecins et dont nous avons gardé la tradition.

HIPPOCRATE DE CHIOS. ♦ Mathématicien grec du ~ ve siècle. Auteur d'*Éléments,* précurseur d'Euclide*, épris de synthèse et d'organisation systématique des mathématiques, il étudia notamment les problèmes de la quadrature du cercle (découvrant ainsi trois lunules carrables) et de la duplication du cube qu'il fut le premier à ramener au problème de la moyenne proportionnelle. **V. Ménechme.**

HIPPOCRÈNE, en gr. **Hippokrênê** (« la fontaine du cheval »). ♦ Source qui jaillit d'un rocher sur l'Hélicon*, là où le cheval ailé Pégase* frappa de son sabot. Les muses* s'y réunissaient et les poètes puisaient de son eau qui passait pour favoriser l'inspiration poétique.

HIPPOLYTE, en gr. **Hippolutê**. ♦ Reine des Amazones*, fille d'Arès. Héraclès*, obligé de conquérir sa ceinture, la tua au cours d'un combat provoqué par une machination de Héra.

HIPPOLYTE, en gr. **Hippolutos**. ♦ Fils de Thésée* et d'une Amazone; personnage des tragédies *Hippolyte porte-couronne* d'Euripide (ci-dessous), *Phèdre** de Racine et de *Hippolyte et Aricie* de Rameau (ci-dessous).

HIPPOLYTE *(saint)*. ♦ Prêtre romain et écrivain grec chrétien (170 – déporté en Sardaigne, 235 ?). Il se heurta aux papes Zéphyrin et Calixte (il passe pour le premier antipape), mais se réconcilia avec Pontien, déporté comme lui. Auteur d'œuvres exégétiques *(Commentaire sur Daniel, sur le Cantique des cantiques)*. On lui a attribué, à tort semble-t-il, un comput pascal gravé sur le socle d'une statue qui l'aurait représenté et les *Philosophoumena* ou *Réfutation de toutes les hérésies*. Fête le 13 août.

Hippolyte et Aricie. ♦ Tragédie lyrique en cinq actes de J. Ph. Rameau* (livret de Simon-Joseph Pellegrin), représentée en 1733. Le livret, littérairement médiocre, réduisait *Phèdre* de Racine, mais offrait à Rameau une grande variété de situations théâtrales. Le compositeur développa l'importance de la partie orchestrale (d'où les réticences du public, au début) : derrière une forme générale traditionnelle, héritée de Lulli et Campra, le nouvel équilibre entre les voix, la mélodie et les instruments et l'enrichissement harmonique font de l'œuvre une étape essentielle dans l'élaboration de l'opéra moderne. La puissance rythmique et la sensibilité mélodique propres à Rameau lui confèrent un charme inépuisable.

Hippolyte porte-couronne, en gr. **Hippolutos stephanêphoros**. ♦ Tragédie d'Euripide* (~ 428) qui a inspiré la *Phèdre** de Racine. Adorateur d'Artémis, le jeune et chaste Hippolyte, beau-fils de Phèdre, est insensible à la passion que lui voue la reine, épouse de Thésée*. Son orgueilleuse indifférence est ressentie par Aphrodite, déesse de l'Amour, comme une offense qu'elle doit châtier. Phèdre va se donner la mort, mais auparavant elle aura calomnieusement accusé Hippolyte d'avoir tenté de lui faire violence. Frappé par la malédiction de Thésée, son père, Hippolyte meurt à son tour, mais il a reçu, avant de mourir, le secours d'Artémis qui a révélé la vérité à Thésée.

HIPPOMENE, en gr. **Hippomenês**. ♦ **V.** Atalante.

HIPPONAX D'ÉPHÈSE. ♦ Poète grec (~ vie s.). Fuyant la tyrannie, il dut s'exiler à Clazomènes où il vécut dans la misère. Les courts fragments conservés de ses satires acharnées révèlent la force de son réalisme, surtout dans l'évocation de la vie et du langage de la pègre qui l'entourait.

HIPPONE, en lat. **Hippo Regius**. ♦ Anc. V. de Numidie, sur la Méditerranée (auj. ruines près de Bône). Colonie carthaginoise, puis romaine, elle fut illustrée par saint Augustin*, son évêque de 395 à 430; assiégée sans succès par les Vandales (430-431), cédée à eux (442), puis détruite par les Arabes (viie s.).

HIRADO. ♦ Petite île de la côte occidentale de Kyûshû (Japon), sur laquelle fut installé au milieu du xvie s. le premier port japonais ouvert aux étrangers. Env. 70 000 hab. – Le port de Hirado (env. 20 000 hab.) exporte du poisson, de la porcelaine et du bois. ♦ *Hist.* Ouvert aux Portugais v. 1550, le port fut fermé en 1641 aux navigateurs étrangers qui ne purent plus aborder qu'à Deshima (Nagasaki*).

HIRAGA GENNAI. ♦ Savant et polygraphe japonais (1723 – 1779). Il fut l'un des premiers à élever le mouton au Japon, découvrit les propriétés de l'asbeste (amiante) et, grâce à ses contacts avec les Hollandais de Deshima (Nagasaki), fit des études sur l'électricité. Il étudia également les techniques minières et la céramique occidentale. Sa réputation de romancier égala celle du savant. Ayant assassiné son éditeur pour des raisons mal connues, il mourut en prison.

HIRAKATA. ♦ V. du Japon, à 30 km au N.-E. d'Ôsaka. 190 000 hab. Centre agricole.

HIRAM Ier. ♦ Roi de Tyr (~ 969 – ~ 935), allié de Salomon à qui il envoya des matériaux pour la construction du Temple (*I Rois,* V).

HIRATA ATSUTANE. ♦ Philosophe japonais (1776 – 1843), l'un des chefs de file du mouvement nationaliste de renaissance du Shintô. Partisan de la restauration de l'empereur, le shôgunat lui interdit, en 1841, de continuer la publication de ses nombreuses œuvres. Celles-ci consistent principalement en écrits philosophiques et en études historiques qui eurent un grand retentissement et contribuèrent grandement à la naissance de l'esprit national des Japonais.

HIRATSUKA. ♦ V. du Japon (Honshû) sur la baie de Sagami, au S.-O. de Yokohama. 160 000 hab. Port de pêche et station balnéaire.

HIRN (Gustave Adolphe). ♦ Industriel et physicien français (Logelbach, Haut-Rhin, 1815 – Colmar, 1890). Auteur de recherches sur la vitesse limite des gaz (1839), sur les ventilateurs (1845), sur les méthodes d'essai des moteurs thermiques, on lui doit la réalisation de machines à vapeur pour lesquelles il mit au point la méthode de surchauffe (1855). **V. Watt.**

HIRO-HITO. ♦ Nom personnel du 124e empereur du Japon (Tôkyô, 1901). Initiateur de l'ère Shôwa, c'est-à-dire « de brillante harmonie »; il sera donc nommé *Shôwa-tennô* après sa mort. Il fut régent de son père Taishô-tennô en 1921, après un voyage en Europe, et lui succéda sur le trône impérial en 1926. Il avait épousé en 1924 la princesse Kuni Nagako. Il signa en 1941 la déclaration de guerre de son pays contre l'Angleterre et les Pays-Bas, bientôt suivie de l'attaque à Pearl* Harbor de la flotte américaine (7 déc. 1941). Toutefois, sa responsabilité dans la guerre de 1941-1945 n'a jamais été formellement déterminée, ses pouvoirs étant alors fortement limités par les dirigeants militaristes du gouvernement. Cependant, il couvrit de son autorité leur politique impérialiste et expansionniste. En 1945 il dut signer la déclaration de Potsdam et abdiquer une partie de ses prérogatives. Biologiste et botaniste, homme d'études plus qu'homme politique, il est considéré, malgré les déboires politiques de son règne, comme l'un des grands souverains du Japon. Son fils Akihito, né en 1933, est prince héritier.

HIROSAKI. ♦ V. du Japon (île de Honshû, préfecture d'Aomori) située dans la plaine de la rivière Iwaki. 170 000 hab. Centre de la culture des pommiers et de l'industrie de la laque pour le nord-est du Japon. Célèbre château élevé en 1601.

HIROSHIGE (ou Andô Hiroshige). ♦ Peintre et graveur japonais (1797 – 1858) célèbre pour ses estampes de style Ukiyo-e représentant principalement des paysages (il en réalisa plus de 5 000 entre les années 1818 et 1858), parmi lesquelles ses « 53 étapes du Tôkaidô » et ses « 100 aspects d'Edo » lui ont valu une réputation internationale. Il est considéré comme l'un des meilleurs graveurs japonais d'Ukiyo-e, à l'égal de Hokusai*.

HIROSHIMA. ♦ V. du Japon, sur la mer Intérieure (près de l'extrémité occidentale de l'île de Honshû*, *préfecture de Hiroshima*), et port important, autrefois base navale militaire. 549 000 hab. (1969). ♦ *Hist.* Elle fut bombardée le 6 août 1945 par l'aviation américaine avec la première bombe atomique et fut totalement détruite, le nombre des victimes s'élevant à plus de 100 000 personnes. Elle fut reconstruite après la guerre et est maintenant l'un des ports les plus vastes et les plus modernes du Japon. Cependant, son développement est gêné par les montagnes avoisinantes. – Centre indus. : constructions mécaniques (véhicules), chantiers navals, etc. Université, jumelée à celle d'Honolulu.

HIRSON. ♦ Ch.-l. de cant. de l'Aisne* sur l'Oise* (arr. de Vervins*). 12 460 hab. *(Hirsonnais).* Important nœud ferroviaire. Centre industriel (fonderies, aciérie, filatures, verrerie, etc.). Centre commercial de la Thiérache*. ♦ *Hist.* Forteresse des seigneurs de Guise au XIe siècle. Charte communale dès 1156.

HIRST (George Keble). ♦ Biochimiste américain (Eauclaire, Wisconsin, 1909). Il participa à l'établissement de la formule de l'acide ascorbique (1933). **V. Karrer.**

HIRSZFELD (Ludwik). ♦ Sérologiste et microbiologiste polonais (Varsovie, 1884 – Wrocław, 1954). Fondateur d'un institut d'immunologie et de thérapie expérimentale à Wrocław, il fit, en collaboration avec sa femme, des recherches sur l'hérédité des groupes sanguins.

HISARLIK. ♦ **V.** HISSARLIK.

HISHIKAWA. ♦ Nom de plusieurs artistes peintres japonais et d'une école de peinture fondée par Hishikawa Moronobu (1618 – 1694), spécialisés dans les estampes du style de l'Ukiyo*-e. Parmi les plus célèbres représentants de cette école figurent Moronobu, son fils Morofusa, Waô et Moroshige.

HISINGER (Wilhelm). ♦ Minéralogiste et chimiste suédois (1766 – 1852). Il réalisa l'électrolyse de divers sels en solution. On a donné son nom au silicate hydraté naturel et amorphe de fer et de magnésium *(hisingérite).*

HISPANIE, *n.f.* (en lat. **Hispania).** ♦ Nom donné par les Romains à la péninsule Ibérique (il est à l'origine du mot *Espagne*). Elle était divisée sous Auguste en *Hispanie citérieure* (Tarraconnaise) et *Hispanie ultérieure* (Bétique et Lusitanie).

HISPANIOLA (mot latin : l'espagnole). ♦ Deuxième île des Grandes Antilles* (après Cuba) comprenant les États d'Haïti et de la république Dominicaine*. C. Colomb, qui la découvrit en 1492, l'appela Hispaniola, mais elle prit ensuite le nom de Santo Domingo, du nom de sa capitale, connue sous le nom français de Saint-Domingue. C'est au début du XIXe s. que la république d'Haïti fut fondée dans la partie occidentale de l'île tandis que la partie orientale continuait à s'appeler Saint-Domingue, devenant en 1844 la république Dominicaine*. Hispaniola est le terme recommandé par les géographes, la désignation d'île d'Haïti entraînant une confusion avec l'État du même nom, qui n'en constitue qu'une partie. **V. Haïti, Saint-Domingue.**

Hispano-américaine *(guerre).* ♦ Conflit qui opposa en 1898 les États-Unis à l'Espagne en lutte contre ses colonies révoltées de Cuba et des Philippines. L'intervention des États-Unis fut provoquée par l'explosion du cuirassé américain *Maine* en rade de La Havane (1898). La flotte espagnole fut complètement détruite. Le traité de Paris (déc. 1898) consacra la fin de l'empire colonial espagnol : Cuba devint indépendante ; les Philippines, Porto Rico et l'île de Guam furent annexées par les États-Unis.

HISSARLIK ou **HISARLIK.** ♦ Village de Turquie, près de l'entrée du détroit des Dardanelles*, où se trouverait le site de Troie*.

Histadrouth (hébr. « association » ou « organisation »). ♦ Fédération générale du travail, principale centrale syndicale d'Israël. Créée à Haïfa en déc. 1920, l'Histadrouth eut pour rôle de défendre les travailleurs juifs en Palestine **(V. Sionisme)**, d'assurer la formation d'une classe ouvrière juive par le développement de l'agriculture et de l'industrie et par la mise en place de services sociaux adéquats. Membre de la Confédération des syndicats libres, l'Histadrouth, où sont représentés tous les partis politiques non religieux, mais où le Mapaï* (devenu Parti travailliste* d'Israël) est néanmoins majoritaire, est non seulement un syndicat qui regroupe 90 % des travailleurs israéliens, mais l'un des plus grands propriétaires et employeurs d'Israël et, par là, un des piliers de l'économie israélienne. Ses entreprises, contrôlées par l'Association coopérative générale *(Hevrat Ovdim),* comprennent une entreprise de Travaux publics, une coopérative de vente des produits agricoles (traitant 70 % de la prod. israélienne en 1969), une coopérative d'achat, une banque ouvrière, une compagnie d'assurance. l'Histadrouth, qui assure une grande partie des services sociaux d'Israël, contrôle aussi, avec le gouvernement et l'Agence juive, la Compagnie des eaux, la Compagnie intérieure des transports aériens (Arkia), la Compagnie nationale de navigation (Zim). Ceci n'empêche pas l'Histadrouth, qui reste avant tout une organisation syndicale, de demeurer libre de critiquer la politique sociale et internationale du gouvernement.

Ph. Atlas-Photo

Hiroshima.

Histoire contemporaine (L'). ♦ Série romanesque d'Anatole France*, composée de quatre volumes : *L'Orme du mail,* 1897 ; *Le Mannequin d'osier,* 1898 ; *L'Anneau d'améthyste,* 1899 ; *Monsieur Bergeret à Paris,* 1901. Sur le thème de la petite ville de province et de ses intrigues, A. France écrit « un pamphlet formidable présenté avec un sourire enchanteur » (É. Faguet), c'est-à-dire un résumé piquant mais pessimiste de la société française à l'époque de l'affaire Dreyfus*. Le récit s'ordonne autour de la figure de Monsieur Bergeret, esprit socratique qui professe que les hommes sont « médiocrement bons et médiocrement mauvais », mais aime à philosopher sur la vie et à engager des discussions avec des personnages qui représentent le gouvernement, la culture et la bourgeoisie. Ainsi, au fil de ces conversations, se dessine un tableau satirique des mœurs politiques, de plus en plus pessimiste alors même que l'auteur persiste à affirmer ses convictions socialistes.

Histoire de France. ♦ Œuvre de J. Michelet, publiée en deux périodes (1833-1844 et 1855-1867). L'auteur y vise « une résurrection intégrale de la vie du passé ». **V. Michelet.**

Histoire naturelle. ♦ Ouvrage scientifique de Buffon* rédigé de 1744 à 1788 en collaboration avec Daubenton*, l'abbé Bexon, Guéneau de Montbéliard, Guyton* de Morveau, etc., qui englobe l'ensemble du monde minéral et animal (à l'exclusion des invertébrés) et qui comprend en particulier l'*Histoire de la Terre* (dont la publication en 1744 avait fait scandale). Les derniers volumes furent publiés par Lacépède* de 1788 à 1804.

Histoires (Historiae) de Tacite*. ♦ Ouvrage en 12 livres sur l'histoire romaine, de la mort de Néron* à celle de Domitien* (69-96). Il ne reste que les quatre premiers livres et le début du cinquième.

Histoires extraordinaires. ♦ Titre sous lequel parut en France, à partir de 1848, la traduction de Baudelaire de l'œuvre d'E. Poe*, *Tales of the Grotesque and Arabesque.*

HITACHI. ♦ V. du Japon (île de Honshû*, préfecture d'Ibaraki) sur la côte de l'océan Pacifique. 200 000 hab. Centre important en plein développement (indus. du cuivre et métallurgie des métaux non ferreux).

HITCHCOCK (Alfred). ♦ Réalisateur anglo-américain de cinéma (Londres, 1899). Considéré comme le maître du « suspense » policier, il a illustré sa réputation par des œuvres d'une facture achevée,

Coll. Rui Nogueira

Alfred Hitchcock.

où le dosage subtil de l'angoisse et de l'humour, l'art de nouer et de dénouer les fils enchevêtrés d'une intrigue, de suggérer pour émouvoir, de susciter alternativement l'effroi et le sourire, sont portés à leur plus haut degré d'efficacité. Indifférent à la tentation du « message », il se montre préoccupé de psychologie et de vérité humaine, sans cesser de mener le jeu du conteur avec une fascinante virtuosité. Dans son œuvre extrêmement abondante, on peut noter : *Chantage* (*Blackmail,* 1929), *L'homme qui en savait trop* (*The Man who knew too much,* 1934; remake 1956), *Les 39 Marches* (*The Thirty-Nine Steps,* 1935), *Une femme disparaît* (*The Lady vanishes,* 1938), *L'Ombre d'un doute* (*Shadow of a Doubt,* 1942), *La Corde* (*The Rope,* 1948), *Mais qui a tué Harry ?* (*Trouble with Harry,* 1955), *La Mort aux trousses* (*North by Northwest,* 1959), *Les Oiseaux* (*The Birds,* 1963), *Frenzy* (1971).

HITLER (Adolf). ♦ Homme politique allemand d'origine autrichienne (Braunau am Inn, 1889 — Berlin, 1945). Né en Autriche près de la frontière bavaroise, dans une famille de paysans et de petits fonctionnaires (son père était douanier), il fut orphelin à l'âge de 14 ans. Élevé par sa mère, il profita d'une maladie pour terminer une scolarité très médiocre, sans diplôme à 16 ans. Il vécut alors de 1905 à 1908 les « années les plus heureuses de [sa] vie » à Vienne et surtout à Linz, dans l'« oisiveté d'une existence confortable », avec l'espoir d'une carrière artistique pourtant compromise par deux échecs à l'Académie viennoise des beaux-arts (1907-1908). Après la mort de sa mère (déc. 1908), il passa cinq années de misère et de vagabondage à Vienne, occupant ses journées à la lecture lorsqu'il n'était pas obligé, pour subsister, d'effectuer toutes sortes de petits travaux. C'est à cette époque qu'il prit conscience de la faiblesse de la monarchie austro-hongroise, de l'acuité du problème des nationalités dans l'empire, et qu'il découvrit sa haine des sociaux-démocrates et des juifs, que le climat antisémite de Vienne ne fit qu'encourager. Le 3 août 1914, après la déclaration de guerre qu'il accueillit avec enthousiasme, Hitler s'engagea dans l'armée bavaroise; blessé à deux reprises, sa conduite lui valut la Croix de fer*, distinction rare pour un homme de troupe. Refusant la défaite allemande et la signature de l'armistice du 11 nov. 1918, « événement monstrueux », il se lança dans l'action politique : dans la capitale bavaroise agitée par les troupes révolutionnaires de l'après-guerre **(V. Munich** [*Hist.*]**)**, comme il n'avait pas quitté l'armée, il fut nommé instructeur politique auprès d'un régiment, ce qui lui permit de manifester ses talents oratoires. Ayant assisté par hasard, le 12 sept. 1919, à la réunion d'un groupuscule ultranationaliste, le *Parti ouvrier allemand,* il s'y intéressa et le prit en main avec l'aide du capitaine Röhm*. Excellent propagandiste, Hitler, connaissant la tension politique dans laquelle vivait la Bavière depuis la fin de la guerre, dota son parti, devenu le *Parti national-socialiste des ouvriers allemands* en 1920, d'un programme nationaliste et démagogique **(V. Nazisme).** Il énonçait ses idées au cours de meetings, entouré de son état-major **(V. Goering, Hess, Rosenberg)** avec une éloquence persuasive, qui selon ses propres paroles, « électrisait » les foules; cette éloquence était d'autant plus « convaincante » qu'elle s'appuyait sur la « terreur spirituelle et physique » (Hitler) que firent régner les S.A.* à partir de 1920. Voulant profiter du mécontentement créé par l'occupation de la Ruhr*, il organisa, avec l'appui du général Ludendorff*, le putsch de Munich **(V. Munich** [*Hist.*]**)** les 8 et 9 nov. 1923, qui fut un échec total mais qui lui permit, au cours du procès qui suivit son arrestation, de faire connaître son nom et ses idées dans toute l'Allemagne. Pendant son incarcération (fév.-déc. 1924), il rédigea le début de *Mein* Kampf,* ouvrage dans lequel il exposait sans se dissimuler l'« Ordre nouveau » qu'il entendait imposer à l'Europe. De sa sortie de prison à la crise* économique de 1929, Hitler et le nazisme furent oubliés par les Allemands, plus soucieux de leur prospérité retrouvée que de politique. Loin de perdre espoir, malgré une interdiction de parler en public pour deux ans, il trouva des capitaux, réorganisa le parti nazi, créa les S.S.* et, n'oubliant pas les leçons du putsch manqué de Munich, il se prépara à conquérir le pouvoir sans coup de force. C'est la crise économique qui lui servit de tremplin en jetant des millions de chômeurs et de petits rentiers ruinés vers les partis extrêmes (107 députés nazis élus au Reichstag en 1930), tandis qu'avec une habileté machiavélique, il amenait l'armée et les puissances financières et industrielles à ses vues. Ayant obtenu la nationalité allemande, il pensait tenir tous les atouts en main pour accéder au pouvoir; il décida alors de se présenter aux élections présidentielles de 1932 contre le maréchal Hindenburg* qui l'emporta de six millions de voix sur Hitler au 2e tour. Après un an d'intrigues ministérielles (Brüning*, von Papen*, Schleicher) et de sordides négociations dans lesquelles tous les partis politiques allemands furent compromis, Hitler devint chancelier le 30 janv. 1933. Depuis ce jour jusqu'à la mort du président Hindenburg le 2 août 1934, Hitler établit une dictature personnelle et totalitaire par étapes successives : en mars 1933, après la dissolution du parti communiste **(V. Reichstag** [*incendie du*]**)**, il reçut pour quatre ans les pleins pouvoirs des députés du Reichstag par un vote où seuls les sociaux-démocrates s'étaient abstenus; en avril 1933, la Gestapo* fut créée (« Hitler était maintenant la loi » [Goering, mai 1933]) et entreprenait le programme d'épuration raciale exposé dans *Mein Kampf;* en juin 1933, il proclama le parti nazi unique, et nomma des gouverneurs qui lui étaient favorables dans chaque État allemand; au sein même de son parti, il réduisit toute opposition, n'hésitant pas à supprimer Röhm, l'ami de la première heure, pendant la « Nuit des longs couteaux » (30 juin 1934), ce qui lui assurait la fidélité de l'armée traditionnelle tandis que, dans le même temps, les catholiques étaient rassurés par le concordat signé avec Rome. À la mort d'Hindenburg (1934), l'Allemagne muselée était prête à ratifier avec 90 % de oui le plébiscite qui nommait Hitler à la fois président et chancelier du Reich : devenu officiellement le *Führer* (chef, guide), maître absolu, il annonçait à ses concitoyens qu'il exigeait de gros sacrifices (« des canons plutôt que du beurre »), mais qu'il les libérerait du *diktat* de Versailles **(V. Versailles** [*traité de*]**).** Peu préoccupé de politique intérieure, il fut pourtant totalement responsable de « l'Ordre nouveau » qui s'établit progressivement sur l'Allemagne et qui touchait chaque individu à travers les organisations de jeunesse, l'enseignement, la culture, le parti **(V. Nazisme)** et l'antisémitisme (les premiers camps de concentration datent de 1933 [**V. Dachau, Buchenwald**]). Cet ordre s'établit aussi à travers le dirigisme économique : un ambitieux programme de réarmement et de grands travaux résolut le problème du chômage dès 1936 et valut à Hitler l'attachement des masses populaires fascinées par son indéniable rayonnement et son intuition des mots qu'elles attendaient. Jouant de ses accès de colères frénétiques, il exerçait son « magnétisme » (comme il disait lui-même), non seulement sur les foules, mais aussi sur ses interlocuteurs, dont les moins sensibles ne furent pas les diplomates étrangers : avec un cynisme et un mépris total de l'individu, il manœuvra à son gré dès 1933 la politique européenne. Ses agressions de plus en plus ouvertes furent encouragées par la passivité des démocraties qui, partisans d'une politique d'« apaisement », s'inclinaient devant le fait accompli (par ex., la remilitarisation de la Rhénanie*). Prenant en personne, en 1938, le commandement des forces armées, il prépara avec minutie son plan d'élargissement de l'« espace vital » allemand, qu'il exécuta avec une audace qui dépassait l'imagination des autres chefs d'État **(V. Anschluss; Sudètes; Munich** [*conférence de*]**)** et qui, après l'invasion de la Pologne le 1er sept. 1939, entraîna l'Europe dans la Seconde Guerre* mondiale. Au fur et à mesure de ses conquêtes (Pologne, Danemark, Norvège, France), Hitler établit en Europe, comme il l'avait fait en Allemagne, ce qu'il appelait l'« Ordre nouveau » qui devait favoriser la domination de la race germanique sur les autres races par la « collaboration » politique, les remaniements territoriaux, le pillage économique et artistique et l'extermination des éléments jugés indésirables dans les camps de concentration. Lorsque, à partir de 1942, l'équilibre des forces commença à se rompre au profit des Alliés, Hitler, dont le sentiment d'infaillibilité s'était accru au rythme des victoires, s'acharna avec obstination sur des objectifs inaccessibles, comme ce fut le cas à Stalingrad **(V. Stalingrad** [*bataille de*]**)** et accumula les erreurs stratégiques. Tandis que son équilibre mental se dégradait, il échappa à plusieurs attentats organisés par ses plus proches collaborateurs, qu'il élimina impitoyablement **(V. Rommel).** Dans les derniers mois de la guerre, comme il espérait encore un miracle des armes nouvelles (bombe atomique), il jeta l'Allemagne tout entière dans la guerre, sans aucun respect pour la vie de ses concitoyens : « La perte de cette guerre sera la perte du peuple allemand » (Hitler). À partir du mois de nov. 1944, il se réfugia dans le *bunker* souterrain de la chancellerie de Berlin. C'est de là qu'il dirigea les ultimes opérations militaires sur le Rhin et dans la Ruhr, et qu'il attendit l'arrivée des troupes alliées. Comme il ne voulait pas survivre à la chute du IIIe Reich, il se suicida le 30 avril, sans doute avec sa maîtresse Eva Braun qu'il venait d'épouser, après avoir rejeté, dans son testament politique, la responsabilité de la défaite sur la «juiverie internationale», et avoir désigné comme successeur Goering* puis l'amiral Dönitz*.

HITOYÔSHI. ♦ V. du Japon (Kyûshû, préf. de Kumamoto) sur le fl. Kuma. 101 000 hab. Centre agricole et artisanal.

HITTITES. *n. m. pl.* (dans les textes cunéiformes et la Bible : **Hatti**). ♦ Peuple de l'Anatolie centrale, résultant de la fusion d'autochtones *(proto-hittites)* et d'une aristocratie guerrière indo-européenne arrivée déb. ~ IIe millénaire. Au ~ XVIe s., un premier empire hittite fut assez puissant pour intervenir en Syrie du N. (Alep), lutter contre les Hourrites et réussir, sous Moursil Ier, un raid contre Babylone (~ 1530). Après une période d'anarchie et de guerres avec le Mitanni*, la puissance hittite culmina aux ~ XIVe-XIIIe s. sous Souppilouliouma*, Moursil* II, Mouwatalli*, Hattousil* III. Néanmoins les luttes menées contre les Égyptiens (bataille de Qadesh v. ~ 1296, **V. Ramsès II**), contre les montagnards Gasgas au N., contre les *Ahhijawa* (Achéens?) au S.-O., enfin contre les Assyriens, affaiblirent l'empire hittite. Il disparut à la fin du ~ XIIIe s., probablement détruit par les Peuples* de la mer. Des principautés hittites survécurent en Syrie. — Les Hittites formaient une société féodale, militaire et religieuse, où le roi était aussi juge et grand prêtre. Noblesse guerrière, propriétaires terriens et paysans, artisans, esclaves constituaient les classes sociales, dont les rapports étaient régis par un code de lois. L'agriculture formait la base de l'économie mais la richesse provenait de l'exploitation minière (cuivre, plomb, argent, fer); la métallurgie du fer, l'usage du cheval et du char de guerre assurèrent la suprématie hittite. La religion était dominée par un couple de divinités solaires (sanctuaire d'Arinna); influences hourrites* (Teshub et Hepa). Archéologie : **V. Hattousas.**

HITTORF (Johann Wilhelm). ♦ Physicien allemand (Bonn, 1824 — Münster, 1914). Auteur de recherches sur la migration des ions dans les liquides, il précisa les lois de ce mouvement [1863] (**V. F.W. Kohlrausch**); élève de Plücker*, il reprit et développa les expériences de son maître sur les rayons cathodiques (1869). **V. Crookes, Goldstein.**

HITTORFF (Jacques Ignace). ♦ Architecte et archéologue rhénan, naturalisé français (Cologne, 1792 — Paris, 1867). Élève de Percier* il étudia, en Sicile, l'architecture antique et démontra, contrairement à l'opinion de plusieurs archéologues, que les temples grecs étaient polychromes. Il appliqua ce principe de décoration au *cirque d'Été* des Champs-Élysées et au *cirque d'Hiver* (1841). Il construisit avec son beau-père Lepère l'église *Saint-Vincent-de-Paul* (1830-1834), en s'inspirant des basiliques romano-byzantines.

Ph. Carlo Bevilacqua/Ricciarini

Art **hittite** : scène de chasse Malatye. (Musée archéologique, Ankara.)

Utilisant un répertoire de formes néo-classiques (*façade de la gare du Nord*, 1861-1868) il eut aussi le goût des matériaux modernes (*hall* à structure métallique de *la gare du Nord*).

HIU... [chinois]. ♦ **V.** HSÜ...

Hizakurige (« À cheval sur ses jambes »). ♦ Ouvrage comique japonais de l'écrivain Jippensha Ikku (1766 — 1831) en 56 volumes, racontant, dans un style rabelaisien, un voyage à pied imaginaire, qui fut publié entre 1802 et 1809 et connut un très grand succès populaire.

HJELMSLEV (Louis). ♦ Linguiste danois (Copenhague, 1899 — *id.*, 1965). Élève du comparatiste Holger Pedersen, il suivit à Paris les cours de Meillet* (1926-1927) et fonda avec Viggo Brøndal le cercle linguistique de Copenhague en 1931. C'est là, notamment avec un collègue danois, H. Uldall, que Hjelmslev définit ses conceptions de la *glossématique*, théorie générale et structurale du langage (*Prolégomènes à une théorie du langage*, 1943; *Sproget, Le Langage*, trad. fr. 1966). Ses œuvres antérieures (*Principes de grammaire générale*, 1928; *La Catégorie des cas*, 1935-1937) ont été éclipsées par ses articles théoriques (regroupés dans *Essais linguistiques*, 1959) qui développent, rendent plus rigoureuses et prolongent les idées de F. de Saussure*. Hjelmslev y oppose le plan de l'*expression* et celui du *contenu*, la *substance* de chacun étant organisée selon une *forme*, et distingue dans la langue une structure abstraite *(schéma)*, des *usages* (ou normes) et des manifestations observables (correspondant à la *parole* de Saussure). Reformulant les apports de Saussure et du structuralisme de l'école de Prague (**V. Jakobson, Troubetskoy**), Hjelmslev et ses disciples ont proposé une linguistique immanente. En outre, ce théoricien influent (Cf. par ex. A. Martinet) peut être considéré comme le précurseur d'une sémantique scientifique.

HJORRING. ♦ V. de Danemark, à l'extrême N. du Jutland*, 48 km au N. d'Aalborg*. Ch.-l. du département homonyme. 15 500 hab. (1965). — Indus. alimentaires et métallurgiques.

HLAING. *n. m.* ♦ Fl. de Birmanie (160 km), coulant parallèlement à l'Irawady*. Il forme, avec la « rivière de Pégu », la « rivière de Rangoon » qui arrose cette ville.

Hman-nan Yâzâwin, en birman « Chronique du palais de cristal ». ♦ Ouvrage historique birman, compilé en 1829 d'après plusieurs chroniques anciennes maintenant perdues et retraçant l'histoire, plus ou moins légendaire, de la Birmanie et des royaumes qui s'y succédèrent au cours des temps, des origines à 1752. Peu valable au point de vue historique, il constitue néanmoins un précieux document sur l'ancienne Birmanie.

HO. *n. m. pl.* ♦ Pirates viêtnamiens et chinois qui opérèrent vers la fin du XIXe s. au Tonkin et au Laos. Ils provenaient de restes de l'armée chinoise des T'ai-ping* (**V. Hung Hsiu Ch'üan**), débandée après sa défaite de 1864. Leurs chefs, tour à tour, combattirent les Français ou s'allièrent à eux, mais se soumirent finalement en 1890 aux autorités tonkinoises. On les connaît également sous le nom de « Pavillons noirs ».

HOÀ-BINH. ♦ Division administrative et V. du Viêt-nam du Nord sur la rivière Sông-da. Site éponyme d'une culture mésolithique qui caractérise une industrie lithique répandue dans presque toute la péninsule indochinoise et à Sumatra (utilisation des outils en os et céramique faite « au panier », dite *hoàbinhienne*). ♦ *Hist.* En fév. 1952 s'y déroula une grande bataille à l'issue de laquelle les Français furent obligés d'abandonner leurs positions face aux forces vietnamiennes.

HOÀNG CAO KHAI. ♦ Écrivain vietnamien (1850 — 1933) et vice-roi du Tonkin en 1890, auteur de nombreux ouvrages historiques et de romans moralisateurs à tendance confucéenne.

HOÀNG TRUNG. ♦ Mandarin et poète vietnamien au service de l'empereur Lê Hiên Tong (1497-1504), auteur de poèmes chinois délicats et d'un ouvrage sur l'art poétique, le *Nghia si truyên*, très estimé.

Hoà Tiên Truyên, « La Lettre fleurie ». ♦ Roman en vers de l'écrivain vietnamien Nguyên Huy Tú (XVIIIe s.), tiré d'un célèbre roman chinois et réadapté en quôc-ngü en 1916. Il est écrit dans une langue vietnamienne très pure, mais quelque peu précieuse.

HOBART. ♦ Cap. et port de l'État de Tasmanie* (Australie), au S.-E. de l'île. Elle occupe un site d'une grande beauté au pied du mont Wellington sur l'estuaire de la Derwent. 123 500 hab. Archevêché catholique. Évêché anglican. Université. — Exportation de fruits (pommes), papier, cuir et peau, bois et laine. Métallurgie (par électrolyse du zinc), acide sulfurique, superphosphates. Indus. alimentaires (confitureries) et textiles. Papeteries.

HOBBEMA (Meindert). ♦ Peintre et dessinateur hollandais (Amsterdam, 1638 — *id.*, 1709). Il se consacra au paysage et subit fortement l'influence de J. Ruysdael*. Il s'attacha à enregistrer les aspects pittoresques de la campagne (châteaux, moulins, ruines, chaumières) avec un esprit plus analytique et moins lyrique que son maître. Il créa quelques audacieuses compositions telle la célèbre *Allée de Middelharnis* mais reprit souvent les mêmes thèmes, sans les renouveler. Il aimait évoquer les pâturages et la terre grasse de son pays. Répartissant avec habileté les éclairages, il chercha plutôt à souligner la netteté des formes qu'à suggérer la fusion des éléments (terre et eau) par la lumière *(Coup de lumière à travers les nuages)*.

HOBBES (Thomas). ♦ Philosophe anglais (Westport, Malmesbury, 1588 — Hardwick, 1679). Après des études à Oxford, il devint précepteur du fils de W. Cavendish et lui resta attaché toute sa vie. Il rencontra Galilée (Italie) et Mersenne en France où il séjourna de 1640 à 1651 (craignant d'être suspecté en Angleterre pour ses opinions royalistes). Il est l'auteur d'un *De cive* (1642), du *Léviathan** (1651) et d'un *De corpore* (1655). Son matérialisme mécaniste (étude du mouvement des corps) se rapproche d'un phénoménisme; Hobbes propose en effet une théorie associationniste de la perception et de la connaissance. Son empirisme se double d'un utilitarisme moral et s'achève dans une philosophie politique dont la nouveauté consista à associer la notion de contrat social à celle de pouvoir absolu.

HOBOKEN. ♦ Comm. de Belgique, faubourg d'Anvers*. 30 800 hab. Chantiers navals et entrepôts portuaires. Métallurgie (raffineries de cuivre, étain, argent, antimoine, plomb).

HOBSON (John Atkinson). ♦ Économiste britannique (1858 – 1940). Membre du parti libéral puis du *Labour Party* (1914), il s'est montré l'adversaire du marginalisme **(V. Menger)** dans son étude sur les crises économiques, qu'il explique par la sous-consommation, et dans son analyse de l'impérialisme qui fut utilisée par Lénine dans *L'Impérialisme, stade suprême du capitalisme.* (*Le Problème du chômage,* 1895; *L'Impérialisme,* 1902.)

HOCEIMA (Al), en esp. **Alhucemas.** ♦ V. du Maroc (11 300 hab.). ch.-l. de prov. (191 500 hab.) sur la Méditerranée au pied du versant N. du Rif*. Centre touristique.

HOCHE (Lazare Louis). ♦ Général, français (Versailles, 1768 – Wetzlar, 1797). Entré dans les gardes françaises en 1784, il fut nommé général de division et commandant en chef de l'armée de Moselle (1793). Après un échec devant les troupes du duc de Brunswick à Kaiserslautern (28-30 nov. 1793), il reprit l'offensive, battit les Autrichiens près de Woerth, réoccupa les lignes de Wissembourg, débloqua Landau (28 déc. 1793) et pénétra dans Spire. Dénoncé comme suspect par son rival Pichegru, il fut emprisonné peu après jusqu'au 9 thermidor an II (27 juil. 1794). Ayant repris son commandement (sept. 1794), il fut chargé par la Convention thermidorienne de la pacification des régions de l'Ouest **(V. Chouannerie, Vendée)** et lutta avec succès contre les émigrés royalistes débarqués à Quiberon avec l'appui des Anglais (juin-juil. 1795). Placé à la tête de l'expédition d'Irlande (déc. 1796), il échoua du fait de la tempête. Après la victoire de Neuwied (17 avril 1797, près de Cologne), il fut nommé ministre de la Guerre (juil. 1797), puis reprit son commandement à la tête de l'armée d'Allemagne, mais mourut peu après.

HOCHELAGA. ♦ Village indien qui se trouvait sur le site où fut fondé Montréal*, aux bords du Saint-Laurent. Jacques Cartier le visita en 1535.

HOCHFELDEN. ♦ Ch.-l. de cant. du Bas-Rhin, arr. de Strasbourg-Campagne. 2 895 habitants.

HOCHHUTH (Rolf). ♦ Auteur dramatique allemand (Kassel, 1931). En portant à la scène les personnages d'une histoire récente, dans *Le Vicaire* (*Der Stellvertreter,* 1964) et *Les Soldats* (*Die Soldaten,* 1967) il a suscité un vaste mouvement de curiosité et un assez profond scandale.

Ph. Marc Riboud/Magnum

Hô Chi Minh.

HÔ CHI MINH (Nguyên Ai Quôc, dit**).** ♦ Homme politique et poète vietnamien, fondateur de la République populaire du Viêt-nam (Nghê An, 1890 – Hanoi, 1969). Après avoir étudié à Hanoi et en France, il milita dans les rangs du Parti communiste et fonda le Parti communiste vietnamien, puis en 1941 le parti du Viêt-minh, qui combattit les Japonais et les Français pour la liberté de son peuple. Il fut nommé président de la République en 1946, et dirigea le Viêt-minh jusqu'à la retraite des forces françaises, après la bataille de Diên* Biên Phú. Élu président de la République démocratique du Viêt-nam en 1954 après l'armistice signé à Genève, il dirigea jusqu'à sa mort les destinées de son pays, s'opposant farouchement à la politique américaine au Sud-Viêt-nam et au régime de Saigon, tentant de réunifier le pays selon les principes socialistes de la République populaire du Viêt-nam, puis organisant la résistance aux attaques aériennes de l'aviation américaine. Ses nombreuses poésies sont d'une grande élévation de pensée.

HOCHKIRCH. ♦ Localité d'Allemagne (district de Dresde). Frédéric* II y fut vaincu par les Autrichiens commandés par Daun (1758).

HÖCHST ou **HOECHST.** ♦ Faub. occidental de Francfort-sur-le-Main (R.F.A., Hesse). Important centre d'indus. chimiques et siège de la *Farbwerke Höchst,* l'une des premières firmes chimiques de la R.F.A., produisant une gamme très variée de produits (colorants, produits pharmaceutiques, matières plastiques, engrais, et, plus récemment, dérivés du pétrole).

HÖCHSTÄDT. ♦ Localité d'Allemagne (Bavière), sur le Danube, au N.-O. d'Augsbourg. Victoire de Villars* sur les Autrichiens (1703). Victoire du prince Eugène* et de Marlborough* sur les Français et les Bavarois (1704) [bataille appelée Blenheim par les Anglais]. Victoire de Moreau* sur les Autrichiens (1800).

HÖCK (Theobald). ♦ Poète allemand de l'époque baroque (Palatinat rhénan, 1593 – 1658). Précurseur de M. Opitz, il a tenté d'égaler dans son *Beau Jardin fleuri* (1601) la poésie d'un Pétrarque ou d'un Ronsard.

HODEÏDA. ♦ V. portuaire du Yémen du Nord, sur la mer Rouge (ch.-l. de prov.). Princ. port exportateur de café, Hodeïda tend à se substituer à Aden* pour le transit des produits d'exportation. Commerce du café **(V. Moka)** et des dattes. 50 000 hab. env. – La *province d'Hodeïda* est divisée en 5 districts (200 000 hab. env.).

HODGKIN (Allan Lloyd). ♦ Neurologue anglais (Banbury, Oxfordshire, 1914). Ses travaux sur les cellules et les fibres nerveuses lui valurent le prix Nobel de méd. (1963) avec J. Eccles* et A. F. Huxley*.

HODGSON (Joseph). ♦ Chirurgien anglais (1788 – 1869). On a appelé *maladie de Hodgson* l'insuffisance aortique d'origine artérielle.

HODJA ou **HOXHA (Enver).** ♦ **V.** HOXHA (Enver).

HODJVÎRI. ♦ Philosophe persan (XIe siècle). Son *« Dévoilement des choses cachées »* est un des textes fondamentaux de la doctrine sûfi **(V. Soufisme).**

HODLER (Ferdinand). ♦ Peintre, dessinateur et sculpteur suisse (Gurzelen, 1853 – Genève, 1918). À partir de 1872, Barthélemy Menn, disciple d'Ingres et ami de Corot*, le conseilla et lui donna des cours. Ses premiers tableaux reflètent l'influence de Corot, mais il affirma ensuite sa personnalité dans des portraits aigus, des paysages construits rigoureusement et de grandes décorations murales de caractère symbolique : *Les Las de vivre, Les Âmes déçues* et *Eurythmie,* 1891-1895; *La Nuit,* 1890; *Le Jour,* 1900; œuvres d'une composition puissamment rythmée au dessin acéré et stylisé dans le sens d'une plus grande expressivité. Dans ses portraits, il chercha à traduire l'intensité dramatique des visages. Il peignit de nombreux paysages ordonnés selon des principes de symétrie et de parallélisme, aux tonalités pâles et froides, parfois intenses (*Lac de Thoune,* 1905). Son souci d'exprimer ses préoccupations idéalistes et sociales en privilégiant certains effets stylistiques sans pour autant abandonner la description naturaliste en font un représentant du symbolisme, son sens dramatique annonçant l'expressionnisme.

HÓDMEZOVÁSÁRHELY. ♦ V. de Hongrie, aux environs de Szeged*. 59 300 hab. Gros marché agricole d'une région où l'on développe les cultures d'essai (arachides, kenaf). Constructions mécaniques. Tuileries. Indus. textiles.

HODNA *(plaine* ou *bassin du).* ♦ Région d'Algérie, dépression des Hauts Plateaux au pied des monts des Ouled* Naïl et du Zab*, dominée au N.-E. par les *monts du Hodna* (1 890 m) qui la séparent de la plaine de Sétif*, occupée au centre par le *chott-el-Hodna.* Région chaude et aride parcourue par des pasteurs seminomades et leurs troupeaux. *V. princ.* **V. Barika, Bou-Saada** et **M'Sila.**

HOËDIC. ♦ Petite île de l'Atlantique (2,5 km sur 1 km), au large de Quiberon, au S. de Houat; comm. du Morbihan, arr. de Lorient. 191 hab. (l'île est en voie de dépeuplement). Pêche.

HOEILAART, anc. **Hoeylaert.** ♦ Comm. de Belgique (Brabant, arr. de Bruxelles) à la lisière de la forêt de Soignes*. 7 100 hab. Centre de cult. maraîchères (plus de 35 000 serres dans la région).

HOEL (Sigurd). ♦ Romancier et critique littéraire norvégien (Nord-Odal, 1890 – Oslo, 1960). Impressionné par la guerre de 1914-1918, emporté par une nouvelle foi révolutionnaire, il se rallia au groupe marxiste de la revue *Mot Dag* qui s'opposait aux idées de Fangen*. Par ailleurs il subit les influences de Freud* et de la psychanalyse. Il introduisit en Norvège une technique et un style nouveaux dans ses romans (*Pêcheurs au soleil d'été.*

1927; *Une journée d'octobre*, 1931; *Sesam, sesam*, 1938) qui sont autant de satires féroces ou plaisantes de la jeunesse moderne, de la bourgeoisie ou de la vie littéraire. Il fit enfin dans son roman *Rendez-vous près de la borne* (1947) une profonde étude psychologique du nazi et du collaborateur. – Par son esprit moderne et européen il eut une grande influence sur la jeunesse et sur la littérature moderne en Norvège.

HOESELT. ♦ Comm. de Belgique (Limbourg, arr. de Tongres), en Campine*, sur la Demer. 5 500 hab. – Château des Vieux-Joncs, ancienne commanderie des chevaliers de l'ordre Teutonique, fondée au XIIIe s. et où séjournèrent Louis XIV et Louis XV. – Cultures maraîchères et fruitières. Tabac.

HOF. ♦ V. d'Allemagne (Bavière, Haute-Franconie), sur la Saale, entre les massifs du Frankenwald* et du Fichtelgebirge* 55 700 hab. Centre industriel à proximité de l'autoroute Munich-Berlin (textiles, constructions mécaniques, brasseries et liqueurs).

HO-FEI (Hefei). ♦ V. de Chine (anc. Lu-chou) de la prov. du An-hui. 350 000 hab. Centre de la culture du coton. Filatures.

HÖFFDING (Harald). ♦ Philosophe danois (Copenhague, 1843 – 1931). Auteur d'une *Esquisse d'une psychologie fondée sur l'expérience* (1882; tr. fr., 1908) basée sur le parallélisme psychophysiologique, il a exposé une doctrine à la fois positiviste et critique, tendant vers un relativisme philosophique (*Relativité philosophique*, tr. fr., 1924).

HOFFMAN (Joseph). ♦ Architecte et décorateur autrichien (Pirnitz, Moravie, 1870 – Vienne, 1956). Fidèle disciple d'Otto Wagner*, il fut l'un des fondateurs de la Sécession de Vienne en 1897. Il s'intéressa aux métiers d'art et fonda en 1903 avec Koloman Moser les *Wiener Werkstätte*, ateliers artisanaux qui acquirent rapidement une grande renommée. Dès 1901, il construisit quatre villas aux volumes cubiques; il édifia ensuite le sanatorium du *Pikensdorf*, 1903, au style dépouillé et rationnel. Son œuvre la plus célèbre : le *palais Stoclet*, qu'il aménagea avec la collaboration de Klimt* pour les décorations intérieures, est à la fois rationnelle et raffinée dans l'agencement des volumes, le choix du décor et l'emploi des matériaux luxueux. Il n'abandonna pas toute référence au néo-classicisme et révéla des tendances symbolistes. En 1924-1925, il construisit une série de maisons populaires d'un sobre géométrisme.

HOFFMANN (Friedrich). ♦ Médecin allemand (Halle, 1660 – 1742). Professeur de méd. à Halle, puis médecin de Frédéric-Guillaume de Prusse, il publia en 1718 ses *Fundamenta Physiologiae*. Il fut considéré comme le créateur de l'organicisme.

HOFFMANN (Ernst Theodor Wilhelm Amadeus). ♦ Écrivain et compositeur allemand (Königsberg, 1776 – Berlin, 1822). Doué d'une imagination qu'il jugea lui-même « excentrique », il se consacra à une intense activité artistique, tant musicale (pièces pour piano, musique de chambre et opéras sur des textes de Brentano* et Fouqué, *Ondine*, 1814), que littéraire (*Les Élixirs du diable*, 1816; *Les Soirées des frères Sérapion*, 1819-1821; *La Princesse Brambilla*, 1821; *Le Chat Murr*). « Œuvre électrique » (Guerne) où les figures les plus fantastiques s'insinuent sans cesse dans la vie réelle, elle inspira bien des musiciens (Les *Kreisleriana* de Schumann; le *Casse-Noisette* de Tchaïkovski; les *Contes d'Hoffmann* d'Offenbach) et des écrivains.

HOFFMANN VON FALLERSLEBEN (August Heinrich). ♦ Poète et philologue allemand (Fallersleben, Lunebourg, 1798 – Korvey, Westphalie, 1874). Patriote, convaincu de l'unité spirituelle des Allemands, il fut nommé bibliothécaire puis professeur à Breslau (1823) mais dut quitter l'enseignement après la publication de ses *Chants apolitiques* (*Unpolitische Lieder*, 1840-1841), à caractère libéral et surtout satirique. Fondateur des *Annales de Weimar pour la langue et la littérature allemandes* (1854), bibliothécaire du grand-duc de Ratibor (1860), il a laissé un recueil de 37 *Lieder pour la Jeune-Allemagne* (1841-1850) ainsi qu'un chant patriotique qui est devenu l'hymne national allemand.

HOFFMANN VON HOFFMANNSWALDAU (Christoffer). ♦ Poète lyrique allemand de l'époque baroque (Breslau, 1617 – 1679). Sous l'influence de M. Opitz, il a composé des poèmes d'inspiration tour à tour bucolique, érotique et religieuse, dans un style précieux et maniéré qui annonçait déjà le déclin de la poésie baroque.

HOFMANNSTHAL (Hugo *von*). ♦ Poète et dramaturge autrichien (Vienne, 1874 – Rodau, 1929). À ses plus hauts moments, son œuvre est une interrogation sur le sens de la vie et du monde, d'où naissent un pathétique et une ironie qui en font la grandeur. Son théâtre est métaphysique : *L'Aventurier et la Cantatrice* (*Der Abenteurer und die Sängerin*, 1899) ou adapté des grands classiques grecs (*Alceste, Œdipe, Électre*) ou encore inspiré des mystères du Moyen Âge (*Jedermann*, 1911) ou de Calderón : *Le Grand Théâtre du monde* (*Das grosse Salzburger Welttheater*, 1922). – Hofmannsthal a composé le livret de plusieurs opéras de Richard Strauss* dont *Le Chevalier à la rose* (*Der Rosenkavalier*, 1911).

HOFOUF ou **HOFUF.** ♦ V. d'Arabie Sa'ûdite, *cap.* de la prov. orientale du Hassa*, à proximité du golfe Persique, dans l'oasis du même nom. 100 000 hab. (1970). Centre commercial des produits de l'oasis (céréales, fruits et légumes, dattes). Artisanat (travail du cuir, tissus). Cimenterie. Près de la ville, gisements de pétrole. Hofouf est desservie par l'unique voie ferrée Riyad*-Damman.

HOFSTADTER (Robert). ♦ Physicien américain (New York, 1915). Spécialiste de physique nucléaire, il établit que la charge du proton n'est pas ponctuelle et se répartit de façon non homogène, précisa la répartition de la charge des noyaux plus lourds et mit à profit les tubes électroniques photomultiplicateurs en réalisant des scintillateurs inorganiques [1948]. (Prix Nobel de phys., 1961 avec Mössbauer*).

Arch. Smeets

W. Hogarth : « Autoportrait ». (Collection privée.)

HOGARTH (William). ♦ Peintre, graveur, dessinateur et écrivain anglais (Londres, 1697 – *id.*, 1764). À l'âge de quinze ans, il travailla comme apprenti graveur chez un orfèvre et à partir de 1721 s'installa à son compte, illustrant notamment *L'Âne d'or* d'Apulée et *Hudibras* de S. Butler. Vers 1720, il s'initia à la peinture en étudiant à l'académie de *Saint-Martin's lane* et sans doute chez le peintre d'histoire J. Thornhill auquel il vouait une grande admiration. L'un de ses premiers tableaux qui représentait une scène de *l'Opéra des gueux* de J. Gay *(The Beggar's Opera)* devint très populaire (1729). À la même époque, il épousa la fille de Thornhill, représenta alors des scènes de mœurs (*Le Mariage de S. Beckingham et de M. Cox*, 1729), des portraits et particulièrement des portraits de groupe situés dans un cadre familier (« Conversation's pieces »); l'acuité de sa vision, son art d'animer les visages s'y affirment déjà avec éclat. Mais c'est comme graveur satirique qu'il acquit la célébrité après avoir publié : *Mascarades et Opéras* (1724) où il ridiculisait les modes venues de l'étranger. Il donna plusieurs séries de planches d'après des modèles peints : *La Carrière de la prostituée (A Harlot's Progress)*, 1732; *La Carrière du roué (A Rake's Progress); La Conversation moderne (A Midnight modern conversation)*, 1733-1738; *Mariage à la mode*, 1743; *Les Quatre Âges de la cruauté (The four stages of cruelty)*, 1751; *Élections*, 1754. Dans ces œuvres à « sujet moderne et moral », il fit preuve d'un humour féroce, critiquant avec virulence les mœurs de ses contemporains, l'hypocrisie religieuse, la corruption politique. Admirateur de Swift, Pope et aussi Shakespeare, il fut l'ami de Fielding* dont il partageait les conceptions politiques libérales et chargea ses œuvres d'un contenu didactique (*Industry and Idleness : Travail et Paresse*, 1747). Il subit l'influence des peintures de genre hollandaises, de l'imagerie populaire et créa un nouveau genre à forme narrative. Il s'inspira du théâtre de l'époque, de l'art du mime, non seulement dans le choix de ses sujets, mais aussi dans ses mises en pages, dans le choix des gestes caractéristiques, des expressions. Il eut l'ambition de devenir un peintre d'histoire (*La Piscine de Bethsaïda; le Bon Samaritain*, 1734-1736), fut nommé peintre du roi en 1757, mais n'obtint jamais la consécration dans ce domaine. Il écrivit un ouvrage théorique : *Analyse de la beauté* (1753) et entreprit son autobiographie. Les portraits qu'il exécuta d'une touche large, peu empâtée, sont d'une grande vivacité d'expression *(Mr. et Mrs. Garrick, La Marchande de crevettes)*. Par sa forte personnalité, il ouvrit la voie à l'école anglaise.

HOGDSKIN (Thomas). ♦ Économiste anglais (1783 – 1869). Bien qu'il n'ait pas été l'adversaire de la propriété privée et qu'il ait refusé l'intervention de l'État en matière économique, il a mis en question l'existence des propriétaires fonciers et des capitalistes dans ses ouvrages (*Le travail défendu contre les prétentions du capital*, 1825; *Économie politique populaire*, 1827).

HOGGAR ou **AHAGGAR.** *n. m.* ♦ Massif cristallin du Sahara central (Algérie) situé sur le tropique du Cancer, qui se prolonge

Ph. Nimatallah/Ricciarini

Hokusai : « Autoportrait ».
(Musée Guimet, Paris.)

sur la presque totalité de son pourtour par des plateaux de grès ou *tassili* dont les plus importants se trouvent à l'E. (tassili des Ajjers*) et au sud-ouest. Il est peuplé par des Touaregs*. Point culminant au Tahat (2 918 m), piton du massif volcanique qui domine Tamanrasset*.

HOHENLINDEN. ♦ Localité d'Allemagne (Bavière). ♦ *Hist.* Le 3 décembre 1800, Moreau* y remporta une victoire sur les Autrichiens commandés par l'archiduc Jean; cette victoire fut suivie de la paix de Lunéville*.

HOHENLOHE (Friedrich Ludwig, *prince de* **Hohenlohe-Ingelfingen).** ♦ Général prussien (Ingelfingen, 1746 – Slawenwitz, Silésie, 1818). À la tête des troupes prussiennes, il fut écrasé par Napoléon à Iéna* le 14 octobre 1806.

HOHENLOHE (Chlodwig, *prince de* **Hohenlohe-Schillingsfürst).** ♦ Homme politique allemand (Rotenburg an der Fulda, 1819 – Ragaz, Suisse, 1901). Premier ministre de Bavière (1866-1870), il favorisa l'unité allemande sous la domination de la Prusse. Il fut ensuite ambassadeur d'Allemagne à Paris (1874-1885), puis gouverneur d'Alsace-Lorraine (1885-1894), et sut dans ces deux cas montrer de grandes qualités de conciliateur. Nommé chancelier à la suite de Caprivi* (1894-1900), il établit le Code civil, développa les possessions coloniales allemandes en Chine et améliora sa puissance militaire, en particulier la marine. Son libéralisme l'opposa à Guillaume II, et Bülow* lui succéda. Il a laissé des *Mémoires* (1906).

HOHENSTAUFEN. ♦ Famille impériale allemande qui tire son nom du château de *Hohenstaufen* en Souabe, détruit lors de la guerre des Paysans* (1525). Le premier membre important de la famille fut Frédéric l'Ancien ([mort] 1105) qui construisit le château v. 1080 et reçut les duchés de Souabe et de Franconie de l'empereur Henri* IV en 1079. Ses deux fils Frédéric II le Borgne (1090-1147) et Conrad furent régents de l'Empire lors du séjour d'Henri* V en Italie (1116). À la mort d'Henri V (1125), Frédéric le Borgne fut écarté de l'Empire et combattit Henri* le Superbe, de la famille des Guelfes. Ainsi commença la lutte entre les guelfes* et les gibelins (les Hohenstaufen étant seigneurs de Waiblingen). Conrad fut élu empereur en 1138 **(V. Conrad III).** La famille des Hohenstaufen donna dès lors plusieurs empereurs à l'Allemagne. **V. Frédéric Ier Barberousse, Henri VI, Philippe Ier de Souabe, Frédéric II, Conrad IV** (1250-1254). La famille s'éteignit avec Conradin* (Conrad V) en 1268. La chute des Hohenstaufen en 1254 fut cause du Grand Interrègne* (1254-1273).

HOHENZOLLERN. ♦ Famille allemande qui tire son nom du château de Hohenzollern, près de Sigmaringen, en Souabe. Frédéric III de Hohenzollern (1139-1201) augmenta par mariage ses biens du burgraviat de Nuremberg (1191), mais ses fils Frédéric et Conrad se partagèrent leur héritage en 1227, d'où la division de la famille en une ligne de Souabe et une ligne de Franconie. *La ligne de Souabe* se partagea en deux branches en 1576 : la branche de *Hohenzollern-Hechingen* et la branche de *Hohenzollern-Sigmaringen* qui cédèrent leur principauté à la Prusse en 1849. L'un des membres de la seconde branche fut roi de Roumanie en 1881 **(V. Carol Ier).** *La ligne de Franconie* augmenta son patrimoine de Bayreuth et de Kulmbach puis d'Ansbach aux XIIIe et XIVe siècles. Frédéric VI reçut de l'empereur Sigismond la marche de Brandebourg et Prusse (1415).

HOHNECK. *n. m.* ♦ Sommet des Vosges (1 361 m) dominant le col de la Schlucht*.

HO HO ÊRH HSIEN [*Ho ho eul Hien; He he er Xian*] « Les deux immortels Ho et Ho ». ♦ Divinités chinoises des marchands et de la richesse, considérées parfois comme la déification des deux poètes religieux Han Shan et Shi Tê du VIIe siècle. Ils président à l'Union et à l'Harmonie selon les théories du Tao*. On les représente comme deux jeunes enfants en train de jouer.

HÔITSU. ♦ Peintre japonais (1761 – 1828), de l'école de Kôrin*. Il étudia les techniques des Kanô, celles de l'Ukiyo*-e et des écoles chinoises. Cependant il est peut-être plus renommé en tant que critique d'art (ouvrages sur le style de Kôrin et de son école) que comme peintre.

HOJEDA ou **OJEDA (Alonso** *de***).** ♦ Navigateur et conquistador espagnol (Cuenca, Nouvelle-Castille, v. 1465 – Hispaniola, Haïti, 1515). Compagnon de C. Colomb lors de son second voyage (1493-1496), il explora Haïti où il découvrit le gisement aurifère de Cibao. En 1499, il entreprit avec Juan de la Cosa* et Amerigo Vespucci une expédition le long de la côte orientale de l'Amérique du Sud (en particulier le Brésil), et atteignit en 1501 le Venezuela* (« petite Venise »), terre qu'il nomma ainsi en raison des habitations lacustres des habitants de Maracaibo.

HÔJÔ. ♦ Famille seigneuriale japonaise d'ascendance Taira* qui, de 1200 à 1333, dirigea en tant que shikken (régents des shôgun) le Bakufu* de Kamakura. Neuf shikken Hôjô se succédèrent pendant cette période. Parmi les plus célèbres, HÔJÔ TOKIMASA (1138 – 1205) fut le beau-père de Minamoto Yoritomo et le premier des shikken, HÔJÔ TOKIMUNE (1251 – 1284) fut le grand artisan de la défense contre les invasions mongoles de 1274 et 1281. HÔJÔ TAKATOKI (1303 – 1333) vit la chute du Bakufu de Kamakura et l'incendie de la ville shôgunale. Il se suicida avec ses derniers fidèles en 1333.

Hôjôki (japonais : « Souvenirs de ma cabane de dix pieds carrés »). ♦ Petit opuscule japonais de réflexions philosophiques, œuvre de Kamo Chômei (1154 – 1216), composé vers 1212 en un style extrêmement élégant, reflétant la philosophie bouddhique de l'époque.

HÔJÔ TOKIMASA. ♦ Chef de la famille des Hôjô* (1138 – 1215), allié de Minamoto* no Yoritomo dont il était le beau-père. Gouverneur de Kyôto* en 1185, il devint le premier shikken du Bakufu de Kamakura* après la mort (1199) de Yoritomo (1200). Il fut cependant exilé en 1205 pour avoir comploté contre le shôgun Sanetomo.

HOKKAIDÔ. ♦ Île la plus septentrionale de l'archipel du Japon, formant une préfecture du Japon. 78 508 km². 5 200 000 hab. (1970). Plusieurs arcs montagneux peu élevés la traversent, jalonnés de volcans (mont Daisetsu ou Asahi, 2 290 m). De climat rude, sibérien, l'île ne fut colonisée par les Japonais du Honshû* qu'à partir de la fin du XIXe siècle. Cette île, domaine des populations Aïnus*, n'était que fort peu peuplée jusqu'à cette époque. Des experts américains planifièrent son développement : les villes furent élevées sur des plans géométriques. L'agriculture, pratiquée dans les plaines de l'O. (maïs, blé, un peu de riz), demeure la principale richesse avec celle de l'élevage (chevaux). Quelques mines de charbon. Pêche active (harengs, saumons). Les Jeux Olympiques d'hiver se sont tenus en 1972 dans la principale cité de l'île, Sapporo*.

HOKUSAI. ♦ Peintre japonais (Edo, 1760 – 1849) et graveur d'estampes de style Ukiyo*-e, célèbre pour ses estampes représentant les *36 vues du mont Fuji* et ses nombreux carnets de croquis « Manga » dans lesquels il fait preuve d'une étonnante virtuosité. Il s'intitulait lui-même, vers la fin de sa vie, « le vieillard fou de dessin ». Il signa ses œuvres d'une vingtaine de noms différents, mais n'utilisa celui de Hokusai qu'à partir de 1797. Il eut de nombreux disciples, élèves et imitateurs.

HOLAN (Vladimir). ♦ Poète tchèque (Prague, 1905 –). Il débuta sous l'influence de Valéry* et de Rilke* par une poésie pure et abstraite : *L'Éventail chimérique* (1926), *Le Triomphe de la mort* (1930). À la libération, il devint un poète politique avec *Reconnaissance à l'Union soviétique* et *Combattants de l'armée rouge*. Enfin, il revint à une poésie plus détachée : *La Ronde nocturne du cœur* (1963).

HOLAPPA (Pentti Vihtori). ♦ Poète, romancier et journaliste finnois (Ylikiiminki, 1927 –). Après des vers d'une solennité un peu affectée comme *Le Bouffon dans la galerie des glaces* (1950) et *Le Fils de la terre* (1953), il passa à une analyse plus simple et pénétrante de l'âme humaine dans le recueil *Regardez vos yeux* (1959). Ses romans *Plomb* (1961), *Les Qualités de l'héritier* (1963) et ses nouvelles (*Métamorphoses*, 1959) font éclater la structure traditionnelle du récit par l'introduction d'éléments irréels. Il traduisit avec Olli-Matti Ronimus des auteurs français contemporains, Robbe*-Grillet, N. Sarraute*, C. Simon*, et publia des essais littéraires (*Antennes*, 1963). Il devint ministre de l'Éducation nationale en 1972.

HOLBACH [ɔlbak] **(Paul Henri,** *baron d'***).** ♦ Philosophe français (Edesheim, Palatinat, 1723 — Paris, 1789). Collaborateur de l'Encyclopédie*, il exposa dans son *Système de la nature* (1770) un matérialisme mécaniste et athée. Il est également l'auteur d'ouvrages antireligieux (*Le Christianisme dévoilé*, 1767).

HOLBAEK. ♦ V. et port du Danemark, au N. de l'île de Sjaelland*, au fond du *Holbaek fjord*. Ch.-l. du dép. homonyme. 15 200 hab. — Station balnéaire. Pêche.

HOLBEIN (Hans dit **l'Ancien).** ♦ Peintre et dessinateur allemand (Augsburg, v. 1465 — Issenheim, 1524). Il se forma à Ulm, visita probablement les Pays-Bas, puis dirigea à Augsburg un atelier produisant de nombreux retables : la brutalité des expressions, certaines formes convulsives s'inscrivent dans la tradition stylistique germanique et font de Holbein un représentant caractéristique du gothique tardif (*La Passion grise*, v. 1495-1500). À la fin de sa vie, il adopta certains éléments du répertoire formel italien et agença avec plus de rigueur des formes calmes (*La Fontaine de Jouvence*, 1519). Il peignit des portraits d'une facture assez sèche, mais ses crayons à la pointe d'argent, qu'on a souvent attribués à son fils, révèlent son acuité de vision et la grande précision de son trait.

HOLBEIN (Hans, dit **le Jeune).** ♦ Peintre, dessinateur et graveur allemand (Augsbourg, 1497 — Londres, 1543). Formé probablement auprès de son père (Hans Holbein l'Ancien, **V.** *ci-dessus*), il se trouvait à Bâle dès 1515 et plusieurs imprimeurs, dont Frobenius, le chargèrent de réaliser des illustrations, vignettes et frontispices (*Danse macabre*, 1515). Les rapides croquis dessinés en marge de l'*Éloge de la folie* d'Érasme le firent connaître du milieu humaniste, et ses premiers portraits lui valurent la faveur des notables, bourgeois et commerçants de la cité. *(Portrait de Jacob Meyer*, 1516). En 1517, il fut chargé de la décoration de la maison du bourgmestre Jacob van Hertenstein et, probablement, entreprit-il à cette époque un voyage dans le nord de l'Italie. Inscrit à la guilde de Bâle en 1519, il participa à la décoration de la *salle du Grand Conseil de l'hôtel de ville* (1521), puis décora la façade de la maison *Zum Tanz* (1530) dont les croquis sont conservés. Les effets de perspective en trompe l'œil, les rythmes animés, dénotent l'assimilation des conceptions spatiales italiennes et certaines tendances maniéristes. Des œuvres religieuses, telles que la *Vierge de Solothurm* (1521) ou la *Madone du bourgmestre Meyer* (1526-1530) se distinguent par l'ampleur de la composition et la sérénité de l'expression, et dénotent une influence de Léonard de Vinci. Le saisissant *Christ mort* (1521, probablement la prédelle d'un retable disparu) est traité avec une précision impitoyable et morbide. Au cours d'un voyage en France, Holbein découvrit probablement les dessins minutieux et fermes de Clouet. En 1523, il se lia avec

Ph. Nimatallah/Ricciarini

Holbein le Jeune : « William Warham ».
(Musée du Louvre, Paris.)

Érasme, et fit de lui un portrait où apparaît aussi bien sa maîtrise stylistique qu'un rare sens de l'observation psychologique. Sur ses conseils, il quitta Bâle où régnait un climat d'incertitude, les représentants de la Réforme tendant en effet à imposer le refus des images sacrées; il se rendit en Angleterre (v. 1526) et eut comme protecteur Thomas More. Il peignit alors de nombreux portraits présentant souvent ses modèles à mi-corps, entourés de leurs instruments de travail ou d'objets symbolisant leur fonction; il fit preuve d'un sens aigu de la caractérisation, et dans ses mises en page, insista sur l'aspect linéaire, tout en rendant avec finesse le modelé (*L'Archevêque de Canterbury; L'Astronome Nicolaus Kratzer*, 1528). Revenu en Suisse, il eut du mal à obtenir des commandes, et retourna en Angleterre en 1532. Il travailla d'abord pour les riches marchands allemands (*Portrait d'Herman Wedigh; Le Marchand Gisze*, 1532), puis devint le peintre du roi Henri VIII. Mettant ses talents d'observateur impartial au service de la cour, il réalisa alors le *Portrait des ambassadeurs français Jean de Dinteville et Georges de Selve* (1533), où se manifestent son sens de la composition monumentale et une certaine inclination au fantastique et à la virtuosité technique (étrange anamorphose centrale). Il représenta aussi *Thomas Cromwell* (1534), *Sir Richard Southwell* (1536), *Christine de Danemark* (1538), *Anne de Clèves* (1540), *Les Enfants d'Édouard VII*. Il mourut emporté par la peste, au faîte de sa réputation. — Il eut une passion presque exclusive pour le visage humain, et l'observa avec une sévère probité. Subordonnant son goût du détail à une vision synthétique, il élabora un style d'une grande fermeté, et sut intégrer les apports nordiques et italiens. Héritier à certains égards de Dürer*, avec lequel il partagea un certain idéal de « vérité scientifique », il est apparu comme le dernier grand représentant de la Renaissance allemande.

HOLBERG (Ludvig, *baron***).** ♦ Écrivain danois d'origine norvégienne (Bergen, 1684 — Copenhague, 1754). Né à une époque où la Norvège et le Danemark étaient encore unis en un seul royaume, Holberg fut considéré comme « le père de la littérature dano-norvégienne ». Après de nombreux voyages en Europe, où il se nourrit de la pensée de Luther* et de Bayle*, il se fixa en 1717 à Copenhague. Il écrivit alors entre 1722 et 1727 de nombreuses comédies inspirées de Molière et qui sont encore jouées aujourd'hui. Dans la plupart il décrivit avec liberté et hardiesse la petite bourgeoisie de Copenhague. Ainsi *Erasmus Montanus* est-elle la satire du jeune pédant universitaire, *Jean de France* la satire de la mode francophile, *La Chambre de l'accouchée* un tableau de genre, et *Jeppe de la montagne*, sa comédie la plus célèbre, raconte-t-elle les malheurs d'un paysan. Par ailleurs, passionné par la vie de l'État et les progrès de la civilisation, il écrivit de 1732 à 1735 une *Histoire du royaume de Danemark*, puis une *Histoire de l'Église*, et enfin *Le Voyage de Nils Klim* (1741), dont le héros voyage du pays idéal au pays des Singes, ce qui permet à Holberg de faire une satire virulente de la société de son époque. À la fin de sa vie, il écrivit des *Pensées morales* (1744) et cinq volumes d'*Épîtres* (1748-1754) qui évoquent le ton des *Essais* de Montaigne. À travers toute l'œuvre de Holberg perce son désir d'éduquer le peuple, de moraliser avec le sourire. Il voulut aussi rendre la langue « plus parfaite » et contribua largement à l'enrichir et à l'assouplir.

HÖLDERLIN (Friedrich). ♦ Poète allemand (Lauffen, Wurtemberg, 1770 — Tübingen, 1843). Condisciple de Hegel* (au séminaire protestant de Tübingen), il s'enthousiasma comme lui pour la Révolution française, exaltant dans ses poèmes de jeunesse (1789-1794) les grands idéaux humains (liberté, beauté) et exprimant déjà son culte pour la Grèce antique. Précepteur à Francfort (1795-1798), il y vécut un amour partagé avec la mère de ses élèves (Suzanne Gontard), qu'il invoqua sous le nom de Diotima dans des poèmes et dans son roman *Hypérion* (ou *l'Ermite de Grèce*) achevé en 1799, après leur séparation. À la souffrance de la rupture se mêle celle que provoque en lui la situation culturelle de l'Allemagne. Mais, s'il dit sa douleur ou s'il évoque avec nostalgie le monde harmonieux de la Grèce antique, il chante aussi la joie et l'espoir de voir l'Allemagne réincarner cet idéal. C'est la communion avec la Nature, l'Éther, le Soleil et la Terre ainsi que les saisons qui donnent à sa poésie son rythme essentiel. Tels sont les thèmes de ses odes, hymnes et élégies. Jusque dans la folie où il sombra peu à peu (dès 1804), Hölderlin resta le poète de l'innocence pour qui « poématiser » est « l'occupation la plus innocente de toutes » *(Empédocle*, 1799; *Remarques sur Œdipe et Antigone)*.

HOLGUÍN. ♦ V. de Cuba* située dans la partie orientale de l'île (province d'Oriente). 226 600 hab. Centre commercial important (canne à sucre, café, tabac).

Holī. *n. m.* ♦ Fête populaire indienne du jour de la pleine lune du début du printemps, célébrant à l'origine un culte de la fertilité. Pendant cette fête, les Indiens s'aspergent d'eaux colorées et se lancent mutuellement des poudres de couleur autrefois symboliques de l'acte sexuel. La signification primitive de cette fête est maintenant oubliée, bien que le rite subsiste toujours, contribuant à faire de cette fête une des plus joyeuses de l'année indienne.

HOLIDAY (Billie) [surnommée *lady Day*]. ♦ Chanteuse de jazz noire américaine (Baltimore, 1915 — New York, 1959). Elle enregistra en compagnie de Teddy Wilson et des vedettes de l'orchestre de Count Basie* (dont elle fut la chanteuse en 1937), notamment Lester Young*. À son répertoire de variétés elle conféra une tonalité acidulée, désespérée, musicalement très originale. Princ. enregistrements : *Billie's blues* (1936), *Strange Fruit* (1939), *My Old Flame* (1944).

Ph. Nino Cirani/Ricciarini

Hollywood : Sunset Boulevard.

HOLKAR. *n. m. pl.* ♦ Dynastie de chefs mahrâta* de l'Inde occidentale, fondée à Indore* en 1733 et qui régna sur cette partie de l'Inde jusqu'en 1893.

HOLLAND (John P.). ♦ Ingénieur américain (1840 – 1914). Inventeur du submersible, en même temps que Laubeuf*.

HOLLAND. ♦ **V.** LINCOLNSHIRE.

HOLLANDE. *n. f.* ♦ Désignation impropre donnée aux Pays*-Bas, la Hollande étant la province qui tint le rôle le plus important lors de l'unification politique du pays.

HOLLANDE-MÉRIDIONALE, en néerl. **Zuidholland.** ♦ Province des Pays-Bas. 2 902 600 hab. *(Hollandais). Ch.-l.* **V. Haye** (La) *V. princ.* **V. Delft, Dordrecht, Gorinchem, Gouda, Leyde, Pernis, Rotterdam, Scheveningen, Schiedam, Vlaardingen.** Abritée par un cordon de dunes, la Hollande-Méridionale est formée d'une plaine (paysage de canaux et de moulins à vent) et d'un archipel constitué par les ramifications du Lek, du Waal et de la Meuse. Le littoral constitue une zone résidentielle (Katwijk aan Zee). L'intérieur des terres est voué à l'horticulture (Lisse). Fruits et légumes (tomates, concombres, raisin). Élevage bovin. Production de fromage. L'indus. est centralisée autour de Rotterdam. Métallurgie. Chantiers navals. Raffineries (Pernis et Europort). Indus. chimiques (Vlaardingen, Rozenburg, Botlek). ♦ *Hist.* C'est dans les deux provinces de Hollande **(V. Hollande-Septentrionale)** que se trouvaient, pendant la période de gestation de l'indépendance nationale, les principaux centres politiques, commerciaux et maritimes, (d'où l'appellation fréquente de Hollande pour Pays*-Bas).

HOLLANDE-SEPTENTRIONALE, en néerl. **Noordholland.** ♦ Province des Pays-Bas. *Ch.-l.* **V. Haarlem.** *V. Princ.* **V. Aalsmeer, Alkmaar, Amsterdam, Bergen aan Zee, Beverwijk, Edam, Hilversum, Ijmuiden, Velsen, Zaandam.** Située presque entièrement audessous du niveau de la mer, la Hollande-Septentrionale est protégée par ses digues et ses dunes et sillonnée de nombreux canaux. Amsterdam* se trouve au cœur du pays, reliée à la mer par le canal de la mer du Nord. Élevage ovin (Texel*) et bovin. Production de fromage (Edam), de légumes; horticulture. Vergers.

HOLLANDIA. ♦ Anc. nom de Djadjapura*.

HOLLERITH (Hermann). ♦ Statisticien américain (Buffalo, 1860 – Washington, 1929). Inventeur des machines à statistiques à cartes perforées, il en réalisa les premiers exemplaires (1880-1889) et fonda la Tabulating Machine Corporation (devenue l'I.B.M.). **V.** *aussi* **Bull.**

HOLLEY (Robert). ♦ Biochimiste américain (Arbana, 1922). Il partagea avec H.G. Khorana* et M.W. Nirenberg* le prix Nobel de médecine (1968) pour ses travaux sur la structure chimique de l'acide ribonucléique (A.R.N.) et sur l'interprétation du code génétique selon lequel s'effectue la synthèse des protéines.

HOLLOGNE-AUX-PIERRES. ♦ Comm. de Belgique (prov. et arr. de Liège). 6 000 hab. Indus. chimiques. Zinc.

HOLLY (Jan). ♦ Poète slovaque (Borsky Sväry Mikulas, près de Bratislava, 1785 – Dobra Voda, 1849). Il adopta la langue littéraire slovaque telle que ses contemporains Josef Bajza et Anton Bernolak l'avaient définie, dans une trilogie épique et romantique à la gloire du premier empire slave : *Svatopluk* (1833), *Cyrille et Méthode* (1836), *Le Slave* (1839).

HOLLYWOOD. ♦ Faubourg N.-O. de Los* Angeles (Californie), près de Beverley* Hills et de Santa* Monica, principal centre de l'indus. cinématographique et de la télévision aux États-Unis.

HOLLYWOOD. ♦ V. des États-Unis (Floride) dans la zone urbaine de Fort* Lauderdale. 104 018 hab.

HOLMES (Oliver Wendell). ♦ Médecin et écrivain américain (Cambridge, Massachusetts, 1809 – Boston, 1894). Il reconnut le caractère contagieux de la fièvre puerpérale, et fut un des premiers à pratiquer la méthode antiseptique **(V. Lister).** Il est par ailleurs l'auteur de poèmes élégiaques, de causeries en prose et de romans dirigés en particulier contre le puritanisme (*Elsie Venner,* 1861; *L'Ange gardien,* 1867).

HOLMES (Arthur). ♦ Géologue et minéralogiste anglais (Hebburn, 1890). On lui doit une méthode de datation des roches anciennes et de l'origine de la terre par analyse isotopique des minerais de plomb (1947).

Holmes (Sherlock). ♦ Personnage créé par Conan Doyle*, héros de la célèbre série de romans policiers *Les Aventures de Sherlock Holmes* (1891-1925). Holmes est le type du détective amateur, utilisant minutieusement l'observation, la déduction et l'induction, selon l'idéal positiviste de l'époque; mais il n'est pas dénué d'ambiguïté et d'un sens artistique inattendu. Par sa personnalité inquiétante et par son pouvoir d'abstraction, Holmes s'oppose à son inséparable compagnon, le docteur Watson, type de l'homme débonnaire et sympathique.

HOLON. ♦ V. de l'État d'Israël, dans la banlieue S. de Tel*-Aviv. 84 700 hab. (1970). Indus. textiles.

HOLOPHERNE ou **OLOPHERNE.** ♦ Personnage fictif du livre de Judith*. Général de Nabuchodonosor, « roi des Assyriens » (sic), il assiège une ville nommée Béthulie, mais Judith le séduit, l'enivre et le décapite.

HOLSTEBRO. ♦ V. du Danemark, à l'O. du Jutland*, sur la Stora. 17 200 hab. – Brasseries, conserveries, manufacture de tabac, commerce de bétail. À proximité, institut de pisciculture.

HOLSTEIN (Friedrich *von***).** ♦ Diplomate allemand (Schwedt, 1837 – Berlin, 1909). Conseiller de Hohenlohe* en politique étrangère, il était hostile à toute expansion coloniale et au traité de réassurance germano-russe de Bismarck* dont il favorisa la chute (1887).

HOLSTEIN. *n. m.* ♦ Anc. État d'Allemagne, situé dans la partie S. de l'actuel Schleswig-Holstein. Les Saxons* et les Slaves Obodrites* se disputèrent sa possession du Ve au XIIe s., mais les Obodrites l'emportèrent un moment grâce à l'appui de Charlemagne*. Le duc de Saxe en fit un comté en faveur d'Adolphe Ier de Schaumburg*, dont la dynastie garda le pouvoir et mena la lutte contre les Slaves, puis contre les Danois, auxquels Gérard III le Grand enleva le Schleswig (1304), étendant son pouvoir jusqu'au N. du Jutland. Adolphe VIII, comte d'Holstein et duc de Schleswig, dernier représentant de la maison de Schaumburg, céda ses possessions à Christian* Ier d'Oldenbourg, roi de Danemark, mais celles-ci restèrent indépendantes. Le Holstein devint en 1474 un duché du Saint Empire. **V. Schleswig-Holstein.**

HÖLTY (Ludwig Heinrich Christoph). ♦ Poète allemand (Mariensee, 1748 – 1776). Ami de G.A. Bürger* avec qui il collabora quelque temps à *L'Almanach des muses,* il a exprimé dans un lyrisme musical et nostalgique le caractère tragique de la destinée humaine; l'inspiration de ses *Poésies* (1782) a parfois incité à les comparer aux *Nuits* de Young.

HO LUNG [*Ho Long, He Long*]. ♦ Général chinois (1895 –) qui, en 1927, se rebella contre le gouvernement nationaliste de Hangchou [Hangzhou], provoquant une dissidence dans l'armée nationale chinoise et créant ainsi le premier noyau de ce qui devait devenir plus tard l'Armée de libération populaire. Il prit part à la « Longue Marche » et combattit avec succès les Japonais à partir de 1937.

HOLWECK (Fernand). ♦ Physicien français (Paris, 1890 – 1941). Auteur de travaux sur les rayons X dont il établit la continuité avec l'ultraviolet [1920] **(V. Röntgen),** il conçut une pompe à vide moléculaire et, avec le P. Lejay*, l'un des premiers gravimètres d'interpolation, pendule inversé à lame oscillante (1930). Arrêté par les Allemands pendant l'Occupation, il fut mis à mort.

HOLZ (Arno). ♦ Écrivain allemand (Rastenbourg, 1863 – Berlin, 1929). Auteur d'une sorte de manifeste naturaliste *Le Livre du temps* (*Buch der Zeit,* 1885), il composa, avec J. Schlaf* (dont il se sépara ensuite) plusieurs œuvres « expérimentales », des nouvelles (*Papa Hamlet,* 1889), un drame (*La Famille Selicke,* 1890), critiqua les écrivains de son temps dans une comédie (*Les Social-Aristocrates,* 1896) et un poème satirique (*Ferblanterie, Die Blechsmiede,* 1902, en particulier contre S. George*). Mais, celui qui avait voulu être un naturaliste conséquent s'éloigna peu à peu de ses premières positions dans ses dernières pièces (*Eclipse de soleil, Sonnenfinsternis,* 1908, dont le héros est à la recherche d' « une idée à laquelle il puisse croire », etc.). Quant à sa tentative de rénovation du lyrisme par l'introduction du rythme libre, elle n'aboutit qu'à « un curieux monstre burlesque et emphatique » (C. David) où l'auteur semble atteint d'une véritable logorrhée (*Phantasus,* 1898-1925).

HOLZMINDEN. ♦ V. d'Allemagne occidentale (Basse-Saxe), sur la r. d. de la Weser. 24 000 hab. Indus. chimiques.

Homais. ♦ Un des personnages de *Madame* Bovary,* de G. Flaubert*. Pharmacien de village qui affecte un anticléricalisme voltairien et a des prétentions à la science, M. Homais double sa suffisance d'une forte dose de calcul. Type parfaitement individualisé, il personnifie aussi la petite bourgeoisie dont Flaubert fustige les « idées reçues ».

HOMBOURG-HAUT. ♦ Comm. de la Moselle, arr. de Forbach.

10 571 hab. Église du XIIIe s., anc. collégiale en grès rouge. Vestiges de remparts (XVIIe s.).

HOME (*sir* **Alexander Frederic Douglas**). ♦ **V.** DOUGLAS HOME.

HOMÉCOURT. ♦ Comm. de Meurthe-et-Moselle, arr. de Briey. 10 510 hab. Sidérurgie ; métallurgie ; conserves.

HOMÈRE, en gr. **Homêros.** ♦ Poète mythique à qui on attribue *l'Iliade** et *l'Odyssée**, premiers monuments de la littérature grecque. Son nom signifie l' « aveugle » ou, plus vraisemblablement, l' « otage ». Selon Hérodote*, le plus ancien de ses biographes présumés, il serait né près de Smyrne* (Ionie) au ~ IXe siècle. Chio* et six autres villes se disputèrent l'honneur de lui avoir donné le jour. D'après la tradition, sa mère était éolienne. Il aurait dirigé une école de rhétorique, puis voyagé dans tout le monde méditerranéen, séjournant à Ithaque*, Colophon*, Cumes (Éolie) et Chio. Il serait mort dans l'île d'Ios*. Vieillard aveugle, très respecté, il récitait ses épopées devant des auditeurs venus de toute la Grèce. – On lui attribua jadis les *Hymnes homériques*, compositions épiques adressées à des dieux, la *Batrachomyomachie* (guerre entre les grenouilles et les rats), parodie burlesque de l'*Iliade*, et d'autres œuvres perdues. Il est admis aujourd'hui que ces poèmes sont bien postérieurs. – Les *Homérides* de Chio, qui prétendaient descendre d'Homère, constituaient une confrérie d'aèdes qui gardaient probablement des textes des récits homériques. – Les *épopées homériques*, très populaires dès le ~ VIIe s., furent la bible des Grecs païens. Hésiode* et d'autres poètes du ~ VIIIe s. imitèrent sa langue et sa technique. Au ~ VIe s. Pisistrate*, ou son fils Hipparque*, chargea une commission d'établir le texte des deux poèmes, jusqu'alors transmis oralement. Les savants alexandrins **(V. Aristarque, Aristophane de Byzance)** donnèrent une édition critique (~ IIe s.), essayant de débarrasser le texte original d'interpolations et divisèrent chacune des deux épopées en 24 chants. L'école de Pergame* restitua les vers et les épisodes interpolés et c'est cette édition qui est parvenue en Occident grâce à l'érudit byzantin Chalcocondyle* (première édition imprimée à Florence en 1488). Pour Platon, Homère « a fait l'éducation de la Grèce ». Son génie rarement contesté **(V. Zoïle)** émerveilla à la fois les savants et les gens simples. Un poète de l'époque alexandrine fut surnommé Homère de Byzance **(V. Pléiade).** Virgile* l'imita et Dante* le qualifia « Seigneur du chant ». La littérature et la philologie moderne se réfèrent souvent à lui (parmi les traducteurs français, **V. Dacier, Houdar de la Motte, Bérard).** La découverte par Villoison*, à Venise (1781), d'un manuscrit de l'*Iliade* contenant des notes d'Aristarque et d'autres critiques alexandrins donna une impulsion nouvelle aux études homériques. La *question homérique*, une des grandes querelles littéraires, posée à la fin du XVIIe s. et restée depuis ouverte, mit en doute l'existence d'un poète unique pour les deux épopées ou même pour chacune d'elles **(V. Aubignac** [abbé d'], *et aussi* **Vico)** allant jusqu'à l'idée « des œuvres anonymes du génie populaire » **(V. Wolf F.).** Les hypothèses les plus fréquentes sont d'une part celle d'un poète très ancien, auteur d'un noyau primitif que les aèdes postérieurs amplifièrent et d'autre part celle d'un poète tardif qui aurait transcrit les apports disparates de la tradition. Les progrès archéologiques, historiques et linguistiques de la fin du XIXe s. ont permis de rejeter la thèse extrême de la création populaire et celle d'une épopée d'époque préhellénique et barbare, mais l'existence d'un poète unique n'est plus admise **(V.** aussi **Anciens et des Modernes,** *querelle des***).**

Ph. Nimatallah/Ricciarini

Homère. (Musée du Capitole, Rome.)

Home Rule. *n. m.* ♦ Terme anglais désignant l'autonomie revendiquée par les Irlandais entre 1870 et 1914. Reprenant la démarche de O'Connel*, qui demandait le Rappel de l'Union, le *Home Rule Party*, d'abord dirigé par Isaac Butt, puis par Parnell*, devint très puissant aux Communes (obstruction parlementaire, arbitrage entre les partis) et fut renforcé par l'agitation du pays. Le projet de Home Rule déposé par Gladstone*, gagné à la cause irlandaise, fut rejeté en 1886 par les Communes, un autre le fut en 1892 par les Lords, et le Home Rule ne fut voté qu'en 1912. Il ne correspondait plus alors aux aspirations du pays, qui désirait l'indépendance, et provoqua d'autre part une violente réaction de l'Ulster, qui en fut finalement exclu. L'insurrection de 1916 devait aboutir à l'indépendance en 1921.

Homme sans qualités (L'), en all. *Der Mann ohne Eigenschaften.* ♦ Œuvre maîtresse de R. Musil*, inachevée, dont la première partie, *Voyage au bord du possible (Reise an den Rand des Möglichen)* fut publiée en 1930, la deuxième, *Le Millénium (Das Tausenjährige Reich)*, en 1932, et les chapitres inédits, fragments et notes diverses en 1952 seulement. Ce roman qui devait avoir pour titre « L'Espion » ou « L'Autre » est une entreprise de démystification du monde (en particulier de l'Autriche du début du XXe s.) en même temps qu'une mise en question de la possibilité d'écrire un roman, où l'ironie s'achève sur une interrogation religieuse. (« Mon roman est un livre religieux du point de vue de l'incroyant. »)

Hommes de bonne volonté (Les). ♦ Cycle de romans de Jules Romains, publié de 1932 à 1947. **V. Romains** (Jules).

HOMOLLE (Théophile). ♦ Archéologue et administrateur français (Paris, 1848 – 1925). Il assuma la direction des fouilles de Délos. Directeur de l'École française d'Athènes (1890), il entreprit les fouilles de Delphes (1892-1903). Il fut ensuite nommé administrateur du musée du Louvre. Démis de ses fonctions après le vol de *la Joconde* (1911), il devint administrateur de la Bibliothèque nationale.

HOMS, en ar. **Hims.** ♦ V. de la Syrie occidentale, située au pied de l'Anti*-Liban, sur l'Oronte*. Ch.-l. de province. 190 000 hab. env. (1968). Centre commercial d'une riche région agricole (céréales, fruits). La construction d'un barrage sur l'Oronte qui utilise le *lac d'Homs* a étendu la surface des terres irriguées et permis la culture du coton et de la betterave sucrière. Centre industriel prospère. Indus. textiles, alimentaires (sucreries) et chimiques : travail du cuir. Raffinerie des pétroles de l'Iraq (exportés par Tartous* et Bâniyâs). ♦ *Hist.* **V. Émèse.**

HO-NAN [*Henan*]. *n. m.* (mots chinois « sud du fleuve »). ♦ Province chinoise située au S. du fleuve Jaune (Huang-ho) entre les provinces du Ho-pei, du Shan-hsi, du Shen-hsi, du Hu-pei et de l'An-hui. Env. 50 000 000 d'hab. ; 167 000 km^2. C'est l'une des provinces les plus fertiles et les plus peuplées de la Chine. *Cap.* Cheng-chou [Zhengzhou]. La partie E. est absolument plate, très irriguée et cultivée (blé d'hiver, coton, arachide, soja) ; indus. de transformation des produits agricoles. L'O., montagneux, est le pays du riz et de la soie. Richesses minérales : houille et minerai de fer.

HONDÔ. ♦ Ancien nom (maintenant désuet) de l'île japonaise du Honshû*.

HONDSCHOOTE [ɔ̃dskɔt]. ♦ Ch.-l. de cant. du Nord*, arr. de Dunkerque*, situé près de la frontière belge. 2 833 hab. *(Hondschootois).* Petite ville typiquement flamande : église et hôtel de ville du XVIe siècle. ♦ *Hist.* À la tête de l'armée du Nord, Houchard* y remporta une victoire sur les troupes coalisées, commandées par le duc d'York (6-8 septembre 1793) ; cette victoire permit de débloquer Dunkerque.

HONDURAS [en fr. ɔ̃dyʀas]. *n. m.* (de *hondura* « profondeur », nom que donna au pays C. Colomb abordant la côte N. qu'il jugea profonde). ♦ République d'Amérique centrale qui n'a qu'une étroite façade sur le Pacifique, mais s'ouvre largement à l'E. sur l'Atlantique (mer des Antilles). 112 088 km^2 (la plus étendue des républiques centre-américaines). 2 495 000 hab. en 1969 *(Honduriens). Cap.* **V. Tegucigalpa.** *Langue :* espagnol (officiel), langues indiennes, anglais (la Bahia). *Unité monétaire :* le lempira. *Princ. villes :* **V. Amapala, Ceiba** (La), **Choluteca, Comayagua, Copán, El Zamorano, Puerto Cortès, Punta Castilla, San Pedro Sula, Santa Rosa de Copán, Tela, Trujillo.** – *Orogr.* La côte N. est basse et marécageuse avec des lagunes **(V. Caratasca).** Le versant pacifique, en revanche, constitué par le fond du golfe de Fonseca*, est abrupt. Les rares plaines occupent le littoral et quelques vallées intérieures. Le pays est aux 4/5 de caractère montagneux, avec des reliefs qui déclinent vers la mer des Antilles. Les reliefs sont volcaniques au S., et culminent au *Cerro Selaque* (2 800 m). Les principaux cours d'eau coulent vers la mer des Antilles ; le plus important est l'Ulúa*. Le *climat* contraste de la zone atlantique chaude et très humide *(Tela)* à la zone pacifique très chaude et peu arrosée *(Amapala).* La forêt occupe plus de la moitié du territoire : palmiers et mangroves sur la côte caraïbe, très arrosée, conifères dans les montagnes. – *Pop.* et *écon.* Le taux de natalité y est parmi les plus élevés du monde. Les centres urbains sont rares, les villes sont de gros bourgs. C'est dans les vallées fertiles de climat tempéré et favorables aux cultures et à l'élevage (bovins, porcins, caprins, ovins) que s'est massée la population, désertant les régions insalubres du N.-E. atlantique. Elle est essentiellement composée de métis et vit pauvrement. L'économie est fondée sur l'agriculture, bien qu'il y ait peu de terres arables. Les bananeraies sont la grande richesse du pays (côte atlantique) [vallées de l'Ulúa et du Chamelecón]. Plus de 1 000 000 de t de bananes; 7e rang mondial; 3/4 des exportations. Café, bois précieux (forêts du Hond). Autres cultures : canne à sucre, tabac, coton, noix de coco, ainsi que les cultures vivrières (maïs, blé, haricots, pomme de terre, riz, fruits). Ressources minérales considérables, mais peu exploitées (plomb, cuivre, zinc, fer, antimoine, surtout argent [San Juancito] et or). L'industrie peu développée se limite à quelques sucreries, scieries, brasseries, manufactures de tabac. Industries textiles (coton). Cimenteries. La production d'énergie électrique est faible. Les communications sont insuffisantes. Deux grandes routes : la route panaméricaine et celle qui dessert la capitale. Les voies ferrées appartiennent toutes aux sociétés bananières et aboutissent aux ports d'embarquement (Puerto Cortès, Tala, La Ceiba, Punta Castilla). Aéroport international à Tegucigalpa. 18 départements. [*Carte.* **V. Amérique centrale.**] ♦ *Hist.* La côte méridionale du Honduras fut abordée par Colomb en 1502 et le pays fut conquis par Pedro de Alvarado* à partir de 1523. Sous la domination espagnole, il eut un gouvernement particulier, mais en 1790, il fut rattaché à la capitainerie générale du Guatemala. Devenu indépendant en 1821, il ne forma un État qu'en 1839 et fut troublé par de nombreuses querelles de frontières. L'économie du Honduras dépend des compagnies fruitières américaines (bananes). Le pays a connu de 1933 à 1956 une série de dictatures, interrompues par une brève période de démocratie. En 1965, après un coup d'État, une 14e constitution fut promulguée. En 1969, le Honduras entra en conflit armé avec le Salvador, conflit qui fut réglé par l'organisation des États américains.

HONDURAS *(golfe du).* ♦ Profonde échancrure de la mer des Antilles, qui borde le Honduras et le Honduras britannique, et dont le fond est constitué par l'étroite bande côtière du Guatemala.

HONDURAS BRITANNIQUE. *n. m.* ♦ Colonie anglaise d'Amérique centrale, comprise entre le Guatemala* et la péninsule mexicaine du Yucatán dont elle constitue la partie S.-E. Sa côte forme le versant O. du golfe de Honduras (mer des Antilles). 22 963 km². 119 000 hab. (1969). *Langues :* anglais (officielle), espagnol. *Cap.* **V. Belize.** *Unité monétaire :* dollar du Honduras britannique. – *Orogr.* La côte est bordée au N. de terres basses et marécageuses au climat malsain, et au S. de collines et de petites montagnes recouvertes d'une riche végétation forestière. – *Écon.* Les forêts assurent le quart des exportations (bois tropicaux) et ses résineux fournissent le chicle (gomme). Le pays est pauvre en terres cultivables (plantations de bananes et de canne à sucre). Cultures vivrières (maïs, riz). Les agrumes constituent le principal produit d'exportation, avec les produits de la pêche (langoustes, homards, carapaces de tortues). Le commerce extérieur se fait essentiellement avec les États-Unis et la Grande-Bretagne. L'industrie se limite à des conserveries et à des sucreries. ♦ *Hist.* Dès le XVIIe s., des colons anglais y établirent des exploitations de bois et leurs droits furent reconnus par l'Espagne au traité de Madrid (1670). Érigé en colonie en 1862, le Honduras britannique est vivement revendiqué par le Guatemala qui recherche un accès sur la mer des Antilles. Autonome en 1963 sous le nom de Belize. **V. Belize.**

HONEGGER (Arthur). ♦ Compositeur suisse (Le Havre, 1892 – Paris, 1955). Élève de C. M. Widor et de V. d'Indy, il devait, avec son ami D. Milhaud, participer à la fondation du « groupe des Six » (1920) dont il répudia très tôt l'esthétique pour affirmer son goût des architectures musicales robustes, inspirées de J.-S. Bach, et d'une polyphonie complexe, rénovée par ses aînés. À ses premières œuvres, des mélodies (sur des poèmes de Cocteau, Apollinaire et P. Fort), succédèrent des pièces de musique de chambre (sonates, quatuors) pour orchestre (*Pastorale d'été,* 1920), des poèmes symphoniques : *Pacific 231* (1923), *Rugby* (1928) et un oratorio, *Le Roi David* (1924), par lequel le musicien renouait avec la grande tradition de l'oratorio biblique, abandonnée depuis Haendel et Haydn. Dans ce genre, il allait renouveler l'expression théâtrale, recherchant la fusion entre la musique, la parole et l'action. Il y parvint dans une suite d'œuvres d'inspiration tour à tour religieuse et profane, dont la force et le souffle furent remarqués. Ce sont : *Judith* (1925), *Phaedre* (1926), *Antigone* (1928) et surtout *Jeanne au bûcher* (1935) et *La Danse des morts* (1938), ces deux dernières sur des textes de P. Claudel*. Une même richesse orchestrale se retrouve dans ses cinq symphonies, dont la dernière, dite *Di tre re* (1950) constitue son testament musical, d'une bouleversante émotion. On doit encore à Honegger une opérette, *Les Aventures du roi Pausole* (1930), et un opéra, *L'Aiglon,* en collaboration avec J. Ibert (1937), de la musique de chambre, de scène, de ballet, de film, et une *Cantate de Noël* (1953) qui devait s'intégrer dans une *Passion* qu'il ne put achever. Assimilant aux cadres classiques les conquêtes modernes et l'expression romantique, Honegger a voulu dédier aux hommes de son temps une œuvre musicale qui fût à la mesure de leurs rêves et de leur angoisse. Blessée par la barbarie du monde moderne et le destin tragique de la liberté, sa ferveur prit sur la fin, l'accent du désespoir. On en retrouve les échos dans ses dernières œuvres, dans son recueil de critiques, *Lettre aux fossiles* (1949) et dans une autobiographie, *Je suis compositeur* (1951).

Coll. Cauboue

A. Honegger, par Amiguet. (Bibliothèque nationale, Paris.)

HÔNEN. ♦ Religieux bouddhiste japonais (1133 – 1212) de la secte du Tendai*-shû qui devint un fervent des doctrines amidistes **(V. Amitâbha),** et fondateur de la secte du Jôdo-shû (ou d'adoration piétiste d'Amida) qui connut un grand succès et permit au bouddhisme des « écoles du Nord » ou Mahâyâna* de se développer au Japon et d'atteindre, grâce à la simplicité de sa doctrine, le cœur des masses.

HONFLEUR. ♦ Ch.-l. de cant. du Calvados*. arr. de Lisieux*, sur l'estuaire de la Seine*. 9 207 hab. *(Honfleurais).* Ville pittoresque. Église en bois Sainte-Catherine, du XVe siècle. Halle en bois. Maisons anciennes. Port de pêche et de commerce. Chantiers maritimes, produits chimiques. Centre touristique très fréquenté. – Patrie de A. Allais*, L. Delarue-Mardrus, H. de Régnier*, E. Satie*, A. Sorel*. ♦ *Hist.* Honfleur eut un rôle commercial important au Moyen Âge, qui déclina après la fondation du Havre*. Duquesne* créa le Vieux-Bassin du port au XVIIe siècle. De nombreux marins partirent de Honfleur vers l'Amérique, l'Afrique, l'Inde **(V. Champlain).** Patrie de Boudin*, Honfleur fut le lieu de séjour favori des impressionnistes*.

HONG... [chinois]. **V.** HUNG...

HON GAY [*Hon Kay*]. ♦ Petit port du Viêt*-nam du Nord, sur la baie d'Along, au N. de Haiphong*, surtout connu pour ses exploitations de houille à ciel ouvert.

HÔNG HÀ. ♦ **V.** SÔNG KÔI.

HONG-KONG (prononciation locale du nom de la ville chinoise de **Hsiang-chiang).** ♦ Île du littoral S. de la Chine dans la province de Kuang-tung; ville et territoire appartenant à la couronne britannique. Pop. totale : plus de 3 500 000 hab., sur 1 033 km² (dens. de plus de 3 300 hab. au km², la plus forte du monde). Outre de petites îles, la colonie est formée de l'*île de Hong-kong* et des « nouveaux territoires » *(New Territories)* comprenant essentiellement une partie continentale, où se trouve l'agglomération de Kowloon et l'aérodrome international ainsi que les principaux reliefs (Tai Mo Shan, 957 m) et l'île de Lan Tao. Sur l'île de Hong-kong se trouvent la capitale, Victoria (au N.), et le port d'Aberdeen (au S.). – *Écon.* Le surpeuplement du territoire a limité l'activité agricole. Par contre, la pêche (53 000 t en 1965), l'indus. textile, de nombreuses indus. légères (jouets, radio, électricité), l'indus. cinématographique (importants studios) et quelques indus. lourdes (constructions navales, cimenterie, sidérurgie) gardent toute leur importance vis-à-vis de l'énorme activité commerciale et bancaire (tout le trafic des pays n'ayant pas reconnu la Chine a dû passer par Hong-kong). Les exportations (vêtements, produits manufacturés) vont surtout vers les États-Unis et la Grande-Bretagne. Les problèmes les plus graves du territoire sont l'extraordinaire densité de la population, accrue de nombreux réfugiés, et son alimentation en eau. En outre, la prospérité commerciale dépend de la conjoncture internationale (politique chinoise, des principaux États et attitude de la Chine). ♦ *Hist.* Hong-kong fut cédée à la Grande-Bretagne en 1842 par le traité de Nankin et incorporée à la couronne britannique en 1843. La ville et les îlots qui l'entourent constituaient un centre de pêche et de piraterie. Les Britanniques en firent un important port de commerce et un port franc qui se développa très rapidement. La population augmenta rapidement, s'entassant sur l'île de Hong-kong, le territoire continental de Kowloon et quelques îles de l'embouchure de la « rivière des Perles » face à Macao* et en relation directe avec la grande métropole commerciale de Canton*. De « nouveaux territoires » vinrent s'ajouter à cette colonie britannique en 1898-1899, cédés à la couronne pour une durée de 99 ans. Cette colonie fut prise par les Japonais à la fin de 1941 et ne fut rendue à la Grande-Bretagne qu'en 1945.

HONGRIE. *n. f.,* en hongr. **Magyarorszag.** ♦ République populaire de l'Europe centrale, limitée par la Tchécoslovaquie au N.,

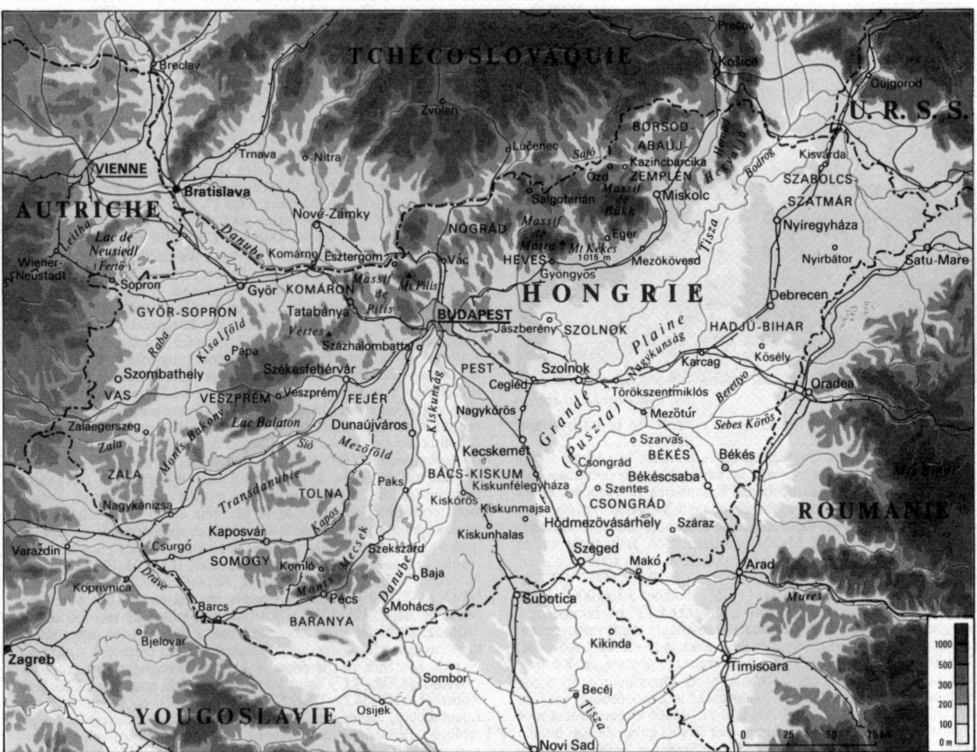

Hongrie.

l'Autriche à l'O., la Yougoslavie au S. et S.-O., la Roumanie et l'U.R.S.S. à l'E. 93 030 km². 10 540 000 hab. *(Hongrois* ou *Magyars).* La Hongrie est divisée en 19 comitats sans compter la cap. et quatre villes à statut de comitat. **V. Debrecen, Miskolc, Pécs, Szeged.** La cohésion ethnique (97 % de la pop. sont des Magyars) et l'unité physique font de la Hongrie l'État le plus homogène de l'Europe centrale. *Cap.* **V. Budapest.** *V. princ.* **V. Békéscsaba, Debrecen, Eger, Györ, Kaposvár, Kecskemét, Miskolc, Nyíregyháza, Pécs, Salgótarján, Szeged, Székesfehérvár, Szekszárd, Szolnok, Szombathely, Tatabánya, Vészprém, Zalaegerszeg.** *Langue off.,* le hongrois (langue finno-ougrienne). *Religions :* catholiques (70 %), protestants (26 %). – *Relief.* L'ensemble du territoire est assez bas, les plus hauts sommets ne dépassant pas 900 à 1 000 m. On peut distinguer quatre régions naturelles : *la dorsale hongroise* qui s'étend sur 400 km de l'O. au N.-E. De grandes failles la fractionnent en une série de massifs avec des épanchements volcaniques et des sources thermales. Successivement d'O. en E., monts Bakony (700 m), massif du Vértes, de Pilis, de Börzsöny (936 m), Mátra (Kékestetö 1 015 m, point culminant du pays), Bükk, Zemplén. Cette région montagneuse s'oppose aux régions de plaine que l'on divise en trois ensembles : la Transdanubie, les régions entre Danube et Tisza et la Transtisza. *La Transdanubie,* formée des régions situées à l'O. du Danube, comprend les dernières pentes des Alpes à la frontière autrichienne, couvertes de forêts et de pâturages, les monts Mecsek au S. du pays, plantés de vergers, et des plaines : Kisalföld, entre les Alpes et la dorsale, limoneuses et fertiles, Mezöföld voué aux céréales. *L'interfleuve entre Danube et Tisza :* sur les terres sablonneuses du N., on cultive le blé, le maïs et la betterave à sucre. Plus au S. s'étend le Kiskunság, autrefois domaine des sables mouvants, auj. fixés par des acacias, des arbres fruitiers et des vignes. À l'E. de la Tisza enfin s'étend la *Grande Plaine* ou *Puszta.* Au N.-E. se trouve le Nagykunság, le plus important producteur de blé du pays, et au S. la région de Hortobagy, steppe aride, autrefois domaine de l'élevage extensif, terre des haras et des bouviers. Grâce à l'irrigation, les pâturages ont été améliorés et des rizières ont été installées. – *Hydrogr.* **V. Danube, Tisza; Balaton, Neusiedl** (lacs). – *Climat.* Sa position centrale en Europe donne à la Hongrie un climat continental, avec des amplitudes thermiques assez marquées (– 1 à – 3° en janv., 19 à 23° en juill.) et des précipitations tombant pendant la saison chaude sous forme d'orages. Les différences de précipitations sont sensibles dans les divers points du pays, diminuant d'O. en E. Certaines parties de la Grande Plaine souffrent de la sécheresse et l'irrigation est nécessaire pour leur mise en valeur. ♦ *Écon.* Avant la Première Guerre mondiale, la Hongrie était un pays essentiellement agricole, fournissant du blé au reste de l'Empire austro-hongrois. Le sol était partagé en grandes propriétés pratiquant l'élevage extensif et la culture du blé. Après la Première Guerre* mondiale, un effort d'industrialisation fut accompli, orienté essentiellement vers les activités extractives. Après la Seconde Guerre* mondiale, dont les destructions furent nombreuses, la Hongrie, devenue République socialiste, entreprit de profondes réformes : réforme agraire, nationalisation des moyens de production, planification. Après un plan triennal de reconstruction (1947-1949), les plans quinquennaux et triennaux eurent comme objectif la création d'une indus. lourde (sidérurgie, sources d'énergie). Le plan quinquennal de 1961 à 1965 mit l'accent plus que les précédents sur des facteurs qualitatifs et sur une exploitation plus efficace des ressources du pays. Les difficultés, notamment dans le domaine agricole, amenèrent la mise à l'étude d'une réforme économique qui entra en vigueur en 1968 : élévation du niveau de vie, du niveau de productivité, extension de l'indépendance des entreprises (mais non autogestion). – *Agriculture :* les conditions naturelles sont dans l'ensemble favorables, 90 % du sol est cultivé : composé de 67 % de terres arables, 15,3 % de prairies et pâturages. 97,6 % du sol appartient au secteur socialiste, soit à des fermes d'État, soit à des coopératives. Certains traits traditionnels de l'agriculture se maintiennent : la production du blé (4 084 000 t [1975]) et du maïs (7 100 000 t) reste fondamentale (Kisalföld, régions entre Danube et Tisza, et Alföld). Cependant les céréales qui formaient 40% des emblavures avant la guerre perdent de leur importance au profit des plantes fourragères et industrielles (4 370 000 t de betteraves à sucre). Ce sont les régions sèches de l'E. et la vallée de la Tisza qui subissent les plus grandes transformations : les terres irriguées sont de plus en plus étendues (220 000 ha), ce qui permet la production du riz (41 000 t), d'arbres fruitiers et même du coton. Certaines régions profitant de leur ensoleillement se spécialisent dans les productions vinicoles (Tokaj, mont Bakony, Egér) ou dans les productions fruitières : monts Mecsek. L'élevage joue toujours un rôle important dans l'agriculture : plus de 2 000 000 de bovins (1975), 8 300 000 porcins *(id.),* 2 021 000 ovins. Mais l'élevage extensif, activité traditionnelle de la Puszta, fait place à un élevage moderne, grâce à l'augmentation de la production fourragère sur les terres irriguées et aux aliments industriels. L'utilisation des engrais, la mécanisation (70 000 tracteurs en 1968) permettent des rendements de plus en plus élevés. L'assouplissement des structures agricoles, notamment dans le secteur coopératif, permet de

Ph. Garanger/Giraudon

Hongrie : Esztergom ; vue de la ville et de la cathédrale.

résoudre les problèmes agricoles, aigus pendant la période « stalinienne ». — *Industrie :* avant la dernière guerre mondiale, les indus., essentiellement alimentaires, étaient peu développées et les destructions de la guerre aggravèrent cette faiblesse. Le nouveau régime mit l'accent sur la nécessité de créer une indus. et spécialement une indus. lourde. Mais l'industrialisation était gênée par la faiblesse des ressources en matières premières et en sources d'énergie : gaz naturel 5 milliards de m^3; pétrole 2 005 000 t (O. du Balaton); lignite 21 868 000 t [1975]; houille 3 300 000 de t. Seules les productions de bauxite 2 889 000 t (2e en Europe), de manganèse 431 000 t et d'uranium (à Komld) sont relativement importantes. La production d'énergie électrique est de l'ordre de 20 milliards de kWh (1975). La sidérurgie (combinats de Kazincbarcika et Diosgyör près de Miskolc, de Dunaújváros au S. de Budapest, de Csepel dans la banlieue de la cap.) produit plus de 3 600 000 de t d'acier et de 2 200 000 t de fonte. Cependant, la plus grande partie des matières premières étant importée, la houille étant exploitée dans des conditions difficiles et coûteuses, cette sidérurgie est peu rentable. L'abondance de la bauxite fait de la Hongrie le plus grand producteur d'aluminium des pays de l'Est (70 000 t), bien qu'elle soit obligée d'importer du courant électrique pour cette indus. Les centres d'Inota (Bakony), de Székesfehérvár, Aika, Budapest sont les plus importants. Les constructions mécaniques : machines-outils, matériel de transport (tracteurs, motocycles, matériel ferroviaire), machines électriques, constituent le principal secteur de l'indus. Elles se trouvent dans tous les centres industriels, mais plus particulièrement à Budapest. L'indus. chimique est en constant développement : la Hongrie couvre ses besoins en acide sulfurique, en caoutchouc, produit des superphosphates et de nombreux dérivés du pétrole. L'indus. des matières plastiques et des engrais chimiques est en essor. De grands combinats chimiques ont été créés dans la région de Miskolc (Borsod), de Tatabánya et de Budapest (Szazhalombatta). Les indus. textiles traitent surtout le coton (672 000 broches). L'indus. alimentaire reste traditionnellement très importante (minoterie, sucrerie, huileries, brasseries [4 636 000 hl en 1967], fabrication d'alcools [alcool d'abricot renommé]). Le plus grand centre industriel du pays reste Budapest (1/3 de toutes les usines). C'est pour remédier à ce déséquilibre que l'on constitue de grands centres industriels à Miskolc et à Györ, que l'on développe les indus. dans des villes comme Debrecen, Tatábanya, etc. De plus, depuis 1968, on met l'accent sur les fabrications de qualité et sur l'indus. de consommation plus que sur la quantité et l'indus. lourde. — *Échanges.* Un bon réseau de communications facilite les échanges de la Hongrie avec l'extérieur. Le réseau routier (30 000 km dont 1/3 de routes modernes) et le réseau ferroviaire (9 000 km) sont centrés sur Budapest. La navigation sur le Danube et la Tisza joue un rôle important. Budapest possède à Ierihegy un aéroport international. Les deux tiers des échanges sont réalisés avec les pays de l'Est et plus spécialement l'U.R.S.S. (30 à 35 % des exportations et des importations) puis la Tchécoslovaquie et la République démocratique allemande. Le reste des échanges se fait avec l'Europe occidentale, l'Argentine et la République égyptienne. Les importations portent sur des matières premières et des produits semi-finis (2/3 des importations); les exportations sont constituées essentiellement par les produits de l'indus. mécanique (30 à 35 %), des articles de consommation, des produits alimentaires. La balance des comptes est équilibrée. Le tourisme tend à se développer : 2 500 000 touristes par an env., les 4/5 venant de l'U.R.S.S. et des pays socialistes. Des stations de sports d'hiver, des stations thermales sont modernisées afin de développer le tourisme de séjour.

♦ *Hist.* JUSQU'À L'INSTALLATION DES HONGROIS. Le territoire de l'actuelle Hongrie est occupé depuis le néolithique. Illyriens, Thraces et Celtes s'y sont installés. À la fin du ~ Ier s., les Romains ont soumis les Celtes de Transdanubie et créèrent la province romaine de Pannonie* (9 ap. J.-C.) Autour des camps militaires se développèrent des grandes villes : Aquincum (Buda), Savaria (Szombathely), Sopianae (Pécs). Par la suite, les Romains conquirent les régions à l'E. du Danube et organisèrent la province de Dacie*. La domination romaine dura jusqu'aux invasions barbares du IVe s. Du Ve au IXe s., les Huns, les Ostrogoths et les Avars s'installèrent en Hongrie. — LES HONGROIS. D'après la tradition, les Hongrois occupèrent le pays en 896. Ils appartiennent à la famille des peuples finno-ougriens établis entre le versant occidental de l'Oural et la moyenne Volga. Poussés par les Petchenègues, ils s'installèrent entre le Dniepr et le Dniestr et choisirent pour chef des sept tribus hongroises Arpád*, chef de la tribu magyare. À la fin du IXe s., les Hongrois essaimèrent à l'abri des Carpates dans les plaines du moyen Danube. De là, les cavaliers hongrois partirent en raids de pillage vers les pays occidentaux (première moitié du Xe s.). Ces incursions furent arrêtées par la défaite de Lechfeld (955) infligée par Othon* le Grand. — L'ÉTAT HONGROIS SOUS LES ARPÁDS *(970-1301).* Le prince Géza (deuxième moitié du Xe s.) entreprit l'organisation d'un État hongrois en favorisant le christianisme. Son fils Étienne* Ier, premier roi couronné (1000), soutenu par la papauté, organisa l'Église hongroise et dota le pays d'une nouvelle organisation politique et administrative. À la mort d'Étienne Ier, la Hongrie connut un demi-siècle de troubles provoqués par la lutte pour le pouvoir, les différents prétendants au trône faisant appel à l'empereur byzantin et à l'empereur germanique. La situation se rétablit sous le règne de Ladislas* Ier (1077-1095), de Coloman Ier (1095-1116) et surtout de Béla* III (1172-1196) qui élimina de façon définitive l'influence byzantine. Il réorganisa l'administration du pays en prenant modèle sur l'Occident. Extension territoriale (conquête de la Slavonie et de la Croatie), essor démographique et expansion économique caractérisent cette époque. — Le XIIIe s. fut une période de troubles : luttes pour le trône, révolte des seigneurs contre le roi André* II (1205-1235), qui dut accorder la Bulle d'Or (1222) et surtout invasion des Tartares (1241-1242) qui défirent les troupes royales en 1241 à Muhi. Le règne de Béla* IV (1235-1270) fut une période de reconstruction militaire, politique et économique, mais à sa mort les luttes intestines ravagèrent le pays jusqu'à l'accession au trône des Anjou de Naples, soutenus par le pape. — LE RENFORCEMENT DU POUVOIR CENTRAL *(1308-1437).* Sous les règnes des rois angevins : Charles* Robert (1308-1342), Louis* Ier (1342-1382) et Sigismond* de Luxembourg, gendre de Louis (1382-1432), le pouvoir royal se renforça, l'économie se développa (mines d'or) et les villes connurent un rapide essor. Sigismond eut à faire face à l'expansion turque (défaite de la croisade à Nicopolis) et aux ligues formées par les seigneurs. Cependant, il se préoccupa surtout des affaires allemandes (roi des Romains en 1410, empereur en 1435) et de la lutte contre le mouvement hussite. L'influence de ce mouvement entraîna d'ailleurs un vaste soulèvement paysan en Hongrie (1436). — LA FIN DE LA HONGRIE INDÉPENDANTE *(1437-1526).* Lorsque Albert de Habsbourg succéda à Sigismond, les Turcs étaient sur la frontière méridionale. La guerre qui éclata à la mort d'Albert affaiblit encore le pays. C'est dans cette situation qu'apparut Jean Hunyadi*. Il s'était distingué très jeune au service du roi Sigismond et était devenu gouverneur des régions méridionales du pays, les plus gravement menacées par les Turcs, puis il devint gouverneur du pays (1446-1452). La petite noblesse fit accéder au trône son fils Mathias* (1458-1490). Celui-ci lutta pour l'indépendance du pays, organisa un régime centralisé, employa des fonctionnaires d'origine bourgeoise. Il apparut comme un roi juste et le peuple forgea autour de son personnage toute une série de légendes. Durant son règne s'épanouirent en Hongrie l'humanisme et la Renaissance. Les règnes d'Uladislas II et de Ladislas* II (1490-1526) virent la destruction de l'œuvre de Mathias Ier. La grande jacquerie de 1514, conduite par György Dozsa, amena une vaste répression et l'aggravation du sort des paysans. En 1521, les Turcs prirent d'importantes fortifications à la frontière S. du pays. Le 29 août 1526 l'armée hongroise fut écrasée à Mohács par Soliman II. Les Turcs gagnèrent Buda, mirent la ville à sac, puis quittèrent le pays. — LA HONGRIE DIVISÉE *(1526-1711).* Le pays fut divisé d'abord en deux; Ferdinand* de Habsbourg régnait sur la moitié occidentale, et Jean Zapolyai* régnait sur la moitié orientale. Á partir de 1541, la Cisdanubie tomba entre les mains des Turcs; le fils de Jean Zapolyai, Jean Sigismond régna sur la Transylvanie. Pour se défendre contre les incursions turques, des châteaux forts s'élevèrent et une lutte de 150 ans commença, au cours de laquelle s'illustrèrent des héros hongrois devenus légendaires (Istvàn Dobó, Zrinyi). Dans la première moitié du XVIIe s., la Transylvanie fut le soutien de l'indépendance hongroise, mais elle perdit son importance politique et les Habsbourg refoulèrent les Turcs de plus en plus affaiblis. L'absolutisme impérial remplaça pour les Hongrois l'occupation turque. Au début du XVIIIe s., une guerre d'indépendance contre les Habsbourg éclata, conduite par Ferenc II Rákoczi* : ses troupes de « kouroutz » combattirent de 1703 à 1711 les « iabanz » des Autrichiens. — LA HONGRIE SOUS LA DOMINATION AUTRICHIENNE *(1711-1848).* Après l'échec de Rákoczi, sous les règnes de Charles* IV (1711-1740) et de Marie*-Thérèse (1740-1780), la Hongrie devint une semi-colonie. Elle fournit à bas prix les denrées alimentaires à l'Autriche et lui acheta ses produits industriels (les produits étrangers étant taxés de forts droits de douane). Des colons allemands furent installés en Hongrie centrale. Les organes gouvernementaux hongrois n'avaient plus qu'une indépendance nominale. Les concessions faites à Vienne furent payées par une reconnaissance des privilèges des nobles. Tout semblait favoriser une intégration complète de la Hongrie à l'empire des Habsbourg. Joseph II (1780-1790) la tenta. L'allemand fut proclamé langue officielle (1785), des districts furent créés se superposant aux comitats, l'union douanière complète entre l'Autriche et la Hongrie fut réalisée; mais Joseph II ne se fit pas couronner roi de Hongrie et ne convoqua pas le Parlement. Le système échoua. L'opposition des nobles traduisait certes leurs craintes de voir leurs intérêts lesés (abolition du servage), mais elle avait également un caractère national. De 1790 à 1840, la Hongrie ne connut pas de modification politique importante. La noblesse, effrayée par la Révolution française, se rapprocha des Habsbourg. Le seul mouvement de résistance fut celui des « Jacobins de Hongrie » qui formèrent une société secrète pour l'indépendance nationale et les transformations sociales. Sept d'entre eux furent exécutés en mai 1795. — L'alliance avec l'Autriche fut maintenue pendant toutes les guerres menées contre la France révolutionnaire et la France impériale. Mais, dès le retour de la paix, le gouvernement de Vienne revint à ses procédés autoritaires : non-convocation du Parlement, censure, police sévère. La situation politique était encore aggravée par les difficultés économiques. En l'absence d'une bourgeoisie, ce fut la moyenne noblesse qui essaya de réaliser des améliorations : ce fut l'ère des réformes. Les idées d'István Széchenyi* (1791 — 1860) en faveur d'un renouveau économique et social jouèrent un grand rôle ainsi que celles, plus « extrémistes », de Kossuth*, qui liait progrès économique et indépendance nationale. Les idées nationalistes prirent une particulière ampleur à partir de 1840. — DE LA RÉVOLUTION AU COMPROMIS *(1848-1867)*. Le 15 mars 1848, sous l'effet des mouvements révolutionnaires de Paris et de Vienne, éclata la révolution dont les chefs furent Kossuth* et le poète Petőfi*. Celui-ci élabora un programme en 12 points qui fut acclamé par le peuple. Les divisions des dirigeants, la politique de Vienne qui utilisa le mécontentement des Croates et des Serbes contre la Hongrie, amenèrent Kossuth à prendre une position de plus en plus radicale. Il forma d'abord une armée nationale (Honvéd). Le nouveau roi François-Joseph (1848 — 1916) ayant envoyé le maréchal Windischgraetz en Hongrie, le gouvernement dut évacuer Pest et proclama le 14 avril 1848 l'indépendance de la Hongrie et la déchéance des Habsbourg. Vienne obtint l'aide du tsar et parvint à écraser les armées hongroises. — La révolution fut suivie d'une vaste répression : toute indépendance et toutes libertés furent supprimées. Cependant les résistances à l'intérieur de l'empire, les défaites (1859 en Italie; Königgräetz contre la Prusse) poussèrent l'Autriche au compromis. — En 1867 fut créée la monarchie austro-hongroise : l'Autriche et la Hongrie eurent des gouvernements et des parlements séparés, mais ils avaient un même roi et les Affaires étrangères étaient réglées en commun. François-Joseph nomma un Premier ministre hongrois, Gyula Andrássy. **V. Autriche,** *Hist.* — LA HONGRIE DE 1867 À 1914. Le nouvel État dualiste eut à faire face durant toute son existence à deux graves problèmes : celui des nationalités minoritaires opprimées et celui des réformes sociales et des libertés. — La fin du XIXe s. fut marquée par l'afflux des capitaux étrangers en Hongrie. Le réseau ferroviaire tripla de 1869 à 1873, les exploitations agricoles se modernisèrent. Les indus. alimentaires et mécaniques se développèrent. Cependant, durant cette période, les problèmes sociaux devinrent plus aigus : le mouvement syndical connut un vif essor, les grèves et les manifestations se multiplièrent, tandis que l'agitation paysanne grandissait (grève des ouvriers agricoles, 1898; grève des moissonneurs). Le problème des nationalités opprimées devint de plus en plus aigu (Roumains, Slovaques, Croates, Serbes). Le gouvernement réagit par une politique de magyarisation à outrance. En 1914, la Hongrie était un pays essentiellement agricole, dirigée par la grande noblesse terrienne et affaiblie par la résistance de minorités nationales. — La Hongrie prit part à la Première Guerre* mondiale entraînée par les liens qui l'unissaient à l'Autriche. Elle subit de graves pertes en hommes et en matériel. En 1917, comme dans les autres pays, la lassitude et l'exaspération se firent sentir. — LA RÉVOLUTION DE 1918 ET LA HONGRIE ENTRE LES DEUX GUERRES. En octobre 1918 éclata une révolution bourgeoise sous la conduite de Mihály Károlyi. Celui-ci proclama la république. Cependant les groupes révolutionnaires s'organisaient. Le 21 mars, le parti social-démocrate et le parti communiste hongrois fusionnèrent en un *Parti socialiste de Hongrie* qui prit le pouvoir et proclama la République hongroise des Conseils sous la direction de Bela Kun*. Ce gouvernement prit de très nombreuses mesures économiques et sociales, mais ne put résoudre le problème agraire. De plus, il eut à lutter contre des forces internes et surtout externes : Roumains et Tchèques, soutenus par l'Entente. Le 3 août 1919, les Roumains occupèrent Budapest. Le 1er mars 1920, l'amiral Horthy*, qui avait formé un gouvernement réactionnaire pendant la République des Conseils, fut proclamé régent de Hongrie. — Le traité de Trianon fut signé le 4 juin 1920 : deux tiers de son territoire étaient enlevés à la Hongrie, la population passa de 20 855 000 hab. à 7 615 000 hab. 3 500 000 Hongrois vécurent hors du pays. — La révision de ce traité considéré comme injuste et le retour des anciens territoires devinrent pour les Hongrois le but essentiel de la politique entre les deux guerres. Les oppositions au régime Horthy subsistèrent : légitimistes et surtout ouvriers, malgré la Terreur blanche qui suivit l'échec de la République des Conseils. Le Parti communiste fut reconstitué en 1924. Le problème des paysans ne fut pas résolu par l'incomplète réforme agraire votée en 1920. La crise économique mondiale de 1928-1933 sévit en Hongrie, aggravant les antagonismes sociaux, accélérant l'évolution vers le fascisme de certains possédants. La Hongrie se rapprocha de l'Allemagne économiquement, puis idéologiquement, surtout après l'Anschluss*. Elle espérait, sur le plan extérieur, des avantages territoriaux partiellement satisfaits par les accords de Munich (districts méridionaux de la Slovaquie) et les arbitrages de Vienne (N. de la Transylvanie). La Hongrie adhéra au pacte Antikomintern et entra en guerre en 1941. Hitler fit occuper le pays, qui tentait un rapprochement avec les Alliés le 19 mars 1944 et, après avoir destitué l'amiral Horthy, le remplaça par Szálasi*. — LA HONGRIE DEPUIS LA DERNIÈRE GUERRE MONDIALE. Les troupes de l'armée rouge entrèrent en Hongrie en octobre 1944, prirent Budapest après une dure bataille le 13 février 1945 et chassèrent les Allemands le 4 avril 1945. — Depuis le 11 décembre 1944 s'était formé à Debrecen un premier gouvernement provisoire présidé par Dalnoki Miklòs. Dès janvier 1945, il avait conclu un armistice avec le gouvernement soviétique. Le 15 mars, il vota la réforme agraire. Les premières élections (nov. 1945) assurèrent la majorité au parti des petits propriétaires et le 1er février 1946, la Hongrie devint une république. En 1946, les mines, les indus. lourdes, les banques furent nationalisées. — Le parti communiste, sous l'impulsion de son secrétaire général M. Rákosi*, joua un rôle de plus en plus grand dans la vie politique et réussit progressivement à éliminer les autres forces politiques. En août 1949, la Constitution de la République populaire hongroise fut votée. — Le 1er janvier 1950 marqua le début du 1er plan quinquennal qui avait pour objectif l'industrialisation du pays et la mise en place de nouvelles structures agricoles. La politique d'industrialisation à outrance et la dictature de Rákosi, reflet hongrois du stalinisme, amenèrent des mécontentements et furent dénoncées, au sein même du parti communiste, en 1953. Les mesures de « déstalinisation » furent incomplètes et n'empêchèrent pas le développement d'une opposition, en particulier chez les intellectuels et les étudiants. Celle-ci aboutit au mouvement insurrectionnel d'octobre 1956. Imre Nagy*, député libéral, fut appelé à la présidence du Conseil. Il obtint des concessions de la part des Soviétiques ainsi que le retrait des troupes stationnées en Hongrie. Mais il parut débordé par l'ampleur du mouvement insurrectionnel, à Budapest et en province. Il abolit le système du parti unique (13 oct.), réclama la neutralité pour la Hongrie et le retrait du pacte de Varsovie (1er nov.). À ce moment, les troupes soviétiques revinrent en Hongrie et occupèrent Budapest (1er-4 nov.); Imre Nagy se réfugia à l'ambassade de Yougoslavie et J. Kádár annonça la création d'un mouvement hongrois révolutionnaire paysan, ouvrier, s'installa au Parlement et justifia l'intervention soviétique. L'interprétation des « événements de Budapest » reste controversée : mouvement nationaliste pour les uns, mouvement contre-révolutionnaire pour les autres. Mais la révolte et sa répression marquèrent un tournant important dans la vie politique intérieure de la Hongrie. Après deux années d'autoritarisme répressif (exécution d'Imre Nagy, 1958), le régime se libéralisa, tant sur le plan politique (amnistie, ouverture des frontières) que sur le plan économique (1er janv. 1968, réformes économiques). La Hongrie est considérée comme l'un des pays les plus « destalinisés » de l'Europe de l'Est.

HONIARA. ♦ Cap. administrative du protectorat britannique des îles Salomon*, établie sur la côte N.-E. de l'île de Guadalcanal*. Siège de la Haute Commission du Pacifique occidental, en angl. *Western Pacific High Commission.*

HONNORAT (André). ♦ Homme politique français (Paris,

Ph. Garanger/Giraudon

Hongrie :
culture du maïs dans les environs de Budapest.

Arch. Smeets

G. van Honthorst : « Saint Pierre reniant le Christ ». (Musée des Beaux-Arts, Rennes.)

1868 – *id.*, 1950). Il fut ministre de l'Instruction publique (1920-1921) et s'occupa notamment d'organiser la campagne antituberculeuse. Il fut le principal promoteur de la Cité universitaire de Paris.

HONOLULU. ♦ Princ. V. de l'archipel des Hawaï, sur la côte S. de l'île d'Oahu*, et cap. de l'État de Hawaï (États-Unis d'Amérique). 319 784 hab.; zone urbaine 613 114 hab. Ville moderne, passablement américanisée, dans un cadre tropical et très pittoresque, jouissant d'un climat tempéré (moyennes mensuelles de 13 à 34 °C), Honolulu est une des escales les plus fréquentées du Pacifique, et un centre touristique important. – Université d'Hawaï. – À l'O. de la ville se trouve la base de Pearl* Harbor.

HONORAT *(saint)*. ♦ (En Gaule belgique, v. 350 – 430). Fondateur v. 400, dans une des îles de Lérins (depuis : Saint-Honorat), d'un monastère appelé à un grand rayonnement aux VIe-VIIe s. Archevêque d'Arles en 427. Fête le 16 janvier.

HONORIUS, en lat. **Flavius Honorius.** ♦ (Constantinople, 384 – Ravenne, 423). Premier empereur d'Occident (395-423). Second fils de Théodose* Ier, il avait onze ans quand il reçut, à la mort de son père, le gouvernement de l'empire d'Occident, tandis que son frère Arcadius* héritait de l'empire d'Orient. Honorius laissa d'abord le pouvoir au Vandale Stilicon* qui contint pendant quelque temps la poussée des Barbares et écrasa Alaric* à Pollenza (403); mais, influencé par les intrigants, Honorius laissa assassiner Stilicon (408), et en 410 Alaric dévastait Rome. La mort d'Alaric et l'avènement de Constance* III, qui partagea le pouvoir avec Honorius, parurent un instant rétablir l'équilibre. Mais à la mort de Constance III, Honorius ne put repousser les nouvelles invasions barbares. Il laissa un empire diminué de la majeure partie de la Gaule et de l'Espagne à son successeur Valentinien* III.

HONORIUS Ier. ♦ 70e pape (625-638 [mort]), Campanien. Jugeant oiseuse la question des deux « énergies » du Christ, il donna son appui au parti monothélète. Il fut désavoué par ses successeurs et anathématisé au concile de Constantinople* (680-681). **V. Monothélètes.**

HONORIUS II *(Cadalus Pallavicinus)*. ♦ (près de Vérone, v. 1009 – [mort] 1072). Antipape (1061-1072). Évêque de Parme (1044), il fut le candidat impérial contre Alexandre* II, prit Rome en 1062 mais dut regagner son évêché.

HONORIUS II *(Lambert Scannabecchi)*. ♦ 161e pape (1124-1130 [mort]), de Modène. Cardinal-évêque d'Ostie (1117), il négocia le concordat de Worms (1122). Il favorisa l'élection de Lothaire III (1125) et dut accorder les Pouilles à Roger de Sicile (1128) aux dépens de Bohémond.

HONORIUS III *(Cencio Savelli)*. ♦ 175e pape (1216-1227 [mort]), Romain. Il continua l'œuvre d'Innocent* III, couronna Frédéric II (1220), lutta contre les cathares*.

HONORIUS IV *(Giacomo Savelli)*. ♦ (Rome, v. 1210 – 1287). 188e pape (1285-1287).

HONSHŪ ou **HONDŌ.** ♦ La plus grande des îles du Japon. **V. Japon.** Longue de plus de 1 000 km et d'une superficie de 228 000 km², elle forme un arc de cercle orienté du N.-E. au S.-O. dont le creux correspond à la limite orientale de la mer du Japon. Elle est prolongée au N. par l'île de Hokkaidô* et au S.-O. par celle de Kyûshû*. La petite île de Shikoku* (au S. de Honshû) détermine avec elle la « mer Intérieure » japonaise, parsemée d'îlots. 83 000 000 d'hab. L'île est divisée en 7 régions et 34 préfectures. Son climat varie selon la latitude et l'altitude, car elle est parcourue par une dorsale montagneuse de type alpin atteignant 3 000 m. – *Écon.* Le riz est la culture princ., avec celles du blé, des agrumes, du thé et du mûrier (vers à soie). Le N. de l'île possède quelques élevages (bœufs et chevaux). Les côtes du Pacifique et de la mer Intérieure sont parsemées de grandes villes industrielles qui tendent à se réunir en un cordon de conurbations groupant la moitié de la population japonaise, alors que les parties montagneuses de l'île, arides, sont presque totalement inhabitées. Les côtes, très découpées, abritent d'excellents ports **(V. Tôkyô, Yokohama, Nagoya, Ôsaka, Kôbe, Hiroshima).** Près du lac Biwa*, fosse d'effondrement coupant l'île dans sa partie méridionale, se trouve la ville de Kyôto*, anc. cap. et cœur du Japon historique. Honshû est reliée à Kyûshû* par un tunnel sous-marin. Tunnel en construction entre Honshû et Hokkaidô*.

HONTHORST (Gérard *van***).** ♦ Peintre, dessinateur et graveur hollandais (Utrecht, 1590 – *id.*, 1656). Il fut élève de Bloemaert* et résida à Rome v. 1610-1620; suiveur du Caravage*, il adopta ses effets d'éclairages violemment contrastés, lui emprunta ses compositions à mi-corps, ses types populaires *(L'Entremetteuse)*, choisissant des thèmes identiques qu'il infléchit souvent dans un sens pittoresque et déclamatoire (scènes de cabaret, de concert). Il traita aussi des sujets religieux et son goût pour les scènes nocturnes lui valut le surnom de *Gherardo della Notte* (Gérard de la Nuit). Revenu à Utrecht, il évolua vers une manière plus claire et intégra l'apport caravagesque aux traditions de la peinture de genre hollandaise, héritées du maniérisme. De 1637 à 1652, au service des princes d'Orange, il réalisa des portraits où apparaissent un souci d'expressivité et un sens de l'apparat.

Honvéd. *n. m.* (en hongr. « Défense de la patrie »). ♦ Nom de l'armée hongroise depuis 1848. Le Honvéd lutta en 1848-1849 pour sauvegarder l'indépendance de la Hongrie **(V. Autriche.** *Hist.***).** Les armées hongroises nées à la suite des traités de Trianon (1920) et de Paris (1947) reçurent la même appellation.

HOOCH ou **HOOGH (Pieter** *de***).** ♦ Peintre hollandais (Rotterdam, 1629 – Amsterdam, 1683). Élève de N. Berchem* à Haarlem, il subit d'abord l'influence de Fabritius*. Inscrit à la gilde de Delft à partir de 1654, il travailla aussi à La Haye et à Leyde et résida à Amsterdam à partir de 1667 environ. À Delft, il représenta quelques scènes d'extérieur et des scènes de la vie domestique dans des intérieurs bourgeois; ces œuvres présentent de grandes affinités avec celles de Vermeer* : les effets de lumière associés à des jeux rigoureux de perspective (portes ou fenêtres ouvertes, carrelages) sont traités avec une grande délicatesse de ton. Des gestes calmes et des objets soigneusement décrits se dégage une atmosphère d'intimité et presque de recueillement. Mais il révèle une sensibilité plus superficielle dans ses scènes élégantes de la vie de société à Amsterdam.

HOOFT (Pieter Corneliszoon). ♦ Historien et poète hollandais (Amsterdam, 1581 – La Haye, 1647). Féru de Sénèque et de Tacite, dont il traduisit deux fois l'œuvre complète, Hooft s'inspira surtout des Latins : *Warenar* (1616) transpose dans l'Amsterdam du XVIIe s. *La Marmite* de Plaute; *Geeraerdt van Velzen*, tragédie écrite en 1613 et tirée d'un chant populaire historique, rappelle le théâtre de Sénèque. On lui doit encore de nombreux poèmes et drames pastoraux, dont *Granida* (1605), ainsi qu'une *Vie de Henri IV de France* (*Het Leven van Hendrik de Groote*, 1618) qui lui valut un titre nobiliaire, et une *Histoire des Pays-Bas (Nederlandse Historien)* dont les vingt premiers volumes parurent en 1642. Sept autres furent publiés après sa mort, en 1654.

HOOGHLY. ♦ V. HÛGHLÎ.

HOOKE (Robert). ♦ Mécanicien, physicien, astronome et naturaliste anglais (Freshwater, île de Wight, 1635 – Londres, 1703). Émule et adversaire de Newton*, les polémiques entre les deux savants contribuèrent au développement rapide des théories, notamment dans le domaine de l'optique mathématique; on lui doit en particulier des recherches sur les interférences, les colorations des lames minces et l'hypothèse des vibrations transversales. En mécanique, il énonça les lois de la déformation élastique d'un corps *(loi de Hooke)*; il fut le premier à envisager l'emploi d'un pendule pour la mesure de l'accélération de la pesanteur. **V. Huygens.** Créateur de l'anatomie comparée des végétaux fossiles et vivants, il fut un véritable précurseur de la théorie transformiste; ses recherches au microscope contribuèrent à l'essor de l'histologie; on lui doit notamment les premières observations sur le tissu cellulaire. **V. Malpighi.** Auteur d'une théorie de la respiration et de la combustion faisant agir le « nitre aérien », il effectua également de nombreuses observations sur le Soleil et les planètes. – *Loi de Hooke :* loi de la résistance des matériaux selon laquelle les déformations sont élastiques et sont proportionnelles à l'intensité des forces appliquées. – *Joint de Hooke :* double joint de Cardan pour la transmission des rotations.

HOOKER *(sir* **Joseph).** ♦ Botaniste et explorateur anglais (Halesworth, 1817 – Sunningdale, près de Londres, 1911). Il participa à de nombreuses expéditions scientifiques dans l'Antarctique, l'Inde, le Tibet, etc. Auteur d'une classification des plantes, il se fit le défenseur de la théorie transformiste de Darwin*.

HOORNE ou **HORNES (Philippe de Montmorency,** *comte de***).** ♦ Homme politique et général hollandais (Nivelle, 1518 – Bruxelles, 1568). Fils de Joseph de Montmorency et de Anne d'Egmont, il fut adopté par le comte de Hoorne, second mari de sa mère. Il servit Charles* Quint et s'illustra à Saint*-Quentin (1557) et à Gravelines (1558). Ses liens avec Guillaume* le Taciturne le firent exécuter en même temps que le comte d'Egmont*.

HOOVER (Herbert Clark). ♦ Homme politique américain, 31e président des États-Unis (West Branch, Iowa, 1874 – New York, 1964). Après avoir poursuivi une carrière d'ingénieur qui le mena dans plusieurs pays (Russie, Chine, Inde, Australie), il fut chargé de répartir l'aide alimentaire américaine à l'Europe pendant et après la Première Guerre mondiale. Ministre du Commerce (1921-1924), il était d'une tendance républicaine plus modérée que les présidents Harding* et Coolidge*, et fut élu à la Maison-Blanche en 1928. Très confiant dans le libéralisme américain, il entreprit la réalisation d'un grand programme de développement économique et social; mais il se heurta à l'ampleur de la crise* économique de 1929, que des mesures trop timides ne purent résoudre (*Federal Farm Board,* 1930, et *Reconstruction Finance Corporation,* 1932). Les démocrates l'emportèrent aux élections présidentielles de 1932 (**V. Roosevelt [F.D.]**). Lorsque la crise s'étendit à l'Europe, le moratoire Hoover (1931), puis la conférence de Lausanne* (juillet 1932) mirent fin à la question des réparations; mais le refus de la cessation du paiement des dettes de guerre des Européens envers les Américains entraîna une vive tension internationale et renforça la position isolationniste des États-Unis, position que Herbert Hoover soutint contre la politique de Roosevelt.

HOOVER (barrage, en angl. **Hoover Dam**, anc. **Boulder Dam)**. ♦ Barrage situé sur le Colorado* (États-Unis; frontière du Nevada et de l'Arizona). L'un des plus importants du monde : 1 320 000 kW installés; sa retenue permet d'irriguer 800 000 ha et d'approvisionner en eau plusieurs villes (dont Los Angeles).

HOPE (Thomas Charles). ♦ Chimiste écossais (Édimbourg, 1766 — *id.,* 1844). Il découvrit avec Klaproth* la strontiane (1792) et expérimenta sur la densité de l'eau (1805).

HO-PEI [*Hebei*]. *n. m.* (mots chinois « nord du fleuve »). ♦ Province chinoise englobant la région autonome de Peking* au N. du fleuve Jaune (Huang*-ho). Env. 48 000 000 d'hab. 202 700 km². *Cap.* T'ien*-tsin (Tianjin) au bord du golfe du Pohai (ancien golfe de Petchili). À l'E., une plaine qui se termine par une côte basse est quadrillée de digues et de canaux; très humide, elle est cultivée (blé, soja, coton). De nombreux barrages contribuent à l'irrigation et à la production d'électricité. La partie O., en pente, rejoint le talus du Shen-hsi; c'est le domaine des arbres fruitiers. La région du N. et du N.-O., au sol fertile, est sèche; ce climat et l'altitude ne permettent que l'élevage et des cultures moins rentables (blé de printemps, millet, pommes de terre). Les bassins houillers au N. et à l'E. de la plaine alimentent les concentrations indus. de Peking et T'ien-tsin; les plateaux du N.-O. sont riches en ressources minérales (fer).

HÔPITAL (L'). ♦ Comm. de la Moselle, arr. de Forbach. 7 181 hab. Elle fait partie de l'agglomération ouvrière de Carling. **V. Carling.**

HOPKINS (Gerard Manley). ♦ Poète anglais (Stratford, Essex, 1844 — Dublin, 1899). Fils du consul général des îles Hawaii en Grande-Bretagne, Hopkins fit ses études à Oxford, où Newman lui fit abjurer le protestantisme. Après avoir été novice chez les jésuites — il fut ordonné en 1874 — il enseigna le grec à l'université de Dublin. Son œuvre ne parut qu'en 1918 grâce à Robert Bridges. Le but de Gerard Hopkins « était de faire de la poésie un accord musical : mots et grammaire étaient subordonnés à cet effet » (Ifor Evans). Ses poèmes sont en général brefs et leur symbolisme relie la tradition chrétienne aux mythes universels. La nature est un feu héraclitéen, la Sainte Vierge est comparée à l'air. *Epitalamion, L'Écho d'or, The Wind-hover* (« le faucon »), *Le Naufrage du Deutschland,* figurent parmi ses poèmes les plus inspirés. Ses *Lettres* et ses *Carnets* furent publiés en 1937. Il fut de ceux qui influencèrent le plus fortement la poésie anglaise d'après 1920.

HOPKINS (*sir* Frederick Gowland). ♦ Biochimiste anglais (Eastbourne, 1861 — Cambridge, 1947). Fondateur de la chimie biologique dans son pays, il effectua de nombreuses recherches sur les acides aminés : il mit notamment en évidence le tryptophane (1901), montra que certains acides aminés sont indispensables dans l'alimentation (1906) et découvrit le glutathion dans la levure de bière [1921]. **(V. *aussi* Kendall.)** [Prix Nobel de méd., 1929.]

HOPKINS (Harry Lloyd). ♦ Homme politique américain (Sioux City, Indiana, 1890 — New York, 1946). Conseiller personnel de F.D. Roosevelt*, il fut l'un des principaux artisans du *New* Deal,* notamment en ce qui concernait les questions sociales, puis prépara la conférence internationale de Potsdam*.

HÔ QUÍ LY. ♦ (? — 1407). Souverain vietnamien qui régna de 1400 à 1401, fondant l'éphémère dynastie des Hô qui ne comporta que deux souverains, lui-même et son fils aîné Hô Hán Thúóng. Ancien ministre des rois de la dynastie des Trân*, il fit étrangler le dernier de ceux-ci et força son héritier à abdiquer en sa faveur. Son fils lui succéda presque aussitôt, mais il garda néanmoins le pouvoir. Les troupes chinoises les capturèrent tous les deux et les déportèrent en Chine où ils moururent. Grand lettré, Hô Quí Ly (qui se nommait auparavant Lê Quí Ly) fut un poète de renom. Il préconisa l'utilisation de l'écriture dite Chu-nôm pour transcrire les sons du vietnamien. On lui attribue sans certitude quelques œuvres célèbres.

HORA (Josef). ♦ Poète tchèque (Roudnice nad Labem, 1891 — Prague, 1945). Profondément romantique et lyrique, il développa des idées humanistes et prolétariennes dans ses recueils poétiques : *L'Arbre en fleur* (1920), *La Journée de travail* (1920), *Le Cœur et le Tumulte du monde* (1922). Puis, après avoir rompu avec le parti communiste en 1929, il revint à une poésie moins sociale en évoquant la souffrance de son pays : *La Patrie* (1938), ou les problèmes du temps et de la mort : *La Vie et la Mort du poète Aneli* (1945).

HORACE (Quintus Horatius Flaccus). ♦ Poète latin (Venouse, ~ 65 — ~ 8). Fils d'un affranchi aisé, il fut instruit par les meilleurs maîtres à Venouse, à Rome, puis à Athènes. Il s'y lia avec Brutus*, le meurtrier de César* et combattit à ses côtés à Philippes (~ 42). Après la défaite, il revint à Rome où il vécut obscurément, composant des vers lyriques (*Épodes*) où il déplorait les malheurs de sa patrie. En ~ 39, Virgile*, qu'il connut sans doute dans les cercles épicuriens, le présenta à Mécène*. En ~ 33, il reçut de Mécène* une villa près de Tibur* où il passa la plus grande partie de son temps, refusant parfois de revenir à Rome. Auguste* chercha en vain à se l'attacher comme secrétaire. — Dans les *Satires* et les *Épîtres,* Horace reprit les thèmes de Lucilius* : réflexions sur les mœurs du temps, sur les problèmes de la vie morale, sur la nature de la poésie (*Art* poétique,* une des dernières *Épîtres* qui forme à elle seule un véritable traité). Épicurien, il insista aussi sur la simplicité rustique comme l'une des conditions du bonheur. Disciple des Alexandrins dans les *Odes**, il tenta de transposer à Rome la poésie de Pindare*, recherchant avant tout la perfection de la forme. D'une des intuitions essentielles de l'épicurisme, il fit un thème de son lyrisme : le « carpe diem » (cueille le jour) en quoi l'on résume souvent sa sagesse, la rendant courte et vulgaire. Il s'agissait moins, en fait, de chercher le plaisir que de le découvrir dans le seul fait de vivre. C'est ainsi qu'il chante le loisir *(otium)* qui est aussi la paix de l'esprit et de l'âme, la liberté intérieure. — Poète de l'amour, de la vie rustique, poète national aussi (hymne pour les « Jeux séculaires »), il a su accorder fantaisie et bon sens dans une œuvre qui a fait de lui le modèle de l'équilibre et de la mesure et il est avec Virgile le plus grand nom de la poésie latine.

Horace. ♦ Tragédie de Corneille* (1640) dont le sujet s'inspire d'un récit de Tite-Live. Pour en finir avec la querelle depuis longtemps ouverte qui les oppose, les deux bourgades de Rome et d'Albe ont désigné leurs champions : les trois Horaces pour Rome, les trois Curiaces pour Albe. Mais Horace est l'époux de Sabine, native d'Albe, et Curiace est fiancé à Camille, sœur d'Horace. La victoire remportée par Horace est déplorée par Camille avec tant de violence que son frère, exaspéré, la tue. C'est de ce meurtre qu'il lui faut rendre compte devant le roi Tulle (Tullius) et le peuple romain. L'éloquent plaidoyer du vieil Horace, son père, le sauve de la mort.

HORACES (les trois). ♦ (~ VIIᵉ s.). Nom de trois frères romains qui, lors de la guerre entre Rome et Albe* sous le règne de Tullus* Hostilius, furent désignés comme champions de Rome contre les trois Curiaces, champions d'Albe. Ses deux frères ayant été tués, le troisième Horace feignit de fuir et tua séparément les trois Curiaces. De retour à Rome, il tua sa sœur Camille* qui lui reprochait la mort de son fiancé Curiace. Il fut condamné à mort, mais le peuple l'acquitta et son père l'obligea à passer sous le joug.

HORATIUS COCLES, en lat. **Publius Horatius Cocles** (« le Borgne »). ♦ Héros légendaire romain (~ VIᵉ s.) qui durant la guerre contre Porsenna* aurait défendu seul le pont Sublicius.

Horde d'or. *n. f.* ♦ Trad. du nom que se donnaient les Mongols descendant du qân Batû et de Jöchi, fils de Temüjin, et qui, du XIIIᵉ au XVIᵉ s., régnèrent sur la Sibérie occidentale et la Russie du Sud. Les invasions de Tîmûr-i lang (Tamerlan) ruinèrent l'empire qui se divisa en un grand nombre de qânats sur le territoire russe et bulgare. Le dernier de ceux-ci, établi en Crimée, fut annexé en 1783.

HOREB. ♦ Nom que les plus anciennes traditions bibliques donnent au Sinaï*.

HOREMHEB. ♦ Dernier pharaon de la XVIIIᵉ dynastie (v. ~ 1343 — ~ 1314). Chef des armées de Toutankhâmon*, il usurpa le trône à la mort de ce dernier avec l'aide des prêtres d'Amon*, reconquit la Palestine et acheva de restaurer l'ordre ébranlé par les réformes d'Akhnaton* (Aménophis IV).

HORGEN. ♦ V. de Suisse (cant. de Zurich) sur la r. S. du lac de Zurich au pied du Zimmerberg. 13 500 hab. Indus. mécanique et textile.

Horla (Le). ♦ Recueil de contes de Guy de Maupassant* (1887) dont deux récits, *Le Horla* et *L'Auberge,* évoquent probablement les peurs et les angoisses ressenties par l'auteur lui-même. *Le Horla*

Ph. C.F.L./Giraudon

Miniature d'un manuscrit scolié d'Horace. XIIᵉ s. (Bibliothèque nationale, Paris.)

Ph. Nino Cirani/Ricciarini

Cap Horn : Beagle Canal.

décrit, sous la forme d'un journal à la première personne, les hallucinations d'un homme qui devient progressivement l'esclave d'un être surnaturel; celui-ci, le « Horla », invisible et impalpable, impose peu à peu à sa victime sa propre volonté et l'accule au suicide. Autre récit où la maîtrise de Maupassant s'affirme par le contraste entre la limpidité de l'expression et la terreur devant le surnaturel, *L'Auberge* évoque un jeune montagnard suisse, gardien d'une auberge, et que sa trop longue solitude rend fou.

HORME (L'). ♦ Comm. de la Loire, arr. de Saint-Étienne. 5 097 hab. Métallurgie. Travail de la soie.

HORMISDAS *(saint).* ♦ 52e pape (514-523 [mort]), de Frosinone. Son *Formulaire,* accepté par l'empereur Justin et les évêques d'Orient (519), mit fin au schisme « monophysite » d'Acace **(V. Félix III),** mais provoqua la rupture avec Théodoric. – Fête le 6 août.

HORMUZ *(île et détroit d').* ♦ **V.** Ormuz.

HORN (Gustaf, *comte de* **Björneborg).** ♦ Général suédois (Oerbyhus, Upland, 1592 – Skara, 1657). Il fut l'un des meilleurs généraux de Gustave*-Adolphe. Après Lützen*, il tenta de rejoindre Bernard* de Saxe-Weimar et fut fait prisonnier à Nordlingen*. Il prit le commandement de l'armée suédoise en 1653.

HORN (Arvid Bernard, *comte de***).** ♦ Homme politique suédois (Vuorentaka, Finlande, 1664 – Ekebyholm, 1742). Il contribua à l'avènement de Frédéric* Ier, dont il fut le Premier ministre (1720-1738). Chef du parti des « Bonnets »*, favorables à la stabilité et à l'accord avec la Russie et l'Angleterre, il fut chassé par les « Chapeaux ».

HORN *(cap).* ♦ Cap situé aux confins du Chili*, dans un îlot de la Terre de Feu, et qui marque le point le plus austral de l'Amérique du Sud.

HORN *(îles de).* ♦ **V.** Wallis-et-Futuna ; Futuna et Alofi.

HORNEMANN (Friedrich Konrad). ♦ Explorateur allemand (Hildesheim, 1772 – au Bornou, 1801). Après avoir appris l'arabe, il se rendit, déguisé en marchand musulman, au Fezzan (1798-1800), visita Siouah et Mourzouk et fut le premier Européen à pénétrer au Bornou. Le récit de son voyage, qu'il envoya à l'*African Society* de Londres, compte parmi les premières informations que nous possédons sur ces régions et leurs populations. (*Voyage dans l'Afrique septentrionale depuis Le Caire jusqu'à Mourzouk,* 1803.)

HORNES. ♦ **V.** Hoorne.

HORNEY (Karen). ♦ Psychanalyste américaine d'origine allemande (Hambourg, 1885 – New York, 1952). Sa théorie sur l'origine des névroses fait une place importante non seulement aux conflits de la première enfance, mais aux conditions sociales et culturelles dans lesquelles vit l'être humain. (*Les Voies nouvelles de la psychanalyse; La Personnalité névrotique de notre temps,* 1950.)

HORNU. ♦ Comm. de Belgique (Hainaut, arr. de Mons) dans le Borinage. 11 000 hab. Charbonnages. Câbleries.

HORSENS. ♦ V. et port du Danemark, à l'O. du Jutland*, sur le *Horsens Fjord.* 37 300 hab. Monastère et église (XIIIe s.); musée. – Indus. textiles, mécaniques, appareillage électrique. Port de pêche. Carrefour ferroviaire entre Frederikshavn*, Silkeborg* et l'Allemagne.

HORSTADIUS (Sven). ♦ Biologiste suédois (né en 1898). Il est connu par ses travaux d'embryologie expérimentale chez les échinodermes.

HORSTMANN (August F.). ♦ (1842 – 1929.) Ses recherches sur l'application des principes de la thermodynamique aux systèmes chimiques, notamment la deuxième loi de la thermodynamique dans le cas de la dissociation (1873), en font un des précurseurs de la chimie physique. **V. Van'T Hoff.**

HORTA (Victor). ♦ Architecte et décorateur belge (Gand, 1861 – Bruxelles, 1947). Réagissant contre l'architecture et le décor académique, il fut avec Van de Velde* le principal créateur du style Art Nouveau. Il construisit et créa le décor intérieur de l'***hôtel** Tassel* (1893), puis de l'***hôtel** Solvay* où apparaissent les éléments caractéristiques de son style : emploi du fer, du verre et de matériaux colorés, structure apparente, plan original, goût de la dissymétrie, des formes incurvées et création d'un décor végétal exubérant et onduleux aux formes dites en « coup de fouet ». Ses prétentions fonctionnalistes, son souci d'intégrer le décor à la structure l'amenèrent à diminuer l'importance du décor floral au profit de la structure et à préférer les lignes droites. Ainsi, avec la ***maison du Peuple*** (1896-1900), il se révèle l'un des pionniers de l'architecture moderne. Plus tard, dans le ***palais des Beaux-Arts*** (1922-1928), construit en béton, il manifeste des tendances plus classiques.

HORTEN. ♦ V. et port de Norvège, sur la rive O. du fjord d'Oslo. 16 000 hab. Importantes activités portuaires : constructions navales, arsenal de la marine. Indus. alimentaires.

HORTENSE DE BEAUHARNAIS. ♦ **V.** Beauharnais.

HORTENSIUS HORTALUS, en lat. **Quintus Hortensius Hortalus.** ♦ Orateur romain (~ 114 – ~ 50). Orateur attitré du parti conservateur, il plaida contre Cicéron* à partir de ~ 70, puis avec lui après ~ 63.

HORTHY DE NAGYBÂNYA (Miklos). ♦ Homme politique hongrois (Kenderes, 1869 – Estoril, Portugal, 1957). Issu d'une famille de noblesse calviniste, il fit ses études à l'académie navale de Fiume (act. Rijeka). Aide de camp de l'empereur d'Autriche François-Joseph (1909), il se distingua à la bataille navale d'Otrante (1917). En 1918, il fut nommé contre-amiral et devint le commandant en chef de la flotte austro-hongroise. Après la guerre il fut appelé au ministère de la Guerre dans le gouvernement contre-révolutionnaire de Szeged (opposé à Bela Kun*). Il entra à Budapest en nov. 1919 à la tête de l'armée contre-révolutionnaire. Le 1er mars 1920 il fut nommé *régent de Hongrie* par l'Assemblée nationale. Il s'opposa à deux reprises aux tentatives de restauration impériale de Charles Ier Habsbourg (1921). Il joua d'abord un rôle effacé sous le gouvernement du comte Bethlen* (1922-1931), mais son action s'accrut par la suite, grâce au droit de veto sur toutes les mesures votées par le parlement. En 1931, il était devenu un dictateur *de facto.* Il se rapprocha de l'Italie fasciste et de l'Allemagne d'Hitler, ce qui valut alors des avantages territoriaux à la Hongrie (arbitrage germano-italien de 1938, qui rendit à la Hongrie les villes de Kassa, Losonc, Ersekujvair; au moment de la désintégration de la Tchécoslovaquie, retour de la Ruthénie au territoire hongrois; 1940, restitution du nord de la Transylvanie). Horthy tenta de rester neutre au début de la guerre de 1940-1945, mais les bombardements de Kassa et Munkács, attribués (faussement) à l'U.R.S.S., entraînèrent l'entrée en guerre de la Hongrie aux côtés de l'Allemagne. Ultra-conservateur et autoritaire, il était néanmoins hostile au régime national-socialiste; il dut accepter cependant l'occupation de la Hongrie par la wehrmacht (mars 1944). Lorsque, devant l'avance des troupes soviétiques, il tenta de négocier un armistice séparé, il fut arrêté par les S.S. de Skorzeny et déporté en Allemagne. À la fin de la guerre il se réfugia au Portugal (1949) où il mourut.

HORUS, en égypt. **Hor.** ♦ Dieu égyptien représenté sous la forme d'un faucon ou d'un homme à tête de faucon. Initialement Horus était un grand dieu du ciel dont les deux yeux figuraient le Soleil et la Lune – il devenait aussi parfois lui-même le Soleil – et était honoré comme tel à Edfou*. Très vite considéré comme le dieu royal par excellence, il devint le pharaon lui-même (ce dernier portait toujours comme premier nom celui d'Horus par lequel il s'identifiait au dieu). À la Ve dynastie (v. ~ 2425) le culte d'Osiris* s'étant étendu sur toute l'Égypte, Horus fut introduit dans le cycle osirien : le pharaon défunt avait été identifié à Osiris, le pharaon vivant était une incarnation d'Horus. Ce dernier devint donc le fils d'Osiris et d'Isis* (le petit Harpocrate*), en lutte incessante contre son oncle Seth* qui tentait de le déposséder. Le système de la famille patrilinéaire et de la légitimité monarchique s'articula ainsi au mythe de la résurrection d'Osiris. Horus fut identifié par les Grecs à Apollon*.

HORVÁTH (Mihály). ♦ Historien et homme politique hongrois (Szentes, 1809 – Karlsbad, 1878). Ayant participé au soulèvement de 1848, il dut s'exiler après avoir été ministre de la Hongrie indépendante (1849). De retour en Hongrie, il fut élu député en 1866, et publia de nombreux ouvrages sur la révolution de 1848.

HORVATH (Odon *von***).** ♦ Auteur dramatique autrichien (Rijeka, 1901 – Paris, 1938). Deux de ses comédies, d'une inspiration typiquement viennoise, ont conservé la faveur du public : *La Nuit italienne (Die italienische Nacht)* et *Histoires de la forêt viennoise (Geschichte aus dem Wienerwald,* 1930).

Hôryû-Ji. ♦ Célèbre temple bouddhique japonais situé au S. de la ville de Nara*, fondé en 607 par le prince Shôtoku*, composé de plusieurs bâtiments qui sont les constructions en bois les plus anciennes du monde. Malheureusement, le Kondô (salle principale) contenant d'admirables peintures murales fut presque entièrement détruit par un incendie en 1949. Il a depuis été restauré. La pagode, à cinq étages de toits, contient des statuettes en terre de même époque.

HO SHEN [*Heshen*]. ♦ (1750 – 1799.) Ministre mandchou et favori de l'empereur chinois Kao* Tsung des Ch'ing*. Ayant épousé une nièce de l'empereur, il profita de sa situation pour corrompre le gouvernement et érigea aux dépens du peuple une immense fortune. Ses exactions provoquèrent un soulèvement populaire animé par la secte secrète du « Lotus blanc » et qui ensanglanta le pays pendant neuf années consécutives. Il mourut empoisonné.

HOSPITALET. ♦ Banlieue industrielle de Barcelone. 192 500 hab. Indus. métallurgiques, chimiques et textiles.

HOSPITALET (L'). ♦ Comm. de l'Ariège*, arr. de Foix*, sur l'Ariège*. 161 hab. Centre de sports d'hiver. Centrale hydroélectrique utilisant les eaux de l'Ariège et de l'étang de Lanoux.

Hospitaliers de Saint-Jean-de-Jérusalem. ♦ Ordre fondé en 1113 en Palestine par Gérard Tenque pour soigner et protéger les pèlerins qui se rendaient en Palestine. Gouvernés par un grand maître, les Hospitaliers faisaient vœu de chasteté, d'obéissance et de pauvreté. Ils ne devinrent un ordre militaire que v. 1140, sans toutefois perdre leur rôle hospitalier. Après la perte de la Terre Sainte (prise de Saint-Jean-d'Acre, 1291), ils s'installèrent à Chypre (1291), puis conquirent l'île de Rhodes (1309) [*on les nomme parfois chevaliers de Rhodes*]. Après la prise de Rhodes par Soliman II en 1522, leur grand maître, Villiers de l'Isle-Adam, demanda au pape Clément VII un nouvel asile pour l'ordre et, en 1530, Charles Quint leur céda l'île de Malte*. Ils prirent alors le nom de *chevaliers de Malte.* Ils continuèrent à lutter contre les Turcs qu'ils repoussèrent en 1565 et s'illustrèrent à la victoire de Lépante (1571). L'ordre demeura à Malte jusqu'à la prise de l'île par Bonaparte en 1798. Il siège actuellement à Rome mais n'est plus qu'honorifique.

HOSSEGOR. ♦ Section de la comm. de Soorts*-Hossegor dans les Landes*, arr. de Dax, près de l'*étang d'Hossegor,* sur la côte Atlantique. Station balnéaire et climatique.

HOTEI. ♦ Divinité bouddhique japonaise appelée en Occident « Poussah » par confusion avec un nom chinois désignant une autre divinité. Elle serait une incarnation de Maitreya*, le Bouddha « à venir ». On le représente assis avec un gros ventre et des lobes d'oreilles démesurés. Il garde le sac des trésors infinis (de la Sagesse).

Hôtel de Ville. ♦ Monument de Paris, siège de la municipalité parisienne et de la préfecture du dép. de la Seine. Situé sur la place du même nom (*place de Grève** jusqu'en 1806), ce fut le théâtre privilégié des grandes heures de l'histoire de Paris. Édifié sous François Ier par le Boccador*, dans le style italien (1533 à 1551), et achevé en 1628, il occupait l'emplacement choisi par Étienne Marcel* (en 1357) pour établir la municipalité parisienne. Agrandi par Bonaparte, puis par Louis-Philippe, l'Hôtel de Ville fut incendié en 1871, puis reconstruit (de 1872 à 1882) par Ballu* et Deperthes qui s'inspirèrent du style Renaissance de l'édifice primitif.

Hôtel-Dieu. ♦ Hôpital de Paris. Construit de 1165 à 1260 près de Notre-Dame (au S. du parvis), l'anc. Hôtel-Dieu fut incendié en 1772, reconstruit sur le même emplacement, puis démoli sous le Second Empire. Un nouvel Hôtel-Dieu, bâti de 1868 à 1878 par Diet, l'a remplacé, sur le côté septentrional du parvis.

Ph. Garanger/Giraudon

L'**Hôtel de Ville** de Paris.

HO-T'IEN [*Hetian*]. ♦ Nom chinois de l'oasis de Khotan dans la vallée du Tarim* (province chinoise du Hsin*-chiang [Sin-kiang, Xinjiang]) et de la ville principale de cette oasis, sur la rivière du même nom, affluent temporaire du Tarim. Étape importante sur une des routes de la soie, Marco Polo la visita en 1275. Vestiges de monastères bouddhiques des VIIe-IXe siècles. Actuellement, grand centre de cultures maraîchères et de production de la soie.

HOTMAN, HOTMANUS ou **HOTEMANUS (François,** *sieur de* **Villiers Saint-Paul).** ♦ Jurisconsulte français (Paris, 1524 — Bâle, 1590). D'une famille originaire de Silésie, il adhéra à la Réforme, voyagea et enseigna dans l'Empire germanique et en Suisse. Auteur d'un *De statu primitivae Ecclesiae* (1553), il est surtout connu pour son ouvrage *Franco-Gallia seu Tractatus isagogicus de regimine regum Galliae* (1573), où, s'opposant à l'absolutisme royal, il fut un des premiers à affirmer l'idée de souveraineté de la nation. ♦ ANTOINE HOTMAN (v. 1525 — 1596), son frère, fut au contraire un ardent défenseur de la Ligue, soutint le cardinal de Bourbon contre Henri IV, auquel il finit par se rallier, et laissa entre autres un *Traité des droits et libertés de l'Église gallicane.*

HOTTENTOTS. *n. m. pl.* ♦ Peuple de pasteurs nomades qui occupait autrefois toute la région occidentale de l'Afrique du Sud, auj. concentré dans la partie méridionale du Sud*-Ouest africain. Les Hottentots sont polygames; leur nombre n'atteindrait pas 20 000. — Les dialectes hottentots, divisés en quatre groupes principaux : Nama, Korana, Gona et ceux des anciens Hottentots du Cap font partie, comme le bochiman, des langues khoin.

HOTTINGUER. ♦ Famille d'hommes d'affaires protestants d'origine suisse. ♦ CONRAD JEAN HOTTINGUER (Zurich, 1761 — Paris, 1841). Fondateur d'une banque à Paris en 1798, membre du conseil de régence de la Banque de France (1810) et baron d'Empire (1810). Ses descendants furent régents de la Banque de France jusqu'en 1936, développèrent la banque familiale qui joua un rôle prépondérant dans le financement des compagnies d'assurances et de chemin de fer sous la monarchie de Juillet, et créèrent la *banque de l'Union parisienne* (1904).

HÖTZENDORF (Franz, *comte* **Conrad** *von*). ♦ Feld-maréchal autrichien (Penzing, 1852 — Mergentheim, 1925). Chef de l'État-Major général austro-hongrois, il fut avec Hindenburg* le principal vainqueur des Russes en Pologne (1915). En opposition avec son homologue allemand Falkenhayn*, il tenta de mener une stratégie propre, mais son attaque sur le front italien (mai 1916) l'ayant amené à dégarnir le front russe, il fut hors d'état de résister à l'offensive Broussilov* (juin 1916) et dut accepter le commandement allemand (**V. Hindenburg**). Rétrogradé au commandement du front tyrolien, il vainquit les Italiens à Caporetto* (oct. 1917), mais fut destitué après ses échecs sur Asiago*, en juillet 1918.

HOU... [*chinois*]. ♦ V. HU...

HOUAI. ♦ V. HUAI.

HOUAI-NAN. ♦ V. HUAI-NAN.

HOUANG... [*chinois*]. ♦ V. HUANG...

HOUASSE (Michel-Ange). ♦ Peintre et dessinateur français (Paris, 1680 — Arpajon, 1730). Fils du peintre René Antoine, il travailla à partir de 1715 à la cour d'Espagne et obtint ensuite la charge de premier peintre du roi Philippe V. Il s'inspira souvent de Poussin et subit aussi, notamment dans le choix de ses coloris, l'influence de Vélasquez. Auteur de compositions religieuses (grandes décorations et retables), de scènes mythologiques gracieuses, de portraits observés parfois avec délicatesse *(L'Infant Philippe-Pierre),* de scènes de genre *(Le Jeu de colin-maillard)* et de paysages des environs de Madrid d'une lumière subtile, il exerça une certaine influence sur les premières œuvres de Goya*.

HOUAT [wat]. ♦ Île de l'Atlantique, au large de Quiberon, à l'E. de Belle-Île; comm. du Morbihan, arr. de Lorient. 457 hab. L'île d'une longueur de 5 km, d'une largeur de 1,2 à 1,5 km, a une superficie de 293 hectares. Quelques monuments mégalithiques. Pêche (langouste, homard). Usine de désalinisation.

HOUCHARD (Jean Nicolas). ♦ Général français (Forbach 1738 — Paris 1793). À la tête de l'armée du Nord, il battit les troupes coalisées à Hondschoote* (6-8 septembre 1793). Il fut néanmoins accusé d'avoir ménagé l'ennemi dont il aurait pu bloquer la retraite, et fut condamné à mort par le Tribunal révolutionnaire.

HOU CHE. ♦ V. HU-SHIH.

HOUCHES (Les). ♦ Comm. de Haute-Savoie*, arr. de Bonneville*, sur l'Arve*. 1 243 hab. Station d'été et de sports d'hiver.

HOU CHU [*Heou Tchou, Hou Zhu*]. ♦ Roi chinois (937-978) de la dynastie des Nan T'ang (T'ang du Sud) qui régna au Xe siècle. Il aurait obligé sa favorite à se bander les pieds, inaugurant ainsi cette mode en Chine. Battu par les souverains de la dynastie des Sung*, il fut fait prisonnier et mourut empoisonné à K'ai-feng. Les poèmes qu'il écrivit en captivité sont parmi les plus beaux et les plus émouvants de toute la littérature chinoise. Il fut également un peintre de talent connu sous le nom de Li Yü.

HOUDAIN. ♦ Ch.-l. de cant. du Pas*-de-Calais, arr. de Béthune*. 8 807 hab. Mines de charbon; produits réfractaires.

HOUDAN. ♦ Ch.-l. de cant. des Yvelines, arr. de Mantes-la-Jolie. 2 449 hab. Église (XVe, XVIe s.), portail du XVIIe siècle. Donjon (XIIe s.); maisons anciennes. — Marché agricole important. Le bourg a donné son nom à une race de poules.

HOUDAR DE LA MOTTE (Antoine, dit aussi La Motte-Houdar).

Arch. Rencontre

J. A. Houdon : « Statue de Washington » (détail). (Richmond, États-Unis.)

♦ Poète dramatique français (Paris, 1672 – 1731), auteur de comédies et de tragédies, dont *Inès de Castro* (1723). À l'origine de la seconde *querelle des Anciens* et des Modernes* avec son adaptation de l'Iliade*, il répondit aux protestations en vers de Mme Dacier* par ses *Réflexions sur la critique* (1715), avant de se soumettre à l'arbitrage de Fénelon*.

HOUDENG [udɛ̃]**-AIMERIES.** ♦ Comm. de Belgique (Hainaut, arr. de Soignies) dans le bassin houiller du Centre, 8 200 hab. Brasserie. Cimenterie. Céramique. Verrerie. Indus. métallurgiques. Houillères. – Station de radiodiffusion.

HOUDENG-GOEGNIES. ♦ Comm. de Belgique (Hainaut, arr. de Soignies) sur le canal du Centre. 9 000 hab. Ascenseur hydraulique (1888). Indus. métallurgiques. Verreries.

HOUDETOT (Élisabeth de La Live de Bellegarde, *comtesse d'***).** ♦ (Paris, 1730 – *id.*, 1813). Belle-sœur de Mme d'Épinay*, brouillée avec son mari, elle eut avec le poète Saint-Lambert une longue liaison qui dura de 1753 à la mort de ce dernier. Spirituelle sans être belle, elle inspira à J.-J. Rousseau*, lors de son séjour à l'Ermitage (1756-1757), une vive passion; « Ivre d'amour sans objet [il vit désormais sa] Julie en Madame d'Houdetot », et prêta à l'héroïne de sa *Nouvelle* Héloïse* « l'esprit très naturel et très agréable, la gaîté, l'étourderie et la naïveté » de la jeune femme. Il évoque également dans *Les Confessions** l'exaltation d'une soirée qu'ils passèrent ensemble dans « l'entretien le plus vif et le plus tendre » (Livre IX).

HOUDON (Jean Antoine). ♦ Sculpteur français (Versailles, 1741 – Paris, 1828). Il étudia dans l'atelier de M.A. Slodtz* et fut aussi conseillé par Pigalle*. Il obtint le prix de Rome en 1761 et séjourna en Italie de 1764 à 1768, s'intéressant à la sculpture antique mais aussi à celle de la Renaissance. Il étudia avec passion l'anatomie (*Écorché*, 1767) et réalisa un *Saint Bruno* qui établit sa réputation. De retour à Paris, il exécuta d'élégantes statues mythologiques et allégoriques qui témoignent de son sens de la grâce et de la mesure (*Diane* en marbre, 1780, achetée par Catherine II: *L'Hiver*, dite aussi *La Frileuse*, 1783; *L'Été*, 1785). Psychologue pénétrant, il observait scrupuleusement ses modèles, cherchant à exprimer leur personnalité profonde et captant les expressions sans effet ostentatoire, avec un modelé souple et délicat obtenu le plus souvent en modelant l'argile (terre cuite) : *Les Enfants Brongniart*, 1777; *Sophie Arnould*, 1775; *Diderot*, 1771; *Voltaire* « drapé à l'antique », 1781; *Rousseau*, 1779; *Washington*, 1785; *Franklin*, 1778. Après la Révolution, sa production s'uniformisa.

HOUDRY (Eugène). ♦ Ingénieur français (Domont, Seine-et-Oise, 1892 – Upper Darby, Pennsylvanie, 1962). Il inventa en 1936 le *craquage catalytique* qui permit d'améliorer la qualité des essences obtenues.

HOUEI... [*chinois*]. ♦ V. Hui...

HOUEILLÈS [wɛjɛs]. ♦ Ch.-l. de cant. du Lot*-et-Garonne, arr. de Nérac. 744 hab. Église du XIIIe s., fortifiée au XIVe siècle.

HOUFFALIZE. ♦ V. de Belgique (Luxembourg, arr. de Bastogne) sur l'Ourthe. 1 300 hab. – Église du XIIIe siècle. – Centre de villégiature.

HOUGHTON (Daniel). ♦ Explorateur irlandais (v. 1740 – 1791). Il entreprit (1790) pour le compte de l'*African Society* de Londres une expédition qui devait le mener jusqu'à Tombouctou par le cours du Niger; mais il n'atteignit que la Falémé et fut vraisemblablement tué par les indigènes Bambaras. Son projet fut repris par M. Park*.

Hougue (La). ♦ Fort à l'entrée de la rade du même nom, sur la côte E. du Cotentin, à l'E. de Valognes. Une partie de l'escadre française commandée par Tourville* y fut surprise et détruite par une flotte anglo-hollandaise bien supérieure en nombre, dirigée par Russell*; les Français s'y étaient réfugiés après une lutte acharnée au large de Barfleur (1692). Loin d'être un désastre, cette perte provoqua cependant le désintérêt de la France pour la marine.

HOU HAN [*Heou Han*]. ♦ Dynastie chinoise des *Han postérieurs* ou *Han de l'Est* qui succéda à la dynastie des Han* (Ch'ien Han) après l'intermède de Wang* Mang et régna de 23 à 220. La dynastie barbare des Wei* lui succéda.

HOUILLES. ♦ Ch.-l. de cant. des Yvelines, arr. de Saint-Germain-en-Laye. 29 401 hab. (*Ovillois*). Fonderies; indus. électronique.

HOULÉ *(lac). n. m.* ♦ Lac du N. d'Israël, qui délimite la haute Galilée* à l'E., et que traverse le Jourdain*. La *vallée du Houlé*, marécageuse, fut dès 1934 l'objet de travaux d'assèchement. Cultures de céréales, de maïs et de riz; culture intensive de fleurs (glaïeuls) pour l'exportation. Pêche sur le lac.

HOULGATE. ♦ Comm. du Calvados*, arr. de Lisieux*, sur la Manche*. 1 741 hab. Station balnéaire.

HOULME (Le). ♦ Comm. de la Seine-Maritime, dans l'arr. et la banlieue N. de Rouen*. 3 935 hab. Indus. textile. Fabrication de linoléum.

HOU-NAN. ♦ V. Hu-Nan.

HOU-PEI. ♦ V. Hu-Pei.

HOUPHOUËT-BOIGNY (Félix). ♦ Homme politique africain (Yamoussoukro, Côte-d'Ivoire, 1905). Il fonda en 1946 le Rassemblement* démocratique africain, occupa plusieurs postes ministériels sous la IVe République. Premier ministre ivoirien en 1959, il fut le principal créateur du Conseil de l'entente*. Président de la République de Côte-d'Ivoire depuis 1960.

HOUPLINES. ♦ Comm. du Nord (arr. de Lille), sur la Lys. 6 398 hab. Indus. textiles.

HOURDEL (Le). ♦ Petite localité de la Somme*. Port de pêche et de plaisance. Les galets y sont exploités industriellement (émeri, filtrants).

HOURGHADA, en ar. **al-Ghurdagah.** ♦ Port de la côte de la mer Rouge, en territoire égyptien. Station océanographique. Gisement de pétrole.

HOURRITES ou **KHOURRITES,** ou **Hurri.** *n. m. pl.* ♦ Peuple asianique de l'Antiquité, installé en haute Mésopotamie (cours supérieur du Tigre) dès le ~ IIIe millénaire. Il forma, dans les premiers siècles du ~ IIe millénaire, plusieurs royaumes, mal connus, en Syrie septentrionale et jusqu'en Palestine, reçut l'apport des cavaliers aryens envahisseurs et constitua l'empire du Mitanni* (~ XVe s.). Divinités : Teshub, dieu de l'orage, et son épouse Hépa. – L'art hourrite, parent de l'art mésopotamien, s'en distingue par une certaine rudesse; la civilisation influa sur celle des Hittites.

HOURTIN. ♦ Comm. de la Gironde (arr. de Lesparre-Médoc), près des étangs d'Hourtin et de Carcans, le plus grand des lacs landais. 3 625 hab. Phares. – Centre d'aviation maritime.

HOUSMAN (Alfred Edward). ♦ Poète anglais (Bromsgrave, Shropshire, 1859 – Cambridge, 1936). Après avoir été employé au bureau des brevets britanniques, il devint professeur à Londres, puis à l'université de Cambridge. Outre des poèmes (*Un gars du Shropshire*, 1896; *Derniers Poèmes*, 1922), il publia des critiques de Juvénal, de Lucain, une édition de Manilius et des essais. Sa vision de la vie, qui s'apparente à celle de Thomas Hardy*, est empreinte de désillusion et refuse tout sentimentalisme. ♦ Lawrence Housman (1865–1959), son frère, publia *La Tapisserie verte* (1895), *Lettres d'amour d'une Anglaise* (1900) et donna des pièces de théâtre à succès : *Victoria Regina* (mise en scène : 1937), *Heureuse et Glorieuse* (1945).

HOUSSAY (Bernardo Alberto). ♦ Médecin argentin (Buenos Aires, 1887). Il obtint le prix Nobel de médecine [1947] (avec C.F. et G.T. Cori*) pour la découverte du rôle de l'hormone du lobe hypophysaire antérieur dans le métabolisme du sucre.

HOUSSAYE (Arsène Housset, dit**).** ♦ Écrivain français (Bruyères, Laon, 1815 – Paris, 1896). Il acquit la notoriété, en tant que critique d'art, avec sa *Galerie de portraits du XVIIIe siècle* (1844) et une *Histoire de la peinture flamande et hollandaise* (1846). Lié avec Théophile Gautier et Gérard de Nerval, rattaché au groupe de l'impasse du Doyenné, il aborda tous les genres, notamment le théâtre (entre 1835 et 1887), et composa de nombreux romans, dont certains en collaboration avec Jules Sandeau. Quant à ses poèmes, ils furent réunis dans les *Poésies complètes* (1858). Mémorialiste de talent (*Souvenirs d'un demi-siècle;* 1885-1891), critique littéraire spirituel (*Histoire du quarante et unième fauteuil de l'Académie française;* 1855), publiciste courageux qui défendit nombre de talents nouveaux (dans son journal *l'Artiste*; 1843), A. Houssaye s'est surtout signalé par son activité comme administrateur de la Comédie-Française (1849-1856) en favorisant notamment la représentation de pièces dues à Victor Hugo, A. de Musset, A. Dumas, É. Augier, J. Sandeau.

HOUSTON. ♦ V. des États-Unis, la plus grande du Texas et la 6e des États-Unis, dans la plaine côtière, à env. 80 km du golfe du Mexique, auquel elle est reliée par un canal *(Houston Ship Channel)* aménagé dans la baie de Galveston. 1 213 064 hab.; zone urbaine 1 958 491 hab. (nombreux éléments d'origine allemande, 20 % de Noirs, 8 % de Mexicains). Centre indus. d'importance mondiale : chimie du pétrole, du soufre (la pétrolochimie représente 40 % de celle des États-Unis). Indus. navales. Métallurgie. Électronique. Centre commercial : pétrole, coton, riz. – Le port est le 2e ou le 3e des États-Unis (env. 60 000 000 de t). Aéroport international. – Universités. Musée (un bâtiment par Mies van der Rohe). Stade célèbre (« Astrodome »). Centre de la N.A.S.A. à Nassau Bay. ♦ *Hist.* La ville fut la cap. de la république du Texas (1827-1839).

HOUTHALEN. ♦ Comm. de Belgique (Limbourg, arr. de

Maeseyck) en Campine. 13 900 hab. — Église (tour et chœur du xvᵉ siècle). — Charbonnages.

HOUTMAN (Cornelis *van***).** ♦ Colonisateur hollandais (Gouda, v. 1550 — Sumatra, 1598). Il fit une expédition vers les Indes orientales en 1595-1597 et fonda le premier comptoir hollandais à Bantam (Java). Lors de sa seconde expédition en 1598, il fonda un comptoir à Sumatra, mais fut tué par le sultan d'Atjeh.

HOVAS. ♦ **V.** MÉRINAS.

HOVE. ♦ V. d'Angleterre (Sussex). Faubourg occidental de Brighton. 72 800 hab. Station balnéaire sur la Manche.

HOVE. ♦ Comm. de Belgique (prov. et arr. d'Anvers). 6 400 hab. Cultures maraîchères.

HOVELACQUE (Alexandre Abel). ♦ Linguiste et anthropologue français (Paris, 1843 — 1896). Directeur de la revue de linguistique et de philologie comparées, professeur d'anthropologie linguistique à l'École d'anthropologie (**V. Broca**) dont il fonda la revue (1891), il est l'auteur d'une *Grammaire de la langue zeende* (1869), de *Mélanges de linguistique et d'anthropologie* (1880), etc.

HOWARD. ♦ Famille noble anglaise. ♦ JOHN HOWARD *1ᵉʳ duc de* NORFOLK (1430 — 1485). Lors de la guerre des Deux-Roses, il prit parti pour les York contre Édouard V de Lancastre et fut nommé duc de Norfolk par Richard III d'York. ♦ THOMAS HOWARD, *2ᵉ duc de* NORFOLK (1443 — 1524), son fils, fut lord-chancelier d'Henri VII (1501) et battit les Écossais à Flodden (1513). ♦ Le duc de Norfolk, chef de famille des Howard, a le titre de premier duc du royaume.

HOWE (Richard). ♦ Amiral anglais (Londres, 1726 — *id.*, 1799). Il commanda la flotte dans la guerre d'Indépendance américaine (1776-1778), réussit à ravitailler Gibraltar (1782) et devint premier lord de l'Amirauté (1783-1788). Vice-amiral d'Angleterre en 1792, il commanda la flotte de la Manche et défit la flotte française devant Ouessant (1ᵉʳ juin 1794). ♦ Son frère WILLIAM HOWE, *5ᵉ vicomte* HOWE (Londres, 1729 — Plymouth, 1814). Général anglais. Il commanda l'armée anglaise dans la guerre d'Indépendance américaine (1775), prit New York (1776) et vainquit Washington à Brandywine (1776). Après la capitulation de Saratoga, il envoya sa démission, car il se disait mal soutenu par le ministère. Il fut gouverneur de Plymouth.

HOWITT (Alfred William). ♦ Anthropologue et ethnologue australien (1830 — 1908). Il a surtout étudié les relations entre les croyances et coutumes totémiques et l'organisation sociale chez les tribus du sud-est de l'Australie (*Native Tribes of South-East Australia,* 1904).

Howrah. ♦ Quartier surpeuplé de Calcutta (Inde, Bengale) sur la rive opposée de l'Hûghlî*. 600 000 hab. (1970). Centre industriel important (jute, coton, ateliers de chemins de fer, papeteries, mécanique), relié à la cité par un grand pont en fer datant de 1910. Le quartier de Howrah possède un immense jardin botanique créé en 1797.

HOXHA ou **HODJA (Enver** ou **Anver).** ♦ Homme politique albanais (Gjiroskastër, 1908). Étudiant en Belgique et en France, il adhéra au Parti communiste. De retour dans son pays, il contribua à organiser la Résistance contre les forces de l'Axe (allemandes et italiennes), devint chef du Front de libération nationale et créa le Parti des travailleurs albanais (communiste, 1941). Commandant en chef de l'armée albanaise et président du gouvernement provisoire, il devint président du Conseil (après les élections de 1945) et chef de la République populaire albanaise (fondée en 1946). En 1954, il abandonna les fonctions de chef de gouvernement et de l'État, mais continue depuis à diriger le Parti communiste albanais comme secrétaire général (fonction qu'il occupe depuis 1948). Il a joué un rôle décisif dans le rapprochement entre l'Albanie et la République populaire de Chine et dans la critique du révisionnisme soviétique (depuis 1961).

HOYSALA. ♦ Dynastie hindoue du Mysore (Dekkan, Inde) fondée au XIᵉ s. à Halebîd (antique Dôrasamudrâ) et qui dura jusque vers 1327. Elle fut abattue par les troupes musulmanes qui envahirent le Dekkan à cette époque. Elle est surtout célèbre grâce aux admirables temples hindous aux sculptures raffinées qu'elle laissa dans de nombreux villages du Mysore et qui comptent parmi les plus belles réalisations de la statuaire de l'Inde.

HOZIER (Pierre d'Hozier, *seigneur de* **LA GARDE).** ♦ Généalogiste français (Marseille, 1592 — Paris, 1660). Auteur d'une *Généalogie des principales familles de France* (150 volumes dont les manuscrits sont à la Bibliothèque nationale), il collabora avec Renaudot* à la fondation de la *Gazette de France.*

HOZJUSZ (Stanislas). ♦ Prélat et écrivain polonais (1504 — 1579). Cardinal, adversaire farouche de la Réforme, il écrivit en latin *Confession de la foi chrétienne catholique* (*Confessio fidei catholicae christianae,* 1553).

HRADEC KRÁLOVÉ, en all. **Königgrätz.** ♦ V. de Tchécoslovaquie, au confluent de l'Elbe* et de l'Orlice. Ch.-l. de la Bohême orientale. 65 463 hab. (1967). Carrefour ferroviaire et routier. Évêché. Cathédrale gothique du Saint-Esprit (1307, restaurée). Église baroque Notre-Dame (1654-1666). — Située au cœur du Polabí*, riche région agricole, la ville est un centre commercial et industriel : indus. alimentaires (sucreries, distilleries), constructions mécaniques (machines agricoles), indus. textiles ; manufactures d'instruments de musique. — À proximité, Sadowa*.

HRISTOV (Kiril). ♦ Poète bulgare (Stara Zagora, 1875 — Sofia, 1944). Il chanta le plaisir charnel dans des vers d'une grande perfection formelle : *Chansons et Soupirs* (1896), *Frissons* (1897).

HROTSVIT, HROTSVITHA ou **ROSWITHA VON GANDERSHEIM.** ♦ Première poétesse allemande dont nous connaissions le nom (v. 935 — après 975). Issue de l'aristocratie saxonne, elle fut nonne au couvent de Gandersheim sous Othon Iᵉʳ. Son œuvre, écrite en latin, comprend des légendes (dialogues en prose rythmées) et des récits historiques sous forme de poèmes, en l'honneur d'Othon Iᵉʳ *(Gesta Oddonis)* et sur l'origine du couvent de Gandersheim *(Primordia coenobii Gandershemensis).*

HRUBIN (František). ♦ Poète et auteur dramatique tchèque (Brno-Židencie, 1914 —). Dès ses premiers vers, il révéla sa profonde sensibilité lyrique (*Belle par la pauvreté,* 1935 ; *Rayon de miel,* 1940). Puis, dans *Pain et Acier* (1945), *Hiroshima* (1948), il exprima ses sentiments en face de la guerre. Il revint enfin à des thèmes lyriques plus généraux dans *Métamorphose* (1958) ou *L'Heure des amoureux* (1963).

HSIA [*Hia, Xia*]. ♦ Dynastie mythique chinoise qui aurait été fondée vers 2200 avant notre ère dans le Shan-hsi actuel par Yü* Huang, après un déluge.

HSIA KUEI [*Hia Kouei, Xia Gui*]. ♦ Peintre chinois (Hong-Chou, 1180 — 1230). Il utilisait dans ses paysages des traits courts afin de donner dans ses lavis monochromes plus de force aux éléments représentés, préfigurant ainsi la technique du pointillisme.

HSIA-MEN [*Hia-men, Xiamen*]. ♦ Petite île de la côte chinoise du Fu-kien, appelée aussi Amoy, et important port de pêche. 250 000 hab. Port ouvert au commerce extérieur en 1842 et exportateur de thé.

HSI-AN [*Si-ngan, Xi'an*]. ♦ V. du S.-E. de la Chine, cap. de la province de Shan*-hsi. 2 000 000 hab. Universités. Nombreux sites antiques. Important musée archéologique. — Grand centre d'indus. textiles (coton) et d'artisanat. Usines de produits chimiques (engrais, matières plastiques), constructions mécaniques (machines-outils), électrotechnique. ♦ *Hist.* C'est l'anc. Ch'ang-an, fondée vers ~2500. Cap. des T'ang, elle aurait compté 3 000 000 d'hab. au VIIᵉ siècle. En 1936, Chiang* Kai-shek y fut enlevé par des généraux rebelles et livré aux communistes. Chou* En-lai le fit libérer peu de temps après.

HSIAN-CHIANG. ♦ **V.** HONG-KONG.

Hsiang Shan [*Siang chan, Xiang shan*]. ♦ Palais d'été des collines de l'ouest de Pékin créé vers 1700 par l'empereur K'ang*-hsi et achevé par l'empereur Kao* Tsung. Il comprend de nombreux monuments, pavillons et jardins.

HSIANG-T'AN [*Siang-t'an, Xiangtan*]. ♦ V. de Chine (Hu-nan) sur le Hsiang-chiang. 350 000 hab. Important port fluvial, indus. métallurgiques, chimiques, électriques. Mines de manganèse.

Hsiao Tao Hui [*Hiao Tao Houei, Xiao Dao Hui*]. ♦ Société secrète chinoise « des petits couteaux » qui se créa à Shanghai en 1853 pour lutter contre la dynastie des Ch'ing*. Ses partisans, favorables aux T'ai*-p'ing furent vaincus en 1855.

HSIEN-PEI [*Sien-pei, Xianbei*]. ♦ Groupe de tribus protomongoles d'Asie centrale qui succédèrent aux Huns septentrionaux au IIᵉ siècle. Elles fondèrent cinq petites dynasties en Chine, de 337 à 397, et furent éliminées en 608.

HSI K'ANG [*Hi K'ang, Xi Kang*]. ♦ Poète et philosophe chinois taoïste (223 — 262) qui chanta l'amour et le vin dans ses poésies. Il fonda un cercle littéraire dit de la « forêt de bambous ». Il fut condamné à mort pour avoir osé prendre la défense d'un de ses amis faussement accusé.

HSI-KIANG [*Si-kiang, Xi-Jiang*]. ♦ « Fleuve de l'Ouest », en Chine, d'orientation O.-E., prenant sa source dans le Yunnan* et se jetant dans la mer de Chine méridionale près de Canton*. Long de 2 100 km. Ses crues prennent parfois des allures

Ph. René Burri/Magnum

Hsiang Shan.

catastrophiques, son débit variant en période de mousson de 9 000 m^3/s à 60 000 m^3/s. Il est navigable jusqu'à Wu-chou.

HSINBYUSHIN. ♦ Roi de Birmanie (1763-1776). Il fit de la ville d'Ava sa capitale et repeupla la cité détruite avec des prisonniers de guerre capturés lors de sa conquête du Manipur*. Il protégea les lettres et fit traduire de nombreux ouvrages du sanskrit. En 1767, il envahit le Siam et prit la capitale d'Ayuthyâ* après un long siège. Il la détruisit de fond en comble. Attaqué par les Chinois sur ses frontières du nord, il put cependant les repousser. Il fut le premier roi qui réussit à faire l'unité de la Birmanie. Son fils Singu lui succéda à sa mort.

HSIN-CHIANG [*Sin-kiang, Hsin-kiang, Xinjiang*]. ♦ Région autonome de Chine (Hsin-chiang-Uighur) entre la Mongolie au N.-E., l'U.R.S.S. à l'O., et le Tibet au S. Cette région fut conquise v. 1 700 par la Chine qui lui donna son nom de « Nouveaux Territoires ». C'est l'anc. *Türkestan chinois.* Superficie 1 653 000 km^2. Pop. env. 6 000 000, principalement des Türks musulmans sinisés. Cette région, relativement aride, est divisée pour l'essentiel en deux grands bassins, la Dzungarie au N. et le Tarim* au S., séparés par les monts T'ien Shan. Le grand bassin du Tarim comprend le désert du Takla Makan au S. et la dépression de Turfân au N. Étés torrides et hivers froids avec rares précipitations, sauf sur les monts T'ien Shan. Les principales oasis se trouvent dans les dépressions (Urumtsi, Kashgar, Yarkand, Khotan). Cultures du coton, du blé, du maïs et des fruits dans les vallées. Élevage de chevaux et de chameaux. Depuis 1950, la région (où se trouvent les champs de tirs nucléaires chinois) est en plein essor, grâce à la création d'une ligne de chemin de fer la reliant à la ville de Lan-chou.

HSIN-CHU. ♦ V. de l'île de Taïwan, port et ch.-l. de district dans le N.-O. 220 000 habitants.

HSIN-HAI-LIEN [*Sin-hai-lien, Xinhailian*]. ♦ V. de Chine (port de Lien-Yün) sur la mer Jaune. 250 000 hab. Salines.

HSI-NING [*Si-ning, Xining*]. ♦ V. de Chine (Ho-nan), à l'E. du lac Ch'ing-hai. 300 000 hab. Grand centre routier vers l'Asie centrale. Mines de charbon.

HSIN-YING. ♦ V. de l'île de Taïwan, ch.-l. du district de Tainan.

HSIUNG-NU [*Hiong-nou, Xiong-nu*]. ♦ Groupe de tribus prototürk d'Asie centrale qui s'organisèrent en une vaste fédération un peu avant notre ère et dont une des branches occidentales est connue sous le nom de Huns*. Ils comprenaient dans leurs rangs des tribus protomongoles telles que celle des Tabghach (Wei*). Leur origine ethnique est mal déterminée, mélange de proto-altaïques (?) et de paléo-sibériens qui succédèrent, au S. du lac Baïkal, à une culture du bronze dite des « tombes à dalles ». Les Hsien-pei les éliminèrent ou les déplacèrent vers 155 et à leur tour ils chassèrent d'Asie centrale les Yüeh*-chih qui envahirent le S.-O. de l'Asie. Les noms de certains de leurs chefs nous sont connus grâce aux annales chinoises.

HSÜAN HUA [*Siuan-houa, Xuanhua*]. ♦ V. de Chine (Ho-pei), au N.-O. de Pékin. 150 000 hab. Minerais de fer, indus. métallurgique.

HSÜAN TSANG [*Hiuan Tsang, Xuan Zang*]. ♦ Pèlerin bouddhiste chinois (v. 600 — v. 664) qui se rendit en Inde en traversant le Pamir, afin de rapporter en Chine les textes bouddhiques sanskrits (629). Le récit de son voyage fut transcrit et plusieurs fois réécrit. C'est le *Szu-you-chi,* connu en Europe sous le nom de « Singe pèlerin ».

HSÜAN TSUNG [*Hiuan Tsong, Xuan Zong*]. ♦ (685 — 762). Empereur chinois de la dynastie des T'ang*, qui régna de 712 à 756. Il élimina les Wei*, réorganisa les finances et le recensement. Il conquit l'Asie centrale, rouvrant l'ancienne « route de la soie », mais se heurta sur le fleuve Talas aux troupes arabes en 751. Un des généraux, An Lu-shan, s'étant révolté, une crise amena la mort de sa concubine favorite, Yan Kuei-fei. Il abdiqua au profit de son fils Su Tsong. Sous son règne la civilisation chinoise et l'extension territoriale de la Chine atteignirent leur apogée. Hsüan Tsung est surtout connu grâce aux peintres et poètes de son temps.

Hsü-chia-hui [*Siu-kia-hui, Xu-jia-hui*]. ♦ Quartier de Shanghai (Chine) où s'installèrent, à partir de 1847, les jésuites européens (mission de « Zikawei »). Un important observatoire y fut installé par leurs soins en 1872.

HSÜ KUANG-CH'I [*Hiu Kouang-k'i, Xu Guangqi*]. ♦ Homme d'État chinois (1562 — 1633) converti au catholicisme par les jésuites de la cour mandchoue à Pékin. Il collabora avec le père Ricci et écrivit lui-même des traductions d'ouvrages scientifiques européens, notamment sur l'agriculture.

HSÜN-TI [*Hiun-ti, Xundi*]. ♦ (1906 — 1967). Dernier empereur mandchou de Chine (Pou-yi) qui régna de 1908 à 1912. Il se retira lors de la proclamation de la république en 1912. En 1932, les Japonais l'établirent sur le trône du Man-chu-kuo avec le nom de règne de K'ang-Tê; il régna sous leur tutelle jusqu'en 1945. Fait prisonnier par les soviétiques, il fut ramené en Chine et « réformé ». Il y cultiva le jardin botanique de Pékin, puis fut archiviste dans cette ville. Il publia à Pékin son autobiographie.

HSÜ PEI-HUNG [*Hiu Pei-hong, Xu Beihong*]. ♦ Peintre chinois (1895 — 1963) né dans le Chiang-su, connu en Europe sous le nom de Jupeon. Il séjourna en France et en Allemagne et fonda en Chine une « Société centrale des beaux-arts » qu'il dirigea en 1949.

HSÜ SHIH-CH'ANG [*Hiu Che-tch'ang, Xu Shichang*]. ♦ Général et politicien chinois (1858 — 1939), vice-roi de Mandchourie de 1907 à 1909, élu président de la République chinoise du Sud en 1918. Il fut renversé en 1921 et remplacé par Sun* Yat-sen.

Arch. Rencontre
La campagne autour de **Huancayo.**

HSÜ WEI [*Hiu Wei, Xu Wei*]. ♦ Peintre chinois (1521 — 1593) et poète de grande renommée. Il peignit surtout de petits sujets et réalisa de nombreuses calligraphies.

HTILOMINLO. ♦ Roi de Pagan (Birmanie) de 1210 à 1234. Pieux bouddhiste, il fit ériger de nombreux temples (dont celui qui porte son nom) et rédigea des commentaires du canon bouddhique.

HUACHIPATO. ♦ V. du Chili central proche de Talcahuano*, dans la prov. de Concepción*, sur la baie de San Vicente. Annexe maritime de Concepción. Usines sidérurgiques.

HUAI [*Houai*]. *n. f.* ♦ Rivière de Chine orientale, au régime très irrégulier et aux crues catastrophiques. Env. 600 km. Régularisée depuis 1951 à l'aide d'immenses barrages construits sur ses tributaires, ses eaux servent maintenant à l'irrigation et sont évacuées vers la mer Jaune et le bassin du Yang*-tsê kiang.

HUAI-NAN [Hwainan, Houai-nan]. ♦ V. de Chine (An-hui) sur la rivière Huai. 300 000 hab. Centre industriel.

HUA KUO-FENG. ♦ Homme politique chinois (dans le Hu-nan, 1922). Chargé des questions économiques dans le Hu-nan dès 1950, il fut successivement vice-gouverneur (1958), vice-président (1968) du Hu-nan, et premier secrétaire du comité provincial du P.C. (1970). Ministre de la sécurité publique et vice-Premier ministre en janv. 1975, il devint Premier ministre par intérim à la mort de Chou* En-lai (fév. 1976), confirmant ainsi l'éviction de Teng* Hsiao-ping. Premier vice-président du P.C. en avr. 1976, il fut nommé, après le décès de Mao Tsê-tung, président du P.C. chinois, tout en restant Premier ministre.

HUANCAYO. ♦ V. du Pérou, à 3 200 m d'alt. dans les Andes centrales. 64 000 hab. Évêché. Centre commercial important relié à Lima*. Ch.-l. du dép. de Junín*.

HUANG CHEN [*Houang Tchen, Huang Zhen*]. ♦ Homme politique chinois (An-hui, 1908), assistant de Mao* Tsê-tung de 1927 à 1935, plusieurs fois ambassadeur de Chine populaire.

HUANG CH'UAN [*Houang Ts'iuan, Hunangquan*]. ♦ Peintre chinois (actif entre 919 et 981), originaire du Szu-ch'uan, considéré comme un des meilleurs peintres chinois de fleurs et d'oiseaux.

HUANG-FU MI [*Houang-fou Mi, Huangfu Mi*]. ♦ Historien chinois (215 — 282) et médecin, auteur de nombreux ouvrages de poésie, de biographies et d'essais. Selon certaine tradition, il aurait été l'inventeur de la technique thérapeutique de l'acupuncture.

HUANG-HO [*Houang-ho, Huang he*]. *n. m.* Fl. de Chine prenant sa source dans les Bayan Khara au Tibet à env. 4 500 m d'altitude. Env. 5 000 km. Son cours supérieur, profondément encaissé, reçoit de nombreux torrents, alors que son cours moyen et inférieur, large et sinueux, n'en reçoit que très peu. De régime très irrégulier (3 000 à 30 000 m^3 par seconde), il charrie une grande quantité d'alluvions (« fleuve jaune ») et provoque de catastrophiques inondations. Les dépôts d'alluvions ont contribué à rehausser le niveau de son lit qui s'élève parfois à plus de dix mètres au-dessus du niveau de la plaine. Lorsque les digues se rompent (en 1938, les troupes nationalistes les firent sauter pour retarder l'invasion japonaise, provoquant des millions de morts), toute la plaine est inondée et le fleuve change de cours et d'embouchure (26 fois en trois mille ans). Utilisé pour l'irrigation.

HUANG HSING [*Houang Hing, Huang Xing*]. ♦ Général chinois (1873 — 1916), chef de « l'Union jurée » des révolutionnaires anti-mandchous (1911) et membre fondateur du Kuo*-min-tang.

HUANG KUNG-WANG [*Houang Kong-wang, Huang Gongwang*]. ♦ Lettré et peintre chinois (1269 — 1354), réputé être un des quatre maîtres de la période des Yüan*. Ses paysages sont d'un style très personnel. Il fut également un écrivain de talent.

HUANG-P'U [*Houang-p'ou, Huangpu* ou *Whampoa*]. ♦ Ville de Chine, avant-port de Canton* sur la « rivière des perles » qui devint célèbre lors du traité qui y fut passé en 1844 entre la Chine et la France, faisant suite au traité de Nankin. Sa célèbre académie militaire fut dirigée par Chiang* Kai-shek puis par Chou* En-lai.

HUANG-SHIH [*Houang-che, Huangshi*]. ♦ V. de Chine (Chiang-su), à 100 km au N.-E. de Kan-chou. 130 000 hab. Gros bourg agricole.

HUANG TI [*Houang Ti, Huangdi*] (mots chinois « empereur jaune »). ♦ Souverain mythique chinois, un des trois « pères de la nation chinoise » avec Fu Hsi et Shen Nung. Génie du tonnerre, patron des forgerons et des taoïstes, on lui attribua la première culture des céréales et l'invention de la métallurgie du bronze. Il est considéré comme le véritable fondateur de la civilisation chinoise. Selon la tradition, il aurait vécu au IIIe millénaire avant notre ère.

HUANG T'ING-CHIÊN [*Houang T'ing-kien, Huang Tingjian*]. ♦ Poète et fonctionnaire impérial chinois (1045 – 1105), disciple de Su* Tung-p'o et calligraphe réputé. Il était partisan d'un retour aux anciennes formes poétiques abandonnées par son maître.

HUANG TSUNG-HSI [*Houang Tsong-hi, Huang Zongxi*]. ♦ Philosophe confucéen chinois (1610 – 1695) dont les écrits constituaient une violente critique du régime autoritaire des Ch'ing*. Il prit la tête d'une révolte qui devait établir un gouvernement démocratique légal, mais échoua. Il est honoré comme un héros révolutionnaire.

HUANG YUNG-SHENG [*Houang Yong-cheng, Huang Yongsheng*]. ♦ Militaire chinois originaire du Hu-pei et assistant de Lin* Piao après 1932. Il fut président du comité révolutionnaire de Kuang*-tung en 1968. En 1971, il fut nommé chef de l'état-major de l'armée populaire chinoise.

HUA T'O [*Houa T'o, Hua Tuo*]. ♦ Célèbre médecin et chirurgien chinois (mort vers 220?) devenu le saint patron des chirurgiens de Chine. Il aurait un des premiers réalisé des trépanations, des greffes d'organes, des laparotomies et des résections intestinales sous anesthésie en utilisant les propriétés du chanvre indien (haschish). Il aurait été assassiné par le tyran Ts'ao-ts'ao*.

HUAXTÈQUES ou **HUASTÈQUES**, en esp. **Huaxtecos**, *n. m. pl.* ♦ Peuple de l'anc. Mexique, qui apparut v. le Xe s., et occupait la partie comprise entre la sierra Madre orientale et le golfe du Mexique. Auj., réduits à deux groupes isolés (env. 50 000), ils appartiennent à la famille ethnique et linguistique Maya, au N.-E. du Mexique. – Techniquement, leur architecture était supérieure à celle des autres peuples précolombiens; cependant, en matière de sculpture, ils eurent une prédilection pour la stèle de pierre sculptée de bas-reliefs mythologiques d'une grande sobriété. Statues. Fresques. Céramiques remarquables, qui témoignent d'une évolution constante.

HUBBLE (Edwin Powell). ♦ Astronome américain (Marshfield, Missouri, 1889 – San Marino, Californie, 1953). Auteur de travaux sur les nébuleuses extra-galactiques dont il établit une classification d'après leurs formes (1926), il montra définitivement, en étudiant la galaxie Messier 31 d'Andromède, que l'espace est peuplé de galaxies (1924); il mesura les distances de nébuleuses dont Slipher* avait obtenu les vitesses radiales et publia la loi des déplacements spectraux (*loi de Hubble,* 1928) selon laquelle le décalage (appelé *vitesse de récession*) est proportionnel à l'éloignement de la galaxie considérée, confirmant par ses observations la théorie de l'expansion de l'univers.

HUBER (Louis, dit **Aloysius).** ♦ Agitateur français (Wasselonne, Bas-Rhin, 1815 – Autun, 1865). Déporté après avoir participé à un complot contre Louis-Philippe (1838), il fut libéré lors de la révolution de 1848. Mêlé à l'insurrection du 15 mai* 1848, il fut également impliqué dans la journée du 13 juin 1849 à la suite de laquelle il fut condamné à la détention.

HUBERT *(saint).* ♦ Évêque de Tongres, Maastricht et Liège, il aurait vécu au VIIe s., et serait mort à Liège, en 727. Durant un séjour en Austrasie, se produisit le miracle célèbre : un crucifix lui apparut entre les bois d'un cerf qu'il poursuivait à la chasse; miracle qui détermina sa foi religieuse. Patron des chasseurs. – Fête le 3 novembre.

HUBERT (Henri). ♦ Historien, ethnologue français (1872 – 1927). Auteur d'une étude sur *Les Celtes,* il publia en collaboration avec M. Mauss* des travaux de sociologie religieuse (*Essai sur la nature et la fonction du sacrifice,* 1897-1898; *Esquisse d'une théorie générale de la magie,* 1902-1903).

Hubertsburg *(traité de).* ♦ Traité signé par l'Autriche, la Prusse et la Saxe, pour mettre fin à la guerre de Succession* d'Autriche (1763). L'Autriche renonçait à la Silésie qui passait à la Prusse, et celle-ci rendait son électorat à Auguste* III de Saxe.

HUBLI. ♦ V. de l'Inde (Mysore) à l'E. de Goa. 225 000 hab. Indus. textiles et chimiques.

HUC (Régis Évariste). ♦ Lazariste français (Caylus, Tarn-et-Garonne, 1813 – Paris, 1860). Il visita la Chine, la Mongolie et le Tibet, où il fut l'un des premiers Européens à pénétrer dans la ville de Lhassa *(Souvenirs d'un voyage dans la Tartarie, le Tibet et la Chine pendant les années 1844-1845, 1846)* [1850].

HUCH (Ricarda). ♦ Femme de lettres allemande (Brunswick, 1864 – Schönberg, Taunus, 1947). Après des poèmes et des romans d'inspiration néo-romantique (*Les Souvenirs de Ludolf Ursleu,* 1892 qui, avant les *Buddenbrooks* de T. Mann, décrit la décadence d'une famille; *La Rue du triomphe,* 1901; *Vita Somnium breve,* 1902), elle consacra des ouvrages à la vie et à l'œuvre de grands révolutionnaires : Garibaldi *(Combat autour de Rome,* 1907), Bakounine (*Le Dernier Été,* 1910). Avec *La Grande Guerre en Allemagne* (1912-1914), histoire de la guerre de Trente Ans, elle donna son ouvrage le plus populaire. Ses derniers écrits enfin traduisent son intérêt pour les questions religieuses (*Signification de l'Écriture Sainte,* 1919).

HUCHEL (Peter). ♦ Poète lyrique allemand (Berlin, 1903). Longtemps rédacteur en chef d'une des meilleures revues littéraires de la R.D.A. *Sinn und Form,* il a composé plusieurs recueils de poèmes lyriques (*Poésies,* 1948-1949, etc.), où les heurts, les contradictions de la réalité et de l'être humain sont exprimés dans une forme rigoureuse et où il opposa à un profond sentiment de solitude son attachement à la vie des campagnes du Brandebourg.

HÜCKEL (Erich). ♦ Physicien allemand (né en 1896). Auteur, avec Debye*, d'une théorie des électrolytes forts dans laquelle interviennent les interactions entre les ions et les molécules du solvant (1923). **V. Onsager.**

HUDDERSFIELD. ♦ V. du centre de l'Angleterre (Yorkshire, West Riding), sur les contreforts des Pennines. 130 650 hab. Par tradition vouée au travail de la laine, la ville compte maintenant des industries mécaniques (machines agricoles) et chimiques. – Patrie d'Harold Wilson*.

HUDSON (Henry). ♦ Navigateur anglais (v. 1550 – en mer, 1611). Tour à tour au service de la Compagnie des marchands anglais et des Provinces-Unies, il fit plusieurs expéditions afin de découvrir un passage maritime vers les Indes et la Chine par les mers arctiques. En 1607, il atteignit le Spitzberg, après avoir longé le Groenland, en 1608 la Nouvelle-Zemble (Novaïa Zemlia). En 1609, parti en direction de l'Amérique du Nord, il (re)découvrit le fleuve qui porte son nom et en remonta le cours jusqu'à Albany. Enfin, en 1610, il parvint au détroit et à la baie auxquels on a également donné son nom. À la suite d'une révolte de son équipage, il fut abandonné en mer. Le récit de ses voyages a été publié en 1859 par la *Hakluyt Society.*

HUDSON *(baie d').* ♦ Vaste golfe du N.-E. du Canada, formé par l'océan Atlantique et séparant la terre de Baffin du Canada continental (dans ce sens large, elle inclut le bassin et le détroit de Foxe*, la baie d'Ungava* et le détroit d'Hudson). – *Stricto sensu,* partie S. de ce golfe, bordée à l'O. par les Territoires du N.-O. et le Manitoba, au S. par l'Ontario et à l'E. par le Québec. Elle est parsemée d'îles (dont la plus grande, l'île Southampton, la sépare au N. du bassin de Foxe) et prolongée au S. par la baie James*. Parmi les établissements de ses rives (centres miniers au N.-O. : Chesterfield Inlet, Rankin Inlet [nickel]; postes de commerce pour les trappeurs), se trouve le port de Churchill* (Manitoba). – La baie est prise par les glaces de janvier à mai; elle n'est navigable que de juin ou juillet à octobre.

Hudson *(Compagnie de la baie d'),* en angl. **Hudson's Bay Company.** ♦ Compagnie commerciale créée par les Anglais en 1688 pour le négoce des fourrures avec les Indiens, autour de la baie d'Hudson. Charles II lui donna sa charte en 1670. La compagnie développa rapidement ses activités, mais ne parvint pas à trouver le passage du Nord*-Ouest entre la baie et le Pacifique. À partir de 1787 elle fut en butte à la concurrence de la *Compagnie du Nord*-Ouest,* fondée à Montréal. Après de violentes oppositions, les deux sociétés s'unirent en une compagnie (1821), détenant un monopole commercial et des droits territoriaux sur le Labrador, l'Ungava, les actuels Territoires du Nord-Ouest. Le gouvernement canadien racheta ses droits en 1869.

HUDSON. *n. m.* ♦ Fl. des États-Unis, qui prend naissance dans plusieurs petits lacs de l'État de New York, dans les Adirondacks, coule dans la direction générale du S.-E., rejoint la dépression N.-S. qui prend à partir de Hudson Falls le nom de *Vallée de l'Hudson,* et

Ph. Nino Cirani/Ricciarini

Sud de la baie d'Hudson.

Ph. Carlo Bevilacqua/Ricciarini

Victor Hugo.
(Collection Bertarelli, Milan.)

coule vers le S., arrosant Albany* et se jetant dans la baie de New York, après avoir longé Yonkers*, le Bronx* et enfin Manhattan*, et sur l'autre rive, le New Jersey (Jersey* City). *Princ. affl.* (r. g.) **V. Mohawk.** La navigation fluviale est très importante, l'Hudson reliant New York aux canaux venant des Grands Lacs. **V. Érié** (canal). — West* Point se trouve sur l'Hudson. ♦ *Hist.* L'Hudson fut découvert par Verrazano et exploré par Henry Hudson (1609). — Le premier bateau à vapeur américain y navigua en 1807 **(V. Fulton).**

HUDSON (William Henry). ♦ Naturaliste et romancier anglais d'origine américaine (Quilmes, près de Buenos Aires, 1841 — Londres, 1922). Son œuvre romanesque, abondante et inégale, est marquée par l'amour de la nature visible — qu'il qualifie d' « animisme » — et écrite dans un style simple et direct. « Il écrit aussi facilement que l'herbe pousse » (Conrad). Œuvr. princ. : *Le Pays pourpre (The Purple Land that England Lost,* 1885), *Maisons vertes (Green Mansions,* 1904), *La Vie d'un berger (A Shepherd's Life,* 1910).

HUÉ. ♦ V. du Viêt-nam, sur la « rivière des parfums » sur la côte d'Annam* à 10 km de la mer. 156 500 hab. (1968). Indus. textiles. ♦ *Hist.* La ville fut fondée en 1802 par l'empereur Gia*-long ; ce fut la capitale des seigneurs Nguyên* d'Annam. Elle fut prise par les Français en 1883. La cité impériale, élevée à la fin du XVIIIe s. et dans le courant du XIXe s., fut malheureusement presque entièrement détruite par les combats qui y eurent lieu en 1968, lors de l'offensive du Front de libération. La cuisine de Huê, sa musique et ses cérémonies impériales eurent une grande réputation; la culture qui s'y développa contribua à forger la civilisation vietnamienne moderne.

HUELGOAT [ɥɛlgwat]. ♦ Ch.-l. de cant. du Finistère, arr. de Châteaulin, près de la belle forêt de Huelgoat (chaos de rochers). 2 856 hab. *(Huelgoatains).* — Église et chapelle Notre-Dame-des-Cieux, de style gothique flamboyant. — *Étang de Huelgoat* très poissonneux.

HUELVA. ♦ V. d'Espagne méridionale, en Andalousie*. Ch.-l. de prov. au confluent du río Tinto et de l'Oriel. 82 000 hab. Évêché. Port minier et centre industriel (extraction et exportation de cuivre). Pêche.

HUESCA. ♦ V. d'Espagne du N.-E., en Aragon*. Ch.-l. de prov. au fond d'une dépression, la *plaine de Huesca.* 27 500 hab. Cathédrale du XIIIe s., université fondée en 1354. ♦ *Hist.* C'est l'anc. *Osca* romaine dont Sertorius* fit un moment sa capitale.

HUET (Pierre Daniel). ♦ Prélat et érudit français (Caen, 1630 — Paris, 1721). Sous-précepteur du Dauphin (1670), évêque d'Avranches (1692-1699), auteur de nombreux ouvrages sur les sciences physiques, la géographie et la navigation, les langues sémitiques, les classiques latins qu'il publia *ad usum Delphini,* la philosophie (contre Descartes), la théologie (tendance fidéiste). Les *Huetiana* (1722, posthume) sont un recueil de ses pensées. *L'Épître à Huet* de La Fontaine lui est dédiée.

HUET (Paul). ♦ Peintre et graveur français (Paris, 1803 — *id.,* 1869). Élève de Guérin* et de Gros*, il travailla en plein air dans le parc de Saint-Cloud, l'île Seguin, en Normandie, etc. Il connut Bonington* et se lia avec Delacroix* à partir de 1822, et avec Michelet qui l'admira beaucoup. Représentant caractéristique du paysage romantique, il peignit avec prédilection les forêts, les orages et les vagues déferlantes (*L'Inondation à Saint-Cloud,* 1855).

HUGGINS (*sir* William). ♦ Astronome anglais (Londres, 1824 — 1910). Il utilisa la spectroscopie pour étudier la composition chimique et la vitesse radiale des étoiles : il détermina ainsi la nature gazeuse d'une nébuleuse (1864), montra pour la première fois un cas de variation d'éclat stellaire associé à une autre manifestation physique (1866) et, ayant observé l'effet Doppler*-Fizeau, en déduisit la vitesse radiale de Sirius (1868).

HUGGINS (Charles Brenton). ♦ Chirurgien canadien (Halifax, 1901 —). Ses travaux sur le traitement des cancers de la prostate et du sein lui valurent le prix Nobel de médecine (1966) avec F.P. Rous*.

HUGHES (David Edward). ♦ Ingénieur américain d'origine anglaise (Londres, 1831 — 1900). Inventeur (1854) d'un appareil télégraphique imprimeur (appareil Hughes) breveté en 1855 **(V. Morse),** il imagina en 1877 le *microphone à charbon* et à contacts solides [qui remplaça le microphone peu pratique de Bell*] **(V.** *aussi* **E. Gray, Bourseul)**; on lui doit également une balance d'induction et des travaux sur le magnétisme.

HÛGHLÎ ou **HOOGHLY.** ♦ Branche occidentale du delta du Gange, d'env. 250 km de longueur, formée de la réunion de deux autres branches primaires. Elle arrose Calcutta* et sa banlieue industrielle, et se jette dans le golfe du Bengale à Diamond Harbour où elle mesure près de 16 km de largeur.

HUGO (Victor). ♦ Écrivain français (Besançon, 1802 — Paris, 1885). Fils d'un général de Napoléon, il le suivit, ainsi que ses frères et sa mère, en Italie et en Espagne, puis de retour à Paris, s'adonna aux lettres (« Je veux être Chateaubriand ou rien »). Il épousa Adèle Foucher et donna *Les Odes* et Ballades* (1822-1828) où il se veut encore conciliateur entre le classicisme et le romantisme. Dès la *Préface* de *Cromwell** (1827), il apparut comme le théoricien et le chef de l'école romantique, et l'animateur du Cénacle*. Il défendit dans la *Préface* des *Orientales** (1829) le principe de la liberté dans l'art, prétexte de la fameuse bataille littéraire qui accueillit la représentation d'*Hernani** (1830). Rêvant d'être désormais pour son siècle un « écho sonore » des préoccupations morales et politiques aussi bien que littéraires, il publia successivement quatre recueils lyriques où se manifeste déjà son ambition d'une poésie de la totalité (*Les Feuilles* d'automne,* 1831 ; *Les Chants* du crépuscule,* 1835 ; *Les Voix* intérieures,* 1837 ; *Les Rayons* et les Ombres,* 1840), parallèlement à un roman (*Notre*-Dame de Paris,* 1831) et à plusieurs drames (*Marion* Delorme,* 1831 ; *Lucrèce* Borgia,* 1833 ; *Ruy* Blas,* 1838). L'insuccès des *Burgraves** (1843) et, surtout, la mort de sa fille Léopoldine (1843) le détournèrent, pour un temps, de la création littéraire au profit de l'activité politique : devenu partisan d'une démocratie libérale et humanitaire, député en 1848, il s'exila après le coup d'État du 2 décembre 1851 et fit paraître *Les Châtiments** (1853), recueil satirique dirigé contre Napoléon III, auquel succédèrent les « Mémoires d'une âme » que sont *Les Contemplations** (1856). De 1859 à 1883 parut une vaste peinture de la lutte du bien et du mal, *La Légende* des siècles.* L'épopée humaine prit la forme du roman avec *Les Misérables** (1862), puis *Les Travailleurs* de la mer* (1866) et *Quatre-vingt-treize* (1874). Revenu d'exil en 1870, Hugo évoqua le siège de Paris et la Commune dans les poèmes de *L'Année terrible* (1872) avant de retrouver l'inspiration charmante des *Chansons des rues et des bois* (1859 à 1865) dans le populaire recueil *L'Art d'être grand-père* (1877), ou d'illustrer son talent satirique, dramatique, lyrique et épique dans les poésies des *Quatre Vents de l'esprit* (1881). Il mourut en 1885 et la République lui fit des obsèques nationales. Après sa mort, parurent de grands poèmes comme *La Fin de Satan* (1886) et *Dieu* (1891), ainsi que de nombreux textes en vers et en prose, partie restée longtemps inédite d'une œuvre considérable et variée. Orgueilleusement et généreusement convaincu qu'il est investi d'une mission humanitaire et religieuse, Hugo est persuadé que « l'art d'à présent ne doit plus chercher seulement le Beau, mais encore le Bien ». La conviction que « le génie est un sacerdoce » apparaît clairement dans son œuvre poétique : d'abord témoin, puisqu'il reflète en ses chants « tout ce que l'âme rêve et tout ce que le monde chante, bégaie ou dit dans l'ombre... », le poète est surtout le guide qui peut mener l'homme à la vérité « car le Mot c'est le Verbe, et le Verbe c'est Dieu ». Déifiant la parole, puisque « les mots sont les passants mystérieux de l'âme », il recourt à tous les moyens d'une rhétorique complexe, où les images confèrent à la réalité un aspect fantastique et l'ouvrent sur le « vaste et magnifique équilibre » du cosmos. — Cette imagination visionnaire s'est également exprimée par le dessin, qui illustre et parfois même devance l'écriture; autodidacte improvisant sa matière (encre, lavis, découpages et collages) et sa technique (plume, grattoir, dessin automatique), V. Hugo a excellé notamment à « fixer des vertiges » et des états de « rêverie presque inconsciente » en des paysages imaginaires et tourmentés où domine l' « aspect crépusculaire, obstrué, noir, hideux ». (Acad. fr.)

HUGUENIN (Sulpice). ♦ Révolutionnaire français (Lorraine, 1750 – ? 1803). Chef de la section des sans-culottes du faubourg Saint-Antoine, il fut nommé président provisoire de la Commune insurrectionnelle de Paris (10 août 1792) et prit part aux massacres de Septembre (1792), puis fut envoyé comme représentant en mission à Lyon, en Belgique et en Savoie.

HUGUES. ♦ (mort à Arles, 947). Roi d'Italie (926-947). Gouverneur de Provence sous Louis l'Aveugle, empereur d'Occident puis maître du royaume de Provence à la mort de ce dernier (928), il s'entendit avec Rodolphe* II de Bourgogne, lui cédant la Provence et se faisant couronner roi d'Italie. À sa mort, la Provence et la Bourgogne furent réunies en un royaume de Bourgogne-Provence.

HUGUES le Grand (ou **le Blanc** ou **l'Abbé**). ♦ Comte de Paris et duc de France ([mort] 956). Fils de Robert* Ier. Surnommé *le faiseur de rois,* il arrangea l'élection au trône de son beau-frère Raoul* de Bourgogne (923) puis celle du carolingien Louis* IV d'Outremer (936) et du fils de ce dernier, Lothaire* (954). Il augmenta la puissance de sa famille en se faisant payer son soutien par une partie du duché de Bourgogne (938), par la ville de Laon (945), par le duché d'Aquitaine et le reste de la Bourgogne (956). Il fut le véritable maître du royaume. Père d'Hugues* Capet.

HUGUES CAPET. ♦ (v. 941 – Les Juifs, près de Chartres, 996). Duc de France, puis roi de France (987-996). Fils d'Hugues* le Grand, il fonda la dynastie des *Capétiens* en se faisant élire roi par l'assemblée des Grands, au détriment de Charles de Lorraine, oncle du dernier roi (Louis V), grâce à l'appui de l'évêque de Reims Adalbéron* et du conseiller de ce dernier Gerbert (le futur pape Sylvestre II). Il lutta contre son compétiteur et favorisa l'Église. En 987, il assura l'avenir de sa dynastie en faisant élire et sacrer son fils. (**V. Robert* II** le Pieux.)

HUGUES *(saint),* dit **le Grand** ou **Hugues de Cluny.** ♦ (Semur-en-Brionnais, 1024 – Cluny, 1109). Abbé de Cluny* de 1049 à 1109, il fut responsable de la très grande extension de l'ordre (de 65 à env. 1 200 maisons), fit construire la grande église de Cluny (1088), fut conseiller du pape Grégoire VII et assista à Canossa*. – Fête le 29 avril.

HUGUES Ier le Grand. ♦ (1057 – Tarse, Turquie, 1101). Comte de Vermandois par son mariage avec Adélaïde, héritière du Vermandois (1080-1101). Il fut l'un des chefs de la première croisade* et participa aux prises de Nicée et d'Antioche.

HUGUES DE PAYNS ou **DE PAINS.** ♦ (Château de Payns, près de Troyes, v. 1070 – en Palestine, 1136). Il participa à la première croisade et fonda l'ordre des Templiers*, approuvé par le concile de Troyes (1128).

HUGUES DE SAINT VICTOR. ♦ Théologien et philosophe français (Ypres, ? – Paris, 1141). Il voulut défendre dans son monastère l'éducation humaniste, tout en la maintenant au rang de servante de la théologie. C'est le problème qu'il aborde dans *Commentaria in hierarchiam caelestem* (où il distingue la philosophie mondaine et la théologie divine) et *Eruditio didascalica.*

HUGUES VON TRIMBERG. ♦ Poète allemand (fin du XIIIe s., début du XIVe siècle). Sur le thème des péchés capitaux, il a composé un poème de près de 25 000 vers. *Der Renner* (Le Coursier, entre 1300 et 1313) qui, outre ses intentions moralisatrices, se veut aussi encyclopédique.

HUGUES (Clovis, en réalité **Hugues Clovis).** ♦ Homme politique et poète français (1851 – 1907). Garçon de bureau au journal *le Peuple* de Marseille dans lequel furent publiés ses premiers poèmes, il participa activement à la Commune de Marseille (22 mars-4 avril 1871) et fut condamné à la prison. À partir de 1881, il fut plusieurs fois élu comme député socialiste. (*Poèmes de prison,* 1875; *Les Jours de combat,* recueil de poèmes, 1883.)

HUGUET (Jaime). ♦ Peintre catalan (Valls, v. 1415 – Barcelone, 1492). Il travailla à Barcelone à partir de 1448 et y dirigea un important atelier. La conjonction d'influences italiennes (ombriennes et siennoises) et flamandes (notamment dans le rendu naturaliste des visages, modelés avec vigueur) et d'un sens décoratif très prononcé issu de l'esthétique du gothique international (caractère abstrait du décor ressortant sur des fonds d'or gaufrés ou estampés) concourent à la création d'un style original, incisif et raffiné, où dominent les couleurs claires et vives (*Triptyque de saint Georges,* v. 1448, des *Revendorès,* 1456, et des *saints Abdon et Senén,* 1459-1460).

HUGUET (Marc Antoine). ♦ Évêque et homme politique français (Moissac, 1757 – Paris, 1796). Évêque constitutionnel en 1791, il renonça au sacerdoce en 1793. Député à l'Assemblée législative, puis à la Convention, où il siégea avec les Montagnards, il soutint l'insurrection du 12 germinal an III (1er avril 1795) contre le Directoire, puis participa à la tentative révolutionnaire du camp de Grenelle pour soulever l'armée (1796) et fut fusillé après l'échec de celle-ci.

HU-HO-HAO-T'O [*Huhehot, Huhehaotê*]. ♦ V. de Chine sur la ligne ferroviaire Pékin-Pao-t'ou, capitale du territoire autonome de Mongolie-Intérieure (Meng-ku). Gros marché caravanier et industrie de la laine. 314 000 hab. (1957).

HUI [*Houei*]. *n. m. pl.* ♦ Minorité ethnique de Chine occidentale,

Arch. Rencontre

Peinture de l'empereur **Hui-Tsung.**

composée principalement de musulmans répartis dans le Szu*-ch'uan, le Ning*-hsia, le Kan*-su et le Yunnan*, au nombre d'environ 4 millions d'individus, parlant chinois ou les dialectes propres aux provinces qu'ils habitent. Hui est aussi le nom générique donné par les Chinois à tous les musulmans (parfois appelés aussi *Hui-hui*).

HUI NENG [*Houei Neng*]. ♦ Religieux bouddhiste chinois (638 – 713), créateur des doctrines chinoises du Ch'an* (Zen) des écoles du Sud et apologiste de la théorie subitiste, ou de « l'illumination instantanée lors du Satori ». Il est également honoré au Japon par les tenants du zen.

Huis clos. ♦ Pièce en un acte de Sartre (1944). Condamnés pour l'éternité à partager l'intimité d'une sordide chambre d'hôtel, une femme du monde infanticide, une lesbienne meurtrière et un intellectuel révolutionnaire, fusillé dans de mystérieuses circonstances, découvrent qu'ils sont en enfer par le seul pouvoir du regard que chacun d'eux jette sur les autres. (« L'enfer, c'est les autres. »)

HUISNE [ɥin]. *n. f.* ♦ Riv. de l'O. de la France, affl. de la Sarthe (r. g.). Elle prend sa source dans l'Orne, traverse l'Eure-et-Loir sur quelques kilomètres, et pénètre dans la Sarthe où elle conflue au Mans. Elle traverse Rémalard, Nogent*-le-Rotrou, Le Theil, La Ferté*-Bernard.

Huit comédies et huit intermèdes nouveaux *(Ocho Comedias y ocho entremeses nuevos).* ♦ Recueil de Cervantès (1615). Outre son chef-d'œuvre au théâtre, *Le Siège de Numance (El Cerco de Numancia)* et une trentaine de comédies dont la plupart nous demeurent inconnues, Cervantès a composé pour la scène ces 16 ouvrages que caractérisent le romanesque : *Le Retable des Merveilles (El Retablo de las Maravillas),* le merveilleux épique : *Le Ruffian béatifié (El Rufián dichoso),* l'humour dans l'observation satirique de la vie quotidienne : *Le Vieux jaloux (El Viejo celoso).*

Hui Tsung [*Houei Tsong, Hui Zong*]. ♦ Nom de temple de plusieurs empereurs chinois. L'un des plus célèbres est Hui Tsung de la dynastie des Sung* (1082 – 1135) qui régna de 1100 à 1126. Il fut fait prisonnier par les Mongols en 1125 et emmené en captivité dans le Nord. Son frère s'enfuit dans le Sud à Hang-chou et fonda la dynastie des Sung du Sud (Nan Sung), tandis que le fils de Hui Tsung, Ch'in Tsung, fondait dans le Nord la dynastie qui sera connue sous le nom de Sung du Nord (Pei Sung). Hui Tsung des Sung fut un grand amateur d'art et un excellent peintre de fleurs et d'oiseaux.

HUI YUĂN [Houei Yuan]. ♦ Philosophe et religieux bouddhiste chinois (v. 334 – v. 417), fondateur de la « secte du lotus blanc » et initiateur des doctrines de l'adoration au bouddha Amitâbha* vers 402.

HUK. *n. m.* (sigle abréviatif de *Hukbong mapagpalayang bayan* ou *Hukbalahap* « nouvelle armée philippine pour la libération nationale »). ♦ Armée philippine de partisans qui, de 1942 à 1945, lutta contre l'occupation japonaise, puis, après la guerre, pour obtenir un régime libéral. Elle fut écrasée en 1953, mais resurgit en 1964 contre la présence économique et militaire des U.S.A. aux Philippines. Cette « armée clandestine », bien que souvent décimée, rassemble périodiquement tous les opposants au régime de Manille.

HÛLAGÛ QÂN. ♦ Qân [khan] mongol (v. 1217 – 1265) qui régna à partir de 1251 sur l'Iran, étant ainsi le premier « il*-qân ». Il était le petit-fils de Temüjin* et le frère du Qaghân (ou grand qân) Möngke* et de Qûbilai* Khân. Il conquit la Perse, la Mésopotamie et prit Baghdâd en 1258 où il fit exécuter le calife Musta'sim* Bi-Llâh, mais fut battu par les mamelouks de Syrie en 1260. Il mourut en Azerbaïdjan et son fils Abaqa lui succéda sur le trône d'Iran.

HULIN (Pierre Augustin, *comte***).** ♦ Général français (Genève, 1758 – Paris, 1841). Nommé capitaine de la garde nationale de Paris après s'être distingué au cours de la prise de la Bastille, il fut emprisonné pour modérantisme sous la Terreur. Libéré après le 9 Thermidor, il accompagna Bonaparte en Italie, fit partie de la garde consulaire. Général (1803), il participa au conseil de guerre lors de la condamnation du duc d'Enghien (*Explications au sujet du jugement du duc d'Enghien,* 1833). Gouverneur de Vienne (1805), puis de Berlin (1806-1807), il réussit à faire échouer la conspiration de Malet* contre Napoléon Ier (1811).

HULL (Cordell). ♦ Homme politique américain (Overton, Tennessee, 1871 – Bethesda, Maryland, 1955). Représentant démocrate, sénateur en 1931, il s'intéressa au développement de la S.D.N. Nommé secrétaire d'État par F.D. Roosevelt* (1933-1944), il favorisa l'entente alliée jusqu'à la fin de la guerre **(V. Guerre** [*Seconde Guerre mondiale*]**)**, et fut l'un des créateurs de l'Organisation* des Nations unies. Prix Nobel de la paix (1945).

HULL (Albert Wallace). ♦ Ingénieur et physicien américain (Southington, Connecticut, 1880). Inventeur de la tétrode avec Schottky* [1916] **(V. J.A. Fleming, De Forest),** réalisateur du premier magnétron (1921), on lui doit également des recherches sur la structure des cristaux par la diffraction des rayons X. **V. Bragg.**

HULL (Clark Leonard). ♦ Psychologue américain (Akron, New York, 1884 – New Haven, Connecticut, 1952). Behavioriste **(V. J.B. Watson),** il a surtout étudié les mécanismes de l'apprentissage et contribua à l'emploi d'une formalisation mathématique en psychologie expérimentale. Il a donné un exposé formalisé de ses recherches : ***Principles of Behavior,*** 1943 ; ***Behavior system,*** 1952.

HULL. ♦ V. du Canada (Québec), située sur la riv. Ottawa, en face de la ville d'Ottawa. 56 929 hab. (1961). Énergie hydro-électrique. Indus. du bois et du papier, cimenteries, fonderies. Indus. alimentaires (viande).

HULL. ♦ **V.** KINGSTON UPON HULL.

Humain trop humain (Menschliches, Alzumenschliches). ♦ Ouvrage philosophique de Nietzsche* (1878). « Intelligent, froid, parfois dur et ironique », il constitue la première critique radicale de l'idéalisme : « Là où vous voyez de l'idéal, je ne vois que des choses humaines, des choses, hélas ! trop humaines ». L'idée même de progrès conduit Nietzsche à estimer, dans ce livre assez amer, que les jugements présents de l'homme sont méprisables au regard de ses jugements à venir.

Humanité (l'). ♦ Fondé par J. Jaurès* en 1904, ce quotidien fut l'organe du Parti socialiste* (section française de l'Internationale ouvrière) jusqu'au congrès de Tours (1920). Son principal actionnaire, Z. Camélinat*, s'étant rallié à la majorité communiste, *l'Humanité* devint alors le journal de la section française de l'Internationale communiste, Parti communiste* français. Dirigé par Marcel Cachin, avec pour rédacteur en chef Vaillant, le quotidien communiste fut suspendu en 1939, mais parut clandestinement sous l'occupation allemande, jusqu'en août 1944, date à laquelle il fut à nouveau publié officiellement. Après la disparition de M. Cachin (1958), la direction du journal dont paraît également un supplément hebdomadaire, a été reprise par É. Fajon puis R. Leroy (1974).

HUMANN (Jean Georges). ♦ Homme politique français (Strasbourg, 1780 – Paris, 1842). Négociant à Strasbourg, il fut élu député en 1820, fit partie du groupe des *doctrinaires,* et, après avoir signé l'Adresse des 221 (début mars 1830), prit part à la révolution de juillet 1830. Ministre des Finances lors de la monarchie de Juillet (1832-1836), il chercha à organiser le système fiscal dans le but de « faire rendre à l'impôt tout ce qu'il peut rendre », politique qui suscita des troubles graves dans certaines régions. Il fut fait pair de France en 1840.

HUMÂYUN. ♦ Sultan moghol de Delhi (Kâbul, 1508 – Âgra, 1556) d'origine afghâne qui succéda en 1530 à son père Bâbur. Après avoir battu le souverain musulman du Gujarât, il fut chassé de l'Inde du Nord par le sultan afghân du Bihâr, Sher* Shâh Sûri en 1540. Aidé par le shâh de Perse, Humâyun réussit à reconquérir Delhi en 1555, mais mourut accidentellement sept mois plus tard. Son fils Akbar* étant trop jeune pour lui succéder, ce fut Sher Shâh Sûrî qui monta sur le trône. – Le tombeau de Humâyun à Delhi est l'un des plus beaux monuments musulmans de l'Inde du Nord.

HUMBER. *n. f.* ♦ Estuaire formé par la réunion de l'Ouse, du Don, de la Derwent et de la Trent, sur le côte anglaise de la mer du Nord et formant frontière entre le Lincolnshire et le Yorkshire. Longue d'env. 30 km et large de 1,5 à 2 km, la Humber abrite les ports de Grimsby* et Kingston* upon Hull. C'est une importante voie de passage.

HUMBERT Ier aux blanches mains. ♦ (v. 985 – v. 1048). Premier comte de Savoie (v. 1027-1048). D'origine inconnue, il reçut de Rodolphe III, roi de Bourgogne, la Savoie et la Maurienne (v. 1027), de Conrad, empereur germanique, une partie du Faucigny, le Bas-Chablais et le Val d'Aoste, qui lui permirent de fonder la maison de Savoie (1034). ♦ HUMBERT II *le Renforcé* ([mort] 1103). Comte de Savoie (1080-1103). Il acquit la Tarentaise, le Vaud, le Haut-Chablais et le marquisat de Suse. ♦ HUMBERT III *le Saint* ([mort] 1189). Comte de Savoie (1148-1189). Il se rangea aux côtés du pape Alexandre III contre Frédéric Ier Barberousse, et ses États furent envahis par les Impériaux et Suse brûlée en 1174. Il reprit Turin (1175), mais ses États furent à nouveau envahis en 1187.

HUMBERT II. ♦ (1312 – Clermont, 1355). Dernier dauphin du Viennois (1333-1349). Il fonda l'université de Grenoble (1330) et la Chambre des comptes (1340). Il vendit en 1343 le Dauphiné au roi de France Philippe VI.

HUMBERT Ier. ♦ (Turin, 1844 – Monza, 1900). Roi d'Italie. Fils et successeur du roi Victor-Emmanuel II, il encouragea, tout

Coll. Cauboue

Calcul de la vitesse du son par **Alexandre von Humboldt** (à droite), Gay-Lussac, Bouvart, Prony et Mathieu.

en restant dans les limites de la royauté constitutionnelle, le « transformisme » politique pour arrêter les progrès du socialisme dans le pays. Il fut assassiné par l'anarchiste Bresci.

HUMBERT II. ♦ (Naples, 1904). Roi d'Italie. Petit-fils d'Humbert Ier, fils de Victor-Emmanuel III, il fut hostile à la politique de Mussolini*. Devenu roi à l'abdication de son père (mai 1946), il s'inclina devant le référendum constitutionnel du 2 juin 1946 favorable à la république et se retira au Portugal.

HUMBOLDT (Wilhelm *von,* en fr. **Guillaume** *de***).** ♦ Érudit, philologue, philosophe du langage et diplomate allemand (Potsdam, 1767 – château de Tegel, près de Berlin, 1835). Il étudia deux ans à Paris (1797-1799), puis séjourna au Pays Basque pour en étudier la langue. Menant de front l'étude de langues aussi variées que le sanskrit, le chinois, le hongrois, le birman, le japonais, des langues amérindiennes (Mexique) et une brillante carrière diplomatique (ambassadeur de Prusse à Rome, Vienne, Londres), il fut aussi le fondateur de l'université de Berlin (1810). Ministre en 1818, il dut démissionner en 1819. À travers de nombreux travaux (dont la *Lettre à M. Abel Remusat sur la nature des formes grammaticales... et le génie de la langue chinoise*) et des traductions, il chercha à promouvoir une anthropologie comparée. Philosophiquement proche de Hegel, W. von Humboldt voit dans le langage « l'organe qui forme la pensée » et une *energeia* (force, dynamisme). Son influence, faible après sa mort, s'exerça à nouveau au XXe s. (Croce, Cassirer, puis Chomsky). L'une de ses œuvres majeures est : *Sur la différence de structure des langues humaines et son influence sur le développement intellectuel de l'humanité* (1820). **V.** *aussi* **Steinthal.**

HUMBOLDT (Alexandre, *baron von***).** ♦ Naturaliste et voyageur allemand (Berlin, 1769 – 1859). Frère de Wilhelm von Humboldt. Il explora l'Amérique avec Bonpland* *(Voyage aux régions équinoxiales du Nouveau Continent fait de 1799 à 1804),* et entreprit un second voyage en Asie pour le compte de Nicolas Ier de Russie (*Fragments de géologie et de climatologie asiatiques,* 1832). Il contribua ainsi aux progrès de la climatologie, de l'océanographie et de la géologie. Il est également l'auteur du célèbre *Kosmos* ou *Description physique du monde.*

HUMBOLDT *(courant de).* ♦ Courant froid du Pacifique, qui affecte le littoral chilien et péruvien et tempère le climat tropical de cette région dont la température moyenne annuelle ne dépasse pas 20 °C.

HUME (David). ♦ Philosophe anglais (Édimbourg, 1711 – 1776). Ayant abandonné des études de droit, il s'occupa de commerce avant de faire un premier séjour en France (1734-1737) où il rédigea son *Traité de la nature humaine* (1737). De retour en Angleterre, il devint secrétaire du général de Saint-Clair, qu'il accompagna en mission à Vienne et Turin, puis bibliothécaire de l'ordre des avocats d'Édimbourg. Il séjourna à Paris (1763-1766) comme secrétaire d'ambassade (il y rencontra Rousseau qui l'accompagna en Angleterre, mais avec qui il se brouilla). Il fut ensuite sous-secrétaire d'État à Londres avant de se retirer à Édimbourg (1769). Il est l'auteur de plusieurs traités philosophiques : *Essais philosophiques* (ou *Enquêtes*) *sur l'entendement humain* (1748); *Enquêtes sur les principes de la morale* (1751) et *Discours politiques* (1752); *Histoire naturelle de la religion* (1757) et *Dialogues sur la religion naturelle* (publiés en 1779); et d'une *Histoire de la Grande-Bretagne* (1754, 1756, 1759). — Sa philosophie est une critique du rationalisme dogmatique des métaphysiciens du XVIIe siècle. Empiriste, il considère que nos idées sont des « copies » (ou représentations) d'impressions sensibles et que toutes nos connaissances se réduisent à des relations entre des idées. Ainsi, selon lui, l'imagination et l'habitude expliquent notre croyance en une réalité extérieure à nous, en l'ordre causal des phénomènes naturels, en l'identité du moi (ou de la substance pensante). Son empirisme phénoméniste, qui se double chez lui d'une critique de la théologie naturelle et du rationalisme moral, conduit au scepticisme. **V. Kant** (sur lequel il eut une grande influence et qui critiqua ses positions).

HUMMEL (Johann Nepomuk). ♦ Compositeur allemand (Presbourg, 1778 — Weimar, 1837). Élève de Mozart, de Clementi et de Salieri, pianiste virtuose, il fit une brillante carrière en Europe. Successeur de J. Haydn* à la cour du prince Esterhazy, il fut maître de chapelle à Stuttgart puis à Weimar. Il eut une influence pédagogique considérable et compta parmi ses élèves Czerny et Thalberg. Son style d'interprétation a influencé Chopin et Liszt. Son œuvre comprend de la musique pour piano, de chambre, des opéras, des ballets et de la musique religieuse.

HUMPERDINCK (Engelbert). ♦ Compositeur allemand (Siegburg, 1854 — Neustrelitz, 1921). Il fut professeur aux conservatoires de Barcelone, Cologne et Berlin. Collaborateur de Wagner à Bayreuth (1880-1882), il subit son influence. Son œuvre comprend de la musique symphonique, de scène, chorale, des mélodies, et 3 opéras dont *Hänsel und Gretel* (1893) d'une fraîche inspiration populaire.

HUMPHREY (Doris). ♦ Danseuse, chorégraphe et chef d'école américaine (Oak Park, 1895 — New York, 1958). Ses recherches dans le domaine de la danse, inspirées d'une analyse méthodique du rythme humain, sont à l'origine des chorégraphies qu'elle composa pour sa propre compagnie *(Dances of Women, The Shakers, Race of Life, Day on Earth).* Après la dissolution de sa troupe, elle collabora avec José Limon.

HUNALD. ♦ (mort après 768). Duc d'Aquitaine (735-745). Il fit la guerre à Charles Martel, mais fut vaincu par Carloman et par Pépin en 742 et 745. Il abdiqua en faveur de son fils (?) Waïfre, et se retira dans un monastère d'où il ne sortit qu'en 768 après l'assassinat de Waïfre sur l'ordre de Pépin. Il souleva l'Aquitaine mais fut pris par Charlemagne (768).

HU-NAN [*Hou-nan*]. *n. m.* ♦ Province de la Chine du centre, limitée par celles du Hu*-pei au N., du Kuang*-tung au S., du Chiang*-hsi à l'E. et du K'uei*-chou à l'ouest. 210 000 km². Env. 40 000 000 d'hab. De climat doux et humide, c'est une région surtout agricole. Sa capitale est Ch'ang-sha sur le fleuve Hsiang chiang, au S. du lac Tung*-t'ing, un des déversoirs du cours inférieur du Yang-tsê kiang. Sauf dans cette région cultivée en riz et en céréales, la prov. est montagneuse, entaillée de vallées grossièrement parallèles (S.-O. — N.-E.). Cultures en terrasses (soja, maïs); boisements de pins; thé sur les pentes des collines. Ressources minérales (antimoine, plomb, zinc, manganèse, mercure...). Les villes sont surtout des marchés régionaux, le long des voies de communication.

HUNAYN IBN ISHÂK. ♦ Traducteur arabe (809 — 873). Chrétien issu de la tribu arabe de 'Ibâd, il succéda à la direction de la *Bayt al-Hikma* (« Maison de la Sagesse »), école fondée à Baghdâd (832) par le calife 'abbâsside* al-Ma'mûn*, à son maître Yahyâ Ibn Mâsûyah (mort en 857). Il traduisit en arabe plusieurs textes grecs — scientifiques et philosophiques — le plus souvent à partir de manuscrits syriaques. Son fils Ishâk (mort en 910) et son neveu Hubaysh ibn al-Hassan furent eux aussi de grands traducteurs. Leurs travaux contribuèrent à la diffusion du savoir grec dans le monde arabo-musulman. Assimilée, adaptée et enrichie par les philosophes et savants d'expression arabe, une partie de la pensée grecque fut transmise à l'Occident médiéval à travers les travaux de l'école des traducteurs de Tolède (XIIe siècle).

HUND (Friedrich). ♦ Physicien allemand (né en 1896). Auteur, avec R.S. Mulliken* et J.E. Lennard*-Jones, d'une interprétation de la liaison chimique à l'aide des orbitales moléculaires. **V.** *aussi* **Heitler, Pauling, Slater.**

HUNEDOARA. ♦ V. de Roumanie occidentale (Transylvanie) au cœur de la *région administrative et économique de Hunedoara.* (Ch.-l. : Deva*.) 60 000 hab. — Citadelle du XVe siècle. Second centre sidérurgique roumain, produisant 70 % de l'acier brut du pays.

HUNG DÀO DAI VUÓNG. ♦ Prince et général vietnamien du début du XIIIe s., neveu du roi Trân Thái Tôn (1225 — 1258) qui réussit par deux fois à repousser les invasions mongoles et écrivit un célèbre traité de stratégie. Il est devenu l'un des héros nationaux du peuple vietnamien.

HUNG HSIU-CH'ÜAN [*Hong Sieou-ts'iuan, Hong Xiuquan*]. ♦ Colporteur chinois chrétien (Kuang-tung, 1813 — Nankin, 1864) qui fonda en 1836 la secte des « adorateurs de Dieu » d'inspiration chrétienne et se proclama en 1851 « roi du ciel ». Il prit la tête du mouvement révolutionnaire des T'ai*-p'ing qui mit la Chine à feu et à sang pendant plus de dix ans et qui fut finalement abattu par les troupes impériales des Ch'ing* en 1864. Assiégé dans Nankin dont il avait fait sa capitale, il se suicida. Ses troupes, pourchassées, se réfugièrent au Tonkin où elles formèrent une grande partie des Ho*. On lui attribue parfois, mais sans aucune certitude, l'invention du jeu de mah-jong.

HUNG-HU TZU [*Hong-hou tseu, Honghu zi*]. ♦ Société secrète chinoise dite des « Barbes rouges » qui créa, vers 1865, une république autonome en Manchourie du Nord, sur des bases communautaires, mais fut décimée par les troupes impériales au début du XXe siècle. Cette société secrète renaquit de ses cendres vers 1930 et forma des groupes de guérilleros antijaponais en Manchourie.

Hung-lou-Meng [*Hong-leou-mong, Hongloumeng*]. ♦ « Le Rêve du pavillon rouge », célèbre roman d'amour chinois de l'écrivain Ts'ao Hsüeh-ch'in (1719 — 1764), complété en 1791 par un lettré anonyme. Ce roman est important à cause des descriptions très précises qu'il donne de la société chinoise au XVIIIe siècle. Histoire d'une famille vivant sous la dynastie des Ch'ing*, ce roman ne comporte pas moins de 1 000 personnages et cent vingt chapitres.

HUNG MEN [*Hong-men*]. ♦ Société secrète chinoise faisant partie de la « Triade », vaste ensemble de sociétés secrètes à buts sociopolitiques qui furent, à partir du milieu du XVIIe s. et jusqu'en 1949, responsables de nombreux soulèvements populaires. Elle donna naissance à de multiples autres sociétés secrètes dont les buts n'étaient pas toujours aussi avouables et qui jouèrent un rôle non négligeable dans les luttes pour le pouvoir en Chine à l'époque de Chiang* Kai-shek. Ces sociétés disparurent en 1949 avec l'avènement du régime populaire.

HUNGNAM. ♦ V. de la République populaire de Corée (Corée du Nord), près de la mer du Japon. 144 000 hab. Engrais chimiques. Métallurgie. Fibres artificielles.

HUNG SHEN [*Hong Chen, Hong Shen*]. ♦ Écrivain chinois (1893 — 1955), dramaturge, acteur et metteur en scène, originaire du Chiang-su. Après des études à Pékin et à Harvard, il adhéra au mouvement populaire chinois et écrivit des pièces ayant le patriotisme pour sujet principal. Il mit en scène, en 1931, le premier film parlant chinois, *Mudan.*

HUNINGUE. ♦ Ch.-l. de cant. du Haut-Rhin* (arr. de Mulhouse), sur le Rhin* à 2 km de Bâle. 5 769 hab. *(Huninguois).* Point de départ du *canal de Huningue* reliant le canal du Rhône au Rhin. Indus. textiles et chimiques. ♦ *Hist.* La ville fut fortifiée par Vauban*. En 1815, Barbanègre résista pendant trois mois aux Autrichiens, avec 135 hommes.

HUNS. *n. m. pl.* ♦ Nom donné à des peuples asiatiques türkomongols, probablement de langue türk et en particulier à une branche occidentale des Hsiung*-nu. Les *Huns* occidentaux établis au Ier s. entre le lac Balkash et la mer d'Aral, peut-être au nord du Caucase au IIe s., franchirent la Volga puis le Don v. 370, provoquant ainsi les grandes invasions*. Après avoir soumis les Alains*, les Hérules*, les Ostrogoths*, chassé les Wisigoths* au sud du Danube et vaincu les Gépides*, ils s'installèrent v. 405 dans la cuvette danubienne, l'actuelle Hongrie. La grande invasion de 406 partit de là vers la Gaule. Certains détruisirent le royaume des Burgondes* sur le Main (v. 437), d'autres pillèrent l'empire d'Orient, imposant tribut à Théodose* II. Unifiés par Attila* en un vaste empire allant du haut Danube au Dniepr (v. 434), ils envahirent les Balkans et menacèrent Constantinople (448). Ils gagnèrent ensuite la Gaule où ils furent vaincus aux champs Catalauniques* (451). Après avoir pillé l'Italie du Nord, ils se retirèrent (453). La mort subite d'Attila (453) précipita la dislocation de son

Ph. Giraudon

Huns : « Saint Léon arrête Attila aux portes de Rome. » Tapisserie des Gobelins XVIIe s. (Palais des Papes, Avignon.)

Ph. Nimatallah/Ricciarini

W. H. Hunt : « Claudio et Isabella ». (Tate Gallery, Londres.)

empire, les peuples soumis reprirent leur indépendance et les *Huns* gagnèrent pour la plupart les pays du nord de la mer Noire. Certains s'intégrèrent à d'autres peuples, dont les Bulgares. – *Les Huns Hephtalites.* Venus d'Asie centrale **(V. Yüeh-chih),** ils occupèrent v. 420-425 la Sogdiane et la Bactriane d'où ils attaquèrent la Perse sassanide; ils furent vaincus v. 560 par Khosrô Ier. D'autres *Hephtalites* pillèrent le Gandhâra où ils ruinèrent la civilisation gréco-bouddhique (seconde moitié du ve s.). Au début du vie s., ils conquirent le bassin de l'Indus et pillèrent le nord de l'Inde; ils furent vaincus v. 530.

HUNSRÜCK. *n. m.* ♦ Massif montagneux d'Allemagne occidentale appartenant à l'ensemble schisteux rhénan dont il constitue, à l'intérieur du quadrilatère formé par la Moselle au N., le Rhin à l'E., la Nahe au S. et la Sarre à l'O., la partie sud-occidentale. C'est une région de hautes landes désolées, coupées de gorges et couvertes de bois. Point culminant à 818 m, à l'E. d'Idar-Oberstein.

HUNT (James Henry Leigh). ♦ Journaliste et poète anglais (Southgate, Middlesex, 1784 – Londres, 1859). Fils d'un ecclésiastique, il fit ses études à Christ's Hospital et fonda, avec son frère John, *l'Examiner* où il attaque le régent (« un Adonis trop gras »), ce qui lui valut deux ans de prison (1813-1815). Il y écrivit des poèmes (*Les Fastes des poètes,* 1814 ; *L'Histoire des Rimini,* 1816 ; *Feuillage,* 1818 ; réunis dans *Poèmes narratifs,* 1832). Cette poésie, à cause d'une certaine liberté de vocabulaire, fut qualifiée d'argotique (« the Cockney School of Poetry »). Dans *l'Indicator* (1819-1821) que Hunt éditait, parurent ses meilleurs essais. Il se rendit en Italie avec sa nombreuse famille – sept enfants – et y fonda *le Libéral* (1822-1823), avec Byron, dont l'entourage aristocratique n'admit pas Hunt (*Lord Byron et quelques-uns de ses contemporains,* 1825). Ami des trois grands romantiques, Shelley*, Keats* et Byron*, il leur permit de se rencontrer. Carlyle apprécia son *Autobiographie* (1850), qu'il comparait a celle de Boswell*, et Dickens l'évoqua dans *Bleak House* (Harold Skimpel).

HUNT (William Holman). ♦ Peintre anglais (Londres, 1827 – *id.,* 1910). D'abord employé de bureau, il se consacra à la peinture en 1843 et rencontra Millais* en 1844. Il fonda avec lui et Rossetti* la « confrérie » des préraphaélites. Admirateur de Keats et de Ruskin*, il considérait l'art comme une religion, croyait à sa fonction sociale et vouait à la « Nature » une admiration respectueuse. Il voyagea à Paris et en Belgique en compagnie de Rossetti (1849), plusieurs fois en Italie et surtout en Palestine. Il peignit des thèmes empruntés aux xive et xve s. italiens (*Claudio et Isabella,* 1850), des sujets religieux (*Le Bouc émissaire,* 1855) et des allégories modernes (*Le Réveil de la conscience,* 1853). Dans ses compositions aux couleurs claires et intenses, parfois discordantes, les détails sont peints avec un réalisme méticuleux et en même temps chargés de symbolisme moral. En 1905, il publia *Le Préraphaélisme et la confrérie préraphaélite.*

HUNTER (William). ♦ Médecin anglais (dans le Lanarkshire, 1718 – Londres, 1783). Chirurgien et professeur d'anatomie à l'académie royale des Arts, il est l'auteur d'un traité d'anatomie (*Anatomy of the gravid uterus,* 1774). – Son frère JOHN HUNTER, chirurgien anglais (1728 – 1793). Il fit ouvrir à Londres un musée anatomique et peut être considéré comme le créateur de la pathologie expérimentale en Angleterre.

HUNTINGDON. ♦ V. du centre de l'Angleterre. Ch.-l. du comté homonyme, sur la r. g. de l'Ouse. 8 820 hab. - Patrie de Cromwell*. – *Le comté de Huntingdon et Peterborough* (formé en 1965) compte 1 258 km² et 179 840 habitants.

HUNTINGTON. ♦ V. des États-Unis, à l'O. de la Virginie-Occidentale, sur la riv. Ohio*. 72 970 hab; zone urbaine 247 000 (en diminution). Centre commercial et indus. Ateliers ferroviaires, fonderies, métallurgie du nickel, indus. électriques, etc.

HUNTSVILLE. ♦ V. des États-Unis, N.-E. de l'Alabama*. 136 102 hab. Indus. diverses. Centre aérospatial.

HUNTZIGER (Charles). ♦ Général français (Lesneven, Finistère, 1880 – près de Le Vigan, 1941). Sorti de Saint-Cyr, attaché à l'état-major allié sur le front d'Orient, commandant des troupes françaises du Levant à Beyrouth (1933) puis membre du Conseil supérieur de la guerre (1938), il fut nommé à la tête de la IIe armée, puis du IVe groupe d'armées au début de la Deuxième Guerre mondiale. Choisi par le maréchal Pétain pour présider la délégation chargée de négocier et de signer après la défaite de 1940 les armistices avec l'Allemagne (Rethondes*, 22 juin 1940) et l'Italie, il fut ensuite ministre de la Guerre dans le gouvernement de Vichy (1940). Il mourut peu après accidentellement.

HUNYADI (Jean). ♦ Homme de guerre hongrois (Transylvanie, v. 1387 – Semlin, 1456). Il appartenait à une famille de petite noblesse de Transylvanie. Il se distingua dans la lutte contre les Turcs (Belgrade, 1440; Maros Szent Imre, 1441) et fut désigné comme régent de Ladislas* V en 1446. Battu à Kossovo (1448), il mit en état de défense les forteresses du sud et de l'est du pays. Ayant résigné ses fonctions de régent, il soutint la candidature de Ladislas V au trône. Hunyadi défendit victorieusement Belgrade attaqué par les Turcs de Mehmet* II (1456), contre-attaqua et les repoussa jusqu'en Bulgarie. Un de ses fils, Mathias* Corvin, fut élu roi de Hongrie.

HUNZA. *n. m.* ♦ État (royaume) annexé par le Pâkistân en 1974, sur la rivière homonyme, à la frontière de l'Afghânistân*. Env. 10 000 hab., vivant dans env. 150 villages. De climat rude, très isolée, cette région demeura longtemps ignorée. Les habitudes diététiques de ses habitants ont fait l'objet de nombreuses études. Ces agriculteurs, aux mœurs sévères, sont en effet peu sujets aux maladies communes dans le reste du pays. Leur village principal est Baltit. Ils parlent une langue indo-européenne, le burushaski.

HUON *(îles).* ♦ V. NOUVELLE-CALÉDONIE.

Huon de Bordeaux. ♦ Personnage de la chanson de geste française qui porte son nom (*déb.* xiiie s.) qui fait partie de la *Geste du Roi.* – Dans ce poème, *Huon* qui a tué sans le connaître le fils de l'empereur, Charlot, se voit imposer de rudes épreuves par Charlemagne*. Le héros obtient son pardon et la main d'Esclarmonde*, avec l'aide du nain Aubéron **(V. Obéron).**

HU-PEI [*Hou-pei, Hubei*]. n. m. ♦ Province chinoise du centre de la Chine, limitée par celles du Shân-hsi et du Ho-nan au N., du Szu-ch'uan à l'O., du Chien-hsi et du Hu-nan au S. 187 500 km², env. 33 000 000 d'hab. Sa cap. est la grande métropole de Wu*-han, réunion de trois villes sur le Yang-tsê kiang. De climat doux, au sol fertile, c'est une province surtout agricole (céréales et colza en hiver; riz, coton, maïs en été), mais comportant cependant de grands centres administratifs et industriels. La partie E., basse et très irriguée, correspond à la moyenne vallée du Yang-tsê et au cours inférieur du Han, son affluent. L'O., montagneux, est relié à la plaine par des collines (culture du thé). La région bénéficie de sa position de carrefour, au croisement de la liaison Pékin-Canton et du Yang-tsê kiang, ainsi que de la présence des richesses minérales (fer). Les indus., surtout concentrées à Wu-han, sont importantes (sidérurgie, cimenteries, textiles, etc.).

HUREPOIX. *n. m.* ♦ Région de l'Île-de-France coïncidant approximativement avec le dép. de l'Essonne. Elle est constituée à l'O. par un plateau calcaire meuliérisé entaillé par l'Yvette, au S. par un plateau crayeux bocager. À l'E., des plaines limoneuses parsemées de buttes gréseuses, drainées par la Seine et l'Essonne, sont le domaine de la grande culture.

HURIEL. ♦ Ch.-l. de cant. de l'Allier*, arr. de Montluçon*. 2 237 hab. Église romane Notre-Dame (xiie s.). Restes d'un anc. château (donjon carré du xiie s., tours rondes du xve siècle).

HURON *(lac).* ♦ Un des Grands Lacs* américains, à la frontière entre Canada (Ontario) et États-Unis (Michigan), communiquant au N.-O. avec le lac Supérieur par la riv. Sainte-Marie, au S.-O. avec le lac Michigan par le détroit de Mackinac, au S. avec le lac Saint-Clair* par la riv. Saint-Clair. Long. 510 km. 59 500 km². Navigation active en été. Il comprend au N.-E. une vaste baie *(Georgian Bay)* et à l'O. la baie de Saginaw.

HURONS. *n. m. pl.* ♦ Indiens d'Amérique du Nord. Occupant au XVIIe s. les bords du Saint-Laurent et la région située entre les lacs Huron et Ontario, ils étaient divisés en quatre tribus. Leur langue était l'une des plus répandues d'Amérique du Nord. Alliés aux Français, ils combattirent les Iroquois* qui les vainquirent (1649). Ceux qui subsistèrent se réfugièrent près de Québec (Lorette). – Les Hurons furent fort populaires en France au XVIIIe s. (Cf. le conte de Voltaire *L'Ingénu ou le Huron*) et l'image qu'on en avait contribua à la genèse du concept du « bon sauvage ».

HURRITES. ♦ V. HOURRITES.

HURTADO DE MENDOZA (Diego). ♦ Diplomate et écrivain espagnol (Grenade, 1503 – Madrid, 1575). Passionné de livres et de manuscrits, il fut le type du grand seigneur érudit de la Renaissance. Son œuvre principale, *La Guerre de Grenade,* est d'une rare objectivité. Il est l'auteur présumé du Lazarillo* de Tormes.

HUS (Jan). ♦ Réformateur religieux tchèque (Husinec, Bohême, 1369 – Constance, 1415). Prêtre, doyen puis recteur de l'université de Prague, il fut influencé par les idées de Wyclif*, et prononça des sermons contre les erreurs du catholicisme. Excommunié une première fois en 1411, il prit position contre l'antipape Jean* XXIII. Après une nouvelle excommunication (1412), il fut cité au concile de Constance (1414). Il s'y rendit avec un sauf-conduit de Sigismond, mais fut condamné et brûlé vif. Ses disciples **(V. Hussites)** le considérèrent comme un patriote et un martyr de la foi. Il a contribué à fixer la langue littéraire tchèque. – *Princ. œuv.* (en tchèque et en latin) : *Questio de indulgentiis* (1412), *Explication de la foi* (1412), *De Ecclesia* (1413), *Explication des Saints Évangiles* (1413).

HUSAIN SHÂH. ♦ Roi musulman du Bengale (Inde) qui régna pacifiquement de 1493 à 1519. Il orna sa capitale, Gaur, de nombreux monuments et tenta de créer une religion syncrétique indo-islamique qu'il nomma Satyapîr. Son fils aîné, Nusrat shâh, fut élu pour lui succéder à sa mort. Il est vénéré à l'égal d'un saint par de nombreux musulmans et hindous.

HUSAYN (Taha). ♦ V. TAHÂ HUSSAÏN.

HUSAYN IBN AL-HUSAYN ou **HUSSEIN IBN EL-HUSSEIN.** ♦ (Smyrne, 1773 – Alessandria, 1838). Bey d'Alger (1818-1830). Il continua la guerre de Corse en Méditerranée, passant outre aux décisions du congrès d'Aix-la-Chapelle. Il réclama vainement à la France le paiement de fournitures faites pendant le Consulat et l'Empire, et ses relations déjà tendues s'aggravèrent lorsque les corsaires d'Alger ayant capturé deux navires romains, le consul de France protesta auprès de lui. Husayn s'irrita et frappa le consul de son éventail (1827). Il refusa de présenter des excuses et l'incident servit de prétexte à l'intervention française. Il capitula le 5 juillet 1830 devant les troupes débarquées à Sidi-Ferruch le 14 juin et dut s'exiler en Italie.

HUSAYN IBN 'ALÎ. ♦ (v. 1856 – 'Ammân, 1931). Cheikh de La Mecque, puis roi du Hedjaz* (1916-1924). Considéré comme descendant de la famille des Hâchémites*, il dirigea avec l'appui de la Grande-Bretagne le mouvement panarabe du Moyen-Orient. Lors de la Première Guerre mondiale, il prit part à la lutte contre les troupes turco-allemandes. Devenu souverain (malik) du Hedjaz, il fut battu par l'émir 'Abd al-'Azzîz III Ibn Sa'ûd qui prit La Mecque (1919) et l'obligea à abdiquer. Ses fils furent respectivement roi hâchémite d'Irak **(V. Faysâl Ier)** et émir de Transjordanie, puis roi hâchémite de Jordanie **(V. Abd al-'Allâh** ou **Abdullah).**

HUSAYN IBN TALÂL. ♦ Roi de Jordanie depuis 1952 ('Ammân, 1935 –). Petit-fils d'Abd-'Allah, fondateur, avec l'appui des Britanniques, de la monarchie hâchémite de Jordanie, et fils du roi Talâl, dont la déchéance fut prononcée par le Parlement (août 1952), le jeune roi, formé à l'école britannique, voulut gouverner en souverain moderne. Mais la politique qu'il adopta, tant à l'extérieur qu'à l'intérieur (problème des réfugiés palestiniens et de l'action des fedayin qui aboutit à une véritable guerre civile en sept. 1970), lui valut les critiques des autres gouvernements arabes **(V. Jordanie).**

HUSAYN KAMÂL PACHA. ♦ Sultan d'Égypte (Le Caire, 1853 – *id.,* 1917). Second fils d'Ismâ'îl*, il fut président de l'Assemblée législative (1909). Il remplaça son neveu 'Abbâs II déposé en 1914 par les Anglais et maintint l'Égypte dans l'état de neutralité pendant la Première Guerre mondiale.

HÜSEYIN RAHMI (Gürpinar). ♦ Écrivain turc (Istanbul, 1864 – *id.,* 1944). Il perfectionna le genre du roman populiste et traita des sujets originaux et authentiquement turcs dans une langue accessible.

HU SHIH [*Hou Che, Hu Shi*]. ♦ Philosophe et romancier chinois (1891 – Taïwan, 1962). Il fit ses études aux États-Unis et devint président de l'Academia Sinica. Ses ouvrages (*La Renaissance chinoise,* 1934) eurent une grande influence sur le mouvement de la renaissance littéraire et philosophique chinoise. Partisan de Chiang Kai-shek, il suivit celui-ci en 1949 à Taïwan et fut nommé ambassadeur de la République nationaliste à Washington.

HUSSAÏN. ♦ Second fils de 'Ali* et de Fatima*. **V. Hassan** et **Hussaïn.**

Ph. Lauros-Giraudon

Jan Hus brûlé le 6 juillet 1415. Représentation du XVe s., Bohême. (Bibliothèque nationale, Paris.)

HUSSEIN-DEY. ♦ Anc. comm. d'Algérie, incorporée auj. au Grand Alger*, située à l'E. de la ville entre la baie d'Alger et les collines du Sahel. Faubourg industriel. Jardin d'essai.

HUSSERL (Edmund). ♦ Philosophe allemand (Prosznitz, Moravie, 1859 – Fribourg-en-Brisgau, 1938). Après des études scientifiques, notamment mathématiques, il rencontra F. Brentano* qui eut sur lui une grande influence. Professeur à Halle (jusqu'en 1906), à Göttingen (1906-1916) et à Fribourg-en-Brisgau (jusqu'en 1936 où il fut rayé de la liste des professeurs en raison de son ascendance juive), il publia successivement *Les Recherches logiques* (1900), *La Philosophie comme science rigoureuse* (1910), *Idées directrices pour une phénoménologie pure et une philosophie phénoménologique* (1913), *Logique formelle et Logique transcendantale* (1929), *La Crise des sciences européennes et la phénoménologie transcendantale* (1936). – Contre le psychologisme qui assimile les lois de la pensée logique aux faits psychiques empiriques, Husserl se proposa de délimiter le domaine de la logique pure, de construire la théorie générale des systèmes déductifs formels. Travail préparatoire à cette tâche, la méthode phénoménologique est une manière « de revenir des discours et opinions aux choses mêmes », de décrire et non d'expliquer les actes de pensée par lesquels nous atteignons les objets logiques, ou de perception, de saisir les significations idéales ou essences pures dans une intuition originaire *(Wesenschau).* Prolégomène à toute science empirique, la science « eidétique » (ontologie de la nature) s'achève par une ontologie formelle (science de l'essence d'objet en général) ou

Ph. Mayer/Magnum

Husayn Ibn Talâl.

logique pure (Mathesis universalis). Si la constitution d'une telle logique n'a cessé de préoccuper Husserl, sa réflexion s'est cependant davantage orientée ensuite vers le problème de la corrélation du sujet et de l'objet dans l'acte de la connaissance, passant ainsi d'un certain réalisme eidétique à un idéalisme transcendantal. Plus radicale que le doute cartésien, la réduction phénoménologique consiste à mettre entre parenthèses l'attitude naturelle, naïve, de la conscience affirmant spontanément l'existence du monde, et à isoler le donné naturel, contingent (le monde extérieur et le moi empirique) du moi pur, du sujet ou *ego* transcendantal. Modèle de toute évidence originaire et nécessaire, la conscience pure se découvre ainsi comme « intentionnalité » **(V. F. Brentano)**, source de toute signification, puissance constituante de l'objet ; son analyse eidétique permet d'en préciser les modalités (conscience percevante, imageante, etc.). Insistant sur l'expérience fondamentale et originale que le sujet a d'autrui et faisant de l'intersubjectivité le fondement même de l'objectivité du monde, Husserl évita le solipsisme où risquait de conduire l'idéalisme transcendantal. C'est vers une sociologie culturelle que s'achemina sa réflexion. L'influence de la phénoménologie fut considérable **(V. G. Berger, Heidegger, K. Jaspers, Merleau-Ponty, Ricœur, Sartre, Scheler)**.

HUSSIGNY-GODBRANGE. ♦ Comm. de la Meurthe-et-Moselle, arr. de Briey. 3 499 hab. Fer.

Hussites. *n. m. pl.* ♦ Adeptes de Jan Hus*. L'exécution de celui-ci provoqua chez eux un soulèvement national et religieux. Ils exigèrent la liberté de sermon, la communion sous les deux espèces, le retour à l'Église primitive et la punition des péchés mortels par les autorités civiles. Le refus que leur opposa Sigismond* entraîna le pays dans la guerre. À la suite des défaites des troupes du cardinal Cesarini, un compromis (*Compactata,* 1433) fut signé, par lequel l'Église autorisait les hussites à communier sous les deux espèces. Seuls les « modérés » ou « praguois » l'acceptèrent ; les « radicaux » ou « táborites » (de Tábor, en Bohême du Sud) poursuivirent la lutte mais furent battus. La diète de Jihlava (Iihlava), 1434, confirma le compromis de 1433 ; et Sigismond devint roi de Bohême. Parmi les hussites, certains revinrent au catholicisme, d'autres subirent au XVIe s. l'influence du luthéranisme*, et quelques « táborites » constituèrent l'association des « Frères moraves », restaurée par le comte de Zinzendorf* (XVIIIe siècle).

HUSTON (John). ♦ Réalisateur américain de cinéma (Nevada, Missouri, 1906). Boxeur devenu acteur, puis journaliste, il fut scénariste avant de se consacrer à la mise en scène. Bien loin d'être une méditation pessimiste sur la vanité de toute action, le meilleur de son œuvre célèbre la vertu de l'effort et la grandeur de l'homme, isolé dans sa lutte contre des forces qui le dépassent. D'une manière générale, elle enseigne une morale tempérée par l'humour. Réal. princ. : « Le Faucon maltais » (*The Maltese Falcon,* 1941), « Le Trésor de la sierra Madre » (*The Treasure of the Sierra Madre,* 1948), « Quand la ville dort » (*The Asphalt Jungle,* 1950), « La Charge victorieuse » (*The Red Badge of courage,* 1951 d'après le roman de Stephen Crane), « La Reine africaine » (*The African Queen,* 1952), « Les Désaxés » (*The Misfits,* 1961).

HUSUM. ♦ V. d'Allemagne occidentale (Schleswig-Holstein), à proximité de la mer du Nord. 24 000 hab. Château du XVIe siècle. Important marché agricole.

HUTCHESON (Francis). ♦ Philosophe anglais (Drumalig, Irlande du Nord, 1694 – Glasgow, 1746). Professeur à l'université de Glasgow, il y eut Adam Smith* pour élève. Dans ses ouvrages (*Recherches sur l'origine des idées que nous avons de la beauté et de la vertu,* 1725 ; *System of Moral Philosophy,* 1755), il développa en la systématisant la morale du sentiment de Shaftesbury*.

HUTCHINSON (*sir* Jonathan). ♦ Chirurgien anglais (Selby, Yorkshire, 1828 – Haslmere Surrey, 1913). Il a donné la description du syndrome de la syphilis héréditaire (coexistence de malformations dentaires, de lésions oculaires et auriculaires ou *triade de Hutchinson*).

Ph. Esperto/Ricciarini

Séquence du film de **John Huston** « La Bible ».

Ph. Lipnitzki/Viollet

Aldous Leonard Huxley.

HUTT. ♦ V. WELLINGTON.

HUTTEN (Ulrich *von*). ♦ Chevalier et humaniste allemand (château de Steckelberg, près de Fulda, 1488 – île d'Ufenau, lac de Zürich, 1523). Il quitta Fulda et mena une vie de voyages et d'études, rencontra Érasme*, prit position pour Reuchlin* dans la querelle qui l'opposait aux Dominicains (*Epistolae obscurorum virorum,* v. 1517), se passionna pour les idées de la Réforme et ne ménagea pas ses critiques contre le clergé et les princes. Il s'exila après la défaite de la révolte des chevaliers qu'il avait dirigée.

HUTTON (James). ♦ Chimiste et géologue écossais (Édimbourg, 1726 – 1797). Par sa théorie publiée en 1795 (*Theory of the Earth, with Proofs and Illustrations*), il fut le premier naturaliste à rejeter la conception conservatrice de la nature et à introduire en géologie la notion de l'évolution dans le temps.

HUTUQTU. *n. m.* ♦ Un des noms mongols pris par les représentants du dalaï-lama en Mongolie, chefs de l'Église lamaïque mongole, et signifiant « lama réincarné ». Appelé également *Qutuqtu, Jet-sun-dampa, Tûlkû.*

HUXLEY (Thomas Henry). ♦ Naturaliste anglais (Ealing, Middlesex, 1825 – Londres, 1895). Après une expédition scientifique dans le Pacifique et l'archipel indien (1846-1850), il publia une *Histoire des hydrozoaires de l'Océan* (1858). Défenseur de la théorie transformiste de Darwin, il s'attacha principalement au problème de l'origine de l'espèce humaine (*La Place de l'homme dans la nature,* 1863).

HUXLEY (*sir* Julian Sorell). ♦ Biologiste et philosophe anglais (Londres, 1887 – Hampstead, 1975). Petit-fils du précédent, il fut le premier directeur général de l'U.N.E.S.C.O. (1946-1948). Ses travaux de biologie portèrent principalement sur les théories de l'évolution et la génétique (critique des conceptions de Lyssenko).

HUXLEY (Aldous Leonard). ♦ Poète, journaliste et romancier anglais (Godalming, Surrey, 1894 – Los Angeles, Californie, 1963). Petit-fils du savant Thomas Huxley, et parent de Matthew Arnold, Aldous Huxley fit ses études à Eton et à Oxford. Il avait vingt-cinq ans quand il collabora à l'*Athenaeum* et publia ses premiers vers (*La Défaite de la jeunesse, The Defeat of Youth,* 1918), *Leda* (1920). Mais c'est par le roman qu'il exprima une vision du monde ironique et critique où l'humanisme et la culture sont menacés par ceux mêmes qui sont chargés de les défendre. *Jaune de chrome* (*Crome Yellow,* 1921) est une évocation sceptique, et d'un comique paradoxal, de la société cosmopolite et blasée des années 1920 ; *Antic Hay* (1923), une satire malicieuse des coteries littéraires bohèmes. *Contrepoint* (*Point Counter Point,* 1928) est de la même veine satirique, d'une intelligence aiguë. *Le Meilleur des mondes* (*Brave New World,* 1932) donne de l'avenir une vision pessimiste (en contraste avec l'optimisme de H.G. Wells) et constitue une satire très forte de l'américanisation du monde, comme du culte positiviste de la science. *La Paix des profondeurs* (*Eyeless in Gaza,* 1936) est une critique explicite du monde moderne. Les préoccupations morales d'Huxley l'amenèrent à s'intéresser à la philosophie orientale : *La Philosophie éternelle* (*The Perennial Philosophy,* 1945), *Jouvence* (*After Many a*

Summer, 1939). Porte-voix de la classe intellectuelle, Aldous Huxley laisse une œuvre où l'esprit et l'humour sont servis par une prose claire et simple; en outre, il représente un moment de la crise intellectuelle bourgeoise. D.H. Lawrence, qui « n'aimait pas ses livres [...], admirait en eux une sorte de courage désespéré dans le refus et la répudiation ».

HUXLEY (Andrew Fielding). ♦ Neurologue anglais (Hampstead, près de Londres, 1917). Il obtint le prix Nobel de médecine (1963) avec J. Eccles* et A.L. Hodgkin* pour ses recherches sur le fonctionnement des cellules nerveuses.

HUY, en néerl. **Hoei.** ♦ V. de Belgique (ch.-l. d'arr. de Liège) sur la Meuse, à 93 km de Bruxelles. 13 600 hab. *(Hutois).* La ville est célèbre pour ses « quatre merveilles » : *li pontia* (le pont), *li rondia* (la rose de la collégiale, XIe s.), *li bassinia* (la fontaine de la Grand-Place, XVe s.), et *li chestia* (le château-citadelle, 1818). Église Saint-Mengold (XIIIe au XVIe s.). Couvent des Frères mineurs (1620; musée). Abbaye du Neufmoustier fondé par Pierre l'Ermite en 1101. Tour d'Oultremont (XVIe s.). — Indus. alimentaires (sucres). Papeteries et fonderies. Émail. Tanneries. — Patrie de Godefroi et Rénier de Huy et de J. Lebeau*.

HUYGENS (Christiaan). ♦ Physicien, mathématicien et astronome hollandais (La Haye, 1629 — 1695). Appelé à Paris par Colbert*, il y séjourna de 1665 à 1685, la révocation de l'édit de Nantes l'ayant alors obligé à retourner en Hollande. Auteur du premier exposé complet de calcul des probabilités [*De ratiociniis in ludo aleae*] **(V. Pascal, Fermat)**, on lui doit le premier grand traité de dynamique (*Horologium oscillatorium,* 1673) dans lequel on trouve les lois de la force centrifuge dans un mouvement circulaire qu'il appliqua à l'étude de l'accélération de la pesanteur et de ses variations à la surface de la Terre, la théorie du centre d'oscillation, le principe de la conservation des forces vives, celui de la détermination exacte de l'intensité de la pesanteur à l'aide du pendule **(V. Hooke)**, l'étude du pendule conique, la cycloïde considérée comme courbe tautochrone et la théorie du pendule cycloïdal, la théorie de la développée d'une courbe et du centre de courbure, enfin la découverte de l'horloge à balancier et du mécanisme à échappement; il étudia également les lois du choc des corps. **V. Wallis.** En astronomie, il comprit l'intérêt présenté par l'emploi d'un oculaire convergent pour les lunettes et put ainsi découvrir l'anneau de Saturne, la rotation de Mars et la nébuleuse d'Orion. Auteur, en 1678, d'une théorie ondulatoire de la lumière (*Traité de la lumière,* 1690), il imagina des oscillations longitudinales selon le sens de propagation et put donner une explication complète de la réflexion, de la réfraction et de la double réfraction, établissant dans ce dernier cas la loi de propagation du rayon « extraordinaire » **V. Newton, Bartholin.** (Acad. sc., 1695.)

HUYGHE (René). ♦ Historien d'art français (Arras, 1906). Il obtint la chaire de psychologie des arts plastiques au Collège de France en 1950, après une carrière administrative au musée du Louvre, où il avait introduit de nouveaux principes de muséographie. Tant dans ses ouvrages, *Cézanne* (1936), *Les Contemporains* (1939), *Le Dessin français au XIXe s.* (1948), *Le Carnet de Paul Gauguin* (1952), *Degas* (1954), *Dialogue avec le visible* (1955), *L'Art et l'Âme* (1961), *Delacroix ou le Combat solitaire* (1964), *Les Puissances de l'image* (1965), *Sens et Destin de l'art* (1967), que dans ses films (*Rubens,* 1938), il cherche à montrer que la vision artistique dépend de la société, de la pensée religieuse et philosophique, ainsi que du mode de vie. Il a dirigé des revues, *Amour de l'Art, Quadrige,* et un ouvrage de synthèse : *L'Art et l'Homme* (1958-1961). Il a obtenu le prix Erasme en 1967. Conservateur du musée Jacquemart-André. (Acad. fr., 1960).

HUYSMANS [ɥismɑ̃s] **(Georges Charles,** dit **Joris-Karl).** ♦ Écrivain français (Paris, 1848 — 1907). « Hollandais putréfié de parisianisme », Huysmans, après une « jeunesse d'humiliation et de panne », poursuivit une carrière de fonctionnaire durant trente ans. Il peignit des existences ternes et une vie quotidienne dérisoire dans *En ménage* (1881) et dans *À vau-l'eau* (1882), où il adhéra au naturalisme. Remarqué par Zola*, il avait collaboré au recueil collectif, *Les Soirées de Médan,* 1880. Déjà apparaissent son pessimisme et son dégoût devant un monde moderne composé « de sacripants et d'imbéciles », ainsi que son tempérament « artiste » qui se manifeste par le goût de la couleur. *A* rebours* (1884) rompt nettement avec l'esthétique naturaliste : les « tendances vers l'artifice » du héros, Des Esseintes, sont, « au fond, des élans vers un idéal ». Un autre personnage, Durtal (*Là-* bas,* 1891), exprime aussi l'évolution que connaît Huysmans; cette étape satanique, où se mêlent occultisme et sensualité, précède la conversion à la foi chrétienne (*La Cathédrale,* 1898 et *L'Oblat,* 1903) à laquelle les préoccupations esthétiques de Huysmans l'ont amené : l'écrivain, en effet, vint au catholicisme (*En route,* 1895), attiré par « l'art qu'il avait fondé », comme il avait été séduit par le talent des impressionnistes (Degas*, Monet*, Pissarro*, Odilon Redon*...) dont il se fit le défenseur dans *L'Art moderne* (1883). Au terme d'une difficile évolution, Huysmans cherche à « atteindre les en-deçà et les après », à faire un « naturalisme spiritualiste » tout en gardant par son goût du détail cru, des termes rares et de la brutalité véhémente du style, « la langue étoffée et nerveuse du réalisme ».

HVAR. ♦ Île yougoslave de la Dalmatie* moyenne. 12 000 hab. Pêche, cultures méditerranéennes, tourisme.

HVIEZDOSLAV (Pavel, pseudonyme de **Országh).** ♦ Poète slovaque (Horni Kubin, 1849 — Dolny Kubin, 1921). Disciple de Sládkovič*, il fut un poète lyrique dans *Rameaux* (1885-1887-1895), *Psaumes et Hymnes* (1885) et *Sonnets sanglants* (1919). Il écrivit aussi des poèmes épiques : *La Femme du forestier* (1886) où il chanta la nature et le peuple slovaque, *Ežo Vlkolinsky* (1890) et *Gabor Vlkolinsky* (1899).

Ph. Louis Monier

René Huyghe.

HWANG HYEON. ♦ Historien coréen (1855 — 1910), auteur d'une grande *Histoire de la Corée de 1864 à 1910.* Patriote fervent, il se suicida lors de l'occupation de la Corée par les Japonais, le jour où il mit un point final à son œuvre.

HWANG JIN-I. ♦ Chanteuse, danseuse et poétesse coréenne (v. 1506 — 1544), auteur de nombreuses poésies de style Si-jo. Elle est considérée comme la plus grande poétesse de Corée.

HWARANG. *n. m. pl.* ♦ En Corée, dans le royaume de Silla* (~57-935), groupes de jeunes gens de l'aristocratie qui formaient une sorte de chevalerie au service du pays. Lettrés, ces jeunes hommes et femmes comptèrent de nombreux poètes dans leurs rangs. Ils contribuèrent à donner son éclat à la dynastie et à répandre la civilisation chinoise et bouddhique dans la péninsule.

HYACINTHE, Jacek Odrowaz *(saint).* ♦ Religieux polonais (Kamień-Silésie, 1185 — Cracovie, 1257). Chanoine, puis dominicain, il implanta son ordre en Pologne, en Ukraine et dans les pays scandinaves. Canonisé en 1594. Fête le 17 août.

Hyakunin-Isshu (« Cent Poèmes de cent auteurs »). ♦ Célèbre anthologie poétique japonaise compilée en 1235 par Fujiwara* no Sadaie pour décorer les murs de sa résidence. Cette collection de poèmes est à l'origine du jeu qui se joue traditionnellement encore de nos jours au Japon au premier jour de l'an, et sert de modèle de calligraphie. Tout Japonais instruit doit les connaître par cœur.

HYATT (John Wesley). ♦ Chimiste américain (Starkey, New York, 1837 — 1920). Il mit au point, avec son frère Isaiah, le procédé de fabrication industrielle du celluloïd (1869). **V. Staudinger.**

HYBLA. ♦ Nom de trois villes de la Sicile ancienne. HYBLA MAJOR (près de l'actuelle Melilli), fondée par les Sicules*, fut abandonnée par ces derniers au profit des Mégariens qui établirent sur son emplacement Megara* Hyblea. La ville était célèbre pour son miel. On a retrouvé à quelques kilomètres d'anciennes tombes sicules. ♦ HYBLA MINOR ou *Geleatis* est sans doute représentée par l'actuelle Paterno, sur les pentes méridionales de l'Etna. ♦ HYBLA HERAEA se situait à l'emplacement de l'actuelle Raguse.

HYDASPES. ♦ V. JHELAM.

HYDE DE NEUVILLE (Jean Guillaume, *baron***).** ♦ Homme politique français (La Charité-sur-Loire, 1776 — Paris, 1857). Agent des Bourbons sous la Révolution, il prit part au mouvement royaliste dans le Berry (1796) puis tenta sans succès, après le coup d'État du 18 Brumaire (1799), de persuader Bonaparte de rétablir la monarchie. Accusé d'avoir participé au complot de la « machine infernale » (1800-1801), il vécut en Suisse puis aux États-Unis jusqu'à la Restauration. Député (1815, 1822-1830), représentant de la France aux États-Unis puis ambassadeur à Lisbonne, il fut ministre de la Marine dans le cabinet de Martignac (1828), et prit position ensuite contre le ministère Polignac. Il fut l'un des porte-paroles de la légitimité après la Révolution de 1830. Publiés en 1888-1890, ses *Mémoires et souvenirs* fournissent de nombreux renseignements sur la période de la Révolution, de l'Empire et de la Restauration.

Ph. Prato/Ricciarini

Hyde Park.

Hyde park. ♦ Parc de l'O. de Londres (146 ha), séparé de *Kensington Park* par la *Serpentine River.* Au coin N.-O. se trouve *Marble Arch.*

HYDERÂBÂD (Inde). ♦ **V.** HAIDÂRÂBÂD.

HYDERÂBÂD. ♦ V. du Pâkistan, élevée sur une île du bas Indus, ch.-l. de province. Env. 700 000 hab. Université. Indus. textiles, chimiques (verreries), marché agricole, studios de cinéma.

HYDRA. ♦ Île grecque de la mer Égée, à proximité de la côte S. de l'Argolide. Éparchie du nome du Pirée. 2 540 hab. *Ch.-l.* Hydra. Centre touristique. — Patrie de P. Coundouriotis*. ♦ *Hist.* Refuge des Grecs et des Albanais du Péloponnèse fuyant l'oppression turque, elle devint au XVIIIᵉ s. une base de pirates; de grandes fortunes ainsi formées furent sacrifiées lors de la guerre de l'Indépendance (1821) pour soutenir la lutte en mer. Hydra fut le principal port de guerre de la Grèce insurgée. **V. Miaoulis.**

Hydre de Lerne. *n. f.*, en gr. **Lernaia Hudra.** ♦ Monstre fabuleux qui ravageait l'Argolide. Née de Typhon* et d'Échidna*, elle est représentée comme un serpent à plusieurs têtes (leur nombre varie selon les versions). Héraclès*, obligé de la tuer, constate que chaque tête coupée repousse immédiatement; il doit alors utiliser des flèches enflammées ou faire brûler chaque blessure par son neveu Iolaos. Il enterre la tête centrale, immortelle, sous un énorme rocher. Selon une interprétation évhémériste, le monstre symbolise le marais de Lerne, alimenté par plusieurs sources, qu'Héraclès dut assécher.

HYÈRES. ♦ Ch.-l. de cant. du Var*, arr. de Toulon*, à 4 km de la mer, 30 065 hab. *(Hyérois).* Église Saint-Louis du XIIIᵉ siècle. Église Saint-Paul, romane et gothique. Ancienne commanderie des Templiers, XIIIᵉ siècle. Restes d'une enceinte fortifiée. — Grande station climatique et de thalassothérapie. Primeurs, fruits, fleurs. — Patrie de J.B. Massillon*. — La rade d'Hyères s'étend entre la presqu'île de Giens* et le cap Bénat; on y trouve *Hyères-Plage.*

HYÈRES *(îles d').* ♦ Petit archipel d'îles détachées de la chaîne des Maures* qui ferme au S. la rade d'Hyères; ce sont d'O. en E. : Porquerolles*, Port*-Cros, l'île du Levant*.

HYGIE, en gr. **Hugieia.** *n. f.* ♦ Personnification de la Santé. La légende a fait d'elle une fille d'Asclépios*.

HYGIN *(saint).* ♦ 9ᵉ pape (136-140 [mort]). Selon la tradition, Athénien et philosophe, martyr (?). Fête le 11 janvier.

HYKSOS, *n. m. pl.* (de l'égypt. *Heqa-khase* « chefs d'un pays étranger »). ♦ Nom donné par Manéthon* à des envahisseurs asiatiques venus de l'E., qui dominèrent l'Égypte de ~ 1785 à ~ 1580. Ils fondèrent un royaume dans le N. du pays et établirent leur cap. à Avaris **(V. Tanis).** Leur civilisation heurta violemment les traditions égyptiennes. Ils apportaient avec eux une partie des techniques indo-européennes, et notamment l'usage du char de guerre attelé de chevaux. Ils furent responsables de la pénétration des divinités asiatiques dans le pays et, adorateurs de Seth* qu'ils avaient assimilé à Baal, provoquèrent une haine farouche chez les Égyptiens. Réfugiés à Thèbes où ils avaient formé une monarchie, les pharaons entreprirent bientôt une guerre de reconquête. En ~ 1600, Kamôsis* chassa les Hyksos de la moyenne Égypte, et reprit Memphis. Les envahisseurs furent définitivement expulsés du delta puis du S. de la Palestine en ~ 1580 par Amôsis*, fondateur de la XVIIIᵉ dynastie. Ils disparurent ensuite de l'histoire.

HYLLOS [*Hullos*]. ♦ Fils d'Héraclès* et de Déjanire*. Chef des descendants immédiats du héros, il aurait mené les premières tentatives pour le *retour des Héraclides** dans le Péloponnèse. La tradition dorienne fait de lui le héros éponyme d'une tribu des Doriens.

HYMÉNÉE, en gr. **Humenaios.** ♦ Personnification, originairement, du chant nuptial, puis divinité qui préside au mariage. On le représentait comme un jeune homme d'une rare beauté, fils d'Apollon et d'une muse, ou de Dionysos* et d'Aphrodite* et on lui attribuait de nombreuses légendes expliquant l'invocation de son nom dans le cortège nuptial. Cf. Hymen, hyménée *in* Robert.

HYMETTE *(mont)*, en gr. **Humêttos.** ♦ Montagne d'Attique*, au S.-E. d'Athènes*, séparant les plaines d'Attique et de la Mésogée. 1 026 m. L'Ilissos* y prend sa source. — L'Hymette était renommée pour son miel et ses carrières de marbre. Vestiges d'un temple de Zeus et d'un autel de l'époque géométrique.

Hymnes (Les). ♦ Poésies (en alexandrins et décasyllabes) de Ronsard*, publiées en deux livres (1555-1556) et inspirées des hymnes de Callimaque* et de Théocrite*. Ces poèmes mêlent l'inspiration chrétienne à l'érudition mythologique *(Hymne à la mort).*

HYPATIE, en gr. **Hupatia.** ♦ Philosophe et mathématicienne grecque (Alexandrie, 370 — 415). Fille de Théon d'Alexandrie, elle fit ses études de sciences, de philosophie et d'éloquence à Athènes, avant de revenir se fixer à Alexandrie où elle ouvrit une école. Elle y commentait Platon et Aristote ainsi que les œuvres de grands mathématiciens, Diophante, les *Sections coniques* d'Apollonios de Pergame, les *Tables* de Ptolémée. Elle mourut massacrée par la foule excitée contre elle par des moines.

HYPÉRIDE, en gr. **Huperidês.** ♦ Orateur athénien (~ 389 — ~ 322). Élève d'Isocrate*, il s'attacha pourtant à Démosthène* qu'il dépassa en intransigeance dans la lutte contre le parti macédonien. Après l'échec du soulèvement contre Antipatros*, il fut mis à mort. Parmi les discours qui nous sont parvenus, le plus brillant est l'*Oraison funèbre*, dédié aux Athéniens tombés lors de la guerre lamiaque. Dans l'Antiquité, on lui prêtait une célèbre plaidoirie pour l'hétaïre Phryné*. Considéré à son époque comme presque égal à Démosthène, il a de grandes qualités, dont la vigueur, l'aisance, l'ironie mordante, ainsi que l'atticisme pur, ne sont pas les moindres.

HYPERMNESTRE, en gr. **Hupermnêstra.** ♦ Une des Danaïdes*.

HYPPOLITE (Jean). ♦ Philosophe français (Jonzac, Charente-Maritime, 1907 — 1968). Il fut en France le principal promoteur du renouveau des études hégéliennes. (*Introduction à la philosophie de l'histoire de Hegel*, 1948; *Logique et Existence*, 1953; *Études sur Marx et Hegel*, 1955.)

HYRCAN Iᵉʳ ou **JEAN HYRCAN.** ♦ Grand prêtre et prince juif asmonéen, fils de Simon Maccabée*. Il régna de ~ 135 à ~ 105, dut se soumettre à Antiochos* VII mais, après la mort de celui-ci, reprit le pouvoir sur la Samarie et l'Idumée. Il établit un gouvernement de type hellénistique, appuyé sur les sadducéens. Père d'Aristobule* Iᵉʳ.

HYRCAN II. ♦ (~ 110 — ~ 30). Grand prêtre juif asmonéen, de ~ 76 à ~ 67 puis de ~ 63 à ~ 40; ethnarque des juifs de ~ 47 à ~ 41. Fils d'Alexandre* Jannée et d'Alexandra*. Il n'exerça guère le pouvoir : la royauté resta d'abord aux mains de sa mère; à la mort de celle-ci, le trône fut usurpé par son frère Aristobule* II (~ 67); l'appui qu'il obtint de Pompée (prise de Jérusalem, ~ 63) puis de César (~ 47) ne fit que donner le pouvoir aux Romains ou à leurs créatures (Antipatros, Hérode*). Il fut renversé par Antigonos* (~ 40) et plus tard mis à mort.

HYRCANIE *n. f.* ♦ Région de l'Asie ancienne, située au S.-E. de la mer Caspienne, et qui fit partie de la Médie, puis de l'Empire perse.

HYRY (Antti Kalevi). ♦ Romancier et nouvelliste finnois (Kuivaniemi, 1931). Il contribua à renouveler la prose après 1950 avec Holappa* et Meri*. Il se fit l'observateur méticuleux de petits faits quotidiens dans des récits (*Description d'un voyage en train*, 1958; *Creuser un puits*, 1962) et le roman (*Le Bord du monde*, 1967), comparés à ceux de Robbe-Grillet, introduisant discrètement dans ses textes des touches d'humour et des réactions individuelles de ses personnages.

HYSTAPE, en gr. **Hustapês**, en vieux perse **Vishtaspa.** ♦ Satrape d'Hyrcanie (~ VIᵉ s.), père de Darios Iᵉʳ.

Ph. Nimatallah/Ricciarini

Hercule et l'Hydre de Lerne, par Zurbarán. (Musée du Prado, Madrid.)

Ph. Tétrel

Ibiza : plage et port de San Miguel.

IABLONOVYI *(monts)*, en fr. *monts* **Jablonov** *(« monts des pommiers »)*. ♦ Chaîne montagneuse de Sibérie, au S.-O. des monts Stanovoï* et à l'E. du lac Baïkal*. Env. 1 000 km de longueur. Alt. moyenne de 1 400 à 1 700 mètres.

IACOPO di PIETRO d'AGNOLO della QUERCIA. ♦ V. JACOPO DI PIETRO D'AGNOLO DELLA QUERCIA.

IACOPONE da TODI. ♦ V. JACOPONE DA TODI.

Iago. ♦ Personnage de l'*Othello* de Shakespeare. C'est dans l'œuvre de Giraldi Cinzio *(Escatommiti Altile)* qu'il apparaît pour la première fois. Bien que Shakespeare ait motivé le comportement de son personnage par la vengeance et la jalousie, il n'en demeure pas moins le génie du mal et de la domination. Il fait tuer par Othello, son instrument, l'innocente Desdémone*. — Rossini s'en inspira ainsi que Verdi qui avait d'abord donné pour titre *Iago* à son opéra, *Othello*.

IAHVÉ. ♦ Francisation de IHWH (Yahweh), nom propre du dieu de la Bible. Il est révélé à Moïse* en *Exode*, III, 15 et VI, 2. Il s'agit d'une forme ouest-sémitique correspondant à l'hébreu *yihyeh*, « il est ». V. *aussi* **Jéhovah, Élohim**.

IAKUT ou **YAKOUTES**. *n. m. pl.* ♦ Peuplade sibérienne venue de l'Occident vers les rives N. du lac Baïkal* au XVe siècle. D'origine türk, ils peuplèrent la Sibérie orientale des rives de la Lena* à l'océan Arctique, et se mongolisèrent progressivement.

IAKUTIE ou **YAKOUTIE**, *n. f.* (République socialiste soviétique autonome de ; en russe **Iakutskaja A.S.S.R.**). ♦ Une des seize républiques autonomes de la R.S.F.S. de Russie*, située dans le N.-E. de la Sibérie. 3 103 200 km². 686 000 hab. (*Yakoutes*, Russes, Ukrainiens). *Cap.* Yakoutsk [Iakutsk]. *V. princ.* **V. Mirnyi**. — Le pays est occupé dans son ensemble par des chaînes montagneuses (de Verkhoïansk et de Tcherski à l'E., d'Aldansk au S.) et des plateaux (au centre). Les vallées (Lena*, Anabar, Oleniok, Indighirka*, Kolyma) forment des dépressions. — *Écon.* Pays de forêts (70 % du territoire), la Iakutie est riche en gisements de houille, d'étain, de mica, d'or et de diamants. L'activité agricole est surtout représentée par l'élevage des bovins et des rennes. On cultive le blé, l'orge et les légumes. Traitement du bois. Pêche. ♦ *Hist.* Peuple divisé en tribus, les Iakutes pratiquaient jusqu'au XVIIe s. l'élevage, la chasse et la pêche. Sous l'influence des paysans russes émigrés en Sibérie, ils commencèrent à cultiver la terre. Vers 1850, des gisements d'or furent découverts. La construction du Transsibérien (fin du XIXe s.) et la navigation sur la Lena contribuèrent au développement économique de la région. Le régime soviétique y fut instauré en 1918, et en 1922 la Iakutie devint une R.S.S. autonome.

IAKUTSK ou **YAKOUTSK**. ♦ V. d'U.R.S.S. (R.S.F.S. de Russie), cap. de la Iakutie*, en Sibérie extrême-orientale, sur la r. g. de la Lena*, 108 000 hab. Université (fondée en 1956). Indus. du bois, du cuir et indus. alimentaires. ♦ *Hist.* La ville, fondée en 1642, fut d'abord un centre de commerce des fourrures. Au XIXe s., des condamnés politiques y furent déportés.

IALOMIȚA ou **JALOMITA**. *n. f.* ♦ Riv. de Roumanie, affl. de la r. g. du Danube* (414 km). Née dans les Alpes de Transylvanie, elle reçoit la *Prahova* et irrigue la plaine de Bărăgan (Valachie).

IALTA. ♦ V. YALTA.

Ïambes *(les)*. ♦ Satire lyrique qu'André Chénier* composa dans sa prison, avant de monter à l'échafaud. Abandonnant l'imitation antique, il se répand en sarcasmes vengeurs contre les « bourreaux barbouilleurs de lois » de la Terreur et, en cent vers martelés et véhéments, revendique la « Justice » et la « Vérité ».

IAPYGIE. *n. f.*, en grec et en lat. **Iapygia**. ♦ Région de l'Italie anc. dans l'Apulie*, formant l'extrémité orientale de la péninsule Italique (auj. en Calabre*). Peuplée au ~ Ve s. par un groupe ethnique originaire d'Illyrie* qui eut pour centre Tarente*, elle fut plus tard occupée par les Grecs et désignait souvent dans l'Antiquité toute l'Apulie grecque.

IAROSLAVL'. ♦ V. de l'U.R.S.S. (R.S.F.S. de Russie), ch.-l. de la région du même nom (36 300 km², 1 398 000 hab.), sur la Volga* (r. d.). 517 000 hab. Nombreux monuments religieux. Port fluvial. Carrefour ferroviaire. Centre industriel important, à proximité de la région industrielle centrale. Raffinerie de pétrole reliée par pipe-line à Gorki. Combinat de caoutchouc synthétique, pneumatiques. Industries textiles, métallurgiques et surtout chimiques. — Patrie de Kouzmine*. Dans la région est né Tolboukhine*. ♦ *Hist.* Fondée en 1026 par Iaroslav Vladimirovitch (voir *ci-dessous*), la ville, après avoir fait partie de la principauté de Rostov*, se rendit indépendante en 1252, puis accepta la suzeraineté des grands-ducs de Moscou* en 1463. Centre commercial important dès le XVIe s., elle fut la première métropole du textile de Russie au XVIIIe siècle.

IAROSLAV VLADIMIROVITCH le Sage. ♦ (978 — Vyssogrod, 1054). Prince de Novgorod (1015) et grand-prince de Kiev* (1019-1054). Fils de Vladimir* Ier, il vainquit son frère Sviatopolk, s'établit à Kiev en 1019 et devint souverain unique (1036) à la mort de son frère Mstislav, avec qui il avait partagé le pays. Sous l'impulsion de Iaroslav, l'empire de Kiev, à l'apogée de sa puissance, s'étendait jusqu'à la Baltique. Kiev, embellie de somptueux monuments (cathédrale Sainte-Sophie, Kievo-Petcherskaïa Lavra), était considérée comme la seconde ville de l'Europe (après Constantinople), et l'empire, allié de nombreux souverains européens par le mariage des enfants de Iaroslav (dont Anne, épouse du roi de France Henri* Ier), un des plus puissants États d'Europe. Premier législateur des Russes (code de justice), il instaura un droit de succession qui plongea le pays dans de continuelles luttes fratricides, précipitant la dislocation de l'État.

Coll. Viollet

D. Ibarruri, dite la Pasionaria, en 1935.

IAŞI ou **JASSY.** ♦ V. de Roumanie, en Moldavie*. Ch.-l. de région sur le Bahlui, affl. du Prut. 195 000 hab. Évêché catholique. Université. Riche en monuments religieux du XVIIe s. (églises des Trois-Hiérarques, de Golia, monastères de Cetatuia et de Galata), la ville est depuis le XVIe s. un grand centre culturel. Les indus. pharmaceutiques, textiles et alimentaires sont les plus développées. ♦ *Hist.* Mentionnée dès 1408, Iaşi fut l'anc. cap. de la Moldavie* jusqu'à la réunion de celle-ci avec la Valachie (1859). Le *traité de Jassy* (1792), qui mit fin à la guerre turco-russe (1787-1792), donnait à la Russie la Crimée et le littoral de la mer Noire jusqu'au Dniestr. Le gouvernement roumain y eut son siège lors de l'occupation de Bucarest par les troupes allemandes (1917-1918).

IAXARTES. *n. m.* ♦ Nom grec du fl. Syr*-daria.

IAZYGES. *n. m. pl.* ♦ Peuple sarmate établi au ~ Ier s. en Russie méridionale puis entre les Carpates et le Danube. Les Iazyges, refoulés par les Alains* (50), envahirent la Pannonie* et furent soumis par Marc* Aurèle en 175 avec les Quades* et les Marcomans*.

IAZYKOV (Nicolas Mikhaïlovitch) [*Jazykov*]. ♦ Poète russe (Simbirsk, 1803 – Moscou, 1846). De sa joyeuse vie estudiantine à Dorpat il a laissé des poésies dans le genre anacréontique. Puis, toujours habile à manier les mots, il écrivit des poèmes d'une grande force verbale : *La Muse* (1823), *Le Serment* (1825), *Le Nageur* (1829), *Une cascade* (1830), *Au Rhin* (1840). Gogol a dit de lui : « Il est maître de sa langue comme un Arabe de son fougueux coursier. »

IBADAN. ♦ Métropole de la région O. du Nigeria*, ville champignon développée par la présence anglaise. Env. 1 000 000 hab. Université. Centre administratif, commercial et agricole au cœur de la région du cacao. Indus. alimentaires. Manufacture de tabacs.

IBADITES. *n. m. pl.* ♦ Membres d'une secte khârijite* dont le nom vient de 'Abd Allâh ibn *Ibâd,* docteur musulman de la fin du VIIe siècle. **V. Kharijites.**

IBAGUÉ. ♦ V. de Colombie, ch.-l. du dép. de Tolima (22 395 km². 915 800 hab.), située dans la Cordillère centrale à 1 320 m d'alt. 163 000 hab. env. Évêché. Centre commercial (café).

IBÁÑEZ (Blasco). ♦ V. BLASCO IBÁÑEZ.

IBÁÑEZ de IBERO (Carlos, *marquis de* **Mulhacén).** ♦ Général et géophysicien espagnol (Barcelone, 1825 – Nice, 1891). Il fit des travaux de topographie en Espagne et participa avec F. Perrier* au rattachement géodésique de l'Afrique du Nord à l'Europe.

IBARAKI. ♦ Préf. du Japon, au N.-E. de Tôkyô. Ch.-l. Mito*.

IBARAKI. ♦ V. du Japon, à 20 km au N.-E. d'Ôsaka. 153 000 hab. Centre industriel.

IBARRURI (Dolorès, dite **La Pasionaria).** ♦ Militante espagnole (née en 1895). Député aux Cortes, membre du parti communiste et partisan de la lutte à outrance, elle fut un remarquable orateur. Elle galvanisa par ses mots d'ordre la résistance républicaine. Elle se réfugia à Moscou après la chute de la République espagnole.

IBB. ♦ V. du Yémen du Nord, ch.-l. de prov., située au N. de Taïz*. – *Province d'Ibb* (6 districts).

IBÈRES. *n. m. pl.* ♦ Peuple établi dans une partie de l'Espagne à l'époque de la conquête romaine. Peut-être descendants d'un des peuples* de la Mer, les Ibères s'installèrent en Europe occidentale sans doute à l'époque néolithique, des îles Britanniques à l'Italie (**V. Sicanes**) et à l'Espagne. Le centre de leur civilisation fut la région d'Almeria* (Andalousie). De là, ils s'étendirent vers la vallée de l'Èbre* et l'Aquitaine*. Le mélange des races, à la suite de l'invasion des Celtes* (v. ~ 500), donna naissance au peuple des Celtibères*.

IBÉRIQUE *(péninsule).* ♦ Partie S.-O. de l'Europe, partagée entre le Portugal à l'O. et l'Espagne à l'E. **V. Espagne, Portugal.**

IBÉRIQUE *(chaîne* ou *cordillère).* ♦ Chaîne montagneuse de l'Espagne centrale, longue de 1 400 km orientée N.-O.–S.-E. et séparant le bassin de l'Èbre du plateau de Castille. Elle est formée des *sierras* de Demanda (2 262 m), de Urbión (2 260 m) et del Moncayo (2 316 m).

IBERT (Jacques). ♦ Compositeur français (Paris, 1890 – *id.,* 1962). Lauréat du concours de Rome (1919), il rapporta d'un long périple aux rivages méditerranéens des ouvrages remarquables par la solidité de leur construction (*Ballade de la geôle de Reading,* 1920; *Persée et Andromède,* opéra, 1921) et la fraîcheur de leur coloris (*Escales,* 1922). La même élégance d'écriture et un grand souci de clarté se retrouvent dans une œuvre abondante qui, à l'exception de la musique religieuse, a abordé tous les genres : l'opéra bouffe (*Angélique,* 1926; *Le Roi d'Yvetot,* 1927), l'opérette (*Les Petites Cardinal,* 1938) et l'opéra (*L'Aiglon,* 1937), ces deux derniers ouvrages en coll. avec A. Honegger; le ballet (*Diane de Poitiers,* 1934; *Le Chevalier errant,* 1936: *Les Amours de Jupiter,* 1947). On doit encore à J. Ibert des œuvres de musique de chambre *(Sonatine, quintette, quatuor),* de scène et de film, ainsi que des mélodies. Il fut directeur de la Villa Médicis (1936-1961) et membre de l'Institut (1956).

IBERVILLE (Pierre Le Moyne d'). ♦ **V.** LE MOYNE D'IBERVILLE.

IBIZA. ♦ La plus occidentale des 3 grandes îles de l'archipel espagnol des Baléares. 572 km². 36 000 hab. *Ch.-l. :* Ibiza (12 300 hab.). L'île vit de cultures méditerranéennes et surtout de tourisme. Marais salants.

IBN ABÎ ZAR' AL-FÂSÎ. ♦ Historien arabe ([mort] après 1324). Il écrivit une *Histoire des dynasties du Maghreb et de la ville de Fès* (jusqu'en 1324).

IBN AL-ATHIR (Majd al-Din). ♦ Écrivain arabe (1149 – Mossoul, 1210). Son *Kitâb al-Nihaya* (« Livre de l'Ultime ») est un dictionnaire qui explique les termes obscurs des *hâdith*.* Il écrivit aussi un dictionnaire des noms de famille, *Kitâb al Murassa.*

IBN AL-ATHIR (Abû al-Hasan). ♦ Historien arabe (1160 – Mossoul, 1234). Son ouvrage principal est *Al-Kâmil, fi al-Târkh* («Le Parfait dans l'histoire»). Son *Usud al-Ghaba* («Les Lions de la forêt ») est un recensement de 7 500 compagnons *(Sâhib)* du Prophète.

IBN AL-ATHIR (Diya al-Dîn). ♦ Critique littéraire arabe (1163 – Baghdâd, 1239). Il est l'auteur d'un livre de rhétorique, *Kitâb al- Mathal* (« Le Livre de l'exemple »).

IBN AL-FARID (Sharaf al-dîn Abû Hafs). ♦ Poète arabe (Le Caire, 1182? – *id.,* 1235), considéré comme le plus grand poète arabe du mysticisme *sufî* (**V. Soufisme**). Il abandonna ses études de droit et se réfugia aux monts Muqattam pour y mener en solitaire une vie religieuse. Son poème le plus célèbre est le *Nadhm al-Sulûk* (« Composition des conduites ») où, en 761 couplets répétant la même rime, il développe le thème du désir mystique de s'assimiler à l'esprit de Mahomet*, première projection de l'éternelle sagesse divine.

IBN AL-HAYTHAM (Abû 'Alî Muhammad ibn al-Hasan), dit aussi **Alhazen.** ♦ Mathématicien, physicien et philosophe arabo-islamique (Basra, 965 – Le Caire, 1039). Surnommé «Ptolemaeus Secundus», il est l'auteur de nombreux traités scientifiques : un *Traité des courbes géométriques,* un *Traité d'optique* qui donne une description exacte de l'œil et analyse le phénomène des réfractions atmosphériques. Il élabora en astronomie un système pseudo-ptolémaïque de neuf orbes homocentriques, ouvrant la voie à la cosmologie des neuf ou dix «cieux» concentriques, très prisée au Moyen Âge.

IBN AL-KHATÎB (Lisân al-Dîn Muhammad). ♦ Historien et homme politique arabe (Grenade, 1313 – Fès, 1374). Il écrivit une *Histoire de Grenade* et une *Histoire des souverains du Maghreb.*

IBN AL-WARDÎ (Zayn al-Dîn). ♦ Écrivain arabe (Ma'arat al-Nu'mân, 1290 – Alep, 1349). Il écrivit des poésies, un traité historique ainsi que des commentaires philosophiques et juridiques.

IBN ARABI (Muhyi al-Dîn Abû 'Abd-Allah Muhammad ibn 'Alî ibn Muhammad). ♦ Philosophe et mystique musulman (Murcie, 1165 – Damas, 1241). Après avoir étudié la philosophie et le sûfisme en Andalousie (où il connut peut-être certains aspects de l'ésotérisme shî'ite), il quitta définitivement l'Occident pour l'Orient (Arabie, Égypte, Palestine) et se fixa à Damas. Sa pensée se présente comme un monisme ontologique et théologique, les créatures étant des épiphanies, des manifestations de l'Unité divine. Ses œuvres principales développent ce thème : *Dîwân Tarjumân al-ashwâq,* « L'Interprète des ardents désirs »; *Kitâb al-tajal-liyât al-ilâhiyya,* « Livre des théophanies divines »; *Kitâb fusûs al-hikam,* « Livre des gemmes de la sagesse », où il étudie l'histoire des prophètes à la lumière de sa doctrine. **(V. Soufisme.)**

IBN BÂDJDJA ou **BÂJJA (Abû Bakr Muhammad ibn Yahyâ**

ibn al-Sâygh-). ♦ Philosophe et médecin arabo-islamique [connu au Moyen Âge sous le nom d'Avempace] (Saragosse, *fin* XIe siècle — Fès, 1138). Il exerça la médecine à Séville, Grenade puis Fès, où il mourut vraisemblablement empoisonné. Il est l'auteur de commentaires d'Aristote et surtout du *Guide* (ou Régime) *du solitaire (Tadbir al-mûtawahhid)* où il décrit et analyse les degrés de l'élévation de l'homme vers Dieu.

IBN BATTÛTA (Abû 'Abd Allâh Muhammad ibn 'Abd Allâh). ♦ Géographe et historien arabe (Tanger, 1304 — Fès, 1377). Grand « voyageur de l'Islâm », il a fait rédiger par son secrétaire Ibn Juzay son *Rihla* (relation ou journal), où il décrit les contrées qu'il a traversées (Arabie, Asie Mineure, Russie, Inde, Chine, Espagne, Sahara, Soudan) et les mœurs de leurs habitants. Même si certains ont pu le soupçonner de ne pas avoir visité tous les pays dont il parle, et si ses récits contiennent quelques erreurs, son *Rihla* constitue une source précieuse de renseignements géographiques et reste un important document historique.

IBN DURAID (Abû-Bakr Muhammad ibn al-Hassan). ♦ Écrivain arabe (Basra, 837 — Baghdâd, 934). Il rédigea le premier dictionnaire arabe depuis celui d'al-Khalîl : le *Jamhara fi al-lugha.* Dans son *Kitâb al-Ishtiqâq,* il procéda à une analyse d'étymologie arabe sur les noms des tribus. Son recueil de nouvelles, où l'histoire et la légende sont combinées dans une prose assonancée au style emphatique, préfigure le genre du maqâmâ*.

IBN FADLAN (Ahmad). ♦ Voyageur et géographe arabe d'Iraq, du Xe siècle. Il fit partie d'une ambassade envoyée par le khalife de Baghdâd (921); celle-ci atteignit l'embouchure de la Volga. Ibn Fadlan fut ainsi un des premiers au Moyen Âge à décrire la Bulgarie et la Russie, et les mœurs de leurs habitants (*Risâla,* relation ou rapport de voyage).

IBN GABIROL. ♦ V. AVICEBRON.

IBN HAJJÂJ. ♦ Poète arabe ([mort] 1000). Il composa plusieurs panégyriques et satires. Mais il est surtout célèbre comme poète libertin s'exprimant dans la langue des truands.

IBN HANBAL (Ahmad ibn Muhammad). ♦ Théologien arabo-musulman (Baghdâd, 780 — *id.,* 855). Rejetant tout raisonnement et toute recherche personnelle (al-ijtihâd) en matière religieuse, il prônait l'acceptation et la fidélité à la tradition *(naql).* Il fut emprisonné quand le mu'tazilisme* fut déclaré doctrine officielle. Sous al-Mutawakkil* (IXe s.), il acquit une célébrité posthume qui fit de lui le fondateur de l'un des quatre rites de l'islâm orthodoxe.

IBN HAUQAL. ♦ Voyageur arabe (mort en 977). Ayant voyagé partout dans le monde musulman, il présenta une enquête très approfondie sur les itinéraires, les hôtelleries, l'état industriel et agricole, le climat, les sectes, les religions et l'état moral de chaque région.

IBN HAZM (Abû Muhammad 'Alî). ♦ Théologien, philosophe et poète arabe (Cordoue, 993 — Badajoz, 1064). Ses sympathies pour les 'Umayyades* lui valurent tour à tour d'occuper de hauts postes politiques et d'être contraint à l'exil et même emprisonné. Ayant abandonné la politique, il s'adonna à la théologie et au droit; mais ses opinions attirèrent les soupçons et l'hostilité des théologiens « orthodoxes » qui lui interdirent d'enseigner à la grande mosquée de Cordoue et firent publiquement brûler ses livres à Séville. De ses œuvres, il ne reste que quelques traités, une *Histoire des idées religieuses (Kitâb al-Fiçal)* et un traité de psychologie amoureuse *Le Collier de la colombe (Tawq al-Hamâma)* ou *De l'amour et des amants.*

IBN ISHÂQ (Muhammad). ♦ Historien arabe (mort v. 768). Il écrivit la source la plus importante sur la biographie du prophète Mahomet*, *Kitâb Sîrat Rasûl Allâh* (« Livre de la vie de l'Envoyé de Dieu »). Critiquant cet ouvrage, les écrivains arabes ont douté de l'exactitude des faits qui y sont rapportés.

IBN JUBAYR (Abû al-Hussayn). ♦ Voyageur arabe d'Espagne (Valence, 1145 — 1217). Il étudia à Grenade et devint secrétaire du gouverneur almohade* de cette ville. En 1183-1185, il fit son premier pèlerinage à La Mecque en passant par Alexandrie, longeant le Nil et traversant la mer Rouge. Il retourna en Espagne par l'Iraq, la Syrie et la Sicile. Ses notes de voyage sont une des plus importantes sources d'information sur le monde musulman de la fin du XIIe siècle.

IBN KHALDÛN (Abû Zayd Abd ar-Rahman ibn Muhammad). ♦ Historien et philosophe arabe (Tunis, 1332 — Le Caire, 1406). Il vécut d'abord en Andalousie et en Afrique du Nord. Ses missions politiques au service du sultan Hafside* (Abû Ishaq II), puis Marinide* (Abû Inan) lui valurent bien des péripéties. Après le meurtre de son frère (Yahya), il se rendit en Égypte où il devint grand qadhî (cadi) Malikite* du Caire (trois fois nommé puis démis). Il voyagea en Palestine, rencontra Timûr Lang (Tamerlan) à Damas (1401). Son œuvre principale, *Kitâb al-'Ibar* (« Livre des considérations sur l'histoire des Arabes, des Persans et des Berbères »), est précédée d'une « Introduction » — *Muqaddima* —, qui fait d'Ibn Khaldûn non seulement un historien capable de définir les méthodes de sa science, mais aussi un précurseur de la sociologie et un philosophe de l'histoire.

IBN KHALLIKAN (Shams al-Dîn Ahmad ibn Muhammad). ♦ Écrivain arabe (Irbil, Kurdistân, 1211 — Damas, 1282). Il étudia le droit à Mossoul, Alep et Damas, et fut nommé *Qadhî* (juge) au Caire et à Damas. Il composa un important dictionnaire biographique, *Wafayat al-a'yân,* comprenant tous les personnages célèbres de l'histoire arabo-musulmane, excepté Muhammad (Mahomet), ses compagnons et les califes, sur qui une littérature abondante existait déjà.

IBN KHURDADHBAH (Abû l-Qâsim 'Ubayd Allâh ibn 'Abd Allâh, connu sous le nom de**).** ♦ Géographe musulman d'origine persane, du IXe s. ([mort] av. 885). Son ouvrage porte le titre *Les Routes et les Royaumes (al-Masâlik wa al Mamâlik),* souvent repris après lui. Divisé en sept parties, il comporte un exposé de théories cosmographiques (sans doute reprises de Ptolémée), une description de Baghdâd et des itinéraires de l'Orient, de l'Occident, du Nord et de l'Arabie.

IBN MASARRA. ♦ Philosophe musulman (Cordoue, 883 — 931). Soupçonné d'athéisme, il quitta l'Espagne, se rendit entre autres à La Mecque et Médine avant de revenir à Cordoue. Sa philosophie, exposée dans *Kitâb al-tafsîra* (« Livre de l'explication pénétrante »), accorde une place importante à l'idée néo-platonicienne d'émanation à partir du Principe premier. On a parfois noté chez lui l'influence d'Empédocle* et de la gnose de Priscillien*.

IBN MISJAH. ♦ Musicien arabe de la seconde moitié du VIIe siècle. Esclave noir, né à La Mecque, il subit l'influence persane et syrienne, et renouvela l'art musical. Ibn Surayj et Ibn Muhriz furent ses continuateurs.

IBN MISKAWAYH. ♦ Historien et moraliste arabe (mort v. 1030). Il écrivit *L'Expérience des nations* où il tire un enseignement moral des faits historiques. Son ouvrage la *Réforme des mœurs* est un traité de maximes inspiré des pensées grecque, hindoue et persane.

IBN MUQAFFA' (Abd-Allah). ♦ Écrivain arabe (v. 721 — Basra, 757). D'origine persane, converti à l'islâm, accusé d'être resté manichéen *(Zindiq),* il fut exécuté en 757. Il fut un grand traducteur d'œuvres persanes en arabe, notamment des *Fables* de Bidpai* à travers un texte pehlvi, sous le titre de *Kalila wa Dimna.* Cette traduction fait d'Ibn Muqaffa' un des premiers grands prosateurs arabes.

IBN NADÎM. ♦ Écrivain arabe (Xe s.). Fils d'un libraire de Baghdâd, il composa un catalogue biobibliographique (*Fihrist,* 987) important pour la période classique de la pensée arabe. Cet ouvrage réunit tous les grands auteurs arabes et persans d'expression arabe. Chaque matière est traitée dans un chapitre autonome : grammaire et philologie, traditions *(Hâdith*),* généalogie et chroniques, poésie, scolastique, jurisprudence, philosophie, mathématiques, géométrie, astronomie, mécanique, légendes et fables, sciences occultes et prestidigitation, mythes et religions non islamiques. Ce document fournit de précieuses informations sur les ouvrages disparus.

IBN NAFIS. ♦ Médecin arabe (Damas, 1210 — Le Caire?, 1288). Chef d'un célèbre hôpital du Caire, il découvrit, avant Michel Servet*, la petite circulation sanguine (ou pulmonaire). Il est l'auteur de plusieurs traités de méd., dont un *Commentaire du « Canon de la médecine »* d'Avicenne.

IBN QUTAYBAH (Abû Muhammad 'Abd-Allah). ♦ Écrivain arabe (Kûfa, 828 — Baghdâd, v. 899), philologue, théologien et historien. Son *Adab al-Kâtib* (« Manuel du secrétaire ») est un abrégé de l'usage de l'arabe. Dans son *Kitâb al-shi'r wa al-shu'arâ* (« Livre de la poésie et des poètes »), il expose les règles de la critique illustrées par des exemples. Dans *Uyûn al-Akhbâr* (« Les Sources de l'information »), il traite de diverses qualités morales telles que l'autorité, la noblesse, le courage, l'éloquence, l'amitié, éclairées par des proverbes, des exemples historiques et des citations poétiques. Son *Kitâb al-Ma 'ârif* (« Livre des connaissances ») est un ouvrage historique. Dans ses écrits théologiques, il prône une doctrine orthodoxe qui se fonde sur *al-Hadîth** comme unique source d'autorité dans la jurisprudence islamique.

IBN RUSHD. ♦ V. AVERROÈS.

Ph. Cauboue

Ibn Nafis : page d'un traité de médecine.
Art musulman XIIIe s. (Bibliothèque nationale, Paris.)

Ph. Hétier

Mosquée **Ibn Tûlûn** au Caire.

IBN RUSTIH (Abû 'Ali Ahmad ibn 'Umar, connu sous le nom **de).** ♦ Savant musulman d'origine persane, du IXe s. ([mort] après 903). Auteur d'une encyclopédie, *Les Bijoux précieux (al-A'lâq an-nafîsa),* dont seule la dernière partie traitant de cosmographie et de géographie nous est parvenue.

IBN SÉOUD *(Ibn Sa'ûd).* ♦ V. 'ABD AL-'AZÎZ IBN SA'ÛD, et SA'ÛD. V. *aussi* **Arabie Sa'udite.**

IBN SHUHAÏD. ♦ Poète arabe (mort en 1034) de la cour des princes de Cordoue*. Il écrivit une épître où il décrit la visite des poètes et écrivains conduits par un poète antéislamique dans des régions habitées par les djinns. Ce cadre imaginaire lui permet de réaliser un pamphlet littéraire en émettant une opinion personnelle sur les écrivains et leurs mérites.

IBN SINÂ. ♦ V. AVICENNE.

IBN TÂSHFÎNE (Yûssuf). ♦ Premier souverain almoravide* (? – 1106). Il fonda Marrakech* en 1062, conquit le Maroc et le Maghreb central jusqu'à Alger. À l'appel d'Al-Mu'tamid de Séville, il combattit victorieusement les chrétiens. **V. Almoravides.**

IBN TAYMIYA. ♦ Docteur hanbalite* (mort en 1328). Il écrivit un traité de droit public. Il fut persécuté quand il essaya de mobiliser les Damasquins contre l'occupation mongole. Il combattit violemment les ash'arites* et les mystiques.

IBN TUFAYL (Abû Bakr Muhammad ibn 'Abd al-Malik, connu au Moyen Âge sous le nom d'**Abûbacer).** ♦ Savant et philosophe arabe (Cadix, *déb.* XIIe s. – Marrakech, 1185). Contemporain et ami d'Averroès*, il avait comme lui une culture encyclopédique. Après avoir été secrétaire du gouverneur de Grenade, il fut le vizir et le médecin en même temps que l'ami du souverain Almohade Abû Ya'qûb Yûsuf au Maroc. Il est surtout célèbre par son roman philosophe d'inspiration parfois avicennienne *Havy ibn Yaqdhân* (en lat. *Philosophus autodidactus*).

IBN TÛLÛN (Ahmad). ♦ Fondateur de la dynastie des Tûlûnides* d'Égypte (835 – Antioche, 884). Fils d'un esclave turc, il obtint du calife 'abbâsside* la direction de la province égyptienne. Il étendit son pouvoir sur la Syrie et la Tripolitaine et se libéra de la tutelle du calife grâce à la puissance de son armée composée d'esclaves turcs et noirs. Investissant en Égypte même les sommes habituellement destinées au trésor de Baghdâd, il ouvrit une période de grand essor économique et culturel. Il construisit à Fustât (le vieux Caire) une des plus belles mosquées de la ville, qui porte toujours son nom.

IBN TÛMART (Muhammad). ♦ Mahdi des Almohades (Idjlien-Warrhân, Maroc, entre 1077 et 1087 – 1130). **V. Almohades.**

IBN WÂSIL (Jamâl al-Dîn Muhammad). ♦ Savant musulman (Hamâh, 1207 – *id.,* 1298). Appelé au Caire par Baybars*, il fut envoyé en ambassade en Sicile auprès de Manfred, fils de Roger* II. Il rédigea pour lui un *Traité de logique.* Il écrivit une *Histoire des Ayyûbides** ainsi qu'une relation de son ambassade.

IBN YASSÎNE ('Abd Allâh). ♦ Chef spirituel des Almoravides ([mort] 1059). **V. Almoravides.**

IBN YÛNUS ('Ali ibn 'Abd al-Rahmân). ♦ Astronome arabe (Le Caire, v. 979 – 1009). Auteur d'observations sur le Soleil, la Lune et les planètes, il prépara des *Tables hakimites* (1007) demeurées très longtemps en usage et qui servirent pour l'établissement des grandes Tables alphonsines (1252). **V. Alphonse X de Castille.**

IBN ZAYDÛN (Abû al-Walîd Ahmad). ♦ Poète arabe d'Espagne (Cordoue, 1003 – Séville, 1071). Issu d'une illustre famille, il est surtout connu par ses poèmes d'amour désespéré, adressés, de sa prison, à Wallada, fille d'un calife 'umayyade et poétesse.

IBO(S). *n. m. pl.* ♦ Peuple noir qui forme la majorité de la population du Nigeria* oriental (Biafra).

IBRÂHÎM. ♦ Forme arabe de *Abraham.*

IBRÂHÎM Ier (ibn al-Aghlab). ♦ Gouverneur de l'Afrique du Nord et fondateur de la dynastie des Aghlabides* (mort à Kairouan, 812).

IBRÂHÎM ÂDIL SHÂH. ♦ Sultan musulman indien de Bijapûr qui régna de 1535 à 1557. Il vainquit une coalition des autres États musulmans du Dekkan en s'alliant avec l'empire hindou de Vijayanagar*.

IBRÂHÎM LODÎ. ♦ Sultan de Delhi (Inde) qui régna de 1517 à 1526. Il fut le dernier souverain afghân de Delhi de la dynastie des Lodî*, et fut battu par Bâbur* à Panipat en 1526.

IBRÂHÎM QUTB SHÂH. ♦ Sultan musulman indien de Golconde* (Inde) qui régna de 1550 à 1580. Il embellit sa capitale et, en 1565, allié aux autres royaumes musulmans du Dekkan, abattit la puissance de l'empire hindou de Vijayanagar*.

IBSEN (Henrik). ♦ Poète et auteur dramatique norvégien (Skien, 1828 – Christiania, 1906). Une enfance et une adolescence difficiles, dues à la pauvreté de ses parents, donnèrent à Ibsen le goût de la révolte et l'amour de la liberté. Dès 1848, il publia des poèmes dédiés aux peuples asservis, et en 1850 parut sa première pièce, un drame historique sur le même thème : *Catilina.* Après quelques drames qui n'ont pas retenu l'attention, il écrivit en 1856 une charmante comédie, *La Fête à Solhaug;* en 1857, le drame tragique *Madame Inger de Ostraat,* et enfin en 1863 le célèbre drame historique *Les Prétendants à la couronne (Kongsemnerne)* dont l'action se déroule dans la Norvège du XIIIe s. déchirée par les guerres civiles. La même année, l'armée prussienne écrasa le Danemark abandonné par la Suède et la Norvège, et Ibsen, furieux et honteux devant cette défaite, lui qui avait toujours proclamé l'unité des trois pays scandinaves, quitta la Norvège pour n'y revenir qu'en 1891. C'est à Rome qu'il écrivit alors ses deux plus grandes pièces, des drames vengeurs : *Brandes** (1866) et *Peer* Gynt* (1867). En 1873, il écrivit son dernier drame historique et philosophique sur Julien l'Apostat : *Empereur et Galiléen.* Puis, sous l'influence de Brandes* qui agitait les esprits par ses idées radicales, il se mit à écrire des pièces à thèse, « soumettant les problèmes à la discussion ». Ainsi parurent successivement *Les Soutiens de la société* (1877) où il voulut briser les liens dont la société entrave l'individu, *Maison* de poupée* (1879) où il traite les thèmes de l'égoïsme masculin et de la libération de la femme, *Les Revenants* (*Gengangere,* 1882) où il attaqua avec violence le conformisme et les traditions, *Un ennemi du peuple (En Folkefiende,* 1882) où il met en scène un homme isolé qui lutte contre l'oppression. Peu à peu, Ibsen se découragea et son intransigeance devint pitié et sa morale mysticisme dans *Le Canard sauvage* (1884). Puis son pessimisme prit le dessus avec *Rosmersholm* (1886), *La Dame de la mer* (1888), *Hedda* Gabler* (1890), *Solness le Constructeur* (1892), *Petit Eyolt* (1894), *John Gabriel Borkman* (1894), jusqu'à sa dernière pièce : *Quand nous nous réveillerons d'entre les morts* (1899), dans laquelle il demande : « Que verrons-nous alors ? » et répond : « Que nous n'avons jamais vécu. » Théâtre d'idées, théâtre d'action, l'œuvre d'Ibsen a fait de lui le plus grand dramaturge norvégien et l'une des plus grandes figures de l'histoire du théâtre.

IBYCOS, en gr. **Ibukos.** ♦ Poète et musicien grec (Rhegion, Calabre, ~ VIe s.). Disciple de Stésichore* dont il imita la langue et les mètres, il composa des hymnes épiques et lyriques. Vivant ensuite à la cour de Polycrate, tyran de Samos, il y écrivit des panégyriques, œuvres de courtisan, qui contiennent cependant des moments de passion amoureuse ou d'évocation de la nature. Il nous reste de lui une centaine de vers qui lui valurent le titre d'inventeur de l'*encomion.*

ICARE, en gr. **Ikaros.** ♦ Fils de Dédale*, enfermé avec lui dans le Labyrinthe par Minos. Évadé avec son père grâce aux ailes que celui-ci fabrique, il vole imprudemment si près du Soleil que la cire attachant les ailes sur ses épaules fond. Il tombe alors et s'abîme dans la mer qui, depuis, porte son nom.

ICARIE [*n. f.*], en gr. **Ikaria.** ♦ Île grecque de la mer Égée*, à l'O. de Samos*. 255 km². 9 040 hab. *Ch.-l.* Hagios Kérykos, sur la côte sud. Sources thermales. Selon la tradition, Icare, s'étant noyé près de ses côtes, donna son nom à la mer qui entoure l'île et à l'île elle-même.

ICAZA (Jorge). ♦ Écrivain équatorien (1906 –). Il est un des représentants de l' « indigénisme ». Ses romans, *Huasipungo* (1934), *Sangs mêlés* (1936), décrivent la misère des Indiens opprimés par la cupidité des Blancs.

I-CH'ANG [*Yichang, Yi-tch'ang*]. ♦ V. de Chine (prov. du Hu-pei) sur le Yang*-tsê kiang et important port fluvial. 250 000 habitants.

ICHIHARA. ♦ V. du Japon (préf. de Chiba) sur la baie de Tôkyô. 144 000 hab. Port de pêche.

ICHIKAWA. ♦ V. du Japon (Honshû), dans la préf. de Chiba. 250 000 hab. Métallurgie, indus. de la laine.

ICHIM ou **ISHIM.** ♦ V. ISHIM.

I-Ching *(Yijing, Yi-king).* ♦ Un des « classiques » chinois, intitulé « Livre du changement », formé de formules hermétiques correspondant à soixante-quatre hexagrammes (ensembles de six lignes pleines ou brisées) correspondant au Yang et au Yin de chaque situation possible. Cet ouvrage fut très souvent commenté et est encore couramment utilisé pour la divination. Il est à l'origine de nombre de théories taoistes et confucéennes.

ICHINOMIYA. ♦ V. du Japon (Honshû, préf. de Aichi). 220 000 hab. Indus. textiles. Centre touristique.

ICONION ou **ICONIUM.** ♦ V. d'Asie Mineure (Phrygie),

l'actuelle *Konya**. Ravagée par les Cimmériens au ~ VIIe s., passée des Phrygiens aux Lydiens, puis aux Perses (fin du ~ VIe s.), elle fut hellénisée sous les Séleucides (~ IIIe s.) et fit ensuite partie du royaume de Pergame. Léguée aux Romains (~ 133), elle devint la cap. de la Pisidie, puis de la Lycaonie*. Visitée par saint Paul, ce fut un centre du christianisme primitif. Les Saljûqides la prirent en 1087 et en firent la cap. de leur sultanat. Lors de la troisième croisade*, elle fut prise et gardée pour quelque temps par Frédéric Barberousse. De l'époque Saljûqide datent les monuments musulmans et les fortifications qui subsistent à l'actuelle Konya.

Iconoclastes, *n. m. pl.* ♦ (Cf. Robert.) Chrétiens byzantins (VIIIe-IXe s.) opposés à toute représentation figurée, jugée idolâtrique, du Christ, de la Vierge, des saints. La crise iconoclaste ou *querelle des Images* connut deux phases : 726-787 et 815-843. La première débuta avec l'adhésion officielle (726) de Léon III l'Isaurien à l'iconoclasme et son édit de persécution (730) : déposition du patriarche Germain, exils, mises à mort; elle culmina sous Constantin* V Copronyme (« synode acéphale », 754) et ne s'éteignit qu'avec l'impératrice Irène (synode de 766) et le IIe concile de Nicée* (787) qui déclara les iconoclastes hérétiques. La crise reprit en 815 (concile de Sainte-Sophie) avec les empereurs Léon V et Théophile ; un synode y mit fin (Constantinople, 843). Les iconoclastes furent surtout les empereurs, l'épiscopat byzantin, l'armée ; leurs adversaires *(iconodules* ou *iconolâtres)*, surtout les moines, saint Jean* Damascène, saint Théodore* le Studite, la papauté **(V. Grégoire II, Grégoire III, Paul Ier, Étienne III, Adrien Ier).**

ICTINOS [*Iktinos*]. ♦ Architecte grec qui travailla à Athènes à l'époque de Périclès* (deuxième moitié du ~ Ve s.). Originaire du Péloponnèse, il fut peut-être élève de Libon d'Élée. Connu déjà pour la reconstruction du Télestérion (salle d'initiation aux mystères) d'Éleusis, il travailla en collaboration avec Callicratès* à la construction du Parthénon* (~ 447-~ 438) et conçut les plans de l'Odéon de Périclès. On lui attribue aussi le temple d'Apollon Épicourios à Bassae* de Phigalie (v. ~ 440). Modelant le Parthénon conformément à la conception plastique de Phidias*, grand maître du chantier de l'Acropole*, Ictinos sut répondre merveilleusement aux multiples problèmes de construction, d'optique, d'intégration du décor, etc., et n'hésita pas à mélanger des éléments d'ordres divers (dorique et ionique). Le sens de l'harmonie, de l'équilibre entre la finesse et la puissance n'est pas la moindre de ses qualités.

IDA. *n. m.* ♦ Chaîne des montagnes d'Asie Mineure (Mysie) limitant au S. et au S.-E. la plaine de Troie et la Troade*. La légende homérique plaçait sur le mont Ida le jugement de Pâris, l'enlèvement de Ganymède, le séjour des dieux qui s'intéressaient à l'affrontement entre Achéens et Troyens. Le Scamandre* y prenait ses sources. Auj. *Kaz Daği* (1 767 m).

IDA ou **PSILOREITIS** (« haute montagne »). ♦ Montagne de Crète*, la plus haute de la chaîne qui traverse l'île. 2 456 mètres. Vestige d'un autel devant la grotte dite *Idaion antron.* Dans la mythologie, l'Ida est liée aux légendes relatives à la naissance et à l'enfance de Zeus*. **V. Amalthée.**

IDAHO. *n. m.* ♦ État du N.-O. des États-Unis, dans les Rocheuses, entre le Montana, au N.-E., le Wyoming, à l'E., l'État de Washington et l'Oregon, à l'O., l'Utah et le Nevada, au Sud. 216 413 km². Env. 713 000 hab. *Cap.* **V. Boise.** *Autres villes :* Cœur d'Alene (14 000 hab.), Idaho Falls (33 000), Nampa (18 000), Pocatello (28 500), Twin Falls (20 000). — *Orogr.* La plus grande partie de l'État est située dans la zone hydrographique de la riv. Columbia, par son affl. la *Snake* River.* L'Idaho est formé par une série de formations montagneuses dont les plus importantes sont les *Clearwater Mountains,* les *Salmon River Mountains* qui forment un arc de cercle dans le centre de l'État, les *Lost River Mountains* avec le pic Borah (3 859 m) et la *Lehmi Range.* Au sud, la large vallée de la *Snake River,* constituée par des formations volcaniques (lave) et des fonds de lacs, est parcourue de profonds canyons. — *Écon.* Elle est basée sur les richesses minérales, notamment l'argent (1er prod. des États-Unis, principalement à Cœur d'Alene, dans le N.-O. de l'État), le bois et son industrie, l'agriculture (céréales, pommes de terre renommées, betteraves, etc.). Les indus. alimentaires (sucreries) et chimiques (phosphates) se développent. Le centre nucléaire d'Arco a été fondé après la Deuxième Guerre mondiale. — Université à Moscow. — Patrie d'Ezra Pound. ♦ *Hist.* Explorée par Lewis et Clark (1805), la région ne connut pas d'établissement permanent avant 1860 (Franklin). L'Idaho devint en 1890 le 43e État de l'Union, après avoir reçu une vague d'immigration due à la découverte des mines d'or (1860-1862). Malgré une vive résistance, les Indiens, combattus avec acharnement, furent exterminés ou réduits à merci (1877-1879).

Ph. Nino Cirani/Ricciarini

Idaho : plaine de lave à Gooding.

IDALION. ♦ Anc. V. de Chypre. Fondée par les Achéens, puis colonisée par les Phéniciens, elle fut consacrée à Aphrodite*. D'après la légende, Adonis* fut tué par un sanglier près de la ville.

IDAR-OBERSTEIN. ♦ V. d'Allemagne occidentale (Rhénanie-Palatinat, au pied du Hunsrück, de part et d'autre de la Nahe. 35 000 hab. Château en ruine ; église du XIe siècle. — Centre de la taille des pierres précieuses, de la bijouterie et de l'orfèvrerie.

IDELER (Karl Wilhelm). ♦ Médecin allemand (Benditsch, 1795 — 1850). Directeur du service des aliénés d'un hôpital de Berlin (la Charité), il a particulièrement étudié le rôle de l'agressivité dans les délires de persécution, la monomanie religieuse (1848-1850). *Éléments de psychiatrie* (1835-1838); *Manuel de psychologie judiciaire* (1857).

Idéologie allemande (L'). ♦ Cet ouvrage, rédigé par Marx* et Engels* en 1846 et publié en U.R.S.S. en 1932, est la « critique de la philosophie allemande la plus récente dans la personne de ses représentants Feuerbach*, B. Bauer* et Stirner* et du socialisme allemand dans celle de ses différents prophètes ». Marx et Engels y exposent les bases fondamentales du matérialisme historique, affirmant que la production des idées est déterminée par l'activité matérielle des hommes et que les pensées dominantes d'une époque sont celles de la classe économiquement dominante, l'expression idéale de sa domination.

Idéologues *(les).* ♦ Groupe de philosophes français de la fin du XVIIIe s. et du début du XIXe s. **(V. Cabanis, Destutt de Tracy, Volney).** Délaissant la métaphysique au profit des sciences de l'homme, ils poursuivirent la tradition de l'analyse psychologique de Condillac*, mais la modifièrent en la rattachant à la physiologie. Dans leurs études sur la formation des idées générales et de leurs relations, ils accordèrent une place importante à l'analyse du langage, la grammaire et la logique. Soucieux des applications pratiques de leurs idées, certains contribuèrent activement à la réforme de l'instruction publique après la Terreur. Ce mouvement intellectuel fut éclipsé en France par le succès de l'éclectisme spiritualiste **(V. V. Cousin)** lors de la Restauration, mais connut un certain succès auprès des milieux libéraux à l'étranger. (Aux États-Unis, le président Jefferson ; en Italie, des philosophes et juristes comme Delfico*, Gioia*, Romagnosi* et Soave*.)

IDFU. ♦ **V.** EDFOU.

IDHRA. ♦ **V.** HYDRA.

Idiot (L'). ♦ Roman de Dostoïevski* (1868). Le héros, le prince Mujchkine, est un être absolument pur à l'image du Christ. Sa simplicité et sa sincérité frôlent l'idiotie, il est de plus épileptique comme l'était Dostoïevski lui-même. La profonde et réelle compassion qu'il éprouve soit pour la belle Nastasia soit pour le terrible Rogojine a fait dire à Romano Guardini que dans *L'Idiot* se manifestait la « formidable intensité religieuse » du monde de Dostoïevski.

IDISTAVISO. ♦ Plaine de la Germanie ancienne bordant les rives de la Weser où Arminius*, chef des Chérusques, fut vaincu par Germanicus* en 16.

IDJIL *(Kedia d')* [« montagne de fer »]. ♦ Massif du Sahara* occidental (Mauritanie), proche de la frontière du Sahara espagnol. Fderik* se situe au pied de son versant O. et Zouerate* au N. Important gisement de minerai de fer.

Idlewild. ♦ Quartier de l'aggl. de New* York, dans le « borough » de Queens. L'aéroport international de New York (auj. aéroport John-Kennedy) y fut ouvert en 1948.

IDOMÉNÉE, en gr. **Idomeneus.** ♦ Roi légendaire de Crète* à l'ère achéenne, petit-fils de Minos et l'un des principaux héros de l'*Iliade**. L'*Odyssée* lui réserve un retour heureux, mais il en est autrement dans une tradition post-homérique : ayant juré à Poséidon de sacrifier la première personne qu'il rencontrerait à son retour, il doit immoler son fils, venu le premier pour l'accueillir. Banni par les Crétois horrifiés de cet acte, il se réfugie en Calabre, où il fonde Salente.

IDRIS Ier. ♦ Fondateur de la dynastie des Idrîssides*, à l'O. du Maghreb (mort à Oulili-Volubilis, près de Meknès, 792). Il fut empoisonné par un émissaire de Harûn* al-Rashid. **V. Idrîssides.**

IDRÎSÎ ou **EDRISI (Abû 'Abd Allâh Muhammad al-Hammûdi,** connu sous le nom d'**al-).** ♦ Géographe arabe (Ceuta, v. 1100 — Ceuta ou Sicile ?, v. 1166). Après des études à Cordoue, des voyages en Afrique du Nord, en Asie Mineure, en Espagne et en France, il fut appelé en Sicile par le roi Roger II pour lequel il réalisa une mappemonde en argent comportant la détermination des sept zones de

Arch. Smeets

Tête de femme. Art nigérien. Ancienne culture d'**Ife.** Terre cuite. (Museum für Völkerkunde, Berlin.)

latitude, ou climats, la position des continents et des mers; il rédigea ensuite un vaste ouvrage de géographie : *Divertissement de celui qui désire parcourir le monde (Nuzhat al-mushtâq fi'khtaraq al-afâq).*

IDRÎSSIDES. *n. m. pl.* ♦ Dynastie arabe se proclamant de 'Ali* (788-974). Fondée au Maroc par Idris Ier (mort en 792) après sa participation à la révolte de son neveu Hussaïn (786). Défait, il quitta l'Arabie et gagna l'Afrique du Nord où il fut accueilli par une tribu berbère du Maroc (788). Reconnu comme imâm*, il soumit plusieurs tribus juives et païennes; ensuite, il s'empara de Tlemcen (789). Il fonda la première ville de Fès*, sur la r. d. de la riv. Son fils posthume, Idrîs II ([mort] 828), s'y installa et y bâtit une ville nouvelle sur l'autre rive. Il mata une révolte à Tlemcen et réprima le Khârijisme*. Après sa mort, le royaume – partagé entre ses fils, livré aux guerres civiles, convoité par les 'Umayyades* d'Espagne et les Fâtimides* – s'effrita.

IDRUS. ♦ Poète indonésien (Padang, 1921). Représentant d'un important mouvement littéraire javanais après la dernière guerre, il est l'auteur de courtes nouvelles, des *Notes souterraines* (1946) et de livres de réflexions et de voyage *(De l'Ave Maria à l'autre route vers Rome).*

IDUMÉE. *n. f.* ♦ Nom ancien du pays d'Édom* au S. de la Judée (époque hellénistique et romaine).

IDUMÉENS. *n. m. pl.* ♦ Habitants de l'Idumée. **V. Édomites.**

Idylles (de Théocrite). ♦ Titre collectif de 30 poèmes (près de 2 000 vers), réunis après la mort de l'auteur. Ces compositions revêtent les formes des petits genres de la poésie alexandrine. Les *Idylles bucoliques* reproduisent des dialogues, des chansons, des défis poétiques de bergers, où sont illustrés la vie rustique, l'aspect de la nature et les légendes pastorales. Dans les *mimes* dramatiques ou lyriques, la vie urbaine, scènes de la rue, aventures et passions des petites gens, fournissent les sujets. *La Petite Épopée (épyllion)* puise dans la mythologie en faisant des héros et des dieux des personnages familiers. Poèmes d'amour, hymnes et éloges y ont aussi leur part. La langue des deux premiers genres est le dorien, égayé de particularités locales. Dans les poèmes d'amour, l'éolien évoque le lyrisme lesbien, tandis que dans les contes épiques abondent des expressions d'ionien homérique.

IEKATERINBOURG. ♦ Anc. nom de Sverdlovsk*.

IEKATERINODAR. ♦ Anc. nom de Krasnodar*.

IEKATERINOSLAV. ♦ Anc. nom de Dniepropetrovsk*.

IELETS. ♦ V. d'U.R.S.S. (R.S.F.S. de Russie) dans la région de Lipetsk. 130 000 hab. Indus. mécaniques et alimentaires. Artisanat de dentelles. Nœud ferroviaire.

IELGAVA, anc. en russe **Mitava,** en all. **Mitau.** ♦ V. d'U.R.S.S. (Lettonie*) sur la Lieloupe. 36 300 hab. (1959). Indus. textiles et alimentaires. Constructions mécaniques. Centrale thermique. ♦ *Hist.* Cap de la Courlande*, de 1562 à 1795, la ville abrite l'ancienne résidence des ducs de Courlande où le comte de Provence (futur Louis* XVIII) habita de 1798 à 1801, puis de 1804 à 1807.

IELISAVETGRAD. ♦ Anc. nom de Kirovograd*.

IELISAVETPOL'. ♦ **V.** KIROVABAD.

IÉNA, en all. **Jena.** ♦ V. d'Allemagne orientale (Thuringe, district de Gera), sur la Saale. 83 500 hab. Importante université fondée en 1558 et où enseignèrent Fichte, Hegel, Schelling, Schlegel et Schiller. Matériel de précision (optique, célèbres fabriques d'appareils photographiques), produits pharmaceutiques. ♦ *Hist.* Victoire remportée le 14 oct. 1806 par Napoléon sur les Prussiens commandés par le prince de Hohenlohe*. Le même jour, Davout* écrasait les troupes de Brunswick à Auerstedt. Ces victoires ouvrirent la route de Berlin que Napoléon atteignit le 27 octobre.

IENIKALE. ♦ Anc. nom de Kertch'*.

IENISSEÏ ou **YENISEI.** *n. m.* ♦ Riv. d'U.R.S.S. (R.S.F.S. de Russie), en Sibérie. 3 800 km. Formée par la confluence du *Grand Ienisseï* (Bii-Khem, né en Mongolie dans les monts Saïan*, 330 km) et du *Petit Ienisseï* (Ka-Khem), elle arrose la R.S.S. autonome de Touva*, puis le territoire de Krasnoïarsk et les villes de Minoussinsk*, Krasnoïarsk*, Iénisseïsk*, Igarka* et Doudinka* et se jette dans l'océan Arctique (mer de Kara). Ses princ. affl. sont l'Angara*, la Touba, les deux Toungouska* (r. d.); l'Abakan, l'Ielogouï et le Touroukhan (r. g.). Large de 10 à 20 km dans son cours inférieur, elle est navigable jusqu'à la ville de Minoussinsk (sur 3 300 km), de mai à octobre. Pêche. Centrale hydro-électrique à 35 km de Krasnoïarsk.

IENISSEÏSK. ♦ V. d'U.R.S.S. (R.S.F.S. de Russie), en Sibérie, sur l'Ienisseï*. 17 000 hab. (1959). Réparation de navires. Scieries. Maisons préfabriquées.

IEPER. ♦ Nom néerlandais de Ypres*.

IESSENINE. ♦ **V.** ESSENINE.

IEVTOUCHENKO. ♦ **V.** EVTOUCHENKO.

IF. ♦ Îlot calcaire dans la Méditerranée en face de Marseille*. Enceinte du XVIIe s. autour d'un château du XVIe siècle. Ce château d'If fut une prison d'État. Il fut rendu célèbre par le roman d'A. Dumas* *Le Comte de Monte-Cristo.*

IFE. ♦ V. du Nigeria* (rég. Ouest). 120 000 hab. Cap. religieuse du royaume Yorouba* qui connut son apogée au XIIIe s., puis fut éclipsée par Oyo* **(V. Bénin).**

IFFLAND (August Wilhelm). ♦ Acteur et directeur de théâtre allemand (Hanovre, 1759 – Berlin, 1814). Son œuvre d'auteur dramatique est moins à retenir que le rôle important qu'il a joué, à la tête du Théâtre national de Berlin, en faveur du drame bourgeois et des œuvres de Schiller et de Goethe.

IFNI *(enclave* ou *territoire d').* ♦ Territoire marocain, anc. enclave espagnole dans le sud du Maroc. D'abord concédée en 1860 à la France, elle fut cédée à l'Espagne **(V. Maroc espagnol)** après la convention de Fès (1912). Prov. espagnole en 1958, elle fut finalement rétrocédée au Maroc en 1969. **(V. Sidi-Ifni).**

I.F.O.P. ♦ Sigle de l'Institut français d'opinion publique, organisme privé effectuant des enquêtes par sondages en vue d'études de marché ou de recherches sociologiques.

IFORAS ou **IFOGHAS** *(Adrar des).* ♦ Massif cristallin des confins du Sahara*, au S.-O. du Hoggar, dans le N.-E. du Mali*, peuplé par des Touaregs* en partie sédentarisés. Élevage dans les vallées.

IFRÎQIYYA. *n. f.* ♦ Anc. nom arabe de la Tunisie et de l'Algérie orientale.

IGARKA. ♦ V. d'U.R.S.S. (R.S.F.S. de Russie) en Sibérie. Port fluvial sur l'Ienisseï* (accessible aux navires de l'océan Arctique). 30 000 hab. environ. Scieries. Conserveries de poissons.

IGHIL IZANE, anc. **Relizane.** ♦ V. d'Algérie, ch.-l. d'arr. du dép. de Mostaganem, située dans la plaine de l'oued Mina, au pied du versant O. de l'Ouarsenis*. 35 400 hab. Centre agricole (céréales, oliviers, agrumes).

Iglesia ni Kristo. *n. f.* ♦ Secte religieuse et politique chrétienne des Philippines*, groupant env. un million de fidèles et ayant une grande influence sociale et politique dans le N. de l'île de Luçon (Manille).

IGLS. ♦ Village autrichien, à 6 km au S. d'Innsbruck* (Tyrol). Station de sports d'hiver où se déroulèrent quelques épreuves des Jeux Olympiques d'hiver en 1964.

IGNACE *(saint).* ♦ [Fin Ier s. – début IIe s.]. Père apostolique, traditionnellement le deuxième évêque d'Antioche. Il aurait subi le martyre à Rome sous Trajan. On lui attribue sept *Lettres* à différentes communautés chrétiennes. – Fête le 1er février.

IGNACE *(saint).* ♦ (Constantinople, 797 – 877). Patriarche de Constantinople en 847-858 et 867-877. Moine intransigeant, il fut en rivalité avec Photios* au profit de qui il dut démissionner (858) mais qu'il fit condamner au IVe concile de Constantinople* (869-870). – Fête le 23 octobre.

IGNACE DE LOYOLA *(saint),* en esp. **Inigo Lopez de Loyola.** ♦ Fondateur de la Compagnie de Jésus (Azpeitia, Pays Basque espagnol, 1491? – Rome, 1556). Gentilhomme blessé au siège de Pampelune (1521), il se convertit, fit retraite à Montserrat puis à Manresa où il connut l'expérience mystique et accomplit le pèlerinage de Jérusalem (1523). Au retour, il se consacra à l'apostolat et entreprit des études en Espagne puis à Paris (1528-1534). C'est là qu'il groupa ses premiers disciples : Pierre Favre, François* Xavier, Jacques Laínez, Alphonse Salmerón, Nicolas Bobadilla, Simon Rodriguez. À Montmartre, le 15 août 1534, tous les sept prononcèrent des vœux de pauvreté, de chasteté et d'apostolat en Terre sainte ou, en cas d'impossibilité, ailleurs, à la disposition du pape. C'est ce qui se produisit. Après leur ordination (Venise,

1537), la guerre entre Venise et le Sultan amena Paul III à les utiliser en Italie. Leur libre association devint alors la Compagnie de Jésus* (approuvée en 1540). Ignace, élu préposé général (1541), se consacra à l'organisation et au développement de son ordre, dont il rédigea les *Constitutions.* Ses *Exercices spirituels,* entrepris dès sa retraite à Manresa, demeurent la base de la spiritualité des jésuites. Ignace de Loyola a été canonisé en 1622. Fête le 31 juillet.

IGNJATOVIĆ (Jakov). ♦ Conteur et romancier serbe (Szentendre, près de Budapest, 1824 – Novi Sad, 1888). Il introduisit le réalisme dans la littérature serbe avec des romans sur la société bourgeoise serbe corrompue par le capitalisme naissant : *Milan Narandjić* (1863), *Un monde étrange* (1869), *Le Persévérant* (1875), *Vasa Rešpect* (1875), *L'Éternel Fiancé* (1878), *Le Souffre-Douleur* (1888).

IGNY. ♦ Comm. de l'Essonne (arr. de Palaiseau) sur la Bièvre. 8 419 hab. Église (XIIIe, XVe s.). École d'horticulture. Culture de fraises.

IGOR. ♦ (Novgorod, v. 875 – Iskorost, 945). Prince de Kiev* (912-945), fils présumé de Riourik* et successeur d'Oleg* le Sage dont il serait le gendre par son mariage avec Olga*. Il attaqua Constantinople (941) et conclut avec l'Empire byzantin un traité commercial avantageux (945) mais fut tué la même année au cours d'une expédition contre la tribu des Drevlianes.

IGOROT. *n. m. pl.* ♦ Groupes ethniques de l'île de Luçon (Philippines), anc. chasseurs de têtes. Parmi eux, le groupe des Ifugao semble avoir la civilisation la plus évoluée. Ils cultivent le riz de montagne et élèvent des porcs. Leurs demeures sont construites sur pilotis.

IGUAÇU [*n. m.*] en esp. **Iguazú.** ♦ Riv. du Brésil, issue de la serra do Mar*, elle traverse l'État du Paranà* et marque la frontière entre le Brésil et l'Argentine (prov. de Misiones) avant de se jeter dans le Paranà*. 1 320 km env. Chutes imposantes dans son cours inférieur, où se trouve aménagée la plus importante réserve d'animaux du Brésil.

IHARA SAIKAKU. ♦ Poète et écrivain japonais (Ôsaka, 1641 – *id.*, 1693), riche marchand d'Ôsaka, fondateur d'une école de littérature populaire qui connut un très grand succès. Ses ouvrages les plus connus sont *Un homme voluptueux, Une femme de plaisir, Le Mémorial des hommes d'armes.*

I-HSING [*Yixing, Yi-Sing*]. ♦ Moine bouddhiste chinois (v. 672 – v. 717) et célèbre astronome. Il aurait inventé le système à « échappement » utilisé encore actuellement en horlogerie. Il mesura également la longueur du méridien terrestre avec une grande approximation.

II NAOSUKE. ♦ Homme d'État japonais (1815 – 1860), partisan de l'ouverture du Japon à l'étranger et signataire des traités passés en 1858 avec les U.S.A., la Grande-Bretagne et la France. Il fut assassiné en 1860 par des samurai xénophobes.

IJ (*golfe de l'*). ♦ Golfe des Pays-Bas situé au S.-O. de l'Ijsselmeer* près d'Amsterdam, et relié à la mer par le canal de la mer du Nord.

IJEVSK. ♦ V. d'U.R.S.S. (R.S.F.S. de Russie), cap. de l'Oudmourtie*, à l'O. de l'Oural. 422 000 hab. Centre industriel (métallurgie, constructions mécaniques, traitement du bois).

IJMUIDEN. ♦ V. et port des Pays-Bas (Hollande-Septentrionale) sur la mer du Nord. 22 100 hab. Avant-port d'Amsterdam*, sur le canal de la mer du Nord. Pêche hauturière et côtière. Conserveries et usines de salaison. Sidérurgie et métallurgie lourde. Indus. chimiques et papeteries. Station balnéaire. ♦ *Hist.* Les anciennes écluses d'Ijmuiden (écluses du Sud) furent construites en même temps que le canal de la mer du Nord (1865-1876). L'écluse du Milieu fut entreprise en 1888, et l'écluse du Nord en 1919.

Ph. Hétier

Les chutes de l'**Iguaçu.**

IJSEL. *n. f.* ♦ Riv. des Pays-Bas (116 km), formée par un bras du Rhin. L'Ijsel se termine par un delta et se jette dans l'Ijselmeer* entre le polder du Nord-Est et celui de Flevoland-Est.

IJSELMEER [*n. m.*] ou *lac d'***Ijsel.** ♦ Lac d'eau douce des Pays-Bas, aménagé en 1932. Séparé de la mer des Wadden par une digue, il occupe une partie de l'ancien Zuiderzee*. Un système d'écluses fait varier son niveau. Pêche (anguilles). – *Polders de l'Ijselmeer.* Ils comprennent le polder du Nord-Est (48 000 ha), celui de Flevoland-Est (54 000 ha), le Markerwaard et celui de Flevoland-Sud en voie d'aménagement. Ils sont limités au N. par l'Ijselmeer, à l'E. par la Gueldre, au S. par la province d'Utrecht et à l'O. par la Hollande-Septentrionale. Céréales. Plantes industrielles et fourragères.

IKEDA HAYATO. ♦ Homme politique japonais (1899 – Tôkyô, 1965), artisan de l'expansion économique du Japon. Il succéda comme Premier ministre à Kishi* en 1960, mais démissionna en 1964 pour raison de santé et fut remplacé par Sato* Eisaku.

IKHSHÎDITES. *n. m. pl.* ♦ Dynastie égyptienne (935-969). Fondée par Muhammad ibn Turhdj qui obtint du calife al-Râdhî le titre des anciens rois de Fergana (*ikhshîd,* 937), cette dynastie faiblit dès la mort de son fondateur (946). Celui-ci fut considéré comme un usurpateur, bien qu'il eût rétabli en Égypte l'ordre 'abbâsside et mené la lutte contre les Hamdânides*.

Ikkô-ikki. *n. m.* (mots japonais, « Ligue de ceux qui n'ont qu'une seule idée »). ♦ Mouvement insurrectionnel religieux des partisans de la secte du Jôdo*-shinshû qui ensanglantèrent le centre du Japon entre 1474 et 1580. Il fut finalement vaincu par Tokugawa* Ieyasu lors de la prise de la citadelle d'Ôsaka* (1615).

ILAHÂBAD. ♦ V. ALLAHÂBAD.

ILAN. ♦ V. de l'île de Taïwan, dans le N.-E., ch.-l. de district et important centre agricole. Sources chaudes.

ILDEFONSE (*saint*). ♦ (Tolède, 606/607 – 667). Archevêque de Tolède (657), auteur du *De virginitate sanctae Mariae.* – Fête le 23 janvier.

Île au trésor (L'), en angl. **Treasure Island.** ♦ Roman d'aventures de R.L. Stevenson*, publié en 1883. L'intrigue se déroule au XVIIIe s. et a pour héros principaux Jim Hawkins et John Silver. Le premier, audacieux, honnête et jeune, est un personnage pivot de l'œuvre de Stevenson : il reparaît notamment sous le nom de Dick Shelton dans *La Flèche noire.* L'innocence de Jim s'oppose à la mentalité complexe du forban, John Silver, qui ne connaît que la loi du plus fort et réussira, même vaincu, à s'approprier une partie du trésor. *L'Île au trésor* est un classique du roman d'aventures, dans la lignée de Defoë (*Robinson Crusoé*) ou Melville (*Typee et Omoo*).

ÎLE-AUX-MOINES (L'). ♦ Île située dans le golfe du Morbihan*, comm. du Morbihan, arr. de Vannes. 711 hab. Église (XIIe au XVIIe siècle). Petite station balnéaire. Pêche ; ostréiculture.

ÎLE-BOUCHARD (L'). ♦ Ch.-l. de cant. d'Indre-et-Loire, arr. de Chinon. 1 609 hab. Sur la Vienne. – Églises Saint-Gilles (XIe, XIIe, XVe s.) et Saint-Maurice (XIVe-XVe s.); vestiges du prieuré Saint-Léonard (XIe s.).

ÎLE-DE-FRANCE. *n. f.* ♦ Anc. région historique de la France, située au centre du Bassin parisien, approximativement limitée par la Seine, l'Oise, l'Aisne et la Marne (d'où son nom d'*île*). Elle englobe tous les départements actuels de la région parisienne et une partie des départements de l'Oise, de l'Aisne et de la Marne. Elle est formée de plateaux calcaires séparés par des vallées et recouverts de limon. Ce caractère pédologique fait de l'Île-de-France une très riche région à blé. (*Orogr.* Voir la circonscription d'action régionale de la région parisienne*). Le rôle historique de l'Île-de-France est important à tous égards. Elle a été le berceau de la monarchie capétienne **(V. Capétiens).** Le dialecte qui y était parlé (*français*) l'emporta sur les dialectes voisins et devint la langue du royaume de France. L'art gothique y a pris naissance **(V. Paris, Saint-Denis, Laon, Beauvais, Noyon, Meaux, Soissons)** et de nombreuses demeures royales y furent édifiées, parmi lesquelles Versailles* et Fontainebleau*. – Nom pris par la région parisienne en juil. 1976. **V. Parisienne** (région).

ÎLE-D'YEU (L'). ♦ Ch.-l. de cant. et comm. de la Vendée (arr. des Sables-d'Olonne) formé par l'île d'Yeu. 4 786 hab. Le princ. hameau de l'île est Port*-Joinville. Vieux-Château (XIe s., remanié au XIVe et au XVe s.). – Pêche. Conserves de poisson.

ÎLE-ROUSSE (L'). ♦ Ch.-l. de cant. de la Corse*, arr. de Calvi*, sur la côte N.-O. 2 300 hab. Port et centre touristique fréquenté, proche de Calvi. ♦ *Hist.* Paoli* fonda la ville en 1769.

ÎLE-SAINT-DENIS. ♦ Comm. de la Seine-Saint-Denis (arr. de Bobigny), dans une île de la Seine entre Villeneuve-la-Garenne et Saint-Denis. 6 166 hab. Batellerie.

ILESHA. ♦ V. du Nigeria* (rég. Ouest). 165 800 hab. Cacao.

ILF (Ilya Arnoldovitch) [1897 – 1940] et **PETROV (Eugène Petrovitch)** [1903 – 1942]. ♦ Romanciers soviétiques qui formèrent un « jumelage créateur ». Ils critiquèrent avec humour les « constructeurs du monde nouveau » dans *Les Douze Chaises* (1928) et *Le Veau d'or* (1930).

ILHÉUS. ♦ V. et port du Brésil (État de Bahia), situé sur une étroite presqu'île de l'Atlantique. Plus de 100 000 hab. Exportation de cacao, dont la culture intensive, autour de la ville, fait du

Brésil le 4e producteur dans le monde (95 % de la prod. nationale).

ILI. *n. m.* ♦ Fl. de Chine et d'U.R.S.S. Formé par la confluence du Tekes et du Kunghes, dans les monts de Tian-Chan (T'ien-shan), en Chine, il arrose le Kazakhstan et se jette dans le lac Balkhach*. Env. 1 400 km (avec le Tekes). — Le territoire de la haute vallée de l'Ili, qui avait été cédé à la Russie lors du traité « inégal » de 1861, revint à la Chine en 1881.

Iliade (L'), en gr. **Ilias.** ♦ Épopée grecque attribuée à Homère*, comme l'*Odyssée** ; composée de 15 537 vers et divisée en 24 chants, elle raconte un épisode de la guerre de Troie* (ou Ilion). Achille*, outragé par Agamemnon* **(V. Briséis, Chryséis)**, se retire des combats. Les Troyens, encouragés, infligent une défaite aux Achéens* qui se sauvent dans leurs vaisseaux. Devant le péril de l'armée, Achille accepte de prêter ses armes à Patrocle*, qui les revêt et repousse les Troyens, mais il est tué par Hector*. Pour venger son ami, Achille se rend au combat, refoule les ennemis dans leur ville et tue Hector. Le vieux Priam* vient réclamer le cadavre de son fils et Achille, pris de pitié, le lui rend. Sur ce thème principal se greffent les épisodes les plus variés : combats singuliers où s'illustrent les héros **(V. Ajax, Diomède, Énée, Idoménée, Ménélas, Pâris, Stentor, Ulysse)**, délibérations et interventions divines, tumultueux conseils guerriers et disputes, songes et devins **(V. Calchas)**, scènes émouvantes comme les adieux d'Hector et d'Andromaque* **(V.** *aussi* **Astyanax)**, le deuil des Troyens **(V. Hécube, Cassandre)** et l'apparition d'Hélène sur les remparts, scènes et personnages comiques **(V. Thersite)**, description des objets (notamment celle du bouclier d'Achille), des cérémonies, des divertissements, etc. — L'*Iliade,* premier chef-d'œuvre de la littérature grecque, forgea la conception de l'épopée pour les Grecs et les Latins **(V. Énéide)**, mais aussi pour les Modernes. Son *merveilleux* fut le premier reflet de l'humanisation du monde divin dans la pensée grecque. Qu'elle soit ou non l'œuvre d'un auteur unique, elle constitue avec l'*Odyssée* l'une des sources où toutes les époques de la civilisation européenne ont puisé. Écrite vers le début du ~ VIIIe s., presque quatre siècles après les événements qu'elle relate, elle révèle une tradition permettant déjà l'utilisation d'une langue littéraire artificielle (mélange d'ionien et d'éolien), une technique élaborée (l'hexamètre dactylique) et un style personnel.

ILION. ♦ V. TROIE.

ILIOUCHINE (Serghei Vladimirovitch) [*Iljušin*]. ♦ Ingénieur soviétique, constructeur d'avions (Dialialevo, prov. de Vologda, 1894 — 1977). Mécanicien dans l'aviation, il passa son brevet de pilote en 1917, puis entra dans l'armée rouge, où il reçut une formation d'ingénieur à l'académie Zoukhovski. Il mit au point pendant cette période plusieurs planeurs d'initiation au vol à voile et, en 1936, construisit le bimoteur TZKB-30, avec lequel furent établis plusieurs records d'altitude, et qui effectua les traversées Moscou-Vladivostok et Moscou-île de Miskoi. Une version militaire de cet avion fut utilisée pendant la Seconde Guerre mondiale pour le bombardement à distance. En 1939, il construisit un avion d'assaut blindé, l'IL-2, premier au monde de ce type, destiné au bombardement terrestre à basse altitude et en 1946, l'IL-12, bimoteur à destination civile. À partir de 1948, il a enseigné à l'académie Zoukhovski. Membre du Parti communiste depuis 1918, S.V. Iliouchine a été député au Soviet suprême de l'U.R.S.S. lors des trois premières législatures. Il était titulaire des plus hautes distinctions honorifiques soviétiques.

ILISSOS. *n. m.* ♦ Petite riv. de l'Attique* (18 km). Née dans l'Hymette*, elle traverse Athènes* et se jette dans le Céphise*.

ILITHYE, en gr. **Eileithyia.** ♦ Déesse de l'enfantement, fille de Zeus* et d'Héra*. Elle aidait les femmes en couches, mais était aussi un instrument des vengeances de sa mère. Il lui arrive ainsi d'empêcher la délivrance de Léto ou de retarder celle d'Alcmène. **V. Héraclès.**

Erich Lessing/Magnum

L'Iliade : Priam regardant la bataille des murs de Troie. Bas-relief ornant une tombe à Gjolbaschi, Turquie. (Kunsthistorisches Museum, Vienne.)

ILL. *n. m.* ♦ Riv. d'Alsace*, affl. du Rhin*. 208 km. Elle prend sa source dans le Jura alsacien et traverse Altkirch*, Mulhouse*, Colmar*, Sélestat* et Strasbourg*.

ILL. *n. m.* ou *n. f.* ♦ Riv. d'Autriche, affl. du Rhin (r. d.). La basse vallée de l'Ill porte le nom de Walgau ; c'est une région peuplée et industrielle. Sa haute vallée forme le Montafon ; on y trouve de nombreuses usines hydro-électriques (Obervermunt, Verment, Rodund).

ILLAMPÚ. *n. m.* ♦ Massif des Andes, situé en Bolivie, point culminant de la Cordillère orientale, au-dessus du lac Titicaca (6 421 m).

ILLE. *n. f.* ♦ Riv. de Bretagne (45 km), qui conflue avec la Vilaine* à Rennes. Le *canal d'Ille-et-Rance* (85 km) part de Rennes et se termine en aval de Dinan. — **V. Ille-et-Vilaine.**

ILLE-ET-VILAINE. *n. f.* **[35]**. ♦ Dép. de l'O. de la France, à l'E. du Massif armoricain, région (anciennement C.A.R.) de Bretagne*. 6 758 km². — *Orogr.* C'est la zone la moins accidentée de la Bretagne. Le bassin de Rennes occupe la plus grande partie du dép., il est entouré de collines, et forme un paysage de bocage. À l'E. la côte est basse, elle a été aménagée en polders (marais de Dol), à l'O. elle est rocheuse.

♦ 43 cant., 359 comm. · 670 345 hab. *Préf.* Rennes*, *sous-préf.* Fougères*, Redon*, Saint-Malo*. *Ch.-l. de cant.* Antrain*, Argentré*-du-Plessis, Bain*-de-Bretagne, Bécherel*, Cancale*, Châteaubourg* d'Ille-et-Vilaine, Combourg*, Dinard*, Dol*-de-Bretagne, Grand*-Fougeray, Guerche*-de-Bretagne (La), Guichen*, Hédé*, Janzé*, Liffré*, Louvigné*-du-Désert, Maure*-de-Bretagne (2 646 hab.), Montauban*, Montfort*, Mordelles (2 939 hab.), Pipriac (2 848 hab.), Pleine-Fougères (2 091 hab.), Plélan-le-Grand (2 336 hab.), Retiers*, Saint-Aubin-d'Aubigné (1 602 hab.), Saint-Aubin*-du-Cormier, Saint-Brice*-en-Coglès, Saint-Méen*-le-Grand, Sel-de-Bretagne (Le) [456 hab.], Tinténiac (2 398 hab.), Vitré*. *Autres comm. et lieux.* **V. Bruz, Mont-Dol, Paramé, Rothéneuf, Saint-Briac-sur-Mer, Saint-Énogat, Saint-Jacques-de-la-Lande, Saint-Lunaire, Saint-Servan-sur-Mer, Vern-sur-Seiche, Vivier-sur-Mer** (Le).

ILLE-SUR-TÊT. ♦ Comm. des Pyrénées-Orientales, (arr. de Prades), dans le Conflent*. 5 262 hab. *(Illois).* Église du XVIIe s. ; église romane tardive de la Rodona. Chapelle de l'hôpital (1246). Marché agricole : fruits. — Patrie de L. Amade.

ILLIERS-COMBRAY, anciennement **Illiers.** ♦ Ch.-l. de cant. d'Eure-et-Loir (arr. de Chartres), sur la r. g. du Loir. 3 117 hab. *(Islériens).* Église du XIVe siècle. — La V. d'Illiers servit de modèle à Marcel Proust pour le Combray de *À la recherche du temps perdu.* En hommage à la mémoire de l'écrivain, elle prit le nom d'Illiers-Combray en 1971.

ILLIMANI. *n. m.* ♦ Massif des Andes, dans la chaîne orientale des Andes de Bolivie, au-dessus du lac Titicaca (6 322 m).

ILLINOIS. *n. m.* ♦ État du centre N. des États-Unis, limité au N. par le Wisconsin, à l'E. par le lac Michigan et l'Indiana, au S.-E. et au S. par le Kentucky (frontière formée par l'Ohio*), à l'O. par l'Iowa et le Missouri (Mississippi*). 146 756 km². 10 081 158 hab. (1960) dont 10 % de Noirs. *Cap.* **V. Springfield.** *V. princ.* **V. Chicago, East Saint Louis, Peoria, Rockford.** — *Orogr.* L'État est situé dans la région de la Prairie, il forme un plan incliné vers le S.-O. et est drainé par la riv. Illinois et par les affl. de la Wabash et de l'Ohio. — *Écon.* L'agriculture est très prospère (notamment les céréales : maïs, etc.). L'indus. (métallurgie, indus. alimentaires) est surtout représentée à Chicago et dans les principaux centres ferroviaires. — L'université d'Illinois a son principal campus à Urbana. Universités privées à Chicago, Evanston, Peoria. — L'Illinois est la patrie d'Edward Doisy*, Jones*, C. Sandburg*. ♦ *Hist.* Explorée par Marquette et Joliet, puis par Cavelier de la Salle, la région fut cédée par la France à l'Angleterre en 1763 (traité de Paris). Inclus dans l'Indiana en 1800, territoire en 1809, l'Illinois devint le 21e État de l'Union en 1818.

ILLKIRCH-GRAFFENSTADEN. ♦ Comm. du Bas-Rhin, arr. d'Erstein, dans la banlieue S. de Strasbourg*. 12 337 hab. Ville industrielle : verres d'optique, constructions mécaniques, conserves.

Illuminations. ♦ Recueil de poèmes en prose d'A. Rimbaud (1886), dont le titre joue sur le sens du mot anglais signifiant « enluminures ». Ces 44 « Illuminations » furent probablement composées en 1872-1873. **(V. Rimbaud.)**

Illusions perdues *(les).* ♦ Roman de Balzac* (1837-1843) qui présente une satire féroce du monde de l'édition et de la presse à travers la peinture des déchéances du héros, Lucien de Rubempré, entraîné par sa faiblesse et sa vanité aux pires compromissions. Dans *Deux Poètes* sont présentées les « illusions » de David Séchard, imprimeur à Angoulême, qui désire révolutionner l'industrie de la papeterie, et de son beau-frère, Lucien Chardon, intelligent et séduisant poète, rêvant de conquérir la gloire littéraire à Paris. *Un grand homme de province à Paris* évoque la tentation que connaît Lucien Chardon devenu Lucien de Rubempré, sous l'influence de Lousteau, journaliste taré ; ayant compromis son talent dans des journaux politiques, honni, ruiné, il retourne à Angoulême. Le dernier récit, *Ève et David,* annonce un autre roman, *Splendeurs* et Misères des courtisanes.* « Acte de courage » par une critique sociale sans indulgence, cette œuvre reflète les préoccupations de Balzac en matière de morale sociale et politique.

Illustre-Théâtre *(l').* ♦ Troupe de comédiens fondée par Jean-Baptiste Poquelin qui prit à cette occasion le nom de Molière*, et

Ph. Giraudon

Imhotep. (Musée du Louvre, Paris.)

ses amis, les Béjart (1643). L'insuccès de l'entreprise et l'emprisonnement de Molière pour dettes (1645) déterminèrent les comédiens à quitter Paris pour la province où ils devaient séjourner treize années.

ILLYRIE. *n. f.* ♦ Anc. nom de la partie septentrionale des Balkans* qui comprenait la Croatie*, la Dalmatie*, la Bosnie*-Herzégovine et l'Albanie actuelles. ♦ *Hist.* Occupée primitivement par les Vénètes* au N. et les Iapyges* au S., l'Illyrie fut colonisée par les Grecs au ~ VIIe s. et devint province romaine en ~ 27. Profondément romanisée (ce furent des empereurs illyriens qui dirigèrent l'Empire au IIIe s. : Aurélien*, Dioclétien* et Constantin*), elle passa au VIIe s. sous la domination slave.

ILLZACH. ♦ Comm. du Haut-Rhin, arr. de Mulhouse. 10 783 hab. Centre industriel : engrais, papeterie, corsets, teintures.

ILMEN' *(lac).* ♦ Lac d'U.R.S.S. (région de Leningrad de la R.S.F.S. de Russie). Sa surface varie de 610 à 2 100 km², selon l'époque. Le Volkhov* y prend sa source et déverse ses eaux dans le lac Ladoga*.

ILOILO. ♦ V. des Philippines* dans le S.-E. de l'île de Panay*. Env. 200 000 hab. Anc. base espagnole, c'est un port actif exportant principalement des phosphates, du riz, du tabac et de la canne à sucre. — Prov. homonyme, dont Iloilo est le chef-lieu.

ILORIN. ♦ V. de l'O. du Nigeria*. 47 400 hab. Centre commercial. Manufacture de tabac. Indus. alimentaires. Élevage. — Création d'un émirat peul en 1831 **(V. Sokoto).**

IL-QÂN ou **ILKHÂN.** *n. m.* ♦ Titre pris par les souverains mongols qui, à la suite d'Hûlâgû* (1251), régnèrent sur l'Iran jusqu'en 1335. Le titre désigna après cette date des souverains originaires de l'Iraq.

ILTUTMISH. ♦ Sultan türk de Delhi de 1211 à 1236, successeur de son beau-père Qutb ud-Dîn Aibak. Il combattit les Mongols dans le N. et fit de grandes conquêtes en Inde. Il fut reconnu par le calife de Baghdâd et embellit de monuments les villes de Delhi et d'Ajmer.

IMABARI. ♦ **V.** SHIKOKU.

IMÂD AL-DÎN AL-ISFAHANI. ♦ Écrivain arabe ([mort] 1211). Il rédigea dans un style emphatique une biographie apologétique de Saladin*. Il écrivit aussi une histoire des Saljuqides* ainsi qu'une anthologie poétique.

Imaginisme. *n. m.* ♦ École littéraire russe qui succéda au futurisme* et dont la théorie reposait sur un rôle prépondérant donné à l'image. On assiste en même temps à un retour à la poésie lyrique. Le fondateur en fut Cherchenevitch et le plus brillant représentant, Essenine*.

Ima Kagami (japonais : « Miroir du temps présent »). ♦ Chronique historique japonaise rédigée en 1170, faisant suite à l'*Ô-kagami* et couvrant la période allant de 1026 à 1170.

Imâm. *n. m.* (mot arabe désignant le directeur de la prière publique chez les musulmans). ♦ Nom donné aux docteurs sunnites* qui fondèrent les quatre écoles juridiques de l'islâm orthodoxe. — Les shi'ites* appellent imâns les prétendants 'alides* évincés (Hassan* et Hussaïn) et leurs successeurs spirituels : parmi les shi'ites, les ismaïliens* arrêtent la chaîne des imâms au septième, les zaydites au douzième (d'où leur nom de shi'ites duodécimains).

IMARI. ♦ V. du Japon (île de Kyûshû, préf. de Saga). Env. 100 000 hab. Port renommé pour ses exportations des porcelaines provenant des fours d'Arita. Indus. dérivées de la houille, papeteries, tissage de la soie.

IMATRA. ♦ V. du S.-E. de la Finlande, sur la r. d. du Vuoski, reliant le lac Saimaa* au lac Ladoga* (U.R.S.S.). 31 000 hab. La ville est devenue un centre indus. depuis la construction d'un barrage sur les rapides du Vuoski *(chutes d'Imatra)* : une centrale hydro-électrique fournit en énergie les usines locales. Indus. métallurgique (traitement des minerais d'Outokumpu), indus. du bois (scieries, cellulose, papier) et indus. chimique. — La ville, détruite par les Allemands, a été reconstruite sur les plans d'A. Aalto* (1947-1948).

IMBABA. ♦ **V.** EMBABÈH.

IMBERT-COLOMÈS (Jacques Pierre). ♦ Homme politique français (Lyon, 1729 — Bath, Angleterre, 1809). Premier échevin de Lyon en janvier 1788, il émigra dès 1790 et fut, en Suisse et en Italie, un agent actif des Bourbons. De retour en France (1797), il siégea au Conseil des Cinq-Cents après la victoire des royalistes et des modérés aux élections de germinal an V et bénéficia des mesures en faveur des émigrés. Déporté après le coup d'État du 18 fructidor an V (4 septembre 1797), il parvint à se réfugier en Allemagne, où il fut arrêté en 1801. Libéré en 1809, il rejoignit le futur Louis XVIII en Angleterre.

IMBROS, en turc **Imroz.** ♦ Île de Turquie, près de l'entrée du détroit des Dardanelles*. — Appelée aussi GÖKÇEADA.

IMÉRINA ou **ÉMIRNE.** *n. m.* ♦ Partie du plateau central de Madagascar*, très élevé, où se situe Tananarive*. — La région est peuplée par les Merinas. — Rizières. Cultures vivrières.

Im-Fout. ♦ Barrage, sur le bas Oum* er-Rebia (Maroc), qui permet l'irrigation d'un vaste périmètre de l'O. de la Meseta.

IMHOTEP. ♦ Architecte égyptien (~ 2800). Ministre du pharaon Djoser*, il construisit à Saqqarah* la première pyramide à degrés. Grand prêtre d'Héliopolis*, médecin et sage, il fut plus tard adoré comme un dieu, fils de Ptah* lui-même, et assimilé par les Grecs à Asclépios*.

Imitation de Jésus-Christ (L'). ♦ Ouvrage de piété et de spiritualité du XVe s., en latin (4 livres sans doute isolés à l'origine : *Conseils utiles pour la vie spirituelle, Conseils pour la vie intérieure, De la consolation intérieure, Dévote Exhortation à la sainte communion).* Lié au courant de la *devotio moderna,* il semble issu des Frères de la Vie commune **(V. Groote** [Geert]**)** et est généralement attribué à Thomas* a Kempis. Il fut traduit par Corneille (en vers) et par Lamennais.

IMMELMANN (Max). Officier aviateur allemand (Dresde, 1890 — dans le Pas-de-Calais, 1916). L'un des as de la chasse allemande durant la Première Guerre mondiale, il fut abattu sur le front anglais. Une figure d'acrobatie aérienne porte son nom (demi-looping vertical suivi d'un demi-tonneau).

IMMERMANN (Karl Lebrecht). ♦ Écrivain allemand (Magdebourg, Saxe, 1796 — Düsseldorf, Prusse, 1840). Après des études de droit à l'université de Halle, interrompues par la campagne contre Napoléon Ier (1814-1815), il fit une carrière judiciaire tout en publiant ses œuvres dont la plus connue est : les ***Aventures du baron de Münchhausen*** (1838-1839). Cette œuvre, qui reprend le thème traité par Rudolf Raspe et par G. Bürger au XVIIIe s., contient un récit rustique qui annonce le passage du romantisme au réalisme.

IMOLA. ♦ V. d'Italie, en Émilie* (prov. de Bologne), sur un affluent du Reno. 51 500 hab. Palais Sersanti, construit par Giorgio Fiorentino, en 1482 ; palais communal du XVIIIe siècle. Un musée renferme des collections préhistorique et romaine ainsi que des fresques du XVe s. et des peintures de l'école émilienne (XVe au XVIIIe s.). Industrie de la faïence et de la soie. ♦ *Hist.* Fondée à l'époque de Sylla *(Forum Cornelii),* elle passa aux Visconti (1424) puis à Sixte IV, à Catherine Sforza, à César Borgia (1499) et finalement aux États pontificaux en 1503.

IMPERIA. ♦ V. d'Italie, en Ligurie, sur la côte ouest du golfe de Gênes, non loin de San Remo. 35 000 hab. Ch.-l. de prov. Grand centre de villégiature de la « Riviera di Ponente ».

Impérialisme, stade suprême du capitalisme (L'). ♦ Œuvre de Lénine* (1916). Dépassant les analyses d'Hilferding* et de J.A. Hobson*, et critiquant violemment l'opportunisme de Kautsky*, Lénine étudie les caractéristiques économiques et politiques de l'impérialisme, « stade monopoliste du capitalisme » : *a)* concentration de la production et du capital, *b)* fusion du capital bancaire et industriel, *c)* exportation accrue des capitaux, *d)* formation d'unions internationales monopolistes de capitalistes et partage du monde entre ces trusts internationaux après son partage territorial entre les pays capitalistes. « Accentuant la crise du capitalisme, ce système sert ainsi, écrit Lénine, de prélude à la révolution socialiste du prolétariat. »

IMPHÂL. ♦ V. de l'Inde, capitale de l'État de Manipur* au S.-E. de Shillong (Assam*). 100 000 hab. Culture du riz, de la canne à sucre et du tabac dans la région.

IMPHY. ♦ Comm. de la Nièvre (arr. de Nevers), dans le Bas-Nivernais, au confluent de la Loire et de l'Ixeure. 5 183 hab. *(Imphytois).* À proximité, château des Planuts. Aciérie (alliages spéciaux) alimentée par Lacq.

Importants *(cabale des).* ♦ Faction politique, composée essentiellement de victimes de Richelieu*, qui espérèrent prendre leur revanche à la mort de Louis XIII, en éliminant Mazarin* pour le remplacer par Châteauneuf. Mazarin l'emporta, fit enfermer à Vincennes le duc de Beaufort* et exila en province les principaux membres de la Cabale. Ceux-ci prirent bientôt part à la Fronde*.

Impromptu de Versailles (L'). ♦ Comédie en un acte et en prose de Molière (1663). À l'occasion de la dernière répétition d'un impromptu qui doit être joué devant le roi, Molière prodigue ses conseils à ses comédiens et répond aux attaques de ses adversaires, courtisans, critiques et rivaux, au lendemain de la querelle de *l'École* des femmes* (1662). **V. Molière.**

IMRU' AL-QAYS. ♦ Poète arabe antéislamique (? – Ancyre, *auj.* Ankara, entre 530 et 540). Prince de la tribu de Kinda en Arabie centrale, il fut évincé du pouvoir par son père en raison de son amour pour une fille d'une tribu voisine (les Banû-Udhra) et mena une vie errante, de campement en campement, à travers l'Asie Mineure jusqu'à Constantinople où il fut reçu par Justinien. Son père ayant été tué lors d'un combat, il se mit en devoir de le venger. Lui-même serait mort empoisonné. Ce prince-poète fixa, dit-on, les règles de la poésie arabe, donnant le modèle du poème appelé *qasîda** et particulièrement de son prologue érotique *(nasîb),* évocation mélancolique de la bien-aimée. Il a su chanter ses amours avec une sensualité touchant parfois à l'indécence, mais aussi les exploits guerriers de la tribu, son chameau ou son cheval. Un de ses poèmes, écrit en vers longs *(Tawîl),* a été classé parmi les *Mu'allaqat**.

INACHOS [*Inakhos*]. ♦ Roi légendaire d'Argos*, ou dieu-fleuve de l'Argolide, fils d'Océan et de Téthys. Selon la tradition argienne, il vivait avant la race humaine. On lui attribuait la paternité d'Io* et parfois d'Argos, de Pelasgos et de Mycènes.

Inap. *n. m. pl.* ♦ Série de contes adaptés au théâtre siamois au XVIIIe s. dont l'origine remonte probablement au XIIe s. à Java (royaume de Kadiri) et dont il existe plusieurs versions. Ces contes sont très répandus en Thaïlande et en Malaysia.

INARI. ♦ Au Japon, divinité du riz et des céréales, représentée (rarement) par un vieillard portant une gerbe de riz (dans le culte shintô) et souvent confondue avec l'animal-messager de celui-ci, le renard (Kitsune) qui orne l'entrée des sanctuaires du dieu.

INARI *(lac).* ♦ Lac de Finlande, en Laponie, relié à l'océan Arctique par le Paatsjoki. 1 085 km². 3 000 îles. Il baigne les villes d'Inari et Virtaniemi.

INBER (Véra Mikhaïlovna) [*Inber*]. ♦ Poétesse et conteur soviétique (Odessa, 1890 –). Elle écrivit de nombreux recueils de poésies variées, intimes, mélancoliques, chaleureuses ou naïves : *Le Vin triste* (1914), *La Joie amère* (1917), *Au fils qui n'est pas* (1927), *L'Alliance des mères, Le Chemin sur l'eau.* Puis, pendant la guerre, elle évoqua les souffrances du peuple de Leningrad sous le blocus dans son célèbre poème : *Le Méridien de Poulkovo* (1943) et dans sa nouvelle : *Journal de Leningrad* (1945). Après la guerre elle a écrit des poèmes sur l'Asie centrale et un récit autobiographique pour enfants : *Quand j'étais petite.*

INCARNATION (Marie Guyard, dite **Marie de l').** ♦ **V.** MARIE DE L'INCARNATION.

INCAS ou **INCA.** *n. m. pl.* ♦ Nom donné aux souverains d'un peuple **(V. Quechua)** du Pérou (vallée de Cuzco*), dont l'empire domina cette région du milieu du XVe s. à 1532. L'origine de la dynastie remonterait au XIIe s. ; entre son fondateur légendaire, Manco* Cápac, et l'Inca Pachacutec (1438-1471), sept empereurs se seraient succédé. Après avoir été menacé par deux tribus andines, le royaume inca, grâce à Pachacutec et à son successeur, Tupac Yupanqui (1471-1493), connut une expansion rapide. Huayna Capac (1493-1527) la compléta, notamment dans l'actuel Équateur* ; mais la rivalité de ses deux fils, Huascar et Atahualpa*, et la guerre civile qui en résulta, fit de l'État une proie facile pour les Espagnols de Pizarro* (1532). **V. Pérou** *(Hist.).* La structure de l'empire inca, son système économique dirigiste et rigoureusement planifié, qu'on a pu qualifier de « socialiste » (L. Baudin), sa religion solaire, sa hiérarchie administrative complexe en font « un des États les plus originaux que connaisse l'histoire humaine » (J. Soustelle). Il en va de même pour son système de transports, pour ses procédés mnémotechniques *(quipu)* palliant l'absence d'écriture. – L'*art inca,* essentiellement architectural et urbanistique, est grandiose (Machupicchu*) mais peu recherché (peu de sculptures, céramiques géométriques) ; il ne soutient pas la comparaison avec les plus éclatantes réussites des périodes antérieures du Pérou*. – *Les Incas,* œuvre de Marmontel*.

Ph. C. de Bellefonds

Incas : le Machupicchu.

INCE (Thomas Harper). ♦ Réalisateur et producteur américain de cinéma (Newport, 1882 – Hollywood, 1924). D'abord acteur de théâtre, il vint tôt au cinéma (1906), puis à la mise en scène, activité où son génie créateur allait s'affirmer avec la même force que celui de D.W. Griffith*, son contemporain. Constituant des équipes de réalisateurs, il répartissait puis supervisait les tâches, apportant à l'élaboration du film une science intuitive du découpage et du montage, techniques qui constituèrent après lui les fondements de la dramaturgie du cinéma. Il peut être considéré comme le véritable inventeur du western. Auteur d'une œuvre importante, il en devint le producteur (1918). – Réal. princ. : *Pour la liberté de Cuba* (1912), *Le Dernier de la race* (1914), *L'Honneur japonais* (*The Typhoon,* 1914), *Civilisation* (1916), *Pour sauver sa race* (*The Aryan,* 1916).

INCHEON (INCHŎN). ♦ V. de Corée du Sud (prov. de Gyeong Ju), sur la mer de Chine, à 35 km de Séoul à laquelle elle est reliée par voie ferrée. Port ouvert au commerce international (depuis 1876). Env. 600 000 hab. Aciéries, indus. lourdes. Ce port portait autrefois le nom de Chemulpo.

INDE [*n. f.*], en hindî **Bharat.** ♦ État d'Asie (République fédérale, off. **Union indienne**), limité à l'O. par la mer d'Oman, au N.-O. par le Pâkistân, au N. par la Chine, le Népal, le Bhûtan, au N.-E. par le Bangla-desh et la Birmanie, à l'E. par le golfe du Bengale. Il comprend l'Assam* ; les îles Laccadive*, Andaman* et Nicobar* lui sont rattachées. 3 268 000 km². 598 100 000 hab. (1975 ; 2e pop. du monde) *(Indiens). Cap.* **V. New Delhi.** *V. princ.* **V. Âgra, Ahmadâbâd, Ajmer, Allâhâbâd, Amritsar, Bally, Bangalore, Bareli, Baroda, Bhopâl, Bombay, Calcutta, Coimbatore, Delhi, Ernakulam, Guntûr, Gwâlior, Howrah, Haidarâbâd, Indore, Jabalpur, Jaipur, Jamshedpur, Jodhpur, Jullundur, Kânpur** (Cawnpore), **Kozhikode, Lakhnau, Ludhiana, Madras, Madura, Malegaon, Meerut, Moradabad, Mysore, Nagpur, Patna, Pûna, Râjkot, Salem, Sholâpur, Surat, Trichinopoly, Trivandrum, Vârânasi (Bénarès), Vijayavada, Visâkhapatnam.** *Langues off.* (pour la Fédération) : hindî et anglais. 14 langues off. dans les États (dont mahratî, bengalî, gujaratî, oriyâ, râjasthânî et les langues dravidiennes du S. : telugu, tamil, kanara, malayalam. *Religions :* hindous (453 000 000), musulmans (61 500 000), chrétiens, sikhs, bouddhistes. – *L'Union indienne* comprend 18 États (Andhra Pradesh, Assam, Bengale-Occidental, Bihâr, Gujarât, Hariana, Himachal Pradesh, Jammu-et-Kaśmîr (Cachemire*), Kerala, Madhya Pradesh, Mâhârâşţra, Mysore, Nâga Pradesh, Orissa, Pañjâb, Râjasthan, Tamil-Nadu et Uttar Pradesh) et 10 territoires. Détaché du « continent de Gondwana », le Sud (Dekkan*) représente une des plus anciennes unités tectoniques du monde. Il est séparé de l'ensemble montagneux du Nord, l'arc himâlayen, par la plaine du Gange*. L'intérieur de la péninsule est une suite de montagnes (Vindhya, Ajantâ) et de plateaux (Malwâ, Chota Nagpur). Les plaines littorales du Malabar*, du Karnâtaka*, du Coromandel* et des « Circârs » sont dominées par des chaînes faillées : les Ghâts*. – Situé dans la zone tropicale (33° 8′ N.), le pays est soumis aux *climats* chauds, variables selon les latitudes. Le phénomène de la mousson est présent dans toute l'Inde : à un hiver sec et doux succède une période de chaleur torride de mars à mai. La saison des pluies s'étend de juin à septembre. Chargée d'humidité, la mousson (varsa) déverse ses pluies d'abord sur le Dekkan, puis, après être passée sur le golfe du Bengale, remonte la plaine du Gange. Les pluies ne parviennent cependant pas régulièrement au Pañjâb*. Les régions de grande pluviosité sont les zones littorales et les versants montagneux : Dekkan occidental, Bengale, Assam, chaînes méridionales de l'Himâlaya. Sur les côtes orientales du Dekkan se manifestent des cyclones tropicaux d'octobre à décembre. Les terres sont occupées par la forêt tropicale (Assam), la savane (Bihâr, plaines du Bengale), et des steppes à épineux (Inde occidentale). Dans les deltas (Sundarbans), croît la mangrove. La flore du Moyen-Orient et du bassin méditerranéen se mêle aux espèces indochinoises et malaises. – *Hydrogr.* Les fleuves se répartissent en deux groupes. Le premier réseau fluvial intéresse surtout le N.-E. de l'Inde, arrosé par les eaux venues des régions himâlayennes : coulant vers l'E., le Gange* (3 090 km) et ses affl., Yamunâ*, Gogrâ*, Gandak, Ko'sî ; le Brahmaputra* (2 880 km). Ces deux fleuves se réunissent pour former le delta du Bengale. Au N.-O., plusieurs affl. de l'Indus traversent le territoire (Râvî*, Beas, Satlej*). Les crues dues à la mousson et à la fonte des neiges ont lieu en été. Le second réseau fluvial est composé de fleuves de dimensions plus réduites : excepté la Narbada* et la Tapti* qui coulent vers l'O., les fleuves Godavarî*, Kistnâ*, Kâverî, soumis au même régime de mousson, mais utilisés pour l'irrigation, sont orientés O.-E. – *Pop.* Les tentatives pour diminuer le taux de natalité n'ont pas donné de résultats suffisants. – *Écon.* L'économie indienne est fondée sur l'agriculture qui occupe plus de 70 % de la population active. Les réformes agraires (1952-1958), destinées à distribuer les terres aux métayers qui les cultivaient ou à limiter

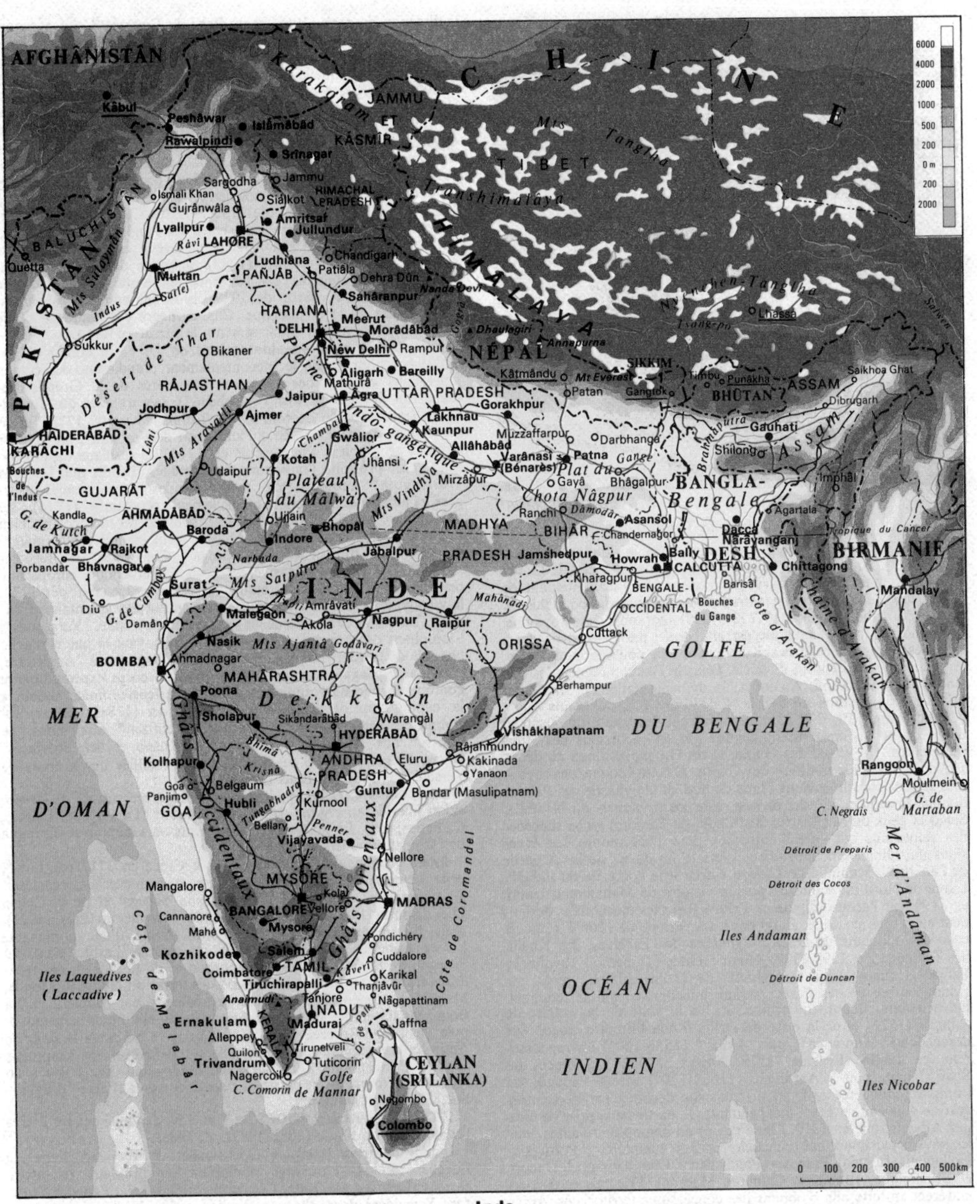

Inde.

les domaines proportionnellement à la fertilité des sols, n'ont guère abouti. La création d'un réseau d'irrigation moderne permet deux récoltes par an. La riziculture est répandue sur tout le sub-continent (delta oriental du Bengale, vallées du Gange et du Brahmaputra*). Les récoltes de blé se font dans la haute plaine du Gange* et du Dekkan. Dans les régions peu irriguées (Inde centrale), on cultive le sorgho. Dans le Dekkan, le millet remplace souvent le riz. Diverses cultures ont été introduites à l'époque de la colonisation : coton, canne à sucre (Bihâr et Uttar Pradesh), thé (Assam), café, caoutchouc (Kerala), arachides, poivre, jute. L'élevage, malgré l'importance du troupeau bovin, n'est que d'un faible rapport. — *L'industrie* emploie env. 15 % de la population active. Elle se caractérise par l'essor de quelques branches et une grande concentration géographique. La sidérurgie (8 190 000 t de fonte et 7 810 000 t d'acier en 1975) s'est développée dans le N.-E. (gisement houiller de la Dâmodâr, minerai de fer de Jamshedpur*). De nombreux gisements de fer sont encore inexploités. Le charbon (95 929 000 de t en 1975) est la principale source d'énergie et assure la majeure partie de la production électrique. Le sous-sol indien recèle des gisements de mica et de manganèse. L'indus. cotonnière est très puissante et concentrée autour de Bombay*. Constructions mécaniques (matériel ferroviaire, chantiers navals, machines-outils). Indus. chimique lourde naissante. — *Communications.* 972 000 km de routes (dont 180 000 km asphaltés). 59 000 km de voies ferrées. Aéroports internationaux à Delhi, Bombay, Calcutta, Madras. — La balance commerciale est déficitaire, l'Inde devant importer produits alimentaires, biens d'équipement et produits chimiques. Elle exporte du coton, des tissus, du tabac, du thé et des matières premières. Les échanges se font surtout avec les États-Unis, le Royaume-Uni, la R.F.A., l'U.R.S.S. et le Japon. Le tourisme reste limité (190 000 entrées en 1968). — L'analphabétisme, le risque persistant de famine, la surnatalité, l'hypertrophie des villes, le déficit de la balance commerciale, sont autant de problèmes qui rendent la situation économique de l'Inde préoccupante. ♦ *Hist.* L'Inde, dont la population s'est constituée par plusieurs apports ethniques, Dravidiens et Proto-Indo-Européens, entre dans l'histoire avec la civilisation dite de l'Indus (Mohenjo-dâro, Harappâ : ~2500-~1200). La destruction de cette civilisation a peut-être été achevée par les envahisseurs indo-européens qui introduisirent la langue védique et auxquels on doit la rédaction des *Veda*.

Ph. Prato/Ricciarini

Inde : bétail dans le Tamilnâdu.

Au ~ VIe s., l'Inde du N.-O. se trouve sous la domination perse (Darios Ier). Alexandre le Grand parvint dans la vallée de l'Indus en ~ 326, mais ne poursuivit pas son avance, se contentant de laisser des gouverneurs ou satrapes. Protecteur du bouddhisme, le roi du Bihâr, Aśoka (~ 273-~ 237) agrandit son royaume. À sa mort, l'Inde gangétique est gouvernée par deux dynasties : celle des Sunga et celle des Kânva. Sous la poussée indo-scythe, les Kânva disparurent au Ier siècle. Dans le Dekkan règnent les rois Andhra des Sâtakarnî. Au IIIe s., la dynastie nationale des Gupta imposa sa domination sur tout le N. de l'Inde. Les souverains Gupta (Chandragupta Ier, 320-335) conservèrent leur autorité jusqu'au début du VIe s., mais furent abattus par les incursions des Huns Hephtalites. Un vassal des Gupta, le roi Harṣa, continua au début du VIIe s. la grande tradition des Gupta. À cette époque, des royaumes se sont constitués dans l'Inde du Sud, et la dynastie des Pallava domina la région. L'Inde, divisée entre les royaumes du N. (Pâla, Sena) et ceux du S. (Râṣtrakûta, Chola de Tanjore) vit se succéder des souverains qui luttent entre eux pour l'hégémonie. Les invasions musulmanes commencèrent vers la fin du Xe siècle. À partir de l'an 1000, Mahmûd de Ghaznî entreprit la conquête du Pañjâb. L'Inde du Nord fut soumise après la victoire de Muhammad Ghorî en 1192, sur l'armée râjpute de Prithvi Râj : les musulmans deviennent alors maîtres du N.-E. du pays. La période de 1206 à 1526 est celle des sultanats de Delhi : dynasties des Esclaves, des Khalji, des Tughluq. En 1398-1399, Tîmûr-i Lang (Tamerlan) envahit le Pañjâb et ruina Delhi. Le sultanat de Delhi, affaibli, perdit un grand nombre de ses États vassaux musulmans, qui se rendirent indépendants. Bâbur, un prince türk, à la suite de la victoire de Panipat (1526) et de la prise de Delhi, fonda l'Empire mogol. Ses descendants, Humâyûn*, puis Akbar* (1556-1605) en repoussèrent les limites (Bengale, 1576; Orissa, 1592). Les règnes de Shâh Jâhan, puis d'Aurangzeb (1658-1707) virent l'apogée de l'Empire (conquêtes au Dekkan), puis son déclin. L'empire se morcela de nouveau en États indépendants. À partir de la prise de Goa par Albuquerque en 1510, l'Inde devint un champ de rivalités pour les pays occidentaux qui y installèrent des comptoirs : Portugais, Hollandais (Cochin), Français (Pondicherry, Chandernagor), Danois et Britanniques (Bombay, Calcutta, Madras). Français et Anglais entrèrent en lutte afin d'obtenir des concessions territoriales. Après le traité de Paris (1763), les Français ne conservèrent que cinq comptoirs. Warren Hastings*, succédant à Clive, fut nommé gouverneur du Bengale (1772-1785), et l'entreprise de colonisation britannique devient systématique avec lord Richard Colley Wellesley* (1798-1805). La dernière résistance indienne, celle de la confédération marâtha, fut brisée en 1818. En 1857, les Britanniques durent affronter une révolte des Sipahi (soldats indigènes). La chute de l'Empire mogol étant proclamée (1858), la Compagnie des Indes fut remplacée par l'armée régulière britannique (lord Canning). Le nationalisme indien se réveilla sous l'action de Ram Mohan Roy (1774 – 1833), et prit une grande ampleur grâce au Mahâtmâ Gandhi* (1869 – 1948); celui-ci lança en 1942 son mot d'ordre *quit India* (« abandonnez l'Inde »), et obtint en 1944 quelques concessions de la part des Britanniques qui, après des négociations, acceptèrent l'indépendance. Le 15 août 1947, l'indépendance de l'Union indienne fut proclamée au prix d'une sécession d'une partie du pays qui forma l'État islamique du Pâkistân. Jawâharlâl Nehru*, successeur de Gandhi et Premier ministre du gouvernement provisoire en 1946, occupa la scène politique jusqu'en 1964. Après les guerres sino-indienne (1962) et indo-pâkistânaise (1965), Mme Indira Gândhi*, fille de Nehru, prit la direction du pays (1966) et du Parti du Congrès. Celui-ci perdit le pouvoir aux élections législatives de mars 1977. La victoire revint au Parti du peuple *(Janata)*, et son chef, Morarji Desai, forma le nouveau gouvernement.

Inde *(établissements français dans l').* ♦ Territoires indiens qui furent sous contrôle français jusqu'en 1954 et qui comprenaient surtout des ports (**V. Pondicherry**)1674], **Kârikâl** [1738], **Chandernagor** [1686], **Yanaon** [1759], **Mahé** [1721]) et des comptoirs à Balassar, Kasimbazar, Yugdia, Dacca, Patna, Masulipatnam (1670), Calicut et Surat (1668). Les principaux gouverneurs résidant dans la capitale, Pondicherry, furent Dupleix* (de 1742 à 1754) et Lally*-Tollendal (de 1755 à 1761). Ces territoires constituèrent l'enjeu d'une âpre lutte entre les Anglais et les Français au XVIIIe siècle. Cédés aux Anglais, ils furent restitués à la France après le traité de Versailles (1783). À partir de 1848, ils furent directement administrés par l'État et représentés par un député et un sénateur. À partir de 1939, ils furent administrés par un commissaire de la République. Chandernagor fut rendue à l'Inde en 1952 et les autres établissements le furent en 1954.

Indépendance américaine *(guerre de l').* ♦ Ce conflit (1775-1782) eut pour cause le mécontentement grandissant des colons américains en face des exigences financières de la Grande-Bretagne (loi du Timbre, lois Townshend*). Les troubles qui s'ensuivirent (massacre de Boston, 1770, *Boston tea party,* 1773) furent sévèrement réprimés et, sous l'impulsion de Franklin*, un premier congrès se réunit à Philadelphie en 1774. La fusillade de Lexington (1775) précipita l'ouverture des hostilités. Tandis que Georges Washington* prenait la tête de l'armée des treize colonies insurgées, l'indépendance était officiellement proclamée (1776). Le déséquilibre entre les forces des *insurgents* et les mercenaires bien entraînés dont disposaient les Anglais se fit bientôt sentir, malgré la défaite de Burgoyne*, à Saratoga*. Cornwallis* et Benedict Arnold* menèrent l'offensive, et seule l'intervention européenne permit aux Américains de rétablir la situation. En effet, dès 1777, le voyage de Franklin en France avait amené des volontaires français (La* Fayette), accueillis sans enthousiasme. Vergennes*, triomphant des préventions de Turgot*, et voyant là une revanche possible de la guerre de Sept* Ans, déclara la guerre à l'Angleterre, entraîna l'Espagne à sa suite, et envoya un corps expéditionnaire commandé par Rochambeau* (1780). L'offensive finale aboutit à la capitulation de Cornwallis à Yorktown (1781); celle-ci fut complétée par des succès maritimes (Suffren* aux Indes, de Grasse* aux Antilles), et l'aide de la Russie et des Provinces-Unies. L'indépendance des États-Unis fut ratifiée par le traité de Versailles (1783). **V. États-Unis,** *Hist.*

Indépendants *(Les).* ♦ Nom donné aux représentants de l'opposition libérale au régime de la Restauration* (La Fayette, Laffitte, C. Périer, etc.). Le parti des Indépendants ou Libéraux se distingua des Constitutionnels à partir de 1817.

Indes *(Compagnie française des).* ♦ Créée en 1719 par Law*, cette compagnie, à la fois financière et commerciale, réunissait les compagnies des Indes orientales, du Sénégal et de la Chine. Elle disparut lors de l'écroulement du système de Law (1721), mais fut reconstituée dès 1722 sous forme d'une compagnie à but purement commercial qui se réserva l'exploitation du Sénégal, de la Guinée, des îles Bourbon et de France, et des territoires français en Inde, à l'exclusion des terres du Nouveau Monde. Malgré des opérations fructueuses réalisées par Dupleix et La Bourdonnais contre la Compagnie anglaise, elle perdit son monopole en 1769. Recréée par Louis XVI en 1785 sous le nom de *Nouvelle Compagnie des Indes,* elle fut définitivement supprimée sous la Convention (1793-1794), liquidation qui donna lieu à un scandale où furent mêlés plusieurs révolutionnaires (Fabre* d'Églantine, Chabot* et Danton*).

INDES *(empire des),* **INDES.** *n. f. pl.* ♦ Nom donné aux territoires britanniques de l'Inde (1877-1947). **V. Inde.**

Indes galantes (Les). ♦ Opéra-ballet de Rameau, livret de Fuzelier (1735). L'ouvrage comprend un prologue et quatre entrées *(Le Turc généreux, Les Incas du Pérou, La Fête des fleurs, Les Sauvages)* dont chacune développe une intrigue amoureuse, dans le cadre d'un Orient de féerie ou des « Indes » occidentales. Par la richesse de l'invention mélodique, la perfection de l'harmonie et la couleur orchestrale, *Les Indes galantes* constituent un des chefs-d'œuvre de leur auteur. – La brillante reprise qu'en fit l'opéra de Paris (1952) est demeurée mémorable.

Indes occidentales *(Compagnie hollandaise des).* ♦ Compagnie commerciale fondée en 1664. Née au fort de la guerre hispano-hollandaise, elle fut d'abord une entreprise de pillage des possessions espagnoles et portugaises, mais passa bientôt à la conquête et à la colonisation (fondation de la Nouvelle-Hollande et de la Nouvelle-Amsterdam, plus tard New York). Ayant perdu peu à peu ses acquisitions, elle se consacra à la traite des Noirs, avant de disparaître en 1791.

Indes orientales *(Compagnie française des).* ♦ Société commerciale à privilèges instituée en 1664 par Colbert pour l'exploitation du commerce fait avec les pays d'Orient (Inde et Chine) et le Sénégal. Elle reçut en don l'île de Madagascar (à laquelle elle renonça en 1668) et installa son siège à Pondicherry* à partir de 1686. Elle abandonna le commerce avec la Chine en 1698. En 1712, elle perdit ses privilèges qui furent repris en 1719 par la *Compagnie des Indes** créée par le financier Law.

Indes orientales *(Compagnie hollandaise des).* ♦ Compagnie commerciale fondée en 1602 à l'instigation de Oldenbarnevelt*. Elle étendit son empire sur les possessions du Portugal, alors annexé par Philippe II*. Très florissante au XVIIe s., elle déclina par la suite pour disparaître après la guerre anglo-hollandaise, en 1798.

Index *(l')* ou **Index librorum prohibitorum**. ♦ Catalogue des livres prohibés [par l'Église romaine] (Cf. Petit Robert). Après un premier catalogue publié par Paul* IV en 1559 puis supprimé pour son excessive sévérité, l'Index fut promulgué par le concile de Trente (1564). Il dépendit de la congrégation de l'Index (1571-1917), puis du Saint*-Office. Il eut 32 éditions officielles de 1564 à 1948; en 1966 la Congrégation pour la doctrine de la foi déclara qu'il ne serait plus réédité. Sont prohibés, d'une manière générale, les versions non autorisées de l'Écriture, les livres condamnés antérieurement à la création de l'Index, les livres d'hérétiques traitant de religion, les ouvrages exprimant une doctrine opposée au catholicisme (rationalistes, matérialistes, déistes, athées, marxistes), les publications immorales ou obscènes, etc. Parmi les auteurs dont une ou plusieurs œuvres furent mises à l'Index : Abélard, Addison, d'Alembert, l'Arétin, A. Arnauld, d'Argenson, Bacon, Baïus, Bayle, Bentham, Béranger, Bèze, Boccace, Broussais, G. Bruno, Bucer, Calvin, Cardan, Casanova, Condillac, Condorcet, V. Considérant, B. Constant, Dante, Descartes, Des Périers, Diderot, É. Dolet, Érasme, H. Estienne, Fénelon, Fourier, Galilée, Grotius, Guichardin, Mme Guyon, Heine, Helvétius, Hobbes, V. Hugo, Hume, Hus, Jansenius, Kant, La Fontaine, Lamartine, Lamennais, La Mettrie, J. Lipse, Locke, Luther, Machiavel, Malebranche, Melanchthon, Mercator, Milton, Molina, Molinos, Montaigne, Montesquieu, Munzer, Œcolampade, Pascal, Patru, Pithou, Pogge, Pufendorf, Quesnel, Quinet, Rabelais, Raspail, Reuchlin, Rousseau, Saint-Cyran, Sainte-Beuve, Sand, Scaliger, Servet, Socin, Spinoza, Swift, Valla, Volney, Voltaire, Wyclif, Zwingli.

Indiamen. *n. m. pl.* (sing. *Indiaman).* ♦ Nom donné au XVIIIe s. aux navires anglais de la Compagnie des Indes orientales (East India Co.) qui faisaient régulièrement le trafic entre Londres et Calcutta ou Madras.

INDIANA. *n. m.* ♦ État du centre O. des États-Unis (Middle West) bordé au N. par le lac Michigan et l'État du Michigan, à l'E. par l'État d'Ohio, au S. par le Kentucky et à l'O. par l'Illinois. 94 153 km². Plus de 5 000 000 d'hab. (1968). *Cap.* Indianapolis; *V. princ. :* **V. Evansville, Fort Wayne, Gary, Hammond, South Bend.** – *Orogr.* La partie N. de l'État, d'origine glaciaire, est doucement vallonnée, le centre est en général plat (ces régions sont très fertiles). Le S. est plus pittoresque, souvent boisé et moins riche. – *Écon.* L'agriculture céréalière et l'élevage (porcs, bovins,...) sont très prospères dans les deux tiers N. de l'État. L'indus. métallurgique est localisée au N.-O. (près de Chicago) et dans les grandes villes. – L'Indiana est la patrie de Th. Dreiser (né à Terre-Haute, au S.-O. de l'État). – L'université d'Indiana a son principal campus à Bloomington (au S. d'Indianapolis). ♦ *Hist.* Explorée au XVIIe s. par des Français (comme l'Illinois), la région fut cédée à l'Angleterre par le traité de Paris (1763). Territoire (1783) avec pour cap. le poste français de Vincennes, l'Indiana devint le 19e État en 1816. L'époque des pionniers vit des expériences de vie collective remarquables (à New Harmony, **V. Owen** [Robert]).

INDIANAPOLIS. ♦ V. des États-Unis, cap. et V. principale de l'Indiana*, au centre de l'État. 742 613 hab.; zone urbaine env. 1 100 000 hab. Centre commercial (grains, bétail,...) et industriel important. Célèbres courses d'automobiles. Centre universitaire (médecine, droit) et culturel.

INDIEN *(océan),* anc. **mer des Indes**. ♦ Nom donné à la région limitée au N. par l'Inde, le Pakistan et l'Iran (Perse), à l'O. par la péninsule Arabique et l'Afrique, à l'E. par la péninsule malaise (Birmanie, Thaïlande, Malaysia), les îles de la Sonde de l'Indonésie et l'Australie, au S. par l'océan Antarctique. Une séparation conventionnelle entre l'océan Indien et l'océan Atlantique est déterminée par la longitude du cap des Aiguilles*, et avec l'océan Pacifique par la longitude de l'île de Tasmanie*. C'est le troisième océan du monde par sa superficie (env. 75 000 000 de km², y compris les mers ou golfes adjacents : mer d'Oman*, golfe du Bengale, mer d'Andaman*, mer de Timor*). Deux mers bordières communiquent avec lui : la mer Rouge* par le détroit de Bāb* al-Mandad, et le golfe Persique* par le détroit d'Ormuz*. L'océan Indien est divisé en deux parties allant de l'Inde à l'Antarctique selon une dorsale centrale qui détermine le bassin australo-indien, où se situent les fosses les plus profondes (7 000 m au S. des îles de la Sonde). Sa profondeur moyenne est de 3 900 m. Les îles y sont très nombreuses, surtout dans le S. : Madagascar* (la plus importante), la Réunion*, l'île Maurice* et les Comores*.

INDIEN *(Territoire britannique de l'océan).* ♦ Possessions britanniques, formant une colonie membre du Commonwealth. Elles dépendaient anciennement des îles Seychelles et de l'île Maurice. 450 km². Pas de population permanente.

INDIGHIRKA. *n. f.* ♦ Riv. d'U.R.S.S. (R.S.F.S. de Russie), en Sibérie extrême-orientale. 1 795 km. Formée par la confluence des riv. *Tuora-Iurakh* et Taryn-Iurakh dans les monts de Verkhoïansk, elle arrose la R.S.S. de Iakutie* et se jette dans l'océan Arctique, en formant un grand delta. Elle est navigable jusqu'à sa confluence avec la Moma, de mai à octobre.

INDOCHINE. *n. f.* ♦ Nom géographique de la péninsule du S.-E. asiatique située entre l'Inde et la Chine et comprenant la Birmanie*, le Laos*, la Thaïlande*, le Cambodge*, le Viêt*-nam et la partie de la Malaysia* se trouvant dans la péninsule malaise. ♦ *Hist.* Nom donné en 1888 aux pays de l'Indochine colonisés par la France *(Indochine française)* comprenant d'abord la Cochinchine*, l'Annam*, le Tonkin* et le Cambodge*, puis, à partir de 1893, le Laos* et, en 1900, le territoire chinois de Kuang-chou wan (Kouang-tcheou wan, Guangzhou wan). Ces territoires furent conquis par Napoléon III qui envoya en Annam une expédition maritime dont la mission officielle était de protéger les missionnaires. Tourane (Da-nang) fut prise en 1858 puis Saigon et toute la Cochinchine. Le protectorat sur le Cambodge, alors disputé par le Siam, fut établi peu après. Un conflit ayant éclaté avec la Chine (1884-1885), les troupes françaises envahirent le Tonkin. Paul Doumer*, à partir de 1887, s'efforça d'organiser le pays, malgré l'hostilité des Indochinois. Des villes furent créées ou modernisées et la culture française imposée. – En 1942, les Japonais envahirent l'Indochine. Au printemps 1945, ils proclamèrent l'indépendance du Viêt-nam. Ils furent chassés par les alliés occidentaux. Le Viêt-nam se déclara république démocratique (communistes et nationalistes). En août 1945, le général de Gaulle donna l'ordre à l'amiral Thierry d'Argenlieu de « rétablir la souveraineté française ». Après une lutte souvent atroce entre Français et nationalistes vietnamiens conduits par Hô* Chi Minh et un essai d'« indépendance dans l'interdépendance », les États associés d'Indochine se soulevèrent, réclamant l'indépendance, qu'ils obtinrent après la défaite des troupes françaises à Diên* Biên Phu en 1954, par les accords de Genève*. Les États-Unis s'abstinrent pour leur part de signer ces accords, se réservant ainsi la possibilité d'intervention dans la lutte opposant les autorités de Hanoi et de Saigon. **V. Viêt-nam.**

INDONÉSIE. *n. f.* ♦ État de l'Asie du S.-E., formé d'un archipel d'îles baigné par l'océan Indien au S., la mer de Chine méridionale au N., et l'océan Pacifique à l'est. L'archipel comprend plus de 3 000 îles. Les principales sont : Java*, Sumatra*, Kalimantan* (Bornéo), Sulawesi (Célèbes*), Moluques*, Irian* (partie occidentale de la Nouvelle-Guinée). – 1 904 345 km². 127 600 000 hab. *(Indonésiens).* Langues : bahasa indonesia, malais, javanais, sundanais, balinais, madurais. *Religions :* musulmans (90 %), chrétiens (3,5 %), bouddhistes (2 %), hindous, animistes. *Cap.* **V. Djakarta.** *V. princ.* **V. Bandung, Bogor, Djogjakarta, Makasar, Malang, Medan, Padang, Palembang, Semarang, Surabaya.** – *Orogr.* La partie occidentale de Sumatra (473 606 km²) est formée de hautes terres qui constituent la plate-forme émergée de la Sonde*; cette chaîne (Barisan) est jalonnée de volcans (Kerintji, Indrapura). Les plateaux (Batak), les bassins de la dépression de Semangko s'y succèdent. La côte orientale est inhospitalière. Java (127 000 km²) appartient à la bordure S. de la plate-forme de la Sonde. Un grand nombre de volcans se dressent sur son axe médian, orienté est-ouest. Kalimantan* (539 000 km²) comporte un massif central montagneux (Kapuas, Irian) et des plaines étendues où coulent les plus longues rivières d'Indonésie (Kapuas, Barito), Sulawesi **(V. Célèbes)** [172 000 km²] se dresse au-dessus de fosses de 5 000 mètres. L'axe de Irian est une chaîne de montagnes à partir

Ph. Fred Mayer/Magnum

L'océan **Indien** au large de Trincomalee (île de Ceylan.)

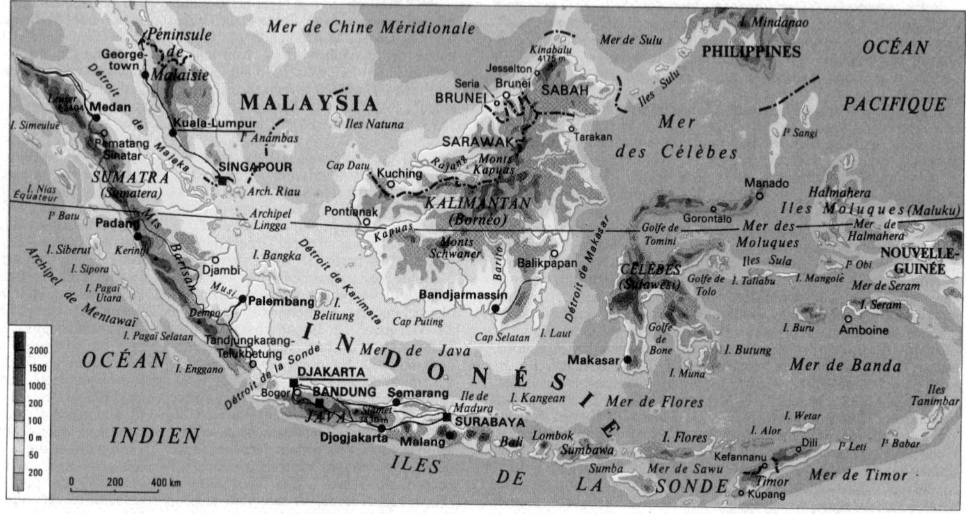

Indonésie.

de laquelle descendent deux fleuves (Memberamo, Digoel). De *climat* équatorial, l'archipel subit l'influence des moussons; le maximum des pluies se situe en janvier. La température y est constante. Une forêt équatoriale couvre le pays. En certaines parties du territoire, cette forêt laisse la place à des mangroves, des forêts de marécages ou à des tourbières. Une forêt d'étage submontagnard apparaît à 1 200 m d'alt. (mousses, fougères arborescentes, chênes). L'agriculture itinérante (ladang) détruit la forêt. – *Pop.* Très anciennement peuplé (*Pithecanthropus erectus* : ~ 500 000 ans), l'archipel reçut une première vague de migrations au début du ~ IIe millénaire : des Proto-Malais repoussèrent les indigènes mélanésiens et Negritos dans les montagnes. Les Deutéro-Malais s'installèrent au ~ IIIe siècle. Des Chinois, des Indiens, des Arabes introduisirent de nouveaux éléments ethniques. Divers peuples sont répartis sur l'île de Sumatra : Atjeh*, Batak*, Minangkabau*. La plus forte densité de population est atteinte à Java (563,2 hab./km²). Peu connue, la partie centrale de Bornéo, ou Kalimantan, est le centre de la culture des Dayaks. 700 000 Papous sont disséminés sur le territoire de la Nouvelle-Guinée. – *Écon.* L'économie indonésienne est fondée sur l'agriculture, concentrée à Java. Le riz (23 100 000 de t) constitue l'aliment de base. Là où l'eau n'est pas suffisante, le riz est remplacé par le maïs (Timor, Java central). Le thé (E. de Sumatra, O. de Java), le café (Minangkabau à Sumatra), le manioc, le kapok, le coprah, le palmier à huile (E. de Sumatra), le tabac (Java et Sumatra), la canne à sucre, font partie des cultures commerciales. Les plantations d'hévéa sont surtout abondantes à Sumatra. L'élevage reste secondaire. – Le pétrole, exploité par des compagnies étrangères, constitue la principale richesse minière de l'Indonésie (gisements à Sumatra et à Kalimantan). On trouve aussi de l'étain, de la bauxite, du nickel et du manganèse. Les industries de transformation sont liées aux produits de l'agriculture (manufactures de tabac, sucreries) et du sous-sol (raffineries de pétrole). Indus. textiles.

Ph. Prato/Ricciarini

Indonésie : rizières en terrasses.

– *Communications.* Elles se font surtout par voie maritime, mais la marine marchande et les ports Padang*, Palembang*, Surabaya*, sont insuffisants et mal équipés. Le réseau routier, très insuffisant (83 000 km dont 20 000 km asphaltés), est concentré pour les deux tiers à Java. Le réseau ferré (7 900 km) est vétuste. – *Commerce.* L'Indonésie doit importer des biens de consommation (riz, farine de blé), des biens d'équipement (machines, bicyclettes, automobiles) et des matières premières. Les exportations consistent en pétrole et dérivés, caoutchouc, étain, café. Le Japon, Singapour et les États-Unis sont les principaux partenaires commerciaux de l'Indonésie. – Le *tourisme,* concentré à Bali, reste peu développé (30 000 entrées). ♦ *Hist.* Entre ~ 3000 et ~ 1500, des Proto-Malais et des Deutéro-Malais émigrèrent sur le territoire indonésien, formant une ethnie indonésienne. Le travail des métaux (bronze et fer) fut introduit dans la seconde moitié du ~ Ier millénaire par des groupes immigrés d'Indochine. Plusieurs princes de l'Inde du S., chassés par les conquêtes Gupta, fondèrent à Java des royaumes (IVe-VIIe s.) et y apportèrent la civilisation hindoue. Au VIIe s., ces princes y créèrent un foyer de culture bouddhique. Le royaume de Malayu (Sumatra) fut englobé par l'empire de Śrîvijaya (VIIe-XIIIe s.) qui adopta le bouddhisme et prit pour capitale Palembang (Sumatra). L'apogée du royaume de Śrîvijaya se situa au VIIIe s., avec la conquête de la péninsule malaise et des régions des détroits de la Sonde. La dynastie des Śailendra (778-870) régna sur le centre de Java au VIIIe s.; dans la seconde moitié du IXe s., un royaume de religion śivaïte, Sanjaya, mis à l'écart autrefois par les Śailendra, parvint à supplanter ceux-ci (870). Au début du Xe s., le centre et l'E. de Java, unifiés, constituèrent le royaume de Mâtaram. Mais en 1016, Śrîvijaya détruisit la capitale de Mâtaram, exterminant les princes de ce royaume. Cependant, l'un d'eux, Airlangga*, réussit à s'enfuir, à reconstituer l'État de Mâtaram dans l'E. de Java, et à conquérir l'île de Bali. À la mort d'Airlangga, son royaume fut divisé entre ses deux fils (1049). Après des luttes intestines, le prince Vijaya repoussa l'invasion mongole (1293). Devenu roi en 1293, il s'installa à Madjapahit (Java oriental). L'empire de Madjapahit connut une extension territoriale considérable au XIVe s., sous le règne de Hayam Wuruk (Java, Bali, Sumatra, côtes de Bornéo, Nouvelle-Guinée, S. de Taiwan, îles Mariannes). Au début du XVe s., l'islâm, introduit par des commerçants indiens du Gujarât, se répandit dans toute l'Indonésie, excepté à Bali, où se réfugia l'hindouisme. Les sultanats se développèrent. Un nouveau royaume de Mâtaram fut fondé par le sultan Senapati à Java (1582-1601). Les Européens se manifestèrent en 1511 avec la conquête du port de Malaka par Albuquerque. Les Portugais passèrent des accords avec les sultans et entreprirent de convertir les Indonésiens au catholicisme. Après l'assassinat du sultan de Ternate (1570), les Portugais furent chassés des îles. D'autres Européens (Anglais, Espagnols, Français) intriguèrent auprès des sultans. En 1596, la Compagnie des Indes orientales, avec le Hollandais Cornelis de Houtman, s'implanta en Indonésie. Les Hollandais, ayant fondé Batavia (Djakarta), s'assurèrent, par des traités passés avec l'Espagne, l'Angleterre et la France, la maîtrise des mers et des terres indonésiennes. En 1799, la Compagnie fut dissoute. Le général Daendels, nommé gouverneur des Indes orientales par Louis Bonaparte, roi de Hollande, réforma l'administration à Java (1808), qui devint colonie française en 1810. Mais les Anglais s'en emparèrent en 1811. Le traité de Londres (1824) divisa alors le monde malais entre l'Angleterre (Malaisie) et les Pays-Bas (Indonésie), et Bali tomba aux mains des Hollandais en 1906. Le premier mouvement nationaliste, le *Budi Otomo*, est dû à des étudiants (1908), puis ce fut en 1911 le *Sarekat Islâm* qui collabora avec les premiers groupes socialistes et communistes (1920). Après les premières répressions de 1926-1927, Achmed Sukarno* fonda le *Parti nationaliste indonésien*. En 1931, Sukarno fut exilé à Flores. Après l'occupation et la capitulation japonaise (1945), il proclama la République indonésienne à Djakarta. Par le traité de 1946, signé avec la Hollande, les îles de Java et de Sumatra furent reconnues comme faisant partie de la République indonésienne, mais l'Indonésie orientale restait sous protectorat hollandais. La République unitaire d'Indonésie fut enfin proclamée en 1950. En 1965, l'Indonésie quitta l'O.N.U. L'armée prit le pouvoir et élimina les communistes. Une effroyable guerre civile (massacre des communistes et de leurs alliés) déchira le pays. Sukarno céda le pouvoir au général Suharto en 1966, et celui-ci devint président de la République en 1968.

INDORE. ♦ V. de l'Inde (Madhya Pradesh). 494 700 hab. (1970). Indus. textiles. ♦ *Hist.* C'est l'ancienne capitale de l'État indien d'Indore, élevée à la fin du XVIIIe s. par Ahalya Bai sur les bords de la rivière Katkî, et détruite en 1801 à la suite des guerres mahrâtes. La dynastie des Holkar* y fut fondée.

INDRA. ♦ Anc. divinité de l'Inde, présidant, à l'époque védique, à la foudre et à la guerre. Considéré comme le « roi des dieux », il représente l'énergie motrice de tous les êtres et est symbolisé par la pluie. Il incarne la puissance mâle. Il est toujours âgé de vingt-cinq ans. Son lieu d'élection est l'Est et son animal-support un éléphant à trois têtes.

INDRAVARMAN. ♦ Roi de Champâ (actuel Annam, Viêt-nam) attesté de 787 à 801. Il aurait repoussé un raid de pillards (peut-être des Javanais) et envoyé en 793 une ambassade en Chine. De nombreux souverains du Champâ* et du Cambodge portèrent ce nom.

INDRE. *n. f.* ♦ Riv. de France (265 km), dans le Bassin parisien, affl. de la Loire (r. g.). Née sur les premières pentes du Massif central, elle draine la Champagne berrichonne et la Touraine, avant de confluer en amont de Chouzé-sur-Loire. Son cours traverse les départements du Cher (sur quelques km), de l'Indre et de l'Indre-et-Loire. Elle arrose notamment La Châtre*, Châteauroux*, Buzançais*, Châtillon*-sur-Indre, Loches*, Montbazon*, Azay*-le-Rideau.

INDRE [36]. *n. m.* ♦ Dép. du S. du Bassin parisien, aux confins du Massif central. Région (anciennement C.A.R.) du Centre*. 6 906 km². — *Orogr.* La majeure partie du département est couverte par la Champagne berrichonne calcaire, reliée au N.-O. aux plateaux de Touraine. Au S.-E., les reliefs mamelonnés du Boischaut s'élèvent vers le Massif central. Au S.-O., entre la Creuse et l'Indre, s'étend le plateau imperméable de la Brenne, où stagnent de nombreux étangs.
♦ 23 cant., 248 comm., 252 491 hab. *Préf.* Châteauroux*. *Sous-préf.* Blanc* (Le), Châtre* (La), Issoudun. *Ch.-l. de cant.* Aigurande*, Ardentes*, Argenton*-sur-Creuse, Belâbre (1 336 hab.), Buzançais*, Châtillon*-sur-Indre, Écueillé (1 698 hab.), Éguzon*, Levroux*, Mézières*-en-Brenne, Neuvy*-Saint-Sépulchre, Saint*-Benoît-du-Sault, Saint-Christophe-en-Bazelle (429 hab.), Saint*-Gaultier, Sainte*-Sévère-sur-Indre, Tournon-Saint-Martin (1 610 hab.; aggl. 842). Valençay*, Vatan*. *Autres comm.* **V. Déols, Gargilesse-Dampierre.**

INDRE ou **BASSE-INDRE.** ♦ Comm. de la Loire-Atlantique, dans l'aggl. et l'arr. de Nantes. 4 295 hab. Importante usine de la Marine nationale dans l'île d'Indret (construction de machines de navires).

INDRET. ♦ V. INDRE.

INDRE-ET-LOIRE [37]. ♦ Dép. du S.-O. du Bassin parisien, région (anciennement C.A.R.) du Centre*. 6 158 km². — *Orogr.* Le relief du département est constitué de plateaux crayeux plaqués d'argile : au N., la Gâtine tourangelle s'abaisse vers le Val de Loire, largement ouvert et tapissé d'alluvions. Au S. du Val, le pays d'Amboise, la Champeigne, les plateaux de Sainte-Maure, de Preuilly et de Richelieu, s'étendent en bandes oblongues, découpées par les rivières, semées de dépôts de coquilles calcaires marines : les « falunières ».
♦ 26 cant., 278 comm., 446 132 hab. *Préf.* Tours*. *Sous-préf.* Chinon*, Loches*. *Ch.-l. de cant.* Amboise*, Azay*-le-Rideau, Bourgueil*, Bléré*, Château-la-Vallière (1 530 hab.), Château-Renault, Chinon*, Descartes*, Grand*-Pressigny (Le), Ile*-Bouchard (L'), Langeais*, Ligueil*, Montbazon*, Montrésor*, Neuillé*-Pont-Pierre, Neuvy*-le-Roi, Preuilly*-sur-Claise, Sainte*-Maure-de-Touraine, Richelieu*, Vouvray*. — *Autres comm.* **V. Avoine, Chenonceaux, Luynes, Rigny-Ussé, Villandry.**

Indulgences *(querelle des)*. ♦ V. LUTHER, RÉFORME, TETZEL.

Indulgents. *n. m. pl.* ♦ Nom donné par Robespierre et ses partisans aux anciens membres du club des Cordeliers, qui avec Danton* et Camille Desmoulins*, demandèrent dès la fin de 1793 que cessât le régime de la Terreur. Ils furent arrêtés et condamnés à mort par le Tribunal révolutionnaire (avril 1794).

INDUS. *n. m.* ♦ Fl. du sous-continent indien (3 180 km), né sur le plateau tibétain et qui, après avoir contourné vers l'O. les hauts sommets de l'Himâlaya*, traverse le Cachemire* (Kâsmîr), le Pañjâb* (pays des cinq rivières) qui correspond à son bassin avec ses affl. principaux, et se dirige vers le S.-O. à travers les

Ph. Sandro Prato/Ricciarini

L'Indus près de la région de Bahâwalpur.

sables du Pâkistân* pour se jeter par un immense delta dans la mer d'Oman à Karachi*. Il changea plusieurs fois de lit au cours de l'histoire, provoquant ainsi la disparition des villes de la *civilisation* dite *de l'Indus* (Mohenjo*-darô, Harappa*) qui étaient installées sur ses rives. De grands barrages à Sukkur et Kotri tendent à régulariser ses eaux et à les utiliser pour l'irrigation. *Princ. affl.* : la Kâbul*, la Pañjnad (qui groupe les cinq rivières du Pañjab*) et la Gilgit.

INDUTIOMARE. ♦ Chef des Trévires* (mort en ~ 54) qui organisa la résistance contre Rome.

INDY (Vincent d'). ♦ Compositeur français (Paris, 1851 — *id.*, 1931). Issu d'une famille de hobereaux musiciens, d'origine cévenole, que fréquentaient Berlioz et Rossini, il a lui-même connu Liszt et Wagner. Élève de Lavignac et de C. Franck à Paris, il conçut très tôt une fervente admiration pour le génie musical allemand et surtout pour Wagner* dont l'*Anneau du Nibelung* lui fut révélé à Bayreuth (1876). Ses activités d'organiste et d'animateur de la Société nationale de musique, l'action qu'il entreprit pour soutenir l'œuvre de Wagner à Paris et celle des jeunes musiciens (dont Debussy), un peu plus tard, à Bruxelles, ne le détournèrent point de la composition. De cette première époque de sa carrière datent les ouvertures de *Wallenstein*, trilogie, d'après Schiller (1873-1879), le *Chant de la cloche*, légende dramatique, d'après Schiller (1883), le *Poème des montagnes*, pour piano (1883), la *Symphonie sur un chant montagnard français*, dite *Cévenole* (1886), un *Trio* pour piano, clarinette et violoncelle (1887), un premier *Quatuor* pour instruments à cordes (1890) et un opéra, *Fervaal* (1895), œuvre puissante où l'influence de Wagner est sensible. Reconnu bientôt comme un maître de l'école française, devenu un chef d'orchestre réputé, il lui fut donné d'exercer sa vocation pédagogique en assurant à la Schola cantorum un cours de composition (1896) auquel il resta fidèle sa vie durant. Dans cette maison dont il fut le fondateur avec Ch. Bordes et A. Guilmant, il devait inscrire au programme de ses concerts, non seulement Monteverdi, Bach, Rameau, Gluck et Beethoven, mais encore Dukas, Roussel, Debussy et Ravel. Cet éclectisme joint à une maîtrise parfaite du métier, acquise sous l'influence des solides disciplines grégorienne et palestrinienne, permit à d'Indy de former de nombreux musiciens épris à leur tour de rigueur et d'exigence (A. Roussel, Albeniz, Falla, A. Honegger, G. Auric et E. Satie). Après un second *Quatuor* à cordes (1895) et *Istar*, variations symphoniques (1896), d'Indy allait donner quelques-unes de ses œuvres maîtresses. Ce furent l'*Étranger*, drame symbolique d'après Ibsen (1898-1901), d'une grande richesse thématique, une deuxième *Symphonie* (1902), deux *Sonates*, l'une pour violon et piano (1903), l'autre pour piano seul (1907) et enfin la *Légende de saint Christophe*, opéra (1920), son œuvre la plus achevée par la générosité du lyrisme et l'équilibre de la construction. Bien qu'un grand nombre de thèmes développés par d'Indy fussent d'origine germanique, il a constamment affirmé son attachement à la terre natale par une large utilisation du folklore français (*Fantaisie sur de vieux airs français*, 1888; *Jour d'été à la montagne*, pour orchestre, 1907; *Chansons populaires du Vivarais*, 1892-1930). Avec un même bonheur, il a célébré les sites méditerranéens (*Poème des rivages*, 1921; *Diptyque méditerranéen*, pour orchestre, 1926). Personnalité complexe à la fois traditionaliste et novateur, d'Indy respecte l'architecture tonale mais il a souvent recours à des harmonies audacieuses. Maître du contrepoint, il l'est aussi par la richesse et la diversité de la polyphonie. Paysagiste fidèle à son Vivarais natal, créateur plus volontaire que contemplatif, d'Indy est avant tout un esprit religieux fortement marqué par le dogme catholique. Son *Traité de composition musicale* est l'œuvre d'un artiste et d'un croyant.

INÈS DE CASTRO. ♦ Héroïne espagnole (v. 1320 — Coimbre, 1355). Elle se rendit au Portugal avec la suite de Constance de

Arch. Rencontre

Jean Auguste Dominique Ingres : « Jupiter et Thétis ». (Musée Granet, Aix-en-Provence.)

Castille, mariée à l'infant Pierre de Portugal. Ce dernier, après la mort de sa femme, épousa secrètement Inès en 1354. Le roi Alphonse* IV, père de Pierre, apprenant ce mariage, fit assassiner Inès. Devenu roi à son tour, Pierre fit périr les meurtriers de la jeune femme, et fit construire pour elle à Alcobaça* un tombeau qui est un des chefs-d'œuvre de l'art médiéval portugais. — Cet épisode a inspiré poètes et écrivains dont Camoens*, Vélez* de Guevara et H. de Montherlant* *(La Reine morte).*

INGEBORG ou **INGEBURGE.** ♦ V. ISAMBOUR.

INGEGNERI (Marcantonio). ♦ Compositeur italien (Vérone, v. 1547 — Crémone, 1592). Maître de chapelle à Crémone (1581) il eut Monteverdi* pour élève. Son œuvre comprend des compositions religieuses (*messes* à 5 et 8 voix; *sacrae cantiones,* de 7 à 16 voix; *responseria* pour les offices de la Semaine sainte; *motets*) et profanes (*madrigaux* à 4, 5 et 6 voix). Il est considéré comme l'un des maîtres de l'école vénitienne au XVIe s., tant pour la subtilité mélodique que pour la puissance expressive de son œuvre musicale.

INGELMUNSTER. ♦ Comm. de Belgique (Flandre-Occidentale, arr. de Roulers) sur la Mandel. 9 800 hab. Château reconstruit au XVIIIe s. sur des fondations féodales. — Indus. textiles. Tapis. Indus. de la chaussure.

INGEN-HOUSZ (Johannes). ♦ Médecin et physicien hollandais (Breda, 1730 — dans le Wiltshire, 1799). Après avoir exercé la médecine à la cour d'Autriche, il s'établit en Angleterre. Indépendamment de Priestley*, il étudia la chimie du carbone et montra le rôle de la lumière dans la fixation de cet élément par les végétaux, à partir du gaz carbonique de l'air (1780). En 1789, il expérimenta sur la conductibilité thermique des métaux, inaugurant l'appareil qui porte son nom. Il devint membre de la *Royal Society* de Londres.

Ingénu (L'). ♦ Conte satirique de Voltaire* (1767), qui illustre le mythe du « bon sauvage », c'est-à-dire de la simple nature perfectionnée grâce aux sciences et aux arts. Né Huron, transporté en Europe et surnommé l'Ingénu, car « il dit toujours naïvement ce qu'il pense et [...] il fait ce qu'il veut », le héros, par ses étonnements naïfs et son bon sens, dénonce successivement les préjugés provinciaux, les vices de la cour de Louis XIV et l'inanité des querelles religieuses. Cette suite de croquis, parfois caricaturaux, est pleine de charme grâce à la verve du conteur et au ton vif, parfois mordant, de la satire.

INGHELBRECHT (Désiré Émile). ♦ Chef d'orchestre et compositeur français (Paris, 1880 — *id.,* 1965). Ami de Debussy, il fut directeur de la musique au théâtre des Champs-Élysées (1913), puis chef d'orchestre à l'Opéra-Comique (1924) avant de fonder l'orchestre national de la Radiodiffusion française (1934). Interprète subtil de la pensée debussyste, il a composé dans des genres très divers (musique symphonique, religieuse, de chambre, ballet, mélodies, pièces pour piano, opérettes). Essayiste et mémorialiste, il a publié plusieurs ouvrages d'un style incisif.

INGOLD (Christopher Kelk). ♦ Chimiste anglais (né en 1893). Auteur, avec R. Robinson*, de recherches sur le rôle des électrons dans les réactions organiques qui ont conduit aux concepts d'*effets inductifs* et d'*effets mésomères,* il parvint à expliquer les caractères propres du benzène et des composés aromatiques (1933). **V. Kekule.**

INGOLSTADT. ♦ V. d'Allemagne méridionale (Bavière), sur le Danube, au pied du *Jura franconien.* 67 700 hab. — Vestiges de fortifications des XIVe-XVe s.; église gothique de type halle (XVe-XVIe s.); chapelle rococo (*déb.* XVIIIe s.) due aux frères Asam*. — Important centre de raffinage du pétrole et point d'arrivée de deux oléoducs (l'un venant de Karlsruhe, l'autre de Gênes). Indus. mécaniques (machines, automobiles) et textiles. ♦ *Hist.* La ville fut aux XVe-XVIe s. un centre intellectuel très actif (université, 1472-1800; collège de jésuites, 1555) et prit une part importante à la Contre-Réforme. Jusqu'au XIXe s., Ingolstadt fut une importante place forte.

INGOUCHES ou **INGUCH** *(république des)* - **INGOUCHIE.** *n. f.* ♦ **V.** TCHÉTCHÉNO - INGOUCHIE.

INGRES (Jean Auguste Dominique). ♦ Peintre et dessinateur français (Montauban, 1780 — Paris, 1867). Son père, sculpteur ornemaniste, l'aida à développer son talent précoce. Il suivit des cours de musique (qui lui permirent plus tard de se délasser par le proverbial *violon d'Ingres*) et étudia à l' académie de Toulouse. En 1797, il devint à Paris l'élève de David* et obtint en 1801 le prix de Rome. Il ne fut envoyé en Italie qu'en 1806 et exécuta entre-temps plusieurs portraits (*Mlle Rivière,* 1805; *Mme Aymon,* 1806; *Napoléon Ier sur le trône impérial,* 1806) qui furent critiqués au Salon. Il décida de ne revenir à Paris que lorsqu'il serait reconnu sans équivoque. Pensionnaire de la villa Médicis à Rome, il s'enthousiasma pour Raphaël et, ayant déjà admiré le contour épuré de Flaxman*, il étudia le dessin des vases grecs. Dans les œuvres qu'il produisit alors — portraits (*Mme Devauçay,* 1807; *Granet,* 1807), sujets mythologiques (*Œdipe et le Sphinx,* 1808), nus et paysages — s'affirment déjà les principes stylistiques qui régissent toute son œuvre : observation précise des modèles, goût du détail exact, vérité expressive des portraits et, en même temps, besoin de dépasser le rendu « réaliste » par un souci de la forme qui l'amène à styliser son dessin, à donner à son modelé un aspect lisse et uniforme, à recourir à des déformations. Il mettait ainsi en évidence la prééminence de la ligne et créait une structure souple où domine l'arabesque. Cette recherche de style, d'équilibre dans la composition est manifeste dans une œuvre comme la *Baigneuse* dite *Valpinçon,* 1808. Ses envois, notamment *Jupiter et Thétis,* 1811, étant toujours mal reçus à Paris, il décida de rester à Rome. Pour vivre, il fit de nombreux dessins à la mine de plomb dont l'élégance délicate et l'acuité contribuèrent à affirmer sa réputation de dessinateur; il peignit aussi de nombreux portraits *(Mme de Senones)* et des nus (*Grande Odalisque,* 1814). Le choix de ses thèmes manifeste des affinités avec les préromantiques : inspiration littéraire (*Les Songes d'Ossian,* 1813, exécutés pour Napoléon), sujets empruntés à l'histoire pittoresque du Moyen Âge et de la Renaissance (*Henri IV et ses enfants,* 1819). Avec le *Vœu de Louis XIII* (1824), imité de Raphaël, il obtint un brillant succès, revint à Paris, fut nommé membre de l'Institut et ouvrit un atelier qui allait devenir célèbre. Il se posa alors face aux partisans du romantisme comme le défenseur de la tradition néo-classique, prôna la copie des antiques, le culte du dessin et se voulut le continuateur de David (*L'Apothéose d'Homère,* 1827). De nouveau critiqué à Paris pour son *Martyre de saint Symphorien* (1834), il demanda et obtint le poste de directeur à l'Académie de France à Rome; ainsi, de 1834 à 1841, il se consacra à ses élèves. Il suivit un moment la mode orientaliste (*L'Odalisque à l'esclave,* 1839). Après l'accueil triomphal fait à sa *Stratonice* (1840), il se fixa à Paris, fut comblé d'honneurs, reçut des commandes officielles (vingt-cinq cartons pour les vitraux de la chapelle de Dreux), exécuta de brillants portraits *(Mme Moitessier)* et de nombreux nus (*La Source,* 1856; *Le Bain turc,* 1863). — Bien qu'il se soit voulu un continuateur et qu'il ait en effet contribué à enraciner le conservatisme, il sut, dans ses œuvres les plus personnelles (portraits et nus), inventer des formules plastiques dans le domaine du dessin comme de la couleur où il recherche les harmonies rares et les teintes franches.

INGRIE. *n. f.* ♦ Ancienne dénomination d'une partie de la Finlande*, comprise entre le golfe de Finlande*, la Narva*, le lac Tchoudsk* et le Volkhov*, et habitée par les *Inghers* finnois. Conquise par les Russes au XIIIe s., puis par les Suédois (1617), reconquise par Pierre* le Grand (1702), et annexée à la Russie au traité de Nystad* (1721), elle est incorporée depuis 1785 au gouvernement de Saint-Pétersbourg (auj. région de Leningrad).

I-NING [*Yining*]. ♦ Oasis chinoise (Hsin-chiang), sur l'Ili, au N. des T'ien-shan, sur la voie caravanière reliant Urumtsi à Alma Ata (U.R.S.S.). 120 000 hab. Coton, fruits, céréales.

ININI. *n. m.* ♦ Riv. de la Guyane française, affl. du Maroni*. — Anc. division administrative de la Guyane qui forme *auj.* l'arr. de Saint*-Laurent-du-Maroni.

Inkerman. ♦ Faub. de Sébastopol*, en Crimée. Théâtre d'une sanglante bataille remportée par les Franco-Anglais (5 nov. 1854) sur les Russes de Menchikov*, durant la guerre de Crimée*. Canrobert* et lord Raglan* s'y distinguèrent, mais la victoire fut assurée par Bosquet*.

INN. *n. m.* ♦ Riv. de Suisse, d'Autriche et d'Allemagne, affl. du Danube (r. d.). 525 km. L'Inn prend sa source dans le petit lac

Lughino, dans les Alpes des Grisons*, en Suisse, où il forme l'Engadine* jusqu'à la frontière autrichienne. Il arrose les villes de Samedan*, Sils*-Maria, Silvaplana* et Saint*-Moritz en Suisse, Innsbruck* en Autriche et Rosenheim* en Allemagne, puis sert de frontière entre l'Autriche et l'Allemagne jusqu'à sa confluence avec le Danube à Passau*. Nombreuses installations hydro-électriques : Rattenberg, Braunau, Ering.

INNOCENT Ier *(saint)*. ♦ 40e pape (401-417 [mort]), d'Albano (Latium). Il subit le sac de Rome par Alaric (410) et condamna l'hérésie de Pélage*. — Fête le 28 juillet.

INNOCENT II *(Gregorio Papareschi)*. ♦ 162e pape (1130-1143 [mort]), Romain. Face à l'antipape Anaclet* II, il se réfugia en France, obtint l'appui de saint Bernard* et de plusieurs souverains (concile de Reims 1131), rentra à Rome avec l'aide de Lothaire* III qu'il couronna empereur (1133). Mais la lutte continua contre Roger* II de Sicile qui l'emporta (traité de Miniano, 25 juillet 1139). **V.** *aussi* **Victor IV,** antipape. Innocent II avait réuni le IIe concile du Latran* (avril 1139).

INNOCENT III *(Lando Frangipane di Sezze)*. ♦ Antipape (1179-1180 [mort]) contre Alexandre* III, qui le fit enfermer.

INNOCENT III *(Giovanni Lotario, comte de Segni)*. ♦ [Anagni, 1160 — Pérouse, 1216]. 174e pape, de 1198 à 1216. Théologien et juriste, élu à 37 ans, il fut le plus puissant des papes du Moyen Âge, proclamant non seulement l'indépendance mais la suprématie du Saint-Siège par rapport aux souverains. À Rome, il sut se concilier le peuple, le Sénat et les féodaux. En Italie, il imposa son autorité sur les États de l'Église, son influence sur les Deux-Siciles (minorité du futur Frédéric II, son pupille) et sur le Nord (reconstitution de la Ligue lombarde, création d'une Ligue toscane). En Allemagne, il profita de la vacance du trône impérial après la mort d'Henri VI (1197). Il approuva l'élection d'Othon* IV contre Philippe de Souabe, le couronna (1209) mais l'excommunia (1210) après l'occupation de la Toscane et le fit remplacer par Frédéric* II (1212). Othon fut vaincu par les alliés du pape (Bouvines*, 1214). En France, il prit parti, comme Célestin* III, pour Isambour* (Ingeburge) répudiée par Philippe* Auguste, jeta l'interdit sur le royaume (1200) et finit par triompher (1213). En Angleterre, Jean* sans Terre, cédant à l'excommunication, s'avoua son vassal (1213). Mais Innocent III condamna la Grande Charte* (1215) dirigée à la fois contre le pouvoir du roi et celui du pape. En Espagne, il organisa l'alliance qui aboutit à la victoire de Las Navas de Tolosa (1212) sur les Arabes **(V. Reconquête).** Contre les musulmans, il fit prêcher la quatrième croisade* qui dégénéra et aboutit à la prise de Constantinople (1204). Contre l'hérésie albigeoise **(V. Albigeois, Cathares, Raymond VI** de Toulouse), il recommanda d'abord la prédication **(V.** *saint* **Dominique),** mais, après l'assassinat de son légat Pierre de Castelnau* (1208), il provoqua la croisade (1209); celle-ci aussi dégénéra **(V. Montfort** [Simon IV de]) et il dut multiplier les appels à la modération. Du point de vue religieux, il encouragea saint Dominique* (sans toutefois reconnaître son ordre, pour raison d'opportunité) et saint François* d'Assise. Il réunit le IVe concile du Latran* (1215).

Ph. Prato/Ricciarini

Innsbruck : « le Petit toit d'or ».

INNOCENT IV *(Sinibaldo Fieschi)*. ♦ [Gênes, v. 1195 — Naples, 1254]. 178e pape (1243-1254). Il poussa à l'extrême les doctrines d'Innocent* III sur la suprématie pontificale. Devant l'agitation, il résida le plus souvent hors de Rome, notamment à Lyon où il réunit le XIIIe concile œcuménique [1245] **(V. Lyon** [*conciles de*]) qui prononça la déchéance de Frédéric* II. Il lutta encore contre Conrad* IV à qui il opposa Guillaume de Hollande **(V. Interrègne** [*le Grand*]), et contre Manfred*, bâtard de Frédéric II et roi de Sicile.

INNOCENT V (bienheureux) [*Pierre de Tarentaise*]. ♦ (Champagny, Savoie, v. 1225 — Rome, 1276). 183e pape, cinq mois en 1276. Dominicain, il avait été archevêque de Lyon (1272) et cardinal-évêque d'Ostie (1273).

INNOCENT VI *(Étienne Aubert)*. ♦ (Bessac-en-Corrèze — Avignon, 1362). 197e pape (1352-1362) en Avignon. Il accepta puis dénonça une constitution limitative imposée d'abord par le conclave, peut-être poussé par la cour de France; mit un frein au luxe de ses prédécesseurs; renvoya Cola di Rienzo à Rome contre le tyran Baroncelli (1354); fit pacifier l'Italie par le cardinal Albornoz mais renonça à retourner à Rome. Il protesta contre la Bulle* d'or de Charles* IV (1356).

INNOCENT VII *(Cosimo Migliorati)*. ♦ (Sulmone, 1336 — Rome, 1406). 202e pape (1404-1406), à l'époque du grand schisme d'Occident **(V. Schisme).**

INNOCENT VIII *(Giovanni Battista Cybo)*. ♦ [Gênes, 1432 — Rome, 1492]. 211e pape (1484-1492), ancien cardinal-évêque de San Lorenzo in Lucina. Il mena une vie dissipée, pratiqua le népotisme et la vente des bénéfices, se fit construire le belvédère* du Vatican. Il contraignit Ferdinand* d'Aragon, comme roi de Naples, à lui payer tribut (1486). Il lutta contre l'hérésie des vaudois **(V. Vaudès).**

INNOCENT IX *(Giovanni Antonio Facchinetti)*. ♦ [Bologne, 1519 — Rome, 1591]. 228e pape, du 29 oct. au 30 déc. 1591.

INNOCENT X *(Giambattista Pamphili)*. ♦ (Rome, 1574 — 1655). 234e pape (1644-1655). Il enquêta sur les malversations des frères Barberini, neveux d'Urbain VIII, qui s'enfuirent en France où Mazarin* les défendit; prétendit annuler les clauses religieuses des traités de Westphalie* (bref *Zelus domus Dei,* 1648); condamna les cinq propositions tirées de l'*Augustinus** de Jansenius* (bulle *Cum occasione,* 1653).

INNOCENT XI *(bienheureux)* [*Benedetto Odescalchi*]. ♦ (Côme, 1611 — Rome, 1689). 238e pape, de 1676 à 1689. Il condamna le laxisme et le probabilisme des jésuites (1679-1680) et le quiétisme de Molinos* (1685-1687). Il se heurta à Louis* XIV et au gallicanisme : à la suite de l'assemblée générale extraordinaire du clergé français (oct. 1681-mars 1682), il condamna tous les édits relatifs au droit de régale*, refusa l'investiture canonique aux anciens membres de l'assemblée que Louis XIV désignait comme évêques, rédigea (sans le promulguer, **V. Alexandre VIII)** le bref condamnant la *Déclaration* du clergé de France* rédigée par Bossuet. Dans l'affaire des franchises du quartier de l'ambassade de France à Rome, il excommunia l'ambassadeur Lavardin (1688), ce qui détermina la mainmise de Louis XIV sur Avignon. Ces conflits ne s'apaisèrent que sous Innocent* XII.

INNOCENT XII *(Antonio Pignatelli)*. ♦ [Spinazzola, Basilicate, 1615 — Rome, 1700]. 240e pape (1691-1700), ancien archevêque de Naples. En 1693, il reçut de Louis* XIV, de Bossuet et de 16 évêques en instance d'investiture canonique l'abandon de la *Déclaration* du clergé de France.* **V.** *aussi* **Régale** *(affaire de la).* Il condamna les *Maximes des saints* de Fénelon*, qui se soumit (1699).

INNOCENT XIII *(Michelangelo dei Conti)*. ♦ [Rome, 1655 — 1724]. 242e pape (1721-1724). Il subit l'influence française, nomma Dubois* cardinal (1721), mais ne retira pas la bulle *Unigenitus** comme l'espérait la Régence.

Innocents *(Les saints)*. ♦ Selon l'Évangile de Matthieu (II, 16), enfants juifs mis à mort par ordre d'Hérode* le Grand désireux d'empêcher la royauté du Messie*. L'événement est présenté comme accomplissant la prophétie de *Jérémie,* XXXI, 15. La piété chrétienne les a considérés comme des martyrs dès le IIe siècle. Fête le 28 décembre.

Innocents *(cimetière, marché* et *fontaine des)*. ♦ Monuments de Paris. Dans l'anc. quartier des Halles*, le cimetière, entouré de galeries à charniers, s'étendit de 1186 à 1786 pour être remplacé par un marché (1786-1855), enfin par un square. — Édifiée en 1550 par Pierre Lescot*, et sculptée par Jean Goujon* (décor mythologique et ordres antiques), la fontaine fut remise en place, augmentée d'un quatrième côté par Pajou*, en 1788. Si les bas-reliefs, représentant tritons et néréides, sont actuellement au Louvre, la fontaine conserve, entre les pilastres corinthiens qui flanquent les arcades, ses harmonieuses naïades.

INNSBRUCK (« pont sur l'Inn »). ♦ Ville autrichienne, capitale du Tyrol*, située sur l'Inn*, près de l'embouchure de la Sile, dans un beau site. 108 550 hab. Station touristique et de sports d'hiver, siège des Jeux Olympiques d'hiver (1964, 1976). La V. conserve de nombreux monuments (XVe-XVIIIe s.) : arc de triomphe de 1765, *Landhaus* (XVIIIe s.), *Goldens Dachl* (« petit toit d'or ») du XVe s., église paroissiale de Saint-Jacques de style baroque, Hofburg (XVIe s. remanié au XVIIIe s. en style rococo). La *Maria-Theresenstrasse,* rue commerçante, est bordée de maisons du XVIIe siècle. ♦ Hist. *Veldidena,* colonie romaine, acquit de l'importance comme

Ph. Carlo Bevilacqua/Ricciarini

L'Inquisition : « Scène d'autodafé », par Berruguete. (Musée du Prado, Madrid.)

place commerciale sur la route du Brenner au XIe siècle. Le comte Otto Ier d'Andechs entoura la ville de remparts et y construisit une forteresse. La ville se développa après la réunion du Tyrol à l'Autriche en 1363 et, en 1420, Innsbruck devint la capitale du Tyrol. L'empereur Maximilien aimait particulièrement la ville; il y épousa sa seconde femme Blanca Maria Sforza, y fit construire le *Goldens Dachl* et un tombeau (où il ne fut pas enterré). Charles Quint s'y installa pour surveiller le concile de Trente et faillit y être pris par les protestants de Maurice de Saxe. En 1703, Innsbruck résista aux Français. Lorsque la paix de Presbourg donna le Tyrol à la Bavière, Innsbruck se révolta à l'appel d'Andreas Hofer. Les Tyroliens furent vaincus mais la paix de Paris* (1814) rendit le Tyrol et Innsbruck à l'Autriche. Avec les chemins de fer au XIXe s., le tourisme se développa au point de devenir la principale activité de la ville.

INO. ♦ Fille de Cadmos* et d'Harmonie*, seconde femme d'Athamas*. Instigatrice du sacrifice de ses beaux-enfants Phrixos* et Hellé, elle devient nourrice de Dionysos*, fils de sa sœur Sémélé* et attire la vengeance d'Héra* : les deux époux, frappés de folie, tuent leurs propres enfants. Ino se précipite dans la mer avec le cadavre de son fils cadet. Elle devient alors une divinité marine et est appelée *Leucothéa* (« la déesse blanche »).

INÖNÜ (Ismet Pacha, dit **Ismet).** ♦ Officier de l'armée turque et homme d'État (Izmir, 1884 – Ankara, 1973). Pendant la première guerre des Balkans, il commanda en chef au Yémen. Il commanda ensuite un corps d'armée en Palestine (1915-1918). Il retourna à Istanbul après la défaite et rejoignit plus tard le Mouvement de libération nationale dirigé par Mustafa* Kemal en Anatolie centrale. Quand la grande assemblée nationale fut élue (1920), il devint député d'Edirne. Après l'occupation grecque de l'O. de l'Anatolie, il fut nommé commandant du front et fut le principal artisan de la *victoire d'Inönü* (1921; d'où le nom qu'il fut autorisé à porter en 1934) qui permit aux Turcs d'expulser les Grecs d'Anatolie. Nommé ministre des Affaires étrangères (1922), il représenta la Turquie à la conférence de Lausanne. Quand Mustafa Kemal devint président de la République (oct. 1923), Ismet occupa le poste de Premier ministre (jusqu'en 1937). À la mort de Mustafa Kemal (1938) il fut élu président (réélu en 1943 et en 1946). Il sut maintenir habilement son pays dans un état de neutralité pendant la Deuxième Guerre mondiale. Par la suite, il encouragea la création d'une opposition parlementaire, en prenant à cette fin la tête du « parti républicain du peuple » (1950). Ayant remporté les élections de 1961, il redevint Premier ministre jusqu'en 1965. Ayant alors perdu les élections au profit du « parti démocrate », il passa de nouveau dans l'opposition, tout en demeurant un conseiller écouté sur les grandes affaires internationales. En 1972, à l'âge de 88 ans, il annonça sa décision de se retirer de la vie politique.

INOUE YASUSHI. ♦ Journaliste et écrivain japonais (1907) dont les œuvres sont empreintes d'une grande poésie (*Corrida,* 1946; *Le Fusil de chasse,* 1947). Elles furent souvent traduites à l'étranger.

INOWROCŁAW, en all. **Hohensalza.** ♦ V. de Pologne* (voïévodie de Bydgoszcz) en Grande Pologne. 50 000 hab. Station thermale. Centre commercial et industriel (machines agricoles, exploitations de sel). – Aux environs, Łojewo, patrie de S. Przybyszewski*.

Inquisition. *n. f.* ♦ Organisme judiciaire ecclésiastique, permanent mais distinct de l'Ordinaire, créé par la papauté pour lutter contre l'hérésie. Elle fut active surtout du XIIIe au XVIe s. dans l'Europe chrétienne (sauf en Angleterre) et dans les colonies espagnoles. Établie contre les cathares* (**V.** *aussi* **Albigeois),** vaudois* (**V. Vaudès)** et patarins (**V. Pataria),** elle officia ensuite contre les autres hérésies, contre les sorciers et, en Espagne et au Portugal, contre les juifs et musulmans convertis et relaps (marranes, morisques). Certains princes l'utilisèrent à des fins politiques : Philippe le Bel contre les Templiers, le duc d'Albe en Flandre. ♦ *Hist.* L'Inquisition est l'aboutissement de nombreuses mesures (recherche de l'hérésie confiée aux évêques par les conciles de Vérone, 1184, et du Latran, 1215; décrets impériaux de Frédéric II, 1220, 1224), mais on s'accorde à dater son origine de 1229 (traité de Paris et concile de Toulouse codifiant les procédures). Grégoire IX l'organisa (constitution de 1231) et la confia aux dominicains (1232-1233). L'intransigeance, parfois la férocité des inquisiteurs suscitèrent la résistance des populations, voire des évêques mécontents des empiétements sur leurs prérogatives, ainsi que des rappels à l'ordre des papes. En France, l'Inquisition bénéficia de l'appui royal, mais son importance décrut dès la fin du XIVe s., au profit de la Sorbonne et des parlements : elle ne joua aucun rôle moteur dans les procès de Jeanne d'Arc et de Gilles de Rais, ni dans la répression du protestantisme; elle disparut au XVIIIe siècle. En Espagne, une Nouvelle Inquisition fut créée en 1478-1484 : **V. Saint-Office** *(tribunal du),* **Torquemada.** En 1542, l'Inquisition fut réorganisée par la création à Rome de la *Congrégation de la Suprême Inquisition* sous l'impulsion de Jean-Pierre Carafa (futur Paul IV); cet organisme, primitivement établi contre le protestantisme (**V.** *aussi* **Contre-Réforme),** s'occupa de toutes les questions d'hérésie, de schisme, et depuis 1917, de l'Index; connu sous le nom de *Congrégation du Saint-Office* (1908), il fut réformé par Paul VI et devint la *Congrégation pour la doctrine de la foi* (1965). ♦ *Procédure et peines :* la tournée inquisitoriale, arrivant dans un foyer d'hérésie ou de sorcellerie, laissait un *temps de grâce* durant lequel ceux qui abjuraient spontanément étaient réconciliés moyennant une pénitence légère. Puis l'enquête commençait, sur dénonciations (secrètes, pour éviter les représailles). Des interrogatoires codifiés amenaient les aveux, précisaient le degré de culpabilité. La mise à la question fut autorisée par Innocent IV en 1252. Les sentences étaient proclamées lors d'un « sermon général » (l'*auto de fé* espagnol). Les peines étaient le port de signes infamants, la flagellation, l'obligation de pèlerinage, la prison, la confiscation des biens; ceux qui refusaient d'abjurer ou qui se rétractaient étaient livrés au bras séculier qui les punissait de mort (bûcher). Un code de procédure fut rédigé par Raimond de Peñafort (v. 1235), un *Manuel de l'Inquisiteur* par Bernard Gui (achevé v. 1323), des *Instructions* par Torquemada (1484-1498). ♦ *Inquisiteurs célèbres :* Robert le Bougre, ancien cathare, pour la France sauf le Languedoc (1235); Guillaume Arnaud pour le Midi; Conrad de Marbourg, contre les « lucifériens » en Allemagne (1227); Bernard Gui pour le Toulousain (1307); Jean* de Capistran (1426) contre les fraticelles* et en Bohême, contre les hussites; Henri Institor et Jakob Sprenger en Allemagne, auteurs du *Maillet des sorcières,* 1486; Torquemada*, en Espagne (1482); le cardinal Jiménez* de Cisneros (1507); Antonio Ghislieri, grand inquisiteur en 1558, futur Pie* V.

I. N. R. I. ♦ Abréviation pour *Iesus Nazarenus Rex Iudaeorum,* « Jésus le Nazaréen, roi des juifs ». C'est l'inscription que, selon la version latine de l'Évangile de Jean, XIX, 19, Pilate fit apposer sur la croix de Jésus. On appelle « titre » de la croix *(titulus)* une relique conservée à Sainte-Croix-de-Jérusalem (Rome) et supposée être l'inscription originale. Ces initiales figurent fréquemment sur les tableaux représentant la crucifixion, ou sur les crucifix.

IN-SALAH. ♦ Oasis du Sahara algérien (dép. des Oasis), dans le Tidikelt*. 17 400 hab. Au S.-E. se situe le djebel Berga.

Institut *(palais de l').* ♦ Monument de Paris, sur la r. g. de la Seine, dans l'axe de la cour Carrée du Louvre*. Édifié (sur l'emplacement de la tour de Nesle*) pour abriter le *collège des Quatre-Nations* (fondation posthume de Mazarin, 1661), le palais fut construit par Le* Vau, puis par Lambert* et d'Orbay* (1673 à 1677). Disposées en un vaste hémicycle, deux ailes incurvées que terminent des pavillons carrés encadrent la chapelle de style jésuite, surmontée d'un dôme (au plan intérieur elliptique; dans le vestibule, tombeau de Mazarin, par Coysevox*, 1689-1693). Le palais abrite actuellement la *bibliothèque Mazarine**; il est le siège, depuis 1805, de l'*Institut* de France.*

Institut catholique de Paris. ♦ Il fut fondé en 1876 par Mgr d'Hulst, conformément à la loi du 12 juillet 1875 sur les établissements libres, en remplacement de l'école des Carmes.

D'abord *université catholique,* il prit son titre actuel en 1880, le terme d'université n'étant plus applicable qu'aux établissements d'État. Il est dirigé par un recteur, contrôlé par une assemblée d'évêques que représente une commission présidée par l'archevêque de Paris, chancelier de l'Institut. Il est composé de facultés où sont enseignées les matières traditionnelles (droit, lettres, langues, philosophie, théologie, sciences). Des études plus spécialisées peuvent être poursuivies dans les instituts et écoles annexes. Les statuts de l'Institut ont été ratifiés par le Saint-Siège en 1936. La loi du 18 juin 1941 a reconnu son utilité publique.

Institut de France. ♦ Fondé en 1795, il se compose des cinq Académies **(V. Académie) :** française (1635), des inscriptions et belles-lettres (1664), des sciences (1666), des beaux-arts (1816), des sciences morales et politiques (1832). Ses séances se tiennent dans le *palais de l'Institut*.*

Institutes. ♦ Exposé du droit romain effectué en 533 sur l'ordre de l'empereur Justinien* Ier, modernisant *les institutes* rédigées par Gaïus en ~ 143. Divisé en quatre livres, l'ouvrage traite du droit des personnes, du droit des biens, du droit des obligations et de la procédure dont le système est considérablement modifié par rapport aux *institutes* de Gaïus. Les *institutes* avaient force de loi, et leur application fut rendue obligatoire en Italie par la pragmatique sanction de 554.

Institution de la religion chrétienne (L'). ♦ Ouvrage qui expose les principes de la théologie de Calvin. Il fut écrit en latin et édité en 1536, puis réédité en français en 1541. **(V. Calvin et Calvinisme.)**

Institut national de la statistique et des études économiques (I.N.S.E.E.). ♦ Organisme français public dressant des statistiques d'après des études de conjoncture et des prospectives.

Institut Pasteur. ♦ V. PASTEUR *(Institut).*

INSULINDE. *n. f.* ♦ Nom géographique donné en Europe à l'ensemble des îles du S.-E. asiatique et comprenant les îles de l'Indonésie* (Sonde, Moluques [Maluka], Célèbes [Sulawesi], Bornéo) et des Philippines*.

Intelligence (De l'). ♦ Par H. Taine* (1870). S'appuyant sur des recherches en physiologie, en pathologie, en linguistique, cette œuvre développe, contre la philosophie spiritualiste, une théorie sensualiste et associationniste des fonctions mentales, proche de celle de Hume, de Condillac ou de J.S. Mill.

Intelligence Service. ♦ Service britannique de renseignements concernant la politique, la diplomatie, l'économie et l'armée, et qui est chargé du contre-espionnage. En temps de guerre, il lui revient de découvrir et de neutraliser les activités ennemies qui pourraient nuire à la bonne marche des opérations militaires et diplomatiques. Son organisation est autonome, *l'Intelligence Service* ne dépendant que du Premier ministre.

INTERLAKEN (« entre les lacs »). ♦ V. de Suisse (cant. de Berne) entre le lac de Thoune* à l'E. et le lac de Brienz* à l'O. 4 700 hab. (8 000 hab. avec le faubourg d'Unterseen). Station estivale très fréquentée.

Internationale. *n. f.* ♦ Nom donné aux organisations des partis ouvriers, ayant comme but la transformation des sociétés capitalistes en sociétés socialistes, et l'unification de celles-ci dans une fédération mondiale. Babeuf*, qui fonda la *conspiration des Égaux* en 1795 et Marx* et Engels* la *Ligue communiste* à Londres (1847-1852), furent les précurseurs de cette idée internationaliste. — *La Ire Internationale* (Association internationale des travailleurs) fut fondée à Londres le 28 sept. 1864. Ses adhérents proudhoniens, blanquistes et positivistes anglais adoptèrent la plupart des idées de Karl Marx, qui assuma la direction du mouvement. Au congrès de Lausanne (1867), l'Internationale fut rejointe par les anarchistes de Bakounine*. Exclus au congrès de La Haye (1872), ils fondèrent une Internationale anarchiste, qui tint son dernier congrès en 1881. À cause de répressions policières, l'Internationale de Marx fut obligée de transférer son siège à New York. Elle fut dissoute en 1876. — La *IIe Internationale* fut fondée par les partis socialistes et sociaux-démocrates de l'Europe au congrès de Paris (1889). Tout en réaffirmant la doctrine marxiste de la lutte des classes, elle se prononça pour la république parlementaire et contre la dictature du prolétariat que préconisait Lénine. Après le déclenchement de la Première Guerre mondiale, les leaders socialistes (à l'exception des Russes et des Serbes) votèrent les crédits militaires demandés par les gouvernements bourgeois. Les socialistes « internationalistes » convoquèrent alors les conférences de Zimmerwald (sept. 1915) et de Kienthal (avr. 1916), en Suisse, où ils critiquèrent la majorité « socialiste-chauvine » et demandèrent la signature d'une paix « sans annexion et sans indemnisation ». Mais la minorité socialiste se divisait elle aussi entre le « centre » de Karl Kautsky et la « gauche » de Lénine, qui lança un appel en faveur de la « transformation de la guerre capitaliste en guerre civile ». En févr. 1919, peu avant la scission de la IIIe Internationale, les sociaux-démocrates de droite convoquèrent une conférence à Berne, puis un congrès à Genève (juill. 1920). Cette « Internationale de Berne » fut rejointe au congrès de Hambourg (1923) par l'« Internationale de Vienne », fondée par les socialistes centristes en 1921 et appelée parfois « Internationale 2 1/2 ». Ayant cessé ses activités en 1939, la IIe Internationale, appelée désormais *Internationale socialiste,* fut reconstituée au congrès de Francfort (1951). — La *IIIe Internationale* (ou Komintern) fut fondée par Lénine au congrès de Moscou (mars 1919). Se voulant l'héritière des meilleures traditions internationalistes et la force directrice du mouvement révolutionnaire mondial, elle fut dominée par le Parti communiste russe et sa tactique dépendit des intérêts de la politique étrangère sovietique. Zinoviev*, son premier président (1919-1926), fut remplacé par Boukharine (1926-1929), puis par Molotov*, Manouilski, et Otto Kuusinen. Au cours de la Deuxième Guerre mondiale, étant devenue un obstacle aux rapports entre l'U.R.S.S. et ses alliés, la IIIe Internationale fut dissoute par Staline le 15 mai 1943. — La *IVe Internationale* fut fondée par Trotski* au Mexique (1937). Elle coordonna l'action des partis communistes dissidents (anti-staliniens), et tenta de réanimer la révolution mondiale trahie, selon Trotski, par les dirigeants soviétiques.

Internationale (L'). ♦ Hymne révolutionnaire international, poème d'Eugène Pottier*, musique de Pierre Degeyter (1871). Il fut exécuté pour la première fois à la fête des travailleurs de Lille (1888). Ce fut l'hymne national soviétique jusqu'à la Seconde Guerre mondiale et il est demeuré l'hymne international des partis socialistes et communistes.

Interpol. *n. m.* ♦ Adresse télégraphique devenue l'appellation courante de l'*Organisation internationale de police criminelle* (O.I.P.C.). Ce corps a été constitué en 1923 en Europe pour instaurer la coopération des polices criminelles : la proximité des pays du monde occidental, encore accrue par le développement des relations aériennes, rendait nécessaire cette entente, les criminels pouvant facilement échapper à la justice de leur pays en se réfugiant dans un autre. Le premier siège d'*Interpol* fut créé à Vienne (Autriche), et l'organisation s'installa définitivement à Paris après la Deuxième Guerre mondiale. Elle groupait 19 pays en 1946, 55 en 1955 ; plus de 90 pays en font désormais partie. Sa constitution fut ratifiée en 1956. Une assemblée générale se réunit chaque année dans une capitale différente. *Interpol* touche trois sortes de criminels : ceux qui opèrent dans plusieurs pays (tels les trafiquants de drogue), ceux dont les crimes affectent d'autres pays que celui où ils opèrent (faux-monnayeurs), enfin ceux qui, après avoir commis leur crime dans un pays, se réfugient dans un pays étranger. *Interpol* dispose de sa propre radio et utilise des messages, le plus souvent codés, donnant des renseignements sur les criminels recherchés (méthodes de travail, complices habituels).

Interrègne. *n. m.* ♦ Temps pendant lequel un État se trouve sans souverain. ♦ L'empire d'Allemagne connut de nombreux interrègnes dont le principal fut le Grand Interrègne, période qui s'écoula entre la mort de Conrad* IV (1254) et l'élection de Rodolphe* Ier de Habsbourg (1273). Durant cette période, des empereurs tentèrent de s'imposer. **(V. *principalement* Guillaume* de Hollande, Richard* de Cornouailles, Alphonse* X de Castille.)**

Introduction à la vie dévote. ♦ Ouvrage en français de saint François de Sales, publié en 1608 et très augmenté en 1609. L'auteur exhorte à l'amour de Dieu (dévotion) une âme chrétienne vivant dans le monde (Philothée, « l'amie de Dieu »), dans un style agréable et pur qui fit le succès de l'ouvrage (40 éditions du vivant de l'auteur).

INUKAÏ TSUYOSHI. ♦ Homme politique japonais (1855 — 1932) de tendance libérale. Il devint président du Conseil en déc. 1931 et tenta d'aplanir le conflit survenu avec la Chine et de freiner la politique des militaristes. Ceux-ci le firent assassiner en mai 1932.

Invalides *(hôtel des).* ♦ Situé à Paris, cet ensemble monumental fut conçu par Louis XIV (1670) pour abriter les soldats blessés à son service. Sur les plans de Libéral Bruant*, l'on construisit

Ph. Hétier

La cour des **Invalides.**

(1670 à 1676) un quadrilatère de 450 m de long sur 390 m de large, renfermant six cours principales (dont la cour d'honneur, ceinte de deux étages à arcades) et offrant une façade de 210 m de long, flanquée de deux pavillons. L'ensemble s'ouvre par un portail central dominé par un bas-relief imposant (Louis XIV à cheval). Grandiose et sobre, l'hôtel fut achevé par Jules Hardouin-Mansart* auquel on doit notamment le dôme doré (1679 à 1706) qui fut adjoint à l'église Saint-Louis et domine la vaste esplanade (dessinée par Robert de Cotte*, de 1704 à 1720) s'étendant jusqu'à la Seine. Sous sa coupole ont été placées les cendres de Napoléon* Ier (tombeau par Visconti*, 1842). L'hôtel des Invalides, qui renferme de nombreuses sépultures de grands soldats, abrite un important *musée de l'Armée*. L'édifice donne son nom à un quartier du 7e arrondissement.

Invasions (les Grandes). ♦ Nom donné aux migrations des peuples barbares*, en majorité germaniques, qui, fuyant devant les Huns*, pénétrèrent dans l'Empire romain sous le règne de Valens* (v. 375). Après le franchissement du Rhin (406), la prise de Rome (410), les Barbares détruisirent l'Empire romain d'Occident (476) et établirent à sa place aux Ve et VIe s. des États politiques où coexistèrent et parfois fusionnèrent les sociétés barbare et romaine. **(V. Alains, Alamans, Angles, Avars, Burgondes, Francs, Germains, Hérules, Jutes, Lombards, Ostrogoths, Saxons, Suèves, Vandales, Wisigoths.)**

INVERNESS. ♦ V. du N. de l'Écosse et ch.-l. de comté, au fond du *Moray Firth*, au débouché du *Glen More*. 31 500 hab. C'est, après Aberdeen, la principale ville du N. de l'Écosse. Pêche, centre touristique *(Glen* More, Loch Ness*)*. — L'*Inverness-shire* est le plus grand comté d'Écosse (10 907 km²) et s'étend sur le quart des *Highlands** et un grand nombre d'îles (Skye*, Rum, Coll, Tiree). — Patrie de James Macpherson*.

Investitures *(querelle des)*. ♦ Conflit qui opposa l'Église aux souverains temporels, notamment à l'empereur germanique, aux XIe et XIIe s., à propos de l'investiture des abbés et des évêques. Depuis le IXe s. en effet, l'investiture était conférée par le prince (laïc), la consécration ecclésiastique n'étant plus qu'une formalité. Elle s'accompagnait d'un bénéfice ou fief dont le titulaire était soumis au lien de vassalité. En outre, du point de vue religieux, il se trouvait souvent coupable de simonie (bénéfice acquis à prix d'argent) et de « nicolaïsme » (il vivait en seigneur féodal, avec femme et enfants). Un mouvement d'émancipation et de réforme (réforme dite *grégorienne*) fut le fait des moines de Cluny*, de Pierre* Damien, du cardinal Humbert* de Lorraine (son ouvrage *Contre les simoniaques*, 1057, situait la cause du mal dans les investitures laïques), des papes Léon* IX, Nicolas* II et surtout du moine Hildebrand qui devint Grégoire* VII. Sous son pontificat, la crise devint aiguë (décrets de 1074 et 1075; affaire de Canossa*, 1077; prise de Rome par Henri IV et installation de l'antipape Clément* III, 1083-1084). Ni Urbain* II, ni Pascal* II (concile de Rome, 1116) ne purent la résoudre. Il fallut la distinction, reprise d'Yves* de Chartres par Calixte* II, entre investitures temporelle et spirituelle, pour parvenir au concordat de Worms* (1122) que ratifia le concile du Latran* (1123) : l'Empire abandonnait l'investiture spirituelle par la crosse et l'anneau et s'engageait à respecter la liberté des élections épiscopales et pontificales.

IO. ♦ Jeune prêtresse d'Héra* à Argos, fille ou descendante d'Inachos*. Zeus* s'unit à elle et, pour détourner les soupçons de son épouse Héra, la transforme en génisse. Héra, avertie, exige qu'on lui consacre la génisse et la confie à la garde d'Argos* dont les yeux multiples ne fermaient que par moitié. Sur l'ordre de Zeus, Hermès réussit à endormir le gardien et le tue, délivrant Io, mais Héra se venge encore : elle lui envoie un taon qui s'attache à ses flancs et la rend furieuse. La génisse, affolée, traverse la Grèce, passe le *Bosphore* (« passage de la vache ») et arrive en Égypte où elle met au monde Épaphos. Puis elle reprend sa forme première et règne en Égypte, identifiée avec la déesse *Isis*.

IOANNINA ou **JANNINA.** ♦ V. de Grèce (Épire*), sur la r. O. du lac d'Ioannina. Ch.-l. du *nome d'Ioannina* : 4 990 km². 134 690 hab. — Centre commercial : agrumes, vins, produits artisanaux. 40 130 hab. Archevêché. Université. Citadelle, et mosquée du XVIIe s. transformée en musée. ♦ *Hist.* Ville médiévale (Xe s.?), elle fut prise par les Normands (XIe s.). Première capitale du despotat byzantin d'Épire (1204), occupée par les Serbes (1345), puis par les musulmans (1431), elle était le siège de l'un des trois pachas d'Épire. Sous 'Ali* Pacha de Tebelen, Ioannina devint la capitale d'un puissant État dans l'Empire ottoman. Attaquée par les troupes du sultan (1820), la ville fut prise après 15 mois de siège. Elle fut libérée par l'armée grecque en 1913.

IOCHKAR-OLA (jusqu'en 1919 **Tsarevokokchaïsk**, de 1919 à 1927 **Krasnokokchaïsk**). ♦ V. d'U.R.S.S. (R.S.F.S. de Russie), cap. de la République autonome des Mariis*. 166 000 hab. Constructions mécaniques, traitement du bois, indus. alimentaires.

IOLCOS [*Iolkos*]. ♦ Anc. V. de Thessalie. **V. Éson, Jason, Médée, Pélias.**

IOLE, en gr. **Iolê**. ♦ Princesse légendaire d'Œchalie (Thessalie). Elle était promise par son père au vainqueur d'un concours de tir à l'arc, qui fut gagné par Héraclès*. Mais le roi, craignant une nouvelle crise de folie meurtrière du héros, la lui refuse. Héraclès prend alors par la force la ville et emmène Iole captive. Sa beauté trouble Déjanire*, la femme d'Héraclès; pour regagner son amour, elle donne au héros la tunique fatale de Nessos et provoque sa mort.

Ph. Louis Monier

E. Ionesco.

ION. ♦ Héros éponyme des Ioniens, fils d'Apollon* et de Créüse*, petit-fils d'Hellen par son père adoptif Xouthos* et d'Érechthée par sa mère. Ses descendants et ceux d'Achaios*, son demi-frère, se disputèrent le nord du Péloponnèse; Ion lui-même défendit Athènes où il régna. — Dans la tragédie d'Euripide*, *Ion*, le héros est le fils d'Apollon* et de Créüse qui l'expose dans une corbeille. Créüse épouse plus tard Xouthos, mais leur union reste stérile. Sur le conseil de l'oracle de Delphes, ils adoptent alors l'enfant qui se trouvait dans le temple d'Apollon et que Créüse finit par reconnaître en voyant la corbeille conservée par la prêtresse.

IONESCO (Eugène). ♦ Auteur dramatique français (Slatina, Roumanie, 1912 —). Né d'un père roumain et d'une mère française, il fut élevé en France jusqu'à l'âge de treize ans. En Roumanie, où il séjourna jusqu'en 1938, il acheva ses études et devint professeur de français. Il revint alors en France et s'y fixa définitivement. Sa première pièce, *La Cantatrice* chauve* (1950), parodie du théâtre de boulevard, fait éclater la dérision du genre par le mépris vigoureux dont elle témoigne pour la logique de l'action, la vérité psychologique des personnages, la rigueur du langage. Il en sera de même pour les suivantes, où le comique naît de l'absurde et engendre le désespoir : *Les Chaises* (1952), *Victimes du devoir* (1953), *Amédée ou comment s'en débarrasser* (1954). Une angoisse rendue plus tragique par l'évidence du néant humain devant la souffrance (*Tueur sans gages*, 1959), le fanatisme idéologique (*Rhinocéros*, 1959), la mort (*Le roi se meurt*, 1962), inspirent les œuvres d'une seconde période. Développant désormais les thèmes d'une inquiétude métaphysique fondamentale, substituant de plus en plus les symboles aux personnages, et recourant aux artifices les plus prestigieux de la féerie et du décor, ainsi apparaissent les nouvelles œuvres de Ionesco : *Le Piéton de l'air* (1963), *La Soif et la Faim* (1966), *Jeux de massacre* (1970). [Acad. fr., 1970.]

IONIE. *n. f.*, en gr. **Iônia**. ♦ Anc. nom de la partie centrale du littoral de l'Asie Mineure sur la mer Égée au S. de l'Éolide*, entre Phocée au N. et Milet au S. L'Ionie, qui comprenait aussi les îles avoisinantes Chio et Samos, fut colonisée après l'invasion dorienne de la Grèce* par des Ioniens venus principalement de l'Attique. Une ligue religieuse rassemblait à Panionion, au cap Mycale*, douze cités ioniennes (« Dodécapole ») : Milet*, Éphèse*, Phocée*, Clazomènes*, Colophon*, Priène*, Téos*, Chios*, Samos*, Érythrée, Myonte et Lébédos. Smyrne*, cité primitivement éolienne, s'y joignit plus tard. **V.** *aussi* **Claros, Magnésie du Méandre.** L'Ionie, très prospère déjà à l'aube des temps historiques, aux confins de l'hellénisme et de l'Orient, s'offrit à l'interpénétration des deux civilisations et apporta une contribution considérable à la culture grecque : les bases de la pensée scientifique et philosophique avec son école naturaliste illustrée notamment par Héraclite*, Thalès*, Anaximandre*, Anaximène*, la poésie homérique et une littérature importante, un ordre architectural (ionique) et d'autres réalisations artistiques. D'autre part, l'expansion des cités grecques vers l'intérieur du pays se heurta à la puissance lydienne et l'Ionie, orientée vers le commerce, amorça un large mouvement de colonisation (~ VIe s.) étendu du Pont-Euxin à la

Méditerranée occidentale. Tributaire des rois de la Lydie* (v. ~ 560), puis soumise aux Perses (~ 546), l'Ionie se révolta à l'instigation des tyrans de Milet (~ 499) et reçut l'aide d'Athènes*. **V. Médiques** *(guerres)*. Indépendante après la victoire grecque de ~ 480, elle participa à la formation de la ligue de Délos, mais elle tomba sous la domination athénienne. Cédées par les Spartiates aux Perses (~ 386), les cités ioniennes, à l'exception de Milet, offrirent leur loyauté à Alexandre le Grand en ~ 334. Elles passèrent d'Antigonos à Lysimaque* (~ 301), puis furent disputées entre Séleucides*, Lagides* et Pergame*. Léguées par le dernier roi de Pergame aux Romains (~ 133), elles firent partie de la province d'Asie, puis de l'empire byzantin.

IONIENNE *(mer)*. ♦ Partie de la Méditerranée* comprise entre l'Italie* (Calabre) et la Sicile* à l'O., l'Albanie* méridionale et la Grèce* à l'est. Elle communique avec la mer Adriatique* par le canal d'Otrante* au N. et avec la mer Tyrrhénienne* par le détroit de Messine* à l'ouest. Profondeur max. 4 594 mètres. — Son nom remonte sans doute à l'époque de la colonisation ionienne des côtes grecques.

IONIENNES *(îles)*. ♦ Archipel de la mer Ionienne qui longe toute la côte O. de la Grèce (sept îles; nombreux îlots). *Princ. îles* (du N. au S.). **V. Corfou, Leucade, Ithaque, Céphalonie, Zante.** On y rattache aussi l'île de Cythère* ou Cérigo. 2 307 km². 184 440 hab. ♦ *Hist.* Détachées de l'Empire byzantin par les rois normands de la Sicile et de Naples (XIe-XIIe s.), les îles Ioniennes furent achetées ou conquises par les Vénitiens (XIVe-XVe s.). Les Français les occupèrent de 1797 à 1799 (traité de Campoformio), mais durent les abandonner aux Russes qui créèrent la République de l'Heptanèse sous la suzeraineté ottomane (1800-1807). Rendues à la France par le traité de Tilsit, elles furent ensuite occupées par les Anglais et formèrent en 1815 un État sous le protectorat de la Grande-Bretagne qui, à la suite de longues luttes populaires, dut les céder à la Grèce en 1864.

IONIENS. *n. m. pl.*, en gr. **Iônes**. ♦ Peuple indo-européen venu du N. qui envahit la Grèce* au début du ~ IIe millénaire. Considérés comme les premiers Grecs (précédant les Achéens), les Ioniens se fixèrent notamment en Béotie et en Attique* ou fusionnèrent avec les Pélasges*. Refoulés par la poussée dorienne (~ XIIe s.) en Attique et dans le N. du Péloponnèse, ils passèrent dans l'Eubée et les Cyclades, puis ils colonisèrent la côte lydienne de l'Asie* Mineure qui prit le nom d'Ionie* et créèrent les premiers comptoirs en Italie du Sud **(V. Grande Grèce)**. Par les grands mouvements de colonisation (~ VIIe-~ VIe s.) de nombreuses cités ioniennes furent fondées sur les rivages du N. de la mer Égée, de la Propontide, de la mer Noire et de la Méditerranée occidentale (Marseille, Emporium). Le rôle des Ioniens dans la culture grecque fut prépondérant **(V. Ionie)**. L'Ionie est la patrie d'Homère, des premiers philosophes; le dialecte ionien est la langue de la majeure partie de la littérature grecque et l'attique (forme d'ionien) devint à l'époque hellénistique la seule langue grecque écrite. Cette contribution aboutit à l'épanouissement culturel d'Athènes*, considérée comme la métropole du monde ionien, et à l'éclat du classicisme (~ Ve s.). (~ Ve s.).

Ioniens. *n. m. pl.* ♦ Philosophes et savants de l'école d'Ionie* (~ VIe, ~ Ve s.), auteurs de cosmogonies matérialistes qui tentent d'expliquer l'univers à partir d'un principe premier (ou *archè*), généralement un des quatre éléments. **V. Thalès de Milet, Anaximandre, Anaximène, Héraclite, Anaxagore, Archélaos de Milet.**

IORGA (Nicolae). ♦ Homme de lettres et homme politique roumain (Botoşani, 1871 — mort en 1940). Doué d'une érudition et d'une puissance de travail extraordinaires, il est l'auteur d'une œuvre immense (plus de 1 000 volumes et de 12 000 articles) écrite en plusieurs langues. Poète, mémorialiste, dramaturge, journaliste et pamphlétaire passionné, il fut surtout un historien. Selon le critique Lovinescu, qui s'opposait pourtant à son traditionalisme, « N. Iorga est la personnalité (roumaine) la plus écrasante de ce début de siècle ».

IOS, auj. **Nio**. ♦ Petite île grecque de la mer Égée (Cyclades*), au S.-O. de Naxos. 1 270 hab. — La tradition y localise le tombeau d'Homère*. La mère du poète serait native d'Ios.

IOWA [ajɔwa]. *n. m.* ♦ État du centre des États-Unis, situé à l'O. du Mississippi et limité à l'E. par ce fl. (qui le sépare du Wisconsin et de l'Illinois), au S. par le Kansas, à l'O. par le Nebraska (frontière : le Missouri) et le Dakota du Sud, au N. par le Minnesota. 145 791 km². 2 757 537 hab. (1960). *Cap.* Des Moines. *Autres villes :* **V. Cedar Rapids, Sioux City, Waterloo.** — *Orogr.* La majeure partie de l'État est formée par la prairie; quelques collines s'élèvent au S.-E. et au Nord-Ouest. Les deux tiers E. sont drainés par des tributaires du Mississippi; l'O. par des tributaires du Missouri. — *Climat* continental. — *Écon.* État d'agriculture et d'élevage, l'Iowa est le 1er des États-Unis pour l'élevage des porcs (13 000 000) et le 2e pour les bovins (7 500 000); produits laitiers, volailles. Les principales cultures sont le maïs (1er producteur), le soja, l'avoine. *Indus. :* matériel agricole, indus. alimentaires, métallurgie de l'aluminium, électronique, etc. L'extraction du charbon est en recul. — Trois universités : d'Iowa (à Iowa City), de Sciences et Technologie (Ames), de l'Iowa du N. (Cedar Falls). — Patrie de W. Cody (Buffalo* Bill), de George Gallup*, de Herbert Hoover*. ♦ *Hist.* Traversée par Jolliet et Marquette, la région fit partie de l'immense territoire de la Louisiane et fut vendue par Napoléon aux États-Unis en 1803. La guerre contre les Indiens d'Aigle Noir s'acheva par la victoire des Blancs en 1832 (H. Atkinson). L'Iowa devint en 1846 le 29e État de l'Union et fut nordiste pendant la guerre de Sécession.

IPHICRATE, en gr. **Iphikratês**. ♦ Général athénien (v. ~ 415 — ~ 353). Il forma le corps des *peltastes* (fantassins légers) qu'il opposa avec succès à la phalange spartiate. Après ses victoires lors de la guerre de Corinthe, il passa au service des Perses dans la campagne contre l'Égypte révoltée (~ 374). Reprenant ensuite la lutte athénienne contre les Spartiates, il remporta de nouvelles victoires, mais il évita de se battre contre Épaminondas (~ 369). Commandant de la flotte avec Charès pendant la guerre sociale, il refusa d'attaquer Byzance; destitué par Charès et accusé de corruption, il se retira en Thrace où il mourut.

IPHIGÉNIE, en gr. **Iphigeneia**. ♦ Fille d'Agamemnon* et de Clytemnestre*, sœur d'Oreste* et d'Électre*. Sa légende évolue surtout avec les deux tragédies d'Euripide dont elle est le centre. **(V.** *ci-dessous***)**.

Iphigénie à Aulis, en gr. **Iphigeneia hê en Aulidi**. ♦ Tragédie d'Euripide* (~ 405). Réunis à Aulis* pour s'embarquer vers Troie, les Grecs n'ont pu partir, empêchés par des vents défavorables. Ils apprennent du devin Calchas que les dieux ne consentiront à leur départ que si Agamemnon, leur chef, accepte de sacrifier à Artémis sa fille Iphigénie. Le roi s'y résout et mande la jeune fille au camp, sous le prétexte de la marier à Achille. Hésitant, il se ravise soudain et donne un contre-ordre que Ménélas surprend. Arrivées au camp, Clytemnestre et Iphigénie découvrent la vérité tandis qu'Achille, mis au courant des projets meurtriers du roi, promet son aide à Clytemnestre. Par respect pour les dieux, Agamemnon se montre insensible aux prières comme aux menaces. Iphigénie accepte alors son sacrifice, mais Artémis la sauvera de la mort en lui substituant une biche. Dans cette tragédie de l'abnégation, Euripide a élevé une protestation discrète contre le monde anachronique et barbare de la légende, sans toutefois renoncer à une apologie du patriotisme grec, incarné dans Iphigénie.

Iphigénie (Iphigénie en Aulide). ♦ Tragédie en cinq actes de Racine (1674). S'inspirant des données de la tragédie d'Euripide, Racine y introduit le personnage d'Ériphile, captive d'Achille devenue amoureuse de son vainqueur et rivale d'Iphigénie. Aux dieux qui ont fait connaître leur volonté de voir sacrifier une fille du sang d'Hélène, Iphigénie s'apprête à donner sa vie. Mais le devin Calchas révèle qu'Ériphile est fille d'Hélène et que c'est elle qui doit périr. Devançant l'heure de son sacrifice, Ériphile se tue.

Iphigénie en Tauride, en gr. **Iphigeneia hê en Taurois**. ♦ Tragédie d'Euripide* (v. ~ 414). Devenue prêtresse de la sanglante déesse Artémis, et sujette du roi Thoas, Iphigénie doit donner la mort à tout étranger qui s'est aventuré en Tauride. Elle s'apprête à ordonner le sacrifice de deux de ces visiteurs téméraires quand elle reconnaît en l'un d'eux son frère Oreste* qu'accompagne Pylade. Trompant la surveillance de Thoas, elle s'enfuit avec eux.

Iphigénie en Tauride (Iphigenie auf Tauris). ♦ Tragédie de Goethe (1787). Emprunté à Euripide, le sujet de cette pièce, d'une facture toute classique, met en valeur la générosité d'Iphigénie et sa noblesse d'âme.

I-PIN [*Yibin*]. ♦ V. de Chine (Szu-ch'uan) à 300 km au S.-O. de Ch'ung*-ch'ing, sur le haut cours du Yang-tsê kiang. 300 000 hab. Important carrefour routier.

IPOH. ♦ V. de Malaysia, cap. de l'État de Perak, à 170 km au N.-O. de Kuala Lumpur, au centre d'une vallée fertile (plantations d'hévéas). — Centre minier important (étain). 250 000 hab., dont 70 % de Chinois.

Ph. Ostuni/Ricciarini

Ionie : site archéologique d'Éphèse

IPPEN SHÔNIN. ♦ Religieux bouddhiste japonais (1239 – 1289) itinérant et mystique qui parcourait les campagnes en prêchant les vertus du nom du bouddha Amida* (Amitâbha*). Sa vie donna lieu à de nombreuses légendes populaires.

IPSOS. ♦ Bourg d'Asie Mineure (Phrygie), célèbre pour la bataille qui opposa Antigonos* Monophthalmos et son fils Démétrios* le Poliorcète aux autres diadoques d'Alexandre le Grand : Seleucos*, Ptolémée*, Lysimaque*, Cassandre* (~ 301). La défaite et la mort d'Antigonos eurent pour résultat le démembrement définitif de l'empire d'Alexandre et la création de quatre monarchies hellénistiques : Macédoine (et Grèce), Thrace, Syrie et Égypte. **V.** *aussi* **Pont.**

IPSWICH. ♦ V. du S.-E. de l'Angleterre, en East Anglia. Ch.-l. du Suffolk*, sur l'estuaire de l'Orwell. 122 000 hab. Maisons des XVIe et XVIIe s. *(Ancient House, Christ Church Mansion).* Port actif et centre industriel (machines agricoles). – Patrie du cardinal Wolsey*.

IPSWICH. ♦ V. de l'État du Queensland* (Australie), à l'O. de Brisbane*, à laquelle elle est reliée par voie ferrée et par voie d'eau. 54 531 hab. Centre du gisement houiller du Moreton. Indus. textiles (laine). Matériel ferroviaire.

IQBÂL (Muhammad). ♦ Philosophe et poète indien (Sialkot, 1873 – Lahore, 1938) de religion musulmane; il écrivit en urdû, persan et anglais de très nombreux poèmes et des œuvres politiques et philosophiques qui sont à l'origine de l'idée du Pâkistân. Parmi ses œuvres, les plus importantes sont d'ordre religieux et philosophique : *Les Secrets du non-moi, Le Glaive de Moïse, Message de l'Orient, Livre de l'éternité.*

IQUIQUE. ♦ V. portuaire du Chili, ch.-l. de la prov. de Tarapacá*. 55 000 hab. (1969). *Anc.* centre d'exploitation du nitrate de sodium, c'est *auj.* essentiellement un port de pêche (fabriques de farine de poisson). Conserveries de viande. Indus. chimiques.

IQUITOS. ♦ V. de l'E. du Pérou (Amazonie) ch.-l. du dép. de Loreto (478 336 km². 331 200 hab. env.) sur le cours supérieur de l'Amazone*. 75 000 hab. Centre indus. (bois, caoutchouc). Raffinerie de pétrole.

I.R.A. (Irish Republican Army). ♦ Organisation nationaliste irlandaise qui mène la lutte pour l'unité et l'indépendance de l'Irlande*. Née en 1919 dans la guérilla qui aboutit à la création de la République indépendante de l'Eire (Irlande du Sud), elle reprit en 1949 la lutte en Irlande* du Nord (Ulster). L'action de l'I.R.A. prend le plus souvent la forme d'attentats contre les troupes et les autorités britanniques. Une scission s'est produite en 1969 au sein de l'I.R.A., bien que les deux tendances collaborent de nouveau à partir de 1972. Les *Officials,* proches du mouvement politique *Sinn Fein,* d'orientation marxiste, prônent la solidarité entre catholiques et protestants, donnant la priorité à la réforme sociale pour la création d'une République des travailleurs des trente-deux comtés. Les *Provisionnals* ou *Provos* accordent la priorité à la lutte armée et au terrorisme pour la réunification immédiate des deux Irlandes.

IRAK. ♦ **V.** IRAQ.

IRAN. *n. m.* ♦ État d'Asie occidentale, limité au N. par l'U.R.S.S. (républiques socialistes soviétiques d'Arménie, d'Azerbaïdjan et de Turkménistan), à l'E. par l'Afghânistân et le Pâkistân, à l'O. par l'Iraq et la Turquie. Il est baigné au N. par la Caspienne, au S. par le golfe Persique et le golfe d'Oman. 1 648 000 km². 33 010 000 hab. [1975] (*Iraniens,* dont plusieurs millions de Kurdes, Lurs, Bakhtiyaris et Baloutches). *Cap.* Téhéran. *V. princ.* **V. Abadan, Ahwâz, Arâk, Ardébil** (ou Ardabîl), **Babul, Bam, Bandar, Abbas, Bandar Châh, Bandar Châhpour, Behbehân, Birdjand, Bouchir, Chiraz, Hamadân, Ispahan, Kachan, Kerman, Kermanshah, Khurramshâhr, Meshed, Qazvîn, Qom, Rasht, Rezaiyeh, Sanandaj, Tabriz, Yezd.** *Sites.* **V. Béhistûn, Persépolis.** *Langue off.* persan. *Religion :* musulmane shi'ite* (90 %). – Le royaume

Ph. Nino Cirani/Ricciarini
Iran : puits près d'un lac de sel à Niriz.

d'Iran est divisé administrativement en 14 provinces (ostân). – *Orogr.* L'Iran se présente sous l'aspect d'un haut plateau enserré par deux arcs montagneux : au N., le massif de l'Elburz* bordant la plaine côtière de la Caspienne et prolongé au N.-E. par les chaînes du Khurasan*; à l'O., les chaînes du Zagros* isolant la plaine mésopotamienne du plateau iranien, et du Fars, qui constituent une sorte de bouclier montagneux (massifs de plus de 4 000 m), difficilement franchissable. Le plateau iranien, d'une altitude moyenne de 1 300 m, est jalonné de dépressions. Les *kévirs,* anciens lacs asséchés, forment d'immenses étendues de terre salée entièrement désertiques (le Dasht-e-Kavir au N., succession de bassins séparés par des collines, le Dasht-e-Lut au S.-E., encore plus désolé et sans aucune végétation, à l'exception de rares oasis). Les provinces caspiennes, aux précipitations abondantes et aux rivières courtes mais nombreuses, ont une végétation verdoyante contrastant avec le reste du pays : les forêts, protégées par l'Elburz*, sont parmi les moins dégradées du territoire iranien. Un autre bassin hydrographique important est celui du golfe Persique, les montagnes du Zagros* donnant naissance à de nombreuses rivières **(V. Karun).** – *Climat.* La présence des chaînes de montagnes périphériques explique l'aridité du climat iranien, de type continental. Les précipitations dépassent rarement 250 mm/an (116 mm à Ispahan, 235 à Meshed), sauf près de la mer Caspienne (1 300 mm à Rasht). Les étés sont chauds, parfois torrides, les hivers très froids. L'amplitude thermique peut être considérable (entre – 20° et + 40° à Ispahan). – *Écon.* Environ 80 % de la population vivent de l'élevage et de l'agriculture. La surface cultivée représente 12 % du territoire (la surface cultivable est estimée à 30 %). Le succès de la grande réforme agraire commencée en 1962 varie sensiblement selon les régions. Cette réforme, très avancée dans les régions riches [Azerbaïdjan, provinces caspiennes, province de Téhéran], est à peine amorcée dans le Khuzistan, le Baluchistan, la côte du golfe Persique. Elle a cependant permis à une importante fraction des paysans de devenir propriétaires de la terre qu'ils cultivaient. Les grands aménagements hydrauliques réalisés par l'État (barrages dans l'Elburz* et dans le Khuzistan*), s'ajoutant à l'habile technique traditionnelle de l'irrigation par *qanat* (captation par galeries de l'eau des nappes souterraines) ont aussi été un facteur d'accroissement de la production agricole. Celle-ci est basée sur les cultures céréalières : blé (5 500 000 de t en 1975), orge (1 400 000 de t), riz (1 380 000 t) et fruitières (dattes, pistaches, amandes, agrumes). Les cultures industrielles se développent (betterave à sucre [2 700 000 t], thé, coton, tabac et canne à sucre). *L'élevage* fait vivre une importante partie de la population (38 000 000 d'ovins et 18 000 000 de caprins élevés pour leur laine et leurs peaux; 5 800 000 bovins, 3 000 000 d'équidés). – *La pêche,* peu développée, est pratiquée surtout dans la mer Caspienne (esturgeons : caviar). – *Le pétrole* est la richesse principale du pays. La plupart des gisements se trouvent dans sa partie occidentale (piémont du Zagros) : à Masjid*-i-Sulaiman, gisement le plus ancien (exploité dès 1908), Haft-Kel, Aghajari, Gatch Saran, Lali, Naft*-i-Shâh; des gisements sous-marins ont été découverts dans le golfe Persique; en 1956, un nouveau gisement fut mis en exploitation à Alborz, près de Qom*. Le pétrole destiné à l'exportation est conduit par oléoduc à l'île de Kharg*. Le port de Bandar Mashour, inaccessible aux gros pétroliers, exporte les produits de la raffinerie d'Abadan*. En 1951, les gisements, dont l'exploitation était le quasi-monopole de l'Anglo-Iranian Oil Company, furent nationalisés par le gouvernement de Mossadegh*, mais les mesures répressives prises par la compagnie anglaise firent échouer le projet. L'exploitation est désormais réalisée par un consortium de compagnies anglaises, américaines et françaises. Cependant, la S.N.I.P. (Société nationale de pétroles iraniens) exploite seule les gisements d'Alborz et de Naft*-i-Shâh (elle fournit 8 % de la production du pays), ainsi que le gisement de gaz de Sarajeh (près de Qom*) et la raffinerie de Kermanshah*. Un réseau d'oléoducs destiné à la consommation nationale alimente les principaux centres du pays. La production totale de pétrole s'élève à 268 000 000 de t (1975). – Les autres ressources minières sont très faibles (charbon dans l'Elburz* [300 000 t en 1968], cuivre, fer, chrome, sel [260 000 t]). – L'industrialisation reste insuffisante. La présence du pétrole, destiné surtout à l'exportation (la consommation nationale ne s'élève qu'à quelques millions de tonnes), n'y a contribué qu'indirectement. Les investissements se sont portés principalement sur l'indus. textile (construction d'usines à Téhéran*, Rasht*, Shahi [sur la Caspienne]. L'artisanat demeure très important (célèbres tapis, soieries, cotonnades). Indus. alimentaires (conserveries de poissons à Bandar* Abbas, de fruits et de légumes près de la mer Caspienne, raffineries de sucre). – *Communications.* Le réseau routier est long de 35 000 km (1969; dont 10 000 km de routes asphaltées). Le réseau ferré, avec le Transiranien reliant le golfe Persique (Abadan) à Téhéran, puis à la Caspienne, reste limité (3 600 km). L'infrastructure portuaire s'est récemment améliorée avec l'aménagement de l'île de Kharg* (on prévoit la construction d'îlots artificiels à proximité). – *Commerce.* Les exportations, dont 90 % sont constitués par le pétrole, comprennent aussi des tapis, des fruits secs, des peaux, du coton. Les importations consistent en biens d'équipement et en produits alimentaires. Les principaux partenaires commerciaux de l'Iran sont le Japon, le Royaume-Uni, les États-Unis, la République fédérale d'Allemagne, l'Inde et la France. – *Le tourisme* est peu développé

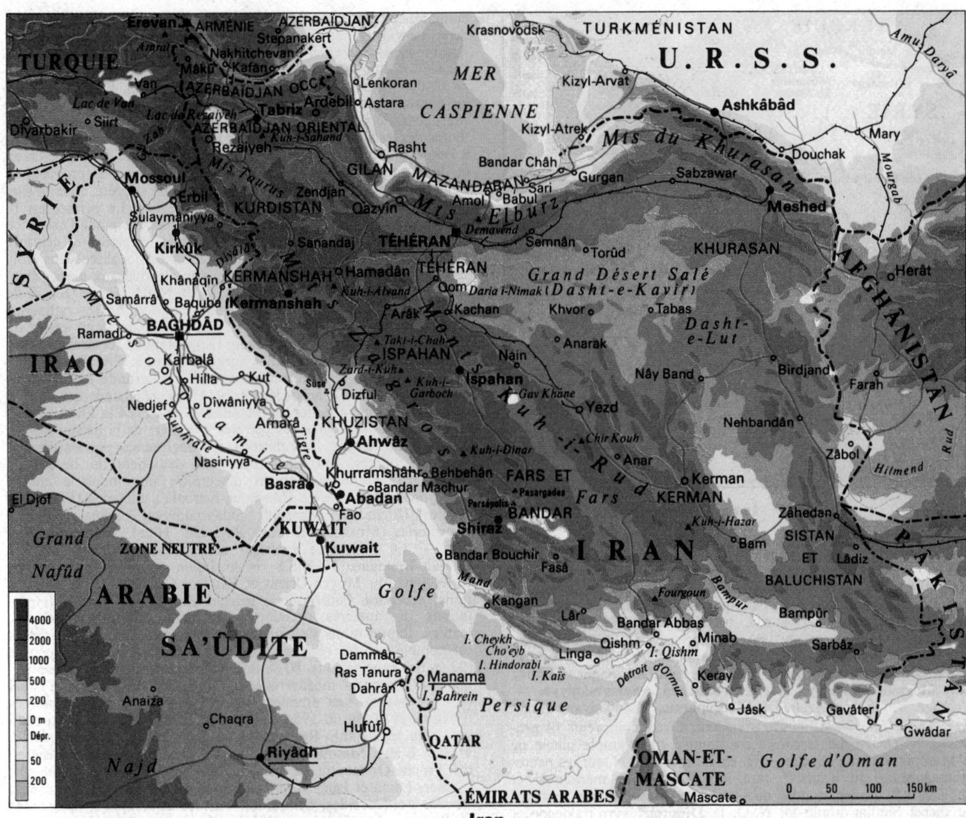

Iran.

(300 000 entrées en 1969, venues principalement des pays voisins, de l'Europe de l'Ouest et des États-Unis). ♦ *Hist.* À partir du XIXe s., la Perse (V. ce mot pour l'histoire antérieure) fut l'objet des rivalités anglo-russes qui s'accentuèrent à partir de 1857. Les souverains de la dynastie Qâdjâr*, régnant à Téhéran, ne purent empêcher le partage de l'Iran entre les influences anglaise et russe : aussi les Anglais purent-ils obtenir des concessions pour la recherche et l'exploitation pétrolières (Iran du Sud, 1901), tandis que la *Banque d'escompte de Perse* (russe) rivalisait avec la *Banque impériale de Perse* (anglaise). Mais une révolution nationaliste et libérale éclata en 1906 et imposa au shah l'institution d'un régime parlementaire. Cependant l'expansion allemande devenue menaçante au Moyen-Orient rapprocha Russes et Anglais. En 1908, le régime autoritaire fut rétabli avec l'aide des Russes. Mais des révoltes s'ensuivirent. Profitant de ces troubles, Anglais, Russes et Allemands cherchèrent à accroître leurs influences. Pendant la Première Guerre* mondiale, les partisans de l'Allemagne furent vaincus et les Turcs, momentanément chassés par les Anglais qui renforcèrent leur position au lendemain du conflit ; sans l'opposition des États-Unis d'Amérique et de la France, ils auraient établi sur la Perse un régime de protectorat. Les tentatives de complot étaient nombreuses. Celle que mena Sayyed Ziya ed-din, secondé par Rizâ Khân, réussit. Aussi le shah nomma-t-il Ziya ed-din Premier ministre, et Rizâ Khân ministre de la Défense. Ce dernier joua un rôle essentiel dans le rétablissement de l'autorité. Il sut mater toutes les insurrections. Son prestige devint grand. Il sut profiter de sa popularité pour déposer Ahmad Shâh, mettre fin à la dynastie des Qâdjar et fonder la dynastie des Pahlavi (12 déc. 1925). **V. Rizâh shâh.** Sous son règne (1925-1941) s'entama un processus de modernisation, et s'instaura un pouvoir autoritaire et centralisé (infrastructure routière, ferroviaire, télécommunications, renforcement de l'armée, création d'université [1935], nouveau statut pour la femme, lutte contre le fanatisme religieux, amélioration de l'agriculture, nouvelle dénomination de la Perse, devenue l'*Iran* en 1934). En politique intérieure, il mata toute opposition (interdiction du Parti communiste, 1931 ; jugement de ses membres, 1937). Il conserva des relations pacifiques avec ses voisins, et renforça ses rapports avec l'Allemagne hitlérienne. Pendant la Deuxième Guerre mondiale, les amitiés allemandes de Rizâh shâh lui valurent d'être déposé par les Anglais et les Soviétiques (sept. 1941) qui tentèrent d'élargir leur influence. Son jeune fils, Muhammad Rizâ, lui succéda. Anglais et soviétiques durent se retirer en 1946, alors que la présence américaine, devenant de plus en plus déterminante, s'exerça dans le cadre de l'amélioration et du développement des forces militaires. Comme l'extraction pétrolière s'accélérait, plusieurs députés condamnèrent les nouveaux accords de 1949 avec l'*Anglo Iranian Oil Company*. Après l'assassinat du Premier ministre, le général Razmara, le parlement vota la nationalisation de l'industrie pétrolière, et, le 29 avril, le Dr Mossadegh*, chef du Front national, devenant Premier ministre, chercha à mettre en pratique la loi de nationalisation. Mais le boycott de la Compagnie et la dégradation économique qui s'ensuivit amena une partie de l'armée, les grands propriétaires fonciers et les clients des Anglo-Saxons à s'opposer à Mossadegh. Celui-ci fut arrêté par le général Zahedi à qui le shah concéda tous les pouvoirs. Les nationalistes furent pourchassés (1953). Un nouvel accord pétrolier fut conclu : les compagnies étrangères se rassemblèrent dans un *Consortium international* (renforçant la participation des sociétés américaines), tandis que la Compagnie nationale des pétroles iraniens prenait en charge le champ pétrolifère de Naft-i-Shâh. Jusqu'en 1965, le Consortium international contrôlait 95 % de la production pétrolière. En 1966, un nouvel accord réserva à la Compagnie nationale 25 % des champs accordés au Consortium (1967 : 167 000 000 de t pour 10 000 000 de t en 1938 et 72 000 000 de t en 1963). Cependant, malgré l'aide considérable des États-Unis et le régime autoritaire instauré, la situation économique resta inquiétante. Aussi le shah entreprit-il d'engager sa « révolution blanche » à la suite du référendum de 1963. Cette politique est destinée à distribuer des terres, à promouvoir l'instruction et à émanciper les femmes. Ces tentatives de modernisation provoquèrent l'opposition des traditionalistes rapidement contenue. Après l'assassinat de Hassan Ali Mansour (1965). Amir Abbas Hoveyda fut nommé Premier ministre, et continua la politique de réformes, tout en réprimant les mouvements de gauche et d'extrême gauche (ouvriers, fonctionnaires, intellectuels, étudiants). Mais cette répression n'empêcha pas un rapprochement avec l'U.R.S.S. (1965, 1967, 1968) et avec la Chine (1970), reflétant une volonté de préserver un équilibre relatif entre les puissances de l'Est et celles de l'Ouest.

IRANCY. ♦ Comm. de l'Yonne (arr. d'Auxerre), dans l'Auxerrois*. 383 hab. Église du XIIe au XVIe siècle. Maisons Renaissance. – Vignobles. – Patrie de Soufflot*.

IRAPUATO. ♦ V. du Mexique (État de Guanajuato). 175 966 hab. – Centre industriel.

IRAQ ou **IRAK**, en ar. **Îrâq.** ♦ État d'Asie occidentale, situé entre la Turquie (N.), la Syrie et la Jordanie (O.), l'Iran (E.),

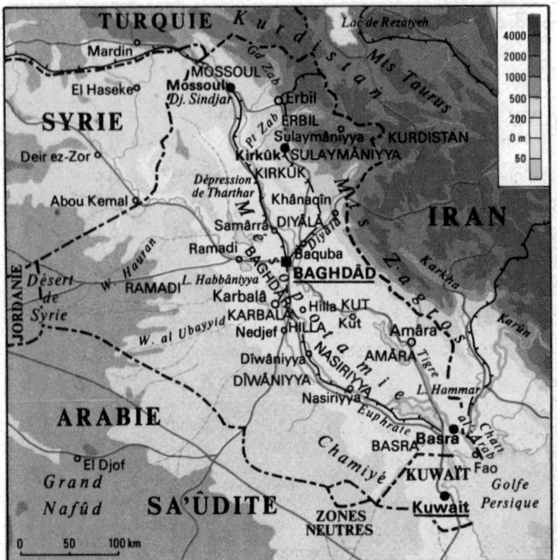

Iraq.

l'Arabie Sa'ûdite, les zones neutres et le Kuweït (S.); il dispose d'une ouverture sur le golfe Persique. Env. 440 000 km² (de 435 000 à 448 000, selon la délimitation des zones neutralisées). 9 000 000 d'hab. env. [1970] *(Irakiens),* alors que la région en comptait deux fois plus dans l'antique Mésopotamie*. *Langue off.* arabe (autres langues : kurde, turc, persan). *Religion.* Islâm (musulmans sunnites et shi'ites). Nombreuses sectes chrétiennes. *Unité monétaire.* Dinar irakien. *Cap.* **Baghdâd.** *V. princ.* **V. Amara, Basra, Dîwâniyya, Erbil, Fao, Hilla, Karbalâ, Khânaqîn, Kirkûk, Kut, Mossoul, Nasiriyya, Nedjef, Samârrâ, Sulaymâniyya.** — *Hydrogr.* **V. Chatt al-Arab, Diyâlâ, Euphrate, Habbâniyya, Hammar, Tigre, Zab.** — Administrativement, l'Iraq comprend 14 provinces. — *Orogr.* Le territoire est dominé par l'ample plaine de la Mésopotamie qui s'incline d'O. en E., mord au N. sur les pentes montagneuses du Taurus* turc, du Kurdistan* méridional et du Zagros* iranien, tandis que la haute Mésopotamie appuyée au djebel Sindjar borde au N.-O. la Djésireh* syro-irakienne et au S. le désert syro-arabique. La Mésopotamie proprement dite est comprise entre le Tigre et l'Euphrate qui s'étalent dans la plaine marécageuse de la basse Mésopotamie avant de former le Chatt* al-Arab où leur embouchure est encombrée de lagunes. La violence de leurs crues a conduit à la construction de barrages qui détournent le surplus d'eau vers des réservoirs naturels (lac Habbâniyya) et des réservoirs artificiels (dépression de Thartar, de Dibis) ainsi que vers les canaux d'irrigation qui relient les deux fleuves **(V. Amara)** et mettent désormais terres et villes à l'abri des inondations. Exception faite de la zone forestière du N. qui s'étend du djebel Sindjar au Zagros iranien, la steppe recouvre l'ensemble du pays, y compris la zone désertique du S. qui fait suite au plateau steppique de la Chamiya*. — *Climat.* Le climat de la plaine mésopotamienne, l'une des plus chaudes du monde, fait place à un climat plus continental et sec au N., où les températures s'abaissent en altitude dans les montagnes du Kurdistan. — *Écon.* Les pâturages de montagne sont étendus, le cheptel y abonde (ovins, bovins, caprins). Grande variété d'animaux sauvages des pentes forestières (marché de fourrure à Amadiyya, dans la province kurde). Le sol, trop calcaire et chargé en sels minéraux, se prête mal à la culture. L'évolution de l'agriculture est d'ailleurs enrayée par des structures restées féodales qui ont résisté à toute tentative de réforme agraire

Ph. Nino Cirani/Ricciarini

Iraq : un village sur l'Euphrate aux environs de Baghdâd.

et maintiennent le régime de grande propriété dans un pays aux deux tiers rural où les Arabes coexistent difficilement avec les nombreuses minorités ethniques (Kurdes, Iraniens, Turcs). À l'exception du *Croissant fertile* du N., riche en céréales **(V. Djésireh),** en plantes légumineuses et en fruits **(V. Mossoul, Kirkûk),** le pays ne possède que les rizières et les champs d'agrumes de la basse Mésopotamie pour les besoins de la consommation courante, les dattes des vallées et du Delta étant presque exclusivement réservées à l'exportation. Plantation de tabac dans le N. **(V. Erbil),** de coton et de plantes oléagineuses dans la vallée des fleuves (province de Baghdâd, notamment). La zone aride du S. ne se prête, quant à elle, qu'à un maigre élevage (moutons, chameaux). Le *pétrole* est la grande richesse économique du pays. On en soupçonnait l'existence dès la fin du XIXe s., et le premier gisement exploité fut celui de Kirkûk (1927). Aujourd'hui, l'exploitation est localisée dans trois secteurs : Mossoul-Kirkûk (N.) relié par oléoduc aux ports pétroliers de Haïfa*, Tripoli* et Baniyas*; de Naft* Khane (E.), et de Nahm Umr, Zubair (S.) reliés à Fao*. De nombreuses raffineries desservent ces centres pétroliers. Les principales sont celles de Mossoul et Kirkûk (N.), Khânaqin (E.), Baghdâd (centre) et Basra (S.-E.). 4e producteur mondial après le Kuweït, l'Arabie Sa'ûdite et l'Iran, l'Iraq voit son pétrole contrôlé en grande partie par la première concession accordée en 1911 aux Allemands qui avaient construit le chemin de fer de Baghdâd, et dès 1924 la France créait la Compagnie française des pétroles à la suite de la découverte du gisement de Kirkûk. Les droits *(royalties)* versés par les compagnies pétrolières, qui représentent les deux tiers du budget de l'État, permettent notamment d'accroître une industrie encore embryonnaire. Sucreries (Mossoul, Karbalâ'), huileries (Baghdâd), textiles (Baghdâd, Mossoul, Sulaymâniyya), saline (Kirkûk), cimenteries (Mossoul, Kirkûk, Baghdâd, Hilla). Voir ci-dessous, *hist.* — Le *commerce extérieur* se fait essentiellement avec la Grande-Bretagne, l'U.R.S.S. et le Japon pour les importations, et les pays du Moyen-Orient et Extrême-Orient pour les exportations, exception faite pour le pétrole, exporté en Europe. Importations de matières premières, machines, produits chimiques, textiles. Exportations de céréales, coton, peaux, ciment. Le déficit est comblé par les réserves d'or et de devises. Quant au pétrole (92 % des exportations, 80 % du commerce mondial), il est embarqué par les ports méditerranéens du Liban, de Syrie et d'Israël (voir *ci-dessus*). Les premiers pétroles irakiens furent embarqués à Tripoli et Haïfa en 1934. — Le réseau ferroviaire de l'Iraq est à peu près inexistant. Routes. Aéroport international à Baghdâd.

♦ *Hist.* L'anc. Mésopotamie*, l'un des berceaux de la civilisation du Proche-Orient où se succédèrent de nombreuses dynasties (Sumer, Larsa et Isin, Amorites, Kassites, Assyriens, Babyloniens, Perses, Achéménides, Séleucides, Parthes et Romains, Sassanides et Byzantins), prit le nom d'Irâq al-'Arabî lors de la conquête arabo-islamique (VIIe siècle). Vainqueurs à Al-Qâdisiyya, les Arabes fondèrent les places fortes de Kûfa* (638), Basra*. Sous le règne des Umayyades* (661-750), plusieurs révoltes théologico-politiques éclatèrent en Iraq (révolte de Kûfa et Karbala, qui donna naissance au shi'isme* duodécimain. **V. Hassan** et **Hussaïn,** petits-fils de Mahomet, révolte alide* à Kûfa, 739-740, révolte kharijite*, 749). En 750, le pouvoir passa aux khalifes 'Abbassides* qui fondèrent Baghdâd* (cap. de l'Iraq, 762). Durant cette période (en particulier sous le règne d'Hârûn* al-Rashîd, 786-809), l'Iraq fut l'un des centres les plus brillants de la vie économique, politique, culturelle et religieuse de l'Islâm. Toutefois, dès le milieu du IXe s., l'influence 'abbasside déclina progressivement, tandis que le pays était secoué par des révoltes intérieures (révolte zendj ou zanj, 868-883, shi'ite, qarmate* entre 890 et 907) et passait sous la tutelle de la dynastie iranienne des Bûyides* (945-1055), puis turque des Saljûqides* (ou Seldjoukides, 1055-1198). La dynastie 'Abbasside prit fin lors de la conquête mongole (Hülägü Qân en 1258). Après une tentative de restauration menée par les Djalâyrides, le pays fut à nouveau vaincu et dévasté par les Mongols de Timur Lang (Tamerlan, 1387-1401). En 1534, l'Iraq passait sous domination ottomane (Süleyman ou Soliman II), bien qu'encore disputé entre les Turcs et les Perses Safavides*. Province la plus excentrique de l'Empire ottoman, le pays connut à cette époque des mouvements de rébellion divers (Kurdes, Bédouins, opposition entre musulmans sunnites* et shi'ites*); au XVIIe s., les villes de Baghdâd et de Basra s'affranchirent quelque temps de l'autorité du pouvoir central; puis le gouvernement passa aux mameluks de Baghdâd de 1707 à 1831, date à laquelle le sultan Mahmut II, pour maintenir l'ordre dans le pays, fit rétablir l'autorité centrale d'Istanbul. Dès le XIXe s. également, les puissances occidentales (la France, l'Allemagne, la Grande-Bretagne) commençaient à s'intéresser à cette région, comme d'ailleurs à l'ensemble du Proche-Orient. Lors de la Première Guerre mondiale, les victoires britanniques (prise de Baghdâd, Kirkûk, Mossoul, 1917-1918 et armistice de Moudros imposé à la Turquie) marqua le démantèlement de l'Empire ottoman et parallèlement la renaissance du nationalisme panarabe. Avec l'appui de la Grande-Bretagne, l'Iraq devint alors une monarchie constitutionnelle (Faysâl* Ier, 1921-1933, Ghâzî ou Rhâzî Ier, 1933-1939, Faysâl* II, 1939-1958. **V. Hâchémites),** d'abord sous mandat britannique, puis indépendante (1932). La période qui précéda la Seconde Guerre mondiale fut caractérisée sur le plan économique par l'importance croissante du pétrole et l'institution de la grande propriété terrienne, tandis que sur le plan politique se dessinaient les grandes tendances de l'Istiklâl (nationaliste et conservatrice), du mouvement Ahâlî (socialisant), et du parti communiste irakien. Un coup d'État (1936) porta au pouvoir une équipe kémaliste qui signa avec la Turquie et l'Iran des accords probritanniques. Peu après, la colonisation juive de la Palestine, compromettant l'avenir du mouvement panarabe, devait contribuer au coup d'État nationaliste et anti-britannique de Rashîd 'Alî (1941) qui se montra favorable aux forces de l'Axe, mais fut renversé peu après et remplacé par Abd Allâh, oncle de Faysâl II et régent, et Nûrî al-Sa'îd (ministre), qui reprirent la politique de collaboration avec la Grande-Bretagne. Au lendemain de la guerre, fut mis sur pied un vaste plan de développement économique du pays; l'Iraq signa le pacte de Baghdâd* (1955), et, face à la formation de la République arabe unie (Égypte et Syrie, 1958) s'allia à la monarchie hâchémite de Jordanie* (Fédération ou Union arabe, 1958). Mais des signes d'opposition croissante au régime et à sa politique pro-occidentale s'exprimèrent peu à peu à l'occasion de la proclamation de l'indépendance de l'État d'Israël* (14 mai 1948), contre lequel l'Iraq entra en guerre avec les autres pays arabes de la région (1948-1949), puis de la chute de la monarchie en Égypte (1952), enfin de la crise de Suez (1956). Le 14 juillet 1958, une révolution (au cours de laquelle furent assassinés le roi, le régent et le ministre Nûrî al-Sa'îd) mit fin à la monarchie au profit de la république. Si cette révolution, après laquelle l'Iraq quitta le pacte de Baghdâd et la Fédération arabe, s'accompagna à ses débuts d'une importante libération de prisonniers politiques (dont les communistes irakiens), d'un rapprochement avec l'Égypte et l'U.R.S.S. et de la promulgation d'une loi agraire révolutionnaire, le général Kassem* qui avait pris le pouvoir exerça rapidement une véritable dictature (répression de la tendance unioniste du Baath*, pronassérienne, des communistes, du mouvement autonomiste kurde, etc.). En février 1963, il était renversé par un coup d'État fomenté par la partie modérée du Baath qui porta le maréchal S. Aref* au pouvoir. Pendant les premiers mois du nouveau régime, les relations diplomatiques furent renouées avec l'Occident. Mais dès novembre 1963, les frères Aref se débarrassaient de leurs alliés baathistes, et, en 1964, une nouvelle Constitution proclamait l'Iraq « République démocratique et socialiste ». La politique de nationalisation des principaux secteurs de l'économie entreprise alors fut quelque peu modérée par l'influence du Premier ministre (libéral) Abd al-Rahmân Bazzâz, qui tenta de résoudre le problème kurde* (amnistie de 1966) tout en essayant de faire face à l'opposition pronassérienne. Après la mort accidentelle du maréchal Aref, son frère lui succéda et voulut radicaliser le caractère révolutionnaire du régime irakien, sans parvenir toutefois à résoudre toutes les difficultés économiques et politiques (opposition communiste, question kurde). Il fut renversé par le coup d'État du général Hasan al Bakr (juill. 1968). Après une série d'exécutions de personnes accusées d'être les agents de l'impérialisme américano-sioniste, exécutions qui ont encore détérioré les relations entre l'Iraq et les États-Unis, le gouvernement irakien s'est rapproché de la France et de l'U.R.S.S. (traité soviéto-irakien, 1972). Sur le plan intérieur, le parti Baath a promulgué une loi accordant une large autonomie culturelle, administrative et financière aux Kurdes (1969), loi qui toutefois n'a pas apaisé complètement les tensions entre les deux ethnies, et a tenté de donner au régime une base populaire par diverses mesures : mise en liberté de nombreux prisonniers politiques, reconnaissance officielle du Parti communiste irakien (1972), nationalisation de l'*Irak Petroleum Company* (I.P.C.). Toutefois, les problèmes intérieurs et les tensions avec certains pays voisins (l'Iran, 1970, plus récemment le Kuweit, 1973) montrent que la situation de l'Iraq est liée à celle de tout le Proche-Orient arabe.

IRAWADY [*Irrawady*]. *n. m.* ♦ Fl. princ. de Birmanie (env. 2 250 km) né dans le Yunnan* et formé de la réunion, à Myitkyina, des deux riv. yunnanaises Mali et Nmai. Profondément encaissé dans des gorges dans son cours supérieur, il devient navigable à partir de Bhamo et arrose la grande plaine rizicole birmane. Sur ses rives se développa la civilisation birmane et se situèrent les grandes villes de Birmanie : Prome (Hmawza), Pagan*, Ava, Amarâpura, Rangoon*. Il reçoit le Chindwin* à l'O. de Mandalay*, le Shweli, la Mu et le Myitnge et se jette dans le golfe du Bengale par un immense delta de 250 km de long.

IRAZÚ. *n. m.* ♦ Grand volcan de la cordillère centrale du Costa*-Rica au N.-E. de San* José. 3 500 m env. Volcan toujours actif.

IRBID. ♦ V. de Jordanie au N.-O. du pays, dans l'axe de la mer Morte, à l'E. du Jourdain* et à proximité de la frontière syrienne. Ch.-l. de la prov. d'Ajlûn*. 50 000 hab. environ. Marché agricole (céréales). La ville abrite de nombreux réfugiés palestiniens.

IRBII. ♦ V. d'U.R.S.S. (R.S.F.S. de Russie), en Sibérie occidentale (région de Sverdlovsk). 45 300 hab. (1959). Indus. mécaniques, chimiques et alimentaires. ♦ *Hist.* Elle fut fondée par les Tatars et réédifiée par les Cosaques en 1775. Elle fut un célèbre marché aux fourrures pendant les XVIIe et XVIIIe siècles.

IRELAND (John). ♦ Prélat américain (Danesforth, près de Kilkenny, Irlande, 1838 — Saint Paul, Minnesota, 1918). Évêque (1884) puis archevêque de Saint Paul (1888), il fut le promoteur de l'*américanisme*, tâchant de concilier le catholicisme et le libéralisme américain sans toutefois tomber dans les excès qui furent condamnés **(V. Léon XIII)**. En 1892, Léon* XIII le chargea d'une tournée en France où il appela les catholiques au « ralliement » au gouvernement républicain. N'ayant pu empêcher la guerre hispano-américaine (1898), il prit part aux négociations qui suivirent sur les Philippines.

Ph. Carlo Bevilacqua/Ricciarini

L'impératrice **Irène.** Art byzantin du XIIIe s. (Musée du Bargello, Florence.)

IRELAND (John). ♦ Compositeur anglais (Bowdon, Cheshire, 1879 — Sussex, 1962). Élève de Stanford, il fut successivement marqué par l'influence de Brahms, Debussy, Ravel et Stravinski. Excellent représentant de la tradition anglaise, il a composé de la musique symphonique *(London ouverture)*, un oratorio *(These things shall be)*, des œuvres pour piano *(concertos, sonates)*, des ouvertures, de la musique d'orgue et d'église, des mélodies. Son style se caractérise par la clarté et une délicate poésie.

IRÈNE, en gr. **Eirênê**. ♦ (Athènes, v. 752 — Lesbos, 803). Impératrice d'Orient (797-802). Épouse de Léon* IV, régente après la mort de celui-ci (780), elle réunit en 787 le concile de Nicée qui rétablit le culte des images **(V. Iconoclastes)**. Contrainte de se retirer à la majorité de son fils Constantin* VI, elle intrigua contre lui, réussit à le détrôner et lui fit crever les yeux (797). Le gouvernement d'Irène, qui prit le titre masculin de *basileus* (empereur), fut catastrophique pour l'Empire, qui devint tributaire d'Hârûn al-Rashid (798). Poursuivant toutefois le rêve de rétablir l'unité avec l'Occident par un mariage avec Charlemagne, elle fut détrônée par un coup d'État et exilée à Lesbos où elle mourut. L'Église orthodoxe l'a reconnue comme sainte.

IRÉNÉE *(saint)*. ♦ Père et docteur de l'Église (Asie Mineure, *1re moitié* du IIe s. — Lyon, *début* IIIe siècle). Prêtre, puis évêque de Lyon après saint Pothin (177), il mourut probablement martyr. Auteur d'une *Réfutation de la fausse gnose* (connue par une version latine : *Adversus haereses,* 5 livres) et d'une *Démonstration de l'enseignement apostolique.* — Fête le 28 juin.

Irgoun. *n. m.* (**Irgoun Zvaï Leumi** ou **Tsaï Leoumi**). ♦ Organisation extrémiste juive fondée en Palestine (1935) par David Rasiel et Abraham Stern, qui s'en sépara peu après pour former le groupe Stern*. Politiquement inspirés par le sionisme révisionniste, nationaliste d'extrême droite, les membres de l'Irgoun ripostèrent à la politique britannique, restreignant l'immigration juive en Palestine en organisant l'immigration illégale et en s'opposant dès cette époque de façon de plus en plus violente à la puissance mandataire. Au lendemain de la Deuxième Guerre mondiale, toutes les organisations paramilitaires juives (groupe Stern, Haganah*) participèrent à l'action terroriste. L'Irgoun, qui prit part activement à la résistance juive à la Grande-Bretagne, se signala aussi par des actes de terrorisme dirigés contre la population arabe de Palestine (massacre des habitants du village de Deir Yassin, avr. 1948, qui fut réprouvé par l'Agence juive et la Haganah). Après la proclamation de l'indépendance de l'État d'Israël* (14 mai 1948),

Ph. Hétier

Irlande : Cliffden.

l'Irgoun fut dissoute à la suite de l'assassinat du comte Folke Bernadotte* (sept. 1948) et ses membres furent intégrés à l'armée israélienne.

IRIAN BARAT ou **IRIAN**. *n. m.* ♦ Nom indonésien donné à la partie occid. de la Nouvelle*-Guinée et faisant partie de l'Indonésie*. 422 000 km². L'Irian est peuplé d'env. 1 000 000 de Papous* vivant à l'état primitif. Il comprend aussi les îles Schouten (auj. Biak), Japen (auj. Sorenarwa), Raja Ampat, Salawati, Waigeo, Misool. *Cap.* **V. Djadjapura.** *Autres V.* **V. Manokwari, Sorong.** – L'île, montagneuse **(V. Sukarno** [pic]) et insalubre, possède des poches pétrolières dans la presqu'île de Vogelkop, à son extrémité ouest. Les exportations principales sont le pétrole brut, le coprah, la noix muscade. ♦ *Hist.* Découvertes européennes (XVIᵉ-XVIIIᵉ s.) : **V. Nouvelle-Guinée.** En 1828, le gouvernement hollandais déclara partie de l'empire la partie orientale de la Nouvelle-Guinée ; elle fut rattachée en 1911 au centre d'Amboine* (Moluques). Les Hollandais se limitèrent longtemps à des activités commerciales. Pendant le second conflit mondial, les Japonais occupèrent cette partie de l'île à l'exclusion du sud. D. MacArthur* établit pendant un certain temps son quartier général à Hollandia, aujourd'hui Djadjapura*. Dernier bastion de l'empire colonial hollandais, l'Irian devint à partir de 1960 l'objet d'une tension entre l'Indonésie* et les Pays-Bas. Des commandos indonésiens s'y infiltrèrent et les Pays-Bas durent s'en remettre à l'arbitrage de l'O.N.U. (1962). Celle-ci confia l'administration de l'anc. Guinée hollandaise à l'Indonésie (mai 1963).

IRIARTE (Tomás *de*). ♦ Littérateur et compositeur espagnol (Orotava, Tenerife, Canaries, 1750 – Madrid, 1791). Ardent défenseur des théories néo-classiques, il est l'auteur d'un poème satirique, les *Littérateurs en carême* (*Los Literatos en cuaresma,* 1773), d'une traduction de l'*Art poétique* d'Horace, et d'un recueil de fables (*Fabulas literarias,* 1782), qui présente la particularité d'être en même temps un manifeste littéraire. Directeur du *Mercure historique et politique,* traducteur officiel de l'État, archiviste du Conseil supérieur de la guerre, il eut une influence certaine sur les milieux littéraires madrilènes. Iriarte a également donné des comédies : *El Señorito ruinado, La Señorita mal criada,* et un poème didactique : *La Música* (1779). Il est l'auteur d'un certain nombre de pièces musicales non dépourvues d'intérêt.

IRIGA. ♦ V. des Philippines (île de Luçon, prov. de Camarines del Sur), gros marché agricole, 100 000 habitants.

IRIS. ♦ Divinité grecque préolympienne qui personnifiait l'arc-en-ciel et, en général, le chemin entre le Ciel et la Terre. Devenue la messagère des Olympiens, elle était surtout attachée au service d'Héra. On la représentait ailée, tenant dans une main le bâton du héraut.

IRKUTSK ou **IRKOUTSK.** ♦ V. d'U.R.S.S. (R.S.F.S. de Russie), ch.-l. de la région du même nom (767 900 km². 2 290 000 hab.), en Sibérie orientale, sur l'Angara*, au S.-O. du lac Baïkal*. 451 000 hab. Centre culturel (université fondée en 1918). Indus. métallurgiques, mécaniques et alimentaires. Traitement du bois. Aux env., grande centrale hydro-électrique sur l'Angara (4 milliards de kWh par an). Au N.-O. de la ville le bassin houiller d'Irkutsk (37 500 km², réserves estimées à 88,9 milliards de tonnes en 1956). – La ville fut fondée en 1652.

IRLANDE. *n. f.* ♦ La plus occidentale des deux grandes îles de l'archipel britannique, située à l'O. de la Grande-Bretagne dont elle est séparée par le canal du Nord (au N.), le canal Saint*-George et la mer d'Irlande* (au S.). Elle est baignée à l'O. par l'Atlantique. 84 000 km². L'Irlande est séparée depuis 1922 en deux Etats politiquement distincts : au N., l'Irlande du Nord (ou Ulster), rattachée au Royaume-Uni, au S., la république (ou État libre) d'Irlande. **(V. *ci-dessous*).** ♦ *Hist.* Peuplée depuis la préhistoire, atteinte par la civilisation mégalithique venue de Méditerranée, l'île fut envahie au ~ IVᵉ s. par les Gaëls *(Gaedhils),* population celte apparentée aux Bretons de la grande île voisine **(V. Angleterre).** Ils subjuguèrent les Pictes du N. et les *Erainn* du S. (qui donnèrent leur nom à l'*Eire,* Irlande). Époque mal connue, dont la légende donne une transcription mythique et où les Celtes (leur religion dirigée par les druides, leur culture [écriture *ogham*], leur organisation en tribus ou clans [*tuatha*] regroupés sous l'autorité de rois provinciaux, leurs coutumes [traces de matriarcat]) forgèrent la personnalité du pays. Cinq, puis sept royaumes (Vᵉ s.), plus ou moins unis sous l'égide d'un « roi suprême » *(Ard Ri)* assez théorique, partageaient l'île. Au Vᵉ s., les Gaëls s'installèrent aussi en Écosse, fondant un royaume *Scot* **(V. Écosse, *Hist.*).** La christianisation provoqua une floraison de monastères (Aran Mór, Clonard, Clonmacnoise, et autres) ; elle fut notamment le fait de saint Patrick* (mort en 461) et de nombreux fondateurs, dont saint Colomba, convertisseur de l'Écosse. du VIᵉ au VIIIᵉ s., l'Irlande connut un prestige intellectuel unique en Europe : saint Finnian à Clonard, les monastères d'Armagh, de Slane, éduquaient le monde occidental ; Alcuin, Dagobert II y allèrent étudier. Duns Scot *Érigène* (« originaire d'Érin »), Fergal, Dicuil, incarnaient le rayonnement d'une culture, tandis que des missionnaires irlandais essaimaient (saint Fursa à Péronne ; saint Fiacre près de Meaux, saint Kilian à Würzburg, saint Colomban à Luxeuil, Reichenau, Bobbio). L'art irlandais de l'enluminure (livres de Lindisfarne, de Kells), abstrait et symbolique, restera inégalé. – À partir de 795, les Scandinaves (*Danes,* en réalité surtout des Norvégiens) envahirent et pillèrent l'île. Vers 830, un chef viking s'établit à Armagh. La résistance fut sporadique et peu organisée. Le IXᵉ s. vit la fondation des premières villes par les Vikings (Dublin, 841 : Wicklow, Waterford, Cork, Limerick), et des relations, malgré les violences réciproques, rapprochèrent les deux races, les Scandinaves dominant militairement. Le roi « danois » de Dublin (Olaf) fut pourtant battu par un roi gaël (Moelsechlainn II) à la bataille de Tara (980). La lutte entre le roi scandinave de Limerick, Ivar, et deux seigneurs gaëls, Mahan et Brian, se termina par la victoire du dernier (976). Brian élimina d'autres rois, revendiqua la royauté suprême et l'emporta en 1002. Mais douze ans plus tard, rassemblés par sa femme répudiée, Gormflaith, le roi de Leinster (frère de Gormflaith) et celui de Dublin (fils de son premier mariage avec Olaf) appelèrent les Scandinaves à leur aide et attaquèrent Brian (Dublin, 1014). Ce dernier fut tué, mais les *Danes* furent écrasés : leur domination avait pris fin. Les sept royaumes étaient de nouveau séparés, avec comme rois suprêmes les fils de Brian (O'Brien) jusqu'en 1103, puis les O'Connor (Turloch [1106-1156], Rory). – En 1166, Dermot MacMurrough, roi de Leinster, personnage cultivé et violent, fut chassé par le roi de Breffni, O'Rourke, dont il avait enlevé la femme. Dermot alla chercher secours auprès d'Henri II d'Angleterre. Il leva des hommes de guerre normands, notamment au pays de Galles. Après deux échecs, ceux-ci, conduits par Richard Strongbow, comte de Pembroke, débarquèrent victorieusement en Irlande, prenant Waterford et Dublin. Après la mort de Dermot, Richard se soumit à Henri II. La féodalité normande (Hugues de Lacy, justicier d'Irlande, député du roi d'Angleterre, Strongbow, Fitzgerald, Jean de Courcy, puis après 1185 les compagnons du prince Jean, fils du roi) se partagea le pays, par-

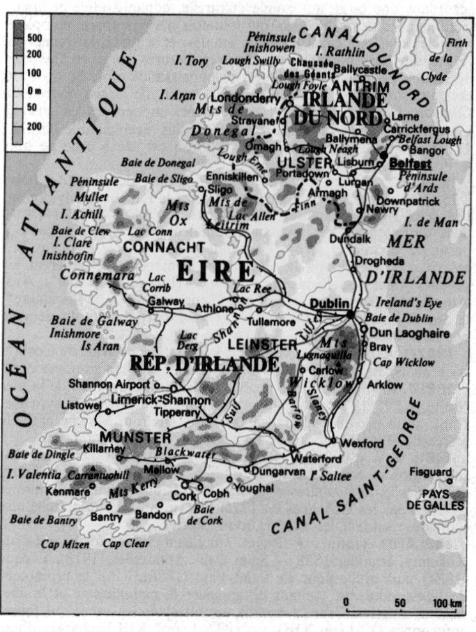

Irlande.

tage facilité par l'avance technique des Normands et les divisions internes des Irlandais, malgré quelques tentatives d'unité (Brian O'Neill; le roi de Norvège Haakon, 1263; Édouard Brice, venu d'Écosse au début du XIVe siècle). À cette époque, les seigneurs normands se gaélisent peu ou prou; les statuts de Kilkenny (1367), par leurs mesures ségrégationnistes, tentent d'enrayer l'assimilation. L'Irlande est alors dominée par les Fitzgerald, les Butler (« bouteillers », de leur nom normand Thiébaud Gaûtier), les Burke (du Bourg ou de Burgo). Ces derniers disparurent au XIVe s., gaélisés en Mac William. Les Butler, comtes d'Ormond, restent fidèles au roi d'Angleterre. Les Fitzgerald, de Desmond et ceux de Kildare, finirent par régner comme des princes gaëls, quasi indépendants par rapport au roi d'Angleterre. Henri VII tenta bien de remplacer Gerald le Grand (Garrett Mór) comme lord-député d'Irlande par Edward Poynings, un pur Anglais, mais il dut céder en 1496. Les Fitzgerald de Kildare ne furent éliminés que par Henri VIII, qui emprisonna Gerald le Jeune (1534) et battit son fils Thomas (Silken Thomas). En 1541, Henri VIII devint roi d'Irlande, sans pouvoir toutefois imposer la Réforme au peuple. Les tentatives d'indépendance, gaéliques (Shane O'Neill, tué en 1567) ou normandes (les Fitzgerald de Desmond : mort de Fitzmaurice, 1579; dévastation de Munster par John Perrot et mort de Gerald, 1583) furent écrasées. Seul l'Ulster, avec Hugh O'Neill, aidé par Hugh O'Donnell « le Rouge », résistait; mais, après de nombreuses victoires et malgré son habileté, après une guerre terrible (1594-1603), mal soutenu par les Espagnols venus en renfort, O'Neill fut vaincu par les armées de Mountjoy à Kinsale, se soumit et s'exila (il mourut à Rome, en 1616). – Sous Jacques Ier et Charles Ier, la politique d'anglicanisation se poursuivit. Sur une révolte au Derry, les propriétaires irlandais furent chassés d'Ulster et remplacés par des Anglais (1601-1611) : catholiques, protestants dissidents (presbytériens) et anglicans étaient ainsi mis en présence **(V. Ulster).** Après l'élimination de Wentworth, comte de Strafford (1639), qui avait cherché à utiliser l'Irlande contre le parlement de Londres, la violente révolte de 1641 (Dublin et Ulster) et le massacre des colons anglais déclencha une nouvelle période de violences. Londres vota l'*Adventurer's Act* (1642) qui organisait le financement des répressions et des exactions. La Confédération de Kilkenny (oct. 1642) fut la réplique irlandaise; Owen Roe remporta une victoire à Benburb (1646) et Charles Ier offrit une paix honorable; Ormond, grand seigneur protestant, hésitait entre les intérêts de l'Irlande, du roi et des parlementaires. Après une période de confusion, Cromwell envahit le pays (Drogheda, 1649) et tenta d'expulser la plupart des possédants, leur laissant le Connaught comme une sorte de réserve. La restauration **(V. Charles II)** vit le retour d'Ormond comme lord-lieutenant, menant, bien qu'anglican, une politique favorable aux catholiques, pour soutenir la cause royale. Économiquement, l'Irlande devenait une colonie de l'Angleterre. Sous Jacques II, le pays eut un lord-lieutenant catholique, Richard Talbot, duc de Tyrconnell; après la révolution anglaise de 1688, le roi et Tyrconnell, soutenus par les Français de Lauzun* et de P. Sarsfield, furent battus par Guillaume d'Orange aidé par les huguenots français de Schomberg (bataille de la Boyne*). Malgré le traité de Limerick, signé par Guillaume, et qui consacrait les mesures prises par le Parlement irlandais de 1688, la politique anti-catholique *(lois pénales)* se durcit dans la période suivante. L'Irlande gaélique ne survivait qu'au fond des campagnes, et les paysans, exploités, misérables, étaient presque seuls à conserver leurs traditions; l'île était si anglicanisée que ses défenseurs même, tel Swift*, parlaient surtout au nom d'une Irlande assimilée aux mœurs anglaises. Au XVIIIe s., sous les Hanovre, l'île fut gouvernée par des prélats anglicans (Boulter, Stone) représentant le cabinet de Londres (Acte déclaratoire de 1719, selon lequel les lois votées à Londres s'appliquent en Irlande); les catholiques étaient divisés et affaiblis; le parlement de Dublin ne représentait qu'une infime minorité de possédants protestants. Sous George III (1760) et son vice-roi Townshend (1767), la situation évolua : l'Angleterre avait besoin de l'Irlande, devait y lever une armée par crainte de la France; le Parlement, animé par A. Flood et Grattan, s'éveillait. En 1782-1783 (convention de Dungannon), l'Acte de 1719 étant révoqué à Londres, l'Irlande devint une « nation protestante » libre. Mais son parlement restait aussi peu représentatif et, malgré une brève période de prospérité, les vrais problèmes demeuraient : Pitt se trouvait face à deux parlements indépendants, représentant des intérêts opposés. Au N., presbytériens (apparition de l'ordre d'Orange) et catholiques s'affrontaient; le Parlement, reflet de la classe des anglicans privilégiés, leva une armée à sa dévotion, et fit écraser et désarmer l'Ulster. Wolfe Tone, patriote et révolutionnaire, convainquit la France d'intervenir. Mais une première expédition de Hoche échoua, une autre flotte française fut vaincue (1798), les insurrections populaires furent écrasées et le Français Humbert, débarquant trop tard, fut battu par Cornwallis, qui devint vice-roi. Pitt parvint à imposer son projet d'union, malgré la résistance du parlement de Dublin, pourtant servile, et celle du peuple, réduit par l'occupation militaire (1799); interprétée par les intérêts anglicans, l'Union se traduisit par une véritable colonisation de l'Irlande, garantie par une police nombreuse (créée par Peel). La population rurale, passée de 4 à plus de 8 millions entre 1800 et 1845, était affamée et misérable. Mais cette masse catholique, représentée par Daniel O'Connell* qui fonda l'Association catholique (1823) et fut élu en 1828, fit pourtant céder Wellington, qui craignait une nouvelle révolte. O'Connell tenta de canaliser les forces populaires, réunissant des foules immenses mais voulant à tout prix éviter les violences; il dut en 1843 céder devant la résolution de Wellington (meeting de Clontarf). La terrible famine de 1845-1847, causée par la maladie de la pomme de terre s'ajoutant à une situation économique d'exploitation coloniale, de misère et de surpopulation, entraîna, par mort ou émigration, une baisse de population de deux millions de personnes. Le gaélique parlé par les plus pauvres, recula encore devant l'anglais; les propriétaires ruinés furent remplacés par des spéculateurs anglais. Le parti de la *Jeune Irlande,* journalistes (*la Nation,* 1842) et poètes, tenta alors de soulever le Munster, sans effet : O'Brien, Mitchell, Gavan Duffy furent condamnés et déportés. – Devant l'injustice, à peine atténuée sous Gladstone, de nouvelles forces se levaient; la défaite des *Fenians* (1867) n'effaçait pas la renaissance d'un patriotisme gaël. Par des moyens légaux, les leaders irlandais, Butt, puis surtout Parnell*, engageaient une lutte parlementaire efficace, tandis que la population menait la vie dure aux propriétaires (Cf. boycott). Gladstone accorda en 1881 une loi sur le fermage et les grands propriétaires acceptèrent un transfert partiel des terres par rachat (1891); le même Gladstone tenta de faire voter un *Home rule,* mais fut battu à deux reprises (1886 et 1892). Entre-temps, Parnell était mort. Avec une amélioration des conditions rurales et une politique d'enseignement, l'Irlande connut alors un renouveau gaélique représenté par la renaissance littéraire (Yeats*, Synge*), par la *Ligue* de Douglas Hyde, puis par Arthur Griffith et son *Sinn Féin* (« Nous seuls ») préconisant l'autonomie. Asquith, malgré l'opposition de la Chambre des lords, parvint à faire voter un projet de *Home rule* (1914), mais l'Ulster presbytérien, gagné par l'*orangisme,* refusa de s'incliner et, mené par sir Edward Carson, s'insurgea. Divisée quant à l'attitude à prendre pendant la guerre, l'Irlande catholique suivit en général Redmond, loyaliste. Mais Patrick Pearse, Connally et quelques autres tentèrent un soulèvement en 1916. Il échoua, mais lord French dut renoncer à faire appliquer la conscription. Après les élections, le Parlement irlandais proclama la république d'Irlande, avec pour chef De* Valera, prisonnier en Angleterre. Lloyd George fit amender le *Home rule :* l'île fut partagée en deux, les 26 comtés du Sud accédant à l'autogouvernement (traité de déc. 1921). Mais l'Irlande du Sud souhaitait l'indépendance complète : guérillas et contre-guérillas, entre police irlandaise et patriotes, ensanglantèrent le pays. Le traité de 1921 reconnut à l'Irlande le plein statut de dominion. De Valera, partisan de l'indépendance totale, fut remplacé comme président par Griffith et M. Collins, tué en 1922. Cosgrave, qui lui succéda, fut en butte à l'opposition de De Valera, qui l'emporta en 1932. Utilisant les difficultés internes de l'Angleterre (crise de succession : 1936), l'Irlande cessa de reconnaître la souveraineté du roi et De Valera fit voter en 1937 une constitution républicaine, la *république d'Irlande,* reconnue par la Grande-Bretagne, restait membre du Commonwealth. Après le gouvernement conservateur de John Costello (1948-1951), De Valera reprit le pouvoir, qui revint aux conservateurs en 1954. En 1957, le *Fianna Fail* de De Valera l'emporta de nouveau, son âge incitant ce dernier à passer le pouvoir à M. Lemass; il devint président de la République. En 1966, le pouvoir est passé à Jack Lynch, en 1973 à Erskine Childers, en 1974 à Cearbhall O'Dalaigh et en 1976 à Patrick Hillery. Les problèmes économiques et la *partition* posent des difficultés à la rép. d'Irlande. Pris entre le désir de ne pas heurter la Grande-Bretagne et les réactions de l'opinion publique face à la lutte entre catholiques et protestants en Ulster*, le gouvernement cherche un solution pacifique. **V. Irlande du Nord,** *Hist.*

IRLANDE *(mer d')*. ♦ Bras de mer formé par l'Atlantique entre l'Irlande et la Grande-Bretagne et communiquant avec lui au N.

Ph. Hétier

Irlande : Dunluce Castle.

Ph. Hétier

Irlande : Dingle, petit port de la côte Ouest.

par le canal du Nord, au S. par le canal Saint-George. Elle a 320 km de long, 230 km de large et une profondeur maximale de 272 mètres.

IRLANDE *(république* ou *État libre d'). n. f.*, en irl. **Poblacht Na-h-Eireann.** ♦ État occupant la majorité de l'île d'Irlande, limité au N. par l'Irlande du Nord (rattachée au Royaume-Uni). Elle comprend la totalité de l'Eire (*stricto sensu;* **V. Eire**) et trois comtés de la province d'Ulster (Cavan, Donegal et Monaghan) et s'étend sur env. 400 km du N. au S. et 300 km d'E. en O. 68870 km². 3 130 000 hab. (1975). Cap. Dublin. Elle comprend vingt-six comtés répartis dans quatre provinces : **V. Carlow, Dublin, Kildare, Kilkenny, Leix, Longford, Louth, Meath, Offaly, Westmeath, Wexford** et **Wicklow** (prov. de Leinster*), **Clare, Cork, Kerry, Limerick, Tipperary, Waterford** (prov. de Munster*), **Galway, Leitrim, Mayo, Roscommon, Sligo** (prov. de Connacht*), **Cavan, Donegal** et **Monaghan** (prov. d'Ulster*). *V. princ.* **V. Cork, Galway, Limerick, Shannon, Waterford.** *Langues :* anglais et irlandais *(gaélique). Religion* catholique (minorité protestante). — *Orogr.* Au centre s'étend une vaste dépression, la *plaine centrale,* ou l'empreinte glaciaire s'est marquée par des collines dissymétriques ou *drumlins,* des rides de sable ou de gravier (les *os* ou *eskers*), des tourbières ou *bogs* (**V. Allen**) et des lacs intérieurs ou *loughs* (**V. Allen, Conn, Corrib, Derg, Ree**). La plaine centrale est bordée de *petits massifs;* à l'E. les *monts Wicklow**, au S. de Dublin et culminant à 926 m au *Lugnaquilla*;* à l'O. les monts de *Connemara** (Connacht) et au S.-O.. les *monts de Kerry,* les plus élevés, culminant à 1 041 m au *Carrantuohill.* Les monts de Donegal, de Leitrim et de Sligo, au N.-O. ; ceux de Waterford, au S.-E., ne sont que de hautes collines. Les côtes sont presque partout découpées, surtout au S.-O. (Kerry), et entaillées de profondes baies (Donegal, Clew, Galway, Dingle, Dublin, Sligo). — *Hydrogr.* **V. Barrow, Blackwater, Boyne, Liffey, Shannon, Slaney.** — Le *climat,* doux et très pluvieux (2 jours de pluie sur 3), favorise les pâturages et a valu à l'Irlande le surnom de *verte Erin.* — *Pop.* Le taux d'accroissement, très faible, a très peu varié depuis 1956. En 1841, la population de l'Irlande s'élevait à 8 175 000 hab., celle de l'Eire n'était que de 2 899 000 hab. en 1967. L'émigration (vers la Grande-Bretagne et les U.S.A., surtout), encouragée par la faiblesse du niveau de vie, reste forte. — *Écon.* La vie économique repose encore largement sur l'*agriculture* qui emploie 70 % de la population. Les grandes propriétés ont été morcelées en lopins de 10 à 20 ha. La prairie représente 46 % du sol. L'élevage a une importance capitale. Les bovins (lait et viande) arrivent en tête (7 000 000), puis les ovins, porcins, chevaux (de race), poneys et les volailles. La surface arable ne représente que 19 % du sol. Les principales cultures sont : la pomme de terre (1 160 000 t en 1975), l'orge (utilisée en distillerie), la betterave à sucre (en grande extension dans l'O. du pays), l'avoine et le blé. Les *ressources énergétiques* et minières ne sont ni variées ni abondantes (insuffisance des gisements de charbon, plomb et zinc). L'énergie électrique (plus de 7,7 milliards de de kWh) est d'origine hydraulique (barrages du Shannon et de la Liffey) et thermique (à base de tourbe). l'*activité industrielle* repose en bonne partie sur la transformation des produits agricoles : indus. alimentaires (minoteries, distilleries de whisky, brasseries, sucreries, conserves de viande et de produits laitiers), textiles (travail du lin et du coton). L'indus. mécanique et chimique s'est plus récemment développée dans les grands centres urbains (Dublin, Cork et Shannon). La pêche suffit aux besoins et alimente les conserveries locales (saumon). Le *tourisme* est en constant développement (1 696 000 visiteurs en 1966). *Commerce et communications.* L'économie irlandaise dépend largement de la Grande-Bretagne, avec qui se font la plupart des échanges commerciaux. Le réseau routier était de 85 000 km et le réseau ferré de 2 400 km en 1964. L'Irlande possède deux aéroports, Dublin et Shannon (relié à l'Amérique). ♦ *Hist.* **V.** *ci-dessus* **Irlande.**

IRLANDE DU NORD. *n. f.*, en angl. **Northern Ireland.** ♦ Partie N.-E. de l'Irlande, faisant partie de l'anc. prov. d'Ulster*, baignée au N. par l'Atlantique, au N.-E. par le canal du Nord, au S.-E. par la mer d'Irlande, limitée au S. et à l'E. par l'Eire ou république d'Irlande. 14 121 km². 1 484 775 hab. *Langue* anglais. *Religions* protestante, minorité catholique. *Cap.* Belfast. *V. princ.* **V. Armagh, Ballycastle, Ballymena, Bangor, Carrickfergus, Coleraine, Downpatrick, Dungannon, Enniskillen, Larne, Lisburn, Londonderry, Lurgan, Newry, Newtownabbey, Omagh, Portadown, Strabane.** — L'Irlande du Nord est formée de six comtés, **V. Antrim** (Belfast), **Armagh** (Armagh), **Down** (Downpatrick), **Fermanagh** (Enniskillen), **Londonderry** (Londonderry) et **Tyrone** (Omagh); elle est politiquement rattachée au Royaume-Uni. — *Orogr.* Le relief se présente comme une vaste dépression correspondant au prolongement de la zone écossaise des Lowlands et dont le centre est occupé par le *lough Neagh** (396 km²). Elle est relevée sur ses bords par de petits massifs primaires : *monts Mourne** (852 m) au S.-E., *monts Sperrin** (683 m) au S.-O. et *plateau d'Antrim** au N.-E. se prolongeant dans la mer par la spectaculaire *Chaussée* des Géants.* Les côtes sont par ailleurs largement échancrées *(loughs Foyle* et de *Belfast). — Hydrogr.* **V. Bann, Erne, Foyle.** — *Écon.* L'agriculture occupe une place prédominante (pomme de terre, avoine, seigle, lin); l'élevage (ovin, bovin, porcin) alimente la Grande-Bretagne en produits laitiers et en viande. L'indus. textile traditionnelle (travail du lin) emploie env. 100 000 personnes. mais travaille de plus en plus avec du lin d'importation (d'U.R.S.S. notamment). La construction navale (Belfast-Newtownabbey et Londonderry) vient au 3ᵉ rang dans le Royaume-Uni, après les chantiers de la Clyde et de la Tyne. L'indus. alimentaire est très diversifiée (distilleries de whisky, conserves de viande, de produits laitiers et de poisson). La pêche (saumon) est largement pratiquée sur les nombreux petits cours d'eau. Le tourisme (côte d'Antrim, lough Neagh) fournit à l'économie un appoint non négligeable. ♦ *Hist.* **V. Irlande, Ulster.** *Renaissance du problème irlandais.* La minorité catholique d'Irlande du Nord, qui représente un tiers de la population (env. 500 000), prit en 1968 conscience de sa situation : nationaliste et irlandaise, elle était politiquement et économiquement tenue à l'écart par une majorité protestante qui descend en majorité des colons anglais et écossais. Une campagne pour les « droits civiques » (Londonderry, oct. 1968) entraîna par contrecoup le réveil de l'extrémisme protestant (Ian Paisley). Un nouveau gouvernement (major Chichester Clark) ne parvint pas à rétablir le calme. En juillet 1969, les manifestations anticatholiques de l'ordre d'Orange dégénérèrent en bagarres, puis en émeutes (août). Le gouvernement de Londres, prenant en charge la police, tenta de promouvoir des réformes. Mais Paisley fut élu, et la militante catholique Bernadette Devlin, député au parlement de Londres, était arrêtée en juin 1970; de nouveaux combats éclatèrent, auxquels l'armée républicaine secrète (I.R.A.) d'Irlande prêta son appui. En 1971, la guérilla urbaine devint constante; Chichester Clark, débordé sur sa droite, céda la place à un autre réformiste, Brian Faulkner, sous la pression de Londres. En 1972, les mesures de police (internements préventifs), les attentats, l'action de l'armée britannique, l'action violente de l'I.R.A. entretenaient les haines et la peur. Le gouvernement Heath nomma un secrétaire d'État pour l'Irlande et proposa des mesures d'apaisement. L'affrontement des protestants, qui ne veulent pas renoncer à leurs privilèges, et des catholiques, soutenus par la république d'Irlande du Sud, embarrasse Londres, qui ne parvient pas à résoudre le problème de l'extérieur.

Iroha. ♦ Poème japonais du IXᵉ s. (attribué à Kûkai* [Kôbô Daishi]) réalisé avec toutes les syllabes de la langue japonaise (48) et dont l'ordre sert depuis cette époque à la numérotation. *I-Ro-ha* signifie donc l'ordre 1-2-3, etc.

IROISE *(mer d').* ♦ Bras de mer de la côte occidentale de Bretagne, entre les îles d'Ouessant et de Sein, sur lequel s'ouvrent la rade de Brest* et la baie de Douarnenez. Ce bras de mer est parsemé d'écueils.

IROQUOIS. *n. m.* ♦ Nom donné par les Français aux Indiens fixés dans les vallées du Saint-Laurent et de la Susquehanna et au N. des lacs Érié, Ontario et Huron. Ces peuples avaient une civilisation néolithique assez avancée. Cultivateurs sédentaires, ils chassaient peu et possédaient une remarquable organisation : au XVIIᵉ et au XVIIIᵉ s., ils formaient une confédération, appelée par les Européens les Cinq Nations (ou Cinq* Cantons) et comprenant cinq, puis six tribus (Mohawk*, Oneida, Onondaga, Cayuga, Seneca, puis Tuscarora). Elle possédait un conseil qui se réunissait régulièrement. Déchirés au XVIIᵉ s. par des rivalités internes, les Iroquois luttèrent cependant contre les Français (massacre des missionnaires, 1642-1649) et contre les Hurons. Ils jouèrent un grand rôle au XVIIIᵉ s. dans les conflits qui opposèrent Français et Anglais en Amérique. Il reste huit réserves d'Iroquois au Canada (16 000 hab.), et six dans l'État de New York (8 000 hab.).

IRRAWADY. ♦ **V.** IRAWADY.

Irrédentisme. *n. m.* ♦ Mouvement politique italien réclamant, après 1870, l'annexion de l'Italie *irredenta,* encore soumise à la domination autrichienne, puis de l'ensemble des terres « italiennes ». Lié à l'*Associazione in pro dell'Italia irredenta* (1878), puis au comité *Trente et Trieste* et à la société *Dante Alighieri*, l'irrédentisme connut une nouvelle impulsion au début du XXe s. avec D'Annunzio. Il provoqua des troubles à Trieste (1913) et fut l'un des facteurs de la rupture de la Triplice et de l'entrée en guerre de l'Italie aux côtés de la France en 1915. Le traité secret de Londres (1915) n'ayant pas été respecté, l'irrédentisme prit un nouvel essor (occupation de Fiume par D'Annunzio) et favorisa l'avènement du fascisme qui reprit ses revendications, essentiellement contre la France (Nice, la Savoie, la Corse, la Tunisie), mais ne put obtenir satisfaction d'Hitler en 1940.

IRTYSH ou **IRTYCH.** *n. m.* ♦ Fl. d'U.R.S.S., affl. (r. g.) de l'Ob*. 4 248 km. Issu de l'Altaï en Chine (où il porte le nom d'Irtysh Noir), il arrose les steppes du Kazakhstan* (où il commence à être navigable), les régions d'Omsk et de Tioumen (R.S.F.S. de Russie) et les villes d'Oust*-Kamenogorsk (centrale hydro-électrique), Semipalatinsk*, Pavlodar*, Omsk*, Tobolsk*. Il reçoit les eaux de l'Ishim*, de l'Om* et du Tobol*.

IRUN. ♦ V. du pays basque espagnol (prov. de Guipúzcoa) sur la r. g. de la Bidassoa, à la frontière française, face à Hendaye. 30 000 habitants.

IRVING (Washington). ♦ Essayiste et historien américain (New York, 1783 – Sunnyside, Tarrytown, New York, 1859). Il était le benjamin de onze enfants; son père (presbytérien) et sa mère (anglicane) l'éduquèrent moins sévèrement que ses frères. Grâce à deux d'entre eux, William et Peter, directeurs de *Salmigondi,* il collabora en 1806 à cette petite revue fantaisiste et commença son *Histoire de New York par Knickerbocker* (*Knickerbocker's History of New York,* 1809). Il voulait ridiculiser l'érudition pédante des historiens de l'époque par des étymologies cocasses (il y fait dériver *Manhattan* de *Man's Hat,* chapeau d'homme, car les femmes indiennes portaient des chapeaux d'homme) et des anecdotes plaisantes. Diedrick Knickerbocker demeure le représentant symbolique des premiers habitants de New York. S'étant rendu à Liverpool après la guerre d'Indépendance, il resta dix-sept ans en Angleterre où il écrivit *Le Livre d'esquisses (The Sketchbook of Geoffrey Crayon)* publié avec un égal succès à New York et à Londres en 1820. Il s'inspirait d'observations psychologiques : *Le Cœur brisé*; de la vie anglaise : *Noël*; d'anciennes légendes : *Rip van Winkle,* récit d'une fraiche poésie où un garçon fantasque, mari d'une virago acariâtre, va chasser dans la montagne et y fait un somme de vingt ans; sa femme étant morte, sa fille l'héberge et il peut enfin vivre. Nommé attaché d'ambassade en Espagne, W. Irving renouvela son style avec *Histoire de la vie et des voyages de Christophe Colomb* (1828), *Chronique de la conquête de Grenade* (1829), *Contes de l'Alhambra* (1831). Cet essayiste léger et brillant fut admiré (Walter Scott) et critiqué (J.F. Cooper). Son œuvre a coïncidé avec les années d'éclosion d'une civilisation propre aux États-Unis.

IRZYKOWSKI (Karol). ♦ Écrivain polonais (1873 – 1944). Après avoir écrit un roman réaliste *Palouba* (1903) où il analyse « scientifiquement », à la manière de Zola, les caractères de ses héros, il écrivit plusieurs essais parmi lesquels *Frédéric Hebbel comme poète de la nécessité* (1907) et *La Dixième Muse* (1924), sur le cinéma. Dans son essai, *La Lutte pour le contenu* (*Walka o treść,* 1929), il critiqua vivement la théorie de la « forme pure ».

ÎSÂ. ♦ Forme arabe de *Jésus.*

ISAAC. ♦ Patriarche biblique (*Genèse,* XXI-XXVIII). Fils miraculeux d'Abraham* et de Sarah âgés, il hérite de la promesse faite par Iahvé à son père. Celui-ci, pourtant, l'offre en sacrifice à Iahvé qui voulait l'éprouver, mais un bélier est substitué. Époux de Rébecca, père d'Ésaü* et de Jacob*.

ISAAC Ier COMNÈNE. ♦ (v. 1005 – 1061). Empereur byzantin (1057-1059). Général, il se distingua dans les guerres contre les Turcs. Promu par le parti aristocratique et militaire, il renversa Michel* VI. Il voulut assainir les finances de l'État et décentraliser l'administration, mais l'hostilité du clergé et de la bureaucratie l'obligea à abdiquer en faveur de son ministre Constantin Doukas. Il passa le reste de sa vie enfermé dans un couvent et laissa un livre de commentaires sur Homère.

ISAAC II ANGE. ♦ (v. 1155 – 1204). Empereur byzantin (1185-1195 et 1203-1204). Il renversa Andronic* Ier à un moment de graves périls extérieurs. Sa politique fiscale, écrasant les faibles, révolta les Bulgares, les Serbes et les Valaques et lui coûta de sévères défaites. Sa politique extérieure ne fit qu'accélérer l'effondrement de l'Empire. Détrôné par son frère Alexis* III, qui lui fit crever les yeux, il fut rétabli par les Vénitiens après la prise de Constantinople par les croisés (1203). Régnant avec son fils Alexis* IV, il fut de nouveau renversé et périt avec lui six mois plus tard.

ISAAC (Henricus ou **ISAAK Heinrich).** ♦ Compositeur franco-flamand (Flandres, v. 1450 – Florence, 1517). D'abord au service de Laurent de Médicis à Florence, il fut compositeur de la cour impériale, sous Maximilien Ier (1494). Il est l'auteur de *Messes* chantées à l'unisson ou en polyphonie et souvent inspirées de mélodies profanes, de *Motets* et de nombreuses *Chansons* sur des textes allemands, italiens, français et flamands. Son œuvre établit la synthèse des styles flamand, italien et germanique.

ISAAC (Jules). ♦ Historien français (Rennes, 1877 – Aix-en-Provence, 1963). On lui doit des ouvrages sur *Jésus et Israël* (1948), sur *La Genèse de l'antisémitisme* (1956), ainsi que des manuels scolaires (en collaboration avec Mallet) qui connurent une très large diffusion.

ISAAC JOGUES *(saint).* ♦ Jésuite et missionnaire français (Orléans, 1607 – Ossernenon, Canada, 1646). Apôtre des Hurons, martyrisé par les Iroquois en 1642, il survécut et, après quelques mois en France, retourna au Canada où il fut finalement massacré. – Fête le 18 octobre. **V. Canada** *(martyrs du).*

ISAACS (Jorge). ♦ Poète colombien (1837 – 1895), auteur d'une idylle romantique et émouvante inspirée de Paul* et Virginie, *Maria* (1867).

ISABEAU DE BAVIÈRE. ♦ (Munich, 1371 – Paris, 1435). Reine de France (1385-1422). Fille du duc de Bavière, Étienne II, elle épousa Charles VI. Après la démence du roi (1392), elle dirigea le Conseil de régence, favorisant Louis d'Orléans* au détriment de Jean* sans Peur, provoquant ainsi la querelle des Armagnacs et des Bourguignons. Quittant l'alliance des Armagnacs, elle s'allia aux Bourguignons et aux Anglais et se fit la complice du traité de Troyes* (1420), **V. Charles VI.** Son rôle politique se termina à la mort de Charles VI.

ISABELLE Ire, dite **la Catholique.** ♦ (Madrigal de las Altas Torres, 1451 – Medina del Campo, 1504). Reine de Castille (1474-1504). Fille de Jean* II, roi de Castille, elle épousa en 1469 Ferdinand* d'Aragon et devint reine de Castille en 1474. L'union des deux royaumes, base de la puissance espagnole, fut ainsi scellée. Néanmoins, Isabelle tint à préserver l'autonomie de la Castille. Elle se battit victorieusement contre Alphonse* V de Portugal (1479) et encouragea le premier voyage de Colomb* en Amérique. En 1494, le couple royal reçut du pape le titre de *Rois Catholiques* en hommage à sa politique religieuse **(V. Ferdinand II d'Aragon).** Isabelle eut pour héritière sa fille, Jeanne* la Folle, mais Ferdinand exerça en fait le pouvoir après sa mort, en tant que régent de Castille.

ISABELLE II (Marie-Louise, dite**).** ♦ (Madrid, 1830 – Paris, 1904). Reine d'Espagne (1833-1868). Fille de Ferdinand* VII et de Marie*-Christine de Bourbon-Sicile, elle succéda à son père en 1833, grâce à la pragmatique sanction qui abolit la loi salique; elle écartait ainsi du trône son oncle, don Carlos*. Elle fut placée sous la régence de sa mère et sous celle d'Espartero*. Son gouvernement personnel commença après le soulèvement de 1854 et avec la nouvelle constitution libérale. Deux hommes alternèrent au pouvoir, Narváez* et O*'Donnell; ce dernier dut faire face à une double agitation, carliste* dans le Nord et républicaine en Catalogne, mais regagna quelque prestige par les expéditions du Maroc (1860) et du Mexique (1861). L'influence de la camarilla toute puissante d'Isabelle finit par mécontenter l'opinion publique et l'armée. Après l'insurrection sanglante de 1866, le général Prim* prit la tête d'un soulèvement qui chassa la reine (1868). Les difficultés pour trouver un roi eurent une incidence sur l'origine de la guerre de 1870 **(V. Espagne,** ***Hist.*****).**

ISABELLE D'ANGOULÊME. ♦ Comtesse d'Angoulême et reine

Arch. Smeets

Le sacrifice d'**Isaac,** par A. Berruguete.
Retable de San Benito. (Musée de Valladolid.)

d'Angleterre (1186 – Fontevrault, 1246). Elle épousa Jean* sans Terre (1200), puis Hugues X de Lusignan (1220), faisant ainsi passer le comté d'Angoulême à la maison de Lusignan. Elle participa à la révolte féodale de 1242 contre Louis IX.

ISABELLE D'ANJOU. ♦ (1169 – 1205). Reine de Jérusalem et de Chypre (1192-1205). Fille d'Amaury Ier de Jérusalem. Elle épousa Onfroi IV, sire de Toron, Conrad* de Montferrat, seigneur de Tyr, Henri de Champagne, puis le roi de Chypre Amaury* II de Lusignan. Sa fille Marie de Montferrat épousa Jean* de Brienne.

ISABELLE D'ARAGON. ♦ Reine de France (1247 – Cosenza, Calabre, 1271). Fille de Jacques Ier d'Aragon, elle épousa Philippe* III le Hardi (1262) et fut la mère de Philippe IV le Bel.

ISABELLE DE FRANCE *(bienheureuse).* ♦ Religieuse française (Paris, 1225 – Longchamp, 1270). Sœur de Saint Louis, elle témoigna dès son plus jeune âge d'une pieuse dilection à l'endroit de l'ordre franciscain. Ayant refusé d'épouser Conrad, fils de Frédéric II, elle se retira au monastère des Clarisses de Longchamp, qu'elle avait fondé en 1259, où elle mourut. Elle fut béatifiée en 1521.

ISABELLE DE FRANCE. ♦ Reine d'Angleterre (Paris, v. 1295 – Hertford, près de Londres, 1358). Fille de Philippe* IV le Bel, elle épousa Édouard* II (1308) qu'elle contraignit à abdiquer avec l'aide de Roger Mortimer* (1327). Après l'avoir fait assassiner, elle exerça la régence. Son fils Édouard* III la fit arrêter (1330) et la garda prisonnière jusqu'à sa mort.

ISABELLE DE HAINAUT. ♦ Reine de France (Lille, 1170 – 1190). Fille de Baudouin* V, comte de Hainaut, elle épousa Philippe* Auguste (1180). Mère de Louis* VIII.

ISABEY (Jean-Baptiste). ♦ Peintre, miniaturiste, dessinateur et aquarelliste français (Nancy, 1767 – Paris, 1855). Élève du miniaturiste Dumond, puis de David*, il acquit la notoriété en exécutant les portraits des principaux membres de l'Assemblée constituante et celui de Bonaparte. Il s'occupa du dessin des uniformes et costumes de la cour et fut chargé d'organiser les fêtes de l'Empire. Il garda ses charges officielles sous la Restauration et le Second Empire. Par ses portraits délicats et cependant solidement construits, il est l'un des derniers représentants de l'art de la miniature.

ISABEY (Eugène). ♦ Peintre, aquarelliste, lithographe et dessinateur français (Paris, 1804 – Lagny, 1886). Il est l'auteur de tableaux d'histoire et de genre, de paysages, surtout de marines, qui révèlent une conception romantique de la nature. Il subit l'influence de Bonington et alla travailler en Normandie. Vers la fin de sa vie, ses marines aquarellées ou lithographiées, d'une facture plus directe et plus libre, annoncent l'impressionnisme.

ISAÏE ou **ÉSAÏE** (la première graphie est plutôt le fait des catholiques; la seconde, des protestants). ♦ Prophète juif (activité : ~ 746-~ 701 env.). Originaire du royaume de Juda, il fut contemporain de l'avance assyrienne qui aboutit à la chute d'Israël et à la mise sous tutelle de Juda. Ses prophéties exaltent la puissance de Iahvé seul, aux dépens des forces humaines (préparatifs militaires, recherche d'alliances) qui mènent au malheur. – *Icon.* Sculptures au portail de Chartres, au *Puits de Moïse* de Sluter*; *peintures :* fresques de Vic-Nohant (Indre), Grünewald (Colmar), Raphaël (St-Augustin, Rome), Michel-Ange (chapelle Sixtine).

Isaïe ou **Ésaïe** *(livre d').* ♦ Livre biblique, le premier des grands prophètes (66 chapitres). Chapitres I-XXXIX : prophéties et visions d'Isaïe proprement dit; forme poétique; texte issu de traditions remontant au prophète lui-même ou à ses disciples (~ VIIIe s.). Chapitres XL-LV *(Deutéro-Isaïe) :* poèmes de la fin de l'exil à Babylone, relatifs à la restauration future d'Israël (~ VIe s.). Chapitres LVI-LXVI *(Trito-Isaïe) :* poèmes visant les juifs réinstallés, dans une perspective de religion universelle.

ISAMBERT (François). ♦ Magistrat et homme politique français (Aunay-sous-Auneau, Eure-et-Loir, 1792 – Paris, 1857). Avocat libéral sous la Restauration, député sous la monarchie de Juillet, il siégea également à l'Assemblée constituante (1848), où il soutint Cavaignac contre les socialistes. Auteur d'un *Recueil des anciennes lois françaises depuis 420 jusqu'à la révolution de 1789* (1822-1833).

Ph. Carlo Bevilacqua/Ricciarini

Le prophète Isaïe, par Melozzo da Forli. (Sanctuaire de la Sainte-Maison, Lorette.)

ISAMBOUR, INGEBORG ou **INGEBURGE DE DANEMARK.** ♦ Reine de France (v. 1176 – Essonnes, 1236). Fille du roi Valdemar Ier, elle épousa Philippe* Auguste qui la répudia dès le lendemain du mariage (1193), feignit de la reprendre pour se réconcilier avec la papauté (1200), mais ne le fit véritablement qu'en 1213.

ISAR. *n. m.* ♦ Riv. du S.-O. de l'Allemagne, affl. r. d. du Danube (352 km). Elle naît en Autriche (Préalpes de Bavière), draine le plateau bavarois et arrose Munich*, Freising* et Landshut*.

ISAURE (Clémence). ♦ Personnage légendaire qui aurait fondé ou restauré les Jeux Floraux de Toulouse au XIVe s. **(V. Jeux Floraux).** Le nom de Clémence n'apparaît dans les textes qu'à la fin du XVe s. comme l'un des qualificatifs de la Vierge (Clemensa) sous la protection de laquelle étaient placés les Jeux. À partir de là fut créé le personnage de Clémence Isaure (Isaure étant le nom d'un comte légendaire de Toulouse mentionné dans une ballade en 1549). Pour accréditer cette légende, on transporta en 1557 au Capitole de Toulouse une statue de Clémence Isaure que l'on disait dater du XIVe siècle. Elle se trouve actuellement à l'hôtel d'Assézat.

ISAURIE. *n. f.* ♦ Anc. région de l'Asie Mineure limitée au S. par la Cilicie*, au N. par la Lycaonie* et dont la cap. était *Isaura* (*auj.* Semba). Elle fut en partie soumise par Rome au ~ Ier s. et s'étendit par la suite vers l'E. et le S.-E.

ISBERGUES. ♦ Comm. du Pas*-de-Calais, arr. de Béthune*, sur le canal d'Aire*. 5 761 hab. Hauts fourneaux, aciéries.

ISCARIOTE ou **ISCARIOTH.** ♦ (Peut-être en araméen, « l'homme de Kerioth » ou sobriquet signifiant « le traître ».) Surnom de Judas*, dans les Évangiles.

ISCHGL. ♦ Village autrichien situé dans la vallée de la Trisanna (affl. de l'Inn) au S. de Saint-Anton (Tyrol). 550 hab. Station de sports d'hiver (téléférique de l'Idalpe jusqu'à 2 763 m).

ISCHIA. ♦ Petite île italienne d'origine volcanique, dans la mer Tyrrhénienne, au nord de la baie de Naples*. 32 000 hab. Cultures fruitières et florales (iris), eaux thermales. La beauté des paysages a favorisé le tourisme.

ISE. ♦ V. japonaise (île de Honshû, préfecture de Mie), sur la baie d'Ise. 104 000 hab. (1969). – La ville est célèbre pour ses deux sanctuaires nationaux du Shintô, dédiés au *kami* solaire Amaterasu* Ômikami. D'un style très ancien, ils sont traditionnellement reconstruits tous les vingt ans. Ces sanctuaires se trouvent situés à peu de distance de la bourgade, dans un paysage forestier remarquable. Ce site est considéré comme le plus sacré du Japon. – Presqu'île montagneuse sur le golfe d'Ise, où se trouve cette ville **(V.** *ci-dessus***).**

ISÉE, en gr. **Isaios.** ♦ Orateur grec (probablement Chalcis, Eubée, v. ~ 420 – v. ~ 340). Maître de rhétorique – il aurait formé Démosthène* – et avocat d'affaires. Les onze plaidoyers que nous possédons de lui, d'une remarquable qualité de style, concernent des affaires d'héritage et sont intéressants comme documents sur le droit athénien.

ISEGHEM, en néerl. **Izegem.** ♦ V. de Belgique (Flandre-Occidentale, arr. de Roulers). 22 808 hab. Indus. textiles, chaussures, meubles. Commerce du lin et du tabac. Huileries.

ISENGRIN. ♦ **V.** YSENGRIN.

ISEO ou **SEBINO** *(lac d'[e]).* ♦ Lac italien d'origine glaciaire, en Lombardie, traversé par l'Oglio*. 63,5 km². En son centre se dresse le monte Isola (599 m). Les eaux du lac sont poissonneuses.

ISERAN. n. m. *(col de l').* ♦ Col des Alpes françaises (Savoie) à 2 770 m, entre les sources de l'Arc et de l'Isère; il est franchi par la route des Grandes-Alpes.

ISÈRE. *n. f.* ♦ Riv. des Alpes, affl. du Rhône* (290 km). Elle prend sa source au mont Iseran, parcourt le Val de Tignes, la Tarentaise* et traverse Bourg*-Saint-Maurice, Moûtiers, Albertville* (où elle reçoit l'Arly*); elle parcourt ensuite la Combe* de Savoie, où elle reçoit l'Arc*, coule dans le Grésivaudan*, reçoit le Drac* à Grenoble*, traverse ensuite les Préalpes par la cluse de Voreppe, passe à Romans*, à Bourg*-de-Péage et conflue au N. de Valence*. De cours très irrégulier, l'Isère alimente de nombreux barrages et centrales hydro-électriques.

ISÈRE [38]. n. f. ♦ Dép. du S.E. de la France, région (anciennement C.A.R.) Rhône-Alpes. – *Orogr.* Au S.-E. du dép. s'élèvent de hautes montagnes appartenant aux Grandes-Alpes : l'Oisans*, le Pelvoux*, le Dévoluy*, la chaîne de Belledonne* : au pied de ces montagnes se trouvent le sillon alpin (Grésivaudan*, vallée du Drac) et des montagnes appartenant aux Préalpes (Vercors*, Grande Chartreuse*). Au N.-O. du dép., le bas Dauphiné comprend le plateau de Chambaran, la dépression fertile de la Bièvre, au N., et, au S., la vallée de l'Isère, les Terres froides et l'île Crémieu.

♦ 44 cant., 538 comm., 787 877 hab. *Préf.* Grenoble*; *sous-préf. :* La Tour*-du-Pin, Vienne*. *Ch.-l. de cant. :* Allevard*, Beaurepaire*, Bourg*-d'Oisans (Le), Bourgoin*-Jallieu, Clelles (328 hab.), Corps (556 hab.), Côte*-Saint-André (La), Crémieu*, Domène*, Goncelin (1 136 hab.), Grand*-Lemps (Le), Heyrieux (1 733 hab.), Mens (1 156 hab.), Monestier-de-Clermont (889 hab.), Morestel (1 805 hab.), Mure* (La), Pont*-de-Beauvoisin (Le), Pont*-de-Chéruy, Pont*-en-Royans, Rives*, Roybon (1 536 hab.), Roussillon*, Saint-Étienne*-de-Saint-Geoirs, Saint-Geoire-en-Valdaine (1 333 hab.), Saint-Jean*-de-Bournay, Saint-Laurent*-

Ph. Lauros-Giraudon

Isidore de Séville :
« Le Miroir historial de Vincent de Beauvais », XVe s.
(Musée Condé, Chantilly.)

du-Pont, Saint-Marcellin*, Sassenage*, Touvet (Le) [1 278 hab.], Tullins*, Valbonnais (521 hab.), Verpillière* (La), Vif*, Villard*-de-Lans, Vinay*, Virieu (765 hab.), Vizille*, Voiron*. *Autres localités :* **V. Alpe-d'Huez (L'), Chamrousse, Deux-Alpes (Les), Échirolles, Fontaine, Froges, Laffrey, Moirans, Monteynard, Paladru, Péage-de-Roussillon (Le), Pontcharra, Pont-de-Claix, Saint-Egrève, Saint-Martin-d'Hères, Salette-Falavaux (La), Seyssinet-Pariset, Tronche (La), Uriage, Vézeronce.**

ISERLOHN. ♦ V. d'Allemagne occidentale (Rhénanie du Nord-Westphalie), sur le versant N. du Sauerland, au S.-E. de Dortmund. 57 100 hab. Métallurgie.

ISEULT ou **ISEUT (la Blonde).** ♦ Héroïne légendaire du Moyen Âge, présente dès la fin du XIIe s. dans les récits du *Cycle breton.* — Dans le roman de *Tristan* et Iseult,* on la voit déchirée entre sa passion fatale pour Tristan et sa loyauté envers son époux, le roi Marc.

ISHIHARA SHINTARÔ. ♦ Écrivain japonais contemporain (1932) classé parmi les « sensualistes » et dont les romans (surtout *Taiyô-no-kisetsu, La Saison du soleil,* 1955) eurent une grande influence sur la jeunesse dorée de l'*apure* (après-guerre) au Japon.

ISHII KIKUJIRÔ. ♦ Homme d'État et diplomate japonais (Chiba, 1866 — Tôkyô, 1945) qui fut ambassadeur à Paris, Pékin, Washington, ministre des Affaires étrangères (1915-1916) puis président de la S.D.N. en 1923 et 1926. Il se retira de la vie publique en 1927.

ISHIM. *n. m.* ♦ Riv. d'U.R.S.S. (Kazakhstan* et Sibérie), affl. (r. g.) de l'Irtysh*. 1 089 km. Il arrose la steppe du même nom et les villes de Tselinograd*, Petropavlovsk* et Ishim (R.S.F.S. de Russie. 47 800 hab. en 1959).

ISHIMBAÏ. ♦ V. d'U.R.S.S. (R.S.F.S. de Russie), en Bachkirie*, sur la Biélaïa*. 46 600 hab. (1959). Constructions mécaniques. Indus. pétrolières et alimentaires.

ISHINOMAKI. ♦ V. du Japon (Honshû, préf. de Miyagi) et grand port sur la côte du Pacifique. 107 000 hab. Pêcheries, conserveries.

ISHTAR, en phénicien **ASHTART,** en gr. **ASTARTÉ.** ♦ Dans les religions anciennes de l'Asie antérieure, déesse de la fécondité et des combats, fille d'Anu* ou de Sin*; elle représente l'étoile du matin. Elle intervient dans le mythe de Gilgamesh*; celui de *la descente d'Ishtar aux Enfers* montre le dépérissement de toute vie pendant son absence; on lui attribue de multiples aventures amoureuses **(V. Tammuz).** Elle correspond à la déesse sumérienne Inanna, reçut un culte à Babylone, en Assyrie, en Syrie (où elle devint la *Grande Déesse*), en Phénicie et même chez les israélites (la Bible profère des reproches répétés à ce sujet) et, dans le syncrétisme antique, fut assimilée à l'Aphrodite* grecque. ♦ *Porte d'Ishtar :* **V. Babylone.**

ISIDORE DE SÉVILLE *(saint).* ♦ Évêque de Séville et savant prélat (Cartagène, v. 570 — Séville, 636). Organisateur de l'Église d'Espagne, il défendit la religion chrétienne contre l'intrusion de la philosophie et de la culture païenne, n'en retenant que ce qui est utilisable pour la foi. Il est l'auteur d'une *Regula monachorum* et surtout d'un ouvrage encyclopédique *Originum sive etymologiarum libri* où il ébauche une classification des connaissances en arts libéraux, sciences morales, naturelles, agriculture et arts manuels. — Fête le 4 avril.

ISIGNY (-SUR-MER). ♦ Ch.-l. de cant. du Calvados*, arr. de Bayeux*, sur l'Aure, près de son confluent avec la Vire*. 3 367 hab. *(Isignais).* Église en partie du XIIIe siècle. Marché agricole important. Indus. laitière très moderne (beurre et confiserie réputés).

ISIN. ♦ Cité sumérienne, en basse Mésopotamie. La *dynastie d'Isin,* d'origine amorrite (sémitique), fut fondée par Ishbi-Irra v. ~ 1955 et, après la chute de la IIIe dynastie d'Ur*, domina Sumer* en rivalité avec celle de Larsa*, qui la vassalisa v. ~ 1730.

ISIS, nom grec de **Esi,** « celle qui est sur le trône » c'est-à-dire « la reine ». ♦ Divinité égyptienne représentée sous l'aspect d'une femme seule ou allaitant Horus* et — plus tard — identifiée à Hathor* portant les cornes de la déesse Vache. D'origine mal connue, elle était peut-être honorée seule primitivement; elle entra dans la mythologie comme sœur et femme d'Osiris* et mère d'Horus. Son rôle dans la légende osirienne commençait après la mort de son époux : c'est elle qui avait retrouvé le corps d'Osiris et, avec l'aide d'Anubis*, lui avait rendu le souffle vital. Elle fut considérée d'abord comme la grande magicienne, celle dont le pouvoir dépassait celui des autres dieux et même de Rê*, le dieu-soleil — puisqu'elle réussit à connaître son nom caché — pouvoir qui lui avait permis de ressusciter Osiris, et était invoquée pour cette raison contre les maladies. C'est à partir du Nouvel Empire seulement qu'elle fut adorée comme la Mère universelle et devint la déesse la plus populaire. Son culte prit une importance considérable; passionnel, puisqu'il proposait aux fidèles de suivre la déesse dans sa quête d'Osiris mort et ressuscité, il était aussi salvateur puisqu'il leur offrait le sort d'Osiris par la participation aux mystères, le consentement aux sacrifices et à la pénitence et la foi dans la puissance d'Isis, Mère consolatrice. Il répondait ainsi à l'inquiétude morale grandissante des individus en apportant une solution aux problèmes de la survie dans l'au-delà. La religion isiaque gagna la Grèce, Rome — où Caligula* consacra officiellement un temple à Isis sur le Capitole en 69 — puis tout l'Empire et ne céda la place qu'au christianisme.

ISKANDAR MIRZÂ. ♦ Homme politique pâkistânais (1899). Il fut gouverneur général du Pâkistân oriental (actuel Bangla Desh) en 1954 et président du Pâkistân* en 1956. Ayant tenté un coup d'État militaire en 1958, il fut renversé par le général Ayyûb* khân qui prit le pouvoir. Il se réfugia à Londres.

ISKANDAR MUDA. ♦ Sultan musulman d'Atjeh* (pointe N. de Sumatra), de 1607 à 1636. Il agrandit ses États et attaqua Malaka (Malacca) en 1629, instaurant une sorte de monopole du commerce du poivre. Il étendit son influence sur une grande partie de la péninsule malaise et fut le véritable créateur du sultanat d'Atjeh. Sa vie, peu connue, est devenue légendaire.

ISKĂR. ♦ **V. Isker.**

ISKENDERUN, anc. **Alexandrette.** ♦ V. et port de Turquie, sur le *golfe d'Iskenderun,* près de la frontière syrienne. 69 382 hab. (1965). Aérodrome. Port important.

ISKER ou **ISKĂR.** *n. m.* ♦ Riv. de Bulgarie (300 km). Affl. (r. d.) du Danube. Issue du massif du Rila, elle arrose Samokov et passe près de Sofia. Un grand barrage utilise ses eaux pour l'irrigation.

Islâm. *n. m.* (Mot arabe souvent répété dans le Coran* : «se remettre à Dieu»). ♦ Nom de la religion prêchée par Muhammad (Mahomet*). Celui qui y adhère est appelé «musulman» (en arabe, *muslim,* pl. *muslimûn*). Le nombre des musulmans est estimé actuellement à 400 000 000. L'islâm est fondé sur le Coran, parole de Dieu confirmant les autres Livres révélés, et sur la *sunna,* paroles et actes du prophète Muhammad, agent de révélation et le dernier de la série des messagers de Dieu qui commence par Adam et inclut, entre autres, Abraham, Moïse et Jésus (considéré comme un prophète parmi d'autres). Rejetant absolument la trinité chrétienne, la religion islamique est rigoureusement monothéiste et insiste longuement sur l'unicité et la transcendance divine. Tout en appelant à croire en Dieu, aux anges, aux Livres révélés, aux prophètes et au jour du Jugement, l'islâm se présente comme l'aboutissement universel des monothéismes spécifiques qui l'ont précédé et comme le système qui atteint « l'unification religieuse » *(tawhîd al-dîn).* Dans l'islâm, le péché originel et la déchéance de la nature humaine sont exclus; chaque homme a deux anges gardiens qui écrivent toutes ses bonnes et mauvaises actions; au jour du Jugement dernier, il se présentera devant Dieu avec le livre de ses actes. Les problèmes de la prédestination et du libre arbitre sont négligés dans le Coran et la sunna. Ils furent posés plus tard dans la théologie islamique et divisèrent les docteurs entre *qadarites** (ceux qui limitent le « décret divin » : *qadar*) et *jabarites** (partisans de la toute-puissance divine). L'islâm n'étant pas seulement un système dogmatique intervient dans toutes les activités des croyants *(mu'minûn).* Mais la base culturelle repose sur cinq règles fondamentales, appelées les « cinq piliers » *(arkân)* et admises par pratiquement tous les musulmans, par-delà les schismes, les sectes et les rites : *1)* L'acte d'adhésion à l'islâm s'annonce par la récitation de la profession de foi *(shahâda)* [« J'atteste qu'il n'y a de dieu que Dieu et que Muhammad est l'Envoyé (le prophète) de Dieu »]. *2)* Les cinq prières quotidiennes précédées obligatoirement d'ablutions ponctuent la journée du croyant. La prière publique du vendredi est précédée d'un sermon prononcé par l'*imâm** (directeur de la prière) du haut d'une chaire *(minbar).* Toutes les prières, dirigées vers la Ka'ba* (sanctuaire de La Mecque), donnent lieu à des récitations coraniques et rituelles ordonnées autour d'une répétition de positions formant une succession d'unités *(Rak'â).* La tradition a établi que chaque unité commence par la récitation de la *fâtiha* (la *« limi-*

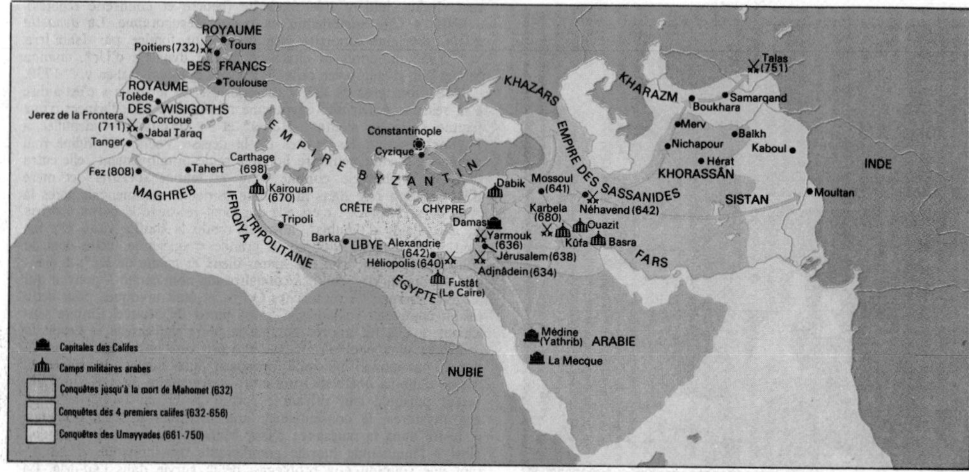

Expansion de l'**Islâm** jusqu'en 750.

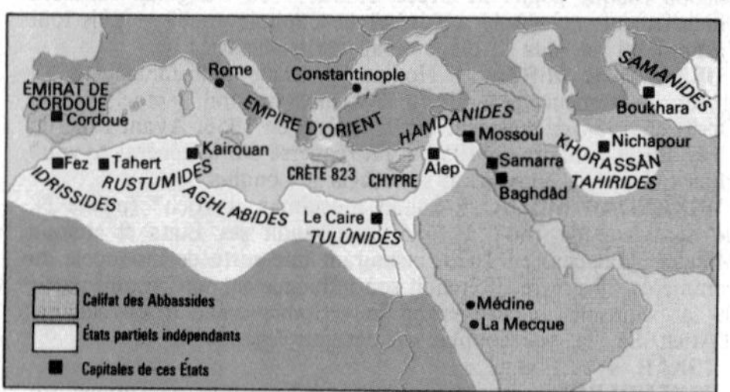

Expansion de l'**Islâm** aux VIIIe, IXe et Xe siècles.

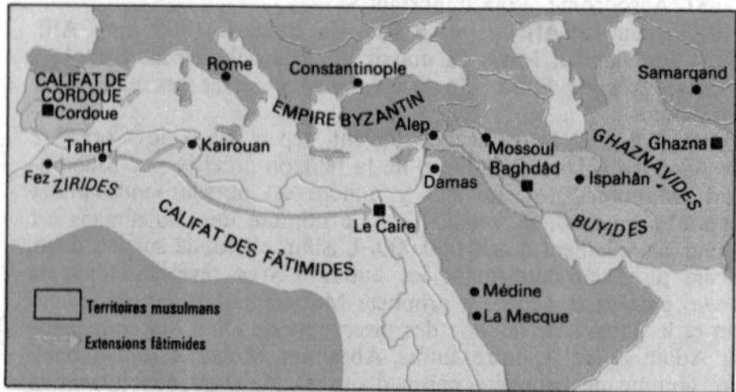

États musulmans vers 1000.

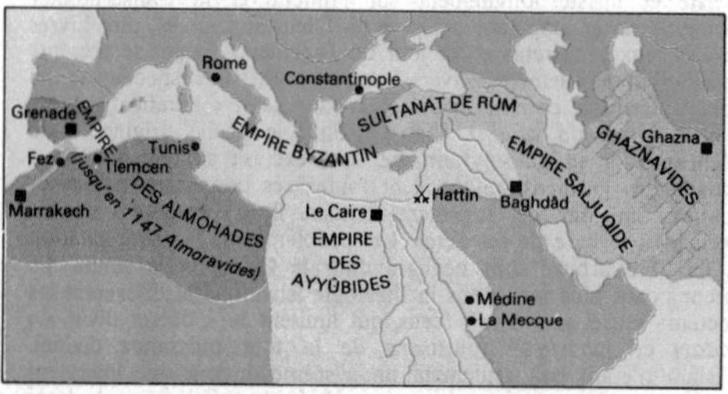

États musulmans vers 1180.

naire ») à la suite de laquelle on prononce, en certaines unités, des passages du Coran librement choisis. À l'occasion des deux fêtes de l'*îd*, celle qui est célébrée juste après le mois de Ramadhân *('îd al-fitr)* et celle qui couronne le pèlerinage et commémore le sacrifice d'Abraham *('îd al-Adhâ)*, les musulmans exécutent une prière spéciale le matin. *3)* La *zakât* (mot dérivé d'une racine syriaque et qui signifie « purifier ») est une taxe obligatoire payée en espèces ou en nature et destinée à alimenter les fonds du secours mutuel. Il est aussi conseillé de pratiquer la charité *(sadaqa)*. *4)* Le jeûne absolu *(sawm)* au mois de Ramadhân (9e mois lunaire) doit être respecté tous les jours de l'aube au crépuscule. *5)* Le pèlerinage *(Hajj)* à La Mecque est obligatoire pour qui en est capable (économiquement et physiquement). Les premières cérémonies s'effectuent individuellement à partir des premiers jours du 10e mois ; elles consistent principalement à déambuler sept fois autour de la Ka'ba* et à circuler sept fois entre le mont Safâ et le mont Mzrwâ. Les cérémonies collectives commençant le 9 *dhû al-Hijja* (12e mois) consistent en une station de tous les pèlerins dans une vallée désertique devant le mont 'Arafat entre midi et le coucher du soleil et à un séjour à Minâ, à quelques kilomètres de La Mecque, où ont lieu des sacrifices de bétail. En d'autres moments de l'année, il est méritoire de réaliser le « petit pèlerinage » *('umra)* qui ne peut cependant se substituer au *hajj*. À côté de ces règles fondamentales, il existe une abondante législation (fondée sur le Coran et la sunna, complétée par le consensus des savants, *ijmâ'*, l'intérêt commun *istislâh*...) qui organise la vie du croyant et règle ses droits et ses obligations dans les domaines militaire, économique, social, politique, domestique, individuel, hygiénique et moral **(V. Coran, Mahomet, Allah, Hadîth, Sharî'a, sunnites, shî'isme).**

ISLÂMÂBÂD. ♦ V. du Pâkistân, située à 15 km de Rawalpindî*, construite sur un plan régulier en damier au bord de la riv. Soan. Elle compte env. 100 000 hab. et est surtout une ville administrative, encore peu industrialisée. Université. ♦ *Hist.* La ville fut construite à partir de 1959 et remplaça Karachi* comme capitale du pays en 1967.

ISLANDE. *n. f. (république d'),* en isl. **Island** (« pays de glace »). ♦ Île du N. de l'océan Atlantique, située à 200 km à l'E. du Groenland dont elle est séparée par le détroit de Danemark. 102 828 km². 220 000 hab. [1975] *(Islandais).* Cap. Reykjavik*. *V. princ.* Akureyri*, Hafnarfjördor, Keflavik*, Vestmannaeyjar. *Langue :* islandais. *Religion :* luthérienne. – *Orogr.* Émergence d'un vaste massif basaltique sous-marin, l'Islande est constituée par un plateau soulevé en son centre. Les glaciers (tel le Vatnajökull*) couvrent une surface de 13 000 km². Ce sont eux qui ont creusé les fjords découpant les côtes N., O. et E. du pays. Les volcans, dont plusieurs sont encore en activité (l'Hekla*, l'Helgafell dont la dernière éruption eut lieu en janvier 1973), sont particulièrement nombreux au S. de l'île. Ils produisent des sources d'eau chaude qui constituent une ressource économique importante. De latitude élevée, l'Islande jouit cependant d'un climat adouci par les influences atlantiques (températures moyennes de 0 °C en hiver, 10 à 11° en été). Les précipitations sont abondantes, surtout dans le sud. – *Écon.* En raison du relief, l'agriculture est très restreinte (les surfaces cultivées ne représentent que 1 % du territoire) : pommes de terre, quelques cultures maraîchères près des sources d'eau chaude. L'élevage est important (820 000 ovins, 52 000 bovins et 35 000 équidés [poneys] en 1968). La production de lait 129 000 t en 1975) suffit à la consommation nationale. La pêche (morue, hareng) est la principale activité économique (945 400 t de poisson en 1974). L'indus. est essentiellement liée à la pêche : les ports (Reykjavik*, Hafnarfjördur, Akureyri*, Siglufjördur) sont équipés pour la préparation des poissons (séchage, salage, congélation, mise en conserve) et la fabrication de dérivés (huile, farine, engrais). Chantiers navals, manufactures de filets de pêche. Indus. textiles. Les ressources hydro-électriques, considérables, commencent à être exploitées (2,18 milliards de kWh en 1973). *Commerce :* les exportations (produits de la pêche, laine, peaux et viande) ne suffisent pas à couvrir les importations (denrées alimentaires, pétrole et produits manufacturés). Les échanges se font principalement avec la Grande-Bretagne, la Scandinavie, l'Allemagne (R.F.A.), les États-Unis et l'U.R.S.S. *Transports :* liaisons aériennes avec le reste de l'Europe et les États-Unis (aéroport de Keflavik*). Les liaisons intérieures se font par jeep ou par cabotage. – Patrie de H. Laxness*, Snorri* Sturluson. ♦ *Hist.* Découverte au VIIIe s. par des moines irlandais, l'Islande fut exploitée et colonisée à partir de 865 par des pionniers norvégiens qui suscitèrent un vaste mouvement d'immigration parmi l'aristocratie de leur pays. Elle était peuplée au Xe s. de 30 000 à 40 000 hab. Les colons constituèrent v. 930 une sorte d'État républicain dirigé par une assemblée aristocratique, l'*Althing*, et v. l'an 1000 apparurent les premiers missionnaires chrétiens. Avec une administration et une économie tout à fait rudimentaires, c'est par ses activités littéraires exceptionnelles en langue nationale que l'Islande médiévale garda une certaine renommée. Aux XIIe et XIIIe s., les dissensions entre les grandes familles permirent l'intervention de la monarchie norvégienne sur le territoire islandais : entre 1262 et 1264, l'Islande dut se soumettre, sous l'influence de l'Église, au roi de Norvège Haakon* IV, tout en gardant une certaine autonomie. L'occupation norvégienne fut une période de décadence tant sociale qu'économique pour l'Islande qui tomba dans la misère et passa en 1380 sous la coupe danoise. Au cours du XVIe s., la Réforme* lui fut imposée par le Danemark qui s'attribua le monopole du commerce islandais (1602), ce qui, associé à des violentes épidémies (1707) et à des éruptions volcaniques (1765-1783), acheva de ruiner l'économie. Quelques efforts isolés, notamment les réformes administratives entreprises par le roi Frédéric* V, restèrent décevants. Pourtant, au XIXe s., le statut politique progressa avec le rétablissement de l'*Althing* par le roi Christian* VIII. L'autonomie obtenue en 1904 et complétée par l'Acte d'union en 1918 ne fut définitive qu'avec la Seconde Guerre mondiale qui laissa en 1940 l'Islande isolée : le 22 fév. 1944, l'Islande, après plébiscite, se dotait d'une constitution républicaine indépendante, annulant l'Acte d'union. En 1949, elle entrait dans l'OTAN et en 1948 devenait membre de l'O.C.D.E. tout en manifestant son aversion contre toute « occupation » étrangère de quelque nature que ce soit : depuis les années 1960, son neutralisme s'accentue tant sur le plan politique qu'économique (problème des importations de poissons ; retrait d'une partie des troupes américaines en 1960). Avec le plus vieux parlement du monde, une législation sociale très avancée et une industrie gênée par l'exiguïté territoriale, l'Islande garde une civilisation originale.

ISLAS DE ORIENTE. *n. f. pl.* (« îles de l'Orient »). ♦ Anc. nom que les Portugais donnaient aux îles Philippines*.

ISLAS DE PONIENTE. *n. f. pl.* (« îles du Ponant »). ♦ Anc. nom donné par les Espagnols aux îles Philippines*.

ISLAY. ♦ Île du N.-O. de l'Écosse (comté d'Argyll). 600 km². 3 860 habitants.

ISLE [il]. *n. f.* ♦ Riv. de l'O. de la France, affl. de la Dordogne*, 235 km. Elle naît dans les monts du Limousin, traverse Périgueux* et conflue à Libourne*.

ISLE-ADAM (L') [liladɑ̃]. ♦ Ch.-l. de cant. du Val-d'Oise, arr. de Pontoise, sur l'Oise. 6 969 hab. *(Adamois)*. Église Saint-Martin (XVe-XVIe s.). Vestiges du château des Bourbon-Conti. – Lieu de villégiature : plage, forêt.

ISLE-D'ABEAU (L'). ♦ Comm. de l'Isère, arr. de La Tour-du-Pin. 725 hab. Située à l'E. de Lyon, elle est destinée à devenir une ville à vocation scientifique et technique.

ISLE-JOURDAIN (L'). ♦ Ch.-l. de cant. du Gers*, arr. d'Auch*, sur la Save*. 4 016 hab. *(Islois)*. Église collégiale du XVIIIe s. (son clocher est une tour du XVe s.). Marché agricole, fabrique de chaussures. Patrie de saint Bertrand*, de C. Augé*.

ISLE-SUR-LA-SORGUE (L'). ♦ Ch.-l. de cant. du Vaucluse*, arr. d'Avignon*, sur la Sorgue*. 10 223 hab. (6 619 aggl.). Église des XIVe et XVIIe s., belle décoration intérieure du XVIIe siècle. Hôpital du XVIIe siècle. – Filatures. Cultures de primeurs, indus. alimentaires.

ISLE-SUR-LE-DOUBS (L'). ♦ Ch.-l. de cant. du Doubs, arr. de Montbéliard, sur le Doubs. 3 366 hab. – Petite métallurgie. Instruments de précision.

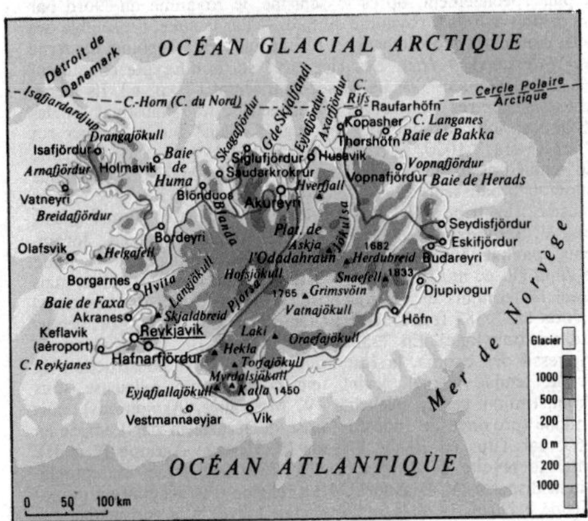

Islande.

Ph. Hétier

Islande : défilé de Thingvellir.

ISLE-SUR-SEREIN (L'). ♦ Ch.-l. de cant. de l'Yonne (arr. d'Avallon), sur le Serein*, au N.-E. d'Avallon*. 450 hab. *(Islois)*. Château du XVe s., sur une île du Serein. Maisons Renaissance. Fontaine. Observatoire météorologique et astronomique privé. – Matériaux de construction. – Patrie de A. Bouchardot.

ISLY. *n. m. (oued)*. ♦ Riv. du Maroc oriental, sous-affl. de la Tafna* (Algérie) qui naît près de la frontière algérienne et passe à l'O. d'Oujda*. ♦ *Hist.* Après la perte de sa smala, l'émir 'Abd al-Qâdir (Abd El-Kader) passa au Maroc et gagna à sa cause le sultan, Abd al-Râhman. La France déclara la guerre au Maroc (début août 1844) et le général Bugeaud*, à la tête des forces françaises, battit les troupes marocaines commandées par le fils du sultan. Mulaï Muhammad, sur l'Isly (14 août 1844). La bataille de l'Isly fut suivie de la signature du traité de Tanger*.

ISMAËL. ♦ Personnage biblique (*Genèse*, XVI, XXI). Fils d'Abraham* et d'Agar*, renvoyé avec sa mère après la naissance d'Isaac. Ancêtre des Bédouins d'Arabie, selon la Bible.

ISMÂ'ÎL. ♦ Septième imâm des ismaïliens*. Fils du sixième imân Ja'far al-Sadiq, il devait lui succéder mais fut déshérité par son père au profit de son frère Mûsa al-Kâzim. Il a donné son nom aux ismaïliens.

ISMÂ'ÎL Ier. ♦ Shâh de Perse (Ardabil, 1487 – *id.*, 1524). Issu d'une famille illustre, il groupa autour de lui plusieurs tribus shi'ites et prit le titre de shâh de Perse en 1501, après avoir conquis l'Azerbaïdjan. En 1510, maître de la Perse, de l'Arménie et de l'Iraq, il se fit le propagateur du shi'isme* reconnu comme religion nationale. Mis en échec en 1514 à Tchaldirân par le sultan ottoman Selim* Ier, il réclama en vain contre ce dernier l'aide de Charles Quint. Fondateur de la dynastie des Safavides.

ISMÂ'ÎL II. ♦ Shâh de Perse de la dynastie safavide (? – Qazvin, 1578). Il fut emprisonné par son père pendant 20 ans. Après avoir chassé du trône son frère (1576), il fit massacrer tous les princes de sa famille, pour éviter une contre-révolution. Il mourut sans doute empoisonné.

ISMAÏLIA, en ar. **al-Ismâ'îliyah.** ♦ V. d'Égypte, au bord du lac Timsah, sur le canal de Suez*. 167 000 hab. La ville fut créée en 1863 pour être le siège de la Compagnie du canal de Suez. Port pétrolier.

Ismaïliens. *n. m. pl.* ♦ Membres d'une secte shi'ite extrémiste qui, à l'opposé de la majorité des shi'ites, admet Ismâ'îl comme septième et dernier imâm. Désigné à la succession, puis désavoué par son père Ja'far al-Sâdiq, Ismâ'îl mourut en 762. Certains shi'ites, qui lui restèrent fidèles et qui doutèrent de sa mort, s'organisèrent en secte clandestine. Ils chargèrent leurs propagandistes *(dâ'î)* de recruter des adhérents. Ceux-ci commençaient par suivre un cycle d'initiations au terme duquel le maître adoptait son disciple. Historiquement, les ismaïliens se manifestèrent en trois mouvements distincts : *1)* Les Qarmates* syro-mésopotamiens contribuèrent à l'affaiblissement du califat 'abbâsside* en ravageant la Syrie (901-906) ; *2)* Passant du Yémen au Maghreb, les Fâtimides* fondèrent un califat (912) ; plus tard, certains de leurs partisans constituèrent la secte des Druzes* ; d'autres formèrent celle des Nizâris dont le groupe le plus important fut organisé par les Assassins* ; *3)* Enfin, les Qarmates* du Bahrayn (Bahrein) se séparèrent des Fâtimides et les combattirent. L'originalité de la base doctrinale commune à tous ces groupes réside dans l'adoption de l'ésotérisme (*al-Bâtin* : « le caché ») et le rejet de l'exotérisme (*al-Dhâhir* : « l'apparent »). Plusieurs de leurs principes sont empruntés à l'encyclopédie des « Frères de la pureté » *(Ikhwân al-Safâ)* ou « Amis fidèles », sorte de « francs-maçons » qui élaborèrent un système philosophique inspiré du néo-platonisme et destiné à régir les actes de leurs disciples et à éduquer leurs âmes. Suivant un parallélisme entre macrocosme et microcosme, les ismaïliens adaptèrent la notion de l'émanation divine du monde à l'échelle humaine : aux sept « parleurs » (Adam, Noé, Abraham, Moïse, Jésus, Muhammad et le Mahdî) correspondent sept « silencieux », interprètes des parleurs, 'Ali* étant l'interprète de Muhammad. Ce dernier n'est plus le « sceau des prophètes » puisque le Mahdî* surpassera son œuvre. Les textes des parleurs sont couverts de voiles qu'il faut déchirer pour découvrir leur vérité cachée : la Loi *(Sharî'a)* n'a qu'une valeur transitoire ; le Coran* n'importe que par son sens interne qui nécessite une interprétation allégorique poussée à l'extrême. Imitant le syncrétisme des « Frères de la pureté », les ismaïliens dépassent le dogme musulman en reconnaissant la vérité relative de toute religion permettant une interprétation symbolique.

ISMÂ'ÎL PACHA. ♦ (Le Caire, 1830 – Istanbul, 1895). Khédive d'Égypte (1863-1879). Second fils d'Ibrahîm Pacha, il dirigea plusieurs missions diplomatiques en Europe sous le règne de son oncle Sa'îd*. Il commanda ensuite l'armée d'occupation au Soudan où il réprima une révolte (1861). Il reçut du sultan d'Istanbul le titre de khédive en contrepartie de l'augmentation du tribut annuel (1866). Il accéléra la modernisation de l'Égypte en la dotant d'une administration des postes, en réorganisant l'enseignement, en développant l'industrie du sucre. Il inaugura le canal de Suez* en 1869. Il entreprit de grands travaux d'urbanisme. Mais il n'arriva pas à freiner l'augmentation de la dette extérieure, et fut obligé de vendre à l'Angleterre ses actions de la Société du canal de Suez (1875), suspendant ensuite le paiement des intérêts de ses dettes (1876). Les pays européens réagirent et imposèrent à Ismâ'îl un contrôle financier franco-britannique (1878). Lors de la crise nationaliste ouverte par 'Arabî* Pacha, il tenta de reprendre son indépendance. Il échoua et se retira à Istanbul.

ISMÈNE, en gr. **Ismênê.** ♦ Sœur d'Antigone*, d'Étéocle* et de Polynice*, née comme eux de l'inceste d'Œdipe et de Jocaste. Dans l'*Antigone* de Sophocle, à l'opposé de sa sœur, Ismène n'ose pas transgresser l'ordre de Créon qui interdisait toute sépulture à Polynice.

ISNARD (Maximin). ♦ Homme politique français (Grasse, 1755 – 1825). Commerçant en gros, il fut élu député à l'Assemblée législative puis à la Convention, où il vota la mort du roi. Bien que Girondin*, il ne fut pas décrété d'accusation avec les autres chefs de la Gironde (31 mai-2 juin 1793) et réussit à se cacher sous la Terreur. Après la chute de Robespierre*, il fit partie du Conseil des Cinq-Cents (jusqu'en mai 1797), puis fut chargé de l'administration du Var et fait baron d'Empire (1813). Il se rallia ensuite à Louis XVIII.

ISOCRATE, en gr. **Isokratês.** ♦ Orateur athénien (dème d'Erchia, Attique, ~436 – ~338). Élève de Gorgias*, il fut aussi auditeur de Socrate*. Logographe rival de Lysias*, il abandonna la rhétorique judiciaire, qu'il jugeait peu digne d'un esprit supérieur. Parmi ses élèves, citons Hypéride*, Lycurgue*, Théopompe* et Xénophon*. Il se laissa mourir de faim, dit-on, peu après la défaite de Chéronée, devant la faillite de ses idées politiques d'union grecque sous Philippe. – À part quelques discours judiciaires, une *Lettre à Philippe* et les éloges d'*Évagoras* et de *Nicoclès*, son œuvre appartient à l'éloquence d'apparat. Ses discours, toujours fictifs, destinés à servir de modèles à ses élèves, constituent des programmes politiques ou des manifestes idéologiques. Dans le *Panégyrique*, son chef-d'œuvre, et le *Discours sur la paix*, il prêche l'entente panhellénique contre les Barbares, tantôt en démontrant la prépondérance d'Athènes et de Sparte, tantôt en cherchant un chef en la personne de Philippe de Macédoine ou d'autres *hégémons*. Dans son *Aréopagitique*, il traite des affaires intérieures de sa patrie. Sa conception de l'éloquence, annoncée d'abord dans le *Discours contre les sophistes*, où il condamne le dilettantisme et la frivolité de la sophistique, est développée dans le *Traité sur l'échange (Antidosis)* : contre une dialectique qui se perd dans les sphères de l'idéal, celle de Platon, il propose l'éloquence comme action positive et immédiate, comme discipline morale et comme fondement de l'éducation et de la vie civique. Dans l'art oratoire, dominé alors par le style antithétique de Gorgias, Isocrate apporte la longue période savamment cadencée qui resta le modèle de la rhétorique académique. La première édition de son œuvre est due à Chalcocondyle* (Milan, 1493).

Isoho-Monogatari. ♦ « Récits d'Ésope », nom du premier livre européen traduit et publié en japonais en 1593 par les missionnaires jésuites de l'île de Kyûshû*.

ISONZO. *n. m.* ♦ Fl. né en Yougoslavie*, dans les Alpes* Juliennes. 138 km. Après avoir formé un delta, il se jette dans le golfe de Trieste. ♦ *Hist.* Dès leur entrée dans la Première Guerre* mondiale (mai 1915), les Italiens occupèrent le cours du fleuve, sauf Gorizia, prise seulement après la cinquième attaque, le 9 août 1916. En août 1917, la onzième bataille de l'Isonzo permit aux Italiens de conquérir le plateau de la Bainsizza **(V. Karst)** et le massif de l'Hermada. En octobre 1917, le haut Isonzo vit le désastre italien de Caporetto*.

ISPAHAN ou **ISFAHAN.** ♦ V. d'Iran située au S. de Téhéran, sur le Zandé-Roud, à 1 530 m d'altitude. Cap. de la province

Ph. Prato/Ricciarini

Israël : le Mur des Lamentations à Jérusalem.

du même nom. 339 909 hab. *(Esfahânis)*. La ville compte plus de 130 palais, mosquées, bains et, malgré l'essor architectural moderne, l'Ispahan saljûqide (XIe-XIIe s.) et safavide (XVe-XVIIIe s.) a été conservée. Palais de l'Ali Qâpou, ou Porte haute. Masdjed-é-Djemeh (mosquée du Vendredi). Masdjed-é-shâh (mosquée royale). Masdjed-é-Cheik Latfellâh. Minaret Ali (XIIIe ou XIVe s.). Minaret Sârebân (XIIe-XIIIe s.). Cathédrale arménienne (1606-1654). Mausolées. Tchéhel Sotoun (pavillon aux Quarante-Colonnes). Ponts anciens. Madresseh-yé-Mâdar-é-Shâh (école de la mère du roi). Bâzâr. Archevêché catholique. Evêché arménien. – Située au S.-O. d'une vaste oasis produisant blé, orge, tabac, pavot, melon et coton, et spécialisée dans l'élevage du mouton, Ispahan est un centre industriel. Le textile emploie la majeure partie de la population active. Les tapis d'Ispahan sont tissés par les artisans du bâzâr qui cisèlent aussi le cuivre et l'argent. Commerce de vins. Aéroport. Tourisme. ♦ *Hist.* Peuplée dès l'époque achéménide (~550-~331), la plaine d'Ispahan était utilisée comme lieu de rassemblement des armées sassanides. Conquise par les Arabes v. 640, la ville fut au pouvoir des 'Umayyades, puis des 'Abbâssides jusqu'en 931. Divisée en deux agglomérations (Djay, la cité, et Yahoudiyé, la ville juive), Ispahan connut de nombreuses querelles ; mais la ville était déjà un centre commercial réputé pour ses tissus de soie et de coton. Gouvernée par les Bûyides à partir de 935, puis par les Kakoyides, Ispahan connut sa première splendeur architecturale à l'époque saljûqide. Ruinée durant la période mongole (1228), la ville fut conquise par Tîmûr-i Lang (Tamerlan) v. la fin du XIVe siècle. Ispahan connut ensuite la dynastie türk des Aq Qoyounlou (1468) à laquelle succéda celle des Safavides, illustrée par 'Abbâs Ier le Grand (1589) qui conçut pour Ispahan un vaste plan d'urbanisme grâce auquel la ville fut surnommée «la Moitié du monde». Tous les rois safavides contribuèrent à l'embellissement d'Ispahan. Les envahisseurs afghans Ghalzai s'emparèrent de la ville en 1722. Sous les Zends (1750-1796) et les Qâdjârs (1794-1925), Ispahan fut réduite au rang d'une cité provinciale et son statut ne fut pas modifié à l'avènement de la dynastie Pahlavi (1925).

ISRAËL. ♦ Surnom de Jacob (*Genèse*, XXXII, 29). La fraction du peuple hébreu dont il est l'ancêtre éponyme (on dit aussi : Israélites, fils d'Israël). – Le royaume fondé par ce peuple en Palestine et plus spécialement, après le schisme, le royaume du Nord par opposition à Juda*, royaume du Sud. – Par la suite, l'ensemble des juifs, considérés globalement. – L'État juif créé à l'époque moderne **(V. *ci-dessous*)**. ♦ *Hist.* Les Hébreux* sortis d'Égypte conquirent peu à peu Canaan* où ils se sédentarisèrent (~XIIe s.). Ils menèrent des guerres contre les Cananéens*, les Philistins* et les Moabites, sous la conduite des Juges*. Saül* fut le premier roi d'Israël vers ~1020. Grâce au déclin de l'Assyrie et de l'Égypte, qui rendit possibles les conquêtes de David*, Israël prospéra sous Salomon*, bâtisseur du Temple. À sa mort (~932), il y eut un schisme : les tribus du Nord formèrent le royaume d'*Israël* (princ. rois, **V. Jéroboam, Baasa, Ela, Omri, Achab, Ochozias, Joram, Jéhu, Joachaz, Joas, Jéroboam II, Osée)**, celles du Sud le royaume de *Juda* **(V. ce mot)**. Les deux royaumes entrèrent en rivalité, mais Israël fut conquis en ~721 (prise de Samarie par les Assyriens) et Juda en ~587 (prise de Jérusalem par Nabuchodonosor, déportation à Babylone). En ~539, un édit de Cyrus permit le retour progressif des captifs, la restauration juive et la construction du second temple. Israël devint une communauté religieuse sous administration perse, séleucide **(V. Maccabée, Asmonéens)**, puis romaine (province de Judée*) : prise de Jérusalem par Pompée en ~63, par Titus en 70 **(V. Hérode Ier, Hérode Agrippa Ier et II)**. Après la révolte de Bar* Kocheba (132-135), Israël est complètement dispersé **(V. Diaspora)**. ♦ La religion d'Israël était un monothéisme exclusif. Le dieu national était Iahvé, lié à son peuple par une alliance que symbolisait l'Arche. La Loi, attribuée à Moïse, dictait la pratique religieuse (rites, interdits alimentaires et sexuels). Le culte et notamment les sacrifices était dirigé par des prêtres (lévites). Avant Salomon existaient plusieurs sanctuaires (Gilgal*, Mispah, Silo), mais à partir de son règne le Temple de Jérusalem devint le seul lieu de sacrifice autorisé. Les principales fêtes étaient celle des Azymes, confondue avec la Pâque commémorant la sortie d'Égypte ; celle de la Moisson ou des Semaines ; celle de la Récolte ou des Tabernacles. Le repos hebdomadaire était strictement observé (sabbat). En fait, les dieux cananéens (les Baals*) prirent souvent le pas sur Iahvé, et les prophètes* durent lutter contre l'idolâtrie. Après la destruction du Temple (~ 586) s'élabora le judaïsme* : culte synagogal, étude de la Torah* (écoles rabbiniques, **V. Mishnah, Talmud, Kabbale),** circoncision – considérée comme un rite religieux –, développement du messianisme. ♦ *Tribus d'Israël.* Les groupes, à l'origine familiaux, issus des douze fils de Jacob : Ruben*, Siméon*, Lévi* (tribu sans territoire propre, chez qui se recrutaient les prêtres ou lévites), Juda*, Issachar*, Zabulon*, Joseph* (représenté par les deux demi-tribus d'Éphraïm* et Manassé*, ses fils), Benjamin*, Dan*, Nephtali*, Gad*, Aser*.

ISRAËL. ♦ État du Moyen-Orient (voir ci-dessous *Hist.*), baigné par la Méditerranée à l'O., bordé par le Liban au N., la Syrie (du lac Houlé au lac de Tibériade), puis la Jordanie à l'E., la mer Rouge au S. (Élath, au fond du golfe d'Aqaba) et l'Égypte au S.-O. 20 700 km². 3 409 000 hab. [1975]. *(Israéliens).* Avec les territoires jordaniens et égyptiens conquis et occupés en 1967, la superficie atteint 88 550 km² et la population dépasse 4 000 000 d'habitants. Le pays est étiré en longueur (450 km du N. au S.) ; sa plus grande largeur se trouve à hauteur de Beersheba (112 km). *Cap.* Jérusalem*. *Langues off.* hébreu et arabe (mais nombreuses langues parlées : anglais, français, etc.). *Religion :* judaïsme (minorités musulmanes et chrétiennes). *V. et loc. princ.* **V. Acre, Arad, Ashdod, Ashquelon, Bat Yam, Beersheba, Bene Brak, Bethléem, Charm el-Cheikh, Deganya, Élath, Kefar Sava, Khalil** (al), **Lod, Massada, Mikveh-Israël, Naplouse, Nataniya, Nazareth, Petah Tikva, Qalqiliya, Rafah, Ramallah, Ramat Gan, Rehovoth, Revivim, Rishon-le-Zion, Safed, Tel-Aviv, Timna, Tulkarm. V.** *aussi* (sites) **Ascalon, Béthanie, Césarée, Gomorrhe, Hébron, Magdala, Sichem, Sodome.** – *Orogr.* **V. Carmel, Galilée, Judée, Meiron, Oliviers, Samarie, Thabor** (monts). – *Hydrogr.* **V. Houlé** (lac), **Kishon** (fl.), **Morte** (mer), **Tibériade** (lac), **Yarkon** (fl.). – Le pays comprend 6 districts administratifs. On peut le diviser en 4 régions naturelles : *1)* Le littoral méditerranéen, bordé plages et de dunes de sable et terminé à l'extrême N. par le promontoire rocheux du Carmel. Il est constitué, du N. au S., par les plaines de Zabulon*, de Saron* et de Judée séparées par des cours d'eau. *2)* Une arête montagneuse centrale prolonge, à travers la Palestine*, la chaîne du Liban. Elle est formée des chaînes de Galilée, de Samarie et de Judée (point culminant : le *mont Meiron*). *3)* À l'E., se trouve la dépression de Ghor* sur laquelle s'incline le plateau montagneux et où s'étendent le lac de Tibériade, la vallée du Jourdain et la mer Morte. *4)* Au S., le désert du Néguev couvre à lui seul la moitié du pays. Les territoires occupés en 1967 correspondent au plateau du Golan* (N.-E., 1 000 km²), à la Cisjordanie* (E., 5 500 km²), à la « bande de Gaza » (O., 350 km²) et à la péninsule du Sinaï (S.-O., 61 000 km²). – *Pop.* Caractérisé par l'absence d'homogénéité, tant ethnique que religieuse, le pays s'est peuplé par immigrations successives depuis la fin du XIXᵉ s. et, dès la création de l'État (1948), des immigrants, juifs pour la plupart, ont afflué, surtout d'Europe. Une forte vague d'immigration se situe entre 1948 et 1951 (800 000 juifs réfugiés des pays arabes et musulmans entre 1948 et 1956) avec le plus faible taux de mortalité du monde. Les juifs y dominent, formant le sixième de la population juive mondiale et concentrés dans les villes ; leur taux de natalité est très inférieur à celui des populations non juives. La population arabe notamment, surtout rurale, a plus que doublé depuis 1948, date où elle a cessé d'être majoritaire ; on la trouve surtout en Galilée, dans le district central, et dans le N. du Néguev. Les Druzes* vivent dans le N. du pays, la région du Carmel et les villages de Galilée. Les régions les plus peuplées sont celles de la haute Galilée, de la plaine côtière et du district central. – *Climat et hydrogr.* Ces centres de population correspondent aux zones où règne un climat méditerranéen, avec une végétation riche en arbres et en fleurs, et qui devient luxuriante dans la vallée du Jourdain. L'intérieur du pays est plus sec et le Néguev est aride. Les cours d'eau sont peu nombreux, insuffisants pour assurer le développement agricole requis. Tandis que le N. est pourvu en eau **(V. Houlé),** le S. en manque (le lac de Tibériade constitue la source la plus importante). Des aménagements permettent d'exploiter au maximum les eaux des fleuves, des torrents, de la pluie, et même des égouts, épurées. On procède par ailleurs au dessalement des eaux du Jourdain et de la mer Morte. – *Écon.* Grâce à ces aménagements et à l'assèchement des marécages de l'E., la *production agricole* a sextuplé depuis 1948. L'exploitation efficace des ressources du pays repose sur des méthodes originales qui vont du *kibboutz* (entreprise collective) au village rural *(moshava)* en passant par la coopérative de petits exploitants *(moshav ovdim)* dont le mode d'exploitation prédomine. Les *kibboutzim* fournissent le tiers de la production agricole du pays (première école d'agriculture créée à Mikweh-Israël aux portes de Tel-Aviv en 1870 ; premier kibboutz créé en 1909 à Deganya). Cultures maraîchères toute l'année (primeurs). Fruits à pépins. Agrumes sur la plaine littorale et dans le centre. Légumes et fruits tropicaux de la vallée du Jourdain. Vigne sur les pentes montagneuses. Céréales dans le Néguev et les vallées intérieures. Maïs et riz (Houlé), tomates, betteraves et cultures fourragères des zones marécageuses asséchées de l'est. Oliviers (Néguev ; centre du pays). Arachides. Plantes industrielles : betterave sucrière (Néguev), agave, coton dans le centre (introduit en 1953). Tabac sur les pentes montagneuses. Cultures de fleurs (Houlé et plaine du Saron). Près de la moitié de la surface exploitée est en prairies et en pâturages et l'élevage est important (vaches laitières, bovins élevés pour la viande, ovins, caprins, chameaux). L'aviculture, la pêche et la pisciculture (élevage de carpes) sont actives. – Les *ressources minérales* du pays se répartissent entre la région de la mer Morte et le Néguev : phosphates, cuivre, chrome (Néguev) ; potasse, brome (mer Morte, Samarie, Judée) ; fer (Néguev, Galilée) ; soufre (Néguev, mer Morte, côte). Pétrole dans la région d'Ashqelon (premier gisement découvert en 1955). Un oléoduc joint Élath à Haïfa et Ashqelon. Gaz naturel à Rosh Zohar (découvert en 1958). – Les *industries* qui, jusqu'en 1967, se trouvaient concentrées dans la zone côtière, se sont peu à peu étendues à l'ensemble du pays ; reposant sur l'importation de matières premières, elles représentent le quart du revenu national (avant l'agriculture). Les indus. alimentaires sont les plus importantes (conserves, jus de fruits, sucreries, brasseries). Indus. textiles, chimiques (engrais pour l'agriculture), métal-

Israël.

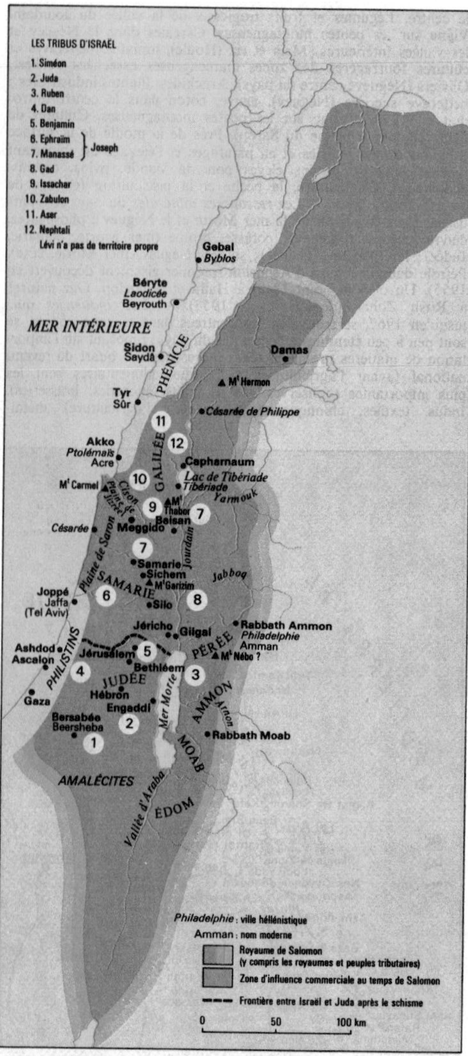

Israël biblique.

lurgiques (sidérurgie à Ashqelon*). Indus. du papier et du cuir. Cimenteries. Indus. mécaniques, électroniques et aéronautiques en développement rapide. Électrotechnique. Indus. du diamant (2e producteur après la Belgique). — L'expansion économique repose sur l'afflux d'une main-d'œuvre qualifiée, sur l'afflux de capitaux étrangers, l'aide américaine et les indemnités de guerre (payées à titre de réparation par la République fédérale allemande), mais aussi sur l'effort d'une population animée par une idéologie nationale et religieuse. Le *commerce* extérieur se fait surtout avec les États-Unis et la Grande-Bretagne. Israël exporte des agrumes (la moitié des exportations), des produits alimentaires (œufs, fruits tropicaux), des arachides, des conserves de fruits et légumes, des fleurs, des produits chimiques (engrais) et pharmaceutiques, des textiles (vêtements), des phosphates, du pétrole **(V. Ashdod, Haïfa).** *Importations* de matières premières, de produits chimiques, textiles, sidérurgiques, de machines, etc. Le trafic portuaire est intense. Flotte marchande. Le trafic ferroviaire et routier se développe. Un circuit routier important relie le lac de Tibériade et la mer Morte à la Méditerranée. Une autoroute va de Tel-Aviv à Haïfa. Lignes aériennes (aéroports internationaux de Tel-Aviv, Jérusalem, Lod). Le tourisme, en plein essor, contribue à équilibrer la balance des comptes ; il repose à la fois sur le climat ensoleillé, les possibilités balnéaires, sur l'attirance des sites archéologiques et des souvenirs bibliques. Jérusalem et sa région forment un centre de pèlerinages (chrétiens et israélites) de première importance. ♦ *Hist.* État dont l'indépendance a été proclamée le 14 mai 1948 par les membres du Conseil national représentant le peuple juif sous la présidence de David Ben* Gourion, et dont l'existence a été officiellement reconnue *(de jure* ou *de facto)* par diverses grandes puissances. Cet État est l'aboutissement de l'immigration juive en Palestine* qui débuta à la fin du XIXe s. et s'organisa avec la création, par T. Herzl*, du sionisme*. L'organisation mondiale de ce mouvement se donna pour but la fondation d'un *Foyer national juif,* projet officialisé par la déclaration Balfour* (1917) et mis en œuvre à l'époque du mandat britannique sur la Palestine (1920-1948). Cette politique se heurta au nationalisme arabe renaissant et entraîna dès 1920 de nombreux conflits entre populations juive et arabe. Elle fut freinée par la puissance mandataire (livres blancs restreignant l'immigration juive en Palestine), à l'époque même où l'Allemagne hitlérienne multipliait les camps de concentration et d'extermination. Dès 1940, la résistance juive organisait la lutte armée contre les autorités britanniques **(V. Haganah, Irgoun, Stern) ;** celles-ci soumirent le problème de la Palestine à l'assemblée générale des Nations unies qui décida (nov. 1947) le partage du pays en deux États : un État arabe de 11 500 km² et un État juif de 14 100 km². La population juive représentait en 1946 32 % de la population totale, et n'avait pu acquérir légalement en 1947 que 15 % des terres cultivables. Cette décision, rejetée par les États arabes (Le Caire, déc. 1947), entraîna une extension de l'affrontement entre les deux communautés de Palestine, tandis que la Grande-Bretagne confirmait la fin de son mandat pour le 15 mai 1948, et que l'exode de la population arabe palestinienne était déjà largement amorcé. La proclamation de l'indépendance d'Israël fut immédiatement suivie du premier conflit israélo*-arabe, qui opposa Israël à l'Égypte, l'Iraq*, la Jordanie*, le Liban*, la Syrie*. Le jeune État conquit alors de nouveaux territoires et sa superficie fut portée à 20 700 km², mais il n'obtint pas la paix en dépit des armistices signés en 1949 après le cessez-le-feu de nov. 1948. La décision de l'O.N.U. concernant la réintégration des réfugiés palestiniens dans leurs foyers ou leur indemnisation n'a jamais été appliquée. Devenu membre de l'O.N.U. comme État souverain (1949), Israël se définit comme une « démocratie parlementaire fondée sur la liberté et la responsabilité gouvernementale », et dont l'autorité suprême réside dans la *Knesset* (Assemblée). Celle-ci élit le président de l'État et la plupart des partis politiques y sont représentés (Ahdout Ha'adova, Hérout*, Mapaï*, Mapam*, communiste, religieux national, etc.). La Knesset, ayant reconnu les droits et libertés essentiels de l'homme hors de tout cadre législatif, a promulgué des lois fondamentales de l'État, lois qui tiennent lieu de Constitution et dont certaines sont d'inspiration religieuse. En dépit du socialisme des mouvements sionistes pionniers (Mapam*, Histadrouth*, kibboutz), Israël s'est orienté vers le mode de production capitaliste, et s'est fait l'allié des grandes puissances occidentales, notamment des États-Unis dont l'aide lui permet de maintenir des taux relativement élevés d'investissement et un niveau de vie moyen supérieur à celui des pays arabes. La structure sociale du pays est complexe du fait de la coexistence d'une population composée d'une part des Arabes autochtones restés en Israël, et d'autre part de juifs émigrés de pays arabes *(Sepharadim)* qui constituent un prolétariat défavorisé, ou d'origine occidentale *(Ashkenazim).* Ceux-ci ne représentent que 44 % de la population, mais détiennent la majorité des hautes fonctions politiques. Après une période de prospérité et de calme relatif, la nationalisation du canal de Suez* par Nasser (1956) et les accords militaires entre l'Égypte, la Jordanie et la Syrie, amenèrent le gouvernement israélien, soutenu par la France et la Grande-Bretagne, à entreprendre une rapide et victorieuse campagne dans le Sinaï* (oct.-nov. 1956. **V. Israélo-arabe** [conflit]), mais l'intervention des États-Unis et de l'U.R.S.S. entraîna le départ des Français et des Britanniques, puis l'évacuation du Sinaï et de la bande de Gaza par Israël (mars 1957). Cette guerre donna à Israël, qui se voyait interdire par l'Égypte le canal de Suez, la libre circulation dans le golfe d'Aqaba et par là sa pénétration plus facile en Afrique. La tension entre Israël et les pays arabes s'accrut de nouveau vers 1963 à propos de la question des réfugiés palestiniens et de celle du détournement des eaux du Jourdain. Israël connut entre 1965 et 1967 une crise économique « aggravée par l'arrêt des paiements allemands et une baisse sensible de l'aide apportée par la Diaspora » (Lorand Gaspar), crise accompagnée d'une forte agitation sociale. À ce climat intérieur tendu s'ajouta en 1966 la détérioration des relations avec la Syrie* qui, après le coup d'État de l'aile gauche du Baath, devait favoriser l'action des commandos palestiniens. Face à cette situation, la Knesset approuva le projet de déclenchement d'« opérations préventives éventuelles », dont la Jordanie fit les frais la première (nov. 1966). Au printemps 1967, la situation s'aggrava après la décision du gouvernement israélien de cultiver les terres de la zone frontalière israélo-syrienne démilitarisée, et de violents heurts opposèrent les forces israéliennes et syriennes (avril). Peu après, Nasser prit des mesures pour dégager le front syrien, demanda le retrait des forces de l'O.N.U. (17 mai), reprit le contrôle du détroit de Tiran qu'il interdit à la navigation israélienne (22 mai) et signa des accords de défense avec la Jordanie et l'Irak. Le 5 juin 1967, le gouvernement israélien d'Union nationale déclenchait les hostilités. Type parfait de la « Blitzkrieg », la « guerre des six jours », sous la conduite du général Rabin, s'acheva sur les fronts jordanien, syrien et égyptien, par la victoire d'Israël qui occupe depuis lors la péninsule du Sinaï*, la bande de Gaza*, la Cisjordanie* (avec la vieille ville de Jérusalem*) et les hauteurs du Golan*. Entre 1967 et 1973, en dépit des pressions, Israël se refusa à restituer les positions conquises. Le 6 oct. 1973, jour du *Yom Kippour,* l'Egypte et la Syrie lancèrent contre Israël une violente attaque. L'offensive arabe fut contenue par Israël qui n'échappa pas à une crise intérieure qui aboutit à la démission de Mme Golda Meir en avril 1974. Le général Rabin* lui succéda. Les problèmes politiques et économiques, les difficultés dans les relations internationales, les tensions soulevées par les rapports avec les Arabes de Cisjordanie (élections libres garanties par Israël en avr. 1976) et de l'intérieur, engendrent, en l'absence de règlement du conflit avec les pays arabes, une situation angoissante, parfois masquée par des succès spectaculaires (raid sur Entebbé, où les otages d'un commando palestinien, détournés en Ouganda, sont libérés par une action militaire audacieuse).

ISRAÉLITES. ♦ V. ISRAËL.

Israélo-arabe *(conflit).* ♦ Conflit qui oppose depuis 1948 l'État d'Israël* aux États arabes du Proche-Orient. Son origine réside dans l'immigration juive en Palestine*, qui provoqua un antagonisme croissant non seulement entre Juifs et Arabes palestiniens, mais aussi entre la politique sioniste et le mouvement nationaliste panarabe, qui s'était développé dès la fin de l'Empire ottoman. – La ***première guerre israélo-arabe*** (1948-1949) fut motivée par la décision du partage de la Palestine en deux États par l'O.N.U. (nov. 1947). Refusée par le sommet des États arabes (Le Caire, déc. 1947), cette décision entraîna d'abord une guerre civile judéo-arabe, puis l'offensive des États arabes (Égypte*, Jordanie*, Iraq*, Liban*, Syrie*) après la proclamation de l'indépendance de l'État d'Israël (14-15 mai 1948). Attaqué sur tous les fronts (en Galilée par les forces syriennes, à Jérusalem et dans sa région par la ***légion arabe*** du roi 'Abd 'Allâh, sous le commandement de Glubb Pacha, dans le S. par les troupes égyptiennes), Israël, fourni en armes par l'U.R.S.S. et la Tchécoslovaquie, tenta de résister. Après une première trêve imposée par l'O.N.U. (11 juin 1948), Israël passa à la contre-offensive (juill. 1948) sur les fronts de Galilée et de Jérusalem. Cette attaque fut suivie d'un exode massif des Palestiniens vers la Transjordanie. Une seconde trêve intervint de juillet à octobre, au terme de laquelle Israël lança une nouvelle offensive contre l'Égypte (occupation progressive du Néguev* fin 1948) et contre la Syrie (occupation de la Galilée). Après ces victoires israéliennes, l'armistice fut signé successivement par l'Égypte, le Liban, la Jordanie et la Syrie, l'Iraq refusant de négocier. L'État d'Israël, par rapport au plan de l'O.N.U., passait de 14 100 km² à 20 780 km². Le problème le plus grave fut celui des réfugiés palestiniens, pour lesquels fut cependant élaborée dès 1949 une résolution par l'O.N.U. (réintégration des Palestiniens dans leurs foyers ou indemnisation). La période de 1949 à 1956 fut marquée par de nombreux incidents de frontières. – La ***deuxième guerre israélo-arabe*** opposa Israël à l'Égypte. Après la nationalisation du canal de Suez* par Nasser (début 1956), l'Égypte signa des accords militaires avec divers pays arabes. Face à cette situation, le gouvernement israélien déclencha l'offensive contre l'Égypte. Sous le commandement du général Moshé Dayan*, les forces israéliennes mirent en déroute les troupes égyptiennes, occupèrent Charm el-Cheikh et les îles de Tiran et Sahapir. Le 30 octobre, un ultimatum franco-britannique exigeait des belligérants le retrait de leurs troupes à 16 km du canal de Suez; cet ultimatum fut suivi début novembre par une intervention franco-britannique; mais, sous la pression des États-Unis et de l'U.R.S.S., la France et la Grande-Bretagne durent retirer leurs troupes. Peu après, l'O.N.U. exigeait d'Israël l'évacuation du Sinaï* et de la bande de Gaza* où stationnèrent jusqu'en 1967 les forces d'urgence de l'O.N.U. – ***Troisième guerre israélo-arabe.*** La période suivante fut marquée en Israël par une grave crise économique et sociale (1965-1966), en Syrie par le coup d'État de l'aile gauche du Baath*, qui, en favorisant l'action des fedayins palestiniens, fut considéré comme une menace par le gouvernement d'Israël, enfin chez les Palestiniens par le développement et l'organisation d'une résistance armée. Aux actions des commandos, le gouvernement israélien riposta par des « opérations préventives » (Jordanie, nov. 1966). En avril 1967, de violents accrochages se produisirent entre forces israéliennes et syriennes. L'Égypte réagit par plusieurs mesures, exigeant le retrait des forces de l'O.N.U. (Sinaï, Gaza), fermant le détroit de Tiran* à la navigation israélienne (22 mai 1967), signant avec la Jordanie, puis avec l'Iraq des accords militaires (30 mai, 4 juin). Le 5 juin, le gouvernement israélien déclenchait les hostilités, et, après avoir détruit au sol la plus grande partie de l'aviation égyptienne, les forces israéliennes sous le commandement du général Rabin* s'assuraient en six jours (5-10 juin) la victoire sur tous les fronts (égyptien, jordanien, syrien). Quand intervint le cessez-le-feu demandé par le Conseil de sécurité de l'O.N.U. (6 juin), elles occupaient le Sinaï*, Gaza*, la Cisjordanie* et la partie arabe de Jérusalem*, les hauteurs du Golan*. L'U.R.S.S. et les démocraties populaires rompirent alors leurs relations avec l'État d'Israël, dont l'« agression » avait été également dénoncée par le général De Gaulle. L'O.N.U. adopta en novembre 1967 une résolution affirmant la nécessité du retrait des forces israéliennes des territoires occupés, la reconnaissance de la souveraineté et de l'intégrité territoriale de chaque État de la région, la garantie de la navigation sur les voies d'eau internationales, le règlement du problème des réfugiés palestiniens et la création de zones démilitarisées. – *Quatrième guerre israélo-arabe.* Le 6 octobre 1973, jour du *Yom Kippour,* l'Égypte et la Syrie lancèrent une violente attaque-surprise contre Israël. Après la stabilisation du front du Golan et l'avance des troupes d'Israël au Sinaï, un accord fut signé en oct. 1973 entre Israël et l'Égypte. En janv.-fév. 1974, les troupes israéliennes se retirèrent pacifiquement de leurs positions égyptiennes; en oct. 1975, un nouvel accord israélo-égyptien fut signé.

Ph. Luisa Ricciarini

Conflit **israélo-arabe** : manœuvres militaires dans la région de la mer Morte.

ISSACHAR. ♦ Personnage biblique (*Genèse,* XXX, 18). Fils de Jacob et de Léa. Ancêtre éponyme d'une des tribus d'Israël.

ISSA KOBAYASHI. ♦ Peintre japonais (1763 – 1827) de style très personnel et célèbre poète de ***haiku,*** disciple de Bashô*.

ISSARLÈS [isarlɛs]. ♦ Comm. de l'Ardèche (arr. de Largentière). 428 hab. Au S.-E. du village, usine hydro-électrique.

ISSENHEIM. ♦ Comm. du Haut-Rhin, arr. de Guebwiller. 2 117 hab. Restes du cloître du couvent des Antonites qui, rebâti et transformé, est maintenant occupé par les sœurs de Ribeauvillé (autel en bois sculpté; polyptyque de Matthias Grünewald* auj. au musée de Colmar). Indus. textile.

ISSIGEAC. ♦ Ch.-l. de cant. de la Dordogne*, arr. de Bergerac*. 709 hab. Église du XVIᵉ s., château du XVIIᵉ siècle.

ISSOIRE. ♦ Sous-préf. du Puy*-de-Dôme, ch.-l. d'arr. (9 cant., 117 comm., 64 887 hab.), près de l'Allier*. 14 118 hab. *(Issoiriens).* Église Saint-Austremoine (XIIᵉ s.). – Indus. métallurgiques. Presse hydraulique. Patrie de F. Albert-Buisson, du cardinal A. Duprat*. ♦ *Hist.* La ville s'appelait Icciodorum à l'époque gauloise. Saint Austremoine y fut martyrisé au IIIᵉ siècle. Elle fut cap. du dauphiné d'Auvergne au Vᵉ siècle. En 1577, lors des guerres de Religion, elle souffrit du siège du duc d'Anjou.

ISSOS. ♦ Anc. V. d'Asie Mineure (Cilicie) dans le *golfe d'Issos.* Dans la plaine du même nom se livra en ~ 333 la bataille décisive qui opposa Alexandre* le Grand à Darios* III Codoman. La victoire d'Alexandre lui ouvrit la conquête de la Perse. Septime Sévère y battit Pescenius Niger (194) et Héraclius y vainquit Khosrô II.

ISSOUDUN. ♦ Sous-préf. de l'Indre, ch.-l. d'arr. (4 cant., 51 comm., 39 541 hab.). 15 692 hab. – Église gothique Saint-Cyr (XVᵉ-XVIᵉ s.); ancien hôtel-Dieu Saint-Roch (XVIᵉ s.); beffroi (XIIᵉ-XVIᵉ s.); donjon (XIᵉ s.). – Indus. alimentaires. Produits chimiques, engrais. Matériel électrique et électronique. Matériel aéronautique. Tannerie, mégisserie; chaussures. Imprimerie.

IS-SUR-TILLE. ♦ Ch.-l. de cant. de la Côte-d'Or (arr. de Dijon), dans le Dijonnais. 3 448 hab. *(Issois).* Église du XVIᵉ s. Maisons anciennes. – Nœud ferroviaire. Matières plastiques: confection.

ISSYK-KÛL' ou **ISSYK-KOUL'.** ♦ Lac d'U.R.S.S. (Kirghizistan*), situé à une altitude de 1 609 m dans les monts T'ien*-Shan. Env. 6 200 km². Ses eaux sont saumâtres. – ***Port princ.*** Rybatchie (« ville des pêcheurs ». 17 900 hab. en 1959).

ISSY-LES-MOULINEAUX. ♦ Ch.-l. de cant. des Hauts-de-Seine (arr. de Nanterre), au S.-O. de Paris, sur la Seine. 51 666 hab. *(Issisois).* Église Saint-Étienne (XVIIᵉ, XVIIIᵉ s.). École supérieure de théologie. Laboratoires militaires d'études des télécommunications dans l'anc. fort. – Manufacture des tabacs. Produits chimiques; mécanique de précision; fonderies; lampes électriques; matières plastiques; imprimerie; munitions. L'aérodrome fut l'un des hauts lieux des origines de l'aviation. En 1908, Henri Farman* y réussit le bouclage du premier kilomètre en circuit fermé.

ISSY-L'ÉVÊQUE. ♦ Ch.-l. de cant. de la Saône-et-Loire (arr. d'Autun), en bordure du Morvan. 1 315 hab. Église de la fin du XIᵉ et XIIᵉ s. (chapiteaux historiés). À proximité, château de Montperroux. Les gisements d'uranium de Grury furent exploités.

ISTANBUL [istɑ̃bul], anc. **Constantinople*** et **Byzance*.** ♦ V. et port de Turquie, à l'entrée du Bosphore* dans la mer de Marmara*. Ch.-l. de la province homonyme et 1ʳᵉ ville du pays. 1 742 978 hab. L'aggl. compte 2 043 447 hab. (1965). Aéroport d'Istanbul-Yesilköy, à 23 km. Deux universités. Sa situation de carrefour entre la mer Noire* et la mer de Marmara, les Balkans et l'Asie Mineure a déterminé son développement : les premiers quartiers (appelés parfois ***Stamboul***) furent érigés sur la péninsule qui s'étend au S. de la Corne* d'Or, les enceintes de la ville étant progressivement repoussées vers l'ouest. Depuis quelques décennies, un effort est fait dans la rationalisation du plan de la ville, où de larges percées ont été pratiquées. Le quartier de Beyoğlu, au N. de la Corne* d'Or, est essentiellement résidentiel. Il regroupe les anciennes villes d'origine génoise de Galata* et de Péra*.

Ph. Nino Cirani/Ricciarini

Istanbul : la ville ancienne, la mosquée Süleymaniye.

Sur la rive asiatique du Bosphore*, le quartier d'Üsküdar (Scutari) est bâti en amphithéâtre sur le flanc O. du mont Bulgurlu. Dans les quartiers byzantins et ottomans de Stambul sont concentrés les plus beaux monuments de la ville, parmi lesquels : la basilique Sainte-Sophie (érigée en 425 par l'empereur Constantin, incendiée à plusieurs reprises et finalement rebâtie par l'empereur Justinien à la fin du VIe s.), transformée en musée; la célèbre mosquée Süleymaniye (mosquée de Süleyman* le Magnifique, 1550-1557); la mosquée du sultan Ahmet* ou mosquee bleue (1609-1616); la Kahriye Camii (église Saint-Sauveur-in-Chora, fin VIe s., restaurée déb. XIVe s.); le Topkapi Sarayi (résidence impériale, érigée après la conquête ottomane); les vestiges de l'Hippodrome (construit en 203 par Septime* Sévère, achevé sous Constantin*). Les musées sont nombreux (musée de l'Ancien Orient, musée des Antiquités, etc.). — Bien qu'elle ne soit plus la capitale politique, Istanbul est restée la capitale économique du pays : elle fournit le tiers de la production industrielle (petite métallurgie, indus. chimique, matériel électrique, cuir, tabac, indus. textiles). Chantiers navals. — C'est le premier port de Turquie (2 500 000 t env.). Il concentre 50 % des importations (dont une grande part est destinée à l'agglomération elle-même) et 20 % des exportations. — Patrie d'Ali* Pacha, M.A. Baki*, A. de Chénier*, M. J. de Chénier*, Enver* Pacha, H. Fayol*, Fikret* Tevfik, U. Halit* Ziya, G. Hüseyin* Rahmi, M. Köprülü*, A. Mavrocordatos*, Mehmet* V, VI, Midhat* Pacha, Mustafa* Ier, II, III, IV. A. Nedim*, Osman* II, III, Selim* III, D. Ypsilanti*. ♦ *Hist.* **V. Byzance, Constantinople.** Prise par les Turcs le 29 mai 1453, Constantinople, sous le nouveau nom d'Istanbul, devient le siège du gouvernement ottoman. Elle fut repeuplée systématiquement par les sultans et connut un nouvel essor (de 50 000 hab. env. au déb. du XVe s., elle passa à plus de 500 000 au milieu du XVIe s.). Les églises furent transformées en mosquées, de nouveaux monuments bâtis (**V.** *ci-dessus*). Aux XVIIIe et XIXe s., les sultans durent faire face aux visées russes sur les détroits. La ville fut occupée par les Alliés de 1918 à 1923, puis perdit son rôle de capitale, celle-ci étant transférée à Ankara*. La composition de la population fut alors bouleversée : la politique nationaliste du nouveau gouvernement dirigé par Mustafa* Kemal provoqua l'exode des chrétiens grecs et arméniens et des israélites, et un afflux de Turcs venus d'Anatolie*. Après un certain déclin, la croissance de la population a repris, doublant durant les deux dernières décennies.

ISTEMI. ♦ Qân (khan) des Türk de la fraction des T'u-kiue (v. 552-575) qui régna sur les Türk occidentaux. Il s'allia avec le roi de Perse Anûshirvân et, se retournant contre celui-ci, envoya une ambassade à Constantinople afin de conclure une alliance avec les Byzantins contre la Perse.

Isthmiques *(jeux)*, en gr. **Isthmia.** ♦ Fête panhellénique qui était célébrée sur l'isthme de Corinthe*, dans l'enceinte sacrée de Poséidon *Isthmios.* Leur origine remonte à l'époque préhistorique : le fondateur en serait Sisyphe ou Poséidon, ou encore, selon la version attique, Thésée. D'abord festival ionien, les jeux Isthmiques devinrent à partir de ~ 582 l'une des quatre grandes fêtes nationales, la seconde en importance après les jeux Olympiques. Célébrés tous les deux ans, les jeux comprenaient des concours gymniques, des courses de chevaux et de chars, des régates et des concours musicaux (de poésie lyrique et de chant). Pindare a glorifié les vainqueurs dans une de ses *Épinicies (Isthmiques).* Alexandre le Grand y fut nommé général de tous les Grecs (~ 336) et Flaminius y proclama l'indépendance de la Grèce (~ 196). Les jeux furent supprimés par Hadrien v. 130.

Istiqlâl. *n. m.* ♦ Parti nationaliste marocain, issu de la scission (1937) de l'Action marocaine. Dirigé par 'Allâl* al-Fâsî, professeur à l'université al-Qarawiyyîn de Fès, ce parti mena une agitation politique pour l'indépendance qui aboutit à la déportation de son chef (1938). L'Istiqlâl publia en 1944 le *Manifeste pour l'indépendance* et put compter par la suite sur le soutien du sultan Muhammad* V. Ce parti organisa ensuite les émeutes de Casablanca (déc. 1952) et l'insurrection de Fès (sept. 1953-mars 1954). Après le retour de Muhammad V et l'acquisition de l'indépendance (1956), 'Allâl al-Fâsî revendiqua une partie du Sahara occupée par la France et la Mauritanie. En 1958, l'Istiqlâl fut appelé à former un gouvernement. L'année suivante, le parti éclata; l'aile droite dirigée par 'Allâl al-Fâsî et Balafrej conserva le nom du parti, tandis que l'aile gauche dirigée par Ben* Barka s'organisa en parti autonome (Union nationale des forces populaires, U.N.F.P.), après avoir acquis le soutien du syndicat (U.M.T.) dirigé par Ben Seddik. Mais en 1963, sous le règne d'Hasan II, l'Istiqlâl fut écarté du pouvoir au profit de « gouvernements du Palais ». Rejeté ainsi dans l'opposition, l'Istiqlâl constitua avec son rival l'U.N.F.P. « le Front national » *(al-Kutla al-Wataniyya)* pour participer plus efficacement à la vie politique (1970).

ISTOMINA (Advotia). ♦ Danseuse russe (Saint-Pétersbourg, 1799 — *id.,* 1848). Élève de Didelot, elle débuta dans *Acis et Galatée,* ballet de son maître (1816). Danseuse d'élévation, elle se distingua autant par sa virtuosité que par une grâce incomparable. Son existence mouvementée et sa fin prématurée ont inspiré A. Pouchkine.

ISTRATI (Panait). ♦ Écrivain roumain d'expression française (Brăila, 1884 — Bucarest, 1935). Il mena une vie aventureuse dans les Balkans, au Moyen-Orient, en Italie, en Suisse et en tira la substance de *La Vie d'Adrien Zograffi,* suite romanesque comprenant notamment *Kyra Kyralina* (1924), *L'Oncle Anghel* (1925), *Les Chardons du Baragan* (1928). Il écrivit en 1929, après un voyage en U.R.S.S. une vive critique du régime soviétique *(Vers l'autre flamme).*

ISTRES. ♦ Ch.-l. de cant. des Bouches*-du-Rhône, arr. d'Aix*-en-Provence. 14 518 hab. [8 713 aggl.] *(Istréens).* Base aérienne. Produits chimiques, salines.

ISTRIA. ♦ V. antique fondée au ~ VIIe s. par des colons grecs de Milet sur les bords du lac Sinoie, près de l'actuelle Constanța Dobroudja, Roumanie). C'est la plus ancienne des cités pontiques du littoral roumain. Jusqu'au ~ IIIe s., Istria fut, avec Tômis, l'un des plus grands centres culturels et économiques de la région du Danube. Son port, très actif, était en relation avec la Grèce et les cités grecques d'Asie Mineure. Au ~ Ier s., la ville tomba sous la domination romaine et connut alors un regain de prospérité. Ravagée par les Goths en 248, elle fut reconstruite au Ve s., puis désertée par ses habitants vers 630. — Des fouilles archéologiques ont été entreprises depuis 1914.

ISTRIE. *n. f.* ♦ Presqu'île de l'Adriatique, à l'extrémité N.-O. de la Yougoslavie, dont elle fait partie depuis 1947. 350 000 hab. (Croates, Slovènes). Toute sa partie orientale s'intègre à la Croatie*, tandis que le N., excepté l'enclave italienne de Trieste, se rattache à la Slovénie*. Elle est bordée au N.-O. par le détroit de Trieste*, à l'E. par le golfe de Kvarner*. On y distingue trois zones géographiques : l'*Istrie blanche,* calcaire, assez pauvre; l'*Istrie grise,* plus humide, vouée aux cultures; l'*Istrie rouge,* couverte de vignobles, d'oliviers et d'arbres fruitiers. On extrait du charbon et de la bauxite à Raša. De nombreux ports bordent les côtes. Le plus important est Pula*. ♦ *Hist.* Annexée par Rome en ~ 177, elle fut occupée dès le ~ Ve s. par les Wisigoths*, les Huns*, les Ostrogoths*, les Slovènes* et les Lombards*. Disputée par la suite entre l'Autriche et l'Italie **(V. Trieste; D'Annunzio)** elle fut cédée à la Yougoslavie par le traité de Paris (10 févr. 1947).

ITAGAKI TAISUKE. ♦ Homme politique japonais (Kôchi, 1837 — Tôkyô, 1919). Il participa à la restauration de l'empereur Meiji et fonda le premier parti politique du Japon, de tendance libérale, le Jiyûtô, en 1881. Il fut Premier ministre (1881) et plusieurs fois ministre, notamment en 1896 et 1898.

ITALIE. *n. f.,* en it. **Italia.** ♦ République d'Europe méridionale, limitée au N.-O. par la France, au N. par la Suisse et l'Autriche, et au N.-E. par la Yougoslavie. Elle comprend une partie des Alpes occidentales et la plaine du Pô, une longue péninsule et les îles de Sicile et la Sardaigne; elle est bordée à l'O. par le golfe de Gênes et la mer Tyrrhénienne (Méditerranée), à l'E. par l'Adriatique et au S.-E. par le golfe de Tarente et la mer Ionienne. 301 230 km². 55 371 000 hab. [recens. 1974]. *(Italiens). Cap. :* Rome. *Langue :* italien. Elle compte 20 régions (divisées en 94 provinces) : **V. Abruzzes** (L'Aquila, Pescara), **Basilicate** (Matera), **Calabre** (Reggio di Calabria), **Campanie** (Naples, Salerne), **Émilie-Romagne** (Bologne, Ferrare, Modène, Parme, Ravenne), **Frioul-Vénétie Julienne** (Trieste, Udine), **Latium** (Rome), **Ligurie** (Gênes), **Lombardie** (Bergame, Brescia, Milan), **Marches** (Ancône), **Molise** (Campobasso), **Ombrie** (Pérouse, Terni), **Piémont** (Turin), **Pouilles** (Bari, Tarente), **Sardaigne** (Cagliari), **Sicile** (Catane, Messine, Palerme), **Toscane** (Arezzo, Florence, Livourne, Pise, Prato), **Trentin-Haut-Adige** (Bolzano, Trente), **Val d'Aoste** (Aoste), et **Vénétie Euganéenne** (Venise, Padoue, Vérone, Vicence). *Territoires indépendants :* rép. de Saint-Marin*, cité du Vatican*. — *Orogr.* On peut distinguer le continent, la péninsule et les îles. Au N., de la frontière française à la Yougoslavie, la masse des Alpes couvre 52 000 km² (38 % du territoire) et forme un grand amphithéâtre ouvert par de nombreux cols communiquant avec la France (cols du Tende*, de Larche*, du Mont-Genèvre*, du Fréjus*, du Mont-Cenis*), la Suisse (Grand-Saint-Bernard*, Simplon*, Splügen* et Stelvio*), l'Autriche (Brenner*, Tarvis*). On distingue d'O. en E. une zone de haute montagne (massifs du Mont-Rose*, du Cervin*, du Mont-Viso*, du Grand Paradis*, du Mont-Blanc*

Italie.

et du Cervo) coupée de vallées (Val d'Aoste, Doire Ripaire) dominant le cours supérieur du Pô. À l'E. de l'Adda, la zone montagneuse s'élargit jusqu'à l'Adige (Adamello*, Bernina*, Ortler*), et est entaillé par les vallées de l'Adda, de l'Oglio et de l'Adige (Valteline*). La transition avec la plaine est ici moins brutale et s'opère par deux massifs calcaires préalpins, les Alpes Bergamasques et les Dolomites. À l'E. de l'Adige, des massifs moins élevés (Dolomites*, Alpes Tridentines, Carniques, Juliennes) sont entravées par les vallées de l'Adige, de la Piave et du Tagliamento. La transition entre zone alpine et plaine se fait par une série de collines, d'amphithéâtres morainiques (Biella, Ivrée) et de terrasses caillouteuses (piémonts) formées de débris glaciaires. Le point de contact entre collines et plaine proprement dite est la ligne de *fontanili,* débouchant sur la plaine du Pô, qui couvre le Piémont, la Lombardie, l'Émilie-Romagne et la Vénétie Julienne (50 000 km^2) et est drainée par le Pô et ses affluents. *La péninsule* comporte une charpente montagneuse principale, l'Apennin* (Apennin ligure, toscano-ombrien, Abruzzes, Apennin calabrais), et des éminences secondaires : collines métallifères de Toscane (Monte Amiata), montagnes volcaniques du Latium et de Campanie (Vésuve), reliefs karstiques (Pouilles) et calcaires (Monte Gargano*). Les plaines, rares et exiguës, sont presque toujours d'anciennes vallées alluviales (basse vallée de l'Arno, Maremme*, Latium, Campanie, Pouilles, terres de Bari* et d'Otrante*, Métaponte*). L'Italie insulaire est formée de deux grandes îles montagneuses, la Sicile et la Sardaigne, et de petits archipels (archipel toscan, Éoliennes*, Ponziane et Ægades). Les côtes (7 430 km) sont soit rocheuses et découpées (Ligurie, côte N.-O. de Sicile, Campanie, Sardaigne), soit plates et sableuses (littoral N. adriatique, bordure tyrrhénienne). – *Hydrogr.* Pô* et ses affl., Adda*, Piave*, Tessin* (It. du N.) ; Arno*, Garigliano*, Tibre*, Volturno* (côté tyrrhénien), Metauro*, Ofanto*, Tronto* (côté adriatique). *Lacs :* Majeur*, de Côme*, de Garde*, d'Iseo*, Trasimène*, Varèse*, Bolsena*. *Climat :* continental dans le N. (présence des Alpes), adouci dans la région des lacs, méditerranéen sur les côtes (notamment dans le S.), quasi africain en Sicile. – *Écon.* Il existe un grand déséquilibre entre le N. et le Mezzogiorno*. Le niveau de vie est quatre fois inférieur dans le S. ; la natalité beaucoup plus forte et le chômage important entraînent une forte émigration. L'apport de capitaux étrangers a surtout profité au Nord. Malgré de mauvaises conditions naturelles, l'agriculture occupe 30 % de la population et représente 1/6 du revenu national. Les structures agraires diffèrent selon les régions : la grande exploitation mécanisée prévaut dans le N., mais les petites propriétés sont encore assez nombreuses. Les formes d'exploitation sont très disparates dans le Sud. Les grands domaines *(latifundie)* ont reculé devant les petites propriétés. Les productions sont assez variées. Les principales sont : les céréales, sur tout le territoire (l'Italie est 1er producteur européen de blé [9 260 000 de t en 1975]), le maïs [5 290 000 de t] et le riz (1er producteur pour l'Europe), l'olivier

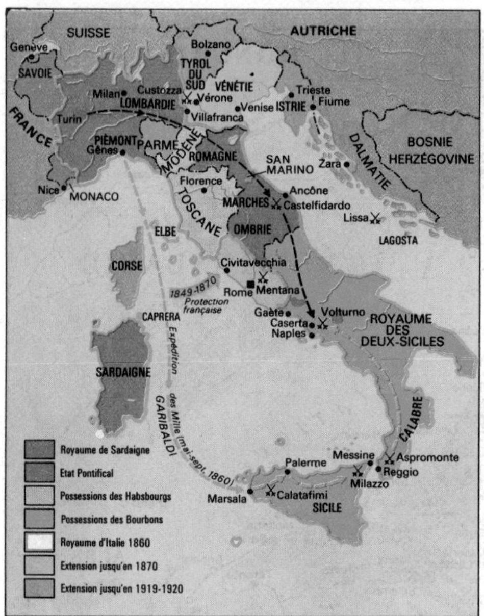

L'achèvement de l'unité italienne (1860-1920).

(1er producteur mondial d'huile d'olive), la vigne (1er producteur mondial de vin; vins réputés : chianti, asti, marsala), les fruits (notamment les agrumes, surtout en Sicile) et légumes (1/4 de la production agricole nationale). Les cultures secondaires sont : la betterave sucrière (N.), le tabac, le chanvre et le coton (S.). La floriculture domine en Ligurie. Le cheptel caprin et ovin (9 000 000) permet la fabrication de fromages (gorgonzola), mais le troupeau bovin (env. 8 000 000) est insuffisant. L'agriculture italienne pose de sérieux problèmes. La bonification déjà ancienne des marais Pontins, de la Maremme, celle du Métaponte, l'irrigation et la redistribution des terres (loi de 1950), la mécanisation les ont en partie résolus, mais les faibles rendements et la structure archaïque du Mezzogiorno freinent le développement agricole global. La pêche (sardines, thon), importante, ne couvre pas la consommation. – Les ressources énergétiques sont variées, mais peu abondantes : peu de charbon et de pétrole (Cortemaggiore, Abruzzes, Sicile; pétrole 1 017 000 t en 1975). L'Italie achète du gaz naturel à l'U.R.S.S. et aux Pays-Bas et développe un important réseau de gazoducs. La production d'électricité, surtout d'origine thermique (40 %), est importante. L'énergie atomique (Garigliano*, Latina*) se développe. Les princ. minerais sont le fer (Aoste, île d'Elbe), le plomb et le zinc (Sardaigne), le mercure et les pyrites (Toscane), la potasse et le soufre (Sicile), la bauxite (Gargano), l'uranium (Aoste, Haut-Adige). On peut distinguer trois aires industrielles : le « triangle » Turin-Milan-Gênes au N., le centre (Marches, Toscane, Ombrie), quelques zones (Latium, Sicile, Sardaigne) au sud. La sidérurgie s'est développée, notamment grâce à l'adhésion italienne à la C.E.C.A.; elle est commandée par *Finsider,* organisme d'État formant quatre grands complexes à proximité des ports de Gênes, Piombino, Naples et Tarente. L'industrie métallurgique et mécanique est essentielle. On distingue par ordre d'importance : l'industrie automobile (FIAT, à Turin, representant 85 % de la production nationale, Alfa Romeo, Ferrari, Maserati à Milan et Modène; prod. totale 1 457 000 véhicules [1975], dont 35 % sont exportés), l'électronique et le matériel de précision, les machines de bureau (Olivetti à Ivrée), les chantiers navals, l'équipement électroménager, secteur très dynamique et exportateur, etc. L'industrie chimique est dominée par de grandes entreprises internationales (Montecatini-Edison, Pirelli) et par l'E.N.I. (*Ente Nazionale Idrocarburi :* Office national des hydrocarbures). La pétrolochimie, l'une des plus importantes d'Europe, est répartie dans les grands ports et à Cortemaggiore (raffinage de plus de 200 millions de t de pétrole, en 1975), l'électrochimie dans le centre (Prato, Terni). L'industrie textile est la plus ancienne; celle de la laine est en stagnation; le marché de la fibre synthétique est dominé par de grosses firmes (Snia Viscosa, Courteaulds). Les industries alimentaires (fabriques de pâtes, apéritifs, glaces) emploient 10 % de la main-d'œuvre nationale. L'industrie d'art et l'artisanat (cuir, verreries, mode) sont prospères. Les difficultés de l'industrie italienne ont pour origine le sous-développement du Mezzogiorno. La différence avec le N., en dépit des efforts de l'État, ne s'atténue que lentement. Depuis 1950, deux organismes d'État, l'E.N.I. et l'I.R.I. (Institut de la reconstruction industrielle), consacrent 40 % de leur budget à l'équipement du Midi, selon des plans nationaux. – *Transports :* Le réseau ferroviaire représente 21 000 km, le réseau routier 267 000 km, dont 3 407 km d'autoroutes en 1970 (plus 1 226 km en construction et 1 525 km en projet – autoroute du Soleil, reliant Milan à Reggio de Calabre). Le trafic portuaire est important : Gênes (52 millions de t), Augusta (29 millions de t), Venise (21 millions de t), Naples (16 millions de t). Le trafic aérien (5 millions de voyageurs) est assuré en majeure partie par *Alitalia.* – Le *commerce* extérieur se fait surtout avec le Marché commun et les U.S.A. La balance commerciale est déficitaire, mais les apports du *tourisme* permettent d'équilibrer la balance des paiements. Plus de 30 000 000 de voyageurs fréquentent chaque année les stations des Alpes (Sestrières, Courmayeur, Cortina d'Ampezzo, etc.), le littoral (rivieras ligures, lacs lombards, côte de l'Adriatique), les stations thermales (Albano*, Salsomaggiore*, etc.) et les villes d'art (Rome, Venise, Florence, etc.).

♦ *Hist.* LE HAUT MOYEN ÂGE. La chute de l'empire romain d'Occident (pour la période antérieure **V. Rome**) marqua pour l'Italie le commencement d'une période sombre : le coup d'État d'Odoacre* (476) maintenait cependant l'unité du pays, qui formait un royaume placé sous la lointaine autorité de l'empereur d'Orient. Cette domination fut renforcée sous l'Ostrogoth Théodoric*, qui renversa Odoacre en 493. Les luttes religieuses entre ariens barbares et catholiques permirent à l'empereur Justinien*, aidé de Bélisaire* et de Narsès*, de vaincre les Ostrogoths en 553 et reconstituer l'unité de son empire. L'invasion lombarde qui se produisit dans le nord (568) créa bientôt une nouvelle division qui allait subsister douze siècles : au royaume de Longobardie (plaine du Pô, Toscane, Ombrie, intérieur de l'Italie méridionale) s'opposèrent les régions conservées par les Byzantins (Rome, Ravenne et le S. du pays) **V. Byzance.** Le Nord et le Sud subirent dès lors des destinées différentes. Après avoir refusé la civilisation romaine, les Lombards s'en étaient rapprochés au VIIIe s. et se convertirent au christianisme. Ils furent pourtant arrêtés dans la conquête du pays par la puissance croissante de la papauté, émancipée de la tutelle de Constantinople; l'alliance de celle-ci avec les Carolingiens **(V. Carolingiens)** provoqua leur perte et la formation des États de l'Église. **V. Église** *(États de l').* Le Sud de la péninsule restait soumis à la domination byzantine et le contact avec l'Orient permit à l'Italie de conserver une civilisation encore urbaine, plus avancée que dans le reste de l'Europe, et de jouer un rôle important dans la renaissance carolingienne. Passée au IXe s. sous l'autorité officielle des rois de Germanie, elle devint en fait la proie de la féodalité et du morcellement, renforcés par les nouvelles vagues d'invasion (Arabes en Sicile, Hongrois dans le N.) tandis que la papauté perdait son prestige et devenait l'enjeu de la rivalité des familles romaines. – DU Xe AU XVe S. L'Italie connut alors un lent redressement qui devait aboutir à l'avènement de la Renaissance. En 951, Othon* Ier le Grand prit le titre de roi d'Italie avant de se faire couronner empereur par le pape (962). La domination germanique qui tenta de s'exercer sur l'Italie du Nord et surtout sur la papauté, jusqu'au XIIIe s., dégénéra rapidement en conflit entre le Sacerdoce et l'Empire **(V. Allemagne,** *Hist.***)**, avec la querelle des Investitures*, puis la lutte entre guelfes* et gibelins*, adversaires et partisans de l'empereur à l'intérieur même du pays. Facteurs de division, ces troubles permirent aussi l'émancipation des « communes », qui prirent en Italie une extension extraordinaire et étaient aux mains de la bourgeoisie. Ce mouvement ne se produisit que dans le Nord, le Sud ayant vu à la même époque la formation d'un royaume autoritaire **(V. Naples** [*royaume de*]**)** sous la domination des Normands, auxquels succédèrent les Hohenstaufen (XIIe s.), la maison d'Anjou, puis celle d'Aragon (XVe s.). Les villes bénéficièrent de la renaissance des échanges à partir du XIe s. et ceux-ci furent encore favorisés par les croisades* : d'où l'expansion des ports (Venise, Gênes, Pise, Naples) ou même des cités intérieures, qui assuraient la distribution des produits (banques, industries, notamment l'indus. textile). Après un moment difficile, marqué par l'échec des papes face aux prétentions des souverains (Anagni*), puis leur exil à Avignon, l'Italie exerça au XIVe s. une véritable domination économique sur l'Europe, dont elle assurait tout le commerce et où ses banquiers intervenaient dans la vie politique (ils soutinrent la guerre de Cent Ans, par exemple). Cette activité était complétée par une grande richesse agricole et la formation précoce d'une paysannerie libre. Cependant, la concurrence économique, jointe à la rivalité des guelfes et des gibelins, amena des conflits entre les cités (campanilisme) et la naissance d'un nationalisme étroit. Au milieu des troubles, les structures politiques évoluèrent, les communes durent faire place à des « seigneuries », le pouvoir passant à une seule famille et à sa clientèle (ainsi Milan aux Visconti*, Ferrare aux Este*, Vérone aux Della Scala, Rimini aux Malatesta*, Mantoue aux Gonzague*). Les luttes intérieures s'exaspérèrent par la suite et prirent un caractère social, et aux seigneuries elles-mêmes se substitua au XVe s. le régime des « princes », véritables tyrans, dont l'exemple le plus révélateur est sans doute la famille des Médicis*, mécènes fastueux, qui conduisirent Florence à son apogée. L'action des princes eut en effet pour conséquence d'accroître la puissance d'un certain nombre de cités qui dominèrent la péninsule (Milan*, Naples*, Venise*, Florence* et les États de l'Église), mais entre lesquelles s'établit un certain equilibre qui arrêta l'unification. Dans leur lutte, ils eurent davantage recours à une diplomatie complexe ou à la violence individuelle et au crime, plutôt qu'à la guerre, malgré l'emploi des condottieri. Un autre aspect de leur action fut l'extraordinaire épanouissement de la Renaissance italienne, qui allait être diffusée à travers toute l'Europe grâce aux guerres d'Italie. **V. Renaissance.** – DU XVIe S. AU XVIIIe S. En effet, le déséquilibre entre son morcellement et l'unité nationale de ses voisins, joint à l'attirance qu'elle exerçait par sa richesse et sa civilisation, allaient faire de l'Italie l'enjeu de la rivalité des autres puissances et la soumettre jusqu'au XIXe s. à la domination étrangère. Les guerres d'Italie (**V.** *ci-dessous*) se soldèrent par l'échec des tentatives françaises (la France devait encore intervenir en Italie lors de la guerre de Trente* Ans et des guerres de Louis XIV) et amenèrent la domination espagnole, qui devait se poursuivre pendant tout le XVIe s. et une partie du XVIIe s. S'il assura au pays la paix et la stabilité, le pouvoir espagnol devait amener une régression sur le plan économique et culturel. Un arrêt fut donné à la Renaissance et à l'humanisme par le rétablissement de l'Inquisition et le triomphe de la Contre-Réforme (seuls conservèrent leur indépendance la Savoie, Venise et Gênes). La fiscalité et les monopoles espagnols ne purent qu'affaiblir une économie déjà éprouvée : l'afflux de l'or américain et l'inflation qui en résulta touchèrent gravement les banquiers; les Turcs fermèrent la Méditerranée orientale, l'Allemagne se trouva ruinée par la guerre de Trente Ans, et le commerce italien déclina. La guerre de Succession* d'Espagne fit passer l'Italie des Habsbourg d'Espagne aux Habsbourg d'Autriche qui y affermirent leur position au cours du XVIIIe s. (acquisition de la Toscane), malgré les tentatives d'Élisabeth* Farnèse. Celle-ci obtint pour l'Espagne le royaume de Naples, Parme, Plaisance et Guastalla, tandis que le royaume de Savoie s'agrandit de la Sardaigne. Les « lumières » atteignirent alors l'Italie (en particulier Milan sous Marie*-Thérèse, Naples sous Charles* III, Florence sous Léopold*). Elles devaient favoriser le réveil du sentiment national et l'idée d'unité politique. – XIXe-XXe s. – *L'Italie pendant la Révolution française et l'Empire napoléonien.* Dès 1789 la Révolution française gagna la sympathie de la bourgeoisie et des milieux libéraux italiens, mais suscita la méfiance puis l'hostilité des souverains qui craignaient la contagion des idées révolutionnaires. À la suite de l'annexion du Comtat Venaissin par la Constituante (1791), puis de Nice et de la Savoie par la Convention* (1793), le royaume de Naples, la papauté et les princes italiens rejoignirent le royaume de Piémont-Sardaigne et les souverains européens dans la première coalition*; cependant leur participation militaire fut, dans l'ensemble, extrêmement réduite. Les victoires remportées lors de la campagne d'Italie de 1796-1797 (**V.** *ci-dessous*) permirent au général Bonaparte et aux libéraux italiens, après le traité de Campoformio*, de supprimer l'Ancien Régime dans l'ensemble de la Péninsule : les Républiques cisalpine* (Lombardie, duchés de Modène et de Reggio, Romagne, Bologne et Ferrare) et ligurienne (Gênes) reçurent des institutions comparables à celles de la France (1797); en revanche, la Vénétie était livrée à l'Autriche. Après la déportation du pape Pie VI, la République romaine fut proclamée (1798); le départ du roi Ferdinand de Naples permit aux Français d'instaurer la république Parthénopéenne* (1799). La seconde coalition* chassa provisoirement les Français de l'Italie, jusqu'à ce que les victoires du Premier Consul lors de la campagne d'Italie de 1800 (**V.** *ci-dessous*) les rétablissent par le traité de Lunéville (9 fév. 1801). Dès lors, au fur et à mesure de ses conquêtes, Napoléon faisait passer l'Italie tout entière sous sa domination. Au gré des circonstances, il annexait certains territoires transformés en départements français (Piémont, 1802; République ligurienne, 1805; États de l'Église, 1809), tandis que le reste de la péninsule devenait le terrain d'essai du « système familial » : il fut lui-même sacré roi d'Italie en 1805 (ancienne République cisalpine, Vénétie et Trentin); sa sœur Élisa (**V. Bonaparte**) devint grande-duchesse de Toscane (1809) et son frère Joseph fut nommé roi de Naples en 1806 avant d'être remplacé par Murat* en 1808. Malgré les exactions des occupants (lourdeur des impôts, pillage des œuvres d'art, conscription), la domination impériale sur l'Italie eut des résultats positifs : la centralisation administrative, l'unification des lois et de la langue et l'abolition de la féodalité et des anciens cadres sociaux, bien qu'elles n'aient pas résisté à l'écroulement de l'Empire, avaient préparé le réveil national. – LE RISORGIMENTO. L'Italie sortait du congrès de Vienne* (1815) aussi divisée qu'avant la Révolution; l'Autriche y était plus forte que jamais, installée dans le royaume lombard-vénitien, en Istrie, en Dalmatie, dans le Trentin et indirectement en Toscane, à Modène et à Parme. Le royaume de Piémont (Piémont, Sardaigne, Savoie et Nice) recevait l'ancienne république de Gênes. Murat était chassé du royaume de Naples par le retour des Bourbons. L'Ancien Régime rétabli, l'Italie n'était plus, selon Metternich*, qu'une « expression géographique ». Face à l'absolutisme, un mouvement libéral se développa à partir de 1820 parmi les cadres de l'administration et de l'armée sous forme de sociétés secrètes dont la principale fut la *carbonaria* (**V. Carbonarisme**). Elle fut à l'origine des insurrections libérales de 1820 à Naples et dans le Piémont, et de 1831 en Romagne, à Parme et Modène, insurrections violemment réprimées par les Autrichiens, à la demande des souverains italiens. D'abord libérale, l'agitation prit un caractère national sous l'influence des écrivains du *Risorgimento* (« résurrection »). Elle gagna les classes moyennes puis les masses populaires grâce à l'action de G. Mazzini*, fondateur du mouvement Jeune-Italie (1833). Le pape Pie* IX

Ph. De Gregorio/Ricciarini
Italie, Ombrie : travaux des champs.

inaugura une ère de concessions libérales par l'octroi d'une constitution au début de l'année 1848, suivie de plus ou moins bon gré par les souverains de Toscane et de Naples, puis après l'insurrection parisienne (**V. Révolution de 1848**) par Charles*-Albert, roi de Piémont (14 mars 1848). Devant la violence du soulèvement populaire dans toute l'Italie en fév. 1848, Charles-Albert prit la tête de l'armée d'Indépendance composée de Piémontais, de Pontificaux, de Toscans, de Modénois, de Parmesans et de Lombards (**V. Garibaldi**), mais, malgré quelques succès, il ne put venir à bout des troupes bien entraînées de Radetzky* (défaite de Custozza*, juil. 1848) et dut évacuer le Milanais. Devant la poussée républicaine et démocratique (proclamation de la république à Rome par Mazzini et Garibaldi en fév. 1849), les souverains italiens prirent peur et revinrent sur leurs concessions; quant à Charles-Albert, désireux de reprendre la direction du mouvement national, il se fit battre définitivement par les troupes autrichiennes à Novare (23 mars 1849) : la réaction autrichienne triomphait sur la péninsule. – FORMATION DU ROYAUME D'ITALIE. Le Piémont, seule royauté constitutionnelle, demeurait, sous l'influence du roi Victor*-Emmanuel II et de son ministre Cavour*, l'unique espoir des patriotes italiens, espoir qui eût été vain sans l'aide diplomatique et militaire que Napoléon III apporta à la cause italienne : les victoires franco-sardes de Magenta* et de Solférino* (juin 1859) chassèrent les Autrichiens de Lombardie (**V.** *ci-dessous*, campagne d'Italie de 1859). Après l'armistice de Villafranca*, considéré comme une trahison française, des mouvements révolutionnaires obligèrent Napoléon III à accepter la réunion au Piémont de l'Italie centrale (mars 1860). L'annexion du royaume de Naples fut réalisée par Garibaldi et les Mille* (nov. 1860), qui s'effacèrent devant le souverain piémontais couronné roi d'Italie à Turin le 27 avr. 1861. La défaite autrichienne de Sadowa* (1866) rendit définitivement la Vénétie aux Italiens, mais ils durent attendre la chute de l'Empire français (4 sept. 1870) pour entrer dans Rome, qui devint la capitale du royaume le 2 oct. 1870. Après un combat symbolique, Pie IX se retira dans le palais du Vatican, où il se considéra comme prisonnier. La « question romaine » resta en suspens jusqu'aux accords du Latran* (1929). – LA MONARCHIE PARLEMENTAIRE. « L'Italie est faite, maintenant il faut faire des Italiens » (D'Azeglio). En effet, les particularismes locaux subsistaient, entretenus par la force des traditions et l'indifférence politique de la population exclue du droit de vote (suffrage censitaire restreint et interdiction papale). Après l'enthousiasme des combats, il fallait faire face aux problèmes matériels (poussée démographique, misère de la population rurale, rareté des matières premières industrielles). Entre les deux grandes tendances, la « droite historique », héritière de Cavour et qui reste au pouvoir jusqu'en 1876 (**V. Depretis**) et la gauche, soucieuse d'élargir le suffrage, le gouvernement, encouragé par le roi Humbert* Ier, préconisait le « transformisme » pour combattre le socialisme. Avec Crispi*, l'Italie se lança dans une politique coloniale coûteuse (**V. Érythrée, Éthiopie**) qui rendit plus aiguës les difficultés économiques (déficit budgétaire et dépréciation de la monnaie); l'agitation révolutionnaire et anarchiste reprit avec la baisse des salaires et le chômage dans les principales villes (cent morts à Milan en mai 1898). Malgré les quelques progrès économiques et sociaux réalisés par la « dictature parlementaire » de Giolitti* (1903-1914), la misère ne diminuait pas; les grèves étaient de plus en plus fréquentes et politisées; les socialistes, avec Mussolini, éliminaient les réformistes de leur parti, tandis que les échecs coloniaux (mis à part l'annexion de la Libye en 1912) donnaient des arguments aux nationalistes exaspérés par la question des « terres irrédentes » (Trentin et Istrie). C'est ce courant nationaliste qui poussa le gouvernement libéral de Salandra* dans la guerre aux côtés des Alliés (mai 1915), dans l'espoir d'enlever aux Autrichiens les « terres irrédentes » en cas de victoire **(V. Guerre mondiale** [*Première*]**).** La déception fut grande lorsque, après les traités de Saint-Germain-en-Laye (1919) et de Rapallo* (1920), l'Italie se vit refuser la Dalmatie et Fiume dont G. D'Annunzio s'empara en 1919. Le mécontentement nationaliste, le chômage et la crise économique profitèrent aux partis extrêmes (grèves et occupations d'usines par les socialistes; fondation des « faisceaux » de Mussolini en 1919 [**V. Fascisme**]), et après la tentative de Giolitti* pour rétablir l'ordre, les gouvernements furent trop faibles pour empêcher la montée du fascisme. — L'ITALIE MUSSOLINIENNE. La « marche sur Rome » des « chemises noires » (27 oct. 1922) conduisit Mussolini au pouvoir, avec l'accord du roi Victor*-Emmanuel III (30 oct. 1922). Jusqu'à l'assassinat du socialiste Matteotti* (1924) qui avait dénoncé les méthodes fascistes, la façade parlementaire fut respectée (quatre fascistes sur les quatorze ministres). Mais en 1925, les « lois fascistissimes » organisèrent la dictature (sur la montée du fascisme et la dictature mussolinienne, **V. Mussolini; fascisme).** Les réalisations intérieures (législation sociale, grands travaux, disparition du chômage, accords du Latran* avec le pape) et la politique de collaboration internationale (accords avec la Yougoslavie, 1924; adhésion à la S.D.N., au pacte Briand-Kellogg, 1928; front de Stresa avec l'Angleterre et la France, av. 1935) lui assurèrent une large adhésion des masses populaires. Cette adhésion fut renforcée par le soutien apporté par les hommes politiques étrangers **(V. Churchill)** notamment par Hitler, sur lequel Mussolini exerça une influence modératrice (envoi de troupes au col du Brenner après l'assassinat du chancelier Dollfuss*, 1934; conférence de Munich*, 1938). Ce ne fut qu'à partir de l'affaire d'Éthiopie, dont Victor-Emmanuel III devint empereur, que Mussolini rompit avec les démocraties occidentales par la signature du pacte anti-komintern (Allemagne, Japon, Italie, 6 nov. 1937). Après avoir envahi l'Albanie (7 avril 1939), l'Italie entra dans la Deuxième Guerre mondiale aux côtés de l'Allemagne le 10 juin 1940 **(V. Guerre mondiale** [*Deuxième*]**).** L'exécution de Mussolini (28 avril 1945) signait la fin de l'Italie fasciste à laquelle la monarchie, compromise par vingt années de collaboration, ne put survivre : Victor-Emmanuel III abdiqua le 9 mai 1946 en faveur de son fils Humbert* II qui s'exila à la suite d'un référendum favorable à la République le 2 juin 1946. — LA RÉPUBLIQUE ITALIENNE. Après un traité de paix assez dur signé en 1947 (abandon de Fiume, de la Dalmatie et des colonies africaines), l'Italie, sortie ruinée de la guerre, effectua un redressement spectaculaire que l'on a pu comparer au « miracle » allemand, grâce aux efforts de toute la population et à l'aide apportée par le plan Marshall*. Cet essor bénéficia, par la suite, de son entrée dans le Marché commun **(V. De Gasperi)** notamment dans le secteur industriel, tandis que l'agriculture marquait un certain retard que la création de la *Cassa per il Mezzogiorno* (1950) ne pouvait suffire à combler dans le Sud. Dans les années 1970, l'économie italienne semblait être touchée par une crise de croissance que les difficultés sociales et la chute de la lire rendaient plus aiguë. La démocratie chrétienne devait s'appuyer, pour rester au gouvernement tantôt sur la droite **(V. A. Segni),** tantôt sur la gauche **(V. P. Nenni; Saragat; A. Fanfani; A. Moro).** Aucune majorité n'apparut aux élections législatives de 1976, cependant qu'une forte progression des communistes se manifestait. La Chambre des députés fut alors présidée par un communiste (P. Ingrao) et le Sénat par un démocrate-chrétien (A. Fanfani). Le gouvernement, composé uniquement de membres de la démocratie chrétienne, était dirigé par Giulio Andreotti.

ITALIE (Campagne d'Italie de 1796-1797). ♦ Ensemble des opérations militaires conduites par le général Bonaparte en Italie en 1796 et 1797 : envoyé par Carnot* pour retenir en Italie une partie de l'armée autrichienne, Bonaparte réussit à imposer son autorité sur toute l'armée française composée de 38 000 hommes mal vêtus et mal nourris. Une offensive rapide obligea le Piémont à signer l'armistice de Cherasco* (avril 1796), tandis que par les victoires de Lodi* (10 mai 1796), Milan (15 mai 1796), Arcole* (nov. 1796), puis Rivoli* (janv. 1797) Bonaparte préparait la capitulation des Autrichiens à Mantoue (2 févr. 1797). Après l'occupation de Venise et les préliminaires de Leoben* (18 avr. 1797), il signa sans aucun mandat du Directoire* le traité de Campoformio* avec le représentant de l'empereur François* II.

Ph. M. Pedone/Ricciarini
Italie, Toscane : carrière de marbre à Lucques.

ITALIE (Campagne d'Italie de 1800). ♦ Ensemble des opérations militaires menées en Italie par le Premier consul Bonaparte contre les Autrichiens, vainqueurs dans toute la péninsule après la seconde coalition*. À la tête de son armée, après le passage du col du Grand-Saint-Bernard, Bonaparte entra dans Milan le 2 juin 1800 et remporta, avec l'appui de l'armée du général Desaix*, la bataille de Marengo* (juin 1800). Évacuant le Piémont, la Lombardie et la Ligurie, les Autrichiens, après une nouvelle défaite contre l'armée du général Moreau* à Hohenliden* (3 déc. 1800), durent signer la paix de Lunéville* (9 févr. 1801).

ITALIE (Campagne d'Italie de 1859). ♦ Les relations diplomatiques entre l'Autriche et les États sardes se dégradèrent après l'arrivée au pouvoir du roi Victor*-Emmanuel II (1849) et la nomination du ministre Cavour* (1852). Après son intervention en Crimée (1855) aux côtés des Anglais et des Français contre les Russes, le Piémont fut autorisé à participer au congrès de Paris* (1856) où la question de l'unité italienne fut abordée. L'entrevue de Plombières* (1858) entre Napoléon* III et Cavour aboutit à la signature du traité d'alliance franco-sarde de Turin* (26 janv. 1859). Cavour ayant repoussé un ultimatum de l'Autriche au Piémont (déb. avr. 1859), les forces autrichiennes sous le commandement de Gyulai* envahirent le N. de l'Italie par le Tessin, pendant que les armées françaises pénétraient dans le Piémont par le Mont-Cenis, le Mont-Genèvre et Gênes. Successivement battu à Montebello, Palestro, Turbigo et Magenta* (4 juin 1859) par les troupes franco-sardes, Gyulai remit son commandement à l'empereur François*-Joseph, vaincu à son tour à Solférino* (24 juin). Inquiet des pertes subies par l'armée française et craignant également une intervention de la Prusse, Napoléon III s'empressa de signer avec l'Autriche les préliminaires de Villafranca* (juill. 1859) qui, suivis des traités de Zurich* (nov. 1859), déçurent ses alliés italiens.

ITALIE (Campagnes d'Italie de 1943-1945). ♦ V. GUERRE MONDIALE (Deuxième).

ITALIE *(guerres d')*. ♦ Terme employé pour désigner les expéditions qui eurent lieu en Italie entre 1494 et 1559. Dans un premier temps, elles opposèrent le roi de France, qui voulait faire valoir ses droits sur l'héritage du royaume de Naples, puis du Milanais, au roi d'Aragon et au pape **(V. Charles VIII, Louis XII, François Ier)**, les villes italiennes prenant position dans l'un ou l'autre camp. Le conflit s'élargit ensuite et l'Italie devint le théâtre de la lutte entre la France et la maison d'Autriche, lutte à laquelle vint se mêler l'Angleterre **(V. François Ier, Henri II, Charles Quint).** Par le traité de Cateau*-Cambrésis (1559), la France abandonnait l'Italie qui passait sous la domination des Habsbourg. Si ces guerres avaient marqué la fin de l'indépendance de l'Italie, du moins permirent-elles à sa civilisation de se répandre à travers l'Europe.

ITALIEN (Théâtre-). ♦ V. COMÉDIE-ITALIENNE.

ITALIOTES ou **ITALIQUES.** *n. m. pl.* ♦ Population de l'Italie anc., de langue indo-européenne, subdivisée en deux groupes : les Osco-Ombriens et les Latins (Eques*, Volsques*, Herniques*, Marses*, Samnites*, Sabins*).

ITAMI. ♦ V. du Japon (Honshû, préf. de Hyôgo). 150 000 hab. Centre touristique. — Aéroport international d'Ôsaka*.

ITCHÔ HANABUSA. ♦ Peintre japonais (1652 — 1724) originaire d'Ôsaka* et élève de Kanô Yasunobu*. Exilé pour raisons politiques en 1698, il revint à Edo* en 1710 et peignit de nombreuses œuvres qui, dégagées de l'influence formaliste de l'école des Kanô, reflètent l'esprit des bourgeois des grandes villes qui prévalait à la fin du XVIIIe s. au Japon.

ITHAQUE, en gr. **Ithakê.** ♦ Une des îles Ioniennes* au N.-E. de Céphalonie*, séparée d'elle par le canal d'Ithaque large de 2 à 4 km (nome de Céphalonie). 103 km². 4 155 hab. Ch.-l. et port princ. de l'île Vathy ou Ithaque sur la côte est. 2 800 hab. Vignobles, oliviers. ♦ *Hist.* Identifiée traditionnellement avec l'Ithaque de l'*Odyssée**, patrie d'Ulysse*, l'île aurait été le centre d'un royaume maritime comprenant Céphalonie, Zante et les îlots avoisinants. Homère* y aurait séjourné. Des auteurs modernes estiment que les descriptions de l'*Odyssée* se rapporteraient mieux à l'île de Leucade.

ITHOME *(mont),* en gr. **Ithômê.** ♦ Montagne de Grèce en Messénie, célèbre pour la résistance que les Messéniens y opposèrent aux Lacédémoniens lors de la première guerre de Messénie*. La prise de l'Ithome en ~724 mit fin à cette guerre. Messène, la nouvelle cap. de Messénie, fut bâtie en ~371 sur le flanc S.-O. de l'Ithome.

Itihâsa (« Il était une fois... »). ♦ Titre générique d'ouvrages védiques rédigés en sanskrit et comprenant de nombreuses sortes de textes : *Purâna* (anciens commentaires), *Itivritta* (histoires), *Âkhyayika* (contes), *Dharmaśâstra* (recueils de lois), etc.

ITÔ HIROBUMI. ♦ Homme politique japonais (Tsukari, 1841 — Ha-êrh-pin, 1909) de la famille impériale. Il signa avec la Chine le traité de T'ien-tsin en 1885, puis celui de Shimonoseki (1895) terminant la guerre sino-japonaise. Résident général en Corée (1905-1909), il imposa à ce pays un «traité de protection». Il

Ph. Ricerche editoriali/Ricciarini

Italie : Mussolini, à Rome, salue la foule d'un balcon.

fut assassiné en gare de Ha-êrh-pin (Mandchourie) par un patriote coréen.

ITÔ JINSAI. ♦ Philosophe et écrivain japonais (1627 – 1705), fondateur d'une école confucianiste et auteur de plusieurs livres sur le confucianisme et son adaptation au Japon. Il eut une grande influence sur la littérature historique et philosophique de son époque.

ITON. *n. m.* ♦ Riv. de Normandie* (118 km), affl. de l'Eure*. Elle prend sa source dans le Perche*, traverse Damville*, Évreux et conflue en aval de cette ville.

ITSUKUSHIMA. ♦ Petite île du Japon, sur la côte du Honshû*, dans la baie de Hiroshima*, un des trois plus célèbres paysages du Japon, où se trouve le fameux sanctuaire de Miyajima* fondé au VIIe s. par le clan des Taira* et signalé par un immense *torii* placé dans la mer, entre l'île et la côte.

ITTIHÂD (Al-). ♦ Anc. nom d'Al-Chaab*, anc. cap. de la fédération de l'Arabie du Sud.

ITURBIDE (Agustín *de*). ♦ Homme politique mexicain (Valladolid, Mexique, 1783 – Padilla, 1824). Général dans l'armée espagnole, il fut chargé de négocier avec les insurgés nationalistes; devenu très populaire il se fit proclamer empereur du Mexique (1822), mais son cléricalisme et sa mauvaise gestion financière lui valurent d'être renversé en 1823 par Santa* Anna. Rentré d'exil en secret, il fut arrêté et fusillé en 1824.

ITURÉE. *n. f.* ♦ Région montagneuse au N.-E. de la Palestine qui, dans l'Antiquité, était peuplée d'Arabes guerriers réputés pour leur habileté à l'arc. Elle fut soumise par Aristobule Ier avant qu'Auguste ne la donne à Hérode le Grand, qui la transmit à son fils, Hérode Philippe. Elle fut ensuite incorporée à la province romaine de Syrie, après avoir appartenu successivement à Agrippa Ier et Agrippa II.

ITZCOATL. ♦ Quatrième souverain aztèque (1428-1440), qui établit la puissance de sa tribu. **V. Aztèques.**

ITZEHOE. ♦ V. d'Allemagne occidentale (Schleswig-Holstein) sur la Stör, près de l'estuaire de l'Elbe. 38 000 hab. Église Saint-Laurent (XVIIe s.). Nœud ferroviaire et petit centre industriel. ♦ *Hist.* Fondée en 810 par Charlemagne, c'est la plus anc. ville du Holstein*, dont elle fut la cap. de 1227 à 1864.

IUJNO-SAKHALINSK ou **YOUJNO-SAKHALINSK** (jusqu'en 1946 **Toïokhara**). ♦ V. d'U.R.S.S. (R.S.F.S. de Russie), ch.-l. de la région de Sakhaline (87 100 km^2. 641 000 hab.), dans le S. de l'île de Sakhaline*. 106 000 hab. Réparation de locomotives, de wagons et d'équipement minier. Nœud ferroviaire.

IULE. ♦ V. ASÇAGNE.

IVAJLO. ♦ (mort en 1280). Roi de Bulgarie (1277-1279). Il repoussa les Mongols et les Byzantins.

IVAN Ier Danilovitch, surnommé **Kalita** (« Sac d'argent » [escarcelle]). ♦ (v. 1304 – Moscou, 1350). Grand-prince de Moscou et de Vladimir (1328-1340). Fils de Daniel* Nevski, il régna sous la suzeraineté de la Horde d'Or, imposa sa tutelle aux principautés de Tver, Riazan et Novgorod et fut le véritable fondateur de la puissance moscovite. Il entra dans les ordres en 1340. Son fils Siméon* le Superbe lui succéda.

IVAN II Ivanovitch le Doux. ♦ (1326 – 1359). Grand-prince de Moscou et de Vladimir (1353-1359). Fils d'Ivan Ier Danilovitch, il succéda à son frère Siméon* le Superbe et poursuivit la politique de ses prédécesseurs, grâce à l'aide du métropolite Alexis*. À sa mort, son fils Dimitri* IV fut écarté du trône jusqu'en 1362 par Dimitri III, prince de Souzdal.

IVAN III Vassiliévitch le Grand. ♦ (Moscou, 1440 – *id.*, 1505). Grand-prince de Moscou et de toute la Russie (1462-1505). Fils et successeur de Vassili* II, il réunit à l'État moscovite Iaroslavl'* (1471), Rostov (1474), Novgorod (1478) et Tver (1485, *auj.* Kalinine) et mit fin à la suzeraineté mongole (1480). Son règne fut une étape importante de la création de l'État russe unifié. Marié en secondes noces à Sophie Paléologue, nièce du dernier empereur byzantin (1472), il adopta les idées byzantines sur l'autocratie impériale et fit de Moscou la troisième Rome orthodoxe.

IVAN IV le Terrible (en russe **Groznyï** « redoutable »). ♦ (1530 – 1584). Tsar de Russie (1533-1584). Fils de Vassili* III auquel il succéda à l'âge de trois ans, sous la régence de sa mère, Hélène Glinsky (1533-1538), il passa à la mort de celle-ci sous la tutelle d'un conseil de boyards, dont les luttes intestines ruinèrent le pays. Formé par le métropolite Macaire* à l'idée d'une autocratie d'origine divine, il inaugura son règne personnel à l'âge de seize ans et prit le titre de *tsar (caesar)* en 1547. Les premières années de son règne furent prospères (1547-1560). Il entreprit une vaste réorganisation administrative, législative (code de lois, 1550), religieuse (1551) et militaire (création du corps des Streltsy*). Refoulant les Tatars, il assura l'accès de la Volga* à la Russie, en annexant les khanats de Kazan* (1552) et d'Astrakhan* (1556). En 1558, Ivan IV s'engagea dans la guerre russo-livonienne, qui lui assura un débouché sur la Baltique après l'occupation de la Livonie et de l'Estonie (1558 : prise de Narva* et Dorpat, *auj.* Tartu*), mais il se heurta à la coalition de la Suède, de la Pologne et de la Lituanie et dut abandonner ses conquêtes (1583) à la suite des campagnes victorieuses (1578-1580-1581) d'Étienne* Bathory. À l'intérieur, devant l'opposition des boyards à propos de la guerre de Livonie et la multiplication des intrigues et des révoltes, il déclencha dès 1560 un régime de terreur contre l'aristocratie des boyards. En 1564, il quitta sa capitale et y revint par surprise, se faisant plebisciter par le peuple. Puis il constitua l'*opritchina* (« réserve »), sorte d'apanage exclusif du souverain, qui divisa le pays en deux parties. La première (quelques quartiers de Moscou, 27 villes et 18 districts) dépendait directement du tsar et était administrée par sa police personnelle, les *opritchiniki*; la seconde, la *zemchtchina* (« terre, pays »), était administrée par les représentants de l'ancien régime. Ces réformes furent suivies de nouvelles répressions qui firent des milliers de victimes parmi les boyards et les paysans et entraînèrent une grave crise sociale et politique qui dura jusqu'à l'avènement du premier Romanov (1613). Ivan IV, qui avait tué son fils aîné dans un accès de fureur en 1581, laissa deux fils, Fédor* Ier et Dimitri* V. Intelligent et fin politique, il était d'une méfiance maladive et finit son règne dans le déséquilibre mental. Il fut cependant le « premier souverain moderne de la Russie » (A. Fichelle). – Ivan le Terrible a inspiré un film à Eisenstein*.

IVAN V Alexeïevitch. ♦ (1666 – 1696). Tsar de Russie (1682-1689). Fils d'Alexis* Ier, physiquement et mentalement débile, il fut imposé comme premier tsar par les Streltsy*, à la mort de son frère Fédor* III. Son demi-frère cadet Pierre (le futur Pierre* le Grand) était proclamé second tsar sous la régence de leur sœur Sophie*. La fille d'Ivan V, Anna* Ivanovna, devint impératrice en 1730.

IVAN VI Antonovitch. ♦ (Saint-Pétersbourg, 1740 – Schlüsselburg, 1764). Tsar de Russie (1740-1741). Petit-neveu de l'impératrice Anna* Ivanovna qui l'adopta et le désigna comme son successeur, il fut proclamé tsar à l'âge de deux mois, sous la tutelle de Biron, favori d'Anna. Renversé par un coup d'État (déc. 1741) au profit d'Élisabeth* Pétrovna et emprisonné dans la forteresse de Schlüsselburg* (1756), il fut assassiné sous Catherine* II.

Ivanhoé, en angl. **Ivanhoe.** ♦ Roman historique de W. Scott* publié en 1819. L'auteur s'y inspire de l'hostilité entre Saxons et Normands sous le règne de Richard Ier. Wilfrid Ivanhoé est le symbole de la loyauté envers Richard Cœur de Lion, qu'il accompagne à la croisade et qu'il seconde dans sa lutte contre Jean sans Terre. Riche en personnages typés et pittoresques, *Ivanhoé* est, avec *Quentin Durward*, à l'origine de la vogue du roman historique.

IVANO-FRANKOVSK, anc. **Stanislawow** (jusqu'en 1945), puis **Stanislav** (jusqu'en 1962). ♦ V. d'U.R.S.S. (Ukraine), ch.-l. de la région du même nom (13 900 km^2. 1 247 000 hab.), sur la Bystritsa (affl. du Dniestr). 66 000 hab. Évêché. Équipement agricole. Indus. alimentaires. De nouveaux gisements de pétrole et de gaz naturel sont exploités dans la région. ♦ *Hist.* Fondée en 1661, polonaise jusqu'en 1772, la ville a suivi depuis l'histoire de la Galicie* orientale et fut annexée à l'U.R.S.S. en 1945.

IVANOV (Lev). ♦ Danseur et chorégraphe russe (Saint-Pétersbourg, 1834 – *id.*, 1901). Partenaire de Fanny Ellsler*, il collabora avec J. Perrot, M. Petipa et E. Cecchetti. Devenu second maître de ballet à Saint-Pétersbourg (1882), il signa de nombreuses chorégraphies, notamment celles de la *Forêt enchantée* (1887), *La Flûte magique* (1893), *La Fille du mikado* (1897). Il est aussi l'auteur, quoique ces œuvres soient attribuées à Petipa*, du ballet *Casse-Noisette* et d'une grande partie du *Lac des cygnes* (1895).

IVANOV (Viatcheslav Ivanovitch) [*Ivanov*]. ♦ Poète russe (Moscou, 1866 – Rome, 1949). Grand érudit, il fut le chef de file des symbolistes* de Saint-Pétersbourg, réunissant régulièrement dans sa « Tour » poètes et modernistes. Il fut un passionné de l'Antiquité et subit en même temps l'influence de Nietzsche* et de Soloviev*. En 1903, il publia un premier recueil de vers, *Étoiles pilotes*, où se fait jour sa théorie sur l'art en tant qu'activité mystique et religieuse. Puis avec *Cor Adens* (1911, 2 vol.) il atteignit l'apogée du style orné. Dans sa poésie superbe et érudite, il n'y a aucune place pour la spontanéité. Il revint à des sentiments moins métaphysiques avec *Sonnets d'hiver* (1920) qui marqua l'époque de son retour à Moscou dans une vie plus dure, après la Révolution. Enfin, en 1936, il publia ses *Sonnets romains*. Deux volumes de prose, *Sous les étoiles* (1909) et *Sillons et Lisières* (1916), exposent ses idées sur l'orientation mystique et religieuse de la poésie. L'œuvre d'Ivanov, essentiellement métaphysique, est le fruit d'un travail puissant. Son style, souvent archaïque, est solennel et toujours parfaitement construit.

IVANOV (Vsevolod Viatcheslavovitch) [*Ivanov*]. ♦ Romancier soviétique (près de Sémipalatinsk, 1895 – Türkestân, 1963). Il appartint au groupe des Frères* Sérapion et écrivit principalement des romans sur la guerre civile : *Les Partisans* (1921), *Le Train blindé 14.69* (1927) qui, adapté au théâtre par l'auteur et monté par Stanislavski*, connut un grand succès.

IVANOVO, anc. **Ivanovo-Voznessensk.** ♦ V. d'U.R.S.S. (R.S.F.S. de Russie), ch.-l. de la région du même nom (23 900 km². 1 347 000 hab.) dans la région industrielle centrale, au N.-E. de Moscou. 419 000 hab. (70 000 hab. *fin* XIXe s.). Important centre de l'industrie cotonnière (plus du dixième de la production de coton de l'Union), relié par voie ferrée à son avant-port Kinechma. Indus. mécaniques (équipement du textile) et alimentaires. – Dans la région est né Vassilevski*. ♦ *Hist.* Durant la révolution de 1905, la ville fut le théâtre d'une importante grève générale sous l'impulsion des bolcheviks. En cette occasion aurait été créé le premier soviet de représentants ouvriers, embryon du futur pouvoir soviétique.

IVENS (Joris). ♦ Réalisateur hollandais de cinéma (Nimègue, 1898 –). Attentif à la peine des hommes et surtout à leurs luttes et à leurs espoirs, il a été, à travers le monde, le témoin fraternel des opprimés au cours des grandes crises, grèves, guerres et révolutions qui l'ont bouleversé depuis la fin du premier tiers du siècle. Maître du documentaire politique, dans une perspective marxiste, Il est le meilleur successeur de Flaherty par la ferveur et la poésie qui se dégagent de son œuvre. – Réal. princ. : *Zuyderzee* (1930). *Borinage* (1933), *Terre d'Espagne* (1937), *Le Chant des fleuves* (1955), *La Seine a rencontré Paris* (1958), *600 Millions avec vous* (1958, sur la Chine), *Carnet de voyage* (à Cuba 1961), *17e Parallèle* (1968).

IVES (Charles). ♦ Compositeur et organiste américain (Danbury, Connecticut, 1874 – New York, 1954). Autodidacte, il fut un précurseur de Stravinski, de Bartók et de Hába dans les domaines de l'atonalité, de la polyrythmie et de la technique du quart de ton. Il a laissé des *symphonies*, de la *musique de chambre*, et plus de 100 *mélodies* inspirées des chansons populaires américaines.

IVOZ-RAMET. ♦ Comm. de Belgique (prov. et arr. de Liège). 6 100 habitants.

IVRÉE, en it. **Ivrea.** ♦ V. d'Italie du Nord, dans le Piémont* (prov. de Turin*), sur la Doire* Baltée, et située dans un grand amphithéâtre morainique. 24 000 hab. Fabrique de machines à écrire, de tabulatrices, etc. (Olivetti). ♦ *Hist.* Fondée par Marius v. ~ 100, elle fut la capitale d'un duché lombard (VIIIe s.) puis d'un marquisat (IXe-XIIe s.). Elle fut donnée aux comtes de Savoie en 1248 et, importante position stratégique, fut souvent prise par les Français (1641, 1704, 1796 et 1800). Elle fut le chef-lieu du département de la Doire (jusqu'en 1814).

IVRY-LA-BATAILLE. ♦ Comm. de l'Eure, arr. d'Évreux. 2 183 hab. Église Renaissance (portail attribué à Philibert Delorme). ♦ *Hist.* Victoire d'Henri de Navarre sur les troupes de la Ligue commandées par le duc de Mayenne, le 14 mars 1590.

IVRY-SUR-SEINE. ♦ Ch.-l. de cant. du Val-de-Marne, arr. de Créteil, sur la Seine. 60 616 hab. *(Ivryens)*. Église Saint-Pierre-Saint-Paul (XIIIe-XVIe-XVIIe s.); fort d'Ivry. – Centre industriel et commercial : dépôts de vins; usine d'incinération d'ordures ménagères produisant de l'énergie pour le chauffage urbain; centrale E.D.F.; métallurgie; indus. chimique, électronique, automobile, alimentaires; matériaux de construction. ♦ *Hist.* Ivry doit son origine à un *domaine* gallo-romain : *Ivriacum*.

IWAKI. ♦ V. du Japon (Honshû, préf. de Fukushima) sur la côte du Pacifique. 350 000 hab. Indus. diverses. Centre agricole.

IWAKUNI. ♦ V. du Japon (Honshû, préfecture de Yamaguchi), sur la côte N. de la mer Intérieure. Grande cité industrielle, port important et aéroport international. 120 000 hab. Indus. de la soie artificielle, papeteries. Ancien pont de bois à cinq arches sur la riv. Nishikigawa, datant de 1673.

IWASZKIEWICZ (Jaroslaw). ♦ Écrivain polonais (Kiev, 1894). Fidèle à ses origines, il écrivit ses premiers poèmes en polonais, à Kiev même (1914). En 1918, il fonda à Varsovie un mouvement poétique de jeunes et la revue *Skamander*. Traducteur de Valéry, individualiste sensible et virtuose du vers, il publia des poèmes lyriques : *Huitains* (*Oktostychy*, 1919), *Retour en Europe* (*Powrót do Europy*, 1931), *Été 1932* (*Lato 1932*, 1933). Son premier roman, *Hilaire le Comptable* (1924), lui valut le prix des Éditeurs. Le roman historique *Mère Jeanne des Anges* (écrit en 1942, publié en polonais en 1947) met en scène les possédées de Loudun, sujet que reprit en 1952 Aldous Huxley dans *Les Diables de Loudun*.

Coll. privée

G. Izard et sa femme.

IWO. ♦ V. du Nigeria* (rég. Ouest). 158 500 hab. Cacao.

IWÔ-JIMA (Iô-Jima). ♦ Île du Pacifique appartenant aux Japonais, du groupe des îles Kazan, au S. des îles Ogasawara*. ♦ *Hist.* Cette île, très petite, fut l'objet d'âpres combats en févr. 1945 et fut défendue jusqu'au dernier homme par les Japonais assiégés par les Américains.

IXELLES, en néerl. **Elsene.** ♦ V. de Belgique (Brabant, arr. de Bruxelles-Capitale). 94 100 hab. Abbaye cistercienne de la Cambre, fondée en 1197; église du XIVe s.; cloître du XVIIe siècle. Musée communal (peintures des écoles belge, française, anglaise; estampes japonaises). – Université libre de Bruxelles (baroque brabançon). Institut de cartographie. Institut de radiodiffusion-télévision belge. – Indus. métallurgiques (machines, automobiles), chimiques et textiles (lingerie). Brasseries. – Patrie de C. Lemonnier*.

IXION. ♦ Roi légendaire des Lapithes* en Thessalie, père de Pirithoos*. Rendu coupable de meurtre et de parjure, il est purifié par Zeus qui s'apitoie sur sa détresse. Il est même invité sur l'Olympe et il consomme le nectar et l'ambroisie, devenant ainsi immortel. Mais, sans aucun scrupule, il essaie de séduire Héra*. Or, il s'unit à une nuée que Zeus façonne à l'image de sa femme. De cette union illusoire naissent les centaures*. Condamné pour son ingratitude, Ixion est lié à une roue enflammée qui tourne éternellement dans le Tartare.

IXTAPALAPA. ♦ V. du Mexique. Faubourg de Mexico*. 533 569 habitants.

IZABAL *(lac). n. m.* ♦ Vaste lac du Guatemala (40 km de long), situé au S.-E. du pays à l'amont de Livingstone* et où se déverse le fleuve du même nom.

IZALCO. *n. m.* ♦ Volcan du Salvador (Amérique centrale), situé sur les hautes terres volcaniques du N.-O. à proximité du Pacifique. 1 800 m env. Fréquemment en éruption, ce volcan fut surnommé par les navigateurs de jadis le *Phare du Pacifique*.

IZANAGI-IZANAMI. ♦ Couple de génies célestes du panthéon japonais, frère et sœur qui, selon la mythologie du Shintô*, auraient été les créateurs des îles du Japon.

IZARD (Georges Émile). ♦ Avocat, homme politique et écrivain français (Abeilhan, Hérault, 1903 – Paris, 1973). Il fut député socialiste de Meurthe-et-Moselle de 1936 à 1940, vice-président de la Commission du travail, puis membre de l'Assemblée consultative (1944-1945). Il fonda la revue *Esprit* avec E. Mounier (1932-1933), ainsi que le mouvement politique dit la Troisième Force. Avocat, il plaida de grands procès politiques (comme l'affaire Kravchenko) et civils. Il a publié des ouvrages philosophiques et politiques (*La Pensée de Péguy; La Fédération européenne; Où va le communisme?; Kravchenko contre Moscou; Lettre affligée au général de Gaulle*, etc.). [Acad. fr., 1971.]

IZEGEM. ♦ V. ISEGHEM.

IZERNORE. ♦ Ch.-l. de cant. de l'Ain*, arr. de Nantua*. 520 hab. Restes d'un temple romain de la ville d'*Izarnodorum;* petit musée archéologique. – Aux environs, marbre gris appelé *izernore* (n. m.).

IZMAÏL, anc. en roum. **Ismail.** ♦ V. d'U.R.S.S. (Ukraine) sur la branche Kilia du delta du Danube*. Env. 20 000 hab. Port fluvial. Pêcheries. Conserveries. – Patrie de A. Averescu*. ♦ *Hist.* Prise par les Turcs à la fin du XVe s., la ville, devenue une puissante forteresse, fut prise par Souvarov (1790) et accordée aux Russes par le traité de Bucarest (1812). Remise à la Moldavie (1856), reprise par la Russie (1878), elle fut annexée à la Roumanie (1919) puis à nouveau occupée par les Soviétiques (1940) avant d'être annexée en 1944.

IZMIR. ♦ V. de Turquie. **V. Smyrne.**

IZMIT, anc. **Nicomédie***. ♦ V. de Turquie, sur le *golfe d'Izmit* (mer de Marmara*). Ch.-l. de la prov. de Kocaeli. 89 547 hab. (1965). Ruines d'une forteresse byzantine. – Importantes papeteries. Indus. chimiques et alimentaires.

IZOARD *(col de l')*. ♦ Col des Hautes-Alpes (2 360 m) qui fait communiquer le Briançonnais et le Queyras.

IZUMI SHIKIBU. ♦ Femme de lettres japonaise, dame de cour de l'impératrice Fujiwara no Akiko (998 – 1074) et célèbre auteur de l'*Izumi-Shikibu nikki*, journal intime de sa liaison avec un prince impérial, qui constitue l'un des plus anciens chefs-d'œuvre littéraires du Japon.

IZUMO. ♦ Petite ville de la côte occidentale du Japon et province de ce même nom (préfecture de Shimane). Son ancien sanctuaire dédié à Susanoo, probablement fondé au VIe s., est l'objet de nombreux pèlerinages annuels. C'est, après Ise*, un des lieux les plus sacrés du Japon.

IZU-TÔ. ♦ Petit archipel volcanique au S.-E. de Tôkyô, sur le 33e parallèle, comprenant sept îles aux volcans actifs. Elles sont renommées pour leurs fleurs de camélia. Faible population de pêcheurs.

Ph. Fred Mayer/Magnum

Jaca.

J

JABALPUR ou **JUBBULPORE**. ♦ V. de l'Inde (Madhya* Pradesh). 419 000 hab. Cette cité industrielle (métallurgie, indus. chimiques et textiles) est un des plus grands centres commerciaux de l'Inde centrale, au bord de la rivière Narbada*.

Jabarites. *n. m. pl.* ♦ Nom donné aux adeptes de la doctrine de théologie islamique qui rattache tous les actes humains à la contrainte absolue de Dieu *(Jabr)* et nie la validité du libre arbitre.

JÂBIR (Ibn HÂYYAN). ♦ Médecin, philosophe, alchimiste arabo-islamique [d'origine iranienne] (VIIIe s. – Tûs, Khurâsân, 804). Il est considéré comme l'auteur de nombreux traités, documents essentiels de la philosophie hermétiste en islâm shî'ite, donnant une interprétation symbolique et ésotérique de la nature. – En fait, la personnalité de Jâbir, latinisé en GEBER au déb. du XIVe s. après la traduction du corpus *(La Recherche de la perfection,* la *Somme du parfait magistère* [Summa perfectionnis magisterii], l'*Invention de la vérité* et le *Livre des fourneaux),* semble recouvrir un groupe d'auteurs du IXe s., de la secte des ismaéliens. L'alchimiste Jâbir ibn Hâyyan aurait laissé son nom à un vaste ensemble (plus de 2 000 ouvrages), qui, outre des vues symboliques fondées notamment sur la numérologie, contient le plus vaste ensemble théorique de l'alchimie avant le XVIe s. et exerça une immense influence sur les théories chimiques jusqu'au XVIIIe siècle.

JABLONEC NAD NISOU. ♦ V. de Tchécoslovaquie, en Bohême septentrionale, sur la Neisse*. 30 000 hab. Indus. traditionnelles : bijouterie, verrerie, porcelaine. Indus. mécaniques (machines destinées à l'indus. textile).

JABLONOV *(monts)*. ♦ V. IABLONOVYI (monts).

JABOULAY (Mathieu). ♦ Chirurgien français (Saint-Genis-Laval, près de Lyon, 1860 – Melun, 1913). Il se spécialisa dans la chirurgie des centres nerveux et réalisa la première résection du grand sympathique (1896).

JABRÂNE KHALÎL JABRÂNE. ♦ Poète et écrivain libanais (Becharré, 1883 – Beyrouth, 1931). Influencé par Nietzsche*, il laissa une œuvre abondante illustrant des thèmes de révolte. Ayant vécu aux États-Unis, il rédigea plusieurs ouvrages en anglais (*The Prophet, The Son of Man,* etc.).

J.A.C. ♦ V. JEUNESSE AGRICOLE CHRÉTIENNE.

JACA. ♦ V. d'Espagne (prov. de Huesca) sur le río Aragón* (r. g.). Env. 9 900 hab. Évêché. Restes de fortifications romaines. Cathédrale romane, l'une des plus anciennes d'Espagne (1040-1063), remaniée au cours des siècles. Anc. palais royal. Église del Carmen (*fin* XVIIe s.); église de Santo Domingo, avec quelques vestiges du XIe siècle. À proximité, *Peña de Oroel* (1 769 m) où se trouve la Virgén de la Cueya, à l'entrée d'une grotte où, selon la tradition, trois cents gentilshommes proclamèrent en 724 l'indépendance chrétienne, fondant le *royaume de Sobrarbe.* Monastère de *San Juan de la Peña,* sur la cime du mont Pano (1 115 m), église avec une façade baroque (1693-1705), ancien couvent de style clunisien (XIe-XIIe s.), restes d'un cloître roman (XIIe s.); ruines de la forteresse de Pano, centre de la résistance aragonaise à l'invasion musulmane. – Marché montagnard; villégiature estivale; cours d'été de l'université de Saragosse et residence d'étudiants. ♦ *Hist.* Vers 760, le gouverneur maure de Huesca vint attaquer Jaca mais le roi Iñigo et le comte Aznar repoussèrent les Maures; la ville devint la cap. du royaume de Sobrarbe*, les rois d'Aragon la pourvurent de nombreux privilèges. C'est à Jaca que se produisit le soulèvement militaire de déc. 1930, prélude à la révolution de 1931.

JACKSON (Andrew). ♦ Homme politique américain (Waxhaw, Caroline, 1767 – Hermitage, près de Nashville, Tennessee, 1845). Septième président des États-Unis. Issu d'une famille d'immigrants, ayant lui-même été pionnier dans l'Ouest, il prit part dès l'âge de treize ans à la guerre d'Indépendance*. Représentant et sénateur du Tennessee (1797-1798), il brilla dans la guerre de 1812 (victoire de la Nouvelle-Orléans), puis contre les Indiens Séminoles en Floride. Il devint gouverneur, puis sénateur de cet État, et jouit dans l'Ouest d'une immense popularité. Son élection à la présidence comme candidat démocrate marqua une rupture dans la vie politique américaine : son origine, sa personnalité autoritaire, sa volonté expansionniste et isolationniste, son réalisme tranchèrent avec l'idéalisme jeffersonien. Son parti s'empara alors de tous les postes, conformément au *spoil system* (système des dépouilles), déjà utilisé par Jefferson*, mais il sut montrer une grande souplesse entre les exigences des industriels de l'Est et celles de la Caroline du Sud, qui menaçait de faire sécession à propos du libre-échange. Le compromis, qui fut signé en 1832, préservait l'intégrité de l'Union, mais réservait une réduction progressive des tarifs douaniers. Il fit élire à la présidence son vice-président, Van* Buren, ce qui lui permit de garder une grande influence et de marquer toute cette période.

JACKSON (Johann Hughlings). ♦ Neurologue anglais (Green Hamerton, Yorkshire, 1834 – Londres, 1911). Fondateur avec Sherrington* de la neurologie moderne, il a particulièrement étudié l'épilepsie motrice unilatérale, l'aphasie. Considérant le système nerveux comme une intégration hiérarchique de niveaux d'évolution, il vit dans les maladies mentales une dissolution progressive des fonctions psychiques, commençant par leurs formes supérieures. Ses travaux eurent une influence considérable en neurologie et psychologie (**V. Ribot,** von **Monakow,** etc.).

JACKSON (Frederick George). ♦ Explorateur anglais (Denstone, Staffordshire, 1860 – Londres, 1938). Il entreprit plusieurs expéditions dans les régions arctiques, au Groenland (1888), dans la partie occidentale de l'archipel François-Joseph (1894-1897), où il retrouva Nansen. Il a laissé la relation de ses voyages.

Arch. Rencontre

Max Jacob, par Modigliani. (Collection particulière, Paris.)

JACKSON. ♦ V. des États-Unis, cap. du Mississippi, située près du centre de cet État. 150 332 hab. (zone urbaine, plus de 250 000 hab.). Hôtel de ville de 1883. Indus. : verre, tuiles, textiles, électronique, indus. alimentaires. ♦ *Hist.* La ville fut prise par Grant en 1863 et endommagée par ses troupes. Son développement économique date de la découverte de gaz naturel avant 1930.

JACKSONVILLE. ♦ V. et port des États-Unis, au N.-E. de la Floride. 513 439 hab. (pop. de la vaste zone « consolidée » qui en fait la « ville » la plus étendue des États-Unis). Centre financier et commercial. Ville balnéaire (plusieurs plages). — Base aéronavale aux environs. — Université.

JACOB. ♦ Patriarche biblique (*Genèse,* XXV-XLIX). Fils d'Isaac* et de Rebecca*, frère d'Esaü à qui il achète son droit d'aînesse. Époux de Léa* et de Rachel*. Père de douze fils, souches des douze tribus d'*Israël* (voir ce mot). Surnommé Israël après la lutte avec Dieu (ou « combat avec l'ange », *Genèse,* XXXII), il est l'ancêtre éponyme des Israélites, qu'il fait descendre en Égypte à l'appel de Joseph*. Il y meurt. — *Échelle de Jacob :* Jacob voit en songe une échelle où les anges montent et descendent, tandis que Dieu bénit sa descendance (*Genèse,* XXVIII).

Jacob *(puits de).* ♦ Dans l'Évangile de Jean, IV, 6, lieu où Jésus rencontre la Samaritaine.

JACOB (Georges). ♦ Ébéniste français (Cheny, 1739 — Paris, 1814). Menuisier en sièges, il exécuta une grande variété de meubles. S'il commença à travailler dans le style rocaille à la mode sous Louis XV, il fut ensuite l'un des plus brillants représentants du style Louis XVI puis Directoire. Il exécuta des meubles en acajou massif ou plaqué aux lignes sobres et orthogonales, décorés de bronzes et d'incrustations polychromes. En 1796, il céda à ses fils GEORGES L'AÎNÉ (Paris, 1768 — *id.,* 1803) et FRANÇOIS HONORÉ (Paris, 1770 — *id.,* 1841) son atelier et fonda en 1803 la firme *Jacob-Desmalter* qui devint le principal fournisseur de l'Empereur et réalisa des modèles de Percier* et Fontaine*. Sous Louis XVIII, la firme reçut encore des commandes du duc de Berry pour le palais de l'Élysée.

JACOB (Max). ♦ Poète français (Quimper, 1876 — camp de concentration de Drancy, 1944). Israélite né en Bretagne, il mena d'abord une existence de bohème, dans le Montmartre des premières années du siècle, en compagnie de Picasso, Carco, Salmon et Dorgelès. À la suite d'une « apparition » du Christ (1909), il se convertit au catholicisme et choisit de se retirer quelques années plus tard (1921) à l'abbaye de Saint-Benoît-sur-Loire, retraite à laquelle il devait demeurer fidèle, à l'exception d'un retour passager à Paris (1927) et de quelques voyages à l'étranger. C'est à Saint-Benoît-sur-Loire qu'il fut arrêté en 1944 par la police nazie et transféré à Drancy où il devait mourir dans une exemplaire sérénité. Une fantaisie parodique qui s'alimente aux sources du rêve et s'exprime dans un langage aux trouvailles cocasses et riches d'imprévu caractérise ses premières œuvres, bien avant la naissance du surréalisme. *Le Cornet à dés,* recueil de poèmes en prose, paru en 1917, illustre une manière où le caprice verbal ne parvient jamais à masquer la confidence d'un esprit tourmenté de mystères et d'un cœur déchiré par ses propres contradictions. Toujours teintée d'humour, mais imprégnée aussi d'un mysticisme fervent, sa poésie tend à fixer l'éphémère et à dépouiller êtres et choses de leur apparence. Avec une aisance et une liberté souvent ravissantes, elle y parvient par le recours à la chanson populaire et au poème en forme de prière. D'une œuvre abondante dont la totalité n'a pas encore été publiée, et qui est à la fois celle d'un romancier et d'un poète, il convient de détacher : *Saint Matorel* (1909), *Œuvres burlesques et mystiques de frère Matorel, mort au couvent de Barcelone* (1912). *Le Laboratoire central* (1921), *Sacrifice impérial* (1929), *Ballades* (1938) ainsi que des recueils posthumes : *Derniers Poèmes* (1945), *Méditations religieuses* (1947), *Poèmes de Morven le Gaëlique* (1950).

JACOB (Maxime). ♦ Compositeur français (Bordeaux, 1906). Ami de D. Milhaud, il participa à la fondation de l'École d'Arcueil (1923). Converti au catholicisme, il entra en religion au monastère d'En-Calcat (1929) [son nom en religion est Dom Clément] et se consacra dès lors à la musique religieuse. Son œuvre comprend de la musique symphonique, pour piano, pour chœur, des mélodies et un opéra comique, *Blaise le Savetier* (livret de Sedaine).

JACOB (François). ♦ Médecin et biochimiste français (Nancy, 1920). Il obtint le prix Nobel de méd. (1965), avec A. Lwoff* et J. Monod*, pour la découverte du rôle de « messager » de l'acide ribonucléique (A.R.N.) dans la duplication de l'acide désoxyribonucléique (A.D.N.) et la transmission de l'information génétique lors de la mitose. F. Jacob est également l'auteur d'un ouvrage sur l'évolution des connaissances en biologie (*La Logique du vivant,* 1970). [Acad. des sc., 1976].

JACOBI (Friedrich Heinrich). ♦ Philosophe allemand [frère de Johann Georg] (Düsseldorf, 1743 — Munich, 1819). Représentant du fidéisme, il opposa un sentimentalisme religieux aux systèmes rationalistes (tout particulièrement au panthéisme de Spinoza, dont il accusait Lessing*, et de Kant*). *Sur la philosophie de Spinoza; Sur l'entreprise du criticisme d'amener la raison à l'intelligence,* 1801; *Lettres à Mendelssohn*.*

JACOBI (Carl Gustav). ♦ Mathématicien allemand (Potsdam, 1804 — Berlin, 1851). Auteur de nombreux travaux d'analyse, il étudia surtout, en même temps qu'Abel*, les fonctions elliptiques; la rivalité des deux savants amena des publications fréquentes de résultats; ils imaginèrent, indépendamment, de réaliser l'inversion de l'intégrale elliptique de première espèce et, par ailleurs, introduisirent les nombres complexes permettant d'expliquer par la double périodicité des fonctions elliptiques certaines similitudes d'apparence entre diverses formules obtenues et celles rencontrées dans les cas des fonctions circulaires ou des fonctions exponentielles. Jacobi établit une théorie des fonctions elliptiques **(V. Le Gendre)** possédant trois fonctions fondamentales exprimées grâce à des séries d'exponentielles (fonctions θ) qu'il publia en 1829 *(Fundamenta nova theoriae functionum ellipticarum)* et, d'autre part, fit progresser la nouvelle branche de l'analyse ouverte par le théorème d'Abel (fonctions abéliennes) [**V. Weierstrass**]; il aboutit à l'étude des fonctions hyperelliptiques à quatre paires de périodes. Il étudia également les méthodes d'intégration des équations différentielles ou aux dérivées partielles. En algèbre, il précisa les principes de la théorie générale des déterminants. En mécanique, il compléta le formalisme mathématique d'Hamilton*, achevant ainsi l'élaboration de l'outil formel de la mécanique analytique, et donna une forme nouvelle au principe de moindre action dont le rôle fut important dans plusieurs théories physiques. Par ailleurs, ses travaux sur la réduction du système d'équations différentielles auquel conduit le problème des trois corps (1844) contribuèrent au progrès de la mécanique céleste théorique. **V. H. Poincaré.** (Acad. sc., 1846.)

Jacobins *(Club des).* ♦ Société révolutionnaire créée sous le nom de *Club breton* par Lanjuinais* et Le* Chapelier (Versailles, 1789). Installée à Paris, en même temps que l'Assemblée constituante (octobre 1789), elle prit le nom de *Société des amis de la Constitution* et tint ses réunions au réfectoire du couvent dominicain de la rue Saint-Honoré (d'où le nom de *jacobins*). D'abord de tendance relativement modérée, elle compta parmi ses membres des hommes politiques d'opinions assez différentes (Barnave, Duport, La Fayette, Lameth, Mirabeau, Sieyès, Talleyrand, mais aussi Brissot, Robespierre). Après la fuite du roi à Varennes et l'affaire du Champ*-de-Mars (17 juillet 1791), le club se scinda : les modérés (Barnave, La Fayette) constituèrent alors le Club des feuillants*. Avec ceux qui s'étaient déclarés pour la déchéance de Louis XVI (Brissot, Pétion, Robespierre), le Club des jacobins, qui prit alors le nom de *Société des amis de la Liberté et de l'Égalité,* s'orienta vers des positions républicaines; et la plupart de ses représentants constituèrent l'aile gauche de l'Assemblée* législative. La plupart des Girondins quittèrent le Club après les massacres de Septembre 1792; lorsqu'ils furent éliminés de la Convention (2 juin 1793), le club devint l'organe directeur de la Montagne, l'âme du gouvernement révolutionnaire (dictature *jacobine*). Fermé lors de la réaction thermidorienne, il fut reconstitué à plusieurs reprises, mais sans grand succès, sous le Directoire (*Club du Panthéon* ou *Société des amis de la République* de Lebris 1795-1796, *Société des amis de la Liberté et de l'Égalité* de Prieur de la Marne, 1799) et définitivement supprimé en 1799.

Jacobites. *n. m. pl.* ♦ Membres de l'Église syrienne (monophysite*) fondée par Jacques* Baradée.

Jacobites. *n. m. pl.* ♦ Nom donné après la révolution anglaise de 1688 aux partisans de Jacques* II, puis de son fils Jacques* III.

JACOBSEN (Jens Peter). ♦ Romancier danois (Thisted, Jutland, 1847 – *id.*, 1885). Encouragé par Georg Brandes, il écrivit un roman historique, *Madame Marie Grubbe* (1876), et *Niels Lyhne* (1880), où il manifeste ses convictions athées. Ses *Chants de Gurre (Gurresange)* furent mis en musique en 1911 par Arnold Schoenberg* *(Gurrelieder)*.

JACOPO DI PIETRO D'AGNOLO DELLA QUERCIA. ♦ (Quercia Grossa, v. 1370 – Sienne ou Bologne, 1438). Sculpteur italien, auteur du *tombeau d'Ilaria del Carretto* à Lucques, de l'original de la *fonte Gaia* et d'une partie du *baptistère San Giovanni* de Sienne, ainsi que du portail central de San Petronio à Bologne. Il échappe au gothique, encore présent dans son œuvre, par une puissance et un mouvement qui annoncent Michel-Ange.

JACOPONE DA TODI (Jacobus de Benedictis, dit). ♦ Poète italien (Ombrie, 1230 – 1306). Se repentant d'une vie dissipée, selon une tradition, bouleversé par la mort de sa femme, selon une autre, il se fit franciscain (1278). Pour s'être élevé contre l'autorité papale et avoir comploté avec les Colonna*, il resta en prison jusqu'à la mort de Boniface VIII (1303). Durant sa captivité, il composa les *Laudes* (louanges religieuses et dramatiques) où il relate son expérience mystique : dénonçant, par ses invectives, la nature humaine, infirme et pécheresse, il exalte la pauvreté et la souffrance qui permettent à l'âme de trouver « la parfaite allégresse ». – On lui attribue le *Stabat mater*, écrit en latin populaire, qui suscita de nombreuses compositions musicales (Josquin* des Prés, G.P. de Palestrina*, Pergolèse*, Rossini*,...).

JACQUARD (Joseph Marie). ♦ Mécanicien français (Lyon, 1752 – Oullins, Rhône, 1834). Perfectionnant le métier à tisser automatique de Vaucanson*, en lui adjoignant un dispositif à cartons perforés **(V. Falcon)**, il mit au point la *mécanique Jacquard*, encore utilisée, permettant à un seul ouvrier (au lieu de plusieurs auparavant) d'obtenir simplement la reproduction de motifs très compliqués. **V.** *aussi* **Cartwright.**

JACQUELINE DE BAVIÈRE. ♦ Duchesse de Bavière (Le Quesnoy, 1401 – Teilingen, 1436). Fille de Guillaume VI de Bavière et de Marguerite de Bourgogne, elle épousa successivement Jean IV de Brabant (1418), le duc de Gloucester, oncle d'Henri VI d'Angleterre (1422). Elle avait hérité de son père le Hainaut, la Hollande, la Zélande et la Frise (1417), mais dut en nommer gouverneur Philippe* III le Bon et promettre de ne plus se remarier. Lorsqu'elle eut rompu son serment, le duc de Bourgogne s'empara de ses États (1428-1432).

JACQUEMART DE HESDIN. ♦ V. HESDIN (Jacquemart de).

JACQUEMONT (Victor). ♦ Botaniste et voyageur français (Paris, 1801 – Bombay, 1832). Après avoir visité l'Amérique du Nord, il fit un voyage aux Indes (1828-1832). Outre la *Relation de son voyage dans l'Inde* (publiée par le gouvernement, 1836-1844), il a laissé une abondante *Correspondance avec sa famille* (1834) et des *Lettres à Stendhal* (publiées en 1933). D'une grande liberté de ton, les textes de Jacquemont révèlent une attitude envers l'écriture qui le rapproche de son ami Stendhal et de Mérimée.

Jacquerie. ♦ Soulèvement de paysans (ou *jacques*) dans le Beauvaisis (1358). Ils s'attaquèrent aux nobles et pillèrent les châteaux, sous le règne de Jean* II. Soutenus un temps par Étienne Marcel*, ils furent écrasés par une armée de nobles conduits par le roi de Navarre Charles* II le Mauvais.

Jacquerie (La). ♦ Drame de Prosper Mérimée* (1828). Sous la forme d'un récit dialogué, la pièce propose, sous l'influence des idées de Proudhon*, une interprétation moderne du soulèvement historique des paysans du Beauvaisis (1358).

JACQUES *(saint)*, dit **le Majeur**, fils de Zébédée, frère de Jean*. ♦ Un des douze apôtres, parmi les premiers à avoir suivi Jésus. Selon les *Actes des Apôtres*, XII, 2, il serait mort « par le sabre » sur ordre d'Hérode Agrippa Ier (44 ?). Une légende en fait l'apôtre de l'Espagne : ses restes seraient revenus à Saint-Jacques-de-Compostelle après sa mort à Jérusalem. – Fête le 25 juillet.

JACQUES *(saint)*, dit **le Juste** ou **le Mineur**, fils d'Alphée. ♦ Un des douze apôtres. On l'identifie souvent à Jacques, frère de Jésus, de Matthieu, XIII, 55, etc., que d'autres textes du Nouveau Testament présentent comme un des chefs de la première communauté chrétienne de Jérusalem. Il serait mort lapidé en 62. On lui attribue l'*Épître** qui porte son nom. – Fête le 11 mai.

JACQUES Ier le Conquérant. ♦ (Montpellier, 1208 – Valence, 1276). Roi d'Aragon (1213-1276), fils de Pierre* II. Il conquit les Baléares, les royaumes de Valence et de Murcie et Ceuta. Il renonça par le traité de Corbeil (1258) à toute prétention outre-Pyrénées (sauf Montpellier). Habile politique, il fut aussi un lettré et écrivit la chronique de son règne.

JACQUES II le Juste. ♦ (?, 1264 – Barcelone, 1327). Roi d'Aragon (1291-1327) et de Sicile (1285-1295). Il scella par une union personnelle les liens de la Catalogne et de Valence avec l'Aragon (1319) et confirma les privilèges des Aragonais.

JACQUES Ier. ♦ (Dunfermline, 1394 – Perth, 1437). Roi d'Écosse (1406-1437). Fils de Robert* III, il resta prisonnier des Anglais de 1406 à 1424. Il rétablit l'ordre et châtia les chefs de la noblesse. Il mourut assassiné. ♦ JACQUES II, son fils (Holyrood, 1430 – Roxburgh, 1460). Roi d'Écosse (1437-1460). Il soutint les Lancastre lors de la guerre des Deux-Roses. ♦ JACQUES III, fils de Jacques II (1452 – Sanchieburn, près de Bannockburn, 1488). Roi d'Écosse (1460-1488). Il fut tué lors d'une révolte des nobles commandés par son fils Jacques IV.

JACQUES IV. ♦ (1472 – Flodden Field, 1513). Roi d'Écosse (1488-1513). Après son avènement, il écrasa la révolte nobiliaire qu'il avait lui-même commandée contre son père. Son mariage avec Marguerite Tudor, fille d'Henri* VII (1502), fut à l'origine des droits des Stuarts* sur la couronne d'Angleterre. Mais ses relations avec Henri* VIII s'envenimèrent et il fut tué en lui livrant bataille à Flodden.

JACQUES V. ♦ (Linlithgow, 1512 – Falkland, 1542). Roi d'Écosse (1513-1542). Fils de Jacques IV, auquel il succéda, il élimina le parti pro-anglais et s'allia avec la France : il épousa la fille de François* Ier, Madeleine de France, puis Marie* de Guise, qui lui donna une fille, Marie* Stuart. Vaincu par l'Angleterre (Solway Moss), il mourut peu après.

JACQUES VI D'ÉCOSSE. ♦ V. JACQUES Ier D'ANGLETERRE.

JACQUES VII D'ÉCOSSE. ♦ V. JACQUES II D'ANGLETERRE.

JACQUES Ier. ♦ (Édimbourg, 1566 – Theobalds Park, 1625). Roi d'Écosse sous le nom de Jacques VI (1567-1625) et roi d'Angleterre (1603-1625). Fils de Marie* Stuart et de Darnley*. Son intelligence et sa remarquable instruction ne suffirent pas à compenser les insuffisances de son caractère et ses ridicules. Il s'aliéna l'opinion par son attitude envers ses favoris (Buckingham* par ex.) et son attachement à l'absolutisme. La Conspiration* des poudres lui permit de renforcer sa lutte contre catholiques et protestants.

JACQUES II. ♦ (Londres, 1633 – Saint-Germain-en-Laye, 1701). Roi de Grande-Bretagne et d'Irlande (roi d'Écosse sous le nom de Jacques VII). Fils de Charles* Ier, il succéda à son frère Charles* II. Duc d'York depuis 1643, il se distingua sous le règne de son frère comme grand amiral et enleva aux Hollandais la Nouvelle-Amsterdam. Sa conversion au catholicisme et son mariage avec une princesse catholique lui valurent l'hostilité des whigs* qui le compromirent dans l'affaire Titus Oates* (1678) et tentèrent de l'écarter de la succession au trône. Devenu roi, il écrasa la rébellion de Monmouth*, mais s'aliéna rapidement l'opinion par ses maladresses. La naissance de son fils provoqua la révolution, et Guillaume* d'Orange, son gendre, l'obligea à s'enfuir en France (1688). Sa tentative pour se rétablir en Irlande fut un échec (la Boyne*, 1690).

JACQUES FRANCIS ÉDOUARD STUART, dit **le Prétendant** ou **le Chevalier de St. George.** ♦ (Londres, 1688 – Rome, 1766). Fils de Jacques* II, il fut reconnu roi par Louis* XIV sous le nom de Jacques III. Il combattit pour la France à Malplaquet*, mais échoua dans ses tentatives pour reprendre le trône d'Angleterre. Il se réfugia en Italie après la paix d'Utrecht*.

JACQUES BARADÉE ou **BARADAÏ** (en syriaque « guenille »). ♦ Fondateur de l'Église syrienne monophysite, dite *jacobite* d'après son nom (Tella – mort près de Péluse, 578). Moine à Constantinople, il adhéra au monophysisme alors persécuté, fut consacré secrètement évêque d'Édesse (542-543) et parcourut la Syrie déguisé en mendiant (d'où son surnom), ordonnant un clergé et organisant l'Église monophysite qui existe encore. **V. Monophysites.**

JACQUES-CARTIER. ♦ V. du Canada (Québec) [nommée en l'honneur de Jacques Cartier*], dans l'aggl. de Montréal, sur la r. d. du Saint-Laurent. Elle a fusionné avec Longueuil*.

JACQUES DE VITRY. ♦ Historien et prédicateur français (Vitry-sur-Seine, v. 1175 – Rome, 1240). Il fut l'un des principaux prédicateurs de la croisade contre les albigeois. Il est l'auteur d'une *Historia orientalis seu Hierosolymitana*, qui constitue un important document sur l'histoire des croisades.

JACQUES DE VORAGINE, en it. **Iacopo da Varazze** *(bienheureux)*. ♦ Dominicain italien (Gênes, v. 1228-1230 – 1298), provincial de son ordre pour la Lombardie (1267), archevêque de Gênes (1292 : il contribua à apaiser les luttes entre guelfes et gibelins). Il est surtout l'auteur de la *Légende dorée (Legenda aurea)*, vies

Arch. Rencontre

La Jacquerie de 1358. Chroniques de J. Froissart. (Bibliothèque nationale, Paris.)

Ph. Prato/Ricciarini

Jaffa : vieux quartier.

de saints où abondent le légendaire et le merveilleux, et qui fut le plus célèbre recueil hagiographique du Moyen Âge.

Jacques le Fataliste et son maître. ♦ Conte philosophique de Diderot* (v. 1773; publié 1796) dont le réalisme et la composition laissent apparaître l'influence de Sterne*. Cette conversation à bâtons rompus à propos des amours de Jacques est sans cesse interrompue par des anecdotes, qui sont autant de brefs romans, et des considérations sur l'art ou l'inéluctable enchaînement des effets et des causes. Car les deux personnages, le maître qui se sent libre, et Jacques, déterministe (pour avoir lu Spinoza), sont de simples marionnettes exprimant les idées de Diderot sur le problème de la liberté (« J'enrage d'être empêtré d'une diable de philosophie que mon esprit ne peut s'empêcher d'approuver, ni mon cœur de démentir »). Cette argumentation qui s'efforce de ne pas « confondre le volontaire avec le libre » est insérée dans un dialogue plein d'alacrité et de truculence.

JACQUINOT (Charles Hector). ♦ Amiral français (Nevers, 1796 – Toulon, 1879). Compagnon de Dumont* d'Urville lors de son voyage autour du monde (1837-1840), il prit part à l'expédition du Pirée (1855).

JADE *(golfe de),* en all. **Jadebusen.** ♦ Golfe de la côte allemande de la mer du Nord (au N. d'Oldenbourg), relié à l'estuaire de l'Ems (golfe du Dollart) par un canal transversal (canal Jade-Ems), de Wilhelmshaven à Emden.

JÄDERIN (Edvard). ♦ Géodésien suédois (1852 – 1923). Inventeur d'un appareil à fil soumis à une tension constante et dont les extrémités sont soutenues par des trépieds, pour la mesure des bases dans la détermination des arcs de méridien. **V. Guillaume.**

JADIDA (El-), en ar. **Al-Djadida,** anc. **Mazagan.** ♦ V. et port du Maroc (prov. de Casablanca) située sur l'Atlantique, au N. du cap Blanc* et au S. de l'embouchure de l'Oum* Er-Rebia. 40 000 hab. Station balnéaire. Patrie de Driss Chraïbi*. ♦ *Hist.* Occupée par les Portugais (1502-1769), la ville conserve de cette période de nombreux vestiges, notamment l'ancienne citadelle.

JADOTVILLE. ♦ Anc. nom de Likasi*.

JAEGER (Hans Henrik). ♦ Romancier norvégien (Drammen, 1854 – Tostrupgården, 1910). Il fut célèbre par le scandale que créa son roman sur l'amour libre : *La Bohème de Christiania* (1885).

JAÉN, en lat. **Auringis.** ♦ V. d'Espagne méridionale, en Andalousie*. Ch.-l. de prov. sur un affl. du Guadalquivir. 72 800 hab. – Évêché, cathédrale du XVIe siècle. Ancien fort mauresque. Centre commercial (olives).

JAFFA. ♦ V. arabe de Palestine (Israël), construite sur un promontoire qui domine la Méditerranée. 100 000 hab. environ. La ville se trouve dans les faubourgs de Tel*-Aviv, et la fusion administrative des deux villes s'est faite en 1948. Indus. textile et métallurgique. Savonnerie. Centrale thermique. ♦ *Hist.* Fondée à une date reculée, elle fut prise successivement par les Égyptiens (~ 1465), les Philistins, les Assyriens, les Grecs et enfin les Hébreux. Port de Jérusalem sous Salomon, Jaffa fut prise par Judas Maccabée. Elle devint une base de pirates et fut démantelée par Vespasien. Les Arabes prirent la V., devenue un évêché depuis le règne de Constantin, en 636. Prise par les croisés en 1098, Jaffa devint le siège d'un comté franc, et Saint Louis fortifia la ville. Après une période de décadence, Jaffa reprit une importance économique au XVIIe siècle. Bonaparte l'assiégea et la prit (1799), mais la peste décima ses troupes (Cf. le célèbre tableau de Gros). La V. redevint égyptienne, fut prise par les Anglais qui la remirent aux Turcs (1840); l'armée d'Allenby s'en empara en 1917. La V. fut très éprouvée en 1948, lors de la première guerre israélo-arabe.

JAFFÉ (Philipp). ♦ Érudit allemand (Schwersenz, Posen, 1819 – Wittenberg, 1870), professeur à l'université de Berlin (1862), auteur de travaux sur le Moyen Âge germanique et éditeur des *Regesta pontificum romanorum* (tous les actes pontificaux jusqu'à 1198).

JAFFNA. ♦ Province du N. de l'île de Ceylan* (env. 850 000 hab.). Sa capitale, port principal de liaison avec l'Inde, est l'ancienne capitale portugaise et hollandaise de l'île au XVIIe s., peuplée en majorité de Tamils* originaires du S. de l'Inde, 101 700 hab. (1968). Pêche, cabotage, manufacture de tabac.

JAGANNÂTH ou **JAGGERNAUT.** ♦ Incarnation du dieu hindou Viṣnu* en tant que seigneur de l'univers, représenté au grand temple de Puri (Inde, Orissâ) par une grossière statue de bois peinte en noir, blanc et jaune. De grandioses processions de chars sculptés ont lieu chaque année à Puri lors des grandes fêtes religieuses et ont aidé à propager la popularité de cette divinité. Le temple de ce nom, strictement interdit aux non-hindous, élevé vers l'an 1100, est un des plus beaux de l'Inde. D'innombrables sculptures décorent ses murs extérieurs.

JAGELLON. ♦ Ancienne dynastie lituanienne qui doit son nom à Ladislas* II Jagellon, grand prince de Lituanie*, devenu roi de Pologne par son mariage avec Hedwige* en 1386. Ses successeurs régnèrent en Pologne* jusqu'en 1572 **(V. Ladislas III, Casimir IV, Jean Ier Albert, Alexandre Ier, Sigismond Ier, Sigismond II),** en Hongrie* de 1440 à 1444 et de 1490 à 1526 **(V. Ladislas II, Ladislas VI, Louis II)** et en Bohême* de 1471 à 1526 **(V. Ladislas VI** et **Louis II).** – La célèbre famille Czartoryski*, qui s'illustra en Pologne dès le XVIIe s., descendait des *Jagellon* en ligne directe.

JAGGERNAUT. ♦ V. JAGANNÂTH.

JAHÂNGÎR. ♦ Grand mogol* des Indes (Fatehpur-Sikri, 1569 – Cachemire, 1627). Il succéda en 1605 sur le trône d'Âgra* à son père Akbar*, tenta d'agrandir les États de celui-ci dans le N. de l'Inde, mais fut vaincu par un de ses généraux et emmené prisonnier au Cachemire où il mourut en 1627, laissant le trône à son troisième fils Khurram qui lui succéda sous le nom de Shâh* Jahân. Souverain lettré et tolérant, il accueillit à sa cour des jésuites portugais et des ambassades anglaises. Il a laissé des « Mémoires » rédigés en persan.

JÂHIZ ('Amr ibn Bahr al-). ♦ Écrivain arabe (Basra, v. 780 – *id.,* 869), un des premiers grands prosateurs arabes. Il vivait à Basra (Iraq) où il étudia la théologie, le droit et la littérature. Ses conceptions religieuses se rattachent au mu'tazilisme* (interprétation rationaliste de l'islâm). Il écrivit un traité de rhétorique *(Kitâb al-Bayan wa-al-Tabyîn), « Le Livre des avares » (Kitâb al-Bukhalâ), « Le Livre des animaux » (Kitâb al-Hayawân)* qui est, en dépit de son titre, un traité philologique plutôt que zoologique. Plusieurs autres manuscrits lui sont attribués. Dans ses livres, les informations de valeur scientifique alternent, dans un style digressif, avec les anecdotes et les strophes en vers. En combinant des principes de la tradition arabe avec des données de la pensée grecque, il apporta les bases de la culture arabo-musulmane.

JAHNN (Hans Henry). ♦ Romancier et dramaturge allemand (Hambourg, 1894 – 1959). Esprit indépendant, il quitta l'Allemagne pour la Norvège en raison de ses positions pacifistes (1915) et émigra à nouveau vers la Suisse, puis le Danemark, lors de l'avènement du national-socialisme. Facteur d'orgue, organiste et musicographe, il redécouvrit la musique pour orgue de l'époque baroque. Écrivain, il a laissé, outre des drames (*Médée,* 1926), une œuvre romanesque où transparaissent, sous forme symbolique, ses propres expériences (*Perrudja,* 1929; *Le Fleuve sans rivages, Le Navire de bois,* 1937; *Le Récit de G.A. Horn,* 1949). Écrits dans un style sobre et même froid, ces romans développent des thèmes d'une grande violence (souffrance, misère), à travers lesquels s'expriment les aspirations chrétiennes, voire le puritanisme de l'auteur.

JAHVÉ. ♦ V. IAHVÉ.

JAIME *(don).* ♦ Prince de Madrid (Vevey, 1870 – Paris, 1931). Fils de don Carlos, il participa à la campagne de Chine (1900) et devint le chef du parti carliste en 1909.

Jaina. *adj.* et *n. m. pl.* ♦ V. JAÏNISME.

Jaïnisme. *n. m.* ♦ Religion hindoue fondée au ~ VIe s. en Inde dans le Bihâr* par un contemporain du Bouddha*, Vardhamâna, considéré par les adeptes de cette religion comme leur 24e prophète **(V. Jina).** Cette religion, relativement ascétique, pratique activement l'Ahimsa* ou respect absolu de tous les êtres vivants, et prêche une pureté absolue des mœurs. La « délivrance » des liens qui enchaînent l'individu à la ronde des réincarnations successives ne peut, selon sa philosophie, être obtenue que par la connaissance des textes, des causes, et par une foi intense et une bonne conduite. Cette dernière ne peut être obtenue que par une vie monastique. Les Jaïna ne reconnaissent pratiquement aucune divinité suprême, mais révèrent leurs 24 prophètes ou Tîrthânkara. Cette religion joua un rôle très important dans l'Inde ancienne, mais n'est plus pratiquée actuellement que par 5 000 000 ou 6 000 000 de fidèles, principalement dans le Bihâr* et l'O. de l'Inde.

JAIPÂL. ♦ V. JAYAPÂLA.

JAIPUR. ♦ V. de l'Inde, cap. du Râjasthân*. Env. 550 000 hab. La ville, toute rose, conçue sur un plan régulier, comporte de nombreux monuments du XVIIIe s. (dont la façade baroque du *palais des Vents*). Centre commercial actif. Artisanat (joaillerie). Petites indus. mécaniques et textiles (coton). ♦ *Hist.* La ville fut créée au début du XVIIIe s. par le mahârâjah Jai* Singh II; elle fut célèbre pour son observatoire (1740), ses écoles de miniature, ses artisans taillant les pierres précieuses et sculptant l'ivoire.

JAI SINGH II. ♦ Chef Râjput (1699 – 1743) du Râjasthân* et fondateur, en 1728, de la ville de Jaipur*. Astronome réputé, il créa de nombreux observatoires en Inde du N. et inventa de nouveaux instruments d'observation qu'il fit réaliser en pierre et marbre, entre autres à Delhi*, Jaipur*, Vârânasi*, Mathurâ* et Ujjain*, et publia des tables astronomiques d'une remarquable précision.

JAKOBSON (Roman). ♦ Linguiste américain d'origine russe (Moscou, 1896). Après des études à Moscou, où il fonda un cercle linguistique et prit contact avec le mouvement de rénovation de la théorie littéraire connu sous le nom de *formalisme,* il fut fortement influencé par Troubetskoy. Il enseigna en Tchécoslovaquie et, de 1928 à 1938, anima avec Troubetskoy* le *cercle linguistique de Prague.* En 1939, fuyant les nazis, il se réfugia en Scandinavie, puis (1941) aux États-Unis (New York, où il prit contact avec Lévi*-Strauss; Harvard, 1949). Fondateur avec Troubetskoy de la *phonologie,* dont il a développé les principes (analyse des phonèmes en matrices de traits pertinents élémentaires et théoriques) avec l'un des principaux représentants de l'école générative, Morris Halle (*Fundamentals of Language,* 1956), Jakobson est l'auteur de très nombreux travaux dans tous les domaines de la linguistique (par ex., les articles de *Essais de linguistique générale,* I et II) et de la théorie littéraire. Son activité interdisciplinaire (anthropologie, folklore, psychanalyse, théorie de l'information) lui a permis de proposer nombre d'hypothèses et de modèles stimulants. Sa pensée a influencé notamment celle de N. Chomsky*.

JAKOBSON (August). ♦ Romancier estonien (né en 1904). Il est l'auteur le plus représentatif du réalisme socialiste orthodoxe.

JAKŠIĆ (Djura). ♦ Poète, romancier et auteur dramatique serbe (Srpska Crnja, dans le Banat, 1832 – Belgrade, 1878). Il fut l'auteur le plus représentatif du romantisme serbe, dans ses poèmes *(Au bois des tilleuls, Minuit)* comme dans ses nouvelles *(Les Paysans, Sur la montagne, L'Auberge de Krivosek).* Ses drames, écrits dans une langue vigoureuse, révélèrent aussi un ardent patriote : *L'Exode serbe* (1862), *Élisabeth* (1868), *Stanoje Glavaš* (1878).

JALÂL al-DÎN RÛMÎ. ♦ Poète afghân d'origine türk (Balkh, 1212 – Konya, Turquie, 1273) et d'expression persane. Mystique musulman, il fut le fondateur de l'ordre des derviches tourneurs. Il est en outre l'auteur du *Masnavî,* un célèbre poème exposant la doctrine des Sûfî **(V. Soufisme).**

JALAPA. ♦ V. du Mexique central, cap. de l'État côtier de Veracruz*, sur le versant E. de la sierra Madre* orientale. 127 081 hab. (1970). Indus. alimentaires et textiles. Manufacture de tabac. – Important parc archéologique et musée de l'État de Veracruz (arts précolombiens). – Patrie de Santa* Anna.

JÂLGAON. ♦ V. de l'Inde (Mahârastra), anc. cap. de l'État de Khandes, sur la r. S. de la rivière Tâpti. Indus. textiles (coton) et huileries. 50 000 habitants.

JALISCO. *n. m.* ♦ État du Mexique central traversé par la sierra Madre* occidentale et qui s'étend du Pacifique au plateau de l'intérieur. 80 137 km². 3 139 000 hab. *Cap.* Guadalajara. *Autres villes :* Puerto* Vallarta, Tequila*. – Le lac de Chapala* se trouve à sa frontière S. et donne naissance au río Grande* de Santiago. Cultures diverses. Élevage sur le plateau (bovins, ovins, porcins). Gisements miniers (fer, plomb, cuivre). Indus. chimiques.

JALLET (Jacques). ♦ Prêtre et homme politique français (La Motte-Saint-Héray, Poitou, 1732 – Paris, 1791). Député du clergé aux États généraux (1789), il se prononça pour le ralliement de son ordre au Tiers État (13 juin 1789), puis pour la vente des biens du clergé. Ayant prêté serment à la Constitution civile du clergé, il fut nommé évêque constitutionnel des Deux-Sèvres, poste qu'il refusa.

Jalousie du barbouillé (La). ♦ Farce attribuée à Molière. Adaptation d'un canevas de la commedia dell'arte, la pièce montre les déboires d'un ivrogne berné par sa femme et abusé par un docteur emphatique et grotesque. On retrouve plusieurs de ces situations dans *Le Médecin* malgré lui* et dans *George* Dandin.*

JALOUX (Edmond). ♦ Écrivain français (Marseille, 1878 – Lutry, Suisse, 1949). Très représentatif de la « critique de curiosité », il écrivit de très nombreux articles critiques (réunis pour l'essentiel dans *L'Esprit des livres,* 1923) qui prouvent son libéralisme artistique. Ouvert également aux littératures étrangères, notamment anglo-saxonnes, il publia des essais sur *R.M. Rilke* (1927) et *Goethe* (1933). Ses romans, souvent consacrés à l'analyse de l'amour, témoignent d'un subtil sens du mystère et de l'inconscient [*Le reste est silence,* 1909; *La Balance faussée,* 1932]. (Acad. fr.)

JAMAÏQUE. *n. f.* ♦ Île des Grandes Antilles*, dans la mer Caraïbe, située à 150 km au S. de Cuba et à l'O. de l'île d'Haïti dont elle est séparée par le détroit de la Jamaïque. 10 962 km². 1 940 000 hab. en 1970 *(Jamaïcains). Cap.* Kingston* *Autres villes :* **V. Montego Bay, Spanish Town.** *Dépendance :* îles Caïmans*. *Langue off.* anglais. *Unité monétaire :* livre sterling jamaïcaine. – *Orogr.* L'île est traversée d'O. en E. par les reliefs des *Blue Mountains* (montagnes Bleues) qui culminent à 2 000 m env. et que traversent quelques fleuves courts et torrentueux. – *Climat* tropical avec des pluies plus abondantes au N. qu'au sud. Forêt de type équatorial sur les versants montagneux. – *Écon.* La population, en majorité noire, occupe essentiellement les plaines côtières où s'étendent les grandes plantations de canne à sucre et de bananes dont l'île est l'un des plus gros producteurs. Cultures d'ananas et d'agrumes. Café (sur les pentes des Blue Mountains), cacao, piments, poivre. L'industrie traite les produits de l'agriculture (sucreries, jus de fruits) et de l'élevage des bovins, dans les plaines et les plateaux de l'est (lait condensé, cuir). Les ressources du sous-sol sont importantes, et la Jamaïque est le premier exportateur de bauxite du monde. Le tourisme, très actif, surtout avec les États-Unis, alimente la balance du commerce qui reste cependant déficitaire (commerce avec États-Unis et Grande-Bretagne). [*Carte.* **V. Amérique centrale.**] ♦ *Hist.* Découverte par Colomb en 1494, l'île habitée par les Indiens Arawaks* fut investie par les Espagnols. Possession espagnole jusqu'en 1655, elle fut ensuite colonisée par les Anglais qui en firent une colonie prospère en dépit des difficultés causées par le problème de l'esclavage et la révolte des Noirs. Associée en 1958 à la Fédération des Indes occidentales, la Jamaïque proclama en 1962 son indépendance dans le cadre du Commonwealth* dont elle est, depuis lors, un État membre.

JAMÂL al-DÎN al-AFGHÂNÎ. ♦ Philosophe et homme politique afghân (1838 – Constantinople, 1897), fervent musulman, fondateur d'un mouvement nationaliste islâmique. Exilé en Inde, Turquie et Europe, il écrivit de nombreux articles politiques prêchant une sorte de panislâmisme, qui devaient avoir une grande répercussion sur les mouvements politiques musulmans qui se développèrent au début du XXe siècle.

JAMBES. ♦ Comm. de Belgique, dans la banlieue industrielle de Namur*, sur la Meuse. 14 400 hab. – Cultures maraîchères. Indus. alimentaires (brasseries). Miroiterie. Métallurgie. Constructions électriques.

JAMBLIQUE, en gr. **Iamblikhos.** ♦ Écrivain grec d'origine syrienne (v. 125). Il écrivit un roman en trente-cinq livres, *Les Babyloniques,* dont il reste quelques citations.

JAMBLIQUE, en gr. **Iamblikhos.** ♦ Philosophe néo-platonicien (Chalcis, Cœlésyrie, v. 250 – 330). Il ouvrit une école de philosophie à Apamée (Syrie). Il est probable qu'il fut initié aux doctrines ésotériques des Égyptiens et Chaldéens, et chez lui le néo*-platonisme devient une religion opposée au christianisme. Il a écrit une *Vie de Pythagore* et un *Traité sur les mystères.*

JAMBOL, YAMBOL ou **YAMBOLI.** ♦ V. de Bulgarie du Sud-Est. Ch.-l. de district sur la Tundza. 58 405 hab. Indus. alimentaires.

JAMES (Thomas). ♦ Navigateur anglais du XVIIe s. qui, en 1631, explora la baie d'Hudson. On a donné le nom de *baie de James* à la partie méridionale de cette dernière.

JAMES (William). ♦ Philosophe américain (New York, 1842 – Chocorna, New Hampshire, 1910). Docteur en médecine, au courant des travaux de physiologie et de psychologie de son temps, il chercha à faire de la psychologie une science naturelle, positive (*Principes de psychologie,* 1891). Le même souci du concret se retrouve dans sa volonté de ne pas dissocier la pensée de la pratique, et de considérer la réussite et l'utilité comme critère de vérité, qu'il s'agisse de l'expérience religieuse ou de la connaissance scientifique. Ainsi la vérification expérimentale tournée vers l'action et la croyance vitale, la satisfaction des besoins profonds de l'être humain sont les deux caractéristiques du pragmatisme de W. James (*Les Variétés de l'expérience religieuse,* 1902; *Le Pragmatisme,* 1907). **V. Peirce, Dewey, F.C.S. Schiller.**

Ph. Prato/Ricciarini

Rivière à la Jamaïque.

JAMES (Henry). ♦ Romancier et critique américain naturalisé anglais en 1915 (New York, 1843 – Londres, 1916). D'ascendance irlandaise, issu d'une bourgeoisie riche, Henry James reçut comme son frère William James* une éducation éclectique et choisie, faisant en Europe de nombreux voyages. Il s'y imprégna de culture classique, lisant surtout Balzac, Mérimée, Flaubert, George Eliot et George Sand. Il préféra cependant donner à ses premiers écrits – des nouvelles publiées dans le *Continental Monthly* (1864), la *North American Review*, l'*Atlantic Monthly* (1865) – un décor américain. C'est Hawthorne*, parmi ses compatriotes, qui eut une influence décisive sur lui. Américain de tempérament mais Européen d'esprit, il fut toujours partagé par ces deux tendances. Ce problème est évoqué dans *Roderick Hudson* (1874), histoire du succès et de la chute d'un sculpteur américain installé à Rome. À Paris, James apprit de Tourgueniev l'importance prépondérante du personnage par rapport à l'intrigue. Technicien du roman (ses préfaces composées de 1907 à 1909 marquent le tournant de l'esthétique romanesque), James fut le premier à reconnaître la valeur du point de vue et l'importance de ses variations dans la fiction. Dans *Ce que savait Maisie* (*What Maisie knew*, 1897), James applique son principe de « l'unité de vision » : le lecteur ne peut savoir que « ce que savait Maisie », enfant victime d'un divorce. C'est à Paris qu'il mit la dernière main à *L'Américain* (*The American*, 1877), puis il s'établit à Londres où il écrivit le meilleur de son œuvre. Une série d'études sur la femme américaine dans un milieu européen fut inaugurée par *Daisy Miller* (1878). L'héroïne de *Un portrait de femme* (*Portrait of a Lady*, 1860), roman dans lequel l'Europe est fustigée, est libre de faire ce qu'elle veut, mais sa volonté même est déterminée, idée fondamentale de la psychologie selon James. L'auteur oppose également l'innocence américaine à la sophistication européenne dans *Les Européens* (*The Europeans*, 1878) et *Washington Square* (1880) qualifiés d'« histoires internationales ». Les problèmes du féminisme et de l'anarchisme sont soulevés dans *Les Bostoniens* (*The Bostonians*, 1885) et *La Princesse Casamassima* (*The Princess Casamassima*, 1886). James s'intéressa à l'art dramatique (*La Muse tragique*, 1889), mais ses pièces n'eurent pas de succès, si ce n'est l'un de ses romans inachevés *(The Sense of the Past)*, adapté au théâtre *(Berkeley Square)* après sa mort. Le procédé théâtral lui servit cependant dans l'écriture d'un certain nombre de romans : *L'Autre Maison* (*The Other House*, 1896), *Le Sort de Poynton* (*The Spoils* [les dépouilles] *of Poynton*, 1896), *Dans la cage* (*In the Cage*, 1898). C'est à la même époque (1898) que parut *Le Tour d'écrou (The Turn of the Screw)*, texte majeur de la littérature fantastique. Mais l'on considère que le sommet de l'œuvre de James tient en trois romans : *Les Ambassadeurs* (*The Ambassadors*, 1903) où la civilisation est définie comme « la tradition ininterrompue de culture que l'Europe occidentale hérita du monde antique », *La Coupe d'or* (*The Golden Bowl*, 1904) dont les analyses psychologiques subtiles font pressentir Proust et *Les Ailes de la colombe* (*The Wings of the Dove*, 1902) dont l'intérêt réside dans l'analyse extrêmement poussée des motifs qui font agir l'héroïne, dominée par une volonté extérieure. Avec Henry James, le roman devient une œuvre de culture exigeant une participation du lecteur qui va loin au delà d'une identification avec les personnages ; son milieu est le temps conçu comme une durée bergsonnienne et son art élaboré inaugure le courant illustré par Joseph Conrad, James Joyce et Virginia Woolf.

JAMES (baie James ou **de James)**, en angl. **James Bay**. ♦ Baie prolongeant au S. la baie d'Hudson* et située entre les prov. d'Ontario, à l'O., et de Québec, à l'est. – Un projet d'aménagement hydro-électrique de la rivière La Grande devrait fournir 9 millions de kW au Québec.

JAMESON (*sir* Leander Starr). ♦ Médecin et homme politique britannique (Édimbourg, 1853 – Londres, 1917). Venu en Afrique du Sud en 1878, il se lia avec Cecil Rhodes*. Lors d'une agitation des *Uitlanders* dans le Transvaal, il tenta un raid pour renverser Kruger* (1895), mais échoua. Remis aux autorités britanniques, il fut condamné à quelques mois de prison. Il fut ensuite Premier ministre du Cap (1904-1908) et chef du parti des majoritaires unionistes (1909-1912).

JAMESTOWN. ♦ V. des États-Unis (Virginie*), sur une île de la *James River*. C'est le site du premier établissement permanent anglais en Amérique (14 mai 1607).

JAMÎL. ♦ Poète arabe (VIIe s.). Toute sa poésie illustre l'amour impossible qu'il portait à Buthayna. Premier poète de l'amour courtois – fondé sur le respect et la fidélité – illustrant un idéalisme érotique, il serait l'inventeur du personnage du « détracteur » souvent présent chez les troubadours occitans. Ce couple fut l'objet d'un roman populaire dont l'existence est attestée dès le Xe siècle.

JAMMES (Francis). ♦ Écrivain français (Tournay, Hautes-Pyrénées, 1868 – Hasparren, Pyrénées-Atlantiques, 1938). Inséparable du Béarn où il est né et du Pays Basque où il devait se fixer (1921), son œuvre a bénéficié à ses débuts du suffrage de Mallarmé et d'André Gide. Sa vertu principale, la simplicité, est l'expression d'un accord parfait du sentiment et d'un langage qui atteint à l'extrême transparence pour exprimer l'humble réalité des êtres et des choses. Dès son premier recueil, *De l'Angélus de l'aube à l'Angélus du soir* (1898), il affirme son indifférence à l'égard de tout souci de forme et de métrique, utilisant le vers libre pour développer les thèmes qui ne cesseront plus d'alimenter sa poésie, la nature, l'enfance, les jeunes filles, l'exotisme, la mort. Le même lyrisme voilé et fervent se retrouve encore dans *Le Deuil des primevères* (1901) et *Le Triomphe de la vie* (1902) ainsi que dans des romans imprégnés d'une délicate mélancolie (*Clara d'Ellébeuse*, 1899 ; *Almaïde d'Etremont*, 1901). Cependant, l'amitié militante de Paul Claudel* inspira au poète un retour au catholicisme (*Clairières dans le ciel*, 1906, où il se soumet à la loi de l'alexandrin ; *Les Géorgiques chrétiennes*, 1912, poème en sept chants qui célèbrent la geste d'une famille paysanne ; *Les Quatrains*, 1923-1925). Il devint, avec les années, une manière de patriarche rustique, sachant manifester, parfois avec véhémence, son hostilité aux courants nouveaux de la poésie (*De tout temps à jamais*, 1935). « Âme très simple et très compliquée », Jammes a entretenu une correspondance avec plusieurs écrivains qui furent ses contemporains et ses amis. Ses lettres ont été publiées (correspondance avec Colette, 1945 ; Albert Samain, 1946 ; Valery Larbaud, 1947 ; André Gide, 1948).

JAMMU. ♦ V. du Pâkistân (Cachemire), ch.-l. de la province de Jammu (réclamée à la fois par l'Inde et le Pâkistân), élevée sur un affluent de la rivière Chenâb* et anc. cap. des Râjput*. 125 000 hab. Centre actif commercial des hautes vallées du Cachemire* (Kaśmîr), elle comporte quelques petites indus. de céramique, de produits pharmaceutiques et de soieries. Elle est également, provisoirement, capitale (avec Śrînagar*) de l'État de Jammu-et-Kaśmîr. **V. Cachemire.**

JAMNA. ♦ **V.** YAMUNÂ.

JÂMNAGAR. ♦ V. de l'Inde (Gujarât*) sur la côte du golfe de Kutch. 207 000 hab. Indus. légère, textile et chimique principalement, en développement rapide. ♦ *Hist.* C'est l'anc. cap. d'un petit État indépendant fondé au XVIe siècle.

JAMNIA, YABNEH, ou en hébr. mod. **YAVNÉ.** ♦ Petite ville de Palestine, à 20 km au S. de Tel-Aviv. ♦ *Hist.* Après la destruction du Temple de Jérusalem, elle fut de 70 à 132 le siège du sanhédrin et d'écoles rabbiniques. Vers 90-95, le « synode » de Jamnia fixa le canon de la Bible juive.

JAMSHEDPUR. ♦ V. de l'Inde (Bihâr*), située au confluent de deux rivières à 220 km à l'O. de Calcutta*. 414 000 hab. Indus. sidérurgiques installées en 1912 par l'industriel parsi Jamshedji Tata. C'est l'un des principaux centres métallurgiques de l'Inde.

JAMYN (Amadis). ♦ Érudit et poète français (Chaource, v. 1540 – *id.*, v. 1585). Élève de Dorat* et de Turnèbe*, il fut le disciple préféré de Ronsard* et collabora à la préparation de la *Franciade**. Le recueil de ses *Œuvres poétiques* (1575) renferme des poèmes d'une mélancolie charmante.

JANÁČEK (Leoš). ♦ Compositeur tchèque (Hukvaldy, Moravie, 1854 – Ostrava, 1928). D'abord instituteur à Brno, il étudia ensuite la composition musicale à Prague, Leipzig et Vienne. À son retour en Moravie, il fonda une école d'organistes et devint directeur du conservatoire de Brno. Longtemps méconnu, il acquit d'un coup la célébrité avec son opéra *Jenufa* (Prague, 1916) dont l'originalité d'écriture, fondée sur l'étude du langage parlé, comporte une grande liberté harmonique et rythmique ainsi que de fréquents emprunts au folklore tchèque. Dans la même veine rigoureuse et colorée, il a composé plusieurs opéras (*Le Rusé Petit Renard*, 1923 ; *De la maison des morts*, d'après Dostoïevski, 1928), des œuvres chorales (*Messe glagolitique*, 1926), des poèmes symphoniques (*Tarass Boulba*, 1918) et de la musique de chambre. Avec F. Bartós, il a publié un important recueil de *Chants populaires moraves*.

JANEQUIN (Clément). ♦ Compositeur français (Châtellerault, v. 1485 – Paris, 1558). Protégé de François de Gondi, du cardinal de Lorraine et de François de Guise, compositeur ordinaire du roi Henri II, il mena néanmoins une existence tourmentée par la pauvreté. L'essentiel de son œuvre tient dans les deux cent soixante-quinze chansons à 3, 4 et 5 voix qui furent publiées à partir de 1520. Maître incontesté de la chanson profane, il en a adopté tous les genres : lyrique, narratif, érotique, et développé surtout son goût pour l'évocation imitative de la nature et la transposition théâtrale. Polyphoniste accompli, poète plein de délicatesse, il a illustré la « chanson parisienne ». (*La Guerre*, dite *Bataille de Marignan; Le Chant des oiseaux, Les Cris de Paris, La Chasse, Le Cacquet des femmes* lui valurent une célébrité européenne.) Ses œuvres religieuses *(motets, messes, psaumes, chansons spirituelles)* ne nous sont pas parvenues.

Ph. Lauros-Giraudon

« Les Géorgiques chrétiennes » de **F. Jammes,** illustrées par B. Vettiner. (Bibl. nationale, Paris.)

JANET (Paul). ♦ Philosophe français (Paris, 1823 – 1899). Dans la tradition de l'éclectisme spiritualiste de V. Cousin, il fit de la réflexion sur soi le moyen d'atteindre les réalités métaphysiques (*La Morale*, 1874; *Psychologie et Métaphysique*, 1897).

JANET (Pierre). ♦ Neurologue et psychologue français (Paris, 1859 – 1947), neveu de Paul Janet. Il poursuivit dans ses premiers travaux les recherches de son maître Charcot* sur l'hypnotisme et l'hystérie (*L'Automatisme psychologique*, 1889; *L'État mental des hystériques*, 1893). Fondateur avec G. Dumas du *Journal de psychologie normale et pathologique* (1904), il publia successivement *Les Obsessions et la Psychasthénie* (1903), *Médications psychologiques* (1919), *L'Évolution de la mémoire et la notion de temps* (1928), *L'Intelligence avant le langage* (1936). Faisant de la psychologie la science des « conduites » humaines, il s'attacha principalement à l'étude de la pathologie mentale; et il formula (après Th. Ribot*) une conception génétique et hiérarchique des tendances et fonctions de la personnalité, d'après laquelle les maladies mentales consistent dans une atteinte des conduites supérieures qui se caractérisent par une action efficace sur le réel (fonction du réel, du présent), et dans la libération des automatismes psychiques, des formes inférieures de l'activité.

JANEVSKI (Slavko). ♦ Conteur et romancier yougoslave de Macédoine (1920 –). Il donna par son œuvre un nouvel essor à la langue et à la littérature macédoniennes. – Princ. œuvres : *Les Poèmes* (1948), recueil de vers, *La Rue* (1950), nouvelle, *Le Village* (1953) et *La Colère et la Douleur* (1964), romans.

JANG MYEONG. ♦ Homme politique coréen (1899 – 1966). Premier ministre de la république de Corée sous la présidence de Yun Boseon. Il fut élu en 1960 après la chute de Yi Seung-man (Syngman Rhee), mais fut chassé du pouvoir dès 1961 par un coup d'État militaire qui le remplaça par Bag Cheong-hui.

JANICULE, *n. m.*, en lat. **Janiculum.** ♦ Ensemble de collines de Rome s'étendant sur la rive droite du Tibre et comprenant le Janicule actuel et les *Montes Vaticani* **(V. Vatican).** Il ne fut jamais intégré dans la ville, mais seulement occupé par l'agglomération à une date tardive.

JANIN (Jules). ♦ Écrivain français (Saint-Étienne, 1804 – Paris, 1874). Journaliste et romancier, il assura la chronique dramatique au *Journal des débats*, de 1836 à sa mort. Favorable au théâtre romantique, il témoigna dans ses feuilletons d'un esprit souvent plus brillant que profond. (Acad. fr., 1870.)

Janissaires, *n. m. pl.*, en turc. **ğeni çeri,** « nouvelle troupe ». ♦ Infanterie régulière de l'armée ottomane utilisée du XVIe au XIXe siècle. Fondée sous le règne de Murat* Ier (1359-1389), ce corps de mercenaires était composé d'enfants chrétiens, enlevés à leurs familles, puis élevés dans la religion musulmane et devant se consacrer pour la vie au métier des armes. Cantonnés à Brousse (Bursa), les janissaires formaient une infanterie redoutable et disciplinée. Grâce à leur détermination, l'Empire ottoman put s'étendre jusqu'aux remparts de Vienne. Ce corps déclina à la suite des réformes de recrutement introduites par Mehmet IV (1648-1687). Pendant tout le XVIIIe s., les janissaires constituèrent une force politique décisive, faisant et défaisant les sultans. Et quand Mahmut* II (1808-1839) décida de moderniser son armée, les janissaires se mutinèrent; mais à la suite des défaites subies en Moldavie, Serbie et Grèce, il les fit massacrer (1826) et put ainsi abolir l'institution.

JANKÉLÉVITCH (Vladimir). ♦ Philosophe français (Bourges, 1903). Nourri de cultures grecque, judéo-chrétienne, russe, il a développé dans ses œuvres une pensée qui a pu déconcerter par la diversité de ses images, de ses références et sembler parfois aussi insaisissable que les thèmes du « je-ne-sais-quoi » et du « presque-rien » chers à ce philosophe. Refusant tout substantialisme, ses réflexions métaphysiques, éthiques, esthétiques se font surtout attentives au problème existentiel de la durée et de l'instant. Outre ses œuvres philosophiques : *La Mauvaise Conscience* (1933), *L'Ironie ou la Bonne Conscience* (1936), *Le Mal* (1947), *Philosophie première* (1954), *La Mort* (1966), *Le Pardon* (1967), etc., il a publié de nombreux ouvrages sur la musique (*Gabriel Fauré, ses mélodies, son esthétique*, 1938; *Maurice Ravel*, 1939; *Debussy et le mystère*, 1949).

JAN MAYEN. ♦ Île volcanique de l'océan Arctique, à l'E. du Groenland*, possession norvégienne. 71° de lat. nord. 372 km². 8 hab. Station de radio, poste météorologique.

JANNINA. ♦ V. IOANNINA.

JANNIOT (Alfred). ♦ Sculpteur français (Paris, 1889 – *id.*, 1969). Il a cherché à renouer avec la tradition classique, particulièrement celle de la sculpture grecque, et a traité la figure humaine avec un souci de l'architecture et de l'équilibre des masses, en adoptant souvent des formes aux schémas simples, des volumes solides. Il est notamment l'auteur du bas-relief du musée de la France d'outre-mer (1931) où apparaît une recherche de pittoresque. Il a aussi réalisé des panneaux sculptés pour la façade du musée national d'Art moderne à Paris (1937) et le bas-relief du mémorial du *Mont-Valérien* (1960).

JANSEN (Zacharias). ♦ Inventeur néerlandais (La Haye, 1580 – Amsterdam, 1628 ou 1638). Il aurait construit, avec Metius* et Lippershey*, la première lunette d'approche (1604). **V. Della Porta, Galilée.**

Jansénisme. *n. m.* ♦ Doctrine chrétienne issue de la pensée de Jansénius*. Déjà le XVIe s. avait connu des querelles sur la grâce; malgré la condamnation de Baïus (1567), Louvain était resté un foyer d'augustinisme; de l'autre côté, l'ouvrage de Molina (*Concordia...*, 1588) avait provoqué de violentes réactions et les jésuites avaient failli être condamnés après les congrégations *De auxilliis* (1598-1607). L'interdiction faite par Rome de ne rien publier sur ces matières (1611 et 1625) n'enraya pas la querelle, de plus en plus chargée de significations politiques. En France, le parti dévôt, en relation avec Jansénius, s'attira la haine politique de Richelieu (disgrâce de Bérulle*; emprisonnement de Saint*-Cyran, 1638); mais Saint-Cyran avait gagné des disciples, notamment les Arnauld* : la Mère Angélique, réformatrice de Port-Royal et fondatrice de l'Institut du Saint-Sacrement, et son frère Antoine (le Grand Arnauld). La publication de l'*Augustinus* de Jansénius relança la bataille. Les jésuites en obtinrent la condamnation par l'Inquisition (1641) puis par la bulle *In eminenti* (1642, **V. Urbain VIII**), cependant qu'Arnauld portait ses attaques sur des terrains annexes (la fréquente communion, le laxisme des casuistes). En 1653, la bulle *Cum occasione* **(V. Innocent X)** condamna cinq propositions attribuées à Jansénius; Arnauld reconnut les propositions comme hérétiques (question de droit), mais nia qu'elles figurassent, avec ce sens, dans Jansénius (question de fait). La bulle *Ad sacram* d'Alexandre VII (1656) trancha contre lui et acheva la condamnation romaine des jansénistes que n'avait pu sauver la contre-attaque de Pascal (*Les Provinciales*, 1656-1657). Cependant les jansénistes formaient un parti hostile à l'absolutisme. Louis XIV entreprit de s'assurer leur soumission en faisant signer un formulaire reconnaissant toutes les condamnations (1661). En 1664, des mesures vexatoires furent prises contre les religieuses de Port-Royal qui refusèrent de signer un tel formulaire, même après la bulle *Regiminis apostolici* (1665, **V. Alexandre VII**). L'affaire aboutissait à une impasse et les nécessités politiques amenèrent le roi à rechercher un compromis; ce fut la « paix clémentine » (1669, **V. Clément IX**). Lors de l'affaire de la Régale*, les jansénistes furent du côté du Saint-Siège contre le roi et, les persécutions contre Port-Royal ayant repris en 1679, Arnauld s'exila ainsi que Nicole* (celui-ci revint en 1683 et abandonna le jansénisme). Les controverses se poursuivirent; en 1705, la bulle *Vineam domini* condamna le « silence respectueux » dont les jansénistes usaient à l'égard des textes qui les avaient condamnés. Les dernières religieuses de Port-Royal refusèrent de s'incliner, ce qui amena leur expulsion (1709) et la destruction de l'abbaye (1711). Depuis la mort d'Arnauld (1694), le chef du parti janséniste était Quesnel*. Sa condamnation par la bulle *Unigenitus** (1713) divisa le clergé français en « acceptants » et en « appelants » (qui en appelaient à un concile général, tenu pour supérieur au pape) si bien que, pour maîtriser l'agitation, la bulle *Unigenitus* fut érigée en loi d'État (1730). Un rebondissement équivoque se produisit avec les convulsionnaires du cimetière Saint-Médard, où des «miracles» s'opéraient sur la tombe du diacre Pâris*, ancien appelant. Le jansénisme se poursuivit au XVIIIe s., devenu gallican et parlementaire, et contribua à la suppression de la Compagnie de Jésus*; il accepta généralement la constitution civile du clergé, mais lutta contre l'irreligion révolutionnaire. – Une petite Église janséniste, fondée à Utrecht en 1724, subsiste aujourd'hui en Hollande. ♦ *Personnalités liées au jansénisme* (outre les noms déjà mentionnés); **Champaigne** (Philippe de), **Lemaistre** (Antoine), **Pascal** (Jacqueline), **Pavillon** (Nicolas), **Racine** (Jean et Louis), **Singlin** (Antoine).

Ph. Giraudon

Jansénisme : « Le cloître des religieuses dans l'abbaye de Port-Royal », par M. de Boulogne. (Château de Versailles.)

JANSÉNIUS (Cornelius JANSEN, latinisé en**).** ♦ Théologien néerlandais (Acquoy, près de Leerdam, Hollande, 1585 – Ypres, 1638). Après des études aux Pays-Bas, il fit à Paris (1609) la connaissance de J. Duvergier de Hauranne **(V. Saint-Cyran)** avec qui il se retira près de Bayonne (1611-1616) pour étudier les Pères et les écrivains ecclésiastiques. Retourné à Louvain, il fut reçu docteur en théologie (1617); successivement directeur de séminaire

Ph. Hétier

Japon : enfant.

(1617-1624), envoyé de Louvain en Espagne lors de la querelle des universités contre les jésuites (1624 et 1626), régent (1628), professeur d'Écriture sainte (1630), recteur de l'université de Louvain où il fonda la bibliothèque; il devint, en 1636, évêque d'Ypres, ville où il mourut de la peste. Il soutint des controverses contre les protestants (1630-1631), contre la politique de la France (Richelieu) alliée aux protestants hollandais (*Mars gallicus,* 1635). Il demeure avant tout célèbre comme l'auteur de l'*Augustinus**, rédigé à partir de 1628 et publié posthumément en 1640. Dans cet ouvrage, il tendait à restaurer la doctrine de saint Augustin sur la grâce et la prédestination, doctrine que la théologie des jésuites (Lessius, Molina*) adoucissait pour faire place au libre arbitre et aux mérites de l'homme.

JANSKY (Karl Guthe). ♦ Ingénieur américain d'origine allemande (1905 – 1950). Il fit la première observation radioastronomique, remarquant le rayonnement hertzien qui provient du centre de notre galaxie* (1931). **V. Deslandres, Lodge, Alfvén.**

JANSSEN (Jules). ♦ Astronome et physicien français (Paris, 1824 – Meudon, 1907). Fondateur de l'observatoire d'astrophysique installé à Montmartre (1876) puis transféré à Meudon (1877), il découvrit l'origine tellurique de certaines raies du spectre solaire (1862). Durant l'éclipse de 1868, en même temps que Lockyer*, il observa le spectre des protubérances solaires sur lequel il distingua une raie non identifiée et conclut à l'existence d'un élément alors inconnu sur la Terre, l'hélium **(V. Ramsay)**; tous deux mirent alors au point, indépendamment, une méthode d'observation hors des éclipses. Janssen utilisa la technique de la chronophotographie **(V. Marey)** pour étudier le passage de Vénus devant le Soleil (1874), obtint l'une des premières photographies de comète (1881) et réalisa d'importants travaux au sommet du mont Blanc sur l'absorption des raies telluriques par l'atmosphère terrestre [1887]. (Acad. sc., 1873.)

JANTRA ou **YANTRA.** *n. f.* ♦ Riv. de Bulgarie (150 km). Affl. r. d. du Danube. Née dans le Balkan, au col de Šipka, elle arrose Tărnovo* et Gabrovo*.

JANUS. ♦ Dieu italique et romain, représenté avec deux visages opposés. Son origine et sa nature sont obscures. C'est une des plus anciennes et des plus importantes divinités du panthéon romain. Il possédait même une certaine prééminence sur Jupiter* (l'origine de leurs deux noms est apparentée à la même racine). Il s'agit sans doute d'un « démon du passage » d'origine indo-européenne et d'une façon générale d'un dieu initial (dieu des « commencements »). Ses légendes sont uniquement romaines. Il aurait abordé en Italie où il aurait fondé une ville sur la colline qui prit de lui le nom de *Janicule.* Il aurait accueilli Saturne chassé de Grèce par Jupiter **(V. Cronos)** et civilisé les premiers habitants du Latium. À Rome, il est gardien des « portes » *(janue).* Son temple possède deux entrées fermées en temps de paix; elles restent ouvertes en temps de guerre pour que le dieu puisse se porter au secours des Romains. Il ouvre et ferme l'année : le mois de janvier, *Januarius,* lui est consacré.

JANVIER *(saint),* en lat. **Januarius.** ♦ Évêque et martyr, patron de Naples; son culte est attesté dès 432. Il peut s'agir d'un évêque de Bénévent qui aurait souffert sous Dioclétien (305) ou lors de la persécution arienne (IVe s.). – Fête le 19 septembre. ♦ *Miracle de saint Janvier :* dans la cathédrale de Naples, une ampoule contient une substance rouge qui se liquéfie lors de cérémonies très populaires (en mai, septembre et décembre). Cette substance passe pour du sang de saint Janvier. Le « prodige » n'est attesté que depuis 1389; il n'a pas été expliqué de façon satisfaisante.

JANVILLE. ♦ Ch.-l. de cant. d'Eure-et-Loir, arr. de Chartres. 1 577 hab. *(Janvillois).* Église XVIe-XVIIIe siècle. Vestiges de l'enceinte fortifiée. Église romane et Renaissance.

JANZÉ. ♦ Ch.-l. de cant. d'Ille-et-Vilaine, arr. de Rennes. 4 414 hab. *(Janzéens).*

JAPET, en gr. **Iapetos.** ♦ L'un des Titans* de la légende grecque. Il épouse l'océanide Clyméné* et donne naissance à quatre fils : Atlas*, Prométhée*, Épiméthée* et Ménœtios.

JAPHET. ♦ Patriarche biblique, fils de Noé*. Ancêtre, selon la Bible, des peuples indo-européens (*Genèse,* X).

JAPON, *n. m.,* en jap. **NIHON.** ♦ Pays d'Asie (Extrême-Orient), baigné à l'O. par la mer du Japon, à l'E. par l'océan Pacifique et formé par un chapelet d'îles et d'îlots, orienté S.-O.-N.-E., et s'étendant sur env. 2 500 km. 370 000 km². 110 950 000 hab. *(Japonais). Îles princ.* **V. Hokkaidô, Honshû, Kyûshû, Shikoku et Ryû-Kyû.** *Cap.* **V. Tôkyô.** *V. princ.* **V. Fukuoka, Kawasaki, Kôbe, Kumamoto, Kyôto, Nagoya, Ôsaka, Sapporo, Sendai, Yokohama.** *Religion.* Shintô, bouddhisme (la pratique cumulée des deux religions est courante); 750 000 chrétiens. – *Langue :* japonais. ♦ *Orogr.* Les montagnes (souvent des volcans, dont une vingtaine sur 265 ont fait preuve d'activité depuis le début du siècle) couvrent les trois quarts de la surface du pays. Deux ensembles montagneux peuvent être distingués : l'un à l'O., près de la mer du Japon, l'autre à l'E., plus jeune et souvent coupé de dépressions. Ils se rejoignent au S. de Honshû* pour former les « Alpes japonaises », dont les sommets dépassent souvent 3 000 mètres. Les plaines, agrémentées quelquefois d'un lac (Kansai, Kantô), ne mesurent que quelques dizaines de km². La côte occidentale, plate et régulière (dunes de Tottori), s'oppose à celle du Pacifique indentée de baies (comme celle de Tôkyô) et de presqu'îles (telle Izu). Le total des côtes est de 28 000 kilomètres. Les grands centres de la vie urbaine et économique sont implantés le long de baies marécageuses (Nagoya, Ôsaka). Le pays est sujet à de nombreux cataclysmes sismiques (éruptions volcaniques, tremblements de terre, glissements de terrain, typhons). – Deux courants marins exercent une influence sur le *climat :* l'Oya-shio, courant froid, formé d'eaux polaires, longe le N.-E. du Japon jusqu'à la latitude de Sendai. Le Kuroshio, né entre Taiwan* et les Philippines, se divise en deux branches au S. du Kyûshû. Des précipitations se déversent deux fois par an sur l'archipel : « pluie des prunes » (mi-juin - mi-juillet) et pluie de septembre. La carte des températures montre des caractères continentaux accusés, cependant tempérés par des microclimats dus au fractionnement du relief. ♦ *Écon.* La forêt (68 % du sol nippon) se présente sous diverses formes là où les fortes pentes n'ont pu être transformées en rizières : une forêt de conifères semblable à celle de la Corée du Nord se développe au N. et à l'E. de Hokkaidô* et dans le Tôhoku (N. du Honshû. Elle se transforme plus au S. en une forêt de type tempéré. Les espèces subtropicales (magnolia, camélia et camphrier) apparaissent à partir du Kyûshû. Le bambou nain *(sasa)* remplace d'anciennes forêts écobuées. – *L'agriculture,* malgré les assèchements et les terrains gagnés sur la mer, n'occupe que 7 000 000 d'hectares, dont la moitié en rizières (17 000 000 de t de riz). Le blé, l'orge et l'avoine (au N. de l'archipel) déclinent. Les légumes sont souvent cultivés autour des rizières, par manque de place. Canne à sucre et thé dans le sud. *L'élevage,* peu prospère en raison du manque de pâturages, se cantonne dans la région d'Hokkaidô et du N. de Honshû. (8 000 000 de porcins, 3 600 000 bovins). – La *pêche* est une ressource essentielle (10 530 000 t en 1975) : la rencontre des courants marins favorise la prolifération des planctons. Cependant la pêche côtière décline en raison de la pollution. – La ceinture industrielle du Japon (1 000 km) s'allonge du N. de Tôkyô jusqu'à Shimonoseki, créant une mégalopolis. Important en grande quantité les matières insuffisantes sur son sol (voir *ci-dessous*), le Japon a pris le troisième rang mondial pour l'*industrie :* indus. métallurgique, sidérurgique (102 343 000 de t d'acier en 1975), constructions mécaniques (construction navale [pétroliers] – la première du monde –, automobile [7 000 000], de cycles et motocycles). Son avance technologique lui permet d'exceller dans les secteurs de pointe (électronique, optique, construction aéronautique, pétrolochimie, textiles de synthèse). L'indus. chimique tient une place importante dans l'économie (7 000 000 de t d'acide sulfurique en 1970, 2 700 000 t de soude caustique, etc.). Une nouvelle forme de groupements industriels est apparue : le combinat ou zaibatsu des grandes firmes (Mitsui, Mitsubishi, Idemitsu, Sumimoto). Les deux façades maritimes du Honshû offrent un grand contraste : le Japon de « l'endroit » *(Omote-Nihon)* s'étendant sur la côte Pacifique concentre l'essentiel de la population, la grande industrie et les capitaux; en revanche, le Japon de « l'envers » (mer du Japon) compte peu de grandes villes (300 000 hab. au maximum) et l'industrialisation y est très faible. Des essais pour freiner le surpeuplement ont été tentés. Une politique de dénatalité existait à l'époque du gouvernement shôgunal (jusqu'en 1868) et s'est constamment poursuivie : la loi de 1948 autorise l'avortement et certaines pratiques contraceptives. Le taux de natalité a ainsi été réduit. – *Commerce.* Le Japon dépend de son commerce extérieur pour la consommation (56 % de produits énergétiques; 15 % de produits alimentaires). Ses exportations (92 % de produits finis) ne représentent que 10 % de son produit national, le marché intérieur étant très important. Les échanges se font principalement avec les États-Unis, l'Australie, l'Europe occidentale, l'Asie du Sud-Est et l'Afrique. – *Communications.* Les réseaux ferrés

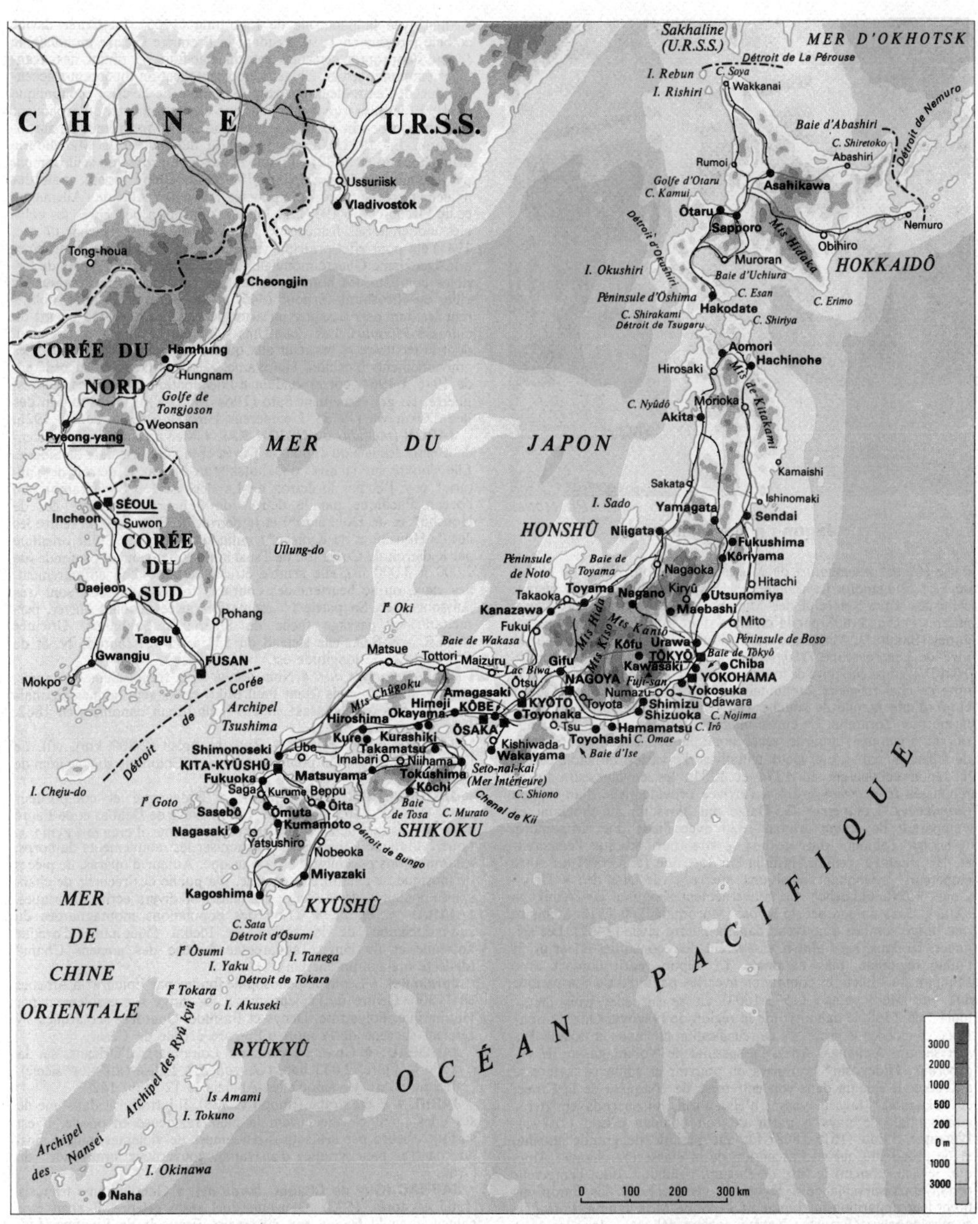

Japon.

(29 500 km) et routiers (28 000 km de routes nationales, 123 000 km de routes secondaires) restent surtout périphériques en raison du relief montagneux. Les transports commerciaux se font plutôt par voie maritime (ports de Yokohama*, Tôkyô*, Chiba* Kawasaki*). Aéroports internationaux à Tôkyô et Ôsaka*. – Le *tourisme* est en développement rapide (855 000 entrées en 1970). ♦ *Hist.* Les fouilles archéologiques, conduites dans l'archipel japonais, n'ont encore mis en évidence qu'une période mésolithique. La période néolithique (culture Jômon, ~ 5000-~ 300) semble apparaître dans Honshû. À l'époque Yayoi (~ 300-300), parallèlement à l'introduction de la riziculture, se développa l'usage des métaux (bronze et fer) apportés du continent. Les populations Yayoi, installées au Kyûshû, pénétrèrent dans Honshû et refoulèrent la culture Jômon au N. de cette île. Japon et Corée du Sud semblent être un seul royaume. Plusieurs clans se partagèrent alors le Japon et, finalement, celui du Yamato (région de Nara) obtint la suprématie ; en 552, les rois demeuraient à Asuka (S. de Nara). Le Japon entra en relation avec la Chine par la Corée* (territoire nippon du Mimana). Après des envois successifs de sûtra (textes bouddhiques), de statues bouddhiques (538, 552), par des ambassades coréennes, la nouvelle religion s'imposa et le prince Shôtoku en devint un fervent adepte. La période de Nara, du nom du siège de la nouvelle capitale (Heijo-kyô, 645-794), voit la sinisation progressive du Japon : réforme de l'ère Taika, administration et plan des villes calqués sur le modèle chinois des T'ang (618-907). Les moines bouddhistes, s'immisçant dans les affaires politiques, l'empereur décida alors de quitter Nara, centre religieux du pays, pour édifier une nouvelle capitale à Heian-kyô (Kyôtô) ; ainsi s'ouvre l'ère de Heian (794-1185), historiquement divisée en deux périodes : Kônin et Jôgan (794-894) et Fujiwara (894-1185). Durant cette dernière, le clan Fujiwara, ayant gagné en importance en raison de ses richesses et de ses alliances familiales avec les souverains, dirigea de fait le Japon. Alors qu'aux époques Kônin et Jôgan le Japon restait fortement influencé par la Chine, au IXᵉ s. il commença à prendre conscience de son individualité et créa une culture proprement nationale : les syllabaires (*hiragana, katakana*) s'ajoutèrent aux caractères chinois exclusivement employés jusque-là, et favorisèrent l'essor d'une littérature japo-

Ph. Hétier

Japon : prêtre shintoïste.

naise (*Genji* monogatari* de Murasaki* Shikibu, *Notes de chevet* de Sei* Shôganon). La rivalité de deux clans à la cour de Heian, celui des Taira* et celui des Minamoto*, se termina, après deux guerres (1156, 1160), par la création d'un État féodal et d'un shôgunat (Bakufu*). Minamoto-no-Yoritomo, maître du pays, prit le titre de généralissime *(shôgun)* et s'installa à Kamakura (S. de Tôkyô). L'empereur, privé de tout pouvoir effectif et ne conservant que le rang de chef religieux, continuait de résider à Kyôtô. Des régents Hôjô, d'une famille de souche Taira, dirigèrent le shôgunat après la mort de Yoritomo. La classe militaire, représentée par les samurai, favorisa une nouvelle secte bouddhique, le zen*, introduite de Chine au XIIe siècle. Deux tentatives d'invasion mongole contre le Japon échouèrent en 1274 et 1281; les envahisseurs furent repoussés *in extremis* grâce à l'arrivée providentielle d'un typhon *(kamikaze)*. L'empereur Go-Daigo mit alors fin au shôgunat en s'emparant de Kamakura en 1333 avec l'aide d'un Minamoto, Ashikaga Takauji. Mais celui-ci, à son tour, attaqua l'empereur et, le forçant à s'enfuir, installa sur le trône (à Kyôtô) un autre empereur, provoquant ainsi une guerre civile dite des « Deux-Cours » (Nanbokuchô). Le gouvernement shôgunal des Ashikaga s'établit dans un quartier de Kyôtô (Muromachi) en 1378. L'empire mal dirigé sombra à nouveau dans la guerre civile (1467). Les seigneurs féodaux, les *Daimyô,* essayèrent de reconstituer à leur profit l'unité régionale, puis nationale. Le Japon reprit contact avec l'Empire du Milieu et commerça avec les pays d'Asie. La période dite «de Momoyama» (1573-1603) vit se succéder trois dictateurs : en 1568, le daimmyô de la région de Nagoya, Oda* Nobunaga, commença le processus de réunification du Japon et exila le dernier shôgun Ashikaga. Après l'assassinat de Nobunaga, un de ses généraux, Hideyoshi*, s'empara du pouvoir et édifia sa forteresse à Ôsaka. Il échoua dans son entreprise de conquête de la Corée, et Tokugawa* Ieyasu, vassal d'Hideyoshi, lui succéda en 1615, commandant le pays à partir de son château d'Edo (Tôkyo). L'époque d'Edo (1615-1868) fut une période de grande stabilité et de prospérité qui vit l'ascension de la classe marchande. Alors que Ieyasu, prenant le titre de shôgun, résidait à Edo, l'empereur restait sous surveillance à Kyôtô. À cette époque, les Européens firent leur apparition au Japon : à l'époque Momayama, Portugais et missionnaires (François Xavier) avaient débarqué dans les ports du Kyûshû (Nagasaki). Les daimyôs Nobunaga et Hideyoshi avaient toléré la nouvelle religion. Mais, avec les Tokugawa*, la politique du Japon devint moins tolérante. Seuls les Hollandais et les Chinois furent autorisés à tenir comptoir à Nagasaki. Le Japon se ferma progressivement, à partir de 1639, à tout contact avec le monde extérieur. Deux siècles plus tard, en 1853, une flotte américaine conduite par le commodore Perry jeta l'ancre dans le port d'Edo et demanda au nom du président des États-Unis l'ouverture du Japon au commerce occidental. Les étrangers obtinrent le droit de débarquer dans plusieurs ports et de se rendre à Ôsaka et Edo. L'empereur fut remis sur le trône et le shôgun obligé de démissionner en 1867. En 1868, l'ère Meiji (« gouvernement éclairé ») débuta par l'installation de l'empereur Mutsuhito et de sa cour à Edo, rebaptisée Tôkyô. Se mettant à l'école de l'Occident, le Japon accueillit savants et techniciens du monde entier et tenta de rattraper son retard technologique. Devenu une puissance militaire, l'Empire du Soleil levant partit à la conquête de la Chine en 1894 et obtint la cession de Taïwan. Les Japonais s'opposèrent alors aux Russes et acquirent, après la bataille navale de Tsushima, le sud de Sakhaline et surtout Port-Arthur, avec la péninsule de Liao-tung (1905). La Corée devint colonie nippone en 1910. Pendant la Première Guerre mondiale, le Japon s'appropria certaines îles du Pacifique et obtint des avantages économiques en Chine. L'occidentalisation du Japon s'accentua durant l'entre-deux-guerres. À la suite de la crise économique de 1929, le pays suivit une politique expansionniste, qu'expliquent en partie le besoin de matières premières, les problèmes de surpopulation. En 1931, l'armée japonaise déferla sur la Manchourie (Manchoukuo en 1932). Un nouvel incident, provoqué délibérément par le Japon, éclata à Pékin (1937). La Chine résista, mais dut finalement reculer devant la poussée japonaise. Allié de l'Allemagne et de l'Italie (1936-1937), le Japon s'appropria peu après les colonies indochinoises françaises. L'attaque de Pearl* Harbor (7 déc. 1941) eut pour effet principal de décider les Américains à participer à la Deuxième Guerre mondiale aux côtés des Alliés. Après de terribles combats, les bombes atomiques américaines lâchées sur les villes de Hiroshima (6 août 1945) et de Nagasaki (9 août) obligèrent les Japonais à signer un armistice le 2 sept. 1945, à bord du cuirassé *Missouri.* Les États-Unis signèrent la paix avec le Japon, dont le territoire se restreint aux quatre îles principales (1951). Les gouvernements Yoshida, Hatoyama, Kishi et Ikeda se succédèrent de 1946 à 1964, correspondant à l'occupation américaine d'après-guerre. Le gouvernement Sato (1964-1972) a vu la restitution des îles d'Okinawa (1972). L'empereur Hiro-Hito règne depuis 1926.

JAPON *(mer du)* ou **NIHON-KAI.** ♦ Mer presque fermée s'étendant entre les îles du Japon, la Corée et la côte orientale de Sibérie. Elle s'ouvre sur la mer d'Okhotsk* au N. par le détroit de Tartarie* et à l'E. par le détroit de La Pérouse (ou Soya-kaiko), sur l'océan Pacifique par le détroit de Tsugaru (entre les îles de Honshû* et de Hokkaidô*) et le détroit de Shimonoseki (entre les îles de Honshû et de Kyûshû*), enfin sur la mer de Chine orientale par le détroit de Corée (ou de Tsushima). Relativement profonde (de 2 000 à 3 000 m), elle semble être le résultat d'un effondrement. Ses eaux, où se heurtent des courants froids et chauds, sont très poissonneuses. Sa partie N. est parfois gelée pendant l'hiver, permettant un passage facile de Sibérie à Sakhaline. Orientée N.-N.E. - S.-S.O., elle s'étend de 53° à 43° de latitude N. et de 128° à 142° de longitude est.

Japon *(martyrs du).* ♦ Nom donné à six franciscains espagnols, trois jésuites japonais (dont Paul Miki) et dix-sept laïques japonais crucifiés près de Nagasaki en 1597. Ils furent canonisés en 1862. Fête le 6 février.

JAPURÁ ou **YAPURÁ.** ♦ Riv. du Brésil (2 800 km), affl. de l'Amazone* (r. g.), qui prend sa source en Colombie sous le nom de Caquetá*.

JAQUES-DALCROZE (Émile). ♦ Pédagogue et compositeur suisse (Vienne, 1865 – Genève, 1950). Élève de Delibes et de Fauré à Paris, puis de Fuchs et de Bruckner, à Vienne, il créa la « gymnastique rythmique » qui tend à harmoniser les mouvements du corps, les impulsions psychiques et la musique. Auteur d'opéras, de pièces de musique de chambre et chorale, il a publié des recueils de chansons populaires de la Suisse romande, et divers écrits théoriques.

JARAÏ. *n. m. pl.* ♦ Tribu des populations montagnardes du sud-indochinois de la région de Pleiku (Viêt-nam) d'origine ancienne et de langue apparentée à celle des anciens Cham* (dialecte malayo-polynésien).

Jardin (le). ♦ École de philosophie fondée par Épicure* à Athènes en ~306. Centre de l'épicurisme, il fut dirigé successivement par Hermarque, Polystrate, Denys et Basilide. Quatorze scolarques s'y seraient succédé de la mort d'Épicure à celle de César.

JARGEAU. ♦ Ch.-l. de cant. du Loiret, arr. d'Orléans, sur la r. g. de la Loire. 2 843 hab. *(Gergoliens).* Église (XIIe-XVIe siècle). Jeanne d'Arc y vainquit les Anglais le 12 janv. 1429.

JARÎR. ♦ Poète arabe ([mort] v. 728). Il introduisit dans une de ses odes où il glorifie l'islâm la piété religieuse en poésie. Il est surtout célèbre par ses satires parsemées de violentes injures ainsi que par ses panégyriques d'al-Hajjâj, gouverneur 'umayyade* de l'Irak.

JARNAC (Guy de Chabot, *baron de***).** ♦ Gentilhomme français (1505 – après 1572). Dans un duel resté célèbre, il allait être vaincu lorsqu'il frappa son adversaire François de Vivonne (La* Châtaigneraie) au jarret d'un coup inattendu mais loyal (d'où l'expression : *un coup de Jarnac*). Le duel eut lieu en présence d'Henri II et de toute la cour.

JARNAC. ♦ Ch.-l. de cant. de la Charente (arr. de Cognac), sur la r. d. de la Charente. 4 831 hab. *(Jarnacais).* Église des XIIe et XIIIe siècles. – Distilleries. Important centre de commercialisation des eaux-de-vie. ♦ *Hist.* Le 13 mars 1569, le futur Henri III, alors duc d'Anjou, remporta une importante victoire sur les troupes protestantes du prince de Condé, qui fut tué au cours de la bataille.

JARNY. ♦ Comm. de Meurthe-et-Moselle, arr. de Briey. 9 480 hab. *(Jarnysiens).* Église en partie du XIVe et du XVIe siècle. – Mines de fer ; matériaux de construction ; constructions métalliques.

JARRE (Maurice). ♦ Compositeur français (Lyon, 1924). Élève d'A. Honegger, il a surtout écrit de la musique de scène pour les principaux spectacles de J. Vilar au Théâtre national populaire, et de la musique de film.

JARRES *(plaine des).* ♦ Nom donné, au Laos, à une plaine du plateau du Trân-ninh, dans les env. de Xiang-Khuang. Des centaines de grandes urnes funéraires en pierre y furent retrouvées, datant probablement de l'âge du bronze (environs de notre ère).

Jarretière *(ordre très noble de la)*, en angl. **The Most Noble Order of the Garter.** ♦ Ordre de chevalerie anglais fondé par Édouard III entre 1346 et 1348. Selon la tradition, la comtesse de Salisbury, maîtresse d'Édouard III, laissa tomber sa jarretière lors d'un bal de la cour. Le roi la ramassa vivement et la rendit à la comtesse; devant les plaisanteries des courtisans, il s'écria : « Honni soit qui mal y pense » (devise de l'ordre). Il promit à sa favorite de faire de ce ruban bleu un insigne si prestigieux que les courtisans les plus fiers s'estimeraient trop heureux de le porter. L'ordre a pour grand maître le roi et comprend, outre le prince de Galles, 24 chevaliers choisis dans la plus haute noblesse. Il est parfois conféré à des personnalités étrangères.

JARRY (Alfred). ♦ Écrivain français (Laval, 1873 – Paris, 1907). Dès 1888, à Rennes, il mettait en œuvre, par le moyen de comédies pour marionnettes, le personnage du père Ubu qui allait tenir une grande place dans l'histoire littéraire comme dans la vie de son inventeur **(V. Ubu).** Ce personnage apparut dans ses premières œuvres, *Les Minutes de sable mémorial* (poèmes, 1894), *César Antéchrist* (scènes héraldiques, 1895), et devint le centre d'une geste théâtrale dont la virulence et la cocasserie d'origine « potache » eurent un effet de rupture indéniable : *Ubu roi* (première représentation houleuse le 10 déc. 1896), *Ubu enchaîné* (1900), *Ubu sur la butte* (réduction d'*Ubu roi* en deux actes pour marionnettes; représenté en 1901), *Ubu cocu* (posth., 1944), à quoi s'ajoutent les deux *Almanachs du père Ubu* (1899 et 1901). La dramaturgie de Jarry, exposée dans son article *De l'inutilité du théâtre au théâtre* (1896), se caractérise par la schématisation des caractères, des actions, du décor et par le refus du réalisme et de la psychologie. Elle précède ainsi les tendances du théâtre au XXe s. et inspira en partie les recherches d'A. Artaud* (qui fonda un théâtre Alfred-Jarry). Cependant l'envahissante personnalité d'Ubu créa, vis-à-vis de l'œuvre proprement littéraire de Jarry, une équivoque que l'intérêt superficiel des surréalistes ne dissipa point. En quelques années d'une vie « paroxystique », Jarry produisit une œuvre dense, d'un abord parfois difficile, où les splendeurs de l'imagination et les mythologies les plus personnelles s'expriment dans une langue complexe, jouant sur les significations multiples des images et des mots. Citons : *Les Jours et les Nuits* (1897), quête du double et désertion de la réalité, dans la folie; *L'Amour absolu* (1899), quête de la mère à travers une imagerie paradoxalement chrétienne; *Messaline, roman de l'ancienne Rome* (1901) et, symétrique, *Le Surmâle, roman moderne* (1902), envisageant des excès érotiques, l'un dans une réinvention du passé, l'autre dans un futur d'anticipation; *Gestes et Opinions du docteur Faustroll, pataphysicien* (écrit en 1897-1898, publié posthumément en 1911) exposant cette « science des solutions imaginaires » qui est la clef de l'œuvre de Jarry et que perpétue le collège de 'Pataphysique (fondé en 1948).

JARVILLE-LA-MALGRANGE. ♦ Comm. de Meurthe-et-Moselle, arr. de Nancy. 12 809 hab. Indus. du papier; métallurgie.

JASIEŃSKI (Bruno). ♦ Poète polonais (1901 – 1939). Futuriste, il tenta avec son premier recueil *La Botte dans la boutonnière* (*But w butonierce,* 1921) de choquer à tout prix le bourgeois, mais dans son long poème *Le Chant de la faim* (*Pieśń o głodzie,* 1922) et *La Terre à gauche* (*Ziemia na lewo,* 1924), il se révolta contre l'injustice sociale. Après l'insurrection des ouvriers à Cracovie, il écrivit *La Marche des insurgés de Cracovie* (*Marsz powstańców Krakowskich,* 1924). Émigré à Paris, il publia dans *l'Humanité* son roman fantastique *Je brûle Paris* (*Palę Paryż,* 1928) où il évoque la révolution future socialiste.

JASÎM al-DÎN (Jasîm Uddîn). ♦ Poète et écrivain indien contemporain (Bengale, 1903 –) d'expression bengalî et de foi musulmane. Ses œuvres, très nombreuses, ont connu un grand succès populaire. Plusieurs de ses romans furent traduits en anglais (*Gipsy Wharf, The Field,* entre autres).

Ph. Harlingue-Viollet

A. Jarry.

JASMIN (Jacques Boé, dit**).** ♦ Poète français de langue d'oc (Agen, 1798 – *id.,* 1864). Il voulut faire renaître la littérature occitane et publia des poèmes gascons qui eurent un grand succès auprès de la critique parisienne. Son œuvre est réunie sous le titre *Las Papillotos,* « Les Papillotes » (1835 et 1842, 1851, 1863).

JASON, en gr. **Iasôn.** ♦ Fils d'Éson*, roi mythique d'Iolcos (Thessalie) détrôné par Pélias*, Jason est élevé par le centaure Chiron*. Devenu adulte, il revient à Iolcos et se présente devant le roi portant une seule sandale, parce qu'il avait perdu l'autre en traversant un torrent. Or, un oracle avait averti Pélias de « se méfier de l'homme à l'unique sandale ». Il pose alors à Jason une condition pour lui rendre le royaume : lui apporter la *Toison* d'or.* Jason part en Colchide* sur le navire *Argo* avec les principaux héros grecs, les *Argonautes**. Il en revient avec le précieux trophée et marié avec Médée*, qui, peu après, provoque la mort de Pélias. Chassés alors d'Iolcos, les deux époux se réfugient à Corinthe*. Après dix ans, Jason répudie Médée et lui annonce son mariage avec Créüse*, fille du roi Créon*, attirant l'atroce vengeance de la magicienne.

JASPAR (Henri). ♦ Homme politique belge (Schaerbeek, Bruxelles, 1870 – Uccle, Bruxelles, 1939). Chef du parti catholique, il occupa plusieurs fonctions ministérielles (Économie, Affaires étrangères) avant de devenir président du Conseil (1926-1931). Il fit entrer la Belgique dans la S.D.N. et s'efforça de stabiliser le franc belge et d'apaiser l'agitation flamingante.

JASPERS (Karl). ♦ Psychologue et philosophe allemand (Oldenburg, 1883 – Bâle, 1969). Il se fit d'abord connaître par des travaux de psychiatrie et de psychologie où il introduisit la méthode compréhensive, s'inspirant des idées de Dilthey et de la phénoménologie de Husserl* (*Psychopathologie générale,* 1913; *Psychologie des conceptions du monde,* 1919). Il se consacra ensuite à la philosophie, publiant successivement : *Situation spirituelle de notre époque* (1931), *Philosophie* (1932), *Introduction à la philosophie, La Foi philosophique, Origine et sens de l'histoire, Les Grands Philosophes* (1957). Spirituellement proche de Nietzsche et surtout de Kierkegaard, son existentialisme a pour point de départ une analyse critique du savoir objectif, la constatation de ses limites et de l'impossibilité d'une ontologie rationnelle. Philosopher, c'est ainsi pour l'homme prendre conscience de son existence par rapport au monde où il doit sans cesse engager sa liberté, et aux autres avec qui il tente de communiquer. Les situations limites (la souffrance, l'échec, la mort, etc.), en lui dévoilant sa finitude, lui font aussi découvrir l'exigence d'une transcendance (L'Être, L'Englobant) dont il lui appartient de lire, d'interpréter le langage (les signes et les chiffres), décidant ainsi du sens (ou du non-sens) de son existence, de son histoire. Au-delà de tout dogme, de toute autorité établie, la foi philosophique qu'affirme K. Jaspers est exigence de clarté, de rationalité et fondement d'une éthique nouvelle. Elle éclaire ses prises de position morales et politiques : son opposition au national-socialisme (qui l'obligea à se réfugier en Suisse), son analyse de *La Culpabilité allemande,* au lendemain de la guerre (1946), son ouvrage sur *La Bombe atomique et l'avenir de l'humanité.*

JASSY. ♦ **V.** IAŞI.

JASTRUN (Mieczysław). ♦ Poète polonais (né en 1903). Soucieux d'être « responsable devant l'histoire », il élabora un style qui se caractérise moins par la richesse des images que par une recherche d'idées. Ayant débuté avec *Rencontre dans le temps* (*Spotkanie w czasie,* 1929), il écrivit *Une autre jeunesse* (*Inna młodość,* 1933), *Des faits encore récents* (*Dzieje nicostygłe,* 1935), *Le Ruisseau et le Silence* (*Strumień i milczenie,* 1937), *L'Année féconde* (1950), *Les Couleurs de la terre* (1951) et *Poèmes sur la langue polonaise* (1952). En 1950, il publia des traductions de Rimbaud, d'Éluard et d'Aragon. Il est également l'auteur d'un roman biographique sur *Mickiewicz* (1949) et d'un récit sur la vie de Slowacki, *Rencontre avec Salomé* (1951).

JASWANT SINGH. ♦ Râja du Marwâr (Inde occidentale) qui régna de 1657 à 1678 et fut au service d'Aurangzeb*. Après avoir trahi Dârâ Shikuh, il fut impliqué dans une autre trahison (au profit de Śivâjî*, le chef des Mahrâtî révoltés contre les Mogols) et déporté en Afghânistân où il mourut au cours d'un combat.

JÂT. *n. m. pl.* ♦ Groupes de paysans indiens de la région de Mathûra* (moyen Gange) qui, à la suite de la destruction de leur temple par les musulmans, se révoltèrent de nombreuses fois à partir de 1669 contre Aurangzeb*, allant jusqu'à violer, en 1691, la tombe d'Akbar*. Ils ne purent être définitivement vaincus qu'en 1772.

Jâtaka. *n. m. pl.* ♦ Ensemble de contes bouddhiques indiens rédigés en pâli et racontant les épisodes des vies antérieures du Bouddha*. Ce célèbre recueil ne comporte pas moins de 547 histoires, dont les plus anciennes peuvent remonter au ~ IIIe siècle. Ces textes, traduits dans toutes les langues des pays bouddhistes d'Asie, ont été d'une grande importance au point de vue littéraire et artistique, en fournissant à de nombreux pays thèmes de représentations et sujets moraux et philosophiques. Ils sont également précieux pour les renseignements qu'ils contiennent concernant la vie dans l'Inde ancienne.

JAUBERT (Maurice). ♦ Compositeur français (Nice, 1900 – Azerailles-sur-Moselle, 1940). Une spontanéité chaleureuse et le goût de la clarté caractérisent son œuvre à laquelle une mort héroïque mit fin prématurément. Il a laissé des ouvrages symphoniques (*Le Jour*, 1931; *Suite française*, 1935; *Jeanne d'Arc*, d'après Ch. Péguy, 1937; *Concert flamand*, 1938), de la musique de chambre et des mélodies. Ses partitions de musique de scène (*Tessa*, *La Guerre de Troie n'aura pas lieu*) et de film (*Quatorze-Juillet*, *Drôle de drame*, *Carnet de bal*, *Quai des brumes*) sont des chefs-d'œuvre du genre.

JAUCOURT (Louis, *chevalier de*). ♦ Érudit français (Paris, 1704 – Compiègne, 1779), auteur d'une *Histoire de la vie et des œuvres de Leibniz* (1734), et infatigable collaborateur de Diderot* pour l'*Encyclopédie**.

JAUCOURT (François Arnail, *comte de*). ♦ Homme politique français (Tournan-en-Brie, 1757 – Presles, Seine-et-Marne, 1852). Député à l'Assemblée législative (1791), il siégea avec les monarchistes constitutionnels, fut emprisonné après le 10 août 1792, mais, libéré peu après, il émigra jusqu'au 9 thermidor an II (27 juillet 1794). Rallié à Bonaparte après le 18 Brumaire (9 novembre 1799), il présida le Tribunat, fut membre du Sénat et intendant de la maison de Joseph Bonaparte. Membre du gouvernement provisoire en 1814, il se rallia à Louis XVIII qu'il rejoignit à Gand et qui le nomma ministre de la Marine après Waterloo (1815).

JAUFRE (ou **JAUFRÉ) RUDEL**, *prince de* **Blaye**. ♦ Troubadour français du XIIe siècle. Amoureux de la comtesse de Tripoli pour qui (selon une légende qui inspira successivement Uhland, Heine*, Swinburne, Carducci* et E. Rostand*) il partit à la croisade, n'atteignant le terme de son voyage que pour mourir dans les bras de sa bien-aimée. Il a laissé sept chansons d'amour dont quatre notées, chefs-d'œuvre de l'art monodique.

JAUNE *(fleuve)*. ♦ **V.** HUANG-HO.

JAUNE *(mer)*. ♦ Grand golfe chinois donnant sur le N. de la mer de Chine orientale, entre la côte chinoise au N. de Shanghai* et la côte orientale de Corée. Cette mer, relativement peu profonde (moins de 200 m), est progressivement comblée par les alluvions du Huang*-ho. Elle se termine au N.-O. par le golfe du Bohai (Po-hai) ou de Petchili.

JAUNPUR. ♦ V. de l'Inde (Uttar Pradesh) fondée en 1360 par des sultans musulmans de Delhi, à 100 km à l'E. d'Allâhâbâd*. Anc. cap. d'un État musulman au XVe s., elle possède de beaux monuments de cette époque.

JAURÉGUIBERRY (Jean Bernard). ♦ Amiral français (Bayonne, 1815 – Paris, 1887). Il servit successivement en Crimée, en Cochinchine et en Chine, puis fut nommé gouverneur du Sénégal. Membre du gouvernement de la Défense nationale (1870), il combattit ensuite sous les ordres de Chanzy. Député (1871-1872), puis sénateur inamovible (1879), il fut deux fois ministre de la Marine de la IIIe République (1879-1880, 1882-1883).

JAURÈS (Jean). ♦ Homme politique, philosophe et historien français (Castres, Tarn, 1859 – Paris, 1914). Professeur de philosophie à Albi, puis à l'université de Toulouse, il fut élu député (centre gauche) du Tarn (1885). Battu aux élections de 1889, il revint à l'enseignement et prépara ses thèses : *De la réalité du monde sensible*; *Les Origines du socialisme allemand chez Luther, Kant, Fichte, Hegel* (1891). Sa philosophie peut se définir comme un panthéisme évolutionniste. Député socialiste de Carmaux (1893), il adhéra au parti ouvrier français et lutta pour l'unité du mouvement socialiste. En 1898, il prit position pour la reconnaissance de l'innocence de Dreyfus (*Preuves*, 1898). Il défendit contre J. Guesde* la participation du socialiste A. Millerand au gouvernement Waldeck-Rousseau (1899); mais il se plia à la décision du congrès socialiste d'Amsterdam (1904), où la tendance guesdiste l'emporta, et devint alors un des chefs du parti socialiste français (S.F.I.O. créée en 1905). Fondateur de *l'Humanité** (1904), il mena, comme parlementaire, les grandes batailles socialistes : lois pour l'enseignement laïc, lois ouvrières. Violemment opposé à la politique colonialiste et à la guerre, il fut assassiné par un nationaliste, R. Villain. Si Jaurès adopta le matérialisme économique et la théorie de l'antagonisme des classes de Karl Marx, son socialisme fut libéral et démocratique. Sans écarter totalement la possibilité pour le prolétariat de « recourir à la force insurrectionnelle », il crut en une évolution révolutionnaire d'une démocratie républicaine en une démocratie socialiste par le renforcement de la classe ouvrière. Cependant, il n'était pas partisan de la dictature du prolétariat. Son internationalisme et son pacifisme (assorti du souhait d'une « armée nouvelle ») sont liés à un patriotisme démocratique (*Action socialiste*, 1899; *Études socialistes*, 1901; *Histoire socialiste de la révolution française*, 1789-1900, ouvrage publié sous sa direction de 1901 à 1908, etc.).

JAVA. ♦ Île volcanique d'Indonésie, longue de 1 000 km et large de 190 km au maximum, s'allongeant d'O. en E. entre les îles de Sumatra* et de Bali*. 132 000 km². Plus de 80 000 000 d'hab. (570 hab./km², une des plus fortes densités du monde). – Elle est formée par une chaîne discontinue de volcans dont 14 dépassent 3 000 m d'altitude (Slamet : 3 430 m). Nombre d'entre ces volcans sont actifs (Merapi, Bromo) et leurs éruptions provoquent des catastrophes (éruption du Krakatau* en 1883). Les pentes de ces volcans, très fertiles, sont activement cultivées par les paysans javanais qui ont transformé l'île en un véritable jardin. On y cultive principalement le riz, mais aussi des légumes. Les cultures commerciales (épices) et industrielles sont nombreuses (hévéa surtout). L'île est arrosée par des pluies tropicales tout au long de l'année, et drainée par quelques rivières au régime torrentueux.

Ph. Sandro Prato/Ricciarini

Java : paysage près de Bandung.

Sa partie orientale, formée de plaines et de plateaux de faible altitude, est couverte de forêts, tandis que la partie N.-E. est plate et bien irriguée. Le centre de Java fut le premier centre culturel et religieux de l'île. Celle-ci est actuellement divisée en quatre provinces : Java-Ouest, avec pour ch.-l. Bandung*, Java central (ch.-l. Semarang*, comprenant l'île de Madura*), Djogjakarta* et Java-Est (ch.-l. Surabaja). L'île, la principale de l'archipel indonésien, possède peu d'industries (quelques champs pétrolifères) [raffineries à Tjepu et Byla], mais sa fertilité (riz, canne à sucre, thé, café, épices, quinine, rotin, cacao) en fait le centre de l'Indonésie. La capitale fédérale, Djakarta*, est bâtie sur la côte nord-ouest. – **V. Indonésie.**

JAVA *(mer de)*. ♦ Mer de l'Insulinde. Comprise entre l'île de Java* au S., Bornéo* au N., Sumatra* au S.-O., elle se prolonge à l'E. par la mer de Flores*. Elle communique avec la mer de Chine* méridionale par le détroit de Karimata, avec la mer des Célèbes par le détroit de Makasar*, avec l'océan Indien par plusieurs détroits. Sa profondeur est faible (67 m au max.).

JAVARI ou **YAVARI**. *n. m.* ♦ Riv. du Pérou (1 000 km env.), affl. de l'Amazone* (r. d.), qui forme frontière entre le Pérou et le Brésil.

JAVOROV (Peju, pseudonyme de **P. Kračolov).** ♦ Poète bulgare (Čirpan, 1877 – Sofia, 1914). Disciple de Penčo Slavejkov*, il poussa jusqu'à la virtuosité sa maîtrise formelle du vers dans des poèmes symbolistes sur l'amour et la mort : *Poésies* (1901), *Insomnies* (1907), *Derrière les ombres des nuages* (1910).

JAWLENSKY (Alexej von). ♦ Peintre et dessinateur russe (Torschok, 1864 – Wiesbaden, 1941). Il abandonna pour la peinture une carrière d'officier et s'installa en 1896 à Munich, où il compléta sa formation artistique et se lia avec Kandinsky*. Il rencontra Hodler, puis Matisse en 1905 au cours d'un séjour en France. Il fonda ensuite avec Kandinsky la « *Neue Künstlervereinigung* » (N.K.V. 1909) et les œuvres qu'il réalisa entre 1905 et 1913 offrent des affinités avec celles des Fauves : la couleur y est étalée par larges nappes intenses et tend à perdre sa fonction descriptive pour devenir le moyen d'expression privilégié de la subjectivité de l'artiste; l'espace est à peine approfondi et le dessin simplifié prend un aspect schématique. Jawlensky eut aussi tendance à cerner certaines parties de ses figures d'un épais trait foncé; s'il ne participa pas à la formation du *Blaue Reiter* (Cavalier* bleu), il n'en resta pas moins très proche de Kandinsky (*Paysage de Murnau*, 1912), distribuant les masses colorées d'une touche large posée souvent en diagonale. Il n'abandonna cependant jamais la figuration et, hanté par des préoccupations spiritualistes, s'inspira de la peinture byzantine (*Figures mystiques*, 1917). Il peignit de nombreuses têtes féminines à l'aspect souvent hiératique. Il résida en Suisse de 1914 à 1921, puis à Wiesbaden. Par le caractère mystique et lyrique de son inspiration, son art se rattache au courant de l'expressionnisme allemand, mais il se rapproche souvent de Matisse par l'élégance et la puissance synthétique du trait.

JAWORZNO. ♦ V. de Pologne* (voïévodie de Cracovie) située à l'E. du bassin houiller de haute Silésie. 59 100 hab. Industries chimiques et charbonnages.

JAYADEVA. ♦ Poète indien (v. 1150 – v. 1210) de la cour du roi Lakṣmanadeva du Bengale, fervent du culte de Kriṣna* et auteur de la *Gîtâ*-Govinda*, poème célébrant Kriṣna* en termes d'une ardente dévotion.

JAYA HARIVARMAN. ♦ Nom de rois du Champâ* (actuel Annam) qui se succédèrent de 1147 à v. 1166 sur le trône de Panduranga (Phan-Rang). ♦ JAYA HARIVARMAN Ier demeura célèbre pour avoir battu les Khmers* et repris son anc. cap. Vijaya (v. 1149). ♦ Son fils JAYA HARIVARMAN II lui succéda en 1166 mais fut presque aussitôt évincé du trône par un rival qui prit le nom de Jaya* Indravarman IV.

JAYA INDRAVARMAN (Ier, II, III, IV, V, VI). ♦ Nom de plusieurs rois du Champâ (actuel Annam) qui régnèrent à Indrapura de 959 jusqu'à 1257. Le plus célèbre fut Jaya Indravarman IV (v. 1166-v. 1190) qui évinça du trône Jaya Harivarman II et réussit, en remontant le Mekong*, à surprendre la ville d'Angkor* (Cambodge) et à la piller (1177), tuant le roi-usurpateur Tribhûvanâdityavarman. Mais il fut battu et fait prisonnier par le roi khmer Jayavarman* VII en 1190. Relâché, il fut tué au combat par un prince Cham qui avait pris sa place, en 1192.

JAYANAGARA. ♦ Roi javanais de l'empire de Madjapahit qui régna de 1292 à 1328, succédant à Kritanâgara. Il fut assassiné par un noble de sa cour dont il avait séduit l'épouse.

JAYAPÂLA ou **JAIPÂL.** ♦ Roi indien de Kâbul* v. la fin du Xe siècle. Chassé d'Afghânistân par le Türk Sabuktigîn en 991, il se réfugia au Pañjâb* où il organisa une confédération de *râja* locaux afin de faire obstacle aux raids de pillage de Sabuktigîn. Il fut cependant vaincu en 1001 par le successeur de celui-ci, Mahmûd* de Ghaznî et fait prisonnier avec toute sa famille. Sa résistance héroïque fit le sujet de nombreuses gestes épiques indiennes.

JAYA SIMHAVARMAN (Ier, II, III, IV, V). ♦ Nom de plusieurs rois du Champâ* (actuel Annam) qui régnèrent de v. 898 à 1400. Ils s'opposèrent constamment aux entreprises des Vietnamiens qui tentaient de descendre vers le S. en suivant les côtes de l'Annam. Mais finalement repoussés, ils durent abandonner aux Vietnamiens, en 1400, les provinces situées au N. du col des Nuages (17e parallèle).

JAYAVARMAN (Ier à VIII). ♦ Nom de rois du Cambodge qui régnèrent au Chen*-la, puis à Roluos et enfin à Angkor* (v. 650-1295). ♦ JAYAVARMAN II créa véritablement l'empire khmer v. 802 et régna jusqu'en 850 (ou 854), conquérant le Chen*-la et se rendant indépendant de Java. Il institua le culte du «Dieu-roi». ♦ JAYAVARMAN IV usurpa le trône de 921 à 944 et créa une autre capitale à Koh*-Ker, au N.-E. d'Angkor. ♦ JAYAVARMAN VII fut le plus grand des souverains qui portèrent ce nom. Après avoir vaincu les rois Cham, il se fit couronner en 1181 et se mit en devoir de réédifier la ville d'Angkor* qu'il renomma *Angkor-thom* (« Angkor-la-Grande ») et orna de nombreux monuments. Fervent bouddhiste, il créa plus de cent hôpitaux et gîtes d'étapes, fit tracer des routes, construire des ponts. Son règne fut pacifique, mais son zèle de constructeur ruina l'État khmer. Il disparut vers 1218.

Jazz (Cf. Robert, t. 3). ♦ Forme musicale principalement négro-américaine, née à La Nouvelle-Orléans dans les années 1900, et caractérisée par le balancement intérieur *(swing)* et l'improvisation. — *Période primitive* (jusqu'à 1917) : **V. Nouvelle-Orléans, Dixieland.** *Période classique* (1918-1930) : **V. Armstrong** (Louis), **Bechet** (Sydney), **Beiderbecke** (Bix) **Hawkins** (Coleman). *Middle-jazz* (1930-1940) : **V. Basie** (Count), **Ellington** (Duke), **Tatum** (Art), **Young** (Lester), *Bep-bop* (apogée en 1945-1948) : voir ce mot. *Free jazz* (depuis 1960) : **V. Coleman** (Ornette).

JDANOV (Andreï Alexandrovitch). ♦ Théoricien et homme politique russe (Tver, 1896 — Moscou, 1948). Bolchevik en 1915, membre du Comité central du Parti communiste d'U.R.S.S. en 1927, il joua un rôle politique de plus en plus important à partir du procès de Moscou (1937) et particulièrement lors de la signature du pacte germano-soviétique (1939). Nommé troisième secrétaire du parti en 1946, il fut l'un des principaux défenseurs de l'orthodoxie stalinienne non seulement dans les domaines économiques, social et politique, mais aussi littéraire, philosophique et artistique (*Sur la littérature, la philosophie et la musique,* 1947, trad. fr. 1950), et il contribua à la création du Kominform (1947). Ses positions furent officiellement contestées lors de la déstalinisation.

JDANOV [*Ždanov*], anc. **Marioupol'.** ♦ V. et port d'U.R.S.S. (Ukraine) sur la côte septentrionale de la mer d'Azov*, dans le Donbass*. 404 000 hab. Indus. sidérurgiques. Exportation de houille et de métaux. Conserveries de poisson.

JEAN. ♦ Prénom porté par un grand nombre de personnages, saints et souverains (angl. *John,* esp. *Juan,* etc.). — a) saints [par ordre alphabétique des noms, y compris les noms composés]; b) papes; c) roi d'Angleterre; d) roi de Bohême; e) duc de Bourgogne; f) ducs de Bretagne; g) tsars de Bulgarie; h) empereurs byzantins; i) rois de Castille et de León; j) roi de Danemark; k) rois de France; l) rois de Hongrie; m) rois de Navarre et d'Aragon; n) empereur d'Orient; o) rois de Pologne; p) rois de Portugal; q) électeur de Saxe; r) rois de suède; s) le « prêtre Jean ».

JEAN *(saint),* fils de Zébédée. ♦ Un des douze apôtres, en qui l'on reconnaît « le disciple que Jésus aimait » du quatrième Évangile. Dans l'Évangile, il est un des premiers disciples de Jésus, assiste à la Transfiguration et à la Passion, reçoit la garde de Marie, accède avec Pierre au tombeau vide. La tradition le fait mourir à Éphèse après avoir été relégué à Patmos; elle lui attribue le quatrième Évangile*, l'*Apocalypse** et les trois Épîtres* qui portent son nom. — Fête le 27 décembre.

JEAN-BAPTISTE *(saint)* ou **le Baptiste.** ♦ ([mort] v. 28). Prophète juif en qui les Évangiles reconnaissent un précurseur du christianisme (d'où son surnom : le Précurseur). *Luc,* I, 5 sqq. le fait naître miraculeusement de Zacharie et d'Élisabeth. Il subit peut-être l'influence des Esséniens, mena une vie ascétique dans le désert (de Juda?), groupa quelques disciples et prêcha la conversion intérieure *(metanoïa)* et la venue prochaine du Messie* (*Marc,* I, 4 sqq.). Il baptisait par immersion dans l'eau du Jourdain; Jésus se fit baptiser par lui selon Marc (I, 9). Arrêté sur ordre d'Hérode Antipas, il fut décapité dans la citadelle de Machéronte à la demande de Salomé*, conseillée par Hérodiade*. Fête le 24 juin; la mort de saint Jean-Baptiste est commémorée le 29 août. — *Icon.* Saint Jean-Baptiste enfant a été représenté par Léonard de Vinci (*Vierge aux rochers,* Louvre), Raphaël (*Sainte Famille de François Ier,* Louvre); en jeune berger : Donatello (Louvre, Campanile de Florence), Léonard de Vinci (Louvre); en prophète vêtu de poil de chameau : mosaïques de Ravenne, portails de Vézelay, Chartres, Amiens, peintures de Van Eyck (Gand), d'Andrea del Sarto (Rome), du Pinturicchio (Sienne), fonts baptismaux de Saint-Barthélemy (Liège); la décollation de saint Jean-Baptiste a été traitée par Pisano (baptistère de Florence), Van der Weyden (Berlin), Andrea del Sarto (cloître des Scalzi, Florence), Tiepolo (Bergame). **V.** *aussi* **Salomé.**

JEAN-BAPTISTE DE LA SALLE *(saint).* ♦ Prêtre français (Reims, 1651 — Saint-Sever, faubourg de Rouen, 1719). Il organisa à Reims (1679) puis à Paris (1688) et en province, une association qui devint (1694) la congrégation des *frères des Écoles chrétiennes.* — Fête le 7 avril.

JEAN BOSCO *(saint).* ♦ Prêtre italien (Castelnuovo d'Asti, Piémont, 1815 — Turin, 1888). Dès 1842, il s'occupa de catéchiser et d'éduquer les enfants d'un faubourg populaire de Turin; il développa son action en fondant la *Société de Saint-François-de-Sales* ou « salésiens » (approuvée en 1869) et l'*Institut des Filles de Marie-Auxiliatrice* ou « salésiennes ». Il eut en outre une célébrité de thaumaturge. — Fête le 31 janvier.

JEAN CASSIEN *(saint).* ♦ (v. 355 — Marseille, v. 432-435). Moine à Bethléem et en Thébaïde, puis diacre de saint Jean Chrysostome à Constantinople (v. 400-404), il fonda deux monastères d'hommes à Marseille (v. 415) et un de femmes aux environs. Auteur, en latin, des *Institutions cénobitiques* et des *Conférences des Anciens.* — Fête le 23 juillet.

JEAN CHRYSOSTOME *(saint).* ♦ Docteur de l'Église (Antioche, v. 349 — en Cappadoce, 407). Prêtre d'Antioche ayant pratiqué la vie ascétique, il devint célèbre par sa prédication, d'où son surnom (*Chrysostomos* = Bouche d'or), et fut nommé patriarche de Constantinople (398). Il organisa là des œuvres hospitalières et ne ménagea ni le luxe du haut clergé, ni l'adultère de l'impératrice, ce qui lui valut d'être déposé (conciliabule du Chêne, 403), rappelé à la suite d'une émeute populaire, enfin exilé de nouveau (404). Il mourut en gagnant, à pied, son lieu d'exil caucasien. Son œuvre comporte des traités ascétiques *(Parallèle d'un roi et d'un moine),* des *Catéchèses baptismales,* et un très grand nombre d'*Homélies* caractéristiques de l'exégèse de l'école d'Antioche, à la fois littérale et philologique. — Fête le 13 septembre.

JEAN CLIMAQUE *(saint),* en gr. **Klimakos,** « de l'Échelle ». ♦ (v. 579 — 649?). Moine, ermite puis higoumène du monastère du

Arch. Smeets

Saint **Jean-Baptiste,** par Léonard de Vinci. (Musée du Louvre, Paris.)

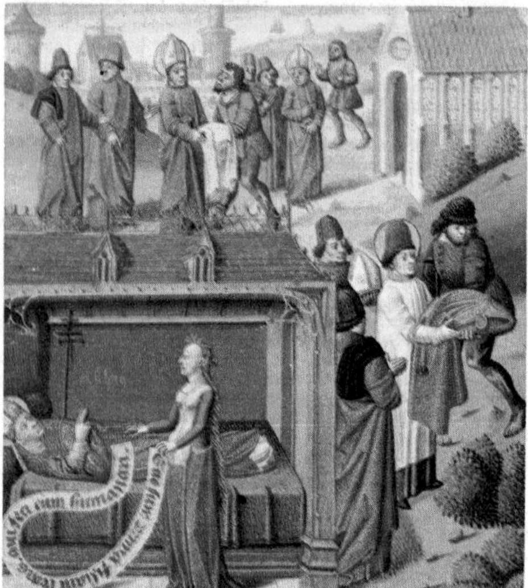

Ph. Giraudon

Le songe de saint **Jean Damascène.**
Le Miroir historial de Vincent de Beauvais.
(Musée Condé, Chantilly.)

Sinaï, auteur de *L'Échelle du Paradis,* traité de spiritualité qui lui valut son surnom. – Fête le 30 mars.

JEAN DAMASCÈNE *(saint).* ♦ Docteur de l'Église grecque (Damas, fin du VIIe s. – près de Jérusalem, v. 749). Tout en usant de la dialectique et en défendant les vérités philosophiques contre le scepticisme, il affirme néanmoins qu'elles ne sont l'une et l'autre que les servantes de la théologie, dans son ouvrage *Source de la connaissance.* Il combattit également l'hérésie iconoclaste.

JEAN DE BRÉBEUF *(saint).* ♦ Jésuite et missionnaire français (Condé-sur-Vire, Normandie, 1593 – Saint-Louis, Canada, 1649). Débarqué au Canada en 1625, il traduisit un catéchisme en « langage canadais » et fut l'apôtre des Hurons. Il fut martyrisé par les Iroquois en même temps que Gabriel* Lalemant. – Fête le 26 septembre. **V. Canada** *(martyrs du).*

JEAN DE CAPISTRAN *(saint).* ♦ Frère mineur et prédicateur italien (Capistrano, 1386 – Ilok, Croatie, 1456). Prêtre (v. 1425), inquisiteur (1426), général des Frères mineurs « de l'observance » (1447), il lutta contre les *fraticelles** et travailla à la réforme de son ordre. Légat pour l'Autriche, l'Allemagne, la Pologne, la Bohême, il lutta contre les hussites, prêcha la croisade contre les Turcs, fut un des artisans de leur défaite devant Belgrade (1456). – Fête le 23 octobre.

JEAN DE DIEU *(saint)* [*João Cidade* ou *Ciudad*]. ♦ Religieux portugais (Montemor-o-Novo, Portugal, 1495 – Grenade, 1550). Berger, puis soldat, il se convertit, organisa une œuvre de lectures pieuses à Gibraltar puis à Grenade. Là il prit l'habit religieux, se dévoua aux malades et fonda l'ordre des Frères hospitaliers. – Fête le 8 mars.

JEAN DE LA CROIX *(saint)* [*Juan de Yepes*]. ♦ Carme et mystique espagnol (Fontiveros, Vieille-Castille, 1542 – couvent d'Úbeda, 1591). Après sainte Thérèse, rencontrée en 1567, il fut l'âme de la réforme des carmels espagnols, participa aux premières fondations des carmes déchaussés (à Duruelo, Macera, Pastraña) et à la réforme du couvent de l'Incarnation d'Ávila dont sainte Thérèse* était prieure. Le conflit avec les carmes « mitigés » éclata en 1577; il fut enfermé à Tolède. C'est dans son réduit qu'il écrivit quelques-uns de ses poèmes. Évadé en 1578, il continua réforme et fondations, occupant d'importantes charges chez les carmes déchaussés (recteur du collège de Baeza, 1579; prieur à Grenade, 1582; à Ségovie, 1585). Mais du sein même de la réforme vint encore l'opposition : réduit à l'état de simple moine (1591), il mourut en butte à d'incessantes persécutions. Ses quatre traités mystiques sont des commentaires de ses poèmes : *La Montée du mont Carmel, La Nuit obscure* (tous deux sur le même poème), *Le Cantique spirituel, La Vive Flamme d'amour.* Ils enseignent à trouver Dieu au fond de la «nuit obscure» de l'âme, au fond du *nada* (« rien »). Dans ses poèmes, chefs-d'œuvre du siècle d'or espagnol, se mêlent l'idéal médiéval et l'idéal renaissant, les réminiscences populaires et l'élan de foi le plus exalté. Ils retracent un itinéraire mystique où l'intimité amoureuse avec Dieu est exprimée dans un style lyrique sensuel, dont les symboles et les allégories rappellent – de manière souvent audacieuse – les émotions de l'amour humain. Docteur de l'Église. – Fête le 14 décembre.

JEAN DE LALANDE *(saint).* ♦ **V.** CANADA (martyrs du).

JEAN DE MATHA *(saint).* ♦ Fondateur de l'ordre des Trinitaires (Faucon, près de Barcelonnette, 1160 – Rome, 1213). Prêtre et docteur en théologie à Paris, il fonda avec Félix de Valois l'ordre de la Très-Sainte Trinité pour la rédemption des captifs, qui racheta des prisonniers chrétiens aux musulmans du Maroc et de Tunisie. Fête le 8 février.

JEAN EUDES *(saint).* ♦ Prêtre français (Ri, près d'Argentan, 1601 – Caen, 1680). Oratorien, il multiplia les missions en Normandie, mais fut exclu de l'Oratoire lorsqu'il fonda le séminaire de Caen (1643). Il organisa la Société des prêtres de Jésus et Marie (eudistes) pour gérer des séminaires et l'institut du Bon-Pasteur pour relever les prostituées. – Fête le 19 août.

JEAN FISHER *(saint).* ♦ **V.** FISHER (John).

JEAN-FRANÇOIS RÉGIS *(saint).* ♦ Jésuite français (Font-couverte, auj. dans l'Aude, 1597 – Lalouvesc, auj. dans l'Ardèche, 1640). Il convertit des calvinistes et évangélisa dans les monts du Vivarais, du Velay (notamment au Puy), du Forez* : pèlerinage sur sa tombe à Lalouvesc. – Fête le 16 juin.

JEAN MARIE BAPTISTE VIANNEY *(saint).* ♦ Prêtre français (Dardilly, près de Lyon, 1786 – Ars, 1859). Curé d'Ars, diocèse de Belley, en 1817, il y restaura la pratique du christianisme, fonda l'œuvre de la Providence pour les fillettes pauvres, vécut dans l'ascèse et attira les foules par son charisme de confesseur. Canonisé en 1925, il avait de son vivant la réputation d'un saint. – Fête le 4 août.

JEAN Ier *(saint).* ♦ [Tusculum – Ravenne, 526] 53e pape (523-526), martyr. Contraint par Théodoric* de se rendre à Constantinople pour intercéder en faveur des ariens, il couronna l'empereur Justin (525), mais n'accomplit pas toute sa mission. Théodoric le jeta en prison, où il mourut. – Fête le 18 mai.

JEAN II *(Mercurius).* ♦ 56e pape (532-535 [mort]), Romain. Porteur d'un nom païen, il inaugura l'usage, pour les papes, de prendre un nouveau nom à leur avènement.

JEAN III *(Catelinus).* ♦ 61e pape (561-574 [mort]), Romain.

JEAN IV. ♦ 72e pape (640-642 [mort]), de Zara (Dalmatie). Il renouvela l'anathème du pape Séverin* contre l'*Ecthèse.* **V. Monothélètes.**

JEAN V. ♦ 82e pape (685-686 [mort]), d'Antioche.

JEAN VI. ♦ 85e pape (701-705 [mort]), Grec.

JEAN VII. ♦ 86e pape (705-707 [mort]), Grec.

JEAN VIII. ♦ 107e pape (872-882 [mort]), Romain. Il combattit les Sarrasins, couronna empereur Charles le Chauve de préférence à Louis le Germanique (875), reconnut Photios*, accepta Charles le Gros comme empereur (881). Il mourut assassiné.

JEAN IX. ♦ (Tibur, auj. Tivoli, 840 – Rome, 900). 116e pape (898-900).

JEAN X. ♦ (Tossignano, 860 – Rome, 928). 122e pape (914-928), ancien évêque de Bologne et archevêque de Ravenne (905). Il organisa, contre les Sarrasins, une ligue italienne présidée par Bérenger de Frioul qu'il couronna empereur (915); mais il dut combattre personnellement. Il fut emprisonné et assassiné par la « patrice » Marozie **(V. Pornocratie).**

JEAN XI. ♦ 125e pape (931-935 [mort]). Romain. Fils de Serge* III et de Marozie, il subit la domination de sa mère puis de son demi-frère Albéric II. Il favorisa les réformes d'Odon* de Cluny. **V. Pornocratie.**

JEAN XII *(Octavien).* ♦ [Rome, 937? – 964]. 130e pape. (955-963). Fils d'Albéric II **(V. Pornocratie),** il passe pour le plus indigne des papes. Contre Bérenger II d'Ivrée, il fit appel à Othon le Grand qu'il couronna à Rome (962), mais il fit aussitôt volte-face. Othon revint en force, le fit déposer pour ses débauches et remplacer par Léon* VIII. Pourtant il reprit Rome (déb. 964); il fut assassiné alors qu'Othon se préparait à intervenir de nouveau.

JEAN XIII. ♦ 132e pape (965-972 [mort]). Romain. Fils de Théodora la Jeune **(V. Pornocratie),** il fut élu grâce à Othon Ier. Il sacra Othon II, associé à l'empire (967), encouragea les réformes clunisiennes **(V. Cluny)** et réorganisa l'Église d'Allemagne.

JEAN XIV *(Pietro Canepanova).* ♦ 135e pape (983-984 [mort]). Ancien évêque de Pavie et chancelier d'Othon II, il fut, après la mort de celui-ci, emprisonné par l'antipape Boniface* VII et sans doute assassiné.

JEAN XV. ♦ 136e pape (985-996 [mort]), Romain. Il fit signer la première « trêve de Dieu » entre Ethelred d'Angleterre et Richard de Normandie. Son pontificat est mal connu.

JEAN XVI *(Johannes Philagathus).* ♦ (Fulda, 1013? [mort]). Grec de Calabre, archevêque de Plaisance, antipape en 997-998 contre Grégoire* V. Malgré le pardon du pape et d'Othon III, il fut aveuglé et mutilé par la foule.

JEAN XVII *(Siccon).* ♦ 139e pape, du 13 juin au 7 décembre 1003 [mort]. Romain.

JEAN XVIII *(Fasano).* ♦ 140e pape (1003-1009 [mort]), Romain.

JEAN XIX *(Romanus, des comtes de Tusculum).* ♦ 143e pape (1024-1032 [mort]), frère et successeur de Benoît VIII sous le pontificat de qui il avait exercé, laïc, le pouvoir temporel. Il couronna l'empereur Conrad II (1027).

JEAN XXI *(Pierre de Julien* ou *Pierre d'Espagne).* ♦ [Lisbonne, v. 1220 – Viterbe, 1277]. 185e pape (1276-1277). Médecin, philosophe et logicien, il fut archevêque de Braga (1272) et cardinal-évêque de Frascati (1273) avant d'être élu pape. Il réconcilia Philippe le Hardi et Alphonse X de Castille. Il mourut accidentellement, de la chute d'un plafond.

JEAN XXII *(Jacques Duèse* ou *d'Ossa).* ♦ [Cahors, 1245 – Avignon, 1334]. 194e pape (1316-1334), ancien cardinal (1312) et évêque de Porto (1313). Deuxième pape d'Avignon, il organisa la curie dans cette ville, renouvelant le système financier. Il s'opposa à Louis de Bavière qui nomma, à Rome, l'antipape Nicolas* V (1328). Il condamna les hérésies des «spirituels» franciscains, des bégards et béguines, de maître Eckhart*. Il suscita l'opposition des théologiens Marsile* de Padoue et Jean de Jandun (auteurs du *Defensor pacis*), et Guillaume* d'Occam, groupés autour de Louis de Bavière.

JEAN XXIII *(Baldassare Cossa)*. ♦ [Naples, v. 1370 – Florence, 1419]. Antipape (1410-1415). Cardinal (1402), il domina le concile de Pise* (1409), fit élire Alexandre* V et lui succéda. Sous la pression de Sigismond* de Germanie, il convoqua le concile de Constance* (1414) pour réduire le grand schisme d'Occident **(V. Schisme)**, mais fut déposé par cette assemblée. Il devint cardinal-évêque de Frascati en 1419.

JEAN XXIII *(Angelo Giuseppe Roncalli)*. ♦ [Sotto il Monte, près de Bergame, 1881 – Rome, 1963]. 259e pape (1958-1963), ancien nonce à Paris (1944), cardinal et patriarche de Venise (1953). Son pontificat fut principalement consacré à la préparation du IIe concile du Vatican*, annoncé le 25 janv. 1959 et inauguré le 11 oct. 1962. Ses encycliques *Mater et magistra* (1961) sur la question sociale et *Pacem in terris* (1963) adressée au monde, même non catholique, eurent un vaste retentissement. Il demeure le pape qui voulut et inaugura l'*aggiornamento* de l'Église, c'est-à-dire sa mise à jour, afin de l'adapter au monde actuel.

JEAN sans Terre. ♦ (Oxford, 1167 – Château de Newark, Nottinghamshire, 1216). Roi d'Angleterre (1199-1216). Avec l'aide du roi de France Philippe* Auguste, il avait comploté contre son père Henri* II puis contre son frère Richard* Cœur de Lion à qui il succéda au détriment de son neveu Arthur* Ier de Bretagne. Mais Philippe Auguste le fit citer devant la cour des pairs de France (1202) pour l'enlèvement d'Isabelle* d'Angoulême, et c'est alors qu'il fut condamné par défaut à la perte de ses fiefs français (Normandie, Anjou, Maine, Touraine, Poitou). C'est alors qu'il reçut le surnom de « sans Terre ». Philippe Auguste commença la conquête de la Normandie et confia à Arthur celle des autres fiefs. L'assassinat d'Arthur par Jean sans Terre (1203) eut pour conséquence le soulèvement et la perte de la Bretagne. En 1206 Jean ne conservait en France que l'Aquitaine et le Poitou. Il se brouilla avec le Saint-Siège au sujet du titulaire de l'archevêché de Canterbury (le pape tenant pour Langton*); Innocent III jeta l'interdit sur le royaume (1208), l'excommunia (1209) et autorisa Philippe Auguste à conquérir l'Angleterre (1213). Devant l'opposition croissante de ses sujets, Jean sans Terre se réconcilia avec le Saint-Siège et accepta de devenir son vassal (1213). Après le démantèlement de la coalition qu'il avait suscitée contre la France (il fut battu à La Roche-aux-Moines près d'Angers tandis que ses alliés, notamment l'empereur Othon IV, l'étaient à Bouvines* en 1214), il se heurta à la révolte des barons d'Angleterre qui le forcèrent à accepter la Grande Charte* (1215). Comme il s'était soustrait à ses engagements, les barons élirent roi le futur Louis* VIII de France, qui débarqua en Angleterre (1216). Seule la mort de Jean sans Terre sauva la dynastie; son fils Henri* III lui succéda.

JEAN Ier DE LUXEMBOURG, dit **l'Aveugle.** ♦ (1296 – Crécy, 1346). Roi de Bohême (1310-1346). Fils de l'empereur germanique Henri* VII, il épousa Élisabeth, la dernière des Przemyslides. Il réunit à la Bohême la Moravie et la Silésie. Il soutint Louis IV de Bavière contre Frédéric le Beau de Habsbourg, participant à la bataille de Mühldorf (1322), puis le roi de France contre les Flamands (1328) et les Teutoniques (1329). Roi chevaleresque, il mourut à la bataille de Crécy à laquelle, bien qu'aveugle, il participa du côté français. Père de Charles* IV et de Bonne* de Luxembourg.

JEAN sans Peur. ♦ (Dijon, 1371 – Montereau, 1419). Duc de Bourgogne (1404-1419), fils de Philippe II le Hardi. Lors de la démence de Charles* VI, il disputa le pouvoir à Louis d'Orléans* et le fit assassiner (1407), provoquant ainsi la guerre civile **(V. Armagnacs et Bourguignons)**. Chef des Bourguignons, soutenu par l'université et la bourgeoisie, il ne réussit pas à canaliser le mouvement **(V. Cabochiens)** et fut chassé de Paris (1413). Il s'allia aux Anglais, puis tenta de se réconcilier avec le dauphin (le futur Charles VII), mais fut assassiné au pont de Montereau par un partisan du dauphin, Tanguy du Châtel. Père de Philippe* III le Bon.

JEAN Ier le Roux. ♦ (1217 – 1286). Duc de Bretagne (1237-1286). Fils de Pierre* Ier Mauclerc. ♦ JEAN II (mort en 1305). Duc de Bretagne (1286-1305). Fils de Jean Ier. ♦ JEAN III *le Bon* (1286 – 1341). Duc de Bretagne (1312-1341). Fils d'Arthur II, il désigna pour héritière sa nièce Jeanne* de Penthièvre. ♦ JEAN IV *de Monfort* (1293 – Hennebont, 1345). Frère de Jean III, il tenta de faire valoir ses droits au duché, déclenchant ainsi la guerre de Succession* de Bretagne. Durant sa captivité (1341-1343), sa femme Jeanne* de Flandre continua la guerre. ♦ JEAN V *le Vaillant* (v. 1340 – Nantes, 1399). Duc de Bretagne (1365-1399). Fils de Jean IV, il vainquit et tua Charles* de Blois à Auray (1364). Après s'être allié à l'Angleterre et avoir vu ses terres confisquées (1368), il revint à l'alliance avec la France. ♦ JEAN VI *le Sage* (1389 – Château de la Touche, près de Nantes, 1442). Duc de Bretagne (1399-1442). Fils de Jean V, il favorisa les Armagnacs puis les Bourguignons et participa à la Praguerie (1440).

JEAN Ier ASEN. ♦ ([mort] 1196). Tsar de Bulgarie (1186-1196). Il se révolta contre l'empereur byzantin Isaac II Ange, Il battit les troupes impériales en Thrace en 1187 puis en 1196. ♦ JEAN II ASEN, dit *Kaloyan*, « le beau Jean ». (Mort à Thessalonique, 1207). Tsar de Bulgarie (1197-1207). Sous son règne, le royaume bulgare s'agrandit de Belgrade à Varna, sur la mer Noire. Il battit, fit prisonnier Baudouin Ier à Andrinople (1205) et prit la Thrace. ♦ JEAN III ASEN II (mort en 1241). Tsar de Bulgarie (1218-1241). Il pratiqua une politique matrimoniale en mariant ses filles au roi de Serbie, à Manuel Ange et à Jean Lascaris. Il fit des conquêtes en Albanie, en Serbie, en Macédoine et en Épire.

JEAN Ier TZIMISKÈS. ♦ (925 – 976). Empereur byzantin (969-976). Général, il se distingua dans les guerres asiatiques. Amant de l'impératrice Théophano, il conspira avec celle-ci et assassina l'empereur Nicéphore* II Phocas. Il bannit alors sa maîtresse et épousa la princesse Théodora. Homme de guerre valeureux, il combattit les Russes et annexa la Bulgarie orientale (970), puis il reconquit sur les Arabes presque toute la Palestine. Il mourut empoisonné par son successeur Basile* II.

JEAN II COMNÈNE. ♦ (1088 – 1143). Empereur byzantin (1118-1143), fils et successeur d'Alexis Ier, surnommé « le plus grand des Comnènes ». Sa politique agraire lui assurant la paix intérieure, il se consacra à la consolidation de l'empire. Par sa victoire décisive sur les Petchénègues (1122) et par ses interventions diplomatiques et militaires au N., il rétablit la domination byzantine dans les Balkans. Il reprit ensuite aux Turcs une partie de l'Asie Mineure et imposa un temps la suzeraineté byzantine sur les Francs en Syrie. Pour limiter le monopole vénitien du commerce oriental, il favorisa les Génois et les Pisans. Il construisit le fameux monastère de Pantocrator (Constantinople).

JEAN III DOUKAS VATATZÈS. ♦ (1193 – 1254). Empereur byzantin de Nicée* (1222-1254). Successeur de Théodore* Ier, habile diplomate et stratège, il enleva aux Latins leurs possessions asiatiques et plusieurs îles. Avec l'appui provisoire des Bulgares il assiégea sans succès Constantinople (1235). Il réussit à reconquérir la Thrace et la Macédoine, préparant ainsi la reconstitution de l'Empire byzantin de Constantinople.

JEAN IV DOUKAS LASCARIS. ♦ (v. 1250 – après 1261). Empereur byzantin de Nicée* (1258-1261). Fils et successeur de Théodore II, mineur à la mort de celui-ci, il fut renversé, emprisonné et aveuglé par son régent Michel* VIII Paléologue.

JEAN V PALÉOLOGUE. ♦ (1332 – 1391). Empereur byzantin (1341-1391). Fils d'Andronic III, mineur pendant la longue guerre civile déclenchée par Jean* Cantacuzène (1355), il ne put empêcher les Turcs d'établir leur capitale à Andrinople (1365). L'union religieuse avec Rome (1369) et le traité avec Venise (1371), signés par son ambassadeur Démétrios Chrysoloras*, ne lui assurèrent pas l'aide de l'Occident. Renversé par son fils Andronic* IV aidé par les Génois (1376), il fut rétabli trois ans plus tard par le sultan Murat et reconnut la tutelle turque.

JEAN VI CANTACUZÈNE. ♦ (v. 1292 – 1383). Empereur byzantin (1347-1355). Régent de Jean* V, destitué par la tutrice Anne de Savoie (1341), il souleva contre elle une partie de l'armée. Avec l'aide des Turcs et des Slaves, s'empara de Constantinople (1347) et se fit reconnaître empereur principal. Les progressions des Serbes, des Turcs et des Génois, la révolte des zélotes de Thessalonique et les luttes religieuses épuisaient l'empire. La guerre civile déclenchée par Jean V le força à abdiquer après une courte victoire (1354). Il se retira au Mont-Athos, puis à Mistra où il mourut. Il a laissé d'importants mémoires historiques sur la période 1320-1356 et des ouvrages apologétiques de l'hésychasme.

JEAN VII PALÉOLOGUE. ♦ (1366 – 1420). Empereur byzantin (1390 et 1399-1402). Révolté contre son grand-père Jean V et

Ph. Erich Lessing/Magnum

Jean II Comnène et la Vierge.
(Sainte-Sophie, Istanbul.)

aidé par le sultan Bâyazîd Ier [Bajazet], il s'empara de Constantinople (1390), mais fut chassé par son oncle Manuel* II. Pendant l'absence de celui-ci – il s'était rendu en Occident, en quête d'aide contre les Turcs assiégeant Constantinople –, Jean occupa le trône. Chassé de nouveau par Manuel après la défaite de Bâyazîd, il se proclama empereur à Thessalonique.

JEAN VIII PALÉOLOGUE. ♦ (1390 – 1448). Empereur byzantin (1425-1448). Fils de Manuel* II, coempereur en 1421, il partagea avec ses frères les restes de l'empire amputé par les Turcs. Devant le péril que courait la capitale, il négocia avec le pape Eugène IV la soumission de l'Église grecque espérant l'aide de l'Occident. Suivi de 700 prélats et théologues, dont Bessarion*, il assista au concile de Ferrare-Florence et conclut l'union des deux Églises (1439). Mais l'aide obtenue fut symbolique et l'union se heurta à la vive réaction du peuple fanatisé par les moines. Après la défaite des croisés à Varna (1444), l'empire se limitait effectivement à l'enceinte de Constantinople. Le successeur de Jean VIII, Constantin* XI, fut le dernier empereur de Constantinople.

JEAN Ier. ♦ (Epila, 1358 – Alcalá de Henares, 1390). Roi de Castille et de León (1379-1390). Époux de Béatrix de Portugal, il chercha vainement à conquérir le royaume de sa femme et fut vaincu à Aljubarrota par Jean* Ier de Portugal (1385).

JEAN II. ♦ (Toro, 1405 – Valladolid, 1454). Roi de Castille et de León (1406-1454). Il eut souvent à lutter contre une noblesse turbulente. Son règne vit l'essor de la littérature castillane. Père d'Isabelle* la Catholique.

JEAN Ier DE DANEMARK. ♦ (Aalborg, 1455 – *id.*, 1513). Roi de Danemark (1481-1513); roi de Norvège (1483-1513) et roi de Suède (sous le nom de Jean II, 1497-1501). La Suède se révolta contre lui, et sa femme Christine de Saxe fut chassée de Stockholm (1501).

JEAN Ier le Posthume. ♦ (Paris, 1316). Roi de France et de Navarre (nov. 1316). Fils posthume de Louis* X, il ne vécut que cinq jours.

JEAN II le Bon. ♦ (Château du Gué de Maulny, près du Mans, 1319 – Londres, 1364). Roi de France (1350-1364). Fils de Philippe* VI, il épousa Bonne* de Luxembourg, puis Jeanne* de Boulogne. Pour faire face aux dépenses de la cour il recourut aux dévaluations. Il maria sa fille au roi de Navarre, Charles* II le Mauvais, qui, envieux de son conseiller Charles d'Espagne, l'assassina. L'arrestation de Charles II le Mauvais déclencha une guerre navarraise (1356). Cependant, les hostilités avec l'Angleterre avaient repris en Guyenne et en Languedoc. Le fils d'Édouard* III, Édouard*, prince de Galles, vainquit et captura Jean II à Poitiers (1356). Le fils de ce dernier (le futur Charles V) assura la régence pendant sa captivité, réprimant la jacquerie* et la révolte d'Étienne Marcel*. Le dauphin consentit à signer le traité de Brétigny* et à payer la rançon de trois millions d'écus d'or exigés pour libérer le roi. Cependant Jean II, ayant appris que l'un des otages livrés aux Anglais, son fils Louis d'Anjou, s'était échappé, fidèle à sa parole, retourna à Londres (1363) où il mourut. Il constitua des apanages pour ses fils, donnant l'Anjou à Louis, le Berry, l'Auvergne et le Poitou à Jean et la Bourgogne à Philippe* (II le Hardi). Il créa l'ordre de l'Étoile*.

JEAN SIGISMOND. ♦ (Buda, 1540 – Alba Julia, 1571). Roi de Hongrie (1540-1571), fils de Jean Ier. Il gouverna la Transylvanie grâce au soutien des Turcs qui obligèrent Ferdinand Ier à accepter le maintien de la division du pays malgré le traité de Nagyvarad (**V. Zapolyai** [Jean Ier]. Jean Sigismond reconnut Maximilien* d'Autriche pour seul roi de Hongrie (1564), mais conserva la Transylvanie.

JEAN II. ♦ (Medina del Campo, 1398 – Barcelone, 1479). Roi de Navarre (1425-1479) et d'Aragon (1458-1479). Fils de Ferdinand* Ier le Juste, il devint roi de Navarre par son mariage (1425). Roi d'Aragon à la mort de son frère Alphonse* le Grand, il fit face à l'insurrection des Catalans, et pour obtenir l'aide de Louis XI lui céda le Roussillon et la Cerdagne (1462). Il eut pour successeur son fils Ferdinand (**V. Ferdinand II**) qu'il maria à Isabelle* de Castille (1469).

JEAN DE BRIENNE. ♦ Roi de Jérusalem et empereur latin d'Orient (v. 1144 – Constantinople, 1237). Il devint roi de Jérusalem* par son mariage avec Marie, fille de Conrad de Montferrat (1209). Il mena la cinquième croisade* avec André* II de Hongrie (1217-1221). En 1229, il exerça la régence de Baudouin* II de Constantinople, fut couronné empereur en 1231 et défendit l'empire contre les Grecs et les Bulgares.

JEAN Ier ALBERT. ♦ (Cracovie, 1459 – Toruń, 1501). Roi de Pologne* (1492-1501). Fils et successeur de Casimir* IV.

JEAN II CASIMIR. ♦ V. Casimir V.

JEAN III SOBIESKI. ♦ (Olesko, Galicie, 1624 – Wilanów, 1696). Roi de Pologne* (1674-1696). Général polonais, il se distingua dans les guerres successives contre les Suédois, les Cosaques, les Tatars et les Turcs qu'il écrasa à Khotine* en 1673. Élu roi de Pologne (1674) après la mort de Michel* Wiśniowiecki, il défit encore les Turcs à Żurawno* (1676) puis à Kahlenberg (1683) lors du siège de Vienne*, mais signa avec la Russie le désastreux traité de Moscou* (1686). Auguste* II, électeur de Saxe, lui succéda.

JEAN Ier le Grand, en port. **João.** ♦ (Lisbonne, 1357 – *id.*, 1433). Roi de Portugal (1385-1433). Quand il succéda à son frère naturel Ferdinand* Ier, il était grand maître de l'ordre militaire d'Aviz*. C'est lui qui fit du Portugal une puissance de premier rang. Vainqueur des Castillans à Aljubarrota (1385), il se tourna contre les Maures d'Afrique et s'empara de Ceuta (1415). Il encouragea les voyages maritimes de son fils Henri* le Navigateur et conclut (1386) avec l'Angleterre une alliance toujours en vigueur.

JEAN II le Parfait. ♦ (Lisbonne, 1455 – Alvor, 1495). Roi de Portugal (1481-1495). Fils d'Alphonse* V, il s'appuya sur les Cortes et sur le peuple pour réduire la noblesse à l'obéissance. C'est sous son règne que Bartolomeu Dias* doubla le cap de Bonne-Espérance (1487) et que fut signé le traité de Tordesillas* (1494) qui partageait le Nouveau Monde entre l'Espagne et le Portugal.

JEAN III le Pieux. ♦ (Lisbonne, 1502 – Alvor, 1557). Roi de Portugal (1521-1557). Fils de Manuel* Ier, il établit l'Inquisition au Portugal (1526), appela les jésuites, et leur laissa le monopole de l'éducation. Il favorisa les expéditions maritimes (Macau, Japon) et la colonisation du Brésil*.

JEAN IV le Fortuné. ♦ (Vila Viçosa, 1604 – Lisbonne, 1656). Roi de Portugal (1640-1656). Fils de Théodore II, duc de Bragance, il descendait du roi Jean Ier. Appuyé par Richelieu, il suscita en 1640 une révolution qui arracha le Portugal à la domination castillane et le proclama roi avec l'accord des Cortes. Il devint ainsi le fondateur de la dynastie de Bragance*. Il accomplit de nombreuses réformes intérieures et reconquit sur les Hollandais le Brésil et l'Angola.

JEAN V le Magnanime. ♦ (Lisbonne, 1689 – *id.*, 1750). Roi de Portugal (1706-1750). Fils de Pierre II, il épousa Marie-Anne d'Autriche, prit le parti des Habsbourg dans la guerre de la Succession d'Espagne, et, battu par les Français à Almança (1707), dut consentir à la paix d'Utrecht* (1713). Protecteur des lettres et des sciences, il fonda une académie d'histoire.

JEAN VI le Clément. ♦ (Lisbonne, 1767 – *id.*, 1826). Roi de Portugal (1816-1826). Fils de Pierre III et de la reine Marie* Ire, dont il assura la régence jusqu'en 1816, il dut s'enfuir au Brésil devant les troupes de Napoléon (1807). Il y régna comme empereur jusqu'en 1815, et, à la mort de sa mère, prit le titre de roi de Portugal (mais il ne revint dans son pays qu'en 1821). Sous son règne, le Brésil* se déclara indépendant, donnant la couronne au fils de Jean VI, Pierre* Ier (1825).

JEAN-FRÉDÉRIC le Magnanime, en all. **Johann Frederik der Grossmütige.** ♦ Électeur de Saxe (Torgau, 1503 – Weimar, 1554). Il fut, avec Philippe de Hesse, un des chefs de la ligue de Schmalkalden*. Vaincu à Mühlberg*, il fut fait prisonnier et perdit l'électorat et une partie de ses biens. Il fut libéré lors du traité de Passau* (1552).

JEAN II. ♦ Roi de Suède. **V. Jean Ier**, roi de Danemark.

JEAN III VASA. ♦ (Stegeborg, 1537 – Stockholm, 1592). Roi de Suède (1569-1592). Second fils de Gustave* Vasa, son attirance pour le catholicisme lui valut l'hostilité de son frère Eric* XIV qu'il fit déposer (1568). Il termina la guerre contre le Danemark, gagna sur la Russie la Carélie et l'Ingrie, et fit nommer son fils Sigismond* roi de Pologne. Ses tentatives pour rétablir le catholicisme échouèrent.

JEAN (le prêtre). ♦ Souverain légendaire dont le nom signalé au pape Eugène III (Prestre Jehan) apparaît en 1145 et que l'on croyait régner au delà de l'Arménie et la Perse. Il aurait eu pour

Ph. Lauros-Giraudon

Statue équestre de **Jean III Sobieski,** Varsovie.

croyance le nestorianisme. Ce mythe inspira de nombreuses fictions poétiques du Moyen Âge. Le prêtre Jean fut aussi évoqué par Marco Polo. Une tradition plus récente, qui le place en Éthiopie, est due surtout aux voyageurs portugais qui, dès le début du XVIe s., donnèrent ce nom au négus. Cette légende a probablement sa source dans la conversion au nestorianisme d'un qân de l'Asie centrale, v. le XIe siècle.

JEAN ASEN. ♦ V. *ci-dessus* sous JEAN (tsars de Bulgarie).

JEAN BODEL. ♦ Trouvère d'Arras* (*fin* XIIe s.) qui mourut lépreux v. 1210. Il eut une activité poétique variée, écrivant une chanson de geste : *Les Saisnes* (Saxons), une œuvre dramatique : *Le Jeu* de saint Nicolas*, des poèmes lyriques et probablement des fabliaux *(Brunain, la vache au prestre)*. Il est l'auteur d'un inoubliable *Congé* en vers, poème dont les stances adressent ses adieux de lépreux à ses amis.

JEAN BON SAINT-ANDRÉ (André JEANBON, dit). ♦ Homme politique français (Montauban, 1749 – Mayence, 1813). Député montagnard à la Convention, membre du Comité* de salut public (juillet 1793) où, avec Prieur* de la Marne, il contribua à l'organisation de la marine militaire, il ne prit pas une part active à la chute de Robespierre, mais paraît en avoir approuvé les conséquences. Consul général de France à Alger (1795) puis à Smyrne (1798) sous le Directoire, il fut nommé commissaire général des départements de la rive gauche du Rhin, puis préfet par Bonaparte (1801-1802).

JEAN DE CHELLES. ♦ Maître d'œuvre et sculpteur français du XIIIe siècle. Une inscription mentionne qu'il dirigeait les travaux à Notre-Dame de Paris en 1257. On lui doit notamment l'agrandissement du transept sud et l'on admet qu'il conçut le type de façade latérale avec rose de vastes proportions, reposant sur une structure audacieusement ajourée et qui servit de modèle à de nombreux édifices. L'élégance, la légèreté et la richesse décorative de l'ensemble sont caractéristiques du gothique rayonnant. Pierre de Montreuil termina son œuvre, et PIERRE DE CHELLES, probablement apparenté à Jean de Chelles, édifia sans doute les chapelles latérales du chœur et de l'abside (1296-1310); il travailla aussi au portail nord jusqu'en 1320 et eut pour successeur Jean Davy.

JEAN DE GAND, *duc de* Lancastre. ♦ Prince anglais (Gand, 1340 – Londres, 1399). Fils d'Édouard* III. Il participa à la guerre de Cent Ans et mena deux expéditions malheureuses en France (1373 et 1378). Il assura le gouvernement réel de l'Angleterre à la fin du règne d'Édouard III et au début du règne de Richard* II. Père de Jean et d'Henri de Beaufort* et père d'Henri* IV.

JEAN DE GARLANDE. ♦ Théoricien de la musique du XIIIe siècle. On a souvent supposé que ce nom désignait deux auteurs différents, à cause de l'intervalle qui sépare la publication de leurs écrits. Le premier, dit J. DE GARLANDE *« l'Aîné »* (autour de 1240), aurait écrit le *De musica mensurabili positio* et le *De musica mensurabili*, les plus anciens traités introduisant la notion de mesure dans la notation musicale. ♦ Le second, dit JEAN DE GARLANDE *« le Jeune »* (autour de 1300), aurait écrit l'*Optima introductio*, ouvrage qui annonce l'*Ars Nova*, de Ph. de Vitry.

JEAN DE LEYDE (Jan Beukels, dit). ♦ Réformateur religieux hollandais (Leyde, 1509 – Münster, 1536). Il fut le chef des anabaptistes de la ville de Münster où il fit admettre le principe de la communauté des biens ainsi que la polygamie. Assiégée par les troupes de son évêque, Münster résista quelque temps avant de se rendre. Quant à Jean de Leyde, il mourut après avoir subi d'affreuses tortures.

JEAN DE MEUNG (ou *de* **MEUN**). ♦ Érudit et poète français (Meung-sur-Loire, 1250 – v. 1305), qui traduisit Boèce*. Il écrivit des poèmes et rédigea (v. 1280), en près de 20 000 octosyllabes, la seconde partie du *Roman* de la rose*. Traité de l'amour et des passions, cette œuvre est aussi un véritable document sur la culture du XIIIe siècle. Sa philosophie, qui célèbre la nature et la raison, annonce les humanistes du XVIe siècle.

JEAN DE SALISBURY. ♦ Philosophe scolastique (Salisbury, 1115 – 1180). Il fut évêque de Chartres et ami de Thomas* Becket dont il écrivit la *Vie*. Il est également l'auteur d'un traité de logique *Metalogicus*.

JEAN DE TEPL ou **DE SAAZ.** ♦ Écrivain de langue allemande (Tepl, Bohême, 2e moitié du XIVe s. – Prague, 1414 ou 1415). Directeur d'école, secrétaire de la ville et notaire à Saaz, il écrivit à la mort de sa femme une œuvre intitulée *Le Laboureur de Bohême* (*Der Ackermann aus Böhmen*, 1401), dialogue entre la Mort et l'auteur (« un laboureur... à qui la plume fait fonction de charrue »), qui annonce par son style et son esprit l'humanisme de la Renaissance.

JEAN D'UDINE. ♦ V. GIOVANNI DA UDINE.

JEAN-FRANÇOIS RÉGIS. ♦ V. *ci-dessus* sous JEAN (saints).

JEAN-FRÉDÉRIC. ♦ V. *ci-dessus*, sous JEAN (électeur de Saxe).

JEAN HYRCAN. ♦ V. HYRCAN Ier.

JEAN MARIE BAPTISTE VIANNEY. ♦ V. *ci-dessus* sous JEAN (saints).

JEAN-PAUL. ♦ V. RICHTER (Johann Paul Friedrich).

JEAN SIGISMOND. ♦ V. *ci-dessus*, sous JEAN (roi de Hongrie).

JEAN SOBIESKI. ♦ V. *ci-dessus*, sous JEAN (roi de Pologne).

***Jean-Christophe*.** ♦ Roman cyclique de Romain Rolland* (10 volumes, de 1904 à 1912) qui eut un succès considérable et inaugura le genre du « roman-fleuve ». Suivant une composition par elle-même musicale, l'auteur présente la vie d'un musicien imaginaire, précocement « enchanté » par le monde des sons et accédant par la musique aux plus hautes valeurs esthétiques et morales. Hymne à la « divine musique », cet ouvrage est également un vaste tableau de mœurs; en Jean-Christophe s'incarnent « la tragédie d'une génération qui va disparaître,... ses efforts héroïques et ses accablements ». Sollicité par toutes les passions et toutes les idéologies qui traversent le début du XXe s., le héros représente aussi les idées généreuses de l'auteur, désireux, en réalisant l'harmonie des contraires, de communier avec la vie universelle. Si certains aspects de cette œuvre ont vieilli, bien des pages témoignent d'un puissant souffle lyrique.

Coll. Rui Nogueira

Zizi Jeanmaire dans « Guinguette » de J. Delannoy.

JEANMAIRE (Renée, dite Zizi). ♦ Danseuse et chanteuse française de music-hall (Paris, 1924). Transfuge de l'Opéra (1945), elle fut, en qualité de danseuse étoile des « Ballets de Paris », de Roland Petit (1949), l'interprète brillante et spirituelle de *Carmen, La Croqueuse de diamants, La Rose des vents*. Engagée par Hollywood, elle parut dans plusieurs films à succès *(Hans Christian Andersen, Folies-Bergère)* avant de commencer au music-hall une carrière de chanteuse, à l'Alhambra d'abord puis au Casino de Paris dont elle assume la direction avec son mari R. Petit.

Jeanne *(la papesse)*. ♦ Selon la légende (XIIIe s.), une Anglaise, née à Mayence et vivant à Rome sous l'habit d'homme, aurait obtenu le titre de pape par supercherie à la mort de Léon IV (855) et aurait siégé deux ans. En fait, il ne s'écoula que quelques semaines entre la mort de Léon IV et la consécration de Benoît III.

JEANNE Ire. ♦ (Naples, 1326 – Aversa, 1382). Reine de Naples, comtesse de Provence et de Forcalquier (1343-1382). Elle succéda à son grand-père Robert* d'Anjou. Elle fut accusée d'avoir fait assassiner son mari André de Hongrie et, sous la menace du frère de ce dernier, Louis, roi de Hongrie, dut se réfugier en Provence (1347). Innocentée par le pape Clément VI, elle lui vendit Avignon. À la mort de son deuxième mari Louis* de Tarente, elle se remaria avec Jacques III, roi de Majorque (1362). Elle désigna comme héritier Charles* III de Duras en 1370, mais ce dernier s'inquiéta de son remariage avec Othon de Brunswick. De plus, Jeanne ayant pris parti pour le pape d'Avignon Clément VII, s'aliéna le pape de Rome Urbain VI qui donna l'investiture de son royaume à Charles de Duras. Ce dernier conquit le royaume de Naples et la fit étrangler. Son personnage inspira à Mistral une tragédie (1890). ♦ JEANNE II. (Naples, 1371 – *id.*, 1435). Reine de Naples (1414-1435). Fille de Charles* III de Duras, elle succéda à son frère Ladislas*. Elle reconnut comme héritier Alphonse* V, roi d'Aragon (1421), qui lui fit la guerre. Elle désigna alors comme héritier Louis* III d'Anjou puis René* Ier le Bon, mais, à sa mort, Alphonse V réussit à conquérir le royaume de Naples.

JEANNE III D'ALBRET. ♦ (Saint-Germain-en-Laye, 1528 – Paris, 1572). Reine de Navarre (1555-1572), fille d'Henri II d'Albret, roi de Navarre, et de Marguerite* de Navarre. Après l'annulation de son premier mariage avec le duc de Clèves, elle épousa Antoine de Bourbon (1548). Elle veilla avec intelligence et énergie à préserver l'indépendance de son royaume, auquel elle imposa le calvinisme (1567), secourut ses coreligionnaires (elle défendit La Rochelle, 1568) et mourut à Paris, peu après le mariage de son fils, le futur Henri* IV, avec Marguerite* de Valois, sœur de Charles* IX.

JEANNE d'ARC *(sainte)*. ♦ Héroïne française (Domremy, v. 1412 – Rouen, 1431). D'une famille de paysans, elle fut élevée au village de Domremy, en Lorraine. Selon son témoignage, elle entendit à treize ans des voix surnaturelles (saint Michel, sainte Catherine et sainte Marguerite) qui lui ordonnaient de délivrer la France alors occupée en majeure partie par les Anglais soutenus par les Bourguignons, lors de la guerre de Cent* Ans. Dès 1428, elle essaya de convaincre Robert de Baudricourt* de lui fournir une escorte pour rejoindre Charles* VII à Chinon. Elle ne put partir qu'en 1429, lors du siège d'Orléans. Ayant reconnu le roi qui était dissimulé parmi l'assemblee des courtisans, elle réussit à le persuader de la réalité de sa mission et à se faire confier une armée. Elle délivra Orléans que défendaient Suffolk* et Talbot* (mai 1429), succès qui rendit confiance aux troupes. Après la victoire de Patay* sur Talbot* (juin 1429), elle prit Auxerre, Troyes, Châlons, s'ouvrant ainsi la route de Reims. Elle fit sacrer le roi à Reims, cérémonie qui confirmait sa légitimité, mise en doute par sa propre mère, Isabeau* de Bavière (juil. 1429). En tentant de prendre Paris, Jeanne fut blessée à la porte Saint-Honoré (sept. 1429), puis, après s'être repliée, échoua devant La Charité-sur-Loire. Après avoir pris Compiègne, elle fut capturée par les Bourguignons lors d'une sortie et vendue par Jean de Luxembourg-Ligny **(V. Saint-Pol)** aux Anglais (mai 1430). Elle fut jugée à Rouen comme hérétique et comme sorcière par un tribunal ecclésiastique présidé par l'évêque de Beauvais Pierre Cauchon*. Elle se défendit avec simplicité et courage et maintint que ses voix ne l'avaient pas trompée. Ayant toutefois, dans un instant de trouble, accepté d'abjurer, elle se rétracta, fut déclarée relapse et condamnée à être remise au bras séculier et à être brûlée vive (29 mai 1431). Ce ne fut qu'en 1450 que Charles VII, qui n'avait rien tenté pour la sauver, fit procéder à une enquête **(V. Estouteville, Longueil)** qui aboutit à un procès de réhabilitation (1456). Elle fut béatifiée en 1909 et canonisée en 1920. Sa fête est célébrée le deuxième dimanche de mai. Elle inspira de nombreuses œuvres littéraires, cinématographiques et artistiques **(V. Dreyer, Shaw, ...)**.

JEANNE DE BOULOGNE. ♦ Reine de France (1326 – 1361). Fille de Guillaume XII, comte d'Auvergne et de Boulogne, elle épousa le futur Jean* II (1350).

JEANNE DE BOURGOGNE. ♦ Reine de France (1292 – Roye, près de Mondidier, 1329). Fille d'Othon IV, comte de Bourgogne, elle épousa le futur Philippe* V (1307). Elle fut accusée d'adultère, mais fut reprise par son mari.

JEANNE DE BOURGOGNE. ♦ Reine de France (1293 – 1348). Fille de Robert II de Bourgogne, elle épousa le futur Philippe* VI (1313).

JEANNE DE CHANTAL (sainte) [*Jeanne-Françoise Frémiot*, épouse de *Christophe de Rabutin*, baron de *Chantal*]. ♦ Religieuse française (Dijon, 1572 – Moulins, 1641). Veuve en 1601, elle se plaça sous la direction de saint François de Sales (1604) et, avec lui, fonda à Annecy la *Visitation Sainte-Marie* (1610) qui devint l'ordre de la Visitation, avec clôture et vœux solennels (1619) et essaima dans toute la France. – Fête le 21 août.

JEANNE DE FLANDRE. ♦ ([morte] 1374). Femme de Jean* IV de Monfort (1329), elle lutta lors de la captivité de son mari contre Charles* de Blois et Jeanne* de Penthièvre **(V. Succession de Bretagne)**.

JEANNE DE FRANCE ou **DE VALOIS** *(sainte)*. ♦ (1464 – Bourges, 1505). Fille de Louis XI et de Charlotte de Savoie, mariée dès 1476 à Louis d'Orléans, futur Louis XII. Contrefaite, elle fut répudiée à l'avènement de son mari, se retira à Bourges et y fonda l'ordre de l'Annonciade (1501). – Fête le 4 février.

JEANNE Ire DE NAVARRE. ♦ Reine de France et de Navarre (Bar-sur-Seine, 1273 – Vincennes, 1304). Fille d'Henri Ier le Gros, roi de Navarre et comte de Champagne, elle épousa le futur Philippe* IV le Bel (1284). Mère de Louis X, Philippe V, Charles IV de France. Grand-mère de Jeanne* II de Navarre.

JEANNE II DE NAVARRE. ♦ (1311 – Conflans, 1349). Reine de Navarre (1328-1349). Fille du roi de France Louis* X et de Marguerite* de Bourgogne, elle ne fut pas reconnue reine de France en 1317, mais fut reconnue reine de Navarre en 1328. Mère de Charles* II le Mauvais, roi de Navarre.

JEANNE III DE NAVARRE. ♦ V. JEANNE III D'ALBRET.

JEANNE DE PENTHIÈVRE. ♦ ([morte] 1384). Duchesse de Bretagne (1319-1365). Nièce de Jean* III de Bretagne et femme de Charles* de Blois (1337). Sa désignation comme héritière du duché de Bretagne déclencha la guerre de Succession* de Bretagne. Elle renonça au duché (traité de Guérande, 1365) en faveur de Jean* V, fils de Jean IV de Montfort.

JEANNE DES ANGES (*Jeanne de Belcier*, en religion). ♦ Prieure des Ursulines de Loudun (Cozes, Saintonge, 1602 – Loudun, 1665). Elle manifesta de 1632 à 1637 des troubles, interprétés comme une possession diabolique, qui se communiquèrent à ses moniales. Elle en accusa le prêtre Urbain Grandier*, mais les troubles ne cessèrent pas avec l'exécution de celui-ci (1634). Plus tard, se prétendant miraculée, elle accomplit un pèlerinage triomphal à Annecy (1638).

JEANNE GREY. ♦ V. GREY.

JEANNE LA FOLLE, en esp. **Juana la Loca.** ♦ (Tolède, 1479 – Tordesillas, 1555). Reine de Castille (1504-1555). Fille de Ferdinand* d'Aragon et d'Isabelle* la Catholique, elle épousa Philippe* le Beau (1496) et partagea avec lui le trône de Castille à la mort de sa mère. Elle était déjà neurasthénique et son mari tenta d'en profiter pour l'écarter du pouvoir. Elle devint totalement démente lorsqu'il mourut et se retira au château de Tordesillas. La régence fut assurée par Ferdinand d'Aragon qui devait lui restituer le pouvoir si elle recouvrait la raison. Charles* Quint, son

Ph. Simion/Ricciarini

Arrivée de **Jeanne d'Arc** à Chinon.
(Tapisserie d'Azeglio. Musée d'Orléans.)

fils, devint roi à la même condition, et elle ne se prêta pas aux manœuvres des « comuneros* » qui essayèrent de se servir d'elle contre son fils (1520).

JEANNE SEYMOUR. ♦ (Wolf Hall, v. 1509 – Hampton Court, 1537). Reine d'Angleterre, troisième femme d'Henri* VIII, elle mourut peu après la naissance du futur Edouard* VI.

JEANNIN (Pierre), dit **le Président Jeannin.** ♦ Magistrat français (Autun, 1540 – Paris, 1623). Il incita à la modération lors de la Saint*-Barthélemy, mais se rallia à la Ligue* et conseilla Mayenne*, avant de rejoindre finalement Henri* IV. Il fut chargé de plusieurs missions diplomatiques (traité de Lyon, 1601 ; trêve de douze ans entre l'Espagne et les Provinces-Unies, 1609). Marie* de Médicis le nomma surintendant des Finances (1616). Ses *Négociations* firent longtemps autorité.

JEANNINE *(lac)*. ♦ Lac du Canada (N.-E. du Québec), près duquel un gisement de minerai de fer est exploité par une société que contrôle l'*U.S. Steel* et qui a construit sa ville (Gagnon) et son chemin de fer aboutissant au Saint-Laurent **(V. Port-Cartier)**.

Jeannot et Colin. ♦ Conte (1764) de Voltaire*. C'est l'histoire touchante de deux amis, séparés un moment par les préjugés sociaux et que la vie réunira. Ce récit moral est séduisant par sa verve et sa simplicité.

JEANS (*sir* James Hopwood). ♦ Astronome, mathématicien et physicien anglais (Londres, 1877 – Dorking, Surrey, 1946). Après avoir démontré l'inexactitude de la théorie cosmogonique de Laplace*, il élabora une théorie matière *catastrophique* supposant la fragmentation de filaments de matière arrachés au Soleil par des forces de marée. Il s'intéressa également au rayonnement du corps noir. **V. Rayleigh.** Il fut l'un des premiers à exposer au grand public les théories de la science moderne (relativité, quanta, transmutation des éléments, énergie atomique).

JÉBUSÉENS. *n. m. pl.* ♦ Peuplade préisraélite de Canaan, sur qui David* conquit Jérusalem.

J.E.C. ♦ V. JEUNESSE ÉTUDIANTE CHRÉTIENNE.

JECKER (Jean-Baptiste). ♦ Financier français d'origine suisse (Porrentruy, 1810 – Paris, 1871). Employé à la banque Hottinguer à Paris (1831), il rejoignit son frère au Mexique, où il fonda lui-même une banque importante, ainsi que plusieurs entreprises minières. Le président mexicain Miramon lui confia la conversion de la dette intérieure du Mexique ; son successeur, Juarez, ayant refusé de reconnaître ces clauses, Jecker qui s'était fait naturaliser français (1862) tenta d'intéresser le gouvernement impérial et plus particulièrement Morny* à la question des dettes contractées par le Mexique. Cette affaire fut un des mobiles de l'expédition du Mexique* (1862-1867).

JEDBURGH. ♦ V. du S.-E. de l'Écosse, ch.-l. du Roxburghshire*, au pied des monts Cheviot, sur la *Jed*, affl. de la Tweed. 4 000 hab. Restes d'une abbaye de grès rouge du XIIe siècle. Maison où séjourna Marie Stuart en 1566 *(Queen Mary's House)*. – Indus. textiles (rayonne).

JEFFERSON (Thomas). ♦ Écrivain politique, juriste et troisième président des États-Unis (Shadwell, Albemarle County, Virginie, 1743 – Monticello, Virginie, 1826). Le rapport qu'il rédigea en 1774, *Aperçu sommaire des droits de l'Amérique britannique*, où il écrivait : « Notre émigration dans ce pays ne donne pas plus de droits sur nous à l'Angleterre que l'émigration des Saxons et des Danois ne pouvait en conférer aux gouverneurs de ces pays sur l'Angleterre », valut à son auteur, en Grande-Bretagne, la proscription et, en Amérique, la gloire de rédiger la *Déclaration* d'indépendance* (1776) qui est, en partie, la transcription de cet écrit. Il fut membre du Congrès continental, gouverneur de Virginie : ses *Observations sur l'État de Virginie* (1784-1785), d'un libéralisme humanitaire, répondent à une enquête du gouvernement français. Son projet prévoyant l'abolition de l'esclavage à partir de 1800 date de la même époque. En mission à Paris avec Franklin et Adams, il proposa aux dirigeants du Tiers État, en juin 1789, un compromis entre le roi et la nation. Il était plus proche de Condorcet que de Rousseau ou Montesquieu. Président des États-Unis de 1801 à 1809, il fit preuve d'habileté lors de l'acquisition de la Louisiane et eut le mérite d'éviter à son peuple la guerre qui ensanglantait l'Europe. Son œuvre architecturale méconnue (ce fut un disciple de Palladio) est parmi les plus remarquables de la période néo-classique. Mais c'est surtout son idéalisme humanitaire qui exerça une profonde influence, notamment sur Whitman et Thoreau*. Il laissa une autobiographie (1784).

JEFFERSON CITY. ♦ V. des États-Unis, cap. du Missouri, dans le centre de cet État, sur le fl. Missouri. 28 228 hab. (en 1960). Centre commercial d'une importante région agricole. Indus. du livre, de la chaussure et du vêtement.

JEFFREYS (George, *1er baron***).** ♦ Homme politique anglais (Acton Park, 1645 – Londres, 1689). Jacques* II le nomma lord chancelier. Il se montra particulièrement inique et cruel lors des Assises sanglantes qui jugèrent les partisans de Monmouth*. Il mourut à la tour de Londres.

Jehan de Paris *(Roman de).* ♦ Roman anonyme en prose (XVe s.) qui est probablement une transposition des amours de Charles VIII et d'Anne de Bretagne. – Le roi de France se rend incognito en Espagne et se fait aimer de l'infante qui lui est promise, ridiculisant par son aristocratique élégance le roi d'Angleterre, prétendant âgé.

Jehan de Saintré *(Le Petit).* ♦ Roman de mœurs et traité pédagogique en prose d'Antoine de La* Sale (1456), qui reprend le thème de la rivalité du clerc et du chevalier et peint la victoire du réalisme sur les exaltations de l'amour courtois. C'est un texte clef dans l'histoire littéraire, qui prélude au roman moderne par l'abandon du symbolisme littéraire.

JEHOL [*Jo-Ho, Rehe*]. ♦ Anc. province de Chine du N., maintenant partagée entre celles du Liao*-ning et du Ho*-pei (Hebei) et que les Japonais tentèrent, à partir de 1932, de conquérir pour l'annexer à l'État du Man-chu-kuo qu'ils contrôlaient, afin d'avoir un accès direct à Pékin.

JÉHORAM. ♦ **V.** JORAM.

JÉHOVAH. ♦ Nom du Dieu de la Bible obtenu par vocalisation factice du tétragramme divin YHWH *(Yahweh,* **V. Iahvé***)* avec les voyelles d'*Adonaï*, « mon Seigneur », pour éviter la prononciation du nom sacré.

JÉHOVAH *(témoins de).* ♦ Secte fondée à Pittsburgh (Pennsylvanie) en 1872 par Charles Taze Russel (1852 – 1916) qui dirigea le mouvement jusqu'à sa mort. En 1931, son successeur, Joseph Franklin Rutherford, adopta le nom de *témoins de Jéhovah (Jehovah's Witnesses)* en remplacement de *Zion's Watch Tower Society*, nom adopté en 1881. À sa mort (1932), Nathan Homer Knorr lui succéda. Les témoins de Jéhovah, s'appuyant principalement sur l'*Apocalypse* et le *Livre des Révélations*, annoncent le Royaume de Dieu : pour eux, Jésus-Christ est un agent de Dieu dans l'établissement de la théocratie, la vie éternelle n'étant réservée qu'à quelques-uns. Dès 1880, ils annonçaient une période de transformation à partir de 1914. Antigouvernementaux, partisans de l'objection de conscience, ils refusent de saluer le drapeau, d'accomplir un service militaire (ce qui leur valut d'être persécutés en Allemagne sous le IIIe Reich) et ils participent rarement aux élections publiques. Ils baptisent par immersion, insistent sur un code d'une haute morale, désapprouvent le divorce sauf en cas d'adultère et s'opposent aux transfusions sanguines. Leur doctrine est diffusée par des prédicateurs, des distributeurs de tracts, la publication de livres et de magazines périodiques : *Watch Tower* (4 500 000 ex. en 68 langues), *Awake* (4 000 000 d'ex. en 26 langues). Un centre spécial d'éducation a été ouvert à South Lansing (New York). Le mouvement compte env. 330 000 membres aux États-Unis, répartis en 5 000 corporations locales; on estime le nombre de ses fidèles, dans le monde, à 1 000 000 répartis dans 200 pays. Le centre du mouvement est à Brooklyn (New York).

Ph. Hubert Josse

Thomas Jefferson, par Houdon.
(Musée franco-américain, Blérancourt.)

JÉHU. ♦ Roi d'Israël (v. ~842- ~813). Il massacra toute la maison d'Achab*, Joram*, Jézabel* et extermina les prêtres du Baal. Récit biblique : *II Rois,* IX-X.

JEJU-DO ou **CHEJU-DO.** ♦ Île de Corée du S. (anc. île Quelpart) située entre la mer Jaune* et le détroit de Tsushima. 1 850 km². 350 000 hab. Volcanique, elle est très fertile. Élevage de chevaux.

JELAČIĆ DE BUŽIM (Joseph, *comte***).** ♦ Général croate (Peterwardein, 1801 – Zagreb, 1859). Il servit dans l'armée impériale, puis reprit en 1848 la tête des troupes en Croatie, Slavonie et en Dalmatie et fut nommé ban de ces régions par l'empereur qui utilisait le mécontentement des minorités. Il contribua avec ses armées à l'écrasement de la révolution hongroise menée par Kossuth* et combattue par Windischgrätz.

JELENIA GÓRA, en all. **Hirschberg.** ♦ V. de Pologne* (voïévodie de Wroclaw) située au pied des Krkonoše* en basse Silésie*. 55 000 hab. Centre d'industries chimiques, métallurgiques, électrotechniques et textiles.

JELGAVA. ♦ **V.** IELGAVA

JELIABOV (Andreï Ivanovitch). ♦ Révolutionnaire russe (1850 – 1881), l'un des chefs de la *Volonté du Peuple* **(V. Narodniki).** Il organisa une série d'attentats qui aboutirent à l'assassinat d'Alexandre* II (1er mars 1881). Arrêté le 27 févr. 1881, il fut pendu le 3 avril.

JELLICOE (John Rushworth, *1er comte***).** ♦ Amiral anglais (Southampton, 1859 – Londres, 1935). Spécialiste de l'artillerie navale, il commanda la Grande Flotte *(Grand Fleet)* dans la mer du Nord lors de la Première Guerre mondiale (1914-1916), notamment lors de la bataille du Jutland*. Premier lord de l'Amirauté (1916-1917), il fut ensuite gouverneur de la Nouvelle-Zélande (1920).

JEMAPPES anc. **JEMMAPES.** ♦ Comm. de Belgique, Hainaut, arr. de Mons, dans le Borinage*. 12 900 hab. Indus. chimique et métallurgique. Verrerie. ♦ *Hist.* La victoire remportée le 6 nov. 1792 par les Français, commandés par Dumouriez* (dont le duc de Chartres [futur Louis-Philippe] était l'aide de camp), sur les Autrichiens, commandés par le duc de Saxe-Teschen, aboutit à l'annexion de la Belgique à la France. Celle-ci dura jusqu'à la bataille de Neerwingden* (mars 1793).

JEMMEPE-SUR-MEUSE. ♦ Comm. de Belgique (Liège) dans la banlieue de Liège. 13 300 hab. Fonderies de zinc. Carrières.

JENA. ♦ Orthographe allemande de Iéna*.

JENDOUBA (anc. **Souk el Arba**). ♦ V. de la Tunisie septentrionale, ch.-l. de gouvernorat (230 400 hab.), située sur la r. d. de la Medjerda*, dans une vaste plaine, à proximité de l'antique *Bulla Regia.* 6 500 hab. Cultures céréalières.

JENKO (Simon). ♦ Poète et conteur slovène (1835 – 1869). Dans sa poésie, souvent frivole, il chanta la beauté et le glorieux passé de son pays. Il est l'auteur de l'hymne national de la Slovénie : *En avant, drapeau slovène* (1860).

JENNER (Edward). ♦ Médecin anglais (Berkeley, Gloucestershire, 1749 – 1823). Il découvrit après plusieurs années d'observation et de recherches le moyen d'immuniser l'homme contre la variole par inoculation du cow-pox ou vaccine [1796] (« méthode jennérienne »).

JENSEN (Joannes Vilhelm). ♦ Écrivain danois (Farsø, Jutland, 1873 – *id.,* 1950). Après de nombreux romans, dont les plus connus sont *Les Danois* (1896) et *La Chute du roi* (1900), il écrivit un vaste cycle d'histoire romancée *Le Long Voyage* (six volumes, 1908-1921), où il évoque l'évolution de l'humanité, de la préhistoire à la découverte de l'Amérique. Moins didactiques et d'un art plus achevé, ses nouvelles, *Les Histoires de Himmerland* (trois volumes, 1898-1910), évoquent son retour à la nature et aux hommes de sa province natale, berceau de la race « gothique ». Son premier recueil de poèmes inaugura en 1906 une ère nouvelle dans le domaine de la poésie danoise. (Prix Nobel, 1944.)

JENSEN (Hans Daniel). ♦ Physicien allemand (Hambourg, 1907 – 1973). Auteur, avec Haxel* et Suess*, d'une théorie relative à la structure du noyau de l'atome qui serait formé de couches superposées (1950), l'existence des nombres « magiques » étant notamment ainsi expliquée. **V. Goeppert-Mayer.** (Prix Nobel de phys., 1963.)

JEN TSUNG [*Jen Tsong, Ren Zong*]. ♦ Titre de temple de plusieurs empereurs chinois. Le dernier de ce nom (1796-1820) fut celui de la dynastie des Ch'ing* (appelé aussi de son ère Chia-ch'ing). Il persécuta le christianisme et laissa pratiquement le pouvoir aux mains de ses eunuques. Les sociétés secrètes sous son règne furent particulièrement nombreuses et audacieuses : l'une d'elles attaqua même le palais impérial en 1813. Il mourut foudroyé un jour d'orage.

JEON BONG-JUN. ♦ Philosophe coréen (1853 – 1895). En 1894, il fomenta une révolte qui fut à l'origine de la guerre sino-japonaise de 1894-1895 à l'issue de laquelle l'influence chinoise en Corée fut remplacée par celle des Japonais.

JEONG CHEOL. ♦ Poète coréen (1536 – 1593), auteur de nombreux poèmes et chants écrits en langue coréenne et considérés comme les plus beaux qui furent jamais écrits en cette langue. Il était également musicien et lettré confucéen.

JEPHTÉ. ♦ Juge d'Israël (*Juges,* XI), vainqueur des Ammonites. *La fille de Jephté :* mise à mort par son père qui avait fait vœu de sacrifier la première personne rencontrée à son retour, s'il obtenait la victoire.

JÉRÉMIE. ♦ Prophète juif (activité : ~ 627-~ 587) originaire d'Anatoth, près de Jérusalem. Il prophétisa contre le formalisme du culte et, lors des déportations à Babylone (~ 597 et ~ 587), prêcha l'acceptation du désastre, ce qui lui attira la vindicte publique. Il termina sa vie en Égypte. – *Icon.* Sculptures au portail de Chartres, au *Puits de Moïse* de Sluter*, au Campanile de Florence, par Donatello; peintures : Michel-Ange (chapelle Sixtine), Rembrandt (Amsterdam).

Jérémie *(lettre de).* ♦ Texte deutérocanonique* de l'Ancien Testament*, écrit en grec vers le ~ Ier s. contre l'idolâtrie du monde hellénistique.

Jérémie *(Livre de).* ♦ Livre biblique, le second des grands prophètes (cinquante-deux chapitres). Ensemble composite (oracles en vers, éléments biographiques en prose) dont certaines parties remonteraient à Jérémie par l'intermédiaire de Baruch, son secrétaire.

Jérémie *(lamentations de).* ♦ **V.** LAMENTATIONS.

JEREZ DE LA FRONTERA. ♦ V. d'Espagne méridionale, en Andalousie* (prov. de Cadix). 132 400 hab. Grand centre vinicole de renommée mondiale, produisant des vins blancs fruités et sucrés appelés *xérès* en français, *sherry* en anglais. Ces vins proviennent de toute l'Andalousie et sont traités dans de grands chais *(bodegas).*

JÉRICHO [ʒeʀiko], en ar. **Arîkhâ.** ♦ V. de Cisjordanie* située à proximité de la mer Morte dans la vallée du Jourdain*. Près de 70 000 hab. Gisements de phosphates dans la plaine. ♦ *Hist.* Ce serait, selon la Bible (*Josué,* II-VI), la première ville prise par les Hébreux* entrant en Terre promise sous la conduite de Josué*. – *Trompettes de Jéricho :* selon le livre de *Josué,* les murailles de la ville s'écroulèrent au son des trompettes d'Osée, fils de Nun. Alors les Hébreux « s'emparèrent de la ville et la dévouèrent par interdit au fil de l'épée (...) hommes et femmes, enfants et vieillards, jusqu'aux bœufs, aux brebis et aux ânes ». Selon les archéologues, la ville aurait été rasée bien avant l'invasion des Hébreux. Elle fut relevée au ~ IXe siècle. Les fouilles entreprises dès 1867 ont mis au jour une enceinte remontant au ~ VIIe millénaire.

JÉROBOAM Ier. ♦ Premier roi (~ 931 – ~ 910) d'Israël* (royaume du Nord) qu'il fonda contre Roboam*.

JÉROBOAM II. ♦ Roi d'Israël (v. ~ 780 – ~ 740), fils de Joas*. Il reconquit tout le territoire que les Araméens avaient pris à ses pères. Cf. *II Rois,* XIV, 23.

JÉRÔME *(saint),* en lat. **Hieronymus.** ♦ Père et docteur de l'Église (Stridon, Dalmatie, v. 347 – Bethléem, 420). Après des études classiques à Rome et des voyages en Gaule, il se retira au désert de Chalcis, Syrie (375-378). Il fut le secrétaire du pape Damase* (382-385), puis se retira à Bethléem où il fonda plusieurs couvents. Sa grande œuvre fut la révision critique de la Bible qu'il traduisit en latin **(V. Vulgate)** et expliqua dans des *Commentaires.* En histoire, il traduisit la *Chronique* d'Eusèbe* et la continua; son *De viris illustribus* (392) étudie les écrivains chrétiens jusqu'à lui; mais ses *Vies* d'anachorètes (Paul* de Thèbes, Hilarion*, Malchus) sont plutôt de l'hagiographie. Abondante correspondance. – Fête le 30 septembre. – *Icon.* Saint Jérôme est représenté en ermite ou en savant dans sa cellule, souvent accompagné d'un lion dont il aurait gagné l'amitié en lui retirant une épine de la patte. Gravures de Dürer, de Rembrandt; peintures de Raphaël (Londres), Carpaccio (Venise), Zurbarán (Guadalupe), Ribera (Madrid, Naples), Georges de La Tour (Grenoble, Louvre); en cardinal, par Wolgemut (Vienne), le Greco (Madrid).

JEROME (Jerome Klapka dit **Jerome K.).** ♦ Romancier, auteur dramatique et journaliste anglais (Walsall, 1859 – Northampton, 1927). Après avoir été employé au chemin de fer, journaliste, maître d'école et comédien, il fit paraître un récit, *Sur la scène* (*On the Stage and off,* 1888), fruit de son expérience théâtrale. Son humour apparaît surtout dans *Pensées paresseuses d'un paresseux* (*Idle Thought of an Idle Fellow,* 1889) et le célèbre *Trois Hommes dans un bateau* (*Three Men in a boat, to say nothing of the dog,* 1889), roman burlesque dont la gaieté communicative est fondée sur une observation très fine de la psychologie sociale anglaise, non sans la présence de traits conventionnels qui expliquent l'immense succès du livre à l'étranger. Il fonda un hebdomadaire *To-day* (1893-1897) et – avec R. Barr et G.B. Burgin – une revue mensuelle illustrée, *The Idler* (1892-1897). Au théâtre, il fit représenter *Barbara* (1886) et *Le Locataire du troisième étage* (1908). Son humour rappelle parfois Dickens*, mais est dénué d'amertume. Un roman (*Paul Kelver,* 1902) et une autobiographie (*Ma vie et mon époque,* 1926) éclairent la personnalité de Jerome.

JÉRÔME DE PRAGUE. ♦ Réformateur tchèque (Prague, v. 1360-1370 – Constance, 1416). Disciple de Wyclif*, il répandit ses doctrines à l'université de Prague. Ami de Jean Hus*, il se rendit avec lui au concile de Constance (1415) et fut brûlé comme hérétique.

JERSEY *(île de).* ♦ La plus méridionale et la plus grande des îles de l'archipel britannique des îles anglo-normandes, à 20 km des côtes françaises. 116 km². 63 300 hab. *(Jersiais). Ch.-l.* Saint*-Hélier. Rattachée jusqu'en 709 au continent français, l'île, de forme quadrangulaire, est bordée de hautes falaises au N. et échancrée de baies sableuses au S. (Saint-Aubin, Sainte-Brelade). On y pratique les cultures maraîchères et florales, et l'élevage bovin. L'activité touristique est très développée. Jersey est administrée par un bailli, supervisé par un lieutenant-gouverneur et a conservé depuis le XIIIe s. le droit coutumier de Rouen. – Patrie du poète Wace*. – Victor Hugo s'y rendit comme proscrit, de 1852 à 1853, avant de gagner Guernesey*.

JERSEY CITY. ♦ V. des États-Unis, au N.-E. de l'État du New* Jersey, sur une péninsule bordée à l'E. par l'Hudson, en face de Manhattan **(V. New York).** 253 467 hab. (1970); près de 600 000 hab. pour la zone urbaine. Indus. : papier, produits chimiques, locomotives, etc.

JERUSALEM (Johann Friedrich Wilhelm). ♦ Théologien protestant allemand (Osnabrück, 1709 – ? 1789). L'œuvre de ce conseiller au consistoire de Brunswick s'inscrit dans la ligne du christianisme libéral qui, influencé par le déisme de certains penseurs anglais (Locke, etc.), caractérisa une partie de la théologie allemande du siècle des lumières *Considérations sur les vérités principales de la religion* (1768-1779).

JÉRUSALEM (hébr. « La paix apparaîtra »). ♦ V. de Palestine, *cap.* de la Judée* , divisée en une ville moderne (Israël) et une ville ancienne (Jordanie; occupée en 1967 par Israël). Ch.-l. du district de Jérusalem (Israël). Édifiée à 800 m d'altitude sur un plateau de Cisjordanie à la frontière israélo-jordanienne. Env. 275 000 habitants. La ville moderne est, depuis 1950, la capitale déclarée de l'État d'Israël* en dépit de la contestation absolue de ce titre par les États arabes (université hébraïque, centre d'études talmudiques). Centre industriel (indus. alimentaires, textiles, chimiques, mécaniques, indus. du bâtiment). Centrale thermo-électrique. Aéroport international. Importante activité touristique, en partie liée aux pèlerinages chrétiens. ♦ *Hist.* Construite dès l'époque cananéenne et occupée par les Jébuséens* au ~ IIe millénaire, la ville fut conquise sur les Jébuséens par David* qui en fit la capitale du peuple hébreu v. ~ 1000. Centre du judaïsme, elle vit la construction **(V. Salomon)** et la destruction du premier et du second Temple, fut conquise par les Romains **(V. Titus),** connut les débuts du christianisme et devint au cours des âges un foyer de l'islâm au détriment des villes saintes d'Arabie (La Mecque et Médine) sous le règne des califes de Damas. C'est du haut de la Coupole du Rocher que Muhammad (Mahomet) se serait, selon la tradition, élevé dans le ciel. Conquise par les Arabes, Jérusalem tomba aux mains des croisés de Godefroi* de Bouillon **(V. Jérusalem** [royaume de]**).** Sous la domination ottomane au XVIe s., elle tomba en décadence. C'est en 1922 qu'elle devint la capitale de la Palestine sous mandat britannique, après avoir été conquise par les forces franco-britanniques d'Allenby*. L'activité sioniste aboutit à la création de l'État d'Israël après la Deuxième Guerre mondiale. Le premier conflit israélo-arabe de 1948 amena le partage de la ville en deux secteurs, occidental et oriental (celui-ci occupé par les troupes arabes de Transjordanie), en dépit de la demande d'internationalisation de la ville par l'O.N.U. (1949). La guerre de juin 1967 (guerre des six jours) amena la réunification de la ville dont la partie jordanienne était tombée aux mains des Israéliens. C'est dans la vieille ville, dont les murs datent de l'époque ottomane, que se trouvent les Lieux saints et tous les vestiges du passé à l'exception du tombeau de David (ville moderne). Les collectivités religieuses

Ph. Prato/Ricciarini

Jérusalem : mosquée d'Omar.

y ont chacune leur quartier. Le *quartier juif* (S.-E.) domine la vallée du Cédron; à l'emplacement du Temple de Jérusalem s'élève la mosquée d'Omar (Coupole du Rocher). Le *quartier chrétien* (N.-O.) s'étend autour du Saint*-Sépulcre. Dans le *quartier musulman* (N.-E.), se trouve le mur des Lamentations. Le *quartier arménien* (S.-O.) est situé entre la porte de Sion* et la tour de David. Églises, mosquées, synagogues.

JÉRUSALEM (royaume latin de). ♦ État fondé après la prise de Jérusalem (1099), lors de la première croisade. Godefroi* de Bouillon, qui refusa le titre de roi, prit celui d' «avoué du Saint-Sépulcre». Son frère Baudouin* Ier (1100-1118) lui succéda. Les autres rois furent Baudouin* II (1118-1131), Foulques* d'Anjou (1131-1143), Baudouin* III (1143-1163), Amaury* Ier (1163-1174), Baudouin* IV, le roi lépreux (1174-1185), Baudouin* V (1185-1186) puis la reine Sibylle* et son mari Gui de Lusignan* (1186-1192). Saladin reprit Jérusalem en 1187 et les croisés perdirent Acre et Tyr en 1291. — Ce royaume fut du type féodal, régi par les Assises de Jérusalem. Le roi, choisi par la haute cour, régnait sur Jérusalem, mais aussi moralement sur d'autres fiefs, le comté d'Édesse, les principautés d'Antioche et de Tibériade, le comté de Tripoli. Le royaume était défendu aux frontières par les ordres militaires (Templiers, Hospitaliers de Saint-Jean-de-Jérusalem, ordre teutonique).

Jérusalem délivrée (La), en it. **La Gerusalemme liberata.** ♦ Poème épique du Tasse* (composé principalement entre 1570 et 1580; publ. 1580, 1581) d'abord intitulé *Godefroy (Il Goffredo).* Œuvre de toute une vie, ces vingt chants (environ 15 000 octosyllabes, distribués en octaves) content essentiellement la prise de Jérusalem par Godefroi de Bouillon (1099). À ce sujet historique et religieux, le Tasse a ajouté des éléments de la poésie chevaleresque et de nombreux épisodes romanesques, composant une trame originale où se mêlent en un tout organique le caractère sacré de l'entreprise, les éléments merveilleux et les passions profanes. Le ton soutenu de l'épopée est ainsi entrecoupé de passages lyriques, notamment pour relater les amours de Renaud et d'Armide (la magicienne séductrice, séduite à son tour et convertie par Renaud), la passion malheureuse d'Herminie pour Tancrède ou encore pour évoquer l' « image belle et guerrière » de Clorinde, tuée par celui qui l'aime (épisode mis en musique par Monteverdi*). Malgré les objections religieuses et littéraires de ses censeurs qui incitèrent le Tasse à se défendre dans l'*Apologie* (1585) et à composer un nouveau poème, *La Jérusalem conquise* (1593), cette épopée, par ses sonorités nouvelles et son atmosphère poétique (qui inspira nombre de peintres et de musiciens), reste une des œuvres les plus illustres de la littérature italienne.

JESENÍKY. *n. m.* ♦ Chaîne de montagnes, en Tchécoslovaquie, formant la partie E. des monts des Sudètes*. Point culminant : 1 490 m.

JESPERSEN (Otto). ♦ Linguiste danois (Randers, 1860 — Copenhague, 1943). Il fut l'élève de V. Thomsen et s'intéressa à la fois aux problèmes de la pédagogie des langues et à la théorie linguistique (critique du concept de loi phonétique absolue); « les vues de Jespersen ont été moins dirigées par des considérations théoriques que par une conception pratique et par là même largement « fonctionnelle » du langage » (L. Hjelmslev). D'abord attaché à l'étude des langues romanes, il vint à l'anglais sous l'influence du linguiste Henry Sweet. Auteur d'une très importante grammaire de cette langue, *A Modern English Grammar on Historical Principles* (1909-1942), d'un grand traité de phonétique (1897-1899) et de deux ouvrages de linguistique générale (*Le Langage,* 1922; *La Philosophie de la grammaire,* 1924), Jespersen, malgré l'accent mis sur la manifestation au détriment du système formel abstrait (ce qui lui fit méconnaître Saussure), peut être considéré comme un précurseur de la linguistique moderne.

JESSÉ ou **ISAÏ.** ♦ Père de David, originaire de Bethléem (*I Samuel,* XVI). *Arbre de Jessé :* l'arbre généalogique du Christ (« rejeton de David »), représenté à partir du XIIe s. pour illustrer une prophétie d'*Isaïe,* XI, I.

JESSELTON. ♦ Anc. nom de Kota* Kinabalu (Sabah).

JÉSUS. ♦ Fondateur de la religion chrétienne, pour laquelle il est le Christ* : *Jésus-Christ.* Sa vie pose des problèmes d'historicité controversés; elle est connue essentiellement à travers les Évangiles* qui en donnent une image imprécise, parfois contradictoire et déjà très élaborée, selon les perspectives théologiques et hagiographiques des premières générations chrétiennes. Les computations fondées sur les Évangiles* fixent généralement sa naissance en 4-5 avant l'ère qui porte son nom, sa vie publique et sa mort en 28-29 de cette ère. *Principaux épisodes évangéliques :* la conception virginale de Jésus par Marie*, fiancée de Joseph*, sa naissance à Bethléem* (Nativité); la fuite en Égypte pour échapper au massacre des nouveau-nés ordonné par Hérode **(V. Innocents)**; sa jeunesse à Nazareth; sa discussion avec les docteurs du Temple à l'âge de douze ans; son baptême par Jean-Baptiste vers l'âge de trente ans; sa retraite au désert et sa tentation par le Diable; sa prédication en Galilée (sermon sur la montagne, miracles, paraboles) et le choix de ses douze disciples **(V. Apôtres)**; la Transfiguration **(V. Thabor)**, l'entrée à Jérusalem, la conspiration des juifs et la trahison de Judas*; le dernier repas (Cène) et l'institution de l'eucharistie; la veillée à Gethsémani*; l'arrestation de Jésus, sa comparution devant Caïphe* et sa condamnation à mort; sa comparution devant Pilate* qui l'abandonne **(V. Barabbas)**; la dérision et la flagellation; sa crucifixion le jour de la pâque juive (la veille dans *Jean*); sa mise au tombeau, trouvé vide le troisième jour; ses apparitions aux disciples d'Emmaüs* et aux Apôtres, retournés en Galilée, à qui il confie la prédication du christianisme; son ascension au ciel. — Son enseignement porte principalement : sur l'annonce du Royaume de Dieu, royaume non « charnel » comme celui des prophètes juifs, mais spirituel et signifiant, pour le présent, une transformation intérieure (metanoia), pour le futur, l'espérance d'une immortalité bienheureuse; sur le salut par la foi en sa nature de fils de Dieu envoyé pour le rachat de l'humanité pécheresse; sur l'amour comme source unique des relations entre les hommes et Dieu et des hommes entre eux (charité). **V. Christ.**

Jésus *(Compagnie de),* en lat. **Societas Jesu,** en abrégé **S.J.** ♦ Ordre de clercs réguliers (jésuites, Cf. Robert) fondé par Ignace* de Loyola (1540). Les membres prononcent des vœux de pauvreté, de chasteté, d'obéissance, spécialement au pape. L'ordre, fortement hiérarchisé en « assistances » et en « provinces », est organisé militairement; il est dirigé par un préposé général, élu à vie par la Congrégation générale (à laquelle il reste soumis). Son but principal est l'apostolat « pour la plus grande gloire de Dieu » (en lat. *Ad majorem Dei gloriam,* devise de l'ordre). Les nécessités de l'apostolat l'amenèrent à développer l'enseignement dont il fit une de ses spécialités (première université à Gandie, 1547, **V. François Borgia**; collège romain, fondé par Ignace de Loyola, 1551, **V.** *aussi* **Grégoire XIII**). L'histoire des jésuites peut se diviser en trois périodes : *1) L'Ancienne Compagnie,* sous Ignace de Loyola et ses successeurs : J. Laínez (1558-1565), François* Borgia (1565-1572), Everard Mercurian (1573-1580), Claudio Acquaviva* (1581-1615), Mutio Vitelleschi (1615-1645), connut son âge d'or et fut le meilleur instrument de la réforme catholique **(V. Contre-Réforme)**. Elle développa les missions en pays protestant (sir Edmund Rich), en Extrême-Orient **(V. François Xavier, Ricci** [Matteo], en Amérique **(V. Paraguay** [*réductions du*], **Canada** [*martyrs du*]**)**. Elle soutint des controverses théologiques (molinisme, **V. Molina**; contre Molinos*; contre le jansénisme, **V. Jansénius**; probabilisme, **V. Innocent XI**; contre le gallicanisme). *2)* L'implication de la Compagnie dans la haute politique lui suscita des hostilités qui provoquèrent sa suppression d'abord au Portugal (1759), en France (1764), en Espagne (1767), puis suppression totale en 1773 **(V. Clément XIV)**. *3)* La *Nouvelle Compagnie* fut rétablie par Pie VII dès son retour à Rome (1814). Elle connut diverses tribulations, au XIXe s., dans la plupart des pays d'Europe, dues aux conflits entre les forces conservatrices (auxquelles on l'assimilait) et des mouvements progressistes. Son inféodation à Rome (ultra-

Ph. Carlo Bevilacqua/Ricciarini

Naissance de **Jésus,** par H. Baldung. (Ancienne Pinacothèque, Munich.)

Arch. Smeets

« Moïse défendant les filles de **Jéthro** », par Rosso Fiorentino. (Musée des Offices, Florence.)

montanisme) continua à lui être reprochée; à diverses reprises l'enseignement lui fut interdit. Mais elle se développa, notamment en Amérique. En 1962, les jésuites étaient au nombre de 35 000; le préposé général était le père J.B. Janssens. – Principale église des jésuites, **V. Gesù.** – Jésuites célèbres, **V. Acquaviva** (Claudio), **Bourdaloue, Charlevoix, Calvius, Coton, Daniélou, Fonseca, François Borgia, Gabriel Lalemant, Gracián, Jean de Brébeuf, Isaac Jogues, Jean-François Régis, La Chaise, Le Tellier, Louis de Gonzague, Marquette, Molina, Rapin, Ricci** (L.), **Ricci** (M.), **Robert Bellarmin, Secchi, Sirmond, Suarez, Teilhard de Chardin.**

Jésus (Vie de). ♦ Ouvrage d'Ernest Renan* (1863), le premier volume de l'*Histoire des origines du christianisme,* œuvre monumentale par laquelle l'auteur cherche à « reconstituer un système psychologique tel que le lecteur moderne puisse se donner une idée claire et rationnelle des grands phénomènes religieux ». Utilisant les *Évangiles* comme des documents, Renan propose l'image du Christ dégagé de tout surnaturel pour mieux souligner le « caractère exceptionnel de son œuvre ». L'ouvrage fut vivement contesté dans sa prétention à la rigueur scientifique, mais il connut un succès considérable auprès d'un vaste public qui en apprécia les analyses pénétrantes et la prose harmonieuse.

JÉTHRO. ♦ Personnage biblique (*Exode,* II-III). Père de Séphorah qu'épouse Moïse*. On l'appelle aussi Raguël ou Hobab.

JETTE, en flam. **Sint-Pieters-Jette.** ♦ V. de Belgique, Brabant, arr. de Bruxelles-Capitale. 37 000 hab. Indus. alimentaires. Carrières. Pépinières. Produits chimiques. Caoutchouc. Indus. métallurgiques.

Jeu d'Adam (Le). ♦ Drame semi-liturgique du Moyen Âge (v. 1165), composé de 942 vers en dialecte normand. Trilogie inspirée par le dogme de l'Incarnation *(Tentation, péché, châtiment d'Ève et d'Adam; Meurtre d'Abel par Caïn; Procession des prophètes du Christ).* Par la force dramatique de ses dialogues, la grâce de ses vers, la richesse de ses indications de mise en scène, le *Jeu d'Adam* constitue la plus remarquable des œuvres du genre.

Jeu de la feuillée (Le). ♦ Comédie d'Adam* de la Halle (v. 1276) composée en dialecte picard. Avant de quitter Arras, l'auteur accable de traits satiriques, outre sa femme et son père, quelques-uns des habitants de la ville. Attendues pour la Saint-Jean d'été, trois fées viennent prendre place sous une tonnelle *(feuillée).* Habile mélange de satire bourgeoise, de lyrisme et de fantaisie poétique, cette œuvre est l'une des plus originales du théâtre comique au Moyen Âge.

Jeu de l'amour et du hasard (Le). ♦ Comédie de Marivaux* en trois actes et en prose (1730). Dans le dessein de mieux connaître le fiancé qu'Orgon, son père, lui destine, Silvia fait avec Lisette, sa femme de chambre, l'échange de ses vêtements et de son identité. Avec la même intention, Dorante revêt la livrée de son valet Arlequin. Sous leurs habits d'emprunt, les deux jeunes gens s'éprennent l'un de l'autre, non sans en éprouver une secrète surprise. Dorante fait à Silvia l'aveu de son stratagème, mais la jeune fille, excitant sa jalousie, avec la souriante complicité de son frère Mario, parvient à se faire épouser comme femme de chambre. En même temps, Lisette et Arlequin vivent une semblable aventure, fondée elle aussi sur la même ambiguïté. Analyse subtile de la comédie de l'amour dans des cœurs adolescents, la pièce atteint le plus haut degré d'achèvement d'une œuvre qui demeure unique dans le théâtre français.

Jeu de paume *(serment du).* ♦ Après les menaces du roi (influencé par la cour) de casser les délibérations du Tiers État et la fermeture de la salle des Menus-Plaisirs où se réunissaient les États* généraux, les députés du Tiers État se réunirent dans la salle du Jeu de paume; c'est là que, sur une proposition de Mounier*, ils prêtèrent, le 20 juin 1789, à la suite de leur président Bailly*, le serment solennel « de ne jamais se séparer et de se rassembler partout où les circonstances l'exigeront jusqu'à ce que la constitution du royaume soit établie et affermie sur des fondements solides ». La scène a été représentée par David.

Jeu de paume *(musée du).* ♦ V. TUILERIES et LOUVRE.

Jeu de Robin et Marion (Le). ♦ Pastorale dramatique d'Adam* de la Halle, composée à Naples pour la cour de Charles d'Anjou (1283 ?). Courtisée par un chevalier, la bergère Marion éconduit le galant et se livre, en compagnie de ses amis les bergers et de son amoureux Robin, aux gracieux ébats d'un repas champêtre. Enrichi de « refrains » musicaux d'une exquise fraîcheur d'inspiration, cet ouvrage est considéré comme le lointain précurseur de l'opéra-comique français.

Jeu de saint Nicolas. ♦ Œuvre dramatique de Jean* Bodel, une des premières (v. 1202) qui soit située entre le « miracle » et la représentation profane. Écrit principalement en octosyllabes dans un dialecte artésien-picard, ce poème mêle la louange du saint à l'évocation de l'Orient des croisades.

Jeu des perles de verre (Le), en all. **Das Glasperlenspiel.** ♦ Dernier roman d'H. Hesse* (1943) qui, comme *Le Docteur* Faustus* de T. Mann et *Héliopolis* d'E. Jünger, eut un grand retentissement après la Deuxième Guerre mondiale. Langue universelle qui aurait été pressentie par les pythagoriciens, les anciens Chinois, les humanistes de la Renaissance et les romantiques allemands (Novalis) et qui permettrait de réconcilier la science, l'art et la religion, ce *Jeu des perles de verre* est une discipline purement intellectuelle pratiquée par une élite dans la cité de « Castalie », dont H. Hesse situe l'existence au XXIIIe siècle. Celle-ci est un ordre strictement hiérarchisé dont les membres ont renoncé au mariage et à la vie du siècle. L'œuvre est centrée sur la vie du *magister ludi,* Joseph Knecht (Joseph Valet ou Serviteur). Après avoir compris l'opposition irréductible entre le monde réel et la cité parfaite mais figée, celui-ci abandonne ses fonctions pour devenir précepteur d'un jeune garçon, « appelé par une « obligation inconnue » qui est la mort ». Sa mort, par noyade, au lever du soleil, apparaît comme le symbole de l'unité retrouvée entre l'homme et le cosmos. Ainsi, au delà de la civilisation technique et matérialiste et d'une culture strictement intellectuelle, cette œuvre est animée par la quête spirituelle de l'âme.

Jeu du prince des Sots et de la mère Sotte (Le). ♦ Trilogie dramatique de Pierre Gringore* (1512), précédée d'un *Cri* (appel au public) et constituée d'une sotie, d'une moralité et d'une farce. L'auteur, à la prière de Louis XII, justifie la politique du roi de France et accable le pape Jules II, son futur adversaire.

JEUMONT. ♦ Comm. du Nord, arr. d'Avesnes-sur-Helpe, à la frontière belge. 10 178 hab. Centre ferroviaire et industriel : métallurgie, marbrerie.

Jeune-Allemagne (en all. **Junges Deutschland**). ♦ Nom sous lequel on a désigné (par analogie à la Jeune-Italie de Mazzini) un groupe d'écrivains allemands dont firent partie Gutzkow*, Laube*, Mundt*, Wienbarg* et, pendant quelque temps, Börne et Heine. Né vers les années 1830, ce mouvement se caractérisa sur le plan littéraire et politique par une opposition libérale bourgeoise, à caractère révolutionnaire et francophile, au conservatisme. Anticlérical, affichant volontiers un certain immoralisme, prêchant en particulier « l'émancipation de la chair », il fut condamné par la diète fédérale de Francfort (1835). La plupart des œuvres de la Jeune-Allemagne furent alors interdites.

Jeune Captive (La). ♦ Ode qu'A. Chénier* composa dans sa prison en l'honneur d'Aimée de Coigny, promise comme lui à l'échafaud (la « jeune captive » devait cependant échapper à la mort). Cette ode, la dernière œuvre du poète, échappe à la rhétorique par l'harmonie des vers où la jeune femme exprime son horreur devant la mort cruelle et prématurée qui l'attend ou chante son amour de la vie. Le poème fut publié par les soins de Marie-Joseph Chénier* en 1794.

Jeune-Irlande *(Young Ireland).* ♦ Mouvement révolutionnaire irlandais, dont le nom était inspiré de la *Jeune-Italie* de Mazzini. Née v. 1840, ouverte aux protestants, elle avait pour journal *la Nation* et regroupait sous la direction de Mitchel et d'O'Brien* les partisans de l'indépendance et de la reconquête du sol, qui rejetaient l'action parlementaire (contrairement à O'Connel*) et donnaient la priorité aux manifestations populaires, et même à la violence, quand la famine aggrava la situation. Encouragée par les révolutions de 1848, elle organisa des insurrections qui avortèrent (Ballingarry, Tipperary) et ses chefs furent déportés.

Jeunesse agricole chrétienne (J.A.C.). ♦ Organisation catholique fondée en 1929 et destinée à la jeunesse rurale. Elle est devenue en 1946 le *Mouvement rural de la jeunesse chrétienne* (M.R.J.C.) et joue un rôle important dans la vie socio-professionnelle (formation, syndicalisme).

Jeunesse étudiante chrétienne (J.E.C.). ♦ Organisation catholique destinée aux étudiants et étudiantes (J.E.C.F.).

Jeunesse ouvrière chrétienne (J.O.C. et J.O.C.F.). ♦ Organisation catholique destinée au prolétariat ouvrier. Fondée en Belgique par l'abbé Cardijn (1925), elle se développa dans la banlieue parisienne, grâce à l'abbé Guérin. Elle appartient à une fédération internationale et joue un rôle de formation pour de nombreux militants syndicalistes.

Jeune-Turc. *n.* ♦ Adepte du mouvement de la Jeune-Turquie. ♦ JEUNE-TURQUIE. Comité formé par Midhat Pacha (1868) pour réformer les institutions ottomanes. Lors des insurrections serbe et bulgare, il renversa successivement les sultans Abdül*-Aziz et Murat* V (1876) et fit accéder au trône Abdül*-Hamid II qui proclama une nouvelle constitution (déc. 1876), garantissant les libertés d'expression et de réunion. Mais le sultan ajourna la constitution et exerça le pouvoir absolu (janv. 1878). Midhat Pacha fut exilé en Arabie (1881), puis assassiné (1883). Plus tard, les Jeunes-Turcs constituèrent le comité *Union et Progrès* (1894) qui provoqua des soulèvements militaires, obligeant le sultan à rétablir la Constitution de 1876 (1908). Mais, devant la mauvaise volonté du sultan, le comité, appuyé par la garnison de Thessalonique, renversa Abdül-Hamid II et proclama Mehmet V sultan (1909). Pratiquant une politique ultra-nationaliste, les Jeunes-Turcs durent faire face à la guerre balkanique (1912). Ils assassinèrent ensuite le grand vizir Chevket (1913) et instituèrent le triumvirat Enver*-Djamâl*-Talât* qui entraîna l'Empire ottoman dans la guerre mondiale aux côtés de l'Allemagne. Après la défaite, ils durent se retirer et laisser le terrain libre aux partisans de Mustafa* Kemal. — L'expression *Jeune-Turc* désignant les éléments révolutionnaires d'un parti vient de ce mouvement.

Jeux Floraux. ♦ Nom donné à un concours poétique annuel (dénommé à l'origine : *Consistori del Gay Saber,* Consistoire du Gai Savoir) institué à Toulouse en 1323 par sept troubadours désireux de maintenir l'existence de la culture occitane menacée par la défaite des albigeois. Une violette d'or était décernée au vainqueur. Vers la fin du XVe s. la légende attribua à Clémence Isaure* la fondation de ces jeux. En 1694 la compagnie fut érigée en *académie des jeux Floraux* par lettre patente de Louis XIV. Elle subsiste encore aujourd'hui et couronne les œuvres poétiques en langue française et en dialecte occitan ainsi que ce qui concerne l'histoire méridionale.

JEVONS (William Stanley). ♦ Économiste anglais (Liverpool, 1835 — Bexhill, près de Hastings, 1882). C'est en étudiant le problème de la fixation des tarifs du chemin de fer qu'il fut amené à formuler, en même temps que C. Menger* et L. Walras*, une nouvelle théorie de la valeur fondée sur le degré final d'utilité d'un bien (ou utilité marginale) ainsi que de la répartition des revenus (principe de la productivité marginale du capital). Il vit dans ces positions un moyen de prouver la supériorité du libéralisme sur le socialisme (*La Théorie de l'économie politique,* 1871 ; *Les Relations de l'État et du monde du travail,* 1882).

JÉZABEL. ♦ (~ IXe siècle). Princesse tyrienne, épouse d'Achab*, roi d'Israël. Mère d'Ochozias* et de Joram*, d'Israël et d'Athalie. Despotique et idolâtre, elle s'attira la vindicte du prophète Élie* et fut assassinée par défenestration sur l'ordre de Jéhu*. Récit biblique : *I Rois,* XVI-XXI : *II Rois,* IX.

JEZRÉEL *(plaine de)* ou *plaine d'***ESDRELON.** ♦ Plaine qui borde la basse Galilée* (État d'Israël), depuis Haïfa jusqu'au Jourdain. Elle est séparée de la Samarie par une ligne montagneuse aboutissant au promontoire rocheux du mont Carmel. Les marécages en ont été asséchés. Les terres artificiellement irriguées permettent toutes les cultures.

JHANG-MAGHIÂNA. ♦ V. du Pâkistân (prov. de Multân) sur la Chenâb. 118 000 hab. Indus. du textile et du cuir. Marché céréalier.

JHÂNSI. ♦ V. de l'Inde (Uttar Pradesh), à 220 km env. au S. d'Âgra*. 182 000 hab. Carrefour ferroviaire. Centre commercial important (céréales, coton). Petite indus. métallurgique. ♦ *Hist.* Jhânsi fut la cap. des Mahrâtî de 1770 à 1853.

JHELAM ou **JHELUM.** *n. m.* ♦ Riv. du Cachemire* (Kaśmîr) et du Pâkistân* (env. 715 km). Elle prend sa source dans l'Himâlaya, arrose Srînagar* et conflue avec la Chenâb* à 150 km au N. de Multân*. C'est une des « 5 rivières du Pañjâb* », appelée autrefois *Hydaspes* par les Grecs. Son cours est régularisé par des barrages hydro-électriques.

JIEN. ♦ Religieux bouddhiste japonais (v. 1147 — 1225); fils d'un régent Fujiwara* et aumônier de l'empereur. On lui attribua la paternité du *Gukanshô,* un célèbre ouvrage historique, ainsi que de nombreux poèmes pessimistes.

JILOLO. ♦ V. HALMAHERA.

JIMÉNEZ (Juan Ramón). ♦ Poète espagnol (Moguer, 1881 — Porto Rico, 1957). Toute l'œuvre, toute la vie de J.R. Jiménez furent vouées à la poésie qu'il considérait comme une « religion immanente », sans credo absolu. Sa première période poétique est fortement marquée par Rubén Dario* et le symbolisme (*Âmes de violette, Nymphéas,* 1900). Dans ses œuvres ultérieures (*Sonetos espirituales,* 1917), son lyrisme ouvre un monde intérieur d'une grande richesse ; le langage tend vers la sobriété, la concision et l'exactitude : « Intelligence, donne-moi le nom exact des choses », s'écrie alors le poète. En 1916, il publia *Journal d'un poète nouveau marié,* peinture passionnée et impitoyable d'un voyage aux États-Unis. Ses derniers poèmes, plus métaphysiques, sont consacrés à la rencontre avec ce dieu impersonnel et tant recherché : *Dieu désiré et désirant,* 1949. Parmi les œuvres en prose, il faut citer le récit célèbre *Platero et moi,* où un âne participe aux joies esthétiques du poète. Juan Ramón exerça une influence considérable sur les poètes ultérieurs. Dès 1936, il avait quitté l'Espagne sans vouloir prendre aucun parti dans la guerre civile qui déchirait son pays. (Prix Nobel de littérature, 1956.)

JIMÉNEZ DE CISNEROS (Francisco). ♦ Prélat espagnol (Torrelaguna, Castille, 1436 — Roa, 1517). Franciscain de la stricte observance à Tolède, provincial de son ordre (1494), il devint archevêque de Tolède (1495), cardinal (1507), grand inquisiteur de Castille (1507), régent d'Aragon à la mort de Ferdinand II (1516). Il imposa de vigoureuses réformes aux monastères et au clergé séculier et, pour lutter contre l'ignorance religieuse, fonda l'université d'Alcalá (1498) où il fit enseigner la théologie, le grec, l'hébreu par des savants de Salamanque et de Paris (il invita même Érasme); il commanda l'édition de la « Bible d'Alcalá* ». Dès 1499, il avait agi durement contre les Maures, obtenant une pragmatique royale qui les contraignit à la conversion ou à l'exil (1502); mais sa nomination comme grand inquisiteur marque une réaction contre les excès de ses prédécesseurs.

JINA. ♦ Titre sanskrit (« vainqueur du mal ») donné au fondateur de la religion Jaina*, Vardhamâna, ainsi qu'au Bouddha* et à ses « émanations » correspondant aux cinq « orients » de l'espace bouddhique et hypostasiant solidairement cinq attributs du Bouddha. On les appelle également Tathâgata*.

JINASENA. ♦ Théologien indien jaina du IXe s., auteur de traités religieux écrits en sanskrit, de poèmes épiques et d'une histoire traditionnelle.

JINGÛ KÔGÔ. ♦ Impératrice japonaise qui régna probablement

Coll. Viollet

Francisco Jiménez de Cisneros.

Ph. Hétier

Rencontre de saint **Joachim** et d'Anne à la Porte Dorée. XVIe s. Suite de la vie de la Vierge. (Cathédrale de Reims.)

v. 200-269 et qui se rendit célèbre pour avoir conquis le S. de la Corée (royaume du Mimana). Selon la tradition, elle fut l'épouse de l'empereur Chûai-tennô et la mère de l'empereur Ôjin*-tennô.

JINJA. ♦ V. de l'Ouganda*, sur la rive septentrionale du lac Victoria*. 38 000 hab. (v. 1965). Centrale d'Owen Falls à proximité, sur le Nil Victoria. Raffinerie de cuivre. Aciérie. Indus. alimentaires et textiles.

JINMU-TENNÔ. ♦ Nom posthume du premier empereur qui, selon la tradition, aurait fondé le Japon en ~ 660. Il était descendant à la 5e génération du Kami* du soleil Amaterasu*. Selon les historiens modernes, il aurait vécu peu avant le début de notre ère.

JINNÂH (Muhammad 'Alî). ♦ Homme d'État pâkistânais (Bombay, 1876 – Karachi, 1948), chef de la Ligue musulmane à partir de 1940. Il fut le promoteur de l'idée pâkistânaise et le véritable créateur de cet État dont il devint le chef après la séparation d'avec l'Inde en 1947. Liaquat Ali Khân lui succéda en 1948.

JINNANPO (ou NAMPO). ♦ V. et port de Corée du N. à l'embouchure du fleuve Daedong (Taedòng-gang) et avant-port de la capitales Pyeong* Yang. Env. 100 000 hab. Il fut ouvert au commerce extérieur en 1897. Indus. sidérurgique et chimique, chantiers navals. Le port exporte du fer, du cuivre, du lignite. C'est également un port de pêche et de transit, où arrivent et d'où partent les lignes régulières en liaison avec la Chine.

JIPPENSHA IKKU. ♦ Écrivain japonais (Shizuoka, 1766 – Tôkyô, 1831), auteur de nombreux romans populaires et de livrets Jôruri* de théâtre Kabuki. Parmi ses ouvrages, le plus connu est *Hizakurige* (« Voyage à pied sur la route du Tôkaidô »), roman humoristique publié en feuilleton à partir de 1802.

JIRÁSEK (Alois). ♦ Écrivain tchèque (Hronov, près de Nachod, 1851 – Prague, 1930). Profondément patriote et nationaliste, il voulut vulgariser l'histoire tchèque dans des romans solidement documentés, soit sur l'époque hussite (*Parmi les courants,* 1890; *Contre tous,* 1893), soit sur la défaite de la Montagne-Blanche (*Les Ténèbres,* 1913), soit sur l'époque du réveil national (*F.L. Vek,* 1888-1906).

JITOMIR (Žitomir). ♦ V. d'U.R.S.S. (Ukraine), ch.-l. de la région du même nom (29 900 km², 1 580 000 hab.), à l'O. de Kiev, en Volhynie. 161 000 hab. Marché agricole. Indus. du bois. Combinat de tissus de lin. – Patrie de Korolenko*. ♦ *Hist.* Capitale d'une principauté indépendante de Volhynie, la ville passa ensuite sous la suzeraineté de la Pologne et fut annexée par la Russie en 1778. Elle fut de 1941 à 1943 l'enjeu de plusieurs batailles entre Allemands et Russes.

JIU. *n. m.* ♦ Riv. de Roumanie (349 km), affl. du Danube (r. g.). Issue des Alpes de Transylvanie (bassin de lignite de Petroşani), elle débouche en Valachie, passe près de Craiova et rejoint le Danube.

JIVARO(S). *n. m. (pl.).* ♦ Indiens du versant oriental des Andes équatoriennes. Peuple guerrier, les Jivaros coupaient la tête de leurs ennemis; réduites dans toutes leurs dimensions après dessèchement à l'aide de pierres chauffées, ces « peaux » de têtes humaines étaient portées comme des trophées *(tsontsas).*

JNÂNADEVA. ♦ V. JNÂNDEV.

JNÂNDEV ou **JNÂNADEVA.** ♦ Poète indien de la fin du XIIIe s. et théologien qui écrivit en marâthî de nombreux chants dévotionnels et paraphrasa le texte de la *Bhagavad*-gitâ* dans sa *Jnâneśvarî,* long poème en 9 000 strophes, v. 1290, devenu très populaire en Inde.

JOAB. ♦ (~ Xe s.). Neveu, compagnon, puis général en chef de David*. Meurtrier d'Abner* et d'Amasa. Meurtrier d'Absalon* révolté. Assassiné sur ordre de Salomon. Récit biblique : *passim* de *II Samuel,* II à *I Rois,* II.

JOACHAZ [ʒɔakaz]. ♦ Roi d'Israël (v. ~ 813-~ 796), fils de Jéhu*. Son règne fut dominé par la pression syrienne.

JOACHAZ. ♦ Roi de Juda (3 mois v. ~ 609), détrôné par le pharaon Néchao au profit de son frère Joachim*. Cf. *II Rois,* XXIII, 31.

JOACHIM (transcription de **Yehoyaquim**). ♦ Nom royal d'Éliaquim, roi de Juda (~ 609-~ 598), soumis au pharaon Néchao. Cf. *II Rois,* XXIII, 34.

JOACHIM [ʒɔakɛ̃] *(saint).* ♦ Dans les Évangiles apocryphes et la tradition chrétienne, époux d'Anne* et père de la Vierge Marie*. – Fête le 16 août.

JOACHIM DE FLORE, en it. **Gioacchino da Fiore.** ♦ Mystique italien (Celico, près de Cosenza, Calabre, entre 1130 et 1145 – San Giovanni in Fiore, 1202). Abbé cistercien de Corazzo, il fonda la congrégation érémitique « de Flore » (approuvée en 1196, disparue au XVIe s.). Sa doctrine, exprimée notamment dans sa *Concorde des deux Testaments,* distinguait dans l'histoire humaine l'âge du Père (de la Loi, de la matière, de l'Ancien Testament), l'âge du Fils (de la Foi, de l'Église doctrinale) et un âge de l'Esprit, à venir, celui où une Église entièrement monacale gouvernerait l'humanité convertie à la pauvreté évangélique. Ces idées, tout d'abord, ne furent pas jugées hérétiques, mais, vulgarisées par l'*Introduction à l'Évangile éternel* de Gérard de Borgo San Donnino (1254), elles furent reprises par les mouvements franciscains non conformistes des XIIIe-XIVe s. (spirituels, fraticelles*). Ceux-ci identifièrent leur ordre à celui des Justes, annoncé par Joachim de Flore, et luttèrent ainsi contre l'Église établie; l'année 1260, considérée comme l'avènement de l'âge nouveau, amena en Italie et en Allemagne des processions de flagellants et autres manifestations, continuées jusqu'en 1262.

JOACHIN (transcription de **Yehoyakin).** ♦ Roi de Juda (trois mois, ~ 598-~ 597), fils de Joachim*. Renversé par Nabuchodonosor lors de la première prise de Jérusalem. Cf. *II Rois,* XXIV, 5.

JOAD ou **JEHOYADA.** ♦ Grand prêtre juif (~ IXe s.). Sa femme Josabeth* sauva Joas* du massacre ordonné par Athalie*. Il le fit élever en secret et le proclama roi, ordonnant le meurtre d'Athalie. Récit biblique : *II Rois,* XI.

JOALLAND (Jules). ♦ Général français (Bonne-Terre, Guadeloupe, 1870 – Lorient, 1940). Envoyé au Soudan en 1898, il remplaça Chanoine* et Voulet* à la tête de la mission qui, en 1900, rejoignit celle de Foureau et Lamy* et celle d'É. Gentil pour combattre l'empire de Rabah.

JOANNE (Adolphe). ♦ Voyageur, géographe et écrivain français (Dijon, 1813 – Paris, 1881). Célèbre pour ses *Itinéraires (guides Joanne),* contenant des renseignements archéologiques, historiques, touristiques, etc., il publia un *Dictionnaire des communes de France* (avec une introduction d'E. Reclus, 1864) qui, sous la direction de son fils Paul, devint le *Dictionnaire géographique et administratif de la France* (1891-1902).

JOÃO PESSOA. ♦ V. du Brésil, cap. de l'État du Paraíba*, sur le rio Paraíba. 196 000 hab. Archevêché. Université. Industries textiles et alimentaires.

JOAS. ♦ Roi de Juda (v. ~ 834-~ 796). Fils d'Ochozias*, sauvé du massacre ordonné par Athalie*, grâce à Josabeth*. Joad* le fit monter sur le trône. Récit biblique : *II Rois,* XI-XII. Il est appelé Éliacin dans l'*Athalie* de Racine.

JOAS. ♦ Roi d'Israël (v. ~ 796-~ 780). Cf. *II Rois,* XIII-XIV.

JOB. ♦ Patriarche biblique que la tradition juive considère comme historique. Il incarne l'homme juste frappé par le malheur, questionnant Dieu sur le problème du mal. – *Icon.* Job est généralement représenté « sur son fumier » (*Job,* II, 8). Tympans de Chartres et de Reims, miniature de Fouquet (*Livre d'heures d'Étienne Chevalier,* Chantilly), retable de Van Orley (Bruxelles), aquarelles de William Blake pour le livre de Job.

Job *(Livre de).* ♦ Un des livres poétiques de la Bible (quarante-deux chapitres). Ouvrage postérieur à l'exil (rédaction définitive : moitié du ~ Ve s.).

JO BONG-AM. ♦ Homme politique coréen (1898 – 1959) chef du Parti socialiste de la Corée du S. de 1955 à 1959 et créateur du Parti communiste de Corée dès 1925. Il fut pendu en 1959 sous l'inculpation de collusion avec les communistes de la Corée du Nord.

JOBOURG *(nez de).* ♦ Cap du Cotentin sur la Manche; c'est un long promontoire escarpé.

J.O.C. ♦ V. JEUNESSE OUVRIÈRE CHRÉTIENNE.

JOCASTE, en gr. **Iokastê.** ♦ Sœur de Créon*, elle épousa Laïos*, roi de Thèbes*, dont elle eut un fils, Œdipe*. La Pythie avait annoncé aux époux que, s'il leur naissait un fils, celui-ci tuerait son père et épouserait sa mère. La prédiction se réalisa. L'inceste découvert, Jocaste se pendit. Le personnage apparaît dans deux tragédies, l'une de Sophocle, l'autre d'Euripide.

Jocelyn. ♦ Poème de Lamartine* (1836), qui devait être le dernier épisode d'une vaste épopée mystique destinée à montrer l'âme humaine s'élevant à Dieu par la souffrance librement consentie **(V. La Chute* d'un ange).** Ce « journal trouvé chez un curé de campagne » évoque, sous la figure de Jocelyn, l'aventure spirituelle de l'abbé Dumont, précepteur de Lamartine, renonçant à son amour pour Laurence afin de se consacrer aux hommes et à Dieu. Cet hymne à l'espérance et à la bonté manifeste les préoccupations sociales de l'auteur (Cf. *Les Laboureurs)* qui exprime sa foi en la progression de la « caravane humaine ». Les paysages alpestres, transposés de ses souvenirs, sont prétexte à des descriptions plus musicales que pittoresques qui assurèrent à l'ouvrage un grand succès.

JOCHANAN BEN NAPPACHA. ♦ Docteur juif (Sepphoris, v. 180 — Tibériade, v. 279). Il fonda l'académie rabbinique de Tibériade. Ses enseignements sont à la base du Talmud* palestinien.

JOCHANAN BEN ZAKKAI. ♦ Docteur juif (Ier s.). Il quitta Jérusalem assiégée dès avant la destruction du Temple et fit de Jamnia* un centre spirituel capable de préserver la survie du judaïsme.

JÔCHÔ. ♦ Sculpteur japonais et religieux bouddhiste (mort à Kyôto en 1057), un des plus célèbres artistes du Japon médiéval. Il inaugura dans son atelier une sorte de division du travail permettant d'œuvrer plus rapidement. Il créa des guildes de sculpteurs spécialisés dans les sujets religieux. Son œuvre la plus célèbre est celle du grand Bouddha Amida*, en bois laqué et doré, qui est au temple du Byôdô-in à Uji, près de Kyôto, datée de v. 1053.

Jocrisse. ♦ Personnage de théâtre, type de ridicule berné. Au XVIIIe s., une pièce de Dorvigny, *Le Désespoir de Jocrisse,* lui valut la célébrité.

JODELET (Julien Bedeau, dit**).** ♦ Acteur comique français (v. 1590 — Paris, 1660). Avec son visage enfariné et barbu, il obtint la faveur du public des théâtres du Marais et de l'hôtel de Bourgogne avant d'entrer dans la troupe de Molière*. Il fut l'interprète de Corneille (*Le Menteur,* 1643), de Scarron (*Jodelet ou le Valet maître,* 1645) et de Molière (*Les Précieuses ridicules,* 1659).

JODELLE (Étienne). ♦ Poète et auteur dramatique français (Paris, 1532 — *id.,* 1573). Auteur, à vingt ans, de la première tragédie classique française, *Cléopâtre captive,* représentée devant Henri II, il fut salué par Ronsard comme le créateur du théâtre humaniste, conçu selon la tradition léguée par Sénèque et, à ce titre, il fut admis dans le groupe des sept poètes de la Pléiade*. Il composa d'autres tragédies *(Didon se sacrifiant)* dont aucune ne connut le succès, et sa brusque disgrâce (1560) devait hâter sa fin misérable. Pour Jodelle, l'objet de la tragédie est de proposer une leçon morale, celle d'une sagesse inspirée par le danger des passions. Rompant avec la tradition burlesque du Moyen Âge, il est aussi l'auteur d'une comédie, *Eugène ou la Rencontre* (1552).

JODHPUR. ♦ V. de l'Inde (Rajasthân). 275 900 hab. Important centre commercial et artisanal (céréales, huiles, coton, articles de sport). Petite indus. métallurgique. ♦ *Hist.* La ville fut fondée en 1212 par des Rajput* et agrandie en 1459. De son nom vient celui des pantalons de cheval serrés de la cheville au genou et utilisés par les Rajput.

JODL (Alfred). ♦ Général allemand (Würzburg, 1890 — Nuremberg, 1946). Homme de confiance de Hitler, il fut ministre de la Défense intérieure du IIIe Reich (1935) puis, sous les ordres de Keitel*, chef du bureau des opérations de l'O.K.W.* (1938). Dans ce poste il assura le succès militaire de l'*Anschluss** (1938, **V. Autriche**) puis exerça une influence prépondérante sur l'exécution de la stratégie allemande durant la Deuxième Guerre mondiale. Chef d'état-major de Dönitz* en mai 1945, il signa la capitulation allemande à Reims (7 mai). Condamné à mort par le tribunal de Nuremberg, il fut pendu.

JÔDO-SHINSHŪ. ♦ Secte bouddhique piétiste japonaise, fondée par Shinran* en 1224 et comprenant actuellement env. 20 000 000 de fidèles.

JÔDO-SHÛ. ♦ Secte bouddhique japonaise, piétiste, consacrant son adoration au Bouddha Amida (Amitâbha*), importée de Chine en 847. La simplicité de sa doctrine permit au bouddhisme de se propager dans les couches populaires japonaises. Elle compte encore env. 4 500 000 fidèles.

JOËL. ♦ Prophète juif, d'époque incertaine (postérieure à la restauration du Temple, *fin* ~ ve siècle?).

Joël *(Livre de).* ♦ Livre biblique, un des douze petits prophètes (quatre chapitres). Évocation d'une invasion de sauterelles (I-II); prophétie eschatologique (vallée de Josaphat, IV) rédigée à l'époque hellénistique.

JOENSUU. ♦ V. et port de Finlande, à l'embouchure du Pielisjoki dans le lac Pyhäselkä. Ch-l. du comté de Pohjois-Karjalan. 37 105 hab. (1971). Aéroport (lignes intérieures). Carrefour ferroviaire et routier. Musée de la Carélie. — Centre d'exportation du bois. — Des centrales hydro-électriques alimentent ses industries (scieries, fabriques de contre-plaqué et de bobines). — À proximité, mines de cuivre d'Outokumpu.

JŒUF. ♦ Comm. de Meurthe-et-Moselle, arr. de Briey. 12 305 hab. Sidérurgie; hauts fourneaux; constructions métalliques.

JOFFRE (Joseph Jacques Césaire). ♦ Maréchal de France (Rivesaltes, 1852 — Paris, 1931). Sorti de Polytechnique comme officier du génie, il servit au Tonkin, au Soudan et à Madagascar et fut promu général de brigade (1902). Chef d'état-major général de l'armée et vice-président du Conseil supérieur de guerre (1911), il fut l'instigateur d'un plan de mobilisation prévoyant « l'offensive à tout prix » en cas de guerre (plan XVII). Commandant en chef des armées du Nord et du Nord-Est au début de la Première Guerre mondiale, il minimisa la menace de l'aile droite de l'armée allemande, et, après avoir perdu la bataille des frontières (14-24 août 1914), ordonna le repli stratégique des troupes (au nord de Paris). Après une consultation déterminante avec Gallieni*, et avec son appui, il contre-attaqua l'ennemi et remporta la première victoire de la Marne* (5-12 septembre 1914), puis contribua à freiner la « course à la mer » des forces allemandes. Commandant en chef des armées françaises (1915), il se vit de plus en plus critiqué par les milieux politiques, surtout après la bataille de la Somme (1916), dont les résultats furent jugés insuffisants. Nommé alors conseiller technique du gouvernement pour la conduite de la guerre, Joffre préféra donner sa démission et fut remplacé par Nivelle. Fait maréchal de France, il fut chargé d'une mission en Amérique (1917). Outre un ouvrage sur *La Préparation de la guerre et la conduite des opérations 1914-1915* (1920), il a laissé ses *Mémoires* (publ. 1932). [Acad. fr., 1918.]

JOGJAKARTA. ♦ V. DJOGJAKARTA.

JOGUES (*saint* **Isaac**). ♦ **V.** ISAAC JOGUES.

JOHANNÈS ou **YOHANNÈS IV,** en fr. **Jean IV.** ♦ (v. 1832 — Metemma, 1889). Empereur d'Éthiopie (1872-1889) successeur de Théodoros* II. Il fut tué par les troupes soudanaises du Mahdî*.

JOHANNESBURG. ♦ V. d'Afrique* du Sud (Transvaal), centre industriel du pays et du Witwatersrand*, située sur les pentes S. du Rand. Le centre administratif et commercial possède des bâtiments importants du XIXe et du XXe siècle. Parcs. 1 152 525 hab. (1960; la plus grande ville du pays; env. un tiers d'Européens). Hauts fourneaux et aciéries. Indus. mécaniques, textiles et aéronautiques. — Plusieurs localités réservées aux populations bantous ont été édifiées près de Johannesburg à partir de 1932. Le « complexe » de Soweto (Southwestern Banto Areas) abritait en 1961, 400 000 personnes. ♦ *Hist.* Créée sur les terrains aurifères découverts en 1886, la ville se développa rapidement; en 1903, elle dépassait 100 000 hab. C'est à Johannesburg, devenu le plus grand centre du pays, que le problème des relations entre Boers et immigrés récents *(Uitlanders)* se posa avec le plus d'acuité. **V. Afrique du Sud** *(Hist.).*

JOHANNOT (Tony). ♦ Graveur, dessinateur et peintre d'histoire français (Offenbach, 1803 — Paris, 1852). Il travailla souvent avec ses deux frères Charles (1798 — 1825) et Alfred (1800 — 1837) et fut avec Nanteuil* le plus brillant des illustrateurs romantiques. Auteur d'une multitude de vignettes où se retrouvent les principaux éléments du style troubadour, il inaugura le principe des illustrations dans le texte, ayant recours à la technique alors délaissée de la gravure sur bois (*Le Diable boiteux, Don Quichotte,* etc., 1836).

JOHANNSEN (Wilhelm Ludwig). ♦ Botaniste et généticien danois (Copenhague, 1857 — 1927). On lui doit la définition des notions fondamentales de la génétique : celle de gène, la distinction du génotype et du phénotype (Cf. Robert).

John Bull (angl. « Jean Taureau »). ♦ Personnage créé par J. Arbuthnot pour représenter le peuple anglais dans ses pamphlets satiriques : *Histoire de John Bull* (1712). Popularisé par le journal humoristique *The Punch,* il est devenu la personnification du peuple anglais avec un costume traditionnel.

JOHNSON (Samuel). ♦ Moraliste, critique et lexicographe anglais (Lichfield, Stafford, 1709 — Londres, 1784). Fils d'un libraire, il fit ses études à Oxford, fonda une école où il eut Garrick* pour élève et rédigea des comptes rendus parlementaires pour le

Ph. Hubert Josse

Le maréchal **Joffre,** par Jacquier. (Château de Versailles.)

Ph. René Burri/Magnum
Lyndon Baines Johnson.

Gentleman's Magazine (1741-1744). Il édita des périodiques : *The Rambler* (1750), *The Idler* (1758) tout en menant à bien son *Dictionnaire de la langue anglaise* (1747-1755). Cette œuvre, qui est à la source de la lexicographie moderne, illustre son analyse par de nombreux exemples précisément référenciés; elle proposait un modèle d'anglais littéraire et tentait une description sélective de l'usage. Sa *Préface* est l'un des textes majeurs de la linguistique anglaise du XVIIIe s., tributaire de Locke. Dès lors, Johnson – qu'on appela Dr Johnson – fut considéré comme le censeur de l'Angleterre littéraire. Reynolds peignit « la vigueur rude, la gravité, le réalisme obstiné qui respirent dans cette physionomie » (Cazamian) et Boswell* nota au jour le jour les détails de sa vie et de sa conversation. Ses poèmes et ses essais eurent moins de succès : Juvénal lui sert de modèle dans une satire *Londres,* à l'imitation de Pope*. *La Vanité des souhaits humains,* 1749, est empreint du même pessimisme. Sa tragédie, *Irène,* fut une tentative honorable mais sans lendemain, malgré le talent de Garrick qui l'interprétait. Une dernière entreprise encyclopédique (*Vies des poètes anglais les plus célèbres,* 1779-1780) clôtura la vie d'une figure majeure de la critique.

JOHNSON (Andrew). ♦ Homme politique américain (Raleigh, Caroline du Sud, 1808 – Carter County, Tennessee, 1875), 17e président des États-Unis. Ancien tailleur, il devint gouverneur puis sénateur du Tennessee (1853-1862) et se rallia aux républicains et à Lincoln* au moment de la guerre de Sécession*, bien qu'il fût lui-même démocrate. Vice-président, il succéda à Lincoln quand celui-ci fut assassiné (1865). Sa résistance à l'égalité politique des Noirs entraîna l'opposition du Congrès et du Parti républicain, encore aggravée quand il tenta d'écarter Stanton. Il fut traduit en jugement devant le Sénat et acquitté (1868). C'est sous sa présidence que le territoire de l'Alaska fut acheté.

JOHNSON (Lyndon Baines). ♦ Homme d'État et 36e président des États-Unis d'Amérique (Stonewall, Gillespie County, Texas, 1908 – Austin, Texas, 1973). Entré au Sénat en 1949, il devint en 1953 le chef du parti démocrate*, lequel fut majoritaire au Sénat de 1955 à 1961 grâce à la discipline de vote qu'il imposa. Il fit accepter à l'administration républicaine des réformes sociales (sécurité sociale, intégration raciale) mais, malgré une certaine popularité, dut s'effacer devant J.F. Kennedy* aux élections présidentielles de nov. 1960. Choisi par ce dernier comme vice-président, il lui succéda le 22 nov. 1963, et fut réélu triomphalement en nov. 1964. Continuant la politique intérieure de Kennedy qu'il avait lui-même préconisée en tant que sénateur, il rencontra l'hostilité d'une grande partie de l'opinion américaine pour sa politique d'« escalade » au Viêt-nam (**V. Viêt-nam** [*guerre du*]). Il renonça à se présenter aux élections de 1968 et se retira de la vie politique.

JOHNSON (Daniel). ♦ Homme politique canadien (Danville, Québec, 1915 – Manic, 1968). Avocat, député en 1946, il fut nommé ministre des Ressources hydrauliques (1958-1960) dans le cabinet de M. Duplessis*. Chef du parti de l'Union nationale en 1961, il exposa sa pensée politique dans *Égalité ou Indépendance* (1965). Il devint Premier ministre du Québec en 1966. Il se félicita des déclarations du général de Gaulle (1967) et développa la collaboration technique et culturelle franco-québécoise. Il était partisan, contrairement à P.E. Trudeau*, de l'extension du français dans la seule province du Québec.

JOHNSON (Uwe). ♦ Écrivain allemand (Cammin, Poméranie, 1934 –). Passé à Berlin-Ouest en 1959, il se lia avec le Groupe* 47. Dans ses romans (*Conjectures sur Jacob,* 1959 ; *L'Impossible Biographie, Das dritte Buch über Achim,* 1961, qui évoque entre autres le problème de la difficulté voire de l'impossibilité d'écrire un roman, *Deux opinions,* 1964) il a voulu être un narrateur neutre, se contentant d'enregistrer la réalité sans porter de jugement de valeur; ainsi se fit-il le spectateur des deux Allemagnes, qu'il décrivit moins dans leur réalité politique que dans les détails de leur existence quotidienne.

JOHNSTON (Joseph Eggleston). ♦ Général américain (Cherry Grove, Virginie, 1807 – Washington, 1891). Il prit part à la guerre du Mexique (1847). Pendant la guerre de Sécession*, il combattit brillamment dans les rangs sudistes (Bull Run, Vicksburg), commanda en chef les confédérés de Caroline du Sud mais dut capituler devant Sherman (1865) à Durham's Station (Caroline du Nord).

JO-HO. ♦ V. JEHOL.

JOHORE. *n. m.* ♦ État de Malaysia*, situé à la pointe S. de la péninsule de Malaisie et reliée à Singapour par une chaussée. 19 035 km^{2}. 1 300 000 hab. (42 % de Chinois). *Cap.* Johore Bahru. La forêt et les marécages couvrent les deux tiers de la région. Production de latex (hévéa) et d'huile de palme. Minerais de bauxite et de fer. Commerce avec Singapour (exportation de poissons, fruits, œufs). ♦ *Hist.* Le Johore fut créé en 1511 par le sultan de Malaka et passa sous protectorat britannique en 1814.

JOIGNY. ♦ Ch.-l. de cant. de l'Yonne (arr. d'Auxerre), sur l'Yonne, au N. de l'Auxerrois*. 10 628 hab. *(Joviniens).* Ville ancienne (maisons des XVe et XVIe s.) étagée en amphithéâtre sur un coteau viticole (côte Saint-Jacques et verger-Martin). L'église Saint-Jean, détruite au XIVe s., fut reconstruite au XVIe s., puis remaniée; elle renferme un Saint-Sépulcre en marbre du XVe siècle. L'église Saint-Thibault, gothique, flanquée d'une tour carrée, conserve une Vierge en pierre peinte du XIIIe siècle. Église Saint-André (XVIe-XVIIe siècle). – Accessoires métalliques pour automobiles. Fabriques d'articles en matières plastiques (stylos). – Patrie de sainte Madeleine-Sophie Barat. ♦ *Hist.* La ville, d'origine romaine *(Joviniacum),* fut au Moyen Âge le siège d'un comté vassal des comtes de Champagne. Il devint plus tard la possession des familles de La Trémoille, de Gondi, de Villeroi. En 1940, la ville a souffert des bombardements.

JOINVILLE (Jean, *sire de***).** ♦ Chroniqueur français (v. 1224 – 1317), Sénéchal de Champagne, il participa à la septième croisade (1248) dirigée par Louis* IX (Saint Louis) qui lui accorda sa confiance. Il servit la mémoire du roi disparu dans son récit parfois hagiographique, écrit avec franchise et bonhomie, *Le Livre des saintes paroles et des bons faits de notre saint roi Louis* (achevé en 1309).

JOINVILLE (François Ferdinand Philippe d'ORLÉANS, *prince de***).** ♦ Troisième fils de Louis*-Philippe (Neuilly-sur-Seine, 1818 – Paris, 1900). Après des études au lycée Henri IV puis à l'École navale, il fut nommé capitaine de vaisseau, se rendit en Algérie au moment de la prise de Constantine (1837), voyagea en Amérique du Nord et du Sud, et, en 1840, fut chargé de rapporter de Sainte-Hélène les restes de Napoléon Ier. Après s'être distingué dans l'expédition contre le Maroc (août 1844, Tanger, Mogador), il acquit en France une certaine popularité en prenant position contre la politique de Guizot. Néanmoins exilé en Angleterre, puis aux États-Unis, après la révolution de 1848, il revint en France en 1870, servit lors de la guerre contre la Prusse. Élu à l'Assemblée nationale en 1871, il fut réintégré dans son grade de vice-amiral en 1872.

JOINVILLE. ♦ V. du Brésil, dans l'État de Santa* Catarina. 50 000 hab. Évêché. Industries textiles et alimentaires. Polyculture.

JOINVILLE. ♦ Ch.-l. de cant. de la Haute-Marne, arr. de Saint-Dizier, sur la Marne. 4 890 hab. Château du Grand-Jardin, édifié en 1546. Église du XIIIe siècle. – Indus. textile (bonneterie, confection). Imprimerie. Fonderie.

JOINVILLE-LE-PONT. ♦ Ch.-l. de cant. du Val-de-Marne, arr. de Nogent-sur-Marne, sur la Marne. 17 836 hab. *(Joinvillais).* École nationale supérieure d'éducation physique. Centre de canotage. Studios de cinéma. Métallurgie.

JÓKAI (Mór). ♦ Écrivain hongrois (Komarom, 1825 – Budapest, 1904). Il naquit dans une famille puritaine et calviniste et fut un ami de jeunesse de Petőfi*. Après des études de droit, il se lança dans la littérature et le journalisme en prenant la direction de *Eletképek.* Il prit part à la révolution de 1848 et participa à la vie politique, d'abord comme membre de l'Assemblée nationale, puis de la Chambre haute. Écrivain fécond, il publia son premier roman à vingt ans *(Jours ouvrables)* et ne cessa de produire jusqu'à la fin de sa vie, faisant paraître plus de cent romans et nouvelles historiques (*Âge d'or en Transylvanie,* 1832; *Le Monde turc en Hongrie,* 1855), ou traitant de sujets contemporains (*Un nouveau seigneur,* 1863; *Un nabab hongrois,* 1853-1854; *Karpathy Zoltán,* 1854; *Diamants noirs,* 1870; *L'Homme en or,* 1872). Toutes ses œuvres sont pleines de gentillesse, d'humour et d'optimisme, le réel s'y mêlant à l'irréel de façon intime.

JOLIET ou **JOLLIET (Louis).** ♦ Explorateur français (Québec, 1645 – Joliette ou Anticosti, 1700). Elève des jésuites à Québec, il reçut les ordres mineurs, puis vint à Paris étudier la cosmographie. De retour au Canada (1668), il se livra au commerce des fourrures, explora la région des Grands Lacs dont il prit possession au nom du roi de France et, avec J. Marquette*, les cours du Wisconsin, du Mississippi (fleuve Colbert) et de l'Illinois (1672). Après avoir obtenu la seigneurie d'Anticosti (1680) et avoir été nommé hydrographe du roi (1688), il explora encore la région du Labrador (1694) puis enseigna l'hydrographie à Québec.

JOLIETTE. ♦ V. du Canada (Québec), située au N.-E. de Montréal. Env. 20 000 hab. Évêché. Centre industriel (papeterie, aciérie; confection).

JOLIOT-CURIE (Irène et **Frédéric)**. ♦ Physicienne française, fille de Pierre et Marie Curie (Paris, 1897 — 1956) et physicien français, mari d'Irène (Paris, 1900 — 1958). Ils effectuèrent de nombreuses recherches de physique atomique. Par leurs travaux sur le rayonnement de Bothe* et Becker*, ils participèrent à l'identification du neutron. **V. Chadwick.** Après la découverte du processus d'*annihilation* par Frédéric (avec J. Thibaud*, 1933), I. et F. Joliot-Curie observèrent la *matérialisation.* En 1934, ils découvrirent la radioactivité artificielle **(V. H. Becquerel),** mettant en évidence les trois premiers radio-isotopes artificiels et un nouveau mode de désintégration β par émission d'électrons positifs. **V. Anderson.** Joliot-Curie apporta également la preuve physique de la fission de l'uranium (en même temps que Frisch*) et participa à la résolution du problème de la libération de l'énergie nucléaire. Auteur de travaux sur les réactions en chaîne (avec Halban, Kowarski* et F. Perrin*), il étudia les conditions de réalisation d'une pile à uranium et à eau lourde. Ses recherches, interrompues par l'occupation, reprirent en 1946 quand il fut nommé haut-commissaire à l'Énergie atomique; il dirigea la construction de la première pile atomique française (1948). Membre actif du Parti communiste, il fut élu président du Conseil mondial de la paix. Irène fut sous-secrétaire d'État à la Recherche scientifique (1936) et directrice de l'Institut du radium [1946]. (Frédéric : Acad. sc., 1943; Frédéric et Irène, prix Nobel de chimie, 1935.)

JOLIVET (André). ♦ Compositeur et chef d'orchestre français (Paris, 1905 — *id.*, 1974). Élève d'Edgar Varèse, il participa à la fondation du groupe *Jeune-France* (1936). Sous l'influence du dodécaphonisme, il entreprit d'abord de rendre à la musique le pouvoir magique de ses origines, dans une suite d'œuvres à sujets incantatoires, d'une fascinante violence (*Mana,* pour piano, 1935; *Cinq Incantations* pour flûte, 1938; *Cosmogonie,* pour orchestre, 1938; *Cinq Danses rituelles,* 1939). Il revint progressivement au style modal avec des ouvrages d'un lyrisme généreux et d'une écriture plus dense (*Trois Complaintes du soldat,* 1940; *Poèmes intimes,* 1944). Une dernière phase devait apporter la synthèse de toutes ces influences. Le ballet *Guignol et Pandore* (1943), *La Sonate pour piano* (1945), *Le Concerto pour ondes Martenot* (1947) révèlent le souci chez le musicien d'utiliser de nouvelles sonorités instrumentales. *L'Épithalame* confère une fonction originale à la voix humaine (1953). Ces recherches formelles se retrouvent encore dans la *Sonate pour flûte* (1958) et la *Deuxième Symphonie* (1959). Elles tendent toutes, pour A. Jolivet, à « rendre à la musique son sens original antique, lorsqu'elle était l'expression magique et incantatoire de la religiosité des groupements humains ».

JOLLIET (Louis). ♦ V. JOLIET (Louis).

JOMARD (Edme François). ♦ Ingénieur, géographe et archéologue français (Versailles, 1777 — Paris, 1862). Membre de la commission scientifique et de l'Institut d'Égypte (1799-1801), il a donné une *Description de l'Égypte.* Il fut l'un des fondateurs de la Société de géographie de Paris (avec Langlès*, Malte*-Brun, Walckenaer*, 1821) et du département des Cartes et des Plans de la Bibliothèque nationale. Il entreprit un recueil des cartes anciennes *(Monuments de la géographie).*

JOMELLI ou **JOMMELLI (Niccolo)**. ♦ Compositeur italien (Aversa, 1714 — Naples, 1774). Rapidement célèbre en Italie, il devint maître de chapelle à Saint-Pierre de Rome, puis à la cour de Stuttgart. Un voyage à Vienne lui avait permis de collaborer avec Métastase*. Auteur d'une soixantaine d'opéras, Jomelli a réalisé une synthèse entre la tradition italienne de l'*opera seria,* le théâtre lyrique français et la technique instrumentale allemande. Son œuvre se caractérise par l'usage du récitatif accompagné, l'élégance de l'écriture, la variété des situations dramatiques. Vers la fin de sa vie, il se consacra à la musique de chambre et à la musique sacrée. Sa dernière œuvre fut son célèbre *Miserere.*

Ph. Cartier-Bresson/Magnum

Irène et Frédéric Joliot-Curie.

JOMINI (Antoine HENRI, *baron de***)**. ♦ Général et écrivain suisse (Payerne, Vaud, 1779 — Paris, 1869). Il servit dans l'armée impériale et fut fait baron et général de brigade, puis gouverneur de Vilna. Il passa ensuite dans le camp de la Russie. Il commanda l'armée russe contre les Turcs (1828-1829) et fonda l'académie militaire de Saint-Pétersbourg, avant de revenir en France. Il est l'auteur d'ouvrages militaires : *Histoire critique et militaire des guerres de la Révolution* (1819-1824); *Vie politique et militaire de Napoléon* (1827); *Précis de l'art de la guerre* (1830); *Mémoires politiques et militaires de la Russie.*

JÔMON. ♦ Période de la préhistoire du Japon, allant du ~ VIe millénaire à ~ 300 et caractérisée par une poterie décorée de reliefs et d'impressions de cordes. C'est une période d'évolution du mésolithique au néolithique. Elle se prolongea dans le N. du Japon jusque v. le Xe siècle.

JONAS, fils d'Amittaï. ♦ Prophète juif, mentionné dans *II Rois,* XIV, 25. La tradition lui rapporte les faits fabuleux du Livre de Jonas.

Jonas *(Livre de).* ♦ Livre biblique, un des douze petits prophètes (quatre chapitres). Rédigé vers le ~ V^e^ ou ~ IVe siècle. Jonas, fuyant l'ordre divin, est avalé par un gros poisson dans le ventre duquel il passe trois jours et trois nuits, puis va prêcher à Ninive. Le christianisme a vu là un symbole de la Résurrection.

JONATHAN. ♦ Fils de Saül* (~ XIe s.), vainqueur des Philistins, ami de David*. Cf. *I Samuel,* XIII-XX.

JONCS *(plaine des).* ♦ Grande plaine marécageuse du S. de Saigon* (Viêt-nam), arrosée par de multiples bras du delta du Mékong*; elle est formée d'alluvions et couverte d'une jungle épaisse. Les résistants vietnamiens y trouvent des points d'appui sûrs et des retraites contre les envahisseurs.

JONES (Inigo). ♦ Architecte, décorateur et dessinateur anglais (Londres, 1573 — *id.*, 1652). Sa formation est mal connue; il débuta probablement comme peintre et dessinateur; il séjourna ensuite en Italie vers 1603 puis travailla pour le roi Christian IV de Danemark. À partir de 1605 environ, il réalisa en Angleterre de nombreux décors et costumes de théâtre et divers systèmes de machinerie, puis se consacra surtout à l'architecture et devint, en 1610, surintendant des bâtiments du prince Henry et en 1615 du roi Charles Ier. En 1613, il accompagna en Italie le comte d'Arundel, annota les recueils de Palladio* et fit la connaissance de Scamozzi*. Ses deux principales réalisations, la *Maison de la reine à Greenwich* (1615-1619) et la *Salle des banquets (Banqueting House) de Whitehall* (1619-1622), attestent l'assimilation des styles de Serlio*, Vignole*, Palladio* et Scamozzi, avec un esprit dénué de maniérisme et une tendance marquée à la sobriété décorative et au dépouillement qui tranche avec le style Tudor, encore vivace à l'époque. Il édifia aussi l'*église Saint-Paul,* la *Place de Covent Garden,* premier exemple de ce type de réalisation à Londres (1631-1638), *la chapelle de la Reine à Saint-James Palace* (1623-1627) et *une façade de la cathédrale Saint-Paul* (détruite en 1666). Il joua un rôle essentiel dans l'élaboration d'une architecture classique anglaise originale, en s'affirmant comme l'initiateur du palladianisme qui allait se développer surtout à partir de 1715.

JONES (*sir* **William)**. ♦ Orientaliste et juriste britannique (Londres, 1746 — Calcutta, 1794). Fondateur de la Société asiatique (1784), il fut l'un des initiateurs des études orientales et particulièrement du sanskritisme. Il a publié un *Traité sur la poésie orientale* (1770), une *Grammaire persane* (1771), des traductions de poésies arabes préislamiques (Mu'allaqat), des *Lois de Manou* (1794). Ses œuvres complètes furent publiées à Londres en 1799.

JONES (Ernst). ♦ Médecin et psychanalyste britannique (Gowerton, Glamorganshire, 1879 — Londres, 1958). Auteur d'un important ouvrage sur *La Vie et l'œuvre de Sigmund Freud** (1953-1958), dont il fut le premier disciple en Angleterre, il a accordé dans ses travaux une place privilégiée aux conflits psychologiques des toutes premières années de l'enfance.

JONES (James). ♦ Romancier américain (Robinson, Illinois, 1921). Il est surtout connu par un roman décrivant les expériences d'un jeune militaire de carrière, *Tant qu'il y aura des hommes* (*From Here to Eternity,* 1951), qui « obtint surtout, par sa franchise brutale et sa vitalité débordante, un succès de scandale » (John Brown).

JONGEN (Joseph). ♦ Compositeur belge (Liège, 1873 — Spa, 1953). Ami de Fauré, il travailla avec V. d'Indy et occupa les plus hautes charges en Belgique. Il a composé dans les genres les plus divers (symphonies, poèmes symphoniques, concertos pour divers instruments, musique religieuse, de chambre et vocale, mélodies). ♦ Son frère LÉON JONGEN (Liège, 1885) lui succéda à la direction du conservatoire de Bruxelles (1939). On lui doit de la musique de théâtre, de chambre, de piano, des chœurs et des mélodies.

JONGKIND (Johan Barthold). ♦ Peintre, aquarelliste et dessinateur hollandais (Latrop, Hollande, 1819 — Grenoble, 1891). Admirateur de Ruysdael et Van Goyen, il fut aidé et conseillé par

Isabey* et vint à Paris en 1846 où il rencontra Corot, Rousseau, Diaz. Il alla peindre en Normandie, notamment à Honfleur avec Boudin* et Courbet. Il peignit des scènes quotidiennes et surtout des paysages, notamment à l'aquarelle, où il sut rendre les effets d'atmosphère, les jeux mouvants de la lumière avec une palette transparente et claire. Ses meilleures œuvres révèlent un art subtil et une grande maîtrise technique (ex. *Couchant sur la Meuse,* 1866). Il est considéré comme l'un des précurseurs de l'impressionnisme.

JÖNKÖPING. ♦ V. et port de Suède méridionale, à l'extrémité S du lac Vättern*. Ch.-l. du comté homonyme. 54 312 hab. (1968) Aéroport. Carrefour routier. Hôtel de ville (XVIIe s.), parc municipal, musées. — Centre de l'industrie des allumettes. Papeteries, indus. textiles, tanneries, verreries. — Patrie de D. Hammarskjöld, J. Lundström. ♦ *Hist.* Pour éviter qu'elle ne tombe aux mains des Danois, les habitants de Jönköping brûlèrent leur ville en 1612. La paix entre la Suède et le Danemark y fut signée en 1809.

JONQUIÈRE. ♦ V. du Canada (Québec) dans la région du Saguenay, entre Chicoutimi et le lac Saint-Jean. 28 600 hab. Indus. du bois et du papier.

JONQUIÈRES (Ernest de FAUQUE *de*). ♦ Amiral et mathématicien français (Carpentras, 1820 — Mouans-Sartoux, près de Grasse, 1901). Disciple de Chasles*, auteur de recherches de géométrie *(Mélanges de géométrie pure,* 1856), il étudia notamment la géométrie énumérative et le premier exemple de transformation birationnelle d'ordre quelconque [1858]. (Acad. sc., 1883.)

JONSON (Benjamin, dit Ben). ♦ Auteur dramatique anglais (Westminster, 1572 — Londres, 1637). Son premier succès au théâtre du Globe : *Chacun dans son caractère* (*Every Man in his Humour,* 1598) le classa d'emblée parmi les pairs de Shakespeare. Pour la cour de Jacques Ier, il composa des ballets, des divertissements et des *masks,* simples arguments scéniques qui sont prétextes à de vastes déploiements de mise en scène. Mais le meilleur de son œuvre tient en quatre comédies; leur force satirique ainsi que la concision et l'élégance du style en font, avec celles de Shakespeare, les chefs-d'œuvre du théâtre élisabéthain : *Volpone ou le Renard* (*Volpone or the Fox,* 1605), *Épicène ou la Femme silencieuse* (*Epicoene or the Silent Woman,* 1609), *L'Alchimiste* (*The Alchemist,* 1610), *La Foire de la Saint-Barthélemy* (*Bartholomew Fair,* 1614). Il collabora avec Chapman et Marston (*Eastward Ho!,* 1605), J. Fletcher.

JONTE. *n. f.* ♦ Riv. de France (Massif central) qui naît dans le massif de l'Aigoual*. Elle sépare le causse Méjean* du causse Noir. En traversant le causse Noir, elle creuse des gorges pittoresques, avant de se jeter dans le Tarn*. 40 kilomètres.

JONZAC. ♦ Sous-préf. de la Charente-Maritime, ch.-l. d'arr. (7 cant., 119 comm., 57 771 hab.). 4 093 hab. *(Jonzaçais).* Château des XVe et XVIe s., *auj.* hôtel de ville et sous-préfecture. Église Saint-Gervais-Saint-Protais, avec façade romane. — Viticulture. Distilleries. Conserverie de poissons. Matériaux de construction.

JOOS (Kurt). ♦ Danseur et chorégraphe allemand (Wasseralfingen, Wurtemberg, 1901). Il fut l'élève, puis l'assistant de Rudolf von Laban avant d'être nommé régisseur de la chorégraphie à Münster puis à l'Opéra d'Essen (1930). Le succès qu'il rencontra à Paris avec le ballet *La Table verte* (1932) consacra sa compagnie des Ballets Joos et lui assura, après plusieurs tournées dans le monde, une renommée internationale. Fondées sur l'esthétique de Laban, les conceptions de K. Joos reposent sur la recherche d'un rythme fondé sur l'harmonie du corps humain, la danse et le mime prenant le pas sur la musique, le décor et le costume. Marquées par un extrême dépouillement, ses chorégraphies les plus fameuses, *Un bal dans le vieux Vienne* (1932), *Perséphone* (musique de Stravinski, 1934), *Pandora* (1944), lui ont assuré la réputation d'un chef d'école.

JORAM. ♦ Roi d'Israël (v. ~851-~842), fils d'Achab* et de Jézabel*, tué par Jéhu*. Cf. *II Rois,* III.

JORAM. ♦ Roi de Juda (v. ~847-~842). Son mariage avec Athalie* scella son alliance avec Israël. Cf. *II Rois,* VIII, 16 sqq.

Ph. C. de Bellefonds

Gorges de la **Jonte.**

JORASSES (Grandes). ♦ Sommets du massif du mont Blanc* à la frontière italienne; point culminant à 4 206 mètres.

JORAT. *n. m. (massif du).* ♦ Partie sud-occidentale du plateau suisse (Vaud) dominant le lac Léman* au N.-E. de Lausanne*. Alt. 932 m. Le versant S. est couvert de riches vignobles.

JORDAENS (Jacob). ♦ Peintre, dessinateur et graveur flamand (Anvers, 1593 — *id.,* 1678). Formé auprès du peintre maniériste Van Noort et inscrit à la gilde d'Anvers en 1615, il peignit quelques portraits très sobres *(La Famille du peintre),* réalisa des cartons de tapisserie *(Les Grands Chevaux),* des décorations et tableaux traitant des sujets religieux *(Les Quatre Évangélistes),* mythologiques et allégoriques *(La Fécondité).* Son réalisme, qui s'inscrit dans la tradition flamande, dérive en partie des maniéristes Beuckelaer, Hemessen et Aertsen*, mais reflète aussi des influences italiennes, notamment celle du Caravage* auquel il emprunta un clair-obscur tranchant avec netteté des formes lisses et sculpturales. Sous l'influence de Rubens* dont il devint le collaborateur à partir de 1630, il assouplit sa technique picturale, s'attacha à rendre les reflets tout en conservant son goût pour les couleurs rutilantes. Après la mort de Rubens, il reçut d'importantes commandes (*Histoire de Psyché,* pour le palais de Greenwich, 1647; trente-six tableaux pour Christine de Suède, 1648-1649 [disparus]; *Le Triomphe de Frédéric-Henri,* 1651-1652) et même des commandes religieuses, malgré son adhésion au protestantisme. Ses compositions denses souvent surchargées, la sensualité qui se dégage des formes généreuses et des visages fortement typés n'évitent pas toujours la lourdeur et l'emphase, mais expriment un lyrisme truculent qui s'épanouit particulièrement dans les scènes mythologiques *(Le Sommeil d'Antiope)* et des scènes populaires d'une vitalité parfois triviale, empreintes d'un certain souci moraliste *(Les jeunes piaillent, les vieux chantent; le roi boit!).* Son œuvre représente un baroque spécifiquement flamand.

JORDAN (Camille). ♦ Homme politique français (Lyon, 1771 — Paris, 1821). Royaliste constitutionnel, il émigra en Suisse après l'insurrection royaliste de Lyon (1793) à laquelle il participa. Rentré en France en 1796, il fut membre du Conseil des Cinq-Cents, mais proscrit après le coup d'État du 18 fructidor an V (4 septembre 1797), comme représentant du club de Clichy*. Il fut député sous la Restauration (1816).

JORDAN (Alexis). ♦ Botaniste français (Lyon, 1814 — 1897). Des travaux méthodiques de culture d'une espèce de crucifères lui permirent de découvrir près de deux cents variétés ou espèces élémentaires (appelées depuis « jordanons »).

JORDAN (Camille). ♦ Mathématicien français (Lyon, 1838 — Paris, 1922), petit-fils de Camille Jordan. Auteur d'un *Traité des substitutions et des équations algébriques* (1870) dans lequel il compléta les recherches de Galois*, il donna notamment la solution définitive du problème de la résolution d'une équation par radicaux. Il approfondit également les notions introduites par Cantor* et donna une définition très générale d'une courbe, très importante en topologie et à la base de la géométrie finie. (Acad. sc., 1881.)

JORDANIE. ♦ État monarchique du Proche-Orient (Levant), situé entre la Syrie (N.), l'Iraq (N.-E.), l'Arabie Sa'ûdite (S.), l'État d'Israël (O.), et qui possède une ouverture sur la mer Rouge par 25 km de côtes le long du golfe d'Aqaba*. 97 740 km². 2 400 000 hab. en 1971 *(Jordaniens)* [y compris les réfugiés palestiniens]. *Cap.* Amman*, *Langue off.* Arabe. *Religion :* islâm (minorité chrétienne). *Unité monétaire :* dinar jordanien. *V. princ.* **V. Ajlûn, Aqaba, Irbid, Karak, Ma'am, Naplouse, Salt, Zarqa.** — *Hydrogr.* **V. Araba, Cédron, Jourdain, Yarmuk.** — *Orogr.* Le pays comprend deux régions distinctes. À l'O., la partie orientale de la Cisjordanie*, occupée par Israël à la suite du conflit israélo-arabe de 1967, et qui s'étend en droite ligne de la partie orientale de la dépression de Ghor*, où coule le Jourdain, au fossé de la mer Morte, prolongé par la vallée du wadi Araba jusqu'au golfe d'Aqaba. À l'E., le plateau désertique de Transjordanie*, qui couvre les trois quarts du territoire et auquel fait suite le désert de Syrie. En perdant la Cisjordanie, la Jordanie a été amputée des terres fertiles de Samarie et de Judée, et privée de villes importantes. Le port d'Aqaba excepté, toute l'activité du pays se trouve désormais concentrée à Amman, sa capitale (Transjordanie). — La *population,* composée d'Arabes (musulmans sunnites), inclut, outre les habitants des villes, des Bédouins à demi-sédentarisés, éleveurs d'ovins, de bovins et de caprins, et les nomades du désert, vivant à l'E. de la ligne Damas-Ma'am et constitués en tribus qui forment les éléments les plus sûrs de l'armée. L'afflux des réfugiés de Cisjordanie a accru la densité de population, très forte à proximité des points d'eau. Les plateaux désertiques sont vides. Les minorités turques, kurdes, circassiennes, druzes, sont dispersées entre la petite zone méditerranéenne des hauteurs forestières qui surplombent le Jourdain et la zone subtropicale de l'E. aux pluies rares, où commence le désert. ♦ *Écon.* Les seules terres fertiles sont situées en bordure du Jourdain (fruits, légumes, céréales), mais l'utilisation des eaux du fleuve est ralentie par suite du conflit israélo-arabe. La rivière du Cédron ainsi que les cours d'eau de l'E. approvisionnent le pays en eau douce; cependant, l'insuffisance en eau et le morcellement extrême de la propriété s'opposent à l'extension de la culture. Les ressources minières comprennent de riches gisements de potasse (premier gisement exploité : celui de la mer Morte, découvert en 1932, et dont l'usine d'exploitation fut détruite en

Jordanie.

Ph. Asie-Photo

Jordanie : désert d'Aqaba.

1948; gisements de Ruzayfa [au N. d'Amman] et du wadi Hasa [au S. de la mer Morte], découverts en 1963); du cuivre (vallée des wadis Araba et Hasa); du manganèse (Batra et wadi Hasa); du soufre (wadi Hasa); du fer (au N.-O.); des phosphates (El Hasa). Mais l'industrialisation est compromise par le manque d'énergie électrique et de charbon. L'industrie se trouve concentrée dans la région d'Amman (conserveries de fruits et légumes, raffinerie d'huile, savonnerie; raffinerie de pétrole de Zarqa). L'économie du pays, desservie déjà par les conditions climatiques et le manque d'eau, se ressent cruellement de la perte de la Cisjordanie (ressources agricoles et tourisme). Son développement est lié au règlement du conflit avec Israël. Le pays subsiste grâce à l'aide des pays arabes (Arabie Sa'ûdite, Kuweit), grâce aussi aux royalties que la Couronne tire de l'oléoduc de la *Tapline* **(V. Arabie Sa'ûdite).** — Les *exportations* se font avec les pays arabes (légumes, fruits, cuirs, peaux, phosphates); les *importations* également avec les pays arabes, mais aussi avec la Grande-Bretagne, les États-Unis, la République fédérale allemande (machines, textiles, produits alimentaires, produits chimiques). — L'activité touristique, source de devises, pourrait se développer près d'Aqaba. Les princ. voies de communication sont la voie ferrée du Hedjaz* (Damas-Ma'am, via Amman) et le réseau routier qui relie Aqaba à Amman *via* Ma'am. — Administrativement, la Jordanie est divisée en une province du Désert et en 10 districts : Ajlûn (*ch.-l.* Irbid), Amman, Balqa (*ch.-l.* Al-Salt*), Hébron, Janin, Jérusalem, Karak, Ma'am, Naplouse, Zarqa. ♦ *Hist.* Le pays fut successivement convoité et dominé par les Hébreux (~ XIe-~ Xe s., **V. Moab, Édom**), les Grecs (~ 332-~ 331), les Romains (~ 64-~ 63), les Perses et les Byzantins, conquis par les Arabes (califats 'Umayyades, puis 'Abbâssides), puis par les croisés (royaume latin de Jérusalem, 1118-1187). Passé ensuite sous le contrôle des mamelouks d'Égypte, le pays fut conquis par les Ottomans (XVIe s.). Lors de la Première Guerre mondiale, le cheikh de La Mecque, Husayn Ibn 'Ali (roi du Hedjaz en 1916), et ses fils luttèrent contre les forces turques et allemandes aux côtés des Britanniques et c'est avec l'appui de la Grande-Bretagne qu'Abd* Allâh ('Abdullâh) devint émir de Karak-Transjordanie*. Placé sous mandat britannique avec la Palestine (1920-1922), tout en jouissant d'une administration autonome, l'émirat de Transjordanie devint royaume hâchémite de Jordanie (1946), en conservant des relations privilégiées avec la Grande-Bretagne. Après la proclamation de l'indépendance de l'État d'Israël* (14 mai 1948), la légion arabe, sous le commandement de Glubb pacha, prit part à la première guerre israélo*-arabe (1948-1949) au lendemain de laquelle le roi 'Abd Allâh annexa la Cisjordanie*, partie restée arabe de la Palestine*. Accusé par la Ligue arabe, 'Abd Allâh fut assassiné à Jérusalem par un jeune Palestinien (1951). Pendant le bref règne de son fils Talâl (1951-1952), le parlement jordanien révisa la Constitution du royaume pour la rendre plus libérale. Le roi Husayn*, qui succéda à son père en août 1952, voulut gouverner en souverain moderne, cherchant à préserver l'autonomie de son pays et à en favoriser le développement (industrialisation, création de coopératives agricoles, scolarisation). Mais, de 1954 à 1956, le pays fut agité par un mouvement d'opposition à la politique pro-occidentale (renvoi de Glubb pacha, 1956; retrait des troupes britanniques, 1958); en même temps, la Jordanie signait un accord militaire avec l'Égypte* (1956). Peu après, face à une forte opposition pro-nassérienne, Husayn constitua un gouvernement d'union nationale et s'allia à la monarchie hâchémite d'Iraq* (*Union* ou *Fédération arabe,* 1958, face à la République* arabe unie). Les nombreux incidents de frontière entre la Jordanie et Israël liés à l'essor de l'action palestinienne accrurent les difficultés du régime jordanien, menacé également par l'opposition du parti Baath. Après la guerre des six jours de 1967 **(V. Israélo-Arabe [*conflit*]),** la Cisjordanie, région la plus riche du royaume hâchémite de Jordanie, fut occupée par Israël. Cette perte, qui compromet l'avenir économique du pays, n'a fait qu'aggraver la tension entre le gouvernement jordanien et les Palestiniens. En 1969, Husayn remania son gouvernement et le commandement en chef des forces royales, choisissant des hommes dévoués au régime et connus pour leur hostilité à l'égard des organisations palestiniennes. En septembre 1970, une violente épreuve de force opposa ces dernières aux troupes royales. Cette lutte, qui s'acheva par la signature d'accords difficilement négociés, limita les possibilités d'action des fedayin. Si elle renforça apparemment le trône du jeune souverain, elle contribua à isoler son pays (avec lequel de nombreux pays arabes rompirent leurs relations diplomatiques) et à accentuer encore le caractère autoritaire du régime (formation du parti unique d'Union nationale de Jordanie, 1971).

JORDANUS NEMORARIUS ou **JORDANUS TEUTONICUS (ou de SAXONIA?).** ♦ Mathématicien d'origine allemande (Borgentreich, Westphalie, mort en 1237). Général des Dominicains en 1222?, il introduisit l'usage des lettres pour représenter les nombres arbitraires sans aboutir toutefois à un véritable calcul littéral *(L'Algorithme démontré; Des nombres donnés)*; on lui doit encore des traités de géométrie *(Des isopérimètres; Des triangles)* dans lesquels il étudia notamment la duplication du cube **(V. Ménechme)** et la trisection de l'angle, un traité de physique *(Des poids)* et des écrits sur l'astronomie de Ptolémée* dans lesquels il établit le théorème fondamental de la projection stéréographique.

Jôruri. *n. m.* ♦ Genre littéraire japonais consistant en poèmes récités et chantés et formant l'argument de pièces de théâtre, tout d'abord de marionnettes, puis de kabuki*. Il aurait été créé v. le XIIIe s., puis porté à sa perfection v. la fin du XVIe siècle.

JOS. ♦ V. du Nigeria*, dans le plateau Bauchi. 35 000 hab. Indus. textile. Métallurgie de l'étain. — Musée de culture de Nok (nom du premier site découvert), art préhistorique primordial dans l'évolution de la statuaire africaine.

JOSABETH. ♦ (~ IXe s.). Fille de Joram* de Juda, femme de Joad*. Elle sauva Joas* du massacre ordonné par Athalie* (*II Rois,* XI).

JOSAPHAT. ♦ Roi de Juda (v. ~ 869-~ 848), allié d'Israël. Cf. *I Rois,* XXII; *II Rois,* III.

JOSAPHAT *(vallée de).* ♦ Lieu de la Résurrection des morts, selon la prophétie biblique de *Joël,* IV, 2. Traditionnellement, on l'identifie avec la vallée du Cédron, près de Jérusalem, où juifs et musulmans ont établi des cimetières.

JOSEPH. ♦ Personnage biblique (*Genèse,* XXXVII-L). Fils de Jacob* et de Rachel*. Ses frères, jaloux, le vendent. En Égypte, il devient intendant de Putiphar*, puis ministre du pharaon, dont il interprète les songes (les sept vaches grasses et les sept vaches maigres). Il installe Jacob et toute sa famille dans ce pays **(V. Hébreux, Israël).** La tribu de Joseph est représentée par les deux demi-tribus de ses fils Éphraïm* et Manassé*.

JOSEPH *(saint).* ♦ Dans l'Évangile (*Matthieu,* I et II; *Luc,* II), époux de Marie*, père nourricier de Jésus*. — Fête le 19 mars et (saint Joseph artisan) le 1er mai.

JOSEPH (François Joseph Leclerc du Tremblay, dit le Père). ♦ Capucin français (Paris, 1577 — Rueil, 1638). Fils d'un président du Parlement et de Marie de La Fayette. Il entra dans les ordres

Ph. Carlo Bevilacqua/Ricciarini

Joséphine, par P. P. Prud'hon. (Musée du Louvre, Paris.)

après un brillant passage à l'armée et à la cour (1599). Il prêcha des missions, se consacra à la conversion des protestants, et devint (1624) le collaborateur intime de Richelieu (d'où son surnom d'Éminence grise). Il s'occupa surtout de politique étrangère et eut une influence déterminante dans la lutte contre les Habsbourg.

JOSEPH Ier. ♦ (Vienne, 1678 – 1711). Empereur d'Allemagne (1705-1711), roi de Hongrie (1687), roi des Romains (1690), archiduc d'Autriche. Fils de Léopold* Ier, il poursuivit sa lutte contre la France, soutenant son frère l'archiduc Charles*, et il remporta, grâce au prince Eugène*, de brillantes victoires. Il écrasa en Hongrie la révolte de Georges Rákóczi*. Sa mort prématurée arrêta son œuvre.

JOSEPH II. ♦ (Vienne, 1741 – *id.*, 1790). Empereur d'Allemagne (1765-1790). Fils aîné de François* Ier et de Marie-Thérèse, déjà roi des Romains depuis 1764, il fut élu empereur à la mort de son père, mais partagea le pouvoir avec sa mère **(V. Marie-Thérèse),** et dut, non sans impatience, la laisser gouverner. Il voyagea alors à travers l'Europe, visitant la Hongrie, le pays des Sudètes, l'Italie, la Galicie, enfin Paris, où il rendit visite à sa sœur Marie*-Antoinette, en 1777, et rencontrant Catherine* II et Frédéric* II. Grand admirateur de ce souverain, intelligent, cultivé, acquis aux « lumières », il fut le type même du despote éclairé, mais l'antithèse de Marie-Thérèse par son esprit systématique, devenu plus froid après la mort de sa femme Isabelle de Parme. Quand il entreprit de faire de ses possessions un État moderne, centralisé et allemand, son œuvre rationnelle fut rendue fragile par son irréalisme et son inadaptation. Elle était cependant beaucoup plus audacieuse que celle de Frédéric ou de Catherine. Sur le plan social, elle s'attaquait aux classes privilégiées (le servage et la corvée furent abolis, un impôt foncier unique envisagé). Sa politique anticléricale est restée célèbre sous le nom de *joséphisme* : un édit de tolérance fut promulgué (1781), le mariage civil établi (1783), tandis que l'autorité pontificale était rejetée, hormis en matière de dogme, la moitié des couvents sécularisés et le clergé séculier fonctionnarisé. La visite du pape Pie* VI échoua devant l'inflexibilité de l'empereur et l'hostilité de Kaunitz*. L'administration avait été totalement refondue et réorganisée sur le modèle français; on avait imposé la langue allemande, et la suppression des barrières douanières avait favorisé l'essor de l'économie. Mais ces mesures brutales, qui heurtèrent de front les privilèges, les particularismes locaux et le sentiment religieux, soulevèrent un mécontentement général, particulièrement grave en Belgique où éclata la révolution brabançonne **(V. Van der Noot),** et en Hongrie qui refusa de soutenir l'empereur dans sa politique étrangère. Celui-ci, devant les difficultés, fut même obligé de revenir sur un grand nombre de ses mesures. L'Autriche avait en effet subi des revers : son désir d'augmenter son influence en Allemagne avait été tenu en échec par Frédéric II qui forma la ligue des Princes *(Fürstenbund)*; celle-ci contraignit Joseph à renoncer à annexer la Bavière en échange des Pays-Bas (1785). D'autre part, son alliance avec la Russie l'entraîna dans une guerre contre les Turcs (1788) qui amena l'invasion de son territoire. Quand Joseph II mourut des fatigues de sa campagne, il laissait ses États dans une situation critique.

JOSEPH Ier, en port. **Jose.** ♦ (Lisbonne, 1714 – *id.*, 1777). Roi de Portugal (1750-1777). Fils de Jean* V, il abandonna le gouvernement à son ministre Pombal* et, malade, dut céder la régence à sa femme (1776). Sous son règne, les jésuites furent expulsés du Portugal (1759), et Lisbonne fut reconstruite après le tremblement de terre de 1755.

JOSEPH BONAPARTE. ♦ V. BONAPARTE.

JOSEPH D'ARIMATHIE *(saint).* ♦ Dans les Évangiles (*Marc,* XV, 42-46, et parallèles), notable juif, disciple de Jésus, qui obtint de Pilate l'autorisation d'ensevelir son corps après la Passion. — Fête le 17 mars.

JOSEPH DE COPERTINO *(saint)* [Giuseppe DESA]. ♦ Franciscain conventuel et mystique italien (Copertino, Pouilles, 1603 – Osimo, Ancône, 1663). L'extraordinaire faiblesse de son intelligence et ses extases publiques avec lévitation ont fait de lui (non sans ironie) le patron des candidats aux examens et des aviateurs. — Fête le 18 septembre.

JOSÈPHE (Flavius). ♦ V. FLAVIUS JOSÈPHE.

JOSÉPHINE (Marie-Josèphe Rose Tascher de La Pagerie). ♦ Impératrice des Français (Trois-Îlets, Martinique, 1763 – La Malmaison, 1814). Mariée en 1779 au vicomte Alexandre de Beauharnais*, qui mourut sur l'échafaud en 1794, elle en eut deux enfants : Eugène et Hortense. En 1795, par l'intermédiaire de Barras*, elle rencontra Bonaparte, qu'elle épousa le 9 mars 1796. Très épris de sa femme, Napoléon subit fortement son influence. Elle fut couronnée impératrice, mais n'ayant pu donner d'héritier à Napoléon, elle fut répudiée en 1809. Largement dotée, elle se retira à La Malmaison, entretenant une correspondance suivie avec l'Empereur.

Joséphisme. *n. m.* ♦ V. JOSEPH II (empereur d'Allemagne).

JOSETSU. ♦ Peintre et religieux bouddhiste japonais du début du XVe s., créateur d'une école de lavis à l'encre de Chine introduisant au Japon les styles chinois des dynasties Sung* et Yüan*. Il fut un paysagiste renommé.

JOSIAS. ♦ Roi de Juda (~ 640-~ 609), fils d'Amon*. Instigateur d'une importante réforme religieuse, consécutive à la découverte dans le Temple d'une « Loi », reflétée dans le *Deutéronome** (~ 622-~ 621). Vaincu et tué à Mégiddo* par le pharaon Néchao. Récit biblique : *II Rois,* XXII-XXIII.

JOSQUIN DES PRÉS (en lat. **Josquinus Pratensis).** ♦ Compositeur franco-flamand (Beaurevoir, Picardie, v. 1440 – Condé-sur-Escaut, 1521). Chantre de la chapelle de la Cour à Milan (1459), puis de la chapelle pontificale à Rome (1486), il séjourna quelque temps en France, à la Cour de Louis XII (1501) et se mit ensuite au service du duc Hercule Ier de Ferrare (1503). Il mourut prieur de l'église Notre-Dame à Condé. Désigné de son vivant sous le nom de « Prince de la musique », il a exercé une influence considérable sur l'évolution de l'art religieux, ses messes servant de modèle à tous les compositeurs durant près d'un siècle. D'abord tournée vers la tradition médiévale, son écriture révèle, dès ses œuvres de jeunesse, de grandes audaces dans les répétitions d'un même thème, la ligne de la mélodie, et une remarquable habileté dans l'harmonisation de la musique instrumentale et le traitement des voix, chacune d'elles conservant sa ligne mélodique. Son œuvre, considérable (32 messes, 70 motets, 80 chansons), comporte quelques-uns des plus hauts chefs-d'œuvre de l'art sacré *(Messe Hercules dux Ferrariae, 1re Messe de l'homme armé, Messe Pange lingua, Miserere).* S'il doit à l'Italie son goût pour le lyrisme mélodique, la recherche de l'émotion et la clarté de l'écriture, il est avant tout un maître du contrepoint selon l'école flamande, et l'un des plus grands polyphonistes français.

JOSSELIN. ♦ Ch.-l. de cant. du Morbihan, arr. de Pontivy, sur l'Oust*. 2 821 hab. *(Josselinais).* L'église Notre-Dame-du-Roncier (du XIIe au XVIe s.), ancienne chapelle du château, renferme le tombeau du connétable de Clisson et de Marguerite de Rohan. Très célèbre château, construit de 1490 à 1505 par Jean II de Rohan; derrière un aspect extérieur sévère, l'intérieur est un chef-d'œuvre du style flamboyant. Maisons anciennes. — Salaisons.

JOSUÉ. ♦ Personnage biblique, fils de Noun, de la tribu d'Éphraïm, successeur de Moïse à la tête des Israélites, qu'il convient de situer à l'époque de l'installation de ces derniers en Palestine (~ XIIe-~ XIe s.). Dans le livre qui porte son nom, il fait pénétrer le peuple élu dans la Terre promise et dirige la conquête. On lui attribue des prodiges tels que le passage du Jourdain à pied sec, la chute des murailles de Jéricho* au son des trompettes, l'arrêt du Soleil lors de la bataille de Gabaon*.

Josué *(Livre de).* ♦ Le premier des livres historiques de la Bible. Auteur inconnu, utilisant principalement une source d'origine sacerdotale, postérieur à la promulgation du *Deutéronome** (~ 622-~ 621). Vingt-quatre chapitres narrent l'entrée dans la Terre promise, la conquête, le partage des territoires entre les tribus, la mort de Josué*.

JOTUNHEIM. *n. m.* ♦ Massif montagneux du S.-O. de la Norvège, au-dessus du Sognefjord*, culminant au Galdhøppigen (2 468 m, point le plus élevé de Scandinavie).

JOTUNI (Maria, née **HAGGREN,** pseudonyme de **TAR-**

KIAINEN). ♦ Nouvelliste et auteur dramatique finnoise (Kuopio, 1880 – Helsinki, 1943). Elle dévoile à travers un dialogue banal les mouvements d'âme de personnages en apparence insignifiants. Les relations entre les sexes dominent ses nouvelles *Amours* (1907). *Les sentiments qu'on a* (1913), *La Jeune Fille dans la roseraie* (1927), ses romans, comme *Vie de tous les jours* (1909), et ses comédies, comme *La Côte de l'homme* (1914). Son humour ne dissimule pas une attitude foncièrement pessimiste, qui se développe pleinement dans son grand roman posthume *La Maison branlante* (1963).

JOUARRE. ♦ Comm. de Seine-et-Marne, arr. de Meaux. 2 536 hab. Anc. abbaye fondée au VIIe s., dont il reste un bâtiment du XVIIIe s., une crypte du VIIe s. renfermant des sarcophages. – Indus. optique.

JOUBERT (Joseph). ♦ Moraliste français (Montignac, 1754 – Villeneuve-sur-Yonne, 1824). Ami de Fontanes* et lié avec Chateaubriand*, c'était un fin causeur dont les jugements, sur l'homme et sur la littérature, furent réunis sous le titre de *Pensées, essais, maximes* (posth., 1842). Sa *Correspondance* (1849) est également remarquable par la clarté de la réflexion et du style.

JOUBERT (Barthélemy Catherine). ♦ Général français (Pont-de-Vaux, Ain, 1769 – Novi, 1799). Volontaire de l'Ain (1791), il fut nommé général de brigade (1795), puis de division (1796) et participa brillamment avec Bonaparte à la campagne d'Italie. Général en chef des armées de Hollande, de Mayence puis d'Italie (oct. 1798), il occupa le Piémont, mais démissionna peu après, en raison de son opposition à l'activité des commissaires civils du Directoire. Ayant repris son commandement (été 1799), il fut tué au début de la bataille de Novi* (15 août 1799) où ses troupes furent battues par l'armée russe, sous le commandement de Souvorov. Sieyès*, qui avait pensé l'utiliser pour fomenter un coup d'État contre le Directoire, devait choisir Bonaparte à sa place.

JOUBERT (Petrus Jacobus). ♦ Général boer d'Afrique du Sud (1831 – Pretoria, 1900). Sa famille, d'origine provençale, avait émigré en Afrique du Sud après la révocation de l'édit de Nantes. Quand les Anglais eurent annexé le Transvaal, il fit partie du triumvirat qui organisa la résistance, avec Krüger* et Martinus Pretorius*. Commandant en chef des Boers, il battit les Anglais à Majuba Hills (fév. 1881). En 1899, il commanda les forces réunies de l'Orange et du Transvaal.

JOUÉ-LÈS-TOURS. ♦ Comm. d'Indre-et-Loire, dans l'arr. et l'aggl. de Tours. 17 998 hab. *(Jocondiens).* Vignoble. Métallurgie. Indus. chimique.

Joueur (Le). ♦ Comédie en cinq actes et en vers de Regnard* (1696). Joueur impénitent, Valère ne sent renaître la tendresse qu'il éprouve pour Angélique que lorsque le jeu lui a été défavorable. À la fin, la jeune fille se lasse et accorde sa main à Dorante, oncle de Valère. Riche de personnages épisodiques d'un truculent comique, la pièce n'est pas dépourvue, avec le personnage de Valère, d'une profonde vérité psychologique.

JOUFFROY (Théodore). ♦ Philosophe français (Les Pontets, Doubs, 1796 – Paris, 1842). Professeur à l'École normale puis à la Sorbonne, il fut membre de la Chambre des députés en 1833. Il fit connaître en France la philosophie écossaise par ses traductions d'œuvres de Stewart* et de Reid. Représentant de l'éclectisme, il aborda des questions aussi diverses que le *Problème de la destinée humaine* (1830), celui du statut scientifique de la psychologie (*Légitimité de la distinction de la psychologie et de la physiologie*, 1838). On lui doit également un *Cours de droit naturel* (1834-1835) et un *Cours d'esthétique* (1843).

Ph. Hubert Josse

Le général **B. C. Joubert,** par Bouchot. (Château de Versailles.)

JOUFFROY D'ABBANS (Claude François, *marquis de***).** ♦ Ingénieur français (Roches-sur-Rognon, Champagne, 1751 – Paris, 1832). Réalisateur du premier bateau à vapeur qui ait effectivement navigué (1776), le *pyroscaphe,* il fit une spectaculaire démonstration publique, remontant la Saône avec son bâtiment de 46 m de long ; souhaitant fonder une compagnie pour exploiter son invention, on lui demanda de renouveler son expérience sur la Seine, ce qui lui fut impossible, faute de moyens financiers ; découragé, il se retira aux Invalides où il mourut du choléra. **V. Papin, Fulton.**

JOUGNE. ♦ Comm. du Doubs, arr. de Pontarlier. 815 hab. (305 aggl.). Station estivale et de sports d'hiver, proche de la frontière suisse **(V. Métabief).** Chapelle du début du XIIe siècle.

JOUGUET (Émile). ♦ Mathématicien français (Bessèges, 1871 – Montpellier, 1943). Spécialiste de mécanique des fluides, il étudia particulièrement les applications de la thermodynamique en ce domaine et put établir une théorie hydrodynamique de la détonation. (Acad. sc., 1930.)

JOUHANDEAU (Marcel). ♦ Écrivain français (Guéret, 1888). Après s'être cru destiné à la prêtrise – au contact d'une mère et d'une tante très pieuses – il passa sa licence de lettres et vint professer à Paris (de 1912 à 1949). Bien qu'il ait détruit, en 1914, ses premiers essais littéraires, Jouhandeau a produit une œuvre abondante, qui s'organise autour de trois grands thèmes : les autres, soi-même, Dieu. – Analyse impitoyable de la condition conjugale, les *Chroniques maritales* (1935 ; complétées en 1938) sont le constat, souvent cynique, toujours lucide, des difficiles rapports de l'auteur et de sa femme Élise (la danseuse Caryathis. épousée en 1929). Second portrait de femme, objectif mais tendre, *L'École des filles* (1961) est consacrée à Céline, la fillette adoptée. D'autres personnages, qui peuplèrent l'enfance et l'adolescence de Jouhandeau, sont évoqués dans une suite de chroniques, transposition de la vie provinciale à Guéret : commencés avec *La Jeunesse de Théophile* (1921), « histoire ironique et mystique », poursuivis avec *Les Pincengrain* (1924), *Monsieur Godeau intime* (1926) et *Monsieur Godeau marié* (1933), ces récits se sont complétés de *Chaminadour I, II, III* (1934, 1936, 1941) et du *Mémorial* (six volumes, publiés de 1948 à 1958). Série de portraits réalistes et d'anecdotes cruelles contées en un style nerveux, généralement abstrait, cet « arbre de visages » illustre une croyance mystique. Pour Jouhandeau, Chaminadour, ville imaginaire, est le lieu « où passe l'échelle de Jacob, en Enfer implantée et s'élevant (...) jusqu'à l'Éternel ». Dès lors, ces notations sagaces de la réalité quotidienne, reprises dans les *Journaliers* (*Instantanés de la mémoire* tenus depuis 1961), servent à démêler *le bien du mal.* – S'appuyant sur cette dialectique particulière (le vice – pour lui, l'amour des garçons – confirmant notre essence surnaturelle), Jouhandeau poursuit son dialogue tourmenté avec Dieu dans des essais moraux qui le montrent hanté par l'Éternité au fond même du péché (« Dieu est présent dans l'Enfer avec moi. ») : l'*Algèbre des valeurs morales* (1935), *De l'abjection* (1939), *L'Éloge de la volupté* (1951), les *Carnets de l'écrivain* (1957), qui manifestent une hardiesse exempte de préjugé, complètent une œuvre taxée parfois de complaisance narcissique, mais riche d'analyses profondes de la nature humaine.

JOUHAUX (Léon). ♦ Syndicaliste français (Paris, 1879 – 1954). Ouvrier allumettier, il adhéra à la C.G.T. dont il fut secrétaire général de 1909 à 1947. Collaborateur du journal *La Bataille syndicaliste,* il se rallia à l'Union sacrée au début de la Première Guerre mondiale et prit position contre la révolution russe. Lors de la scission de la C.G.T. (1921 ; formation de la C.G.T.U., de tendance communiste), il en conserva la direction et poursuivit son activité syndicale après la réunification des deux mouvements (congrès de Toulouse, 1936). Mis en résidence surveillée par le gouvernement de Vichy (après la dissolution de la C.G.T., 1940), puis déporté à Buchenwald (1943-1945), Jouhaux partagea, après la guerre, les fonctions de secrétaire général de la C.G.T. avec Benoît Frachon* et fut vice-président de la Fédération syndicale mondiale, délégué à l'O.N.U. et président du Conseil économique. En 1948, il se sépara de la C.G.T. et fut un des fondateurs de la C.G.T.-F.O. dont il prit la direction et qui adhéra à la Confédération internationale des syndicats libres (prix Nobel de la paix, 1951).

JOUKOV (Gheorghi Konstantinovitch). ♦ Maréchal soviétique (prov. de Kalouga, 1896 – Moscou, 1974). Il fut d'abord ouvrier d'usine, puis sous-officier dans l'armée impériale. Il devint membre du Parti bolchevik en 1919 et prit part à la guerre civile. Diplômé de l'académie militaire Frounzé (1931), conseiller du gouvernement républicain en Espagne (1937-1938), puis commandant en U.R.S.S. de détachements blindés, il participa aux opérations contre les Japonais dans la région de l'Amour (1938-1939) et à la guerre russo-finlandaise (1939-1940). En février 1941, il devint chef d'état-major de l'armée rouge, vice-commissaire à la Défense et membre suppléant du bureau politique. Pendant la Deuxième Guerre mondiale, il dirigea la défense de Moscou (oct. 1941), puis la contre-offensive à Stalingrad (fin 1942). En janvier 1943, il obligea les Allemands à abandonner le siège de Leningrad. Promu maréchal (1943), il assuma le commandement de la Ire armée ukrainienne (mars 1944), lança une grande offensive vers les Carpates et franchit la frontière tchécoslovaque le 8 avril. Dirigeant ensuite la Ire armée biélorusse, il arriva dans les faubourgs de Varsovie* le Ier août 1944. Les patriotes polonais se soulevèrent alors, mais Joukov, sur l'ordre de Staline, n'entra dans la ville que le 17 janvier 1945, ce qui laissa aux Allemands le temps d'écraser l'insurrection. Ayant occupé Berlin (2 mai 1945), Joukov signa au nom de l'U.R.S.S. l'acte de capitulation des forces allemandes. Commandant de la zone soviétique d'occupation en Allemagne (1945-1946), puis de la région militaire d'Odessa (1947), il devint après la mort de Staline ministre adjoint (1953), puis ministre à la Défense (1955). En 1957, il fut remplacé par Malinovski* et exclu du praesidium ainsi que du comité central du Parti communiste.

JOUKOVSKI (Vassili Andreïevitch) [*Žukovski*]. ♦ Poète russe (district de Michenkoie, 1783 – Baden-Baden, 1852). Il fut chargé de l'éducation du futur Alexandre II à qui il apprit le respect de la loi. Précurseur et ami de Pouchkine*, il travailla surtout à des adaptations et traductions de romantiques allemands et anglais (*La Pucelle d'Orléans*, trad. de Schiller). Sa traduction la plus importante reste celle de *l'Odyssée* (1847) d'Homère* d'après une traduction juxtalinéaire allemande.

JOUKOVSKI (Nikolaï Iegorovitch). ♦ Aérodynamicien russe (Orekhovo, gouvern. de Vladimir, 1847 – Moscou, 1927). Auteur de travaux fondamentaux d'aéro- et d'hydrodynamique, il réalisa un tunnel aérodynamique (1902) et fonda le premier institut d'aérodynamique d'Europe (Koutchino, près de Moscou, 1905). Il étudia particulièrement les écoulements des fluides parfaits autour des profils d'aile et d'hélice d'avions, établissant une théorie (comme Tchaplyguine) qui, grâce à la circulation, permet d'obtenir une assez bonne approximation de la portance des profils d'aile. Créateur, avec Tupolev*, après la révolution, de l'Institut central d'hydro-aérodynamique (1918), sa mémoire est perpétuée chaque année par l'attribution d'un *prix Joukovski*, récompensant des travaux de sciences appliquées. Ses œuvres principales sont publiées en français (*Aérodynamique*, 1916; *Théorie tourbillonnaire de l'hélice propulsive*, 1929). – *Transformation de Joukovski*. Procédé mathématique faisant correspondre le champ d'écoulement autour de certains profils d'aile au champ d'écoulement autour d'un cylindre circulaire, l'étude théorique en étant ainsi simplifiée.

JOULE (James Prescott). ♦ Physicien anglais (Salford, 1818 – Sale, 1889). Après avoir énoncé, en 1841, les lois sur le dégagement de chaleur produit par le passage d'un courant électrique dans un conducteur (*effet Joule*), il effectua des expériences célèbres (1843-1850) dans lesquelles on transforme le travail en chaleur en utilisant le frottement de l'eau sur elle-même ; il put ainsi mettre en évidence la proportionnalité entre le dégagement de chaleur et le travail fourni et détermina l'équivalent mécanique de la calorie (J). V. **Mayer.** Auteur de recherches sur les détentes des gaz, il découvrit la *loi de Joule* (1845) et l'*effet Joule-Thomson** (1852). Il calcula également la vitesse moyenne des molécules gazeuses. – *Loi de l'effet Joule*. L'énergie calorifique W dégagée est donnée par l'expression $W = Ri^2t$ où R est la résistance du conducteur, i l'intensité du courant et t la durée du passage. – *Loi de Joule*. Loi selon laquelle l'énergie interne d'un gaz parfait ne dépend que de sa température (peut servir de définition à l'état parfait). V. *aussi* **Thomson** (*sir* William).

Jou P'u T'uan (Jeou-P'ou-T'ouan, Rou-Putuan) [« *Le Coussin de chair* »]. ♦ Célèbre roman de mœurs chinois du XVIIe s., attribué à Li Yu, à trame édifiante d'inspiration bouddhique, décrivant les amours d'une sorte de Don Juan chinois.

JOURDAIN (Frantz). ♦ Architecte, écrivain et critique français d'origine belge (Anvers, 1847 – Paris, 1935). Il écrivit de nombreux textes défendant l'Art nouveau et notamment le principe de la synthèse des arts. En 1903, il fonda avec Ivanhoé Rambosson le Salon d'automne. Dans les *magasins de la Samaritaine* (1905), il utilisa le verre, la céramique vernissée, une ossature métallique légère et un décor floral exubérant dont le style parut tellement caractéristique qu'il fut appelé « style Samar ». ♦ Son fils, FRANCIS (Paris, 1876 – *id.*, 1958), fut aussi peintre, décorateur et écrivain : après avoir décoré dans le style Art nouveau le *Théâtre de Loïe Fuller* (1900), il réagit contre cette esthétique en créant des modèles plus dépouillés et fonctionnels. Il a publié des souvenirs et diverses monographies (*Utrillo, Bonnard*).

Ph. Hétier

Frantz Jourdain : les magasins de la Samaritaine.

Ph. Hubert Josse

Le maréchal **Jourdan**, par Charpentier, d'après Vien fils. (Château de Versailles.)

Jourdain *(Monsieur)*. ♦ Personnage principal du *Bourgeois* gentilhomme* de Molière. La prétention de ce rude bourgeois au savoir et aux belles manières propres à la noblesse n'a d'égale que son immense naïveté.

JOURDAIN. *n. m.* ♦ Fl. de Palestine qui prend sa source dans l'Hermon* (Liban), traverse le lac Houlé*, gagne le lac de Tibériade* en longeant la Syrie, puis coule dans son cours supérieur sur plus de 300 km entre la Jordanie et Israël, du lac de Tibériade à la mer Morte, en empruntant la dépression de Ghor*. C'est le seul fleuve important de cette région du Moyen-Orient, et sa vallée est la plus profonde du monde. Des travaux d'aménagement du fleuve permettent l'irrigation et la fertilisation des régions désertiques du Néguev*. Le barrage de Tibériade alimente la centrale électrique édifiée au confluent du Yarmuk* et du Jourdain et régularise le cours du fleuve. Végétation tropicale dans la vallée, entre les pentes forestières des hauteurs palestiniennes et celles du djebel Ajlûn* jordanien. Les terres qu'arrosent les cours moyen et supérieur du fleuve produisent des céréales (orge), des légumes et des fruits (raisins, figues, bananes). Seule ville importante de la vallée du Jourdain : Jéricho*. ♦ *Hist.* Dans la Bible, le Jourdain est le fleuve par excellence. Les Hébreux le traversent à pied sec pour entrer en Canaan (*Josué*, III). C'est dans ses eaux que Jean-Baptiste immerge et que Jésus reçoit le baptême (*Marc*, I et parallèles).

JOURDAN (Matthieu JOUVE, dit JOURDAN COUPE-TÊTE). ♦ Révolutionnaire français (Saint-Just, 1749 – Paris, 1794). Après avoir participé aux premières journées révolutionnaires à Paris (1789), il entra dans la garde nationale à Avignon et se signala dans la région du Vaucluse par les excès qu'il commit à l'époque de la Terreur (massacre de la Glacière à Avignon, 16 et 17 octobre 1791). Il fut traduit devant le Tribunal révolutionnaire, condamné à mort et guillotiné.

JOURDAN (Jean-Baptiste, *comte*). ♦ Maréchal de France (Limoges, 1762 – Paris, 1833). Il fit la guerre d'indépendance américaine à 16 ans. Partisan de la Révolution, lieutenant-colonel des volontaires en oct. 1791, général en 1793, il se distingua à Hondschoote* (sept. 1793) et, à la tête des armées du Nord, fut vainqueur à Wattignies* (16 oct. 1793) avec L. Carnot; destitué en janv. 1794 pour avoir refusé de faire la campagne d'hiver, il fut rappelé en mars 1794 et remporta la bataille de Fleurus* (26 janv. 1794) qui ouvrit la Belgique aux Français. Vaincu à plusieurs reprises en 1795 et 1796, il fut remplacé par Hoche*. Membre du Conseil des Cinq*-Cents (1797), il est l'auteur de la loi Jourdan sur la conscription (1798). Hostile au 18 Brumaire*, il fut laissé par Napoléon sans commandement important, employé dans la République cisalpine*. Fait maréchal (1804), il fut gouverneur de Naples et conseiller militaire auprès de Joseph Bonaparte (1806). Wellington le battit à Vittoria (21 juin 1813). Il se rallia aux Bourbons et Louis XVIII le fit comte (1816) et pair de France (1819). Il fut gouverneur des Invalides à partir de 1830. Il a laissé des *Mémoires militaires de la guerre d'Espagne*.

JOURDE (François). ♦ Révolutionnaire français (Chassagne, Puy-de-Dôme, 1843 – Nice, 1893). Employé comptable dans une banque, il fut membre du Comité central de la garde nationale et délégué de la Commune aux Finances. Déporté en Nouvelle-Calédonie (1872), il s'en évada avec Rochefort* en 1874.

Journal des débats (Le). ♦ Quotidien français qui fut fondé en 1789 et où furent publiés les débats de l'Assemblée nationale constituante. Acquis par les frères Bertin* après le 18 Brumaire, il devint le *Journal de l'Empire* sous Napoléon Ier. Organe des libéraux sous la Restauration, il exprima la tendance orléaniste sous la monarchie de Juillet, puis fut à nouveau un des journaux de l'opposition libérale sous le Second Empire. Expression des républicains conservateurs sous la Troisième République, il fut peu à peu supplanté par *Le Temps* et cessa de paraître en 1944.

Journal (des Goncourt*). ♦ Tenu depuis 1851 par les deux frères, ce recueil de leurs souvenirs personnels fut publié en partie (neuf volumes) par Edmond, à la mort de Jules (1870). Une édition intégrale est en cours depuis 1956. Relation de tout ce qu'ils virent et entendirent, le *Journal* des Goncourt est une source précieuse de renseignements sur la vie littéraire et artistique française à la fin du XIXe siècle. Ces notes courtes, incisives, où s'expriment le pessimisme et la sensibilité presque maladive des deux frères, furent aussi, pour eux, un réservoir de « documents humains », utile à la préparation de leurs ouvrages.

Journal d'un curé de campagne. ♦ Roman de G. Bernanos* (1936). Suite de confidences reflétant la vie et les pensées d'un jeune prêtre, le *Journal* évoque la situation d'un être à la pureté émouvante, dans sa lutte spirituelle pour amener au salut les consciences troublées ou orgueilleuses qui l'entourent. Lui-même en proie à une véritable agonie physique, aux doutes et aux angoisses, humilié et rayonnant de sainteté, le curé d'Ambricourt apparaît comme une figure exemplaire dans l'œuvre de Bernanos.

Journal officiel *de la République française*. ♦ Organe officiel du gouvernement, qui comporte l'édition des lois et décrets, des débats parlementaires, des documents de l'Assemblée nationale et du Sénat, du Conseil économique et social, des documents administratifs. Succédant en 1848 au *Moniteur universel*, il prit le titre de *Journal officiel de l'Empire* à partir du 2 déc. 1852, redevint *Journal officiel de la République* en sept. 1870, puis *Journal officiel de l'État français* sous le gouvernement de Vichy (1940-1944).

JOUVE (Pierre Jean). ♦ Poète français (Arras, 1887 – Paris, 1976). Inspirée par les aspects tragiques de la condition humaine, fortement influencée par la psychanalyse et par la pensée des mystiques chrétiens, son œuvre développe, sur le mode d'une vision souvent apocalyptique, quelques-uns des plus grands thèmes de la poésie : la Faute, l'Amour, la Mort. Hantée par le mystère de l'être, elle traduit, avec le concours d'un langage enrichi de tout l'acquis de la poésie moderne, depuis Rimbaud jusqu'aux surréalistes, l'angoisse de l'homme pris entre un destin qui le fixe à la terre et un salut dont l'appel l'introduit à la transcendance. Acte d'une connaissance douloureuse et, à la fin, libératrice, la poésie de P.J. Jouve, riche en symboles et en images pathétiques, se veut annonciatrice d'une mort qui est résurrection. Romancier (*Paulina 1880,* 1925), Jouve a également publié des poèmes : *Noces* (1931), *Sueur de sang* (1933), *Gloire* (1942), *La Vierge de Paris* (1944), *Hymne* (1947) ainsi que plusieurs essais inspirés par la musique (*Le Don Juan de Mozart,* 1942 ; *Vozzeck ou le Nouvel Opéra,* 1953) et l'art (*Défense et Illustration,* 1943 ; *Tombeau de Baudelaire,* 1958).

JOUVENEL. ♦ V. JUVÉNAL.

JOUVENET (Jean). ♦ Peintre, décorateur et dessinateur français (Rouen, 1644 – Paris, 1717). Issu d'une famille de peintres, il fut l'élève de son père Laurent Jouvenet, puis se rendit à Paris vers 1661. Il exécuta quelques travaux décoratifs pour Le* Brun, travaillant notamment pour Versailles à partir de 1671 *(salon de Mars)*, et devint membre de l'Académie en 1675. Il réalisa plusieurs décorations peintes pour des hôtels parisiens (disparues) vers 1673-1674, participa ensuite à la décoration du *Grand Trianon,* 1694-1695, du *parlement de Rennes,* 1694-1695, de la *chapelle des Invalides,* 1704-1705, et de celle de Versailles (1709) mais s'affirma surtout comme un peintre religieux *(La Descente de croix,* 1697, quatre tableaux destinés à *Saint-Martin-des-Champs);* agençant avec ampleur ses compositions, il eut parfois le goût des effets théâtraux, des éclairages contrastés, des volumes modelés avec vigueur, des gestes emphatiques. Ses œuvres attestent la connaissance de Rubens* tout en révélant une certaine influence de Poussin* dans le choix de sa gamme chromatique, une tendance à clarifier la composition et à retenir l'expression *(Messe du chanoine Delaporte).*

Ph. Cartier-Bresson/Magnum

Pierre Jean Jouve.

JOUVET (Louis). ♦ Acteur, metteur en scène et directeur de théâtre français (Crozon, 1887 – Paris, 1951). Ses véritables débuts eurent lieu dans la troupe du Vieux-Colombier, constituée par Jacques Copeau* (1913). Il devint directeur de la Comédie des Champs-Élysées en 1924. Son premier grand succès fut *Knock,* de Jules Romains* (1923), dont il devait créer un peu plus tard *Donogoo* (1930). Des difficultés communes et un commun refus de la commercialisation du théâtre inspirèrent à Louis Jouvet et à son ami Charles Dullin* de constituer avec Georges Pitoëff* et Gaston Baty* le *Cartel des quatre* (1926). La création du *Siegfried* de Jean Giraudoux* (1928) fut l'événement majeur de la carrière théâtrale de Louis Jouvet. Elle préludait à onze années d'une collaboration féconde, Jouvet assurant, d'*Amphitryon 38* (1929) à *Ondine* (1939), la mise en scène de quelques-uns des plus grands textes dramatiques de la première moitié du XXe siècle. Installé à l'Athénée (1934), il devait y connaître l'un des plus grands succès de sa double carrière d'acteur et de metteur en scène avec *L'École des femmes,* de Molière (1936). Marqué par la création d'un ouvrage posthume de Giraudoux, *La Folle de Chaillot,* son retour devait être suivi de deux audacieuses mises en scène de Molière : *Dom Juan* (1947) et *Tartuffe* (1950). C'est au cours d'une répétition de *La Puissance et la Gloire,* d'après Graham Greene*, qu'il fut terrassé par le mal qui devait l'emporter deux jours plus tard (16 août 1951). Professeur au Conservatoire, conférencier, essayiste, Louis Jouvet, qui interpréta de nombreux rôles au cinéma, a exercé une influence considérable sur le théâtre de l'entre-deux-guerres.

Joux *(fort de).* ♦ Anc. château bâti au Xe s. par les seigneurs de Joux, situé à 940 m au-dessus de la r. d. du Doubs. Il commande la cluse où les routes de Neuchâtel et de Lausanne se rencontrent. Il fut sans cesse adapté aux nouvelles exigences militaires; transformé par Vauban en 1690, il servit de prison d'État **(V. Toussaint Louverture).**

JOUX *(vallée de).* ♦ Partie suisse de la haute vallée de l'Orbe* (Vaud), longue de 24 km, orientée du S.-O. au N.-E. depuis les Rousses* jusqu'au Pont, bordée à l'O. par la chaîne du mont Risoux et à l'E. par celle du mont Tendre. Elle a son point le plus bas aux *lacs de Joux* et *de Brenet* (1 008 m d'alt.). Grande vallée industrielle : horlogerie, lapidairerie, fromagerie.

JOUY. ♦ Comm. de l'Yonne, arr. de Sens. 340 hab. Importantes fromageries.

JOUY-EN-JOSAS. ♦ Comm. des Yvelines, arr. de Versailles, sur la Bièvre. 6 546* hab. *(Jovaciens).* Oberkampf y créa en 1759 la manufacture d'indiennes (toiles imprimées) connues sous le nom de *toiles de Jouy;* la mairie est installée dans l'anc. manufacture. Église (XIIIe-XVIe s., remaniée au XXe s.). Château (XVIIe s.). Tombeau du professeur Calmette*. École des hautes études commerciales (H.E.C.). Centre de recherches zootechniques. – Victor Hugo et Juliette Drouet séjournèrent à Jouy.

JOVE (Paul, en it. **Paolo Giovio).** ♦ Historien et humaniste italien (Côme, 1483 – Florence, 1552). Il étudia la médecine, puis se consacra à l'histoire. Devenu ecclésiastique, il fut protégé par les papes Léon X, Adrien VI et Clément VII, qui le nomma évêque de Nocera. Il publia plusieurs ouvrages historiques dont les plus importants sont *Historiarum sui temporis ab anno 1494 ad annum 1547, Libri XLV* (relatant les principaux événements de l'Italie, de 1494 à 1547), ainsi que les *Elogia doctorum virorum* (biographies d'hommes illustres contemporains).

JOVELLANOS (Gaspar Melchor *de***).** ♦ Essayiste, poète et dramaturge espagnol (Gijón, 1744 – Puerto de Vega, 1811). Sous l'influence des encyclopédistes et des idéologues français il tenta de réformer la société espagnole et tout d'abord le système d'enseignement pour lequel il préconisa l'introduction des langues vivantes, des sciences et de la linguistique. Son *Rapport sur la loi agraire* (1795) fut un point de départ des réformes agraires du XIXe s. ; il s'y attaqua aux privilèges et son libéralisme lui valut la réputation de révolutionnaire et des exils successifs.

JOVER (Gregorio). ♦ Syndicaliste et anarchiste espagnol (1892 –). Membre du groupe anarchiste *Los Solidarios,* il fut accusé, avec Durruti et Ascaso, d'avoir organisé un attentat contre le roi Alphonse XIII en France (1926). Lors de la guerre civile (1936-1937), il dirigea une colonne libertaire sur le front d'Aragon.

JOVIEN, en lat. **Flavius Claudius Jovianus.** ♦ (Singidunum, Mésie, 331 – Danastana, Bithynie, 364). Empereur romain (363-364). Chef de la garde, il fut proclamé empereur par les légions

Ph. Lipnitzki/Viollet

James Joyce.

d'Illyrie à la mort de Julien* l'Apostat. Il dut abandonner aux Perses l'Arménie et les provinces de Mésopotamie acquises en 297 et rétablit la liberté et l'égalité des cultes. Il mourut soudainement alors qu'il se rendait à Constantinople.

JOYCE (James Augustine Aloysius). ♦ Poète et romancier irlandais (Dublin, 1882 – Zurich, Suisse, 1941). De vieille famille catholique, James Joyce avait six ans quand on le mit en pension chez les jésuites, dont l'éducation le marqua définitivement. Déçu par la politique nationaliste, il ne se rallia pas au parti de la République irlandaise, mais se tourna vers un cosmopolitisme dont l'écho littéraire est important dans le renouvellement linguistique qu'il allait promouvoir. Ses lectures (Ibsen, Julien l'Apostat, Giordano Bruno) lui firent très tôt perdre la foi. Sous le prétexte d'étudier la médecine en France, il s'installa à Paris (1902) où il découvrit Flaubert. Professeur à Dublin, il rencontra Nora Barnacle qui l'accompagna à Zurich, puis à Trieste où il composa les poèmes de *Musique de chambre* (*Chamber music,* 1907), plainte amoureuse sur un mode mineur. Mais la poésie lui semblait un jeu. Il lui fera pourtant une autre concession avec *Dix Sous de poèmes* (*Pomes Penyeach,* 1927) dont le titre donne déjà l'exemple des opérations linguistiques qui allaient devenir si importantes dans son œuvre. On y retrouve parfois le désenchantement de la conscience spectatrice, caractéristique de *Dedalus, portrait de l'artiste par lui-même* (*The Portrait of the artist as a young man,* 1916), roman autobiographique inspiré par les souffrances d'une Irlande à laquelle l'écrivain s'identifiait. Outre son amitié pour le Triestin Italo Svevo, Joyce s'acquit la sympathie d'Ezra Pound, Aldington, T.S. Eliot. L'intervention de ses élèves – il enseignait l'anglais – lui permit, à la déclaration de guerre (1914), de se rendre en pays neutre (Zurich). C'est en 1914 que parut *Gens de Dublin (Dubliners),* recueil de nouvelles réalistes « dont l'objectivité naît d'un examen attentif de l'univers intérieur » (Valery Larbaud) et que les éditeurs jugèrent subversif. À Paris, son ultime patrie d'adoption (1920), Joyce rencontra trois femmes, Adrienne Monnier, Sylvia Beach et Margaret Anderson, grâce auxquelles *Ulysse,* « sa cathédrale de prose », sera édité malgré la censure anglo-saxonne. **V. Ulysse.** Joyce s'attaqua alors à un livre dont il tint le titre secret jusqu'à sa parution, le désignant « œuvre en cours » *(work in progress) :* commencé en 1922, *La Veillée de Finnegan (Finnegans Wake)* ne parut qu'en 1939. Sur le thème du sommeil, cette œuvre clôt le cycle joycien : *Ulysse* était un récit diurne, qui se terminait au seuil de la nuit. C'est Anna Livia, la rivière Liffey, près de s'anéantir dans l'Océan, son père. Pour appréhender cette réalité de l'au-delà de la conscience, Joyce devait mettre en œuvre des moyens linguistiques originaux. Comme Rabelais, il a utilisé les éléments de nombreuses langues et de toutes les variétés d'anglais, créant une écriture en métamorphose permanente. Joyce, par une nouvelle utilisation du langage, aspirait à « recréer le monde, en le délivrant de ce poids qu'est la vieille notion du Temps » (Roland Purnal) et une vision du monde, universelle, se dégage de ses livres, qui n'en font qu'un : « tout un monde dans une coquille de noix » *(« All space in a nutshell »).*

JOYEUSE (Anne *de*). ♦ Amiral de France (1561 – Coutras, 1587). Favori d'Henri* III qui le couvrit d'honneurs, il fut chargé de combattre les calvinistes en Guyenne et fut tué à la bataille de Coutras*. ♦ FRANÇOIS DE JOYEUSE, frère du précédent, cardinal (1562 – Avignon, 1615), négocia la réconciliation d'Henri* IV et du Saint-Siège, sacra Marie* de Médicis et Louis* XIII et présida les états généraux de 1614. ♦ HENRI, *duc de* JOYEUSE (Paris, 1567 – Rivoli, 1608), frère des précédents. Il se fit capucin à la mort de sa femme, Catherine de La Valette, puis revint dans le monde, commanda les armées de la Ligue* dans le Languedoc (1592), et Henri IV, auquel il avait fait tardivement sa soumission, l'en nomma gouverneur, en même temps que maréchal de France. Il retourna chez les capucins en 1599.

JOYEUSE. ♦ Ch.-l. de cant. de l'Ardèche*, arr. de Largentière, sur la Baume. 1 403 hab. *(Joyeusains).* Église du XVIIe s., château du XVIe siècle. – Confection.

Joyeuses Commères de Windsor (Les) [*The Merry Wives of Windsor*]. ♦ Comédie en cinq actes de Shakespeare (v. 1599). Sir John Falstaff, personnage bouffon de *Henri IV* et de *Henri V,* drames historiques à peu près contemporains de cette joyeuse comédie, apparaît aux prises avec deux bourgeoises dont il est amoureux. Mystifié par elles, cruellement berné, mais toujours sûr de soi, il se voit également harcelé dans une forêt par la population de Windsor qui a pris le parti des deux jeunes et plaisantes dames. La pièce s'achève dans une sorte d'apothéose où se conjuguent le comique le plus échevelé et la féerie.

JÓZSEF (Attila). ♦ Poète hongrois (Budapest, 1905 – Balatonszárszé, 1937). Dès son enfance, il connut la misère. Orphelin à quatorze ans, il travailla à Budapest, s'inscrivant bientôt à l'université de Szeged, puis voyagea en France et en Autriche. Champion des libertés démocratiques et de l'humanisme, il fonda, avec Pál Ignotus et Ferenc Fejtö, une revue littéraire et politique, *Argument* (*Szép Szó,* 1936-1938). S'intéressant à Freud autant qu'à Marx, József voulut concilier les deux, ce qui lui valut de nombreuses inimitiés chez les communistes. Il n'en est pas moins considéré comme le poète officiel du régime communiste en Hongrie. Son œuvre poétique, dense et classique (à l'exception de quelques pièces teintées de surréalisme), traduit la souffrance et le désespoir modernes : *Ce n'est pas moi qui crie,* 1925 ; *Nuit de faubourg,* 1932 ; *Danse de l'Ours,* 1934 ; *Ça fait très mal,* 1936. Ombrageux, révolté, il sombra dans le déséquilibre et se suicida en se jetant sous un train.

JUAN *(golfe).* ♦ Golfe des Alpes-Maritimes situé entre Antibes et Cannes. **V. Golfe-Juan.**

JUAN CARLOS DE BOURBON Y BOURBON *(don).* ♦ Prince d'Espagne (Rome, 1938). Petit-fils du roi Alphonse* XIII, désigné le 22 juil. 1969 par le général Franco* comme futur roi d'Espagne, il succéda à celui-ci après sa mort (nov. 1975). **V. Espagne.**

JUAN D'AUTRICHE *(don).* ♦ Prince espagnol (Ratisbonne, 1545 – Bouges, près de Namur, 1578). Fils naturel de Charles* Quint et de Barbe Blomberg, il fut élevé en Espagne et reconnu par Philippe* II comme son demi-frère. Il avait déjà maté une révolte des Morisques à Grenade (1569-1570) quand il remporta la victoire de Lépante* (1571) à la tête de la flotte chrétienne. Philippe II, jaloux, l'arrêta dans ses entreprises, mais lui permit encore de prendre Tunis (1573) et le nomma gouverneur général des Pays-Bas (1576). Ses tentatives de pacification ayant échoué (Édit perpétuel, 1577), il prit les armes et écrasa l'armée des états généraux à Gembloux (1578). Il mourut la même année, peut-être empoisonné.

JUAN D'AUTRICHE *(don).* ♦ Prince espagnol (Madrid, 1629 – *id.,* 1679). Fils naturel de Philippe* IV, il devint vice-roi des Pays-Bas en 1656 et subit la défaite des Dunes* (1658). Il intrigua contre la reine mère, pendant la minorité de Charles* II, dont il devint par la suite ministre.

JUAN DE FUCA *(détroit de).* ♦ Détroit formé par le Pacifique entre l'île de Vancouver (Canada) et le massif du Mont-Olympus (États-Unis, Washington), et faisant communiquer le Puget* Sound avec la mer libre. Il est nommé d'après un navigateur grec au service des Espagnols, qui le découvrit en 1592.

JUAN FERNÁNDEZ *(îles).* ♦ Archipel chilien du Pacifique S. qui doit son nom à la découverte qu'en fit le marin espagnol Juan Fernández, en 1574 (800 hab.). – C'est dans l'une de ces îles que devait séjourner seul, durant plusieurs années, le marin anglais Alexandre Selkirk* dont Daniel De* Foe s'inspira pour écrire son *Robinson* Crusoé.*

JUAN-JUAN [*Jouan-jouan, Ruan-ruan*]. *n. m. pl.* (mots chinois « insectes fourmillants »). ♦ Nom donné par les Chinois à une confédération de tribus proto-mongoles (parmi lesquelles les Avars* qui émigrèrent en Europe) au Ve s. en Asie centrale. Cette confédération domina un immense territoire de l'Irtysh à la Corée (Ve s.) et fut vaincue par les Türk au milieu du VIe siècle. Elle se disloqua à la fin du VIe s. et les tribus qui la composaient disparurent dans la steppe ou bien s'établirent en Chine.

JUAN-LES-PINS. ♦ Station balnéaire et hivernale renommée de la Côte d'Azur, appartenant à la comm. d'Antibes* (elle est située de l'autre côté du cap d'Antibes).

JUAN Y SANTACILIA (Jorge). ♦ Marin et géodésien espagnol (Novelda, 1713 – Madrid, 1773). Chef d'escadre des armées navales, fondateur de l'observatoire astronomique de Cadix, il participa à l'expédition de La* Condamine au Pérou. Il est l'auteur d'ouvrages de géographie et de technique navale.

JUAN YÜAN [*Jouan Yuan, Ruan Yuan*]. ♦ Lettré chinois (1784 – 1849) remarquable pour son savoir encyclopédique. Il écrivit des monographies géographiques, des commentaires des classiques, des ouvrages de mathématique et d'astronomie, des biographies. Il fut gouverneur de la province du Yunnan. Son œuvre, immense, eut une grande influence sur la pensée chinoise du XIXe siècle.

JUÁREZ (Benito). ♦ Homme politique mexicain (Oaxaca, 1806 – Mexico, 1872). Avocat d'origine indienne, libéral, il fut gouverneur de l'État d'Oaxaca* et devint président de la République en 1858. Sa politique anticléricale et sa décision de suspendre les dettes extérieures provoquèrent l'intervention de Napoléon III. Quand Maximilien* d'Autriche devint empereur du Mexique (1864), Juárez se replia dans le Nord d'où il mena la guérilla. Il captura Maximilien qui fut fusillé et rentra à Mexico où il garda la présidence jusqu'à sa mort.

JUBA Ier. ♦ ([mort] Thapsus, ~ 46). Roi de Numidie* (v. ~ 50-~ 46). Fils et successeur de Hiempsal. Partisan de Pompée* pendant la guerre civile, il fut vaincu par César* à Thapsus* (~ 46) et se donna la mort. ♦ JUBA II (v. ~ 52 – v. ~ 23). Fils du précédent. Emmené très jeune comme captif à Rome, il fut élevé par César*. Auguste* lui fit épouser Cléopâtre Séléné, fille d'Antoine* et de Cléopâtre*, et lui donna un royaume composé des deux Mauritanies et d'une partie de la Gétulie. Il écrivit en grec des ouvrages d'histoire et d'archéologie.

JUBBULPORE. ♦ V. JABALPUR.

Jubilés *(Livre des)* ou **Petite Genèse.** ♦ Apocryphe biblique (original hébreu inconnu, IIe s.; versions éthiopienne, latine). Révélation, à Moïse, de l'histoire sacrée du peuple juif, divisée en périodes jubilaires (quarante-neuf années).

JUBY *(cap).* ♦ Promontoire de la côte atlantique du S.-O. du Maroc*, au N. de Tarfaya*.

JÚCAR. *n. m.* ♦ Fl. d'Espagne orientale. 506 km. Né dans les *Montes Universales,* il traverse la Manche*, il irrigue Cuenca*, Alcira* et se jette dans le golfe de Valence.

JÜ-CHEN. ♦ V. JÜRCHET.

JUDA. ♦ Personnage biblique (*Genèse,* XXXVII-XXXVIII). Fils de Jacob et de Léa. Ancêtre éponyme d'une des tribus d'Israël, la plus peuplée, dont le territoire était au sud, autour de Jérusalem et Hébron, et devint la Judée*.

JUDA *(royaume de).* ♦ Royaume formé après la mort de Salomon (v. ~ 931), par les tribus du Sud, Juda et Benjamin, dont se séparèrent celles du Nord **(V. Israël).** Détruit par Nabuchodonosor (prises de Jérusalem en ~ 597 et ~ 587). *Princ. rois :* **V. Roboam, Abiam, Asa, Josaphat, Joram, Ochozias, Athalie, Joas, Azariah, Achaz, Ezéchias, Manassé, Amon, Josias, Joachim, Joachim, Sédécias.**

JUDAH le Prince ou **le Rabbi.** ♦ Docteur et chef politique juif (seconde moitié du IIe s. – déb. IIIe s.), « prince » *(nasi)* du sanhédrin de Galilée sous la domination romaine. Il releva l'éclat de cette charge, usa de ses relations avec l'empereur (Marc Aurèle) pour améliorer le sort des Juifs et, surtout, fut le principal rédacteur, ou ordonnateur, de la Mishnah*.

Judaïsme. *n. m.* ♦ Religion des juifs. *Judaïsme ancien* **V. Hébreux, Israël.** Lors de la destruction du Temple de Jérusalem (~ 586) et surtout après celle du second temple (70), le culte sacrificiel devenu impossible fut remplacé par le culte synagogal (récitation de la Torah*, prières) qui reste, avec une certaine évolution, celui du judaïsme contemporain. L'affirmation fondamentale est celle d'un Dieu unique **(V. Iahvé, Jéhovah)** qui a fait alliance avec Abraham* et a transmis sa Loi à Moïse*; les transgressions de la Loi sont causes du malheur actuel; un Messie* futur établira sur terre le règne de la justice. La profession de foi est le *Shema'* **(V. Écoute, Israël).** Livre sacré, **V. Bible;** ses commentaires, **V. Mishnah, Talmud.** Cinq grandes solennités : la Pâque *(Pessah),* les Semaines *(Shabu'ot),* les Tabernacles *(Sukkot)* [ces trois « fêtes du pèlerinage » commémorant respectivement la sortie d'Égypte, la révélation de la Loi sur le Sinaï, le séjour au désert], le Nouvel An (*Rosh ha-Shana,* célébrant la Création), le Grand Pardon (*Yom Kippur* ou jour des Expiations, journée de jeûne et de pénitence). Il s'y ajoute la fête des Sorts *(Purim),* fête joyeuse où on lit le livre d'*Esther**, celle de la Dédicace *(Hanukah)* commémorant les victoires de Judas Maccabée* et la nouvelle dédicace du temple, et des jours de jeûne dont le *9 ab* qui commémore la destruction des deux temples. Les fêtes ainsi que le samedi *(sabbat)* sont jours de repos obligatoire. Il y a normalement trois offices quotidiens (*shahrit, minha* et *'arbit),* auxquels s'ajoutent *mussaf* les sabbats, jours de fête et 1er du mois liturgique et, en outre, *neïla* pour le *Yom Kippur.* Observances et interdits individuels sont consignés dans le Talmud. – Princ. docteurs ou penseurs juifs : **V. Abrabanel, Akiba ben Joseph, Albo** (Joseph), **Asher ben Yechiel, Avicebron, Bahya ibn Paquda, Buber** (Martin), **Caro** (Joseph), **Crescas** (Hasdaï), **Gamaliel, Halevi** (Judah), **Hillel l'Ancien, Hillel II, Jochanan ben Nappacha, Jochanan ben Zakkai, Judah le Prince, Maïmonide** (Moïse), **Mendelssohn** (Moses), **Philon le Juif, Rashi, Saadia ben Joseph, Shammaï, Siméon bar Yohaï.** – Ésotérisme juif **V. Kabbale.**

JUDAS ISCARIOTE ou **ISCARIOTH.** ♦ (« L'homme de Kerioth » ou « le traître » en araméen). Un des douze Apôtres des Évangiles, celui qui trahit Jésus pour de l'argent. Pris de remords, il se pend (*Matthieu,* XXVII, 5); dans les *Actes,* I, 18, il « crève par le milieu ». Il est remplacé par Matthias* (*Actes, 1, 26).*

JUDAS MACCABÉE. ♦ V. MACCABÉE.

JUDE *(saint)* ou **JUDAS.** ♦ Un des douze Apôtres, que *Matthieu, X, 3 et Marc,* XIII, 18, nomment Thaddée. Frère de Jacques le Mineur. On l'identifie souvent avec Jude, frère de Jésus, de *Marc,* VI, 3. On lui attribue l'épître* canonique qui porte son nom. – Fête le 28 octobre.

JUDÉE. *n. f.* ♦ Anc. région et province jordanienne de Palestine **(V. Cisjordanie)** située au S. de la Samarie et comprise entre la mer Morte et la Méditerranée. Elle fait partie des territoires occupés et administrés par Israël depuis 1967. Aride en bordure de la mer Morte *(désert de Juda),* elle possède une plaine littorale fertile (céréales, figuiers, oliviers, orangers, vigne). – La *province de Judée,* qui compte près de 600 000 hab. avec la Samarie, est dominée par Jérusalem, sa capitale, au pied de laquelle coule le Cédron*. Soufre au S. de Jérusalem, potasse, brome. ♦ *Hist.* Après la chute du royaume de Juda* (~ 587), son territoire, appelé Judée, subit les dominations babylonienne, puis perse et séleucide tandis que les Juifs, retour de captivité, n'y formaient plus qu'une communauté religieuse **(V. Israël).** Royaume sous les Asmonéens*, la Judée tomba sous protectorat romain en ~ 63 **(V.** *aussi* **Hérode le Grand, Archélaos)** et finit par être annexée à titre de province procuratorienne **(V. Pilate),** capitale Césarée Maritime. **V. Hérode Agrippa I** et **II.** Deux révoltes importantes : 66-70 (Jérusalem rasée par Titus); 132-135 **(V. Bar Kocheba).** Englobée ensuite dans la Syrie-Palestine.

JUDÉE *(monts de),* n. m. pl. ♦ Chaîne de l'arête montagneuse centrale de la Palestine (État d'Israël), qui s'étend sur 360 km, du Liban (N.) au Sinaï (S.). Elle fait suite aux monts de Galilée* et est dominée par la ville de Jérusalem.

JUDITH. ♦ Héroïne juive (fictive) du livre de Judith. Pour sauver la ville de Béthulie, elle séduit Holopherne, le général ennemi (Assyrien), et lui coupe la tête pendant son ivresse. – *Icon.* Judith est généralement représentée tenant la tête d'Holopherne par les cheveux. Peintures de Mantegna (Washington), Botticelli (Florence, Amsterdam), Michel-Ange (chapelle Sixtine), Véronèse (Vienne, Oxford), Lucas Cranach (Gotha, Kassel, Dresde, Vienne). Sculpture de Donatello (Florence).

Judith *(Livre de).* ♦ Livre deutérocanonique de l'Ancien Testament, écrit peut-être lors de la persécution d'Antiochos Épiphane (~ 175-~ 164), connu seulement par la traduction grecque d'un original hébreu et la traduction latine (Vulgate) d'une version araméenne. Seize chapitres.

JUDITH DE BAVIÈRE (v. 800 – Tours, 843). ♦ Seconde femme de Louis* le Pieux et mère de Charles* le Chauve, elle écarta de la succession les fils que Louis le Pieux avait eus d'un premier lit, et qui se révoltèrent en 833.

Jugement dernier (Le). ♦ Fresque peinte en 1536-1541 par Michel-Ange sur le mur du fond de la chapelle Sixtine, pour le pape Paul III. Autour d'un Christ colossal s'organisent deux mouvements, l'un représentant la résurrection et la montée des élus,

Arch. Smeets

Judith, par Q. Metsys.
(Musée royal des Beaux-Arts, Anvers.)

l'autre la chute des damnés. Des draperies pudibondes furent ajoutées par D. de Volterra sur certaines figures.

Juges. *n. m. pl.* ♦ Titre donné par la Bible à plusieurs personnages, détenteurs de l'autorité sur Israël après Josué et avant l'instauration de la royauté par Samuel* au profit de Saül*. Ils sont à la fois les porte-parole de Iahvé et des chefs militaires auxquels le peuple a recours dans les temps d'oppression. Leur action se situerait à l'époque de l'installation en Palestine (~ XIIe-~ XIe s.). Principaux juges : Déborah*, Gédéon*, Jephté*, Samson*, Samuel*.

Juges *(Livre des).* ♦ Le deuxième des livres historiques de la Bible. Ensemble composite utilisant plusieurs sources, dont une d'inspiration deutéronomiste (v. ~ 600); rédaction postérieure à l'exil (*fin* ~ VIe s.). Vingt et un chapitres évoquent les rechutes d'Israël dans le polythéisme, les guerres contre les populations indigènes, les exploits des Juges* et leurs efforts pour restaurer le culte de Iahvé.

JUGLAR (Clément). ♦ Médecin et économiste français (Paris, 1819 – 1905). Il est surtout connu pour son ouvrage *Des crises commerciales et de leur retour périodique en France, en Angleterre et aux États-Unis* (1862), où il donne une des premières analyses précises du cycle des affaires, en mettant l'accent sur la relative régularité du retour des crises économiques.

JUGURTHA. ♦ (v. ~ 160 – Rome, v. ~ 104). Roi de Numidie (~ 118-~ 105). Fils illégitime de Mastanabal, ce dernier étant le plus jeune fils de Masinissa*, il reçut en partage avec ses cousins Hiempsal et Adherbal* le royaume de son oncle Micipsa*. Impatient de régner, il fit tuer Hiempsal, et Adherbal dut s'enfuir; mais Rome rétablit ce dernier sur le trône et lui confia la Numidie orientale avec Cirta* comme capitale. Désireux de reconstituer l'antique royaume de Masinissa, Jugurtha prit Cirta (~ 113) et y massacra Adherbal ainsi que les négociants romains réfugiés dans la ville. Rome lui déclara alors la guerre (~ 112). Longtemps il tint les légions en échec en corrompant les chefs romains. Après deux ans d'hésitations la guerre reprit et Metellus* battit Jugurtha à Vaga (~ 109), puis au Muthul. Mais la bataille n'était pas décisive. Sylla*, questeur de Marius*, réussit alors à entraîner Bocchus* à trahir Jugurtha et à le livrer aux Romains (~ 105). Jugurtha, emmené à Rome, fut jeté en prison et y mourut de faim.

Juif errant (Le). ♦ Roman d'Eugène Sue* (1844-1845, 10 vol.). Violemment anticlérical, ce roman-feuilleton s'articule autour de deux personnages mystérieux, le Juif et la Juive errants, qui s'efforcent de défendre une famille persécutée contre les perfidies de la Compagnie de Jésus, désireuse de capter un héritage. Accueilli avec faveur par une grande partie de l'opinion publique, l'ouvrage correspondait également, en raison des revendications sociales qu'il énonçait (avec les mêmes ambiguïtés que les *Mystères de Paris*), à l'idéologie humanitaire dont les mouvements révolutionnaires de 1848 devaient être l'aboutissement.

Juillet *(colonne de).* ♦ V. BASTILLE (la).

Juillet 1789 *(journée du* **14**). ♦ V. BASTILLE (prise de la).

Juillet *(monarchie de).* ♦ V. MONARCHIE DE JUILLET.

Juillet 1830 *(journées des 27, 28 et 29),* dites **les Trois Glorieuses.** ♦ V. RÉVOLUTION FRANÇAISE DE 1830.

JUILLY. ♦ Comm. de Seine-et-Marne, arr. de Meaux. 1 301 hab. *(Juliaciens).* Collège fondé par les Oratoriens au XVIIe s.

JUIN (Alphonse). ♦ Maréchal de France (Bône, 1888 – Paris, 1967). Fils de gendarme, il sortit major de Saint-Cyr en 1911 et servit au Maroc (1912-1914). Il fut blessé pendant la Première Guerre mondiale. Nommé au Cabinet militaire de Lyautey*, il fit la campagne du Rif en 1924 et contribua à la pacification du Maroc. Professeur de tactique générale à l'École supérieure de guerre, puis chef d'état-major du général Noguès*, commandant en chef le théâtre d'opérations en Afrique du Nord (1936-1939), il prit en 1940 le commandement de la 15e division motorisée qui se distingua à Gembloux* et à Lille. Fait prisonnier, il fut libéré en juin 1941 et succéda au général Weygand à la tête des forces françaises d'Afrique du Nord (nov. 1941). Après le débarquement allié (8 nov. 1942), il commanda le détachement d'armée française qui arrêta les forces de l'Axe en Tunisie et contribua à l'anéantissement de l'Afrikakorps. Promu commandant en chef du corps expéditionnaire français en Italie (1943), il intervint avec succès dans la tentative de débordement de Cassino* par l'est (victoire du Belvédère, fév. 1944) et imposa aux Alliés son plan pour l'offensive de printemps, marquée par la victoire du Garigliano* qui ouvrit la route de Rome* (5 juin 1944), puis celle de Sienne* (juil. 1944). Chef d'état-major général de la Défense nationale, puis résident général au Maroc (1947-1951), il fut ensuite inspecteur général des forces armées (1951-1955) et commandant interallié des forces terrestres du secteur Centre-Europe (1951-1956). Élevé à la dignité de Maréchal de France en 1952, il eut en 1967 des obsèques nationales. Ses *Mémoires* ont été publiés en 1959-1960. (Acad. fr., 1952).

Juin 1792 *(journée du 20).* ♦ Journée révolutionnaire qui fut organisée par les Girondins pour l'anniversaire du serment du Jeu de paume et au cours de laquelle les émeutiers, menés par Fournier, Legendre* et Santerre*, se dirigèrent vers l'Assemblée et le château des Tuileries. Elle fut motivée par le refus du roi de sanctionner les décrets sur la déportation des prêtres réfractaires (27 mai), sur la formation d'un camp de 20 000 gardes nationaux sous Paris (8 juin) et par le renvoi des ministres brissotins (Girondins), remplacés par des feuillants. Louis XVI accepta de coiffer le bonnet rouge et de boire à la santé de la nation; mais, heurté dans ses convictions religieuses, il maintint son veto.

Ph. collection particulière
Le maréchal **Juin**

Juin 1832 *(journées des 5 et 6).* ♦ Première insurrection républicaine sous la monarchie de Juillet. Elle débuta à l'occasion des obsèques du général Lamarque*, député de l'opposition, et s'acheva par une violente répression; les insurgés qui s'étaient retranchés rue du Cloître-Saint-Merri (ou Merry) furent en grande partie massacrés par la garde nationale. L'épisode fut immortalisé par Hugo dans *Les Misérables.*

Juin 1848 *(journées des 23 au 26).* ♦ Journées insurrectionnelles consécutives à la fermeture des Ateliers* nationaux (21 juin). Les manifestations, dont le mot d'ordre était « du travail et du pain », tournèrent rapidement à l'émeute. La Commission exécutive se démit de ses fonctions, et le ministre de la Guerre, le général Cavaignac*, investi des pleins pouvoirs, fit appel à l'armée (Magnan*) et à la garde nationale pour mater le mouvement insurrectionnel. Ces journées sanglantes (plus de 4 000 morts du côté des insurgés et plus de 1 500 du côté des forces de l'ordre) furent suivies d'une répression brutale (arrestations et déportations) qui accentua l'opposition entre le prolétariat et le mouvement socialiste, d'une part, les républicains modérés et les conservateurs, d'autre part; ceux-ci se regroupèrent peu après dans le parti de l'Ordre*.

Juin 1849 *(journée du 13).* ♦ Manifestation organisée par les députés montagnards* (Ledru*-Rollin) après la victoire du parti

Ph. Hubert Josse
Journée du **20 juin 1792,** gravure de Vérité. (Bibliothèque nationale, Paris.)

de l'Ordre aux élections de l'Assemblée législative (mai 1849) et la décision d'envoyer des forces françaises contre la République romaine (expédition de Rome*) pour rétablir l'autorité temporelle du pape. La manifestation se déroula de la place du Château-d'Eau au palais Bourbon (où elle se transforma en véritable insurrection), tandis qu'un groupe de députés tentait de former un gouvernement provisoire au Conservatoire des arts et métiers. Réprimée par les forces de l'ordre, cette insurrection fut suivie de l'arrestation de plusieurs députés montagnards.

Juives (Les). ♦ Tragédie biblique avec chœurs de Robert Garnier* (1582). Après l'échec de la révolte menée par Sédécias, le peuple juif a été conduit en captivité à Babylone par Nabuchodonosor. Annoncées par le prophète, ses épreuves sont l'effet de la volonté de Dieu qui a abandonné son peuple. En dépit de ses supplications, il verra Sédécias condamné à assister au spectacle du supplice de ses fils et de ses compagnons, avant d'être rendu aveugle. Du stoïcisme du héros se dégage une leçon d'espérance. Avec *Les Juives,* le théâtre de la Renaissance a atteint son plus haut degré de perfection.

JUIZ DE FORA. ♦ V. du Brésil dans l'État de Minas* Gerais. 194 000 hab. Archevêché. Centre brésilien de l'industrie du coton. Constructions métallurgiques, indus. alimentaires.

JUJUY (ou **San Salvador** *de*). ♦ V. de l'Argentine septentrionale, ch.-l. de la province du même nom. 75 000 hab. Évêché. Industries. — La *province de Jujuy* s'étend entre la Bolivie au N., le Chili à l'O. et la prov. de Salta* au S. et à l'E. 53 219 km². 272 000 hab. en 1965 (faible dens.). Marquée par les contreforts andins, la *sierra de Jujuy* y délimite à l'E. la puna* argentine. Cultures subtropicales : canne à sucre, coton, tabac, maté; agrumes et primeurs destinés au marché de Buenos Aires. Élevage. Pétrole et gisements de fer, zinc, plomb, étain.

JULES Ier *(saint).* ♦ 35e pape (337-352 [mort]), Romain. Il accueillit Athanase* d'Alexandrie chassé par les ariens et lutta contre l'arianisme (synode de Rome, 340). Sous son pontificat, le concile de Sardique, *auj.* Sofia (343), convoqué par l'empereur Constant, réintégra Athanase d'Alexandrie et Marcel d'Ancyre et établit juridiquement la primauté de Rome sur les autres Églises. — Fête le 12 avril.

JULES II *(Giuliano Della Rovere).* ♦ [Près de Savone, 1443 — Rome, 1513]. 214e pape, de 1503 à 1513, neveu de Sixte IV, ancien archevêque d'Avignon (1474), légat en France (1480-1484), cardinal d'Ostie, surnommé « le Terrible » pour sa rudesse et son énergie. Il restaura l'autorité du Saint-Siège face à la noblesse italienne, réduisit les factions romaines (Colonna*, Orsini*), emprisonna César Borgia* (1504). Il s'allia à Louis* XII de France contre Venise dans la ligue de Cambrai* (1508) puis, après Agnadel* (1509), à Venise contre Louis XII dans la Sainte Ligue : les Français l'emportaient quand la mort de Gaston* de Foix devant Ravenne* (1512) les contraignit à la retraite. Contre le conciliabule de Pise (1511-1512) où Louis XII avait prétendu le faire déposer, il jeta l'interdit sur la France et réunit le concile du Latran* (1512). Mécène et bâtisseur, il adopta le plan de Bramante pour la reconstruction de Saint*-Pierre, groupa des collections d'antiques au Vatican* *(Apollon du Belvédère, Laocoon),* fit travailler Raphaël* (*Chambres* du Vatican), le Pérugin, Signorelli, Michel*-Ange (son tombeau, voûtes de la Sixtine). — Beaux-arts. *Portrait de Jules II* par Raphaël (Offices, Florence); *tombeau de Jules II :* ensemble monumental commandé à Michel-Ange qui ne l'acheva pas (six projets, de 1505 à 1545). Le monument de Saint-Pierre-aux-Liens, à Rome, avec la statue du *Moïse** ; les *Esclaves* « mourant »* et *« rebelle »* du Louvre; la *Victoire* et les *Esclaves** de Florence (palais de la Seigneurie et Académie) en sont les fragments les plus célèbres.

JULES III *(Giovan Maria de' Ciocchi del Monte).* ♦ [Rome, 1487 — 1555]. 219e pape, de 1550 à 1555, ancien légat pontifical au concile de Trente*. Il réunit à nouveau ce concile (1551-1552), mais le suspendit sous prétexte de l'invasion de Maurice* de Saxe (protestant) au Tyrol. Il fut l'allié de Charles* Quint contre Henri* II de France et les protestants.

Jules César *(The Tragedy of Julius Caesar).* ♦ Drame de Shakespeare (1599). Inspirée d'un récit de Plutarque, la pièce décrit la vaine rébellion de Brutus* et de Cassius contre la fatalité historique qui achemine Rome sur la voie du pouvoir absolu. Quand il devine les vrais mobiles qui ont poussé les conjurés, ses complices, à assassiner César, Brutus se donne la mort.

JULES ROMAIN, en it. **Giulio Romano (Giulio Pippi,** dit**).** ♦ Peintre et architecte italien (Rome, 1492 ou 1499 — Mantoue, 1546). Disciple favori de Raphaël*, il travailla aux loges du Vatican, d'après les cartons du maître. Obligé de quitter Rome à la suite d'une affaire de gravures libertines, il s'installa auprès de Frédéric de Gonzague, à Mantoue (1524). C'est là qu'il passa la plus grande partie de sa carrière. La ville lui doit une grande part de son ordonnance actuelle, du fait de sa charge de préfet des Eaux et des Édifices; le dessin primitif de la cathédrale lui est également dû. Son chef-d'œuvre, qui devait marquer l'architecture italienne contemporaine, fut le palais du Té (1524-1530). Variant le style des sept façades (quatre sur la cour intérieure, trois extérieures) de l'austérité à la grâce et au maniérisme caractérisé, variant les thèmes décoratifs des appartements (thèmes amoureux dans ceux du N.-E. en hommage à Isabelle d'Este, la maîtresse de Frédéric de Gonzague; thèmes guerriers dans ceux du S.-E., en hommage

Ph. Hubert Josse

Jules Romain : détail de la « Sainte Famille ». (Musée du Louvre, Paris.)

à l'empereur Charles Quint, à qui Frédéric devait son titre ducal), il sut à la fois se montrer l'héritier de Raphaël et de Michel-Ange et innover avec virtuosité. Artiste extrêmement fécond, génie curieux, typique de la Seconde Renaissance, il est l'auteur de nombreux tableaux d'autel, de cartons de tapisseries, de dessins d'architecture, de relevés de monuments antiques. Le Primatice* qui fut son collaborateur, puis Véronèse* et Rubens* qui travaillèrent à Mantoue, subirent l'empreinte de son art grandiose et tourmenté.

JULIA *(gens).* ♦ Famille patricienne romaine à laquelle appartenait César* et qui prétendait descendre de Iule*, fils d'Énée*, et donc de Vénus*.

JULIA (Gaston). ♦ Mathématicien français (Sidi-Bel-Abbès, 1893). Auteur de travaux en théorie des nombres, en géométrie et surtout en analyse [théorie des fonctions et calcul fonctionnel]. (Acad. sc., 1934.)

JULIANA (Louise Emma Marie Wilhelmine). ♦ Reine des Pays-Bas (La Haye, 1909). Fille de la reine Wilhelmine, elle épousa en 1937 le prince Bernard de Lippe-Biesterfeld et accéda au trône en 1948.

JULIE, en lat. **Julia.** ♦ Fille d'Auguste (~ 39 — Rhegium, 14). Son père lui fit épouser d'abord son neveu Marcellus (~ 25), puis, à la mort de ce dernier, Agrippa* (~ 22) dont elle eut deux fils. De nouveau veuve en ~ 12, elle fut mariée par sa belle-mère Livie* au fils de celle-ci, Tibère* (~ 11). Bannie par Auguste pour son inconduite, elle fut exilée dans l'île de Pandateria* (~ 2) puis à Rhegium où elle mourut.

JULIE, en lat. **Julia Domna.** ♦ Impératrice romaine d'origine syrienne (Émèse, v. 158 — Antioche, 217). Femme de Septime*

Arch. Rencontre

Jules Romain : le palais du Té.

Sévère et mère de Géta* et de Caracalla*, elle prit une part importante au gouvernement. ♦ JULIE, en lat. *Julia Maesa* ([morte] v. 226), sœur de la précédente. Grand-mère d'Elagabal* et de Sévère* Alexandre, après la mort de Caracalla elle poussa l'armée d'Orient à proclamer empereur Élagabal qu'elle força ensuite à adopter son cousin Sévère Alexandre. Sous le règne des deux empereurs, elle tint un rôle important dans le gouvernement.

JULIE *(sainte).* ♦ Vierge et martyre (ve s. ?) honorée en Corse. Fête le 22 mai.

Julie d'Étanges. ♦ Personnage de *La Nouvelle* Héloïse* (1761) de J.-J. Rousseau*. Ayant enfreint, pour la loi naturelle de l'amour, les conventions sociales, Julie connaîtra le désespoir avant d'atteindre à une morale nouvelle qui lui permet de concilier la vertu (la fidélité conjugale) avec sa passion pour Saint*-Preux.

JULIEN, en lat. **Flavius Claudius Julianus**, dit **JULIEN l'Apostat.** ♦ (Constantinople, 331 – Mésopotamie, 363). Empereur romain (361-363). Neveu de Constantin* Ier le Grand, il échappa au massacre de sa famille dont Constance* II fut un des responsables. Il fut cependant éloigné de la cour et passa sa jeunesse dans les livres, s'initiant aux doctrines des philosophes néo-platoniciens. En 355, son cousin Constance II le nomma César et le préposa à la préfecture des Gaules. Le jeune prince philosophe se révéla alors un excellent chef d'armée, il écrasa les Alamans à Strasbourg (357) et se vit proclamé empereur par ses soldats (360). La mort de Constance II le laissa seul maître de l'empire. Au règne étouffant de son prédécesseur, Julien fit succéder un gouvernement plus libéral qui marqua un retour à la tolérance religieuse, ce qui favorisa la recrudescence du paganisme. L'empereur lui-même, après avoir rejeté le christianisme, se fit le restaurateur de la religion païenne, dressant contre l'Église une église païenne avec un clergé dont il était la tête, servant un culte solaire. Il mourut en 363 en combattant les Perses. Il laissa de nombreux écrits parmi lesquels un traité antichrétien *Adversus Christianus* qui nous est connu par la réfutation qu'en fit Cyrille* d'Alexandrie.

JULIÉNAS [zyljenas]. ♦ Comm. du Rhône*, arr. de Villefranche*-sur-Saône, dans le Beaujolais*. 694 hab. *(Juliénatons).* Vins rouges renommés.

JULIEN DE BRIOUDE *(saint).* ♦ Soldat romain martyr (décollation) en 304 près de Brioude, selon Grégoire de Tours. – Fête le 28 août.

JULIEN D'ÉCLANE, en lat. **Julianus Eclanensis.** ♦ Hérésiarque italien (v. 380 – v. 445), évêque d'Eclanum, en Campanie (416). Défenseur du pélagianisme **(V. Pélage),** il fut déposé et se réfugia en Orient. Il fut le principal adversaire de saint Augustin* après la mort de Pélage. Auteur de huit livres *A Florus.*

JULIEN DE TOLÈDE *(saint).* ♦ [Tolède, v. 642 – 690]. Archevêque de Tolède en 680, auteur du *Prognosticon,* sur le destin de l'âme après la mort.

JULIEN L'HOSPITALIER *(saint).* ♦ Personnage légendaire du XIIIe s., dont l'histoire, vulgarisée par la *Légende dorée,* inspira un des *Trois* Contes* de Flaubert. Julien, chasseur forcené, reçoit d'un cerf la prédiction qu'il tuera son père et sa mère. Il fuit, mais, un jour, tue ses parents par méprise. En expiation, il se fait passeur au bord d'un fleuve. Le Christ, sous l'apparence d'un lépreux, lui apporte son pardon.

JULIENNE DE NORWICH, en angl. **Julian**, ou moins correctement **Dame Juliana.** ♦ Mystique anglaise (Norwich ?, 1342 – Carrow, après 1416). Après une maladie, elle eut des visions du Christ et de la Vierge (1373). Ses *Révélations* en donnent un récit bref et un commentaire plus long, écrits ou dictés à vingt ou trente ans d'intervalle. Elle finit sa vie comme recluse à Carrow.

JULIERS, en all. **Jülich.** ♦ V. d'Allemagne occidentale (Rhénanie-Westphalie), au N.-E. d'Aix-la-Chapelle. 14 300 hab. Centre de recherches nucléaires. ♦ *Hist.* Fondée par César qui lui donna son nom *(Juliacum),* la V. devint au XIe s. le centre d'un comté, puis d'un duché (1356) qui fut rattaché avec Berg* au duché de Clèves (1423). La disparition du dernier duc de Clèves, mort sans héritier, provoqua des querelles entre les protestants, l'empereur et le roi de France Henri IV, qui revendiquaient Juliers (guerre de Succession de Juliers, 1609). La ville et le duché furent finalement attribués au Neubourg (traité de Xanten, 1614), puis passèrent à la Bavière (1777). Elle fut sous l'Empire le ch.-l. du département français de la Röer et fut en 1815 rattachée à la Prusse.

Ju-Lin-Wai-Shih [*Rulin Waishi, Jou-Lin Wai-che*] (« la forêt des lettrés »). ♦ Suite de nouvelles chinoises, sorte de description des mœurs de la Chine au début du XVIIIe s., œuvre de Wu Jingtzu (1701 – 1754). Cette satire de l'hypocrisie sociale est devenue un classique de la littérature narrative chinoise.

Julio-Claudienne *(dynastie).* ♦ Nom donné à la dynastie d'empereurs romains fondée par Auguste* à laquelle appartiennent Auguste, Tibère*, Caligula*, Claude* et Néron*. Ils descendaient en effet soit de la gens Julia*, par Auguste, soit de la gens Claudia par le premier mariage de Livie*, femme d'Auguste, avec Tiberius Claudius Nero, soit d'unions par mariage avec ces deux branches.

JULIUS NEPOS. ♦ Empereur romain d'Occident (474-475), détrôné par Oreste*. Mort près de Salone en 480.

JULLIAN (Camille). ♦ Historien français (Marseille, 1859 – Paris, 1933), auteur de recherches historiques sur la Gaule et sa civilisation. *Histoire de la Gaule* (1907-1928); *De la Gaule à la France* [1922]. (Acad. fr., 1924.)

JULLUNDUR. ♦ V. de l'Inde (Panjâb) à 80 km au S.-E. d'Amritsar*. 288 700 hab. (aggl. 342 000). Important nœud ferroviaire et routier et centre industriel (textiles).

JUMET. ♦ Comm. de Belgique dans la banlieue indus. de Charleroi (Hainaut). 28 800 hab. Chapelle de Heigne (1200). – Verreries. Miroiteries. Houillères.

JUMIÈGES. ♦ Comm. de la Seine*-Maritime (arr. de Rouen*), sur la Seine. 1 305 hab. (475 aggl.). Ruines d'une abbaye fondée en 654, avec une remarquable église abbatiale du XIe s. ; ruines de l'église Saint-Pierre des Xe et XIIe siècles.

JUMILHAC-LE-GRAND. ♦ Ch.-l. de cant. de la Dordogne*, arr. de Nontron*. 1 654 hab. *(Jumilhacois).* – Château du XVe siècle.

JUMNA. ♦ V. YAMUNÂ.

JUMRUK-ČAL. ♦ V. BOTEV.

JUNA BAHÂDÛR RANA. ♦ Homme politique népalais. Premier ministre du Népal* de 1846 à 1877, il réforma l'administration du Népal et battit le Tibet en 1854-1855. Il fut un fidèle allié des Anglais lors de la sanglante révolte des Sipahi (Cipayes) de 1857. Son titre devint héréditaire et devait rester à la famille Rana jusqu'après 1945.

JUNEAU. ♦ Cap. de l'État d'Alaska, V. de 10 000 hab. env., située sur la côte sud.

JUNG (Johann Heinrich, dit **STILLING).** ♦ Écrivain allemand (Grand, près de Nassau, 1740 – Karlsruhe, 1817). Fils de paysans, élevé dans une religiosité piétiste qui s'exprime à travers son œuvre, il fut autodidacte avant d'entreprendre des études de médecine à Strasbourg; il y fréquenta Herder et Goethe, qui publia la première partie de son autobiographie *Heinrich Stillings Jugend* (1777). À ses souvenirs d'enfance, remplis d'observations précises sur la vie familiale dans les campagnes de son temps, firent suite les récits de ses années d'adolescence et de voyage (*Stillings Jüngligsjahre* et *Stillings Wanderschaft,* 1778). Très populaire en Allemagne du Sud où il contribua à maintenir le piétisme, cet ouvrage s'inscrit, par sa sensibilité, dans la ligne du *Sturm* und Drang.*

JUNG (Carl Gustav). Psychiatre et psychologue suisse (Kesswil, Thurgovie, 1875 – Küsnacht, 1961). Disciple de S. Freud* à partir de 1906, il s'en sépara en 1913 après avoir publié *Métamorphoses et symboles de la libido* (1912, devenu *Métamorphoses de l'âme et ses symboles,* 1944). Refusant en effet d'attribuer à la libido un caractère exclusivement sexuel, Jung y voit une énergie vitale, primordiale et universelle, dont l'orientation vers le monde extérieur ou la vie intérieure permet de distinguer deux types psychologiques fondamentaux : l'extraverti et l'introverti (*Types psychologiques,* 1921) [**V. Rorschach**]. L'idée la plus originale de la théorie de Jung est certainement celle d'inconscient collectif. Fonds commun de toute l'humanité, celui-ci est structuré par des « archétypes » (ceux des parents, de l'*animus* et de l'*anima*), schèmes éternels de l'expérience humaine, qui s'expriment dans les images symboliques collectives (mythes, religions, folklore, contes populaires, etc.), ainsi que dans les œuvres d'art, les rêves individuels et les symptômes névrotiques. Rejoignant l'alchimie, dont elle prétend déchiffrer les énigmes, la psychologie analytique (ou psychologie des profondeurs) de Jung est une tentative pour atteindre ce fonds commun qui constitue l'unité de l'individu, de l'espèce et du cosmos. (*Dialectique du moi et de l'inconscient,* 1928; *L'Homme à la découverte de son âme,* 1943; *Psychologie et Alchimie,* 1944).

JUNG CH'ENG (Jong Tch'en, Rong Chen). ♦ Sage chinois mythique, maître de l'empereur (mythique lui aussi) Huang-Ti et,

Ph. Hétier

Jumièges : l'abbaye.

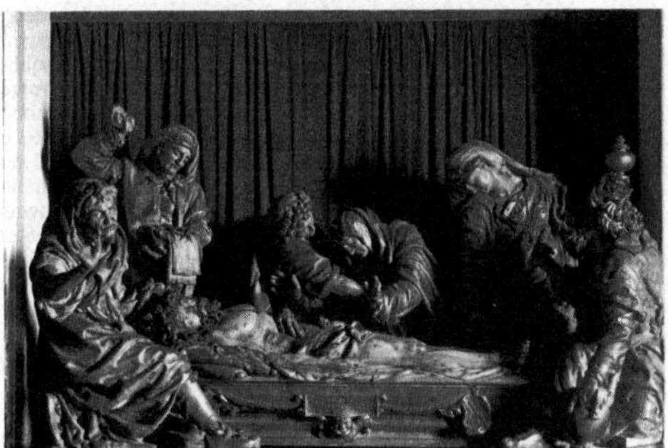

Arch. Rencontre

Juan de Juni : « Mise au tombeau ».
(Musée de Valladolid.)

plus tard, celui de Lao* Tzu. Il aurait été l'inventeur de la musique et du calendrier.

JÜNGER (Ernst). ♦ Écrivain allemand (Heidelberg, 1895 –). À 17 ans, il s'enfuit de chez lui et, engagé dans la Légion étrangère, partit pour l'Afrique où il connut, comme il le dira dans *Jeux africains* (1936), « la splendide anarchie de la vie... ». Après avoir participé à la Première Guerre mondiale, il donna dans différents ouvrages (*Orages d'acier – In Stahlgewittern,* 1920; *La Guerre notre mère – Der Kampf als inneres Erlebnis,* 1922; *Le Feu et le Sang – Feuer und Blut,* 1926) une dangereuse justification de la guerre, qu'en esthète il considérait comme une fin en soi, une « unité magique de l'esprit et du sang ». Venu ensuite à la politique, il participa quelque temps au mouvement « national-bolchevisme » (d'E. Niekisch). Sans être explicitement hitlériens, ses écrits de cette époque, *Le Cœur aventureux* (1929), *La Mobilisation totale* (1931), *L'Ouvrier* (1931), en faisant l'apologie du machinisme et de la révolution nationale, servirent les débuts du nazisme, que Jünger devait ensuite condamner dans plusieurs ouvrages : *Sur les falaises de marbre* (*Auf den Marmorklippen,* 1939; trad. fr., 1942); *La Paix* (*Der Friede,* 1941-1943), son journal, et dans *Héliopolis* (1949) qui après la guerre joua un rôle presque comparable à celui du *Docteur* Faustus* de T. Mann et du *Jeu* des perles de verre* d'H. Hesse. Personnalité partagée « entre instinct et conscience, entre contemplation et action, entre ivresse et ascèse... » (J. Rausch), E. Jünger, auquel furent souvent reprochés ses ambiguïtés et ses paradoxes, revint dans ses dernières œuvres vers un anarchisme aristocratique et solitaire, affirmant le rôle de l'individu face aux dictatures, à l'influence des masses (*Traité du rebelle – Der Waldgang,* 1951), condamnant la civilisation technique qu'il avait jadis louée (*Le Livre du sablier – Das Sanduhrbuch,* 1954).

JUNGFRAU. *n. f.* (« la jeune fille »). ♦ Sommet des Alpes bernoises (Suisse) dominant la vallée de Lauterbrunnen au-dessus d'Interlaken*. 4 158 m. Il sépare les cantons de Berne et du Valais. La voie ferrée la plus haute d'Europe joint la Petite Scheidegg au Jungfraujoch (3 454 m). Un observatoire a été construit au sommet. Ski d'été. – La première ascension de la Jungfrau fut effectuée en 1811 par J.R. et H. Meyer, par la face est.

JUNGMANN (Josef). ♦ Professeur et théoricien littéraire tchèque (Hudlice, 1773 – Prague, 1847). Influencé par le romantisme allemand (Herder), il contribua à l'élaboration de la langue poétique tchèque par deux traductions, celle d'*Atala* de Chateaubriand* (1805) et celle du *Paradis perdu* de Milton* (1811). Puis, après une *Histoire de la littérature tchèque* (1825), il rédigea un très remarquable *Dictionnaire tchèque-allemand* (1839). Patriote ambitieux, il contribua à élargir le mouvement national tchèque en décrivant et en contribuant à enrichir la langue et en donnant son essor à la littérature tchèque.

JUNI (Juan *de*). ♦ Sculpteur espagnol d'origine française (Joigny, 1507 – Valladolid, 1577). Il est probable qu'il séjourna en Italie avant de se rendre en Espagne. À León, Valladolid, Salamanque et Ségovie, il exécuta de nombreux groupes en terre cuite et surtout des retables et des statues en bois polychrome où prévaut la recherche de l'expression pathétique *(La Vierge tenant le corps du Christ mort).* Il insiste sur les détails horribles, les gestes tourmentés, les mimiques contractées, mais l'extrême animation de ses premières œuvres s'atténue quelque peu à partir de 1560 (*Mise au tombeau* de la cathédrale de Ségovie). Son art, en partie tributaire de Sluter* et de Jacopo della Quercia, reflète aussi l'influence du maniérisme (poses instables et sinueuses). Exprimant un mysticisme exalté et morbide, il fut avec Berruguete* l'un des plus brillants représentants de la sculpture hispanique.

Junimea *(la Jeunesse).* ♦ Société littéraire roumaine fondée en 1863 à Iaşi par Titu Maiorescu*; sa tribune fut la revue *Convorbiri Literare (Entretiens littéraires).* Elle joua un rôle fondamental dans l'élaboration théorique du renouveau littéraire roumain et fut fréquentée par les « grands classiques », Eminescu*, Creangă*, Caragiale*. À la fin du XIXe s., elle devint, à Bucarest, un parti politique (néo-conservateur).

JUNÌN. ♦ V. d'Argentine (prov. de Buenos* Aires), située sur le rio Salado, dans la zone de cultures et d'élevage de la Pampa* humide. Env. 60 000 hab. Marché agricole.

JUNÍN. ♦ Bourgade de l'*Altiplano* péruvien, située à 4 000 m dans les Andes centrales, à la frontière N. du *département de Junín* (32 354 km². 506 100 hab. env.) dont le ch.-l. est Huáncayo* (**V.** *aussi* **La Oroya**). – Victoire de Bolivar* sur les Espagnols en 1824 (**V. Pérou**).

JUNIVILLE. ♦ Ch.-l. de cant. des Ardennes, arr. de Rethel, en Champagne pouilleuse (N.). 718 hab. Café Prévost, que fréquentait Verlaine.

JUNKCEYLON. ♦ V. PHUKET.

JUNKERS (Hugo). ♦ Industriel allemand (Rheydt, 1859 – Gauting, près de Munich, 1935). Inventeur du moteur à piston double, il étudia la compressibilité des gaz et les moteurs à huile lourde. Après avoir réalisé un tunnel aérodynamique (1912), il se consacra aux recherches d'aéronautique et construisit le premier avion entièrement métallique, remplaçant l'acier, le bois et la toile par le *duralumin,* ainsi que de nombreux appareils militaires.

JUNON, en lat. **Juno.** ♦ Déesse de la nature féminine dans la religion romaine, assimilée à l'Héra grecque. **V. Héra.** Divinité primordiale avec Jupiter*, dont elle est considérée comme l'épouse, Junon était déjà honorée chez les Italiques et les Étrusques. À l'origine et dans la tradition romaine, elle est investie de tous les caractères de la féminité (fonctions matrimoniale, génitale, etc.) et figure dans la triade capitoline (Jupiter-Junon-Minerve). Elle jouait un rôle très important dans la civilisation romaine (chaque femme a sa *Juno* équivalant au *Genius* de l'homme) et qui était adorée sous des formes multiples : *Juno Moneta* (« celle qui avertit ») qui possédait un sanctuaire sur la Citadelle, ou *Juno Caelestis* en Afrique. Le mois de juin, *Junius,* lui était consacré.

JUNOT (Andoche, *duc d'***Abrantès).** Général français (Bussy-le-Grand, Bourgogne, 1771 – Montbard, Côte-d'Or, 1813). Bonaparte le remarqua au siège de Toulon (1793), en fit son aide de camp (1794) et l'emmena en Égypte. Général de division (1801), gouverneur de Paris (1804), ambassadeur à Lisbonne (1805), il était commandant de l'armée du Portugal en 1807; il remporta une victoire à Abrantès, entra à Lisbonne en novembre, mais, battu par Wellesley à Vimeiro (août 1808), il dut signer la capitulation de Sintra* (30 août 1808). Il fit ensuite la guerre en Espagne, participa à la campagne de Russie. Il était gouverneur des provinces illyriennes (1813) quand il fut frappé de folie. Il revint dans sa famille et se suicida peu après. ♦ Sa femme, LAURE PERMON, *duchesse d'*ABRANTÈS (Montpellier, 1784 – Paris, 1838) a laissé des *Mémoires* ou *Souvenirs historiques sur Napoléon* (1831-1835).

JUNTE. ♦ V. GIUNTA.

JUPEON. ♦ V. HSÜ PEI-HUNG.

JUPILLE-SUR-MEUSE. ♦ Comm. de Belgique, prov. et arr. de Liège. 11 000 hab. Château de Fayembois (1625). – Indus. métallurgiques. – Pépin* le Jeune ou d'Herstal y mourut en 714.

JUPITER, le « Père Jour », forme de vocatif issue d'un ancien *diês-pater* formé sur la racine *dei* – « briller » (sanskrit *dyáuh;* gr. *dyeus.* **V. Zeus**; *et aussi* **Junon, Tyr**). ♦ Dieu italique et romain assimilé au Zeus* des Grecs. Principale divinité du panthéon romain, Jupiter apparaît comme le dieu du ciel, de la lumière diurne et des éléments (météorologie, foudre, tonnerre). Même investi de tous les mythes relatifs à Zeus, il n'en resta pas moins le dieu de Rome par excellence et prit une importance politique de plus en plus considérable. Il règne sur le Capitole qui lui est consacré et y est honoré sous l'épithète d'*Optimus Maximus.* Sous la République c'est à lui que le consul, à son entrée en charge, présente ses offrandes; c'est à lui que s'adresse le triomphe, il est le garant de la fidélité aux traités et préside aux relations internationales. Les empereurs, quand ils ne se veulent pas incarnation directe du dieu, se placent toujours sous sa protection. Caligula s'attribua même le surnom d'Optimus Maximus. Jupiter était invoqué

Ph. Tétrel

La **Jungfrau.**

Ph. Nimatallah/Ricciarini

Jupiter. Copie romaine du ~ IIe s. (Musée national romain, Rome.)

sous plusieurs noms : *Stator* (celui qui arrête), *Feretrius* (celui qui frappe), *Elicius* (celui qui fait descendre la foudre).

JUPITER. ♦ Cinquième des planètes principales du système solaire, dans l'ordre croissant des distances au Soleil* (en prenant pour unité le demi grand axe de l'orbite terrestre, la distance varie de 6,45 à 3,95). *Diamètre :* 142 000 km (la plus grosse des planètes); *densité :* 1,36; *rotation* sur elle-même : 9 h 50 mn env., autour du Soleil : 11 ans 315 jours; *température* en surface : env. −140 °C. Son atmosphère est constituée par des cristaux d'ammoniac nageant dans du méthane liquéfié, solidifié en profondeur. *Satellites :* on en connaît douze, dont les distances à la planète sont comprises entre 181 000 km et 25 millions de km. Les principaux sont : Io, Europe, Ganymède et Callisto.

JURA. *n. m.* (du lat. *juria,* « forêt »). ♦ Système montagneux d'Europe s'étendant en arc de cercle entre le Rhône et le Rhin sur 230 km de long et 61 km de large. Il se situe principalement en France et en Suisse et se prolonge au delà du Rhin en Allemagne par les Jura souabe et franconien. Il doit sa formation au soulèvement des Alpes qui a plissé et disloqué les sédiments accumulés au secondaire (calcaires jurassiques) donnant deux types de paysages caractéristiques : à l'O., des plateaux calcaires de relief karstique *(Jura tabulaire),* à l'E., une chaîne plissée très régulièrement *(Jura plissé).* Le *Jura français* comprend les dép. du Doubs, de l'Ain et du Jura et recouvre la circonscription d'action régionale de Franche*-Comté. Il est constitué à l'O. par une série de plateaux qui s'élèvent en gradins entre 500 et 1 000 m, au-dessus de la vallée de la Saône (plateaux de Champagnole, de Moirans, de Poligny). Ces plateaux sont eux-mêmes bordés par une corniche accidentée (Revermont* au S., Vignoble plus au N.) et compartimentés par de courtes vallées aux parois verticales, les *reculées,* ou par des plis isolés (chaîne du Lomont* au N.). L'E. est constitué par des chaînons parallèles *(monts)* séparés par des *vals* et coupés par des *cluses.* Princ. sommets : Crêt de la Neige (1 723 m), Reculet (1 720 m), Crêt d'Eau (1 624 m), Grand-Colombier (1 534 m), Dent-du-Chat (1 497 m), Dôle (1 681 m), mont Tendre (1 680 m), Chasseron (1 607 m) en Suisse. Le Jura est arrosé par la Loue*, l'Ain*, la Bienne* et le Doubs* dont le cours supérieur forme au N. la frontière entre *Jura français* et *Jura suisse.* Le versant suisse domine le Mittelland jusqu'au confluent de l'Aar et du Rhin. Le Jura franco-suisse est essentiellement une zone de forêts et d'élevage. Le climat y est rude et humide. Les principales ressources économiques sont la culture de la vigne dans le Jura méridional, la fabrication du fromage (comté en France, gruyère en Suisse) et l'indus. du bois. Les centres d'artisanat sont devenus des centres d'indus. spécialisées : horlogerie, lunetterie, lapidairerie, indus. des pipes, indus. des plastiques. L'abondance d'énergie hydro-électrique a favorisé le développement de nouvelles indus. (textiles, aciers spéciaux, métallurgie). Le tourisme y est très actif. **V. Franche-Comté** et **Suisse.** – En Allemagne, le *Jura souabe (Schwäbische Alb)* et le *Jura franconien (Frankische Alb)* prolongent le Jura suisse au N.-E. entre les cours supérieurs du Danube et du Main. **V. Souabe-Franconie.**

JURA. [**39**]. *n. m.* ♦ Dép. de l'E. de la France (région [anciennement C.A.R.] de Franche*-Comté) frontalier de la Suisse. 5 008 km². – *Orogr. et hydrogr.* Le dép. s'étend sur des terrains variés. Au S.-E. s'élèvent les chaînes calcaires parallèles de la montagne du Jura*, au N.-O., le plateau du Jura, profondément entaillé par l'Ain* et ses affluents, avec des gorges pittoresques. Le bord escarpé du plateau domine des plaines fertiles **(V. Bresse)** et l'extrémité N.-O. du dép. s'étire entre le bas Doubs* et l'Ognon*. Les basses terres abritées ont des étés chauds et ensoleillés et des hivers relativement humides et s'opposent à la montagne, aux hivers longs et durs, à l'agriculture limitée ; vastes forêts à haute altitude (conifères ; arbres à feuilles caduques), l'élevage (bovins) est orienté vers la production laitière (nombreux fromages). En Bresse règne la polyculture (blé, maïs, betterave sucrière, fourrage). La vigne est cultivée le long des reliefs marginaux du Jura **(V. Arbois, Poligny).** La seule ressource minérale est le sel. Cependant la densité de la population augmente, grâce au développement des indus. manufacturières, des indus. électriques, des indus. de précision (taille des pierres, instruments d'optique, horlogerie; pipes [**V. Saint*-Claude**]) et du traitement des matières plastiques. Au N. du Doubs se situe la principale voie de communication. ♦ 32 cant., 578 comm., 234 484 hab. *Préf.* Lons*-le-Saunier. *Sous-préf.* Dole*, Saint*-Claude. *Ch.-l. de cant.* Arbois*, Arinthod (1 155 hab.), Beaufort [anc. Beaufort-du-Jura] (781 hab.), Bletterans (1 121 hab.), Bouchoux (Les) [319 hab.], Champagnole*, Chaumergy (436 hab.), Chaussin (1 282 hab.), Chemin (317 hab.), Clairvaux*-les-Lacs, Conliège*, Dampierre*, Gendrey*, Moirans*, en-Montagne, Monbarrey (281 hab.), Montmirey-le-Château (121 hab.), Morez*, Nozeroy*, Orgelet*-le-Bourget, Planches-en-Montagne (Les) [156 hab.], Poligny*, Rochefort-sur-Nenon (294 hab.), Saint*-Amour, Saint-Julien-sur-Suran (420 hab.), Saint*-Laurent-en-Grandvaux, Salins*-les-Bains, Sellières*, Villers-Farlay, Voiteur. – *Autres comm.* **V. Baume-les-Messieurs, Rousses (Les), Septmoncel, Tavaux.**

JURA. ♦ Île d'Écosse occidentale (comté d'Argyll), entre les îles d'Islay* et Mull*, et séparée du continent (presqu'île de Kintyre) par le *Sound of Jura.* 378 km². 800 habitants.

JURANÇON. ♦ Comm. des Pyrénées-Atlantiques, dans l'arr. et la banlieue de Pau*. 7 609 hab. Fabrication de bérets et de chaussures. Vin du Béarn. – Sanatorium.

JURA SUISSE. ♦ 23e canton de la Confédération helvétique. Sa création a été prévue pour 1977 à la suite d'un référendum.

JÜRCHET, JÜRCHEN ou **JÜ-CHEN (Ruzhen).** *n. m. pl.* ♦ Peuple d'origine Tunguz, originaire de Sibérie orientale qui, en 1115, fut à l'origine de la dynastie des Chin* en Mandchourie. Peuple chasseur et éleveur de chevaux, il établit un empire sur tout le bassin du bas Amour et changea son nom en celui de Mandchou* (Manchu) au début du XVIIe siècle. Les Jürchet régnèrent sur la Chine à partir de 1644 (dynastie des Ch'ing*, à Peking).

JURČIĆ (Josip). ♦ Conteur et romancier slovène (Muljava, 1844 – Ljubljana, 1881). Il est célèbre pour ses romans historiques qui témoignent de l'influence de W. Scott* : *Jurij Kozjak* (1864), *Le Dixième Frère* (1866), *La Belle Vida* (1877), *Le Saint et le Maître* (1886).

JURIEN DE LA GRAVIÈRE (Pierre Roch). ♦ Amiral français (Gannat, Bourbonnais, 1772 – Paris, 1849). Il lutta victorieusement contre les Anglais aux Sables-d'Olonne (1809); rallié à Louis XVIII qui le fit vicomte, il fut nommé vice-amiral (1831) et pair de France (1832) sous la monarchie de Juillet. ♦ JEAN EDMOND JURIEN DE LA GRAVIÈRE, son fils. Amiral français (Brest, 1812 – Paris, 1892). Après avoir participé à la guerre de Crimée et à l'expédition du Mexique, il fut nommé aide de camp de Napoléon III (1864), puis commandant d'une escadre en Médi-

Ph. Hétier

Jura : reculée de Baume-les-Messieurs.

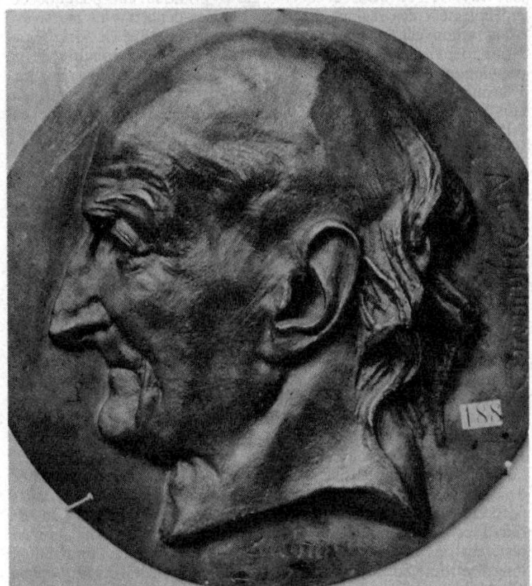

Ph. Giraudon

Antoine Laurent de **Jussieu,** par David d'Angers. (Bibliothèque nationale, Paris.)

terranée (1870). Directeur des Cartes et Plans de la marine en 1871, il a laissé de nombreux ouvrages sur l'histoire de la marine [*Guerres maritimes sous la République et l'Empire,* 1847]. (Acad. sc., 1866; Acad. fr., 1888.)

JURIEU (Pierre). ♦ Pasteur calviniste français (Mer, près de Blois, 1637 — Rotterdam, 1713). Professeur à l'académie protestante de Sedan (1674) puis, à la fermeture de celle-ci (1681), à Rotterdam, il soutint des polémiques contre Arnauld* (*Apologie pour la morale des réformés,* 1675), contre Bossuet* (*Préservatif contre le changement de religion,* 1677), contre Maimbourg. Il fut conseiller de Guillaume d'Orange, agent de l'Angleterre, et, après la révocation de l'édit de Nantes, l'âme de la résistance calviniste à Louis XIV (*Lettres pastorales aux fidèles qui gémissent sous la captivité de Babylone,* 1686-1689).

JURUÁ. ♦ Riv. du Brésil, issue du Pérou, elle traverse les États d'Acre* et d'Amazonas* et se jette dans l'Amazone* (r. d.). 2 000 km environ.

JU SI-GYEONG. ♦ Littérateur et grammairien coréen (1876 — 1914) auteur de nombreux ouvrages sur la phonétique et la syntaxe. Il est auj. considéré comme le véritable créateur de la langue coréenne moderne.

JUSSEY. ♦ Ch.-l. de cant. de la Haute-Saône, arr. de Vesoul. 2 412 hab. Église du XVIIIe siècle. Centre commercial. Scierie. Fromagerie.

JUSSIEU. ♦ Célèbre famille de botanistes et médecins français. ♦ ANTOINE DE JUSSIEU (Lyon, 1686 — Paris, 1758). Médecin et professeur au Jardin du roi, auteur d'un *Traité des vertus des plantes* (Acad. sc., 1715). ♦ (Ses frères) : BERNARD (Lyon, 1699 — Paris, 1777). Démonstrateur au Jardin du roi, il apporta d'Angleterre deux cèdres du Liban, en 1734, dont l'un subsiste toujours au Jardin des plantes, à Paris. (Acad. sc., 1739.) — JOSEPH (Lyon, 1704 — Paris, 1779). Botaniste et voyageur, il visita l'Amérique du Sud et introduisit en Europe plusieurs variétés de plantes ornementales. ♦ (Leur neveu) : ANTOINE LAURENT (Lyon, 1748 — Paris, 1836). Botaniste français, professeur au Jardin du roi puis directeur du Muséum, il a donné un exposé des principes servant de base à la méthode naturelle [*Genera plantarum secundum ordines naturales disposita,* 1788] (Acad. sc., 1795). ♦ (Son fils) : ADRIEN (Paris, 1797 — 1853). Botaniste, célèbre par un ouvrage sur les *Embryons monocotylédonés* (Acad. sc., 1831).

JUSTE *(les).* ♦ Nom français d'une famille de sculpteurs d'origine florentine issue de GIUSTO BETTI dont les principaux représentants furent : ANTOINE (Corbignano, 1479 — Tours, 1519). Il se fixa en France en 1504 et réalisa notamment les statues d'albâtre des douze apôtres pour la chapelle du cardinal d'Amboise au château de Gaillon (1508-1509) et les bas-reliefs du *mausolée de Louis XII et d'Anne de Bretagne,* destiné à la basilique de Saint-Denis. ♦ JEAN Ier (San Martino, Florence, 1485 — Tours, 1549). Établi à Tours en 1513, il collabora avec son frère Antoine au mausolée de Louis XII, sculptant les figures royales agenouillées, d'une conception sobre et apaisée, et les figures dramatiques des gisants, traitées avec un réalisme sans concession. Par son agencement et le caractère de son décor, ce mausolée fut le premier tombeau monumental de la Renaissance française. ♦ JEAN II (Tours, 1510 — *id.,* 1579). Il fut le seul collaborateur de son frère et réalisa seul plusieurs tombeaux, notamment celui de Guy d'Espinay. ♦ JUSTE DE JUSTE (Tours, 1505 — *id.,* 1559). Collaborateur de son père Antoine et de son oncle Jean Ier, il exécuta les statues des *Vertus* et des *Apôtres* du mausolée de Louis XII. Nommé en 1529 sculpteur de François Ier, il participa en 1533 à la décoration de la *Grande Galerie* du château de Fontainebleau*. — Les Juste contribuèrent à propager en France le vocabulaire ornemental et la conception monumentale de la Renaissance italienne.

JUSTIN (Marcus Junianus Justinus). ♦ Historien latin (IIe s.), auteur d'une *Histoire universelle* en quarante-quatre livres, résumé des *Histoires philippiques* de Trogue Pompée.

JUSTIN *(saint).* ♦ [Flavia Neapolis, auj. Naplouse, v. 100 — Rome, v. 165]. Apologiste chrétien de langue grecque. Après avoir pratiqué la philosophie païenne, il se convertit et mourut martyr (décapité). Il est l'auteur du *Dialogue avec Tryphon* (polémique avec un juif) et de deux *Apologies.* — Fête le 13 avril.

JUSTIN Ier. ♦ (Bederiana, Illyrie, v. 450 — Constantinople, 527). Empereur d'Orient (518-527). Partisan de l'orthodoxie, il se rapprocha de la papauté et persécuta les monophysites. Dans le but de détacher les sujets catholiques de Théodoric* le Grand, il persécuta également les ariens. Il associa au trône son neveu Justinien* (527).

JUSTIN II. ♦ (mort en 578). Empereur d'Orient (565-578). Neveu et successeur de Justinien* Ier, il gouverna d'abord avec sagesse et modération en s'efforçant de maintenir l'œuvre de son prédécesseur; mais, ensuite, sa politique extérieure, dirigée par les intrigues de l'impératrice Sophie **(V. Narsès),** fut désastreuse : les Lombards envahirent la moitié de l'Italie (568-573), les Avars réimposèrent le paiement d'un tribut, les Slaves s'infiltrèrent dans les Balkans et la guerre perse reprit **(V. Khosro).** Mentalement diminué et sous l'influence absolue de Sophie, Justin adopta le général Tibère* Constantin et l'associa au trône avec le titre de César.

JUSTINE *(sainte).* ♦ Vierge et martyre vénérée à Padoue. Elle aurait été victime de la persécution de Néron (64) ou de celle de Maxence (302). Fête le 7 octobre.

Justine ou les Malheurs de la vertu, *suivie de l'Histoire de Juliette, sa sœur.* ♦ Roman du marquis de Sade*, qui connut trois rédactions (1787, 1791 et 1797). Racontant avec une froide objectivité les aventures de la vertueuse Justine soumise à tous les sévices mais résistant à la corruption, ce « roman-feuilleton génial » (Maurice Heine) exalte des personnages exempts de toute crainte religieuse et assurés de l'impunité absolue par leur rang, leurs richesses ou le secret dont ils s'entourent; ils soumettent leurs victimes, désormais « mortes au monde », à toutes les violences sexuelles et aux tortures les plus raffinées au cours d'orgies où ils cherchent inlassablement à assouvir des désirs que Sade justifie en de longues dissertations idéologiques. Car la nature tolère le triomphe de la « Société des amis du crime », comme l'illustre le second récit, *Juliette ou les Prospérités du vice,* dont l'héroïne, au mépris de toute « puissance, divine ou humaine », fait du monde le « Théâtre (de ses) cruautés ».

JUSTINIEN Ier (Flavius Petrus Sabbatius Justinianus). ♦ (Tauresium, Illyrie, 482 — Constantinople, 565). Empereur romain d'Orient (527-565). Neveu et principal collaborateur de Justin* Ier, il fut associé à l'Empire en 527 et lui succéda dans la même année. Monarque orgueilleux à tendances despotiques, il était imbu du concept de l'unité romaine. D'une vaste culture classique doué d'une extraordinaire puissance de travail, mais de caractère faible, il subit diverses influences; celles de l'impératrice Théodora*, associée au trône dès 527, fut le plus souvent positive. Son règne marque le dernier grand effort pour la reconstitution de l'Empire romain dans son intégrité territoriale, mais aussi dans son unité institutionnelle et ecclésiastique. Au profit de sa politique occidentale, Justinien se hâta d'abord de liquider la guerre perse concluant la paix avec Khosro* Ier (532). Ensuite, par une série de

Ph. Carlo Bevilacqua/Ricciarini

Justinien et sa suite. (Saint-Vital, Ravenne.)

campagnes victorieuses, menées par ses généraux Bélisaire* et Narsès*, il reprit aux Vandales* **(V. Gélimer)** presque toute l'Afrique du Nord (533), aux Ostrogoths* **(V. Vitigès, Totila)** l'Italie (535, 552) et aux Wisigoths* l'Andalousie (550-554). La Méditerranée devint « lac romain », mais l'Empire n'était guère solide. La guerre perse reprit en 540 **(V. Khosro)** et la trêve ne fut achetée qu'en 562 au prix d'un lourd tribut. Les invasions des Huns et des Slaves dans les Balkans devenaient de plus en plus dangereuses. Diplomate habile, Justinien sut parfois exploiter la naïveté des chefs barbares, en leur prodiguant des titres honorifiques et des accueils fastueux dans la capitale; l'évangélisation des pays danubiens et l'enracinement de l'influence byzantine en étaient favorisés. Mais il ne put soutenir la pression barbare qu'en payant des tributs et en multipliant les fortifications qui couvrirent ainsi tout point stratégique de l'Empire. Beaucoup plus brillante et solide fut l'action culturelle de Justinien, marquant le premier éclat de la civilisation byzantine : dans l'architecture et l'art de la mosaïque, l'édification des grands monuments de Constantinople*, dont Sainte-Sophie* **(V. Anthémios de Tralles),** de Ravenne* (Saint-Vital), de Thessalonique*, de Chalcédoine*, etc.; dans la vie intellectuelle, l'essor des lettres (hymnographie, littérature ascétique) et de l'histoire **(V. Procope).** L'héritage le plus glorieux légué par Justinien est peut-être son œuvre législative, élaborée par ses jurisconsultes Tribonien* et Théophile* (Code justinien, Institutes*, digeste, pandectes). Cf. *in* Robert. Cette œuvre, évolution du droit romain, reste le fondement du droit civil moderne. Mais ses réformes administratives et sa politique sociale, visant les grands seigneurs terriens au profit de la classe moyenne, furent compromises par sa fiscalité, destinée à subvenir aux énormes charges des campagnes militaires, des constructions et du faste impérial. La *sédition de Nika** **(V. Bleus et Verts)** et le massacre du peuple de Constantinople (532) accusent la contradiction fondamentale de la politique justinienne. Son intervention dans les affaires religieuses ne fut pas heureuse. Complaisante d'abord envers le pape et dressée contre les hérétiques (ariens, monophysites), elle aboutit à l'adoption du monophysisme et provoqua un nouveau schisme **(V. Vigile, Pélage Ier).** Le grand essor du monachisme enfin, qui devait prendre des dimensions étouffantes pour la vie économique et politique de l'Empire, débuta sous l'égide de Justinien et de Théodora. Ses erreurs et, surtout, l'échec de sa politique occidentale épuisant les ressources économiques et humaines pour l'utopie que fut la reconstitution de l'Empire romain ne sauraient faire oublier les grandes réalisations de son gouvernement. Par la grandeur de sa vision historique, par la valeur de son œuvre législative, ainsi que par la durée de son règne, Justinien mérita de donner son nom au VIe s. (« siècle de Justinien »).

JUSTINIEN Rhinotmète [« Nez coupé »]. ♦ (669 – Sinope, 711). Empereur byzantin (685-695 et 705-711), fils et successeur de Constantin IV et le dernier de la dynastie des Héraclides. Il partagea avec les Arabes, auxquels il payait tribut, le condominium sur Chypre, l'Arménie et la Géorgie et pratiqua une politique de repeuplement des régions désertées par des déportations massives. Mais la nouvelle invasion arabe en Géorgie (692) et en Afrique du Nord (depuis 693) et le mécontentement de larges couches de la population écrasées sous les impôts provoquèrent une révolte. Détrôné, ayant eu le nez coupé, et exilé en Chersonèse, il intrigua et s'assura l'aide des Bulgares qui le rétablirent sur le trône en 705. Il fit tuer Tibère* III et déclencha une cruelle répression provoquant une nouvelle révolte, au cours de laquelle il fut tué.

Arch. Smeets

Juvénal des Ursins, par Jean Fouquet. (Musée du Louvre, Paris.)

JUTES. ♦ Peuple germanique établi dans le S. du Jutland. Une partie émigra en Grande-Bretagne au Ve s. et fonda le royaume du Kent*.

JUTLAND. *n. m.* en danois **Jylland.** ♦ Péninsule formant la partie continentale du Danemark et incluant, au sens large, la province allemande du Schleswig*-Holstein. Politiquement, la limite S. du Jutland est déterminée par le fjord de Flensburg. Le Jutland est baigné à l'O. par la mer du Nord*, au N.-O. par le Skagerrak*, au N.-E. par le Kattegat* et à l'E. par la Baltique*. 2 151 393 hab. (1968). Il est divisé en 13 départements. – *V. princ. :* Aalborg*, Aarhus*, Esbjaerg*, Fredericia*, Horsens*, Randers*, Viborg* **(V.** *aussi* **Danemark).** Le relief du pays, formé principalement de plaines sableuses aux nombreux lacs, rend l'agriculture difficile. Élevage, pêche. Indus. alimentaires, métallurgique et mécanique, chantiers navals. ♦ *Hist.* Le 31 mai 1916 et pendant la nuit jusqu'au 1er juin, la *bataille navale du Jutland* opposa la *Grand Fleet* britannique de l'amiral Jellicoe* à la flotte allemande de haute mer de l'amiral von Scheer. Les Allemands réussirent à regagner leurs ports avec des pertes légèrement inférieures à celles de leurs adversaires, ce qui constituait un notable succès, mais les Anglais n'en restèrent pas moins maîtres de la mer du Nord et continuèrent à interdire toute sortie aux escadres allemandes. **V. Guerre mondiale** *(Première).*

JUVAÏNI (Alâ al-Dîn). ♦ Historien persan (1225 – 1283). Protégé par la dynastie mongole, il devint gouverneur de Baghdâd où il entretint une cour riche en savants et en hommes de lettres. Il écrivit l'*Histoire du conquérant de l'univers* (1260) qui raconte les exploits de Temüjin (Gengis qân) et de ses successeurs. Malgré un style artificiel et enflé, cet ouvrage comporte des témoignages historiques authentiques.

JUVARA (Filippo). ♦ Architecte, dessinateur, graveur et décorateur italien (Messine, 1676 – Madrid, 1736). Après des débuts comme graveur et décorateur de théâtre, il devint à Rome l'élève de Fontana* et fut nommé architecte du roi Victor-Amédée II de Savoie (1715). Architecte fertile et imaginatif, il construisit notamment : la *basilique* et le *monastère* de Superga (1717-1731) dont le style se rattache à la tradition romaine du XVIIe s. par l'ampleur et la massiveté des formes et l'emploi d'éléments classiques. Au *château Stupinigi,* près de Turin, 1729, il élabora un style original par son plan, son rythme spatial et son décor d'esprit rococo. Il donna aussi les plans grandioses et sobres du *palais royal* de Madrid, où il insistait particulièrement sur les horizontales, qui furent ensuite réduits et modifiés par Sacchetti.

JUVÉNAL (Decimus Junius Juvenalis). ♦ Poète satirique latin (Aquinum, Campanie, v. 55 — v. 140). Auteur de seize *Satires* dans lesquelles il poursuivit avec une violence passionnée les vices de son époque, opposant à la Rome de son temps, dissolue et cosmopolite, la Rome traditionnelle, forte et pure, telle que l'ont exaltée Cicéron* et Tite*-Live.

JUVÉNAL (ou **Jouvenel) DES URSINS (Jean).** ♦ Magistrat français (Troyes, v. 1350 – Poitiers, 1431). Prévôt des marchands de Paris (1388), il s'opposa aux Bourguignons et contribua à faire donner la régence à Isabeau de Bavière (1408). ♦ JEAN, son fils (Paris, 1388 – Reims, 1473). Archevêque de Reims (1449), il participa à la révision du procès de Jeanne d'Arc (1456). Auteur d'une *Chronique de Charles VI.* ♦ GUILLAUME, son frère. Magistrat et homme de guerre (Paris, 1401 – *id.,* 1472). Chancelier de France (1445), il ouvrit les états généraux de Tours (1468) sous Louis XI. ♦ JACQUES ([mort] 1457), son frère. Prélat. Ce fut lui qui commanda le missel de Juvénal, orné de miniatures.

JUVISY-SUR-ORGE. ♦ Ch.-l. de cant. de l'Essonne, arr. d'Évry, près du confluent de l'Orge et de la Seine. 12 513 hab. *(Juvisiens).* Pont des Belles-Fontaines (1728) attribué à Gabriel. Observatoire créé par Camille Flammarion en 1882. Église moderne Notre-Dame-de-France. – Centre ferroviaire. Constructions électromécaniques; matériel agricole; graines de semence; indus. alimentaires.

JUVONEN (Helvi). ♦ Poétesse finnoise (Iisalmi, 1919 – Helsinki, 1959). Avant Anhava*, Haavikko* et Manner*, elle chercha dans des recueils de forme souvent traditionnelle, *L'Arbre nain* (1949), *Au jour le jour* (1954), *Fond de roche* (1955), à renouveler des thèmes lyriques. Elle exprime l'isolement de l'individu, découvre le reflet de l'univers dans les choses les plus petites et se penche avec compréhension et humour sur les animaux. Elie traduisit et commenta Emily Dickinson*.

JYLLAND. *n. m.* ♦ **V.** JUTLAND.

JYVÄSKYLÄ. ♦ V. de Finlande, sur la rive N.-O. du lac Päijänne*. 58 046 hab. (1969). Aéroport (lignes intérieures). Université (créée en 1958). École supérieure pédagogique. – Grand centre industriel : indus. du bois (scieries, meubles, papeteries, allumettes), textiles, indus. du cuir, indus. alimentaires. Manufacture d'armes.

Ph. Nino Cirani/Ricciarini

La rivière **Kâbul,** près de **Kâbul.**

K2. ♦ V. DAPSANG.

KA'BA *(al-)* [mot arabe désignant toute construction de forme cubique]. ♦ Édifice cubique se trouvant au centre de la mosquée sacrée de La Mecque. Dans l'angle oriental est scellée la Pierre noire. Selon le Coran, la Ka'ba est d'origine abrahamique. L'édifice actuel, construit en pierre grise, date de la fin du VIIe s. et a subi diverses restaurations. La Ka'ba est, suivant une tradition préislamique, revêtue d'une chape de brocart noir *(kiswa)* qu'on renouvelle chaque année après le pèlerinage.

KABALEVSKY (Dimitri Borissovitch). ♦ Compositeur soviétique (Saint-Pétersbourg, 1904). Caractérisée par la clarté de l'écriture et la grâce de la mélodie, souvent empruntée au folklore russe, son œuvre comprend des opéras (*Colas Breugnon,* d'après R. Rolland, 1937; *La Famille Tarass,* 1950), quatre symphonies, des suites d'orchestre, des concertos pour piano, violon, violoncelle, de la musique vocale, de scène et de film. Il est professeur de composition au conservatoire de Moscou.

KABARDINO-BALKARIE, *n. f.* (République socialiste soviétique autonome de) [en russe **Kabardino-Balkarskaja A.S.S.R.**]. ♦ Une des seize républiques autonomes de la R.S.F.S. de Russie*. Elle est située dans le Caucase du N. 12 500 km². 555 000 hab. (*Kabardes* ou *Kabardins,* Balkars, Russes, Ukrainiens). *Cap.* Naltchik. — La partie N.-E. du pays est occupée par une steppe; la partie S.-O. par les montagnes du Grand Caucase. — *Écon.* L'activité agricole est surtout représentée par l'élevage bovin et ovin. On cultive le blé, le maïs, les légumes et la vigne. Indus. mécaniques (construction d'équipement pour l'indus. pétrolière, machines agricoles). Centrale hydro-électrique à Baksan. ♦ *Hist.* Dès 1774, la région fit partie de l'empire russe. En nov. 1918, le régime soviétique y fut instauré. Après la guerre civile, fut créée la région autonome de *Kabardinie* (janv. 1922) qui engloba en 1936 la *Balkarie* et devint une R.S.S. autonome.

KABARDINS ou **KABARDES.** *n. m. pl.* ♦ Population du Caucase septentrional. D'origine petite-russienne, chasseurs et brigands, puis agriculteurs, ils furent convertis à l'islâm lors de la domination turque. Soumis aux Russes (1774) et ramenés au christianisme, ils vivent auj. dans la R.S.S. autonome de Kabardino*-Balkarie (204 000 hab. en 1959).

Kabbale, en hébr. **Kabbalah** (« traditions »). *n. f.* ♦ Courant ésotérique du judaïsme déjà manifeste dans l'Antiquité avec les livres d'*Hénoch**, des *Jubilés** ou le IVe livre d'*Esdras**, mais dont les principaux ouvrages furent le *Sefer* Yetsirah* et, au Moyen Âge, le *Sefer Hassidim (Livre des hommes pieux)* de Judah ha-Hassid (Allemagne, déb. XIIIe s.), le *Masechet atzilut (Traité de l'émanation)* de Jacob ha-Nazir (Provence, déb. XIIe s.) et surtout le Zohar* (v. 1300).

KABÎR. ♦ Sage musulman indien (Vârânasi, v. 1440 — Gorakhpur, v. 1518). Simple tisserand, il élabora une philosophie mystique originale qui inspira Nânak* le fondateur des Sikhs*. Il était illettré, et ce furent ses disciples qui recueillirent ses paroles et ses chants. Ces derniers formèrent le *Bîjak* (écrit en hindî archaïque) et nombre d'entre eux furent incorporés plus tard dans le livre sacré des Sikhs l'*Âdi-granth.* Kabîr était hostile à toute révélation. Il prêchait l'union et la concorde. Son influence spirituelle fut immense en Inde.

Kabuki. *n. m.* ♦ Genre de théâtre japonais composé de chants, de danses et joué par des acteurs (d'où son nom) qui fut créé à Kyôto vers la fin du XVIe s., remplaçant le théâtre de marionnettes. Les pièces jouées étaient au début du type Jôruri, mais évoluèrent bientôt pour représenter des drames ou des faits divers. L'auteur-acteur le plus célèbre de ce genre théâtral fut Chikamatsu* Monzaemon. La plupart des écrivains des XVIIe et XVIIIe s. au Japon écrivirent pour ce théâtre sur la scène duquel seuls peuvent jouer des acteurs masculins.

KÂBUL ou **KABOUL.** ♦ Cap. de l'État d'Afghânistân*, sur les rives de la riv. du même nom, à 1 765 m d'alt. 307 000 hab. [489 000 aggl.] — Centre caravanier et artisanal (tapis, soieries, cuirs), Kâbul est également une ville universitaire et administrative. ♦ *Hist.* Kâbul est l'antique *Kabura* des Grecs. Elle fut cap. de l'empire mogol* au XVIe s. et est, depuis le XVIIIe s., la cap. de l'Afghânistân. — KÂBUL, *n. f.* : riv. (env. 500 km) qui arrose Kâbul. Née dans le massif du Kûh*-i Bâbâ, elle traverse la passe de Khaibar* et se jette au Pâkistân* dans l'Indus*. Ses hautes eaux proviennent de la fonte des neiges au printemps. Elle est souvent presque à sec durant l'été.

KABWE, anc. **Broken Hill.** ♦ V. de Zambie*, centre routier et ferroviaire. 44 730 hab. (1961). Important centre minier : zinc et plomb à haute teneur.

KABYLES. *n. m. pl.* ♦ Population montagnarde d'origine berbère*, plus ou moins arabisée, habitant la Kabylie* et parlant un idiome berbère, le *kabyle,* en particulier en Grande Kabylie et dans l'O. de la Petite Kabylie **(V. Berbères).** *Écrivains kabyles* (d'expression française) : Mouloud Feraoun*, Mouloud Mammeri. Les *Kabyles* s'opposèrent à la pénétration française et la Grande Kabylie ne fut pacifiée qu'en 1857. Le décret Crémieux (1871) favorisant les israélites et l'installation des réfugiés alsaciens-lorrains provoqua l'insurrection kabyle de mars-octobre 1871.

KABYLIE, *n. f.,* en ar. **Bilâd al Qabâ'il** (« Pays des tribus [berbères] »). ♦ Massifs montagneux de l'Algérie, partie de l'Atlas* tellien, en bordure de la Méditerranée **(V. Tell),** qui s'étendent de la Mitidja* a l'O., a la plaine d'Annaba* à l'est. Hab. : *Kabyles**. Arboriculture intensive. Artisanat. On y distingue géographiquement d'O. en E. : — *La Grande Kabylie ou Kabylie du Djurdjura* limitée au S. et à l'E. par la vallée de la Soumman* qui la sépare de la chaîne des Bibans*. La chaîne du Djurdjura* au S. est la plus élevée. *V. princ.* **Bordj-Menaïel, Bouira, Dellys, Dra-El-Mizan, Lakhdaria, Larbaâ-Nath-Iraten, Tizi-Ouzou.** – *La Petite Kabylie* ou *Kabylie des Babors* est constituée essentiellement par la chaîne des Babors qui domine le golfe de Bejaïa*. 2 004 m au Grand Babor. *V. princ.* **V. Djidjelli.** – *La Kabylie de Collo* au S. et à l'E. du cap Bougaroun*, très boisée (1 183 m). *V. princ.* **V. Collo, Mila** et **Skikda.** – *La Kabylie orientale* constituée par le massif de l'Edough* et les montagnes entourant la plaine d'Annaba.

KÂCHÂN ou **KÂSHÂN**. ♦ V. du centre de l'Iran (IIe province). 60 950 hab. (1964). Elle fut renommée pour ses céramiques (en déclin) et ses tapis de laine et de soie. Filatures et manufactures de tissage.

KACHIN. *n. m.* ♦ Division administrative de haute Birmanie, à la frontière chinoise, sur la haute vallée de l'Irawady*. – KACHIN. *n. m. pl.*, ensemble des tribus de souche tibéto-birmane qui s'y installèrent au XIXe s., venant du Yunnan et du Tibet oriental.

KÁDÁR (János). ♦ Homme politique hongrois (Salgótarjan, 1912). Premier secrétaire du parti communiste hongrois (1956), il fut placé par les Soviétiques à la tête du gouvernement de son pays après l'insurrection de Budapest* (4 nov. 1956). Il redevint premier secrétaire du parti en 1958.

KADEN-BANDROWSKI (Juljusz). ♦ Écrivain polonais (Rzeszów, 1885 – Varsovie, 1944). Conteur doué, il écrivit des romans politiques, *Le Général Bartch* (*General Barcz*, 1922) et *Ailes noires* (*Czarne skrzydla;* première partie *Léonora*, 1925; deuxième partie *Tadeusz*, 1926) où il évoque la lutte pour le pouvoir entre les partis et les fractions à l'époque de Piłsudski. Il prit part à l'insurrection de Varsovie et fut tué en août 1944.

KADHAFI (Muammal al-). ♦ Président du Conseil de la Libye* (1970).

KADIÏEVKA, *anc.* **Sergo**. ♦ V. d'U.R.S.S. (Ukraine), située dans le Donbass*. 137 000 hab. Indus. métallurgiques.

KADIRI ou **KEDIRI**. ♦ V. d'Indonésie, à Java oriental, sur le fleuve Brantas. Près de 180 000 hab. Gros marché agricole et centre industriel (bois, sucre). ♦ *Hist.* Kadiri fut cap. javanaise du XIe au XIIIe siècle.

KADOMA. ♦ V. du Japon, dans la banlieue N.-E. d'Ôsaka. 130 000 hab. Indus. diverses.

KADPHISES (I et II). ♦ Nom de deux souverains de tribus de Yüeh-chih (Kuśâna*) venues de Chine et qui s'établirent vers 25 dans le Gandhâra* et la haute vallée du Gange*, y succédant aux satrapes indo-perses. Kadphises II fut battu par les Chinois vers l'an 78.

KADUNA. ♦ V. du Nigeria*, cap. de l'État du Centre Nord, reliée par voie ferrée à Lagos*. 150 000 hab. Cimenterie. Indus. textiles (coton) et alimentaires.

KAÉDI. ♦ Grand bourg agricole du S. de la Mauritanie sur la r. d. du Sénégal*. 10 000 hab. Centre zootechnique. Abattoirs frigorifiques.

KÂFIR. *n. m. pl.* (« infidèles »). ♦ Nom donné par les Afghâns musulmans à un groupe de peuplades indo-européennes des hautes vallées de l'Hindû*-kûsh, demeurées réfractaires à l'islâm jusqu'au début du XXe siècle. La région où ces peuplades vivent, le Kâfiristân, fut appelée Nûristân (pays de la lumière) au début de ce siècle après la conversion forcée de ses habitants à l'islâm.

KAFÎRISTÂN. *n. m.* ♦ V. NÛRISTÂN.

KAFKA (Franz). ♦ Écrivain tchèque d'expression allemande (Prague, 1883 – sanatorium de Kierling, près de Vienne, 1924). Issu de la bourgeoisie commerçante juive germanisée, vivant au sein d'une population tchèque sous la domination austro-hongroise, il fut marqué par ce triple héritage culturel. De l'héritage juif, ce « fantôme de judaïsme » dans lequel il avait été élevé, il rejeta d'abord les traditions, mais il découvrit à partir de 1910 la littérature yiddish, la Bible, les textes hassidiques et la langue hébraïque, tout en témoignant également d'un certain intérêt pour le mouvement sioniste, dans lequel l'attirait surtout l'idéal communautaire des premières colonies juives de Palestine. Quant à l'héritage slave, il lut les auteurs russes (notamment Dostoïevski), s'initia aux théories de socialistes et anarchistes tels que Herzen et Kropotkine, fréquenta les milieux de l'avant-garde tchèque – *Klub mladých*, Club des jeunes. Enfin, il fit toutes ses études en allemand, assimilant l'héritage culturel germanique. Enrichissante, cette situation fut aussi pour Kafka profondément troublante; elle rendit plus aigu le sentiment de sa différence et presque impossible une véritable intégration dans un des milieux pragois. Mais l'existence de Kafka était menacée par une insécurité plus originelle et plus profonde qui pesa sur lui depuis son enfance. Toute sa vie, en effet, fut dominée par le conflit qui l'opposa à son père, comme en témoigne *La Lettre au père*, écrite en 1919 mais jamais envoyée. Réaliste, incarnant « la force, la santé, l'appétit (...), le contentement de soi, le sentiment d'être supérieur au monde », cet homme ne pouvait ni comprendre ni approuver le tempérament inquiet, vulnérable, épris de justice de son fils, moins encore son génie littéraire. Privé de tout appui, de tout conseil réel, frustré de sa singularité, Kafka garda toujours le sentiment d'avoir été élevé dans la plus totale « méfiance » à l'égard de lui-même, dans une culpabilité permanente qui menaçait jusqu'à sa liberté intérieure. Cet être de faible constitution physique et psychique, sujet aux maux de tête et aux insomnies bien avant d'être atteint de tuberculose, cet être qui ne put s'affranchir totalement de la tutelle et de l'image paternelles tenta désespérément de lutter contre tout ce qui pouvait le dominer, l'asservir, mais ce fut au prix d'une solitude de plus en plus complète, d'une rupture toujours plus grande entre son moi intime, sa vie intérieure et le monde indéchiffrable, hostile, les autres. Après des études de droit, Kafka occupa des postes d'employé dans des maisons d'assurances (1908-1922); mais ce travail de bureaucrate lui pesait; son existence était ailleurs, tout entière centrée sur sa seule passion, sa seule justification, la littérature. Il lui sacrifia une vie naturelle, « normale », et, après des années d'hésitations douloureuses, renonça (un peu comme Kierkegaard qu'il découvrit en 1913) au mariage, rompit deux fois ses fiançailles : d'abord avec Felice Bauer (1914-1917), avec Julie Wohruzek ensuite (1919-1920), puis ses relations avec Milena Jesenska-Pollak (traductrice tchèque de ses œuvres). Ce n'est qu'avec Dora Dymant qu'il connut quelques mois de bonheur (1923-1924), alors qu'il était déjà condamné par la tuberculose qui s'était déclarée en 1917, s'alliant à un mal psychologique plus profond : son impossibilité ou son refus de vivre « normalement », ou plutôt de concilier la vie et la création littéraire, impossibilité ou refus qui s'acheva finalement par la conscience d'un échec, le sentiment qu'il n'était pas « racheté par la littérature ». Le *Journal* de Kafka (rédigé de 1910 à 1920), son abondante correspondance (en particulier les *Lettres à Felice* et *à Milena*) sont d'une importance décisive pour comprendre ses conflits, ses angoisses et son œuvre elle-même. Entremêlant motifs romanesques et problèmes personnels, les récits et romans de Kafka ont assurément une valeur autobiographique, bien qu'ils ne se laissent pas cerner par une explication psychologique, ni sociologique ou théologique, d'ailleurs. Dans une langue sobre, précise et minutieuse, Kafka a tenté d'éclairer la vie quotidienne, familière, faisant pénétrer le lecteur dans un univers irréel, dont la cohérence absolue donne une angoissante impression de présence, de réalité. Froid, triste, écrasant, son « fantastique » absurde et cruel rend presque insupportable l'expérience de la dissociation entre l'homme et le monde, de la conscience engluée dans un corps qu'elle ressent comme étranger (expérience qui alimente le thème de la « métamorphose »), de la culpabilité d'autant plus étouffante qu'elle est sans motif objectif et le sentiment de déréliction de l'homme emmuré dans sa solitude face au labyrinthe inextricable d'un univers inachevé et à une transcendance qui toujours se dérobe. L'œuvre de Kafka, relativement peu connue de son vivant, ignorée sous le nazisme, fut redécouverte après la guerre (en France, grâce à Gide, Breton, Sartre). Elle comprend des récits et des nouvelles : *Description d'un combat* (1906, partiellement publié en 1909); *Préparatifs de noces à la campagne* (écrit en 1908); *Les Contemplations* (1912); *La Métamorphose* (1912, publ. 1915), *Le Verdict* (1912, 1916); *La Colonie pénitentiaire* (1914, 1919); *Un médecin de la campagne* (1916, 1920); *Premier Chagrin* (1921); *Un champion du jeûne* (1922); *Une petite femme* (1923); *Le Terrier* (1923); *Joséphine la cantatrice* (1924); *La Muraille de Chine* (publ. en 1931) et trois romans inachevés publiés après la mort de Kafka (et contre sa volonté) par son ami Max Brod* : *Amérique* (1912, publié en 1927); *Le Procès* (1914, publié en 1925); *Le Château* (1914-1922, publié en 1926); ces derniers ont fait l'objet d'adaptations à la scène et à l'écran.

Coll. Viollet

Franz Kafka.

KAFR al-ZAYYÂT. ♦ V. de la Basse-Égypte (gouvernorat de Gharbiéh), sur le Nil (branche de Rosette). 25 000 habitants. Centre industriel actif (égrenage du coton, huileries, savonneries).

KAFÛR (Abû al-Misk). ♦ Gouverneur d'Égypte ([mort] 968). Noir abyssin, il fut eunuque au harem de Muhammad al-Ikhshid avant de devenir précepteur des enfants de son maître. Militaire habile, il assuma la régence à la mort de Muhammad (946) et défendit l'Égypte contre les visées des Hamdanides* d'Alep et celles des Fâtimides*. À la mort des deux fils de Muhammad, il fut nommé gouverneur d'Égypte par le calife de Baghdâd, fonction qu'il occupa jusqu'à sa mort (966-968). Après lui, les Fâtimides occupèrent l'Égypte. – Kafûr est célèbre dans la littérature arabe par les panégyriques et surtout les satires qu'écrivit sur lui le fameux poète al-Mutanabbî*.

KAGERA. *n. f.* ♦ Riv. d'Afrique orientale (400 km) séparant le Burundi du Ruanda et se jetant dans le lac Victoria. Elle est considérée comme la branche mère du Nil*.

KAGOSHIMA. ♦ V. du Japon, au S. de l'île de Kyûshû* et ch.-l. de préfecture. 407 000 hab. Grand centre commercial et universitaire. Indus. de la porcelaine. Chantiers navals. Pêche. ♦ *Hist.* La ville fut bombardée par la flotte anglaise en 1863, incendiée en 1877 et détruite par une éruption du volcan Sakurajima en 1914.

KAHN (Gustave). ♦ Poète français (Metz, 1859 – Paris, 1936). On lui doit des romans, des chroniques littéraires (dont *Symbolistes et Décadents,* 1902) et des ouvrages de critique d'art. Fondateur, avec Moréas*, des revues. *La Vogue,* puis *Le Symboliste* (1886), il fut le théoricien et l'adepte du vers libre et écrivit plusieurs recueils lyriques (*Palais nomades,* 1887; *Domaine de fées,* 1895 et *Le Livre d'images,* 1897).

KAHN (Richard Ferdinand). ♦ Économiste britannique. Son analyse sur *La Relation de l'investissement national au chômage* (1931), qui influença Keynes, marque une étape decisive dans la pensée économique. À l'encontre du libéralisme traditionnel, elle mettait en question l'idée d'une tendance spontanée du système capitaliste vers l'équilibre du marché du travail et affirme la nécessité d'investissements publics comme moyen de lutter contre le chômage.

KAIBARA EKIKEN. ♦ Philosophe confucianiste japonais (1630 – 1714) dont les écrits philosophiques ou autres (plus de cent ouvrages) influencèrent profondément la vie sociale aux XVIIe et XVIIIe s. au Japon.

KAIETEUR FALLS (« chutes de Kaieteur »). ♦ Chutes du Potaro, en Guyana, hautes de 200 m env. (4 fois les chutes du Niagara).

K'AI-FENG [*K'ai-fong, Kaifeng*]. ♦ V. de Chine (Ho-nan). Env. 400 000 hab. Indus. alimentaires, textiles, etc. ♦ *Hist.* La ville fut plusieurs fois capitale sous différentes dynasties, à partir de 220.

KAILAS (Frans Uuno). ♦ Poète finnois (Heinola, 1901 – Nice, 1933). Il fut proche du groupe moderniste *Tulenkantajat* après 1920, et ses premiers recueils *Le Vent et l'Épi* (1922), *Les Navigateurs* (1925) contiennent des poèmes sensuels et exotiques ainsi que des touches d'humour. Névrosé et tuberculeux, obsédé par l'idée de la culpabilité et de la mort, il exposa ses terreurs dans des poèmes d'inspiration quelquefois expressionniste inclus dans les recueils *Nu-pieds* (1929), *Le Sommeil et la Mort* (1931) et chercha la consolation dans un retour à l'enfance, toujours décevant.

Kailyard School (*« École du jardin potager »).* ♦ Mouvement littéraire anglais de la fin du XIXe s. regroupant des romanciers au réalisme humoristique qui mêlent le dialecte écossais à l'anglais pour décrire les mœurs des paysans des « Basses-Terres » : Ian Maclaren, G. Douglas, J.R. Crockett. James Barrie en fut le fondateur.

KAÏNARDJI. ♦ **V.** KUTCHUK-KAÏNARDJI.

KAINJI. ♦ Barrage hydro-électrique du Nigeria*, ouvrage le plus important aménagé sur le Niger* (lac de 130 km de long).

KAIROUAN, en ar. **Al-Qayrawân**. ♦ V. de la Tunisie centrale, ch.-l. de gouvernorat (246 200 hab.), située dans une plaine steppique. 40 000 hab. Ville sainte de l'Islâm. Nombreuses mosquées dont la Grande Mosquée (Djama Sidi Okba) en majeure partie du IXe s. et la mosquée des Trois-Portes (Djama Tleta Bibane, IXe s.). – Fabrication de tapis. ♦ *Hist.* Les débuts de Kairouan, fondée en 670 par 'Uqba ibn Nâfi', furent difficiles en raison de l'hostilité des Berbères. Elle devint une cité florissante, cap. de l'Ifrîqiyya* au IXe s. avec les Aghlabides*. Les Fâtimides l'abandonnèrent au profit de Mahdia* mais le calife al-Mansûr au Xe s. transféra sa capitale à Kairouan. Détruite en 1057 par les Arabes Hilaliens, cité déserte au XVIe s., elle fut relevée au XVIIe s. par la dynastie husseïnite.

KAISER (Georg). ♦ Auteur dramatique allemand (Magdebourg, 1878 – Ascona, 1945). S'inspirant des sujets que lui proposait une actualité sans cesse renouvelée, fortement influencé par l'expressionnisme, son théâtre se caractérise par un permanent « jeu d'idées » *(Denkspiel).* Interdit dès 1933 par le national-socialisme, Kaiser trouva refuge aux Pays-Bas puis en Suisse. Œuv. princ. : *Les Bourgeois de Calais* (*Die Bürger von Calais,* 1914), *De l'aube à minuit* (*Von Morgen bis Mitternacht,* 1916), *Le Soldat Tanaka* (*Der Soldat Tanaka,* 1940).

KAISER (Henry John). ♦ Industriel américain (Sprout Brook, New York, 1882 – Honolulu, 1967). Constructeur de routes et autoroutes (1921-1930), de barrages géants (1930-1938), il fonda en 1939 la première entreprise du monde pour la production de ciment; il appliqua (1940) la préfabrication à la construction des navires, moyen qui permit, en deux ans, la constitution du tiers de l'effectif qui effectua le débarquement allié en Europe; il réalisa également les premiers porte-avions préfabriqués (1942). Après la Deuxième Guerre mondiale, il se consacra aux habitations préfabriquées et aux automobiles.

KAISERSLAUTERN. ♦ V. d'Allemagne occidentale (Rhénanie-Palatinat), à l'E. de Mannheim. 86 260 hab. Centre industriel (constructions mécaniques : automobiles, cycles, machines à coudre, travail du coton) et touristique, au cœur de la *forêt du Palatinat.* ♦ *Hist.* L'anc. *Lautern* (mentionnée dès 882) devint ville impériale en 1276. Au cours de la guerre de Trente Ans, elle fut prise successivement par les Espagnols, les Suédois, puis les Impériaux. En 1793, Hoche y fut battu par les Austro-Prussiens. Sous l'Empire, ce fut une sous-préfecture du département français du Mont-Tonnerre.

Ph. Nino Cirani/Ricciarini

Désert de **Kalahari.**

KAISERSTUHL. *n. m.* (« trône de l'empereur »). ♦ Petit massif volcanique d'Allemagne occidentale (Bade-Wurtemberg), entre le Rhin et la Forêt-Noire, dans le Brisgau* (556 m).

KAJAVA (Viljo Lennart). ♦ Poète et prosateur finnois (Tampere, 1909 –). Militant de gauche avec Turtiainen* et Vala* dans le groupe *Kiila,* il publia avant la guerre les recueils *Les Bâtisseurs* (1935), *Adieu, oiseau migrateur* (1938). Il évoque les émotions humaines dans un style allusif utilisant des images simples prises à la nature dans *Les Mains ailées* (1949). *Chacun d'entre nous* (1954) et garde sa sympathie pour les opprimés dans *Les Dix Points cardinaux* (1961) et *Les Rêves de l'artisan* (1968). Dans ses nouvelles, *Femmes solitaires* (1950), il élabore une situation psychologique à partir de détails apparemment insignifiants.

KAKINÂDA. ♦ V. et port de la côte S.-E. de l'Inde (Andhra Pradesh) sur la branche N. du delta de la Godavari. 150 000 hab. Centre agricole et port de pêche. Petites industries.

KAKINOMOTO-no-HITOMARO. ♦ Poète japonais (v. 665 – v. 710). L'un des cinq grands poètes du *Man'yôshu,* il est parfois considéré comme le Kami* (divinité du Shintô) de la poésie.

KAKUYÛ ou **TOBA SÔJÔ**. ♦ Peintre et religieux bouddhiste japonais (1053 – 1140) de noble origine, auteur de dessins humoristiques célèbres *(Chôju-giga)* et de caricatures d'animaux.

KALAHARI. *n. m. (désert de).* ♦ Cuvette fermée de l'Afrique australe, traversée par le tropique du Capricorne et s'étendant en majeure partie sur le Botswana*. Le N. et l'O. de ce désert se caractérisent par l'étendue de marécages saumâtres, le S. présentant des aspects dunaires. Il est plus facilement pénétré que le Sahara par les influences océaniques du S.-O., d'où les écarts thermiques moins accusés et une humidité plus abondante.

KALÂM (*'ilm al-*). *n. m.* ♦ Philosophie de la religion (islâm), qui utilisait la méthode d'argumentation des Grecs (dialectique) pour combattre la philosophie avec ses propres armes. Si les Mu'tazilites* furent les premiers à utiliser la méthode dialectique dans leurs investigations théologiques, Al-Ash'ari* fut le véritable fondateur de cette science du Kalâm que ses disciples développèrent.

KALAMATA. ♦ V. de Grèce. **V. Calamata.**

KALDOR (Nicolas). ♦ Économiste britannique. S'inspirant des travaux de Keynes et de la théorie économique de Marx, il a élaboré une théorie de la répartition du revenu national qu'il lie à une analyse de la croissance économique (relation entre l'investissement et le taux de profit), tendant ainsi à donner une explication d'ensemble du développement du capitalisme (*Alternative Theories of Distribution,* 1955-1956; *A Model of Economic Growth,* 1957).

KALECKI (Michel). ♦ Économiste polonais contemporain. Auteur d'un des premiers modèles mathématiques du cycle des affaires, il a donné une théorie de la répartition du revenu national qui, comme celle de Keynes, fait de l'insuffisance de l'investissement la cause du chômage et affirme, contre la thèse néo-classique du marché du travail, qu'« une diminution du salaire réel tend à engendrer une diminution du degré de l'emploi de la capacité de production dans l'économie » (H. Denis). [*Études sur la théorie des fluctuations économiques,* 1939; *Théorie de la dynamique économique,* 1954.]

Kalevala *(le).* ♦ Épopée populaire finnoise, qui résulte de la compilation des chants connus par la tradition orale que se fit dicter par les poètes populaires caréliens Elias Lönnrot* de 1828 à 1834 *(Laulajat).* Lönnrot groupa ces chants en petits cycles dont il forma un recueil : le *Kalevala.* Le poème, de 12 000 vers, est divisé en douze chants. – Un premier *Kalevala* parut en 1835, un second en 1849. Toute la poésie traditionnelle de la Finlande y est réunie.

KALGAN. ♦ Nom mongol de la ville chinoise de *Chang-chia-kou* (Ho-pei); important centre d'échanges (peaux et fourrures), entre Peking* et la Mongolie-Intérieure, sur la Grande Muraille dont elle constitue une des portes. 250 000 hab. Indus. textile.

KALGOORLIE. ♦ V. d'Australie*-Occidentale, au centre des gisements aurifères de la région de Coolgarlie, sur la voie ferrée australienne de l'O., dans une zone au climat aride. 21 773 hab. L'or

Arch. Rencontre

Kalmar : le château.

y fut découvert en 1887-1888 et la ville devint le centre de la ruée vers l'or ; les gisements commencèrent à décliner en 1903. En 1966 on a découvert au S. de la ville l'important gisement de nickel de Kampala. Kalgoorlie reste le centre administratif pour toutes les activités de la région. Métallurgie.

KALHANA. ♦ Historien indien du Cachemire*, fils d'un ministre, et auteur, au XIIe s. d'une histoire importante de sa région, la *Râjatarangini.*

KÂLÎ (« la Noire »). ♦ Divinité hindoue, forme terrible de la *Devî* ou grande Déesse. C'est une des épouses de Śiva*. Surtout vénérée au Bengale, on lui offre des sacrifices sanglants.

KÂLIDÂSA. ♦ Poète et dramaturge indien des IVe et Ve s., auteur en sanskrit de pièces de théâtre satiriques qui connurent un grand succès jusqu'à nos jours, tels *l'Anneau de Śakuntalâ* ou *Le Nuage messager.*

KALIMANTAN. ♦ Nom donné à la partie indonésienne de l'île de Bornéo* (la partie N. de l'île, composée du Sarawak* et du Sabah*, appartenant à la Malaysia*). 539 400 km² (soit près des trois quarts de l'île). 5 000 000 d'hab. Elle est administrativement divisée en quatre provinces. Seuls quelques-uns de ses ports sont actifs : Pontianak à l'O., Bandjarmasin (puits de pétrole) au sud. **V. Bornéo, Indonésie.**

KALININE (Mikhaïl Ivanovitch). ♦ Homme politique soviétique (Verkhovnaïa Troïtsa, gouv. de Tver, *auj.* Kalinine, 1875 – Moscou, 1946). D'origine paysanne, membre du Parti communiste dès 1898, il participa à la révolution de 1905-1907, et fut l'un des fondateurs du journal *Pravda* (1912). Élu président du Comité exécutif central des Soviets et membre du Comité central du Parti (1919), puis membre du bureau politique (1926), il devint président du præsidium du Soviet suprême de l'U.R.S.S. (1938-1946), sans exercer une influence personnelle sur la politique soviétique. Il est l'auteur d'ouvrages sur la planification économique et l'éducation communiste.

KALININE, anc. **Tver.** ♦ V. d'U.R.S.S. (R.S.F.S. de Russie), ch.-l. de la région du même nom (84 200 km², 1 707 000 hab.) et port fluvial sur la Volga* (à son confluent avec la Tvertsa) au N.-O. de Moscou. 345 000 hab. Indus. textiles. Fibres artificielles. Constructions mécaniques. Indus. du verre, du bois. Confection. Bonneterie. ♦ *Hist.* Fondée par les princes de Souzdal, la ville devint la capitale d'une principauté indépendante avant d'être réunie à l'État moscovite par Ivan* III (1485). Elle prit le nom de Kalinine en 1933.

KALININGRAD, anc. en all. **Königsberg** jusqu'en 1946. ♦ V. d'U.R.S.S. (R.S.F.S. de Russie), ch.-l. de la région du même nom (15 100 km², 692 000 hab.) et port sur le Pregolia (125 km) près de son embouchure dans la mer Baltique. 297 000 hab. Université (depuis 1554). Constructions navales et mécaniques. Centre de pêche (conserveries). Diverses indus. alimentaires. ♦ *Hist.* **V. Königsberg.**

KALININGRAD (jusqu'à 1938, **Kalininski).** ♦ V. d'U.R.S.S. (R.S.F.S. de Russie) dans la région de Moscou. 106 000 hab. Indus. du bois.

KALIOUB, en ar. **Qalyûb.** ♦ V. de la Basse-Égypte, un peu au N. du Caire (gouvernorat de Kalioubéh*). 35 000 habitants.

KALISZ. ♦ V. de Pologne* (voïévodie de Poznań) située sur la Prosna* en Grande Pologne. 80 200 hab. Industries textile, métallurgique, chimique et alimentaire. – Aux env. Rusow, patrie de Maria Dąbrowska*. ♦ *Hist.* Considérée comme la plus anc. ville de Pologne, et identifiée avec *Callissia* (citée par Pline au Ier s. et par Ptolémée au IIe s.), la ville, située sur la « voie de l'ambre » qui conduisait de l'empire romain à la Baltique, se développa comme marché et prit un grand essor jusqu'au XVIe siècle. Ravagée par les Suédois au XVIIe s., elle fut presque entièrement détruite par les Allemands en 1914, et reconstruite entre 1920 et 1925.

KALKBRENNER (Friedrich). ♦ Pianiste allemand (en voyage. entre Kassel et Berlin, 1785 – Enghien-les-Bains, 1849). Élève de son père, CHRISTIAN (1755 – 1806) qui fut maître des chœurs à l'Opéra, il commença ses études au conservatoire de Paris et les poursuivit à Vienne où il se lia avec Beethoven et J. Haydn. Devenu l'associé de Pleyel*, il connut Chopin qui lui dédia son premier concerto. Ami de Liszt et de Schumann, il fit une brillante carrière de virtuose et de professeur. Il a laissé des compositions et une méthode pour piano.

KALKHU. ♦ V. de l'anc. Assyrie, cap. d'Assurnazirpal* II. **V. Nimrud.**

KALMAR ou **CALMAR.** ♦ V. et port de Suède méridionale, sur la Baltique, en face de l'île d'Öland*. Ch-l. du comté homonyme. 38 000 hab. Évêché. Cathédrale (XVIIe s.). Château (XIIe s., plusieurs fois modifié). – Chantiers navals, constructions mécaniques. Fabriques d'allumettes. ♦ *Hist.* En 1397 y fut signée l'*Union de Kalmar* entre le Danemark, la Norvège et la Suède placés sous l'autorité d'Éric de Poméranie. **(V. Eric XIII).** L'Union réalisait la politique d'unification scandinave menée par Olov II, Haakon* VI et Marguerite*. Christophe* III veilla à son application après 1439. Cette Union fut brisée par Gustave* Vasa en 1523.

KALMOUKIE, *n. f.* (*République socialiste soviétique autonome de*) [en russe **Kalmytskaja A.S.S.R.**]. ♦ Une des seize républiques autonomes de la R.S.F.S. de Russie*, située au N.-O. de la mer Caspienne* et à l'O. de la basse Volga. 75 900 km². 260 000 hab. (*Kalmouks* [*Kalmuk*], Russes, Kazakhs). *Cap.* Elista. – Dans son ensemble, la Kalmoukie est un pays de plaines et de steppes. – *Écon.* Élevage (surtout ovin). Cultures fourragères. Sur les terres irriguées, on cultive le blé et le maïs. Pêcheries. Indus. alimentaires. ♦ *Hist.* Peuple nomade, les Kalmouks furent dominés par les Russes au début du XVIIe siècle. Au XVIIIe s., la plupart d'entre eux émigrèrent en Chine. En 1920 fut créée la ***région autonome de Kalmoukie,*** mais les Kalmouks continuèrent à nomadiser jusqu'en 1940. Devenue une R.S.S. autonome en 1935, liquidée en 1943, la Kalmoukie redevint région autonome (1957), puis de nouveau R.S.S. autonome en juillet 1958. **(V. Kalmuk.)**

KALMOUKS. *n. m. pl.* ♦ V. KALMUK.

KALMUK ou **KALMOUKS.** *n. m. pl.* ♦ Peuple mongol de Sibérie méridionale qui, sous la direction du chef Oirat Toghôn, s'érigea en empire vers 1334. Bien que refoulés par les Mongols de Temüjin* ils réussirent à recouvrer leur indépendance au XVIIe s. Ils furent finalement absorbés par les Chinois en 1759. Des groupes ethniques apparentés et de même nom peuplent l'U.R.S.S. entre Don et Volga.

KALMUS (Herbert Thomas). ♦ Ingénieur et inventeur américain (Chelsea, Massachusetts, 1881 – Los Angeles, 1963). Inventeur du premier procédé industriel de cinématographie en couleurs (*Technicolor,* 1917). **V.** *aussi* **Gaumont, Lumière, Pathé.**

KALOUGA ou **KALUGA.** ♦ V. d'U.R.S.S. (R.S.F.S. de Russie), ch.-l. de la région du même nom (29 900 km², 958 000 hab.) sur l'Oka* au S.-O. de Moscou. 211 000 hab. Carrefour ferroviaire. Centre industriel d'une région agricole et minière. Indus. houillère, métallurgique et mécanique. Tanneries. Travail du bois. – Dans la région sont nés Leontiev*, Joukov*. ♦ *Hist.* Fortifiée par Vassili* III au début du XVIe s., la ville fut le refuge du second faux Dimitri* qui y fut assassiné en 1610.

Kalpa-Sûtra. *n. m. pl.* ♦ Recueils indiens brâhmaniques de règles rituelles, plus généralement appelés du nom de ***Sûtra****, composés à une époque reculée par des sages plus ou moins mythiques, et qui font encore autorité de nos jours.

KALYÂN. ♦ V. de l'Inde (Mahârâstra), à 50 km au N.-E. de Bombay, cité sœur de Ulhâsnagar.

KÂMA. ♦ Divinité masculine hindoue de l'amour et du désir charnel. On le représente monté sur un perroquet et tirant avec un arc des flèches de fleurs. Selon la légende, Śiva* l'aurait réduit en cendres.

KAMA. *n. f.* ♦ Riv. d'U.R.S.S. (2 030 km), le plus grand affl. de la Volga* (r. g.). Née dans les collines supérieures du même nom (en russe *Verkhne-Kamskaja*) de l'Oural*, elle reçoit les eaux des riv. Vichera, Tchoussovaïa, Bielaïa* et Oufa* à g. et de la Viatka* (r. d.) et arrose l'Oudmourtie*, la Bachkirie*, la Tatarie et les villes de Solikamsk*, Berezniki*, Perm*, Krasnokamsk* et Sarapoul*. Centrales hydro-électriques en aval de Perm et à Votkin. Navigable jusqu'au village de Kertchevsk, d'avril à décembre.

KAMAKURA. ♦ V. du Japon (Honshû, Kanazawa) sur la baie de Sagami, au S.-E. de Tôkyô. Env. 150 000 hab. Station balnéaire et résidentielle. – De nombreux temples y sont installés. Célèbre statue en bronze du grand Bouddha (15 m de haut, XIIIe s.). Musée d'Art national et musée d'Art moderne. ♦ *Hist.* Fondée vers le VIIIe s., elle devint en 1185 la cap. du gouvernement militaire de Minamoto*-no-Yoritomo et le resta jusqu'à sa destruction en 1333.

KAMARAN. ♦ Petit archipel situé dans la mer Rouge, au large des côtes du Yémen du N. et sur lequel le Yémen du S. exerce sa souveraineté.

KAMARHATI. ♦ V. de l'Inde (Bengale) sur l'Hûghlî, banlieue indus. de Calcutta, à 20 km au nord. 200 000 habitants.

Kâma sûtra. *n. m.* (« aphorismes sur le désir »). ♦ Célèbre ouvrage de technique philosophico-érotique indien, attribué à Vâtsyâyana (*fin* IVe siècle).

KAMCHADAL ou **KAMTCHADALES.** *n. m. pl.* ♦ Nom donné à des populations de Sibérie orientale et peuplant depuis la préhistoire la péninsule du Kamchatka*. Les Kamchadal sont actuellement très peu nombreux. Ils parlent une langue paléo-sibérienne.

KAMCHATKA ou **KAMTCHATKA,** *n. m.* ♦ Presqu'île d'U.R.S.S. (R.S.F.S. de Russie). Située à l'extrémité orientale de la Sibérie [elle est baignée à l'O. par la mer d'Okhotsk* et à l'E. par la mer de Béring* et l'océan Pacifique]. 350 000 km². D'origine volcanique

(120 volcans, dont 28 actifs), elle est montagneuse et couverte de forêts. Alt. maximale 4 750 m. Nombreux torrents et riv. dont la princ. est la Kamchatka (770 km). Nombreuses sources d'eaux minérales chaudes et de geysers. Les villes, principalement situées sur les côtes, sont consacrées à la pêche (surtout dans la mer d'Okhotsk) et à l'exportation du bois vers la Sibérie. Quelques mines d'or et de charbon. Port princ. **V. Petropavlovsk-Kamchatski.** — Elle fut explorée pour la première fois par les Russes à la fin du XVIIe siècle. (**V.** *aussi* **Kamchadal.**)

KAMEN. ♦ V. d'Allemagne occidentale (Rhénanie-Westphalie) au S.-E. de Hamm, sur la Sesche. Centre industriel. 23 000 habitants.

KAMENEV (Lev Borissovitch ROSENFELD, dit). ♦ Homme politique russe (Moscou, 1883 – 1936). Social-démocrate dès 1901, emprisonné de 1902 à 1908, il rejoignit Lénine à Genève, puis dirigea à Saint-Pétersbourg (Leningrad) le journal du parti bolchevik *la Pravda.* Partisan de la coalition entre mencheviks et bolcheviks en oct. 1917, il fit partie avec Staline et Zinoviev de la « troïka » qui évinça Trotski (1923), avant de se rapprocher de ce dernier. Définitivement exclu du parti communiste (1932), il fut condamné à mort et exécuté comme opposant au régime (procès de Moscou, 1935).

KAMENSK OURALSKI ou **URALSKI.** ♦ V. d'U.R.S.S. (R.S.F.S. de Russie) au N. de Tchéliabinsk au pied de l'Oural. 169 000 hab. Carrefour ferroviaire. Métallurgie de non-ferreux (aluminium). Aux env., centrale thermique.

KAMERLINGH ONNES (Heike). ♦ Physicien néerlandais (Groningue, 1853 – Leyde, 1926). Il créa le laboratoire cryogène de Leyde (1882) où il réussit à liquéfier le dernier des gaz dits « permanents », l'hélium (1908). **V. Cailletet, Dewar, Olszewski, Wroblewski.** Il étudia le phénomène d'« opalescence critique » (1908) avec Keesom*. Auteur de recherches sur les très basses températures, il découvrit le phénomène de supraconductivité [1911] **(V. Bardeen),** montra qu'il cesse lorsque le champ magnétique dépasse une valeur critique qui dépend de la température (1913) et mit en évidence les propriétés magnétiques insolites de la matière au voisinage du zéro absolu (effet de *saturation paramagnétique,* 1914). **V.** *aussi* **Debye.** (Prix Nobel de phys., 1913 ; Acad. sc., 1925.)

Kami. *n. m.* ♦ Nom donné au Japon aux puissances occultes supérieures à l'homme, dans la religion du Shintô. Les Kami sont innombrables et peuvent séjourner temporairement dans un arbre, un rocher, un objet. Ils peuvent également être vénérés sous la forme d'un héros ou d'un homme défunts. On leur rend un culte de vénération, mais on ne les adore pas.

KAMIEŃ POMORSKI, en all. **Cammin.** ♦ V. de Pologne* (voïévodie de Szczecin), sur la lagune de *Kamień* en Poméranie. 5 100 hab. Cathédrale gothique (XIIIe-XIVe s.). Port de pêche. Station thermale.

Kamikaze (« vent surnaturel »). ♦ Nom donné au Japon au typhon qui, en 1281, détruisit la flotte d'invasion mongole sur les côtes du N. de Kyûshû*. — Le nom fut repris par un avion japonais, puis, pendant la guerre de 1941-1945, pour désigner les pilotes d'avions-suicide japonais.

KAMÔSIS, nom grec de *Kamôsé.* ♦ Pharaon de la XVIIe dynastie (v. ~ 1600), roi de Thèbes*. Il chassa les Hyksos* de la Moyenne-Égypte et reprit Memphis*.

KAMPALA. ♦ Cap. de l'Ouganda*, sur la rive septentrionale du lac Victoria*, reliée par voie ferrée au port de Mombasa* (Kenya). 331 900 hab. (1969). Évêché. Université. Centre commercial. Indus. alimentaires.

KAMPOT. ♦ V. et port du Cambodge, sur le golfe du Siam. 15 000 hab. Centre de pêche et de commerce des épices (poivre, cardamome).

KAMTCHADALES. ♦ **V.** KAMCHADAL.

KAMTCHATKA. ♦ **V.** KAMCHATKA.

KAN-AMI. ♦ Littérateur et poète japonais (Nara, 1355 – Kyôto, 1406) au service du shôgun Ashikaga*. Il est l'auteur de nombreuses pièces de théâtre Nô* et participa à l'élaboration définitive de ce genre de spectacle aristocratique.

KANANGA, anc. **Luluabourg.** ♦ V. du Zaïre (ex-Congo-Kinshasa). 429 000 hab. (1969). Centre commercial sur le chemin de fer reliant la riv. Kasaï* au Katanga*.

KANARIS (Konstantinos). ♦ Marin et homme politique grec (île de Psara, 1790 – Athènes, 1877). Fameux pour ses raids audacieux contre la flotte turque et égyptienne, lors de la guerre de l'Indépendance, il est le principal responsable des victoires navales de Chio **(V. Miaoulis)** et de Ténédos (1822). Son raid contre la flotte égyptienne dans le port d'Alexandrie échoua au dernier moment à cause des vents contraires. Après la libération de la Grèce, Premier ministre du roi Othon* (1848-1849), il se rallia à l'opposition qui déposa le monarque et fut l'un des trois régents (1862-1863). Il fut ensuite trois fois Premier ministre (1864-1865 et 1877).

KANAUJ. ♦ V. de l'Inde (Uttar Pradesh) sur le moyen Gange*. Env. 30 000 hab. Indus. de la parfumerie. ♦ *Hist.* La ville était connue au temps de Ptolémée et fut la cap. de l'empire du roi Harṣa* au VIIe siècle.

KANAZAWA. ♦ V. du Japon (Honshû), satellite de Tôkyô*. Université. 342 000 hab. Indus. textiles et métallurgiques. Laques et porcelaines renommées.

KÂÑCHÎPURAM [*Conjeevaram*]. ♦ V. du S. de l'Inde (Tamilnâdu). Petit centre universitaire et commercial de 100 000 hab. ♦ *Hist.* C'est l'une des sept villes sacrées de l'Inde, de fondation très ancienne (déb. de notre ère) et cap. de l'empire indien des Pallava* au VIIe siècle. Elle recèle de très nombreux monuments du VIIe au XIVe siècle.

KAN-CHOU [*Kan-tcheou, Ganzhou, Kanchow*]. ♦ Petite ville agricole (100 000 hab.) de Chine (Chiang-hsi) et centre minier. Fut une importante base américaine en 1945.

KÂNCHRÂPÂRA. ♦ V. de l'Inde, banlieue de l'extrême N. de la conurbation industrielle de Calcutta*, à 50 km du centre. 110 000 habitants.

KANDAHÂR. ♦ V. d'Afghânistân, située à plus de 1 000 m d'alt., sur un plateau aride non loin de la frontière du Pâkistân. Env. 130 000 hab. Marché important (laine, peaux, tapis, fruits, tabac, artisanat local, armes). Commerce avec le Pâkistân. ♦ *Hist.* Fondée par Alexandre le Grand (~ 326) comme cap. de l'Arachosie, elle fut reconstruite sur un plan régulier.

KANDAVAU *(île).* ♦ **V.** FIDJI (îles).

KANDERSTEG. ♦ V. de Suisse (cant. de Berne), située dans l'Oberland* bernois sur la ligne du Simplon, à la sortie N. du tunnel du Lötschberg*. Importante station d'été et de sports d'hiver. Alt. 1200-2000 mètres.

KANDINSKY (Wassily). ♦ Peintre, dessinateur, graveur et théoricien d'origine russe naturalisé allemand (1928), puis français (Moscou, 1866 – Neuilly-sur-Seine, 1944). A Moscou, il poursuivit des études de droit tout en s'intéressant à la musique et à la peinture. Il apprécia l'art populaire russe au cours d'une mission ethnographique et juridique en Vologda (1889), puis eut en 1895 la révélation des œuvres impressionnistes, admirant particulièrement les *Meules* de Monet. En 1896, il abandonna la carrière juridique pour l'étude de la peinture et s'établit à Munich où il fut sensible aux idées symbolistes et au *Jugendstil.* En 1901, il fonda le groupe *Phalanx* (la Phalange) qui dura trois ans : il fit la connaissance de Klee, puis en Europe et en Tunisie, séjournant à Paris en 1906. Il revint ensuite jusqu'en 1914 à Munich et vécut souvent à Murnau. Durant cette période d'intense activité créatrice et de réflexion, il fonda avec Jawlensky le groupe de la *Neue Kunstlervereinigung* ou N.K.V. (Nouvelle Association des artistes), puis, à la suite de sa rencontre avec Franz Marc, le groupe du *Blaue Reiter* (Cavalier* bleu) qui allait jouer un rôle important dans le développement de l'art moderne. Il peignit alors des paysages (*Paysages à la tour,* 1908) ou des scènes avec personnages, d'une composition très libre, aux coloris intenses posés d'une touche souvent oblique. Ces œuvres révèlent une interprétation de la nature aux confins du fauvisme et de l'expressionnisme et une tendance à se libérer de la référence au réel. Dans plusieurs œuvres faisant partie des *Improvisations, Impressions* et *Compositions* s'affirme l'abandon de tout objet ou figure identifiable, et l'on a pu considérer une aquarelle datée de 1910 comme l'une des premières œuvres délibérément abstraites. Présentant des taches colorées et un graphisme nerveux, tourmenté, ces œuvres sont agencées selon des lignes de force diagonales engendrant un effet dynamique, la

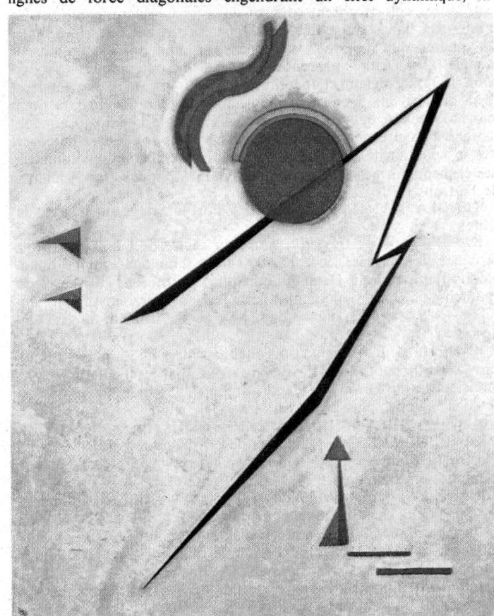

Ph. Carlo Bevilacqua/Ricciarini

W. Kandinsky : « Ligne angulaire ».
(Galerie d'Art moderne, Rome.)

Arch. Smeets

Kanô Eitoku : « Pin et Aigle », XVIe s. (Académie d'Art, Tokyo.)

liberté, l'irrégularité, semblent procéder d'un geste impulsif et les ont fait reconnaître comme les premiers exemples de l'« abstraction lyrique ». À la même époque, Kandinsky écrivait *Du spirituel dans l'art* (1910, publ. en 1911) : il y mettait en rapport l'expression artistique avec des aspirations d'ordre spirituel et s'opposait à une conception purement formaliste de l'art. Prônant un art non figuratif qui traduise plastiquement l'intériorité de l'artiste, il soulignait la valeur symbolique des couleurs et des formes, susceptibles de véhiculer des émotions sans le recours à la description. Revenu en Russie en 1914, il allait jouer après la révolution un rôle important d'organisateur et d'animateur : en 1919 il fonda le musée de la Culture picturale, en 1921 l'Académie des sciences artistiques et, à partir de 1920, il enseigna à l'université de Moscou. Mais le dogmatisme qui tendait à s'imposer l'incita à revenir en Allemagne. Il enseigna au *Bauhaus* de 1922 à 1933 et publia en 1926 *Point et ligne par rapport à la surface* où sont énoncés les principes de son enseignement. Durant cette période, sous l'influence du suprématisme et du constructivisme, il eut tendance à géométriser les formes, à donner à ses compositions un aspect plus construit (*Dans le carré noir,* 1923). Il procédait à une analyse plus méthodique des éléments formels, méditant sur le pouvoir expressif de certaines formes simples (triangle, point, carré et surtout cercle), recherchant les effets de tension, de contraste, de rythme, les agencements d'une complexité croissante, tout en laissant une large place à la fantaisie. Après son installation à Neuilly (1933), ses coloris prirent souvent un aspect brillant, exalté, et les motifs aux lignes serpentines, à l'apparence organique et végétale, se multiplièrent; parfois distribués sur une surface compartimentée, ils prirent l'apparence de signes hiéroglyphiques (*Succession,* 1935). Créateur et théoricien à la fois lucide et passionné, il resta attaché aux fondements mystiques de l'art. Défendant toute sa vie l'art non figuratif, il parvint à élargir le champ jusqu'alors assigné à l'expression picturale et a tenté dans son œuvre de concilier la spontanéité de l'impulsion créatrice et l'analyse rationnelle des éléments formels. Il s'est imposé comme l'un des grands maitres de l'art abstrait.

KANDLA. ♦ V. de l'Inde (Gujarât). Port aménagé sur le golfe de Kutch.

KANDY. ♦ V. de Ceylan*, située au centre de l'île. Ch.-l. de la province homonyme. Env. 120 000 hab. Grand pèlerinage bouddhique (temple de la Dent du Bouddha). – Marché du thé et du caoutchouc. Jardin botanique tropical à Peradenya, et université. ♦ *Hist.* C'est l'anc. cap. de l'île de Ceylan du XVIe au XIXe siècle.

KANEM. *n. m.* ♦ Région du Tchad, au N. et à l'E. du lac Tchad. Env. 200 000 hab. *Hist.* Le royaume, fondé par les Toubous v. 800, fut islamisé au XIe s. Il s'étendit au XIIIe s. sur le Bornou*, qui devait l'englober plus tard (XVIe s.).

KANEYO-SHI YOSHIDA. ♦ **V.** Kenkô Hôshi.

KANGCHENJUNGA. ♦ Sommet de l'Himâlaya, dans le Sikkim*, à la frontière du Népal* (8 598 m), vaincu en 1955 par une équipe d'alpinistes britanniques.

K'ANG-HSI [*K'ang-Hi, Kangxi*]. ♦ (1654 – 1722). Empereur de Chine de la dynastie manchoue des Ch'ing*. Il succéda en 1662 à son père Shun-Chih et entreprit d'agrandir son royaume. Il combattit les derniers Mongols, conquit le Tibet, l'île de Taïwan et s'opposa aux Russes avec lesquels il signa en 1689 le traité de Nerchinsk qui limitait l'avance de ces derniers. Grand chasseur, il parcourut plusieurs fois ses États. Souverain lettré et tolérant, il accueillit à sa cour des jésuites européens et fit compiler dictionnaires et anthologies. On l'a souvent comparé à son contemporain Louis XIV (avec qui il fut d'ailleurs en relation). Son quatrième fils, Shih Tsung, lui succéda.

KÂNGRÂ. *n. m.* ♦ Région du N.-O. de l'Inde, au N. de Śrinagar* (Kaśmir) connue surtout par l'école de miniatures qui s'y développa à partir de la fin du XVIIIe s. et qui subit une forte influence occidentale. Un tremblement de terre catastrophique ruina les ateliers de peinture en 1905.

K'ANG-TÊ [*K'ang-tö, Kangde*]. ♦ Nom de règne de Hsün*ti (Pou-yi).

K'ANG YOU-WEI [*K'ang Yeou-wei, Kang Youwei*]. ♦ Homme politique et écrivain chinois (Canton, 1858 – Pékin, 1927). Il s'opposa violemment à la politique de l'impératrice-régente Tz'u* Hsi et fut obligé de s'exiler. Revenu en Chine après la chute des Ch'ing*, il écrivit de nombreux ouvrages philosophiques qui le firent surnommer « le J.-J. Rousseau chinois ». Ce fut lui qui jeta, avec son disciple Liang Ch'i-Ch'ao, les bases de la Chine nouvelle.

KANIBADAM. ♦ V. d'U.R.S.S. (Tadjikistan*), dans la vallée de Fergâna*. 17 500 hab. (1959). Combinat de conserves, égrenage du coton.

KANKAN. ♦ V. de Guinée, dans l'E. du pays, reliée par voie ferrée à Conakry*. 35 000 hab. Commerce de diamants. Indus. alimentaires (rizeries). Briqueteries. Scieries.

KANO. ♦ V. du N. du Nigeria* reliée par voie ferrée à Lagos. Remparts, mosquée. Grand centre commercial musulman (artisanat). 300 000 hab. Arachides. Indus. du cuir et textiles. Cimenterie. ♦ *Hist.* Anc. cap. du premier des sept royaumes Haoussas* annexée au XIXe s. par les Peuls* qui en firent une de leurs cap. **(V. Sokoto.)**

Kanô. ♦ École japonaise de peinture créée au milieu du XVe s. à Kyôto par Kanô Masanobu (1434 – 1530). Cette école fut illustrée par de très nombreux peintres jusqu'au XXe s. et donna naissance à une foule d'écoles subsidiaires, d'un style toujours très officiel, alliant les anciennes techniques picturales japonaises avec le style chinois de l'époque des Ming*.

KANÔ EITOKU. ♦ Peintre japonais (1543 – 1590) de l'école des Kanô*, considéré comme le meilleur peintre de son époque et le plus représentatif de la période de Momoyama. Il œuvra pour Oda* Nobunaga et Toyotomi Hideyoshi* et décora leurs châteaux. Il peignit principalement des fleurs et des oiseaux.

KANÔ MASANOBU. ♦ Peintre japonais (1434 – 1530), fondateur de l'école Kanô qui devint au XVIe s. l'école officielle de peinture du Japon.

KANPUR ou **Cawnpore.** ♦ V. de l'Inde (Uttar Pradesh) sur le Gange. 1 197 000 hab. Centre industriel (textiles, cuirs [chaussures], indus. métallurgiques et chimiques, travail du jute). Important nœud ferroviaire. ♦ *Hist.* La ville fut fondée en 1801 par les Anglais. Les Sipahî* (Cipayes) révoltés y massacrèrent les Britanniques en 1857.

KANSAS. *n. m.* ♦ Riv. des États-Unis, affl. du Missouri (r. d.). Elle prend sa source au pied des Rocheuses et se jette dans le Missouri à Kansas City après avoir traversé le Kansas. (274 km.)

KANSAS. *n. m.* ♦ État du centre des États-Unis, limité au N. par le Nebraska, à l'E. par le Missouri, au S. par l'Oklahoma et à l'O. par le Colorado. 213 095 km². 2 178 611 hab. (1960). *Cap.* Topeka. *V. princ.* **V. Kansas City, Wichita.** – *Orogr.* L'État se trouve dans la zone de transition entre la prairie et les hautes plaines et s'élève graduellement d'E. en O.; la majeure partie est plate, mais cette monotonie est rompue dans plusieurs régions (Flint Hills, Smoky Hills). L'État est drainé au N. par le Kansas* et ses affl., au S.-O. par l'Arkansas* et ses affl., au S.-E. par un système tributaire de l'Arkansas. – *Climat* continental avec de grandes variations de température. – *Écon.* État agricole, où plus de 30 % de la pop. vit dans des fermes, le Kansas est le 1er État pour le blé; il produit aussi du sorgho, du maïs, de l'avoine, de l'alfa, des pommes de terre, etc. Importantes richesses minérales : pétrole, gaz naturel (raffineries). Indus. : matériel de transport, indus. alimentaires, machines, imprimerie, indus. chimiques (engrais), verre, etc. – Université à Lawrence; univ. d'agriculture, à Manhattan; univ. d'État de Wichita. – Patrie de Buster Keaton. ♦ *Hist.* Parcourue par Francisco de Coronado (1541), puis par les Français (déb. XVIIIe s.), la région fut vendue par Napoléon avec la Louisiane aux États-Unis en 1803. Terre indienne, plusieurs fois traversée par les Blancs, le Kansas commença à s'organiser après 1850 (territoire du Kansas-Nebraska 1854) et devint le 34e État de l'Union en 1861. L'État souffrit des guérillas sudistes pendant la guerre de Sécession. Le développement des chemins de fer fut le signal de la prospérité du Kansas.

KANSAS CITY. ♦ Centre urbain des États-Unis, formé par deux villes portant ce nom, situées de part et d'autre de la riv. Missouri, l'une à l'O. de l'État du Missouri, l'autre à l'E. du Kansas. – KANSAS CITY, *Missouri.* 495 405 hab. (zone urbaine : 1 092 545 hab. dans le Missouri et le Kansas [**V.** *ci-dessus*]). Centre commercial et de transports (ch. de fer, lignes aériennes, pipe-lines), centre bancaire; la ville possède d'immenses parcs à bétail et silos à céréales. Indus. alimentaires : viande, minoteries. Montages d'automobiles; indus. chimiques et pharmaceutiques. – La ville est aussi un centre culturel : université du Missouri, importante bibliothèque, musées (art chinois, Renaissance italienne), etc. Elle fut un centre important pour la musique de jazz, vers 1930 (**V. Basie** [Count]). – Patrie de Virgil Thomson. – KANSAS CITY, *Kansas.* 121 901 hab. La ville est située sur la principale route venant de l'Est. Centre de communications. Ses indus. importantes relèvent de la zone urbaine (**V.** *ci-dessus* **Kansas City, Missouri**).

KAN-SU [*kan-sou, Gansu*]. *n. m.* ♦ Province du N.-O. de la Chine, entre celles du Ch'ing-hai et du Ning-hsia, arrosée par les hauts cours du Huang-ho et de la Huai. Montagneuse et en grande partie désertique, elle est une des moins peuplées des provinces chinoises (9 000 000 d'hab., en grande majorité musulmans). La Grande Muraille la traverse, ainsi que les anc. routes reliant la Chine centrale aux oasis du Türkestan. Qûbilai* Khân conquit son territoire au XIIIe siècle. Élevage de bétail, agriculture dans les terres à lœss, quelques mines. *Cap.* **V. Lan-chou.**

KANT (Emmanuel). ♦ Philosophe allemand (Königsberg, 1724 – 1804). Après des études de théologie, de philosophie et de sciences, il gagna sa vie comme précepteur (1746-1755), puis enseigna à l'université de Königsberg. Ses premiers ouvrages traitent de physique, d'astronomie (*Histoire universelle de la nature et théorie du ciel,* 1755, précédant Laplace) et de philosophie. La lecture des philosophes anglais (Shaftesbury, Hume*) et de Rousseau* contribua à sa critique du rationalisme de Wolff*. Plusieurs thèmes de la *Dissertation de 1770 (De la forme et des principes du monde sensible et du monde intelligible)* annoncent déjà la philosophie critique ou transcendantale (criticisme). Celle-ci est la détermination des conditions a priori : *a*) de la connaissance (théorie), *Critique* de la raison pure* (1781), *Premiers Principes métaphysiques de la science de la nature* (1786); *b*) de la morale (pratique), *Fondements* de la métaphysique des mœurs* (1785), *Critique* de la raison pratique* (1788), *La Religion dans les limites de la simple raison* (1793), *Métaphysique des mœurs* (1797); et *c*) du jugement esthétique et téléologique, *Critique* de la faculté de juger* (1790). – La métaphysique traditionnelle peut-elle prétendre au titre de science? Répondre à cette question exige une analyse critique du pouvoir et des limites de la raison humaine indépendamment de l'expérience. Contre les empiristes (Hume), Kant cherche à fonder en droit les mathématiques et la physique, en déterminant les conditions a priori de la perception des objets : l'espace et le temps, intuitions pures, formes a priori de la sensibilité *(Esthétique transcendantale),* et celles de leur connaissance par l'entendement qui unifie la diversité des intuitions sensibles grâce aux catégories et principes a priori [causalité, etc.] *(Analytique transcendantale).* Mais, contre le rationalisme dogmatique (Leibniz, Wolff), il montre que la raison s'enferre dans des contradictions inévitables dès qu'elle prétend s'élever au-dessus de toute expérience possible et faire des idées de l'âme, du monde et de Dieu les objets de prétendues sciences rationnelles *(Dialectiques transcendantales).* Ainsi notre connaissance se limite aux phénomènes naturels tels qu'ils sont déterminés par les lois de l'entendement (idéalisme critique). Inconnaissables, les choses en soi ont néanmoins une signification pratique. En effet, l'impératif « catégorique », donné dans la conscience commune de la moralité, a pour fondement la liberté, « autonomie de la volonté » par rapport aux inclinations naturelles vers le bonheur. La loi universelle émanant de la raison pratique est le principe (pur) de l'acte moral et en détermine l'objet (Bien moral) et la fin : l'homme comme être raisonnable. Exigence ultime de la raison pratique, la croyance en l'immortalité de l'âme et en l'existence de Dieu, réintroduite par Kant sous la forme de « postulats », garantit l'accord futur entre le bonheur et la vertu et ouvre la voie à une théologie morale. Avec l'analyse du jugement esthétique et téléologique, Kant tente d'unifier la philosophie théorique et pratique. Le beau implique (selon lui) l'unité de nos facultés représentatives (sensibilité, imagination, entendement) et est, avec le sublime, « symbole du Bien moral ». Quant à la finalité, elle constitue un principe subjectif (a priori) du jugement dans sa réflexion sur la nature dont certaines productions (les êtres vivants et leur organisation) semblent l'exiger. Ainsi peut être affirmée l'analogie entre nature et raison, résumée par la formule : « Le ciel étoilé au-dessus de ma tête et la loi morale en moi. » **(V. Kantisme;** philosophes postkantiens : **Fichte, Schelling** et **Hegel;** et **néo-kantisme.)**

Ph. Giraudon

Kao Tsung : les Voyages de l'empereur Ch'ien-lung. Détail d'un rouleau Tsing. (Musée Guimet, Paris.)

KANTARA (El-). ♦ Comm. d'Algérie (dép. de Batna) dans l'O. des Aurès*, célèbre pour ses gorges, « portes du désert », qui ouvrent sur une belle oasis de 100 000 arbres.

KANTARA (El-), en ar. **al-Qantarah.** ♦ Localité d'Égypte nord-orientale, sur le canal de Suez, entre Port-Saïd et Ismaïlia. Ancienne station sur la route des caravanes.

KANTEMIR (Antioche Dmitrievitch Kantemir [orthogr. russe de Cantemir]**).** ♦ Poète et diplomate russe (Constantinople, 1708 – Paris, 1744), fils du prince Dimitrie Cantemir*. Défenseur des réformes de Pierre le Grand, il s'attaqua aux adversaires de celles-ci dans des satires : *Contre les dénigreurs de la culture, Contre l'envie et l'orgueil des méchants nobles* (1729-1739) qui furent d'abord publiées en français (1749) puis en russe (1762). Il fut l'ambassadeur de Russie en France.

Kantisme *(le).* ♦ Dès le vivant de Kant, les discussions sur sa philosophie furent nombreuses, opposant commentateurs (Schmid, Jakob*, Tittel et Beck) et adversaires (Reinhold*, Weishaupt*, Maimon*, Schulze*, Bardili*, Jacobi*, Herder*) et préparèrent les systèmes philosophiques des post-kantiens : Fichte*, Schelling* et Hegel*. Dans la deuxième moitié du XIXe s., on assista à un retour à Kant **(V. Néo-kantisme).**

KANTOR (Jacob Robert). ♦ Psychologue américain (1888). À la théorie mécaniste du comportement (**V. J.B. Watson** et le behaviorisme), il opposa une conception qui insiste sur son caractère global, se rapprochant ainsi du gestaltisme [ou psychologie de la forme]. **(V. Koffka.)**

KANTOROVITCH (Léonide Vitalevitch). ♦ Économiste soviétique (né en 1912), auteur de travaux consacrés au problème de l'utilisation optimale des moyens de production et de la répartition des investissements dans l'économie socialiste (*Méthodes mathématiques d'organisation et planification de la production,* 1939; *Calcul économique et utilisation optimale des ressources,* 1960, traduction française en 1963). [Prix Nobel de sc. écon., 1975].

KAOHSIUNG [*Kao-Hiong, Gaoxiong*]. ♦ Port et deuxième V. de Taïwan*, au S.-O. de l'île. 784 500 hab. Importante base navale et port d'exportation de produits agricoles. Pêche et indus. (métallurgie, chantiers navals, aluminium, plastiques, indus. chimiques, pétrolochimie). Port de voyageurs. – La ville fut créée par les Japonais au début du XXe s.; ce fut une importante base navale américaine (1939-1945).

KAOLACK. ♦ V. du Sénégal sur le Saloum* à proximité de son delta. 70 000 hab. Port exportateur d'arachides. Huileries.

KAO TSU [*Gao Zu*]. ♦ Nom de temple (posthume) de plusieurs empereurs chinois. Un des plus grands fut Li Yüan (566 – 635) qui fonda la dynastie des T'ang* et régna de 618 à 626, après avoir déposé le dernier souverain des Sui*. Un autre empereur de ce nom, Liu Chih-yüan, général d'origine türk, fut, en 947, le fondateur de la dynastie des Han postérieurs, à K'ai*-feng, dynastie éphémère qui ne dura que trois années. Un autre empereur de ce nom, Shih Ching-t'ang, fonda la dynastie des Chin* postérieurs en 939.

KAO TSUNG [*Gao Zong*]. ♦ Nom de temple (posthume) de nombreux empereurs chinois. Un des plus célèbres fut Ch'ien-lung (1711 – 1799), empereur de la dynastie des Ch'ing* qui régna de 1736 à 1796. Il mena de nombreuses campagnes en Chine et en dehors (conquête de l'île de Taïwan, de l'Annam*, expéditions de « pacification » en Birmanie et en Asie centrale). Poète, il fut un généreux mécène, favorisant l'essor de la littérature manchoue. Par ailleurs, il proscrivit le christianisme. Il abdiqua, âgé de près de quatre-vingts ans, en faveur de son fils qui prit le titre de règne de Chia-ch'ing (Jen-Tsung).

KAPELA. *n. m.* ♦ Massif montagneux de Yougoslavie (Croatie*), appartenant aux Alpes dinariques ; il domine l'Adriatique au N.-O. du Velebit*. On exporte le bois de ses forêts.

KAPELLEN. ♦ **V.** CAPELLEN.

KAPILA. ♦ Sage indien probablement mythique, considéré comme une incarnation du dieu Viṣnu*. Il aurait enseigné aux hommes la science des nombres et la philosophie du Sâmkhya*.

KAPILAVASTU. ♦ Anc. cité du N. de l'Inde (actuellement au S. du Népal*) et cap. d'un clan des Śâkya*, où naquit le Bouddha*, en ~543. Ses vestiges furent découverts en 1895 près du village de Rumindei.

KAPIŚA. ♦ Anc. royaume indo-grec d'Afghânistân* célèbre pour ses ruines bouddhiques et son artisanat de l'ivoire. Actuellement nom d'une province afghâne comptant environ 350 000 habitants.

KAPITSA (Piotr Leonidovitch). ♦ Physicien soviétique (Kronstadt, 1894). Inventeur d'un appareil permettant de liquéfier l'hydrogène **(V. Dewar)** et l'hélium **(V. Kamerlingh Onnes),** il étudia les propriétés des corps condensés aux très basses températures ; spécialiste de physique atomique, il fut le principal créateur de l'explosif thermonucléaire russe.

KAPLAN (Viktor). ♦ Ingénieur autrichien (Mürzzuschlag, Styrie, 1876 – Unterach, 1934). Inventeur d'une turbine-hélice hydraulique *(turbine Kaplan),* particulièrement adaptée aux chutes très basses et dont le pas variable permet de conserver au mieux le rendement quand la hauteur de la chute varie. **V. Bourdin, Francis, Pelton.**

KAPNIST (Vassili Vassilievitch). ♦ Poète et dramaturge ukrainien écrivant en russe et en français (Oboukhovka, près de Mirgorod, 1757 – *id.,* 1823). Dans son *Ode sur le servage* (1782, éd. 1806), il se prononça contre la servitude imposée aux paysans ukrainiens sous le règne de Catherine II. Sa comédie *La Chicane* (présentée en 1798 et interdite par la censure un peu plus tard), satire de la concussion et de l'arbitraire judiciaire, fut la source première du *Revizor* de Gogol*.

KAPOSVÁR. ♦ V. de Hongrie, ch.-l. du comitat de Somogy, située dans le S.-O. du pays. 50 000 hab. Centre ferroviaire et industriel (textiles).

KAPP (Wolfgang). ♦ Homme politique allemand (New York, 1858 – Leipzig, 1922). Ardent nationaliste, il s'opposa violemment à tout projet d'une paix de compromis pendant la Première Guerre mondiale. Refusant le régime de la république de Weimar, il mit au point, avec le général Lüttwitz et l'appui de la « brigade baltique » du capitaine Ehrard, le coup d'État de Berlin (mars 1920) qui échoua devant l'opposition de la population berlinoise en grève, après le départ du président Ebert*.

KAPPEL ou **CAPPEL.** ♦ Localité de Suisse (cant. de Zurich), au S. de Zurich. – La *paix de Kappel* (1529) mit fin à la première guerre entre Zwingli* et les catholiques. D'après elle, chaque canton était souverain en matière religieuse. – La *bataille de Kappel* (1531) fut une défaite de Zwingli qui y trouva la mort. Elle consacra la division religieuse de la Suisse, mais arrêta momentanément l'expansion de la Réforme*.

KAPUAS. *n. m.* ♦ Chaîne montagneuse du N.-O. de l'île de Bornéo*, formant la frontière entre la province de Pontianak (Kalimantan indonésien) et le Sarawak* de Malaysia, culminant à env. 2 000 m. – Fl. né dans cette chaîne (480 km), navigable, et qui se jette dans la mer de Chine méridionale, près du port de Pontianak.

KAPUNI. ♦ Gisement de gaz naturel de la Nouvelle*-Zélande, dans l'île du Nord, au S. de New* Plymouth. Il alimente la turbine d'Auckland*.

KAPÛRTHALA. ♦ Anc. État indien du Panjâb* dont les mahârâja étaient renommés pour leur richesse et leurs équipées en Europe, dans les années 1920-1930. C'est maintenant une petite cité d'à peine 30 000 habitants.

KARA *(mer de).* ♦ Mer bordière de l'océan Arctique*, au N. de l'U.R.S.S. entre les îles de Novaïa Zemlia et Vaïgatch à l'O. et l'archipel de la Severnaïa* Zemlia à l'E. 883 km². Profondeur maximale 620 m, profondeur moyenne 150-200 m. Princ. îles : Belyï, de Dikson, de l'Institut arctique, de la Solitude *(Ouedinenia).* Elle reçoit les eaux des fl. Ienisseï*, Ob'* (tributaires des golfes du même nom), Piassina et Kara. Couverte de glaces pendant la plus grande partie de l'année, elle se dégage à la fin de l'été et constitue alors une partie de la voie maritime du Nord. *Ports princ.* Igarka* (à 673 km de l'embouchure de l'Ienisseï), Dikson, Novyï Port. Pêche dans les golfes.

KARA-BOGAZ GOL. *n. m.* ♦ Golfe presque fermé de la côte E. de la mer Caspienne, dans le Türkmenistân*. De peu de profondeur, soumis à une intense évaporation, il se dessèche rapidement. 18 300 km² en 1930, auj. 13 000 km². Profondeur 4 à 7 m. Sur ses rives désertiques sont installées des usines traitant le sel.

KARABÜK. ♦ V. de Turquie, au N. d'Ankara*, sur l'Arac. 31 000 hab. Située près du bassin houiller de Zonguldak*, c'est l'un des principaux centres sidérurgiques de Turquie. Indus. chimique (acide sulfurique).

KARACA OĞLAN. ♦ Poète populaire turc (mort en 1679). Il vécut parmi les tribus nomades d'Anatolie et écrivit des poèmes profanes et sensuels s'attachant à la peinture de sujets concrets.

KARÂCHI. ♦ Port principal du Pâkistân, sur le golfe d'Oman. Env. 3 000 000 d'hab. (avec l'aggl.). Aéroport international. Université. Grand centre commercial (exportations de produits textiles et agricoles) et industriel. Raffineries de pétrole. Chantiers

Ph. A. Picou/Asie-Photo

Un jardin à **Karâchi.**

navals. Le gaz naturel de Sin (dans le Sind) y est amené par pipeline. Salines. Très important carrefour ferroviaire (toutes les lignes de chemin de fer du pays y aboutissent). ♦ *Hist.* La ville, développée à partir de 1838 par les Anglais (ce n'était jusque-là qu'un village de pêcheurs), fut de 1947 à 1960 la cap. de l'État du Pâkistân*.

KARADŽIĆ (Vuk Stefanović). ♦ Écrivain serbe (Tršič, Bosnie, 1787 – Vienne, 1864). Fils de paysan, il fut un autodidacte de génie. Il consacra sa vie à la création du serbe littéraire. En 1814, il publia la première *Grammaire* et en 1818 le premier *Dictionnaire* du serbe populaire. Parallèlement à ses efforts pour épurer la langue du vieux slavon, il adapta l'alphabet cyrillique à la phonétique serbe. La langue ainsi définie fut adoptée par les Croates vers 1840 et devint la langue officielle de Serbie en 1868. Très attaché au folklore de son pays, Karadžić réunit en six volumes la collection des chansons populaires serbes. Il écrivit enfin un livre sur *La Révolution serbe* (1828).

KARAFUTO. ♦ Anc. nom japonais de la partie méridionale de l'île de Sakhaline*, occupée en 1946. Les Soviétiques la reprirent après la défaite du Japon.

KARAGANDA. ♦ V. d'U.R.S.S. (Kazakhstan*), ch.-l. de la région du même nom (398 800 km², 1 575 000 hab.), au N. du lac Balkhach*. 522 000 hab. Centre culturel. Centre d'un bassin houiller (3 000 km², réserves de houille estimées en 1956 à 51,2 milliards de t, production en 1961, 26 668 000 t). Sidérurgie, métallurgie des non-ferreux, indus. mécaniques, chimiques, cokeries ; combinat d'articles en caoutchouc.

KARAGEORGES ou **KARADJORDJE (Gjorgje Petrovitch).** ♦ Homme politique serbe fondateur de la dynastie des Karageorgévitch (Visevats, près de Kragujevac, 1752 – Radovanj, près de Smédérovo, 1817). Il mena la révolte contre les Turcs (1804), entra à Belgrade (1806) et fut élu prince des Serbes (1808). Abandonné par le tsar de Russie (1813), il se réfugia à l'étranger, en revint en 1817 et fut assassiné sur l'ordre de Miloch* Obrenovitch.

KARAGEORGÉVITCH ou **KARADJORJEVIC (Alexandre).** ♦ Fils de Karageorges (Topola, 1806 – Temesvár, 1885). Il revint en Serbie à la chute de Miloch Obrenovitch et fut élu prince des Serbes en 1842. Il maintint de bons rapports avec l'Autriche et la Turquie, obtint la garantie internationale de la Serbie en 1856. Il fut cependant renversé à cause de son gouvernement dictatorial (1858). – Père de Pierre* Ier. ♦ PAUL KARAGEORGÉVITCH (Saint-Pétersbourg, 1893 – Neuilly, 1976). Il assura la régence de la Yougoslavie pendant la minorité de Pierre II (1934-1941). Dictateur, il dut donner à la Yougoslavie une nouvelle organisation fédérale. Il dut accepter d'adhérer au pacte tripartite, mais fut renversé et laissa la place au roi Pierre* II. ♦ ALEXANDRE KARAGEORGÉVITCH. **V. Alexandre Ier Karageorgévitch.**

KARAISKAKIS (Georges). ♦ Héros de l'indépendance grecque (1780 – Athènes, 1827). Il défendit Missolonghi en 1822-1823 et battit plusieurs fois les Turcs en Grèce centrale. Accusé de trahison par Mavrocordatos*, il fut acquitté. Il fut tué (peut-être assassiné) lors du combat avec les Turcs qui assiégeaient Athènes.

KARAJAN (Herbert *von***).** ♦ Chef d'orchestre autrichien (Salzbourg, 1908). Élève de Schalk, à Vienne, il fut directeur de l'opéra d'Aix-la-Chapelle (1935) puis chef d'orchestre à l'opéra de Berlin (1937). Successeur de Furtwängler à la tête de l'orchestre philharmonique de Berlin (1956), il fut directeur musical de l'opéra de Vienne et des festivals de Salzbourg et de Bayreuth. Marquée par l'exigence et la ferveur, la qualité de ses interprétations lui vaut une réputation internationale.

KARAK (al). ♦ V. de Jordanie, ch.-l. de district situé sur le plateau de Moab* à l'E. de la mer Morte. La ville fut dans l'Antiquité la cap. des Moabites et une position retranchée au temps des croisades *(château des croisés).*

KARAKALPAK ou **QARAKALPAK.** *n. m. pl.* ♦ Peuple türk de la région de Khiva* (Asie centrale soviétique) appelé autrefois « Bonnets noirs » et dont le territoire fut annexé en 1867 par la Russie. Il comprend à peine 200 000 individus. Il est fixé dans une république autonome au S. de la mer d'Aral*.

KARAKALPAKIE. *n. f.* (République socialiste soviétique autonome de) [en russe **Karakalpakskaja A.S.S.R.** ou **Karakalpakija**]. ♦ République faisant partie de l'Ouzbékistan* (U.R.S.S.). Baignée au N. par la mer d'Aral*, elle s'étend sur la partie O. du désert de Kyzylkoum*, le delta de l'Amou*-daria et la partie S.-E. du plateau Oust*-ourt. 165 600 km². 672 000 hab. (*Karakalpaks* ou « Bonnets noirs », Ouzbeks, Kazakhs, Russes, Ukrainiens). *Cap.* **V. Noukous.** – Réserves de phosphorites, talc, graphite et sel. Culture du coton, sériciculture. Élevage ovin. Pêcheries. Indus. métallurgiques et alimentaires. ♦ *Hist.* Aux XIVᵉ-XVIᵉ s., les Karakalpaks se trouvaient sous la domination des Khânats de Boukhara* et du Khârezm*. Conquise par les Djungars (1723), annexée par la Russie (1873), la Karakalpakie fut partagée après la révolution d'Octobre entre la R.S.S. autonome du Türkestan et la République soviétique populaire de Khârezm*. Région autonome par le décret du 11 mars 1925, elle devint R.S.S. autonome au sein de la R.S.F.S. de Russie (20 mars 1932), puis au sein de l'Ouzbékistan (5 déc. 1936).

KARAKORAM ou **QARAQORAM**. *n. m.* (« pierre noire »). ♦ Massif montagneux très élevé de l'O. de l'Himâlaya*, à l'extrême N. du Pâkistân*, culminant au mont Dapsang* (8 611 m), orienté E.-O., caractérisé par d'immenses glaciers dont le Baltoro, long de 86 km.

KARAKORUM. ♦ V. QARAQORUM.

KARAKOUM ou **KARAKUM** « sables noirs ». ♦ Désert sablonneux d'U.R.S.S. (Türkmenistan*) à l'O. de l'Amou*-daria. Env. 300 000 km². Le canal du Karakoum (800 km) permet d'irriguer 160 000 ha. Pâturages. Culture du coton, de fruits et de légumes. – On écrit aussi *Qaraqum.*

KARAMZINE (Nicolas) [*Karamzin*]. ♦ Poète, romancier et historien russe (1766 – 1826). Il a donné naissance au russe littéraire moderne en abandonnant le slavon. Sa nouvelle sentimentale *La Pauvre Lise* (1792) connut un grand succès. L'œuvre la plus importante qu'il ait écrite est l'*Histoire de l'État russe* (12 volumes ; 1816-1826).

KARASLAVOV (Georgi). ♦ Écrivain bulgare (Debăr, près de Părvomaj, 1904 –). Ses romans, *Imbéciles* (1938), *La Belle-fille* (1942), *Des hommes comme les autres* (1957), décrivent avec réalisme la vie campagnarde dans la Bulgarie d'avant 1942.

KARATCHÔK. ♦ Gisement pétrolier de l'extrême N.-E. syrien. Acheminement du pétrole vers le Liban et les ports syriens de Tartous* et de Baniyas*.

KARAVELOV (Ljuben). ♦ Écrivain bulgare (Koprivštica, 1837 – Ruse, 1879). Après des études à Moscou, il revint en Bulgarie en 1869, où il collabora aux journaux *la Liberté* et *l'Indépendance*, siégea au Comité central révolutionnaire de Bucarest et défendit l'idée d'une fédération des peuples balkaniques. Créateur de la nouvelle bulgare, il s'y fit remarquer par la finesse de son observation et la qualité de son style : *Le Martyr* (1870), *L'Enfant gâté* (1875), *Les Bulgares du temps jadis.*

KARAWANKEN. *n. m.* ♦ Massif yougoslave des Alpes orientales, entre les vallées de la Save* et de la Drave* longeant la frontière austro-yougoslave (2 000 m environ).

KARBALÂ' ou **KERBELA**. ♦ V. d'Iraq, située au S.-O. de Baghdâd, ch.-l. de province. Plus de 60 000 hab. Marché agricole. Indus. alimentaires (raffinerie de sucre). La ville doit son importance à ce qu'elle renferme la sépulture d'un grand nombre de musulmans shi'ites (Iraniens, Indiens...), ce qui en fait un grand centre de pèlerinage.

KARDINER (Abraham). ♦ Psychanalyste et ethnologue américain (New York, 1891 –). Psychiatre, acquis à la psychanalyse, il s'orienta vers l'ethnologie. En collaboration avec R. Linton*, il formula sa théorie de la « personnalité de base », type moyen de personnalité, caractérisant les individus d'une société, déterminé par les institutions primaires (organisation familiale, système de subsistance, d'éducation, etc.) et s'exprimant dans les institutions secondaires [mythes, religion, etc.] (*The Individual and his Society*, 1939 ; *The Psychological Frontiers of Society*, 1945, avec R. Linton). [**V. M. Dufrenne.**] L'œuvre de Kardiner constitue un des principaux efforts de rapprochement entre la psychanalyse et l'anthropologie culturelle (*Introduction à l'ethnologie*, 1961 : trad. fr.. 1966).

KĂRDZALI, KIRDZALI ou **KÜRDZALI**. ♦ V. de Bulgarie méridionale (district de Haskovo), sur l'Arda, au pied du Rhodope. 21 000 hab. Raffinage du plomb et du zinc. La région produit du tabac, commercialisé à Kărdzali.

KAREN. *adj. et n, m. pl.* ♦ Langue et peuple de Birmanie (région du Tenasserim), de race tibéto-birmane (agriculteurs seminomades convertis au christianisme). Souvent révoltés contre le gouvernement fédéral, les Karen se montrèrent difficiles à pacifier.

KARHULA. ♦ V. et port de Finlande, au fond d'une baie s'ouvrant sur le golfe de Finlande. 22 026 hab. (1971). Indus. du bois (scieries, pâte à papier, cellulose), constructions mécaniques, fonderies. Verrerie d'art.

KARIBA *(lac)*. ♦ Lac artificiel créé sur le Zambèze* grâce à la construction du barrage du même nom. Il est long de 250 km et sa capacité est d'env. 110 milliards de m³. Équipement hydro-électrique qui alimente la Rhodésie* et la Zambie*. Importante activité de pêcheries sur ses rives.

KARIBS. ♦ V. CARAÏBES.

KÂRIKÂL. ♦ V. et port de la côte S.-E. de l'Inde (Tamilnâdu), à 250 km au S. de Madras*. Ancien comptoir français transféré à l'Inde en 1954. Port de pêche, artisanat local. 80 000 habitants.

KARKEMISH. ♦ Anc. V. de haute Syrie (auj. Jerablus), sur la rive droite de l'Euphrate, contrôlant le gué sur l'itinéraire de la Mésopotamie vers la Syro-Palestine et l'Égypte en évitant le désert. Elle fut conquise par les Hittites (**V. Souppiloulіouma**) et resta une principauté hittite même après la chute de l'empire (**V. Hittites**). Sargon* II l'annexa à l'Assyrie (~ 717). Nabuchodonosor* II y vainquit Néchao II (~ 605) et l'annexa. Des fouilles y ont été organisées au début du XXᵉ s., permettant la mise au jour de la citadelle avec une double enceinte.

KARKONOSZE. ♦ Nom polonais des monts des Géants. **V.** KRKONOŠE.

KARLFELDT (Erik Axel). ♦ Poète suédois (près de Folkärna, en Dalécarlie, Suède, 1864 – Stockholm, 1931). Il fut élu membre de l'Académie suédoise en 1904. Il resta fidèle aux traditions populaires et à la vie rustique de sa province natale. Dans ses recueils de poésies lyriques, *Chants sauvages et Chants d'amour* (1895), *Les Chants de Fridolin* (1898) et *Le Jardin de Fridolin* et *Peintures de Dalécarlie en vers* (1901), le romantisme se trouve tempéré par l'humour et un certain réalisme paysan. En 1912, il devint le secrétaire perpétuel du comité Nobel pour les prix littéraires et, comme tel, ne voulut pas, en 1920, accepter le prix Nobel. Celui-ci lui fut attribué à titre posthume en 1931.

KARL-MARX-STADT, anc. **Chemnitz**. ♦ V. d'Allemagne orientale et ch.-l. de district au N. des monts Métallifères, sur la Chemnitz, affl. de la Mulde de Zwickau. 197 133 hab. (1969). Située sur la route du sel vers la Bohême, au cœur d'un bassin de lignite et de charbon, la ville connut un essor rapide à partir du XIIᵉ siècle. C'est auj. l'un des princ. centres textiles de la Saxe (coton, laine, textiles artificiels, bonneterie) et un important centre de constructions mécaniques : machines textiles, automobiles, matériel ferroviaire (la première locomotive allemande y fut construite).

KARLOVY VARY, anc. en all. **Karlsbad**. ♦ V. de Tchécoslovaquie, en Bohême-Occidentale, au confluent de l'Ohře* et de la Teplá. 45 745 hab. (1967). Cathédrale de style baroque (1763). – Importante station thermale depuis le XIVᵉ siècle. Porcelaine, cristalleries. Indus. du cuir, indus. alimentaires. ♦ *Hist.* **V. Karlsbad.**

KARLOWITZ, auj. **Sremski Karlovci**. ♦ Localité de Yougoslavie (Vojvodine*), sur le Danube*. En 1699, un traité y fut signé, par lequel la Turquie, vaincue par la Sainte-Alliance, céda à la Pologne, à la Russie et à Venise d'importants territoires.

KARLSBAD. ♦ Anc. nom all. de Karlovy* Vary (Tchécoslovaquie). ♦ *Hist.* Le *congrès de Karlsbad* (août 1819) réunit les représentants des États allemands sous la présidence de Metternich*, afin de résoudre les problèmes posés par l'agitation libérale. Il prit des mesures répressives : création d'une commission fédérale chargée d'enquêter sur les agissements subversifs, censure de la presse, surveillance des universités, etc. La ville était, avant la Deuxième Guerre mondiale, l'un des principaux centres de peuplement des Allemands des Sudètes*.

KARLSKOGA. ♦ V. de Suède méridionale, sur le lac Möckeln, à l'E. de Karlstad*. 38 200 hab. Mines de fer. Métallurgie.

KARLSKRONA. ♦ V. et port de Suède, au S.-E. du pays, sur la Baltique*. Ch.-l. de la province de Bleckinge. 37 200 hab. Port militaire. Chantiers navals, indus. mécaniques, scieries. Porcelaines.

KARLSON (Peter). ♦ Biochimiste allemand (Berlin, 1918). Auteur de recherches d'endocrinologie, il isola, avec Butenandt*, l'ecdysone (1954).

KARLSRUHE, en fr. **Carlsruhe**. ♦ V. d'Allemagne occidentale

Ph. Hétier

Karlsruhe.

Ph. Hétier

Karnak : allée des Béliers.

(Bade-Wurtemberg) et anc. cap. du grand-duché de Bade, sur le Rhin, à l'extrémité N. de la Forêt-Noire. 256 400 hab. (1969). Bâtie au début du XVIIIe s. par les margraves de Bade-Durlach, la ville s'organise en éventail autour du château grand-ducal et est pourvue de nombreux espaces verts. – Grâce à sa situation privilégiée, c'est un important centre industriel, doté d'un grand port fluvial (env. 8 000 000 de t de trafic par an), spécialisé dans les constructions mécaniques (machines, cycles, instruments de précision, électronique, chimie [produits pharmaceutiques, pneumatiques, cosmétiques, raffinage du pétrole]). Point d'arrivée de l'oléoduc de Marseille-Lavéra. Centre de physique nucléaire. Cours suprêmes de la R.F.A. – Patrie de K.R. Benz*, Maximilien* de Bade et F. Katzel.

KARLSTAD. ♦ V. et port de Suède, sur le lac Vänern*. Ch.-l. du comté de Värmland. 53 877 hab. (1968). Évêché. Aéroport. Carrefour ferroviaire et routier. Centre industriel : aciéries, indus. du bois (pâte à papier, allumettes). ♦ *Hist.* En 1905 y furent établies les clauses de séparation de la Suède et de la Norvège.

KARLSTADT (Andreas BODENSTEIN, dit**).** ♦ Réformateur allemand (Karlstadt, v. 1480 – Bâle, 1541). Professeur à Wittenberg, il fut un des premiers disciples de Luther*, participa à la dispute de Leipzig (1519, **V. Eck**) et, lors de la retraite de Luther à la Wartburg, prit à Wittenberg des initiatives radicales qui amenèrent sa brouille avec celui-ci et son exil en Suisse. **V. Réforme.**

KÁRMÁN (Theodor *von***).** ♦ Ingénieur américain d'origine hongroise (Budapest, 1881 – Aix-la-Chapelle, 1963). Auteur de nombreuses recherches de mécanique, il étudia notamment les propriétés thermiques des cristaux (avec Born*, 1912), les théories de mécanique des fluides (mouvement tourbillonnaire, turbulence), les théories de l'élasticité et de la résistance des matériaux. (Acad. sc., 1955.) ♦ *Raccord* KÁRMÁN : pièce profilée qui, placée au raccordement de l'aile et du fuselage d'un avion, permet d'éviter la formation de tourbillons.

KARNAK, en égypt. **Ipet-isut** ou **Eptesowe**, « le lieu choisi », auj. **al-Karnak**. ♦ Village de Haute-Égypte (province de Qinâ) qui a donné son nom à la partie N. des ruines de l'anc. Thèbes* situées sur la rive droite du Nil, la partie S. étant connue sous le nom de Louxor*. Les ruines de Karnak forment l'un des sites archéologiques les plus importants du monde. Elles couvrent une surface considérable bien qu'il ne reste rien des maisons, des palais et des jardins qui entouraient les temples. Ceux-ci forment trois grands ensembles séparés, entourés chacun d'une enceinte : du N. au S., l'enceinte de Montou, l'enceinte d'Amon* et l'enceinte de Mout reliée au temple d'Amon par une allée de sphinx qui menait ensuite au temple de Louxor. Le temple d'Amon proprement dit se compose de plusieurs édifices construits à des périodes différentes. De l'édifice originel de la XIIe dynastie il ne reste aucune trace. L'ensemble actuel date en majeure partie des XVIIIe, XIXe et XXe dynasties (~ XVIe-~ XIIIe s.). La construction fut entreprise par Aménophis* Ier et poursuivie par Touthmôsis* Ier qui entoura le temple d'une enceinte et l'accrut d'un vestibule hypostyle. La reine Hatchepsout* y éleva deux obélisques. Très agrandi par Touthmôsis* III, le temple reçut diverses adjonctions sous les successeurs de ce dernier (parmi lesquels Aménophis* III). La partie la plus célèbre est la grande salle hypostyle édifiée au début de la XIXe dynastie par Ramsès* Ier et Horemheb* et décorée sous Séthi* Ier et Ramsès* II. Toujours à l'intérieur de l'enceinte d'Amon se trouvent, au N. du grand temple, le temple de Ptah* et Hathor* (édifice du Moyen Empire reconstruit par Hatchepsout et Touthmôsis III) et, au S., le très beau temple dédié à Khonsou* par Ramsès* III. L'ensemble des temples de Karnak est actuellement menacé par l'élévation du niveau du Nil due à la construction de plusieurs barrages. Deux procédés sont à l'étude pour les préserver.

KARNÂTAKA ou **CARNATIC.** ♦ Nom donné à la partie du S.-E. de l'Inde, située entre l'ancien État du Maïsûr (Mysore*) et le golfe du Bengale, dont le nom signifie «terre noire». Célèbre pour sa musique religieuse, dite « carnatique ».

KÁROLYI DE NAGYKÁROLI (Mihály). ♦ Homme politique hongrois (Budapest, 1875 – Vence, Alpes-Maritimes, 1955). Député libéral, hostile à l'Allemagne pendant la guerre, il prit position en 1918 pour l'indépendance de son pays. Nommé président de la République (janv. 1919), il fut renversé par Béla Kun* (mars 1919). Ambassadeur à Paris (1947-1949).

KAROUN *(lac),* en ar. **Birkat al-Qarûn**, devenu **Birkat al-Kûrûn**, le « lac des Cornes ». ♦ Lac de la Haute-Égypte, dans le Fayoum. 600 km². Il s'étend de l'E. à l'O. et est situé à 44 m au-dessous du niveau marin. ♦ *Hist.* L'anc. lac *Moeris* occupait jadis presque toute la surface de l'actuel Fayoum* (*Pa-yôm :* la mer). Quelques terres formaient la ville de Shedit **(V. Médinet el-Fayoum),** lieu de pêche et de chasse des pharaons de l'Ancien Empire. Asséché en partie par Amménémès* III (le légendaire Moeris) qui pratiqua dans le Fayoum d'importants travaux d'irrigation, le lac fut ramené à ses proportions actuelles par Ptolémée* II Philadelphe. Après une grande période de prospérité, la région fut abandonnée au IIIe siècle. La divinité locale était Sobek* **(V. Médinet el-Fayoum).**

KARPATES. ♦ V. CARPATES.

KARPIŃSKI (Franciszek). ♦ Poète polonais (1741 – 1825). Représentant du courant « sentimental », il écrivit des idylles (*La Tristesse du printemps* [*Tęskność na wieś*] ; *Le Papillon* [*Do motyla*] ; *L'Alouette* [*Do skowronka*] et *Laure et Philon).* Il est également l'auteur de comédies *La Redevance (Czynsz)* et *Alcesta,* ainsi que d'une tragédie historique : *Boleslaw III.*

KARR (Alphonse). ♦ Journaliste et écrivain français (Paris, 1808 – Saint-Raphaël, 1890). D'abord professeur, il se tourna vers le journalisme et devint, en 1839, directeur du *Figaro.* Il avait déjà manifesté son humour et sa sensibilité dans un grand nombre d'ouvrages notamment avec *Sous les tilleuls* (1832), roman où les allusions autobiographiques se mêlent aux scènes d'un romantisme effréné. En 1839, il publia une revue satirique mensuelle, *les Guêpes,* dont les pamphlets s'attaquèrent au monde de la politique, des lettres et des arts jusqu'en 1849. Retiré sur la Côte d'Azur après le coup d'État de 1851, Alphonse Karr s'y livra à sa passion de l'horticulture, tout en composant de nouveaux romans et des œuvres dramatiques qui eurent peu de succès.

KARRER (Paul). ♦ Chimiste suisse (Moscou, 1889 –). Auteur de recherches sur les caroténoïdes (1931) et sur la structure et la synthèse de plusieurs vitamines : acide ascorbique ou vitamine C [avec Hirst*, Haworth* et Reichstein*, en 1933] **(V. Szent-Györgyi),** riboflavine ou vitamine B_2 (avec Kuhn* en 1934), axérophtol ou vitamine A (avec Kuhn et Morris, en 1937), il précisa les formules alpha, bêta, gamma tocophérol de la vitamine E (1936) et en réalisa la synthèse [1938] **(V. Emerson, Evans);** enfin, il isola la vitamine K_1 (1939). **V. Dam, Doisy.** (Prix Nobel de chimie, 1937.)

KARROO ou **KAROO.** *n. m.* ♦ Plateaux intérieurs semi-arides de l'Afrique* du Sud. Ce sont des formations sédimentaires de schistes et de grès (fin primaire, déb. secondaire) qui s'étagent en gradins depuis l'Orange* et le Transvaal* jusqu'au S. de la province du Cap*. **V.** *aussi* **Nieuweveld** *(monts).*

KARS. ♦ V. de Turquie, dans l'anc. Arménie. Ch.-l. de la province homonyme. 35 000 hab. La ville est dominée par une citadelle (XIIe s.). Église des Saints-Apôtres (Xe s.), transformée en musée. ♦ *Hist.* Kars, importante ville arménienne, fut le siège de la dynastie bagratide au début du Xe siècle. Sous Ashot III, la cap. fut transférée à Ani*. Elle redevint cependant la cap. de l'Arménie du S. quelques années plus tard. Au XIe s., Kars devint successivement possession saljuqide, géorgienne et ottomane. Conquise par les Russes en 1878, elle ne revint à la Turquie qu'en 1920 (traité de Moscou).

KARSAVINA (Tamara). ♦ Danseuse russe, naturalisée anglaise (Saint-Pétersbourg, 1885). Fille du danseur Platon Karsavine, elle rejoignit, après ses débuts au théâtre Marie (1902), la troupe de S. de Diaghilev, et fut consacrée, dès la première saison des Ballets russes à Paris (1909) comme la plus sensible et la plus prestigieuse des ballerines classiques du début du siècle. Tour à tour interprète de M. Fokine* *(Le Pavillon d'Armide, Le Prince Igor, Les Sylphides, Shéhérazade, Pétrouchka, Le Spectre de la rose, L'Oiseau de feu, Daphnis et Chloé),* puis, plus tard, de L. Massine* *(La Boutique fantasque, Le Tricorne),* elle triompha encore à l'opéra de Paris *(Giselle),* à Covent Garden, et au Théâtre-Impérial de Saint-Pétersbourg. Mariée à un diplomate anglais, elle se fixa à Londres (1917), se consacrant, après ses adieux à la scène (1926), au professorat.

KARST. *n. m.* ♦ Région naturelle de Yougoslavie, située en Istrie* et en Slovénie*, et formée de plateaux calcaires (le mot est devenu nom commun pour désigner les formations analogues, Cf. Robert). En fait, on considère la plupart du temps que la région karstique s'étend bien au delà de ces limites : en Croatie* *(Karst boisé),* dans le Kordun, en Bosnie*-Herzégovine (Bila et Polja) et jusqu'au Montenegro*. Le relief, fortement modelé par l'érosion des eaux souterraines, se distingue par l'abondance de dépressions : dolines, « poljès » (dépressions fermées), gouffres, grottes, tandis que les eaux enfouies resurgissent sous forme de sources, lacs et marais. Dans ce milieu naturellement ingrat, les « poljès » offrent les conditions les moins défavorables au développement agricole. Le système hydrographique est utilisé à des fins industrielles, ainsi que pour la pêche et l'irrigation (création de lacs-réservoirs). ♦ *Hist.* Lors de la Première Guerre mondiale, le front du Karst vit l'affrontement des troupes italiennes et austro-hongroises. Les premières attaques italiennes donnèrent de faibles résultats (18 juil. et 18 oct. 1915). L'offensive du 6 août 1916 aboutit, le 9, à la prise de Goritz. En mai 1917, les Italiens progressèrent vers Trieste et le plateau de Bainsizza, mais ils abandonnèrent la région en octobre, après Caporetto*. Ils la réoccupèrent en août 1918.

KART. ♦ Dynastie de princes afghâns qui régnèrent à Harât* de 1245 à 1389 et qui fut abattue par Tîmûr*-i Lang (Tamerlan). Elle eut un grand éclat dans le monde musulman.

KÂRTTIKEYA ou **Skanda.** ♦ Divinité hindoue de la guerre et de la planète Mars, fils de Śiva* et de Pârvatî*. Il est surtout adoré dans le S. de l'Inde où on le représente monté sur un paon. Il est également appelé, dans le Tamilnâdu, du nom de Muruga.

KÂRUN. *n. m.* ♦ Fleuve d'Iran (env. 750 km), prenant sa source dans le Zagros* (au Zard-i-Kuh, 4 655 m), traversant la plaine du Khûzistân* pour se jeter ensuite dans le Chatt* al-Arab. C'est le seul fleuve iranien navigable. Un barrage détourne une partie de ses eaux dans le Zayandeh Rud.

KARVINÁ. ♦ V. de Tchécoslovaquie, en Moravie-Septentrionale, au N.-E. d'Ostrava*. 74 965 hab. (1967). Karviná fait partie de la conurbation industrielle d'Ostrava (indus. métallurgiques et mécaniques essentiellement).

KASAÏ ou **KASSAÏ.** *n. m.* ♦ Riv. d'Afrique centrale (1 940 km), affl. r. g. du Congo*, qui collecte de nombreux affl. venus du Katanga et de l'Angola. Il se nomme également Kwa près de son confluent avec le Congo, en aval de Kinshasa. La navigation par le Congo et le Kasaï entre Kinshasa et Port-Francqui, terminus du chemin de fer du Katanga, joue un rôle économique important. — Région du Zaïre divisée en deux provinces, orientale et occidentale, où se situent les principaux gisements diamantifères. *V. princ.* **V. Kananga, Mbuji-Mayi** et **Tsikapa.**

KÂSHÂN. ♦ **V.** KÂCHÂN.

KASHIWA. ♦ V. du Japon, à 25 km au N. de Tôkyô. 150 000 hab. Centre agricole.

KÂŚÎ. ♦ Anc. nom de la ville indienne de Bénarès (*auj.* Vâranasî*).

KAŚIA. ♦ **V.** KUŚINAGARA.

KAŚMÎR ou **KASHMÎR.** ♦ **V.** CACHEMIRE.

KASPROWICZ (Jan). ♦ Poète polonais (Szymborze, 1860 — Poronin, 1926). Professeur de littérature comparée à l'université de Lvov depuis 1909, il publia *Christ* (*Chrystus,* 1890), *La Fin du monde* (*Swiat się Kończy,* 1891), *Anima lacrimans* (1894) et *Hymnes* (*Hymny,* 1902), où, après avoir fustigé l'injustice sociale, il exprima sa révolte prométhéenne contre Dieu, qui « a créé le mal ». Dans *Les Instants* (*Chwile,* 1911), le sentiment de révolte s'apaise. Ayant retrouvé la sérénité au contact des humbles habitants des montagnes, il écrivit ses derniers recueils : *Le Livre des pauvres* (*Księga ubogich,* 1916) et *Mon monde* (*Mój świat,* 1923).

KASSAPA (I, II, III, IV, V). ♦ Nom de plusieurs rois de Ceylan* qui régnèrent du VIe au Xe siècle. Le premier d'entre eux, un usurpateur, fit réaliser les remarquables fresques de sa forteresse de Sigirya.

Arch. Smeets

Statuette de Kârttikeya. (National Museum, Karâchi.)

KASSEL, en fr. **Cassel.** ♦ V. d'Allemagne occidentale et anc. cap. de la Hesse, auj. ch.-l. de district, dans le *bassin de Kassel,* sur les deux rives de la Fulda. 213 100 hab. (1969). Château de *Wilhelmshöhe,* construit au XVIIIe s. en style baroque au milieu d'un beau parc ; galerie de tableaux, riche en œuvres de primitifs flamands et hollandais, et de Rembrandt, Dürer, Cranach. — Kassel est un grand axe routier et ferroviaire et un centre industriel actif, spécialisé dans la construction mécanique (locomotives, wagons, automobiles), la chimie (colorants), les textiles (jute, rayonne, fibranne), les papeteries, le matériel de précision et les instruments d'optique. ♦ *Hist.* Mentionnée au IXe s. sous le nom de *Chassala,* la ville obtint une charte au XIIe s. et devint au XIIIe s. résidence des landgraves de Thuringe, puis de Hesse. Occupée par les Français au milieu du XVIIIe s. (guerre de Sept Ans), elle devint au XIXe s. (1807-1813) cap. du royaume de Westphalie, puis passa à la Prusse en 1866.

KASSEM ('Abd al-Karim). ♦ Général et homme d'État irakien (Baghdâd, 1914 — *id.,* 1963). Après avoir dirigé le putsch de juillet 1958, au cours duquel le roi Faysâl* II fut assassiné, il devint Premier ministre. Il fut lui-même assassiné au cours du coup d'État de février 1963 (**V. Iraq,** *Hist.*).

KASSERINE. ♦ V. de Tunisie, ch.-l. de gouvernorat (193 000 hab.), en bordure des hautes steppes, au pied E. du djebel Chambi*. 9 000 hab. Centre agricole. Usine de transformation de l'alfa en cellulose. ♦ *Hist.* Le *col de Kasserine* fut pris par Rommel en fév. 1943, mais repris quelques jours plus tard par les chars britanniques.

KASSITES. *n. m. pl.* ♦ *Hist. anc.* Peuple asianique du Zagros. Ces montagnards s'infiltrèrent en Babylonie et, après ~ 1530, leur roi Agoum II régna à Babylone*. Ils y introduisirent probablement le cheval et le char de guerre, mais furent assimilés par la civilisation babylonienne. Leur dynastie tomba v. ~ 1160 sous les coups de l'Élam*.

KASTLER (Alfred). ♦ Physicien français (Guebwiller, 1902). Inventeur, avec Bitter et Brossel, en 1950, du « pompage optique » qui permit la mise au point des lasers et des masers. **V. Bassov, Prokhorov** et **Townes.** (Prix Nobel de phys., 1966.)

KÄSTNER (Erich). ♦ Auteur satirique et romancier allemand (Dresde, 1899). Collaborateur de journaux de gauche, il critiqua, non sans humour et ironie, la vie politique et sociale de l'Allemagne de son temps, dont un de ses romans (*Fabian, histoire d'un moraliste,* 1930) donne un tableau pessimiste. Auteur de poèmes lyriques (*Cœur sur mesure,* 1928), il est surtout connu pour son roman *Émile et les Détectives* (1928) qui fut porté à l'écran.

KASUGA. ♦ V. du Japon (Kyûshû, préf. de Fukuoka). 150 000 hab. Centre artisanal et de petites industries.

KAŚYAPA. ♦ Sage mythique de l'Inde, d'origine divine, à qui la tradition attribue de nombreux hymnes des *Veda*.*

KATAIEV (Valentin Petrovitch) [Kataev]. ♦ Conteur, romancier et auteur dramatique soviétique (Odessa, 1897 —). Dans sa ville natale, Kataiev participa activement à la révolution d'Octobre. En 1922 il vint à Moscou où il commença à publier de nombreux récits humoristiques tels que *Les Couteaux* (1926), *Les Gaspilleurs* (1927), *Les Choses* (1929), et des comédies : *La Voie fleurie* et *La Quadrature du cercle* (1929). En 1932, sous l'influence de Maïakovski* dont il était l'ami intime, Kataiev écrivit un grand roman sur l'édification de Magnitogorsk : *Ô temps, en avant !* À l'approche de la Deuxième Guerre mondiale, il publia un récit patriotique : *Je suis le fils du peuple laborieux* (1937), et pendant la guerre fit paraître un cycle de nouvelles de guerre dont *Le Drapeau* (1942), *L'Épouse* (1943), et *Le Fils du régiment* (1945) qui obtint un prix d'État. Son œuvre principale reste un cycle de romans sur le thème de la révolution triomphante, dont l'action se passe à Odessa de 1905 à 1945 ; sous le titre de *Les Flots de la mer Noire,* il rassemble : *La Voile solitaire* (1936), *Pour le pouvoir des soviets* (1949-1951), *Le Village dans la steppe* (1956) et *Vent d'hiver* (1960). Il publia plusieurs autres romans (*Le Saint Puits,* 1966 ; *L'Herbe de l'oubli,* 1967).

KATAK ou **CUTTACK.** ♦ V. de l'Inde et cap. de la province de l'Orissâ*, située sur le delta de la Mahânadi*. 204 600 hab. Centre commercial réputé pour son artisanat de l'argent. Université de technologie. — La ville fut fondée au déb. du XIIIe s. et prise aux Mâhrâtî en 1803 par les Anglais.

KATANGA. *n. m.* ♦ Riche région minière et province méridionale du Zaïre (ex-Congo-Kinshasa). *V. princ.* **V. Lubumbashi, Kolwezi, Likasi.** Les réserves minérales, très importantes, concernent le cuivre, le cobalt, l'uranium, le zinc, l'étain, le manganèse. Électrométallurgie. ♦ *Hist.* Après l'indépendance (1960), le Katanga tenta une sécession sous la direction de Moïse Tshombé. Celle-ci fut brisée par les forces de l'O.N.U. en janv. 1963.

KATAR. ♦ **V.** QATAR.

Kathakali. *n. m.* ♦ Théâtre dansé classique de la région du Kerala* (Inde du S.-O.)

KÂTHIÂWÂR. *n. m.* ♦ Péninsule de l'O. de l'Inde (Gujarât) formée par un massif cristallin isolé des Ghâts* et entouré de plaines sableuses couvertes de forêts claires. La région, aride, ne produit que peu de riz et fournit essentiellement du sel. On y trouve les derniers spécimens des lions d'Asie. Le Kâthiâwâr comprend le Saurâştra*.

KÂTMÂNDU ou **KATMANDOU.** ♦ Cap. de l'État du Népal*, sise à près de 1 500 m d'altitude, au centre d'une riche vallée

Ph. Prato/Ricciarini
Vallée de Kâtmându : cultures en terrasses.

agricole. Près de 200 000 hab. Elle est remarquable pour ses monuments hindous et bouddhiques, qui attirent de nombreux pèlerins. Les réfugiés tibétains lui ont donné, à partir de 1950, un aspect particulier. Peu d'indus., mais un très vivace artisanat (tapis, bois, ivoire, cuivres, pierres semi-précieuses). Tourisme actif. ♦ *Hist.* Fondée au VIIIe s., elle devint au XVIIIe s. la métropole du pays.

KATONA (József). ♦ Auteur dramatique hongrois (Kecskenét, 1791 – *id.*, 1830). Créateur de la tragédie nationale magyare avec *Bánk Bán* (1815), œuvre qui illustre un épisode historique du Moyen Âge hongrois.

KATÔ TAKAAKIRA. ♦ Homme politique japonais (Nagoya, 1859 – Tôkyô, 1926) plusieurs fois ambassadeur en Europe et ministre, élu président du Conseil en 1924. Il fut le fondateur d'un parti libéral et le promoteur du suffrage universel au Japon (1925).

KATOWICE, de 1953 à 1956 **Stalinogród.** ♦ V. du S. de la Pologne*, ch.-l. de voïévodie, en haute Silésie*. 285 000 hab. Évêché. Centre industriel et administratif. Industries minière, métallurgique, sidérurgique et chimique. – *La voïévodie de Katowice* englobe la plus grande partie du district minier et industriel de haute Silésie (Bytom, Chorzów, Dąbrowa Górnica, Gliwice, Ruda Śląska, Sosnowiec, Zabrze,...) et compte 3 522 600 habitants.

KATSU KAISHÛ. ♦ Ingénieur et homme politique japonais (1823 – 1899). Infirme à douze ans, il réussit à se faire envoyer aux États-Unis et, à son retour, réorganisa complètement la marine japonaise. Il commanda le premier navire japonais qui se rendit aux États-Unis.

KATTEGAT ou **CATTÉGAT.** *n. m.* ♦ Détroit unissant le Skagerrak* à la Baltique, entre le Jutland* et la Suède.

KÂTYÂYANA. ♦ Célèbre grammairien indien du ~ IVe s., connu pour avoir complété les *sûtra* de Pânini*, et écrit de nombreux ouvrages de philosophie et de grammaire sanskrite.

KATYN'. ♦ Localité d'U.R.S.S. (R.S.F.S. de Russie), située à l'O. de Smolensk. ♦ *Hist.* En avril 1943, les Allemands découvrirent aux environs de Katyn des fosses communes contenant les corps d'env. 4 500 officiers polonais qui avaient été massacrés, selon les Allemands, par les Soviétiques. L'U.R.S.S. rejeta la responsabilité du crime sur l'Allemagne et rompit les relations diplomatiques avec le gouvernement polonais de Londres **(V. Sikorski);** mais les recherches ultérieures effectuées lors du procès de Nuremberg n'établirent pas la responsabilité des nazis. En 1953, une commission d'enquête américaine conclut que les victimes avaient été massacrées par la police politique soviétique.

KATZ (*sir* Bernard). ♦ Biophysicien d'origine allemande (Leipzig, 1911 –). Ses recherches sur le rôle des médiateurs chimiques (dont l'acétylcholine) dans la transmission de l'influx nerveux lui valurent le prix Nobel de méd. (1970) avec J. Axelrod* et U. von Euler*.

KAUDZITES (*les frères*). ♦ Écrivains lettons (XIXe s.), auteurs d'un célèbre roman réaliste : *Au temps des arpenteurs* (1879).

KAUFBEUREN. ♦ V. d'Allemagne méridionale (Bavière), entre les Alpes et le plateau bavarois, sur la Wertach. 34 515 hab. (1966). Nombreux monuments médiévaux (enceinte, églises, maisons). – Indus. textiles (coton), verreries, bijouteries, brasseries.

KAUNAS, anc. en russe **Kovno.** ♦ V. et port d'U.R.S.S. (Lituanie*), sur le Niémen*. 284 000 hab. Centre culturel. Indus. métallurgiques et alimentaires. Centrale hydro-électrique. ♦ *Hist.* Pendant l'occupation polonaise de Vilnius*, le gouvernement de la Lituanie indépendante fixa son siège à Kaunas (1919-1940). – Aleksotas, près de Kaunas, patrie de Minkowski*. Dans la région est né P. Wrangel*.

KAUNITZ (Wenzel Anton, *comte,* puis *prince von* **KAUNITZ-RITTBERG).** ♦ Homme politique autrichien (Vienne, 1711 – 1794). Négociateur de la paix d'Aix-la-Chapelle (1748), puis ambassadeur à Paris, il se fit l'artisan du renversement des alliances qu'il paracheva quand il fut chancelier et que la France fut décidée par le rapprochement de la Prusse et de l'Angleterre (**V. Sept Ans** [guerre de]). Les victoires prussiennes et la défection de la Russie l'obligèrent à accepter la perte de la Silésie, avec le traité d'Hubertsburg* (1763) et il chercha alors des compensations en Orient : l'Autriche obtint ainsi la Galicie lors du partage de la Pologne (1772) et une alliance avec les Turcs obligea Catherine* II à la paix de Kutchuk*-Kaïnardji. La même alliance fit entrer par la suite l'Autriche dans une guerre malheureuse (traité de Sistova*, 1791) où elle dut renoncer à ses conquêtes. Entre-temps, la guerre de Succession* de Bavière n'avait donné à l'Autriche que l'annexion du district de l'Inn. À l'intérieur, Kaunitz poussa Marie*-Thérèse à une politique de centralisation. Il s'opposa à son catholicisme intransigeant, et ses tendances libérales purent trouver leur épanouissement sous Joseph* II. Il conserva son ascendant sous Léopold* II, mais François* II le contraignit à donner sa démission.

KAUTSKY (Karl). ♦ Homme politique allemand (Prague, 1854 – Amsterdam, 1938). Théoricien du parti social-démocrate allemand qu'il dirigea avec Bernstein* (1880), il fit triompher à Erfurt (1891) la tendance marxiste contre les positions réformistes de ce dernier (**V. Critique des programmes de Gotha et d'Erfurt,** Marx et Engels*, 1875-1891). Auteur de nombreux ouvrages de vulgarisation du marxisme (*La Doctrine économique de Marx,* 1887 ; *La Question agraire,* 1897 ; *Le Marxisme et son critique Bernstein,* 1900, etc.), il en donna une interprétation souvent mécaniste et scientiste, substituant progressivement à l'idée de révolution celle d'une évolution inévitable vers le socialisme. Il édita la dernière partie du *Capital** de Marx (1905-1910). Leader de la IIe Internationale, Kautsky glissa vers le centrisme et le réformisme opportuniste dès 1910 et finit même par renoncer à la théorie de l'effondrement nécessaire du capitalisme. Ses thèses furent l'objet de critiques sévères de la part de Lénine*. Après avoir fondé le parti social-démocrate indépendant [1917] **(V. Hilferding),** il fut sous-secrétaire d'État aux Affaires étrangères (1918). Lors de l'arrivée au pouvoir de Hitler, il se réfugia en Tchécoslovaquie puis en Hollande.

KAVAJË ou **KAVAJA.** ♦ V. d'Albanie*, sur la plaine littorale. 17 600 hab. Centre commercial.

KAVÁLLA. ♦ V. de Grèce. **V. Cavalla.**

KÂVERÎ ou **CAUVERY.** *n. m.* ♦ Fl. de l'Inde du Sud (env. 760 km). Né dans les Ghâts* occidentaux, il traverse d'O. en E. la pointe méridionale du subcontinent et se jette dans le golfe du Bengale, sur la côte du Coromandel* au S. de Pondicherry*, près du temple de Chidambaram, par un très long delta. Ses rives, très fertiles, font de son bassin le grenier à riz de l'Inde du Sud.

KAVÉRINE (Veniamine Alexandrovitch Zilber, dit**)** [*Kaverin*]. ♦ Conteur et romancier soviétique (Pskov, 1902). Il appartint au groupe des frères* Sérapion. Après avoir publié des nouvelles fantastiques réunies dans *Les Maîtres et les Apprentis* (1923), il décrivit dans des romans réalistes la vie de Leningrad : *La Fin d'un gang* (1926), *Neuf Dizaines de destins* (1926), *Le Scandale* (1928). En 1931 parut son plaidoyer pour l'art : *L'artiste est inconnu.*

KAWAGOE. ♦ V. du Japon (Honshû, préf. de Saitama), au N. de Tôkyô. 160 000 hab. Indus. de la soie, artisanat.

KAWAGUCHI. ♦ V. du Japon (Honshû, préf. de Saitama) au N. de Tôkyô. 300 000 hab. Indus. métallurgiques et textiles.

KAWASAKI. ♦ V. du Japon (Honshû) sur la baie de Tôkyô* dont elle constitue une des plus importantes banlieues. 932 000 hab. Important centre industriel (aciéries, chimie, céramique).

KAYES. ♦ V. de l'O. du Mali*. sur la r. g. du haut Sénégal*. terminus de la navigation, atteinte pendant la saison des pluies par les péniches venues de Saint*-Louis (Sénégal) et reliée par voie ferrée à Bamako* et à Dakar*. 30 000 hab. Centre commercial (gomme arabique et arachides). Tanneries.

KAYSERI. ♦ V. de Turquie, en Anatolie centrale, près du site de l'antique Césarée*. Ch.-l. de la province homonyme. 126 653 hab. [222 699 aggl.] (1965). La ville est reliée par voie ferrée à Istanbul*, Erzurum* et Adana*. – Les vieux quartiers du XIXe s. aux ruelles étroites et aux nombreux minarets sont bien conservés. La ville possède une citadelle (*déb.* XIIIe s.), la Medersa de Huand (XIIIe s.), transformée en musée archéologique, le Döner Kümbet (mausolée, *fin* XIIIe s.) et plusieurs mosquées. – Indus. textiles, cimenteries, raffineries de sucre, montage d'avions. Manufactures de tapis.

KAYSERSBERG. ♦ Ch.-l. de cant. du Haut-Rhin* (arr. de Ribeauvillé*), sur la Weiss. 2 979 hab. Église du XIIe siècle. Chapelle Saint-Michel (XVe s.). Hôtel de ville de la Renaissance. Les ruines du château dominent la ville. Patrie du Dr A. Schweitzer*, dont la maison natale est devenue un musée. – Indus. textiles. Pâte à papier. Vignobles aux environs.

KAZAKHSTAN. *n. m.,* ou **Kazakhie,** *n. f.* (République socialiste soviétique du) [en russe **Kazakhskaja S.S.R.**]. ♦ Une des quinze républiques fédérées d'U.R.S.S., s'étendant en Europe et en Asie. Au N. et à l'O. (où une partie de la frontière suit la mer Caspienne*), elle confine avec la R.S.F.S. de Russie, à l'E. avec la Sibérie occidentale, au S. avec les républiques fédérées du Kirghizistan*, du Türkmenistan* et d'Ouzbékistan* (où une partie de la frontière suit la mer d'Aral*), et au S.-E. avec la Chine. 2 715 000 km². 12 877 000 hab. Population multinationale (*Kazakhs* 30 %, Russes 42 %, Ukrainiens 8 %, Biélorusses, Moldaves, Tatars, Ouzbeks). *Cap.* **V. Alma-Ata.** *V. princ.* **V. Aktioubinsk, Djamboul, Gouriev, Karaganda, Koktchetav, Koustanaï,**

Kazakhstan.

Kyzyl-Orda, Ouralsk, Oust-Kamenogorsk, Pavlodar, Petropavlovsk, Semipalatinsk, Tchimkent, Temir-Tau, Tselinograd. — Pays essentiellement plat, le Kazakhstan est constitué par des dépressions (qui occupent près des 9/10 du territoire, surtout dans la région caspienne et touranienne), par des étendues vallonnées au centre, par les plateaux désertiques de Kyzylkoum* au S., de Manghychlak* et d'Oust*-Ourt à l'O., et par les chaînes de l'Altaï et du Tien-Chan (T'ien*-shan) à l'E. et au S.-E. La république comprend de nombreux lacs (dont le plus grand est le Balkhach*, au S.-E. du pays) et de nombreux fleuves, dont les plus importants semblent encadrer le territoire de la république : l'Irtysh* au N.-E., l'Ishim* au N., l'Oural* et l'Emba* à l'O., et le Syr*-Dariâ au S. — *Écon.* Le sous-sol est extrêmement riche : houille (45 700 000 t en 1965), pétrole (5 700 000 t en 1967), gaz, minerais de fer, cuivre, plomb, zinc, manganèse, aluminium, nickel, chrome, métaux rares, étain, uranium, or, argent, phosphorites, sulfates, borates. — L'activité agricole est représentée au N. par la culture des céréales (69 % des champs labourés, après le défrichage mécanisé des terres vierges), des plantes industrielles (10 %), des plantes fourragères (17 %), et au S. par l'élevage bovin, porcin et surtout ovin (race karakul, 1 800 000 peaux d'astrakan en 1965). L'industrie (sidérurgie, métallurgie des non-ferreux, indus. chimique, constructions mécaniques, usinage de métaux, textiles, traitement du cuir, indus. alimentaires) est très développée. Les centrales thermiques et hydro-électriques (Oust-Kamenogorsk et Ozernaïa) couvrent les besoins du Kazakhstan en énergie électrique (19 226 300 000 kWh en 1965). ♦ *Hist.* Nomades de race türk islamisés, les Kazakhs subirent dès le début du XVIIIe s. la domination de la Russie, qui encouragea l'installation des colons russes et ukrainiens dans leur pays, qui faisait alors partie du Türkestan*. Au XIXe s., les Russes occupèrent Ak-Meshet (auj. Kyzyl-Orda) et fondèrent les forteresses d'Akmolinsk (auj. Tselinograd) et de Vernyï,(auj. Alma-Ata). En nov. 1917, le chef des Kazakhs Ali Khan Bukei demanda l'autonomie du pays et forma un gouvernement nationaliste. L'armée rouge y vainquit les troupes contre-révolutionnaires russes (1919-1920) et occupa le Kazakhstan proclamé R.S.S. autonome. En 1924, après la délimitation territoriale de l'Asie centrale (qui fut partagée entre le Kazakhstan, le Kirghizistan*, l'Ouzbékistan*, le Tradjikistan* et le Turkménistan*), les régions de Syr-Daria et de Semiretchie, qui faisaient partie de la R.S.S. autonome du Turkménistan, furent rattachées à la R.S.S. autonome du Kazakhstan. En 1936, le Kazakhstan devint une R.S.S. fédérée d'U.R.S.S. En 1954, le Russe Ponomarenko fut nommé premier secrétaire du P. C. de Kazakhstan. De nouveaux colons russes et ukrainiens y vinrent en masse, ce qui constitua l'un des deux événements décisifs dans l'histoire du pays, l'autre étant l'installation à Baïkonour* (région de Karaganda, env. 250 km au N.-E. de la mer d'Aral) du cosmodrome d'où furent lancés les vaisseaux spatiaux soviétiques.

KAZAN (Watanabe). ♦ Peintre japonais (1793 — 1841) élève de Bunchô, surtout connu pour avoir introduit au Japon les techniques picturales de l'Occident. Il fut renommé comme peintre de fleurs et d'oiseaux et réalisa de nombreux portraits.

KAZAN (Elia Kazanjoglous, dit Elia). ♦ Réalisateur américain de cinéma (Constantinople, 1909). D'abord acteur, puis metteur en scène de théâtre, il fut le collaborateur de Lee Strasberg à l'Actor's Studio avant de débuter dans la mise en scène de cinéma (1945). De son œuvre où la puissance du style se trouve parfois gâtée par l'artifice ou la grandiloquence et parfois marquée par l'anticommunisme militant, il convient de détacher : *Boomerang* (1946), « Le Mur invisible » (*Gentleman's Agreement,* 1947), *Viva Zapata* (1952), « Sur les quais » (*On the Waterfront,* 1954), « À l'est d'Éden » (*East of Eden,* 1955), « La Poupée de chair » (*Baby Doll,* 1956, d'après Tennessee Williams*). « Un homme dans la foule » (*A Face in the Crowd,* 1957), puissante satire sociale, démasque les ravages de la démagogie servie par les *mass media.*

KAZAN'. ♦ V. d'U.R.S.S., cap. de la république autonome des Tatars (R.S.F.S. de Russie) sur la r. g. de la Volga*. 869 000 hab. Foyer culturel (université) et important centre de culture tatare. Anciennes tours du Kremlin (1555) qui entourent la cathédrale de l'Annonciation (XVIe s.), la tour Sioumbeki (anc. minaret du XVIIe s.). Port fluvial, carrefour ferroviaire et grand centre industriel. Indus. chimique, métallurgique, textile et alimentaire. Constructions mécaniques (machines agricoles). Traitement du bois. Tanneries. — Patrie de Chaliapine* et Derjavine*. ♦ *Hist.* Fondée au XIIIe s., près du site de l'anc. Bolgary (cap. du royaume bulgare de la Volga, V^e^ au XIIIe s.), par un des khans de la Horde d'or, la ville devint la cap. du khanat indépendant de Kazan, qui subsista de 1441 à 1552, avant d'être annexé par Ivan* IV le Terrible. Prise et pillée par Pougatchev* en 1774, elle prit un nouvel essor à la fin du XIXe siècle. L'université fondée en 1804 fut notamment fréquentée par Balakirev, Tolstoï, Lénine (1887, exclu la même année), Lobatchevski (qui en devint recteur, 1827-1846).

KĂZANLAK ou **KĂZANLIK**. ♦ V. de Bulgarie (district de Stara Zagora), sur un affl. de la Tundža, au cœur de la vallée des Roses (ou bassin du Kăzanlak). 32 000 hab. Fabrication d'essence de roses.

KAZANTZAKIS (Níkos). ♦ Ecrivain grec (Candie, 1885 – Fribourg-en-Brisgau, 1957). Il fut ministre, voyagea dans le monde entier et passa ses dernières années à Antibes. Son œuvre, étendue à tous les genres littéraires, est celle d'un penseur et empreinte d'un éclectisme qui opère la synthèse des doctrines les plus diverses : socialisme et philosophie hindoue, christianisme et Nietzsche, Bergson et existentialisme. Son angoisse métaphysique s'exprime dans son manifeste *Ascèse* (1928) : Dieu est en péril dans tous les êtres, son salut est en cause à chaque moment, l'acte sauveur se situant au delà des critères moraux. Partant de là, Kazantzákis chercha dans son *Odyssée* (1938), poème en 33 333 vers, à créer un nouveau mythe, hellénique et universel. Il acquit une célébrité mondiale grâce à ses romans d'après guerre : *Alexis Zorba, Le Capitaine Michalis, Le Christ recrucifié*, etc.

KAZBEK. *n. m.* ♦ Sommet de la chaîne montagneuse Bokovaïa, dans la partie centrale du Grand Caucase*, en R.S.S. de Géorgie. 5 047 m. Volcan éteint. Glaciers d'une superficie totale de 81 km^2.

KAZINCZY (Ferencz). ♦ Écrivain hongrois (Érsemlyén, 1759 – Széphalom, 1831). Il fit des études à Pest, en 1784 entra dans l'administration, en 1786 devint inspecteur des écoles à Kassa. Il travailla à la restauration de la langue et de la littérature magyares, faisant connaître par ses traductions les classiques étrangers (latin, français, anglais, allemand). Il prôna la réforme de la langue hongroise dans la revue *Magyar Muzeum* puis dans une revue qu'il fonda, *Orpheus*. Il participa à un complot; arrêté en 1794, il ne fut relâché qu'en 1801 et se retira de la vie publique jusqu'à sa mort, tout en continuant à s'occuper de littérature.

KAZVIN. ♦ V. QAZVÎN.

KCHESSINSKAÏA (Mathilde). ♦ Danseuse russe d'origine polonaise (Ligovo, Russie, 1872 – 1971). Fille d'un danseur, elle fut élève de l'école impériale de ballet et devint première ballerine en 1895. Influencée par Cecchetti* qui fut son maître, elle interpréta brillamment le répertoire russe classique. En 1911, elle rejoignit la troupe de S. Diaghilev à Londres et dansa le *Lac des Cygnes* avec Nijinski. Ayant quitté la Russie après la Révolution, elle ouvrit une école de danse, à Paris.

KÉA anc. **Keos**, auj. **Tzia**. ♦ Île grecque, une des Cyclades*, la plus proche du continent (à l'E. du cap Sounion). 103 km^2; 1 670 hab. Ch.-l. Kéa ou Tzia, petit port sur la côte nord, est l'ancienne Ioulis. – Patrie de Simonide* de Céos. – Vestiges d'un site préhistorique.

KEAN (Edmund). ♦ Tragédien anglais (Londres, 1787 – Richmond, 1833). Ses interprétations des grands personnages shakespeariens (Shylock, Richard III) en ont fait l'acteur le plus réputé du théâtre anglais, à l'époque romantique. Sa vie passionnée devait inspirer à Alexandre Dumas* une comédie : *Kean, ou Désordre et Génie* (1836), qu'interpréta Frédérick Lemaître.

KEATON (Buster). ♦ Acteur, scénariste et réalisateur de cinéma américain (Pickway, Kansas, 1895 – Hollywood, 1966). Fils d'un couple d'acrobates, il débuta au music-hall dès l'âge de trois ans. Devenu partenaire de Fatty (Roscoe Arbuckle) il parut dans des comédies de Mack Sennett* (1912-1918) avant de devenir, avec Charles Chaplin, la plus grande vedette comique du cinéma muet. L'invention du cinéma parlant, conjuguée à de tragiques revers de fortune, hâta son déclin. Ce n'est que tardivement (1962) que l'on devait découvrir en lui l'un des créateurs les plus originaux de l'art cinématographique. Réalisateur effectif, sinon reconnu, de ses nombreux films, il y a imposé un étonnant personnage, riche d'énergie, de détermination et d'élégance morale, sous les apparences de la dérision et de la solitude. Doué d'un génie comique d'une admirable fertilité, il a illustré, à la manière d'un Ulysse des temps modernes, le combat éternel de l'homme affronté à une réalité hostile et qui parvient à la dominer par l'intelligence. Chassant l'humanité de son habituel domaine expressif, le visage, l'« homme qui ne rit jamais » instaure une complicité spatiale, géométrique entre son personnage et les objets. Réal. princ. : *La Maison démontable de Malec* (*The Week*, 1920), *Les Lois de l'hospitalité* (*Our Hospitality*, 1923), *La Croisière du Navigator* (*The Navigator*, 1924), *Le Mécano de la « General »* (*The General*, 1926), *Cadet d'eau douce* (*Steamboat Bill Jr.*, 1928).

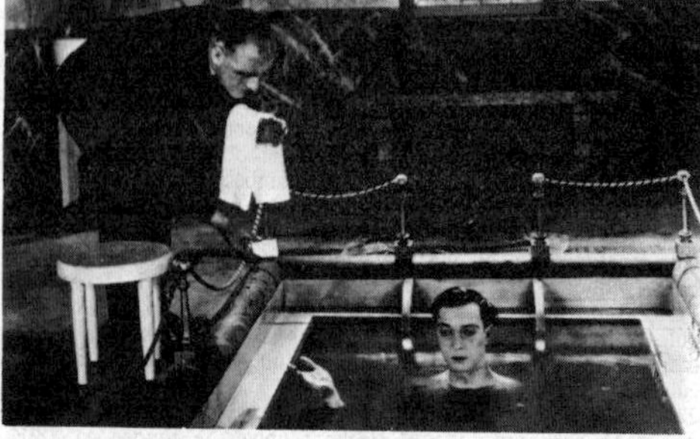

Coll. Rui Nogueira

Buster Keaton dans « La Croisière du Navigator ».

KEATS (John). ♦ Poète romantique anglais (Londres, 1795 – Rome, 1821). Issu d'un milieu londonien modeste, orphelin à quinze ans, Keats fut placé en apprentissage auprès d'un chirurgien. Cependant, passionné de poésie – dès 1815, il avait composé un sonnet : *Après une première lecture de l'Homère de Chapman* –, il fit bientôt partie du cercle littéraire de Leigh Hunt où il rencontra Shelley et Hazlitt et il se lia avec Wordsworth et Lamb. Ses premiers *Poèmes* (1817) passèrent inaperçus. *Endymion* (1818), poème narratif en quatre livres inspiré de la fable antique et dont le premier vers, « Une chose de beauté est une joie pour toujours » *(A thing of beauty is a joy for ever)*, est resté célèbre, fut vivement critiqué : le *Blackwood Magazine*, notamment, ne vit en Keats qu'un poète sans culture antique. En fait, Keats appréhenda l'antiquité grecque plus par l'imagination que par la lecture: il s'imprégna néanmoins de Spenser *(La Reine des fées)*, des lyriques du XVIe s., de Shakespeare *(Vénus et Adonis)*, Marlowe *(Héro et Léandre)* et Milton. *Hypérion* (1820), poème épique inachevé, voulait donner une contrepartie païenne au *Paradis perdu*. Remaniée, l'œuvre devint *La Chute d'Hypérion* (posth. 1856). Mais c'est à la veille de sa mort que parurent ses pièces les plus achevées : des ballades et des odes. *La Belle Dame sans mercy* (1820), au thème médiéval, de même que *La Veille de la Saint-Marc* et *La Veille de la Sainte-Agnès* (1820), scene medievale ecrite en strophes spensériennes, servirent de modèle aux préraphaélites. *Isabelle, ou le pot de basilic* (1820), poème narratif en strophes de huit vers, reprend une histoire tragique du *Décaméron*. Dans *Lamia* (1820) est personnifiée la beauté, magie détruite par la raison (Apollonius) mais comprise par le sentiment (Lycius). C'est également dans le volume de 1820 que parurent les *Odes*, méditations lyriques qui rompent avec la conception néo-classique du genre. L'*Ode à un rossignol (Ode to a Nightingale)*, la plus longue et la plus dramatique, fait du rossignol le symbole de l'art, victorieux de la mort. La supériorité et la pérennité de l'art sont aussi évoquées dans l'*Ode sur une urne grecque (Ode on a Graecian Urn)*. L'*Ode à Psyche (Ode to Psyche)* montre en Keats l'adorateur et le prêtre des divinités païennes. Dans l'*Ode sur la Mélancolie* (*Ode on Melancholy)*, plus douloureuse, le poète souffre de la joie même tirée de la beauté qui ne peut être que fugitive. Toutefois, dans l'*Ode à l'automne (Ode to Autumn)*, plus sereine, Keats découvre que le souvenir de l'homme empêche la beauté d'être vraiment éphémère (« La beauté est vérité, la vérité beauté »). Mais le thème platonicien de la beauté éternelle est toujours menacé par le sentiment romantique du temps et de la mort. John Keats avait prévu comme épitaphe : « Ici repose un homme dont le nom était écrit sur de l'eau. » Shelley*, qui devait mourir peu après, célébra sa mémoire dans *Adonis*. Les *Lettres* de Keats furent publiées après sa mort.

KECSKEMÉT. ♦ V. de Hongrie, ch.-l. du comitat de Bács-Kiskun, située à 85 km au S.-E. de Budapest. 70 000 hab. Indus. de conserves de fruits. Centre de fabrication du *barack*, célèbre eau-de-vie d'abricot.

KEDAH. *n. m.* ♦ État de Malaysia* au N. de la péninsule malaise, formant frontière avec la Thaïlande*. 9 500 km^2. Env. 1 000 000 d'hab. Il est constitué par une riche plaine littorale (riz, cocotiers, tabac) et des collines (hévéa). On y exploite des mines d'étain et de tungstène. *Cap.* Alor Star (66 600 hab.), sur la côte occidentale.

KEDIRI. ♦ V. KADIRI.

KEELING *(îles)*. ♦ V. Cocos (îles).

KEELUNG [*Chi-lung, Ki-long, Jilong*]. ♦ V. de Chine (île de Taiwan*) anc. nommée Kirun et port important au N. de l'île, à 25 km de Taipei*. 317 800 hab. (1969). Base navale militaire et port de commerce. Constructions navales, exportation de riz et de charbon.

KEERBERGEN. ♦ Comm. de Belgique (Brabant, arr. de Louvain) sur la Dyle*. 6 100 hab. Église du XVIIIe siècle. Station estivale située en Campine* brabançonne au milieu des dunes et des sapinières.

KEESOM (Wilhem Hendrik). ♦ Physicien néerlandais (île de Texel, 1876 – Leyde, 1956). Auteur de travaux de thermodynamique avec Kamerlingh* Onnes (opalescence critique, 1908), il poursuivit les recherches de celui-ci sur les très basses températures, remarquant en particulier les anomalies de la dilatation thermique au voisinage du zéro absolu et mesura les chaleurs de vaporisation de l'hydrogène et de l'hélium.

KEEWATIN. ♦ District oriental des Territoires du Nord*-Ouest canadien, entre la baie d'Hudson (E.) dont il comprend les îles et le district de Mackenzie (O.). 2 345 hab. (1961).

KEF (Le). ♦ V. de la Tunisie septentrionale, ch.-l. de gouvernorat (300 100 hab.), située dans le haut Tell, dominant une vaste plaine. 14 700 hab. Centre commercial et agricole. Vestiges antiques. Mosquées.

KEFAR SAVA. ♦ V. de l'État d'Israël, située dans la plaine de Saron*, au N. de la vallée du Yarkon*, entre la Cisjordanie et la mer. Plus de 20 000 hab. Centre industriel (textiles, cuir, conserves).

KEFLAVIK. ♦ V. et port d'Islande, au S.-O. de Reykjavik*. 5 428 hab. (1967). Aéroport (lignes vers la Scandinavie, la Grande-

Bretagne, l'Europe continentale et les États-Unis). Base militaire américaine à proximité.

KÉGRESSE (Adolphe). ♦ Ingénieur français (Héricourt, 1879 – Croissy-sur-Seine, 1943). Spécialiste de l'automobile, il imagina la propulsion par chenilles (1910) utilisée par l'armée russe en 1914 et adoptée par A. Citroën* pour les autochenilles de la « croisière noire » et de la « croisière jaune ».

KEHL. ♦ V. d'Allemagne occidentale (Bade-Wurtemberg) près du confl. du Rhin et de la Kinzig, en face de Strasbourg* à laquelle elle est reliée par un pont. 13 200 habitants.

KEIGHLEY. ♦ V. du centre de l'Angleterre (Yorkshire, West Riding), au confluent du Worth et de l'Aire. 55 900 hab. Indus. textiles et constructions mécaniques.

KEIHIN (Le). ♦ Nom donné au Japon à l'immense conurbation réunissant les villes de Tôkyô* et de Yokohama*, leurs banlieues, cités industrielles et ports, totalisant plus de 13 000 000 d'hab. et fournissant près de la moitié de la production industrielle du Japon.

KEISER (Reinhardt). ♦ Compositeur allemand (Teuchern, v. 1674 – Hambourg, 1739). Maître de musique, puis directeur de l'Opéra à Hambourg, il séjourna quelque temps à Stuttgart puis à Copenhague. C'est toutefois à Hambourg que s'écoula la majeure partie de sa carrière. Imitateur de Lully et de Steffani, il a lui-même inspiré Haendel. Ses nombreux opéras, inspirés de la mythologie, de l'histoire ou de thèmes populaires, se caractérisent par l'expressivité du récitatif et la richesse de l'instrumentation. Composés sur des livrets allemands, ils ont fortement contribué à l'évolution de la musique dramatique hambourgeoise, marquant le passage de l'*opéra seria* au *Singspiel.* On lui doit en outre de nombreuses pièces de musique sacrée (passions, oratorios, cantates, motets, psaumes) et profane (cantates, musique de chambre).

KEITA (Modibo). ♦ Homme politique malien, d'origine mandingue (Bamako, 1915 —). Il fut président du Conseil du Soudan puis du gouvernement fédéral du Mali* (1959). Après l'échec de la fédération Sénégal*-Mali, président de la république du Mali*, il orienta le pays vers un régime socialiste, mais fut renversé par l'armée et remplacé par Moussa Traoré.

KEITA. ♦ Principal établissement des îles Salomon* sous tutelle australienne, situé sur la côte S.-E. de l'île Bougainville*, dans une plaine où se trouvent la plupart des plantations de cocotiers, principale activité économique de l'île. La zone de Keita produit un peu d'or. Dans cette zone, on rechercha du cuivre en 1970.

KEITEL (Wilhelm). ♦ Maréchal allemand (Helmscherode, Harz, 1882 – Nuremberg, 1946). Chef du *Wehrmachtsamt* (service de coordination des forces armées) en 1934, il devint chef de l'O.K.W.* lorsque Hitler remplaça par cet organisme le ministère de la Guerre (1938). Il fut l'exécutant de la stratégie hitlérienne pendant la Deuxième Guerre mondiale et signa la capitulation allemande à Berlin (8 mai 1945). Condamné à mort par le tribunal de Nuremberg, il fut pendu.

KEITH (*sir* Arthur). ♦ Anatomiste, physiologiste, anthropologue anglais (1866 – 1955). Il a étudié les variations dans l'activité fonctionnelle des glandes endocrines et leur influence sur les particularités morphologiques des races, les effets du métissage, etc.

KEKKONEN (Urho Kaleva). ♦ Homme politique finlandais (Pielavesi, 1900). Chef du parti social-démocrate, il fut ministre de la Justice, de l'Intérieur, puis Premier ministre (1950-1953). Il fut élu trois fois président de la République (1956-1961-1968).

KEKULE VON STRADONITZ (August). ♦ Chimiste allemand (Darmstadt, 1829 – Bonn, 1896). Dans un mémoire paru en 1858, il innova l'emploi des formules développées, énonça la quadrivalence du carbone **(V. *aussi* Le Bel, Van't Hoof)** et l'aptitude de cet élément à s'accrocher à lui-même [constitution de chaînes carbonées] **(V. Couper)**; en 1866, il présenta son célèbre hexagone avec alternance de liaisons simples et de liaisons multiples pour représenter le benzène, prévoyant le nombre des dérivés benzéniques isomères lorsque deux substitutions différentes sont présentes sur le noyau. **V. Ingold.**

KELANTAN. *n. m.* ♦ État de Malaysia*, sur la péninsule malaise, à la frontière de la Thaïlande. 15 000 km². 700 000 hab. (faible densité). Plaines rizicoles au N.-E. (hévéas, palmiers à huile, mangroves). Le reste du pays, montagneux (culminant à 2 190 m), est couvert de forêts denses. Mines d'or, d'étain et de manganèse. Populations primitives dans les hauteurs boisées (Semang). *Cap.* Kota-Bahru (60 000 hab.).

KELLER (Gottfried). ♦ Poète et romancier suisse d'expression allemande (Zurich, 1819 – 1890). Après s'être essayé sans grand succès au dessin et à la peinture à Munich, il revint à Zurich où il fréquenta le milieu des émigrés politiques allemands (Freiligrath, Herwegh, etc.) et publia la plupart de ses poésies d'inspiration politique. Ayant obtenu une bourse de voyage de la municipalité de Zurich (1848), il se rendit en Allemagne à Heidelberg, où il fut profondément marqué par l'humanisme athée de Feuerbach et à Berlin où il séjourna cinq ans. Il y publia un roman d'éducation à caractère autobiographique *Henri le Vert* (1854-1855, remanié en 1879-1880) et la première partie de ses nouvelles *Les Gens de Seldwyla* (1856; 2ᵉ partie, 1874), qui eurent un certain succès. Secrétaire du canton de Zurich (1861-1876), il fit encore paraître des récits historiques (*Nouvelles zurichoises,* 1878), un roman, *Martin Salander* (1886). L'œuvre de Keller marque la transition entre le romantisme et le réalisme, qui prend chez lui un ton sarcastique, voire pessimiste. Certains de ses textes se contentent de juxtaposer poésie et réalité, mais d'autres parviennent à les fondre et à dépasser ce qu'on a appelé de façon équivoque le « réalisme poétique ».

Ph. Hubert Josse

Le maréchal **Kellermann,** par G. Rouget. (Château de Versailles.)

KELLERMANN (François Christophe, *duc de Valmy***).** ♦ Maréchal de France (Strasbourg, 1735 – Paris, 1820). Officier sous l'Ancien Régime, rallié à la Révolution, il fut nommé lieutenant général en 1792 et remporta le 20 sept. 1792 la bataille de Valmy* sous les ordres de Dumouriez*. Il réprima l'insurrection de Lyon en août 1793; arrêté comme suspect en nov. 1793, il fut libéré en juillet. Il commanda l'armée des Alpes (1795-1797). Maréchal en 1804, sénateur et duc de Valmy en 1808. Il se rallia aux Bourbons en 1814 et siégea à la Chambre des pairs. ♦ Son fils FRANÇOIS ÉTIENNE KELLERMANN (Metz, 1770 – Paris, 1835). L'un des meilleurs officiers de cavalerie de Napoléon, il s'illustra à la bataille de Marengo*, signa avec Junot la capitulation de Sintra* (1808), fut blessé à Waterloo.

KELLOGG (Frank Billings). ♦ Diplomate américain (Potsdam, New York, 1856 – Saint Paul, Minnesota, 1937). De formation juridique, sénateur républicain* (1916-1923), puis ambassadeur à Londres (1923-1925), il fut secrétaire d'État aux Affaires étrangères de Coolidge* (1925-1929). Partisan de l'isolationnisme, il fut le principal artisan du pacte Briand-Kellogg. Prix Nobel de la paix (1929). ♦ *Pacte Briand-Kellogg.* Pacte signé le 27 août 1929 par lequel cinquante-sept pays condamnèrent la guerre « comme instrument de la politique nationale ». Aucune sanction n'étant prévue en cas d'infraction à ce pacte, il fut illusoire.

KELLS, en irl. **Caenannus Mor.** ♦ Anc. V. de la république d'Irlande (prov. de Leinster, comté de Meath), sur le Blackwater. 2 200 hab. (1961). Cette ancienne ville royale fut au Haut Moyen Âge (à partir du VIᵉ s.) un célèbre centre religieux et culturel (monastère fondé par saint Colomba et école d'enluminure où fut illustré le fameux évangéliaire ou *livre de Kells,* chef-d'œuvre de l'enluminure irlandaise).

KELSO. ♦ V. du S.-E. de l'Écosse (Roxburghshire), au confl. de la Tweed et de la Teviot. 4 100 hab. Vestiges d'une très belle abbaye romane fondée en 1128 par David Iᵉʳ pour les moines de Tiron (Picardie). Ce fut au XIIIᵉ s. l'une des plus puissantes abbayes d'Écosse, rivale de Saint Andrews; elle fut détruite en 1545 par le comte d'Hertford.

KELVIN *(lord).* ♦ **V.** THOMSON (William).

KEMAL PACHA ATATÜRK. ♦ **V.** MUSTAFA KEMAL.

Kemano. ♦ Centrale hydro-électrique du Canada (Colombie britannique), alimentant l'usine de Kitimat* au S.-E. de cette ville. 1 000 000 de kW.

KEMBLE (John Philip). ♦ Acteur anglais (Prescot, 1757 – Lausanne, 1823). Il fut, au XVIIIᵉ s., le plus grand interprète de Shakespeare et excella dans les rôles de Hamlet, Macbeth et Coriolan. Son frère Charles, sa sœur Sarah (Mrs. Siddons) et sa nièce Frances Anne ont également illustré la scène anglaise.

KEMBS. ♦ Comm. du Haut-Rhin*, arr. de Mulhouse*. 2 009 hab. (895 aggl.). Centrale hydro-électrique sur le grand canal d'Alsace*, production annuelle de 895 000 000 de kW.

KEMÉNY (Zsigmond, *baron***).** ♦ Écrivain hongrois (Alvinc, 1814 – Pusztakamarás, 1875). Il était issu d'une famille aristocratique de Transylvanie. Il participa à la révolution de 1848, puis devint partisan du compromis avec les Habsbourg; journaliste actif, il dirigea le *Pesti Hirlap,* puis *Pesti Napló.* En 1868, par suite d'une paralysie progressive, il dut abandonner ses activités. Ses romans historiques *Gyulai Pál* (1847), *La Veuve et sa fille* (1855).

Les Exaltés (1858), *L'Époque farouche* (1862) reflètent une ambiance tragique ; leurs héros, engagés dans des situations sans issue, sont voués à la destruction.

KEMEROVO, jusqu'à 1932, **Chtchelgovsk**. ♦ V. d'U.R.S.S. (R.S.F.S. de Russie), ch.-l. de la région du même nom (95 500 km^2, 2 992 000 hab.) sur le Tom* dans le bassin du Kouzbass* en Sibérie occidentale. 385 000 hab. V. industrielle de création récente, reliée au Transsibérien et au S. du Kouzbass par voie ferrée. Centrale thermique. Extraction houillère. Grand centre d'indus. chimiques. Constructions mécaniques (équipement minier, machines agricoles).

KEMI. ♦ V. et port de Finlande, près de l'embouchure du Kemijoki* dans le golfe de Botnie*. 29 131 hab. (1971). Aéroport (lignes intérieures). Kemi est l'un des plus importants ports exportateurs de bois de Finlande. Indus. du bois (scieries, pâte à papier).

KEMIJOKI. *n. m.* ♦ Fl. de Finlande septentrionale (512 km), prenant sa source près de la frontière soviétique et tributaire du golfe de Botnie*. Il traverse le lac Kemijärvi et reçoit le Kitinenjoki et l'Ounasjoki. Il arrose Rovaniemi*.

KEMMEL *(mont)*. ♦ Point culminant (159 m) des monts de Flandre en Belgique, aux environs d'Ypres.

KEMP (Robert). ♦ Critique littéraire et dramatique français (Paris, 1879 — *id.*, 1959). Chroniqueur littéraire aux *Nouvelles littéraires* (1945), il tint la critique théâtrale du *Monde* de 1944 à sa mort. Nourris d'humanisme classique, ses jugements, d'un grand libéralisme, furent exprimés dans une langue remarquable de couleur et d'élégance. (Acad. fr., 1956.)

KEMPFF (Wilhelm). ♦ Pianiste allemand (Jüterborg, 1895). D'abord organiste, il fut un remarquable improvisateur. Il a fait ensuite une carrière internationale de virtuose. Interprète du répertoire classique, il excelle dans les œuvres de Beethoven et de Schumann (dont il a publié l'œuvre complète, 1952). On lui doit quatre opéras, deux symphonies, deux concertos, de la musique de chambre et d'orgue.

KEMPIS (Thomas a). ♦ **V.** Thomas a Kempis.

KEMPTEN. ♦ V. d'Allemagne méridionale (Bavière), au N. du massif de l'Allgaü, sur l'Iller. 44 500 hab. Intéressants monuments disposés autour de la *Residenzplatz* (XVIIIe s.) : Rathaus du XVe s., église gothique. — Centre laitier (beurre, fromages de l'Allgaü), papeteries. ♦ *Hist.* De fondation romaine *(Cambodunum)*, Kempten eut une importante abbaye bénédictine (VIIIe s.) et devint ville libre impériale en 1289.

KENADSA ou **KENADZA**. ♦ Localité du Sahara algérien (dép. de la Saoura) au S.-O. de Béchar. 14 000 hab. Bassin houiller à ciel ouvert.

KENDAL. ♦ V. du N. de l'Angleterre (Westmorland), sur la Kent. 18 600 hab. L'un des principaux points d'accès au *Lake District*. Centre industriel (fabriques de chaussures, turbines, etc.). — Patrie de Catherine* Parr (sixième femme d'Henri VIII) et d'Eddington*.

KENDALL (Edward Calvin). ♦ Chimiste américain (South Norwalk, Connecticut, 1886 —). Il isola en 1915 une hormone thyroïdienne, la thyroxine **(V.** *aussi* **Barger, Harington)**, mais il est surtout connu pour ses recherches sur les hormones du cortex surrénal qui permirent de grands progrès en thérapeutique hormonale : il isola la déhydrocorticostérone, la corticostérone et la cortisone (1935-1936), réalisa la synthèse de la cortisone [1947] **(V. Sarett, Woodward)** et montra en 1949, avec Hench*, l'effet positif observé sur la polyarthrite après injection de cortisone ou d'adrénocorticotrophine hypophysaire. (Prix Nobel de physiol. et de méd., 1950.)

KENDREW (John Cowdery). ♦ Biochimiste britannique (Compton, Berkshire, 1917 —). Il découvrit, avec M.F. Perutz*, la structure tridimensionnelle de l'hémoglobine et de la myoglobine. **V.** *aussi* **H. Fischer.** (Prix Nobel de chimie, 1962.)

KENEH, KENA, en ar. **Qinâ**. ♦ V. de la Haute-Égypte, ch.-l. de gouvernorat au N. de Louxor, en face de Denderah. 61 000 hab. Marché agricole, centre artisanal (fabrication de vases et de jarres en terre).

KENITRA (anc. **Port-Lyautey)**. ♦ V. et port artificiel du Maroc (prov. de Rabat) situé à proximité de l'Atlantique sur l'oued Sebou*, au S.-O. de la plaine du Gharb*. 86 800 hab. Indus. chimiques et alimentaires.

KENKÔ HÔSHI. ♦ Nom de religieux bouddhiste de l'écrivain japonais Kaneyoshi Yoshida (1283 — 1350), célèbre auteur du *Tsurezuregusa* (« Les Herbes de l'ennui »), essai philosophico-social dans lequel il déplore la disparition progressive de la culture raffinée qui était celle de la fin de la période des Fujiwara*, en une langue précieuse et poétique.

KENNEDY (Margaret). ♦ Romancière et auteur dramatique anglais (Londres, 1896 — Adderbury, Oxfordshire, 1967). Son premier roman, *La Nymphe au cœur fidèle* (*The Constant Nymph*, 1924), possède la rigueur d'une intrigue théâtrale et fut d'ailleurs adapté pour la scène anglaise en 1925, puis pour la scène française par Jean Giraudoux* (*Tessa*, 1934). Une autre pièce, *Tu ne m'échapperas jamais* (1934), confirma son talent dramatique. Parmi ses principaux romans, il faut citer *La Fête*, 1950 ; *Lucy Carmichael*, 1951 ; *Pronto* (*Troy Chimneys*, 1953) et *Le Cygne sauvage*, 1957. La précision du style, son raffinement évoquent la culture de la fin de l'ère victorienne.

KENNEDY (John Fitzgerald). ♦ Homme politique américain, 35e président des États-Unis d'Amérique (Brookline, Massachusetts, 1917 — Dallas, 1963). D'une famille irlandaise et catholique qui édifia une immense fortune au XIXe s., fils de Joseph Kennedy, ambassadeur à Londres, J.F. Kennedy était officier de marine lorsqu'il fut blessé au cours de combats dans le Pacifique. Élu à la Chambre des représentants dans les rangs des démocrates* en 1947, puis sénateur (1952-1960), il défendit un programme de réformes sociales et d'intégration raciale et, critiquant la politique française, milita pour l'indépendance de l'Algérie. Après une campagne électorale extrêmement active, il fut élu à la présidence des États-Unis en 1960 et s'entoura d'un brillant état-major politique. Parlant d'une « nouvelle frontière » (justice, problèmes raciaux, conquête de l'espace), il s'efforça d'appliquer son programme social et de rendre à l'économie américaine son dynamisme par une gestion plus audacieuse et une ouverture vers le Marché commun européen *(Kennedy Round)*. Cependant, il accorda la priorité aux problèmes internationaux : favorable à la coexistence pacifique, il rencontra N. Khrouchtchev* à Vienne (juin 1961) à propos du problème de Berlin*, mais réagit avec fermeté pendant la crise de Cuba* (août 1962), obligeant les Russes à retirer les bases d'engins qu'ils avaient installées dans l'île. Partisan de la limitation des armements (traité américano-soviétique de juil. 1963 sur les expériences nucléaires), il inaugura pourtant l'escalade américaine au Viêt-nam. Il fut assassiné à Dallas par Lee Harvey Oswald, dans des conditions encore mal éclaircies. ♦ Son frère Robert Francis Kennedy (Boston, 1925 — Los Angeles, 1968). Attorney général, il fut à son tour assassiné lors des élections primaires en vue de l'investiture démocrate.

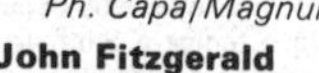

Ph. Capa/Magnum

John Fitzgerald Kennedy.

Ph. Bob Henriques/Magnum

Robert Francis Kennedy.

Kennedy *(aéroport)*, en angl. **John F. Kennedy airport**. ♦ Aéroport international de New* York (Idlewild).

Kennedy *(cap)*. ♦ **V.** Canaveral. — Le nom du président Kennedy a été donné au cap en 1963. En 1972, il est redevenu cap Canaveral, la base aérienne conserve le nom de Kennedy.

KENSINGTON. ♦ Quartier résidentiel de l'O. de Londres, entre Chelsea et Hyde Park, en bordure de *Kensington Park*. Le château (anc. *Nottingham House*) fut fondé en 1661 et remanié au XVIIIe s. par sir Christopher Wren*. Ce fut jusqu'à la mort de George II (1760) une résidence royale. La reine Victoria y naquit en 1819. Musée contenant les collections du *London Museum*.

KENT. *n. m.* ♦ Royaume fondé par les Jutes v. le milieu du Ve s. dans le S.-E. de l'Angleterre. Après le règne du roi Ethelbert (560-616), le royaume déclina et fut conquis par Offa, roi de Mercie (785-796), puis par Egbert, roi du Wessex, en 825.

KENT. *n. m.* ♦ Comté du S.-E. de l'Angleterre, bordé au N. par l'estuaire de la Tamise et au S.-E. par la Manche. 4 033 km^2. 1 369 080 hab. *Ch.-l.* Maidstone*. *V. princ.* **V. Canterbury, Chatham, Douvres, Folkestone, Gillingham, Gravesend, Margate, Ramsgate, Rochester.** Le Kent s'étend sur les North Downs* et le bassin de Londres (boutonnière du Weald*). C'est une région de culture intensive (céréales, vergers, légumes, houblon). On élève des moutons sur les collines des Downs. À l'E. on exploite un peu de houille. Les ports de la Manche sont en relation avec le continent. Le tourisme balnéaire est particulièrement développé sur la côte. L'agglomération de Rochester (Chatham, Gillingham) est très industrialisée. — Patrie de Caxton*, J. French*, J. Hales*, J. Lyly*, W. Rivers*, sir Philip Sidney*, sir Francis Walsingham*, A. Whitehead*, du général Wolfe* et de sir Thomas Wyatt*.

KENTUCKY. *n. m.* ♦ Riv. de l'E. des États-Unis, née dans le plateau du Cumberland (Appalaches) ; elle coule du S.-E. au N.-O. : affl. de l'Ohio (410 km).

KENTUCKY. *n. m.* ♦ État du centre-est des États-Unis, situé entre l'Ohio et les Appalaches, et limité au N. par l'Indiana et l'Ohio, au N.-E. par la Virginie occidentale, au S.-E. par la Virginie, au S. par le Tennessee, et à l'O. par l'Illinois, dont le sépare l'Ohio. 104 623 km^2. 3 038 156 hab. (1960). *Cap.* Frankfort. *V. princ.* **V. Lexington, Louisville.** — *Orogr.* De l'E. à l'O., le Kentucky présente une zone montagneuse (plateau du Cumberland), puis une pénéplaine entaillée par des riv. orientées du S.-E. au N.-O., et qui s'abaisse progressivement vers l'Ohio. Le S. de l'État présente de nombreuses dépressions et grottes (dont la célèbre *Mammoth* Cave*). — *Écon.* L'agriculture, qui tend à la concentration des entreprises, s'est différenciée. Le tabac connaît des difficultés, mais reste la production la plus importante avant le maïs, le soja, le blé, les pommes de terre, les fruits et légumes. Élevage (bovins ; chevaux et mulets). Les principales richesses minérales sont l'argile et le charbon. Indus. en développement : tabac (25 % des cigarettes des États-Unis) à Louisville et Lexington, chimie, aluminium (Louisville), indus. alimentaires, du bois, textiles ; distilleries (c'est au Kentucky que s'est développée la fabrication, avec du blé, du whisky américain, dit *bourbon*). – Universités. Siège de la réserve d'or de Fort Knox*. – Patrie d'Abraham Lincoln*, Th. H. Morgan*, Robert Penn Warren*. ♦ *Hist.* Exploré au XVIIIe s. par des Français et des Anglais, le territoire fut parcouru par Daniel Boone (fondation de Boonesboro en 1775). Il fit partie de la Virginie avant de devenir en 1792 le 15e État de l'Union. Le Kentucky joua un grand rôle dans la guerre anglo-américaine de 1812-1814 **(V. Clay [Henry])**, et en sortit économiquement miné. Pendant la guerre de Sécession, le Kentucky, partiellement esclavagiste, resta cependant dans l'Union et tenta de préserver sa neutralité, sans pouvoir éviter les opérations militaires sur son territoire. Après la guerre, le développement économique, d'abord basé sur le tabac et le charbon, se différencia ; l'industrialisation fut postérieure à 1918.

KENYA. *n. m.* ♦ État de l'Afrique orientale baigné par l'océan Indien, limité au S. par la Tanzanie*, à l'O. par l'Ouganda* (une partie du lac Victoria* formant frontière), au N. par le Soudan* et l'Éthiopie* et à l'E. par la Somalie*. Il est traversé par l'équateur. 583 000 km². 10 890 000 hab. *Cap.* Nairobi. *Langues off. :* anglais

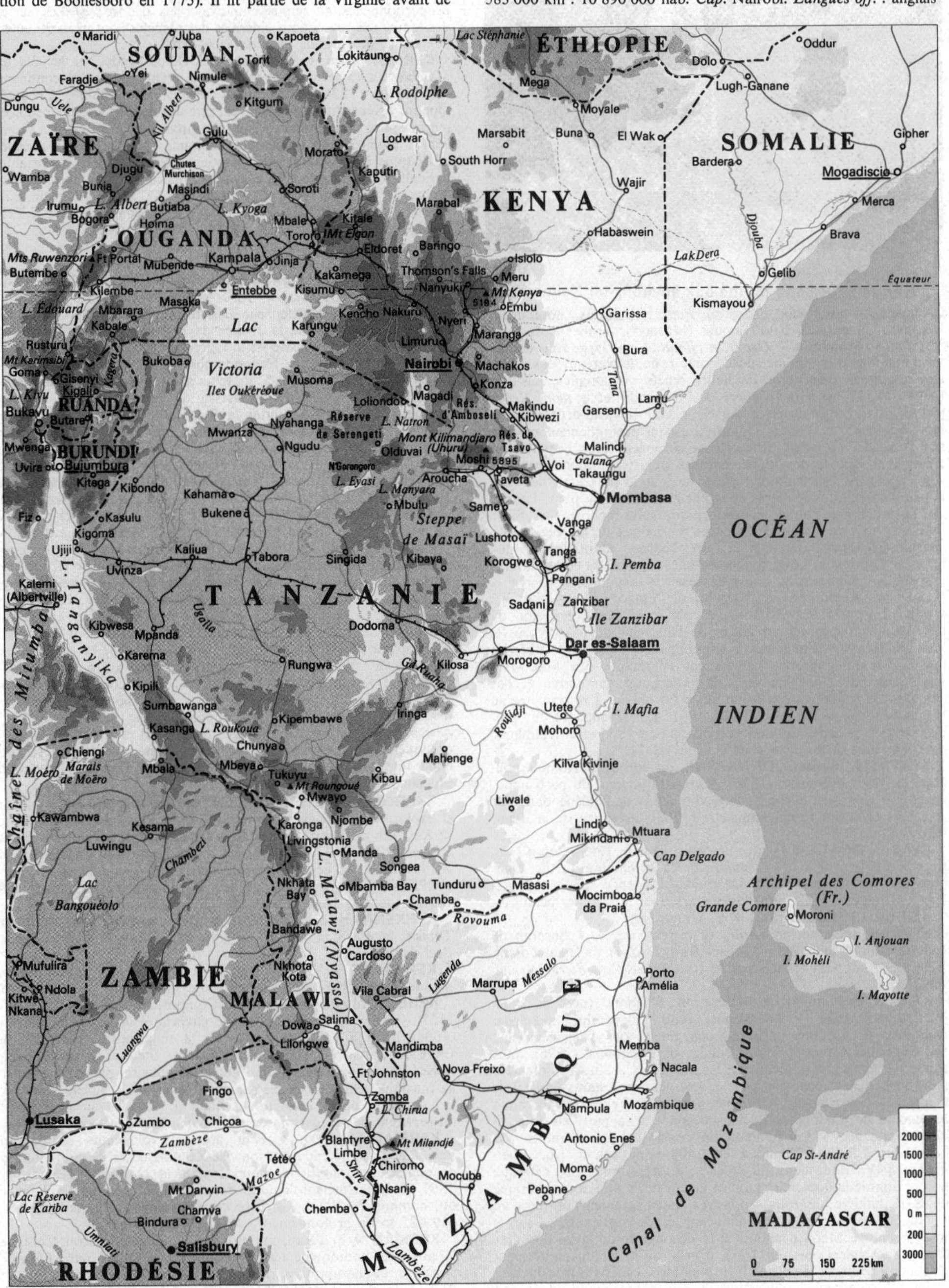

Kenya.

Ph. Hétier

Kenya : cueillette du thé aux environs de Nairobi.

et souahéli; nombreux dialectes. *Pop. :* Bantous, notamment Kikouyus, Nilotiques, Nilo-Hamites (Masaïs*), Arabes et Indiens. *V. princ.* **V. Mombasa.** – *Orogr. et climat.* À une large zone côtière au climat chaud et humide succède une zone de plateaux aux reliefs très accentués présentant de hauts reliefs volcaniques, tels que l'Elgon (4 321 m) à la frontière de l'Ouganda et le *mont Kenya* (5 194 m) au centre du pays. Au N. se situe la vaste dépression du lac Rodolphe*. Le climat équatorial est ici profondément modifié par l'altitude, au point d'être quasi européen, sous l'équateur.– *Écon.* Bien que le développement des industries manufacturières soit important, l'agriculture reste le secteur le plus actif de l'économie. Les cultures vivrières couvrent les besoins du pays. Le café est la principale culture d'exportation, suivi par le thé. Sisal, pyrèthre, noix de cajou. Le potentiel touristique de ces régions est considérable grâce au climat, aux beautés naturelles et aux réserves d'animaux. Le Kenya est le pays des safaris et des circuits touristiques, notamment dans les réserves des monts Kenya et Nyari, des Aberdares, de Nairobi, de Tsavo* et d'Amboseli*. ♦ *Hist.* En 1894, les Britanniques obtinrent une concession du sultanat d'Oman et les territoires de l'intérieur devinrent, sous le nom de Kenya, colonie de la Couronne en 1920. En 1952, les Anglais durent réprimer violemment la révolte des Mau-Mau, provoquée par l'inégalité dans la répartition des terres et des charges. Le gouvernement britannique fut amené à reconnaître au Kenya le droit à l'autonomie en 1961. L'indépendance fut proclamée dans le cadre du Commonwealth* en 1963 et la république en 1964, sous la présidence de J. Kenyatta*.

KENYATTA (Kamau JOHNSTONE, dit Jomo). ♦ Homme politique du Kenya (Nairobi, 1893). Secrétaire général du parti nationaliste du Kenya, il participa aux combats pour l'indépendance de son pays et devint Premier ministre (1963). Président de la République depuis 1964.

KENZAN OGATA. ♦ Peintre japonais (Tôkyô, 1663 – *id.*, 1743), frère et disciple de Kôrin*, maître de la cérémonie du thé, calligraphe et céramiste, qui eut une grande influence sur l'art de son époque. Il écrivit également des poèmes dont il orna ses peintures.

KÉPHALAS (Constantin). ♦ V. CÉPHALAS.

KÉPHAS, en araméen **kêpha** (« pierre, roc »). ♦ Surnom de l'apôtre Simon (saint Pierre*) dans *Jean*, I, 42, et dans saint Paul. Ailleurs, ce mot est traduit par le grec *Petros* (lat. *Petrus ;* franç. *Pierre*).

KEPLER (Johannes). ♦ Astronome allemand (près de Weil, Wurtemberg. 1571 – Ratisbonne, 1630). Élève du copernicien Mästlin*, il fut un partisan convaincu de l'héliocentrisme (V. Copernic)**; après qu'il eut publié son *Prodomus* (1596), dans lequel il énonça notamment que les plans des orbites des planètes passent par le Soleil, un édit contre les protestants (1600) le contraignit à se réfugier à Prague, auprès de Tycho* Brahé alors astronome de Rodolphe II; lui succédant à sa mort en 1601, il utilisa largement la documentation remarquable accumulée par l'astronome danois. Il publia en 1604 son optique [*Ad Vitellionem...*] **(V. Maurolico)**, où il définit le rayon lumineux, expliqua la réflexion de la lumière et montra que la réfraction atmosphérique dévie la lumière de tous les astres indistinctement et jusqu'au zénith; en même temps, menant une étude systématique sur le mouvement de Mars, il aboutit à la découverte de la loi des aires (2e loi de Kepler) puis, en 1605, à celle de la loi du mouvement elliptique (1re loi de Kepler); bien plus tard, en 1618, il énonça sa 3e loi. On comprend l'importance de son œuvre quand on connaît le rôle joué par les trois lois dans l'élaboration de la synthèse newtonienne. **V. Newton.** Kepler fut également un observateur : il étudia, en relation avec Galilée*, les comètes de 1618, reconnaissant leur nature céleste, puis les taches du Soleil; on lui doit également les *Tabulae Rudolphinae* (1627) ainsi appelées en hommage à son protecteur, premières éphémérides des planètes calculées sur la base des trois lois; il prédit enfin le passage de Mercure entre la Terre et le Soleil en 1631, et l'observation qui en fut faite effectivement par Gassendi* confirma en même temps les lois de Kepler et l'hypothèse copernicienne. ♦ *Lois de Kepler.* Lois expérimentales énoncées par Kepler concernant le mouvement des planètes autour du Soleil : *1)* Chaque planète décrit dans le sens direct une ellipse dont le Soleil est un foyer; *2)* Les aires balayées par le rayon vecteur allant du centre du Soleil au centre de la planète sont proportionnelles au temps employé à les décrire; *3)* Les carrés des temps des révolutions sidérales des planètes sont proportionnels aux cubes des grands axes de leurs orbites.

KERALA. *n. m.* ♦ Province du S.-O. de l'Inde, sur la côte du Malabâr*, allongée de Mangalore* à la pointe S. du sous-continent. 38 815 km². 22 000 000 d'hab. *Princ. V.* Cochin*, Calicut*, Quilon, Trivandrum* (cap.). C'est une des régions les plus peuplées (ce qui pose un grave problème alimentaire) et une des plus socialement avancées de l'Inde. Ses habitants sont fortement christianisés (plus de 3 000 000 de chrétiens). Pêche côtière importante. agriculture florissante (riz, cocotiers, épices, caféiers, théiers, noix de cajou, cotonniers). Indus. artisanales : exploitation de bois précieux (santal) et de pierres précieuses (zircon). ♦ *Hist.* L'État fut fondé en 1956 avec les États du Cochin, du Malabâr, du Travancore et quelques districts de l'anc. État de Madras.

KERBELA. ♦ V. KARBALÂ'.

KERENSKI (Alexandre Fedorovitch). ♦ Homme politique russe (Simbirsk, auj. Oulianovsk, 1881 – New York, 1970). Avocat et socialiste, il fut le défenseur des révolutionnaires. Il devint en mars 1917 ministre de la Justice du gouvernement provisoire du prince Lvov, puis ministre de la Guerre (mai) et, remplaçant Lvov, Premier ministre (juil.). En septembre 1917, il révoqua le commandant en chef Kornilov*, qui tenta alors un coup d'État militaire. La révolution d'Octobre le chassa du pouvoir. Après diverses péripéties, il réussit à quitter la Russie. Il émigra en Angleterre, puis en France et finalement aux États-Unis. Se considérant comme le représentant de l'idéal démocratique, Kerenski fut accusé par les bolcheviks de servir la contre-révolution. Il écrivit *La Révolte de Kornilov, prélude au bolchevisme* (1919), *La Catastrophe* (1927), *La Crucifixion de la liberté* (1934) et des *Mémoires* (1966).

KERGUELEN *(îles)*, anc. *îles de la Désolation.* ♦ Archipel situé au S. de l'océan Indien (terres Australes*). Il est formé d'une île principale de 6 000 km² env., largement échancrée à l'E. et occupée dans sa partie occidentale par un important glacier (Cook) de 50 km de long sur 20 km de large. Cette terre, entourée d'îles et d'îlots de dimensions réduites (île Castries, îles Howe, îles Nuageuses, île de l'Ouest), a un climat humide, frais en été, relativement doux en hiver. Sa végétation d'herbacées fut en partie détruite par les lapins introduits dans l'île (1874) et sa faune se compose de colonies d'oiseaux de mer, de phoques. ♦ *Hist.* Découvertes par Kerguelen* de Trémarec (1772), reconnues par Cook (1776), les îles Kerguelen servirent de base pour la chasse aux phoques. La France obtint la concession de l'archipel en 1893 (terres Australes* et Antarctiques françaises) et tenta en vain d'y pratiquer culture et élevage. Une station météorologique et scientifique fut installée à l'E. de l'île principale dans le « golfe du Morbihan » (1949).

KERGUELEN DE TRÉMAREC (Yves Joseph *de***).** ♦ Navigateur et explorateur français (Quimper, 1745 – Paris, 1797). Il a laissé sa *Relation de deux voyages dans les mers australes et des Indes faits de 1771 à 1774* (1785) au cours desquels il découvrit l'île la Fortune et les îles qui portent son nom **(V. *ci-dessus*).**

KERINTJI. *n. m.* ♦ Volcan actif de Sumatra*, dans les monts Barisan, le plus haut sommet de l'île (3 805 m).

KERKENNAH ou **KERKENNA** *(îles).* ♦ Petit archipel de la Tunisie, face à Sfax*, au N. du golfe de Gabès*. Palmiers. Vignes. Pêche (éponges).

KERKRADE. ♦ V. des Pays-Bas (Limbourg) à la frontière allemande. 50 900 hab. Abbaye de Rolduc fondée en 1105. – Houille.

KERLL (Johann Kaspar). ♦ Compositeur allemand (Adorf, 1627 – Munich, 1693). Maître de chapelle à la Cour de Munich (1656), il fut à Vienne organiste de la chapelle impériale (1680). Élève de Carissimi, il fut le maître de A. Steffani. Il se distingua aussi bien par ses opéras (dont aucun ne nous est parvenu) que par sa musique religieuse et instrumentale (messes, requiem, sonates). Il eut une influence certaine sur Bach et Haendel qui arrangèrent ou reprirent des fragments de ses œuvres dans leurs compositions.

KERMADEC *(îles).* ♦ Petit archipel volcanique de l'océan Pacifique S., situé entre la Nouvelle-Zélande et les îles Fidji, formé de quatre îles qui furent annexées par la Nouvelle*-Zélande en 1887. Station météorologique sur l'île Raoul, seule île habitée (10 hommes en 1971). *La fosse des Kermadec*, à l'E. de l'archipel, a 9 427 m de profondeur.

KERMÂN. ♦ V. d'Iran, en bordure S. du plateau central. Ch.-l. de la province homonyme (VIIIe prov.). Env. 75 000 hab. La ville conserve de nombreuses mosquées (Masjed-e-Djomeh [XIVe s.]: Masdjed-e-Malik [époque saljuqide]). – C'est le plus grand centre d'exportation de tapis d'Iran. Fabrique de cotonnades.

KERMÂNSHÂH. ♦ V. d'Iran occidental. Ch.-l. de la province homonyme (Ve prov.). 187 930 hab. (1967). Peuplée en majorité de Kurdes, Kermânshâh est le centre commercial d'une riche région agricole (céréales, coton, fruits, bétail). – Raffinerie de sucre, minoterie, usine textile. Raffinerie de pétrole, alimentée par l'oléoduc de Naft-i-Shâh et destinée à la consommation de la région N.-O. du pays.

KERNER (Justinus). ♦ Écrivain allemand (Ludwigsburg, Wurtemberg, 1786 – Weinsberg, 1862), représentant de l'école souabe (avec Uhland, Schwab, Mörike). Ses œuvres expriment un lyrisme plein de mélancolie (*Poésies*, 1826-1856; *Silhouettes de voyage*, 1811; *Le Livre d'images souvenirs de mon enfance*, 1849). *La Voyante de Prevorst* (1829) témoigne son intérêt pour les phénomènes tels que l'hypnotisme, le somnambulisme.

KEROUAC (Jack). ♦ Romancier américain (Lowell, Massachusetts, 1922 – St. Petersburg, Floride, 1969). D'origine canadienne française, issu d'ancêtres bretons, il exerça les métiers les plus divers (marin, cheminot), et son œuvre reflète sa personnalité errante. Jack Kerouac a donné ses lettres de noblesse au mouvement beatnik* en littérature avec deux romans, *Sur la route* (*On the Road*, 1957) et surtout *Les Clochards célestes* (*The Dharma Bums*, 1958). Ses héros se tiennent pour battus, n'en font pas mystère et refusent la réussite. Influencé par Céline, Melville, Whitman, Henry Miller, Jean Genet et Dylan Thomas, Kerouac rédigea son œuvre sans souci de construction sur des rouleaux de papier dont il glissait l'extrémité dans la machine à écrire afin de produire le roman d'un seul jet. Il fut, avec Ginsberg, l'un des porte-parole les plus écoutés de sa génération.

KEROULARIOS (Michel). ♦ V. CÉRULAIRE (Michel).

KERRY [*n. m.*] *(comté de)*, en irl. **Chiarraighe**. ♦ Comté de l'extrémité S.-O. de la république d'Irlande (prov. de Munster), s'étendant en bordure de l'Atlantique au S. du comté de Limerick. 4 699 km². 116 460 hab. (1961). *Ch.-l.* Tralee*. *V. princ.* Killarney*. – Le relief, en quasi-totalité montagneux, forme trois péninsules digitées : au N. (péninsule de Dingle) s'élève le *Slieve Misk* (853 m); au centre, les *monts de Kerry* culminent au *Carrantuohill* (1 041 m), point le plus élevé d'Irlande; à l'E., la région de Killarney*, avec ses lacs, est l'une des plus pittoresques d'Irlande; au S. s'étendent les *monts de Caha* (707 m). Les péninsules sont séparées par des baies profondes (Dingle*, Kenmare et Bantry). Les côtes sont déchiquetées et bordées d'îles (îles Blasket, Valentia). L'élevage est l'activité dominante. – Patrie de Daniel O'Connell*.

KERSAINT (Armand, *comte de***)**. ♦ Marin et homme politique français (Le Havre, 1742 – Paris, 1793). En 1782, il enleva aux Anglais leurs établissements du Surinam. Après avoir pris position contre les ordres privilégiés dans son ouvrage *Le Bon Sens* (1789), il siégea à l'Assemblée législative, puis à la Convention où il se spécialisa dans les questions de réformes navales, contribua à la création du Comité de sûreté générale et de la légion des Allobroges (Savoyards). Promu vice-amiral, il démissionna après l'exécution de Louis XVI, fut arrêté et emprisonné à l'Abbaye comme Girondin, puis exécuté.

KERSNIK (Janko). ♦ Conteur et romancier slovène (Brdo, 1852 – Ljubljana, 1897). Il décrivit avec objectivité le monde des parvenus, des fonctionnaires ou des paysans slovènes dans des nouvelles telles que *Portraits paysans* (1882-1891), et des romans comme *Cyclamen* (1883) et *L'Agitateur* (1885).

KERTCH'. ♦ V. et port d'U.R.S.S. (Ukraine) sur le *détroit de Kertch* et dans la presqu'île du même nom, en Crimée*. 128 000 hab. Exportation du minerai de fer extrait dans la presqu'île. Métallurgie. Pêcheries. La *presqu'île de Kertch'* est située à l'E. de la Crimée, face à la presqu'île de Taman' dont elle est séparée par le détroit de Kertch qui fait communiquer la mer d'Azov* et la mer Noire*. ♦ *Hist.* Fondée par les Milésiens au ~ VIIe s. *(Panticapée)* sur le Bosphore* cimmérien (nom antique du détroit de Kertch'), la ville passa sous la domination des rois du Bosphore qui en firent leur capitale (~ IVe s.). Mithridate* VI Eupator s'y établit et s'y donna la mort (~ 63). Devenue comptoir génois en 1365, elle fut occupée par les Türks en 1475. Annexée par la Russie au traité de Kutchuk*-Kaïnardji (1774), prise par l'armée franco-anglaise (1855) durant la guerre de Crimée, puis occupée par les Allemands en 1941, elle fut libérée en 1944.

KERULEN. *n. m.* ♦ Fl. de Mongolie orientale (env. 1 250 km) prenant sa source au N. d'Oulan*-Bator et se jetant dans le lac Hulun-nur, à la frontière de Chine (Mongolie-Intérieure). La région qu'il draine est peut-être celle d'origine du peuple mongol.

KESSEL (Joseph). ♦ Écrivain et journaliste français (Clara, Argentine, 1898). Né dans une famille russe d'origine juive (il évoquera avec charme la vie des émigrés russes à Paris dans *Nuits de princes*, 1928), J. Kessel a fait ses études en Russie, puis en France. Parallèlement à ses débuts au *Journal des débats*, il se livra à une expérience théâtrale (1915) avant de s'engager dans l'aviation (1916) pour y connaître, durant la Première Guerre mondiale, cette fraternité virile au sein des combats, qui sera désormais le thème privilégié de son œuvre romanesque. À *L'Équipage* (1923) succéderont *Vents de sable* (1934), *Le Bataillon du ciel* et la biographie de *Mermoz* (1938). Cette littérature de l'action est souvent la matière romancée des grands reportages que J. Kessel est appelé à effectuer au cours de sa carrière de journaliste; il est curieux du monde qu'il sait évoquer de façon réaliste et vivante : *Fortune carrée* (1955) évoque le Yémen, *Le Lion* (1958) se passe au Kenya. Habile à tracer des fresques historiques (*Tous n'étaient pas des anges*, 1963, témoignage sur la Seconde Guerre mondiale; *Terre d'amour et de feu* [1966] retrace l'aventure israélienne), J. Kessel se révèle également amateur de mentalités singulières chez un individu (*Belle de jour*, 1929) ou au sein d'une communauté (*Les Cavaliers*, 1967). [Acad. fr., 1962.]

KESSEL[-LEZ-LIERRE]. ♦ Comm. de Belgique (Anvers, arr. de Malines) sur la Grande Nèthe, près de Lierre* (Lier). 5 000 hab. Église des XIVe et XVe siècles. – Indus. textile. Taille du diamant. Cimenterie.

KESSEL-LO. ♦ Comm. de Belgique (Brabant, arr. de Louvain). 21 200 hab. – Abbaye de Vlierbeek (1125) dont l'église fut reconstruite en 1776. Fonderies. Matériel ferroviaire.

KESSELRING (Albert). ♦ Maréchal allemand (Markstedt, 1885 – Bad Nauheim, 1960). Chef d'état-major de la Luftwaffe* qu'il avait contribué à créer (1936), il commanda en Pologne (1939), en France (1940), en Russie (1941), en Sicile comme chef du front sud (Méditerranée-Afrique) [1942], en Italie (1943-1944). En février 1945, il remplaça Rundstedt* comme commandant du front ouest, sans pouvoir empêcher l'invasion alliée en Allemagne. Condamné à mort comme criminel de guerre par un tribunal britannique (1946), il fut gracié puis libéré en 1952.

KESTEVEN. ♦ V. LINCOLNSHIRE.

KETTELER (Wilhelm Emmanuel, *baron von***)**. ♦ Prélat allemand (Harkotten, Westphalie, 1811 – Burghausen, Bavière, 1877). Entré dans les ordres en 1836, élu au parlement de Francfort (1848), évêque de Mayence (1858), il a formulé et défendu au Reichstag (1871-1872) le programme du parti du centre catholique *(Les Catholiques et l'empire)*. Dans ses principaux ouvrages, il a développé les principes d'un christianisme social : intervention de l'État, répartition équitable des impôts, associations ouvrières (*Fondements d'une conception chrétienne de l'État*, 1848-1877; *La Question sociale et le christianisme*, 1864).

KETTERING. ♦ V. d'Angleterre (Northamptonshire), au N.-E. de Northampton. 40 040 hab. Manufactures de chaussures.

KEW. ♦ Aggl. résidentielle de la banlieue O. de Londres (Surrey). Célèbres jardins botaniques (116 ha). Le château *(Kew Palace* ou *Dutch House)*, de style néerlandais du XVIIIe s., fut acheté en 1781 par George III dont il subsiste de nombreux souvenirs (meubles, peintures).

KEYNES (John Maynard, *1er baron***)**. ♦ Économiste et financier britannique (Cambridge, 1883 – Firle, Sussex, 1946). Élève d'A. Marshall* à Cambridge où il enseigna lui-même l'économie, il fut chargé à plusieurs reprises d'importantes missions par le gouvernement britannique. Délégué à la conférence de la Paix (1919), il démissionna pour marquer son opposition aux dispositions du traité de Versailles exigeant de l'Allemagne vaincue

Ph. D. Berretti/Magnum

Joseph Kessel.

d'importantes réparations et exposa ses raisons dans *Les Conséquences économiques de la paix* (1919). Tenu quelque temps à l'écart des affaires publiques, il manifesta son hostilité à l'égard de la politique déflationniste du gouvernement britannique, tout en formulant des critiques décisives contre les thèses de l'économie politique classique, sur l'équilibre économique et ses mécanismes autorégulateurs. Écrits au lendemain de la crise économique de 1929, alors que sévissait un grave chômage dans les sociétés industrielles, les deux ouvrages principaux de Keynes, le *Traité de la monnaie* (1931) et surtout la *Théorie générale de l'emploi, de l'intérêt et de la monnaie* (1936), visent précisément à expliquer l'existence du sous-emploi. Raisonnant en termes macro-économiques, les problèmes étant traités en termes de quantités globales (revenu, consommation, épargne, investissements), Keynes voit dans le sous-emploi le résultat d'une baisse relative des dépenses de consommation, d'une baisse de l'efficacité marginale du capital et d'un taux trop élevé de l'intérêt entraînant une baisse des investissements. Aussi, tout en voulant préserver au maximum les principes du libéralisme, Keynes préconisa-t-il une intervention des pouvoirs publics pour assurer le plein emploi par une politique fiscale et monétaire favorisant la propension à consommer (abandon de l'étalon-or remplacé par une monnaie plus souple que l'État peut faire varier; augmentation des investissements privés et publics). L'influence de Keynes fut considérable, tant sur le plan de l'analyse théorique que sur le plan de la politique économique, monétaire et sociale internationale. Devenu l'économiste officiel de la Grande-Bretagne, il fut nommé sous-gouverneur de la Banque d'Angleterre, élevé à la pairie et chargé d'élaborer un projet de stabilisation internationale des monnaies *(plan Keynes)*; celui-ci, avec le plan américain opposé *(plan White)*, aboutit, lors de la conférence de Bretton-Woods (1944), à la création du Fonds monétaire international et de la Banque internationale pour la reconstruction et le développement économique.

KEYSERLING (Hermann, *comte von***).** ♦ Philosophe et écrivain allemand d'origine balte (Könno, Livonie, 1880 – Innsbruck, 1946). Après avoir voyagé autour du monde (Ceylan, Inde, Chine, Japon, Amérique), il fonda à Darmstadt une « école de la Sagesse » (1920). Concilier la civilisation occidentale, trop intellectualiste, coupée des sources profondes de la vie et tout entière tournée vers la domination matérielle de la nature, et les valeurs spirituelles de la culture d'Orient, restée par contre trop passive et inefficace, tel lui paraît être le moyen d'atteindre une humanité intégrale. (*Relations internes des problèmes culturels de l'Orient et de l'Occident*, 1913; *Le Journal de voyage d'un philosophe*, 1919; *Analyse spectrale de l'Europe*, 1928; *Psychanalyse de l'Amérique*, 1931.)

KEY WEST. ♦ Île au S. de la Floride*, à l'extrémité d'un arc de cercle de petites îles qui va de la baie de Biscayne à Key Largo, longe la baie de Floride et aboutit à l'archipel des *Dry Tortugas*. Une route sur pilotis joint la Floride à Key West. – La ville elle-même a près de 40 000 habitants.

KHÂ. *n. m. pl.* ♦ Nom généralement donné à certaines populations montagnardes de la péninsule indochinoise, et de souche indonésienne. Elles sont composées de nombreuses tribus comprenant environ 450 000 individus et réparties sur les territoires du Laos* et du Cambodge*.

KHABAROVSK. ♦ V. de l'U.R.S.S. (R.S.F.S. de Russie), ch.-l. du territoire du même nom (824 600 km², 1 364 000 hab.) sur l'Amour* qui y reçoit l'Oussouri (Ussuri), en Extrême-Orient soviétique. 437 000 hab. Important carrefour fluvial, ferroviaire et aérien, et grand centre industriel. Raffinerie de pétrole. Constructions mécaniques. Matériaux de construction. Indus. alimentaires. Confection. Travail du bois et du cuir. ♦ *Hist.* La ville, fondée en 1858, est devenue depuis 1938 le centre administratif et la plus grande ville de l'Extrême-Orient soviétique.

KHABOUR ou **KHABUR.** *n. m.* ♦ Riv. de Syrie (300 km env.), affl. de l'Euphrate* (r. g.) qui coule dans la Djézireh* syrienne. Elle est formée à Hassetché par le confluent de rivières qui descendent notamment du djebel Abdulaziz et du djebel Sindjar à la frontière irakienne.

KHADÎJA. ♦ Première femme de Mahomet* (Muhammad) ([mort] La Mecque, 619). Riche veuve, elle épousa Muhammad après l'avoir employé comme conducteur de caravanes vers la Syrie. De 15 ans son aînée, elle lui apporta un précieux soutien moral et financier dans ses débuts. Leur fille, Fatima*, devint l'épouse d'Ali*.

KHAIBAR ou **KHYBER.** ♦ Célèbre défilé entre le Pâkistân* et l'Afghânistân*, dans les monts Sulaiman*, situé à 1 100 m d'alt. sur la route reliant Kâbul* à Peshawâr*, lieu naturel de passage de tous les envahisseurs de l'Inde en provenance du Nord-Ouest. Ce défilé est célèbre pour la résistance acharnée qu'y offrirent les Afghâns dans leurs luttes contre les Anglais en 1842.

KHAI HUNG. ♦ Romancier vietnamien (1896 – 1947), auteur de romans, nouvelles, pièces de théâtre et contes pour enfants. Ses écrits eurent une grande influence sur la jeunesse de son pays.

KHAJURÂHO. ♦ Anc. cap. religieuse du Bundelkhand* (Inde, Madhya Pradesh) du xᵉ au xiiiᵉ s. où les râja des Chandela élevèrent de nombreux temples remarquables par leur architecture comme pour la profusion de leur décoration sculptée.

KHAKAS. *n. m. pl.* ♦ Peuple türk de Sibérie occidentale (Altaï* et haut Ienisseï*) constituant un territoire autonome dont le chef-lieu est Abakan. Au nombre d'environ 200 000, ils se consacrent principalement à l'élevage.

Ph. Nino Cirani/Ricciarini
Kharkov.

KHALED IBN 'ABD AL-'AZÎZ. ♦ (Riyad, 1913). Roi d'Arabie* Sa'ûdite (1975). Vice-président du Conseil en 1965, il succéda à son frère Faysâl Iᵉʳ après l'assassinat de celui-ci.

KHÂLID IBN AL-WALÎD. ♦ Général arabe ([mort] à Homs ou Médine, 642). Avant de se convertir à l'islâm, il fut adversaire et vainqueur du prophète à Uhud (625). Surnommé le « Sabre de Dieu », il soumit l'Iraq en 633 et dirigea les premières conquêtes en Syrie; il prit Homs dont il fut gouverneur jusqu'à sa destitution par 'Umar*.

KHALÎL (Ibn Ahmad Ibn 'Amr, al-). ♦ Philologue arabe (Uman ? – Basra, v. 791). Il élabora un traité de grammaire qui fait de lui un des plus grands représentants de l'école de Basra, caractérisée par l'étude de l'arabe du désert, plus pur que le parler des villes. Il codifia les règles de la prosodie arabe et composa le premier dictionnaire arabe, le *Kitâb al'Ain* où « il classa les mots selon les lettres de l'alphabet rangées d'après la position des organes qui servent à les articuler», commençant par les gutturales et finissant par les labiales et les semi-voyelles. Il fut le maître de Sibawayh*.

KHALIL (al), anc. **Hébron*.** ♦ V. jordanienne de la plaine de Judée, en Cisjordanie*, dans les territoires occupés par Israël. Plus de 40 000 hab. Indus. textiles.

KHÂNAQÎN. ♦ Gisement de pétrole d'Iraq, situé à la frontière iranienne et desservi par une route et une ligne de chemin de fer Baghdâd-Kermânshâh (Iran). 56 000 hab. Importante raffinerie.

KHANSA (Tumadir bint 'Amr al-). ♦ Poète arabe de la tribu Sulaïm ([mort] 645). Avant l'islâm, elle composa, sur ses deux frères morts dans une bataille, des élégies (ou thrènes) qui firent d'elle le poète le plus célèbre de son temps. Elle accepta d'adhérer à l'islâm avec toute sa tribu.

KHAN YOUNIS ou **YUNIS.** ♦ V. de la *bande de Gaza*, située dans le N. de la péninsule du Sinaï à proximité de la mer, et comprise dans les territoires occupés par Israël. 53 000 hab.

KHÂQÂNI. ♦ Poète persan (Gandjé, Caucase, actuellement Kirovabad, ? – Tabriz, 1199). Outre un épais *divan* (recueil), son œuvre comprend un *masnavi* qui raconte un voyage qu'il fit à La Mecque (« Le Présent des deux Irak »).

KHARAGPUR. ♦ V. de l'Inde (Bengale), au S.-O. de Calcutta. 180 000 hab. Centre industriel (chemins de fer, mécanique, indus. chimiques).

KHARBIN. ♦ V. Ha-êrh-pin.

KHÂREZM, KHOREZM ou **KHWAREZM.** *n. m.* ♦ Région d'Asie centrale, ancien État sur le cours inférieur de l'Amou*-Daria appelée *Choresmia* par les Grecs. Le Khârezm fut envahi par les Mongols au xiiiᵉ siècle. Conquis par Tîmûr*-i-Lang en 1379, puis par les Ouzbeks (1512), qui y fondèrent le *Khânat du Khârezm*, il fut nommé khânat de Khiva au xviiᵉ s., date à laquelle la capitale fut transférée à Khiva (auj. dans l'Ouzbékistan, 20 500 hab. en 1964). Partie de l'Empire russe dès 1873, le khânat de Khiva fut proclamé *République populaire soviétique du Khârezm* en avril 1920, puis *R.S.S. de Khârezm* en 1922. Après la délimitation territoriale de l'Asie centrale en 1924, le Khârezm fut partagé entre l'Ouzbékistan*, le Turkménistan* et la Karakalpakie*.

KHARG. ♦ Île iranienne du golfe Persique, à 40 km de la côte. Le port permet l'accueil de pétroliers d'une capacité de 500 000 t. Presque toute la production de pétrole brut du pays destinée à l'exportation y est acheminée, les ports d'Abadan et de Bandar-Mashour ne pouvant recevoir de gros navires. Raffinerie. Usine pétrolochimique.

KHARGÉH ou **KHARGA** *(oasis de)*, en ar. **al-wâhat al-Khârijah,** « l'oasis extérieure ». ♦ La plus méridionale des oasis d'Égypte, dans le désert libyque*, à 150 km du Nil. *Cap.* Khargeh (10 000 hab.). Longue de 160 km et large de 20 à 50 km, elle vit de la culture des légumes et des fruits. On y a découvert le temple d'Hibis et une nécropole chrétienne.

Khârijites. *n. m. pl.* **(Khawarij,** dérivé de **Kharaja,** « sortir;

se révolter »). ♦ Membres du plus anc. mouvement politico-religieux, né en Islâm à propos de la controverse concernant la légitimité du califat. Pendant la bataille de Siffin (juillet 657) qui devait opposer le gouverneur de la Syrie, Mu'awiyya*, et le cousin du prophète 'Ali*, calife contesté, les Khârijites refusèrent de participer au combat, ce qui força 'Ali d'accepter la proposition d'arbitrage qui aboutit à la nomination de Mû'awiyya comme calife. Les khârijites s'opposèrent alors à 'Ali et à Mu'awiyya. Ils insistèrent sur la liberté de choix de tout musulman pour la nomination du calife. Quiconque, « même un esclave noir », pourrait prétendre à être élu calife s'il possédait les qualités religieuses et morales nécessaires. Un calife serait déposé s'il ne remplissait pas correctement sa tâche. Ils se déclaraient opposés aux visées politiques de la famille du prophète Mahomet* et de l'aristocratie arabe. Cette théorie « démocratique » fut suivie par beaucoup de musulmans non arabes, dont les Berbères d'Afrique du Nord, qui résistaient à la domination arabe. Les khârijites étaient réputés pour leur puritanisme et leur fanatisme. Le luxe, le tabac, la musique et le jeu étaient prohibés. Ils recommandaient une interprétation littérale du Coran. Les khârijites survivent encore de nos jours (ils sont connus sous le nom de ibadites) en Afrique du Nord (Djerba, Ouargla, Mzab), à Oman et Zanzibar et leur nombre est estimé à 500 000.

KHARKOV. ♦ V. d'U.R.S.S. (Ukraine), ch.-l. de la région du même nom (31 400 km², 2 735 000 hab.), située sur l'Udy (affl. du Donets du Nord) à sa confluence avec le Lopan. 1 223 000 hab. Université. Deuxième ville de l'Ukraine*, important carrefour ferroviaire reliant Moscou* au Donbass*, et grand centre culturel, administratif et industriel. Constructions mécaniques (machines industrielles, équipement agricole et minier, tracteurs, locomotives, turbines, indus. de précision). Indus. chimiques, électrochimiques, textiles et alimentaires. Centrale thermique. Important gisement de gaz au S.-E. de la région (Chebelinka). — Patrie de A. Mouron, dit Cassandre*, É. Metchnikov* (né à Ivanovka), O. Struve*. ♦ *Hist.* Fondée en 1656 par le cosaque zaporogue Kharkov, la ville, d'abord transformée en forteresse, devint dès le XVIIIe s. un centre commercial et industriel important. Ch.-l. du gouvernement d'Ukraine depuis 1732, première capitale de la République autonome d'Ukraine (1917-1934), occupée par les Allemands (avr. 1918), elle fut à partir de 1919 la capitale de la République soviétique créée par Rakovski et opposée au gouvernement de Petlioura. Durant la Deuxième Guerre mondiale, âprement disputée entre Allemands et Soviétiques (1941-1943), Kharkov, très endommagée, fut libérée par l'armée rouge en août 1943. La ville fut reconstruite entre 1945 et 1955.

KHARTOUM, en ar. **Khartûm** (« Troupe d'éléphants »). ♦ Cap. de la république du Soudan*, au confluent du Nil Blanc et du Nil Bleu, reliée à Khartoum-Nord (banlieue industrielle) par un pont sur le Nil Bleu et à Omdourman* par un pont sur le Nil Blanc. 135 000 hab. (env. 300 000 avec Khartoum N. et Omdourman, entités administratives autonomes). Université. Centre commercial. Nœud de communications. ♦ *Hist.* Camp militaire établi en 1821 par Muhammad-'Ali, la ville se développa rapidement grâce à sa situation. Mais, prise par les mahdistes qui y tuèrent Gordon* (1885), elle fut délaissée au profit d'Omdourman*. Reconquise par Kitchener (1898), elle fut reconstruite sur un plan très moderne, devint le siège de l'administration du Soudan anglo-égyptien, puis la cap. de la république du Soudan* (1956).

KHATCHATOURIAN (Aram Ilitch). ♦ Compositeur soviétique géorgien (Tbilissi, 1903). Marquée très sensiblement par l'influence des folklores arménien et géorgien, imprégnée de la tradition russe du XIXe s., son œuvre se caractérise par la vigueur du rythme, souvent inspiré de la danse, et par la richesse de l'orchestration. Elle comprend des ballets (*Gayaneh,* 1942, où figure la fameuse *Danse du sabre*), deux symphonies, des concertos pour piano, pour violon, pour violoncelle, de la musique de chambre, de film, et des mélodies.

KHAYYÂM ('Umar). ♦ Savant et poète persan (Nishâpûr, v. 1050 — *id.,* v. 1123). De son vivant et pendant longtemps, il était surtout connu par ses écrits scientifiques et philosophiques où il se révèle comme un disciple d'Avicenne*. Il rédigea un célèbre traité d'algèbre (en arabe) où il classa systématiquement les équations du second et du troisième degré avant d'essayer de les résoudre. Astronome réputé, il fut appelé par le sultan saljûqide* Djalâl al-Dîn Mâlik Shah qui le chargea de la réforme du calendrier persan. Ce n'est que plus tard que sa renommée poétique s'imposa car ses poèmes, pessimistes, sceptiques et souvent blasphématoires, ne furent transmis que discrètement afin d'éviter la répression des autorités islamiques. Sa consécration universelle n'est intervenue qu'au XIXe s. après l'adaptation anglaise de ses œuvres par E. Fitzgerald. Mais depuis quelques années plusieurs historiens contestent une partie de la masse de *robâïates* (quatrains) qui lui sont attribués. Ainsi, l'ensemble de son œuvre poétique reste difficile à estimer.

KHAZAR(S). *n. m. pl.* ♦ Anc. peuple de race turque, établi depuis une haute antiquité dans la région de la basse Volga*. Ayant occupé la Crimée* et Kiev au VIIe s., ils fondèrent un empire qui s'étendait du Boug et du Dniepr jusqu'au fleuve Oural, et au N. jusqu'à la moyenne Volga, à l'Oka et aux sources du Donets. Islamisés dès le VIIIe s., ils furent convertis au christianisme par Cyrille (860). En 968, Sviatoslav*, grand-duc de Russie, conquit leur forteresse sur le Don, Sarkel. Réduit à la Crimée (appelée alors la *Khazarie*), l'empire des Khazars fut occupé en 1015 par les Byzantins, alliés de Vladimir* Ier de Russie.

KHENCHELA. ♦ V. d'Algérie, ch.-l. d'arr. du dép. de Batna, située au N.-E. de l'Aurès*. 25 000 hab. Centre commercial.

KHÉOPS ou **CHÉOPS,** nom gr. de **Khnoum-khoufoui.** ♦ Roi d'Égypte (v. ~ 2650). Second pharaon de la IVe dynastie (Ancien Empire), il fit construire la grande pyramide de Gizeh*.

KHÉPHREN ou **CHÉPHRÈN,** nom gr. de **Khâfrê.** ♦ Roi d'Égypte de la IVe dynastie (v. ~ 2620) [Ancien Empire], fils et successeur de Khéops*. Il fit construire à Gizeh*, au S.-O. de la pyramide de Khéops, une pyramide presque aussi colossale que celle de son père.

KHÉPRI, en égypt. **Kheprer** « scarabée », figure utilisée pour noter le verbe *kheper,* « venir à l'existence sous une forme donnée ». ♦ Dieu égyptien symbolisé par un scarabée. Il représentait un aspect du démiurge d'Héliopolis, Rê*, « venu de lui-même à l'existence » : le soleil levant. Image de l'éternel retour, le scarabée fut un motif fréquent de la bijouterie égyptienne.

KHERSON. ♦ V. et port d'U.R.S.S. (Ukraine), ch.-l. de la région (28 300 km², 1 014 000 hab.), situé sur la r. d. du Dniepr* inférieur à son embouchure dans la mer Noire. 261 000 hab. Complexe de conserveries au centre d'une vaste région agricole. Combinat textile (coton). Constructions navales. Raffinerie de pétrole. ♦ *Hist.* Fondée en 1778, par Potemkine*, la ville, destinée à devenir un centre commercial important, fut éclipsée par Nikolaïev*, puis Odessa*. Elle connaît un nouvel essor et assure auj. le transit du pétrole caucasien.

KHÉTI Ier. ♦ Roi d'Égypte de la VIIIe dynastie (v. ~ 2222) [première période intermédiaire], premier pharaon d'Héracléopolis.

KHÉTI III. ♦ Roi d'Égypte de la IXe ou X[e] dynastie (v. ~ 2120) [première période intermédiaire]. Pharaon d'Héracléopolis.

KHILJÎ ou **KHALJÎ.** ♦ Dynasties musulmanes de l'Inde, d'origine türk qui s'établirent au Bengale à la fin du XIIe siècle. Elles fondèrent en 1290 à Delhi* (Inde) une dynastie indépendante qui y régna jusqu'en 1320. Elle conquit toute l'Inde du Nord et une grande partie du Dekkan* qu'elle contribua à islamiser.

KHINGAN. *n. m.* ♦ Chaîne de montagnes (Grand Khingan et Petit Khingan) orientée N.-S. et séparant, en Mongolie-Intérieure, la Mongolie et la Mandchourie chinoise. Elle donne naissance à plusieurs cours d'eau. Peu élevée (2 091 m), elle est facilement accessible et ne constitue pas une barrière. Le PETIT KHINGAN, en Mandchourie, borde le cours de l'Amour* (Hei-lung-chiang) et est très peu élevé.

KHIOUMA, en suédois **Dago.** ♦ Île d'U.R.S.S. (Estonie*) située dans la mer Baltique, au N. de Sarema*. Pêcheries. Élevage.

KHITAN. *n. m. pl.* ♦ Tribus türko-mongoles établies depuis le Ve s. dans le N. de la Chine. Elles conquirent Peking en 957 et y fondèrent la dynastie des Liao. Elles furent détruites par d'autres tribus türko-mongoles, celle des Jürchet*, en 1125.

KHIVA ou **CHIVA.** ♦ Oasis d'Asie centrale (Ouzbékistan [Üzbekistân]) au S. de la mer d'Aral et cap. de l'anc. Khanat (qânat) de Khiva (XVIIe s. — 1920). **V. Khârezm.**

KHLEBNIKOV (Victor Vladimirovitch, dit **Velemir)** [*Xlebnikov*]. ♦ Poète russe (Kalmytskaia step, gouvernement de Saratov, 1885 — Moscou, 1922). Il fut l'un des fondateurs les plus cultivés de l'école futuriste* russe. Dans ses poèmes, où il révèle une grande maîtrise du langage, il exprime avec violence ses idées nihilistes et

Ph. Hétier

Art **khmer** : « Le Devin », bas-relief. Angkor Thom.

Ph. Nimatallah/Ricciarini

Khorsabad : Tributaires Mèdes; bas-relief, art assyrien du ~ VIIIe s. (Musée du Louvre, Paris.)

anarchistes : *Perquisition de nuit, Nuit avant les soviets, Pourquoi?, Poèmes de la faim,* ...

KHMELNITSKI, anc. **Proskurov**. ♦ V. d'U.R.S.S. (Ukraine), ch.-l. de prov. sur le Boug* méridional et le plateau de Volhynie-Podolie. 113 000 hab. Indus. alimentaires. Construction de machines-outils. Confection. — La *région de Khmelnitski* (20 600 km², 1 613 000 hab.), anc. région de Kamenets-Podolski, dont le siège fut transféré dans la ville du même nom de 1940 à 1954, est une riche zone agricole. Culture intensive de betterave à sucre (nombreuses raffineries) et céréales. Élevage bovin et porcin.

KHMER(S), *adj.* et *n. m. (pl.).* ♦ Peuple de souche Môn*-Khmer du Cambodge qui, à partir du VIIe s., bâtit des royaumes et des empires en Asie du S.-E. qui culminèrent avec celui d'Angkor, fondé en 802. Aux XIe et XIIe s., ils étendirent leur domination sur le bas Laos et une grande partie de la Thaïlande occidentale, mais furent, après le XVe s., battus et influencés par les Thaï. Ils forment cependant encore le fond de la population du Cambodge. Leur langage est apparenté à ceux de groupes anciens répartis depuis l'Inde jusqu'en Malaisie : il est monosyllabique polytonique. **V. Angkor, Cambodge, Jayavarman VII.**

KHMÈRE *(Rép.).* ♦ Nom du Cambodge* d'oct. 1970 à janv. 1976.

KHNOUM. ♦ Dieu égyptien figuré sous la forme d'un homme à tête de bélier à double encornure. Divinité très ancienne, il était, dans la mythologie d'Esna*, le dieu créateur qui avait façonné les êtres sur un tour de potier et transmis le mouvement de son instrument à tous les êtres féminins. À Éléphantine*, il était adoré comme dieu de la cataracte, gardien des sources du Nil. Il devint plus tard dieu-soleil sous la forme de Khnoum-Rê.

KHOKAND. ♦ V. KOKAND.

KHOMIAKOV (Alexis Stepanovitch) [*Xomjakov*]. ♦ Écrivain russe (Moscou, 1804 — district de Kazan, 1860). Principal défenseur des slavophiles*, il était attaché à la religion orthodoxe et aux traditions nationales. (*À la Russie,* 1854.)

KHONSOU. ♦ Divinité égyptienne figurée sous l'aspect d'un homme à tête de faucon portant sur sa tête le disque solaire, d'un être momifié ou d'un enfant. Dieu lunaire, fils d'Amon* et de Mout, il était adoré à Thèbes* où il possède un temple remarquablement conservé **(V. Karnak).** On l'invoquait contre les esprits malfaisants.

KHORANA (Har Gobind). ♦ Biochimiste américain d'origine indienne (1927 —). Ses recherches sur l'acide ribonucléique (A.R.N.), dont il créa un modèle artificiel, et son rôle dans la transmission de l'information génétique lui valurent le prix Nobel de méd. (1968) avec R. Holley* et M. Nirenberg*.

KHORASSAN. ♦ V. KHURÂSÂN.

KHOREZM. ♦ V. KHÂREZM.

KHOR-FAKKAN. ♦ Important port de pêche du sultanat de Sarjah* (principauté d'Arabie), enclavé dans la principauté de Fujaïrah* sur le golfe d'Oman.

KHOROG. ♦ V. d'U.R.S.S. (Tadjikistan*), ch.-l. de la région autonome du Gorno*-Badakhchan, dans la partie O. du Pamir* (alt. 2 200 m). 10 000 hab. (1963). Indus. alimentaires.

KHORRAMSHAR. ♦ V. KHURRAMSHÂHR.

KHORSABAD ou **KHURSABÂD**. ♦ Site, à env. 15 km au N.-E. de Mossoul (Iraq), où furent trouvées les ruines de l'ancienne Dur-Sharrukin, capitale créée de ~713 à ~707 par Sargon* II d'Assyrie et abandonnée peu après sa mort (~705). Fouilles par Botta (1843, inaugurant les fouilles assyriologiques), Place (1851) et l'institut oriental de Chicago (1930). La ville (300 ha) comportait : cité administrative, résidences princières et, dans la citadelle, le palais et un complexe religieux (temple de Nabu, ziggourat). De nombreux bas-reliefs (cérémonies, scènes militaires), des génies ailés, rares spécimens de ronde-bosse assyrienne, des archives (notamment une chronologie des rois d'Assyrie) furent mis au jour.

KHOSRÔ Ier Anôcharvân, en gr. **Chosroès**. ♦ Roi sassanide de Perse (531-579). Il fut le plus brillant des souverains sassanides, célèbre autant par sa sagesse que par le raffinement de la civilisation de son temps. En 540, il entreprit la guerre contre Byzance **(V. Bélisaire, Justinien),** prit Antioche, occupa la Lazique; mais il signa une trêve (555) puis la paix (562) : Justinien lui payait tribut, en échange de quoi il évacuait la Lazique et accordait la liberté de conscience aux chrétiens de son empire. À l'est, il écrasa les Huns Hephtalites avec l'aide des T'ou-kiue (563). Au sud, il conquit le Yémen sur le roi d'Axoum (570). À partir de 571 il dut faire face à une révolte de l'Arménie, aidée par Byzance **(V. Justin II)**; il fut battu près de Mélitène (575). Son fils Ormizd* IV lui succéda.

KHOSRÔ II Abharvêz, en gr. **Chosroès Parviz**. ♦ Roi sassanide de Perse, de 590 à 628. Il conquit son trône sur Bahrâm Tchobên, général usurpateur, grâce à l'aide de l'empereur byzantin Maurice* (591) et, en échange, céda des territoires (Dara, Martyropolis, Arménie perse) et se montra tolérant envers les chrétiens. Après la chute de Maurice au profit de Phocas (602), il envahit l'empire byzantin (Syrie, Asie Mineure), poussa jusqu'à Chalcédoine (609), conquit Jérusalem (614) et l'Égypte (618), reconstituant l'empire achéménide. Mais à partir de 622 il dut plier devant la reconquête d'Héraclius* et fut finalement assassiné par son fils Kavâdh qui lui succéda et demanda la paix (628).

KHOTAN. ♦ V. HO-T'IEN.

KHOTINE, en polon. **Choczim**, ou **Chocim**, en roum. **Hotin**. ♦ V. d'U.R.S.S. (Ukraine), sur le Dniestr*. 8 000 hab. env. ♦ *Hist.* Anc. place forte turque, la ville fut le théâtre de deux victoires polonaises sur les Turcs : celles de Ladislas IV (1621) et de Jean Sobieski (1673). Prise par les Russes en 1739, elle retourna à la Turquie en 1774, puis à la Russie en 1812. De 1918 à 1945, elle fit partie de la Roumanie.

KHOURIBGA. ♦ V. du Maroc (prov. de Casablanca) sur le plateau des Phosphates*. 40 800 hab. Grand centre d'extraction des phosphates exportés vers Casablanca*.

KHOUZISTAN. ♦ V. KHÛZISTÂN.

KHRI-LDE gSUG-bCAN. ♦ (V. 704 — v. 755). Roi du Tibet, qui s'opposa sans cesse à la Chine avec qui il signa néanmoins, en 730, un traité. Il noua d'amicales relations avec les Arabes du Fergâna* et éleva à Lhasa* la première forteresse-palais. Il soumit le Nan* Chao et guerroya également contre le N. de l'Inde. Il est parfois considéré comme le fondateur du royaume tibétain.

KHROUCHTCHEV (Nikita Sergheïevitch). ♦ Homme politique soviétique (Kalinovka, région de Koursk, 1894 — Moscou, 1971). Ouvrier d'usine et mineur, membre du Parti bolchevik (1918), il fit carrière dans l'appareil et devint membre du Comité central du Parti communiste d'U.R.S.S. (1934) et du Soviet suprême (1937). Il fut nommé par Staline premier secrétaire du Parti communiste d'Ukraine en 1938. Élu membre du Politburo (1939), il dirigea, à la suite du pacte germano-soviétique, l'opération d'annexion de la Pologne orientale (1939-1940). Pendant la Deuxième Guerre mondiale, il organisa des unités de partisans derrière les lignes allemandes en Ukraine, participa à la défense de Stalingrad et fut promu lieutenant général en 1943. De nouveau premier secrétaire du Parti communiste d'Ukraine après la libération de Kiev (nov. 1943), il fut rappelé à Moscou (1949) et occupa le poste de premier secrétaire de la région de la capitale. En 1952, il devint membre du Præsidium et du secrétariat du Comité central. Après la mort de Staline (1953), il lui succéda au poste de premier secrétaire du Parti communiste d'U.R.S.S. Ayant pris part à l'élimination de Béria* (déc. 1953), il écarta Malenkov et dénonça au XXe congrès du Parti communiste (févr. 1956) les purges et le « culte de la personnalité » de Staline. Il poursuivit ensuite sa politique de « destalinisation » et en juin 1957 fit expulser du Comité central les « néostaliniens » Molotov*, Malenkov* et Kaganovitch, en les accusant d'activités « anti-parti ». En mars 1958, il succéda à Boulganine* comme président du Conseil des ministres, tout en restant premier secrétaire du Parti. Sa politique étrangère de coexistence pacifique, le conflit idéologique avec le Parti communiste chinois et surtout l'échec de ses mesures agricoles et industrielles provoquèrent une nouvelle opposition des dirigeants soviétiques. Ayant décidé l'installation de bases lance-missiles à Cuba, il dut les retirer après l'ultimatum de J.F. Kennedy* (1962); cet échec lui fut reproché. Obligé d'abandonner ses fonctions le 15 octobre 1964, Khrouchtchev fut remplacé par Brejnev* au poste de premier secrétaire du Parti et par Kossyguine* comme Premier ministre. En 1966, il ne fut pas réélu membre du Comité central.

KHROUTCHEV. ♦ V. KHROUCHTCHEV (ci-dessus).

KHULNA. ♦ V. du Bangla Desh, à 125 km à l'E. de Calcutta. Gros centre industriel et agricole. 320 000 habitants.

Khun Chang Khun Phen. ♦ Grand poème populaire siamois écrit par le roi Phuttaleutla (1809 — 1824) et le poète Sunthon* Phu et publié en 1917, racontant les aventures épiques d'un guerrier. C'est un des plus célèbres poèmes du Siam.

KHURÂSÂN ou **KHORASSAN**. *n. m.* ♦ Province (ostân) d'Iran oriental, à la frontière du Türkmenistan (U.R.S.S.) et de l'Afghânistân. 314 300 km². 2 600 000 hab. *Ch.-l.* Meshed*. La région est formée par la partie orientale du plateau iranien que pénètrent les déserts de Dasht-e-Kavir et de Dasht-e-Lut. Elle est dominée au N. par les chaînes du Kopeh Dag et du Kuhestân (prolongement de l'Elburz*) qui forment ce qu'on appelle les *chaînes du Khurâsân*. La population, de langue türk, vit essentiellement de l'élevage (moutons, chèvres) et de l'agriculture pratiquée dans le N. où l'eau des montagnes est captée pour l'irrigation (céréales, fruits, coton, tabac, mûrier destiné à l'élevage du ver à soie). L'industrie, très réduite, est concentrée à Meshed*

KHURRAMSHÂHR ou **KHORRAMSHAR, KHORRAMCHAR.** ♦ V. et port d'Iran (Khûzistân*) [VIe province], sur le fleuve Kârun*. 85 000 hab. Une voie ferrée la relie au Transiranien par Ahwâz*. Important port de commerce (produits alimentaires, tapis, coton, peaux).

KHURSABAD. ♦ **V.** KHORSABAD.

KHÛZISTÂN ou **KHOUZISTAN.** *n. m.* ♦ Province d'Iran occidental, limitée à l'O. par l'Iraq et au S. par le golfe Persique. 117 713 km². 2 430 000 hab. (1966). *Ch.-l.* Ahwâz*. Il forme le prolongement de la plaine de Mésopotamie avec, à l'E., une région montagneuse formée par les chaînes du Zagros*, drainées par plusieurs rivières (Kârun*, Kherkheh, Jarrâhi). Les travaux d'irrigation permettent la culture d'arbres fruitiers (palmiers, citronniers), de canne à sucre, de riz, de coton, sorgho, sésame, etc. Le Khûzistân détient les principaux gisements de pétrole du pays (Masjid*-i-Sulaimân, Haft-Kel, Lali, Naft*-i-Shâh, Aghâ Jari). La région est desservie par le Transiranien, qui relie Ahwâz* à Téhéran*.

KHWÂREZM. ♦ **V.** KHÂREZM.

KHWÂRIZMÎ (Muhammad ibn Mûsâ al-). ♦ Mathématicien arabe (*fin* du VIIIe s. et *déb.* du IXe s.). Mathématicien appartenant à l'école de Baghdâd, ses travaux eurent une telle influence au Moyen Âge que son nom, latinisé, a fourni le terme « algorithme ». On lui doit le premier manuel d'arithmétique basé sur le principe de position (v. 830) dans lequel sont exposés la règle de trois et le procédé d'extraction des racines carrées; auteur du traité d'algèbre de base en langue arabe « Précis sur le calcul de *al-jabr* (complément ou rétablissement) et *al-muqâbâlâ* (compensation ou juxtaposition ou réduction) », il établit également des *Tables astronomiques* dans lesquelles se trouvent les premières tables de sinus, sans doute, du monde arabe. **V.** *aussi* **Khayyâm** (Umar).

KHYBER *(passe de).* ♦ **V.** KHAIBAR.

KIAMUSZE [*Chia-mu-sze, Kia-mou-sseu, Jiamusi*]. ♦ V. de Chine (Hei-lung chiang, Heilong-jiang) sur la riviere Sungari* (Songhua-jiang). Env. 150 000 hab. Indus. du bois.

KIANG-HSI. ♦ **V.** CHIANG-HSI.

KIANG-SU. ♦ **V.** CHIANG-SU.

KIANTO (Ilmari). ♦ Romancier et poète finnois (Pulkkila, 1874 – Helsinki, 1970). Issu d'une longue lignée d'ecclésiastiques, dont un poète finnois du XVIIIe s., il se déclare athée et polygame, provoquant l'opinion publique par des excentricités, des pamphlets et des confessions comme *Le Journal d'un stagiaire* (1907) ou *Le Psautier d'un libre penseur* (1912). De son œuvre demeurent *Le Trait rouge* (1909) et *Jooseppi de Ryysyranta* (1924). romans qui le font classer comme l'un des « quatre grands » prosateurs finnois avec Kilpi*, Lehtonen* et Sillanpää*. Il y décrit avec humour, compassion et réalisme le prolétariat rural et le reflet des grands événements politiques dans sa vie. Il a donné de remarquables traductions du russe (Pouchkine, Lermontov, Gontcharov, Tolstoï).

KIAOCHOW, KIAO-TCHEOU. ♦ **V.** CHIAO-CHOU.

KIBI-no-MAKIBI. ♦ Ministre et ambassadeur japonais (693 – 775) qui, au retour de ses deux voyages en Chine, aurait rapporté au Japon les arts de la broderie, du jeu de Go et des instruments de musique. Il serait également l'inventeur d'un syllabaire adapté à la langue japonaise (Katakana).

Ph. Erich Lessing/Magnum

N. S. Khrouchtchev.

KICHINEV [*Kišinev*]. ♦ V. d'U.R.S.S., cap. de la République fédérée de Moldavie*, située sur un affl. du Dniestr. 357 000 hab. Université. Centrale thermique. Indus. alimentaires (conserveries), métallurgiques, mécaniques, appareillage électrique. Confection. Bonneterie. – Pouchkine* y fut exilé de 1820 à 1823.

KIDD (William, dit **le Capitaine).** ♦ Pirate écossais (Greenoch, Écosse, v. 1645 – Londres, 1701). Il se battit contre les Français aux Antilles et sur les côtes de l'Amérique du Nord. En 1695, il fut chargé de combattre la piraterie dans l'océan Indien, mais il se fit pirate lui-même; il fut ramené en Angleterre et pendu.

KIDDERMINSTER. ♦ V. d'Angleterre (Worcestershire), sur la Stour. 44 825 hab. Église gothique surmontée d'une tour crénelée du XVe siècle. Manufacture de tapis.

KIEL. ♦ V. d'Allemagne nord-occidentale (R.F.A.) et cap. du *Land* de Schleswig-Holstein, au fond de la *baie de Kiel,* ouverte sur la mer Baltique et à l'extrémité méridionale du *canal de Kiel.* 269 200 hab. (1969). Cette anc. base navale est devenue un important port de pêche, de commerce (notamment avec la Scandinavie) et de plaisance (régates réputées). L'indus. y a connu un fort développement (chantiers navals, constructions mécaniques, textiles, conserveries, etc.) – Patrie de D. von Liliencron*, Pierre* III de Russie, Max Planck*. ♦ *Hist.* Fondée au XIe s., la ville prit un grand essor dès son entrée dans la ligue hanséatique (*fin* XIIIe s.). En 1773, elle passa au Danemark avant d'être intégrée au Schleswig-Holstein en 1866. Entre les deux guerres mondiales, Kiel fut une importante base navale allemande. La ville fut détruite à 80 % lors de la Deuxième Guerre mondiale. ♦ La *baie de Kiel (Kieler Förde)* s'étend sur 17 km et est jalonnée de nombreuses stations balnéaires (Laboe, Falkenstein, Schilksee, Strande). ♦ Le *canal de Kiel* ou *Nord-Ostsee Kanal* (anc. *Kaiser-Wilhelm Kanal*), canal maritime long de 98 km joignant la Baltique (baie de Kiel) à la mer du Nord (estuaire de l'Elbe), fut construit de 1887 à 1895.

KIELCE. ♦ V. de Pologne*, ch.-l. de la voïévodie du même nom (1 900 000 hab.), située au pied des Lysogóry en Petite Pologne. 96 000 hab. Évêché. Cathédrale (XIIe s., remaniée au XVIe et XVIIe s.), palais épiscopal (XVIIe s.). Centre industriel en expansion et important nœud ferroviaire. Industries métallurgiques et chimiques. Produits alimentaires.

KIELLAND (Alexander). ♦ Romancier et nouvelliste norvégien (Stavanger, 1849 – Bergen, 1906). Industriel, il devint écrivain en 1878. Sa première œuvre marquante fut le roman *Garman et Worse* (1880), dans lequel il critiquait avec humour les travers de son temps. Luttant contre les abus et la morale conventionnelle, il défendit avec esprit les nouvelles idées radicales lancées par Brandes*, prenant ainsi la suite d'Ibsen* et de Bjørnson* avec des romans tels que *Travailleurs* (1881), *Capitaine Worse* (1882), *Fortuna* (1884), *Jacob* (1891).

KIELMEYER (Karl Friedrich *von***).** ♦ Naturaliste allemand (Bebenhausen, pres de Tübingen, 1765 – Stuttgart, 1844). Son traité *Sur les rapports des forces organiques entre elles dans la série des êtres organisés* (1793) annonce le transformisme et le fit considérer comme le père de la philosophie naturelle.

KIERKEGAARD (Sören Aabye). ♦ Théologien et penseur danois (Copenhague, 1813 – 1855). D'un caractère mélancolique, il fut élevé par son père dans un protestantisme austère et pessimiste. Les étapes du chemin de la vie décrites dans ses œuvres furent les siennes. Étudiant en théologie, il mena la vie insouciante et mondaine de « l'esthéticien », homme de l'instant, qu'une quête toujours recommencée (celle de Don Juan, de Faust ou du Juif errant) voue au désespoir. Ses fiançailles avec R. Olsen firent de lui « l'éthicien », homme de la temporalité (la continuité et la fidélité), qui, dans l'angoisse de sa liberté, choisit entre l'indifférence morale du stade esthétique et l'exigence éthique infinie, le condamnant au remords permanent. Enfin, la rupture de ses fiançailles (1841) marqua chez lui le choix du stade religieux, celui de l'Individu, homme de l'Éternité, conscient de sa faute totale devant Dieu et accomplissant dans la « crainte » et le « tremblement » le saut irrationnel de la foi. Après sa thèse de théologie sur *Le Concept d'ironie* (1841), Kierkegaard publia ses œuvres sous des pseudonymes divers (œuvr. princ. *L'Alternative, Le Journal d'un séducteur, Crainte et Tremblement,* 1843; *Le Concept d'angoisse,* 1844; *Les Stades sur le chemin de la vie,* 1845; *La Maladie mortelle,* ou *Le Concept du désespoir,* 1849; *L'École du christianisme,* 1850). – Au système philosophique objectif, universel (celui de Hegel), Kierkegaard oppose la vérité de la subjectivité, l'existence individuelle en proie aux contradictions, à la souffrance, à l'angoisse de la liberté et de la faute. Il s'en prit tout aussi violemment à l'Église-Institution et à la léthargie des chrétiens qui oublient l'authentique « devenir-chrétien », et rappelle sans cesse le scandale et le paradoxe que sont pour la raison l'Homme-Dieu et la Croix. Son influence fut considérable sur les philosophes de l'existence (athées et chrétiens) et sur le renouvellement de la théologie protestante (K. Barth).

KIESINGER (Kurt Georg). ♦ Homme politique de la République fédérale d'Allemagne (Ebingen, Würtemberg, 1904). Après des études de droit, il adhéra provisoirement au parti nazi* en 1933, mais ne fut pas inculpé, après la guerre, par les tribunaux de dénazification. Élu au Bundestag* en 1949 sous l'étiquette chrétien-démocrate (C.D.U.-C.S.U.), il appuya la politique européenne de K. Adenauer*. Il prit la succession de L. Erhard* à la chancellerie en 1966 dans un gouvernement de coalition formé par la C.D.U. et les sociaux-démocrates. Alors, tout en poursuivant

Ph. Nino Cirani/Ricciarini
Kiev : cathédrale Sainte-Sophie.

la politique d'intégration européenne, il entama l'ouverture vers l'Est. Il dut céder la place à Willy Brandt* en 1969.

KIEV. ♦ V. d'U.R.S.S., cap. de la république d'Ukraine* et ch.-l. de la région du même nom (29 000 km². 3 331 000 hab.), située sur les deux rives du Dniepr* près de sa confluence avec la Desna. 1 632 000 hab. Cathédrale Sainte-Sophie (1017-1037) de style byzantin, surmontée de nombreuses coupoles et ornée de fresques et de mosaïques. Église Saint-André (bâtie sur les plans de Rastrelli*, XVIIIe s.). Cathédrale du monastère Saint-Michel (1108), rebâtie au XVIIIe siècle. Église diocésaine (1842). Cathédrale Saint-Vladimir. Ruines de la porte d'Or (1037 – détruite en 1732). Aux environs, le plus ancien monastère de Russie : Kievo* Petcherskaïa Lavra (la Laure de Kiev). – Aéroport. Université (1834). Troisième ville de l'U.R.S.S. (après Moscou et Leningrad) par sa population, port fluvial et nœud ferroviaire importants, et grand centre culturel, commercial et industriel. Centrale hydroélectrique. Indus. mécaniques (équipement des indus. alimentaires), chimiques, textiles et alimentaires. Électroménager. – Patrie de Aldanov*, N. Berdiaeff*, M. Boulgakov*, Chestov* Ehrenbourg*, A. Grabar*, Levitski*, Malevich*, I. Moïsseïev*, Nijinski*, Prokopovitch*, Rylski*. Chevtchenko*, Korneitchouk*, Timoshenko* et Waksman* sont nés dans la région. ♦ *Hist.* Une des plus anc. villes de Russie, mentionnée dès le début du VIIe s., Kiev prise par Oleg* (successeur de Riourik*) en 882, devint la cap. du premier État russe. Le christianisme grec, introduit par Olga*, veuve d'Igor* (912-945), régente de Kiev (945-964) et mère de Sviatoslav* (964-972), y fut imposé par Vladimir* Ier (980-1015), considéré comme le véritable fondateur de l'empire de Kiev qui connut son apogée sous le règne de Iaroslav* (1019-1054). Devenue un centre culturel, artistique et commercial, siège d'un métropolite, Kiev, où furent construits de remarquables monuments, rivalisa au milieu du siècle avec Constantinople, et fut tenue pour la deuxième capitale du monde européen **(V. Ukraine).** Les luttes intestines qui suivirent la mort de Iaroslav et celle de Vladimir* II (1113-1125), conjuguées aux dévastations périodiques des envahisseurs nomades, contribuèrent au déclin de l'Empire kiévien. Pillée par Andreï Bogolioubski, en 1169, saccagée par les Coumans en 1203, Kiev fut prise et détruite par les Mongols de Batû* qân (Batou Khan) en 1240. Prise en 1361 par le prince lituanien Olgierd et rattachée à la Lituanie, elle fut soumise avec elle à la Pologne par l'Union de Lublin (1569), avant d'être rattachée à la Russie par le traité d'Androussovo* en 1667. Après la fondation de l'université (où enseigna Tarass Chevtchenko*) en 1834, la ville prit un nouvel essor grâce au développement ferroviaire. Théâtre de violents combats entre bolcheviks et nationalistes ukrainiens durant la guerre civile, capitale de la nouvelle République ukrainienne (1917), formée par Petlioura et opposée à la République soviétique d'Ukraine proclamée à Kharkov*, elle devint capitale de la république d'Ukraine en 1934. Occupée par les Allemands (1941-1943), et gravement endommagée, Kiev est aujourd'hui reconstruite.

Kievo-Petcherskaïa Lavra ou **monastère des Cryptes**, en fr. **la Laure de Kiev.** ♦ Le plus anc. monastère de Russie, fondé près de Kiev* sous Iaroslav* le Sage. Foyer de culture et de civilisation, célèbre pour ses catacombes, il fut dévasté par les Allemands en 1941. Auj. grand musée historique.

KIGALI. ♦ Cap. du Ruanda* située au centre du pays. 26 000 habitants.

KIHLMAN (Christer Alfred). ♦ Romancier finlandais de langue suédoise (Helsinki, 1930 –). Ses romans *Prenez garde, bienheureux!* (1960), *La Mère bleue* (1963), *L'homme qui trembla, Un livre sur l'inessentiel* (1971) choquèrent tout d'abord les lecteurs par leur libre traitement des problèmes sexuels et leur critique de la bourgeoisie. Il a publié deux recueils de poèmes.

KIKOUYOUS ou **KIKUYUS.** *n. m. pl.* ♦ Population bantoue du Kenya* établie autour du mont Kenya. Les Kikuyus, originellement agriculteurs, s'affrontèrent avec les Masaïs*. **V. Mau-Mau.**

KILDARE *(comtes de).* ♦ **V.** FITZGERALD (Gérald le Grand, Gérald le Jeune).

KILDARE, en irl. **Gill Dara.** ♦ V. de la république d'Irlande et ch.-l. de comté, à 40 km au S.-O. de Dublin. 2 730 hab. (1966). Restes d'une cathédrale du XIIIe s. restaurée à la fin du XIXe s. et d'une abbaye fondée en 1260. ♦ *Hist.* Kildare s'est développée autour d'un monastère fondé au Ve s. par sainte Brigide. ♦ *Le comté de Kildare* (prov. de Leinster*) s'étend au S. de Dublin, sur les versants N. des *monts Wicklow** et sur la plaine centrale. 1 693 km². 66 405 hab. (1966). *Ch.-l.* Kildare. La région est réputée pour ses nombreux haras.

KILEMBE. ♦ Localité de l'Ouganda* au pied du Ruwenzori*. Mines de cuivre.

KILIMANDJARO. *n. m.*, auj. *pic Uhuru.* ♦ Massif volcanique de l'Afrique, point culminant du continent situé en Tanzanie* à proximité de la frontière du Kenya. 5 963 m. Tourisme. Alpinisme. – E. Hemingway* l'a évoqué dans une nouvelle.

KI-LIN. ♦ **V.** KIRIN.

KILKENNY, en irl. **Chill Choinnigh.** ♦ V. du S.-E. de la république d'Irlande et ch.-l. de comté, sur la Nore. 10 600 hab. Château du XIIIe s., cathédrale gothique Saint-Canice (XIIe s.), hôtel de ville (Tholsel) du XVIIe siècle. Centre textile. ♦ *Hist.* La ville s'est développée autour d'un monastère fondé par saint Canice. En 1366, Lionel de Clarence y fit promulguer des mesures *(statuts de Kilkenny)* visant à protéger la communauté anglo-normande contre le peuple irlandais et interdisant pour la première fois les mariages mixtes, l'usage du gaélique, etc. Ces mesures de ségrégation raciale pesèrent sur les relations anglo-irlandaises. – Le *comté de Kilkenny* (prov. de Leinster) s'étend à l'O. du Barrow. 2 061 km². 61 670 hab. (1961).

KILLARNEY, en irl **Cill Áirne.** ♦ V. du S.-O. de la république d'Irlande (prov. de Munster, comté de Kerry) et point de départ de nombreuses excursions, au cœur d'une région de lacs (lough *Deane*, etc.) comptant parmi les plus belles d'Irlande. 6 825 hab. (1961). Tourisme très actif.

KILLY (Jean-Claude). ♦ Skieur français (Saint-Cloud, 1943). Vainqueur en 1961 du slalom géant de Val-d'Isère, il remporta en 1966 le slalom géant et le combiné aux championnats du monde de Portillo, et en 1967 la première coupe du monde de ski alpin. Il connut son apogée aux Jeux Olympiques de Grenoble en 1968 au cours desquels il gagna les trois titres olympiques : la descente, le slalom spécial, le slalom géant, réitérant ainsi la performance de l'Autrichien Toni Sailer en 1956. En 1968, Killy remporta également la deuxième coupe du monde de ski alpin. Il s'est depuis retiré de la compétition pour se lancer dans les affaires.

KILMARNOCK. ♦ V. du S.-O. de l'Écosse (Ayrshire), sur l'Irvine. 46 000 hab. Manufactures de tapis et bonneterie réputées, distilleries (whisky) et mécanique lourde. Musée consacre au poète Robert Burns*.

KILPI (Volter Adalbert). ♦ Romancier et essayiste finnois (Kustavi, 1874 – Turku, 1939). Il a laissé des essais ou poèmes en prose touffus, d'une forme très personnelle, *Parsifal* (1902) et *Antinoüs* (1903). Il décrivit dans une langue empreinte d'esthétisme, mais avec réalisme et humour, les propriétaires et armateurs de sa région natale (côte ouest de la Finlande) dans son grand roman *Dans la salle d'Alastalo* (1933), suivi de *À l'église* (1937). Il admet ses affinités avec Proust et Joyce. Ainsi, un long roman, *Dans la salle d'Alastalo*, décrit une action de six heures et construit à partir des gestes, des paroles, des pensées et des réminiscences des personnages, ainsi que des objets matériels, une image complexe, « plastique », du monde.

KIM [...]. ♦ Nom de famille coréen. **V. Gim** [...].

Kim. ♦ Roman de Kipling* publié à Londres en 1901. Un petit orphelin, Kim O'Hara, surnommé « l'ami du monde entier », rencontre un lama tibétain à la recherche d'une rivière miraculeuse. Cette quête d'un monde surnaturel va de pair avec la découverte d'un monde mystérieux et réel, où Kim se meut avec aisance. L'éducation de son courage se fait au fur et à mesure des péripéties de sa vie aventureuse, et Kim acquiert toute la maîtrise du parfait agent secret tandis que l'assurance du salut est donnée à son ami, le vertueux lama. La réconciliation de la spiritualité orientale et des valeurs du colonialisme anglais caractérise cette œuvre ambiguë.

KIMBERLEY. ♦ V. du centre de l'Afrique* du Sud (au N. de la prov. du Cap), reliée par voie ferrée au Cap* et à Gaberones (Botswana). 79 000 hab. Grand centre d'extraction du diamant.

KIMBERLEY *(district de).* ♦ Plateaux peu élevés (200 à 400 m) du N.-O. de l'Australie*, au N. de l'Australie*-Occidentale. Élevage extensif des bovins. Minerai d'uranium.

KIMNARA. *n. m. pl.* ♦ Êtres mythiques des panthéons brâhmaniques et bouddhiques, musiciens célestes, compagnons des Apsaras*

KIMURA HISASHI. ♦ Physicien et astronome japonais (1870 – 1943), auteur de travaux importants concernant la rotation de la terre.

Kim Vân Kiêu. ♦ Célèbre poème classique vietnamien composé par Nguyên* Du (1765 – 1820) et inspiré par une œuvre chinoise antérieure. Il est considéré comme le plus grand chef-d'œuvre de la langue classique vietnamienne.

KINABALU *(mont).* ♦ Point culminant de l'île de Bornéo*, dans le Sabah*, proche de la côte O. 4 175 mètres.

KINCARDINESHIRE ou **KINCARDINE.** *n. m.* ♦ Comté du N.-E. de l'Écosse, sur la côte de la mer du Nord. 989 km². 48 000 hab. *Ch.-l.* Stonehaven*

KINCK (Hans Ernest). ♦ Poète, romancier et auteur dramatique norvégien (Øksfjord, Finnmark, 1865 – Oslo, 1926). Bourgeois par son père, paysan par sa mère, il se trouva situé entre deux classes et deux cultures : « Nous avons deux civilisations, rien ne sert de le nier. » Dans ses deux premiers romans, il exprima poétiquement son intérêt pour le paysan et sa pitié pour le faible : *Huldre* (1892), *Jeune Peuple* (1893). Puis, affirmant la supériorité de l'instinct sur le raisonnement, il s'attacha à décrire la classe paysanne dans des recueils de nouvelles tels que *Les Ailes de la chauve-souris.* « Les paysans de Kinck sont comme des poèmes qui expriment les secrets de la vallée, de la montagne, de la mer » (Bjørnson). Poète de la «mystique populaire», il l'exprime dans des romans : *Herman Ek* (1898), *Madame Anny Prose* (1900) et dans des recueils de nouvelles *(Nuits de printemps).* Mais il critique tout autant l'inertie populaire que le fonctionnaire stérile. En 1904, il publia deux romans : *Émigrants* (sur le problème national norvégien) et *Le Pasteur,* dont le héros est étouffé par le puritanisme. En 1908 parut *Le Maquignon,* monologue lyrique exprimant les contrastes de l'homme nordique, à la fois réaliste et rêveur. De ses voyages en Italie, il garda une impression de ravissement et un profond intérêt pour la Renaissance italienne ainsi qu'en témoignent les drames : *Le Dernier Hôte* (1910) et *Vers le carnaval* (1915), et l'étude *Un valet de plume* (1911). Il révéla sa grande érudition dans une série d'essais sur la Norvège ou l'Italie : *Le Pilote et la Mer* (1920). À la fin de sa vie, il reprit son thème préféré de la lutte des classes bourgeoise et paysanne dans un grand roman de trois volumes : *La neige s'effondre* (1918-1919).

KINDÎ (Abû Yûsuf ibn Ishaq al-). ♦ Philosophe arabo-islamique (v. 796 – Baghdâd, v. 873). Il connut la philosophie grecque par les traductions en arabe qui en étaient faites à l'époque. Il est l'auteur de plusieurs traités dont certains furent traduits en latin au Moyen Âge *(De quinque Essentiis; De intellectu; Sur la philosophie première).* Il n'y a point pour lui d'opposition entre la philosophie et la révélation prophétique.

KINDIA. ♦ V. de Guinée, à la limite de la basse Guinée. 30 000 hab. Bananeraies. Aux environs, institut Pasteur et station expérimentale des fruits et agrumes. Exploitation de bauxite.

KINECHMA. ♦ V. d'U.R.S.S. (R.S.F.S. de Russie) sur la Volga*. Env. 84 000 hab. Port fluvial actif relié par voie ferrée à Ivanovo* dont il est l'avant-port. Indus. textiles (coton) et chimiques.

KING (William Parker). ♦ Marin et hydrographe anglais (île de Norfolk, 1793 – Sydney, 1856). Il a réalisé la carte de la côte australienne et celle du littoral américain du Río de La Plata à la Terre de Feu.

KING (Richard). ♦ Explorateur et ethnographe anglais (v. 1811 – Londres, 1876). Membre de l'expédition de Back dans l'Arctique (à la recherche du capitaine Ross), il a publié une étude ethnographique sur les Esquimaux (*The Physical and Intellectual Character and Industrial Arts of the Eskimos,* 1844) et fonda en 1842 la Société ethnologique de Londres.

KING (William Lyon Mackenzie). ♦ Homme d'État canadien (Kitchener, Ontario, 1874 – Kingsmere, Québec, 1950). Chef du parti libéral en 1919, Premier ministre (1921-1930, puis 1935-1948), il conduisit avec prudence son pays vers l'émancipation presque complète vis-à-vis de l'Angleterre, ce qui lui permit de signer en 1935 un important traité de commerce avec les États-Unis. Partisan d'un certain isolationnisme envers l'Europe, il engagea cependant le Canada dans la guerre aux côtés de la Grande-Bretagne **(V. Guerre** [*Seconde Guerre mondiale*]**).**

KING (Ernest Joseph). ♦ Amiral américain (Lorain, Ohio, 1878 – Portsmouth, New Hampshire, 1956). Spécialiste des porte-avions, il commanda la flotte américaine de l'Atlantique (1936) puis la totalité des forces navales américaines (1941). Il fut en même temps chef d'état-major de la marine (1942). Son rôle d'organisateur fut fondamental lors de la Deuxième Guerre mondiale.

KING (Henry). ♦ Réalisateur américain de cinéma (Christianburg, Virginie, 1888). Spécialiste du film historique ou d'aventures à grand spectacle, il a exalté le mythe de l'esprit pionnier et de ses héros sans sacrifier la vérité dans l'observation de la vie quotidienne américaine. Réal. princ. : *David le Tolérant* (*Tol' able David,* 1921), *L'Incendie de Chicago* (*In old Chicago,* 1938), *Les Neiges du Kilimandjaro* (*The Snows of Kilimanjaro,* 1952), *Le soleil se lève aussi* (*The Sun also rises,* 1957).

KING (Martin Luther). ♦ Pasteur baptiste noir americain (Atlanta, Georgie, 1929 – Memphis, 1968). Il dirigea la *Southern Christian Leadership Conference,* recommandant la non-violence, mais l'action (pour l'intégration des Noirs dans la société américaine). En 1964, il s'éleva contre la guerre au Viêt-nam. Prix Nobel de la paix en 1964. Il fut assassiné le 4 avril 1968.

KINGSLEY (Charles). ♦ Poète, romancier et historien anglais (Holne, près de Dartmoor, Devonshire, 1819 – Eversley, Hampshire, 1875). Fils d'un pasteur, il étudia à Cambridge, entra dans les ordres et passa presque toute sa vie comme ministre anglican dans une paroisse rurale (Eversley). « Résolu à vivre sa croyance, il se prit à l'action sur un monde où la misère est un scandale pour toute volonté bonne » (Cazamian). Il publia en 1844 des *Sermons de village* qui abordent directement les questions sociales. Avec Maurice, Ludlow, etc., il forma un groupe de théoriciens du progrès social, les *Christian Socialists.* Ses idées libérales l'opposèrent à Newman* qui écrivit son *Apologia pro vita sua* pour répondre aux articles polémiques de Kingsley *(Que fait donc le Dr. Newman?, What, then, does Dr. Newman?). Le Ferment* (*Yeast,* 1848) est considéré comme son meilleur roman à thèses sociales. Kingsley écrivit aussi un roman historique, *Hypatia, ou le triomphe de la foi* (*Hypatia, or New Foes under an old Face,* 1851). Quant à son œuvre de conteur, bien que didactique, son style y est alerte et facile. (*Les Bébés d'eau, The Water Babies,* 1863, connut un succès durable dans le monde anglo-saxon et fut adapté à l'écran par Walt Disney.)

KINGSTON. ♦ V. du Canada (Ontario), située sur la rive N. et à l'E. du lac Ontario au confluent du Saint-Laurent. 59 004 hab. (1966). Port actif. Indus. de l'aluminium, locomotives Diesel, navires. Indus. du cuir. *Queen's University.* Cathédrale. Collège militaire. *Hist.* La ville, fondée en 1783, occupe l'emplacement du fort Frontenac, fondé en 1673 et poste de défense important contre le Iroquois et les Anglais, détruit par ces derniers en 1758.

KINGSTON. ♦ Capitale de la Jamaïque*, située sur la côte méridionale de l'île. 117 400 hab. (aggl., près de 500 000 hab.). Centre culturel, commercial et industriel important. Industries textiles et alimentaires. Manufactures de tabac. Port très actif (exportation de bauxite). Tourisme.

KINGSTON UPON HULL ou **HULL.** ♦ V. du N. de l'Angleterre (Yorkshire, East Riding) sur la r. nord de l'estuaire de la Humber, au débouché de la mer du Nord. 292 600 hab. Université. C'est le troisième port de commerce du Royaume-Uni (12 km de docks) en relation avec les pays de la Baltique et l'un des premiers ports de pêche du monde. Les activités industrielles, d'abord liées à l'activité portuaire (constructions navales, conserveries de poisson) se sont diversifiées (fonderies, savonneries, raffineries de sucre, produits chimiques, etc.). ♦ Hist. *Incident de Hull* (22 oct. 1904). Pendant la guerre russo-japonaise, l'escadre russe de l'amiral Rojdestvenski ouvrit par mégarde le feu sur une flottille de chalutiers anglais, ce qui faillit détériorer les rapports anglo-russes. L'incident fut soumis, grâce à l'initiative de la France, à l'arbitrage international.

KINGSTON UPON THAMES. ♦ Aggl. du Greater London. Ch.-l. du Surrey*, en face de Hampton Court. 146 470 hab. Centre industriel. – Les rois saxons y furent couronnés de 902 à 978.

KINGSTOWN. ♦ V. DUN LAOGHAIRE.

KINKI. *n. m.* ♦ Région du centre de l'île de Honshû (Japon), centrée sur le sud du lac Biwa* et considérée comme le cœur du « vieux Japon ». Elle comprend maintenant cinq préfectures et deux municipalités, celles d'Ôsaka* et de Kyôto*.

KINNERETH *(lac de),* n. m. ♦ Nom donné par les Israéliens au lac de Tibériade*, d'après le nom de la région proche du lac, où s'élevait dans l'Antiquité la ville de Kinnereth. Le système de canalisations qui irrigue le Néguev est désigné sous le nom de *Kinnereth-Néguev.*

KINOSHITA JUNJI. ♦ Dramaturge japonais (né en 1914) et traducteur d'œuvres littéraires occidentales. Parmi ses œuvres les plus connues, on peut citer *Au soir une grue,* et *Le Vent et la Vague,* racontant de vieilles histoires locales.

KI-no-TSURAYUKI. ♦ Poète et calligraphe japonais (v. 883 – 945) auteur de carnets intimes et compilateur d'anthologies poétiques **(V. Kokin-Waka-Shû).**

KINROSS. ♦ V. d'Écosse orientale et port sur le Firth of Tay, ch.-l. du Kinross-shire. 2 355 hab. Château où fut emprisonné

Ph. Schiller/Magnum

Martin Luther King.

Ph. Carlo Bevilacqua/Ricciarini
R. Kipling, par P. Burne-Jones. (National Portrait Gallery, Londres.)

Marie Stuart en 1567. – Le *comté de Kinross* (ou *Kinross-shire*), entre les embouchures *(firths)* du Forth et du Tay, a 212 km² et 6 705 habitants.

KINSEY (Alfred Charles). ♦ Zoologiste et médecin américain (Hobohen, New Jersey, 1894 – Bloomington, Indiana, 1956). Auteur d'un ouvrage sur la biologie (*New Introduction to Biology,* 1933), il fonda un institut de recherches sur la sexualité (université d'Indiana) et fit paraître un rapport (dit *rapport Kinsey*), basé sur la technique des enquêtes par questionnaires concernant la sexualité humaine : *Le Comportement sexuel de l'homme* (1948) et *Le Comportement sexuel de la femme* (1953).

KINSHASA, anc. **Léopoldville** (jusqu'à 1966). ♦ Cap. du Zaïre (ex-Congo-Kinshasa) et zone autonome sur la r. g. du Stanley* Pool, reliée par voie ferrée à Matadi*. 1 300 000 hab. (1970). Centre administratif, commercial et industriel (indus. alimentaires, brasserie; tannerie, indus. textiles, etc.). Université catholique à proximité. Aéroport international. ♦ *Hist.* Stanley appela le village de Kintambo, dont il avait fait un dépôt, Léopoldville d'après Léopold II. La ville devint cap. de la colonie en 1920 et cap. de l'État indépendant en 1960.

KINTYRE ou **CANTYRE** *(presqu'île de).* ♦ Longue et étroite péninsule d'Écosse occidentale (comté d'Argyll), baignée au S. par le canal du Nord, à l'E. par le *Kilbrennan Sound* et à l'O. par le *Sound of Jura.*

KINWUNG MINGJI. ♦ Diplomate et poète birman de la fin du XIXe s., auteur de codes juridiques en vers et d'un « Journal de voyage en Europe ».

KIPLING (Rudyard). ♦ Romancier et poète anglais (Bombay, Inde, 1865 – Londres, 1936). Issu d'un milieu anglo-indien très cultivé – son père était conservateur du musée de Lahore – Kipling fut mis en pension dès l'âge de sept ans dans une famille de Southsea afin de recevoir une éducation anglaise. Dédaignant l'université, il retourna en Inde (1882) pour devenir journaliste et publier ses premiers poèmes satiriques (*Chants des divers services,* 1886), des nouvelles (*Simples Contes des collines; Trois Troupiers,* 1888; *Blanc et Noir; L'Histoire des Gadsby; Sous les Déodars; Le Rickshaw fantôme; We Willie Winkie,* 1889). Son habileté dans le récit lui valut une renommée immédiate. Il voyagea beaucoup (Chine, Japon, Australie) et c'est en Amérique qu'il s'installa le temps d'écrire *Le Livre* de la jungle.* De retour en Angleterre (1896), sa vénération pour l'empire britannique lui inspira *Les Sept Mers* (1896) puis les *Chansons de la chambrée* (*Barrack-room Ballads,* 1892) et *Cinq Nations* (1905). Kipling n'en garda pas moins l'indépendance intellectuelle qui lui permit d'être impartial lors de la guerre des Boers. Son enfance à Bombay lui donna l'idée de *Kim** (1901) et ses expériences américaines et maritimes lui suggérèrent l'épopée naïve de *Capitaines courageux* (1897). Outre les nouvelles de *La Tâche quotidienne* (1898), des récits comme *Les Bâtisseurs de ponts, Le Chat maltais* ou *Guillaume le Conquérant,* il écrivit, en souvenir de ses enfants morts tragiquement, *Les Histoires comme ça pour les enfants* (1902), *Puck, lutin de la colline* (1906), *Récompenses et Fées* (1910) ainsi qu'une *Histoire d'Angleterre pour les écoliers* (1911). Une autobiographie inachevée, *Quelque chose de moi-même* (posth. 1937) n'a fait qu'ajouter a la noblesse morale du message accordé aux valeurs mythiques de la nature sauvage, de l'énergie, du désintéressement et aux aspects exaltants de l'aventure impérialiste. Centrée sur le thème de l'éducation morale et des vertus quasi militaires, la morale de Kipling s'est exprimée en vers moins convaincants que ses récits. Le poème *If* (si) est toutefois célèbre : « Si tu peux voir détruire l'ouvrage de ta vie et sans dire un seul mot te mettre à rebâtir [...] tu seras un homme, mon fils. » (Prix Nobel, 1907.)

KIPPHARDT (Heinar). ♦ Auteur dramatique allemand (Heidersdorf, 1922). Fixé en Allemagne fédérale depuis 1959, il a obtenu la notoriété avec une pièce : *En cause J. Robert Oppenheimer** (*In der Sache J. Robert Oppenheimer,* 1964), adaptation à la scène de l'instruction ouverte à la charge du célèbre savant américain, en 1953, aux États-Unis.

KIRCHER (Athanasius). ♦ Jésuite, orientaliste et savant allemand (Geisa, près de Fulda, 1601 – Rome, 1680). Dès 1628, il projeta de déchiffrer les hiéroglyphes; mais ses traductions, influencées par les théories d'Horapollon, sont fantaisistes et furent même qualifiées « d'absurdités » et « d'effronteries inouïes ». Par contre, ses travaux sur la langue copte, qui doivent beaucoup à ceux de Pietro Della Valle, constituèrent longtemps la base des études linguistiques coptes et furent connus de Champollion* (*Lingua egyptiana restitua,* publié à Rome, 1643). Kircher a publié par ailleurs des ouvrages scientifiques sur l'aimant, la lumière (*Ars magnae lucis et umbrae in mundi,* 1645, ouvrage où il exposa les principes de la lanterne magique dont il paraît avoir été l'inventeur), sur l'acoustique, etc.

KIRCHHOFF (Gustav Robert). ♦ Physicien allemand (Königsberg, 1824 – Berlin, 1887). En électricité, il étendit la théorie d'Ohm* aux conducteurs à deux dimensions (plaques) et démontra ses formules classiques des courants dérivés (1845); il établit la théorie générale du passage de l'électricité dans les conducteurs à trois dimensions (1848) et, à la suite des expériences de R. Kohlrausch*, identifia la tension électroscopique au potentiel électrostatique; en 1857 il résolut le problème de la propagation d'un signal électrique le long d'un fil télégraphique de section circulaire, établissant dans ce cas particulier *l'équation des télégraphistes.* **V. Heaviside.** En thermodynamique, après avoir découvert que le quotient du « pouvoir émissif » par le « pouvoir absorbant » ne dépend pas de la nature du corps émetteur (*loi de Kirchhoff,* 1859), il aboutit au concept de corps noir (récepteur intégral) dont il énonça les lois de rayonnement qu'il identifia à celui établi spontanément dans toute enceinte vide, fermée, imperméable au rayonnement et maintenue à température constante; il montra notamment que la loi de Lambert* n'est valable en toute rigueur que pour le corps noir. Il put, grâce à sa loi, en collaboration avec Bunsen*, expliquer le phénomène de « renversement des raies », que tous deux avaient découvert, ainsi que l'observation des raies de Fraunhofer*, montrant que chaque raie du spectre est due à la présence d'un élément donné et réciproquement; l'analyse spectrale était née, ouvrant l'ère de la physique théorique.

KIRCHNER (Ernst Ludwig). ♦ Peintre, dessinateur et graveur allemand (Aschaffenburg, Bavière, 1880 – Frauenkirch, Grisons, 1938). Après des études d'architecture à Dresde, il étudia le dessin et la peinture à Munich et fonda en 1905 le groupement artistique Die Brücke* qui visait à réunir ceux « qui restituaient de manière directe et authentique l'impulsion qui les contraignait à créer ». Admirant les xylographies allemandes du XVe s. et la sculpture africaine et océanique, et refusant la peinture traditionnelle, il réalisa d'abord des œuvres qui procédaient du divisionnisme et reflétaient l'emprise de Van Gogh. Proche des Fauves, il évolua vers une facture plus large, traitant la figure humaine d'une façon schématique et employant des couleurs violentes (*Autoportrait avec modèle,* 1907). Son chromatisme devint délibérément irréaliste (*Nu bleu couché au chapeau de paille,* 1908) et ses formes abruptes furent soulignées par un épais cerne anguleux. Installé à Berlin en 1911, il réalisa des scènes de rue et de cabaret où s'affirment une vision âpre du monde et le sens de la critique sociale (*Cinq Femmes dans la rue,* 1911). Il subit alors l'influence indirecte du cubisme, sans oublier la leçon de Matisse* (*Femmes aux seins nus, en chapeau,* 1911). Établi en Suisse en 1917, il réalisa alors des paysages et des scènes paysannes allégoriques aux aplats sinueux et de tonalités plus claires. Vers 1930, il subit momentanément l'influence de Picasso. Ses œuvres furent confisquées par les nazis (1937). Il se suicida en 1938, laissant, outre ses œuvres picturales, des sculptures inspirées par l'art africain et une importante série de gravures, qui font de lui l'un des principaux représentants de l'expressionnisme allemand.

KIRGHIZ, *adj.* et *n. m. pl.* ♦ Peuple türk d'Asie centrale soviétique, fortement mongolisé (env. 5 000 000 d'individus) peuplant le Kirghizistan (ou Kirghizie) dans la partie septentrionale des monts T'ien*-shan et l'oasis du Fergâna*. Ce sont pour la plupart des pasteurs nomades. De nombreux groupes d'entre eux se trouvent dans le Türkestân chinois.

KIRGHIZISTAN, *n. m.* ou **KIRGHIZIE,** *n. f.* (République socialiste soviétique de) [en russe **Kirgizskaja S.S.R.**]. ♦ Une des quinze républiques fédérées de l'U.R.S.S. S'étendant au N.-E. de l'Asie soviétique centrale, elle confine au N.-E. avec le Kazakhstan*, au S.-E. avec la Chine, au S. avec le Tadjikistan*, et au S.-O. avec Ouzbékistan*. 198 500 km². 2 749 000 hab. 40 %,

Russes 30 %, Ouzbeks 10 %). *Cap.* **V. Frounzé.** *V. princ.* **V. Och, Djelal-Abad.** — Le Kirghizistan est un pays de montagnes : près de la moitié de son territoire est situé à plus de 3 000 m d'alt. Il comprend presque toute la partie occidentale du massif montagneux du T'ien*-Shan [Tian-Chan] (où il culmine au pic Pobiedy, ou Victoire, 7 439 m), et la partie N.-E. du Pamiro-Alaï. Parmi les dépressions, seule la vallée de Fergâna* est favorisée au point de vue agricole. Plus de 6 600 km² de neiges et de glaciers donnent naissance à des rivières, dont les plus importantes (le Naryn*, le Tchou, le Kara-Daria et le Talas) coulent vers la mer d'Aral* et les lacs Balkhach* et Tarima. Les nombreux lacs du pays ne sont pas grands, à l'exception de l'Issyk*-koul'. — *Écon.* Le sous-sol est riche en gisements d'antimoine, de mercure, de charbon, de lignite et de gaz. La principale activité agricole est l'élevage (chevaux, bovins, et surtout ovins : 9 000 000 de moutons et chèvres, 8 500 000 ha de pâturages), mais on cultive aussi le coton, la betterave à sucre, le tabac, le pavot, les céréales et les plantes à parfum. L'industrie est concentrée autour des grandes villes : métallurgie des non-ferreux ; indus. mécaniques (machines-outils, matériel de précision, machines agricoles) ; indus. textiles (filatures de laine et de coton) ; traitement du cuir ; sucreries, produits alimentaires. Les centrales hydro-électriques (dont la plus importante est celle d'Outch-kourgan, d'une puissance de 180 000 kW) et les centrales thermiques couvrent les besoins du pays en électricité. ♦ *Hist.* Conquise par les Mongols au XIIIe s., puis par les Dzungars (XVIIe-XVIIIe s.) et les Khâns (qâns) du Kokand* au début du XIXe s., la Kirghizie fut annexée par la Russie en 1870 et fit partie du Türkestân*. Une révolte des Kirghiz contre les Russes fut durement réprimée (1916), ainsi que leur résistance de guérilla contre le régime soviétique, instauré en 1918. Jusqu'en 1924, le Kirghizistan faisait partie de la R.S.S. du Türkestân. Après la délimitation territoriale des républiques du Türkestân, de Boukhara et du Khârezm (qui furent partagées entre le Kazakhstan, l'Ouzbékistan, le Turkménistan, le Tadjikistan et le Kirghizistan), le Kirghizistan devint une région autonome au sein de la R.S.F.S. de Russie (1924), puis une R.S.S. autonome au sein de la même république (1928), et enfin une R.S.S. fédérée d'U.R.S.S. (1936).

KIRIN [*Ki-lin, Jilin*]. ♦ Province chinoise de Mandchourie, au S. de Ha-êrh-pin (Harbin). 187 000 km². 17 000 000 d'hab. *Cap.* Ch'ang-ch'un [*Tch'ang-tch'ouen, Changchun*]. — La ville de Kirin, située à l'E. de Ch'ang-ch'un, est une puissante cité industrielle de plus de 600 000 hab. (métallurgie).

KIRKBY. ♦ V. de Grande-Bretagne (Lancashire), au S. de Sutton. 56 000 hab. Centre industriel.

KIRKCALDY. ♦ V. d'Écosse orientale (Fifeshire) et port sur la r. nord du *Firth of Forth.* 53 371 hab. (1961). Fabriques de linoléums. — Patrie d'Adam Smith* et de Robert Adam*.

KIRKCUDBRIGHT. ♦ V. du S.-O. de l'Écosse, ch.-l. du Kirkcudbrightshire, sur la *baie de Kirkcudbright.* 2 450 hab. (1961). Hôtel de ville (XVIe-XVIIe s.), ruines d'un château de la fin du XVIe siècle. Centre agricole (crémeries).

KIRKCUDBRIGHTSHIRE. *n. m.* ♦ Comté du S.-O. de l'Écosse, en bordure du *Solway Firth* et formant avec le Wigtownshire le *Galloway*.* 2 330 km². 28 900 hab. *Ch.-l.* Kirkcudbright*. — Élevage laitier, pêche au saumon dans les rivières (Dee, Cree, Urr).

KIRKE *(les frères)*. ♦ Navigateurs britanniques (de père écossais et de mère dieppoise) qui s'emparèrent de Québec et obligèrent S. Champlain* à capituler (1629).

KIRKLARELI. ♦ V. de Turquie d'Europe. Ch.-l. de la province homonyme. 20 246 hab. (1960). La ville conserve plusieurs sanctuaires de style ottoman (mosquée de Hizir Bey, *déb.* XVe s.). — Centre commercial : exportation de beurre et de fromage à destination d'Istanbul*.

KIRKÛK. ♦ V. d'Iraq du Nord, ch.-l. de prov. située au pied du Kurdistân* méridional, entre Mossoul et Baghdâd. 200 000 hab. en 1969 (majorité de Kurdes). Marché agricole des produits du Kurdistan (céréales, fruits). Indus. diverses (bois, cimenterie, saline). Raffinerie du pétrole sur le premier gisement du pays (découvert en 1927), relié par oléoduc et par gazoduc (dérivés du pétrole) à Tripoli* (Liban) et Haïfa* (Israël), ainsi qu'à Baniyas* (Syrie) *via* Al Hadithah sur l'Euphrate et Homs* en Syrie, centres de raffinage. — La *province de Kirkûk* possède un important vignoble, situé en contrebas des forêts qui couvrent les pentes montagneuses du Kurdistan et qu'elle partage avec la province voisine de Mossoul.

KIROV (Sergheï Mironovitch Kostrikov, dit). ♦ Homme politique russe (gouvernement de Viatka, 1886 — Leningrad, 1934). Ouvrier, il adhéra à la fraction bolchevique du Parti ouvrier social-démocrate russe. Membre du Comité central du Parti communiste (1921), il en devint secrétaire à Leningrad (1926). L'attentat dirigé contre lui (1934) par les partisans de Trotski* fut à l'origine du procès qui débuta à Moscou en 1935 et de la première grande épuration des opposants au régime.

KIROV, anc. **Viatka**. ♦ V. de l'U.R.S.S. (R.S.F.S. de Russie), ch.-l. de la région du même nom (120 700 km². 1 739 000 hab.), situé sur la Viatka (affl. de la Kama*) au centre d'une zone agricole et forestière. 332 000 hab. Carrefour ferroviaire. Marché de céréales. Centrale thermique. Industries métallurgiques (materiel ferroviaire), textiles, alimentaires. Scieries. Tanneries. Travail du cuir. ♦ *Hist.* Fondée au XIIe s., Viatka fut tout d'abord le centre de colonisation de tout le bassin de la Viatka, puis servit de lieu de déportation jusqu'à la révolution. Débaptisée en 1934, elle doit son nom à Sergheï Kirov, né dans la région.

KIROVABAD. ♦ V. d'U.R.S.S. (Azerbaïdjan*) située au pied du massif d'Arménie. 190 000 hab. Métallurgie de l'aluminium. Indus. alimentaires, textiles et mécaniques.

KIROVAKAN. ♦ V. d'U.R.S.S. (Arménie). 107 000 hab. Indus. textiles (laine, coton). Métallurgie des non-ferreux.

KIROVOGRAD, anc. **Ielisavetgrad**. ♦ V. d'U.R.S.S. (Ukraine), ch.-l. de la région (24 600 km². 1 273 000 hab.), situé au N. de Kherson sur l'Ingoul [Ingul] (affl. du Bug [ou Boug] méridional), au centre d'une riche région agricole (céréales, betterave à sucre). 189 000 hab. Indus. alimentaires. Construction de machines agricoles. — Patrie de Zinoviev*. de Trotski*.

KIROVSK, anc. **Khibinogorsk**. ♦ V. d'U.R.S.S. (R.S.F.S. de Russie) dans la presqu'île de Kola* en Laponie, au delà du cercle polaire ; env. 43 000 hab. Ville industrielle de création récente, au centre d'une région d'extraction de néphélines et d'apatites. Production d'engrais phosphatés.

KIRUNA. ♦ V. du N. de la Suède. 29 000 hab. Établie près de riches gisements ferreux (60 % du minerai suédois), la ville est reliée par voie ferrée à Narvik* qui reçoit la plus grande partie du fer (production annuelle : 11 815 000 t [1968]).

KIRYÛ. ♦ V. du Japon (Honshû, préf. de Gunma). 135 000 hab. Indus. textiles.

KISANGANI, anc. **Stanleyville**. ♦ V. du Zaïre (ex-Congo-Kinshasa) sur la r. d. du Congo* au terminus de la navigabilité du fleuve. Env. 230 000 hab. (1969). Université.

KISARAZU. ♦ V. du Japon (Honshû), face à Yokohama*, sur la r. E. de la baie de Tôkyô. 38 000 hab. Aciérie. Anc. base aérienne américaine.

KISFALUDY (Sándor). ♦ Poète hongrois (Sümeg, 1772 — *id.*, 1844). Il était issu d'une famille noble dont il garda les idées et le style de vie. D'abord militaire, il prit part à la guerre contre la France et fut fait prisonnier ; puis il se retira sur ses terres et écrivit des poèmes d'amour de style pétrarquiste, *Cycle des amours malheureuses* (publ. 1801), *Amours heureuses* (1807).

KISFALUDY (Károly). ♦ Écrivain hongrois (Tét, 1788 — Budapest, 1830). Frère de Sándor. Il fut militaire de 1804 à 1811, puis rompit avec son milieu et mena une vie de bohème, d'abord à Vienne où il pratiqua la peinture ; il revint à Budapest en 1817. En 1819, il publia *Les Tartares en Hongrie,* drame historique et patriotique qui remporta un grand succès. Ses drames suivants, *Stibor* (1818-1819), *Irène* (1820), expriment ses sentiments libéraux et une prise de conscience des problèmes sociaux. Ses comédies, dont la plus célèbre est *Les Galants* (1817), vivantes et bien composées, sont encore actuellement au répertoire. Kisfaludy fonda *Aurora* (fin 1821), almanach littéraire dans lequel écrivirent la plupart des romantiques hongrois tel Vörösmarty* et qui dirigea la vie littéraire du pays.

KISH. ♦ Anc. cité de Mésopotamie près de Babylone. Elle détint la royauté en Sumer à une date incertaine, avant la Ire dynastie d'Ur* (~ IIIe millénaire), et conserva son importance au cours de toute l'histoire mésopotamienne.

KISHI NOBUSUKE. ♦ Homme d'État japonais (Yamaguchi, 1896). Il réorganisa au profit de son pays l'économie de la Mandchourie occupée et la Chine du Nord. Premier ministre du Japon de 1957 à 1960, il s'opposa à l'accord de défense signé par son pays avec les États-Unis et fut obligé de démissionner. Il fut remplacé par Ikeda Hayato.

KISHIWADA. ♦ V. du Japon (Honshû, préf. d'Ôsaka). Port de pêche et centre commercial. 165 000 habitants.

Ph. Hétier

Kiruna : mines de fer.

Ph. USIS

Henry Alfred Kissinger.

KISHON. *n. m.* ♦ Fl. d'Israël qui descend des monts de Galilée et se jette dans la Méditerranée à Haïfa*. Des travaux ont été entrepris en vue d'utiliser ses eaux pour l'irrigation.

KISLING (Moïse). ♦ Peintre et dessinateur français d'origine polonaise (Cracovie, 1891 – Sanary-sur-Mer, 1953). Il étudia aux Beaux-Arts de Cracovie puis, sur les conseils de son professeur, se rendit en France en 1910. Il se lia avec M. Jacob, Picasso, Gris, Chagall, Soutine. Après la guerre, qu'il fit comme engagé volontaire, il devint l'un des représentants caractéristiques de l'école de Paris en même temps qu'une des figures célèbres de Montparnasse. Après avoir subi l'influence de Cézanne et de Derain, il adopta une facture lisse, des tons brillants et représenta des nus et portraits féminins ainsi que des enfants à l'expression nostalgique ou douloureuse, s'inspirant du canon adopté par son ami Modigliani*, mais restant plus fidèle au réalisme traditionnel (aspect léché du modelé). Il représenta ensuite de nombreuses personnalités parisiennes en recourant systématiquement aux mêmes procédés de stylisation *(Colette, Arletty, Marie Laurencin).*

KISSELEVSK. ♦ V. d'U.R.S.S. (R.S.F.S. de Russie) dans le Kouzbass* en Sibérie occidentale. 126 000 hab. Extraction houillère. Équipement minier.

KISSINGER (Henry Alfred). ♦ Homme politique américain (Fürth, Bavière, R.F.A., 1923). D'origine allemande, Henry Kissinger s'expatria en 1938 avec sa famille pour fuir le régime nazi, et acquit la citoyenneté américaine. Professeur de sciences politiques à l'université Harvard, il fut appelé en décembre 1968 à la Maison Blanche pour remplir les fonctions de conseiller à la présidence en matière de sécurité nationale. À partir de 1969, il a largement pris part à l'élaboration de la politique extérieure américaine dont il semble être l'un des inspirateurs les plus écoutés. Il a joué un rôle de tout premier plan dans les négociations pour la paix au Viêt-nam et le rapprochement des États-Unis avec la Chine populaire et l'U.R.S.S. Ministre-secrétaire d'État dès 1973, il conserva ce poste sous la présidence de Gerald Ford* [1974-1976]. (Prix Nobel de la Paix, 1973.)

KISTNA ou **KRIȘNÂ.** *n. f.* ♦ Fl. de l'Inde (1 280 km). Il prend sa source dans les Ghâts* occidentaux, traverse d'O. en E. le Dekkan* et se jette dans le golfe du Bengale. Ses eaux alimentent des barrages pour l'irrigation et des usines électriques. Il reçoit comme affl. princ. la Tungabhadrâ*.

KITA-KYÛSHÛ (« Kyûshû du Nord »). ♦ Terme désignant la grande conurbation industrielle japonaise du N. de l'île de Kyûshû* qui englobe les cités et usines, complexes sidérurgiques et portuaires de Moji, Tobata, Yahata, Kokura* et Wakamatsu et comprend le plus grand centre sidérurgique du monde (Yahata) et le plus grand port artificiel d'Asie. 1 050 000 hab. (1969). Un tunnel sous le détroit de Shimonoseki relie Kita-Kyûshû à l'île de Honshû, ainsi qu'un pont suspendu de plus de 2 km de longueur.

KITASATO SHIBASABURÔ. ♦ Médecin et bactériologiste japonais (1856 – 1931). Il est l'auteur, avec Egvon Behring*, d'importants travaux sur l'immunité au tétanos et à la diphtérie, qui sont la base de la connaissance des antitoxines.

KITCHENER (Horatio Herbert, *1er comte* **Kitchener de Khartoum et d'Aspell).** ♦ Maréchal britannique (près de Listowell, Irlande, 1850 – au large des Orcades, 1916). Après avoir poursuivi ses études à Woolwich et avoir combattu volontairement aux côtés de la France en 1870, il fut envoyé en Égypte (1883) où il ne put sauver Gordon*. Il parvint cependant ensuite à reconquérir le Soudan (1898), après avoir écrasé la révolte du Madhi. Son arrivée à Fachoda mit fin à l'expédition de Marchand* et aux ambitions françaises **(V. Fachoda).** Remplaçant Roberts lors de la guerre des Boers* (1900-1902), il se montra particulièrement dur (camps d'internement pour les femmes et les enfants, incendie de fermes). Il prit ensuite la tête des forces britanniques en Inde, où il ne put être nommé vice-roi, et revint alors en Égypte. Il y accomplit de nombreuses réformes et préparait la déposition du khédive, avec lequel il était entré en conflit, quand éclata la Première Guerre mondiale. Ministre de la Guerre en 1914, il réorganisa les armées britanniques, mobilisa l'industrie et fit appel aux engagements volontaires. Il mourut lors d'une mission en Russie, son navire ayant été coulé. Il jouissait d'une grande popularité.

KITCHENER. ♦ V. du Canada (Ontario), située entre London et Toronto, anc. nommée Berlin (av. 1916). L'aggl. (avec la ville contiguë de Waterloo) compte 205 000 hab. (1969). Centre commercial et financier, dans l'une des régions les plus peuplées du Canada. Indus. du conditionnement de la viande; boissons. Indus. du cuir; meubles. – Patrie de Mackenzie King*.

KITIMAT. ♦ V. du Canada (Colombie britannique), à l'embouchure de la riv. Kitimat, au fond du chenal de Douglas. 9 000 hab. Importante usine d'aluminium, fonctionnant depuis 1954 et alimentée par la centrale de Kemano*. Centre touristique (fjord, pêche).

KITTIKACHÔN (Thanom). ♦ Homme politique et militaire thaïlandais (né en 1911). Il succéda en 1963 au Premier ministre Thanarat Sarit, pratiquant une politique réactionnaire, et fut renversé en octobre 1973.

KITWE-NKANA. ♦ V. de Zambie*, la plus importante du *Copper Belt,* reliée par voie ferrée à Lubumbashi* (Zaïre) et à Lusaka*. 179 300 hab. Indus. métallurgiques et chimiques, liées aux mines de cuivre.

KITZBÜHEL. ♦ V. d'Autriche, située dans les Alpes du même nom *(Kitzbühler Alpen)* au Tyrol*. 7 700 hab. Station de sports d'hiver très connue: ville d'origine du champion de ski Toni Sailer. Petite ville pittoresque aux nombreuses maisons à pignons de style tyrolien, ornées de fresques de couleurs vives.

KIVI (Aleksis, pseudonyme de **A. STENVALL).** ♦ Poète, romancier et auteur dramatique finnois (Palojoki, province d'Uusimaa, 1834 – Tuusula, 1872). D'origine très modeste, il eut des débuts difficiles, mais connut en 1860 le succès avec sa tragédie en vers, *Kullervo,* inspirée du *Kalevala* de Lönnrot*. En 1864, il publia une comédie, encore jouée aujourd'hui, *Les Cordonniers de la lande,* dans laquelle il décrit avec humour les mœurs du peuple. Enfin, après son drame *Léa* (1869), il écrivit « un roman touffu, à la fois roman de mœurs, d'aventures, satirique, épique », *Les Sept Frères* (1870; trad. fr. 1926), classique de la littérature finlandaise. Incompris à son époque, il mourut deux ans après avoir sombré dans la folie.

KIVIKAS (A.). ♦ Romancier estonien (né en 1898). Il représenta le réalisme populaire d'après la Deuxième Guerre mondiale : « Assez de chocolat lyrique, nous voulons du bœuf saignant. »

KIVU *(lac).* ♦ Lac d'Afrique centrale, situé au S. du lac Édouard* et formant la frontière entre le Zaïre (ex-Congo-Kinshasa) et le Ruanda. Sur sa rive S.-O. est située la ville de Bukavu*. 2 650 km². Cultures de café et de thé dans la région.

KIYONAGA. ♦ Peintre japonais (1752 – 1815) et graveur d'estampes (Ukiyo*-e), qui représenta le plus souvent des acteurs de théâtre kabuki* et des portraits de jolies femmes.

KIYONOBU. ♦ Peintre japonais (1664 – 1729) et graveur d'estampes (Ukiyo*-e), influencé par les écoles Kanô* et Tosa*. Il réalisa des affiches pour le théâtre kabuki* et illustra de nombreux livres.

KIZIL IRMAK, *n. m.* (« fleuve Rouge »). ♦ Le plus long fleuve de Turquie (1 400 km), prenant sa source en Anatolie septentrionale. Il traverse la Cappadoce*, prend une nouvelle orientation (S.-N.), franchit par des gorges profondes les chaînes pontiques et se jette dans la mer Noire*. Barrage hydro-électrique à Hirfanli (360 millions de kWh).

KLABUND (Alfred HENSCHKE, dit**).** ♦ Poète et romancier allemand (Crossen-sur-l'Oder, *auj.* Krosno, 1891 – Davos, 1928). Ses poèmes, ses romans (réunis sous le titre *Romans de la passion* en 1950) expriment un lyrisme proche tour à tour de Villon et de Heine, un humour et une ironie sous lesquels perce le désespoir. Familiarisé avec la littérature chinoise, il donna également une transposition d'un drame chinois, *Le Cercle de craie* (1925), dont devait s'inspirer B. Brecht* dans *Le Cercle de craie caucasien.*

KLADNO. ♦ V. de Tchécoslovaquie, en Bohême-Centrale, 29 km à l'O. de Prague. 56 042 hab. (1967). Indus. sidérurgique (gisements de houille et de fer).

KLAGENFURT. ♦ V. autrichienne, cap. de la Carinthie*, située au S. du pays, près du lac de Wörth. 70 700 hab. Centre touristique, possédant plusieurs monuments : fontaine du Dragon (XVIIe s.), *Landhaus* (*fin* XVIe s.), *Alter Platz* avec un palais du XVIe siècle. – Indus. du bois. ♦ *Hist.* Colonie celte, puis romaine, la ville ne fut qu'une modeste localité jusqu'en 1518, date à laquelle, par décret de Maximilien Ier, elle devint siège de l'armée des États provinciaux puis capitale de Carinthie. Elle fut occupée trois fois par les Français et Napoléon fit abattre ses fortifications du XVIe siècle.

KLAGES (Ludwig). ♦ Philosophe et psychologue allemand (Hanovre, 1872 – Kilchberg, près de Zurich, 1956). Affirmant que l'activité « parasitaire » de l'esprit (l'intelligence, le pouvoir technique) a rompu le rythme naturel de la vie de l'âme et rendu l'homme étranger au cosmos, sa philosophie néo-romantique donne une vision pessimiste du destin de la civilisation occidentale *(L'Esprit comme adversaire de l'âme)*. Il fut également un éminent psychologue et un des fondateurs de la graphologie scientifique. (*Principes de caractérologie*, 1910; *Écriture et Caractère*, 1917.)

KLAÏPEDA, anc. en all. **Memel** jusqu'en 1923. ♦ V. et port d'U.R.S.S. (Lituanie*), sur la mer Baltique. 140 000 hab. Chantiers navals (construction de chalutiers congélateurs). Sa flotte de pêche sillonne non seulement la Baltique, mais aussi l'Atlantique. Indus. textiles. ♦ *Hist.* Fondée par les chevaliers Teutoniques en 1252, la ville fut disputée entre Prussiens, Lituaniens, Polonais et Suédois jusqu'au XVIIe siècle. Enlevée à l'Allemagne en 1919, elle forma avec ses environs un territoire administré par la France (1920-1923) qui fut occupé par les Lituaniens (1923). Annexée par l'Allemagne en 1939, Klaïpeda passa à l'U.R.S.S. en 1945.

KLAPROTH (Martin Heinrich). ♦ Chimiste et minéralogiste allemand (Wernigerode, 1743 – Berlin, 1817). Fondateur de l'analyse minérale quantitative, il montra l'identité de composition chimique de l'aragonite et de la calcite (1788) et découvrit le zirconium [1789] **(V. Berzelius)**, l'uranium [1789] **(V. Peligot)**, la strontiane (avec Hope, 1792) et le cérium (1803).

KLAPROTH (Heinrich Julius). ♦ Orientaliste allemand (Berlin, 1783 – Paris, 1835). Auteur de travaux sur les peuples du Caucase (*Reise in den Kaukasus und nach Georgien*, 1812-1814).

KLAU (Christoph). ♦ **V.** CLAVIUS.

KLÉBER (Jean-Baptiste). ♦ Général français (Strasbourg, 1753 – Le Caire, 1800). Officier dans l'armée autrichienne, après avoir suivi les cours de l'académie militaire de Munich (1776-1782), il revint en France, exerça la profession d'architecte à laquelle il s'était d'abord destiné. À la tête d'un bataillon de volontaires alsaciens en 1792, il s'illustra en défendant Mayence (1793) et fut nommé général. Il combattit en Vendée, remporta la victoire de Savenay (déc. 1793), mais, officier de métier formé à l'allemande, s'opposa aux sans-culottes. Il se distingua à la bataille de Fleurus* (juin 1794) et prit Maastricht (sept. 1794). À la suite d'un différend avec Jourdan*, il démissionna en 1796. En 1798, il partit pour l'Égypte avec Bonaparte, fut blessé à Alexandrie, remporta une victoire sur les Turcs au mont Thabor (avril 1799). Bonaparte quitta l'Égypte, laissant à Kléber le commandement en chef (août 1799); il signa avec les Anglais la convention d'évacuation d'El-Arich (24 janv. 1800) qui fut rompue; remporta encore sur les Turcs la victoire d'Héliopolis (20 mars), reprit Le Caire en avril et fut assassiné par un musulman le 14 juin 1800.

KLEE (Paul). ♦ Peintre, dessinateur, graveur et écrivain allemand (Münchenbuchsee, près de Berne, 1879 – Muralto-Locarno, 1940). Né d'un père allemand et d'une mère suisse, tous deux musiciens, il commença à sept ans à apprendre le violon, puis fut attiré par la littérature. Choisissant finalement la peinture, il alla étudier à Munich en 1898 et entra à l'Académie des beaux-arts où travaillait aussi Kandinsky. En 1902, il revint d'un voyage en Italie et s'intéressa à l'art byzantin : il s'affermit dans sa décision d'abandonner les souvenirs de l'académisme et de se forger ses propres moyens d'expression. Après un séjour à Paris (1905), puis à Berne, il s'installa de nouveau à Munich, s'adonnant d'abord au dessin et à la gravure, s'intéressant à Beardsley, à Blake et à Goya, ainsi qu'aux œuvres symbolistes. Il admira ensuite Manet, Toulouse-Lautrec, Ensor, Daumier, puis Van Gogh et, en 1909, eut la révélation de Cézanne, « le maître par excellence ». Ses dessins et gravures du début, au trait fouillé et précis, révèlent un sombre expressionnisme *(Vierge sur un arbre)* en même temps qu'une vision du monde à la fois mordante et amusée. En 1911, il se lia avec F. Marc, A. Macke et Kandinsky et participa à la seconde exposition du *Blaue Reiter* (Cavalier* bleu). En 1912, il se rendit à Paris où il rencontra de nombreux peintres, mais fut surtout impressionné par Delaunay dont il traduisit un article : *Sur la lumière* (*Der Sturm*, 1913). En 1914, un voyage en Tunisie joua pour lui un rôle décisif; il nota alors : « La couleur et moi ne faisons plus qu'un, je suis peintre ». Durant la guerre, il fit la connaissance de Rilke, puis revint à Munich et, en 1920, devint professeur au Bauhaus* (jusqu'en 1930). À partir de 1914, l'originalité de sa personnalité s'était affirmée; affranchi de la figuration conventionnelle et ayant assimilé les innovations opérées par les divers mouvements d'avant-garde, il apprécia l'un des premiers les qualités expressives et plastiques des dessins d'enfants et de malades mentaux. Cherchant à transcrire plastiquement la fraîcheur de l'émotion éprouvée, il s'efforça de retrouver une candeur perdue et chercha à remonter aux sources les plus profondes du processus créatif. Il nota que celui-ci dépendait en grande partie de l'inconscient et voulut tirer parti du hasard, pratiquant une forme de dessin automatique. Les surréalistes le considérèrent comme un précurseur et furent les premiers à le faire connaître en France. Inépuisable créateur de formes, il voulait « pénétrer l'intérieur et non refléter la surface » et manifesta dès ses premières aquarelles des dons remarquables de coloriste; distribuant des couleurs transparentes et subtiles selon des rectangles, des carrés, des triangles ou des bandes d'aspect irrégulier, il organise un espace imaginaire où apparaissent souvent des motifs empruntés à la perception ordinaire. Ces références à la réalité, étant généralement traitées schématiquement (soleils, lune, étoile, montagne, arbre, fleurs, animaux, personnage, visage), fonctionnent souvent comme des symboles ambigus qui concourent à doter ses visions d'une forte charge émotionnelle et poétique (renforcée par le choix de titres fantasques, désinvoltes et ironiques); son art de suggérer, de créer un climat onirique apparaît dans ses recompositions fantastiques d'éléments disparates (*Villa R.*, 1919; *17 IRR*, 1923) aussi bien que dans les œuvres où il recourt à un langage plastique strictement abstrait (série des *Carrés magiques*, à partir de 1922; *Éros*, 1923; *Variation, motif progressif*, 1927). Klee multiplia les investigations d'ordre technique et formel, mêlant huile, aquarelle, *tempera*, plâtre, peinture à la colle et utilisant des supports de textures variées (jute, toile à trame apparente, carton, papier d'emballage). À l'époque où il enseignait au *Bauhaus* notamment, il procéda à une sorte d'analyse systématique des moyens picturaux, n'hésitant pas à les réduire à l'extrême. Ainsi, il créa des formes à partir d'un même élément simple : lignes droites, brisées, griffonnées, en zigzag, en bâtonnets, sinueuses, concentriques ou parallèles. Il développa aussi des recherches d'ordre spatial, perspectif et rythmique, à partir de lignes, de plans colorés, de taches ou de points de couleur. Vers 1937-1938, alors qu'il était établi en Suisse, il adopta des formats plus grands et créa ses idéogrammes imaginaires tracés d'un trait noir et épais (*Signes noirs*, 1938). Écrivain et théoricien (*Journal*, publié en 1957; *L'Art moderne*, 1924; *Carnets d'esquisses pédagogiques*, 1925), il fut toujours soucieux de se définir par rapport à la nature. Il a déployé dans son œuvre une liberté et une puissance inventive en accord avec le but qu'il a défini dans une formule devenue célèbre : « L'art ne reproduit pas le visible, il rend visible. »

KLEIN (Félix). ♦ Mathématicien allemand (Düsseldorf, 1849 – Göttingen, 1925). Fondateur d'un institut de mathématiques appliquées à Göttingen, il fut le chef de l'école mathématique allemande. Il étudia notamment l'équation différentielle hypergéométrique, les fonctions elliptiques dont principalement la fonction modulaire **(V. Hermite)**, les fonctions abéliennes **(V. Jacobi)**, l'application de la théorie des groupes à la géométrie dans son *Programme d'Erlangen* [1872] **(V.** *aussi* **Jordan, Lie)**, synthèse structurale très ample dans laquelle, chaque géométrie étant la théorie des invariants d'un groupe de transformations particulier, les deux courants, « synthétique » et « analytique », de la recherche géométrique apparaissent comme deux voies convergentes; en 1884, il établit les liens étroits unissant l'étude des fonctions modulaires, la théorie de l'équation du cinquième degré et celle des groupes de symétrie de l'icosaèdre régulier. ♦ *Vase de* KLEIN : exemple de surface à un seul côté, donné par F. Klein en 1882.

KLEIN (Mélanie). ♦ Psychanalyste anglaise d'origine autrichienne (Vienne, 1882 – Londres, 1960). Formée par S. Ferenczi* et K. Abraham*, elle se spécialisa dans la psychanalyse des enfants. Sa thérapeutique, fondée sur la possibilité (niée par Anna Freud*)

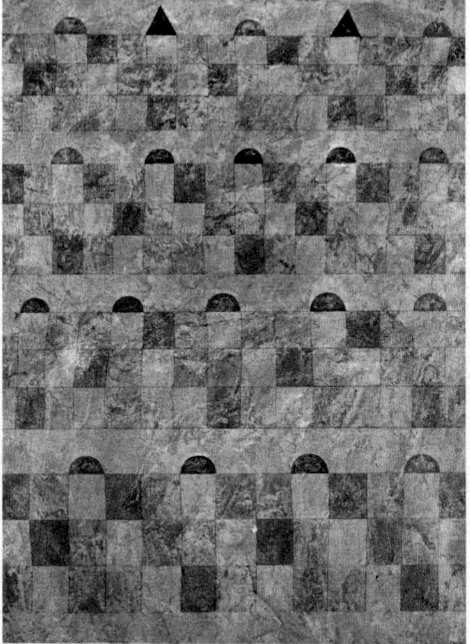

Arch. Smeets

Paul Klee : « Palace fait de quatre parties », 1933. (Collection privée.)

Arch. Smeets

Yves Klein : « Relief-éponge bleue ». (Wallraf-Richartz Museum, Cologne.)

d'une névrose de transfert chez l'enfant, est liée à une conception originale du psychisme infantile, qui affirme la précocité de l'élaboration du sur-moi et du conflit œdipien, la dualité des pulsions (libidinales et agressives) dans la relation de l'enfant aux objets pulsionnels, en particulier au sein maternel, et l'importance des mécanismes de projection et d'introjection dans le processus d'identification de soi. (*Essais de psychanalyse,* 1921-1945 ; *La Psychanalyse des enfants,* 1932; *Envie et Gratitude,* 1957.)

KLEIN [klɛ̃] **(Yves).** ♦ Peintre français (Nice, 1928 – Paris, 1962). Dès le début de sa carrière, il tenta d'imposer une vision absolutiste de la couleur, créant des surfaces parfaitement monochromes (1946) pour aboutir à l'exclusion de toute autre couleur que le bleu (1957). Il décora ainsi par d'immenses panneaux outre-mer l'opéra de Gelsenkirchen, y ajoutant des reliefs de même teinte, constitués par des éponges stratifiées. La recherche de solutions extrêmes (exposition aux murs nus de 1958), le goût d'un symbolisme élémentaire et la volonté de provocation le conduisirent successivement aux empreintes de modèles nus féminins enduits de bleu (*Anthropométries,* 1958-1960), qui obtinrent un succès de scandale et d'incompréhension, à des œuvres où les éléments naturels, pluie et vent, collaborent (*Cosmogonies,* 1960), à des *Peintures de feu* obtenues par combustion de cartons à l'amiante, enfin à des moulages de plâtre pris sur des êtres vivants (*Portrait d'Arman,* 1962, le seul terminé). Théoricien de la couleur pure et absolue, du vide, de l'air, du feu, Klein, par-delà les sollicitations de la mode, toujours avide des signes extérieurs de l'extrémisme, a tenté de dépasser le concept hérité d'*art* par la requête d'une symbolique universelle intégrant l'homme au cosmos (*Dépassement de la problématique de l'art,* 1959).

KLEIST (Ewald Jürgen *von***).** ♦ Savant allemand (? 1700 – Koszalin, 1748). Il découvrit fortuitement la « bouteille de Leyde » (1745) sans toutefois reconnaître la nature purement physique du phénomène. **V. Van Musschenbroek.**

KLEIST (Ewald Christian *von***).** ♦ Poète allemand (Zeblin, Poméranie, 1715 – Francfort-sur-l'Oder, 1759). Auteur de poèmes légers dont le plus connu est l'idylle *Le Printemps* (1749), Kleist, qui était l'ami de Gleim, Nicolaï, Lessing (à qui il a inspiré le personnage du major Tellheim dans *Minna von Barnhelm*), laissa également des poèmes guerriers en l'honneur de l'armée de Frédéric de Prusse dans laquelle il servit comme officier d'infanterie. Il fut mortellement blessé à la bataille de Kunersdorf.

KLEIST (Heinrich *von***).** ♦ Auteur dramatique et écrivain allemand (Francfort-sur-l'Oder, 1777 – Wannsee, 1811). Issu d'une famille d'officiers, il abandonna très tôt la carrière des armes pour l'université (1799). La découverte des œuvres de Kant et de Rousseau, la rencontre de Goethe et de Schiller (1803) encouragèrent chez lui une tendance naturelle à l'audace intellectuelle et à l'irrationnel. En collaboration avec Goethe, il écrivit une comédie, *La Cruche cassée* (*Der zerbrochene Krug,* 1803). Représentée en 1808 et remaniée par Goethe, la pièce fut un échec. Voué peu à peu à mener une existence errante, il fut toujours en quête d'une sérénité qui le fuyait, et son drame personnel allait se nourrir du drame d'une Allemagne occupée et qui n'avait pas encore détruit ses structures féodales. Plus désastreuse encore dans ses effets immédiats fut l'incompréhension des contemporains à l'égard d'un génie aussi intransigeant que passionné. Ainsi, la carrière de Kleist apparaît-elle comme jalonnée d'échecs. A peine achevé, il détruit le manuscrit de son drame le plus ambitieux, *Robert Guiscard, duc des Normands* (*Robert Guiskard, Herzog der Normänner,* 1807), dont il reconstituera plus tard, de mémoire, un fragment. Avec une tragédie, *Penthésilée* (*Penthesilea,* 1808), où l'interprétation du mythe grec conduit à une célébration exaltée de l'instinct sexuel, avec un drame, *Catherine de Heilbronn* (*Kätchen von Heilbronn,* 1810), œuvre étrange tout imprégnée d'un merveilleux proprement médiéval et qui ne connut qu'un demi-succès, deux drames d'inspiration patriotique, *La Bataille d'Hermann* (*Hermanns Schlacht,* 1808) et *Le Prince* de Hombourg* (*Prinz von Homburg,* 1810), qui ne purent être représentés, se clôt le cycle de la production dramatique de Kleist. Cependant, *Le Prince de Hombourg,* œuvre puissante et bien construite qui exalte l'esprit de libération nationale, demeure encore, de nos jours, un des chefs-d'œuvre du répertoire universel. À la même époque, Kleist publia un roman, *Histoire de Michel Kohlhaas,* récit d'une révolte au XVIᵉ siècle. L'insuccès, la maladie, la misère devaient enfin le conduire à la mort qu'il se donna avec sa jeune compagne Henriette Vogel.

KLEIST (Paul Ewald *von***).** ♦ Maréchal allemand (Braunfels, Hesse, 1881 – en U.R.S.S., 1954). Il fut l'un des créateurs des blindés allemands, combattit en Pologne en 1939 et commanda en France lors de la percée des Ardennes* (1940). Il prit Belgrade en 1941, combattit devant Stalingrad (1942), commanda un groupe d'armées en Ukraine (1944), mais, ayant dû se replier, fut relevé de son commandement. Prisonnier des Anglais en 1945, il fut livré aux Yougoslaves puis (1949) aux Soviétiques.

KLEMM (Gustave Friedrich). ♦ Anthropologue allemand (Chemnitz, Saxe, 1802 – Dresde, 1867). Il a dégagé des relations de voyage une documentation ethnographique à partir de laquelle il a tenté de reconstituer l'histoire culturelle générale de l'humanité, distinguant des sociétés de type actif (capables de novations) et de type passif (soumises à la tradition) et formulant la première théorie évolutionniste de la civilisation (*Allgemeine Kulturgeschichte der Menschheit,* 1843).

KLEMPERER (Otto). ♦ Chef d'orchestre allemand (Breslau, 1885 – Zurich, 1973). Chargé de la direction musicale des opéras de Prague, Hambourg et Berlin, il émigra aux États-Unis (1933) et poursuivit sa carrière en Europe après 1945. Remarquable interprète des grands classiques allemands, il dirigea aussi en première audition de nombreuses œuvres de musique moderne.

KLENZE (Leo *von***).** ♦ Architecte allemand (Bockenem, près de Hildesheim, 1784 – Munich, 1864). Formé à Berlin, puis à Paris auprès de Percier et de Durand, il se rendit en Italie en 1805 et voyagea en Grèce en 1823-1824. Chargé par Louis Iᵉʳ de Bavière de vastes travaux à Munich, il se montra un fervent adepte du néo-classicisme, s'inspirant résolument de l'art grec classique jusqu'à tomber dans le pastiche. Il édifia notamment la *Glyptothèque* (1816-1834) et l'anc. *Pinacothèque* (1826-1836) à Munich et surtout, près de Ratisbonne, le *Walhalla* (1830-1842), monument à la gloire du génie et des héros allemands, en forme de temple grec. Il se montra plus éclectique dans la Ruhmeshalle (1843-1853) d'inspiration Renaissance. Le tsar Nicolas Iᵉʳ le chargea du *Nouvel Ermitage* à Saint-Pétersbourg (1840-1852).

KLEPHTES. *n. m. pl.* ♦ **V.** Armatoles.

KLEVE. ♦ **V.** Clèves.

KLIMT (Gustave). ♦ Peintre, dessinateur et décorateur autrichien (Vienne, 1862 – *id.,* 1918). Fils d'orfèvre, il débuta par de grandes décorations d'un style académique et de tendance naturaliste. Puis, de 1894 à 1905, il réalisa les allégories de la *Philosophie,* la *Médecine* et la *Jurisprudence*; ces œuvres, qui furent très mal reçues par les tenants du goût officiel, dénotent l'influence du graphisme de Toorop* et des mises en pages asymétriques des estampes japonaises et révèlent l'abandon de la description et de la perspective illusionniste au profit d'un espace sans profondeur dont les plans sont définis par des lignes irrégulières et sinueuses et où l'agencement et le caractère des figures sont en rapport avec leur fonction symbolique. En 1897, il fonda et dirigea la « Sécession » viennoise qui s'opposait à l'art traditionnel et propageait l'Art nouveau en Autriche. Il développa son style monumental et décoratif dans la frise destinée à la présentation du *Beethoven* de Max Klinger* dans le hall de la *Sécession.* Il travailla dans les ateliers d'art appliqué d'Hoffman* et exécuta les deux céramiques de l'*hôtel Stoclet* (*Le Baiser,* 1906-1909). Il peignit aussi des paysages au chromatisme raffiné, de nombreux portraits féminins (*Mme Adèle Bloch-Bauer*), des figures symboliques aux tons éclatants et recherchés (*Danaé,* 1905-1906). Si son graphisme sinueux, les recherches d'effets précieux (verres colorés, émaux, métaux, fonds dorés) et son symbolisme raffiné, souvent érotique, s'inscrivent dans la ligne de l'Art nouveau, l'imagination déployée dans l'invention de motifs à caractère décoratif et surtout l'audace de leur agencement préfigurent des partis pris formels que développeront le collage et la peinture abstraite.

KLINE (Franz). ♦ Peintre américain (Wilkes Barre, Penn., 1910 – New York, 1962). D'abord peintre figuratif sans grande originalité et dessinateur humoristique pour subsister, il élabora patiemment une vision plus épurée et dynamique, aboutissant vers 1950 à l'abstraction. Peignant sur de grands formats, il donna au geste spontané une importance de plus en plus grande (tendance de l'*Action Painting*, avec De Kooning* et Pollock*), créant des compositions en noir, organisées par de puissantes formes linéaires brisées. En 1957, il revint à la couleur, ajoutant à sa vision, basée sur des rapports de surface et de masse, les oppositions chromatiques.

KLINEBERG (Otto). ♦ Sociologue américain (1899). Auteur de *Race et Psychologie* (Unesco, 1951), *États de tension et compréhension internationale* (1952), il est un des principaux représentants de la psychosociologie américaine.

KLINGER (Friedrich Maximilian *von*). ♦ Auteur dramatique et écrivain allemand (Francfort-sur-le-Main, 1752 – Dorpat, 1831). Le titre d'une de ses pièces, *Sturm* [« orage »] *und Drang* [« élan, passion »] (1776), devait donner son nom au mouvement intellectuel et artistique qui rallia, contre le classicisme et l'ordre établi, poètes et écrivains allemands, à la fin du XVIIIᵉ siècle. S'inspirant de la pensée des philosophes français, le *Sturm und Drang,* auquel Goethe adhéra, opposait à une civilisation aristocratique décadente les lois d'une nature idéalisée où l'homme retrouverait sa place. Manifestation d'un individualisme tumultueux, le *Sturm und Drang* régna sur le théâtre allemand durant une vingtaine d'années, marqué par le *Götz* von Berlichingen* de Goethe (1773) et *Les Brigands** de Schiller (1781). Si l'importance historique du drame de Klinger n'est pas contestable, la faiblesse de son style et de sa psychologie, les complications et les bizarreries de son intrigue en font une œuvre d'une médiocre valeur artistique. Le même élan désordonné vers la liberté caractérisera encore ses autres œuvres dramatiques : *Othon* (1775), *Les Jumeaux* (*Die Zwillinge,* 1776), et son roman : *Vie, exploits et descente aux Enfers de Faust* (*Fausts Leben, Taten, und Höllenfahrt,* 1791).

KLINGER (Max). ♦ Peintre, graveur, dessinateur et sculpteur allemand (Leipzig, 1857 – Gross-Jena, près de Naumburg, 1920). Sa suite de dessins *« Séries sur le thème du Christ »* et *« Fantaisies sur la découverte d'un gant »* (1878) dénotent une imagination insolite, de caractère fantastique, qui déplut à ses contemporains, mais fit plus tard l'admiration de G. De* Chirico et des surréalistes. Il réalisa dans la même veine *Ève et le Futur; Une vie; De la mort.* Il rêvait d'un art total et peignait d'ambitieuses allégories d'une naïveté morbide et d'une facture académique (*Le Jugement de Pâris,* 1887) qui témoignent de son tempérament idéaliste et mystique. Il s'adonna à la sculpture polychrome (*statue chryséléphantine de Beethoven,* 1902) et projeta un monument colossal à *R. Wagner.*

KLINGSOR (Léon Leclère, dit Tristan). ♦ Poète français (La Chapelle-aux-Pots, Oise, 1874 – Paris, 1966). Un lyrisme voilé, habile à transposer le réel et à illustrer, dans une forme claire, les grands thèmes de la poésie populaire, caractérise son œuvre, riche de diversité et de fantaisie (*Schéhérazade,* 1903 : *Poèmes de Bohême,* 1921 ; *Le Tambour voilé,* 1960). Critique d'art, peintre et musicien *(Petite Suite pour deux violons),* cet ami de Maurice Ravel a su exprimer avec bonheur, dans cette partie de son œuvre, les élans d'une délicate sensibilité.

Arch. Smeets

F. Kline : « Sans Titre ».
(Collection Nordrheim-Westfalen, Düsseldorf.)

KLOBB (Jean François Arsène). ♦ Officier français (?, 1857 – Dankori, 1899). Envoyé au Soudan (1891-1892) où il créa les premières unités méharistes, il fut chargé de destituer Chanoine* et Voulet* par lesquels il fut assassiné.

KLONDIKE. *n. m.* ♦ Riv. du Canada, affl. du Yukon*. – District du territoire de Yukon (Canada du N.-O., à la frontière de l'Alaska). ♦ *Hist.* La découverte de riches gisements d'or en 1896 déclencha une véritable ruée et une activité intense, jusque vers 1906. Dawson City, son principal centre, atteignit 10 000 hab. (auj. un millier). **V. Dawson.**

KLOPSTOCK (Friedrich Gottlieb). ♦ Poète et dramaturge allemand (Quedlinbourg, Harz, 1724 – Hambourg, 1803). « Poète de la religion et de la patrie », dont J.J. Bodmer* fut un des premiers à reconnaître le génie, il a laissé une œuvre qui, si elle est peu lue actuellement, a marqué une étape importante dans l'histoire de la littérature allemande. Sa *Messiade** (1748-1777), poème épique chrétien dont l'exaltation lyrique et le mysticisme s'accordaient avec la ferveur piétiste de l'époque, lui valut une renommée considérable que confirmèrent ses *Odes* où, rompant avec le style maniéré, conventionnel de l'anacréontisme, « il élève vers le sublime les réalités de la vie terrestre (...) même quand il célèbre l'amitié, surtout quand il laisse parler son sentiment de la nature » (P. Grappin). Outre des tragédies bibliques (*Salomon,* 1764 : *David,* 1772), il composa des « bardits pour la scène allemande » (*La Bataille d'Arminius, Arminius et les Princes, La Mort d'Arminius,* 1767-1787) qui ne connurent pas un grand succès, mais contribuèrent à marquer un retour aux sources germaniques et l'affirmation de l'originalité nationale. Klopstock sut cependant rester cosmopolite et, comme tant d'écrivains et philosophes allemands, salua la Révolution française et devint citoyen d'honneur de la République (1792), mais condamna les excès de la Terreur.

KLOSTERS. ♦ Localité de Suisse (cant. des Grisons) dans le Prätigau, sur les rives de la Lanquart, affl. du Rhin. 3 000 hab. Station d'été et de sports d'hiver très fréquentée. Alt. 1 250 mètres.

KLOSTER ZEVEN. ♦ Localité d'Allemagne (Basse-Saxe), près de Stade. – On y signa la capitulation des Anglo-Hanovriens, obtenue par le duc de Richelieu* à la tête des Français (1757). Mais George* II refusa de ratifier les engagements pris par Cumberland*.

KLUCK (Alexander *von*). ♦ Général allemand (Münster, 1846 – Berlin, 1934). Commandant la Iʳᵉ armée en 1914, il mena l'aile marchante allemande mais, ayant franchi la Marne malgré les ordres de Moltke, il prêta le flanc à la contre-attaque de Maunoury et fut vaincu **(V. Marne** [*bataille de la*]**).**

KLUCKOHN (Clyde). ♦ Ethnologue américain (1905). Dans son étude sur le concept de culture (1951), il a distingué la notion de modèles de comportement *(behavioral patterns)* et celle de règles de conduite *(normative patterns)* et a noté l'écart entre les deux, particulièrement dans les sociétés en transformation.

KLUGE (Hans Günther *von*). ♦ Maréchal allemand (Poznań, 1882 – près de Metz, 1944). Il commanda en Pologne (1939), en France (1940), en Russie où il se distingua devant Moscou (1941). Lors de l'offensive alliée en Normandie, il remplaça Rundstedt* au commandement du front de l'ouest (juillet 1944), mais ne reprit Mortain que pour le perdre bientôt après. Ayant laissé deviner son approbation au complot du 20 juillet 1944 contre Hitler **(V. Beck, Canaris, Stauffenberg),** il craignit d'être arrêté et se suicida (18 août).

KNAPP (G. F.). ♦ Économiste et juriste allemand (1842 – 1926). Il est surtout connu pour sa *Théorie étatique de la monnaie* (1905), qui, à l'encontre des thèses économiques classiques, « fit de l'État le véritable créateur de la valeur de la monnaie » (Piettre).

Knesset ou **Knesseth.** *n. f.* (« assemblée »). ♦ Parlement israélien à chambre unique, composée de cent vingt membres élus pour quatre ans au suffrage universel et constituant l'autorité législative suprême. Elle élit le président de l'État d'Israël*, approuve le budget annuel, contrôle la politique du gouvernement qui doit obtenir son approbation et est responsable devant elle. Tous les partis (Mapaï, Mapam, Hérouth et libéral, communiste, religieux national, Ha'olam Hazeh) y sont représentés à l'exception du Matzpen ; le Mapaï y fut majoritaire jusqu'en 1968, date de sa fusion avec l'Ahdout Ha'avoda et le Rafi (Parti travailliste* d'Israël).

KNIASEFF (Boris). ♦ Danseur et chorégraphe russe (Saint-Pétersbourg, 1900). Ayant quitté la Russie, il fut maître de ballet à l'Opéra-Comique de Paris de 1932 à 1934. En 1937, il ouvrit une école dans laquelle il enseignait son système de la « barre à terre ». En 1953, il s'est installé en Suisse.

KNIES (Karl Gustav Adolf). ♦ Économiste allemand (né à Marbourg, 1821). Représentant de l'école historique allemande **(V. Roscher),** il a publié *L'Économie politique envisagée du point de vue historique* (1853), *Fondements de la méthode historique dans les sciences sociales,* etc.

KNOBELSDORFF ou **KNOBELSDORF (Georg Wenzeslaus *von*).** ♦ Architecte, décorateur et peintre allemand (Kuckädel, près de Crossen, 1699 – Berlin, 1753). D'abord officier, il se consacra ensuite à la peinture et à l'architecture, poursuivant sa formation en France et en Italie. Devenu l'ami du futur Frédéric II, il reçut la charge d'intendant des bâtiments et collabora à la plupart des grands travaux, malgré les divergences et les controverses qui éclatèrent entre lui et son protecteur. La part exacte qui lui revient est difficile à préciser dans les travaux d'aménagement, de transformation ou de construction. À Berlin, il édifia l'*aile neuve du palais de Charlottenburg* (1740-1743). Il transforma aussi le *château de Monbijou*, participa largement à l'édification du *château de Sans-Souci* à Potsdam (1745-1747) et se montra un brillant adepte du style rococo, se révélant plus proche de l'esprit néo-classique à l'*opéra* de Berlin (1741-1743), où il subit l'influence du palladianisme.

KNOB LAKE. ♦ Site minier du Canada, situé au Labrador*. Important gisement de fer, relié par voie ferrée à Sept*-Îles, et près duquel a été construite la ville de Schefferville*.

Knock ou le Triomphe de la médecine. ♦ Pièce satirique en trois actes de Jules Romains* présentée pour la première fois en 1923. Knock, nouveau médecin installé dans un petit village, après avoir donné des consultations gratuites, persuade tous les habitants qu'ils sont malades et s'attire ainsi toute la clientèle : « Tout homme bien portant est un malade qui s'ignore ». Il parvient même à convaincre son prédécesseur, le docteur Parpalaid. Satire de la crédulité humaine et de l'exploitation qui en est faite au nom de la science, cette comédie doit à son ton moliéresque et à l'habileté de sa construction un succès durable. Elle a été portée à l'écran. Louis Jouvet en fut l'inoubliable interprète.

KNOKKE[**-LE-ZOUTE**]. ♦ Comm. de Belgique (Flandre-Occidentale, arr. de Bruges), sur la mer du Nord, à 33 km d'Ostende, à proximité du Zwin*. 14 482 hab. La ville est constituée par la réunion de Knokke-sur-Mer, Le Zoute et Albert-Plage. – Tourisme. Station balnéaire luxueuse.

KNOLL (Max). ♦ Opticien allemand (né en 1897 –). Inventeur, avec Ruska*, du microscope électronique (1932). **V.** *aussi* **Abbe, Zernike, Zsigmondy.**

KNOLLES ou **KNOLLYS** (*sir* **Robert**). ♦ Homme de guerre anglais qui se rendit célèbre pendant la guerre de Cent Ans (mort à Sculthrope, 1407). Après avoir participé à la guerre de Succession de Bretagne et au combat des Trente (1351), il suivit le Prince Noir en Castille (1367-1369).

KNOX (John). ♦ Réformateur religieux écossais (près de Haddington, 1505 ou 1513 – Édimbourg, 1572). Prêtre, il passa à la Réforme (1546); il fut prédicateur en Angleterre. Mais à l'avènement de Marie* Tudor il dut s'exiler en France, puis à Genève où il se lia avec Calvin* et fit la traduction anglaise de la « Bible de Genève ». De retour en Écosse (1559), il y fonda le presbytérianisme, écrivit la *Confessio Scotica* et contribua au *Book of Discipline*.

KNOX (*fort*). ♦ Zone militaire située aux États-Unis, dans le Kentucky, au S. de Louisville. Elle est connue pour abriter la principale réserve d'or des États-Unis (plus de 10 milliards de dollars vers 1960).

KNOXVILLE. ♦ V. des États-Unis, à l'E. du Tennessee, dans les Appalaches. 169 766 hab. (zone urbaine 391 974 hab.). Centre agricole et indus. (marbre, tabac, indus. alimentaires, etc.). – Université du Tennessee. – L'amiral Farragut* est né près de la ville. ♦ *Hist.* C'est là que fut créée en 1930 la *Tennessee Valley Authority* (**V. Tennessee,** riv.). Oak* Ridge est à proximité.

KNUD ou **KNUT.** ♦ **V.** CANUT.

KNUTANGE. ♦ Comm. de la Moselle, dans l'arr. et l'aggl. de Thionville-Ouest. 4 433 hab. Elle forme avec la commune contiguë de Nilvange* une aggl. dépassant 12 500 hab. (Knutange-Nilvange). Sidérurgie.

KOBAYASHI TAKIJI. ♦ Écrivain japonais (1903 – 1933), auteur de *Kani-kôsen* (« Le Bateau aux crabes ») dont un célèbre film fut tiré. Opposé politiquement aux visées expansionnistes du Japon, il fut arrêté et probablement assassiné.

KÔBE. ♦ V. du Japon (Honshû) et second port du pays, sur la baie d'Ôsaka*. Elle forme avec Ôsaka une conurbation industrielle très importante. Plus de 1 500 000 hab. Université renommée. Kôbe fut reconstruite entièrement après 1945, ayant été très sérieusement atteinte par les bombardements. Métallurgie, sidérurgie, indus. navales et aéronautiques, chimiques (caoutchouc), textiles et alimentaires. Le port, établi en eau profonde (sur la mer intérieure), peut recevoir des cargos de fort tonnage. Une île artificielle, destinée à recevoir la moitié du trafic, est en construction.

Coll. Rui Nogueira

Louis Jouvet dans **Knock.**

KOBLENZ. ♦ **V.** COBLENCE.

KÔBÔ-DAISHI. ♦ **V.** KÛKAI.

KOCH (Joseph Anton). ♦ Peintre autrichien (Obergibeln, 1768 – Rome, 1839). Il séjourna en France, en Suisse, en Italie, où il se lia avec Carstens* et Thorvaldsen*. Après trois ans passés à Vienne (1812-1815), il participa avec les nazaréens à la décoration de la *villa Massimi*. Influencé par la peinture italienne de la Renaissance et par les paysagistes classiques (Poussin, Le Lorrain), il exécuta des paysages mythologiques d'une facture sèche et précise où s'affirme un sens monumental de la composition. Il exécuta aussi des paysages montagneux peints avec une méticulosité naïve et qui révèlent un sentiment personnel et poétique de la nature.

KOCH (Robert). ♦ Médecin et microbiologiste allemand (Clausthal, Hanovre, 1843 – Baden-Baden, 1910). On lui doit la découverte des spores de la bactéridie charbonneuse, du bacille du choléra et surtout du bacille de la tuberculose (*bacille de Koch*) en 1882. (Prix Nobel de méd., 1905.)

KOCHANOWSKI (Jan). ♦ Poète polonais (Sycyna, 1530 – Lublin, 1584). Catholique et humaniste, il fut le fondateur de la poésie polonaise. Influencé par Horace, il forgea un langage précis et écrivit des discours en vers : *La Concorde* (*Zgoda* 1562), *Le Satyre ou l'Homme sauvage* (*Satyr albo dziki maz*, 1563). Il est aussi l'auteur d'un poème épique *L'Étendard ou le Serment prussien* (*Proporzec albo hold pruski*, 1569) et d'une tragédie, *Le Renvoi des ambassadeurs grecs* (*Odprawa posłow greckich*, 1578). Celle-ci met en œuvre un épisode de *L'Iliade* et peut s'interpréter comme un avertissement à l'adresse d'une société prête à glisser dans la décadence.

KOCHANOWSKI (Piotz). ♦ Poète polonais (1566 – 1620). Neveu de Jan Kochanowski*, il traduisit le *Roland furieux* de l'Arioste et la *Jérusalem délivrée* du Tasse (1618).

KOCHER (Theodor Emil). ♦ Chirurgien suisse (Berne, 1841 – 1917). Ses travaux sur la physiologie, la pathologie et la chirurgie de la thyroïde lui valurent le prix Nobel de méd. (1909).

KÔCHI. ♦ V. du Japon (Shikoku), ch.-l. de la préfect. homonyme et important port de pêche sur la côte du Pacifique. 250 000 hab. Élevage traditionnel des coqs à longue queue et de chiens de combat. Petites industries (papier, ciment).

KO-CHIU [*Ko-kieou, Gejiu*]. V. de Chine (Yunnan) à la frontière du Viêt-nam. 180 000 hab. Mines d'étain.

KOCHNO (Boris). ♦ Écrivain et homme de théâtre français, d'origine russe (Moscou, 1904). Secrétaire privé, puis conseiller artistique de S. de Diaghilev* (1921-1929), il prit une part active aux réalisations de la dernière période des Ballets russes, composant les arguments et les livrets de nombreux ballets (*Les Fâcheux, Zéphire et Flore, Les Matelots, La Chatte*). Il fut encore le collaborateur des *Ballets de Monte-Carlo* (1932) et des *Ballets 1933* de G. Balanchine. Avec Christian Bérard*, il participa à la fondation des *Ballets des Champs-Elysées* (1945-1950) et signa le livret des *Forains*, ballet de R. Petit, musique d'H. Sauguet, l'un des plus grands succès de cette compagnie.

KOCHÓWSKI (Vespasien). ♦ Poète polonais (1633 – 1700). Dans sa *Psalmodie polonaise* (1695), suite de poèmes en prose, modelés sur les Psaumes, il décrivit comment le roi Jean Sobieski délivra Vienne (1683).

KOČIĆ (Petar). ♦ Écrivain et homme politique serbe (Strićići, près de Banja Luka, 1876 – Belgrade, 1916). Il décrivit la vie difficile des paysans de Bosnie, maltraités et exploités par les Autrichiens, dans une comédie : *Le Blaireau devant le tribunal* (1904), et dans des recueils de nouvelles : *Sur et sous la montagne* (1905), *Les Plaintes de Zmijanje* (1910). Il créa un type de paysan rusé et intelligent qui dupe les autorités autrichiennes et qui fait parfois songer à Švejk*.

KOCK (Paul de). ♦ Écrivain français (Passy, 1793 – Paris, 1871). Auteur de drames, d'opéras-comiques, de vaudevilles, de contes et de chansons, il connut un succès prodigieux avec des récits qui s'apparentent aux romans-feuilletons populaires, brassant les thèmes romantiques avec les scènes réalistes, voire grivoises, mais empreintes d'une bonne humeur communicative: *Georgette* (1820), *Gustave ou le Mauvais Sujet* (1821), *Mon voisin Raymond* (1823), *Monsieur Dupont ou la Jeune Fille et sa bonne* (1824) et *La Pucelle de Belleville* (1824) offrent, notamment, de drolatiques peintures des petits-bourgeois, des étudiants et des « grisettes ».

KODAGU ou **COORG.** ♦ Anc. État de l'Inde (Dekkan), maintenant région montagneuse de l'O. du Maisûr (Mysore*), dans les Ghâts* occidentaux, couverte de forêts de tecks et de santals, et peuplée d'environ 250 000 hab. On y cultive le riz, le café, le thé, l'hévéa, les orangers et des épices. Grandes exploitations de bois. Sa capitale est Merkâra.

KODAIRA. ♦ V. du Japon, dans la banlieue O. de Tôkyô. 130 000 hab. Artisanat et petites industries.

KODÁLY (Zoltán). ♦ Compositeur hongrois (Kecskemét, 1883 – Budapest, 1967). Esprit nourri de haute culture, tour à tour professeur de théorie musicale, critique, lecteur d'université, chef d'orchestre, il a joué un rôle de premier plan dans le renouveau de la musique hongroise. Folkloriste, il entreprit avec son ami B. Bartók* de fécondes recherches dans le domaine de la musique populaire (1905). L'œuvre future des deux musiciens devait s'en trou-

Ph. Lipnitzki/Viollet

Charles Koechlin.

ver fortement imprégnée. À la même époque, un court séjour à Paris (1907) lui offrit la révélation de la musique de Debussy, dont l'influence fut déterminante pour lui. Demeurée néanmoins fidèle à la tradition romantique, son œuvre établit la synthèse d'éléments divers : folklore hongrois, harmonies modales, procédés impressionnistes, construction classique. Elle se répartit en deux périodes. La première, consacrée aux œuvres instrumentales, à la musique de chambre et aux mélodies (*quatuor* à cordes; *sonate* pour violoncelle et piano, 1909; *duo* pour violon et violoncelle, 1910; deux *sonates* pour violoncelle; *Mélodies tardives*); le *Psalmus hungaricus,* page violente et passionnée, l'un des chefs-d'œuvre de la musique contemporaine (1923) clôt cette première période; la seconde, illustrée par des opéras (*Hary Janos,* 1926; *Czinka Panna,* 1948), des œuvres de musique religieuse (*Te Deum,* 1936; *Missa Brevis,* 1944) et surtout par des œuvres chorales d'inspiration folklorique par lesquelles il s'affirme dans ce genre comme le compositeur le plus inspiré du XXe s. (*Tableaux de la région de Marva,* 1931; *Chants de Karad,* 1934; *Hymne à saint Étienne,* 1938; *L'Appel de Zrinyi,* 1955). Interprétées par les plus grands ensembles, certaines des œuvres de cette dernière période connaîtront une gloire universelle (*Danses de Marosszék,* 1930; *Danses de Galánta,* 1933). Pédagogue de grande valeur, Kodály a su accorder une particulière importance à l'initiation musicale de la jeunesse de son pays.

KÔDA ROHAN. ♦ Écrivain japonais (Tôkyô, 1867 – 1947) influencé par les classiques chinois et empreint de mysticisme. Son œuvre la plus célèbre est peut-être son *Gojunotô* (« Pagode à 5 étages de toits »). Il écrivit également des œuvres historiques.

KODOK, anc. **Fachoda**. ♦ V. du Soudan*, sur la r. d. du Nil Blanc, au N.-E. du Bahr* el-Ghazal).♦ *Hist.* **V. Fachoda.**

KOECHEL (Ludwig *von*). ♦ Musicographe autrichien (Stein, Basse-Autriche, 1800 – Vienne, 1877). Botaniste et minéralogiste réputé, il entreprit de nombreux voyages en Europe avant de se consacrer à la musicographie. Il est surtout célèbre par son catalogue chronologique et thématique des œuvres de Mozart (*Chronologisches thematisches Verzeichnis sammtlicher Tonwerke von W. A. Mozart,* 1862). Révisé en 1947, cet ouvrage permet désormais de désigner les œuvres de Mozart, non par leur numéro d'opus, mais par celui qui leur fut attribué par Koechel.

KŒCHLIN [kɛklɛ̃] **(Jacques).** ♦ Homme politique français (Mulhouse, 1776 – Paris, 1834). Maire de Mulhouse et député, il adhéra à la charbonnerie, et, avec son frère NICOLAS KŒCHLIN (Wesserling, 1781 – Mulhouse, 1852), député de 1830 à 1841 et commissaire du gouvernement provisoire pour le Haut-Rhin (1848), prit part à la conspiration de Belfort* (1er janv. 1822). – ANDRÉ KŒCHLIN, cousin des précédents, industriel français (Mulhouse, 1789 – Paris, 1875). Il contribua à la création de la Société alsacienne de constructions mécaniques (1872) qui, avec la construction de machines textiles, donna un essor considérable à l'industrie textile en Alsace (tissage du coton). Directeur de l'entreprise Dolfuss-Mieg et Cie, il fut l'un des instigateurs de la création des premières cités ouvrières à Mulhouse.

KŒCHLIN [kɛklɛ̃] **(Charles).** ♦ Compositeur français (Paris, 1867 – Le Canadel, 1951). Élève de l'École polytechnique, il décida d'entreprendre des études musicales et entra au Conservatoire (1889) où il eut pour maîtres Massenet et Fauré. Esprit très cultivé, d'une grande indépendance, il demeura attaché à la tradition sans renoncer néanmoins à des recherches d'une féconde hardiesse dans les domaines de la tonalité et du contrepoint. Parfois touffue dans sa complexité polyphonique, son œuvre allie une sensibilité d'essence romantique à une rigueur de construction toute classique. Elle comprend de la musique symphonique (*La Nuit de Walpurgis classique,* 1907; *Le Livre de la jungle,* 1939), des pièces de musique de chambre (sonatines, quatuors à cordes, sonates), de nombreuses mélodies (*Rondels,* de Banville; *Shéhérazade,* de T. Klingsor), des œuvres pour chœurs et orchestre et des poèmes chorégraphiques. Éminent pédagogue, il enseigna aux États-Unis (1918-1928), fut le conseiller du *groupe des Six* et compta parmi ses élèves F. Poulenc et H. Sauguet.

KOEKELBERG. ♦ V. de Belgique (Brabant, arr. de Bruxelles-Capitale). 17 000 hab. Basilique moderne. – Indus. alimentaires. Fonderie. Instruments de musique.

KŒNIG (Marie Pierre). ♦ Général français (Caen, 1898 – Paris, 1970). Volontaire en 1917, il entra à Saint-Maixent après la Première Guerre mondiale. Capitaine en 1939, il fit partie du corps expéditionnaire en Norvège, puis, ramené en Grande-Bretagne, il se rallia au général de Gaulle après avoir combattu en Norvège (1940). À la tête d'une brigade des Forces françaises libres, il résista aux troupes italiennes, puis allemandes à Bir* Hakeim. Nommé commandant des Forces* françaises de l'intérieur (1944), puis gouverneur militaire de Paris après la libération de la capitale (août 1944), il commanda ensuite la zone française d'occupation en Allemagne (1945-1949). Il fut vice-président du Conseil supérieur de la guerre (1950) avant d'entrer dans la vie politique; député du R.P.F. (1951, 1956), il fut ministre de la Défense nationale (1954-1955).

KŒNIGS (Gabriel). ♦ Mathématicien français (Toulouse, 1858 – Paris, 1931). Disciple de G. Darboux*, il compléta son œuvre, étudiant notamment la géométrie réglée, la cinématique et les mécanismes. Ayant fondé un laboratoire de mécanique, il se consacra plus spécialement à la thermodynamique, à l'étude des moteurs et des méthodes d'essais. (Acad. sc., 1918.)

KŒNIGSMARCK. ♦ **V.** KÖNIGSMARCK.

KOERSEL. ♦ **V.** COURSEL.

KOESTLER (Arthur). ♦ Écrivain hongrois de langue anglaise, naturalisé anglais (Budapest, 1905 –). Avant la Deuxième Guerre mondiale, A. Koestler avait travaillé en Palestine et voyagé en Europe, ce qui le fit changer deux fois de moyen d'expression : « Du hongrois à l'allemand à l'âge de dix-sept ans, de l'allemand à l'anglais à trente-cinq ans ». *Le Zéro et l'Infini* (*Darkness at Noon,* « obscurité à midi », 1941), roman qui évoque les procès de Moscou, d'une manière saisissante, lui valut une immense notoriété en Europe occidentale et en Amérique du Nord. Ex-communiste, Koestler pose le problème de la confusion intellectuelle et morale née de la guerre idéologique dans « Arrivée et Départ » (*Arrival and Departure,* 1943) et *L'Âge de l'insatisfaction* (*Age of Longing,* 1951); il évoque la période où il était membre du Parti dans *Une flèche dans l'azur* (1951), *L'Écriture invisible* (1954). Dans *Le Testament espagnol* (1938), il avait relaté son emprisonnement et sa condamnation à mort pendant la révolution espagnole. – Dans ses essais, la réflexion politique sur les difficultés de la révolution sociale et les dangers du totalitarisme technocratique (*Le Yoghi et le Commissaire,* 1945; *Promesse et Réalisation,* 1952) a cédé en partie le pas aux problèmes philosophiques.

KOFFKA (Kurt). ♦ Psychologue américain d'origine allemande (Berlin, 1886 – ? 1941). Avec Köhler* et Wertheimer*, il fonda le gestaltisme (ou psychologie de la forme) qui, à la suite des travaux de C. von Ehrenfels*, mit en évidence la primauté de la structure (ou forme) des faits psychiques par rapport aux éléments qui la composent. Outre ses recherches sur la structuration du champ perceptif, il étudie les formes du comportement de l'organisme dans ses rapports avec son milieu environnant. Il y eut sur ce problème un rapprochement entre le gestaltisme et la psychologie du comportement [**V. J. Kantor, Kostyleff, E.C. Tolman**]. *(Principles of Gestaltpsychology.)*

KÔFU. ♦ V. du Japon (Honshû, **préfecture de Yamanashi**), à 100 km à l'O. de Tôkyô. 190 000 hab. Centre commercial (textiles, verreries) et touristique.

KOGĂLNICEANU (Mihail). ♦ Écrivain et homme politique roumain (Iaşi, 1817 – Paris, 1891). Il fonda la revue *Dacia literară* (« la Dacie littéraire », 1840), élaborant un programme de littérature spécifiquement roumaine, historique et folklorique, et participa à la création du théâtre de Iaşi **(V. Alecsandri, Negruzzi)**. Il participa au mouvement de 1848 dont l'échec le contraignit à l'exil. Revenu en Moldavie, il fonda l'*Étoile du Danube* (1855), intervint, comme membre du *Divan ad hoc,* en faveur de l'union avec la Valachie (1857) et de l'élection d'Alexandre* Cuza dont il fut le Premier ministre jusqu'en 1866. Lors de la guerre d'Indépendance, il fut ministre des Affaires étrangères (1877) et participa au congrès de Berlin (1878). Auteur, en français, de : *Esquisse sur l'histoire, les mœurs, et la langue des Cizains* (c.-à-d. des Tsiganes); *Histoire de la Valachie, de la Moldavie et des Valaques transdanubiens.*

KØGE. ♦ V. et port du Danemark, dans l'île de Sjaelland*, au S.-O. de Copenhague*. 11 600 hab. Ville anc. : maisons de style Renaissance, hôtel de ville (1530 env.). Station balnéaire. – Constructions mécaniques.

Koh-i-Nor. *n. m.* ♦ **V.** KÛH-I-NÛR.

KOH-KER. ♦ Cité anc. du Cambodge khmer fondée au N.-E. d'Angkor* en 921 par l'usurpateur Jayavarman IV*. Elle fut abandonnée à la mort de celui-ci, en 944, mais conserve encore de cette époque de remarquables monuments.

KÖHLER (Wolfgang). ♦ Psychologue allemand (Reval, *auj.* Tallin, 1887 – Enfield, 1967). Fondateur avec Koffka* et Wertheimer* du gestaltisme (ou psychologie de la forme), il étudia les lois de structuration du champ perceptif, affirmant l'isomorphie entre les domaines physiques, physiologiques et psychiques. Dans son étude sur l'intelligence des singes supérieurs, il mit en évidence un type d'apprentissage par intuition, ou organisation d'une structure, au cours duquel l'animal découvre brusquement (sans essais ni erreurs) la solution du problème posé (*L'Intelligence chez les singes supérieurs,* 1930). Enfin, à partir de certaines expériences, il crut pouvoir affirmer la conformité innée entre la structure perceptive (visuelle) et la morphologie des mots **(V. P. Guillaume).**

KOHLRAUSCH (Rudolf Hermann). ♦ Physicien allemand (Göttingen, 1809 – Erlangen, 1858). Il définit la résistivité et détermina la tension électroscopique avec un électromètre [1848] **(V. Kirchhoff),** puis, en 1855, il mesura avec Weber* le rapport de l'unité électromagnétique à l'unité électrostatique de charge électrique, et obtint une valeur égale à la vitesse de la lumière (aux erreurs d'expérience près).

KOHLRAUSCH (Friedrich). ♦ Physicien allemand (Rinteln, 1840 – Marburg, 1910), fils de Rudolf Hermann Kohlrausch. Il mesura la conductivité des électrolytes en fonction de leur concentration à l'aide du « pont de Kohlrausch » (1874), et en déduisit les valeurs réelles des mobilités des ions (1876-1879). **V. Arrhenius, Hittorf.**

KOHOUT (Pavel). ♦ Auteur dramatique tchèque (Prague, 1928 –). Outre ses adaptations théâtrales de *La Guerre des salamandres* de Čapek et de *Josef Švejk,* d'après Hašek*, il est l'auteur d'une fantaisie poétique qui a pour cadre le monde du cirque : *August, August, August* (1965).

KO HUNG [*Ko Hong, Ge Hong*]. ♦ Alchimiste, médecin et philosophe taoïste chinois (v. 280 – v. 340) auteur de nombreux ouvrages sur les divinités, l'alchimie et de traités médicaux. Il fut capitaine dans la région de Canton. Il décrivit diverses maladies, dont la variole, et découvrit de nombreux remèdes.

Kojiki (« Récit des choses anciennes »). ♦ Titre du plus ancien livre historique du Japon, rédigé en 712. Il contient l'histoire mythologique du pays et de brefs comptes rendus sur les règnes des premiers souverains du Japon, ainsi que quelques poésies anciennes. Il fut complété en 720 par un ouvrage plus considérable, le *Nihonji**.

KOKAND, anc. **Khokand.** ♦ V. d'U.R.S.S. (Ouzbékistan*), dans la partie O. de la vallée de Fergâna*. 133 000 hab. Nœud ferroviaire. Indus. chimiques, métallurgiques, alimentaires, textiles (coton, soie). — *Khânat (qânat) de Kokand :* fondé par les Ouzbeks dans la vallée de Fergâna (XVIIIe s.), il englobait, au début du XIXe s., le Kirghizistan*. Vassal de l'Empire russe dès 1868, le khânat de Kokand fut rattaché au gouvernement du Türkestân* en 1876.

Kokin-Waka-Shû (« Recueil de poésies anciennes et nouvelles »). ♦ Vaste anthologie poétique japonaise, la première des 21 anthologies impériales, composée au Xe s. sur l'ordre de l'empereur Daigo (898-930). Elle est préfacée par une introduction critique de Ki*-no-Tsurayuki.

KOKOSCHKA (Oskar). ♦ Peintre, dessinateur, graveur et écrivain autrichien (Pochlarn, 1886). Marqué par le *Jugendstil* lors de sa formation à Vienne (entre 1905 et 1909), il s'établit ensuite à Berlin où il fréquenta les milieux littéraires, picturaux et musicaux d'avant-garde, réunis autour de la revue *Der Sturm.* Il écrivit des poèmes et des drames : *l'Assassin, espoir des femmes* (*Mörder, Hoffnung der Frauen,* 1907), *Le Buisson ardent* (*Der brennende Dornbusch,* 1911) dans lesquels la violence verbale va de pair avec des libertés syntaxiques. Il réalisa a cette époque une série de portraits où se révèle le caractère lyrique et angoissé de son approche et en même temps la volonté d'exprimer la psychologie profonde de ses modèles en recourant à des déformations volontaires, à des attitudes expressives (*Le poète Dirsztay,* 1910). Il eut d'abord tendance à user d'un graphisme insistant, puis évolua vers une facture plus vivement colorée et plus grasse (*Le Tourbillon des vents,* 1914). Professeur à Dresde de 1919 à 1924, il s'installa ensuite à Vienne (1931), à Prague (1934 à 1938) puis à Londres (jusqu'en 1954) et en Suisse. Il ramena de ses divers voyages en Europe et en Orient d'amples vues de villes pleines d'animation et aux reflets de lumière éclatants et continua à réaliser des portraits et scènes allégoriques d'une touche large, parfois tourbillonnante, aux coloris mêlés d'un caractère progressivement moins tragique mais toujours emporté. Il s'est imposé comme l'un des représentants les plus caractéristiques de l'expressionnisme.

KOKTCHETAV. ♦ V. d'U.R.S.S. (Kazakhstan*), ch.-l. de la région du même nom (78 100 km², 609 000 hab.). 64 000 hab. (1962). Indus. mécaniques. Cimenteries.

KOKURA. ♦ V. du Japon (Kyûshû) située sur le détroit de Shimonoseki* et faisant partie de la conurbation indus. de Kita*-Kyûshû. 350 000 hab. Sidérurgie, port exportateur de charbon.

KOLA *(presqu'île de).* ♦ Péninsule d'U.R.S.S. (R.S.F.S. de Russie), dans la région de Mourmansk*. Env. 100 000 km². Couverte de toundra au N. et de taïga au S., elle est montagneuse dans sa majeure partie (massifs de Khibin et Lovozer à l'O., alt. maximale 1 191 m). Minerais d'aluminium et de nickel. Sur la côte N., le port de Mourmansk.

KOLÂR GOLD FIELDS (« mines d'or de Kolâr »). ♦ V. de l'Inde (Mysore*) située à l'E. de Bangalore*, où se trouvent les plus importantes mines d'or du pays (puits de 3 000 m de profondeur). Population minière d'environ 180 000 habitants.

KOLAROVGRAD (Šumen, jusqu'en 1950). ♦ V. du N.-E. de la Bulgarie. Ch.-l. de district au centre d'une région de plateaux faisant suite à la Dobroudja (Dobrudža), à 80 km de Varna. 58 000 hab. Transformation des produits agricoles (minoteries, laiteries, brasseries, distilleries, manufactures de tabac), indus. mécaniques.

KOLAS (Constantin Mikhaïlovitch Mitskevitch, dit **Iakoub)** [*Kolas*]. ♦ Poète et romancier biélorusse (dans le gouvernement de Minsk, 1882 – 1956). Il fut, avec Koupala*, le fondateur d'une langue littéraire biélorusse. Dans ses premiers vers, publiés à partir de 1906, il chanta avec mélancolie la misère de son pays : *Pays natal, Chants de deuil* (1910). Ce n'est qu'en 1923 que parut son premier roman, écrit lui aussi en biélorusse : *Dans le fin fond du Polessié,* qui révéla ses dons de paysagiste. Puis il se consacra à une littérature plus engagée, avec des thèmes comme celui de la collectivisation *(Sur les espaces de la servitude, Nous l'emporterons),* ou celui du rattachement des territoires de la Pologne orientale (*La Cabane du pêcheur,* 1949).

KÖLCSEY (Ferenc). ♦ Écrivain hongrois, auteur de l'hymne national hongrois (Szödemeter, 1790 – Cseke, 1838). Orphelin de bonne heure, il fit des études de droit tout en s'intéressant à la littérature. Il entra dans le cercle de Kazinczy*, qu'il défendit contre les « orthodoxes ». Il publia alors des ouvrages de critique littéraire sur Csokonay et Berzsenyi. Puis il se sépara de Kazinczy et, après un silence de 3 ans, renouvela son inspiration qu'il tira désormais du folklore national, principalement des chansons populaires. Dans le recueil de ses poèmes publié en 1832 se trouve *L'Hymnusz* qui, mis en musique par Erkel, devint l'hymne national hongrois. De 1832 à 1835, Kölcsey participa à la diète où il mit ses talents d'orateur au service de ses idées libérales. Kölcsey reste célèbre par ses discours politiques *(Parainezis)* et comme l'un des fondateurs de la critique littéraire en Hongrie.

KOLDEWEY (Karl). ♦ Explorateur allemand (Bücken, Hanovre, 1837 – Hambourg, 1908). En 1868, il explora la côte orientale du Groenland et aborda au Svalbard (Spitzberg) et, lors d'une seconde expédition, découvrit le Franz-Josef fjord (1869-1870).

KOLDEWEY (Robert). ♦ Archéologue allemand (Blankenburg, 1855 – Berlin, 1925). Après des travaux d'archéologie grecque à Assos, Lesbos, Neandreia, et en Italie du Sud, il fut de 1899 à 1917 le directeur de la mission allemande en Mésopotamie et l'auteur des fouilles de Babylone* et de Borsippa. Il inaugura les techniques de fouille modernes et de grande envergure.

KOLDING. ♦ V. et port du Danemark, au fond d'un fjord du Jutland* oriental, en face de la Fionie*. 35 100 hab. (1960). Ruines d'un château édifié en 1248. — Port de commerce (exportation de bétail).

KOLÉA. ♦ Comm. d'Algérie (dép. d'Alger) dans les collines du Sahel* d'Alger. 23 372 hab. Cultures maraîchères. Vignobles.

KOLHÂPUR. ♦ V. de l'Inde (Mahârastra*) au N. de Goa* dans

Arch. Smeets

O. Kokoschka : « Portrait de Mlle Walden ».
(Collection privée.)

les Ghâts occidentaux, et anc. cap. d'un État marâthî au XVIIIe s. 252 000 hab. Cinéma, indus. textile et alimentaire.

KOLLÁR (Jan). ♦ Poète slovaque de langue tchèque (Mošovce, 1793 – Vienne, 1852). Il contribua a l'essor du panslavisme tchèque par des essais et un recueil de 645 sonnets : *La Fille de Slava* (1824-1852), évoquant les souffrances des peuples slaves. Il laissa en outre un recueil de *Chansons populaires slovaques* (1835).

KOŁŁATAJ (Hugues). ♦ Homme politique et écrivain polonais (1750 – 1812). Partisan du progrès et du jacobinisme, coauteur de la Constitution du 3 mai 1790, il écrivit dans une langue rénovée des ouvrages historiques et politiques : *Quelques lettres d'un anonyme* (1788), *Le Droit politique du peuple polonais (Prawo polityczne narodu polskiego,* 1790), *De la proclamation et de l'anéantissement de la Constitution du 3 mai 1790* (*O ustanowieniu i upadku Konstytucji 3 Maja 1790,* 1793).

KÖLLIKER (Andolf Albert *von*). ♦ Histologiste et biologiste d'origine suisse (Zürich, 1817 – Würzburg, 1905). Ses recherches portèrent sur les organismes et les tissus à l'échelle microscopique (*Anatomie microscopique,* 1850-1854).

KÖLN. ♦ V. COLOGNE.

KOLOMAN. ♦ (v. 1070 – 1116). Roi de Hongrie (1095-1116). fils de Géza* Ier. Il acheva la conquête de la Croatie et prit le titre de roi de Croatie. Il imposa son protectorat à la Dalmatie, ce qui donna au royaume un débouché maritime. À l'intérieur, il limita le pouvoir des nobles, améliora l'administration et édicta de nombreuses lois (lois de Koloman). Père d'Étienne* II qui dut abdiquer en faveur de Béla II, à qui Koloman avait fait crever les yeux.

KOLOMBANGARA. ♦ Île de la chaîne occidentale des îles Salomon*.

KOLOMNA. ♦ V. d'U.R.S.S. (R.S.F.S. de Russie), située près du confl. de la Moskova et de l'Oka au S.-E. de Moscou dans la région industrielle centrale. 136 000 hab. Ruines du Kremlin (1533). Indus. métallurgiques. Constructions mécaniques (motrices Diesel, machines-outils pour l'indus. textile).

KÖLREUTER (Joseph Gottlieb). ♦ Botaniste allemand (Sulz, 1733 – Karlsruhe, 1806), précurseur de la génétique par ses travaux d'hybridation méthodique.

KOLTCHAK (Alexandre [Aleksandr] **Vassilievitch).** ♦ Amiral et homme politique russe (1874 – Irkoutsk, 1920). Commandant de la flotte de la mer Noire en 1916, il démissionna après la révolution de févr. 1917 et, passant par les États-Unis, il gagna la Sibérie où il devint le chef des forces contre-révolutionnaires, instaurant la dictature militaire **(V. Omsk)**. Soutenue par les Alliés, son armée occupa la Sibérie, l'Oural et la région de la Volga (1919), mais fut battue par les bolcheviks (mai 1919-janv. 1920) qui exécutèrent Koltchak le 7 fév. 1920.

KOLTSOV (Alexis Vassilievitch) [*Kolcov*]. ♦ Poète russe (Voronej, 1809 – *id.,* 1842). Il passa sa jeunesse dans les steppes du Don, accompagnant son père, marchand de bétail en gros ; autodidacte, il fut nourri de chansons populaires. Ses premiers poèmes se rattachent à l'école pouchkinienne *(Le Rossignol).* Puis il s'orienta vers la poésie populaire, tantôt lyrique, chantant l'amour et la liberté *(La Mal Aimée, Le Temps de l'amour),* tantôt réaliste, décrivant la nature et la vie du paysan *(Le Faucheur, La Récolte, Le Chant du laboureur).* Vers la fin de sa vie, il écrivit quelques poèmes philosophiques *(Méditations, Doumy).*

KOLWEZI. ♦ V. du Zaïre (ex-Congo-Kinshasa) au Katanga*. 18 000 hab. Production de cuivre.

KOLYMA. *n. f.* ♦ Fleuve d'U.R.S.S. (R.S.F.S. de Russie), en Sibérie orientale. 2 600 km. Née par la confluence des riv. Koulou [Kulu] et Aïan-Imzikh, elle se jette dans l'océan Arctique (mer de Sibérie orientale) après avoir reçu les eaux des riv. Iassatchnaïa, Ojoghina (r. g.), Balyghytchan, Korkodon, Omolon (r. d.). Elle est navigable de mai à octobre, jusqu'à sa confluence avec la riv. Bokhaptchi. Son cours supérieur recèle des gisements aurifères importants.

KOLYMA *(monts).* ♦ Système de chaînes montagneuses d'U.R.S.S. (R.S.F.S. de Russie) dans la Sibérie extrême-orientale au N. des monts Djougdjour*, entre le bassin de la Kolyma et le bassin des rivières qui se déversent dans la mer d'Okhotsk. Plus de 1 000 km de longueur. Alt. max. 1 962 mètres.

KOMÁRNO. ♦ V. et port fluvial de Tchécoslovaquie, en Slovaquie-Occidentale, au confluent du Váh et du Danube. 24 975 hab. (1961). La ville conserve les ruines d'un camp romain et des fortifications bâties au XVIe s. contre les Turcs. Églises (*fin* XVIIIe s.). Musée archéologique. – Chantiers navals. – Patrie de F. Léhar. ♦ Hist. La ville fut détruite en partie par deux tremblements de terre (1767 et 1783).

Komeitô. *n. m.* ♦ Parti politique japonais contemporain lié à la Sôka*-Gakkai et qui fut pour la première fois représenté à la diète en 1967.

Komintern. (Abrév. pour *KOMmounnistitcheski INTERNatsional*). ♦ IIIe Internationale communiste fondée en mars 1919 par Lénine*, dissoute en 1943 par Staline **(V. Internationale** [IIIe]**).**

KOMIS *(République socialiste soviétique autonome des)* [en russe **Komi A.S.S.R.**]. ♦ Une des seize républiques autonomes de la R.S.F.S. de Russie*. Située dans l'Oural septentrional et les plaines du N.-E. de la Russie, elle s'étend à une centaine de kilomètres au delà du cercle polaire. 415 900 km². 989 000 hab. (*Komis* ou *Zyrianes**, Russes, Ukrainiens). *Cap.* Syktyvkar. *V. princ.* Vorkouta. – Pays de forêts et de terres marécageuses au N., la république est arrosée par la Petchora* et la Vytchegda*. – *Écon.* Gisements de houille (bassin de Vorkouta), de pétrole (bassin de Petchora) et de gaz. L'activité agricole est surtout représentée par l'élevage bovin (et l'élevage des rennes au N.). On cultive les céréales, les pommes de terre et les légumes. Indus. pétrolières. Traitement du bois. ♦ *Hist.* La région des Komis fit partie de l'État russe dès la fin du XIVe siècle. En mars 1918, le régime soviétique y fut instauré. Disputée entre les bolcheviks et les Russes blancs (1919-1920), la contrée devint une région autonome de la R.S.F.S. de Russie en 1921, et une R.S.S. autonome en déc. 1936.

Ph. A.P.N.

A. V. Koltsov.

KOMMISARJEVSKAÏA (Vera Fedorovna). ♦ Actrice et directrice de théâtre russe (Saint-Pétersbourg, 1864 – Tachkent, 1910). Fondatrice du théâtre dramatique de Saint-Pétersbourg (1904-1909) où Meyerhold* fut metteur en scène, elle joua avec éclat dans la première troupe de Stanislavski*.

KOMMOUNARSK, anc. **Vorochilovsk.** ♦ V. d'U.R.S.S. (Ukraine) dans le Donbass*. 123 000 hab. Indus. houillère et métallurgique.

KOMODO. ♦ Petite île d'Indonésie, située entre celles de Sumbawa et de Florès, connue surtout pour abriter une race de varans gigantesques (plus de 3 m de longueur) surnommés *dragons de Komodo.*

KOM OMBO, en ar. **Kawm Umbû,** anc. **Ombos.** ♦ V. du S. de la Haute-Égypte, au N. d'Assouan, au centre d'un bassin fertilisé par le pompage des eaux du Nil. Centre administratif et industriel (minoteries, sucreries). ♦ *Hist.* De l'anc. cité, il reste un très beau temple de l'époque ptolémaïque reconstruit sur un sanctuaire datant de Touthmôsis* III. Bâti sur une colline surplombant le Nil, il a l'aspect, rare en Égypte, d'une sorte d'acropole. Il est construit selon le plan classique des temples ptolémaïques mais présente la particularité d'être double (dédoublement du sanctuaire et de toutes les portes et passages qui y mènent) parce qu'il était consacré au culte simultané de deux divinités : Sobek* le crocodile, et Haroéris («Horus* le grand») à tête de faucon.

KOMOTINI. ♦ V. de Grèce. **V. Comotini.**

KOMPONG CHAM. ♦ V. (35 000 hab.) et province du S.-E. du Cambodge, sur le Mekong*, grand centre rizicole. Culture des hévéas (usine de pneumatiques) et petite indus. textile.

KOMPONG SOM. ♦ V. SIHANOUKVILLE.

KOMSOMOLSK-SUR-L'AMOUR. ♦ V. d'U.R.S.S. (R.S.F.S. de Russie) sur la r. g. de l'Amour en Extrême-Orient. 218 000 hab. Centre culturel et technique et centre industriel important. Port fluvial. Sidérurgie. Constructions mécaniques (machines agricoles) et navales. Centrale thermique. Raffinerie de pétrole. Conserveries de poisson. Indus. du bois. Confection. ♦ *Hist.* La ville fut fondée en 1932 par de jeunes *komsomols* d'où elle tient son nom.

KONAKRY. ♦ V. CONAKRY.

KONARAK. ♦ Site anc. de l'Inde (Orissâ), au bord de la mer, non loin de la ville sainte de Puri*, célèbre pour sa grande pagode dédiée au Soleil (Sûrya) et ornée de milliers de sculptures ayant trait au culte solaire, à la danse et à l'amour, exécutées dans un grès dur (XIVe s.).

KONG *(prince).* ♦ V. KUNG I-HSIN.

KONIEV (Ivan Stepanovitch). ♦ Maréchal soviétique (Lodeino, Kirov, 1897 – Moscou, 1973). Membre du P.C. en 1918 et commissaire politique, il commanda une armée en 1941, à Smolensk et devant Moscou. Il commanda ensuite le premier front d'Ukraine (1943), prit Kharkov (23 août 1943) et mena de concert avec Joukov* l'offensive en direction des Carpates (à partir du 15 mars 1944). Il conquit Lvov et Cracovie, participa à l'encerclement de Berlin, fit sa jonction avec Joukov le 22 avr. 1945 et avec les Américains de Patton* le 25 avr. et conquit la Bohême (**V. Guerre mondiale** [*Deuxième*]). Après la guerre, il fut commandant des forces soviétiques en Autriche (1945), puis des forces terrestres d'U.R.S.S. (1946), ministre adjoint de la Défense (1950-1955), commandant des forces du pacte de Varsovie (1956-1960), puis des forces soviétiques en Allemagne de l'Est (1961). En 1953, il présida le tribunal qui condamna Beria.

KÖNIGSBERG. ♦ V. de l'anc. Prusse*-Orientale, située au N.-O. d'Eylau, auj. en U.R.S.S. (**V. Kaliningrad**). – Patrie de Frédéric* Ier, J. Hamann*, D. Hilbert*, A. Hoffmann*, E. Kant*, G. Kirchhoff*, A. Sommerfeld*, Z. Werner*. – J. Gottsched* et Regiomontanus* sont nés aux environs. ♦ *Hist.* La ville, qui s'est développée autour d'une forteresse fondée par l'ordre Teutonique (1255), sous l'impulsion du roi de Bohême Ottokar* II, reçut dès 1286 une charte urbaine et devint membre de la ligue hanséatique en 1340. Résidence de l'ordre Teutonique en 1457, puis capitale du nouveau duché de Prusse en 1525, elle fut dotée d'une université (1544) où plus tard devait enseigner Kant. L'électeur de Brandebourg, Frédéric III, s'y fit couronner roi de Prusse (1701) sous le nom de Frédéric* Ier. Occupée par les Russes (1757-1762) durant la guerre de Sept Ans, puis par les Français (1807) pendant les guerres napoléoniennes (**V. Murat, Soult**), puissante place forte au XIXe s., Königsberg fut bombardée par les Soviétiques (1944) qui s'en emparèrent en avril 1945 après de violents combats. Attribuée à l'U.R.S.S., lors des accords de Potsdam*, la ville fut rebaptisée Kaliningrad en 1946.

KÖNIGSHÜTTE. ♦ Nom allemand de Chorzów*.

KÖNIGSMARK (Hans Christopher, *comte von***).** ♦ Général suédois d'origine allemande (Kötzlin, 1600 – Stockholm, 1663). Il combattit aux côtés de Wrangel* et de Turenne* et s'empara de Prague (1648). ♦ AURORA, *comtesse von* KÖNIGSMARK, sa petite-fille (Stade, 1662 – Quedlinburg, 1728), devint la maîtresse d'Auguste II de Saxe, roi de Pologne, et en eut un fils, le futur maréchal de Saxe. – PHILIPP ou FILIPP CHRISTOPH, *comte de* KÖNIGSMARK (Stade, 1665 – Hanovre, 1694) servit le Hanovre. Soupçonné de vouloir enlever Sophie Dorothée, femme du futur George* Ier, dont il était l'amant, il fut assassiné.

KONIN. ♦ V. de Pologne* (voïévodie de Poznań) sur la Warta*, en Grande Pologne, 40 100 hab. – Importants gisements de lignite. Centrales thermo-électriques (Konin, Adamów-Pątnów). Fonderie d'aluminium.

KONINCK ou **KONING (Filips).** ♦ Peintre hollandais (Amsterdam, 1619 – *id.*, 1688). Il se forma auprès de son frère aîné, peignit des portraits, des scènes d'histoire et de genre mais s'affirma surtout comme paysagiste. Subissant l'influence de Seghers et de Rembrandt*, il représenta selon une vue plongeante d'amples panoramas dans lesquels le ciel nuageux occupe la majeure partie de la composition et où le site, réduit souvent à quelques bandes étroites de terre, est animé par le jeu contrasté de l'éclairage. Il peignait avec touche souple, parfois dense et aimait employer les tonalités où dominent blonds dorés, verts sourds et gris (*Vallée près de Beck).*

KÖNIZ. ♦ V. de Suisse, au S. de Berne. 30 000 hab. Église (Xe au XIIIe s.) avec des fresques du XIVe s.

KÔNKÂN. *n. m.* ♦ Région de l'Inde occidentale du littoral du Gujarât* et du Mahârâṣtra*, allant de Surât* à Goa* et constituée de plaines côtières riches en cultures et en ports de pêche.

KONKOURÉ. *n. m.* ♦ Riv. de Guinée (260 km), née dans le Fouta*-Djalon, le plus important d'une multitude de cours d'eau, les « Rivières* du Sud ». Un grand barrage hydro-électrique permettra le développement du complexe de Fria* et fournira l'énergie nécessaire à l'exploitation des bauxites de Boke .

KONOE FUMIMARO. ♦ Prince impérial japonais (Kyôto, 1891 – 1945) qui fut président du Conseil de 1937 à 1939 et de 1940 à 1941. Il signa en 1940 le pacte tripartite avec Berlin et Rome. Il se suicida à la fin de la guerre.

KONOPNICKA (Maria). ♦ Poète polonais (Souvalki, 1842 – Lvov, 1910). Dès ses premières œuvres, elle exprima ses idées démocratiques dans des poèmes comme *Credo*, *Les Jours de chagrin (Z dni smutku)* et *Tristesse (Tęsknota)*, qui furent publiés en 1881. Son *Livre de chants historiques (Spiewnick historyczny*, 1905) évoque la vie misérable des paysans. Publié peu avant sa mort, *Monsieur Balcer au Brésil (Pan Balcer w Brazylii)* est un poème épique où elle affirme que le peuple polonais s'insurgera un jour contre l'oppression tsariste.

KONRAD VON HOHENBURG. ♦ Chevalier et poète alsacien appelé *der Püller* (2e moitié du XIIIe s.). Il prit sans doute part à une croisade et combattit avec le roi Rodolphe Ier de Habsbourg contre Ottokar II de Bohême (1276-1278). Dans ses poèmes, il a chanté son amour pour sa bien-aimée et sa nostalgie de l'Alsace.

KONSTANTINOVKA. ♦ V. d'U.R.S.S. (Ukraine) dans le Donbass*. 106 000 hab. Indus. chimiques (superphosphates) et sidérurgiques. Métallurgie du zinc.

KONYA, anc. **Iconion***. ♦ V. de Turquie, en Asie Mineure, sur le plateau anatolien (alt. 1026 m). Ch.-l. de province, centre industriel

Ph. Carlo Bevilacqua/Ricciarini

Konya : Ince Minare Medresesi, art saljûqide du XIIIe s.

(textile). 157 800 hab. Couvent des derviches tourneurs (XIIIe s.); mosquées de la même époque; musée de mosaïques. – *Province (il) de Konya :* 47 721 km². 1 122 400 hab. Au N. de la chaîne de Taurus, dans une steppe semi-désertique où vivent des tribus nomades, la province comprend une vaste plaine irriguée (opium, coton, soie, céréales) et une région minière (plomb, magnésium, argent, or, etc.).

KOO (Wellington). ♦ **V.** KU WEI-CHÜN.

KOONING (Willem DE). ♦ Peintre américain d'origine hollandaise (Rotterdam, 1904). Influencé dès sa jeunesse par l'art du *Stijl*, puis par l'expressionnisme flamand, il pratiqua aux États-Unis, où il s'établit en 1926, une peinture de tendance symboliste et surréalisante. La simplification des formes le conduisit à réaliser des décorations murales abstraites (1935-1936), préludes à des recherches dynamiques qui l'apparentèrent à l'*Action Painting* (Kline*, Pollock*). Mais la violence du geste et la véhémence de la couleur ne sont jamais chez De Kooning sans référence à une réalité humaine sensible et cette réalité, appréhendée avec cruauté, réapparaît avec intensité dans les célèbres séries de *Femmes* (*Women*, 1947-1952, puis après 1963), où les fantasmes d'une société infantile trouvent une traduction picturale raffinée. De même, les abstractions-paysages de 1955-1963 donnent au lyrisme tragique une forme sensible, violente, mais toujours d'une virtuosité délicate, ce qui n'a pas manqué de provoquer les critiques des tenants du pop' art qui le taxèrent d'académisme.

KOPAR, en slovène, **Koper**, anc. en it. **Capo d'Istria**. ♦ V. de Yougoslavie (Slovénie), sur la côte N.-O. de l'Istrie. 10 400 hab. Port de pêche et de commerce.

KOPEÏSK. ♦ V. d'U.R.S.S. (R.S.F.S. de Russie) au S.-E. de Tchéliabinsk et à l'E. de l'Oural. 156 000 hab. Exploitation de lignite. Constructions mécaniques. Combinat de matériaux de construction.

KOPIT (Arthur). ♦ Auteur dramatique et metteur en scène américain (New York, 1937 –). Marquée par la double influence de Labiche et de Ionesco, sa comédie *« Oh 'pa, pauvre 'pa, maman t'a pendu dans le placard, et moi j'en ai le cafard »* (*Oh Dad, Poor Dad, Mama's Hung in the Closet and I'm Feelin' So Sad*, 1961) constitue, sur le mode de l'humour noir, une dénonciation du matriarcat, tout autant qu'une satire des abus de la richesse.

KOPITAR (Jernej). ♦ Philologue slovène (Repnje, Slovénie, 1780 – Vienne, 1844). Il publia en 1808 la première grammaire scientifique du slovène : *Grammaire de la langue slave de Carniole, de Carinthie et de Styrie.*

KÖPPEN (Wladimir). En russe, **Vladimir Petrovitch KEPPEN**. ♦ Géographe et météorologue russe, installé en Allemagne (Saint-Pétersbourg, 1846 – Graz, 1940). Directeur de l'observatoire maritime de Hambourg, il s'est surtout occupé de climatologie (classification des climats).

KOPPERS (William). ♦ Missionnaire catholique et ethnographe allemand (Menzelen, 1886 – Vienne, 1961). Missionnaire en Terre de Feu (1921-1922), puis en Inde (1938-1939), il enseigna l'ethnologie à Vienne et fut un des représentants de l'école « cyclocultu-relle » diffusionniste (**V. Graebner** et **W. Schmidt**, avec qui il publia *Völker und Kulturen*, 1924).

KÖPRÜLÜ. ♦ Famille turque d'origine albanaise, dont cinq membres furent grands vizirs de l'Empire ottoman (1656-1710). ♦ MEHMET (Rudnik, Albanie, 1575 ? – Andrinople [Edirne], 1661). Fondateur de la famille Köprülü, il fut à partir de 1648 successivement gouverneur de Konya, Trébizonde et Damas. En 1656, il accepta le poste de grand vizir à condition que le sultan ne s'oppose pas à ses décrets. À cette date, l'autorité du sultan était menacée par les intrigues de palais, les rébellions de l'armée à Istanbul, les révoltes dans les provinces et les attaques des Vénitiens sur les côtes de l'Anatolie et même dans les Dardanelles. Aussi Mehmet entreprit-il de redresser la situation : il exila les ulémas dont il se méfiait, mit à mort 4 000 soldats insubordonnés avant de s'attaquer aux Vénitiens qu'il expulsa des Dardanelles. Il occupa aussi Lemnos et Tenedos (1657) et réprima des révoltes en Anatolie, en Syrie et en Égypte. ♦ FAZIL AHMET PACHA (Vezir-Köprü, Anatolie, 1635 – près d'Andrinople, 1676). Fils aîné de

Mehmet, il reçut une éducation religieuse enrichie par l'enseignement de son père sur les méthodes de gouvernement et d'administration. Succédant à son père au poste de grand vizir, il envahit la Hongrie et mena une expédition contre la Crète, où l'autorité ottomane fut établie en 1669. En 1672 il reprit la guerre contre la Pologne, et le roi polonais Michael fut obligé de céder une partie de l'Ukraine et Kamenets à la Turquie. Ainsi, en continuant l'œuvre de son père, Ahmet rétablit la puissance de l'Empire ottoman. Il favorisa les arts et les sciences et fonda une bibliothèque qui existe encore. ♦ FAZIL MUSTAFA PACHA (Vezi-Köprü, 1637 – près de Belgrade, 1691). Second fils de Mehmet, il reçut une formation théologique. En 1687 il prit part à la mutinerie qui aboutit à l'abdication de Mehmet* IV et fut nommé grand vizir par le sultan Süleyman* II (1689). Essayant de continuer l'œuvre de ses prédécesseurs, il mena une campagne victorieuse en Hongrie, reconquit Belgrade (1690), mais fut tué dans une bataille contre les Impériaux (Slankamen, 1691). ♦ HUSEYIN PACHA (1644 – 1702). Fils de Hasan, le plus jeune fils de Mehmet. Après avoir servi comme gouverneur dans plusieurs villes, il fut nommé grand amiral de la flotte turque et reconquit Chios sur les Vénitiens (1696). Il fut nommé grand vizir quand il était gouverneur de Belgrade (1697) et fut renvoyé par le sultan en sept. 1702. ♦ NUMAN PACHA (Istanbul, 1670 ? – 1719). Fils aîné de Fazil Mustafa. Après avoir participé à une expédition contre les Autrichiens (1696), il épousa Aisha (Aïcha), la fille du sultan Mustafa II, et fut nommé grand vizir (1710). Il dut démissionner quelques semaines plus tard à la suite de son refus de rompre le traité de paix avec la Russie.

KÖPRÜLÜ (Mehmet Fuad). ♦ Historien et homme d'État turc (Istanbul, 1890 – *id.*, 1966). Issu de la fameuse famille des vizirs du XVIIe s., il abandonna ses activités de poète pour se consacrer à l'histoire de la littérature turque. Il devint professeur à l'université d'Istanbul (1913) et fonda l'institut de turcologie. S'intéressant à la politique, il devint membre du Parlement (1936), fut ensuite membre fondateur du Parti démocrate et ministre des Affaires étrangères (1950-1957). Après la publication de son étude sur les premiers mystiques turcs (1919), il acquit la notoriété par ses articles sur la littérature turque ottomane pour l'*Encyclopédie de l'Islâm* (1931). Il écrivit aussi un livre d'histoire important, *Les Origines de l'Empire ottoman* (1935).

KORAB ou **KORABI**. *n. m.* ♦ Point culminant des Alpes albanaises (2 751 m) sur une chaîne *(Korah Deshat)* située au S. du Drin.

KORAÏCHITES. ♦ V. QURAYSHITES.

KORAIS (Adamántios). ♦ V. CORAIS (Adamántios).

KORAT. *n. m.* ♦ Plateau de la Thaïlande orientale, limité au N.-O. par le Mekong* et à l'O. par la plaine du Menam* (ou Chao Phraya), anciennement occupé (XIe-XIIe s.) par les Khmers*. Forêts claires (bois de teck) et cultures indus. surtout (maïs, tabac, coton, hévéa). – Anc. nom de la ville actuelle de Nakhon Ratchasima.

KORCE ou **KORÇA.** ♦ V. d'Albanie* méridionale. Ch.-l. de district au centre d'une riche plaine alluviale vouée à la culture du blé et de la betterave sucrière. 39 400 hab. Centre industriel (brasseries, indus. textiles).

KORČULA, en it. **Corzula**, en fr. **Kortchoula.** ♦ Île yougoslave de l'Adriatique. Grand centre touristique de la Dalmatie* moyenne. Cultures méditerranéennes.

KORDA (*sir* Alexander). ♦ Réalisateur et producteur britannique de cinéma, d'origine hongroise (Pusztaturpaszto, Hongrie, 1893 – Londres, 1956). Il dirigea en Europe et aux États-Unis la mise en scène de nombreux films : *Marius* (1931), *La Vie privée de Henry VIII* (*Private Life of Henry VIII,* 1932), *Lady Hamilton* (1940) et, devenu producteur, il contribua à la renaissance du cinéma anglais en faisant appel à quelques-uns des meilleurs cinéastes de l'époque (Pabst, Feyder, Clair).

KORDOFAN ou **KURDÛFAN.** ♦ Région du Soudan* comprise entre les plateaux du Darfour* et la vallée du Nil*. Élevage (chameaux, bovins, ovins). Grosse production de gomme arabique. *V. princ.* **V. Obeïd** (el-). ♦ *Hist.* Gouverné par les Toundjours païens, le Kordofan fut islamisé à partir du XIVe s., passa sous la suzeraineté du Darfour* puis fut conquis par les Égyptiens (1820). Le Mahdi* s'en empara en 1883.

KORIAK. *n. m. pl.* ♦ Peuple du N.-E. de la Sibérie et de la presqu'île du Kamchatka*, d'origine paléo-sibérienne, composé de chasseurs et de pêcheurs. Il est en voie de disparition.

KÔRIN (Ogata Kôrin). ♦ Peintre japonais (Kyôto, 1658 – *id.*, 1716), fondateur d'une école de style extrêmement décoratif aux couleurs vives. Il fut également un calligraphe et un laqueur de talent. Ses œuvres furent souvent imitées par ses nombreux disciples. Il était le frère de Kenzan*.

KORIYAMA. ♦ V. du Japon (Honshû, préfecture de Fukushima). 250 000 hab. Indus. chimiques et de la soie.

KORN (Arthur). ♦ Physicien allemand (Breslau, 1870 – Jersey City, New Jersey, 1945). Auteur des premières pratiques de phototélégraphie, il effectua ses premières démonstrations à Paris en 1903. **V.** *aussi* **Belin.**

KORNBERG (Arthur). ♦ Biologiste américain (New York, 1918 –). Il obtint avec S. Ochoa* le prix Nobel de méd. (1959) pour la réalisation de la synthèse artificielle des acides nucléiques.

KORNEITCHOUK (Alexandre Ievdokimovitch) [*Korneičuk*]. ♦ Auteur dramatique et homme d'État ukrainien (Khristinovka, gouvernement de Kiev, 1905 –). Ses pièces relèvent du réalisme socialiste et il est devenu l'un des dramaturges reconnus de l'Union soviétique avec : *Le Naufrage d'une escadre* (1933), *Bogdan Khmelnitski* (1939), *Les Steppes d'Ukraine* (1941). *Le Front* (1942), considéré comme son chef-d'œuvre, a introduit le thème du héros négatif dans la littérature soviétique.

KÖRNER (Karl Theodor). ♦ Poète allemand (Dresde, 1791 – Gadebusch Schwerin, 1813). Auteur de comédies et de drames, dont le succès fut éphémère, et de chants patriotiques (*Lyre et Épée, Leyer und Schwert,* publiés en 1814), sans originalité mais non sans sincérité dans leur exaltation juvénile, il dut surtout sa célébrité à son destin. Engagé volontaire dans un corps franc lors de la guerre d'indépendance contre les armées de Napoléon Ier, il fut tué dans une escarmouche.

KORNET EL SAOUDA ou **QORNET EL SAOUDA.** ♦ Point culminant de la chaîne du Liban *(djebel Liban)*. 3 090 mètres.

KORNILOV (Lavr Ghéorghievitch). ♦ Général russe (Oust [Ust]-Kamenogorsk, 1870 – près de Iékaterinodar, *auj.* Krasnodar, 1918). Fils d'un officier de cosaques, il prit part à la guerre russo-japonaise, puis occupa le poste d'attaché militaire à Pékin (1907-1911). Commandant d'un corps d'armée pendant la Première Guerre mondiale, il fut nommé par le gouvernement provisoire commandant en chef (août 1917). Révoqué peu après (9 sept.), il tenta de renverser Kerenski*. Arrêté, il fut libéré avec Dénikine* par Doukhonine, le dernier généralissime de l'armée impériale russe. Ayant organisé l'« armée volontaire » anticommuniste du Don, Kornilov en assuma le commandement et assiégea la ville de Iékaterinodar. C'est là qu'il fut tué par un obus (avril 1918).

KORO *(île)*. ♦ V. FIDJI (îles).

Köroghlou *(récits de)*. ♦ Œuvre fixée à partir du XVIe s., attribuée à un écrivain en partie mythique, Köroghlou (le « fils de l'aveugle »), et redécouverte par le courant littéraire novateur du XIXe siècle. Ces récits racontent les exploits d'un « bandit d'honneur » qui participa à l'insurrection des Djélâli, dans un style inspiré de celui des *âchik* (« amoureux »), poètes populaires errants de la Turquie ottomane.

KOROLENKO (Vladimir Galaktionovitch). ♦ Écrivain russe (Jitomir, Volhynie, en Ukraine, 1853 – Poltava, 1921). Toute son œuvre reflète l'amour qu'il porta à la nature et aux hommes. Dans *Le Songe de Makar* (1885), récit écrit après un exil en Sibérie (1879-1884), il plaide pour un pauvre Iakoute, jouet de fonctionnaires impitoyables. Dans *Le Musicien aveugle,* il décrit poétiquement un monde imaginaire. Enfin, avec *Histoire de mon contemporain* (1906-1921), qui est en réalité son autobiographie, il raconte avec sérénité et humour ses souvenirs sur la Pologne, la Sibérie et la Russie. Toute son œuvre exprime la foi qu'il a toujours eue dans la bonté naturelle de l'homme qui, selon cet adepte de J.-J. Rousseau, ne peut être mauvais que s'il est corrompu par la société.

KÖRÖS. ♦ V. CRIS.

KORSAKOFF ou **KORSAKOV (Sergei Sergeivich).** ♦ Neuropsychiatre russe (1854 – 1900). Il a décrit la psychose d'origine alcoolique, caractérisée par des troubles de la mémoire, associés à une polynévrite *(syndrome de Korsakoff)*.

KORSØR. ♦ V. et port du Danemark, sur la côte O. de l'île de Sjaelland*. 13 400 hab. Terminus du ferry-boat de Nyborg*. – Constructions mécaniques, matières plastiques.

KORTRIJK. ♦ Nom flamand de Courtrai*.

KOSCIUSKO *(mont)*. ♦ Point culminant de l'Australie* (2 230 m), situé dans les Alpes* australiennes dans la Cordillère* australienne.

KOŚCIUSZKO (Tadeusz Andrzej Bonawentura). ♦ Officier et patriote polonais (Mereczowszczyźna, 1746 – Soleure, 1817).

Ph. Cauboue

T. Kościuszko. Dessin de Stephim, 1917. (Coll. privée.)

Combattant volontaire lors de la guerre de l'Indépendance américaine (1776 – 1783), il se joignit dès son retour en Pologne (1784) aux troupes polonaises en lutte contre les Russes. Investi du commandement militaire de l'insurrection de Cracovie* (1794), il remporta d'abord de brillants succès, chassa les Prussiens et les Russes de Varsovie*, mais fut battu et fait prisonnier à Maciejowice* (1794). Libéré en 1796, il s'installa peu après à Paris, puis en Suisse, et continua en vain de lutter pour la restauration de son pays.

KOSHIGAYA. ♦ V. du Japon, à 25 km au N. de Tôkyô. 125 000 hab. Centre artisanal et agricole.

KOŠICE, en hongr. **Kassa**, en all. **Kaschau**. ♦ V. de Tchécoslovaquie orientale, sur l'Hornád. Ch.-l. de la Slovaquie-Orientale. 119 757 hab. (1968). Aéroport (lignes intérieures). Carrefour ferroviaire et routier. Évêché. Université. La ville conserve plusieurs édifices anciens : cathédrale gothique Sainte-Élisabeth (fin XIVe s.), chapelle Saint-Michel (*déb.* XIVe s.), église des Dominicains (XIVe s., reconstruite en style baroque en 1700), la maison Levoča (XVe s., restaurée). – Située au centre d'une cuvette, Košice est un marché agricole et un centre industriel : indus. sidérurgique, constructions mécaniques, cimenteries, imprimeries, indus. textiles. ♦ *Hist.* Première ville de Tchécoslovaquie libérée par l'armée soviétique en 1945, Košice fut temporairement le siège du gouvernement national. Elle vit proclamer la renaissance de l'indépendance et de l'unité de la Tchécoslovaquie par le *programme gouvernemental de Košice*, le 5 avril 1945.

KOSKENNIEMI (Veikko Antero). ♦ Poète et critique finnois (Turku, 1885 – *id.*, 1962). Professeur de littérature et recteur de l'université de Turku, membre de l'Académie de Finlande. Il se révéla maître du sonnet et de l'élégie dans ses *Poèmes* (1906), *Élégies* (1917), *Le Feu et la Cendre* (1936), *Les Ailes de l'automne* (1949), mais sa poésie fut moins appréciée avec le temps. Outre des études intéressantes sur *Juhani Aho** (1921) et *Aleksis Kivi** (1934), il laissa de nombreuses traductions de Musset, Balzac, Goethe, Kierkegaard*.

KOSMA (Joseph). ♦ Compositeur français, d'origine hongroise (Budapest, 1905 – La Roche-Guyon, 1969). Marqué par l'influence de H. Eisler, il vint à Paris (1933) où il se lia avec J. Prévert et le groupe de ses amis. Les mélodies qu'il a composées sur des poèmes de Prévert, Desnos, Aragon, Sartre et Queneau, ainsi que ses partitions de musique de film *(Les Enfants du paradis, Les Portes de la nuit)* comptent au nombre de ses plus brillantes réussites dans un genre qu'il a su rendre populaire. Il est aussi l'auteur de ballets *(Baptiste)*, de cantates et d'oratorios (*Les Canuts*, 1958).

KOSOVO-METOHIJA, abrév. **KOSMET**, *n. m.* ♦ Territoire autonome de Yougoslavie, compris dans la république fédérée de Serbie* et formé par les plaines de Metohija et Kosovo. 10 887 km². 1 057 000 hab. dont env. 700 000 Albanais. *Cap.* Priština*. – *Écon.* C'est la région la moins développée de Yougoslavie. Malgré le morcellement des anciens grands domaines turcs, le maintien de structures sociales archaïques (familles patriarcales) est, avec une croissance démographique trop rapide (40 ‰), un frein sérieux au développement. Élevage bovin et surtout ovin. Le faible rendement des céréales a été augmenté grâce à l'irrigation. Le sous-sol est riche en plomb, zinc et métaux non ferreux. L'indus. chimique s'est développée à Trepca (acide sulfurique, zinc, cadmium) et à Kosovska-Mitrovica. Centrale thermique à Priština. L'artisanat local (tapis, poteries, filigranes) est très florissant. *V. princ.* Priština*, Prizren*, Peć*.

KOSOVO POLJE, en serbe « champ de merles ». ♦ Plaine yougoslave située dans le S.-O. de la Serbie* dans le territoire autonome de Kosovo*-Metohija. Exploitation de chrome. Gros combinat alimentaire. ♦ *Hist.* Une bataille entre Turcs et Serbes (1389) mit fin à l'autonomie de la Serbie.

KOSSAK-SZCZUCKA (Zofia). ♦ Romancière polonaise (1890 – 1967). Influencée par Sienkiewicz, elle écrivit les romans historiques : *La Liberté d'or* (*Złota wolność*, 1928) et *Les Croisés* (*Krzyżowcy*, 1935) où elle évoqua les luttes des Polonais contre les « barbares de l'Est ».

Ph. A.P.N.

A. N. Kossyguine.

KOSSEL (Albrecht). ♦ Physiologiste et chimiste allemand (Rostock, 1853 – Heidelberg, 1927). Auteur de travaux sur les nucléoprotéines (1882-1897), les albuminoïdes, il découvrit, avec Dakin*, une source directe d'urée [1904]. (Prix Nobel de chimie, 1910.)

KOSSEL (Walther). ♦ Chimiste allemand (Berlin, 1888 – Tübingen, 1956). Après avoir, en spectroscopie, interprété la formule de Moseley* (1916), il fut, en chimie, l'un des créateurs de la théorie de l'électrovalence, expliquant la liaison des atomes par des doublets électroniques. **V. Langmuir, Lewis, Sidgwick.**

Kossou. ♦ Important barrage de Côte*-d'Ivoire, sur la Bandama rouge, inauguré en 1972. La retenue atteindra 1 750 km² et la centrale aura une puissance de 175 000 kW.

KOSSUTH (Lajos). ♦ Homme politique hongrois (Monok, 1802 – Turin, 1894). Né dans une famille de la petite noblesse luthérienne, il fit des études d'avocat. Dans ses *Chroniques de la Diète*, il relatait les débats de l'Assemblée (1832-1836), au cours de laquelle toutes les mesures progressistes votées par la Chambre basse furent rejetées par la Chambre haute. Kossuth fut condamné à cinq ans de prison en 1837, mais fut libéré en 1840. En 1841, il fonda le *Pesti Hirlap* dans lequel il ne cessait de proclamer la nécessité de réformes sociales et de l'indépendance nationale. Ses vues radicales l'éloignaient de Szechenyi*, réformateur plus modéré. Devant le refus de Ferdinand V d'accepter une protection douanière pour l'industrie hongroise, il fonda la *Ligue pour la protection de l'industrie*, qui s'élargit en mouvement politique de résistance à Vienne. Il devint le chef du parti de l'opposition, et joua un rôle important lors de la révolution de 1848. Il porta lui-même les revendications hongroises à Vienne et les fit accepter par l'empereur. Il devint ensuite ministre des Finances du gouvernement indépendant hongrois. Lors de la rupture avec l'Autriche, dont il fut l'un des artisans, il devint président de la commission de la Défense de la patrie. Il organisa une armée nationale, mais François*-Joseph envoya le maréchal Windischgrätz en Hongrie et la commission dut se replier à Debrecen. Là furent votées l'indépendance de la Hongrie et la déchéance des Habsbourg, sur une proposition de Kossuth, qui devint gouverneur du pays. Cependant des oppositions s'élevaient, notamment de la part des minorités nationales, et l'aide apportée par l'armée russe aux Autrichiens plaça la Hongrie dans une situation désespérée. Kossuth démissionna en août 1849. Il dut s'exiler en Turquie, en Angleterre, puis en Piémont, à Turin, où il mourut.

KOSSYGUINE (Alekseï Nikolaïevitch). ♦ Homme politique soviétique (Saint-Pétersbourg [Leningrad], 1904). D'origine ouvrière, lui-même ouvrier, membre du parti communiste (1929), ingénieur, puis directeur d'une usine textile et commissaire du peuple à l'industrie textile (1939), il exerça plusieurs ministères économiques de 1948 à 1954. Il fit partie du Politburo (1948-1952), fut à la tête du Gosplan en 1959 et vice-président du Conseil des ministres de l'U.R.S.S. (1960). Le 14 oct. 1964, il succéda à Khrouchtchev à la présidence du Conseil de l'U.R.S.S. Ses positions prudentes vis-à-vis de la question du Proche-Orient et de l'intervention américaine au Viêt-nam facilitèrent la politique de coexistence pacifique avec les États-Unis, inaugurée par Khrouchtchev. Kossyguine rencontra le président Johnson en 1967, à Glassboro. À l'intérieur, il affirma sa volonté de développer et d'amplifier les réformes économiques amorcées depuis 1960.

KOSTROMA. ♦ V. de l'U.R.S.S. (R.S.F.S. de Russie), ch.-l. de la région du même nom (60 200 km², 852 000 hab.), sur la r. g. de la Volga à son confluent avec la Kostroma (350 km), au N.-E. de Moscou. 223 000 hab. Port fluvial. Indus. textile (lin). Constructions mécaniques. ♦ *Hist.* Fondée par les princes de Souzdal, la ville fut la capitale d'une principauté indépendante qui fut annexée par Ivan III au XVe siècle. Michel III Fédorovitch, premier Romanov, fut élevé aux environs dans le monastère d'Ipatiev.

KOSTYLEFF (Nicolas). ♦ Psychologue russe (1876 – 1958). Élève de Bechterev*, il interpréta la réflexologie **(V. Pavlov)** à la lumière du gestaltisme [ou psychologie de la forme – **V. Koffka**]. (*La Réflexologie et les essais de psychologie structurale*, 1947.)

KOSZALIN, en all. **Köslin**. ♦ V. de Pologne*, ch.-l. de la voïévodie du même nom (753 900 hab.) en Poméranie*. 53 000 hab. Centre industriel (indus. alimentaires, bois).

KOSZTOLÁNYI (Dezsö). ♦ Écrivain hongrois (Szabadka, 1885 – Budapest, 1936). D'abord journaliste, il devint célèbre avec son second recueil de poèmes *Les Plaintes du pauvre petit enfant* (1910). Ces poèmes, tout comme ceux qu'il publia par la suite (*Magie*, 1912; *Pavot*, 1916; *Pain et Vie*, 1920; *Les Plaintes de l'homme triste*, 1924; *Comptes ultimes*, 1935), sont impressionnistes, délicats et empreints de nostalgie. – Kosztolányi a également publié des romans dont le plus célèbre est *Anna Edes* (1926). Il fut un excellent traducteur de Wilde et de Shakespeare. Kosztolányi ne montrait que peu d'intérêt pour les grands problèmes contemporains; pour lui, l'écrivain, l'*homo aestheticus*, était avant tout le gardien de la beauté et de la civilisation.

KOTAH. ♦ V. de l'Inde (Pañjâb) anc. cap. d'un État princier au XVIIe s. sur la rivière Chambal. 225 000 hab. Centrale nucléaire du barrage de Ranapratap Sagar. Gros marché agricole (coton, arachide).

KOTA KINABALU. ♦ V. de Malaysia, ch.-l. de l'État de Sabah* (anc. Jesselton), sur la côte O. 25 000 hab. Port de pêche et de commerce, exportant principalement du bois et du caoutchouc. La V. remplaça en 1947 l'anc. capitale du British North Borneo, Sandakan*.

KÖTHEN. ♦ V. d'Allemagne orientale (Saxe-Anhalt, district de Potsdam), sur la Zeithe. 38 205 hab. (1964). Métallurgie lourde et constructions mécaniques.

KOTISVARA IYAR. ♦ Compositeur de musique indien (mort en 1938), spécialiste de la musique carnatique, qui composa de nombreux hymnes illustrant tous les rythmes et les râga utilisés dans le S. de l'Inde.

KOTKA. ♦ V. et port de Finlande, à l'embouchure du Kymijoki dans le golfe de Finlande. Ch.-l. du comté de Kymen. 32 600 hab. De fondation récente (1878), Kotka s'est rapidement développée grâce à sa situation (drainage des bois sur le Kymijoki). – Port important (exportation de bois d'œuvre, de pâte à papier, de cellulose). – Centre industriel : indus. du bois, constructions mécaniques, chantiers navals, usine de superphosphates.

KOTLAS. ♦ V. d'U.R.S.S. (R.S.F.S. de Russie) dans la région d'Arkhangelsk, sur la Dvina* septentrionale, au confluent de celle-ci avec la Vytchegda*. 39 200 hab. (1959). Chantier naval. Minoteries. Indus. du bois et du papier. Port fluvial et important carrefour ferroviaire de la Russie du Nord.

KOTOR, anc. [*en it.*] **Cattaro.** ♦ V. et port yougoslave du littoral adriatique (Montenegro), au fond des *bouches de Kotor.* Centre touristique, pêche.

KOTOR ou **CATTARO** *(bouches de),* en serbo-croate, **Boka-Kotorska.** ♦ Golfe profond et très découpé s'ouvrant sur l'Adriatique au S. de la Dalmatie* (Montenegro), composé de plusieurs baies reliées entre elles par des canaux naturels (baie de Tivat, baie de Risan, golfe de Kotor) et dominé par les montagnes de l'Orijen et de Lovcen; ce site très pittoresque est voué au tourisme. La pêche y est active dans les ports de Kotor*, Tivat, Risan et Pcanj. Autrefois la « marine de Kotor » était une base stratégique et navale importante, mais son activité s'est progressivement réduite à l'exportation du bois et de la bauxite. Tivat possède un arsenal.

KOTSIOUBINSKI (Michel Mikhaïlovitch [*Kociubinski*]. ♦ Nouvelliste et romancier ukrainien (Vinnitsa, 1864 – Tchernigov, 1913). Le folklore tient une place importante dans ses premières œuvres (*Pour le bien général,* 1893; *La Sorcière,* 1898; *Dans les chaînes de Satan*). Son grand roman impressionniste *Fata morgana* (1903-1913) évoque les préoccupations politiques et sociales de l'Ukraine.

KOTT (Jan). ♦ Écrivain, poète et critique polonais (Varsovie, 1914). Traducteur du théâtre de J.-P. Sartre, il est l'auteur d'un important ouvrage d'exégèse shakespearienne : *Shakespeare, notre contemporain* (1962).

KOTZEBUE (August *von*). ♦ Auteur dramatique allemand (Weimar, 1761 – Mannheim, 1819). Lors d'un premier séjour qu'il fit en Russie, il occupa les fonctions d'intendant au théâtre allemand de Saint-Pétersbourg. Rentré en Allemagne (1795), il dirigea les théâtres de Vienne et de Weimar jusqu'à son retour en Russie (1801). Hostile à Napoléon et aux libéraux allemands, il accepta alors de devenir dans son pays l'espion du tsar Alexandre. Cette activité lui valut d'être assassiné par l'étudiant K.L. Sand (1819). De son théâtre, abondant et riche en intrigues ingénieuses, deux œuvres seulement ont survécu : *Misanthropie et Repentir* (*Menschenhasse und Reue,* 1789), sorte de comédie larmoyante, et *La Petite Ville allemande* (*Die Deutschen Kleinstädter,* 1801), amusante comédie satirique.

KOTZEBUE (Otto *von,* en russe **Otto Ievstafevitch KOTSEBOU).** ♦ Navigateur russe d'origine allemande, fils de l'écrivain A. von Kotzebue (Reval, 1787 – 1846). Après une expédition au Japon (1803-1806), il entreprit un voyage autour du monde à la recherche d'un passage maritime de l'océan Arctique au Pacifique (1815), puis l'exploration de l'océan Pacifique (1823-1826).

KOUANG... *(chinois).* ♦ **V.** KUANG...

KOUBAN *(Kuban'), n. m.* (anc. **Hypanis**). ♦ Fl. d'U.R.S.S. (R.S.F.S. de Russie), dans le Caucase du Nord. 907 km. Né dans les glaciers près d'Elbrous, il arrose Armavir* et Krasnodar*, et se déverse dans la mer d'Azov, au N. de la presqu'île de Taman'. Navigable jusqu'à la ville de Ladojskaïa, il est très poissonneux. La vallée du Kouban est une riche région agricole et compte, avec la vallée du Don, parmi les greniers de l'Union (céréales, riz).

KOUBILAÏ ou **KÛBILÂY.** ♦ **V.** QUBILAI KHÂN.

K'OU CH'IÊN-CHIH [*K'eou K'ien-tche, Kou Qianzhi*]. ♦ Philosophe taoïste chinois (v. 363 – v. 432) qui fixa les règles de la religion du Tao* et organisa les premières communautés taoïstes, inspirées de celles du bouddhisme.

K'OUEI... *(chinois).* ♦ **V.** K'UEI...

K'OUEN... *(chinois).* ♦ **V.** K'UN...

KOUFRA, en ar. **Qufrara,** en it. **Cufra.** ♦ Groupe d'oasis du Sahara libyen au S. de la Cyrénaïque, proche de la frontière égyptienne, sur la bordure occidentale du grand erg libyque **(V. Libyque** [désert]), dont le centre principal est El-Giof. (20 000 km²). Le *fort de Koufra* fut pris par Leclerc* en mars 1941.

KOUÏBYCHEV ou **KUIBYSHEV** (jusqu'à 1935, **Samara**). ♦ V. d'U.R.S.S. (R.S.F.S. de Russie), ch.-l. de la région du même nom (53 700 km², 2 694 000 hab.), au confluent des riv. Volga* et Samara (575 km). 1 047 000 hab. Indus. mécaniques (machines agricoles, équipements pour l'indus. pétrolière). Extraction, raffinage et chimie du pétrole. Indus. alimentaires. Matériaux de construction. Aux environs, grande centrale hydro-électrique sur la Volga. – Dans la région est né Gladkov*. ♦ *Hist.* Le gouvernement soviétique s'y réfugia en 1941-1942, Moscou étant menacé par les troupes allemandes.

Ph. A.P.N.

Alexandre Ivanovitch Kouprine.

KOULECHOV (Lev) [Kulešov]. ♦ Réalisateur soviétique de cinéma (Tambov, 1899 – Moscou, 1970). Opérateur pour l'armée rouge, puis professeur à l'Institut du cinéma, il fonda le « Laboratoire expérimental », école de recherches techniques et esthétiques du cinéma, dont l'influence fut considérable sur la formation des réalisateurs soviétiques, dont Eisenstein* et Poudovkine*. Réal. princ. : *Dura Lex* ou *Selon la loi* (*Po Zakolou,* 1926), premier « western soviétique ».

KOULIKORO. ♦ V. du Mali*, en aval de Bamako*, sur la r. g. du Niger*, navigable de Koulikoro à Ansongo*. Elle est reliée par voie ferrée à Dakar* par Bamako* (chemin de fer Dakar-Niger, 1 288 km). 6 000 hab. Huileries (arachides) et savonneries.

KOUMASSI, en angl. **Kumassi.** ♦ V. du centre du Ghâna* en pays Achanti* reliée par voie ferrée à Accra* et Sekondi* Takoradi. 300 000 hab. Grand centre du cacao. V. commerciale, minière (or) et industrielle (textile, cuir).

KOUO... (chinois). ♦ **V.** KUO...

KOUPALA (Ivan Dominikovitch Loutsevitch, dit **Iouka)** [*Kupala*]. ♦ Poète biélorusse (Radochkovitchi, gouvernement de Vilnius, 1882 – Moscou, 1942). Il fut le créateur avec Kolas* de la langue littéraire biélorusse. En 1908 parut son premier recueil de poésies, *Pipeau,* qui a pour thème la mélancolie de son pays et la misère de son peuple. À partir de 1922 il célébra l'avènement du socialisme et du régime soviétique dans ses poèmes : *Les Aiglons, Le village qui s'en va, Au bord de la rivière Oressa,* et dans ses recueils de vers : *Salut à toi Moscou, Trois Aigles, À cœur ouvert.* Avec *Et dans la Vistule un noyé nage,* il exprime sa souffrance de voir la Biélorussie occidentale sous l'autorité de la Pologne. Enfin, avec *Airs de la Biélorussie occidentale* il glorifie la fraternité des peuples.

KOUPRINE (Alexandre Ivanovitch) [*Kuprin*]. ♦ Écrivain russe (Narovtchat, gouvernement de Penza, 1870 – Moscou, 1938). Influencé par son éducation dans une école d'officiers de Moscou et par quelques années passées dans l'armée, il écrivit un premier roman : *Le Duel* (1905) qui raconte la vie déprimante d'une petite ville de garnison. Deux autres romans : *Gambrinus* qui décrit l'agitation d'un grand port de la mer Noire et *La Fosse aux filles* qui dépeint avec un réalisme émouvant la vie des prostituées, lui donnèrent une certaine popularité. Enfin, son récit *Le Bracelet de grenats* (1911), qui est l'histoire romantique de l'amour d'un employé de bureau pour une dame de la haute société, est une de ses meilleures œuvres, et l'on y sent l'influence de Tourgueniev*. Émigré après 1917, il regagna la Russie en 1937. – Disciple de Gorki, Kouprine est un écrivain réaliste. L'action de ses récits est souvent interrompue par de longs raisonnements sur le sens de la vie.

KOURA ou **KURA.** *n. f.* ♦ Fl. de l'U.R.S.S. (1 515 km). Né au S. du petit Caucase en Turquie, il traverse la Géorgie* où il arrose Gori*, Tbilissi*, Roustavi*, avant de pénétrer au Azerbaïdjan* où il irrigue une vaste plaine. Il se jette dans la mer Caspienne, après sa confluence avec l'Araxe*. Principale voie fluviale de Transcaucasie, la Koura fournit de l'énergie électrique (Minghetchaour*) et irrigue une zone consacrée à la culture du coton. Pêche dans le cours inférieur.

KOURGAN ou **KURGAN.** ♦ V. d'U.R.S.S. (R.S.F.S. de Russie), ch.-l. de la région du même nom (71 000 km²; 1 079 000 hab.), en Sibérie occidentale, sur le Tobol*. 244 000 hab. Indus. mécaniques (machines agricoles) et alimentaires. Nœud ferroviaire.

KOURIA MOURIA ou **KURIA MURIA** *(îles),* n. f. pl. ♦ Petit archipel du Yémen* du Sud, dans la mer d'Oman, proche des côtes du Sultanat d'Oman* (Arabie). 78 km². Cédé par la Grande-

Bretagne à Oman en nov. 1967, il est revendiqué par le Yémen du Sud.

KOURILES ou **KURILES**. *n. f. pl.* ♦ Îles d'U.R.S.S. (R.S.F.S. de Russie, région de Sakhaline), dans la partie N.-O. de l'océan Pacifique, et au S. de la mer d'Okhotsk*. Superficie totale 10 000 km². Îles princ. : Itouroup [Iturup] (6 725 km²), Kounachir [Kunashir] (1 550 km²), Paramouchir (Paramushir), Ouroup (Urup). Ces 32 îles montagneuses (alt. moyenne 500 à 1 000 m, maximale 2 339 m) sont bordées à l'E. par une fosse océanique de plus de 10 000 m. Env. 100 volcans, dont 39 actifs. Pêche. *V. princ.* Kourilsk ou Kurilsk (jusqu'en 1946 *Siana*, 1 500 hab. en 1959). – L'archipel fut rétrocédé en 1945 par le Japon; son nom japonais est *Chishima*.

KOUROPATKINE ou **KUROPATKIN (Alexeï Nikolaïevitch)**. ♦ Général russe (Chemchourino, gouv. de Pskov, 1848 – *id.*, 1925). Il servit au Türkestân et devint ministre de la Guerre en 1898. Commandant en chef de l'armée russe en Mandchourie, puis généralissime (*fin* 1904) pendant la guerre russo-japonaise, il dut démissionner après sa défaite à Mukden (mars 1905). Durant la Première Guerre mondiale, il commanda le front du nord. Nommé gouverneur général du Türkestân (juill. 1916-avr. 1917), Kouropatkine se retira dans son village natal après l'abdication de Nicolas II (mars 1917).

KOURO-SHIVO. ♦ V. KURO-SHIO.

KOUROU. *n. m.* ♦ Fl. côtier de la Guyane française, tributaire de l'Atlantique. C'est entre les embouchures du Kourou et du Sinnamary* que fut installée en 1966 une base expérimentale française de lancement de fusées. – Le *ch.-l. de cant. de Kourou* (arr. de Cayenne) compte 1 880 habitants.

KOURSK ou **KURSK**. ♦ V. d'U.R.S.S. (R.S.F.S. de Russie), ch.-l. de la région du même nom (29 800 km², 1 475 000 hab.) sur la riv. Seïm (740 km). 284 000 hab. Indus. métallurgiques, mécaniques, chimiques et alimentaires. Verrerie. Nœud ferroviaire. – Dans la région est né Khrouchtchev*.

KOUSSEVITZKY (Serge). ♦ Chef d'orchestre américain, d'origine russe (Vischni-Volotchok, 1874 – Boston, 1951). Contrebassiste virtuose, il appartint à la société philharmonique de Moscou avant de se consacrer à la direction d'orchestre. Éditeur en Russie des œuvres de Prokofiev et de Stravinski, il quitta son pays à la Révolution. Il se fixa aux États-Unis où, à la tête de l'orchestre symphonique de Boston (1924-1949), il joua un rôle de pionnier dans l'évolution du mouvement musical américain.

KOUSTANAÏ ou **KUSTANAÏ**. ♦ V. d'U.R.S.S. (Kazakhstan), ch.-l. de la région du même nom (195 900 km², 1 010 000 hab.), sur le Tobol*. 123 000 hab. Nœud ferroviaire. Indus. mécaniques et alimentaires. Traitement du cuir.

KOUTAIEH, KÜTAHYA ou **KUTAIEH** *(traité de)*. ♦ Traité signé avec la médiation de la France en mai 1833 par le sultan Mahmut II et le pacha Muhammad-'Ali qui reçut la Syrie.

KOUTAÏSSI ou **KUTAISI**. ♦ V. d'U.R.S.S. (Géorgie*) sur le Rion*. 161 000 hab. Centre culturel. Nombreux monuments historiques. Vestiges du temple de Bagrat (XIe s.). Aux environs, monastère de Ghélati. Cathédrale (XIIe s.). – Second centre industriel de la Géorgie. Indus. alimentaires, textiles (soie), chimiques et mécaniques (automobiles, tracteurs). Combinat du cuir.

KOUTOUZOV ou **KUTUZOV (Mikhaïl Ilarionovitch Golenicht-chev-Kutuzov)**. ♦ Feld-maréchal russe (Saint-Pétersbourg, 1745 – Bunzlau, Silésie, 1813). Fils d'un général de Pierre le Grand, il participa pendant le règne de Catherine II à la guerre de Pologne (1764-1769), puis aux guerres russo-turques. Blessé à la tête en 1774, il perdit l'œil droit. Promu général-major (1784), il se distingua au siège d'Otchakov où il fut de nouveau blessé gravement (1788). Ambassadeur à Constantinople et à Berlin, gouverneur de Finlande et de Lituanie (1793-1798), il fut disgracié en 1802. Nommé commandant de l'armée russe par Alexandre* Ier, il battit les Français à Dürrenstein le 11 novembre 1805. Accusé par le tsar d'être responsable de la défaite d'Austerlitz* qu'il avait prévue, il fut écarté des opérations et nommé gouverneur de Kiev (1806), puis de Vilna (1809). En 1811-1812, il battit les Turcs et signa le traité avantageux de Bucarest (mai 1812), qui lui valut le titre de comte. Après la pénétration des troupes napoléoniennes en Russie, il reçut le titre de prince, et succéda à Barclay* de Tolly comme commandant suprême. Évitant au début d'affronter Napoléon, il livra bataille à Borodino*, sur la Moskova, fut battu (7 sept. 1812) et abandonna Moscou. La guérilla des Russes et la rigueur de l'hiver obligèrent Napoléon à se retirer de Moscou (19 oct. 1812). Koutouzov, poursuivant les Français en retraite, battit Ney et Davout à Smolensk (17 nov.), puis attaqua sur la Bérézina*, mais la Grande Armée échappa à l'anéantissement en franchissant la rivière (26-28 nov.). Nommé commandant en chef de l'armée russo-prussienne, Koutouzov envahit la Pologne (janv. 1813). Il mourut à Bunzlau (auj. Boleslavets, en Pologne) trois mois plus tard.

Ph. A.P.N.

S. V. Kovaleskaïa.

KOUZBASS ou **KUZBASS**. *n. m.* (abrév. des mots russes **Kuznetski** [ugolnyi] **basein**). ♦ L'un des plus grands bassins houillers de l'U.R.S.S. (R.S.F.S. de Russie, région de Kemerovo), dans la vallée du Tom*, en Sibérie occidentale. Réserves jusqu'à 1 800 m de profondeur, estimées à 905,3 milliards de t (1956). Extraction de 84 900 000 t (1961). Le Kouzbass est riche aussi en minerais de fer, de métaux non ferreux et d'or. *V. princ.* **V. Novokouznetsk, Bielovo, Kemerovo, Kisselevsk, Ossinniki, Léninsk-Kouznetski, Prokopievsk.**

KOUZMINE (Michel Alexeievitch) [*Kuzmin*]. ♦ Poète et romancier russe (Iaroslav, 1875 – Leningrad, 1938). Appartenant d'abord au groupe des symbolistes*, il fut un esthète pur et un mystique. Son meilleur recueil de vers reste le premier qu'il ait écrit : *Chants alexandrins* (1906). En prose, il écrivit des romans d'aventures dans un style affecté : *La Vie merveilleuse de Joseph Balsamo et Cagliostro* (1919), *Les Navigateurs* (1925). À la fin de sa vie il fonda l'école acméiste* avec Goumiliov*.

KOVAČIĆ (Ante). ♦ Conteur et romancier croate (Marija Gorica, 1854 – Stenjevec, 1889). Il fit avec réalisme et vivacité la critique de la bourgeoisie et de la paysannerie croate dans son roman *L'Archiviste* (1888).

KOVAČIĆ (Ivan Goran). ♦ Poète, conteur et essayiste yougoslave de Croatie (1913 – 1943). Il traduisit Shelley, Keats et Rimbaud et écrivit un recueil de nouvelles : *Les Jours de colère* (1936). Il est surtout célèbre pour *La Fosse commune* (1940), œuvre puissante et poignante sur la dernière guerre. Après avoir évoqué avec une profonde émotion la mort de ses compatriotes, il fut lui-même tué par les oustachis fascistes.

KOVALESKAÏA (Sofia Vassilievna). ♦ Mathématicienne russe (Moscou, 1850 – Stockholm, 1891). Élève de Weierstrass*, on lui doit surtout des travaux sur les équations aux dérivées partielles qu'elle étudia du point de vue analytique (en 1875, elle établit de nouveau et plus simplement les résultats de Cauchy* concernant la méthode des « fonctions majorantes » appliquée aux équations aux dérivées partielles). Elle fut lauréate en 1888 de l'Académie des sciences pour un mémoire sur le mouvement d'un solide ayant un point fixe.

KOVNO. ♦ V. KAUNAS.

KOVROV. ♦ V. d'U.R.S.S. (R.S.F.S. de Russie) dans la région de Vladimir, sur la riv. Kliazma. 123 000 hab. Indus. textiles et alimentaires. Usine d'excavateurs.

KOWARSKI (Lew). ♦ Physicien français d'origine russe (Saint-Pétersbourg, 1907 –). Auteur de recherches sur les réactions en chaîne, il découvrit avec F. Joliot*-Curie et Halban l'émission des neutrons lors de la fission de l'uranium et, en juin 1940, ayant gagné l'Angleterre avec Halban en emmenant le stock mondial d'eau lourde, tous deux purent mener à leurs fins les recherches françaises. Il participa à la construction de la première (1948) et de la deuxième (1952) pile française, ainsi qu'à la création du CERN. On lui doit également des études de cristallographie physique.

KOWEIT. ♦ V. KUWEIT.

KOWLOON. ♦ Partie du territoire de Hong* Kong (Chine) faisant face à l'île de Victoria, et cédée à l'Angleterre en 1861. C'est à Kowloon que se trouvent l'aéroport et le port principal de la colonie.

KOXINGA. ♦ Nom donné par les Européens au titre chinois du célèbre pirate sino-japonais Cheng Ch'eng-kung (1624 – 1662) qui fonda un royaume dans l'île de Taïwan* et combattit les Manchous de la dynastie des Ch'ing*.

KÔYA-SAN. *n. m.* ♦ Montagne sacrée du Japon, située au S. de la ville de Nara* et sur laquelle furent établis, à partir de 816, de très nombreux monastères bouddhiques qui abritèrent jusqu'à 90 000 religieux. Cette montagne où se trouvent des pagodes et des monuments anciens est encore très fréquentée par les pèlerins.

KÔYA-SHÔNIN. ♦ Prince impérial japonais (903 – 972) qui, devenu religieux bouddhiste, éleva des temples, construisit des ponts et ouvrit des routes. Il prêchait en chantant et en dansant dans les villages.

KOZHIKODE. ♦ Nom indien de l'ancien comptoir français de Calicut, sur la côte de Malabâr* (Kerala). 330 000 hab.

Ph. Hétier

« La Belle fontaine », d'**A. Krafft,** à Nuremberg.

[380 000 aggl.] (1970). ♦ *Hist.* Visité en 1487 par Covilham, le port vit l'arrivée, en 1498, de Vasco de Gama. Il devint comptoir français en 1789 et exportait principalement des épices et du thé. Ses étoffes de coton furent célèbres (cf. Calicot *in* Robert).

KRA. ♦ Isthme de la presqu'île de Malaka* (Malaisie), entre le golfe du Siam et la mer des Andaman* (océan Indien), où se trouve la frontière entre la Birmanie (Tenasserim) et la Thaïlande. Large de 60 km et montagneux, il fut depuis la plus haute antiquité un lieu de passage et de transbordement évitant la traversée du détroit de Malaka, dangereuse et autrefois infestée de pirates.

KRAAINEM. ♦ Nom flamand de Crainhem*.

KRAEPELIN (Émile). ♦ Psychiatre allemand (1855 – 1926). Cherchant à introduire en psychiatrie la rigueur des sciences naturelles, il classa les psychoses en deux grands groupes en fonction de leur évolution et de leur stade terminal, distinguant d'une part la psychose maniaco-dépressive évoluant par phases et curable, d'autre part la démence précoce, dans laquelle il regroupa la catatonie, l'hébéphrénie, la démence paranoïde et qu'il estima incurable (distinction souvent critiquée). *Traité de psychiatrie,* 1re éd., 1883.

KRAFFT (Adam). ♦ Sculpteur allemand (Nuremberg, v. 1460 – Schwabach, v. 1508). Il est l'auteur des plaques funéraires des Shreyer (église Saint-Sebald à Nuremberg, 1493), des Pergenstörferr et des Rebeck (1498 et 1500; église Notre-Dame), des Landaw (église Saint-Gilles, 1503) ainsi que du tabernacle de l'église Saint-Laurent, 1493. Son style, qui procède en partie de Sluter (réalisme brutal, formes trapues, souci du détail anecdotique), révèle un souci d'expressivité spécifiquement germanique (prédilection pour les motifs décoratifs luxuriants, les draperies tumultueuses, les poses contournées). Krafft apparaît comme l'un des derniers représentants du gothique tardif. Il évolua vers un art plus mesuré et monumental (chemin de croix du cimetière Saint-Jean de Nuremberg, 1505-1508).

KRAFFT-EBING (Richard *von*). ♦ Médecin allemand (Mannheim, 1840 – Graz, 1902). Successivement professeur à Strasbourg (1872), à Graz (1873) et à Vienne, il s'est consacré à l'étude des maladies mentales, plus particulièrement à la *Médecine légale des aliénés* et aux *Psychopathies sexuelles* (1886, trad. fr., 1892).

KRAG (Wilhelm Andreas). ♦ Poète, romancier et auteur dramatique norvégien (Kristiansand, 1871 – Ny Hellesund, 1933). À travers une œuvre abondante et variée perce sa joie de vivre, son amour pour son pays et son talent d'humoriste : *Chants du Sud* (1893) et *Chants du Vestland* (1898) [poèmes], *Le Commandant Knarren et ses amis* (1906) [roman].

KRAGUJEVAC. ♦ V. de Yougoslavie (Serbie), située sur un des affluents de la Morava*, 58 000 hab. – Automobiles. Capitale de la Serbie* de 1818 à 1839.

KRAICHGAU. *n. m.* ♦ Région d'Allemagne occidentale (Bade-Wurtemberg), au S. de l'Odenwald et à l'extrémité du bassin franco-souabe. Cultures céréalières et fruitières.

KRAKATAU, en indon. **Rakata.** *n. m.* (parfois altéré en **Krakatoa).** ♦ Îlot volcanique situé entre Java* et Sumatra*, dans le détroit de la Sonde. Le volcan Perbuatan explosa en 1883, provoquant un raz de marée qui fit de nombreuses victimes et dont les vagues firent le tour de la Terre. Ce fut, avec l'explosion de l'île de Santorin*, la plus grande explosion volcanique de l'histoire.

KRAKÓW. ♦ Nom polonais de Cracovie*.

KRÁL (Frano). ♦ Écrivain slovaque (Barton, Ohio, États-Unis, 1903 – Bratislava, 1955). Militant communiste, il fut le fondateur de la littérature réaliste-socialiste slovaque avec ses romans : *La Voie barrée* (1935), *Rencontre* (1937), *Pour une vie meilleure,* et avec ses recueils poétiques : *De la nuit à l'aube* (1945), *Sur la voie printanière* (1952).

KRAMATORSK. ♦ V. d'U.R.S.S. (Ukraine) dans le Donbass*. 151 000 hab. Sidérurgie, métallurgie de transformation.

KRANJČEVIĆ (Silvije Strahimir). ♦ Poète croate (Senj, sur le littoral croate, 1865 – Sarajevo, 1908). Romantique révolté contre la domination austro-hongroise, il exprima dans ses vers la douleur et l'amertume de l'homme opprimé : *Moïse, Le Dernier Adam.*

KRANJEC (Miško). ♦ Conteur et romancier slovène (né en 1908). Il exprima dans ses nouvelles et ses nombreux romans toute la sympathie qu'il éprouvait pour la rude vie des campagnards : *Les Paysans* (1932), *Le Bonheur au village* (1933), *Histoire de braves gens* (1940), *Le Chant des montagnes* (1946), *La Vallée* (1957), *La cheminée de la maison ne fume plus* (1961).

KRAPF (Johann Ludwig). ♦ Missionnaire allemand (Derendingen, près de Tübingen, 1810 – Korntal, 1881). Lors de ses séjours en Afrique orientale, il découvrit le mont Kenya (1849) et étudia l'extension des dialectes bantous dans cette région africaine. (*Voyages dans l'Afrique orientale,* 1858 ; *Dictionnaire de la langue swaheli,* ou souahéli, 1882) [**V. Rebmann**].

KRASICKI (Ignacy). ♦ Poète polonais (Dubieck, 1735 – Berlin, 1801). Prince-évêque de Warmie à 32 ans, chapelain de la cour et ami du roi Stanislas-Auguste, il débuta avec le poème héroï-comique *La Souriade* (« guerre des souris ») [*Myszeis,* 1774]. Dans ses poèmes satiriques *Monachomachia ou la guerre des moines* (*Monachomachia czyli wojna mnichów,* 1778) et *Antymonachomachia* (1780), il s'en prit à l'ignorance des moines. L'un des créateurs du roman moderne en prose, il écrivit *Les Aventures de M. Nicolas l'Expérience* (*Micołaja Doświadczyńskiego przypadki,* 1776) et *Pan Podstoli* où il esquissa l'image d'un « honnête homme » polonais. Ses *Satires* (1779), où il railla les vices de son époque, et ses *Fables* (*Bajki,* 1779) et *Fables nouvelles* (*Bajki nowe,* 1802), d'un souriant pessimisme, constituent son plus grand titre de gloire.

KRASIŃSKI (Zygmunt). ♦ Écrivain polonais (Paris, 1812 – *id.,* 1859). Fils d'un général d'Empire, il fut envoyé par son père en Suisse, puis il se fixa à Rome. Ayant publié sous le pseudonyme de « Poète anonyme de la Pologne » son premier roman *Agaj-Han* (1833), il écrivit son œuvre maîtresse, *La Comédie non divine* (*Nie-Boska Komedia,* 1835), drame romantique et social où il évoque le soulèvement des canuts de Lyon. Son drame *Irydion* (1836) a pour sujet la décadence de la Rome chrétienne. Il laissa aussi *La Confession de Napoléon* (1830) et *Vision des esprits des siècles* (1831-1833), écrits en français, ainsi qu'une volumineuse correspondance en polonais et en français.

KRASKO (Ivan, pseudonyme de **Jan Botto).** ♦ Poète slovaque (Lukovist, 1876 – Piešťany, 1958). Il écrivit deux recueils de vers symbolistes : *Nox et Solitudo* (1909) et *Vers* (1912), empreints tantôt de pessimisme, tantôt d'un profond sentiment religieux.

KRASNODAR (jusqu'à 1920 **Iekaterinodar).** ♦ V. d'U.R.S.S. (R.S.F.S. de Russie), ch.-l. du territoire du même nom (83 600 km², 4 391 000 hab.), sur le Kouban*. 465 000 hab. Indus. mécaniques (machines agricoles, outils, matériel roulant), pétrolières, chimiques et alimentaires. Nœud ferroviaire. Centrale thermique. ♦ *Hist.* La ville fut fondée en 1792 par Catherine II la Grande qui lui donna son nom. Elle devint le siège des cosaques du Kouban.

KRASNOÏARSK. ♦ V. d'U.R.S.S. (R.S.F.S. de Russie), ch.-l. du territoire du même nom (2 401 600 km², 2 949 000 hab.), sur l'Ienisseï*, en Sibérie orientale. 648 000 hab. Centre culturel et industriel desservi par le Transsibérien. Indus. mécaniques, chimiques et alimentaires. Traitement du bois. Chantier naval. Centrale hydro-électrique à 35 kilomètres.

KRASNOÏE SELO. ♦ **V.** Krasnyï.

KRASNOKAMSK. ♦ V. d'U.R.S.S. (R.S.F.S. de Russie), dans la région de Perm, sur la Kama*. 56 000 hab. (1962). Extraction et indus. pétrolières.

KRASNOVODSK. ♦ V. et port d'U.R.S.S. (Turkmenistan*) sur la mer Caspienne*, et dans le golfe du même nom. 42 000 hab. (1959). Réparation de navires, métallurgie, raffineries de pétrole, pêche, combinat de traitement du poisson. Tête de ligne du ch. de fer de Tachkent.

KRASNYÏ, anc. **Krasnoïe Selo.** ♦ d'U.R.S.S. (R.S.F.S. de Russie), à 26 km au S.-O. de Leningrad. 16 200 hab. (1959). Papeterie. Matières plastiques. Anc. champ de manœuvre de la garde impériale. À l'E. de Krasnyï, château de Ropcha, séjour de la tsarine Élisabeth.

KRASNYÏ LOUTCH ou **LUCH.** ♦ V. d'U.R.S.S. (Ukraine) dans le Donbass*. 102 000 hab. Indus. houillères et métallurgiques.

KRASZEWSKI (Jósef Ignacy). ♦ Écrivain polonais (Varsovie, 1812 – Genève, 1887). Rédacteur à la *Gazeta Codzienna,* il dut s'exiler à Dresde après 1863. Poète, publiciste, archéologue, historien, mais surtout romancier influencé par les écrivains français, il a laissé env. 600 volumes, en majeure partie des romans. Princ. œuvres : *Le Poète et le Monde* (*Poeta i Świat,* 1839), *Ulana* (1843), *Au temps de Sigismond* (*Zygmuntowskie czasy,* 1846), *Sphinx* (1847), *La Comtesse Cosel* (*Hrabina Cosel,* 1847), *La Chaumière au bout du village* (*Chata za wsia,* 1853), *Roman sans titre* (*Powieść bez tytulu,* 1855), *L'Enfant de la vieille ville* (*Dziecie Starego Miasta,* 1863), *Brühl* (1874).

KRATIE. ♦ Petite ville du Cambodge, sur le Mekong*, et chef-lieu de province qui eut une certaine importance dans l'histoire du pays. Elle ne compte guère plus de 10 000 habitants.

KRAUS (Karl). ♦ Écrivain autrichien (Gitschin, 1874 – Vienne,

Arch. Rencontre

Le **Kremlin** : le Terem, salle du Trône.

1936). Proche de certains poètes expressionnistes (E. Lasker*-Schüler, G. Trakl*) qu'il soutint d'ailleurs, il fonda la revue *le Flambeau* (*Die Fackel,* 1899) où, pendant de nombreuses années, il se fit le juge impitoyable de la vie sociale, politique et culturelle de l'Autriche. Polémiste au style tranchant, dont la satire était redoutée, il a laissé plusieurs volumes de vers, d'aphorismes, de traductions, de drames. Pacifiste, il écrivit un drame contre la guerre : *Les Derniers Jours de l'humanité* (1914), et, plus tard, un violent réquisitoire contre le national-socialisme : *La Troisième Nuit de Walpurgis* (qui ne fut publiée qu'en 1952).

KREBS (Hans Adolf). ♦ Biochimiste allemand (Hildesheim, 1900). Auteur de travaux sur les métabolismes, il représenta la série des oxydations par un cycle tricarboxylique [*cycle de Krebs* ou cycle de l'acide citrique, 1937]. (Prix Nobel de physiol. et de méd., avec F.A. Lipmann*, 1953). **V. Cori, Szent-Györgyi.**

KREFELD. ♦ V. de l'Allemagne occidentale (Rhénanie-Westphalie), sur la r. g. du Rhin, à l'extrémité S.-O. du bassin de la Ruhr*. 226 800 hab. (1969). Centre industriel (princ. centre allemand de soieries, velours et rubans, métallurgie). ♦ *Hist.* Le comte de Clermont y défit le prince de Brunswick (23 juin 1758).

KREISLER (Fritz). ♦ Violoniste et compositeur d'origine autrichienne, naturalisé français (Vienne, 1875 – New York, 1962). L'un des plus grands virtuoses du siècle, il connut une gloire internationale. Il a composé, pour son instrument, des pages d'une grâce charmante *(Tambourin chinois, Caprice viennois)* et publié, sous le nom de *« Transcriptions de manuscrits anciens »,* des pastiches dont il est l'auteur.

KREJČA (Otomar). ♦ Acteur et metteur en scène tchèque (Pelhřimov, 1921 –). Après des débuts au théâtre de Burian (1946) il devint directeur artistique du théâtre national de Prague (1956). Avec Karel Kraus, il est le fondateur du « théâtre derrière la porte » *(Divadlo Za Branou).*

KREMENTCHOUG ou **KREMENCHUG.** ♦ V. d'U.R.S.S. (Ukraine), port fluvial sur le Dniepr*. 148 000 hab. Centrale hydroélectrique. Indus. alimentaires, métallurgiques et mécaniques. Raffinerie de pétrole. – De nouveaux gisements de minerai de fer ont été découverts dans la région. – Patrie de Mané* Katz.

KREMER. ♦ V. MERCATOR.

KREMIKOVCI. ♦ Localité de Bulgarie occidentale, près de Sofia, où a été installé un important complexe sidérurgique sur une mine de fer. Indus. chimiques.

KREMLIN. *n. m.* (en russe **Kreml** ou **Kremnik**, signifiant « citadelle »; jusqu'au XIVe s. *detinets*). ♦ Partie centrale et fortifiée des anciennes villes russes (Pskov, Kolomna, Toula, Nijni Novgorod [auj. Gorki]. Kazan. Smolensk et Moscou). Le KREMLIN DE MOSCOU*, situé entre la place Rouge* et la Moskova, fut entouré d'une muraille en bois (1156), puis en pierre blanche (1367), et ensuite en brique (1485-1495). Les tours furent achevées au XVIIe siècle. Dans son enceinte (28 ha) se trouvent plusieurs monuments historiques : les cathédrales de l'Annonciation (1484-1489), de l'archange Michel (1505-1509) et de la Dormition, œuvre de l'architecte Fieravanti*; le clocher « Ivan le Grand » (1505-1508, complété en 1600), le palais Terem (1635-1636), l'Arsenal (1702-1736), l'édifice du Sénat (1776-1787, où siège auj. le gouvernement soviétique) et le Grand Palais du Kremlin (1838-1849). En 1932-1934 fut construit le théâtre du Kremlin, et en 1961 le palais des Congrès. Résidence des tsars jusqu'au règne de Pierre* le Grand, le Kremlin est auj. le siège du Soviet suprême et du Parti communiste de l'U.R.S.S. Son nom symbolise le pouvoir soviétique et l'U.R.S.S.

KREMLIN-BICÊTRE (Le). ♦ Ch.-l. de cant. du Val-de-Marne, arr. de Créteil. 21 270 hab. Ancien hospice de Bicêtre* (hôpital et centre hospitalier universitaire). Indus. alimentaires.

KRENEK (Ernst). ♦ Compositeur américain, d'origine autrichienne (Vienne, 1900). Son œuvre révèle les influences les plus diverses, successivement marquée par l'atonalité (trois premières symphonies), le jazz (*Jonny spielt auf,* opéra qui connut un brillant succès) et le dodécaphonisme (*Charles Quint,* opéra). Ayant émigré aux États-Unis (1938), il poursuivit ses recherches dans le domaine de la musique électronique *(Oratorio de la Pentecôte).* On lui doit encore de nombreux opéras, des concertos et des œuvres de musique de chambre. Gendre de G. Mahler, il eut une activité pédagogique importante à l'université de Los Angeles, où il se consacra en particulier à l'étude du chant grégorien et de la polyphonie de la Renaissance. Il s'était converti au catholicisme après son installation aux États-Unis.

KRETSCHMER (Ernst). ♦ Psychiatre allemand (Wüstenrot, Wurtemberg, 1888 – 1964). Il constata l'existence d'une corrélation entre la structure morphologique des individus et le genre de maladie mentale qui les affecte. Telle est la base de sa typologie morphopsychologique qui distingue quatre types fondamentaux : pycnique-cyclothymique (avec prédisposition à la psychose maniaco-dépressive), leptosome (asthénique), schizothyme (avec prédisposition à la schizophrénie) et athlétique-visqueux (avec prédisposition à l'épilepsie). [*La Structure du corps et le Caractère.*] **(V. Sheldon.)**

KRETZER (Max). ♦ Romancier allemand (Posen, 1854 – Berlin, 1941). Ancien ouvrier d'usine, il a laissé des romans « sociaux » qui rappellent Zola et surtout Dickens (*Meister Timpe,* 1888, contre le machinisme; *Le Visage du Christ, Das Gesicht Christi,* 1897).

KREUDER (Ernst). ♦ Écrivain allemand (Zeitz, Anhalt, 1903). Représentatives du « réalisme magique » dans la littérature allemande, ses œuvres, influencées par celles du romantique Jean-Paul, mêlent sans cesse humour, satire et imagination (*La Nuit du prisonnier,* 1939; *La Société du grenier,* 1946; *Les Introuvables,* 1948, etc.).

KREUTZBERG (Harald). ♦ Danseur, chorégraphe et mime allemand (Liberec, 1902). Il dansa à Hanovre en 1922, puis à l'opéra de Berlin en 1924. Il devint célèbre en interprétant *Turandot.* Personnage au crâne rasé, il mena ensuite une carrière de danseur expressionniste, composant ses propres œuvres et les interprétant. Il ouvrit une école à Berne en 1955.

KREUTZER (Rodolphe). ♦ Violoniste et compositeur français (Versailles, 1766 – Genève, 1831). Musicien très précoce, il devint professeur de violon au Conservatoire (1795-1825) et maître de la chapelle royale (1815-1827). De son œuvre abondante, il convient de retenir les *40 Études ou Caprices pour violon seul* (1807), ouvrage théorique pour l'enseignement du violon. Beethoven* lui dédia sa *Sonate pour violon et piano,* opus 47, dite *Sonate à Kreutzer* (1805).

KREUTZWALD (Friedrich R.). ♦ Écrivain estonien (1803 – 1882). Auteur de nombreux recueils de contes et de poèmes contemplatifs qui firent de lui la conscience poétique du réveil national. Son œuvre principale, *Le Fils de Kalev* (1857-1861), marqua la naissance de l'esprit national au XIXe siècle. C'est une vaste épopée, écrite sous forme de chanson à base d'assonances, et dont les thèmes reprennent ceux des contes populaires.

KREUZLINGEN. ♦ V. de Suisse (Thurgovie), sur le lac de Constance, contiguë à la ville de Constance* dont elle forme le faubourg méridional, 14 500 hab. Église (XVIIe siècle). Aluminium; indus. textile.

KREVE-MICKEVICIUS (Vincas). ♦ Auteur dramatique lituanien (1882 – 1954). Attaché au thème de la destinée nationale, il voulut dans ses pièces situer l'individu par rapport à la communauté nationale (*Jarunas, prince de la Dainava,* 1911).

KRIEGER (Johann Philipp). ♦ Compositeur et organiste (Nuremberg, v. 1649 – Weissenfels, 1725). Maître de chapelle à la Cour de Bayreuth, il a composé une œuvre abondante dont une faible partie seulement nous est parvenue. On a conservé quelques airs de ses opéras, des pièces de musique de chambre, et surtout près de quatre-vingts concerts spirituels, motets et cantates qui eurent une influence sur J.-S. Bach. ♦ Son frère JOHANN KRIEGER (Nuremberg, 1651 – Zittau, 1735) lui succéda à Bayreuth comme organiste. Il a composé de nombreuses pièces de musique religieuse.

KRIENS. ♦ V. de Suisse (cant. de Lucerne) au S.-O. de Lucerne*, au pied du mont Pilate*. 16 800 hab. Indus. mécanique et textile.

KRIṢNA ou **KRISHNA.** ♦ Une des grandes divinités de l'Inde brahmanique, considérée comme étant la huitième incarnation du dieu Viṣnu*. Les légendes entourant sa vie ont fait l'objet d'innombrables textes épiques et religieux. C'est le « berger d'amour » aux multiples noms qui inspire à ses fidèles une adoration mystique. Il incarnerait peut-être une divinité pré-aryenne.

KRIṢNA. ♦ V. KISTNÂ (fl. de l'Inde).

KRIṢNA MENON. ♦ Homme politique et philosophe indien (Kozhikode, 1897 – New Delhi, 1974). Haut-commissaire de l'Inde en Grande Bretagne (1947-1952) et chef de la délégation de l'Inde à l'O.N.U.. Il fut plusieurs fois ambassadeur. Ses idées politiques eurent une grande influence sur Nehru* et la politique de l'Inde.

KRIṢNAMURTI. ♦ Philosophe indien (Madras, 1895 –). Adopté par Annie Besant qui l'emmena en Angleterre, il devint le chef d'une secte théosophique qu'il décida de dissoudre en 1929. Par des tournées de conférences et des écrits, il se consacra à l'enseignement d'une nouvelle philosophie du Réel.

KRISTIANSAND. ♦ V. et port de Norvège, à l'extrême S. du pays, sur le Skagerrak*. Ch.-l. du comté de Vest-Agder. 54 928 hab. (1969). – Port de pêche. Papeteries. Conserveries de poisson. Métallurgie du cobalt. Raffineries de nickel et de cuivre.

KRISTIANSTAD. ♦ V. de Suède méridionale, à l'E. de la Scanie*.

sur l'Helgeån. Ch.-l. du comté homonyme. 26 200 hab. Ville de garnison. Indus. textiles et mécaniques.

KRISTIANSUND. ♦ V. et port de la côte O. de Norvège, située sur trois petites îles, au S.-O. de Trondheim*. 17 000 hab. (1960). Port de pêche. Exportation de morue séchée, conserveries (poisson).

Kristin Lavransdatter. ♦ Roman en trois volumes : *La Couronne, La Femme* et *La Croix* de Sigrid Undset* (1920-1922). À travers l'histoire de Kristin qui, au Moyen Âge, épouse par amour l'aventureux Erlend, et qui, après une vie pleine de souffrances, trouve la paix du cœur dans la religion, S. Undset exprima sa conception du rôle de la femme faite pour l'amour et l'enfant.

KRITANAGARA. ♦ Roi de Java, de la dynastie de Singhâsari, qui régna de 1254 à 1292. Il conquit la plus grande partie de Java, les îles de Bali* et de Madura* et étendit son influence sur celle de Sumatra*, envoyant des expéditions contre les royaumes de la péninsule malaise. Il fut un des plus grands souverains de Java*.

KRIVOÏ ROG. ♦ V. d'U.R.S.S. (Ukraine) située au confluent de l'Ingouletz [Ingulets] (affl. du Dniepr) et du Saksagan, à l'O. de la boucle du Dniepr. 573 000 hab. Puissant complexe sidérurgique, au centre d'un des plus importants gisements de minerai de fer du monde (50 000 000 de t par an, soit le tiers de la production de l'Union), relié par voies ferrées au Donbass* et à la mer Noire (Kherson, Nikolaïev). Indus. métallurgiques. Centrale thermique. Constructions mécaniques. ♦ *Hist.* Durant la Deuxième Guerre mondiale, la ville, prise par les Allemands en 1941 et assiégée par l'armée de Koniev (oct. 1943), fut libérée en fév. 1944. Les installations industrielles, détruites, furent reconstruites et modernisées.

KRK ou **KERK.** ♦ Grande île de Yougoslavie septentrionale, à l'E. de l'Istrie, dans le détroit de Kvarner*. 15 000 hab. Élevage d'ovins, cultures méditerranéennes.

KRKONOŠE, en pol. **Karkonosze,** en all. **Riesengebirge.** ♦ Nom tchèque des *monts des Géants,* massif le plus élevé de la Bohême*, situé au N.-E. du pays et constituant la frontière entre la Tchécoslovaquie, l'Allemagne et la Pologne. Il culmine au Sněžka (1 603 m).

KRLEŽA (Miroslav). ♦ Poète, romancier et auteur dramatique yougoslave de Croatie (Zagreb, 1893 –). Après avoir subi l'influence de Nietzsche et de Marinetti, il sut se forger une personnalité littéraire originale. Il est l'auteur de recueils poétiques tels que *Les Ballades de Peritsa Kerempuh* (1936), de nouvelles et de romans, dont *Le Dieu croate Mars* (1922), *Le Retour de Philippe Latinović* (1932), *Au bord de la raison,* et de drames sociaux, satires de la bourgeoisie : *Golgotha* (1922), *Le Loup* (1923), *Adam et Ève* (1925), *Agonie* (1928), *Messieurs Glembaev* (1929), *Léda* (1930), *La Légende de sainte Ancille* (1959). Ses essais et critiques révèlent un esprit libre : *Règlements de comptes* (1932), *L'Europe d'aujourd'hui* (1935).

KROEBER (Alfred Louis). ♦ Ethnologue et anthropologue américain (Hoboken, New Jersey, 1876 – *id.,* 1960). Auteur de travaux sur les Indiens d'Amérique du Nord, il a proposé une conception de l'anthropologie fondée sur les relations interpersonnelles. *Handbook of the Indians of California,* 1925 ; *Cultural and Natural Areas of Native North America,* 1939 ; *Anthropology,* 1948.

KROG (Helge). ♦ Auteur dramatique et essayiste norvégien (Christiania [Oslo], 1889 – Oslo, 1962). Il s'allia au groupe marxiste de S. Hoel* et fut un polémiste attaquant tous les préjugés. Il critiqua avec esprit la société dans ses pièces (*Le Grand Nous,* 1919 ; *Jarlshus,* 1923). Il se révéla féministe romantique dans *En chemin* (1931), *Départ* (1936). Enfin, après avoir participé à la propagande antinazie, il publia en 1946 un pamphlet dirigé contre la grande industrie : *Sixième Colonne ?*

Arch. Smeets

La divinité **Krişna.** Peinture du palais Mattancheri, Cochin, XVIIIe s.

KROGH (August). ♦ Physiologiste danois (Grenå, Jylland, 1874 – Copenhague, 1949). Ses travaux sur le mécanisme réglant la circulation des capillaires lui valurent le prix Nobel de méd. (1920).

KRÓLEWSKA HUTA. ♦ **V.** CHORZÓW.

KROMĚŘÍŽ. ♦ V. de Tchécoslovaquie, sur la Morava, en Moravie*. 21 990 hab. (1961). Archevêché. Château baroque (1664-1695, restauré en 1752), contenant une galerie de tableaux et une bibliothèque. Cathédrale gothique Saint-Maurice (1260). Église baroque Saint-Jean. – Marché agricole. Sucreries.

KRONECKER (Leopold). ♦ Mathématicien allemand (Liegnitz, Silésie, 1823 – Berlin, 1891). Auteur de travaux en théorie des nombres (emploi des fonctions elliptiques, étude des congruences et des formes quadratiques), il participa à l'élaboration de la théorie des corps de nombres algébriques. **V. Hilbert.** ♦ *Symbole de* KRONECKER : représenté par une lettre affectée de deux indices, il prend la valeur 0 ou 1 selon que les deux indices sont différents ou identiques.

KRÖNIG (August). ♦ Physicien allemand (1822 – 1879), l'un des fondateurs de la théorie cinétique des gaz (1856). **V.** *aussi* **Boltzmann, Clausius.**

KRONOS. ♦ **V.** CRONOS.

KRONSTADT ou **CRONSTADT.** ♦ Base navale de l'U.R.S.S., située dans l'île de Kotline, au fond du golfe de Finlande et à l'O. de Leningrad. ♦ *Hist.* L'île, où Pierre le Grand fit édifier en 1703 la forteresse de Kronschlot (futur Kronstadt) pour défendre l'accès de Saint-Pétersbourg du côté de la mer Baltique, devint un port commercial et militaire important jusqu'à la construction du canal maritime de 30 km qui permit aux navires de fort tonnage d'accéder à Saint-Pétersbourg (Leningrad). Principale station de la flotte russe de la Baltique, elle fut le théâtre de soulèvements de soldats et de marins lors du mouvement décabriste (1825), durant la révolution de 1905-1906 (réprimés par Witte*). En 1917, les marins de Kronstadt, appuyés par le croiseur *Aurora,* attaquèrent le gouvernement de Kerenski*. En mars 1921, Trotski réprima violemment une nouvelle mutinerie dirigée contre le pouvoir soviétique. Durant la Deuxième Guerre mondiale, les fortifications de Kronstadt jouèrent un rôle important dans la défense de Leningrad.

KROPOTKINE (Piotr Alexeïevitch, *prince***).** ♦ Révolutionnaire et anarchiste russe (Moscou, 1842 – Dmitrov, 1921). Après une vie d'officier et d'explorateur en Sibérie, puis de savant à Petrograd, il adhéra au mouvement révolutionnaire russe. À la suite d'un premier voyage en Suisse (1872), il fut arrêté en Russie, mais réussit à s'enfuir (1876) et se fixa dans le Jura suisse, où, avec P. Brousse*, il fonda une société secrète de tendance anarchiste (1877). À Genève (1879), il publia le journal *le Révolté* où il exposa les grands thèmes de la pensée anarchiste (*Paroles d'un révolté,* 1885). Expulsé de Suisse, il s'installa en Savoie, mais fut arrêté et condamné à la prison (procès de Lyon, 1883). Libéré (1886), il s'installa en Angleterre jusqu'en 1917, date de son retour en Russie sous Kerenski. Ses écrits anarchistes (*Les Bases scientifiques de l'anarchie ; L'Anarchie future,* 1887) abordent en particulier les questions économiques (*Champs, Usines et Ateliers,* publié à Paris en 1910), éthiques (*L'Entraide,* 1906 ; *L'Éthique,* inachevée) et, enfin, historiques. Les mémoires de ce « prince anarchiste », dont l'influence fut considérable sur bien des mouvements (Espagne, U.R.S.S.), furent publiés sous le titre *Autour d'une vie.*

KROU(S). *n. m. (pl.).* ♦ Groupe de population noire d'Afrique occidentale vivant dans le S.-O. de la Côte*-d'Ivoire et au Libéria* ; les Krous sont réputés comme piroguiers.

KROUMIRIE. *n. f.* ♦ Région montagneuse de l'Algérie* orientale et de la Tunisie* septentrionale **(V. Tell),** comprise entre la vallée de la basse Medjerda* au S. et la plaine d'Annaba*, la côte méditerranéenne et les monts Mogods* au N. Elle s'étend à l'E. jusqu'au golfe de Bizerte. Région très arrosée (chênes verts, chênes-lièges), habitée par des pasteurs sédentarisés, les *Kroumirs. V. princ.* **V. Calle** *(La),* **Tabarka, Béja.**

KRUCZKOWSKI (Léon). ♦ Écrivain polonais (Cracovie, 1900 – 1962). En 1928, il publia son premier recueil de poèmes, *Marteaux au-dessus du monde (Mloty nad światem)* et en 1932 son roman historique *Kordian et le paysan rustre (Kordian i cham)* en se manifestant comme le principal représentant de la prose révolutionnaire qu'on devait qualifier, par la suite, de réalisme socialiste. Après la guerre, il écrivit surtout pour le théâtre et remporta de vifs succès avec ses pièces *Les Allemands* (1949), *Julius et Ethel* (1953) et *Le Premier Jour de la liberté* (*Pierwszy dzień wolności,* 1959).

KRÜDENER (Barbara Juliane de Vietinghoff, *baronne de***).** ♦ Femme de lettres et mystique livonienne (Riga, 1764 – Karasoubazar, Crimée, 1824). Grande voyageuse, elle rencontra Mme de Staël* dont elle devint l'amie. Après avoir écrit ses *Pensées* (1802) et un célèbre roman autobiographique, *Valérie* (1803), elle exerça en 1815 une grande influence religieuse et, indirectement, une influence politique (la Sainte Alliance*) sur le tsar Alexandre* Ier.

KRUGER (Paul). ♦ Homme politique sud-africain (Vaalbank, près de Colesberg, colonie du Cap, 1825 – Clarens, Suisse, 1904). Descendant d'une famille berlinoise, il participa à la fondation du Transvaal* (1852). Lorsque celui-ci fut annexé par le Natal (alors colonie anglaise, 1877), il dirigea avec M.W. Pretorius* et Joubert* l'insurrection (1880) qui, après la paix de Pretoria (1881), conduisit à la proclamation de la République du Transvaal dont il fut président (1883, 1888, 1893, 1898). Son hostilité à la collaboration avec les *Uitlanders,* sujets anglais travaillant dans les mines d'or, provoqua le raid de Jameson* contre le Transvaal (1895) qui échoua. Après avoir conclu une alliance avec l'État d'Orange (1899), Kruger déclara la guerre à l'Angleterre (guerre du Transvaal, 1899-1902), après laquelle il se retira en Europe.

KRUGERSDORP. ♦ V. d'Afrique* du Sud (Transvaal) dans le Witwatersrand*. 89 500 hab. Or.

KRUPP. ♦ Famille d'industriels allemands. ♦ ALFRED (Essen, 1812 — *id.,* 1887) mit au point un type d'acier fondu qui lui permit de couler en une seule pièce un tube de canon lourd (1847); il introduisit le procédé Bessemer* sur le continent (1862) et établit l'une des plus puissantes entreprises industrielles de l'époque. ♦ BERTHA (Essen, 1886 — *id.,* 1957), sa petite-fille, épousa GUSTAV, *baron von* BOHLEN *und* HALBACH, ferme soutien du nazisme dès 1933 et qui, devenu directeur de l'entreprise, fournit le matériel de la nouvelle armée et de la flotte de guerre allemandes.

KRUSENSTERN (Adam Johann *von,* en russe **Ivan Fiodorovitch KROUZENCHTERN).** ♦ Navigateur russe (Haggud, Estonie, 1770 — Ass, près de Reval, 1846). Il dirigea la première expédition russe de circumnavigation *Voyage autour du monde de 1803 à 1806* (1810-1812).

KRUŠNÉ HORY. ♦ **V.** ERZGEBIRGE.

KRUSZWICA. ♦ Localité de Pologne* (voïévodie de Bydgoszcz) en Grande Pologne. 6 700 hab. Selon la légende, elle serait le berceau de la famille des Piast*, avant la constitution du premier État polonais.

KRYLOV (Ivan Andreievitch). ♦ Fabuliste russe (Moscou, 1769 — Saint-Pétersbourg, 1844). Après une jeunesse laborieuse, il s'essaya à divers genres littéraires : journaliste satirique (il fut l'éditeur des périodiques *la Poste aux esprits,* 1789, *le Spectateur,* 1792; *le Mercure de Saint-Pétersbourg,* 1793), auteur dramatique *(Le Magasin de modes, La Leçon aux filles).* Mais, admirateur de La* Fontaine, il trouva enfin sa voie et écrivit 9 recueils de fables de tendance réaliste et satirique. Écrites dans une riche langue populaire, elles connurent et connaissent encore un large succès.

KSAR-el-BOUKARI, anc. **Boghari.** ♦ V. d'Algérie, ch.-l. d'arr. du dép. de Médéa, située dans la vallée du Chélif*, au contact du Tell et des hauts plateaux. 16 300 hab. Grand marché de troupeaux.

KSAR-el-KÉBIR (El-) ou **ALCAÇAR-QUIVIR,** en esp. **Alcazarquivir.** ♦ V. du Maroc septentrional (prov. de Tétouan) située dans l'E. de la plaine du Gharb*, en contact avec le Rif*. 36 000 hab. Important marché rural. ♦ *Note hist.* En 1578 s'y déroula la bataille dite des «Trois Rois», défaite portugaise, où périrent Abd* al-Malik, le roi Sébastien* de Portugal et un ancien sultan du Maroc rallié aux Portugais.

KSAR ES-SOUK. ♦ V. du Maroc, présaharienne (6 600 hab.), ch.-l. de prov. (388 000 hab.) située au pied et à l'E. du Haut Atlas. Palmeraies.

Ksatriya ou **Kshatriya.** *n. m. pl.* ♦ Caste des nobles et des guerriers de l'Inde brahmanique, la seconde après celle des Brâhmanes*. Elle compose environ 6 % de la population hindoue de l'Inde. Les tenants de cette caste s'opposèrent souvent aux Brâhmanes pour le pouvoir.

KSEMENDRA. ♦ Poète indien du Cachemire* (XIe s.) qui écrivit en sanskrit des ouvrages réputés tant historiques que philosophiques ou religieux. Ses poèmes sont parmi les plus remarquables qui furent écrits en sanskrit.

KṢITIGARBHA (« Embryon de la Terre »). ♦ Divinité bouddhique populaire surtout en Chine (Ti-tsang) et au Japon (Jizô bosatsu), représentée comme un moine, la tête rasée. Il assume de nombreuses formes populaires et syncrétiques et est considéré comme le protecteur des âmes égarées dans l'enfer.

KSOUR *(monts des).* ♦ Massif montagneux de l'Algérie méridionale, partie la plus occidentale de l'Atlas saharien, limité à l'E. par le dj. Amour*. Il domine au dj. Aïssa (2 236 m), point culminant de l'Atlas saharien. *V. princ.* **V. Aïn-Sefra.**

KUALA-LUMPUR. ♦ Cap. fédérale de la Malaysia*, située dans la péninsule malaise près de la côte O. dans l'État de Selangor*. Env. 500 000 hab. (316 000 en 1957). Indus. de l'étain (mines à proximité), du caoutchouc (plantations d'hévéas). — Universités. La ville fut fondée en 1587 par des mineurs chinois. La ville moderne date de 1882.

KUANG-HSI. *n. m.* ♦ Région autonome de Chine, située au S. du pays, à l'O. de la province de Kuang*-tung et à la frontière du Viêt-nam du Nord (Tonkin). *Cap.* Nan*-ning. Cette région a reçu une partie de la côte du Kuang-tung en 1972.

KUANG-HSÜ. ♦ Nom de règne de Tê* Tsung des Ch'ing, empereur chinois.

KUANG-TUNG [*Kouang-tong, Guangdong*]. *n. m.* ♦ Province du S.-E. de la Chine, sur la mer de Chine méridionale, au N. du Tonkin (Viêt-nam du Nord). Plus de 40 000 000 d'hab. *Cap.* Canton (Kuang-chou). Très fertile, de climat chaud et humide, subtropical, c'est une des régions les plus peuplées de Chine. On y pratique surtout la culture intensive du riz. La région côtière, plus urbanisée, est aussi la plus industrialisée. Une partie de cette côte a été attribuée (1972) à la région autonome du Kuang-Hsi.

KUAN HAN-CH'ING [*Kouan Han-k'ing, Guan Hanqing*].

Ph. Leigheb/Ricciarini

Kuala-Lumpur : le centre commercial.

♦ Poète et auteur dramatique chinois (1230 — 1307), à qui l'on attribue soixante-treize pièces de théâtre dont seulement quatorze nous sont parvenues.

KUAN-TUNG [*Kouan-tong, Guandong*]. ♦ Anc. nom du territoire à bail de Port-Arthur (auj. Lü-shun) cédé par la Russie au Japon en 1905. Il fut restitué à l'U.R.S.S. puis à la Chine en 1954.

KUAN-YIN [*Kouang-yin, Guanyin*]. ♦ Forme chinoise de la divinité bouddhique Avalokiteśvara* qui, en Chine, est souvent représentée sous un aspect féminin. C'est une divinité de compassion. On l'implore également pour avoir des enfants. Son équivalent japonais est Kannon Bosatsu.

KUAN YÜ [*Kouan Yu, Guan Yü*]. ♦ Héros chinois du IIIe s. de notre ère, devenu divinité de la Guerre et des guerriers du XVIe siècle.

KUBILAI ou **KUBLAI KHÂN.** ♦ **V.** QUBILAI KHÂN.

KUBITSCHEK (Juscelino). ♦ Homme politique brésilien (Diamantina, 1902 — 1976). Gouverneur du Minas* Gerais, il devint président de la République en 1955, succédant à G. Dutra*. Soucieux de doter le pays d'une économie forte par une exploitation plus rationnelle des richesses naturelles, il s'attaqua aussitôt à la construction d'une ville située à l'intérieur, pour modifier l'équilibre géographique du pays. **V. Brasilia.** J. Quadros* lui succéda (1960).

KUCHÂ [*K'u-ch'ê, Kuche*]. ♦ Oasis d'Asie centrale chinoise (Hsin-chiang) faisant partie de l'antique Sérinde, berceau des civilisations dites tokhariennes. — La ville de Kuchâ (25 000 hab.) constitue un marché de produits agricoles et cotonniers important sur la route des caravanes.

KUCHI BANDAR (Cochin). ♦ V. de l'Inde (Kerala) et port sur la mer d'Oman. 214 000 hab. [493 000 aggl.] Aéroport international de Willingdon. Port moderne (la ville indienne se nomme Mattâncheri*). Commerce de thé et de coprah. Indus. textile (coton). ♦ *Hist.* Anc. État princier dont la cap. était Ernakulam. Port portugais installé par Vasco de Gama en 1502 et où celui-ci mourut. Saint François-Xavier y séjourna en 1643. Devint britannique en 1795.

KUCHING. ♦ Cap. de l'État de Sarawak* (Malaysia*) au N. de l'île de Bornéo*. Env. 70 000 hab. Port exportateur de poivre et de rotin. Petites exploitations de mines d'or, d'étain, de charbon.

K'UEI-CHOU [*Kouei-tcheou, Guizhou*]. *n. m.* ♦ Prov. de Chine, au N.-E. du Yunnan. 20 000 000 d'hab. *Cap.* Kuei*-yang.

K'UEI HSING [*K'ouei sing, Kui xing*]. ♦ Divinité chinoise taoïste de la littérature, identifiée à une étoile de la constellation de la Grande Ourse.

KUEI-LIN [*Kouei-lin, Guilin*]. ♦ V. de Chine (Kuang-hsi) et important port fluvial sur le Kuei-chiang. 150 000 hab. Anc. cap. de la prov. sous les Ming* et les Ch'ing*, puis de 1936 à 1939.

KUEI-YANG [*Kouei-yang, Guiyang*]. ♦ V. de Chine, cap. de la prov. du Kuei-chou, important centre commercial sur un affl. du Yang-tsê. Env. 500 000 habitants.

KUGELMANN (Ludwig). ♦ Médecin et socialiste allemand (1830 — 1902). Il prit part, comme étudiant, à la révolution de 1848. Entré en relation avec K. Marx, il adhéra à la Ire Internationale (1865). S'il contribua à faire connaître *Le Capital* en Allemagne, il resta partisan du réformisme.

KÛH-I BÂBÂ. *n. m.* ♦ Chaîne de montagnes constituant le massif central de l'Afghânistân*, prolongeant occidentalement celle de l'Hindû*-kûsh, et culminant à 5 500 m. C'est le Paropamisos des anc. Grecs. Elle est constituée de montagnes arides, aux cols difficilement franchissables. L'Hilmand* Rûd y prend sa source.

Kûh-i Nûr ou **Koh-i-Nor.** *n. m.* ♦ Nom donné à un diamant de 800 carats, trouvé en Inde et ayant appartenu aux Grands Mogols*. Il fut offert à la reine Victoria et fait maintenant partie des joyaux de la Couronne d'Angleterre. Son poids, après la taille, n'est plus que de 279 carats.

KUHLMANN (Charles Frédéric). ♦ Chimiste et industriel français (Colmar, 1803 — Lille, 1881). Il prépara, dès 1833, l'acide sulfurique par le procédé de contact **(V.** *aussi* **Gay-Lussac),** introduisant le phénomène de catalyse dans la chimie industrielle, et découvrit en 1838 le procédé de fabrication de l'acide nitrique par oxydation catalytique (platine) de l'ammoniac. Il fonda plusieurs entreprises industrielles dans le N. de la France.

KUHN (Adalbert). ♦ Linguiste et mythologue allemand (Königsberg, 1812 – Berlin, 1881). Auteur de travaux de grammaire comparée, il étudia également la mythologie indo-européenne et fit de la personnalisation des forces naturelles l'origine de la religion, des premières divinités [théorie naturiste] (*Les Premiers Temps de l'histoire des peuples indo-germains*, 1845; *L'Origine du feu et de la boisson divine*, 1859; etc.).

KUHN (Richard). ♦ Chimiste allemand (Vienne, 1900 – Heidelberg, 1967). Auteur de recherches sur les pigments végétaux caroténoïdes [1932] (**V. Willstätter**) et sur les vitamines, il réalisa la synthèse de la riboflavine (vitamine B_2, 1934) et de la vitamine A (1937). **V. Karrer.** (Prix Nobel de chimie, 1938.)

KÜHNE (Wilhelm). ♦ Physiologiste allemand (1837 – 1900). Il étudia la physiologie nerveuse, musculaire, les échanges à l'intérieur de l'organisme, et parvint à extraire le pourpre rétinien des cellules en bâtonnet de la rétine (1878).

KUIPER (Gerard Pieter). ♦ Astronome américain d'origine néerlandaise (Harenkarspel, 1905 – Mexico, 1973). Auteur de travaux sur la physique et l'origine des planètes, il étendit ses recherches spectroscopiques au proche infrarouge; il découvrit le cinquième satellite d'Uranus (*Miranda*, 1948) et le deuxième satellite de Neptune (*Néréide*, 1949).

KŪKAI (KÔBÔ DAISHI). ♦ Religieux bouddhiste japonais (Shikoku, 774 – Kyôto, 835) qui, après un voyage fait en Chine en 804-806, fonda la secte bouddhique du Shingon*. Il fut le créateur d'écoles populaires et peignit des sujets bouddhiques. On lui attribue l'invention (ou tout au moins la diffusion) des caractères syllabiques d'écriture Hiragana, encore utilisés couramment de nos jours au Japon.

KU K'AI-CHIH [*Kou K'ai-tche, Gu Kaizhi*]. ♦ Peintre chinois du IVe s., poète et musicien, auteur d'un célèbre rouleau « Admonitions aux dames de la Cour » qui nous a été transmis par des copies plus tardives. C'est l'un des plus anciens peintres chinois dont nous connaissions les œuvres.

KUKËS ou **KUKËSI.** ♦ V. d'Albanie*. 3 500 hab. Gisement de chrome. Métallurgie du cuivre et du ferro-nickel.

Ku Klux Klan. *n. m.* ♦ Société secrète américaine. Fondée dans le Tennessee au milieu des troubles qui suivirent la guerre de Sécession*, elle était destinée à détourner les Noirs d'exercer leur droit de vote par l'intimidation (membres vêtus de robes blanches et de cagoules pointues, croix enflammées, etc.). Mais bientôt, elle prit une ampleur considérable et son action dégénéra. Ses violences amenèrent son interdiction (1877). Un nouveau K.K.K. fut fondé en 1915 à Atlanta par un ancien pasteur méthodiste et prit un caractère puritain, xénophobe et ultranationaliste, l'opposant non seulement aux Noirs, mais aux juifs et aux catholiques. Il atteignit un million de membres, exerça une influence notable dans les années 1920-1930 et redoubla de violence. De nouveau interdit (1928), il perdit de son importance. Il s'est cependant manifesté sporadiquement depuis 1960, en opposition aux mouvements libéraux, pacifistes, antiracistes et à l'évolution des mœurs.

KUKUČIN (Martin, pseudonyme de **Matej Bencur).** ♦ Romancier slovaque (Jasenova, 1860 – Lipik, Croatie, 1928). Médecin de carrière, il fut un auteur de romans réalistes : *La Maison sur la colline* (1904), *La mère appelle* (1927).

KULENOVIĆ (Skender). ♦ Poète et auteur dramatique yougoslave de Serbie (1910). Il s'inspire dans son œuvre de vieilles légendes populaires, et nombreux sont ses poèmes qui rappellent le chant épique slave : *Stojanka, mère de Knejpolié, invite à la vengeance, cherchant ses trois fils : Srdjan, Mrdjan et Mladjen, qui tombèrent dans une offensive fasciste* (1945), *La Réunion des derviches* (1949), *L'Alouette* (1952).

KULMBACH. ♦ V. du S.-E. de l'Allemagne (Bavière), entre le Main à l'O., le Frankenwald et le Fichtelgebirge à l'est. 24 750 hab. Château de Plassenburg (XVIe s.), anc. résidence des margraves de Brandebourg-Kulmbach. – Bières brunes réputées.

KÜLPE (Oswald). ♦ Psychologue et philosophe allemand (Candau, Courlande, 1862 – Munich, 1915). Élève de W. Wundt, il fut le chef de l'école de Würzburg qui préconisait en psychologie une méthode d'introspection dirigée [ou expérimentale]. *(Fondements de la psychologie*, 1893*)*. Il est également l'auteur d'un ouvrage sur les *Fondements de l'esthétique* (1921) et de *Conférences sur la logique* (1923).

Kulturkampf. *n. m.* (« combat pour la civilisation »). ♦ Terme désignant une série de mesures (1871-1878) prises par Bismarck* devant la montée du parti du centre, parti des catholiques mené par Windthorst et qui exerçait une grande influence sur les États du Sud et de l'Ouest, et pouvait présenter une menace pour l'unité de l'empire. Ces mesures visèrent essentiellement l'enseignement catholique (des laïques furent chargés de l'inspection de l'enseignement, et des congrégations, comme celle des Jésuites, furent chassées), et l'indépendance du clergé, dont l'État devait contrôler les nominations et assurer la première formation. Les *lois de mai* (1873-1875), qui furent promulguées avec l'aide de Falk, rencontrèrent une vive résistance : de nombreux ecclésiastiques se firent emprisonner, dont Mgr Ketteler, ou Mgr Ledochowski, et ne firent que renforcer le parti du centre. Le progrès du socialisme décida Bismarck, conformément au désir de l'empereur, à changer de politique et à se rapprocher du Vatican à la faveur de l'avènement de Léon XIII. Le Kulturkampf devait avoir des conséquences sur la politique religieuse de la Suisse et de l'Autriche.

KUM. ♦ **V.** QOM.

KUMAGAYA. ♦ V. du Japon (Honshû, préfecture de Saitama), au N.-O. de Tôkyô. 130 000 hab. Indus. de la soie.

KUMAMOTO. ♦ V. du Japon (Kyûshû). 500 000 hab. Grand marché agricole et centre industriel (indus. alimentaires et textiles), au pied du volcan Asô*, et ch.-l. d'une préfecture de 2 000 000 d'hab. Célèbre château du XVIe siècle.

KUMÂRAJÎVA. ♦ Religieux bouddhiste indien (v. 350 – v. 410) qui vécut au Cachemire* et en Chine où il traduisit de nombreux sûtra* sanskrits, inaugurant une école de traduction de textes qui fut florissante par la suite. Il contribua à populariser le bouddhisme en Chine.

KUMÂRILA. ♦ Philosophe indien hindou du VIIe s., adversaire acharné du bouddhisme. Il commenta le système philosophique de la Mîmâmsâ* et fut divinisé par les tenants du brahmanisme.

KUMASI ou **KUMASSI.** ♦ **V.** KOUMASSI.

KUMÂUN ou **KUMAON.** *n. m.* ♦ Massif himalayen de l'Inde du Nord et du Népal occidental à leur frontière commune avec le Tibet, dont le point culminant est le Nanda Devî (7 817 m) et où prend naissance le Gange*.

KUMAZAWA BANZAN. ♦ Professeur d'économie politique japonais (1619 – 1691) à Kyôto dont les ouvrages libéraux lui valurent d'être emprisonné. Ses idées furent reprises lors de la restauration du pouvoir impérial en 1868.

KUMBAKONAM. ♦ V. de l'Inde (Tamilnâdu). 125 000 hab. Centre religieux et universitaire, et lieu célèbre de pèlerinage pour les dévots de Śiva*. Anc. cap. de la dynastie des Chola*.

KUMIČIĆ (Evgenij). ♦ Romancier croate (Berseč, 1850 – Zagreb, 1904). Disciple de Zola*, il écrivit des nouvelles et des romans naturalistes : *L'Incident* (1879), *Olga et Lena* (1881), *La Noce* (1883), *Madame Sabina* (1884), *L'Orpheline* (1885), *Téodora* (1889). Il y prend le parti des opprimés et y critique le capitalisme. Il laissa aussi deux romans historiques sur le peuple croate : *La Conspiration de Zrinjski et de Francopan* (1894) et *La Reine Lepa* (1902).

KUMMER (Ernst Eduard). ♦ Mathématicien allemand (Sorau, 1810 – Berlin, 1893). Auteur de travaux sur les intégrales définies, les séries et les équations différentielles, il est surtout connu pour sa généralisation des nombres complexes de la forme a + ib qu'il utilisa pour démontrer le théorème de Fermat*, créant ainsi un *corps* de nombres algébriques et, pour son invention des *nombres idéaux* (1844) qu'il dut alors introduire. **V. Dedekind.** – *Surface de* KUMMER : surface algébrique du 4e ordre; la surface d'ondes de Fresnel* en est un cas particulier.

KUN (Béla). ♦ Homme politique hongrois (Szilagycseh, 1886 – en U.R.S.S., 1937). Militant du Parti social-démocrate en Transylvanie, il fut prisonnier de guerre en Russie à partir de 1916. Il connut alors Lénine. À son retour en Hongrie, il fonda le Parti communiste hongrois, et à la faveur d'une insurrection, s'empara du pouvoir en mars 1919. Il instaura la dictature du prolétariat et, devant la résistance croissante de l'opinion, institua un régime de terreur. Son échec devant l'offensive roumaine le déconsidéra aux yeux de l'armée et des éléments bourgeois qui l'avaient suivi au début par nationalisme. Après la victoire du gouvernement contre-révolutionnaire de Szeged (**V. Horthy**) et la prise de Budapest par les Roumains, il se réfugia à Vienne, puis en U.R.S.S. et milita activement dans la IIIe Internationale. Il fut victime des purges staliniennes, mais sa mémoire fut réhabilitée par Khrouchtchev en 1958.

KUNAR. *n. m.* ♦ Riv. d'Afghânistân*, affl. de la Kâbul*, sur le bas cours du Chitral, dans la haute vallée du Nûristân*. – Prov. d'Afghânistân.

KUNCEWICZOWA (Maria). ♦ Romancière polonaise (née en 1899). Elle écrivit un roman *L'Étrangère* (*Cudzoziemka*, 1936),

Ph. Harlingue-Viollet

Béla Kun (à droite).

portrait psychanalytique d'une femme solitaire, qui doit faire face à ses angoisses.

KUNCKEL ou **KUNKEL VON LÖWENSTERN (Johann).** ♦ Chimiste allemand (Hütten, près de Rendsburg, 1638 – Pernau, Lituanie, 1703). Il découvrit une méthode de préparation du phosphore, quelques semaines après Brand* (1669).

KUNDALINÎ. ♦ Nom donné dans les philosophies tantriques de l'Inde au serpent mythique de Śiva*, qui se trouverait lové en permanence au bas de la colonne vertébrale des êtres humains et qu'il s'agit d'« éveiller » par des pratiques appartenant au yoga*. Il est la source de toute énergie sexuelle et spirituelle.

KUNDT (August). ♦ Physicien allemand (Schwerin, 1839 – Israelsdorf, près de Lübeck, 1894). Auteur de travaux sur les propriétés optiques des métaux, sur la dispersion de la lumière, il mit au point une expérience *(tube de Kundt)* permettant de mettre en évidence les ondes stationnaires dues aux vibrations d'un gaz.

KUNDUZ. *n. m.* ♦ Province d'Afghânistân* en bordure de l'Asie centrale soviétique. 400 000 hab. Elle est traversée par la riv. du même nom (380 km), affl. de Amou*-Daria.

KUNERSDORF, *auj.* **Kunowice.** ♦ Anc. localité du Brandebourg, *auj.* en Pologne (voïévodie de Zielona Góra) à l'E. de Francfort-sur-l'Oder. – Durant la guerre de Sept Ans, Frédéric* II le Grand y fut battu par les Austro-Russes (1759).

KUNG I-HSIN [*Gong Yixin*] « prince Kong ». ♦ Prince impérial chinois (1838 – 1898) qui, en 1860, signa avec les puissances occidentales les « traités inégaux » de Peking*. Il aida l'impératrice Tz'u*-hsi à éliminer le jeune empereur T'ung-chih.

K'UNG TZU [*K'ong Tseu, Kongzi*], ou **K'UNG FU TZU** [*Kongfuzi*], adapté en lat. en **CONFUCIUS.** ♦ Philosophe chinois (État de Lu, Shan-tung, v. ~ 555 – v. ~ 479) dont les enseignements et les idées, recueillis par ses disciples, ont influencé toute la civilisation de la Chine jusqu'à nos jours. On ne connaît de sa vie que ce qu'en dit le grand historien chinois Szu*-ma Ts'ien dans ses « Mémoires historiques » *(Shih Chi)* et dans les « Entretiens » *(Lun yu)* recueillis par ses disciples. On le nomme aussi K'ung Fu Tzu (Kongfuzi) dont on a fait Confucius. Son influence est actuellement contestée.

KUNISADA. ♦ Peintre japonais (1786 – 1864) et graveur d'estampes ukiyo*-e, élève de Toyokuni*. Il illustra des livres et réalisa de nombreux portraits d'acteurs de kabuki* et de jolies femmes.

KUNIYOSHI. ♦ Peintre japonais (1797 – 1861) et graveur d'estampes ukiyo*-e, élève de Toyokuni*. Ses paysages sont influencés par la peinture occidentale. Il fut également un excellent caricaturiste. Il gagnait sa vie en faisant des tatouages artistiques.

K'UN-LUN SHAN [*K'ouen-louen chan, Kunlun shan*]. *n. m.* ♦ Montagnes cristallines culminant à 7 724 m et séparant le Tibet de la province chinoise du Hsin-chiang. De très nombreux fl. y prennent leur source, parmi lesquels le Yang*-tsé kiang et le Huang*-ho.

K'UN-MING [*K'ouen-ming, Kunming*]. ♦ V. de Chine et ch.-l. de la province de Yunnan*. 880 000 hab. (1957). C'est un centre actif de commerce. Ses hab., en majorité musulmans, appartiennent à diverses ethnies non chinoises. ♦ *Hist.* Anc. Yunnanfu, elle fut la cap. dès 809, du royaume de Ta-li. Marco Polo l'appela Jacin.

K'UN TS'AN [*K'ouen Ts'an, Kun Can*]. ♦ Peintre chinois (1612 – v. 1680) originaire du S. de la Chine, et moine Ch'an*. Ses paysages fantastiques sont célèbres par leur style original.

Arch. Smeets

F. Kupka : « Arrangement en verticaux jaunes ». (Musée d'Art moderne, Paris.)

Kuo-min-tang [*Kouo-min-tang, Guomindang*]. ♦ « Parti du peuple du pays », fondé en Chine à Canton en 1911 par Sun* Yat-sen et qui succéda au « Parti de la révolution ». Le Kuo-min-tang devint plus tard le parti de Chiang* Kai-shek et celui de la Chine nationaliste. **V. Chine,** *hist.*

KUO MO-JO [*Kouo Mo-jo, Guo Moruo*]. Écrivain, historien, archéologue et homme d'État chinois (Szu-ch'uan, 1892 –). Il écrivit de très nombreux ouvrages littéraires et scientifiques et traduisit notamment Shelley, Goethe, Tolstoï. Il occupa de hautes fonctions au sein du gouvernement de la Chine populaire et reçut le prix Staline de la paix en 1959. Parmi ses œuvres, citons : *Nü shen* (« Les Déesses », 1921), *P'ing* (« Le Vase », 1925), *Lo Ye* (« Feuilles mortes », 1928), *Wu Tsê-tien,* pièce historique (1962).

KUOPIO. ♦ V. de Finlande centrale, sur le lac Kallavesi. Ch.-l. du comté homonyme. 64 783 hab. (1969). Évêché. Aéroport (lignes intérieures). Centre indus. : indus. du bois (fabriques d'allumettes et de contre-plaqué, scieries), constructions navales, minoterie, constructions mécaniques. – Station touristique et centre de sports d'hiver. - Patrie d'A.-A. Kellgren.

KUO SHOU-CHING [*Kouo Cheou-tsing, Guo Shoujing*]. Astronome, mathématicien et ingénieur hydraulicien chinois (1231 – 1310) qui réalisa de nouveaux calculs pour le calendrier, construisit des observatoires et fit creuser des canaux pour alimenter en eau la ville de Pékin.

KUPANG. ♦ Cap. de l'île indonésienne de Timor*, dont la partie O. est indonésienne depuis 1946, et la partie E. depuis 1976, sur la côte de la mer de Savu. Env. 10 000 hab. La ville, de peu d'importance, est surtout connue par son aérodrome international, étape sur les lignes reliant l'Asie du S.-E. à l'Australie.

KUPKA (Frantisek [Frank ou François]**).** ♦ Peintre et dessinateur tchèque (Opocno, Bohême, 1871 – Puteaux, 1957). Il se forma à Prague (1888) puis à Vienne (1892) et s'installa à Paris en 1894, exécutant pour vivre dessins de mode, affiches, illustrations de livres et dessins humoristiques. Après s'être intéressé à la peinture divisionniste, il fut sensible à la liberté de facture des auves (série des *Gigolettes,* 1906-1910) puis, stimulé par les premières œuvres cubistes, il soumit la figure humaine à un découpage géométrique engendrant des zones vivement colorées. Apollinaire vit dans ses œuvres des affinités avec les préoccupations de Delaunay* et regroupa aussi son œuvre sous le nom d'« orphisme ». Avec ses tableaux de 1910-1911 *(Fugue en deux couleurs,* puis *Plans verticaux* de 1912-1913), il abordait résolument la non-figuration, s'engageant dans une voie personnelle, à la recherche d'une création qui soit une peinture pure, dégagée de tout souci d'imitation. Il affirma une volonté constructive : étagement de prismes ou de bandes fortement architecturées et aux rythmes complexes qui, en raison de la large place laissée aux possibilités expressives de la matière, au lyrisme de la couleur, ne tombe jamais dans une géométrie sèche. Il créa aussi des déploiements de masses colorées plus libres et irrégulières, mais qui semblent encore rester en partie tributaires des schèmes décoratifs de l'Art Nouveau *(Jugendstil).* Il chercha souvent son inspiration dans la musique et parfois le machinisme (*L'acier travaille,* 1929-1932). En 1924, il exposa *Diagrammes et Arabesques tournoyantes.* Il adhéra en 1931 au groupe *Abstraction-Création* puis à *Cercle et Carré.* C'est seulement après 1945 que l'on a mis en évidence son rôle de pionnier de l'abstraction.

KURASHIKI. ♦ V. du Japon, dans l'île de Honshû*. 340 000 hab. (1970). Centre industriel important (textiles et métallurgie). Elle garde encore un charme ancien et comporte de nombreux musées. Gisements d'uranite à proximité.

Kurdes. *n. m. pl.* ♦ Peuple d'Asie occidentale (Kurdistân*) d'origine indo-européenne. Env. 15 000 000 d'hab. (dont 6 000 000 à 8 000 000 en Turquie, env. 5 000 000 en Iran, plus de 2 000 000 en Iraq). Il existe quelques minorités kurdes en Syrie (500 000) et en U.R.S.S. (300 000). – La *langue* kurde appartient au groupe N.-O. des langues iraniennes. Elle se subdivise en deux groupes de dialectes principaux : l'un septentrional (le kurmandjî), l'autre méridional; un 3e groupe (gorâni, zaza ou dûmelî) est dispersé dans tout le Kurdistan. – Les Kurdes sont en grande majorité musulmans sunnites. Il existe néanmoins de nombreuses sectes hétérodoxes (Kizilbash, Bektashî, 'Ehl-el-Haq); les Yêzîdî conservent des aspects antéislamiques. – Isolé géographiquement du reste du Moyen-Orient, ce peuple d'agriculteurs et de pasteurs transhumants a gardé une tradition populaire vivace et s'est opposé de tout temps aux dominations étrangères. ♦ *Hist.* Au XIXe s., les insurrections kurdes provoquées par les tentatives d'intégration de l'Empire ottoman et de la Perse menèrent à la création de plusieurs principautés kurdes indépendantes. Au lendemain de la Première Guerre mondiale et à la suite de l'effondrement de l'Empire ottoman, la création d'un État indépendant du Kurdistan fut prévue par le traité de Sèvres (1920), mais celui-ci ne fut jamais ratifié. Les soulèvements nationalistes kurdes de Sheikh Saïdi Pîrân en 1925, ceux d'Ararat en 1929, de Dersim en 1937 et bien d'autres, furent écrasés par Mustafa* Kemal Atatürk (massacres, incendies de villages). Le gouvernement turc pratique depuis une politique d'assimilation forcée (interdiction de toute publication en langue kurde ; déportation de populations). Rizâh shâh Pahlavi pratiqua en Iran la même politique de répression. En 1946, lors de l'occupation de l'Iran par l'U.R.S.S. et les forces alliées, une République kurde indépendante présidée par Qazî Muhamed vit le jour dans la zone neutre. Elle fut écrasée en déc. 1947 par le gouvernement iranien appuyé par les Anglais. De nombreuses tentatives furent faites pour intégrer les deux millions de Kurdes dans l'État irakien nouvellement créé par les Anglais après la Première Guerre mondiale. Les soulèvements successifs furent réprimés et le Kurdistân irakien bombardé par la R.A.F. en 1932, 1943 et en 1945; il s'ensuivit une véritable guerre de 1961 à 1970, coupée de quelques trêves. La lutte pour l'autonomie fut organisée par le parti démocratique kurde irakien (P.D.K.) présidé par Mustafâ al-Bârzânî*; le 11 mars 1970, l'autonomie des Kurdes dans le cadre de la République irakienne fut reconnue par la nouvelle constitution.

KURDISTÂN ou **KURDISTAN**. *n. m.* (« pays des Kurdes*). ♦ Région de montagnes et de hauts plateaux d'Asie occidentale, dont la majeure partie se trouve en Turquie, en Iran et en Iraq. Elle s'étend des chaînes du Taurus oriental à l'O. au Zagros iranien à l'E. et du mont Ararat au N., aux plaines de Mésopotamie au S. Le climat, différant sensiblement avec le degré d'altitude, se caractérise dans les régions montagneuses par un hiver rude (3 à 6 mois de neige) et dans les plaines du S. par une chaleur torride en été et de fortes pluies de novembre à avril. Les montagnes sont partiellement boisées de chênes. Dans les hautes vallées, on pratique la culture irriguée (riz, maïs, tabac, légumes, arbres fruitiers, peupliers), tandis que dans les grandes plaines et sur les hauts plateaux prédomine la culture du blé et de l'orge. L'élevage (ovins, caprins) joue un rôle économique important. Le sous-sol est particulièrement riche : le chrome et le pétrole viennent au premier rang, puis le charbon; cuivre, fer, or et argent. — La *province du Kurdistân* (ostân-e-Kurdestân), en Iran occidental, ne correspond qu'à une faible partie du Kurdistân iranien. 33 860 km². 620 000 hab. (1966). *Cap.* Sanandaj.

KURE. ♦ V. du Japon et port important au S.-O. d'Hiroshima*. 250 000 hab. Base navale militaire et école de guerre. Constructions navales. Elle fut très lourdement bombardée pendant la Deuxième Guerre mondiale.

KURINGEN. ♦ V. de Belgique (Limbourg, arr. de Hasselt). 6 700 habitants.

KURNOOL. ♦ V. de l'Inde (Andhra Pradesh) sur la Tungabhadra, anc. cap. de l'État d'Andhra de 1953 à 1956. 180 000 hab. Indus. alimentaires (riz). Cotonnades, tapis.

KURODA KIYOTAKA. ♦ Homme politique japonais (1840 – 1900) qui combattit les rebelles de Satsuma en 1868 et imposa à la Corée un traité de commerce désavantageux en 1876. Il fut Premier ministre du Japon de 1888 à 1889, succédant à Itô* Hirobumi.

KUROKI TAMESADA. ♦ Général japonais (Satsuma, 1844 – Tôkyô, 1923). Il commanda en Chine pendant la guerre sino-japonaise de 1895 et vainquit les Russes sur le fleuve Yalu* et à Mukden* pendant la guerre russo-japonaise de 1904-1905.

KUROSAWA AKIRA. ♦ Réalisateur japonais de cinéma (Tôkyô, 1910). Le Japon moderne se trouve au cœur de ses préoccupations, et lorsque *Rashomon** (1950), qui le rendit célèbre en Occident, fut récompensé en 1951, Kurosawa manifesta un certain regret, en précisant : « ... Je remarquai que j'aurais été plus heureux et que cette récompense aurait eu pour moi plus de signification, si elle avait couronné une de mes œuvres qui eût montré quelque chose du Japon contemporain... » — Ses films : *L'Ange ivre* (1949), *Un duel silencieux* (1949) et *Le Chien enragé* (1949), constituent une fresque du Japon d'après-guerre, tout en poursuivant les traditions du cinéma idéologique et réaliste des années 1930-1935. Après *Rashomon,* Kurosawa réalisa des films remarquables, tels que : *Vivre* (1952), *L'Idiot,* d'après Dostoïevski (1951), *Les Sept Samouraïs* (1954), *Vivre dans la peur* (1955). Son œuvre, violente, est très abondante et exprime le plus souvent une révolte contre l'injustice sociale; sur le plan formel, elle se caractérise par une mise en scène très élaborée, un montage précis, une excellente direction d'acteurs et une exceptionnelle beauté plastique.

KURO-SHIO ou **KURO-SHIVO**. *n. m.* (« Courant noir »). ♦ Nom donné par les Japonais à un large courant maritime chaud, venant des îles Philippines et baignant les côtes orientales du Japon. D'une largeur de 75 km et d'une profondeur de 500 m env., il se heurte dans le N. des îles japonaises à un courant froid venu des régions polaires, l'Oya* shio.

KURUME. ♦ V. du Japon, au N. de l'île de Kyûshû*. 180 000 hab. (1969 : 190 000 hab.). Elle fait partie du complexe indus. de Fukuoka*. Laques, caoutchouc, cotonnades imprimées.

KURYŁOWICZ (Jerzy). ♦ Linguiste polonais (Stanisławow, *auj.* Ivanofrankovsk. Ukraine, 1895). Étudiant à Vienne, à Lvov, puis à Paris, où il suivit le cours de linguistique indo-européenne d'A. Meillet, enfin à Yale, il enseigna ensuite les langues indo-européennes dans diverses universités polonaises. Il contribua par ses travaux à faire de la linguistique comparée une discipline scientifique et à l'orienter dans les voies du structuralisme, comme son contemporain É. Benveniste*. Princ. ouvrages : *Études indo-européennes,* 1935; *L'Accentuation des langues indo-européennes,* 1952; *L'Apophonie en indo-européen,* 1956; *Esquisses linguistiques,* 1960; *L'Apophonie en sémitique,* 1961.

KUSAIE. ♦ V. CAROLINES (îles).

KUṢÂNA ou **KUSHÂN**. *n. m.* ♦ Empire fondé vers le début de notre ère par des Tokhariens (?) issus du S. de la mer d'Aral*, en Afghânistân et en Inde du Nord. Son souverain le plus important, Kaniṣka (v. 78 — v. 144 ?), se montra un grand conquérant et un

Ph. Rémy

Kurdistân : village kurde dans l'Anti-Taurus.

sage administrateur. Les Kuṣâna régnèrent entre autres à Mathûra* où demeurent encore de nombreux vestiges de leur art. Envahis au IIIe s. par le roi sassanide Shâhpuhr* Ier, chassés des Indes par les Gupta*, ils s'établirent dans le Gandhâra* où ils régnèrent jusque vers le Ve siècle. Leur puissance fut définitivement abattue par les hordes des « Huns blancs » de Mihirakula*.

KUSCH (Polykarp). ♦ Physicien américain (Blankenburg, Allemagne, 1911 —). Il détermina le moment magnétique de l'électron. (Prix Nobel de phys., 1955.) **V.** *aussi* **Dirac, Goudsmit, Uhlenbeck.**

KUSHÂN. ♦ V. KUṢÂNA.

KUSHIRO. ♦ V. du Japon (île de Hokkaidô*) et port important de pêche hauturière et de la baleine, situé sur la côte du Pacifique. 190 000 hab. Indus. des conserves, du bois, du papier. Mines de charbon à proximité.

KUŚÎNAGARA. ♦ Anc. nom du site indien (à Kaśia, dans le Bihâr*) où le Bouddha* mourut et où il fut incinéré.

KÜSNACHT. ♦ V. de Suisse (cant. de Zurich) sur la rive N. du lac de Zurich. 12 600 hab. Église (XIVe s.). Vignobles.

KUSSER ou **COUSSER (Johann Sigismond)**. ♦ Compositeur allemand, d'origine hongroise (Pozsony, 1660 – Dublin, 1727). Il travailla avec Lully lors d'un séjour en France (1674-1682). Maître de chapelle au service de plusieurs cours princières d'Allemagne, il acheva sa carrière à la Cour de Dublin. Il fut l'un des créateurs de l'opéra hambourgeois où il introduisit « l'ouverture à la française » et l'un des précurseurs de Haendel* dans le domaine de l'oratorio.

KUSSMAUL (Adolf). ♦ Médecin allemand (Graben, près de Karlsruhe, 1822 – Heidelberg, 1902). Ses travaux portèrent sur la périarthrite noueuse (1866), la paralysie bulbaire progressive et le coma diabétique.

KÜSSNACHT. ♦ V. de Suisse (cant. de Schwyz) à l'extrémité N.-E. du lac des Quatre*-Cantons, au pied du Rigi*. 6 300 hab. Station climatique.

KUSUNOKI MASASHIGE. ♦ Célèbre guerrier japonais (1292 – 1336) qui combattit avec acharnement le shôgunat des Ashikaga* pour le compte de la dynastie impériale. Il est demeuré le type parfait du héros fidèle à l'empereur.

KUT. ♦ V. d'Iraq, sur la r. g. du Tigre*, au S.-E. de Baghdâd. Ch.-l. de province. Plus de 30 000 hab. Le *barrage de Kut* (1937) dérive les eaux de crues du fleuve et irrigue les terres auxquelles la ville doit d'être un marché agricole. Culture du coton dans les environs.

KÜTAHYA. ♦ V. de Turquie, en Anatolie occidentale, au S.-E. de Brousse*. Ch.-l. de la province homonyme. 49 301 hab. (1965). Carrefour ferroviaire. Mosquées du XVe siècle. — Céramique réputée. Raffinerie de sucre. Indus. chimique (engrais, soude).

KUTANI. ♦ Petite cité japonaise, au S. de Yamashiro où s'établirent au XVIIe s. des potiers qui inaugurèrent un style de porcelaine à décor or, rouge et bleu, imité de ceux de la Chine. *La porcelaine de Kutani* fut réalisée principalement pour l'exportation.

KUTCH *(golfe de)*. ♦ Golfe de la côte occidentale de l'Inde, situé au N.-O. de la presqu'île du Kathiâwâr*, dans le Gujarât*. C'est un marais salé, de peu de profondeur et de surface variable selon les saisons, bordé de lagunes sableuses où pousse une maigre végétation. La région est assez peu peuplée (env. 700 000 hab.). On y exploite le sel et le gypse.

KUTCHUK (ou KOUTCHOUK)-KAÏNARDJI, *auj.* **Kainarža**. ♦ Localité de Bulgarie (Dobroudja) au S.-E. de Silistra. ♦ *Hist.* En

Ph. Hétier

Kuweit.

1774, le traité qui mit fin à la première guerre russo-turque (1768-1774) y fut signé entre le sultan Abdul*-Hamid Ier et Catherine* II de Russie. La Russie obtint la partie septentrionale de la mer Noire (Azov, Kertch, l'embouchure du Dniepr, les districts de Kouban et Terek), le droit de libre navigation en mer Noire et dans les Détroits et le protectorat sur les chrétiens orthodoxes de l'Empire ottoman. En outre, la Crimée* fut reconnue indépendante. Le traité, désastreux pour la Turquie, devait ouvrir la question d'Orient*.

KUVERA ou **KUBERA**. ♦ Divinité hindoue de la richesse et chef des démons Yakṣa*. Il préside au Nord et aux richesses de la Terre. On le représente comme un homme laid et difforme avec trois jambes, un seul œil et huit dents seulement. À ses côtés se tient une mangouste crachant des pierres précieuses.

KU WEI-CHÜN [*Kou Wei-kiun, Gu Weijun*]. ♦ Diplomate chinois (Shanghai, 1898 –), qui fut ambasseur du Kuo*-min-tang dans la plupart des grands pays d'Europe et d'Amérique, et délégué de la Chine à la S.D.N. (1920-1928). De 1946 à 1948, il fut le délégué de la Chine nationaliste à l'O.N.U. Il est plus connu sous son nom américanisé de Wellington Koo.

KUWEIT, KUWAIT ou **KOWEIT**. *n. m.* ♦ Émirat des principautés d'Arabie*, situé entre l'Iraq et l'Arabie Sa'ûdite et débouchant sur le golfe Persique. 18 000 km² env. (auxquels s'ajoute, au S. du pays, une *zone neutre* de 5 700 km² qui sépare l'émirat de l'Arabie Sa'ûdite et a fait l'objet d'un partage administratif entre les deux États en 1970). 815 000 hab. en 1972 *(Kuweitiens). Cap.* Kuweit*. *Autre V.* Mînâ* 'al-Ahmadî. *Langue off.* arabe. *Rel.* islâm. *Unité monétaire* dinar. Face aux 130 km de côte s'échelonnent de petites îles dont l'île Faylaka à l'embouchure de la baie de Kuweit. Le territoire, sans frontières naturelles, est uniformément plat et de caractère désertique. *Climat* très chaud et sec, aucun cours d'eau. Jusqu'en 1950, la *population* était presque exclusivement composée de nomades semi-sédentarisés. L'exploitation pétrolière a transformé la vie économique du pays, qui vivait presque uniquement de pêche et de l'indus. des perles; la découverte de pétrole à Burgan en 1938 entraîna dix ans plus tard une prospection systématique par les sociétés pétrolières du Proche-Orient **(V. Bahrein),** faisant du Kuweit le 7e producteur mondial de pétrole (1971). Dans le N., gisements de Sabriya et Randhatain (relié par oléoduc à Kuweit ainsi qu'au port pétrolier de Mina al-Ahmadi via la raffinerie de Al Jahran). Dans le S., gisements de Minagish, Gudair, Burgan, reliés entre eux par un oléoduc qui aboutit aussi à Mina al-Ahmadi. Les gisements de la zone neutre se trouvent partagés à égalité entre le Kuweit et l'Arabie Sa'ûdite, un oléoduc relie le gisement sous-marin de Khafil à la raffinerie de Ras al-Khafgi. Le gisement d'Al-Wafra est relié à la raffinerie côtière de Mena Saud et au port de Mînâ 'al-Ahmadî. Exploitations de gaz naturel, dont une partie sert au fonctionnement d'une usine de dessalement de l'eau de mer. L'eau ainsi produite permet l'irrigation des terres qui bénéficient déjà de l'utilisation des eaux de l'Euphrate en vertu d'un accord signé entre le Kuweit et l'Iraq (1964). À l'exception de l'oasis d'Al Jahran qui produit fruits et légumes, le sol aride se prête peu aux cultures. Conserverie de poissons et indus. du bâtiment (cimenterie). La balance commerciale, largement excédentaire grâce au pétrole, fait du Kuweit l'un des États les plus riches du Proche-Orient. Exportation des 2/3 de la production vers l'Europe (Communauté européenne) et vers l'Asie. [*Carte.* **V. Arabie Sa'ûdite.**]. ♦ *Hist.* Les souverains qui gouvernent la principauté depuis 1756 signèrent un traité de protectorat avec l'Angleterre en 1799 et sortirent ainsi de la zone d'influence ottomane. C'est en 1938, avec la découverte d'énormes ressources de pétrole, que le pays acquit une importance économique mondiale. L'exploitation ne commença qu'en 1946, et en juin 1961 le traité avec l'Angleterre fut révoqué; mais l'aide militaire britannique (puis celle de la ligue Arabe) fut requise pour assurer l'indépendance de l'émirat, situé aux frontières de l'Arabie Sa'ûdite, de l'Iraq et de l'Iran. L'émir Sabah al Salem al Sabah, souverain depuis 1965, mène une politique de neutralité et de soutien aux pays arabes. Le Kuweit, grâce à sa richesse, peut financer des projets de développement en Jordanie, au Liban, en Tunisie, en Algérie, en Égypte et au Soudan. Depuis 1967, il verse une subvention à la Jordanie et à l'Égypte pour soutenir l'effort de guerre arabe.

KUWEIT, KUWAIT ou **KOWEIT**. ♦ V. et port du golfe Persique, cap. du Kuweit*, située à l'entrée d'une profonde baie fermée par l'île Faylaka. 375 000 hab. V. moderne, adossée à la vieille ville. Des oléoducs la relient aux gisements de pétrole du N. et du S. **(V. Kuweit.** *n. m.).* – Pêche (huîtres perlières). Indus. pétrolochimiques. Cimenterie. – Aéroport international.

KU YEN-WU [*Kou Yen-wou, Gu Yanwu*]. ♦ Poète, philosophe et réformateur confucianiste chinois (1613 – 1682). Opposé aux doctrines de Chu* Hsi, il préconisait un retour aux enseignements originaux de K'ung* Tzu. Il écrivit de nombreux ouvrages littéraires et inaugura en Chine l'érudition critique.

KVARNER, en it. **Quarnero**. ♦ Golfe de l'Adriatique N., situé entre l'Istrie (à l'O.) et le N. de la Dalmatie* (à l'E.), au fond duquel se trouve Rijeka*. On distingue : *le Grand Kvarner,* le long de l'Istrie; le *Primorje* croate avec les îles de Cres et de Krk*; et au S. le *Petit Kvarner* avec les îles de Rab*, Pag.

KWAJELEIN. ♦ **V.** Marshall (archipel).

KWANGJU. ♦ **V.** Gwangju.

KYANZITTHA. ♦ Roi de Pagan (Birmanie) de 1084 à 1112. Grand constructeur, il fit élever dans sa capitale de nombreux temples bouddhiques dont le plus célèbre est celui de l'Ânanda (vers 1091). Il envoya des ambassades en Inde et en Chine.

KYD (Thomas). ♦ Auteur dramatique anglais (Londres, 1558 – *id.,* 1594). Ami intime de Marlowe, riche d'une formation humaniste rigoureuse, il traduisit la *Cornélie* de Robert Garnier (1588). Son œuvre la plus réputée, la *Tragédie espagnole* (*Spanish tragedy,* 1589), inspirée du *Thyeste* de Sénèque, a pour thèmes principaux l'horreur et la vengeance et témoigne d'un sens tragique véritable. Les mêmes effets dramatiques créés par la folie et l'hallucination se retrouvent encore dans *Jeronimo* (1592), sorte de première partie de la *Tragédie espagnole* et dans le *Fratricide puni* (1589), prototype et modèle du *Hamlet* de Shakespeare. Par la violence de leur atmosphère et la cruauté de leurs personnages, les drames de Kyd peuvent être considérés comme les archétypes du théâtre élisabéthain.

KYOKUTEI BAKIN. ♦ **V.** Bakin.

KYŎNG-SONG. ♦ **V.** Seoul.

KYÔTO. ♦ V. du Japon et anc. cap. du pays, dans le S. de l'île de Honshû*. Env. 1 500 000 hab. Son site, entouré sur trois côtés par des montagnes, jouit d'un climat particulier, assez rude. Bien qu'elle ait été supplantée en tant que cap. impériale par Tôkyô*, la cité de Kyôto demeure la cap. artistique et intellectuelle du Japon. Elle comporte peu d'indus. si l'on excepte quelques fours à poteries et des tissages de brocart. En revanche, ses artisanats (bambou, laque, teintures, objets traditionnels) sont prospères. ♦ *Hist.* Cap. du Japon jusqu'en 1868, construite en 794 sur un plan régulier à l'imitation de la ville chinoise de Ch'ang*-an, elle fut tout d'abord appelée Heiar*-kyô («la ville pacifique»). Elle fut le siège d'une cour brillante jusqu'au début du XIIe s., mais fut par la suite détruite plusieurs fois au cours des guerres civiles qui ensanglantèrent le pays jusqu'au début du XVIIe siècle. De très nombreux temples bouddhiques y furent élevés à diverses périodes, dont certains demeurent encore, témoins de la prodigieuse ascension du bouddhisme dans cette ville impériale.

KYÛSHÛ. ♦ Île de l'archipel du Japon, la plus méridionale, composée de neuf anc. provinces (d'où son nom). 35 660 km² (42 780 avec les îles adjacentes). 14 000 000 d'hab. Elle fut probablement l'une des premières du Japon à recevoir les influences de la Corée et de la Chine. Ses côtes très découpées, ses baies profondes abritent d'excellents ports (Nagasaki*, Kagoshima*). L'île a traditionnellement une vocation agricole, mais d'immenses complexes industriels se sont installés dans le N. (Kita*-Kyûshû, Fukuoka*). Le S. est volcanique (mont Asô). La température, très clémente, permet la culture de plantes tropicales (canne à sucre, bananiers). Les fleuves, peu nombreux et courts, y ont un régime saisonnier. Elle comprend actuellement sept préfectures, celles de Fukuoka*, Saga*, Nagasaki*, Kumamoto*, Ôita*, Miyazaki* et Kagoshima*.

KYZYL (anc. **Bielotsarsk**, de 1918 à 1926, **Khem-Beldyr**). ♦ V. d'U.R.S.S. (R.S.F.S. de la Russie), cap de la république de Touva*. 39 000 hab. (1962). Traitement du cuir et du bois.

KYZYLKOUM ou **KYZYL-KÛM**. *n. m.* ♦ Désert d'U.R.S.S. (Kazakhstan* et Ouzbékistan*), entre les riv. Amou*-Daria et Syr*-Daria, à l'E. de la mer d'Aral*. Env. 300 000 km². Il comprend des oasis (agriculture et élevage des moutons de race astrakan) et l'un des plus grands gisements de gaz d'U.R.S.S.

KYZYL-ORDA ou **KZYL-ORDA**, anc. **Ak-Meshet**, puis **Pérovsk**. ♦ V. d'U.R.S.S. (Kazakhstan*), ch.-l. de la région du même nom (220 500 km², 458 000 hab.), sur la r. d. du Syr*-Daria. 123 000 hab. Indus. alimentaires.

Ph. Lauros-Giraudon

« **Laban** cherchant les Idoles », par Pieter Lastman. (Musée municipal de Boulogne-sur-Mer.)

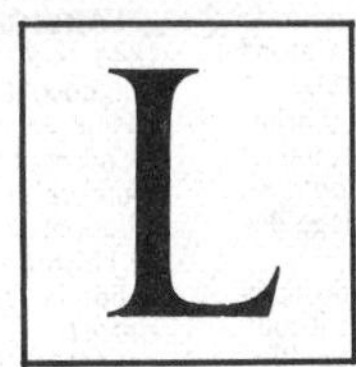

LAALAND. ♦ **V.** LOLLAND (île du Danemark).

LABADIE (Jean *de*). ♦ Mystique et réformateur protestant français (Bourg, Guyenne, 1610 – Altona, 1674). Jésuite, puis membre de la congrégation de l'Oratoire, il fut attiré quelque temps par le jansénisme, puis se convertit au calvinisme (Montauban, 1650). Pasteur à Middelburg (1666), il voulut ramener le protestantisme aux formes du christianisme primitif; mais il fut déposé par le synode général des Pays-Bas en raison des tendances mystiques qu'il afficha. Le « labadisme » survécut néanmoins jusqu'en 1732.

LA BALUE ou **BALUE (Jean).** ♦ Cardinal et homme politique français (Angles-sur-Anglin, v. 1421 – Ancône, 1491). Aumônier, puis secrétaire d'État de Louis* XI, il fut nommé évêque d'Évreux en 1465 et cardinal en 1467. Il fut emprisonné de 1469 à 1480 pour avoir intrigué contre le roi avec Charles le Téméraire (mais non pas, comme le veut la légende, dans une cage de fer). Libéré sur l'intervention de Sixte IV, il devint ambassadeur auprès du pape.

LABAN. ♦ Pers. biblique (*Genèse,* XXIV; XXVII-XXXI). Araméen, frère de Rebecca*, père de Léa* et Rachel* qu'il donne en mariage à son neveu Jacob*.

LABAN (Rudolf *von*). ♦ Chorégraphe et théoricien autrichien de la danse (Bratislava, 1879 – Weibridge, Surrey, 1958). Il fut l'un des plus féconds novateurs dans le domaine de la danse moderne. Il fut aussi l'inventeur d'un système de notation du mouvement. Commencée en Suisse (1905), son activité de pédagogue connut un rayonnement mondial.

LABARRAQUE (Antoine Germain). ♦ Pharmacien français (Oloron, 1777 – Paris, 1850). Il mit au point une solution d'hypochlorite de sodium ou *liqueur de Labarraque* qui remplaça l'eau de Javel et qui, depuis, est désignée sous ce nom d'auteur. **V. Berthollet.**

LA BARRE (Jean-François LEFEBVRE, *chevalier de*). ♦ Gentilhomme français (Abbeville, 1747 – *id.,* 1766). Accusé de ne s'être pas découvert au passage d'une procession et d'avoir mutilé un crucifix, il fut condamné par le tribunal d'Abbeville à avoir le poing coupé, la langue arrachée et à être brûlé vif. Le parlement de Paris, auquel il en avait appelé, lui accorda d'être décapité avant d'être brûlé. La révision de son procès fut réclamée en vain par Voltaire; La Barre ne fut réhabilité qu'en 1793, par la Convention. Le XIXe s. vit en lui une victime de la toute-puissance despotique de l'Église.

Là-bas. ♦ Roman de J.K. Huysmans* (1891) dans lequel le héros, Durtal (incarnation de l'auteur), cherche à savoir si le surnaturel existe, « qu'il soit chrétien ou non ». Historien accomplissant des recherches sur Gilles de Rais*, il est amené progressivement à la démonologie; sa maîtresse l'initie plus directement aux rites diaboliques. Parallèlement se déroulent, chez Carhaix, sonneur de cloches à Saint-Sulpice, des discussions philosophiques sur la liturgie, la symbolique et l'esthétique chrétiennes. Durtal subit une transformation spirituelle, dont un autre roman de Huysmans, *En route* (1895), fera état.

LABASTIDE-MURAT. ♦ Ch.-l. de cant. du Lot*, arr. de Gourdon*. 687 hab. Patrie de Murat* qui y fit construire le château. Anciennement, la comm. portait le nom de LABASTIDE-FORTUNIÈRE.

LABAT (Jean-Baptiste). ♦ Dominicain et voyageur français (Paris, 1663 – 1738). Missionnaire aux Antilles (1693), où il s'opposa aux Anglais, il publia à son retour *Nouveau Voyage aux îles de l'Amérique* (1722).

LABÉ ou **LABBÉ (Louise).** ♦ Poète français (Lyon, 1526 – Parcieux, 1566), rattaché à l'école lyonnaise. Celle qu'on nomma la *Belle Cordière* mena une vie ardente, présida un salon littéraire et composa trois *Élégies* et vingt-quatre *Sonnets* (1555) où la sûreté de la technique s'allie à l'expression sincère de la joie de vivre et du malheur d'aimer.

LA BÉDOYÈRE (Charles Angélique François HUCHET). ♦ Général français (Paris, 1786 – *id.,* 1815). Aide de camp de Lannes*, il se rallia à Napoléon au moment des Cent-Jours; il fut arrêté, jugé et fusillé après le retour de Louis XVIII.

LABERTHONNIÈRE (Lucien). ♦ Théologien et philosophe français (Chazelet, Indre, 1860 – Paris, 1932). Oratorien, il dirigea les *Annales de philosophie chrétienne* (1905-1913). Doctrine de l'immanence pour laquelle le surnaturel et la grâce répondent à un désir profond de l'homme, sa philosophie religieuse insiste sur le sens pratique, moral, des dogmes théologiques. Attaquée par les thomistes, elle fut condamnée comme « moderniste » par l'encyclique *Pascendi* du pape Pie X (1907) et ses œuvres : *Essais de philosophie religieuse* (1903), *Le Réalisme chrétien et l'Idéalisme grec* (1904), mises à l'Index (1907). On lui doit aussi une *Esquisse d'une philosophie personnaliste* (1942). **V. M. Blondel, Le Roy, Tyrrell.**

LABICHE (Eugène). ♦ Auteur dramatique français (Paris, 1815 – *id.,* 1888). Observateur minutieux des mœurs, des goûts, des travers et des ridicules de la petite bourgeoisie du Second Empire et des débuts de la Troisième République, il a porté à un haut degré de perfection le genre du vaudeville. Créateur de personnages étonnamment vivants, il joint à une science approfondie de la mécanique théâtrale un sens aigu de la caricature. Moraliste sans illusions, il suscite le rire par le tableau qu'il brosse d'une humanité dont les intérêts et les appétits sont les seuls mobiles. De la centaine d'ouvrages qu'il a composés (souvent en collaboration avec Michel, Clairville, Gondinet, Augier) quelques-uns figurent parmi les chefs-d'œuvre du théâtre comique français : *Un chapeau de paille d'Italie,* 1851; *Le Voyage de M. Perrichon,* 1860; *Célimare le Bien-*

Ph. Nino Cirani/Ricciarini

Labrador : le fleuve Churchill.

Aimé, 1863 ; *La Cagnotte*, 1864 ; *Les Trente Millions de Gladiator*, 1875. (Acad. fr., 1880.)

LABÎD (Rabî'a Abû 'Aqîl). ♦ Poète arabe antéislamique qui vivait encore aux premiers temps de l'islâm (v. 570 – v. 660). Issu de la tribu des Banû'Âmir, il se convertit à l'islâm. Dans une langue érudite et riche en termes archaïques, il a développé les thèmes traditionnels de la poésie arabe antéislamique, mais a su exprimer aussi ses préoccupations religieuses et un sentiment très vif de la fragilité de l'existence humaine.

LABIENUS, en lat. **Titus Labienus.** ♦ (v. ~ 98 – Munda, ~ 45). Lieutenant de César* en Gaule, il l'abandonna en ~ 50 pour se rallier au parti de Pompée*. Il combattit à Pharsale*, suivit Caton* d'Utique en Afrique et périt à la bataille de Munda* (~ 45).

LA BOÉTIE [labɔesi] **(Étienne *de*).** ♦ Écrivain français (Sarlat, 1530 – près de Bordeaux, 1563). D'une précocité remarquable, il rédigea à dix-huit ans un *Discours de la servitude volontaire*, écrit théorique qui dénonce la tyrannie. Un véritable « mariage des âmes » l'unit à Montaigne* auquel il révéla le stoïcisme.

LABORDE (Jean Joseph, ***marquis de*****).** ♦ Financier français (Jaca, Aragon, 1724 – Paris, 1794). Banquier à Bayonne, il participa au financement de la guerre de Sept Ans et de la guerre d'Indépendance américaine, contribua à la création de plusieurs établissements de bienfaisance. Son dévouement à la famille royale lui valut d'être condamné à mort et guillotiné.

LABORDE (Alexandre Louis Joseph, ***comte de*****).** ♦ Archéologue et homme politique français (Paris, 1774 – *id.*, 1842). Député libéral sous la Restauration, puis sous la monarchie de Juillet, préfet de la Seine en 1830, puis aide de camp de Louis-Philippe, il a laissé de nombreuses relations de voyage et des ouvrages d'archéologie. ♦ LÉON, *marquis de* LABORDE, fils du précédent. Archéologue, critique d'art et homme politique français (Paris, 1807 – *id.*, 1869). Après un voyage en Asie Mineure, en Égypte et en Arabie, sur lequel il publia deux relations, il se lança dans les études historiques et la critique d'art. Il fut sénateur en 1868.

LABOUR *(terre de)*. ♦ Région d'Italie méridionale, en Campanie, faisant partie de la province de Caserte*.

LABOURD. *n. m.* ♦ Anc. prov. du Pays Basque* entre l'Adour, la Bidouze et les Pyrénées, dont Ustaritz* était la capitale.

LA BOURDONNAIS (Bertrand François Mahé *de*). ♦ Marin français (Saint-Malo, 1699 – Paris, 1753). Il se distingua à la prise de Mahé (1725), devint gouverneur des îles de France et Bourbon (1734) et s'y montra un bon administrateur. Ayant formé lui-même une escadre lors de la guerre franco-anglaise en Inde, il obtint la capitulation de Madras mais accepta de la rendre contre rançon, ce qui le fit accuser de trahison. Il devait mourir après un séjour de trois ans à la Bastille.

LA BOURDONNAIS (François Régis ***de, comte de*** **LA BRETÈCHE).** ♦ Homme politique français (La Brenne, Anjou, 1767 – château de Mésangeau, Maine-et-Loire, 1839). Émigré en 1791, il combattit quelque temps dans l'armée du prince de Condé, puis aux côtés des insurgés vendéens. Lors de la Restauration, il siégea comme député ultra à la Chambre introuvable (1815-1816) et fut nommé ministre de l'Intérieur dans le cabinet de Polignac (1829).

Labour Party. ♦ **V.** TRAVAILLISTE (parti).

LA BOUVERIE. ♦ V. de Belgique (Hainaut, arr. de Mons). 7 600 hab. – Indus. alimentaires. Matériaux de construction.

LABRADOR (João Fernandes). ♦ Navigateur portugais du XVe s. qui atteignit vers 1495 ou 1498 la région du Groenland qui sur les cartes du XVIe s. paraît avoir porté le toponyme de Labrador (selon Damião Peres).

LABRADOR (altér. du port. *Terra de Laborador*, « terre de labour », nom donné par Corte Real, qui avait abordé sur une terre relativement fertile). *n. m.* ♦ Vaste péninsule formant l'extrémité N.-E. des terres d'Amérique du Nord, entre la baie d'Hudson à l'O., le détroit d'Hudson et la baie d'Ungava au N. **(V. Ungava)**, l'océan Atlantique au N.-E., le détroit de Belle-Isle et le golfe du Saint-Laurent, au sud. Ainsi définie géographiquement comme LABRADOR-UNGAVA, elle correspond au N. et au N.-E. de la prov. de Québec* (« Nouveau-Québec ») et à la partie continentale de la prov. de Terre*-Neuve (Newfoundland). – La majeure partie du pays est formée par un plateau de 300 à 700 m d'alt., au relief glaciaire, parsemé d'innombrables lacs (*ex. :* le lac Wabush*); c'est une partie importante du Bouclier canadien. Une chaîne de montagnes dans l'extrême N. (Torngat) domine une côte à fjords. – *Climat* extrêmement rigoureux (une température de – 45 °C n'est pas rare en hiver), très enneigé. Étés brefs, doux et nuageux. Moyenne annuelle : – 4,4 °C. – La *population* eskimo est exclusivement côtière, des Indiens algonkins peu nombreux vivant dans l'intérieur. Le développement minier a réuni une population blanche d'env. 37 000 pers. – *Écon.* À part la pêche, la cueillette et la chasse aux fourrures pratiquées surtout par les Eskimos et une modeste exploitation des forêts, la vie économique était nulle. La découverte d'immenses gisements de minerai de fer (1890), exploitables depuis 1950 grâce aux progrès de la technique, a modifié la situation. Plus de 10 000 000 de t de minerai sont expédiées de Schefferville* (Knob Lake) à Sept*-Îles (Québec). *Labrador City* (env. 5 000 hab.) et Wabush sont implantés au S. (prov. de Terre-Neuve). Hydro-électricité à Twin Falls. Base aérienne à Goose* Bay. – L'exploitation minière du Labrador, qui, outre le fer, contient nickel, amiante, cuivre **(V. Chibougamau)**, or et uranium (Makkovik) en abondance, se poursuit, mais les difficultés d'exploitation et surtout d'expédition sont immenses, du fait du climat. ♦ *Hist.* Jean Cabot* explora les côtes du Labrador à la fin du XVe s., ainsi que Corte* Real, puis M. Frobisher (1576), qui s'avança dans l'intérieur. Les côtes furent fréquentées par des pêcheurs dès le XVIe s. **(V. Terre-Neuve)** et la Compagnie de la baie d'Hudson établit des comptoirs pour le commerce des fourrures. Possession anglaise en 1763, le Labrador devint canadien en 1774.

LABRÈDE. ♦ Ch.-l. de cant. de la Gironde*, arr. de Bordeaux. 1 738 hab. (538 aggl.). Château des XIIIe et XVe s. où naquit Montesquieu*.

LABRIOLA (Antonio). ♦ Écrivain politique italien (Cassino, 1843 – ?, 1904). Professeur de philosophie à Rome, il manifesta son hostilité au libéralisme bourgeois. À l'éclectisme et au réformisme du parti des travailleurs italiens (1892, **V. Turati**), il opposa la nécessité d'un programme fondé sur les principes marxistes. Philosophie de la praxis, le matérialisme dialectique et historique lui apparaît comme une conception globale du monde et une théorie de l'histoire en même temps que la base scientifique d'une pratique politique révolutionnaire *(La Concezione materialistica della storia)*.

LABRIT [labʀi]. ♦ Ch.-l. de cant. des Landes*, arr. de Mont*-de-Marsan. 757 hab. *(Labritois)*. La ville s'appelait jadis Albret et était la capitale du pays d'Albret*.

LA BROSSE (Pierre *de*). ♦ Homme politique français (mort à Montfaucon, 1276). Chirurgien de Louis IX, il devint le chambellan et le favori de Philippe* III le Hardi. Accusé de la mort de Louis, le fils du roi, il fut pendu.

LA BROSSE (Gui *de*). ♦ Médecin et botaniste français (né à Rouen – mort en 1641). Médecin de Louis XIII, il conseilla la création du jardin des Plantes (qui devint le Muséum d'histoire naturelle).

LABROSSE (Jeanne Geneviève). ♦ Femme aéronaute, épouse d'André Garnerin*.

LABROUSTE (Henri). ♦ Architecte français (Paris, 1801 – Fontainebleau, 1875). Il défendit la doctrine rationaliste élaborée par Durand. Dans la *bibliothèque Sainte-Geneviève* (1843-1861) il innova en utilisant une structure métallique apparente à l'intérieur, masquée cependant extérieurement par une façade classique sobrement ornée. À la *Bibliothèque nationale* (1862-1866), l'emploi du fer et de la fonte lui permit d'alléger au minimum les supports de la salle de lecture. Dans la mesure où il sut parfois tirer de l'emploi du fer un parti esthétique, il peut être considéré comme un initiateur de l'architecture fonctionnaliste.

LABRUGUIÈRE. ♦ Ch.-l. de cant. du Tarn*, arr. de Castres*, sur le Thoré. 5 333 hab. (3 701 aggl.). Château XIIIe siècle. Église XIIIe-XVe siècle. Indus. du bois (mobilier, tanin). ♦ *Hist.* Anc. vicomté qui appartint à la famille de Lautrec*.

LA BRUYÈRE (Jean *de*). ♦ Moraliste français (Paris, 1645 – Versailles, 1696). Bourgeois parisien auquel une charge d'avocat laissa des loisirs et son indépendance, La Bruyère dut à Bossuet* d'entrer dans la maison des Condé* comme précepteur, puis secrétaire du duc de Bourbon. Dès lors, Paris et Chantilly lui offrirent un champ précieux pour les observations dont procèdent les *Caractères** (anonymes, 1688 ; puis nombreuses éditions augmentées). Cette succession de maximes et de portraits, auxquels on donna des clefs, connut un succès immense, car La Bruyère, s'écartant de la simplicité concertée de l'esthétique classique, excelle « dans l'art d'attirer l'attention » (Taine) par des remarques incisives enfermées dans des phrases courtes et nerveuses, et par un vocabulaire varié, volontiers réaliste. Il poursuivit son œuvre de critique en prenant parti pour les « Anciens », lors de son élection à l'Académie* française (1693), puis pour Bossuet* dans la querelle soulevée par Mme Guyon* *(Dialogues sur le quiétisme)*.

LABUAN. ♦ Petite île du N.-O. de Bornéo*, dépendant de la Malaysia* (territoire de Sabah*). Env. 10 000 hab. *Cap.* Victoria. Exportation de latex.

LABYRINTHE. *n. m.*, en gr. **Laburinthos** (Cf. Labyrinthe, *in* Robert). ♦ Le Labyrinthe de Crète*, ensemble inextricable de pièces enchevêtrées et de couloirs, aurait été construit par Dédale* sur l'ordre de Minos* pour enfermer le Minotaure*. Selon le mythe célèbre, Thésée* parvint à en trouver la sortie, après avoir tué le monstre, grâce au fil conducteur que lui avait donné Ariane*.

LA CAILLE (*abbé* **Nicolas Louis** *de*). ♦ Astronome français (Rumigny, Champagne, 1713 – Paris, 1762). Après des travaux de géodésie, d'acoustique (mesure de la vitesse du son avec J. Cassini* et Maraldi* en 1738), il participa à la vérification de la méridienne; il dirigea une expédition au cap de Bonne-Espérance (1750-1754) au cours de laquelle il fit un inventaire du ciel austral, relevant 10 000 étoiles jusqu'à la septième magnitude; la comparaison de ses mesures (1751) avec celles effectuées par Lalande* à Berlin permit d'obtenir la première détermination précise de la parallaxe lunaire. Il établit enfin un catalogue de positions précises [400 étoiles brillantes, 1757]. (Acad. sc., 1741.)

LA CALPRENÈDE (Gautier de COSTES *de*). ♦ Écrivain français (près de Sarlat, v. 1610 – le Grand-Andely, 1663), auteur de tragédies (*Le Comte d'Essex,* 1639, qui inspirera Thomas Corneille*) et de romans héroïco-galants qu'admirèrent La* Fontaine et Mme de Sévigné* : *Cassandre* (1642-1660) et *Cléopâtre* (1647-1658), fictions historiques dont les personnages, inventés ou non, sont placés dans des situations romanesques (Cf. *Artaban**, l'amant fier).

LACAN (Jacques). ♦ Psychiatre et psychanalyste français (Paris, 1901). Venu à la psychanalyse après sa thèse sur *La Psychose paranoïaque dans ses rapports avec la personnalité* (1932), il ouvrit des voies nouvelles à l'étude des psychoses infantiles, son analyse du stade (ou de la phase) du miroir mettant en évidence le rôle médiateur de l'image totale du corps et la signification du corps propre dans la constitution de l'identité du sujet. (1936, 1949 : *Le Stade du miroir comme formateur de la fonction du « je ».)* Pour Lacan, c'est par la parole (ordre du signifiant) que l'être humain accède vraiment à la dialectique de l'intersubjectivité; celle-ci est régie non par le simple besoin (physiologique), mais par le désir qui est « désir de l'Autre », c'est-à-dire (comme chez Hegel, Cf. la *Phénoménologie* de l'Esprit*) « désir de faire reconnaître son désir », et dont le phallus est l'objet et le signifiant essentiels. Rapprochant psychanalyse et linguistique, Lacan entend retrouver dans l'inconscient les structures mêmes du langage et interprète en termes de métaphore (refoulement) et de métonymie (déplacement) les symptômes névrotiques. La cure analytique a dès lors pour but de faire retrouver au sujet cette partie du discours qui lui manque « pour rétablir la continuité de son propre discours conscient ». Lacan a voulu réaliser un « retour à Freud »; son œuvre, dont le style hermétique doit beaucoup à Mallarmé, est contestée par de nombreux psychanalystes. Bon nombre de ses travaux sont réunis dans ses *Écrits* (1966), et son séminaire de psychanalyse est en cours de publication.

LACANAU. ♦ Comm. de la Gironde*, arr. de Bordeaux*, sur l'*étang de Lacanau.* 1 973 hab. À 12 km au N.-O., *Lacanau-Océan,* station balnéaire.

LACASSAGNE (Antoine Marcellin Bernard). ♦ Biologiste et radiologue français (Villerest, Loire, 1884 – Paris, 1971). Il est surtout connu pour ses recherches expérimentales sur le cancer qui lui valurent le prix de l'O.N.U. (1962). [Acad. méd. 1948; Acad. sc. 1949.]

LACAUNE (*monts de*). ♦ Massif du S. du Massif central, culminant au pic de Montalet (1 260 m). Il est façonné en plateaux qu'entaillent de nombreuses vallées, et que couvrent forêts et prairies.

LACAUNE. ♦ Ch.-l. de cant. du Tarn*, arr. de Castres*, dans les monts de Lacaune. 3 420 hab. *(Lacaunais).* Église du XVIIe siècle; maisons anciennes. Station climatique et thermale (anémie, rhumatismes, maladies de peau). – Charcuterie renommée.

LACAZE (Marie Lucien). ♦ Amiral français (Pierrefonds, 1860 – Paris, 1955). Ministre de la Marine en 1915, il fut nommé préfet maritime de Toulon après 1917.

LACAZE-DUTHIERS (Henri *de*). ♦ Naturaliste français (Montpezat, 1821 – Las-Fons, Dordogne, 1901). Fondateur des stations zoologiques maritimes de Roscoff et Banyuls, il étudia l'anatomie des mollusques et publia une *Histoire naturelle sur le corail* [1863]. (Acad. sc., 1871; Acad. méd., 1886.)

LACCADIVE ou **LAQUEDIVES** (*îles*). n. f. pl. ♦ Groupe d'îles de l'océan Indien, situées à env. 300 km de la côte du Kerala* et appartenant administrativement à cette prov. de l'Union indienne. L'archipel est composé d'env. vingt-trois îles divisées en deux groupes : au N. les îles Amindivi, au S. les îles Minicoy, et formant le Lakshadweep. D'une superficie totale de 29 km², elles comprennent env. 30 000 hab. pour la plupart pêcheurs musulmans, parlant le malâyalam*.

LACÉDÉMONE. ♦ V. SPARTE.

LACÉPÈDE (Bernard Germain Étienne de LA VILLE, *comte de*). ♦ Naturaliste et écrivain français (Agen, 1756 – Épinay-sur-Seine, 1825). Il contribua à l'*Histoire* naturelle* de Buffon avec la rédaction de l'*Histoire générale et particulière des quadrupèdes ovipares et des serpents,* puis l'*Histoire naturelle des poissons* et celle *des cétacés* (1788-1804). Président de la Législative, il avait quitté Paris lors de la Terreur, pour n'y revenir qu'après le 9 Thermidor, occupant alors une chaire au Muséum et de hautes fonctions politiques. Il écrivit une *Histoire générale de l'Europe.*

LA CHAISE ou **LA CHAIZE (François d'AIX** *de*). ♦ Jésuite français (château d'Aix, Forez, 1624 – Paris, 1709). Provincial de son ordre, il fut appelé (1675) par Louis XIV qui en fit son conseiller spirituel et son confesseur. Il s'opposa à la liaison du roi avec Mme de Montespan*, lutta contre les jansénistes, fut gallican modéré dans l'affaire de la Régale; il ne put empêcher la révocation de l'édit de Nantes. – Le *cimetière de l'Est,* dit du PÈRE-LACHAISE, est situé sur l'ancienne propriété de campagne des jésuites où Louis XIV lui avait fait installer un séjour.

LA CHÂTAIGNERAIE (François de VIVONNE, *seigneur de*). ♦ Gentilhomme français (1520 – Saint-Germain-en-Laye, 1547). Fils du grand sénéchal de Poitou (André de Vivonne), il se battit en duel avec le baron de Jarnac*, qui eut raison de lui par une botte imprévue.

LA CHAUSSÉE (Pierre Claude NIVELLE *de*). ♦ Auteur dramatique français (Paris, 1692 – *id.,* 1754). Avec la vingtaine de pièces qu'il a composées, où l'éloge de la « vertu » se confond avec celui des sentiments modérés, où famille, mariage et probité s'opposent au désordre moral et à la licence de la noblesse, il apparaît comme le véritable créateur du drame bourgeois. Ses œuvres principales : *Le Préjugé à la mode* (1735), *Mélanide* (1741), *L'École des mères* (1744) et *L'Homme de fortune* (1751), d'un style et d'une versification sans caractère, mais d'une attendrissante sensibilité, lui valurent d'être considéré comme le père de la « comédie larmoyante ».

LACHELIER (Jules). ♦ Philosophe français (Fontainebleau, 1832 – 1918). Sa philosophie est un idéalisme critique pour lequel « les conditions de l'existence des choses sont les conditions mêmes de la possibilité de la pensée ». Ces conditions sont le principe du déterminisme, fondement de l'induction, et celui de finalité qui traduit l'aspiration de la pensée vers la réalité absolue, le Bien [Dieu]. (*Du fondement de l'induction,* 1871; *De la nature du syllogisme,* 1871.)

LACHÉSIS. ♦ V. MOIRES.

LACHINE. ♦ V. du Canada (Québec), dans la banlieue S. de Montréal (dans l'île de Montréal). 42 367 hab. (1966). – La ville se trouve à l'extrémité supérieure du *canal Lachine* contournant les *rapides de Lachine.*

LA CIERVA Y CORDONÍU (Juan *de*). ♦ Ingénieur espagnol (Murcie, 1896 – Croydon, 1936). Inventeur de l'autogire (1923).

LACLOS (Pierre CHODERLOS *de*). ♦ Officier et écrivain français (Amiens, 1741 – Tarente, 1803). Déçu dans sa carrière militaire, bien qu'il eût joué un certain rôle durant la Révolution, il écrivit des ouvrages de stratégie, des poésies et un traité sur *L'Éducation des femmes.* Son titre de gloire reste son roman par lettres, *Les Liaisons* dangereuses* (1782), véritable traité du mal dont la composition, les analyses psychologiques et le style sont d'une grande rigueur. Par cette œuvre, l'influence de Laclos sur la littérature romanesque du XIXe et du XXe s. fut et reste immense.

LA CONDAMINE (Charles Marie *de*). ♦ Géodésien et naturaliste français (Paris, 1701 – *id.,* 1774). Il effectua de nombreux voyages dont il rapporta d'intéressantes observations. Il participa avec Bouguer* à l'expédition du Pérou [1735-1744] (**V.** *aussi* **Maupertuis**), afin de mesurer la longueur d'un arc de méridien de 1 degré : les résultats confirmèrent la théorie de Newton*. Ce voyage fut également l'occasion de la première description de l'arbre qu'il appela « quinquina » (1738) et de la découverte du caoutchouc [*cahuchu*] sur lequel il présenta un mémoire à l'Aca-

Ph. Giraudon

P. Choderlos de Laclos, par L.L. Boilly. (Château de Versailles.)

Ph. A. Petit/Atlas-Photo

Usines à **Lacq.**

démie, à son retour en France (1751). En 1740, il observa que la vitesse de propagation du son dépend de la température de l'air. Étudiant un projet de mesure universelle, il proposa de choisir pour unité la longueur du pendule battant la seconde à l'équateur. (Acad. sc., 1735; Acad. fr., 1760.)

LACONIE, *n. f.*, en gr. **Lakônia**. ♦ Région de Grèce occupant l'extrémité S.-E. du Péloponnèse et limitée par la Messénie à l'O. et l'Arcadie au N. Elle forme auj. le *nome de Laconie :* 3 596 km². 95 840 hab. *Ch.-l.* Sparte*. *V. et loc. princ.* **V. Gythion, Malvoisie, Mistra.**

LACORDAIRE (Henri). ♦ Prêtre et dominicain français (Recey-sur-Ource, Côte-d'Or, 1802 – Sorèze, 1861). Il fut aux côtés de Lamennais* et de Montalembert* un des chefs de file du catholicisme libéral, mais il se sépara de Lamennais après la condamnation de *L'Avenir* (1832, **V. Grégoire XVI**). Orateur, il fit des conférences à Stanislas (1834) et prêcha à Notre-Dame (1835-1836). Il prit l'habit dominicain à Rome (1839), rétablit cet ordre en France (Nancy, 1843), en fut provincial en 1850-1854 et 1858-1861, acquit et dirigea le collège de Sorèze (Tarn) en 1854.

LACQ. ♦ Comm. des Pyrénées*-Atlantiques, arr. de Pau*, sur le gave de Pau*. 702 hab. – Très important gisement de gaz naturel, découvert en 1951 (réserves de 200 milliards de m³). Le gaz brut est extrait de 30 puits environ; production journalière de 24 millions de m³. Le gaz épuré est transporté à travers la France par un réseau de pipe-lines. Essence, butane, propane et soufre sont récupérés lors de l'épuration du gaz (la production de soufre couvre la totalité des besoins français). Le gaz alimente de nombreuses industries : centrale thermique d'Artix*, usine d'aluminium à Noguères*, indus. chimiques de Pardies*; Mourenx-Ville-Nouvelle a été créée pour loger les travailleurs de Lacq.

LACRETELLE (Pierre Louis *de*, dit **LACRETELLE l'Aîné).** ♦ Jurisconsulte français (Metz, 1751 – Paris, 1824). Avocat au parlement de Paris, il fut député à l'Assemblée législative où il vota avec les monarchistes constitutionnels (feuillants) et se retira de la vie politique après la journée révolutionnaire du 10 août 1792. Membre du Corps législatif (1801-1802), hostile à l'Empire, il fut, sous la Restauration, un des représentants de l'opposition libérale, constitutionnelle. Il a laissé des ouvrages de morale et de droit (*Discours sur la multiplicité des lois,* 1778). [Acad. fr.] ♦ JEAN CHARLES DOMINIQUE DE LACRETELLE, dit *Lacretelle le Jeune,* son frère. Homme politique et historien français (Metz, 1766 – Mâcon, 1855). Rédacteur au *Journal des débats,* qui donnait les comptes rendus des séances de l'Assemblée nationale constituante, il fut membre du Club des feuillants. Royaliste, représentant de la « jeunesse dorée », il fut proscrit après la journée du 13 vendémiaire an IV (1795), puis arrêté après le coup d'État du 18 fructidor an VI (4 septembre 1797). Libéré après le 18 Brumaire (1799) et nommé professeur d'histoire sous l'Empire, il se rallia aux Bourbons. Il est l'auteur d'une *Histoire de France pendant le dix-huitième siècle,* d'une *Histoire de France pendant les guerres de Religion* (1814-1816), d'une *Histoire du Consulat et de l'Empire* [1846]. (Acad. fr.)

LACRETELLE (Jacques *de***).** ♦ Romancier et essayiste français (Cormatin, 1888). Fils de diplomate, il passa son enfance à Salonique, à Alexandrie et à Florence, poursuivit ses études à Paris, puis à Cambridge. Il a laissé des confidences sur cette expérience cosmopolite avec les *Lettres espagnoles* (1927) et *Le Demi-Dieu ou le Voyage en Grèce* (1931). Pourtant, dans sa vie comme dans son œuvre, J. de Lacretelle semble avoir choisi la « retraite, défense contre l'excès ». Son œuvre, empreinte d'un pessimisme lucide, s'intéresse avant tout à *L'Âme cachée* (Nouvelles, 1925) : après avoir analysé une âme adolescente dans *La Vie inquiète de Jean Hermelin* (semi-autobiographie, 1920), l'écrivain s'est attaché à l'étude d'un individu et d'une race avec *Silbermann* (1922), portrait d'un jeune israélite qui se sent « séparé » : plus seule encore est *La Bonifas* (1925), femme énergique, tentée par l'amour saphique. Enfin le cycle des *Hauts-Ponts* (quatre vol., 1932-1935), qui retrace la décadence d'une famille noble de Vendée, analyse sur trois générations des passions secrètes et puissantes qui isolent dramatiquement les personnages. Œuvres d'un moraliste, ces études, profondes et amères, recourent à un style d'une pureté toute classique. (Acad. fr., 1936.)

LACROIX (Sylvestre François). ♦ Mathématicien français (Paris, 1765 – *id.,* 1843). Il est surtout connu pour son *Traité du calcul différentiel et du calcul intégral* (1797-1798), présentation très complète de l'état de l'analyse au début du XIXe s. (Acad. sc., 1799.)

LACROIX (Alfred). ♦ Minéralogiste français (Mâcon, 1863 – Paris, 1948). Il participa à une mission scientifique en Martinique après l'éruption de la montagne Pelée (1902), puis en Italie après celle du Vésuve (1906); ses travaux firent progresser la connaissance du volcanisme et des roches éruptives. On lui doit par ailleurs la découverte de plusieurs minéraux, des recherches sur les météorites, etc. (Acad. sc., 1904.)

LA CRUZ (Ramón *de***).** ♦ **V.** CRUZ.

LACS (GRANDS). ♦ Ensemble d'immenses lacs d'origine glaciaire, situé dans le centre E. de l'Amérique du Nord, et partagé entre le Canada et les États-Unis. 246 500 km², dont 157 000 aux États-Unis. **V.** (de l'O. à l'E.) **Supérieur, Michigan, Huron, Érié, Ontario.** Les quatre premiers, situés à environ 180 m d'alt., sont séparés du lac Ontario (75 m) par les chutes du Niagara*. – Les lacs sont les héritiers des « lobes » de l'immense glacier qui occupait le N.-E. du Canada et qui s'est retiré vers le nord. – La *région des Grands Lacs,* aux États-Unis, est individualisée par le relief glaciaire, un climat plus tempéré que dans les zones voisines, et une économie commandée par cette voie de passage naturelle entre l'O. et le N.-O. C'est une région d'élevage laitier et de grandes industries implantées entre le minerai de fer du Minnesota et le charbon des Appalaches. **V. Wisconsin, Michigan** (et, pour les zones côtières, **Illinois, Indiana, Pennsylvanie, New York**).

LAC SALÉ *(grand),* en angl. *Great* **Salt Lake (V. Salt Lake City).** ♦ Marécage salé de l'O. des États-Unis (Utah), dont la superficie (variable) atteint presque 5 000 km². C'est le reste d'un lac de l'époque glaciaire (lac Bonneville). – La surface plane de ses rives a servi de piste pour des essais de vitesse d'engins terrestres.

LACTANCE (en lat. **L. Caecilius Firmianus**, dit **Lactantius).** ♦ (près de Cirta, v. 260 – Trèves, v. 325). Rhéteur latin, converti au christianisme v. 300, précepteur de Crispus, fils de l'empereur Constantin. Auteur des *Institutions divines,* apologie chrétienne en sept livres, dont il donna un *Épitomé,* du *De la mort des persécuteurs* (v. 315), du *De ira Dei.*

Lactée (Voie). ♦ **V.** VOIE LACTÉE.

LADÂKH. *n. m.* ♦ Partie occidentale de l'Himâlaya*, formant un district du Cachemire [Kaśmîr], montagneuse (plus de 6 000 m), dans laquelle l'Indus* et ses affl. creusent de profondes gorges. Sur ce territoire, appelé parfois « petit Tibet », peuplé de Tibétains (env. 200 000 hab.), la Chine revendique la souveraineté. *V. princ.* Leh (petite bourgade caravanière).

LADISLAS Ier ÁRPAD *(saint).* ♦ (Pologne, 1040 – Nyitra, 1095.) Roi de Hongrie (1077-1095). Frère de Géza* Ier, il acheva la christianisation de la Hongrie et s'appuya sur les villes, auxquelles il accorda le statut de villes libres. Il mena une lutte victorieuse contre les Petchenègues et les Coumans, conquit la Slavonie et la Croatie, où il fonda l'évêché de Zagreb. Il fut canonisé par Célestin* III en 1198.

LADISLAS IV. ♦ (1262 – Köröshegy, 1290). Roi de Hongrie (1272-1290), fils d'Étienne V. Il dut lutter contre les Coumans et les Tatars, mais fut battu. Il mourut assassiné.

LADISLAS VI. ♦ (1456 – Buda, 1516). Roi de Hongrie (1492-1516) et de Bohême sous le nom de Ladislas II (1471-1516). Fils de Casimir* IV Jagellon, roi de Pologne, il fut élu roi de Bohême puis, à la mort de Mathias* Corvin, roi de Hongrie. Il laissa les nobles gouverner; ceux-ci durent faire face à une révolte paysanne en 1514, ce qui amena la rédaction du *Tripartitum Juris regni Hungariae* où sont établis les privilèges et le pouvoir des nobles. Ladislas VI signa un traité avec l'empereur Maximilien* Ier, prévoyant le mariage de son fils Louis* II avec Marie de Habsbourg et de sa fille Anne avec le futur empereur Ferdinand Ier. Ainsi, si Louis II mourait sans héritier, la couronne de Hongrie devait revenir aux Habsbourg.

LADISLAS ou **LANCELOT le Magnanime.** ♦ (1376 – Naples, 1414). Roi de Naples (1386-1414). Fils de Charles* III de Duras, il dut faire face à son compétiteur Louis* II d'Anjou. Il chercha à conquérir l'Italie et prit même Rome en 1408. Cependant, vaincu par Louis II d'Anjou à Rocca Secca (1411), il se replia. Il eut pour successeur sa sœur Jeanne* II.

LADISLAS Ier HERMAN. ♦ (1043 – Płock, 1102). Duc de Pologne* (1079-1102). Fils de Casimir* Ier, il succéda à son frère Boleslas* II et combattit en vain l'aristocratie. Père de Boleslas* III, qui lui succéda.

LADISLAS II. ♦ (1105 – 1166). Duc de Pologne* (1139-1146). Fils aîné de Boleslas* III, il tenta de s'emparer des apanages de ses frères puînés, mais fut déposé et remplacé par Boleslas* IV.

LADISLAS Ier (ou IV) ŁOKIETEK, ou **le Nain.** ♦ (1260 – Cracovie, 1333). Duc (1289-1320) puis roi de Pologne* (1320-1333). Prince de la dynastie des Piast*, il s'empara de Cracovie* à la mort de Wenceslas* II de Bohême, réussit à s'y faire couronner en 1320, et à réunifier partiellement le pays. Son fils Casimir* III le Grand paracheva son œuvre.

LADISLAS II (ou **V**) **JAGELLON Ier**. ♦ (v. 1350 – Grodek, 1434). Grand-prince de Lituanie* (1377-1392). Devenu roi de Pologne* par son mariage avec Hedwige* en 1386, il se convertit au christianisme, et tenta de réunir la Lituanie et la Pologne. Vainqueur des chevaliers Teutoniques* à Grunwald-Tannenberg* en 1410, il leur imposa la première paix de Thorn*, en 1411. Il restaura l'université de Cracovie* (1400). – Père de Ladislas* III et de Casimir* IV.

LADISLAS III (ou **VI**) **JAGELLON II**. ♦ Roi de Pologne* (1434-1444) et de Hongrie* (1440-1444), né à Cracovie en 1424. Fils et successeur du précédent, il fut vaincu par les Turcs à la bataille de Varna* où il trouva la mort (1444).

LADISLAS IV VASA. ♦ (Cracovie, 1595 – Merecz, 1648) Roi de Pologne* (1632-1648). Fils et successeur de Sigismond* III Vasa.

LADOGA *(lac)*. ♦ Lac d'U.R.S.S., situé dans la R.S.S.A. de Carélie* et la R.S.F.S. de Russie (région de Leningrad). C'est le plus grand lac d'Europe (18 400 km²). Nombreuses îles. Il reçoit les eaux du lac Onega* (par la Svir*) et du lac Ilmen* (par le Volkhov*). La Néva* y prend sa source.

LADON. *n. m.* Riv. de Grèce (Arcadie), affl. de l'Alphée*. Centrale hydro-électrique.

LAE. ♦ V. et port du Territoire du N.-E. de la Nouvelle*-Guinée (sous tutelle australienne), situé à l'extrémité N.-E. du territoire. 16 365 hab. (1966). – Évêché catholique. Exploitation de cacao dans la région. Indus. alimentaires.

LAEKEN ou **LAAKEN**. ♦ Anc. comm. de Belgique, réunie à Bruxelles en 1921. Parc (160 ha) créé par Léopold II en 1880. Château (1784) où Napoléon signa la déclaration de guerre à la Russie en 1812.

LAENNEC (René). ♦ Médecin français (Quimper, 1781 – Kerlouarnec, Finistère, 1826). Il inventa le stéthoscope pour « l'auscultation médiate » des maladies de la poitrine (*Traité de l'auscultation médiate,* 1819-1826). Fondateur de l'anatomo-clinique et adversaire des théories de Broussais, il étudia en particulier la cirrhose atrophique du foie d'origine alcoolique *(cirrhose de Laennec)*. – *Hôpital Laennec,* à Paris.

LA ENSENADA (Cenon de Somodevilla, *marquis de***)**. ♦ Homme politique espagnol (Alesanco, prov. de Logroño, 1702 – Medina del Campo, 1781). Il soutint et continua l'œuvre de rénovation de la marine espagnole entreprise par Patiño* et devint Premier ministre (1743-1754), après avoir servi le duc de Parme, don Felipe. Il favorisa l'essor de l'économie coloniale et redressa les finances, mais fut renversé par une cabale sous Ferdinand* VI.

LAERNE, en néerl. **Laarne**. ♦ V. de Belgique (Flandre-Orientale, arr. de Termonde) aux environs de Gand. 5 200 hab. Château féodal (XIe-XIIe s.). Église du XVIe siècle. – Indus. textile.

LAËRTE, en gr. **Laertês**. ♦ Personnage de l'*Odyssée**, roi d'Ithaque et père d'Ulysse*. Rajeuni par Athéna, il aide son fils à repousser les parents des prétendants massacrés.

LAFARGUE (Paul). ♦ Socialiste français (Santiago de Cuba, 1842 – Draveil, 1911). Étudiant en méd., il adhéra au socialisme et fut d'abord disciple de Proudhon. À Londres, il rencontra F. Engels et K. Marx dont il épousa la fille (Laura). Membre de la Ire Internationale, il participa à la Commune, et, après son échec, se rendit en Espagne, au Portugal, puis à Londres où il rencontra J. Guesde*. Avec lui, il fonda le parti ouvrier français (1880). Député de Lille (1885-1894), il s'opposa à la participation socialiste au gouvernement bourgeois. Auteur de deux pamphlets *Le Droit à la paresse* (1880) et *La Religion du capital* (1887), il contribua à la diffusion en France du matérialisme dialectique et historique (*Le Matérialisme économique* de K. Marx, 1884; *La Théorie de la plus-value* de K. Marx, 1895; *Socialisme utopique et socialisme scientifique* de F. Engels. **V. Anti-Dühring**).

LA FAYETTE (Gilbert MOTIER *de***)**. ♦ Maréchal de France (v. 1380 – 1462). Il joua un grand rôle auprès de Charles* VII encore dauphin, et combattit les Anglais (Baugé, Rouvray, Orléans).

LA FAYETTE (Louise MOTIER *de***)**. ♦ Dame française (1605? – Paris, 1665). Fille d'honneur d'Anne d'Autriche, connue pour son esprit et sa beauté, elle fut aimée de Louis XIII, mais Richelieu* l'obligea à entrer au couvent de la Visitation (1637).

LA FAYETTE (Marie-Madeleine PIOCHE de la VERGNE, *comtesse de***)**. ♦ Écrivain français (Paris, 1634 – *id.,* 1693). Élève de Ménage*, familière des milieux précieux, en particulier de l'hôtel de Rambouillet*, elle s'installa à Paris en 1659, y tint salon, se lia d'amitié avec Mme de Sévigné*, Segrais* (sous le nom duquel elle publia ses premiers écrits) et fut très intime avec La* Rochefoucauld. – On lui doit *La Princesse* de Clèves* (1678), roman psychologique admirable par la densité du style et la finesse de l'analyse, des nouvelles et les *Mémoires de la cour de France pour les années 1688 et 1689* (posthumes, 1731), rédigées vers la fin de sa vie, quand elle joua un rôle diplomatique important.

LA FAYETTE (Marie Joseph Paul Yves Roch Gilbert MOTIER, *marquis de***)**. ♦ Général et homme politique français (Chavaniac, Auvergne, 1757 – Paris, 1834). Lieutenant (1773), lié avec Franklin, il partit en Amérique pour aider les insurgés (1777) et se joignit aux troupes de Virginie. De retour en France, il contribua à décider le gouvernement à apporter son aide officielle à la guerre d'Indépendance américaine et repartit aussitôt pour l'Amérique (1780) où il fut nommé maréchal de camp (1782). Revenu en Europe, il entra dans la vie publique en participant à l'Assemblée des notables de 1787. Franc-maçon, adepte des idées nouvelles, il fut favorable au doublement du tiers état lors de la réunion de l'Assemblée des notables de 1788 et fut élu député de la noblesse aux États généraux (1789). Nommé commandant de la garde nationale après la prise de la Bastille* (le 15 juillet 1789), se considérant comme le Washington d'une démocratie royale, il voulut être l'instrument de la réconciliation du roi et de la Révolution, lors des journées révolutionnaires des 5 et 6 octobre* 1789 et de la fête de la Fédération nationale du 14 juillet 1790. S'il joua un rôle politique important dans les débuts de l'Assemblée nationale constituante, il perdit peu à peu sa popularité, surtout en faisant tirer sur les manifestants du Champ*-de-Mars (17 juillet 1791) venus demander la déchéance du roi. Partisan du maintien d'une monarchie libérale, il se sépara alors des Jacobins*, ainsi que d'autres membres de ce club, pour constituer le Club des feuillants* (appelés parfois *fayettistes*). Il poussa le roi à la guerre et fut nommé commandant de l'armée du Centre, puis de l'armée du Nord. Il se prononça contre la suspension de Louis XVI, et, accusé, cessa la lutte contre les Autrichiens (19 août 1792) qui l'internèrent à Magdebourg, puis à Olmütz jusqu'en 1797. Député de la Seine aux Cent-Jours, il fit partie de ceux qui exigèrent l'abdication de Napoléon Ier. Député de la Sarthe (1818), puis de Meaux (1827), et membre de la Charbonnerie*, il participa encore à la révolution de 1830.

LA FERRONNAYS [la fɛʀɔnɛ] **(Auguste Pierre Marie FERRON,** *comte de***)**. ♦ Homme politique français (Saint-Malo, 1777 – Rome, 1842). Émigré sous la Révolution, il servit dans l'armée des princes et devint aide de camp du duc de Berry. Nommé pair de France par Louis XVIII, il fut ambassadeur et représentant de la France aux congrès de Troppau (1820), Laibach (1821) et de Vérone (1822). Ministre des Affaires étrangères dans le cabinet Martignac (1828-1829), il tenta de jouer le rôle d'arbitre dans le conflit qui opposa la Grande-Bretagne et la Russie au sujet de la Grèce (1828).

LA FERTÉ (Henri de Senneterre ou **Saint-Nectaire,** *duc de***)**. ♦ Maréchal de France (Paris, 1600 – La Ferté-Saint-Aubin, 1681). Il prit part notamment au siège de La Rochelle*, se distingua à Rocroi* et soutint la royauté pendant la Fronde*.

LAFFEMAS [lafəma] **(Barthélemy** *de, sieur de* **Beausemblant)**. ♦ Économiste français (Beausemblant, Dauphiné, 1545 – Paris, v. 1612). Protestant anobli, premier valet d'Henri IV, il contribua au développement de la manufacture de luxe en France et fut nommé contrôleur général du commerce en 1602. Représentant de la doctrine mercantiliste en France, il a notamment rédigé un *Règlement pour dresser les manufactures du royaume* (1597). ♦ Son fils, ISAAC, magistrat (Beausemblant, 1584 – Paris, 1657), se distingua par sa sévérité impitoyable lors des procès des nobles rebelles à Richelieu.

LAFFITTE (Jacques). ♦ Banquier et homme politique français (Bayonne, 1767 – Paris, 1844). Après avoir été clerc de notaire, il entra comme employé chez le banquier Perrégaux (1788) dont il devint l'associé (1800) puis le successeur (1804). Régent de la Banque de France (1809), il en fut nommé gouverneur par le gouvernement provisoire (1814). Membre de la Chambre des représentants pendant les Cent-Jours, il siégea comme député libéral (1816, 1827). En 1830, il finança le journal d'opposition *le National**, et son hôtel devint l'un des principaux foyers de l'insurrection de Juillet 1830. Représentant du parti du Mouvement*, il fut appelé par Louis*-Philippe comme ministre sans portefeuille, puis ministre des Finances et président du Conseil (1830). Il pratiqua une politique démagogique à l'intérieur et aventureuse à l'extérieur, prônant l'intervention en faveur des révolutions européennes (Italie, Pologne, etc.) et fut contraint de démissionner en 1831. Laffitte mourut presque ruiné après avoir tenté de créer une caisse d'escompte (1837).

Ph. Bulloz

Le marquis de **La Fayette,** par Court. (Château de Versailles.)

LAFFREY [lafʀɛ]. ♦ Comm. de l'Isère, arr. de Grenoble. 238 hab. Station estivale au bord du *lac de Laffrey*. ♦ *Hist.* À son retour de l'île d'Elbe, Napoléon Ier y rencontra, le 7 mars 1815, les soldats envoyés de Grenoble pour l'arrêter et obtint leur ralliement.

LA FONTAINE (Jean *de*). ♦ Poète français (Château-Thierry, 1621 – Paris, 1695). De bourgeoisie provinciale, après une jeunesse insouciante il connaît, grâce à sa charge de « maître des Eaux et Forêts », des loisirs occupés à fréquenter les salons ou à lire les Modernes et, surtout, les Anciens qu'il prendra pour modèles selon une « imitation originale ». Son poème héroïque, inspiré d'Ovide*, *Adonis* (1658), lui ayant assuré la protection de N. Fouquet*, il partage la vie brillante de Vaux*, jusqu'à la chute du surintendant (Cf. l'élégie *Aux nymphes de Vaux*, 1661). Accueilli dès lors par la duchesse d'Orléans (1664-1672), il connaît un éclatant succès avec ses *Contes et Nouvelles* (1665), récits gracieux et licencieux en « vers irréguliers », sur des sujets empruntés à Boccace* et à l'Arioste*. Dès 1668 paraissent les six premiers livres des *Fables*, que La Fontaine augmentera, sous la protection de Mme de la Sablière (1673-1693), puis de M. et Mme d'Hervart (1693-1695), des deuxième (1678) et troisième (1694) recueils, attendus par un public fervent qui goûte cette « ample comédie à cent actes divers » d'où se dégage une morale épicurienne fondée sur la vision pessimiste de la réalité. – Quant au poète, il apparaît comme épris de perfection et fort habile, par la virtuosité de la versification et la variété de la langue, à conférer un naturel remarquable à ses apologues inspirés d'Ésope*, de Phèdre* et de la sagesse hindoue. **V. Fables.** Cette sagesse, La Fontaine semble la manifester à la fin de sa vie quand, toujours habile courtisan, mais moins épris de sa liberté, il dote ses dernières fables de réflexions philosophiques et s'adonne à la traduction de *psaumes* et d'*hymnes*. (Acad. fr.)

LAFONTAINE (*sir* Louis Hippolyte). ♦ Homme d'État canadien (Boucherville, Québec, 1807 – Montréal, 1864). Il forma en 1842 avec R. Baldwin un ministère responsable, le premier du Canada (sous le gouverneur Charles Bagot). En 1848, le gouverneur Elgin* forma avec Baldwin et lui le «grand ministère» qui procéda à de nombreuses réformes législatives et judiciaires.

LAFONTAINE (Henri Marie). ♦ Jurisconsulte belge (Bruxelles, 1854 – 1943). Représentant du parti socialiste belge au Sénat (1895), il contribua à la fondation de la Cour de justice internationale et de la revue *La Vie internationale* et fut, à partir de 1907, président du Bureau international de la paix. (Prix Nobel de la paix, 1913.)

LA FORCE (Jacques NOMPAR de Caumont, *duc de*). ♦ Maréchal de France (1558 – Bergerac, 1652). Il fut un des compagnons d'Henri* IV et, après sa mort, complota avec Henri de Rohan* avant de faire sa soumission à Louis* XIII. Il fit alors campagne en Piémont (prise de Saluces, 1630) et battit les Espagnols à Carignan. ♦ HENRI NOMPAR DE CAUMONT, *duc de* LA FORCE (La Force, 1582 – *id.*, 1678). Second fils de Jacques, filleul de Henri IV. Il combattit Louis XIII (1621-1622), puis se soumit. Il devint maréchal de camp en 1638. Pendant la Fronde, il suivit un moment Condé*. ♦ ANTONIN NOMPAR DE CAUMONT. **V. Lauzun.** ♦ HENRI JACQUES NOMPAR, *duc de La Force* (1675 – 1726). Il profita du système de Law* qu'il avait encouragé.

LAFORGUE (Jules). ♦ Poète français (Montevideo, 1860 – Paris, 1887). Après une « jeunesse triste et mal nourrie » à Tarbes, puis à Paris, il subsista difficilement, mais fréquenta les milieux littéraires, se liant notamment avec Charles Cros* et Gustave Kahn*. Devenu, grâce à Paul Bourget*, le lecteur attitré d'Augusta de Prusse (1881-1886), il rédigea à Berlin ses *Complaintes* (très inspirées de l'œuvre de Corbière*) où, avec une frivolité feinte et ironique, il se propose de « broder des figures charmantes sur la trame de l'universelle illusion ». Puis parut *L'Imitation de Notre-Dame de la Lune* (1886), recueil de poèmes où Laforgue se montre un maître du vers libre, jouant avec bonheur du rapprochement des mètres pairs et impairs. De retour à Paris, le poète mourut de tuberculose quelques mois après son mariage. Cachant sous un masque de Pierrot fantaisiste et railleur son désespoir métaphysique (accentué par la lecture de Schopenhauer* et de Hartmann*) J. Laforgue a su traduire son pathétique sentiment de l'éphémère en une écriture très personnelle où les raffinements les plus subtils s'allient au réalisme le plus plaisant (Cf. les *Moralités légendaires*; posth., 1887).

LAFOSSE (Charles *de*). ♦ Peintre et dessinateur français (Paris, 1636 – *id.*, 1716). Il fut l'élève et le protégé de Le* Brun. Lord Montaigu lui confia la décoration de son palais à Londres (1700-1701), puis H. Mansart* le chargea de la décoration peinte du *dôme des Invalides* à Paris; il en exécuta la coupole et les pendentifs et travailla aussi au château de Versailles (*salon de Diane, d'Apollon*, etc.). Fervent rubéniste, il employait des coloris vifs, des formes souples et élégantes, et infléchit la « grande manière » noble et héroïque de Le Brun vers un style plus léger et gracieux qui annonce l'esprit de la peinture du XVIIIe siècle.

LA FRESNAYE [lafʀenɛ] **(Roger *de*).** ♦ Peintre, dessinateur, graveur et sculpteur français (Le Mans, 1885 – Grasse, 1925). Il fréquenta à partir de 1903 l'académie Julian, puis l'école des Beaux-Arts et l'académie Ranson où il eut pour maître M. Denis* et P. Sérusier. Impressionné par Cézanne, il se rapprocha v. 1910 du cubisme et exposa alors avec les adeptes du mouvement, notamment à la *Section d'or* de 1912. Traitant figure humaine, paysage et objet par larges plans de couleurs vives, il développa un jeu abstrait de formes colorées équilibrées et fortement architecturées, tout en cherchant à adapter ce nouveau langage plastique à l'expression de sentiments nobles et patriotiques (*L'Artillerie*, 1910; *Le Cuirassé*, 1910-1911; *Jeanne d'Arc*, 1912; *La Conquête de l'air*, 1913). Esprit pondéré, il n'abandonna pas complètement la conception de l'espace perspectif; évitant une fragmentation insistante, il eut tendance à suggérer un espace plan et représenta des figures massives, rigides et stylisées (*L'Homme assis*, 1913; *Nature morte*, 1918). – Gravement blessé en 1914, il réduisit ensuite son activité picturale et revint à une figuration beaucoup plus traditionnelle, tout en poursuivant des recherches graphiques très variées, comme en témoignent ses illustrations de livres.

LAGACHE (Daniel). ♦ Médecin et psychanalyste français (Paris, 1903 – *id.*, 1972), auteur de plusieurs ouvrages concernant *Les Hallucinations verbales et la Parole* (1934), *La Jalousie amoureuse* (1947), *La Théorie du transfert* (1951), *La Psychanalyse* (1955). Sa méthode thérapeutique est une tentative de synthèse de la technique psychanalytique, des tests de caractère et des données de la psychologie sociale.

LA GALISSONNIÈRE (Roland Michel BARRIN, *marquis de*). ♦ Marin français (Rochefort, 1693 – Nemours, 1756). Il fut gouverneur du Canada de 1747 à 1749. Il prit ensuite part à la guerre de Succession* d'Espagne en Méditerranée et battit l'amiral anglais Byng*.

LA GARDIE (Pontus *de*) ♦ Général suédois d'origine française (La Gardie, Languedoc, v. 1530 – Narva, 1585). Il reconquit la Livonie. ♦ JACQUES DE LA GARDIE (1583 – Stockholm, 1652), son fils. Il prit Kexholm et Novgorod (1611) et fut l'un des tuteurs de la reine Christine. ♦ MAGNUS GABRIEL DE LA GARDIE (Reval, 1622 – Vänngarn, 1686). Il fut nommé ambassadeur en France en 1646. Il fut membre du Conseil de régence de Charles XI (1660) et allia la Suède à la France (1672). Il fut disgracié sous Charles XI (1680).

LAGASH, auj. **TELLO.** ♦ Cité sumérienne, en Mésopotamie. La reconnaissance du site par De Sarzec (1877) et les fouilles qu'il y mena inaugurèrent les découvertes relatives à Sumer. Sans être jamais une capitale, Lagash fut florissante sous les « premiers *patesi* » (Ur-Nanshé; Eannada, vainqueur de la ville d'Umma et figurant sur la stèle des Vautours; Entemena; Uruk-Agina), puis tomba sous la domination d'Akkad (v. ~2450) et refleurit sous le *patesi* Gudea* (v. ~2100) devenant alors un foyer artistique remarquable.

LAGERKVIST (Pär). ♦ Romancier, dramaturge et poète suédois (Växjö, 1891 – Stockholm, 1974). Après s'être préoccupé de théories esthétiques (*Art de la parole et Art figuratif*, 1913), il publia *Fer et hommes* (1915), recueil de nouvelles chargées de toute l'horreur de la guerre, suivi de poèmes aux titres significatifs, *Angoisse* (1916) et *Chaos* (1919). Son recueil de poèmes, *La Route de l'homme heureux* (1921), et son drame *L'Invisible* (1923) marquent un moment de sérénité, alors que l'angoisse reparaît dans les *Mauvaises Fables* (1924) et dans les nouvelles *Esprits en lutte*. Effrayé par la montée du nazisme, il écrivit les pièces de théâtre *Le Bourreau* (1933), *L'Homme sans âme* (1936) et *Victoire dans les ténèbres* (1936), où il prit position contre les dictatures. Ses dernières œuvres (les romans *Le Nain*, 1944, *Barrabas*, 1950, et le drame *La Pierre philosophale*, 1947) révèlent un approfondissement des problèmes existentiels. (Prix Nobel 1951.)

LAGERLÖF (Selma Ottiliana Lovisa). ♦ Romancière suédoise (Mårbacka, Värmland, 1858 – *id.*, 1940). Elle publia le roman *La Saga de Gösta Berling* (1890-1891), épopée romantique de la province suédoise, puis un volume de nouvelles, *Les Liens invisibles* (1894), et après des voyages en Italie et au Levant *Les Miracles de*

Arch. Smeets

Roger de La Fresnaye : « L'Homme assis ».
(Musée d'Art moderne, Paris.)

l'Antéchrist (1897) et *Jérusalem* (1901-1902). Son *Merveilleux Voyage de Nils Holgersson* (1906), livre de géographie destiné aux enfants, lui apporta une notoriété mondiale. (Prix Nobel 1909.)

LAGHOUAT. ♦ Oasis du N. du Sahara algérien (dep. des Oasis) au pied de l'Atlas saharien. 35 000 hab. Évêché. Centre commercial. Belle palmeraie.

LAGIDES. *n. m. pl.* ♦ Dynastie égyptienne fondée par un général d'Alexandre* le Grand, Ptolémée, fils de *Lagos,* noble Macédonien. Elle dura de l'avènement de Ptolémée Ier (~ 323) à la mort de Ptolémée XV (~ 30). V. **Ptolémée; Arsinoé; Bérénice.**

LAGNEAU (Jules). ♦ Philosophe français (Metz, 1851 – Paris, 1894). Disciple de Lachelier, formé aussi par la méditation de la philosophie de Spinoza, il a cherché par la pratique de la méthode réflexive à atteindre l'activité de l'esprit universel, au delà du moi fini, que ce soit dans son analyse de la perception ou du jugement. Montrant la vanité d'une recherche du moi individuel et égoïste (source de l'erreur et du mal), il a su reconnaître l'insuffisance de la réflexion et « la nécessité d'une action absolue partant du dedans », acte moral par lequel nous atteignons Dieu (principe immanent de la morale). Fondateur avec P. Desjardins* de *l'Union pour l'action morale,* il eut un rayonnement considérable (*Fragments,* 1898; *Écrits réunis par les soins de ses disciples,* 1924). Alain* publia des *Souvenirs concernant Lagneau.*

LAGNIEU. ♦ Ch.-l. de cant. de l'Ain*, arr. de Belley*, dans le Bugey*. 4 159 hab. *(Lagneusins).* Indus. alimentaire; verrerie; tréfilerie.

LAGNY-SUR-MARNE. ♦ Ch.-l. de cant. de la Seine-et-Marne (arr. de Meaux), sur la Marne. 16 282 hab. (*Laniaques* ou *Latignaciens).* Anc. abbaye bénédictine fondée au VIIe s. dans les bâtiments de laquelle est installé l'hôtel de ville. Ruines de l'église Saint-Furcy (XVe s.). Église Saint-Pierre ou Notre-Dame-des-Ardents, anc. abbatiale rebâtie au XIIIe s., dont seul le chœur est achevé. La V. a été endommagée au cours de la dernière guerre. — Indus. chimique; matériel d'usine; appareillage électrique; imprimerie.

LAGOA DOS PATOS (« lac des canards »). ♦ Lagune côtière du S. du Brésil, tributaire de l'Atlantique, dans l'État du Rio* Grande do Sul (10 000 km²). Les villes de Pôrto* Alegre et Rio* Grande sont situées sur ses rives.

LA GORCE (Pierre *de***).** ♦ Historien français (Vannes, 1846 – Paris, 1934). On lui doit de nombreux ouvrages sur l'histoire française de la Révolution au Second Empire (*Histoire de la Seconde République,* 1887; *Histoire du Second Empire,* 1898-1906; *Histoire religieuse de la Révolution française,* 1909-1923; *Louis XVIII,* 1926; *Charles X,* 1928). [Acad. fr., 1914.]

LAGOS [lagɔs]. ♦ Cap. et district fédéral du Nigeria*, sur les bords de la lagune du même nom, reliée par un canal au golfe du Bénin* où se situe le port d'Apapa. 750 000 hab. Archevêché. Centre commercial et industriel (cimenterie, brasserie, huilerie, savonnerie). Exportation de produits agricoles (cacao, palmistes, arachides, coton).

LA GRANDIÈRE (Pierre Paul Marie *de***).** ♦ Amiral français (1807 – Quimper, 1876). Après avoir exploré le Paraná et l'Uruguay, il prit part à l'expédition contre le Kamtchatka au cours de la guerre de Crimée (1854-1855), puis à la campagne d'Italie (1859). Il fut gouverneur de la Cochinchine*.

LA GRANGE (Charles VARLET, *sieur de***).** ♦ Comédien français (Amiens, v. 1639 – Paris, 1692). Il appartint à la troupe de Molière* où il fit la majeure partie de sa carrière, y tenant l'emploi de jeune premier. Il a laissé un document d'un intérêt capital pour l'histoire de Molière et de ses comédiens : *Extrait des recettes et des affaires de la Comédie depuis Pâques de l'année 1659 jusqu'au 1er septembre 1685.*

LAGRANGE (*comte* **Joseph Louis** *de***).** ♦ Mathématicien français (Turin, 1736 – Paris, 1813). Fondateur à Turin d'une société scientifique (1758) qui deviendra l'Académie des sciences, il succéda en 1766 à Euler* à l'Académie de Frédéric II à Berlin; en 1787, il accepta l'invitation de Louis XVI et vint se fixer définitivement à Paris; nommé sénateur et fait comte par Napoléon, il enseigna à l'École normale puis à l'École polytechnique; après sa mort, ses restes furent déposés au Panthéon. À côté de son ouvrage principal, la *Mécanique analytique* (1788), il tira de son enseignement la matière de plusieurs ouvrages : *Théorie des fonctions analytiques* (1797), *Traité de la résolution des équations numériques* (1798), *Leçons sur le calcul des fonctions* (1799). Il étudia particulièrement les équations différentielles, les équations aux différentielles totales, le calcul aux différences finies, les équations aux dérivées partielles; en 1762, il établit un fondement purement analytique aux formules découvertes par Euler pour le calcul des variations et donna, en 1788, un critère permettant de distinguer maximums et minimums; il s'efforça de fonder l'analyse sur des méthodes algébriques et reconnut l'importance du développement en série de Taylor*, introduisant à cette occasion la notation f'(x), f''(x), etc. des fonctions dérivées; en théorie des équations algébriques, il s'intéressa particulièrement aux équations de degré supérieur à 4 et, étudiant les fonctions rationnelles des racines, jeta les premières bases de la future théorie des groupes. Un système d'équations générales de la dynamique porte son nom. (Acad. sc., 1772.)

LAGRANGE (Albert, en religion *frère* **Marie Joseph).** ♦ Théologien catholique français (Bourg-en-Bresse, 1855 – Saint-Maximin-la-Sainte-Baume, 1938). Il entra chez les Dominicains (1879), fonda l'École pratique d'études bibliques à Jérusalem (1890) puis la *Revue biblique* (1892). Il fut l'un des initiateurs de l'étude critique des textes bibliques : *La Méthode historique, surtout à propos de l'Ancien Testament* (1903); *Études sur les religions sémitiques* (1903); *Le Messianisme chez les juifs* (1909).

Ph. Hubert Josse

Lagrenée l'Aîné : « L'Enlèvement de Déjanire par le Centaure Nessus ». (Musée du Louvre, Paris.)

LAGRANGE (Léo). ♦ Homme politique français (Bourg-sur-Gironde, 1900 – Evergnicourt, Aisne, 1940). Député socialiste S.F.I.O. (1932-1940), sous-secrétaire d'État aux Sports et Loisirs (1936-1937, 1938), il fut l'instigateur de nombreuses réformes pour le développement du sport et du tourisme populaires, créant notamment l'école de ski, le brevet sportif populaire. Il fut tué au combat au début de la Deuxième Guerre mondiale.

LAGRASSE. ♦ Ch.-l. de cant. de l'Aude, arr. de Carcassonne, sur la r. d. de l'Orbieu, dans les Corbières*. 665 hab. Vestiges des fortifications (XIVe s.). L'église Saint-Michel (1359-1398) renferme sept tableaux de Crespi* (les sept sacrements). Ancienne abbaye (cloître, XIe-XIIIe s.; abbatiale, XIVe s., etc.).

LAGRENÉE (Louis Jean François, *dit* **l'Aîné).** ♦ Peintre et dessinateur français (Paris, 1725 – *id.,* 1805). Élève de Carle Van Loo et prix de Rome en 1749, il fut appelé en Russie par Catherine II (1762) et devint premier peintre de la cour, puis directeur de l'académie de Saint-Pétersbourg. Il dirigea ensuite l'académie de France à Rome (1781 à 1787). Auteur de grandes décorations, il représenta des scènes religieuses, mythologiques, historiques et allégoriques. Il chercha à abandonner l'art brillant et gracieux du rococo pour traiter avec une certaine froideur des thèmes plus dramatiques empruntés à Plutarque, Tite-Live, Tacite, annonçant la mode « virile » et antiquisante du néo-classicisme (*Fidélité d'un satrape de Darius,* 1787). ♦ JEAN-JACQUES dit LAGRENÉE LE JEUNE, son frère et élève (Paris, 1739 – *id.,* 1821), le suivit en Russie, puis se rendit en Italie. Il réalisa de vastes décorations comme *L'Hiver,* destiné à la *galerie d'Apollon* à Versailles (*auj.* au Louvre), et aborda aussi des thèmes antiquisants inspirés en partie par Poussin. Nommé ensuite directeur de la manufacture de Sèvres, il contribua à la création de motifs de style Empire et fit des recherches d'ordre technique.

LA GUAIRA. ♦ V. du Venezuela (district fédéral) sur la côte caraïbe, port de Caracas* situé à une vingtaine de kilomètres de la capitale. 16 000 hab. Indus. alimentaires.

LA GUARDIA. ♦ L'un des princ. aéroports de New* York (Queens), le second depuis la création de l'aéroport John Kennedy.

LA GUÊPIÈRE (Pierre Louis Philippe *de***).** ♦ Architecte et décorateur français (Paris, 1715 – *id.,* 1773). Il fut l'élève de J.F. Blondel* et travailla surtout en Allemagne. Les châteaux de *Mon repos* (1763) et de *La Solitude* (1763-1767) à Stuttgart constituent d'élégants témoignages du rococo français dans la décoration intérieure; mais à l'extérieur, la clarté de l'agencement, la sobriété des lignes, sont dans l'esprit du style Louis XVI.

LAGUERRE (Edmond). ♦ Mathématicien français (Bar-le-Duc, 1834 – *id.,* 1886). Créateur de la géométrie de direction, il étudia également les équations algébriques, les fractions continues, les formes quadratiques. Il compléta l'œuvre de Poncelet*, donnant notamment en 1853, à titre de candidat à l'École polytechnique, une expression de la mesure d'un angle liée au rapport anharmonique de ses côtés et des deux droites isotropes de même origine. Des polynômes, rattachés à la série hypergéométrique confluente, portent son nom. (Acad. sc., 1884.)

LAHAJ. ♦ V. du Yémen du sud, dans la région d'Aden*. 15 000 hab. env. C'est le princ. marché d'échanges de l'arrière-pays d'Aden. La région est la plus productive du sud Yémen, avec celle de Mukalla.

Ph. Nino Cirani/Ricciarini
Lahore.

LA HARPE ou **LAHARPE (Jean François Delaharpe**, dit *de*). ♦ Poète dramatique et critique français (Paris, 1739 – *id.*, 1803). Aucune de ses tragédies, qu'elles soient inspirées de l'Histoire (*Warwick*, 1763) ou de l'Antiquité (*Coriolan*, 1784), ne lui a survécu. Si son *Cours de littérature ancienne et moderne* (1799) connut surtout un succès mondain, les variations de sa pensée, qui firent de lui un partisan de la liberté du théâtre (1790), puis un défenseur acharné des règles classiques, après la Révolution, sont révélatrices d'une personnalité de faible envergure. (Acad. fr., 1776.)

LA HARPE (Amédée Emmanuel François *de*). ♦ Général français d'origine suisse (Château de Uttins, Vaud, 1754 – Codogno, 1796). Membre d'un régiment suisse au service de la Hollande en 1773, capitaine dans son pays en 1781, il fut proscrit lors de l'occupation du canton de Vaud par les Bernois. Venu en France, où il se rallia à la Révolution, il fut nommé commandant des volontaires de Seine-et-Oise (1791). Il participa comme lieutenant-colonel au siège de Toulon (1793) et, comme général de brigade, puis de division, se distingua au cours de la campagne d'Italie.

LA HARPE (Frédéric César *de*). ♦ Homme politique suisse, cousin du précédent (Rolle, Vaud, 1754 – Lausanne, 1838). Avocat, lecteur de Rousseau et acquis aux idées libérales, il fut contraint de quitter son pays natal lors de la domination bernoise (1782). Précepteur des grands-ducs Alexandre et Constantin à Saint-Pétersbourg (1783-1795), il revint dans son pays où il fut accusé de « jacobinisme ». Après l'occupation de la Suisse par les armées françaises, il devint l'un des directeurs de la République helvétique (1798-1800). Au congrès de Vienne (1814), il réussit à obtenir, grâce au tsar Alexandre Ier, son ancien élève, la neutralité de la Suisse et l'indépendance de plusieurs cantons (Argovie, Saint-Gall, Tessin, Thurgovie, Vaud). Outre un *Essai sur la Constitution du pays de Vaud* (1796), il a laissé des *Mémoires* (publiés en 1864).

LAHAUTIÈRE (Richard-Auguste Richard de Lá Hautière, dit). ♦ Publiciste français (Paris, 1813 – Vendôme, 1882). Avec Dézamy* et Laponneraye*, il fit partie du groupe communiste néo-babouviste **(V. Babeuf)**, collabora à plusieurs journaux sociaux (*l'Égalité, l'Intelligence*) et publia *Le Petit Catéchisme de la réforme sociale* (1839).

LA HAYE. ♦ **V.** HAYE (LA).

LA HIRE (Étienne VIGNOLLES, dit). ♦ Homme de guerre français (Vignolles, Gascogne, v. 1390 – Montauban, 1443). Compagnon de Jeanne* d'Arc, il participa à la défense d'Orléans et à la victoire de Patay* (1429). Il fut fait prisonnier en tentant de délivrer Jeanne d'Arc à Rouen (1431), s'échappa et remporta par la suite de nombreux succès dans le nord de la France contre les Anglais.

LA HIRE (Philippe *de*). ♦ Astronome et mathématicien français (Paris, 1640 – *id.*, 1718), fils du peintre Laurent de La Hire. Intéressé par de nombreuses branches de la science, il fut un disciple de Desargues* et le continuateur de Pascal* en géométrie; dans son *Traité des coniques*, il énonça de nombreux théorèmes élégamment démontrés, donna tout son développement à la théorie des pôles et polaires, indiqua le lieu du sommet d'un angle droit circonscrit à une conique; dans sa *Nouvelle Méthode en géométrie pour les sections des superficies coniques cylindriques*, il introduisit une méthode générale des descriptions des coniques dans le plan qui est en fait une transformation par homologie; il développa encore la théorie des engrenages épicycloïdaux; il participa également à la réalisation de la carte de France avec Picard* et installa le premier instrument méridien de l'Observatoire de Paris, un secteur mural. (Acad. sc., 1678.)

LA HONTAN (Louis Armand de LOM d'ARCE, *baron de*). ♦ Voyageur et écrivain français (Mont-de-Marsan, 1666 – v. 1715). Il se rendit au Canada (1683) et devint lieutenant du roi à Terre-Neuve (1693). Dans *Dialogue de M. le baron de la Hontan et d'un sauvage de l'Amérique*, il fit l'éloge de la vie primitive (préfigurant ainsi le mythe du « bon sauvage »), tout en critiquant la société et la civilisation occidentales.

LAHORE. ♦ V. du Pâkistân* (anc. **Pañchâlanagara**), cap. du Pañjâb*, élevée au XIe s. au bord de la Ravi*. 1 823 000 hab. (1969). – Centre industriel et universitaire. Sa mosquée est la plus grande d'Asie. ♦ *Hist.* Anc. fief mogol, elle devint cap. des Sikhs* en 1767, puis tomba aux mains des Anglais en 1849. Elle fut attribuée au Pâkistân lors de la « partition » de 1947. Ses jardins de Shalimar, créés par les Mogols, sont célèbres.

LA HOUSSAYE [lausɛ] **(Pierre Nicolas HOUSSAYE dit Pierre).** ♦ Violoniste et compositeur français (Paris, 1735 – *id.*, 1818). Élève de Tartini*, il devint chef d'orchestre de l'Opéra-Italien à Londres, dirigea à Paris le Concert spirituel, puis l'orchestre de la Comédie-Italienne. Professeur au Conservatoire (1795-1802), il fut aussi l'un des plus grands virtuoses de son temps.

LAHTI. ♦ V. de Finlande méridionale, près du lac Vesijärvi. 89 349 hab. (1969). – Musée folklorique. Centre industriel : indus. du bois (fabriques de meubles, scieries), indus. textile, outillage mécanique. Émetteur de radiodiffusion. – Station de sports d'hiver.

LA HULPE, en néerl. **Terhulpen.** ♦ Comm. de Belgique (Brabant, arr. de Nivelles) aux environs de Bruxelles. 5 500 hab. – Église Saint-Nicolas (XIIe, XVIe, XIXe s.). – Papeterie.

LA HYRE ou **LA HIRE (Laurent** *de*). ♦ Peintre et dessinateur français (Paris, 1606 – *id.*, 1656). Fils du peintre Étienne de La Hire, il subit l'influence de Gentileschi* qui séjourna à Paris entre 1623 et 1625. Membre fondateur de l'Académie (1648), il est l'un des représentants du courant d'atticisme alors en vogue à Paris. Il peignit de nombreux tableaux religieux dans un style assez emphatique qui rappelle celui de Vouet*. Il subit l'influence de Poussin*, se montrant progressivement plus mesuré et équilibrant mieux ses compositions. Il aimait les coloris clairs, les volumes lisses et n'évitait pas toujours une certaine froideur (*Allégorie des arts libéraux*).

LAIBACH. ♦ Anc. nom de **Ljubljana.** ♦ *Hist.* Après l'ajournement du congrès de Troppau*, un congrès y réunit les cinq puissances de la Sainte-Alliance du 24 janvier au 12 mai 1821. L'Autriche, avec son représentant Metternich, décida de soutenir le roi Ferdinand Ier de Naples contre le régime constitutionnel instauré après l'insurrection de 1820.

LAIGLE. ♦ **V.** AIGLE (L').

LAINÉ (Joseph Henri Joachim, *vicomte*). ♦ Homme politique français (Bordeaux, 1767 – Paris, 1835). Membre du Corps législatif en 1808, il fit preuve d'une grande indépendance politique et, ayant pris position en faveur de la paix et de la liberté en 1813, fut accusé par Napoléon d'être au service de l'Angleterre. Président de la *Chambre introuvable* (1815-1816), il tenta de prendre position contre les mesures réactionnaires des ultras et contribua à faire accepter la dissolution de la Chambre en septembre 1816. Membre des deux cabinets Richelieu (1816-1818, 1820-1821), pair (1822-1830), il affirma son opposition à l'expédition d'Espagne [1823]. (Acad. fr., 1816.)

LAÏOS. ♦ Roi légendaire de Thèbes*, fils de Labdacos. Réfugié à la cour de Pélops, il conçoit une passion pour le fils de celui-ci et l'enlève, inventant ainsi la pédérastie. Le péché de Laïos, doublé de l'ingratitude envers son hôte, est à l'origine de la malédiction qui pesa sur le sort des *Labdacides* (« descendants de Labdacos »). En effet, rappelé à Thèbes, Laïos épouse Jocaste* dont il a Œdipe*. Comme un oracle lui avait prédit que, s'il lui naissait un fils, il périrait de sa main, il exposa l'enfant sur le Cithéron. Ce fut le début du drame des Labdacides (Œdipe, Étéocle, Polynice, Antigone, Ismène).

LAÏS. ♦ Nom de plusieurs courtisanes grecques mentionnées surtout par Athénée (IIIe s.) dans les *Deipnosophistes*. La plus célèbre aurait été la fille de la Sicilienne Timandra, la maîtresse d'Alcibiade. Installée toute jeune à Corinthe* et devenue elle-même maîtresse d'Alcibiade, elle aurait été tuée plus tard par des femmes de Thessalie, jalouses de sa beauté. – Une autre LAÏS *de Corinthe* est connue comme la maîtresse du philosophe Aristippe de Cyrène.

LAKANAL (Joseph). ♦ Homme politique français (Serres, comté de Foix, 1762 – Paris, 1845). Professeur, il fut élu député à la Convention et vota la mort du roi. Membre du comité de l'Instruction publique, il contribua à faire adopter par la Convention montagnarde puis thermidorienne plusieurs décrets sur l'instruction publique et l'organisation des écoles (18 nov. 1794). Membre du Conseil des Cinq-Cents (1795-1797), commissaire du Directoire (1797), il reprit des fonctions dans l'enseignement sous le Consulat et l'Empire. Proscrit comme régicide (1816), il vécut aux États-Unis jusqu'en 1833.

LAKE DISTRICT [*n. m.*] en fr. **Région des lacs.** ♦ Région du N.-O. de l'Angleterre correspondant aux comtés du Westmorland*, à la partie méridionale du Cumberland* et à une portion du Lancashire (Furness). Elle a été profondément modelée par l'érosion glaciaire au quaternaire et creusée de lacs pittoresques (Windermere*, Grasmere*, Derwentwater) encadrés par les sommets arrondis du massif du Cumberland (Scafell Pike, 983 m). C'est une région touristique qui fut, de 1805 à 1830, habitée par les poètes lakistes* **(V. Wordsworth, Coleridge, Southey).**

LAKE SUCCESS. ♦ Localité à l'E. de l'aggl. de New York, dans l'île de Long Island. Elle fut le siège de l'O.N.U. de 1946 à 1951, date où l'organisation fut transférée à Manhattan, sur la r. d. de l'East River.

LAKHDARIA, anc. **Palestro.** ♦ V. d'Algérie, ch.-l. d'arr. du dép. de Tizi-Ouzou, en Grande Kabylie*, au débouché de gorges formées par l'oued Isser. 20 646 hab.

LAKHMIDES. *n. m. pl.* ♦ Dynastie arabe vassale des Sassanides* qui dominait une partie de l'Iraq (fin du IIIe s.-déb. du VIIe s.). Installés à al-Hirâh (située près de la future Kûfa), les Lakhmides entrèrent souvent en conflit avec Rome puis avec la dynastie voisine des Ghassânides*. Ils disparurent avant la naissance de l'islâm.

LAKHNAU ou **LUCKNOW.** ♦ V. de l'Inde (Uttar* Pradesh). 784 000 hab. (l'aggl. compte 851 000 hab.) [1970]. — Centre agricole et commercial. Usines de matériel de ch. de fer et filatures de coton. ♦ *Hist.* Elle fut fondée au XIVe s. et devint cap. du royaume d'Oudh* en 1724. Elle fut entièrement reconstruite par Asaf ud-Daula (1775-1798).

Lakistes (Lake Poets). ♦ École poétique anglaise comprenant Wordsworth*, Coleridge* et Southey*. La publication par Wordsworth de la *Description du paysage des Lacs,* région où résidèrent ces poètes de 1805 à 1830, est à l'origine de cette dénomination qui fut surtout employée en France.

LAKSMÎ. ♦ Divinité hindoue de la Fortune, née de l'Océan, et épouse de Viṣnu*. C'est un aspect de la déesse-mère, appelée aussi Śrî (Heureuse) et Devî.

LALANDE (Michel Richard *de***).** ♦ Compositeur et organiste français (Paris, 1657 — Versailles, 1726). Il fit ses études de clavecin et d'orgue à Saint-Germain-l'Auxerrois où il rencontra Marin Marais, puis s'engagea à tenir l'orgue de Saint-Gervais avant que F. Couperin* en prenne la charge (1679). C'est en 1683 qu'il devint sous-maître de la chapelle de Versailles. Dès lors sa renommée ne fit que croître; il devait accéder aux plus hautes charges, étant devenu le musicien préféré de Louis XIV après la mort de Lully. Son œuvre, fortement marquée par l'influence de son prédécesseur, comprend des divertissements et des ballets (*Les Fontaines de Versailles,* 1683; *Symphonies pour les soupers du Roy; Les Éléments,* 1721). Son œuvre religieuse *(De Profundis, Te Deum, Magnificat)* se caractérise par la justesse de la prosodie, l'architecture des chœurs, la richesse de l'harmonie, sans échapper toutefois à une certaine froideur décorative. Comparables à ceux de Campra*, ses motets annoncent les cantates de Bach et de Haendel.

LALANDE (Joseph Jérôme LEFRANÇOIS *de***).** ♦ Astronome français (Bourg-en-Bresse, 1732 — Paris, 1807). Il participa à l'opération de 1751 conçue pour l'opposition périhélique de Mars : La* Caille se trouvant au Cap et Lalande à Berlin obtinrent une excellente valeur pour la parallaxe lunaire. Il améliora les tables de Halley* (planètes, comètes, 1759). Il recueillit (1789-1798) les positions de 50 000 étoiles dans son *Histoire céleste française.* Il est également l'auteur d'une chronique de la science de son époque [*Bibliographie astronomique,* 1804]. (Acad. sc., 1753.)

LALANDE (André). ♦ Philosophe français (Dijon, 1867 — Asnières, 1963). Directeur et principal rédacteur du *Vocabulaire technique et critique de la philosophie* (1902-1923), il a maintenu, en particulier contre la philosophie évolutionniste **(V. Spencer),** la tradition d'un rationalisme ouvert à l'expérience et distingua ainsi la raison constituée (ensemble de règles fixées à un moment historique donné) et la raison constituante, créatrice de règles et de valeurs. (*Théorie de l'induction et de l'expérimentation,* 1930; *La Raison et les Normes,* 1948.)

LA LAURENCIE (Lionel, *comte de***).** ♦ Musicologue français (Nantes, 1861 — Paris, 1933). Ses recherches érudites font autorité dans le domaine de la musique instrumentale des XVIIe et XVIIIe siècles. Il a consacré d'importantes études à Rameau, Lully, et Campra. Il participa à la fondation de la Société française de musicologie (1917) et dirigea, après Lavignac, la publication de l'*Encyclopédie de la musique et Dictionnaire du Conservatoire.*

LALEMANT (*saint* **Gabriel).** ♦ **V.** GABRIEL LALEMANT (saint).

LALIBELA. ♦ V. sainte d'Éthiopie, où la dynastie qui succéda au royaume d'Aksoum transféra la capitale. Elle s'appelait alors Roha, mais reçut ensuite le nom du roi *Lalibela* (*déb.* XIIIe s.) qui y fit construire de remarquables églises monolithes. Couvent copte.

LALINDE. ♦ Ch.-l. de cant. de la Dordogne*, arr. de Bergerac*, sur la Dordogne*. 3 291 hab. [1 625 aggl.] *(Lindois).* Bastide du XIIIe s., restes de remparts.

LALIQUE (René). ♦ Joaillier, verrier et décorateur français (Ay, Marne, 1860 — Paris, 1945). Par ses créations, il contribua au renouvellement de l'art du bijou et s'affirma comme l'un des principaux créateurs de l'*Art Nouveau.* Mêlant les matières précieuses et semi-précieuses à la recherche de tonalités subtiles, d'effets d'opalescence, il associa avec un esprit symboliste la figure féminine, le décor végétal, les formes de la libellule, du cygne ou du serpent. Célèbre à partir de 1900, il créa de nombreux objets de luxe, fonda sa propre fabrique de verre moulé (1908) produisant vases, services de table, luminaires et ensembles décoratifs.

Lalitâ-Vistara. ♦ Œuvre bouddhique en prose et en vers, écrite en sanskrit aux environs de notre ère et traitant de la vie du Bouddha. C'est une compilation anonyme de récits et légendes anciennes qui fait partie du *Tripitaka** (ou « Triple Corbeille »), le « Canon » bouddhique. Ce texte connut une grande diffusion et fut traduit en chinois dès le IIIe siècle.

LALLAING [lalɛ̃]. ♦ Comm. du Nord, arr. et aggl. de Douai. 8 795 hab. Houille.

LALLA-MARNIA. ♦ V. d'Algérie. Nom anc. de Marnia*.

LALLEMAND (André). ♦ Astronome français (Cirey, Côte-d'Or, 1904). Auteur de travaux sur l'étude photométrique en astronomie, il est surtout connu pour ses recherches sur les applications de la photo-électricité en astronomie : dès 1936, il étudia les photomultiplicateurs et les amplificateurs de brillance, perfectionnant le procédé de photographie électronique dans le « télescope électronique » **(V.** *aussi* **Zworykin).** Il mit ainsi au point des tubes ayant un facteur d'amplification de près de cinq cent millions avec possibilité de branchement direct sur des galvanomètres. Avec Duchesne*, il inventa ensuite le convertisseur d'images photo-électrique qui, permettant d'obtenir une image sur un écran fluorescent ou sur une plaque photographique, est appelé à jouer un rôle de plus en plus important pour les sciences d'observation. (Acad. sc., 1961.)

LALLY (Thomas Arthur, *baron de* **Tollendal,** *comte de* **Lally,** dit **LALLY-TOLLENDAL).** ♦ Général français d'origine irlandaise (Romans, 1702 — Paris, 1766). Après s'être distingué dans les guerres de Succession* de Pologne et d'Autriche, et avoir soutenu le prétendant Charles*-Édouard Stuart, il fut envoyé en Inde à la tête d'un important corps expéditionnaire. Autoritaire, mal conseillé, il s'aliéna les indigènes et ses propres officiers. Son échec devant Madras (1758) fut suivi de sa reddition à Pondichérry (1761), après une résistance héroïque. Il fut accusé de trahison et condamné à mort. Quelques années après, Voltaire commençait à faire campagne pour sa réhabilitation, et son fils l'obtint de Louis XVI en 1778. ♦ TROPHIME GÉRARD, *marquis de* **LALLY-TOLLENDAL,** son fils (Paris, 1751 — 1830). Il tenta, avec Voltaire, de réhabiliter la mémoire de son père. Député de la noblesse aux États généraux (1789), il fit partie du groupe des monarchiens*. Émigré dès 1790, revenu en France en 1792, il fut emprisonné mais relâché peu après et se retira en Angleterre. Pair sous la Restauration, il siégea à la Chambre haute comme royaliste constitutionnel. (Acad. fr., 1816.)

LALO (Édouard). ♦ Compositeur français (Lille, 1823 — Paris, 1892). Romantique attardé, folkloriste épris de couleur, il s'est affirmé par des œuvres d'une grande richesse d'instrumentation et d'une réelle originalité mélodique (*Symphonie espagnole,* 1873: *Rhapsodie norvégienne,* 1881; *Concerto russe,* 1883). En dépit d'un échec initial, le ballet *Namouna* (1882) fit sa gloire, ainsi qu'un opéra, *Le Roi d'Ys* (1888) où l'influence wagnérienne est sensible. On lui doit encore des œuvres pour orchestre (*Symphonie en* sol *mineur,* 1886), des concertos, de la musique de chambre et des mélodies.

LA LOUBÈRE (Simon *de***).** ♦ Diplomate français (Toulouse, 1642 — château de La Loubère, Languedoc, 1729). Ambassadeur au Siam (1687-1688), il publia une *Description du royaume de Siam* (1691). Il contribua à la restauration de l'académie des Jeux Floraux. (Acad. fr., 1693.)

LALOUVESC ou **LA LOUVESC.** ♦ Comm. de l'Ardèche, arr. de Tournon, 593 hab. Basilique du XIXe s., abritant le tombeau de saint Jean*-François Régis (pèlerinages).

LA LOUVIÈRE. ♦ V. de Belgique (Hainaut, arr. de Soignies) sur le canal du Centre et le canal de Bruxelles à Charleroi. 23 500 hab. — Musée communal. — Houillères. Sidérurgie. Verrerie. Céramiques. Locomotives.

LA LUZERNE (César Guillaume *de***).** ♦ Cardinal français (Paris, 1738 — 1821). Évêque de Langres (1770), il prononça l'oraison funèbre de Louis XV (1774). Député du clergé aux États généraux (1789), il manifesta à l'Assemblée nationale constituante son opposition à la Déclaration des droits de l'homme et du citoyen et à la Constitution civile du clergé, et émigra de 1791 à 1814. De retour en France sous la Restauration, il fut nommé ministre d'État, puis cardinal de Langres (1817). Dans son ouvrage, *Considérations sur la Déclaration de l'assemblée du clergé en France en 1682* (1821), il défendit les thèses du gallicanisme.

Ph. Hétier

Lalibela.

LAMALOU-LES-BAINS. ♦ Comm. de l'Hérault, arr. de Béziers, au pied des monts de l'Espinouse*, sur la r. d. du Bitoulet. 2 530 hab. *(Lamalousiens).* Allongée sur deux kilomètres, enserrant de nombreux îlots de verdure, la ville est propice au repos des curistes. Station thermale (maladies nerveuses et rhumatismes). Centre d'excursion (massif de l'Espinouse et Cévennes).

LA MANTAZA. ♦ V. d'Argentine, faubourg de Buenos Aires, faisant partie du *Grand Buenos Aires.* 402 642 hab. Centre commercial et industriel.

LA MARCHE (Olivier *de***).** ♦ Poète et chroniqueur français (château de La Marche, Franche-Comté, 1426 – Bruxelles, 1502). Familier de la cour des ducs de Bourgogne, puis de celle de Louis XI, il a laissé des *Mémoires* sur la période allant de 1435 à 1492, ainsi que des poèmes (*Le Chevalier délibéré,* 1443 ; *Le Parement et le Triomphe des dames d'honneur,* 1510).

LAMARCHE. ♦ Ch.-l. de cant. des Vosges, arr. de Neufchâteau. 1 201 hab. Église XIIe, XIIIe siècles. Château de la Trinité ; anc. couvent des Trinitaires.

LA MARCK (Guillaume *de***),** *baron de* **Lumain.** ♦ (v. 1446 – Maastricht, 1485), surnommé le Sanglier des Ardennes à cause de sa cruauté. Il souleva les Liégeois en faveur de Louis XI contre Charles le Téméraire, mais fut décapité sur l'ordre de Maximilien d'Autriche. ♦ ROBERT III DE LA MARCK, dit *l'Aventureux,* seigneur de Fleuranges, son petit-neveu (Sedan, v. 1490 – 1537). Il participa aux guerres d'Italie, notamment à la bataille de Marignan (1515), fut fait prisonnier à Pavie (1525) et fut nommé maréchal de France. Auteur de *Mémoires.*

LAMARCK (Jean-Baptiste de MONET, *chevalier de***).** ♦ Naturaliste français (Bazentin, Picardie, 1744 – Paris, 1829). Il s'occupa de botanique (*La Flore française,* 1778, rééditée sous la direction de Candolle* ; *L'Encyclopédie botanique*) avant d'être nommé professeur à la chaire des animaux sans vertèbres du Muséum (1793). Il publia successivement *Système des animaux sans vertèbres* (1801), *Recherches sur l'organisation des espèces* (1802), *Philosophie* zoologique* (1809), *Histoire naturelle des animaux sans vertèbres* (1815-1822). Il élabora la « première théorie positive de l'évolution des êtres vivants » (J. Rostand). À partir des infusoires, êtres vivants primitifs, apparus, selon lui, par des « générations directes ou spontanées », se sont formés progressivement des organismes de plus en plus complexes. Les deux causes principales de ces transformations sont une tendance spontanée de la matière vivante vers le perfectionnement et d'autre part l'influence des circonstances extérieures. L'adaptation au milieu, au mode de vie, entraîne une modification des besoins, créant chez l'animal de nouvelles habitudes qui à leur tour engendrent des transformations dans l'organisme (l'usage ou le défaut d'exercice d'un organe entraînant son développement ou, au contraire, son atrophie). Lamarck soutint l'hérédité des caractères acquis, bien que celle-ci n'ait pu être prouvée. La théorie de Lamarck (lamarckisme) combattue par Cuvier*, influença fortement Darwin*.

LA MARCK. ♦ **V.** ARENBERG (Auguste).

LA MARMORA (Alfonso FERRERO, *marquis de***).** ♦ Général et homme politique italien (Turin, 1804 – Florence, 1878). Il prit part à la guerre d'indépendance de 1848, arrêta l'insurrection de Gênes (1849) et fut le réorganisateur de l'armée piémontaise. Il prit la tête des forces sardes en Crimée (1855-1856), puis en 1859. Après avoir occupé le poste de gouverneur à Naples (1861-1864), il devint président du Conseil et ministre des Affaires étrangères. Il entraîna son pays dans l'alliance prussienne contre l'Autriche en 1866, et les défaites italiennes amenèrent sa démission.

LAMARQUE (Maximilien, *comte***).** ♦ Général et homme politique français (Saint-Sever, 1770 – Paris, 1832). Engagé en 1791, il prit part aux guerres de la Révolution et de l'Empire, se distingua à Austerlitz (1805), en Italie, lors de la campagne de Russie, puis de France. Rallié à Napoléon Ier pendant les Cent-Jours, il fut chargé de réprimer l'insurrection royaliste de Vendée. Exilé lors de la Seconde Restauration (1815), il revint en France dès 1818. Élu député en 1828, il fut un des chefs et principaux orateurs de l'opposition républicaine. Ses obsèques furent l'occasion de la première insurrection républicaine de la monarchie de Juillet. **V. Juin 1832** (journées de).

LAMARTINE (Alphonse *de***).** ♦ Poète, écrivain et homme d'État français (Mâcon, 1790 – Paris, 1869). Après une jeunesse imprégnée de ferveur religieuse, à Milly*, il découvrit l'Italie (1811), puis revint se mettre au service de Louis XVIII. S'ennuyant, il s'adonna à sa vocation littéraire. Sa rencontre sans lendemain avec Mme Julie Charles (l'Elvire du *Lac*), en 1816, lui inspirera cette « poésie de l'âme » que sont *Les Méditations* poétiques* (1820). « Expression d'un cœur qui se berçait de son propre sanglot », ce lyrisme fut pour les jeunes romantiques une « révélation » (Sainte-Beuve). Marié à une Anglaise, nommé représentant de la France auprès du grand-duc de Toscane, à Florence, Lamartine y composa *Les Harmonies* poétiques et religieuses* (1830), véritables « psaumes modernes », puis accomplit un long voyage en Orient, aux Lieux saints ; mais la mort de sa fille (Cf. *Gethsémani,* 1834) modifia profondément sa foi. Désormais apôtre d'un « christianisme libéral et social » (qu'il représentera à la Chambre des députés de 1833 à 1851), il conçut une vaste « épopée de l'âme » dont parurent deux épisodes, *Jocelyn** (1836), et *La Chute d'un*

Arch. Smeets

Alphonse de Lamartine, par Couture.
(Musée d'Art et d'Histoire, Genève.)

ange (1838), puis il exprima ses preoccupations humanitaires dans *Les Recueillements* (1839). Devenu orateur influent et accentuant son opposition à Louis-Philippe, il fit paraître l'*Histoire des Girondins* (1847), destinée à donner au peuple « une haute leçon de moralité révolutionnaire, propre à l'instruire et à le contenir à la veille d'une révolution ». L'ouvrage reçut un accueil enthousiaste. Ce fut l'apogée de la carrière politique de Lamartine (ministre des Affaires étrangères, en février 1848) auquel l'avènement du Second Empire (1851) mit fin. Accablé de dettes, trop pauvre pour s'exiler comme Victor Hugo, trop persuadé de la nocivité du régime impérial pour s'y rallier, il se condamna aux « travaux forcés littéraires » publiant des ouvrages historiques, des romans sociaux et des récits autobiographiques, *Les Confidences* (1849), d'où sera tiré l'épisode de *Graziella** (1852). Dans son *Cours familier de littérature* (1856-1869) paraîtra encore le poème élégiaque de *La Vigne* et la Maison* (1857). « La poésie sera [...] l'écho profond, réel, sincère des plus hautes conceptions de l'intelligence, des plus mystérieuses impressions de l'âme. Ce sera [...] l'homme sincère et tout entier. » Chant lyrique associant par un symbolisme discret la nature aux sentiments, méditation qui se transforme en élévations religieuses, cette œuvre s'est voulue également philosophique et sociale, « ouverte aux plaintes de la foule ». Capable de mouvements oratoires vigoureux, la poésie de Lamartine est surtout remarquable quand elle s'attache, par des rythmes très souples et des harmonies suggestives, à exprimer « les plus intimes et les plus insaisissables nuances du sentiment ». (Acad. fr.)

LAMASTRE. ♦ Ch.-l. de cant. de l'Ardèche*, arr. de Tournon*, sur le Doux. 3 409 hab. *(Lamastrois).* Église romane, ruines d'un château féodal. – Indus. textile, indus. du bois. – Patrie de Ch. Seignobos*.

LAMB (Charles). ♦ Essayiste, conteur, poète, dramaturge et critique anglais (Londres, 1775 – *id.,* 1834). D'une famille de petite bourgeoisie, il reçut une éducation classique dans une institution de charité, *Christ's Hospital,* où il se lia avec Coleridge. Sa vie fut assombrie par un drame familial en 1796 : au cours d'une crise de folie, sa sœur, Mary, tua leur mère et blessa leur père. Charles Lamb dut, par la suite, subvenir aux besoins de la famille et surveiller sa sœur d'ailleurs exceptionnellement douée (Mary Lamb : Londres, 1764 – *id.,* 1847). C'est en collaboration avec elle qu'il écrivit, pour les enfants, *Les Aventures d'Ulysse* (1808), *L'École de Mrs. Leicester* (1809), et, surtout, des *Contes tirés de Shakespeare* (1807) qui devaient paraître anonymement. *Macbeth, Roméo et Juliette, Hamlet,* ... y sont réduits à des récits linéaires, mais gardent leur vigueur. Son anthologie des *Poètes dramatiques anglais du temps de Shakespeare* (1808) marque une date importante dans la critique romantique. Lamb s'essaya lui-même au drame élisabéthain : *John Woodvil,* 1802. Le même romantisme sombre imprègne *L'Histoire de Rosamund Gray,* 1798. Noblement résigné comme le héros de cette histoire, Lamb acquit l'humour discret qui caractérise ses *Lettres* à Southey* et à Thomas Manning (1800). Le personnage d'*Elia* (*Essais d'Elia,* 1823) naquit de la sorte : c'est l'anagramme de *A lie,* « un mensonge ». Cet ouvrage, où l'esprit du XVIIIe s. se donne libre cours, réunit les divers aspects de l'essai ; il est aussi bien burlesque *(Complainte sur la décadence des mendiants de la métropole)* que paradoxal *(Sophismes populaires)* ou empreint de sens critique *(Équilibre du vrai génie),* sans négliger la confidence autobiographique *(Enfants de rêve, Vieux Chine).*

LAMB (Willis Eugène). ♦ Physicien américain (Los Angeles, 1913). Auteur, avec Rutherford*, de découvertes par spectroscopie hertzienne sur la structure fine de l'hydrogène (1946-1948), qui confirmèrent la théorie quantique des champs [**V. Feynman, Schwinger, Tomonaga.**] (Prix Nobel de phys., 1955.)

LAMBALLE (Marie-Thérèse Louise *de* **SAVOIE-CARIGNAN,** *princesse de***).** ♦ (Turin, 1749 – Paris, 1792). Veuve un an à peine après son mariage, elle devint surintendante de la maison de la reine Marie*-Antoinette (1774), dont elle était l'amie dévouée. Enfermée à la prison de la Force, elle fut tuée lors des massacres de septembre 1792.

LAMBALLE. ♦ Ch.-l. de cant. des Côtes-du-Nord, arr. de Saint-Brieuc. 6 119 hab. *(Lamballais).* Église Notre-Dame, de style gothique normand. Église Saint-Jean (XVe s.); église Saint-Martin en partie romane. Important centre commercial (bovins, porcs); haras. ♦ *Hist.* La ville fut la capitale du duché de Penthièvre de 1134 à 1420.

LAMBARÉNÉ. ♦ V. du Gabon sur l'Ogooué*. 4 000 hab. La ville est célèbre en Europe par son centre médical créé par A. Schweitzer*. – Exploitations forestières.

LAMBERSART. ♦ Comm. du Nord, dans l'arr. et la banlieue O. de Lille*. 27 290 hab. Indus. textile et céramique.

LAMBERT. ♦ (Mort à Marengo, 898). Roi d'Italie (894-898). Il tint en échec son compétiteur Arnoul, roi de Germanie.

LAMBERT. ♦ (Mort en 931). Marquis de Toscane (929-931). Il contribua à faire nommer roi d'Italie son demi-frère Hugues de Provence, mais ce dernier prétendit que Lambert était un bâtard, le captura et lui fit crever les yeux. Lambert donna la Toscane à son demi-frère Boson.

LAMBERT (Michel). ♦ Chanteur et compositeur français (Champigny ou Vivonne, près Poitiers, v. 1610 – Paris, 1696). Maître de musique de la chambre du roi (1661), il devint le beau-père de Lully, avec qui il collabora à la création de nombreux opéras et ballets de cour. Il a composé des airs, au style simple et naturel, ainsi que des « récits » et « dialogues » dont le ton dramatique les apparente à des scènes d'opéra.

LAMBERT (John). ♦ Général anglais (Calton, Yorkshire, 1619 – île Saint-Nicholas, Plymouth, 1664). Il se distingua à Hull en 1643, à Nautwich en 1644 et battit les royalistes à Bradford. En 1648, il vainquit les Écossais à Preston et entra à Édimbourg. Il fit donner le protectorat à Cromwell* (1653) et demanda l'hérédité (1654), mais il s'opposa à ce que Cromwell reçût le titre de roi (1657), et se brouilla avec lui. Il marcha contre Monk, mais fut battu et condamné à l'emprisonnement perpétuel.

LAMBERT (Anne Thérèse de MARGUENAT de COURCELLES, *marquise de***).** ♦ Femme de lettres française (Paris, 1647 – 1733). Elle composa divers ouvrages, dont des traités de morale et de pédagogie, et tint un salon célèbre que fréquentèrent Fénelon*, Fontenelle*, Houdar* de La Motte, Montesquieu* et Marivaux*.

LAMBERT (Jean Henri). ♦ Philosophe, astronome et mathématicien français (Mulhouse, 1728 – Berlin, 1777). Il retrouva, indépendamment, l'importante formule d'astronomie cométaire (cas du mouvement parabolique) donnée par Euler* (théorème de Lambert, 1761) liant, pour deux positions, l'intervalle de temps, les rayons et la corde, et eut, par ailleurs, l'intuition du rôle modeste présenté par la Voie lactée au cœur de l'univers stellaire : en mathématiques, il démontra l'irrationalité de π (1768), étudia les fonctions hyperboliques, participa à l'édification de la trigonométrie sphérique (1770) et donna une série qui porte son nom (1772); il s'intéressa encore aux principes de la perspective (1759, 1774) et aux constructions au moyen de la règle et d'un cercle de rayon constant (1774) et enfin s'interrogea sur la validité du célèbre postulat des parallèles (1786); en physique, il étudia l'ensemble des problèmes liés à la photométrie et en énonça la loi fondamentale [*Photometria,* 1760] **(V. Bouguer).** On lui doit également une œuvre importante sur la théorie de la connaissance (*Neuer Organon* et *Anlage zur Architectonik*).

Lambert *(hôtel).* ♦ Hôtel de Paris, à l'E. de l'île Saint*-Louis. Édifiée de 1640 à 1644 sur les plans de Le* Vau, cette élégante demeure fut ornée de peintures décoratives par Le* Brun (voûte de la *galerie d'Hercule,* 1648) et Le* Sueur (panneaux actuellement au Louvre).

Arch. Rencontre

Galerie de l'hôtel **Lambert.**

LAMBESC (Charles Eugène de LORRAINE, *duc d'***ELBEUF** et *prince de***).** ♦ Maréchal de France (Versailles, 1751 – Vienne, 1825). Membre d'une branche de la maison de Guise, liée à la famille de Marie-Antoinette, colonel propriétaire du régiment Royal-Allemand, il fit tirer sur la foule aux Tuileries le 12 juillet 1789. Accusé, mais acquitté, il émigra, entra au service de l'armée autrichienne contre la France révolutionnaire (1792) et fut nommé feld-maréchal (1796). Sous la Restauration il devint pair et maréchal de France (1814).

LAMBESC. ♦ Ch.-l. de cant. des Bouches-du-Rhône, arr. d'Aix-en-Provence, au pied O. de la chaîne de la Trévaresse. 2 822 hab. Église du XVIIIe s. (clocher du XIVe siècle). – La localité a subi un important tremblement de terre en 1909.

LAMBÈSE. ♦ V. d'Algérie. **V. Tazoult.**

LAMBETH. ♦ Quartier du S.-O. de Londres, en face de la cité de Westminster, sur la r. d. de la Tamise. 339 560 hab. Le *palais de Lambeth* est depuis sept siècles la résidence de l'archevêque de Canterbury, primat de l'Église anglicane.

LAMBRES-LÈS-DOUAI. ♦ Comm. du Nord, arr. et aggl. de Douai, sur la Scarpe. 5 159 habitants.

LAMÉ (Gabriel). ♦ Mathématicien et ingénieur français (Tours, 1795 – Paris, 1870). Après avoir dirigé, avec Clapeyron*, des travaux de viabilité en Russie (1820), il participa, à son retour en France (1832), à l'établissement des chemins de fer Paris-Saint-Germain et Paris-Versailles. Il contribua à l'essor de la géométrie analytique, introduisant la notation abrégée et les multiplicateurs (*Examen des différentes méthodes pour résoudre les problèmes de géométrie,* 1818). En mécanique analytique, il établit les équations générales de l'élasticité au moyen des éléments caractéristiques de la déformation et des tensions internes (*Leçons sur la théorie mathématique de l'élasticité des corps solides,* 1852) [**V. Navier**]. On lui doit encore une équation différentielle importante qu'il rencontra dans un problème de propagation de la chaleur *(équation de Lamé)* et l'introduction des quadriques homofocales comme surfaces coordonnées en géométrie et en physique mathématique. (Acad. sc., 1843.)

LAMECH. ♦ Patriarche biblique (*Genèse,* IV, 19), polygame, père de Jabel, Jubal et Tubal-Caïn. Selon la *Genèse* (V. 25 *sqq*), il fut le père de Noé.

LA MEILLERAYE [lamɛjəʀɛ] **(Charles de LA PORTE,** *duc de***).** ♦ Maréchal de France (Paris, 1607 – *id.*, 1664). Cousin germain de Richelieu*, il se distingua pendant la guerre de Trente* Ans (Pas de Suze, 1629-Carignan, 1630), et conquit presque tout le Roussillon sur les Espagnols en 1642.

LAMENNAIS ou **LA MENNAIS** [lam(ə)nɛ] **(Félicité Robert** *de***).** ♦ Écrivain et penseur français (Saint-Malo, 1782 – Paris, 1854). Entré dans les ordres, il fut d'abord royaliste et ultramontain, développant ses thèses dans son *Essai sur l'indifférence en matière religieuse* (1817-1823) qui le rendit célèbre; prônant la subordination du pouvoir temporel au pouvoir spirituel (*De la religion considérée dans ses rapports avec l'ordre politique et social,* 1825), il s'attira, par ses positions tranchées, l'hostilité des gallicans. En 1830, il fonda avec Lacordaire et Montalembert le journal *L'Avenir* qui instaurait un christianisme libéral (favorable à une séparation de l'Église et de l'État). Après une première condamnation par Rome (1832), Lamennais exprima sa rupture avec l'Église dans *Paroles d'un croyant* (1834) et dans les *Affaires de Rome* (1836-1837). Il s'orienta dès lors vers un humanitarisme démocratique qui s'exprime dans *Le Livre du peuple* (1838), *Le Pays et le Gouvernement* et l'*Esquisse d'une philosophie* (1841-1846) où il expose sa conception de Dieu qui doit, selon lui, dominer toute réforme sociale. En 1848, il fut élu représentant du peuple à l'Assemblée constituante et directeur du journal *le Peuple.*

Lamentations *(livre des).* ♦ Recueil de cinq poèmes anonymes figurant dans la Bible. Il fait partie des cinq rouleaux. Les Septante et la Vulgate les attribuent à Jérémie*. Écrits après la destruction de Jérusalem par les Babyloniens (~ 587), ils commémorent cette catastrophe dans la liturgie d'Israël.

LAMENTIN (Le). ♦ Ch.-l. de cant. de la Martinique, arr. de Fort-de-France, à l'E. de Fort-de-France. 18 592 hab. *(Lamentinois).* Distilleries. Sucrerie.

LAMENTIN. ♦ Ch.-l. de cant. de la Guadeloupe, arr. de Basse-Terre, au N.-E. de l'île. 8 919 hab. – Distilleries. Sucrerie. Sources thermales.

LAMETH (Théodore, *comte de***).** ♦ Général et homme politique français (Paris, 1756 – Busagny, près de Pontoise, 1854). Il participa à la guerre d'Indépendance américaine. Député du Jura à l'Assemblée législative, où il siégea parmi les monarchistes constitutionnels **(V. Feuillants)**, il se prononça ainsi que ses frères contre la guerre (1792). Général de brigade, il fut destitué en 1793, pour avoir tenté de sauver le roi et émigra jusqu'au 18 Brumaire. ♦ CHARLES (Malo-François), *comte de* LAMETH, son frère. Général et homme politique français (Paris, 1757 – 1832). Après avoir pris part à la guerre d'Indépendance américaine sous les ordres de Rochambeau, il fut élu député de la noblesse de l'Artois aux États généraux (1789) et, au sein de l'Assemblée nationale constituante, prit position en faveur des idées révolutionnaires et des réformes. Après la fuite du roi **(V. Varennes)**, il rejoignit le camp des monarchistes constitutionnels **(V. Feuillants)**. Général de brigade, il démissionna et émigra après le 10 août 1792. Revenu en France (18 Brumaire), il servit dans les armées napoléoniennes

Ph. Hubert Josse

Eugène Lami :
« Entrée de la duchesse d'Orléans aux Tuileries ».
(Musée du Louvre, Paris).

en Espagne. Député de Seine-et-Oise (1829), il siégea d'abord dans l'opposition, mais devint conservateur après la révolution de 1830. ♦ ALEXANDRE, *comte de* LAMETH, frère des précédents. Général et homme politique français (Paris, 1760 – 1829). Il participa, comme ses frères, à la guerre d'Indépendance américaine. Élu député de la noblesse de Péronne aux États généraux (1789), il forma, avec Barnave* et Duport*, le triumvirat qui, au sein de l'Assemblée nationale constituante, prit position en faveur des réformes et s'opposa au pouvoir royal fort (en particulier à Mirabeau). Rallié aux feuillants* après la fuite du roi **(V. Varennes),** et nommé général de brigade, il passa à l'ennemi avec La Fayette (19 août 1792) et fut emprisonné jusqu'en 1797 par les Autrichiens. Rentré en France après le 18 Brumaire, il fut préfet, devint baron d'Empire (1810) puis pair pendant les Cent-Jours. Député libéral sous la Restauration, il a laissé une *Histoire de l'Assemblée constituante* (1829).

LA METTRIE (Julien OFFROY *de***).** ♦ Médecin et philosophe français (Saint-Malo, 1709 – Berlin, 1751). Ayant été banni de France (1746) et de Hollande (1748) pour ses opinions, il trouva refuge auprès de Frédéric II. Il écrivit plusieurs ouvrages de médecine (*Traité du vertige,* 1737 ; *Observation de médecine pratique,* 1743 ; *Politique de la médecine,* 1746). Matérialiste, il appliqua à l'homme la théorie cartésienne des animaux-machines (*L'Homme-machine,* 1748).

LAMI (Eugène). ♦ Peintre, aquarelliste et graveur français (Paris, 1800 – Paris, 1890). Élève de Gros*, puis d'Horace Vernet*, il séjourna en Angleterre en compagnie de Bonington*. D'abord auteur de peintures d'histoire et de scènes de bataille, il devint un fidèle chroniqueur de la vie parisienne : Baudelaire vit en lui « le poète du dandysme officiel ».

LAMÍA. ♦ V. de Grèce, ch.-l. du nome de Phthiotide*, dans la vallée de Sperchéios, près du golfe de Lamía. Manufactures de tapis. 38 300 hab. *(Lamiaques).* Ruines d'une forteresse franque et catalane sur l'acropole de l'ancienne cité. À proximité de Lamía le défilé des Thermopyles* et Loutra Hypati (station thermale). ♦ *Hist.* La ville donna son nom à la *guerre lamiaque,* insurrection déclenchée à la mort d'Alexandre le Grand (~ 323) par Athènes* et suivie par plusieurs cités de la Grèce centrale contre la domination macédonienne. L'armée confédérée, conduite par le général athénien Léosthène, assiégea le vice-roi macédonien Antipatros* dans Lamía, mais Léosthène fut tué et une armée de secours débloqua Antipatros qui, ensuite, remporta la victoire décisive de Crannon* (~ 322). La répression s'abattit contre le parti antimacédonien d'Athènes : Hypéride* fut mis à mort et Démosthène*, poursuivi par les soldats d'Antipatros, fut empoisonné.

LÂMI'Î ÇELEBI (Mahmut). ♦ Poète turc (? – 1531). Ses *Letâif* (« Anecdotes ») rapportent un grand nombre de traditions orales concernant la vie des célébrités passées et présentes.

LAMIS. ♦ V. d'Argentine située dans les faubourgs de Buenos* Aires et qui fait partie du *Grand Buenos Aires.* 381 561 hab. Centre commercial et industriel.

LAMOIGNON (Guillaume *de***).** ♦ Premier président au parlement de Paris (Paris, 1617 – *id.,* 1677). Il refusa de présider au procès de Fouquet*, se montra soucieux de rendre la justice plus humaine et protégea les écrivains (dont Boileau). ♦ Son petit-fils, GUILLAUME (Paris, 1683 – *id.,* 1772), chancelier sous Louis XV, fut le père de Malesherbes*.

LAMORICIÈRE (Christophe Louis Léon JUCHAULT *de***).** ♦ Général et homme politique français (Nantes, 1806 – château de Prouzel, près d'Amiens, 1865). Ancien polytechnicien, il prit part à la conquête de l'Algérie, se distingua lors de la prise de Constantine (octobre 1837), de la bataille de l'Isly (août 1844) et reçut, avec le duc d'Aumale, la soumission de l'émir Abd* al-Qâdir (1847). Après la révolution de 1848, il siégea comme républicain modéré à l'Assemblée constituante et fut nommé par Cavaignac ministre de la Guerre. Hostile à Louis-Napoléon, il fut incarcéré au fort de Ham après le coup d'État du 2 décembre 1851, puis banni (1852-1857). En 1860, il passa au service du pape, réorganisa les troupes pontificales dont il fut nommé général en chef ; mais, battu à Castelfidardo* (18 septembre 1860) par les troupes du roi Victor-Emmanuel II, sous le commandement de Cialdini, il dut capituler à Ancône et revint en France peu après.

LA MOTHE-HOUDANCOURT (Philippe *de***).** ♦ Maréchal de France (1605 – Paris, 1657). Il combattit en Catalogne (1641), fut un moment soupçonné de trahison, mais se distingua par sa défense de Barcelone (1652).

LA MOTHE LE VAYER [lamɔtləvaje] **(François** *de***).** ♦ Polygraphe et philosophe français (Paris, 1588 – *id.,* 1672), précepteur de Louis XIV et membre de l'Académie* française (1639). Cultivé et libertin de pensée, il manifesta dans ses écrits, sur les sujets les plus variés, son scepticisme critique.

LA MOTTE (Jeanne de Valois, *comtesse de***).** ♦ Aventurière française (Fontenette, Languedoc, 1756 – Londres, 1791). Elle joua un rôle important dans l'affaire du collier*.

LAMOTTE-BEUVRON. ♦ Ch.-l. de cant. du Loir-et-Cher, arr. de Romorantin-Lanthenay. 4 174 hab. (3 754 aggl.) en Sologne, sur le Beuvron et le canal de la Sauldre. Château XVIe-XVIIe siècle. – Appareillage électrique. Manufacture de porcelaine.

LA MOTTE-FOUQUÉ (Friedrich, *baron de***).** ♦ Auteur dramatique et écrivain allemand (Brandebourg, 1777 – Berlin, 1843). Officier de cuirassiers jusqu'en 1802, il ne reprit du service qu'en 1813. De ses drames romantiques (*Sigurd,* 1808) et de ses romans (*L'Anneau magique,* 1818) il ne subsiste rien, mais un de ses contes, *Ondine* (1811), qui a inspiré à Jean Giraudoux* la pièce qui porte ce titre (1939), demeure riche d'une ravissante poésie.

LA MOTTE-PICQUET (Toussaint Guillaume, *comte* **Picquet de La Motte,** dit**).** ♦ Marin français (Rennes, 1720 – Brest, 1791). Il participa à vingt-huit campagnes de 1737 à 1783, et se distingua particulièrement lors de la guerre d'Indépendance des États-Unis, au cours de laquelle il réussit à capturer vingt-six vaisseaux de l'escadre de l'amiral britannique Rodney. Il fut promu lieutenant général des armées navales en 1781.

LAMOURETTE (Antoine Adrien). ♦ Homme politique français (Frévent, Pas-de-Calais, 1742 – Paris, 1794). Vicaire général d'Arras, nommé évêque constitutionnel de Rhône-et-Loire (février 1791), il fut élu député à l'Assemblée législative où il siégea au centre. Désirant mettre fin aux querelles politiques qui opposaient la droite (les feuillants) et la gauche (jacobins, cordeliers), il prononça un discours pathétique (7 juillet 1792) qui fut suivi d'une embrassade générale, réconciliation éphémère, rendue célèbre sous le nom ironique de *baiser Lamourette.* Il s'opposa aux massacres de septembre 1792 et fut lui-même exécuté lors de la Terreur.

LAMOUREUX (Charles). ♦ Violoniste et chef d'orchestre français (Bordeaux, 1834 – Paris, 1899). Fervent adepte de la musique classique autant que de l'œuvre de Wagner, il fonda les *Nouveaux Concerts* (1881), association qui, plus tard, devait porter son nom. Il fut le premier à diriger l'audition intégrale du répertoire wagnérien en France.

LAMPANG. ♦ V. de Thaïlande, sur le Me-wang, ch.-l. (30 000 hab.) d'une province de 470 000 hab. – Petites indus. du cuir, du bois et du coton. – Elle fut fondée au VIe siècle.

LAMPEDUSA (Giuseppe TOMASI *di***).** ♦ Romancier italien (Palerme, 1896 – Rome, 1957). Propriétaire terrien, d'une famille aristocratique, le prince de Lampedusa commença à près de soixante ans (1955) sa chronique de la vie sicilienne à l'époque du Risorgimento, *Le Guépard* (*Il Gattopardo ;* posth., 1958), ouvrage qui connut un succès éclatant. Peinture colorée et d'une grande beauté formelle d'une « génération malchanceuse, en équilibre instable entre les temps anciens et modernes », le récit illustre le scepticisme fataliste d'aristocrates anachroniques qui, sous le soleil « violent et impudent » de la Sicile, vivent « dans une immobilité servile, bercée de rêves violents ». – Durant les dernières années de sa vie, Tomasi di Lampedusa composa encore quatre *Récits* (*Racconti ;* posth., 1961).

LAMPEDUSA. ♦ Île de la Méditerranée, entre Malte et la Tunisie. Elle appartient à l'Italie et est rattachée à la Sicile (prov. d'Agrigente). 5 000 hab. Pêche aux anchois et aux éponges.

LAMPHUN. ♦ V. de Thaïlande, sur le Me-ping. 15 000 hab. Actuellement ch.-l. d'une prov. de 250 000 hab. – Laque, argent repoussé. ♦ *Hist.* Fondée au VIe s., et appelée Haripuñjaya, c'est l'anc. cap. des Môn. Elle fut conquise par les Thaï en 1287.

LAMPRECHT (Karl). ♦ Historien allemand (Jessen, Saxe, 1856 – Leipzig, 1915). Auteur d'études sur l'histoire économique française et allemande du Moyen Âge et d'une importante *Histoire d'Allemagne* (1891-1909), il a contribué à renouveler les travaux historiques en Allemagne.

LAMPSAQUE, en gr. **Lampsakos,** auj. **Lâpseki.** ♦ Anc. V. d'Asie Mineure (Mysie) sur les Dardanelles*, face à Gallipoli*. Colonie de Phocée* et de Milet* fondée en ~ 654 à l'emplacement de la primitive *Pityoussa,* elle participa à la révolte des cités ioniennes contre les Perses (~ 499). Pendant la guerre du Péloponnèse*, elle passa des Athéniens aux Spartiates, puis aux Perses (~ 405). Elle fut prise par Alexandre le Grand en ~ 334. Centre de culte de Priape*, elle était renommée pour ses vins. – Patrie de Chariton*. – Auj. *Lâpseki.*

LAMURE-SUR-AZERGUES. ♦ Ch.-l. de cant. du Rhône*, arr. de Villefranche*-sur-Saône, sur l'Azergues*. 1 046 hab. Station estivale ; indus. textile.

LAMY (Claude Auguste). ♦ Chimiste français (Ney, Jura, 1820 – Paris, 1878). Il isola le thallium (1862). **V. Crookes.**

LAMY (Étienne Marie Victor). ♦ Homme politique français (Cize, Jura, 1845 – Paris, 1919). Il siégea à l'Assemblée nationale (1871), puis à la Chambre des députés (1876-1881). Républicain et catholique, il se montra favorable à la politique de « ralliement » de l'Église au régime (1892). Directeur du *Correspondant* (1903-1909), il a laissé de nombreux ouvrages historiques et politiques. (Acad. fr., 1905.)

LAMY (François Joseph Amédée). ♦ Officier et explorateur français (Mougins, 1858 – Kousseri, Baguirmi, 1900). Il prit avec Foureau* la tête de l'escorte militaire qui traversa les régions de la Méditerranée au Tchad (1899-1900) à la rencontre des missions E. Gentil* et Voulet*-Chanoine* (qui furent remplacés par Joalland*). Il fut tué lors de la dernière offensive des troupes du chef musulman Rabah qui furent vaincues à Kousseri. On a donné son nom à la ville principale du Tchad (Fort-Lamy).

LANAEKEN, en néerl. **Lanaken.** ♦ Comm. de Belgique (Limbourg, arr. de Tongres) à la jonction du canal Albert et du canal de Bois-le-Duc à Maastricht. 8 100 hab. – Indus. du bois et du caoutchouc.

LANAO. ♦ Nom de deux prov. des îles Philippines* *(Lanao del Norte* et *Lanao del Sur)* dans l'île de Mindanao*, totalisant près de 1 200 000 hab. – Cultures de la canne à sucre, du riz et des épices. Ports princ. : Iligan, Marawi.

LANARK. ♦ V. d'Écosse centrale, dans les Lowlands et la vallée inférieure de la Clyde ; ch.-l. officiel du Lanarkshire*. 8 440 hab. (1961). Ruines d'un château du XVIe s. (Cadzow Castle).

LANARKSHIRE ou **LANARK.** *n. m.* ♦ Comté d'Ecosse, dans les Lowlands, correspondant au cours inférieur de la Clyde. 2 778 km². 1 563 000 hab. (le plus peuplé d'Écosse). *Ch.-l.* Lanark*. *V. princ. :* **V. Airdrie, Coatbridge, East Kilbride, Glasgow, Hamilton, Motherwell, Rutherglen.** – L'activité économique a pour foyer Glasgow* et doit son origine à l'exploitation au XIXe s. d'un important bassin houiller et d'un gisement de fer (Monkland), développant ainsi une puissante sidérurgie et la métallurgie du fer. Des industries chimiques, mécaniques et textiles s'y sont ajoutées.

LANCASHIRE, anc. **Lancaster.** *n. m.* ♦ Comté d'Angleterre (Midlands) limité au N. par le Cumberland et le Westmorland, à l'E. par le Yorkshire, au S. par le Cheshire, à l'O. par la mer d'Irlande et à l'E. par les Pennines*. 4 864 km², 5 198 900 hab. *Ch.-l.* Preston*. *V. princ.* **V. Blackburn, Blackpool, Bolton, Bury, Leigh, Liverpool, Manchester, Oldham, Saint Helens** et **Salford.** – *Écon.* Le Lancashire est le berceau de l'indus. anglaise. L'indus. lainière, utilisant comme force motrice les rivières descendant des Pennines, s'est développée la première, au XVIIIe s., autour de Manchester. Les filatures sont localisées au S. (Wigan*, Bolton, Rochdale*) et le tissage au N., entre Preston et Burnley. Après avoir connu au XIXe s. un essor extraordinaire, l'indus. textile a traversé vers 1925 une période de crise qui a nécessité une reconversion dans les fibres artificielles. Le bassin houiller, exploité depuis le XIXe s. dans le S. du comté **(V. Furness),** a connu lui aussi une grave crise, mais l'exploitation de la houille emploie encore 25 000 personnes. La sidérurgie, la métallurgie de l'aluminium et du cuivre, les constructions mécaniques (métiers textiles, matériel ferroviaire, automobiles) viennent en bonne place. Le sel du Cheshire a permis l'essor d'une puissante indus. chimique : verreries (Saint Helens), raffineries de pétrole (Stanlow, Heysham), poterie (Stoke-on-Trent). Manchester et Liverpool, reliées par un canal maritime, sont les deux pôles de cette énorme activité industrielle. – Patrie de R. Whitehead*.

LANCASTER *(sir* **James).** ♦ Navigateur anglais (Hampshire, v. 1555 – Londres, 1618). Après s'être rendu à Ceylan, Sumatra (1591), il dirigea la première expédition de la Compagnie des Indes orientales (1601). Persuadé de l'existence d'un passage maritime au N.-O. de l'Amérique, il a inspiré de nombreux voyages dans ces régions (en particulier celui de Baffin* qui reconnut le détroit séparant l'île de Devon et la terre de Baffin et portant le nom de sir James Lancaster). La relation des voyages de Lancaster est contenue dans l'ouvrage de Hakluyt.

LANCASTER, en fr. **Lancastre.** ♦ V. du N.-O. de l'Angleterre (Lancashire), sur l'estuaire de la Lune. 48 900 hab. Évêché et université. Château fondé au XIe s. sous Guillaume le Conquérant et reconstruit au XVIe siècle. Église du XVe siècle. – Centre industriel : textiles (coton, soie, rayonne), fabriques de linoléum. – Patrie de sir Richard Owen*, et de John Fleming*.

LANCASTER *(détroit de),* en angl. **Lancaster Sound.** ♦ Détroit séparant l'île Devon de la terre de Baffin (Arctique canadien).

LANCASTRE *(maison de).* ♦ Famille noble anglaise fondée en 1267 par Édouard le Croisé, fils d'Henri III, titulaire du comté (puis duché) de Lancastre ♦ HENRI, comte, puis 1er duc de LANCASTRE (Grosmont, Monmouthshire, v. 1300 – Leicester, 1361). Il participa à la bataille de l'Écluse (1340) et à la négociation de Brétigny (1360) au début de la guerre de Cent Ans. Il ne laissa qu'une fille, Blanche, qui transmit le titre à son mari Jean* de Gand (1340-1399). ♦ Le fils de Jean de Gand, HENRI DE LANCASTRE, détrôna Richard II **(V. Henri IV,** 1399-1413). ♦ La *maison de Lancastre* resta au pouvoir avec ses successeurs Henri* V (1413-1422) et Henri* VI (1422-1461 et 1470-1471). Richard d'York* contesta le droit au trône d'Henri VI, déclenchant ainsi la guerre des Deux-Roses*. Le dernier Lancastre, Édouard, fils d'Henri VI, fut exécuté en 1471.

LANCELOT *(dom* **Claude).** ♦ Religieux janséniste de Port-Royal et grammairien français (Paris, v. 1615 – Quimperlé, 1695). Ce fut l'un des fondateurs des Petites Écoles de Port-Royal et il publia plusieurs *Nouvelles Méthodes* pour apprendre les langues latine (1644), grecque (1655), italienne et espagnole (1660) ainsi qu'un ouvrage sur les racines grecques (*Le Jardin des racines grecques,* 1657). Sa principale contribution à l'étude théorique du langage est sa participation, avec Arnauld*, à l'élaboration de la *Grammaire générale et raisonnée* ou *Grammaire de Port-Royal* (1660). Après la fermeture des Petites Écoles de Port-Royal (1660), au moment de la persécution contre les jansénistes, Lancelot fut éducateur du duc de Chevreuse et des deux princes de Conti (1669-1672) puis se retira à l'abbaye de Saint-Cyran, d'où il fut relégué à l'abbaye de Quimperlé en raison de ses positions religieuses (1680). – Abel Hermant prit pour pseudonyme le nom de Lancelot pour signer ses chroniques de langage.

Lancelot du Lac. ♦ Personnage du *cycle breton,* un des chevaliers du roi Artus*, élevé par la fée Viviane*. Ses espérances sont contées par Chrétien* de Troyes dans son roman en octosyllabes *Lancelot ou le Chevalier à la charrette* (v. 1170). Devenu ici le type du parfait amant courtois, le héros consent même au déshonneur social pour « servir » sa dame, Guenièvre*, femme du roi Artus. Dans le *Lancelot,* premier roman en prose constitué v. 1225, son fils Galaad* obtient par sa pureté de conquérir le Graal*.

LÂN-CHANG [*Lân-xang*] (« Le million d'éléphants »). ♦ Nom anc. du Laos*, repris comme nom officiel de ce pays.

LAN-CHOU [*Lan-tcheou, Lanzhou, Lanchow*]. ♦ V. de Chine, ch.-l. de la prov. du Kan*-su (Ganzu), sur le fl. Huang*-ho. Env. 1 000 000 d'hab. – Important centre commercial de Chine du Nord. Extraction de pétrole et d'uranium. Usine de diffusion gazeuse. Indus. pétrolières, chimiques, automobiles.

LANCISI (Giovanni Maria). ♦ Médecin italien (Rome, 1654 – 1720). Il enseigna l'anatomie au Collège de Sapience.

LANCRET (Nicolas). ♦ Peintre, dessinateur et graveur français (Paris, 1690 – *id.,* 1743). Il étudia dans l'atelier de Gillot*, y rencontra Watteau et imita ses *Fêtes galantes.* Ces sujets perdirent souvent sous son pinceau leur caractère mystérieux et nostalgique et prirent un caractère frivole et pittoresque (*Le Déjeuner de jambon,* 1735). Il multiplia les séries en prenant pour thèmes le concert, la danse, les âges de la vie, etc. (*Les Quatre Saisons* pour Louis XV au château de la Muette), adoptant souvent des tonalités bleutées, plus claires que celles de Watteau. Il peignit aussi des portraits d'actrices, des scènes de mœurs, des scènes libertines et exécuta de nombreux dessins à la sanguine pleins de verve et d'élégance. Il illustra les *Contes* de La Fontaine.

LANDAIS (Pierre). ♦ Grand trésorier de Bretagne (Vitré, v. 1440 – Nantes, 1485). Valet de garde-robe du duc de Bretagne François II, il gagna sa confiance et devint trésorier et receveur général de Bretagne (1460). Il signa des accords commerciaux avec l'Espagne, le Portugal, l'Angleterre, les villes hanséatiques, favorisa l'établissement d'ateliers de soieries et de tapisseries. Il voulut faire le mariage d'Anne, héritière de Bretagne, et du duc d'Orléans, ce qui aurait eu pour effet de réunir la Bretagne au royaume de France et lui aliéna la noblesse bretonne. Le duc le sacrifia. Accusé de concussion et de meurtre, il fut pendu.

LANDAU (Edmund). ♦ Mathématicien allemand (Berlin, 1877 – *id.,* 1938). Auteur de travaux sur la théorie des nombres et sur la théorie des fonctions de variables complexes, il établit un théorème concernant le cycle de Picard*.

LANDAU (Lev Davidovitch). ♦ Physicien soviétique (Bakou, 1908 – Moscou, 1968). Spécialiste de physique théorique, en magnétisme, il émit, indépendamment de L. Néel*, l'hypothèse du champ moléculaire négatif (1933) qui conduit à l'anti-ferromagnétisme, puis, avec Lifshitz, il précisa les conditions de résonance des moments magnétiques dans un ferromagnétique (1935). En phy-

Arch. Smeets

Nicolas Lancret : « La Balançoire ».
(Art Museum, Cincinnati.)

Ph. Hétier

Landes : récolte de la résine sur les pins.

sique des très basses températures, il donna la théorie des deux états définis de l'hélium liquide, grâce à des considérations de mécanique quantique et à la notion de quasi-particules (1941). En physique des plasmas, il montra que l'agitation thermique assure non seulement le transport des oscillations, mais produit aussi leur amortissement [1946] **(V.** *aussi* **Langmuir, Tonks).** On lui doit également des travaux sur la théorie des champs, prolongement de la mécanique quantique et de la relativité. (Prix Nobel de phys., 1962.)

LANDAU. ♦ V. d'Allemagne occidentale (Palatinat), située au pied des monts de la Hardt. Env. 30 000 hab. Églises gothiques (*Augustiner Kirche,* déb. XVe s.; *Stiftkirche,* XIIIe s.). Porte *(Deutsches Tor)* restaurée. – Centre commercial d'une région agricole (vins, tabac). Indus. textile et du caoutchouc. ♦ *Hist.* La V. fut libre depuis le début du XIIIe s. jusqu'à sa cession à l'évêque de Spire (1324). Elle fut occupée par les troupes françaises en 1633 et 1639, et fut cédée à la France (traité de Westphalie, 1648) qui la perdit, puis la reprit (1679). Vauban la fortifia, mais elle fut prise deux fois par les Impériaux de Louis de Bade (1702, puis 1704). Le traité de Bâle (1714) confirma cependant son appartenance à la France. Après la révolution, la V. fit partie du dép. du Bas-Rhin. En 1815, elle revint à l'Autriche, puis à la Bavière.

LANDÉ (Jean-Baptiste). ♦ V. LANDET.

LANDEN (John). ♦ Mathématicien anglais (Peterborough, Northamptonshire, 1719 – Milton, 1790). Il étudia surtout le calcul différentiel (*The Residual Analysis,* 1764) et le problème de la rectification de l'ellipse et de l'hyperbole au sujet duquel il démontra notamment que le calcul de tout arc d'hyperbole peut se ramener à celui de deux arcs d'ellipse (1780).

LANDEN. ♦ Comm. de Belgique (Brabant, arr. de Louvain) en Hesbaye*. 5 200 hab. – Matériel agricole Indus. alimentaires (sucreries). Important nœud ferroviaire. ♦ *Hist.* Pépin* l'Ancien, souche de famille de Charlemagne et maire du palais sous Dagobert Ier, y naquit et y mourut.

LANDER (Alfred Bernhardt STEVNSBORG, dit Harald). ♦ Danseur et chorégraphe danois naturalisé français (Copenhague, 1905 – 1971). Élève du ballet royal danois, il fit ses débuts en 1925. De 1927 à 1929, il étudia en Russie et aux États-Unis, et devint en 1930 danseur soliste au Théâtre royal de Copenhague. Il créa de très nombreux ballets. En 1952, Maurice Lehmann l'appela à l'Opéra de Paris, et en 1955, il fut nommé directeur de l'École nationale de danse, et maître de ballet à l'Opéra de Paris.

LANDERNEAU. ♦ Ch.-l. de cant. du Finistère, arr. de Brest dans le Léon, sur l'Elorn. 14 067 hab. *(Landernéens).* Église Saint-Houardon, en partie du XVIe s., église Saint-Thomas-de-Cantorbéry (XVIe s.). Pont de Rohan (XVIe s.). Maisons anciennes. – Port sur l'estuaire de l'Elorn (pêche du saumon et de la truite). Marché (primeurs, fruits, légumes; chevaux). Confection. Matériel de construction; produits chimiques. ♦ L'expression « Cela fera du bruit dans Landerneau » vient d'une pièce de théâtre du XIXe s. et n'a pas de rapport direct avec la ville. ♦ C'est à Landerneau qu'Édouard Leclerc a créé sa première coopérative commerciale.

LANDES. *n. f. pl.* ♦ Région de l'Aquitaine*, entre le Bordelais* et l'Adour*, baignée par l'océan Atlantique, et s'étendant en majeure partie sur le dép. des Landes*. C'était une plaine sablonneuse et marécageuse, et son assèchement fut entrepris à la fin du XVIIIe s. par N. Brémontier*, qui arrêta au moyen de plantations (pins) la progression des dunes vers l'intérieur. Son œuvre fut poursuivie par J. Chambrelent au XIXe siècle. Les Landes devinrent une des régions forestières les plus riches de France (scieries, papeteries, fabriques de produits résineux). À la suite d'incendies entre 1937 et 1950, la Compagnie d'aménagement des Landes de Gascogne a mis sur pied un plan de remise en valeur. – Stations balnéaires le long de la côte. **V. Arcachon, Mimizan, Hossegor, Capbreton** (Côte d'Argent).

LANDES *(dép. des).* **[40].** ♦ Dép. du S.-O. de la France en bordure de l'Atlantique (région [anciennement C.A.R.] d'Aquitaine*). 9 364 km^2. – *Orogr.* Le département s'étend sur une grande partie de la forêt des Landes ; au S. du département, collines de la Chalosse* et du Béarn*. L'accumulation de sables à faible profondeur dans le sol formait un grès rouge : l'alios, qui rendait le sol imperméable et déterminait la formation de nombreux marécages. Au XIXe s., aménagement des Landes : drainage des marécages, plantation de pins. **V. Aquitaine.**

♦ (332 comm., 28 cant., 286 357 hab.). *Préf.* Mont*-de-Marsan, *sous-préf.* Dax*. *Ch.-l. de cant.* Aire*-sur-l'Adour, Amou*, Castets*, Gabarret (1 632 hab.), Geaune (599 hab.), Grenade*-sur-l'Adour, Hagetmau*, Labrit*, Mimizan*, Montfort*-en-Chalosse, Morcenx*, Mugron (1 568 hab.), Parentis*-en-Born, Peyrehorade*, Pissos (827 hab.), Pouillon*, Roquefort*, Sabres (1 209 hab.), Saint-Martin-de-Seignanx (2 061 hab.), Saint*-Sever, Saint*-Vincent-de-Tyrosse, Sore*, Soustons*, Tartas*, Villeneuve*-de-Marsan. *Autres comm. et régions :* **V. Arjuzanx, Biscarosse, Capbreton, Cazaux, Chalosse, Hossegor, Saint-Paul-lès-Dax, Soorts-Hossegor.**

LANDET ou **LANDÉ (Jean-Baptiste).** ♦ Chorégraphe français (mort à Saint-Pétersbourg, 1748). Maître de ballet du roi de Suède en 1727, il devint professeur de danse à la cour de Russie en 1738, où il fut nommé plus tard maître de ballet. Il est le créateur de la danse académique en Russie.

LANDINI ou **LANDINO (Francesco).** ♦ Compositeur italien (Fiesole, v. 1325 – Florence, 1397). Aveugle dès l'enfance, il acquit une grande renommée d'organiste à l'église Saint-Laurent de Florence. Par ses madrigaux, ballades et chansons à deux et trois voix, d'une grande richesse mélodique et harmonique, il fut l'un des maîtres de l'*Ars Nova* florentin.

LANDINO (Cristoforo). ♦ Humaniste et poète italien de langue latine (Florence, 1424 – 1492), surtout connu pour ses *Disputationes camaldulenses (Disputations camalduléennes)* qui relatent des entretiens tenus notamment par Ficin*, Alberti*, Laurent de Médicis* et Landino lui-même sur des sujets philosophiques. On lui doit aussi un commentaire en langue italienne sur la *Divine* Comédie,* accompagné de dessins de Botticelli* (1481).

LANDIVISIAU. ♦ Ch.-l. de cant. du Finistère, arr. de Morlaix, dans le Léon*. 6 433 hab. *(Landivisiens).* L'église Saint-Thivisiau conserve un clocher et un porche du XVIe siècle. Chapelle Sainte-Anne, ossuaire du XVIIe s.; fontaine du XVe siècle. – Marché aux bestiaux. Fabrique de silos et de containers.

LANDOLFI (Tommaso). ♦ Romancier et essayiste italien (près de Frosinone, 1908). Lié avec le groupe des poètes « hermétiques ». Landolfi, par ailleurs admirateur de Kafka et de Poe, se montra également sensible aux recherches des surréalistes. – Dès les récits des *Dialogues des plus grands systèmes* (1937), l'écrivain s'attacha à analyser les phénomènes mystérieux de l'âme, puis poursuivit son enquête sur les rapports de l'instinct et de l'esprit dans *La Pierre de lune* (*La pietra lunare,* 1939), roman où le rêve et le réel se confondent subtilement. D'autres récits de Landolfi ont été traduits en français, dont *La Muette* et *La Femme de Gogol.*

LANDON. ♦ 121e pape, six mois en 913-914 [mort]. Sabin. **V.** *aussi* **Pornocratie.**

LANDOUZY (Louis). ♦ Médecin français (Reims, 1845 – Paris, 1917). Ses travaux portèrent sur les maladies nerveuses (atrophie musculaire progressive ou type de Landouzy-Déjerine) et sur le traitement sérothérapique de la syphilis et de la tuberculose. (Acad. méd., 1901, Acad. sc., 1913.)

LANDOWSKA (Wanda). ♦ Claveciniste polonaise (Varsovie, 1877 – Lakeville, Connecticut, 1959). Elle acquit très jeune la maîtrise de l'instrument auquel elle allait consacrer sa vie. Successivement professeur à la *Schola Cantorum* (1900), à la Hochschule de Berlin (1913), à Philadelphie et à Bâle, elle revint en France pour se fixer à Saint-Leu-la-Forêt (1925-1939), où son cours de musique ancienne acquit une réputation internationale. Elle émigra aux États-Unis (1940). Par son enseignement comme par ses concerts et par les œuvres qu'elle suscita parmi les musiciens contemporains (M. de Falla, F. Poulenc), elle a fortement contribué à la renaissance du clavecin.

LANDOWSKI (Paul). ♦ Sculpteur français (Paris, 1875 – Boulogne-sur-Seine, 1961). Prix de Rome en 1900, il fut influencé par Rodin et tenta de conférer à la représentation symbolisante, en honneur dans la sculpture monumentale du XIXe s., une qualité expressive et une énergie qu'il trouva chez ce maître. (*Les Fils de Caïn,* 1906; *Monument de la Victoire* du chemin des Dames, 1928.) Comblé de postes honorifiques, utilisant quelques caractères de l'art contemporain (schématisation des masses) au service d'une inspiration que l'on a pu juger profondément académique (*Sainte Geneviève,* pont de la Tournelle, 1928), Paul Landowski est l'auteur de nombreuses commandes officielles, vivement contestées par les tenants de l'art contemporain (*Monument à l'Infanterie,* place du Trocadéro, Paris, 1951-1956). – Père de M. Landowski.

LANDOWSKI (Marcel). ♦ Compositeur français (Pont-l'Abbé, 1915) fils du sculpteur P. Landowski. Son œuvre comprend des opéras *(Le Rire de Nils Halerius, Le Fou, Le Ventriloque, L'Opéra de poussière),* des oratorios, de la musique symphonique (symphonies, concertos) et chorale, de la musique de chambre. Nommé directeur de la musique (1966-1974), il fut le fondateur de l'Orchestre de Paris (1967).

LANDRECIES. ♦ Ch.-l. de cant. du Nord* (arr. d'Avesnes*-sur-Helpe), dans le Hainaut*, sur la Sambre*. 4 899 hab. *(Landreciens)*. Céramiques, verrerie. — Patrie de Henri Clarke*, de J.-F. Dupleix*. ♦ *Hist.* Anc. place forte acquise définitivement à la France en 1659 et fortifiée par Vauban*.

LANDRI. ♦ (seconde moitié du VIe s.). Leude de Chilpéric, roi de Neustrie, il fut probablement l'amant de la reine Frédégonde et tua Chilpéric à son instigation (584). Maire de palais sous Clotaire II, fils de Chilpéric, il lutta contre Childebert, roi d'Austrasie, et le battit en 593.

LANDRY (Adolphe). ♦ Économiste et homme politique français (Ajaccio, 1874 — Paris, 1956). Auteur d'un ouvrage sur *L'Utilité sociale de la propriété individuelle* (1901), où il se prononce en faveur du socialisme, et d'un *Manuel d'économique* (1908, exposé d'un marginalisme neutre), il fut ministre de la Marine (1920-1921), de l'Instruction publique (1924) et du Travail (1931-1932). Il est surtout connu par ses travaux de démographie [politique familiale, lutte contre la dénatalité, etc.] (*Traité de démographie*, 1945.)

LAND'S END, en fr. **Fin de la terre.** ♦ Pointe granitique à l'extrémité S.-O. de l'Angleterre (Cornouailles*).

LANDSHUT. ♦ V. d'Allemagne méridionale (Bavière), anc. cité ducale et ch.-l. de la Basse-Bavière, sur l'Isar. 50 500 hab. — Église gothique Saint-Martin (XIVe-XVe s.), château ducal de *Trausnitz* (XIIe-XVIe s.), palais Renaissance de la *Residenz* (XVIe s.). — Indus. alimentaires, constructions mécaniques et électriques. — Patrie de L. Feuerbach*.

LANDSKRONA. ♦ V. et port du S.-E. de la Suède, sur le détroit de l'Øresund*. 32 100 hab. — Forteresse du XVIe siècle. — Ville indus. : chantiers navals, constructions mécaniques, indus. textile. — Patrie de A. Gullstrand*.

LANDSTEINER (Karl). ♦ Sérologiste américain d'origine autrichienne (Vienne, 1868 — New York, 1943). On lui doit notamment la découverte des groupes sanguins (1900) et du facteur Rhésus [1940]. (Prix Nobel de méd., 1930.)

LANDTAG. *n. m.* ♦ Assemblée parlementaire, dans les pays de langue allemande (notamment en Prusse*).

LANESSAN (Jean-Marie Antoine *de***).** ♦ Naturaliste, médecin et homme politique français (Saint-André-de-Cubzac, 1843 — Écouen, 1919). Auteur d'ouvrages scientifiques, directeur politique du *Siècle* (1906), il fut plusieurs fois député radical sous la Troisième République, contribua à la pacification du Tonkin comme gouverneur général (1891-1894). Il fut nommé ministre de la Marine dans le cabinet Waldeck-Rousseau (1899-1902).

LANESTER [lanɛstɛʀ]. ♦ Comm. du Morbihan, arr. et aggl. de Lorient*. 20 086 hab. *(Lanestériens)*.

LANEUVEVILLE-DEVANT-NANCY. ♦ Comm. de la Meurthe-et-Moselle (arr. de Nancy), sur la Meurthe. 4 896 hab. Indus. chimiques, cartonnerie.

LANFRANC. ♦ Prélat anglais (Pavie, v. 1005 — Canterbury, 1089). Il enseigna à l'abbaye du Bec, puis devint conseiller de Guillaume* le Conquérant, archevêque de Canterbury (1066) et primat d'Angleterre (1072). Il remplaça les évêques anglo-saxons par des évêques normands et réforma l'Église anglaise.

LANFRANCHI. ♦ Médecin italien (mort en 1315). Réfugié à Paris à la suite d'intrigues politiques, il est l'auteur d'une *Chirurgia Magna* **(V. Yperman).**

LANFRANCO (Giovanni ou **Giovanni di Stefano,** en fr. **Lanfranc).** ♦ Peintre, dessinateur et graveur italien (Parme, 1582 — Rome, 1647). Élève d'A. Carrache*, il collabora à partir de 1602 à la décoration du palais Farnèse* à Rome. Revenu à Parme en 1610, il exécuta de nombreuses décorations dans les églises de la région, qui dénotent l'assimilation des amples compositions du Corrège*. Protégé par le pape Paul V, il s'affirma ensuite comme l'un des premiers représentants du baroque romain par ses vastes décorations où apparaissent de savantes architectures en trompe l'œil, des envolées de figures mouvementées, présentées avec d'habiles raccourcis (palais Mattei, 1616; casino Borghèse, 1616; coupole de San Andrea della Valle, 1621-1625, commencée par le Dominiquin). Travaillant à Naples de 1633 ou 1634 à 1646, il se lia avec Ribera* et contribua par ses décorations à infléchir le caravagisme vers un illusionnisme baroque (chapelle San Genaro).

LANG (Andrew). ♦ Écrivain et ethnographe anglais (Selkirk, 1844 — Banchory, Aberdeenshire, 1912), connu par ses travaux sur le folklore et les mythes (*Coutume et Mythe,* 1884; *Mythe rituel et Religion,* 1887; *La Formation de la religion,* 1898; *Magie et Religion,* 1905; *Le Secret du totem,* 1905); il tente d'y expliquer la formation de la religion, du surnaturel à partir du milieu naturel (biologique, géographique).

LANG (Fritz). ♦ Réalisateur germano-américain de cinéma (Vienne, 1890 — Los Angeles, 1976). Scénariste, metteur en scène, il fut un maître du cinéma expressionniste allemand. Dans ses œuvres prédominent les thèmes de la culpabilité, du rachat, de la liberté de l'individu s'affirmant face aux impératifs de la civilisation des temps modernes : *Les Trois Lumières* (*Der Müde Tode,* 1921), *Le Docteur Mabuse* (*Doktor Mabuse, der Spieler,* 1922), *Les Nibelungen* (*Die Nibelungen,* 1923-1924), *Metropolis* (1926), *M. le Maudit* (1931). *Le Testament du Docteur Mabuse* (*Das Testament von Doktor Mabuse,* 1933). Il quitta l'Allemagne à l'avènement du nazisme (1933). Après un bref séjour en France, il se fixa aux États-Unis où il tourna de nombreux films. Il faut au moins citer : *Furie* (*Fury,* 1936), *J'ai le droit de vivre* (*You only live once,* 1937), *La Femme au portrait* (*Woman in the window,* 1944).

LANGDON (Harry). ♦ Acteur et réalisateur américain de cinéma (Councils Bluffs, 1884 — Hollywood, 1944). Venu du music-hall, ce comique à l'allure insolite de rêveur bougon et désespérément timide affirma une forte personnalité dans des films qu'il conçut et réalisa avec la collaboration de Frank Capra : *Plein les bottes* (*Tramp, tramp, tramp,* 1926), *L'Athlète incomplet* (*The Strong Man,* 1926).

LANGE (Friedrich Albert). ♦ Écrivain politique et philosophe allemand (Wald, près de Solingen, 1828 — Marburg, 1875). Partisan de la politique de la social-démocratie **(V. Bebel)** contre l'impérialisme prussien, il vit dans l'éducation de la classe ouvrière la solution à la question sociale (*La Question des travailleurs,* 1865). Néo-kantien **(V. Néo-kantisme)**, il donna une interprétation nettement psychologique et phénoméniste du criticisme (*Histoire du matérialisme,* 1866; *Études logiques,* 1877).

LANGE (Christian). ♦ Jurisconsulte norvégien (Stavanger, 1869 — Oslo, 1938). Directeur de l'Institut Nobel (1901-1909), il est l'auteur d'un ouvrage sur *L'Arbitrage international obligatoire* (1914), d'une *Histoire de l'internationalisme* (1919). [Prix Nobel de la paix, 1921.]

LANGEAC. ♦ Ch.-l. de cant. de la Haute-Loire*, arr. de Brioude*, sur l'Allier*. 5 097 hab. Église du XVe s., maisons anciennes. — Indus. du plastique.

LANGEAIS. ♦ Ch.-l. de cant. d'Indre-et-Loire, arr. de Chinon. 3 907 hab. Château (XVe s.); vestiges de l'ancien château (Xe s.); église romane et gothique; maisons anciennes. — Matériel agricole. Ameublement.

LANGELAND (« pays long »). ♦ Île du Danemark; dans la Baltique*, au S.-E. de la Fionie*. 285 km². 20 100 hab. *V. princ.* Rudkøbing.

LANGERHANS (Paul). ♦ Médecin allemand (Berlin, 1847 — Funchal, Madère, 1888). Il a donné la description des amas de cellules glandulaires situés entre les acini du pancréas et sécrétant l'insuline (*îlots de Langerhans*).

LANGEVIN (Camille). ♦ Révolutionnaire français (1843 — 1913). Ouvrier tourneur, affilié à l'Association internationale des travailleurs (Ire Internationale), il fut condamné à mort par contumace pour sa participation à la Commune de Paris (1871).

LANGEVIN (Paul). ♦ Physicien français (Paris, 1872 — *id.,* 1946). Auteur de recherches sur les gaz ionisés (recombinaison et mobilité des ions, 1902), la biréfringence électrique et magnétique, l'inertie de l'énergie, il donna en 1905 une théorie électronique complète des phénomènes dia- et paramagnétiques, retrouvant par le calcul les lois découvertes par P. Curie*. Sa théorie cinétique du paramagnétisme, basée sur la mécanique statistique, prévoyait les particularités aux très basses températures **(V. Kamerlingh Onnes).** Appliquant la théorie de la relativité au problème de la condensation des atomes d'hydrogène en atomes plus complexes (1911), il fournit l'interprétation des écarts à la loi de Prout* et put calculer l'énergie libérée. En 1915, pendant la Première Guerre mondiale, il mit au point la technique de production et de réception des ultrasons et leur emploi pour la détection des sous-marins. (Acad. sc., 1934.)

LANGGÄSSER (Elizabeth). ♦ Poétesse et romancière allemande (Alzey, 1899 — Rheinzabern, près de Landau, 1950). Ses œuvres, qui décrivent « le déchirement de l'âme humaine entre les « ivresses passagères » de la vie et l'appel de la sainteté » (H. Plard), permettent de la classer parmi les romancières catholiques les plus originales. Outre des recueils de vers (1924, 1935) d'un lyrisme exalté et d'un symbolisme tour à tour sensuel et mystique, elle composa deux romans : *Le Sceau indélébile* (1946) et *Les Argonautes de Brandebourg* (1950).

Coll. Rui Nogueira

Séquence du film Métropolis, de Fritz Lang.

LANGHANS (Carl Gotthard). ♦ Architecte allemand (Landeshut, Silésie, 1732 – Grüneiche, près de Breslau, 1808). D'abord philologue, il étudia ensuite l'architecture et fit plusieurs voyages en Italie, en Hollande, en Angleterre et en France. Il travailla à Breslau de 1775 à 1786, puis à Berlin à partir de 1787. L'empreinte du palladianisme est sensible dans ses œuvres du début *(palais Hatzfeld),* mais ensuite il chercha à s'inspirer directement de l'architecture grecque. Il éleva *la porte de Brandebourg* (1788-1789) à Berlin* en adoptant un parti sévère et monumental. Il édifia ensuite le *théâtre de Potsdam* (1795). Il joua un rôle notable en Allemagne en introduisant le style néo-classique.

LANGLADE. ♦ Autre désignation de la Petite Miquelon*.

LANGLAND (William). ♦ Auteur présumé de *Pierre* le Laboureur.*

LANGLE DE CARY (Fernand *de*). ♦ Général français (Lorient, 1849 – Pont-Scorff, 1927). Général à la retraite en 1914, il fut rappelé au début de la guerre et commanda la IVe armée, combattant notamment à Neufchâteau, Ethe, Virton **(V. Ardennes** [*batailles des*]**)** avant de battre en retraite (23 août 1914). Il dirigea l'offensive de Champagne* (automne 1915) puis commanda le groupe d'armées du Centre. Il quitta le service actif en 1917.

LANGLOIS (Henri). ♦ (Smyrne, 1914 – Paris, 1977). Fondateur, avec G. Franju, de la Cinémathèque française (1934), il a rassemblé le fonds d'une extraordinaire richesse qui a permis à la France la constitution d'un musée du Cinéma. Son action a favorisé la naissance du néo-réalisme italien (1938) et de la «nouvelle vague» en France (1958).

LANGMUIR (Irving). ♦ Physicien et chimiste américain (Brooklyn, 1881 – Falmouth, 1957). Auteur de la première théorie d'ensemble de l'adsorption des gaz par les solides (1916) et, avec Lewis*, de la théorie de la valence électrochimique **(V. W. Kossel),** il découvrit l'hydrogène atomique (1912) dont l'emploi en chalumeau permit d'obtenir de hautes températures. Après avoir imaginé de renfermer un peu d'argon dans les ampoules à filament de tungstène pour en prolonger la durée [1909] **(V. Coolidge),** effectuant des recherches sur les lampes à incandescence et les tubes à rayons X à vide poussé, il résolut le problème de l'émission d'électrons dans un vide parfait par les métaux purs (1913), inventa en 1915 le «pliotron» [triode à vide poussé] **(V. De Forest)** et réalisa la pompe à condensation à vapeur de mercure (1916). Auteur de travaux sur les gaz ionisés, il montra l'utilité d'électrodes auxiliaires (sondes de Langmuir, 1923), distingua deux sortes de régions dans les décharges (plasmas et gaines, 1932). [**V. L. Landau, Tonks.**] (Prix Nobel de chimie, 1932.)

LANGNAU. ♦ V. de Suisse (cant. de Berne) dans l'Emmental*. 9 200 hab. Centre de fabrication de fromage. Indus. textile.

LANGOGNE. ♦ Ch.-l. de cant. de la Lozère, arr. de Mende, sur la r. g. de l'Allier. 4 767 hab. *(Langonais).* La vieille ville conserve de son enceinte de grosses tours et une porte (tour de l'Horloge). Église du XIe s., avec une façade gothique du XVe siècle. Halles du XVIIe siècle. Maisons anciennes. – Station estivale. Marché agricole. Miel. Indus. du bois (pâte à papier).

LANGON. ♦ Sous-préf. de la Gironde*, ch.-l. d'arr. (13 cant., 169 comm., 80 625 hab.) sur la Garonne*. 5 665 hab. *(Langonnais).* Église des XIIIe et XIVe siècles. – Marché important pour les vins de Bordeaux. Vins blancs célèbres. Manufacture de tabac, tonnellerie. – Patrie de Ducos* du Hauron.

LANGREO. ♦ V. d'Espagne, dans les Asturies* (prov. d'Oviedo). 65 600 hab. Minerai de fer, houille. Centre sidérurgique.

LANGRES. ♦ Sous-préf. de la Haute-Marne, ch.-l. d'arr. (10 cant., 207 comm., 55 755 hab.), sur un contrefort du plateau de Langres. 8 945 hab. *(Langrois).* La ville, édifiée sur une hauteur, possède de nombreux monuments. Cathédrale Saint-Mammès, édifiée entre 1141 et 1196 (roman bourguignon et gothique). Église Saint-Martin, du XIIIe siècle. Remparts (reconstruits au XIXe s.). Hôtels anciens. Musées. – Indus. alimentaires (fromageries), mécaniques (appareils de levage et de manutention), chimiques (plastique). Imprimerie. Caoutchouc. Amiante. Langres est un centre traditionnel de la coutellerie. – Patrie de Diderot*, C. Gillot*. ♦ Hist. *Andematunum* fut le point de départ de la révolte de Sabinus (71). Saint Bénigne y fonda un évêché au IIIe siècle.

LANGRUNE-SUR-MER. ♦ Comm. du Calvados*, arr. de Caen*, sur la Manche*. 950 hab. Église du XIIIe siècle. Station balnéaire.

LANG-SON. ♦ V. du Viêt*-nam sur la frontière chinoise. 10 000 hab. – Mines de plomb et de zinc. ♦ *Hist.* La ville fut occupée par le général de Négrier (février 1885) qui, blessé, dut abandonner le commandement au lieutenant-colonel Herbinger. Celui-ci fit évacuer la place (28 mars 1885). Connu à Paris, cet échec suscita une vive opposition à la politique coloniale de Jules Ferry* dont le cabinet fut contraint de se retirer (30 mars 1885).

LANGTON (Étienne ou Stephen). ♦ Prélat et théologien anglais (mort à Slindon, Sussex, 1228). Cardinal (1206) puis archevêque de Canterbury (1207), il participa à la promulgation de la Grande Charte imposée à Jean* sans Terre (1215).

LANGUEDOC. *n. m.* (d'après la langue où l'on dit *oc* « oui », c'est-à-dire l'occitan). ♦ Province historique de la France. ♦ *Hist.* L'anc. province du Languedoc (haut et bas Languedoc) s'étendait davantage au N. et à l'O. que la région actuelle, puisqu'elle comprenait, en outre, Toulouse et une partie du Massif central. Elle eut d'abord pour cap. Toulouse, puis deux généralités, Toulouse et Montpellier (XVIe s.). L'occupation romaine s'y produisit dès ~ 120 (Narbonnaise) et devait laisser une empreinte durable sur le pays qui souffrit peu des invasions du Ve s. (Vandales*, Suèves*, puis Wisigoths*, qui en firent un royaume, avant d'être repoussés à la Septimanie). Elle fut davantage éprouvée par le péril musulman et devint sous les Carolingiens la marche défensive de Gothie. Passée au XIe et au XIIe s. sous l'hégémonie des comtes de Toulouse*, elle ne posséda jamais une réelle unité politique et resta la proie des ambitions des rois d'Aragon et des Capétiens. Mais elle connut à cette époque un remarquable essor économique (commerce maritime, draperie à Montpellier...) qui accompagna l'épanouissement de toute une civilisation, en avance sur celle du Nord (architecture romane, droit romain, littérature de « langue d'oc »...). L'hérésie cathare, venue d'Orient, rencontra dans le pays un grand succès. Elle devait servir de prétexte à la croisade des albigeois **(V. Albigeois),** en fait guerre du Nord contre le Midi. Particulièrement éprouvé par la guerre de Cent* Ans et ravagé par les Grandes Compagnies*, le Languedoc connut au XVIe s. des guerres de Religion particulièrement violentes. La querelle religieuse ainsi ranimée devait reprendre au XVIIe s., au moment de la révocation de l'édit de Nantes (révolte des camisards*), et se poursuivre sur un plan politique au moment de la Révolution. Au XIXe s., le Languedoc devint l'un des bastions du radicalisme.

LANGUEDOC *(canal du).* ♦ **V.** MIDI (canal du).

LANGUEDOC-ROUSSILLON. *n. m.* ♦ Région (anciennement C.A.R.) française. 5 départements : **V. Aude, Gard, Hérault, Lozère, Pyrénées-Orientales.** 27 668 km² (5 % du territoire national) 1 789 500 hab. (3,4 % de la population française). Dens. = 62. Correspondant aux deux provinces – la première, amputée à l'O. et au N.-O. –, elle forme un ensemble disparate mais auquel le *climat* confère l'unité et une profonde originalité par rapport au reste de la France. Ce climat est caractérisé par la luminosité et la limpidité de l'atmosphère (record de l'insolation à Montpellier : 369 h en juillet), la violence des vents continentaux (mistral, tramontane), desséchants et froids, troublant par des variations brusques (jusqu'à – 10°) la douceur des hivers (janvier : Perpignan 6°7, Montpellier 5°6), provoquant irrégularités printanières et fortes amplitudes diurnes. L'été, chaud et sec, est soumis aux effets « sahariens » des hautes pressions subtropicales (Montpellier : juillet 23°7, maxi-moyen 31°, record 42°9). Les pluies, rares mais abondantes, se produisent aux demi-saisons (automne surtout) et tombent en averses drues et brèves (Montpellier, 752 mm en 90 jours; Paris, 620 mm en 167 j ; Brest, 800 mm en 200 j). – De ces données naturelles, relevant du milieu méditerranéen et non plus des influences océaniques dont le Sud-Est est protégé par son écran montagneux, résulte une physionomie originale, marquée par la présence de l'olivier et d'autres arbres ou arbustes adaptés à la sécheresse (amandier, figuier, mûrier, chêne vert et chêne-liège), par la discontinuité d'un manteau végétal steppique et par la nudité rocailleuse des pentes : autant de traits qui, avec des nuances liées au relief et à la nature du sol, se retrouvent à travers la diversité languedocienne. – Du Roussillon, plaine d'effondrement, au rivage rectiligne, ouverte entre Albères* (1 500 m) et Corbières* (1 200 m), adossée au bloc morcelé des Pyrénées orientales (Carlitte 2 921 m ; Canigou 2 786 m), les influences méditerranéennes pénètrent la montagne par les vallées et les bassins (Capcir*, Cerdagne*, Vallespir*). Les rivières qui en descendent (Têt, Sègre, Tech) suppléent mal à la faiblesse des pluies (440 mm à Salces) : l'irrigation s'impose. Au delà du seuil du Lauragais, où l'olivier s'avance vers l'ouest, le Bas-Languedoc dessine, depuis la plaine maritime et le Rhône, une série de gradins calcaires au relief inégal, domaine des « garrigues » brûlantes et ventées, appuyées au pied des Cévennes*. De l'Espinouse (1 100 m) au mont Lozère (1 702 m), celles-ci reçoivent de plein fouet les pluies méditerranéennes (plus de 2 m à l'Aigoual [1 567 m], maxi 950 mm en 24 h : record européen) et leur versant, à la végétation étagée, est disséqué en gorges profondes et sauvages (Hérault) par l'écoulement torrentiel des eaux (le débit de l'Ardèche est passé de 50 m³ à 7 500 en un jour). Le souffle méridional l'emporte encore, au delà de la bordure cristalline, dans les causses* (Méjean, Sauveterre) et leurs canyons (Tarn). En Gévaudan* et Margeride* (1 200-1 500 m), se retrouvent les traits classiques du Massif central. ♦ *Écon. et pop.* Pays d'agriculture diversifiée et de brillante tradition industrielle (exportation de lainages et soieries au Levant), le Languedoc-Roussillon avait, de 1861 à 1901, gagné 130 000 hab. (1 565 000) que le déclin de la séricirulture, des olivettes, des petites cultures en terrasse, des menus élevages et la disparition de manufactures d'un autre âge lui ont fait perdre dans le demi-siècle suivant (1946 : 1 431 000, – 8,5 %). En 1968, le redressement (1 707 000, + 276 000) est dû surtout à l'apport de 140 000 rapatriés d'Afrique du Nord, le mouvement naturel étant inférieur à la moyenne. La croissance annuelle est faible (1 745 000 en 1970); le vieillissement sensible : on prévoit cependant 2 100 000 hab. en 1985. De plus, l'attraction se localise au voisinage des côtes; les montagnes se vident et le recul de la Lozère* s'accentue (100 000 hab. en 1930; 77 000 en 1968; 70 000 en 1972). – Avec 22,3 % des actifs, l'*agriculture* reste dominée par la vigne. Sollicitée par l'extension du marché (chemin de fer), elle descendit des coteaux dans la plaine vers 1850 et imposa bientôt, avec la spécialisation, une production massive de vins ordinaires (dès 1869, 226 000 ha et 15 000 000 d'hl dans l'Hérault*). Le phylloxéra détruisit le vignoble (1885 : 2 000 000 d'hl dans l'Hérault ; 150 000 dans le Gard), mais sa reconstitution fut rapide,

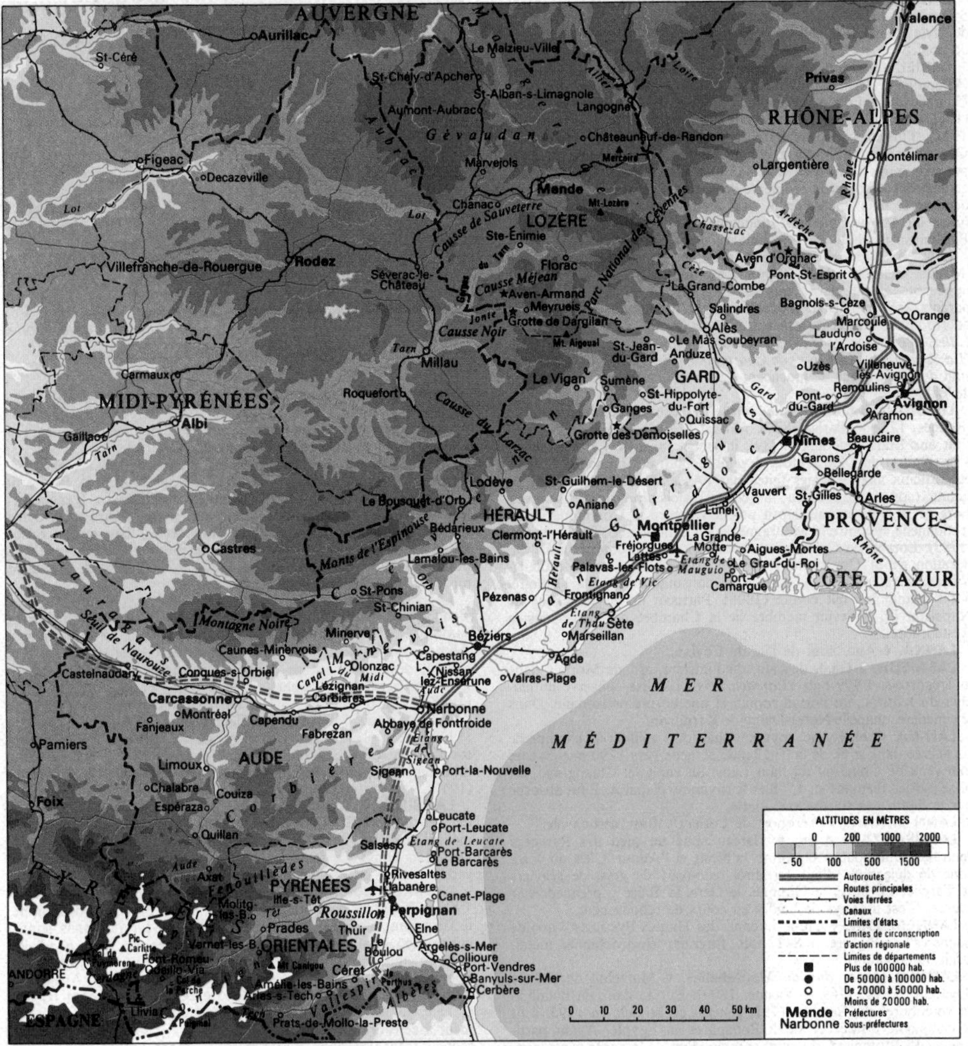

Languedoc-Roussillon.

intensive, source de richesse jusqu'en 1931 (28 000 000 d'hl = 45 % du vin français). Aujourd'hui, il occupe 450 000 ha (1/3 de la S.A.U.) et fournit 29 500 000 hl : le problème des prix entretient un malaise qui appellerait, avec la refonte des structures, un double effort de sélection (4 % seulement de vins A.C. = Roussillon) et de commercialisation. Mais il fallait aussi réagir contre les excès d'une monoculture liée à ceux du climat en s'assurant, pour une diversification nouvelle, la maîtrise de l'eau; tel est l'objet des travaux de la Compagnie nationale d'aménagement (1955) : un réseau d'irrigation utilisant à l'E. les eaux du Rhône, à l'O. celles des fleuves côtiers stockées en montagne intéressera 250 000 ha; d'ores et déjà, cette région sans tradition horticole – sauf la riche huerta de Perpignan* (107 000 hab. + 24 % de 1962 à 1968) avec son port exportateur (Port-Vendres, 130 000 t) – tire 20 % de son revenu agricole des fruits (500 000 t contre 80 000 en 1950) et des légumes (400 000 t); le vin compte pour 49 % (60 % en 1954). – L'objectif démographique pour 1985 impliquerait une *industrialisation* beaucoup plus poussée (29,9 %; France 39,6 %). Les progrès réalisés depuis 1960 concernent l'indus. textile (reconversion vers la bonneterie, la confection : Ganges, Le Vigan); les indus. agricoles (conserverie), chimiques, électrique, électromécanique, électronique ont surtout affecté le Gard et l'Hérault, relayant les houillères d'Alès* et animant le secteur rhodanien de Bagnols, Marcoule* (indus. nucléaire), L'Ardoise* (port fluvial) et insuffisamment encore des zones d'activité des villes traditionnelles. Montpellier*, capitale intellectuelle et administrative (172 000 hab. dont 26 000 rapatriés : + 38 % de 1962 à 1968), pôle d'équilibre entre Toulouse et Marseille; Nîmes*, carrefour commercial (125 000 hab., + 24 %); Béziers*, cité viticole (65 000 hab. en 1954; 73 000 en 1936 et 1962; 80 000 en 1968, + 9,5 %); Sète*, 7e port de France (53 000 hab., + 15 %); Narbonne* (38 000 hab., + 13 %); Carcassonne* (44 000 hab., + 7 %) forment l'ossature d'un maillage urbain assez dense, groupant 67 % de la population (le tertiaire occupe 47,8 % des actifs; France : 46,2 %) et qui appelle, le long de la grande chaussée languedocienne, l'achèvement de l'autoroute Orange-Perthus, avec branchement Nimes-Marseille et Narbonne-Bordeaux. – Fraction occidentale du « grand delta » – qui reste à promouvoir face au « triangle rhénan » –, le Languedoc-Roussillon espère beaucoup de la mise en valeur touristique de ses 160 km de plages et d'étangs. Commencée en 1964, prévoyant en 15 ans six stations nouvelles, dont deux ouvertes (Leucate*-Barcarès et la Grande*-Motte) et douze ports de plaisance, cette « zone de vacances pour l'Europe du Nord » permettra d'accueillir, en hôtel (400 000 lits) et en camping, 1 500 000 personnes et apportera quelque 35 000 emplois saisonniers nouveaux. Mais les attraits de la « seconde Côte d'Azur » ne devront pas faire oublier ceux de la montagne, pyrénéenne ou cévenole (parc national), et des grands espaces lozériens.

LANGUET (Hubert). ♦ Diplomate français (Vitteaux, près d'Autun, 1518 – Anvers, 1581). Protestant, il se réfugia en Allemagne en 1549 et se lia avec Melanchthon*. En 1559, engagé par l'électeur de Saxe, il représenta en France l'union des protestants allemands. À Paris, il échappa à la Saint-Barthélemy. On lui attribue le pamphlet *Vindiciae contra tyrannos*, où il examine les cas où une insurrection est légitime. Il fut publié en 1579 et eut une grande influence au XVIe siècle.

LANGUIDIC [lãgidik]. ♦ Comm. du Morbihan, arr. de Lorient. 5 416 hab. (834 aggl.). Chapelle Notre-Dame-des-Fleurs (XVe s.), de style flamboyant. Nombreux mégalithes. – Centre d'abattage de poulets.

LANIEL (Joseph). ♦ Industriel et homme politique français (Vimoutiers, Orne, 1889 – Paris, 1975). Député, membre du Conseil national de la Résistance (1943) et de plusieurs assemblées (1945-1958), il présida le *Parti républicain de la liberté* (1946-1947). Plusieurs fois ministre, il fut appelé à la présidence du Conseil en juin 1953. Après avoir obtenu de l'Assemblée les pleins pouvoirs pour faire face à une importante agitation sociale, son cabinet dut affronter le problème de la Communauté européenne de défense et plus encore celui des territoires de l'Union française (crise du Maroc, guerre d'Indochine). La défaite de Diên* Biên Phû causa la chute de son gouvernement (juin 1954).

LANIER (Sidney). ♦ Poète, critique et musicien américain (Macon, Géorgie, 1842 – Lynn, Caroline du N., 1881). D'origine huguenote, il fut élevé dans la tradition du vieux Sud par des parents très religieux. Il contracta la tuberculose pendant la guerre civile, qui lui inspira son premier roman *Lis Tigrés* (*Tiger-Lilies*, 1867). Ses *Poèmes* (1877) sont élégiaques. Les plus célèbres *(La Symphonie; Le Chant de Chattahoochee; Les Marais de Glynn)* sont dus à ses dons de musicien – il fut flûtiste solo de l'orchestre de Baltimore.

LANJUINAIS (Jean Denis, *comte***).** ♦ Homme politique français (Rennes, 1753 – Paris, 1827). Avocat à Rennes, député du Tiers État aux États généraux (1789), il contribua, avec Le* Chapelier, à la création du Club breton, devenu le Club des jacobins* (1789), et participa aux réformes faites par l'Assemblée nationale constituante (constitution civile du clergé, laïcisation de l'état civil). Lors de la Convention, il prit position contre la Commune insurrectionnelle et contre la Montagne et fut éliminé avec les Girondins (1793). Lors de la Convention thermidorienne, il contribua à l'élaboration de la Constitution de l'an III (1795). Député d'Ille-et-Vilaine, sénateur (1800), opposé au consulat à vie et à l'Empire, il fut néanmoins fait comte (1808). Partisan de la déchéance de Napoléon Ier, il devint membre de la Chambre des pairs sous la Restauration.

LANKÂ. ♦ Anc. nom de l'île de Ceylan.

LANMEUR. ♦ Ch.-l. de cant. du Finistère, arr. de Morlaix dans le Trégorrois. 1 979 hab. *(Lanmeuriens)*. L'église conserve un clocher du XVIIIe s., un portail roman et une crypte préromane. Dans le cimetière, chapelle Notre-Dame-de-Kernitron.

LÂN-NA. *n. m.* ♦ Anc. royaume thaï (du « million de champs de riz ») créé dans le N. de la Thaïlande actuelle vers 1290 par un chef thaï venu de Chine ou du haut Laos. Sa capitale, Chiang-mai, fut prise par les Birmans en 1578 et le royaume disparut. Il fut absorbé par le Siam à la fin du XIXe siècle.

LANN-BIHOUÉ. ♦ Aéroport de Lorient*. Base aéronavale.

LANNEMEZAN. *n. m.* ♦ Plateau situé au pied des Pyrénées centrales, limité par la Garonne, la Neste et l'Adour. C'est un vaste cône de déjections d'âge tertiaire, recouvert de grès, de graviers et d'argile. La Save, la Gimone, le Gers, la Baïse y prennent leur source. C'est un pays de landes en cours de reboisement.

LANNEMEZAN. ♦ Ch.-l. de cant. des Hautes-Pyrénées*, arr. de Bagnères*-de-Bigorre. 8 841 hab. Engrais; électrochimie, métallurgie (aluminium).

LANNES (Jean, *duc de* **Montebello).** ♦ Maréchal de France (Lectoure, Gers, 1769 – Vienne, 1809). Enrôlé dans un bataillon de volontaires du Gers en 1792, général de brigade en 1795, il fit la campagne d'Italie et suivit Bonaparte en Égypte. Ayant participé au 18 Brumaire*, il devint commandant de la garde consulaire. Il contribua à la victoire de Marengo*. Maréchal en 1804, duc de Montebello en 1808, il participa à de nombreuses batailles : Ulm*, Austerlitz*, Iéna*, Eylau*, Friedland*, combattit en Espagne (victoire de Tudela, nov. 1808, siège de Saragosse); il fut mortellement blessé à Essling* le 22 mai 1809 et mourut après avoir été amputé des deux jambes. Il était très estimé par Napoléon, qui fit déposer son corps au Panthéon.

LANNILIS [lanilis]. ♦ Ch.-l. de cant. du Finistère, arr. de Brest, dans le Léon*. 3 616 hab. Tour-clocher du XVIIIe s., châsse du XVe siècle. – Aux environs, manoirs de Gorrequer et de Kerbabu (Renaissance).

LANNION. ♦ Sous-préf. des Côtes-du-Nord, ch.-l. d'arr. (7 cant., 61 comm., 85 192 hab.) dans le Trégorrois*, sur le Léguer. 13 797 hab. *(Lannionais)*. Église romane remaniée à l'époque gothique. Maisons anciennes. – Port maritime. Importante annexe du Centre national d'études des télécommunications, à proximité de Pleumeur*-Bodou. Teillage mécanique du lin. Distillerie de liqueurs.

LANNOY (Charles *de***).** ♦ Général flamand au service de la maison d'Autriche (Valenciennes, 1487 – Gaète, 1527). Il servit Maximilien Ier et Charles Quint. Gouverneur de Tournai, puis vice-roi de Naples (1521-1524), il prit ensuite le commandement des armées impériales, et fit prisonnier François Ier à la bataille de Pavie* (1525). Il fut un des négociateurs du traité de Madrid*

LA NOUE (François *de*, dit **Bras de Fer** ou **le Bayard huguenot).** ♦ Capitaine, mémorialiste et écrivain français (Nantes, 1531 – Moncontour, 1591). Passé à la Réforme, il resta cinq ans prisonnier des Espagnols, méditant ses *Discours politiques et militaires* (1587), composés avec rigueur et écrits avec simplicité. Animé d'un esprit de tolérance, La Noue tire un enseignement moral des événements auxquels il a assisté (Cf. XXVIe discours, dit *Mémoires*), se voulant davantage « un grand homme de bien » qu'un « grand homme de guerre » (Henri de Navarre).

Ph. Harlingue/Viollet
H. de Rochefort, fondateur de **la Lanterne.**

LANREZAC (Charles Louis Marie). ♦ Général français (Pointe-à-Pitre, Guadeloupe, 1852 – Neuilly-sur-Seine, 1925). À la tête de la Ve armée en 1914, il livra la bataille de Charleroi (gagnée par les Allemands) et, contraint de se replier sur l'Oise, fit front à Guise*. Remplacé peu après par Franchet* d'Esperey (en raison de sa mésentente avec le feld-maréchal britannique J. French), il publia en 1920 *Le Plan français et le premier mois de la guerre*, où il fait une critique des vues de Joffre.

LANSDOWNE. ♦ WILLIAM PETTY FITZMAURICE, *2e comte* SHELBURNE. V. **Shelburne.** ♦ HENRY CHARLES KEITH PETTY FITZMAURICE, *5e marquis de* LANSDOWNE (Londres, 1845 – Newton Anmer, 1927). Il fit partie du ministère de Gladstone*, dont il se sépara, désapprouvant sa politique irlandaise (1880). Successivement gouverneur du Canada (1883-1888) et vice-roi des Indes (1888-1893), il se rallia ensuite au parti libéral unioniste et devint l'un de ses chefs. Ministre de la Guerre, puis des Affaires étrangères (1900-1905), il rompit l'isolement de l'Angleterre en concluant avec Delcassé* le pacte d'« Entente cordiale ». Il fit encore partie du cabinet Asquith* et se montra partisan d'une paix de compromis (1917).

LANSING. ♦ V. des États-Unis, cap. du Michigan*, au N.-O. de Détroit. 129 121 hab. Zone urbaine d'env. 373 500 hab. Indus. mécaniques (la ville fut un des premiers centres de l'automobile aux États-Unis). Le faubourg de *East Lansing* est le site de l'université d'État du Michigan.

LANSKOY (André). ♦ Peintre français d'origine russe (Moscou, 1902 – Paris, 1976). Formé en Russie, puis à Paris, ami de Soutine, il s'exprima selon une esthétique abstraite et lyrique, mais jamais informelle, « alliant [...] des réminiscences de l'art populaire, riche en couleurs, de son pays [la Russie] avec un souci de composition poétique à la fois très équilibrée et très souple » (M. Allemand). Organisées autour d'une dominante chromatique souvent franche et gaie (jaune, rouge...) et d'une direction organisatrice fréquemment ascensionnelle, ses toiles utilisent une pâte riche et vigoureusement travaillée pour exprimer un bonheur lyrique et un dynamisme foisonnant (*Moisson*, 1954; *Interdiction du sommeil*, 1959; *Combat parallèle*, 1972). *La Fiancée en deuil* (1953) parvenait à conférer à la dominante noire la même vitalité.

LANSLEBOURG-MONT-CENIS. ♦ Ch.-l. de cant. de la Savoie*, arr. de Saint*-Jean-de-Maurienne, sur l'Arc*, au pied du col du Mont*-Cenis. 1 034 hab. Sports d'hiver.

LANSLEVILLARD. ♦ Comm. de la Savoie, arr. de Saint*-Jean-de Maurienne. 429 hab. Chapelle Saint-Sébastien décorée de peintures murales du XVe siècle. Sports d'hiver.

LANSON (Gustave). ♦ Universitaire et critique français (Orléans, 1857 – Paris, 1934). Dans son *Histoire de la littérature française* (1894), ses études sur Bossuet, Boileau, Corneille, Voltaire, ..., son *Manuel bibliographique de la littérature française* dont il dirigea la publication (1909-1912), il tenta d'appliquer la méthode historique à l'histoire littéraire, afin de lui donner une base rigoureuse. La critique lansonienne, historique et extérieure, est considérée par les écoles adverses comme responsable d'une certaine sclérose dans les études littéraires.

LAN-TCHEOU. ♦ V. LAN-CHOU.

Lanterne (la). ♦ Pamphlet hebdomadaire contre Napoléon III et le Second Empire, publié par H. de Rochefort* (1868-1869). Quotidien en 1876, *la Lanterne* devait bientôt refléter l'évolution politique de son fondateur devenu nationaliste et boulangiste. Passée sous la direction d'A. Briand, elle cessa de paraître en 1928, après avoir été un des organes du radical-socialisme.

LANUVIUM, auj. **Lanuvio.** ♦ Anc. V. d'Italie (Latium) dans les monts Albains. Fondée selon la légende par Diomède*, elle fut le centre du culte de Junon Sospita. Patrie d'Antonin* le Pieux et de Commode*. Ruines. Musée.

LANVÉOC [lanveɔk]. ♦ Comm. du Finistère (arr. de Châteaulin), sur la rade de Brest. 2 463 hab. – L'École navale y est établie depuis 1945.

LÂN-XANG. ♦ V. LÂN-CHANG.

LANZA DEL VASTO (Joseph Jean LANZA DI TRABI A BRANCIFORTE, dit). ♦ Penseur et écrivain français d'origine italienne (San Vito dei Normanni, Italie, 1901). Disciple de Gandhi*, sans pour autant avoir abandonné la foi catholique, il a tenté de formuler une éthique qui se caractérise par le refus de la violence et des servitudes du monde actuel et qui entend rappeler à l'homme les valeurs spirituelles trop oubliées de la civilisation occidentale (*Le Chiffre des choses,* recueil de poèmes paru en 1943 ; *Le Pèlerinage aux sources,* 1944 ; *Principes et préceptes du retour à l'évidence,* 1945 ; *Commentaires sur l'Évangile,* 1951 ; *Approches de la vie intérieure,* 1962 ; *Noé,* 1965). Il a fondé dans le sud de la France une communauté pour mettre en pratique sa doctrine.

LANZAROTE. ♦ Île volcanique de l'archipel espagnol des Canaries, au N.-E. de Fuerteventura. 973 km². 34 900 hab. Cap. *Puerto Arrecife.* La cendre volcanique favorise la culture de la vigne.

LAOCOON [*Laokoôn*]. ♦ Prêtre d'Apollon* à Troie*. Opposé à l'introduction du cheval de bois dans la ville, il avait proposé de le brûler. Apollon, vengeant un sacrilège de son prêtre (il s'était uni à sa femme devant son autel), envoie alors deux énormes serpents qui enlacent ses deux fils et lui-même alors qu'il tente de leur porter secours. Les Troyens, croyant que ce prodige était une punition divine pour son refus de recevoir le cheval, l'introduisent dans la ville.

LAODICÉE-DU-LYCUS, en gr. **Laodikeia ê epi Lukô.** ♦ Anc. V. d'Asie Mineure (Phrygie), au confluent du Lycus et du Méandre, près d'Hiérapolis*. Fondée au ~ IIIe s. par Antiochos* II, elle fut prise par Mithridate (~ 88–~ 84). Détruite par un tremblement de terre (65) et reconstruite par les Romains, elle devint un des premiers centres du christianisme et un évêché illustré par saint Anatole. Désertée et détruite pendant la guerre entre Byzantins et Saljûqides (XIIe s.), elle fut remplacée par la ville turque de *Ladik,* l'actuel *Denizli** (XIVe s.). Vestiges de l'époque romaine : stade, théâtre, odéon, etc.

LAO KAY. ♦ V. du Viêt*-nam, ch.-l. de prov. (frontière de Chine), sur le fleuve Rouge. 20 000 hab. – Mines de graphite.

LAOMÉDON. ♦ Roi légendaire de Troie*, fils d'Ilos. Il fait construire les murs de la ville par Apollon et Poséidon*, puis leur refuse le salaire promis. Troie est alors frappée par la peste tandis qu'un monstre marin dévore ses habitants. Pour apaiser les dieux, le roi parjure est obligé par un oracle d'offrir sa fille Hésione* en pâture au monstre. Héraclès* intervient, tuant le monstre et libérant la princesse, mais se voit, lui aussi, refuser par le roi le prix convenu. Le héros, pour se venger, revient avec une armée, prend la ville et tue le roi et ses fils à l'exception de Priam*.

LAON [lɑ̃]. ♦ Préf. de l'Aisne*, ch.-l. d'arr. (11 cant. 283 comm. 172 007 hab.) situé sur une butte (181 m) dominant la plaine champenoise. 28 613 hab. [25 623 aggl.] *(Laonnois).* Nombreux monuments : *cathédrale Notre-Dame,* une des plus remarquables du premier gothique en France (XIIe-XIVe s. ; cloître XIIIe s.). Le rythme accusé de sa façade, l'équilibre majestueux de son élévation intérieure (arcades, galeries, triforium et fenêtres hautes), son vaste chœur de dix travées en font un des plus beaux monuments de la France médiévale. Église Saint-Martin (premier gothique). Palais épiscopal du XIIIe s. (*auj.* palais de justice). Musée. Indus. en développement (menuiserie industrielle, constructions métalliques, électronique). – Patrie des frères Le* Nain, du roi de France Lothaire*, de J. Marquette*, de Ph. Sérurier*, de P. Méchain*. ♦ *Hist.* Ancienne *Laudanum,* Laon fut le siège épiscopal (fondé par saint Remi*) au début du VIe s. et resta dominé par ses évêques. Dès le XIIe s., ses habitants luttèrent pour obtenir leurs libertés communales (en particulier contre l'évêque Gaudry en 1111), qu'ils perdirent au XIVe siècle. Place forte militaire au XVIe s., elle subit plusieurs sièges. En 1814, elle se rendit aux alliés et Blücher la défendit contre Napoléon. En 1870, la capitulation signée, un garde d'artillerie fit sauter la poudrière au moment de l'entrée des Prussiens dans la citadelle ; il y eut 500 victimes.

LAONNOIS [lanwa]. *n. m.* ♦ Région du Bassin parisien, située autour de Laon*, au pied de la falaise de l'Île-de-France (Aisne*). Son sol limoneux se prête aux grandes cultures (céréales, betteraves à sucre).

LA OROYA. ♦ V. du Pérou, dans la Cordillère centrale (dép. de Junín). 20 000 hab. Important centre métallurgique (cuivre, plomb, zinc). Indus. chimiques.

LAOS [laos] *n. m.* ♦ État d'Asie du Sud-Est, limité au N. par la Chine (prov. du Yunnan) et la Birmanie, à l'E. et au S. par le Viêt-nam et le Cambodge ; à l'O., le Mekong sert de frontière avec la Thaïlande. 236 800 km². 3 100 000 hab. *(Laotiens). Cap. admin.* Vieng*-chan. *Cap. royale* Luang* Prabang. *Langue off.* lao *ou* laotien. *Religion :* bouddhisme *(Petit Véhicule).* La population laotienne comprend des *Lao,* agriculteurs venus de la Chine méridionale, des Khâ aborigènes, des Chinois et des Vietnamiens ; ces derniers résident dans les villes ; des Khmers et des Thaïlandais vivent dans le sud. – *Orogr.* Le N. du pays est composé de deux massifs montagneux, l'un à l'O., fractionné par les vallées du Mekong et de ses affl., l'autre à l'E., entrecoupé de plateaux calcaires (2 000 m). Entre ces deux massifs s'étend le plateau du Trân Ninh (1 200-1 500 m), ouvert au S. sur la plaine de Vieng-chan. Le S. du Laos est bordé à l'E. par la chaîne annamitique. Le Mekong* arrose le Laos sur 1 800 kilomètres. La fonte des neiges et les pluies de la mousson grossissent ses eaux en août et septembre. Ses affl. viennent tous du plateau du Trân Ninh ou de la chaîne annamitique. La forêt couvre tout le pays. – *Le climat,* de type tropical, est chaud et assez humide (mousson de mai à oct.). – Écon. *L'agriculture* occupe 90 % de la population. Les rizières couvrent les neuf dixièmes de la surface cultivée. Les autres cultures (maïs, légumes, canne à sucre, coton, tabac, café, pavot) sont secondaires. Sériciculture. Les ressources forestières, considérables, sont encore peu exploitées. L'élevage (volailles, porcs) est important. Pêche dans le Mekong et ses affluents. Les ressources minières sont variées (étain et fer principalement ; cuivre, plomb). Des gisements d'anthracite et de pétrole ont été découverts récemment. – *L'industrie* est presque inexistante (bières, boissons alcoolisées, allumettes, cigarettes, sandales). – Le réseau de *communications* (7 400 km de routes) est très insuffisant. La structure aérienne est meilleure (aérodromes de Vieng-chan, Pakse, Luang Prabang, Seno). – *Commerce.* Les échanges extérieurs (avec les pays voisins, le Japon et les États-Unis) sont très restreints. Exportation d'étain et de bois, importation de machines, de véhicules et de produits alimentaires. ♦ *Hist.* On ne connaît que très peu l'histoire du Laos avant le XIVe siècle. En 1353, Phraya Fa Ngum fonda le royaume de *Lân-chang* (« Million d'éléphants »). À partir de 1520, le territoire laotien s'agrandit considérablement sous le règne de Phothisarath qui installa sa capitale à Vieng-chan. À la fin du XVIe s., le Lân-chang devint un État vassal de la Birmanie*. Après une période d'anarchie, le royaume se trouva divisé en deux États royaux (Luang Prabang et Vieng-chan) et un État princier, celui du Champassak. Au début du XIXe s., le royaume de Vieng-chan fut annexé par le Siam, tandis que le Trân Ninh revenait à l'Annam. La France intervint au Laos en 1893 et obtint par le traité franco-siamois de la même année les États lao de la r. g. du Mekong. Le Laos devint alors protectorat français. En 1942, les Japonais s'installèrent sur les rives du Mekong et proclamèrent l'indépendance du pays (1945). Le *Lao Issarak,* mouvement insurrectionnel antifrançais, s'empara du pouvoir, mais un corps expéditionnaire français fit échouer le soulèvement (mai 1946). En 1949, le Laos obtint son autonomie ; il accéda à l'indépendance en 1953. Le mouvement nationaliste et démocrate du *Pathet Lao,* créé par le prince Souphanouvong en 1949 et proche du Viêt-minh, prit le contrôle de deux prov. du N., le reste du territoire étant gouverné par le prince Souvanna Phouma, neutraliste (demi-frère du précédent), reconnu par la France et les États-Unis. En 1957, un accord fut conclu et Souphanouvong entra au gouvernement. En 1959, la droite laotienne porta au pouvoir Phoumi Nosavan qui fut rapidement remplacé par Souvanna Phouma. L'accord de Zurich (juin 1961) passé entre les trois fractions (communiste, neutraliste et pro-américaine) aboutit à la formation d'un gouvernement d'union nationale, et la neutralité du Laos fut reconnue à la conférence internationale de Genève (juil. 1962). Cependant, dès avril 1963, les conflits reprirent. En décembre 1975, la monarchie fut abolie et une république socialiste, présidée par Souphanouvong, fut instaurée.

Laos.

Arch. Smeets

C. Lapicque : « Les Bains de Caracalla ». (Collection privée.)

LAO SHE [*Lao Chë, Lao Shi*]. ♦ Écrivain chinois (Pékin, 1898 – *id.*, 1966), qui fut professeur à Pékin et à Harvard (1945-1949). Il est l'auteur de nombreux romans, nouvelles et essais *(Cœur joyeux, coolie de Pékin).* Il se suicida en 1966.

LAO T'IEN-YEH [*Lao Tianye*] (« Le Vieux Père céleste »). ♦ Nom donné par les Chinois du Nord à la divinité suprême, protectrice des êtres humains.

LAO TS'AN [*Lao Can*]. ♦ Écrivain chinois (1857 – 1909), appelé aussi Liu E [Lieou Ngo], mathématicien et archéologue. Il préconisa l'industrialisation et la diffusion des sciences occidentales. Il fut également médecin, poète, romancier et homme politique. Il mourut en exil dans le Türkestân.

LAO TZU [*Lao Zi, Lao Tseu*]. ♦ Philosophe chinois (v. ~ 570 – ~ 490), fondateur du taoïsme et auteur présumé du « Livre du Tao » [*Tao-tê ching, Daode jing, Tao-tö king*]. Il est également devenu la divinité tutélaire des forgerons. Son enseignement philosophique influença très fortement la pensée chinoise et compléta, sur le plan spirituel, celui de K'ung Tzu (Confucius).

LA PALICE (Jacques de CHABANNES, *seigneur de***)**. ♦ Maréchal de France (v. 1470 – Pavie, 1525). Il fut l'un des plus brillants capitaines de son temps et prit part aux guerres d'Italie sous Charles* VIII, Louis* XII et François* Ier. Il eut un rôle particulièrement important contre la Sainte Ligue (Ravenne, 1512). Prisonnier à Guinegatte*, il s'échappa et se distingua à Marignan* (1515), à la Bicoque* (1522) et au siège de Marseille qu'il fit lever. Il fut tué à Pavie*. La chanson que ses soldats composèrent pour célébrer sa vaillance et qui se terminait par ces vers : « Un quart d'heure avant sa mort/Il était encore en vie », est restée célèbre par sa naïveté, qu'on a injustement attribuée à La Palice lui-même (Cf. Lapalissade. *in* Robert).

LAPALISSE. ♦ Ch.-l. de cant. de l'Allier*, arr. de Vichy*, sur la Bresbe*. 3 586 hab. *(Lapalissois).* Château Renaissance italienne (XVe-XVIe s.), appuyé sur les éléments de l'édifice primitif (XIe-XIIIe s.) dont il reste les tours et les courtines ; chapelle gothique. – Confiserie, maroquinerie.

LA PAZ. ♦ Cap. de la Bolivie, ch.-l. de dép. situé à 3 700 m d'alt. dans les Andes de la *cordillère Royale* (c'est la capitale la plus haute du monde). 510 000 hab. Fondée en 1548 par les Espagnols, c'est le siège du gouvernement depuis 1900. Archevêché. Université. Carrefour ferroviaire (du Transandin). Indus. alimentaires, textiles, peaux et cuirs, tabac. – Le *département de La Paz*, qui s'étend aux confins de la frontière du Pérou, à l'O., est dominé par les sommets de l'Illampú (6 421 m) et de l'Illimani (6 322 m) **(V. Andes).** 133 985 km². 1 215 000 hab. (1969). Cuivre à Corocoro dans le sud-ouest.

LA PAZ. ♦ V. du Mexique, cap. du territoire de Basse-Californie* du Sud, sur une baie du golfe de Californie. Env. 25 000 hab. Port de pêche. Station touristique (bains de mer, pêche sportive).

LA PÉROUSE (Jean-François de GALAUP, *comte de***)**. ♦ Navigateur français (Le Guo, près d'Albi, 1741 – île de Vanikoro, Océanie, 1788). Entré dans la marine en 1756, il participa à plusieurs campagnes contre les Anglais (rejoignant la flotte de D'Estaing aux Antilles en 1779, s'emparant de deux forts dans la baie d'Hudson en 1782). En 1785, il partit de Brest pour une expédition de découverte autour du monde avec les navires *la Boussole* et *l'Astrolabe* (commandé par Langle). Par le cap Horn, l'île de Pâques et les îles Sandwich (Hawaï), il atteignit la côte N.-O. de l'Amérique du Nord. Au nord des îles Sandwich, il découvrit ensuite l'île Necker et, par les îles Mariannes, gagna Macao. Après avoir longé les Philippines, il atteignit le Japon et découvrit le détroit séparant les îles de Hokkaïdo et de Sakhaline, qui porte aujourd'hui son nom. Il se rendit de là au Kamtchatka. Puis il fit route vers les Samoa où Langle trouva la mort, tué par les indigènes dans l'île Maouna. Par les Tonga, La Pérouse se rendit à Botany Bay (Australie) d'où il écrivit sa dernière lettre (7 février 1788). D'Entrecasteaux* entreprit sans succès une expédition à sa recherche en 1791. C'est Dumont* d'Urville qui, en 1828, découvrit les vestiges du naufrage de La Pérouse, vraisemblablement tué par les indigènes dans l'île de Vanikoro. (*Voyage de La Pérouse autour du monde publié conformément au décret du 22 avril 1791 et rédigé par Monsieur L.A. Millet-Mureau ;* Paris, 1797.)

LAPERRINE (François Henry). ♦ Général français (Castelnaudary, 1860 – au Sahara, 1920). Compagnon de C. de Foucauld, il participa, sous les ordres de Joffre, à des campagnes dans le sud-oranais et au Soudan, commanda le territoire militaire des oasis (créant les premières compagnies sahariennes, 1902-1910). Après la Première Guerre mondiale, il fut rappelé en Afrique du Nord par Lyautey, commanda les territoires sahariens (1917-1919) et mourut lors du premier raid aérien entre Alger et l'Afrique noire.

LAPICQUE (Louis). ♦ Physiologiste français (Épinal, 1866 – Paris, 1952). Ses travaux portèrent sur la physiologie du système nerveux. Il définit et mesura l'excitabilité nerveuse par le temps minimum nécessaire au courant électrique parcourant un nerf pour exciter celui-ci : la chronaxie. (Acad. méd., 1925 ; Acad. sc., 1930.)

LAPICQUE (Charles). ♦ Peintre français (Theizé, Rhône, 1898). De formation scientifique, ingénieur (1922-1928), il est l'auteur d'une thèse sur l'*Optique de l'œil et la vision des contours* (1938). Dès 1920, il s'adonna à la peinture, avec une liberté et une fantaisie qui le détachent des écoles. D'abord influencé par le cubisme et par l'abstraction (Estève, Bazaine), il en vint à une figuration d'esprit baroque, spontanée et gaie. Sur divers thèmes, il a créé un univers foisonnant de formes distribuées dans un espace à perspectives multiples, où la couleur, souvent fragmentée en petites surfaces, et la distribution originale des tons (les rouges, orangés et jaunes rendant souvent les lointains) dynamisent l'espace (*Marines et Régates,* 1946 ; 1951-1952 ; *Courses hippiques,* 1949-1951 ; *Venise baroque,* 1954-1956 ; *Rome antique et chrétienne,* 1957-1960 ; *Tigres de Chine,* 1960-1961).

LAPITHES. *n. m. pl.*, en gr. **Lapithai**. ♦ Peuple semi-légendaire qui habitait les montagnes de Thessalie* après en avoir chassé les Pélasges. Connus surtout par le fameux combat qui les opposa aux Centaures* **(V. Ixion, Pirithoos)**, ils se signalent dans d'autres légendes, dont celles de Thésée* et d'Héraclès*. Ce dernier les combat et les chasse de la vallée du Pénée pour le compte d'un roi dorien, son allié, qu'ils avaient dépossédé.

LAPLACE (Pierre Simon, *marquis de***)**. ♦ Astronome, mathématicien et physicien français (Beaumont-en-Auge, Normandie, 1749 – Paris, 1827). Entré au Sénat en 1799, il en devint vice-président (1803) et fut nommé comte de l'Empire par Napoléon (1806) ; il se rallia à Louis XVIII, et celui-ci le fit marquis et pair de France. En mathématiques, il exposa une méthode d'élimination qui l'amena à des remarques sur les déterminants et leur développement en produits de mineurs (1772), traita de l'attraction des ellipsoïdes homogènes (1783), donna la célèbre *équation de Laplace* vérifiée par le potentiel et dont les solutions *(fonctions harmoniques)* sont capitales en analyse et en physique mathématique. Il étudia également l'intégration des équations différentielles linéaires par une transformation qui porte son nom ; parmi ses travaux sur le calcul des probabilités, on lui doit les classiques recherches sur l'approximation des fonctions des très grands nombres. Auteur, avec Lavoisier*, de mesures calorimétriques relatives aux chaleurs spécifiques et aux réactions chimiques (1782-1784), il établit la formule des transformations adiabatiques d'un gaz et élabora une théorie générale de la capillarité ; il énonça encore les deux lois fondamentales de l'électromagnétisme. En 1796, il publia son *Exposition du système du monde* dans laquelle il formula sa célèbre hypothèse cosmogonique selon laquelle le système solaire proviendrait d'une « nébuleuse primitive » entourant un noyau fortement condensé et à température très élevée, tournant d'une seule pièce autour d'un axe passant par son centre ; le refroidissement des couches extérieures joint à la rotation d'ensemble aurait engendré dans le plan équatorial de la nébuleuse des « anneaux successifs » d'où proviendraient les planètes et les satellites, tandis que le noyau central, tournant avec une vitesse accrue, aurait formé le Soleil. Dans sa *Mécanique céleste* (1798-1825), il réunit tous les travaux de Newton*, Halley*, Clairaut*, d'Alembert* et Euler* concernant les conséquences du principe de la gravitation universelle. (Acad. sc., 1783 ; Acad. fr., 1816). ♦ FORCE DE LAPLACE : forces auxquelles est soumis un courant électrique placé dans un champ magnétique. ♦ LOIS DE LAPLACE : lois régissant les actions mutuelles entre les champs magnétiques et les courants électriques. ♦ OPÉRATEUR DE LAPLACE OU LAPLACIEN : opérateur différentiel exprimant la divergence d'un gradient.

LA PLATA (Río de) [*n. m.*] (« Fleuve d'argent »). ♦ Vaste estuaire d'Amérique du Sud formé par la confluence des ríos Paraná* et Uruguay*, tributaire de l'Atlantique, il sépare l'Argentine de l'Uruguay au N. de la Pampa* argentine. Population dense sur la r. d. de l'estuaire où se situe La* Plata, et au fond duquel se trouvent Buenos* Aires et ses faubourgs. **(V. Avellaneda, Quilmes).** Sur la r. g., on trouve Montevideo* à l'entrée de l'estuaire. ♦ *Hist.* Vespucci* serait parvenu jusqu'au Rio de La Plata après avoir découvert la baie de Rio* de Janeiro (1502), mais Díaz* de Solís devait le redécouvrir (1515) avant qu'il ne soit exploré par Magellan* (1520) puis Sébastien Cabot*. En 1617, Philippe* III, roi d'Espagne, divisa les terres conquises dans la partie S. du continent américain en deux gouvernements : celui du Paraguay et celui du Río de La Plata. En 1776 fut créée une vice-royauté du Río de La Plata **(V. Argentine)** dont est issue l'Argentine moderne.

LA PLATA. ♦ V. et port d'Argentine proche de la côte S. du Río de La Plata, ch.-l. de la prov. de Buenos* Aires. 406 000 hab. Université. Centre commercial et industriel (conserveries de viandes, indus. de transformation des produits agricoles, cimenteries, raffineries de pétrole). Trafic important dans son avant-port, Ensenada.

LAPONIE. *n. f.* ♦ Région d'Europe septentrionale couvrant le N. de la Norvège* (Finnmark*, Troms et Norland), de la Suède* (Norrbotten et Västerbotten) et de la Finlande* (Laponie finnoise) et une partie de l'U.R.S.S., de la frontière norvégienne à la mer Blanche (arr. de Mourmansk). Le territoire lapon n'est pas délimité de façon stricte. Sa limite S. se situe aux alentours du 66e degré de latitude nord. – *Orogr.* L'O. de la région a un caractère montagneux dû à la présence de la chaîne scandinave, cependant largement érodée en Norvège et fragmentée en fjords et en archipels. La partie E., d'altitude moins élevée, est couverte de lacs et de marais (lac Inari*). La végétation se réduit à une maigre toundra (lichens, mousses, bouleaux nains), avec, dans les régions les plus abritées et les moins élevées, des pins et des épicéas. – Le *climat* est rigoureux (– 21,1 °C en janvier, 10,8 °C en juillet à Karesuando) et les cours d'eau sont pris par la glace de novembre à mai. Pendant six à sept semaines, en hiver, le soleil n'apparaît pas au-dessus de l'horizon. – Les principales activités sont l'exploitation de la forêt (en Laponie finnoise), une agriculture pauvre (pommes de terre), l'important élevage de rennes (estimé à plus de 500 000 têtes), la pêche et l'exploitation des mines (mines de fer au S. de Kirkenes [Norvège], de Kiruna [Suède], de Porkonen [Finlande]). *Pop.* **V. Lapons.** Les principaux centres lapons se trouvent à Kemi*, Rovaniemi*, Törnio (Finlande); Gällivare*, Jokkmokk, Karesuando, Jukkasjärvi (Suède); Karasjok (Norvège). ♦ *Hist.* La région fut soumise à partir du IXe s. à la traite des fourrures, menée par les commerçants finnois. Au XVIe s., elle fut rattachée à la Suède par Gustave* Vasa qui y encouragea la colonisation. La Laponie fut partagée entre Suède, Danemark et Russie par traités (1595; 1613); les frontières des États actuels étant fixées en 1751 (Laponie finlandaise et norvégienne), 1809 (Laponie finlandaise et Russie), 1826 (Laponie norvégienne et Russie). Les Allemands occupèrent la Laponie finlandaise et une partie de la Laponie norvégienne de 1940 à 1945 et détruisirent (notamment par incendie) la plupart des villes lorsque les armées finlandaises et russes reconquirent le pays (1944-1945). La reconstruction fut rapide et souvent remarquable sur le plan urbanistique (Rovaniemi).

LAPONNERAYE [lapɔnəʀɛ] **(Albert).** ♦ Historien et publiciste français (Tours, 1808 – Marseille, 1849). Il lutta très jeune pour la cause de la démocratie, publiant une *Déclaration des droits de l'homme et du citoyen* (1832), ouvrant un cours public d'histoire de France où il s'adressa aux ouvriers (*Cours public d'histoire de France de 1789 à 1830,* publié de 1832 à 1838), rédigeant un « journal de la réforme sociale » *(l'Intelligence).* Dès 1840, il fit partie du groupe communiste néo-babouviste **(V. Babeuf)** avec Dézamy* et Lahautière*. Il publia aussi les *Œuvres de Maximilien Robespierre* (1842).

LAPONS. *n. m. pl.* ♦ Habitants de Laponie, constituant une minorité de la population autochtone. La plupart sont sédentaires. Les autres pratiquent l'élevage des rennes et sont autorisés à franchir librement les frontières entre la Finlande, la Norvège et la Suède. La population totale s'élève à env. 36 500 hab. (22 000 en Norvège, 10 000 en Suède, 2 500 en Finlande et 2 000 dans la presqu'île de Kola*). Leur langue est le lapon (de la famille finno-ougrienne) qui se répartit en deux groupes de dialectes (occidental et oriental).

LA POPELINIÈRE ou **LA POUPLINIÈRE (Alexandre Jean Joseph LE RICHE *de*).** ♦ Financier français (Paris, 1692 – Passy, 1762). Fermier général, il est resté célèbre pour son luxe, ses aventures galantes et la protection qu'il accorda aux artistes, et surtout aux musiciens (Rameau, Gossec, Stamitz). On lui attribue des chansons et des ouvrages licencieux.

LAPOUGE (Georges VACHER *de*). ♦ Sociologue français (1854 – 1936). Dans ses ouvrages *Les Sélections sociales* (1895) et *L'Aryen et son rôle social* (1899), il a soutenu les thèses racistes de la supériorité physique, intellectuelle et morale des Nordiques **(V. Gobineau).**

LAPPARENT (Albert-Auguste COCHON *de*). ♦ Géologue et géographe français (Bourges, 1839 – Paris, 1908). Il est connu par ses travaux de minéralogie, de géologie et surtout par ses *Leçons de géographie physique* (1896), qui comptent parmi les premiers ouvrages donnant une explication de la genèse des formes géographiques. (Acad. sc., 1897.) – JACQUES DE LAPPARENT, son fils. Pétrographe français (Paris, 1883 – 1948). Auteur de *Leçons de pétrographie* (1923), il découvrit plusieurs minéraux.

LAPPEENRANTA. ♦ V. de Finlande méridionale, sur la rive S. du lac Saimaa*. 51 877 hab. (1971). C'est le terminus d'un axe de navigation lacustre N.-S. traversant toute la partie méridionale du pays. – Centre commercial et industriel : indus. du bois, cimenteries, indus. chimiques (acide sulfurique), constructions mécaniques. – Patrie d'A. P. Soumarokov*.

LAPRADE (Victor RICHARD *de*). ♦ Écrivain français (Montbrison, 1812 – Lyon, 1883). Obéissant à une inspiration lamartinienne et chrétienne, il écrivit *Les Parfums de la Madeleine* (1839) et *La Colère de Jésus* (1840), ainsi que *Psyché,* légende spiritualiste (1841). Son goût de la Grèce et de la poésie philosophique, doublé d'un amour presque physique de la nature, se retrouve dans *Hermia* et *La Mort d'un chêne.* (Acad. fr. 1858.)

LAPRADE (Pierre). ♦ Peintre et graveur français (Narbonne, 1875 – Fontenay-aux-Roses, 1932). Dans le courant postimpressionniste, il représenta avec des harmonies claires et brumeuses un dessin allusif et une facture élégante, des scènes intimistes, des personnages féminins séduisants et des fleurs (*La Femme à l'estampe,* 1904?; *Les Musiciennes,* 1907). Aquarelliste d'une fine sensibilité, il grava aussi des illustrations pour des textes de Verlaine, Valéry, Proust.

LAPRADE (Albert). ♦ Architecte français (Buzançais, Indre, 1883). Auteur du *Garage Marbeuf* (1929, avec Bazin), édifice fonctionnel aux lignes pures, il construisit le ***musée de la France d'outre-mer*** (1931) et se consacra surtout à l'architecture industrielle (*barrage de Génissiat**, 1939-1941; *centrale de La Bâthie,* 1960). Historien de l'architecture, il s'intéressa à la « réhabilitation » de quartiers anciens (le Marais, à Paris, etc.).

LAPTEV *(mer de),* en russe **Laptevykh more.** ♦ Mer bordière de l'U.R.S.S. (océan Arctique), entre la presqu'île Taïmyr*, les îles Severnaïa* Zemlia (O.) et les îles de Novossibirsk (E.). 650 000 km². Profondeur moyenne 520 m, maximale 3 347 m. Elle reçoit les eaux des riv. Khatanga, Anabar, Olenek, Léna* et Iana. Pendant la plus grande partie de l'année, elle est couverte de glaces. Ports princ. Nordvik, Tiksi. Elle fut découverte en 1736-1742 par Dmitri et Khariton Laptev.

LAQUEDIVES *(îles).* ♦ **V.** LACCADIVE (îles).

LA QUINTINIE (Jean *de*). ♦ Agronome français (Chabanais, Charente, 1626 – Versailles, 1688). Il étudia les auteurs anciens, Columelle, Varron et Virgile. Un voyage en Italie accrut encore ses connaissances et il fut présenté par Colbert à Louis XIV qui le nomma directeur des jardins fruitiers et potagers des maisons royales. Il créa le verger de Versailles puis ceux de la plupart des grands châteaux de l'époque : Chantilly, Vaux, Sceaux et Rambouillet. Auteur des *Instructions pour les jardins fruitiers et potagers* (1690).

LARA. ♦ Ancienne famille de Castille, connue essentiellement par la légende des *Infants de Lara,* rapportée dans la chronique d'Alphonse X et qui inspira notamment La Cueva et Lope de Vega. Vers la fin du Xe s., Gonzalez Gustios, seigneur de Lara, aurait été livré par son beau-frère au calife de Cordoue, al-Mansûr, tandis que ses sept fils étaient massacrés. Mais leur mort devait être vengée par le huitième fils, que leur père eut de la fille du calife.

LARACHE en ar. **Al Araich.** ♦ V. et port du Maroc (prov. de Tétouan) sur l'Atlantique, sur le côté N. de la plaine du Gharb*. 30 800 hab. Agriculture et élevage (bovins). Rizeries. ♦ À proximité se situe le site archéologique de Lixus, anc. cité phénicienne puis carthaginoise et romaine.

LARAGNE-MONTÉGLIN. ♦ Ch.-l. de cant. des Hautes-Alpes*, arr. de Gap*, sur la Buech. 3 723 hab. Fruits (poires, pommes).

LARBAÂ- NATH-IRATEN, anc. **Fort-National.** ♦ V. d'Algérie, ch.-l. d'arr. du dép. de Tizi-Ouzou, au centre de la Grande Kabylie*. 20 700 hab.

LARBAUD (Valery). ♦ Écrivain français (Vichy, 1881 – 1957). Après avoir fait ses études dans un « vieux collège, plus cosmopolite qu'une exposition universelle », il effectua, à partir de 1898, de longs voyages en Europe, devenant, à l'image de son héros Barnabooth, un homme « dont l'horizon s'étend bien au delà de sa ville; qui connaît le monde et sa diversité ». Devenu aphasique en 1935, il finit sa vie paralysé. En 1911 (année de sa rencontre avec A. Gide*), il avait fait paraître un délicat « roman d'adolescence », *Fermina Marquez,* où se trouvaient déjà les thèmes que *A.O. Barnabooth* (1913) et les nouvelles d'*Amants, heureux amants*

Ph. A. Rey

Lapons.

(1920-1924) allaient illustrer : les charmes ambigus de l'amour, la tentation de la rupture et du retour à la solitude, le sentiment nostalgique de la fuite du temps (*Enfantines,* 1918). En 1924, Valery Larbaud se consacra à la critique et à la traduction (*Ce vice impuni, la lecture,* 1925 et 1941), faisant connaître la littérature hispano-américaine, puis, notamment, Whitman*, S. Butler* et James Joyce* (auquel il avait emprunté la forme du « monologue intérieur »). Il réunit l'ensemble de ses essais et de ses notes de voyages dans *Jaune, bleu, blanc* (1928) et *Aux couleurs de Rome* (1938), recueils où, alliant le lyrisme à l'analyse, il relate avec l'aristocratique simplicité de son style des méditations éveillées par le souvenir d'un être ou d'un lieu.

LARCHANT. ♦ Comm. de Seine-et-Marne, arr. de Melun. 524 hab. Elle est célèbre par son pèlerinage de Saint-Mathurin (église [VIIe au XIVe s.], restaurée, avec un *Jugement dernier* du XIVe s. ; tour des XIIIe-XVe s.).

LARCHE *(col de)* ou de l'**ARGENTIÈRE**, en it. **Argentera**. ♦ Col alpin séparant la France (Barcelonnette) de l'Italie (Cuneo) et emprunté par une route. 1 997 mètres.

LARDERA (Berto). ♦ Sculpteur français d'origine italienne (La Spezia, 1911). Après diverses recherches, il proposa à partir de 1944 des « sculptures à deux dimensions », formées de surfaces planes, souvent triangulaires (*Miracle,* 1946). À partir de 1949, il rétablit la troisième dimension, organisant l'espace par des intersections de plans métalliques perpendiculaires ou obliques, découpés en créneaux ou en franges, parfois évidés par des formes simples *(Occasion dramatique; Rythmes; Étoile du Maryland).* « Intimidantes, chargées d'énergies puissantes qui pourraient déborder et exploser si elles n'étaient pas concentrées dans une forme qui impose à l'élan vital les lois de l'intelligence » (M. Brion), ces sculptures concilient l'équilibre monumental et un dynamisme qui confine à la violence.

LARDERELLO. ♦ Localité italienne, en Toscane (prov. de Pise). Les vapeurs naturelles issues du sous-sol sont utilisées par trois centrales géothermiques pour produire de l'énergie électrique. Production et traitement de l'ammoniaque et du borax.

LAREDO. ♦ V. d'Espagne (province de Santander), sur le golfe de Gascogne. 8 000 hab. env. — Station balnéaire. Pêche. Maisons anciennes. Palais du XVIe siècle. Église (XIIIe s. au XVIe s., sacristie du XVIIIe s.).

LA RENAUDIE (Godefroi de BARRI, *seigneur de***).** ♦ Gentilhomme français calviniste ([mort] Amboise, 1560). Il fut mis par Condé* à la tête de la conjuration d'Amboise* et, sur la trahison d'un de ses amis, fut tué au moment où il allait mettre son entreprise à exécution.

Lares. *n. m. pl.* ♦ Dieux romains représentés sous l'aspect d'adolescents tenant dans leur main une corne d'abondance. À l'origine divinités de la fécondité, ils sont chargés de veiller sur les carrefours *(lares compitales)* et de protéger les foyers domestiques *(lares familiares).* Ils ne possèdent pas de mythe proprement dit. Ils sont souvent associés aux Pénates*.

LA RÉVELLIÈRE-LÉPEAUX (Louis-Marie *de***).** ♦ Homme politique français (Montaigu, Vendée, 1753 — Paris, 1824). Formé par la lecture des philosophes du XVIIIe s. et acquis aux idées révolutionnaires, il fut élu aux États généraux, siégea à l'Assemblée nationale constituante, puis à la Convention (1792) où il vota la mort du roi, mais se montra hostile à la proscription des Girondins. Écarté dès lors de la vie publique et obligé de se cacher sous la Terreur, il fit partie de la Convention thermidorienne, dont il n'adopta pas les excès, et durant laquelle il lutta contre les mouvements royalistes. Membre du Directoire, il fut contraint de donner sa démission après le 30 Prairial (juin 1799). Il se retira de la vie politique après le coup d'État du 18 Brumaire.

LA REYNIE (Gabriel Nicolas *de***).** ♦ Lieutenant de police de Paris (Limoges, 1625 — Paris, 1709). Il fut un des organisateurs de la police, assainit Paris en améliorant l'hygiène et la sécurité, et fut le président de la Chambre ardente instituée pour instruire l'affaire des Poisons* (1680).

LARGENTIÈRE. ♦ Sous-préf. de l'Ardèche, ch.-l. d'arr. (10 cant., 111 comm., 46 641 hab.), sur la Ligne. 3 139 hab. [1 397 aggl.]. Église du XIIIe s., château du XVe siècle. — Moulinage de la soie.

LARGILLIÈRE ou **LARGILLIERRE (Nicolas** *de***).** ♦ Peintre et dessinateur français (Paris, 1656 — *id.,* 1746). Il se forma à Anvers, puis devint à Londres à partir de 1674 l'aide du peintre Lely*. Vers 1680, il se fixa à Paris et fut soutenu par Le* Brun. Auteur de peintures religieuses *(Érection de la croix)* et de natures mortes, il fut surtout un portraitiste très apprécié par sa riche clientèle bourgeoise. Habile et raffiné coloriste, il hérita des Flamands son goût pour les couleurs chaudes et sut rendre par de subtils glacis les reflets des tissus, la fraîcheur des carnations. Il s'intéressait au caractère individuel plus qu'au type, mais préférait fixer ses personnages dans une attitude sereine (*La Belle Strasbourgeoise,* 1703 ; *Portrait du peintre avec sa famille,* vers 1715).

LARGO CABALLERO (Francisco). ♦ Homme politique espagnol (Madrid, 1869 — Paris, 1946). Conseiller d'État sous Primo de Rivera, il contribua à l'instauration de la république (1931) durant laquelle il fut ministre du Travail. D'abord réformiste, il devint socialiste révolutionnaire après la grève des Asturies (1934). Élu avec le Front populaire (1936), il fut président du Conseil et ministre de la Guerre du 5 septembre 1936 au 15 mai 1937, et s'exila lors de la victoire de Franco*.

Arch. Smeets

M. F. Larionov : « Rayonnisme ».
(Collection de l'artiste.)

LARIBOISIÈRE (Jean-Antoine Baston, *comte de***).** ♦ Général français (Fougères, 1759 — Königsberg, 1812). Il se distingua au cours des campagnes napoléoniennes (Austerlitz 1805, Iéna 1806, Dantzig, Friedland, en Espagne 1808, Essling et Wagram 1809, la Moskova 1812) et mourut d'épuisement à la fin de la retraite de Russie. ♦ HONORÉ-CHARLES BASTON, *comte de* LARIBOISIÈRE, son fils. Homme politique français (Fougères, 1788 — Paris, 1868). Ancien élève de l'École polytechnique, il servit dans la Grande Armée (1809-1812). Chambellan de Napoléon Ier, qui le prit comme officier d'ordonnance pendant les Cent-Jours, il fut député (1828, 1830). Favorable à la révolution de juillet 1830, il vota ensuite avec les conservateurs à la Chambre des pairs. Député à l'Assemblée législative (1849), rallié à la politique du prince-président Louis Napoléon Bonaparte, il siégea ensuite comme sénateur. — Sa femme, ÉLISA ROY (morte en 1851), fonda en 1846 l'*hôpital Lariboisière,* rue Ambroise-Paré.

LA RIOJA. ♦ V. d'Argentine, située dans une oasis, au pied de la cordillère des Andes. Ch.-l. de la province du même nom. 40 000 hab. Textiles. — La *province de La Rioja* s'étend entre les prov. de Catamarca au N. et San Juan au S. en bordure des Andes qui la séparent du Chili à l'ouest. Elle est traversée à l'E. par les Salinas* Grandes. 92 331 km², env. 143 000 hab. (densité infime). Vignobles, fruits.

LARIONOV (Mikhaïl Fiodorovitch). ♦ Peintre et décorateur russe, naturalisé français en 1938 (Tiraspol, gouv. d'Odessa, 1881 — Fontenay-aux-Roses, 1964). Il étudia aux Beaux-Arts de Moscou puis, après une période d'inspiration impressionniste, il fut sensible à l'apport des fauves et s'intéressa aux recherches cubistes. Il fut parmi les premiers animateurs de l'avant-garde en Russie ; il se lia avec Malevitch*, eut pour élève Tatlin et fonda en 1910 le groupement du *Valet de carreau* puis, en 1912, la *Queue d'âne,* élaborant avec sa compagne N. Gontcharova* dès 1909-1910 les fondements du *rayonnisme,* dont il écrivit le manifeste en 1912 (publié à Moscou en 1913). Se montrant essentiellement attentif aux possibilités expressives de la couleur affranchie de sa fonction descriptive, il fut l'un des pionniers de la peinture non figurative : « la peinture, tout en gardant le stimulant de la vie réelle, pouvait devenir elle-même », a-t-il écrit. Soucieux d'exprimer le phénomène lumineux, il peignit des œuvres constituées de stries colorées de direction verticale ou s'entrecroisant en diagonale (*Les Chats,* 1909 ; *Rayonnisme,* 1911). Dans de nombreux tableaux, il resta cependant fidèle à une figuration stylisée, caractérisée par la liberté de la facture et une expression souvent naïve. Il s'installa à Paris en 1914, consacrant une grande part de son activité à des décors pour les Ballets russes et s'intéressant aussi à la mise en scène et à la chorégraphie (*Soleil de nuit,* 1915 ; *Renard,* 1922).

LÁRISSA. ♦ V. de Grèce (Thessalie) sur le Pénée*, au centre d'une vaste plaine, 72 760 hab. Ch.-l. du *nome de Lárissa* (5 354 km² ; 232 230 hab.). — Indus. textile et de tabac ; sucrerie. — Archevêché. Musée archéologique. ♦ *Hist.* Centre des Pélasges* au ~ IIe millénaire, Lárissa (« citadelle »), envahie par les Doriens, devint le fief de l'aristocratie rurale et militaire des Aleuades qui dirigea la Confédération thessalienne au ~ VIe siècle. Alliée aux Perses en ~ 480, aux côtés d'Athènes pendant la guerre du Péloponnèse, Lárissa, refusant l'hégémonie des tyrans de Phères (~ IVe s.), fit appel à Philippe* de Macédoine (~ 344) qui imposa sa propre hégémonie sur la Thessalie. La ville fut de nouveau à la tête de la Confédération thessalienne réorganisée par les Romains (~ 196). Elle passa des Byzantins au royaume de la Grande Valachie (XIIe s.), puis au despotat byzantin d'Épire (XIIIe s.) et fut occupée par les Turcs de 1389 à 1881, date où elle devint grecque.

LĀRISTĀN. *n. m.* ♦ Région montagneuse d'Iran, dans le S.-E. de la prov. du Fars, en bordure du golfe Persique. Le climat est marqué par de très grosses chaleurs en été, accompagnées d'une forte humidité sur la côte marécageuse. Culture de céréales, d'arbres fruitiers (palmiers, citronniers); élevage de moutons. *V. princ.* Lâr. ♦ *Hist.* Le Lâristân resta un royaume indépendant jusqu'au début du XVIIe s. où il fut annexé à la Perse par Shâh Abbas Ier.

LARIVEY (Pierre *de*). ♦ Auteur dramatique et traducteur français (Troyes, v. 1540 — *id.*, v. 1619). Fils d'un marchand florentin émigré, il fut chanoine de Saint-Étienne de Troyes. Outre ses traductions de Piccolomini et de l'Arétin (*L'Humanité de Jésus-Christ*, 1604), c'est surtout par ses imitations et transpositions du théâtre comique italien qu'il a joué un rôle non négligeable dans la littérature française. Écrites en prose, ces libres traductions conservent la franchise et l'alacrité des œuvres originales par l'ingéniosité de l'intrigue et la vivacité du style. Œuv. princ. : *La Veuve, Les Esprits, Le Morfondu* (1579).

LA RIVIÈRE (Pierre-François-Joachim HENRY). ♦ Homme politique français (Falaise, 1761 — Paris, 1838). Après avoir siégé comme patriote à l'Assemblée législative (1791), il fut un des rares députés royalistes de la Convention. Décrété d'accusation après le 2 juin 1793, il fut après Thermidor membre du Comité de salut public (3 juin-7 octobre 1795), puis siégea au Conseil des Cinq-Cents. Membre du club de Clichy, il fut proscrit après le coup d'État du 18 fructidor an V (4 septembre 1797), réussit à gagner Londres où il devint un des agents du comte d'Artois. Avocat général lors de la Restauration, il refusa de prêter serment après la révolution de juillet 1830.

LARMOR (*sir* Joseph). ♦ Physicien irlandais (Magheragall, comté d'Antrim, 1857 — Holywood, Irlande, 1942). Auteur de théories mécanistes, il étudia les équations de la thermodynamique et contribua surtout au développement de la théorie des électrons : il introduisit l'hypothèse d'une structure atomique des charges (1894) et établit un théorème sur la *précession de Larmor* (équivalence, pour le mouvement des électrons, entre un champ magnétique et une rotation d'ensemble du système avec une vitesse angulaire déterminée) [1900].

LARMOR-PLAGE. ♦ Comm. du Morbihan, arr. de Lorient, à l'entrée de la rade de Lorient. 5 877 hab. — Église (XVe-XVIe s.) avec une tour du XVIIe s., porche flamboyant. C'est la station balnéaire de Lorient*.

LARNAKA, en gr. **Larnax.** ♦ V. de Chypre. **V. Cition.**

LARNE. ♦ V. d'Irlande du Nord (comté d'Antrim), sur le *canal du Nord.* 16 340 hab. Station balnéaire sur la *côte d'Antrim,* reliée par ferry à Stanraer (Écosse). Petit centre industriel (turbines, cimenteries, indus. électriques). ♦ *Hist.* Robert Bruce y débarqua en 1315 pour chasser les Anglais d'Irlande.

LA ROCHE-EN-ARDENNE. ♦ V. de Belgique (Luxembourg, arr. de Marche-en-Famenne) sur l'Ourthe. 1 814 hab. — Château fort. — Station estivale.

LA ROCHEFOUCAULD (François, *duc de*). ♦ Écrivain moraliste français (Paris, 1613 — *id.*, 1680). Destiné à la carrière des armes, où sa bravoure fut manifeste, il se mêla, comme la duchesse de Chevreuse et Mlle de Hautefort, aux intrigues contre Richelieu, ce qui lui valut d'être embastillé (1637), puis exilé sur ses terres du Poitou. En 1648, épris de la duchesse de Longueville, il participa à la Fronde des princes hostiles à Mazarin; gravement blessé en 1652 (aux côtés de Condé), il abandonna les entreprises guerrières et les complots politiques pour se rallier au roi (ses *Mémoires*, 1662, sont précieux pour connaître la période 1624-1652). Rentré en grâce, il commença une carrière de mondain, à la cour comme dans les salons de la marquise de Sablé* et de Mme de La* Fayette. Sa vieillesse fut assombrie par une douloureuse maladie qu'accompagnait une demi-cécité et par des deuils (mort de son fils en 1672) qui l'affectèrent cruellement. Mélancolique, d'une réserve courtoise, il aimait avant tout la « conversation des honnêtes gens » où apparaissaient sa clairvoyance et son goût de l'analyse psychologique. Commencées vraisemblablement en 1658, ses *Réflexions ou Sentences et Maximes* morales* (1665) firent scandale par l'absence totale d'illusions qu'elles révélaient, selon une vision résolument pessimiste de l'homme. Ces maximes dénonçaient les motivations égoïstes des passions, des sentiments ou des relations sociales (« Nos vertus ne sont le plus souvent que des vices déguisés »). Dans les quatre éditions qui se succédèrent du vivant de l'auteur (jusqu'à celle de 1678) apparaissent l'évolution de son analyse et, surtout, le travail du style, exigeant dans la recherche d'un tour dense capable de mettre en relief une pensée austère où prime avant tout le devoir de lucidité, à la fois qualité intellectuelle et vertu morale.

LA ROCHEFOUCAULD-DOUDEAUVILLE (Ambroise Polycarpe, *duc de*). ♦ Homme politique français (Paris, 1765 — *id.*, 1841). Émigré à l'époque de la Révolution, il voyagea dans divers pays d'Europe, revint en France sous le Consulat, mais, royaliste, ne cessa de refuser ses services à Napoléon Ier et vécut dans la retraite jusqu'à la Restauration. Membre de la Chambre des pairs, où il vota généralement avec la droite, il devint ministre de la Maison du roi en 1824. C'est à cette époque qu'il fit acheter par Charles X le domaine de Grignon*, afin d'y créer une école d'agriculture.

LA ROCHEFOUCAULD-LIANCOURT (François, *duc de*). ♦ Philanthrope français (La Roche-Guyon, 1747 — Paris, 1827). Il créa sur ses terres une ferme modèle où il tenta d'appliquer les méthodes d'agronomie qu'il avait étudiées lors d'un voyage en Angleterre (1769). C'est à la même époque qu'il fonda l'école des enfants de la Patrie, qui devait devenir l'école des arts et métiers de Châlons. Député de la Noblesse aux États généraux (1789), il présenta devant l'Assemblée nationale des rapports sur l'état des hôpitaux publics, sur la mendicité. Il soutint les libertés individuelles. Émigré en Angleterre, puis aux États-Unis après la journée révolutionnaire du 10 août 1792, il rentra en France en 1799 et fut député pendant les Cent-Jours. Pair de France sous la Restauration, membre du Conseil des hospices (1816), il fut déchu de ses fonctions en raison de ses opinions libérales (1825). Il a laissé des ouvrages : *L'État des pauvres en Angleterre* (1800), *Le Bonheur du peuple, almanach à l'usage de tout le monde* [1819]. (Acad. sc., 1821.)

LA ROCHEJAQUELEIN. ♦ Famille noble vendéenne remontant au XIIIe s., dont plusieurs représentants se sont illustrés dans la guerre de Vendée*, lors de la Révolution. ♦ HENRI DU VERGIER, *comte de* LA ROCHEJAQUELEIN (château de la Durbellière, près de Châtillon-sur-Sèvre, 1772 — Nouaillé-Maupertuis, Vienne, 1794). Membre de la garde constitutionnelle de Louis XVI jusqu'en 1792, il fut, dès le mois de mars 1793, un des principaux chefs de l'insurrection vendéenne. Après les défaites vendéennes de Cholet, du Mans et de Savenay, il tenta de poursuivre la lutte, mais fut tué par un patriote. ♦ LOUIS DU VERGIER, *marquis de* LA ROCHEJAQUELEIN, son frère (Saint-Aubin-de-Baubigné, Deux-Sèvres, 1777 — Les Mathes, près des Sables-d'Olonne, 1815). Émigré peu après le début de la Révolution, il servit dans l'armée du prince de Condé, puis dans l'armée anglaise à Saint-Domingue. Rentré en France en 1801, il fut nommé maréchal de camp et commandant des grenadiers de la garde royale lors de la Première Restauration (1814). Il fut tué alors qu'il avait tenté de prendre la tête de l'insurrection en Vendée pendant les Cent-Jours.

LAROCHE-SAINT-CYDROINE. ♦ Comm. de l'Yonne, arr. d'Auxerre, à la jonction de l'Yonne* et de l'Armançon*. 1 003 hab. — Nœud ferroviaire de Laroche-Migennes. **V. Migennes.**

LA ROCQUE (François, *comte de*). ♦ Officier et homme politique français (Lorient, 1885 — Paris, 1946). Une brillante carrière militaire lui valut d'être, en 1918, le plus jeune commandant de l'armée française. Il s'en retira en 1928, avec le grade de colonel, pour se consacrer à la politique. En 1931, il fut élu président des Croix* de Feu. Après la dissolution des ligues, en 1936, il fonda le *Parti Social Français (P.S.F.).* Après s'être rallié à Pétain en 1940, il prit position contre la politique de collaboration, fut arrêté et déporté en Allemagne. Son action dans la Résistance ne fut officiellement reconnue qu'en 1961.

LAROQUE-D'OLMES. ♦ Comm. de l'Ariège*, arr. de Pamiers*, sur la Touyre. 2 894 hab. Vestiges romains. Restes de fortifications. Église du XIVe siècle. Indus. textile (draps, bonneterie).

LAROUSSE (Pierre). ♦ Pédagogue, encyclopédiste et éditeur français (Toucy, 1817 — Paris, 1875). Directeur d'une école primaire supérieure, il publia une série d'ouvrages pédagogiques destinés à renouveler l'apprentissage de la langue maternelle (*Traité complet d'analyse grammaticale,* 1850; *Traité complet d'analyse et de synthèse logique,* 1852; *Jardin des racines grecques,* 1858 et *latines,* 1860; etc.). En 1852, il fonda une librairie d'édition avec Augustin Boyer, la *Librairie Larousse,* qui se développa rapidement. Son œuvre majeure fut le *Grand Dictionnaire universel du XIXe siècle,* recueil encyclopédique qui fit appel à de nombreux collaborateurs et qui joint une énorme masse d'érudition à une liberté d'esprit souvent déconcertante.

LARRA (Mariano José *de*). ♦ Écrivain espagnol (Madrid, 1809 — *id.*, 1837). Journaliste à la mode, Larra fut un romantique dans la vie (il se suicida par amour à vingt-huit ans), mais ses idées littéraires et son style restèrent classiques. Il écrivit pourtant un drame romantique, *Macias.* Dans sa *Collection d'articles dramatiques, littéraires, politiques et de coutumes,* il se montre ironique et pessimiste et sa vision des maux de l'Espagne est juste et claire.

LARREY (Dominique Jean, *baron*). ♦ Chirurgien militaire français (Beaudéan, près Bagnères-de-Bigorre, 1766 — Lyon, 1842).

Ph. Hubert Josse

François, duc de La Rochefoucauld-Liancourt, par Achille Devéria. (Château de Versailles.)

Arch. Smeets

Grotte de **Lascaux** : mur de gauche de la grande salle.

Il accompagna Napoléon pendant toutes ses campagnes jusqu'à Waterloo, puis fut professeur au Val-de-Grâce. Il a laissé de nombreux ouvrages sur l'état de la médecine et de la chirurgie militaires. (Acad. sc., 1829.) – HIPPOLYTE LARREY (Paris, 1808 – 1895). Fils du précédent, il fut chirurgien consultant de Napoléon III. (Acad. sc., 1867.)

LARSA. ♦ Anc. cité de Basse-Mésopotamie. Le royaume de Larsa, sous une dynastie d'origine élamite, rivalisa avec celui d'Isin* au début du ~ IIe millénaire et l'emporta v. ~ 1730. **V. Sumer, Elam.**

LARTET (Édouard). ♦ Géologue et paléontologue français (Saint-Barbarens, Gers, 1801 – Seissan, Gers, 1871). En 1837, il découvrit dans un gisement du miocène (tertiaire) à Sansan (Gers), un fossile de singe anthropomorphe, le pliopithèque. Il entreprit vers 1868 l'exploration des grottes du Périgord. Il a donné une des premières chronologies paléontologiques de l'homme fossile.

LA RUE (Pierre de). ♦ Compositeur wallon (Tournai, v. 1460 – Courtrai, 1518). Il a composé une trentaine de messes, autant de motets, sept magnificat et une quarantaine de chansons profanes. Contemporain de Josquin* des Prés, il est l'un des grands représentants du style contrapunctique néerlandais, original en ce qu'il semble n'avoir subi aucune influence italienne. Excellent polyphoniste, il utilisa fréquemment dans ses messes la technique du canon.

LARUNS [laʀœ̃s]. ♦ Ch.-l. de cant. des Pyrénées*-Atlantiques, arr. d'Oloron*-Sainte-Marie, sur le gave d'Ossau*. 1 858 hab. Station estivale.

LARZAC *(causse de)*. ♦ Le plus grand causse du S. du Massif* central; il s'étend sur environ 1 000 km² à une altitude allant de 560 à 920 mètres. Il se termine au S. par les monts de la Séranne. C'est un territoire rocailleux, desséché et pittoresque, avec, par endroits, des dépressions argileuses. – Le causse abrite un camp militaire, que l'armée a décidé d'agrandir (de 3 000 à 17 000 ha), suscitant les protestations d'agriculteurs menacés d'expropriation et des défenseurs de l'environnement.

LA SABLIÈRE (Marguerite HESSEIN, *dame de***).** ♦ (Paris, 1636 – *id.,* 1693). Dotée d'une solide instruction et vivant assez librement, séparée très tôt de son mari, elle tint un salon brillant où se réunissait la société lettrée de son temps. Elle fut, depuis 1672 et pendant vingt ans, la protectrice très attentive de La* Fontaine, qui lui dédia deux *Discours* (l'un sur l'âme des animaux, l'autre à l'occasion de son élection à l'Académie, en 1684). Ayant abjuré le protestantisme, elle se retira (1678) aux Incurables, prenant pour directeur de conscience l'abbé de Rancé* (Cf. ses *Lettres*).

LA SALE (Antoine *de***).** ♦ Conteur français (Provence, v. 1386 – v. 1462). Il fut précepteur de Jean d'Anjou auquel il dédia son œuvre en prose, *Le Petit Jehan* de Saintré* (1456), roman de mœurs et traité pédagogique. Il séjourna aussi à la cour de Bourgogne et y aurait écrit les *Cent Nouvelles nouvelles* (1462), récits libertins en prose.

LA SALLE (*saint* Jean-Baptiste *de*). ♦ **V.** JEAN-BAPTISTE DE LA SALLE (saint).

LA SALLE (René Robert CAVELIER *de***).** ♦ Explorateur français (Rouen, 1643 – en Louisiane, 1687). Il partit au Canada où il obtint une concession en amont de Montréal et où il apprit plusieurs langues indiennes. À partir de 1669, il explora successivement le cours de l'Ohio (sans doute jusqu'aux rapides de Louisville), les Grands Lacs (Ontario, Érié, Huron, Michigan) et leur région, puis descendit le Mississippi jusqu'au golfe du Mexique (1681-1682). En 1684 il fut chargé de relever son embouchure et la côte mexicaine; il aborda à la baie de Saint-Bernard et mourut lors de l'expédition (assassiné par un de ses compagnons).

LASALLE (Antoine Charles Louis, *comte de***).** ♦ Général français (Metz, 1775 – Wagram, 1809). Aide de camp de Kellermann, il se distingua à Rivoli (1797), lors de la campagne d'Égypte (1799), de Prusse (1806), d'Espagne (1809) et d'Autriche et fut tué à la bataille de Wagram. Sa *Correspondance* fut publiée en 1891.

LASALLE. ♦ V. du Canada (Québec) dans la banlieue de Montréal*, au S. de l'île de Montréal.

LASCARIS [*Laskaris*]. ♦ Famille byzantine qui donna les empereurs de Nicée* : Théodore* Ier Lascaris (1208-1222), Théodore* II Doukas Lascaris (1254-1258) et Jean* IV Doukas Lascaris (1258-1261). À la même famille appartient l'érudit Jean André Lascaris (voir ci-dessous).

LASCARIS ou **LASKARIS (Jean André).** ♦ Érudit grec (Constantinople, v. 1445 – Rome, 1534). Après la prise de Constantinople par les Turcs, il se réfugia en Italie. À l'instigation de son protecteur Laurent Ier de Médicis, il fit deux voyages en Grèce et rapporta un grand nombre de manuscrits anciens. À Paris, il fut le maître de Guillaume Budé.

LAS CASAS (Bartolomé *de***).** ♦ Prêtre et dominicain espagnol (Séville, 1474 – Madrid, 1566). Aux Antilles et en Amérique espagnole, il prit la défense des Indiens, lutta contre l'injustice des *encomiendas* (grandes propriétés où ceux-ci étaient, en fait, réduits à l'esclavage), fut à l'origine des « nouvelles lois » (1542) visant à une colonisation plus humaine de l'Amérique et devint évêque de Chiappa, Mexique (1544). Devant l'hostilité, il dut rentrer en Espagne (1547). Auteur de la *Brevissima Relación de la Destrucción de las Indias,* où il dénonce les atrocités commises par les Espagnols (1542) et de l'*Historia de las Indias* (publiée en 1875).

LAS CASES (Emmanuel Augustin Dieudonné, *comte de***).** ♦ Écrivain français (Las Cases, près de Revel, 1766 – Passy, 1842). Émigré pendant la Révolution, il revint en France au moment du Consulat; en 1802, il publia un *Atlas historique.* Napoléon le fit chambellan et comte d'Empire (1810). Après la première abdication de Napoléon (1814), Las Cases gagna l'Angleterre et revint en France pendant les Cent*-Jours. Il accompagna Napoléon à Sainte-Hélène, resta auprès de lui dix-huit mois, pendant lesquels il nota les propos de l'Empereur; il les publia en 1823 sous le nom de *Mémorial de Sainte-Hélène.* Cette œuvre contribua à diffuser la légende napoléonienne. S'étant plaint du gouverneur de l'île, Hudson Lowe, il fut déporté en nov. 1816 au Cap, puis en Allemagne et en Belgique et ne rentra en France qu'en 1821, après la mort de Napoléon. Élu député de Saint-Denis en 1831, après la révolution de Juillet, il siégea à l'extrême gauche de la Chambre.

LASCAUX *(grotte de)*. ♦ Grotte de Dordogne, comm. de Montignac, arr. de Sarlat. Révélée par un chien en 1940, elle a fait l'objet de relevés de MM. Thaon et de Glory à partir de 1953. C'est l'un des ensembles d'art préhistorique les plus riches d'Europe et le mieux conservé. Ses galeries étaient sans doute le théâtre de rites cérémoniels magiques. Les compositions pariétales présentent de très grandes figures de taureaux (jusqu'à 5 m de large), des bisons, des chevaux souvent associés à des bovidés, des cerfs élaphes, des bouquetins, des antilopes et quelques représentations humaines (exceptionnelles à cette époque en Europe) comme dans la curieuse scène où un bison éventré semble charger un homme à terre. Les techniques successives de la peinture sont d'une grande simplicité mais d'une adresse prodigieuse. À partir des oxydes minéraux à base de fer ou de manganèse qui n'offraient pas une très grande variété de couleurs (noir, rouge, jaune), les hommes de Lascaux ont su tirer un maximum de nuances en utilisant la coloration naturelle de la roche. D'après la nouvelle chronologie établie par A. Leroi-Gourhan, on tend à dater cet art de la période magdalénienne (v. ~ 13000).

LASÈGUE (Charles Ernest). ♦ Médecin français (Paris, 1816 – 1883). Auteur de travaux sur la gangrène curable du poumon *(gangrène de Lasègue),* sur la névralgie sciatique *(signe de Lasègue),* il est surtout connu par ses recherches sur les maladies mentales, en particulier sur le délire de persécution à évolution systématique (*maladie de Lasègue,* 1852), sur le délire alcoolique, l'hystérie *(syndrome de Lasègue).*

LASHIO. ♦ V. du N.-E. de la Birmanie. 10 000 hab. – Gros marché agricole et artisanal, terminus de la voie ferrée de Mandalay* et point de départ de la célèbre *route de Birmanie* qui permit, pendant la Deuxième Guerre mondiale, de ravitailler la Chine.

LASHKAR. ♦ V. de l'Inde (Mâdhya Pradesh). Env. 250 000 hab. – Centre industriel très important (céramique, tabac, cuir). C'est la ville satellite moderne de l'anc. Gwalior*.

LASHLEY (Karl Spencer). ♦ Neuropsychologue américain (Davis, Virginie, 1890 – 1958). Behavioriste **(V. Watson** [J.B.]**)**, il fit des recherches sur les bases neurophysiologiques des fonctions sensorielles.

LASK (Emil). ♦ Philosophe allemand (Wadowice, 1875 – dans les Carpates, sur le front de Russie, 1915). Il tenta de faire une synthèse entre les positions de la philosophie critique **(V. Néokantisme)** et celles de la phénoménologie.

LASKER-SCHÜLER (Else). ♦ Poétesse allemande (Wuppertal-Elberfeld, 1876 – Jérusalem, 1945). Considérée par certains de ses contemporains (G. Benn, K. Kraus*) comme une des plus grandes lyriques allemandes, elle a écrit deux drames (*La Wupper,* 1909; *Arthur Aronymus,* 1932) et surtout des recueils de poèmes qui, par leur forme libre et leurs images souvent audacieuses, se rattachent à l'expressionnisme. Elle y évoqua ses aventures sentimentales, ses passions et y exprima aussi son attachement à ses origines juives et ses aspirations religieuses (*Ballades hébraïques,* 1913; *Mon piano bleu,* 1943).

LASOURCE (Marie David Albin). ♦ Homme politique français (Angles, Montpellier, 1762 – Paris? 1793). Rallié à la Révolution, il fut élu à l'Assemblée législative (1791), où il prit position contre La Fayette. Réélu à la Convention, membre du Comité de sûreté générale et du 1er Comité de salut public, il fut décrété d'accusation et condamné avec les Girondins auxquels il s'était rallié.

LAS PIEDRAS. ♦ V. de l'Uruguay, située dans les faubourgs de Montevideo*. 70 000 habitants.

LASSALLE (Ferdinand). ♦ Homme politique allemand (Breslau, 1825 – Genève, 1864). Démocrate radical et socialiste, connaissant Proudhon et Marx, il participa au mouvement révolutionnaire à Düsseldorf (1848-1849) et fut emprisonné. Fondateur de l'Association générale des travailleurs allemands (1863), il s'orienta vers un socialisme réformiste, à tendance nationaliste et féodale, qui influença le programme de coalition critiqué par Marx* et Engels* (Cf. la *Critique* des programmes de Gotha et d'Erfurt,* 1875-1891). Lassalle mourut en duel [*La Philosophie d'Héraclite l'obscur,* 1858; *La Guerre d'Italie et la mission de la Prusse,* 1859; *Capital et Travail,* 1862] **(V. J.B. Schweitzer).**

LASSAY. ♦ Ch.-l. de cant. de la Mayenne, arr. de Mayenne. 1 806 hab. [1 127 aggl.] *(Lasséens).* – Château de la Bâtie (XVe s.). Dolmen. – Scierie.

LASSIGNY. ♦ Ch.-l. de cant. de l'Oise* (arr. de Compiègne*). 723 hab. ♦ *Hist.* En 1918, de violents combats s'y déroulèrent.

LASSUS [lasys] **(Roland de),** en it. **Orlando di Lasso.** ♦ Compositeur wallon (Mons, v. 1532 – Munich, 1594). Génie précoce, il quitta très tôt son pays pour l'Italie (1545). Il séjourna à Palerme, Milan, Naples et Rome où il exerça quelque temps les fonctions de maître de chapelle à Saint-Jean-de-Latran (1553). C'est à Munich, au service du duc de Bavière, dont il devint le maître de chapelle (1556), qu'il se fixa jusqu'à sa mort, non sans entreprendre plusieurs voyages en Europe, particulièrement en Italie où il rencontra Palestrina et eut G. Gabrieli pour élève. Il connut les plus grands honneurs et bénéficia, de son vivant, d'une réputation incontestée. – D'inspiration européenne, l'œuvre de Lassus est très abondante (plus de 2 000 compositions). Elle comprend des villanelles, moresques et madrigaux italiens, des lieder polyphoniques allemands, des chansons françaises (Marot, Du Bellay, Ronsard) et, dans le domaine de la musique religieuse, 53 messes, 180 magnificat, des passions, lamentations et surtout plus de 1 000 motets. C'est dans le motet que Lassus a donné toute la mesure de son génie. Ses motets à 2 et 3 voix, fidèles à la tradition contrapuntique, ont une pureté et une simplicité linéaire qui évoquent Palestrina*. S'il emploie encore le style imitatif dans ses motets à 5 et 6 voix, la recherche des sonorités et des effets de masse, la souplesse des voix et les passages harmoniques y bouleversent la conception polyphonique qui était restée inchangée depuis le Moyen Âge. Ce style harmonique, le raffinement sonore dû aux modulations, les oppositions ou groupements divers des voix (emploi de 2 ou 3 chœurs) donnent à ses motets de 6 à 12 voix une ampleur et une magnificence jamais atteintes. Foisonnante de nouveauté, riche d'une verve inventive et d'un accent très personnel, la musique de Lassus a concouru à la rénovation de la foi catholique en Allemagne après l'ébranlement de la Réforme. Elle a établi avec bonheur la synthèse de l'art flamand et de la musique italienne, en plein essor à la fin du siècle, et pour cela rayonné à travers toute l'Europe. ♦ Deux des fils de Lassus, FERDINAND (mort à Munich, 1609) et RODOLPHE (mort à Munich, 1625) furent ses élèves. Ils ont composé de la musique religieuse et publié un recueil de motets (1604).

LASSUS (Jean-Baptiste). ♦ Architecte et restaurateur français (Paris, 1807 – Vichy, 1857). Il restaura la Sainte-Chapelle et l'église Saint-Séverin à Paris, et construisit des églises néo-gothiques.

LASTIC (Jean Bompar *de*). ♦ Grand maître de l'ordre de Saint-Jean-de-Jérusalem [1437] (mort à Rhodes, 1454). Il repoussa le sultan d'Égypte (1440 et 1444).

LASTOURS. ♦ Comm. de l'Aude, arr. de Carcassonne, située sur une colline au S. de la Montagne* Noire. 444 hab. – Ruines des quatre châteaux de Lastours (XIIe et XIIIe s.) qui commandaient le Cabardès*. À proximité, mines de Salsigne et Villonière (or, cuivre, bismuth).

LA SUZE (Henriette de COLIGNY, *comtesse de*). ♦ Écrivain français (Paris, 1618 – *id.,* 1673). Elle composa des poèmes dans le goût précieux, notamment en collaboration avec Mlle de Scudéry* et Pellisson*; ses œuvres furent réunies dans le *Recueil de poésies galantes* (dit *Recueil de La Suze-Pellisson,* 1668).

LAS VEGAS (« les prés »). ♦ V. des États-Unis, au S. du Nevada. 124 161 hab. Zone urbaine 270 045 hab. Grand centre touristique et la ville du jeu aux États-Unis, Las Vegas est devenu une capitale du spectacle de variétés. – L'énergie hydro-électrique du Hoover (ex-Boulder) Dam (sur le Colorado) a permis de développer l'indus. du magnésium dans la région. Au N.-O., zone militaire utilisée pour les expériences atomiques. Centre de la N.A.S.A. à Jackan Flats. ♦ *Hist.* La ville fut fondée par des Mormons, attirés par les eaux artésiennes qui font croître les seuls prés (Las Vegas) de cette vallée aride. Elle se développa avec la construction d'une ligne de chemin de fer, puis avec la construction (1928) du *Boulder Dam.* Sa prospérité actuelle vient des jeux de hasard, légalisés en 1931 dans le Nevada.

LÂT (al-). ♦ Déesse du Soleil, adorée par les Arabes avant l'islâm; elle forme avec al-Manât* et al-'Uzzâ la triade qurayshite*. Son nom dériverait de *latta :* «mélanger, pétrir» ou serait une forme apocopée d'*al-Ilâha* (la déesse).

LA TAILLE (Jean *de*). ♦ Poète dramatique français (Bondaroy, v. 1540 – après 1607). Auteur de deux tragédies, *Saül le Furieux* (1572) et *La Famine ou les Gabéonites* (1574), il y introduisit des débats idéologiques sans renoncer à frapper les sens par des récits horribles. Dans son *Art de la tragédie,* préface à *Saül,* il énonce, sous l'inspiration d'Horace et d'Aristote, les règles qui fonderont la tragédie classique.

LATAKIEH. ♦ **V.** LATTAQUIÉ.

LATÉCOÈRE (Pierre). ♦ Industriel français (Bagnères-de-Bigorre, 1883 – Paris, 1943). Constructeur des avions Salmson pour l'armée pendant la Première Guerre mondiale, il établit une ligne aérienne reliant la France à Dakar avec prolongation sur le Brésil.

LATHAM (Hubert). ♦ Pilote français (Paris, 1883 – Fort-Archambault, 1912). Après avoir appris seul, en 1909, à piloter le monoplan *Antoinette,* il détint les records français de durée (1 h 7 mn) et d'altitude (300 m puis 1 000 m en 1910).

LA THUILE. ♦ Bourg du N.-O. de l'Italie (val d'Aoste*), au pied du col du Grand-Saint-Bernard, à 1 441 m d'altitude. Station estivale et de sports d'hiver. Gisement houiller.

LATIMER (Hugh). ♦ Prélat et théologien anglais (Thurcaston, Leicestershire, v. 1485 – Oxford, 1555). Par ses prédications, il contribua pour une large part aux réformes religieuses anglaises du XVIe siècle. Il fit ses études à Cambridge, où il passa sa licence de théologie et où il fut ordonné prêtre. Il semble que, sous l'influence de Thomas Bilney, il se convertît soudainement au protestantisme. Soupçonné d'hérésie, Latimer fut appelé à comparaître en 1527 devant le cardinal Thomas Wolsey, qui le destitua de ses fonctions ecclésiastiques, en lui laissant toutefois la liberté de prêcher. En 1530, les signes avant-coureurs d'une rupture avec Rome s'étant fait jour, il put prêcher le Carême devant Henri VIII. Il obtint alors la charge honorifique de chapelain du roi, et lorsque la rupture avec la papauté fut consommée, après le divorce et l'excommunication d'Henri* VIII, en 1533, il compta au nombre de ses conseillers religieux les plus écoutés. Élevé, grâce à la faveur de Thomas Cromwell, à la dignité d'évêque de Worcester, il prit violemment position contre les injustices sociales et contre certaines pratiques catholiques. Mais en 1539, il refusa de souscrire à l'acte des Six Articles, et dut abandonner son siège épiscopal. Il semble qu'il ait eu alors à connaître les rigueurs de plusieurs emprisonnements à la tour de Londres, sous l'accusation d'hérésie. À l'avènement d'Édouard VI, il fut remis en liberté et ses prédications énergiques le firent apparaître comme l'un des chefs de file de la Réforme anglaise, en même temps qu'elles le désignaient comme l'une des premières victimes de la restauration catholique : peu après l'avènement de Marie Tudor, il fut arrêté et condamné au bûcher, après un long procès en hérésie. Il fut brûlé à Oxford avec son ami Nicolas Ridley. Hugh Latimer occupe une place à part parmi les réformateurs du XVIe s. : il exerça surtout son influence sur les auditeurs directs de ses sermons et, bien qu'il n'ait pas toujours su analyser clairement les causes des maux de son siècle, son principal mérite reste d'avoir toujours eu le courage de les dénoncer avec vigueur.

LATINA. ♦ V. d'Italie (Latium*), dans les marais Pontins. Ch.-l. de prov. 57 000 hab. Centrale nucléaire. ♦ *Hist.* La ville de *Littoria* fut créée en 1932 par Mussolini pour être le centre commercial et administratif des marais Pontins en cours d'assèchement. Elle a pris son nom actuel en 1945.

LATINI (Brunetto). ♦ Homme politique et savant italien (Florence, v. 1220 – v. 1295). Maître de Dante* (qui lui rendit hommage), il composa diverses œuvres didactiques comme sa *Rhétorique* (v. 1261), imitée de Cicéron*, et le *Favolello,* épître en vers sur l'amitié. Partisan des guelfes, il fut banni par les gibelins et vécut en France, de 1260 à 1266; il y composa en langue d'oïl un ouvrage, varié de ton et de contenu, *Li Livres dou Trésor,* sorte d'encyclopédie des connaissances de l'époque, dans une langue

Ph. Hétier

Las Vegas.

savoureuse et poétique. Latini en résuma une partie dans son poème italien *Il Tesoretto*, où. sous la conduite d'Ovide*. il accomplit un itinéraire allégorique (nature, vertu et amour).

LATINS. *n. m. pl.* ♦ Nom donné aux habitants du Latium*.

LATINUS. ♦ Roi des Aborigènes (premiers habitants du Latium) et héros éponyme des Latins selon la tradition romaine. Sa légende a été rattachée au cycle troyen lors de la constitution du mythe des origines de Rome. Selon Virgile (*Énéide*, liv. VII à XII), Énée* est accueilli en Italie par Latinus, roi de Lavinium, qui lui donne en mariage sa fille Lavinia. Cette union symbolisait la synthèse entre les éléments italiques et les éléments orientaux dans la formation du peuple latin.

LATIUM [lasjɔm]. *n. m.*, en it. **Lazio**. ♦ Région historique de l'Italie centrale, limitée au N. par le lac Bolsena, au S. et à l'E. par la mer Tyrrhénienne, et à l'E. par la masse montagneuse des Abruzzes*. 17 203 km². 4 500 000 hab. *(Latins)*. Elle comprend les prov. de : Frosinone, Latina, Rieti, Rome et Viterbe. *Orogr.* Très diversifiée, le Latium constituant plutôt un regroupement hétérogène de provinces autour de Rome* qu'une unité géographique cohérente. Il comprend : *le bassin latin* proprement dit, s'étendant des collines de Viterbe et de Veiano à Terracina* et constitué d'une grande cuvette, *la campagne romaine*, située entre le lac de Bracciano et le Monte Cavo, que suivent au sud *les marais Pontins*, bonifiés de 1928 à 1932, puis après la Deuxième Guerre mondiale. À l'E., se dressent les premiers contreforts des *Abruzzes :* monts Sabins*, Sibillini, Prenestini. Du N.-O. au S.-E. s'étendent de hautes collines volcaniques (monts Volsini, Cimini, Albains*, Lepini). — *Hydrogr. : Fl.* Nera, Garigliano*, Tibre*. *Lacs :* Bolsena, Bracciano, Nemi, Tibre, Albano, Vico. — *V. princ. :* **V. Anzio, Cassino, Civitavecchia, Formia, Frascati, Gaète, Latina, Ostie, Rieti, Rome, Terracina, Tivoli, Viterbe.** — L'*économie* du Latium est essentiellement fondée sur l'*agriculture*. La terre appartient à de grands propriétaires sauf dans les anciens marais Pontins, où les terres récupérées ont été divisées en petites exploitations. Dans le nord, on pratique la « coltura promiscua » ou polyculture intensive. Les cultures céréalières et fruitières sont répandues partout, la vigne dans les régions de Frascati et de Marino, les cultures fourragères, maraîchères, et l'élevage laitier se localisent aux abords des villes, et de Rome en particulier. *L'industrialisation* est en net progrès. Rome* a des industries légères (mécanique, raffineries de pétrole, indus. pharmaceutiques, confection, cinéma). ♦ *Hist.* Peuplé au ~ IIe millénaire par les Latins, le Latium subit d'abord au ~ VIe s. la domination étrusque (chute de Tarquin* le Superbe, dernier roi étrusque de Rome, en ~ 509). Puis, pour lutter contre les Étrusques*, les Èques* et les Volsques* (Coriolan*), les habitants du Latium formèrent au ~ Ve s. la Ligue latine qui comprenait trente cités dont Albe*, Tusculum*, Préneste*, Fidènes*, Lanuvium* et sur lesquelles Rome n'avait pas encore la suprématie. C'est après la première guerre Samnite (~ 343-~ 341) que Rome entra en lutte contre les Latins qu'elle soumit définitivement en ~ 338 et qui devinrent alors citoyens romains.

Latomies, *n. f. pl.*, du gr. *latomiai*, « carrière de pierres. ». ♦ Carrières de pierres servant de prison, dans l'Antiquité. Le mot est surtout utilisé pour désigner les *Latomies* de Syracuse, carrières à ciel ouvert où les Athéniens furent enfermés après l'échec de l'expédition de Sicile en ~ 413 (**V. Syracuse ; Péloponnèse** [*guerre du*]). Verrès* y emprisonna plus tard des citoyens romains.

LATONE, en lat. **Latona**. ♦ Nom donné à la Léto grecque dans la mythologie romaine. **V. Léto.**

LATOUCHE (Hyacinthe Thabaud de Latouche, dit **Henri** *de***)**. ♦ Écrivain français (La Châtre, 1785 — Aulnay-sous-Bois, 1851).

Arch. Rencontre

Maurice Quentin de La Tour : « D'Alembert ». (Musée du Louvre, Paris.)

Auteur de comédies, dont *Selmour* (1811) et *Le Tour de faveur* (1818), il écrivit également des romans où il s'essayait aux motifs de la littérature romantique naissante (notamment dans *Fragoletta*, 1829). Ses recueils de poésies (*Adieux*, 1843, *Les Agrestes*, 1844) sont aussi d'inspiration romantique. Directeur de revues et de journaux (*Le Mercure du XIXe siècle* et *Le Figaro*), il y servit la cause de la nouvelle école, aida aux débuts de George Sand* et fut surtout le premier éditeur des poésies d'André Chénier* (en 1819).

LATOUCHE-TRÉVILLE (Louis René Madeleine LE VASSOR, *comte de***)**. ♦ Amiral français (Rochefort, 1745 — Toulon, 1804). Il prit part à la guerre d'Indépendance américaine, et fut fait prisonnier (1782). Contre-amiral en 1792, il fut emprisonné sous la Terreur, mais participa à l'expédition de Saint-Domingue (prise de Port-au-Prince, 1802). Il mourut alors qu'il allait prendre la tête de l'expédition des Antilles.

LA TOUR (Georges DUMESNIL *de***)**. ♦ Peintre français (Vic-sur-Seille, 1593 — Lunéville, 1652). Longtemps oublié, il a suscité un regain d'intérêt v. 1900 et a été mieux connu grâce aux travaux d'Hermann Voss (publiés en 1915). Mais malgré les recherches, notamment de P. Jamot et de Pariset, bien des points de sa biographie restent obscurs et la chronologie de ses œuvres est hypothétique. Issu d'une famille de boulangers, il reçut peut-être une formation auprès de Claude Dogoz, et sans doute connut-il l'œuvre de J. Bellange et du luministe Le Clerc. L'influence très nette du caravagisme sur son œuvre a fait supposer un voyage soit en Italie (peut-être v. 1615), soit aux Pays-Bas (entre 1636 et 1644), où il aurait subi l'ascendant de l'école d'Utrecht. Par son mariage en 1616 à Lunéville avec Diane Le Nerf, fille de l'argentier du duc Henri II de Lorraine, il acquit une position sociale élevée. Il devint en 1620 peintre de la ville de Lunéville, et peut-être se rendit-il à Paris en 1621-1622. Louis XIII, qui avait admiré son *Saint Sébastien pleuré par sainte Irène*, lui donna en 1639 le titre de peintre ordinaire du roi. Plusieurs détails de sa vie laissent supposer une personnalité opportuniste et sans pitié, en contradiction avec l'esprit religieux qui imprègne la plupart de ses œuvres et qui semble témoigner de l'emprise de la piété franciscaine. Ses scènes profanes ou scènes de genre sont en général présentées sous un éclairage diurne *(Le Joueur de vielle ; La Bonne Aventure ; Le Tricheur) ;* elles se caractérisent par une composition très méditée, la dureté des volumes finement modelés ou lisses, et l'extrême acuité psychologique (rapports entre les gestes très mesurés, le réseau complexe des regards offert au spectateur). Dans ses tableaux de thème ou d'esprit religieux (*La Madeleine, Le Nouveau-Né, l'Adoration des bergers, Saint Sébastien, Job raillé par sa femme, Saint Pierre repentant*, 1645 ; *le Reniement de saint Pierre*, 1650), il exploite avec une rare maîtrise les possibilités expressives de l'éclairage nocturne (la source lumineuse provenant le plus souvent d'une bougie). Créant des formes de plus en plus abstraites, simplifiées, sculpturales, et contribuant à l'extrême concentration de l'expression, le plus souvent recueillie et sereine, rarement dramatique si ce n'est dans *L'Extase de saint François*, s'inscrivant dans le courant du caravagisme européen, il a cependant fait preuve d'une forte personnalité en donnant une interprétation originale du luminisme et du « réalisme » et en accordant à la lumière une valeur non pas seulement constructive mais mystique.

LA TOUR (Maurice QUENTIN *de***)**. ♦ Pastelliste, peintre et dessinateur français (Saint-Quentin, 1704 — *id.*, 1788). Il se rendit à Paris en 1722 et étudia dans l'atelier du peintre de natures mortes J. Spoede. Il adopta la technique du pastel qu'avait lancée R. Carriera, perfectionna son dessin auprès de L. de Boullongne* et Restou* et fut agréé par l'Académie en 1737. Il devint rapidement célèbre et s'affirma comme le plus grand pastelliste de son siècle. Il multiplia les portraits des personnages de la cour, de l'aristocratie et de la grande bourgeoisie (*Louis XV*, 1748 ; *Le Maréchal de Saxe*, 1748 ; *Le Dauphin*) ainsi que du monde des arts et des lettres *(D'Alembert, J.-J. Rousseau, Mademoiselle Fel)*. En s'attachant à de grandes compositions, il voulut montrer que le pastel était digne de concurrencer la peinture (*Le Président des Rieux*, 1741 ; *Mme de Pompadour*, 1755). Remarquable physionomiste, il excella surtout à rendre les expressions éphémères, les poses naturelles (*L'auteur qui rit, Marie Leczinska*, 1747 ?) et chercha en même temps à capter la personnalité profonde et à rendre compte de l'état social de ses modèles. Il légua une grande partie de son œuvre à sa ville natale, Saint*-Quentin.

LA TOUR D'AUVERGNE. ♦ Famille française originaire du château de la Tour d'Auvergne, à l'O. d'Issoire. Elle remonte au XIIIe siècle. Ses membres les plus illustres furent le duc de Bouillon* et Turenne*.

LA TOUR D'AUVERGNE (Théophile Malo CORRET *de***)**. ♦ Officier français (Carhaix, 1743 — Oberhausen, 1800). Engagé dans le régiment de Bretagne, il servit dans les armées révolutionnaires de Savoie et des Pyrénées occidentales. Ayant pris sa retraite (1797), il étudia le celtique sous la direction de l'archéologue Le Brigant, puis se réengagea à la place du fils de ce dernier. Il fut tué à Oberhausen, peu après avoir été nommé « Premier grenadier de la République » par Bonaparte.

LATOUR-DE-CAROL. ♦ Comm. des Pyrénées-Orientales, arr. de Prades, située à proximité de la frontière espagnole, à 1 248 m d'altitude. Église d'Yravals (retable). Centre d'altitude. — Aux environs, gare internationale.

LATOUR-DE-FRANCE. ♦ Ch.-l. de cant. des Pyrénées-Orientales (arr. de Perpignan), sur la r. d. de l'Agly. Château. Avant le traité des Pyrénées (1659), la ville était située à la frontière franco-espagnole (d'où son nom).

LA TOUR DU PIN. ♦ Famille française originaire du château de La Tour, dans l'Isère, devenue souveraine du Dauphiné lors du mariage d'Humbert avec Anne, héritière de cette région. Elle embrassa le parti protestant lors des guerres de Religion. René de La Tour du Pin-Gouvernet (1543 – 1619), puis son fils Hector de La Tour du Pin-Montauban (1585 – 1630), furent de brillants chefs militaires calvinistes. – René de La Tour du Pin-Montauban (1620 – 1687) se distingua au service des Impériaux à la bataille du Saint*-Gothard.

LA TOUR DU PIN (René, ***marquis de*****).** ♦ Sociologue français (Arancy-sur-Crusne, Meuse, 1834 – Lausanne, 1924). Fondateur et animateur des cercles d'ouvriers catholiques, il fut un des principaux représentants du catholicisme social en France **(V. L. Harmel, Mun A.** [de]**),** cherchant à faire de l'idéal chrétien la base d'un régime corporatif et représentatif (*Les Phases du mouvement social chrétien,* 1897 ; *Vers un ordre social chrétien,* 1907).

LA TOUR DU PIN (Patrice ***de*****).** ♦ Poète français (Paris, 1911 – *id.,* 1975). Au dessein plus théologique que poétique, son œuvre, manière de journal intime, est celle d'un mystique épris d'absolu, d'un solitaire qui aspire à la plus ample communion humaine dans l'attente d'un dieu retrouvé. Repoussant les prestiges du verbe et de l'image et cependant lourdement chargée de symboles, situant le sacré ailleurs que dans le poème, elle n'exprime de révolte qu'à l'égard d'une « pesanteur qui fait échec à la grâce », jusqu'à ce que se dégage pour le poète la signification cachée du monde, qui est esprit. Négation volontaire du charme poétique, abondante en compactes zones d'ombre, elle restitue le tracé d'un itinéraire spirituel qui la fait ressembler, avec sa versification théologienne, à celles des grands initiés. Princ. recueils : *La Quête de joie* (1933), *La Vie recluse en poésie* (1938), *La Genèse* (1945), *Le Jeu du seul* (1946), *Une somme de poésie* (1946), *Le Second Jeu* (1959), *Lettre aux confidents* (1960), *Une lutte pour la vie* (1971).

LATOUR MAUBOURG (Marie Charles César Florimond de FAY, ***comte de*****).** ♦ Général français (Grenoble, 1757 – Paris, 1831). Député de la noblesse du Puy aux États généraux (1789), il adopta des positions libérales. Après la fuite du roi à Varennes (20-21 juin 1791), il fut chargé de le ramener à Paris. Général de brigade en 1792, il passa, avec La Fayette, aux Autrichiens (19-20 août 1792) et fut emprisonné jusqu'en 1797. Rallié à Bonaparte, il fut sénateur (1806) et commandant militaire de Cherbourg. Pair de France, après s'être rallié aux Bourbons (1814), il fut rayé de la liste des membres de la Chambre haute jusqu'en 1819, en raison de son attitude favorable à Napoléon Ier, lors des Cent-Jours.

LATRAN *(le),* en it. **Laterano.** ♦ Site et ensemble architectural de Rome, possession de l'État du Vatican. Ancien palais des Laterani confisqué par Néron (67), donné à l'Église par Constantin, résidence des papes de 313 à 1304, siège des services pontificaux jusqu'à Nicolas V qui les transféra au Vatican*. Le *palais du Latran,* ensemble complexe comportant appartements, *aula* des conciles, bibliothèque, monastères, fut incendié en 1308, laissé à l'abandon lors du séjour en Avignon, démoli et rebâti par Fontana sous Sixte Quint. La *basilique Saint-Jean-de-Latran (S. Giovanni in Laterano)* fut fondée par Constantin et dédiée au Saint-Sauveur avant de l'être aux saints Jean-Baptiste et Jean l'Évangéliste; elle est la cathédrale de Rome; son aspect actuel est baroque (Borromini, 1646-1649; façade de A. Galilei, 1735). Dans un bâtiment aujourd'hui séparé se trouvent la *Scala sancta* (Escalier saint) et la *Sancta sanctorum,* ancienne chapelle privée des papes.

Latran *(conciles du).* ♦ Latran I : 9e Concile œcuménique, réuni en 1123 par le pape Calixte II. Il ratifia le concordat de Worms (1122) entre le pape et l'empereur au sujet de l'investiture laïque des évêques. ♦ Latran II : 10e Concile œcuménique, réuni en 1139 par le pape Innocent II pour liquider le schisme d'Anaclet II, antipape de 1130 à 1138. ♦ Latran III : 11e Concile œcuménique, réuni en 1179 par le pape Alexandre III. Il ratifia la paix de Venise (1177) entre le pape et l'empereur, qui avait soutenu les antipapes Victorien IV, Pascal III et Calixte III, et liquida les séquelles du schisme. Il anathématisa les cathares. ♦ Latran IV : 12e Concile œcuménique, réuni en 1215 par le pape Innocent III. Il légiféra dans presque tous les domaines de la vie religieuse : communion pascale, confession annuelle, vêtement des clercs, bans de mariage, etc. ♦ Latran V : 18e concile œcuménique, convoqué en 1512 par le pape Jules II pour faire pièce au concile de Pise réuni par Louis XII, roi de France; il se prolongea sous le pontificat de Léon X, jusqu'en 1517. Il régla des questions de politique italienne, approuva le concordat de Bologne (1516) entre le pape et François Ier et tenta quelques réformes ecclésiastiques, sans toutefois aborder les vrais problèmes, que devait mettre en évidence la Réforme protestante.

Latran *(accords du).* ♦ Traité signé le 11 fév. 1929 au palais du Latran entre le Saint-Siège (cardinal Gasparri*, secrétaire d'État) et l'Italie (Mussolini*) pour régler la question romaine, pendante depuis 1870. Ces accords constituaient l'État de la cité du Vatican soumis à la seule autorité du pape, élaboraient une convention financière et un concordat entre les deux puissances. Le pape renonçait à ses droits sur Rome et les anciens États de l'Église. L'Italie reconnaissait des privilèges à l'Église catholique

Coll. Rui Nogueira

Séquence du film d'Alberto Lattuada : « Venez donc prendre le café chez nous ».

et un traitement aux curés, comme officiers d'état civil. Approuvés par le Parlement italien (mai-juin), les accords furent ratifiés le 15 juin 1929 au Vatican par les mêmes plénipotentiaires et confirmés par le parlement républicain, après la chute du fascisme.

LATREILLE (Pierre-André). ♦ Naturaliste français (Brive-la-Gaillarde, 1762 – Paris, 1833). Il est l'auteur d'un *Précis des caractères généraux des insectes disposés dans un ordre naturel* (1796) où, appliquant la méthode naturelle de Jussieu, il apparaît comme un des fondateurs de l'entomologie. Il collabora au traité sur *Le Règne animal* de Cuvier et remplaça Lamarck comme professeur au Muséum d'histoire naturelle.

LA TRÉMOILLE (latʀemuj). ♦ Famille noble du Poitou. ♦ Georges de La Trémoille (v. 1382-1388 – 1446). Grand chambellan de Charles* VII (1427), il chercha à écarter Jeanne d'Arc. Tombé en disgrâce, il participa à la Praguerie* (1440). ♦ Louis II de La Trémoille, *vicomte de* Thouars, prince de Talmont (Thouars, 1460 – Pavie, 1525). Il prit la tête des troupes royales qui réprimèrent la Guerre* folle et fut vainqueur à Saint*-Aubin-du-Cormier (1488). Il prit ensuite une part brillante aux guerres d'Italie (Fornoue*, Agnadel*, Novare*, Marignan*) et fut tué à Pavie*. ♦ Claude de La Trémoille, *prince de* Thouars (Thouars, 1566 – 1604). Il servit sous Henri de Condé et Henri IV.

LATTAQUIÉ ou **LATAKIEH,** anc. **Laodicée.** ♦ V. et port de Syrie, sur la Méditerranée, au N. de Tripoli. Ch.-l. de prov. 93 400 hab. (1968). C'est une ville en expansion, dont l'activité bénéficie des ressources agricoles de la région. Indus. alimentaires (huileries) et textiles (coton); manufacture de tabac. Le port exporte notamment les céréales de la Djésireh*. La province, délimitée par le djebel Aamsarîya* où coule l'Oronte*, est riche en oliviers et en vigne, et habitée par la communauté musulmane des Alawites*. Gisements de chrome dans le sud.

LATTES. ♦ Comm. de l'Hérault, arr. de Montpellier, aux environs de Montpellier. 3 182 hab. – Église du XIIe siècle. Ce fut le port de Montpellier au Moyen Âge; des fouilles archéologiques font remonter ses origines à l'époque romaine (voie et cité romaines).

LATTRE DE TASSIGNY (Jean-Marie Gabriel ***de*****).** ♦ Maréchal de France (Mouilleron-en-Pareds, Vendée, 1889 – Paris, 1952). Nommé général en 1939, il commanda, en mai-juin 1940, la 14e division d'infanterie qui se distingua à Rethel. En novembre 1942, à Montpellier où il commandait la 17e division militaire dans l'armée de l'armistice, il tenta de prendre le maquis lorsque les Allemands envahirent la zone libre, mais il fut désavoué par le gouvernement de Vichy et interné. Il s'évada, gagna Alger (sept. 1943) et, à la tête de la Ire armée française, participa au débarquement allié en Provence (Saint-Tropez, 16 août 1944). Il libéra Toulon, Marseille, Lyon, Dijon, l'Alsace, et, le 8 mai 1945, il reçut pour la France la capitulation allemande à Berlin. **V. Guerre mondiale** *(Deuxième).* De 1950 à 1952, il fut haut-commissaire et commandant en chef en Indochine. La dignité de maréchal de France lui fut conférée à titre posthume en 1952.

LATTUADA (Alberto). ♦ Réalisateur italien de cinéma (Milan, 1914). Il a exercé une action militante en faveur du cinéma, participant à la fondation de la cinémathèque de Milan (1940) et organisant la création de ciné-clubs. L'inspiration du meilleur de son œuvre est d'un lyrique sans optimisme. D'abord néo-réaliste, *Le Moulin du Pô* (*Il Mulino del Pò,* 1949), *Les Feux du music-hall* (*Luci del Varietà,* 1950, avec Fellini), elle a évolué vers un réalisme fantastique avec *Le Manteau* (*Il Capotto,* 1952, d'après Gogol) et la poésie épique avec *La Tempête* (*La Tempesta,* 1958), accordant souvent à l'érotisme une place privilégiée : *La Pensionnaire* (*La Spiaggia,* 1953); *Les Adolescentes* (*I dolci Inganni,* 1960); *La Novice* (*Lettere di una Novizia,* 1960).

LATUDE (Jean Henri, dit **Masers** ***de*****).** ♦ Aventurier français (Montagnac, 1725 – Paris, 1805). Accusé d'intrigues contre Mme de Pompadour*, il fut emprisonné pendant trente-cinq ans.

à Vincennes, à la Bastille, à Charenton et à Bicêtre, et fit de nombreuses tentatives d'évasion qui échouèrent toutes. Il fut libéré par la Révolution.

LAU *(îles)*. ♦ V. FIDJI (îles).

LAUBARDEMONT (Jean MARTIN *de***).** ♦ Magistrat français (Bordeaux, v. 1590 – Paris, 1653). Conseiller d'État dévoué à Richelieu*, il lui servit à perdre Urbain Grandier*, Cinq*-Mars et de Thou*.

LAUBE (Heinrich). ♦ Journaliste et écrivain allemand (Sprottau, Silésie, 1806 – Vienne, 1884). Directeur de la *Gazette du monde élégant* à Leipzig (*Zeitung für die elegante Welt,* 1835), il en fit l'organe du protestantisme libéral et du mouvement Jeune*-Allemagne, dont il défendit les idées dans ses œuvres. Auteur de romans, de *Nouvelles de voyage* (*Reisenovellen,* 1840, pastiche des *Reisebilder* de Heine), il écrivit également des pièces de théâtre, dont la plus connue, *Les Élèves de l'académie Charles* (*Karlsschüler,* 1846), est une évocation de la jeunesse de Schiller. Devenu directeur du Burgtheater à Vienne (1849), il publia encore un cycle romanesque sur la guerre de Trente Ans (*La Guerre allemande,* 1863-1866).

LAUBEUF (Maxime). ♦ Ingénieur du génie maritime français (Poissy, 1864 – Cannes, 1939). Inventeur du submersible : le *Narval,* qu'il construisit en 1899, ancêtre du sous-marin moderne. (Acad. sc., 1920.) **V. Bushnell, Holland.**

LAUD (William). ♦ Prélat anglais (Reading, 1573 – Londres, 1645). Fils d'un maître tailleur, la faveur de Charles* Ier le rendit archevêque de Canterbury en 1633. Dans son désir d'imposer à tous une même liturgie anglicane, proche du catholicisme, il réprima puritains et presbytériens et provoqua une révolte. Il fut arrêté en 1640 et Charles Ier dut le laisser exécuter.

LAUDERDALE (John Maitland, *2e comte* et à partir de 1672, *duc de***).** ♦ Homme politique écossais (Lethington, 1616 – Tunbridge, 1682). Covenantaire, il assista à l'assemblée de Westminster (1643) et à la capitulation de Charles Ier (1647). Bientôt après, il passa au parti royaliste. Il tenta de mettre Charles II sur le trône, mais fut pris à Worcester (1651) et resta neuf ans en prison. Monk le libéra, et à la Restauration il fut l'un des membres de la Cabale. Gouverneur de l'Écosse en 1669, il persécuta durement les covenantaires, et dut se retirer en 1680.

LAUDON ou **LOUDON (Gideon Ernst,** *baron von***).** ♦ Feld-maréchal autrichien (Tootzen, Livonie, 1717 – Neutschein, 1790). Sa famille, originaire d'Écosse, avait servi successivement la Russie et l'Autriche. Et lui-même, après s'être proposé à Frédéric* II, servit Marie-Thérèse, et remporta notamment contre la Prusse les victoires de Domstadt et de Kunersdorf* (1759), mais fut vaincu à Liegnits (1760). Commandant en chef de l'armée contre les Turcs (1788), il leur prit Belgrade (1789).

LAUDONNIÈRE (René *de***).** ♦ Colonisateur français du XVIe siècle. Il fut chargé par l'amiral de Coligny* de fonder en Amérique du Nord une colonie pour les protestants persécutés et s'établit vers 1562 en Floride et en Caroline. Mais malgré les renforts amenés par J. Ribault*, il fut vaincu par les Espagnols (1565) sous le commandement de Menéndez de Avilés qui fit massacrer la plupart des protestants. D. de Gourgues* entreprit une expédition de représailles contre les Espagnols (1567). Laudonnière laissa une *Histoire notable de la Floride,* 1586.

LAUDUN. ♦ Comm. du Gard, arr. de Nîmes, située en contrebas du plateau de Laudun dit « camp de César ». 4 252 hab. – Églises des XIIe et XVe siècles. Port sur le Rhône et zone industrielle à l'Ardoise*.

LAUE (Max *von***).** ♦ Physicien allemand (Pfaffendorf, 1879 – Berlin, 1960). Auteur de la théorie de la diffraction des rayons X par les cristaux dont il organisa la vérification expérimentale [1912] **(V. Bragg)**, il montra ainsi que ces rayons sont de nature ondulatoire; cette découverte permit de pénétrer dans la structure de l'état solide de la matière. (Prix Nobel de phys., 1914.)

Arch. Smeets

Francesco Laurana. Buste d'Éléonore d'Aragon. (Musée national, Palerme.)

LAUENBOURG, en all. **LAUENBURG.** *n. m.* ♦ Anc. État d'Allemagne, situé sur l'Elbe inférieure et actuellement compris dans le Schleswig*-Holstein. Il fut d'abord occupé par des Slaves, puis germanisé au XIIe s. : comté de Ratzeburg, appartenant aux Ascaniens*, il devint duché de Saxe-Lauenburg et passa au Hanovre en 1689. Sous l'occupation française, il fit partie du département des Bouches-de-l'Elbe et passa ensuite successivement au Hanovre, à la Prusse et au Danemark. Il fut annexé par la Prusse en 1865.

LAUGIER (André). ♦ Chimiste et minéralogiste français (Lisieux, 1770 – Paris, 1832). Il imagina des procédés pour isoler le cobalt, le titane, le cérium, l'osmium. **V. Vauquelin.**

LAUMES (Les). ♦ Écart de la comm. de Venarey (Côte-d'Or), arr. de Montbard, dans l'Auxois. Centre ferroviaire et centre d'excursions : château de Bussy-Rabutin et site d'Alésia*.

LAUNAY (Bernard JORDAN *de***).** ♦ Gentilhomme français (Paris, 1740 – 1789). Fils du gouverneur de la Bastille, il succéda à son père en 1776. Ayant refusé de livrer des armes pour la milice bourgeoise et le peuple, et ayant même, croit-on, ordonné de tirer sur la délégation de parlementaires qui venaient le trouver, il fut massacré après la prise de la Bastille* (14 juillet 1789) par les révolutionnaires.

LAUNCESTON. ♦ V. et port de Tasmanie* (Australie) située sur la côte N. (détroit de Bass), au fond d'un profond estuaire. 59 200 hab. Exportation de produits agricoles, laine, bois, textiles et de produits industriels (aluminium). Commerce actif avec le continent. Indus. diverses.

LAURAGAIS ou **LAURAGUAIS.** *n. m.* ♦ Région du S. de la France, en lisière du Massif central, dans le S.-E. aquitain. De la prédominance des « terreforts » argileux sur les calcaires résulte une topographie ondulée et monotone (basses collines); les vallées larges furent facilement ouvertes dans la molasse par de faibles rivières (l'Hers*-Mort). Pays de polyculture et d'élevage (moutons). Une percée, dite *seuil de Naurouze** relie l'Atlantique à la Méditerranée. ♦ *Hist.* Le pays (pays de *Laurac,* localité et maison militaires connues au XIe s.) appartint au domaine des comtes de Carcassonne et des comtes de Barcelone. Il passa aux rois d'Aragon, puis aux vicomtes de Béziers avant de revenir au roi de France, Louis IX, en 1258. Érigé en comté par Louis XI (1478), il fut donné à Bertrand de la Tour d'Auvergne et Catherine de Médicis en fut l'héritière. Au XVIIIe s., il appartint aux Villars-Brancas *(ducs de Lauragais).*

LAURANA (Luciano). ♦ Architecte italien d'origine dalmate (Zara, Dalmatie, v. 1420 – Pesaro, 1479). Il aurait rencontré Alberti* à Mantoue en 1465 avant d'aménager à Urbino un nouvel ensemble dans le palais médiéval du duc Federigo da Montefeltro. Il édifia ainsi trois étages de loggias très éclairées entre les deux tours anciennes de la façade donnant sur la campagne. Son œuvre principale est la cour intérieure qu'il édifia dans ce palais : l'une des plus achevées du XVe s. italien, cette cour est entourée par un portique aux arcades soutenues par des colonnes composites; des pilastres corinthiens rythment le mur en brique du premier étage; des inscriptions latines occupant les frises des deux entablements renforcent les lignes horizontales. Claire et harmonieuse, cette cour met en pratique les principes de la beauté géométrique recommandés par Piero* della Francesca.

LAURANA (Francesco). ♦ Sculpteur italien d'origine dalmate (Vrana, Dalmatie, v. 1430 – Avignon, v. 1502). Il décora à Naples l'arc triomphal du Castel Nuovo pour Alphonse V d'Aragon (1453). Invité par le roi René d'Anjou, il résida en Provence de 1461 à 1466 et il y introduisit les principes de l'art italien. Après un séjour en Sicile (1467-1472), il retourna en France et y réalisa un *Portement de croix* (Avignon) dans un style pathétique. On lui attribue aussi le gisant de Jean de Cossa (Tarascon) et le tombeau de Charles IV d'Anjou (Le Mans). Ses œuvres les plus originales et les plus exactes sont une série de bustes produits entre 1472 et 1487 (bustes de *Battista Sforza,* Florence; de *Béatrice d'Aragon,* New York; d'*Isabelle d'Aragon,* Vienne).

LAURE. ♦ Dame provençale à laquelle est consacré le *Canzoniere* de Pétrarque*. – C'était probablement la fille du seigneur de Noves, née en 1308 et mariée en 1325. Le poète la rencontra en l'église d'Avignon le 6 avril 1327. Éloigné de sa Dame, dont il apprit la mort dans une épidémie de peste noire, en 1348, Pétrarque devait évoquer, suivant une reconstruction savante, les divers moments de son amour, « contemplation amoureuse » à laquelle succéda un chant de douleur sur la mort de celle qui prit dès lors une valeur symbolique.

LAUREL (Arthur Stanley Jefferson, dit **Stan).** ♦ Acteur anglo-américain de cinéma (Ulverston, Lancashire, 1890 – Santa Monica, Californie, 1965). Il débuta au music-hall avant d'entreprendre une carrière au cinéma. La rencontre d'Oliver Hardy* (1926) allait lui permettre de former, avec ce nouveau partenaire, le plus fameux tandem comique de toute l'histoire du cinéma. Déchaînant les catastrophes, la légèreté poétique de Laurel, en s'opposant à la logique de Hardy, fit merveille dans de très nombreux films où s'épanouit un comique à l'état pur, riche en trouvailles, et dont les

Ph. Lauros/Giraudon

Henri Laurens : « Petites Ondines ». (Musée national d'Art moderne, Paris.)

plus grandes réussites sont dans le court et le moyen métrage de leur première période. Princ. films : *V'là la Flotte* (*Two Tars,* 1928), *Œil pour œil* (*Big Business,* 1929), *Jour de vacances* (*The Perfect Day,* 1929), *Les Deux Légionnaires* (*Beau Hunks,* 1931), *Les Sans-Soucis* (*Pack up your troubles,* 1932), *Fra Diavolo* (*The Devil's brother,* 1933), *Têtes de pioche* [*Block Heads,* 1938] **(V. Hardy).**

LAURENCIN (Marie). ♦ Peintre, dessinateur, graveur et poète français (Paris, 1885 — *id.,* 1956). Elle publia des poèmes sous le nom de Louis Lalanne et fit la connaissance d'Apollinaire auquel elle inspira plusieurs œuvres. Fréquentant les artistes du Bateau-Lavoir, elle peignit notamment *Apollinaire et ses amis.* Ce dernier la classa parmi les peintres cubistes et elle figurait à leurs expositions, mais ses peintures procèdent plutôt de la stylisation décorative des nabis. Elles révèlent par leur trait schématisé et leur expression « naïve » l'intérêt qu'on portait alors au Douanier Rousseau. Utilisant des couleurs fluides et suaves, elle eut une prédilection pour les figures féminines allongées et gracieuses et n'évita pas toujours la répétition. Outre des décors de ballets (*Les Biches* de Poulenc, 1924), elle réalisa de nombreuses illustrations de livres (Gide ; Lewis Carrol).

LAURENS (Henri). ♦ Sculpteur, peintre, dessinateur et graveur français (Paris, 1885 — *id.,* 1954). Fils d'ouvrier, il devint apprenti dans un atelier de décoration, puis travailla à des édifices comme sculpteur d'ornements. Poursuivant seul sa formation artistique, il noua avec Braque* une solide amitié ; à partir de 1911, il fit aussi la connaissance de Léger et de Picasso. Sous l'influence du cubisme synthétique, il se montra un brillant adepte du « papier collé » en créant de rigoureux et sobres agencements linéaires de caractère non figuratif. Il réalisa aussi des constructions et des bas-reliefs en métal, bois et plâtre polychrome, s'appliquant, comme Archipenko* et Lipchitz*, à adapter à l'espace tridimensionnel les partis pris cubistes. De 1917 à 1932 env., il réalisa des sculptures en terre cuite, bronze ou pierre dans lesquelles la figure humaine sert de prétexte à un jeu de volumes sectionnés et qui rappellent parfois les types de personnages créés par Picasso. Vers 1927, se dégageant quelque peu des schémas cubistes, ses volumes perdirent leur aspect massif, statique et angulaire et acquirent plus de souplesse et de rondeur ; et, à partir de 1932, le thème de la femme prévalut ; les formes plus aisément identifiables prirent, sous l'influence de Maillol, un aspect épanoui, d'une robuste sensualité (série des *Femmes couchées ; Ondines,* 1932 ; *Sirènes,* 1937). À partir de 1939, il communiqua aux masses une tension et un élan empreints de lyrisme par des rythmes sinueux, le renflement des volumes et une interprétation très libre de la forme humaine (*La Grande Musicienne,* 1938 ; *Amphion,* 1948).

LAURENT *(saint).* ♦ Selon la tradition dont saint Ambroise est le premier témoin *(De officiis ministrorum),* diacre romain d'origine espagnole. Lors de la persécution de 258, sommé de livrer les trésors de l'Église, il aurait fait venir des infirmes ; il aurait alors subi le supplice du gril. Fête le 10 août.

LAURENT (Auguste). ♦ Chimiste français (La Folie, près d'Arc, Haute-Saône, 1807 — Paris, 1853). Il découvrit les imides, la dulcite et, avec Dumas*, l'anthracène (1832) ; étudiant les phénomènes de substitution, il aboutit à sa théorie des *noyaux* (1836) dans laquelle il rapprocha les phénomènes d'isomorphisme et les réactions de substitution ; enfin, en 1846, protagoniste de la notation atomique, il précisa les notions introduites par Gerhardt*.

LAURENT (Jacques). ♦ Écrivain français (Paris, 1919). Prolifique auteur d'une série de romans populaires à grand tirage *(Caroline chérie)* sous le pseudonyme de Cecil Saint-Laurent, Jacques Laurent publia en 1948 *Les Corps tranquilles,* suivis en 1951 de son « post-scriptum romanesque », *Le Petit Canard ;* œuvres insolites qui, s'inscrivant dans la postérité du roman psychologique français, témoignaient cependant de préoccupations littéraires proches de celles des tenants du nouveau roman. Directeur de l'hebdomadaire *Arts* de 1954 à 1959, il publia pendant cette période plusieurs libelles qui raillaient l'existentialisme et la « littérature qui pense ». Dans *Paul et Jean-Paul,* il feignait de tenir Jean-Paul (Sartre) pour le disciple de Paul (Bourget). L'année 1971 a vu la parution du roman *Les Bêtises* (prix Goncourt).

LAURENT DE MEDICIS, dit **LAURENT le Magnifique.** ♦ V. MÉDICIS.

LAURENTIDES. *n. f. pl.* ♦ Région de collines du Canada (Québec) correspondant à la bordure méridionale du bouclier canadien. Érodées par la glaciation, les Laurentides présentent des collines arrondies (culminant à 942 m : mont Tremblant) et de nombreux lacs. Forêts. Indus. du bois et installations hydroélectriques. Parc national de 8 500 km² au N. de Québec. Tourisme actif ; la partie située au N. de Montréal est riche en résidences et en hôtels. Sports d'hiver.

Laurentienne *(bibliothèque).* ♦ Bibliothèque bâtie par Michel-Ange (1524-1526 et 1530-1534) dans le couvent *San Lorenzo* (d'où elle tire son nom) à Florence, pour le pape Clément VII (Médicis). Elle né fut achevée, selon les plans de Michel-Ange, qu'à la fin du XIXᵉ siècle. Elle était destinée à accueillir les collections des Médicis (manuscrits anc. et Renaissance, livres).

LAURENT JUSTINIEN, en it. **Giustiniani** *(saint).* ♦ (Venise, 1381 — 1455). Religieux ascétique vénitien, chanoine de S. Giorgio in Alga et réformateur de son ordre, évêque de Castello (1433), patriarche de Venise (1455). Auteur des *Degrés de la perfection.* Fête le 5 septembre.

LAURIER (*sir* Wilfrid). ♦ Homme politique canadien (Saint-Lin, Québec, 1841 — Ottawa, 1919). Chef du parti libéral (1887), il fut le premier Canadien français à exercer les fonctions de Premier ministre (1896-1911). Il préserva l'autonomie du Canada, mais resserra ses liens avec la Grande-Bretagne, lui accordant des tarifs douaniers préférentiels et lui envoyant des troupes pendant la guerre des Boers*. Son projet de libre-échange avec les États-Unis l'obligea à quitter le gouvernement (1911). Il avait contribué à l'essor du pays, notamment en facilitant l'immigration et en établissant la voie ferrée du *Grand Trunk* (1904).

LAURION. ♦ V. et port de Grèce (Attique) au N. du cap Sounion. Mines de plomb argentifère (zinc, manganèse, plomb, argent). 8 280 hab. ♦ *Hist.* Connues probablement dès le ~ Xᵉ s. et intensivement exploitées après la découverte en ~ 484 du riche filon de Maronée (*auj.* Kamariza), les mines de Laurion procurèrent à Athènes* les fonds pour la construction de sa force navale **(V. Thémistocle)** et constituèrent la base financière de l'impérialisme athénien. La cité confiait l'exploitation à des concessionnaires qui réalisaient de grosses fortunes. Les vingt mille esclaves travaillant aux mines désertèrent vers la fin du ~ Vᵉ s., profitant des incursions spartiates dans l'Attique. L'exploitation, réorganisée après ~ 350, et abandonnée progressivement à partir du ~ IIᵉ s., ne fut reprise qu'en 1860.

LAURISTON (Alexandre, Jacques, Bernard LAW, *marquis de***).** ♦ Maréchal de France (Pondichéry, 1768 — Paris 1828). Il était le petit-neveu de J. Law*. Élève en même temps que Bonaparte à l'école de Brienne, il fut son aide de camp en Italie (1800). Il participa ensuite à plusieurs missions diplomatiques. Il combattit en Espagne et en Autriche (Wagram, 1809). Ambassadeur en Russie (1811-1812), il fut fait prisonnier à Leipzig (1813). Rallié aux Bourbons (1814), il fut fait pair, puis marquis (1817). Il fit partie de l'expédition d'Espagne en 1823.

LAUSANNE. ♦ V. de Suisse, ch.-l. du canton de Vaud*, sur la r. d. du lac Léman* au pied du Jorat*, à 61 km au N.-E. de Genève*. 138 300 hab. *(Lausannois),* aggl. 214 900 hab. Université. Tribunal fédéral. La ville, construite sur trois collines séparées par les dépressions où coulaient autrefois le Flon et la Louve, s'étage entre 700 et 400 m. Les différents niveaux sont reliés par des ponts (le Grand Pont). Principaux quartiers : Saint-François, la Palud, la Cité, la Gare et Ouchy*, port de Lausanne. Très belle cathédrale gothique (XIIᵉ s.), église Saint-François (XIIIᵉ s.), château Saint-Maire (XIVᵉ s.). — Station climatique. Important centre hôtelier. Mécanique de précision, indus. chimique et alimentaire. — Patrie de J.L. Burckhardt*, Benjamin Constant*, C. Secrétan*, F. Vallotton*. ♦ *Hist.* C'est dans l'anc. *Lausanium* ou *Lausonna* romaine que Marius (ou saint Maire) d'Aventicum installa le siège de son évêché. La ville fut gouvernée par ses évêques jusqu'en 1536, date à laquelle elle fut prise par les Bernois et réunie au canton de Berne avec tout le canton de Vaud. Le pays de Vaud n'acquit son indépendance qu'en 1798 et Lausanne devint ch.-l. du canton en 1803. — Le *traité de Lausanne* (24 juil. 1923), entre les puissances signataires du traité de Sèvres*, rendu caduc par les victoires de Mustafa* Kemal sur la Grèce, et que celui-ci remplaça. La Turquie récupérait la partie orientale de la Thrace. Imbros, Tenedos et la région de Smyrne ; les populations grecques d'Asie Mineure et turques de Grèce seraient échangées. Les capitulations étaient abolies (elles avaient été rétablies par le traité de Sèvres). Les Détroits étaient démilitarisés, mais la Turquie se réservait d'en interdire le passage à ses ennemis, en cas de guerre. — La *Conférence de Lausanne* (9 juil. 1932) marquait la fin des réparations de guerre. — *École de Lausanne* ou *école mathématique.* École de l'équilibre économique à laquelle appartenaient L. Walras et V. Pareto, professeurs à l'université de Lausanne.

LAUSSEDAT (Aimé). ♦ Officier et savant français (Moulins, 1819 — Paris, 1907). Il imagina d'utiliser la chambre claire pour lever les plans, inventa la métrophotographie et réalisa des instruments d'astronomie. (Acad. sc., 1894.)

LAUTARET *(col du).* ♦ Col des Alpes (Hautes-Alpes*), 2 058 m, au N. du massif du Pelvoux*, qui relie l'Oisans* au Briançonnais*. Ce passage était déjà fréquenté par les Romains.

LAUTER. *n. f.* ♦ Riv. d'Alsace*, affl. du Rhin* [r. g.] (82 km). Elle sert de frontière entre la France et l'Allemagne de Wissembourg* à son confluent.

LAUTERBOURG. ♦ Ch.-l. de cant. du Bas-Rhin* (arr. de Wissembourg) sur la Lauter, à la frontière franco-allemande. 2 261 hab. *(Lauterbourgeois)*. Ancienne place forte, antiquités gallo-romaines. L'église a un chœur gothique du XVe siècle. Port sur le Rhin, manufacture de tabac et d'allumettes.

LAUTERBRUNNEN. ♦ V. de Suisse (cant. de Berne) dans la vallée de la Lütschine. 3 200 hab. Station climatique. Alt. 800 m.

LAUTRÉAMONT (Isidore Ducasse, dit *le comte de***)**. ♦ Écrivain français (Montevideo, 1846 – Paris, 1870). Venu en France pour ses études secondaires, puis à Paris pour préparer l'École polytechnique, il se passionna pour les mathématiques et les sciences naturelles. En 1868 parut le premier des *Chants* de Maldoror*, anonyme; en 1869, les cinq suivants, signés du comte de Lautréamont, passèrent inaperçus. Après avoir placé sous le titre paradoxal de *Poésies* deux fragments en prose (*Préface à un livre futur*, posth., 1920) I. Ducasse mourut, de façon restée mystérieuse, à vingt-quatre ans. Cette « poésie de révolte » servie par un langage d'une violence concertée fut exaltée par André Breton* et les surréalistes, comme « la revanche de l'irrationnel, l'affirmation des forces obscures, l'explosion volcanique de nappes souterraines incandescentes ». La critique lucide du langage poétique et l'utilisation des fantasmes de l'inconscient font de Lautréamont un précurseur de la révolution littéraire du XXe siècle.

LAUTREC (Odet de Foix, *vicomte de***)**. ♦ Maréchal de France (1485 – Naples, 1528). Il suivit Louis* XII en Italie, fut gouverneur du Milanais (1526) et en fut chassé pour sa cruauté. Battu à La Bicoque* (1522), il tenta d'empêcher la bataille de Pavie* (1525), dont il tira vengeance en 1527 en pillant la ville. Il mourut au siège de Naples. Sa carrière avait été facilitée par sa sœur, la comtesse de Châteaubriant, maîtresse de François Ier.

LAUTREC (TOULOUSE-). ♦ **V.** TOULOUSE-LAUTREC (Henri de).

LAUTREC. ♦ Ch.-l. de cant. du Tarn*, arr. de Castres*. 1 672 hab. *(Lautrécois)*. Anc. place forte.

LAUZERTE. ♦ Ch.-l. de cant. du Tarn*-et-Garonne. 1 888 hab. *(Lauzertains* ou *Lauzertins)*. Marché agricole.

LAUZUN (Antonin NOMPAR de CAUMONT, *comte* puis *duc de***)**. ♦ Maréchal de France (Lauzun, 1633 – Paris, 1723). Courtisan ambitieux et sans scrupules, il fut d'abord favori de Louis XIV, mais ses impertinences lui valurent un séjour à la Bastille. Il parvint à épouser secrètement la Grande Mademoiselle* (1681) après un emprisonnement de neuf ans à Pignerol. Passé en Angleterre, il assista à la révolution de 1688, fut chargé de conduire la reine et le prince de Galles en France, et combattit à la Boyne*. Il eut pour seconde femme la belle-sœur de Saint-Simon. ♦ ARMAND LOUIS DE GONTAUT, *duc de* BIRON et *de* LAUZUN. **V. Biron** (Armand Louis).

Lauzun *(hôtel)*. ♦ Hôtel de Paris, à l'E. de l'île Saint*-Louis. Édifiée par Le* Vau, de 1656 à 1658, cette demeure fut habitée par le duc de Lauzun de 1682 à 1684. Baudelaire (1845) et Th. Gautier (1848) y logèrent. C'est, depuis 1928, la propriété de la Ville de Paris. Sobre d'architecture, l'hôtel de Lauzun possède une somptueuse décoration intérieure où peintures et sculptures sont étroitement unies (plafonds de Le* Sueur et Le* Brun; toiles de Sébastien Bourdon*).

LAUZUN. ♦ Ch.-l. de cant. du Lot*-et-Garonne, arr. de Marmande*. 1 043 hab. Église gothique et château du XVIe siècle. Patrie du duc de Lauzun*.

LAVAL (François de MONTMORENCY-). ♦ Prélat français (Montigny-sur-Avre, 1623 – Québec, 1708). Il fut le premier évêque du Canada dont il organisa le clergé (séminaires, paroisses, congrégations), et combattit le commerce d'alcool fait avec les Indiens. Fondateur du *Séminaire de Québec* (1663).

LAVAL (Pierre). ♦ Homme politique français (Châteldon, Puy-de-Dôme, 1883 – Fresnes, 1945). Député socialiste (1914-1919), il fut d'abord partisan de la paix, puis se rapprocha de Clemenceau. Maire d'Aubervilliers (1923-1940), il fut réélu à la Chambre des députés sous l'étiquette socialiste indépendant (1924-1927), puis au Sénat (1927-1940). Plusieurs fois ministre (des Travaux publics, 1925; de la Justice, 1926; du Travail, 1930, 1932; des Colonies puis des Affaires étrangères, 1934), il présida le Conseil (janv. 1931-janv. 1932; juin 1935-janv. 1936). Son second ministère tenta de remédier à la crise économique et financière par une politique de déflation qui n'assura ni la reprise économique ni l'équilibre du budget et suscita de vifs mécontentements, en particulier chez les forces de gauche qui se regroupèrent **(V. Front populaire)**. La politique extérieure de Laval ne devait pas le rendre plus populaire (pacte d'assistance mutuelle avec l'U.R.S.S. et surtout traité de Rome et conférence de Stresa avec l'Italie, qui conduisit la France d'abord à s'opposer aux sanctions de la S.D.N. contre l'agression italienne en Éthiopie, puis à les voter). Contraint de démissionner fin janv. 1936, Laval revint au pouvoir après la défaite de 1940. Ministre d'État de Pétain*, il obtint du Parlement la révision de la Constitution (qui mit fin à la IIIe République). Vice-président du gouvernement de Vichy, il se montra favorable à la politique de collaboration et prépara l'entrevue Pétain-Hitler (Montoire, oct. 1940). Son attitude lui valut l'hostilité des ministres; remplacé par Darlan* (1941), il fut arrêté mais libéré peu après sur l'intervention d'Abetz. Rappelé au gouvernement à la demande des Allemands (avr. 1942), il cumula les portefeuilles de l'Intérieur, de l'Information et des Affaires étrangères. Il déclara souhaiter « la victoire de l'Allemagne ». Après avoir rejoint les membres du gouvernement de Vichy transféré à Belfort, puis à Sigmaringen (lors de la victoire des forces alliées), Laval gagna l'Autriche, puis l'Espagne (mai 1945). De retour en Autriche, il fut arrêté à Innsbruck par les Américains qui le livrèrent aux autorités françaises. Il fut condamné à mort et fusillé.

Ph. Tétrel

Jean Parisot de La Valette. Médaille.
(Cabinet des médailles, Bibliothèque nationale, Paris.)

LAVAL. ♦ Préf. de la Mayenne, ch.-l. d'arr. (9 cant., 91 comm., 112 420 hab.), sur la Mayenne. 49 052 hab. [45 051 aggl.] *(Lavallois)*. – Évêché. Cathédrale de la Trinité, d'époque romane, très remaniée aux XVe, XVIe et XIXe siècles. Église Notre-Dame-d'Avesnières (XIe-XIIe s.), église Saint-Vénérand (XVe s.), etc. Anc. château des comtes de Laval (château Neuf, de style Renaissance, remanié au XIXe s., *auj.* palais de justice, et Vieux Château, *auj.* musée : XIIIe-XVIe s.; donjon du XIIe siècle. Pont-Vieux, du XIIIe s., sur la Mayenne. Vestiges de l'anc. rempart. Maisons et hôtels anc. – Marché agricole. Conserveries. Indus. laitière. Fonderies. Mécanique, accessoires automobiles. Matériel électrique et électronique. Indus. chimique et pharmaceutique. Textile, confection. Indus. du bois. Imprimerie. Matériaux de construction. – Patrie d'Ambroise Paré*, Henri Rousseau* dit le Douanier, Alfred Jarry*, Alain Gerbault*. ♦ *Hist.* La baronnie de Laval, qui fut érigée en comté en 1429, appartint aux Montmorency, aux Montfort et aux Coligny. La ville fut, pendant la période révolutionnaire, l'un des principaux foyers de l'insurrection vendéenne, et de violents combats se déroulèrent entre Blancs et Bleus, dans ses murs et aux environs, en 1793.

LAVAL *(université)*. ♦ Université canadienne, créée à Québec en 1852. Elle porte le nom du premier évêque du Canada, *François de Montmorency-Laval**. Le *Séminaire de Québec* en fut le siège jusqu'en 1952; elle occupe aujourd'hui un campus à Sainte-Foy.

LAVAL (Ville de). ♦ V. du Canada (Québec) faisant partie de l'aggl. de Montréal*. 196 000 hab. Elle a été formée en 1965 par la réunion des municipalités de l'île Jésus (au N.-O. de l'île de Montréal).

LA VALETTE (Jean PARISOT *de***)**. ♦ Grand maître de l'ordre de Malte (? 1494 – Malte, 1568). Élu grand maître en 1557, il défendit victorieusement l'île de Malte contre Süleyman II et ses 40 000 hommes pendant quatre mois (1565). Il fonda en 1566 la ville qui prit son nom.

LA VALETTE (Bernard de NOGARET, *duc d'***Épernon)**. ♦ Gentilhomme français (Angoulême, 1592 – Paris, 1661). Il réprima la révolte des Croquants (1637) et joua un rôle trouble au siège de Fontarabie. Il se rendit ensuite très impopulaire comme gouverneur de Bourgogne et de Guyenne. ♦ LOUIS DE NOGARET D'ÉPERNON, *cardinal de* LA VALETTE, frère du précédent (Angoulême, 1593 – Rivoli, 1639), fut surnommé « le cardinal valet » pour son attachement à Richelieu*.

LA VALETTE, en angl. **Valletta**. ♦ Cap. de Malte* sur la côte N.-E. de l'île. 17 872 hab. (estimation 1964). Base navale et militaire. Cathédrale Saint-Jean (XVIe s.). Palais du grand maître de l'ordre des Chevaliers de Malte, *auj.* partagé entre le gouvernement général et la Chambre des représentants. ♦ *Hist.* La ville fut construite après le grand siège de 1565 **(V. Malte** [île de]**)** et prit le nom de Jean Parisot de La* Valette. Elle devint la capitale de l'île en 1570.

LA VALLÉE-POUSSIN (Charles *de***)**. ♦ Mathématicien belge

(Louvain, 1866 — Boitsfort, près de Bruxelles, 1962). Auteur de travaux sur la théorie des nombres, la théorie des ensembles et sur la théorie des fonctions de variables réelles. (Acad. sc., 1945.)

LA VALLIÈRE (Louise Françoise de LA BAUME LE BLANC, ***duchesse de*****).** ♦ Dame française (Tours, 1644 — Paris, 1710); fille d'honneur d'Henriette* d'Angleterre, elle devint favorite de Louis XIV. Ceux de ses enfants qui survécurent furent légitimés : Anne de Bourbon, dite Mlle de Blois et future princesse de Conti et le comte de Valmondois. Elle termina sa vie au carmel où elle se retira en 1674.

LAVANDOU (Le). ♦ Comm. du Var*, arr. de Toulon*, 3 272 hab. Station balnéaire. Service de bateaux pour les îles d'Hyères*.

LAVARDIN (Jean de BEAUMANOIR, ***marquis de*****).** ♦ Maréchal de France (Lavardin, 1551 — Paris, 1614). Élevé dans le protestantisme avec Henri de Navarre, il se fit catholique après la Saint-Barthélemy et devint l'un des plus cruels adversaires de ses anciens coreligionnaires. Il commanda les catholiques à la bataille de Coutras* (1587), prit parti pour la Ligue* (1589), et Henri IV étant devenu roi de France il se rallia, fut fait maréchal de France et gouverneur du Maine. Il se trouvait dans le carrosse d'Henri IV lorsque celui-ci fut assassiné. ♦ Son arrière-petit-fils, HENRI CHARLES DE BEAUMANOIR, marquis de LAVARDIN (1644 — Paris, 1701), fut ambassadeur extraordinaire à Rome lors du différend de Louis XIV et du pape Innocent IX au sujet des franchises; il occupa le quartier de l'ambassade de France (1687) et fut excommunié.

LAVARDIN. ♦ Comm. du Loir-et-Cher, arr. de Vendôme. 268 hab. La localité est notable par ses monuments : château ruiné (XIe-XVe s.), qui fut démantelé par Henri IV; église romane (fresques du XIIe au XVIe s.).

LA VARENDE (Jean MALLARD, ***vicomte de*****).** ♦ Écrivain français (Le Chamblac, 1887 — Paris, 1959). S'étant fait connaître par une série d'histoires normandes, groupées sous le titre *Pays d'Ouche* (1934), il composa ensuite un grand nombre de romans à la gloire de sa Normandie natale, peintures puissantes « des champs nus et des cieux chargés » des signes de Dieu; car, reprenant après Barbey d'Aurevilly une tradition catholique et royaliste, La Varende a présenté des héros singuliers, hobereaux normands orgueilleux et combatifs (*Nez-de-Cuir, gentilhomme d'amour,* 1937), sensuels mais ardents serviteurs de la religion comme *Le Centaure de Dieu* (1938), toujours fidèles aux traditions de leur race (*Les Manants du roi,* 1938). Ces récits, à la composition orgueilleusement « bousculée », offrent un style vif jusqu'à la brutalité, d'une originalité incontestable.

LAVATER (Johann Kaspar). ♦ Écrivain, penseur et théologien suisse d'expression allemande (Zurich, 1741 — 1801). « Homme unique en son genre » (Goethe), il a exprimé dans sa vie et son œuvre les contradictions de la pensée allemande, alors partagée entre le rationalisme de l'*Aufklärung* et l'exaltation de la sensibilité du *Sturm* und Drang*. En dépit de quelques essais poétiques (*Hymnes religieux, Chants helvétiques,* 1767) influencés par J.J. Bodmer et Klopstock, il fut surtout théologien et n'hésita pas à faire du prosélytisme, ce qui l'éloigna un peu de son ami Goethe*. Parmi ses œuvres, la plus célèbre, quoiqu'elle fût vivement critiquée par Lichtenberg*, est assurément sa ***Physiognomonie*** (*Physiognomische Fragmente zur Beförderung der Menschenkenntnis und Menschenliebe,* 1775-1778), art de découvrir le caractère en déchiffrant les traits du visage, qui connut une très grande vogue. D'abord favorable à la Révolution française, Lavater s'opposa au régime politique institué en Suisse par les Français. Déporté à Bâle, il fut tué par un soldat français à son retour à Zurich.

Ph. Giraudon

La duchesse de **La Vallière.** École française du XVIIe s. (Château de Versailles.)

LA VAUGUYON [lavogɥijɔ̃] **(Antoine Paul Jacques de QUÉLEN de CAUSSADE,** ***duc de*****).** ♦ Homme de guerre français (Tonneins, 1706 — Versailles, 1772). Après s'être illustré dans les Pays-Bas, il devint gouverneur du duc de Bourgogne, petit-fils de Louis XV, puis de ses frères. ♦ PAUL-FRANÇOIS, son fils (Paris, 1746 — 1828), fut ministre des Affaires étrangères (1789), puis émigra.

LA VAULX (***comte*** **Henry** ***de*****).** ♦ Aéronaute français (Bierville, Seine-Maritime, 1870 — Hackensack, Meadows, près de Jersey City, New Jersey, 1930). Après avoir tenu l'air pendant vingt-quatre heures au cours d'une ascension en ballon libre (1898), il fonda l'Aéro-Club de France (1898), entreprit de nombreux vols en ballon sphérique et créa, en 1906, la Fédération aéronautique internationale.

LAVAUR. ♦ Ch.-l. de cant. du Tarn*, arr. de Castres, sur l'Agout*. 7 987 hab. [6 049 aggl.] *(Vauréens).* Anc. cathédrale XIIIe-XIVe siècles. Maisons XIVe-XVIe siècles. Tour XVe-XVIe siècles. Filatures de laine. Constructions métalliques. Station de radiodiffusion. ♦ *Hist.* Une grande partie des Vauréens fut massacrée au XIIIe s. par Simon de Montfort*. Lavaur devint un comté au XVe s. (Jean de Foix).

LAVEDAN (Henri). ♦ Écrivain français (Orléans, 1859 — Paris, 1940). Romancier (*Le Nouveau Jeu,* 1892) et auteur dramatique (*Le Vieux Marcheur,* 1899; *Le Marquis de Priola,* 1902; *Le Duel,* 1905), il a été le peintre complaisant de la société parisienne de son temps. (Acad. fr., 1898.)

LAVEDAN. *n. m.* ♦ Région du S.-O. de la France, qui s'étend dans la haute vallée du gave de Pau* (S.-O. du dép. des Hautes-Pyrénées*). *V. princ.* Argelès*-Gazost, Lourdes*. — *Hydrogr.* **V. Pau** (gave de).

LAVELANET. ♦ Ch.-l. de cant. de l'Ariège*, arr. de Foix*, sur la Touyre. 8 799 hab. *(Lavelanétiens).* Vestiges du château de Castelsarrasin. Indus. textile importante (draperie, filature, tissage).

LAVELLE (Louis). ♦ Philosophe français (Saint-Martin de Villeréal, Lot-et-Garonne, 1883 — Parranquet, Lot-et-Garonne, 1951). Philosophe spiritualiste, il fonda avec Le* Senne la collection *Philosophie de l'esprit.* Dépassant l'angoisse existentielle de la subjectivité qui s'isole (*L'Erreur de Narcisse,* 1939), il fit de la participation à l'être, à l'acte pur « l'expérience initiale [...] par laquelle le moi constitue l'existence qui lui est propre », tout en affirmant la transcendance divine, et considéra l'actualisation des valeurs que l'homme porte en lui comme le but de la vie morale (*La Dialectique de l'éternel présent : De l'être,* 1927; *De l'acte,* 1937; *Du temps et de l'éternité,* 1945; *De l'âme,* 1951; *Traité des valeurs,* 1951-1955).

LAVENTIE. ♦ Ch.-l. de cant. du Pas*-de-Calais, arr. de Béthune*, en Flandre*. 2 909 hab. *(Laventinois).* Chaussures; bonneterie.

LAVÉRA. ♦ Port des Bouches*-du-Rhône, comm. de Martigues*, sur le golfe de Fos* au débouché du canal de Caronte*. C'est le plus grand port pétrolier français; il reçoit 50 millions de tonnes de pétrole par an. Le pétrole est conduit par oléoducs soit vers les raffineries de l'étang de Berre*, soit vers les ports rhénans; il est également raffiné sur place (4 400 000 t). Usines pétrolochimiques; traitement du gaz liquéfié.

LAVERAN (Alphonse). ♦ Bactériologiste français (Paris, 1845 — 1922). Médecin militaire, puis attaché à l'Institut Pasteur, il a découvert l'hématozoaire du paludisme et fait des recherches sur les protozoaires pathogènes. (Acad. méd., 1893; Acad. sc., 1901. Prix Nobel de méd., 1907.)

LA VÉRENDRYE (Pierre GAULTIER de VARENNES ***de*****).** ♦ Explorateur français du Canada (Trois-Rivières, 1685 — Montréal, 1749). De 1731 à 1743, il explora l'intérieur du pays, du lac Supérieur aux montagnes Rocheuses qu'atteignirent ses fils Louis-Joseph et François.

LAVICOMTERIE DE SAINT-SAMSON (Louis ***de*****).** ♦ Publiciste et homme politique français (1732 — 1809). Connu pour ses écrits populaires et révolutionnaires, il fut élu à la Convention (1792), où il siégea avec les députés de la Montagne et fit partie du Comité de sûreté générale. Il fut quelque temps emprisonné lors de la réaction thermidorienne.

LA VIEUVILLE (Charles, ***marquis de*****).** ♦ Homme politique français (Paris, v. 1582 — *id.,* 1653). Surintendant des Finances (1623), il fit entrer Richelieu au Conseil (1624). Écarté, accusé de malversations, il fut enfermé au château d'Amboise (1624-1625), mais s'en évada et obtint la permission de rentrer en France en 1628. Il conspira contre Richelieu et s'enfuit à Bruxelles (1631). Après la mort de Richelieu, il revint en France et obtint de Mazarin la direction des Finances (1649) ainsi que le titre de duc et pair.

LAVIGERIE (Charles Martial). ♦ Prélat français (Bayonne, 1825 — Alger, 1892). Professeur d'histoire ecclésiastique à la Sorbonne, directeur de l'œuvre des Écoles d'Orient en Syrie, il fut nommé évêque de Nancy (1863) puis archevêque d'Alger en 1867. Désireux d'évangéliser les populations d'Afrique du Nord et d'Afrique noire, il fonda la société des Pères blancs (1868), puis celle des Sœurs missionnaires d'Afrique (1869). Chef de l'Église d'Afrique, cardinal (1882), il devint également administrateur apostolique de la Tunisie (1884), après l'établissement du protectorat français dans ce pays (réunion de l'archidiocèse de Carthage au siège d'Alger), sans cesser de poursuivre son œuvre missionnaire et sa lutte contre l'esclavagisme (conférence anti-esclavagiste de Bruxelles, 1889). En 1890, à la demande du pape Léon XIII, il prononça le fameux toast d'Alger en faveur du ralliement de l'Église à la République.

Ph. Giraudon

A. L. de Lavoisier.

LAVINIUM, *auj.* **Pratica di Mare.** ♦ Anc. V. d'Italie (Latium) fondée, selon la légende, par Énée* en l'honneur de sa femme Lavinia.

LAVISSE (Ernest). ♦ Historien français (Le Nouvion-en-Thiérache, 1842 – Paris, 1922). Auteur d'ouvrages sur l'histoire de la Prusse, en particulier sur Frédéric le Grand, il dirigea la publication de l'*Histoire générale du IV*[e] *s. à nos jours* (avec Rambaud, 1893-1900). *L'Histoire de la France* (1900-1912), *L'Histoire contemporaine de la France* (1920-1922), ouvrages qui contribuèrent à renouveler les études historiques en France. (Acad. fr., 1892.)

LAVOISIER (Antoine Laurent *de***).** ♦ Chimiste français (Paris, 1743 – *id.*, 1794). Après un *Mémoire sur le meilleur système d'éclairage de Paris*, il participa à un bail de la Ferme générale et à tous les autres baux jusqu'à la Révolution. En 1775, nommé régisseur des poudres et salpêtres, il alla habiter à l'Arsenal qui devint, avec l'installation de son laboratoire, l'un des centres scientifiques les plus réputés d'Europe. Compris dans la proscription des fermiers généraux, pendant la Terreur, il fut condamné et guillotiné. Son introduction d'une expérimentation rigoureuse par l'usage systématique de la balance et l'application du principe de conservation de la masse et des éléments chimiques (principe de Lavoisier) en font le créateur de la chimie moderne. Bien que sa distinction des éléments constituant l'air atmosphérique (oxygène et azote) ait eu lieu après les travaux de Priestley*, il fut le premier, par ses interprétations, à faire progresser les conceptions théoriques de la chimie **(V.** *aussi* **Scheele)**; le rôle de l'oxygène élucidé dans la formation des chaux métalliques, il étudia la formation des acides phosphorique, sulfurique et nitrique, et la composition du gaz carbonique, et plaça l'oxygène au centre de son système (chimie pneumatique); il montra que la transformation des métaux en oxydes et des métalloïdes en acides était due à une combinaison du corps brûlé avec l'oxygène. En 1777, il commença à exposer sa théorie des acides. **V. Davy.** Après avoir découvert la composition de l'eau (1783), il réalisa une célèbre expérience (28 fév.-1er mars 1785) avec Meusnier*, au cours de laquelle furent réalisées la décomposition et la synthèse de l'eau **(V. Cavendish)**; à partir de ce moment, il réfuta définitivement la doctrine du phlogistique. **V. Bayen.** Auteur, avec Laplace*, des premières mesures calorimétriques, il établit avec Guyton* de Morveau, Fourcroy* et Berthollet* une nouvelle nomenclature chimique rationnelle, basée sur la notion moderne d'élément chimique [1787] **(V. Boyle).** Dans son *Traité élémentaire de chimie* (1789), il donna le premier tableau d'ensemble de la chimie devenue une science moderne. S'intéressant également à la chimie physiologique, il entreprit l'étude expérimentale de toutes les fonctions de l'organisme animal : il montra que la respiration se ramène à une combustion assurée par l'inspiration de l'oxygène de l'air, découvrit l'hémoglobine et l'origine de la chaleur animale qu'il attribua à des combustions organiques portant sur l'hydrogène et le carbone puis, enfin, commença des travaux sur la digestion. (Acad. sc., 1768.) ♦ *Loi de* LAVOISIER : loi de conservation de la masse en chimie.

LAVONGAÏ *(île)*, en angl. **New Hanover**, anc. en all. **Neuhannover (Nouveau-Hanovre).** ♦ Île du N.-O. de l'archipel Bismarck*, située entre la Nouvelle*-Irlande et les îles de l'Amirauté*, sous tutelle de l'Australie*. 1 190 km².

LAVREINCE (Niklas Lafrensen, dit **Nicolas).** ♦ Peintre et dessinateur suédois (Stockholm, 1737 – *id.*, 1807). Fils d'un miniaturiste *(Lafrensen l'Aîné)*, il débuta aussi comme miniaturiste et portraitiste et se rendit à Paris en 1767. Il y fit la connaissance de Boucher et de son gendre Beaudoin. Devenu membre de l'Académie royale de Suède (1773), puis peintre du roi, il séjourna de nouveau à Paris de 1774 à 1791. Il acquit une grande renommée en représentant à la gouache des scènes galantes souvent très lestes et peintes avec raffinement, d'un trait souple et léger *(La Comparaison)*.

LAVROFF ou **LAVROV (Piotr Lavrovitch).** ♦ Révolutionnaire et philosophe russe (Melekhovo, Pskov, 1823 – Paris, 1900). Arrêté et déporté, il publia (sous le pseudonyme de Mirtov) les *Lettres historiques*, qui furent considérées comme « l'évangile du socialisme non marxiste ». Ayant réussi à s'évader, il gagna Paris (1870) où il sympathisa avec la Commune. En Suisse, où il fonda la revue socialiste *En avant* (1873-1876), à Londres et à Paris, il poursuivit son activité de militant révolutionnaire. Membre du comité de rédaction de la revue d'anthropologie (fondée par Broca), et influencé par les théories de Feuerbach, Stuart Mill et Spencer, il élabora un système philosophique auquel il donna le nom d'anthropologisme *(Essai de l'histoire de la pensée)*.

LAW (John) [las] ou [lo] (la prononc. *las* provient de la confusion du *w* avec *ss*, en France). ♦ Financier écossais (Édimbourg, 1671 – Venise, 1729). Après avoir étudié les systèmes financiers et bancaires de divers pays d'Europe, il publia ses *Considérations sur le numéraire et le commerce* (1705). Estimant que l'État est responsable de la richesse d'un pays, il préconisa la création d'une banque d'État, d'un système de crédit et la circulation de papier-monnaie. C'est en France, sous la Régence, qu'il mit ses idées en application. Il commença par fonder une banque privée (1716) qui eut le droit d'émettre des billets, puis la Compagnie d'Occident (1718); enfin (pour rembourser la dette publique, et malgré l'opposition des fermiers généraux) un « système » unissant la Banque, la Compagnie et l'État, qui eut le contrôle du commerce extérieur (Mississippi, Chine, Indes, etc.) et des grandes entreprises du royaume. Le crédit public et le commerce furent ainsi provisoirement ranimés; et le « système » imité dans d'autres pays d'Europe. Mais l'imprudence des émissions, la fièvre de la spéculation (dont le centre était à Paris, rue Quincampoix) et les agissements de ses ennemis (les frères Pâris) finirent par provoquer la banqueroute, et Law, qui était devenu surintendant des Finances, dut s'enfuir (1720). Le souvenir de cet échec devait peser lourdement sur l'évolution de la vie financière en France.

LAWFELD, *auj.* **LAAFFELT.** ♦ Village de Belgique (Limbourg), près de Maastricht. ♦ *Hist.* Le maréchal de Saxe, à la tête des Français, y vainquit le duc de Cumberland* (1747).

LAWRENCE *(sir* **Thomas).** ♦ Portraitiste anglais (Bristol, 1769 – Londres, 1830). Fils d'un aubergiste, il manifesta un talent précoce et entra en 1786 à l'Académie royale. Il acquit la notoriété en exposant en 1790 les portraits de la reine Charlotte et de Miss Faren. Après la mort de Reynolds*, il devint le peintre du roi et le portraitiste préféré de l'aristocratie anglaise. Il fut chargé d'exécuter les portraits des principaux personnages qui contribuèrent à la défaite de Napoléon. Son talent fut apprécié à l'étranger et Delacroix admira en 1824 sa technique et son art de portraitiste. Son style se caractérise par une exécution brillante, des coloris éclatants. Il apparaît comme le continuateur de Reynolds par l'élégance et la grâce de ses portraits, tout en témoignant d'une sensibilité parfois dramatique, aux accents romantiques, et d'une plus grande liberté de facture.

LAWRENCE (David Herbert). ♦ Poète et romancier anglais (Eastwood, Nottinghamshire, 1885 – Vence, 1930). Fils d'un mineur. Sa mère avait été poète et professeur; Lawrence fut initié par elle à l'art dès son enfance et décida très tôt de se consacrer à la littérature (*Le Paon blanc*, 1911). Il publia en 1913 ses *Poèmes d'amour et autres*, ainsi qu'un roman, *Fils*. Mais l'importance qu'il accorde à l'érotisme, fondement de sa philosophie de la vie, le fit interdire dès 1915 avec la parution de *L'Arc-en-ciel (The Rainbow)* qui examinait les rapports amoureux de trois familles. De même *L'Amant de lady Chatterley* (*Lady Chatterley's Lover*, 1928), son œuvre la plus connue, fait l'apologie de l'amour physique en réaction contre l'intellectualisme. Épouse frustrée d'un infirme épris de littérature, lady Chatterley se lie avec un jeune garde-chasse, viril, simple et intelligent, dont elle aura un enfant. Ce roman, qui évoque avec franchise la sexualité, causa un tel scandale que D.H. Lawrence dut le défendre dans *Pornographie et Obscénité* (1929) et *À propos de l'Amant de lady Chatterley* (1930). Tuberculeux, poursuivi par la haine des bien-pensants en Angleterre, Lawrence chercha refuge à l'étranger. Il fit de nombreux voyages (*Crépuscule en Italie*, 1916, etc.), et c'est en Italie qu'il conçut ses *Poèmes* de 1922, *La Mer et la Sardaigne* (1921), *Femmes amoureuses* (1921) et *La Fille perdue* (1921). Il écrivit *Kangourou* (1923) en Australie et *Le Serpent à plumes* (*The Plumed Serpent-Quetzalcoatl*, 1926) au Nouveau-Mexique (il vécut à Taos). A. Huxley, qui fut son ami, le compara à Pascal : tous deux s'étaient élevés contre le « divertissement », mais pour Lawrence, celui-ci est représenté par la spiritualité et le travail, jugé comme une « luxure d'oisiveté, la plus grande paresse, la véritable quiétude ». Ces idées sont reflétées dans sa correspondance, publiée en 1932. Lawrence est l'auteur de plusieurs autres romans importants (*Amants et Fils*, 1913; *L'Amazone fugitive*, 1928; *L'homme qui était mort*, 1931). Il avait quarante-cinq ans lorsque la tuberculose l'emporta.

LAWRENCE (Thomas Edward), dit **Lawrence d'Arabie**.

♦ Officier et écrivain anglais (Tremadoc, Carnarvonshire, pays de Galles, 1888 — Bovington, Dorset, 1935). D'origine anglo-irlandaise, peut-être fils adultérin de sir Thomas Robert Tighe Chapman, T.E. Lawrence fit ses études à Oxford, apprit l'arabe et vécut en Syrie et en Mésopotamie (1910-1914). Champion de l'indépendance arabe, le colonel Lawrence fut le principal artisan de la victoire anglaise contre les Turcs commandés par l'Allemand Falkenhayn (Damas, 1918). Quand, à la conférence de Versailles, le pacte anglo-arabe fut renié, Lawrence renonça sans pension à son grade. Son œuvre principale, *Les Sept Piliers de la sagesse* (*Seven Pillars of Wisdom,* 1926), est un document essentiel sur la sensibilité de l'aventurier contemporain, où le héros s'explique ainsi : « Le hasard (...) m'avait donné une place dans la révolte arabe (...) m'offrant ainsi une chance en littérature, l'art-sans-technique. » Refusant une gloire littéraire qu'il jugeait démesurée, et déçu par l'opposition française qui contraignit l'émir Faysal à quitter la Syrie, Lawrence s'engagea sous un nom d'emprunt (John Hume Ross) comme simple soldat dans l'aviation. On lui doit aussi des *Lettres* (posth., 1938), une traduction de *L'Odyssée* et deux livres : *Les Châteaux des croisés* (posth., 1936) et *La Matrice* (posth., 1955), fruit de son expérience à la R.F.A. Un accident de motocyclette causa sa mort.

LAWRENCE (Ernest Orlando). ♦ Physicien américain (Canton, South Dakota, 1901 — Palo Alto, Californie, 1958). Auteur de recherches sur l'effet photo-électrique **(V. H. Hertz)**, l'émission thermoïonique **(V. Richardson)** et la physique biologique, il inventa le cyclotron qu'il réalisa avec Livingston* en 1932 [**V.** *aussi* **Cockcroft**]. (Prix Nobel de phys., 1939.)

LAXNESS (Halldór GUDJONSSON, dit **Halldór Kiljan).** ♦ Romancier, essayiste et poète islandais (Laxness, près de Reykjavik, 1902). Après des études philosophiques et religieuses, il séjourna en Allemagne où il découvrit l'expressionnisme allemand, puis à Paris où il fut influencé par Freud et Joyce. Il subit également l'influence de Strindberg et de Sigrid Undset. *La Cloche d'Islande (Islands Klukkan),* publiée entre 1943 et 1946, fait partie d'une trilogie comprenant *La Vierge blonde (Hid ljosa man)* et *Incendie à Copenhague (Eldur i Kaupinhafn).* L'œuvre, située au temps de la domination danoise (XVIIe s.), évoque le problème de l'indépendance islandaise dans un style proche de celui des anciennes sagas. *Salka Valka, petite fille d'Islande* (*Salka Valka,* 1931) met en scène les couches les plus défavorisées de la société islandaise, monde de « pauvres femmes insignifiantes débarquées sur une grève insignifiante comme une épave venue d'on ne sait où ». Laxness séjourna en Amérique (1927-1930), et fit des États-Unis le sujet satirique de *La Station atomique* (1948). Attiré par le communisme, il fit paraître en 1933 un *Voyage à l'Est* qui est inspiré par son propre voyage en Russie. On lui doit aussi des *Poèmes* (1930) et la série de romans publiés entre 1937 et 1940, comprenant notamment *Lumière du monde* et *Maison du poète,* qui lui furent inspirés par le poète paysan Ólafur Kárason. (Prix Nobel de littér., 1955.)

LAXOU [laksu] ou [laʃu]. ♦ Comm. de Meurthe-et-Moselle. arr. et banlieue de Nancy. 16 618 hab. *(Lascaviens).* Fonderie; caoutchouc.

LAY. *n. m.* ♦ Fl. côtier de la Vendée (125 km) qui traverse le Marais poitevin avant de se jeter dans l'Atlantique.

LAYAMON ou **LAWEMAN.** ♦ Poète anglais (fin du XIIe s., début du XIIIe s.). Prêtre natif d'Ernley, il laissa deux manuscrits — parfois très différents — d'un même poème, l'un des premiers rédigés en moyen anglais : *Brut,* adapté de *Li Romans de Brut* (1155) de Wace. Layamon y délaisse les raffinements de son modèle au profit de descriptions de meurtres et de violence. Il conte les légendes du roi Lear et de Cymbeline que reprendra Shakespeare*. Bien que d'origine saxonne, Layamon prend parti pour les Bretons contre les oppresseurs saxons, témoignant ainsi de la fusion des deux peuples au XIIIe siècle.

LAZARE *(saint).* ♦ Dans l'Évangile de Jean, XI, 1-44, ami de Jésus, frère de Marthe* et de Marie* de Béthanie; Jésus le ressuscite. La légende le fait miraculeusement débarquer à Marseille dont il devient le premier évêque et où il subit le martyre. Fête le 17 décembre.

LAZARE. ♦ Nom du pauvre ulcéreux assis à la porte du mauvais riche, dans la parabole de Luc, XVI, 19-31.

LAZAREVIĆ (Laza). ♦ Conteur serbe (Šabac, 1851 — Belgrade, 1890). Il est l'auteur de contes écrits dans un style très pur, avec sobriété et sous une forme concentrée, sur la vie provinciale traditionaliste serbe en conflit avec la vie moderne d'influence occidentale : *Avec père pour la première fois aux matines* (1879), *L'Icône de l'école* (1880), *Au puits* (1881), *Werther* (1891), *L'Allemande* (1898).

Lazarillo de Tormes (Vie de). ♦ Roman picaresque espagnol, le premier du genre, paru probablement en 1554 et d'auteur inconnu. C'est un récit autobiographique qui dépeint le type de l'anti-héros sans idéal, animé du seul souci de vivre au jour le jour sans trop se préoccuper de la valeur morale des moyens dont il use. Il donne une vision amère et désenchantée de la vie en Espagne au siècle d'or. Ce genre de roman, d'un réalisme parfois cruel mais non dénué d'humour, inspira de nombreux auteurs espagnols et fut imité à l'étranger. — Parfois attribué à Hurtado* de Mendoza.

Lazaristes. *n. m. pl.* ♦ **V.** VINCENT DE PAUL (saint).

LAZARSFELD (Paul Félix). ♦ Sociologue et statisticien américain d'origine autrichienne (Vienne, 1901). Il s'est efforcé de définir les concepts fondamentaux des sciences sociales, dont il a formulé les principes méthodologiques et qu'il a orientés dans le sens de la formalisation mathématique. Il a notamment mis au point une technique mathématique complexe pour l'étude des composantes d'une attitude (analyse de la structure latente, *Latent Structure Analysis,* 1959). Son principal ouvrage, *The Language of social Research* (avec Morris Rosenberg, 1955) a été traduit et adapté en français par M. Boudon sous le titre *Vocabulaire des sciences sociales, L'Analyse empirique de la causalité, L'Analyse des processus sociaux* (3 vol.).

LAZZARI (Constantino). ♦ Homme politique italien (1857 — 1927). Il contribua à la fondation du parti socialiste italien. D'abord centriste, il donna son soutien à l'État soviétique et participa aux travaux de la IIIe Internationale (Komintern).

LAZZARI (Silvio). ♦ Compositeur français, d'origine autrichienne (Bozen, Tyrol, 1857 — Suresnes, 1944). Élève de Gounod et de César Franck, il a laissé une œuvre marquée d'un généreux lyrisme. On en retiendra trois opéras : *La Lépreuse* (1912), *Le Sauteriot* (1917), *La Tour de feu* (1928), une symphonie et des pièces de musique de chambre.

LDE. ♦ Troisième dynastie royale et quelque peu mythique du Tibet, dont les ministres étaient des magiciens. Les rois de cette dynastie, au nombre de huit, sont qualifiés d' « êtres exceptionnels ». Le dernier d'entre eux aurait vécu au VIe siècle.

LÊ. ♦ Nom de deux dynasties vietnamiennes, celle des LÊ ANTÉRIEURS qui dura de 980 à 1010, et celle des LÊ POSTÉRIEURS, fondée par Lê* Loi, dont les souverains régnèrent de 1418 à 1457, puis de 1533 à 1789. La première dynastie comporta trois rois, la seconde en eut trente et un. Ces derniers régnèrent par intermittence, les souverains Trân* et Mac* usurpant souvent le trône. Sous leur règne, se développa au Viêt-nam une école artistique importante.

LÉA ou **LIA.** ♦ Pers. biblique (*Genèse,* XXIX, 16). Fille de Laban* qui la fait épouser à Jacob*, par ruse, avant Rachel*.

LEAHY (William Daniel). ♦ Amiral américain (Hampton, Iowa, 1875 — Bethesda, Maryland, 1959). Ancien chef d'état-major de la marine (1937-1939) et, après sa retraite, gouverneur de Porto Rico, il fut l'ambassadeur des États-Unis auprès du gouvernement de Vichy (1940-1942). Il fut rappelé comme chef d'état-major particulier de Roosevelt puis de Truman (1942-1949) et joua un rôle considérable dans l'élaboration de la stratégie alliée.

LEAKE (William Martin). ♦ Archéologue anglais (Londres, 1777 — Brighton, 1860). Entré dans l'artillerie, il servit au Proche-Orient (Turquie, Égypte, Grèce) et, de retour en Angleterre, publia plusieurs ouvrages d'archéologie et d'histoire sur la Grèce (*Recherches en Grèce,* 1814; *Topographie d'Athènes,* 1821, tr. fr. 1869; *Voyages en Morée,* 1830; *Numismata hellenica,* 1854).

LEAKEY (Louis Seymour Bazett). ♦ Archéologue et préhistorien britannique (Kabete, Kenya, 1903). Il entreprit d'importantes fouilles au Kenya et en Tanzanie et découvrit le zinjanthrope, primate anthropoïde de quatorze millions d'années env. (1961). *(Stone Age Culture of Kenya; The Progress and Evolution of Man in Africa).*

LEAMINGTON SPA ou **ROYAL LEAMINGTON SPA.** ♦ V. du centre de l'Angleterre (Warwickshire), sur la Leam. 44 970 hab. Station thermale célèbre depuis le milieu du XIXe siècle. Indus. mécaniques.

LEAN (David). ♦ Réalisateur anglais de cinéma (Croydon, 1908). Coréalisateur, avec Noel Coward, de films de guerre, il a adapté avec succès au cinéma deux œuvres de cet auteur : *L'esprit s'amuse*

Ph. de Gregorio/Ricciarini

La Résurrection de **Lazare** (détail), par le Caravage. (Musée national, Messine.)

Ph. Henri Cartier-Bresson/Magnum

Paul Léautaud.

(*Blythe Spirit,* 1944) et *Brêve Rencontre* (*Brief Encounter,* 1945) ainsi que des romans de Dickens : *Les Grandes Espérances* (*Great Expectations,* 1946).

LÉANDRE *(saint).* ♦ (Cartagène – Séville, v. 600). Moine, archevêque de Séville (v. 579), il fit abjurer l'arianisme à Recarède Ier et organisa l'Église hispano-wisigothique (concile de Tolède, 589). Frère aîné de saint Isidore de Séville. Fête le 27 février.

LEAO... *(chinois).* ♦ **V.** LIAO...

Lear *(le roi).* ♦ **V.** ROI LEAR (le).

LÉAUTAUD (Paul). ♦ Écrivain français (Paris, 1872 – Robinson-sur-Seine, 1956). Abandonné par sa mère, il connut une enfance malheureuse et gagna sa vie à seize ans. Mais, entré dès 1895 au *Mercure de France,* il tint le secrétariat de la rédaction de 1908 à 1940, faisant paraître une anthologie en trois volumes, *Poètes d'aujourd'hui* (1900 à 1930). Parallèlement chroniqueur dramatique, il réunit ses articles dans le *Théâtre de Maurice Boissard* (1926-1943). Avaient déjà paru *Le Petit Ami* (1903), évocation émue ou caustique de son enfance et de son adolescence, et *In Memoriam,* récit parfois cruel de la mort de son père. Le cynisme allié à la cocasserie, le détachement à l'émotion se retrouvent dans les récits de *Passe-Temps* (1928) et surtout dans le *Journal littéraire* publié de 1954 à 1964; volontiers sarcastique, frondeur par haine du conformisme, Léautaud s'y montre d'une grande indépendance dans ses jugements, recherchant un style incisif ou savoureux et cette allure primesautière caractéristique des *Entretiens avec Robert Mallet* (1952), dialogues radiophoniques qui apportèrent à leur auteur la notoriété.

LÉAUTÉ (Henry). ♦ Ingénieur et mathématicien français (Belize, Honduras britannique, 1847 – Paris, 1916). Spécialiste de la mécanique appliquée, il s'attacha particulièrement aux transmissions à distance et à la régulation du mouvement des machines. (Acad. sc., 1890.)

LEBAS ou **LE BAS (François Joseph).** ♦ Homme politique français (Frévent, Pas-de-Calais, 1765 – Paris, 1794). Député montagnard à la Convention et membre du Comité* de sûreté générale, il fut envoyé comme représentant en mission aux armées de Sambre-et-Meuse et du Rhin (1793-1794). Arrêté en même temps que Robespierre* le 9 Thermidor (27 juillet 1794), il se suicida à l'Hôtel de Ville.

LE BAS (Hippolyte). ♦ Architecte français (Paris, 1782 – *id.,* 1867). Élève de Vaudoyer* et de Percier*, il fut fidèle au style néo-classique et construisit la *prison de la Roquette* et *Notre-Dame-de-Lorette* à Paris (1824-1836).

LEBAUDY (Paul). ♦ Industriel français (Enghien, 1858 – Rosny-sur-Seine, Seine-et-Oise, 1937). Avec son frère Pierre, il consacra une grande partie de sa fortune à la construction de dirigeables dont le premier dirigeable militaire (le *Jaune,* 1902) et le premier dirigeable anglais *(Morning Post)* avec lequel il effectua la première traversée de la Manche (1910). **V.** *aussi* **Zeppelin.**

LEBBEKE. ♦ Comm. de Belgique (Flandre-Orientale, arr. de Termonde). 12 800 hab. – Indus. alimentaires et textiles (tissage de la laine).

LEBEAU (Joseph). ♦ Homme politique belge (Huy, 1794 – *id.,* 1865). Avocat et journaliste au *Politique,* journal de Liège, il contribua à l'union des catholiques et des libéraux (sa propre tendance) qui préparaient la révolution de 1830. Au Congrès national, il s'opposa à la fixation autoritaire des frontières de la Belgique par la conférence de Londres. Il devint ministre des Affaires étrangères en 1831 et proposa Léopold de Saxe-Cobourg-Gotha comme roi des Belges. **V. Léopold Ier.** Il dut signer le traité abandonnant les Bouches de l'Escaut aux Pays-Bas. Il fut président du Conseil en 1840-1841.

LEBEL (Nicolas). ♦ Officier français (Saint-Mihiel, 1838 – Vitré, 1891). Il participa à la réalisation du fusil qui porte son nom (1886) et qui, plusieurs fois amélioré, fut utilisé jusqu'à la Deuxième Guerre mondiale.

LE BEL (Achille). ♦ Chimiste français (Pechelbronn, 1874 – Paris, 1930). Il développa la notion de structure, introduisant la théorie du *carbone tétraédrique* et créant le concept de *carbone asymétrique* (1874), jetant ainsi les bases de la chimie organique moderne. **V. Van't Hoff, Meyer.** (Acad. sc., 1929.)

LEBESGUE (Henri). ♦ Mathématicien français (Beauvais, 1875 – Paris, 1941). Il s'intéressa surtout à la théorie des fonctions de variables réelles; après avoir défini la mesure d'un ensemble linéaire, introduit la notion de fonction mesurable, il définit l'*intégrale de Lebesgue* (1902) qui, nettement supérieure à celle de Riemann*, ouvrit une ère nouvelle de la théorie des fonctions. (Acad. sc., 1922.)

LEBLANC (Nicolas). ♦ Chimiste français (Ivoy-le-Pré, Berry, 1742 – Saint-Denis, 1806). Inventeur (1790) d'un procédé de préparation du carbonate de sodium (soude), il permit l'essor d'une industrie chimique minérale. **V. Solvay.**

LEBLANC (Maurice). ♦ Écrivain français (Rouen, 1864 – Perpignan, 1941). Auteur de nombreux romans psychologiques, M. Leblanc connut un succès considérable avec son premier roman d'aventures : *Arsène* Lupin, gentleman-cambrioleur* (1908). Dans ce récit apparaissait le personnage séduisant autour duquel allait s'organiser une cinquantaine de volumes dont les intrigues habiles étaient soutenues par un style très animé : *Arsène Lupin contre Herlock Sholmes* (1908); *L'Aiguille creuse* (1909); *Le Bouchon de cristal* (1912); *Les Confidences d'Arsène Lupin* (1914); *La Demoiselle aux yeux verts* (1927). L'imagination extrême dans les situations, le sens du mystère et de la terreur, le caractère protéiforme du héros confèrent aux récits de Leblanc, par delà une vivacité facile, une poésie insolite.

LEBŒUF (Edmond). ♦ Maréchal de France (Paris, 1809 – Moncel-en-Trun, Orne, 1888). Sorti de Polytechnique comme officier d'artillerie, il se distingua lors de la campagne d'Italie (1859). Il fut ministre de la Guerre dans le cabinet É. Ollivier* à la fin du Second Empire (janv. 1870). Major général de l'armée au moment de la déclaration de la guerre franco-allemande (1870), il témoigna d'une trop grande confiance dans les forces françaises et, après leurs premières défaites, fut relevé de ses fonctions pour imprévoyances. Commandant du 3e corps, il fut fait prisonnier peu après à Metz.

LEBON (Philippe). ♦ Ingénieur et chimiste français (Brachay, Champagne, 1769 – Paris, 1804). Inventeur de l'éclairage au gaz, il étudia l'emploi, dès 1797, pour l'éclairage et le chauffage, du gaz dégagé lors de la distillation du bois **(V. Murdoch)**; il fit breveter son appareil, la *thermolampe,* en 1799. Il établit également un projet de moteur à gaz avec pompes d'alimentation et inflammation par une machine électrique (1801). **V. Forest, Lenoir.**

LE BON (Gustave). ♦ Médecin et sociologue français (Nogent-le-Rotrou, 1841 – Paris, 1931). Auteur de travaux sur *La Civilisation des Arabes* (1884), *Les Civilisations de l'Inde* (1887), il est surtout connu comme le vulgarisateur en France des notions (souvent imprécises) de psychologie collective (*Les Lois psychologiques de l'évolution des peuples,* 1894; *Psychologie des foules,* 1895, etc.).

LEBOURG (Albert). Peintre français (Montfort-sur-la-Risle, Eure, 1849 – Rouen, 1928). Des études d'architecte à Rouen, l'influence du dessinateur Victor Delamarre et du peintre Gustave Morin le conduisirent à la peinture. En 1872, il se rendit à Alger où il enseigna le dessin; il y revint après son mariage à Rouen (1873) et, dès 1875, adopta dans ses œuvres un style assez libre utilisant des couleurs franches, une palette claire et une touche carrée, posée avec la brosse plate, pour traduire l'intense lumière algérienne. Il se rapprochait ainsi des impressionnistes, qu'il ne connaissait pas encore. À partir de 1877, il vécut à Paris et peignit des paysages d'Île-de-France et de Normandie, d'un calme équilibre, baignés par une lumière douce et aux compositions apaisantes (prépondérance des horizontales). Il commença à exposer en 1883 et, l'année suivante, voyagea et séjourna en Auvergne, notamment à Pont-du-Château, où il peignit de nombreuses toiles (1886 : *Pont-du-Château en automne*; *La Neige en Auvergne).* De 1886 à 1895, il peignit de nouveau en Île-de-France (*La Seine à Bougival, Le Bas Meudon*), en Normandie, et se rendit ensuite en Hollande, en Belgique, en Angleterre, où il admira Constable, et en Suisse. Après 1905, La Rochelle, Paris, Rouen et ses environs constituèrent ses principaux motifs. En 1921, une attaque le laissa paralysé. Il avait connu Sisley, puis Monet (1892) et Degas, et admiré tous les impressionnistes sans faire partie du mouvement. Partageant spontanément leurs goûts et ayant élaboré seul une technique proche (couleurs pures, large touche, liberté de facture), il fut un paysagiste sensible, spontané, souvent capable de transmettre la qualité des lieux et de la lumière.

LEBOVICI (Serge). ♦ Médecin et psychanalyste français (Paris. 1915). Expert de l'O.M.S. depuis 1961, directeur de l'Institut de psychanalyse depuis 1965, il s'est spécialisé en psychiatrie et psychanalyse infantiles et en psychothérapie de groupe (*Un cas de psychose infantile,* 1960).

LE BRIX (Joseph). ♦ Officier et aviateur français (Baden, Morbihan, 1899 – près d'Oufa, Bachkirie, 1931). Après un tour du monde aérien réalisé avec Costes* (Paris-Rio de Janeiro-San Francisco-Tôkyô-Paris), il détint huit records mondiaux dont celui de distance et de durée en circuit fermé (10 372 km, 1931). Il mourut au cours de la tentative de liaison Paris-Tôkyô sans escale. **V.** *aussi* **Doret.**

LE BRUN (Charles). ♦ Peintre, décorateur, ornemaniste et théoricien français (Paris, 1619 – *id.,* 1690). Formé auprès de son père qui était sculpteur, puis de François Perier, il entra dans l'atelier de Simon Vouet* et grâce à la protection du chancelier Séguier dont il exécuta un brillant portrait, il se rendit à Rome en 1642 : s'intéressant aux monuments antiques, il fut sensible aux conceptions de Poussin, mais subit aussi l'influence des Bolonais, particulièrement des Carrache, et admira Pierre de Cortone. En France, en 1646, il réalisa des œuvres religieuses et des commandes officielles, travailla avec Le Sueur à *l'hôtel Lambert* (1649) et joua un rôle prépondérant dans la constitution de l'Académie royale de peinture et de sculpture (il en devint secrétaire en 1661, puis directeur en 1683). Soutenu par Mazarin puis par Colbert, il devint premier peintre du roi en 1662, puis directeur de la manufacture des Gobelins et du mobilier royal, fournissant de multiples cartons de tapisseries, notamment la célèbre suite de l'*histoire d'Alexandre,* ainsi que l'*histoire du roi,* et les *Maisons royales,* donnant aussi des modèles d'ornement, d'ébénisterie et d'orfèvrerie. Après la décoration d'un plafond au Louvre, il fut chargé de la décoration du château de *Vaux*-le-Vicomte* (1658-1661) où apparaît son talent de décorateur : appartements fastueux où une large place est faite à l'allégorie et où se mêlent décor peint et stuc doré, modèles de sculptures pour les jardins de Le Nôtre et cartons de tapisseries. Il exerça un pouvoir grandissant sur la direction et l'organisation des beaux-arts, en s'appuyant sur l'Académie, puis sur l'Académie de France à Rome, fondée en 1666. Il chercha à imposer des règles strictes fondées sur l'imitation de l'antique, de Raphaël et de Poussin, cherchant à hiérarchiser les arts et à en codifier les moyens *(Traité de la physionomie de l'homme comparée à celle des animaux)* et prenant parti dans la querelle des « rubenistes » et des « poussinistes » pour ces derniers, bien que nombre de ses œuvres peintes soient plutôt tributaires de Rubens et du baroque romain *(Batailles d'Alexandre).* Répondant aux visées de Louis XIV, il fit de Versailles* un hymne à la gloire du souverain et le symbole de la monarchie absolue : son goût du faste et de l'apparat se révèle dans les spectaculaires décors de *l'escalier des Ambassadeurs* (1674-1678), de la *galerie des Glaces* (1678-1684) et du *salon de la Guerre* (1684-1687). Il contribua à donner à l'ensemble une unité stylistique (qui a fait parler d'« art versaillais »), grâce à son sens de l'organisation, à l'autorité qu'il exerçait sur les artistes, et en fournissant des directives et de multiples modèles. Il eut le goût de l'effet, du mouvement, fit preuve dans le maniement de l'allégorie d'un talent narratif et oratoire en même temps que d'un grand sens décoratif et voulut instaurer un style spécifiquement français (création d'un « ordre français » : pilastres du salon de la Guerre) en soumettant l'ensemble à une volonté de mesure, de clarté et de rigueur grandiose. Il contribua par sa création versaillaise à donner un rayonnement européen à l'art français. Il travailla aussi à la galerie d'Apollon (au Louvre), à Marly, mais se vit un peu éclipser à l'avènement de Louvois, qui protégeait Mignard*.

LEBRUN ou **ÉCOUCHARD LEBRUN (Ponce Denis Écouchard).** ♦ Poète français (Paris, 1729 – 1807). Auteur d'*Épigrammes* et d'*Odes,* où il célébra la Révolution puis l'Empire, il inaugura la poésie scientifique avec son *Ode à Buffon**. Son goût des grands sujets et de la rhétorique lui valut le surnom de *Pindare.* (Acad. fr.)

Arch. Smeets

A. Lebourg : « Notre-Dame sous la neige ». (Musée des Beaux-Arts, Lille.)

LEBRUN (Charles François, *duc de* **Plaisance).** ♦ Homme politique français (Saint-Sauveur-Lendelin, Manche, 1739 – Saint-Mesmes, Seine-et-Oise, 1824). Inspecteur des domaines de la Couronne, secrétaire de Maupeou*, membre du Conseil des Cinq*-Cents, il fut choisi par Bonaparte comme troisième consul après le 18 Brumaire*. Il créa la Cour des comptes et fut nommé en 1810 administrateur général en Hollande. Pendant les Cent*-Jours, Napoléon le fit grand maître de l'Université.

LEBRUN (Albert). ♦ Homme politique français (Mercy-le-Haut, Meurthe-et-Moselle, 1871 – Paris, 1950). Ancien élève de Polytechnique, ingénieur des Mines, il siégea à la Chambre des députés (1900) avec la gauche démocratique et fut nommé ministre des Colonies (1911-1914), puis du Blocus et des Régions libérées (1917-1920). Président du Sénat (1931), il fut élu président de la Troisième République (1932-1940) et se retira après l'armistice et la formation du gouvernement de Vichy (juillet 1940). Arrêté par les Allemands, il fut déporté (1944-1945).

LEBRUN-TONDU (Pierre Henri Hélène Marie). ♦ Homme politique français (Noyon, 1763 – Paris, 1793). Lié au groupe girondin, il entra aux bureaux des Relations extérieures (1791) grâce à Dumouriez, fut nommé ministre des Affaires étrangères après le 10 août 1792 et dirigea les négociations avec la Prusse après Valmy (sept. 1792). Il fut arrêté et condamné en même temps que les principaux chefs girondins (juin 1793).

LECANUET (Jean Adrien François). ♦ Homme politique français (Rouen, 1920). Militant dans la Résistance, il fut député (1951-1955) et sénateur (1959, 1968). Il fut élu président national du M.R.P. (1963). Candidat à la présidence de la République en 1965, il créa peu après le Centre démocrate. Ministre de la Justice (1974-1976), puis ministre d'État, chargé du Plan et de l'aménagement du territoire dans le Ier cabinet Barre*.

LECCE. ♦ V. d'Italie du Sud, dans les Pouilles (terre d'Otrante). Ch.-l. de prov. 78 000 hab. Centre commercial et industriel.

LECCO. ♦ V. d'Italie continentale, en Lombardie (prov. de Côme), sur le lac homonyme qui forme la branche S.-E. du lac de Côme*. 49 000 hab. Indus. textiles (coton) et métallurgie.

LECH. *n. m.* ♦ Riv. d'Allemagne et d'Autriche, affl. r. d. du Danube (267 km). Né dans le Vorarlberg (Autriche), le Lech traverse Augsbourg*. Sa vallée alpine se trouve en Autriche. En Allemagne, deux importantes centrales hydro-électriques sont construites sur son cours. ♦ *Hist.* En 1632, Tilly* trouva la mort en voulant empêcher Gustave*-Adolphe de le franchir et lui laissa la victoire.

LE CHAPELIER (Isaac René Guy). ♦ Homme politique français (Rennes, 1754 – Paris, 1794). Avocat à Rennes, député du Tiers État aux États généraux (1789), il fonda, avec Lanjuinais*, le Club breton qui devint le Club des jacobins* (1789). Il participa aux réformes votées par l'Assemblée nationale constituante, en particulier par une proposition votée le 14 juin 1791, limitant les droits d'association et qui constitua l'une des bases fondamentales du capitalisme libéral *(loi Le Chapelier).* Parti en Angleterre en 1792, Le Chapelier fut condamné à son retour en 1794 et exécuté comme émigré.

LE CHATELIER (Henry). ♦ Chimiste et métallurgiste français (Paris, 1850 – Miribel-les-Échelles, Isère, 1936). Auteur des premières recherches sur la structure des métaux et des alliages, il est le créateur de l'analyse thermique et de la métallographie microscopique. On lui doit également la loi générale de déplacement des équilibres physico-chimiques. **V.** *aussi* **Gibbs, Van't Hoff.** Il s'intéressa par ailleurs à la doctrine de Taylor* qu'il diffusa en France (Acad. sc., 1907).

LÉCHÈRE (La). ♦ Station thermale de la Savoie, comm. de Notre-Dame-de-Briançon, spécialisée dans le traitement des troubles circulatoires et des affections gynécologiques.

LECH-OBERLECH. ♦ Station de sports d'hiver de l'O. de l'Autriche (Vorarlberg) dans le *val du Lech* (altitude : 1 500 à 2 400 mètres).

LECLAIR (Jean-Marie). ♦ Compositeur et violoniste français (Lyon, 1697 – Paris, 1764). Il fut d'abord danseur et chorégraphe avant d'entreprendre une éclatante carrière de virtuose, en débutant au Concert spirituel (1728). Au cours de ses voyages en France et à l'étranger, il acquit la célébrité, tant par l'incomparable brio de son jeu que par la qualité de ses compositions, sonates et concertos, qui établissent la synthèse de l'art italien et français. Son opéra, *Scylla et Glaucus* (1746), s'apparente aux opéras de Rameau. Véritable fondateur de l'école française de violon, il a également contribué à l'élaboration de la symphonie pré-classique en France. Il mourut assassiné.

LECLANCHÉ (Georges). ♦ Ingénieur français (Paris, 1839 – *id.,* 1882). Inventeur, en 1877, de la pile électrique qui porte son nom, avec du chlorure d'ammonium comme électrolyte et du bioxyde de manganèse comme dépolarisant. **V. Daniell.**

LECLERC (Perrinet). ♦ Bourgeois de Paris (mort à Paris, 1418). Il introduisit les Bourguignons dans Paris (1418) et fut retrouvé mort, peut-être tué par son père, quartenier de la ville, à qui il avait dérobé les clés.

LECLERC (Jean-Baptiste). ♦ Homme politique français (Angers, 1756 – Chalonnes-sur-Loire, 1826). Député à l'Assemblée nationale constituante, il fut également élu à la Convention (1792) où, bien qu'ayant voté pour la mort du roi, il donna sa démission après la chute des Girondins (2 juin 1793). Emprisonné sous la Terreur, il siégea au Conseil des Cinq-Cents (1795) et contribua à la création du Conservatoire de musique (1798). Après avoir présidé le Corps législatif (1799), il se retira de la vie politique en 1802, et quitta la France au début de la Restauration.

LECLERC (Charles Victor Emmanuel). ♦ Général français (Pontoise, 1772 – Saint-Domingue, 1802). Il se lia avec Bonaparte au siège de Toulon en 1793, l'accompagna dans les campagnes d'Italie et d'Egypte, épousa Pauline Bonaparte* en 1797, et participa au 18 Brumaire*. Il commanda l'expédition française de Saint-Domingue en 1802 et y mourut, victime de la fièvre jaune.

LECLERC (Philippe Marie de HAUTECLOCQUE, dit). ♦ Maréchal de France (Belloy-Saint-Léonard, Somme, 1902 – près de Colomb-Béchar, 1947). Deux fois prisonnier et évadé en mai-juin 1940, il rejoignit de Gaulle à Londres et devint gouverneur du Cameroun qui se rallia à la France libre grâce à son action (1940). Commandant militaire de l'A.-É. F., il partit du Tchad avec une colonne des Forces françaises libres et conquit Koufra sur les Italiens (mars 1941); c'est encore du Tchad qu'il partit en décembre 1942 pour rejoindre Montgomery* à Tripoli (2 févr. 1943). Il participa alors à la campagne de Tunisie puis, en juin 1944, au débarquement allié en Normandie. Il entra dans Paris à la tête de la 2e division blindée et reçut la capitulation de la garnison allemande **(V. Choltitz).** Il libéra Strasbourg le 23 nov. 1944, **V. Guerre mondiale** *(Deuxième).* Commandant supérieur des forces françaises en Indochine (1945), il reçut, pour la France, la capitulation du Japon. Il devint ensuite inspecteur des forces d'Afrique du Nord (1946) et mourut dans un accident d'avion. La dignité de maréchal de France lui fut conférée à titre posthume en 1952.

LE CLÉZIO (Jean-Marie G.). ♦ Romancier français (Nice, 1943). De père anglais et de mère française, il a travaillé à l'université de Bristol et de Londres. Révélé, à vingt-trois ans, par son roman *Le Procès-Verbal,* J.-M. Le Clézio a publié, depuis, un recueil de nouvelles, *La Fièvre* (1965), et d'autres récits (*Le Déluge,* 1966; *Terra amata,* 1967; *Le Livre des fuites,* 1969) où il recourt à une technique très libre (collages, substitutions de personnes, textes raturés, etc.) et à un ton très personnel (exactitude minutieuse des descriptions ou métaphores de visionnaire) pour exprimer avant tout « l'aventure d'être vivant ». À l'image de son premier héros, « désespéré ontologique », ses personnages sont habités par la hantise de la mort *(Le Déluge)* et c'est cette insatisfaction fondamentale qui les pousse à une errance constante *(Le Livre des fuites).* Le moyen privilégié pour rendre compte des manifestations du vivant (jusqu'aux plus insolites, comme dans *La Fièvre,* 1965) reste, aux yeux de Le Clézio, « l'écriture, l'écriture seule, qui tâtonne avec ses mots, qui cherche et décrit avec minutie, avec profondeur, qui s'agrippe, qui travaille la réalité sans complaisance ».

LÉCLUSE ou **LESCLUSE (Charles** *de***),** en lat. **Clusius.** ♦ Botaniste français (Arras, 1526 – Leyde, 1609). Professeur de botanique à Leyde, c'est lui qui introduisit la pomme de terre en Europe.

LECOCQ (Charles). ♦ Compositeur français (Paris, 1832 – *id.,* 1918). Un style alerte, une écriture élégante et spirituelle caractérisent la cinquantaine d'opérettes dont il est l'auteur. Certaines d'entre elles, véritables chefs-d'œuvre du genre, sont demeurées longtemps populaires : *La Fille de Madame Angot* (1872), *Giroflé-Girofla* (1874), *La Petite Mariée* (1875), *Le Petit Duc* (1878), *Le Cœur et la Main* (1882).

LECOIN (Louis). ♦ Militant anarcho-syndicaliste (Saint-Amand-Mont-Rond, 1888 – Les Pavillons-sous-Bois 1971). Jardinier, ouvrier du bâtiment, puis correcteur d'imprimerie, il milita contre l'emprise politique sur les syndicats. Disciple de Kropotkine, il devint, en 1912, secrétaire de l'Union anarchiste et collabora au *Libertaire,* journal de Sébastien Faure. Profondément pacifiste, il lança, en 1916, le tract « Imposons la paix » qui lui valut d'être emprisonné. En 1921 et jusqu'en 1927, il fut l'un des principaux animateurs de la campagne pour la libération de Sacco et Vanzetti. Il prit également la défense de Durruti, Ascaso, Makhno et Berneri, menacés d'extradition. En 1936, il fonda le « Comité pour l'Espagne libre ». En 1939, il publia le tract « Paix immédiate » et fut interné. Il créa, en 1948, la revue anarchiste *Défense de l'homme* et, en 1956, le journal *Liberté.* Il entama la campagne pour l'objection de conscience et, en 1962, après vingt-trois jours de grève de la faim, obtint le vote du statut des objecteurs. Il participa à la création du Comité pour le désarmement et mena cette campagne jusqu'à sa mort. Il est l'auteur de *De prison en prison* (1947) et *Le Cours d'une vie* (1965).

LECOMTE (Louis). ♦ Jésuite français (Bordeaux, 1656 – 1729). Il fit partie de l'équipe des mathématiciens envoyés en mission en Chine par Louis XIV (1685). Il fut ensuite mêlé à la querelle des Rites et son ouvrage *Nouveaux Mémoires sur l'état présent de la Chine* (1696-1701), où il affirmait que les Chinois ont eu la révélation du vrai Dieu, fut censuré par la faculté de théologie de Paris et par Rome.

LECONTE DE LISLE (Charles Marie LECONTE, dit). ♦ Poète français (la Réunion, 1818 – près de Louveciennes, 1894). Après une adolescence à la Réunion, qui lui laissa une empreinte ineffaçable, il voyagea aux Indes et aux îles de la Sonde. Fixé en France, il se passionna pour les idées démocratiques et fouriéristes et publia des poèmes (comme *Niobé*) où les mythes héroïques de la Grèce portent des messages humanitaires. Mais, déçu par l'échec de la révolution de 1848 et l'avènement du Second Empire, il quitta la politique pour « la contemplation sereine des formes divines », évoquant le passé légendaire ou des rêves exotiques dans les *Poèmes* antiques* (1852), puis les *Poèmes* barbares* (1862). Nommé, après 1870, bibliothécaire au Sénat, il traduisit Homère*, composa les *Poèmes tragiques* (1884, auxquels est associé le drame *Les Erinnyes,* sur une musique de Massenet*), et enfin le recueil des *Derniers Poèmes* (posth., 1895). Chef de file de l'école parnassienne, Leconte de Lisle, parce qu'il réprouve les effusions lyriques ou dédaigne d'être l'interprète de son siècle, préconise une poésie « objective » qui réalise l'union de la science et de l'art. Vouée à la beauté, indépendamment de la vérité, de l'utilité et de la morale, cette œuvre n'est cependant pas impassible; quand il symbolise en des images sereines ou farouches les civilisations passées et les grands mythes religieux, Leconte de Lisle laisse apparaître une inquiétude métaphysique qui colore de pessimisme cette poésie à la beauté régulière. (Acad. fr.)

Ph. USIS
Le maréchal Leclerc.

LE COQ (Robert). ♦ Prélat français (Montdidier – Calahorra, Vieille-Castille, 1368). Évêque de Laon (1351), il fut avec Étienne Marcel* l'un des chefs de l'opposition aux états généraux de 1355 et 1356.

LECOQ DE BOISBAUDRAN (Paul Émile, dit **François).** ♦ Chimiste français (Cognac, 1838 – Paris, 1912). Il découvrit le gallium (en analysant spectroscopiquement une blende, 1875) et le samarium (1878).

LE CORBUSIER (Charles-Édouard JEANNERET, dit). ♦ Architecte, urbaniste, peintre et théoricien français d'origine suisse (La Chaux-de-Fonds, 1887 – Roquebrune-Cap-Martin, 1965). Après avoir étudié la peinture, puis l'architecture à l'école d'art de La Chaux-de-Fonds, il réalisa en 1905 sa première maison où s'affirme un parti moderniste non dénué d'un certain maniérisme stylistique. De 1907 à 1911, il compléta sa formation par des voyages en Europe, en Afrique du Nord et dans les Balkans, se passionnant pour les formes d'architecture les plus diverses et rencontrant la plupart des architectes novateurs de l'époque (stage chez A. Perret*, puis chez Behrens*). Établi à Paris en 1917, il publia avec Ozenfant *Après le cubisme* (1918), manifeste du purisme, mouvement pictural s'inspirant de l'esthétique fonctionnelle des machines, qui prônait le recours à des formes essentielles, établies suivant des plans verticaux, et la recherche d'un équilibre structurel dans les compositions. Il collabora activement à la revue *L'Esprit nouveau* et publia *Vers une architecture* (1923), *L'Art décoratif aujourd'hui, Urbanisme* (1925), où s'affirmait un vigoureux talent de polémiste et où étaient énoncés les principes révolutionnaires qui allaient servir de base à son œuvre architecturale. Défendant la standardisation et la préfabrication des éléments, il conçut le projet Dom-ino (1914), prototype d'une structure et d'un plancher portants en béton armé, suivi par le projet de la *maison Citrohan* (1922) et la réalisation du pavillon de *L'Esprit nouveau* à l'exposition de 1925, avec lequel il s'imposait comme l'un des créateurs du style dit international (adoption de principes strictement fonctionnels et de formes géométriques, simples et dépouillées [orthogonales]). Dans les maisons particulières qu'il réalisait alors (*maison Ozenfant,* 1922; *Raoul Laroche et Jeanneret* à Auteuil, 1923; et particulièrement la *villa Stein* à Garches, 1927, et la *villa Savoye* à Poissy, 1931), il cherchait à appliquer les principes de la « machine à habiter » : recours à une ossature sur pilotis, libérant le sol, façade libre (abandon de la symétrie et de la frontalité); fenêtre en bandeau et à armature métallique, plan libre grâce à l'abandon du mur portant, toit-terrasse. Il porta sa réflexion sur les problèmes posés par l'urbanisme et l'habitat collectif; il établit aussi le projet de la *ville contemporaine de trois millions d'habitants* (1922), réalisa la *cité-jardin de Bordeaux-Pessac* (1925), proposa le *plan Voisin pour Paris* (1925), suivi par les projets d'urbanisme d'Alger (1930), Buenos Aires, Anvers (1933), qui ne furent pas réalisés. Il formula des propositions concernant l'aménagement du territoire et définit sa conception de l'habitat (*La Ville radieuse,* 1935; *Quand les cathédrales étaient blanches,* 1937; *Les Trois Établissements* *humains,* 1945; *Manière de penser l'urbanisme,* 1946). Il milita dès 1928 au sein des C.I.A.M. (Congrès internationaux d'architecture moderne) et inspira largement la *Charte d'Athènes* (1943), proposant la séparation des fonctions dans les grandes métropoles, des « immeubles-villas » (zones résidentielles) et des « super-gratte-ciel » dégageant des espaces verts et des voies de circulation séparées. Il édifia, en 1932, l'*immeuble Clarté,* puis le *pavillon suisse de la Cité universitaire,* où il souligna les qualités plastiques des matériaux (béton brut de décoffrage des piliers). La *cité-refuge de l'Armée du salut* (1933), le *Bureau central des coopératives d'U.R.S.S.* à Moscou (1930), avec Niemeyer et Costa le *ministère de la Culture* à Rio de Janeiro (1936-1943). Après la guerre, il chercha à appliquer le *modulor,* système de proportions qu'il établit entre 1942 et 1948 et édifia notamment les Unités d'habitation de Marseille (1947-1952), Nantes-Rezé (1952-1957), Briey-en-Forêt (1955-1960). Il conçut aussi le plan directeur de Chandigarh* (nouvelle capitale du Pânjâb), y édifiant *le Capitole* (1951-1956), le *palais de justice* (1958), le *secrétariat* où s'affirment des effets plastiques et d'insistants jeux de lumière et d'ombre (large emploi des pare-soleil). Sa tendance à accentuer le caractère plastique des formes ayant culminé avec la réalisation de la *chapelle Notre-Dame de Ronchamp* (1953), dont les formes complexes et infléchies présentent l'aspect d'une sculpture, et avec le *couvent de Notre-Dame-de-la-Tourette* (1957-1959) où il multiplia les détails, créant des articulations et des décrochements singuliers. Personnalité combative, il sut sensibiliser l'opinion aux problèmes posés par l'architecture et chercha à imposer ses conceptions sans craindre le scandale. — Par ses écrits, par l'école qu'il fonda à Paris comme par ses réalisations, où il passa de l'utilisation rationnelle des structures en béton armé à l'exploitation de ses possibilités architectoniques et plastiques, il s'est imposé comme l'un des maîtres de l'architecture moderne.

LECOURBE (Claude Joseph, ***comte*****).** ♦ Général français (Ruffey, Jura, 1759 — Belfort, 1815). Il se distingua au cours des batailles de Fleurus, Hondschoote, Wattignies (1794), pendant la retraite de Mayence (1795), puis facilita la victoire de Masséna à Zurich en freinant l'avance de Souvorov dans les gorges du Saint-Gothard (1799). Disgracié après le procès de Moreau (1801), il fut rappelé par Louis XVIII (1814), mais, lors des Cent-Jours, il se rallia à Napoléon Ier.

LECOUVREUR (Adrienne). ♦ Actrice française (Damery, 1692 — Paris, 1730). Sociétaire de la Comédie-Française, elle fut, durant sa brève existence, la tragédienne la plus illustre de son temps, par la qualité de ses interprétations de Corneille, de Racine et de Voltaire.

LE COZ (Claude). ♦ Prélat français (Plounévez-Lochrist, Bretagne, 1740 — Villevieux, Jura, 1815). Évêque constitutionnel de Rennes (1791), il fut élu député à l'Assemblée législative, où il siégea au centre, fut emprisonné sous la Terreur et libéré en 1795.

LECQUES (Les). ♦ Station balnéaire du Var* (comm. de Saint-Cyr-sur-Mer); petit port de pêche.

LECTOURE. ♦ Ch.-l. de cant. du Gers*, arr. de Condom*, près du Gers*. 4 522 hab. *(Lectourois).* Enceinte du XVIe siècle. Anc. cathédrale de style gothique méridional (XIIIe-XIVe s. avec des parties postérieures). L'anc. évêché (XVIe et XVIIIe s.) contient un musée. — Patrie du maréchal Lannes* (maison natale). ♦ *Hist.* Cap. des Lactorates à l'époque gauloise, elle devint au XIVe s. possession des comtes d'Armagnac et fut leur capitale. La ville fut le théâtre de combats pendant les guerres de Religion.

LECZINSKY. ♦ V. LESZCZYŃSKI.

LÉDA. ♦ Princesse légendaire d'Étolie, épouse de Tyndare*. Selon la version la plus répandue, elle a de lui Clytemnestre* et Castor*, tandis que Pollux et Hélène* naissent de son union à

Arch. Smeets

Le Corbusier : « Deux Femmes ».
(Musée de l'Atheneum, Helsinki.)

Zeus* métamorphosé en cygne ou de l'œuf de Némésis* confié à Léda. D'après une autre version, Léda, unie avec Zeus-cygne, pond deux œufs d'où sortent deux couples de jumeaux : Clytemnestre et Castor, Hélène et Pollux.

LE DAIN ou **LE DAIM (Olivier NECKER,** dit **Olivier).** ♦ Homme politique français (Thielt, Flandre — Paris, 1484). Barbier de Louis* XI dont il capta la confiance, il remplit diverses missions diplomatiques. Haï pour les richesses qu'il avait accumulées, il fut pendu sous la régence d'Anne de Beaujeu.

LE DANTEC (Félix). ♦ Biologiste français (Plougastel-Daoulas, 1869 — Paris, 1917). Attaché à l'Institut Pasteur, il fut envoyé au Laos (1889-1890) et au Brésil pour y étudier la fièvre jaune, puis enseigna à Lyon et à la Sorbonne (1899). Défenseur de la théorie transformiste de Lamarck, il a élaboré à partir de sa conception de l'usage et du non-usage des organes la notion d'assimilation fonctionnelle. Il est l'auteur de nombreux ouvrages sur la philosophie de la vie, l'évolution, etc. (*La Matière vivante,* 1895; *Théorie nouvelle de la vie,* 1896; *Évolution individuelle et Hérédité,* 1898; *Lamarckiens et Darwiniens,* 1900; *La Science de la vie,* 1912).

LEDE. ♦ Comm. de Belgique (Flandre-Orientale, arr. d'Alost). 10 200 hab. — Production de lin, de tabac, de fruits. Produits laitiers. Brasseries. Indus. textiles. — Au Moyen Âge, les carrières de grès lédien étaient renommées.

LEDEBERG. ♦ Comm. de Belgique (Flandre-Orientale, arr. de Gand) sur l'Escaut. 11 100 hab. — Indus. textiles. Constructions mécaniques.

LEDERBERG (Josuah). ♦ Biologiste américain (1925). Il obtint avec G.W. Beadle* et E.L. Tatum* le prix Nobel de méd. (1958) pour ses travaux sur la génétique bactérienne.

LEDOUX (Claude Nicolas). ♦ Architecte et dessinateur français (Dormans, Marne, 1736 — Paris, 1806). Il étudia dans l'atelier de Blondel* et dans celui de L.F. Trouart grâce auquel il obtint ses premières commandes (1754-1764). De 1762 à 1774, il se consacra essentiellement à l'architecture privée. Excepté *l'hôtel d'Hallwyl* (1766), la plupart des hôtels particuliers qu'il édifia furent détruits lors des diverses rénovations urbanistiques de Paris. Pour Mme du Barry qui fut sa protectrice, il édifia un *pavillon à Louveciennes* et des *écuries à Versailles* (1771-1772). Il réalisa aussi le *château de Bénouville* près de Caen. En 1774, il commença à construire le vaste ensemble des *salines d'Arc*-et-Senans* et entreprit en 1785 les *barrières de Paris,* édifices monumentaux destinés à la perception de l'octroi et dans lesquels il fit un large usage du motif de la rotonde; ces constructions ruineuses et impopulaires furent en partie détruites pendant la Révolution. Ledoux conçut aussi le *théâtre de Besançon,* où il innova en éliminant les loges et en reléguant le parterre au fond de la salle, permettant pour la première fois au public d'être assis. Incarcéré pendant la Révolution, il se consacra à la rédaction de son texte théorique *L'Architecture considérée sous le rapport de l'art, des mœurs et de la législation,* publié en 1804, accompagné d'une série de projets utopiques. Personnalité imaginative, il fit évoluer le style Louis XVI, élégant et mesuré, dans le sens de la grandeur monumentale. Il multiplia les raffinements et les trouvailles décoratives, chercha des effets pittoresques et en même temps interpréta librement les ordres gréco-romains, particulièrement le dorique grec, en marquant une prédilection grandissante pour les volumes simplifiés, les murs nus, les arêtes vives, les effets de masses. Son plan radio-concentrique de ville idéale à Arc-et-Senans ainsi que ses projets de monuments dénotent un sens du grandiose et un goût prononcé pour les formes symbolisant la destination spécifique de chaque édifice.

LEDRU (Nicolas Philippe), dit **Comus.** ♦ Physicien français (Paris, 1731 — *id.,* 1807). Il montra dans toute l'Europe des expériences de physique amusantes qui lui valurent une grande notoriété. Auteur d'un système original de représentation cartographique, il fut nommé physicien du roi.

LEDRU-ROLLIN (Alexandre Auguste LEDRU, dit**).** ♦ Homme politique français (Paris, 1807 — Fontenay-aux-Roses, 1874). Avocat, il se fit connaître par ses prises de position contre le régime de la monarchie de Juillet en prenant la défense des journalistes condamnés après les insurrections républicaines. Élu député (1841), il siégea à l'extrême gauche avec les radicaux, fonda le journal *la Réforme,* auquel collabora L. Blanc*, et, lors de la campagne des banquets (1847-1848), se fit le partisan d'une république démocratique et sociale. Ministre de l'Intérieur dans le gouvernement provisoire après la révolution* de février 1848, puis membre de la Commission exécutive, il fut exclu du pouvoir après l'insurrection de juin 1848. Élu à l'Assemblée législative (mai 1849), après avoir échoué à la présidence, il fut le principal instigateur de la journée du 13 juin* 1849 qui échoua. Ayant réussi à gagner l'Angleterre, Ledru-Rollin y prit contact avec les révolutionnaires européens Kossuth, Mazzini et Ruge. Revenu en France (1871), il fut élu à l'Assemblée nationale, mais refusa de siéger; il fut de nouveau élu et siégea en 1874. (*Du paupérisme dans les campagnes,* 1847; *Décadence de l'Angleterre,* 1850.)

LEE (Robert Edward). ♦ Général américain (Stratford House, Virginie, 1807 — Lexington, Virginie, 1870). Sorti de West Point, il prit une part brillante à la guerre du Mexique (1845-1848), puis commanda West Point. Non sans hésitations, il fit sécession en 1869, seconda Jefferson Davis*, et devint commandant de l'armée de Virginie du Nord. Il fut le meilleur stratège de la guerre. Après

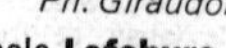

Ph. Giraudon

La maréchale **Lefebvre.** École française du XIXe s. (Château de Versailles.)

Ph. Hubert Josse

F. J. Lefebvre, maréchal d'empire, par Mme Davin. (Château de Versailles.)

une série de victoires (Richmond, Fredericksburg, Chancellorsville), il marcha sur Washington mais fut arrêté à Gettysburg*. Devenu général en chef des armées du Sud, il défendit longtemps Richmond*, mais dut se rendre (1865) à Appomattox*.

LEE (Tsungdao). ♦ V. LI TSUNG-TAO.

LEEDS. ♦ V. du N. de l'Angleterre (Yorkshire, West Riding), à l'O. des Pennines, sur l'Aire. 503 700 hab. C'est le plus ancien centre lainier d'Angleterre, dont l'essor date du XVIe siècle. Toutefois, son importance dans ce domaine tend à décroître au profit de Bradford et la ville développe ses industries mécaniques (broches, métiers à tisser, matériel ferroviaire) et chimiques (savonneries). Centre administratif et artistique (abbaye de Kirkstall, temple Newsham House, XVIe-XVIIe siècle). — Patrie de Joseph Priestley* et de William Congreve* (à Bardsey).

LEENHARDT (Maurice). ♦ Missionnaire protestant et ethnographe français (Montauban, 1878 — Paris, 1954). Missionnaire aux îles Loyalty et en Nouvelle-Calédonie, où il séjourna pendant vingt ans, il réunit une importante documentation sur la vie, la langue, les mœurs et coutumes, les mythes et croyances des Canaques. Analysant à travers les mythes la mentalité primitive des Mélanésiens et montrant sa transformation au contact de la civilisation moderne, Leenhardt a cherché à mettre en évidence la coexistence des deux types de pensée, mythique et rationnelle, et à dépasser l'opposition entre peuples archaïques et civilisés. (*Documents néo-calédoniens,* 1932; *Langues et dialectes d'Austro-Mélanésie,* 1946; *Gens de la Grande-Terre,* 1937; *Do Kamo,* 1947.)

LEER. ♦ V. d'Allemagne occidentale (Basse-Saxe, Frise orientale) et port près de l'estuaire de l'Ems. 22 000 hab. — Marché local (bestiaux), pêche, constructions navales et mécaniques.

LEEUWARDEN, en frison **Ljouwert.** ♦ V. des Pays-Bas, ch.-l. de la Frise. 88 084 hab. — Tour gothique; hôtel particulier du XVIIe s.; *Fries Museum* (Musée frison). Aux env., château du XVIe siècle. — Centre frison de l'indus. laitière. Indus. chimique et mécanique. Appareillage électrique. Matières plastiques. Métallurgie. ♦ *Hist.* La ville se développa à partir du XIIe s., lorsque les trois tertres qui sont à l'origine de la ville, situés en bordure de l'ancienne Middelzee asséchée, furent fortifiés. Capitale de la Frise après 1504, elle fut la résidence des stathouders, du duc de Saxe, puis de Charles Quint. Après l'indépendance des Provinces-Unies, les descendants de Jean de Nassau, frère de Guillaume le Taciturne, s'y installèrent.

LEEUWENHOEK (Antonie Van). ♦ V. VAN LEEUWENHOEK.

LEEUW-SAINT-PIERRE, en néerl. **Sint-Pieters-Leeuw.** ♦ Comm. de Belgique (Brabant, arr. de Bruxelles). 15 900 hab. — Indus. métallurgique, textile, alimentaire, chimique.

LEEWARD ISLANDS. ♦ V. SOUS-LE-VENT (îles).

LEFEBVRE (François Joseph). ♦ Maréchal de France (Rouffach, Haut-Rhin, 1755 — Paris, 1820). Entré dans les Gardes françaises en 1773, puis dans la garde nationale parisienne au début de la Révolution, il fut nommé général de division (1794) et se distingua à Fleurus*. Après avoir apporté son appui à Bonaparte pour le coup d'État du 18 Brumaire*, il devint sénateur (1800), maréchal d'Empire (1804) et participa aux différentes campagnes de l'Empereur; il contribua à la victoire d'Iéna (1806), assiégea Dantzig* (1807, siège victorieux qui lui valut le titre de *duc de Dantzig*), prit part aux guerres d'Espagne, d'Autriche, de Russie et aux combats lors de la campagne de France. Rallié aux Bourbons (1814) qui l'élevèrent à la pairie, puis à Napoléon aux Cent-Jours, il ne fut ensuite réintégré dans la Chambre des pairs qu'en 1819. — Il avait épousé en 1783 Catherine Hubscher, blanchisseuse de son régiment, que V. Sardou popularisa dans une comédie sous le nom de Madame Sans-Gêne.

LEFEBVRE (Henri). ♦ Philosophe et sociologue français (Hagetmau, Landes, 1901). Rallié au marxisme (1930), il fut l'un des théoriciens du Parti communiste français jusqu'à son exclusion en 1958. Forme nouvelle de connaissance des sociétés dans leur totalité, le marxisme lui apparaît comme le dépassement de la philosophie vers la praxis révolutionnaire prolétarienne. C'est en sociologue que Lefebvre étudie les structures de la société contemporaine, « société bureaucratique de consommation dirigée ». Selon lui, « l'aliénation par l'idéologie bourgeoise » ne pourra être combattue que par une révolution culturelle permanente. (*La Conscience mystifiée,* 1936; *Le Matérialisme dialectique.* 1939; *La Somme et le Reste,* 1959, etc.).

LEFEBVRE-DESNOUETTES (Charles, *comte***).** ♦ Général français (Paris, 1773 — dans l'Atlantique, 1822). Aide de camp de Napoléon Ier, puis commandant des chasseurs de la Garde impériale et fait comte d'Empire, il se distingua à Bautzen (1813), puis lors de la campagne de France. Il fut un des premiers à se rallier à l'Empereur pendant les Cent-Jours et prit part aux batailles de Fleurus et de Waterloo. Condamné à mort lors de la Seconde Restauration, il réussit à passer en Amérique. Ayant demandé à Louis XVIII l'autorisation de rentrer en France, il périt sur l'*Albion,* qui fit naufrage.

LEFÈVRE (René). ♦ Aviateur français (Vénizel, 1903). Il traversa l'Atlantique Nord avec Assollant* et Lotti (13 juin 1929), établit l'aviation commerciale à Madagascar (1931-1938), créant la liaison régulière Tananarive-Broken Hill (Rhodésie) et le réseau intérieur malgache.

LEFÈVRE (Théo). ♦ Homme politique belge (Gand, 1914 — Bruxelles, 1973). Président du parti chrétien social. Premier ministre en 1961, il forma avec P.H. Spaak* au ministère des Affaires étrangères un gouvernement d'union des socialistes et des sociaux-chrétiens. Il fut battu par les libéraux lors des élections de mai 1965.

LEFÈVRE D'ÉTAPLES (Jacques), en lat. **Fabri** ou **Faber Stapulensis.** ♦ Théologien et humaniste français (Étaples, v. 1450 — Nérac, 1537). Il enseigna la philosophie à Paris. Nommé vicaire de l'évêque de Meaux, il créa dans cette ville un groupe qui travailla à la réforme du clergé et à la vulgarisation de l'Écriture. Le « cénacle de Meaux » fut dispersé en raison de ses sympathies pour les idées de Luther*; et Lefèvre d'Étaples se réfugia quelque temps à Strasbourg, avant d'être rappelé auprès de François* Ier pour être précepteur de ses enfants. Il se retira à Nérac (1530) auprès de Marguerite* de Navarre. On lui doit une des premières traductions françaises de la Bible et celle d'œuvres d'Aristote*, des *Commentaires sur les épîtres de saint Paul* et sur les *quatre Évangiles.*

LE FLÔ (Adolphe Charles). ♦ Général français (Lesneven, 1804 — Néchoat, près de Morlaix, 1887). Après avoir servi en Algérie, il fut nommé ministre plénipotentiaire en Russie. Député à l'Assemblée constituante (avril 1848), il prit position contre le président Louis Napoléon Bonaparte et fut banni quelque temps après le coup d'État du 2 décembre 1851. Ministre de la Guerre dans le gouvernement de la Défense nationale, après la chute de l'Empire (4 septembre 1870-février 1871), il fut ensuite ambassadeur à Saint-Pétersbourg (1871-1879).

LEFOREST [ləfɔʀɛ]. ♦ Comm. du Pas-de-Calais, arr. de Lens. 7 989 hab. Houille.

LE FORT (Gertrude *von* **).** ♦ Femme de lettres allemande (Minden, 1876 — Obersdorf, 1971). Descendante de huguenots, elle se convertit au catholicisme en 1926. D'inspiration religieuse, ses œuvres s'attachent à montrer les voies mystérieuses de la grâce (*Le Voile* ou *Le Suaire de Véronique,* 1928; *Le Pape issu du ghetto,* 1930; *La Dernière pour l'échafaud,* 1931, que G. Bernanos* adapta dans *Le Dialogue des carmélites).* G. von Le Fort écrivit également des poèmes *(Hymnes à l'Église)* et des nouvelles (*La Fille de Farinata,* 1950).

LEFRANC DE POMPIGNAN. ♦ V. POMPIGNAN.

LEFUEL (Hector). ♦ Architecte français (Versailles, 1810 — Paris, 1881). De 1854 à 1857, il poursuivit les travaux de raccordement du *Louvre* aux *Tuileries* en modifiant les plans de Visconti*; il en alourdit notamment la décoration avec des motifs empruntés à la Renaissance et au XVIIe siècle. Il reconstruisit ensuite les *pavillons des guichets du Carrousel* et le *pavillon de Marsan* en utilisant une décoration chargée et éclectique.

Légataire universel (Le). ♦ Comédie en cinq actes et en vers, de Regnard* (1708). Vieillard obstiné et d'humeur fantasque, Géronte se refuse à léguer à son neveu Éraste la fortune qui serait utile au jeune homme pour son établissement avec Isabelle. Il entend en distraire une partie au bénéfice d'un autre neveu et d'une autre nièce. En se déguisant, Crispin, valet d'Éraste, réussit à se faire passer aux yeux de Géronte pour les rivaux de son maître et à lui en imposer l'idée la plus déplaisante. Alors que Géronte vient de tomber en syncope sans avoir rédigé son testament, Crispin, prenant son apparence, dicte aux notaires un faux testament favorable à Éraste. Mais Géronte revient à lui, et c'est un jeu pour Crispin de le persuader que sa léthargie, en altérant sa mémoire, peut seule expliquer des dispositions si surprenantes; Géronte finit par s'en convaincre.

LEGAZPI (Miguel López). ♦ V. LÓPEZ DE LEGAZPI (Miguel).

LEGÉ. ♦ Ch.-l. de cant. de la Loire-Atlantique, arr. de Nantes. 3 629 hab. [1 093 aggl.] *(Legéens).* ♦ *Hist.* Ce fut le quartier général de Charette* pendant plusieurs mois de 1793.

Légende des siècles (La). ♦ Recueil de poèmes de Victor Hugo*, paru en trois séries (1859-1877, refondues en 1883). Conçus comme de « petites épopées », ces poèmes narratifs peignent l'ascension de l'humanité, guidée par « le grand fil mystérieux du labyrinthe humain, le Progrès ». Ainsi se trouve défini ce qui unit les nombreux et très divers tableaux composant *La Légende des siècles;* aux pièces *D'Ève à Jésus,* d'inspiration surtout biblique *(Booz endormi),* succède l'évocation de l'antiquité gréco-latine; dans *Les Chevaliers errants,* Hugo consacre de nombreux poèmes au Moyen Âge de l'Islâm et de l'Occident *(Eviradnus; L'Aigle du casque),* avant de donner une vision manichéenne de la Renaissance avec *La Rose de l'infante. Le Satyre* exalte l'essor de l'esprit humain de même que, dans *Les Temps présents,* le double poème mythique *Pleine Mer-Plein Ciel.* La vision s'achève, *Hors des temps,* avec *La Trompette du Jugement.* Ces tableaux, où l'érudition historique est maniée avec une désinvolture volontaire mais où dominent les valeurs morales, le remords et le pardon *(La Conscience),* sont donc de vastes symboles de « l'épanouissement du genre humain de siècle en siècle ». Prodigieux d'invention verbale, ils manifestent surtout, par leurs images saisissantes et la présence continuelle du surnaturel, le génie épique de leur auteur.

Légende dorée. ♦ V. JACQUES DE VORAGINE.

LEGENDRE (Louis). ♦ Homme politique français (Versailles, 1752 — Paris, 1797). Boucher à Paris, acquis aux idées révolutionnaires, il participa à la prise de la Bastille (14 juillet 1789), puis aux journées révolutionnaires des 5 et 6 octobre 1789. Membre du Club des jacobins et de celui des cordeliers, il contribua à inspirer la pétition exigeant la déchéance du roi qui fut portée au Champ-de-Mars (17 juillet 1791), et, le 20 juin* 1792, prenait la tête (avec Santerre et Fournier) du mouvement révolutionnaire. Député de la Montagne à la Convention, il vota la mort du roi. Après avoir fait partie du Comité* de sûreté générale, il se sépara de Danton, puis s'opposa à Robespierre, et passa ouvertement à la réaction lors de la Convention thermidorienne, fermant lui-même le Club des jacobins, réprimant l'insurrection du 1er Prairial (20 mai 1795).

LE GENDRE (Adrien Marie). ♦ Mathématicien français (Paris, 1752 — *id.,* 1833). Chargé par la Convention de travaux géodésiques, il approfondit l'étude de la trigonométrie rectiligne et sphérique : il donna une méthode de calcul de l'aire d'un triangle sphérique et étudia les lignes géodésiques; dans ses *Éléments de géométrie* (1794), d'un intérêt historique par son illustration du retour à l'antique, il démontra notamment l'incommensurabilité de π (déjà connue), et celle de π^2, et étudia le postulat d'Euclide*; sa *Théorie des nombres* (1798), demeurée classique, contient de remarquables résultats dont la célèbre loi de réciprocité des résidus quadratiques; en 1806, il exposa la méthode des moindres carrés (sans connaître les travaux de Gauss*); intéressé depuis 1786 par les intégrales elliptiques et eulériennes, il donna la formule de duplication de la fonction gamma *(Exercices de calcul intégral)* et aboutit enfin à son ouvrage le plus important, le *Traité des fonctions elliptiques et des intégrales eulériennes* (1825) dans lequel il montra que les intégrales elliptiques peuvent toujours être réduites à trois formes qui ont gardé son nom et calcula des tables numériques étendues. **V.** *aussi* **Abel, Jacobi.** C'est dans le mémoire sur la *Figure des planètes* (1782) qu'il introduisit les polynômes qui portent son nom. (Acad. sc., 1783.)

LÉGER *(saint),* en lat. **Leodegarius.** ♦ (En Neustrie, v. 616 — près de Sarcinium, *auj.* Saint-Léger, Pas-de-Calais). Abbé de Saint-Maixent (Poitou), puis évêque d'Autun (v. 663) à l'appel de la reine sainte Bathilde, il se heurta au maire du palais Ébroïn. Assiégé dans Autun, il se livra, fut torturé, déposé et finalement assassiné. Après la mort d'Ébroïn, il fut déclaré martyr et son culte se développa (à Autun, Brogne, Poitiers). Fête le 2 octobre. ♦ *La Vie de saint Léger,* poème de 240 vers assonancés et groupés en sixains, est l'un des premiers textes littéraires en langue romane. Elle semble avoir été écrite à Autun v. 950-1000.

LÉGER (Fernand). ♦ Peintre, dessinateur, graveur et décorateur français (Argentan, 1881 — Gif-sur-Yvette, 1955). Dessinateur dans un bureau d'architecte à Caen à partir de 1897, il entra ensuite aux Arts décoratifs de Paris. Ses premiers tableaux procèdent de l'impressionnisme, puis dénotent l'emprise de Matisse et des fauves. Il subit ensuite l'attraction de Cézanne et, installé à partir de 1908 à la Ruche, il fit la connaissance de Modigliani, Delaunay, Apollinaire, Max Jacob, Reverdy et participa à partir de 1910 aux expositions des cubistes. Semblant avoir fait sienne la formule de Cézanne « traiter la nature par le cube, la sphère et le cylindre », il morcela géométriquement l'espace en insistant avec vigueur sur les volumes (*Nus dans la forêt,* 1910) et affirma l'originalité de sa vision avec *La Noce, Les Fumées dans les toits, Paris par la fenêtre,* puis dans *La Femme en bleu,* 1912, *L'Escalier,* 1914. Il accordait au dessin un rôle prépondérant et créait des effets rythmiques par articulation de plans aux couleurs plus vives. Il exposa à la Section d'or (1912) et v. 1913 aborda la non-figuration avec la série des *contrastes de formes,* élaborées à partir de formes courbes et angulaires rapprochées, juxtaposées ou s'interpénétrant. Le choc provoqué par la Première Guerre mondiale modifia son inspiration; il emprunta alors au monde de la mécanique et de la machine de nombreux motifs : rouages, hélices, moteurs, bielles, tubulures, donnant aux formes un aspect métallique et à la figure humaine l'apparence d'un robot (*Les Fumeurs; La Partie de cartes,* 1918). Il traita les figures d'une façon impersonnelle, les stylisant d'une façon qui rappelle le Douanier Rousseau et utilisant des détails anecdotiques (*Le Mécanicien,* 1920). Il donnait alors aux volumes un aspect lisse, utilisant des aplats de couleurs primaires, brillantes et cernant les formes d'un trait noir et épais. Ses compositions fortement architecturées devinrent plus statiques (*Le Grand Déjeuner; La Lecture,* 1921), l'objet et la forme humaine acquérant ainsi une valeur allégorique et un caractère monumental. Vers 1924, soucieux d'intégrer la peinture à l'architecture, il créa des décorations murales strictement abstraites. Puis, avec la série des *Objets dans l'espace,* ses formes, toujours massives, devinrent plus souples; il agença des objets et motifs disparates, selon un esprit qui dénote l'influence indirecte du surréalisme *(La Joconde aux clés).* À Marseille en 1940, puis aux États-Unis, il réalisa des suites de tableaux sur un même thème : *Les Plongeurs* (1940-1946), *Paysages : Adieu New York, Les Cyclistes,* puis, à son retour en France, la série des *Constructeurs* (1950), *Parties de campagne, La Grande Parade,* 1954, *L'Hymne à la joie :* robustes allégories du travail et de la vie populaire où le dessin prédomine et ne coïncide plus avec les plans de couleurs. Outre le film *Ballet mécanique* (1924), des décors de théâtre, il conçut aussi des vitraux (église d'Audincourt), des mosaïques, des panneaux de céramique, des cartons de tapisserie ainsi que des lithographies *(Le Cirque).* Créateur d'une imagerie vigoureuse qui privilégie le fait humain et social, il imposa une vision personnelle et optimiste, excluant volontairement les subtilités, les effets raffinés au profit d'une expression d'apparence directe, voire brutale, qui se fonde en fait sur une maîtrise graphique et une capacité d'invention plastique puissantes.

Légion arabe. ♦ Organisation militaire créée en 1921 à l'instigation de la Grande-Bretagne pour assurer la défense de l'émirat de Transjordanie. Dirigée à partir de 1939 par J. B. Glubb* (Glubb pacha), elle intervint en Iraq contre Rachid 'Ali al-Gailani (1941), puis prit part à la première guerre israélo-arabe (1948-1949). Après le renvoi de Glubb pacha par le roi Husayn, la Légion arabe continua de constituer la base de l'armée royale jordanienne.

Légion d'honneur. ♦ Ordre institué le 19 mai 1802 par Bonaparte. Son but était de récompenser les services militaires et civils. Le Premier consul était à la tête de l'ordre. Un décret du 11 juillet 1804 institua une décoration nationale de la Légion d'honneur qui comportait cinq grades : chevalier, officier, commandeur, grand officier, grand-croix. L'ordre a été maintenu, le président de la République française en est le grand maître.

Légion étrangère. ♦ Formations militaires françaises dont les membres sont en grande partie recrutés parmi les étrangers. C'est en mars 1831 que Louis-Philippe créa officiellement par un décret la Légion étrangère. Celle-ci, réformée en 1839, a pris part aux principales opérations d'outre-mer (Mexique, Levant, Indo-

Arch. Rencontre

Vitrail de **Fernand Léger,** exécuté par Gaudin. (Musée des Monuments français, Paris.)

Arch. Smeets

R. Legueult : « Femme au bord de la mer ». (Musée d'Art moderne, Paris.)

chine, Afrique du Nord), en particulier en Algérie, ses services communs étant stationnés à Sidi-Bel-Abbès jusqu'en 1962. – Les coutumes particulières de la « légion » (uniforme, képi blanc, pas de parade, etc.), sa valeur au combat, l'origine des recrues, souvent désireux d'échapper à un passé tenu secret, son remarquable esprit de corps, ont donné naissance à une floraison de thèmes romantiques dans la sensibilité populaire, notamment autour de 1920-1930 (romans, récits, films, chansons).

Légistes. *n. m. pl.* ♦ Conseillers juridiques s'inspirant du droit romain qui contribuèrent à répandre la doctrine de l'absolutisme en France, à partir du règne de Louis IX **(V. Beaumanoir, Dubois** [Pierre]**, Marigny, Nogaret).**

Légitimistes. *n. m. pl.* ♦ Nom donné après la révolution de 1830 aux partisans de la branche aînée des Bourbons et de son dernier descendant, le comte de Chambord. Ils prirent position contre la monarchie de Juillet (tentatives d'insurrection de la duchesse de Berry* en 1832), puis contre le Second Empire. Représentés à l'Assemblée nationale (1871), ils s'entendirent avec les orléanistes pour rétablir sur le trône Henri de Chambord*, mais l'intransigeance de ce dernier fit échouer le projet (1873).

LEGNANO. ♦ V. d'Italie du Nord, en Lombardie, sur l'Olona (prov. de Milan). 43 000 hab. Satellite industriel de Milan : indus. textile (coton), métallurgie. ♦ *Hist.* En 1176, Frédéric Barberousse y fut vaincu par les Milanais.

LEGNICA, en all. **Liegnitz.** ♦ V. de Pologne* (voïévodie de Wrocław) en basse Silésie*. 75 000 hab. Centre d'indus. textiles et métallurgiques (traitement du minerai de cuivre). ♦ *Hist.* Rendue célèbre par la bataille de Wahlstatt, livrée dans les environs par Henri* le Pieux, duc de Silésie, contre les Mongols (1241), la ville devint la capitale d'un duché indépendant de 1248 à 1675. Rattachée à la Prusse en 1742, elle fut le théâtre de la victoire de Frédéric* II le Grand sur les Autrichiens.

LEGOUVÉ (Ernest). ♦ Écrivain français (Paris, 1807 – *id.*, 1903). Poète et romancier, il connut le succès au théâtre avec *Adrienne Lecouvreur* (en collaboration avec Scribe, 1849) et *Bataille de dames* [1851]. (Acad. fr., 1855.)

LEGRAND DUSAULLE (Henri). ♦ Médecin aliéniste français (Dijon, 1830 – Paris, 1886). Rédacteur des *Annales médico-psychologiques,* il fut l'un des fondateurs de la Société de médecine légale, puis de l'Association mutuelle des médecins aliénistes de France. Ses études sur les maladies mentales portèrent sur la paralysie générale, le délire de persécution, l'épilepsie, l'hystérie, etc. Il se consacra également aux problèmes de médecine légale (*La Folie devant les tribunaux,* 1864).

LEGRENZI (Giovanni). ♦ Compositeur italien (Clusone, 1626 – Venise, 1690). Maître de chapelle à la cour de Ferrare puis à Venise, il a composé de la musique religieuse (messes, motets, psaumes, litanies et sonates qui conjuguent pour la première fois les deux genres : sonate d'église et sonate de chambre). De son œuvre de musique profane, il convient de retenir une vingtaine d'opéras héroïco-comiques, d'une grande richesse d'orchestration. Il compta Lotti et Pollarolo parmi ses élèves.

LEGROS (Pierre). ♦ Sculpteur français (Chartres, 1629 – Paris, 1714). Élève de Sarazin*, il participa à la décoration sculptée des jardins de Versailles, exécutant notamment *L'Eau* à la *fontaine du Point-du-Jour* et la *Vénus de Richelieu,* aux formes amples et calmes, ainsi qu'un *Ésope* à l'expression pleine de vivacité. Il fut l'un des représentants du style classique qui s'élabora à Versailles et travailla aussi aux reliefs de la *porte Saint-Martin.* – Son fils PIERRE II (Paris, 1666 – Rome, 1719) se fixa à Rome où il exécuta de nombreuses œuvres pour les Jésuites *(Stanislas Kustka, Saint François-Xavier, La Religion triomphant de l'hérésie)* dans un style baroque directement issu de la tradition berninesque.

LEGUEULT (Raymond). ♦ Peintre français (Paris, 1898). Comme M. Brianchon ou R. Oudot, il adopta un style propre à évoquer la « réalité poétique », organisant ses compositions en fonction de la couleur, qu'il élabore de manière subtile *(La Mantille noire,* 1939; *Figure à la rose).*

LEHÁR (Franz). ♦ Compositeur autrichien d'origine hongroise Komárno, 1870 – Bad Ischl, 1948). Il fut d'abord chef d'orchestre militaire à Trieste, Budapest et Vienne avant de se consacrer à l'opérette, genre dans lequel il devait connaître une célébrité mondiale. Outre *La Veuve joyeuse* (1905), qui obtint un prodigieux succès, il est l'auteur d'une trentaine d'opérettes dont *Le Comte de Luxembourg* (1908), *Frasquita* (1922), *Paganini* (1925), *Le Tsarévitch* (1926), *Le Pays du sourire* (1929).

LE HAVRE. ♦ V. HAVRE (Le).

LEHMANN (Rosamond Nina). ♦ Romancière anglaise (Londres, 1903). Après des études à Cambridge, où elle subit l'influence de Meredith, Rosamond Lehmann s'inspira de la vie des jeunes étudiantes anglaises pour peindre l'éveil d'une personnalité dans *Poussière* (1927) dont le titre (*Dusty Answer,* « réponse poussiéreuse ») est emprunté à un vers de Meredith. Mystère, rêve et sentiment de la nature sont les caractères dominants de l'*Invitation à la valse* (*Invitation to the Waltz,* 1932) et d'*Une note de musique* (*A Note in Music,* 1934). *Intempéries* (*The Weather in the Streets,* 1936) met en scène un type de femme résignée. *La Ballade et la Source* (*The Ballad and the Source,* 1944), histoire tragique de trois générations, est contée par une fillette, procédé qui permet, malgré la noirceur des thèmes, de sauver la poésie et la magie de l'enfance.

LE HOUX (Jean). ♦ Avocat et poète français (Vire, v. 1551 – *id.*, v. 1616). Il remania les *Vaux de Vire* composés par son compatriote O. Basselin*, et les publia dans un recueil de ses propres chansons (v. 1576).

LEHTONEN (Joel). ♦ Romancier, nouvelliste et poète finnois (Sääminki, 1881 – Helsinki, 1934). Romantique à ses débuts dans le roman *Mataleena* (1905), il admira Kilpi* et Gorki*, critiqua ensuite cette attitude et décrivit avec humour et compassion, dans un style naturaliste, les habitants de sa région natale dans le roman *Une fois en été* (1917). Le roman *La Combe aux mauvaises herbes* (1920; trad. fr., 1961) décrit en plus de cinq cents pages les événements d'une journée d'été. Lehtonen introduit souvent les problèmes politiques et sociaux dans ses ouvrages, critique violemment la corruption morale et les tendances antidémocratiques du temps dans *Les Opprimés* (1923), *L'Homme rouge* (1925) et *La Lutte des puissances spirituelles* (1933). Il a donné de nombreuses traductions.

LEIBL (Wilhelm). ♦ Peintre allemand (Cologne, 1844 – Würzburg, 1900). S'opposant vigoureusement à l'idéalisme de ses maîtres, il se voulut réaliste, à l'exemple de Courbet* dont il fit la connaissance au cours d'un séjour à Paris en 1869. Il trouva aussi une source d'inspiration dans la peinture de genre hollandaise du XVIIᵉ s. et affirma sa maîtrise avec une œuvre comme *La Cocotte* (1869). Séjournant à Munich de 1870 à 1873, puis à la campagne, il aborda des sujets naturalistes, particulièrement des figures et des scènes paysannes, avec une facture énergique, des coloris progressivement plus francs et un dessin net. Par souci du détail, qu'il rendait avec une précision quasi photographique, il tomba souvent dans l'illustration anecdotique.

LEIBNIZ (Wilhelm Gottfried). ♦ Philosophe et savant allemand (Leipzig, 1646 – Hanovre, 1716). Très jeune, il apprit le grec, le latin, lut les auteurs anciens, s'initia à la théologie, à la logique et à la philosophie scolastiques, avant de découvrir vers quinze ans les œuvres de Bacon, Galilée, Descartes. À Leipzig, il soutint une thèse philosophique sur le *principe d'individuation* (1663); à Iéna, il étudia les mathématiques et écrivit son *De Arte combinatoria* (1666; première formulation de sa logique); enfin, il obtint le grade de docteur en droit à Altorf (1666). À Nuremberg, où il s'était affilié à la confrérie des *Rozenkreuzer,* il rencontra le baron de Boinebourg (conseiller de l'Électeur de Mayence) qui l'introduisit dans la vie publique et les affaires politiques. En 1672, il se rendit à Paris pour une mission diplomatique (décider Louis XIV à faire la conquête de l'Égypte). Il y séjourna jusqu'en 1676 (à part un voyage à Londres en 1673), rencontra plusieurs savants (Huygens, Boyle, Oldenbourg); lut les travaux mathématiques de Pascal*; inventa lui-même une machine à calculer et fit surtout, en même temps que Newton*, la découverte du calcul différentiel et intégral : en ayant dégagé les principes, il créa une notation excellente, exposa l'algorithme correspondant, et identifia le problème inverse des tangentes au problème de l'intégration; avec Jean Bernoulli*, il dégagea la notion abstraite de fonction. Il accepta le poste de bibliothécaire à Hanovre et s'y rendit en passant par la Hollande où il rencontra Spinoza (1676). À part quelques voyages, et tout en suivant la vie politique du Hanovre et de l'Europe, il consacra le reste de sa vie à la rédaction de ses œuvres principales : mathématiques (*Nova methodus promaximis et minimis,* 1684); théologiques (*Systema theologicum,* v. 1686, où, luthérien, il proposa une solution au problème de la réunification des Églises qu'il avait abordé avec Pellisson et Bossuet); historiques et juridiques (*De notionibus juris et justitiae,* 1693); logiques et philosophiques (notamment *Discours de métaphysique,* v. 1685; *Vom Nutzen der Vernunftkunst oder Logik,* 1696; *Nouveaux Essais sur l'entendement humain,* contre Locke*, 1704; *Essais de Théodicée,* 1710; *La Monadologie,* 1714; *Correspondance avec Clarke,* 1715-1716). Le caractère encyclopédique de la culture de Leibniz (« Je ne méprise presque rien. ») et son éclectisme n'empêchent pas l'unité de sa philosophie « expression la plus complète et la plus systématique du rationalisme intellectualiste » (Couturat). Sa connaissance de la logique d'Aristote, ses études sur les langues et sa formation de mathématicien permettent de comprendre le projet de la « caractéristique universelle », dont le but était de représenter les idées simples et leurs relations (ou combinaisons) par un système de notations et de règles qui devait réduire les opérations logiques à une sorte de calcul. Sa caractéristique, à la fois langue philosophique universelle et logique algorithmique, fait de lui un précurseur de la logique symbolique. Sa conception de la substance s'est modifiée progressivement, du mécanisme géométrique de Descartes* au dynamisme, puis au monadisme. Selon la *Monadologie**, l'univers est formé d'une hiérarchie de « monades », créations ou émanations de Dieu (Monade des monades), entre lesquelles n'existe aucune influence réelle, mais une « harmonie préétablie » (chaque monade est le miroir de l'univers entier, et tous les points de vue s'entre-expriment). Sur la question de l'origine de nos connaissances, Leibniz tenta de dépasser la théorie des idées innées (innéisme) de Descartes et l'empirisme de Locke avec sa théorie de l' « innéisme virtuel » (« Rien n'est dans l'entendement qui ne fut d'abord dans les sens, si ce n'est l'entendement lui-même. »). Il réduisit les principes de nos raisonnements à celui de contradiction (possibilité logique) et de raison suffisante (possibilité d'existence). Leibniz témoigne d'un rationalisme spiritualiste et optimiste : la vertu est pour lui la tendance naturelle de notre être vers le bien (ou la perfection) éclairée par la Raison **(V. Wolff).**

LEIBOWITZ (René). ♦ Compositeur français, d'origine polonaise (Varsovie, 1913 – Paris, 1972). Fixé en France, il reçut en Autriche l'enseignement de Webern*. Musicologue et chef d'orchestre, il fut le théoricien le plus intransigeant du dodécaphonisme schoenbergien, marquant de son influence P. Boulez, S. Nigg, H. W. Henze. Son œuvre comprend de la musique de chambre, symphonique, vocale, ainsi que deux opéras. Il a publié *A. Schönberg et son école* (1946), *Introduction à la musique de douze tons* (1949), *l'Évolution de la musique, de Bach à Schönberg* (1952), *Histoire de l'Opéra* (1957).

LEICESTER. ♦ V. DUDLEY.

LEICESTER [lɛstœʀ]. ♦ V. d'Angleterre, dans la plaine des Midlands, sur la Soar, affl. de la Trent. Ch.-l. du Leicestershire* 278 500 hab. Évêché. Université. Leicester a conservé de l'époque romaine les vestiges d'un mur *(Jewry Wall).* Les monuments les plus intéressants sont : l'abbaye du XIIe s., fondée par Robert le Bossu et où mourut le cardinal Wolsey*, les églises St. Nicholas (VIIe s.) et St. Mary de Castro (XIIe s.). Centre industriel : bonneterie, tricotage, fabriques de chaussures (indus. la plus ancienne); mécanique : matériel ferroviaire, machines à écrire (de création plus récente). ♦ *Hist.* De fondation romaine *(Ratae Coritano),* la ville fut colonisée par les Danois et devint l'une des « Cinq Cités ». À l'époque normande, elle joua un rôle prépondérant sous l'influence de Simon de Montfort*.

LEICESTERSHIRE. *n. m.* ♦ Comté d'Angleterre (Midlands), limité par le Nottinghamshire au N., le Lincolnshire et le Rutland à l'E., le Northamptonshire au S.-E., le Warwickshire au S.-O., le Derbyshire au N.-O. et le Staffordshire à l'ouest. 2 154 km². 682 200 hab. *Ch.-l.* Leicester. *V. princ.* Bosworth* et Loughborough*. Élevage. Houille et extraction de pierre. Indus. textiles. – Patrie de Th. Simpson*, F. Beaumont*, R. Burton*, Jane Grey*.

LEIGH. ♦ V. d'Angleterre (Lancashire). 46 200 hab. Houille. Métallurgie et indus. textiles.

LEINE. *n. f.* ♦ Riv. d'Allemagne, affl. de l'Aller* (r. g.). 281 km. Sa vallée constitue une importante région indus. (elle traverse le princ. gisement de potasse d'Allemagne occidentale) entre Göttingen* et Hanovre*.

LEINO (Armas Eino Leopold, pseudonyme d'**E. LÖNNBOHM).** ♦ Poète, romancier, dramaturge, et essayiste finnois (Paltamo, 1878 – Tuusula, 1926). Il est l'auteur de nombreux recueils de poèmes lyriques et épiques de forme moderne ou empruntée à l'ancienne poésie finnoise, dont *Mirages* (1902), *Chants sacrés* (I, 1903 ; II, 1916), *La Nuit d'hiver* (1905), *Le Gel* (1908), *Bellérophon* (1919), exprimant des mythes universels ou des problèmes humains à travers des personnages mythiques ou légendaires.

LEINSTER. [*n. m.*], en irl. **Laigin.** ♦ Prov. d'Irlande orientale (Eire), prolongeant au S. l'Ulster* et s'étendant sur la plaine centrale, du Shannon à la mer d'Irlande. Le Leinster correspond à douze comtés **(V. Carlow, Dublin, Kildare, Kilkenny, Leix, Longford, Louth, Meath, Offaly, Westmeath, Wexford** et **Wicklow).** 19 628 km². 1 412 500 hab. *Cap.* Dublin*. – Le relief est plat, raviné de tourbières, les *bogs* **(V. Allen),** creusé de lacs intérieurs **(V. Derg, Ree)** ou faiblement ondulé par de petites collines ou *drumlins.* La partie S. est plus accidentée : monts *Wicklow,* en bordure de la mer d'Irlande, petits massifs intérieurs, entre 500 et 800 m *(Slieve Bloom).* Le Leinster est drainé par de nombreux cours d'eau dont les plus importants sont le Shannon* (le plus grand fleuve d'Irlande), le Barrow*, la Nore, la Liffey* et la Slaney. Leurs eaux sont utilisées pour la production d'énergie électrique. – *Écon.* Essentiellement rurale, elle est basée sur les cultures de pommes de terre, de plantes fourragères, de céréales (blé, orge) – sur les terrains les plus secs (monts Wicklow) –, sur l'élevage des bêtes à cornes, des porcs et des chevaux (Kildare). L'indus. est encore (sauf à Dublin) liée à la transformation des produits agricoles (distilleries, minoteries, conserves, etc.). ♦ *Hist.* Le Leinster fut jusqu'en 1171 un royaume, avant d'être conquis par les Anglo-Normands.

LEIPZIG. ♦ V. d'Allemagne orientale (Saxe-Anhalt) et ch.-l. de district, dans une plaine située au confl. de l'Elster Blanche, de la Pleisse et de la Parthe. 587 761 hab. (1969). Importante université **(V.** *ci-dessous***).** Églises gothiques S. Thomas (où J.-S. Bach fut *cantor* de 1723 à 1750) et S. Nicolas (XVIe s.) ; vieil hôtel de ville (1558). Sa situation exceptionnelle au contact de la grande plaine du Nord et de l'Allemagne moyenne, au carrefour des grands axes de communication d'Europe continentale (elle est reliée par voies ferrées aux grandes métropoles allemandes et située sur l'autoroute Munich-Berlin) a été à l'origine de sa vocation commerciale. Ses foires, célèbres depuis le Moyen Âge, ont conservé leur prestige et comptent parmi les grandes manifestations commerciales d'Europe. Par ailleurs, Leipzig est un centre industriel très actif. Si les activités traditionnelles (fabrication de meubles et de pianos, édition et arts graphiques) ont perdu de leur importance depuis 1945, elles sont remplacées par les indus. textiles et mécaniques, de matériel optique et d'appareillage électrique. Enfin, Leipzig a depuis le XVIe s. une vocation intellectuelle et artistique. *L'université,* fondée en 1409 par des étudiants de Prague, fut un haut lieu de la Réforme en Allemagne. Luther, Leibniz, Fichte, Goethe, Klopstock, Richter et Schelling y enseignèrent. C'est actuellement la plus importante université de la R.D.A. Leipzig possède un opéra, un conservatoire de musique (fondé par F. Mendelssohn) et de remarquables orchestres. – Patrie de H. Hartung*, G.W. Leibniz*, K. Liebknecht*, A. Penck*, R. Wagner* et W. Ulbrich*. ♦ *Hist. Lipzk,* anc. village de pêcheurs slave, fut fondé au XIe s., obtint une charte et échut au XIIe s. aux margraves de Meissen. La ville acquit rapidement une grande importance commerciale grâce à ses célèbres foires où s'échangeaient fourrures et livres, et fut dotée par l'empereur Maximilien de privilèges économiques importants. Elle passa en 1485 à la ligne albertine de la maison de Saxe, puis adopta la Réforme en 1539. Elle fut plusieurs fois assiégée au cours de la guerre de Trente Ans. D'importantes batailles (Breitenfeld, Lützen*) se livrèrent aux environs. – La *bataille des Nations (Völkerslacht),* qui se déroula du 16 au 19 octobre 1813 autour de Leipzig entre Napoléon et les Alliés (Autrichiens, Prussiens, Russes et Suédois) se solda par la défaite des troupes françaises qui durent reculer en deçà du Rhin. Particulièrement meurtrière, elle fut marquée par la perte de plus de 100 000 hommes (60 000 du côté français et 55 000 du côté des Alliés). Monument commémoratif.

LEIRIS (Michel). ♦ Ethnologue et écrivain français (Paris, 1901). Après avoir participé au mouvement surréaliste (faisant des poèmes de *Simulacre,* 1925, et *Le Point cardinal,* 1927, des instruments de recherche onirique), Michel Leiris mène de front, depuis 1930, une œuvre littéraire de caractère autobiographique et une œuvre d'ethnographe, activités fondues en « une unique recherche d'ordre humaniste ». Dans l'essai *De la littérature considérée comme une tauromachie* (1935), l'écriture est assimilée à une cérémonie, « recherche pratique » d'une vérité intérieure, qui a ses règles et connaît des risques (l'aveu compromet l'écrivain, et l'exploration inquisitrice est menée jusqu'à la mort morale). *L'Âge d'homme* (1939) et les poèmes de *Haut-Mal* (1943) sont des confessions psychanalytiques, les « procès-verbaux – dit l'auteur – d'observations ou d'expériences que je confronte ici pour en tirer les lois d'où se dégagera finalement [...] la règle d'or que je devrais (ou aurais dû) choisir pour présider à mon jeu ». Ainsi les trois premiers essais de l'œuvre en cours, *La Règle du jeu,* sont-ils la tentative pour prendre conscience de « la goutte de vérité » enfouie dans le passé et qui peut donner sa règle au jeu de la vie. Avec la même rigueur expérimentale et la même volonté de plier la narration à l'essentiel, l'écrivain entreprend de « traiter pratiquement

Ph. H. Cartier-Bresson/Magnum

Michel Leiris.

le langage comme s'il était un moyen de révélation » (*Biffures*, 1948), analyse sa mythologie personnelle et l'interprète au sein des mythes collectifs (*Fourbis*, 1955) avant d'affirmer, malgré une défaite partielle, sa foi en la vertu libératrice de la prise de conscience (*Fibrilles*, 1966).

LEITH. ♦ Faubourg d'Édimbourg, sur la r. N. du *Firth of Forth*, rattaché depuis 1920 à la capitale écossaise. 90 000 hab. env. Importantes installations portuaires, constructions navales; indus. nouvelles (**V. Edimbourg**).

LEITHA. *n. f.*, en hongr. **Lajta.** ♦ Riv. d'Europe centrale (180 km). Née en Autriche, près du col du Semmering*, elle coule ensuite en Hongrie et se jette dans un bras du Danube (r. d.). Elle séparait autrefois l'empire d'Autriche-Hongrie en *Cisleithanie* (Autriche) et *Transleithanie* (Hongrie).

LEITRIM (comté de), en irl. **Liathdroma.** ♦ Comté du N. de la république d'Irlande (Eire, prov. de Connacht*). 1 525 km². 28 360 hab. *Ch.-l.* : Carrick* on Shannon.

LEIV ERIKSSON dit **l'Heureux.** ♦ Explorateur norvégien (en Islande, v. 970 – au Groenland, v. 1021). Fils d'Erik* le Rouge, il alla au Groenland et en Norvège. Il aurait découvert l'Amérique en l'an 1000.

LEIX *(comté de)*, en irl. **Laois** ou **Laoighis**, anc. **Queen's county** (« le comté de la reine »). ♦ Comté de la république d'Irlande (Eire, prov. de Leinster*) s'étendant sur les vallées supérieures du Barrow et de la Nore. 1 719 km². 45 070 hab. (1961). *Ch.-l.* Port Laoise [Port Laoighise, anc. Maryborough]. 3 140 hab. L'économie du comté est basée sur l'agriculture (céréales, pâturages) et l'élevage ovin.

LEJAY (Pierre). ♦ Jésuite et physicien français (La Seyne, 1898 – en mer, 1958). Auteur de travaux sur la physique de l'ionosphère et sur le champ de pesanteur, il mit au point avec Holweck* un pendule oscillant dans le vide à la manière d'un métronome. **V.** *aussi* **Vening-Meinesz.**

LE JEUNE (Claude). ♦ Compositeur français (Valenciennes, v. 1530 – Paris, 1600). Il fit partie de l'académie de poésie et de musique fondée en 1570 par A. de Baïf* et vouée à l'expérience de la musique mesurée « à l'antique ». Il fut maître de musique du duc d'Anjou, frère de Henri III (1582), puis entra sans doute au service du duc de Bouillon. Sa « profession de foy » hostile à la Ligue l'obligea à quitter Paris et à se réfugier à La Rochelle. Il devint compositeur ordinaire de la chambre de Henri IV (1595). Il a écrit des psaumes, deux livres de mélanges, des airs, de nombreuses chansons et des motets. Son œuvre, d'un langage harmonique original, est surtout remarquable par sa rythmique. Il a su tirer le meilleur parti de la musique mesurée. En faisant éclater le cadre de la chanson profane traditionnelle, il a profondément marqué les débuts de l'air de cour et, de la sorte, préparé la naissance du style d'opéra.

LEJEUNE (Jérôme). ♦ Médecin et généticien français (Montrouge, 1926). Auteur de travaux sur l'action génétique des rayonnements ionisants chez l'homme, sur les aberrations chromosomiques, en particulier l'aberration de nombre déterminant le mongolisme (trisomie 21 – en collaboration avec Turpin*), il a soutenu également une théorie chromosomique de la genèse du cancer.

LEK. *n. m.* ♦ Branche N. du Rhin inférieur, aux Pays-Bas, entre Wijk-bij-Duurstede et Krimpen (en amont de Rotterdam).

LEKAIN (Henri Louis Cain, dit). ♦ Tragédien français (Paris, 1729 – *id.*, 1778). Sociétaire de la Comédie-Française, il fut l'interprète de plusieurs tragédies de Voltaire *(Brutus, Zaïre, l'Orphelin de la Chine)*. Soucieux de naturel dans la déclamation et de vérité dans la mise en scène, il obtint (1759) la suppression des banquettes qui, depuis le XVIIe s., encombraient la scène.

LEKEU (Guillaume). ♦ Compositeur belge (Heusy, 1870 – Angers, 1894). Élève de C. Frank et de V. d'Indy, il fréquenta très jeune le cénacle de Mallarmé et de ses disciples. Interrompue par une mort prématurée, son œuvre comprend des pages d'une grande richesse mélodique, où s'exprime une sensibilité fougueuse et passionnée. On en retiendra la *Sonate* pour violon et piano (1892), un *Adagio* pour orchestre à cordes, des études symphoniques pour orchestre, de la musique de chambre et des mélodies.

LÊ LOI. ♦ Souverain vietnamien, fondateur de la dynastie des Lê* postérieurs. Il régna de 1418 à 1428, puis devint empereur (1428-1433) sous le nom de Lê Thai Tô. Il combattit les Chinois et réforma l'administration, renommant le pays Đai-Viêt.

Ph. Hétier

Le lac **Léman** : vignobles dans la région de Vevey.

LELOIR (Luis Federico). ♦ Biochimiste argentin d'origine française (Paris, 1906). Après avoir isolé des nucléotides dans les grains de blé (1964), il montra l'importance, dans le métabolisme des sucres, des composés comprenant un nucléotide associé à un glucide; ses travaux contribuent à la compréhension du métabolisme des animaux supérieurs et de la formation de structures telles que les parois des cellules végétales. (Prix Nobel de chimie, 1970.)

LE LORRAIN ou **LELORRAIN (Robert).** ♦ Sculpteur français (Paris, 1668 – *id.*, 1743). Élève de Girardon*, il travailla à Versailles, à Marly et à la décoration de la façade de l'hôtel Rohan-Soubise (*Les Chevaux du Soleil à l'abreuvoir*, vers 1740). Dans cette œuvre, comme dans ses statues mythologiques, l'influence baroque est tempérée par un sens personnel de l'élégance des formes et de la délicatesse du modelé.

LELY (Pieter VAN DER FAES, dit *sir* **Peter).** ♦ Peintre anglais d'origine hollandaise (Soest, en Westphalie, 1618 – Londres, 1680). Formé à Haarlem et reçu maître de la gilde en 1637, il se fixa en Angleterre vers 1642, se consacra surtout au portrait et obtint rapidement la faveur de la cour (*Charles Ier avec le duc d'York*, 1647). Il imita le style de Van* Dyck et subit aussi l'influence de Rubens (mise en scène quelque peu déclamatoire, goût du mouvement). Sous Cromwell, il évolua vers une plus grande sobriété *(Portrait de Cromwell)*, puis devint en 1661 le peintre de Charles II. L'ampleur de sa facture et sa virtuosité technique s'affirment dans la série de portraits des amiraux anglais, dite *Greenwich Flagmen*, tandis que la suite des *Windsor Beauties*, tout en exprimant une grâce sensuelle assez personnelle, n'évite ni la répétition ni la flatterie, mais atteste une facture souple, rapide et un chromatisme brillant dont les portraitistes anglais des XVIIIe et XIXe s. allaient tirer la leçon.

LE MAIRE (Jacques). ♦ Navigateur hollandais (Anvers, 1585 – en mer, 1616). Après avoir franchi le détroit de Magellan, il découvrit celui qui devait porter son nom et qui est situé entre la Terre de Feu et les îles de Los Estados (1615-1616).

LEMAIRE DE BELGES (Jean). ♦ Poète et chroniqueur français (Bavay, 1473 – v. 1525), historiographe d'Anne de Bretagne. Son œuvre capitale, en prose, *Les Illustrations de la Gaule et singularités de Troye*, présente l'histoire mythologique et érudite des peuples d'Europe. Ses œuvres poétiques, de circonstance (nombreuses « déplorations »), utilisent encore la technique des grands rhétoriqueurs, mais annoncent les recherches de la Pléiade*.

LEMAISTRE ou **LE MAÎTRE (Antoine).** ♦ Avocat français (Paris, 1608 – Port-Royal-des-Champs, 1658), petit-fils d'Antoine Arnauld* le père. Il fut le premier des solitaires de Port*-Royal (1637), d'abord auprès du monastère de Paris, puis aux Champs. Auteur d'une *Apologie de Saint-Cyran* (1642) et de vies de saints.

LEMAISTRE ou **LE MAÎTRE DE SACI (Isaac).** ♦ Prêtre français (Paris, 1613 – Pomponne, 1684), frère puîné d'Antoine Lemaistre*. Il fut l'un des solitaires de Port*-Royal, devint le directeur de conscience des religieuses, de son aîné, de Pascal (avec qui il eut l'*entretien sur Épictète et Montaigne*, rapporté par Fontaine*). Il fut embastillé comme janséniste en 1666-1668. Il collabora à la traduction du *Nouveau Testament de Mons* et, à partir de 1672, traduisit la Bible d'après la Vulgate, travail qui fut achevé par d'autres après sa mort et demeura longtemps classique.

LEMAÎTRE (Antoine Louis PROSPER, dit **Frédérick).** ♦ Acteur français (Le Havre, 1800 – Paris, 1876). Dès ses débuts, dans le rôle de Robert Macaire* (*L'Auberge des Adrets*, 1823), jusqu'à la fin de sa carrière (1864), il fut, sur les théâtres de boulevard, l'interprète passionné et triomphant du mélodrame *(Trente Ans ou la Vie d'un joueur)*, du drame romantique *(Lucrèce Borgia, Ruy Blas)* et du théâtre shakespearien *(Hamlet, Falstaff)*.

LEMAITRE (Jules). ♦ Écrivain français (Tavers, 1853 – *id.*, 1914). Universitaire, il s'imposa rapidement comme chroniqueur littéraire et critique dramatique. Hostile à toute théorie et s'abandonnant à un jugement sûr, respectueux de la tradition, il exerça sur les ouvrages littéraires une « critique impressionniste » (*Les Contemporains;* huit vol., 1886-1918), en un style élégant et clair, capable d'ironie. Lui-même dramaturge (*Le Mariage de Télémaque*, 1910), il a laissé de spirituelles *Impressions de théâtre* (neuf vol., 1888 à 1920) sur les créations françaises et étrangères de la fin du XIXe siècle. Les contes de *En marge des vieux livres* (1905 et 1907) font revivre, suivant des transpositions d'une savante naïveté, des personnages des littératures gréco-latine, chrétienne, voire indienne. (Acad. fr., 1895.)

LEMAÎTRE (*chanoine* **Georges Henri).** ♦ Astrophysicien et mathématicien belge (Charleroi, 1894 – Louvain, 1966). Pionnier de la cosmologie dynamique, ses études sur les théories de l'Univers en expansion l'amenèrent à élaborer un modèle où la théorie et l'observation étaient simultanément examinées et accordées (1927). **V.** *aussi* **Sitter.**

LEMAN (Gérard). ♦ Général belge (Liège, 1851 – *id.*, 1920). En 1914, il défendit Liège contre l'invasion allemande; le dernier fort tomba le 17 août. Blessé, fait prisonnier, il symbolisa la résistance des Belges et fut anobli avec le titre de comte.

LÉMAN *(lac)* ou **lac de Genève** (notamment du XVIe au XVIIIe s.), en all. **Genfersee.** ♦ Lac d'Europe, situé au S.-O. de la Suisse et au N. du département de Haute-Savoie en France. La rive N. appartient à la Suisse, une partie de la rive S. à la France.

Alt. 375 m, longueur 72 km, surface 582 km² dont 348 en Suisse et 234 en France. Alimenté par le Rhône* qui y pénètre à l'extrémité E. entre Villeneuve et Saint-Gingolf et en sort à l'extrémité O. à Genève, il reçoit la Drance (française) au S., la Venoge et la Veveyse au nord. La barre de Promenthoux ou de Nernier divise le lac en deux parties à la hauteur de Nyon : le *Grand Lac* à l'E. et le *Petit Lac* à l'O. (bassin de Genève). Les bords du lac Léman sont un important lieu de villégiature. *V. princ.* Clarens*, Genève*, Lausanne*, Nyon*, Montreux*, Morges*, Vevey* (en Suisse); Évian*-les-Bains, Thonon*-les-Bains (en France).

LE MANS. ♦ **V.** MANS (Le).

LEMBECQ, en néerl. **Lembeek**. ♦ Comm. de Belgique (Brabant, arr. de Hal-Vilvorde) sur la Senne*. 6 200 hab. – Église contenant le tombeau de saint Veron (XVIe siècle). – Indus. métallurgiques. Papeterie. Caoutchouc.

LEMBERG. ♦ Nom allemand de Lvov*.

LEMERCIER (Jacques). ♦ Architecte, dessinateur, sculpteur et graveur français (Pontoise, v. 1585 – Paris, 1654). Issu d'une famille d'architectes, il se rendit à Rome en 1607, devint en 1618 premier architecte de Louis XIII et en 1624 architecte du Louvre. Il travailla à l'église du *Val-de-Grâce*, commencée par F. Mansart*, à celle de l'*Oratoire*, donna les plans de l'*église Saint-Roch* à Paris. Il est l'auteur du *pavillon de l'Horloge* au *Louvre* (à partir de 1624), dont l'abondant décor sculpté est dû en partie à J. Sarazin*, et des ailes ouest et nord-est de la *cour Carrée*, traitées dans un esprit proche de celui de Lescot*. Il donna les plans de la ville de Richelieu* (Indre-et-Loire, entreprise en 1631) et construisit à proximité l'immense château (aujourd'hui détruit) de Richelieu; à Paris, il édifia le *palais Cardinal* (1629-1636; le Palais-Royal, reconstruit en grande partie à la fin du XVIIIe siècle). Dans l'église à dôme de la *Sorbonne* (1635-1642), il transposa les formes italiennes avec un esprit de mesure et de rigueur qui le font considérer comme l'un des initiateurs du classicisme français.

LEMERCIER (Népomucène). ♦ Écrivain et auteur dramatique français (Paris, 1771 – *id.*, 1840). Il s'exerça d'abord dans la poésie épique (*L'Atlantide*, 1812) puis tragique (*Charlemagne*, 1816). Son *Christophe Colomb* (1809) où il tenta de se passer de l'unité de lieu, suscita quelque scandale. Toutefois, son hostilité devait être totale à l'égard du drame romantique. Auteur d'une comédie historique (*Pinto*, 1798) il a publié un *Cours analytique de littérature générale* (1817).

LÉMERY (Nicolas). ♦ Apothicaire et chimiste français (Rouen, 1645 – Paris, 1715). Auteur d'un *Cours de chimie* (1675) et d'un dictionnaire des drogues; le mélange de limaille de fer et de soufre porte encore le nom de *volcan de Lémery*. Il a publié une *Pharmacopée universelle* [1697]. (Acad. sc., 1699.)

LEMNOS (*auj.* **Limnos**). ♦ Île grecque de la mer Égée, entre la côte asiatique et la Chalcidique (nome de Lesbos*). 475 km². 17 370 hab. Ch.-l. et port princ. Kastro, sur la côte O., à l'emplacement de l'antique Myrina (3 980 hab.). Citadelle vénitienne; musée archéologique. Île volcanique, Lemnos possède des vallées fertiles : arbres fruitiers, vignes. Sur la côte N.-E., ruines d'Héphaïstia. ♦ *Hist.* Habitée par les Pélasges dès la plus haute antiquité, l'île est liée à un grand nombre de légendes témoignant de ses relations avec le continent. – Marché d'esclaves au ~ VIe s., elle fut occupée par Miltiade*. Soumise aux Macédoniens, puis aux Romains, elle fit partie de l'Empire byzantin. Disputée par les Vénitiens et les Génois, elle resta sous l'occupation turque de 1478 à 1920.

LEMOINE (Jean). ♦ Cardinal français (Crécy-en-Ponthieu, v. 1250 – Avignon, 1313). Nommé légat en France par le pape Boniface VIII, il y fonda le collège qui porta son nom.

LEMOINE, LE MOINE ou **LEMOYNE (François).** ♦ Peintre, dessinateur et décorateur français (Paris, 1688 – *id.*, 1737). Il exécuta des scènes mythologiques, des tableaux de genre et des scènes galantes, mais fut surtout l'un des grands décorateurs de l'époque : il travailla à *Saint-Thomas-d'Aquin* et *Saint-Sulpice* à Paris, reçut la commande du *salon d'Hercule* au château de Versailles (1732-1736). Dans cette œuvre, qui lui valut la notoriété, il opta pour les couleurs claires et vives et agença avec art ses figures gracieuses en une composition ample et aérée aux habiles trompe-l'œil. Il fut nommé premier peintre du roi en 1736.

LE MOITURIER (Pierre Antoine, dit parfois **maître Anthoinet).** ♦ Sculpteur français (Avignon, v. 1425 – ?, v. 1500). Élève de son oncle Jacques Morel, il subit surtout l'influence de Sluter* (traitement vigoureux des formes et goût du détail réaliste), mais adopta une expression plus apaisée et solennelle. Il travailla sans doute au portail de *Saint-Antoine en Viennois*, fut aussi chargé d'un retable pour *Saint-Pierre d'Avignon* et, à la demande de Philippe le Bon, acheva de 1466 à 1469 le *tombeau de Jean sans Peur* auquel avait travaillé Jean de la Huerta d'après les modèles de Sluter et de Claus de Werve pour le tombeau de Philippe le Hardi. On lui attribue parfois le *tombeau de Philippe Pot* (entre 1477 et 1483) et la statue, en orant, de Thomas de Plaine.

LE MONNIER (Pierre Charles). ♦ Astronome français (Paris, 1715 – Herils, près de Maisons, Calvados, 1799), frère de Louis Guillaume. Il participa à l'expédition de Laponie (1736-1737) dirigée par Maupertuis* pour mesurer un arc de méridien; le résultat confirma la théorie de Newton* concernant l'aplatissement du globe terrestre aux pôles. (Acad. sc., 1741.)

LEMONNIER (Camille). ♦ Écrivain belge d'expression française (Ixelles-Bruxelles, 1844 – Bruxelles, 1913). Animateur de nombreuses revues littéraires qui coopérèrent au renouveau des lettres en Belgique, C. Lemonnier fut surtout un des principaux collaborateurs de *La Jeune-Belgique* (1881 à 1897), aux côtés d'Eekhoud* Rodenbach*, Verhaeren*. Il subit lui-même l'influence de l'école naturaliste française et donna, dans ses romans, des peintures, d'un réalisme saisissant, du monde paysan avec *Le Mâle* (1881), de la misère ouvrière avec *Happe-Chair* (1886) et de la société bourgeoise dans *La Fin des bourgeois* (1892). Son violent pamphlet contre la guerre, *Les Charniers* (1881), traduit un idéalisme qui allait s'exprimer de façon plus sereine dans *Adam et Ève* (1899), *Au cœur frais de la forêt* (1900) et surtout *Le Droit au bonheur* (1904) où sa prose se fait véritablement lyrique. Il sut également célébrer son terroir dans *Nos Flamands* (1869) et *La Belgique* (1888) et affirmer ses qualités de critique d'art dans de nombreuses études, notamment sur *Gustave Courbet et ses œuvres* (1878).

LÉMOVICES. *n. m. pl.* ♦ Anc. peuple gaulois établi dans l'actuel Limousin dont la cap. était ***Augustoritum*** appelée plus tard *Lemovices* (Limoges*). Lors de l'organisation romaine de la Gaule, leur territoire fut compris dans l'Aquitaine* Ire.

LEMOYNE (François). ♦ **V.** LEMOINE.

LEMOYNE (Jean-Baptiste). ♦ Sculpteur français (Paris, 1704 – *id.*, 1778). Fils et élève de JEAN-LOUIS LEMOYNE (Paris, 1665 – *id.*, 1755), il fut reçu académicien en 1738 et devint le sculpteur attitré de Louis XIV, dont il a laissé plusieurs bustes. Il s'attacha à fixer l'expression fugitive des attitudes et sut évoquer le mouvement. Ses bustes les plus célèbres sont ceux de *Réaumur* (1751), de *Noël-Nicolas Coypel*, de *Montesquieu* (1760), d'*Hélène d'Egmont* (1767), de *Mlle Clairon* et *Mlle Dangeville*. – Pajou fut son élève et fit son buste.

LE MOYNE D'IBERVILLE (Pierre). ♦ Navigateur et gouverneur français (Ville-Marie, *auj.* Montréal, 1661 – La Havane, 1706). Fils d'un colon français originaire de Dieppe, il participa à la lutte contre les Anglais sur la baie d'Hudson, en Acadie et à Terre-Neuve (1686-1697). Surnommé le Cid canadien, il fonda la Louisiane (1702) dont il fut le premier gouverneur. ♦ JEAN-BAPTISTE LE MOYNE DE BIENVILLE, son frère (Ville-Marie, *auj.* Montréal, 1680 – Paris, 1768) lui succéda comme gouverneur de la Louisiane de 1713 à 1717, de 1717 à 1726 et de 1733 à 1743, mais fut disgracié pour n'avoir pas suffisamment mis en valeur les ressources du pays. ♦ ANTOINE LE MOYNE DE CHÂTEAUGUAY, frère des précédents (Ville-Marie, *auj.* Montréal, 1683 – Rochefort, 1747), gouverneur de la Guyane de 1737 à 1744, participa ensuite à la défense de Louisbourg (Acadie) contre les Anglais (1745).

LEMPA (río). *n. m.* ♦ Fl. d'Amérique centrale. Il prend sa source sur les reliefs volcaniques du Honduras*, coule au Salvador* dans une large vallée orientée d'O. en E., puis gagne le Pacifique au S. de San* Salvador. 330 km. – Hydro-électricité.

LE MUET (Pierre). ♦ Architecte et dessinateur français (Dijon, 1591 – Paris, 1669). Architecte de Marie de Médicis, de Louis XIII et d'Anne d'Autriche, travaillant aux grands chantiers alors en cours à Paris, il participa à l'achèvement de l'église du *Val-de-Grâce* commencée par F. Mansart* et continuée par Lemercier*, collabora avec Le* Vau à la *Salpêtrière* et donna les plans de l'église *Notre-Dame-des-Victoires*. Il édifia aussi à Paris *l'hôtel d'Avaux* où il employa l'ordre colossal et brisa le comble des toits à grands rampants. Il publia en 1623 *Manière de bien bâtir pour toutes sortes de personnes*, ouvrage qui constitue l'un des jalons de la période de formation de l'architecture classique française.

Lémures. *n. m. pl.* ♦ Esprits des morts, dans la religion romaine. Pour éviter leur retour, on les conjurait aux *Lemuria* (9, 11 et 13 mai) en leur offrant des fèves noires. **V.** *aussi* **Mânes.**

LENA ou **LÉNA.** *n. f.* ♦ Riv. d'U.R.S.S., en Sibérie centrale (4 270 km). Née dans la chaîne des monts Baïkal*, dominant la rive O. du lac Baïkal, elle se dirige vers le N.-E., arrose la Iakoutie*, jusqu'à Iakutsk*, puis longe les monts de Verkhoïansk et se jette dans l'océan Arctique (mer des Laptev). Gelée pendant une grande

Ph. Giraudon

Jacques Lemercier, par Ph. de Champaigne. (Château de Versailles.)

Arch. Rencontre

Louis Le Nain : « Famille de paysans ».
(Musée du Louvre, Paris.)

partie de l'année, elle est peu navigable, mais riche en poisson.

LE NAIN (Antoine, Louis et **Mathieu). ♦** Peintres français du XVIIe siècle. Redécouverts par Champfleury, ces trois frères, qui signaient seulement de leur nom de famille, ont fait à partir de cette époque l'objet de nombreuses recherches. Paul Jamot (v. 1929) a proposé de distinguer leur manière respective et leur a attribué une production propre, alors que l'on considérait auparavant qu'ils travaillaient en commun. Malgré les évidentes différences de facture, bien des attributions apparaissent cependant hypothétiques et les données biographiques sont assez pauvres : fils d'un sergent royal au bailliage, originaire de Laon, ils reçurent durant un an l'enseignement d'un « peintre étranger » probablement flamand. En 1629, on les trouve établis à Paris et Antoine est maître peintre à Saint-Germain-des-Prés. Leur atelier acquit alors rapidement une certaine renommée et ils exécutèrent des commandes pour les échevins de la Ville de Paris, ainsi que pour les Petits-Augustins *(La Nativité)*. Ils réalisèrent des portraits *(Anne d'Autriche)* et quelques sujets mythologiques *(Vénus dans la forge de Vulcain)*. Ils produisirent surtout deux sortes de tableaux qui firent leur renommée (et leur valurent au XIXe s. la dénomination de « peintres de la réalité »), des portraits collectifs, des scènes de garde qui s'inscrivent dans le courant caravagesque et qu'on attribue généralement à Mathieu *(Corps de garde; Joueurs de trictrac)* et surtout des scènes où figurent des paysans, qui sont comme une adaptation spécifiquement française des « bambochades » italiennes et nordiques. Elles se caractérisent par la vigueur expressive des types, le statisme des attitudes, un sentiment plus sévère que pittoresque d'où émane une impression de calme et de grandeur et une mise en place souvent gauche. *La Réunion de famille* (1692), *Le Benedicite* sont probablement dus à Antoine, tandis que les scènes les plus originales, d'une facture sobre, où dominent les nuances de gris et de bruns, sont attribuées à Louis : représentant parfois des scènes paysannes situées à l'extérieur (*La Charrette* ou *Le Retour de la fenaison,* 1641), elles attestent une approche sensible de la nature dénuée des conventions habituelles (effet de plein air).

LENARD (Philipp). ♦ Physicien allemand (Presbourg, 1862 – Messelhausen, Bade-Wurtemberg, 1947). Élève de H. Hertz*, il établit les lois de l'effet photo-électrique; auteur de travaux sur les rayons cathodiques (**V.** *aussi* **Hittorf**), il montra que ces rayons pouvaient sortir du tube producteur, et mesura (1898) le rapport de la charge à la masse pour des rayons ayant franchi une paroi métallique mince (rayons de Lenard) ainsi que, avec J. J. Thomson*, pour les électrons émis par effet photo-électrique.

LENAU (Nikolaus NIEMBSCH von STREHLENAU, dit **Nikolaus). ♦** Poète autrichien (Csatad, Hongrie, 1802 – Oberdöbling, 1850). Poète de la mélancolie avec le *Chant des joncs* (*Schilflieder,* 1832), il est l'auteur de poèmes dramatiques (*Faust,* 1836; *Savonarole,* 1838; *Don Juan,* 1844). Il a fini ses jours dans la folie.

LENCLOÎTRE. ♦ Ch.-l. de cant. de la Vienne, arr. de Châtellerault. 1 754 hab. – Vestiges d'une importante abbaye; église romane du XIIe s., remaniée au XVe s.; chapelle gothique (ruinée). – Marché agricole.

LENCLOS (Anne, dite **Ninon** *de*). **♦** Dame française (Paris, 1616 – *id.,* 1706). Belle, cultivée, de mœurs libres (elle eut pour amants Coligny, le Grand Condé, le marquis d'Estrées), appréciée cependant par Mme de Maintenon, Mme de La Sablière et Mme de La Fayette, elle réunit dans son salon une société spirituelle qui faisait, comme elle, profession de libertinage, dans les mœurs (en disciple d'Épicure) et les pensées (en lectrice de Montaigne). Amie de Saint-Évremond à qui sont adressées ses *Lettres* (publiées en 1886), elle sut – dit-on – bien accueillir également le jeune Voltaire, se faisant ainsi le lien entre le courant sceptique du XVIIe s. et le mouvement philosophique du XVIIIe siècle.

L'ENFANT (Pierre Charles). ♦ Architecte et ingénieur franco-américain (Paris, 1754 – dans le Maryland, 1825). Élève de l'Académie royale de peinture depuis 1771, il s'engagea dans l'armée révolutionnaire américaine en 1776. Il fut promu *major* du Génie en 1783. Après un séjour à Paris et la rénovation de l'hôtel de ville de New York, G. Washington l'engagea pour préparer les plans de la nouvelle capitale fédérale (1791); il fut renvoyé en 1792 pour avoir bravé divers intérêts privés, mais ses plans furent dans l'ensemble respectés (**V. Washington, D.C.**). Mal rémunéré pour son travail, il mourut dans la misère.

LENGLEN (Suzanne). ♦ Championne de tennis française (Compiègne, 1899 – Paris, 1938), la plus grande joueuse de tennis de son temps qui remporta les championnats du monde en « simple dames » de 1919 à 1923 ainsi qu'en 1925 et 1926; elle fut, à quinze ans, championne du monde du « double-mixte » (1914), exploit renouvelé de 1920 à 1923 et en 1925. Pendant ces mêmes années, elle remporta de nombreux titres aux championnats de France.

LENINABAD *(Leninâbâd),* jusqu'en 1936 **Khodjend. ♦** V. d'U.R.S.S. (Tadjikistan*), sur le Syr*-Dariâ, dans la vallée de Fergâna*. 86 000 hab. (1962). – Centre de cultures maraîchères et fruitières. Indus de la soie; égrenage du coton. Conserves de fruits.

LENINAKAN, anc. **Gumri,** puis **Alexandropol'** [*Aleksandropol'*]. **♦** V. d'U.R.S.S. (Arménie*), située à 1 500 m d'alt. dans le bassin supérieur de l'Akhourian (affl. de l'Araxe). 164 000 hab. – Indus. textiles (laine, coton), mécaniques et alimentaires (sucreries, conserveries de viande). Matériaux de construction.

LÉNINE (Vladimir Ilitch OULIANOV, dit**). ♦** Homme politique et théoricien révolutionnaire russe (Simbirsk, *auj.* Oulianovsk, 1870 – Gorki, près de Moscou, 1924). Sa vie et son œuvre sont celles d'un militant révolutionnaire qui ne cessa d'approfondir les principes théoriques du marxisme pour les appliquer à la pratique. Membre de cercles marxistes, fondateur de l'Union de lutte pour la libération de la classe ouvrière (Saint-Pétersbourg, 1895), il commença par critiquer, après Plekhanov*, le subjectivisme idéaliste de la doctrine des populistes (**V. Mikhaïlovski**), lui opposant l'idée d'une union des ouvriers et des paysans en vue du combat révolutionnaire (*Ce que sont les amis du peuple,* 1894) et une étude marxiste sur *Le Développement du capitalisme en Russie* (publié en 1899). Installé à Genève (1900), il créa avec Plekhanov le premier journal marxiste russe *Iskra* (*l'Étincelle,* 1900). Pour lutter contre l'économisme des « marxistes légaux » (Martynov*, P. Strouvé*), qui limitait l'action de la classe ouvrière à des revendications économiques et exaltait la spontanéité des masses, il formula sa première théorie d'un *Parti marxiste,* de son organisation et de son rôle d'élément directeur dans le combat politique révolutionnaire du prolétariat (*Que faire?* 1902). Chef de la majorité bolchevique du Parti ouvrier social-démocrate russe (1903), il fit voter dans son programme la nécessité de la révolution socialiste et de la dictature du prolétariat contre l'opportunisme des mencheviks (**V. Martov**) [Cf. *Un pas en avant, deux pas en arrière,* 1904]. L'initiative historique des masses lors de la révolution de 1905, durant laquelle il rentra en Russie, fut pour Lénine l'occasion d'une réflexion approfondie sur les principes d'organisation du Parti et sur la tactique révolutionnaire; contre les mencheviks, alliés de la bourgeoisie, il affirma que le prolétariat devait garder le contrôle de la révolution démocratique bourgeoise, tout en combattant pour la réalisation de la démocratie prolétarienne (*Deux Tactiques de la social-démocratie dans la révolution démocratique,* 1905). Exilé lors de la réaction de Stolypine* (1907), Lénine dénonça le renouveau de l'idéalisme philosophique qu'elle suscita et réaffirma les principes fondamentaux du marxisme qu'il approfondit par l'analyse critique de la dialectique hégélienne (*Matérialisme* et Empiriocriticisme,* 1909; *Cahiers philosophiques,* 1915). Par ailleurs, sa lutte contre le révisionnisme aboutit à la formation du Parti bolchevik indépendant et de son journal la *Pravda* (1912). Lors de la Première Guerre mondiale, il appliqua la dialectique matérialiste à l'étude du problème de nationalités (*Du droit des nations à l'autodétermination,* 1915) et du développement des contradictions du capitalisme à sa phase monopoliste (*L'Impérialisme*, stade suprême du capitalisme,* 1916); constatant l'inégalité de son développement dans les divers pays, il conclut à la possibilité d'une victoire de la révolution socialiste en un seul pays (contrairement à la thèse de la révolution universelle); il donna pour mot d'ordre au Parti bolchevik « la transformation de la guerre impérialiste en guerre civile » (*Le Programme militaire de la révolution prolétarienne,* 1916). Revenu en Russie après la révolution de février 1917, il exposa le programme de lutte pour le passage de la révolution démocratique à la révolution socialiste *(Thèses d'avril)* et la théorie marxiste de l'État et de la dictature du prolétariat (*L'État* et la Révolution,* 1917). Organisateur de l'insurrection des forces révolutionnaires (octobre 1917), il fit adopter par le IIe congrès des soviets (nuit du 26 oct.) le décret sur la paix (Brest-Litovsk, mars 1918), celui sur la terre, abolissant le droit de propriété des grands propriétaires fonciers, et fut élu président du Conseil des commissaires du peuple. Jusqu'à sa mort, il se consacra aux premières étapes de la construction du socialisme sur le plan économique (faisant adopter, après le communisme de guerre, une « nouvelle politique économique » empreinte d'un certain libéralisme – N.E.P., 1921), politique (création de la IIIe Internationale – Komintern, 1919; union des peuples soviétiques en un seul État – U.R.S.S., 1922), militaire et culturel. Il ne cessa de lutter contre ce qu'il appela les dangers de l'opportunisme révisionniste (*La Révolution prolétarienne et le renégat Kautsky,* 1918), ceux du gauchisme sectaire et dogmatique (*Le Gauchisme, maladie* infantile du communisme,* 1920) et de la bureaucratie, pressentant les conflits futurs entre les principaux chefs du Comité central du Parti, Staline*, Trotski* *(Testament politique)*. Faisant du marxisme une doctrine créatrice qui « s'instruit à l'école pratique des masses », Lénine lui apporta une contribution décisive par ses analyses économiques, sociales et politiques, sa revalorisation du rôle de la théorie et de la conscience socialistes et par sa création du parti bolchevik, qu'il voulut fortement discipliné et comportant des révolutionnaires professionnels. Il fut à la fois le théoricien, le stratège et le tacticien de la première révolution socialiste.

Lénine *(ordre de)*. ♦ Fondé en 1930, cet ordre civil et militaire, le plus élevé de l'U.R.S.S., est attribué aux citoyens s'étant particulièrement illustrés dans la « construction de l'État socialiste ».

Lénine *(prix)*. ♦ Créés en septembre 1956 par le gouvernement soviétique, en remplacement des prix Staline, ces prix sont destinés à récompenser écrivains, savants et artistes d'U.R.S.S. Le prix Lénine de la paix est attribué à des personnalités du monde entier.

LÉNINE *(pic)*. ♦ Haut sommet du Pamir*, dans les monts du Transalaï, aux confins du Tadjikistan et du Kirghizistan, autrefois appelé pic Kaufmann. 7 135 m. Il fut gravi pour la première fois en 1928.

LENINGRAD, anc. **Saint-Pétersbourg**, de 1914 à 1924 **Petrograd**. ♦ Seconde ville de l'U.R.S.S., premier port maritime et fluvial (depuis la construction du canal maritime qui le relie à Kronstadt* — *fin* XIXe s.), base navale, ch.-l. de la région du même nom (85 900 km². 5 181 000 hab.), sur l'embouchure de la Neva*, au bord du golfe de Finlande*. 3 513 000 hab. — S'étendant aujourd'hui sur 200 km², Leningrad est un grand centre culturel. Université fondée en 1819; nombreux musées (dont l'Ermitage*) et bibliothèques. Académie des beaux-arts, à la fondation de laquelle collabora Ivan Chouvalov*; dans le jardin Gorki s'élève la statue équestre colossale de Pierre le Grand (œuvre de Falconet*). La ville est aussi le plus grand centre industriel du pays (6 % de la production globale de l'U.R.S.S., l'industrie y emploie 60 % de la population active). Indus. de l'armement; métallurgie de transformation; matériel ferroviaire, matériel pour l'exploitation forestière et pour l'agriculture; raffineries des pétroles importés, indus. pétrochimique; machines pour la mise en valeur des mines; moteurs électriques, turbines et générateurs; combinat du bois; complexe de superphosphates; textile; indus. alimentaires; chantiers navals (le brise-glace atomique « Lénine » y fut construit). Deux lignes de métro, construites en 1955 (25 km). Nœud ferroviaire important, d'où rayonnent neuf lignes, la ville est reliée par un système de canaux à la Volga* et à la mer Blanche*. Un gazoduc relie la ville à Kokhtla-Iarvé, et un autre se branche sur celui de Stavropol-Moscou. Les stations hydroélectriques (sur les riv. Volkhov* et Suir) et les stations thermiques sont réunies à un seul réseau, le « Lenérgo ». — Patrie d'Alexandre* Ier Pavlovitch, Alexandre* III Alexandrovitch, Balanchine*, Benois*, Borodine*, Brullov* (ou Brioulov), Cantor*, Chostakovitch*, Constantin* Pavlovitch, Fokine*, Glazounov*, Gorski*, A. Gortchakov*, Sacha Guitry*, Ivan* VI, Karsavina*, Koutouzov*, Menchikov*, Merejkovski*, Mouraviev*, Ogariov*, Ormesson*, Oulanova*, Paul* Ier, A. Pavlova*, Pierre* II, Préobrajenska*, Ida Rubinstein*, la comtesse de Ségur*, V. Serov*, C. Simonov*, Skobelev*. ♦ *Hist.* Fondée en 1703 par Pierre* le Grand (qui la considérait comme « une fenêtre de la Russie sur l'Europe ») sous le nom de Saint-Pétersbourg, modelée dans le marais par déviation des eaux de la Neva et selon un plan général dressé par l'architecte français Alexandre Leblond, la ville devint la capitale de l'empire dès 1715, mais elle se développa surtout sous Anna Ivanovna (1730-1740) et sous Élisabeth Petrovna (1741-1762). De nombreux architectes étrangers (Quarenghi*, Trezzini, Rastrelli*, Vallin de la Mothe) y construisirent des édifices de style baroque et classique : l'Amirauté (1704-1823), le palais Anitchkov (1742-1753), le palais Vorontsov (1749-1757), le palais d'Hiver (1754-1785), le palais de Marbre (1768-1785), ainsi que les cathédrales de Saint-Pierre-et-Saint-Paul (1713-1721), Saint-Alexandre-Nevski (1778-1789) et Notre-Dame-de-Kazan (1801-1811). Tous ces édifices furent scrupuleusement conservés et au besoin restaurés; aujourd'hui la ville, appelée parfois Venise du Nord à cause de ses nombreux canaux et ses 500 ponts, constitue l'un des plus riches centres touristiques de l'Union soviétique. Catherine* Ire y fonda en 1725 la première Académie des sciences (transférée à Moscou en 1934). En 1825, la ville fut le théâtre de la révolte des décabristes*. La première voie ferrée fut construite en 1838 entre Saint-Pétersbourg et Tsarskoïe Selo (*auj.* Pouchkine). Après l'industrialisation rapide, stimulée par l'émancipation des serfs (1861), la ville devint le centre de l'agitation des narodniki*, qui aboutit à l'assassinat d'Alexandre* II (1881). Au début du XXe s., la ville joua un rôle important au cours de la révolution* de 1905, puis de la révolution* de 1917. En janvier 1918, le siège du gouvernement soviétique fut transféré à Moscou*, qui redevint la capitale du pays. Le 26 janvier 1924, cinq jours après la mort de Lénine, la ville prit le nom de Leningrad. En 1934, Kirov* y fut assassiné, ce qui permit à Staline* de déclencher les grandes purges et les procès de Moscou. Pendant la Deuxième Guerre mondiale, la ville fut encerclée presque totalement par les troupes allemandes et finlandaises et subit neuf cents jours de siège sous les canonnades et les bombardements (août 1941-janv. 1944). Les pertes parmi la population furent lourdes (600 000 morts et 1 000 000 de disparus). Les quartiers extérieurs furent dévastés, seul le centre de la ville resta à peu près intact.

Arch. Rencontre

Lénine au Deuxième congrès des Soviets. (Musée Lénine, Oulianovsk, U.R.S.S.)

LENINSK-KOUZNETSKI ou **-KUZNETSKI** (jusqu'en 1925, **Kolchughino**). ♦ V. d'U.R.S.S. (R.S.F.S. de Russie), en Sibérie occidentale, dans la région de Kemerovo, sur la riv. Inia (affl. r. d. de l'Ob, 799 km). 128 000 hab. — Centre minier et métallurgique du Kouzbass*.

LENNARD-JONES (*sir* **John Edward**). ♦ Chimiste anglais (né en 1894). Il aborda le problème de la liaison chimique par la méthode des orbitales moléculaires (1929). **V. Hund, Mulliken** et *aussi* **Heitler, Pauling, Slater.**

LENNOX (**Matthew Stuart** ou **Stewart**, *4e comte de*). ♦ Gentilhomme écossais (Dunbarton Castle, 1516 — 1571). Il était l'un des chefs du parti catholique et fit épouser son fils Darnley* par Marie* Stuart. Après la mort de ce dernier, il se révolta contre la reine et fut tué.

LENOIR (**Alexandre**). ♦ Archéologue français (Paris, 1761 — *id.*, 1839). Lors de la Révolution française, il réunit à Paris des monuments que la suppression des couvents menaçait de destruction et fut conservateur du dépôt des Petits-Augustins, qui devint en 1796 le musée des Monuments français, puis du musée privé de Joséphine Bonaparte. *Musée des monuments de France,* 1804; *Histoire des arts en France, prouvée par les monuments,* 1810.

LENOIR (**Étienne**). ♦ Ingénieur français d'origine wallonne (Mussy-la-Ville, Luxembourg, 1822 — La Varenne-Saint-Hilaire, Seine, 1900). Il fit breveter, en 1860, un « système de moteur à air dilaté par la combustion des gaz enflammés par l'électricité », première réalisation pratique du moteur à explosion, puis perfectionna son moteur en 1863 en le faisant fonctionner suivant le cycle de Beau* de Rochas. **V. Forest, Otto.**

LENOIR-DUFRESNE (**Joseph**). ♦ Industriel français (Alençon, 1768 — Paris, 1806). Il introduisit en France, avec Richard*, la filature du coton au moyen de la *mule-jenny* alors utilisée en Angleterre. **V. Crompton.**

Lénore. ♦ Cette célèbre ballade de G.A. Bürger* (1770), œuvre typique du *Sturm* und Drang,* eut un succès considérable et est restée très populaire en Prusse. Alors que l'armée de Frédéric revient de guerre, Lénore, « rêveuse et délaissée, appelle en vain le baiser du retour »: son fiancé, Wilhelm, ne paraît pas: se révoltant alors contre Dieu qui « n'a pris aucun soin de son bonheur », elle implore la mort. Dans sa fièvre, elle voit apparaître Wilhelm qui, dans une folle chevauchée, l'emmène dans la nuit, en compagnie des spectres, jusqu'au cimetière; là, le manteau du cavalier se déchire, faisant place à « un blanc squelette assis sur son coursier », armé d'une faux menaçante et tenant dans sa main le fatal sablier.

LE NÔTRE (**André**). ♦ Jardinier français (Paris, 1613 — *id.*, 1700). Fils du premier jardinier du roi aux Tuileries, il étudia dans l'atelier de Vouet et probablement aussi auprès de Mansart. Succédant à son père en 1637, il devint ensuite jardinier du roi (1645), puis contrôleur des bâtiments royaux. Il redessina en 1649 les jardins des Tuileries puis, grâce à Fouquet, donna sa mesure avec le parc de Vaux*-le-Vicomte (terminé en 1661) : l'agencement des éléments traditionnels s'y trouvait repensé avec une science et une harmonie nouvelles qui l'imposèrent comme le créateur du jardin dit *à la française.* La création du parc de Versailles* lui permit de développer ses conceptions avec une ampleur et un faste s'accordant au dessein de Louis XIV. Soumettant la nature à une stricte discipline, il conçut un plan général rectiligne et symétrique ayant pour centre le château à partir duquel se développe une large perspective axiale qui elle-même détermine des perspectives convergentes. La répartition des terrasses, parterres de broderie, bosquets et charmilles, terre-pleins et allées, est établie selon des déclivités et retraits peu accentués, un rôle essentiel étant assigné à l'eau (eaux jaillissantes et eaux plates des bassins et des larges canaux qui réfléchissent la lumière et engendrent de savants effets de perspective), cette stricte ordonnance étant à la fois soulignée et assouplie par les multiples vases monumentaux et statues qui l'animent. Il travailla aussi à Clagny, Marly, Meudon, Saint-Cloud, Sceaux, Choisy, Maintenon, Dampierre et reçut de nombreuses commandes de l'étranger. Son sens de la mesure dans le maniement de proportions monumentales, l'art avec lequel il suggérerait un effet de perspective « illimitée », ouverte à partir de formes géométriques et symétriques, l'ont fait considérer comme l'incarnation même du classicisme français.

LENÔTRE (Théodore GOSSELIN dit **G.).** ♦ Historien français (Pépinville, près de Metz, 1857 – Paris, 1935). Journaliste au *Temps* (1898), il se spécialisa dans l'étude de l'histoire anecdotique, en particulier celle de la Révolution française, domaine où il acquit une grande notoriété auprès d'un large public. (*Les Quartiers de Paris pendant la Révolution,* 1896; *Captivité et Mort de Marie-Antoinette,* 1897; *Les Noyades de Nantes,* 1911; *Louis XVII et l'énigme du Temple,* 1920). [Acad. fr., 1932.]

LENS [lɑ̃s]. ♦ Sous-préf. du Pas*-de-Calais, ch.-l. d'arr. (7 cant., 39 comm., 365 088 hab.), sur la Deûle*, au centre d'un important bassin minier. – Extraction du charbon; carbochimie; métallurgie; aciéries; câbles. Confections. **V.** *aussi* **Annay.** ♦ *Hist.* Anc. place forte, où le Grand Condé remporta une victoire sur les Impériaux (1648).

LENTINI (Jacopo ou **Giacomo** *da***).** ♦ Poète italien (première moitié du XIIIᵉ s.), protégé par l'empereur Frédéric II, à Palerme. Inventeur, dit-on, du sonnet, il composa des poèmes d'inspiration courtoise qui illustrent le processus d'idéalisation amoureuse.

LENTINI, anc. **Leontinoi** (gr.), puis **Leontium** (lat.). ♦ V. d'Italie, en Sicile, près du lac du même nom (prov. de Syracuse). 33 000 hab. ♦ *Hist.* Fondée par des Grecs de Naxos, ce fut la patrie d'Euclide et de Gorgias. Elle fut prise par les Romains en ~ 214 et détruite par un séisme en 1693.

LENZ (Jakob Michael Reinhold). ♦ Poète et auteur dramatique allemand (Sesswegen, Livonie, 1751 – Moscou, 1792). Hôte de Goethe à Weimar (1776), il fut l'un des pionniers du *Sturm und Drang.* Transposant ses propres expériences dans ses œuvres : *Le Précepteur* (*Der Hofmeister,* 1774) et *Les Soldats* (*Die Soldaten,* 1776), il y dénonce les structures et les mœurs d'une société encore médiévale, au détriment de ceux qu'elle exclut. Après une vie errante et assez misérable, il sombra dans la folie alors qu'il séjournait en Alsace chez le pasteur Oberlin (1778). Génie proche du sien, G. Büchner* a relaté le fait dans sa nouvelle *Lenz* (inachevée).

LENZ (Heinrich Friedrich Emil). ♦ Physicien russe (Dorpat, 1804 – Rome, 1865). Il énonça en 1834 la loi qualitative d'après laquelle les courants induits tendent à s'opposer à l'action qui leur a donné naissance *(loi de Lenz).* **V.** *aussi* **Faraday, F.E. Neumann.**

LENZERHEIDE, en romanche **Planüra**. ♦ Localité de Suisse (Grisons) au S. de Coire*. Station d'été et de sports d'hiver à 1 480 m d'altitude.

LEOBEN. ♦ V. autrichienne, située en Styrie, sur la Mur. 37 000 hab. École des mines autrichienne. Église Maria Wassen (gothique). – Indus. : métallurgie. ♦ *Hist.* Leoben fut dès le Moyen Âge un centre commercial et le centre de l'industrie métallurgique styrienne. – Bonaparte y signa avec l'archiduc Charles les préliminaires de la paix de Campoformio*, le 18 avril 1797.

LÉON Iᵉʳ le Grand *(saint).* ♦ 45ᵉ pape (440-461 [mort]). Toscan né à Rome; docteur de l'Église. Il lutta contre le manichéisme, le pélagianisme, le priscillianisme **(V. Mani, Pélage, Priscillien).** Contre Eutychès* il précisa l'orthodoxie christologique dans le *Tome à Flavien*; mais le synode qu'il appela « brigandage d'Éphèse » (449) ayant prétendu l'excommunier, il provoqua le concile de Chalcédoine* (451) qui adopta les formules du *Tome.* En 452, il convainquit Attila de se retirer d'Italie. De Genséric, qui pilla Rome en 455, il n'obtint que la vie sauve pour les habitants et le respect des églises. Il rénova la liturgie : le *Sacramentaire léonien* (postérieur, v. 550) en conserve la trace. Auteur de *Sermons.* Fête le 10 novembre.

LÉON II *(saint).* ♦ 80ᵉ pape (682-683 [mort]), Sicilien. Fête le 3 juillet.

LÉON III *(saint).* ♦ (Rome, 750 – 816). 96ᵉ pape (795-816). Attaqué (25 avr. 799) et emprisonné par des sbires à la solde d'une faction romaine, il se réfugia à Paderborn auprès de Charlemagne, regagna Rome, y couronna l'empereur (Noël 800). Il accepta le *filioque** comme vérité de foi mais jugea inopportun de l'inscrire dans la liturgie (810). Fête le 12 juin.

LÉON IV *(saint).* ♦ 103ᵉ pape (847-855 [mort]), Romain. Il fortifia Rome contre les Sarrasins *(cité léonine,* **V. Vatican***),* sacra l'empereur Louis II (850) mais résista aux immixtions impériales dans les affaires romaines. Fête le 17 juillet.

LÉON V. ♦ 118ᵉ pape (juillet à septembre 903 [mort]), d'Ardée (Latium). Emprisonné et étranglé par Christophe*, antipape.

LÉON VI. ♦ 123ᵉ pape, de mai à décembre 928. Romain. **V.** *aussi* **Pornocratie.**

LÉON VII. ♦ 126ᵉ pape (936-939 [mort]), Romain. Il subit l'influence d'Odon* de Cluny qu'il reçut en 936 et 938. **V.** *aussi* **Pornocratie.**

LÉON VIII. ♦ 131ᵉ pape (963-965 [mort]). Romain. Laïc imposé par Othon Iᵉʳ après la déposition de Jean* XII, il fut en rivalité avec Benoît* V. Il figure à l'*Annuaire pontifical,* mais sa légitimité est discutée.

LÉON IX *(saint)* [Brunon d'Egisheim-Dagsburg]. ♦ (Egisheim, Alsace, 1002 – Rome, 1054). 150ᵉ pape, de 1049 à 1054. Chapelain de Conrad II, évêque de Toul (1026), il s'attacha comme conseiller le moine Hildebrand **(V. Grégoire VII)**, entreprit des

Ph. PSZ/Ricciarini
Léon XI.

Ph. PSZ/Ricciarini
Léon XII.

réformes dont il vérifia l'application en voyageant à travers l'Europe (conciles de Pavie, Mayence, Reims contre la simonie, 1049), condamna Bérenger* de Tours qui niait la présence réelle (1050), lutta en Italie du Sud contre les Normands de Robert Guiscard, mais fut fait prisonnier (1053), répondit fermement aux provocations de Michel Cérulaire* qu'après sa mort ses légats à Constantinople excommunièrent, provoquant le Grand Schisme* (1054). Fête le 19 avril.

LÉON X *(Jean de Médicis,* en it. *Giovanni de' Medici).* ♦ (Florence, 1475 – Rome, 1521). 215ᵉ pape, de 1513 à 1521. Fils de Laurent le Magnifique **(V. Médicis),** il reçut une éducation humaniste (Ange Politien* fut son précepteur) et resta un homme de cour fastueux, protecteur des lettrés (Bembo*, Sadolet*, Paul Jove*, Jean Lascaris*) et des artistes (il confia à Raphaël* la direction des travaux du Vatican et la réalisation des Loges; il commanda à Michel*-Ange la façade de San Lorenzo et les tombeaux des Médicis à Florence). Il signa le concordat* de Bologne avec François Iᵉʳ (1516), mit fin au concile du Latran* (1517) sans réaliser de véritable réforme ecclésiastique. En 1514, il avait renouvelé les indulgences concédées par Jules II pour financer la reconstruction de Saint-Pierre; Luther* s'y attaqua dans ses « thèses » de 1517; il le condamna par la bulle *Exsurge, domine* (15 juin 1520) que celui-ci brûla publiquement le 10 décembre suivant : le schisme était consommé **(V. Réforme).**

LÉON XI *(Alessandro Ottaviano de' Medici,* en fr. *Médicis).* ♦ (Florence, 1535 – Rome, 1605). 230ᵉ pape, du 1ᵉʳ au 27 avril 1605. Comme légat en France, il avait travaillé à la réconciliation d'Henri* IV avec l'Église et à la paix avec l'Espagne (1595-1598). **V. Clément VIII.**

LÉON XII *(Annibale Sermattei Della Genga).* ♦ (Genga, Ancône, 1760 – Rome, 1829). 250ᵉ pape (1823-1829), surnommé « le pape de la Sainte-Alliance ». Son élection marqua la victoire du parti conservateur contre la politique libérale de Pie* VII et de Consalvi*. Il lutta contre le carbonarisme.

LÉON XIII *(Gioacchino Pecci).* ♦ (Carpineto Romano, 1810 – Rome, 1903). 254ᵉ pape, de 1878 à 1903, ancien archevêque de Pérouse (1846), cardinal (1853) et camerlingue (1877). Sauf en Italie, où, n'admettant pas la perte de Rome et du pouvoir temporel, il interdit aux catholiques de participer à la vie politique, il adopta une attitude conciliante : en Allemagne, il obtint la fin du *Kulturkampf* (1886); en France, il recommanda aux catholiques le « ralliement » au gouvernement républicain pourtant anticlérical (toast du cardinal Lavigerie à Alger, 1890; encyclique *Au milieu des sollicitudes,* 1892. **V.** aussi **Ireland** [John]); en Angleterre, il favorisa le mouvement d'union anglo-catholique de lord Halifax, mais n'alla pas jusqu'à reconnaître la validité des ordinations anglicanes (1896). Il œuvra surtout dans le domaine intellectuel et doctrinal et publia de nombreuses encycliques notamment : *Aeterni patris* (1879), restaurant le thomisme comme base de la philosophie chrétienne **(V. Mercier, Garrigou-Lagrange)**; *Arcanum* (1880) sur la famille chrétienne et contre le divorce; *Immortale Dei* (1885) sur l'Église, les États et les libertés; et surtout *Rerum novarum* (1891) qui aborde la question ouvrière, réfute le socialisme et jette les bases d'un catholicisme social. Cette encyclique avait été précédée d'enquêtes et d'initiatives dans le domaine social qui valurent à Léon XIII le surnom de « pape des ouvriers ».

LÉON Iᵉʳ. ♦ Empereur d'Orient (457 – [mort] 474). Monté sur le trône par la faveur du patrice goth Aspar, il subit d'abord son pouvoir. Ayant imposé Anthémius* comme empereur d'Occident (467), il organisa avec lui une campagne désastreuse contre les Vandales en Afrique (468). Appuyé sur les mercenaires isauriens **(V. Zénon),** il se débarrassa des milices germaniques et fit assassiner Aspar (471). **V. Byzantin** *(empire).*

LÉON III l'Isaurien. ♦ (Germanicie, Commagène, v. 675 – 741). Empereur byzantin (717-740), fondateur de la dynastie isaurienne. Stratège du thème Anatolique révolté contre Théodose* III et proclamé empereur, il défendit avec succès Constantinople assiégée par les Arabes (717-718), puis les écrasa à Akroïnon (740) libérant l'Asie* Mineure. Il continua la politique de réorganisation provinciale et administrative des Héraclides et publia l'*Écloga* (740), choix et adaptation du droit justinien. Rallié aux iconoclastes*, il inaugura la *querelle des Images* (726), lourde de conséquences pour l'unité intérieure et pour les relations avec l'Occident. Son fils et successeur Constantin V continua sa politique religieuse.

LÉON IV le Khasar. ♦ (749 – 780). Empereur byzantin (775-780), fils de Constantin* V et de sa première femme, une princesse khasare. Il fut un iconoclaste modéré, sous l'influence de sa femme Irène*. Son fils Constantin* VI lui succéda.

LÉON V l'Arménien. ♦ Empereur byzantin (813-[mort] 820). Stratège du thème anatolique, distingué déjà sous Nicéphore* Ier, il fut porté au trône par une révolte militaire et iconoclaste qui détrôna Michel* Ier. Il repoussa l'assaut bulgare contre Constantinople (813) et conclut la paix après sa victoire de Messembria (817). Renouvelant la *querelle des Images* **(V. Iconoclastes)**, il déposa le patriarche Nicéphore* et persécuta les iconodules. Il fut assassiné dans l'église de Sainte-Sophie, la nuit de Noël.

LÉON VI le Sage. ♦ (866 – 912). Empereur byzantin (886-912), fils et successeur de Basile* Ier. Attiré par la poésie, la rhétorique et l'astrologie plutôt que par la politique et la guerre, il abandonna le pouvoir à des courtisans. Profitant de sa faiblesse, les Arabes s'emparèrent de la Sicile et de Thessalonique (904) et les Bulgares lui infligèrent une sévère défaite en 897. Il compléta l'œuvre législative de son père en publiant les *Basiliques** et un grand nombre de *novelles* renforçant le pouvoir impérial contre celui du Sénat et des municipalités. Il laissa des poésies religieuses, l'oraison funèbre de son père, des homélies et un traité de tactique. Ses quatre mariages attirèrent la désapprobation de l'Église (question de *tétragamie*). Son fils Constantin* VI lui succéda.

LÉON l'Africain (de son nom arabe **Al-Hasan ibn Muhammad AL-FA'SÎ**). ♦ Érudit et géographe arabe (Grenade, v. 1483 – Tunis, après 1554). Converti au christianisme, il enseigna l'arabe à Rome (sous le nom de Johannes Leo de Medicis) et a écrit (en latin?) une *Description de l'Afrique* (1550).

LÉON *(pays de)*. ♦ Région côtière du N.-O. de la Bretagne (Finistère) entre Morlaix et le *goulet de Brest**. C'est un pays de riches cultures. Landerneau* en est l'ancienne capitale. **V. Saint*-Pol-de-Léon.**

LEÓN, en français **LÉON**. *n. m.* ♦ Région historique du N.-O. de l'Espagne, limitée au N. par les monts Cantabriques, au S. par l'Estrémadure, à l'O. par le Portugal et à l'E. par la Vieille-Castille et s'étendant sur la portion occidentale de la Meseta. 38 363 km². 1 294 200 hab. *Cap.* León. Elle comprend les prov. de León, Salamanque et Zamora. *V. princ.* León*, Ponferrada*, Salamanque* et Zamora*. – *Orogr.* Le plateau de la Meseta*, bordé à l'O. par les *montañas de León* dirigées du N. au S. et par la Cordillère centrale *(sierra de Gata)*, est nivelé de *páramos* (tables calcaires) et entaillé par les vallées du réseau de Duero. – *Hydr.* Douro* (Duero) et ses affl. – *Écon.* Les plateaux vivent de l'élevage (moutons, porcs et taureaux de combat) associé à la culture du blé (*tierra del pan* autour de Zamora). Les cultures maraîchères et fruitières sont répandues dans le *Bierzo* (rég. de Ponferrada) et la *tierra del pan.* L'aménagement hydro-électrique du Duero, l'énergie thermique produite par la centrale de Compostilla (près de Ponferrada), l'extraction du fer de Monferrada et l'exploitation de la houille de la Robla (monts Cantabriques) sont les premiers efforts d'industrialisation de la région et prennent le relais de l'indus. textile, en déclin. Ponferrada doit devenir le centre de cette renaissance économique encore timide. ♦ *Hist. Le royaume de León* s'organisa autour de la ville de León, au Xe siècle. Il fut d'abord réuni à la Galice et aux Asturies, puis à la Castille* en 1230.

LEÓN. ♦ V. d'Espagne du N.-O. Ch.-l. de prov. 77 300 hab. Évêché. Cathédrale gothique remarquable (XIIIe-XVe s.); abbaye San Isidoro (XIe-XIIe s); monastère San Marcos, anc. commanderie de Saint-Jacques (XIIe, reconstruite XVIe s.). – Centre industriel (textiles). ♦ *Hist.* L'anc. *Legio Septima* (septième légion) romaine fut fondée par l'empereur Galba en 68, puis envahie par les Wisigoths, avant de l'être par les Maures d'Al-Mansûr. Elle fut conquise au Xe s. par les rois des Asturies* qui en firent leur capitale.

LEÓN. ♦ V. du Mexique central (État de Guanajuato*) dans une plaine fertile. 453 976 hab. – Évêché. – Centre commercial. Indus. textiles et métallurgiques. Artisanats (poteries).

LEÓN. ♦ V. du Nicaragua (Amérique centrale). Deuxième ville et anc. cap. du pays, ch.-l. de département au N.-O. du lac Managua*. 90 000 hab. – Évêché. Églises de l'époque coloniale. Université.* Située sur la voie ferrée Puerto* Morazán-Granada, c'est le plus grand centre culturel du pays. Industries diverses. ♦ *Hist.* La ville fut au XIXe s. le foyer libéral du pays, opposée à Granada*.

LÉONARD (Nicolas Germain). ♦ Écrivain français (Guadeloupe, 1744 – Nantes, 1793). Après l'échec d'un premier amour, il écrivit des romans sentimentaux, en partie autobiographiques, et des *Idylles* (1766) dont les accents élégiaques illustrent l'époque préromantique.

LÉONARD (ou LIÉNARD) DE NOBLAC *(saint)*. ♦ Ermite français du VIe siècle. Il serait mort en 559. Converti au catholicisme en même temps que Clovis, il se retira dans le Limousin où il fonda un monastère appelé depuis lors *Saint-Léonard-de-Noblac.* Patron des prisonniers.

LÉONARD DE PISE (Leonardo Fibonacci, dit**).** ♦ Mathématicien italien (Pise, v. 1175 – apr. 1240). Dans son *Liber abbaci* (1202) inspiré d'Euclide* et de Savasorda*, il exposa les connaissances mathématiques des Arabes et introduisit l'emploi des chiffres dits « arabes », étudia les fractions continues et inventa la série récurrente dite de Fibonacci; l'emploi d'abréviations y préfigure vaguement le symbolisme algébrique de Viète*. Dans sa *Practica geometriæ* (1220), inspirée d'Héron, on trouve des rudiments de trigonométrie et une valeur approchée de π égale à 3,141818; dans sa *Flos Leonardi* et son *Liber quadratorum,* il traita des problèmes d'analyse.

LÉONARD DE VINCI. ♦ Peintre, architecte, sculpteur, ingénieur et théoricien italien (Vinci, 1452 – Le Clos-Lucé, près d'Amboise, 1519). Initié à la peinture, à la sculpture et à l'art décoratif dans l'atelier de Verrocchio* où son père l'inscrivit en 1469, Léonard affirma ses talents de peintre dès 1472 en exécutant l'ange de gauche du *Baptême* de Verrocchio (Offices) ainsi qu'une *Annonciation* (Offices) encore imprégnée par la manière dessinée du maître. Se considérant v. 1480 comme « homme universel », il décida de mettre son savoir au service des princes : il travailla successivement pour Ludovic le More à Milan (1482-1499), pour l'éphémère République florentine (1500-1506), pour les princes français qui chassèrent son ancien protecteur Ludovic de Milan (1506-1512), enfin pour François Ier, roi de France (1515-1519) après un séjour à Rome (1513-1515) où dominaient en maîtres Raphaël* et Michel*-Ange. Les princes se l'attachèrent surtout en tant qu'ingénieur militaire et organisateur de fête. En effet, le sens de l'observation de Léonard, fondé sur une démarche analytique tenant compte des jeux des forces et cherchant à résoudre des problèmes de dynamique, lui permit de perfectionner diverses machines industrielles (textiles) ainsi que des engins militaires et des appareils à déplacer ou soulever des fardeaux. Cette pratique technicienne est l'aboutissement d'une conception de la nature dérivant de la théorie des éléments et de l'analogie entre microcosme et macrocosme (« la nature n'est qu'un être vivant gigantesque »). Aussi importe-t-il de situer les diverses anticipations de Léonard (machine volante, etc.) dans ce cadre de pensée qui annonçait tout au plus le « vitalisme » d'un Paracelse*. Le positivisme empirique de son activité intellectuelle est schématiquement plus conforme à l'aristotélisme fondé sur l'expérience et la « saisie successive des objets particuliers », qu'au platonisme plus préoccupé par l'« unité première ». Toutefois, la référence constante aux mathématiques en tant que « paradigme absolu du savoir » nuance cet empirisme fondamental. Cependant, les résultats techniques de cette démarche ne sont que subsidiaires par rapport à la systématique de Léonard, qui cherchait à élaborer une science du « visible » soumise à la représentation : aussi intégrait-il les conclusions scientifiques découlant de l'observation du monde physique à la peinture, lieu idéal vers lequel convergent toutes les branches du savoir. Pour Léonard, la peinture comportait trois aspects : pictural, graphique, spéculatif. Dans le domaine strictement pictural, il expérimenta des matières nouvelles qui ne furent pas toujours réussies (altération extrême de la *Cène*, 1495-1497, réfectoire de Santa Maria delle Grazie, Milan). Des études graphiques comportant des notes et des pensées précèdent chaque tableau; les études pour *Léda,* par exemple (disparue; connue par des copies anciennes), sont accompagnées de pensées philosophiques sur le mystère de la conception; des dessins de l'organisme féminin sont l'occasion de développements biologiques; les dessins de fleurs et ceux de chevelures et visages indiquent une juste observation botanique et anatomique. Dès 1490, Léonard superposa à son activité picturale une profonde réflexion théorique rassemblée dans son *Traité de la peinture.* Ce rapport de la théorie à la pratique est visible dans chacune de ses œuvres qui s'attache à résoudre un problème particulier. Dans sa *Vierge aux rochers* (1483, Louvre; réplique de 1506, Londres, National Gallery), tout

Arch. Smeets

León, abbaye San Isidoro : déposition de Croix et Ascension, tympan du croisillon sud.

en renouvelant le thème iconographique par la rencontre des deux enfants, Jésus et Jean-Baptiste, annonçant symboliquement la Passion (ce qui justifie la physionomie troublée de la Vierge), il trouva une judicieuse solution à deux problèmes posés par les peintres florentins de l'époque : le souci de symétrie et l'organisation serrée des personnages sont résolus par l'invention de la composition pyramidante et par l'affinement du contour par le *sfumato* qui noie le dessin dans l'air vaporeux. Malgré les résistances à ces nouveautés (dont la plus fameuse est celle de Michel-Ange), l'art de peindre est ainsi muni de nouvelles possibilités dès les années 1500. Car le *sfumato*, tout en cherchant à rendre l'enveloppe atmosphérique humide et vaporeuse, en organisant les lointains par une modulation des valeurs, permet de relier intimement les personnages au paysage (*Joconde*, 1503-1507, Louvre; *Sainte Anne*, v. 1510, inachevé, Louvre). Et si la *Cène* de Milan s'attache à animer par le geste une composition stable, l'*Adoration des Mages* (1481, Offices, inachevé) comme la *Bataille d'Anghiari* (1503), dont il ne reste que des dessins partiels, cherchent à stabiliser une composition mouvementée où les formes s'enchevêtrent. Par ailleurs, Léonard renouvela l'art du portrait (surtout féminin) en fixant une puissante présence physique (la *Joconde*) parfois soutenue par une connotation symbolique (*Ginevra di Benci*, v. 1480, Washington : un genévrier se déploie derrière le visage de Ginevra). Dans son traitement des paysages, il allia la précision du détail (fleurs, herbes, cailloux dans l'*Annonciation* des Offices ou au premier plan de *Sainte Anne*) au flou des lointains bleus justifiés théoriquement par la place qu'occupe l'eau dans la dialectique interne qui anime les éléments (*Vierge aux rochers, Joconde, Sainte Anne*). Les qualités graphiques de Léonard l'aidèrent aussi à contribuer au développement architectural; outre les discussions sur les partis à prendre pour l'achèvement de la cathédrale de Milan, il laissa d'importants dessins sur le plan centré (croix grecque inscrite dans un cercle ou un carré). Par deux fois, il eut aussi à réfléchir sur les problèmes du mouvement et de l'équilibre propre aux statues monumentales équestres, sans jamais atteindre le stade de la réalisation, même s'il s'en approcha (études pour la statue équestre de *Francesco Sforza* : 1482-1493; études pour le *monument de Trivula*, condottiere au service de Louis XII, 1506). Certains de ces dessins sculpturaux annoncent la statue équestre baroque (le *Constantin*, du Bernin*).

LEONCAVALLO (Ruggero). ♦ Compositeur italien (Naples, 1858 – Montecatini, 1919). Il connut un succès mondial avec son opéra *Paillasse* (*I Pagliacci*, 1892), dont le pathétique n'est pas exempt d'une déclamation grandiloquente. Mais ses autres ouvrages lyriques ne sont pas restés au répertoire. Il est aussi l'auteur de musique symphonique, religieuse, de chambre et de mélodies.

LEONE (Giovanni). ♦ Homme politique italien (Naples, 1908). Sénateur à vie, il fut Premier ministre d'un gouvernement d'attente qui s'appuyait sur la démocratie-chrétienne (1968) et, en 1971, il a été élu président de la République.

LEONI (Leone). ♦ Sculpteur italien (Menaggio, près de Côme, 1509 – Milan, 1590). D'abord médailleur et orfèvre, il devint le sculpteur favori de Charles Quint. Ses bronzes monumentaux montrent l'influence de Michel-Ange et de Sansovino et son sens de l'expression le fit exceller dans le portrait : *Philippe II* (1553, Prado), *Vincent Gonzague en guerrier antique* (Sabbionetta), *Charles Quint en armure* (Madrid), *Marie de Hongrie* (1564, Madrid). Il est l'auteur du grand *tombeau de Jean-Jacques de Médicis* à la cathédrale de Milan (1560-1563). ♦ Son fils et élève POMPEO LEONI (Pavie, v. 1533 – Madrid, 1608) travailla pour Philippe II (groupes monumentaux de Charles Quint et Philippe II dans la chapelle de l'Escorial).

LÉONIDAS Ier. ♦ (mort aux Thermopyles, ~ 480). Roi de Sparte, successeur de son demi-frère Cléomène* Ier probablement en ~ 490. Chargé de défendre le défilé des Thermopyles* avec un petit contingent grec contre l'armée de Xerxès*, il lui opposa une farouche résistance (~ 480). Devant la supériorité écrasante de l'ennemi, il congédia la plus grande partie de ses troupes et il se sacrifia avec ses trois cents hoplites spartiates, causant des pertes considérables aux Perses. Ce sacrifice, illustré par des monuments, épigrammes **(V. Simonide)** et textes historiques, contribua à la grande réputation du civisme et de la discipline des Spartiates.

LÉONIDAS II. ♦ (v. ~ 315 – ~ 236). Roi de Sparte (v. ~ 243-~ 236). Élevé à la cour de Séleucos* Ier, il subit son influence. Ayant combattu les réformes de son associé Agis* IV, il fut déposé par lui, mais il réussit à reprendre son trône (~ 240) et fit mettre à mort Agis.

LÉONOV (Léonid Maximovitch). ♦ Romancier soviétique (Moscou, 1899 –). Il exprima à travers ses romans l'évolution de la pensée sociale et artistique de son époque : *Les Blaireaux* (1925), qui aborde les problèmes des paysans, *Le Voleur* (1927), remanié en 1957, qui met en scène de petits artistes, *La Rivière Sott* (1929), qui traite de l'industrialisation, *Skoutarevski* (1933) et *La Route vers l'Océan* (1935), qui situent l'évolution des intellectuels. Sa pièce *L'Invasion* (1942) glorifie l'héroïsme patriotique du peuple russe. Enfin *La Forêt russe* (1953) montre le cheminement de l'intellectuel russe qui veut servir son peuple dans la Révolution. (Prix Lénine, 1957.)

LEONTIEV (Constantin Nikolaievitch) [*Leontev*]. ♦ Philosophe et conteur russe (gouvernement de Kalouga, 1831 – Moscou, 1891). Successivement médecin puis moine, il fut attiré par l'amour que les slavophiles* portaient à l'originalité de la vie russe. Il exposa son idée d'une civilisation individuelle se suffisant à elle-même dans *La Russie, l'Orient et les Slaves* (1885-1886). Profondément réactionnaire et nationaliste, il voulait « congeler la Russie afin de l'empêcher de pourrir ». Il détestait l'influence de l'Occident athéiste et démocratique qui, selon lui, détruisait la beauté d'une société complexe. Méprisant la morale conventionnelle, il a été surnommé le Nietzsche* russe. Critique littéraire, il fit une étude *Sur les romans de Tolstoï, analyse, style et atmosphère* (1890).

LEOPARDI (Giacomo, ***comte*****).** ♦ Écrivain italien (Recanati, Marches, 1798 – Naples, 1837). De santé très délicate, il vécut, dès l'enfance, dans une grande solitude, s'acharnant à des études « folles et désespérées » où il manifesta une précocité exceptionnelle. À quinze ans il effectuait des travaux philologiques d'une considérable importance et se montrait un érudit de valeur. À vingt ans, devenu à demi infirme, très atteint par une désillusion amoureuse (*Premier Amour*, 1818), il connut une « conversion philosophique » qui l'amena à une vue matérialiste de l'univers. Ses ouvrages en prose traduisent cette conception pessimiste, *Les Petites Œuvres morales* (*Operette morali*, 1826-1827), *Les Cent Onze Pensées* (*Cento undici pensieri*, posthume, 1845), et son recueil de *Pensées diverses* (*Zibaldone;* posth., 1900). Désormais, malgré quelques essais pour échapper à son milieu familial, malgré des années d'errance (Milan, Bologne, Florence, Pise, Parme, ...) à partir de 1825, il resta toujours attaché à sa terre natale, chantant dans toute son œuvre poétique le thème désespérant de la jeunesse et de l'espoir enfuis (*À Sylvie*). Ses *Poésies lyriques* (*Canti*, 1824 à 1835) sont d'admirables variations sur quelques thèmes fondamentaux; même si « tout est vanité, hormis la douleur », même si l'homme n'est que néant face à la nature indifférente (Cf. *Le Genêt ou la Fleur du désert*), subsiste la joie du printemps et de la jeunesse, poignante parce que éphémère (« Plaisir, fils d'angoisse »). Ces quarante et un poèmes offrent des pièces de caractère nationaliste (*À l'Italie; Sur le monument de Dante*) ou d'intention morale (*Brutus le Jeune*, 1821; *Au vainqueur du ballon*, 1821) avant de chanter la désespérance du poète (*La Vie solitaire*, 1821; *L'Infini*, 1819). Dans d'admirables idylles, *Le Calme après la tempête* (*La Quiete dopo la tempesta*, 1829) et le *Chant nocturne d'un berger errant de l'Asie* (*Canto notturno di un pastore errante dell'Asia*, 1830), Leopardi sut traduire en des vers denses et pudiques le malheur de vivre quand « intact (est) le désir et l'espoir disparu ».

LÉOPOLD III DE BABENBERG, le Pieux. ♦ (Melk, v. 1073 – 1136.) Margrave d'Autriche (1095-1136). Il fonda Vienne. Il fut canonisé en 1484.

LÉOPOLD V DE BABENBERG. ♦ (1157 – 1194). Duc d'Autriche (1177-1194). Il captura Richard* Cœur de Lion (1192) et le vendit à l'empereur Henri VI. Il acquit la Styrie (1192).

LÉOPOLD VI DE BABENBERG, le Glorieux. ♦ (1176 – San Germano, 1230). Duc d'Autriche (1194-1230). Fils et successeur du précédent, il fit la croisade en Espagne (1212) et en Terre sainte (1217-1219).

LÉOPOLD Ier DE HABSBOURG. ♦ (v. 1290 – Strasbourg, 1326). Duc d'Autriche (1308-1326). Fils d'Albert Ier, empereur germanique, il fut vaincu au Morgarten* par les confédérés suisses, défaite qui assura aux Suisses leur indépendance définitive (1315).

LÉOPOLD III DE HABSBOURG. ♦ (1351 – Sempach, 1386). Duc d'Autriche (1365-1386). Il acquit aux Habsbourg, Fribourg-en-Brisgau (1368), Trieste (1382) et une partie du Vorarlberg. Il fut vaincu et tué par les Suisses à la bataille de Sempach. **(V. Winkelried** [Arnold de]**).**

LÉOPOLD Ier. ♦ (Vienne, 1640 – *id.*, 1705). Empereur d'Allemagne (1685-1705), archiduc d'Autriche, roi de Bohême et de Hongrie. Quand il succéda à son père Ferdinand* III, il dut immédiatement lutter contre les Turcs qu'il repoussa grâce à la victoire de Montecuccoli* à Saint-Gotthard* (1664). Le soulèvement de la Hongrie entraîna une nouvelle agression turque et Vienne, assiégée, ne fut sauvée que grâce à l'intervention de Jean* III Sobieski. La contre-offensive, menée par de grands généraux comme Charles de Lorraine et le Prince Eugène*, aboutit à la paix

Ph. PSZ/Ricciarini

Léopold Ier.

Ph. M. Pedone/Ricciarini

G. Leopardi, par Ferrazzi.

de Karlowitz* (1699). Léopold fut moins heureux dans ses guerres contre Louis* XIV; il dut signer la paix de Nimègue* (1679), celle de Ryswick* (1697) et mourut au cours de la guerre de Succession* d'Espagne. Cultivé, d'une grande piété, il avait fait de ses possessions un état centralisé autour de Vienne et sut encourager la vie intellectuelle (il protégea Leibniz*).

LÉOPOLD II. ♦ (Vienne, 1747 – *id.*, 1792). Grand-duc de Toscane (1765-1790) et empereur d'Allemagne (1790-1792). Second fils de François Ier et de Marie-Thérèse, il succéda à son frère Joseph II à la tête de l'Empire. Il avait d'abord été grand-duc de Toscane (sous le nom de LÉOPOLD Ier) et s'y était comporté en despote éclairé, très libéral. Les difficultés dans lesquelles il trouva l'Autriche expliquent qu'il ait dû renoncer à une grande partie des réformes de son frère. Il réussit ainsi à soumettre les Pays-Bas (1790), puis Liège (1791), à apaiser la Hongrie et à terminer la guerre contre les Turcs (paix de Sistova, 1791). En face de la Révolution française, il conserva une attitude très prudente, bien qu'il fût le frère de Marie-Antoinette, malgré la déclaration de Pillnitz* (1791), et la guerre ne fut déclarée que par son successeur, son fils François* II.

LÉOPOLD Ier DE SAXE-COBOURG. ♦ (Cobourg, 1790 – Laeken, Bruxelles, 1865). Roi des Belges (1831-1865). Prince de Saxe-Cobourg, il servit dans l'armée russe et combattit Napoléon. Après 1815, naturalisé anglais, il épousa l'héritière du trône d'Angleterre, Charlotte, qui mourut en 1817. Le Congrès belge, réuni en 1830, l'élut roi des Belges sur proposition de Joseph Lebeau*, le 4 juin 1831. Il influa sur le Congrès de Londres pour aboutir à un règlement favorable à la Belgique. Peu après son arrivée, il défendit la Belgique contre l'attaque hollandaise et acquit rapidement une grande popularité. En 1832, il épousa Louise-Marie d'Orléans, fille aînée de Louis-Philippe. Utilisant son influence personnelle et ses relations familiales, il protégea la Belgique contre les ambitions de la Prusse et de la France; il intervint en outre en politique internationale pour le maintien de la paix en Europe. À l'intérieur, il favorisa l'union des catholiques et des libéraux. – Père de Léopold* II, de Philippe, comte de Flandre, de Charlotte* (future impératrice du Mexique).

LÉOPOLD II. ♦ (Bruxelles, 1835 – Laeken, Bruxelles, 1909). Roi des Belges (1865-1909). Fils de Léopold* Ier, il poursuivit la politique de son père, contrecarrant les ambitions de Napoléon III (1866-1869). En 1853, il épousa Marie-Henriette d'Autriche, mais cette union fut malheureuse et la vie privée du roi défraya fréquemment la chronique. Ambitieux et autoritaire, il parvint à donner à son pays le rang de puissance européenne et coloniale. La Belgique devint sous son règne une nation prospère (essor industriel et commercial) et militairement forte (notamment après 1890, le danger d'un conflit devenant évident). Son action dans la politique coloniale de l'Europe en Afrique fut déterminante. Il fonda l'*Association internationale africaine*, chargea Stanley* d'explorer le Congo et y créa un « État indépendant » dont le Congrès de Berlin le reconnut comme souverain (1885). Il légua par testament (1889; accepté par la Chambre belge en 1908) son royaume du Congo à la Belgique, donnant ainsi à son pays une place notable dans les rangs des nations impérialistes. **V. Congo.**

LÉOPOLD III. ♦ (Bruxelles, 1901). Roi des Belges (1934-1951). Fils d'Albert* Ier, il fit des études en Angleterre (Eton), puis voyagea en Amérique, en Afrique et en Extrême-Orient. Il épousa la princesse Astrid* de Suède en 1926. Il devint roi à la mort de son père (1934) et perdit sa femme en 1935. Devant la menace de conflit, il réaffirma la neutralité de la Belgique en 1936. Lorsque l'Allemagne envahit son pays (10 mai 1940), il dirigea en personne les opérations; ayant accepté le plan allié de retrait sur l'Escaut, qui livrait une partie de son territoire à l'ennemi, il dut peu après déposer les armes (28 mai 1940) devant la disproportion écrasante des forces. Cette décision fut contestée. Léopold III fut gardé par les Allemands dans son château de Laeken et refusa toute collaboration avec eux. En 1944, il fut emmené en Allemagne avec ses fils (Albert, prince de Liège, et le futur Baudouin Ier); il fut peu après libéré par les Alliés. Mais en Belgique, les socialistes et les libéraux, critiquant son attitude de 1940 (malgré la relation publiée en 1941 par le gouvernement belge exilé à Londres et qui le mettait hors de cause), manifestèrent leur hostilité au souverain. Celui-ci se retira en Suisse et le prince Charles, son frère, accepta la régence, le roi se trouvant écarté du pouvoir avant qu'un vote ne l'y autorise (loi du 19 juill. 1945). Un plébiscite (mars 1950) lui redonna le pouvoir, et il revint à Bruxelles en juillet, pour se trouver devant de graves difficultés intérieures. Léopold III nomma son fils Baudouin « prince royal » (août 1950) et abdiqua en sa faveur en juill. 1951. Il se retira alors de la vie politique.

LÉOPOLDVILLE. ♦ Anc. nom de Kinshasa*.

LÉOTYCHIDE, en gr. **Leotukhidas.** ♦ ([mort] Tégée, ~ 469). Roi de Sparte (~ 491-~ 469) conjointement avec Cléomène* Ier, il commanda avec le stratège athénien Xanthippos* la flotte alliée grecque qui remporta sur les Perses la victoire de Mycale* (~ 479). **V. Médiques** *(guerres)*. Condamné plus tard pour corruption, il mourut en exil.

LÉOVIGILD. ♦ Roi des Wisigoths v. 568 – Tolède, 586), frère de Liuva* Ier. Il conquit le royaume des Suèves*. Il tenta de faire l'unité en imposant l'arianisme et persécuta les catholiques, tuant même l'un de ses fils Herménégild, coupable de catholicisme.

LÉPANTE ou **NAUPACTE,** en gr. **Naupaktos** ou **Epakhtos.** ♦ V. de Grèce (nome d'Étolie-et-Arcanie), à l'entrée du golfe de Corinthe. 8 420 hab. ♦ *Hist.* Fortifiée par les Vénitiens (1417-1699), la ville résista longtemps aux Turcs. C'est au large de la ville qu'eut lieu la *bataille de Lépante* (1571). La flotte chrétienne de la Sainte Ligue (Espagne, Venise, Saint-Siège), sous le commandement de don Juan* d'Autriche, mit en déroute la flotte turque d'Ali Pacha. Cette victoire qui provoqua une explosion de joie dans toute la chrétienté mettait fin à la légende de l'invincibilité ottomane, mais n'eut pas de conséquences positives immédiates.

Coll. Cauboue

Antoine Le Pautre : « Coupe de la chapelle du couvent de Port-Royal de Paris ». (Bibliothèque nationale, Paris.)

LE PAUTRE (Jean). ♦ Dessinateur, graveur et ornemaniste français (Paris, 1618 – *id.*, 1682). Il publia de nombreux recueils de gravures : planches d'architecture et de décorations où se déploie une imagination fougueuse et pleine de fantaisie (projets de fontaines « à l'italienne » ou « à la romaine, influencés par le Bernin »). Il fut aussi un habile chroniqueur *(Le Sacre de Louis XIV)* et contribua par la variété et la richesse de ses motifs ornementaux à l'élaboration du style Louis XIV. ♦ ANTOINE LE PAUTRE. Architecte et décorateur français (Paris, 1621 – *id.*, 1691). Frère du précédent, il édifia la *chapelle du couvent de Port-Royal* à Paris (la Maternité) en adoptant un parti sobre et monumental (emploi de l'ordre colossal), dont l'esprit s'accorde avec la rigueur janséniste. Il devint l'architecte du duc d'Orléans, exécuta notamment des travaux pour le parc et le château de Saint-Cloud. Il manifesta son tempérament baroque dans l'*hôtel de Beauvais* (1654) à Paris, au décor animé et en fort relief, et adopta un parti pris ingénieux.

LE PELETIER (ou LEPELETIER) DE SAINT-FARGEAU (Louis-Michel). ♦ Homme politique français (Paris, 1760 – *id.*, 1793). Député de la Noblesse aux États généraux (1789), rallié parmi les premiers au Tiers État, il proposa à l'Assemblée quelques réformes de la justice. Réélu à la Convention (1792), il vota pour la mort du roi sans appel ni sursis; assassiné le lendemain (20 janvier 1793) par un royaliste, l'ancien garde du corps du nom de Pâris, il fut placé au rang de « martyr de la liberté », comme Marat, lors de la Convention montagnarde.♦FERDINAND LOUIS LE PELETIER DE SAINT-FARGEAU, son frère – Homme politique français (Paris, 1767 – *id.*, 1837). Partisan des idées révolutionnaires, membre du Club des jacobins, il fut impliqué dans la conspiration de Babeuf* (1796) puis dans l'attentat de la rue Saint-Nicaise (1800), après lequel il fut interné à l'île de Ré, puis exilé en Suisse (1803).

LÉPIDE, en lat. **Marcus Aemilius Lepidus.** ♦ Homme politique romain (~ Ier s.). Partisan de Sylla* puis de Pompée*; consul en ~ 78, il tenta de restituer à son profit la dictature de Sylla et fut vaincu par Pompée (~ 77).

LÉPIDE, en lat. **Marcus Aemilius Lepidus.** ♦ Homme politique romain (mort à Ciceii, ~ 13). Ancien maître de la cavalerie de César*, il forma avec Octave **(V. Auguste)** et Antoine* le 2e triumvirat (27 nov. ~ 43) et reçut l'Espagne, la Gaule Narbonnaise puis l'Afrique; mais Octave lui enleva progressivement tout pouvoir.

LÉPINE (Stanislas). ♦ Paysagiste français (Caen, 1835 – Paris, 1892). Élève de Corot*, il peignit avec une gamme raffinée des vues de Paris et des paysages (rives de fleuve, etc.) solidement construits et où apparaissent une sensibilité à l'atmosphère et un sens de la lumière qui, dans une certaine mesure, annoncent l'impressionnisme.

LÉPINE (Louis). ♦ Administrateur français (Lyon, 1846 – Paris, 1933). Préfet de police sous la Troisième République (1893-1897, 1899-1912), il organisa la réglementation de la circulation et créa les brigades cyclistes pour accroître l'efficacité de la police parisienne. Il institua à partir de 1902 les expositions annuelles organisées par l'Association des inventeurs et fabricants français, connues sous le nom de *Concours Lépine.*

LÉPINE ou **L'ÉPINE.** ♦ Comm. de la Marne (arr. de Châlons-sur-Marne), en Champagne pouilleuse, sur la Vesle. 329 hab. Vaste église Notre-Dame-de-l'Épine (gothique), but de pèlerinages.

LE PLAY (Frédéric). ♦ Ingénieur, économiste et sociologue français (La Rivière-Saint-Sauveur, Calvados, 1806 – Paris, 1882). Polytechnicien, il devint conseiller d'État (1855), sénateur (1867-1870) et créa la Société d'économie sociale (1856), dont la Science sociale, fondée par Demolins constitua une tendance dissidente. Initiateur de la méthode monographique en sociologie, il fut le principal représentant du catholicisme social de tendance conservatrice et traditionaliste, cherchant à réformer la société en restaurant l'autorité des propriétaires, des patrons et des pères de famille. Ses idées influencèrent directement le mouvement social patronal (paternalisme) de la deuxième moitié du XIXe siècle. (*L'Ouvrier européen; La Réforme sociale,* 1864.)

Lépreux de la cité d'Aoste (Le). ♦ Récit de Xavier de Maistre* (1811), où s'expriment des sentiments humanitaires. Un lépreux dialogue avec l'auteur et lui confie le désespoir qu'il éprouve à être isolé de la société humaine.

LE PRIEUR (Yves). ♦ Officier de marine et inventeur français (Lorient, 1885 – Nice, 1963). Il effectua le premier vol officiel en Extrême-Orient (Tokyo, 9 déc. 1909) à bord d'un planeur remorqué par une automobile. Inventeur d'un correcteur de route pour avion (navigraphe) utilisé pour la première traversée aérienne du Sahara (1925) et du procédé de décor cinématographique de la transparence (1928), il est surtout connu pour avoir conçu le premier scaphandre autonome pratique (1926) et sa deuxième version à détendeur automatique, adoptée par la Marine nationale en 1935. **V.** *aussi* **Cousteau.**

LEPRINCE DE BEAUMONT (Jeanne-Marie). ♦ Écrivain français (Rouen, 1711 – Annecy, 1780). Séparée de son mari, elle vécut en Angleterre (1745 à 1760) comme éducatrice et y fonda *Le Nouveau Magasin français,* recueil littéraire et scientifique destiné à la jeunesse. Déjà connue par un roman *Le Triomphe de la vérité* (1748), auteur de nombreux ouvrages empreints de moralisme, elle reste surtout célèbre par ses contes, groupés dans *Le Magasin des enfants* (1757; recueil où figure *La Belle et la Bête*), *Le Magasin des adolescents* (1760) et *Le Magasin des pauvres* (1768).

LEPRINCE-RINGUET (Louis). ♦ Physicien français (Alès, 1901). Auteur de recherches sur les rayons cosmiques, il détermina la masse de plusieurs types de mésons **(V.** *aussi* **Anderson, Yukawa)** et participa à la découverte des hypérons [particules instables de masse supérieure à celle du neutron]. (Acad. sc., 1949; Acad. fr., 1966.)

LEPSIUS (Karl Richard). ♦ Égyptologue allemand (Naumburg, 1810 – Berlin, 1884). Après une formation philologique (étude du sanskrit, du copte et des hiéroglyphes), il se consacra à l'égyptologie. Il s'intéressa particulièrement aux textes funéraires et publia en 1842 une étude fondamentale sur le Livre* des Morts. Au cours d'un voyage en Égypte, il découvrit le « décret de Canope », inscription trilingue qui confirmait les résultats obtenus par Champollion*. Il est l'auteur de *Monuments d'Égypte et d'Éthiopie* (*Denkmäler aus Ägypten und Äthiopien,* 1849-1859).

LEPTIS MAGNA, auj. **Lebda.** ♦ V. antique de Tripolitaine* (Libye) sur la côte méditerranéenne, à l'E. de Tripoli. Fondée par les Phéniciens, elle tomba sous la domination de Carthage puis de Rome. Elle eut un rôle commercial considérable. – Ruines romaines importantes. – Patrie de Septime* Sévère.

LÊ QUI DÔN. ♦ Homme politique et historien vietnamien (1726 – 1783), d'expression vietnamienne et chinoise, auteur d'une œuvre encyclopédique très abondante et célèbre.

LEQUIER (Jules). ♦ Philosophe français (Quintin, 1814 – Plérin, près de Saint-Brieuc, 1862), un précurseur du néo-criticisme en France **(V. Renouvier).** Chez lui, le problème de la liberté humaine répond à une préoccupation profondément chrétienne. (*Recherche d'une première vérité,* publié en 1865.)

LÊ QUI LY. ♦ **V.** Hô Quí Ly.

LERAY (Jean). ♦ Mathématicien français (Chantenay, près de Nantes, 1906). Auteur de travaux de topologie algébrique, il créa la technique des suites spectrales et la notion fondamentale de faisceau. Il étudia les équations fonctionnelles, faisant intervenir la topologie. On lui doit également des études sur les équations aux dérivées partielles (problème de Cauchy* notamment) qui l'amenèrent à mettre en évidence la nécessité de considérer des « solutions » qui ne soient pas des fonctions dérivables au sens usuel. **V. Sobolev.** (Acad. sc., 1953.)

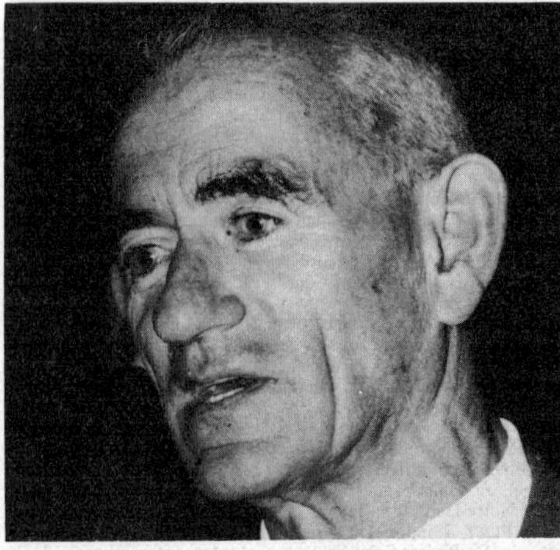

Ph. Louis Monier

Louis Leprince-Ringuet

LÉRÉ. ♦ Ch.-l. de cant. du Cher, arr. de Bourges. 923 hab. Collégiale Saint-Martin, romane et gothique. Crypte du IXe siècle.

LERICHE (René). ♦ Chirurgien français (Roanne, 1879 – Cassis, 1955). Il s'est particulièrement occupé de la chirurgie du sympathique, des maladies artérielles *(syndrome de Leriche),* de la physiologie normale et pathologique des tissus osseux. Il s'est également attaché à analyser en médecin le phénomène de la douleur, les rapports entre la santé et la maladie (*La Chirurgie de la douleur,* 1937; *Philosophie de la chirurgie,* 1951).

LE RICOLAIS (Robert). ♦ Ingénieur et architecte français (La Roche-sur-Yon, 1894). D'abord ingénieur hydraulicien, il mit au point des éléments constructifs rigides, légers et résistants (brevet des tôles composées, 1934-1935). Il s'intéressa aux problèmes posés par les « structures spatiales » constituées d'éléments modulaires identiques, préfabriqués, d'un montage simple et susceptibles de couvrir de vastes surfaces à portées ininterrompues. Il étudia les structures réticulées, élabora des charpentes métalliques tridimensionnelles, puis conçut des structures combinées à partir de réseaux de câbles d'acier, de treillis tubulaires et de matériaux tressés. Auteur notamment d'un hangar à *Clairvivre* (Dordogne, 1958), de la charpente de l'*église Saint-Wandrille* à Belleville-en-Caux (1959) et d'un hangar à Yaoundé (1948-1950), il s'est établi aux États-Unis en 1951.

LÉRIDA, en catalan **Lleida.** ♦ V. d'Espagne orientale, en Catalogne*. Ch.-l. de prov. sur la Segre. 72 100 hab. Évêché. *Catedral Vieja* de style roman cistercien (1203-1278), l'un des plus beaux monuments d'Espagne. – Important centre agricole (siège de l'Institut national de colonisation). Indus. textiles.

LÉRINS [leʀɛ̃s] *(îles de).* ♦ Îles de la Côte d'Azur (Alpes*-Maritimes) au large de Cannes* (île Sainte-Marguerite, île Saint-Honorat). ♦ *Hist.* Vers 400 saint Honorat y fonda une communauté ascétique, germe d'un monastère qui rayonna surtout aux Ve-VIe s. avec les saints Hilaire d'Arles, Vincent de Lérins, Loup* de Troyes, Césaire d'Arles.

LERMA (Francisco Gómez de Sandoval y Rojas, *comte* puis *duc de***).** ♦ Homme politique espagnol (1550 – Valladolid, 1625). Favori et ministre de Philippe* III, il gouverna en fait l'Espagne de 1598 à 1618. Sa politique extérieure fut pacifique, mais, à l'intérieur, il se préoccupa surtout d'échafauder une fortune scandaleuse, favorisée par l'expulsion des musulmans espagnols (morisques*). Il fut supplanté par son propre fils, le duc d'Uzeda (Lesage* l'a dépeint dans *Gil Blas*).

LERMA (río). *n. m.* ♦ Riv. du Mexique née à l'O. de Mexico, et qui constitue le cours supérieur du río Grande* de Santiago, dans sa traversée du lac de Chapala*.

LERMONTOV (Mikhaïl Iourievitch) [*Ljermontov*]. ♦ Poète et romancier russe (Moscou, 1814 – Piatigorsk, Caucase, 1841). Lermontov est un romantique, il a lu Vigny* et Stendhal*, mais c'est de Byron* qu'il a subi surtout l'influence. De sa jeunesse, il faut retenir deux envolées lyriques : *La Voile, L'Ange* (1831). Plus tard, indigné par la mort absurde de Pouchkine*, il écrivit le mémorable poème : *La Mort du poète* (1837) qui le rendit célèbre, tout en lui valant d'être exilé au Caucase. Alors il exprima dans ses poèmes la solitude angoissante dans laquelle il se trouvait et la difficulté qu'il avait à s'adapter au monde, méprisant trop le « troupeau humain » (*Le Démon,* 1838, *Le Novice,* Mtsyri, 1838). Il écrivit aussi des poèmes épiques *(Borodine, Le Chant du marchand Kalachnikov)* et réalistes *(Le Testament, Valerik). Un héros de notre temps* (1839-1840) est le premier roman psychologique écrit en Russie. Provoqué en duel par le commandant Martynov, Lermontov fut tué le 15 juillet 1841.

LERNE, en gr. **Lernê.** ♦ Lac et marais du Péloponnèse (Argolide) célèbre par la légende de l'hydre tuée par Héraclès. Les eaux souterraines du haut-plateau de Mantinée y jaillissent en trois sources.– Site d'une agglomération préhistorique fortifiée; vestiges néolithiques et mycéniens.

LEROI-GOURHAN (André). ♦ Ethnologue et préhistorien français (Paris, 1911). Il s'est consacré à des travaux d'ethnologie préhistorique et contemporaine et s'est intéressé en particulier aux problèmes posés par les techniques. (*Civilisation du renne,* 1936; *L'Homme et la Matière,* 1943; *Milieu et Techniques,* 1945; *Archéologie du Pacifique Nord,* 1946, etc.)

LEROI JONES. ♦ Poète, auteur dramatique et romancier américain (Newark, 1934). Noir, champion de la négritude la plus intransigeante, Leroi Jones s'est d'abord fait connaître comme poète. Il voulait faire de la poésie, techniquement explosive, avec « tout ce qu'on peut arracher aux ordures de la vie ». L'affrontement sexuel entre le Noir et la Blanche de *L'Esclave* (1964) symbolise la fatalité raciste qui domine et écrase le Noir comme le Blanc. Dans son essai *Le Peuple du blues* (1963), Leroi Jones s'efforce de montrer le passage du blues, « la plus fidèle imitation de la voix humaine », au jazz, chant d'espoir.

LEROUX (Pierre). ♦ Philosophe, publiciste et homme politique français (Bercy, 1797 – Paris, 1871). Admis à l'École polytechnique, il dut renoncer à poursuivre ses études en raison de difficultés matérielles. Maçon, puis typographe, il devint collaborateur au journal *le Globe* (1824), qui, en grande partie sous son influence, fut bientôt le porte-parole du saint-simonisme **(V. Saint-Simon).** Dès 1831 en effet, P. Leroux s'était rallié au groupe des saint-simoniens, et, lors de la querelle qui opposa Enfantin à Bazard, prit le parti de ce dernier. Apôtre de la solidarité humaine, il exposa dans son principal ouvrage (*De l'humanité, de son principe et de son avenir, où se trouve exposée la vraie définition de la religion* [...], 1840) les grands principes de son socialisme à caractère religieux. En collaboration avec G. Sand*, dont il était devenu l'ami, et de M. Viardot, il fonda *la Revue indépendante* (1841). Pour appliquer ses idées égalitaires, il créa en 1845 une imprimerie à Boussac (Creuse), où il fit paraître *la Revue sociale.* Lors de la révolution de 1848, il y proclama la république et y fut nommé maire. Député à l'Assemblée constituante (1848), réélu à l'Assemblée législative (1849), il siégea avec l'extrême gauche (la Montagne). Le coup d'État du 2 décembre 1851 le contraignit à l'exil en Angleterre, puis à Jersey. Rentré en France (1869), il ne se mêla plus directement à la vie politique. Il a laissé plusieurs ouvrages politiques parmi lesquels *Sept Discours sur la situation actuelle de la société et de l'esprit humain* (1841), *De l'humanité, solution pacifique du problème du prolétariat* (1848), *Projet d'une constitution démocratique et sociale* (1848), et un grand poème socialiste, *La Grève de Samarez* (1863-1864).

LEROUX (Gaston). ♦ Romancier français (Paris, 1868 – Nice, 1927). Il collabora à divers journaux (dont *le Matin*), avant de mettre au point un personnage de détective amateur capable de dénouer les situations les plus mystérieuses, Rouletabille. D'une perspicacité exceptionnelle, son héros s'entend à utiliser « le bon bout de la raison », pour résoudre les énigmes policières présentées dans *Le Mystère de la chambre jaune* (1907), *Le Parfum de la dame en noir* (1907), *Rouletabille chez le tsar, Le Château noir.* Le goût de la mystification s'y exprime par les substitutions et les transformations les plus abracadabrantes. Au cycle de *Rouletabille,* succéda le cycle de *Chéri-Bibi,* qui développe les aventures inquiétantes d'un évadé de Cayenne, hors-la-loi involontaire qu'accable la société *(Chéri-Bibi et Cécily; Fatalitas; Palas et Chéri-Bibi; Le Coup d'État de Chéri-Bibi).* Les exploits de ces deux héros furent souvent portés à l'écran.

LE ROY (Pierre). ♦ Horloger français (Paris, 1717 – Viry, 1785). Maître des horlogers de Paris (1737), il est à l'origine de la chronométrie moderne. Ayant publié le premier ses documents, il semble avoir découvert, avant Berthoud*, l'isochronisme du spiral (1769).

LE ROY (Édouard). ♦ Mathématicien et philosophe français (Paris, 1870 – 1954). Hostile au scientisme, il a proposé une conception nominaliste du savoir scientifique, destiné selon lui à des fins pratiques. Influencé par la pensée de Bergson*, il a voulu subordonner l'idée au réel et le réel à l'action. Il a critiqué la théologie traditionnelle et insisté sur le caractère éthique des dogmes : son ouvrage *Dogme et Critique* (1907) fut directement visé par l'encyclique « Pascendi » du pape Pie X comme « moderniste » (1907). **V. Laberthonnière, Tyrrell, M. Blondel.** (Acad. fr., 1945.)

LEROY-BEAULIEU (Paul). ♦ Économiste français (Saumur, 1843 – Paris, 1916). Gendre de M. Chevalier, il fut un des principaux représentants de l'École libérale et fonda *l'Économiste français* (1873); *La Répartition des richesses* (1896).

LÉRY (Jean *de*). ♦ Voyageur français (La Margelle, Léry, Bourgogne, v. 1534 – L'Isle-près-Montrichet, pays de Vaud, v. 1613). Protestant réfugié à Genève, il fit un voyage au Brésil; il en donna la description et étudia la vie, les mœurs et coutumes des populations indigènes (Tupinambas) dans son *Histoire d'un voyage fait en la terre du Brésil* (1578).

LESAGE (Alain René). ♦ Romancier et auteur dramatique français (Sarzeau, 1668 – Boulogne-sur-Mer, 1747). Avocat sans fortune, puis écrivain professionnel, il se fit le traducteur des dramaturges espagnols avant de connaître le succès avec *Crispin*, rival de son maître* (1707), comédie inspirée de Hurtado* de Mendoza, puis avec un roman de mœurs, *Le Diable* boiteux* (1707). La comédie de *Turcaret* ou le Financier* (1709) fit scandale, tandis que *l'Histoire de Gil* Blas de Santillane,* œuvre réaliste (1715-1735), manifestait le talent de psychologue et la justesse du style alerte de Lesage. Original par ses attaques extrêmement audacieuses contre tous les rangs de la société de la Régence, brossant avec réalisme une vivante galerie de types humains, Lesage écrivait « avec facilité, avec un don de récit et de mise en scène qui était son talent propre » (Sainte-Beuve).

LESAGE (Jean). ♦ Homme politique canadien (Montréal, 1912). Député libéral, il fut Premier ministre du Québec de 1960 à 1966. Il préconisait le réformisme hardi (la « révolution tranquille »).

LESBIE. ♦ Nom poétique donné par Catulle* à sa maîtresse Clodia, femme du proconsul de Cisalpine Q. Metellus Celer (en ~62 et ~61); il la comparait ainsi implicitement à Sappho*, la poétesse et l'amoureuse de Lesbos*.

LESBOS ou MYTILÈNE. ♦ Île grecque de la mer Égée* près de la côte turque (golfe d'Edremit). 1 630 km². 97 010 hab. *(Lesbiens).* Elle forme, avec les îles de Lemnos* et d'Hagios Eustratios, le *nome de Lesbos.* 2 154 km². 114 800 hab. *Ch.-l.* Mytilène*, port

Arch. Rencontre

Pierre Lescot : le Louvre, façade Henri II.

sur la côte Est. L'île, de forme triangulaire, entaillée par deux baies profondes aux entrées étroites, celle de Géra au S.-E. et celle de Kalloné au S.-O., est montagneuse avec des plaines fertiles. Produits : huile, vins, fruits, tabac. Extraction de marbre et de minerais (magnésie, etc.). Élevage de moutons. Pêche (sardines de Kalloné). – Forêt pétrifiée près de Sygri. ♦ *Hist.* Le premier habitat dans l'île, attesté par les fouilles (Thermi), remonte au début de l'âge de bronze (~3400). Des vestiges de l'époque mycénienne ont également été découverts. Peuplée par les Éoliens* (~XIe s.) qui fondèrent ensuite Smyrne*, ainsi que de nombreuses colonies en Troade et en Thrace, Lesbos fut le centre de l'Éolide. Elle devint, dès le ~VIIe s., le foyer de la civilisation éolienne, illustrée par les grands poètes lyriques et les musiciens Sappho*, Alcée*, Terpandre*, Arion* **(V. *aussi* Pittacos, Théophraste, Longus).** Au bout de longues luttes intestines, Mytilène* imposa v. ~600 son autorité sur les autres cités de l'île à l'exception de Méthymne (*auj.* Molyvos). Ces cités connurent une grande prospérité (~VIe-~Ve s.) qui favorisa l'enracinement de la tradition culturelle et des mœurs réputées libres de ses habitants. L'émancipation des femmes de Lesbos, raillée surtout par la comédie attique, leur conféra une réputation particulière (d'où le terme *lesbienne* désignant la femme homosexuelle). – Soumise aux Perses après l'invasion de la Lydie (~546), Lesbos fut membre de la ligue de Délos* (~476). Révoltée contre l'Empire athénien en ~428, elle fut durement punie **(V. Athènes).** L'histoire ultérieure de l'île est une longue suite de dominations : celle des Macédoniens, de Mithridate VI du Pont, des Romains, des Byzantins, des Saljûqides, des Vénitiens, des Francs. Cédée par les Byzantins à la famille génoise de Cateluzzi (1355), elle fut conquise par les Turcs en 1462 et resta sous la domination ottomane jusqu'en 1912.

LESCAR. ♦ Ch.-l. de cant. des Pyrénées*-Atlantiques, arr. de Pau*. 3 383 hab. *(Lescariens).* – Anc. cathédrale romane; ruines du château de l'Esquirette (XIVe siècle). ♦ *Hist.* Anc. *Beneharnum,* ville romaine importante qui donna son nom au Béarn*.

LESCARBOT (Marc). ♦ Avocat, écrivain et voyageur français (Vervins, v. 1570 – entre 1630 et 1634). Après un voyage en Acadie (Canada, 1606-1607), il a publié la première *Histoire de la Nouvelle France* (1609).

LESCOT (Pierre). ♦ Architecte et peintre français (Paris, 1515 – *id.,* 1578). Issu d'une riche famille de robe, il étudia l'architecture et les mathématiques, entretint ensuite des relations avec les humanistes et les poètes et obtint très jeune la faveur de la cour. Il édifia le jubé de *Saint-Germain-l'Auxerrois* (1541-1544), auquel collabora, pour la sculpture, Jean Goujon*. Il est surtout célèbre pour avoir conçu à la demande de François Ier le « nouveau » *Louvre**, dont il poursuivit les travaux sous Henri II (aile S.-O. de la *cour Carrée* jusqu'en 1556). Cette œuvre atteste une parfaite assimilation des principes et des motifs ornementaux italiens issus de l'Antiquité, en même temps que la volonté d'adapter ces modèles aux traditions françaises, concourant ainsi à la formation d'un style original, caractéristique de la Renaissance française. On lui attribue aussi, en collaboration avec Goujon*, *la fontaine des Innocents* et *l'hôtel de Ligneris* (Carnavalet).

LESCUN (Thomas de Foix, *seigneur de*). ♦ Maréchal de France (? – Milan, 1525). Maréchal de France en 1515, il prit Novare (1522), participa aux batailles de La Bicoque et de Pavie (1525) et mourut de ses blessures.

LESCURE (Louis Marie de SALGUES, *marquis de*). ♦ Chef vendéen (Paris, 1766 – près de Fougères, 1793). Émigré peu après le début de la Révolution, il revint en France où il fut emprisonné après la journée du 10 août 1792; délivré par les Vendéens, dont il devint un des principaux chefs, il contribua à la prise de Fontenay et de Saumur, mais fut mortellement blessé alors qu'il se dirigeait vers Cholet. (Sa femme épousa en secondes noces Louis Du Vergier de La Rochejacquelin.)

LESDIGUIÈRES (François de Bonne, *duc de*). ♦ Connétable de France (Saint-Bonnet, Hautes-Alpes, 1543 – Valence, 1626). Il avait commencé une carrière de magistrat quand il s'engagea comme simple soldat dans l'armée huguenote. Son ascension fut rapide et il prit la tête des protestants du Dauphiné dès 1577.

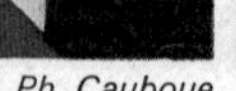

Ph. Cauboue — Ph. Louis Monier

Ferdinand de Lesseps *Le Petit Journal,* **déc. 1894.** — **François de Bonne, duc de Lesdiguières.**

Nommé par Henri* IV lieutenant général des armées de Piémont, de Savoie et de Dauphiné, il s'empara de Grenoble et défit le duc de Savoie (Esparron, 1591; Beauvoisin, 1592). Il resta fidèle à Louis* XIII, combattit à Saint-Jean-d'Angély et à Montauban, fut fait connétable de France.

LE SENNE (René). ♦ Philosophe français (Elbeuf, 1882 – Paris, 1954). Fondateur avec Lavelle* de la collection *Philosophie de l'esprit,* il a développé un rationalisme spiritualiste et moral, faisant de la contradiction (des obstacles) le principe de la vie morale et de l'absolu la source de toutes les valeurs. (*Introduction à la philosophie,* 1925; *Obstacle et Valeur,* 1934; *Traité de morale générale,* 1942.) Il contribua aussi au développement de la caractérologie (*Traité de caractérologie,* 1945).

LESLIE ou **LESLEY (John).** ♦ Prélat et homme politique écossais (Kingussie, 1526 – abbaye de Guirtenburg, près de Bruxelles, 1596). Zélé catholique, il fut l'ambassadeur de Marie Stuart auprès d'Élisabeth Ire (1569). Il fut emprisonné sous prétexte qu'il avait favorisé les projets de mariage de Marie avec le duc de Norfolk. Libéré en 1573, il continua d'intercéder en faveur de Marie Stuart. Il fut nommé évêque de Coutances. Il écrivit une histoire de l'Écosse : *De origine, moribus et rebus gestis Scotorum* (1578).

LESNEVEN [lɛsnəvɛ̃]. ♦ Ch.-l. de cant. du Finistère, arr. de Brest, dans le Léon*. 6 586 hab. *(Lesneviens).* Église, tour (XVIIIe s.). Maisons anciennes; cloître du XVIIe siècle.

LESNIEWSKI (Stanislaw). ♦ Philosophe et logicien polonais (1886 – 1939). Élève de J. Łukasiewicz* représentant de l'école logique analytique de Pologne (école de Varsovie), il a tenté d'élaborer une théorie générale des objets avec pour but la création d'un système logique original qui servirait de fondement aux mathématiques.

LESOTHO. *n. m.,* anc. **Basutoland.** ♦ État d'Afrique australe enclavé dans l'Afrique* du Sud. 30 355 km^2. 1 000 000 d'hab. *Cap.* Maseru. *Langues :* anglais (off.), dialectes bantous. *Pop.* Sothos d'origine bantoue. – *Orogr.* Le Lesotho est un pays montagneux qui occupe le rebord du Drakensberg*. Son climat est tempéré. C'est au Lesotho que prend naissance le fl. Orange*. – *Écon.* Son économie encore archaïque est agro-pastorale, les produits de l'élevage fournissant l'essentiel des ventes à l'étranger (laine, peaux, cuirs). L'industrie y est presque inexistante, mise à part l'extraction des diamants. Il constitue un réservoir de main-d'œuvre pour les mines de l'Afrique du Sud. [*Carte.* **V. Afrique du Sud.**] ♦ *Hist.* Protectorat de la colonie du Cap* en 1871, à la suite de la guerre des Boers (1878-1883), le *Basutoland* devint protectorat britannique en 1884, puis *royaume du Lesotho* après son indépendance en 1966. Membre du Commonwealth*.

LESPARRE-MÉDOC. ♦ Sous-préf. de la Gironde*, ch.-l. d'arr. (4 cant., 32 comm. 39 280 hab.). 3 545 hab. *(Lesparrains).* – Vestiges d'un château fort, donjon carré du XIVe siècle. Vins rouges.

LESPINASSE (Julie *de***).** ♦ (Lyon, 1732 – Paris, 1776). Après avoir longtemps assisté Mme du Deffand*, elle tint elle-même un salon où se réunirent notamment d'Alembert*, Condillac* et Condorcet*. Sa correspondance laisse apparaître une sensibilité déjà romantique (« Il n'y a que l'amour-passion et la bienfaisance qui me paraissent valoir la peine de vivre. »).

LESQUIN. ♦ Comm. du Nord, dans l'arr. et la banlieue S.-E. de Lille*. 4 394 hab. Fours de boulangerie, matériel ferroviaire, appareils électroménagers. – Aérodrome de Lille.

LESSART (Claude Antoine Nicolas Waldec *de***).** ♦ Homme politique français (1741 – Versailles, 1792). Ami de Necker, grâce auquel il fut nommé contrôleur général des Finances (1790), il fut ensuite ministre des Contributions, puis des Affaires étrangères (1791). Hostile à la déclaration de la guerre à l'Autriche (1792), il fut accusé de trahison par les Girondins et tué lors des massacres de septembre 1792.

LESSAY. ♦ Ch.-l. de cant. de la Manche*, arr. de Coutances*, sur l'Ay. 1 375 hab. Restes d'une abbaye bénédictine fondée au XIe siècle. Église romane (XIe-XIIIe s.), endommagée en 1944 et restaurée.

LESSE. *n. f.* ♦ Riv. de Belgique qui prend sa source près de Bouillon (Luxembourg), dans les Ardennes, et qui se jette dans la Meuse* en amont de Dinant. 84 km. Sa vallée borde la Famenne*.

LESSEPS [lesɛps] **(Ferdinand Marie** *vicomte de***).** ♦ Diplomate et administrateur français (Versailles, 1805 – La Chênaie, près de Guilly, Indre, 1894). Fils de MATHIEU MAXIMILIEN PROSPER, *comte de* LESSEPS, diplomate en Égypte, il débuta lui-même dans la carrière diplomatique au Caire puis à Alexandrie (1833-1838) où il se lia avec le prince héritier Sa'īd et s'intéressa au projet des saints-simoniens concernant le percement d'un canal entre la mer Méditerranée et la mer Rouge. Ministre plénipotentiaire à Madrid (1848-1849), puis chargé, auprès d'Oudinot, des négociations entre le pape et la République romaine (1849), il fut disgracié en raison des initiatives trop personnelles qu'il prit dans cette affaire et se retira au château de La Chênaie. Rappelé en Égypte après l'arrivée au pouvoir de Sa'īd (1854), il créa, en dépit de l'opposition des Anglais, la *Compagnie universelle du canal maritime de Suez,* après avoir obtenu l'acte de concession pour le monopole et la jouissance du canal pour une durée de 99 ans. L'inauguration du canal de Suez* eut lieu en 1869 en la présence de l'impératrice Eugénie. F. de Lesseps, auquel le succès de cette entreprise ouvrit les portes de l'Académie des sciences (1873), puis de l'Académie française (1884), devait fonder en 1880 une société pour le percement de l'isthme de Panamá. Après la faillite de la Compagnie (1889) **V. Panamá** [*affaire de*], F. de Lesseps et son fils furent condamnés à cinq ans de prison et 3 000 francs d'amende, condamnation qui fut annulée par la Cour de cassation. F. de Lesseps, dont la santé mentale s'était gravement détériorée après la faillite de la société, devait d'ailleurs mourir sans connaître sa condamnation.

LESSINES, en néerl. **Lessen.** ♦ V. de Belgique (Hainaut, arr. de Soignies) sur la Dendre. 9 300 hab. – Église de 1356 (restaurée en 1951). Hôpital fondé au XIIIe siècle. Musée. – Carrières de porphyre. Fabrique d'allumettes.

LESSING (Gotthold Ephraïm). ♦ Écrivain et auteur dramatique allemand (Kamenz, Saxe, 1729 – Brunswick, 1781). Fils d'un pasteur, il étudia les langues anciennes et le français à l'« école des princes » de Meissen, puis, à Leipzig, la théologie qu'il abandonna bientôt pour la poésie et le théâtre. Ses premières pièces, en particulier *Les Juifs* (*Die Juden,* 1749), annoncent déjà par leur réalisme le drame bourgeois, illustré en 1755 par la pièce *Miss Sara Sampson.* En effet, si le dramaturge a une mission sociale à remplir, il se doit d'exprimer les aspirations sociales de la classe bourgeoise allemande. Inhumaine, aristocratique, la tragédie française ne peut plus être considérée comme un modèle par les dramaturges allemands, comme le voulait Gottsched* contre qui Lessing dirigea ses critiques, tout en cherchant à définir une nouvelle conception du théâtre et de l'art dans les *Lettres sur la littérature* (1759-1765) dirigées par F. Nicolaï* et dans son *Laokoon* (1766), ouvrage d'esthétique sur les rapports de la poésie et de la peinture, dont seule la première partie (sur la poésie) fut achevée. Traducteur depuis 1760 des œuvres de Diderot dont il était l'admirateur, Lessing fut nommé conseiller au théâtre national de Hambourg (1767). C'est là qu'il publia *Minna von Barnhelm* (1767), ainsi que la *Dramaturgie* de Hambourg* (*Hamburgische Dramaturgie,* 1767-1769); cette suite d'écrits théoriques reprend la critique des règles de la tragédie française et, tout en saluant la *Poétique* d'Aristote, exalte surtout le génie de Shakespeare. Cependant, Lessing demeure encore fidèle au réalisme de Diderot, voire aux règles du classicisme, dans *Emilia Galotti* (1772), drame bourgeois qui développe la critique d'un monde social révolu. Dans ses derniers ouvrages, son drame *Nathan le Sage* (*Nathan der Weise,* 1779), apologie de la tolérance, et deux écrits philosophiques, *Les Dialogues maçonniques* (1778-1780) et *L'Éducation du genre humain* (*Die Erziehung des Menschengeschlechts,* 1780), Lessing affirme sa foi dans le perfectionnement moral de l'humanité; et, s'inspirant de l'œuvre de H.S. Reimarus* qu'il avait publiée en 1774, il y expose un déisme rationaliste, qui fut violemment critiqué par Jacobi*, mais annonce à maints égards l'idéalisme postkantien (Fichte, Schelling et surtout Hegel). Esprit logique autant que passionné, Lessing exerça une influence considérable sur la formation d'un idéal national dans les lettres allemandes.

LESSKOV (Nicolas Semionovitch) [*Leskov*]. ♦ Écrivain russe (Gorokhovo, gouvernement d'Orel, 1831 – Saint-Pétersbourg, 1895). Orphelin sans fortune à 16 ans, il dut travailler pour vivre et sa connaissance de la vie russe est due à son expérience personnelle. Ses récits, peu conventionnels, ne furent pas appréciés par les critiques de son époque et son talent d'écrivain ne fut reconnu qu'au XXe siècle. En 1862, il devint journaliste et se fit remarquer par un article dirigé contre les étudiants nihilistes. Les deux romans qu'il écrivit alors *Pas d'issue* (1864) et *À couteaux tirés* (1870-1871) firent de lui un ennemi des radicaux, un réactionnaire. À la même époque il écrivit une suite de récits réalistes comme *Lady Macbeth du district de Mzensk,* dont Chostakovitch* tira un opéra. En 1872 parut une série de récits formant une chronique sur la vie ecclésiastique, *Gens d'Église,* considérée comme sa meilleure œuvre et qui, en faisant de lui un défenseur de l'orthodoxie, lui allia les conservateurs. Puis vinrent d'autres récits : *Le Pèlerin enchanté* (1874), *L'Ange scellé* (1874), *Le Forgeron gaucher* (1882), *Contes de Noël* (1886)... dans lesquels Lesskov se montre un narrateur captivant.

LESTELLE-BÉTHARRAM. ♦ Comm. des Pyrénées*-Atlantiques,

arr. de Pau*, sur le gave de Pau*. 1 441 hab. Aux environs, centre de pèlerinage et grotte de Bétharram*.

L'ESTOILE (Pierre *de*). ♦ Chroniqueur français (Paris, v. 1545 – *id.*, 1611) qui tint un *Journal* sur les règnes de Henri III et de Henri IV (1574-1611).

L'ESTOILE (Claude *de*). ♦ Poète français (Paris, 1597 – *id.*, 1654), fils de Pierre de l'Estoile*, protégé par Richelieu* et ami de Colletet* et de Malville. À des poèmes à la forme rigoureuse (*Recueil des plus beaux vers,* 1626) s'ajoutent des œuvres dramatiques, dont la comédie réaliste *L'Intrigue des filous.*

LESTRYGONS. *n. m. pl.*, en gr. **Laistrugones.** ♦ Peuple de géants inhospitaliers et anthropophages, dans *L'Odyssée**. Ils détruisirent les vaisseaux des compagnons d'Ulysse* en lançant contre eux des rochers, tandis que le héros s'échappe de justesse avec son navire. On identifie le port des Lestrygons avec la ville de Formia* dans le Latium.

LE SUEUR (Eustache). ♦ Peintre, dessinateur et décorateur français (Paris, 1617 – *id.*, 1655). Il fut l'élève préféré de Vouet*. Il imita d'abord le style de son maître puis s'affirma avec le cycle de la *Vie de saint Bruno* (1644 à 1648) : compositions apaisées, agencées avec sobriété et baignées d'une lumière claire et diffuse où le canon étiré des personnages apparaît comme une réminiscence de l'école de Fontainebleau. Il réalisa aussi une partie des décorations mythologiques et allégoriques de l'*hôtel Lambert,* qui présentent des affinités avec l'art mesuré de Poussin* (*Les Muses,* 1644). Membre fondateur de l'Académie royale (1648), auteur de décorations profanes (travaux du Louvre de 1652 à 1654), il se consacra surtout à des œuvres religieuses où s'expriment une spiritualité pleine de retenue *(Portement de croix),* une tendance croissante à employer un décor dépouillé des tons amortis *(Messe de saint Martin).* L'orientation classique de son art se manifeste par le refus de tout effet déclamatoire, la recherche d'une élégance discrète, témoignage d'une sensibilité personnelle.

LESUEUR (Jean François). ♦ Compositeur français (Le Plessiel Druscat, près d'Abbeville, 1760 – Paris, 1837). Il se consacra d'abord à la musique religieuse et institua à Notre-Dame de Paris un groupe orchestral et choral dont le succès fut considérable (1777-1787). Il se tourna ensuite vers le théâtre, composant plusieurs opéras *(La Caverne, Télémaque, Paul et Virginie, Les Bardes)* dont la réussite lui valut, sous l'Empire, les plus hautes distinctions. Devenu membre de l'Institut (1815), il put, par de nouvelles œuvres (messes, oratorios, motets, pièces de circonstances), illustrer sa conception de la musique, art d'imitation dont le style dramatique et descriptif doit, selon lui, établir la synthèse de la rigueur française, du charme italien et de la grandeur germanique. L'influence de Lesueur s'est exercée durablement sur de nombreux musiciens, dont Berlioz, Gossec, Marmontel et Gounod, qui furent ses élèves, ainsi que Liszt; à ses débuts à Paris. Il a résumé l'essentiel de ses conceptions musicales dans *Exposés d'une musique une, imitative et particulière à chaque solennité* (1787).

LESZCZYŃSKI. ♦ Grande famille polonaise, d'origine tchèque, installée en Pologne* dès le xe s. notamment en Posnanie, et dont les membres les plus connus sont Stanislas* Ier Leszczyński et sa fille Marie* Leszczynska, reine de France.

LE TELLIER (Michel). ♦ Homme politique français (Paris, 1603 – *id.*, 1685). Il avait déjà été chargé avec Séguier* et Talon* de réprimer la révolte de Normandie (1639), mais il dut son élévation à Mazarin*. Devenu secrétaire d'État à la Guerre, il fut également chargé de missions diplomatiques et joua un rôle dans les négociations de la paix de Rueil*. Il fut le véritable fondateur de l'armée monarchique et prépara l'œuvre de son fils aîné, Louvois*, auquel il laissa son secrétariat pour devenir chancelier (1677). Il garda une importante activité politique jusqu'à sa mort et fut l'un des artisans de la révocation de l'édit de Nantes*. Bossuet prononça son oraison funèbre.

LE TELLIER (Michel). ♦ Jésuite français (près de Vire, 1643 – La Flèche, 1719). Provincial de son ordre, confesseur de Louis XIV après le Père La* Chaise (1709). Il poussa le roi aux mesures contre les protestants et contre les jansénistes (destruction de Port*-Royal-des-Champs, obtention de la bulle *Unigenitus**).

Ph. Nimatallah/Ricciarini

Le tombeau du chancelier **Le Tellier.** (Saint-Gervais, Paris.)

LÊ THÁI TÔNG. ♦ Souverain vietnamien de la dynastie des Lê* postérieurs, fils et successeur de Lê* Loi. Il régna de 1434 à 1442 et inaugura au Viêt-nam le système de recrutement des fonctionnaires par concours, à la manière chinoise.

LÊ THÁNH TÔNG. ♦ Souverain vietnamien de la dynastie des Lê* postérieurs, qui régna de 1460 à 1497. Lettré et poète, il créa des cercles littéraires et écrivit de célèbres poèmes. Il réforma l'administration et guerroya contre le Laos* et le Champâ* dont il prit la capitale, Vijaya.

LETHBRIDGE. ♦ V. du Canada, à l'extrême S. de la prov. d'Alberta. 37 186 hab. (1966). Centre agricole et surtout minier (charbons bitumineux). Indus. alimentaires. Université.

LÉTHÉ [*Lêthê*]. ♦ Divinité grecque conçue à l'époque classique comme une abstraction (« l'Oubli »). Un fleuve séparant le Tartare des champs Élysées portait son nom (le *Léthé*). Les âmes des morts buvaient de ses eaux pour oublier les circonstances de leur vie. De même, les âmes destinées à une nouvelle existence terrestre y buvaient pour perdre tout souvenir de la mort.

LÉTO [*Lêtô*]. ♦ Descendante des Titans, aimée de Zeus* et devenue par lui mère des jumeaux Apollon* et Artémis*. Elle était appelée *Latone* par les Romains. Persécutée par Héra*, elle ne trouve asile en aucun pays pour mettre au monde ses enfants. Ortygie, une île désolée et errante comme elle, l'accueille enfin au moment de l'accouchement. Les douleurs de l'enfantement durèrent neuf jours au bout desquels Ilythie*, la déesse préposée, consent finalement à y assister, et l'infortunée peut être délivrée. En récompense, Ortygie est fixée au fond de la mer par quatre colonnes et son sol devient fécond ; elle prit alors le nom de Délos* (« la Brillante ») en commémoration de la naissance d'Apollon, dieu de la Lumière. **V.** *aussi* **Niobé, Python.**

LETOURNEUR (Louis François). ♦ Homme politique français (Granville, 1751 – Laeken, Belgique, 1817). Officier du génie avant la Révolution, il fut élu à l'Assemblée législative (1791), puis à la Convention (1792). Membre du Comité de salut public, puis du Comité militaire, il fut envoyé comme représentant en mission. Membre du Conseil des Anciens, directeur (1795-juin 1797), envoyé comme général de brigade à Lille pour négocier avec l'envoyé anglais Malmesbury, puis rappelé au sein du Directoire* après le coup d'État du 18 fructidor an V (4 sept. 1797), il fut nommé préfet en 1800, conseiller à la Cour des comptes (1810). Proscrit comme régicide (1816), il mourut peu après son exil.

LE TROSNE (Guillaume François). ♦ Magistrat français (Orléans, 1728 – Paris, 1780). Disciple de Quesnay*, il est l'auteur de nombreux ouvrages traitant de questions économiques et financières (*Essai analytique sur le commerce et l'impôt,* 1746 ; *De l'ordre social,* 1777 ; *De l'administration provinciale et de la réforme de l'impôt,* 1779).

LETTONIE, *n. f.*, en letton **Latvija.** (*République socialiste soviétique de;* en russe **Latviskaja S.S.R.**). ♦ L'une des trois républiques baltes* de l'U.R.S.S. Baignée à l'O. et au N.-O. par la mer Baltique* et par le golfe de Riga*, elle confine au N. avec l'Estonie*, à l'E. avec la R.S.F.S. de Russie* et la Biélorussie*, et au S. avec la Lituanie*. 63 700 km². 2 323 000 hab. dont environ 1 400 000 *Lettons* ou *Latviens.* Cap. Riga*. *V. Princ.* **V. Daugavpils, Ielgava, Liepaïa.** Les trois quarts du pays sont situés au-dessous de 210 m. Les plus importantes dépressions se trouvent dans les régions littorales, centrales et orientales, où les plaines basses alternent avec des hauteurs (environ 200 m). Les plages et le climat relativement doux de la côte (environ 470 km) ainsi que les sources d'eaux et de boue minérales favorisent le développement de stations balnéaires et curatives. La Lettonie est un pays de terres marécageuses (10 % du territoire), de forêts (37 %), de lacs (plus de mille) et de rivières, dont la plus importante est la Daugava (qui prend sa source en R.S.F.S. de Russie, où elle porte alors le nom de Dvina* occidentale). – *Écon.* La tourbe, le calcaire, la dolomite, constituent les principales richesses du sol. Labours, potagers et vergers occupent environ un tiers du territoire, mais l'économie rurale est surtout représentée par l'élevage bovin et porcin. La pêche en mer ou dans les lacs est très active. L'indus. (constructions mécaniques, usinages de métaux, produits chimiques, alimentaires et textiles) est concentrée dans les ports. Malgré la présence des centrales thermiques et hydro-électriques (dont 80 % sur la Daugava. **V. Dvina occidentale**), les besoins de la Lettonie sont à moitié couverts par le courant qu'elle reçoit d'autres républiques du N.-O. de l'U.R.S.S. – Patrie des frères Kaudzites*, de Skalbe*, Raïnis*, Stender*. ♦ *Hist.* Au xe s., les tribus des Zemgales, des Kourches et des *Lives* (ancêtres des Lettons) empruntèrent le christianisme orthodoxe à la Russie de Kiev. Le catholicisme y pénétra au XIIe s. (fondation de l'évêché de Livonie*, 1199). L'ordre Teutonique*, fusionné avec les chevaliers Porte*-Glaive (1237), fut écrasé en 1242 par Alexandre* Nevski sur les glaces du lac Tchoudsk* mais, vers la fin du XIIIe s., il parvint à conquérir le pays, qui suivit dès lors les destinées de la Livonie*. Au XVIe s., les paysans lettons devinrent les serfs des conquérants. Vers le milieu du XVIe s., la Réforme fut introduite en Lettonie. Après la dissolution de la branche livonienne de l'ordre Teutonique* (1561), le pays fut partagé entre la Pologne et la

Suède, puis annexé à la Russie (la Livonie* au traité de Nystad*, en 1721, et la Courlande* en 1795). Au début du XIXe s., le servage fut aboli, et après 1861 le réveil national (marqué par la poésie d'Auseklis*) fit échouer la politique de russification d'Alexandre* III. Au cours de la Première Guerre mondiale, malgré les protestations de l'opinion progressiste, les Allemands s'emparèrent d'une grande partie du pays. Après la révolution* d'Octobre (à laquelle le romancier Upits* prit une part active) le régime soviétique fut instauré dans les régions non occupées du pays (nov. 1919), mais, en mars 1918, l'U.R.S.S. céda la Lettonie à l'Allemagne, au traité de Brest*-Litovsk. En nov. 1918 un Conseil national proclama l'indépendance, et la nouvelle république fut reconnue par l'U.R.S.S. au traité de Riga (11 août 1920). Le coup d'État du leader agrarien Ulmanis mit fin à la vie parlementaire (1934). Envahie par l'armée rouge en juin 1940, annexée à l'U.R.S.S. (3 août 1940), occupée par les Allemands (1941), la Lettonie fut incorporée de nouveau à l'U.R.S.S. en 1944.

LETTOW-VORBECK (Paul ***von*****).** ♦ Général allemand (Sarrelouis, 1870 – Hambourg, 1964). Après avoir servi en Chine (1900-1901) et dans le Sud-Ouest africain, il devint commandant des armées de l'Afrique* orientale allemande. Malgré la disproportion des effectifs, il défendit cette colonie contre les troupes alliées (Anglais, Belges, Portugais) pendant toute la Première Guerre mondiale. De retour en Allemagne, il participa au putsch de mars 1920 à Berlin **(V. Kapp)** et dut quitter l'armée. Il a publié des mémoires (*Meine Erinnerungen aus Ostafrika,* 1920).

Lettre à d'Alembert sur les spectacles. ♦ Œuvre de Jean-Jacques Rousseau* (1758) qui constitue une réponse à l'article *Genève* de l'Encyclopédie, où d'Alembert* critiquait l'intolérance en matière de théâtre. Dans une première partie Rousseau dénonce la tragédie dont les héros sont, soit des criminels, soit des anormaux, comme la comédie qui rend le vice aimable et ridiculise la vertu. La seconde partie du discours développe une dénonciation du théâtre, facteur d'immoralité. Rousseau y préconise, au lieu de théâtre, les distractions simples du peuple ou les fêtes patriotiques inspirées de Lacédémone. La *Lettre à d'Alembert* suscita l'indignation de Voltaire* et consomma la rupture de Rousseau avec les encyclopédistes.

Lettre à Hérodote *(la).* ♦ Sur la physique, d'Épicure*. L'auteur ne se contente pas d'exposer les principes de sa physique **(V. Épicurisme),** il veut également montrer l'intérêt psychologique et éthique de l'étude des faits naturels : procurer la paix de l'âme en la débarrassant des superstitions.

Lettre à Ménécée *(la).* ♦ Sur la morale, d'Épicure*. À la critique des idées fausses que se font les hommes sur les dieux et la mort, succède l'exposé des principes de la morale épicurienne : identité du souverain bien et du plaisir. L'hédonisme y apparaît comme une recherche de la paix de l'âme : « Se suffire à soi-même et se contenter de peu. »

Lettres à Lucilius. ♦ L'œuvre la plus connue de Sénèque*, correspondance écrite après la dernière disgrâce du philosophe (62). Dans les 124 lettres qui ont été conservées, on retrouve toutes les notions morales du stoïcisme, identité de la vertu et du bonheur, autonomie du sage par rapport à toutes les choses extérieures, impassibilité à l'égard de la mort.

Lettres de mon moulin *(les).* ♦ Recueil de contes d'Alphonse Daudet* (1866). De cette trentaine de lettres écrites d'un vieux moulin provençal dont l'auteur a fait l'acquisition, près d'Arles, se détachent *La Chèvre de monsieur Seguin* ou *Le Sous-Préfet aux champs,* au climat discrètement poétique, tandis que *L'Élixir du Révérend Père Gaucher* ou *La Mule du pape* permettent à Daudet de camper des personnages truculents auxquels son humour confère leur relief. Inspirés à l'écrivain par sa Provence natale, ces courts récits offrent un mélange de cocasserie et de poésie, un style sobrement pittoresque qui « fait voir, fait vivre et fait plaisir » (Thibaudet).

Lettres persanes. ♦ Roman en lettres, de Montesquieu* (anonyme, 1721), où s'expriment les surprises de deux Persans voyageant en Europe. Bâti sur une structure romanesque (intrigues de sérail) qui illustre l'inefficacité du despotisme opposé à l'utopie vertueuse de l'apologue des Troglodytes (lettres 11 et 14), cet ouvrage est surtout célèbre par une satire spirituelle de la civilisation occidentale : aux portraits mordants de divers types de la société parisienne (lettres 48 et 72) succèdent la critique des institutions politiques (lettres 37 et 80) et des considérations parfois hardies sur la religion (lettres 29 et 47). Ce tableau très vivant et alerte des mœurs de l'époque, souvent profond dans ses vues sociologiques, connut un succès éclatant et contribua à imposer le procédé, cher aux philosophes du XVIIIe s., « qui consiste à se feindre étranger à la société où l'on vit » (R. Caillois) pour mieux la critiquer.

Lettres philosophiques sur l'Angleterre ou **Lettres anglaises.** ♦ Ouvrage polémique (1734) où Voltaire* livre la conclusion de ses observations faites en Angleterre : il vante la tolérance religieuse, la politique libérale de cette nation, qui sait également faire preuve de « la considération due aux gens de lettres ». Dans deux lettres supplémentaires, proprement philosophiques (1737), Voltaire oppose à Pascal* son optimisme rationaliste et humaniste. Cet ouvrage, qui fut brûlé et contraignit Voltaire à l'exil en Lorraine, est avant tout une œuvre satirique qui, en une prose ironique et éloquente, ne souligne la puissance économique et politique de l'Angleterre que pour mieux combattre le catholicisme français.

Ph. Hétier
Leucate.

Lettres portugaises *(les).* ♦ Recueil de cinq lettres d'amour, attribuées à Maria Alcoforado*, religieuse portugaise abandonnée par son amant, anonymement publié en 1669 et dont l'auteur, non seulement le traducteur, serait Guilleragues*. Cette prose passionnée, où les illusions de l'amour sont analysées avec un désespoir lucide qui annonce la précision de Mme de La Fayette, recueillit un succès qui ne s'est pas démenti.

Lettre sur les aveugles à l'usage de ceux qui voient. ♦ Opuscule de Diderot* (1749), écrit à propos de l'opération par laquelle Réaumur* rendit la vue au mathématicien anglais Sanderson (aveugle-né). L'expérience ayant montré que la perception visuelle de la profondeur n'était pas innée, Diderot en vint à affirmer que toute connaissance vient des sens **(V. Condillac)** et à professer un matérialisme athée. Quant à l'ordre du monde, à supposer qu'il nous apparaisse parfait, il ne peut être une preuve de l'existence de Dieu.

Lettre sur les occupations de l'Académie. ♦ Ouvrage écrit par Fénelon* en 1714 (posthume, 1716) dont le vrai titre, *« Réflexions sur la grammaire, la rhétorique, la poétique, ... »,* propose un plan de travail aux académiciens. Dans cette œuvre, Fénelon, très imprégné de culture antique, reste fidèle aux principes classiques, affirmant que « tout homme doit toujours parler humainement », mais se montre conciliant à propos de la *querelle des Anciens* et des Modernes,* et prône une esthétique nouvelle en mettant le goût au-dessus des règles, car « peindre, c'est rendre l'effet sensible ». Plus féconds encore apparaissent ses conseils aux historiens, auxquels il demande l'impartialité et le souci de la couleur historique.

LEU *(saint).* ♦ V. LOUP.

LEUCADE, en grec **Leukas** ou **Leukada.** ♦ L'une des îles Ioniennes*, formant avec les îlots avoisinants le *nome de Leucade :* 292 km². 24 580 hab. *Ch.-l.* Leucade ou Sainte-Maure (la Santa Maura des Vénitiens). 6 820 hab. Leucade est, en réalité, une presqu'île formée par un massif montagneux (1 141 m); elle est rattachée au continent par un isthme marécageux traversé par un canal. Produits : olives, vins, tabac, coton. – Une barrière de forts vénitiens et turcs le long du canal protégeait l'île. Ruines mycéniennes à Nydri; restes d'un temple d'Apollon sur le cap Leucatas ou Doukato. Selon la tradition, les amants malheureux se jetaient du haut de cette falaise *(saut de Leucade).* **V. Sapho, Artémise Ire.** On a identifié Leucade avec l'Ithaque homérique.

LEUCATE. ♦ Comm. de l'Aude (arr. de Narbonne), située sur un plateau (72 m) se dressant au milieu des étangs de Lapalme et de Leucate, et qui sert d'appui aux cordons littoraux. 1 233 hab. – Château féodal. Patrie d'H. de Monfreid*. – De part et d'autre du *grau de Leucate* s'étend *l'unité touristique de Leucate-Barcarès,* en cours d'aménagement. L'ensemble comprend les plages de Leucate, de Barcarès *(lido de Leucate-Barcarès)* et de nouvelles stations : *Port-Leucate* et *Port-Barcarès* (Pyrénées-Orientales). L'étang de Leucate (ou de Salses) doit aussi être aménagé. – *L'étang de Leucate* s'étend sur 8 000 ha (14 km de long, 8 km de large au S.); il communique avec la Méditerranée par des graus. Ses eaux sont alimentées par les deux sources salées de Salses.

LEUCES ou **LEUQUES.** *n. m. pl.,* en lat. **Leuci.** ♦ Peuple de la Gaule issu des Cimbres*, établi en Lorraine autour de *Tullum* (Toul*) et *Nasium* (Nancy*). Il fut compris dans la Belgique Ire.

LEUCIPPE, en gr. **Leukippos.** ♦ Philosophe grec (v. ~460 – ~370). Auteur de la théorie atomiste selon laquelle l'Univers est composé d'atomes et de vide (atomes en nombre infini, tous de même substance et homogènes, indestructibles et inaltérables). **V. Démocrite.**

LEUCOFAO ou **LATOFAO.** ♦ Anc. localité située en Soissonnais ou près de Chaumont. – Victoire de Frédégonde* sur Brunehaut* (596) et d'Ébroïn* sur Pépin* de Herstal (680).

LEUCOPETRA, en grec **Leukopetra.** ♦ Localité de Grèce près de Corinthe, illustrée par la victoire que les Romains y remportèrent (~ 146) sur la ligue Achéenne*. Corinthe* fut ensuite dévastée par Mummius* et la Grèce réduite en province romaine.

LEUCOTHÉA. ♦ **V.** INO.

LEUCTRES, en grec **Leuktra**. ♦ Anc. V. de Grèce (Béotie). Les Thébains commandés par Épaminondas* y infligèrent à Sparte* une sévère défaite (~ 371) qui ruina son prestige militaire et donna l'hégémonie du monde grec à Thèbes*.

LEUNA. ♦ V. d'Allemagne orientale (Saxe-Anhalt, district de Halle), sur la Saale, au S. de Merseburg. 13 000 hab. Important complexe chimique (carburants synthétiques, gas-oil, ammoniaque, fibres synthétiques et matières plastiques).

LEUQUES. ♦ **V.** LEUCES.

LEURET (François). ♦ Médecin aliéniste français (Nancy, 1797 — 1851). Élève d'Esquirol, il critiqua la théorie des localisations cérébrales de Gall, insista sur le caractère psychologique du délire. Archaïque et brutale (utilisation de douches froides, etc.), sa thérapeutique morale des troubles mentaux fut l'objet de vives critiques (*Fragments psychologiques sur la folie*, 1834; *Anatomie comparée du système nerveux*, 1838; *Du traitement moral de la folie*, 1840).

LEUTHEN, auj. **Lutynia**. ♦ Localité de Pologne*, située à l'O. de Wrocław, en Silésie. — Célèbre par la victoire de Frédéric* II le Grand sur les Autrichiens (1757).

LEUVEN. ♦ Nom néerlandais de Louvain*.

LEUZE. ♦ Comm. de Belgique (Hainaut, arr. de Tournai) sur la Dendre. 7 100 hab. Église classique Saint-Pierre. — Indus. textiles. ♦ *Hist.* D'origine romaine *(Lutosa)*, Leuze fut le théâtre de la défaite du prince de Waldeck par le maréchal de Luxembourg (1691).

LEVALLOIS-PERRET. ♦ Ch.-l. de cant. des Hauts-de-Seine, arr. de Nanterre, au N.-O. de Paris. 59 212 hab. *(Levalloisiens)*. Important centre industriel. Produits chimiques; aciéries; fonderies; robinetterie; ascenseurs; matières plastiques; conserves; horlogerie; importantes usines automobiles. — Un gisement préhistorique découvert dans cette localité a donné son nom à une période culturelle du paléolithique moyen : le *levalloisien* **(V. Moustier)**.

LEVAL-TRAHEGNIES. ♦ V. de Belgique (Hainaut, arr. de Thuin). 6 100 hab. — Houillères. Métallurgie. Verreries.

LEVANT [*n. m.*], en esp. **Levante**. ♦ Frange côtière de l'Espagne orientale, prolongée au N.-E. par la Catalogne*, encastrée entre la Méditerranée au S., et la cordillère Bétique* au nord. Elle s'étend sur la partie sud-orientale de la Meseta* et sur les plaines côtières et correspond aux quatre prov. de Castellón de la Plana, de Valence, d'Alicante et de Murcie. *V. princ.* Albacete*, Alicante*, Cartagène*, Castellón de la Plana, Elche*, Gandía, Lorca*, Murcie* et Valence*. — *Orogr.* On peut opposer l'intérieur montagneux, formé de l'extrémité orientale de la chaîne Bétique au S., et du prolongement des monts Ibériques au N., aux plaines côtières, tantôt très étroites (région du cap de la Nao, au S.), tantôt larges (*huerta* de Valence, Murcie). La côte est dominée par les hauts caps de Gata, de Palos et de la Nao. — *Écon.* Le Levant est le domaine de l'agriculture irriguée pratiquée sur des terres très morcelées. La *huerta* de Valence et la région de Murcie ont une importante activité agricole. On cultive des oranges (Valence, Castellón, Elche) et des primeurs, mais aussi des céréales, du riz (Valence), le mûrier et la canne à sucre (delta du littoral Bétique). Les collines sont plantées d'oliviers. Les villes vivent surtout de l'exportation des produits agricoles. Alicante exporte les primeurs de Murcie, El Grao des oranges, Gandía les primeurs de sa région. L'indus. est encore peu développée : conserveries à Murcie, indus. textiles et papeteries à Valence et, surtout, indus. chimiques à Cartagène. ♦ *Hist.* **V. Valence.**

LEVANT *(île du)*. ♦ Une des îles d'Hyères* dans la Méditerranée, d'une superficie de 996 ha. Une partie de l'île est occupée par une station d'essais de la Marine. La petite station d'Héliopolis est un centre du naturisme.

LEVASSOR (Émile). ♦ Ingénieur français (1844 — mort accidentellement en course, 1897). **V. Panhard.**

LE VAU (Louis). ♦ Architecte et décorateur français (Paris, 1612 — *id.*, 1670). Fils d'un architecte, il travailla souvent en collaboration avec son frère FRANÇOIS et éleva à Paris des hôtels particuliers qui établirent sa réputation, notamment *l'hôtel* dit *de Lauzun* (1656) et *l'hôtel Lambert* (v. 1660) au plan ingénieux, bien adapté au site, grâce auquel il s'affirma comme l'un des maîtres de l'architecture classique civile par son sens du monumental et la sobriété des partis. Auteur du *pavillon du château de Meudon*, du *château du Raincy* avec au centre une avancée semi-circulaire dont il reprit le principe dans le célèbre château de *Vaux*-le-Vicomte* construit pour Fouquet et qui attira la jalousie de Louis XIV. Dans cette œuvre, deux tendances opposées apparaissent : l'influence des partis issus du baroque romain (statues monumentales, fronton et coupole du pavillon central), juxtaposés à des éléments hérités de la tradition (hauts toits à la française). Il fut nommé premier architecte du roi; il travailla à Vincennes (1654-1667) et manifesta un souci grandissant de monumentalité et de régularité, redessina au *Louvre* la façade sur la Seine puis fournit les plans du *collège des Quatre-Nations* (l'Institut de France, 1662-1670) dont la façade incurvée s'inspire du baroque Rainaldi. À Versailles, après avoir exécuté quelques travaux d'extension et d'aménagement au château de Louis XIII (à partir de 1667) et élevé la première *Orangerie* (1667) et le pittoresque *Trianon de porcelaine* (détruit à partir de 1668), il fut chargé par Louis XIV d'édifier la façade sur le jardin du nouveau palais; il y adopta le toit en terrasse, une série d'ouvertures régulières scandées par des avant-corps en légère saillie, avec au centre une terrasse en retrait (plus tard modifiée par J.H. Mansart). La volonté de grandeur et de simplicité qui présidait à l'ensemble, la rigueur des masses et des effets rythmiques constituent l'un des principaux points de départ du classicisme français.

LEVERKUSEN. ♦ V. d'Allemagne occidentale (Rhénanie du Nord-Westphalie), sur le Rhin, à 13 km au N. de Cologne. 110 800 hab. — Important centre chimique (usines Bayer).

LE VERRIER (Urbain). ♦ Astronome français (Saint-Lô, 1811 — Paris, 1877). Le désaccord des premières tables d'Uranus avec les observations le conduisirent à supposer l'existence d'une masse inconnue perturbant le mouvement : il détermina ainsi les éléments de l'orbite de la planète qu'il venait de découvrir, Neptune [31 août 1846] **(V. J.C. Adams, Galle).** Il fut député (1849), sénateur (1852), directeur de l'Observatoire (1854) et entreprit une révision des tables des mouvements planétaires. (Acad. sc., 1846.)

LEVERTIN (Oscar Ivar). ♦ Écrivain suédois (Gryt, près de Norrköping, 1862 — Stockholm, 1906). Critique littéraire et dramatique du *Svenska Dagbladet*, il figura, avec Heidenstam*, dans la polémique antinaturaliste de la fin du siècle. Son recueil des poèmes *Légendes et Chansons* (1891) témoigne d'une longue familiarité avec la pensée de la mort. Il écrivit aussi un roman, *Les Maîtres d'Österas* (1900), et un essai sur Selma Lagerlöf. En 1912-1916, parurent les trois tomes de son *Histoire de la littérature française*.

LÉVESQUE (René). ♦ Homme politique canadien (New Carlisle, 1922). Journaliste, puis député (1960-1970), ministre libéral (1960-1966 : Ressources hydrauliques, etc.), il fonda en 1968 le Parti Québecois (P.Q.), de tendance indépendantiste, et fut élu Premier ministre (péquiste) du Québec en nov. 1976.

LÉVEZOU. *n. m.* ♦ Plateau cristallin du Massif* central, entre le Tarn*, le Viaur* et l'Aveyron*.

LÉVI. ♦ Personnage biblique (*Genèse*, XXIX, 34). Fils de Jacob* et de Léa*, ancêtre éponyme d'une des tribus d'Israël qui n'eut pas de territoire mais où se recrutaient les prêtres ou *lévites*.

LÉVI. ♦ Nom de saint Matthieu* dans *Marc*, II, 14, et *Luc*, V, 27.

LEVI (Paul). ♦ Homme politique allemand (Hechingen, 1883 — 1930). Chef du Parti communiste allemand à la mort de K. Liebknecht, il devint ensuite membre de la gauche du Parti social-démocrate allemand (1922).

LEVI (Carlo). ♦ Écrivain et peintre italien (Turin, 1902 — Rome, 1975). Il fonda le mouvement *Justice et Liberté* dont l'antifascisme lui valut notamment l'exil en Lucanie (1934-1935) : cette « année de vie souterraine » lui fit découvrir « un autre monde que resserrent la douleur et les coutumes », « une terre sans consolation ni douceur, où le paysan vit... sur un sol aride en face de la mort »; de cette expérience naquit un roman, *Le Christ s'est arrêté à Eboli* (*Cristo si è fermato a Eboli;* 1943-1944; publ., 1945), étude sociologique précise autant que chronique pittoresque. Ses autres ouvrages, *La Montre* (*L'Orologio*, 1950), *Les Paroles sont pierres* (*Le Parole sono pietre*, 1955), *Le Futur a un cœur antique* (1956), *Tout le miel est fini* (1964), confirment l'engagement politique de C. Levi (1963, il fit partie du groupe communiste au Sénat). On lui doit également des essais : *La Peur de la liberté* (*Paura della Libertà*, 1946) et *Trois Jours en Sicile* (1955).

LÉVIATHAN. ♦ Monstre marin mentionné dans la Bible et dans les poèmes mythologiques d'Ougarit. Sa description dans *Job*, XL, 25 sqq. évoque le crocodile égyptien.

Léviathan *(le)*. ♦ Ouvrage de J. Hobbes* (1651), où il expose ses théories philosophiques et politiques : sensualisme, utilitarisme et despotisme. Si l'état de nature est celui de la guerre permanente *(« homo homini lupus »)*, l'instinct de conservation (ou la crainte de la mort violente) conduit les hommes au pacte (ou contrat) social par lequel ils renoncent à leurs droits naturels et les transfèrent à la société. Seul un pouvoir absolu peut en garantir l'exécution.

LEVI-CIVITA (Tullio). ♦ Mathématicien italien (Padoue, 1873 — Rome, 1941). Auteur de travaux en théorie des nombres, en analyse, en mécanique analytique, en mécanique des milieux continus

Ph. Hétier

Levant : huerta de Murcie.

Ph. Louis Monier
Claude Lévi-Strauss.

et en mécanique céleste, il révéla avec Ricci*-Curbastro la puissance de l'application du calcul tensoriel à la géométrie différentielle (*Méthodes du calcul différentiel absolu,* 1901) et, étudiant la théorie géométrique des variétés de Riemann*, introduisit une notion de parallélisme. (Acad. sc., 1938.)

LEVIE. ♦ Ch.-l. de cant. de la Corse*, arr. de Sartène*. 2 950 hab. Centre d'excursions.

LEVINAS (Emmanuel). ♦ Philosophe français (Kaunas, Lituanie, 1905). Sa philosophie de l'existence est marquée par l'influence de la phénoménologie de Husserl et la philosophie de Heidegger qu'il a contribué à faire connaître en France (*La Théorie de l'intuition dans la phénoménologie de Husserl,* 1930; *De l'existence à l'existant,* 1947; *Le Temps et l'Autre,* 1948; *En découvrant l'existence avec Husserl et Heidegger,* 1949; *Totalité et Infini,* 1962; *Difficile Liberté,* essais sur le judaïsme, 1963).

LÉVIS. ♦ Famille française, originaire de *Lévis-Saint-Nom,* près de Chevreuse, et connue depuis le XIIe siècle. Elle forma plusieurs branches, Lautrec, Ventadour, la plus importante étant celle de *Mirepoix.* – L'aîné portait le titre de maréchal de la Foi, en souvenir de Gui de Lévis (mort en 1230) qui combattit les albigeois. ♦ FRANÇOIS GASTON, *duc de Lévis* (Ajac, 1720 – Arras, 1787), maréchal de France, remplaça Montcalm* au Canada. Après avoir tenté de prendre Québec contre Murray*, il dut capituler à Montréal (1760).

LÉVIS-MIREPOIX (Antoine Pierre Marie, *duc de***).** ♦ Historien français (Léran, Ariège, 1884). Auteur de souvenirs de guerre, d'un roman et de plusieurs études historiques : *François Ier* (1931), *Philippe Auguste* (1940), *Philippe le Bel* (1942), *La France de la Renaissance* (1947), *Les Guerres de Religion* (1949). [Acad. fr., 1953.]

LÉVI-STRAUSS (Claude). ♦ Ethnologue français (Bruxelles, 1908). Venu à l'ethnologie après des études de philosophie, il a raconté dans *Tristes Tropiques* (1955) la naissance de sa vocation d'ethnologue et sa première expédition chez les Indiens du Brésil (*La Vie familiale et sociale des Indiens Nambikwara,* 1948). Après avoir enseigné à São Paulo et aux États-Unis, il fut nommé professeur d'anthropologie sociale au Collège de France (1959). Se séparant de l'évolutionnisme unilinéaire de L.H. Morgan et du fonctionnalisme de Malinowski et de Radcliffe-Brown, il a voulu donner à l'ethnologie une nouvelle méthodologie. Toute société étant fondée sur la communication, cette science doit, selon lui, « tirer ses enseignements non seulement des formes les plus modernes de la linguistique, comme la phonologie et la linguistique structurale **(V. Troubetskoy, Jakobson),** mais aussi des recherches physiques et mathématiques portant sur les faits de communication » **(V. Neumann** [J. von]**, Morgenstern, Wiener** [N.]**).** Partant d'une observation et d'une description minutieuses des relations sociales (matière de la connaissance), l'ethnologue construira à partir de celles-ci des modèles formels capables de mettre en évidence la structure naturelle inconsciente des sociétés; ces modèles doivent être construits de telle sorte que leur fonctionnement (règles de transformations) puisse rendre compte de tous les phénomènes observés. Lévi-Strauss appliqua d'abord cette méthode à l'étude des *Structures élémentaires de la parenté* (1949), cherchant à expliquer la prohibition de l'inceste comme moyen positif d'assurer la communication, l'échange des femmes et marquant le passage de l'état naturel à l'ordre culturel, l'émergence de la pensée symbolique. Cherchant à étendre sa méthode à l'étude des superstructures d'une société, il a renouvelé la conception du totémisme (*Le Totémisme aujourd'hui,* 1962) et a analysé *La Pensée sauvage* (1962), montrant, contre la notion de mentalité primitive (« pré-logique » **V. Lévy-Bruhl),** qu'elle est guidée par une logique rigoureuse, classificatrice. Dans ces derniers travaux, Lévi-Strauss, s'appuyant sur une documentation abondante et précise, a cherché à expliciter la structure et la signification de mythes relatifs au domaine de la nourriture préparée, montrant qu'ils sont construits sur des systèmes d'oppositions, *Le Cru et le Cuit* (1964), *Du miel aux cendres* (1967), *L'Origine des manières de table* (1968), *L'Homme nu* (1971). Anti-historicisme? Négation du rôle de la subjectivité (sorte de kantisme sans sujet transcendantal)?, l'œuvre de Lévi-Strauss, dans laquelle on a également voulu voir un retour à Rousseau, a exercé, comme celles d'Althusser, de M. Foucault*, de Lacan*, une influence considérable sur le renouvellement méthodologique et épistémologique des sciences humaines et a fait de la constitution d'une *Anthropologie structurale* (1958) le but même de l'ethnologie. [Acad. fr., 1973.]

Lévitique. *n. m.* (gr. **leuitikon,** « qui a trait [au sacerdoce] des lévites »). ♦ Troisième livre du Pentateuque*. Son titre hébreu est *Wayiqrâ,* « Et il appela », d'après les premiers mots. En vingt-sept chapitres, il détaille les prescriptions religieuses des israélites. – Composition : **V. Pentateuque.**

LEVITSKI (Dimitri Grigorievitch). ♦ Peintre et dessinateur russe (Kiev, 1735 – Saint-Pétersbourg. 1822). Élève de Lagrenée* à l'académie de Saint-Pétersbourg, il fut surtout marqué par le portraitiste français Tocqué*, puis par A. Roslin*. Sachant combiner virtuosité technique et rigueur de l'observation psychologique, il exécuta des portraits pleins de vivacité (*Diderot,* 1773; *Demidov*), parfois gracieux et spirituels (série des pensionnaires de l'institut Smolny, 1775-1776). Devenu peintre de la cour en 1780, il représenta plusieurs fois Catherine II et fut chargé des portraits des chevaliers de l'ordre de Saint-Vladimir. À partir de 1790 env., il tomba en défaveur et se vit préférer des portraitistes étrangers. La critique russe contemporaine, en revanche, le place très haut.

LEVROUX. ♦ Ch.-l. de cant. de l'Indre, arr. de Châteauroux. 3 136 hab. *(Levroussains).* Église romane et gothique (XIIIe s.), vitraux anciens. Maisons anciennes. – Confection. Tannerie et parcheminerie.

LÉVY (Éliphas). ♦ V. CONSTANT (Alphonse Louis).

LEVY (Maurice). ♦ Mathématicien et ingénieur français (Ribeauvillé, 1838 – Paris, 1910). Auteur de travaux sur les matériaux (élasticité, résistance), il étudia particulièrement l'application de la théorie de l'élasticité **(V.** *aussi* **Lamé)** au cas des systèmes articulés et perfectionna notablement la statique graphique. **V. Culmann.** (Acad. sc., 1883.)

LÉVY (Paul). ♦ Mathématicien français (Paris, 1886). Auteur de recherches en analyse, en mécanique et sur l'analyse fonctionnelle. On lui doit de grands travaux en calcul des probabilités : il montra toute la puissance de la fonction caractéristique d'une loi de probabilité, introduisit la fonction de concentration dans les problèmes de convergence, et énonça un théorème fondamental selon lequel si deux variables indépendantes ont une somme dont la loi de probabilité est de Laplace, chacune d'elles a une loi de Laplace (1935).

LÉVY-BRUHL (Lucien). ♦ Sociologue français (Paris, 1857 – 1939). Après des travaux de philosophie (*L'Idée de responsabilité,* 1885), il publia un ouvrage sur *La Morale et la Science des mœurs* (1903) où, critiquant les morales théoriques, il leur opposa un relativisme sociologique, une « science des mœurs »; après avoir analysé la morale des peuples primitifs, il en étudia la vie mentale et religieuse. (*Les Fonctions mentales dans les sociétés inférieures,* 1910; *La Mentalité primitive,* 1922; *La Mythologie primitive,* 1935; *L'Expérience mystique et les Symboles chez les primitifs,* 1938.) L'opposition qu'établit Lévy-Bruhl entre la pensée rationnelle, objective et la mentalité pré-logique et mystique (fondée sur le principe de participation et ignorant celui de contradiction) fut l'objet de maintes discussions et de critiques. Lui-même fut amené à la nuancer dans ses *Cahiers,* qui parurent en 1949; il affirma alors que la pensée mystique est présente dans tout esprit humain, quoique plus facile à observer chez les primitifs.

LEWENHAUPT (Adam Ludwig, *comte***).** ♦ Général suédois (Copenhague, 1659 – Moscou, 1719). Il vainquit les Russes à Jakolstadt (1704) et à Gemauerthof (1705), ce qui lui valut d'être nommé gouverneur de Riga (1706). Pierre le Grand lui infligea un terrible désastre à Liesnaïa, en Ukraine (9 oct. 1708). Il commanda l'infanterie suédoise à Poltava (1709) mais fut battu, dirigea la retraite, fut forcé de signer la capitulation du Borysthène et resta prisonnier des Russes jusqu'à sa mort. ♦ Son cousin KARL EMIL, *comte* LEWENHAUPT (Stockholm, 1692 – *id.,* 1743) fut l'un des chefs de la faction des « Chapeaux », élu maréchal de la diète de Suède en 1734 et 1740. Il contribua à faire déclarer la guerre à la Russie (1741) et commanda l'armée envoyée en Finlande (1742). Vaincu, il fut jugé et décapité.

LEWES (George Henry). ♦ Philosophe anglais (Londres, 1817 – 1878). Il contribua à faire connaître en Angleterre la philosophie positive d'A. Comte. Partisan de l'évolutionnisme, il chercha à résoudre le problème des rapports de l'organisme et de la conscience, y voyant deux aspects d'une même réalité (*Problèmes de la vie et de l'esprit,* 1874 – 1879). On lui doit une *Vie de Goethe* (1855).

LEWES. ♦ V. du S. de l'Angleterre. Ch.-l. de l'East Sussex*, sur l'Ouse, au pied des South Downs. 14 600 hab. Ruines d'un château normand, église et prieuré du XIe s., maisons des XVe et XVIe s. (Anne of Cleves Bull et Barbican Houses). ♦ *Hist.* Simon de Montfort* et les barons révoltés y vainquirent Henri III (14 mai 1264).

LEWIN (Kurt). ♦ Psychologue et sociologue américain d'origine allemande (Mogilno, *auj.* en Pologne, 1890 – Newton, Massachusetts, 1947). Influencé par le gestalisme (ou psychologie de la forme – **V. Koffka, Köhler, Wertheimer**), il a élaboré une théorie originale du champ psychologique fondée sur la topologie et qui permet de mettre en évidence l'interdépendance structurale et dynamique de la personne et du milieu environnant (*Une théorie dynamique de la personnalité,* 1935; *Principes de psychologie topologique,* 1936). Il applique sa conception du champ à la science sociale avec son étude de la dynamique des groupes, qui unit la méthode expérimentale et la méthode mathématique. (*Les Frontières dans les dynamiques de groupe,* 1947; *En résolvant les conflits sociaux,* 1948; *Théorie du champ dans la science sociale,* 1951.)

LEWIS (Matthew Gregory). ♦ Romancier, dramaturge et poète anglais (Londres, 1775 – en mer, près de la Jamaïque, 1818). Après ses études à Oxford, il devint attaché d'ambassade à La Haye (1794) où il écrivit *Le Moine* (*Ambrosio or The Monk,* 1795), « raconté » en français par A. Artaud (1934), qui contient la ballade du *Preux Alonzo et (de) la belle Imogine (Alonzo The Brave and The Fair Imogine).* Cette œuvre, inspirée des romans noirs d'Ann Radcliffe* et des drames de Schiller, fit scandale. On identifia en effet Lewis (surnommé MONK LEWIS, « le moine Lewis ») à son héros Ambrosio, moine qui avait fait un pacte avec le diable. Sa sexualité et son satanisme en font un criminel dans la lignée de Melmoth* et, comme pour ce dernier, l'œuvre fut exaltée par les surréalistes. Pour le théâtre, Lewis adapta Heinrich Zschokle (*Le Bandit de Venise, The Bravo of Venice,* 1804) et écrivit *Le Spectre du château* (1796), drame sanglant et mouvementé. On lui doit encore des *Contes terrifiants* (1799) qui inspirèrent W. Scott, et un autobiographique *Journal d'un propriétaire antillais* (*Journal of a West Indian Proprietor,* posth. 1834) qui relate son voyage dans les Indes orientales où son père avait fait fortune.

LEWIS (Gilbert Newton). ♦ Physicien et chimiste américain (Weymouth, Massachusetts, 1875 – Berkeley, 1946). Après avoir, en 1913, introduit la notion d'*activité* d'un constituant d'un mélange réel, concept très important en électrochimie, il entreprit des travaux sur la liaison chimique (1916), développant la théorie des « doublets d'électrons » pour expliquer la liaison des atomes non métalliques [composés covalents] **(V. Kossel, Langmuir).** Il appliqua également les lois de la thermodynamique à l'étude des équilibres chimiques (*Thermodynamics and free energy of chemical substances,* avec M. Randall, 1924) et élabora, dès 1923, une théorie acide-base entièrement mise au point en 1938 dans laquelle tout accepteur d'électrons est un acide et tout donneur d'électrons est une base. **V. Sidgwick.**

LEWIS (John Llewellyn). ♦ Syndicaliste américain (Lucas, Iowa, 1880 – Washington, 1969). Très jeune militant syndicaliste, il devint président de l'*United Mine Workers of America* (U.M.W., 1920), puis de l'*American Federation of Labor* (1935), dont il se sépara (1936) pour fonder le *Committee for Industrial Organization* (C.I.O.). Partisan de la démocratie industrielle et de l'action syndicale directe (grèves, occupation d'usines), il quitta le C.I.O. (1942) avec l'organisation des mineurs dont il conserva la présidence jusqu'en 1960.

LEWIS (Percy Windham). ♦ Peintre, écrivain et critique anglais (baie de Fundy, Maine, 1884 – Londres, 1957). Cherchant à ébranler la tradition académique qui régnait dans la peinture anglaise et voulant que les peintres prennent en considération la civilisation industrielle, il fonda en 1912-1913 le *Vorticisme* et devint le rédacteur en chef de la revue *Blast* (« Conflagration », 1914), organe du mouvement qui groupait tous les artistes avides de changement. Il fut stimulé par la liberté prise par les cubistes vis-à-vis de la réalité sensible et il chercha, comme les futuristes, à exprimer la vitesse et le mouvement de l'ère machiniste. Il peignit dès 1913 des œuvres non figuratives à partir de formes aux couleurs froides et aux lignes nettes, présentant un aspect métallique, se succédant et s'imbriquant selon des rythmes verticaux (*Composition,* 1913). Il aborda le portrait d'une façon personnelle (*T.S. Eliot, J. Joyce, Edith Sitwell,* 1923-1935). Dans ses scènes figuratives, il fractionna l'espace verticalement *(La Reddition de Barcelone).* Il publia plusieurs romans (*Tarr,* 1918; *The Revenge for Love,* 1937) ainsi que des ouvrages polémiques et théoriques (*The Apes of God* [« les singes de Dieu »], 1930; *Time and Western Man* [« le temps et l'homme occidental »], 1927).

LEWIS (Sinclair). ♦ Romancier américain (Sank Center, Minn., 1885 – Rome, 1951). Après des études à l'université de Yale, il travailla dans diverses maisons d'édition et collabora au *Saturday Evening Post* et au *Cosmopolitan.* Dans la lignée de Sh. Anderson*, illustrateur du nouveau réalisme, il créa deux des mythes les plus dynamiques de la littérature américaine moderne : *Babbitt* (1922), « yankee standard avec son âme et ses préjugés taylorisés » (Paul Morand), et *Main Street* (1920). Lewis, qui situe ses personnages dans une « Prairie » civilisée, est, selon Marc Saporta, l'héritier direct de Cooper* et les tourments de Babbitt sont ceux-là mêmes de Bas-de-Cuir, au stade postérieur d'une même évolution sociale. On retrouve Babbitt dans *Ça ne peut pas arriver ici* (*It can't Happen Here,* 1935) qui dénonce le danger fasciste. Sinclair Lewis utilise la même veine critique dans *Elmer Gantry* (1927), satire des faux prédicateurs, *Dodsworth* (1929), roman sur l'Américain en Europe (adapté au théâtre, 1935), et surtout *Arrowsmith* (1925), savant dont on exploite les découvertes et « cives americanus » par excellence. Lewis a su utiliser les thèmes américains classiques : dynamisme national, subversion contre l'ordre établi et retour à la nature. (Prix Nobel de littér., 1930.)

LEWIS (Clarence Irving). ♦ Logicien américain (Stoneham, Massachusetts, 1888). Il définit l'implication stricte (jonction apodictique entre deux propositions), et la distingua de l'implication logistique (ou matérielle [Russell], simple liaison assertorique entre deux propositions qui conduisait à certains paradoxes). Il introduit aussi la notion modale du possible, formulant par là les bases des logiques modales ultérieures. Il tenta par ailleurs de lier une logique formalisée à une conception pragmatique de l'épistémologie. *Logique symbolique,* avec H. Langford, 1932; *A Survey of Symbolic Logic,* 1918.

LEWIS *(île).* ♦ La plus septentrionale et la plus vaste du groupe des *Outer Hebrides* **(V. Hébrides)** rattachée à la fois aux comtés d'Inverness (N.) et de Ross-Cromarthy (S.). 21 500 hab. *V. princ.* Stornoway (env. 5 000 hab.). Pêche, tissages de laines, tourisme.

LEXINGTON. ♦ V. des États-Unis, dans le N. du Kentucky. 107 944 hab. Grand centre commercial pour le tabac et les chevaux de course, au centre de la région d'élevage dite *Blue grass* (« herbe bleue »). Indus. (machines à écrire électriques; électronique; distilleries de whisky [bourbon], etc.). – Siège de l'université du Kentucky. – Patrie de Th. H. Morgan. Henry Clay y vécut. ♦ *Hist.* Fondée en 1779, la ville devint un centre intellectuel et mérita le surnom d'« Athènes de l'Ouest ».

LEXINGTON. ♦ V. des États-Unis (Massachusetts) au N.-O. de Boston. 27 691 hab. (1960). ♦ *Hist.* Lieu de la première bataille de la guerre d'Indépendance américaine le 19 avril 1775.

LEYDE (Jean *de***).** ♦ **V.** JEAN DE LEYDE.

LEYDE, en néerl. **Leiden.** ♦ V. des Pays-Bas (Hollande-Méridionale) sur le Vieux-Rhin. 102 534 hab. Leyde est célèbre par son université et a conservé de son passé de nombreux monuments. Église Saint-Pierre, gothique. Rapenburg (XVIIe-XVIIIe s.). Citadelle (Burcht) élevée vers 830. Musée du Lakenhal. Rijksmuseum van Oudheden (sculptures égyptiennes). – Indus. du livre. Indus. textiles et alimentaires. Métallurgie. – Patrie de Gérard Dou*, Rembrandt*, Jan Steen*. ♦ *Hist.* Leyde *(Lugdunum Batavorum)* fut fondée au IXe siècle. L'indus. du drap, introduite par les tisserands d'Ypres réfugiés lors de la peste de 1347, est à l'origine de la prospérité de la ville. Après sa résistance au siège espagnol (1574), la ville fut récompensée par la fondation d'une université (1575). Lors de l'occupation française (1793), elle fut ch.-l. d'arr. des Bouches-de-la-Meuse. Depuis le XVIIIe s., la ville est un centre mondial d'imprimerie **(V. Elzévir).**

LEYGUES [lɛjg ou lɛg] **(Georges).** ♦ Homme politique français (Villeneuve-sur-Lot, 1857 – Saint-Cloud, 1933). Républicain de gauche à la Chambre des députés (1885), il fut successivement ministre de l'Instruction publique (1894, 1898-1899), de l'Intérieur (1895), des Colonies (1906), de la Marine (1917-1920). Président du Conseil (sept. 1920 – janv. 1921), il reprit le portefeuille de la Marine (nov. 1925 – février 1930, juin 1932-1933) et contribua à la réorganisation de la flotte de guerre.

LEYRE. *n.f.* ♦ Riv. des Landes (80 km), qui se jette dans le bassin d'Arcachon.

LEYSIN. ♦ V. de Suisse (Vaud) au N.-E. d'Aigle*. 4 200 hab. Importante station d'été et de sports d'hiver. Alt. 1 250-2 175 m.

LEYTE. ♦ Ile du groupe des Philippines, dans l'archipel des Visayas, de nature volcanique. 900 000 hab. – Cultures tropicales. ♦ *Hist.* Dans le golfe du S. de l'île, eut lieu, les 24, 25 et 26 octobre 1944, une célèbre bataille navale au cours de laquelle le gros de la flotte japonaise fut détruit par celle des États-Unis.

Lézard *(constellation du),* en lat. **Lacerta.** ♦ Petite constellation boréale, entre celle du Cygne* et celle d'Andromède*, dont l'étoile la plus brillante est seulement de magnitude 4.

LÉZARDRIEUX. ♦ Ch.-l. de cant. des Côtes*-du-Nord, dans le Trégorrois*. 1 842 hab. *(Lézardriviens).* Église (XVIIe-XVIIIe s.). – Ostréiculture; fruits.

LÉZIGNAN-CORBIÈRES. ♦ Ch.-l. de cant. de l'Aude, arr. de Narbonne, adossé aux reliefs des Corbières. 7 710 hab. [aggl. 7 101 hab.] *(Lezignannais).* Église du XVe siècle. Maisons anciennes. – Centre vinicole; commerce des vins. Huilerie. Matériaux de construction. Tonnellerie.

LÉZINNES. ♦ Comm. de l'Yonne, arr. d'Avallon, sur l'Arman-

Arch. Rencontre

Leyde : hôtel de ville.

çon*. 787 hab. – Maisons des XIVe et XVe siècles. Ruines de l'abbaye de la Charité (1184). Carrières de pierres. Cimenterie.

LEZOUX. ♦ Ch.-l. de cant. du Puy*-de-Dôme, arr. de Thiers*. 4 101 hab. *(Lévoziens).* Beffroi du XVe siècle. – Poteries, construc. mécaniques. ♦ *Hist.* C'était à l'époque gallo-romaine un centre très important de céramique (musée).

LHASA ou **LHASSA.** ♦ Cap. de l'État du Tibet (Chine), située à 3 600 m d'alt. sur un plateau traversé par un affl. du Tsang Po (nom tibétain du Brahmâputra*). Env. 50 000 hab. Son grand palais, le Potala, fut érigé au XVIIe s., pour les dalaï-lamas sur un site habité depuis le VIIe s. au moins. Son accès est difficile, et rares sont les Européens qui la visitèrent. Ses habitants sont pour la plupart religieux ou fonctionnaires.

L'HERBIER (Marcel). ♦ Réalisateur français de cinéma (Paris, 1890). Esprit curieux de recherche et qui voulut assigner au cinéma une fonction humaniste, il a tenu un rôle important dans l'évolution de cet art, au lendemain de la Première Guerre mondiale. Réalisations princ. : *Eldorado* (1921), *L'Inhumaine* (1923), *Feu Mathias Pascal* (1925), *Forfaiture* (1937), *La Nuit fantastique* (1942). Fondateur de l'I.D.H.E.C. (Institut des hautes études cinématographiques, 1943).

L'HERMITE (Tristan). ♦ V. TRISTAN L'HERMITE.

LHERMITTE (Jean). ♦ Médecin français (Mont-Saint-Père, Aisne, 1877 – Paris, 1959), surtout connu par ses travaux de neurologie et de psychiatrie (*Les Mécanismes du cerveau,* 1938; *L'Image de notre corps,* 1939; *Psychopathologie de la vision,* 1943, etc.). [Acad. méd., 1942.]

LHOMOND (*abbé* Charles François). ♦ Grammairien et érudit français (Chaulnes, Picardie, 1727 – Paris, 1794). Entré dans les ordres, il se consacra essentiellement à l'enseignement et laissa plusieurs ouvrages de grammaire, d'histoire romaine et d'histoire sainte, qui furent longtemps utilisés en France (*De* viris illustribus urbis Romae,* v. 1775; *Éléments de grammaire latine,* 1779; *Epitome historiae sacrae,* 1784). Ayant refusé de prêter serment à la constitution civile du clergé, l'abbé Lhomond fut incarcéré (1792), mais libéré peu après sur l'intervention de son ancien élève Tallien.

L'HOSPITAL [lopital] ou **L'HOPITAL (Michel *de*).** ♦ Homme politique français (Aigueperse, Puy-de-Dôme, v. 1504 – près d'Étampes, 1573). Il fit ses études à Padoue, son père ayant suivi le connétable de Bourbon* en exil. Chancelier particulier de Marguerite* de Navarre, il protégea les poètes de la Pléiade et composa lui-même des poèmes latins. Ses talents lui valurent une carrière rapide : conseiller au Parlement, président de la Chambre des comptes, puis chancelier de France (1560). Il poursuivit une double action de réforme administrative et d'apaisement en matière religieuse. L'édit de Romorantin (1560) arrêta l'installation de l'Inquisition en France, le colloque de Poissy* tenta d'amener catholiques et protestants à un compromis, l'ordonnance d'Orléans* qui suivit les états généraux (1560-1561) accorda la liberté de culte aux réformés, dans certaines limites, et commença la réforme administrative poursuivie par les ordonnances de Roussillon* (1564) et de Moulins* (1566). Si la réforme administrative réussit, il connut un échec total sur le plan de la conciliation : l'ordonnance d'Orléans eut pour conséquence directe le massacre de Wassy* (1562) qui ouvrit les guerres de Religion*. Michel de l'Hospital, impuissant, se retira en 1568 et faillit être victime de la Saint*-Barthélemy. Il a laissé un *Traité de la réformation,* des *Harangues* et un *Testament politique.*

L'HOSPITAL (Guillaume *de*), *marquis de* Sainte-Mesme. ♦ Mathématicien français (Paris, 1661 – *id.,* 1704). Auteur du premier traité de calcul infinitésimal (*Analyse des infiniment petits pour l'intelligence des courbes,* 1696), il précisa les conceptions de Leibniz* en exposant les principes de ce calcul d'après Jean Bernoulli* qui les lui avait enseignés (1691). ♦ *Règle de* L'HOSPITAL : règle donnant pour valeur du rapport $\frac{f(x)}{g(x)}$ de deux fonctions f(x) et g(x) qui, pour une valeur donnée x_0, prend la forme indéterminée $\frac{0}{0}$ ou $\frac{\infty}{\infty}$, le rapport des dérivées premières par rapport à x pour la valeur donnée de la variable, soit $\frac{f'(x)}{g'(x)}$ pour $x = x_0$.

LHOTE (André). ♦ Peintre, dessinateur et critique d'art français (Bordeaux, 1885 – Paris, 1962). Il étudia la sculpture décorative à Bordeaux, puis s'établit à Paris en 1908 et s'intéressa à l'art nègre. Après avoir été influencé par le fauvisme, il fut sensible au courant cubiste, ce qui l'incita à schématiser les volumes d'une façon géométrique et abrupte, tout en restant attaché à la lisibilité de la figure humaine et en conservant le goût des couleurs vives fortement contrastées (*L'Escale,* 1913). Esprit soucieux d'ordre et de méthode, il exposa à la Section d'or en 1912. S'inspirant du cubisme synthétique et de Delaunay*, il réduisit les formes en un ensemble de plans colorés savamment agencés (*Rugby,* 1917) puis, v. 1920, usa d'effets de matières et adopta des formes courbes en traitant des thèmes traditionnels : paysages, natures mortes, scènes mythologiques *(Léda),* qui dénotent une volonté décorative. Ayant fondé une académie rue d'Odessa en 1922, il joua un rôle important de pédagogue et de critique (chroniques à la N.R.F. à partir de 1917). Analyste fin et lucide *(Seurat, Bonnard),* il publia un *Traité du paysage* (1938) et un *Traité de la figure* (1950). Il cherchait à concilier sa conception de l'art moderne avec des principes esthétiques stables définis comme « invariants plastiques ».

LHOTE (Henri). ♦ Explorateur et ethnologue français (Paris, 1903). Il explora diverses régions d'Afrique du Nord et d'Afrique noire, et il est surtout connu pour ses travaux ethnologiques, anthropologiques et archéologiques au Hoggar et au Tassili, où il découvrit un très important ensemble de peintures rupestres. (*Les Touareg du Hoggar,* 1944; *Dans les campements touareg,* 1947; *À la découverte des fresques du Tassili,* 1958.)

LHO-TSE. ♦ Pic S. du massif de l'Everest (Himâlaya*), de 8 545 m d'alt., un des quatre plus hauts sommets du monde. Des alpinistes suisses le vainquirent en 1956.

LIA. ♦ V. LÉA.

LIADOV (Anatoli Konstantinovitch). ♦ Compositeur russe (Saint-Pétersbourg, 1855 – Polijnovka, 1914). Élève de Rimski-Korsakov, épigone du Groupe des Cinq, il fut marqué par les influences contrastées de la chanson populaire russe, du lyrisme de Chopin et du rêve symboliste. Professeur au conservatoire de Saint-Pétersbourg, plus respectueux du passé que curieux d'avenir, il compta néanmoins S. Prokofiev parmi ses élèves et exerça sur de nombreux musiciens, dont P. Dukas et M. Ravel, une réelle influence. Auteur de poèmes symphoniques *(Baba Yaga, Kikimora, Nénie),* de pièces pour piano (préludes, études, mazurkas, valses) et de musique vocale (130 *chansons* populaires), il a recherché avant tout l'élégance et la pureté de l'expression.

Liaisons dangereuses (Les). ♦ Roman par lettres de P. Choderlos de Laclos* (1782), inspiré de Richardson*, qui expose (en plusieurs correspondances entremêlées par un effet de contrepoint) les intrigues du roué Valmont conseillé par Mme de Merteuil pour conquérir Mme de Tourvel, femme « vertueuse sans fadeur, noble sans ennui » (Léon Blum). Œuvre de moraliste (dit Laclos), cette peinture impassible de certaines perversions des esprits et des cœurs est remarquable de pénétration psychologique : les tourments de la passion en lutte avec la conscience, analysés chez Mme de Tourvel, sont opposés à la recherche du plaisir sensuel et, surtout, intellectuel, à laquelle se livrent Valmont et Mme de Merteuil, soumettant volontairement leur intelligence à un véritable code du mal (Cf. lettre 81). « Ce n'est pas assez pour moi de la posséder, je veux qu'elle se livre » : la victoire, froidement projetée par Valmont, est remportée au prix d'une stratégie implacable décrite avec des métaphores militaires; même si la campagne est pénible, « quel délice d'être tour à tour l'objet et le vainqueur (des) remords » de sa victime, dira Valmont. Cette analyse cruelle des sentiments et des « manœuvres », servie par un style d'une rigueur toute classique, remporta un immense succès et fit voir en Laclos, « un Racine aidé par Vauban » (Giraudoux).

LIAKHOV (*îles de*). ♦ Îles d'U.R.S.S. appartenant à l'archipel de Nouvelle*-Sibérie, situées entre les embouchures de la Léna et de l'Indighirka et séparées de la côte N. de la Sibérie par le détroit de Dmitri Laptev. Superficie totale 6 600 km². Îles princ. : la *Grande* et la *Petite Liakhov*. Elles sont inhabitées.

LIAMONE. *n. m.* ♦ Fl. de Corse*. 40 km. Né près du monte Rotondo*, il se jette dans la Méditerranée dans le golfe de Sagone*.

LIANCOURT. ♦ Ch.-l. de cant. de l'Oise* (arr. de Clermont*). 5 087 hab. La ville, située dans la vallée de la Brèche*, possède des indus. variées (constructions mécaniques, machines agricoles, plastiques, matériel automobile). Le duc de La Rochefoucauld*-Liancourt y fonda un orphelinat militaire (1788).

Ph. Nimatallah/Ricciarini

André Lhote : « Rugby ». (Musée d'Art moderne, Paris.)

LIANG [*Leang*]. ♦ Nom de plusieurs dynasties chinoises : *Liang antérieurs* (302-376), *Liang du Sud* (397-414) et *Liang postérieurs* (386-404, 555-587, 907-923). Elles régnèrent dans la région de Nankin* et dans le Chiang*-su.

LIANG CH'I-CH'AO [*Leang K'i-tch'ao, Liang Qichao*]. ♦ Homme politique chinois (Canton, 1873 – Pékin, 1929), disciple de K'ang* You-wei et conseiller de l'empereur Kuang-hsü (1898). Il préconisa l'occidentalisation de la Chine et, à la suite de la « réforme des Cent-Jours » avortée, fut obligé de s'enfuir au Japon. Il rentra en Chine en 1911 et écrivit de nombreux ouvrages politico-philosophiques attachés au confucianisme. Son œuvre influença la pensée de la Chine moderne.

LIANG K'AI [*Leang K'ai, Liang Kai*]. ♦ Peintre chinois (*fin* XIIe s. – v. 1225?) et moine ch'an* (zen), grand amateur de vin. Il peignit de manière très éclectique des sujets fort divers. Il fut nommé académicien en 1203. Son style fut surtout imité par les artistes japonais. Ses portraits de Lo-han (arhat) sont célèbres.

LIAO [*Leao*]. ♦ Dynastie mongole fondée en Manchourie au début du Xe siècle. Les Liao envahirent la Chine et, en 947, entrèrent à Pékin où ils établirent leur propre dynastie qui resta au pouvoir jusqu'en 1125. Dix de leurs souverains portèrent des titres chinois.

Liao Chai Chih-I [*Leao tchai tche yi, Liao zhai zhi yi*] (« Contes fantastiques du studio Liao »). ♦ Œuvre romanesque célèbre de l'écrivain chinois P'u* Sung-ling (1640 – 1715) réunissant plus de quatre cents contes d'inspirations diverses, écrits dans une langue classique et élégante.

LIAO-NING [*Leao-ning, Liaoning*]. n. m. ♦ Prov. du N.-E. de la Chine, créée en 1954 avec les anc. divisions administratives du Liao*-tung, du Liao-hsi et d'une partie de la prov. manchoue du Jehol. 150 000 km². 28 000 000 d'hab. *Cap.* Shen*-yang (anc. Mukden*). – Riche région agricole (soja, tabac, coton) et minière (charbon, fer) comprenant d'immenses installations industrielles à An*-shan entre autres.

LIAO-TUNG *(Leao-tong, Liaodong)*. ♦ Péninsule limitant à l'E. le golfe de Pohai (anc. *Petchili*). Ancienne province chinoise occupant cette péninsule et incluse dans la province actuelle du Liao*-ning. *V. princ.* **V. Lu-shun** (anc. Port-Arthur), **Lü-ta** (anc. Dairen) et **An-tung** (*auj.* Andong).

LIAO-YUAN [*Liaoyuan*]. ♦ V. de Chine (Liao-ning) sur la riv. Liao. 130 000 hab. – Important centre agricole et commercial.

LIAQAT ALÎ KHÂN. ♦ Homme politique pakistanais (1895 – 1951). Il fit ses études en Grande-Bretagne, à Oxford, et devint, lors de la partition de l'Inde et du Pâkistân, un partisan convaincu d'Ali* Jinnâh. Il succéda à celui-ci comme chef du gouvernement du Pâkistân en 1948, mais fut assassiné en 1951 par un fanatique afghan.

LIBAN. *n. m.* (du nom du *djebel Liban,* « la montagne blanche », aux sommets couverts de neige et aux roches blanches). ♦ Pays du Proche-Orient (Levant) qui borde la mer Méditerranée et s'étend entre la Syrie, au N. et à l'E., et Israël, au S. 10 400 km² (superficie qui n'excède guère celle d'un dép. français). 2 825 000 hab. en 1968 *(Libanais)*. On compte env. 1 500 000 Libanais émigrés (Brésil, États-Unis, Argentine). *Cap.* Beyrouth*. *Langues :* arabe (off.), français, anglais. *Unité monét.*, livre libanaise. *V. princ.* **V. Akkar, Baalbek, Batroûn, Djebail, Mînâ** (el), **Saïda, Tripoli, Zahlé.** – *Orogr.* **V. Anti-Liban, Hermon, Kornet el Saouda.** – *Hydrogr.* **V. Litani, Oronte.** – *Orogr.* et *hydrogr.* Le pays, long de 200 km env., atteint sa plus grande largeur (75 km) dans la moitié N., entre Beyrouth et Tripoli. Il comprend une étroite plaine côtière sédimentaire, à la végétation méditerranéenne **(V. Akkar),** aboutissant à une côte élevée, présentant quelques promontoires rocheux. À l'E. de cette plaine, la montagne du Liban *(dj. Liban)* s'élève parallèlement à la côte, sur 170 km env., déclinant lentement vers le S. jusqu'aux monts de Galilée* (point culminant à 3 090 m, le Kornet [ou Qornet] el Saouda). Des rivières en descendent dont le *Nahr Ibrahim* et le *Nahr el Kelb* (« fleuve du Chien ») et y creusent des gorges profondes. À ce système montagneux correspond un système similaire, constitué par le massif de l'*Anti-Liban,* plateau désertique à env. 2 300 m débordant sur la Syrie et prolongé au S. par le massif de l'Hermon après une zone moins élevée. Entre ces deux systèmes montagneux s'étend la haute plaine (env. 900 m) de la Bekaa*, où l'Oronte prend sa source et où coule, au S., le Litani. Les pentes montagneuses qui tombent à pic sur la Bekaa sont arides et désertiques, mais le versant occidental du dj. Liban est couvert de forêts de pins et, à basse altitude, de cultures fruitières. – *Climat* méditerranéen, hivers doux et pluvieux et étés chauds et secs. – La *population,* concentrée dans les nombreux villages de cette région fertile et dans les villes de la riche plaine côtière, est très composite. Les communautés musulmanes et chrétiennes, à l'intérieur desquelles les sectes gardent leurs particularismes (*sunnites** de la côte, *shi'ites** de la Bekaa, *druzes** du dj. Liban, *maronites,* ...) s'équilibrent. – *Écon.* Les ressources du pays proviennent surtout des terres de la Bekaa et de la plaine côtière, où l'agriculture occupe près de 50 % de la population. Les céréales, pommes de terre et légumes sont cultivés dans la Bekaa, agrumes et bananes sur la côte, vigne et arbres fruitiers (pommiers, poiriers, pêchers, oliviers, ...) sur les pentes. Les fruits constituent la principale richesse agricole du pays, qui dépend de l'irrigation. Tabac dans le sud. Le cheptel, assez important, comprend caprins, bovins et ovins. La pêche constitue une ressource mineure. En dépit de l'accroissement de la production électrique (aménagement du

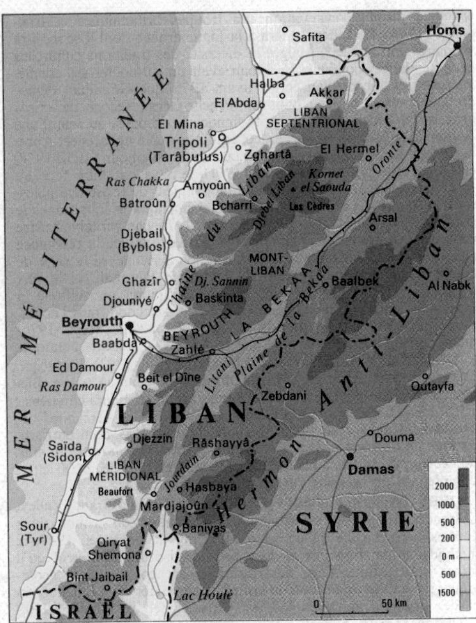

Liban.

Litani), l'industrialisation est freinée par le manque de matières premières. Les indus. textiles (laine, coton, soie, jute), alimentaires (huileries, brasseries, sucreries, indus. de la viande) sont les plus importantes ; viennent ensuite l'indus. du bois, les manufactures de tabac et les artisanats. La grande indus. est représentée par deux cimenteries qui alimentent l'indus. de construction et surtout par les indus. du pétrole. Les raffineries de Tripoli (el Mînâ*), Saïda et Zahrani traitent les pétroles d'Iraq, d'Arabie Sa'ûdite et des îles Bahreïn. Les exportations portent sur les fruits et légumes, l'huile d'olive, le bétail, les boissons, le tabac. Bien que la balance commerciale soit largement déficitaire, l'économie du pays est équilibrée, et même prospère, grâce aux revenus invisibles, au transit du pétrole, aux fonds déposés par les Libanais vivant à l'étranger. Le système de libre-échange, le secret des dépôts, ajoutés à la prospérité due au pétrole, stimulent l'activité bancaire (plus de 5 100 millions de livres de dépôts en 1971). Tourisme important. Réseau de communications essentiellement routier. 917 km de voies ferrées (dont la transversale Beyrouth - Zahlé - Anti-Liban).

♦ *Hist.* Héritier de l'antique Phénicie*, le pays fut conquis par les Arabes (v. 637) et passa ensuite sous la domination des Francs (1098-1289), des mamelouks d'Égypte (jusqu'en 1516), puis des Ottomans (XVIe s.). Après la soumission des Tanûkhides au sultan (XVIe s.), les émirs locaux continuèrent à administrer le pays ; détenu d'abord par les Banû Ma'ân (dont le plus connu est Fakhr al-Dîn, 1585-1635), le pouvoir passa ensuite aux Chihabîdes (Bachîr Chihâb II, 1784-1840). La conquête de la Syrie par Muhammad 'Ali (1833) provoqua un soulèvement nationaliste au Liban où, peu après, Bachîr Chihâb fut déposé (1840) tandis qu'était rétablie l'autorité centrale d'Istanbul. Le Liban avait joui d'une semi-indépendance qui « a favorisé l'évolution particulariste et le développement local des communautés formées aux dépens de l'orthodoxie islamique, à savoir les mutawâlis, les druzes et les nasairîs, sans parler des confessions chrétiennes des melkites, des jacobites et des maronites » ***(Encyclopédie de l'islâm)***. C'est à la suite du massacre par les druzes des chrétiens maronites que Napoléon* III décida l'envoi d'un corps expéditionnaire au Levant (1860-1861). Une commission internationale imposa au gouvernement d'Istanbul l'autonomie du « Mont-Liban » (Charte de 1864). La Turquie retira son autonomie au Liban au début de la Première Guerre mondiale (1914) ; mais, après la victoire des forces alliées sur les troupes turques et allemandes, l'Empire ottoman fut démantelé. Sous administration militaire française, le *Mont-Liban,* auquel fut adjointe la plaine de la Bekaa, devint *État du Grand-Liban* (1920) et fut placé sous mandat français, comme la Syrie. Dès 1926, le pays était proclamé république par une Constitution équilibrant les diverses communautés religieuses (le président de la République étant toujours un chrétien maronite, celui du gouvernement un musulman sunnite, celui de la Chambre un musulman shi'ite). La Constitution fut supprimée de 1939 à 1943. L'indépendance de la République libanaise qui avait été reconnue par un traité signé en 1936 par la France, et non encore ratifié en 1939, fut proclamée officiellement par le général Catroux* (1941) et devint effective en 1943. Une forte agitation nationaliste persista toutefois jusqu'à l'évacuation des troupes britanniques et françaises (1946). Le Liban adhéra à la Ligue arabe* dont il se montra solidaire contre Israël*. Malgré la diversité des traditions culturelles et des tendances politiques, le Liban avait pu surmonter ses conflits intérieurs, et l'on pouvait écrire, avant 1975, que « le Liban démocratique [avait] survécu dans un Proche-Orient secoué de crises graves » (J. Peuch). La prospérité financière du pays, au sein d'une économie déficitaire, ne servait cet équilibre qu'en apparence. Après la période de politique pro-occidentale de C. Chamoun (1952-1958) et l'échec d'un putsch pro-syrien (1961), le pays dut faire face au problème soulevé par la présence du mouvement de résistance palestinienne, qui révéla les cassures internes et impliqua le Liban dans le conflit israélo-arabe (après 1967). En avril 1975, une véritable guerre civile éclata entre certains chrétiens et les partisans de la résistance palestinienne. Ni les tentatives de médiation syrienne, ni la rage de combats sans issue qui détruisirent en partie Beyrouth, ni le sort tragique des Palestiniens (camp de Tell-el-Zaatar) ne suffirent à conduire à une solution pacifique. Cependant, l'élection, puis l'accession d'Elias Sarkis à la présidence de la République (sept. 1976) marquèrent l'arrêt des tueries et une recherche de solution politique.

LIBANIOS. ♦ Rhéteur grec (Antioche, 314 – v. 393). Il enseigna la rhétorique à Athènes, à Constantinople et dans sa patrie. Bien que païen, il eut comme élèves les futurs grands rhéteurs chrétiens : saint Basile*, saint Jean* Chrysostome et saint Grégoire* de Nazianze. Il nous reste de lui soixante-cinq discours, dont un *Panégyrique de Constance et de Constantin* et deux *Discours sur la mort de l'empereur Julien,* ainsi qu'une collection de plus de 1 600 lettres comprenant de précieux renseignements historiques.

LIBBY (Willard Frank). ♦ Chimiste américain (Grand Valley, Colorado, 1908). Ayant expliqué la formation du tritium dans l'atmosphère et celle du carbone 14, il mit au point, en 1949, la méthode de datation par le dosage de cet isotope radioactif qu'il utilisa pour estimer l'âge des matériaux archéologiques et géologiques ; il utilisa également le tritium pour dater de l'eau, du vin et des produits agricoles fossiles. (Prix Nobel de chimie, 1960.)

Libéral *(parti).* ♦ Parti politique anglais qui prit la succession du parti whig, après la réforme électorale de 1832, et s'opposa au parti conservateur. **V. Whig.** Mené par Russell*, Melbourne*, Palmerston*, il avait pour programme la défense générale des libertés : liberté religieuse, abolition de l'esclavage, puis, à partir de 1846, libre-échangisme. Gladstone* le conduisit à son apogée, mais sa politique irlandaise amena une scission entre ses fidèles et les « libéraux unionistes », conduits par Chamberlain* (1886). Après une période d'éclipse, accentuée par la naissance du parti travailliste*, le parti libéral retrouva sa force pour défendre les thèses libre-échangistes, avec Campbell*-Bannerman et Asquith* (1906). Lloyd* George lui donna une orientation sociale. Des divisions l'amenèrent à céder la place au parti travailliste (1924).

Libération *(la).* ♦ Ensemble des actions militaires menées par les forces alliées et les mouvements de résistance, de 1943 à 1945, pour libérer les pays d'Europe occupés par l'Allemagne nazie. **V. Guerre mondiale** *(Deuxième).*

Libération *(ordre de la).* ♦ Ordre français créé en nov. 1940 par le général de Gaulle pour « récompenser les personnes ou collectivités, militaires et civiles, qui se seront signalées dans l'œuvre de libération de la France et de son Empire ». Close en 1946, la liste des « compagnons de l'ordre de la Libération » s'élève à env. 1 050 (dont 5 villes et 18 unités combattantes).

LIBERCOURT. ♦ Comm. du Pas-de-Calais, arr. de Lens. 10 726 hab. – Indus. métallurgique. Goudrons.

LIBÈRE. ♦ 36ᵉ pape (352-366 [mort]), Romain. Exilé à Bérée, en Thrace, pour n'avoir pas accepté les décrets des synodes ariens d'Arles (353) et Milan (355), il signa le douteux « formulaire de Sirmium ». Rentré à Rome en 358, il se trouva aux prises avec l'antipape Félix* II. Il est souvent honoré comme saint mais ne figure pas au martyrologe romain.

LIBEREC, ancienn. en all. **Reichenberg.** ♦ V. de Tchécoslovaquie, en Bohême-Septentrionale, sur la Neisse*, au pied des Jizerské Hory. 71 723 hab. (1967). – École supérieure de mécanique. Hôtel de ville néo-Renaissance, maisons de style baroque. Musée de Bohême du Nord. – Liberec est traditionnellement le centre de l'indus. textile de la Bohême. Indus. mécaniques (fonderies, véhicules), alimentaires. Verreries. Foires.

LIBÉRIA ou **LIBERIA.** *n. m.* ♦ État d'Afrique occidentale ouvert sur l'Atlantique, limité au N.-O. par la Sierra* Leone, au N. par la Guinée* et à l'E. par la Côte*-d'Ivoire. 111 400 km². 1,2 million d'hab. – *Cap.* Monrovia. *Langues :* anglais (off.), dialectes soudaniens. *Pop.* Américano-Libériens (descendants d'esclaves noirs libérés), Krous*, Mandings*, Vais. – Son relief est constitué par un plateau (forêt dense) situé en deçà des hautes terres de la Dorsale* guinéenne **(V. Nimba** [mont]**),** parcouru par de nombreux fleuves, il s'incline sur une plaine côtière. Son climat très humide (3 000 à 4 000 mm) passe d'un type quasi équatorial (deux saisons de pluie) au S.-E. à un type tropical à l'ouest. Outre les cultures vivrières traditionnelles et forestières (palmistes), les cultures de plantations (café, cacao, ananas, agrumes et surtout hévéas) sont contrôlées par des capitaux internationaux, surtout américains. Il en est de même pour l'exploitation minière : fer (73 % des export., 1ᵉʳ product. africain), diamants et or (négligeable *auj.*). ♦ *Hist.* Exploré dès le XVIᵉ s. par les Portugais, le Libéria fut comme les autres pays de l'Ouest africain la proie des négriers. Il doit son existence, comme la Sierra* Leone, à une société philanthropique (américaine) qui, à partir de 1822 **(V. Monrovia),** y installa d'anciens esclaves noirs libérés. République indépendante (1847), avec une Constitution imitée de celle des États-Unis, le Liberia est le plus ancien État moderne noir. Gouverné de 1943 à 1971 par W. Tubman* qui dut faire face à l'opposition des autochtones au pouvoir d'une économie nationale exclusivement dirigée par la minorité des Américano-Libériens ou Afro-Américains (50 000).

LIBERMANN (Ievseï Grigorievitch). ♦ Économiste soviétique (Slavouta, Ukraine, 1897). Afin d'accroître la rentabilité des investissements, il a proposé, à partir de 1956, un certain assouplissement de la planification centralisée ; sans pour autant mettre en question la propriété collective des moyens de production, il a préconisé d'accorder aux entreprises une relative autonomie par rapport au Plan et de restaurer la norme du profit. Cette réforme, réclamée avec l'autorisation de Khrouchtchev dans la *Pravda* (*Plan profit et prime,* 1962), fut d'abord appliquée à des entreprises de confection (1964), étendue ensuite à des exploitations de l'industrie légère, puis généralisée par le gouvernement de Kossyguine (1965). *Structure de l'équilibre d'une entreprise industrielle,* 1948 ; *Moyens d'élever la rentabilité des entreprises socialistes,* 1956 ; *Analyse de l'utilisation des ressources de production,* 1963 ; etc.

LIBOURNE. ♦ Sous-préf. de la Gironde*, ch.-l. d'arr. (9 cant., 133 comm., 117 004 hab.) au confluent de l'Isle* et de la Dordogne*. 23 621 hab. *(Libournais).* Anc. bastide. Église en partie du XVᵉ s., hôtel de ville du XVIᵉ s., tour du Grand Port (XIVᵉ s.), musées. – Vignobles. Marché actif pour les vins de Saint-Émilion*, Pomerol*, Fronsac*. Chaussures. – Patrie de L. Duguit*. ♦ *Hist.* Le parlement de Bordeaux s'exila plusieurs fois à Libourne.

LIBRAMONT. ♦ Comm. de Belgique (Luxembourg, arr. de Neufchâteau). 2 445 hab. ♦ *Hist.* Sous les Romains, la région fut le siège de l'administration du domaine impérial de la forêt d'Ardenne.

LIBREVILLE. ♦ Cap. du Gabon*, sur la r. d. de l'estuaire Gabon*. 57 000 hab. (1967). Indus. alimentaires.

LIBURNIE. *n. f.,* en lat. **Liburnia.** ♦ Région côtière de l'Illyrie*, anc. située entre l'Istrie* et la Dalmatie*. Les Liburniens furent soumis par Rome au ~ IIᵉ siècle.

LIBYE. *n. f.* ♦ État le plus saharien d'Afrique* du Nord, aux confins du Maghreb et du Proche-Orient, bordé par la Méditerranée* **(V. Syrte),** constitué par trois grandes régions, la Tripolitaine* au N.-O., la Cyrénaïque* à l'E. et le Fezzan* au S.-O. [Il est limité à l'O. par la Tunisie* et l'Algérie*, au S. par le Niger* et le Tchad*, au S.-E. par le Soudan*, à l'E. par l'Egypte*, et traversé dans son extrémité méridionale par le tropique du Cancer.] *Off.* République arabe libyenne. 1 759 000 km². 2 400 000 hab. *(Libyens). Cap.* **V. Benghazi** et **Tripoli** (projet d'une future cap. à El-Beida*). *Langue :* arabe (dialectes berbères à l'O.). *Autres V. et localités princ.* **V. Agheila (El-)** et **Tobrouk.** *Oasis* **V. Ghadamès, Koufra, Mourzouk** et **Sebha.** *Sites.* **V. Cyrène, Leptis Magna** et **Ptolemaïs.** *Exploitation du pétrole.* **V. Zelten.** – Les neuf dixièmes du territoire libyen s'étendent sur l'une des parties les plus arides du Sahara* **(V. libyque** [*désert*]**),** où les pluies sont rares et irrégulières (300 à 500 mm sur les monts Cyrénaïques, et 15 mm parfois au Fezzan) et où les températures sont continentales (35 à 45 °C à l'ombre en été, 5 °C en janvier). La plaine de la Djeffara en Tripolitaine*, les quelques domaines céréaliens de la Cyrénaïque* et les oasis du Fezzan* et de Koufra* constituent les seules zones agricoles. Mais la découverte des pétroles libyens (1959) a entraîné une révolution et un déséquilibre économique, agriculture et industrie étant réduites à la portion congrue. La

Libéria.

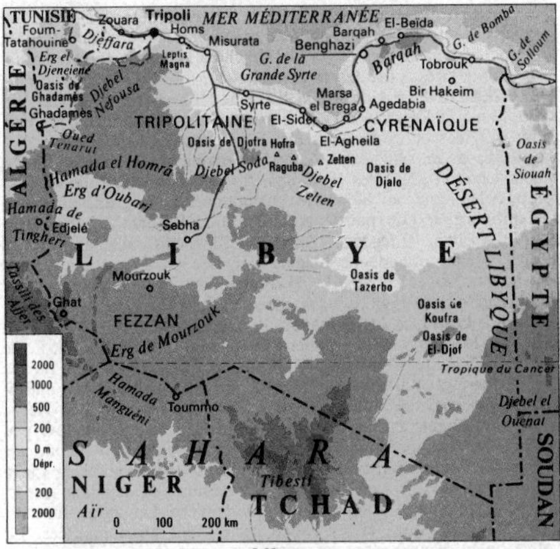

Libye.

Libye qui produisait plus de 160 000 000 de t de pétrole en 1970 n'en produit plus que 72 901 000 t en 1975 (13e rang mondial). ♦ *Hist.* **V. Cyrénaïque, Fezzan, Tripolitaine.** — L'indépendance de la Libye fut décidée par l'O.N.U. en 1951. Le pays devint un royaume gouverné par Muhammad Idrîs el-Mehdî (de la confrérie Senousis), émir de Cyrénaïque, qui prit le nom d'Idrîs Ier. La Libye entra en 1953 dans la Ligue arabe, et en 1955 à l'O.N.U. La découverte des premiers gisements de pétrole (fin 1959) bouleversa les structures économiques et sociales du royaume. Profitant d'un voyage du roi Idrîs en Turquie, de jeunes officiers, sous la direction du colonel Muammal al-Kadhafi, s'emparèrent du pouvoir en 1969 et proclamèrent la République arabe libyenne, sous le signe de « la liberté, le socialisme et l'unité arabe ». Le colonel Kadhafi est depuis janvier 1970 président du Conseil et ministre de la Défense, succédant à Mahmoud Soliman el-Maghrabi. En juin 1971, une réunion à Tripoli aboutit à l'annonce de la fédération arabe, Union socialiste arabe groupant l'Égypte, la Syrie, la Libye et éventuellement le Soudan. En 1973, des divergences politiques avec l'Égypte ont entraîné la démission, aussitôt reprise, du colonel Kadhafi.

LIBYQUE *(désert),* en ar. **al-Sahrâ al-Libiyah.** ♦ Portion nord-orientale du Sahara, comprise entre les montagnes du Fezzan, à l'E., et celles du Tibesti, au N.-E., et le Nil, à l'ouest. Particulièrement aride et inhospitalier, le désert possède cependant des oasis : Bahariéh, Farafréh, Siouah, Dakhleh, Khargéh et la dépression de Kattara, formant le gouvernorat de la *Nouvelle Vallée* (cap. Khargéh). Le projet de la Nouvelle Vallée, mis en chantier en 1959 par la R.A.U., permettra, grâce aux 3 000 sources et puits déjà existants et aux travaux d'irrigation, de mettre en culture 3 000 000 d'ha, dont 14 000 sont déjà exploités.

LICATA. ♦ V. et port d'Italie du Sud, en Sicile (prov. d'Agrigente). 45 000 hab. Habitations troglodytiques. Nécropoles sicules et chrétiennes à proximité (Cava d'Ispica).

LI CH'ENG [*Li Tch'eng, Li Cheng*]. ♦ Peintre et poète chinois (v. 920 — 967). Il se signala pour ses fresques bouddhiques et ses compositions monumentales. Ses œuvres ont presque toutes disparu. Il était considéré en son temps comme le plus grand peintre de paysage qu'eût jusqu'alors connu la Chine.

LI CH'ING-CHAO [*Li K'ing-tchao, Li Qingzhao*]. ♦ Poétesse chinoise (v. 1084 — v. 1141), d'une famille de mandarins et de lettrés, auteur d'élégies mélancoliques et de chants d'amour d'une grande délicatesse. Elle collabora avec son mari dans la rédaction d'un grand catalogue des anciennes inscriptions, qui fait encore autorité.

LICHNEROWICZ (André). ♦ Mathématicien français (Bourbon-l'Archambault, 1915 —). Ses travaux portent sur les espèces de Riemann, les groupes d'holonomie, les espaces à connexions affinés et la relativité. Professeur à la faculté des sciences de Paris (1949) et au Collège de France (1952), il a publié notamment : *Algèbre et analyse linéaire; Géométrie des groupes de transformation.* (Acad. sc., 1963.)

LICHT. ♦ V. de haute Égypte (province de Gizeh*), sur la r. g. du Nil, qui a donné son nom à un site archéologique. L'anc. cité était devenue capitale de la XIIe dynastie (aux dépens de Thèbes*). On peut voir aujourd'hui les pyramides d'Amménémès* Ier et de Sésostris* Ier.

LICHTENBERG (Georg Christoph). ♦ Savant et écrivain allemand (Oberramstadt, près de Darmstadt, 1742 — Göttingen, 1799). Professeur de physique expérimentale à l'université de Göttingen, il s'intéressa aux domaines les plus variés; précurseur de Freud (qui l'appréciait vivement) par ses analyses sur l'inconscient, auteur d'une *Explication détaillée des gravures de Hogarth* (1794-1799), il occupa une place originale dans la pensée de son époque. Esprit lucide et caustique, il n'épargna guère ses contemporains, ni la *physiognomonie* de Lavater* et son prosélytisme, ni les « génies » du *Sturm und Drang,* ni le jeune Goethe. Publiés après sa mort, ses *Aphorismes* révèlent ses qualités d'humoriste, de moraliste autant que de styliste, et restent un des témoignages les plus vivants sur l'Allemagne du XVIIIe siècle.

LICHTENBERGER (André). ♦ Écrivain français (Strasbourg, 1870 — Paris, 1940). Universitaire, auteur d'intéressants ouvrages sur le socialisme au XVIIIe s., A. Lichtenberger a composé de nombreux romans, de genres très différents : *La Mort de Corinthe* (1900) sur un thème archéologique, *Père* (1901), ouvrage d'analyse psychologique, tandis que *Le Sang nouveau* (1914) et *Biche* (1920) sont des études de mœurs. Un vaste public goûta davantage les récits charmants, d'une grande délicatesse, que l'écrivain rédigea pour les enfants; *Mon petit Trott* et *La Petite Sœur de Trott* (1898) évoquent à merveille la personnalité simple et cocasse d'un « enfant terrible » qui réconciliera avec ingénuité ses parents, séparés par une mésentente qu'il devine plus qu'il ne la comprend. *Line* (1905), portrait plein de fraîcheur d'une petite fille très spontanée, voire « difficile », rencontra le même succès.

LICINIUS, en lat. **Caius Flavius Licinius Licinianus.** ♦ (? — Thessalonique, 325). Empereur romain (307-323). Nommé Auguste par Galère*, il gouverna la Pannonie et la Rhétie; en 312 l'empire était dirigé par quatre Augustes : Licinius à Smirnium, Maximin* Daïa à Nicomédie, Maxence* à Rome, et Constantin* dans le reste de l'Occident. Après avoir battu Maximin Daïa et Maxence, Licinius et Constantin restèrent maîtres de l'empire. Licinius régna sur l'Orient puis fut renversé (324) et tué par Constantin.

LICINIUS CRASSUS; LICINIUS LUCULLUS; LICINIUS MURENA; LICINIUS STOLO. ♦ **V.** CRASSUS, LUCULLUS, MURENA, STOLON.

LIDDEL. *n. m.* ♦ Riv. de Grande-Bretagne, tributaire de la mer du Nord. Née dans les monts Cheviot (Peel Fell). Elle constitue la frontière orientale entre l'Angleterre et l'Écosse et se jette dans le *Solway Firth.* Son cours inférieur porte le nom de *Liddelsdale.*

LIDICE. ♦ Village de Tchécoslovaquie, en Bohême-Centrale, à l'O. de Prague. ♦ *Hist.* R. Heydrich, « protecteur » de Bohême-Moravie, ayant été tué par la Résistance, au printemps de 1942, à Prague, Lidice fut l'objet d'atroces représailles de la part des nazis : la population mâle fut fusillée, les femmes déportées à Ravensbrück*, les enfants dispersés dans des orphelinats et le village rasé (10 juin 1942). Un nouveau village a été reconstruit après la guerre, au N. du précédent.

LIDO ou **LIDO DE VENISE.** *n. m.* ♦ Étroite et longue bande de terre qui sépare Venise* de l'Adriatique (12 km de long). Importante station balnéaire. Casino. — Palais du Festival international du cinéma (Festival de Venise).

LIDWINE *(sainte).* ♦ Mystique hollandaise (Schiedam, 1380 — 1433). Infirme et atteinte de maladies extraordinaires, elle vécut dans la mortification, connut extases et visions et attira de nombreux pèlerins. Elle inspira un ouvrage à J.K. Huysmans, *Sainte Lydwine de Schiedam* (1901). Fête le 14 avril.

LIE (Jonas). ♦ Poète et romancier norvégien (Eker, près de Drammen, 1833 — Christiania [Oslo], 1908). Contrairement aux écrivains de son époque, tels Ibsen*, Bjørnson*, Kielland*, il refusa de prendre part à la discussion soulevée par les idées radicales de Brandes*. Ses romans réalistes, au style impressionniste, peignent avec force la Norvège du Nord et de la mer : *Le Voyant* (1870), *Le Trois-Mâts « Avenir »* (1872), *Le Pilote et sa femme* (1874), *Rutland* (1880). À partir de 1882, Lie s'attacha surtout à décrire la vie quotidienne dans ses romans *La Famille de Gilje* (1883) et *Les Filles du commandeur* (1886). Il fut l'un des premiers à considérer les forces psychiques obscures, le subconscient qu'il a appelé le *troll* (lutin) dans l'homme, comme en témoignent ses deux volumes de contes : *Troll* (1891-1892).

LIE (Sophus). ♦ Mathématicien norvégien (Nordfjordeid, 1842 — Christiania, 1899). Auteur de recherches sur les groupes continus de transformations (groupes de Lie), il étudia particulièrement les transformations de contact, dont la « transformation de Lie » qui transforme les droites de l'espace ordinaire en sphères (1870); il permit ainsi à la géométrie différentielle de profiter largement des progrès de la théorie des équations différentielles et aux dérivées partielles (*Theorie der Transformationsgruppen,* 1888-1893; *Differentialgleichungen,* 1891; *Kontinuerliche Gruppen,* 1893; *Berührungstransformationen,* 1896). **V.** *aussi* **E. Cartan, Jordan, Klein.**

LIEBERMANN (Max). ♦ Peintre, dessinateur et graveur allemand (Berlin, 1847 — *id.,* 1935). Il étudia à Weimar en 1869 et pratiqua d'abord une peinture sombre et empâtée d'un réalisme souvent anecdotique (*Les Plumeuses d'oies,* 1872). Il séjourna à Paris de 1873 à 1878 et alla travailler à Barbizon* avec Millet*, traitant des sujets naturalistes d'un chromatisme plus vif, ouvriers ou paysans au travail, vieillards dans un asile. À partir de 1890, sous l'influence de Manet, Degas et des impressionnistes, il s'intéressa au rendu de l'atmosphère, de la lumière changeante, sa facture devint alors plus libre, sa touche mouvementée et ses tonalités claires. Il produisit de nombreux paysages et autoportraits. À Berlin, à partir de 1884, il s'affirma comme le chef de la sécession (1898) et contribua à propager la peinture française moderne.

LIEBIG (Justus, *baron von***).** ♦ Chimiste allemand (Darmstadt, 1803 — Munich, 1873). Ayant repris la méthode d'analyse des composés organiques élaborée par Gay*-Lussac et Thénard* pour

Ph. Mario Russo/Ricciarini

Château des princes du **Liechtenstein** à Vaduz.

en faire une méthode d'application générale (1831), il étudia les cyanates, les fulminates, l'acide benzoïque et l'acide urique (avec Wöhler*) afin de mieux dégager la notion de radical et de montrer que les radicaux peuvent se transporter d'un bloc dans une réaction chimique; auteur de travaux sur l'éthérification, sur les trois grandes classes d'aliments (les graisses, les albumines et les hydrates de carbone), on lui doit également la préparation du chloral (1832), la découverte de l'émulsine (1837) et la méthode de préparation des superphosphates (1840). Il fut encore l'un des fondateurs de la chimie agricole, étudiant le cycle de l'azote et du carbone dans la nature. **V. Boussingault, Mulder.** Il participa par ses nombreuses recherches à l'essor de la chimie dans son pays.

LIEBKNECHT (Wilhelm). ♦ Homme politique allemand (Giessen, 1826 – Charlottenburg, 1900). Publiciste, il adhéra très tôt aux idées socialistes, prit part à la révolution de 1848, puis émigra en Suisse, en France, et à Londres où il se lia avec Marx* (1850). De retour en Allemagne (1861), il fut un des fondateurs de la Ire Internationale, contribua à la diffusion du marxisme et créa avec Bebel* le parti ouvrier social-démocrate (Eisenach, 1869). Député au Reichstag (1874-1900), il fut rédacteur de la revue social-démocrate *Vorwärts* (« En avant »).

LIEBKNECHT (Karl). ♦ Socialiste allemand, fils de Wilhelm Liebknecht (Leipzig, 1871 – Berlin, 1919). Représentant de l'extrême gauche du parti social-démocrate allemand à la Chambre prussienne (1908) et au Reichstag, il manifesta son opposition à la Première Guerre mondiale et fut emprisonné. Fondateur avec Rosa Luxemburg* de la *Ligue spartakiste* (1916) puis du *Parti communiste allemand* (1918-1919), il dirigea avec elle l'insurrection spartakiste (1919) qui fut réprimée sur les ordres du social-démocrate Noske*. Il fut assassiné après son arrestation (1919).

LIEBMANN (Otto). ♦ Philosophe allemand (Löwenberg, Silésie, 1840 – Iéna, 1912). Il fut un des premiers à préconiser un retour à la philosophie critique de Kant **(V. Néo-kantisme)** dont il accentua le relativisme en l'interprétant de manière psychologique et en professant un total agnosticisme à l'égard de la chose-en-soi. (*Kant et ses épigones,* 1865; *Analyse de la réalité,* 1876).

LIECHTENSTEIN. ♦ Famille de l'aristocratie autrichienne remontant au XIIe siècle. ♦ JOHANN ADAM, *prince de* LIECHTENSTEIN (1656 – 1712). Il réunit à Vienne, dans la *galerie Liechtenstein,* une célèbre collection de tableaux. ♦ JOSEPH WENZEL LORENZ, *prince de* LIECHTENSTEIN (1696 – 1772), feld-maréchal autrichien. Il fut le réorganisateur de l'artillerie autrichienne, à laquelle il consacra sa fortune. ♦ JOHANN, *prince de* LIECHTENSTEIN (1760 – 1836), feld-maréchal autrichien. Il s'illustra contre les Turcs et les Français et conclut les traités de Presbourg et de Schönbrunn (1805).

LIECHTENSTEIN. *n. m.* ♦ Principauté indépendante d'Europe centrale, située entre la Suisse (cant. de Saint-Gall) et l'Autriche (Vorarlberg). 160 km². 21 350 hab. (de langue allemande et de religion catholique). *Cap.* Vaduz*. *Princ. aggl.* Balzers, Nendeln, Schaan, Triesen. – Le pays est formé en majeure partie par l'extrémité des Alpes rhétiques et arrosé à l'O. par le Rhin, qui le sépare de la Suisse. Son économie est essentiellement agricole : blé, fruits, vigne dans la plaine du Rhin, élevage. Indus. textile (coton), travail du cuir, émission de timbres-poste. Des particularités fiscales favorables ont fait de la principauté le siège de nombreuses sociétés internationales. Le tourisme constitue également une ressource importante. [*Carte* : **V. Autriche**]. ♦ *Hist.* Le Liechtenstein fut érigé en principauté immédiate du Saint Empire en 1719. Il comprenait les seigneuries de Schellenberg et de Vaduz, acquises par la famille autrichienne des Liechtenstein à la fin du XVIIe siècle. Il fit partie de la Confédération du Rhin (1808-1815), puis de la Confédération germanique (1815-1866) et obtint son indépendance en 1866. Il forme actuellement une principauté constitutionnelle. Il ne possède pas d'armée et observa une neutralité totale pendant la guerre. Lié à l'Autriche par une union douanière jusqu'en 1919, le Liechtenstein est depuis 1924 rattaché à la Suisse pour les questions monétaires, postales et douanières.

LIEDEKERKE. ♦ Comm. de Belgique (Brabant, arr. de Hal-Vilvorde), sur la Dendre, 10 200 hab. – Cultures maraîchères. Vergers. Volailles et vaches laitières. Indus. textiles (dentelle).

LIÈGE, *n. m.*, en néerl. **Luik.** ♦ Province belge limitée au N. par le Limbourg* et les Pays-Bas, à l'E. par la République fédérale d'Allemagne, au S. par le Luxembourg et le grand-duché de Luxembourg, à l'O. par le Namur* et le Brabant*. 3 951 km². 1 017 600 hab. *(Liégeois). Langues* : français, allemand. *Ch.-l.* Liège. – La province de Liège est divisée en 4 arrondissements **(V. Liège, Huy, Verviers** et **Waremme)** et 369 communes. Elle comprend quatre régions géographiques : la vallée de la Meuse*, le S. du plateau de la Hesbaye*, le plateau de la Herve (entre la vallée de la Meuse et la frontière allemande), et la partie N.-E. de l'Ardenne* et du Condroz*. – *Écon.* La Hesbaye produit du blé et de la betterave à sucre, la vallée de la Meuse des cultures maraîchères, de l'élevage laitier. Le nord (limoneux) du pays de Herve permet aussi une culture intensive. Dans les hauts plateaux, peu fertiles (landes), prédominent l'avoine et le seigle. L'Ardenne est boisée. – Tourisme (Stavelot, Spa). – L'industrialisation de Liège remonte au Moyen Âge (zinc de La Calamine) et, depuis le XVe s., Verviers est célèbre pour son industrie lainière. Les indus. du cuir, les indus. chimiques et les chocolateries sont aussi réputées. La vallée de la Meuse, dont le centre est Liège (bassin charbonnier de Sambre-Meuse) avec ses villes satellites (Angleur*, Herstal*, Ougrée*, Tilleur*), constitue le second axe industriel. Cokeries. Indus. lourdes et chimiques. ♦ *Hist.* Principauté ecclésiastique, l'évêché de Liège faisait partie du Saint Empire romain et englobait, au XIe s., la majeure partie du Limbourg actuel, l'est du Namur et la région Sambre-Meuse. Les princes-évêques de Liège détenaient une puissance politique importante et la ville fut le centre des luttes opposant la Bourgogne, la France et les intérêts des citoyens, notamment au XIVe et au XVe siècle **(V. Liège,** ***Hist.*****).** Après la domination des Habsbourg au XVIe s., les Français commencèrent, dès le XVIIe s., à empiéter sur le territoire, qui fut annexé en 1795 (départements de Sambre-et-Meuse, de l'Ourthe et de la Meuse-Inférieure). Assignée aux Pays-Bas en 1815, la province devint belge en 1831.

LIÈGE, en néerl. **Luik.** ♦ V. de Belgique (ch.-l. de la prov. de Liège) au confluent de l'Ourthe* et de la Meuse*, au carrefour de cinq axes routiers internationaux et au cœur du bassin houiller. 445 347 hab. [*aggl.* Bressoux, Flemalle-Grande, Flemalle-Haute, Jemeppe-sur-Meuse, Ougrée, Saint-Nicolas, Tilleur, Vaux-sous-Chèvrement, Wandre] *(Liégeois).* – Ville d'art depuis le Moyen Âge, Liège a conservé d'importants vestiges de son passé. Maisons anciennes. Place Saint-Lambert, avec le palais des Princes-Évêques (1538, reconstruit en 1737). Église Sainte-Croix fondée en 976, reconstruite en 1220 et en 1314 (œuvres de G. de Huy). Basilique Saint-Martin fondée en 965 (reconstruite en 1506). Église Saint-Jean l'Évangéliste d'époque carolingienne (influences orientales). Église Saint-Jacques, ancienne abbatiale de style flamboyant (tour romane). Musée Curtius dans un palais du XVIIe siècle. Musée diocésain dans la cathédrale Saint-Paul (écoles liégeoise, flamande et italienne). Musée des beaux-arts (peinture moderne belge et française). Université. Académie des beaux-arts. Conservatoire royal de musique. – Le complexe indus. liégeois comprend des indus. sidérurgiques, métallurgiques (plomb, cuivre, zinc) et chimiques. Cristalleries (Val-Saint-Lambert). Fabrique nationale d'armes de guerre. – Le port de Liège a pris de l'extension depuis la création du canal Albert*. Port pétrolier. – Exploitations de craie (cimenteries). Montage d'automobiles. Locomotives. Cycles. – Patrie de Grétry*, César Franck*. ♦ *Hist.* Fondée au VIIe s. par saint Lambert, la ville fut le siège d'un évêché vers 710; c'est alors qu'elle prit son caractère ecclésiastique : sept collégiales et deux monastères s'y élevèrent aux Xe et XIe s., tandis que les évêques s'opposaient aux empereurs d'Allemagne. Comme en Flandre, les XIIIe et XIVe s. y furent marqués par les luttes sociales entre les lignages (bourgeois) et les gens de métiers. L'emprise de la maison de Bourgogne sur la principauté (XIVe-XVe s.) se heurta à une vive résistance : révolte contre Jean de Bavière (écrasée en 1408), puis contre Louis de Bourbon. Les Liégeois, conduits par Raes de Heers, étaient soutenus par Louis XI qui les abandonna à plusieurs reprises. Charles le Téméraire fit raser Dinant, ville liégeoise, et enleva à Liège ses privilèges (1467). Jouets de la rivalité entre la Bourgogne et la France, les Liégeois furent à nouveau battus par Charles et la ville fut rasée Après la révolte de Guillaume de La* Marck (1482-1485) qui fit régner la terreur mais fut vaincu par Maximilien d'Autriche (gendre de Charles le Téméraire) et décapité, l'indépendance de la principauté fut reconnue. Le siège de prince-évêque échut à la maison de Bavière, et la ville connut une forte opposition populaire à cette domination. Depuis le XVe s., la région s'industrialisait et, au XVIIe s., le travail des métaux (armurerie, etc.) fut une grande source de croissance. Le « parti des Lumières » y fut bien accueilli au XVIIIe s., de même que la Révolution de 1789. Ce fut la fin (1792) de la domination des princes-évêques. (Voir *ci-dessus* la prov. de Liège.) En 1944, plus de 23 000 immeubles y furent détruits. Liège fut occupée par les Allemands de 1940 à 1944.

LIEGNITZ. ♦ Nom allemand de Legnica*.

LIEPAÏA ou anc. **LIEPAJA**, en russe **Libava**, en all. **Libau**. ♦ V. et port d'U.R.S.S. (Lettonie*) sur la mer Baltique*. 77 000 hab. (1962). – Station balnéaire dès 1625. Construction de machines agricoles. Traitement du bois. Sucreries. Centrale thermique.

LIERRE, en néerl. **Lier**. ♦ V. de Belgique (Anvers, arr. de Malines), au confluent de la Grande et de la Petite Nèthe*. 28 500 hab. – Hôtel de ville du XVIIIe s., beffroi du XIVe s., tour Zimmer, béguinage du XIIIe siècle. Église Saint-Gommaire en gothique flamboyant brabançon (XVe-XVIe s.). – Cultures maraîchères. Indus. alimentaires. Instruments de musique. Dentelles et broderies. – Patrie de Timmermans*.

LIESSE. ♦ Comm. de l'Aisne* (arr. de Laon*). 1 677 hab. Basilique *Notre-Dame de Liesse* (gothique flamboyant XIIIe-XVe s.). Lieu de pèlerinage depuis le XIIe siècle. Patrie de l'abbé Duployé*.

LIESTAL. ♦ V. de Suisse, ch.-l. du cant. de Bâle-Campagne. 11 000 hab. – Hôtel de ville (XVIe s.). – Indus. textile, métallurgique et chimique.

LIEUTAUD (Joseph). ♦ Médecin français (Aix-en-Provence, 1703 – 1781). Médecin de Louis XV, puis de Louis XVI, il peut être considéré comme l'un des fondateurs de l'anatomie chirurgicale.

LIEUVIN. *n. m.* ♦ Région de Normandie* qui s'étend sur les dép. de l'Eure* et du Calvados*, entre la Risle* et la Touques*. Plateau recouvert de céréales et de fourrages ; bovins.

Lieux saints. *n. m. pl.* ♦ Nom donné aux localités et endroits fréquentés par Jésus, selon les Évangiles (Bethléem, Nazareth, mont Thabor, Cénacle, Calvaire, Saint-Sépulcre, etc.). Les Lieux saints devinrent lieu de pèlerinage même après leur conquête par les Perses (614), puis par les Arabes (638). Ces derniers se montrèrent très tolérants et Charlemagne reçut même les clés du Saint-Sépulcre et du Calvaire, envoyées par le patriarche de Jérusalem. Cependant, lorsque les Turcs Saldjûqides s'emparèrent de Jérusalem (1078), la chrétienté s'en émut et cet état de choses déclencha les croisades*. Après la prise de Jérusalem par Saladin (1187), les pèlerinages reprirent et se maintinrent pendant l'occupation des mamelouks (1250). Sous la domination ottomane (1517), les Lieux saints furent préservés par les capitulations (1536). L'Autriche, la Russie et la France s'opposèrent pour la protection des Lieux saints, la France réussissant à faire prédominer son influence par les capitulations de 1740 (qui se maintinrent jusqu'en 1923). Cependant, au XIXe s., la Russie voulut établir la prépondérance des orthodoxes sur les latins et cette rivalité avec les occidentaux fut une des causes de la guerre de Crimée. Après la Première Guerre mondiale, les Lieux saints passèrent sous protection britannique en même temps que la Palestine. En 1950, l'O.N.U. établit un mandat international mais Israël et la Jordanie qui se partagent la Palestine et Jérusalem ne permirent pas l'application de ce mandat. Depuis la « guerre des six jours », Israël occupe la totalité des Lieux saints.

LIÉVIN. ♦ Ch.-l. de cant. du Pas*-de-Calais, arr. de Lens*. 35 853 hab. *(Liévinois).* Centre industriel : mines de charbon, carbochimie.

LIFAR (Serge). ♦ Danseur et chorégraphe français d'origine russe (Kiev, 1905). Élève de B. Nijinska, puis de Cecchetti, il fut engagé par S. de Diaghilev dans la compagnie des Ballets russes (1923) où il manifesta très tôt d'exceptionnelles qualités d'interprète (*Le Lac des cygnes, L'Oiseau bleu, Apollon Musagète*) et de chorégraphe (*Renard*, de Stravinski). À la mort de Diaghilev, il fut appelé par J. Rouché à l'Opéra (1929) où sa chorégraphie des *Créatures de Prométhée* (Beethoven) lui valut d'être engagé en qualité de premier danseur et de maître de ballet. Il commença dès lors une carrière exceptionnellement brillante, marquée par de nombreuses créations, comme *Bacchus et Ariane* (mus. A. Roussel, 1931), *Salade* (mus. D. Milhaud, 1935), *Icare*, ballet « de rythme » (1935), *Le Chevalier et la Damoiselle* (mus. Ph. Gaubert, 1938), *Les Animaux modèles* (mus. F. Poulenc, 1943), *Roméo et Juliette* (mus. Prokofiev, 1955). Il a en outre assuré la reprise de nombreux ouvrages : *Prélude à l'après-midi d'un faune, Le Spectre de la rose, Giselle.* Il a aussi composé des chorégraphies pour les compagnies du marquis de Cuevas, de J. Charrat et des Ballets de Monte-Carlo. Fidèle à la tradition académique qu'il a su renouveler et élargir, Lifar a proclamé l'autonomie de la danse à l'égard des autres arts et affirmé dans son œuvre une personnalité puissante et originale. Historien et théoricien de la danse, il a publié de nombreux ouvrages (*Le Manifeste du chorégraphe*, 1935 ; *Traité de la danse académique*, 1949 ; *Histoire des Ballets russes*, 1950).

LIFFEY. *n. f.* ♦ Riv. d'Irlande orientale (Eire). Issue des contreforts des monts Wicklow, elle décrit une boucle vers le N., partage en deux la ville de Dublin*, où elle se jette dans la mer d'Irlande. Importantes installations hydro-électriques (réservoir de Poulaphouca).

LIFFOL-LE-GRAND. ♦ Comm. des Vosges, arr. de Neufchâteau. 3 119 hab. Indus. du bois, meubles (spécialité de copies d'ancien).

LIFFRÉ. ♦ Ch.-l. de cant. d'Ille-et-Vilaine, arr. de Rennes. 2 939 hab. *(Liffréens).* – Cidre. – Aux environs, ancienne châtellenie de Chevré (chapelle romane).

LIFU ou **LIFOU.** ♦ **V.** LOYAUTÉ (îles).

LIGET *(chartreuse du).* ♦ Chartreuse en ruine située sur le territoire de la commune de Chemillé-sur-Indrois (Indre-et-Loire). Elle fut fondée en 1176 par Henri II Plantagenêt, peut-être en expiation du meurtre de Thomas Becket. Il reste des vestiges de l'église (XIIe), une galerie de cloître du XVIIIe s. et des bâtiments du XVIIIe siècle. La chapelle Saint-Jean-Baptiste du Liget, de style roman, située non loin, est décorée de six fresques de la fin du XIIe siècle.

LIGETI (György). ♦ Compositeur et musicographe hongrois (Discöszentmárton, 1923). Professeur à l'académie Franz-Liszt de Budapest (1945-1949). Il travailla à Cologne au studio de musique électronique, et dirige depuis 1959 une classe de composition au conservatoire de Stockholm.

LIGNE *(maison de).* ♦ Famille belge originaire de Ligne (Hainaut, près de Tournai), et connue depuis le XIIe siècle. Elle accéda à la dignité de prince d'empire et se divisa en plusieurs branches (Barbançon, Arenberg, Croÿ, Chimay). ♦ CHARLES JOSEPH, *prince de* LIGNE (Bruxelles, 1735 – Vienne, 1814), feld-maréchal autrichien. Il combattit pendant la guerre de Sept* Ans dans les rangs autrichiens. Lié à Joseph* II, il le représenta en Russie auprès de Catherine* II, dont il acquit l'amitié (1782). Il se distingua encore pendant la guerre contre les Turcs (prise de Belgrade, 1789). Malgré son refus de prendre la tête de la révolution belge, il fut écarté des affaires par François II. Ses voyages incessants à travers l'Europe en font un parfait représentant du cosmopolitisme du XVIIIe siècle. Spirituel et brillant, il entretint des relations avec les élites cultivées (à Paris, à Vienne, à Saint-Pétersbourg) et avec un grand nombre de ses contemporains célèbres (Joseph II, Frédéric II, Voltaire, Goethe, Mme de Staël). Il est l'auteur d'écrits en langue française, dans lesquels il aborde divers sujets *(Mélanges militaires, littéraires et sentimentaires ; Œuvres posthumes).*

LIGNE [l'équateur] *(îles de la)* ou **Sporades équatoriales**, en angl. **Line Islands.** ♦ Archipel de l'océan Pacifique central, situé à l'E. des îles Canton et Enderbury, très dispersé de part et d'autre de l'équateur. Les îles sont partagées entre la Grande-Bretagne (**V. Gilbert** et **Ellice** [îles]) et les États-Unis qui possèdent les îles Palmyre et Jarvis.

LIGNIÈRES. ♦ Ch.-l. de cant. du Cher, arr. de Saint-Amand-Mont-Rond, sur l'Arnon. 1 856 hab. *(Ligniérois).* – Église en partie romane. Château (XVIIe s.).

LIGNON. *n. m.* ♦ Riv. du Massif central (59 km), affl. de la Loire (r. g.). Née dans les monts du Forez*, elle coule dans la plaine du même nom et se jette en aval de Feurs*. – Honoré d'Urfé*, qui passa sa jeunesse sur les bords du Lignon, y a situé l'*Astrée**. – Le LIGNON DU SUD (50 km env.), par opposition au LIGNON DU FOREZ ou DU NORD, né dans le Massif central au pied du mont Mézenc*, se jette dans la Loire (r. d.).

LIGNY. ♦ Comm. de Belgique, près de Namur*. Les Prussiens de Blücher y furent battus par Napoléon le 16 juin 1815.

LIGNY-EN-BARROIS. ♦ Ch.-l. de cant. de la Meuse (arr. de Bar-le-Duc), sur l'Ornain. 6 258 hab. *(Linéens).* Église Notre-Dame (XIIIe, XVIIe s.). – Constructions métalliques ; meubles ; instruments de précision et d'optique ; chaussures.

Ligue *(la)* ou **Sainte Ligue** ou **Sainte Union** *(la).* ♦ Confédération de catholiques français qui joua un rôle essentiel dans les guerres de Religion* en France, après 1576. Formée d'abord en Picardie pour résister à l'application de la paix de Monsieur* (1576), elle ne tarda pas à s'étendre dans tout le pays. Son but avoué, qui était la défense de la foi catholique, se doublait du désir de détrôner Henri III au profit d'Henri de Guise*, son chef. Soutenue par les subsides versés par Philippe* II, la Ligue devint toute-puissante après la journée des Barricades* et passa à l'action quand la succession revint à Henri de Navarre, à la mort du duc d'Anjou*. Henri III feignit de composer et attira le duc de Guise à Blois où il le fit assassiner, ainsi que son frère le cardinal de Lorraine (1588), provoquant un soulèvement général. Mayenne*, devenu chef de la Ligue, continua la lutte contre Henri* IV, après l'assassinat d'Henri III, tandis que le cardinal de Bourbon* était proclamé roi sous le nom de Charles X. Mayenne fut battu à Arques* et à Ivry* (1590), mais Paris, aux mains des Seize*, aidé des

Arch. Rencontre

Procession de la **Ligue** (détail). (Carnavalet, Paris.)

troupes espagnoles, continua sa résistance. L'abjuration d'Henri IV (1593), ajoutée au discrédit que s'était attiré la Ligue par ses divisions internes et par les prétentions de Philippe II au trône de France, entraîna sa perte : après la soumission de Paris (1594), Mayenne et Henri IV signèrent un accord qui mit fin aux guerres de Religion.

Ligue achéenne. ♦ **V.** ACHÉENNE (ligue).

Ligue arabe. ♦ **V.** ARABE (Ligue).

Ligue communiste. ♦ Section française de la IVe Internationale (trotskiste) – groupe politique trotskiste fondé en 1929, dont l'organe *la Vérité* fut le premier journal clandestin à paraître durant la Seconde Guerre mondiale – issue de deux organisations dissoutes après les événements de mai 1968 (le Parti communiste internationaliste, fondé en 1944, et la jeunesse communiste révolutionnaire, issue elle-même d'une opposition de gauche de l'Union des étudiants communistes, en 1966), la Ligue recrutait la majorité de ses adhérents dans la jeunesse étudiante; engagée dans l'organisation Secours rouge, elle lutta pour l'instauration du pouvoir ouvrier. À la suite d'une manifestation, elle a été dissoute en juin 1973 (en même temps que l'organisation d'extrême droite *Ordre nouveau*); A. Krivine, qui la dirigeait, fait actuellement partie du secrétariat de rédaction de l'hebdomadaire *Rouge*, organe de l'ancienne Ligue, qui continue à paraître.

Ligue des artisans de Nyland *(Bund der Werkleute auf Haus Nyland)*. ♦ Elle doit son nom au domaine de Hopsten en Westphalie, où se réunirent en 1914 des artistes, des savants, des industriels, des ouvriers. Elle se proposait de lutter « contre le matérialisme, le mécanisme et l'impérialisme économique pour un vrai prestige universel de l'Allemagne, à fondement national ». Ses principaux représentants furent JOSEPH WINCKLER (né en 1881), auteur de poèmes patriotiques inspirés par la guerre (*Les Sonnets de fer,* 1914) et d'un roman humoristique (*Bomberg, l'extravagant,* 1924); WILHELM VERSHOFEN (1878 – 1960) qui publia des ouvrages critiquant le monde des monopoles, de la finance; JAKOB KNEIP (1881 – 1958), auteur d'œuvres à caractère nationaliste (*Testament allemand,* 1916) et religieux. La Ligue compta également plusieurs poètes-ouvriers comme HEINRICH LERSCH (1889 – 1936) et KARL BRÖGER (1886 – 1944). En raison de leur exaltation du nationalisme, bien des œuvres de la Ligue furent vivement appréciées sous le régime nazi. Tout en étant proches par leurs thèmes et leur style des positions de la Ligue, certains poètes-ouvriers en refusèrent les tendances chauvines; ainsi l'Autrichien ALFONS PETZOLD (1882 – 1923) et surtout GERRIT ENGELKE (Hanovre, 1892 – 1918) qui retrouva dans ses poèmes le ton de la mélodie populaire pour chanter la misère et les souffrances du monde prolétarien.

Ligue des Droits de l'Homme. ♦ Ligue fondée à Paris en février 1898 à l'instigation du parlementaire républicain L. Trarieux, à l'occasion du procès intenté à É. Zola après la publication de son article « J'accuse » dans *l'Aurore*. Créée dans le but de défendre les droits et libertés de l'homme et du citoyen face à l'arbitraire de la justice et du pouvoir politique, la Ligue regroupa les milieux de la gauche française qui, persuadés de l'innocence de Dreyfus et favorables à la révision de son procès, s'opposèrent à la droite nationaliste, cléricale et [souvent] antisémite. D'abord sous le contrôle des radicaux, puis sous celui des socialistes (à partir de 1933), elle a joué, par son anticléricalisme et son antimilitarisme, un rôle décisif sous la IIIe République, dans la lutte pour la laïcité, pour la démocratie politique et pour le pacifisme. Exprimant ses options et ses principes dans les *Cahiers des Droits de l'Homme* (fondés en 1920) et *la Quotidienne* (fondée en 1923), la Ligue des Droits de l'Homme s'est également signalée par ses prises de position en faveur de la liberté et de l'égalité, en de nombreuses crises internationales.

LIGUEIL [ligœj]. ♦ Ch.-l. de cant. d'Indre-et-Loire, arr. de Loches. 2 302 hab. – Église (XIIe-XIVe s.); maisons anciennes.

LIGUGÉ. ♦ Comm. de la Vienne, arr. de Poitiers. 1 675 hab. Saint Martin y fonda en 361 le premier monastère français. Abandonné au VIIIe s., celui-ci fut rendu à la vie monastique au début du XIe s. et devint un prieuré de l'abbaye de Maillezais. En 1853, une communauté rattachée à la Congrégation bénédictine de France s'y installa, à l'instigation de Dom Prosper Guéranger. Les membres de cette communauté fille de Solesmes* se consacrent à des travaux d'histoire monastique.

LIGUORI (Alphonse-Marie *de*). ♦ **V.** ALPHONSE-MARIE DE LIGUORI (saint).

LIGURES. *n. m. pl.* ♦ Anc. peuple établi sur la côte méditerranéenne de Marseille à La Spezia **(V. Ligurie).** Ils ne furent définitivement soumis par Rome que sous Auguste* (~ 14).

LIGURIE [*n. f.*] en it. **Liguria.** ♦ Région de l'Italie du N., s'étendant de part et d'autre du golfe de Gênes, de la frontière française à La Spezia. 5 415 km². 1 900 000 hab. *(Liguriens).* Elle est formée des prov. de Gênes, Imperia, La Spezia et Savone. – *Orogr.* L'arrière-pays est très montagneux. À l'O. de Gênes se dressent les Alpes qui culminent au mont Saccarello (2 200 m). L'Apennin ligure s'étend de l'autre côté de Gênes (point culminant : mont Magiorasca, 1 803 m). La côte forme une bande étroite, encastrée entre la montagne et la mer ligurienne. C'est la *riviera**. De Gênes à San Remo s'étend la « riviera di Ponente », de l'autre côté de Gênes, jusqu'à La Spezia, la « riviera di Levante ». *V. princ.* Gênes*, Imperia*, La Spezia*, Rapallo*, San Remo*, Savone*,

Ph. Giraudon

Lille : l'ancienne Bourse.

Vintimille*. – *Écon.* Presque toute la côte ligurienne se consacre aux cultures florales (roses, œillets) et maraîchères (régions de Savone et d'Imperia). L'*industrie,* très importante, est concentrée à proximité de Gênes : aciéries et métallurgie lourde (Cornegliano, Gênes*), raffineries (Savone, La Spezia), constructions navales (Gênes, La Spezia). Le tourisme est très développé. La riviera est une succession de stations balnéaires. ♦ *Hist.* La Ligurie constituait dans l'Antiquité la partie S.-O. de la Gaule cisalpine et ne fut définitivement soumise par Rome qu'au ~ Ier s. **(V. Ligures).** Au IVe s., la partie S. forma la province des *Alpes cottiennes* tandis que la partie N. réunie à l'Émilie* forma une nouvelle province de Ligurie, cap. *Mediolanum* (Milan).

LIGURIENNE (république). ♦ Nom pris par la république de Gênes* en 1797. Placée sous la protection de Bonaparte, elle fut annexée à la France de 1805 à 1814.

LI HUNG-CHANG [*Li Hong-tchang, Li Hongzhang*]. ♦ Homme d'État et diplomate chinois (An-hui, 1823 – Pékin, 1901). Il combattit les révoltés T'ai*-p'ing, devint gouverneur du Chiang*-su, vice-roi du Hu-pei et du Hu-nan (1869) puis du Chih-li en 1870. Il créa une marine marchande et une marine de guerre moderne, et contribua à établir en Chine les premières lignes de chemin de fer. Chef de la politique extérieure de la Chine, il signa divers traités avec le Pérou (1874), le Japon (1871) et la France. Il mit fin à la guerre sino-japonaise en signant le traité de Shimonoseki (Japon) en 1895. Il joua par la suite un grand rôle dans les relations diplomatiques de la Chine avec les puissances occidentales et se rendit plusieurs fois en Europe.

LI JU-CHEN [*Li Jou-tchen, Li Ruzhen*]. ♦ Écrivain chinois (1763 – v. 1830), auteur de romans dans lesquels il stigmatise la coutume du bandage des pieds des femmes chinoises et se montre partisan de leur émancipation progressive.

LIKASI, anc. **Jadotville.** ♦ V. du Zaïre* (ex-Congo-Kinshasa, au Katanga*). 146 000 hab. (1969). Production de cuivre.

LI KUNG-LIN [*Li Kong-lin, Li Gonglin*]. ♦ Peintre et poète chinois (v. 1040 – v. 1106). Il se rendit célèbre par ses peintures de chevaux et ses portraits. La souplesse de son tracé confère à ses œuvres une grande douceur.

LILAS (Les). ♦ Comm. de la Seine-Saint-Denis, arr. de Bobigny, au N.-E. de Paris. 16 314 hab. *(Lilasiens).* – Sur le territoire de la comm. se trouve le fort de Romainville, où de nombreux patriotes furent emprisonnés pendant l'occupation allemande. – Indus. chimiques; papeterie.

LILBURNE (John). ♦ Homme politique anglais (Greenwich, 1614 – Eltham, Kent, 1657). Chef du mouvement des « niveleurs » pendant la révolution d'Angleterre. Ce groupe eut une assez vaste audience et fit preuve d'idées particulièrement avancées (idéal égalitaire, réforme des circonscriptions électorales, liberté de conscience et de presse).

LILIENCRON (Detlev, *baron von*). ♦ Écrivain allemand (Kiel, 1844 – Alt-Rahlstadt, près de Hambourg, 1909). Ayant dû abandonner la carrière militaire pour dettes, il tenta en vain de faire fortune en Amérique puis chercha à vivre de ses écrits en Allemagne. Un recueil de vers, *Chevauchées d'un aide de camp* (*Adjutantenritte,* 1883), qui fut suivi de plusieurs autres, des *Nouvelles de guerre* (*Kriegsnovellen,* 1895), brefs récits qui ressemblent à des ballades en prose et qui inspirèrent R. M. Rilke*, et une grande épopée humoristique, burlesque, « véritable pot-pourri » (G. Bianquis), *Poggfred* (1896-1898), constituent l'essentiel de son œuvre. Son originalité tient surtout à un style désinvolte et bohème, sa manière de fixer des instants, des « impressions » dans une succession d'images de valeur d'ailleurs inégale.

LILIENTHAL (Otto). ♦ Ingénieur allemand (Anklam, 1848 – Berlin, 1896). Inspiré par l'observation des oiseaux, il fut l'un des pionniers du vol à voile (1891-1896) et se tua au cours de sa 2 000e glissade aérienne. **V. Chanute.**

Liliom. ♦ Drame de Ferenc Molnár* (1909). Dénué de méchanceté mais voué à un perpétuel échec, Liliom, bonimenteur de foire devenu criminel, n'échappe au purgatoire que pour recommencer sur terre une vie entachée des mêmes erreurs. Son réalisme, teinté d'une poésie naïve et populaire, a fait le succès de cette pièce qui annonce, sur le mode mineur toutefois, l'*Opéra de quat'sous,* de Bertolt Brecht.

LILLE. ♦ Préf. du Nord*, ch.-l. d'arr. (23 cant., 128 comm., 1 068 855 hab.) situé en Flandre*, sur la Deûle*. 194 948 hab. *(Lillois).* Église Saint-Maurice (XIVe-XVe s.) restaurée; église Saint-André (XVIIIe s.), église Sainte-Catherine (XVIe-XVIIe s.), église Saint-Étienne (XVIIe s.). Anc. Bourse (XVIIe s.); hospice Comtesse (XIIIe s., reconstruit au XVIIe s.); anc. palais Rihour (XVe s., restauré); portes de Roubaix, de Gand et de Paris (XVIIe s.); citadelle bâtie par Vauban*; nombreuses maisons anc. Important musée d'art. Évêché, ville universitaire. — Centre commercial important. Le port fluvial, l'aéroport, les chemins de fer relient la ville avec les différentes régions de France et le N. de l'Europe. Indus. alimentaires : brasseries, biscuiteries, chocolateries, sucreries, minoteries, distilleries. Indus. textile de tradition anc., filature et tissage du coton, du lin, du jute; confection, bonneterie. Indus. métallurgique : locomotives, machines agricoles, appareils ménagers. — La ville forme une conurbation industrielle avec Roubaix* et Tourcoing* **(V.** *aussi* **Annappes, Haubourdin, Hellemmes, Lomme, Madeleine [La]).** — Patrie de Ch. Barrois*, E. Bernard*, A. Dujardin*, A. Ernout*, L. Faidherbe*, Ch. de Gaulle*, A. Gratry*, E. Lalo*, J.-B. Monnoyer*, J. Perrin*, A. Samain*. ♦ *Hist.* Tout d'abord appelée *Insula,* « l'Île », la ville appartint successivement aux comtes de Flandre, aux ducs de Bourgogne, aux Habsbourg et à l'Espagne. Elle fut conquise par Louis XIV en 1667, cédée à la France au traité d'Aix*-la-Chapelle en 1668 et fortifiée par Vauban. Prise par le prince Eugène en 1708, elle fut rendue à la France au traité d'Utrecht en 1713. Elle fut occupée par les Allemands de 1914 à 1918, puis endommagée au cours de la Seconde Guerre mondiale.

LILLEBONNE. ♦ Ch.-l. de cant. de la Seine*-Maritime, arr. du Havre*. 9 758 hab. *(Lillebonnais).* - Église Notre-Dame du XVIe s.; ruines d'une forteresse du XIIe s. (donjon). Restes d'un théâtre romain. — Indus. textile, matières plastiques.

LILLE-EST. ♦ Ville nouvelle du dép. du Nord, située à l'E. de Lille. Elle accueille déjà un centre universitaire.

LILLEHAMMER. ♦ V. de Norvège, sur le lac Mjøsa*. 6 200 hab. Centre de villégiature. Musée de plein air.

LILLERS [lilɛʀ]. ♦ Ch.-l. de cant. du Pas*-de-Calais, arr. de Béthune*, en Flandre*. 9 560 hab. *(Lillerois).* Église romane remaniée; maisons anc. — Chaussures; raffinerie de sucre; machines agricoles.

Lilliput. ♦ Pays imaginé par Swift, peuplé de petits êtres ne mesurant pas plus de six pouces. **V. Gulliver** *(Voyages de).*

LILLO (George). ♦ Auteur dramatique anglais, d'origine hollandaise (Londres, 1693 — *id.,* 1739). Son œuvre la plus célèbre, *Le Marchand de Londres* (*George Barnwell or the London Merchant,* 1731), est justement considérée comme la première comédie bourgeoise, par l'origine sociale de ses personnages, l'intention didactique et moralisatrice, le réalisme de ses dialogues en prose. Elle a exercé une sensible influence sur Diderot et sur Lessing.

LI LONG-MIEN. ♦ Pseudonyme du peintre chinois Li* Kung-Lin.

LILONGWE. ♦ Capitale du Malawi*, sensiblement au centre du pays. 50 000 hab. Indus. textile.

LILYBÉE, en lat. **Lilybaeum,** auj. **Marsala.** ♦ V. de la Sicile ancienne sur la côte occidentale de l'île, au S. de Trapani*. La ville fut fondée en ~ 397 par les Carthaginois qui fuyaient Motyé détruite par Denys* de Syracuse. Elle devint une des principales places fortes de Carthage en Sicile. Elle résista successivement aux Grecs (~ IIIe s.) et aux Romains (~ 250-~ 241) aux mains de qui elle finit par tomber à l'issue de la première guerre Punique. Elle resta un port florissant jusqu'à la chute de l'Empire. Elle fut détruite puis reconstruite par les Sarrasins qui lui donnèrent le nom de *Marsah al-Allah* (port d'Allah). **V. Marsala.**

LIMA. ♦ Cap. du Pérou située à proximité de la côte (14 km la séparent de son port Callao*), sur le Rimac. Env. 1 750 000 hab. Archevêché. Université San Marcos. Cathédrale; églises baroques (San Pedro, etc.). Musée archéologique; musée de l'Or (arts précolombiens). Lima est la métropole administrative, commerciale, industrielle et économique du pays. Indus. alimentaires, textiles, mécaniques, cuir. La ligne ferroviaire Lima-La* Oroya traverse les Andes à 5 000 m. ♦ *Hist.* Fondée en 1535 par Pizarro*, sous le nom de *Ciudad de Los Reyes* (« ville des Rois »), elle fut pendant deux siècles la capitale du vice-royaume du Pérou. La présence des autorités civiles et religieuses de l'université San Marcos et l'accumulation des richesses minières et commerciales lui donnèrent un rayonnement exceptionnel dans le nouveau continent. En 1821, San Martin y proclama l'indépendance du Pérou. Ravagée par les tremblements de terre, la ville conserve néanmoins des monuments témoins de son passé. — Le *dép. de Lima* (33 894 km², plus de 2 500 000 hab. avec le département de Callao*) pratique l'agriculture maraîchère et la culture du coton.

LIMAGNE. *n. f.* ♦ Se dit des plaines d'effondrement du Massif central, arrosées par l'Allier, limitées au N. par le Bourbonnais et au S. par le bassin de Brioude. La principale est la *Limagne de Clermont,* dite *Grande Limagne,* dont le relief est composé de buttes, de croupes aux pentes molles et de terrains sablonneux. Ce pays de riches cultures (blé, betterave à sucre) attire les travailleurs des environs.

LIMASSOL, en gr. **Lemêssos.** ♦ V. et port de Chypre sur la côte méridionale de l'île, près de l'ancienne Amathonte*. 50 000 hab. — Château du XIIe siècle. — Exportation d'agrumes; parfums.

LIMAY. ♦ Ch.-l. de cant. des Yvelines, arr. et faub. de Mantes-la-Jolie. 6 615 hab. *(Limayens).* — Église Saint-Aubin (XIIe, XIIIe, XVIe s.). Limay est rattaché à Mantes par deux ponts, dont l'un est en partie du XIIe et du XVe siècle. — Ciment. Un port y sera bientôt construit en bordure de Seine.

LIMBOURG (Pol, [ou **Jean**] et **Hermann** *de*). ♦ Miniaturistes d'origine flamande (début du XVe s.). Ils se formèrent dans les ateliers d'enlumineur parisiens. Vers 1402, Pol et Jean travaillèrent au service des ducs de Bourgogne Philippe le Hardi et Jean sans Peur. En 1410, les textes mentionnent que les trois frères sont attachés à la cour de Jean de Berry; ils y exécutèrent les *Belles Heures,* appelées aussi *Heures d'Ailly* (entre 1403 et 1413) et surtout les *Très Belles Heures du duc de Berry* (1413-1416), l'un des plus remarquables manuscrits enluminés au XVe s. dont l'exécution fut achevée en 1485-1489 par Jean Colombe. Les scènes religieuses et surtout les douze miniatures du Calendrier évoquent un univers courtois et luxueux de caractère profane et révèlent l'intérêt porté aux recherches nouvelles, notamment en matière de paysage : les fonds d'or sont abandonnés et l'espace est approfondi par une succession de plans parallèles, les architectures rendues avec précision *(Sainte-Chapelle, château de Vincennes,* etc.) s'intègrent à l'ensemble et la perspective aérienne est introduite par l'emploi de nuances variées dans le rendu du ciel. Ils firent preuve d'un talent narratif plein de fantaisie, eurent l'amour du détail juste et utilisèrent des coloris intenses et précieux. Sans abandonner le système figuratif médiéval et son graphisme élégant, ils l'associèrent d'une façon originale aux recherches plastiques qu'allait développer la peinture du XVe siècle.

LIMBOURG, ou **LIMBURG.** *n. m.* ♦ Prov. du S. des Pays-Bas, limitée au N. par la Gueldre, au N.-O. par le Brabant-Septentrional, au S. et au S.-O. par les provinces belges du Limbourg et de Liège, à l'E. par l'Allemagne. 2 217 km². 953 800 hab. *Ch.-l.* **V. Maastricht.** *V. princ.* **V. Heerlen, Roermond, Venlo, Weert.** Le Limbourg est un plateau crayeux couvert de lœss et culminant au S. (Vaalserberg*, 323 mètres). Son relief, son sol et son climat s'apparentent à ceux de la Hesbaye belge. La province est arrosée par la Meuse* et ses affluents (Geul, Roer). Cultures de betteraves sucrières, de blé, de seigle. Produits maraîchers et fruitiers (cerises). Élevage porcin, bovin et ovin; œufs; production de lait. Prolongement vers l'O. de la Ruhr, le Limbourg possède des gisements houillers situés entre 500 et 1 000 m de profondeur.

LIMBOURG. *n. m.,* en néerl. **Limburg.** ♦ Province belge limitée au N. et à l'E. par les Pays*-Bas, au S. par la province de Liège*, à l'O. par le Brabant* et la province d'Anvers*. 2 421 km². 650 000 hab. *Ch.-l.* Hasselt. — Le Limbourg est divisé en 3 arrondissements administratifs **(V. Hasselt, Maeseyck** et **Tongres)** et subdivisé en 13 cantons judiciaires et 206 communes; il fait partie de la Campine* et de la Hesbaye* agricole. Il est drainé par la Meuse*, la Dommel*, le Demer* et ses affluents ainsi que de nombreux canaux (canal Albert, canal de Bois-le-Duc à Maastricht, canal de l'Escaut à la Meuse). *Écon.* Le Limbourg produit du blé, de la betterave sucrière. Cultures maraîchères (entre Diest et Hasselt), fruits (1/4 de la production belge). Élevage bovin, ovin et porcin. — Indus. diverses. Minoteries, distilleries, brasseries, briqueteries, tanneries. Indus. chimiques (engrais, colle); métaux non ferreux (zinc). Le charbon du Limbourg, découvert en 1901, fut commercialisé en 1917. Les houillères (Genk*) produisent la moitié du charbon belge. ♦ *Hist.* D'abord comté puis duché de basse Lorraine, le Limbourg fut acquis en 1288 par le duc de Brabant. Partagé entre les Pays-Bas et les Provinces-Unies (traité de Westphalie*), il fit partie de 1794 à 1814 des départements français de l'Ourthe et de la Meuse-Inférieure. Le territoire de Maastricht a dépendu de la Confédération germanique de 1839 à 1866.

LIMBURG-AN-DER-LAHN, en fr. **Limbourg-sur-la-Lahn.** ♦ V. d'Allemagne occidentale (Hesse), sur la Lahn. 16 000 hab. —

Ph. Nino Cirani/Ricciarini

Lima : la place des Armes et le palais du gouverneur.

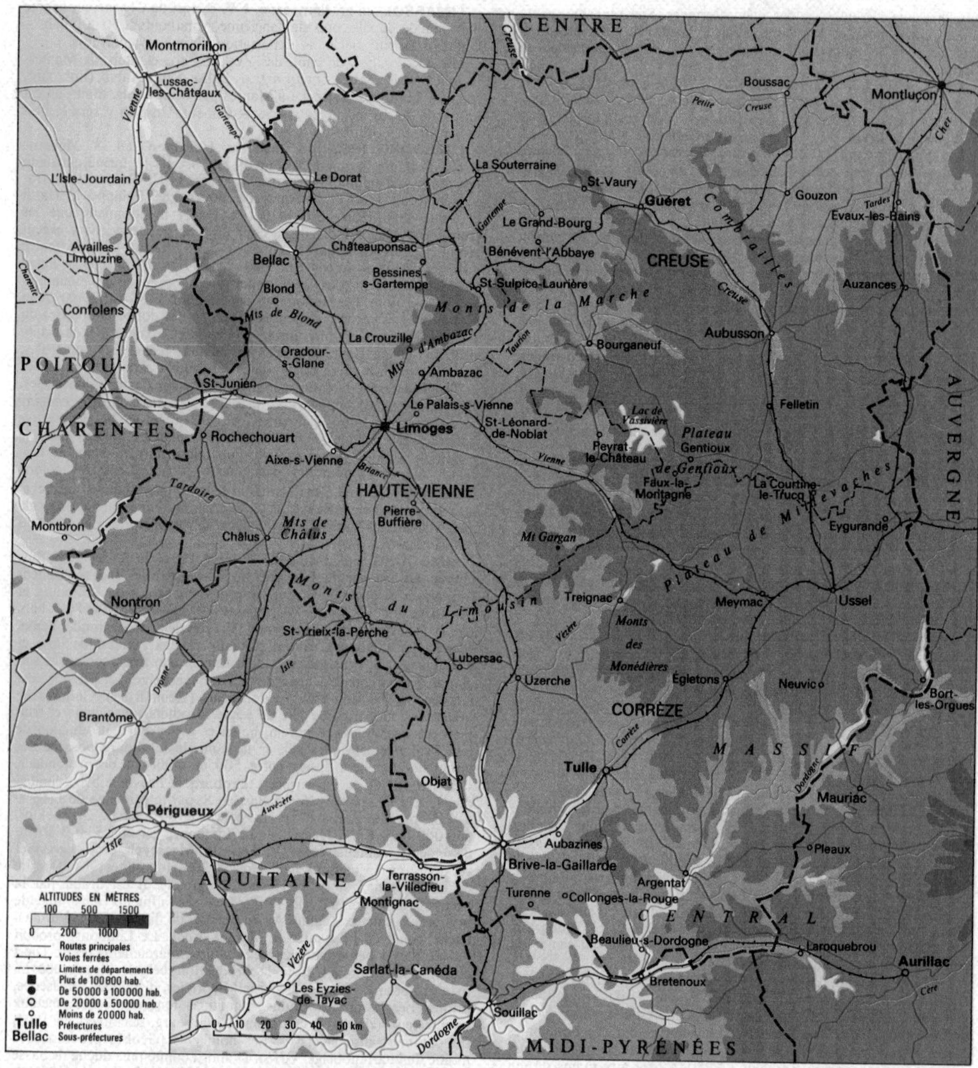

Limousin.

Évêché catholique. Cathédrale du XIIIe s., marquant la transition entre le roman tardif et le gothique primitif. Maisons à colombages. Centre d'excursions vers la vallée de la Lahn.

LIMEIL-BRÉVANNES. ♦ Comm. du Val-de-Marne, arr. de Créteil. 11 456 hab. – Le château de Brévannes, reconstruit au XVIIIe s. et possédant un jardin à la française, abrite un asile de vieillards et un sanatorium. Église (XIIe-XVe s.). – Laboratoire d'électronique et de physique appliquée.

LIMERICK, en irl. **Luimneach**. ♦ V. et princ. port du S.-O. de la république d'Irlande. Ch.-l. de comté à l'entrée de l'estuaire du Shannon et sur la *King's island.* 57 000 hab. – Évêchés catholique et protestant. Château anglo-normand (déb. XIIIe s.), cathédrale protestante du XIIe s., remaniée aux XIVe et XVe s., maisons géorgiennes de Patrick Street. – Important centre commercial et industriel : minoteries, crémeries, conserveries de lait et de bacon, tanneries, brasseries. Importantes pêcheries de saumon. Aéroport international (Shannon*), le plus occidental d'Europe. ♦ *Hist.* Comptoir danois fondé au IXe s., Limerick fut prise en 1175 par les Anglo-Normands, confiée à William de Burke, puis à Desmond Fitzgerald. En 1651, la ville, foyer jacobite, fut assiégée par les troupes de Cromwell. En 1690-1691, Guillaume III d'Orange y soutint contre Patrick Sarsfield un siège malheureux et dut signer un traité qui devait avantager les catholiques. – Le *comté de Limerick* (prov. de Munster) s'étend sur la rive nord de l'estuaire de Shannon et est limité à l'O. par le Kerry, au S. par le comté de Cork, à l'E. par celui de Tipperary et au N. par celui de Clare. 2 685 km². 133 340 hab. – Le comté, relativement prospère, est surtout agricole (blé, élevage laitier).

LIMFJORD. *n. m.* ♦ Bras de mer parsemé d'îles, reliant le Kattegat* à la mer du Nord* et séparant le Jutland* septentrional du reste de la presqu'île. Sa longueur est d'environ 180 kilomètres.

LIMOGES. ♦ Préf. de la Haute-Vienne*, ch.-l. d'arr. (16 cant., 109 comm., 250 095 hab.), sur la Vienne. 135 917 hab. *(Limougeauds).* La capitale du Limousin*. Cathédrale Saint-Étienne (XIIIe-XIVe s.) : jubé de 1535, portail flamboyant du début du XVIe s.; vitraux des XVe et XVIe siècles. Les églises Saint-Pierre-du-Queyroix (XIIIe-XIVe s.) et Saint-Michel-des-Lions (XIVe-XVe et XVIe s.) sont dans le quartier du château. Chapelle Saint-Aurélien du XVe siècle. L'anc. palais épiscopal renferme le musée municipal (émaux limousins). Maisons anc. (rue de la Boucherie). Musée national Adrien-Dubouché (céramiques). Les ponts Saint-Étienne et Saint-Martial, du XIIIe s., franchissent la Vienne*. Évêché. – Les porcelaines, mondialement connues, sont fabriquées à partir du kaolin de Saint-Yrieix*; faïences, émaux. Indus. textiles, alimentaires, constr. métalliques. Indus. de la chaussure très importante, maroquinerie, tanneries. Imprimerie. Indus. du bois (ameublement). – Patrie de : A. Antoine*, d'Aguesseau*, M. Bastié*, H. de Bournazel*, Th. Bugeaud*, S. Carnot*, G. Catroux*, M. Chevalier*, J. Cruveilhier*, J. Dorat*, saint Ferréol*, J.-B. Jourdan*, G.N. de La* Reynie, Pierre Auguste Renoir*, É. de Silhouette*, P. Talabot*, P.V. Vergniaud*. ♦ *Hist.* Le christianisme fut introduit à Limoges par saint Martial* au IIIe siècle. Dès l'époque mérovingienne, les émaux de la ville connurent une réputation européenne. Au XIIe s. elle forma un vicomté, puis fut réunie à la couronne par Henri IV.

LIMON (José). ♦ Danseur et chorégraphe mexicain (Culiacán.

Sinaloa, 1908 – New Jersey, 1972). Il débuta dans la compagnie Humphrey-Weidman, puis fonda sa propre troupe (1937). Il devait s'affirmer comme l'une des figures les plus originales de la *Modern Dance.* Sa conception de la chorégraphie, héritée de Doris Humphrey et de Mary Wigman, fit appel à la spontanéité de l'interprète, libérant sa sensibilité. De son œuvre, qui s'inspira souvent de thèmes folkloriques ou sociaux, on retiendra *La Malinche* (1947), *The Exiles* (mus. A. Schœnberg, 1950), *Emperor Jones* (mus. H. Villa Lobos, 1956), *Dances for Isadora* (mus. Chopin, 1971).

LIMONEST [limɔnɛ]. ♦ Ch.-l. de cant. du Rhône*, arr. de Lyon*. 1 915 hab. [763 aggl.]. *(Limonois).* Fruits.

LIMOURS. ♦ Ch.-l. de cant. de l'Essonne, arr. de Palaiseau. 2 347 hab. *(Limouriens).* – Église Saint-Pierre (en partie des XVIe et XVIIe s.).

LIMOUSIN. *n. m.* ♦ Anc. province française, dont les limites correspondaient sensiblement à celles de la région [anciennement C.A.R.] **(V.** *ci-dessous***).** ♦ *Hist.* Occupé très anciennement comme l'attestent l'homme de la Chapelle*-aux-Saints ou les vestiges néolithiques, le Limousin avait connu une population de Celtes, de Ligures et d'Ibères, quand il subit la domination romaine (~ 51). Christianisé au IIIe s. (saint Martial), il souffrit particulièrement des invasions barbares (Wisigoths*) et ne put se relever que sous Clotaire* II et Dagobert*. Au Xe s., il devait être divisé en plusieurs seigneuries (Marche, Combrailles, Limoges, Turenne, Ventadour) qui devaient préserver très longtemps leur autonomie, mais étaient placées dans la mouvance de l'Aquitaine*. La région passa en effet à l'Angleterre quand Aliénor* d'Aquitaine épousa Henri II Plantagenêt et servit pendant tout le Moyen Âge de marche entre le N. et le S. de la France. À partir du XIVe s., elle échappa à la domination anglaise pour passer sous celle du Nord, mais ne fut rattachée au domaine royal qu'au XVIIe s. et devint une province et un grand gouvernement dont la cap. était Limoges. Elle bénéficia de remarquables intendants (parmi lesquels Turgot*) et connut un notable essor. À la tapisserie qui existait depuis le XVe s. (Felletin) et le XVIe s. (Aubusson), s'ajoutèrent les manufactures d'armes (Tulle), l'industrie de la faïence et de la porcelaine (1771), tandis que les villes et les routes se développaient et que l'agriculture était améliorée par l'apparition de la pomme de terre. La Révolution divisa le pays en trois dép. : Haute-Vienne, Corrèze et Creuse.

LIMOUSIN. *n. m.* ♦ Région (anciennement C.A.R.) française. Trois département **V. Corrèze, Creuse, Vienne (Haute-).** 16 900 km² (16e rang). 738 700 hab. (21e rang). 43 hab. au km² (21e rang). Correspondant aux anciennes provinces de la Marche et du Limousin, elle coïncide avec le socle occidental du Massif central. C'est un vaste bombement cristallin qui, du lourd bastion granitique de la « Montagne » (Gentioux 950 m; Millevaches* 978 m, Monédières* 920 m), s'incline vers l'Auvergne puis vers les plaines du Berry, du Poitou et d'Aquitaine, en formant un glacis dominé par quelques dômes émoussés (Ambazac, Blond, Chalus, Gargan de 500 à 700 m) et disséqué par un éventail de vallées, creusées à l'aval en gorges profondes et sinueuses (Creuse, Gartempe, Vienne, Dordogne et surtout Vézère et Corrèze), sollicitées par le profond bassin de Brive (142 m), déblayé dans les grès tendres du permien entre le massif ancien et les causses du Quercy. De caractère méridional (juillet : 20°6), le bassin de Brive* contraste, par la qualité de ses sols attiédis et la variété de ses possibilités agricoles (primeurs, fruits, petits élevages), avec les terres froides des hauteurs où, à la chaleur relative des étés (juillet à Limoges : 18°3; à Tulle : 19°6), succède la rudesse des hivers (77 jours de gel à Limoges; 110 à Millevaches). Des précipitations régulières et abondantes (700 à 800 mm en Marche, 907 à Limoges, plus de 1 000 sur les plateaux corréziens), la richesse des nappes phréatiques y favorisent, sur un sol acide et médiocre, le foisonnement de la verdure, élément d'unité qui oppose le Limousin aux plaines calcaires voisines et l'apparente à l'Armorique : au-dessous des landes de la « Montagne », le même « bocage » règne, égayé par le châtaignier, l'arbre-providence d'autrefois. Isolé, replié sur lui-même et ses maigres cultures, ce pays ne s'est vraiment ouvert qu'au temps des chemins de fer (chaulage, froment; essor de l'élevage, sa véritable vocation). Il devait alors connaître une poussée démographique, de 900 000 à 986 000 hab. de 1861 à 1891. Mais l'impossibilité de résorber sur place l'excédent de population rurale allait transformer les vieilles migrations saisonnières en un mouvement accéléré d'émigration, poursuivi jusqu'en 1962 (162 000 de 1911 à 1936, soit une perte de 25,7 % en 70 ans). Cette évolution s'est arrêtée en 1968, le solde migratoire positif (+ 7 000 au lieu de – 9 000 de 1954 à 1962) ayant compensé départs et excédents de décès. – *Écon.* Premier pôle de fixation, Limoges* s'affirme en tant que métropole régionale (136 000 hab., aggl. de 158 000 hab. + 27 % depuis 1954; prévisions : 1985, 220 000 hab.). À sa porcelaine prestigieuse, techniquement rajeunie et de nouveau exportatrice, après un demi-siècle de crises, à ses autres industries traditionnelles (cuirs et peaux, imprimerie, ameublement) se sont ajoutées des créations nouvelles (métaux, appareillage électrique, décentralisation de *Saviem...*) liées à une décennie d'efforts soutenus d'investissement et de réanimation économique et culturelle (1965 : création de l'université, facteur décisif pour l'avenir, 6 000 étudiants; 15 000 escomptés en 1976). La croissance de l'agglomération, qui concentre avec les cantons voisins (Saint-Junien) à peu près la moitié des emplois industriels de la région, a suffi à entraîner celle du département de la Haute-Vienne (332 500 en 1962 à 346 000 en 1970), tous les autres cantons étant déficitaires. Par contre, l'ascension, cependant remarquable, de Brive*-la-Gaillarde (1962 : 40 175 hab.; 1968 : 49 325; groupement d'urbanisme : 56 100 + 35 %, indus. alimentaires, électriques, métaux, papeterie) n'a pu faire « décoller » la Corrèze. restée stationnaire (238 000 hab.). En effet, Tulle (23 000) n'a augmenté que de 8 %, les autres cantons étant presque tous déficitaires. Quant à la Creuse, si Guéret (14 000 hab.) a grandi de plus d'un tiers depuis 1954, son canton a été le seul à progresser avec celui d'Aubusson (renouveau de la tapisserie) : lié à l'exode et au vieillissement, un excédent de 4 100 décès ne saurait qu'accentuer le recul du département, rural pour 80 % (de 163 500 hab. en 1962 à 155 000 en 1970). – Le secteur secondaire est faible : 30,6 % (France, 39,6); 37 % en Haute-Vienne qui bénéficie en outre de l'exploitation d'uranium à Bessines (50 % des réserves françaises). Avec 13 000 emplois nouveaux, le secteur tertiaire ne compte encore que pour 35,8 % (30 en 1962). L'agriculture reste donc prédominante, 33,6 % (France, 15) contre 41 % en 1962, dans ce terroir d'élevage où la production animale représente 80 % du produit agricole. 53 000 exploitations en 1968 (moy. 17 ha). Les perspectives pour 1985 réduisent la population agricole, par extinction naturelle, de 101 500 à 40 000 personnes, pour atteindre une superficie moyenne de 35 à 40 ha par exploitant. La politique de « rénovation rurale », en cours, a pour objectif majeur d'encourager la production de viande bovine (800 000 t) et ovine (810 000 t); ce qui ne saurait aller sans une modernisation très poussée du réseau routier, un aménagement des pôles d'attraction touristiques, une priorité absolue à la formation professionnelle et la multiplication d'emplois industriels et commerciaux mieux répartis : autant de conditions pour que le Limousin, circonscription la plus âgée de France, puisse vaincre son lourd handicap.

LIMOUX. ♦ Sous-préf. de l'Aude, ch.-l. d'arr. (8 cant., 149 comm., 47 465 hab.), situé dans un bassin sur la r. g. de l'Aude. 11 329 hab. *(Limouxins).* Église Saint-Martin des XIIe s. (portail), XIVe s. (déambulatoire et tour) et XVIe s. (nef). Maisons anciennes (XVIe s.). Pont sur l'Aude, du XIVe siècle. Musée. – Centre vinicole : production de vins mousseux *(blanquette de Limoux).* Confiserie (touron, nougat). Fabrique de chaussures. ♦ *Hist.* Anc. vicomté, devenu (après confiscation au XIIIe s. par Simon de Montfort*) capitale du Razès.

LIMPOPO. *n. m.* ♦ Fl. d'Afrique australe (1 600 km) qui prend sa source en Afrique* du Sud (Transvaal), constitue une partie de la frontière entre le Botswana* et l'Afrique du Sud, puis celle de la Rhodésie*, coule au Mozambique* et se jette dans l'océan Indien au N. de Lourenço-Marques.

LIN *(saint),* en lat. **Linus.** ♦ Traditionnellement, 2e pape (67-79 ?), martyr. Fête le 23 septembre.

LINARES. ♦ V. d'Espagne méridionale, en Andalousie* (prov. de Jaén), au pied de la *sierra Morena.* 60 100 hab. Mines de sulfure de plomb et de cuivre.

LINARES. ♦ V. du Chili central, ch.-l. de prov. Évêché. La *province de Linares* compte 191 000 hab. 9 870 km².

LINAS. ♦ Comm. de l'Essonne, arr. de Palaiseau, limitrophe de Montlhéry*. 2 552 hab. – Église Saint-Merry (XIIIe, XVIe s.). Sur le territoire de la comm., autodrome de Montlhéry.

LINCOLN (Abraham). ♦ Homme politique américain (près de Hodgenville, Kentucky, 1809 – Washington, 1865). Fils d'un pionnier, il eut une enfance difficile, dans l'Indiana encore sauvage. Il fit divers métiers, prit part à des combats contre les Indiens (1832) et, après des études d'autodidacte, parvint à devenir avocat. Député de l'Illinois, il entra au Congrès en 1847 et s'opposa à la guerre du Mexique. Sa position antiesclavagiste, que porta à son comble le compromis du Kansas-Nebraska (1854), devint notoire lors de sa campagne contre Stephen Douglas, à l'issue de laquelle il fut battu, mais était devenu célèbre. La division des démocrates lui permit d'être élu à la présidence (1860), élection qui déclencha immédiatement la sécession* du Sud. Hostile à l'idée d'imposer ses idées par la force, il tenta désespérément d'éviter la guerre civile, appelant ses adversaires au pouvoir, et mettant la plus grande prudence dans les mesures d'abolition de l'esclavage, qu'il ne prononça qu'en 1863; ce fut moins pour l'émancipation des Noirs que pour préserver l'Union qu'il combattit. Il confia en 1864 à Grant* le commandement des armées, qu'il avait jusqu'alors assuré, pour se consacrer à l'aspect politique. Il établit après la reddition de Lee*, un programme de « reconstruction » destiné à la réconciliation. L'assassinat de Lincoln par un acteur sudiste fanatique, John Wilkes Booth, se révéla dramatique pour les intérêts du Sud, le programme de Lincoln étant profondément modifié sous l'administration de Grant.

LINCOLN. ♦ V. d'Angleterre (Lincolnshire), sur la Witham. Ch.-l. du pays de Lindsey. 77 065 hab. – Évêché. Château construit par Guillaume le Conquérant, maisons anciennes (*Jew's House,* XVe s.), vieilles portes (*Stonebow,* XVe s. et *Newport Gate*). La cathédrale, érigée de 1192 à 1235 sur l'emplacement d'une anc. église romane, est l'un des chefs-d'œuvre de l'architecture gothique anglaise (façade et nef du XIIe s., chœur et cloître du XIIIe s.). – Centre industriel (équipement lourd, pièces d'automobiles, matériel agricole). ♦ *Hist.* Anc. colonie romaine *(Lindum*

Coll. Viollet

Charles Lindbergh.

Coll. Rui Nogueira

Max Linder.

Colonia), la ville acquit une grande importance au Moyen Âge, d'abord comme capitale du royaume saxon de Mercie (VIIe s.), puis comme colonie danoise (IXe s.). Elle fut élevée au rang d'évêché en 1078. Le roi Étienne y fut fait prisonnier par le duc de Gloucester en 1141.

LINCOLN. ♦ V. des États-Unis, cap. du Nebraska, située dans l'E. de cet État, au S.-O. d'Omaha. 148 092 hab. Centre de communication, de distribution et de commerce dans une région d'élevage et de cultures céréalières **(V. Nebraska)**. Indus. diverses (machines agricoles, matériel téléphonique et de bureau). – Siège de l'université du Nebraska et de l'université wesleyenne du Nebraska. – Le capitole (1932), rompant avec la tradition néo-classique par une haute tour, a une certaine importance dans l'évolution de l'architecture aux États-Unis.

LINCOLNSHIRE. *n. m.* ♦ Comté de l'E. de l'Angleterre, faisant suite à l'East Anglia, le long de la mer du Nord, du golfe du Wash à l'estuaire dit de Humber; il est bordé au N. par le Yorkshire, à l'O. par le Nottinghamshire et le Leicestershire, et au S. par le Rutland. 6 897 km². 743 600 hab. – Le comté est divisé en 3 régions administratives : le *Holland* (Boston*), le *Kesteven* (Sleaford*) et le *Lindsey* (Lincoln)*. *Autres V.* Cleathorpes*, Grantham*, Grimsby* et Scunthorpe*. – La région est traversée par 2 lignes de « côtes », les *Lincoln Wolds,* le long de la mer du Nord et les *Lincoln Heights,* à l'intérieur. La vie agricole tient une grande place (blé, élevage de chevaux et de porcs). Le sous-sol est riche en houille, autour de Grimsby et de Scunthorpe (sidérurgie). Lincoln et Grimsby sont les principaux foyers industriels. – Patrie de Henri IV d'Angleterre, William Cecil*, Th. Heywood*, Newton*, C.F. Worth*.

LINCOLN WOLDS. ♦ V. LINCOLNSHIRE.

LINDAHL (Erik). ♦ Économiste suédois (Stockholm, 1891). Représentant de l'école de « l'équilibre monétaire » qui, en dépit de critiques de Keynes, fait du « taux de l'intérêt le facteur dont les variations peuvent assurer l'égalité de l'épargne normale et de l'investissement, et par conséquent créer une situation d'équilibre excluant aussi bien la surproduction que la sous-production » (H. Denis), il a publié des *Études sur la théorie de la monnaie et du capital* (1939, trad. fr. en 1950.)

LINDAU. ♦ V. du S.-O. de l'Allemagne (Bavière), dans une île du lac de Constance. 23 600 hab. – Station de villégiature très fréquentée.

LINDBERGH (Charles). ♦ Aviateur américain (Detroit, 1902 – Maui, Hawaï, 1974). Il effectua le premier, seul sur son monoplan *Spirit of Saint Louis,* la traversée sans escale de l'Atlantique, d'Amérique en France (5 800 km en 33 h 30 mn, 20-21 mai 1927).

LINDBLAD (Bertil). ♦ Astronome suédois (Örebro, 1895). Auteur de nombreux travaux sur le Soleil et les étoiles (spectre, rayonnement, notamment des recherches sur la solution du problème de transfert dans le spectre continu dès 1920), sur les astres (distances, mouvement) et sur les problèmes dynamiques des nébuleuses spirales et elliptiques.

LINDE (Samuel Bogumił). ♦ Philologue polonais (Toruń, 1771 – Varsovie, 1847). Auteur d'un ouvrage sur les *Règles étymologiques appliquées à la langue polonaise* (1806), il publia un important *Dictionnaire de la langue polonaise* (1807-1814), où il donne une analyse historique du vocabulaire polonais dans ses rapports avec les autres langues slaves. Complété par Bielowski, ce dictionnaire fut réimprimé à Lwów (1854-1860).

LINDE (Karl Ritter *von*). ♦ Inventeur et industriel allemand (Berndorf, Franconie, 1842 – Munich, 1934). Inventeur de l'échangeur de températures, ses recherches sur les très basses températures **(V. *aussi* Kamerlingh Onnes)** permirent le développement de l'industrie du froid. Il réalisa une machine à absorption (1870), machine de réfrigération à compression (1873) [**V. Carré**] et mit au point en 1895 un procédé pour la liquéfaction de l'air à l'échelle industrielle. **V. Claude.**

LINDEMANN (Ferdinand *von*). ♦ Mathématicien allemand (Hanovre, 1852 – Munich, 1939). Il prouva la transcendance du nombre π (1882). **V. *aussi* Liouville, Cantor, Hermite.**

LINDER [lɛ̃dɛʀ] **(Gabriel LEUVIELLE,** dit **Max).** ♦ Acteur, scénariste et réalisateur français de cinéma (Saint-Loubès, 1883 – Paris, 1925). Sa finesse, sa malice, la discrétion elliptique de son jeu ont fait de lui un précurseur de Chaplin* qui le reconnut pour son maître. Créateur d'un type de personnage élégant, désinvolte et burlesque, il sut le rendre populaire dans les quelque trois cents films qu'il tourna entre 1905 et 1925 (*Max et le quinquina, Max toréador,* etc.; aux États-Unis : *Sept Ans de Malheur* (1921), *Soyez ma femme* (1921), *L'Étroit Mousquetaire* (1922).

LINDET (Jean-Baptiste Robert). ♦ Homme politique français (Bernay, 1746 – Paris, 1825). Acquis aux idées révolutionnaires, il fut nommé procureur syndic de son district (1790). Élu à l'Assemblée législative, puis à la Convention, il siégea d'abord avec les députés de la Plaine*, puis se rallia à la Montagne. Rédacteur du « Rapport sur les crimes imputés à Louis Capet » (procès de Louis XVI), il entra au Comité* de salut public en avril 1793, y fut réélu en juillet 1793, et fut chargé des subsistances. Il ne prit pas directement part aux luttes qui amenèrent la chute de Robespierre. Sous la Convention thermidorienne, il tenta de prendre la défense du Comité de salut public et de ses membres, et fut ensuite impliqué dans l'insurrection montagnarde du 1er prairial an III. Il bénéficia de l'amnistie de l'an IV, et, en 1799, fut nommé ministre des Finances.

LINDISFARNE ou **HOLY ISLAND** (« l'île sainte »). ♦ Île côtière de l'Angleterre, au S.-E. de Berwick on Tweed (Northumberland). – Vers 655, saint Aidan y fonda un monastère qui fut un des foyers de la christianisation de l'Angleterre.

LINDSAY (*sir* David). ♦ V. LYNDSAY.

LINDSEY. ♦ V. LINCOLNSHIRE.

LINEA (La) ou **LINEA DE LA CONCEPCIÓN.** ♦ V. d'Espagne méridionale, en Andalousie* (prov. de Cadix), sur la Méditerranée, formant le prolongement espagnol de Gibraltar. 60 700 hab. Centre industriel en plein essor.

LINE ISLANDS. ♦ V. SPORADES ÉQUATORIALES.

LING (Per Henrik). ♦ Poète suédois et fondateur de la gymnastique suédoise (Ljunga, 1776 – Stockholm, 1839). Il exposa sa théorie d'une gymnastique rationnelle dans *Les Fondements généraux de la gymnastique* (1840). Il publia par ailleurs une série de poèmes épiques et de tragédies romantiques.

LINGEN. ♦ V. d'Allemagne occidentale (Basse-Saxe), sur le canal de l'Ems, près du plus anc. gisement pétrolifère d'Allemagne. 24 640 hab. – Centre commercial (bestiaux) et industriel (raffinage du pétrole, papeteries, indus. alimentaires).

LINGOLSHEIM. ♦ Comm. du Bas-Rhin (arr. d'Erstein), dans la communauté urbaine de Strasbourg*. 8 287 hab. Tanneries.

LINGONS. [*n. m. pl.*], en lat. **Lingones.** ♦ Peuple de la Gaule établi en Champagne et dont la capitale était *Andematunum* ou *Lingones* (Langres*). Ils furent compris dans la Lyonnaise* Ire.

LINGUÈRE. ♦ V. du Sénégal, dans le N. du Ferlo*, sur le fleuve du même nom, reliée par une bretelle à la voie ferrée Dakar-Saint-Louis. 2 500 hab. Station d'élevage. Commerce de l'arachide.

LINGUET (Simon Nicolas Henri). ♦ Avocat et publiciste français (Reims, 1736 – Paris, 1794). Avocat à Paris, il fonda le *Journal de politique et de littérature* (1774), où il se fit le partisan d'un despotisme éclairé. Son journal ayant été interdit (1776), Linguet s'installa à Londres d'où il publia à partir de 1777 les *Annales politiques, civiles et littéraires* en collaboration avec Mallet* Du Pan. De retour en France en 1779, il fut enfermé à la Bastille (1780) et fit paraître peu après ses célèbres *Mémoires sur la Bastille* (1783). Il fut guillotiné sous la Terreur.

LINKEBEEK. ♦ V. de Belgique (Brabant, arr. de Bruxelles – Communes périphériques). 3 700 hab. – Cultures maraîchères. Indus. textiles.

LINKÖPING. ♦ V. et port de Suède, au S.-O. de Stockholm*, sur le Stagan. Ch.-l. du comté d'Ostergötland. 79 252 hab. (1968). – Évêché fondé au XIIe siècle. Cathédrale (XIIIe et XIVe s.). Bibliothèque du diocèse. Ville anc., important centre intellectuel et religieux dès le Moyen Âge. – Centre indus. : constructions mécaniques et aéronautiques. ♦ *Hist.* Charles IX de Suède y massacra en 1600 les partisans de Sigismond III qui voulaient imposer le catholicisme au pays.

LINNA (Väinö Valtteri). ♦ Romancier finnois (Urjala, 1920). Ouvrier autodidacte, écrivain réaliste, il attaqua les abus sociaux et les idées reçues sur l'histoire récente de son pays, sans révéler de tendance politique définie. Son roman *Soldats inconnus* (1954; trad. fr. 1957) sur la guerre finno-soviétique de 1941-1944 connut un immense succès en Scandinavie et fut traduit dans de nombreuses langues. La trilogie *Ici, sous l'étoile polaire* (1959-1962), sur la vie du prolétariat rural de 1880 à 1950 environ, eut un succès presque égal.

LINNÉ (Carl *von*). ♦ Naturaliste suédois (Rashult, 1707 – Uppsala, 1778). Il occupa les fonctions de médecin et botaniste du roi, puis de professeur à Uppsala. Il formula une classification des espèces en botanique, puis en zoologie, adoptant une nomenclature binaire (chaque être vivant étant caractérisé par son genre et son espèce). Bien que fixiste, il fut amené à nuancer légèrement ses positions. Parmi ses œuvres, on peut noter *Systema Naturae, Fundamenta botanica* et *Genera plantarum.*

LINOS. ♦ Fils d'une muse (Uranie* ou Calliope*). Excellent musicien, il prétend rivaliser avec Apollon*; le dieu, indigné, le tue. Selon une autre tradition, il était fils d'Apollon et d'une princesse argienne. Exposé par sa mère, il est dévoré par les chiens et la princesse est mise à mort.

LIN PIAO [*Lin Biao*]. ♦ Maréchal chinois (1907 – 1971) et chef de la première armée rouge (1932). Après avoir servi dans l'armée de Chiang* Kai-shek, il lutta contre ce dernier et les Japonais, et devint l'un des plus proches collaborateurs du président Mao* Tsê-tung, à qui, pensait-on, il devait succéder. À la suite d'un complot avorté contre Mao Tsê-tung, il tenta de s'enfuir, mais son avion fut abattu en Mongolie.

LIN SHU [*Lin Chou*]. ♦ Lettré chinois (1852 – 1924) qui, sans connaître aucune langue étrangère, mais en s'aidant de traducteurs, interpréta en langue chinoise plus de cent cinquante ouvrages classiques européens, anglais, américains, russes et français, continuant ainsi l'œuvre de son prédécesseur Yen* Fu, et permettant aux lettrés chinois d'avoir accès à la littérature occidentale.

LINTH. *n. f.* ♦ Riv. de Suisse (cant. de Glaris) née dans le massif du Tödi* (53 km), tributaire du lac de Zurich. Elle reçoit le Sernf (r. d.) et arrose la ville de Glaris*. Nombreuses centrales hydroélectriques sur son cours supérieur.

LINTON (Ralph). ♦ Ethnologue américain (Philadelphie, 1893 – New Haven, Connecticut, 1953). Il a étudié le problème des relations entre l'homme et son milieu culturel, de la transmission culturelle et du mécanisme de l'emprunt (phénomène d'acculturation). En collaboration avec A. Kardiner, il formula et développa la théorie de la « personnalité de base ». (*The Study of Man,* 1936; *Le Fondement culturel de la personnalité,* 1945 – trad. fr. 1959).

LIN TSÊ-HSÜ [*Lin Tsö-siu, Lin Zexü*]. ♦ Haut fonctionnaire chinois (1785 – 1850) et vice-roi de Canton*. Il s'opposa aux Anglais qui livraient de l'opium en Chine. Rendu responsable de la « guerre de l'opium », il fut exilé. Réhabilité par la suite, son souvenir se perpétue en Chine pour symboliser la résistance à l'étranger.

LIN TZU-CH'AO [*Lin Tseu-tch'ao, Lin zichao*]. ♦ Président du Conseil d'État de la République chinoise de 1932 à 1943, succédant (en titre seulement) à Chiang* Kai-shek. Celui-ci reprit ce rang à la mort de Lin Tzu-ch'ao et le garda jusqu'en 1949.

LIN YU-T'ANG [*Lin Yutang*]. ♦ Écrivain chinois (né en 1895). D'inspiration taoïste, il est l'auteur de nombreux romans sur la Chine, écrits en chinois et en anglais : *The Importance of living* (1937) est son ouvrage le plus célèbre.

LINZ. ♦ Ville d'Autriche, cap. de la Haute-Autriche, située sur la r. d. du Danube, le faubourg industriel d'Urfahr étant sur la rive gauche. 209 000 hab. – *Hauptplatz,* place entourée de maisons Renaissance et baroques; palais du gouvernement provincial (XVIe s.); église des Frères mineurs (gothique et rococo); château XVe siècle. Ancienne cathédrale (XVIIe siècle). Musée provincial de Haute-Autriche. – *Indus.* sidérurgique (Voest) et chimique; port sur le Danube. ♦ *Hist.* Linz est la *Lentia* des Romains. Dès le Moyen Âge, la ville se développa grâce au trafic fluvial et aux industries du bois et du fer. Charlemagne la donna à l'évêché de Passau, et en 1190 Léopold V d'Autriche en fit l'acquisition. En 1490, elle devint le chef-lieu de la Haute-Autriche. À partir de 1830 furent construits les remparts dont on peut encore voir les vestiges. Le développement des chemins de fer (Linz-Budweis, 1832) a favorisé l'essor de la grande industrie. Depuis la Seconde Guerre mondiale, des usines sidérurgiques et chimiques s'y sont installées.

LION *(golfe du),* le *Sinus Gallicus* des Romains. ♦ Golfe du N.-O. de la Méditerranée baignant les côtes de France entre le cap Creus* au S.-O. et le delta du Rhône à l'est. Il borde les régions du Roussillon, du Languedoc, de la Camargue. Peu profond, il présente un fond en pente douce, mais il est dangereux à cause des vents qui déterminent de violentes tempêtes. La moyenne des températures y varie entre 13 °C en hiver et 22 °C en été; la salinité ne diffère pas du reste de la Méditerranée. Son rivage est sablonneux et frangé de lagunes **(V. Leucate, Sigean, Thau, Mauguio, Vaccarès).** Les ports principaux sont Port*-Vendres et Sète*.

Lion [*n. m.*] en lat. **Leo.** ♦ Constellation boréale zodiacale voisine de l'équateur. Cinquième signe du zodiaque (23 juil.-25 août).

LION-D'ANGERS (Le). ♦ Ch.-l. de cant. du Maine-et-Loire, arr. de Segré. 2 215 hab. (1 511 aggl.) *(Lionnais).* L'église Saint-Martin, en partie romane (XIe s.), possède des fresques du XVIe siècle. Château de l'Isle-Briant (XVIIIe siècle). – Marché agricole.

LIONNE (Hugues *de***).** ♦ Diplomate français (Grenoble, 1611 – Paris, 1671). Neveu de Servien*, il prit part aux négociations de la paix des Pyrénées* (1659). Il prépara la guerre de Hollande par l'alliance avec l'Angleterre (traité secret de Douvres*, 1670) et s'assura de la neutralité de la Suède et de diverses principautés allemandes.

LION-SUR-MER. ♦ Comm. du Calvados*, arr. de Caen*, sur la Manche*. 1 613 hab. Église en partie du XIIe siècle. Station balnéaire.

LIORAN. ♦ Station d'été et de sports d'hiver du Cantal*, arr. de Saint*-Flour, à 1 150 m d'altitude, dans la vallée de l'Alagnon*. Aux environs, *Super-Lioran,* station de sports d'hiver à 1 200 m d'altitude. – *Tunnel du Lioran* à 1 172 m d'altitude.

LIORET (Henri). ♦ Ingénieur français (Moret-sur-Loing, 1848 – Paris, 1938). Promoteur de l'industrie phonographique française. **V. Pathé.**

LIOTARD (Jean-Étienne). ♦ Peintre, pastelliste, dessinateur et graveur suisse (Genève. 1702 – *id.,* 1789). Il étudia en France puis voyagea fréquemment : après un séjour en Italie (1736), il se rendit en Grèce et à Constantinople (1738-1743); contrairement à ses contemporains qui se plaisaient aux « chinoiseries » et aux « turqueries » de fantaisie, il observa avec précision les costumes et les types féminins orientaux *(Femme turque et son esclave)* et adopta lui-même le costume oriental, ce qui favorisa son succès à la cour de Vienne (1743), à Paris (1748) et à Londres (1753 à 1756) À partir de 1758, il revint à Genève. Il admirait Chardin* et fut un habile pastelliste *(La Chocolatière).* Ses paysages, portraits, natures mortes et scènes de genre révèlent une vision directe, anticonformiste. Il préférait les tons clairs et francs, réprouvait la touche apparente et les ombres marquées. Il écrivit un *Traité des principes et des règles de la peinture.*

LIOUBERTSY ou **LIUBERTSY.** ♦ V. d'U.R.S.S. (R.S.F.S. de Russie), dans la région de Moscou. 139 000 hab. – Indus. mécaniques (machines agricoles). Artisanat de tapis. Nœud ferroviaire.

LIOUVILLE (Joseph). ♦ Mathématicien français (Saint-Omer, 1809 – Paris, 1882). Fondateur (1836) du *Journal de mathématiques pures et appliquées* (dit *Journal de Liouville*), il publia (1846) l'ensemble de l'œuvre de Galois*. L'un des principaux analystes de son temps, il étudia particulièrement les fonctions homogènes, les dérivées généralisées à indices fractionnaires, démontra l'existence de classes de quantités dont la valeur n'est ni algébrique ni réductible à des irrationnelles algébriques [nombres transcendants de Liouville, 1844] **(V. Cantor).** Il créa la théorie des fonctions elliptiques comme fonctions méromorphes de la variable complexe à deux périodes [1850, en même temps que Hermite*]. (Acad. sc., 1839.)

LIPARI. ♦ **V.** ÉOLIENNES (îles).

LIPCHITZ ou **LIPSCHITZ (Jacques).** ♦ Sculpteur français d'origine polonaise (Druskieneki, Lituanie, 1891 – New York, 1973). Il entreprit des études d'architecture, puis, en 1909, fréquenta l'École des beaux-arts de Paris et l'académie Julian. Après un bref retour en Russie en 1912-1913, il abandonna bientôt les principes académiques dont il était imprégné pour s'engager dans une direction plus personnelle. Il se lia alors avec Modigliani, Max Jacob, Picasso et se passionna pour le cubisme : sculptant la figure humaine à partir de 1914 en simplifiant et en stylisant les formes et en donnant aux volumes un aspect cylindrique ou prismatique avec des contrastes abrupts (*Marin à la guitare,* 1914). Puis, il créa des constructions et des reliefs polychromes d'un caractère non figuratif plus affirmé, présentant un agencement de plans verticaux décalés d'aspect linéaire, qui apparaissent comme la transposition dans l'espace des « papiers collés » (*Tête en pierre,* 1915; *Nature morte,* 1918). À partir de 1925, les formes raides et statiques firent place à des volumes plus souples : souvent d'épaisses spirales qui laissent apparaître de larges vides entre leurs enroulements et provoquent un effet dynamique. Traitant la figure humaine de façon très libre et abordant des thèmes bibliques et mythologiques, il chercha à charger ses œuvres d'une valeur affective et lyrique (*Le Couple,* 1928-1929; *Le Chant des voyelles,* 1931-1932). Il créa ensuite des œuvres au modelé plus nerveux et d'une composition tumultueuse (*Prométhée et le vautour,* 1937). Établi aux États-Unis en 1941, il manifesta des tendances expressionnistes et un vigoureux sens monumental (*Prière,* 1943; *Vierge d'Assy,* 1948). Cette véhémence expressive se déploya particulièrement dans ses sculptures « semi-automatiques » réalisées en terre glaise, puis coulées en bronze et après 1952 dans sa série dite des « Transparents ».

LIPETSK. ♦ V. d'U.R.S.S. (R.S.F.S. de Russie). 290 000 hab.

Ph. Carlo Bevilacqua/Ricciarini

J. E. Liotard : « Autoportrait ». (Offices, Florence.)

Ch.-l. de la région du même nom (24 100 km². 1 223 000 hab.), sur le cours supérieur de la Voronej (affl. r. g. du Don, 469 km), près d'un gisement de fer. Indus. métallurgiques. Usine de tracteurs. Station thermale (eaux minérales).

LIPMANN (Fritz Albert). ♦ Biochimiste américain d'origine allemande (Königsberg, 1899). Il partagea avec H.A. Krebs* le prix Nobel de méd. (1953) pour sa découverte du coenzyme A (molécule non protéique) et de son rôle dans le métabolisme cellulaire. **V.** *aussi* **Harden.**

LI PO [*Li Bo* ou *Li Bai*]. ♦ **V.** LI T'AI-PO.

LIPPE. ♦ Famille allemande, remontant au XIIe s., qui régna sur l'État de Lippe, lequel fut divisé entre les différentes branches : *Lippe-Brake, Lippe-Schaumburg,* et surtout *Lippe-Detmold.* Cette ligne obtint le titre de prince d'Empire (1720). Elle adhéra successivement à la Confédération* du Rhin (1807) et à la Confédération* germanique. L'État de Lippe devint une république en 1918, puis un land du IIIe Reich. Il fait actuellement partie de l'État de Westphalie* (République fédérale). Le dernier duc régnant était l'oncle de Bernard des Pays-Bas.

LIPPE. *n. f.* ♦ Riv. d'Allemagne occidentale (Rhénanie du Nord-Westphalie), affl. r. d. du Rhin. Env. 250 km. Née près de Bad Lippspringe, sur le versant O. du *Teutoburger Wald,* elle arrose Lippstadt*, Hamm*, Lünen* et Dorsten*. Elle est reliée au Rhin depuis 1930 par un canal transversal et rejoint depuis 1960 le canal Dortmund-Ems.

LIPPE. *n. f.* ♦ Anc. principauté d'Allemagne, située autour de Münster. **V. Lippe** *(famille de).*

LIPPERSHEY (Hans). ♦ Opticien néerlandais d'origine allemande (Wesel, v. 1570 — Middelburg, 1619). Il réalisa en 1608 une lunette d'approche binoculaire. **V. Jansen.**

LIPPI (Fra Filippo). ♦ Peintre italien (Florence, v. 1406 — Spolète, 1469). Élevé au couvent des Carmes de Florence, il y prononça ses vœux en 1421. Il put y voir travailler Masaccio* et y peignit ses premières œuvres (v. 1431). De la *pala Trivulzio,* exécutée à Padoue v. 1436 (Milan), à ses dernières fresques de Spolète (1466-1469, cathédrale), achevées par son ami Fra Diamante, il représenta le plus souvent des scènes de la vie de la Vierge : *Annonciations* (1442, Florence, San Lorenzo; v. 1450. Munich; v. 1466, Spolète), *Madones* (1437, Tarquinia; v. 1440, *pala Barbadori,* Louvre; 1452, *tondo Bartolini,* palais Pitti; v. 1465, Offices), *Nativités* et *Adorations de l'Enfant* (Offices, Richmond, Berlin, Prado). Déjà célèbre en 1438, il devint le peintre favori des Médicis, qui durent intercéder pour qu'on pardonnât au frère une vie peu monastique dont un épisode tapageur fut, à Prato — où Filippo peignait à la cathédrale les *Vies de saint Stéphane et saint Jean* (1452-1464) — l'enlèvement de la nonne Lucrezia Butti. Il en fit souvent le portrait en madone. Elle lui donna deux enfants, Filippino et Alessandra. Le charme de ses compositions provient moins de l'ordonnance de la composition, que de l'usage lumineux de la couleur et, surtout, de l'attention portée à la figure humaine, aux gestes, aux sentiments, à l'expression des visages. Le trait nerveux, l'attitude dansante de femmes drapées annoncent parfois Botticelli*, qui fut l'élève de Filippo, et le maître de son fils, Filippino.

LIPPI (Filippino). ♦ Peintre italien (Prato, 1457 — Florence, 1504). Fils de Fra Filippo Lippi* et de Lucrezia Butti, religieuse à Prato, il fut formé par son père et surtout par Botticelli*, à partir de 1472. On classe parmi ses œuvres de jeunesse un groupe de panneaux délicats attribués autrefois à un anonyme *Amico di Sandro,* « ami de Sandro (Botticelli) », et qui révèlent une exquise compréhension de ce maître. Il connut un succès rapide, travailla au palais de la Seigneurie à Florence, au Palais communal à San Gimignano, et fut jugé digne de compléter les fresques de la chapelle Brancacci, au Carmine (Florence). Il y acheva *La Résurrection du fils de Théophile,* de Masaccio*, et, pour les fresques dont il est l'auteur (scènes de la vie de saint Pierre), s'efforça de se plier au style de l'ensemble (v. 1482-1487). Plus personnel, quoique proche de l'esthétique botticellienne, est son chef-d'œuvre, *L'Apparition de la Vierge à saint Bernard* (v. 1485-1486), peint pour le cloître de la Campora; depuis, à l'église de la Badia. Appelé à Rome en 1488, il y peignit *Le Triomphe de saint Thomas* (Sainte-Marie-de-la-Minerve). Dans cette œuvre et dans celles qui suivent (*Adoration des Mages* pour le couvent San Donato a Scopeto, 1496; *Histoire de saint Philippe et de saint Jean,* chapelle Strozzi à Sainte-Marie-Nouvelle, Florence, 1498-1502), se déploie une manière de plus en plus compliquée (personnages tumultueux, architectes fantastiques, abondance du détail). Révélatrice d'une certaine crise de la fin du quattrocento, cette dernière manière l'a souvent fait qualifier de précurseur du baroque.

LIPPMANN (Gabriel). ♦ Physicien français (Hollerich, Luxembourg, 1845 — en mer, 1921). Auteur d'une étude complète des phénomènes électrocapillaires (1873), il inventa un électromètre capillaire et permit la mise au point de méthodes importantes de physico-chimie (électrode à gouttes, polarigraphie, etc.); en 1891, il imagina une méthode interférentielle de photographie en couleurs. **V. Cros, Ducos du Hauron.** (Acad. sc., 1886; prix Nobel de phys., 1908.)

LIPPMANN (Walter). ♦ Journaliste, écrivain politique et économiste américain (New York, 1889 — *id.,* 1974). De 1931 à 1966, il a dans le *New York Herald Tribune* contribué à définir les tendances du néo-libéralisme, indiquant quelles sont, selon lui, les mesures à adopter en matière de production, d'échange et de monnaie pour faire face aux difficultés économiques et rétablir la concurrence (*La Cité libre,* trad. fr. en 1938). Autres œuvres : *A Preface to Politics,* 1913; *The United States in World Affairs,* 1932-1933; *The Public Philosophy,* 1955.

LIPPS (Theodor). ♦ Philosophe allemand (Wallhalben, Palatinat, 1851 — Munich, 1914). Faisant de la psychologie la base de la philosophie, il publia des *Études de psychologie* (1893), des *Principes de logique* (1893) et une *Esthétique (L'Esthétique comme psychologie du beau et de l'art,* 1906).

LIPPSTADT. ♦ V. d'Allemagne occidentale (Rhénanie du Nord-Westphalie), sur la Lippe et les pentes du Teutoburger Wald. 42 500 hab. — Belles églises des XIIe et XIIIe siècles. — Centre commercial et industriel.

LIPSCHITZ (Rudolf). ♦ Mathématicien allemand (1832 — 1903). Auteur de travaux sur les équations différentielles et aux dérivées partielles, il précisa les résultats de Cauchy* (*conditions de Lipschitz,* 1868) et développa avec Christoffel* la théorie des formes différentielles quadratiques (1869).

LIPSE (Juste), en holl. **Joost Lips,** en lat. **Justus Lipsius.** ♦ Humaniste flamand (Overijse, Brabant, 1547 — Louvain, 1606). Il adhéra au luthéranisme (1570); mais les opinions qu'il soutint dans son *De una religione* (1590) le rendirent suspect aux réformés et il revint au catholicisme. Il est également l'auteur d'un ouvrage d'inspiration stoïcienne, *De constantia* (1583).

LIRÉ. ♦ Comm. du Maine-et-Loire, arr. de Cholet, bâtie sur une colline dominant la vallée de la Loire. 2 054 hab. — Joachim du Bellay* naquit à proximité, au château de la Turmelière dont les ruines existent encore; il célèbre son village dans un sonnet fameux écrit lors d'un voyage en Italie (« Plus mon petit Lyré que le mont Palatin », *Regrets,* 1558).

Li Sao (« Douleur de l'exil »). ♦ Poème chinois composé par Ch'ü* Yüan (v. ~340 — v. ~278), ministre chinois de l'État de Ch'u, exilé de la cour. Il est considéré comme l'un des plus parfaits exemples de la poésie élégiaque chinoise.

LISBONNE, en port. **Lisboa.** ♦ Cap. du Portugal*, sur la rive N. de l'estuaire du Tage, au débouché de la *mer de Paille,* dans un site exceptionnel. 828 000 hab. Son développement est lié à l'épanouissement de la puissance portugaise outre-mer (XVe siècle). La ville basse ou *Baixa* fut reconstruite après 1755 (**V.** ci-dessous *Hist.*), mais la partie haute *(Mouraia, Alfama)* conserve son caractère arabe et médiéval. La cathédrale (Sé Patriarcal, XIIe s.), la tour de Belém* (XVIe s.), le château São Jorge, l'église São Roque et le couvent des Jeronimos (XVe s.) sont les monuments les plus remarquables. **V.** *aussi* **Belém.** La ville compte une université, des bibliothèques et de nombreux musées (d'art ancien, d'art populaire, des Carrosses royaux, etc.). — Lisbonne est le principal centre commercial et industriel du pays. Son port, qui assure 60 % du trafic maritime national (plus de 6 000 000 de t), est en contact avec l'Afrique occidentale et l'Amérique du Sud, exporte du vin, du liège, de la résine, des conserves de sardines et assure le ravitaillement de tout le pays en matières premières. Les industries se sont concentrées sur la r. S. du Tage (Barreiro*, Alhandra*, Cavo* Ruivo, Seixal*). Les principales sont la chimie et la pétrolochimie, les constructions mécaniques et navales, les industries textiles et alimentaires. ♦ *Hist.* Ville phénicienne, puis romaine *(Felicitas Julia),* Lisbonne fut occupée par les Wisigoths, puis par les Maures, et reconquise en 1147 par Alphonse* Ier. Elle devint la capitale du Portugal en 1245 et succéda à Coimbra* comme résidence des rois. Elle connut son apogée aux XVe et XVIe s., devenant le grand port de l'empire colonial. Surnommée « la reine du Tage », elle devait supplanter Alexandrie et Beyrouth dans le commerce avec les Indes. Son importance faiblit avec l'occupation espagnole (1580-1640). En 1668, c'est à Lisbonne que fut signé le traité par lequel l'Espagne reconnaissait l'indépendance du Portugal. La ville basse fut détruite en 1755 par le terrible et célèbre tremblement de terre et reconstruite par Pombal*. Occupée par les Français en 1807, elle fut libérée par les Anglais l'année suivante.

LISBURN. ♦ V. d'Irlande du Nord (comté d'Antrim), sur le Lagan. 17 700 hab. — Cathédrale du XVIIe siècle. Important centre textile (lin), meubles.

Ph. Prato/Ricciarini

Lisbonne : parc Édouard VII.

LISFRANC DE SAINT-MARTIN (Jacques). ♦ Chirurgien français (Saint-Paul-en-Jarez, Loire, 1790 – Paris, 1847). Il fit faire des progrès à la chirurgie orthopédique.

LI SHIH-MIN [*Li Che-min, Li Shimin*]. ♦ V. T'AI-TSUNG DES T'ANG.

LISIEUX. ♦ Sous-préf. du Calvados*, ch.-l. d'arr. (12 cant., 228 comm., 132 818 hab.) sur la Touques*. 25 223 hab. *(Lexoviens).* Église Saint-Pierre, ancienne cathédrale des XIIe-XIIIe siècles. Église Saint-Jacques des XVe-XVIe s., restaurée après 1945. La chapelle du Carmel du couvent des carmélites abrite les reliques de sainte Thérèse* de l'Enfant-Jésus qui vécut au Carmel de Lisieux. Une basilique monumentale, de style incertain, lui est dédiée. Centre de pèlerinage (indus. d'objets religieux). – Indus. textiles, chaudronnerie, fonderie, indus. du bois, scierie, indus. alimentaires. ♦ *Hist.* À l'époque gauloise, *Noviomagus* fut la capitale des Lexoviens. – L'agglomération a été très endommagée en 1944.

LISLE [lil]**-SUR-TARN.** ♦ Ch.-l. de cant. du Tarn*, arr. d'Albi*, sur le Tarn*. 3 376 hab. *(Lislois).* Église du XIVe siècle. Vins blancs.

LISSA. ♦ V. VIS.

LISSAGARAY (Prosper Olivier). ♦ Journaliste et historien français (Auch, 1839 – Paris, 1901). Fondateur de la *Revue des cours littéraires,* il prit à plusieurs reprises position contre le Second Empire. Rallié à la Commune de Paris (1871), il fit alors paraître *l'Action* et *le Tribun du peuple.* Après la répression de la Commune, il vécut en exil en Angleterre jusqu'à l'amnistie de 1880. Il a laissé un ouvrage sur *Les Huit Journées de mai derrière les barricades* (1871) et surtout une importante étude sur *L'Histoire de la Commune de Paris* (1876), œuvre d'un témoin et d'un acteur, qui constitue l'une des sources de renseignements les plus précieuses sur cette période de l'histoire française.

LISSAJOUS (Jules Antoine). ♦ Physicien français (Versailles, 1822 – Plombières-lès-Dijon, 1880). Il introduisit un dispositif optique permettant d'observer un spot lumineux soumis aux vibrations (1857-1863); étudiant ainsi la composition de plusieurs mouvements vibratoires (1873), il obtint, pour des mouvements rectangulaires dont les périodes sont multiples d'un même nombre, des courbes définies par les équations : $x = a \sin mt$, $y = b \sin nt$ *(courbes de Lissajous).*

LISSEWEGE *(canal de).* ♦ Se détachant du canal d'Ostende à sa sortie de Bruges, il aboutit sur la côte près de Blankenberge (16 km).

LISSITCHANSK. ♦ V. d'U.R.S.S. (Ukraine), dans la région de Lougansk, bassin de Donbass, sur le Donets du Nord. 117 000 hab. Mines de houille. Indus. chimiques.

LISSITZKY (Eliezer, dit El). ♦ Ingénieur, peintre, dessinateur et architecte russe (Polchinok, près de Smolensk, 1890 – Moscou, 1941). Il fit à Darmstadt des études d'ingénieur et voyagea en Europe de 1909 à 1914 puis termina à Moscou des études d'architecture. Il subit surtout l'influence de Malevitch* et en 1921 alla enseigner à Vitebsk, puis dans les ateliers d'État à Moscou. Partageant les préoccupations sociales et les théories fonctionnelles des constructivistes Tatlin et Rodchenko et voulant lui aussi abolir les distinctions entre peinture, relief et sculpture pour les intégrer à l'architecture, il créa des constructions de plans géométriques qu'il intitula *Proun* (1919), en combinant peinture et éléments en relief aux formes simples, abstraites et géométriques. En 1920, il réalisa six dessins intitulés *Histoire de deux carrés* (publiés en 1922). Actif propagandiste, il innova dans le domaine de l'affiche, de la typographie, employant le procédé du photomontage et créant des compositions abstraites concises et rigoureuses, rendues dynamiques par le recours à des diagonales insistantes et des rythmes asymétriques. Il créa aussi d'audacieux projets d'édifices (*Tribune pour orateur* à structure oblique en acier, 1921 ; *Piliers-nuages,* 1922, avec Mart Stam). En Allemagne, en 1922, il contribua largement à diffuser les idées constructivistes au Bauhaus et dans les revues d'avant-garde. En Suisse, il publia en 1925 avec Arp *Les Ismes de l'Art,* puis il aménagea la salle des abstraits au musée de Hanovre (détruite par les nazis) et il revint ensuite en U.R.S.S. (1928), jouant surtout un rôle d'organisateur d'expositions.

LIST (Friedrich). ♦ Économiste allemand (Reutlingen, 1789 – Kufstein, 1846). C'est sous son inspiration que se créa l'Association générale des industriels et des commerçants (Francfort, 1819) qui aboutit en 1834 à l'Union douanière (Zollverein*), étape décisive vers l'unité économique allemande. Dans son *Système national d'économie politique* (1840), il préconisa un protectionnisme temporaire, nécessaire à la période d'industrialisation d'une nation.

LISTER (Joseph *1er baron***).** ♦ Chirurgien anglais (Upton, Essex, 1827 – Walmer, Kent, 1912). Au courant des travaux de Pasteur, il créa l'antisepsie, au moyen d'eau, puis d'huile phéniquée (1867). Cette méthode, adoptée par la plupart des chirurgiens à partir de 1875, marqua une étape décisive dans l'histoire de la chirurgie (bien qu'on lui ait préféré plus tard l'asepsie).

LI SUNG-CH'IN [*Li Song-k'in, Li Songqin*]. ♦ Président de la République chinoise de 1916 à 1917, succédant à Yüan* Shih-k'ai. Il fut évincé par Feng* Kuo-chang, mais revint au pouvoir de 1922 à 1923. Ts'ao* K'un lui succéda.

LISZT (Franz). ♦ Compositeur et pianiste hongrois (Doborján [Raiding], 1811 – Bayreuth, 1886). Son père, employé au service du prince Esterházy, le produisit très jeune en public, puis il reçut à Vienne les leçons de Czerny* pour le piano et de Salieri pour la composition (1820-1823). À l'issue d'une tournée triomphale à travers l'Allemagne, il vint à Paris pour y parfaire son éducation musicale. Il y fut l'élève de Reicha et connut aussitôt la faveur du public parisien. Fêté dans les salons, bientôt introduit dans le cercle de Chopin* et de ses amis (1832), c'est dans ce milieu qui rassemblait l'élite du romantisme européen (Berlioz, Paganini, Lesueur, Heine, Mickiewicz, Delacroix, George Sand) qu'il reçut la part la meilleure et la plus durable de sa formation artistique et littéraire. Il y rencontra aussi la comtesse Marie d'Agoult qui, pour une dizaine d'années, allait devenir sa compagne, et lui donner trois enfants dont Cosima, qui épousa Wagner. Union orageuse et décevante pour Liszt qui devait trouver plus tard en Marie d'Agoult l'une de ses ennemies. Cependant au cours de ses nombreuses tournées, il recevait l'hommage de l'Europe pour son incomparable génie de virtuose. Nommé chef d'orchestre à la cour de Weimar (1842), il fit de cette ville, en dépit de multiples obstacles, un foyer musical actif, dirigeant, jusqu'à son départ de Weimar (1861), les plus grandes œuvres de l'art lyrique de son temps (Beethoven, Schumann, Berlioz, Weber, Wagner) et du siècle précédent (Mozart). Soutenu dans son effort par la princesse de Sayn Wittgenstein, il connut durant ces années une exceptionnelle activité créatrice, partageant son temps entre Weimar, Budapest, Vienne, Leipzig et Dresde, et composant les œuvres majeures de sa maturité. Nature mystique dès sa jeunesse, il prit les ordres mineurs lors d'une retraite à Rome (1865), mais les motifs de cette détermination n'étaient pas tous d'ordre religieux. Brouillé un temps avec Wagner qui ne lui témoigna jamais qu'une estime relative, il se réconcilia avec lui et assista à l'inauguration du théâtre de Bayreuth (1876). Sans cesser de parcourir l'Europe, il avait renoncé assez tôt à la gloire du pianiste virtuose (1847) pour imposer à ses contemporains son génie de compositeur. Toutefois, le succès de cette ambition fut assez souvent déçu. Il mourut à Bayreuth, à l'issue d'une représentation de Tristan, satisfait d'avoir « jeté son javelot dans les espaces infinis de l'avenir ». L'œuvre de Liszt est d'abord celle d'un pianiste qui, après Beethoven et Chopin, a révélé les possibilités nouvelles du clavier par un enrichissement de la palette musicale, rythmes, cadences et harmonies qui ajoutent à l'univers sonore classique. Dès l'âge de quinze ans, il écrivit les *Douze études pour le piano* qui devinrent plus tard les *Douze études d'exécution transcendante* (1838). D'une inspiration typiquement romantique sont les *Harmonies poétiques et religieuses* (1834-1850) et les *Années de pèlerinage* (1834). On y joindra les deux *Concertos avec orchestre* (1849), l'admirable *Sonate en si mineur* (1853), les légendes de *Saint-François d'Assise* et de *Saint-François de Paule* (1865), les 19 *Rapsodies hongroises* (1860), les *Caprices-valses, Le Rêve d'amour,* la *Berceuse,* les *Élégies* et les *Apparitions,* ainsi que les trois *Grandes études de concert* de 1848, plus purement virtuoses. Une seconde suite d'ouvrages est constituée par les poèmes symphoniques : les *Préludes* (1850), *Mazeppa* (1851), *Bruits de fête* (1851), dont certains avec chœurs : *Dante symphonie* (1848), *Faust symphonie* (1854). Enfin, dans la dernière période de sa vie, Liszt se consacra à la musique religieuse avec des œuvres d'une grande puissance, parfois empreintes de grandiloquence et d'une religiosité théâtrale. Ce sont la *Messe de Gran* (1855), la *Messe du couronnement* (1867), des *Psaumes,* des *Cantates,* des *Pièces pour orgue,* ainsi que des oratorios : *La Légende de Sainte-Élisabeth* (1865) et *Christus* (1873). Empruntant au folklore hongrois bon nombre de ses éléments, cédant parfois à un excès de facilité dans le développement ou le choix des thèmes, la musique de Liszt est remarquable par son mouvement et la couleur de son invention harmonique. Son apport est considérable par ses audaces et sa féconde nouveauté. Marqué par l'enseignement de Fétis et l'exemple de Berlioz, approfondissant

Ph. Lauros-Giraudon

Franz Liszt, par G. Tivoli. (Acad. Rossini, Bologne.)

Coll. Hervé Lehanneur Ph. Hubert Josse

Littré.

la notion de « variation psychologique », intégrant la dissonance, Liszt a libéré la tonalité et frayé la voie que suivirent après lui, outre Wagner, d'Indy et Strauss, les maîtres de l'école moderne comme Kodály, Prokofiev, Debussy, Ravel, Stravinski, Hindemith. Non conformiste, rompant avec les règles traditionnelles de la modulation, il a préparé une révolution que Bartók et Schœnberg devaient conduire à un terme. Mécène généreux qui fut en relation avec tous les grands artistes de son temps, il se donna pour tâche de servir leur génie. Son influence sur toute la musique européenne est incontestable.

LI SZU [*Li Sseu, Li Si*]. ♦ Lettré chinois (v. ~280 – v. ~208) et ministre de l'empereur des Ch'in Shih Huang-ti. Il est connu pour avoir fait détruire tous les livres des philosophes chinois. Il unifia les systèmes de mesures et les lois dans tout l'empire et fit aménager un immense réseau routier. Il fut également un calligraphe renommé. Il fut tué lors d'une intrigue de palais.

LI SZU-HSÜN [*Li Sseu-hiun, Li Sixun*]. ♦ Peintre chinois (v. 650 – v. 720), originaire de Ch'ang*-an et membre de la famille des T'angs*. Il fut le fondateur de l'école chinoise de paysage.

LI TA-CHAO [*Li Ta-tchao, Li Dazhao*]. ♦ Écrivain chinois (1888 – 1927) qui introduisit en Chine v. 1918 la pensée marxiste. Il créa, avec Ch'en* Tu-hsiu et Mao* Tsê-tung une société d'études sur le marxisme et fonda en 1921 le Parti communiste chinois. Il fut professeur d'histoire à Pékin. Les « seigneurs de guerre » inféodés à Chiang* Kai-shek l'assassinèrent en 1927.

LI T'AI-PO [*Li Taibai*]. ♦ Poète chinois (699 – 762) originaire du Türkestân, appelé aussi Li Po. Il chanta surtout les plaisirs du vin et de l'amitié. Selon la tradition, il périt noyé un jour d'ivresse alors qu'il voulait pêcher le reflet de la lune dans un étang. Il fut l'un des plus grands poètes de la Chine médiévale.

LI T'ANG [*Li Tang*]. ♦ Peintre chinois (1050 – 1130) et académicien à K'ai-feng, auteur de tableaux décoratifs aux lignes accentuées, de paysages et de scènes villageoises.

LITANI *(Nahr el-)*. ♦ Fl. le plus important du Liban (170 km) qui descend des hauteurs de la Bekaa* en direction du S. et se jette dans la Méditerranée au N. de Sour après un brusque détour à travers la chaîne du Liban. L'aménagement du fleuve a permis la fertilisation des terres alentour, ainsi que l'accroissement de la production électrique.

LITHGOW. ♦ V. et centre industriel de la Nouvelle*-Galles du S. (Australie), sur les flancs boisés des Blue* Mountains, à l'O. de Sydney, au cœur du gisement houiller de l'O. 12 811 hab. (1966). Sidérurgie. Fabrique d'armes. Briqueteries. Indus. textiles.

LITOLFF (Henry). ♦ Pianiste anglais de père français (Londres, 1818 – Bois-Colombes, 1891). Pianiste virtuose, chef d'orchestre, il parcourut l'Europe, et dirigea à Varsovie. Il épousa à Brunswick la veuve d'un éditeur de musique et fonda une maison d'édition. Il écrivit des concertos et des pièces pour piano.

LI TSUNG-TAO ou **LEE TSUNGDAO**. ♦ Physicien chinois (Shanghai, 1926). **V. Yang.** (Prix Nobel de phys., 1957.)

LITTLE ADEN. V. des faubourgs d'Aden*. 9 277 hab. (1965). Raffinerie traitant le pétrole des gisements du golfe Persique.

LITTLE ROCK (trad. angl. de *La Petite Roche,* ainsi nommée par B. de la Harpe en 1722). ♦ V. des États-Unis, cap. de l'Arkansas. 128 880 hab. (la zone urbaine avec *North Little Rock* compte plus de 315 000 hab.). Centre commercial agricole; nœud ferroviaire. Indus. de l'aluminium. ♦ *Hist.* C'est à Little Rock qu'éclata l'opposition entre le gouverneur ségrégationniste Faubus et le gouvernement fédéral (sept. 1957), à propos de l'intégration raciale dans les écoles. Celle-ci fut progressivement imposée à partir de 1959.

LITTLEWOOD (John E.). ♦ Mathématicien anglais (né en 1885). Auteur de travaux sur l'analyse classique et ses applications à la théorie des nombres. **V. Hardy.**

LITTRÉ (Maximilien Paul Émile). ♦ Philosophe, philologue et homme politique français (Paris, 1801 – 1881). Il étudia d'abord la médecine (collaborant avec Bouillaud et Andral au *Journal hebdomadaire de médecine*), puis les langues anciennes (grec, sanskrit) et orientales (arabe). Il traduisit les *Œuvres d'Hippocrate* (1839-1861) et la *Vie de Jésus* de D. Strauss* (1839-1840), et collabora à l'*Histoire littéraire de la France* (après 1838). Disciple d'A. Comte*, il fit connaître sa pensée par des articles dans *le National* (1844, 1849-1851) et la création de *la Revue de philosophie positive* (1867), mais il en refusa toujours les développements politiques et mystiques. Il s'en tint au *Cours de philosophie positive* et tenta de compléter la classification des sciences en y intégrant l'économie politique, la psychologie philosophique (en tant qu'analyse critique des conditions de la connaissance), la morale, l'esthétique (*A. Comte et la philosophie positive,* 1863; *Des origines organiques de la morale,* 1870; *La Science au point du vue philosophique,* 1873). Ses nombreux travaux philologiques et lexicographiques devaient aboutir à la publication de son œuvre principale, le *Dictionnaire de la langue française* (1863-1872). Libéral, il fut élu député de la Seine à l'Assemblée nationale (1871) et sénateur (1875). Son élection à l'Académie française (après un premier échec) entraîna le départ de Mgr Dupanloup*. Sa mort fut l'occasion d'une longue controverse, sa fille Sophie affirmant qu'il s'était converti au christianisme, abandonnant son agnosticisme positiviste.

LITUANIE, *n. f.* en lituanien **Lietuva**, en russe **Litva** (*République socialiste soviétique de)* [en russe **Litovskaja S.S.R.**]. ♦ La plus méridionale des trois républiques baltes* de l'U.R.S.S. Baignée à l'O. par la mer Baltique*, elle confine au N. avec la Lettonie*, à l'E. et au S.-E. avec la Biélorussie*, au S. et S.-O. avec la Pologne* et la R.S.F.S. de Russie*. 65 200 km². 3 100 000 hab. (env. 2 500 000 *Lituaniens). Cap.* Vilnius*. *V. princ.* **V. Kaunas, Klaïpeda.** – Dans les régions littorales et septentrionales, s'étend une plaine basse, mais dans son ensemble, le relief du pays est accidenté (néanmoins les hauteurs ne dépassent pas 230 m). Les forêts couvrent 24 % du territoire. Nombreux lacs et cours d'eau, dont le plus important est le Niémen*. Le sol est assez riche en tourbe, calcaire, argile, gypse. – *Écon.* Bien que la Lituanie produise des céréales, l'activité agricole est surtout représentée par l'élevage bovin et porcin, l'aviculture et la culture du lin. La plus grande partie des pêcheries est concentrée à Klaïpeda. L'indus. (machines agricoles, appareils électriques, traitement du bois, engrais chimiques, produits textiles et alimentaires) est moins développée que dans les autres républiques soviétiques baltes. Les besoins de la Lituanie en énergie électrique sont couverts par des centrales thermiques et par la centrale hydro-électrique de Kaunas. – Patrie de Donelaïtis, Kreve*-Mickevicius, Koupala*, Lipchitz*, Nyka*-Niliunas, Piłsudski*, Soutine*, Sterner. ♦ *Hist.* Les Lituaniens, peuple aryen de race balte, subirent au XIIIe s. les attaques des ordres Porte*-Glaive et Teutonique*. Au début du XIVe s., fut constituée la *grande principauté de Lituanie,* qui s'étendait, sous le grand-prince Gédymin*, jusqu'à Kiev (prise par Olgierd en 1361) y compris la Biélorussie*. Gédymin (de qui descend la famille princière russe Galitzine*) choisit Vilnius comme capitale et se dit roi des Lituaniens. Au XVe s., luttant contre les chevaliers allemands, les Lituaniens s'allièrent tantôt avec les princes russes, tantôt avec les rois polonais. En 1410, le grand-prince Ladislas* II Jagellon, et les Russes, portèrent un coup décisif aux chevaliers Teutoniques à la bataille de Grunwald* (Tannenberg*), à laquelle prit part Mikolaj Radziwiłł **(V. Radziwiłł).** Alexandre* Ier Jagellon **(V. Jagellon)** rétablit l'union polono-lituanienne, mais la Lituanie garda son administration personnelle jusqu'en 1569, date à laquelle elle fut incorporée à la Pologne par le traité de Lublin*. Jean* III Sobieski, roi de Pologne et de Lituanie, remporta des victoires contre les Suédois, mais il dut céder aux prétentions de la Russie (traité de Moscou*, 1686). En 1795, la Lituanie fut annexée par la Russie, et subit la politique de russification au début du XIXe siècle. De grands soulèvements contre les Russes eurent lieu (1830-1831, et 1863-1864). Le combat contre le tsarisme fut marqué dans la littérature par les œuvres du poète Maïronis* et du nouvelliste Tumas*-Vaizgantas. Après l'occupation allemande pendant la Première Guerre mondiale, le régime soviétique fut instauré (16 déc. 1918), puis renversé (automne 1919) et Kaunas devint la cap. de la nouvelle république indépendante. En 1926, un coup d'État hissa au pouvoir le dictateur Voldemaras, remplacé ensuite par Smetona (1929). Occupée par les Allemands (1939), puis par les Russes, la Lituanie devint république soviétique (21 juil. 1940). Réoccupée par les Allemands (1941), elle fut réannexée par l'U.R.S.S. en 1944.

LITVINOV (Maxim Maximovitch Meir Walach, dit**)**. ♦ Diplomate soviétique (Białystok, 1876 – Moscou, 1951). D'origine israélite, membre du Parti social-démocrate dès 1898, il fut déporté en 1901, mais réussit à s'évader (1902) et s'installa à Londres, où il épousa la fille de l'historien sir Sidney Low. Il adhéra à la fraction bolchevik du Parti social-démocrate et, après la révolution d'Octobre, fut nommé représentant diplomatique de la Russie à Londres, bien que le gouvernement soviétique n'eût pas été reconnu par les Anglais. Accusé de propagande communiste, il fut arrêté et échangé contre un groupe de citoyens britanniques détenus en

U.R.S.S. (1918). Adjoint à Tchitchérine (1921), il lui succéda pratiquement dès 1927 et officiellement depuis 1930 au commissariat aux Affaires etrangères. Représentant l'Union soviétique à la Société des Nations (1932), il fut le premier à formuler la notion selon laquelle « la paix est indivisible ». En 1935, il signa avec Laval* le pacte franco-soviétique, et avec la Tchécoslovaquie un pacte de non-agression. Après les accords de Munich (sept. 1938) et la réorientation de la politique extérieure soviétique (accord avec l'Allemagne hitlérienne), Litvinov fut remplacé par Molotov* (mai 1939). Nommé ambassadeur à Washington peu après l'invasion allemande en U.R.S.S., il rentra dans son pays en 1943 et fut vice-ministre des Affaires étrangères jusqu'à 1946, date à laquelle il prit sa retraite.

LIU AN [*Lieou Ngan*]. ♦ Philosophe taoïste chinois (~ ? – ~ 122), prince de Huai-nan (An-hui) et auteur d'un célèbre traité philosophique qui porte son nom, le *Huai-nan Tzu*.

LIU CHIH-CHI [*Lieou Tche-ki, Liu Zhiji*]. ♦ Historien chinois (661 – 721), qui le premier réalisa une « histoire générale » critique, le *Shih-t'ung*, considérée comme un modèle du genre.

LIU CHIH-YÜAN des HOU HAN. ♦ **V.** KAO TSU.

LIU-CHOU [*Liuzhou, Lieou-tcheou, Liuchow*]. ♦ V. de Chine (Kuang-hsi), sur le Hsi-kiang, à 200 km au N.-E. de Nan-ning. 180 000 hab. — Constructions mécaniques.

LIU E [*Lieou Ngo*]. ♦ **V.** LAO TS'AN.

LIU SHAO-CH'I [*Lieou Chao-k'i, Liu Shaoqi*]. ♦ Homme d'État chinois (1905 – ?, ap. 1968), théoricien du communisme et compagnon de Mao* Tsê-tung. Il devint président de la République populaire de Chine en 1959 en remplacement de Mao* Tsê-tung et fut réélu en 1964. Il fut contesté lors de la « révolution culturelle » de 1968 et son poste fut déclaré vacant. Il disparut alors de la scène politique et on a annoncé sa mort en 1974.

LIUTPRAND. ♦ (? – 744). Roi des Lombards (712-744). Il conquit la Pentapole* et lutta contre les ducs lombards de Spolète et de Bénévent. Il se rapprocha de l'Église, mais marcha toutefois deux fois sur Rome (728 et 742). Sous son règne, l'expansion lombarde connut son maximum en Italie.

LIUTPRAND. ♦ Ecclésiastique et écrivain lombard (v. 920 – 972), diacre à Pavie, évêque de Crémone (961), auteur de chroniques : *Vie d'Otton le Grand, Relation d'une ambassade à Constantinople, Antapodosis.*

LIUVA Ier. ♦ (? – 572). Roi des Wisigoths (567-572). Roi en même temps que son frère Léovigild, il lui abandonna l'Espagne et gouverna la Septimanie (569). À sa mort, Léovigild la réunit à l'Espagne. ♦ LIUVA II. (? – 603). Roi des Wisigoths (601-603). Petit-fils de Léovigild, il fut détrôné et tué par Witteric*.

LIVAROT. ♦ Ch.-l. de cant. du Calvados*, arr. de Lisieux*. 2 842 hab. Laiteries, beurre, fromages renommés *(livarot)*, fabrique d'articles en bois, cidrerie.

LIVERDUN. ♦ Comm. de Meurthe-et-Moselle, arr. de Toul. 3 876 hab. La ville est située sur un promontoire qui domine la Moselle. Église romane et gothique (fin XIIe s.). Vestiges d'une enceinte du XIIIe s. : porte du XVIe s. – Conserves ; produits réfractaires.

LIVERPOOL (Robert Banks Jenkinson, *2e comte*). ♦ Homme politique anglais (Londres, 1770 – Comb Wood, près de Kingston, 1828). Tory, mais partisan du libéralisme, il fit partie du gouvernement Addington* (il fut l'un des artisans de la paix d'Amiens), puis des cabinets Pitt* et Perceval. Premier ministre (1812-1827), il dut faire face à une véritable crise, née des difficultés résultant du Blocus continental et des déceptions britanniques en 1815. Habile financier, il eut une activité politique contestée. Il prit des mesures réactionnaires (suspension de l'Habeas corpus, répression, comme à Peterloo*) et dut imposer les *cornlaws*, contrairement à ses convictions. Il fut remplacé par Canning* qu'il avait soutenu.

LIVERPOOL. ♦ V. d'Angleterre (Lancashire), sur la r. d. de l'estuaire de la Mersey. 677 740 hab. – Université. Évêchés catholique et anglican. L'essor du port, qui date de la fin du XVIIIe s., est directement lié au « commerce triangulaire » et au développement de l'industrie cotonnière du Lancashire, dont Liverpool devint le principal débouché. C'est, avec ses 12 km de docks et quais, le 2e port de mer de Grande-Bretagne (22 450 t de trafic annuel), important des matières premières (coton, céréales et pétrole) et exportant des métaux semi-ouvrés (fer, acier) ainsi que des produits fabriqués (machines, textiles). L'industrie, puissante et très diversifiée, s'est développée, surtout après la récession de 1929, autour de cet énorme complexe portuaire : constructions navales, métallurgie et indus. mécaniques, chimie (verreries, savonneries, produits pharmaceutiques, matières plastiques, fibres synthétiques), minoteries et produits alimentaires. Liverpool est reliée à Manchester par un canal et possède la première bourse de coton du monde. – Patrie de W.E. Gladstone*.

Ph. Giuseppe Pino/Ricciarini

Living Theatre.

LIVET-ET-GAVET. ♦ Comm. de l'Isère (arr. de Grenoble), sur la Romanche. 2 322 hab. Électrochimie, électrométallurgie.

LIVIE, en lat. **Livia Drusilla.** ♦ (v. ~ 55 – ~ 29). Membre de la gens Claudia par son premier mariage avec Tiberius Claudius Nero dont elle eut deux fils, Tibère* et Drusus* ; elle épousa Auguste* en ~ 38 et parvint à assurer à son fils Tibère la succession au trône **(V. Julie).**

LIVINGSTON (Milton Stanley). ♦ Physicien américain. (Né en 1905.) Il réalisa, avec E.O. Lawrence*, le premier cyclotron avec lequel tous deux obtinrent les premières transmutations provoquées par deutons.

LIVINGSTONE (David). ♦ Missionnaire et explorateur britannique (Blantyre, Écosse, 1813 – Chitambo, Rhodésie du Nord, 1873). Missionnaire en Afrique du Sud à partir de 1840, il entreprit de 1849 à 1871 plusieurs expéditions en Afrique centrale et australe, reconnut le cours du Zambèze (en particulier les chutes Victoria, 1856), de son affluent le Chiré et de la Rovuma, découvrit plusieurs lacs (Ngami, Chiroua, etc.) et contribua à résoudre le problème de la source du Congo en explorant le Lualaba. *Relation de l'exploration du Zambèze* (1865). En 1871, il fut rejoint et secouru par Stanley. Auteur de *Voyages et recherches d'un missionnaire dans l'Afrique méridionale* (1857), il ne cessa de lutter contre l'esclavage. Il mourut de la dysenterie pendant une expédition dans la région de Bangweulu en 1873.

LIVINGSTONE. ♦ Port du Guatemala, situé en aval du lac Izabal*, au fond de la baie de Amatique dans le golfe de Honduras* (mer des Antilles), par lequel se fait une grande partie du commerce extérieur du pays. **(V. *aussi* Puerto Barrios).**

Living Theatre. ♦ Compagnie de théâtre américaine fondée par Julian Beck et Judith Malina (1947). L'influence d'Antonin Artaud* et de son « Théâtre de la cruauté » s'est fortement exercée sur l'esthétique de ce groupe à partir de 1958. Constituée en communauté anarchiste, la troupe du Living Theatre, après son départ des États-Unis (1963), se produisit en Europe où, sans renoncer au principe de la création collective, elle devait, sous l'influence de Brecht, accentuer le caractère politique de ses productions. Conjuguant le mysticisme et la non-violence, cette troupe militante assigne au théâtre un rôle permanent de contestation au sein de la société occidentale.

LIVIUS ANDRONICUS. ♦ **V.** ANDRONICUS (Livius).

LIVIUS DRUSUS. ♦ **V.** DRUSUS (Marcus Livius).

LIVONIE, *n. f.,* en all. **Livland,** en russe **Lifliandija,** en letton **Vidzeme.** ♦ Nom donné par les Allemands aux régions de la côte Baltique au N. de la Lituanie*, où habitaient les *Lives.* Dans un sens plus large, *Livonie* désigne les territoires de la Lettonie* et de l'Estonie* actuelles. ♦ *Hist.* L'évêque Albert* de Buxhövden fonda Riga* (1201), et créa l'ordre des chevaliers Porte*-Glaive (1202), en vue de convertir les Lives. En 1224, les Porte*-Glaive devinrent maîtres de l'Estonie, mais des révoltes de paysans presque incessantes les obligèrent à se fondre avec les chevaliers Teutoniques* (1237). Riga devint alors le siège d'un archevêché, et la Livonie fut gouvernée par le grand maître des Porte-Glaive, sous la suzeraineté de l'ordre Teutonique. Écrasés par Alexandre* Nevski sur les glaces du lac Tchoudsk* (1242), les chevaliers Teutoniques limitèrent leurs entreprises aux païens, dont ils achevèrent la soumission vers 1290. En 1347, la Courlande* fut conquise et l'Estonie achetée par les Danois, qui détachèrent ainsi ces provinces de la Livonie. En 1523, la Réforme fut introduite à Riga. L'invasion des Russes (1557) obligea l'archevêque de Riga à rendre hommage à Sigismond* II, roi de Pologne. Devenue polonaise en 1561, puis disputée entre la Suède, la Russie et la Pologne, la Livonie fut annexée à l'Empire russe au traité de Nystad* et partagée entre l'Estonie et la Lettonie en 1918.

LIVOURNE, en it. **Livorno.** ♦ V. d'Italie centrale, en Toscane, sur la mer Tyrrhénienne. Ch.-l. de prov. 170 000 hab. Important port de voyageurs (à destination de la Corse et de l'île d'Elbe) et de commerce. Les principales activités industrielles sont : les constructions navales, la métallurgie, la chimie et le raffinage du pétrole. Siège de l'académie navale italienne. ♦ *Hist.* Elle fut achetée à Gênes par Florence en 1421.

LIVRADOIS. *n. m.* ♦ Région du Massif central comprenant le massif du Livradois (1 210 m) et le bassin d'Ambert.

Livre de la jungle (Le), en angl. **The Jungle Book,** 1894. Un *Second Livre de la jungle (The Second Jungle Book)* fut publié en 1895. ♦ Recueils de récits de R. Kipling*. Il y met en scène un « petit d'homme », Mowgli (« grenouille »), perdu dans la forêt indienne, élevé par une louve et qui, devenu jeune homme, prend conscience de son espèce et quitte ses amis, les animaux, caractérisés de manière anthropomorphique (Baloo, l'ours brun ; Bagheera, la panthère noire ; Kaa, le python). À mi-chemin entre

Tarzan et Robinson, Mowgli, qui chante les mérites de la race élue, transpose le sentiment de supériorité du colonialisme.

Livre des Merveilles (Le). ♦ Titre porté par le *Livre de Marco Polo* (**V. Polo**) dans son manuscrit le plus célèbre, copié v. 1400 pour le duc de Berry et orné de 84 miniatures; il est conservé à Paris (Bibliothèque nationale).

Livre des morts (Le). ♦ Rouleaux de papyrus qui étaient déposés dans les sarcophages, en Égypte, à partir du Nouvel Empire. Ils contenaient, écrit en hiéroglyphes, en hiératique ou en démotique, un recueil de formules illustrées de dessins, dont la lecture ou la simple présence auprès de la momie aidait l'âme du mort à triompher des épreuves qu'elle devait traverser pour accéder à une immortalité bienheureuse. Ces recueils étaient nommés par les anciens Égyptiens « Livre pour sortir au jour ». Les manuscrits, étudiés par Lepsius*, dérivent de textes analogues écrits sur les sarcophages au Moyen Empire et que l'on retrouve sur les parois des pyramides de l'Ancien Empire. L'un des plus célèbres est le papyrus d'Any (début XIXe dynastie), qui se trouve actuellement au British Museum.

LIVRON-SUR-DRÔME. ♦ Comm. de la Drôme, arr. de Valence. 5 616 hab. — Restes de fortifications. Vins. Indus. chimiques et textiles.

LIVRY-GARGAN. ♦ Ch.-l. de cant. de la Seine-Saint-Denis, arr. du Raincy. au N.-E. de Paris. 32 100 hab. — Centre industriel.

LIXUS. ♦ V. LARACHE.

LI YÜ. ♦ V. HOU CHU.

LI YÜ. ♦ Romancier et dramaturge chinois (1611 — v. 1679), auteur de nombreux romans populaires parfois licencieux. Peintre et décorateur, il possédait sa propre troupe théâtrale et écrivait la musique de ses pièces.

LI YUAN des T'ANG. ♦ V. KAO TSU.

LIZARD *(cap).* ♦ Cap formant l'extrémité S.-O. de l'Angleterre (Cornouailles), dont c'est le point le plus méridional.

LIZY-SUR-OURCQ. ♦ Ch.-l. de cant. de la Seine-et-Marne, arr. de Meaux. 2 388 hab. Église (XVe s.); château (XVIe s.); halles (XVIIe s.). Métallurgie, indus. alimentaires, engrais.

LJUBLJANA, en all. **Laibach.** ♦ V. de Yougoslavie, cap. de la république de Slovénie*. 160 000 hab. — Sa position clé dans la vallée de la Save*, en bordure des Alpes slovènes au centre d'une diagonale N.-O. — S.-E. allant des Alpes à Zagreb*, en fit très tôt un centre commercial important. Centre touristique, la ville possède de nombreuses traces de son passé : palais, couvents, églises baroques, place des Congrès. Les manifestations culturelles sont nombreuses et variées (congrès, expositions). Académie slovène, université. — *Écon.* Le développement industriel ne date que de 1945, date à laquelle Ljubljana devint capitale de la Slovénie. Dotée d'une puissante industrie électrique et électronique (les 3/4 de la production yougoslave), la ville possède aussi des industries textiles, des papeteries et une manufacture de tabac. ♦ *Hist.* Soumise successivement aux Francs, aux Slaves et aux ducs de Bavière, la ville, anciennement appelée Laibach, finit par se donner à l'Autriche. De 1809 à 1813, elle fut le siège du gouvernement général français des provinces illyriennes. — *Le congrès de Laibach** s'y réunit en 1821.

LLANDRINDOD WELLS. ♦ V. du centre du pays de Galles (Radnorshire). 3 250 hab. (1961). Centre administratif et touristique.

LLANDUDNO. ♦ Princ. station balnéaire de la côte N. du pays de Galles, sur la mer d'Irlande (Carnarvonshire). 17 860 hab. (1961). Centre d'excursions. — Ruines préhistoriques (chambre funéraire).

LLANELLY. ♦ V. et port du S.-O. du pays de Galles (Carmarthenshire). 30 000 hab. Centre métallurgique (cuivre, étain et acier).

LLANO ESTACADO. *n. m.* (« plaine entaillée »). ♦ Région de « hautes plaines » (plateau) des États-Unis, dans l'O. du Texas et l'E. du Nouveau-Mexique; il se prolonge au S. par le plateau Edwards. C'est une zone très plate, semi-aride, creusée de petites dépressions. L'élevage extensif, le dry-farming (blé), les cultures irriguées du coton et l'extraction du pétrole et du gaz forment ses ressources économiques. Les seules villes importantes sont Amarillo*, Lubbock*, Odessa* (Texas).

LLANQUIHUE *(lac de).* ♦ Lac du Chili méridional, partagé entre les prov. d'Osorno et Llanquihue. — La *province de Llanquihue* (18 407 km², 187 000 hab.), début de la Patagonie* chilienne, inclut le N. du golfe de Ancud. *Ch.-l.* Puerto* Montt.

LLEWELYN Ier AP IORWERTH. ♦ ([mort] 1240). Il assura son hégémonie sur l'ensemble du pays de Galles. ♦ LLEWELYN II AP GRUFFYDD, son petit-fils ([mort] Llanafanfechan, près de Builth, Breconshire, 1282). Il se fit reconnaître prince de Galles par Henri III d'Angleterre en 1267, mais fut attaqué et battu par Édouard* Ier. Il se rebella et fut vaincu et tué. Sa mort marqua la fin de l'indépendance galloise.

LLIVIA. ♦ Village espagnol au N. de Puigcerda, enclavé en territoire français (Pyrénées-Orientales) depuis 1659. 755 habitants.

LLOBREGAT. *n. m.* ♦ Fl. côtier de la Catalogne* (Espagne) [190 km], tributaire de la Méditerranée, né dans la sierra de Cadi (Pyrénées espagnoles), il reçoit son principal affluent près de Manresa*, longe le massif de Montserrat* et se jette dans la mer par un delta entre Hospitalet* et Barcelone*.

Coll. Rui Nogueira

Harold Lloyd.

LLOYD (Harold). ♦ Acteur américain de cinéma (Burchard, Nebraska, 1893 — Beverley Hills, Californie, 1971). Il a créé le type du jeune homme à grosses lunettes, timide et emprunté, mais se tirant toujours à son avantage des situations les plus épineuses. Il parut dans plus de 200 films comiques, dont plusieurs longs métrages parmi lesquels : *Et puis ça va (Dr Jack),* 1922; *Monte là-dessus (Safety last),* 1923; *Vive le sport (The Freshman),* 1924.

LLOYD GEORGE (David, *Ier comte* **Lloyd George of Dwyfor).** ♦ Homme politique britannique (Manchester, 1863 — Llanystumdwy, Carnarvonshire, 1945). Orphelin de père, il dut abandonner très tôt ses études pour entrer comme clerc chez un notaire. Élu au Parlement en 1890, député libéral de tendance radicale, il se fit remarquer par ses interventions violentes contre les Boers* et par son nationalisme gallois qu'il défendit à la Chambre des communes avec une très grande éloquence. Ministre du Commerce en 1905, il fut choisi par Asquith* en 1908 comme chancelier de l'Échiquier et proposa en 1909 le « budget du peuple » (taxes sur les grandes propriétés et sur les héritages) qui se heurta au refus de la Chambre des lords : Lloyd George contourna cet obstacle par le vote du *Parliament* Act* (1911) et put ainsi réaliser son programme social (assurances maladie et chômage). Plutôt isolationniste avant la guerre, il fut l'un des plus farouches adversaires de l'Allemagne dès 1914. Ministre des Munitions (1915), puis ministre de la Guerre (1916), il obligea Asquith à démissionner et, devenant Premier ministre à sa place (1916), forma un cabinet de coalition avec les conservateurs. Il engagea alors toutes les forces vives de son pays dans la guerre; après l'échec des offensives militaires de l'année 1917, il se mit d'accord avec Clemenceau* pour réaliser une unité de commandement dans les armées alliées sous les ordres du maréchal Foch* (avr. 1918). En 1919, il participa à l'élaboration du traité de Versailles, où il joua un rôle modérateur entre les exigences de Clemenceau et l'idéalisme de W. Wilson*. Mais, au lendemain de la guerre, les difficultés de la Grande-Bretagne étaient nombreuses et, s'il sut avec habileté calmer la tension sociale, il rencontra l'hostilité des conservateurs envers sa politique conciliante vis-à-vis de l'Irlande (traité de déc. 1921; **V. Irlande** [*hist.*]). Contraint à démissionner en 1922, il devint, après le départ d'Asquith (1926), chef du parti libéral* dont il vit l'effondrement progressif. Il rédigea alors ses mémoires (*War Memoirs,* 1933-1936).

Lloyd's. *n. f.* ♦ La plus importante entreprise d'assurances du monde. C'est une communauté d'assureurs contrôlant la régularité des opérations et la solvabilité de ses membres. Ses activités sont internationales et elle a inauguré la plupart des formes modernes d'assurances. Plus de la moitié des affaires qu'elle contrôle sont américaines. ♦ *Hist.* Créée à la fin du XVIIe s., elle doit son nom au café d'EDWARD LLOYD (mort en 1712), situé non loin de la tour de Londres et fréquenté par des armateurs. Reconnue légalement (1871), elle se consacra aux assurances maritimes, puis, vers 1900, élargit ses activités, créant l'assurance contre le vol, les calamités naturelles, certains risques de maladie, etc.

LOA. *n. m.* ♦ Fl. du Chili* dans le *Norte Grande* chilien, aux confins du désert d'Atacama* (362 km). Un canal de 300 km le relie à Antofagasta.

LOANDA. ♦ Anc. nom de Luanda* (Angola).

LOANGO. ♦ Localité du Congo*-Brazzaville sur la côte Atlantique, au N. de Pointe-Noire. Anc. cap. d'un royaume indigène avec lequel durent négocier les premiers explorateurs français.

LOBATCHEVSKI (Nikolaï Ivanovitch). ♦ Mathématicien russe (Makarev, près de Nijni-Novgorod, 1792 — Kazan, 1856). Il découvrit la géométrie non euclidienne (géométrie hyperbolique) pressentie par Gauss* : auteur d'un premier exposé de « géométrie imaginaire » en 1826, fondée sur le rejet du postulat des parallèles et sur l'hypothèse que la somme des angles d'un « triangle rectiligne » est inférieure à deux droits, il présenta en 1828 les principes et diverses applications de sa nouvelle géométrie (trigonométrie hyperbolique, géométrie infinitésimale, analyse, etc.) et développa ses idées dans de nombreux mémoires (1835-1838); enfin, en 1855, il publia une étude d'ensemble, la *Pangéométrie*. **V. Beltrami, Bolyai, Riemann.**

LOBAU (Georges Mouton, *comte de***).** ♦ **V.** MOUTON (Georges).

LOBAU. ♦ Île du Danube* en aval de Vienne* qui forme actuellement un parc naturel. 25 km². ♦ *Hist.* L'île joua un rôle considérable dans les opérations militaires de Napoléon Ier (mai 1809), en particulier lors de la bataille d'Essling. C'est à cette occasion que le général G. Mouton* fut nommé *comte de Lobau.*

LOBITO. ♦ V. et port de l'Angola*, sur l'Atlantique, relié par voie ferrée au Katanga. 31 600 habitants.

LOB-NOR *(Lop-Nor).* ♦ **V.** LO-PU-PO.

LOBO (*Père* **Jéronimo).** ♦ Jésuite et voyageur portugais (Lisbonne, v. 1595 – 1678). Il fut envoyé en mission en Extrême-Orient (Cochin, Goa), puis visita l'Abyssinie; son récit fut traduit en français par Legrand sous le titre *Voyage historique en Abyssinie* (1728).

Locandiera (La) [« l'hôtesse »]. ♦ Comédie de C. Goldoni (1753). Courtisée par le comte d'Albafiorita et par le marquis de Forlimpopoli, Mirandoline, la belle hôtesse, s'attache à conquérir le chevalier de Ripafratta dont l'indifférence lui semble provocante. Elle y réussit, mais, au dénouement, c'est au valet Fabrice qu'elle accorde sa main. Comédie de caractère et satire de l'aristocratie, la pièce s'achève par une apologie du bon sens populaire. La vivacité des dialogues et la justesse des caractères, appuyant la satire sociale, ont fait le succès de l'œuvre.

LOCARNO, en all. **Luggarus.** ♦ V. de Suisse (Tessin) à l'extrémité N.-O. du lac Majeur*, au pied des Alpes. 12 700 hab. – Maisons anciennes, château (XVe-XVIe s.). Sur un rocher dominant la ville, sanctuaire de la *Madonna del Sasso* du XVe s. (tableau du Bramantino). Importante station climatique et touristique jouissant d'un climat exceptionnellement doux et entourée de nombreux jardins. ♦ *Hist. Pacte* (ou *accords) de Locarno.* Accords conclus entre l'Angleterre (A. Chamberlain), la France (A. Briand), la Belgique, la Pologne, la Tchécoslovaquie, l'Allemagne (Stresemann) et l'Italie (Mussolini) au cours de la conférence tenue à Locarno en oct. 1925. Ces accords constituaient un engagement mutuel quant aux frontières fixées par le traité de Versailles, l'Angleterre et l'Italie garantissant le *statu quo* entre la France, la Belgique et l'Allemagne. Celle-ci s'engageait à respecter les accords concernant la zone démilitarisée de Rhénanie et à ne pas violer à l'est les frontières de la Pologne et de la Tchécoslovaquie (sans toutefois les reconnaître). Les participants (sauf l'Italie) convenaient de recourir à l'arbitrage en cas de conflit. Ces accords furent signés à Londres (déc. 1925) et l'Allemagne fut admise à la S.D.N. en sept. 1926. Le pacte de Locarno fut violé par Hitler en mars 1936 (occupation et remilitarisation de la zone démilitarisée de Rhénanie).

LOCATELLI (Pietro Antonio). ♦ Compositeur et violoniste italien (Bergame, 1695 – Amsterdam, 1764). Il donna d'abord des concerts en Europe avant de se fixer à Amsterdam où il fut, pendant plus de quarante ans, un animateur très brillant de la vie musicale. Auteur de concerti grossi, de sonates à trois et de caprices d'une grande qualité harmonique, il fut aussi l'un des plus hardis novateurs de la technique du violon.

LO CHEN-YÜ [*Lo Tchen-yu, Luo Zhenyu*]. ♦ Historien chinois (1866 – 1940). Il fut précepteur de l'empereur Hsün*-ti à T'ien-tsin, de 1925 à 1929. Ses études sur les anciennes inscriptions chinoises et les manuscrits retrouvés à Tun*-houang font autorité.

LOCHES. ♦ Sous-préf. d'Indre-et-Loire, ch.-l. d'arr. (6 cant., 67 comm., 54 501 hab.) sur l'Indre. 6 473 hab. *(Lochois).* – Château (XIIe, XIIIe, XVe s.); donjon (XIe, XIIe s.); logis royaux (XIVe-XVe s.); collégiale Saint-Ours (XIIe s.). – Matériaux de construction. Matériel radio-électrique. Meubles. Confection, chaussures. – Patrie d'A. de Vigny*.

Loches *(paix de).* ♦ **V.** MONSIEUR (paix de).

LOCHNER (Stephan). ♦ Peintre originaire de la région du lac de Constance (Meersburg? 1405-1415 – Cologne, 1451). Il travailla à Cologne sans doute à partir de 1440 et subit l'ascendant de l'école colonaise qui maintenait l'esprit du gothique international. Son œuvre reflète un univers suave et gracieux empreint d'esprit courtois. Dans un espace au caractère symbolique affirmé, il place des personnages aux gestes gracieux, vêtus de riches costumes. La fraîcheur et l'éclat de ses coloris y sont mis en valeur par l'emploi de fond d'or. Un souci grandissant de réalisme dans le rendu du modelé et l'approfondissement de l'espace confère cependant plus de solidité aux personnages et d'ampleur à la composition *(L'Adoration des mages).*

LOCHRISTI. ♦ Comm. de Belgique (Flandre-Orientale, arr. de Gand), sur la Durme. 5 600 hab. – Église (tour du XVe s.). – Cultures maraîchères et florales.

LOCKE (John). ♦ Philosophe anglais (Wrington, Somersetshire, 1632 – Oates, Essex, 1704). Médecin du comte de Shaftesbury, il séjourna en France (1672-1679); puis, suspect aux Stuarts, en Hollande jusqu'à la révolution de 1688. De retour en Angleterre, il devint commissaire royal au Commerce et aux Colonies. Dans son *Essai sur l'entendement humain,* critiquant l'innéisme de Descartes*, il pose en empiriste le problème de l'origine et des limites de la connaissance. Son empirisme n'est pas un sensualisme, car si les « idées simples » sont fournies passivement à l'entendement par la sensation (qui renseigne sur les objets extérieurs) et la réflexion (par laquelle l'âme prend conscience de ses opérations), elles se combinent par abstraction ou association pour former les « idées complexes » (de modes, de substances, de relations) entre lesquelles l'entendement établit des rapports (jugements). Les thèses de Locke furent critiquées par Leibniz* *(Nouveaux Essais sur l'entendement humain),* mais n'en annoncent pas moins l'analyse idéologique du XVIIIe s. (Hume*, Condillac*) qui lie empirisme et logique (art combinatoire des idées). Avec sa *Lettre sur la tolérance* (1689) et son *Traité sur le gouvernement civil* (1690), Locke apparaît comme le défenseur du libéralisme en affirmant que le pacte social n'annihile pas les droits naturels des individus.

LOCKYER (*sir* **Norman).** ♦ Astronome anglais (Ruby, 1836 – Salcombe Regis, près de Sidmouth, Devon, 1920). Il découvrit, en observant le spectre de la couronne solaire, une raie non identifiée (1868) qu'il attribua, avec le chimiste Frankland*, à un élément alors inconnu sur la Terre et qu'il nomma *hélium.* **V. Janssen, Ramsay.**

LOCLE (Le). ♦ V. de Suisse (cant. de Neuchâtel) à 925 m d'alt. 15 200 hab. – Importante indus. horlogère.

LOCMARIAQUER [lɔkmaʀjakɛʀ]. ♦ Comm. du Morbihan, arr. de Lorient, à l'entrée du golfe du Morbihan. 1 265 hab. – Église en partie romane. Monuments mégalithiques (dolmen de la « Table des marchands », tumulus de la « Montagne de la fée »). – Port de pêche, station balnéaire.

LOCMINÉ. ♦ Ch.-l. de cant. du Morbihan, arr. de Pontivy. 2 826 hab. *(Locminois).* – Église (XVIe s.) accolée à la chapelle Saint-Colomban (XVIe s.); ossuaire de la Renaissance. – Bonneterie.

LOCRIDE. *n. f.,* en gr. **Lokris.** ♦ Anc. région de la Grèce centrale. La Phocide* dorienne, après le ~ XIIe s., coupa le pays des Locriens en deux parties. – La *Locride orientale,* sur les rivages du golfe d'Eubée, au N.-O. de la Béotie, était habitée par les Locriens *Épicnémidiens* (établis au pied du mont Cnémis) et *Opontiens* (de l'anc. V. Opos). Ajax* Oïleus était leur roi pendant la guerre de Troie. Ils participèrent à la défense de la Grèce contre les Perses. – La *Locride occidentale* s'étendait sur le rivage phocidien du golfe de Corinthe.

LOCRONAN. ♦ Comm. du Finistère, arr. de Châteaulin. 672 hab. – Église (XVe s.) et chapelle du Pénity (XVIe s.). Chapelle Notre-Dame-de-Bonne-Nouvelle (XVIe s.). Maisons Renaissance sur la place. Célèbre pardon. – Artisanat (tissage, sculpture).

LOCTUDY. ♦ Comm. du Finistère, arr. de Quimper, en Cornouaille. 3 248 hab. *(Loctudystes).* – Église romane, façade et clocher du XVIIIe siècle. – Primeurs. Petit port de pêche, station balnéaire. École de mousses.

LOCUSTE. ♦ Empoisonneuse romaine ([morte] 68). Elle fournit à Agrippine* le poison qui fit mourir Claude* et à Néron* celui qui fit périr Britannicus*. Elle fut mise à mort sous Galba*.

LOD, anc. **Lydda.** ♦ V. de l'État d'Israël, située à proximité de la frontière cisjordanienne dans la plaine côtière du Centre, au

Arch. Smeets

Stephan Lochner : « La Madone des Roses ».
(Wallraf-Richartz Museum, Cologne.)

S.-E. de Tel-Aviv. Indus. textiles et aéronautiques ; papeteries. Aéroport international (Tel-Aviv).

LODELINSART. ♦ Comm. de Belgique (Hainaut, arr. de Charleroi). 11 000 hab. – Métallurgie. Verrerie.

LODÈVE. ♦ Sous-préf. de l'Hérault, ch.-l. d'arr. (5 cant., 72 comm., 44 426 hab.), au S. du causse du Larzac*. 7 942 hab. *(Lodévois).* Anc. cathédrale Saint-Fulcran des XIIIe (chœur) et XIVe s. (nef). Musée de préhistoire. – Grand centre d'indus. textile ; filatures de laine, fabriques de drap (dont la création fut encouragée par Louvois). Vins. – Patrie du cardinal de Fleury*, de J. Vallot*. ♦ *Hist.* Capitale des Volsques*, puis cité romaine, la ville fut le siège d'un évêché du IVe s. jusqu'à la Révolution.

LODGE (Thomas). ♦ Poète, romancier, dramaturge et essayiste anglais (West Ham, Essex, 1558 – Londres, 1625). Bachelier ès arts du Trinity College d'Oxford en 1577, il se mêla aussitôt à la bohème littéraire élisabéthaine, puis fit circuler sous le manteau une *Apologie de la poésie, de la musique et des pièces de théâtre* (*A Defence of Poetry, Music and Stageplays,* 1580). Aventureux, il prit part à l'expédition du capitaine Clarke aux Canaries et à Terceira au cours de laquelle il écrivit *Rosalinde* (*Rosalynde,* 1590), roman pastoral qui oppose à la vie de cour, artificielle et néfaste, la vie selon la nature, thème fréquent au XVIe s., dont s'inspirera Shakespeare dans *Comme* il vous plaira.* Il voyagea aussi vers le Brésil et le détroit de Magellan, composa un roman en vers, *Les Métamorphoses de Scilla* et *Une marguerite d'Amérique* (1596) à sujet historique fantaisiste. Il collabora avec Robert Greene pour donner au théâtre une étude de mœurs, *Miroir pour Londres et l'Angleterre,* avant de se marier (à la quarantaine) avec une catholique dont il adopta la religion. Ses derniers écrits sont didactiques et imbus de ses nouveaux principes moraux.

LODGE (Henry Cabot). ♦ Homme politique et écrivain américain (Boston, 1850 – *id.,* 1924). Élu à la Chambre des représentants (1887-1893) puis au Sénat (1893-1925), il fut l'un des leaders du parti républicain. En 1912, il fit adopter au Sénat la doctrine qui porte son nom *(« doctrine de Lodge »),* interdisant à tout non Américain d'acquérir des ports en Amérique. Favorable à l'entrée des États-Unis dans la Première Guerre mondiale, il participa par la suite à la conférence de Washington sur la limitation des armements (1921). Il publia de nombreux ouvrages historiques et politiques.

LODGE (*sir* Oliver Joseph). ♦ Physicien anglais (Penkhull, Staffordshire, 1851 – Lake, près de Salisbury, 1940). Auteur de recherches sur l'électrolyse et les ondes électromagnétiques, il semble en avoir le premier pressenti l'émission par le Soleil, et doit être considéré comme un précurseur de la radioastronomie **(V. Deslandres, Jansky).** Il perfectionna également l'appareil de Branly*, qu'il nomma « cohéreur », et l'introduisit dans un circuit comprenant une sonnerie ou un appareil de Morse* et un « décohéreur » à secousses (procédé indiqué par Branly), réalisant ainsi un récepteur prêt à être utilisé industriellement.

LODGE (Henry Cabot). ♦ Homme politique américain (Nahant, Massachusetts, 1902). Petit-fils de H.C. Lodge. Sénateur républicain (1936-1944), puis représentant des États-Unis à l'O.N.U. (1953), il fut ensuite placé par le président Nixon à la tête de la délégation américaine à la conférence de Paris sur le Viêt-nam (janv. 1969). Découragé par la lenteur des négociations, il démissionna en nov. 1969.

LODI. ♦ V. d'Italie du N. en Lombardie, sur l'Adda (prov. de Milan). 38 500 hab. Indus. de la laine. ♦ *Hist.* C'est dans cette ville, appartenant aux Visconti, que fut constituée la *ligue de Lodi* entre Milan, Venise et Florence (1454) qui s'opposa aux Français. – Bonaparte y vainquit les Autrichiens le 10 mai 1796.

LODĪ. ♦ Dynastie afghane de sultans de Delhi*, fondée en 1451 **(V. Bahlûl Lodî),** et qui se maintint au pouvoir jusqu'en 1526. Elle n'eut que trois souverains, qui laissèrent à Delhi quelques monuments intéressants.

LODS (Marcel). ♦ Architecte français (Paris, 1891). Associé de E. Beaudouin*, il édifia notamment la *cité de la Muette* à Drancy (1932-1935) où il adopta la formule des immeubles-tours, dont l'usage allait ensuite se répandre très largement. Avec Beaudouin, il participa à l'édification de la *Maison du peuple* (1937-1939) à Clichy, dans laquelle étaient utilisés les ingénieux prototypes de murs-rideaux dus à Jean Prouvé. Après la guerre, il réalisa de nombreux édifices parmi lesquels l'ensemble résidentiel de *Marly les Grandes-Terres* (1958, 1960) avec quatre collaborateurs.

ŁÓDŹ. ♦ V. de Pologne*, ch.-l. de voïévodie ayant elle-même rang de voïévodie. 751 000 hab. Évêché, université. Grand centre culturel et scientifique et capitale de l'industrie textile polonaise (laine et surtout coton, confection). Industries chimiques, constructions mécaniques. Noyau d'une conurbation cotonnière, analogue à Manchester, groupant env. un million d'habitants avec Pabianice*, Piotrków* Trybunalski, Tomaszów*, Mazowiecki, etc. – Patrie d'Arthur Rubinstein*. – *Voïévodie de Łódź :* 1 665 100 hab. ♦ *Hist.* Simple bourgade jusqu'en 1821 (800 hab.), la ville prit son essor industriel et urbain sous l'impulsion d'ingénieurs et tisserands allemands émigrés et devint dès 1840 métropole de l'industrie textile. Durant la Première Guerre mondiale, la *bataille de Łódź,* qui opposa Russes et Allemands (16 nov.-15 déc. 1914), aboutit à la prise de la ville et à son occupation par les Allemands de 1915 à 1918. Rattachée au Reich allemand de 1939 à 1945, elle abrita un des premiers ghettos de Pologne.

LOÈCHE-LES-BAINS, en all. **Leukerbad.** ♦ Localité de Suisse (Valais) dans la vallée de la Dala, affl. du Rhône (r. d.), au pied du Balmhorn. Alt. 1 411 m. 600 hab. – Station thermale.

LŒWENDAL ou **LOWENDAL (Ulrich Frederic Waldemar,** *comte de***).** ♦ Maréchal de France (Hambourg, 1700 – Paris, 1755). Son père était fils naturel de Frédéric* III de Danemark. Il servit d'abord l'Autriche (sièges de Temesvar et de Belgrade), puis la Pologne (défaite de Cracovie, 1732), la Russie (siège d'Otchakov) et enfin la France. Il se distingua particulièrement à Fontenoy* (1745), conquit la Flandre et s'empara de Berg-op-Zoom (1747).

LOEWI (Otto). ♦ Pharmacologue allemand (Francfort-sur-le-Main, 1873 – New York, 1961). Il étudia l'action de certaines substances chimiques sur les systèmes nerveux autonomes (sympathique et parasympathique) et découvrit le médiateur chimique dans la transmission de l'influx nerveux : l'acétylcholine. (Prix Nobel de méd., 1936, avec sir H. Hallett Dale*.)

LÖFFLER (Friedrich). ♦ Bactériologiste allemand (Francfort-sur-Oder, 1852 – Berlin, 1915). On lui doit la découverte du bacille de la diphtérie (ou *bacille de Klebs-Löffler*).

LOFOTEN *(îles).* ♦ Archipel au large de la côte N.-O. de la Norvège, dont il est séparé par le Vestfjord. 30 000 hab. – Pêche à la morue (60 % de la production norvégienne v. 1970 ; en déclin). Chasse aux eiders. Élevage d'ovins. ♦ *Hist.* Durant la Deuxième Guerre mondiale, raids de commandos anglais contre les Allemands qui occupaient l'archipel.

LOGAN *(mont).* ♦ Montagne du Canada, dans la chaîne Saint Elias, au S.-O. du territoire du Yukon*, près de l'Alaska. 6 050 m (point culminant du Canada). – Il a été gravi en 1925.

Loges. *n. f. pl.* ♦ Se dit de la galerie divisée en douze travées voûtées, située au second étage du bras occidental du bâtiment de Bramante, au Vatican (cour Saint-Damase). Leur célébrité vient des scènes bibliques peintes par Raphaël*, qui les décorent.

Logique (La Science de la), ou **La Grande Logique.** ♦ De Hegel* (1812-1816). Se substituant à l'ancienne métaphysique, la logique hégélienne, à la fois ontologie et gnoséologie, est l'étude du développement dialectique de la pensée (Idée) pure et de ses déterminations. Elle se divise en *logique objective :* théorie de l'Être et théorie de l'Essence, et *logique subjective,* théorie du concept qui s'achève sur celle de l'Idée comme « unité absolue du concept et de l'objectivité ». En tant qu'étude de l'Idée pure (en soi et pour soi), la logique constitue également la première partie du *Précis de l'Encyclopédie* des sciences philosophiques.*

Logique d'Aristote. ♦ V. ORGANON.

Logique de Port-Royal ou Art de penser. ♦ Œuvre d'Arnauld et Nicole rédigée pour l'éducation du duc de Chevreuse et publiée en 1662. Tout en restant dans la tradition de la logique aristotélicienne, cette logique, divisée en quatre parties (analyse de l'idée, du jugement, du raisonnement, de la méthode) est marquée par l'influence des méthodes de penser de Bacon et de Descartes et ne peut être séparée de la *Grammaire générale* ou *Grammaire de Port-Royal* (œuvre de Lancelot, Arnauld).

Logique inductive et déductive (Système de). ♦ Œuvre de J.S. Mill* (1843). Manuel de logique empirique, qui fait de l'induction la base de tout raisonnement et des concepts de simples formules abréviatives, cet ouvrage expose en particulier les quatre méthodes (de concordance, de différence, des variations concomitantes et des résidus [Cf. Robert et **V. F. Bacon**]) qui permettent d'établir les relations de causalité entre les faits. Contrairement à Hume, pour qui celles-ci ne reposaient que sur l'habitude, J.S. Mill y voit le résultat d'une induction fondée sur les faits eux-mêmes.

LOGIS-NEUF (Le). ♦ Écart de la comm. de La Coucourde (Drôme). Centrale hydro-électrique sur une dérivation du Rhône.

LOGONE. *n. m.* ♦ Riv. d'Afrique issue de deux branches, dont la plus importante est le *Logone occidental* (900 km) né dans l'Adamaoua* qui arrose Moundou* (Tchad) et reçoit le *Logone oriental,* venu de la République Centrafricaine*, puis passe au Cameroun* où il trace une partie de la frontière avant de se jeter dans le Chari* à Fort*-Lamy **(V. Tchad** [*lac*]).

LOGRONO. ♦ V. d'Espagne centrale, en Vieille-Castille*. Ch.-l. de prov. sur l'Èbre. 69 300 hab. Centre commercial au centre des vignobles de la *Rioja.*

Lohengrin. ♦ Personnage central d'une légende allemande déjà contée par Conrad von Würzburg et par Wolfram* von Eschenbach dans son *Parzival.* La saga de Lohengrin fut composée v. 1250 par un ménestrel de Thuringe, puis remaniée v. 1283-1290 par un minnesinger de Bavière. Cette légende, dont certains thèmes sont empruntés au poème français *Le Chevalier au Cygne* se rattache au cycle des romans courtois sur la quête du Graal. Fils de Parzival (selon Wolfram von Eschenbach), Lohengrin fut choisi pour défendre la duchesse Elsau de Brabant ; après l'avoir délivrée de ses vassaux ennemis, il l'épousa en lui faisant promettre de ne point l'interroger sur ses origines ; cette promesse n'ayant point été tenue, Lohengrin repart sur la nacelle tirée par les Cygnes qui l'ont amené. Le thème de cette légende fut repris par R. Wagner* dans son opéra *Lohengrin* (1850).

LOHENSTEIN (Daniel Kaspar *von***).** ♦ Poète, romancier et dramaturge allemand de l'époque baroque (Nimptsch, Silésie, 1635 – Breslau, 1683). Auteur d'un recueil de poèmes (1689-1690) d'un lyrisme un peu maniéré, d'un roman héroïque inachevé évoquant la figure légendaire du « vaillant défenseur de la liberté de l'Allemagne », *Le Magnanime Chevalier Arminius* (1689-publ. 1690),

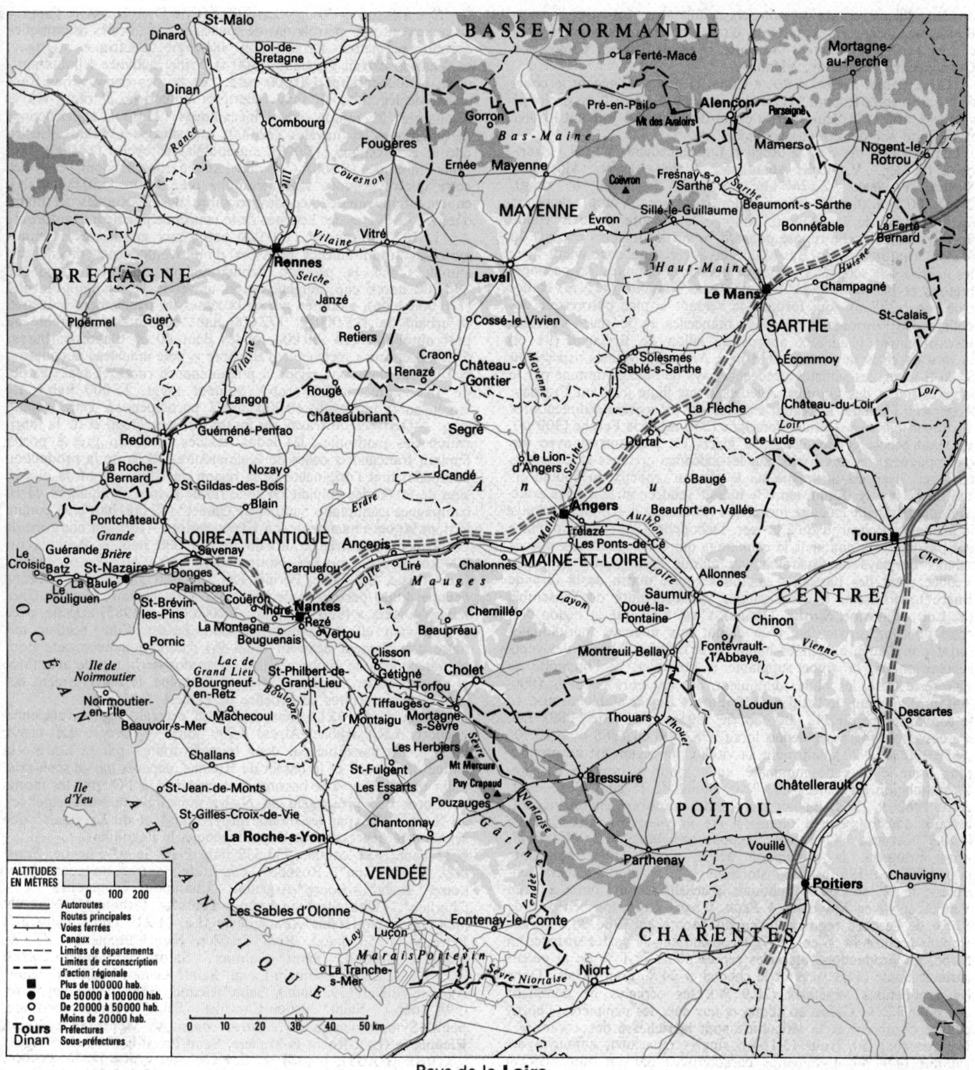

Pays de la **Loire.**

il fut surtout, avec son rival Gryphius, l'un des principaux créateurs de la tragédie de l'époque baroque ; tout en se montrant pessimiste dans ses analyses psychologiques, il a exprimé nettement ses intentions moralisatrices (*Cléopâtre,* 1661 ; *Agrippine,* 1665 ; *Sophonisbe,* 1680).

LOIGNY-LA-BATAILLE. ♦ Comm. d'Eure-et-Loir, arr. de Châteaudun. 287 hab. – Le 2 déc. 1870, de violents combats y opposèrent l'armée prussienne à la Ire armée de la Loire, dont la retraite fut couverte par les zouaves pontificaux et les mobiles bretons, commandés par les généraux de Sonis et de Charette.

LOING [lwɛ̃], *n. m.* ♦ Affl. de la Seine, 166 km. Né dans la Puisaye, il traverse Montargis*, Nemours* et conflue en aval de Moret. ♦ *Canal du Loing :* canal unissant la Loire à la Seine par le canal de Briare*.

LOIR. *n. m.* ♦ Riv. de France (311 km), dans le Bassin parisien. Elle naît dans les collines du Perche, prend en écharpe le sud de la plaine beauceronne, et coule, entre haut Maine et Gâtine tourangelle, dans une ample vallée, les *vaux du Loir,* avant de se jeter dans la Sarthe un peu en amont d'Angers. Son principal tributaire est la Braye* qu'elle reçoit sur sa r. d. en aval de Montoire. Elle arrose Illiers*, Bonneval*, Châteaudun*, Cloyes*-sur-le-Loir, Vendôme*, Montoire*-sur-le-Loir, La Chartre*-sur-le-Loir, Le Lude*, La Flèche*, Seiches*-sur-le-Loir.

LOIRE. *n. f.* ♦ Le plus long des fleuves français (1 012 km), tributaire de l'Atlantique. Son bassin, qui couvre env. le 1/5 du territoire français, s'étend sur l'est du Massif central, le sud du Bassin parisien, et le sud-est du Massif armoricain. Née à 1 375 m d'alt. au mont Gerbier*-de-Jonc, elle prend d'abord la direction du sud, puis son cours s'infléchit brusquement vers le nord et traverse la plaine tertiaire du Puy, encadrée par les massifs volcaniques du Velay et du Vivarais. Franchissant les gorges de Chamalières, elle arrose le bassin du Forez, où elle reçoit le Furens (r. d.), puis la plaine de Roanne à la sortie de laquelle elle reçoit, sur sa r. d., l'Arroux* grossi de la Bourbince*, et sur sa r. g., la Besbre. Elle s'engage alors dans la plaine du Bourbonnais, où elle se grossit des eaux de l'Allier* (r. g.) en aval de Nevers, au bec d'Allier. Quittant le Massif central, elle pénètre alors dans le Bassin parisien. Son cours s'y infléchit vers le nord en une large courbe dont le sommet est occupé par Orléans. Du Nivernais à l'Anjou, elle s'étale dans une ample vallée à pentes douces, qui prend successivement les noms de Val nivernais, Val d'Orléans, Val de Loire, Val de Touraine et Val d'Anjou, et où elle reçoit, sur sa r. g., le Loiret*, le Beuvron*, le Cher*, l'Indre* et la Vienne* grossie de la Creuse*, et, sur sa r. d., la Maine*, formée du Loir*, de la Sarthe* et de la Mayenne*. Elle entre, peu après son confluent avec la Maine, dans le Massif armoricain où elle reçoit encore, à Nantes, l'Erdre (r. d.) et la Sèvre Nantaise (r. g.) avant de se jeter dans l'Atlantique par un long et vaste estuaire. – Le régime, irrégulier, de type pluvio-nival, enregistre de fortes crues de printemps et d'automne, et des maigres estivaux qui laissent le lit du fleuve presque à sec, particulièrement dans les sols perméables du Bassin parisien. La navigation fluviale, qui eut une fonction économique de premier plan dès l'époque romaine et jusqu'au XIXe s., ne joue plus qu'un rôle de second ordre, sauf dans l'estuaire, à partir de Nantes, où elle demeure active grâce à de constants drainages. ♦ Pays de Loire. **V.** *ci-dessous* la région (anciennement C.A.R.). – *Châteaux de la Loire,* se dit des édifices royaux ou princiers édifiés au XVe s. et pendant la Renaissance dans les régions de Blois, de Tours, dans le Berry et en Anjou. **V.** notamment **Amboise, Azay-le-Rideau, Chambord, Chenonceaux, Valençay, Villandry.**

LOIRE *(canal latéral à la).* ♦ Canal (196 km) longeant le cours de la Loire entre Roanne* (Loire) et Briare* (Loiret). Il est prolongé vers le Loing et la Seine par le canal de Briare. Il franchit l'Allier et la Loire sur deux ponts-canaux.

LOIRE *(pays de la).* ♦ Région (anciennement C.A.R.) française (5 dép. **V. Loire-Atlantique, Maine-et-Loire, Mayenne, Sarthe, Vendée**). 32 126 km² (6 % du territoire, 6e rang). 2 767 200 hab. (6 % de la population française, 5e rang) ; densité : 80. – Unissant le Bas-Poitou, l'Anjou et la majeure partie du Maine au Pays nantais, elle repose pour 75 % sur les terrains anciens du Massif armoricain. En Bas-Maine et Segréen se retrouvent, avec les mêmes sols schisteux truffés de grès et de granites, les paysages bretons et bas normands. Du mont des Avaloirs (417 m) et des Coëvrons (357 m), qui forment le versant le plus pittoresque des collines de Normandie (« Alpes mancelles »), le relief s'abaisse insensiblement jusqu'aux abords du sillon de Bretagne (91 m) et vers les rives de la Loire (13 m à Ancenis). Mêmes aspects au S. du fl., dans les schistes vendéens, pays de bocage dominé par le môle cristallin des Gâtines. Au delà d'une ligne joignant Fresnay, Angers et Thouars, la région empiète sur les assises sédimentaires du Bassin parisien. Depuis Perseigne (340 m) et le Perche (309 m), en Haut-Maine et Beaugeois, le glacis est plus ouvert avec des « campagnes » et des forêts, sur les calcaires crétacés et les sables tertiaires. Il en est de même sur le plateau crayeux du Saumurois qui borde la r. g. Enfin, entre le massif vendéen et le marais poitevin, une bande de calcaire jurassique (Fontenay-le-Comte) prolonge la plaine du Poitou jusqu'à la mer. Débouchant sur l'estuaire entre des bas plateaux auxquels le colmatage qui correspond aux marais salants du pays de Guérande, au marais breton, aux dunes de Vendée, vaut des paysages originaux (golfe marin de la Grande Brière*), le réseau hydrographique assure l'unité de l'ensemble **(V. Loir, Mayenne, Sarthe, Thouet).** C'est à lui que la région doit cette douceur proverbiale d'un climat aux nuances méridionales (printemps hâtifs, automnes lumineux et tardifs). Abritée des vents septentrionaux, la vigne supplante le pommier. Si l'humidité de l'air reste forte, les pluies diminuent, des hauteurs N. et S. (800-900 mm) au cœur de l'Anjou (550 mm). ♦ Restée stable au XIXe s., la *population* perdit 211 000 hab. de 1891 à 1931 (2157 000). Elle n'a cessé de progresser depuis lors (2 582 000 en 1968 = + 16 % ; 2 650 000 en 1972), affirmant sa vitalité ; la région est au premier rang pour le taux de nuptialité, au 4e pour le taux de natalité. La population est jeune (43,2 % de moins de 25 ans). Cependant, entre 1962 et 1968, du fait d'un solde migratoire encore négatif, le taux d'accroissement annuel a été inférieur au taux français (+ 0,8 % contre 1,1) et, avec l'appoint tres faible de 7 000 travailleurs étrangers, la population active globale reste stagnante (1 044 000 en 1968). Les distorsions locales sont d'ailleurs sensibles : de 125 en Loire-Atlantique, la densité au km² tombe à 63 en Vendée et 49 en Mayenne. ♦ *Écon.* L'agriculture, qui bénéficie de 82 % de l'espace régional, occupait encore en 1968 28,8 % des emplois (contre 44 % en 1954). Reposant sur de vastes surfaces en herbe, les productions animales représentent 71,1 % de la valeur agricole finale (34,3 % pour le cheptel et 24 % pour le lait). Dans les productions végétales (28,9 %), les céréales ne comptent que pour 8,2 %. Grâce au climat et aux sols, les pépinières, l'horticulture (Authion) et la viticulture sont la richesse des « vaux » : légumes (6,3 %), fruits (3,1 %), vins – muscadet, anjou, layon, saumur (4,9 %). Longtemps caractérisées par un morcellement excessif, les structures s'améliorent : si un quart env. des exploitations ont moins de 5 ha (proportion inchangée), les petites exploitations de 5 à 20 ha reculent au profit des exploitations dépassant 20 ha (28 % en 1963 ; 39 % en 1970). La « rénovation rurale » intervient en Loire-Atlantique et Vendée. – *Indus.* Avec 34,7 % des emplois (349 000 personnes), le secteur secondaire est en retard. L'absence de charbon a limité l'exploitation du bassin ferrifère à Segré et Rougé. La raffinerie de Donges assure l'approvisionnement en pétrole et de puissantes centrales thermiques doivent permettre l'exportation d'énergie électrique. Gétigné, en Vendée, extrait l'uranium (500 t). Princ. activités : indus. agricoles et alimentaires (40 000 pers. ; 19 % des conserveries françaises de légumes, 1er rang ; abattoirs industriels, 2e rang ; lait et biscuiterie, 3e rang) ; indus. mécaniques (25 000), constructions aéronautiques et navales (22 000), métallurgie (15 000), électricité et électronique (15 000), automobiles et cycles (14 000), produits chimiques (8 500). Ces indus. se répartissent, pour l'essentiel, entre quatre grandes agglomérations : Le Mans (150 000 hab.), en évolution rapide, lieu de rencontre des ressources en main-d'œuvre de l'O. et des activités de la couronne parisienne (autoroute A 11, 1977) ; Angers* (180 000 hab.), aux ardoisières et indus. agricoles traditionnelles doublées d'indus. modernes diversifiées, stimulées par la pression démographique ; Nantes* (aggl. de 390 000 hab.), cap. administrative, universitaire, et Saint-Nazaire (110 000 hab.), entourée par deux zones de peuplement industriel et urbain de 415 000 et 172 000 hab., constituant ensemble un port autonome (14 500 000 tonnes dont 80 %, d'hydrocarbures ; 5e rang) et une « métropole d'équilibre », pôle industriel et commercial unique dans une région à prédominance rurale. Laval (district de 18 comm., 65 000 hab.), Saumur (aggl. 35 000 hab.), La Roche-sur-Yon (aggl. 40 000 hab.) participent à cette expansion. – Dérivées du travail du lin (mouchoirs, linge) et de la fabrication des pantoufles, les indus. textiles (8 % du prêt-à-porter féminin français) et celles de la chaussure (18 % de la production nationale) font l'originalité de la région du Choletais où la dispersion de 60 % des emplois en zone rurale assure un équilibre villes-campagnes exemplaire : autour de Cholet* (42 000 hab.), 95 comm. – dont 90 ont chacune de 2 à 10 entreprises – forment une zone de peuplement industriel et urbain de 200 000 hab. – Appuyé sur 400 km de côtes aux îles (Noirmoutier, Yeu) et aux plages réputées (Le Croisic, La Baule, Pornic, Les Sables d'Olonne) où la pêche occupe 4 000 personnes, le triangle « Saint-Nazaire-Nantes, Choletais, Angers » (950 000 hab. ; 1 200 000 en 1985) appelle, avec un puissant effort d'industrialisation, l'essor d'un secteur tertiaire actuellement déficient (36,5 %) : condition nécessaire pour en faire une zone pilote, capable de revaloriser la façade atlantique et de provoquer, en liaison avec la Bretagne, le renversement des courants migratoires au bénéfice de l'Ouest.

Ph. De Grégorio/Ricciarini

Château de la **Loire** : Chenonceaux.

LOIRE. *n. f.* **[42].** Dép. du Massif central, région (anciennement C.A.R.) Rhône*-Alpes. 4 799 km². – *Orogr.* Le centre du dép. est constitué par deux bassins drainés par la Loire : la plaine du Forez* et le bassin de Roanne, séparés par le seuil cristallin de Neulise. Ces bassins sont encadrés à l'O. par les monts du Forez que prolongent au N. les monts de la Madeleine* et, au S. et à l'E., par les monts du Vivarais* et du Lyonnais* que séparent la dépression de Saint-Étienne et le Beaujolais.

♦ 32 cant., 331 comm., 733 332 hab. *Préf.* Saint*-Étienne. *Sous-préf.* Montbrison*, Roanne*. *Ch.-l. de cant. :* Belmont*-de-la-Loire, Boën*, Bourg*-Argental, Chambon*-Feugerolles (Le), Charlieu*, Chazelles*-sur-Lyon, Feurs*, Firminy*, Néronde (864 hab.), Noirétable*, Pacaudière (La) [1 219 hab.], Pélussin*, Perreux (2 253 hab.), Rive*-de-Gier, Saint*-Bonnet-le-Château, Saint*-Chamond, Saint*-Galmier, Saint-Georges-en-Couzan (631 hab.), Saint*-Germain-Laval, Saint*-Genest-Malifaux, Saint-Haon-le-Châtel (392 hab.), Saint*-Héand, Saint-Jean-Soleymieux (598 hab.), Saint*-Just-en-Chevalet, Saint*-Rambert-sur-Loire, Saint*-Symphorien-de-Lay. *Autres comm.* **V. Montrond-les-Bains, Ricamarie** (La), **Roche-la-Molière, Saint-Priest-la-Prugne.**

LOIRE [HAUTE-]. (43). *n. f.* ♦ Dép. du centre de la France, région (anciennement C.A.R.) d'Auvergne*. 5 001 km². – *Orogr.* Le dép. est traversé par l'Allier* et la Loire*. Il est bordé à l'O. par le plateau de la Margeride*, à l'E. par le Vivarais* et il est occupé dans son centre par la chaîne volcanique du Devès qui domine le bassin d'effondrement du Puy. La partie la plus élevée du dép. est située à l'E. de la Loire* (massifs volcaniques du Mézenc* et du Mégal*).

♦ 29 cant., 264 comm., 217 206 hab. *Préf.* Le Puy* ; *sous-préf.* Brioude* et Yssingeaux*. *Ch.-l. de cant.* Allègre*, Auzon (1 007 hab.), Bas*-en-Basset, Blesle (881 hab.), Cayres (803 hab.), Chaise*-Dieu (La), Craponne*-sur-Arzon, Fay-sur-Lignon (655 hab.), Langeac*, Lavoûte-Chilhac (365 hab.), Loudes (831 hab.), Monastier*-sur-Gazeille (Le), Monistrol*-sur-Loire, Montfaucon-en-Velay (1 243 hab.), Paulhaguet (1 203 hab.), Pinols (469 hab.), Pradelles (786 hab.), Retournac*, Saint-Didier*-en-Velay, Saint-Julien*-Chapteuil, Saint-Paulien*, Saugues*, Solignac-sur-Loire (801 hab.), Tence*, Vorey*. *Autres comm.* **V. Chamalières-sur-Loire, Chambon-sur-Lignon, Polignac.**

LOIRE-ATLANTIQUE. [44]. *n. f.* ♦ Dép. du littoral atlantique, région (anciennement C.A.R.) des pays de la Loire. 6 980 km². – *Orogr.* Le relief du dép., qui appartient tout entier aux formations du Massif armoricain, est en général indécis, à l'exception des coteaux du sillon de Bretagne et de Guérande, d'orientation sud-est – nord-ouest. Entre ces deux lignes de hauteurs s'étend la région marécageuse de la Grande Brière*, séparée du pays de Retz par la vaste embouchure de la Loire. La polyculture et l'élevage dominent, sauf dans le pays nantais où ils font place au vignoble (muscadet) et à la culture maraîchère.

♦ 46 cant., 224 comm., 874 448 hab. *Préf.* Nantes*. *Sous-préf.*

Ancenis*, Châteaubriant*, Saint*-Nazaire. *Ch.-l. de cant.* Aigrefeuille-sur-Maine (1 280 hab., 549 aggl.), Blain*, Bouaye (1 607 hab., 533 aggl.), Bourgneuf*-en-Retz, Carquefou*, Chapelle*-sur-Erdre (La), Clisson*, Croisic* (Le), Derval*, Guéméné*-Penfao, Guérande*, Herbignac*, Legé*, Ligné (1 664 hab., 522 aggl.), Loroux*-Bottereau (Le), Machecoul*, Moisdon-la-Rivière (1 824 hab., 633 aggl.), Nort*-sur-Erdre, Nozay*, Paimbœuf*, Pellerin* (Le), Pontchâteau*, Pornic*, Rezé*, Riaillé (1 757 hab.), Rougé*, Saint*-Étienne-de-Montluc, Saint-Gildas*-des-Bois, Saint-Julien-de-Vouvantes (1 008 hab.), Saint-Mars-la-Jaille (1 883 hab.), Saint-Nicolas-de-Redon (2 931 hab.), Saint-Père-en-Retz (2 747 hab.), Saint*-Philbert-de-Grand-Lieu, Savenay*, Vallet*, Varades (2 860 hab.), Vertou*. *Autres comm.* **V. Batz-sur-Mer, Baule-Escoublac (La), Bernerie-en-Retz (La), Bouguenais, Clion-sur-Mer (Le), Couëron, Donges, Escarpière (L'), Indre, Montagne (La), Montoir-de-Bretagne, Orvault, Pornichet, Pouliguen (Le), Saint-Brévin-les-Pins, Saint-Herblain, Saint-Michel-Chef-Chef, Saint-Sébastien-sur-Loire, Trignac, Turballe (La).**

LOIRET. *n. m.* ♦ Riv. du Bassin parisien, résurgence de la Loire, dans le dép. du même nom. Jaillie non loin d'Orléans, à Olivet, elle rejoint la Loire (r. g.) après l'avoir longée sur une douzaine de km.

LOIRET. [45] *n. m.* ♦ Dép. du centre du Bassin parisien, région (anciennement C.A.R.) du Centre. 6 812 km². – *Orogr.* Le centre du dép. est occupé par la forêt d'Orléans, vaste dépôt de marnes alluviales reboisé en résineux. Au N.-O. de cette zone s'étend sur un soubassement calcaire le plateau limoneux et fertile de la plaine de Beauce*, qui contraste à l'E. avec le « mauvais pays » de Gâtinais* et de Puisaye*, calcaire et sablonneux. Au S., la Sologne humide étend ses forêts et ses landes. Entre l'Orléanais et la Beauce au N. et la Sologne* au S., s'étend le riche Val de Loire, tapissé d'alluvions fertiles.

♦ 31 cant., 348 comm., 442 121 hab. *Préf.* Orléans*. *Sous-Préf.* Montargis*, Pithiviers*. *Ch.-l. de cant.* Artenay*, Beaugency*, Beaune*-la-Rolande, Bellegarde*, Briare*, Châteauneuf*-sur-Loire, Châteaurenard*, Châtillon*-Coligny, Châtillon-sur-Loire (2 301 hab.) Cléry*-Saint-André, Courtenay*, Ferrières* ou Ferrières-en-Gâtinais, Ferté*-Saint-Aubin (La), Gien*, Jargeau*, Lorris*, Malesherbes*, Meung*-sur-Loire, Neuville-aux-Bois (2 834 hab., 2 041 aggl.), Outarville (443 hab.), Ouzouer-sur-Loire (1 075 hab.), Patay*, Puiseaux*, Sully*-sur-Loire. *Autres comm.* **V. Germigny-des-Prés, Nogent-sur-Vernisson, Saint-Benoît-sur-Loire, Saint-Jean-de-la-Ruelle, Vimory.**

LOIR-ET-CHER. [41]. *n. m.* ♦ Dép. du sud du Bassin parisien, région (anciennement C.A.R.) du Centre*. – *Orogr.* Le riche Val* de Loire, tapissé d'alluvions, s'étend au milieu du département en une longue bande fertile de direction S.-E.–N.-O. Au N. de cette bande, s'étendent les parties méridionales du Perche* et de la Beauce*; le Perche, vallonné et humide, relié à l'O. aux bocages limitrophes du Massif armoricain, contraste avec la Beauce plate et sèche d'entre Loire et Loir, ou « petite Beauce ». Au S. de la Loire s'étendent les plateaux de la Sologne* à l'E. et de la Touraine* à l'ouest.

♦ 24 cant., 295 comm., 273 476 hab. *Préf.* Blois*. *Sous-préf.* Romorantin*-Lanthenay, Vendôme*. *Ch.-l. de cant.* Bracieux (829 hab.), Contres*, Droué*, Herbault*, Lamotte*-Beuvron, Marchenoir*, Mennetou*-sur-Cher, Mer*, Mondoubleau*, Montoire*-sur-le-Loir, Montrichard*, Morée*, Neung-sur-Beuvron (1 205 hab.), Ouzouer-le-Marché (1 365 hab., 837 aggl.), Saint*-Aignan, Saint-Amand-Longpré (940 hab.), Salbris*, Savigny*-sur-Braye, Selles*-sur-Cher, Selommes*. *Autres comm.* **V. Chambord, Chaumont, Cheverny, Menars.**

Lois (Les) ou De la législation. ♦ Sans doute le dernier dialogue de Platon* et le seul dont Socrate soit absent. Un Crétois, un Athénien et un Spartiate discutent de la constitution à donner à une future colonie, cherchant non à décrire la Cité-Modèle (Cf. *La République*), mais à indiquer les meilleures institutions et lois tenant compte des nécessités pratiques et matérielles. Ce dialogue contient de larges passages où Platon expose ses théories sur l'éducation ainsi que certains thèmes essentiels de sa philosophie (problème des dieux et de l'immortalité de l'âme).

LOISEL (Antoine). ♦ Jurisconsulte français (Beauvais, 1536 – Paris, 1617). Il publia en 1607 les *Institutes coutumières,* recueil de coutumes.

LOISY (Alfred). ♦ Ecclésiastique et exégète français (Ambrières, Marne, 1857 – Ceffonds, Haute-Marne, 1940). Prêtre, professeur d'hébreu, puis d'Écriture sainte à l'Institut catholique de Paris (1881), il fut le chef de file de l'exégèse moderniste, resta dans l'Église tant qu'il le put, mais perdit sa chaire (1893), vit ses ouvrages condamnés (1903) et fut finalement excommunié (1908, **V. Pie X**). Il devint alors professeur d'histoire des religions au Collège de France (1909-1933). Il rédigea la revue *L'Enseignement biblique* et est l'auteur de *Histoire du canon de l'Ancien Testament* (1890), *Histoire du canon du Nouveau Testament* (1891), *Histoire critique du texte et des versions de l'Ancien Testament* (1892), *L'Évangile et l'Église* (1902) et de traductions critiques des livres saints.

LOKEREN. ♦ V. de Belgique (Flandre-Orientale, arr. de Saint-Nicolas), sur la Durme. 26 612 hab. – Monuments du XVIIe et XVIIIe s. (hôtel de ville, églises). – Indus. textiles (coton, chanvre, lin, jute). Chaussures.

Ph. G. Feinstein

Loir-et-Cher : chapelle à Montoire-sur-le-Loir.

LOKEŚVARA. ♦ Divinité bouddhique vénérée surtout dans le Sud-Est asiatique, où elle est considérée comme une combinaison d'Avalokiteśvara* et de Śiva*, notamment au Cambodge. Au Tibet, cette divinité n'est qu'une forme d'Avalokiteśvara.

LOKI. ♦ Dieu ou démon de la mythologie germanique, personnage astucieux, souvent bouffon, parfois néfaste. Il fait forger par des nains l'anneau Draupnir (**V. Odin**) et le marteau Mjöllnir (**V. Thor**). Il cause la mort de Balder*, mais, en punition, il est lié au-dessous d'un serpent dont le venin lui coule sur le visage ; sa douleur cause les tremblements de terre.

LOKMAN. ♦ V. LÛQMAN.

LOLLAND ou **LAALAND.** ♦ Île du Danemark, dans la Baltique, reliée à l'île de Falster* par un pont. 1 150 km². 86 500 hab. *Ch.-l.* Maribo. – Plate et de sol fertile, elle produit du blé et de la betterave à sucre. Sucreries. – *V. princ.* Maribo, Nakskov*.

Lollards. *n. m. pl.* (de l'anc. angl. lollen « grogner, marmonner »). ♦ Hérétiques anglais du XIVe et du XVe siècle. Les premiers disciples de Wyclif* s'attaquaient aux coutumes ecclésiastiques et réclamaient le retour à la pauvreté. D'abord théologique, le mouvement devint social vers la fin du XIVe s. ; il inspira des révoltes populaires et, malgré la répression, connut un renouveau au début du XVIe s. où il contribua au mouvement qui suscita la Réforme.

LOLLOBRIGIDA (Gina). ♦ Actrice italienne (1927). Elle connut la célébrité en 1951 avec *Fanfan la Tulipe,* et poursuivit une carrière internationale. Elle a incarné à l'écran le type de la « ragazza », alliant la sensualité à la vivacité et à la fantaisie. Parmi ses nombreux films, on peut citer *Les Belles de nuit* (1953), *Pain, Amour et Fantaisie, La Loi* (1958).

LOM, anc. **Lom Palanka.** ♦ V. de Bulgarie septentrionale (district de Vraca) et port fluvial sur la r. d. du Danube. 23 000 hab. Lignite.

Lombarde *(ligue).* ♦ Ligue fondée en 1167 par les villes de Lombardie (Milan, Pavie, Crémone, Venise, Modène, Padoue, Plaisance, Ferrare...) sous le patronage du pape Alexandre* III contre Frédéric* Barberousse, qu'elle vainquit à Legnano (1176). ♦ DEUXIÈME LIGUE LOMBARDE. Ligue fondée en 1225 également sous le patronage du Saint-Siège contre Frédéric* II qu'elle vainquit à Fossalta (1249).

LOMBARDIE, *n. f.,* en it. **Lombardia.** ♦ Région de l'Italie continentale, au pied des Alpes, limitée au N. par les Alpes suisses (qui forment frontière), au S. par le Pô*, à l'O. par le lac Majeur* et la Sesia*, à l'E. par le lac de Garde* et le Mincio*. 23 830 km². 7 950 000 hab. *(Lombards). Cap.* Milan*. Elle comprend les prov. de Bergame, Brescia, Côme, Crémone, Mantoue, Milan, Pavie, Sondrio et Varèse. – *Orogr.* Elle est divisée en 2 grands ensembles nettement individualisés. Au N., les hauts massifs cristallins de la *zone alpine* formée d'une partie des Alpes* lépontiennes et rhétiques, des Alpes bergamasques, des massifs de l'Ortler et de l'Adamello, culminent à *la Bernina** (4 052 m). L'érosion glaciaire a sculpté les pics, évidé les vallées (Valteline*) et formé des lacs (Iseo et Côme, Majeur, Lugano, Garde). Vers le S., une zone discontinue de collines (Brescia, Bergame) sépare la montagne de la plaine. Celle-ci est constituée de hautes terrasses issues de remblaiements glaciaires, d'amphithéâtres et de collines morainiques (Ivrée, Brianza, Varesotto), séparées de la zone fertile par l'étroite ligne des *fontanili.* – *Hydrogr.* Adda*, Adige*, Mincio*, Oglio*, Pô*, Sesia*, Tessin*. *Villes principales :* Bergame*, Brescia*, Crémone*, Côme*, Legnano*, Mantoue*, Milan*, Monza*, Sirmione*, Sondrio* et Varèse*. – *Écon.* La montagne pratique la sylviculture et la culture des céréales se concentre dans les vallées. Le potentiel hydro-électrique est très important (vallées du Mincio, de l'Adda, de l'Oglio). Les Alpes lombardes jouissent d'un équipement touristique perfectionné (stations d'altitude et de sports d'hiver, région des lacs). Le centre de la vie économique est *la plaine du Pô.* La vie rurale, intense, est dominée par de grosses fermes fortement mécanisées où l'on cultive le blé, le maïs, le riz, la betterave à sucre. On élève des porcs et des bovins (la moitié de la production laitière italienne). L'activité industrielle fait de la Lombardie la première région économique d'Italie. Les sources d'énergie sont variées : gaz naturel (Crémone), centrales thermiques

Ph. Nino Cirani/Ricciarini

Lombardie : Clusone, province de Bergame.

(région de Milan). Le pétrole vient de Gênes et de Venise et est raffiné sur place (Rho). La métallurgie (aciéries, machines-outils, automobiles) se localise dans la région milanaise (Sesto San Giovanni) et à Crémone; les industries chimiques (caoutchouc synthétique, matières plastiques) à Milan, Brescia et Crémone. L'industrie textile est dispersée dans toute la région : coton (Milan, Bergame), soie (Côme, Varèse). À cela s'ajoutent la fabrication de fromages, confection, fabrique de meubles (Brianza) et les industries d'art (Milan). ♦ *Hist.* Occupée par les Gaulois puis par les Romains, cette région tient son nom de la conquête par les Lombards* (568-572). Conquise par Charlemagne en 774, elle devint, en 843, royaume d'Italie, et passa à l'empereur germanique Othon* le Grand en 951. Les villes lombardes (Milan, Pavie, Crémone...) se liguèrent pour vaincre Frédéric* Ier Barberousse en 1176. **V. Lombarde** (ligue). La Lombardie fut partagée entre Venise et Milan au XIVe siècle. La France et l'Autriche s'opposèrent en Milanais qui fut finalement annexé par Charles Quint (1535), puis passa aux Habsbourg d'Espagne (1556) et ensuite à l'Autriche (1714). République cisalpine (1797), puis royaume d'Italie (1805), la Lombardie fut finalement rendue à l'Autriche et forma avec la Vénétie* le royaume LOMBARDO-VÉNITIEN ou LOMBARD-VÉNITIEN (1815-1859). Elle entra dans le royaume d'Italie en 1859 et la Vénétie en 1866.

LOMBARDS. *n. m. pl.* ♦ Peuple germanique établi sur le cours inférieur de l'Elbe au Ier s., puis sur le Danube moyen au IIe siècle. Établis en Pannonie à la fin du Ve s., les Lombards détruisirent le royaume des Hérules* v. 505 puis, de concert avec les Avars, le royaume des Gépides* en 567. Ils conquirent la plaine du Pô sous Alboin* (568-572). **V. Lombardie.** Cependant, malgré l'établissement d'une trentaine de duchés et de comtés lombards, la conquête de l'Italie était loin d'être achevée, les Byzantins occupant toujours les côtes et l'exarchat de Ravenne. Les Lombards n'occupèrent Gênes qu'en 640 sous Rotharis*, Ravenne en 751; l'Italie du Sud et les îles leur échappèrent. Le roi Liutprand* (712-744) attaqua l'exarchat et la Pentapole*. Leur menace se faisant plus précise, le pape s'allia aux Francs (754). Pépin* le Bref mena deux expéditions victorieuses contre Aistolf* en Italie, puis, les Lombards ayant à nouveau attaqué Rome (772), Charlemagne* força le roi Didier* à la capitulation et ceignit la couronne de fer des Lombards (774). Les duchés de Salerne et de Bénévent restèrent indépendants jusqu'à la conquête normande du XIe siècle.

LOMBOK. ♦ Île de l'archipel indonésien, située à l'E. de Bali* dont elle est séparée par le *détroit de Lombok.* Elle est également séparée de l'île de Sumbava* (petites îles de la Sonde) par le détroit d'Alas. 5 000 km². Env. 700 000 hab. — C'est une île montagneuse, volcanique, très fertile. *V. princ.* Mataram, sur la côte occidentale.

LOMBROSO (Cesare). ♦ Criminologiste italien (Vérone, 1835 — Turin, 1909). Partisan du positivisme, il se consacra à l'étude des problèmes juridiques (droit pénal). Ses recherches sur les causes physiologiques et psychologiques de la criminalité font de lui, avec E. Ferri*, un des fondateurs de la criminologie moderne. (*L'Homme criminel,* 1875; trad. fr., 1887; *Le Crime, causes et remèdes,* 1900).

LOMÉ. ♦ Cap. du Togo* sur le golfe du Bénin*, à l'O. du pays. Tête de ligne de voies ferrées desservant le N.-O. du pays **(V. Atakpamé),** l'O. **(V. Palimé)** et le littoral oriental jusqu'à Cotonou*. 120 000 hab. Archevêché. Université du Bénin. — Centre commercial et industriel (huileries, brasseries, savonneries, minoteries, égrenage du coton). Port pour l'exportation de phosphates, construit avec l'aide de la R.D.A. (1968).

LOMÉNIE ou **LOMÉNIE DE BRIENNE (Étienne Charles de Loménie,** *comte de* **Brienne).** ♦ Prélat et homme politique français (Paris, 1727 — Sens, 1794). Ami des philosophes, il n'en devint pas moins évêque de Condom et archevêque de Toulouse. Nommé président de l'Assemblée des notables (1787), il s'opposa à Calonne*, dont il devait pourtant reprendre la politique quand il lui succéda (1787-1788). Ne pouvant faire adopter ses mesures par le Parlement, il dut faire des emprunts successifs et envisager la réunion des états généraux, encore avancée devant la gravité de la situation financière. Il quitta le ministère après la suspension des paiements du Trésor, fut nommé archevêque de Sens et cardinal. Il fut déchu lorsqu'il prêta serment à la Constitution civile du clergé, et néanmoins emprisonné en 1793.

LOMME. ♦ Comm. du Nord*, dans la banlieue de Lille*. 29 318 hab. *(Lommois).* Indus. textiles, bonneterie, confection, indus. alimentaires.

LOMMEL. ♦ Comm. de Belgique (Limbourg, arr. de Maeseyck), en Campine*. 20 000 hab. — Indus. alimentaires. Zinc.

LOMOND *(loch).* ♦ Lac d'origine glaciaire, le plus vaste (38 km²) et l'un des plus pittoresques de Grande-Bretagne, en Écosse occidentale (Stirlingshire Dumbartonshire) prolongeant au N.-E. l'estuaire de la Clyde et dominé par le *Ben Lomond* (973 m).

LOMONOSSOV (Mikhaïl Vassilievitch) [*Lomonosov.*]. ♦ Écrivain et savant russe. (Michaninskaïa, gouvern. d'Arkhangelsk, 1711 — Saint-Pétersbourg, 1765). Fils d'un pauvre pêcheur, il fit ses études à l'université de Marbourg, en Allemagne (1736-1741), et devint membre de l'Académie des sciences de Saint-Pétersbourg (1741), puis professeur de chimie (1745). En 1755, il fonda l'université de Moscou*. Esprit universel, il écrivit une *Introduction à la vraie chimie physique* (en latin, 1752), la *Dissertation sur les devoirs des journalistes dans l'exposé qu'ils donnent des ouvrages destinés à maintenir la liberté de philosopher* (en français), et divers traités (*Sur l'utilité de la chimie,* 1751; *Sur les phénomènes atmosphériques provenant de la force électrique,* 1753; *Sur l'origine de la lumière,* 1756; *Guide abrégé de rhétorique,* 1743; *Grammaire russe,* 1755; *Réflexions sur l'utilité des livres d'église dans la langue russe.* Dans ces derniers ouvrages, il énonça sa théorie des trois styles (élevé, moyen, et bas) en confirmant la versification syllabo-tonique pratiquée déjà par Trediakovski*. Surnommé avec raison le « Père de la littérature russe moderne », il publia plusieurs odes (*Sur la prise de Khotine,* 1739; *Réflexion matinale sur la majesté de Dieu,* 1751), un poème didactique (*Épître sur l'utilité du verre,* 1752) et deux tragédies (*Tamiré et Selim,* 1750; *Demophont,* 1757). Il est également l'auteur d'une *Histoire de l'ancienne Russie jusqu'en 1054* (1766).

LOMONT. *n. m.* ♦ Rebord septentrional du Jura français coupé par le Doubs en amont de Pont-de-Roide. Altitude 835 mètres.

LONDERZEEL. ♦ Comm. de Belgique (Brabant, arr. de Bruxelles). 8 700 hab. — Église du XIIIe siècle. — Produits agricoles (primeurs, lait,...).

LONDON (John Griffith LONDON, *dit* **Jack).** ♦ Romancier américain (San Francisco, 1876 — Glen Ellen, Cal., 1916). Fils illégitime de fermiers, aventuriers de l'Ouest, tour à tour marin et cow-boy, Jack London raconte son histoire dans *Martin Eden* (1909) dont le héros se suicide lors d'une croisière dans les mers du Sud, préfigurant la fin tragique du romancier. *L'Appel du désert* (*The Call of the Wild,* 1903) et *Croc-Blanc* (*White Fang,* 1907) qui mettent en scène l'aventure, le monde animal et, symboliquement, le prolétaire ou l'exploité (*underdog* « sous-chien », qui fit parler à propos de London de la théorie du « sur-chien » [M. Saporta]) eurent un immense succès, en partie basé sur une équivoque. Muckraker* signant ses lettres par « vôtre pour la révolution », London eut néanmoins Nietzsche pour maître (*Le Talon de fer, The Iron Heel,* 1908). Révolté par les misères sociales de son temps, il n'hésita pas à vivre dans les taudis de Londres pour écrire *Le Peuple de l'abîme* (*The People of the Abyss,* 1903). Mais ses héros restent irréconciliables et asociaux, car ils gardent une puissance animale, ardente et primitive. Ayant su donner une image colorée et romantique du Nouveau Monde (*Le Loup des mers, The Sea Wolf,* 1904) London est l'un des écrivains américains les plus lus à l'étranger.

LONDON (Fritz). ♦ Physicien américain d'origine allemande (1900 — 1954). Auteur, avec Heitler*, d'une théorie de la liaison de valence basée sur la mécanique ondulatoire (1927), il élabora la première théorie phénoménologique des propriétés électrodynamiques de l'état supraconducteur (1934). **V. Kamerlingh Onnes.**

LONDON. ♦ Nom anglais de Londres*.

LONDON. ♦ V. du Canada (Ontario), située entre Detroit et Toronto. 224 000 hab. [aggl.] (1969). Centre commercial et financier d'une riche région agricole. Diocèses anglican et catholique. Indus. diverses (alimentaires, mécaniques et électriques, textiles). Construction de locomotives diesel. — Université *(Western Ontario University).*

LONDONDERRY, anc. **Derry,** en irl. **Dhoire.** ♦ Seconde ville d'Irlande du Nord. Ch. l. de comté et port important sur la r. g. du *lough* Foyle. 56 300 hab. — Évêchés catholique et protestant. Remparts et cathédrale protestante du XVIIe siècle. Centre d'indus. textiles (travail du lin, chemiserie); meubles, petites constructions navales et indus. alimentaires. — Patrie de George Farquhar*. ♦ *Hist.* Fondée en 546 par saint Colomba* autour d'un monastère, la ville fut occupée à maintes reprises par les Scandinaves et les pirates normands (IXe-XIIIe s.), puis par les Anglais (1613) qui l'assiégèrent pendant 105 jours (1689). Depuis l'été 1969, Londonderry a été le théâtre de luttes sanglantes entre catholiques et protestants. — Le *comté de Londonderry* s'étend sur la côte N., entre la Foyle et le Bann. 2 074 km². 165 310 hab. *Ch.-l.* Londonderry. *V. princ.* Coleraine*. — *Orogr.* **V. Sperrin** (monts). — *Hydrogr.* **V. Bann, Foyle.** — *Écon.* Les activités dominantes sont l'agriculture (pomme de terre, seigle), la pêche (saumon, anguille). Les indus.

(travail du lin, chemiserie, distilleries) se concentrent autour du chef-lieu.

LONDRES (Albert). ♦ Journaliste français (Vichy, 1884 – en mer, 1932). Il fut l'un des premiers à accomplir des reportages internationaux et travailla pour *l'Excelsior, le Petit Parisien* et le *Journal.* Il mourut dans l'incendie du *Georges-Philippar,* dans l'océan Indien. Il a laissé de nombreux livres (*Au bagne,* 1923, où il dénonçait le régime pénitenciaire en Guyane, *Le Chemin de Buenos Aires,* 1927, *Pêcheurs de perles,* 1931). – Un prix de journalisme a été fondé sous son nom.

LONDRES, en angl. **London.** ♦ Capitale du Royaume-Uni de Grande-Bretagne et d'Irlande du Nord, située en Angleterre du Sud-Est, au cœur du *bassin de Londres,* au fond de l'estuaire de la Tamise, à 60 km de la mer du Nord. C'est la première ville d'Europe et la troisième du monde après New York et Tôkyô avec env. 8 400 000 hab. *(Londoniens).* La ville proprement dite compte 3 200 500 hab.; l'agglomération londonienne ou *Grand Londres (Greater London)* a été refondue en 1965 en 32 « bourgs » *(boroughs).* Démesurée, la ville gagne sur les comtés avoisinants et englobe presque tout le Middlesex, une partie de l'Essex, du Surrey, de l'Hertfordshire, du Buckinghamshire et du Kent, soit à peu près 1 900 km^2. Le *comté de Londres* est administré par un conseil *(London County Council)* et le Grand Londres par le *Metropolitan Police District.* – Londres s'est développée autour du port, entre Tower Bridge et London Bridge *(Pool of London),* à l'endroit où la Tamise devient guéable. Sur la r. N., à l'emplacement de l'anc. ville romaine, s'étend la *Cité** *(City of London),* centre économique du pays, où voisinent des grandes compagnies d'assurances, la Banque d'Angleterre et les grandes banques, la Bourse *(Stock Exchange),* les sièges sociaux des principales firmes industrielles ainsi que des journaux et agences de presse. La *tour* de Londres* se dresse sur la r. g. de la Tamise et la *cathédrale Saint*-Paul* élève sa coupole néo-classique en plein centre de la Cité, au milieu de quartiers modernes, reconstruits après les destructions de la Deuxième Guerre mondiale. Plus à l'O., le long de la Tamise, s'étend *Fleet Street,* la rue des grands journaux, et le *Strand* (Temple, Law Courts), quartier des hommes de loi. La *cité de Westminster** est dominée par la célèbre abbaye où furent couronnés presque tous les rois d'Angleterre; le *palais de Westminster* et les façades néo-gothiques des *maisons du Parlement* bordent la Tamise. *Whitehall* est le quartier des ministères. L'appellation de *West* End* couvre tous les quartiers occidentaux de Londres **(V. Bloomsbury, Mayfair)** où réside la haute bourgeoisie, les quartiers plus bohèmes de Soho*, Chelsea* et Kensington*, et les quartiers du S.-O. **(V. Paddington, Dulwich, Lambeth).** Le West End est percé de larges artères (Regent's Street, Oxford Street, Piccadilly*) et aéré d'espaces verts (Hyde Park, Kensington* Gardens, Regent's Park, Green Park et St. James's Park) entre lesquels s'élève le *palais de Buckingham*,* résidence des souverains britanniques. À l'E., l'*East* End* englobe tous les quartiers populaires et industriels, de part et d'autre de la Tamise, le long des docks, au delà de Tower Bridge. – *Écon.* Londres est le premier centre économique de Grande-Bretagne et l'un des plus grands d'Europe, employant 5 000 000 de personnes. La V. joue un rôle de premier plan dans toutes les branches de l'industrie (sauf la métallurgie de base). On y construit 50 % des avions, 40 % du matériel électrique, 20 % des automobiles (Dagenham*). La chimie (caoutchouc synthétique, savonneries, cimenteries, produits pharmaceutiques) est surtout localisée autour de Thurrock*. L'édition, l'imprimerie et la presse y ont une grande importance. Le *port* est considérable. Avec 1 600 ha de docks (London, St. Katharine, West India, Royal Albert, Tilbury), 150 km de quais et un trafic annuel de 45 600 000 t (1975) dont 22 000 000 pour les hydrocarbures, le port de Londres, dont l'activité est commandée par la *Port of London Authority,* est le troisième du monde (après Rotterdam et New York). Les importations concernent, par ordre d'importance, le thé, le pétrole, la laine, le sucre brut et le bois. Les constructions mécaniques, les produits chimiques et les textiles constituent l'essentiel des exportations. Toutefois, le rôle international du port a décliné au profit de celui de ravitaillement des industries locales. Deux grandes raffineries de pétrole (Thameshaven et l'Isle of Grain) se sont implantées à l'entrée de l'estuaire de la Tamise. Londres est un important carrefour de communications (routes et autoroutes, voies ferrées, aéroports d'Heathrow* et de Gatwick) et le premier centre de transmission du monde. L'université, les musées et bibliothèques (British* Museum, Tate* Gallery, Wallace Collection, Victoria and Albert Museum), les spectacles (Covent* Garden) témoignent de son grand rayonnement intellectuel et culturel. Néanmoins, la croissance démesurée de la ville n'a pas été sans poser de nombreux problèmes. C'est pour tenter de les résoudre que l'acte de Reconstruction *(Reconstruction Act)* de 1948, grand plan d'urbanisme élaboré pour décongestionner la capitale, a permis la création de villes nouvelles dans la banlieue **(V. Basildon, Bracknell, Crawley, Harlow, Hatfield, Hemel Hempstead, Stevenage).** ♦ *Hist.* La ville, appelée *Llyn-Din* (« fort du lac ») par les Celtes, fut nommée *Londinium* par les Romains qui, de 43 à 430, en firent un centre commercial d'entrepôts et de transit. Pendant la période anglo-saxonne (430-1066), l'abbaye de Westminster prit une grande importance. Guillaume le Conquérant fortifia la façade portuaire de la Cité *(City)* et fit construire la *tour de Londres,* à la fois palais royal, forteresse et prison. Au cours de la troisième croisade qui entraîna l'absence de Richard Ier, Londres devint une commune dotée d'un maire à la française (le chemin qu'empruntait le nouveau maire pour se rendre au palais de Westminster afin d'obtenir l'approbation royale est à l'origine de l'actuelle parade du Lord Maire). Au Moyen Âge, Londres était alors entouré de *fields* [champs] (Moorfields, Hampstead, Haymarket) qui ravitaillaient la ville; ils ne disparurent qu'au XVIIIe siècle. Les libertés de la Cité de Londres furent garanties par la Grande Charte de 1215 (arrachée à Jean sans Terre). En 1381, une révolte de paysans, fomentée par Wat Tyler, éclata; la ville fut incendiée et le roi Richard II dut se réfugier dans la Tour. La guerre des Deux-Roses (1455-1485), décimant l'aristocratie anglaise, favorisa l'essor des riches bourgeois de la capitale. L'imprimerie fut introduite à Westminster par William Caxton, l'école Saint-Paul fondée par John Colet. Un palais fut érigé à *Hampton Court* par le cardinal Wolsey. La vocation maritime de Londres, encouragée par les Tudors, souffrait alors de la concurrence de la marine hollandaise contre laquelle fut promulgué l'acte de navigation de 1651. Sir Thomas Gresham fonda la Bourse en 1571 dans une ville qui comptait plus de 200 000 hab. La vie intellectuelle et artistique s'était développée à l'époque élisabéthaine : la compagnie de W. Shakespeare s'était installée à Lambeth, au *Globe Theatre.* Sous Jacques Ier, les catholiques et Guy Fawkes décidèrent de faire sauter le Parlement et d'assassiner le roi, mais cette conspiration des poudres (1605) échoua (l'événement est encore célébré chaque année [5 nov.] par des feux de joie). C'est à Whitehall que Charles Ier tenait une cour brillante, accueillant Inigo Jones, Rubens, Van Dyck. Après l'exécution du roi (1649), Cromwell, devenu lord-protecteur, s'installa à Whitehall jusqu'à la Restauration. De 1660 à 1669, l'histoire de Londres est connue dans tous ses détails grâce au journal de Samuel Pepys* : en 1665, la grande peste *(the Great Plague),* évoquée par Daniel Defoe (*The Journal of the Plague Year,* 1722), emporta plus de 90 000 Londoniens. En 1666, le grand incendie *(the Great Fire)* fut plus dévastateur que les bombes allemandes de la Seconde Guerre mondiale. En 1664 déjà, les Hollandais, alors en guerre contre les Anglais, avaient incendié Chatham. Christopher Wren, à qui l'on doit la cathédrale Saint-Paul, ouverte en 1697, rebâtit Londres, et Kensington prit de l'importance grâce à Guillaume III (1689-1702) qui s'y établit. En 1685, une colonie huguenote s'installa à Soho et fut à l'origine de ce quartier cosmopolite. Il fallut attendre l'ère georgienne (1714-1837) pour qu'un second pont sur la Tamise fût construit à Westminster en 1750. En 1780, éclatèrent les émeutes de Gordon décrites par Dickens dans *Barnaby Rudge.* Elles aboutirent à la destruction de la prison de Newgate. Le XIXe s. marqua l'adoption des nouveautés techniques et le développement rapide de la ville. C'est en 1805, à Piccadilly, qu'apparut le premier éclairage au gaz, en 1829 le premier omnibus, en 1836 le premier train à vapeur. Le corps des agents de police londoniens fut aussi créé en 1829 par sir Robert Peel (d'où leur surnom de *peelers* ou *bobbies* [de *Robert*]. L'ère victorienne (1837-1901), pendant laquelle l'agglomération dépassa rapidement 2 500 000 hab. (1851), vit la grande exposition de 1851 (Crystal Palace) et la construction du premier chemin de fer métropolitain (1862). Première ville d'Europe et l'une des deux ou trois plus grandes agglomérations du monde, capitale et « poumon » de l'empire, centre intellectuel de premier plan où s'élabora la critique du système que la ville symbolisait (Marx y écrivit *Le Capital* en 1864), Londres était à la fin du XIXe s. le plus grand centre bancaire et commercial du monde, l'un des pôles de décision politique du monde. Cependant, les inégalités sociales s'y reflétaient de manière de plus en plus nette et les difficultés de croissance des très grandes agglomérations s'y manifestèrent de plus en plus entre les deux guerres mondiales. Le *Blitz* hitlérien, de sept. 1940 à juill. 1941, détruisit ou endommagea gravement

Ph. Carlo Bevilacqua/Ricciarini

Londres :
le palais de Westminster et Big Ben.

Ph. Carlo Bevilacqua/Ricciarini

La Tour de **Londres.**

le centre de la ville. La reconstruction, entreprise sitôt après la guerre, a sensiblement modifié, par l'introduction d'une architecture résolument moderne, l'aspect traditionnel sombre et enfumé de la Cité. Le Grand Londres *(Greater London)* s'est agrandi d'une « auréole » de villes nouvelles, moins denses, moins rectilignes que les banlieues construites avant la guerre (« ceinture verte »); mais le plan d'aménagement de Londres entraîne la structuration urbaine de tout le S.-E. de l'Angleterre et pose de difficiles problèmes. L'activité économique s'est modifiée (reconversion du port, qui a perdu une partie de son importance internationale; développement des secteurs électrique et électronique, de la construction, de l'imprimerie). Sur le plan social, l'atmosphère de Londres s'est profondément modifiée depuis 1950, la décolonisation entraînant l'arrivée d'une importante population de couleur, l'évolution des mœurs faisant de la ville le refuge de nombreux *beatniks,* puis *hippies.* En outre, Londres est devenu le pôle d'attraction de la mode féminine la plus actuelle. ♦ *Conférences internationales de Londres.* La première (1827-1832) réunit les représentants de la France, de la Grande-Bretagne et de la Russie sur la question gréco-turque (après la signature du *traité de Londres* de juill. 1827) et aboutit à l'envoi de forces françaises en Grèce (expédition de Morée, 1828), qui devint autonome à la paix d'Andrinople (1829). – À la seconde (1830-1831), participèrent également les représentants de l'Autriche et de la Prusse. Elle fut consacrée à la question belge : un armistice fut imposé aux Belges et aux Néerlandais, la Belgique fut déclarée neutre et indépendante, et Léopold de Saxe-Cobourg en fut nommé roi. ♦ *Traité de Londres.* Il fut signé, à l'insu de la France qui soutenait le pacha Muhammad-'Ali entre l'Angleterre, l'Autriche, la Prusse et la Russie qui cherchaient à éviter le démantèlement de l'Empire ottoman (15 juill. 1840). À la suite de ce traité, le ministre français des Affaires étrangères, Thiers*, faillit conduire la France et l'Europe à la guerre; il dut démissionner et fut remplacé par Guizot.

LONG (Marguerite). ♦ Pianiste française (Nîmes, 1874 – Paris, 1966). Soliste intelligente et sensible, elle fut l'interprète et l'amie de quelques-uns des plus grands musiciens de son temps (Fauré, Debussy, Ravel), dont elle joua certaines œuvres en première audition. Pédagogue réputée, elle enseigna au Conservatoire (1906-1940) et fonda, avec J. Thibaud*, le concours qui porte leur nom (1943) et qui devint international (1946).

LONG BEACH (« longue baie »). ♦ V. et port des États-Unis (Californie), sur l'océan Pacifique, au S. de Los* Angeles. 346 975 hab. (1970). Centre indus.; automobiles (depuis 1917). Chantiers navals. Centre touristique (plage).

Longchamp *(hippodrome de).* ♦ Hippodrome situé dans le bois de Boulogne*, à Paris, à l'emplacement de l'anc. abbaye de Longchamp (dont subsiste le vieux moulin). Inauguré en 1857, il a été rénové par des travaux considérables en 1959 et en 1966. Il est consacré aux courses de plat (Grand Prix, Prix de l'Arc de triomphe).

LONGEAU. ♦ Ch.-l. de cant. de la Haute-Marne, arr. de Langres. 318 hab. – Laiteries. Fromageries.

LONGEMER *(lac de).* ♦ Lac des Vosges situé à l'E. du lac de Gerardmer.

LONGEVILLE-LÈS-METZ. ♦ Comm. de la Moselle (arr. et aggl. de Metz): 4 379 hab.

LONGFELLOW (Henry Wadsworth). ♦ Poète américain (Portland, Maine, 1807 – Cambridge, Massachusetts, 1882). Après des études au Bowdoin College où il se lia avec Hawthorne et où, après 1825, il enseigna les langues étrangères, il visita la France, l'Espagne, l'Italie, l'Allemagne, contribuant à répandre en Amérique la culture européenne. Ces voyages lui inspirèrent *Outre-Mer* (1835). Mais sa période de plus grande fécondité littéraire se situe entre 1839 et 1849. *Hypérion,* roman sentimental et philosophique, et *Voix de la nuit (Voices of the Night),* son premier recueil de poèmes, parurent en 1839, *Ballades et autres poèmes (Ballads and other poems)* contenant *Le Squelette en armure (The Skeleton in Armor),* en 1842, ainsi que *Poèmes sur l'esclavage (Poems on Slavery). L'Étudiant espagnol* (*The Spanish Student,* 1843), drame en vers, fut sa première œuvre d'envergure sur un thème étranger. L'histoire et le folklore européens et américains lui inspirèrent *Le Beffroi de Bruges* (*The Belfry of Bruges and other poems,* 1846), *Évangéline* qui évoque les Acadiens (1847), *Hiawatha* (1855), poème indien, *Contes d'une auberge au bord de la route* (*Tales of a Wayside Inn,* 1863) et *Miles Standish* (*The Courtship of Miles Standish,* 1858) qui popularisa la légende de la colonie de Plymouth. Après la mort (1861) de Frances Appleon, sa femme, son inspiration devint plus religieuse. Il traduisit *La Divine Comédie* de Dante. Quant à sa *Divine Tragédie* (*The Divine Tragedy,* 1871), elle constitue. avec *Christus* (1872) et la *Tragédie de la Nouvelle Angleterre* (1868), l'un des trois volets de *La Légende dorée (The Golden Legend).* Longfellow a également laissé un récit semi-autobiographique en prose, *Kavanagh* (1849). Malgré son didactisme et son sentimentalisme, Longfellow est un classique du XIXᵉ s., dont le mérite réside notamment dans l'art d'exploiter et de populariser l'épopée nationale. Son œuvre représente la culture officielle aux États-Unis.

LONGFORD, en irl. **Longphort.** ♦ V. et anc. forteresse d'Irlande (Eire) et ch.-l. du comté homonyme. 4 000 hab. – Le *comté de Longford,* l'un des plus pauvres d'Irlande, s'étend sur la plaine centrale, dans la partie N. de la province de Leinster. 1 043 km². 30 645 hab. (1961).

LONGHENA (Baldassare). ♦ Architecte et décorateur italien (Venise, 1597 – *id.,* 1682). Il reçut probablement l'enseignement de Scamozzi*. Après avoir reconstruit la cathédrale de Chioggia (v. 1624-1633), il fut chargé, à la suite d'un concours, d'élever l'église Santa Maria della Salute à Venise (1631 à 1654, achevée en 1687) qui, par l'originalité des partis pris (plan en octogone clairement articulé; deux rotondes à coupoles surmontées de lanternons ajourés), l'invention et le pittoresque du décor (contreforts en volutes et succesion de portiques), constitue l'édifice majeur du baroque vénitien. Il conçut aussi le *Cénotaphe* à San Giorgio Maggiore et le *monument Pesaro* aux Frari. Fidèle à la tradition vénitienne, il édifia le palais Pesaro (1679-1710), dans lequel il s'inspira de la *Libreria* de Sansovino*, tout en insistant sur le décor et les contrastes d'ombre et de lumière. Il commença aussi le palais Rezzonico (1667), que termina A.G. Massari en 1745.

LONGHI (Pietro FALCA, dit**).** ♦ Peintre et dessinateur italien (Venise, 1702 – *id.,* 1785). Il débuta dans la peinture d'histoire, puis alla se perfectionner à Bologne auprès de Crespi*. Il devint rapidement le plus célèbre peintre de genre de l'école vénitienne du XVIIIᵉ s. et fut admiré de Goldoni. Il exécuta aussi des portraits mais s'attacha surtout à décrire la vie quotidienne à Venise, insistant parfois sur ses côtés pittoresques (*Le Rhinocéros,* 1751). Il représenta dans des scènes d'intérieur ou de rue le peuple comme l'aristocratie. Sa vision, souvent nuancée d'humour, prend parfois un aspect caricatural. Il peignit, sur petit format, des compositions statiques aux coloris délicats et feutrés où les personnages apparaissent figés, ce qui lui valut d'être parfois accusé de gaucherie.

LONGIN *(saint).* ♦ Selon la légende, soldat romain qui donna le coup de lance à Jésus crucifié. – Fête le 15 mars. – La *sainte lance* est une relique insigne. Saint Louis fit construire la Sainte-Chapelle pour l'y placer. Une autre *sainte lance,* offerte à Innocent VIII par le sultan, se trouve à Saint-Pierre de Rome.

LONGIN (Cassius). ♦ Philosophe et rhéteur grec (v. 213 – 273). Ministre de Zénobie*, reine de Palmyre, il fut mis à mort par les Romains. Néo-platonicien, élève d'Ammonios* Saccas à Alexandrie*, il enseigna la rhétorique à Athènes et en Syrie. Il ne nous reste que des fragments de son œuvre philosophique et rhétorique. – On lui attribua à tort le *Traité du sublime*.

LONG ISLAND. ♦ Île des États-Unis, au S.-E. de l'État de New* York. Elle s'étend depuis la baie de New York, à l'embouchure de l'Hudson* à l'O., où se trouvent deux des principaux districts de New York City **(V. Brooklyn, Queens)** ainsi que les deux principaux aérodromes de la ville (John F. Kennedy, La Guardia), et s'étend vers l'E. parallèlement à la côte du Connecticut* (dont elle est séparée par le Long Island Sound) et se termine par deux étroites péninsules. Près de 6 500 000 hab. (1960). Le sol riche (moraines glaciaires) et le climat océanique en font une zone de production maraîchère intensive. Pêche; l'indus. baleinière appartient à l'histoire, mais l'ostréiculture est très importante. Plages et centres de vacances. – Le *détroit de Long Island* (Long Island Sound), long de 176 km, s'étend entre l'île au S. et la côte du Connecticut au Nord. *Princ. V.* **V. Stamford, New Haven.**

LONGJUMEAU. ♦ Ch.-l. de cant. de l'Essonne, arr. de Palaiseau, dans la vallée de l'Yvette. 13 030 hab. *(Longjumellois).* Église Saint-Martin (XIIIᵉ, XIVᵉ, XVᵉ s.). – Fonderies; matières plastiques, produits pharmaceutiques; verrerie. ♦ *Hist.* Une paix y fut signée par Charles IX avec les protestants, le 23 mars 1568.

LONG-MEN. ♦ V. LUNG-MEN.

LONGNY-AU-PERCHE. ♦ Ch.-l. de cant. de l'Orne*, arr. de Mortagne*-au-Perche. 1 527 hab. *(Longnyciens).* Église Saint-Martin, des XVᵉ-XVIᵉ siècles. Chapelle Notre-Dame-de-Pitié du XVIᵉ siècle. Marché aux chevaux.

LONGUÉ. ♦ Ch.-l. de cant. du Maine-et-Loire, arr. de Saumur. 4 805 hab. (2 875 aggl.). Château (XIIIᵉ-XVᵉ s.). Manoir d'Avoir, de styles Renaissance et classique. – Métallurgie. Emballages.

LONGUEAU. ♦ Comm. de la Somme* (arr. d'Amiens*) sur l'Avre*. 5 485 hab. Important centre ferroviaire.

LONGUEIL (Richard Olivier *de*). ♦ Prélat français ([mort] Rome, 1470). Il fut chargé par le pape de la révision du procès de Jeanne* d'Arc.

LONGUEUIL. ♦ V. du Canada (Québec) sur le Saint-Laurent, au S. de Montréal. 127 270 hab. Église néo-gothique (1880). Maisons du XIXe s. — Constructions aéronautiques. Manufactures de vêtements, jouets, meubles, bonneterie.

LONGUEVILLE (Anne Geneviève de Bourbon-Condé, *duchesse de*). ♦ Dame française (Vincennes, 1619 — Paris, 1679), sœur du Grand Condé* et du prince de Conti*. Elle épousa Henri II, duc de Longueville. Il avait pour maîtresse la duchesse de Montbazon* qui provoqua la mort en duel de Coligny, amant d'Anne de Longueville. Celle-ci, entraînée par son nouvel amant La* Rochefoucauld, entra dans la Fronde*, dans laquelle elle poussa à son tour Turenne*, amoureux d'elle. Nemours succéda à celui-ci, mais la duchesse, la Fronde terminée, finit sa vie dans la dévotion, tantôt à Port*-Royal des Champs, tantôt au carmel du faubourg Saint-Jacques.

LONGUS ou **LONGOS**, dit **le Sophiste**. ♦ Romancier grec (probablement fin du IIe — déb. du IIIe s.), auteur de la célèbre pastorale *Daphnis* et Chloé.* Il semble avoir vécu à Lesbos*, où il situe l'action de son roman en décrivant avec précision la ville de Mytilène.

LONGUYON. ♦ Ch.-l. de cant. de la Meurthe-et-Moselle (arr. de Briey), sur la Chiers. 6 571 hab. Église Sainte-Agathe (XIIIe s.). Constructions métalliques; métallurgie.

LONGVIC [lɔ̃vi]. ♦ Comm. de la Côte-d'Or, arr. de Dijon, à proximité de Dijon. 5 202 hab. — Aérodrome de Dijon-Longvic. Indus. mécaniques et électriques.

LONGWOOD. ♦ Localité de l'île de Sainte*-Hélène (au N.-E.). Napoléon* Ier y fut incarcéré de décembre 1815 à sa mort.

LONGWY [lɔ̃wi]. ♦ Ch.-l. de cant. de la Meurthe-et-Moselle (arr. de Briey), sur la Chiers, près de la frontière belge. 21 509 hab. *(Longoviciens).* La ville ancienne, Longwy-Haut, a été fortifiée par Vauban; église Saint-Dagobert (XVIIe s.); hôtel de ville (XVIIIe s.); la zone industrielle s'étend sur Longwy-Bas et Gouraincourt (faub. de Longwy). Le bassin minier de Longwy-Villerupt est appelé « Cité du fer ». Les mines sont liées à la sidérurgie qui est contrôlée par de grosses sociétés équipées des moyens les plus modernes : aciéries, hauts fourneaux, tôlerie, centrale produisant de l'oxygène sidérurgique; produits réfractaires; matériaux de construction; produits chimiques; constructions métalliques, électriques; imprimerie; faïence bleue. — Patrie du général de Mercy*. ♦ *Hist.* V. anc. réunie au comté de Bar au XIIIe s., elle fut cédée à la France au traité de Nimègue en 1678, et Vauban la fortifia. Après la journée du 10 août 1792, la ville fut assiégée par les troupes prussiennes (19 août). Sa reddition (23 août), suivie de celle de Verdun (2 sept. 1792) devait contribuer à pousser les patriotes aux massacres de Septembre. Après la victoire française de Valmy (20 sept.), les Prussiens abandonnèrent Longwy. La ville fut de nouveau assiégée par les Prussiens en 1870, en 1914 et en 1940.

LÖNNROT (Elias). ♦ Érudit et folkloriste finnois, docteur en médecine (Haarjärvi, commune de Sammatti, 1802 — *id.*, 1884). Il recueillit au cours de longues randonnées les anciens poèmes populaires (épiques et lyriques) qu'il arrangea en une épopée, le *Kalevala* (1re éd. 1835, 2e élargie 1849; trad. fr., 1845) et en un recueil, *Kanteletar* (3 vol., 1840), contribuant puissamment à l'éveil du nationalisme finnois. Professeur de finnois à l'université de Helsinki, il a créé en partie le vocabulaire technique et scientifique finnois, et a publié avec des collaborateurs un *Dictionnaire finno-suédois* (1866-1880).

LONS-LE-SAUNIER [lɔ̃ l(ə) sonje]. ♦ Préf. du Jura, ch.-l. d'arr. (18 cant., 363 comm., 124 167 hab.) sur la Vallière. 21 715 hab.

Ph. Hétier

Longwy.

(Lédoniens) [aggl. de 27 462 hab.]. — Église Saint-Désiré (en partie du XIe s.). Église des Cordeliers (XVe-XVIe s.). Maisons du XVIIIe siècle. Hôpital (XVIIIe s.). Musée. — Lunetterie. Fabriques de jouets. Chaudronnerie. Indus. alimentaires (chocolaterie) et textiles. — Patrie de Rouget* de Lisle.

LOOS (Adolf). ♦ Architecte autrichien (Brno, 1870 — Vienne, 1933). Il étudia à Dresde de 1890 à 1893, puis aux États-Unis de 1893 à 1896. De retour à Vienne, il condamna l'abus de la décoration. Dès 1904 il employa dans la villa *Kazma,* près de Montreux, des formes géométriques simples, des murs nus qui préfigurent les années 1920-1930. À Vienne, en 1910, il construisit en béton armé sa *maison Steiner* avec des toits-terrasses et des fenêtres en largeur. À Paris, de 1923 à 1928, il rencontra Le* Corbusier et édifia la *maison Tzara.* L'intransigeance de ses partis pris, la pureté de son style en font l'un des principaux pionniers de l'architecture moderne.

LOOS [los]. ♦ Comm. du Nord, dans l'arr. et la banlieue S.-O. de Lille*. 21 561 hab. *(Loossois).* — Centre industriel (indus. chimique, textiles, distillerie : genièvre). — Anc. abbaye cistercienne, reconstruite au XVIIIe s. (actuellement prison).

LOPBURI. ♦ V. de Thaïlande, ch.-l. de la prov. du même nom. ♦ *Hist.* Elle fut fondée au VIe s. et devint, au Xe s., une cap. provinciale khmère (Lavo). Elle garde encore des vestiges khmers des XIe-XIIIe s. et thaïs de la fin du XVIIe siècle.

LOPE DE VEGA (Félix Lope de Vega Carpio). ♦ Écrivain et poète dramatique espagnol (Madrid, 1562 — *id.*, 1635). Une étonnante précocité, une fécondité prodigieuse, une vie sentimentale aux multiples aventures où le burlesque côtoie souvent le tragique ont constitué très tôt la légende de cet auteur et exalté sa renommée qui, de son vivant même, s'étendit jusqu'en Amérique. Des 1 800 comédies et des 400 *autos sacramentales* qu'il a composées, ne nous sont parvenues que 470 pièces et 60 *autos* qui suffisent à assurer sa gloire posthume et à justifier l'influence qu'il a exercée en France sur Rotrou, Boisrobert, Montfleury, Cyrano de Bergerac, Corneille* et sur Molière* enfin *(L'École des femmes, L'École des maris, Les Femmes savantes, Le Médecin malgré lui).* Plutôt qu'au temps de ses essais dans la poésie épique (*La Dragontea,* 1596), il convient de situer ses véritables débuts à l'époque où il commença à écrire des comédies de circonstance pour des compagnies itinérantes qui parcouraient toute la péninsule. Dès ce moment, il devait affirmer la science du mouvement scénique, le génie de l'action, la curiosité passionnée de l'humain qui se retrouveront plus tard dans ses plus grandes œuvres. Indifférent à toute idéologie, fût-elle celle de la Renaissance, attentif au seul divertissement du spectateur, mais sensible aux valeurs morales qui sont de tradition en Espagne, il reconnaît dans l'honneur et dans l'amour les seuls ressorts de l'émotion dramatique. Des trois unités aristotéliciennes, il ne veut retenir que l'unité d'action. Il a exprimé ces idées dans un écrit théorique : *Nouvel Art de faire des comédies* (*Arte nuevo de hacer comedias,* 1609). En condamnant les abstractions qui caractérisent la fin du Moyen Âge, tout autant que la préciosité que Góngora* avait mise à la mode, il a ouvert la voie au réalisme le plus vigoureux et suscité par là l'intérêt du plus lettré comme du plus inculte de ses spectateurs. Ses chefs-d'œuvre sont généralement des comédies de mœurs : *L'Étoile de Séville* (*La Estrella de Sevilla,* v. 1617), *Le Chien du jardinier* (*El Perro del Hortelano,* 1618), *Font-aux-Cabres (Fuente ovejuna,* 1618), *Le Châtiment sans vengeance* (*El Castigo sin venganza,* 1631), *Le meilleur alcade est le roi* (*El Mejor Alcalde, el Rey,* 1635). Romancier (*Arcadia,* 1598), Lope de Vega a publié des poèmes d'inspiration mystique (*Le Romancero spirituel,* 1634) et satirique (*La Gatomachie,* 1634).

LÓPEZ DE AYALA (Pedro). ♦ Poète espagnol (1332 — 1407), principal représentant du « mester de clerecía » (école de poètes érudits laïques ou religieux au XVIe s.). Il est l'auteur du *Poème du palais,* satire austère et didactique de la société : Église, rois, lettrés et marchands.

LÓPEZ DE LEGAZPI (Miguel). ♦ Marin espagnol (Zumarraga, Guipúzcoa, v. 1510 — Manille, 1572). Après un voyage et un séjour au Mexique (1528), il contribua à la conquête des Philippines* (1564) où il fonda la ville de Manille* (1571).

LO-PU-PO [*Luobubo*] ou **LOB-NOR.** ♦ Lac chinois situé à 780 m d'alt., dans la prov. du Hsin-chiang, et servant de déversoir naturel au Tarim*. Assez étendu (2 000 km²), mais de peu de profondeur, il est marécageux. On se livre à la pêche sur ses bords.

LORAIN. ♦ V. et port des États-Unis (Ohio), sur la côte S.-O. du lac Érié*, à l'embouchure de la rivière Black. 68 932 hab. (1960); zone urbaine 217 500 hab. — Exportation de minerai de fer et de charbon. Indus. métallurgiques et mécaniques. Confection.

LORCA (Federico GARCÍA). ♦ V. GARCÍA LORCA (Federico).

LORCA. ♦ V. d'Espagne méridionale (prov. de Murcie). 58 600 hab. Centre agricole au fond d'une riche *huerta.* Château fort du Xe siècle.

Lords *(Chambre des)*, en angl. **House of Lords.** ♦ Chambre haute du Parlement du Royaume-Uni. Elle est composée de huit cents pairs les uns héréditaires, d'autres élus pour une législature par les pairs d'Écosse et d'Irlande; d'autres créés par le souverain en accord avec le gouvernement; d'autres, enfin, pairs de par leurs fonctions : évêques et archevêques, lord justice. Elle ne dispose plus que d'un droit de veto suspensif (limité à un an depuis 1949) sur les lois ne concernant pas le domaine financier (depuis 1911) et d'un pouvoir juridictionnel : elle forme traditionnellement un tribunal d'appel où siègent neuf lords. ♦ *Hist.* Née du Conseil féodal qui siégea toujours auprès des rois, elle acquit un rôle important au XIIIe s., après la Grande Charte*, et le conserva jusqu'au XVe siècle. Par la suite, son action ne cessa de diminuer au profit de celle des Communes*.

LORELEI. ♦ Nom d'une falaise située en amont de Sankt Goarshausen, sur la r. d. du Rhin* qu'elle domine d'une hauteur de 132 m. Formée de roches schisteuses sur lesquelles vient se briser le courant du fleuve, elle était, dit-on, redoutée des mariniers. Une légende, peut-être suscitée par la pureté de l'écho dans cette partie de la vallée rhénane, assurait qu'une sirène (dite *la Loreleï*) attirait par ses chants les bateliers qui venaient faire naufrage sur les rochers. Il semble toutefois que cette légende ait été créée, ou du moins popularisée, par Brentano dans *Godwi* (1800-1802), et surtout par Heine*, qui prétendit d'ailleurs s'être inspiré d'un vieux conte médiéval, dans le *Livre des chants* (1817-1826), [poème mis en musique par F. Silcher, 1840].

LORENGAU. ♦ V. principale des îles de l'Amirauté*, sur la côte N.-E. de l'île Manus*.

LORENTZ (Hendrik Antoon). ♦ Physicien néerlandais (Arnhem, 1853 – Haarlem, 1928). Auteur de la théorie électronique de la matière (1895), il put expliquer les propriétés des ondes électriques ou du rayonnement lumineux et prévoir l'action que peut exercer la lumière sur les électrons renfermés dans la matière; avec son élève Zeeman*, il effectua des recherches sur l'influence du magnétisme sur les phénomènes de radiation. En 1903, pour interpréter l'expérience de Michelson*, il incorpora la contraction suggérée par Fitzgerald* dans la théorie, admettant de plus que les temps eux-mêmes ne sont pas mesurés par le même nombre lorsque le système est immobile ou lorsqu'il est animé d'un mouvement de translation (contraction de Lorentz); ce résultat fut à l'origine de la révolution relativiste. **V. Einstein.** (Prix Nobel de phys., avec Zeeman, 1902). ♦ *Formules de* LORENTZ : formules de transformation permettant d'incorporer les contractions d'espace et de temps dans les calculs.

LORENZ (Konrad Zacharias). ♦ Psychologue autrichien (Vienne, 1903). Il fut avec Tinbergen* le fondateur de l'éthologie (observation du comportement global des espèces animales). Il s'est surtout intéressé aux poissons et aux oiseaux, chez qui il étudia la formation et le rôle des signaux (1935). Il a notamment publié un ouvrage sur *L'Agression, une histoire naturelle du mal,* 1969. (Prix Nobel de méd., 1973, avec K. von Frisch* et N. Tinbergen*.)

Lorenzaccio. ♦ Drame en cinq actes, en prose, d'Alfred de Musset* (1834). Emprunté à George Sand* *(Une conspiration en 1537),* le sujet de la pièce a pour ressort essentiel le meurtre d'Alexandre de Médicis, duc de Florence, par son cousin Lorenzo de Médicis, surnommé avec mépris *Lorenzaccio* (le « mauvais Laurent ») par le peuple florentin. Résolu à tuer le tyran qui règne sur Florence, Lorenzo qui fut naguère un jeune homme vertueux a choisi de s'avilir en devenant le compagnon de débauche d'Alexandre, pour mieux inspirer confiance à celui qui doit devenir sa victime. Il tue Alexandre, mais son acte justicier ne trouvera aucun écho dans la ville, et tandis qu'aux acclamations du peuple Côme de Médicis, cousin d'Alexandre, lui succède, Lorenzo, dont la tête a été mise à prix, s'abandonne dans Venise aux coups d'un assassin. L'échec dérisoire de la révolution de 1830, dont le drame est la pathétique illustration, la personnalité complexe de Lorenzo, reflet fidèle de l'âme de l'auteur, et surtout la grandeur tragique de l'épisode font de cette pièce l'un des chefs-d'œuvre du théâtre français.

LORENZETTI. ♦ Nom de deux peintres toscans du XIVe siècle. Frères, parfois collaborateurs, ils réalisèrent chacun une synthèse différente des peintures siennoise **(V. Duccio, S. Martini)** et florentine. ♦ PIETRO (Sienne, v. 1280-1285 – *id.,* 1348), plus florentin, se souvint de la sobre grandeur de Giotto* et de l'expressionnisme dramatique de Giovanni Pisano* dans ses fresques d'Assise (église inférieure, v. 1326-1330); il retrouva pourtant le goût siennois du pittoresque dans certains de ses polyptyques (Sienne, prédelle de la *Pala del Carmine,* 1329, Pinacothèque, et *Naissance de la Vierge,* 1342, Opera del Duomo). ♦ AMBROGIO, son frère (Sienne, v. 1290 – *id.,* 1348), montra qu'il n'ignorait ni l'art florentin ni ses préoccupations techniques (fresques de San Francesco, Sienne, v. 1330) mais, plus siennois, il cultiva « en gentilhomme et philosophe » (Vasari) la représentation concrète de la vie et de l'univers humains, avec un souci du détail, des recherches de couleurs, qui font de son art « le plus haut moment atteint par le réalisme médiéval italien » (*Effets du bon gouvernement,* Sienne, Palais communal, v. 1338).

LORENZO DI CREDI. ♦ Peintre italien (Florence, v. 1456 – *id.,* 1537). Fils d'un orfèvre, il fut élève dans la *bottega* de Verrocchio*. Calme et gracieux, son style, inspiré de la manière de Léonard*, évolua peu (*Madone entre saint Julien et saint Nicolas,* 1493, Louvre; *Saint Barthélemy* 1510; *Saint Michel,* 1523). Ses dessins, exécutés sur papier couleur brique ou gris *(Carta tinta),* présentent les mêmes qualités que ses peintures.

LORENZO MONACO (Piero di Giovanni, dit). ♦ Peintre italien (Sienne, v. 1370 – Florence, après 1422). Moine camaldule à Sainte-Marie-des-Anges (Florence), il consacra une partie de son activité à l'enluminure de manuscrits. Tout en conservant la saveur de cet art, il sut en amplifier les effets dans ses retables et tableaux d'autel : *Annonciation* (v. 1408-1409, académie de Florence), *Adoration des Mages* (1410, Offices), *Couronnement de la Vierge* (1413, Offices). Sa manière. marquée par les Siennois du XIVe s. et représentant la fin du gothique, débouche sur Fra Angelico*, qui fut son élève.

Ph. Carlo Bevilacqua/Ricciarini

Lorenzo di Credi : « Annonciation ».
(Musée des Offices, Florence.)

LORESTAN. ♦ **V.** LURISTÂN.

LORETTE, en it. **Loreto.** ♦ V. d'Italie du Sud, dans les Marches (prov. d'Ancône). 9 000 hab. – Lieu de pèlerinage marial. La *Santa Casa* ou maison de la Vierge à Nazareth, qui, selon une légende du XVe s., aurait été transportée à Lucques par les anges, est abritée dans une église construite en partie par Bramante*. La France possède toujours à Lorette des biens qui, avec l'église romaine de la Trinité-des-Monts, l'escalier monumental y conduisant, et le palais de Saint Louis, constituent, depuis l'Ancien Régime, les « Pieux Établissements de la France à Rome et à Lorette ».

LORGUES. ♦ Ch.-l. de cant. du Var*, arr. de Draguignan*. 3 658 hab. *(Lorguais).* Église du XVIIIe siècle. – Céramiques. Cultures d'oliviers.

LORIENT. ♦ Sous-préf. du Morbihan, ch.-l. d'arr. (12 cant., 60 comm., 240 588 hab.) sur une ria formée par la réunion de l'estuaire du Scorff et de celui du Blavet*, 68 960 hab. *(Lorientais).* – Le centre de la ville, détruit au cours de la dernière guerre, a été reconstruit : églises, hôtel de ville, palais des congrès. Quelques vestiges du passé subsistent : deux pavillons (XVIIIe s.) de l'ancienne préfecture maritime, la tour de la Découverte (XVIIIe s.), les deux moulins à poudre de l'Amirauté (XVIIe s.). – Port militaire (arsenal et base sous-marine de Keroman construite par les Allemands de 1941 à 1943, actuellement utilisée comme base pour les sous-marins); école de fusiliers marins. Port de commerce (de Kergroise) et troisième port de pêche français (port de Keroman), organisé industriellement (installations frigorifiques, production de glace, le poisson y est immédiatement emballé, vendu, chargé sur des wagons isothermiques). Aéroport (Lann-Bihoué). Centre touristique **(V. *aussi* Larmor-Plage).** – Conserveries; kaolin; constructions mécaniques et électriques, automobiles (Renault); indus. textile, confection; fabriques de peinture, de meubles. **V. *aussi* Ploemeur.** – Patrie de A. Brizeux*, de Marie Dorval*, de Ch. de La Poix de Fréminville*, du général Langle* de Cary, de Y. Le* Prieur, de Victor Massé*, de Jules Simon*. ♦ *Hist.* En 1666, la Compagnie des Indes *orientales* y établit des chantiers de constructions navales qui reçurent le nom de *l'Orient;* le port fut très prospère au XVIIIe siècle. En 1770, la compagnie fut dissoute; l'État prit possession du port et créa un arsenal (1782). – De 1940 à 1945, les Allemands occupèrent la ville, construisirent la base sous-marine de Keroman; la ville fut de ce fait intensément bombardée par les Alliés, et partiellement détruite.

LORIOL-SUR-DRÔME. ♦ Ch.-l. de cant. de la Drôme*, arr. de Valence*, près de la Drôme. 3 441 hab. [1 561 aggl.] *(Loriolais).* – Nougats; filatures de soie.

LORJOU (Bernard). ♦ Peintre et sculpteur français (Blois, 1908). Issu d'une famille prolétarienne, il se forma en suivant des cours du soir et fréquenta plusieurs académies libres. En 1927, il dessina des motifs pour tissus avant de se consacrer à la peinture (1933). Frappé par les grandes œuvres de l'école espagnole (le Greco, Velázquez, Goya), il a élaboré une conception de la peinture-manifeste, appuyée sur une esthétique impressionniste (faisant souvent songer à Ensor*). Hostile à la critique et à l'art des « coupeurs de cheveux en quatre » comme à l'académisme, il exposa de vastes tableaux au dessin robuste et violent, aux couleurs franches et éclatantes, toujours lisibles comme une violente critique de la société contemporaine et de la politique (*L'Âge atomique,* 1949; *La Peste en Beauce,* 1953; *Les Rois, de Charlemagne à Charles de Gaulle,* 1962; *La Force de frappe,* 1963). Lorjou s'est intéressé aussi à la sculpture polychrome, dans la même veine expressionniste.

LORME (Marion de). ♦ Courtisane française (Baye, Champagne, 1611 – Paris, 1650). Fille d'un président des trésoriers de France en Champagne, elle était aussi célèbre par son esprit que par sa beauté. Elle fut la maîtresse de Cinq*-Mars, de Buckingham*, de Saint-Évremond, de Condé*, et peut-être même de Richelieu. Compromise dans les troubles de la Fronde, elle se serait empoisonnée. — Elle est l'héroïne d'un drame de Victor Hugo, *Marion Delorme.*

LORMES. ♦ Ch.-l. de cant. de la Nièvre, arr. de Clamecy, en lisière des plaines du Bazois et du Morvan. 1 610 hab. — Centre touristique. Exploitation forestière et indus. du bois.

LORMONT. ♦ Comm. de la Gironde, arr. de Bordeaux. 11 846 hab. — Port sur la Garonne. Indus. alimentaires. — Anc. château des archevêques de Bordeaux.

LORNE *(firth of).* ♦ Détroit d'Écosse occidentale (Argyllshire), séparant l'île Mull* du continent et prolongé au N. par le *loch Linnhe,* au débouché du *canal Calédonien*.*

LOROUX-BOTTEREAU (Le). ♦ Ch.-l. de cant. de la Loire-Atlantique, arr. de Nantes. 3228 hab. (1 584 aggl.). — Église du XIIe s., possédant des fresques du XIIIe siècle. Vestiges d'un château du XVe siècle. — Viticulture.

LORQUIN. ♦ Ch.-l. de cant. de la Moselle. Arr. de Sarrebourg. 2 073 hab. Maisons du XVIe siècle. Indus. du meuble.

LORRAIN (Claude GELLÉE, dit le). ♦ Peintre, dessinateur et graveur français (Chamagne, Vosges, 1600 — Rome, 1682). D'origine paysanne, il se rendit à Fribourg-en-Brisgau auprès de son frère, graveur sur bois. Démuni et presque illettré, il partit ensuite pour l'Italie et travailla probablement à Naples. À Rome en 1619, il entra au service du paysagiste Agostino Tassi qui l'initia à la peinture. Revenu dans son pays natal en 1625, il travailla au service du peintre Claude Deruet à Nancy, pour les ducs de Lorraine, mais repartit finalement pour Rome (1627) où se déroula toute sa carrière. Il se consacra uniquement au paysage et fit de nombreuses études de la campagne romaine : ses dessins à la plume rehaussés de lavis révèlent une appréhension de la nature, spontanée et d'une grande sensibilité. Il élabora à partir des traditions nordiques et méridionales du paysage une nouvelle conception dans laquelle l'observation directe de la nature constitue le point de départ d'une transposition faite en fonction d'un sens idéal de la « Beauté ». Il commença à être reconnu v. 1637, fut apprécié d'Urbain VIII et eut de nombreux acheteurs français et anglais. Dès 1644, il commença, pour éviter les contrefaçons, un *Liber veritatis,* constitué des dessins faits d'après ses tableaux soigneusement catalogués. Dans une première phase, il réalisa surtout des marines *(Port de mer au soleil couchant)* attestant une acuité particulière au rendu de l'atmosphère et sa prédilection pour les éclairages crépusculaires. Il peignit ensuite des ports de mer et paysages où figurent des scènes bibliques et mythologiques, les personnages étant exécutés par des aides. Vers 1656, sa facture devint plus vigoureuse et les empâtements apparents ; il s'attacha à peindre lui-même les personnages ; mais la lumière tendait, en fait, à devenir le sujet primordial de ses œuvres *(Les Quatre Heures du jour).* Il organisait rigoureusement ses compositions selon des plans parallèles, recherchait les effets de lumière diffuse et rendait la vibration de l'air par de subtiles gradations de ton. Il imposa une vision d'un lyrisme retenu et empreinte d'onirisme : la fusion d'une « nature » reconstruite et d'une Antiquité imaginaire (palais inventés, ruines) concourt à la création d'un univers élégiaque non dénué d'une certaine théâtralité. Il s'affirma comme la figure majeure, avec Poussin*, du paysage classique.

LORRAINE. *n. f.* ♦ Anc. province de l'E. de la France qui a donné son nom à une région [anciennement C.A.R.] (**V.** *ci-dessous*). ♦ *Hist.* Les Romains trouvèrent en Lorraine deux peuples celtiques : les Leuques et les Médiomatriques. Après les invasions des Francs* Ripuaires et des Alamans*, cette région devint le cœur du royaume d'Austrasie*, puis de l'empire carolingien*. Les partages en firent le royaume de Lotharingie*, marche disputée entre l'E. et l'O., et divisée linguistiquement. Intégré finalement au Saint Empire, ce royaume sauvegarda une certaine indépendance, et se divisa (959) en Haute-Lotharingie, future Lorraine, et Basse-Lotharingie ou Lothier, futur Brabant. La Lorraine fut érigée en duché en 1048 pour la maison des comtes de Metz, qui devait régner jusqu'en 1737. La puissance croissante de certains vassaux (Luxembourg, Bar), celle des villes et des évêchés (Metz, Toul et Verdun), permirent bientôt l'intervention de la France dans les affaires lorraines (particulièrement pressante sous Philippe le Bel). Quand, au XVe s., Bar, Lorraine et Vaudémont se trouvèrent réunis, le duché eut à faire face au danger bourguignon, et ne fut sauvé que par la mort de Charles* le Téméraire devant Nancy. Les difficultés de l'empire au XVIe s. lui permirent de faire reconnaître son indépendance, tandis que le roi de France en profitait pour s'emparer des Trois-Évêchés (1552). La Lorraine joua alors un rôle de premier plan dans la politique française, par l'intermédiaire des Guise*, des cadets de sa maison, se fit le champion du catholicisme (Charles III) et, après sa réconciliation avec Henri IV (1595), connut son apogée, accompagné d'un épanouissement intellectuel et artistique (Callot, La Tour). Mais elle ne put résister à l'absolutisme français et Charles IV fut chassé de ses états à plusieurs reprises par les armées de Louis XIII et de Louis XIV. Les ravages de la guerre continuèrent sous Léopold, et le pays ne retrouva la paix qu'au traité de Vienne* (1735) par lequel elle revenait à Stanislas* Leszczyński et à la France, son duc, devenu l'empereur François* Ier, recevant la Toscane en échange. Une période de prospérité s'ouvrait et allait être favorisée par le développement industriel (forges de Wendel, verrerie de Baccarat, Saint-Louis, salines). De 1871 à 1918, les territoires lorrains de langue allemande furent annexés par l'Allemagne, dans la région d'Alsace-Lorraine.

LORRAINE. *n. f.* ♦ Région (anciennement C.A.R.) française. 4 dép. : Meuse*, Meurthe*-et-Moselle, Moselle*, Vosges*. 23 500 km² (4,2 % du territoire : 13e rang). 2 330 820 hab. (4,3 % de la population française, 8e rang). Dens. = 97 (7e rang). — Annexant les Trois-Évêchés à la Lorraine historique, lui enlevant Sedan et quelques parcelles à l'O. et au S., elle recouvre, de la Champagne à l'Alsace et du Hainaut à la Bourgogne, les vastes auréoles concentriques du secondaire, caractéristiques de l'E. du Bassin parisien. — *Orogr.* L'alternance des couches dures et tendres, leur inclinaison vers l'O. et le tracé divergent du réseau hydrographique y déterminent une succession de « côtes », trait majeur du paysage : reliefs dissymétriques (revers en pente douce et front abrupt), d'une ordonnance remarquable, que soulignent généralement la corniche boisée, le niveau des sources ponctué de villages et la rivière subséquente. Ainsi la Côte de Meuse (dédoublée, par surimposition du fleuve, qui coule en arrière du front et détache les Hauts de Meuse, 378 m, en avant de Verdun, 199 m) et la Côte de Moselle, courant sur 150 km, du seuil de Lorraine (500 m) à la frontière luxembourgeoise, sont des affleurements de calcaires jurassique, séquanien et bajocien, dominant de 200 m et plus les plaines déblayées dans les terrains meubles sous-jacents (ex. la Woëvre), précédées de buttes-témoins et percées de brèches aux solides places fortes (Toul, à l'entrée du val de l'Asne). Des marnes liasiques de la vallée de la Moselle émergent les grès du trias : au delà des ondulations monotones et boisées (forêts de la Hardt, de la Vöge) du « plateau lorrain » (Lunéville 230 m, Épinal 340 m), ils s'élèvent progressivement sur le versant vosgien, couvert de hêtres et de sapins, troué de lacs glaciaires (Gérardmer, 665 m) et de vallées profondes (Vezouze, Meurthe, Mortagne, Moselle) pour retomber également en « côte » au-dessus des argiles du permien (bassin de Saint-Dié, 343 m), face à la ligne de crête (Schlucht, 1 360 m). — L'âpreté du *climat* continental en fait un pays rude et austère avec une saison froide précoce, rigoureuse (Nancy, janv. 0 °C ; 82 j. de gel) et fortement enneigée ; mais l'été y est assez chaud (Nancy, juil. 18,3 °C) pour mûrir mirabelles et raisins sur les pentes abritées. L'abondance et la répartition des précipitations (Nancy 737 mm en 163 j. ; Épinal, 950 mm) en font le domaine par excellence de la forêt (35 % du territoire). — *Écon.* Bois et richesses du sous-sol y avaient fait naître, bien avant l'apparition du textile vosgien (*fin* XVIIIe s.), diverses activités industrielles auj. bien adaptées : meubles, jouets, lunetterie, optique (Ligny), faïences (Sarreguemines), cristallerie (Baccarat), thermalisme (Vittel, Contrexéville). Mais ce furent la mise en valeur, grâce au procédé de déphosphorisation Thomas (1878), de son énorme gisement de minerai de fer (réserves : 6 milliards de tonnes ; production : 17 000 000 de t [1912], 40 000 000 de t [1919], 48 000 000 de t [1929] = 96 % du fer français ; 46 % du fer européen) et l'implantation, sur cette « minette », très abondante mais de faible teneur (30 %), d'une puissante sidérurgie (80 % et 70 % des fontes et aciers français) qui transformèrent radicalement la région, provoquant l'afflux des ruraux et des étrangers vers ce grand complexe industriel plaqué en son centre et auquel allait s'ajouter le bassin houiller de Moselle (5 000 000 de t [1929]). — Passée de 1 533 000 hab. en 1872 à 1 933 000 en 1911 (+ 400 000), sa population, très perturbée par les guerres (en milliers : 1 684 en 1921 ; 1 866 en 1936 ; 1 682 en 1946), ne retrouvera ce chiffre qu'après 1950. L'industrie lourde prédomine alors de manière écrasante avec ses trois groupes : ceux de Nancy* (aciers spéciaux de Frouard et Pompey) et de la Chiers (fonte de moulage), et celui du Centre, sur le principal secteur minier (9/10 de l'extraction) : la grosse métallurgie y occupe les vallées de la

Ph. Hétier

Lorraine : les Vosges, aux environs du col de la Schlucht.

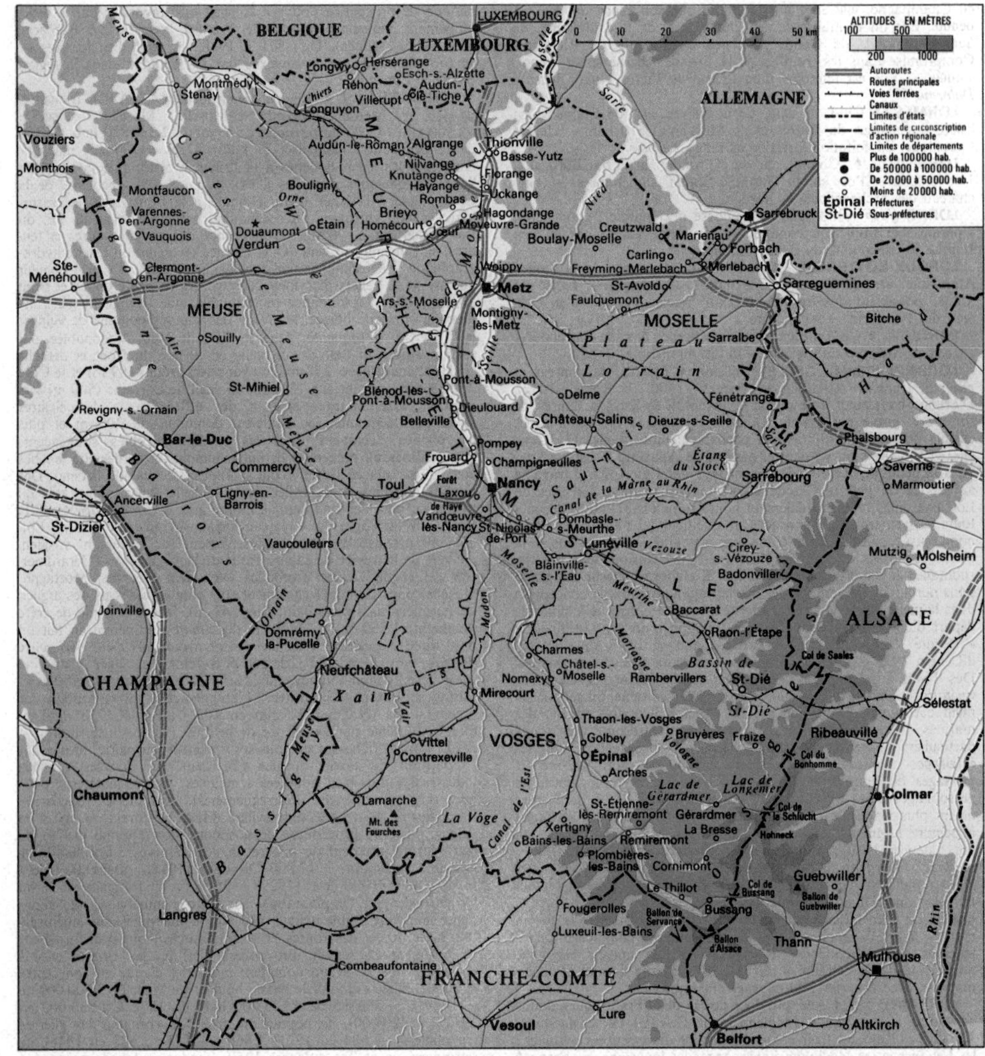

Lorraine.

Moselle (Belleville, Pont-à-Mousson, Hagondange, Thionville), de l'Orne (Homécourt, Jœuf, Rombas) et de la Fentsch (Knutange, Hayange, Florange) où l'habitat s'est accumulé autour des hauts fourneaux et des usines, dans une poussière de bourgades. Le foyer mosellan (Forbach, Carling) s'oriente vers la carbochimie, la cokéfaction et les centrales thermiques. Quant à l'industrie de la soude, elle repose sur le sel du trias (Dombasle-s. Meurthe, Seille-s. Dieuze, Sarralbe). Cette mono-industrie domina et conduisit l'économie pendant une dizaine d'années encore : en 1962, immigration et excédents naturels portèrent la population à 2 194 000 hab. (+ 238 000 par rapport à 1954). Puis les concurrences (minerais d'outre-mer) firent apparaître la précarité d'une puissance tributaire des ressources naturelles locales. De 1965 à 1967, la production de minette tomba de 56 à 42 000 000 de t; elle remonta à 54 000 000 de t en 1970 mais avec 11 000 travailleurs au lieu de 26 000 en 1960. Celle du charbon tomba de 15 à 12 800 000 t, avec 25 000 personnes au lieu de 35 000. La sidérurgie perdit 10 000 ouvriers de 1966 à 1968, en regagna 4 000 en 1971 (91 400), mais sa production, en progrès constant grâce à une meilleure productivité – acier, 14 000 000 de t en 1970 contre 12 800 000 t en 1965; fonte, 12 600 000 t contre 11 200 000 t –, marque un recul relatif en France (58 % contre 62 %; 66 % contre 71 %) et dans la C.E.C.A. (12,5 % contre 14,3 %; 15,7 % contre 17,7 %). Le textile (26,6 % des filés fr., 28,2 % des tissus) et l'habillement perdirent 5 000 personnes de 1966 à 1970. Seule la chimie maintint ses positions. – Avec + 1 % d'actifs par rapport à 1962 (France + 6,2 %), la population n'était en 1968 que de 2 275 000 hab. (dont 175 000 étrangers); et fin 1970, de 2 323 000 au lieu des 2 460 000 prévus au Ve Plan. Cette région qui occupe 50,4 % de ses actifs dans une indus. trop monolithique et compte 39 % de « moins de 20 ans », devrait pouvoir renverser son solde migratoire en qualifiant ses jeunes et en leur créant des emplois par multiplication des industries de transformation. On est tout juste parvenu, depuis 1965, à compenser le recul du secteur traditionnel (mécanique : de 62 000 à 79 000 personnes) mais l'avenir appelle, avec la stabilisation de ce dernier, un tissu industriel neuf et très diversifié. Cela implique, avec l'essor du secteur tertiaire (40,6 %, France 44,7 %) et de la formation professionnelle à tous niveaux – négligée parce que les industries de base sont peu exigeantes en qualifications –, le désenclavement du foyer industriel, isolé des grands marchés de consommation de l'Europe de l'Ouest : seule grande voie navigable, la Moselle* n'est canalisée que depuis 1964 et la branche lorraine de la liaison mer du Nord-Méditerranée reste lointaine; le réseau routier est très en retard (autoroutes A 31, Metz-Nancy, déc. 1972, avec prolongements prévus vers Thionville et vers le S.; A 4, Paris-Strasbourg, 1978). Le contraste est vif entre déserts ruraux (dens. = 35 en Meuse, 65 en Vosges – 9 % des actifs à l'agriculture, de plus en plus orientée vers l'élevage bovin : 680 000 têtes en 1965, 970 000 en 1970) et districts miniers et sidérurgiques (dens. = 148 en Moselle, 130 en Meurthe-et-Moselle) aux difficiles problèmes d'urbanisme. Metz, française depuis 1552, 51 000 hab. en 1871, 107 000 en 1962, forme un ensemble de 435 000 hab. avec Thionville (en expansion rapide) et le bassin ferrifère. Nancy*, cap. des ducs du

XIIe au XVIIIe s., française depuis 1766, a été stimulée par le développement industriel : 50 000 hab. en 1886, 102 000 en 1901, 135 000 en 1962 ; la ville forme un ensemble de 325 000 hab. avec Lunéville et Toul. L'avenir de cet « archipel urbain » réside dans l'aménagement et l'équipement décentralisé de l'« aire métropolitaine » centrée sur le sillon mosellan : 1 050 000 hab. en 1968 (43 % de la population globale sur 17 % de la superficie régionale), 1 500 000 hab. prévus pour 1985. « En lisière du Bassin parisien, proche du Rhin comme du Rhône, puisant dans la force du nombre et la valeur de ses traditions la volonté d'être le moteur d'une région neuve, elle permettra à la Lorraine de considérer sans crainte et ses voisins et l'avenir : c'est la solidarité pour mettre fin à l'inquiétude. »

LORRAINE *(Maison de)*. ♦ **V.** GUISE.

LORREZ-LE-BOCAGE. ♦ Ch.-l. de cant. de la Seine-et-Marne. Arr. de Melun. 646 hab. Ruines de remparts et d'un château (XVIe s.). Église (XIIIe s.).

LORRIS. ♦ Ch.-l. de cant. du Loiret, arr. de Montargis. 2 208 hab. *(Lorriçois)*. – Église (XIIe, XIIIe, XVe s.) ; petit hôtel de ville de style Renaissance ; halles en charpente (XVIe s.). ♦ *Hist.* La charte d'affranchissement accordée à la ville par Louis le Gros (« Coutumes de Lorris ») servit de modèle à de nombreuses coutumes communales aux XIIe et XIIIe siècles. – Patrie de Guillaume* de Lorris.

LOS ou **LOOS** *(îles de)*. ♦ Archipel côtier de la Guinée*, face à Conakry*. Importants gisements de bauxite dans les îles de Kassa et Tamara.

LOS ALAMOS. ♦ V. des États-Unis (Nouveau*-Mexique), au N.-E. de Santa Fe, dans la vallée du rio Grande. 12 584 hab. (1960). – Centre de recherches nucléaires (en relation avec les universités de Californie et du Nouveau-Mexique, à Albuquerque). ♦ *Hist.* La première bombe atomique fut expérimentée non loin de là, le 16 juillet 1945.

LOS ANGELES (familièrement L.A. [*elej*]). ♦ V. des États-Unis (Californie), près de la côte du Pacifique. La ville proprement dite compte 2 781 829 hab. (1970) et le district urbain (Los Angeles, Beverly* Hills, Burbank, Hollywood*, Culver City, Glendale*, Inglewood, Long* Beach, Santa* Anna, Santa* Monica, Torrance*, etc. **V.** *aussi* **Pasadena**) plus de 6 900 000 hab. (10 500 000 hab. prévus en 1975). Énorme agglomération à la population cosmopolite, étendue sur une surface de plus de 50 km de côté et formée de zones urbaines juxtaposées, sillonnée d'autoroutes, le district urbain de Los Angeles est un centre industriel de première importance, un grand complexe commercial et culturel (universités), où les problèmes sociaux et urbains, particulièrement aigus (pollution, équilibre urbanistique), manifestent plus qu'ailleurs les difficultés des villes des États-Unis. – L'académie militaire a été édifiée par R. Neutra. ♦ *Hist.* La ville fut fondée en 1781 par les Espagnols ; elle fut prise par les Américains en 1846. Elle se développa surtout après l'achèvement des grandes lignes de chemin de fer intercontinentales dont elle est le terminus (1876 : *Southern Pacific*, 1885, *Santa Fe Railroad*) et après la découverte de pétrole dans la région. L'indus. cinématographique, puis le développement de l'agriculture (fruits) et de l'indus. aéronautique ont aussi joué un rôle de premier plan.

LOS ÁNGELES. ♦ V. du Chili, ch.-l. de la prov. de Bío-Bío, située sur le Bío*-Bío. 80 000 hab. Centre commercial.

LOSEY (Joseph). ♦ Réalisateur américain de cinéma (La Crosse, Wisconsin, 1909). Il a débuté par la mise en scène de théâtre et recueilli la leçon de Bertolt Brecht, puis abordé le cinéma avec des œuvres qui dénoncent les maux dont souffre l'homme de notre temps. Conscience intransigeante et lucide, artiste dont l'élégance de style confine tantôt à la préciosité, tantôt à l'abstraction et au dépouillement, Losey s'adresse d'abord à la raison du spectateur, mettant successivement en accusation : le racisme, avec *Le Garçon aux cheveux verts* (*The Boy with green hairs*, 1948), *Haines* (*The Lawless*, 1949) ; la peine de mort (*Temps sans pitié*, *Time without Pity*, 1956) ; les erreurs de la justice (*L'Enquête de l'inspecteur Morgan*, *Blind Date*, 1959) ; l'univers concentrationnaire (*Les Criminels*, *Concrete Jungle*, 1960) ; la terreur atomique (*Les Damnés*, *The Damned*, 1961) ; la guerre (*Pour l'exemple*, *King and Country*, 1964) et divers facteurs d'aliénation, avec *Gypsy* (*The Gypsy and the Gentleman*, 1957), *Ève* (*Eva*, 1962), *The Servant* (1963), *Accident* (1967), *Boom* (1968), *Le Messager* (*The Go-Between*, 1970).

LOT (Ferdinand). ♦ Historien français (Le Plessis-Piquet, Seine, 1866 – Fontenay-aux-Roses, 1952). Enseignant à l'École pratique des hautes études puis à la Sorbonne (1903-1936), il se consacra à l'étude du Moyen Âge : *La Fin du monde antique et le début du Moyen Âge* (1927), *Les Invasions barbares et le peuplement de l'Europe* (1937), *La France et les origines de la guerre de Cent Ans*, *L'Art militaire et les armées du Moyen Âge* (1946). Il s'intéressa également à la littérature et à la philologie romanes. (Acad. inscr., 1924.)

LOT. *n. m.* ♦ Affl. de la Garonne*, traversant le Massif central et le bassin d'Aquitaine. 481 km. Le Lot prend sa source dans le mont Lozère, passe à Mende*, traverse les Causses en des gorges très profondes. Puis il reçoit la Truyère*, pénètre dans le Quercy, arrose Cahors*, décrit de nombreux méandres et conflue près d'Aiguillon*. De régime très irrégulier (pluvio-nival), il a deux maximums (avril, décembre).

LOT *(dép. du)*. **[46]**. ♦ Dép. du midi de la France (Bassin aquitain ; région [anciennement C.A.R.] Midi*-Pyrénées) formé par la majeure partie du Quercy* et qui appartenait à l'ancienne Guyenne*. 5 226 km². – *Orogr.* Les plateaux calcaires du Quercy* couvrent la presque totalité du département des causses de Martel au N., de Gramat* au centre, de Limogne au S., forment un ensemble aride et pauvre couvert de maigres pâturages et de forêts claires. Les cultures sont situées dans les dépressions argileuses. Les grandes vallées de la Dordogne*, du Lot*, du Célé* sont couvertes de cultures soignées.
♦ (30 cant., 340 comm., 157 318 hab.) *Préf.* Cahors*, *sous-préf.* Figeac*, Gourdon*. *Ch.-l. de cant.* Bretenoux (1 071 hab.), Cajarc*, Castelnau-Montratier (2 114 hab.), Catus (653 hab.), Cazals (449 hab.), Gramat*, Labastide*-Murat, Lacapelle-Marival (1 212 hab.), Lalbenque (876 hab.), Latronquière (672 hab.), Lauzès (187 hab.), Limogne (614 hab.), Livernon (324 hab.), Luzech*, Martel (155 hab.), Montcuq* (1 195 hab.), Payrac (512 hab.), Puy*-l'Évêque, Saint*-Céré, Saint-Germain-du-Bel-Air (409 hab.), Saint-Géry (345 hab.), Salviac (1 082 hab.), Souillac*, Sousceyrac (1 236 hab.), Vayrac (1 231 hab.). *Autres comm.* **V. Capdenac, Padirac, Rocamadour, Saint-Cirq-Lapopie.**

LOTA. ♦ V. et port du Chili*, dans la prov. de Concepción. 45 000 hab. Centre commercial. Traitement du cuivre. Exportation de houille.

LOT-ET-GARONNE *(dép. du)*. **[47]**. ♦ Dép. du S.-O. de la France, région (anciennement C.A.R.) d'Aquitaine*. 5 385 km². – *Orogr.* À part la zone de forêt landaise du S.-O., le département présente une unité géographique : collines de mollasses tertiaires ; les larges vallées alluvionnaires de la Garonne* et du Lot* sont les régions les plus fertiles et les plus peuplées.
♦ (35 cant., 326 comm., 297 437 hab.) *Préf.* Agen*, *sous-préf.* Marmande*, Nérac*, Villeneuve*-sur-Lot. *Ch.-l. de cant.* Astaffort*, Beauville*, Bouglar (540 hab.), Cancon (540 hab.), Casteljaloux*, Castelmoron*-sur-Lot, Castillonnès*, Damazan*, Duras*, Francescas (589 hab.), Fumel*, Houeillès*, Laplume (1 078 hab.), Laroque-Timbaut (1 040 hab.), Lauzun*, Lavardac (2 379 hab.), Mas*-d'Agenais (Le), Meilhan-sur-Garonne (1 467 hab.), Mézin*, Monclar (1 081 hab.), Monflanquin*, Penne*-d'Agenais, Port*-Sainte-Marie, Prayssas (881 hab.), Puymirol (758 hab.), Sainte-Livrade*-sur-Lot, Seyches (1 023 hab.), Tonneins*, Tournon d'Agenais (1 006 hab.), Villeréal (1 312 hab.). *Autre comm.* **V. Aiguillon.**

LOTH ou **LOT.** ♦ Personnage biblique (*Genèse*, XI-XIX), neveu d'Abraham. Il échappe à la destruction de Sodome*. Sa femme est changée en statue de sel pour avoir alors regardé en arrière. Ses filles, qui s'unissent à lui à son insu, donnent naissance à Moab* et à Ammon*.

LOTHAIRE Ier. ♦ (795 – Prüm, 855). Empereur d'Occident (840-855), roi d'Italie (822-855). Fils de Louis* le Pieux, il fut battu par ses frères Louis* le Germanique et Charles* le Chauve (841) et dut accepter le traité de Verdun* (843) : il reçut l'Italie, la Provence, la Bourgogne et les régions de l'est de la France, avec pour capitale Aix-la-Chapelle. Père de Louis* II, roi d'Italie, de Lothaire* II, roi de Lorraine, et de Charles, roi de Provence.

LOTHAIRE II. ♦ (v. 825 – Plaisance, 869). Roi de Lotharingie (855-869). Fils de Lothaire* Ier, il réunit Lyon, Arles et Vienne à son royaume, à la mort de son frère Charles, roi de Provence.

LOTHAIRE. ♦ (? – Turin en 950). Roi d'Italie (947-950). Fils de Hugues de Provence, il fut associé au trône dès 931, mais fut détrôné avec son père en 945 par Bérenger II, marquis d'Ivrée, qui lui rendit son trône en 947, mais le fit empoisonner trois ans plus tard.

LOTHAIRE. ♦ (Laon, 941 – Compiègne, 986). Roi de France (954-986). Fils de Louis* IV d'Outre-Mer, il régna sous la tutelle d'Hugues* le Grand. Il lutta contre Othon II, empereur germanique qui avait envahi la Lorraine (978). Père de Louis* V le Fainéant.

LOTHAIRE III DE SUPPLINBURG ou **DE SAXE.** ♦ (mort à Breitenwang, Tyrol, 1137). Empereur germanique (1125-1137). Successeur d'Henri* V, il supplanta Frédéric et Conrad de Hohenstaufen*, neveux d'Henri V, mais dut les combattre, déclenchant ainsi la querelle des guelfes* et des gibelins. Il concéda la marche nordique de Saxe (l'Altmark) à Albert* l'Ours. Descendu en Italie, il se fit couronner empereur par le pape Innocent* II (1133) qu'il soutenait contre Anaclet II et se fit concéder en fief les biens de la comtesse Mathilde. Il lutta contre Roger II de Sicile, partisan de l'antipape Anaclet II. Il eut pour successeur Conrad* III.

LOTHARINGIE. *n. f.* ♦ Royaume constitué en 855 par Lothaire* Ier en faveur de son fils Lothaire* II. Il s'étendait de la mer du Nord aux Alpes, entre la Meuse, l'Escaut et le Rhin. Partagé en 870 au traité de Mersen entre Louis le Germanique et Charles le Chauve, il passa de la France à la Germanie (923) pour être finalement partagé par Othon Ier en deux duchés en 959 : la Haute-Lotharingie ou Lorraine et la Basse-Lotharingie ou Lothier. **V. Lorraine.**

LOTHIANS. *n.m.pl.* ♦ Anc. région d'Écosse, située entre la Tweed et la Forth et correspondant aux trois comtés actuels d'East Lothian, Midlothian et Westlothian. ♦ *Hist.* Peuplée au VIe s. par les Angles, la région fit partie au VIIIe s. de la Northumbrie puis fut occupée à partir du IXe s. par les Écossais.

LOTI (Julien Viaud, dit Pierre). ♦ Écrivain français (Rochefort, 1850 – Hendaye, 1923). Élève de l'école navale, il fut officier de marine pendant quarante-deux ans, imprégnant une œuvre romanesque souvent autobiographique de ses souvenirs d'escales ou de

Arch. Rencontre

Lorenzo Lotto : « Portrait de jeune homme ». (Galerie de l'Académie, Venise.)

séjours outre-mer. Il évoque la Turquie dans *Aziyadé* (1879) ou *Les Désenchantées, roman des harems turcs contemporains* (1906); il peint la beauté luxuriante de l'Océanie dans *Rarahu* (1880; devenu *Le Mariage de Loti*, en 1882) ou la nature équatoriale dans *Le Roman d'un spahi* (1881), situé au Sénégal. L'Extrême-Orient, avec le Japon, sert de cadre à *Madame Chrysanthème* (1887) dont le succès fut immense (et inspira à André Messager* la partition musicale d'une comédie lyrique, puis à Puccini* celle de *Madame Butterfly*, 1904). Quant à la Bretagne et à la vie des marins, elles sont présentes dans *Mon Frère Yves* (1883) et *Pêcheur* d'Islande* (1886), comme le Pays basque (où Loti se retira à la fin de sa vie) dans *Ramuntcho* (1897). Esprit mobile, mélancolique, hanté par le problème du temps, Pierre Loti s'évada vers les pays exotiques dont il se montra un observateur sensible, plus délicat que lucide (car il vivait dans un milieu où le procès du colonialisme n'avait pas commencé), et donnant moins d'importance aux intrigues qu'aux atmosphères, décrites selon un art impressionniste. « Toujours à l'extrême pointe de la sensation... il ne séparait jamais l'expression des choses du subtil faisceau de sentiments qu'il éprouvait » [Frédéric Mallet]. (Acad. fr.)

LOTKA (Alfred). ♦ Démographe et statisticien américain d'origine autrichienne (Lemberg, Autriche, 1880 – New York, 1949). Il fut l'un des fondateurs de la démographie mathématique. De son étude sur l'évolution des populations soumises à des lois de fécondité et de mortalité constantes, il a dégagé les notions de population stable et stationnaire (*Théorie analytique des associations biologiques*, 1934-1939).

LOTOPHAGES, *n.m.pl.*, en gr. **Lôtophagoi** (« Mangeurs de lotus »). ♦ Peuple fabuleux dont parle Homère dans l'*Odyssée**. Ils accueillent chaleureusement Ulysse* et ses compagnons et leur offrent des fruits de lotus si savoureux que quiconque les mangeait oubliait aussitôt sa patrie. Ulysse doit contraindre ses compagnons, qui en avaient goûté, à reprendre la mer. On situait le pays des Lotophages sur la côte africaine de la Méditerranée.

Lötschberg *(chemin de fer du)*. ♦ Chemin de fer mettant en communication les vallées de l'Aar* (cant. de Berne) et du Rhône* (Valais) en unissant Spiez* à la ligne du Simplon* par un tunnel de 14,611 km sous les Alpes bernoises.

LOTTI (Antonio). ♦ Compositeur italien (Venise, v. 1667 – *id.*, 1740). Élève de Legrenzi, il se consacra d'abord à l'opéra et connut de vifs succès, tant en Italie qu'à Dresde, à la cour du prince de Saxe, et à Vienne. Revenu à Venise (1720), il ne composa plus que de la musique d'église (messes, motets, passions, oratorios, cantates), remarquable par la richesse de la polyphonie. Organiste, maître de chapelle (1736), il fonda une école réputée de chant et de composition où il eut Galuppi et Marcello pour élèves.

LOTTO (Lorenzo). ♦ Peintre italien (Venise, v. 1480 – Lorette, 1556). Formé sous l'influence d'Alvise Vivarini, de Murano, il conserva des traits quattrocentistes sous l'originalité de ses premières œuvres : *Saint Jérôme* (1506, Louvre), polyptyque de Recanati (1508). Sa carrière fut instable. Appelé à Rome en 1509 pour travailler aux Chambres du Vatican, il fut évincé (comme le Pérugin, Signorelli et d'autres) au profit de Raphaël*. À son retour à Venise (1513) il ne sut s'imposer face à Titien* et à la nouvelle école, et se fixa à Bergame (1518-1528) où il peignit de grandes compositions religieuses, notamment *Le Mariage de sainte Catherine* (1523, académie Carrara). Dès cette époque, outre un certain déséquilibre des compositions et un goût du fourmillement qui le rapprochent de l'art allemand, sa peinture manifeste un attrait pour les foules populaires, certainement en rapport avec son genre de vie et ses préoccupations religieuses. Ainsi en est-il de sa *Sainte Lucie* (1531, Jesi), de sa *Crucifixion* (1531, Monte San Giusto, près de Macerata), de ses *Aumônes de saint Antoine* (1542, Venise, église Saints-Jean-et-Paul). Il acheva sa vie comme oblat au couvent de la Santa Casa, à Lorette. Une part de son œuvre, peut-être la plus émouvante, consiste en portraits, d'une psychologie insinuante et mélancolique : *Portraits de jeune homme* de 1506-1510 (Vienne) ou de 1525 (Berlin), *Jeune Homme au béret* (1526, Milan), *Andrea Odoni* (1527, Hampton Court), *Vieillard* (1542, Milan).

LOTZE (Rudolf Hermann). ♦ Physiologiste et philosophe allemand (Bautzen, 1817 – Berlin, 1881). Considéré comme le fondateur de la psychophysiologie, il tenta surtout de concilier les résultats des sciences positives déterministes avec une métaphysique idéaliste, téléologique et éthique, qui s'apparente au monadisme leibnizien. (*Psychologie médicale*, 1852; *Système de philosophie*, 1874-1879.)

LOUANG-PRABANG. ♦ V. LUANG PRABANG.

LOUBET (Émile). ♦ Homme politique français (Marsanne, Drôme, 1838 – 1929). Député républicain modéré (1876-1885), membre du Sénat (1885-1899) dont il assura la présidence (1896), ministre des Travaux publics (1887-1888), puis de l'Intérieur (1892-1893), il fut élu à la présidence de la République à la mort de Félix Faure. En dépit des mouvements antidreyfusards (dont il fut lui-même victime à Auteuil), il gracia Dreyfus*. Son septennat (1899-1906) fut marqué par une politique anticléricale et une importante activité diplomatique (voyages du président en Russie, en Grande-Bretagne, en Italie).

LOUCHEUR (Louis). ♦ Homme politique français (Roubaix, 1872 – Paris, 1931). Député (1919-1931), plusieurs fois ministre de 1916 à 1931, il fut chargé du portefeuille du Travail et de la Prévoyance sociale (1926-1930) et, dans ces fonctions, fit adopter en 1928 la loi sur les habitations à bon marché pour remédier à la crise du logement *(loi Loucheur)*.

LOUDÉAC. ♦ Ch.-l. de cant. des Côtes*-du-Nord, arr. de Saint-Brieuc, 8 195 hab. *(Loudéaciens)*. – Église Saint-Nicolas, reconstruite au XVIIIe siècle. – Foires importantes. – Coopérative laitière; abattoirs industriels.

LOUDUN. ♦ Ch.-l. de cant. de la Vienne, arr. de Châtellerault. 7 315 hab. [6 118 aggl.] *(Loudunais)*. – Église Saint-Pierre (XIVe-XVIe s.). Église Saint-Hilaire du Martray (XIVe s.). Anc. église Sainte-Croix (XIe s.) auj. marché. Donjon du XIIe siècle. Vestiges de l'anc. enceinte. Hôtels et maisons anc. – Viticulture. Textile; confection, chaussures. Ameublement. ♦ *Hist.* Les réformés y tinrent plusieurs synodes. En 1616, Marie de Médicis y signa un traité avec les nobles rebelles, parmi lesquels Condé. Le couvent des Ursulines fut le siège d'une célèbre affaire de sorcellerie (dite « des possédées de Loudun ») dans laquelle fut impliqué Urbain Grandier*. – Patrie de Scévole de Sainte-Marthe (1536 – 1623), jurisconsulte et poète; de Théophraste Renaudot*.

LOUE. *n. f.* ♦ Riv. de France (125 km). Née d'une résurgence d'une source jurassienne (découverte par E. Martel*), elle arrose Ornans*, Quingey*, Arc*-et-Senans et se jette dans le Doubs* (affl. r. d.) en aval de Dole.

LOUÉ. ♦ Ch.-l. de cant. de la Sarthe, arr. du Mans. 1 903 hab. *(Louésiens)*. Château de Coulaines, du XVe s., aux environs.

LOUGANSK ou **LUGANSK.** ♦ V. VOROCHILOVGRAD.

LOUGHBOROUGH. ♦ V. d'Angleterre (Leicestershire), sur la Soar, au N. de Leicester. 38 620 hab. – Université. Marché agricole et centre industriel (bonneterie, fonderie de cloches).

LOUHANS [luã]. ♦ Sous-préf. de Saône-et-Loire, ch.-l. d'arr. (8 cant., 82 comm., 55 517 hab.), située au centre de la Bresse* louhannaise, sur la Seille. 4 358 hab. *(Louhannais)*. Maisons des XVIIe et XVIIIe siècles. Église de la fin du XVe siècle. L'hôtel-Dieu (XVIIIe s.) renferme une remarquable pharmacie ancienne (boiseries, poteries). – Marché agricole (beurre, volailles, œufs). Conserveries. Confection.

LOUIS (Saint). ♦ LOUIS IX *(de France)*.

LOUIS. ♦ Nom porté par de nombreux souverains (allem. *Ludwig*; esp. *Luís)* classés dans l'ordre suivant : a) ducs de Bavière : b) comte de Flandre; c) rois de France (et dauphins); d) rois de Germanie, empereurs d'Occident et germaniques; e) rois de Hongrie; f) rois de Naples; g) roi du Portugal; h) landgraves de Thuringe.

LOUIS Ier DE KELHEIM ou **LOUIS Ier DE WITTELSBACH.** ♦ (Kelheim, 1174 – *id.*, 1231). Duc de Bavière (1183-1231). Fils d'Othon* de Wittelsbach, il fut également investi du Palatinat rhénan par l'empereur Frédéric II (1214), mais cessa de le soutenir lorsque ce dernier fut excommunié.

LOUIS II le Sévère ou **LOUIS II DE WITTELSBACH.** ♦ (Heidelberg, 1229 – *id.*, 1294). Duc de Bavière (1253-1294), fils d'Othon II l'Illustre. Il partagea l'héritage paternel avec son frère Henri et administra la Haute-Bavière et le Palatinat rhénan. Père de l'empereur Louis* IV.

LOUIS Ier DE WITTELSBACH. ♦ (Strasbourg, 1786 – Nice, 1868). Roi de Bavière (1825-1848). Fils de Maximilien* Ier, il servit dans l'armée napoléonienne, mais son patriotisme romantique, qui l'opposait à la domination française, lui valut une grande popularité. Après son avènement, il prit d'abord des mesures conformes à ses idées libérales. Il fut cependant conduit dès 1831 à adopter une politique autoritaire. Cultivé, amateur d'art et philhellène (il fit de son fils Othon un roi de Grèce), il était un mécène fastueux et chercha à faire de Munich, qu'il couvrit de monuments néo-classiques, un centre culturel européen. Les dépenses qui découlèrent d'une telle attitude et son catholicisme intransigeant provoquèrent une vive opposition que porta à son comble l'emprise que prit sur lui Lola Montès. Il fut contraint à abdiquer en faveur de son fils Maximilien* II et passa le reste de sa vie à l'étranger. Malgré ses ambitions et son désir d'indépendance, il avait dû laisser la Bavière entrer dans le Zollverein* en 1833.

LOUIS II DE WITTELSBACH ou **DE BAVIERE.** ♦ (Nymphenburg, 1845 – Berg, 1886). Roi de Bavière (1864-1886). Il succéda très jeune à son père Maximilien* II. Idéaliste, romantique, à la fois enthousiaste et dépressif, il se voulut avant tout un mécène, et combla de faveurs Wagner* dont il était un admirateur passionné. Bien qu'il semble avoir pris très tôt conscience du caractère inévitable de l'hégémonie prussienne, il laissa gouverner ses ministres; Ludwig von der Pfordten rangea la Bavière aux côtés de l'Autriche en 1866; Hohenlohe*-Schillingsfürst, qui le remplaça, devait l'orienter vers l'alliance prussienne, et, en 1870, Louis II accepta de signer la lettre qui proposait au roi de Prusse la couronne impériale. Les avantages qu'il attendait en retour ne lui furent pas accordés. La vive résistance intérieure que le pays opposa à cette politique, son refus des mesures favorables au catholicisme et les limites que la constitution imposait au pouvoir royal contribuèrent à détacher totalement de sa tâche le roi qui acheva de s'isoler dans ses résidences : son goût de la construction avait tourné à la manie, et il avait multiplié les châteaux à l'architecture fantastique, inspirée des légendes allemandes reprises par Wagner, ou de Versailles (Neuschwanstein, Berg, Linderhof, Herrenchiemsee, Hohenschwangau). La croissance des dépenses royales amena finalement le ministère à faire interner Louis II. Conduit au château de Berg, il devait s'y noyer ainsi que son médecin, dans des circonstances restées incertaines. Il avait refusé de se marier, son frère, Othon, était lui-même déjà interné, et la régence fut assurée par son oncle, Léopold.

LOUIS III DE WITTELSBACH. ♦ (Munich, 1845 – Savar, Hongrie, 1921). Roi de Bavière (1913-1918). Il devint régent à la suite de son père Léopold* (1912), et roi après la déposition d'Othon. Il dut abdiquer lors de la révolution de 1918.

LOUIS DE NEVERS. ♦ (? – Crécy, 1346). Comte de Flandre (1322-1346). Il succéda à son grand-père Robert* III de Béthune. Ses sujets s'étant révoltés, il fit appel au roi de France Philippe VI qui les vainquit au mont Cassel (1328). Sa politique d'alliance avec la France lors de la guerre de Cent Ans provoqua la réaction du roi d'Angleterre Édouard III qui mit l'embargo sur l'exportation des laines vers la Flandre. Une crise économique s'ensuivit et Jacob Van* Artevelde conduisit la révolte de Gand (1337). Louis de Nevers chassé de ses États se réfugia en France où il participa à la guerre de Cent Ans. – Père de LOUIS DE MALE (Male, près de Bruges, 1330 – Saint-Omer, 1384), qui dut faire face à une révolte de Gand (1379) dirigée par Philip Van* Artevelde et se réfugia en France. Charles VI vainquit les Gantois à Rozebeke (1382). – Sa fille Marguerite de Male ayant épousé le duc de Bourgogne Philippe le Hardi, la Flandre passa à la Bourgogne à sa mort.

LOUIS Ier *(de France).* ♦ **V.** LOUIS Ier *le Pieux* (empereur d'Occident).

LOUIS II le Bègue ou **le Fainéant.** ♦ (846 – Compiègne, 879). Roi de France (877-879). Fils de Charles* le Chauve et père de Carloman*, Charles* III le Simple, et Louis* III.

LOUIS III. ♦ (v. 863 – Saint-Denis, 882). Roi de France (879-882). Fils de Louis* II, il régna avec son frère Carloman*. Il céda à Louis III le Jeune, roi de Germanie, la Lotharingie occidentale (880). Il eut pour successeur Charles* III le Gros.

LOUIS IV d'Outre-Mer. ♦ (921 – Reims, 954). Roi de France (936-954). Fils de Charles* le Simple, il fut élevé en Angleterre, puis régna sous la tutelle d'Hugues* le Grand. Père de Lothaire*.

LOUIS V le Fainéant. ♦ (v. 967 – Compiègne, 987). Roi de France (986-987). Fils de Lothaire*, il fut le dernier des Carolingiens*.

LOUIS VI le Gros. ♦ (v. 1081 – Paris, 1137). Roi de France (1108-1137). Fils de Philippe Ier et de Berthe* de Hollande, mari de Lucienne de Rochefort puis d'Adélaïde* de Savoie. Il pacifia son domaine d'Île-de-France en détruisant la puissance des seigneurs pillards. Il s'appuya sur l'Église en s'entourant de conseillers ecclésiastiques **(V. Suger)** et sur le peuple. Il encouragea le mouvement communal et mit le domaine royal en valeur, y attirant des paysans par l'octroi de chartes. Il tenta d'enlever la Normandie au roi d'Angleterre Henri Ier pour la donner au neveu de ce prince, Guillaume Cliton, mais, vaincu, fit la paix (1119). Lorsque le gendre et l'allié du roi d'Angleterre, l'empereur Henri V, envahit la Champagne, Louis VI obtint l'aide des grands vassaux; l'empereur se retira alors sans combattre, augmentant ainsi le prestige royal (1124). Peu avant sa mort, Louis VI maria son fils **(V. Louis VII)** avec Aliénor*.

LOUIS VII le Jeune. ♦ (v. 1120 – Paris, 1180). Roi de France (1137-1180). Fils de Louis VI et d'Adélaïde* de Savoie. Par son mariage avec Aliénor* d'Aquitaine (1137), il acquit une partie du Midi et de l'Ouest de la France. Il se brouilla avec le Saint-Siège au sujet du titulaire de l'archevêché de Bourges. Le protégé papal s'étant réfugié auprès du comte Thibaud de Champagne, il envahit la Champagne (1142), mais, le pape étant intervenu, il dut accepter de l'évacuer. Pour sceller son accord avec la papauté, il participa à la deuxième croisade* (1147-1149) et confia la régence à son ministre Suger*. Il soutint le pape Alexandre III contre l'empereur Frédéric Barberousse. Par la publication des premières ordonnances royales, il augmenta l'autorité monarchique mais commit l'erreur politique de répudier Aliénor d'Aquitaine (1152). Cette dernière reprit sa dot et épousa peu après Henri Plantagenêt, Henri* II d'Angleterre en 1154, constituant par l'étendue de ses domaines une grave menace pour la France. Veuf de Constance* de Castille, Louis VII épousa Adèle* de Champagne (1160) qui fut la mère de Philippe* II Auguste.

LOUIS VIII le Lion. ♦ (Paris, 1187 – Montpensier, Auvergne, 1226). Roi de France (1223-1226). Fils de Philippe* Auguste. Vainqueur de Jean* sans Terre à la Roche-aux-Moines, près d'Angers (1214), il lui fut opposé comme roi d'Angleterre lors de la révolte des barons anglais, débarqua en Angleterre (1216) mais fut vaincu en 1217. Devenu roi, il enleva aux Anglais le Poitou et l'Aunis (1224). Au cours de la croisade contre les albigeois*, il conquit Avignon (1226). Il constitua des apanages pour ses fils : l'Artois à Robert, l'Anjou et le Maine à Charles, le Poitou et l'Auvergne à Alphonse* (II de France). Mari de Blanche* de Castille; père de Louis* IX.

LOUIS IX ou **SAINT LOUIS.** ♦ (Poissy, 1214 – devant Tunis, 1270). Roi de France (1226-1270). Fils de Louis* VIII. Il régna d'abord sous la régence de sa mère Blanche* de Castille (1226-1242). Celle-ci vainquit les grands vassaux révoltés, notamment Pierre Mauclerc, duc de Bretagne, et Philippe Hurepel, comte de Boulogne, mit fin à la guerre contre les albigeois (1229) et le maria à Marguerite* de Provence (1234). Louis IX dut réprimer dans le Sud-Ouest une nouvelle révolte féodale soutenue par le roi d'Angleterre Henri III qu'il vainquit à Taillebourg* et à Saintes* (1242). Confiant la régence à sa mère, il fit la septième croisade* en Égypte, prit Damiette* (1249) mais fut vaincu et fait prisonnier à Mansourah* (1250). Libéré contre rançon et reddition de Damiette, il passa quatre ans en Syrie, qu'il fortifia, tandis que la France connaissait la révolte des pastoureaux*. Il signa à Corbeil un traité avec Jacques Ier d'Aragon qui renonçait à sa suzeraineté sur la Provence et le Languedoc (à l'exception de Montpellier) en échange de l'abandon des droits français sur la Catalogne et le Roussillon (1258). Il régla le conflit avec l'Angleterre par le traité de Paris, cédant aux Anglais, notamment, le Limousin, le Quercy et le Périgord contre abandon des prétentions sur la Normandie, le Maine, l'Anjou, la Touraine et le Poitou et reconnaissance de vassalité pour la Guyenne (1259). Chrétien accompli, il fut soucieux de faire régner la justice mais aussi d'accroître l'autorité royale, faisant faire des enquêtes sur l'administration des baillis et sénéchaux, confiant à des légistes le soin de rendre la justice à la cour (ce fut l'origine du Parlement), développant la juridiction d'appel. Il interdit les guerres privées, les tournois et le duel judiciaire. Il ordonna que la monnaie royale eût cours dans tout le royaume. Il fit construire la Sainte*-Chapelle (1248), fonda l'hospice des Quinze-Vingts (1254) et confirma la fondation de la Sorbonne (1257). La France, où enseignèrent saint Thomas* d'Aquin, saint Bonaventure*, Albert* le Grand, Roger Bacon*, Siger* de Brabant, connut un rayonnement tant intellectuel et artistique que moral. De toute l'Europe chrétienne, on sollicitait médiation du roi de France dans les conflits : ainsi à Amiens en 1264, il se déclara en faveur d'Henri III contre les barons anglais révoltés. Hors d'Europe, Louis IX envoya des ambassades chez les Mongols **(V. Rubruquis** [Guillaume *van*]**).** Il mourut de la peste lors de la huitième croisade* entreprise dans l'espoir de convertir le sultan de Tunisie (1270). – Sa vie nous est bien connue par les écrits de Joinville*. Père de Philippe* III et de Robert* de Clermont, il fut canonisé par Boniface VIII (1297).

LOUIS X le Hutin ou **le Querelleur.** ♦ (Paris, 1289 – Vincennes,

Ph. Tétrel

Louis VI le Gros fait pendre les pillards de l'Île-de-France. Les Grandes Chroniques de France. (Bibl. nat., Paris.)

1316). Roi de France (1314-1316). Roi de Navarre par sa mère (1305-1316). Fils de Philippe* IV le Bel. Il fit face à des révoltes, notamment celle de seigneurs qu'il calma par des concessions et par le jugement d'Enguerrand de Marigny*. Il se procura de l'argent en vendant des chartes d'affranchissement aux serfs et en dépouillant les juifs et les Lombards. Veuf de Marguerite* de Bourgogne, il épousa Clémence de Hongrie qui fut la mère de Jean* Ier. Jean Ier n'ayant pas vécu, ce fut le frère de Louis X, le régent Philippe* V qui lui succéda.

LOUIS XI. ♦ (Bourges, 1423 – Plessis-lez-Tours, 1483). Roi de France (1461-1483). Fils de Charles* VII, il se révolta contre son père en participant à la Praguerie* (1440). Pardonné, on l'envoya gouverner le Dauphiné, mais il se révolta de nouveau en 1455 et dut s'enfuir auprès du duc de Bourgogne Philippe III le Bon. Devenu roi, il engagea la lutte contre la noblesse qui forma contre lui la ligue du Bien public. Après la bataille indécise de Montlhéry (1465), il dut faire des concessions, notamment l'octroi de la Normandie à son frère Charles de Berry, aux traités de Conflans et de Saint-Maur (1465). Cependant, lui ayant retiré ce don (1466), Louis XI dut faire face à une nouvelle révolte féodale dont les chefs étaient le nouveau duc de Bourgogne, Charles* le Téméraire, et François* II de Bretagne, avec qui il signa le traité d'Ancenis (1468). Tandis qu'il encourageait en sous-main les révoltes de Liège et de Gand, Louis XI commit l'imprudence de rencontrer Charles le Téméraire à Péronne (1468). Le duc, ayant appris la perfidie du roi, le retint prisonnier, ne le libéra que contre la cession de la Champagne à son allié le frère du roi et le contraignit à assister à la répression de la révolte de Liège. Après avoir échangé la lointaine Guyenne contre la Champagne, Louis XI emprisonna son conseiller La* Balue accusé de trahison et fit annuler le traité de Péronne (1470). Il encouragea les ennemis de Charles, fit la paix à Picquigny* avec le roi d'Angleterre Édouard IV qui avait débarqué en France et détruisit la puissance des grands féodaux (Armagnac, Alençon, Saint-Pol, Nemours). Charles le Téméraire envahit la Picardie mais échoua devant Beauvais (1472). À sa mort (1477), Louis XI tenta de s'approprier son héritage mais il fut battu à Guinegatte par Maximilien d'Autriche, époux de Marie de Bourgogne, fille du Téméraire (1479). Cependant, au traité d'Arras (1482), Louis XI se fit céder le duché de Bourgogne et la Picardie. Il augmenta également le domaine royal par l'héritage de l'Anjou, du Maine et de la Provence (1480-1481). **V. René Ier le Bon.** S'entourant surtout de conseillers de basse extraction au détriment des princes et des puissants seigneurs **(V. Le Dain** [Olivier], **Pot** [Philippe], **Tristan l'Hermite)** et d'hommes de guerre **(V. Crèvecœur** [Philippe *de*], **Chabannes** [Antoine *de*], **Gié)**, il consolida l'autorité royale, ne convoquant qu'une fois les états généraux (1470), centralisant la justice et les finances, augmentant l'armée, créant des parlements (Grenoble, Bordeaux, Dijon). Il favorisa la reprise économique, attirant les marchands étrangers par des exemptions d'impôts, créant les premières postes, améliorant les routes, encourageant les foires de Lyon, l'implantation de l'imprimerie et des premières manufactures de soieries. Réaliste et rusé, il pratiqua une politique sans scrupules et se fit craindre plutôt qu'aimer. Son principal moyen de gouverner fut une diplomatie retorse, appuyée sur l'argent avec lequel il achetait ses adversaires. Il fut l'un des rois de France qui contribua le plus à l'unité nationale; à sa mort, le domaine royal coïncidait presque avec la France actuelle. Il épousa Marguerite* d'Écosse, puis Charlotte* de Savoie qui fut la mère de Charles* VIII et d'Anne* de France. Sa vie nous est connue par les écrits de Philippe de Commynes*.

LOUIS XII. ♦ (Blois, 1462 – Paris, 1515). Roi de France (1498-1515). Fils de Charles d'Orléans* et de Marie de Clèves, il fut contraint par Louis* XI, qui voulait éteindre sa lignée, à épouser Jeanne* de France. Avant d'accéder au trône, il avait pris la tête de la Guerre* folle, avait été vaincu à Saint-Aubin-du-Cormier et emprisonné. Puis il s'était réconcilié avec Charles VIII et avait pris part aux guerres d'Italie. Dès son avènement au trône, il fit annuler son mariage pour épouser Anne* de Bretagne, veuve de Charles VIII, montra une rare clémence vis-à-vis de ses anciens adversaires, et se jeta dans l'aventure italienne, poussé par ses droits sur l'héritage des Visconti*. Le Milanais fut conquis par le condottiere Trivulce* (1499), perdu puis repris (1501), et Ludovic* Sforza fut emprisonné à Loches. Le roi s'allia ensuite à Ferdinand* d'Aragon pour s'emparer du royaume de Naples mais, Ferdinand étant passé dans le camp adverse, les Français en furent chassés (1504). Par le traité de Blois, Louis XII dut donner en dot à sa fille, fiancée au petit-fils de Ferdinand (le futur Charles* Quint), le Milanais, Gênes, la Bourgogne et la Bretagne. Ce traité devait être bientôt annulé par les états généraux de Tours. Le roi s'engagea alors dans la ligue de Cambrai*, après s'être emparé de Gênes. La victoire d'Agnadel* (1509) fut suivie d'un renversement des alliances et la Sainte Ligue (Venise, l'Espagne, l'Empire et l'Angleterre) fut formée contre la France. Après des victoires inutiles comme Ravenne*, la France fut vaincue par les Suisses à Novare* (1513) et par les Anglais à Guinegatte*, tandis que la Suisse envahissait la Bourgogne. Le règne se terminait donc de façon désastreuse sur le plan militaire, malgré la signature de la paix avec l'Angleterre, par laquelle Louis XII épousa Marie* d'Angleterre. Sur le plan intérieur, il avait été plus heureux, comme le témoigne le surnom de « Père du peuple » qui fut donné au roi. Les ressources tirées d'Italie avaient permis de diminuer les impôts; la noblesse avait été occupée par les guerres. Sous l'impulsion du cardinal d'Amboise*, la justice avait été améliorée et les coutumes codifiées (ordonnance de 1499). Louis XII, qui n'avait pas de fils, laissa son royaume à François d'Angoulême, le futur François* Ier.

LOUIS XIII. ♦ (Fontainebleau, 1601 – Saint-Germain-en-Laye, 1643). Roi de France (1610-1643), fils d'Henri IV et de Marie de Médicis, il n'avait que neuf ans à la mort de Henri IV, et Marie* de Médicis assura la régence avec Concini*, tenant son fils à l'écart. Celui-ci fit assassiner Concini en 1617, aidé de Luynes*, auquel il laissa le pouvoir. Marie de Médicis prit alors les armes à la tête des Grands; elle fut battue aux Ponts*-de-Cé (1620). Cependant, Luynes avait attaqué les protestants et essuya un échec devant Montauban (1621). Sa mort fut suivie d'une période trouble au cours de laquelle Richelieu présida à la réconciliation de la mère et du fils et prit de plus en plus d'ascendant. Dès lors, l'action politique de Louis XIII se confond avec celle de son ministre **(V. Richelieu)**, qu'il soutint en toutes circonstances **(V. Dupes** [journée des]**)**, malgré les cabales et les complots noués par sa mère, sa femme ou son frère. Ceux-ci étaient d'ailleurs encouragés par l'absence de dauphin, qui dura jusqu'en 1638. Fidèle à son choix entre les deux partis opposés, celui de la paix, favorable à une alliance avec l'Espagne (championne du catholicisme, auquel appartenaient tout son entourage et le parti des dévôts), et celui d'une certaine grandeur française s'appuyant sur les puissances protestantes contre l'Espagne, ce fut cette dernière politique que le roi poursuivit, même après la mort du cardinal (1642) auquel il survécut quelques mois. Louis XIII ne fut pas le souverain fantoche qu'on dépeint parfois; aucune décision de Richelieu ne fut prise sans son consentement et ce fut lui qui fit preuve de la plus grande sévérité en face des responsables des complots.

LOUIS XIV le Grand. ♦ (Saint-Germain-en-Laye, 1638 – Versailles, 1715). Roi de France (1643-1715). Fils de Louis* XIII et d'Anne* d'Autriche, il n'avait que cinq ans à la mort de son père. La régence, que sa mère exerça avec l'aide de Mazarin*, fut troublée par la Fronde **(V. Fronde)**; elle devait marquer profondément le jeune roi et lui inspirer le culte de l'absolutisme et la crainte de résider à Paris. Son éducation, sans être négligée, resta rudimentaire, mais Mazarin prit grand soin de son initiation aux affaires. Le traité des Pyrénées* (1659), qui vint compléter celui de Westphalie* (1648), conclut son mariage avec l'infante Marie*-Thérèse; il contenait en germe toute la politique étrangère du règne. Le premier acte politique de Louis XIV quand il prit réellement le pouvoir, à la mort de Mazarin, fut l'arrestation de Fouquet* (1661), véritable coup de théâtre qui révéla une énergie que rien n'avait laissé prévoir. En même temps, le roi affirmait sa décision de gouverner par lui-même. Le désir général d'ordre, issu de la Fronde, lui permit de porter l'absolutisme à son paroxysme, n'ajoutant à une longue tradition de la monarchie française que la notion de droit divin, née des troubles du XVIe s. et déjà adoptée par Jacques* Ier ou Charles* Ier en Angleterre (Bossuet* la définit et la justifia dans sa *Politique tirée de l'Écriture sainte)*. Le roi concentra tous les pouvoirs entre ses mains, se gardant toujours de se laisser influencer par sa famille, qu'il tint à l'écart des affaires, par ses maîtresses (La* Vallière, Montespan*,...) malgré leur situation officielle et les honneurs qui entourèrent leurs enfants, ou même par Mme de Maintenon*, qu'il épousa secrètement, mais qui n'eut jamais un rôle déterminant. Les ministres devinrent de simples exécutants dont il pouvait prendre conseil (Conseil-d'en-Haut) : ils provinrent d'abord du personnel politique de Mazarin (Colbert*, Lionne*, Le* Tellier); comme leurs successeurs (Louvois*, Pomponne*), ils étaient pour la plupart issus de la bourgeoisie. La noblesse, en dehors de ses emplois militaires, fut réduite à un rôle de pure figuration, les corps intermédiaires traditionnels

Ph. Nimatallah/Ricciarini

Louis XIV, par Rigaud. (Musée du Prado, Madrid.)

(parlements) paralysés, et le gouvernement s'exerça à travers l'administration, émanation directe du pouvoir central, doublée d'une police tracassière. Parallèlement se développait une sorte de mystique du pouvoir absolu, du « Roi-Soleil », incarné en un personnage presque supra-terrestre, dont le culte fut consacré par Versailles, où le roi s'installa définitivement en 1672. Un tel régime amena une politique de prestige et de conquête. Celle-ci marqua l'économie elle-même **(V. Colbert),** qui connut un essor remarquable au début du règne, dans le cadre d'un dirigisme étatique plus tard paralysant. Sur le plan diplomatique, le désir d'affirmer la suprématie française fut à la source de multiples incidents (Alexandre* VII dut faire une réparation humiliante pour une injure faite à l'ambassadeur Créqui*), et naturellement se traduisit sur le plan militaire. La guerre de Dévolution* (1667-1668), malgré une campagne victorieuse, fut arrêtée par la Triple Alliance* formée par la Hollande avec l'Angleterre et la Suède. Le roi déclara alors la guerre à la Hollande (1672-1678), après s'être assuré l'appui de l'Angleterre (traité de Douvres*) et la neutralité de la Suède et des provinces allemandes (mission de Pomponne). La paix de Nimègue*, qui suivit l'inondation de la Hollande et une nouvelle coalition, marqua l'apogée du règne à l'intérieur et à l'extérieur, et c'est alors que Paris donna à Louis XIV le titre de *Grand.* Les dix années qui suivirent (1679-1689) ne furent cependant pas moins agressives : la France procéda à un certain nombre de « réunions » tandis que se poursuivait un conflit avec le pape **(V. Régale)** et que les petites puissances étaient traitées sans ménagement (bombardement de Gênes, 1684). L'accession de Guillaume* III au trône d'Angleterre, la mort de l'électeur de Bavière et la révocation de l'édit de Nantes* achevèrent de dresser l'Europe pour la guerre de la ligue d'Augsbourg* (1688-1697). Celle-ci s'acheva moins mal qu'on aurait pu le craindre (paix de Ryswick*), mais la guerre de la Succession d'Espagne [1701-1713] **(V. Succession)** mit la France au bord de la ruine. Les traités d'Utrecht* et de Rastadt* furent honorables, grâce à diverses circonstances dont la victoire de Villars* à Denain* (1712), mais le pays était économiquement épuisé. Si un sursaut national avait soutenu l'effort du roi à la fin de la guerre, il n'en existait pas moins une profonde division politique due à l'opposition aristocratique cristallisée autour de Fénelon*, Saint-Simon*, Beauvillier*, qui avaient mis un moment leur espoir dans le duc de Bourgogne. Les luttes religieuses qui allèrent en se durcissant constituaient un autre facteur de division. Sa conversion, sous l'influence de Mme de Maintenon, n'avait pu que renforcer le roi dans son désir autoritaire de vaincre l'hétérodoxie. La plus lourde de conséquences fut la lutte contre le protestantisme **(V. Nantes,** [*Révocation de l'édit de*]**),** mais les luttes contre le quiétisme* et le jansénisme* furent, elles aussi, des échecs. L'aspect positif du règne doit être cherché dans l'acquisition de frontières et le rayonnement culturel incontestable de la France, qui caractérise le *siècle de Louis XIV.* Ce cas assez rare de réussite d'un art officiel peut être considéré comme le fruit d'une époque. Il est cependant certain que le mécénat royal a contribué à l'essor de la vie artistique et littéraire. Les goûts personnels du roi ont peut-être joué un rôle dans l'épanouissement du classicisme français au milieu d'une Europe universellement baroque, et sa personnalité put contribuer au prestige de la royauté française, par la haute idée qu'il se faisait de ses devoirs et de ses droits, et le courage dont il sut faire preuve en face des deuils et des difficultés de la fin de son règne.

LOUIS DE FRANCE, *duc de* **Bourgogne.** ♦ (Versailles, 1682 – 1712). Fils de Louis de France, dit le « Grand Dauphin », et de Marianne de Bavière, petit-fils de Louis XIV, il devint dauphin à la mort de son père. Son gouverneur, le duc de Beauvillier* et son précepteur Fénelon* lui inculquèrent une religion profonde et des idées de réforme aristocratique et libérale. Il se révéla un piètre homme de guerre et mourut peu après. Il eut pour fils Louis XV.

LOUIS XV le Bien-Aimé. ♦ (Versailles, 1710 – *id.,* 1774). Roi de France (1715-1774). Arrière-petit-fils de Louis XIV et fils du duc de Bourgogne, il monta sur le trône à l'âge de cinq ans. Tandis qu'il était élevé par Mme de Ventadour, puis par le maréchal de Villeroi*, le pays fut gouverné par Philippe d'Orléans* **(V. Régence).** À la mort de ce dernier, le pouvoir fut exercé par le duc de Bourbon* (1723-1726), qui maria le roi à Marie* Leszczyńska (de cette union devaient naître dix enfants dont six filles et un fils survécurent). Le cardinal de Fleury* lui succéda et conserva la direction des affaires jusqu'à sa mort (1743). Le roi décida alors de gouverner lui-même. Intelligent, mais sceptique, velléitaire et faible, en même temps jaloux d'une autorité qu'il exerçait par saccades, il devait avoir une politique versatile, soumise à l'influence de ses favoris ou de ses maîtresses (Mme de Châteauroux, Mme de Pompadour*, Mme Du* Barry). L'ensemble du règne devait être marqué par le problème des finances : dans un état désastreux après l'échec de Law*, elles avaient été assainies par Fleury qui pratiqua une politique d'économie et de retour au colbertisme, traduite par une amélioration du commerce (colonies) et de la fiscalité. Cependant, de nouveaux besoins naquirent bientôt de la politique étrangère. En effet, après la guerre de Succession* de Pologne qui valut à la France la Lorraine, en dépit de sa participation restreinte, vint la guerre de Succession d'Autriche **(V. Succession d'Autriche);** malgré d'éclatantes victoires, elle ne devait rien rapporter au pays et provoqua le mécontentement de l'opinion. Celle-ci fut encore davantage heurtée par le renversement des alliances accompli par Bernis* et le « secret du roi », diplomatie parallèle ignorée des ministres. Il eut pour conséquence la guerre de Sept* Ans qui se poursuivit à la fois sur terre et sur mer, aboutit à un échec malgré les efforts de Choiseul*, et consacra la suprématie anglaise et la fin des possessions coloniales françaises. Pourtant, l'opinion fut favorable à cette paix désastreuse. Quant aux mesures de Choiseul, qui devaient porter leurs fruits sous le règne suivant, elles détournèrent son attention des problèmes intérieurs. Or, l'opposition parlementaire atteignait alors son paroxysme. Rétablis dans leurs pouvoirs sous la Régence, les parlements avaient déjà manifesté leur hostilité sous le ministère de Fleury. Défendant en fait les privilèges contre les réformes royales, ils faisaient figure de défenseurs des libertés publiques face au despotisme, et étaient soutenus par tout le mouvement des philosophes et de l'Encyclopédie. Leur lutte se poursuivit sur le terrain religieux avec la querelle du jansénisme*. Au moment de la guerre de Sept Ans, Louis XV avait soutenu la politique réformatrice de Machault* d'Arnouville. Il l'abandonna quelques années après, devant la violence de l'opposition dont il prit conscience lors de l'attentat de Damiens* (1757). Choiseul devait poursuivre cette politique de faiblesse (renvoi des Jésuites, 1764), qui se transforma en réaction autoritaire en 1770, avec le triumvirat Maupeou*-Terray*-d'Aiguillon*. Les parlements furent renvoyés, mais la mesure venait trop tard car la mort du roi allait mettre un terme à cette politique. S'il laissait une monarchie affaiblie, le règne de Louis XV n'en avait pas moins été caractérisé par une grande prospérité du pays, favorisée par une conjoncture favorable, et par un rayonnement que la civilisation française n'avait pas atteint depuis le XIIIe siècle.

Ph. Lauros-Giraudon

Louis XV, par Carle van Loo.
(Musée des Beaux-Arts, Orléans.)

LOUIS. ♦ Dauphin de France (Versailles, 1729 – Fontainebleau, 1765). Fils de Louis XV et chef du parti dévôt, opposé aux favorites de son père, il fut éloigné de la scène politique. Il eut cinq enfants de son mariage avec Marie-Josèphe de Saxe, parmi lesquels Louis XVI, Louis XVIII et Charles X.

LOUIS XVI (Louis-Auguste). ♦ (Versailles, 1754 – Paris, 1793). Roi de France (1774-1791), puis roi des Français (1791-1792). Troisième fils du dauphin (fils de Louis XV) et de Marie-Josèphe de Saxe, il fut élevé sous la direction du duc de Vauguyon et reçut une éducation religieuse très stricte. D'intelligence moyenne, de caractère indécis et timide, il montra un certain intérêt pour les sciences naturelles, la géographie et la serrurerie à laquelle il consacra une partie de ses loisirs, en dehors de la chasse et des plaisirs de la table. Marié en 1770 à Marie*-Antoinette d'Autriche (mariage négocié par Choiseul dans l'intérêt de l'alliance autrichienne, et dont naquirent quatre enfants), il monta sur le trône en 1774, peu préparé à assumer la royauté. Sur les conseils de Maurepas, il s'entoura de ministres qui tentèrent d'introduire certaines réformes, (Turgot*, Malesherbes*, le comte de Saint*-Germain, Vergennes*). Mais le rappel des parlements favorisa le développement d'une opposition aristocratique aux tentatives de réformes; Turgot et Malesherbes démissionnèrent en 1776. Par ailleurs, si la guerre d'Indépendance américaine, qui s'acheva par le traité de Versailles* (1783), rehaussa le prestige de la France, elle contribua, avec les dépenses inconsidérées de la cour, à ruiner le pays; ni la politique financière de Necker* (1776-1781), ni celle de Calonne* (1783-1787), ni celle de Loménie* de Brienne (1787-1788) ne purent rétablir l'équilibre budgétaire. La crise politique, réaction nobiliaire à l'absolutisme royal **(V. Notables** [*Assemblée des*]**),** se greffa donc sur une situation économique, financière et sociale critique qui aboutit à la convocation des États* généraux et au rappel de Necker. Louis XVI, que sa formation religieuse rendait assez imperméable aux idées nou-

Arch. Rencontre

Louis XVI à l'échafaud, par Benazech. (Versailles.)

velles, donna son adhésion aux réformes, mais n'eut jamais le courage de soutenir vraiment les hommes qui les avaient formulées. Telle fut l'attitude, hésitante et contradictoire, qu'il adopta dès les débuts de la Révolution* (1789), sous l'influence de plus en plus prépondérante de Marie-Antoinette et de ses frères (le comte d'Artois et le comte de Provence). La formation de l'Assemblée* nationale constituante qu'il accepta sous la pression du Tiers État, le renvoi de Necker et la révolte parisienne qu'elle suscita **(V. Bastille** [*prise de la*]**)**, le refus de ratifier l'abolition des privilèges et la Déclaration des droits de l'homme (qui fut en grande partie la cause des journées des 5 et 6 octobre* 1789) témoignaient de son hésitation à reconnaître le principe d'une monarchie constitutionnelle; il approuva à contre-cœur la Constitution civile du clergé. Préparée par Fersen*, sa fuite manquée en juin 1791 **(V. Varennes-en-Argonne)**, entreprise pour rejoindre l'armée de Bouillé, acheva de rendre le roi impopulaire. Malgré le mouvement républicain qui se développait **(V. Champ-de-Mars** [*Affaire du*]**)**, Louis XVI, qui jura à nouveau fidélité à la Constitution le 14 septembre 1791, devint *roi des Français*. Profitant du bellicisme de la plupart des patriotes, et particulièrement du cabinet girondin ou brissotin (mars-juin 1792), il déclara la guerre à l'Autriche (avril 1792). Mais le renvoi du ministère girondin (13 juin), suivi de l'insurrection du 20 juin* 1792, et la publication du manifeste de Brunswick* (23 juillet 1792) accrurent l'hostilité des révolutionnaires à l'égard de Louis XVI. La journée du 10 août* 1792 marqua la chute de la royauté. Déchu, prisonnier de la Commune insurrectionnelle de Paris, Louis XVI et la famille royale furent enfermés au Temple. Le 3 décembre s'ouvrit le procès du roi qui fut défendu par Desèze*, Malesherbes* et Tronchet*. Malgré l'attitude modérée des Girondins, *Louis Capet* fut déclaré « coupable de conspiration contre la liberté de la nation et d'attentats contre la sûreté générale de l'État » et condamné à mort sans appel au peuple, ni sursis (mais à une faible majorité). Jouet plus qu'acteur de l'histoire, Louis XVI, qui avait peut-être souhaité sincèrement le bonheur de son peuple, mais à qui manquaient les qualités et l'autorité nécessaires pour régner, fut exécuté, après avoir tenté de proclamer son innocence, le 21 janvier 1793, place de la Révolution (auj. place de la Concorde).

LOUIS XVII (Louis Charles de FRANCE). ♦ Second fils de Louis* XVI et de Marie*-Antoinette (Versailles, 1785 – Paris, 1795). Après avoir porté le titre de duc de Normandie, il devint dauphin à la mort de son frère aîné (1789). Enfermé au Temple avec sa famille après la journée révolutionnaire du 10 août 1792, il fut déclaré roi de France par les princes émigrés après l'exécution de son père (janvier 1793). Retiré peu après à sa mère, il fut placé par la Commune de Paris sous la garde du cordonnier Simon. Il mourut vraisemblablement en 1795. Toutefois des doutes ont longtemps subsisté sur l'identité du défunt et plusieurs personnages tentèrent de se faire passer pour Louis XVII (Bruneau, Hervagault, Naundorff*, Richemont).

LOUIS XVIII (Louis Stanislas Xavier). ♦ (Versailles, 1755 – Paris, 1824). Roi de France (1814-1824). Petit-fils de Louis XV, frère de Louis* XVI et du comte d'Artois (futur Charles* X), il porta d'abord le titre de *comte de Provence* et fut appelé *Monsieur* à l'avènement de son frère aîné. Marié en 1771 à Marie-Joséphine de Savoie, il n'eut point d'enfant. Plus intelligent que ses deux frères, il tenta de se rendre populaire en affichant une relative opposition à la cour, en prenant position pour le doublement du Tiers État et en se gardant d'attaquer les patriotes au début de la Révolution. Peu après les journées des 5 et 6 octobre 1789, il voulut se faire nommer lieutenant général du Royaume, mais se heurta à l'opposition de Marie-Antoinette. Compromis dans l'affaire Favras*, il émigra le 20 juin 1791 et rejoignit le comte d'Artois à Coblence. Après l'exécution de Louis XVI (janv. 1793), il prit le titre de régent puis celui de roi en 1795 (date présumée de la mort du dauphin). Pendant son exil, au cours duquel les progrès et les victoires des armées révolutionnaires, puis impériales, l'obligèrent à de fréquents changements de résidence (Vérone, 1794; Blankenburg, 1796; Mitau, 1798-1801; Varsovie, Mitau puis l'Angleterre de 1807 à 1814), Louis XVIII ne cessa de travailler au rétablissement de la monarchie en France, cherchant tour à tour à s'appuyer sur les puissances européennes, à former un réseau d'agents royalistes dans le midi de la France et en Vendée, et prenant contact avec Barras, Pichegru et même Bonaparte. Ses efforts diplomatiques, presque interrompus lors de l'instauration de l'Empire et de la répression des complots royalistes (Cadoudal), reprirent dès les premières défaites napoléoniennes. Avec l'appui de l'Angleterre et du gouvernement provisoire, présidé par Talleyrand*, il fut appelé au pouvoir en même temps que le Sénat votait la déchéance de Napoléon Ier (avril 1814). Débarqué à Calais fin avril, il s'installa aux Tuileries et, le 4 juin 1814, signait la Charte* constitutionnelle, qui, précédée de la proclamation de Saint*-Ouen, instaurait en France une monarchie constitutionnelle. Mais cette première Restauration* de la monarchie fut interrompue par l'épisode des Cent*-Jours, au cours duquel Louis XVIII vécut en exil à Gand. Rentré en France après la seconde abdication de Napoléon, Louis XVIII s'efforça d'appliquer un système « fondé sur cette maxime qu'il ne faut pas être roi de deux peuples », et donc de réconcilier les acquis de la Révolution et de l'Empire avec le retour à la monarchie. Après le net succès des ultras (1815-1816) qui imposèrent des mesures réactionnaires **(V. Terreur blanche)**, le roi, conseillé en grande partie par Decazes* qu'il appela au gouvernement après le duc de Richelieu (1818), se montra soucieux de pratiquer une politique de conciliation relativement libérale. Mais l'assassinat du duc de Berry* (février 1820) fit échouer cette tentative en ranimant l'agressivité des ultras. Avec la nomination de Villèle à la tête du ministère (1821) et l'expédition d'Espagne (1823), la Restauration s'engageait nettement dans la voie de la réaction, qui se renforça à l'avènement de Charles* X (1824).

LOUIS-PHILIPPE Ier. ♦ **V.** *ci-dessous* à l'ordre alphabétique.

LOUIS II le Germanique. ♦ (v. 804-805 – Francfort, 876). Roi de Germanie (843-876). Fils de Louis* le Pieux, il s'allia avec son frère Charles* le Chauve contre son frère Lothaire. Il raffermit son entente avec Charles par les serments de Strasbourg* (842) et signa le traité de Verdun* (843) où il reçut les régions à l'est du Rhin. Père de Louis* III le Jeune et de Charles* III le Gros.

LOUIS III le Jeune, ou **Louis de Saxe.** ♦ (mort à Francfort, 882). Roi de Germanie (876-882). Second fils de Louis* le Germanique qui lui donna la Franconie, la Thuringe et la Saxe (865), il se révolta cependant contre son père. Après sa mort, il s'empara de la Bavière (879) qu'il prit à son frère Carloman, et de la Lotharingie occidentale (880).

LOUIS IV l'Enfant. ♦ (893 – Ratisbonne, 911). Roi de Germanie de sept à dix-huit ans (900-911). Fils d'Arnoul* de Carinthie, il fut le dernier roi carolingien* de Germanie.

LOUIS Ier le Pieux. ♦ (Chasseneuil-du-Poitou, 778 – près de Mayence, 840). Empereur d'Occident (814-840). Fils de Charlemagne*, entièrement soumis à l'influence des clercs soucieux avant tout d'unité chrétienne, il voulut maintenir la cohésion de l'empire. Par l'*ordinatio imperii* (817), il faisait de Lothaire* son unique héritier tout en accordant des royaumes à ses autres fils : l'Aquitaine à Pépin*, la Bavière à Louis* (le Germanique). Il réprima la révolte de son neveu Bernard* roi d'Italie (818) et obtint un droit de contrôle sur les élections pontificales (824). En voulant apanager le fils qu'il avait eu de Judith de Bavière (829), Charles* (le Chauve), il provoqua la révolte de ses autres fils qui le firent déposer (833); il fut rétabli en 835 par Pépin et Louis. Il protégea Benoît d'Aniane.

LOUIS II. ♦ (v. 822 – Lombardie, 875). Empereur d'Occident (855-875). Fils de Lothaire* Ier, il fut roi d'Italie en 844. Il combattit les Sarrasins. Sa fille Hermengarde épousa Boson*, roi de Provence.

LOUIS III l'Aveugle. ♦ (v. 833 – Arles, 928). Empereur d'Occident (901-905), il fut aveuglé par Béranger, son compétiteur à l'empire. Fils de Boson*, il fut roi de Provence (890-928) et roi d'Italie (900-928).

LOUIS IV DE BAVIÈRE. ♦ (Munich, v. 1286-1287 – Fürstenfeld, près de Munich, 1347). Empereur germanique (1314-1347). Fils de Louis* II de Bavière, duc de Haute-Bavière et comte palatin, il fut élu empereur en concurrence avec Frédéric le Beau de Habsbourg, qu'il battit et captura en 1322 à la bataille de Mühldorf (Bavière). Il lui imposa de renoncer à l'Empire, ce qui lui valut d'être excommunié par Jean* XXII contre lequel il suscita l'antipape Nicolas* V. Les théologiens Marsile de Padoue, Jean de Jandun et Guillaume d'Occam groupés autour de Louis le soutinrent idéologiquement contre le pape. En 1346, le pape Clément VI reconnut un nouvel empereur, Charles* IV de Luxembourg.

LOUIS Ier le Grand. ♦ (1326 – 1382). Roi de Hongrie (1326-1382). Fils de Charles*-Robert, il poursuivit à l'égard des barons la politique de son père, mais se préoccupa avant tout de politique étrangère. Afin de venger son frère André, assassiné, il attaqua l'Italie, devint momentanément roi de Naples et força Venise à rendre les villes dalmates à la Hongrie. Il mena la guerre dans les Balkans; Moldavie, Bulgarie et Serbie se placèrent sous le protectorat hongrois. En 1371, il battit les armées de Murat* Ier. Son prestige était tel qu'il fut élu par la Diète polonaise roi de Pologne en 1370. Sa fille Marie* lui succéda.

LOUIS II. ♦ (Buda, 1506 – Mohács* 1526). Roi de Hongrie et de Bohême (1516-1526). Fils de Ladislas* VI Jagellon, il fut marié à Marie de Habsbourg, fille de Charles Quint. Il dut lutter contre les Turcs, qui s'emparèrent de Belgrade en 1521, puis envahirent la Hongrie en 1526. À la bataille de Mohács* (29 août 1526), l'armée hongroise fut écrasée et le roi trouva la mort.

LOUIS DE TARENTE. ♦ (1320 – Naples, 1362). Roi de Naples et comte de Provence (1346-1362). Il épousa la reine Jeanne* Ire de Naples (1346) et dut défendre son royaume contre les Duras.

LOUIS Ier D'ANJOU. ♦ (Vincennes, 1339 – Bari, 1384). Roi de Naples et comte de Provence (1382-1384). Fils de Jean II de France (Jean le Bon), il fut régent de son neveu Charles VI (1380). Nommé héritier de Naples par la reine Jeanne* Ire (1380), il ne put conquérir son royaume sur Charles* III de Duras. Père de Louis II. ♦ LOUIS II D'ANJOU. (Toulouse, 1377 – Angers, 1417). Roi de Naples et comte de Provence (1384-1417). Il régna d'abord sous la régence de sa mère Marie* de Blois. Il tenta de conquérir Naples sur Ladislas* (1409 et 1411) qu'il vainquit à Rocca Secca (1411) mais n'y réussit pas. Père de Louis III. ♦ LOUIS III. (1403 – Cosenza, 1434). Roi de Naples et comte de Provence (1417-1434). Il fut adopté par la reine Jeanne* II et réussit à conquérir son royaume sur Alphonse V d'Aragon. Il eut pour successeur son frère René* Ier le Bon.

LOUIS Ier, en port. **Luis.** ♦ (Lisbonne, 1838 – Cascaes, 1889). Roi de Portugal (1861-1889). Il succéda à son frère Pierre* V et gouverna en monarque constitutionnel. Il abolit l'esclavage dans les colonies (1868). Sous son règne, l'agitation républicaine grandit.

LOUIS le Sauteur. ♦ (v. 1042 – abbaye de Rheinhardsbrunn, 1123). Considéré comme le fondateur de la Thuringe*, il se révolta contre l'empereur Henri IV puis contre son fils Henri V. Son surnom lui fut donné parce qu'il s'évada d'un château en sautant sur son cheval dans la Saale. ♦ LOUIS II *de Fer* ([mort] 1172). Landgrave de Thuringe (1140-1172). Petit-fils de Louis le Sauteur, il accompagna Frédéric Barberousse à la deuxième croisade et en Italie. ♦ LOUIS III *le Pieux* ou *le Doux* ([mort] 1190). Landgrave de Thuringe (1172-1190). Fils de Louis II, il lutta contre Henri le Lion aux côtés de Frédéric Barberousse, puis participa au siège de Saint-Jean d'Acre à la troisième croisade. ♦ LOUIS IV *le Saint* ([mort] Otrante, 1227). Landgrave de Thuringe (1217-1227). Neveu de Louis III et mari de sainte Élisabeth de Hongrie.

LOUIS (Nicolas, dit Victor). ♦ Architecte, décorateur et dessinateur français (Paris, 1731 – *id.*, v. 1802). Sous l'influence des théories néo-classiques de Winckelmann* et de Mengs*, il opta pour un style s'inspirant directement de l'architecture grecque, caractérisé par la sobriété des lignes et du décor et par l'ampleur des proportions. Il édifia le *théâtre de Bordeaux* (1773-1780) où il adopta le principe du péristyle colossal (1773-1780). Il fut chargé par le duc de Chartres d'agrandir et de remanier le Palais-Royal à Paris (*galeries* et *aile Richelieu*, 1786 à 1790). Stanislas Poniatowski lui confia la transformation du *château royal de Varsovie* et il contribua ainsi à propager le style Louis XVI à l'étranger.

LOUIS (Joseph Dominique, *baron***).** ♦ Homme politique français (Toul, 1755 – Bry-sur-Marne, 1837). Prêtre, conseiller clerc au parlement de Paris, il se lia avec Talleyrand. Ayant prêté serment à la Constitution civile du clergé, il fut excommunié et quitta les ordres. Émigré en 1791, il revint en France après le coup d'État du 18 Brumaire, assuma diverses fonctions importantes sous l'Empire et fut fait baron par Napoléon Ier. Ministre des Finances en 1814-1815 et 1818-1819, il contribua au redressement financier de la France au début de la Restauration. Il fut également ministre des Finances au début de la monarchie de Juillet (1831-1832), puis membre de la Chambre des pairs.

LOUIS DE GONZAGUE *(saint)*. ♦ Jésuite italien (château de Castiglione, près de Brescia, 1568 – Rome, 1591). Il fit son noviciat à Rome où il prononça ses premiers vœux (1587), se dévoua aux pestiférés mais mourut peu après. Fête le 21 juin.

LOUIS II DE LA TRÉMOILLE. ♦ **V.** LA TRÉMOILLE.

LOUISE DE LORRAINE. ♦ (Nomény, 1553 – Moulins, 1601). Reine de France. Fille de Nicolas de Lorraine, comte de Vaudémont, elle épousa Henri* III sur lequel elle eut d'abord une certaine influence. Après la mort de son mari elle vécut dans la retraite.

LOUISE DE MARILLAC *(sainte)*. ♦ Religieuse française (Ferrières-en-Brie, 1591 – *id.*, 1660). Fille d'un conseiller au Parlement et veuve d'Antoine Le Gras, secrétaire des commandements de Marie de Médicis, elle devint la principale collaboratrice de saint Vincent* de Paul dans ses multiples activités charitables. À partir de 1633, elle organisa la congrégation des *Filles de la Charité* (confirmation pontificale en 1668); elle en fut la première supérieure. Fête le 15 mars.

LOUISE DE MECKLEMBOURG-STRELITZ (Louise Augusta Wilhelmine Amalie). ♦ (Hanovre, 1776 – Hohenzieritz, 1810). Reine de Prusse. Fille du duc de Mecklembourg-Strelitz et de Caroline de Hesse-Darmstadt, elle épousa en 1793 le futur roi de Prusse Frédéric-Guillaume III; reine à partir de 1797, elle sut, par son charme et son patriotisme, se faire aimer de son peuple. Elle poussa son mari à lutter contre la France; au traité de Tilsit*, elle essaya, en vain, d'attendrir Napoléon sur le sort de la Prusse. Elle soutint les ministres réformateurs. Elle fut la mère de Frédéric-Guillaume IV et de Guillaume Ier.

LOUISE DE SAVOIE. ♦ (Pont-d'Ain, 1476 – Grez-sur-Loing, 1531). Fille de Philippe, duc de Savoie et de Marguerite de Bourbon, elle épousa Charles de Valois, duc d'Angoulême, et en eut deux enfants : Marguerite* de Valois et François* Ier. Celui-ci lui confia la régence lors de l'expédition d'Italie de 1515 et après Pavie* (1525). Belle, intelligente, mais aussi intrigante et avide, elle fit preuve de capacités politiques, en maintenant l'ordre après Pavie et en négociant avec Marguerite* d'Autriche la paix des Dames* (1529), tout en jouant, sans doute, un rôle peu glorieux dans la condamnation de Semblançay* et dans la trahison du connétable de Bourbon. Lettrée, elle protégea les savants et laissa des *Mémoires.*

LOUISE-MARIE D'ORLÉANS. ♦ Reine des Belges (Palerme, 1812 – Ostende, 1850). Fille aînée de Louis-Philippe et de Marie-Amélie, elle fut mariée à Léopold Ier (1832), et jouit d'une grande popularité en Belgique.

LOUIS-GENTIL. ♦ **V.** YOUSSOUFIA.

LOUIS HENRI DE BOURBON-CONDÉ, *duc de* **Bourbon.** ♦ Septième prince de Condé, appelé par ses contemporains Monsieur le Duc (Versailles, 1692 – Chantilly, 1740). Chef du conseil de régence, il devint Premier ministre à la mort du duc d'Orléans*, après avoir profité du système de Law*, et se laissa guider par sa maîtresse Mme de Prie*, qui elle-même suivait Pâris*-Duverney. Ce gouvernement échoua dans sa politique financière qui le rendit très impopulaire. Il avait conclu le mariage de Louis XV avec Marie* Leszczyńska. Louis XV renvoya le duc en 1726 et l'exila à Chantilly.

LOUISIADE. *n. f.*, en angl. **Louisiade Archipelago.** ♦ Groupe d'îles et récifs coralliens de la Mélanésie* (Océanie), au S.-E. de la Nouvelle-Guinée, dépendant de l'Australie (*territoire de Papua.* **V. Nouvelle-Guinée**). 4 000 hab. env. – L'intérêt principal de ces îles repose dans leur structure : accidentées et montagneuses, elles sont entourées par des lagons coralliens, les plus vastes du Pacifique du Sud-Ouest. Petite production de noix de coco. ♦ *Hist.* Ces îles furent découvertes en 1606 par L. Váez de Torres* et nommées par Bougainville en l'honneur de Louis XV, en 1768.

LOUISIANE [*n. f.*], en angl. **Louisiana.** ♦ État du S. des États-Unis, limité au N. par l'Arkansas, à l'E. par le Mississippi (la frontière étant formée par le fl. Mississippi), à l'O. par le Texas, et bordé au S. par le golfe du Mexique. 125 625 km². 3 257 022 hab. (32 % de Noirs). *Cap.* Baton Rouge. *V. Princ.* **V. New Orleans** (Nouvelle-Orléans), **Shreveport.** *Langues.* Outre l'anglais, le français est pratiqué par les descendants des Acadiens et par les *Cajuns.* – *Orogr.* et *Hydrogr.* Région de plaine côtière, formée par des dépôts sous-marins, la Louisiane présente quelques zones de collines (au N. du lac Ponchartrain et au N. de l'État, entre la *Red River* et l'Ouachita). Les principales rivières **(V. Mississippi, Red River, Ouachita)** forment des plaines alluviales et le S.-O. est formé de prairies qui aboutissent aux marais côtiers. Les rivières et *bayous* forment un réseau étendu. – *Climat* semi-tropical. – *Écon.* L'agriculture, de type tropical, est très prospère : riz (1er État producteur), coton, canne à sucre (seul État producteur des États-Unis avec la Floride), maïs, patates douces; légumes et fruits près de La Nouvelle-Orléans. La pêche en mer produit d'importants revenus. Les ressources minérales sont énormes et la production représente 10 % de celle des États-Unis : pétrole (3e producteur du pays après le Texas et la Californie), gaz naturel *(id.)*, soufre, sel minéral. Les industries dépendent du pétrole et des produits agricoles : chimie (raffineries, indus. du caoutchouc), indus. alimentaires et du bois. – Plusieurs universités. ♦ *Hist.* Déjà explorée par Hernando de Soto* (1543), la région fut visitée en 1682 par Cavelier de La* Salle qui descendait le Mississippi. Le* Moyne d'Iberville y fonda en 1699 un établissement (sur la côte actuelle du Mississippi, près de Biloxi). Le privilège du commerce échut à Antoine Crozat (1712) puis à Law* (1717); sous l'égide de la Compagnie des Indes occidentales, la colonie se développa grâce au commerce et au travail des esclaves, et La Nouvelle*-Orléans fut fondée en 1718. Colonie de la couronne de France (1731), la Louisiane occidentale fut cédée à l'Espagne en 1762 et la rive droite du Mississippi à l'Angleterre en 1763. La partie espagnole ayant été rétrocédée à la France (1800), Bonaparte qui avait besoin d'argent et souhaitait éviter la lutte avec l'Angleterre sur ce terrain, vendit la Louisiane à la jeune république des États-Unis pour quinze millions de dollars (traité du 30 avril 1803). Ce territoire immense comprenait une bonne

Ph. A. Rey

Louisiane.

partie de ce qui allait devenir l'Ouest des États-Unis **(V. Arkansas, Dakota, Iowa, Kansas, Missouri, Montana, Nebraska, Oklahoma).** La Louisiane proprement dite fut admise comme le 18e État de l'Union (1812), puis attaquée par les Anglais (battus à Jackson en 1815). Esclavagiste, la Louisiane fit sécession en 1861, mais New Orleans fut prise par les nordistes en 1862, ainsi que Vicksburg (1863). Après divers troubles, l'État se développa régulièrement. L'inondation de 1927 provoqua un programme d'aménagement du Mississippi. Entre 1925 et 1935, la vie de l'État fut marquée par l'action démagogique, mais efficace, du gouverneur Huey P. Long (assassiné en 1935). Les problèmes d'intégration raciale et leurs difficultés expliquent en partie les fluctuations politiques de l'État (qui vota successivement pour John Kennedy, 1960, Barry Goldwater, 1964, et George Wallace, 1968).

LOUIS-MARIE GRIGNION DE MONTFORT *(saint).* ♦ Prêtre et prédicateur français (Montfort-sur-Meu, Bretagne, 1673 – St-Laurent-sur-Sèvre, Poitou, 1716). Missionnaire itinérant, en Bretagne, en Normandie, en Poitou, il lutta contre le jansénisme et répandit la dévotion mariale. Fondateur d'une congrégation hospitalière féminine (filles de la Sagesse, 1703) et d'une congrégation missionnaire (Compagnie de Marie ou « Pères montfortains », 1705), il est à l'origine de la congrégation enseignante des frères du Saint-Esprit (de Saint-Gabriel au XIXe s.). Fête le 28 avril.

Louis-Napoléon Bonaparte. ♦ **V.** NAPOLÉON.

LOUIS-PHILIPPE Ier. ♦ (Paris, 1773 – Claremont, Grande-Bretagne, 1850). Roi des Français (1830-1848). Fils de Louis-Philippe Joseph duc d'Orléans*, dit Philippe Égalité, et de Louise-Marie de Bourbon-Penthièvre, il porta successivement les titres de duc de Valois, de Chartres (1785) et d'Orléans (à la mort de son père, 1793). Élevé, comme sa sœur, la future Mme Adélaïde*, par Mme de Genlis, il fut, ainsi que son père, un partisan fervent des idées révolutionnaires. Membre du Club des jacobins, il se distingua lors des batailles de Valmy et de Jemappes (1792). Aide de camp de Dumouriez, il passa à l'ennemi avec ce dernier après la défaite de Neerwinden (mars 1793), acte qui contribua à compromettre son père. Louis-Philippe se refusa néanmoins à servir dans les armées contre-révolutionnaires, et, durant son exil, enseigna, sous le nom de Chabaud-Latour, les mathématiques et les langues en Suisse, passa ensuite en Allemagne, en Scandinavie, aux États-Unis puis en Angleterre. En 1809, il épousa la fille de son cousin, le roi Ferdinand IV de Naples, Marie-Amélie; il eut cinq fils : les ducs d'Orléans* et de Nemours*, le prince de Joinville*, les ducs d'Aumale* et de Montpensier*, et trois filles : Louise*-Marie d'Orléans, Marie, future princesse de Wurtemberg, et Clémentine, qui devint princesse de Saxe-Cobourg-Gotha. Après avoir séjourné quatre ans en Sicile (1810-1814), Louis-Philippe revint à Paris lors de la Ire Restauration; mais, si Louis XVIII le remit en possession de l'immense fortune de la branche d'Orléans, il tint à l'écart de la cour et de la vie politique officielle le fils de cet ancien régicide. Exilé en Angleterre pendant les Cent-Jours, puis quelques mois après la seconde Restauration, Louis-Philippe s'occupa de l'éducation de ses enfants et géra, non sans âpreté, sa fortune, encore accrue après la loi sur le milliard des émigrés (1825), dont il bénéficia plus que largement. Il se lia très tôt avec les milieux libéraux et apporta plus ou moins officiellement son appui à des journaux comme *le Constitutionnel* et plus tard *le National.* Après la révolution* de juillet 1830, qu'il passa prudemment retiré à Neuilly, puis au Raincy, il fut porté au pouvoir par la bourgeoisie d'affaires libérale (C. Périer, Laffitte), qui, une fois encore, trahit les aspirations populaires au nom de l'« ordre », garant de ses intérêts. Accueilli à l'Hôtel de Ville par La* Fayette et Guizot (30 juillet 1830), Louis-Philippe fut d'abord nommé lieutenant général du royaume, puis, après une révision rapide de la Charte* de 1814, à laquelle il prêta serment, devint roi des Français. Ainsi débutait la monarchie* de Juillet, monarchie bourgeoise, que certains qualifièrent de « meilleure des républiques », règne d'un « roi-citoyen » qui semble avoir, peu à peu, pris goût au pouvoir et avoir voulu non seulement régner, mais gouverner. Après s'être appuyé sur le parti du Mouvement (Laffitte*, 1831-1832), Louis-Philippe gouverna avec celui de la Résistance (C. Périer*, Guizot*). Cherchant à se faire admettre dans le concert européen, il tenta de pratiquer une politique extérieure relativement pacifique, malgré l'humeur belliqueuse de certains de ses ministres **(V. Thiers)**, mais ne négligea pas néanmoins d'élargir les possessions françaises par des conquêtes coloniales (conquête de l'Algérie, de comptoirs en Afrique noire, en Orient). Sur le plan intérieur, son règne, qui coïncida avec le début de l'essor de l'industrie française, et donc avec la formation d'un prolétariat misérable, fut marqué par de nombreuses insurrections de tendances politiques diverses : légitimiste **(V. Berry** [*duchesse de*]**)**, bonapartiste **(V. Napoléon III)**, républicaine et socialiste (journée de Juin* 1832, d'Avril* 1834, attentat Fieschi*, 1835, Mai* 1839, etc.). Face à ces oppositions, le régime, sous le cabinet Guizot, se durcit dans le sens de l'autorité et de la réaction. Le fossé ne pouvait que s'élargir entre la nation légale et le pays réel. Au lieu de comprendre la nécessité de réformes (parlementaire, électorale), Louis-Philippe, s'appuyant sur Guizot, prit position contre la campagne des Banquets* (22 février 1848). La démission de Guizot ne réussit pas à enrayer le mouvement révolutionnaire **(V. Révolution française de 1848)** qui provoqua la chute de Louis-Philippe. Après avoir abdiqué en faveur de son petit-fils, le comte de Paris, il s'exila en Angleterre, où il mourut deux ans plus tard.

LOUISVILLE. ♦ V. des États-Unis, au N. de l'État du Kentucky, sur l'Ohio, la plus importante de cet État. 356 982 hab. (zone urbaine : 619 000 hab.) Centre indus. important (indus. du tabac, métallurgie de l'aluminium, indus. alimentaires; whisky, bière, textiles; indus. chimiques; mécanique automobile, tracteurs; imprimeries). Université. – Fort* Knox se trouve aux environs.

LOUKSOR. ♦ **V.** LOUXOR.

LOULÉ. ♦ V. du Portugal méridional (Algarve), au cœur d'une région très fertile. 16 150 hab. Remparts du XIIe s., église gothique (XIIIe s.).

LOUNATCHARSKI (Anatole Vassilievitch) [*Lunačarski*]. ♦ Homme politique et écrivain soviétique (Poltava, 1875 – Menton, 1933). Critique littéraire marxiste, il fut l'un des fondateurs avec Bogdanov du mouvement du proletkult* : *Qu'est-ce que la littérature prolétarienne?, Dialogue sur l'art.* Il laissa en outre de nombreuses études sur Tchekhov*, Gorki*, Gogol*, Nekrassov*.

LOUP ou **LEU** *(saint).* ♦ (Toul, 383 – Troyes, 478). Moine à Lérins, évêque de Troyes (426), il accompagna Germain* d'Auxerre en Angleterre pour lutter contre le pélagianisme (429) et défendit Troyes contre Attila (451). – Fête le 29 juillet.

LOUP ou **LEU** *(saint).* ♦ Archevêque de Sens, né près d'Orléans, mort en 623, exilé quelque temps lorsque Clotaire II s'empara de la Bourgogne. Fondateur du monastère Sainte-Colombe à Sens. – Fête le 1er septembre.

LOUP. *n. m.* ♦ Riv. des Alpes*-Maritimes (48 km) qui se jette dans la Méditerranée au N. d'Antibes*. Gorges pittoresques. Il alimente la centrale du Pont-du-Loup.

LOUPE (La). ♦ Ch.-l. de cant. d'Eure-et-Loir, arr. de Nogent-le-Rotrou. 3 585 hab. *(Loupéens).* – Vestiges de l'ancien château (XVIIe s.). – Important marché agricole. Machines agricoles.

LOUP SERVAT, en lat. **Servatus Lupus.** ♦ Théologien et érudit (805 – 862). Élève à l'abbaye de Fulda, il fut abbé de Ferrières (842-862). Il reprit et développa des thèses augustiniennes sur la prédestination et le libre arbitre dans son ouvrage *De tribus quaestionibus.*

LOURCHES. ♦ Comm. du Nord, arr. de Valenciennes. 5 595 hab. – Centre industriel. Centrale thermique.

LOURDES. ♦ Ch.-l. de cant. des Hautes-Pyrénées*, sur le gave de Pau*. 18 310 hab. *(Lourdais).* Église Xe siècle. Château XIVe-XVIe siècles. Donjon XVe siècle. – En 1858, une jeune fille du pays, Bernadette Soubirous, raconta avoir eu plusieurs visions de la Vierge, à la grotte Massabielle. Depuis, de nombreux pèlerinages ont lieu chaque année sur le site de la grotte et de la source miraculeuses, à la basilique supérieure et à la basilique souterraine édifiées en 1876 et 1958.

LOURENÇO MARQUES. ♦ Cap. du Mozambique*, au S. du pays, sur l'océan Indien. Elle est reliée à Mbabane* et à Johannesburg* par voie ferrée. 200 000 hab. Raffinerie de pétrole à proximité. Usines d'engrais et d'ammoniaque. Manuf. de tabacs. Sucreries. La V. a pris le nom de MAPUTO en 1976.

LOURISTAN. ♦ **V.** LURISTÂN.

LOURMARIN. ♦ Comm. du Vaucluse, arr. d'Apt, au pied de la cluse méridionale du Luberon. 615 hab. – Château du XVe-XVIe s., légué à l'académie d'Aix-en-Provence, qui y abrite de jeunes artistes durant l'été. – Patrie de Philippe de Girard*. Tombeau d'Albert Camus*.

LOU SIUN ou **LOU SIN.** ♦ **V.** LU HSÜN.

LOUSTALOT ou **LOUSTALLOT (Armand Élisée** *de***).** ♦ Publiciste français (Saint-Jean-d'Angély, Charente-Maritime, 1762 – Paris, 1790). Avocat au parlement de Bordeaux, il vint à Paris en 1789 et se rallia avec enthousiasme à la Révolution. Ami de C. Des-

Ph. Hétier

Lourdes.

moulins, il fut le principal rédacteur des *Révolutions de Paris* (fondé par Prudhomme), l'une des principales feuilles révolutionnaires des débuts de la Révolution.

LOU-TCHEOU. ♦ **V.** LU-CHOU.

LOUTH *(comté de)*, en irl. **Lughbhaidh.** ♦ Comté du N.-E. de la république d'Irlande (prov. de Leinster*), en bordure de la *baie de Dundalk,* sur la mer d'Irlande et au S. des *monts Mourne**. C'est le plus petit comté d'Irlande (586 km²; 69 520 hab. en 1966). *Ch.-l.* Dundalk*. *V. princ.* Carlingford et Drogheda*. *Hydrogr.* **V. Boyne.** — *Écon.* Élevage laitier et culture de la pomme de terre.

LOUVAIN, en néerl. **Leuven.** ♦ V. de Belgique (Brabant, ch.-l. d'arr.) sur la Dyle*, à 26 km de Bruxelles. — Centre intellectuel par son université (flamande), Louvain garde de son passé brillant de beaux monuments : églises Saint-Pierre, gothique (commencée vers 1425), Saint-Jacques (XIIe au XVIe s.), Sainte-Gertrude (du XIVe s., reconstruite après 1944), Saint-Michel (baroque, 1650-1666). Abbaye de Park, fondée en 1129 aux portes de Louvain. Béguinage (XVe au XVIIIe s.) possédant une église de style brabançon (1305). Halles élevées par les drapiers de 1317 à 1345 et où s'installa l'université en 1432. Collège du Saint-Esprit (XVIIe s., reconstruit après 1944). Hôtel de ville flamboyant (XVe s.). — Située au milieu d'une riche région agricole, la ville est le premier centre belge de la minoterie. Indus. alimentaires (brasseries, distilleries). Indus. chimiques (engrais). Constructions mécaniques. Montage d'automobiles. Fonderie de cloches. Travail du cuir. — Patrie du violoniste Charles de Bériot*. ♦ *Hist.* Le nom de Louvain viendrait du bas allemand *loo* (« colline boisée ») et *veen* (« marécage »). Site d'un camp romain *(Lovanium).* Arnoul de Carinthie y massacra les Normands en 891 et y construisit un château fort qui devint le noyau de la cité. Au XIe s., devenue résidence des *comtes de Louvain,* puis des ducs de Brabant, la ville prit de l'importance. Au XIIIe s., le commerce du drap y était florissant. Le déclin de Louvain commença avec les luttes entre les bourgeois de la gilde et les métiers (prise de l'hôtel de ville et défenestration des bourgeois, 1378). Au XVe s., sous la domination bourguignonne, Louvain se releva : fondation de l'université (1425) qui, au XVIe s., deviendra la plus célèbre d'Europe. Érasme, Lessius, Jansénius y enseignèrent (c'est à Louvain que parut l'*Augustinus*). L'ouverture, en 1753, du canal de Louvain au Rupel, qui reliait Louvain à Malines et Anvers, accrut cette prospérité. Pillée en 1914, sinistrée en 1940, cette ancienne capitale du duché de Brabant a dû être presque entièrement reconstruite et l'on s'est attaché à conserver son cachet ancien. À la suite de la querelle linguistique, les facultés francophones de l'université ont été transférées au Brabant wallon, à Ottignies* *(Louvain-la-Neuve).*

LOUVECIENNES. ♦ Comm. des Yvelines, arr. de Saint-Germain-en-Laye. 4 799 hab. (*Louveciennois* ou *Luciennois*). — Église Saint-Martin (XIIe, XIIIe s.). Château (XVIIe, XVIIIe s.). Château de Madame du Barry et pavillon construits par Ledoux*.

LOUVEL (Louis Pierre). ♦ Ouvrier sellier français (Versailles, 1783 — Paris, 1820). Considérant les Bourbons comme responsables de l'invasion de la France et du traité de Paris de 1815, il assassina le duc de Berry* (20 février 1820), alors dernier descendant de la dynastie. Il fut condamné à mort.

LOUVERTURE (Toussaint). ♦ **V.** TOUSSAINT-LOUVERTURE.

LOUVET DE COUVRAY (Jean-Baptiste). ♦ Homme politique et écrivain français (Paris, 1760 — *id.,* 1797). Auteur d'un roman licencieux célèbre au XVIIIe s. (*Amours du chevalier de Faublas,* 1787-1789) et fondateur d'un journal anti-royaliste *(La Sentinelle),* il fut élu député à la Convention, où, orateur brillant du groupe girondin*, il fut un des adversaires les plus résolus de Robespierre. Après l'élimination des chefs de la Gironde (2 juin 1793), il parvint à se cacher dans le Jura jusqu'au 9 Thermidor. Ses *Mémoires* furent publiés en 1889.

LOUVIÈRE (La). ♦ **V.** LA LOUVIÈRE.

LOUVIERS. ♦ Ch.-l. de cant. de l'Eure*, arr. d'Évreux*, sur l'Eure*, 16 726 hab. *(Lovériens).* — Église Notre-Dame (XIe-XIIIe s.) remaniée aux XVe et XVIe siècles. — Indus. actives (textile, drap; fonderies, constructions mécaniques, disques). ♦ *Hist.* Ancienne ville forte qui fut longtemps un comté, Louviers fut attaquée à plusieurs reprises par les Anglais. Son indus. drapière, qui date du Moyen Âge, se développa considérablement aux XVIIe et XVIIIe s. : première manufacture de draps en 1681.

LOUVIGNÉ-DU-DÉSERT. ♦ Ch.-l. de cant. d'Ille-et-Vilaine, arr. de Fougères. 4 024 hab. *(Louvignéens).* — Église des XVIe et XVIIe siècles. — Carrières de granit. Bonneterie.

LOUVOIS (François Michel Le Tellier, *marquis de***).** ♦ Homme politique français (Paris, 1639 — Versailles, 1691). Son œuvre est inséparable de celle de son père Michel Le* Tellier, aux activités duquel il fut très tôt associé et qui lui laissa le secrétariat à la Guerre quand il fut nommé chancelier. Louvois avait su gagner la confiance de Louis XIV en flattant son désir de gloire et resta seul maître de l'armée après la mort de Turenne* (1675). L'entretien et le recrutement de l'armée furent entièrement réorganisés. Les mesures les plus marquantes furent l'établissement de l'*Ordre du tableau* qui ouvrait le commandement aux roturiers, l'institution des milices provinciales (l'armée fut ainsi portée à env. 300 000 hommes), la fondation d'écoles militaires. Louvois s'efforça sans cesse d'empiéter sur les autres domaines, mena une lutte âpre contre Colbert* et exerça une influence grandissante. Brutal, dur, autoritaire, il eut une responsabilité importante dans

Ph. Simion/Ricciarini

Le Louvre.

la dévastation du Palatinat* (1679), le bombardement de Gênes (1684), les annexions qui précédèrent la ligue d'Augsbourg*, les dragonnades*. Sa mort suivit de peu sa disgrâce.

Louvre. *n. m.* ♦ Anc. résidence royale, située à Paris sur la r. d. de la Seine, près de Saint*-Germain-l'Auxerrois, et devenue un des plus riches musées du monde. Forteresse sous Philippe Auguste (1204), transformé en demeure habitable par Charles V, le *Vieux Louvre* fut partiellement démoli sous François Ier pour être confié à Pierre Lescot* (1527) assisté du sculpteur Jean Goujon* (on leur doit notamment une partie des façades occidentale et méridionale de la *cour Carrée*). Poursuivis sous Henri IV et Louis XIII par Androuet* Du Cerceau, puis par Lemercier* *(pavillon de l'Horloge),* les travaux furent accélérés sous Louis XIV; Colbert demanda à Le* Vau d'aménager la *galerie du bord de l'eau* (reliant le palais à celui des Tuileries*) et de quadrupler la *cour Carrée* dont la façade orientale va s'orner, à l'extérieur, d'une monumentale *colonnade* (1665-1670), due probablement à Claude Perrault*. Napoléon Ier s'intéressant au Louvre (délaissé au XVIIIe s. pour Versailles), Percier* et Fontaine* édifièrent l'Arc du Carrousel* et commencèrent la *grande galerie du nord* (rattachée au *pavillon de Marsan*) qu'achèveront Visconti* et Lefuel*, suivant les désirs de Napoléon III (1852-1857). Détruits durant l'incendie des Tuileries (1871), les *pavillons de Flore* et *de Marsan,* comme les *Galeries,* seront reconstruits par Lefuel sous la IIIe République. Désormais, le Louvre, le plus grand palais du monde, offre son ensemble imposant qui porte la marque de styles divers (particulièrement de la Renaissance et du classicisme français), à l'entrée de la perspective ouverte par la « Voie triomphale ». — Devenu musée en 1791 (projet envisagé sous Louis XV), le Louvre a augmenté les collections de la Couronne (constituées principalement par François Ier et Louis XIV) des œuvres d'art confisquées ou acquises par Napoléon Ier et d'innombrables achats ou legs. Ses six départements (auxquels il faut ajouter en annexes *l'Orangerie* et *le Jeu de paume*) conservent d'admirables collections artistiques, réorganisées actuellement et disposées suivant les principes de la muséologie moderne.

LOUXOR, LOUKSOR ou **LUQSOR**, en ar. **al-Uqsûr.** ♦ V. de haute Égypte (gouvernorat de Kenéh), sur la r. d. du Nil. 31 000 hab. C'est l'un des plus grands centres touristiques d'Égypte. ♦ *Hist.* Le site archéologique de Louxor représente la partie S. des ruines de l'anc. Thèbes*, situées sur la r. g. du Nil, la partie N. constituant le site de Karnak*. Le temple de Louxor était consacré au dieu Amon* qui, une fois par an, quittait son temple de Karnak et remontait le fleuve pour rendre visite à son hypostase de Louxor. La construction du temple fut commencée par Aménophis* III (cours à colonnes papyriformes, grande colonnade, salle hypostyle) et abandonnée par son successeur. Toutânkhamon* et Horemheb* y firent quelques adjonctions. Enfin Ramsès* II ajouta à l'édifice une nouvelle cour à portique précédée d'un pylône monumental, six statues colossales et deux obélisques (l'un d'eux a été transporté en 1831 place de la Concorde à Paris). Le temple était relié au temple de Karnak par un long *dromos* de sphinx criocéphales (en partie sous la route actuelle). La mosquée Ysuf al-Haggag qui se trouve actuellement dans l'angle N.-E. de la première cour empêche pour le moment l'entière mise au jour des ruines.

LOUŸS [lwi] **(Pierre Louis,** dit **Pierre).** ♦ Écrivain français (Gand, 1870 — Paris, 1925). Sa rencontre précoce avec les parnassiens (notamment avec J.M. de Heredia*, dont il épousa la fille en 1899) détermina sa vocation poétique; il publia ses premiers poèmes dans *la Conque,* revue qu'il avait fondée (1891) et où il fit paraître également des textes de H. de Régnier, Mallarmé, Verlaine, et de son ami P. Valéry*. S'inspirant de la littérature grecque érotique (il avait traduit notamment des poésies de Méléagre*, 1893), il donna les *Chansons de Bilitis* (1894), poèmes en prose d'une grande délicatesse où une poétesse grecque, contemporaine de Sapho, est censée célébrer sa passion pour la jeune Mnasidika. Cette œuvre d'une sensibilité raffinée et d'une préciosité toute alexandrine inspira à Cl. Debussy* trois compositions musicales (groupées dans le recueil homonyme, 1897). Également de facture parnassienne, le roman de « mœurs antiques » *Aphrodite* (1896 ; adapté pour le théâtre lyrique en 1906) connut un succès notable ; l'auteur conférait à sa peinture de l'amour sensuel un nouvel accent dramatique, assombrissement rendu plus sensible encore dans le bref récit de *La Femme et le Pantin* (1898). — Après une « fantaisie » écrite dans l'esprit du XVIIIe siècle galant, *Les Aventures du roi Pausole* (1901 ; mis en musique par J. Ibert et A. Honegger), P. Louÿs devait presque totalement délaisser la littérature et se consacrer à des travaux d'érudition. Il parachevait néanmoins son grand poème *Pernigilium mortis* et ébauchait le roman *Psyché* (posth., 1927), ultime analyse de la sensualité tragique d'un écrivain brillant qui se voulut avant tout un moraliste.

LOVECRAFT (Howard Phillips). ♦ Écrivain américain (Providence, Rhode Island, 1890 — *id.*, 1937). Il passa la plus grande partie de sa vie dans sa ville natale, vivant de menus travaux d'édition et du produit de sa plume. Il est l'auteur de poèmes, d'essais et surtout d'une soixantaine de récits fantastiques dont la plupart parurent dans le magazine *Weird Tales* à partir de 1923. Les plus remarquables sont : *La Couleur tombée du ciel* (*The Colour out of Space,* 1927), *L'Appel de Cthulhu* (*The Call of Cthulhu,* 1928), *L'Abomination de Dunwich* (*The Horror of Dunwich,* 1929), *Celui qui chuchotait dans les ténèbres* (*The Whisperer in Darkness,* 1931), *Les Montagnes hallucinées* (*At the Moutains of Madness,* 1936), *Le Cauchemar d'Innsmouth* (*The Shadow over Innsmouth,* 1936), *Dans l'abîme du temps* (*The Shadow out of Time,* 1936). Lovecraft crée un univers conjectural issu de rêves et de cauchemars, et dont maints détails se retrouvent d'un texte à l'autre. Ses récits se déroulent à l'époque où il écrit et souvent dans la région qu'il habite, la Nouvelle-Angleterre, autour de la ville, imaginaire, d'Arkham et de l'université de Miskatonic. L'irruption de puissances monstrueuses, extra-terrestres d'origine immémoriale, met en cause le destin de l'humanité. Les principales entités de cette mythologie d'épouvante sont Yog-Sothoth, Cthulhu « qui viendra des Abysses d'Océan », Nyarlathotep « le Chaos rampant » ou encore ces Grands Anciens qui sont censés avoir créé la vie sur notre planète « par dérision ou par erreur ». De nombreuses références sont faites à un livre imaginaire, le *Nécronomicon,* véritable encyclopédie du mal, œuvre de « l'Arabe dément Abdul Alhazred ». Le propos de Lovecraft est de communiquer le sentiment d'une horreur « indicible » face à des réalités qu'il veut le plus étrangères possible aux perceptions humaines. S'il bute sur la difficulté d'une telle entreprise, renonçant souvent à exprimer cet « indicible », le sentiment qu'il en a est suffisamment fort pour qu'il s'en transmette quelque chose au lecteur. À ce titre, il apparaît comme l'un des meilleurs successeurs d'Edgar Poe* ou d'Arthur Machen, qu'il regardait comme ses maîtres et dont il étendit considérablement le registre. Après sa mort, un cercle d'admirateurs, autour d'August Derleth, répandit son œuvre en la publiant en volumes ; plusieurs écrivains la prolongèrent en reprenant sa mythologie.

LOVELACE (Richard). ♦ Poète et dramaturge anglais (Woolwich, 1618 — Londres, 1657). Étudiant à Oxford, il se fit très vite une réputation d'amabilité (« the most amiable and beautiful ») qui le mena tout droit à la cour et qui devait faire de son nom un synonyme de séducteur. Parfait « cavalier », il demeura fidèle à son roi (Charles Ier) malgré plusieurs emprisonnements qui lui inspirèrent une grande partie de son œuvre poétique. Sa tragédie, *Le Soldat,* a été perdue, ainsi qu'une comédie *The Scholars.* Après sa mort, son frère publia ses poèmes (*À Althée, À Lucasta,* 1649). Son style, parfois imité de J. Donne*, manque souvent de simplicité. Mais son idéal galant est transcendé par une religion de l'honneur. Amoureux délicat et soldat valeureux en Écosse, 1639-1640, blessé à Dunkerque, 1646, Lovelace eut le souci de concilier ces deux valeurs : « Je ne pourrais pas vous aimer cher amour autant si je n'aimais l'honneur davantage. »

LOVENDEGEM. ♦ Comm. de Belgique (Flandre-Orientale, arr. de Gand), sur le canal de Bruges à Gand. 5 100 habitants.

LOWE (*sir* Hudson). ♦ Général anglais (Galway, 1769 — Chelsea, 1844). Il combattit contre la France en Égypte, en Sicile, à Capri (1806) et aux îles Ioniennes. Nommé gouverneur de Sainte*-Hélène en août 1815, il fut le geôlier de Napoléon, et fit preuve d'une extrême sévérité, compliquée de mesquines tracasseries.

LOWELL. ♦ V. des États-Unis, au N.-E. du Massachusetts. 92 929 hab. L'une des plus anc. villes indus. des États-Unis, elle fut visitée par Michel Chevalier (1834) et Ch. Dickens. — Textiles. — Patrie de Whistler* (maison natale).

LÖWENDAL. ♦ V. LOEWENDAL.

LOWESTOFT. ♦ V. et port de Grande-Bretagne (Suffolk), sur le littoral de la mer du Nord. 45 700 hab. — Station balnéaire fréquentée et important port de pêche. Constructions navales, conserveries. — Patrie de Benjamin Britten*, Thomas Nashe*.

LOWIE (Robert Harry). ♦ Ethnologue américain d'origine autrichienne (Vienne, 1883 — Berkeley, Californie, 1957). Principal disciple de F. Boas, il a, comme lui, critiqué l'évolutionnisme unilinéaire, renversant « la perspective étroitement historique qui bornait l'horizon ethnologique, sans permettre d'apercevoir les facteurs structuraux universellement à l'œuvre » (C. Lévi-Strauss). Auteur de monographies sur les Indiens d'Amérique du Nord, il publia également *Culture and Ethnology* (1917), *Primitive Society* (1920), *Origin of State* (1927), *The History of Ethnological Theory* (1937), *Social Organization* (1948), etc.

Ph. Stella

Lozère : village des environs de Villefort.

LOWLANDS. *n. f. pl.*, en fr. **Basses Terres.** ♦ Dépression du centre de l'Écosse, comprise entre les *Southern* Uplands* au S., les mont Grampians* au N., l'estuaire de la Clyde à l'O. et celui du Forth* à l'est. C'est la région la plus peuplée (75 % des Écossais y vivent) et la plus développée du pays. Elle présente une succession de petites plaines sédimentaires, séparées par des collines et des éminences volcaniques. Les parties les plus basses, très fertiles, ont été mises en culture. L'élevage laitier tient une place importante, surtout dans l'O., plus humide. Les céréales (orge, avoine), betteraves sucrières, pommes de terre, plantes industrielles, cultures fruitières (alimentant les confitureries de Dundee) dominent à l'est. Le plus grand bassin houiller d'Écosse (25 millions de t par an) s'étend sur le Lanarkshire, l'Ayrshire, le Renfrew et les Lothians et a aidé à l'essor d'une puissante métallurgie, concentrée surtout autour de Glasgow* et le long de l'estuaire de la Clyde* (sidérurgie, fonderies, équipement industriel, chantiers navals). Les indus. chimique et textile tiennent aussi une place importante dans l'économie des Lowlands.

LOWRY (Malcolm). ♦ Romancier anglais (Birkenhead, Cheshire, 1909 — Ripe, Sussex, 1957). Voyageur et poète comme L. Durrell* (*Ultramarine,* 1933), M. Lowry chercha avant tout à exprimer le sentiment de la complexité du monde. Malade et luttant contre l'alcoolisme (*Lunar Caustic,* posth.), il ne put achever son œuvre. « Au-dessous du volcan » (*Under the volcano,* 1947), qui évoque une ville mexicaine dans un site étrange et désertique, devait s'inclure dans un cycle qui aurait eu pour titre « La Traversée qui ne finit pas » *(The Voyage that never ends).* L'expérience concrète des lieux y conduit, par le symbolisme, au fantastique. Malcolm Lowry écrivit aussi des contes, dont certains sont inspirés par sa vie en Colombie britannique [1940-1954] (*Hear us, O Lord, from Heaven, Thy Dwelling Place,* 1961).

LO-YANG [*Luoyang*]. ♦ Anc. nom de la ville chinoise de Ch'eng*-chou. 180 000 hab. Capitale de la province du Ho*-nan. Centre commercial, archéologique, artistique et culturel. Ancienne capitale chinoise fondée vers ~ 700, la ville fut surtout prospère sous les Han* et les T'ang*.

LOYAUTÉ *(îles).* ♦ Archipel de la Mélanésie* (Océanie), aligné parallèlement à l'axe de la Nouvelle*-Calédonie dont il dépend, à 100 km à l'est. Ce groupe d'îles corallien est formé de trois îles principales : du N.-O. au S.-E., Uvea ou Ouvea, Lifu ou Lifou et Maré, et de plusieurs petites îles. Plus de 2 000 km^2. 14 000 hab. env. *(Mélanésiens, Polynésiens)* parlant plusieurs langues. — Cultures traditionnelles (igname, taro, banane) et d'exportations (cocotiers, coprah). ♦ *Hist.* Découverte sans doute par d'Entrecasteaux en 1792, l'île fut relevée par Dumont* d'Urville sur sa carte marine au début du XIXe siècle.

LOYOLA. ♦ V. IGNACE DE LOYOLA.

LOYSON (Charles, dit *le Père* **Hyacinthe).** ♦ Prédicateur français (Orléans, 1827 — Paris, 1912). D'abord dominicain, il entra dans l'ordre des Carmes (1863). Ses qualités de prédicateur le firent nommer à la chaire de Notre-Dame de Paris (1865). Toutefois, son opposition au dogme de l'infaillibilité pontificale (1869) et sa vie privée (il s'était lié avec une protestante convertie qu'il devait épouser) l'amenèrent à rompre avec son ordre, puis avec l'Église romaine. Entré dans l'Église des Vieux-Catholiques, il fonda ensuite à Paris une Église gallicane (1879), et tenta, sans grand succès, de susciter parmi les catholiques français un mouvement d'opposition à Rome (*De la Réforme catholique,* 1872 ; *Mon testament,* 1893).

LOZÈRE *(mont). n. m.* ♦ Massif granitique des Cévennes (en Lozère), culminant à 1 702 m. Ses sommets modelés souvent en plateaux ondulés et monotones sont ennoyés dans un manteau d'arène (tourbières) tapissé de bruyères (pâturages ; troupeaux transhumants) ou bien couvert de forêts de résineux.

LOZÈRE *n. f.* [**48**]. ♦ Dép. situé en bordure du Massif central, au S.-E. Région (anciennement C.A.R.) Languedoc*-Roussillon.

5 170 km² *(Lozériens)*. – *Orogr.* Sans unité physique, la Lozère se caractérise par l'amalgame de massifs montagneux. Dans la partie septentrionale, les monts cristallins de la Margeride* dominent les plateaux du Gévaudan*. Ces plateaux sont essentiellement orientés vers l'économie pastorale (moutons); toutefois, de nombreux reboisements en résineux y ont été effectués. Les vallées ont une activité plus diversifiée : polyculture et élevage. À l'O., sur les plateaux basaltiques de l'Aubrac*, prédomine l'élevage orienté vers la production laitière et l'indus. fromagère (bleus de Laguiole). Au S.-E., les massifs cévenols (mont Lozère*, Aigoual*) sont, sur leur rebord, déchiquetés en « serres » par le ruissellement torrentiel (gardons). Le S.-O. englobe une partie des Grands Causses* domaine traditionnel de l'élevage ovin, orienté vers la production laitière (le lait est expédié en partie vers Roquefort*). Mais les dépressions argileuses forment des noyaux de polyculture. Ce dép., très affecté par l'exode rural, cherche avec le tourisme un nouveau souffle, mais se heurte à l'insuffisance de l'équipement hôtelier.

♦ [192 comm., 24 cant., 82 693 hab.]. *Préf.* Mende*. *Sous-préf.* Florac*. *Ch.-l. de cant.* Aumont*-Aubrac, Barre*-des-Cévennes, Le Bleymard*, La Canourgue*, Chanac*. Châteauneuf*-de-Randon, Fournels*, Grandrieu*, Langogne*, Le Malzieu*-Ville, Marvejols*, Le Massegros (226 hab.), Meyrueis*, Nasbinals*, Le Pont-de-Montvert (387 hab.), Saint*-Alban-sur-Limagnole, Saint-Amans (227 hab.), Saint*-Chély d'Apcher, Sainte*-Énimie, Saint-Germain-de-Colberte (462 hab.), Saint-Germain-du-Teil (760 hab.), Villefort*. *Autres communes et sites.* **V. Armand** *(aven)*, **Bagnols-les-Bains, Dargilan** *(grotte de)*, **Jonte** *(corniche de)*.

LUALABA. *n. m.* ♦ Nom donné au fl. Congo* près de sa source.

LUANDA, anc. **São Paulo de Loanda** ou **Loanda**. ♦ Cap. de l'Angola*, sur l'Atlantique. 250 000 hab. Centre administratif et commercial. Raffinerie de pétrole.

LUANG-PRABANG. ♦ Cap. royale du Laos, sur le haut Mékong*, et ch.-l. de la prov. centrale du Laos. Env. 25 000 hab. – Artisanat du bois de teck, de l'argent, de la soie. Aérodrome et petit port fluvial. Nombreuses pagodes bouddhiques.

LUARCA. ♦ V. et port d'Espagne septentrionale, dans les Asturies (prov. d'Oviedo). Ch.-l. de prov. sur l'Atlantique. 25 500 hab. Station balnéaire.

LÜBBENAU. ♦ V. d'Allemagne orientale (Brandebourg, district de Cottbus), sur la Sprée, à 30 km au N.-O. de Cottbus. Centrale thermique (l'une des plus grandes d'Europe) utilisant la lignite des environs (14 500 000 t/an).

LUBBOCK (*sir* **John**, *1er baron* **Avebury**). ♦ Homme politique, naturaliste et préhistorien anglais (Londres, 1834 – Kingsgate Castle, Kent, 1913). Il siégea avec les libéraux puis les libéraux-unionistes au Parlement et fut élevé à la pairie en 1900. Outre des travaux sur les abeilles et les fourmis, il publia un ouvrage sur la préhistoire où il introduisit les notions de paléolithique et de néolithique (*Prehistoric Times,* 1865; en fr. *L'Homme avant l'Histoire,* 1866.)

LUBBOCK. ♦ V. des États-Unis (O. du Texas), située sur le Llano* Estacado. 146 379 hab. Centre agricole (marché du coton) et d'élevage (volailles, produits laitiers).

LUBECK, en all. **Lübeck**. ♦ V. d'Allemagne nord-occidentale (R.F.A.; Schleswig-Holstein), au fond de l'estuaire de la Trave, ouverte sur la mer Baltique, à la frontière de l'Allemagne orientale. 242 900 hab. (1969). La ville anc. *(Altstadt)* est assez bien conservée : la *Holstentor* (porte fortifiée de la fin du XVe s.), le *Rathaus* (XIIIe-XVIe s.), la *Marienkirche* (XIVe s.) et la *Jacobkirche* (XIIIe-XIVe s.) en sont les monuments les plus notables. – Le port, relié à l'Elbe* par un canal de 67 km, est en relation avec la Scandinavie (importation de bois et de fer de Suède). L'industrialisation a connu depuis la Deuxième Guerre mondiale un grand essor, favorisé par un afflux considérable de main-d'œuvre (100 000 réfugiés d'Allemagne de l'E.). Les constructions navales et mécaniques, les conserveries de poisson, et plus récemment, la sidérurgie et la métallurgie du cuivre, sont les principales activités. – Patrie de E. Curtius*, H. Fehling*, H. Mann*, Thomas Mann*. ♦ *Hist.* Fondée au XIIe s. par Adolphe II de Holstein, la ville devint ville impériale en 1226. Elle fut, avec Hambourg, la co-fondatrice de la Hanse*, ce qui fut à l'origine de sa grande prospérité jusqu'à la fin du XVIe siècle. Elle étendit son influence sur la Scandinavie et jusqu'aux pays baltes et joignit à son rôle commercial un rôle politique de premier plan en arbitrant les querelles qui opposaient la Suède au Danemark. Lubeck réussit à sauvegarder son indépendance jusqu'en 1937 (sauf pendant sa brève annexion à l'empire français, de 1811 à 1813) au sein de la Confédération du Nord à laquelle elle adhéra en 1866, puis de l'empire allemand (1871). Elle fut annexée à la Prusse en 1937 et en 1946 à l'État fédéré de Schleswig-Holstein.

LUBERON. *n. m.* ♦ Montagne des Alpes françaises, située entre les vallées du Coulon et de la Durance*. C'est une chaîne longue de 65 km env., divisée en *Grand* et *Petit Luberon* par la cluse de Lourmarin*. Les monts du Luberon s'étendent en majeure partie sur le dép. du Vaucluse*. Chênes verts. Forêts de cèdres. ♦ *Hist.* Plusieurs villages vaudois du Luberon furent détruits en 1545 par le baron d'Oppède à la suite d'un arrêt du parlement d'Aix.

LUBERSAC. ♦ Ch.-l. de cant. de la Corrèze*, arr. de Brive*-la-Gaillarde. 2 475 hab. (1 093 aggl.). Église romane.

LUBITSCH (Ernst *von***).** ♦ Réalisateur allemand de cinéma, naturalisé américain (Berlin, 1892 – Hollywood, 1947). D'abord acteur dans la troupe de Max Reinhardt, il débuta au cinéma avec des mélodrames historiques à grande mise en scène (*Madame du Barry,* 1919). Mais c'est aux États-Unis où il devait se fixer (1923) qu'il réalisa ses œuvres les plus marquantes en adaptant avec délicatesse quelques-unes des pièces les plus célèbres du théâtre européen (*L'Éventail de Lady Windermere,* de Wilde*, *Lady Windermere's Fan,* 1925), ainsi que des comédies musicales : *Parade d'amour* (*The Love Parade,* 1929), *Le Lieutenant souriant* (*Smiling Lieutenant,* 1931), *La Veuve joyeuse* (*The Merry Widow,* 1934). Peintre de la frivolité et du libertinage, mêlant l'ironie, l'humour noir et l'insolence à un romantisme parfois bien proche du tragique, il a réalisé successivement : *L'Homme que j'ai tué* (*The Man I killed,* 1932), *Haute Pègre* (*Trouble in Paradise,* 1932), *Si j'avais un million* (*If I had a Million,* 1932), *Sérénade à trois* (*Design for living,* 1933), *Ninotchka* (1939), *Jeux dangereux* (*To be or not to be,* 1942).

LÜBKE (Heinrich). ♦ Homme politique de l'Allemagne fédérale (Enkhausen, 1894). Emprisonné par les nazis (1933-1935), il fut, après la guerre, élu député dans les rangs du C.D.U. (1949). En 1953, il fut nommé ministre de l'Alimentation et de l'Agriculture, et devint président de la République fédérale allemande (1959-1963).

LUBLIN. ♦ V. de la Pologne* orientale, ch.-l. de la voïévodie du même nom. 1 901 300 hab. au pied des premiers contreforts des Carpates. 205 000 hab. Siège d'un évêché et d'une université catholique. Anc. ville fortifiée (porte de Cracovie, XIVe s.). Nombreux monuments (église des visitandines, château fort et chapelle du XVe s. où voisinent les influences byzantines et latines). Industries électro-techniques, textiles et alimentaires. – Patrie de Meyerson*. ♦ *Hist.* Siège de la diète qui scella l'union polono-lituanienne (*Union de Lublin,* 1569), la ville fut successivement rattachée à l'Autriche (1795), au grand-duché de Varsovie (1809), à la Russie (1815), puis à nouveau occupée par les Autrichiens de 1915 à 1918. Durant la Seconde Guerre mondiale, elle fut investie par les Allemands, qui y établirent un camp de concentration **(V. Majdanek)**. Libérée par les troupes soviétiques en 1944, elle devint la capitale de la Pologne libre et le siège du gouvernement provisoire de la République polonaise, transféré à Varsovie* en janvier 1945.

LUBUMBASHI, anc. **Élisabethville**. ♦ V. du Zaïre (ex-Congo-Kinshasa), au S. du pays, dans le Katanga*, reliée par voie ferrée à Lobito* (Angola), Lusaka* (Zambie), Bulawayo* (Rhodésie) jusqu'au Cap* (république d'Afrique du Sud). 318 000 hab. (1969). Université. Centre de production du cuivre.

LUC *(saint)*. ♦ Auteur du troisième Évangile*, selon la tradition, identifié avec le compagnon de saint Paul de *L'Épître aux Colossiens,* IV, 14, etc. La tradition lui attribue aussi les Actes* des Apôtres. Il aurait été médecin. – Fête le 18 octobre.

LUC (Le). ♦ Ch.-l. de cant. du Var*, arr. de Draguignan*, 4 266 hab. *(Luçois)*. Église gothique ruinée; ruines d'un château. Eaux minérales.

LUCAIN (Marcus Annaeus Lucanus). ♦ Poète latin (Cordoue, 39 – Rome, 65). Neveu de Sénèque* le Philosophe et compagnon de Néron*, ce dernier le contraignit à 26 ans de se donner la mort. Il est l'auteur d'une œuvre considérable dont il ne nous reste que la *Pharsale**, récit de la guerre civile entre César* et Pompée*, œuvre qui exprime l'âme d'une société où le drame était une expérience de chaque jour.

LUCANIE [*n. f.*], en lat. **Lucania**, auj. **Basilicate**. ♦ Région de l'Italie ancienne entre la Campanie* au N., le Bruttium au S., la mer Tyrrhénienne à l'O. et le golfe de Tarente à l'Est. Établis dans les montagnes, les Lucaniens vainquirent la ligue défensive qu'avaient formée contre eux les Grecs du littoral (~ IVe s.), puis s'allièrent à Pyrrhus* lors de la guerre de Tarente. Ils furent défi-

Ph. M. Pedone/Ricciarini

Lucanie : Matera.

nitivement soumis par Rome en ~ 272. *V. princ.* Métaponte*, Héraclée*, Élée. Poséidonia (Paestum*).

LUCAS-CHAMPIONNIÈRE (Just). ♦ Chirurgien français (Saint-Léonard, Oise, 1843 – Paris, 1913). Il fut le premier à introduire en France la méthode antiseptique **(V. Lister).** *Chirurgie antiseptique,* 1876. (Acad. sc., 1912.)

LUCAS DE LEYDE. ♦ Peintre, graveur et dessinateur néerlandais (Leyde, 1494 – *id.,* 1533). Élève d'Engebrechtsz*, inscrit à la gilde d'Anvers en 1514, il fit la connaissance de Dürer* en 1521 et entreprit un voyage dans les Pays-Bas méridionaux avec Gossart*. Dans son œuvre très variée, le souvenir de Jérôme Bosch* *(Loth et ses filles)* se mêle aux influences allemandes (nervosité du graphisme) et italiennes (ampleur de la conception spatiale, qualité plastique des nus). Il manifesta aussi certaines tendances au maniérisme et fut un coloriste original, employant un éclairage raffiné et contrasté, des accords de tons rares et une matière légère. Ses portraits se caractérisent par une grande vivacité d'expression. Il fut aussi l'un des initiateurs de la peinture de genre hollandaise *(Les Joueurs de cartes, Les Joueurs d'échecs).* Sa personnalité s'affirma avec force dans ses estampes. Son trait incisif, d'une extrême délicatesse particulièrement apte à rendre les nuances du modelé et les variations de l'éclairage, a souvent été jugé supérieur à celui de Dürer lui-même. Il représenta des sujets bibliques et des scènes de la vie populaire *(Les Gueux; La Laitière)*; particulièrement inventif dans ce domaine, il fournit un répertoire de thèmes, de gestes et de poses, utilisé par de nombreux artistes au cours du XVIe siècle.

LUCAYES. *n. f. pl.* ♦ **V.** BAHAMAS.

LUCE *(sainte).* ♦ **V.** LUCIE (sainte).

LUCÉ. ♦ Comm. d'Eure-et-Loir. 11 510 hab. Métallurgie de l'aluminium.

LUCENAY-L'ÉVÊQUE. ♦ Ch.-l. de cant. de la Saône-et-Loire, arr. d'Autun, en bordure du Morvan. 536 hab. *(Lucenois).* Restes de l'anc. château des évêques d'Autun. – Confection.

LUCENS. ♦ V. de Suisse (Vaud) sur la Broye, au S.-O. de Payerne*. 1 600 hab. – Château (XIIIe-XVe s.). Centrale nucléaire expérimentale.

LUCERNE, en all. **Luzern.** ♦ V. de Suisse centrale, située à l'extrémité N.-O. du lac des Quatre*-Cantons, sur la Reuss*, ch.-l. du cant. de Lucerne. 74 700 hab. – Station climatique et touristique très fréquentée. Festival de musique. Avec ses jardins longeant le lac, ses neuf tours reliées par des murailles, ses ponts et ses maisons anciennes, Lucerne est une des villes les plus pittoresques de la Suisse. Enjambant la Reuss, deux ponts en bois couverts : le *Kapellbrücke* (XIVe s.), le plus ancien et le plus caractéristique, décoré de panneaux peints (XVIIe s.) avec la *Wasserturm* (tour de l'Eau) et le *Spreuerbrücke* (pont des Moulins) du XVe s.; *Hofkirche* (cathédrale et collégiale dédiée à saint Léger) du XVIIIe s., église des Franciscains (XIVe s.), église des Jésuites (XVIIe s.), hôtel de ville (XVIIe s.), *Weinmarkt* (place du Marché au vin). ♦ *Hist.* La ville a pour origine une abbaye bénédictine fondée au VIIIe s. près du site de l'actuelle cathédrale. Achetée par Rodolphe* Ier de Habsbourg en 1291, Lucerne s'allia en 1332 aux cantons de Schwyz, d'Uri et d'Unterwald pour lutter contre la domination autrichienne et recouvra son indépendance par la victoire de Sempach* (1386). Elle resta fidèle au catholicisme pendant la Réforme et participa activement aux guerres religieuses. Occupée par les troupes françaises en 1798, elle devint pour peu de temps capitale de la Suisse, mais le canton fut rétabli en 1803. La politique catholique de Lucerne au XIXe s. aboutit à l'alliance du Sonderbund* en 1847 et à la défaite de la ville devant les troupes fédérales. – Le *canton de Lucerne* est limité par le canton d'Argovie au N., ceux de Zoug et de Schwyz à l'E., le lac des Quatre-Cantons et le canton d'Unterwald au S.-E., le canton de Berne à l'ouest. 1 494,4 km². 283 000 hab. (en majorité de langue allemande et de religion catholique). *Ch.-l. :* Lucerne. *V. princ.* **V. Emmen, Kriens, Sempach, Sursee, Weggis.** – Le pays est drainé par la Petite Emme* et la Reuss*, et bordé au S.-E. par le Pilate*. Ses principales ressources sont l'élevage, la culture des céréales et des arbres fruitiers. L'industrie s'est développée essentiellement autour de Lucerne : indus. textile, métallurgie, appareillage électrique, papeteries, manufacture de tabac. Le tourisme tient une grande place dans l'économie de la région.

Ph. Hétier

Lucerne : la Kappellbrücke.

LUCHON. ♦ **V.** BAGNÈRES-DE-LUCHON.

LU-CHOU [*Lou-tcheou, Luzhou*], anc. **Lu-hsien.** ♦ V. de Chine, dans le Szu-ch'uan, sur le Yang*-tsê kiang. Env. 300 000 hab. – Grand centre minier (houille, fer) à quelque distance à l'O. de Ch'ung*-ch'ing.

LUCIE ou **LUCE** *(sainte).* ♦ Vierge et martyre à Syracuse (sous Dioclétien, 304 ?). Culte attesté au VIe siècle. Dans la légende, elle rompt avec son fiancé pour se consacrer au Christ, et elle est dénoncée. Condamnée à servir au lupanar, elle oppose une immobilité miraculeuse : ni l'arrachement des dents et des seins, ni les flammes du bûcher ne peuvent vaincre sa résistance, et il faut lui trancher la gorge. Dans une autre version, elle s'arrache elle-même les yeux et les envoie à son fiancé, mais la Vierge lui en fait renaître de plus beaux. Très populaire en Sicile, en Italie, en France, en Allemagne, elle était invoquée pour guérir les maladies des yeux ou, en Italie, pour « aveugler » les maris trompés. Sa fête, le 13 décembre (ce qui, avant l'adoption du calendrier grégorien, la plaçait vers le solstice d'hiver), était une fête de la lumière, en rapport aussi avec un jeu de mots sur son nom (rapproché de *lux* « lumière »).

LUCIEN ou **LUCIEN de Samosate,** en gr. **Loukianos.** ♦ Écrivain satirique grec (Samosate, Syrie, v. 125 – v. 192). Il étudia la rhétorique et abandonna une carrière d'avocat à Antioche pour une vie de sophiste vagabond. Après avoir parcouru l'Ionie, la Grèce, l'Italie et la Gaule, il se fixa de 165 à 185 à Athènes, où, renonçant à la sophistique, il parvint à la maturité littéraire. Il termina sa vie en Égypte comme fonctionnaire de Rome. On lui attribua quatre-vingt-six ouvrages dont soixante-dix sont considérés aujourd'hui comme authentiques : compositions orales, dialogues, pamphlets, deux romans satiriques, etc. Parmi ses dialogues, les plus célèbres sont les *Dialogues* des morts* et *Le Songe ou le Coq.* Les cibles de ses satires mordantes sont la richesse et les vices sociaux, la philosophie, en particulier les sophistes et les cyniques *(Icaroménippe, Les Sectes à l'encan),* la religion païenne *(Dialogues des dieux, Prométhée, Zeus tragédien),* le christianisme *(La Mort de Pérégrinos),* les vogues littéraires, en somme tous les phénomènes idéologiques et sociaux de son temps. Cette critique négative semble répondre à un climat de décadence. Le scepticisme de Lucien est cependant animé d'une verve remarquable. Inspiré de la satire bouffonne de Ménippe*, il corrige son réalisme par une fantaisie pleine d'invention et de malice. Il écrit en outre le meilleur attique de son siècle. Très admiré par les modernes, il a été le modèle d'Érasme*, de Fénelon, de Fontenelle et de P. L. Courier.

LUCIEN *(saint).* ♦ Selon la tradition, premier évêque de Beauvais et martyr (IIIe s. ?).

LUCIEN D'ANTIOCHE *(saint).* ♦ Prêtre d'Antioche et martyr (Samosate, v. 235 – exécuté à Nicomédie, 312). Traducteur de plusieurs livres bibliques (d'hébreu en grec) et exégète dans la tradition antiochienne (fidélité au sens littéral), il dirigea l'école d'Antioche dans la seconde moitié du IIIe siècle. Sa doctrine fut probablement « subordinationniste » et plusieurs chefs de l'arianisme sortirent du groupe de ses élèves (« sylloukianistes »). Arius* lui-même se disait son disciple. Fête le 7 janvier.

Lucien Leuwen. ♦ Roman inachevé de Stendhal* (posthume, 1894, puis 1927) d'abord publié sous le titre *Le Chasseur vert* (1855). Écrit en 1834-1835 et conçu comme une « histoire morale » fort critique de la société de son temps (la monarchie de Juillet), ce récit est également une histoire d'amour où sont transposés les sentiments éprouvés par Stendhal pour « Métilde » Dombrovska. Le héros, « jeune homme à qui le ciel a donné quelque délicatesse d'âme », privilégié, est chassé de Polytechnique pour ses opinions républicaines. Après un séjour à Nancy et un amour déçu, il gagne Paris où il occupe un poste important qui le rend témoin des intrigues politiques et des manœuvres électorales favorisées par le gouvernement de Louis-Philippe. Le roman est inachevé. Lucien, incarnation des goûts et des opinions de Stendhal, est l'homme de la conscience morale qui veut prouver, malgré l'appui que lui apporte sa position sociale, qu'il est « capable de réussir seul ».

Lucifer (du lat. **lux,** « lumière », et **ferre,** « porter » : porte-lumière). ♦ Dans la Vulgate, traduction de l'expression « astre brillant » d'*Isaïe,* XIV, 12, désignant le roi de Babylone. Le mot a été appliqué à l'étoile du matin (deuxième épître de Pierre, I, 19), au Christ et, à partir du Moyen Âge, à Satan à qui l'on rapportait le passage d'Isaïe.

LUCIFER DE CAGLIARI. ♦ (? – v. 370). Évêque de Cagliari av. 354, il défendit la stricte foi de Nicée et, refusant le pardon aux ariens **(V. Arianisme),** se sépara de l'Église. Le schisme dit « luciférien » entraîna nombre d'évêques italiens et espagnols.

LUCILIUS (Caius). ♦ Poète satirique latin (Suessa Aurunca, ~ 148 – ~ 103) d'une riche famille équestre. Ami de Scipion* Émilien qu'il suivit au siège de Numance (~ 133). Il donna sa forme définitive à la satire.

LUCIUS Ier *(saint).* ♦ 22e pape (253-254 [mort]), Romain, martyr (?). Fête le 4 mars.

LUCIUS II *(Gerardo Caccianemici).* ♦ 164e pape (1144-1145 [mort]). Bolonais, sans doute mort des blessures reçues en luttant contre le Sénat romain **(V. Arnaud** de Brescia**).**

LUCIUS III *(Ubaldo Allucingoli).* ♦ (Lucques – Vérone 1185 [mort]). 169e pape (1181-1185), ancien évêque d'Ostie et cardinal.

Ph. Giraudon

L. Lotto : « **Sainte Lucie** comparaît devant le consul Paschasius », détail. (Jési. Marche).

Face à la Commune de Rome, il se réfugia à Vérone. Il y réunit un concile (1184) qui condamna les néo-manichéens (cathares*), contre qui il institua l'Inquisition épiscopale.

LUCKNER (Nicolas, *baron*). ♦ Maréchal de France (Cham, Bavière, 1722 — Paris, 1794). Lieutenant général des armées françaises en 1763, maréchal de France en 1791, il commanda l'armée du Rhin, puis l'armée du Nord, en remplacement de Rochambeau* (1792). Suspecté de trahison et suspendu, il fut arrêté à Metz (1793) et condamné à mort par le Tribunal révolutionnaire.

LUCKNOW. ♦ **V.** LAKHNAU.

LUÇON. ♦ Ch.-l. de cant. de la Vendée, arr. de Fontenay-le-Comte. 8 950 hab. [7 965 aggl.] *(Luçonnais).* — Évêché. Cathédrale Notre-Dame, gothique, des XIIIe, XIVe et XVIe s., avec façade classique. Chapelle des Carmélites (XIIIe s.). Palais épiscopal (XVIe s.). Maisons anciennes. — Constructions métalliques. Matériaux de construction. — Richelieu* y fut évêque de 1607 à 1624.

LUÇON ou **LUZON.** ♦ Île princ. de l'archipel des Philippines*, située au N. de celui-ci. Env. 90 000 km². 5 000 000 d'hab. — Elle est montagneuse et volcanique, parcourue par de nombreux fleuves. Ses côtes, très découpées, sont parsemées de centaines d'îlots et d'îles. On y cultive du riz, des épices, de l'abaca, du tabac, du sucre. Les zones montagneuses de l'intérieur abritent encore des populations aborigènes frustes, alors que les zones côtières sont bien développées. La cap. des Philippines, Manille* (Manila), se trouve au N.-O. de l'île. Celle-ci est divisée en un grand nombre de provinces.

LUCQUES, en it. **Lucca.** ♦ V. d'Italie centrale, en Toscane*. Ch.-l. de prov., sur le Serchio. 90 000 hab. *(Lucquois).* Cathédrale (XIe-XVIe s.), églises, palais médiévaux, remparts (XVIe s.). — Marché agricole et centre industriel (huileries, indus. textiles et mécaniques), manufacture de tabac. — Patrie de Puccini*. ♦ *Hist.* Colonie romaine (~ 178), conquise par les Lombards, elle passa ensuite aux empereurs germaniques et acquit une indépendance de fait au XIIe siècle. Elle subit la dictature de Castruccio* Castracani (1314-1328), fut vendue à Mastino della Scala (1335) et à Florence (1341), fut conquise par Pise (1342). Elle put se racheter à l'empereur germanique Charles IV en 1370. Au début du XVe s., elle fut gouvernée avec bonheur par Paolo Guinigi. Prise par les Français en 1799, elle fut donnée par Napoléon à sa sœur Élisa Bonaparte en 1805. En 1815, Marie-Louise d'Espagne la reçut avec Piombino; son fils Charles-Louis y régna de 1824 à 1847, puis la donna à la Toscane.

LUCRÈCE, en lat. **Lucretia.** ♦ (? — ~ 509). Dame romaine, femme de Tarquin Collatin. Selon la tradition, déshonorée par Sextus, fils de Tarquin* le Superbe, elle se donna la mort. Ce drame aurait été l'occasion de la révolution qui renversa la royauté à Rome et établit la république. **V. Brutus.**

Lucrèce. ♦ Tragédie de François Ponsard* (1843). Destinée à faire échec aux excès du théâtre romantique (*Les Burgraves* de Victor Hugo connaîtront, la même année, une chute retentissante), la pièce, dont le sujet est emprunté au récit de Tite-Live, mélange habilement les procédés de l'ancien théâtre classique à la couleur et au mouvement hérités des drames de Shakespeare.

LUCRÈCE (Titus Lucretius Carus). ♦ Poète latin (Rome, v. ~ 98 — ~ 55) auteur du *De natura rerum (De la nature),* épopée en six livres qui expose avec une intention morale la physique épicurienne. Il se propose d'éliminer la crainte des dieux, poison mortel pour l'esprit humain, en fournissant de l'univers physique une explication matérialiste : les objets et les êtres vivants sont constitués par la combinaison d'atomes de matière qui s'assemblent en vertu d'une déviation fortuite (le *clinamen*), et d'amener ainsi l'âme à acquérir la paix qui réside dans l'ataraxie (délivrance des troubles passionnels). Par le réalisme de son imagination, par son enthousiasme persuasif, Lucrèce prépare Virgile; l'intensité poétique de son œuvre est inséparable de la cohérence philosophique de son discours, qui constitue l'un des sommets de la pensée romaine.

Lucrèce Borgia. ♦ Drame en trois actes, en prose, de Victor Hugo* (1833). Par mépris pour les Borgia qu'il tient en haine, le capitaine Gennaro a insulté leur blason, lors d'une ambassade à Ferrare. Il ignore qu'il est le fils de cette Lucrèce qui, de loin, veille sur lui. Intervenant auprès du duc son époux, Lucrèce Borgia parvient à soustraire Gennaro à sa vengeance. Pourtant le jeune capitaine poignardera Lucrèce et périra empoisonné mais, avant de mourir, il aura recueilli de sa mère le secret de sa naissance. — Pour le personnage historique, **V. Borgia.**

LUC-SUR-MER. ♦ Comm. du Calvados*, arr. de Caen*, sur la Manche*. 1 976 hab. Station balnéaire. Laboratoire de biologie marine.

LUCULLUS, en lat. **Lucius Licinius Lucullus.** ♦ Général romain (v. ~ 106 — av. ~ 56). Dès ~ 90, il se distingua dans la guerre sociale. Consul en ~ 74, il mena la guerre contre Mithridate* et Tigrane* d'Arménie sur lesquels il remporta des victoires décisives (~ 72-~ 68), mais sa cupidité et les intrigues des chevaliers provoquèrent une mutinerie dans son armée; il ne put achever la guerre et dut laisser la victoire finale à Pompée*. Évincé de la puissance politique, il se retira près de Tusculum* où, grâce aux richesses amassées pendant ses campagnes, il mena une vie dont le luxe et le raffinement sont restés proverbiaux.

Luddites. *n. m. pl.* (de John *Ludd,* qui aurait détruit des machines textiles vers 1780). ♦ Mouvement d'ouvriers anglais qui s'étaient organisés pour détruire les machines, accusées de provoquer le chômage et de diminuer la qualité des produits. Ce mouvement d'opposition à l'industrialisation (et à la prolétarisation) apparut vers la fin de 1811 à Nottingham, s'étendit en Angleterre de comté en comté jusqu'en 1816.

LUDE (Le). ♦ Ch.-l. de cant. de la Sarthe, arr. de La Flèche. 3 817 hab. *(Ludois).* — Église Saint-Vincent (XIIe et XVIe s.). Château XVIe-XVIIIe siècle. Hospice du XVIIIe. siècle. Maisons anciennes. — Marché. Fromagerie.

LUDENDORFF (Erich). ♦ Général allemand (Kruszewnia, Posnanie, 1865 — Tuntzing, Bavière, 1937). Après avoir été le rédacteur du plan Schlieffen* lorsqu'il était colonel (1911-1912), il fut, en août 1914, un des principaux artisans de la prise de Liège, puis devint chef d'état-major de Hindenburg* en Prusse-Orientale; il contribua aux victoires de Tannenberg* et des lacs Mazures. Quand Hindenburg fut nommé à la tête des armées allemandes (août 1916), il resta son principal collaborateur, avec le titre de premier quartier-maître général. Son rôle consista alors à élaborer les plans (proposés à la décision de Hindenburg) et à diriger les opérations. Politiquement, il fut, plus encore que Hindenburg, un partisan de la guerre à outrance, si bien qu'après les victoires de Foch* et tandis que l'Allemagne s'acheminait vers la demande d'armistice, il fut remplacé par Gröner (26 oct. 1918). **V. Guerre mondiale** *(Première).* Après la guerre, il se lança dans la politique où il manifesta un nationalisme exacerbé et de l'antisémitisme : il participa au putsch de Munich (1923, **V. Hitler**), fut député (1924) et candidat à la présidence (1925).

LÜDENSCHEID. ♦ V. d'Allemagne occidentale (Rhénanie du Nord-Westphalie), dans le Sauerland. 58 900 hab. — Centre industriel (métallurgie légère, matières plastiques).

LÜDERITZ (nom du négociant allemand qui acheta le territoire en 1883), anc. **Angra Pequeña** « petite ancre ». ♦ V. et port du Sud*-Ouest africain, situé au S. du pays dans la zone diamantifère et relié par voie ferrée à la ligne Windhoek*-Le Cap*. 3 450 hab. Important centre de pêche (langoustes, sardines). Conserveries.

LUDHIĀNA. ♦ V. de l'Inde (Pañjāb*). Env. 378 000 hab. (1970). Centre agricole (culture du coton; élevage du mouton). Quelques indus. de métallurgie et de mécanique. Fondée non loin du Satlej* en 1840.

LUDLOW (Edmund). ♦ Homme politique britannique (Maiden Bradley, Wiltshire, 1617 — Vevey, 1692). Il combattit dans l'armée parlementaire, fut l'un des partisans de l'épuration, fit partie du tribunal qui condamna Charles Ier et fut envoyé en Irlande pour y prendre la tête de l'armée en 1651. Ardent républicain, il s'opposa à Cromwell* quand celui-ci prit le pouvoir, et ne put reprendre une influence politique qu'en 1659. Il s'exila en Suisse lors de la Restauration. Ses *Mémoires* constituent l'un des meilleurs documents sur cette époque.

LUDOLF. ♦ Premier duc de Saxe (IXe s.). Nommé margrave de Saxe par Louis le Pieux (843), il fut institué duc de Saxe par Louis le Germanique (v. 880). Grand-père d'Henri* Ier l'Oiseleur.

LUDOVIC SFORZA (Ludovico Sforza, dit **il Moro,** « le More »). ♦ (1451 — Loches, 1508). Duc de Milan. Il s'empara de Milan (1480) à la mort de son neveu qu'il avait peut-être fait empoisonner, attira Charles* VIII en Italie pour l'opposer à l'Aragon, mais se retourna contre la France quand Louis* XII voulut faire valoir ses droits à l'héritage milanais. Deux fois chassé de Milan, il fut pris à Novare (1500) et emprisonné à Loches. Il avait entretenu avec Béatrice d'Este*, sa femme, une des cours les plus fastueuses de son temps. Parmi les artistes qu'il protégea, on peut citer Bramante et Léonard de Vinci.

LUDWIG (Carl Friedrich Wilhelm). ♦ Médecin et physiologiste allemand (Witzenhausen, Hesse, 1816 — Leipzig, 1895). Il fut un des premiers à utiliser des instruments pour l'enregistrement graphique des phénomènes physiologiques **(V. Marey).** Il fit des travaux sur la physiologie de la sécrétion urinaire, de la circulation sanguine, sur la composition du sang et de la lymphe (*Manuel de physiologie de l'homme,* 1852-1856).

Carlo Bevilacqua/Ricciarini

Bernardino Luini : « La sainte Famille ».
(Musée du Prado, Madrid.)

LUDWIG (Emil, pseudonyme d'**Emil COHN).** ♦ Écrivain allemand (Breslau, 1881 – Moscia, près d'Ascona, Tessin, 1948). Il a laissé plusieurs biographies d'hommes célèbres dont il a tenté d'analyser la personnalité et le génie de façon très libre (*Goethe,* 1920; *Napoléon,* 1925; *Guillaume II,* 1926; *Michel-Ange,* 1930; *Trois Dictateurs : Hitler, Mussolini, Staline,* 1939). Il quitta l'Allemagne pour la Suisse à l'époque du régime nazi.

Ludwig Feuerbach et la fin de la philosophie classique allemande. ♦ Cette œuvre d'Engels* (1888) est une analyse critique du développement de la philosophie allemande d'Hegel à Feuerbach. Dépassant l'idéalisme et le matérialisme mécaniste, Engels y expose les principes du matérialisme dialectique pour lequel la dialectique des idées n'est plus que « le simple reflet conscient de la dialectique du monde réel ».

LUDWIGSBURG, en fr. **Louisbourg.** ♦ V. d'Allemagne occidentale (Bade-Wurtemberg), sur le Neckar, au N. de Stuttgart. 75 600 hab. Vaste château de style baroque (1704-1735) élevé au milieu d'un grand parc à la française. – Constructions de machines, indus. textiles, porcelaines. – Patrie de J. Kerner*, E. Mörike, D. Strauss*, A. Van* Gennep.

LUDWIGSHAFEN. ♦ V. d'Allemagne occidentale (Rhénanie-Palatinat) et port sur la r. g. du Rhin, en face de Mannheim*. 174 000 hab. – C'est l'un des premiers centres chimiques de la R.F.A. (siège de la *Badische Anilin*) fabriquant de l'aniline, des matières plastiques, du verre, de l'ammoniaque. Important nœud ferroviaire.

Luftwaffe. *n. f.* (mot allemand, « armée aérienne »). ♦ Nom de l'armée de l'air du IIIe Reich allemand (1935-1945). **V. Gœring.**

LUGANO, en all. **Lauis.** ♦ V. de Suisse (Tessin) sur la rive nord du lac de Lugano. 21 900 hab. de langue italienne. – Évêché catholique. Ville de caractère italien : cathédrale San Lorenzo, transformée aux XIIIe et XVe s., église *Santa Maria degli Angioli* (XVIe s.) abritant des fresques de B. Luini*. La pinacothèque de la villa Favorita renferme l'une des plus grandes collections de peintures privées d'Europe. – Importante station climatique et touristique. – Indus. alimentaire (chocolat) et mécanique. ♦ *Hist.* D'origine incertaine (anc. *Gauni Agrestis* romaine ?), la ville fut mentionnée pour la première fois au IXe siècle. Aux XIIe et XIIIe s., elle fut disputée entre Côme et Milan. Elle entra dans la Confédération en 1512 et fut de 1803 à 1881 une des trois capitales du canton du Tessin avec Bellinzona* et Locarno*.

LUGANO *(lac de),* en it. **Lago di Lugano,** anc. **Lacus Ceresius.** ♦ Lac s'étendant en partie en Suisse (Tessin) et en partie en Italie (Lombardie), entre le lac Majeur* et le lac de Côme*. 50 km² (dont 46 en Suisse). Il est situé sur les contreforts des Alpes et dominé par le monte Salvatore et le monte Generoso. Il est drainé par la Tresa qui le relie au lac Majeur. Un pont-digue portant la route et la voie ferrée du Saint-Gothard relie la rive ouest à la rive est entre Melide, au S. de Lugano, et Bissone.

LUGANVILLE. ♦ V. et port des Nouvelles*-Hébrides, sur la côte S.-E. de l'île Espiritu* Santo. 2 000 hab. environ.

LUGDUNUM. ♦ Nom de Lyon* à l'époque gallo-romaine. Cap. de la Gaule Lyonnaise* (☞ 27).

LUGNÉ-POE [lyɲepo] **(Aurélien LUGNÉ,** dit**).** ♦ Acteur et directeur de théâtre français (Paris, 1869 – Villeneuve-lès-Avignon. 1940). Il appartint d'abord à la troupe du Théâtre-Libre, fonda avec Paul Fort le *Théâtre d'art* (1890), puis, sous sa seule direction, le *Théâtre de l'Œuvre* (1893), où il révéla au public parisien des pièces des auteurs étrangers et des ouvrages français, non sans scandale parfois (*Ubu Roi* de Jarry, 1896). S'exerçant surtout dans le domaine de la recherche des textes, l'action de Lugné-Poe, antérieure à celles de Copeau et du Cartel, a été importante pour le renouveau du théâtre.

LUGO. ♦ V. d'Espagne, en Galice*. Ch.-l. de prov. sur une hauteur dominant le Miño. 58 300 hab. Remparts romains, cathédrale du XIIe siècle. – Mines de fer aux environs.

LUGOJ. ♦ V. de Roumanie, dans le Banat*, près de Timişoara, sur le Timiş. 32 150 hab. – Centre textile (coton, soie) et travail du bois.

LUGONES (Leopoldo). ♦ Poète argentin (Rio Seco, Córdoba, 1874 – Buenos Aires, 1938). Classé parmi les modernistes, Lugones se révéla avec *Les Montagnes d'or* (1897), poème en prose rythmique. Il s'essaya également au sonnet (*Les Crépuscules du jardin,* 1905). Également passionné de philosophie, de sciences et d'histoire, il donna une *Histoire de Sarmiento* et *La Guerre gauchesque* (1905), ouvrage descriptif remarquable. Il dirigea la *Revue sud-américaine* à Paris. De retour en Argentine, il se suicida.

LU HSÜN [*Lou Siun, Lu Xun*]. ♦ Écrivain chinois (dans le Chêkiang, 1881 – Shanghai, 1936), qui fut surnommé « le Gorki chinois ». Médecin, puis professeur d'université, il traduisit des romans japonais et allemands puis, après quelques tentatives poétiques, adhéra au mouvement de renaissance littéraire de la Chine du 4 mai 1919, et devint auteur « engagé ». Parmi ses œuvres les plus caractéristiques, on peut citer *La Véridique Histoire d'Ah Q, Le Journal d'un fou* (d'apr. Gogol), *Cri d'appel, Les Herbes sauvages.* – Il traduisit Jules Verne en chinois.

LUIK. ♦ Nom flamand de Liège*.

LUINI (Bernardino). ♦ Peintre italien (v. 1480-1490 – Milan, 1532), principal représentant de la Renaissance lombarde. Sa vie est mal connue. Ce fut surtout un fresquiste, influencé par les formes de Léonard de Vinci et par la lumière douce de Bergognone. La part la plus personnelle de son œuvre est sans doute l'attention qu'il porte aux gestes quotidiens du peuple, introduit dans ses grandes compositions religieuses et ennobli sans que rien ne se perde d'une observation juste et variée. Il travailla principalement à Milan (chapelle Busti, à Santa Maria di Brera, 1515 puis 1521), à la villa Pelucca, près de Monza (*Bain des nymphes, Translation de sainte Catherine,* à partir de 1522), à Saronno (*Présentation de Jésus au Temple* et *Adoration des Mages* au Santuario della Beata Vergine, 1525-1531), à Milan encore (monastère et église San Maurizio). Parmi ses tableaux de chevalet, il faut citer *Salomé,* la *Madone à l'enfant endormi,* les *Noces mystiques de sainte Catherine.*

LUKÁCS (György). ♦ Philosophe, critique et homme politique hongrois (Budapest, 1885 – *id.,* 1971). Influencé par le néokantisme et l'historisme (Dilthey, Weber), lors de ses études en Allemagne, il s'est progressivement orienté vers une analyse sociologique, structurale et historique, de la création et des genres littéraires dans ses premiers récits sur l'esthétique (*L'Âme et les Formes,* 1911; *La Théorie du roman,* 1914-1915). Membre du Parti communiste hongrois (1918), il fut vice-commissaire du peuple à l'Instruction publique dans le gouvernement révolutionnaire de Bela Kun* (1919). Dans son principal ouvrage, *Histoire et Conscience de classe* (1923, trad. fr. 1960), Lukács a tenté d'« actualiser l'aspect révolutionnaire de Marx en rénovant et en prolongeant la dialectique de Hegel » dans ses analyses sociologiques de la réification » (aliénation), des relations entre classes sociales et idéologies, dans son interprétation de la révolution prolétarienne. Accusé de déviationnisme (1925), il fit son autocritique. Auteur de travaux de sociologie et de critique littéraire où il formula les bases d'une esthétique marxiste, Lukács fut membre du comité central du Parti communiste hongrois lors de l'insurrection de 1956, et ministre dans le gouvernement d'Imre Nagy*. Déporté en Roumanie, il reprit ses travaux à Budapest en 1957. (*Existentialisme ou Marxisme,* 1947, trad. fr., 1948; *La Destruction de la raison,* 1954, trad. fr., 1958-1959; *La Signification présente du réalisme critique,* 1955, trad. fr., 1960).

ŁUKASIEWICZ (Jan). ♦ Logicien polonais (Lwów, 1878 – Dublin, 1956). Chef de l'école analytique polonaise (école de Varsovie – **V. S. Lesniewski, A. Tarski**), il a cherché à « renouveler la logique en élargissant la logique aristotélicienne d'une manière analogue à celle dont Lobatchevski avait élargi la géométrie euclidienne » (R. Blanché). Dès 1920, presque en même temps qu'E. L. Post*, il affirmait la possibilité de logiques polyvalentes et construisait un système trivalent (trois valeurs : vrai, faux, possible). Avec Tarski*, il précisa plus tard ses recherches, indiquant les règles pour la construction de systèmes à n (nombre fini) de valeurs, et introduisant la distinction entre la logique comme construction des calculs et la métalogique qui prend ces calculs eux-mêmes comme objet d'étude. Créateur d'un symbolisme logique différent de celui de B. Russell, Łukasiewicz fut également un des fondateurs de l'histoire de la logique formelle. *Sur le principe de contradiction chez Aristote, La Logique bivalente, Les Fondements logiques du calcul des probabilités.*

LULEÅ. ♦ V. et port du N. de la Suède, sur le golfe de Botnie*. Ch.-l. du comté de Norrbotten. 57 239 hab. (1968). – Aéroport de Luleå-Kallax. Musée Norrbottens Läns (collections lapones). – Port important (exportation de minerai de fer et de bois de Laponie).

LÜLEBURGAZ, anc. **Arcadiopolis**. ♦ V. de Turquie d'Europe, dans la prov. d'Edirne*. 25 000 hab. – Mosquée (1549). – La ville se trouve sur la voie ferrée Edirne-Istanbul.

LULLE (Raymond). Nom francisé de **Ramón LLULL**, en esp. **Raimundo Lulio**. ♦ Théologien, philosophe, poète et alchimiste catalan (Palma de Majorque, 1235 – Bougie, 1315). Il fut surnommé *Docteur illuminé* et *Procureur des infidèles*. Sa vie et son œuvre furent déterminées par la volonté de répandre le christianisme : son opposition aux doctrines d'Averroès, la décision d'enseigner l'arabe et l'hébreu dans les grandes universités et ses voyages pour convertir les musulmans en Afrique du Nord, où il mourut, sans doute lapidé. Il a donné à la langue catalane son prestige littéraire : son *Ars Magna*, traité où il expose la méthode universelle pour prouver les vérités de la foi, proposant un langage abstrait qui préfigure la formalisation logique. *Blanquerna* traite du mariage et des états religieux et contient un chef-d'œuvre de poésie lyrique, le *Chant de l'ami et de l'aimée*. Son œuvre en vers est à la fois lyrique et didactique : *Le Chant de Ramón Desconort*.

LULLY ou **LULLI (Jean-Baptiste**, en it. **Giovanni Battista)**. ♦ Compositeur français d'origine italienne (Florence, 1632 – Paris, 1687). Venu très jeune d'Italie, il fut d'abord au service de la Grande Mademoiselle (1644) puis il fut admis dans l'entourage de Louis XIV (1652) où ses qualités de danseur et d'acteur comique furent appréciées du jeune prince. Chef de la « bande des petits violons », il composa la chorégraphie de plusieurs ballets, faisant en même temps ses débuts de musicien. Après le succès du *Ballet de l'amour malade* (1657), il gagna l'entière confiance du roi qui le nomma surintendant de la musique et lui fit accorder, la même année, la nationalité française (1661). L'année suivante, il épousa la fille du musicien M. Lambert. Collaborateur de Molière* pour la musique de ses comédies-ballets, divertissements et pastorales *(Le Mariage forcé, L'Amour médecin, Le Sicilien, Georges Dandin, Monsieur de Pourceaugnac, Le Bourgeois Gentilhomme)*, il finit par se brouiller avec lui. Une seconde carrière commençait pour Lully. Ambitieux, entreprenant, excellent homme d'affaires, il obtint, avec la direction de l'Académie royale de musique (1672), un privilège qui lui assurait le monopole de l'opéra en France. Avec son librettiste Ph. Quinault (Benserade et Campistron furent aussi ses collaborateurs) et le décorateur Ch. Vigarani, il s'installa au Palais-Royal où il fit représenter, avec un succès qui ne se démentit jamais, outre des ballets, une dizaine d'ouvrages lyriques par lesquels il peut être considéré comme le créateur de l'opéra français. Parmi les plus remarquables, il convient de retenir *Cadmus et Hermione* (1673), *Alceste* (1674), *Thésée* (1675), *Psychée et Bellérophon* (livrets de Th. Corneille et Fontenelle, 1678-1679), *Phaéton* (1683), *Roland* (1685), *Armide* (1686). Devenu le maître d'une énorme fortune, Lully fut nommé conseiller et secrétaire du roi, l'année même où il faisait représenter son ballet, *Le Triomphe de l'amour* (1681). Il remporta sa dernière victoire avec la pastorale *Acis et Galatée* (1687). Hostile dès ses débuts à l'opéra italien, à sa sensualité et à ses fioritures d'où allait naître le style du bel canto, Lully a imposé à l'opéra français le système récitatif de Peri et de Caccini qui faisait obligation au musicien d'un respect constant de la prosodie. Molière, le premier, lui avait donné le goût du naturel dans la diction des vers; il lui suffit un peu plus tard de recueillir la leçon de la Champmeslé et de Racine, son maître, pour faire du chant cette fidèle imitation de la parole qui dispense l'émotion et satisfait la raison. Génératrice de grandeur, cette conception de la mélodie n'évite pas toujours la froideur et la monotonie, mais elle s'adaptait parfaitement au goût du temps. Personnalité volontaire, novateur fécond, Lully a su encore imposer l'« ouverture à la française », héritée de l'art des « 24 violons du roi ». Dans le domaine instrumental, il est le créateur de l'école française de violon.

LULUABOURG. ♦ Anc. nom de Kananga.

LUMBINĪ. ♦ Site du Népal central (Teraï népalais), aujourd'hui près du village de Rumindei, où, selon la tradition, le Bouddha* vit le jour. Le roi Aśoka* y fit élever une colonne commémorative.

LUMBRES. ♦ Ch.-l. de cant. du Pas*-de-Calais, arr. de Saint*-Omer, dans l'Artois*, sur l'Aa*. 3 879 hab. Papeteries.

LUMIÈRE *(les frères)*. ♦ AUGUSTE LUMIÈRE, biologiste et industriel français (Besançon, 1862 – Lyon, 1954) et LOUIS LUMIÈRE, chimiste et industriel français (Besançon, 1864 – Bandol, 1948). Auteurs de travaux qui permirent d'améliorer la photographie, inventeurs du cinématographe en 1895 (premier film en public à Paris le 28 décembre 1895), ils réalisèrent la *plaque autochrome*, premier procédé commercial de photographie en couleurs (1903) **V.** *aussi* **Cros, Ducos du Hauron, Lippmann.** Auguste étudia également, en biologie, l'anaphylaxie, le rhumatisme et favorisa l'emploi des sels de magnésium en thérapeutique. Louis s'intéressa à la photographie en relief (*photostéréosynthèse*, 1920) et mit au point, pour le cinéma en relief, la méthode des *anaglyphes* (1935).

LUMMEN. ♦ Comm. de Belgique (Limbourg, arr. de Hasselt) sur le Demer. 7 300 hab. – Élevage bovin.

LUMUMBA (Patrice). ♦ Homme politique du Congo-Kinshasa, auj. Zaïre (Katako-Kombé, 1925 – Katanga, 1961). Leader du Mouvement national congolais, qui fut le principal parti du pays aux élections de 1960 (année de l'indépendance), il devint Premier ministre en juin 1960, tandis que son rival Kasavubu présidait la République congolaise. À la suite de troubles intérieurs et de la tentative de sécession du Katanga, il fit appel à l'U.R.S.S. Destitué par Kasavubu, arrêté par le colonel Mobutu* (déc. 1960), il fut, suivant la version officielle, transféré au Katanga et tué lors d'une tentative d'évasion.

LUNA (Álvaro *de***)**. ♦ Homme politique espagnol (Cañete, 1388 – Valladolid, 1453). Favori du roi Jean* II, il fut nommé connétable en 1423. Champion de l'autorité royale, il tenta vainement de soumettre la noblesse et l'entraîna dans la lutte contre les Maures. Victime d'incessantes attaques calomnieuses, il fut disgracié et décapité.

LUND. ♦ V. de l'extrémité S. de la Suède, au N.-E. de Malmö*. 52 510 hab. (1968). – Évêché. Université (la 2e de Suède, fondée en 1666). Très belle cathédrale romane (*déb.* XIIe s.). Musées. – Papeteries, imprimeries. Indus. textiles. ♦ *Hist.* Fondé au Xe s., Lund devint siège d'un évêché au XIe s., transformé en archevêché en 1104. Ce fut alors la ville la plus importante de Scandinavie. En 1676, elle fut détruite au cours d'une bataille entre Suédois et Danois et ne retrouva pas son ancienne prospérité. Depuis le XIXe s., elle a pris une grande importance dans la vie intellectuelle de la Suède.

LUNDBERG (Erik). ♦ Économiste suédois (Stockholm, 1907). Il est surtout connu pour sa théorie dynamique de l'équilibre monétaire, qui donne en particulier une analyse du rôle des différents types d'expansion sur l'ensemble du développement économique (*Studies in the Theory of Economic Expansion*, 1937).

LUNDSTRÖM (Johan Edvard). ♦ Inventeur suédois (Jönköping, 1815 – *id.*, 1888). Il imagina l'allumette de sûreté dite « suédoise » (1852). **V. Sauria.**

LUNE. *n. f.* ♦ Satellite de la Terre*, elle décrit une orbite elliptique assez excentrique (mouvement régi par la loi des Aires énoncée par Kepler*) en 29 j, 12 h, 44 mn (mois lunaire). La Lune, animée d'un mouvement de rotation sur elle-même autour d'un axe incliné à 83° 30′ sur le plan de l'orbite, présente toujours la même face à la Terre, car la durée de sa rotation est égale à la durée de sa révolution autour de la Terre (en réalité, les taches lunaires éprouvent un balancement périodique autour de leurs positions moyennes, phénomène appelé *libration* apparente de la Lune). *Diamètre :* 3 500 km env.; *densité :* 3,33; *distance* moyenne à la Terre : 353 700 km; *âge :* 4,6 milliards d'années (?); *température :* régions exposées au Soleil + 100 °C; non exposées – 50 °C; face non éclairée – 150 °C; *relief :* peu de vallées, mais des chaînes de montagnes, des cirques et des plateaux. La Lune est visible parce qu'elle réfléchit les rayons du Soleil; on appelle *phases* de la Lune les aspects différents qu'elle présente à la Terre suivant la position respective du Soleil et de la Lune par rapport à la Terre (nouvelle lune tous les 28 jours). Le phénomène terrestre des marées est dû à l'attraction de la Lune combinée avec celle du Soleil. – La Lune a été atteinte par un engin soviétique en mai 1960; sa face cachée a été photographiée en oct. 1959. L'homme y a débarqué en juill. 1969. **V. Armstrong.**

LUNEBOURG *(landes de)*, en all. **Lüneburger Heide**. ♦ Région allemande de la grande plaine du Nord, située entre l'Elbe et l'Aller (Basse-Saxe). Plates (169 m au *Wilseder Berg*) et pauvres, les landes sont couvertes d'une maigre végétation (bruyère, bouleaux). On y pratique une médiocre polyculture vivrière associée à l'élevage. Un petit gisement de pétrole est exploité dans le sud. La zone du *Wilseder Berg* (200 km²) est un parc national.

LUNEBOURG, en all. **Lüneburg**. ♦ V. d'Allemagne occidentale (Baxe-Saxe) et ch.-l. de district sur l'Illmenau, affl. de l'Elbe, au S.-E. de Hambourg*, en bordure des *landes de Lunebourg*. 60 900 hab. Anc. ville hanséatique où subsistent de beaux monuments (ensemble de maisons de briques des XIVe-XVe s., hôtel de ville des XIIIe-XVIIIe s.). Bâtie sur un important gisement de sel gemme, la ville a d'importantes indus. chimiques et mécaniques.

LUNEL. ♦ Ch.-l. de cant. de l'Hérault, arr. de Montpellier, dans la plaine du Languedoc. 10 922 hab. *(Lunellois)*. Église du XVIIe s. (gothique méridional). – Centre commercial relié au canal du Rhône* à Sète par le *canal de Lunel*, et situé au départ de la voie rapide desservant le littoral. Centre vinicole; indus. du bois. Constructions mécaniques.

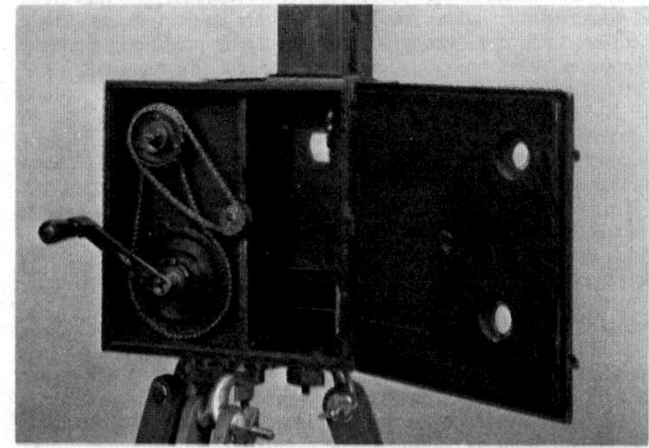

Ph. Nimatallah/Ricciarini

Le cinématographe des frères **Lumière**.

Arch. Smeets

Bronzes du **Luristân** : statuette de dieu. Musée archéologique, Téhéran.

LÜNEN. ♦ V. d'Allemagne du Nord (R.F.A., Rhénanie du Nord-Westphalie), sur la Lippe. 72 220 hab. (1968). – Centre minier et métallurgique (fonderies de fer, cuivre et aluminium). Centrale thermique.

LUNÉVILLE. ♦ Sous-préf. de la Meurthe-et-Moselle, ch.-l. d'arr. (9 cant., 164 comm., 83 687 hab.). 25 958 hab. *(Lunévillois).* Château édifié au XVIIIe s. par Boffrand*, remanié par le roi Stanislas (restauré); jardins à la française, chapelle élégante. Église Saint-Jacques (XVIIIe s.) construite sur les plans de Boffrand et de Héré, de style rococo, boiseries (XVIIIe s.). Hôtel de ville et bibliothèque dans les bâtiments de l'anc. abbaye de Saint-Rémy (XVIIIe s.). Maisons et hôtels anciens. Métallurgie; matériaux de construction; indus. textile, confection; conserves, distilleries; meubles; faïencerie; vannerie; instruments de précision; appareils électriques; électronique. Centre de productions maraîchères. – Patrie de François Haxo*, de Ch. Sonnini, de Manoncourt, de J. Stofflet*. ♦ *Hist.* La ville fut incorporée au duché de Lorraine au XVe s. Arrivé au début du XVIIIe s., à Lunéville, Léopold fit construire le château et apporta la prospérité à la ville. Le roi Stanislas Leszczyński y tint une cour brillante de 1735 à 1760. ♦ *Traité de Lunéville* conclu le 9 févr. 1801 entre Joseph Bonaparte pour la France et Cobenzl pour l'Autriche, qui ratifiait les conditions du traité de Campoformio*, acceptait la cession de la Belgique, reconnaissait à la France la r. g. du Rhin et les « républiques sœurs ». Elle ne conservait en Italie que la Vénétie.

LUNG-MEN [*Long-men*]. ♦ Site chinois de grottes bouddhiques, dans la province du Shan*-tung, comprenant plus de mille excavations sculptées du Ve au VIIe siècle. Ces grottes furent pillées par les antiquaires à la fin du XIXe s. et au début du XXe siècle.

LUNG-SHAN [*Long-chan, Longshan*]. ♦ Site montagneux de Chine centrale et lieu fréquenté de pèlerinages bouddhiques où se trouvent plusieurs grottes anciennes et des monastères. Ce site boisé fut célébré par de nombreux poètes et peintres.

LUNS (Joseph). ♦ Diplomate et homme politique néerlandais (Rotterdam, 1911). Il fit partie de la délégation des Pays-Bas à l'O.N.U. de 1949 à 1952. Ministre sans portefeuille (1952), puis ministre des Affaires étrangères (1936), il fut l'un des promoteurs de l'unité de l'Europe **(V. Communauté économique européenne).**

LUPERCUS. ♦ **V.** FAUNUS.

Luperques, en lat. **Luperci,** « les prêtres-loups ». ♦ Confrérie de prêtres qui célébraient à Rome le culte de Faunus* Lupercus lors des *lupercales (Lupercalia)* le 15 février. Au cours de ce cérémonial, on immolait un bouc à la grotte du *Lupercal* (au S.-O. du Palatin) et on touchait le front de deux jeunes gens avec un couteau sanglant dont la trace était immédiatement effacée avec un flocon de laine trempé dans du lait : les jeunes gens devaient alors faire entendre un éclat de rire rituel. Puis les luperques, nus, armés de lanières découpées dans la peau de bouc sacrificiel, faisaient le tour du Palatin en frappant les femmes rencontrées sur leur passage pour les rendre fécondes. La cérémonie comportait aussi le sacrifice d'un chien. La signification de ce rituel est sans doute eschatologique. Les luperques, dieux-loups figurant les morts, seraient à la fois les représentants sacrés de l'autre monde et les défenseurs des vivants contre la mort. Les magies de mort et de purification étant comme toujours indissolublement liées aux magies de fécondité : sacrifice du bouc et flagellation, à la fois purificateurs et fécondants.

LÜ PU-WEI [*Lü Pou-wei, Lü Buwei*]. ♦ Écrivain chinois ([mort] v. ~235) et ministre du dernier souverain des Ch'in. Il avait réuni autour de lui une cour de trois mille lettrés et magiciens taoïstes. Il fut écarté du pouvoir par Li* Szu qui fit détruire tous les livres de philosophie.

LUQMÂN ou **LOKMAN.** ♦ Auteur arabe légendaire, cité dans le Coran, auquel on attribue un recueil de 41 fables, imitées des œuvres grecques de Syntipas et d'Ésope.

LURÇAT (Jean). ♦ Peintre, graveur, dessinateur de carton de tapisserie français (Bruyères, 1882 – Saint-Paul-de-Vence, 1966). Après avoir entrepris des études de médecine à Nancy, il étudia la peinture auprès de Victor Prouvé. Installé à Paris v. 1913, il peignit des œuvres procédant en partie du cubisme, puis, après un voyage en Espagne et en Afrique du Nord, révélant l'emprise de l'imagerie surréaliste. Il réalisa aussi des décors de théâtre et créa de nombreuses lithographies. S'il s'intéressa assez tôt à la tapisserie, c'est surtout après avoir eu la révélation de l'Apocalypse d'Angers qu'il se consacra avec passion à cette forme d'art, étudiant les techniques du Moyen Âge et s'appliquant à partir de 1939 à redonner vie aux ateliers d'Aubusson; il restitua la technique du gros point, diminua la gamme des couleurs, adopta le procédé des tons comptés et du carton chiffré. Fournissant env. un millier de cartons, il travailla à de vastes cycles d'où progressivement tout sentiment d'angoisse tend à disparaître pour faire place à une vision optimiste du monde, à un lyrisme allègre où s'exprime un idéal de fraternité humaine (*Illusions d'Icare,* 1936; *Les Quatre Saisons,* 1939; *La Liberté,* 1943; *L'Apocalypse* pour l'église d'Assy, 1948; *Le Chant du monde,* 1957-1963). Il développa un langage plastique personnel à partir de motifs inspirés en partie des bestiaires fantastiques du Moyen Âge et recourut à un répertoire d'éléments tirés de la nature (soleil, poissons, insectes, papillons, oiseaux, plantes) qui, par leur traitement stylisé et leur agencement (en suspension dans un espace plan et uniforme), fonctionnent comme des symboles exprimant une pensée cosmique. Prenant en considération la spécificité de l'art de la tapisserie et ses impératifs d'ordre monumental et décoratif, il déploya une grande fantaisie dans le traitement des formes d'aspect souvent hérissé, ondoyant et rayonnant et sut créer d'éclatantes harmonies de couleurs qui lui ont valu d'être considéré comme l'un des maîtres de cette technique.

LURCY-LÉVIS. ♦ Ch.-l. de cant. de l'Allier*, arr. de Moulins*. 2 473 hab. *(Lurcyquais).* Église romane. Petites industries.

LURE. ♦ Sous-préf. de la Haute-Saône, ch.-l. d'arr. (10 cant., 203 comm., 103 036 hab.), à proximité de la r. d. de l'Ognon. 8 840 hab. *(Lurons).* – Métallurgie. Constructions mécaniques (machines agricoles). Indus. textiles (dentelles, confection) et alimentaires.

LURE *(montagne de).* ♦ Chaîne calcaire des Préalpes de Provence. 1 827 mètres.

LURGAN. ♦ V. d'Irlande du Nord (comté d'Armagh), à l'extrémité S.-E. du *lough* Neagh. 17 870 hab. – Important centre textile (tissage du lin, mouchoirs, rayonne, confection).

LURIA (Salvador). ♦ Médecin américain d'origine italienne (Turin, 1912). Ses travaux de biologie moléculaire, en particulier sur les virus bactériophages, lui valurent le prix Nobel de méd. (1969) avec M. Delbruck* et A. Hershey*.

LURISTÂN, LORESTÂN ou **LOURISTAN.** *n. m.* ♦ Au sens étroit du terme, division administrative *(farmandar)* d'Iran occidental, entre la province de Kermânshâh* au N. et celle du Khuzistan* au S. *V. princ.* Khorramabad. – Dans un sens plus large, *Luristân,* « pays des Lurs », désigne toute la partie centrale du Zagros, séparant, sur une longueur d'environ 500 km, la plaine mésopotamienne du plateau iranien. **V. Zagros.** Les Lurs s'adonnent à l'élevage des moutons et des chèvres et à l'agriculture (céréales, arbres fruitiers [grenadiers]). – Des fouilles archéologiques entreprises en 1929 ont permis la découverte de bronzes (armes, mors de chevaux), dont la plupart datent du ~ XIXe au ~ XIIe s. *(bronzes du Luristân).*

LURY-SUR-ARNON. ♦ Ch.-l. de cant. du Cher, arr. de Bourges, en Champagne berrichonne. 612 hab. – Anciennes fortifications (XIIIe s.). – Matériel agricole.

LUSACE, *n. f.*, en all. **Lausitz.** ♦ Région d'Allemagne orientale, située au S. du Brandebourg et comprise entre l'Elster et l'Elbe à l'O. et la Neisse à l'E. On oppose la *Haute-Lusace,* ensemble de collines morainiques au N., à la plaine sableuse de *Basse-Lusace.* La région est grande productrice de lignite (Görlitz) et assez fortement industrialisée **(V. Cottbus, Forst, Görlitz, Zittau).** Le « groupement de Lusace » est une importante zone textile (Görlitz, Plauen, Zittau). ♦ *Hist.* Originellement occupée par des Slaves Sorabes, cette région fut soumise en 929 par le roi de Germanie, Henri* Ier l'Oiseleur. Le margrave Géron* paracheva sa conquête et la fit entrer dans le Saint Empire. Sa possession fut disputée par les rois de Bohême et les margraves de Misnie* du XIe au XIIIe s., époque à laquelle elle se trouva divisée en *Haute-Lusace,* à l'E., et *Basse-Lusace,* qui revinrent en fait toutes deux à la maison de Brandebourg*. Les Sorabes, pourtant convertis au christianisme, furent alors opprimés et asservis, et leur sort ne s'adoucit que lorsque la région fut tout entière rattachée à la Bohême par la maison de Luxembourg (1373). La *Haute-Lusace,* cependant, fut conquise par la Hongrie sous Mathias* Corvin (1467-1490), et la ligue des six villes (Bautzen, Görlitz, Zittau, Lauben, Löbau, Kassenz) conserva une certaine indépendance. Donnée à la Saxe électorale au XVIIe s. (1635), la Lusace fut partagée en 1815 entre la Saxe et la Prusse, soumise à une germanisation intense, et les Slaves durent attendre 1949 pour voir leur situation s'améliorer.

LUSACE *(monts de),* en tchèque **Lužické Hory.** ♦ Partie la plus élevée de la Haute-Lusace, en Tchécoslovaquie, entre la trouée de l'Elbe* (à l'O.) et celle de la Neisse* (à l'E.). Point culminant 1 010 mètres.

LUSAKA. ♦ Cap. de la Zambie* au S. du pays, reliée par voie ferrée à Lubumbashi* (Zaïre) et à Bulawayo* (Rhodésie). 238 200 hab. Centre administratif et commercial. Indus. textiles et alimentaires. Cimenterie. Imprimeries.

LÜ-SHUN *(Lu-chouen).* ♦ Nom chinois moderne de la ville de Port-Arthur, à la pointe S. de la presqu'île du Liao-tung, dans la prov. de Liao-ning. 150 000 hab. – Grand port militaire faisant partie de la conurbation industrielle de Lü*-ta. ♦ *Hist.* Tout d'abord sous contrôle russe, elle fut prise par les Japonais en 1894, puis en 1905 à l'issue d'un siège célèbre pour son horreur. La V., réoccupée par l'U.R.S.S. en 1945, revint à la Chine en 1954.

Lusiades (Les). ♦ Epopée en 10 chants (*Os Lusiadas,* 1572), considérée comme le chef-d'œuvre de l'écrivain portugais Luis de Camoens. **V. Camoens.**

LUSIGNAN. ♦ Famille française originaire du Poitou qui régna sur Chypre (1192-1489). ♦ HUGUES IX *le Vieux* ([mort] 1219). Sa fiancée Isabelle* d'Angoulême fut enlevée par Jean* sans Terre. Il s'en plaignit au roi de France Philippe Auguste qui châtia son vassal, et son fils, Hugues X, épousa Isabelle (1220). ♦ GUI DE LUSIGNAN (1129 – Chypre, 1194). Il épousa Sibylle* (1180) et devint ainsi roi de Jérusalem à la mort de Baudouin V (1186-1192). Son incapacité politique provoqua le désastre de Tibériade* (1187) devant Saladin* et la prise de Jérusalem par ce dernier. Il devint roi de Chypre. ♦ AMAURY II **V. Amaury II.** ♦ CATHERINE CORNARO, dernière des *Lusignan,* vendit Chypre aux Vénitiens en 1489.

LUSIGNAN. ♦ Ch.-l. de cant. de la Vienne, arr. de Poitiers. 2 590 hab. – Église Notre-Dame (XIe, XIIe, XVe s.). Vestiges du château des Lusignan*. Maisons anc. – Indus. chimique. Confection. – Patrie de Jacques Babinet*.

LUSIGNY-SUR-BARSE. ♦ Ch.-l. de cant. de l'Aube, arr. de Troyes. 1 012 hab. *(Lusigniens).* – Église du XVIe siècle. – Bonneterie. Métallurgie.

Lusitania. ♦ Paquebot britannique torpillé le 7 mai 1915 par un sous-marin allemand, dans l'Atlantique, au large de l'Irlande. Sur 1 200 victimes, 124 étaient des Américains. Malgré l'émotion provoquée dans l'opinion publique, le président Wilson n'adressa à l'Allemagne que des protestations. Il fallut d'autres incidents semblables (torpillages du *Sussex* le 24 mars 1916, du *Vigilentia* le 19 mars 1917) et surtout la reprise de la guerre sous-marine à outrance, avec ses répercussions économiques, pour amener l'entrée en guerre des États-Unis. **V. Guerre mondiale** *(Première).*

LUSITANIE [*n. f.*], en lat. **Lusitania.** ♦ Prov. romaine d'Espagne correspondant à l'actuel Portugal*. Cap. *Augusta Emerita* (Mérida*). D'abord pays des Lusitaniens*, elle faisait partie de l'Espagne Ultérieure *(Hispania Ulterior)* avant d'être organisée en province impériale par Auguste* (~ 27).

LUSITANIENS ou **LUSITAINS.** *n. m. pl.*, en lat. **Lusitani.** ♦ Ancien peuple établi sur la côte occidentale de l'Espagne et dont la capitale était *Olisipo* (Lisbonne*). Ils résistèrent longtemps aux Romains, se soulevèrent sous la conduite de Viriathe* (~ 153) et furent définitivement soumis en ~ 137. Dirigés par Sertorius* qui s'était réfugié chez eux (~ 80), ils se révoltèrent à nouveau jusqu'en ~ 72. Auguste* créa la province impériale de Lusitanie*.

LUSSAC. ♦ Ch.-l. de cant. de la Gironde, arr. de Libourne. 1 598 hab. *(Lussacais).* Vins rouges et blancs renommés.

LUSSAC-LES-CHÂTEAUX. ♦ Ch.-l. de cant. de la Vienne, arr. de Montmorillon. 2 136 hab. [1 709 aggl.]. *(Lussacois).* Église romane. – Matériaux de construction. Meubles. – Patrie de Mme de Montespan.

LÜ-TA *(Lu-ta, Lüda).* ♦ Grande agglomération industrielle et portuaire de la Chine du Nord, dans la péninsule du Liao-tung, réunissant Lü*-shun et Dairen (Ta-lien) avec le faubourg de Chien-hsien. Env. 3 600 000 hab. Indus. métallurgiques et sidérurgiques.

LUTATIUS, en lat. **Caius Catulus Lutatius.** ♦ Homme politique romain. Consul en ~ 241 lors de la première guerre Punique, il remporta la victoire des îles Égates*.

LUTÈCE, en lat. **Lutecia Parisiorum.** ♦ **V.** PARIS.

LÜ THAÏ. ♦ Roi thaï (v. 1347-1361) de Sukhothai* (N. de l'actuelle Thaïlande). Fervent bouddhiste, il abandonna le trône pour se faire moine, après avoir été obligé de reconnaître la suzeraineté du roi d'Ayuthyâ*. Il réforma le calendrier et écrivit des textes bouddhiques.

LUTHER (Martin). ♦ Réformateur religieux allemand (Eisleben, Thuringe, 1483 – *id.*, 1546). Reçu maître en philosophie de l'université d'Erfurt, il entra chez les Augustins (1505). Après son voyage à Rome (1510), il quitta le couvent d'Erfurt pour celui de Wittenberg où il fut aussi professeur à l'université. À partir de 1515, il commença ses commentaires des Épîtres de saint Paul*, qui devaient l'amener à sa doctrine du salut par la foi seule. En 1517, il afficha sur les portes du château de Wittenberg ses « 95 thèses » où il dénonçait la vente des indulgences **(V. Tetzel),** et qui marquèrent le début de la Réforme. Ni les attaques de J. Eck* à Leipzig, ni l'intervention de Cajetan* ne le firent se rétracter. Bien au contraire, en 1520, il publia son *Manifeste à la noblesse allemande, Captivité à Babylone,* et son *Petit Traité de la liberté humaine* (où il affirme l'autorité de la seule Écriture sainte et précise la doctrine de la justification par la foi). Il brûla publiquement la bulle *Exsurge Domine,* fut excommunié et mis au ban de l'empire par la diète de Worms (1521). Au château de la Wartburg, où l'avait emmené son protecteur Frédéric de Saxe, il entreprit la traduction en allemand de la Bible. De retour à Wittenberg, il se sépara de T. Münzer* *(Contre les prophètes célestes)*; et, lorsque éclata la révolte des paysans (1524-1525), il prit le parti des princes, non sans dénoncer leurs atrocités. 1525 fut également l'année de son mariage avec Katharina von Bora (qui avait été nonne) et celle de son opposition aux thèses d'Érasme*, dans son *De Servo Arbitrio.* L'Église luthérienne commençait à s'organiser, et Luther s'occupa de régler le culte, la liturgie (introduction des cantiques), et rédigea le *Grand* et le *Petit Catéchisme.* Avec le développement de la Réforme apparurent des dissensions entre Luther, Zwingli* et Œcolampade* (entre autres sur la communion). C'est en 1530 que parut le texte de la *Confession d'Augsbourg* (statut des Églises luthériennes), rédigée par Melanchthon*, puis

Ph. De Gregorio/Ricciarini

Martin Luther, par Lucas Cranach.
(Musée Poldi Pezzoli, Milan.)

l'*Apologie* de celle-ci et les articles de la *ligue Smalkalde* (1531). Grand réformateur, Luther fut également un des premiers grands écrivains de langue allemande (en particulier par sa traduction de la Bible). Outre ses ouvrages théologiques, il écrivit aussi des *Propos de table (Tischreden)* rédigés pour ses amis. **(V. Luthéranisme, Melanchthon, Zwingli, Œcolampade.)**

Luthéranisme. *n. m.* ♦ Doctrine religieuse fondée par Luther dont les principes théologiques furent formulés dans le *Livre de Concorde* (1577). Elle se caractérise par : *1)* la reconnaissance de la Bible comme seule autorité en matière de foi ; *2)* la doctrine sur le péché originel et le « serf arbitre » dont l'homme ne peut être libéré que par la foi et la grâce ; *3)* l'acceptation de deux sacrements : baptême et eucharistie (doctrine de la consubstantiation qui diffère de celle de Zwingli et de celle de Calvin) ; *4)* le retour à l'Église primitive (critique de la hiérarchie ecclésiastique et des vœux monastiques). **V.** *aussi* **Melanchthon.** Le luthéranisme s'est implanté en Allemagne du Nord et du centre où il eut l'appui des princes ; dans le N. de l'Alsace et les pays scandinaves. Au XVIIe s. se développa, sous l'impulsion de l'Alsacien Jakob Spener, le piétisme, doctrine qui appelle à la transformation des mœurs, prêche une morale austère (Allemagne centrale et Alsace). On compte aujourd'hui soixante-dix millions de luthériens, dont deux cent quatre-vingt mille en France (Église de la Confession d'Augsbourg d'Alsace et de Lorraine et Église évangélique luthérienne de France). Les différentes Églises luthériennes se sont réunies dans la Fédération luthérienne mondiale à Lund en 1947.

LUTHULI (Albert John). ♦ Homme politique sud-africain (Groutville, Natal, 1889 – Stranger, Natal, 1967). Chef d'une tribu zoulou, leader du Congrès national africain (1952), il adopta dans la lutte contre l'apartheid une attitude inflexible, mais toujours non violente. Il fut plusieurs fois arrêté par le gouvernement de l'Afrique du Sud. Il reçut le prix Nobel de la paix en 1960, mais ne put se rendre à Stockholm qu'en 1961. Il mourut, peut-être accidentellement, écrasé par un train.

LÜTKE ou **LITKE (Fiodor Petrovitch).** ♦ Amiral et explorateur russe (Saint-Pétersbourg, 1795 – 1882). Après un voyage de circumnavigation (1817-1819), il explora la région entre les Aléoutiennes et le Japon et les mers Arctiques (presqu'île de Tchouktches, côte de la Sibérie orientale, 1826).

LUTON. ♦ V. d'Angleterre, au N. de Londres (Bedfordshire), sur la Lea. 156 700 hab. – Constructions automobiles (Vauxhall) et aéronautiques. Confection. – Patrie de l'ethnologue W.H. Rivers*.

Lutrin (Le). ♦ Poème héroï-comique, en six chants, de Boileau* (1672 à 1674 ; 1683) où un événement vulgaire qui met en scène des personnages ridicules (rivalités entre deux chanoines de la Sainte-Chapelle) est traité en un style épique grandiloquent (allégories ; comparaisons homériques ; combats et songes), « burlesque nouveau » d'où naît le comique. Alors même que Boileau, en une versification habile, veut prouver qu'« un poème héroïque, pour être excellent, [doit] être chargé de peu de matière », il fait œuvre de critique littéraire (Cf. *La Bataille des livres*) et condamne nettement l'abus des procédés traditionnels de l'épopée, tels que l'allégorie et l'emphase.

Lutte ouvrière (L.O.). ♦ Groupe politique trotskiste, issu de l'Union communiste internationaliste (U.C.I.) et de Voix ouvrière (mouvements dissous après les événements de mai 1968) et publiant *Lutte ouvrière.*

LUTTERBACH. ♦ Comm. du Haut-Rhin, arr. et aggl. de Mulhouse. 4 213 hab. Brasserie. Exploitation de potasse.

LÜTZEN. ♦ V. d'Allemagne orientale, située au S.-O. de Leipzig. 5 600 hab. ♦ *Hist. :* Victoire de Gustave*-Adolphe sur Wallenstein* (1632). Gustave-Adolphe y trouva la mort. Victoire de Napoléon Ier sur les Russes et les Prussiens (2 mai 1813)

LUXEMBOURG *(maisons de).* ♦ Familles qui régnèrent sur le comté, puis sur le duché de Luxembourg. La *première maison de Luxembourg* eut pour fondateur Sigefroi Ier, qui acquit le château de Luxembourg *(Lützelburg)* au Xe siècle. Elle s'éteignit en 1136 à la mort de Conrad II. Par Ermesinde Ire, tante de ce dernier, le duché passa alors à Henri Ier de Namur. Cette *seconde maison* s'éteignit en 1196. La *troisième maison,* fondée par le mariage d'Ermesinde II, fille d'Henri de Namur, avec Valéran de Limbourg, devait accéder à l'empire (Henri* VII, Charles* IV, Wenceslas* IV, Sigismond*), au trône de Bohême (Jean* Ier l'Aveugle) et de Hongrie (1387-1437), et régner sur le Brandebourg (1373-1415). Au XVe s., la branche aînée s'éteignit à son tour, et les possessions des Luxembourg passèrent aux Habsbourg, avec le mariage d'Élisabeth et du futur empereur Albert* II. – Parmi les nombreuses branches cadettes, on peut citer les *Luxembourg-Ligny, Luxembourg-Saint-Pol,* dont les possessions passèrent aux Bourbon*-Vendôme. *Luxembourg-Brienne,* et *Luxembourg-Piney,* dont les possessions allèrent aux Montmorency*.

LUXEMBOURG (Valeran III de Luxembourg-Ligny, *comte de* **Saint-Pol).** ♦ JEAN DE LUXEMBOURG-LIGNY, *comte de* SAINT-POL. LOUIS DE LUXEMBOURG-LIGNY, *comte de* SAINT-POL. ♦ **V. Saint-Pol.**

LUXEMBOURG (François Henry de MONTMORENCY-BOUTEVILLE, *duc de***).** ♦ Maréchal de France (Paris, 1628. – Versailles, 1695). Il fit ses premières armes sous les ordres de Condé*, qu'il suivit lors de la Fronde* et pendant la guerre de Dévolution*. Ses succès dans la guerre de Hollande furent arrêtés par l'inondation que Guillaume* d'Orange avait provoquée (1672). Il se distingua à Seneffe* (1674), Cassel* (1677) et près de Mons (1678) contre Guillaume d'Orange. Impliqué dans l'affaire des Poisons*, il fut un moment embastillé. Il retrouva cependant son commandement, remporta les grandes victoires de Fleurus* (1690), Steinkerque* (1692), Neerwinden* (1693) et, ayant pris de nombreux drapeaux, fut surnommé « le Tapissier de Notre-Dame ».

LUXEMBOURG *(grand-duché de).* ♦ État d'Europe, limité au N. et à l'O. par la Belgique, à l'E. par l'Allemagne et au S. par la France. 2 587 km². 360 000 hab. *(Luxembourgeois).* Cap. Luxembourg. *Villes principales :* **V. Clervaux, Differdange, Dudelange, Esch-sur-Alzette, Pétange, Sanem, Wiltz.** *Langues :* français, allemand. Le grand-duché est formé d'une partie du haut plateau ardennais **(V. Ardenne)**, de celui de Lorraine*, et est drainé par l'Alzette*, la Chiers*, la Clerf et la Wiltz, qui se jette dans la Moselle par l'intermédiaire de la Sûre*. Son climat est celui de l'Europe du N.-O., maritime avec des nuances semi-continentales. L'agriculture est pauvre mais occupe les deux tiers de la main-d'œuvre. Céréales et pomme de terre. Les productions fruitières et légumières alimentent l'indus. alimentaire. On assiste cependant à un mouvement d'exode rural. L'indus. repose sur le fer, dont le minerai est en partie utilisé sur place (acier) et en partie exporté en Belgique. Indus. mécaniques et chimiques. Centre financier et administratif (institutions internationales, **V. Luxembourg** [la ville]). Tourisme. Partenaire des grandes puissances (dans l'O.T.A.N. et dans la C.E.E.), le grand-duché possède l'un des niveaux de vie les plus élevés du Vieux Monde. ♦ *Hist.* Pays des Trévires au Ier s. avant J.-C., le Luxembourg fit partie de la Belgique* romaine, de la Francie de Clovis, de l'Austrasie mérovingienne, de l'empire de Charlemagne et de la Lotharingie. L'origine de l'État actuel remonte à la fondation d'un « petit château » *(Lützelburg : Luxembourg)* par Sigefroi. Godefroi de Namur puis Henri l'Aveugle héritèrent du comté, qui devint duché en 1354. Par son mariage, en 1409, avec Antoine de Bourgogne, duc de Brabant, Élisabeth fit entrer le Luxembourg dans une branche cadette de la maison de Bourgogne. Le Luxembourg fut vendu à Philippe le Bon, duc de Bourgogne, en 1443. Il échut ensuite à Maximilien d'Autriche et aux Habsbourg, puis fut compris dans les dix-sept provinces de Charles Quint et annexé au gouvernement de Metz après le traité des Pyrénées (1659) dont Louis XIV avait été le bénéficiaire (Luxembourg français, **V. Malmédy** et **Luxembourg**). Rendu à l'Allemagne par le congrès de Vienne (1815), le Luxembourg fut érigé en grand-duché et offert comme indemnité au roi de Hollande, Guillaume Ier. Il fut réclamé par la Belgique* en 1831, mais le traité des Vingt-Quatre Articles en attribua la partie orientale au roi de Hollande et le reste à la Belgique. Sa neutralité fut déclarée en 1867 par le traité de Londres et une union douanière

Le grand-duché de **Luxembourg.**

avec la Belgique fut conclue en 1922. Le Luxembourg fut occupé par l'Allemagne au cours des deux guerres mondiales. L'union qui donna naissance au Benelux* fut conclue en 1946. Depuis 1948, le Luxembourg, abandonnant sa neutralité, appartient à l'Organisation du traité de Bruxelles et à l'O.T.A.N.

LUXEMBOURG. ♦ Capitale du grand-duché de Luxembourg, sur l'Alzette*. 77 055 hab. – Ancienne ville fortifiée, Luxembourg a gardé des vestiges de son passé (remparts de la promenade de la Corniche). Casemates du Bouc creusées au XVIIIe siècle. Palais grand-ducal des XVIe et XVIIIe siècles. Ministère des Affaires étrangères, dans le refuge de l'abbaye de Saint-Maximin de Trèves. L'église Saint-Michel fut fondée en 987 par Sigefroi. Cathédrale Notre-Dame du XVIIe siècle. Musée. Évêché catholique. – Siège d'institutions internationales. Université internationale des sciences comparées. Siège de la C.E.C.A. Cour de justice des communautés, Secrétariat général du Parlement européen, Banque européenne d'investissements. – Indus. métallurgiques (dans les faubourgs : Hollerich, Dommeldange). Constructions mécaniques. Indus. textiles et alimentaires. Cigarettes. Émetteur de radiodiffusion (R.T.L.) – Patrie de Robert Schuman. ♦ *Hist.* Le château de Sigefroi (963) fut à l'origine de *Luxembourg* (*Lützelburg :* « petit château fort »). Au XIIe s., la ville passa, avec le comté de Luxembourg, sous la domination de Henri l'Aveugle. Relevant de la maison de Bourgogne au XVe s., Luxembourg échut à Charles Quint et à Philippe II; Vauban s'en empara au XVIIe siècle. Espagnole en 1697, la ville redevint française en 1701, puis autrichienne de 1715 à 1795. Sous le Premier Empire, Luxembourg fit partie du département français des Forêts. Une garnison prussienne l'occupa après le traité de Vienne jusqu'à la proclamation de la neutralité luxembourgeoise à la conférence de Londres. Luxembourg fut toutefois envahi par l'Allemagne au cours des deux guerres mondiales. Patton (enterré dans la banlieue luxembourgeoise, à Hamm) délivra la ville en 1945.

LUXEMBOURG. n. m. *(province de).* ♦ Prov. belge limitée au N. par la prov. de Liège*, à l'O. par celle de Namur*, au S. par la France et à l'E. par le grand-duché de Luxembourg. 4 418 km² (la plus étendue des prov. belges). 219 500 hab. *Langue :* français. *Ch.-l.* Arlon. Cinq *arr.* **V. Arlon, Bastogne, Marche-en-Famenne, Neufchâteau, Virton.** La majorité des villes ont moins de 5 000 hab. Les trois quarts de la prov., situés en Ardenne*, sont drainés par trois affl. de la Meuse : l'Ourthe* au N., la Semois* au S.-O., et la Lesse* à l'ouest. Le point culminant, au N.-E., se trouve dans le plateau des Tailles. Entre l'Ourthe et la Lesse, s'étend l'immense forêt de Saint-Hubert. Des conditions climatiques peu favorables et l'acidité du sol limitent la croissance agricole de l'Ardenne. Pommes de terre, seigle, avoine, trèfle. Élevage bovin; vaches laitières. Les alluvions de la vallée de la Semois permettent la culture du tabac. La Lorraine belge, qui correspond à env. 1 000 km² de la province, culmine à Hirtzenberg (450 m). La moitié en est occupée par des bois (bouleaux, sapins); cultures : fruits, blé. Élevage bovin et porcin. Régime de petite propriété (5 à 20 ha). – Minerai de fer. Aciéries (Athus). Hauts fourneaux (Musson, Halanzy). – Le Luxembourg est une région touristique.

Luxembourg. *n. m.* ♦ Palais et jardin situés à Paris, sur la r. g. de la Seine. Ayant donné à Richelieu le *Petit-Luxembourg* (acquis en 1612; auj. présidence du Sénat), Marie de Médicis, régente, confia à Clément Métezeau*, dirigé par Salomon de Brosse* (1615 à 1620), la construction d'un vaste quadrilatère avec pavillons centraux et pavillons d'angle, dont la porte principale est couronnée d'un dôme octogonal très représentatif de l'art Louis XIII. Le palais fut orné d'œuvres de Rubens* (1622; tableaux au Louvre), de Poussin* et de Philippe de Champaigne*, puis de décorations monumentales de Delacroix* (1847). Prison sous la Révolution, le palais abrita le Directoire (1795) et le Consulat, avant d'accueillir le Sénat, puis la Chambre des pairs; depuis 1958, il est redevenu *palais du Sénat.* Transformé à l'intérieur par Chalgrin*, au XIXe s., il a été considérablement agrandi (1836 à 1841) par A. de Gisors qui aménagea également la *fontaine de Médicis,* déplacée en 1861. Beau parc à la française et composition harmonieuse, autour de son bassin, de parterres et de quinconces, le *jardin du Luxembourg* offre une vaste perspective vers l'*Observatoire**, au delà des pelouses de l'avenue de l'Observatoire (parfois dites *Petit-Luxembourg*), dessinées par Chalgrin. – Le Luxembourg donne son nom au quartier environnant.

LUXEMBURG (Rosa). ♦ Socialiste révolutionnaire allemande d'origine juive polonaise (Zamość, Pologne russe, 1871 – Berlin, 1919). Ayant dû quitter la Pologne en raison de son activité au sein du parti révolutionnaire socialiste Prolétariat (1889), elle fit en Suisse ses études d'économie politique. Installée en Allemagne, elle joua un rôle éminent dans la social-démocratie allemande, collaborant notamment au *Leipziger Volkszeitung,* où parurent ses critiques des thèses révisionnistes de Bernstein (*Réforme sociale ou Révolution ?,* 1898). Lors de la révolution russe de 1905, elle gagna clandestinement la Pologne où elle organisa la propagande révolutionnaire. Arrêtée, puis libérée, elle revint en Allemagne. Elle rédigea alors *Grève de masses, Parti et Syndicats* (1906); elle y insiste sur la spontanéité et l'initiative révolutionnaires des masses prolétariennes, accordant au parti un rôle de direction. Professeur d'économie politique à l'École de la social-démocratie, elle publia *L'Accumulation du capital* (1913); analysant certains problèmes posés par le livre II du *Capital* de Marx, elle montre l'impossibilité

Ph. Hétier
La ville de **Luxembourg.**

d'une accumulation indéfinie du capital dans le système capitaliste dont elle étudie les contradictions à la phase impérialiste. La faillite de la IIe Internationale et la politique de la social-démocratie allemande, qui contribua à faire voter les crédits de guerre, l'amenèrent à fonder avec K. Liebknecht*, F. Mehring et C. Zetkin la *ligue Spartakus** qui adopta des positions révolutionnaires et antimilitaristes. C'est en prison (1915-1916, 1916-1918) que R. Luxemburg continua son *Introduction à l'économie politique* (inachevée), tout en suivant les événements, particulièrement la révolution russe (1917). Libérée lors de la révolution de nov. 1918, elle reprit son activité révolutionnaire, fondant et dirigeant le journal *Die rote Fahne,* où elle publia le programme de la révolution, et contribuant à la formation du parti communiste allemand (déc. 1918). Elle participa à l'insurrection spartakiste (janv. 1919), à laquelle elle avait d'abord été opposée; et elle fut arrêtée et assassinée lors de sa répression (15 janv. 1919).

LUXEUIL-LES-BAINS. ♦ Ch.-l. de cant. de la Haute-Saône, arr. de Lure. 10 054 hab. *(Luxoviens).* Basilique Saint-Pierre (XIVe s.). Hôtel des Échevins (XVe s.). Maison Jouffroy (XVe s.). Musée. – Fonderies. Constructions mécaniques. Indus. textiles (dentelles); confection. Distilleries. Établissement thermal (affections gynécologiques, traitement du système veineux). ♦ *Hist.* Anc. *Luxovium,* ville thermale romaine, Luxeuil dut sa renaissance à saint Colomban* qui y fonda un monastère (détruit pendant la Révolution). La ville fut cédée à la France en 1678 au traité de Nimègue.

LUYNES (d'ALBERT *de*). ♦ Famille d'origine toscane, dont le membre le plus célèbre fut CHARLES, connétable de France (Pont-Saint-Esprit, 1578 – Longueville, 1621). Favori de Louis XIII, qu'il avait poussé au meurtre de Concini* (1617), il joua un rôle important : il traita avec les grands révoltés (traités d'Angoulême 1619, d'Angers 1620), lutta contre les protestants (dans le Béarn, 1620), mais son échec devant Montauban* (1621) allait le faire disgracier quand il mourut.

LUYNES. ♦ Comm. d'Indre-et-Loire, arr. de Tours. 2 194 hab. (1 095 aggl.). Château (XIIIe-XVe s.). Habitations troglodytiques. – Meubles.

LUZARCHES (Robert *de*). ♦ V. ROBERT DE LUZARCHES.

LUZARCHES. ♦ Ch.-l. de cant. du Val-d'Oise (arr. de Montmorency). 2 045 hab. *(Luzarchois).* – Église Saint-Côme-et Saint-Damien (XIIe-XVIe s.). Ruines de l'ancien château de la Motte (XIIIe s.). – Patrie de Robert* de Luzarches.

LUZECH [lyzɛʃ]. ♦ Ch.-l. de cant. du Lot*, arr. de Cahors*. 1 415 hab. (1 044 aggl.). Vestiges gallo-romains. Ruines d'un château du XIIIe siècle. Donjon du XIIe siècle. Église du XIVe siècle. Centrale hydro-électrique sur le Lot*.

LUZENAC. ♦ Comm. de l'Ariège*, arr. de Foix*. 956 hab. Carrières de talc de Trimouns (alt. 1 800 m). Fabriques de poudre de talc.

LUZON. ♦ V. LUÇON.

LUZ-SAINT-SAUVEUR. ♦ Ch.-l. de cant. des Hautes-Pyrénées*, arr. d'Argelès*-Gazost, sur le gave de Pau*. 1 104 hab. *(Luzéens).* Église fortifiée des XIIe et XIIIe siècles. Station thermale aux environs; usines hydro-électriques.

LUZY. ♦ Ch.-l. de cant. de la Nièvre, arr. de Château-Chinon, sur la bordure méridionale du Morvan. 2 664 hab. *(Luzyçois).* Hôtel de ville (tapisseries d'Aubusson du XVIIe s.). – Marché agricole. Exploitation forestière. Serrurerie.

LVOV, en all. **Lemberg,** en polon. **Lwów.** ♦ V. de l'U.R.S.S.

(Ukraine), ch.-l. de la région du même nom (21 800 km². 2 432 000 hab.), situé entre les bassins du Dniestr et du Bug occidental, au N. des Carpates. 553 000 hab. – Université. Nombreux monuments religieux (église de la Dormition, XIVe s.; église Saint-Georges, XVIIIe s.; cathédrale d'architecture arménienne). – Centre culturel, commercial et industriel. Important carrefour ferroviaire. Indus. alimentaires, textiles, chimiques et métallurgiques. Équipement des indus. alimentaires. Indus. de précision. Construction d'autocars. Raffinerie de pétrole. Gazoduc relié à Dachava. – Patrie de J. Łukasiewicz*, Rydz*-Śmigły, Stanislas* Ier Leszczyński. ♦ *Hist.* Fondée en 1256 par les princes de Halicz, la ville devint le principal centre commercial de la Galicie orientale et fut annexée avec elle à la Pologne par Casimir* III le Grand en 1340. Capitale de la Russie rouge polonaise, siège d'un archevêché catholique (1412), elle fut assiégée à maintes reprises par les Tatars, les Cosaques Zaporogues, les Turcs (XVIe-XVIIe s.) et prise par le roi de Suède Charles XII en 1704. Le premier partage de la Pologne l'attribua à l'Autriche (1772-1918). Disputée entre Russes et Autrichiens durant la Première Guerre mondiale, Lvov fut conquise par les Russes (1914), reprise par les Austro-Allemands (1915), puis par les Polonais (1918) après de violents combats contre les Ukrainiens, et redevint polonaise jusqu'en 1939. Occupée par l'armée soviétique dès sept. 1939, reconquise par les Allemands en 1941, elle fut reprise par l'armée de Koniev (1944) et annexée par l'U.R.S.S., avec la Galicie orientale, à la république d'Ukraine* (1945).

LWOFF (André). ♦ Biologiste et médecin français (Ainay-le-Château, 1902). Il obtint, avec F. Jacob* et J. Monod*, le prix Nobel de méd. (1965) pour ses travaux sur les mécanismes chimiques de la transmission de l'information génétique (rôle de messager de l'acide ribonucléique, ou A.R.N., activité régulatrice des gènes). Acad. des sc. (1976).

LY. ♦ Dynasties vietnamiennes. Les *Ly antérieurs* établirent leur suprématie v. 540, mais furent obligés, en 602, de se soumettre à la Chine. Les *Ly postérieurs* chassèrent les Chinois du Tonkin et établirent leur dynastie en 1009. Ils se maintinrent sur le trône jusqu'en 1225, pendant le règne de neuf souverains (notamment Lý* Nhân Tông). Les dynastes de la famille Trân* leur succédèrent. Durant leur règne, le pays se nommait Dai-viêt.

LYALLPUR. ♦ V. du Pâkistân (prov. de Multân) dans le Panjâb, à l'O. de Lahore. 854 000 hab. (1969). – Centre industriel et textile (coton).

LYAUTEY (Louis Hubert Gonzalve). ♦ Maréchal de France (Nancy, 1854 – Thorey, Meurthe-et-Moselle, 1934). Élève à Saint-Cyr (1873), puis à l'École d'application d'état-major, il entra dans la cavalerie. Croyant, attiré par le catholicisme social d'A. de Mun* (avec lequel il était lié), il fit la plus grande partie de sa carrière dans les colonies. Après avoir servi dans le Sud algérien (1879-1882), il fut envoyé en Indochine (1894) comme chef d'état-major de Gallieni qu'il devait ensuite accompagner à Madagascar. Appelé par Jonnart (alors gouverneur de l'Algérie), il commanda la région d'Aïn-Sefra (1903); promu général, placé à la tête de la division d'Oran (1906), il occupa Oujda (1907). Nommé résident général de la République française au Maroc, après les événements de Fès (1912), il chercha à pacifier la région (avec l'aide de Brulard, Gouraud, Mangin) malgré les difficultés techniques posées par le début de la Première Guerre mondiale. Ministre de la Guerre (cabinet Briand, déc. 1916-avr. 1917), il repartit peu après au Maroc, dont il fut écarté à l'époque de la guerre du Rif (1925). Sa politique coloniale, mal comprise de son temps, évitait l'assimilation et tentait de promouvoir un développement culturel proprement marocain. (*Du rôle social de l'officier dans le service militaire universel,* 1891; *Du rôle colonial de l'armée,* 1900; *Dans le sud de Madagascar, pénétration militaire, situation politique et économique,* 1903, etc.; Acad. fr., 1912.)

LYCABETTE. *n. m.*, en grec **Lukabêttos.** ♦ Colline de l'Attique entourée par la ville moderne d'Athènes* (277 m). Il doit probablement son nom aux loups (en grec *lukoi*) qui s'y réfugiaient ou à l'existence sur son sommet d'un autel d'Apollon lycien *(lukios).* L'ancien quartier du Lycée*, avec la fameuse école d'Aristote, s'étendait à ses pieds.

LYCAON [*Lukaôn*]. ♦ Roi légendaire d'Arcadie*, fils de Pelasgos, réputé pour son impiété. Il avait cinquante fils, aussi impies que lui, et une fille, Callisto*. Zeus*, métamorphosé en paysan, frappe un jour à sa porte. Le roi l'accueille, mais, doutant de la nature divine du visiteur, veut en avoir la preuve; il lui sert donc la chair d'un enfant. Le dieu, indigné, foudroie Lycaon et ses fils, à l'exception du plus jeune. – Le culte de *Zeus Lukios* (« à la forme de loup ») pratiqué en Arcadie était accompagné de sacrifices humains.

LYCAONIE [*n. f.*], en gr. **Lukaonia.** ♦ Ancienne région de l'Asie Mineure centrale limitée par la Cappadoce* à l'E., la Pisidie* et l'Isaurie* au S. et correspondant au centre de l'Anatolie. Soumise aux Perses, puis aux Séleucides*, elle fut conquise par Rome en ~25 et fit partie de la province de Galatie*. *V. princ.* Iconion*, Laodicée*.

Lycée *(le)*, en gr. **Lukeion.** ♦ Quartier d'Athènes* qui donna son nom à l'école qu'y fonda Aristote* en ~335. Elle prit aussi le nom d'école *péripatéticienne.* En effet, c'est en se promenant (gr. *peripatein :* « se promener ») qu'Aristote y donnait ses cours, ceux du soir, dits exotériques, pour le grand public, ceux du matin pour les élèves avancés (dont Aristoxène*, Théophraste*, Straton*, Ariston*, Critolaos, Diodore* de Tyr, Héraclide [Lembos], Aristion*, Cratippe, Aristoclès, Alexandre d'Aphrodisias).

LYCIE [*n. f.*], en gr. **Lukia**, en lat. **Lycia.** ♦ Ancienne région côtière du S. de l'Asie Mineure limitée par la Carie* au N., la Pamphylie* à l'E. et dont les villes principales étaient *Xanthos, Telmissos, Myra* et *Patara.* Habité primitivement par les Solymes, le pays aurait été conquis à une époque indéterminée par les Lyciens venus de la mer; ces derniers auraient participé à la guerre de Troie. Après avoir été soumise aux Séleucides* et aux Rhodiens (~190-~168), elle entra dans l'Empire romain en 43 et fut réunie à la province de Pamphylie.

LYCOMÈDE, en gr. **Lukomêdês.** ♦ Roi fabuleux de Scyros. Il reçoit à sa cour Achille* que Thétis, sa mère, voulait cacher pour le soustraire aux dangers de la guerre. Le héros, déguisé en femme, séduit la fille du roi Déidamie*. Selon une tradition, Lycomède assassine Thésée* réfugiée à Scyros.

LYCON, en gr. **Lukôn.** ♦ Orateur athénien (~ Ve s.), l'un des trois démagogues qui intentèrent le procès contre Socrate*. Il fut banni pour avoir rédigé l'acte d'accusation contre celui-ci.

LYCOPHRON DE CHALCIS, en gr. **Lukophrôn.** ♦ Poète tragique et grammairien grec (fin du ~IVe – ~IIIe s.). Il travailla à la Bibliothèque d'Alexandrie* (~285) sur la comédie attique et écrivit nombre de tragédies dont il ne nous reste que de rares fragments. Par contre, il nous est parvenu sous son nom un long poème tragique, l'*Alexandra* (1 474 iambes), monologue prophétique de l'héroïne éponyme, identifiée à Cassandre*. Le poète, imitant le style des oracles, a chargé ce morceau d'une érudition linguistique et historique et d'une obscurité voulue.

LYCORTAS [*Lukortas*]. ♦ Homme politique grec de Mégalopolis* (mort v. ~168). Chef de la ligue Achéenne* (~185), il ravagea Messène* pour venger la mort de Philopoemen* et força Sparte et la Messénie à entrer dans la ligue. Il est le père de l'historien Polybe*.

LYCURGUE, en gr. **Lukourgos.** ♦ Législateur mythique de Sparte*, ayant vécu au ~IXe s. ou même avant. Il serait allé chercher les modèles de ses lois en Crète, en Égypte et en Asie; selon une autre tradition, l'oracle de Delphes (fondé pourtant au ~VIIe s.) lui aurait dicté la Constitution de Sparte. Avant de disparaître, il aurait fait jurer à ses compatriotes de ne jamais changer cette constitution. Il semble que cette légende, propagée au ~VIIe s. par l'aristocratie spartiate, était destinée à conférer des origines prestigieuses aux lois coutumières fixées vers cette époque.

LYCURGUE, en gr. **Lukourgos.** ♦ Orateur et homme politique athénien (v. ~390 – ~324). De naissance aristocratique, élève d'Isocrate* et de Platon*, il se rangea aux côtés de Démosthène* contre les Macédoniens. Après la défaite de Chéronée*, il géra avec succès les finances d'Athènes, protégea l'art dramatique et finança de nombreuses constructions. De son œuvre oratoire, nous possédons le discours *Contre Léocrate,* célèbre pour sa sévérité et son habileté rhétorique.

LYDGATE (John). ♦ Poète anglais (Lydgate, Suffolk, v. 1373 – v. 1449). Novice à l'abbaye bénédictine de Bury Saint Edmunds, il devint prêtre en 1397, vécut à Londres et à Paris v. 1421 et fut prieur d'Hatfield Broad Oak (Essex). Malgré une prosodie défectueuse, son œuvre volumineuse exerça pendant un siècle une grande influence. Son *Testament (The Testament of John Lydgate, Monk of Berry)* est cependant empreint d'une attachante tristesse. Lydgate s'inspira de Boccace pour composer *La Chute des princes* (*The Fall of Princes,* 1430-1438), imita Chaucer dans *La Complainte du chevalier noir (The Complaint of the Black Knight)* et *Le Temple de verre (The Temple of Glass),* deux allégories amoureuses, adapta Guillaume Deguilleville : *Le Pèlerinage de la vie de l'homme (The Pilgrimage of the Life of Man)* et Guido delle Colonne : *Histoire de la destruction de Troie.* Une amusante satire *Londres attrape-sous (London Lickpenny)* semble lui avoir été attribuée à tort. Avec sa prolixité et sa pédanterie, Lydgate contribua à l'enrichissement de la langue anglaise.

LYDIE [*n. f.*], en lat. **Lydia.** ♦ Anc. contrée d'Asie Mineure, sur la mer Égée, limitée au N. par la Mysie*, à l'E. par la Phrygie*, au S. par la Carie*. *V. et localités princ.* **V. Sardes, Aydin** (*anc.*

Ph. Carlo Bevilacqua/Ricciarini

Vue d'Athènes et de la colline du **Lycabette.**

Tralles), **Magnésie du Sipyle.** Peuple d'origine indo-européenne, les *Lydiens* furent d'abord les vassaux des Phrygiens, liés avec eux par des cultes et des légendes communs. **V. Midas, Pactole.** D'autre part, la Lydie est associée à la légende d'Héraclès* et d'Omphale*, à celle de Tantale* et de Pélops*, ancêtres des Atrides. Candaule*, le dernier roi de la dynastie des Héraclides*, fut tué par Gygès* v. ~ 687. Sous la dynastie des Mermnades*, les Lydiens repoussèrent les Cimmériens* qui avaient ruiné la Phrygie et connurent une grande prospérité. Leur dernier roi, Crésus* (~ 561-~ 546), soumit les colonies grecques de l'Ionie* et étendit son domaine sur la moitié du territoire de l'Asie Mineure. Mais la guerre de Crésus contre les Mèdes affaiblit le pays, qui fut envahi par Cyrus le Grand (~ 546) et annexé à l'Empire perse. Après la conquête macédonienne, la Lydie passa des Séleucides au royaume de Pergame (~ 260), puis aux Romains (~ 129).

LYELL (*sir* **Charles**). ♦ Géologue écossais (Kinnordy, Forfarshire, 1797 – Londres, 1875). Il affirma que l'évolution de la terre s'était faite sous l'effet de causes physico-chimiques et se poursuivait sous l'action d'agents tels que l'eau, le vent, le soleil. S'opposant ainsi aux conceptions créationnistes, il fut un des fondateurs de la géologie scientifique (*Principes de géologie,* 1833). Il exerça une profonde influence sur Darwin* dont il fut amené à défendre la théorie transformiste. En 1864, il publia son ouvrage sur *L'Ancienneté de l'homme prouvée par la géologie,* qui affirmait l'existence de l'homme à l'époque post-pliocène.

LYLY (John). ♦ Écrivain et auteur dramatique anglais (Canterbury, v. 1553 – Londres, 1606). Son roman allégorique, *Euphues ou l'Anatomie de l'esprit* (*Euphues or the Anatomy of wit,* 1579) offre une satire de la société londonienne dominée par l'influence des modes venues d'Italie. Le maniérisme du style de cet ouvrage, sa préciosité furent à l'origine d'une nouvelle mode, typiquement anglaise cette fois, qui affecta, durant une quinzaine d'années, le langage et les mœurs de la cour d'Angleterre, sous Élisabeth : *l'euphuisme.* Le théâtre de Shakespeare lui-même devait s'en trouver imprégné. Appartenant avec George Peele, Robert Greene et Thomas Nashe au groupe des Beaux Esprits universitaires *(University Wits),* John Lyly a contribué à la naissance de formes théâtrales profanes par ses comédies mythologiques (*Sapho et Phaon,* 1584; *Endymion,* 1591).

LYMINGTON. ♦ V. du S. de l'Angleterre (Hampshire), sur le Solent face à l'île de Wight. 28 000 hab. – Port et station balnéaire.

LYNCÉE, en gr. **Lugkeus.** ♦ L'un des cinquante fils d'Égyptos* qui épousèrent les Danaïdes*, le seul qui ait été épargné du massacre des jeunes époux. Plus tard, il régna à Argos après avoir tué Danaos*, l'instigateur du crime, ou après s'être réconcilié avec lui. – Un des Argonautes* dont la vue était si perçante qu'il voyait sous la terre ou à travers une planche (d'où son nom *l'homme aux yeux de lynx*).

LYNDSAY ou **LINDSAY** (*sir* **David,** également connu sous le nom de **LINDSAY of the MOUNT**). Poète écossais (Haddington, v. 1490 – Danemark, 1555). Précepteur du roi, diplomate, il fit ses débuts littéraires en 1528 avec des poèmes dans le genre des moralités médiévales, des satires contre la cour et le clergé. Il y met en scène « John the Common Weal » (le peuple), notamment dans la *Satire des trois États,* jouée en 1540. Les trois États sont les nobles, le clergé et les marchands, n'écoutant que Sensualité, Débauche et Mensonge. Souvent grossier, Lyndsay dut à sa licence même d'échapper à la persécution et est aujourd'hui considéré comme le poète de la Réforme en Écosse. Autres œuvres : *Le Rêve* (1528), *La Complainte* (1529), *Monarchie* (1552).

LYNEN (Feodor). ♦ Biochimiste allemand (Munich, 1911). Il réalisa la biosynthèse du cholestérol qui lui valut le prix Nobel de méd. (1964) avec K. Bloch*.

LÝ NHÂN TÔNG. ♦ Souverain vietnamien de la dynastie des Lý postérieurs, qui régna de 1072 à 1128. Il contint victorieusement les troupes des Chinois, des Khmers et des Chams révoltés, fit dresser des cartes des provinces, réforma l'administration, instituant des concours pour le recrutement des fonctionnaires, et invita la population à peupler les régions du sud, récemment conquises.

LYNN. ♦ V. et port des États-Unis (Massachusetts) dans la zone urbaine de Boston. 94 478 hab. en 1960. Indus. électriques, matériel de transport, chaussures.

LYON. ♦ Préf. du Rhône*, ch.-l. d'arr. (29 cant., 164 comm., 1 107 287 hab.), au confluent du Rhône* et de la Saône*. Avec 535 000 hab., c'est la 3ᵉ ville de France; la communauté urbaine : **V. Bron, Caluire-et-Cuire, Feyzin, Pierre-Bénite, Saint-Fons, Saint-Priest, Vénissieux, Villeurbanne,** s'élève à 1 065 966 hab. *(Lyonnais).* Le centre de la ville possède de nombreux monuments : basilique romane Saint-Martin-d'Ainay (XIIᵉ s.); église Saint-Nizier de style flamboyant (XVᵉ s.); église Saint-Bonaventure (XIVᵉ-XVᵉ s., remaniée); église Saint-Bruno (fin XVIᵉ-XVIIᵉ- XVIIIᵉ s.) sur la Croix-Rousse. L'hôtel-Dieu (XVIIᵉ-XVIIIᵉ s.) abrite un musée. Le palais du Commerce et le Grand-Théâtre datent du XIXᵉ s.; hôtel de ville construit par S. Maupin (XVIIᵉ s.); palais des Arts ou palais Saint-Pierre (XVIIᵉ s.). Maisons gothiques, Renaissance, hôtels anciens, nombreux musées. Dans le quartier de Fourvière et de la vieille ville : cathédrale Saint-Jean (XIIᵉ au XVᵉ s.); église Saint-Paul (XVᵉ s.), basilique Notre-Dame de Fourvière, du XIXᵉ s.; palais de Justice (XIXᵉ s.) par Baltard*. La loge du Change date du XVIIIᵉ siècle. Théâtres romains. Dans la ville nouvelle : université, palais des Congrès, maison de la Radio, centre de cardiologie et de neurologie. Archevêché. Université. Centre médical. Lyon est un carrefour ferroviaire, routier, fluvial et aérien (aéroport de Bron*); c'est un centre commercial et bancaire important, et une foire internationale s'y tient chaque année. C'est un grand centre industriel. Indus. textiles : soieries (**V.** ci-dessous *hist.*), textiles synthétiques. Indus. chimiques : produits pharmaceutiques, photographiques, colorants. Métallurgie, constructions mécaniques, construction électrique et automobile. Tanneries, chaussures. Papeteries et imprimeries. Indus. alimentaires. Indus. du bâtiment. – Patrie de A. et J.-J. Ampère*, E. Audran*, P. S. Ballanche*, J.-P. Blandan*, M. Bloch*, J. Chinard*, N. et G. Coustou*, A. Coysevox*, B. Delessert*, Ph. Delorme*, G. Desargues*, P. Dupont*, M.-P. d'Émery*, A. Faivre*, Cl. Farrère*, J. Favre*, H. Flandrin*, P.-C. de Fleurieu*, T. Garnier*, M. Gignoux*, H. Guimard*, É. Guimet*, C. Jordan*, la famille Jussieu*, L. Labé*, J.-M. Leclair*, L. Lépine*, J. de Lespinasse*, L. Marchand*, Martellange*, E. Meissonier*, A. Morellet*, L. Mouillard*, M. et A. Perrache, J. Perrot*, P. Puvis* de Chavannes, L. Ranvier*, J. Récamier*, J.-B. Rondelet*, M. Roux*-Spitz, A. de Saint*-Exupéry, J.-B. Say*, M. Scève*, L. Suchet*, C. de Tallart*, P. Termier*, P. Villard*, F. de Villeroi*, Ch. Voisin*, Ch.-M. Widor*. ♦ *Hist.* L'anc. *Lugdunum,* fondée en ~ 43 par les Romains, devint capitale de la Gaule lyonnaise* en ~ 27. Centre administratif et religieux, la ville fut une des principales résidences des empereurs romains qui y élevèrent de nombreux monuments. *Lugdunum* est la patrie de Caracalla*, Claude* Iᵉʳ. La première église chrétienne de Gaule fut fondée à Lugdunum; en 177, furent martyrisés saint Pothin et sainte Blandine; en 197, Septime* Sévère ravagea la ville. Au traité de Verdun, en 843, Lyon fut rattachée à la Lotharingie, puis au royaume de Bourgogne-Provence et cédée au Saint Empire en 1032. Philippe le Bel rattacha Lyon à la couronne de France en 1312; il lui accorda la charte communale, ce qui favorisa la croissance économique. Au XVᵉ s., l'indus. de la soie se développa et quatre foires annuelles furent créées; Lyon devint ainsi un centre européen des affaires. La ville connut au XVIᵉ s. une grande activité : l'indus. de la soie prospéra, l'imprimerie se développa, marchands et banquiers affluèrent; la vie intellectuelle était intense. Aux XVIIᵉ et XVIIIᵉ s., l'indus. de la soie prédomine. En 1793, les troupes de la Convention assiégèrent la ville, foyer de l'agitation fédéraliste; la répression fut très dure et Lyon devint « commune affranchie ». Napoléon releva et protégea la ville. Au XIXᵉ s., parallèlement au développement économique, Lyon vit se développer de graves problèmes sociaux. Les ouvriers de la soie (canuts), soumis à des conditions de travail inhumaines, se révoltèrent en 1831 et en 1834. De 1940 à 1944, la ville fut un centre important de la Résistance. En 1967 a été créée la *Communauté urbaine de la ville de Lyon.*

Ph. Mario Russo/Ricciarini

Lyon : théâtre romain.

Lyon *(conciles de).* ♦ LYON I : XIIIᵉ concile œcuménique, réuni par le pape Innocent IV en 1245, sous la protection de Saint Louis. Il excommunia pour la troisième fois l'empereur Frédéric II et le déposa sans succès. ♦ LYON II : XIVᵉ concile œcuménique, réuni par le pape Grégoire X en 1274. Il réalisa la première union (éphémère) des Églises d'Orient et d'Occident depuis le schisme de 1054, œuvra pour la reconquête de la Terre Sainte, et réglementa l'élection pontificale (instauration du conclave).

LYONNAIS. *n. m.* ♦ Anc. prov. de France qui s'étendait sur la région actuelle des monts du Lyonnais, du Forez* et du Beaujolais*. En 1790, le Lyonnais a formé le dép. du Rhône-et-Loire, divisé en 1793 en deux dép. : le Rhône* et la Loire*.

Arch. Rencontre

Le concile de **Lyon I**, miniature de S. Mamerot (XVᵉ s.). (V. page 1129) (Bibliothèque nationale, Paris.)

LYONNAIS *(monts du)*. ♦ Massif montagneux situé à l'E. du Massif central, près de Lyon, 950 m. Élevage, cultures, indus. textiles.

LYONNAISE [*n. f.*], en lat. **Gallia Lugdunensis**. ♦ Une des quatre provinces de la Gaule romaine (~ Iᵉʳ s.). La Lyonnaise ou Celtique s'étendait entre la Loire et la Seine et comprenait l'Armorique* et la Normandie. À l'époque de la conquête romaine, les principaux peuples qui s'y trouvaient étaient : les Lingons*, les Carnutes*, les Aulerques*, les Éduens* et les Sénons*. Elle fut divisée à la fin du IVᵉ s. en quatre provinces : la *Lyonnaise Iʳᵉ* (ch.-l. *Lugdunum :* Lyon*), la *Lyonnaise IIᵉ* (ch.-l. *Rotomagus :* Rouen*), la *Lyonnaise IIIᵉ* (ch.-l. *Turones :* Tours*), la *Lyonnaise IVᵉ* (ch.-l. *Senones :* Sens*).

LYONS-LA-FORÊT. ♦ Ch.-l. de cant. de l'Eure*, arr. des Andelys*, sur la Lieure. 880 hab. *(Lyonsais)*. — Église des XIIᵉ et XVIᵉ s. ; halles et hôtel de ville du XVIIIᵉ siècle. — Aux environs, ruines de l'*abbaye de Mortemer* du XIIIᵉ siècle. — Autour de la ville, *forêt* domaniale *de Lyons* (10 608 ha).

LYOT (Bernard). ♦ Astronome français (Paris, 1897 — entre Le Caire et Hélouân, 1952). Constructeur du *coronographe* (1930) permettant de photographier la couronne solaire en dehors des éclipses, on lui doit également le filtre monochromatique polarisant (1943) grâce auquel on peut cinématographier les phénomènes chromosphériques et coronaux ; en 1948, il obtint les premières images cinématographiques d'éruptions solaires. (Acad. sc., 1939.)

LYRE, *n. f.*, en lat. **Lyra**. ♦ Petite constellation boréale, située entre les constellations d'Hercule et du Cygne, et voisine de l'apex. On y observe une nébuleuse « planétaire » M 57. **V. Véga.**

LYS. *n. f.*, en néerl. **Leie**. ♦ Rivière de France et de Belgique (214 km) qui prend sa source en Artois. Canalisée à partir d'Aire, la Lys traverse la plaine flamande, forme frontière entre la France et la Belgique vers Menin*, passe à Courtrai* et à Gand*, où elle se jette dans l'Escaut. Ses eaux favorables au rouissage du lin, sont à l'origine de la prospérité de la région. Elle unit les canaux du Nord à l'Escaut. *Affl.* La Deûle, la Mandel, la Heule. ♦ *Hist.* Ses rives furent le théâtre de nombreux combats (1914-1918).

ŁYSA GÓRA. ♦ Point culminant des Łysogóry* (Pologne).

LYSANDRE, en gr. **Lusandros**. ♦ Général spartiate (mort en ~ 395). Nommé au commandement de la flotte pendant la guerre du Péloponnèse* (~ 407), il remporta sur les Athéniens **(V. Conon)** la victoire décisive d'Aigos*-Potamos (~ 405). Ayant ensuite pris Athènes (~ 404), il fit raser les Longs Murs et installa le gouvernement des Trente* Tyrans. Ses victoires donnèrent à Sparte la domination en mer Égée et dans la Grèce d'Asie. Il établit partout le régime oligarchique et se fit honorer à l'égal d'un dieu. Rappelé à Sparte, il complota pour introduire des réformes politiques (royauté élective, etc.), mais mourut dans une bataille en Béotie avant de pouvoir les réaliser.

Lys dans la vallée (Le). ♦ Roman de Balzac* (1835) où, sur les paysages tourangeaux chers à l'auteur, se détache la figure poétique de Mme de Mortsauf, dont les sentiments envers le jeune Félix de Vandenesse évoquent l'amour de Mme de Berny pour Balzac. Suivant une construction originale, le récit se partage en deux lettres ; dans la première, Félix confesse à sa fiancée les raisons de sa mélancolie : au sortir d'une adolescence solitaire, il s'est épris d'une jeune femme, mal mariée, qui lui a accordé sa tendresse, mais, par scrupules religieux et sociaux, a assigné des limites précises aux sentiments du jeune homme ; plus tard, quand elle apprend que Félix a une liaison, Mme de Mortsauf, profondément affligée, en meurt. Dans la seconde lettre, brève et spirituelle, sa correspondante rend ironiquement sa liberté à Félix dont la « vie est dominée par un fantôme », image de la « perfection terrestre ». Désireux en effet de créer une « femme vertueuse fantastique », Balzac a doté son héroïne d'une nature complexe, idéaliste et positive à la fois. Ainsi, durant la crise tragique que connaît son agonie, la profondeur charnelle, longtemps contenue, de son attachement pour Félix apparaît dans les « imprécations de la chair trompée », avant que cette figure idéale ne retrouve la sérénité d'une mort chrétienne.

LYSIAS en gr. **Lusias**. ♦ Orateur athénien (v. ~ 440 — v. ~ 380). Riche métèque, il fuit la tyrannie des Trente* et prit une part active à la lutte contre ceux-ci. Après la restauration de la démocratie, il revint à Athènes et accusa lui-même l'un des Trente du meurtre de son frère, dans son fameux discours *Contre Ératosthène*. Renommé déjà pour son éloquence, il devint logographe professionnel et fut le rival d'Isocrate*. Il composa plus de deux cents discours, dont il nous reste une trentaine. Parmi les plus célèbres, citons les plaidoyers *Pour l'invalide, Sur le meurtre d'Ératosthène* (pour un mari trompé qui avait fait lui-même justice), *Sur l'olivier*. Platon, dans le *Phèdre**, lui attribue un discours *Sur l'amour*, qui est plutôt un pastiche, et le critique comme exemple de fausse éloquence, tout en louant les qualités de sa langue. Lysias porte à sa perfection l'éloquence judiciaire. Il y ramène le naturel et l'aisance en adaptant ses idées et son style à la personnalité de son client. Sous la simplicité et la bonhomie simulées de la narration, sa science établit un solide échafaudage des démonstrations. Comme écrivain, il excelle par son attique pur, la clarté et la souplesse de son style.

LYSIMAQUE, en grec **Lusimakhos**. ♦ Général macédonien (Pella, v. ~ 361 — ~ 281), lieutenant d'Alexandre* le Grand. L'un des diadoques, il eut en partage la Thrace dont il se fit proclamer roi en ~ 306. Il fonda la ville de Lysimachie en Chersonèse. Allié de Cassandre* et de Séleucos* contre Antigonos* Monophthalmos, après la victoire d'Ipsos* (~ 301), il agrandit ses possessions en Asie Mineure, annexant la Bithynie* et l'Ionie*. Il s'empara ensuite de la Macédoine*, d'où il chassa Pyrrhus* II et épousa Arsinoé* II, fille de Ptolémée* Iᵉʳ. Ses cruautés provoquèrent une révolte en Asie Mineure et son alliance avec Ptolémée le dressa contre la Syrie de Séleucos. Il fut tué à la bataille de Couropédion, en Phrygie. Ptolémée s'empara alors de la Macédoine.

LYSIPPE, en gr. **Lusippos**. ♦ Bronzier grec (Sicyone, v. ~ 390 — après ~ 310), l'un des innovateurs de la sculpture du ~ IVᵉ s. avec Praxitèle* et Scopas*. Il se distingua par le souci du réalisme et l'abolition de toute préoccupation de frontalité. Ses recherches portent sur le mouvement, qu'il réussit à saisir dans l'instantané sans pour autant l'arrêter, et sur le rôle de la lumière. Partant du *canon* de Polyclète, il le modifie essentiellement (huit têtes au lieu de sept dans la hauteur du corps humain) : les proportions élancées et la souplesse du corps qui en résultent annoncent déjà certains aspects de la statuaire hellénistique. Il eut plusieurs élèves, dont Charès*. Auteur d'effigies réalistes, Lysippe fut le portraitiste officiel d'Alexandre* le Grand. Malgré l'importance de sa production (1 500 statues, selon les Anciens), nous n'avons que des copies de ses œuvres : l'*Agias de Pharsale,* l'un de ses athlètes vainqueurs (musée de Delphes), l'*Apoxyomène**, exemple typique de son *canon,* l'*Éros à l'arc,* réplique peut-être de son *Éros de Thespies* (musée du Capitole, Rome), l'*Hermès* dit *Azara,* vraisemblablement portrait d'Alexandre (Louvre).

Lysistrata, en gr. **Lusistratê**. ♦ Comédie d'Aristophane* (~ 411). Pour contraindre les Athéniens et les Lacédémoniens à s'entendre, Lysistrata, femme d'Athènes, réunit toutes les femmes de l'Attique et des principales cités de la Grèce et leur fait tenir serment de se refuser à leur mari jusqu'à ce que la paix soit conclue. Occupant la citadelle, les femmes mettent les hommes dans une situation embarrassante. En dépit de leurs discordes, l'opiniâtreté de Lysistrata triomphera et les deux cités rivales négocieront un traité.

LYS-LÈS-LANNOY. ♦ Comm. du Nord, arr. de Lille. 10 410 hab. — Indus. textiles et des matières plastiques.

ŁYSOGÓRY, *n. m. pl.* (« monts Chauves ») ou **Swietokrzyskie Góry** (monts de la Sainte-Croix). ♦ Massif montagneux de la Petite Pologne*, culminant à la Łysica (611 m) et Łysa Góra (595 m).

LYSSENKO (Trofime Denisovitch). ♦ Botaniste et généticien soviétique (Karlovka, 1898 — 1976). Par ses travaux sur la *vernalisation* du blé, il s'opposa à la théorie du gène, support invariant de l'hérédité et affirma, après I.V. Mitchourine*, l'influence du milieu et l'hérédité des caractères acquis comme facteurs de l'évolution des espèces. Il fut comblé d'honneurs en U.R.S.S. ; puis ses théories, vivement critiquées, furent totalement abandonnées.

LYTTON (Edward George BULWER, *lord*). ♦ Politicien et romancier anglais (Londres, 1803 — Torquay, 1873). Fils du général Bulwer, il fut déshérité par ce dernier à la suite de son mariage (1827) avec Rosita Wheeler, une Irlandaise. Il dut alors abandonner la poésie (*Ismael,* 1820) pour le roman à la mode : *Mon Roman*, 1853, est réaliste ; *Paul Clifford,* 1830, soutient une thèse sociale. *Les Derniers Jours de Pompéi* (1834), roman historique, valut à son auteur une célébrité mondiale. Il suivit aussi la mode du drame (*Richelieu,* 1838), du roman de surnaturel et de terreur (*Zanoni,* 1844). *Pelham* (1828) étudie le type du dandy de l'époque et *La Race future* (*The Coming Race,* 1871) est une utopie héritière de l'*Erewhon* de Butler*. Membre du Parlement de 1832 à 1841, Bulwer-Lytton fut créé baronnet en 1838, puis pair en 1866. Secrétaire d'État pour les Colonies (1858-1859), il abolit le monopole de la Compagnie de la baie d'Hudson.

Ph. V.V.V., Maastricht

Maastricht : le pont Saint-Servais.

MA. ♦ Célèbre famille de peintres chinois des XIIe et XIIIe s., appartenant à l'Académie impériale. Les plus connus sont Ma* Fen (*fin* XIe), Ma Yuan (*fin* XIIe) et Ma Lin (*déb.* XIIIe).

MA'AM. ♦ V. méridionale de Jordanie, ch.-l. de district, située à 1 200 m d'altitude. Centre administratif et commercial. Manufacture de tabac.

MAAS. ♦ Nom néerlandais de la Meuse*.

MAASEIK. ♦ Nom néerlandais de Maeseyck*.

MAASTRICHT ou **MAËSTRICHT.** ♦ Ch.-l. du Limbourg (Pays-Bas) sur la Meuse, à 102 km de Bruxelles. 94 579 hab. Église Saint-Servais, commencée au Xe siècle. Basilique Notre-Dame, romane. Église Saint-Jean (gothique du XVe s.). Musée d'art moderne. — Houille. Indus. métallurgiques et chimiques. Caoutchouc. Verreries. Céramique. Cimenteries. Textile. Papeterie. ♦ *Hist.* La ville fut fondée au IVe s. à l'emplacement d'un pont fortifié (*Maastricht* signifie « passage de la Meuse ») construit par les Romains. Saint Servais y transféra son évêché, qui y demeura jusqu'au VIIIe siècle. Saccagée par le duc de Parme et les Espagnols en 1579, la ville fut annexée par les Provinces-Unies en 1632, assiégée par Louis XIV et Vauban (d'Artagnan mourut pendant ce siège) en 1673, reprise par les Français en 1748 et annexée, comme la Belgique, en 1794. Elle devint ch.-l. de la Meuse-Inférieure. Après sa résistance contre les Belges (1830), Maastricht fut attribué aux Pays-Bas. Centre des communications allemandes à l'O. pendant la Deuxième Guerre mondiale.

MABILLON (Jean). ♦ Bénédictin français (Saint-Pierremont, Ardennes, 1632 — Paris, 1707). Appelé en 1664 à l'abbaye Saint-Germain-des-Prés par L. d'Achery*, il y passa sa vie en travaux d'érudition, ne voyageant que pour collationner des manuscrits. Il publia les œuvres de saint Bernard, les *Actes des saints* (9 vol.) et les *Annales* (6 vol.) de l'ordre de Saint-Benoît. Il est l'auteur du *De re diplomatica* (1681) qui fonde la « diplomatique », du *Traité des études monastiques* (1691) où, contre Rancé*, il justifie le travail intellectuel dans les monastères.

MABLY (Gabriel BONNOT *de*). ♦ Philosophe et historien français (Grenoble, 1709 — Paris, 1785). Frère de Condillac, il fit ses études chez les jésuites puis au séminaire de Saint-Sulpice, mais abandonna l'état ecclésiastique. Il fut chargé de missions diplomatiques (en particulier lors de la paix de Breda en 1746). Auteur du *Droit public de l'Europe fondé sur les traités* (1748), d'*Observations sur l'histoire de France* (1765), il s'est posé en adversaire de la théorie des physiocrates (*Doutes proposés aux philosophes économistes sur l'ordre naturel et essentiel des sociétés politiques*, 1768). Il a affirmé la nécessité de réformes (en particulier de lois agraires) pour rétablir plus de justice sociale et d'égalité.

MABLY. ♦ Comm. du N. de la Loire (arr. de Roanne), dans la plaine du Roannais. Env. 5 000 hab. Tuileries. Tissages.

MABUSE. ♦ **V.** GOSSART ou GOSSAERT (Jan).

MAC. ♦ Dynastie vietnamienne de souverains usurpateurs qui régna sur le Tonkin de 1527 à 1677.

McADAM (John Loudon). ♦ Ingénieur écossais (Ayr, 1756 — Moffat, Dumfriesshire, 1836). Premier réalisateur du système de revêtement des chaussées à l'aide de pierres concassées (*macadam*).

MACAIRE. ♦ Prélat russe (v. 1482 — 1563). Archevêque de Novgorod, puis métropolite de Moscou (1543), il fut l'un des principaux conseillers d'Ivan* IV le Terrible. Il s'entoura d'un groupe de théologiens avec lesquels il rédigea une *Grande Vie des saints* et une *Encyclopédie historique* et fut à l'origine de la réforme cléricale de 1551, qui renforça l'Église orthodoxe et accrut son rôle politique.

Macaire (Robert). ♦ Personnage de *L'Auberge des Adrets* (1823) et de *Robert Macaire* (1834). Type du forban qui se dissimule, au sein des sociétés modernes, sous les traits d'un banquier ou d'un journaliste.

MACAIRE l'Ancien *(saint)*. ♦ Premier anachorète du désert de Scété, Basse-Égypte (v. 301 — v. 391). Fête le 2 janvier.

MACAO. ♦ Enclave portugaise en Chine du Sud, située sur une presqu'île à l'embouchure de la « rivière des Perles » menant à Canton, face à Hong* Kong. Env. 250 000 hab. (dont 5 000 Européens). La ville ancienne, administrative, est riche en monuments du XVIe (elle fut fondée en 1557) et du XVIIe siècle. La ville chinoise est surtout réputée pour ses maisons de jeux.

MACAPÁ. ♦ V. du Brésil située à l'embouchure de l'Amazone*, cap. de l'État d'Amapa*. 81 000 hab. Important gisement de manganèse.

MACAPAGAL (Diosdado). ♦ Homme politique philippin (1910 —) élu président de la république des Philippines en 1957 en remplacement de García*. Ferdinand Marcos* lui succéda en 1965.

MacARTHUR (Douglas). ♦ Général américain (Little Rock, 1880 — Washington, 1964). Il fut nommé commandant de West Point en 1919 et chef d'état-major de l'armée (1930-1935). Commandant les forces américaines en Extrême-Orient (juill. 1941), il dut se replier devant les Japonais à Luçon, résistant à Bataan et à Corregidor (jusqu'en mai 1942). Commandant en chef des forces alliées du Pacifique Sud, il mena à bien la contre-offensive, reprenant les îles de l'Amirauté (fév.-avr. 1944), les Salomon, les Philippines, Luçon (janv. 1945) et Manille. **V. Guerre mondiale** *(Deuxième)*. Il reçut la reddition du Japon le 2 septembre 1945. Commandant les troupes d'occupation au Japon, il parvint à modifier les institutions dans un sens démocratique et libéral, sans trop heurter le traditionalisme japonais. Commandant les troupes des Nations unies en Corée, il tenta d'étendre le conflit à

Ph. Giraudon

Judas Maccabée, par G. van Honthorst. (Cathédrale de Gand.)

la Chine, afin de repousser définitivement la « menace communiste », mais fut désavoué par Truman* et remplacé (1951). Il devint en 1952 président de la Société Remington Rand.

MACASSAR. ♦ V. MAKASAR.

MACAULAY (Thomas Babington, *baron***).** ♦ Historien, publiciste et homme politique anglais (Rothley Temple, Leicestershire, 1800 – Londres, 1859). Neuvième enfant d'un gouverneur philanthrope antiesclavagiste, Macaulay fit ses études à Cambridge. Il fut élu député whig en 1830 et nommé membre du Conseil suprême de l'Inde où il organisa d'importantes réformes scolaires et judiciaires (Code pénal). De retour en Angleterre, il fit partie du cabinet Melbourne et siégea au Parlement, mais en 1847 il perdit son siège. Collaborateur de l'*Edinburgh Review,* il y avait fait paraître un essai sur Milton (1825) et avait débuté avec succès dans la carrière littéraire en publiant des *Chants héroïques de la Rome antique* (*Lays of Ancient Rome,* 1842). À partir de 1847 il se consacra à la rédaction de l'*Histoire d'Angleterre depuis l'avènement de Jacques II* (1849-1861), qui adopte le point de vue libéral et vaut par la beauté de son style imagé. Sa technique historique, centrée sur la psychologie des grands protagonistes, éclairée par les événements historiques de son temps (*Essais critiques et historiques,* 1843), sera largement employée. Réélu en 1852, Macaulay fut fait lord en 1857.

MACAULAY (Rose). ♦ Romancière et poétesse anglaise (1881 – 1958). Considérée comme l'homologue féminin d'Aldous Huxley par Elizabeth Bowen, qui appréciait son « irrespect rieur et spirituel », Rose Macaulay publia une quinzaine de romans, quelques livres sur ses voyages et trois volumes de poésies : *Deux Pays aveugles* (1914), *Trois Jours* (1919) et *Poèmes* (1927). Parmi ses romans, le plus connu demeure *L'Âge critique* (*Dangerous Ages,* 1921).

MACBETH. ♦ ([Mort] Lumphanam, 1057). Roi d'Écosse (1040-1057). Il assassina le roi d'Écosse Duncan* Ier qu'il jugeait un usurpateur (**V. Écosse,** *Hist.*) et monta sur le trône. Prince pieux, il fit un pèlerinage à Rome en 1050. Il fut vaincu par le fils de Duncan, Malcolm* III. – Son histoire a inspiré la tragédie de *Macbeth** à Shakespeare*.

Macbeth. ♦ Drame de Shakespeare (v. 1605). À l'instigation de sa femme, Macbeth a assassiné le roi d'Écosse, Duncan, son hôte, puis, devenu roi, il a fait tuer son ami Banquo. Désemparé, en proie au remords, il croit voir dans un festin le spectre de Banquo surgir devant lui. Au cours d'une crise de somnambulisme, lady Macbeth apparaît, hantée par le sang innocent qu'elle a fait verser. Elle va se donner la mort, tandis que Macbeth, cerné dans son château par les hommes de Malcolm, fils de Duncan, se jette dans la mêlée où il périra. Tragédie de l'ambition et du remords, la pièce est un des sommets du théâtre de Shakespeare.

MACCABÉE ou **MACABÉE.** ♦ Surnom de Judas (v. ~ 200 – ~ 160), fils de Mattathias, guerrier juif qui dirigea la révolte contre Antiochos IV Épiphane (~ 165). Par extension on l'applique à ses quatre frères, *Jean, Simon, Éléazar, Jonathan,* qui combattirent à ses côtés. Jonathan ([mort] ~ 143) puis Simon ([mort] ~ 134) lui succédèrent à la tête des Juifs. Leurs descendants : **V. Asmonéens.**

Maccabées *(Livres des).* ♦ *I Maccabées :* livre historique de l'Ancien Testament; c'est un deutérocanonique*. Auteur inconnu, s'appuyant sur de bonnes sources (entre ~ 104 et ~ 63). Seize chapitres racontent les luttes des Juifs, dirigés par les Maccabées, contre Antiochos IV Épiphane et ses successeurs. – *II Maccabées :* livre de l'Ancien Testament, deutérocanonique* comme le précédent; quinze chapitres écrits en grec entre la rédaction de *I Maccabées* et ~ 63; même sujet que *I Maccabées,* mais avec un dessein d'édification. – *III* et *IV Maccabées* sont des apocryphes.

McCARTHY (Joseph Raymond). ♦ Homme politique américain (Appleton, Wis., 1908 – dans le Maryland, 1957). Sénateur républicain du Wisconsin en 1947, il se fit connaître par ses campagnes anticommunistes acharnées et la « chasse aux sorcières » qu'il tenta de mener contre de nombreuses personnalités politiques et intellectuelles taxées de sympathies communistes. Le « maccarthysme » finit par être désapprouvé par le parti républicain et son instigateur fut blâmé par le Sénat (1954).

McCLELLAN (George Brinton). ♦ Général américain (Philadelphie, 1826 – Mayfield, N.J., 1885). Il participa à la campagne du Mexique (1847), entreprit un voyage d'exploration sur la Red* River (1852) et collabora à la préparation du chemin de fer du Pacifique (1854). Appelé par le président Lincoln, dès le début de la guerre de Sécession, au commandement en chef de l'armée du Potomac (1861), il força les confédérés à évacuer Yorktown (1862), mais échoua dans son attaque contre Richmond. Chargé alors de défendre Washington, il fut bientôt dépossédé de son commandement en raison de son attitude anti-abolitionniste, malgré ses succès militaires (victoire d'Antietam, sur Lee, 1862) qu'il ne sut pas toujours exploiter (il laissa Lee se replier sans le poursuivre). Il échoua aux élections présidentielles de 1864 contre Lincoln.

McCLINTOCK (*sir* **Francis Leopold).** ♦ Navigateur et explorateur irlandais (Dundalk, Irlande, 1829 – Londres, 1907). Participant de 1848 à 1859, à plusieurs expéditions à la recherche de J. Franklin, il explora les régions arctiques et étudia les phénomènes astronomiques, météorologiques et magnétiques.

McCLURE (*sir* **Robert LE MESURIER).** ♦ Navigateur et explorateur irlandais (Wexford, Irlande, 1807 – Portsmouth, 1873). Après avoir participé au voyage de Ross à la recherche de J. Franklin (1848), il entreprit une nouvelle expédition (1850-1853), au cours de laquelle, après avoir franchi le détroit de Béring, il atteignit la terre de Banks et celle du Prince-Albert avant de revenir par la terre de Baffin, ayant ainsi réalisé le passage de l'océan Pacifique à l'Atlantique.

MacCOLL (Hugh). ♦ Logicien britannique (1835 – 1909). En « faisant reposer la logique sur le calcul élémentaire des propositions » (R. Blanché), il contribua à poser les bases de la logique mathématique moderne et formalisa la logique à six modalités (vrai, faux, nécessaire, contingent, possible, impossible). *Symbolical Reasoning,* 1880; *Symbolic Logic and its Application,* 1906.

McCORMICK (Cyrus Hall). ♦ Industriel américain (Walnut Grove, Virginie, 1809 – Chicago, 1884). Inventeur d'un type de moissonneuse.

McCULLERS (Carson Smith). ♦ Romancière américaine (Colombus, Géorgie, 1917 – New York, 1967). Née dans une petite ville du Sud où elle reçut une formation musicale, transplantée à New York où elle publia son premier roman à vingt ans, elle sombra dans l'éthylisme en France. Elle demeura l'enfant blessée de *Frankie Addams* (*The Member of the Wedding,* 1946) et mourut paralysée après dix ans d'agonie. Elle fut parmi les premiers à traiter le thème de l'incommunicabilité, *Le cœur est un chasseur solitaire* (*The Heart is a Lonely Hunter,* 1940). Elle laissa un dernier roman, *L'Horloge sans aiguille* (*Clock without hands,* 1952) et des contes (*La Ballade du café triste, Ballad of the Sad Café,* 1951).

MACDONALD (Étienne Jacques Joseph Alexandre). ♦ Maréchal de France (Sedan, 1765 – Courcelles-le-Roi, 1840). Issu d'une famille écossaise jacobite exilée en France, il fut général à vingt-huit ans (1793); il participa à la conquête des Pays-Bas (1794-1795). À la bataille de Trébie (17-19 juin 1799), il résista à l'armée de Souvorov* et battit en retraite après lui avoir infligé de lourdes pertes. Disgracié de 1804 à 1809 comme ami de Moreau*, il s'illustra à la bataille de Wagram*. Napoléon le fit aussitôt maréchal de France et *duc de Tarente.* Il commanda en Catalogne (1810-1811), fit la campagne de Russie, fut battu en Silésie par Blücher (Katzbach, août 1813); il combattit à Leipzig*. Il fut l'un des derniers maréchaux à reconnaître l'abdication de Napoléon en 1814 et se rallia aux Bourbons.

MACDONALD (*sir* **John Alexander).** ♦ Homme d'État canadien (Glasgow, 1815 – Ottawa, 1891). Député conservateur, il siégea à l'Assemblée législative dès 1844 et fut membre de divers ministères du Canada-Uni avant de diriger le premier des deux ministères qu'il composa avec G.-É. Cartier* de 1857 à 1862. Artisan de la Confédération et de la création du dominion du Canada, il en présida le premier cabinet (1857-1873), qui dut démissionner par suite du «scandale du Pacifique» (contributions d'entreprises ferroviaires à la caisse électorale). Macdonald fut réélu Premier ministre en 1878 et le resta jusqu'à sa mort en 1891. Sa politique s'est illustrée dans la suppression du monopole de la Compagnie de la baie d'Hudson* (1869), la répression (1869) puis l'écrasement (1885) des soulèvements de Riel*, l'achèvement du premier transcontinental canadien (C.P.R. ou *Pacifique canadien,* 1885); sous son gouvernement le Canada connut une grande expansion : Rattachement des Territoires du Nord*-Ouest (1870) et de trois provinces : Manitoba (1870), Colombie* britannique (1871), île-du-Prince*-Édouard (1873).

MACDONALD (James Ramsay). ♦ Homme politique britannique (Lossiemouth, Écosse, 1866 – en mer, 1937). Il fut l'un des fondateurs du Parti travailliste (1900). Député aux Communes (1906), chef du Parti travailliste (1911), il mena une politique pacifiste qui lui fit perdre sa popularité (1924). De nouveau Premier ministre en 1929, il fit face à la crise mondiale et préconisa des économies sévères. Pour restaurer la confiance, il forma en 1931 un gouvernement d'Union nationale qui fut dirigé à partir de 1935 par le conservateur Baldwin*.

MACDONNEL *(monts)*. ♦ Hauteurs du centre de l'Australie* (Territoire du Nord) au pied desquelles se trouve Alice* Springs. 1 510 mètres.

McDOUGALL (William). ♦ Psychologue américain (1871 – 1938). Sa conception de la psychologie sociale (science dont il fut un des fondateurs) repose essentiellement sur la notion d'instinct (*An Introduction to Social Psychology,* 1908).

MACÉ (Jean). ♦ Pédagogue et publiciste français (Paris, 1815 – Monthiers, Aisne, 1894). Rédacteur du journal *la République* (1848), contraint de quitter la capitale après le coup d'État du 2 déc. 1851, il fut instituteur en Alsace puis à Monthiers. Fondateur de la Ligue* française de l'enseignement (1866), il ne cessa de lutter pour l'école publique, laïque et obligatoire.

MACÉDOINE. *n. f.* ♦ Contrée historique de l'Europe dans la péninsule des Balkans*, aujourd'hui partagée entre la Grèce*, la Yougoslavie* et la Bulgarie, cette dernière comprenant seulement la vallée de Strumica. ♦ *Hist.* Le *royaume de Macédoine.* Selon une hypothèse généralement admise, les Hellènes, mêlés probablement d'Illyriens et de Thraces, composèrent la population de la Macédoine. Soumis à une aristocratie féodale et maintenus fermement liés par une puissante monarchie, les Macédoniens ne connurent pas les bouleversements politiques de la Grèce archaïque et classique. La Macédoine entra dans l'histoire avec la dynastie des Argéades **(V. Perdiccas Ier)** qui étendirent leurs domaines aux dépens des Illyriens et des Thraces. Envahie par les Perses v. ~ 513, la Macédoine devint vassale de Darios* Ier et dut se joindre à l'expédition de Xerxès* contre la Grèce **(V. Alexandre Ier)**, mais elle recouvra son indépendance après la défaite perse (~ 479). À partir de cette époque, la Macédoine s'intégra au monde grec. Le philhellénisme de ses rois (Alexandre Ier, Archélaos Ier) alla de pair avec la présence macédonienne dans les affaires grecques. Redoutant l'expansion athénienne en Chalcidique, Perdiccas* II se rangea d'abord aux côtés de Sparte pendant la guerre du Péloponnèse*, puis se tourna contre elle. Pella* devint à cette époque la capitale du royaume. Une grande période de luttes dynastiques **(V. Amyntas III, IV, Perdiccas III, Alexandre II)** et d'invasions illyriennes se termina avec l'avènement de Philippe* II en ~ 359. Ayant rétabli la monarchie absolue et organisé une puissante armée, dont la *phalange* (infanterie lourde) constituait la base, le souverain soumit les Illyriens, les Thraces et les Péoniens, puis entreprit la conquête de la Grèce qu'il acheva avec sa victoire de Chéronée (~ 338) sur l'alliance d'Athènes* et de Thèbes*. Son ambition de conquête de l'Empire perse par les Grecs unis fut réalisée par son fils Alexandre (~ 334-~ 323). **V. Alexandre III le Grand.** Après la mort du conquérant, le régent Antipatros* écrasa la révolte des cités grecques au cours de la *guerre lamiaque* **(V. Lamia)**. En proie aux luttes des *diadoques,* la Macédoine passa successivement à Antigonos* Monophthalmos et à son fils Démétrios* Poliorcète, à Cassandre*, puis au roi d'Épire Pyrrhus*, au roi de Thrace Lysimaque*, enfin à Ptolémée* Ier, roi d'Égypte. À l'issue de ces luttes, la victoire d'Antigonos* Gonatas, fils de Démétrios Poliorcète (~ 276), donna le pouvoir aux Antigonides qui régnèrent jusqu'à la conquête romaine. L'hégémonie macédonienne sur la Grèce, rétablie en partie, se heurtait à la résistance tantôt d'Athènes, tantôt de Sparte, tantôt des deux ligues, l'Achéenne et l'Étolienne. La politique impérialiste de Philippe* V inquiétait Rome* et son alliance avec Hannibal fournit le prétexte de l'intervention romaine en Grèce. La *première guerre de Macédoine* (~ 216-~ 205) se termina par la défaite de la ligue Étolienne, alliée des Romains. Ensuite, l'expansion macédonienne en Asie Mineure provoqua la *deuxième guerre de Macédoine* (~ 200-~ 197) et la défaite de Philippe V **(V. Cynocéphales).** Flamininus proclama la liberté des cités grecques, l'État de Philippe fut réduit à la Macédoine et désarmé. La révolte de son fils Persée* donna lieu à la *troisième guerre de Macédoine* (~ 172-~ 168), terminée par la victoire de Paul* Émile à Pydna* et la fin du royaume de Macédoine avec sa division en quatre États satellites de Rome. – *Province romaine et byzantine.* Après une nouvelle révolte qui fut écrasée, la Macédoine devint une province romaine (~ 146). Comprise dans l'empire d'Orient **(V. Byzantin)** en 395, elle fut souvent ravagée par les invasions barbares. L'infiltration des Slaves dès le VIe s., puis la domination bulgare (IXe-Xe s.) modifièrent la composition ethnique de la Macédoine intérieure. À l'éphémère *royaume de Thessalonique* (1204-1224) de Boniface de Montferrat* se substituèrent le despotat d'Épire, puis l'État bulgare (1230-1246), enfin l'empire de Nicée **(V. Jean III Vatatzès).** Tandis que les Grecs dominent surtout la zone côtière, les Serbes **(V. Étienne Douchan)** remplacent les Bulgares dans la Macédoine du Nord. Mais la conquête turque, amorcée dès 1371, s'acheva par la prise de Salonique (occupée un temps par les Vénitiens), en 1430. – *La question de Macédoine.* Dans le cadre de la question d'Orient*, le partage de la Macédoine, disputée aux Turcs par les États balkaniques, posait de graves problèmes, compliqués par la composition ethnique très diverse de la région. À l'issue de la guerre russo-turque de 1878, le traité de San Stefano attribua la Macédoine à l'État bulgare récemment constitué, mais le congrès de Berlin rétablit la domination ottomane. La Bulgarie, puis la Serbie et la Grèce encouragèrent l'activité terroriste des *comitadjis* contre la répression turque et pour appuyer leurs revendications nationales. Avec la *première guerre balkanique* (1912-1913), elles enlevèrent la Macédoine aux Turcs, mais la question du partage provoqua une *seconde guerre balkanique,* la Serbie et la Grèce faisant cause commune contre la Bulgarie. Cette dernière, vaincue, consentit à un partage (traité de Bucarest) qui lui laissait une infime partie du pays, tandis que la Serbie englobait toute la région à l'O. de la Struma et la Grèce la partie méridionale en bordure de la mer Égée. La Macédoine fut le théâtre d'opérations importantes pendant la Première Guerre* mondiale (*campagne de Macédoine,* 1915-1918). Au traité de Neuilly (1919), la Bulgarie, battue aux côtés des puissances centrales, perdit son débouché en Thrace maritime et sa frontière avec la Yougoslavie fut rectifiée à ses dépens. L'agitation bulgare bouleversa la Macédoine yougoslave jusqu'en 1930. Obsédée par l'idée d'une revanche, la Bulgarie se rangea de nouveau aux côtés de l'Allemagne lors de la Deuxième Guerre mondiale et annexa presque toute la Macédoine (1941-1944) que le traité de paix (1947) restitua à la Grèce et à la Yougoslavie.

MACÉDOINE. *n. f.,* en gr. **Makedonia.** ♦ Région de la Grèce septentrionale séparée de l'Épire* à l'O. par les chaînes du Pinde, de la Thessalie* au S. par le massif d'Olympe et la chaîne de Camvounia, de la Thrace* à l'E. par la Mesta. Elle comprend les *nomes* de Kastoriá, Grévéna, Cozani, Florina, Pella, Émathie, Piérie, Kilkís, Thessalonique, Chalcidique (avec Hagion Oros), Serrès, Drama et Cavalla. 34 203 km². 1 890 680 hab. (1971). *V. princ.* **V. Thessalonique.**

MACÉDOINE. *n. f.,* en serbo-croate **Makedonija.** ♦ République la plus méridionale de la Fédération yougoslave. 25 713 km². 1 481 000 hab. (*Macédoniens,* Turcs, Tsiganes, Musulmans bosniaques). *Cap.* Skopje*. Elle est limitée au N. par le Kosovo*-Metohija, au S. par la Grèce, à l'O. par l'Albanie, et à l'E. par la Bulgarie. – Le relief offre une succession de massifs montagneux, appartenant au système du Rhodope*, et de bassins. On distingue trois régions : la vallée du Vardar* qui s'élargit dans des bassins (Skopje, Véles) ; la Macédoine occidentale formée d'une alternance de massifs schisteux (Šar) et de profonds bassins (Polog, Pélagonie). Au S.-O. se trouve le lac d'Ohrid* ; la Macédoine orientale constituée par de vastes bassins au pied de massifs moins élevés que dans la partie occidentale et par la partie supérieure de la plaine de Strumica. – *Hydrogr.* Cerna* et Vardar*. – *V. princ.* Skopje, Bitola*. – *Écon.* L'agriculture est centrée sur la production céréalière et fruitière, mais plus encore sur les cultures subtropicales : riz, coton, mûrier, sésame, tabac et pavot (totalité de la production yougoslave). Les formes traditionnelles d'élevage sont en déclin. La vie pastorale a été modifiée par les coopératives. L'artisanat, développé par les Turcs, a été à l'origine du développement de l'industrie (tapis). Les ressources minières sont importantes : fer et chrome en Macédoine occidentale, plomb et zinc dans la partie orientale (Kratovo). Dans les villes, l'industrie est encore peu développée, sauf à Skopje où l'on construit un important combinat sidérurgique. Le tourisme pourrait fournir un appoint important.

MACEIÓ. ♦ V. et port du Brésil sur la côte atlantique, cap. de l'État d'Alagoas*. 221 000 hab. Indus. métalliques, textiles et alimentaires.

MACERATA. ♦ V. d'Italie péninsulaire, dans les Marches*.

Ph. Hétier

Macédoine (Grèce) : Thessalonique, le quartier ancien.

Ph. Harlingue/Viollet

Antonio Machado.

Ch.-l. de prov. 38 500 hab. Édifices médiévaux (XVIe s.). Centre agricole.

MACH (Ernst). ♦ Physicien et philosophe autrichien (Turas, Moravie, 1838 – Haar, près de Munich, 1916). Sa philosophie empirio-criticiste **(V. Avenarius)** est une tentative pour décrire la totalité de l'expérience à partir des sensations et des fonctions (lois) qui les relient, en éliminant les notions de substance, de causalité etc., et en niant la dualité et l'opposition du psychique et du physique. Lénine mit en question l'idéalisme subjectif de cette doctrine dans *Matérialisme* et Empiriocriticisme* (1909). – Il établit le rôle de la vitesse du son en aérodynamique et l'unité de vitesse égale à celle du son, utilisée en aviation, reçut son nom. Sa critique des principes de la mécanique newtonienne **(V. Newton)** influença considérablement la pensée d'Einstein*.

MACHADO (Antonio). ♦ Poète espagnol (Séville, 1875 – Collioure, 1939). Éminent représentant de la génération de 98, Machado voulut faire de sa poésie une « profonde palpitation de l'esprit », intime et dépourvue de toute rhétorique. Il évoqua des souvenirs et des impressions de jeunesse (*Solitudes*, 1902), l'âme du désert castillan (*Champs de Castille*, 1912), l'amour de sa femme, la vie, la mort, Dieu. Son œuvre ultérieure, et notamment *Chants nouveaux* (1920), est d'inspiration plus philosophique. Engagé dans la politique aux côtés des républicains, Machado mourut en exil, à Collioure.

MACHADO DE ASSÍS (Joaquim Maria). ♦ V. ASSIS (Joaquim Maria MACHADO *de*).

MACHAR (Josef Svatopluk). ♦ Poète et essayiste tchèque (Koblin, 1864 – Prague, 1942). D'abord poète lyrique (*Confiteor*, 1887), il devint rapidement un auteur réaliste et combatif évoquant avec fougue les problèmes sociaux, nationaux ou religieux, s'attachant à défendre la condition de la femme (*Magdalena*, 1894; *Ici les roses devraient fleurir*, 1894) ou à dénoncer le christianisme (*Le Poison de Judée*, 1906).

MACHAULT ou **MACHAUT (Guillaume *de*).** ♦ V. GUILLAUME DE MACHAUT.

MACHAULT. ♦ Ch.-l. de cant. des Ardennes (arr. de Vouziers), en Champagne pouilleuse (N.). 575 hab. Église restaurée (XVe s.). Patrie de Guillaume* de Machault.

MACHAULT D'ARNOUVILLE (Jean-Baptiste). ♦ Homme politique français (Paris, 1701 – 1794). Issu d'une famille de robe, il devint contrôleur général des Finances en 1745. Dans son effort pour développer la fiscalité directe en réduisant les privilèges, il se heurta à la vive opposition de l'aristocratie et à celle du clergé. Le roi ayant cédé devant la pression de l'opinion, Machault quitta le contrôle général des Finances pour la Marine (1754). Il favorisa le renversement des alliances, tout en essayant de maintenir la France hors d'un nouveau conflit. Mais il perdit la faveur de Mme de Pompadour et fut disgracié (1757). Arrêté pendant la Terreur, il mourut en prison.

MACHECOUL. ♦ Ch.-l. de cant. de la Loire-Atlantique, arr. de Nantes. 4 362 hab. [2 301 aggl.]. *(Machecoulois).* Ruines de l'anc. château de Gilles de Rais (XIVe s.). Maisons anc. ♦ *Hist.* La ville fut l'un des premiers foyers de l'insurrection vendéenne : en mars-avril 1793, les troupes de Charette y massacrèrent 300 Bleus.

MACHELEN. ♦ Comm. de Belgique (Brabant) dans la banlieue N. de Bruxelles. 7 300 hab. – Indus. métallurgiques et chimiques (teintures, apprêts).

MACHIAVEL (Nicolas), en ital. **Niccolo Machiavelli.** ♦ Homme politique et philosophe italien (Florence, 1469 – 1527). Secrétaire de la seconde chancellerie de Florence, il accomplit plusieurs missions diplomatiques (auprès de César Borgia, de Louis XII et de Maximilien Ier). Lorsque les troupes françaises se replièrent (après la bataille de Prato, 1512), la république s'effondra à Florence. Avec le retour au pouvoir des Médicis, Machiavel perdit ses fonctions, fut même impliqué dans un complot et emprisonné. Libéré, mais banni de la ville, il s'installa à San Casciano où il écrivit *Le Prince** (1513), dont la doctrine politique cynique fut qualifiée de machiavélisme (voir ce mot *in* Robert) et les *Discours sur la première décade de Tite-Live* (1513-1520). Il rédigea une *Histoire de Florence,* à la demande de Jules de Médicis (futur Clément VII). Ce n'est qu'en 1526 qu'il obtint à nouveau des fonctions officielles (pendant la guerre contre les Impériaux). Mais il mourut en 1527, alors que les Médicis venaient d'être renversés et la république proclamée. Parmi ses œuvres, on peut encore citer l'*Art de la guerre,* des comédies *(La Mandragore).*

MACHIDA. ♦ V. du Japon, à 30 km au S.-O. de Tôkyô*. 177 000 hab. V. résidentielle. Artisanat.

MACHINE (La). ♦ Comm. de la Nièvre (arr. de Nevers), à proximité du canal du Nivernais. 5 749 hab. Mines de houille.

MACHUPICCHU. ♦ Site archéologique du Pérou, situé au N. de Cuzco* dans les Andes, à 2 000 m d'alt. et dominant la vallée du rio Urubamba. Les Espagnols ignorèrent cette citadelle pré-incaïque d'origine inconnue qui fut découverte en 1911 par Hiram A. Bingham. La ville s'étage en gradins dans la montagne et les constructions, bien conservées, se caractérisent par l'absence d'ornementation. – Centrale hydro-électrique.

MACIAS NGUEMA. ♦ Nom pris par Fernando* Póo en 1973.

MACIEJOWICE. ♦ Localité de Pologne* (voïévodie de Varsovie). 3 150 hab. Théâtre de l'ultime bataille de Kościuszko*, battu par l'armée russe de Souvorov* en 1794.

MACINA. ♦ Région du Mali*, formée par le « delta intérieur » du Niger*, anc. terrain de parcours des Peuls*, auj. grande région agricole mise en valeur par l'Office du Niger **(V. Sansanding).** Riz. Coton.

MAC IVER (Robert Morrison). ♦ Sociologue américain (né en 1882). Faisant de la psychologie individuelle la base des faits sociaux, il a défini toute structure sociale comme « un complexe de relations présentes » et mis en question l'existence d'un déterminisme strict en sociologie (*Society, a Textbook of Sociology,* 1947, etc.).

MACK (Karl, *baron von* Leiberich). ♦ Général autrichien (Neunslingen, Franconie, 1752 – Sankt-Pölten, 1828). Encerclé par les troupes de Napoléon, il capitula à Ulm* le 20 oct. 1805.

MACKAU (Ange René Armand, *baron de*). ♦ Amiral français d'origine irlandaise (Paris, 1788 – 1855). Gouverneur de la Martinique (1840), ministre de la Marine (1843), amiral (1847). ♦ ARMAND MACKAU, son fils. Homme politique français (Paris, 1832 – 1918). Député bonapartiste à la fin du Second Empire (1866-1870), il siégea parmi les conservateurs à la Chambre des députés (1876), présida l'Union des droites (1885). Partisan du boulangisme (1888), il se montra favorable par la suite à la politique de ralliement (1892).

MACKE (August). ♦ Peintre allemand (Meschede, 1887 – Perthes-en-Champagne, 1914). Il étudia à l'académie de Düsseldorf et se rendit à Paris en 1907, puis en 1908 et en 1909, découvrant la peinture impressionniste, Seurat et Cézanne. Il suivit un moment l'enseignement de Corinth* (1908), peignant alors des œuvres qui dénotent l'influence de Matisse. Il se lia ensuite avec F. Marc* et fit la connaissance de Klee et de Kandinsky, se joignant au groupe de la *Neue Kunstlervereinigung* (1911), puis au *Blaue Reiter.* Avec Franz Marc, il fit à Paris la connaissance de Delaunay* (1913) et subit son ascendant. Il eut d'abord tendance, comme les fauves, à exalter les couleurs et à simplifier le dessin; puis il distribua la couleur selon des plans angulaires (*Chemin ensoleillé,* 1913). Lors d'un voyage en Tunisie en compagnie de Klee, il réalisa une série d'aquarelles lumineuses qui dénotent une volonté d'approcher la nature avec plus d'ingénuité (*Kairouan,* 1914) et indiquent une nette évolution stylistique. Sa carrière et sa vie furent brutalement interrompues par la guerre.

MACKENSEN (August *von*). ♦ Feld-maréchal allemand (Haus Leipnitz, 1849 – Burghorn, près de Celle, 1945). Il commanda les cinq corps d'armée qui, de Thorn à Lods, marchèrent contre les Russes (nov. 1914). Puis il commanda les forces austro-allemandes qui reprirent la Galicie (mai-juin 1915) et menèrent l'offensive contre la Serbie (oct.-nov. 1915). De Bulgarie, il mena l'attaque contre la Roumanie (sept. 1916) **V. Guerre mondiale** *(Première).* Plus tard, il contribua à faire accepter le nazisme par l'armée.

MACKENZIE (*sir* Alexander). ♦ Voyageur écossais (Stornoway Lewis, 1764 – Mulinearn, Perthshire, 1820). En 1789, il explora les régions boréales de l'Amérique du Nord et découvrit le fleuve qui porte aujourd'hui son nom.

MACKENZIE (William Lyon). ♦ Homme politique canadien d'origine écossaise (près de Dundee, 1795 – Toronto, 1861). Il fonda au Canada le *Colonial Advocate* (1824) où il critiqua la politique coloniale anglaise. Il déclencha en 1837 une rébellion en Ontario et dut se réfugier aux États-Unis. – Grand-père de Mackenzie King*.

MACKENZIE (*sir* Compton). ♦ Dramaturge et romancier écossais (Durham, 1883 – Edimbourg, 1972). Il donna au théâtre *Le Gentilhomme gris* (1907) et s'intéressa au roman : *Carnaval* (1912), *Guy et Pauline* (1914), *Les Degrés de l'autel* (1922) ; sa meilleure œuvre, dans le domaine de la fiction, reste *L'Impasse* (*Sinister Street,* 1913) où sont exprimés les sentiments de la génération d'avant-guerre à l'égard de l'université d'Oxford. Il publia des essais, et son autobiographie retrace une vie mouvementée. *Whisky à gogo* (1947), évocation truculente du particularisme écossais, connut un grand succès (adaptation cinématographique).

MACKENZIE. *n. m.* ♦ Fl. du N. du Canada (Territoires du Nord*-Ouest) qui déverse les eaux du Grand Lac des Esclaves* dans l'Océan Arctique. Il coule vers l'O., puis le N.-O., reçoit plusieurs affl. venus des *monts Mackenzie* et se jette par un vaste delta dans l'océan *(baie de Mackenzie),* à une centaine de kilomètres à l'E. de l'Alaska. Le delta contient des réserves de pétrole en cours de prospection. – Le système fluvial du Mackenzie comprend la riv. de la Paix* *(Peace River),* appelée riv. Finlay dans son cours supérieur, la riv. Athabaska* et leur réunion au N. du lac Athabasca, dénommée riv. des Esclaves *(Slave River).* Il draine la prov. d'Alberta.

MACKENZIE. ♦ District occidental des Territoires du Nord*-Ouest canadien, situé entre le Yukon et le district de Keewatin. 14 895 hab. Il comprend à l'O. les *monts Mackenzie,* Franklin et Richardson **(V. Rocheuses),** la plaine drainée par le Mackenzie (**V.** *ci-dessus*) et où se trouvent les grands lacs **(V. Ours, Esclaves,** [lacs des]) et la bordure orientale du bouclier canadien.

MACKENZIE KING (William Lyon). ♦ **V.** KING (William Lyon Mackenzie).

McKINLEY (William). ♦ Homme politique et président des États-Unis (dans l'Ohio, 1843 – Buffalo, 1901). Avocat, représentant républicain au Congrès (1877-1891), il fut un champion du protectionnisme douanier (loi de 1890, établissant des droits de douane très élevés). Gouverneur de l'Ohio (1892-1896), il fut élu président des États-Unis en 1896, avec l'appui de Marcus Hanna. Après la guerre contre l'Espagne (1898) qui rendit les États-Unis maîtres de Porto Rico, Guam et des Philippines, il fut réélu facilement en 1900. Il fut assassiné le 6 sept. 1901 par l'anarchiste Léon Czolgoscz et son vice-président, Théodore Roosevelt*, le remplaça.

McKINLEY (*mont,* en angl. *mount*). ♦ Mont de la chaîne de l'Alaska* *(Alaska range),* appartenant au système montagneux des Rocheuses, point culminant de l'Amérique du Nord. 6 194 m. Parc national.

MACKINTOSH (Charles). ♦ Inventeur et industriel écossais (Glasgow, 1766 – Dunchattan, près de Glasgow, 1843). Inventeur du tissu imperméable (1823). **V. Hancock.**

MACKINTOSH (Charles Rennie). ♦ Architecte, dessinateur et aquarelliste écossais (Glasgow, 1898 – Londres, 1928). Ses inventions dans le domaine de l'art décoratif en font l'un des principaux représentants de l'Art nouveau en Grande-Bretagne : il eut une prédilection pour les lignes très pures, les couleurs claires et s'inspira de motifs celtiques (*Cranston's tea Rooms,* 1897-1904). Il travailla avec sa femme Margaret MacDonald, sa belle-sœur et J.H. MacNair. Il manifesta ses préoccupations fonctionnalistes et dans plusieurs édifices (bibliothèque de la *Glasgow School of Art,* 1907-1909, etc.). Son œuvre, originale et élégante, constitue un jalon dans la formation de l'architecture moderne.

MACLAURIN (Colin). ♦ Mathématicien écossais (Kilmodan, comté d'Argyll, 1698 – Édimbourg, 1746). Éminent disciple de Newton*, il s'est intéressé à la géométrie, à l'algèbre et au calcul infinitésimal. Dans sa *Geometria organica* (1720), on trouve une méthode nouvelle de description des coniques, une étude de certaines courbes de degré supérieur (cissoïde, strophoïde, lemniscate, etc) et une généralisation du théorème de l'hexagramme mystique de Pascal*. Dans son *Traité des fluxions* (1742), il redécouvrit la formule qui porte son nom et qui, signalée par Taylor*, avait été énoncée par Stirling* en 1717 ; il démontra également que la figure d'équilibre d'une masse fluide en rotation, calculée en appliquant la loi de Newton, est un ellipsoïde de révolution ; il détermina également l'attraction exercée par un ellipsoïde homogène sur un point situé en son intérieur ou sur sa surface. Ce manuel marqua une étape importante dans la voie qui, à la suite d'un pamphlet de George Berkeley*, conduisait les mathématiciens à étudier plus profondément les questions de logique.

McLENNAN (John Ferguson). ♦ Ethnologue écossais (1827 – 1881). Il a donné des études sur le totémisme, montrant son rôle dans le développement des idées et croyances religieuses. Mais il fut surtout un précurseur des analyses de parenté, créant les notions d'endogamie et d'exogamie, étudiant le lévirat, etc. Il a publié *Primitive Marriage* (1865) qui insiste sur la filiation par les femmes, *The patriarcal Theory* (1872), *Studies in ancient History* (1886).

MACLEOD (John). ♦ Médecin écossais (Pershire, 1876 – Aberdeen, 1935). Il partagea le prix Nobel de méd. (1923) avec Banting* pour la découverte de l'insuline.

MACLOU ou **MALO** *(saint).* ♦ (Llancarvan, Galles, fin VIe s. – Saintes, v. 640). Moine gallois venu évangéliser à Alet* où il aurait été évêque.

McLUHAN (Marshall). ♦ Universitaire et essayiste canadien (Edmonton, 1911). Il dirige à l'université de Toronto un « Center for Culture and Technology » (Centre d'études de la civilisation et des techniques). Il étudia dans ses principaux essais, utilisant les données de la théorie de l'information, l'évolution des systèmes de communication dans les sociétés et leurs effets sur l'histoire humaine. Considérant que l'humanité vit une mutation complète due à l'électronique, il dénonça le caractère archaïque de la civilisation du livre (*The Gutenberg Galaxy,* 1962 ; *La Galaxie Gutenberg*) et s'attacha surtout à comprendre les « media » (*Understanding Media,* 1964), affirmant en une formule lapidaire que le medium (le moyen de transmission de l'information) constitue le message même *(the medium is the message).* Très largement répandues dans le monde, ses thèses ont été critiquées comme simplificatrices.

MAC-MAHON (Edme Patrice Maurice, *comte de***).** ♦ Maréchal de France et homme politique (Sully, Saône-et-Loire, 1808 – Château-la-Forêt, Loiret, 1898). Issu d'une famille d'origine irlandaise et jacobite, il prit part aux débuts de la conquête de l'Algérie. Monarchiste légitimiste, il démissionna lors de la révolution de Juillet 1830. Après s'être distingué par la prise de la tour de Malakoff* (8 sept. 1855, **V. Crimée** [guerre de]), puis à la bataille de Magenta* (4 juin 1859, campagne d'Italie*), qui lui valut le bâton de maréchal et le titre de *duc de Magenta,* il fut nommé gouverneur général de l'Algérie (1864-1870). Placé à la tête du 1er corps de l'armée du Rhin au début de la guerre franco-allemande (1870-1871), il fut battu par les Prussiens à Wissembourg* (4 août) et à Frœschwiller* (Reichshoffen), se replia sur Châlons d'où il tenta, sur ordre du gouvernement, d'établir la jonction avec l'armée de Bazaine repliée dans Metz ; encerclé dans Sedan* (1er sept.) par les forces ennemies, il fut blessé et fait prisonnier. Libéré peu après, il fut nommé commandant de l'armée de Versailles par Thiers et acquit l'estime des conservateurs de l'Assemblée nationale en organisant la répression du mouvement insurrectionnel de la Commune de Paris (mars-mai 1871). Après la chute de Thiers* (24 mai 1873) et l'échec de la tentative de restauration de la monarchie, échec dû à l'intransigeance du comte de Chambord*, Mac-Mahon fut porté à la présidence de la République par la coalition monarchiste de l'Assemblée* nationale pour une durée de sept ans (1873). Durant son mandat, il soutint la réaction politique et religieuse de l'Ordre* moral et choisit la plupart de ses ministres dans les rangs des monarchistes. Les élections de févr. 1876 ayant été largement favorables aux républicains, Mac-Mahon intervint alors directement dans la vie parlementaire en renvoyant J. Simon (16 mai 1877) qu'il remplaça par le duc de Broglie, et en proclamant la dissolution de la Chambre des députés. Les élections d'oct. 1877 ayant à nouveau donné la majorité aux républicains, il ne restait plus au président Mac-Mahon qu' « à se soumettre ou à se démettre » (Gambetta). Après s'être vu contraint de gouverner avec des ministres républicains (rappel de Dufaure), il donna sa démission avant la fin de son septennat (en janv. 1879) à la suite des élections sénatoriales qui furent une nouvelle victoire pour les républicains.

MACMILLAN (Maurice Harold). ♦ Homme politique britannique (Londres, 1894). Élu au Parlement en 1924, il se fit remarquer parmi les députés conservateurs pour ses tendances réformistes en matière de politique sociale et son refus de la politique d' « apaisement » de N. Chamberlain* ; nommé par Churchill* en 1942 attaché au quartier général allié en Afrique du Nord, il joua le rôle d'intermédiaire entre les chefs politiques et militaires alliés. À partir de 1951, il occupa successivement les fonctions de chancelier de l'Échiquier et de secrétaire d'État aux Affaires étrangères. Il devint Premier ministre en 1957. Persuadé depuis la Deuxième Guerre mondiale que l'avenir de la Grande-Bretagne reposait sur son entrée dans le Marché commun, il fut déçu par le veto que lui opposa le général de Gaulle. Compromis dans le scandale qui touchait l'un de ses ministres, Profumo, il fut contraint de démissionner (oct. 1963).

Ph. Hubert Josse

Mac-Mahon, à Malakoff, détail d'une peinture d'Aillaud. (Musée de l'Armée, Paris.)

McMILLAN (Edwin Mattison). ♦ Physicien américain (Redondo Beach, 1907 –). Il découvrit le neptunium (1940), puis, avec Seaborg*, le plutonium (1941). En collaboration avec Oliphant*, il inventa le synchrocyclotron en 1945. (Prix Nobel de chimie, 1951.)

MAÇMÔUDA. ♦ **V.** BERBÈRES.

McNAMARA (Robert Strange). ♦ Homme politique américain (San Francisco, 1916). Après des débuts universitaires, il devint président de la Ford Motor Company (1960), puis secrétaire à la Défense (1961) sous la présidence de Kennedy. Il accomplit une réforme complète du système militaire américain, conformément à la théorie de la « riposte graduée », qui remplaçait celle des « représailles massives » appliquée jusqu'alors. Il démissionna en 1967 critiquant l'intervention américaine au Viêt-nam, dont il avait pourtant été l'un des partisans.

MACNEICE (Frederick Louis). ♦ Poète irlandais (Belfast, 1907 – Londres, 1963). Après des études à Oxford où il devint l'ami de Auden*, MacNeice publia des poèmes que l'on qualifia de « sardoniques » (*Aveugle feu d'artifice,* 1929; *Poèmes,* 1935). Il accompagna Auden en Islande (*Lettres d'Islande,* 1937). Le *Journal d'automne* (1939) est un compte rendu en vers de ses observations au cours des événements de Munich. Pendant la guerre, il écrivit pour la B.B.C. et contribua à remettre en honneur le théâtre en vers : « La Sombre Tour » (*The Dark Tower and Other Radio Scripts,* 1947). On lui doit aussi une traduction en vers du *Faust* de Goethe, de l'*Odyssée (Hadès).* Il dirigea l'institut britannique d'Athènes (1950). Ses poèmes les plus connus furent publiés dans *Le Tremplin* (*Springboard,* 1944) et *Les Trous dans le ciel* (*Holes in the Sky,* 1948). Le mélange de gravité et de légèreté caractéristique de sa poésie se retrouve dans son autobiographie (*The Strings Are False,* posth. 1965).

MÂCON. ♦ Préf. de la Saône-et-Loire, ch.-l. d'arr. [9 cant., 124 comm., 100 913 hab.], situé sur la r. d. de la Saône. 37 395 hab. *(Mâconnais).* De l'anc. cathédrale Saint-Vincent, en partie détruite au XVIIIe s., il ne reste que deux tours octogonales le narthex (roman) et la façade (romane et gothique). L'hôtel de ville, l'hôtel-Dieu et plusieurs hôtels sont représentatifs de l'architecture du XVIIIe s. L'apothicairerie de l'hôtel-Dieu est remarquable par ses boiseries et ses faïences. Hôtel de Sénecé (musée Lamartine, musée des Arts décoratifs). Musée des Beaux-Arts. – Placée à un carrefour de routes, Mâcon est un important centre administratif. Commercialisation des vins du Mâconnais, des volailles de Bresse, et des bestiaux du Charolais. Port fluvial actif. Indus. métallurgiques et mécaniques; manufacture d'allumettes; confection. – Patrie de Lamartine*, du comte de Rambuteau*, de A. Lacroix*. ♦ *Hist.* À l'origine cité des Éduens, dont César s'empara, elle devait subir, par la suite, de nombreuses invasions. Siège d'un évêché du VIe au XVIIIe s., le comté fut vendu à Saint Louis (1238), puis cédé à Philippe le Bon, duc de Bourgogne. Il fut réuni à la couronne par Louis XI en 1477.

MÂCONNAIS. *n. m.* ♦ Partie orientale du Massif central, que limitent la Saône à l'E. et la Grosne à l'O. Formé de hauts plateaux (monts du Mâconnais), culminant à 760 m, ce massif s'achève à l'E. par une bordure calcaire, viticole (vignobles réputés), dominant la Saône. Les sommets conservent des forêts, tandis que les fonds humides se tapissent de prairies (élevage naisseur). Les vins du Mâconnais : grands crus entrant dans la catégorie des vins de Bourgogne*; vins blancs réputés : pouilly-fuissé, solutré; et vins rouges (charnay, leynes, saint-amour).

MAC ORLAN (Pierre DUMARCHEY, dit). ♦ Écrivain français (Péronne, 1882 – Saint-Cyr-sur-Morin, 1970). Après une jeunesse misérable (Cf. *Villes*), il voyagea beaucoup, engrangeant les nombreux souvenirs qui devaient nourrir son œuvre. Mêlé au groupe d'Apollinaire* et de Max Jacob*, il plaça ses débuts littéraires sous le signe de l'insolite et de l'humour avec *La Maison du retour écœurant* (1912) et *Le Rire jaune* (1914), puis donna des récits fantastiques, *Le Nègre Léonard et maître Jean Mullin* (1920), *La Cavalière Elsa* (1921) ou *Sous la lumière froide* (1945). Capable d'évoquer avec vivacité un monde cosmopolite et « en marge » (*Le Chant de l'équipage,* 1918; *La Bandera,* inspiré par la Légion

Ph. Hétier

Madagascar : environs de Tananarive.

étrangère, 1931; *Filles et Ports d'Europe,* 1932 et 1945), Mac Orlan excelle aussi à composer des ouvrages où le réel se mêle à l'imaginaire, où l'aventure surgit dans les rues de Montmartre, de Rouen ou de Brest (Cf. *Le Quai des brumes,* 1927; *Marguerite de la nuit,* 1925; *L'Ancre de miséricorde,* 1941; les poèmes de *L'Inflation sentimentale,* 1922, et de *Simone de Montmartre,* 1925). – Cette distinction constante entre l'aventurier « actif » et l'aventurier « passif » (ou littéraire) est explicitée dans le *Petit Manuel du parfait aventurier* (1920 et 1951) et illustrée par les *Poésies documentaires complètes* (1954), croquis citadins narquois ou pages hallucinées faisant appel aux cultures oubliées. Bon nombre de ces poèmes, d'une grande richesse argotique, ont été mis en musique, composant les *Chansons pour accordéon* (1953).

MACPHERSON (James). ♦ Poète écossais (Rutven, 1736 – Badenock, Inverness, 1796). D'origine campagnarde – son père était fermier – Macpherson, se destinant au pastorat, fit ses études à Aberdeen, puis à Édimbourg (1755). Il quitta la faculté de théologie sans diplômes, mais avec le manuscrit du *Montagnard écossais* (1758), qui n'eut alors aucun succès. Il n'en fut pas de même des *Poèmes d'Ossian* (**V. Ossian** [*Poèmes d'*]). Hugh Blair, d'Édimbourg, finança alors une expédition dans les Highlands, afin de rechercher des manuscrits gaéliques. Malgré la cabale que Johnson* avait montée contre ce « falsificateur », les *Poèmes d'Ossian* eurent un immense succès. Ils enthousiasmèrent l'Europe préromantique (notamment Goethe et Napoléon). Après 1763, Macpherson s'intéressa à la politique et à l'histoire (*Histoire secrète de la Grande-Bretagne, de la Restauration à l'accession des Hanovre,* 1775). Grâce à lord Bute, il fut nommé gouverneur en Floride occidentale. Diplomate, il traita pour le nabab Muhammad-Ali avec la Compagnie des Indes. Il fut aussi élu à la Chambre des communes.

MACQUER (Pierre Joseph). ♦ Chimiste et médecin français (Paris, 1718 – *id.,* 1784). Il trouva la composition du gypse (1747), expliqua le processus de coloration due au bleu de Prusse (1752), étudia la combustion du diamant et de l'hydrogène, observant notamment dans ce dernier cas la formation de gouttelettes d'eau, détermina la composition du lait.

MACRIN, en lat. **Marcus Opellius Macrinus.** ♦ (Césarée, Numidie, v. 164 – Bithynie, 218). Empereur romain (217-218). Préfet du prétoire sous Caracalla*, il fit assassiner l'empereur et fut porté au pouvoir par l'armée d'Orient. Mais, en raison de son manque d'initiative militaire et de la paix honteuse qu'il acheta aux Parthes, il déplut à ses soldats qui le tuèrent, alors qu'il tentait de fuir. Élagabal* lui succéda.

MACROBE (Ambrosius Macrobius Theodosius). ♦ Grammairien latin (déb. Ve s.), auteur d'un commentaire mathématique et astronomique du *Songe de Scipion* de Cicéron*, et de *Saturnales,* ouvrage consacré à Virgile*.

MACRON (Naevius Sertorius Macro). ♦ Homme politique romain (mort en 38). Chargé par Tibère* de faire exécuter Séjan*, il fut nommé préfet du prétoire. Il fit cependant étouffer Tibère au profit de Caligula* qui le contraignit à se tuer un an plus tard.

MACTA *(la).* ♦ Région marécageuse d'Algérie, à l'embouchure du Sig et de l'Habra, près de Mostaganem*. Nom du cours d'eau formé par la réunion de ces deux rivières. ♦ Les *défilés de la Macta* furent le lieu d'importants engagements entre les troupes de l'émir Abd*-al-Qâdir (Abd-el-Kader) et les forces françaises sous le commandement de Trézel (1835).

MADÁCH (Imre). ♦ Écrivain hongrois (Alsosztregova, 1823 – *id.,* 1864). Issu d'une famille noble, il vécut le plus souvent sur ses terres et s'occupa de l'administration locale jusqu'en 1861, année où il fut élu au Parlement. Il devint célèbre par son poème dramatique *La Tragédie de l'homme* (1861) qui fut traduit en trente langues. Dans cette fresque lyrique, Lucifer, voulant montrer la faillite de la création de Dieu et désespérer Adam, le fait vivre à différentes périodes de l'histoire sous les traits de personnages célèbres, et lui montre l'échec des idéaux pour lesquels combat l'homme, égalité, liberté ou justice. Ses autres pièces, *Moïse, Le Civilisateur* (1859), n'ont pas la grandeur et la beauté de la précédente.

MADAGASCAR *(rép. démocratique de).* ♦ Île de l'océan Indien, au S.-E. de l'Afrique, séparée du continent par le canal de Mozambique* et traversée au S. par le tropique du Capricorne. 587 041 km². 6 750 000 hab. *(Malgaches,* anc. *Madécasses). Cap.* Tananarive. *Langues off. :* français et malgache. *Pop.* **V. Mérinas** (Hovas), **Sakalaves.** *V. princ.* **V. Antsirabé, Diégo-Suarez, Fianarantsoa, Fort-Dauphin, Majunga, Manakara, Tamatave** et **Tuléar.** *Dépendance.* **V. Nossi-Bé** (île). – *Orogr.* Le relief de l'île se décompose en trois zones longitudinales parallèles : la côte E., étroite et rectiligne sauf au N.-E., le plateau central, granitique (**V. Betsiléo, Imérina**) avec des massifs volcaniques (**V. Tsaratanana**), et la côte O. composée de terrains sédimentaires. Son *climat,* tropical, est soumis à l'alizé du S.-E. et à la mousson; tandis que les plateaux centraux ont un climat tropical humide tempéré par l'altitude, le S.-O. est subdésertique. – *Écon.* Elle est fondée sur l'agriculture, les cultures vivrières, manioc, riz (base de l'alimentation malgache) et l'élevage de bovins (zébus), qui permet l'exportation de viande congelée. Les cultures d'exportation sont la vanille (premier rang mondial, 1803 t), la girofle, le café, le tabac, la canne à sucre, le riz de qualité. Le sous-sol comprend un échantillonnage de minerais, mais seul le mica et le

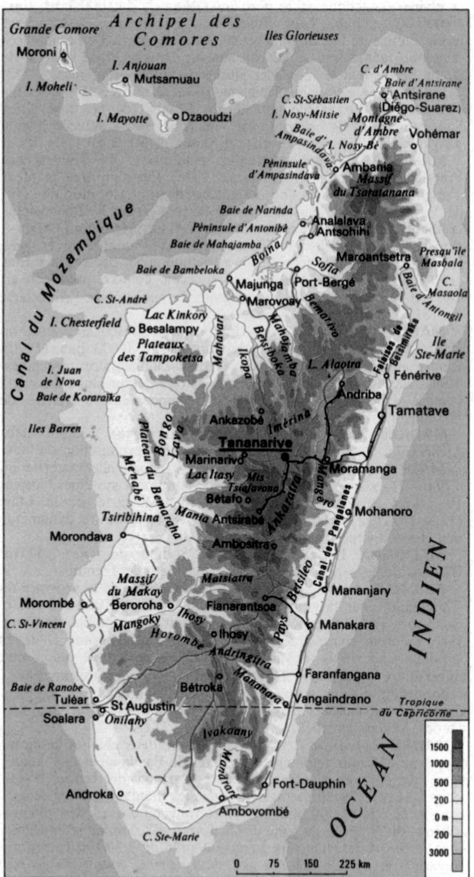

Madagascar.

graphite sont exploités. ♦ *Hist.* L'île fut peuplée dès avant notre ère par des Indonésiens et des Africains. Au XIIe s., les Arabes y fondèrent des comptoirs sur la côte N.-O. Le premier Européen qui découvrit Madagascar fut le Portugais Diego Dias, en août 1500. En 1643, les Français fondèrent Fort*-Dauphin que gouverna Étienne de Flacourt* à partir de 1648. L'île était alors composée de nombreux petits royaumes. Le XVIIIe s. vit l'apogée des royaumes sakalaves*, qui cédèrent la place à la fin du XVIIIe s. au royaume Mérina*, avec Andrianampoinimerina, roi conquérant, administrateur et codificateur. Son fils Radama Ier (1810-1828) étendit sa domination sur près des 3/5 de l'île et signa en 1817 un traité d'amitié avec la Grande-Bretagne. Mais sa femme Ranavalona Ire, qui lui succéda en 1828, chassa les missionnaires anglais et ferma l'île aux Européens, alors que les Sakalaves se plaçaient sous la protection de la France, qui occupa Nossi-Bé en 1841. En 1861, Radama II succéda à sa mère et ouvrit à nouveau le pays aux puissances européennes. Il mourut étranglé lors du complot mené par le Premier ministre et son frère, et le pouvoir passa l'année suivante (1864) au chef de l'armée Rainilaiarivony qui devint Premier ministre et épousa successivement les trois reines Rasoherina, Ranavalona II et Ranavalona* III. La France, n'obtenant pas de protectorat sur la côte sakalave, bombarda et occupa Tamatave en 1883; le traité de 1885 établissait une sorte de protectorat français sous l'autorité d'un résident français « présidant aux relations extérieures ». Ce protectorat fut reconnu par l'Angleterre en 1890. Le général Duchesne s'empara de Tananarive en 1895. En 1896, le parlement français déclara Madagascar colonie française, et le général Gallieni en devint le gouverneur général (1896-1903), déposant la reine Ranavalona III en 1897 et entreprenant la conquête militaire (« pacification ») et l'unification de l'île, avec le colonel Lyautey*, nommé commandant supérieur du Sud. Devenue, après de dures luttes pour l'indépendance et une violente répression, république autonome au sein de la Communauté (1958), Madagascar acquit sa pleine souveraineté en 1960 sous la présidence de Tsiranana qui dut s'effacer en 1972 devant les militaires à la suite de troubles. La «république démocratique» fut proclamée par le président Ratsiraka, en déc. 1975.

Madame Bovary. ♦ Roman de Gustave Flaubert* (1857). S'inspirant d'un fait divers banal dont il décrit les personnages et le cadre (des bourgs de Normandie) avec un réalisme scrupuleux, Flaubert entreprend de peindre un sentiment d'insatisfaction complaisante dans les domaines affectif et social, baptisé depuis le *bovarysme.* Emma Bovary, fille de paysan dont l'éducation au couvent a exacerbé les aspirations romanesques, connaît l'ennui auprès d'un époux médiocre et bon, et parmi les bourgeois de province qui composent sa société. Elle s'évade de cette réalité terne dans un romantisme de pacotille, puis dans un double adultère qui la laisse insatisfaite, enfin dans le suicide. Ce tableau réaliste et sévère des « mœurs de province » est également une satire de la société bourgeoise d'un scientisme borné (incarné par Homais*) et de toutes les formes de conventions, sociales et littéraires. L'ouvrage fut taxé d'immoralité : un procès s'ensuivit, à la suite duquel Flaubert fut acquitté.

Madame Butterfly. ♦ Drame lyrique en trois actes, livret de L. Illica et G. Giacosa, musique de Puccini*. La pièce, jouée pour la première fois à la *Scala* de Milan en févr. 1904, se solda par un échec. Les deux actes dont elle était alors composée semblaient trop longs. Refondue en trois actes, elle obtint un succès retentissant. On retrouve dans cette œuvre les qualités de sensibilité et de grâce propres à l'art de Puccini appliqué à l'évocation des drames du petit monde bourgeois.

Madame Sans-Gêne. ♦ Comédie en trois actes de V. Sardou*, représentée pour la première fois à Paris en 1893, et dont l'héroïne est inspirée par l'épouse du maréchal Lefebvre*. Ce personnage haut en couleur fit le succès de cette œuvre populaire, servie par les brillantes qualités théâtrales de Sardou.

MADANG, anc. **Friedrich Wilhelmshafen.** ♦ V. et port du Territoire du N.-E. de la Nouvelle*-Guinée, sous tutelle australienne, situé sur la baie de l'Astrolabe (mer de Bismarck*) au N.-E. de l'île. 8 845 hab. (1966). Les hautes terres du territoire possèdent deux centres commerciaux : Goroka et Mount Hagen. Export. de coprah, cacao, noix de coco, or. ♦ *Hist.* Anc. ch.-l. de la colonie allemande de la terre de l'Empereur-Guillaume.

MADARIAGA (Salvador de). ♦ Écrivain, essayiste et diplomate espagnol (La Corogne, 1886). Intellectuel libéral, il a beaucoup séjourné en exil. Écrivain trilingue (espagnol, anglais, français), il est l'auteur de romans utopiques (*La Girafe sacrée,* 1924) ou violemment anticommunistes (*La Camarade Ana,* 1954). Connu pour ses romans sur la conquête de l'Amérique, *Cœur de pierre verte, Cortès,* il a écrit aussi des essais psychologiques (*Anglais, Français et Espagnols,* 1930) et philosophiques où il esquisse une synthèse intellectuelle des cultures espagnole, mexicaine, juive et arabe.

MADEIRA. ♦ Nom portugais de Madère*.

MADEIRA. *n. m.* ♦ Riv. d'Amérique du Sud (3 240 km) formée par les rios Guaporé*, Mamoré*, Beni* et Madre* de Dios. Elle se jette dans l'Amazone* en aval de Manaus.

MADELEINE *(sainte).* ♦ V. MARIE-MADELEINE (sainte).

Madeleine (la). ♦ Église de Paris, située au bout d'une des perspectives de la Concorde*, à l'opposé du palais Bourbon*. Commencée par Contant* d'Ivry (1763) suivant un projet qui fut modifié par Guillaume Couture (en 1777), la Madeleine resta inachevée entre 1790 et 1806; pour faire de l'édifice le temple de la Gloire que Napoléon dédiait à la Grande Armée, Vignon (auquel succéda Huvé) édifia un temple grec ceint d'un péristyle de colonnes corinthiennes, dont la façade, précédée d'un perron monumental, est tournée vers l'obélisque de la Concorde. Achevée en 1840, la Madeleine fut attribuée à nouveau au culte catholique. — Nom du quartier, où commencent les grands boulevards.

MADELEINE (La). ♦ Comm. du Nord*, arr. de Lille*, dans la banlieue de Lille. 23 203 hab. Métallurgie; indus. textile, chimiques, alimentaires.

MADELEINE *(abri de La).* ♦ Site préhistorique de Dordogne, comm. de Tursac, sur la r. d. de la Vézère, qui a donné son nom à la dernière culture du paléolithique supérieur (~ 13000-~ 8000) : le *magdalénien.* L'art pariétal y atteignit son apogée (Lascaux*, Altamira*, Pech-Merle, Font-de-Gaume, les Combarelles).

MADELEINE *(îles de la),* en angl. **Magdalen Islands.** ♦ Archipel canadien (prov. de Québec) dans le golfe du Saint-Laurent.

MADELEINE *(monts de la).* ♦ Massif granitique du Massif central, prolongement des monts du Forez*, à l'O. de Roanne* entre la Loire* et l'Allier*; point culminant, 1 165 mètres.

MADELEINE-SOPHIE BARAT *(sainte).* ♦ Religieuse française (1719 – 1865). Fondatrice de la congrégation des *Dames du Sacré-Cœur* (1800). La mère Barat, nommée supérieure à vie, fut canonisée en 1925.

MADELIN (Louis). ♦ Historien français (Neufchâteau, 1871 – Paris, 1956). Député modéré (1924-1928), il fut un spécialiste de l'histoire de la Révolution française et du Premier Empire. *La Révolution* (1911); *Danton* (1914, etc., dans l'*Histoire de la nation française* de Hanotaux); *Histoire du Consulat et de l'Empire* [1937-1954]. (Acad. fr., 1927.)

MADÈRE, en port. **Madeira.** ♦ Archipel portugais de l'Atlantique, à env. 500 km à l'O. du Maroc et à 980 km au S.-O. de Lisbonne. Il est formé de l'île qui a donné son nom au groupe *(Madeira),* de *Porto Santo* et les îlots inhabités des *Desertas (Deserta Grande, Chaõ et Bugio)* et des *Selvagens.* La superficie de l'ensemble est de 795 km². 280 000 hab. *Cap.* Funchal*.

Ph. Nino Cirani/Ricciarini

Sierra **Madre** del Sur : le fleuve Papajan.

— *Orogr.* Le relief, volcanique, présente de hauts plateaux; la côte, surtout au N., est abrupte. Le climat est subtropical. — *Écon.* Les principales richesses, la canne à sucre et la vigne (dont on fait des vins liquoreux de renommée mondiale, les *madères*), ont été importées au XVe s. par les Portugais. On cultive aussi des mangues, des bananes, des patates douces, etc. L'artisanat (broderies) et le tourisme complètent ces ressources. ♦ *Hist.* L'île de Madère fut découverte en 1418 par le Portugais João Gonçalves Zarco. Depuis lors, elle a appartenu au Portugal. Elle fut occupée par les Anglais de 1807 à 1814.

MADERNA ou **MADERNO (Carlo)**. ♦ Architecte, décorateur et stucateur italien (Capolago, Lugano, 1556 — Rome, 1629). Formé à Rome, auprès de son oncle Fontana*, il débuta comme stucateur puis éleva de nombreuses églises à Rome en s'inspirant des modèles de Vignole*, particulièrement du *Gesù* (façade de *Sainte-Suzanne,* 1596; *Sant' Andrea della Valle,* que termina C. Rainaldi*, et *Santa Maria della Vittoria,* 1608). Il travailla aux *palais Strozzi* et *Mattei,* commencés par Fontana* et Volterra, acheva le *palais Chigi,* commencé par G. Della Porta, et commença le *palais Barberini,* continué par Bernin* et Borromini*. Il est surtout célèbre pour avoir terminé la nef et la façade de la *basilique Saint-Pierre,* à la demande du pape Paul V (1607-1617). Transformant le plan en croix grecque de Michel-Ange en un plan basilical, il élargit aussi la façade dont le haut attique forme comme le support horizontal de la coupole. Bien qu'attaché aux modèles de la fin de la Renaissance, Maderna n'en annonce pas moins directement l'art baroque, par son goût du faste et de l'effet de puissance, qui s'exprime par un décor en fort relief où jouent les contrastes de lumière, l'insistance sur les volumes, les proportions imposantes et l'emploi de l'ordre colossal.

MADERNA (Bruno). ♦ Compositeur italien (Venise, 1920 — Darmstadt, 1973). Élève de Malipiero*. Adepte des techniques dodécaphoniques, il a affirmé, dès ses premières œuvres, un goût très raffiné dans la recherche des sonorités (*Studi per il processo di Kafka,* pour orchestre; *Quartetto per archi in due tempi; Serenata per undici strumenti).* Dans le domaine électro-acoustique, il est l'auteur de compositions d'une vive originalité *(Dimensioni, Continuo, Notturno, Syntaxis).* Brillant interprète de la musique contemporaine, il poursuivit jusqu'à sa mort une carrière internationale de chef d'orchestre.

MADERO (Francisco, Indalecio). ♦ Homme politique mexicain (dans le Coahuila, 1873 — Mexico, 1913). Il se fit le champion des libertés démocratiques et des réformes sociales radicales, contre P. Díaz*. Président de la République depuis 1911, il ne put dominer les forces révolutionnaires et mourut assassiné.

MÂDHAVÂCHÂRYA. ♦ Philosophe hindou (1297 — v. 1386), de la ligne de pensée de Śankarâchârya*. Il fut ministre de deux souverains de l'Empire indien de Vijayanagar*. Il écrivit de nombreux ouvrages de philosophie, une biographie de Śankarâchârya et des commentaires religieux des œuvres de son maître.

MADHVA. ♦ Philosophe indien (v. 1238 — v. 1317) fondateur d'une secte d'obédience viṣnouite (Mâdhva). Il écrivit de nombreux commentaires philosophiques sur les *Upaniṣad**, le *Bhagavad-gîtâ* et les *sûtra* du Vedânta* (en tout près de 37 ouvrages). Il se montra un adversaire acharné de la doctrine de Śankarâchârya*.

Mâdhyamayâna. ♦ V. MÂDHYAMIKA.

Mâdhyamika ou **Mâdhyamayâna**. *n. m.* ♦ Doctrine philosophique bouddhique intermédiaire entre celles du Hinayâna* et du Mahâyâna*, ne se prononçant ni contre ni pour la réalité des choses. Elle fut illustrée par le philosophe Nâgârjuna*.

MADHYA PRADESH. *n. m.* ♦ Province du centre de l'Inde, entre la plaine gangétique et le nord du Dekkan*. 440 000 km^{2}. Env. 40 000 000 d'hab. *Cap.* Bhopâl*. La province, relativement fertile, cultive du blé, du millet et surtout du sésame. De nombreuses mines de manganèse et de charbon, de bauxite et de minerai de fer lui permettent de posséder plusieurs centres industriels.

MADIAN. ♦ Personnage biblique (*Genèse,* XXV, 2), un des fils d'Abraham*. Le peuple nomade de l'Arabie du N. dont il est l'ancêtre éponyme, détruit par Gédéon*. — L'actuelle région d'Arabie Sa'ûdite, entre le golfe d'Akaba et Médine.

MADISON (James). ♦ Homme politique et 4e président des États-Unis (en Virginie, 1751 — *id.,* 1836). Fils d'un riche planteur d'origine anglaise, il fut l'un des auteurs de la constitution de l'État de Virginie (1776), puis défendit à la convention de Philadelphie la thèse d'un gouvernement fédéral fort **(V. Hamilton).** Mais il s'opposa au centralisme d'Hamilton et créa contre lui et avec Jefferson* le « parti républicain » (démocrates). Secrétaire d'État de Jefferson (1801-1809), il lui succéda comme président en 1809 et jusqu'en 1817. Il ne put éviter la guerre avec l'Angleterre en 1812 **(V. Monroe).**

MADISON. ♦ V. des États-Unis, cap. du Wisconsin, située au centre S. de cet État, parmi plusieurs lacs. 170 073 hab. (1970). Centre administratif et commercial. Indus. alimentaires, machines-outils, accessoires automobiles. Laboratoire des produits forestiers (agence fédérale). — Le principal campus de l'université de Wisconsin est près de la ville.

MADIUN. ♦ V. d'Indonésie (centre de Java). 125 000 hab. Ateliers de chemins de fer, culture du coton, exploitation de bois.

MÄDLER (Johann Heinrich *von*). ♦ Astronome allemand (Berlin, 1794 — Hanovre, 1874). Il observa de nombreux systèmes binaires **(V. *aussi* Struve)**, établit avec Beer* une carte de la Lune (1834-1837) et rechercha, à partir de 1846, le centre dynamique des étoiles (actuel centre galactique).

MADONNA DI CAMPIGLIO. ♦ Station de sports d'hiver d'Italie, située à près de 2 000 m d'alt., dans le Trentin.

MADRAS. ♦ Ville de l'Inde du Sud et capitale de la province du Tamilnâdu*, sur la côte de Coromandel*. Env. 2 000 000 d'hab. Son port artificiel exporte principalement les produits de l'intérieur : coton, cuirs, arachides, tabac, mica, magnésium et divers produits industriels et artisanaux. C'est également un centre universitaire important. ♦ *Hist.* La ville, de fondation très ancienne, s'enorgueillit d'avoir accueilli l'apôtre saint Thomas : sa colonie chrétienne est une des plus anciennes de l'Inde. Elle fut conquise par les Anglais en 1639.

MADRE *(sierra). n. f.* ♦ Nom donné aux deux chaînes de montagnes du Mexique qui longent les côtes du Pacifique et de l'Atlantique, de part et d'autre des hauts plateaux du centre. ♦ La SIERRA MADRE OCCIDENTALE prolonge les montagnes Rocheuses* vers le S. sur 1 300 km env. S'élevant au-dessus des plaines côtières, du N. au S. du golfe de Californie, elle domine le Pacifique dans le S., où les sommets atteignent près de 3 500 m (sierra de Nayarit*) et où elle présente des escarpements coupés de gorges étroites *(quebradas);* elle s'abaisse vers les plateaux à l'intérieur. ♦ La SIERRA MADRE ORIENTALE s'élève au-dessus des plaines côtières qui bordent le golfe du Mexique, tombe abruptement sur le golfe de Campeche* au S. (État de Veracruz*) et s'incline vers les plateaux à l'intérieur. En général moins élevée que la sierra occidentale, elle possède cependant le point culminant des sierras : la peña* Nevada (3 664 m). Au S. de la sierra s'élèvent des formations volcaniques atteignant plus de 5 000 m, au Popocatépetl* et à l'Orizaba. ♦ LA SIERRA MADRE DEL SUR (« du Sud »), qui s'étend sur les États de Guerrero* et d'Oaxaca*, prolonge la sierra occidentale au S. du río de las Balsas* et des hautes terres de l'Anáhuac*. Elle présente des reliefs couverts de forêts denses qui débordent, à l'O. de l'isthme de Tehuantepec*, sur le plateau de Chiapas*, jusqu'à la frontière du Guatemala. La sierra Madre del Sur rejoint les derniers contreforts de la sierra occidentale par les reliefs de la Mixteca. Le climat, variant selon l'altitude et l'orientation des pentes, décide de la végétation et des cultures, tropicales ou tempérées **(V. Mexique).** Des tribus d'Indiens (Tarahumaras, Mixtèques, ...) s'y trouvent fixées et y cultivent la terre. — Grandes richesses minières (argent, or, cuivre, plomb, zinc, ...).

MADRE DE DIOS *(río). n. m.* ♦ Riv. d'Amérique du Sud (1 300 km), qui prend sa source dans la cordillère de Caravaya, traverse le S.-E. du Pérou puis le N. de la Bolivie, avant de se jeter dans le rio Beni* (r. g.). — Elle donne son nom au *département de la Madre de Dios* (78 402 km^{2}. 14 800 hab. env.); *ch.-l.* Puerto Maldonado, situé dans la *Montaña* péruvienne **(V. Pérou).**

MADRID. ♦ Cap. de l'Espagne, en Nouvelle-Castille*. Ch.-l. de prov. sur le Manzanares. Située au pied de la sierra Guadarrama, c'est la cap. la plus élevée d'Europe (670 m). 2 800 000 hab. *(Madrilènes).* Évêché. La ville doit son extraordinaire développement à sa position centrale, au milieu du plateau de la Meseta*. L'anc. petite bourgade est devenue, surtout depuis le XIXe s., une grande métropole dont les prolongements s'étendent vers Chamartin et Fuencarral au N., vers Puente Vallecas et Carabanchel au sud. C'est le nœud des grands axes routiers, ferroviaires et aériens du pays. L'implantation de grandes banques et des sièges de principales sociétés a déterminé sa fonction de gestion. Toutefois, depuis 1960, la fonction industrielle, localisée dans la banlieue S., prend une importance croissante : constructions mécaniques, automobiles, constructions aéronautiques, matériel électrique. Le rôle intellectuel de Madrid (université, sièges d'académies diverses) et culturel (musée du Prado*, l'un des plus riches d'Europe), couvent San Placido, cependant, reste essentiel. – Les monuments les plus intéressants de la ville datent du XVIIIe s. (hôtel de ville, Plaza Mayor, basilique d'Atocha, église San Francisco el Grande). ♦ *Hist.* Le site de Madrid fut peuplé dès la préhistoire, mais ce n'est qu'au Xe s. qu'il est fait mention d'une forteresse maure, Majrit, édifiée sur le site. Reconquise par Alphonse* VI dont elle reçut quelques privilèges, la ville devint un séjour de chasse et de repos pour les souverains espagnols. En 1561, abandonnant Tolède*, Philippe II en fit la capitale du « royaume des Espagnes » pour des raisons essentiellement géographiques. Au XVIIIe s., Charles* III embellit beaucoup la ville : il fit achever le Palais royal, construire la *Puerta de Alcalá* et perça de larges avenues. En 1808, Madrid fut occupée par les Français, mais l'insurrection du 2 mai donna le signal de la longue guerre de libération. Joseph Bonaparte* y fut proclamé roi d'Espagne, mais s'enfuit quelques jours plus tard. En 1813, Napoléon dut faire évacuer définitivement ses troupes. Durant la guerre civile (1936-1939), Madrid resta d'abord le siège du gouvernement républicain, mais fut encerclée par les nationalistes. De violents combats, auxquels participaient les Brigades* internationales, eurent lieu à la Cité universitaire. Madrid fut la dernière ville républicaine à se rendre (mars 1939).

MADURA. ♦ Île d'Indonésie, située au N.-E. de Java dont elle n'est séparée que par un étroit goulet. Env. 4 000 km^2. 2 500 000 hab. (très forte densité). On y cultive principalement du riz, du maïs, des arachides. Exploitation de salines.

MADURA (ou Madurai). ♦ Ville de l'Inde du Sud (Tamilnâdu). 500 000 hab. Industries textiles. Son principal titre de gloire est le grand temple de Mînaksî, aux tours d'entrée (gopuram) immenses, construit au XVIIe siècle.

MAEBASHI. ♦ V. du Japon (Honshû, préfecture de Gunma). 230 000 hab. Culture du mûrier, centre de l'indus. de la soie.

MAEKAWA KUNIO. ♦ Peintre et architecte japonais (Niigata, 1905). Élève de Le Corbusier et auteur de nombreuses réalisations en béton armé au Japon. Il reçut le prix B. Perret en 1963.

MAËL-CARHAIX [maɛlkaʀɛks]. ♦ Ch.-l. de cant. des Côtes*-du-Nord, arr. de Guingamp. 2 230 hab. Ardoisières.

MAELSTRÖM. *n. m.*, en norvégien **Malstrøm**. ♦ Tourbillon produit par des courants de marée dans un chenal des îles Lofoten*. Célèbre et redouté, il a inspiré un conte à E. Poe.

MAELWAEL (Johan). ♦ V. MALOUEL (Jean).

MAELZEL ou **MÄLZEL (Johann Nepomuk).** ♦ Inventeur allemand (Ratisbonne, 1772 – disparu en mer, 1838). Professeur de piano à Vienne, il doit sa réputation à la construction du métronome, conçu sur le principe de Winkel (1806). Il fabriqua aussi un cornet acoustique pour Beethoven, atteint de surdité.

MAES (Nicolaes). ♦ Peintre hollandais (Dordrecht, v. 1634 – Amsterdam, 1693). Il fut à Amsterdam l'élève de Rembrandt* (1648-1653). Il exécuta surtout des scènes de genre dans une veine intimiste et parfois sentimentale, représentant souvent une femme à l'expression méditative dans un intérieur éclairé d'une lumière diffuse *(Le Bénédicité; La Dentellière).* Sa facture dérive en partie de Rembrandt, notamment dans les clairs-obscurs. Après un voyage à Anvers, il subit l'influence de Van Dyck et devint un brillant portraitiste.

MAESEYCK, en néerl. **Maaseik.** ♦ V. de Belgique ch.-l. d'arr. du Limbourg, à la frontière hollandaise, sur la Meuse. 8 503 hab. – L'église possède le plus ancien manuscrit de Belgique, l'*Évangéliaire des saintes Harlinde et Relinde* (VIIIe s.). – Construction de machines.

MAESTRA *(sierra).* ♦ Chaîne montagneuse du S.-E. de Cuba* qui constitue une barrière d'accès difficile et culmine au pic Turquino (2 560 m). C'est là que Fidel Castro* organisa les premiers maquis s'opposant à la dictature de Batista.

MAËSTRICHT. ♦ V. MAASTRICHT.

MAETERLINCK [mɛtɛʀlɛ̃k] **(Maurice).** ♦ Écrivain belge d'expression française (Gand, 1862 – Nice, 1949). À ses débuts poète symboliste, en deux recueils où s'exprime une poignante mélancolie (*Les Serres chaudes,* 1889; *Quinze Chansons,* 1896), il a enrichi le théâtre de quelques drames où ressuscite, dans une atmosphère d'étrangeté et de mystère, la fatalité du drame antique (*La Princesse Maleine,* 1889; *Pelléas et Mélisande,* 1892; *Monna Vanna,* 1902) ainsi que d'une féerie pleine de grâce et de fraîcheur, *L'Oiseau bleu* (1908). Cependant, le meilleur de son œuvre est d'un philosophe, curieux de toutes les formes de la vie universelle et de ses fécondes métamorphoses. D'abord sensible au tragique de la condition humaine, assoiffé de silence et de solitude, il en a éprouvé l'angoisse avant d'acheminer sa pensée jusqu'à de sereines certitudes qui l'ont délivré du désespoir. Une méditation de nature métaphysique qui est essentiellement une quête du bonheur se développe ainsi, à travers la suite des nombreux recueils qu'il publiera durant quarante années (*Le Trésor des humbles,* 1896; *La Sagesse et la Destinée,* 1898; *La Vie des abeilles,* 1901; *L'Intelligence des fleurs,* 1907; *La Mort,* 1913; *Les Sentiers dans la montagne,* 1919; *Le Grand Secret,* 1921; *La Grande Féerie,* 1929; *La Vie des fourmis,* 1930; *La Grande Loi,* 1933; *Avant le grand silence,* 1934; *Le Sablier,* 1936). Négation du temps et de la mort, la pensée de Maeterlinck y affirme avec force son acquiescement à l'ordre du monde et son désir d'en dépasser l'apparente absurdité. (Prix Nobel, 1911.)

MA FEN. ♦ Peintre chinois (1051 – 1127) fondateur de la famille des Ma*, surtout apprécié comme peintre animalier et pour ses lavis monochromes.

MAFFEI (Scipione). ♦ Écrivain italien (Vérone, 1675 – *id.,* 1755). L'étendue de sa culture lui valut une célébrité européenne. Il est l'auteur de *Mérope* (1713), tragédie d'inspiration mythologique que Voltaire* imita.

MAGADAN. ♦ V. et port (Nagaievo) d'U.R.S.S. (R.S.F.S. de Russie), ch.-l. de région (1 119 100 km^2, 359 000 hab.), en Sibérie extrême-orientale, sur le golfe de Nagaïev (mer d'Okhotsk*). 68 000 hab. (1962). Indus. mécaniques. Équipement minier. Réparation de bateaux. Pêcheries. Conserveries de poissons et de crustacés. Aérodrome.

MÂGADHA. *n. m.* ♦ Ancien royaume indien (actuelle province du Bihar*), au S. du Gange*, dont la capitale Pataliputra (actuelle Patna) fut la capitale du roi Aśoka* et reçut la visite d'ambassadeurs grecs au ~ IIIe siècle. C'est dans cette région que le Bouddha* prêcha principalement et où il atteignit à l'Éveil.

MAGDALA *(auj.* **Migdal).** ♦ Anc. bourg de Palestine situé en Galilée à proximité de la r. O. du lac de Tibériade. C'est la patrie de *Marie de Magdala* **(V. Marie-Madeleine).**

MAGDALENA. *n. m.* ♦ Fl. de Colombie (1 700 km) issu de la Cordillère centrale qu'il sépare de la Cordillère orientale, il arrose Neiva* et reçoit le rio Cauca* avant de se jeter dans la mer des Caraïbes* à Barranquilla*. Voie de communication importante vers l'intérieur. Sa vallée, favorable aux cultures tropicales (café, bananes), abrite également de nombreux gisements pétrolifères. *Le département du Magdalena* (46 800 km^2. 533 000 hab. env., *ch.-l.* Santa* Marta).

MAGDEBOURG, en all. **Magdeburg.** ♦ V. d'Allemagne orientale (Saxe-Anhalt) et ch.-l. de district sur la r. g. de l'Elbe, au contact de la grande plaine germanique et des massifs hercyniens de l'Allemagne moyenne. 269 030 hab. (1969). Archevêché (Xe s.). Très belle cathédrale gothique (XIIIe s.) et hôtel de ville Renaissance. – Dotée d'un excellent réseau de communications (nombreuses liaisons ferroviaires, proximité de l'autoroute Berlin-Munich et du *Mittellandkanal*), c'est un important port fluvial, relié par canaux au Rhin et à l'Oder. Grand centre sidérurgique (usine Krupp) avant et pendant la Deuxième Guerre mondiale, elle s'est spécialisée depuis 1945 dans la chimie (fabrication d'huiles et carburants, caoutchouc synthétique), les textiles artificiels et le raffinage du sucre (à partir des betteraves des *Börde*). ♦ *Hist.* Mentionnée au VIIIe s., la ville devint en 962 le siège d'un archevêché consacré à l'évangélisation des Slaves. Au XIIIe s., grâce à son entrée dans la Hanse, Magdebourg acquit une grande importance économique et administrative (elle jouissait d'un statut particulier, le *droit de Magdebourg,* adopté plus tard dans plusieurs villes d'Allemagne et d'Europe orientale). Gouvernée par ses archevêques, elle se rallia à la Réforme en 1525 et vécut dès lors sous la tutelle d'archevêques protestants. Mise à sac par Tilly pendant la guerre de Trente Ans, elle fut sécularisée par le traité de Westphalie (1648), puis annexée à la Prusse en 1680. Prise par les Français en 1806, elle appartint au royaume de Westphalie à partir de 1813, puis fut récupérée par la Prusse, après le congrès de Vienne (1815). Détruite à 65 % par les bombardements de 1941, elle a retrouvé depuis 1960 sa prospérité d'avant-guerre.

MAGELANG. ♦ V. d'Indonésie, au milieu de l'île de Java*. Env. 60 000 hab. Centre culturel (ruines de Barabûdûr* et de Prambanan à proximité) et agricole (tabac, canne à sucre).

MAGELLAN (Fernand *de*), en port. **Fernão de Magalhães.** ♦ Navigateur portugais (Sabrosa, Trás-os-Montes, v. 1480 – Mactan, Cebu, Philippines, 1521). Entré dans la marine portugaise, il fit une expédition aux Indes puis en Afrique, avant de passer au service de l'Espagne (1512). En 1519, il entreprit le premier voyage de circumnavigation, atteignit la Río de la Plata (1520), découvrit

Ph. Nimatallah/Ricciarini

N. Maes : « Baignade ». (Musée du Louvre, Paris.)

le détroit qui porte son nom, traversa le Grand Océan par mer calme (Pacifique*) dans la direction nord-ouest, et parvint aux Philippines en 1521. Il convertit au catholicisme le roi de Cebu, mais fut tué dans un engagement contre les populations indigènes de Mactan. Un des navires de sa flottille, commandé par S. de El Cano*, revint en Espagne (1522) en contournant l'Afrique. C'est l'Italien A. Pigafetta* qui fit le compte rendu de ce périple.

MAGELLAN *(détroit de)*, en esp. **Magallanes.** ♦ Détroit (580 km) qui relie l'Atlantique au Pacifique, entre l'Amérique du Sud (Patagonie* chilienne) et les archipels qui prolongent le continent américain, ainsi que la Terre* de Feu. Découvert par Magellan* en 1520. – *Prov. des Magellanes* (en esp. *Magallanes*), prov. du Chili* méridional, englobant la partie occidentale de la Grande Île de la Terre* de Feu (Patagonie*). C'est la plus étendue et la moins peuplée des provinces chiliennes. 135 418 km^2 (zone antarctique exclue). 82 000 hab. *Ch.-l.* Punta* Arenas. Forêts ; élevage de moutons (la moitié du cheptel chilien).

MAGENDIE (François). ♦ Physiologiste français (Bordeaux, 1783 – Sannois, Seine-et-Oise, 1855). Titulaire de la chaire de méd. du Collège de France (1830), il fut le maître de C. Bernard*. Ses principaux travaux portent sur les propriétés des racines des nerfs rachidiens : il confirma et précisa les découvertes de l'Anglais C. Bell*.

MAGENTA. ♦ V. d'Italie du Nord, en Lombardie (prov. de Milan). 18 500 hab. Indus. textiles (coton). ♦ *Hist.* Les forces françaises, sous le commandement de Canrobert, Mac*-Mahon et Vinoy, y remportèrent une victoire sur les troupes autrichiennes de Gyulai (4 juin 1859). Celui-ci se retira à Mantoue où il remit son commandement à François-Joseph. **(V. Italie** [*campagne d'*]**).**

MAGHREB. *n. m.* (en ar. **al-Maghrib,** « endroit où le soleil se couche »). ♦ Nom donné à l'ensemble des pays du N.-O. de l'Afrique, compris entre la Méditerranée et le Sahara, l'océan Atlantique et le désert de Libye. Formant une unité géographique et une unité ethnique (fonds de populations berbères), le Maghreb doit en outre à la conquête arabe (VII-VIIIe s.) son unité religieuse et culturelle. Quant à son histoire politique, elle est liée à l'histoire politique de l'Algérie*, de la Tunisie* et du Maroc* (*voir* ces pays). Dès le XIIe s., une unité politique apparaissait sous le règne d'Ibn Tûmart, fondateur de la dynastie des Almohades* et dont les conquêtes (Maroc, Maghreb central, Ifriqiyya*) couvraient alors la totalité du Maghreb. Ce phénomène unitaire ne fut renouvelé par aucun des envahisseurs qui succédèrent aux Almohades après l'effritement de leur empire. Bien que les frontières actuelles des pays du Maghreb aient été ébauchées dès le XVIe s., ce n'est qu'en 1970 qu'un terme fut mis aux querelles portant sur la délimitation des trois États qui en constituent le noyau central, l'Algérie, la Tunisie et le Maroc. La Libye, qui avait participé un temps à l'Organisation maghrébine, s'en désolidarisa en sept. 1970 en s'orientant vers une fédération avec la République arabe d'Égypte, sans quitter toutefois l'Organisation. La Mauritanie, en revanche, manifeste le désir de s'y intégrer. Un souci majeur des États de cette zone reste la constitution d'un Maghreb uni où se trouverait harmonisée la politique commerciale des États membres et coordonnée leur activité industrielle, en vue de leur expansion économique. Un organisme centralisateur est installé à Tunis à cet effet, mais il se heurte aux tendances nationalistes.

MAGINOT (André). ♦ Homme politique français (Paris, 1877 – 1932). Député de la gauche démocratique (1910), il fut plusieurs fois ministre après la Première Guerre mondiale, au cours de laquelle il fut blessé. Il fit adopter la loi (4 janv. 1930) sur la construction de fortifications sur la frontière N.-E. du pays. La *ligne Maginot*, dont le projet avait déjà été formulé par Painlevé (1925), ne fut pas poursuivie sur la frontière franco-belge en raison de l'opposition de la Belgique et ne put jouer le rôle escompté lors de la Deuxième Guerre mondiale.

MAGNAC-LAVAL. ♦ Ch.-l. de cant. de la Haute-Vienne, arr. de Bellac. 2 721 hab. Église romane, château du XIXe s., séminaire de Sulpiciens.

MAGNAN (Bernard Pierre). ♦ Maréchal de France (Paris, 1791 – *id.*, 1865). Après avoir participé aux expéditions d'Espagne (1823) et d'Alger (1830), il fut mis en disponibilité (1831) et passa quelque temps au service de la Belgique. Revenu en France (1839) et réintégré dans l'armée, il prit part à la répression des insurrections de juin 1848 et 1849. Député et nommé commandant de l'armée de Paris (1851), il fut promu maréchal après sa participation active au coup d'État du 2 décembre* 1851.

MAGNARD (Albéric). ♦ Compositeur français (Paris, 1865 – Baron, Oise, 1914). Élève de V. d'Indy*, il a laissé une œuvre marquée par un souci de noblesse et de grandeur. Adepte du leitmotiv wagnérien, il subit aussi l'influence de Beethoven. Il a laissé quatre symphonies, deux hymnes, de la musique de chambre, des mélodies, ainsi que trois ouvrages lyriques, dont *Guercœur* (1897-1900) et *Bérénice* (1905-1909). Il mourut, enseveli sous les ruines de sa maison, lors de l'avance allemande, en 1914.

MAGNASCO (Alessandro, dit **le Lissandrino).** ♦ Peintre et dessinateur italien (Gênes, 1667 – *id.*, 1749). D'abord portraitiste, il représenta ensuite des sujets mythologiques, religieux et des scènes de genre auxquelles il donna souvent un caractère morbide et caricatural : scènes de la vie des moines, petits artisans, militaires, brigands, voyageurs, comédiens. Fréquemment, il plaçait ses petits personnages aux formes allongées, par souci d'expressivité, dans des architectures imposantes ou dans des paysages nocturnes et tourmentés qui rappellent S. Rosa* et révèlent un tempérament étrange et visionnaire. Il employait un clair-obscur accentué, une touche très apparente et nerveuse et une gamme chromatique à dominante brune. Il eut de nombreux imitateurs.

MAGNE (Pierre). ♦ Homme politique français (Périgueux, 1806 – château de Montaigne, Dordogne, 1879). Il fut deux fois ministre des Finances sous le Second Empire (1854-1860, 1867-1870). Sous la Troisième République, il fit partie de la majorité conservatrice qui renversa Thiers en mai 1873, reprit le portefeuille des Finances sous l'Ordre moral (1873-1874) et devint sénateur en 1876.

MAGNE ou **MAÏNA.** *n. m.* ♦ Région la plus méridionale du Péloponnèse dans la province de Laconie*, essentiellement constituée par le promontoire de Ténare*. Elle est traversée du N. au S. par le massif du Taygète* ou *Pentedactylon.* Le climat du Magne se prête à l'élevage du ver à soie (grande abondance de mûriers). Cultures méditerranéennes : oliviers, figuiers, vigne. ♦ *Hist.* Les habitants du Magne *(Maïnotes)* seraient les descendants directs des Spartiates. Ce peuple guerrier, bien défendu dans des repaires montagneux inaccessibles, opposa une résistance efficace aux envahisseurs francs (XIIIe s.), puis aux Turcs qui reconnurent son autonomie en 1777. Déchiré par des guerres civiles incessantes, il participa victorieusement, sous la conduite du bey Petro Mavromichalis (1821), à la guerre de l'indépendance pendant laquelle les Maïnotes se montrèrent des pirates redoutables.

MAGNELLI (Alberto). ♦ Peintre italien (Florence, 1888 – Meudon, 1971). Abordant la peinture en autodidacte, il entra en 1913 en contact avec les membres du mouvement futuriste (Marinetti*, Boccioni*) sans pour autant s'engager dans la même voie. Il médita surtout la leçon que pouvaient offrir les œuvres italiennes des XIVe et XVe s. ; à Paris, il fit connaissance avec Apollinaire, Max Jacob, Léger et Matisse. Abandonnant la description, il interpréta la figure humaine à partir de schémas simples solidement établis étalant par aplats des couleurs vives. Il évolua vers une stylisation audacieuse en affinité avec les procédés de Matisse mais présentant un aspect plus angulaire (*Femme au tablier violet*, 1915) ; il aboutit ainsi à la non-figuration et créa des rythmes rapides et linéaires. Jusqu'en 1931, il introduisit de nouveau des éléments figuratifs, et usa d'un chromatisme pâle et assourdi, représentant des objets aux formes épurées. À partir de 1933, il entreprit une série, dite des *« pierres éclatées »*, où des formes aux arêtes aiguës se détachent sur un fond uniforme, puis il s'installa à Paris et développa un style abstrait de tendance géométrique, où les formes angulaires ou elliptiques sont cernées d'un trait fin et se détachent sur des fonds plans (*Violence contenue,* 1944). Il a aussi laissé de nombreux collages où se manifeste un sens rigoureux de la construction.

MAGNENCE, en lat. **Flavius Magnus Magnentius.** ♦ (Amiens, v. 303 – Lyon, 353). Empereur romain (350-353). Proclamé empereur par l'armée de Constant* Ier, il tua ce dernier et marcha contre Constance* II qui refusait de partager l'empire avec lui. Vaincu par Constance II à Mursa, il fut contraint de se donner la mort.

MAGNÉSIE. *n. f.*, en gr. **Magnêsia.** ♦ Anc. région de Thessalie correspondant approximativement à l'actuel *nome* de Magnésie. **V. Volo.**

MAGNÉSIE DU MÉANDRE, en gr. **Magnêsia hê epi Maiandrôi.** ♦ Anc. V. d'Asie Mineure (Ionie) au S.-E. d'Éphèse. Cité éolienne, elle aurait été fondée par des Grecs originaires de Magnésie, contrée de la Thessalie orientale. Détruite lors de l'invasion cimmérienne (v. ~ 650), elle se releva et devint la résidence d'un satrape perse auprès duquel se réfugia Thémistocle*. Elle fut transportée v. ~ 400 sur le versant E. du mont Thorax. Alliée à Rome contre Mithridate*, elle devint cité libre par les soins de Sylla*. Il en reste aujourd'hui quelques monuments près du village de *Tekke.*

MAGNÉSIE DU SIPYLE. ♦ Anc. V. d'Asie Mineure (Lydie) sur l'Hermos (Gediz). La grande victoire remportée près de la ville par Scipion l'Asiatique sur Antiochos* III en ~ 189, livra l'Anatolie

Arch. Smeets

A. Magnelli : « Lisière sonore ». (Collection particulière.)

aux Romains et à leurs alliés rois de Pergame*. La ville actuelle *Manisa* (Turquie) est un centre commercial. 69 390 hab. Ch.-l. de la *province* [*il*] *de Manisa :* 13 811 km². 746 480 hab. Cultures de raisins, olives, tabac, coton, fruits; gisements de zinc et de mercure.

MAGNITOGORSK. ♦ V. d'U.R.S.S. (R.S.F.S. de Russie) dans la région de Tcheliabinsk, sur le cours supérieur non navigable de l'Oural*, près de la montagne Magnitnaïa (« montagne magnétique »; important gisement de fer à haute teneur). 364 000 hab. Grand centre d'industrie sidérurgique. Cokeries. Cimenteries. Caoutchouc synthétique. — La ville fut fondée en 1929.

MAGNOL (Pierre). ♦ Médecin et botaniste français (Montpellier, 1638 — 1715). Professeur de médecine puis directeur du jardin botanique, il conçut le classement des plantes par familles. Linné donna son nom à un arbre d'Amérique et d'Asie, le *magnolia.* (Acad. sc., 1709.)

MAGNUS. ♦ Nom de plusieurs rois de Norvège. ♦ MAGNUS Ier OLAVSSON *le Bon* (1024 — 1047). Roi de Norvège (1035-1047) puis, en 1042, roi de Danemark. Ses sujets s'étant révoltés, il dut partager le pouvoir avec son oncle et successeur Harald* III. Il mourut en combattant les Danois. ♦ MAGNUS III BARFOT (« aux pieds nus » ou plutôt « aux jambes nues » [il avait adopté le kilt écossais]) (v. 1073 — Ulster, 1103). Roi de Norvège (1093-1103). Il pilla les Hébrides, les îles de Man et d'Anglesey. En 1102, il attaqua l'Irlande et y mourut. ♦ MAGNUS VI LAGABÖTE [« le Législateur »] (1238 — Bergen, 1280). Roi de Norvège (1263-1280). Il céda les Hébrides et l'île de Man aux Écossais (1266). Il signa un concordat avec l'Église et fit de nombreuses réformes, rendant notamment la couronne héréditaire. ♦ MAGNUS VII ERIKSSON (1316 — 1374). Roi de Norvège (1319-1343) et de Suède (1319-1365). Il n'exerça le pouvoir qu'à partir de 1332 et dut abdiquer le trône de Norvège en faveur de son fils Haakon* VI. Après une rébellion en Suède et sa déposition au profit de son fils Eric* XII (1356-1359), il put se rétablir mais fut associé au pouvoir avec Haakon VI (1361). Ils s'allièrent contre la Hanse avec Valdemar IV de Danemark dont Haakon épousa la fille Marguerite*. Ils furent déposés à cause de cette alliance avec le Danemark.

MAGNUS (Olof Månsson, en lat. **Olaus).** ♦ Religieux et géographe suédois (Linköping, 1490 — Rome, 1557). Ordonné prêtre en 1517, il se rendit en Finlande et dans les régions septentrionales de la Scandinavie, où, tout en prêchant contre le luthéranisme, il se consacra à des études géographiques. Il vint à Rome à l'époque où la Suède passa à la Réforme, et y demeura jusqu'à sa mort. Il a laissé une « carte marine » qui constitue l'un des premiers ouvrages géographiques fournissant des renseignements sur l'Europe du Nord.

MAGNUS (Heinrich Gustav). ♦ Physicien allemand (Berlin, 1802 — *id.,* 1870). Auteur de travaux expérimentaux sur les gaz (dilatation, conductibilité) et sur le système liquide-vapeur, il étudia également l'action d'un courant fluide sur un solide en rotation et son application aux projectiles, et découvrit l'acide periodique.

MAGNY (Olivier *de*). ♦ Poète français (Cahors, v. 1529 — 1561). Après avoir été secrétaire d'un de ses compatriotes, à Paris où il débarqua très jeune, l'occasion lui fut donnée de connaître l'Italie qu'il gagna après un long séjour à Lyon, où il s'éprit de Louise Labé*. À Rome, il connut les mêmes déceptions que Du Bellay*, auquel il se confia dans des sonnets (*Soupirs*, 1557), où les plaintes alternent avec une description satirique des mœurs romaines. Il venait d'être nommé secrétaire du roi Henri II quand il mourut. Ses débuts poétiques furent marqués par un brillant recueil de sonnets de style pétrarquiste, *Amours* (1553), qui lui valut la bienveillance de Ronsard et de ses amis. En 1554, paraissait *Gayetez,* recueil de poésies légères. Puis c'est le livre des *Soupirs,* qui fait pendant au livre des *Regrets* de Du Bellay. Le dernier ouvrage de Magny est un volume d'*Odes* (1559), inspiré de Ronsard. Son style, qui ne manque pas de charme, est souvent marqué par un abus d'érudition et un maniérisme à la Pétrarque.

MAGNY-EN-VEXIN. ♦ Ch.-l. de cant. du Val-d'Oise, arr. de Pontoise. 3 450 hab. Église du XVe-XVIe s.; maisons et hôtels anciens.

MAGOG. ♦ Dans *Ézéchiel,* XXXVIII-XXXIX, région située à « l'extrême nord » et où règne Gog*.

MAGOG. ♦ V. du Canada (prov. de Québec) à l'extrémité septentrionale du lac Memphremagog. 14 000 hab. Indus. textiles et alimentaires. Pêche.

MAGON. ♦ Nom de plusieurs généraux carthaginois dont le plus connu est MAGON, frère d'Hannibal* (mort en mer, ~ 203). Lors de la seconde guerre Punique*, il seconda Hannibal en Italie (~ 218-~ 215) puis son autre frère Hasdrubal* Barca en Espagne. Battu par Scipion* l'Africain (~ 206), il réussit cependant à gagner l'Italie à la tête d'une armée de secours, mais fut vaincu en Ligurie (~ 205) puis en Lombardie et mourut en regagnant Carthage.

MAGRITTE (René). ♦ Peintre et dessinateur belge (Lessines, 1898 — Bruxelles, 1967). De 1916 à 1918, il étudia à l'académie des beaux-arts de Bruxelles. D'abord marqué par le cubisme et le futurisme, il se lia ensuite avec Servranckx et poursuivit des recherches plus abstraites. Entré en contact avec E.L.T. Mesens et attiré par l'esprit dada, il collabora à la revue *Œsophage.* Il eut alors la révélation des collages de Max Ernst* et des peintures métaphysiques de De* Chirico. Il adhéra ensuite au surréalisme et trouva sa

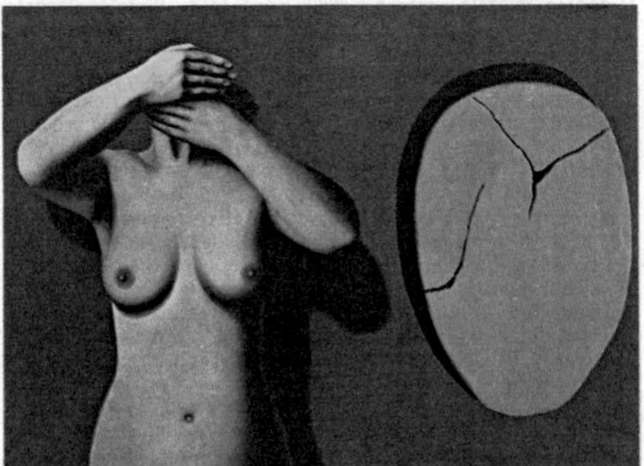

Ph. De Gregorio/Ricciarini

René Magritte : « Pièce nocturne », 1928. (E.L.T. Menses, Londres.)

voie en recourant à une facture impersonnelle, de caractère illusionniste où dominent les tons clairs, les volumes lisses et secs. Adoptant un répertoire des motifs tiré de la réalité quotidienne, il n'inventa pas de formes nouvelles, mais créa des images, déroutantes à partir d'éléments et d'objets hétéroclites *(Le Thérapeute).* Pratiquant le plus souvent des modifications d'échelle entre les divers motifs, il les représenta déplacés de leur contexte, altérant leur qualité spécifique, intervertissant leur fonction et permutant leurs attributs. Les rapprochements inattendus d'objets, les dissociations et dénaturations ainsi réalisés, contribuant à déclencher de nouvelles associations métaphoriques et oniriques aux implications érotiques voilées (*Le Temps menaçant,* 1928) ou brutales *(Le Viol).* « Il s'agit, écrit Breton, de nous éveiller à leur vie latente, à la fluctuation qu'ils entretiennent entre eux. » La plupart de ses tableaux impliquent une spéculation sur les rapports que l'œuvre entretient avec son titre, et l'image avec les mots. Il a cherché par le biais de l'humour et de l'absurde à démonter les mécanismes de la représentation et du langage descriptif *(La Condition humaine; Le Paysage fantôme).* À l'accusation de faire une peinture extra ou antipicturale, il a répliqué que l'idée chez lui n'était susceptible de devenir visible qu'à travers la peinture.

MAGSAYSAY (Ramón). ♦ Président de la république des Philippines de 1953 à 1957. Il succéda à Quirino* avec l'appui des États-Unis. Il fut, après sa mort, remplacé par le président Garcia.

MAGUELONE ou **MAGUELONNE.** ♦ Hameau de la comm. de Villeneuve-lès-Maguelonne (Hérault), situé au S. de Montpellier, sur l'étroit cordon de sable isolant l'étang de Vic de la Méditerranée. L'anc. cathédrale Saint-Pierre, édifice fortifié des XIe et XIIe s., d'architecture sobre, fut en partie démantelée en 1622.

MAGYARS. *n. m. pl.* ♦ Nom ethnique des Hongrois (la Hongrie, *Magyarorszag*), peuple de langue finno-ougrienne, établi au IXe s. dans la vallée du Danube et qui représente la majorité de la population du pays. **V. Hongrie.**

MAHÂBALLIPURAM. ♦ Site ancien de l'Inde sur la côte de Coromandel* (Tamilnâdu), et port créé probablement au début du VIIe s. par des souverains de la dynastie des Pallava*. Il est surtout connu pour ses nombreux rochers en granite sculptés en forme de temples.

Mahâbhârata. *n. m.* ♦ Grand récit épique indien d'environ 120 000 versets, divisé en 19 livres, œuvre collective ancienne remontant à l'époque védique (vers ~ 1000?) et continuée jusque vers le VIe s. de notre ère. Il raconte d'une manière héroïque et lyrique les aventures de cinq frères en butte à l'inimitié du roi d'un clan rival et la guerre entre clans indo-européens qui s'ensuivit. Ce gigantesque poème est en fait une partie de la grande épopée de l'invasion et de l'établissement des tribus indo-européennes dans le bassin indo-gangétique, de leurs luttes intestines et de celles qu'elles durent soutenir contre les tribus dravidiennes qui occupaient alors le territoire. C'est en même temps une sorte d'encyclopédie des connaissances sacrées et profanes des indo-européens « indiens » à cette haute époque. Le grand poème philosophique *Bhâgavad-gîtâ,* faisant partie du 6e livre, fut probablement ajouté postérieurement aux autres épisodes. Le 19e livre, également une interpolation tardive, raconte les mythes afférents au dieu Krisna*. Le *Mahâbhârata* connut une vogue immense et fut traduit et interprété dans tous les pays qui reçurent l'influence indienne, fournissant à la littérature et aux beaux-arts de ces pays comme de l'Inde une source inépuisable de thèmes.

MAHAKAM. *n. m.* ♦ Fl. de l'île de Bornéo* (Indonésie, Kalimantan) prenant sa source dans le massif central de l'île et se jetant par un large delta marécageux dans le détroit de Makasar*. Long de plus de 700 km, il est navigable sur une grande partie de son cours.

MAHÂNADI. *n. f.* ♦ Fl. de l'Inde (820 km). Né dans les Ghâts occidentaux, il traverse la partie nord du Dekkan d'O. en E. et se jette dans le golfe du Bengale, formant un immense delta de 115 000 km². Ses eaux servent principalement à l'irrigation.

MAHÂRÂṢTRA. *n. m.* ♦ Grande province de l'Inde occidentale. 308 000 km², plus de 50 000 000 d'hab. *(Mahrâta*)*. Elle est constituée par la plaine littorale du Konkan, la partie N. des Ghâts* occidentaux et le Dekkan* occidental. Le sol de cette plaine, formé de basaltes noirs *(trapp)* et de sols noirs *(regur)*, est surtout propice à la culture du coton. Bombay* est la capitale de la province et sa ville la plus importante.

MAHAUT. ♦ **V.** MATHILDE.

Mahâvamśa. *n. m.* ♦ Ancienne chronique de l'île de Ceylan, écrite en pâli* vers le milieu du IVᵉ s. et racontant l'histoire de l'île et du développement du bouddhisme depuis les origines jusqu'au IVᵉ siècle. La légende cinghalaise concernant la vie de Bouddha* y est incluse.

Mahâyâna. *n. m.* (« grande voie [de progression] »). ♦ Doctrine philosophique et religieuse bouddhique, forme évoluée du Hînayâna*, qui considère le Bouddha* non plus comme un personnage historique exemplaire, mais comme une émanation du principe divin. Elle prit vraisemblablement naissance vers le IIᵉ s. de notre ère et connut une grande diffusion, tant en Inde qu'en Chine et au Japon. C'est la forme de bouddhisme qui est encore la plus répandue actuellement en Asie (sauf à Ceylan et dans le S.-E. asiatique).

MAHDÎ [*n. m.*], en ar. « celui qui est guidé (par Dieu) ». ♦ Personnage de l'eschatologie islamique. Le Coran* ainsi que le Hadith* (à part quelques chaînes orales des collections shi'îtes) ne le mentionnent pas. Inventé au VIIᵉ s. par les shi'îtes, ce personnage messianique, qui viendra sur terre pour délivrer l'homme du mal et instaurer le règne du bien, est rejeté par les sunnîtes* à la fin des temps. Pour la majorité des shi'îtes, le mahdî est associé au douzième et dernier imâm, Muhammad ibn al-Hassan al-Askari, qui s'était caché après sa mort et reviendra un jour sur terre afin de restaurer la religion vraie. Dans l'histoire de l'Islâm, plusieurs prétendants au pouvoir se déclarèrent mahdî (**V.** *ci-dessous* et **Ibn Tûmart, 'Ubaydullah**).

MAHDÎ. *n. m.* (mot arabe « le bien dirigé », désignant l'« Imâm caché », le Messie musulman). ♦ Titre pris par MOHAMMAD AHMAD 'ABD ALLÂH (au Soudan, 1844 – Omdourman, 1885) en 1881, après une vie d'ascète. Il conquit le Soudan, battit les Anglo-Égyptiens (1883), s'empara de Khartoum (1885). Son état correspondait au Soudan actuel et était organisé théocratiquement. – Titre du successeur de Mohammad, le calife ABDULLAH ([mort] en 1899) qui battit les armées du négus Johannès* en 1886, et, à nouveau, tuant son adversaire, à Metemma (1889). L'expédition de Kitchener* aboutit à la déroute des *mahdistes* (Omdourman, 1898) et au condominium du Soudan*.

MAHDIA. ♦ V. de Tunisie (gouvernorat de Sousse) située à la pointe d'un promontoire s'avançant dans la Méditerranée. 10 800 hab. Anc. place forte. Grande mosquée (Xᵉ s.). Port de pêche. Conserveries. ♦ *Hist.* Anc. comptoir phénicien puis romain. Le calife fâtimide 'Ubaydullah* dit *El Mahdî* (voir *ci-dessus*), délaissant Kairouan*, y installa sa résidence (déb. Xᵉ s.).

MAHÉ. ♦ Ancien établissement français en Inde et port sur la côte du Malabâr*. 20 000 hab. Pêcheries, exportations de poivre et épices. – Elle fut acquise en 1721 par la Compagnie des Indes et rendue à l'Inde en 1956.

MAHENDRA BIR BIKRAM SHÂH. ♦ Roi du Népal* (1920 – 1972). Il succéda à son père Tribhuvana en 1955, suspendit la constitution, assuma tous les pouvoirs afin d'essayer de faire de son pays une nation moderne et créa une nouvelle constitution en 1962 destinée à promouvoir d'importantes réformes. Son fils Birendra lui succéda.

MAHFÛDH (Najîb). ♦ Romancier égyptien (Le Caire, 1912). Il écrivit une trilogie qui décrit l'évolution d'une petite famille bourgeoise du Caire (1917-1945); malgré un style réaliste et des références à des événements réels, les personnages sont plutôt des types que des individus. Il composa d'autres romans et nouvelles, dont *Le Voleur et les Chiens* (1962).

MAHINDA. ♦ Nom du frère (ou du fils) du roi Aśoka* qui aurait

Ph. Rémy

Le roi du Népal, **Mahendra Bir Bikram Shâh** et la reine. Peinture. Musée de Katmandou

importé le bouddhisme à Ceylan et nom de rois (de I à V) qui régnèrent dans cette île de 730 à vers 1029. Le dernier fut fait prisonnier par les rois Chola* du S. de l'Inde et vit l'île de Ceylan passer sous la domination indienne.

MAHLER (Gustav). ♦ Compositeur et chef d'orchestre autrichien (Kalischt, Bohême, 1860 – Vienne, 1911). Il entra au conservatoire de Vienne à 15 ans. Devenu le disciple et le protégé de Bruckner*, il fut contraint, après l'échec de sa cantate dramatique *Das Klagende Lied* (1880), d'embrasser la carrière de chef d'orchestre. Il allait y affirmer, sa vie durant (notamment à Vienne, 1897-1907, puis à New York), des dons si éclatants qu'ils eurent souvent pour effet d'éclipser ses mérites de compositeur. Il consacra le meilleur de lui-même, avec une ardeur infatigable et une exigence souvent intolérante, à l'interprétation des plus grands chefs-d'œuvre de la musique. Il s'attacha à unifier tous les éléments du spectacle lyrique : musique, drame, poésie, décor. Il s'était converti au catholicisme (1897) et lié d'amitié avec quelques-uns des plus grands artistes de son temps (R. Strauss, G. Hauptmann, B. Walter, A. Schoenberg). Son œuvre, de dimension imposante, comporte dix *Symphonies* (dont cinq avec des parties vocales, la dernière inachevée, 1888-1909), *Le Chant de la Terre* (1908) et une cinquantaine de *lieder*, la plupart pour voix et grand orchestre (*Lieder pour le temps de la jeunesse,* 1892; *Kindertotenlieder* « chant des enfants morts »). Son originalité est d'avoir élaboré une synthèse du lied et de la symphonie. S'inspirant des musiques du passé, Mahler exploite largement la rigoureuse polyphonie de Bach, le principe de construction de la symphonie beethovénienne et le chromatisme wagnérien, mais il utilise aussi les musiques exotiques, le folklore de Bohême, d'Autriche et d'Allemagne ainsi que des formes populaires : danses, fanfares. Son art de la mélodie, son incomparable maîtrise des vastes architectures orchestrales sont chez lui au service de la plus grande expressivité et des intentions d'un mysticisme panthéiste. Toutefois, il sut rompre le moule classique par la recherche de nouvelles sonorités, l'économie dans l'usage des intervalles, les mouvements contrastés, l'utilisation très poussée de la variation. – Remarquable orchestrateur, Mahler est le dernier grand compositeur de la lignée romantique.

MAHMÛD BÎGARHÂ. ♦ Sultan türk du Gujarât* (Inde occidentale) de 1459 à 1511. Il s'allia avec l'Égypte contre les Portugais et battit ceux-ci sur mer en 1508, tuant Dom Lourenço, le fils du vice-roi. Mais, en 1509, les Portugais anéantirent sa flotte et annexèrent le territoire de Goa*.

MAHMÛD DE GHAZNÎ. ♦ Sultan türk de la ville de Ghaznî (actuel Afghânistân) de 998 à 1030 qui se rendit célèbre par ses raids de pillage en Inde. Il envahit dix-sept fois la vallée du Gange et le Pañjâb, détruisant tout sur son passage et faisant un butin considérable avec le produit duquel il embellit sa capitale et protégea les artistes et littérateurs musulmans. Son fils Masûd lui succéda.

MAHMUT ou **MAHMUD**. ♦ Nom de deux sultans ottomans. ♦ MAHMUT Iᵉʳ (1696 – Istanbul, 1754). Sultan ottoman (1730-1754). Il mena quatre guerres contre la Perse et une contre la Russie. Il fit construire plusieurs édifices à Istanbul et y fonda quatre bibliothèques. ♦ MAHMUT II (1784 – Istanbul, 1839). Sultan ottoman (1808-1839). Il résista aux tentatives d'expansion de l'armée russe sur la rive droite du Danube (1806); il réprima l'insurrection serbe, lutta contre 'Ali* Pacha de Tebelen (1820-1822), pacha d'Ioannina (Jannina), fit face à l'insurrection grecque (1820) qui aboutit néanmoins à l'indépendance (1830). Acre, Damas et Alep furent occupés par les troupes de Muhammad*-'Ali qui écrasèrent l'armée turque à Konya (1832). De nouveau en guerre contre le pacha d'Égypte Muhammad-'Ali, ses troupes furent défaites à Nisibe (1839) et il ne put survivre à cet effondrement. – Sa politique intérieure préparait la période des *tanzimat* (« réformes »). Mahmut II fit massacrer les janissaires qui s'opposaient à la refonte de l'armée et supprima leur institution, fondée cinq siècles plus tôt (1826). – Abdul*-Medjid Iᵉʳ lui succéda.

MAHOMET. (Altération du nom de **MUHAMMAD** qui a succédé à la forme MAHOM, courante en ancien et en moyen français; une autre translittération a donné MOHAMMED [*Abû al-Qâsim Muhammad ibn 'Abdallah ibn 'Abd al-Muttalib ibn Hâshim*].) ♦ Prophète de l'Islâm (La Mecque, 570? – Médine, 632). Parmi les fondateurs des grandes religions universalistes, *Muhammad* (« le loué ») est le mieux connu historiquement. La religion qu'il prêche (**V. Islâm**) compte de nos jours environ un demi-milliard d'adeptes. Homme profondément religieux, il fut aussi un grand chef politique et militaire qui sut imposer aux tribus de la péninsule arabique un pouvoir unique doté d'un système juridique original. Les sources biographiques dont on dispose sont abondantes, mais comportent des détails suspects. Les biographies classiques connues les plus anciennes datent du déb. du IXᵉ siècle : le *Kitâb Sîrat Rasûl Allâh* (« Vie de l'Envoyé de Dieu ») d'Ibn Hishâm ([mort] v. 834) est l'adaptation de l'enseignement de son maître Ibn* Ishâq ([mort] v. 768). L'ouvrage de Waqidi ([mort] 823) se limite à relater les campagnes du Prophète. La biographie de l'historien Tabari* ([mort] 923) n'utilise aucune source originale. À ces écrits s'ajoutent le Coran* et les recueils de Hadith*. – Originaire de la grande famille mecquoise de Hâshim, issue de la tribu de Quraysh, Muhammad, orphelin dès l'enfance, fut adopté par son grand-père 'Abd al-Muttalib, puis par son oncle paternel Abû Tâlib, père de 'Ali*. Tout jeune, il aurait été berger. Plus tard, il fut embauché par Khadija, riche veuve commerçante qui organisait des caravanes qu'il aurait accompagnées jusqu'en Syrie. Devenu son homme de confiance, il accepta le mariage qu'elle lui proposa. De cette union, ils eurent quatre filles dont Fâtima*, future femme de 'Ali. Jusqu'à l'âge de quarante ans, il mena une vie tranquille et prospère, entrecoupée de retraites où il pratiquait l'ascétisme dans une caverne d'une montagne proche de La Mecque. Là, il reçut sa première révélation (v. 610) : selon la tradition, il vit l'archange Gabriel (*Jibraîl*, en ar.) qui lui transmettait des paroles de Dieu. Le long silence qui s'ensuivit le troubla. Les révélations ne reprirent que v. 613. Il en relata le contenu à ses proches qui constituèrent le premier noyau de *musulmans* (de l'ar. *muslimûn*, pl. de *muslim* : « celui qui remet [son âme à Allah] »). Au début, aucune opposition ne se manifesta. Mais quand le cercle des adeptes commença à s'élargir et que leur critique de la religion en cours (polythéisme déjà influencé par les religions monothéistes, juive et chrétienne) se fit de plus en plus radicale, l'oligarchie mercantile de La Mecque réagit fermement afin de préserver les intérêts économiques qu'elle tirait, entre autres, des pèlerinages. L'opposition à l'apostolat de Muhammad s'exprima, en un premier temps, par des moqueries et des polémiques. Mais, en 615, une persécution très violente amena quelques-uns des premiers musulmans à se réfugier en Éthiopie chrétienne. Après la mort de Khadija et de Abû Tâlib, ce dernier fut remplacé à la tête des Hâshim par son frère Abû Lahab (619), adversaire du prophète. Mahomet [Muhammad], se trouvant alors sans protection, chercha un refuge à Yathrib, oasis située à 350 km au N.-O. de La Mecque et habitée par deux tribus rivales, les Aws et les Khazraj, ainsi que par trois tribus juives qui décidèrent de mettre fin à leurs conflits en faisant appel à l'arbitrage d'un étranger, rôle qu'assuma Mahomet après des négociations secrètes qui aboutirent au pacte d''Aqaba (622). Les Mecquois, alarmés, décidèrent de l'assassiner, mais il parvint à s'échapper le 16 juillet 622, an I de l'ère musulmane ou *héjire* (de l'ar. *hijra* : « émigration »). Après l'installation de Mahomet [Muhammad] à Yathrib, cette oasis fut appelée *al-Madinat al-Nabi* (« ville du prophète ») **V. Médine.** Le prêcheur se transforma en homme politique, en législateur et plus tard en chef militaire. Il organisa les musulmans en deux catégories égales en droit : *al-Muhâjirûn* (« les émigrés » : les Mecquois qui l'avaient suivi) et *al-Ansar* (« les auxiliaires », disciples médinois). Voulant gagner à sa cause les juifs de la ville, il leur assura la liberté du culte et introduisit certains de leurs rites en Islâm : à l'instar des juifs, les musulmans se tournaient vers Jérusalem en priant et jeûnaient le « jour de l'expiation ». Mais les juifs, tout en acceptant la nouvelle autorité politique de Muhammad, lui refusèrent la reconnaissance prophétique en raison des incohérences de ses références bibliques. Deux ans plus tard, Mahomet rompit avec les juifs et l'Islâm se particularisa : désormais, la prière fut dirigée vers la Ka'ba*, temple cubique de La Mecque, attribué à *Ibrâhîm* (Abraham*) à qui le prophète rattacha sa religion nouvelle afin de lui donner une origine monothéiste plus ancienne que la judaïque et la chrétienne. La période de jeûne fut déplacée et le mois de ramadhân fut situé en fonction de la date anniversaire de la première grande victoire de l'armée musulmane sur les troupes mecquoises qui escortaient les caravanes convoitées par Mahomet (victoire de Badr*, printemps 623). Après la cinglante défaite des musulmans à Uhud, Mahomet parvint à repousser l'attaque d'une alliance de tribus arabes dirigées par les Mecquois en creusant un fossé autour de Médine, tactique étrangère au rituel guerrier de cette région et qui surprit l'adversaire (627). Ainsi, « la bataille du fossé » redonna au Prophète l'initiative. Il chassa les juifs de Médine. Malgré le pacte de Hudaibiya (mars 628) qui, entre autres clauses, stipulait une trêve de dix ans, l'armée musulmane occupa La Mecque presque sans opposition et les derniers réticents adhérèrent à l'islâm (630). Mahomet pénétra dans le sanctuaire, renversa les statues des divinités païennes et décréta une amnistie générale. Les années 630-631 consacrèrent l'autorité de Muhammad sur la péninsule arabique. Il réorganisa son administration et fixa le relèvement des taxes. La nouvelle législation religieuse se substitua définitivement à l'ordre tribal et classique et le paganisme fut mis hors la loi. Pendant le « pèlerinage de l'adieu », Mahomet institua le rituel du *hajj* (pèlerinage), retourna ensuite à Médine où, après une courte maladie, il mourut (8 juin 632). Outre Khadijâ, sa première femme, il avait eu quatorze épouses. Deux d'entre elles devaient jouer un rôle politique important : l'hostilité du groupe, constitué par deux co-épouses et leurs pères Abû Bakr* et 'Umar* envers le noyau formé par sa fille Fâtima* et 'Ali* qui lui donneront deux petit-fils, Hassan* et Hussaïn, aura de graves conséquences plus tard **(V. Shî'isme)**. La glorification de Mahomet, après sa mort, s'amplifia. Si les sunnites* le considèrent comme un élu de Dieu, homme exemplaire et modèle de conduite terrestre, les shi'ites lui attribuent des charismes éminents et certaines sectes vont jusqu'à le diviniser.

MAHOMET ou **MAHMET** (dans les noms turcs). ♦ **V.** MEHMET.

Mahomet ou le Fanatisme. ♦ Tragédie de Voltaire* (1741). Tyran sanguinaire, Mahomet fait assassiner Zopire, champion de la liberté. Dirigée contre le fanatisme, la pièce fut dédiée par son auteur au pape Benoît XIV qui lui envoya sa bénédiction.

MAHÓN. ♦ V. de l'archipel espagnol des Baléares. Cap. de l'île de Minorque*. 16 000 habitants.

MAHRÂTA, en fr. **Mahrates.** *n. m. pl.* ♦ Habitants du Mahârâştra* (Inde occidentale). Au XVIIe s., sous la conduite de Śivaji* Bhonslêsh (1627-1680), ils se soulevèrent contre les Moghols et établirent un immense empire qui s'étendit jusqu'au Bengale et qui fut gouverné par des ministres appelés Peshwa* (à partir de 1714). Ils se heurtèrent aux Anglais et leur livrèrent trois guerres (1779-1781; 1802-1804 et 1817), mais furent finalement obligés de s'incliner devant la force. Leur empire fut annexé par la Grande-Bretagne à celui des Indes anglaises.

Arch. Rencontre

L'insurrection du **15 mai 1848,** aquarelle de Gobaut. (Musée Carnavalet, Paris.)

Mai 1839 *(journée du 12).* ♦ Insurrection républicaine qui fut organisée sous la monarchie* de Juillet par la société des Saisons, à l'instigation de Barbès* et Blanqui*. Elle échoua et fut vivement réprimée.

Mai 1848 *(journée du 15).* ♦ Elle eut pour point de départ un mouvement de soutien aux patriotes polonais dont le soulèvement avait été vivement réprimé. Organisée par les républicains de gauche et les socialistes (Albert, Barbès, Blanqui, Cabet, Huber, Raspail), la manifestation regroupa les représentants de nombreuses corporations, des ouvriers des Ateliers nationaux, des émigrés politiques. Mais l'insurrection, qui avait pour but un coup de force contre l'Assemblée constituante, échoua et ses principaux instigateurs furent arrêtés et emprisonnés. Suivie des journées des 23 au 26 juin 1848, cette manifestation constitua un des principaux prolongements de la révolution* française de février 1848.

Mai 1873 *(journée du 24).* ♦ Journée parlementaire au cours de laquelle les conservateurs de l'Assemblée* nationale, à l'instigation du duc de Broglie et d'Ernoul, votèrent un ordre du jour de blâme contre Thiers*, jugé trop favorable aux républicains. Celui-ci dut démissionner et fut remplacé par Mac*-Mahon.

Mai 1877 *(crise du 16).* ♦ Crise politique qui, dans les débuts de la Troisième République, opposa les prérogatives constitutionnelles du président Mac*-Mahon à celles du gouvernement de J. Simon, soutenu par la Chambre des députés à majorité républicaine. Mac-Mahon rendit publique une lettre de blâme à Jules Simon, lui reprochant son manque d'autorité sur la Chambre et le vote d'une proposition de loi sur la liberté de la presse. J. Simon se sentit contraint de démissionner. Il fut alors remplacé par le cabinet d'Ordre moral du duc de Broglie qui n'obtint pas la majorité. Dissoute le mois suivant, la Chambre des députés fut réélue (nov. 1877) et garda une majorité républicaine. Mac-Mahon démissionna.

Mai 1958 *(insurrection du 13 mai 1958 à Alger).* ♦ Mis en minorité par l'Assemblée nationale sur la question algérienne, le gouvernement F. Gaillard* donna sa démission le 15 avril 1958; celle-ci ouvrit une crise nationale. Pressenti pour constituer un nouveau cabinet, R. Pleven se heurta à l'opposition d'une partie de la gauche (S.F.I.O., mendésistes). C'est P. Pflimlin* (M.R.P., qui avait pris position pour l'ouverture de négociations avec le F.L.N.) qui fut chargé le 8 mai de former un gouvernement, tandis que s'aggravait la tension en Algérie et en France. Alors que P. Pflimlin se présentait à l'Assemblée pour recevoir l'investiture, à Alger le général Massu* prenait la tête d'un *comité de salut public* et le général Salan* annonçait qu'il « prenait en main les destinées de l'Algérie française » (13 mai). Face à la situation qui se développa non seulement en Algérie (émeutes, insubordination proclamée d'une partie de l'armée) mais en France (formation de plusieurs comités de salut public) et redoutant une aggravation de la crise, le président de la République, R. Coty*, fit appel au général de Gaulle*, avec qui des contacts avaient été pris dès le début du mois. En dépit de l'opposition de la gauche, ce dernier fut investi comme président du Conseil (1er juin) et obtint de l'Assemblée les pleins pouvoirs pour six mois et des pouvoirs spéciaux pour l'Algérie. Cette crise porta le coup de grâce à la Quatrième République* ; après l'adoption d'une nouvelle Constitution, le général de Gaulle fut élu président de la Cinquième République (déc. 1958).

Mai 1968 *(événements de mai et juin).* ♦ Crise économique, sociale, politique et culturelle que traversa la Cinquième République* française. La « contestation » née dès 1967 dans le milieu étudiant, tant en France qu'à l'étranger, se précisa au début du

Coll. Viollet

V. V. Maïakovski (en bas), Meyerhold et Erdmann.

printemps 1968 avec la naissance du Mouvement du 22 mars (avec, comme leader, D. Cohn-Bendit) qui mit violemment en question l'université. L'agitation aboutit rapidement à la fermeture de l'université de Nanterre (2 mai), puis de la Sorbonne (3 mai), où le recteur fit appel aux forces de l'ordre. Peu après, des heurts se produisirent entre étudiants et policiers (émeutes et barricades dans la nuit du 10 au 11 mai au quartier Latin). Le mouvement gagna le milieu ouvrier, et le 13 mai, à l'appel des principales centrales syndicales, se déroulait à Paris une importante manifestation de la République à la place Denfert-Rochereau. Tandis que la grève générale paralysait le pays, le général de Gaulle* (rentré le 18 mai d'un voyage en Roumanie) proposait un référendum sur la « participation » pour résoudre la crise. Cependant des divergences apparurent entre les mouvements dits « gauchistes » (trotskistes, maoïstes, anarchistes) et la C.G.T. et le P.C.F. qui, condamnant tout « aventurisme », s'efforcèrent de porter le conflit sur le plan des revendications sociales. La signature des accords de Grenelle (27 mai) entre le gouvernement et les représentants syndicaux fut mal accueillie par certains éléments de la « base », qui organisèrent le jour même une manifestation au stade Charléty. Mais l'ensemble de l'opinion, inquiète, n'approuvait pas tous les aspects du mouvement. Après s'être assuré de l'appui éventuel de l'armée (entrevue avec le général Massu en Allemagne), le général de Gaulle prononça la dissolution de l'Assemblée, remania le gouvernement, tandis que ses partisans apportaient leur soutien au chef de l'État (manifestation des Champs-Élysées, 30 mai). La reprise du travail s'effectua progressivement au début de juin, et les derniers bâtiments publics encore occupés par les étudiants (Odéon, Sorbonne, École des beaux-arts) furent investis par la police dans le courant du mois de juin. La crise aboutit en fait à un renforcement du régime, après la victoire écrasante de l'U.D.R. aux élections législatives (23-30 juin 1968); elle n'en fut pas moins révélatrice d'un malaise profond, de la montée des forces d'extrême gauche et du réveil politique d'une partie de la jeunesse.

MAÏAKOVSKI (Vladimir Vladimirovitch) [*Majakovski*]. ♦ Poète russe et soviétique (Bagdadi, Géorgie, 1893 – Moscou, 1930). Il quitta sa Géorgie natale en 1906, à la mort de son père, pour aller se heurter à la dure vie moscovite. En 1908, il entra au parti bolchevique. Poète futuriste, en 1912 il publia avec N. Bourliouk, A. Outoutchenytch et V. Khlebnikov* le manifeste futuriste : *Soufflet au goût du public.* En 1915, il donna son grand poème *Nuage en pantalon,* dans lequel il attaque, « seul, le monde tel qu'il est ». En 1917, il s'enflamma pour la révolution : *Ma révolution, Ode à la révolution.* Frappé douloureusement par la mort de Lénine « le plus terrestre des hommes de la terre », Maïakovski écrivit un grand poème : *Vladimir Ilitch Lénine.* Puis, sans se séparer de son optimisme et de sa foi révolutionnaire, il donna le jour à un poème de propagande révolutionnaire : *Bien* (1927). Il fut aussi un auteur satirique et humoristique de talent dans ses pièces : *La Punaise* (1929) où il stigmatise les prolétaires embourgeoisés de la NEP et *Les Bains (publics)* [1930] où il fait le procès de la bureaucratie soviétique hostile à l'invention d'une machine à explorer le temps. Cette même année, sans doute déçu par la lente évolution de la révolution, épuisé par des difficultés personnelles et par l'hostilité de certains milieux littéraires et politiques au futurisme, il se suicida. – Il fut un homme de cœur et d'inspiration, considérant la révolution comme une libération et un épanouissement de l'individu. Pour elle, il est devenu un poète de propagande, auteur d'affiches et de slogans. Il introduisit dans la poésie russe un rythme tonique.

MAIANO (Giuliano *da***).** ♦ Architecte et sculpteur italien (Maiano, v. 1432 – Naples, v. 1490). Continuant l'art de Brunelleschi* et de Michelozzo*, il répandit en Italie les principes de l'architecture florentine. Il est l'auteur du *palais Spannocchi* (Sienne, 1473-1476), de la *chapelle Santa Fina* (collégiale de San Gimignano), du dessin de la cathédrale de Faenza, de la *Porta Capuana* (Naples). Rompant avec le palais fortifié hérité du Moyen Âge, il créa un nouveau type de résidence princière à Poggio Reale (1487, détruite). ♦ Son frère cadet et élève BENEDETTO DA MAIANO (Florence, 1442 – *id.,* 1497) fut aussi architecte et sculpteur. Il travailla souvent avec son frère, exécutant les autels des chapelles bâties par celui-ci. Il érigea et sculpta magnifiquement la *chaire de Santa Croce* (Florence), dont l'escalier traverse le pilier auquel elle s'adosse (v. 1472-1475). Il sculpta notamment les tombeaux de *Marie d'Aragon* où il prit la suite de Rosselino (après 1481, Sainte-Anne-des-Lombards, Naples) et de *Filippo Strozzi* (1491, Sainte-Marie-Nouvelle, Florence; buste au Louvre). En tant qu'architecte, son chef-d'œuvre est le *palais Strozzi* à Florence (commencé en 1489, achevé par Cronaca).

MAÎCHE. ♦ Ch.-l. de cant. du Doubs, arr. de Montbéliard. 3 827 hab. Deux hôtels du XVIe siècle. Église du XVIIIe siècle. Ruines d'un château féodal. – Horlogerie; scieries. Station estivale et de sports d'hiver.

MAÏDANEK. ♦ **V.** MAJDANEK.

MAIDENHEAD. ♦ V. d'Angleterre (Berkshire), sur la Tamise. 35 410 hab. Église du XIVe siècle.

MAIDSTONE. ♦ V. du S.-E. de l'Angleterre. Ch.-l. du Kent, sur la Medway. 65 800 hab. Centre industriel. Église de style gothique perpendiculaire (XIVe s.), palais de l'archevêché. Aux environs, *Allington Castle* (XIe-XVe s.). La ville a subi d'importants bombardements au cours de la Deuxième Guerre mondiale.

MAIDUGURI. ♦ V. du Nigeria*, cap. de l'État du Nord-Est, dans les plaines du bassin du Tchad*, reliée par voie ferrée à Port*-Harcourt. 145 000 hab. Arachides. Élevage.

MAÏEUL ou **MAYEUL** ou **MAYOL** *(saint).* ♦ (Avignon, v. 906 – Souvigny, près de Clermont, 994). Quatrième abbé de Cluny (948). Il poursuivit la réforme ecclésiastique et monastique, appuyant notamment le pape Benoît VII. – Fête le 11 mai.

Maigret *(le commissaire).* ♦ Héros d'un cycle de romans policiers. **V. Simenon.**

MAÏKOP. ♦ V. d'U.R.S.S. (R.S.F.S. de Russie), ch.-l. de la région autonome des Adyghéens (7 600 km², 379 000 hab.) sur la Bielaïa (affl. g. du Kouban*, 281 km). 111 000 hab. Indus. alimentaires. Traitement du bois et du cuir. Tabac.

MAÏKOV (Apollon Nikolaievitch) [*Majkov*]. ♦ Poète russe (Moscou, 1821 – Saint-Pétersbourg, 1897). Maïkov fut un adepte de « l'art pour l'art ». Ses vers font appel à l'image et ont pour sujet la nature et l'Antiquité classique : *Esquisses de Rome* (1847), *La Pêche* (1855), *Trois Morts* (1863), *Deux Mondes* (1873-1882).

MAILER (Norman Kingsley). ♦ Romancier américain (Long Branch, New Jersey, 1923 –). Après des études à Harvard, il participa à la Deuxième Guerre mondiale, ce qui lui inspira un premier roman *Les Nus et les Morts* (*The Naked and the Dead,* 1948). Dans un style d'un réalisme brutal, l'armée y est montrée sous forme d'un « rouleau compresseur » des individus.

MAILHE (Jean-Baptiste). ♦ Homme politique français (? 1754 – Paris, 1839). Avocat à Toulouse, député à l'Assemblée législative, puis à la Convention, il vota pour la mort du roi mais avec sursis et, après la chute de Robespierre, fut l'un des instigateurs de la réaction contre les jacobins (en particulier à Dijon). Il fut éliminé après le coup d'État du 18 fructidor an V.

MAILLANE. ♦ Comm. des Bouches-du-Rhône, arr. d'Arles, dans la Petite Crau. 1 472 hab. – Patrie de Frédéric Mistral* (musée dans sa maison natale).

MAILLARD (Stanislas Marie). ♦ Révolutionnaire français (Gournay-en-Bray, 1763 – Paris, 1794?). Il prit une part active à toutes les journées révolutionnaires. Rallié à la tendance hébertiste, il fut chargé par le Comité de salut public d'organiser la police révolutionnaire.

MAILLÉ (Urbain *de, marquis de* **Brézé).** ♦ Maréchal de France (Brézé, Anjou, 1597 – Milly, Anjou, 1650). Il fut ambassadeur en Suède et en Hollande, gouverneur d'Anjou, puis vice-roi de Catalogne. Il avait épousé une sœur de Richelieu et sa fille devait être mariée au Grand Condé*. ♦ JEAN ARMAND DE MAILLÉ, *duc de* BRÉZÉ, amiral français (1619 – Orbetello, 1646), son fils. Il remporta de brillantes victoires sur les Espagnols (Cadix, Barcelone, Cartagène) et mourut devant Orbetello.

MAILLEBOIS (Nicolas DESMARETS, *marquis de***).** ♦ **V.** DESMARETS.

MAILLET (Benoît ou **Bernard** *de***).** ♦ Diplomate et géologue français (Saint-Mihiel, 1656 – Marseille, 1738). Consul de France en Égypte, il a publié une *Description de l'Égypte* (1735). Mais il est surtout connu par son ouvrage *Telliamed* (anagramme de son nom) *ou Entretiens d'un philosophe indien avec un missionnaire français sur la diminution de la mer, la formation de la terre, l'origine de l'homme* (1748); il y soutint que tous les êtres ont pris naissance dans l'eau de mer.

MAILLEZAIS. ♦ Ch.-l. de cant. de la Vendée, arr. de Fontenay-le-Comte. 919 hab. (593 aggl.). Vestiges de l'église abbatiale (XIe-XVIe s.). Église paroissiale Saint-Nicolas, XIIe s., restaurée de façon contestable.

MAILLOL (Aristide). ♦ Sculpteur, peintre et dessinateur français (Banyuls-sur-mer, 1861 – Perpignan, 1944). Il étudia la peinture à Perpignan, puis à Paris, dans l'atelier de Gérome et de Cabanel (1882 à 1886). Il admira Puvis de Chavannes, Gauguin et Maurice Denis et se lia avec les nabis à partir de 1883. Il s'occupa d'un atelier de tapisserie à Banyuls, puis aborda la sculpture (plâtre, marbre et bronze). Au cours d'un voyage en Grèce, il fut surtout impressionné par les sculptures de « style sévère ». Au cours de sa carrière, il prit pour thème exclusif le nu féminin (excepté les deux figures d'homme de la statue du cycliste et du bas-relief du guerrier expirant à Banyuls) et lui accorda une valeur allégorique. Il refusa en effet le strict naturalisme et créa un type féminin caractérisé par des formes lourdes, robustes, dont le caractère sensuel épanoui offre des affinités avec les types de prédilection de Renoir. Il évita les effets de modelé nerveux, excepté dans le monument à *Auguste Blanqui* où la tension des muscles symbolise la *Pensée enchaînée,* et il eut tendance à éliminer les détails par volonté de synthèse, utilisant un modelé lisse qui engendre des plans unis : l'effet linéaire étant contrebalancé par le goût des volumes arrondis, la recherche de rapports équilibrés entre les lignes de force et les masses. Il sut concilier la massivité et la lourdeur des volumes avec une inspiration gracieuse et sensuelle (*Pomone,* 1907 ; *L'Île de France,* 1910 ; *Flore,* 1911 ; *La Méditerranée; L'Air,* monument à *Mermoz,* 1940 ; *La Rivière,* 1943). À la recherche d'une expression placide, il insista sur le caractère architectonique des formes, cherchant le mouvement équilibré. Son sens de la monumentalité, de la généralisation intemporelle l'a fait considérer comme l'héritier du classicisme méditerranéen (*Les Trois Nymphes ; L'Harmonie ; Monument à Cézanne).* Il a aussi exécuté des illustrations de livres d'un trait dépouillé, continu, sans effet de modelé.

Maillotins. *n. m. pl.* ♦ Nom donné aux Parisiens révoltés contre un nouvel impôt indirect (d'après les maillets dont ils s'étaient armés). Les régents du roi de France, Charles* VI, réprimèrent la révolte (1382).

MAILLY (Jean *de*). ♦ Architecte et urbaniste français (Paris, 1911 – *id.,* 1975). Il conçut les plans de reconstruction de Toulon*, construisit le barrage de Serre-Ponçon et, avec Camelot et Zehrfuss*, le Centre national des industries et des techniques (CNIT), au rond-point de la Défense*, près de Paris.

MAILLY-LA-VILLE. ♦ Comm. de l'Yonne (arr. d'Auxerre), située sur l'Yonne et le canal du Nivernais. 968 hab. Église. Manoir du XVIe s. – Fromageries.

MAILLY-LE-CAMP. ♦ Comm. de l'Aube (arr. de Troyes), sur la Lhuitrelle. 2 102 hab. Églises Saint-Martin (XIIe et XVIe s.) et Saint-Jean-Baptiste (XIIe s.). Camp militaire. ♦ *Hist.* En 1914, l'avance allemande vers le S. fut arrêtée à Mailly.

MAIMAN (Theodore Harold). ♦ Physicien américain (Los Angeles, 1927). Il réalisa le premier laser optique (*laser à rubis,* 1960). **V.** *aussi* **Townes; Bassov.**

MAIMONIDE (Moïse), en hébreu **Mosheh ben Maymon,** en ar. **Abû Imran Mûsa ibn Maymûn ibn Abd-Allah.** ♦ Théologien, philosophe et médecin juif (Cordoue, 1135 – Le Caire, 1204). Issu d'une famille de savants talmudistes, il quitta l'Espagne pour Fez puis la Palestine lors de la persécution des juifs par les Almohades. Il s'établit en Égypte où il devint médecin à la cour du sultan ayyûbide Salâh al-Dîn (Saladin). Il nous reste quelques-uns de ses traités de médecine *(Aphorismes de médecine; Traité de la conservation et du régime de la santé).* Mais il est surtout célèbre comme théologien (*Commentaire sur la Mishna ;* et *Mishné Thora,* code religieux et abrégé du Talmud) et comme philosophe. Son *Guide des égarés* (écrit en arabe et traduit en hébreu) tente d'établir l'accord entre la philosophie et le judaïsme.

MAIN. *n. m.* ♦ Fl. d'Allemagne occidentale (524 km), né au N.-E. de la Bavière (Haute-Franconie, près de Fichtelgebirge). Formé par la réunion du *Main Rouge* et du *Main Blanc,* il traverse le bassin de Souabe-Franconie et arrose successivement Bayreuth, Schweinfurt, Würzburg, Aschaffenburg, Francfort et Mayence. Son cours est utilisé par le *Ludwigskanal,* joignant, par la Regnitz*, le Main au Danube. Le trafic est important sur son cours inférieur (de Francfort à Mayence). *Princ. affl.* : la Regnitz* (r. g.).

MAÏNA. ♦ **V.** MAGNE.

MAINARD (François). ♦ **V.** MAYNARD.

MAINE (Louis Auguste de Bourbon, ***duc du*****).** ♦ Prince français (Saint-Germain-en-Laye, 1670 – Sceaux, 1736), fils légitimé de Louis XIV et de Mme de Montespan*. Le Régent lui enleva la plupart des prérogatives que lui donnait le testament de Louis XIV. – Sa femme, ANNE LOUISE BÉNÉDICTE de BOURBON-CONDÉ (Paris, 1676 – *id.,* 1753), petite-fille du Grand Condé*, fut l'âme de la conspiration de Cellamare* dans laquelle elle entraîna son mari. Elle entretint une cour brillante dans son château de Sceaux.

MAINE (*sir* Henry James SUMNER). ♦ Jurisconsulte et sociologue britannique (Kelso, Roxburghshire, 1822 – Cannes, 1888). Il fut un des promoteurs de l'ethnologie juridique et politique et s'occupa de la codification du droit indien.

MAINE. *n. f.* ♦ Riv. de l'O. de la France (10 km) dans le dép. du Maine-et-Loire, formée par la Sarthe augmentée du Loir et de la Mayenne. Elle traverse Angers et se jette dans la Loire (r. d.) à quelques kilomètres en aval.

MAINE. *n. m.* ♦ Région de l'O. de la France. Elle couvre les dép. de la Mayenne* et de la Sarthe* (*Cap.* Le Mans. Hab. *Manceaux*). On y distingue à l'O. le *bas Maine* ou *Maine noir,* drainé par la Mayenne, qui s'élève du bassin de Laval, au S., vers les points culminants du Massif armoricain au N. : signal des Avaloirs (417 m) et forêt d'Écouves (417 m). Ce pays de bocages et de bois, aux sols de grès, de schistes et de granites, se consacre essentiellement à l'élevage, ainsi qu'à la culture des arbres fruitiers (pommes à cidre). À l'E., le *haut Maine* ou *Maine blanc* s'étend des Vaux d'Anjou, au S., à la campagne d'Alençon au nord. C'est un pays de plaine, largement découpé par les vallées de la Sarthe et de l'Huisne, qui se rattache géographiquement au Bassin parisien. L'élevage et la culture des céréales en constituent les principales ressources agricoles. ♦ *Hist.* Érigé en comté en 955, le Maine fut disputé par la Normandie et l'Anjou auquel il fut finalement rattaché (1126). Il subit alors comme lui la domination anglaise avant d'être repris par la France, et donné à Charles d'Anjou (1290). Il fit désormais partie des possessions du duc d'Anjou*. Particulièrement éprouvé par la guerre de Cent Ans, il reprit une activité économique à partir du XVIe s. (toiles de lin, blanchisserie).

MAINE. *n. m.* ♦ État du N.-E. des États-Unis, le plus vaste de la Nouvelle-Angleterre, limité au N.-O., au N. et à l'E. par le Canada, à l'O. par le New Hampshire, baigné au S.-E. par l'Atlantique. 86 027 km^2. 969 265 hab. *Cap.* Augusta. *V. princ.* Bangor (38 912 hab.), Lewiston (40 804 hab.), Portland*. – *Orogr.* La plus grande partie de l'Etat est constituée par un plateau glaciaire ondulé, avec de nombreux reliefs. La côte est découpée (baies et îles). Les forêts et de très nombreux lacs (*Moosehead Lake* est le plus vaste) donnent au pays un caractère très pittoresque. *Climat* humide et froid. – *Écon.* Agriculture (pommes de terre, légumes ; volailles). La forêt occupe les quatre cinquièmes de l'État, et l'indus. du bois est la plus importante (papeteries, meubles, etc.). La pêche est active (notamment crustacés : homards). ♦ *Hist.* En 1604, de Monts y fonda la colonie de l'île Sainte-Croix, mais la compagnie

Ph. Louis Monier

Sculpture d'A. Maillol. (Jardin des Tuileries, Paris.)

de Plymouth y établit des colons (1607). Le Maine fut annexé au Massachusetts en 1658. Il devint le 23e État de l'Union en 1820. Un traité, en 1842, fixa la frontière avec le Canada, après divers démêlés entre les États-Unis et la Grande-Bretagne.

MAINE DE BIRAN (Marie François Pierre Gontier de Biran, dit). ♦ Philosophe français (Bergerac, 1766 – Paris, 1824). Ses traités philosophiques (*Influence de l'habitude sur la faculté de penser,* 1802; *Décomposition de la pensée,* 1805; *L'Aperception immédiate,* 1807, etc.) et son *Journal intime* se séparent assez nettement des positions de Condillac et des idéologues par l'affirmation de l'unité fondamentale de la conscience. Le moi se découvre comme volonté (cause agissante, force hyperorganique) dans l'effort musculaire pour vaincre une résistance matérielle (idée qui se trouvait chez Destutt* de Tracy, mais que Maine de Biran intériorise). C'est vers un spiritualisme mystique que s'orienta peu à peu Maine de Biran.

MAINE-ET-LOIRE [**49**]. *n. m.* ♦ Dép. de l'O. de la France, région (anciennement C.A.R.) des pays de la Loire. 7 218 km². – *Orogr.* Au centre du dép. s'étend d'E. en ouest le fertile Val d'Anjou, consacré à la polyculture, à l'élevage et au vignoble. Au N. du Val s'étendent vers l'O. le Segréen ou Craonnais et vers l'E. le Baugeois, régions de faible relief où domine l'élevage. Au S. de la Loire, le vignoble règne sur les coteaux du Layon, prolongation septentrionale des Mauges bocagères, et dans le Saumurois.
♦ 31 cant., 377 comm., 599 894 hab. *Préf.* Angers*. *Sous-préf.* Cholet*, Saumur*, Segré*. *Ch.-l. de cant.* Allonnes*, Baugé*, Beaufort*-en-Vallée, Beaupréau*, Candé*, Chalonnes*-sur-Loire, Champtoceaux*, Châteauneuf*-sur-Sarthe, Chemillé*, Doué*-la-Fontaine, Durtal*, Gennes*, Lion*-d'Angers (Le), Longué*, Louroux-Béconnais (Le) [1 786 hab., 671 aggl.], Montfaucon (738 hab.), Montreuil*-Bellay, Montrevault (1 469 hab.), Noyant (1 638 hab., 1 080 aggl.), Ponts*-de-Cé (Les), Pouancé*, Saint*-Florent-le-Vieil, Saint*-Georges-sur-Loire, Seiches*-sur-le-Loir, Thouarcé (1 601 hab., 707 aggl.), Tiercé (1 968 hab., 862 aggl.), Vihiers (1 877 hab.). *Autres comm.* V. **Fontevrault-l'Abbaye, Liré, Trélazé, Trèves-Cunault.**

MAINLAND ou **POMONA.** ♦ La plus grande des îles Orcades*, située dans l'Atlantique au N. de l'Écosse. *Ch.-l.* Kirkwall. Ses seules ressources sont l'élevage et la pêche.

MAINLAND. ♦ Principale île de l'archipel des Shetland*, situé au N.-E. des Orcades. *Cap.* Lerwick. Ressources : élevage et pêche.

Mains sales (Les). ♦ Pièce en sept tableaux de J.-P. Sartre (1948). Jeune intellectuel d'origine bourgeoise, Hugo est entré dans le combat révolutionnaire et se voit chargé d'assassiner Hoederer, chef de la tendance majoritaire, accusé de collaboration avec la droite par les minoritaires du parti. Dès qu'il rencontre Hoederer, il trouve en lui un homme généreux, qui lui propose de l'aider à résoudre ses difficultés. Sur un banal malentendu sentimental, Hugo tue cependant Hoederer. À sa sortie de prison, il apprend que la politique de sa victime est désormais considérée comme la bonne et que l'assassin ne peut être qu'un fou ou un traître. Refusant de désavouer son acte, « non récupérable », Hugo s'abandonne aux coups de ses meurtriers.

Ph. Hubert Josse

Françoise d'Aubigné, marquise de **Maintenon,** par Elle. (Château de Versailles.)

MAINTENON (Françoise d'AUBIGNÉ, *marquise de***).** ♦ Dame française (Niort, 1635 – Saint-Cyr, 1719). Petite-fille d'Agrippa d'Aubigné*, elle perdit très tôt ses parents et fut élevée dans la religion calviniste, qu'elle abjura (1649). Contrainte par ses difficultés financières à épouser le poète Scarron*, elle reçut avec lui une société brillante (Mme de Sévigné*, Mme de La* Fayette). La mort du poète la laissa sans ressources et elle fut chargée d'élever les enfants de Louis XIV et de Mme de Montespan*, qu'elle finit par supplanter. Louis XIV l'épousa secrètement à la mort de Marie*-Thérèse. Elle exerça dès lors une importante influence, moins politique que religieuse, et contribua à donner à la cour un air d'austérité. Après la mort du roi (1715) elle se retira à Saint-Cyr, maison qu'elle avait fondée pour l'éducation des jeunes filles nobles sans fortune.

MAINTENON. ♦ Ch.-l. de cant. d'Eure-et-Loir, arr. de Chartres, sur l'Eure. 3 400 hab. *(Maintenonnois).* Château Renaissance et classique. – Patrie du maréchal Joseph Maunoury. ♦ *Hist.* Louis XIV fit l'acquisition de la terre de Maintenon en 1674 et l'érigea en marquisat pour l'offrir à sa favorite Françoise d'Aubigné.

MAINZ. ♦ Nom allemand de Mayence*.

MAIORESCU (Titu Liviu). ♦ Homme de lettres et homme politique roumain (Craiova, 1840 – Bucarest, 1917). Il fut le principal fondateur du groupe *Junimea* (« la Jeunesse »), à Iaşi en 1863, le théoricien du renouveau littéraire roumain et l'ami d'Eminescu* dont il publia les *Poésies.* Il devint président du Conseil de 1912 à 1914; il s'opposa au rapprochement avec les Alliés.

MAIPO. *n. m.* ♦ Fl. du Chili* central, au pied du volcan du même nom (250 km).

MAIQUETIA. ♦ V. du Venezuela (district fédéral) sur la mer des Caraïbes*. Aéroport de Caracas*.

MAIRE (Edmond Louis). ♦ Syndicaliste français (Épinay-sur-Seine, 1931). Membre du Conseil économique et social depuis 1960, il est secrétaire général de la Confédération française démocratique du travail depuis 1971.

Maires du palais. ♦ Nom des intendants des rois mérovingiens. Au VIIe s., le maire du palais devint le chef de la garde et de l'administration; il assurait la régence pendant la minorité du roi. Après la mort de Dagobert Ier (639), les maires du palais concentrèrent tout le pouvoir entre leurs mains; les principaux furent Ebroïn*, Pépin* de Landen, Pépin* de Herstal, Charles* Martel.

MAIRET (Jean). ♦ Poète dramatique français (Besançon, 1604 – *id.,* 1686). Auteur d'une comédie tirée de l'Astrée, *Chryséide et Arimant* (1625), il fit précéder sa tragédie, *Silvanire* (1631), d'une préface qui lui valut d'être nommé « l'inventeur » des règles du théâtre classique. Avec *Sophonisbe* (1634), il composa la première tragédie régulière. Cependant, dans *l'Illustre Corsaire* (1637), *Roland furieux* (1638) et *Sidonie* (1640), il s'abandonne bientôt à la tragi-comédie, où l'extravagance de l'intrigue le dispute à la multiplication des lieux, dans le souci d'enrichir la mise en scène et de séduire un public devenu sensible, en ce domaine, aux inventions des Italiens.

MAISON (Nicolas Joseph, *marquis***).** ♦ Maréchal de France (Épinay-sur-Seine, 1771 – Paris, 1840). Engagé en 1792, promu général par Napoléon Ier (1805), il se distingua à Iéna et lors des campagnes d'Espagne et de Russie. Rallié à Louis XVIII (1814) qu'il suivit à Gand pendant les Cent-Jours, il fut fait pair de France et marquis. Commandant en chef les forces françaises lors de l'expédition de Morée* (1828-1829), il obtint le bâton de maréchal à son retour en France. Sous la monarchie de Juillet, il fut successivement ministre des Affaires étrangères dans le premier cabinet (1830), ambassadeur et ministre de la Guerre (1835-1836).

MAISON-BLANCHE. ♦ V. d'Algérie. Nom anc. de Dar* el-Beïda.

Maison-Blanche *(la),* en angl. **White House.** ♦ Résidence du président des États-Unis, à Washington. En 1791, George Washington fut autorisé à choisir un site pour établir sa résidence. Il engagea l'architecte Pierre-Charles L'Enfant* qui opta pour une petite crique ouvrant sur le Potomac. L'édification du bâtiment (1792-1800) fut confiée à James Hoban. Composée de deux étages, la maison fut reconstruite en 1817, sous la direction de Hoban qui ajouta des terrasses, puis en 1824 les portiques, semi-circulaires sur le côté S. et à colonnade sur le côté N. Les premiers occupants furent le président John Adams et son épouse (1800). La Maison-Blanche reçut son appellation *(White House)* en 1809, parce que sa pierre polie blanche contrastait avec la brique des édifices du voisinage.

Maison carrée *(la).* ♦ Temple romain de Nîmes (~ 16). Pseudopériptère hexastyle orné de colonnes corinthiennes, exemple de la fusion des styles étrusques et grecs réalisés par les Romains à l'époque augustéenne. Restauré par Jean Nicolas Durand*, il abrite actuellement le musée des Antiques.

MAISON-CARRÉE. ♦ V. HARRACH (El-).

Maison de Bernarda (La), en esp. **La Casa de Bernarda Alba.** ♦ Pièce de Federico García* Lorca (1936). Sur les hautes terres d'Andalousie, dans sa maison farouchement close, la vieille Bernarda séquestre ses cinq filles qui aspirent à la liberté et à l'amour.

Échappant à la surveillance tyrannique de sa mère, Adela cède à un jeune homme, dont une de ses sœurs est amoureuse. La pièce s'achève en tragédie, dans le cadre étouffant de cette maison devenue prison et tombe.

Maison de poupée *(Et Dukkehjem)*. ♦ Drame d'Ibsen* (1879). Dans l'intention de hâter la guérison de son mari, malade et sans ressources, Nora Helmer a secrètement contracté une dette. Elle a obtenu par un faux la garantie de ce crédit. Lorsque Torvald, le mari, découvre la vérité, il décide de traiter sa femme comme une esclave infidèle. Il se rassure pourtant quand il apprend que le créancier est disposé à restituer le reçu du crédit et se dispose à pardonner. Concevant qu'elle n'a été jusqu'alors qu'une poupée dans la maison de Torvald, Nora se révolte et quitte le foyer conjugal. La pièce, illustration de revendications féminines, entend aussi justifier la légitime aspiration de tout être humain à la liberté.

Maison dorée, en lat. **Domus Aurea**. ♦ Palais que Néron se fit construire sur l'Esquilin* après l'incendie de Rome (64) et qui fut en partie recouvert par les thermes de Trajan. L'intérieur était décoré de fresques auxquelles les artistes de la Renaissance italienne empruntèrent de nombreux motifs qui prirent le nom de *grotesques*.

MAISONNEUVE (Paul de CHOMEDEY *de***)**. ♦ Gentilhomme français (Neuville-sur-Vanne, Champagne, 1612 – Paris, 1676). Venu au Canada avec J. Mance*, il y fonda le bourg de Ville-Marie (*auj.* Montréal*, 1642). Il dut revenir en France à la suite d'intrigues, en 1665.

MAISONS-ALFORT. ♦ Ch.-l. de cant. du Val-de-Marne, arr. de Créteil. 53 671 hab. Église Saint-Remi (XIIe-XIIIe s.). École nationale vétérinaire. Cultures de champignons de Paris. Produits chimiques; indus. alimentaires; matériaux de construction; éditions.

MAISONS-LAFFITTE. ♦ Ch.-l. de cant. des Yvelines (arr. de Saint-Germain-en-Laye), sur la Seine, à l'E. de la forêt de Saint-Germain. 24 335 hab. *(Mansonniens* ou *Maisonnais)*. Lieu résidentiel; hippodrome. – Le *château de Maisons,* bâti de 1642 à 1651, pour René de Longueil, est de François Mansart*. En 1818, le banquier Jacques Laffitte l'acheta; ruiné, Laffitte fit lotir le parc et construire des pavillons; le château fut racheté par l'État en 1905 et transformé en musée. – Patrie de J. Cocteau*

MAISTRE *(comte* **Joseph** *de)*. ♦ Homme politique, écrivain et philosophe français (Chambéry, 1753 – Turin, 1821). Membre du sénat de Savoie, il émigra à Lausanne lors de la Révolution (1793), puis auprès de Charles-Emmanuel IV de Sardaigne dont il fut le ministre à Saint-Pétersbourg où il se lia avec Alexandre Ier de Russie. Adversaire résolu de la Révolution, il affirme son monarchisme et son attachement au pouvoir papal dans ses *Considérations sur la France* (1796) et *Du pape* (1819). Contre les « idéologues », il oppose à la raison, la foi et l'intuition (représentant de l'illuminisme). Sa conception de l'histoire se rapproche de celle de Bossuet (*Soirées de Saint-Pétersbourg,* 1821).

MAISTRE (Xavier *de***)**. ♦ Écrivain français, frère de Joseph de Maistre. (Chambéry, 1763 – Saint-Pétersbourg, 1852). Il embrassa la carrière des armes, puis, après la Révolution française, suivit son frère en Russie. On lui doit le *Voyage autour de ma chambre,* spirituelle fantaisie (1795), et des récits émouvants, comme *Le Lépreux* de la cité d'Aoste* (1811).

MAISÛR. ♦ V. MYSORE.

MAÎTRE DE FLÉMALLE. ♦ V. CAMPIN (Robert).

MAÎTRE DE L'ANNONCIATION D'AIX. ♦ (Actif à Aix-en-Provence, v. 1442-1445). Auteur d'un polyptyque (aujourd'hui dispersé), exécuté pour la cathédrale Saint-Sauveur. Le panneau central represente une annonciation et les volets latéraux des figures de prophètes. Aucune des identifications proposées (Jean Chapus, de Chambéry; Guillaume Donbet, etc.) n'a pu être confirmée. L'œuvre révèle une forte personnalité de formation flamande; mais la présentation des personnages et le traitement de la lumière apparaissent plus spécifiquement provençaux.

MAÎTRE DE MOULINS. ♦ V. MOULINS (Maître de).

Maître Jacques. ♦ Personnage de *L'Avare** de Molière, qui réunit les fonctions de cuisinier et de cocher d'Harpagon (d'où l'expression *un maître Jacques*).

Maîtres chanteurs, en all. **Meistersinger**. ♦ Membres de confréries religieuses allemandes dont les chants étaient destinés à embellir les offices. Ces confréries *(Meistersingerschule)* se transformèrent vers le milieu du XIVe s. en véritables corporations où la poésie se pratiquait selon des règles strictes. Heinrich* von Meissen qui, dit-on, créa la première école à Mayence et Heinrich* von Mügeln comptèrent parmi les premiers maîtres chanteurs. Les écoles les plus célèbres furent celles d'Ulm, d'Augsbourg, de Fribourg, de Colmar (G. Wickram*) et surtout de Nuremberg où Hans Folz* tenta de rénover un art qui se sclérosait et où Nunnenbeck* et Hans Sachs*, les héros des *Maîtres chanteurs* de R. Wagner*, exercèrent leur talent.

Maîtres sonneurs (Les). ♦ Roman de George Sand* (1853), consacré, comme *La Mare* au diable* et *La Petite Fadette,* à l'évocation des mœurs berrichonnes. À travers les péripéties d'une intrigue villageoise, G. Sand, par le personnage du « maître sonneur » (joueur de cornemuse), exprime ses idées sur la musique, soulignant l'opposition entre l'art musical traditionnel et la musique « inspirée », née dans les bois.

MAITREYA. ♦ Selon la cosmogonie bouddhique, Maitreya (*Miroku* en japonais) est le nom du Bouddha du futur. Il est généralement représenté comme un roi indien, couvert de bijoux. Il est, en Chine, le patron des orfèvres.

Ph. Hétier

Majorque : le cap Formentor.

MAIZIÈRES-LÈS-METZ. ♦ Comm. de la Moselle, arr. de Metz-Campagne. 9 834 hab. – Station d'essai de l'Institut de recherches de la sidérurgie. Constructions métalliques et mécaniques.

MAIZURU. ♦ V. du Japon (Honshû, Kyôto) et port sur la mer du Japon. 106 000 hab. Bois, conserveries. Base navale.

MAJANO. ♦ V. MAIANO.

Maja vestida; **Maja desnuda**. ♦ Noms de deux toiles de Goya* (« jeune fille vêtue; « jeune fille nue ») peintes v. 1804 et qui durent une partie de leur célébrité à la légende qui leur donnait pour modèle la duchesse d'Albe, à l'encontre de toute vraisemblance. Remarquable par le sujet, le nu étant fort rare dans la peinture espagnole, la *Maja desnuda,* d'une facture relativement mièvre (par rapport à l'ensemble de l'œuvre) et même la *Maja vestida,* plus sensuelle et plus délicate, n'atteignent pas la qualité sensible des portraits de femmes peints par Goya à cette époque.

MAJDANEK ou **MAÏDANEK**. ♦ Aggl. de la banlieue S.-E. de Lublin* où fut installé, entre 1941 et 1942, le plus grand camp d'extermination nazi en Pologne, après Auschwitz*.

MAJEUR *(lac)*, en it. **Lago Maggiore** ou **Verbano**. ♦ Lac alpin d'Italie du Nord séparant le Piémont de la Lombardie et dont l'extrémité N. appartient à la Suisse. 212 km². Il est traversé par le Tessin et renferme les *îles Borromées**. Stations de villégiature (Locarno*, Pallanza*, Stresa*).

MAJORIEN, en lat. **Flavius Julius Valerius Majorianus**. ♦ ([mort] Tortona, 461). Empereur romain d'Occident (457-461). Proclamé empereur par Ricimer*, il fut, quelques années plus tard, déposé et tué par ce dernier.

MAJORQUE, en esp. **Mallorca**. ♦ La plus grande île de l'archipel espagnol des Baléares*. 3 064 km², 363 200 hab. *(Majorquins)*. *Cap.* Palma*. L'île est formée d'une plaine centrale bordée au N.-O. et au S.-E. de deux cordons montagneux (point culminant : Puig-Mayor, 1 445 m). La côte, surtout au N.-O., est abrupte. L'île vit de la culture des céréales, des primeurs, des agrumes et de l'olivier. L'essor touristique est considérable (Sollér, Valdemosa, Pollensa, Formentor, Andraitx) et a entraîné celui de la construction (hôtels, etc.), notamment dans la baie de Palma. ♦ *Hist.* Peuplée dès la préhistoire, l'île fut successivement phénicienne, carthaginoise, romaine et arabe (Ve s.). Reconquise au XIIIe s. par Jacques* Ier d'Aragon, elle fit bientôt partie de l'éphémère *royaume de Majorque* (1276-1344), qui comprenait les Baléares, le Roussillon, la Cerdagne, Montpellier, et avait pour capitale Perpignan*. Dès le XIVe s., ce royaume fut annexé au royaume d'Aragon.

MA JUNG *(Ma Jong, Ma Rong)*. ♦ Philosophe chinois (79 – 166) de l'école des légistes, auteur de commentaires célèbres sur les « classiques » chinois et musicien réputé. Considéré comme un « esprit universel », on lui attribue plus de mille élèves.

MAJUNGA. ♦ V. et port de Madagascar* sur la côte N.-O. de l'île. 45 000 hab. Ville industrielle (indus. textiles; coton; cimenteries; indus. agricoles; huileries, etc.).

MAJURO. ♦ V. MARSHALL (archipel).

MAKÂLU. *n. m.* ♦ Sommet de l'Himâlaya*, sur la frontière népalo-tibétaine, le 5e du monde avec 8 515 m. Il fut atteint en 1953 et en 1955 par une équipe française d'alpinistes et de sherpas.

MAKARENKO (Anton Semionovitch). ♦ Pédagogue et écrivain soviétique (Bjelopolje, Ukraine, 1888 – Moscou, 1939). Professeur d'histoire, il se consacra à l'éducation et à la réadaptation des adolescents par le travail en commun. Il écrivit *La Marche de 1930* (1932), *Le Livre pour les parents* (1937), *Les Drapeaux sur les tours* (1938). Son *Poème pédagogique* (1933-1935), histoire d'une colonie d'enfants criminels et vagabonds, est « l'un des plus poignants documents que l'humanité aura produits » (Aragon).

MAKARIOS III (Mikhaïl Khristodoulos Mouskos). ♦ Prélat et homme d'État chypriote (Ano Panaïa, 1913 —). Archevêque de Chypre* (1950) et « ethnarque » (chef national) pendant la lutte pour l'indépendance de l'île, il fut élu président de la République en 1960, 1968 et 1973.

MAKASAR ou **MACASSAR.** ♦ Île d'Indonésie du groupe des Célèbes* (Sulawesi). — Sa capitale, port d'exportation. 500 000 hab. Après avoir été un centre d'expédition des épices (XVIe-XIXe s.), ce port exporte maintenant surtout le bois et les produits artisanaux ou agricoles des Célèbes (coprah, teck, rotin). — Le *détroit de Makasar,* de 140 km de large, sépare les Sulawesi* de Bornéo*.

MAKATEA. ♦ Île de l'archipel des Tuamotu* (Polynésie française), formation corallienne relativement élevée. Phosphates (en voie d'épuisement).

MAKEÏEVKA ou **MAKEEVKA,** anc. **Dmitrievsk.** ♦ V. d'U.R.S.S. (Ukraine) dans le Donbass*. 393 000 hab. Important centre sidérurgique et charbonnier.

MAKHATCHKALA (jusqu'en 1921 **Petrovsk-Port**). ♦ V. et port d'U.R.S.S. (R.S.F.S. de Russie), cap. du Daghestan*, sur la mer Caspienne*. 186 000 hab. Centre culturel. Université fondée en 1957. Indus. pétrolières, métallurgiques, chimiques, textiles et alimentaires (conserveries de poissons).

MAKHNO (Nestor). ♦ Guérillero anarchiste ukrainien (1889 — Paris, 1935). Après la révolution d'octobre 1917, il organisa les masses paysannes du sud de l'Ukraine pour lutter contre les troupes d'occupation allemandes et autrichiennes et contre les forces blanches. L'armée rouge soutint celle de Makhno contre Denikine (1919), puis contre Wrangel (1920); mais, le danger contre-révolutionnaire écarté, elle entreprit des opérations militaires contre les insurgés anarchistes **(V. Voline)**. Makhno dut finalement abandonner une lutte inégale et parvint à se réfugier en Roumanie (1921) puis à Paris. On a pu voir depuis dans la « makhnovstchina » le type du mouvement indépendant des masses paysannes et la préfiguration de la guerre de guérilla.

MAKRIYANNIS (Yannis). ♦ Homme de guerre et écrivain grec (1797 — 1864). Général pendant la révolution nationale grecque, il fut un des protagonistes de l'insurrection qui imposa à Othon* la Constitution. Ses *Mémoires,* d'une remarquable veine narrative, sont un chef-d'œuvre de la langue démotique.

MAKUNG. ♦ V. de Chine, port principal des îles P'eng*-hu Lieh Tao (Pescadores), sous juridiction de la république de Taiwan. 60 000 habitants.

MALABÂR. *n. m.* (ou **côte de Malabâr**). ♦ Région littorale de l'Inde occidentale, comprenant une partie des provinces du Mysore* et du Kerala*, au sud de Goa*. Très fertile, cette région abrite de nombreux ports exportateurs d'épices et de bois, de coprah et de thé, de café. Son port principal est Cochin*.

MALABO. ♦ Nom pris par Santa* Isabel en 1973.

MALACCA. ♦ **V. MALAKA.**

Malachie *(livre de).* ♦ Livre de la Bible, un des douze petits prophètes (trois chapitres); ouvrage anonyme (début ~ Ve s.) ainsi nommé d'après III, 1 : « Voici que j'envoie mon messager » (mon messager = *mal 'âkî* [Malachie], en hébreu).

MALACHIE [malaʃi] *(saint).* ♦ Prélat d'Irlande (Armagh, 1094 — Clairvaux, 1148). De simple abbé, il devint archevêque d'Armagh puis primat d'Irlande. Il abandonna bientôt les honneurs pour retourner à son premier évêché y exercer les vertus d'humilité et de charité chrétienne. Devenu l'ami de saint Bernard* de Clairvaux lors d'un voyage qu'il fit à Rome, il introduisit la règle cistercienne en Irlande et fut le grand réformateur de l'Église irlandaise du déb. du XIIe s. Il mourut à Clairvaux alors qu'il se rendait pour la seconde fois à Rome, et fut assisté par saint Bernard, qui a écrit sa vie. — Les *Prophéties de Mâlachie* qui, en réalité, sont apocryphes et ne remontent pas au delà du XVIe s., donnent la liste complète des papes depuis le milieu du XIIe s. jusqu'au pape de la fin des temps (qui s'appellerait Pierre II).

Malade imaginaire (Le). ♦ Comédie en trois actes et en prose de Molière*, avec un prologue et trois intermèdes (1673). En dépit d'une santé robuste, Argan est persuadé qu'il est malade, et son tourment, bien réel, le fait recourir sans cesse aux avis des médecins et des apothicaires. Le même désir d'être tenu pour souffrant le fait s'abandonner comme un enfant aux soins de Béline, sa seconde femme, hypocrite et intéressée. Il a formé le projet de donner pour époux à sa fille Angélique Thomas Diafoirus*, jeune médecin benêt et ridicule. Une ruse de Toinette, servante d'Argan, contribuera à démasquer Béline. Angélique pourra épouser Cléante, le jeune homme qu'elle aime. C'est au cours de la quatrième représentation de cette comédie riche de résonances sur le thème de la vie et de la mort que Molière fut pris du malaise qui annonçait sa brusque fin, survenue quelques heures plus tard.

MALADETTA ou **MALADETA,** *n. f.,* ou **Montes Malditos** (« monts maudits »). ♦ Massif des Pyrénées espagnoles (Aragon*) où se trouvent les plus hauts sommets des Pyrénées : pic d'Aneto (3 404 m), pic du Milieu (3 354 m) et *pic de la Maladetta* (3 212 m). La Garonne* prend sa source sur le versant N. du massif.

Ph. Lipnitzki/Viollet

Curzio Malaparte.

Maladie infantile du communisme (Le Gauchisme,). ♦ Œuvre de Lénine* (1920). Au lendemain de la prise du pouvoir par les bolcheviks (1917) et de la victoire sur la contre-révolution, Lénine exposa la thèse selon laquelle la révolution socialiste et la dictature du prolétariat n'ont pu et ne peuvent être possibles que par « une centralisation absolue et la plus rigoureuse discipline du prolétariat », et mit en garde contre le sectarisme et le dogmatisme des déviations gauchistes.

MÁLAGA. ♦ V. d'Espagne méridionale, en Andalousie*. Ch.-l. de prov. sur la Méditerranée*. 309 000 hab. Évêché. Cathédrale Renaissance (XVIe-XVIIIe s.). Forteresses mauresques : Alcazaba (IXe s.) et Gibralfaro (XIVe s.). Le port exporte les produits agricoles de la région (vins, fruits, sucre, primeurs). Indus. (sidérurgie, chimie); tourisme. La *prov. de Málaga* produit un vin liquoreux réputé.

MALAGUTI (Faustino). ♦ Chimiste français d'origine italienne (Pragatto, près de Bologne, 1802 — Rennes, 1878). Il énonça une théorie de l'affinité. **V. Dumas.**

MALAIS. *n. m. pl.* ♦ Peuple asiatique occupant la presqu'île de Malaka et les îles de la Sonde ainsi que la plupart des archipels de l'Océanie et les Philippines. Les Mérinas du plateau central de Madagascar sont également d'origine malaise. Les Malais doivent leur appellation à Malayu (Jambi), capitale du royaume malais (province de Sumatra) au XIIIe siècle. Leur langue est parlée par plus de 80 millions de personnes. Les textes littéraires malais n'apparurent qu'après l'islamisation du pays, vers le XVIe siècle. L'écriture arabe, avec des influences persanes, remplaça alors l'alphabet originel (la langue malaise s'écrit maintenant avec des lettres romaines). La chronique *Sedjarah Malâyu* constitue le monument initial de la littérature malaise.

MALAISIE. *n. f.* ♦ Nom géographique de la péninsule d'Asie du S.-E. qui prolonge la Thaïlande et la Birmanie. — Nom français de l'État de Malaysia. **V. Malaysia.** — Région de la fédération de Malaysia, comprenant les 9 États princiers de la péninsule malaise. Elle constitue la *Malaysia occidentale.*

MALAITA. ♦ Île de la chaîne orientale de l'archipel des Salomon*.

MALAKA ou **MALACCA** *(presqu'île de).* ♦ Péninsule de l'Asie du S.-E., en forme de triangle, baignée à l'O. par l'océan Indien (mer d'Andaman*), séparée au S.-O. de l'île de Sumatra* par le *détroit de Malaka* ou *Malacca* (780 km orienté N.O.-S.E., largeur minimale 55 km, route de grandes lignes de navigation vers l'Extrême-Orient), baignée à l'E. par la mer de Chine méridionale (golfe de Siam*). La presqu'île est rattachée au continent par l'isthme de Kra*; elle est partagée entre la Thaïlande* et la Malaysia*.

MALAKA ou **MALACCA.** ♦ Ville de Malaysia* sur la côte occidentale de la péninsule malaise. 400 000 hab. Grand port d'escale et de commerce (caoutchouc, épices, étain, bois). ♦ *Hist.* Le port, fondé en 1402 par un prince malais, fut pris par les Portugais en 1511. Les Hollandais, puis les Britanniques, s'y succédèrent. Il revint à la fédération malaise en 1946.

MALAKOFF ou **MALAKOV** *(tour).* ♦ Important ouvrage défensif qui protégeait Sébastopol* durant la guerre de Crimée. La prise du bastion, par la division de Mac*-Mahon (8 sept. 1855) entraîna peu après la chute de Sébastopol. Bosquet* y fut grièvement blessé et Pélissier*, commandant du corps français, fut fait maréchal et *duc de Malakoff.*

MALAKOFF. ♦ Ch.-l. de cant. des Hauts-de-Seine (arr. d'Antony), dans la banl. S. de Paris. 36 297 hab. *(Malakoffiots).*

École supérieure d'électricité; musée des Transports en commun. – Métallurgie; indus. chimique.

MALAN (Daniel). ♦ Homme d'État sud-africain (1874 – 1959). Pasteur de l'Église réformée, leader du parti national du Cap, il entra au Parlement en 1918, puis fit partie du gouvernement Hertzog (1924). Mais en 1933, il se sépara de ce dernier, qui s'était rapproché de Smuts* et fonda le *parti nationaliste unifié,* qui devait se prononcer pour la neutralité de l'Afrique du Sud en 1939. Devenu Premier ministre en 1948, il opta pour la politique de ségrégation raciale *(apartheid).* **V. Afrique du Sud,** *hist.*

MALANG. ♦ V. de l'Indonésie (E. de Java), au S.-O. de Surabaja, sur le fleuve Brantas. 350 000 hab. Cultures du café, coton, canne à sucre, tabac dans la région. Indus. métallurgiques, textiles, du bois.

MALAPARTE (Kurt SUCKERT, dit Curzio). ♦ Écrivain italien. (Prato, Toscane, 1898 – Rome, 1957). Élevé loin de sa famille, auprès de pauvres paysans toscans, il s'échappa en 1914 pour s'engager dans l'armée française (Cf. *La Révolte des saints maudits,* 1921), avant de retourner en Italie et de s'y inscrire (1922) au parti fasciste. Ses premiers écrits exaltèrent Mussolini et l'idéologie fasciste : *Les Noces des eunuques* (1922), *L'Italie contre l'Europe* (1923) et *L'Italie barbare* (1925) lui acquirent la notoriété. Son indépendance d'esprit ayant entraîné la rupture avec les fascistes (1931), Malaparte se rendit à Paris où il écrivit, en français, *Technique du coup d'État* (1931) et *Le Bonhomme Lénine* (1932), interdits en Italie et en Allemagne. – En 1933, rappelé en Italie par Mussolini, il fut mis en résidence surveillée aux îles Lipari (1933-1938) avant d'être envoyé sur les fronts français (1940), puis russe (1941) comme correspondant de guerre; il écrivit alors *Le Soleil est aveugle* (*Il Sole è cieco,* 1941), condamnation implicite de l'agression italienne contre la France, et *Sang* (1937) où il exprimait avec force l'horreur que lui inspirait la guerre. *Kaputt* (1944) dépeint l'Europe en guerre, et *La Peau* (1949) évoque la misère et la honte de l'Italie d'après-guerre. Mélange de cruauté ostensible et de pitié secrète, ces reportages cultivent un humour glacé, où la drôlerie s'allie au macabre. – Ce regard aigu de moraliste se retrouve dans *Io in Russia e in Cina* [moi en Russie et en Chine] (1958) et, surtout, dans *Maudits Toscans* (*Maledetti Toscani,* 1957).

MÄLAR ou **MÄLAREN** *(lac).* ♦ Grand lac de Suède, communiquant à Stockholm* avec un bras de la mer Baltique*, le Saltsjön. 1 140 km². Longueur : 120 km. Il comprend plus de 200 îles.

MALASSEZ (Louis Charles). ♦ Histologiste et physiologiste français (Nevers, 1842 – Paris, 1909). Élève de Potain*, il fut, avec lui, un des premiers à pratiquer la numération des globules sanguins. (Acad. méd., 1894.)

MALATESTA. ♦ Famille de condottieri italiens qui régna sur Rimini et une partie de la Romagne aux XIIIe et XVe siècles. Ils appartenaient au parti guelfe. ♦ MALATESTA DA VERUCHIO, dit *le Centenaire* (1212 – 1312). Il chassa les gibelins et fut nommé duc de Rimini. ♦ GIANCIOTTO MALATESTA, dit *le Déhanché.* Fils du précédent ([mort] 1304). Il tua sa femme, Francesca* da Rimini. – Au début du XIVe s. les *Malatesta* s'emparèrent de presque toute la marche d'Ancône. Ils luttèrent contre le Saint-Siège, mais furent nommés vicaires de l'Église en 1355. Ils s'allièrent aux Visconti et aux Sforza et pratiquèrent le mécénat. ♦ CARLO MALATESTA (1364 – 1429) fut un érudit. ♦ DOMENICO MALATESTA NOVELLO (1418 – 1465) fonda la bibliothèque de Cesena. ♦ SIGISMONDO PANDOLFO MALATESTA, en français Sigismond Malatesta (1417 – 1468). Il contracta des alliances matrimoniales avec les Este et les Sforza et combattit d'abord pour le Saint-Siège, puis pour Venise. Il mena la guerre contre Pie II (luttant notamment contre Federigo III de Montefeltro*), mais fut vaincu à Senigallia (1461) et, après son excommunication et la campagne de diffamation menée contre lui, dut se réconcilier avec le pape (1463). Il ne gardait que Cesena et Rimini. Humaniste, il protégea les savants. Il fit construire la *Rocca Malatestiana,* fortification de Rimini (1438-1448) et l'église Saint-François. C'est lui qui a inspiré à Montherlant le personnage de *Malatesta.* – En 1528, Rimini tomba au pouvoir de Clément VII.

Ph. Nino Cirani/Ricciarini

Habitations typiques des environs du lac **Malawi**.

MALATESTA (Errico). ♦ Révolutionnaire anarchiste italien (prov. de Caserte, 1853 – 1932). Membre de la fraction bakouninienne de la Ire Internationale, il se fit le défenseur du « communisme libertaire », se rapprochant des positions de Kropotkine*. Opposé à la Première Guerre mondiale, il employa ses dernières années à animer l'Union syndicale italienne et le journal *Umanità Nova* et à lutter contre le fascisme (*Anarchie et Organisation,* 1927).

MALATYA. ♦ V. de Turquie, en Anatolie orientale, au pied du Taurus* oriental. Ch.-l. de la province homonyme. 104 428 hab. L'agglomération compte 174 472 hab. (1965). Ruines assyriennes (enceinte; palais de Sargon II). – Cimenteries, sucrerie, indus. textile. ♦ *Hist.* Malatya fut fondée en 1838 à proximité de l'anc. *Milidia* (actuellement à Aslantepe), qui fut une importante ville hittite à partir du ~ XIIe s., envahie par les Assyriens au début du ~ VIIIe siècle. La ville réapparaît sous le nom de *Mélitène,* au N. de la précédente (actuellement à *Eski Malatya*), durant la période romaine. À l'intérieur de l'enceinte (VIe s.) dont subsistent quelques vestiges, se trouvent une mosquée de l'époque saljûqide (XIIIe s., remaniée aux XIV-XVe s.) et un caravansérail (XVIIe s.).

MALAUCÈNE. ♦ Ch.-l. de cant. du Vaucluse*, arr. de Carpentras*. 1 940 hab. Église romane. Cultures fruitières. Fabrique de papier à cigarettes.

MALAUNAY. ♦ Comm. de Seine-Maritime dans la banlieue de Rouen. 4 230 hab. *(Malaunaisiens).* Indus. textile et alimentaire. Chaudronnerie.

MALAWI. *n. m.* (anc. **Nyasaland**). ♦ État de l'Afrique orientale, limité par la Zambie* à l'O., la Tanzanie* au N. et au N.-E. et le Mozambique* à l'E., au S. et au Sud-Ouest. 119 310 km². 4 400 000 hab. *Cap.* Lilongwe*. *Langues :* anglais (off.), dialectes bantous. *Pop.* **V. Bantous.** *V. princ.* **V. Blantyre-Limbe, Zomba.** – *Orogr. et climat.* Le pays a une forme étroite et allongée du nord au sud. Il est formé d'une succession de plateaux et de reliefs très élevés au S.-E., s'abaissant vers le lac Malawi* pour former une étroite plaine littorale. Le climat, tropical, est modifié par l'altitude. – *Écon.* Elle est essentiellement agricole (1/4 de sa surface est cultivable), les principales cultures d'exportation étant le tabac et le thé, puis le coton, le café et l'arachide. La pêche est importante sur les rives du lac. Le Malawi constitue une réserve de main-d'œuvre pour les États voisins plus industrialisés. [*Carte.* **V. Kenya**] ♦ *Hist.* Le protectorat britannique sur le Nyasaland fut établi en 1891 après les explorations de Livingstone*. En 1953, le Nyasaland s'opposa violemment à la création de la *Fédération Rhodésies-Nyasaland* ou Fédération d'Afrique centrale et des révoltes pour l'autonomie éclatèrent en 1959. En 1963, il obtint son autonomie, la fédération fut dissoute quelques mois plus tard et en 1964 le Nyasaland devint État indépendant membre du Commonwealth*, sous le nom de Malawi.

MALAWI *(lac),* anc. *lac* **Nyasa.** ♦ Grand lac de l'Afrique orientale formant la frontière entre la Tanzanie* et le Malawi* 26 000 km². Il est partagé entre le Mozambique* et le Malawi*. Pêche importante.

MALAYSIA *(fédération de). n. f.* ♦ État d'Asie du S.-E., constitué par la *Malaysia occidentale* (ou péninsule de Malaisie), 131 312 km², qui prolonge la Thaïlande et la Birmanie, et par la *Malaysia orientale,* 201 320 km², située dans le N. de l'île de Bornéo (États de Sarawak et de Sabah). 11 000 000 d'hab. *(Malaysiens). Cap.* Kuala Lumpur. *Langue off.* malais. *Religions* musulmane (off.), bouddhique, ... La péninsule malaise est occupée en son centre par une chaîne de montagnes (Cameron Highlands). Le relief s'abaisse vers le sud. Les 5 000 km de côtes malaises sont bordés d'îles (Penang). Sur les côtes marécageuses croît la mangrove. Les plaines côtières sont formées de matériaux arrachés à la montagne. Les rivières, courtes, débordent souvent durant la période de mousson (Sungei Pahang : 320 km). Les États du N. de Bornéo possèdent des montagnes élevées (Kinabalu, 4 175 m; Gunong Murud, 2 423 m), des plaines littorales étroites et une plaine alluviale marécageuse (Sarawak). Située à proximité de l'Équateur, la Malaysia possède un climat uniformément chaud toute l'année. Les saisons sont uniquement différenciées par la mousson. La forêt vierge qui couvre le pays abrite une faune extrêmement variée. La diversité des races caractérise la population de Malaysia. Malais (45 %), Chinois (40 %), Indiens et Pakistanais (11 %) s'y côtoient. Les Chinois tiennent en main l'économie au détriment des Malais. Des aborigènes vivent dans les forêts : les Négritos et les Senoï. Les Dayaks, anciens coupeurs de têtes, occupent le territoire de Sarawak. L'économie malaise repose sur la production et l'exportation de l'étain (64 000 t) et de l'hévéa (1 440 000 t). De nombreuses essences de bois précieux (ébène, santal, teck) sont exploitées en Malaysia orientale. La riziculture reste la culture traditionnelle. Palmiers à huile, cocotiers, ananas, etc. L'industrialisation du pays est en cours (région du détroit de Malaka) : aciéries, cimenteries, constructions mécaniques, transformation du caoutchouc et du bois, indus. pharmaceutique, indus. alimentaire, textile, etc. – *Commerce :* exportations d'étain, fer, caoutchouc, bois; importation de carburants, de biens d'équipement et de produits alimentaires. *Princ. partenaires :* Singapour, Japon, États-Unis et Grande-Bretagne. *Communications :* 21 000 km de routes, en général asphaltées. 2 200 km de voies ferrées. Aéroports internationaux à Kuala Lumpur et Penang. *Princ. ports :* Penang*, Port Dickson, Malaka*, Port Swettenham.

Malaysia.

♦ *Hist.* Au ~ IIIe millénaire, des tribus mongoloïdes venues du N. s'installèrent en Malaisie. Aux alentours de l'ère chrétienne, les Yüeh (Vietnamiens) leur apportèrent la technique du bronze. La Malaisie, recevant la civilisation indienne (bouddhisme, écriture), devint vers le VIIe s. un État dépendant des pays hindouisés (empire de Śrîvijaya du VIIe au XIVe s., dont la capitale était Palembang à Sumatra). Le royaume de Malaka*, fondé en 1403, entreprit la conquête de toute la Malaisie. En 1511, Albuquerque attaqua la ville et y créa un comptoir portugais. Malaka passa ensuite aux mains des Hollandais (1641), puis des Anglais (1824). En 1786, les Anglais louèrent au sultan de Kedah l'île de Penang. Sir T.S. Raffles acheta Singapour* (1819) et en fit un point stratégique. En 1914, tous les États malais se trouvèrent placés sous la protection britannique. Les Japonais bombardèrent Singapour en 1941 et occupèrent la Malaisie jusqu'en 1945. Après la guerre, le pays revint à la couronne britannique. Malaka et Penang restèrent possessions anglaises jusqu'en 1946; Singapour devint autonome en 1959. La *Federation of Malaysia* fut créée en 1948 et la Malaisie obtint l'autonomie interne à la conférence de Londres (1956). L'indépendance fut proclamée le 31 août 1957. Le pays prit le nom de Malaysia après le rattachement du Sarawak et du Sabah (anc. colonies anglaises du Nord Bornéo) et de Singapour (1963). Cette dernière quitta la Fédération en août 1965.

MALÂYU. *n. m.* ♦ Ancien royaume indianisé de la côte orientale de l'île de Sumatra* qui fut prospère au VIIe s. de notre ère. Il fut conquis vers 690 par le royaume malais de Śrîvijaya .

MALBAIE (La), en angl. **Murray Bay.** ♦ Localité du Canada (Québec) sur la rive N.-O. du Saint-Laurent, à son embouchure. Pâte à papier.

MALBROUGH. ♦ Nom altéré de Marlborough*.

MALCOLM. ♦ Nom de quatre rois d'Écosse (X^e au XIIe s.). ♦ MALCOLM III CANMORE (v. 1031 – près d'Alnwick, Northumberland, 1093). Roi d'Écosse (1058-1093). Fils de Duncan Ier, il vainquit Macbeth* et monta sur le trône. Il combattit Guillaume le Conquérant puis Guillaume II le Roux qui le vainquit et le tua. Père de Duncan* II et de David* Ier.

MALCZEWSKI (Antoine). ♦ Poète polonais (Varsovie, 1793 – *id.*, 1826). Officier, il démissionna de l'armée (1815) et voyagea en Europe, notamment en Italie, où il devint l'ami de Byron. Influencé par ce dernier, il écrivit son seul poème romantique et pessimiste, *Maria* (1825), évoquant la vie en Pologne au XVIIe siècle.

MALDEGEM. ♦ Comm. de Belgique (Flandre-Orientale, arr. d'Eeklo). 14 100 hab. – Indus. alimentaires et textiles.

MALDIVES *(îles).* ♦ Archipel de l'océan Indien, situé au S. de celui des îles Laccadive. Env. 300 km². 119 000 habitants. *Cap.* Malé* (15 000 hab.) dans l'île du même nom. Pêcheries, coprah, arbres à pain, maïs, fruits. ♦ *Hist.* Ces îles, découvertes en 1834, se constituèrent en sultanat musulman (habitants apparentés aux Cinghalais), indépendant, qui se transforma en 1952 en république, membre du Commonwealth.

MÂLE (Émile). ♦ Historien d'art français (Commentry, 1862 – Chaalis, Oise, 1954). Professeur d'histoire de l'art chrétien à la Sorbonne, il s'est spécialisé dans l'histoire de l'art religieux médiéval : *Art religieux de la fin du Moyen Âge en France* (1908); *L'Art allemand et l'Art français du Moyen Âge* (1917); *Arts et Artistes du Moyen Âge* (1927). Il dirigea la publication d'une importante *Histoire de l'art.* (Acad. fr., 1927.)

MALÉ. ♦ Cap. de la république des Maldives* (océan Indien), située dans l'île du même nom. 15 000 hab. Anc. résidence du sultan.

MALEBRANCHE (Nicolas). ♦ Philosophe et théologien français (Paris, 1638 – 1715). Entré à l'Oratoire, il fut ordonné prêtre en 1664, année où il découvrit la philosophie de Descartes* qui suscita en lui un véritable enthousiasme. En 1674 et 1675, il publia *De la Recherche* de la vérité;* puis son *Traité de la nature et de la grâce,* dont les thèses furent critiquées par Bossuet, Fénelon et Arnauld. Le *Traité de morale* parut en 1683 et *Les Entretiens sur la métaphysique et la religion* en 1688. Renouant avec l'augustinisme (et même le platonisme), c'est dans un sens religieux qu'il développa le cartésianisme dont il se sépare par la thèse de « l'occasionnalisme » et celle de la « vision de Dieu ». La première fait de la volonté divine la seule cause efficiente de ce qui se produit dans la nature où tout s'enchaîne mécaniquement. Par la seconde, il affirme que l'entendement (étincelle de la raison divine en l'homme) connaît clairement et distinctement « en Dieu » les idées (au sens platonicien de modèles, d'archétypes) des choses matérielles dont l'essence est « l'étendue intelligible ». Notre volonté, dépravée par le péché originel, est la source de nos erreurs et de nos passions alors que la méditation et l'amour de l'ordre immuable (par la méditation du Christ) rendent possibles la liberté d'esprit et l'effort de volonté.

MALEGAON *(Mâlegâm).* ♦ V. de l'Inde (Mahârâṣtra), à 200 km au N.-E. de Bombay. 260 000 hab. Centre agricole.

MALENKOV (Gheorghi Maximilianovitch). ♦ Homme politique soviétique (Orenbourg, 1902 –). Chef du secrétariat personnel de Staline (1932), il joua un rôle important dans les « purges » du parti bolchevik (1935-1938). Membre du Comité central (1939), puis membre suppléant du Bureau politique (févr. 1941), il assuma pendant la Deuxième Guerre mondiale la responsabilité de la production aérienne, en tant que membre du comité restreint de la Défense nationale. En 1946, il devint membre du *politburo,* vice-président du Conseil des ministres et second secrétaire du parti. Après la mort de Staline (mars 1953), il lui succéda à la tête du gouvernement, mais dut confier à Khrouchtchev* le poste de secrétaire général du parti. En février 1955, il dut reconnaître l'échec de sa politique agricole et demanda à être relevé de ses fonctions de Premier ministre. Remplacé par le maréchal Boulganine*, il redevint vice-président du Conseil des ministres. Dénoncé comme membre du « groupe antiparti », il fut exclu du Comité central et envoyé à Oust-Kamenogorsk (Kazakhstan), en qualité de directeur d'une centrale hydro-électrique (1957).

MALESHERBES [mal(ə)zɛʀb] **(Chrétien Guillaume de LAMOIGNON *de*).** ♦ Homme politique français, fils de Guillaume de Lamoignon (Paris, 1721 – 1794). Substitut du procureur général (1741), conseiller d'État au Parlement de Paris (1744), il fut nommé premier président de la Cour des aides et directeur de la librairie (1750) et contribua à assurer la liberté de la presse, protégeant les « philosophes » et la publication de l'*Encyclopédie.* Hostile à Maupeou, il fut contraint de se retirer quelque temps à Pithiviers (1771). Rappelé en 1775 comme secrétaire de la Maison du roi et des provinces, il tenta quelques réformes, mais dut donner sa démission dès 1776. Membre du Conseil du roi (1787-1788), il contribua à faire accorder l'état civil aux protestants (1787). Émigré au début de la Révolution, il revint peu après pour apporter son appui au roi dont il prit la défense devant la Convention (*Mémoire pour Louis XVI,* publié après le procès du roi). Il fut exécuté sous la Terreur. (Acad. fr.)

MALESHERBES. ♦ Ch.-l. de cant. du Loiret, arr. de Pithiviers, dans la vallée de l'Essonne. 3 013 hab. *(Malesherbois).* Église Saint-Martin (XIIe, XIIIe, XVe s.); château (XVe-XVIIIe s.). – Reliure industrielle.

MALESTROIT [maletʀwa]. ♦ Ch.-l. de cant. du Morbihan, arr. de Vannes, sur l'Oust. 2 483 hab. Église Saint-Gilles (XIIe-XVIe s.); nombreuses maisons anciennes. ♦ *Hist.* Ancienne ville fortifiée, elle fut une des neuf baronnies de Bretagne.

MALET (Claude François *de*). ♦ Général français (Dole, 1754 – Paris, 1812). De famille noble, il se rallia à la Révolution et fut capitaine à l'armée du Rhin (1792) et général dès 1799. Hostile à Napoléon, il fut arrêté en 1808 et séjourna dans une maison de santé. Ayant préparé une conspiration contre Napoléon, il s'évada dans la nuit du 22 au 23 oct. 1812, annonça la mort de l'empereur, entraîna quelques troupes parisiennes, libéra les généraux républicains Guidal et Lahorie et prépara un gouvernement provisoire. Mais le général Hulin, commandant la place de Paris, lui résista et il fut arrêté. Il fut fusillé le 29 oct. Cet événement précipita le retour de Russie de Napoléon.

MALEVICH ou **MALEVITCH (Kazimir Serevinovitch).** ♦ Peintre, dessinateur et écrivain russe (Kiev, 1878 – Leningrad, 1935). Il étudia à partir de 1896 à l'école d'art de Kiev, puis s'établit à Moscou. Il se lia avec Larionov* et N. Gontcharova et participa aux groupements du *Valet de carreau* (1910), de la *Queue d'âne* (1912) et de la *Cible* (1913). À partir de 1908-1909, il représenta des scènes de travail où s'expriment ses préoccupations d'ordre social et qui révèlent l'influence du dessin simplifié de Gauguin et de Matisse, ainsi qu'un traitement de la forme et de la couleur qui s'inspire de l'imagerie populaire (*Pédicure dans la salle de bains,* 1908-1909; *Les Cireurs,* 1911). Il interpréta ensuite les apports du cubisme et du futurisme d'une façon personnelle; morcelant l'espace, il créa à partir d'éléments tubulaires et coniques des personnages massifs fortement plastiques qui évoquent les formes de Léger* (*Le Scieur de bois,* 1911; *Matin à la campagne,* 1912-1913). Vers 1913-1914, il s'inspira des compositions synthétiques et des papiers collés cubistes, procédant à des rapprochements de motifs (*Lettres d'imprimerie)* et d'objets dont le caractère irrationnel et hétéroclite annonce l'esprit dada. S'orientant ensuite vers la non-figuration, il produisit les décors de *Victoire sur le soleil,* opéra de Kroutchenik (1913) en prenant comme motifs exclusifs des formes géométriques élémentaires et des couleurs pures. Le caractère radical de sa démarche apparut avec force en 1915 lors de l'exposition d'avant-garde « 0,10 » à Saint-Pétersbourg : il y présenta trente-cinq toiles strictement abstraites et notamment un dessin qui fit scandale, le *Carré noir sur fond blanc.* Ces œuvres établies à partir de l'agencement géométrique de motifs simples : carré, triangle, cercle et croix se détachant sur fond blanc, illustraient le *suprématisme,* nouveau mouvement dont Malevitch publiait en même temps le manifeste. Évoluant ensuite vers le « suprématisme dynamique », il créa des compositions plus complexes agencées suivant des directions diagonales et où il adoptait aussi le motif des figures en zigzag et incurvées. En 1918, il fut chargé de diriger un atelier à la première école d'art appliqué de Moscou; il enseigna ensuite à Vitebsk, puis il fut muté à Petrograd. Il déplaça son centre d'activité « sur le front de l'architecture », voulant comme les constructivistes Tatlin et Rodchenko* mettre son art au service de la collectivité. Après l'évolution du régime, sa trace se perd; il semble qu'il ait obtempéré aux directives du réalisme socialiste *(Autoportrait).* Il avait eu cependant en 1927 l'autorisation de se rendre en Allemagne à l'occasion d'une rétrospective de son œuvre et il y prépara la publication de son ouvrage *Le Monde de la non-représentation* (ou *Le Monde sans objet*) qui fut ensuite publié par le Bauhaus*. Esprit mystique en quête d'absolu et chez qui l'expérience picturale était inséparable d'une interrogation métaphysique, il cherchait à accéder au « point suprême » : « Le suprématisme, notait-il, exprime le rien devenu question ». Il avait en effet peint v. 1919-1920 : *Un carré blanc sur fond blanc,* soulignant qu'il avait atteint « le monde blanc de l'absence d'objet qui est la manifestation du rien dévoilé ». Cette œuvre constituait à la fois un défi et l'aboutissement d'une réflexion portant sur les principes mêmes de la peinture (notions du rapport forme-fond; du contraste couleur-non-couleur, forme-non-forme et de la variation : blanc sur blanc). Malevitch avait par là même rendu sensible la limite au delà de laquelle la peinture est annihilée; par une variation à peine perceptible, il déterminait le seuil minimum de la perception esthétique. Ayant abandonné le sujet, car, soulignait-il,« l'art du passé avait donné refuge à toute sorte de sentiments étrangers à sa nature », il s'affirmait comme l'un des premiers fondateurs de l'abstraction géométrique et presque aussitôt en montrait les limites.

MALEVILLE (Jacques, *marquis de***).** ♦ Homme politique et juriste français (Domme, Périgord, 1741 – *id.,* 1824). Avocat, membre du Conseil des Anciens*, il fit partie de la commission nommée par Bonaparte en 1800 pour l'élaboration du Code* civil.

MALFANTE (Antonio). ♦ Explorateur génois (Gênes, v. 1410 – Majorque, v. 1450). Il fut le premier Occidental à explorer le Touat (groupe d'oasis du Sahara central) en 1447. La relation de son voyage fut publiée en 1918 (par Ch. de La Roncière).

MALFILÂTRE (Jacques Charles Louis *de* **CLINCHAMP** *de***).** ♦ Poète français (Caen, 1733 – Paris, 1767). Marmontel le fit connaître en publiant dans *le Mercure* la meilleure de ses odes : *Le Soleil fixe au milieu des planètes* (1759). Mort prématurément, il laissa, outre une traduction en vers de Virgile dont subsistent des fragments, un poème en quatre chants : *Narcisse dans l'île de Vénus,* qui fut publié à titre posthume en 1769.

MALGOVERT. ♦ Localité de la Savoie. Centrale hydro-électrique sur l'Isère.

MALHERBE (François *de***).** ♦ Poète français (Caen, 1555 – Paris, 1628). Inspiré d'abord par la Pléiade* (*Les Larmes de saint Pierre,* 1587), il évolua vers une poésie oratoire quand il jouit de la faveur d'Henri* IV, puis de Louis* XIII. Ses œuvres de circonstance où l'éloquence soutient le lyrisme illustrent sa théorie littéraire *(Remarques sur Desportes),* selon laquelle un bon « artisan » du vers doit exprimer des thèmes éternels dans une forme rigoureuse et pure où des rythmes et des rimes réglés soutiennent les images (*Paraphrase du psaume CXLV).* – Cette exigence d'harmonie et de clarté, cette foi en les vertus de la discipline s'écartent de celles de la Pléiade et préparent le lyrisme impersonnel des classiques. Cependant, la perfection et la musique du vers font de Malherbe, dans une certaine mesure, un précurseur des recherches formelles explicites du XIXe siècle.

MALI *(république du).* ♦ État de l'Afrique occidentale (anc. Soudan* français) traversé au N. par le tropique du Cancer. Il est limité par l'Algérie* au N., le Niger* et la Haute*-Volta à l'E., la Côte*-d'Ivoire et la Guinée* au S., le Sénégal* **(V. Falémé)** et la Mauritanie* à l'O. 1 204 000 km². 5 700 000 hab. *(Maliens). Cap.* Bamako. *Langue off.* français; dialectes mandingues et berbères. *Pop.* Arabo-Berbères au N. **(V. Maures** et **Touaregs),** métis au centre et à l'E. **(V. Peuls** et **Songhaï),** Noirs au S. **(V. Bambaras, Malinkés** [groupe manding], **Dogons).** *V. et localités princ.* **V. Ansongo, Bafoulabé, Bandiagara, Djenné, Gao, Kayes, Koulikoro, Mopti, Sansanding, Ségou, Sikasso, Taoudenni** et **Tombouctou.** – *Orogr.* Massif **V. Iforas** [Adrar des]; falaises **V. Bandiagara;** plaine **V. Macina;** désert **V. Sahara** et **Tanezrouft.** –*Hydrogr.* **V. Niger** et **Sénégal.** – Vaste cuvette comprenant trois zones climatiques très distinctes : au N. le Sahara méridional désertique (100 mm très irrégulièrement), au centre la zone sahélienne (steppe et savane), et au S. la zone soudanaise (savane et forêt) qui reçoit 1 100 mm à Bamako. Pays agricole (cultures vivrières) où seuls les produits de l'élevage et de la pêche fluviale font l'objet d'exportation. ♦ *Hist.* Avec Soundiata Keita, chef mandingue*, fut fondé au XIIIe s. le royaume musulman du Mali qui absorba le Ghana* et connut son apogée avec Kouta Moussa (1312-1337). Ce dernier soumit les Songhaïs* et les Tekhour **(V. Sénégal),** étendant le royaume de l'Atlantique au Niger (région de Niamey), contrôlant ainsi les principaux gisements aurifères du Soudan. Cependant le royaume du Mali déclina à partir du XVe s., soumis aux attaques concentriques des Songhaïs*, des Mossis*, des Bambaras* et des Touaregs*. **V. Ségou.** – Colonie française, intégrée à l'Afrique*-Occidentale française à la fin du XIXe s. à la suite des conquêtes de Faidherbe*, Borgnis*-Desbordes, Gallieni* et Archinard*, le Soudan* fut proclamé république en novembre 1958 dans le cadre de la Communauté* (République soudanaise) et s'associa au Sénégal* pour former en 1959 la Fédération du Mali, dissoute en septembre 1960. L'ancien Soudan français devint un État indépendant et se proclama république du Mali (tendance socialiste) sous la présidence de Modibo Keita*, renversé en novembre 1968 par une junte militaire conduite par le lieutenant Moussa Traoré.

MALIBRAN (María de la Felicidad GARCÍA, dite *la***).** ♦ Chanteuse (mezzo soprano) française, d'origine espagnole (Paris, 1808 – Manchester, 1836). Fille de Manuel García, ténor et compositeur espagnol (1775 – 1832) et sœur de Pauline Viardot, elle débuta à Londres dans le *Barbier de Séville* (1825) et connut bientôt d'éclatants succès. Elle avait épousé un négociant français, Malibran, puis, en secondes noces, quelques mois avant sa mort accidentelle, le violoniste belge Ch. de Bériot. Sa fin prématurée a inspiré à Musset les célèbres *Stances à la Malibran* (1836).

MALICORNE-SUR-SARTHE. ♦ Ch.-l. de cant. de la Sarthe,

Ph. Prato/Ricciarini

Mali : récolte du coton.

Mali.

arr. de La Flèche. 1 795 hab. *(Malicornais)*. Église romane (XIIe s.). Vestiges d'un château du XVIIe siècle. – Poterie d'art.

MÂLIK (Jamâl al-Dîn Muhammad ibn). ♦ Grammairien arabe (Damas, 1203 – *id.*, 1273). Il écrivit un important traité sur la conjugaison *(Lâmiyyat-al-Af'âl)* publié par Walline (1851).

MÂLIK AL-'ÂDIL (Al-), dit **Sayf al-Dîn, SAFADIN** (« le sabre de la religion »). ♦ (1143 – 1218). Sultan ayyûbide* (1198-1218). Frère de Saladin*, il participa à la guerre contre les Francs pendant la troisième croisade (1188). Après la mort de son frère, il devint le maître de la Syrie et de l'Égypte (1193-1198). Il arriva ensuite à reconstituer le royaume de Saladin en soumettant, outre la Syrie et l'Égypte, la Mésopotamie (1200).

MÂLIK AL-AFDHAL (AL-). ♦ Prince ayyûbide* (Le Caire, 1170 – Samosate, 1225). Fils de Saladin*, il obtint le gouvernement de Damas et participa avec son père à la lutte contre les Francs. Après la mort de Saladin, il tenta de s'emparer de l'Égypte, mais fut chassé par al-'Adil.

MÂLIK AL-KÂMIL (AL-). ♦ (Le Caire, 1180 – *id.*, 1238.) Sultan ayyûbide* (1218-1238). Il succéda à son père al-Adîl quand les Francs menaçaient Damiette* (qu'ils prirent en 1219). Il parvint à évacuer Damiette et céda Jérusalem à Frédéric II (1229) afin d'obtenir l'alliance des Latins contre les menées subversives de son frère Al-Mâlik al-Mu'azzam.

MÂLIK AL-SÂLIH (Najm al-Dîn Ayyûb al-). ♦ (Le Caire, 1207 – Mansourah, 1249). Sultan ayyûbide* (1240-1249). Nommé gouverneur de Mésopotamie par son père al-Kâmil, il sut défendre cette région contre les incursions des Tartares, et prit Damas en 1238. Il fut appelé à la direction de l'Égypte par les officiers turcs qui déposèrent son frère al-Adil II (1240). Sâlih organisa le corps des mamelouks* turcs qu'il installa dans l'île de Rawdah.

MÂLIK IBN ABI SAMAH AL-TA'Î. ♦ Musicien arabe (mort v. 754). Disciple de Ma'Bad*, il est considéré comme l'un des plus grands musiciens de la première période de l'Islâm.

MÂLIK IBN ANAS. ♦ Juriste arabo-musulman (Médine, 710 – *id.*, 795). Fondateur de l'une des quatre écoles (« rites ») juridico-religieuses de l'islâm orthodoxe, il rédigea le plus ancien manuel de droit sous le titre de *Al-Muwatta* (« Le Chemin aplani »), où il expose une synthèse de la loi coutumière à Médine. En adjoignant à ce système étroit la notion de bien public, ses disciples légitimèrent l'intervention de l'opinion personnelle.

MALIKITES. *n. m. pl.* ♦ Adeptes de l'imâm Malik* ibn Anas, fondateur de l'école juridique la plus rigide de l'Islâm orthodoxe.

MALIK KÂFÛR. ♦ Eunuque et général türk au service du sultan Alâ* al-Dîn Khiljî de Delhi vers 1297. Il conquit et pilla une grande partie du Dekkan* et détruisit de nombreux royaumes hindous. Il tenta de succéder à son maître mais fut décapité en 1316 par les gardes türk fidèles au fils de celui-ci.

MALINES, en néerl. **Mechelen**. ♦ V. de Belgique, ch.-l. d'arr. d'Anvers, sur la Dyle. 65 500 hab. – Métropole religieuse de la Belgique (archevêché), Malines possède de nombreux monuments religieux : cathédrale Saint-Rombaut du XIIIe s.; église Saint-Jean, du XVe s.; églises baroques. Halle aux draps du XIVe s.; musée communal dans un hôtel du XVIe s.; hôtel de ville du XIVe siècle. – Culture de primeurs (asperges). Brasseries. Montage d'automobiles. Mobilier. Dentelles célèbres. – Patrie de Rombaut, Keldermans, Rik Wouters*, Luc Faydherbe*, Philippe de Monte*. ♦ *Hist.* C'est en 756 que saint Rombaut se serait installé à Malines, mais il faut attendre la venue des princes-évêques de Liège, au XIe s., pour que la ville prenne de l'importance. En 1356, la seigneurie passa aux ducs de Bourgogne. Malines connut son apogée sous la domination de Marguerite d'Autriche (1493) qui s'entoura d'une cour brillante : Érasme, Thomas Morus, Lemaire de Belges, Pierre de la Rue, Josquin Des Prés, Gossart, Van Orley. En 1559, Malines fut érigée en archevêché. La *dentelle de Malines* et le mobilier baroque eurent leur plus grande renommée aux XVIIe et XVIIIe siècles. Le cardinal Mercier* illustra la ville en 1915 en soutenant ses fidèles contre l'envahisseur. Elle subit des bombardements au cours de la Deuxième Guerre mondiale.

Malines *(ligue de)*. ♦ Ligue formée en avril 1513 contre Louis XII (qui tentait de reconquérir le Milanais) par Maximilien Ier, empereur d'Autriche, Henri VIII, roi d'Angleterre, et Ferdinand II le Catholique, roi d'Aragon. Le pape Léon X, qui y avait adhéré dès sa formation, se rapprocha du roi de France après la défaite des Français et de leurs alliés à Novare*.

MALINKÉS. *n. m. pl.* ♦ Peuple noir du groupe mandingue **(V. Mandings)** vivant au Sénégal et en Guinée.

MALINOVSKI (Rodion Iakovlévitch). ♦ Maréchal soviétique (Odessa, 1898 – Moscou, 1967). Volontaire dans l'armée tsariste (1915), il servit dans la Légion étrangère. Rentré en Russie en 1919, il s'engagea dans l'armée rouge. Promu général, il dirigea la défense de Dniepropetrovsk (1941), puis se distingua à Stalingrad (auj. Volgograd), en brisant la contre-offensive allemande (déc. 1942). Nommé commandant du IIe front d'Ukraine, il libéra Kherson (mars 1944), Nikopol et Odessa (avril 1944), puis s'empara de Bucarest, signa l'armistice avec les Roumains (31 août 1944) et fut promu maréchal. Après avoir mis le siège devant Budapest, puis devant Vienne, qui tomba le 13 avril 1945, Malinovski fut envoyé en Manchourie, où il dirigea la campagne contre le Japon (août 1945). Commandant en chef des forces soviétiques et vice-ministre de la Défense (1956), il succéda à Joukov* comme ministre de la Défense en 1957.

MALINOWSKI (Bronisław Kaspar). ♦ Anthropologue et ethnologue anglais d'origine polonaise (Cracovie, 1884 – New Haven, Connecticut, 1942). Pratiquant la méthode de « l'observateur-participant » (déjà formulée par de Gérando*), il fit des recherches sur les mœurs et coutumes, particulièrement sexuelles et familiales, des peuplades d'Australie, de Nouvelle-Guinée et surtout des îles Trobriand*. Théoricien du fonctionnalisme selon lequel chaque élément constitutif d'un système culturel s'explique par son rôle (sa fonction) dans cet ensemble, il fut également un des premiers à tenter un rapprochement entre psychanalyse et anthropologie, tout en niant l'existence du complexe d'Œdipe **(V. Freud)** sous sa forme habituelle dans les sociétés matrilinéaires, où c'est l'oncle maternel qui représente l'autorité, la loi (le sur-moi). Sa position fut critiquée par G. Roheim*. (*The Family Among the Australian Aborigenes,* 1913 ; *Argonauts of the Western Pacific,* 1922 ; *Crime and Custom in savage Society,* 1927 ; *Sex and Repression in savage Society,* 1927 ; *The sexual Life of Savages in North-Western Melanesia,* 1929 ; *A scientific Theory of Culture,* 1944.)

MALIPIERO (Gian Francesco). ♦ Compositeur italien (Venise, 1882 – Trévise, 1973). D'abord attiré par le romantisme germanique, il découvrit Debussy et Stravinski dont il subit l'influence. Cherchant de nouvelles sonorités et des rythmes rares, il est longtemps demeuré fidèle au baroque italien, utilisant dans ses derniers ouvrages la modalité grégorienne. Auteur d'une œuvre abondante, il a composé dans tous les genres. On lui doit de nombreux opéras dont l'*Orfeide,* trilogie (1925), trois comédies de Goldoni (1926), *Antoine et Cléopâtre* (1938), *Don Giovanni* (1963), des ballets, des oratorios, de la musique instrumentale dont neuf symphonies, des concertos, des pièces de musique de chambre et vocale. Professeur au conservatoire de Parme puis de Venise, dont il fut le directeur (1939-1952), Malipiero a fait œuvre de théoricien et assuré la publication des œuvres complètes de Vivaldi et de Monteverdi.

MALIQ. ♦ V. d'Albanie* centrale, proche du lac homonyme. Raffinerie de sucre.

MALLARD (François Ernest). ♦ Minéralogiste français (Châteauneuf, Cher, 1833 – Paris, 1894). Par ses travaux sur l'isomorphisme, les propriétés optiques des cristaux, il compléta la théorie de Bravais* [*Traité de cristallographie géométrique et physique,* 1879-1881]. (Acad. sc., 1890.)

MALLARMÉ (Étienne, dit Stéphane). ♦ Poète français (Paris, 1842 – Valvins, 1898). Il eut une enfance triste confinée dans des collèges (très jeune, l'enfant perd sa mère), une activité monotone de bureaucrate puis de professeur d'anglais (1863) dans divers postes de province (Tournon, Besançon, Avignon) avant de pouvoir regagner Paris (1871) et y mener une existence d'abord très retirée (jusqu'en 1884). Mallarmé consacra en fait sa vie à « la seule tâche spirituelle » qui lui parût possible, élaborer le « Livre » qui donnât l'« explication orphique de la Terre ». Tôt attiré vers la poésie par la lecture des parnassiens, puis par celle de Baudelaire* et d'Edgar Poe*, Mallarmé proclama dès 1862 la nécessité d'une œuvre d'accès difficile parce que ambitieuse. – Dans ses premiers poèmes (notamment *L'Azur,* 1864 ; *Brise marine,* 1865), « le poète las que la vie étiole » recourt encore volontiers aux thèmes baudelairiens pour poser les termes du néant : refus de l'univers, blessant et attirant à la fois, nostalgie de l'unité enfantine ou d'un temps antérieur, appel à la nuit intérieure qui permet à l'esprit « d'avancer profondément dans la sensation des Ténèbres absolues ». Entrepris en 1864 sous la forme d'une tragédie, devenu ensuite poème (et publié inachevé en 1869, dans *Le Parnasse contemporain*), *Hérodiade,* que complète *Le Cantique de saint Jean,* est le poème de la difficulté d'être, de l'absence, du monde glacé de l'Idée pure ; utilisant « l'alexandrin dans toute sa tenue », le poète parvient à « mettre une sorte de feu courant pianoté autour, comme qui dirait d'un accompagnement musical ». En alternance avec cette œuvre « musicienne du silence », Mallarmé composait *L'Après-Midi d'un faune* (intitulé d'abord *Monologue du faune,* 1865 ; remanié et publié en 1876), sublimation d'un ardent rêve sensuel, transfiguré par le « glorieux mensonge » de la création poétique **(V. Debussy).** – Après une cruelle époque de doute (1866 ; « Je suis mort et ressuscité. »), le poète concevra désormais son œuvre comme une expérience métaphysique, susceptible d'annuler l'absurde et le hasard qui règnent dans la création en transposant les objets sur le plan de l'esprit : il s'agira donc de « peindre non la chose, mais l'effet qu'elle produit », d'« évoquer dans une ombre expresse l'objet tu par des mots allusifs, jamais directs, se réduisant à du silence égal ». – Adoptant souvent la forme dense du sonnet, recourant à une syntaxe fortement elliptique, travaillant le vers d'incises et d'inversions pour en faire « un mot total, neuf, étranger à la langue et comme incantatoire », utilisant les mots dans leur épaisseur étymologique, accumulant des vocables dont la sonorité prétend rivaliser avec la musique (le poète a découvert Wagner* en 1885), Mallarmé fait du langage l'instrument privilégié de sa recherche du « Rien qui est la vérité ». Fragments du « grand œuvre », arrachés au « vieux monstre de l'Impuissance », se succèdent le conte dense d'*Igitur ou la Folie d'Elbehnon* (1867 à 1870 ; posthume, 1925), les *Tombeaux* énigmatiques élevés à Poe (1877) et à Baudelaire, enfin les octosyllabes hermétiques de la *Prose pour des Esseintes* (1885) où l'hyperbole réussit à « transposer un fait de nature en sa presque disparition vibratoire selon le jeu de la parole [...] pour qu'en émane [...] la notion pure ». – Brusquement consacré par *Les Poètes maudits* de Verlaine* (1883) et *À rebours* de Huysmans* (1884), Mallarmé est devenu le maître de la génération symboliste, qu'il reçoit chez lui, rue de Rome. Il enrichit l'édition de ses *Poésies complètes* (1887) de *Vers de circonstance* (posthume 1920), mais se consacre surtout au « Livre », conçu comme « l'œuvre d'art totale » ; la mort le saisit alors que venait de paraître le poème qui resserre toute la pensée poétique de Mallarmé et sa science technique, *Un coup de dés jamais n'abolira le hasard* (1897), tentative pour organiser l'œuvre sur le plan temporel et spatial à la fois par une forme typographique novatrice, « point extrême où se [fût] aventuré l'esprit humain » (A. Gide). L'influence de Mallarmé sur la conception moderne du poétique est fondamentale.

MALLE (Louis). ♦ Réalisateur français de cinéma (Thumeries, 1932). Maître d'une technique qu'il exerça dès ses débuts en virtuose, observateur incisif et critique de la classe dirigeante, et dont il excelle à braver les interdits, il s'est constamment renouvelé, avec des œuvres diverses, d'une grande sûreté technique. *Ascenseur pour l'échafaud* (1957), *Les Amants* (1958), *Zazie dans le métro* (1960) d'après R. Queneau*, *Vie privée* (1961), *Feu follet* (1963), *Le Souffle au cœur* (1970).

MALLECO. *n. m.* ♦ Fl. (136 km) et prov. du Chili* central. 14 277 km². 194 000 hab. Ch.-l. Angol.

MALLET DU PAN (Jacques). ♦ Publiciste suisse d'expression française (Céligny, Genève, 1749 – Richmond, Angleterre, 1800). Collaborateur à Londres des *Annales politiques, civiles et littéraires* de Linguet*, il continua, après le retour en France de ce dernier, à faire paraître la revue *(Mémoires historiques, politiques et littéraires).* Admirateur de la Constitution anglaise et partisan d'un despotisme éclairé, Mallet Du Pan se montra violemment hostile à la Révolution française, et devint rapidement le porte-parole des émigrés et l'agent secret de la cour auprès des gouvernements antirévolutionnaires. Revenu en Angleterre en 1798, il y fonda le *Mercure britannique.*

MALLET-JORIS (Françoise). ♦ Romancière française d'origine belge (Anvers, 1930). Elle fit des débuts remarqués dans la littérature romanesque avec *Le Rempart des Béguines* (1952), qui manifestait déjà son habileté à sonder l'âme adolescente face au monde des adultes. Après avoir donné une suite à ce premier roman avec *La Chambre rouge* (1953), F. Mallet-Joris a publié un recueil de nouvelles, *Cordélia* (1954), puis *Les Mensonges* (1956), fresque minutieuse de l'univers flamand ; l'ironie de son regard critique s'est faite plus sensible dans *L'Empire céleste* (prix Fémina 1958) où sont peints les milieux littéraires et artistiques, tandis que sa curiosité pour l'âme féminine apparaissait dans des essais de reconstitution historique tels que *Les Personnages* (évoquant le siècle de Richelieu ; 1961), *Marie Mancini* (1965) et *Trois Âges de la nuit* (consacré aux sorcières ; **1968).** Depuis 1963, avec *Lettre à moi-même, Les Signes et les Prodiges* (1966) et *La Maison de papier* (1970), où l'écrivain « regarde [ses] enfants, [son] travail, [sa] foi », F. Mallet-Joris semble

Ph. Nimatallah/Ricciarini

Stéphane Mallarmé, par Manet. (Musée du Louvre, Paris.)

s'appliquer à livrer ses confidences autobiographiques. (Acad. Goncourt, 1970.)

MALLET-STEVENS (Robert). ♦ Architecte et décorateur français (Paris, 1886 — *id.*, 1945). D'abord décorateur, il eut tendance à évoluer vers un style dépouillé et géométrique. Il subit l'influence de Joseph Hoffman et fut parmi les premiers adeptes, après Le Corbusier et Lurçat, du style dit international. En effet, dans la série de maisons particulières qu'il édifia en 1926-1927 à Auteuil (auj. *rue Mallet-Stevens*) comme dans la maison de Paul Poiret à Mézy-sur-Oise (1924) et dans la villa Noailles à Hyères, il employa systématiquement le béton armé, adopta des volumes cubiques s'articulant parfois autour d'un volume cylindrique, tirant des effets esthétiques des rapports entre les murs nus, les baies vitrées en largeur et les décrochements angulaires; il pratiqua le plan libre dont il développa avec raffinement certaines possibilités, jouant notamment des différences de niveau. Il réalisa aussi des pavillons d'exposition (en 1925 et 1937) et édifia en 1928 *le casino de Saint-Jean-de-Luz.*

MALLICOLO ou **MALEKULA** *(île).* ♦ V. NOUVELLES-HÉBRIDES.

MALMAISON. ♦ V. RUEIL-MALMAISON.

Malmaison *(bataille de la).* ♦ Le fort de la Malmaison, à l'extrémité ouest du Chemin* des Dames, fut conquis du 23 au 26 octobre 1917 par la VIe armée française (Maistre). Cette offensive, décidée par Pétain*, visait surtout à donner aux troupes un succès assuré qui rétablirait leur confiance dans la victoire.

MALMÉDY. ♦ V. de Belgique (Liège, arr. de Verviers) à la frontière allemande, en Ardenne. 6 500 hab. — Église abbatiale (1775-1784). Chapelle des Capucins (XVIIe). — Source thermale. Papeteries. Tanneries. ♦ *Hist.* Ch.-l. du canton de Malmédy rattaché à la Belgique en 1919 (traité de Versailles), la ville est le centre de ce district jadis rattaché à l'abbaye de Stavelot. Prussienne de 1815 à 1919, Malmédy subit de graves destructions en 1944 (offensive du maréchal Von Rundstedt).

MALMÖ. ♦ V. et port de l'extrémité S. de la Suède, sur l'Øresund. Ch.-l. du comté de Malmöhus, c'est aussi la capitale de la Scanie et la 3e ville de Suède. 258 311 hab. (435 634 aggl.), 1969. Reliée par ferry-boat à Copenhague* (distant de 25 km). V. anc., où subsistent quelques maisons du XVIe siècle. Église gothique Saint-Pierre (St. Petri Kyrka, XIVe s., restaurée). Forteresse *Malmöhus* (1436, reconstruite en 1537). Grand théâtre. — Important port de commerce, grâce à sa situation. — Centre indus. : chantiers navals, usines de ciment, indus. du caoutchouc, indus. textiles et alimentaires.

MALO *(saint).* ♦ V. MACLOU.

MALO-LES-BAINS. ♦ Comm. du Nord*, arr. de Dunkerque*, en Flandre. 15 223 hab. *(Malouins).* Station balnéaire très fréquentée.

MALON (Benoît). ♦ Homme politique français (Prétieux, Loire, 1841 — Asnières, 1893). Ouvrier teinturier, autodidacte, il s'affilia à la Ire Internationale et fut délégué aux congrès de Genève (1866) et de Bâle (1868). Membre de la Commune de Paris (1871), il se réfugia en Suisse après la Semaine sanglante (22-28 mai 1871). Rentré en France après l'amnistie (1880), il dirigea la *Revue socialiste* (1880-1893) et exposa dans son ouvrage *Le Socialisme intégral* (1891) un socialisme humaniste qui ne fut pas sans influence sur Jaurès.

MALORY (*sir* Thomas). ♦ Écrivain anglais (Newbold Revell, Warwickshire, v. 1408 — Newgate, 1471). Descendant d'une ancienne famille du Warwickshire, il combattit avec Richard Beauchamp, comte de Warwick, en 1436, à Calais. Il fut fréquemment arrêté pour des délits qui avaient un rapport avec la guerre civile déclenchée en 1455 et mourut en prison. Caxton publia en 1485 ses huit romans sur la légende d'Arthur (traduits d'ouvrages français) sous le titre de *La Mort d'Arthur.* Dans un style naïf et harmonieux, Malory sut rendre vivant ce monde fantastique de la chevalerie dont l'idéal n'était que justice et pureté. Il inspira Spenser* *(La Reine des fées),* Tennyson *(Les Idylles du roi),* Morris et Swinburne.

MALOT (Hector). ♦ Écrivain français (La Bouille, Seine-Maritime, 1830 — Fontenay-sous-Bois, 1907). Romancier fécond, il écrivit quelque soixante-dix ouvrages qui connurent en leur temps un grand succès; l'auteur y développe des situations conventionnelles héritées du mélodrame (aventures nombreuses, enfants retrouvés, triomphe final de la vertu), mais que ses dons d'émotion rendent attrayantes. *Romain Kalbris* (1869) et surtout *Sans Famille* (1878), auquel fait pendant *En Famille* (1893), œuvres d'un moralisme discret, sont encore goûtés des enfants.

MALOUEL (Jean ou **MAELWAEL (Johan).** ♦ Peintre flamand (Nimègue, ? — Paris, 1419). En 1396, il travaillait à Paris au service d'Isabeau de Bavière et devint en 1397 le peintre du duc de Bourgogne, Philippe le Hardi. Il reçut en 1398 la commande de cinq tableaux d'autel pour la chartreuse de Champmol. On lui attribue la *Pietà Ronde* (v. 1400) où le choix des coloris, le caractère incisif et le raffinement du graphisme portent la marque de la tradition de la miniature parisienne, tandis que le traitement du corps du Christ et le rendu du modelé sont d'origine flamande. Il commença probablement la *Dernière communion de saint Denis,* terminée par Bellechose*, et contribua à l'élaboration du style franco-flamand qui se développa à la cour de Bourgogne.

MALOUET (Pierre Victor, *baron*). ♦ Homme politique français (Riom, 1740 — Paris, 1814). Administrateur aux colonies (Saint-Domingue, 1768-1773; Guyane, 1776-1778), il y avait de gros intérêts et soutint toujours les positions des colons. Député du Tiers État aux États généraux (1789), il fut l'un des principaux membres du groupe de monarchiens*, passa à la contre-révolution et émigra de 1792 à 1803. Il devint baron d'Empire (1810), avant d'être disgracié pour son opposition à la campagne de Russie.

MALOUINES *(îles).* ♦ Anc. nom français des îles Falkland*.

MALPASSET *(barrage de).* ♦ Barrage sur le Reynan, au-dessus de Fréjus* dans le Var*; il était destiné à irriguer la région. Sa rupture, en 1959, provoqua la mort de 400 personnes.

MALPIGHI (Marcello). ♦ Médecin et anatomiste italien (Crevalcore, près de Bologne, 1628 — Rome, 1694). Médecin d'Innocent XII (1691), il peut être considéré comme le fondateur de l'anatomie microscopique et fit la découverte dans le rein des glomérules ou pyramides qui portent son nom. On a également donné le nom de *corpuscules de Malpighi* aux manchons de tissu lymphoïde situés le long des artérioles de la rate, et de *réseau* ou *couche de Malpighi* à la couche profonde de l'épiderme. Ses travaux sur la circulation sanguine chez la grenouille (*De pulmonibus,* 1661) confirmèrent ceux de Harvey*. Ses recherches embryologiques sur le poulet le conduisirent à admettre la théorie de la préformation.

MALPLAQUET. ♦ Localité de France (Nord), au N.-O. d'Avesnes. Villars* y fut vaincu par Marlborough* et par le prince Eugène* (1709), mais il leur infligea de lourdes pertes et les Français purent se replier en bon ordre.

MALRAUX (André). ♦ Écrivain français (Paris, 1910 — Créteil, 1976). Il publia des textes d'inspiration surréaliste, *Lunes en papier* (1921; dédié à Max Jacob) et *Royaume farfelu* (publié en 1928). Parti pour l'Indochine (1923) à la recherche de statues khmères, il passa en Chine (1925) où il prit contact avec les révolutionnaires communistes. Confrontation de deux cultures (*La Tentation de l'Occident,* 1926), plus encore participation à l'histoire en train de se faire, cette expérience fut le fondement de ses premiers romans : dès *Les Conquérants* (1928) et *La Voie royale* (1930), Malraux exalte la volonté de puissance par l'action, geste de domination et de liberté face à la souffrance et à la mort. À l'aventure individuelle dans un monde tragique succéda le thème de la révolution et de la fraternité virile dans *La Condition humaine* (1933, prix Goncourt). Rattaché aux mouvements d'extrême gauche, Malraux dénonça le totalitarisme nazi dans *Le Temps du mépris* (1936) et le fascisme espagnol dans *L'Espoir* (1937), témoignage de son engagement aux côtés des républicains durant la guerre civile, mais plus encore affirmation renouvelée que l'homme se définit par ce qu'il fait et non par ce qu'il rêve. Être dans l'histoire, « transformer (l'expérience) en conscience » face à « l'absolue réalité de la mort », ce thème a conduit Malraux, depuis *Les Noyers de l'Altenburg* (1943), à exalter le geste créateur de « formes hétérogènes à celles de l'apparence », susceptibles de redevenir « présence au delà de la mort » (« L'art est un antidestin »). Vaste vision épique de l'homme dans sa création, *Le Musée imaginaire* (1947), *La Création artistique* (1948), *La Monnaie de l'absolu* (1950) et *La Tête d'obsidienne* (1974) ont été illustrés par des essais (réflexions au style somptueusement postclassique et évoquant Chateaubriand) sur l'histoire et les cultures, *Les Voix du silence* (1951), *La Métamorphose des dieux* (1957; *L'Irréel,* 1974; *L'Intemporel,* 1976) et son dernier ouvrage *L'Homme précaire et la Littérature* (1976). — Combattant de la Résistance, ayant participé au gouvernement du général de Gaulle en qui il vit l'homme du destin et à qui il soumit sa conception de l'histoire (*Les Chênes qu'on abat,* 1971), Malraux a été ministre des Affaires culturelles de 1958 à 1969. Ses *Antimémoires* (t. I en 1967) ont abordé, avec *Lazare* (1976), l'épreuve du « mourir ».

MALSTRØM. ♦ V. MAELSTRÖM.

MALTE *(île de).* ♦ Île principale d'un archipel de la Méditerranée, au S. de la Sicile et comprenant, outre Malte, Gozo, Comino et Filfola. 316 km². 322 000 hab. *Cap.* La* Valette. *Langues off.* maltais et anglais. — Malte, par sa position au centre de la Méditer-

Ph. Hubert Josse

Jean Malouel : « Martyre de Saint-Denis ». (Louvre).

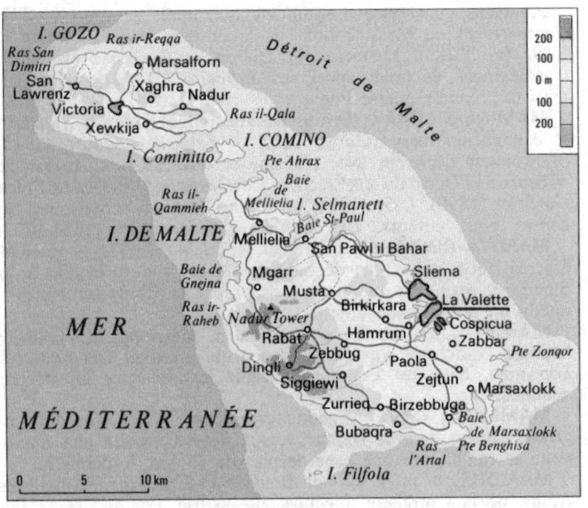

Malte.

ranée, commande le bassin oriental méditerranéen. Calcaire avec des reliefs karstiques, l'île est ondulée et possède des côtes hautes et rocheuses. Le climat méditerranéen permet la culture des céréales, des légumes, du coton et des arbres fruitiers. – *Écon.* L'agriculture cependant fournit à peine le quart des besoins. Les princ. industries sont constituées par des chantiers navals. Il y a aussi une usine de montage d'automobiles anglaises, quelques petites industries textiles et de confection, et des industries alimentaires. Production artisanale de dentelle. Le tourisme se développe chaque année (env. 30 000 touristes par an). Le princ. port est La Valette. Le commerce et les finances de Malte dépendent de l'étranger, principalement de la Grande-Bretagne. Malte doit importer la plus grande partie des biens de consommation et de production dont elle a besoin. La Grande-Bretagne finance les investissements et couvre le déficit budgétaire. ♦ *Hist.* Depuis la plus haute antiquité, Malte possède une position stratégique au centre de la Méditerranée. Elle appartint d'abord aux Phéniciens (~ IXe s.), puis aux Grecs (v. ~ 736) et aux Carthaginois (~ VIe s.). Au cours de la seconde guerre Punique, l'île fut disputée entre les Carthaginois et les Romains et finalement annexée par Rome en ~ 218. Le christianisme s'y répandit après le naufrage de saint Paul (58 ou 60) qui vécut, semble-t-il, trois mois dans l'île. Malte appartint ensuite aux Vandales, aux Ostrogoths, fut reconquise par les Byzantins en 533, prise par les Arabes en 869, puis conquise en 1091 par Roger de Sicile. L'île partagea désormais le sort de la Sicile (Angevins de Naples puis, en 1282, Aragonais) jusqu'en 1530, date à laquelle elle fut donnée par Charles Quint aux Hospitaliers de Saint-Jean-de-Jérusalem qui devinrent *chevaliers de Malte*. Les îles reçurent des institutions nouvelles, notamment en matière de justice, et les chevaliers commencèrent à fortifier l'archipel en vue d'une éventuelle attaque turque. Ce fut le grand maître Parisot de La* Valette qui donna à Malte les fortifications qui lui permirent de résister aux Turcs lors du siège de 1565. Après 1680, l'influence française grandit et l'île devint au XVIIIe s. le grand centre du commerce français en Méditerranée. Bonaparte s'empara de l'île en 1798, mais en 1800, après un siège de deux ans, les Anglais s'en emparèrent et, malgré le traité d'Amiens, refusèrent de rendre l'île à l'ordre de Malte. Colonie de l'Angleterre, Malte devint une importante base navale et commerciale sur la route des Indes. Au cours de la Deuxième Guerre mondiale, l'île fut soumise à des bombardements italiens et allemands, mais elle résista et, en 1943, servit de base au débarquement allié en Sicile. Cependant, depuis 1920, l'agitation contre l'Angleterre se développait. En 1947, l'Angleterre accorda à Malte une constitution qui lui conférait l'autogouvernement, mais maintenait le statut colonial. En 1945, le Parti travailliste, dirigé par Dominic Mintoff, réclama pour Malte le statut de dominion. Après l'échec des négociations de 1958, la constitution fut suspendue en 1959, mais, après les élections de 1962, qui furent un triomphe pour les nationalistes, la Grande-Bretagne dut accepter l'indépendance. La république fut proclamée en déc. 1974. Le président Anton Buttigieg (qui a succédé à sir Anthony Mamo en 1976) et le Premier ministre travailliste Dom Mintoff, qui suivent une politique de rapprochement avec les pays arabes, ont à faire face aux problèmes économiques posés par l'évacuation, en 1979, de la base militaire britannique.

MALTE *(ordre de)*. ♦ V. HOSPITALIERS DE SAINT-JEAN-DE-JÉRUSALEM.

MALTE-BRUN (Malte Conrad BRUUN, dit **Konrad)**. ♦ Publiciste et géographe danois (Thisted, Jylland, 1775 – Paris, 1826). Réfugié en Suède pour avoir soutenu les principes de la Révolution française, il s'installa ensuite à Paris, où il collabora au *Journal des débats* et à la fondation de la Société de géographie de Paris (**V. Jomard**, 1821). Il est l'auteur d'une *Géographie mathématique, physique et politique de toutes les parties du monde* (1803-1807) et d'un *Précis de géographie universelle.* ♦ VICTOR ADOLPHE MALTE-BRUN, son fils. Géographe français (Paris, 1816 – Marcoussis, 1889). Membre de la Société de géographie de Paris, il a publié la *France illustrée* (1879-1884) et l'*Allemagne illustrée* (1884-1887), qui connurent un grand succès.

MALTHUS (Thomas Robert). ♦ Économiste anglais (the Rookery, près de Guildford, Surrey, 1766 – Haileybury, près d'Hertford, 1834). D'abord pasteur anglican, il publia son *Essai sur le principe de population* (1798) qui connut un grand succès. Devenu professeur d'économie politique, il écrivit alors *Principes d'économie politique au point de vue de leur application pratique* (1820) et *Définitions en économie politique et mesure de la valeur* (1823). Sa doctrine (malthusianisme) est fondée sur l'idée que la population croît plus vite (progression géométrique) que les subsistances (progression arithmétique), provoquant ainsi un déséquilibre qui conduit l'humanité vers la famine. Pour ramener l'équilibre, il distingue des moyens destructifs (le déséquilibre finissant par entraîner épidémies, guerres, etc.) et préventifs (restriction volontaire de la natalité). Malthus resta partisan d'une politique économique libérale et se montra hostile aux mesures d'assistance sociale prises par l'État. Certaines de ses idées influencèrent directement Ricardo (rôle de la monnaie, rente foncière), mais l'ensemble de sa théorie fut vivement critiqué par des économistes socialistes (Fourier, Proudhon et Marx) et libéraux. Ses idées influencèrent la formation du concept de sélection naturelle chez C. Darwin*.

MALUKU. ♦ V. MOLUQUES.

MALUS [malys] **(Étienne Louis)**. ♦ Physicien français (Paris, 1775 – *id.*, 1812). Auteur d'importants travaux d'optique géométrique qui contribuèrent au progrès de la géométrie réglée. Il étudia les phénomènes de double réfraction de la lumière et observa le premier la polarisation par réflexion (1808); les résultats de ces travaux, publiés avec ceux d'autres savants (*Théorie de la double réfraction de la lumière dans les substances cristallines,* 1810), contribuèrent à l'établissement des bases de la théorie des systèmes centrés. Il énonça la loi de variation d'intensité de la lumière après traversée de deux polariseurs (*loi de Malus*, 1811). **V. Fresnel, Nicol.** Disciple de Newton*, il semble avoir écarté toute interprétation ondulatoire des phénomènes de double réfraction et de polarisation (il assimilait la molécule lumineuse à l'aimant).

MÂLVA. *n. m.* ♦ Région de l'O. de l'Inde entre les monts Aravalli et Vindhya, ancien royaume hindou puis musulman (1235). Sa capitale historique est Ujjain*, une des sept villes sacrées de l'Inde.

MALVERN ou **GREAT MALVERN**. ♦ V. d'Angleterre (Worcestershire), sur le versant oriental des *Malvern Hills.* 24 505 hab. Sources thermales (eaux sulfureuses). Ruines d'une abbaye bénédictine (XIe s.).

MALVÉZY. ♦ Faub. N. de Narbonne* (Aude). Concentration de l'uranium.

MALVOISIE, en gr. **Monemvasia**. ♦ Village historique de Grèce sur la côte orientale de Laconie, situé sur un îlot (l'anc. presqu'île de *Minoa*) relié au continent par un pont. – Patrie du poète Yannis Ritsos*. – Place forte dès le XIIe s., port actif des Vénitiens (XVe-XVIIIe s.) qui l'appelaient *Napoli di Malvosia,* la ville fut en partie détruite pendant l'occupation turque (1715-1821). Ruines d'une citadelle, églises byzantines. – Les vignes qui produisaient au Moyen Âge le fameux vin liquoreux de *Malvoisie* n'existent plus, mais le cépage (muscats) est transplanté à Samos, à Santorin, à Chypre, en Espagne, en France, en Sardaigne, en Sicile, etc.

MALVY (Louis). ♦ Homme politique français (Figeac, 1875 – Paris, 1949). Député radical-socialiste (1906-1919), il fut nommé ministre de l'Intérieur (1914). Attaqué par la droite pour son manque de fermeté dans la répression des grèves de 1917 et pour son « défaitisme », il dut démissionner (1917). Arrêté à l'instigation de Clemenceau, il fut accusé de forfaiture et condamné à cinq ans

Ph. Harlingue/Viollet

Th. R. Malthus.
Gravure début XIXe s.
(Bibl. nationale. Paris.)

Arch. Rencontre

E.L. Malus.
Gravure fin XVIIIe s.
(Bibl. nationale, Paris.)

Ph. Nino Cirani/Ricciarini
Mamaia.

de bannissement par la Haute Cour de justice. Réélu à la Chambre des députés (1924-1940), il reprit quelque temps le portefeuille de l'Intérieur (cabinet Briand, 1926).

MÄLZEL (Johann). ♦ **V.** MAELZEL.

MALZÉVILLE. ♦ Comm. de Meurthe-et-Moselle (arr. de Nancy), cant. de Nancy-Est, dans l'aggl. de Nancy. 9 103 hab. *(Malzévillois).* Église du début du XVIe siècle. – Confiserie, laiterie.

MALZIEU-VILLE (Le). ♦ Ch.-l. de cant. de la Lozère (arr. de Mende), sur la r. d. de la Truyère. 794 hab. Vestiges de remparts. Beffroi. Station estivale. Petit centre industriel : textiles (serge), tanneries.

MAMAIA. ♦ Station balnéaire de Roumanie, au N. de Constanţa, jouissant d'un ensoleillement exceptionnel.

Mambrino. ♦ Personnage d'un roman chevaleresque italien, roi maure possédant un armet ou casque enchanté qui le rendait invulnérable. Renaud, seigneur chrétien, enleva cet armet après avoir tué Mambrino. – Dans le *Don Quichotte* de Cervantes, Don Quichotte croit que le plat à barbe qu'il a conquis et qui lui sert de coiffure est l'armet enchanté de Mambrino.

Mamelouks. [*n. m. pl.*], de l'arabe **mamlûk** « possédé ». ♦ Sultans d'Égypte, de 1390 à 1517. Dès le XIIIe s., les mamelouks formaient une milice d'élite au service de la dynastie ayyûbide*. Ils étaient recrutés parmi des esclaves blancs (Slaves, Grecs, Tcherkesses et surtout Turcs). Le sultan ayyûbide Mâlik* al-Sâhli (1240-1249) les employa pour assurer sa garde personnelle. Les mamelouks devinrent peu à peu une formation toute-puissante. En 1250, les mamelouks turcs *Bahrites* (de *bahr*, fl., parce qu'ils étaient cantonnés dans une caserne de l'île de Rawdah, en face du Caire, sur le Nil) exécutèrent le dernier sultan ayyûbide al-Mû'adham et nommèrent sultane sa belle-mère, Shajar al-Durr, qui épousa 'Izz al-Dîn Aybak, leur chef. Cette dynastie (1250-1382) fut renversée par les mamelouks tcherkesses, dits *burjites* (de *burj*, citadelle, parce qu'ils occupaient la citadelle du Caire), qui régnèrent jusqu'en 1517. À la succession héréditaire pratiquée par les Bahrites, les Burjites préférèrent un système d'élection qui facilita les conspirations, les révolutions de palais et les assassinats. La discipline du corps des mamelouks n'en fut pourtant pas entamée. Ils purent arrêter l'invasion des Mongols, chasser les Francs de la Syrie et faire de l'Égypte la plus grande puissance économique et militaire de la Méditerranée orientale (XIVe-XVe s.). Leur pouvoir s'étendait en outre à l'E. sur la Palestine et la Syrie, à l'O. sur la Cyrénaïque. Ils annexèrent Chypre (1424-1426). En Égypte, ils protégèrent les sciences, les arts et les lettres. En 1517, le sultan ottoman* Selim* Ier détruisit le sultanat mamelouk. Mais les chefs mamelouks, munis du titre de beys, conservèrent les gouvernements des provinces qui constituaient leur sultanat et qui furent annexés à l'empire ottoman. Réduisant peu à peu le pouvoir du pacha nommé par Istanbul, les mamelouks redevinrent les maîtres de l'Égypte à la fin du XVIIIe s. (révolte d'Ali* Bey, 1766). Plus tard, ils décidèrent de renverser Mehmet*-Ali, reconnu comme vice-roi de l'Égypte par Istanbul ; informé, ce dernier fit massacrer 300 de leurs chefs (1er mai 1811) et anéantit définitivement leur puissance. Pendant la campagne d'Égypte, une partie des mamelouks se rallièrent à Napoléon* et le suivirent en France. Ils constituèrent une compagnie de la garde impériale. À la chute de Napoléon, ils furent dispersés, et plusieurs d'entre eux furent massacrés à Marseille.

MAMER. ♦ Comm. du Luxembourg, cant. de Capellen. 2 034 hab. Minoteries.

MAMERS [mamɛʀ]. ♦ Sous-préf. de la Sarthe, ch.-l. d'arr. (10 cant., 134 comm., 77 202 hab.). 6 235 hab. [5 635 aggl.]. *(Mamertins).* Église Saint-Nicolas, XIIIe-XVIe siècle. Église Notre-Dame, XVe s., restaurée au XIXe siècle. Anc. couvent du XVIIIe s., *auj.* hôtel de ville et sous-préf. – Appareillage électrique.

MAMERT *(saint).* ♦ Évêque de Vienne en Dauphiné (v. 462-[mort] v. 470). Il institua en Gaule la procession des Rogations. Frère du poète Claudien* Mamert. Fête le 11 mai.

Mamertins. *n. m. pl.* (fils de *Mamer* ou de *Mars*). ♦ Mercenaires campaniens au service d'Agathocle qui, après sa mort (~289), s'emparèrent de Messine dont ils firent leur base de guerre en Sicile (v. ~283). Menacés par Hiéron de Syracuse et par les Carthaginois, ils firent appel aux Romains (~264), provoquant ainsi la première guerre Punique.

MAMINE-SIBIRIAK (Dmitri Narkissovitch) [*Mamin-Sibirjak*]. ♦ Romancier russe (Oural, 1852 – Saint-Pétersbourg, 1912). Ses romans décrivent avec réalisme et sincérité la triste vie des mineurs de l'Oural du XIXe s. : *Les Combattants* (1883), *Les Frères Gordeiev* (1890), *L'Or* (1892), *Le Pain* (1895). Il écrivit aussi des contes pour enfants, *Les Contes d'Alionouchka* (1894-1897).

MAMIYA RINZÔ. ♦ Explorateur japonais (v. 1775 – v. 1844) qui, en 1805, visita l'île de Sakhaline*, la partie orientale de la Sibérie et revint au Japon en passant par la Chine du Nord. Il publia un récit de son voyage.

MAMMON, en lat. **Mammona,** en gr. **Mamônâ,** de l'araméen **Mamna** (« richesse »). ♦ Dieu syrien qui présidait aux richesses. Son nom, dans les Écritures, désigne les richesses injustement acquises.

MAMMOTH CAVE (« grotte gigantesque »). ♦ Ensemble de grottes situées dans le Kentucky, aux États-Unis. La plus importante se ramifie sur une zone de plus de 15 km de diamètre.

MAMORÉ. *n. m.* ♦ Riv. de Bolivie* (1 800 km), née dans les Andes de la Cordillère orientale, elle arrose Trinidad et conflue avec le Guaporé* (r. d.) et le Beni* (r. g.), avant de former le Madeira*.

MA'MÛN ('Abb Allâh al-). ♦ Calife 'abbâsside* (Baghdâd, 786 – près de Tarsûs, 833). Fils de Harun* al-Rashîd et d'une esclave persane. Il lutta contre son frère **(V. 'Abbâssides).** Il fit traduire des textes philosophiques grecs en arabe.

MAN (Henri *de***).** ♦ Théoricien et homme politique belge (Anvers, 1885 – près de Morat, Suisse, 1953). Jeune militant syndicaliste de gauche, il fut amené, après la faillite de la IIe Internationale (1914), à critiquer et réviser les thèses fondamentales de Marx sur la lutte des classes, la révolution socialiste (appropriation collective des moyens de production) et réussit en 1933 à faire adopter par les socialistes belges un « plan de travail » en rupture avec les principes du marxisme. Vice-président du Parti ouvrier belge et ministre dans le gouvernement de Van Zeeland (1935-1938), il dut se réfugier en Suisse en raison de ses sympathies pour les expériences fascistes (*Zur Psychologie des Sozialismus,* 1922 ; en fr., *Au-delà du marxisme, l'idée socialiste,* 1933 ; *Après coup,* 1941).

MAN *(île de).* ♦ Île de Grande-Bretagne, en mer d'Irlande, à égale distance de l'Irlande et de l'Angleterre (Cumberland). 588 km². 56 000 hab. *(Mannois). Ch.-l.* Douglas (21 000 hab.). *Langue :* manx (ou mannois). Le relief, montagneux au centre (620 m au *Snaefell*), s'abaisse le long des côtes N. et S.-E. Les principales ressources sont l'élevage, la pêche au hareng et le tourisme estival. ♦ *Hist.* L'antique *Eubonia* connut l'occupation romaine, puis, du VIIIe au XIIIe s., celle de pirates scandinaves. En 1266, l'île fut achetée aux Norvégiens par les Écossais. À la fin du XIIIe s., à l'avènement d'Édouard Ier, elle revint théoriquement à la couronne d'Angleterre, mais sauvegarda une indépendance de fait sous l'administration des familles de Salisbury, Stanley (jusqu'en 1651), des ducs d'Atholl qui la vendirent en 1765 à la couronne britannique. Depuis, l'île de Man jouit d'un statut particulier. Elle est administrée par une assemblée de vingt-quatre membres (le *Tynwald Court*) placée sous l'autorité d'un lieutenant-gouverneur.

MAN. ♦ V. de l'O. de la Côte*-d'Ivoire. 50 000 hab. Café. Cacao. Briqueteries.

MANAAR ou **MANNAR** *(golfe de).* ♦ Bras de mer de l'océan Indien, situé entre l'île de Ceylan et la côte de l'Inde du Sud, au S. du détroit de Palk.

MANADO ou **MENADO.** ♦ V. d'Indonésie, au N. de l'archipel des Sulawesi (Célèbes). 150 000 hab. Port exportateur d'ébène et de bois précieux, de café, d'épices, canne à sucre, tabac, fondé en 1657. Aéroport.

MANAGUA. ♦ Cap. du Nicaragua (Amérique centrale), ch.-l. du dép. du même nom, située sur les rives méridionales du lac de Managua*, au pied du volcan Masaya. 262 047 hab. (1967). Archevêché. Université. Centre administratif, commercial (café), industriel (industries alimentaires, textiles, mécaniques, raffinerie de pétrole) et de transports (voie ferrée ; aéroport international). ♦ *Hist.* La ville fut fondée en 1858 pour mettre un terme à la rivalité entre León* (foyer libéral) et Granada* (foyer conservateur). Nombreux tremblements de terre (1931 ; et surtout déc. 1972 où la ville fut presque totalement détruite par un séisme meurtrier).

MANAGUA *(lac de).* n. m. ♦ Lac du Nicaragua* (Amérique centrale) au N. duquel est édifiée la capitale. 1 134 km². Il occupe la grande dépression intérieure au N. du lac de Nicaragua et à proximité du Pacifique, dont il est séparé par une barrière volcanique.

MANAKARA. ♦ V. et port de Madagascar* sur la côte orientale de l'île, reliée par voie ferrée à Fianarantsoa*. 10 000 hab. Exportation de riz et de café.

MANÂMA (al). ♦ Cap. de la principauté de Bahreïn*, située sur la côte N.-E. de l'île de Bahreïn et reliée par un pont à l'île voisine d'al-Muharrak* où se trouve l'aérodrome. Près de 80 000 hab. Commerce de perles. Raffinerie de pétrole.

MÂNASAROVAR. *n. m.* ♦ Lac du Tibet occidental, source mythique du Gange (en réalité une des sources du Satlej*). situé à 5 600 m d'alt., au pied du mont Kailaśa. Il est sacré pour les Hindous qui y font annuellement un pèlerinage.

MANÂSLU. *n. m.* ♦ Sommet de l'Himâlaya*, au centre de la frontière népalo-tibétaine (8 125 m). Conquis par une expédition japonaise en 1956.

MANASSÉ. ♦ Personnage biblique (*Genèse*, XLVIII), fils de Joseph*. **V.** *aussi* **Éphraïm.** Ancêtre d'une demi-tribu d'Israël*, dont le territoire était situé de part et d'autre du lac de Tibériade et du Jourdain.

MANASSÉ. ♦ Roi de Juda (V. ~ 688-~ 642), fils d'Ézéchias*. Il subit la domination assyrienne et favorisa les cultes idolâtriques. Récit biblique : *II Rois*, XXI ; mais variante en *II Chroniques*, XXIII, 11-17.

MANÂT (al-). ♦ Déesse adorée par les Arabes à l'époque antéislamique. Elle serait la plus anc. divinité du panthéon arabe.

MANAUS, anc. **Manáos**. ♦ V. du N. du Brésil, en Amazonie, cap. de l'État d'Amazonas* sur la r. g. du rio Negro*, près de son confluent avec l'Amazone. 260 000 hab. Université. Port fluvial, et principal centre commercial de l'Amazonie*, la ville était, au début du XXe s., la capitale du caoutchouc. Industries chimiques et textiles. Raffinage du pétrole. L'activité de Manaus croît de nouveau avec la mise en valeur de l'Amazonie.

MANCE (Jeanne). ♦ Dame française (Langres, 1606 – Ville-Marie, *auj.* Montréal, Canada, 1673). Arrivée à Québec avec Maisonneuve* (1641), elle contribua à la fondation du premier hôpital du Canada à Ville-Marie.

MANCHE. *n. f.*, en esp. **Mancha** (de *manxa*, « terre sèche »). ♦ Plateau calcaire du centre de la péninsule Ibérique, formé de la partie sud-orientale de la Nouvelle-Castille*. D'une altitude de 700 m et d'une superficie de 25 000 km², elle s'étend entre le Guadiana, au N., et la sierra Morena, au S. L'aridité du sol limite l'activité agricole à de maigres cultures de vigne, d'oliviers et de safran (dont l'Espagne est le principal producteur). – Le héros de Cervantes s'était donné le nom de *Don Quichotte de la Manche* parce qu'il était né dans cette partie de l'Espagne.

MANCHE. *n. f.*, en angl. **English Channel** ou **the Channel**. ♦ Mer de l'Europe occidentale, située entre le S. de la Grande-Bretagne et la France du Nord-Ouest, et formée par l'Atlantique, qu'elle fait communiquer (par le pas de Calais) avec la mer du Nord*. Sa profondeur ne dépasse généralement pas 100 m, à l'exception d'une fosse située au N. et au N.-O. de l'île de Guernesey, et qui atteint 172 m. Les courants de marée y sont vigoureux et plus forts sur les côtes françaises que sur les côtes anglaises. Au fond de la baie du Mont-Saint-Michel, les marées atteignent l'amplitude de 11,7 m. Mer très fréquentée, dont le trafic est l'un des plus intenses du monde, elle est bordée de côtes peuplées, aux nombreux ports. Les princ. ports français sont Le Havre* pour le trafic lointain, Dieppe* pour le trafic avec l'Angleterre, Boulogne* pour la pêche hauturière, Cherbourg* pour la marine de guerre; en Angleterre, Southampton* est le princ. port commercial, et Plymouth* le premier port de guerre et de pêche.

MANCHE (*tunnel sous la***).** ♦ Ce tunnel devait se composer de deux galeries ferroviaires, l'une destinée à l'aller, l'autre au retour. Une troisième galerie était prévue pour relier les deux premières, avec des bretelles tous les 250 m, aux fins d'entretien et d'évacuation en cas d'urgence. La longueur de l'ouvrage devait être de 52 km, dont 38 km sous la mer, à 30 m environ au-dessous du fond. Le projet, retenu par MM. Pompidou et Wilson en juillet 1966, a reçu un commencement d'exécution en 1974, après avoir été approuvé par la Chambre des Communes en octobre 1973. Cependant, en janvier 1975, le gouvernement de M. Wilson, invoquant des difficultés économiques, a décidé de faire interrompre les travaux.

Ph. Nino Cirani/Ricciarini

Manaus.

MANCHE [50]. *n. f.* ♦ Dép. du N.-O. de la France, région (anciennement C.A.R.) de Haute-Normandie*. Dép. maritime, bordé au N. et à l'O. par la Manche. 6 412 km². – *Orogr.* Le dép. s'étend sur la presqu'île du Cotentin* et le Bocage* normand. Au N., hautes collines à l'E. de Cherbourg* et au cap de la Hague* (189 m). Au centre, une zone de dépression (marais de Carentan*). Au S., les collines de Normandie, alternance de crêtes gréseuses dépassant 300 m d'altitude et de dépressions. Le bocage est partout présent. La côte orientale est basse et régulière ; la côte occidentale présente une succession de promontoires et de baies. ♦ 48 cant., 637 comm., 464 406 hab. *Préf.* Saint-Lô*, *sous-préf.* Avranches*, Cherbourg*, Coutances*. *Ch.-l. de cant.* Barenton (1 618 hab.), Barneville*-Carteret, Beaumont (1 010 hab.), Brécey (2 146 hab.), Bréhal*, Bricquebec*, Canisy (662 hab.), Carentan*, Cerisy-la-Salle (1 031 hab.), Ducey*, Gavray (1 146 hab.), Granville*, Haye-Pesnel (La) [1 193 hab.], Haye*-du-Puits (La), Isigny-le-Buat (561 hab.), Juvigny-le-Tertre (691 hab.), Lessay*, Marigny (1 196 hab.), Montebourg*, Montmartin-sur-Mer (847 hab.), Mortain*, Octeville*, Percy*, Périers (2 736 hab.), Pieux (Les) [1 196 hab.], Pontorson*, Quettehou (1 134 hab.), Saint-Clair-sur-l'Elle (568 hab.), Saint*-Hilaire-du-Harcouët, Saint*-James, Saint-Jean-de-Daye (519 hab.), Saint-Malo-de-la-Lande (235 hab.), Saint-Pois (623 hab.), Saint*-Pierre-Église, Saint-Sauveur-Lendelin (1 442 hab.), Saint*-Sauveur-le-Vicomte, Sainte*-Mère-Église, Sartilly (1 136 hab.), Sourdeval*, Teilleul (Le) [1 588 hab.], Tessy-sur-Vire (1 420 hab.), Torigni*-sur-Vire, Valognes*, Villedieu*-les-Poêles. *Autres comm.* **V. Barfleur, Carteret, Mont-Saint-Michel** (Le), **Saint-Vaast-la-Hougue.**

MANCHESTER. ♦ V. d'Angleterre (Lancashire), sur l'Irwell, affl. de la Mersey, au pied des Pennines. 593 000 hab. Évêché. Université. Ancien camp romain *(Manucium)*, Manchester connut un premier essor au Moyen Âge, grâce au travail de la laine, mais son véritable développement, à la fin du XVIIIe s., est lié à l'industrie cotonnière. Un climat humide permettant le traitement de fibres très fines, la proximité de cours d'eau pour leur blanchiment, la présence de charbon et la surabondance de la main-d'œuvre furent autant de facteurs qui favorisèrent le développement de cette industrie. Dès 1830, une voie ferrée, puis en 1894 un canal maritime sur la Mersey relièrent Manchester à sa grande rivale Liverpool*, qui importait les balles de coton. Si Manchester est toujours le premier centre mondial du travail du coton, d'autres industries : métallurgie, mécanique (automobiles, aéronautique, matériel électrique), chimie (caoutchouc, produits pharmaceutiques, colorants), dispersées dans les faubourgs et dans un rayon de 40 km autour de la ville, sont venues peu à peu s'ajouter à cette activité initiale. Manchester est en outre la grande place bancaire et administrative des Midlands et le siège du journal « The Guardian ». La ville ne présente guère d'intérêt touristique mais possède cependant d'intéressants musées *(City Art Gallery, Withworth Art Gallery, John Ryland's Library)*. – Patrie de Thomas De Quincey et Lloyd* George.

MANCHESTER. ♦ V. des États-Unis, dans le centre sud du New* Hampshire, sur le Merrimack; la plus grande ville de l'État. 87 342 hab. Indus. textiles, du cuir, du caoutchouc, accessoires automobiles, instruments électriques, etc.

MANCHOURIE ou **MANDCHOURIE.** *n. f.* ♦ Ancien territoire du N.-E. de la Chine, bordé au N. et à l'E. par le cours du fleuve Amour (Hei-lung chiang en chinois) et celui de son affluent Oussouri. Elle comprenait les provinces actuelles du Hei*-lung chiang, du Kirin* et du Liao*-ning. *Cap.* Mukden (actuellement Shen-yang). La région, très riche au point de vue agricole (blé, millet), comporte également de grands centres industriels et d'excellents ports (Dairen-Lü-ta, Lü-shun). ♦ *Hist.* De cette région vinrent les Manchu* qui conquirent la Chine au début du XVIIe s. et lui donnèrent les souverains de la dynastie des Ch'ing*. Elle fut occupée de 1931 à 1945 par les Japonais qui y établirent un État vassal dénommé Manchukuo à la tête duquel il placèrent l'ex-empereur de Chine Pou-yi (empereur K'ang Tê ; **V. Hsün-ti**).

MANCHU ou **MANCHOUS.** *n. m. pl.* ♦ Groupe ethnique de Manchourie apparenté aux Tunguz* et métissé d'éléments chinois. Les Manchu envahirent la Chine au XVIIe s. et lui imposèrent la domination de leur famille régnante qui prit le nom de Ch'ing (« pure ») jusqu'en 1912.

MAN-CHU-KUO ou **MANDCHOUKOUO, MANTCHOUKOUO.** ♦ V. MANCHOURIE.

MANCINI. ♦ Famille italienne de Rome dont les membres les plus célèbres sont les nièces de Mazarin, venues en France à la suite de leur oncle. ♦ LAURE (Rome, 1636 – Paris, 1657) épousa Louis de Vendôme, duc de Mercœur, frère du duc de Beaufort*. Elle eut pour fils le maréchal et le grand prieur de Vendôme. ♦ OLYMPE (Rome, 1639 – Bruxelles, 1708) fut aimée de Louis XIV et épousa Eugène Maurice de Savoie-Carignan, comte de Soissons. Elle fut la mère du prince Eugène*. Compromise dans l'Affaire des poisons*, elle se réfugia en Flandre. ♦ MARIE (Rome, 1640 – Pise, v. 1706-1715). Elle fut à son tour aimée de Louis XIV, qui songea

Ph. Prato/Ricciarini

Mandalay : la pagode Kuthodaw.

à l'épouser, mais Mazarin s'y opposa. Elle fut mariée au prince Colonna (1661), se sépara de lui et s'enfuit en France où Louis XIV la fit enfermer dans un couvent. Elle s'enfuit à nouveau et mena une vie aventureuse dans toute l'Europe. ♦ HORTENSE (Rome, 1646 – Chelsea, 1699), duchesse de Mazarin, la plus belle des cinq, épousa le duc de La Meilleraye, qui prit le titre de duc de Mazarin, le quitta pour devenir la maîtresse du chevalier de Rohan* et finit par se retirer à Londres. Elle fut un moment la maîtresse de Charles* II et son salon accueillit une société de libertins spirituels, dont Saint*-Évremond. ♦ MARIE-ANNE (Rome, 1649 – Paris, 1714) épousa le duc de Bouillon. Elle fut l'amie de La* Fontaine et fut compromise dans l'Affaire des poisons*.

MANCO CÁPAC Ier. ♦ Fondateur légendaire de l'Empire inca (XIe s.). Il serait venu du lac Titicaca et aurait réuni les peuplades sur les bords du lac Cuzco. Il se donna pour le fils du Soleil et les civilisa, leur apprenant entre autres l'agriculture. Il bâtit la ville de Cuzco.

MANCO CÁPAC II. ♦ (mort après 1537). Dernier souverain inca du Pérou (1533-après 1537). Il succéda à son frère Atahualpa. Il tenta en vain de résister aux Espagnols, fut forcé de se réfugier dans les Andes, et y fut assassiné.

MANDALAY. ♦ Anc. cap. de Birmanie, sur le moyen cours de l'Irawadi*. Près de 300 000 hab. Elle est considérée comme la capitale culturelle du pays. Artisanat de l'albâtre, de la soie, des objets en argent. Centre de distribution du riz de la plaine de Kyaukse. ♦ *Hist.* Capitale du pays de 1857 à 1865, elle fut détruite en 1942 et 1945 par des bombardements alliés.

MANDCHOURIE. ♦ V. MANCHOURIE.

Mandéens. *n. m. pl.* ♦ Secte du Moyen-Orient dont les origines remonteraient au début de l'ère chrétienne. Sa langue est un dialecte araméen oriental, sa religion un syncrétisme des gnoses juive et chrétienne, du manichéisme, du parsisme sassanide. Le principal personnage céleste est *Mandâ d'Haiyé*; le seul vrai prophète, Jean-Baptiste; le rite fondamental, l'immersion en rivière. Appelés anciennement chrétiens de saint Jean.

MANDEL (Louis Georges). ♦ Homme politique français (Chatou, 1885 – forêt de Fontainebleau, 1944). Attaché au cabinet de Clemenceau (1908), il devint le collaborateur principal de celui-ci à la présidence du Conseil, de 1917 à 1918; député de tendance modérée (1919-1924; 1928-1940) et plusieurs fois ministre, il s'opposa avec la plus grande énergie à l'armistice de juin 1940. Dans l'espoir d'être suivi par les éléments politiques capables de former un gouvernement décidé à poursuivre la guerre, il gagna l'Afrique du Nord; mais il fut ramené en France et interné par le gouvernement de Vichy. Livré par celui-ci aux Allemands, Mandel fut abattu par des miliciens dans la forêt de Fontainebleau.

MANDEL. *n. f.* ♦ Affl. de la Lys arrosant Roulers* et Ingelmunster*.

MANDELIEU. ♦ Comm. des Alpes*-Maritimes, arr. de Grasse*. 6 245 hab. La station balnéaire de La Napoule* est dans la commune.

MANDELSTAM (Ossip Emilievitch) [*Mandelštam*]. ♦ Poète russe (Varsovie, 1892 – Sibérie, 1938). Il fut un brillant représentant de l'école acméiste*. Ses recueils, peu nombreux, *La Pierre* (1913), *Iristia* (1922), contiennent des poèmes d'inspiration livresque et d'une grande richesse musicale. Il écrivit aussi des nouvelles sur son époque dans *Le Bruit de l'époque* (1925) et *Timbre égyptien* (1928). Arrêté en 1933, déporté, puis exilé à Voronej (*Deux cahiers de Voronej*, poèmes non publiés en U.R.S.S.), il revint à Moscou, fut de nouveau arrêté (1937) et mourut dans un camp de transit.

MANDEURE. ♦ Comm. du Doubs, arr. et aggl. de Montbéliard*, sur la r. d. et dans un méandre du Doubs. 5 550 hab. C'est l'*Epomandorum* des Romains, dont il reste des vestiges (théâtre de dimensions exceptionnelles). – Construction d'automobiles.

MANDEVILLE (John ou **Jehan de**, de son vrai nom **Jean de BOURGOGNE)**. ♦ Médecin à Liège et voyageur (Saint Albans, v. 1300 – Liège, 1372). Il aurait visité l'Orient (en particulier l'Égypte). La relation de son voyage, où se mêlent observations précises et légendes, fut rédigée en français puis traduite dans plusieurs langues. En Allemagne, elle constitua à partir du XVe s. (et jusqu'au XVIIIe s.) un véritable Livre populaire.

MANDINGS ou **MANDINGUES**. *n. m. pl.* ♦ Groupe ethnique de l'Afrique* occidentale, en majorité musulman, comprenant le vaste ensemble des Malinkés* et des Bambaras* et de nombreux sous-groupes dont les Dioulas*, répartis dans les régions du Haut-Sénégal et du Haut-Niger (**V. Guinée, Sierra Leone, Gambie, Sénégal, Mali, Haute-Volta** et **Côte-d'Ivoire**).

MANDRIN (Louis). ♦ Brigand français (près de Romans, v. 1725 – Valence, 1755). Ayant déserté, il prit la tête de contrebandiers et forma une troupe disciplinée, ne s'attaquant qu'aux caisses des impôts ou des villes. Il fallut plusieurs détachements envoyés illégalement en Savoie et la trahison pour qu'il soit pris et roué vif en France. L'audace et l'ampleur de ses entreprises, autant que le fait qu'il ne prenait pour victimes que les collecteurs d'impôts. lui valurent une durable popularité.

Mânes. *n. m. pl.* (« les bienveillants »). ♦ Esprits des morts dans la religion romaine, ainsi nommés par antiphrase, car on redoutait leur retour. Les Romains tentaient de se les rendre favorables et de les apaiser par la célébration de divers rites dont les *Parentalia* (du 18 au 21 févr.). **V.** *aussi* **Lémures**.

MANÈS. ♦ **V.** MANI.

MANESSIER (Alfred). ♦ Peintre et dessinateur français (Saint-Ouen, Somme, 1911). Il étudia à Amiens, puis il entra aux Beaux-Arts de Paris (section architecture) en 1929. En 1935, il fit la connaissance de Bissière* qui enseignait alors à l'académie Ranson. Il peignit d'abord des natures mortes, puis des paysages dont le graphisme insistant engendre des formes entrecoupées, dénotant l'influence des compositions cubistes; il passa ensuite par une période plus onirique et fantastique, puis il s'éloigna de la reproduction des apparences extérieures. En 1941, il participa à l'exposition *Jeunes Peintres de la tradition française* et, à la suite d'un séjour à la Trappe en 1943, il se convertit au catholicisme. Il fut dès lors préoccupé de donner un contenu spirituel à son œuvre, traitant des thèmes religieux avec des couleurs exaltées et une touche véhémente (*Christ et Véronique*). Puis il abandonna toute référence au sujet et son œuvre prit un caractère plus apaisé; l'émotion religieuse ou l'émotion ressentie en face de la nature, image de la création divine, constituant le point de départ de ses œuvres (*Salve Regina; Office des Ténèbres; Soir d'été dans la baie de Somme*). À partir de motifs graphiques, d'épais traits ou de larges touches de couleurs, il établit des rythmes plus ou moins précipités, structurant un espace lumineux et dense. Il a réalisé des lithographies, des cartons de tapisserie, des émaux et surtout de nombreux vitraux (églises de Bréseux, dans le Doubs, 1948; de Saint-Pierre à Arles Trinquetaille, 1952; chapelle de Hem, 1957).

MANET (Édouard). ♦ Peintre, pastelliste et dessinateur français (Paris, 1832, *id.*, 1883). Issu de la grande bourgeoisie, après un échec au concours de la marine et un voyage au Brésil comme pilotin (1848-1849), il put étudier dans l'atelier de Couture (1850), mais, s'entendant mal avec son maître, il le quitta en 1856 et visita alors la Hollande, l'Autriche et l'Italie. En 1859, le Salon lui refusa le *Buveur d'absinthe*, mais accepta en 1861 le portrait de *M. et Mme Manet* et le *Guitariste*, œuvres qui dénotent l'influence de Courbet* et de la peinture espagnole. À la suite de l'arrivée d'une troupe espagnole à Paris, il réalisa une série de tableaux dont *Lola de Valence* (1862) qui allait inspirer à son ami et admirateur Baudelaire* un poème. En 1863, il exposa *La Musique aux Tuileries* et le non-conformisme de cette œuvre lui attira de violentes critiques. *Le Déjeuner sur l'herbe* (1862), exposé au Salon des Refusés en 1863, provoqua un scandale retentissant. Abandonnant la modulation des valeurs, il commença à utiliser des teintes plates et franches, schématisant les formes. L'indignation fut à son comble avec l'*Olympia* (1863) inspirée de la *Vénus d'Urbin* de Titien et présentée en 1865. De dépit, il quitta Paris, séjourna en Espagne où il admira particulièrement Vélasquez. À Paris, il participa ensuite aux réunions du café Guerbois, fut admiré par Monet*, Degas*, Cézanne* et Pissarro*. Zola* écrivit sur lui un article tres élogieux (1866) qui lui coûta sa place de critique à *l'Événement*. Exclu comme Courbet* de l'Exposition universelle de 1867, il exposa dans un pavillon à part une centaine de ses toiles. En 1868, il rencontra Berthe Morisot* (*Le Balcon; Portrait de B. Morisot*, 1872) qui le fit évoluer vers la peinture de plein air. À la suite d'un voyage en Hollande, il obtint pour la première fois un vif succès avec le *Bon Bock*, inspiré de Hals. En 1874, il alla travailler à Argenteuil en compagnie de Monet; attentif au rendu de la lumière, il morcela sa touche et modula les valeurs (*Sur les berges de la Seine*, 1874). Encore refusé et violemment critiqué pendant quelques années, il peignit de nombreux portraits (*Mallarmé*, 1876; *Nana*, 1876), des natures mortes (*L'Asperge*, 1880) et des scènes d'extérieurs où s'affirme sa personnalité. La série de bars (*La Serveuse de bocks*, 1878; *Bar aux Folies-Bergère*, 1881) témoigne de l'assimilation originale des données impressionnistes. Malade, progressivement paralysé à partir de 1880, il se consacra surtout au pastel. Profondément marqué par les maîtres anciens, il fut cependant un ennemi des conventions picturales; la force de sa vision spontanément moderne l'éloigne de l'académisme comme de l'aspect littéraire, sentimental et emphatique du romantisme. À l'écart du mouvement impressionniste, son modernisme recourt à un renouvellement du traitement de l'espace (influence des Japonais), à la mise en valeur des contours et au traitement des volumes par larges aplats colorés sans transition. Soustrayant le tableau à sa stricte fonction de représentation, Manet le soumet à ses lois propres; par là il ouvre la voie à l'art du XXe siècle.

Mané, Thécel, Pharès. ♦ Forme généralement donnée par les versions de la Bible pour l'araméen *Mené, teqèl, oupharsin* du *Livre de Daniel,* V. 25. Cette formule qu'une main mystérieuse écrit sur une muraille lors d'un festin du roi Balthasar* est interprétée par Daniel* : « Compté, pesé et divisé », présage de la mort de Balthasar*.

MANÉTHON. ♦ Historien égyptien (Sébennytos, auj. Samanud. ~ IIIe s.). Prêtre d'Héliopolis*, il écrivit en grec, sans doute à la demande de Ptolémée* Ier, les *Aiguptiaka,* chronique des souverains et pharaons de l'Égypte des origines à Alexandre* le Grand. Il n'en reste que des fragments conservés dans les œuvres de Flavius Josèphe (Ier s.), Julius Africanus (IIIe s.), Eusèbe (IVe s.) et Georges le Syncelle (VIIIe s.). Manéthon y donnait un classement des souverains égyptiens en trente dynasties que les historiens modernes ont gardé.

MANFRED. ♦ (1231 — Bénévent, 1266). ♦ Roi de Sicile (1258-1266). Bâtard légitimé de l'empereur germanique Frédéric* II, il conquit l'Italie du Sud et la Sicile qu'il ne put conserver, Charles* Ier d'Anjou ayant été investi de ce royaume par le pape. Il fut vaincu et tué près de Bénévent.

Manfred. ♦ Poème dramatique de Byron (1817). Criminel et solitaire, Manfred va se donner la mort en se précipitant du sommet de la Jungfrau. En vain un religieux l'exhorte-t-il à se réconcilier avec le ciel. En vain les démons s'apprêtent-ils à s'emparer de leur proie. Manfred sait que les tourments de son âme sont le tribut d'un crime qu'il a déjà expié. Orgueilleux et désespéré, il mourra sans avoir sollicité le pardon divin.

MANFREDONIA. ♦ V. et port d'Italie (prov. de Foggia), située dans les Pouilles, sur le golfe de Manfredonia, au pied du Gargano. 37 700 hab. Archevêché. Église du XIIIe siècle. Château commencé à la même époque. ♦ *Hist.* Elle fut construite en 1256 par le roi Manfred sur l'emplacement de la colonie grecque de Sipontum, dont il reste des ruines.

MANGALIA. ♦ Petit port de Roumanie (Dobroudja) sur la mer Noire, non loin de la frontière bulgare. Une station estivale moderne d'une architecture remarquable a été édifiée tout près (1968).

MANGALORE. ♦ V. et port de l'Inde occidentale, sur la côte du Malabar* dans la province de Mysore. 172 000 hab. (242 000 aggl.), 1970. Indus. de tuiles et exportations de bois précieux (santal) et d'épices. ♦ *Hist.* La ville fut fondée par les Portugais en 1596.

MANGHYCHLAK, MANGYCHLAK ou **MANGHYSHLAK** *(presqu'île de).* ♦ Plateau désertique d'U.R.S.S. (Kazakhstan*) sur la r. E. de la mer Caspienne*. Réserves de phosphorites et de manganèse. Indus. du pétrole et du gaz.

MANGIN (Charles). ♦ Général français (Sarrebourg, 1866 — Paris, 1925). Sorti de Saint-Cyr, il servit plusieurs années en Afrique noire (1890-1894, 1895-1898, 1907-1911), au Tonkin (1901-1904), seconda Lyautey au Maroc (1912). Lors de la Première Guerre mondiale, il reprit le fort de Douaumont (oct. 1916) et fut placé à la tête de la VIe armée. Mis en disponibilité après l'échec de l'offensive de Nivelle (Chemin des Dames, avril 1917), il fut rappelé dès déc. 1917 et, commandant la Xe armée, permit, grâce à sa contre-offensive de Villers-Cotterêts, la victoire des forces alliées à la 2e bataille de la Marne (juill. 1918). Entré dans Metz (avec son armée) peu après l'armistice (19 novembre 1918), il fut nommé commandant de l'armée du Rhin (à Mayence), puis envoyé en mission en Amérique (1920-1921). Inspecteur général des troupes coloniales et membre du Conseil supérieur de la guerre, il a laissé plusieurs ouvrages militaires, dont ses *Lettres de guerre* (publ. 1951).

MANHATTAN. ♦ L'un des cinq districts (boroughs) de New* York City; l'île qui en constitue la majeure partie. De forme allongée, orientée N.-E.-S.-O., elle est bordée à l'O. par l'Hudson*, au S. par la baie de New York, à l'E. par l'East* River, au N.-E. et au N. par la rivière Harlem, qui la sépare du Bronx. Son sol rocheux, très stable, explique la grande hauteur des immeubles qui y furent construits. — Manhattan (près de 1 700 000 hab. en 1960) s'identifie à New York jusqu'en 1898, date à laquelle elle fut réunie aux quatre autres districts pour former le Grand New York; elle contient les rues et monuments les plus célèbres de la ville. **V. New York.**

MANI, en gr. **Manès,** en lat. parfois **Manichaeus.** ♦ Fondateur de la religion manichéenne (près de Ctésiphon, 216 — Gundeshâhpuhr, Susiane, 277). Il prêcha sa doctrine à partir de 240-241 jusqu'au Baluchistân puis dans l'empire sassanide de Shâhpuhr Ier, mais il se heurta au clergé mazdéen. Il fut mis à mort sous Bahrâm Ier. La tradition le dit peintre et calligraphe, inventeur de l'écriture dite manichéenne, auteur de plusieurs livres sacrés dont certains sont connus par des fragments et traductions : *Épîtres, Kephalaïa* (*Chapitres,* recueil d'entretiens familiers), *Livre des psaumes et prières.* — Le *manichéisme* est une religion de salut à vocation universelle. Sa doctrine est un dualisme radical exprimé au moyen d'emprunts aux mythologies mazdéenne, gnostique, juive, chrétienne, bouddhiste. Le monde actuel est le lieu où s'affrontent les deux principes : les parcelles de Lumière cherchent à se dégager des Ténèbres et de la matière. Pour rappeler aux âmes leurs origines et leur destin lumineux, Dieu a envoyé des prophètes, dont le dernier est Mani. Cette conception entraîne la croyance à la prédestination des élus et une morale austère (végétarisme, jeûnes, abstinence). L'Église manichéenne comprenait des *élus,* vivant cet ascétisme, et de simples *auditeurs*; elle avait prêtres, évêques, docteurs; un pontife suprême résidait en principe à Babylone. Malgré les persécutions mazdéennes, chrétiennes, musulmanes, le manichéisme se répandit jusqu'en Chine et jusqu'en Italie et en Afrique du Nord (saint Augustin* fut d'abord manichéen). Il survécut jusqu'au XIVe siècle. — Des sectes dualistes dites « manichéennes » apparurent dans l'Europe médiévale, à partir du XIe s., sans que leur filiation (ou non) avec le manichéisme originel soit clairement établie : **V. Bogomiles, cathares.**

MANICOUAGAN, *n. m.* ou **MANICOUAGANE,** *n. f.* ♦ Riv. du Canada (Québec), affl. du Saint-Laurent (r. g.) qu'il rejoint à son estuaire (baie Comeau). 500 km. Usines hydro-électriques.

Manifeste du parti communiste. ♦ Écrit par Marx* et Engels* (1848) à la demande du IIe congrès de la Ligue des communistes (Londres, 1847). Selon Lénine, « cet ouvrage expose avec une clarté et une vigueur remarquables la nouvelle conception du monde, le matérialisme conséquent étendu à la vie sociale, la dialectique, science la plus vaste et la plus profonde de l'évolution, la théorie de la lutte des classes et du rôle révolutionnaire dévolu au prolétariat, créateur d'une société nouvelle, la société communiste ».

MANILIUS (Marcus). ♦ Poète latin (Ier s.) contemporain d'Auguste* et de Tibère* auteur de l'*Astronomie (Astronomica),* poème en cinq livres.

MANILLE ou **MANILA.** ♦ Ancienne cap. de la rép. des Philippines*, située sur la côte occidentale de l'île de Luçon* à l'embouchure de la rivière Pasig. 2 000 000 d'hab. Elle est formée de la réunion de plusieurs cités satellites qui sont autant de quartiers industriels ou portuaires. Textiles, indus. pharmaceutique, alimentaires, tabac, outillage électrique, chaussures. La ville (ainsi que la capitale officielle Quezón City) concentre plus de la moitié de l'activité industrielle du pays. ♦ *Hist.* Elle fut fondée en 1571 par l'Espagnol López* de Legazpi. — Occupée en 1942 par les troupes japonaises, elle fut reconquise, après une lutte acharnée en 1945, par les troupes alliées.

Manimegalei (« le lai de l'anneau »). ♦ Épopée indienne écrite en langue tamile, en 30 chants, de date indéterminée (vers le XIe s. ?), racontant les voyages extraordinaires d'une jeune fille bouddhiste, vierge et martyre, très populaire dans le S. de l'Inde.

MANIN (Daniele). ♦ Homme politique italien (Venise, 1804 — Paris, 1857). Avocat, il anima le Congrès républicain de 1847, mais fut emprisonné en janv. 1848. Lors de la révolution de mars 1848, il fut libéré par le peuple et il prit avec Tommaseo la tête de la révolution à Venise. Après s'être emparé de l'arsenal, il chassa les Autrichiens (22 mars), proclama la république, et en devint le président (mars-juill. 1848). Lorsque la réunion au Piémont eut été votée, il se retira. Après la défaite de l'armée sarde de Charles-Albert (23 mars 1849), il établit la dictature à Venise, et défendit la ville assiégée. Il capitula le 24 août 1849. Il se réfugia à Paris d'où il continua une active propagande.

Ph. Hétier

Manhattan, partie sud.

Coll. Rui Nogueira

Joseph L. Mankiewicz dirigeant Michael Caine et Laurence Olivier dans « Le Limier ».

MANIPUR. *n. m.* ♦ État de la Fédération assamaise et de l'Union indienne, situé entre le Bangla* Desh et la Birmanie du Nord. 22 000 km². Plus de 1 000 000 d'hab. Cet État semi-indépendant (cap. : Imphal) comprend de grandes zones forestières qui font sa principale richesse. Les habitants sont en majorité hindous et parlent un dialecte apparenté au bengali.

MANISA. ♦ V. et prov. de Turquie. **V. Magnésie du Sipyle.**

MANITOBA. ♦ Province du centre du Canada, limitée à l'O. par la Saskatchewan, au S. par les États-Unis (Dakota du Nord, Minnesota), à l'E. par l'Ontario, au N. par les Territoires du Nord-Ouest et la baie d'Hudson. 650 000 km². 963 066 hab. (1966). *Cap.* Winnipeg. *Autres V.* Brandon (env. 30 000 hab.), Saint-Boniface, Saint James, Saint Vital (env. 30 000 hab.), East et West Kildonan (29 000 et 22 000 hab.). – *Orogr.* Les 3/4 de la province sont constitués par le bouclier canadien; c'est une zone de collines érodées par la glaciation, parsemée de lacs et drainée vers la baie d'Hudson* par les riv. Churchill, Nelson et Seal. Au N.-E. se trouve la plaine côtière de la baie d'Hudson*. Au centre et au S., un bassin qui fut celui d'un lac glaciaire (Agassiz) contient plusieurs vastes lacs (Manitoba*, Winnipeg*, Winnipegosis). – *Climat* continental : hivers très froids (jusqu'à – 40 °C, moyenne de janvier, – 25 °C à Winnipeg), étés chauds (plus de 30 °C). – *Écon.* Agriculture basée sur les céréales (blé notamment) et l'élevage de bovins. Pommes de terre, tournesols. Volailles. Miel. Forêts sur 60 % de la surface (25 % sont productifs); pâte à papier. Pêche dans les lacs. – Richesses minières : métaux (nickel, cuivre, notamment à Lynn Lake, Chisel Lake), or, zinc. Pétrole au sud-ouest. Importante production hydro-électrique (riv. Winnipeg, Laurie, Nelson, Saskatchewan). Les industries sont surtout localisées autour de Winnipeg **(V. Winnipeg)** : indus. alimentaires, métallurgie, pétrole; indus. mécaniques et textiles, etc. Raffinerie de nickel à Thomson, dans le Nord. – Plus de 8 000 km de ch. de fer dans le S. de la province. Routes intercontinentales. Aérodrome international à Winnipeg. Navigation d'été sur la baie d'Hudson (Churchill). – Patrie de Gabrielle Roy. ♦ *Hist.* La région fut concédée à la Compagnie de la baie d'Hudson en 1670. Elle commença à être colonisée au déb. du XIXᵉ siècle. Le Manitoba devint colonie britannique en 1870, malgré la rébellion des colons. **V. Riel.** La province s'élargit vers le nord en 1881 et 1912.

MANITOBA *(lac).* ♦ Lac du Canada (prov. du Manitoba) séparé du lac Winnipeg* par un isthme. Pêcheries.

Manitou. ♦ Nom donné au Grand Esprit par les Indiens d'Amérique du Nord, qui distinguaient les Manitous ou Âmes du Soleil, des vents, des eaux, ainsi qu'un bon (Kitchi) et un mauvais (Matchi) Manitou.

MANIZALES. ♦ V. de la Colombie, ch.-l. du dép. de Caldas (12 960 km². 1 466 800 hab.) sur le versant E. de la Cordillère centrale dans la vallée du Cauca*. 200 000 hab. Archevêché. Centre commercial (café). Indus. textiles.

MANJUŚRĪ. ♦ Dans la cosmologie bouddhique du Mahâyâna*, Bodhisattva* de la sagesse, du savoir, de l'éloquence et de la mémoire. Il serait, selon la tradition, le fondateur du Népal et l'ancêtre des populations Manchu*. C'est un disciple du Bouddha.

MANKIEWICZ (Joseph L.). ♦ Réalisateur américain de cinéma (Wilkes Barre, Pennsylvanie, 1909). Disciple et continuateur de Lubitsch*, il a abordé à peu près tous les genres. Son œuvre, d'une facture élégante et racée, est celle d'un dramaturge qui reconnaît au dialogue une importance égale à celle de l'image. Elle apparaît souvent comme une quête quasi pirandellienne de la vérité. Réal. princ. *Chaînes conjugales* (*A Letter to three Wives,* 1949), *Ève* (*All About Eve,* 1950), *L'Affaire Cicéron* (*Five Fingers,* 1952), *La Comtesse aux pieds nus* (*The Barefoot Contessa,* 1954). *Cléopâtre* (1961-1963).

MANLIUS, en lat. **Marcus Capitolinus Manlius.** ♦ (mort à Rome, ~ 384). Consul en ~ 392. Lors de l'occupation de Rome par les Gaulois (~ 390), il les repoussa du Capitole, dont les habitants avaient été réveillés par les cris des oies sacrées. Accusé par la suite d'aspirer à la tyrannie, il fut précipité du haut de la roche Tarpéienne **(V. Tarpeia).**

MANLIUS, en lat. **Vulso Manlius.** ♦ Homme politique romain. Consul en ~ 256 lors de la première guerre Punique*, il seconda Regulus* à la bataille d'Ecnome*.

MANLIUS, en lat. **Titus Torquatus Manlius.** ♦ Homme politique et général romain, trois fois consul entre ~ 235 et ~ 215, dictateur en ~ 208. Il fut le pacificateur de la Sardaigne (~ 224). À nouveau consul lors de la seconde guerre Punique (~ 215), il s'opposa au rachat des prisonniers faits à Cannes* par Hannibal* et repoussa un assaut carthaginois en Sardaigne.

MANN (Heinrich). ♦ Écrivain allemand (Lübeck, 1871 – Los Angeles, 1950). Par ses premiers récits et romans, il se rattache à l'esthétisme individualiste et immoraliste en vogue (influence de Barrès, de D'Annunzio); leur style violent, excessif, parfois heurté, la satire sociale volontiers caricaturale qui s'y exprime ont permis de voir en H. Mann un précurseur de l'expressionnisme (*Le Pays de cocagne,* 1900; *Les Déesses,* 1902; *Flûtes et Poignards,* 1904, et surtout *Professeur Unrat,* 1905, dont J. von Sternberg* tira le film *L'Ange bleu*). Progressivement (*Entre les races,* 1907; *Une petite ville,* 1909), cette attitude l'amena à une prise de position politique. Sa critique de la bourgeoisie nationaliste, conservatrice et docile, fit de lui un des principaux représentants de l'opposition intellectuelle, le partisan d'un humanisme social militant, prise de position qui le sépara de son frère Thomas Mann* lors de la Première Guerre mondiale. De cette époque datent les trois romans *Le Sujet* (1914), *Les Pauvres* (1917) et *La Tête* (1925, critique des intellectuels et dirigeants de l'Allemagne de Guillaume II). Dès 1932, H. Mann dénonça la montée du nazisme *(Profession de foi internationale)* et, en même temps que son frère Thomas avec qui il s'était réconcilié, quitta l'Allemagne (1933) pour la France, où il milita conte le nazisme et le fascisme, puis pour les États-Unis. Il donna encore un roman historique (*Henri IV,* 1935-1938) et un recueil d'articles à caractère autobiographique (*Contemplation d'une époque,* 1945-1946).

MANN (Thomas). ♦ Écrivain allemand (Lübeck, 1875 – Kilchberg, près de Zurich, 1955). Bien que sensible au naturalisme et à l'influence des écrivains russes (Tolstoï, Tourgueniev, Dostoïevski), il était avant tout enraciné dans la tradition allemande. Sa première grande œuvre, *Les Buddenbrooks* (1901), dont on a parfois comparé le naturalisme bourgeois à celui des Goncourt, est un « roman social »; pourtant, en décrivant le déclin d'une grande famille, T. Mann se montre surtout sensible aux symptômes psychologiques de la décadence dont il se fit « le chroniqueur et l'analyste [...] avec une prédilection pour le pathologique et la mort ». L'esprit comme signe d'inadaptation à la vie, hypertrophie de la sensibilité et de l'intelligence au détriment des facultés actives, l'affinité de l'art et de la mort : tel est le thème central des œuvres de T. Mann. Mais, quel que soit l'attrait qu'exercèrent sur lui les puissances irrationnelles et inconscientes du psychisme, il tenta toujours de les démasquer par la lucidité et l'ironie et par un style « analytique, précis, « apollinien », plein de finesse et de pointes... suprêmement calculé » (C. David). Si « l'esthète attiré par l'abîme » que fut T. Mann se profile derrière le portrait des artistes et écrivains qu'il donne dans *Tonio Kröger, Tristan* (1903), *Fiorenza* (1904), *La Mort à Venise* (1910, porté à l'écran par L. Visconti, 1971), certains de ses récits expriment chez lui la nostalgie d'une vie saine, robuste et active, ainsi que le désir d'une réconciliation de l'art et de la vie. Contrairement à son frère H. Mann*, il adhéra à la cause allemande lors de la Première Guerre mondiale (*Considérations d'un homme étranger à la politique,* écrites pendant la guerre, publiées en 1918, qui expriment un apolitisme conservateur). Ce n'est qu'après la paix qu'il devint démocrate, en moraliste soucieux de préserver les valeurs culturelles. Ses positions l'amenèrent à quitter l'Allemagne nazie (1933), comme son frère H. Mann. L'intérêt de T. Mann pour la médecine, la psychologie (psychanalyse) la sociologie, la mythographie transparaît dans les œuvres qu'il écrivit alors et où il reprit et développa ses thèmes favoris : *La Montagne* magique* (1924), la tétralogie *Joseph et ses frères* (1933-1943) dont il dit qu'il avait tenté d'y réaliser la « fusion du mythe et de l'humanité [...] plus riche d'avenir et plus humaine que le combat qu'il est de mode aujourd'hui de mener contre l'esprit », *Le Docteur* Faustus* (1947, suivi de *La Genèse du docteur Faustus,* 1949), *L'Élu* (1951) et *Les Confessions du chevalier d'industrie Félix Knull,* roman picaresque moderne évoquant le *Simplicissimus* de Grimmelshausen*, mais qu'il ne put achever. Prix Nobel de littérature (1929), T. Mann acquit une renommée incontestée parce « qu'il représente davantage que lui-même : un pays et sa tradition, plus, toute une civilisation, une conscience supranationale de l'homme » (Heinrich Mann).

MANN (Anthony). ♦ Réalisateur américain de cinéma (San Diego, Californie, 1907 – Berlin, 1967). D'une production abondante et inégale, il convient de retenir quelques œuvres d'une inspiration généreuse : *Incident de frontière* (*Border Incident,* 1949), *La Rue de la Mort* (*Side Street,* 1949). Un même idéalisme, conjugué à l'amour de la nature et au goût de la grandeur, lui a permis de conférer un éclat nouveau au genre du western avec : *La Porte du Diable* (*Devil's Doorway,* 1950), *Winchester 73* (1950), *Les Affameurs* (*Bend of the River,* 1952), *L'Appât* (*The Naked Spur,* 1953), *L'Homme de la Plaine* (*The Man from Laramie,* 1955), *La Charge des Tuniques bleues* (*The Last Frontier,* 1955), *La Ruée vers l'Ouest* (*Cimarron,* 1960).

MANNAR *(golfe de).* ♦ **V.** MANAAR.

Manneken-Pis. ♦ Sculpture de Duquesnoy (1619), ornant une fontaine de Bruxelles*. Elle représente un enfant lâchant un filet d'eau et symbolise la verdeur du peuple brabançon.

MANNER (Eeva-Liisa). ♦ Poétesse finnoise (Helsinki, 1921). Pionnier de la poésie moderne avec Anhava* et Haavikko*, elle établit sa réputation par le recueil *Ce voyage* (1956), la confirma par *Chants orphiques* (1960), *La Pierre écrite* (1966). Sa conception du monde déployée dans une imagerie complexe oppose un mysticisme non religieux au rationalisme qu'elle juge stérile. Des thèmes politiques et sociaux apparaissent dans le recueil *Si la fumée montait du chagrin* (1968) et le roman *Prenez garde vainqueurs* (1972).

MANNERHEIM (Carl Gustaf Emil, *baron*). ♦ Maréchal finlandais (Villnäs, Turku, 1867 – Lausanne, 1951). Après une brillante carrière dans l'armée du tsar Nicolas* II dont il devint aide de camp en 1912, il dirigea la guerre d'indépendance contre les bolcheviks. (V. **Finlande** [*Hist.*]). Il fit construire, entre les deux guerres, la ligne de fortification qui porte son nom pour protéger la frontière entre la Finlande et l'U.R.S.S.. En 1939, à la tête de l'armée, il fut le héros de la résistance finlandaise à l'armée rouge (guerre russo-finlandaise). À la fin de la guerre, devenu président de la République (1944), il négocia la signature de l'armistice avec les Alliés (sept. 1944), mais démissionna en 1946 devant l'orientation politique du régime.

MANNHEIM. ♦ V. d'Allemagne occidentale (Bade-Wurtemberg) et important port fluvial au confluent du Rhin et du Neckar, en face de Ludwigshafen*. 328 000 hab. (1969). Université, école supérieure d'économie. Construite selon un plan en damier, la ville possède l'un des plus vastes palais baroques d'Allemagne et un ancien château ducal du XVIIIe siècle. – Le port fluvial est le deuxième d'Europe. Centre industriel : constructions mécaniques, fabrication de cellulose, indus. chimiques, raffinage du pétrole, équipement électrique, indus. alimentaires. – Patrie de J.B. Cramer*, M. Gardel*. ♦ *Hist.* Fondée en 1606 par l'électeur palatin Frédéric IV, Mannheim souffrit de la guerre de Trente Ans. Devenue au XVIIIe s. la résidence des électeurs palatins, elle eut alors un grand rayonnement artistique (dans le domaine musical notamment, avec Stamitz*). L'importance de son port en fit au XIXe s. l'une des grandes villes allemandes. Très éprouvée par la Deuxième Guerre mondiale, elle a été en grande partie reconstruite.

MANNING (Henry). ♦ Prélat britannique (Totteridge, 1808 – Londres, 1892). Anglican converti (1851), il devint, sous la direction de Wiseman, supérieur des Oblats de Saint-Charles (1856) pour des missions catholiques à Londres; successeur de Wiseman comme archevêque de Westminster (1865); cardinal (1875). Il prit parti pour l'infaillibilité pontificale en 1870, multiplia les initiatives dans le domaine social (soutien à la grève des dockers, 1889), mais s'opposa à Newman*, trop libéral à son gré. *La Dignité et les Droits du travail* (*The Dignity and Rights of the Labour*, 1874).

MANOKWARI. ♦ V. et port de l'Irian* Barat (Nouvelle*-Guinée occidentale) sur la côte N.-E. de la péninsule du Vogelkop. Chantier naval. Scierie. Petite usine d'oxygène.

MANOLETE (Manuel Rodríguez SÁNCHEZ, dit). ♦ Matador espagnol (Cordoue, 1917 – Linares, 1947). Fils de matador, il commença à faire parler de lui en 1938. Il avait une façon originale de toréer, caractérisée par l'économie des mouvements, la simplicité des lignes et la stylisation des attitudes. Il fut considéré comme le premier matador de son époque. Il fut tué dans l'arène.

Manon Lescaut (Histoire du chevalier des Grieux et de). ♦ Enchâssé dans les *Mémoires d'un homme de qualité* (1731) de l'abbé Prévost*, ce bref récit fut édité séparément en 1753 et connut un succès immédiat et durable. Le chevalier des Grieux, naïf et exalté, accompagnera dans la déchéance la belle Manon, à la fois vénale et désintéressée, infidèle et tendre, pour laquelle il éprouve une passion fatale. Par cette autobiographie partielle, l'abbé Prévost entendait dispenser un enseignement moral en montrant l'« exemple terrible de la force des passions » que révèle cette lutte entre l'amour et le plaisir. Véritable roman de mœurs, cet ouvrage décrit tout un milieu social corrompu par une seule raison de vivre, le plaisir que procure l'argent. Sur ce tableau précis et réaliste des mœurs contemporaines se détachent les séduisants héros, dotés par l'auteur d'« un mélange de vertus et de vices, (d') un contraste perpétuel de bons sentiments et d'actions mauvaises [...], caractère ambigu » qui a toutes les couleurs de la vérité. Le récit est également exemplaire par la sobriété et le naturel de son style.

Ph. Lauros-Giraudon
François Mansart : l'hôtel Guénégaud (cour intérieure).

MANOSQUE. ♦ Ch.-l. de cant. des Alpes*-de-Haute-Provence, arr. de Forcalquier*, dans la vallée de la Durance*. 16 828 hab. [13 352 aggl.] *(Manosquins)*. Églises Saint-Sauveur et Notre-Dame romanes (remaniées). Portes du XIVe siècle. Centre commercial et agricole (oliviers, primeurs, fruits, truffes). Exploitation de lignite. – Patrie de E. Bourges*, de J. Giono* qui y vécut.

MAN RAY. ♦ V. **RAY (Man).**

MANRESA. ♦ V. d'Espagne orientale, en Catalogne* (prov. de Barcelone), sur un affl. du Llobregat. 52 200 hab. Grotte *(Santa Cueva)* où saint Ignace* de Loyola écrivit en 1522 ses *Exercices spirituels*.

MANRIQUE (Jorge). ♦ Poète espagnol (Paredes de Nava, Palencia, v. 1440 – près du château de Garci-Muñoz, 1479). Il se révolta avec son père et les nobles castillans contre Henri IV, et fut victorieux à la bataille d'Ajofrin. Il prit parti pour l'infante Isabelle contre Jeanne la Beltraneja et se distingua dans l'assaut d'Uclès. Il mourut en combattant dans le château de Garci-Muñoz. Il écrivit les stances *sur la mort de son père* (1476), où il développe le thème de la désillusion et montre le néant des choses humaines.

MANS (Le) [ləmɑ̃]. ♦ Préf. de la Sarthe. ch.-l. d'arr. (19 cant., 171 comm., 317 397 hab.), sur la Sarthe, 147 651 hab. [140 520 aggl.]. *(Manceaux)*. Collèges universitaires de sciences, de lettres et de droit. La *cathédrale Saint-Julien* présente de la façade au chevet un intéressant exemple de l'évolution de l'architecture religieuse du XIe au XVe; le chœur du XIIIe s., à double déambulatoire, est d'une grande hardiesse de conception. Verrières (du XIIIe au XVe s.). Anc. abbaye de la Couture : abbatiale Notre-Dame, romane et gothique. Anc. abbatiale Notre-Dame-du-Pré, des XIe et XIIe s., restaurée au XIXe siècle. Anc. hôpital de Coëffort (XIIe-XIIIe s.). Le vieux Mans a conservé presque intacte son enceinte gallo-romaine (IIIe-IVe s.). Hôtels et maisons anc. – Important marché agricole. Foire annuelle. Importante laiterie coopérative. Produits alimentaires renommés (rillettes, poulardes, pommes, cidre). Foyer industriel actif et nœud de communications (grand centre ferroviaire). Métallurgie, construction automobile et ferroviaire, mécanique générale. Indus. chimique. Appareillage électrique et électronique. Textile, confection. Secteur tertiaire très développé (assurances). Sur le circuit de l'Automobile-club de l'Ouest se déroule chaque année la célèbre épreuve des Vingt-Quatre Heures du Mans. – Patrie de Léon et Amédée Bollée*, J. Caillaux*, A. Gréban*, Henri* II d'Angleterre, l'évêque Hildebert* de Lavardin, Jean* II le Bon, général François de Négrier*, Jacques Peletier*. ♦ *Hist.* L'antique capitale des Aulerci Cenomani fut érigée en comté au VIe siècle. Envahie par les Normands en 1063, elle passa aux Plantagenêts à la mort de Guillaume II et ne fit retour à la couronne française qu'en 1481. Fort disputée pendant les guerres de Religion, elle fut également le théâtre de sanglants combats pendant la période révolutionnaire. Pendant la guerre de 1870-1871, la ville fut prise par les Allemands après la défaite de la IIe armée de la Loire, commandée par Chanzy, devant les troupes du prince Frédéric-Charles (10-11 janv. 1871). Occupée par les troupes nazies pendant la Deuxième Guerre mondiale, elle fut libérée le 8 août 1944 par la IIIe armée américaine.

MANSART (François). ♦ Architecte français (Paris, 1598 – *id.*, 1666). Formé auprès de Salomon de Brosse*, il se pénétra des traités de Serlio* et de Vignole*. Il imposa son talent avec l'édification de maisons particulières (*hôtels de la Vrillère*, 1635 [Banque de France], *de la Bazinière* et *de Chavigny)*, ainsi que d'édifices religieux *(portail de la chapelle des Feuillants, église de la Visitation-Saint-Antoine*, de plan central, *chapelle des Minimes)*. Il éleva aussi le *château de Berny* (1624) et peut-être celui de *Balleroy* où il resta fidèle aux contrastes de brique et pierre, déjà en faveur sous Henri IV. La reconstruction du *château de Blois*, entreprise à la demande de Gaston d'Orléans en 1634, marque une étape dans la formation de son style, qui allait se déployer avec ampleur dans le château de *Maisons* (*auj.* Maisons*-Laffitte, 1642-1648). Il fut ensuite chargé de fournir les plans de l'*abbaye du Val-de-Grâce*, mais Lemercier et Le Muet obtinrent d'en poursuivre l'édification, en modifiant notamment l'élévation de la chapelle. À Paris, Mansart travailla aussi à l'*hôtel d'Aumont* et restaura en partie l'*hôtel Carnavalet*, en conservant l'esprit du style de la Renaissance. Dans le projet de la *chapelle des Bourbons* à *Saint-Denis*, il donna un plan de coupole qui influença, semble-t-il, Wren* et inspira Hardouin-Mansart*. Il eut un sens subtil des proportions et le goût des ordonnances claires. Évitant progressivement les effets de reliefs insistants, les jeux contrastés d'ombre et de lumière, les motifs décoratifs chargés, il chercha par des inflexions et articulations calculées à fondre chaque partie dans l'harmonie d'ensemble. Sans abandonner les éléments hérités de la Renaissance, il tendit à un style plus ample et symétrique. Il joua ainsi un rôle de premier plan dans l'élaboration du classicisme français. – S'il ne fut pas l'inventeur du comble dit en *mansarde* (Lescot et Salomon de Brosse l'avaient déjà utilisé), il en généralisa cependant l'emploi.

MANSART (Jules HARDOUIN dit **HARDOUIN-MANSART).** ♦ Architecte français (Paris, 1646 – Marly, 1708). Il adopta le nom de Mansart en 1668, mais il fut surtout formé par L. Bruant*. Après avoir édifié le petit *château de Val* (1674), il gagna la faveur de Louis XIV en construisant le *château de Clagny* (1675-1683), destiné à Mme de Montespan; dès lors, il allait connaître une ascension très rapide et se trouver lié aux principales entreprises royales. Il obtint la charge de premier architecte du roi en 1681, de surintendant des Bâtiments royaux en 1689, ainsi que le titre de comte de Sagonne. Chargé de terminer les *Invalides,* il édifia le dôme de l'église en s'inspirant du projet de François Mansart, avec une coupole à double calotte, et imprima aux formes baroques italiennes un caractère retenu d'esprit classique (1679 à 1706). À Versailles, il supplanta d'Orbay* et donna au château, notamment à la façade sur le parc, son aspect définitif; il créa une grande horizontale animée seulement par le rythme régulier des baies et des légères saillies des avant-corps en supprimant la terrasse centrale de Le* Vau; il accentua le caractère grandiose et majestueux de l'ensemble en édifiant les ailes en retrait du nord et du midi (1679-1689). Il construisit les *Petites Écuries* et les *Grandes Écuries,* la *Nouvelle Orangerie* (1684-1686), aux amples baies cintrées et aux murs décorés de longs refends horizontaux; à partir de 1687, il sut se renouveler en concevant l'édifice somptueux et élégant du *Grand Trianon* et il édifia ensuite la *chapelle de Versailles* achevée par R. de Cotte* (1698-1710). Déployant une activité inlassable, il conçut notamment les plans des châteaux de *Dampierre,* de *Bouffers* et le *couvent de Saint-Cyr* (1686). Dans ses travaux d'urbanisme à Paris, il conçut des places pratiquement closes, d'une élégance sévère, fondées sur les principes d'alignement et de régularité et axées sur la statue du souverain : *place des Victoires* et *place des Conquêtes* (1698) [place Vendôme] qui subirent ensuite certaines modifications. Il entreprit aussi le nouveau *château de Meudon* (1698-1704) pour le Grand Dauphin et pour Louis XIV l'original ensemble de *Marly* dont les douze pavillons possédaient une valeur symbolique. Il sut adapter son talent aux desseins de Louis XIV et fit preuve d'une grande maîtrise dans l'utilisation des principes classiques : les amplifiant dans le sens d'une solennité grandiose ou les infléchissant vers une grâce et une élégance qui annoncent l'art du XVIIIe siècle.

MANSFELD (Ernst *von***).** ♦ Chef militaire allemand (Luxembourg, 1580 – Rakovica, 1626). À la tête de son armée de mercenaires, il passa du service de l'empereur à celui de son adversaire Frédéric* V. Après la défaite de la Montagne* Blanche, il se heurta à Tilly* (Wiesloch, 1622), fut battu par les Espagnols (Fleurus, 1622) aux Pays-Bas et par Wallenstein* une fois retourné en Allemagne à la demande de la France (Dessau, 1626). Il mourut alors qu'il se rendait à Venise demander des subsides.

MANSFIELD (Kathleen BEAUCHAMP, dite **Katherine).** ♦ Nouvelliste et poétesse néo-zélandaise (Wellington, Nouvelle-Zélande, 1888 – Fontainebleau, France, 1923). C'est pour étudier à Londres qu'elle quitta son pays à l'âge de quatorze ans; elle décida ensuite de vivre en Europe. Ses deux mariages (avec George Bowden, 1909; avec John Middleton Murry, 1918) furent des échecs. D'une très vive sensibilité, Katherine Mansfield est l'écrivain le plus représentatif de la génération d'après-guerre pour laquelle les anciennes valeurs n'ont pas été remplacées. Elle puisait son inspiration dans la vie quotidienne bourgeoise : les premiers émois des jeunes filles et les tragédies enfantines constituent ses sujets favoris. Les nouvelles composées après la publication de *La Garden Party* (1922) furent réunies dans *Le Nid de colombes* (*The Doves' Nest and Other Stories,* 1923) et obtinrent un grand succès, notamment en France. Disciple de Gurdjieff, elle voulut s'adonner à l'ascétisme, ce qui hâta sa mort, due à la tuberculose. Son *Journal* (posthume 1927) et ses *Lettres* (posthumes 1928) éclairent une personnalité délicate, éprise de perfection. Parmi ses nouvelles les plus célèbres, il faut citer *Pension allemande* (1911), *Félicité* (1920), *Prélude* (1921), *Sur la baie* (1922) et *La Maison de poupée* (1922).

Ph. Roger-Viollet

Katherine Mansfield.

MANSFIELD. ♦ V. d'Angleterre (Nottinghamshire), sur la Maun, à proximité de la forêt de Sherwood, où s'illustra Robin* des Bois. 53 200 hab. Église gothique (XIIe-XVe s.). Aux environs, ancien monastère (XIIe s.) qui appartint de 1540 à 1818 à la famille de George Byron*. – Houille, indus. textiles (bonneterie, fibres synthétiques), matériel électrique.

MÂN SINGH. ♦ Râja de Jaipur ([mort] 1614) qui fut général au service d'Akbar*. Il devint le beau-frère de Jâhangîr*. Il conquit l'Orissa et fut successivement gouverneur du Bengale, de Kâbul et du Bihâr. Il fut l'un des meilleurs généraux d'Akbar et fut également considéré comme un excellent poète.

MANSOURAH, en ar. **al-Mansûrah.** ♦ V. de la basse Égypte. Ch.-l. du gouvernorat de Dakhaliéh. 212 300 hab. C'est après Tantah la plus grande ville du delta du Nil. Centre commercial et industriel (égrenage du coton, minoteries). ♦ *Hist.* Saint Louis y vainquit les mamelouks mais y fut fait prisonnier en 1250.

MANSTEIN (Erich von LEWINSKI *von***).** ♦ Maréchal allemand (Berlin, 1887 – Irschenhausen, Bavière, 1973). Après s'être consacré à la résurrection de l'armée allemande, il fut chef d'état-major de Rundstedt* en Pologne (1939). En fév. 1940, il fit adopter par Hitler le plan de débordement de la ligne Maginot* par les Ardennes*, qui allait être celui de la campagne de France *(plan Manstein).* En Russie, il commanda la IIe armée et conquit la Crimée (1942). Au moment de Stalingrad, il fut nommé commandant du groupe d'armées du Don, avec autorité sur les troupes encerclées qu'il tenta de dégager (12-31 déc. 1942). Il résista longtemps à la poussée soviétique, mais, préconisant une vaste manœuvre de retraite, en contradiction avec les ordres de Hitler, il fut relevé de son commandement (mars 1944; **V. Model) V. Guerre mondiale** *(Deuxième).* Condamné à dix-huit ans de prison par un tribunal militaire britannique en 1949, il fut libéré dès 1953; en 1958, il fut appelé comme conseiller lors de la formation de la Bundeswehr.

MANSÛR (abû Ja'afar al-). ♦ Deuxième calife 'abbâsside* (mort en 775). Il fonda Baghdâd en 762. Il défendit les frontières de Cilicie et d'Arménie et combattit les Shi'ites* et les Khârijites*.

MANSÛR (Muhammad ibn Abî 'Amir al-Mansûr, en esp. **Almanzor).** ♦ Homme d'État et chef militaire musulman (? – 1002). Avec le soutien de Subh, mère basque du jeune calife Hishâm II, il fut, de 978 à sa mort, le véritable maître du califat 'umayyade* de Cordoue. Il devint célèbre par les expéditions victorieuses qu'il mena contre les États chrétiens de l'Espagne du Nord, notamment par sa victoire sur Ramire* III.

MANTEGNA (Andrea). ♦ Peintre et graveur italien (Isola di Cartúro, entre Vicence et Padoue, 1431 – Mantoue, 1506). La manière de ce maître instaura de nouveaux principes picturaux, en rupture avec le style gothique encore vivace dans les écoles septentrionales. Dès 1441, il fut à Padoue élève de Squarcione*, peintre et collectionneur d'antiques. Dans sa formation, il tira un grand profit des œuvres que laissèrent les grands maîtres toscans dans la région (Uccello*, Andrea* del Castagno et surtout Donatello*). Il fit partie, avec Pizzolo, d'une équipe chargée de décorer la *chapelle Ovetari* dans l'église des *Erimitani* à Padoue (1448-1456; fresques en grande partie détruites par un bombardement en 1944). La personnalité de Mantegna s'affirme dans le cycle consacré à saint Jacques, où chaque figure, intégrée dans un espace strictement défini par la perspective, porte en elle-même sa propre force : si le raccord des personnages avec l'architecture dérive du *Saint Georges* de Donatello, l'intervention des motifs antiques témoigne de l'héritage de l'enseignement de Squarcione. Entre 1456 et 1459, il peignit le *retable de San Zeno,* à Vérone : abandonnant la structure habituelle des polyptyques, il y conçut un espace unique dans lequel prennent place la Vierge et les saints qui l'entourent; la tension que dégage chaque personnage se trouve ainsi définie par la cohérence de l'espace; les trois panneaux de la prédelle (*Agonie au Jardin* et *Résurrection,* Tours; *Crucifixion,* Louvre) – avec leur chromatisme froid et violent, leurs figures fortement taillées, leurs paysages de rocs rougeâtres peuplés de guerriers romains – proposent un style dur qui influencera les premiers travaux de son beau-frère (depuis 1454), le maître vénitien Giovanni Bellini*. À partir de 1460, Mantegna devint le peintre officiel des Gonzague à Mantoue où il décora la *Chambre des époux* (1467-1474) : il y créa un espace illusoire agrandissant les proportions réduites de la pièce en exécutant un lanternon en trompe l'œil laissant apparaître un ciel délimité par une balustrade servant d'appui à un paon, à des femmes rieuses et à des *putti.* Cet agencement annonce la peinture scénographique développée par Corrège*, puis par les artistes baroques. Ami d'humanistes, tel l'épigraphe Felice Feliciano, Mantegna acquit une culture archéologique qui renforça son goût des motifs antiques abondamment utilisés dans le *Saint*

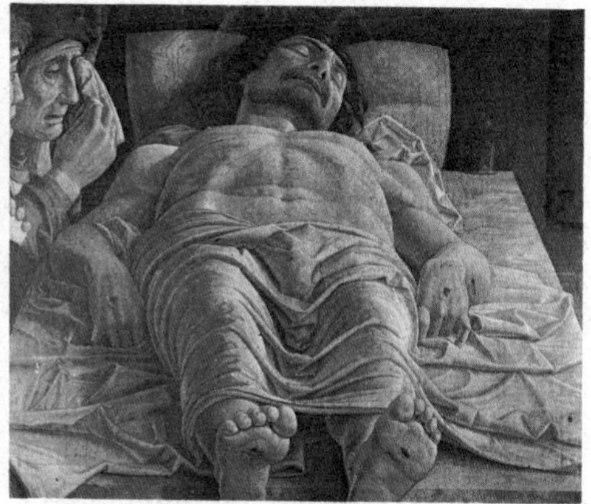

Ph. Carlo Bevilacqua/Ricciarini

A. Mantegna : « Christ mort ». (La Brera, Milan.)

Sébastien (1467, Louvre) ou dans les cartons du *Triomphe de César* (1486, Hampton Court). Si son *Christ mort* (1465-1466, Brera) développe encore son style dur par un dessin sculptural et un judicieux raccourci traité en grisaille, sa *Vierge de la victoire* (1495-1496, Louvre), ex-voto commandé par Francesco Gonzague après sa victoire sur les Français à la bataille de Fornoue, révèle des couleurs lumineuses, des formes moins âpres et un rythme adouci qu'on retrouve dans les allégories peintes pour Isabelle d'Este (*Parnasse, Combat des Vices et des Vertus*, 1502, Louvre). Tardivement, Mantegna fit nombre de gravures qui circulèrent jusqu'en Allemagne et révélèrent à Dürer l'antique et la Renaissance, tandis que l'ensemble de son œuvre détermina la pratique de divers peintres de l'Italie du Nord (Crivelli*, école ferraraise).

MANTES-LA-JOLIE. ♦ Sous-préf. des Yvelines, ch.-l. d'arr. [7 cant., 116 comm., 154 136 hab.], sur la Seine. 29 965 hab. *(Mantais)*. — Collégiale Notre-Dame (XIIe-XIIIe s.) construite en même temps que Notre-Dame de Paris. Sur le portail central, sculptures remarquables. Église de Gassicourt (XIIe-XIIIe s., restaurée). Tour Saint-Maclou (XVIe s.) sur la place Saint-Maclou. Hôtels anciens. Deux ponts relient Mantes à Limay **(V. Limay)**. — Centre commercial et industriel : ciment; traitement des pétroles et des huiles minérales; fonderie; indus. électrique; caoutchouc; tuileries; fabrique de cellophane; filature.

MANTES-LA-VILLE. ♦ Ch.-l. de cant. des Yvelines, arr. de Mantes-la-Jolie. 14 636 hab. *(Mantevillois)*. Ciment; constructions mécaniques; indus. alimentaires; indus. du papier; fabrique d'instruments de musique.

MANTEUFFEL (Edwin, *baron von***).** ♦ Feld-maréchal prussien (Dresde, 1809 — Karlsbad, 1885). Membre du cabinet militaire du roi de Prusse (1857), il participa à la réorganisation de l'armée prussienne. Après avoir pris part à la guerre des Duchés (Schleswig-Holstein, 1864) et à la campagne de Bohême contre l'Autriche (1866), il se distingua lors de la guerre franco-allemande (1870-1871) à Amiens, Hallue et Héricourt* où il battit le général Bourbaki*. Commandant de l'armée d'occupation (1871-1873), il fut ensuite nommé statthalter des territoires français annexés d'Alsace et Lorraine (1880-1885). ♦ OTTO THEODOR, *baron von* MANTEUFFEL, son cousin. Homme politique prussien (Lüben, 1805 — Crossen, 1882). Ministre de l'Intérieur dans le cabinet de Brandebourg (1848), il participa à l'élaboration de la Constitution du 5 déc. 1848, puis, nommé ministre des Affaires étrangères, dut signer la convention d'Olmütz (28 nov. 1850). Premier ministre (1850-1858), il fut invité au congrès de Paris (févr. 1856) qui mit fin à la guerre de Crimée. Auteur de *Mémoires sur Frédéric-Guillaume IV*.

MANTINÉE, en gr. **Mantineia.** ♦ Anc. V. de Grèce en Arcadie* (Péloponnèse), réputée pour sa constitution démocratique et rivale de l'oligarchique Tégée*. Membre de la Confédération péloponnésienne, elle participa pourtant à la coalition d'Argos et d'Athènes, qui devait être vaincue en ~418 par les Spartiates. Après une longue trêve, elle fut prise par les Spartiates et dévastée en ~385. Relevée en ~370, elle s'allia cette fois avec Sparte contre la Confédération arcadienne, mais les Thébains y remportèrent sur les Lacédémoniens et les Mantinéens une victoire dont le résultat fut annulé par la mort de leur chef, Épaminondas* (~362). Elle fut prise et pillée par les Macédoniens en ~222 et ses habitants furent vendus comme esclaves.

MANTIQUEIRA *(serra da). n.f.* ♦ Chaîne de montagnes du Brésil oriental formant frontière entre le Minas* Gerais et les États côtiers de Espírito* Santo et Rio* de Janeiro, elle domine la vallée de la Paraiba* do Sul, qui la sépare de la serra do Mar*, et culmine aux pics Agulhas Negras (2 787 m), à l'Itatiaia (2 713 m) et au pic de la Bandeira (2 890 m). Le rio Grande* y prend sa source.

MANTOUE, en it. **Mantova.** ♦ V. d'Italie du Nord, en Lombardie*, sur le Mincio* formant trois lacs. Ch.-l. de prov. 65 500 hab. Évêché. Nombreux monuments dus à la famille Gonzague : palais ducal (XIIIe-XVIIe s.) orné de fresques de Mantegna*, palais Bonacolsi (XIIIe s.), cathédrale (XIVe s.), église Sant'Andréa (XVIe s.). Important nœud de communications (routes Turin-Venise et Vérone-Parme). Pétrolochimie. ♦ *Hist.* Elle fut conquise par Rome (~222) et son territoire fut en partie distribué aux soldats d'Octave (~42). Virgile*, originaire d'Andes non loin de la ville (il fut surnommé le *Cygne de Mantoue*), fut contraint d'en partir **(V. Bucoliques)**. Conquise par les Lombards (VIIe s.), Mantoue appartint au Xe s. aux marquis de Toscane et fut libérée à la mort de la comtesse Mathilde (1115). Elle fut soumise à des dictatures dont celle des Bonacolsi (1308-1328), puis celle des Gonzague pendant quatre siècles. Frédéric II de Gonzague fut créé *duc de Mantoue* par Charles Quint en 1530. La *guerre de Succession de Mantoue* (1628-1631), à cause de la fin de la ligne directe des Gonzague, vit la victoire des Nevers soutenus par la France. À l'extinction des Nevers, en 1708, le duché passa à l'Autriche et fut réuni au duché de Milan en 1785. *Mantoue* fut de 1801 à 1814 le ch.-l. du dép. du Mincio et entra dans le royaume d'Italie en 1866.

MANU ou **MÂNAVA.** ♦ Selon la mythologie de l'Inde, ancêtre éponyme de la race humaine, premier roi et législateur. Il existerait un certain nombre de Manu correspondant aux ères divines. Celui qui appartient à notre ère, né du Soleil, aurait été le père des grands progéniteurs humains. Il laissa un code de lois. Le texte connu sous le nom de « lois de Manu » *(Mânavadharmaśâstra)* fait encore autorité en matière religieuse.

MANUCE (Aldo Manuzio ou **Manuzzi,** dit**).** ♦ Humaniste et imprimeur italien (Bassiano, Velletri, 1449 ou 1450 — Venise, 1515). Il fonda à Venise une imprimerie qui fut célèbre par ses éditions des chefs-d'œuvre de l'Antiquité. Les textes à imprimer étaient choisis par les humanistes et hellénistes de « l'Académie aldine ». Il fit dessiner par un typographe romain les premiers caractères *italiques*. Il rédigea deux grammaires. Son fils PAUL fut également imprimeur et érudit (1512 — 1574) ainsi que son petit-fils ALDO (Aldo le Jeune, 1547 — 1597). Cette famille est parfois connue sous le nom d'ALDES.

Manuel (le). ♦ Enseignement d'Épictète*, rédigé et publié par Arrien* et portant essentiellement sur la morale stoïcienne. Cette œuvre fut commentée par Simplicius* et utilisée par des moralistes chrétiens aussi bien que par des philosophes.

MANUEL Ier COMNÈNE. ♦ (v. 1122 — 1180). Empereur byzantin (1143-1180), fils cadet de Jean* II. Vaillant soldat et diplomate énergique, il soumit les Hongrois et les Serbes, annexa la Dalmatie (1168), fit reconnaître sa suzeraineté aux principautés latines de l'Orient et eut un succès temporaire en Italie du Sud. Mais sa politique occidentaliste, inspirée par des ambitions démesurées, ne fut pas longtemps heureuse. Ses négociations avec le pape pour l'union des deux Églises échouèrent (1167), et les mesures prises contre les négociants vénitiens provoquèrent une guerre de quatre ans avec Venise (1171-1175), dénouée par d'importantes concessions économiques. Ses difficultés en Occident encouragèrent les Saljûqides en Asie Mineure et le sultan d'Iconion lui infligea une sévère défaite à Myriocéphalon [Myriokephalon] (1176) qui précipita l'effondrement de l'Empire.

MANUEL II PALÉOLOGUE. ♦ (1348 — 1425). Empereur byzantin (1391-1425), fils de Jean* V. Devant le péril turc, il demanda secours à l'Occident, mais les croisés furent vaincus à Nicopolis* (1396) et Bayazid Ier (Bajazet) assiégea Constantinople. Manuel partit en Europe, implorant en vain l'aide des États chrétiens. La victoire de Tîmûr-i Lang (Tamerlan) sur Bayazid à Ancyre (1402) sauva la capitale; l'empereur put revenir et chasser l'usurpateur Jean* VII. Mais Constantinople fut de nouveau assiégée en 1422 par Murat* II et Manuel dut se reconnaître vassal du sultan (1424). Son fils Jean* VIII lui succéda.

MANUEL Ier, dit **le Grand.** ♦ (Alcochete, 1469 — Lisbonne, 1521). Roi de Portugal (1495-1521). Il succéda à son cousin Jean* II. Comme ses prédécesseurs, il encouragea les grandes explorations de Vasco de Gama* et de Cabral*, jetant ainsi les bases de l'Empire portugais en Amérique du Sud. Catholique intolérant, il bannit les juifs et les Maures du royaume. Il fit de sa cour un centre d'activité littéraire et scientifique. On a donné le nom de *manuélin* au style qui marqua l'introduction de la Renaissance dans l'architecture portugaise; style riche et orné, marqué d'influences romane, gothique et mauresque, dont l'un des plus beaux exemples est le cloître des hiéronymites de Belém*.

MANUEL II. ♦ (Lisbonne, 1889 — Twickenham, 1932). Dernier roi de Portugal (1908-1910). Successeur de son père Charles* Ier assassiné, il fut renversé en 1910 par la révolution républicaine et s'exila en Angleterre avec sa famille.

MANUEL (Pierre-Louis). ♦ Homme politique français (Montargis, 1751 — Paris, 1793). Quelques libelles antireligieux, écrits alors qu'il était précepteur, lui valurent la prison (1783). Au début de la Révolution, après la prise de la Bastille, le maire de la Commune de Paris, Bailly, l'appela à la Police; c'est alors qu'il rédigea la *Police de Paris dévoilée*, ouvrage qui connut un vif succès. Procureur de la Commune* de Paris en 1791, destitué après la journée révolutionnaire du 20 juin 1792, il prit, avec Pétion*, la tête de la Commune insurrectionnelle (nuit du 9 au 10 août 1792) qui prit une part active à l'insurrection du 10 août* 1792. Conven-

Ph. Roger Pic

Mao Tsê-tung.

tionnel et républicain, il vota cependant contre la mort du roi et fut guillotiné.

MANUEL (Jacques Antoine). ♦ Homme politique français (Barcelonnette, 1775 – Maisons-Laffitte, 1827). Volontaire aux armées de la République, puis avocat à Aix-en-Provence, il fut élu député à la Chambre (1818) et adhéra à la Charbonnerie. Membre de l'opposition libérale, il fut exclu militairement de l'Assemblée à la suite de l'incident que provoqua son opposition à l'expédition d'Espagne (4 mars 1823).

MANUEL (Roland) [Roland Alexis Manuel LÉVY, dit]. ♦ Compositeur et musicien français (Paris, 1892). Élève de Roussel et de Ravel dont il fut le commentateur, il anima à la radio, durant plusieurs années, à partir de 1947, l'émission hebdomadaire « Plaisir de la musique ». Par son éclectisme, sa ferveur souriante, l'étendue considérable de son érudition, il y obtint une très vaste audience. Compositeur, il a écrit pour le théâtre *(Isabelle et Pantalon, Le Diable amoureux).* Il est aussi l'auteur de ballets, de musique de chambre, de film et de mélodies.

MANUS *(île)* ou **grande île de l'Amirauté**, en angl. **Great Admiralty Island**. ♦ La seule grande île de l'archipel de l'Amirauté*. 1 600 km². Sur sa côte N.-E. se situe Lorengau*. Elle est montagneuse et couverte de forêts denses (mangroves le long des côtes qui sont frangées de corail). Seule production importante, le coprah.

MANUTSHEHRI. ♦ Poète persan (fin xᵉ s., Damghân – [mort] 1040). Il fut panégyriste auprès de Manutshehr ibn Qâbûs al-Ziyâri (d'où son nom littéraire); il vécut ensuite à la cour de Mas'ûd Ghaznavi. Sa poésie, influencée par la poétique arabe (métrique et thématique), est originale par le choix des métaphores et la précision des descriptions.

Man' yôshû (« les dix mille feuilles »). ♦ Célèbre anthologie poétique japonaise compilée vers 760 par divers poètes et comprenant 4 516 poèmes anciens, signés ou anonymes, sans doute écrits du ɪvᵉ au vɪɪɪᵉ siècle. C'est un recueil précieux pour l'étude des mœurs et coutumes du Japon ancien. De très nombreux commentaires cherchent à expliquer certains des poèmes les plus hermétiques de cette anthologie.

MANYTCH. *n. m.* ♦ Riv. d'U.R.S.S., qui coule d'O. en E., depuis le Don jusqu'au lac Kéké-Ousoun, à 84 km de la mer Caspienne. Son écoulement est intermittent. Il se sépare en deux bras, le *Manytch occidental,* qui aboutit au Don inférieur, et le *Manytch oriental,* qui se dirige vers la Kouma sans l'atteindre.

MANZANARES. *n. m.* ♦ Riv. d'Espagne centrale, sous-affl. du Tage, arrosant Madrid*. 85 km.

MANZANILLO. ♦ V. et port du S.-O. de Cuba, sur le golfe de Guacanayabo, au pic N. de la Sierra Maestra (prov. d'Oriente), 36 300 hab. Production alimentaire. Sucrerie. Manufacture de tabac. Rizières.

MANZANILLO. ♦ Ville et port du Mexique (État de Colima) sur l'océan Pacifique. 13 000 hab. Exportation de bois de cèdre, de sucre et de tabac.

MANZONI (Alessandro). ♦ Écrivain italien (Milan, 1785 – 1873). Issu d'une famille noble et aisée, petit-fils de Beccaria*, Manzoni séjourna à Paris (1805) où, fréquentant le salon de Mme Helvétius*, il adhéra aux théories encyclopédiques. De retour en Italie, il se fit le disciple de Monti*. Il composa des poèmes de forme classique comme *Le Triomphe de la liberté* (*Il Trionfo della libertà,* 1801; publié en 1878) et *Uranie* (*Urania,* 1807). Après son mariage, un retour au catholicisme (1810) modifia son orientation littéraire en le convertissant au romantisme dont il exalta l'inspiration chrétienne dans *Les Hymnes sacrés* (*Inni sacri,* 1812-1822). – Dans un esprit désormais évangélique et démocratique, Manzoni s'interrogea sur la signification historique et religieuse de l'épopée napoléonienne dans son ode commémorative *Le Cinq Mai* (*Il Cinque Maggio,* 1821) qui connut un succès européen. Parallèlement, il se faisait le théoricien du romantisme dans sa *Lettre* [...] *sur l'unité de temps et de lieu dans la tragédie* (en fr., 1823) et composait deux drames historiques, *Le Comte de Carmagnole* (*Il Conte di Carmagnola,* 1816-1819) et *Adelchi* (1820-1822), animés d'un ardent esprit patriotique. Voué à la « sainte vérité », Manzoni affirmait dans *La Lettre sur le romantisme* (1823; complétée en 1871) que « la littérature [devait] se proposer l'utile pour but, le vrai comme sujet, l'intérêt comme moyen ». Il voulut réaliser cette ambition dans son roman historique, *Les Fiancés** (*I Promessi Sposi,* 1825), qui lui assura une place de premier plan dans la littérature italienne.

MAORI ou **MAORIS.** *n. m. pl.* ♦ Population polynésienne habitant la Nouvelle*-Zélande, en particulier l'extrémité septentrionale de l'île du Nord **(V. Auckland).** Ils vinrent par vagues successives du N. (îles Cook* et de la Société*), au xvɪᵉ siècle. Ils formaient un peuple vigoureux, fier et belliqueux, qui opposa une résistance farouche aux Européens (*guerres maories* de 1842-1846 et 1860-1868). Presque éteinte vers la fin du xɪxᵉ s., cette population, où les métissages avec les Blancs ont été fréquents (l'assimilation semble aujourd'hui plus difficile), s'accroît rapidement (1866 : 42 000, 1966 : plus de 200 000) par l'augmentation du taux de natalité et la régression du taux de mortalité. – L'art traditionnel des Maoris, qui ne subsiste guère (tatouages élaborés, maisons de bois décorées, sculptures sur bois et jade, bijoux), est basé sur des motifs courbes (spirales et volutes).

MAO TSÊ-TUNG [*Mao Tsö-tung; Mao Ze-dong*]. ♦ Homme d'État chinois (Shao-shan, prov. du Hu-nan, 1893 – Peking, 1976). D'une famille paysanne aisée, il partagea les premières années de sa jeunesse entre les travaux des champs et l'étude, sous la tutelle d'un père dont «la sévérité fut la cause première d'une tendance à la rébellion». À l'école secondaire de Ch'ang-sha [Tch'ang-cha] où il s'était inscrit en 1907, il se rallia à la cause républicaine **(V. Sun Yat-Sen)** et rejoignit quelque temps l'armée révolutionnaire (1911-1912). Familiarisé non seulement avec la langue et la littérature chinoises, mais aussi avec les œuvres des grands penseurs et savants occidentaux (Rousseau, Montesquieu, A. Smith, Darwin). Mao Tsê-tung, après avoir fréquenté l'Ecole normale du Hu-nan (1913-1918), obtint, avec l'appui de Li Ta-chao [Li Dazhao] un poste d'aide-bibliothécaire à l'université de Peking (1918); il s'y lia d'amitié avec Ch'en Tu-hsiu [Chen Duxiu] et y découvrit la théorie marxiste (lecture du *Manifeste du Parti communiste* de Marx et Engels, de *Lutte des classes* de Kautsky; de l'*Histoire du socialisme* de Kirkupp) à laquelle il adhéra pleinement (1919-1920). Dès cette époque, sa vie se confondit avec celle du Parti communiste chinois (P.C.C.) qu'il contribua à fonder. Membre du Comité central du P.C.C. (1923), Mao siégea également au Bureau exécutif du Kuo-min-tang de Shangaï, lors de la première alliance entre les deux mouvements nationaliste et communiste. Revenu en 1925 dans le Hu-nan, Mao y fut témoin des révoltes paysannes et prit dès lors conscience du rôle prédominant que pourrait jouer la paysannerie chinoise dans le processus révolutionnaire. Mais les positions qu'il exposa dans *Analyse des classes de la société chinoise* (1926) et *Rapport d'enquête sur le mouvement paysan de Hu-nan* (1927), mettant l'accent sur la nécessité d'adapter le marxisme aux conditions sociales propres à la Chine, rencontrèrent une vive opposition chez les marxistes chinois orthodoxes. Tandis que Chiang Kai-shek écrasait le mouvement révolutionnaire prolétarien (Shangaï, Canton, période de la première guerre civile révolutionnaire, 1926-1927), Mao subissait lui-même avec sa première armée paysanne et ouvrière du Hu-nan une défaite qui lui valut d'être exclu du Comité central et du Bureau politique du P.C.C. Refusant d'abandonner le combat révolutionnaire, il gagna alors les monts du Tsing-Kang [Jinggang], où il fonda en nov. 1927 la première base soviétique; là jusqu'en 1934, il tenta, avec Chu Teh [Zhu De] d'appliquer une réforme agraire et de s'appuyer sur les Unions paysannes (les premières furent créées en 1925) pour organiser le pouvoir politique et militaire dans cette région. Sans cesse attaqué par les troupes de Chiang Kai-shek, Mao, renonçant à la tactique offensive, décida d'opérer une retraite vers le N.-O. du pays (oct. 1934). Durant cette «Longue Marche» (de près de 10 000 km jusqu'à Ye-nan) qui coûta la vie à des dizaines de milliers de communistes, mais permit de gagner à la cause révolutionnaire les paysans de nombreuses régions chinoises, Mao reprit la tête du P.C.C. (janv. 1935) et élabora les règles fondamentales de la guerre révolutionnaire : guerre des masses populaires, guerre de guérilla prolongée, où les tâches de l'Armée populaire de libération sont aussi politiques. Après cette seconde phase de la guerre civile révolutionnaire (1928-1937), un nouveau front commun fut créé entre le P.C.C. et le Kuo-min-tang (1937) pour lutter contre la progression des forces impérialistes japonaises. C'est à cette époque que Mao écrivit ses principaux ouvrages stratégiques (*Problèmes stratégiques de la guerre révolutionnaire en Chine,* 1936; *De la guerre prolongée,* 1938; *Problèmes stratégiques de la guerre des partisans contre le Japon,* 1938), ses écrits philosophiques (*De la contradiction, De la pratique,* 1937). Dans *De la démocratie nouvelle* (1940), il exposa sa conception d'un front uni et du rôle du nationalisme et de la démocratie bourgeoise dans le processus révolutionnaire. Après la capitulation du Japon (août 1945), les hostilités reprirent rapidement entre les forces du P.C.C. et celles du K.M.T., en dépit d'un fragile accord signé entre Mao et Chiang Kai-shek (oct. 1945). Elles s'achevèrent par la victoire de l'Armée populaire de Libération; tandis que Chiang Kai-shek gagnait Formose (Taiwan) où il constitua un gouvernement, Mao proclamait la République populaire chinoise (Peking, 1er oct. 1949), passage de la «révolution démocratique bourgeoise» à la «révolution socialiste». Durant les premières étapes de la reconstruction de la Chine, Mao Tsê-tung, président du Conseil puis de la République (1954-1959) contribua à donner à la révolution politique, économique et culturelle chinoise son originalité, en dépit de la tendance à l'alignement sur l'U.R.S.S. qui prédomina jusqu'en 1960. Au ralentissement dans le rythme de développement de l'économie chinoise (survenu en 1957) et aux difficultés politiques qui l'accompagnèrent, il répondit par une campagne de relative libéralisation (campagne des Cent Fleurs, mouvement de « rectification » contre « la bureaucratie, le dogmatisme et le subjectivisme ») rapidement suivie d'un « mouvement contre les droitiers ». Aux initiatives audacieuses du « Grand Bond en avant » **(V. Chine)**, succédèrent de graves déconvenues économiques et politiques (rupture avec l'U.R.S.S.). Tout en gardant la tête du P.C.C., Mao abandonna en 1959 la présidence de la République à Liu* shao-ch'i [Liu Shaoqi]. Dans cette période de semi-retraite, il devait préciser les conditions de lutte, non seulement contre le « révisionnisme » des dirigeants de l'U.R.S.S., mais aussi celui d'une fraction du P.C.C. à laquelle s'opposa de plus en plus nettement celle de Mao et Lin Piao [Lin Biao], tensions qui éclatèrent lors de la grande « révolution culturelle prolétarienne » (1965-1968). Celle-ci se propagea rapidement, en dépit d'une pause (1967-déb. 1968), en s'appuyant sur l'Armée populaire de Libération (Lin Piao), la jeunesse organisée en « Gardes rouges » et les membres du P.C.C. acquis au mouvement, unis dans la lutte contre les menaces d'une restauration de la « dictature bourgeoise » et le « révisionnisme contre-révolutionnaire ». Forger une conscience collective nouvelle en combattant l'individualisme, en appelant chacun à « servir le Peuple », tel est le but de la Révolution culturelle, « reconnaissance d'un phénomène de mutation qui a amené au premier plan un aspect jusqu'ici secondaire : la superstructure (politique, culture, etc.) a pris le pas sur la base économique (forces et rapports de production) » [C. Cochini]. La pensée de Mao Tsêtung, dont les maximes essentielles furent réunies dans le *Petit Livre rouge*, connut une large diffusion auprès de toutes les masses populaires chinoises, et aussi sur le plan international. On a pu souligner les aspects contradictoires de la Révolution culturelle : — récitation du *Petit Livre rouge* (« bible » du maoïsme) et encouragements à l'égard des libres discussions et de l'autocritique, dirigisme autoritaire et souci de promouvoir les initiatives spontanées —, et dénoncer le culte de la personnalité qui s'est créé autour de Mao, mais tous les observateurs s'accordent à reconnaître le rôle prestigieux du principal chef de la révolution chinoise. Théoricien militaire, politique, penseur, poète et calligraphe, Mao Tsêtung, à la tête du P.C.C. et de la Chine, a tenté de faire de son pays, nation peu développée économiquement, sortant d'une situation politique et sociale d'asservissement, une puissance mondiale de premier plan, par des voies révolutionnaires originales.

MAO TUN [*Mao Touen, Mao Dun*]. ♦ Écrivain chinois (né en 1896), homme politique et critique littéraire. Ministre de la Culture de la République populaire de Chine de 1949 à 1966, il fut l'historien de la révolution chinoise. Parmi ses œuvres : *L'Éclipse* (1928), *Minuit* (1932), *Moisson d'automne* (1933), *Corruption* (1941).

Mapaï. *n. m.* ♦ Parti social-démocrate fondé par des immigrants juifs en Palestine en 1930. Depuis la proclamation de l'indépendance de l'État d'Israël* (14 mai 1948), le Mapaï, qui s'était donné pour programme le rassemblement des Juifs dispersés, la réalisation progressive d'une société socialiste et de la paix au Moyen-Orient, a dominé la scène politique israélienne; majoritaire à la Histadrouth*, il l'est aussi à la Knesset* (et donc au gouvernement). En 1965, David Ben Gourion, avec M. Dayan, S. Peres, se séparèrent du Mapaï pour constituer le Rafi. En 1968, les trois partis Achdout Ha'adova, Mapaï et Rafi fusionnèrent pour former le Parti travailliste* d'Israël.

Mapam. *n. m.* ♦ Parti unifié des travailleurs, fondé en 1948 en Israël. Héritier du sionisme socialiste de Ber Borochov, le Mapam, dont le quotidien a pour devise « pour le sionisme, le socialisme et l'amitié entre nations », milite pour le rassemblement du peuple juif, la réalisation du socialisme, la solidarité prolétarienne entre Juifs et Arabes, la paix au Moyen-Orient par la neutralisation de la région et le développement de l'esprit pionnier chez la jeunesse juive. Le Mapam s'est souvent rallié aux positions du parti majoritaire Mapaï, puis Parti travailliste d'Israël.

MAPHILINDO. *n. m.* ♦ Contraction de Malaysia, Philippines et Indonésie, nom donné à une fédération malaise hypothétique prônée par quelques hommes politiques malais depuis 1962, et qui, à l'origine, était anticommuniste.

MAPUTO. ♦ Nom pris par Lourenço* Marques en 1976.

MAQÂMÂ. *n. m.* (pl. **Maqâmât** « La séance »). ♦ Genre littéraire inventé par Hamadhâni. **V. Hamadhâni, Harîrî.**

MAR *(serra do). n. f.* ♦ Chaîne montagneuse du Brésil méridional. Surplombant une étroite plaine côtière, elle est séparée de la serra da Mantiqueira* par la vallée de la Paraíba* do Sul. Couverte d'une forêt dense, elle culmine à 2 263 m. L'Iguaçu*, la Paraíba do Sul et le Tieté* y prennent leur source. Installations hydroélectriques.

MARACAIBO. ♦ Deuxième V. et port du Venezuela, ch.-l. de l'État de Zulia*, situé sur la rive occidentale du goulet qui relie le golfe de Venezuela (mer des Antilles) au lac Maracaibo*. 620 000 hab. Évêché. Université. Aéroport. Indus. textiles et alimentaires. Cimenteries. Important centre et port pétrolier (raffineries).

MARACAIBO *(lac). n. m.* ♦ Le plus grand lac d'Amérique du Sud (13 600 km²) situé au Venezuela (Etat de Zulia*). Il forme une dépression entre la sierra frontalière de Perija à l'O. et la cordillère de Mérida* à l'E., et débouche sur le golfe de Venezuela (tributaire de la mer des Antilles) par un détroit de 12 km. Les principaux gisements de pétrole de l'Amérique du Sud (sur la terre ferme ou sous-marins) y sont localisés (80 % de la production du pays).

MARACAY. ♦ V. du Venezuela, ch.-l. de l'État d'Aragua (5 600 km². Env. 400 000 hab.) situé au S.-O. de Caracas. 178 000 hab. Indus. textiles et alimentaires.

MARADI. ♦ V. du Niger*, proche de la frontière du Nigeria. 20 000 hab. Centre commercial. Huilerie (arachide).

MARAIS (Marin). ♦ Compositeur français (Paris, 1656 — *id.*, 1728). Élève de Lully, il fut engagé au service de la cour et conserva sa charge jusqu'en 1725. Auteur d'opéras (*Alcide ou le triomphe d'Hercule*, 1693; *Ariane et Bacchus*, 1696; *Alcyone*, 1706; *Sémélé*, 1709) et de musique instrumentale (*5 livres de pièces à une et deux violes avec basse continue*, 1616-1725; *2 livres de pièces en trio*, 1692), Marin Marais rejeta la musique italienne et s'inscrivit dans la tradition française. Ses pièces pour viole (env. 700) se caractérisent par leur raffinement harmonique, leur caractère élégiaque, et une écriture tantôt rigoureuse, tantôt d'une souplesse proche de l'improvisation.

Marais (le). ♦ Quartier de Paris qui recouvre la partie méridionale du 3e arr. et la quasi-totalité du 4e arrondissement. Il doit son nom aux marécages, puis aux terrains maraîchers sur lesquels il fut construit. Dès le Moyen Âge ce fut un quartier aristocratique (*hôtel royal des Tournelles**, XIVe s.; *hôtel de Sens**, XVe s.) et ecclésiastique (*le Temple**, XIIe s.), en même temps qu'un secteur très actif de commerçants et d'artisans. Durant la Renaissance, de belles demeures y furent élevées (*hôtel Carnavalet*; hôtel Lamoignon*); c'est sous Henri IV que fut créée la *place des Vosges** (1605-1612), devenue au XVIIe s. le centre du Paris aristocratique (hôtels du XVIIe s., tel l'*hôtel de Sully*). Le Marais connut au XVIIIe s. un relatif déclin, avant d'être défiguré durant et après la Révolution. Restauré activement depuis 1964, le Marais est le centre d'un festival annuel.

MARAIS BRETON. *n. m.* ♦ Région du littoral atlantique, dans les dép. de la Loire*-Atlantique et de la Vendée, au N. et au S. du goulet de Fromentine. Le Marais breton, auquel on peut rattacher l'île de Noirmoutier, provient du comblement d'un anc. golfe par un courant littoral chargé d'alluvions sableuses. Des travaux d'assèchement et d'assainissement ont permis de transformer la majeure partie du marais en polders consacrés aux céréales ou transformés en prairies d'élevage. Des marais salants sont encore en exploitation sur la frange littorale.

MARAIS POITEVIN. *n. m.* ♦ Région du littoral atlantique, dans les dép. de la Charente-Maritime et de la Vendée, au N. de La Rochelle. Anc. golfe colmaté par les alluvions des riv. (Vendée, Sèvre Niortaise, Lay) et les courants littoraux, le marais a été progressivement asséché depuis le XIe siècle. Les polders qui en ont résulté sont consacrés à l'élevage (moutons de pré salé, vaches laitières) et à la culture maraîchère ou céréalière.

MARAJÓ *(île de)*. ♦ Grande île du Brésil (État de Pará) située entre les bouches de l'Amazone* et du Tocantins*. Env. 30 000 hab. 52 800 km². Couverte de marécages et de prairies, elle est fréquemment submergée par les crues. Élevage de buffles. Dans la partie N. de l'île, des fouilles archéologiques ont permis la découverte d'objets précolombiens.

Ph. Stella

Le quartier du Marais à Paris : la place des Vosges.

Ph. Hubert Josse

Marat assassiné, par Jacques Louis David. (Château de Versailles.)

MARALDI (Giacomo Filippo). ♦ Astronome et géographe français d'origine italienne [Perinaldo, comté de Nice, 1665 – Paris, 1729]. (Acad. sc., 1699.) **V. La Caille.**

MARAMUREŞ. n. m. pl. *(monts).* ♦ Massif montagneux de la Roumanie nord-orientale (Transylvanie) appartenant au système des Carpates* et culminant au *Rodna* (2 300 m). La *région des Maramureş* a pour ch.-l. Baia* Mare.

MARANGE-SILVANGE. ♦ Comm. de Moselle, arr. de Boulay-Moselle. 2 658 hab. Carrières de sable.

MARANHÃO. *n. m.* ♦ État du Nordeste brésilien, baigné au N. par l'océan Atlantique. 328 663 km². 3 615 000 hab. *Cap.* São* Luís. Exploitation de palmiers. Élevage.

MARAÑÓN. *n. m.* ♦ Riv. du Pérou (1 800 km) qui prend sa source dans la cordillère des Andes et reçoit l'Ucayali* en amont d'Iquitos, avant de former une des branches mères de l'Amazone*.

MARAÑÓN Y POSADILLO (Gregorio). ♦ Médecin et écrivain espagnol (Madrid, 1888 – 1960). Ses travaux sur les glandes surrénales, la thyroïde et la parathyroïde font de lui un des promoteurs de l'endocrinologie en Espagne. Il est également l'auteur d'œuvres historiques.

MARANS [maʀɑ̃]. ♦ Ch.-l. de cant. de la Charente-Maritime, arr. de La Rochelle, sur la r. g. de la Sèvre Niortaise. 4 004 hab. [3 206 aggl.]. *(Marandais).* Vestiges de l'anc. église (XIIIe-XIVe s.). – Marché agricole. Volailles renommées (poulets de Marans). Produits pharmaceutiques. Indus. du bois. Fromagerie.

MARAS. ♦ V. de Turquie, au pied des montagnes de l'Anti*-Taurus (Anatolie centrale). Ch.-l. de la province homonyme. 63 284 hab. (1965). Musée archéologique renfermant des sculptures hittites. – Artisanat (tapis, cuir). Commerce. ♦ *Hist.* La ville se situe sur l'emplacement de l'anc. *Markasi,* capitale du royaume hittite de Gourgoum (environ ~ XIIe s.-~ VIIe s.). Sous les Romains, elle porta le nom de *Germanica Caesarea.* Détruite par les Arabes en 638, elle fut reconstruite par le calife Mu'âwiyya* Ier. Elle fut ensuite l'objet de visées byzantines et jusqu'en 1097, Arabes et Byzantins se la disputèrent. À cette date, les croisés s'en emparèrent lors de leur marche sur Antioche*. De 1169 à 1293, elle fit partie du royaume arménien de Cilicie. Elle fut intégrée à l'Empire ottoman en 1515.

MARAT (Jean-Paul). ♦ Médecin, publiciste et homme politique français (Boudry, canton de Neuchâtel, 1743 – Paris, 1793). Sans doute issu d'une famille sarde, convertie au calvinisme et devenue citoyenne de Genève, il étudia en France les sciences et la médecine, qu'il pratiqua d'abord en Angleterre ; il y publia plusieurs essais philosophiques, en particulier *Les Chaînes de l'esclavage* (1774 en anglais, trad. fr. 1792), ouvrage où il attaquait toutes formes de tyrannie et dénonçait la corruption de la cour, et il s'affilia à la franc-maçonnerie (1774). Installé à Paris (1776), il fut quelque temps médecin des gardes du comte d'Artois. Ses travaux scientifiques sur le feu, la lumière, l'électricité attirèrent l'attention de Franklin et de Goethe. En réponse à un concours organisé par la Société économique de Berne, Marat rédigea un *Plan de législation criminelle* (1780) où il proposait, après Beccaria*, de profondes réformes de la justice. Épris de justice, mais ombrageux, solitaire et aigri, il fonda dès sept. 1789 un journal révolutionnaire, *L'Ami* du peuple,* célèbre par la violence de ses positions et de son ton, feuille qui lui valut poursuites et emprisonnement. Incarcéré après les journées d'oct. 1789, réfugié à Londres (janvier-mai 1790), après avoir attaqué Necker et La Fayette, Marat, revenu en France, s'inscrivit au club des Cordeliers*. Après la fuite manquée de Louis XVI à Varennes (juin 1791) et l'affaire du Champ-de-Mars, il se prononça pour la destitution du roi et la nomination d'un dictateur capable d'assurer le bonheur des masses. Dès cette époque, face aux risques d'un complot aristocratique, il devait réclamer les têtes des suspects, et, après un second exil en Angleterre (déc. 1791-mai 1792), il exigea des mesures extrêmes contre les ennemis du peuple après le 10 août 1792 et put être considéré comme un des responsables des massacres de septembre* 1792. Élu à la Convention, il siégea comme Montagnard* à l'extrême gauche de l'Assemblée, ne cessant de se faire le porte-parole des sans-culottes et de dénoncer la politique des Girondins. Attaqué par ces derniers dès la fin de sept. 1792, il fut décrété d'accusation et traduit devant le tribunal révolutionnaire qui l'acquitta (13 avr. 1793). Il contribua en grande partie à pousser la Commune de Paris et les sections des sans-culottes à l'insurrection des 31 mai et 2 juin 1793, qui eut pour conséquence la chute de la Gironde. Marat, l'« Ami du peuple », qui s'était toujours fait remarquer par ses positions révolutionnaires extrémistes, prit néanmoins position contre le principal instigateur du manifeste des enragés, son ancien ami J. Roux* (fin juin-début juil. 1793). Assassiné peu après (13 juil.) par la jeune Charlotte Corday*, il devint, avec Chalier et Le Peletier de Saint-Fargeau, un des héros populaires de la Révolution.

MARATHON. ♦ Anc. V. de Grèce en Attique, située près de la *baie de Marathon,* à 40 km au N.-E. d'Athènes. L'un des premiers fiefs des Ioniens en Attique, elle était le centre d'une *tétrapole* (confédération de quatre villes) qui s'intégra à la cité d'Athènes lors de l'unification de l'Attique *(synœcisme)* attribuée à Thésée*. – La *bataille de Marathon* (~ 490) fut la première victoire grecque sur les Perses. **V. Médiques** (guerres). Les Perses (qui étaient de 20 000 à 100 000 selon les versions), après avoir détruit Érétrie*, débarquèrent près de Marathon, mais aussitôt, jugeant l'emplacement peu favorable, levèrent le camp pour atteindre Le Pirée par mer. Les Athéniens (9 000 hoplites) étaient renforcés seulement par 1 000 Platéens, tandis que les Lacédémoniens hésitants attardaient l'envoi des renforts promis, sous prétexte d'empêchement religieux. Miltiade*, nommé au commandement de l'armée athénienne à l'instigation d'Aristide*, chargea les Perses dont une partie était déjà rembarquée. Enserrant l'armée de Darios* Ier entre les deux ailes de la phalange grecque, Miltiade lui causa de lourdes pertes et prit sept vaisseaux. Un soldat, envoyé pour annoncer la nouvelle à Athènes, serait tombé mort d'épuisement en arrivant. Cette victoire demeura le symbole de la lutte grecque contre les Asiatiques et conféra un grand prestige à Athènes. – L'épisode a donné lieu à l'emploi du nom pour désigner la plus longue épreuve de course (Cf. Marathon, *in* Robert).

MARBACH ou **MARBACH AM NECKAR.** ♦ V. d'Allemagne occidentale (land de Bade-Wurtemberg), située sur le Neckar. 5 500 hab. Église de style flamboyant. – Patrie de Friedrich Schiller* (maison natale).

MARBELLA. ♦ V. d'Espagne méridionale, en Andalousie* (prov. de Málaga). 12 500 hab. Port et station balnéaire fréquentés, sur la Méditerranée.

MARBODE. ♦ (Angers, 1035 – 1123). Archidiacre d'Angers où il enseigna les sciences et où il résida même après avoir été nommé évêque de Rennes (1096) ; poète, auteur du *De gemmis,* lapidaire symbolique.

MARBORÉ. n. m. *(massif du).* ♦ Massif calcaire des Hautes-Pyrénées* qui domine le cirque de Gavarnie* (pic du Marboré, 3 253 m). Point culminant : mont Perdu, 3 353 mètres.

MARBOT (Jean-Baptiste Antoine Marcellin, *baron de***).** ♦ Général français (Altillac, Quercy, 1782 – Paris, 1854). Après s'être distingué au cours des campagnes de l'Empire et rallié à Napoléon Ier lors des Cent-Jours, il fut banni de 1815 à 1819. Précepteur du duc de Chartres (fils de Louis-Philippe), promu général en 1830, il participa au siège d'Anvers (1832) et à diverses opérations de la conquête de l'Algérie. Ses *Mémoires* furent publiés en 1891.

MARBOURG, en all. **Marburg.** ♦ V. d'Allemagne occidentale (Hesse), sur la Lahn. 46 000 hab. Université, riches bibliothèques. Église gothique Sainte-Élisabeth, édifiée de 1235 à 1283 sur le tombeau de sainte Élisabeth de Hongrie. Château des landgraves de Hesse (XIIIe s.). *Rathaus* gothique (XVIe s.). – Indus. chimiques, poteries. – Patrie de Philippe* Ier le Magnanime, Adolf von Hildebrand*. ♦ *Hist.* Mentionnée dès 1130, Marbourg devint au XIIe s. possession du landgraviat de Hesse et résidence des landgraves. Une importante université protestante y fut fondée en 1527, où se tint en 1529 le *colloque de Marbourg* (ci-dessous) et où s'illustrèrent de célèbres théologiens **(V. Harnack)** et les représentants de l'école néokantienne (E. Cassirer*, H. Cohen*, P. Natorp*).

Marbourg *(colloque de).* ♦ Réunion où les luthériens et les « sacramentaires » (zwingliens) tentèrent de définir une doctrine théologique commune, prélude à une alliance politique (1529). Ils publièrent ensemble les *Articles de Marbourg,* mais Luther*, consubstantialiste, et Zwingli*, mémorialiste, ne purent s'entendre sur la Cène et l'alliance échoua. **V. Réforme.**

MARC *(saint).* Selon la tradition, auteur du IIe Évangile*, qu'on identifie avec le « Jean surnommé Marc » du Nouveau Testament (*Actes,* XII, 12, etc.). Compagnon de saint Paul puis de saint

Pierre, il aurait été martyrisé en Égypte. Au IXe s. son corps aurait été rapporté à Venise dont il est le patron. Son emblème est le lion ailé. Fête le 25 avril.

MARC *(saint).* ♦ 34e pape, de janv. à octobre 336 [mort]. Romain. — Fête le 7 octobre.

MARC (Franz). ♦ Peintre allemand (Munich, 1880 — Verdun, 1916). Fils d'un peintre de paysages et de scènes de genre, il entreprit des études de théologie et de sociologie, puis étudia aux Beaux-Arts de Munich (1900-1903). Séjournant à Paris et en Bretagne en 1903, il eut la révélation des œuvres de Gauguin et de Van Gogh. Il se rendit en Grèce en 1906, puis de nouveau à Paris en 1907 où il prit sans doute connaissance des œuvres des Fauves. Il réalisa aussi quelques œuvres selon la technique divisionniste. Surtout fasciné par le thème de l'animal, il traita les formes d'un trait souple et élégant qui tend à l'arabesque et dans une gamme de tons de plus en plus éclatante et irréaliste *(Chevaux rouges; Grands chevaux bleus; Chevreuils rouges).* Ayant fait en 1910 la connaissance de Kandinsky*, et cherchant comme lui dans la peinture la réponse à ses aspirations spirituelles, il s'inscrivit à la *Neue Kunstlervereinigung,* puis collabora activement à l'élaboration de l'Almanach du *Blaue Reiter* [Cavalier bleu] (1912). Après avoir rencontré Delaunay à Paris, accompagné de A. Macke* (1913), il eut tendance à accorder à la couleur une fonction structurelle *(Éléphant; Bœuf et Cheval)* et abandonna les références à un spectacle quelconque pour se fonder seulement sur son « impulsion intérieure ». Il évolua vers la non-figuration, créant des œuvres tumultueuses au coloris intense (*Formes luttant; Formes brisées,* 1914) qui révèlent un tempérament profondément lyrique.

MARCA (Pierre *de***).** ♦ Historien et prélat français (Gan, Béarn, 1594 — Paris, 1662). Il fut président du conseil de Navarre (1621) et maître des requêtes (1639). Veuf depuis 1631, il entra dans les ordres en 1642 et fut nommé évêque de Couserans, puis devint archevêque de Toulouse (1652). En 1662, il succéda au cardinal de Retz sur le siège archiépiscopal de Paris. Il condamna formellement les propositions de Jansénius (1655). — Auteur du *De Concordia sacerdotii et imperii* (1641) où il expose les libertés de l'Église gallicane. Il écrivit également une *Histoire du Béarn* (1650).

MARCABRUN. ♦ Troubadour gascon (déb. XIIe s.), auteur de vers satiriques et de chansons de croisade, dont le *Chant du lavoir* (v. 1140), âpre exhortation à prendre la croix.

MARCADÉ (Eustache). ♦ Poète dramatique français (fin du XIVe s. — Marmoutier, Touraine 1440). Originaire de Picardie, théologien (il fut official de Corbie), il a composé vers 1420 le premier grand mystère inspiré par la Passion du Christ. Conjuguant le réalisme et l'allégorie, le comique et le dramatique, la *Passion,* dite *d'Arras,* manque d'émotion. Elle ouvre la voie, avec ses 25 000 vers, à des œuvres qui lui sont supérieures, celles d'Arnoul Gréban* et de Jehan Michel*.

MARC AURÈLE, en lat. **Marcus Annius Verus,** puis **Marcus Aurelius Antoninus.** ♦ Empereur et philosophe romain (Rome, 121 — Vindobona, 180). Il étudia la rhétorique et la philosophie stoïcienne. Adopté par l'empereur Antonin* dont il épousa la fille Faustine, il fut césar (139), reçut l'imperium proconsulaire (146) et le titre d'empereur (162-180). Son règne, pendant lequel il rénova l'administration financière et judiciaire, fut troublé par plusieurs guerres victorieuses contre les Parthes et les Germains. Malgré son humanisme, il ne fit rien pour améliorer la situation des chrétiens dans l'Empire. C'est à la fin de sa vie qu'il rédigea ses *Pensées** qui constituent le dernier grand témoignage sur le stoïcisme antique.

MARCEAU (François Séverin MARCEAU-DESGRAVIERS, dit François). ♦ Général français (Chartres, 1769 — Altenkirchen, 1796). Lieutenant-colonel de la garde nationale, il prit part à la défense de Mayence en 1792, puis fut envoyé à l'armée de l'Ouest (1793) contre les insurgés vendéens. Général de division de l'armée de Sambre-et-Meuse, il contribua à assurer la victoire des troupes françaises à Fleurus* (18 juin 1794), puis s'empara de Coblence (23 oct. 1794). Administrateur de Wiesbaden, il fut mortellement blessé à Altenkirchen en assurant la retraite des troupes françaises sous le commandement de Jourdan.

MARCEL Ier *(saint).* ♦ 30e pape (308-309 [mort]). Romain, martyr (exilé ?). Successeur de saint Marcellin* après quatre ans de vacance du siège pontifical, il réorganisa le culte dans des bâtiments provisoires, les églises ayant été démantelées par la persécution. Une de ces maisons où il disait la messe aurait été transformée en écurie par ordre de Maxence* et lui-même réduit à l'état de palefrenier. — Fête le 16 janvier.

MARCEL II *(Marcello Cervini).* ♦ (Montepulciano, 1501 — Rome, 1555). 220e pape, vingt-deux jours en avr. 1555. La *Messe du pape Marcel* de Palestrina devait être jouée pour son couronnement, qui n'eut pas lieu.

MARCEL (Étienne). ♦ Homme politique français (v. 1315 — Paris, 1358). Prévôt des marchands de Paris, il fut avec Robert Le* Coq l'un des chefs de la bourgeoisie aux états* généraux de 1355 et 1356 et contribua à imposer au dauphin (le futur Charles* V) la Grande Ordonnance de 1357 qui prévoyait le contrôle des subsides par les états, un conseil adjoint au dauphin et le renvoi des conseillers de Jean* II. Devant l'opposition du dauphin aux réformes, il tenta de substituer une révolution urbaine à celle que n'avaient pu faire les états généraux, et organisa la bourgeoisie. Le dauphin étant peu soucieux de se voir mettre en tutelle par la municipalité, l'antagonisme alla croissant. Le 22 févr. 1358 eut lieu la première journée révolutionnaire parisienne. Étienne Marcel et ses partisans envahirent le palais, assassinèrent deux conseillers du dauphin sous ses yeux, le contraignirent à renouveler l'Ordonnance de 1357. Devenu le maître de Paris, Étienne Marcel s'efforça de gagner la province à sa cause. Cependant le dauphin s'enfuit, réunit une armée et bloqua Paris. Étienne Marcel, compromis par son alliance avec Charles* II le Mauvais à qui il avait décidé de livrer Paris et isolé, fut assassiné par J. Maillard, partisan du dauphin.

MARCEL (Gabriel). ♦ Philosophe et dramaturge français (Paris, 1889 — *id.,* 1973). Converti au catholicisme (1929), il fut l'un des représentants en France de l'existentialisme chrétien. Méditant sur l'existence concrète de l'homme engagé dans le monde, dans sa relation avec autrui, il a opposé au domaine de l'Avoir (tout ce qu'on peut posséder et donc aliéner) le mystère de l'Être. Refusant le pessimisme de l'existentialisme athée, il a accordé une place importante à la transcendance et à la rencontre de l'homme et de Dieu dans la foi. Outre ses œuvres philosophiques (*Journal métaphysique,* 1927; *Être et Avoir,* 1935; *Homo viator,* 1946; *Le Mystère de l'Être,* 1951; etc.), il publia des pièces de théâtre.

MARCELLIN *(saint).* ♦ 29e pape (296-304 [mort]). Romain, martyr (?). Son pontificat vit débuter la persécution de Dioclétien (303). — Fête le 26 avril.

MARCELLO (Benedetto). ♦ Compositeur et théoricien italien de la musique (Venise, 1686 — Brescia, 1739). Avocat et juge au tribunal de Venise, il fut l'élève de Tartini* pour le violon et de Lotti pour la composition. Nommé membre de l'*Academia filarmonica* de Bologne (1712), il devint rapidement célèbre et reçut le titre de « Prince de la musique ». On lui doit avant tout l'*Estro Poetico Armonico* (« L'Inspiration poétique et harmonique », 8 vol., 1724-1727), cinquante paraphrases de psaumes, de 1 à 4 voix, où il utilise la monodie, accompagnée d'une basse continue conçue comme une voix indépendante, dans le style prébaroque. Il a aussi écrit des messes, oratorios, env. deux cents airs, duos, madrigaux, canzonette, cantates, de la musique instrumentale (sonates, concertos) et deux opéras. Le plus connu de ses ouvrages, *Il Teatro alla moda* (1720), satire brillante du monde théâtral de son temps, offre de précieux renseignements sur la mise en scène des opéras baroques.

MARCELLUS, en lat. **Marcus Claudius Marcellus.** ♦ Homme politique et général romain (v. ~ 268 — Venosa, ~ 208). Cinq fois consul entre ~ 222 et ~ 208, il remporta lors de son premier consulat une brillante victoire sur les Gaulois, préparant ainsi la soumission de la Gaule cisalpine. Chargé de combattre Hannibal* après le désastre de Cannes (seconde guerre Punique*), il le tint en échec, le battant même par deux fois à Nole* (~ 216-~ 215). Envoyé ensuite en Sicile, il mit le siège devant Syracuse*, alliée de Carthage, qu'il ne put enlever qu'en ~ 212 **(V. Archimède).** Il fut tué dans une embuscade, après avoir vaincu encore une fois Hannibal (~ 210).

MARCH (Auzias). ♦ Poète catalan (1395 ? — 1459 ?). Imitateur de Dante* et de Pétrarque*, il fut un des promoteurs de la langue poétique catalane et écrivit les *Chants d'amour, de morale, de spiritualité et de mort.*

Ph. Nimatallah/Ricciarini

Marc Aurèle. (Musée du Louvre, Paris.)

MARCH. ♦ V. du S.-E. de l'Angleterre. Ch.-l. du comté d'Isle of Ely*, sur l'Old River Nen. 11 000 habitants.

MARCHAIS (Georges). ♦ Homme politique français (La Hoguette, Calvados, 1920). Membre du parti communiste* français (1947), il entra au Comité central et au bureau politique (1959), fut nommé secrétaire général adjoint (1970), puis secrétaire général en remplacement de Waldeck Rochet (1972). Il contribua à élaborer le Programme commun de la gauche avec le Parti socialiste en vue des élections législatives de 1973. *Les Communistes et les Paysans* (en collaboration avec Clavaud, 1972).

MARCHAK (Samuel Iakovlévitch) [*Maršak*]. ♦ Poète soviétique (Voronej, 1887 – mort en 1964). Il a laissé d'excellentes traductions de Shakespeare*, William Blake* et Robert Burns*, mais il est plus connu en tant que poète de l'enfance. Avec des recueils tels que *La maison que Jack a bâtie* (1923), *Les Enfants en cage* (1924) et des poèmes tels que *Mister Twister* (1933), *Vérité et Légendes* (1947), *La Poste, D'où est venue la table, Comment on a imprimé ce livre, Les Saisons de l'année*..., il a formé une véritable encyclopédie de l'enfance. Maïakovski* compara le poète à une « usine de bonheur ». (Prix Lénine, 1963.)

MARCHAND (Louis). ♦ Organiste et compositeur français (Lyon, 1669 – Paris, 1732). Organiste au couvent des Cordeliers, puis à la Chapelle royale (1706-1714), il séjourna quelques années en Allemagne où il rencontra J.-S. Bach. Revenu en France (v. 1718), il y reprit ses activités de virtuose et de professeur. Remarquable improvisateur, il connut une grande célébrité. Il a publié plusieurs livres de pièces pour le clavecin et l'orgue, des airs français et italiens, des motets, une cantate et un *Traité des règles de la composition.*

MARCHAND (Jean-Baptiste). ♦ Général français (Thoissey, 1863 – Paris, 1934). Parti du Congo en 1897, il explora les cours de l'Oubangui, de l'Ouellé et du Bahr el-Ghazal et atteignit Fachoda (1898) qu'il occupa puis évacua. **V. Fachoda.** Lors de la Première Guerre mondiale, il commanda une brigade coloniale en Argonne, puis une division en Champagne.

Marchand de Venise (Le) *(The Merchant of Venice)*. ♦ Comédie de Shakespeare (1596). Amoureux de Portia, la riche héritière, Bassanio s'efforce d'obtenir sa main. Pour l'aider, son ami Antonio est obligé, ayant emprunté une somme de trois mille ducats à l'usurier juif Shylock, de lui promettre, en cas de non-paiement, une livre de sa chair. Le jour de l'échéance venu, la dette non réglée, Shylock exige l'exécution de la clause. Mais l'habileté de Portia, revêtue de la robe d'avocat, sauve Antonio en confondant l'usurier retors.

MARCHAUX. ♦ Ch.-l. de cant. du Doubs, arr. de Besançon. 379 hab. Église des XIIe et XVe siècles.

MARCHE. *n. f.* ♦ Anc. province, puis « grand gouvernement » de la France, qui correspondait au dép. de la Creuse et à une partie du dép. de la Haute-Vienne, avec pour villes princ. Guéret et Bellac. Comté vassal de l'Aquitaine (944), elle appartint aux Lusignan (1199) puis à Charles le Bel (1309) et à la maison de Bourbon (1327). Confisquée en 1527, elle fut réunie à la couronne par François Ier en 1531.

Marche (la Longue), en chin. **Wan-li Ch'ang cheng** [*Wanli Chang zheng*] (« longue marche de 10 000 li »). ♦ Marche effectuée de 1934 à 1936 par les troupes communistes chinoises de Mao* Tsê-Tung pour rejoindre Yen*-an où fut établie la première capitale de la Chine communiste. 100 000 hommes périrent pendant cette marche héroïque, rendue particulièrement difficile par le harcèlement incessant des troupes nationalistes de Chiang* Kai-Shek.

Marché commun. ♦ **V.** COMMUNAUTÉ ÉCONOMIQUE EUROPÉENNE (C.E.E.).

MARCHE-EN-FAMENNE. ♦ V. de Belgique, ch.-l. d'arr. de la province du Luxembourg. 4 497 hab. Église Saint-Remacle (XVe s., remaniée au XVIIe s.). À 1 km, église romane de Waha (XIe s.), la plus ancienne de Belgique. – Élevage porcin. Matériaux de construction. Centrale électrique. ♦ *Hist.* L'édit perpétuel qui confirmait la pacification de Gand, libérant la ville du joug espagnol, y fut signé, en 1577.

Ph. PSZ/Ricciarini

Guglielmo Marconi (à droite).

MARCHENOIR. ♦ Ch.-l. de cant. du Loir-et-Cher, arr. de Blois. 672 hab. Ruines d'un donjon du XIIe s. Église des XIIe et XVe s. – La *forêt de Marchenoir* est un massif de 5 400 ha qui limite la Beauce au S.-O. ♦ *Hist.* Lors de la guerre de 1870-1871, la commune a été le théâtre de la bataille livrée par la deuxième armée de la Loire sous le commandement de Chanzy. Menacé d'être pris à revers, ce dernier dut se replier sur Vendôme.

MARCHES. *n. f. pl.*, en it. **Marche.** ♦ Région de l'Italie péninsulaire, entre l'Apennin* et l'Adriatique*. 9 700 km^2. 1 360 000 hab. *Cap.* Ancône*. Elle est formée des prov. d'Ancône, d'Ascoli Piceno, Macerata, Pesaro et Urbino. – C'est la région la plus au N. de l'Italie centrale, s'étendant de la Foglia au Tronto*. Elle est formée du *haut Apennin*, montagneux, sauvage et traversé de vallées, d'une zone de collines argileuses et fertiles, et d'un littoral bas et bordé de plages. – *Hydrogr.* Foglia, Tronto*. *V. princ.* Ancône*, Ascoli* Piceno, Lorette*, Macerata*, Pesaro* et Urbino*. – *Écon.* Les Marches vivent d'une agriculture traditionnelle basée sur le blé, les cultures fourragères, maraîchères sur le littoral. On pratique la « coltura promiscua » (association, sur la même surface, de céréales et d'arbres fruitiers). Les structures agraires sont anciennes : les propriétés, morcelées, sont cultivées par des métayers. La région est dépourvue de richesses minérales. Cependant, le tourisme, en voie de développement, est un facteur d'évolution. L'industrie est peu développée et se réduit à l'artisanat local. Seul Ancône* est un centre industriel notable (pétrolochimie). On pratique la pêche sur la côte. ♦ *Hist.* Elles furent annexées aux États pontificaux en 1532 puis, en 1860, au Piémont.

MARCHIENNE-AU-PONT. ♦ Comm. de Belgique (Hainaut, arr. de Charleroi), sur la Sambre et le canal de Bruxelles à Charleroi. 20 700 hab. Château des XVIIe et XVIIIe siècles. – Sidérurgie. Indus. du meuble. Céramique.

MARCHIENNES. ♦ Ch.-l. de cant. du Nord*, arr. de Douai*. 3 375 hab. Tréfilerie.

MARCIEN, en lat. **Flavius Marcianus.** ♦ (Thrace, 396 – 457). Empereur d'Orient (450-457). Successeur de Théodose* II dont il épousa la sœur Pulchérie*, il refusa de payer tribut à Attila et vint en aide à Valentinien* III en Italie. Il combattit le monophysisme et réunit le concile de Chalcédoine* (451). Il fut canonisé, ainsi que Pulchérie, par l'Église grecque.

MARCIGNY. ♦ Ch.-l. de cant. de la Saône-et-Loire (arr. de Charolles), situé à proximité de la Loire. 2 408 hab. Musée régional, dans la tour du Moulin (XVe s.). Maisons anc. à pans de bois. Église à façade romane du XIIe s. – Poterie.

MARCINELLE. ♦ V. de Belgique, dans la banlieue de Charleroi (Hainaut), sur la Sambre. 26 000 hab. Église Saint-Martin du XVe s. (tour du XIIe s.). Monument à la mémoire des 263 mineurs victimes d'une catastrophe (1956). Indus. mécaniques. Houillères, cokeries, hauts fourneaux.

MARCION. ♦ Hérésiarque gnostique (Sinope, v. 85 – v. 160). Excommunié à Rome en 144, il fonda une Église *(marcionite)* qui se répandit dans le bassin méditerranéen et en Mésopotamie et fut importante jusque v. 400. Ses *Antithèses* sont connues à travers ses adversaires (Tertullien, Théophile d'Antioche). Sa pensée est un paulinisme radical qui lui fait réduire l'Écriture à l'Évangile de Luc et dix épîtres de Paul.

MARCKOLSHEIM [maʀkɔlsɛm]. ♦ Ch.-l. de cant. du Bas-Rhin* (arr. de Sélestat), sur le grand canal d'Alsace*. 6 001 hab. (5 718 aggl.). Ruines du château de Limbourg. Barrage sur le Rhin. Centrale hydro-électrique (1 765 000 000 de kWh/an).

MARCOMANS. *n. m. pl.*, en lat. **Marcomanni.** ♦ Peuple germain du groupe des Suèves*, établi à l'origine entre le Main et le Danube. Vaincus par Drusus (~ 9), ils gagnèrent la Bohême sous la conduite de leur roi Marbod. Mais une fois leur royaume détruit par Arminius*, chef des Chérusques (18), ils descendirent en Vénétie où ils menèrent (166), avec les Quades, une longue lutte contre Rome. Une partie d'entre eux fut utilisée par Marc Aurèle pour repeupler la plaine du Pô. Refoulés au delà du Danube au IIIe s., ils finirent par conclure la paix avec l'Empire. Ils cessèrent de former un peuple autonome et défini au IVe siècle.

MARCONI (Guglielmo). ♦ Physicien italien (Bologne, 1874 – Rome, 1937). Avec l'« éclateur de Hertz* », le « cohéreur de Branly* », et l'« antenne de Popov* » il construisit, à vingt-deux ans, un poste qui permettait des transmissions par télégraphie sans fil sur quelques centaines de mètres. Parti travailler en Angleterre, il augmenta progressivement la longueur de ses transmissions et réussit, en 1901, la liaison Cornouailles-Terre-Neuve, au-dessus de l'Atlantique. (Prix Nobel, 1909.) **V. Heaviside.**

MARCOS (Ferdinand). ♦ Homme politique philippin (né en 1917). Élu président de la république des Philippines en 1965, succédant à Macapagal*. Il fut réélu en 1969.

MARCOULE *(centre d'énergie atomique de)*. ♦ Centre de production de plutonium (comm. de Chusclan, Gard). Il fut mis en service en 1958 par le commissariat à l'Énergie atomique. Les installations du centre comprennent groupes de production de plutonium, centrales électriques de récupération, ateliers d'usinage du graphite. Les centrales élaborent le plutonium en utilisant comme combustible l'uranium naturel (contenant de l'uranium 238) et comme modérateur le graphite. La France cherchant à promouvoir auj. d'autres « filières », un réacteur surrégénérateur (réacteur à neutrons rapides) doit entrer en service (1973).

MARCOUSSIS (Louis MARKUS, dit). ♦ Peintre, dessinateur et graveur français d'origine polonaise (Varsovie, 1883 – Cusset, 1941). Il étudia aux Beaux-Arts de Cracovie, puis à partir de 1903 fréquenta l'académie Julian. Après une période impressionniste, puis fauve (jusqu'en 1907), il se lia avec Braque, Apollinaire (qui lui suggéra son pseudonyme) et Picasso. Il subit alors l'influence des œuvres cubistes et exposa en 1912 à la Section d'Or. Il devint un adepte du « papier collé » (vers 1914), faisant preuve dans cette technique d'un raffinement et d'une sobriété que l'on retrouve dans ses peintures, construites avec rigueur et élégance et qui se distinguent par leurs coloris denses et subtils (*Nature morte au damier,* 1912). De 1919 à 1928, il réalisa de nombreuses peintures sur verre en respectant dans ses compositions les principes structurels hérités du cubisme, tout en adoptant un style plus souple qui rappelle parfois Braque et révèle aussi une volonté de suggérer un climat poétique qui semble refléter l'influence de la peinture métaphysique et surréaliste (*Port de Kenitry,* 1927; *Intérieurs,* à partir de 1929; *Personnages,* 1930-1931). Il a aussi réalisé de nombreuses illustrations de poèmes.

MARCOUSSIS. ♦ Comm. de l'Essonne, arr. de Palaiseau. 2 637 hab. Église (XVe-XVIe s.). – Laboratoires de recherche d'électricité.

MARCQ-EN-BARŒUL. ♦ Ch.-l. de cant. du Nord*, arr. de Lille*, dans la banlieue de Lille. 35 331 hab. *(Marcquois).* Métallurgie; indus. textiles; indus. alimentaires; tannerie.

MARCUSE (Herbert). ♦ Philosophe américain d'origine allemande (Berlin, 1898 –). Il émigra aux États-Unis lors de la montée du nazisme. Il a publié successivement *Raison et Révolution, Hegel et la naissance de la théorie sociale* (1941, trad. fr. 1969); *Éros et la civilisation* (1955, trad. fr. 1963): *L'Homme unidimensionnel* (1964, trad. fr. 1968): *Culture et Société* (1965, trad. fr. 1970); *Vers la libération* (1969). La dialectique hégélienne et surtout les découvertes psychanalytiques **(V. Freud)** interprétées à la lumière du marxisme servent de ligne directrice à son analyse du développement économique et technique des sociétés industrielles. Caractérisée par la recherche de l'efficacité et du confort, la société d'abondance (particulièrement américaine) est selon Marcuse une société close; elle vise à réduire l'individu, à endiguer les forces révolutionnaires, les « éléments explosifs et antisociaux de l'inconscient ». Contrairement à Freud, Marcuse croit à l'avènement d'une société nouvelle non répressive.

MARDÂN. ♦ V. du Pâkistân (prov. de Peshâwar). 120 000 hab. Artisanat du textile. Raffineries de sucre.

MAR DEL PLATA. ♦ V. et port d'Argentine (prov. de Buenos* Aires). 280 000 hab. Célèbre station balnéaire sur la côte atlantique. Centre commercial au débouché de la Pampa. Indus. alimentaires. Pêche.

MARDIN. ♦ V. de Turquie, en Anatolie orientale, près de la frontière syrienne. Ch.-l. de la province homonyme. 35 000 hab. environ. La ville est dominée par les restes d'une citadelle fondée à l'époque romaine. Elle conserve une mosquée du XIe s. (restaurée) et la medersa du sultan Isa (1385). – Centre commercial.

MARDOCHÉE. ♦ Personnage biblique du livre d'Esther **(V. Esther).**

MARDONIOS. ♦ Général perse (mort à Platées, ~ 479). Gendre de Darios, il fut chargé de soumettre la Grèce en ~ 492 et commanda l'expédition terrestre et navale de l'empire perse. Sa flotte fut détruite par la tempête près du mont Athos et ses troupes terrestres furent battues en Macédoine par les Thraces. En ~ 480, Xerxès lui laissa le commandement après le désastre de Salamine. Il réoccupa la Béotie, essaya de négocier avec les Grecs; il ravagea l'Attique, mais fut battu et tué à la bataille de Platées*.

MARDUK. ♦ Dieu de Babylone, ancienne divinité agraire placée au sommet du panthéon par Hammurabi. **V. Bêl, Création** (poème de la). Il rayonna jusqu'en Assyrie **(V. Shamshi-Adad V).**

MARÉ (Rolf *de*). ♦ Mécène suédois (1888 – 1964). Très fortuné, il s'occupa de musique et d'art plastique. En 1920, il fonda la compagnie des *Ballets suédois* avec Jean Börlin comme premier danseur et chorégraphe. Il fut directeur du théâtre des Champs-Élysées à Paris (1924-1927) et fonda en 1931 les *Archives internationales de la danse.* Il produisit des films de danse.

MARÉ. ♦ **V.** LOYAUTÉ (îles).

Mare au diable (La). ♦ Roman de George Sand* (1846), qui évoque, dans la campagne berrichonne, le voyage qui rapprochera Germain, le « fin laboureur » resté veuf avec trois enfants, de la « petite Marie », bergère contrainte à se placer dans une ferme. Ayant placé son ouvrage sous le signe des *Géorgiques* de Virgile*, George Sand entend y honorer les mœurs et les traditions du Berry (y compris la langue régionale) et exalter le travail des champs.

MARÉCHAL (Pierre Sylvain). ♦ Écrivain français (Paris, 1750 – Montrouge, 1803). Auteur de publications inspirées par la vogue des idylles (*Bergeries,* 1770), il exprima dans ses œuvres des positions athées (*Lucrèce moderne,* 1781; *Le Livre échappé au déluge,* 1784; *L'Almanach des honnêtes gens,* 1788, sorte de calendrier qui substitue aux noms des saints ceux d'hommes célèbres; *Dictionnaire des athées,* 1800). Il participa à la conspiration des Égaux contre le Directoire.

MARÉES (Hans *von*). ♦ Peintre et dessinateur allemand (Elberfeld, 1837 – Rome, 1887). Il fit ses études à Berlin et à Munich et,

Arch. Smeets

Marcoussis : « Autoportrait ». (Collection privée.)

à partir de 1864, passa la plus grande partie de sa vie en Italie. Après avoir débuté comme portraitiste et peintre de scènes militaires, il réalisa des œuvres religieuses allégoriques ou symboliques de caractère idyllique empreintes de noblesse et de sérénité peintes dans des tonalités claires et vibrantes *(Fresques de la bibliothèque zoologique du musée de Naples).* Son œuvre s'inscrit dans le courant idéaliste de la peinture allemande inaugurée au XIXe s. par les nazaréens.

MAREMME [*n. f.*], en it. **Maremma** (« bord de mer »). ♦ Région de l'Italie péninsulaire, le long de la mer Tyrrhénienne, en Toscane*, s'étendant de l'embouchure de la Cecina à Ortebello. Primitivement marécageuse et insalubre, cette zone a été assainie et bonifiée. On y cultive maintenant des céréales et des plantes fourragères. Une réforme foncière est en cours. Tourisme en développement.

MARENGO. ♦ Comm. d'Algérie. Nom anc. de Hadjout*.

MARENGO. ♦ Localité d'Italie (Piémont), près d'Alessandria. ♦ *Hist.* Le 14 juin 1800, Bonaparte, aidé par les troupes de Desaix* et la cavalerie de Kellermann, y remporta sur les Autrichiens une demi-victoire (certains parlent d'un demi-échec) que le communiqué officiel transforma en éclatante victoire.

MARENNES. ♦ Ch.-l. de cant. de la Charente-Maritime, arr. de Rochefort. 4 460 hab. *(Marennais).* Église Saint-Pierre-de-Sales (XVe-XVIIe s.). Maisons et hôtels anc. – Viticulture. Ostréiculture intensive. Marais salants. Construction navale pour la pêche et la plaisance.

MARENZIO (Luca). ♦ Compositeur italien (Coccaglio, v. 1553 – Rome, 1599). D'abord attaché à la cathérale de Brescia, puis à la cour de Florence, il fut au service de plusieurs princes ecclésiastiques italiens, séjourna en Pologne, puis revint à Rome à la fin de sa vie. Avec Gesualdo* et Monteverdi*, il fut l'un des plus grands madrigalistes de la fin du XVIe s. (*Madrigaux* à 4, 5 et 6 voix). L'élégance de la mélodie, la symétrie des rythmes, l'art du contrepoint et de la prosodie, confèrent à son style une aisance et une clarté qui n'excluent en rien le souci de l'expressivité; le chromatisme y souligne l'émotion exprimée par les textes (le Tasse, Pétrarque). Outre ses nombreux madrigaux, on lui doit cinq livres de *villanelles* (à 3 voix) où il utilise un langage d'une grande spontanéité, plusieurs livres de *motets* (de 4 à 12 voix) et un livre de *Sacrae Cantiones* (de 5 à 7 voix).

MARÉOTIS *(lac).* ♦ **V.** MARIOUT.

MARET (Hugues Bernard, *duc de* Bassano). ♦ Homme politique français (Dijon, 1763 – Paris, 1839). Rallié à la Révolution, il fit d'abord partie du club des jacobins puis contribua à la fondation de celui des feuillants (après l'affaire du Champ-de-Mars, 1791). Prisonnier des Autrichiens (1793-1796), il fut nommé secrétaire général des consuls après avoir appuyé le coup d'État du 18 Brumaire (1799). Il fut quelque temps ministre des Relations étrangères (1811). Secrétaire d'État pendant les Cent-Jours, exilé de 1816 à 1820, il fut fait pair de France par Louis-Philippe (1831).

MARETH. ♦ Local. de Tunisie, située au S. de Gabès*, dans le N. de la plaine de Djeffara, qui donna son nom à une ligne de fortifications construite par la France à partir de 1934 afin d'éviter toute pénétration des troupes italiennes en Tripolitaine. Les troupes de Rommel faisant retraite devant les Britanniques s'y retranchèrent en février et mars 1943.

Ph. Giraudon

Marguerite d'Autriche, par B. Van Orley. (Musées Royaux des Beaux-Arts, Bruxelles.)

MAREUIL ou **MAREUIL-SUR-BELLE.** ♦ Ch.-l. de cant. de la Dordogne*, arr. de Nontron*. 1 103 hab. Château des XIVe et XVe s., église des XVe et XVIe siècles.

MAREY (Étienne Jules). ♦ Médecin et physiologiste français (Beaune, 1853 – Paris, 1904). À la suite de C. Ludwig*, il généralisa l'emploi d'appareils servant à l'enregistrement graphique de phénomènes physiologiques; avec Chauveau*, il étudia ainsi l'activité cardiaque (*loi de Marey :* loi de variation périodique de l'excitabilité cardiaque et loi d'uniformité de travail du cœur). Il mit également au point la chronophotographie (1892), importante étape vers la cinématographie. *La Méthode graphique dans les sciences expérimentales,* 1878; *Étude de la locomotion animale par la chronophotographie,* 1887 (Acad. méd., 1872; Acad. sc., 1878).

MARGAM. ♦ V. PORT TALBOT.

MARGARITA *(île de).* ♦ Île de la mer des Antilles, située face à la péninsule vénézuélienne de Araya et qui forme avec les petites îles voisines l'État de *Nueva Esparta* (1 150 km². Env. 95 500 hab.), ch.-l. La Asunción. 6 200 hab. Récolte de perles.

MARGATE. ♦ V. et port du S. de l'Angleterre, à l'extrémité N.-O. de la côte de Kent, au S.-E. de l'estuaire de la Tamise. 45 800 hab. Station balnéaire très fréquentée.

MARGAUX. ♦ Comm. de la Gironde, arr. de Bordeaux*, dans le Médoc*. 1 466 hab. Vignobles de *Château-Margaux,* premier grand cru du Médoc.

MARGERIDE. *n. f.* ♦ Plateau cristallin du S. de l'Auvergne*, culminant à 1 554 mètres.

MARGERIE (Pierre Jacquin *de***).** ♦ Diplomate français (Nancy, 1861 – Paris, 1942). Directeur des Affaires politiques pendant la Première Guerre mondiale, il prit une part active à la conclusion des alliances qui contribuèrent à la victoire. Ambassadeur à Bruxelles, puis à Berlin, il fut l'un des négociateurs de Locarno*.

MARGERIE (Emmanuel JACQUIN *de***).** ♦ Géologue français (Paris, 1862 – *id.,* 1953). Auteur d'un traité sur *Les Formes du terrain* (en collaboration avec G. de la Noë, 1888), qui contribua à fonder la géographie physique, il a laissé également des ouvrages de bibliographie et de critique géologique. *Critique et Géologie* [1943-1954]. (Acad. sc., 1939.)

MARGGRAF (Andreas Sigismund). ♦ Chimiste allemand (Berlin, 1709 – *id.,* 1782). Il fut le premier à obtenir le sucre de betterave à l'état solide. Il découvrit l'acide formique, la magnesie, l'alumine, l'anhydride phosphorique et réussit à isoler le zinc de ses minerais (1776). **V. Dony.**

MARGUERITE ou **MARGUERITE D'ANTIOCHE** *(sainte).* ♦ (Antioche, Pisidie, IIIe s.). Fille d'un prêtre païen, elle fut élevée à l'insu de son père dans la religion chrétienne. Olibrius, préfet d'Orient, s'éprit d'elle, mais comme elle refusait de l'épouser, il la fit martyriser. Son culte fut très populaire au Moyen Âge, et se répandit en Occident au XIe siècle. – Patronne des femmes enceintes.

Marguerite. ♦ Personnage du *Faust* (**V.** à ce nom) de Goethe. La chanson de « Marguerite au rouet » *(Gretchen am Spinnrad)* a été mise en musique par Schubert et compte parmi ses plus beaux lieder.

MARGUERITE D'ANGOULÊME. ♦ **V.** *ci-dessous* MARGUERITE DE NAVARRE.

MARGUERITE D'ANJOU. ♦ Reine d'Angleterre (Pont-à-Mousson, 1429 – Dampierre, Anjou, 1482). Fille de René* Ier d'Anjou, elle épousa Henri* VI d'Angleterre (1445), sur lequel elle eut une grande influence. Elle fut rendue responsable des revers anglais à la fin de la guerre de Cent Ans et prit une part active à la guerre des Deux-Roses*. Vaincue et capturée (1471), elle fut libérée contre rançon (1475) et mourut en France.

MARGUERITE D'AUTRICHE. ♦ (Bruxelles, 1480 – Malines, 1530). Duchesse de Savoie, gouvernante des Pays-Bas. Fille de Maximilien* Ier et de Marie* de Bourgogne, elle fut élevée à la cour de France comme épouse de Charles* VIII. Après le mariage de celui-ci avec Anne* de Bretagne, répudiée, elle épousa Juan d'Espagne, puis Philibert* le Beau de Savoie. Veuve, elle fit élever le monastère de Brou* pour le repos de l'âme de son mari et fut nommée gouvernante des Pays-Bas, qu'elle administra avec compétence, jouant un grand rôle dans la politique européenne (ligue de Cambrai*, 1508; paix des Dames*, 1529). Lettrée elle-même, elle sut encourager les arts. ♦ **V.** *ci-dessous* MARGUERITE DE PARME.

MARGUERITE DE BOURGOGNE. ♦ Reine de France (1290 – Château-Gaillard, 1315). Fille de Robert II de Bourgogne, elle épousa le futur Louis* X le Hutin (1305) qui la répudia (1314) et la fit étrangler. Mère de Jeanne* II de Navarre.

MARGUERITE D'ÉCOSSE. ♦ **V.** MARGUERITE STUART.

MARGUERITE DE FRANCE. ♦ (Saint-Germain-en-Laye, 1523 – Turin, 1574). Duchesse de Savoie. Fille de François* Ier et de Claude* de France, elle fut élevée par sa tante Marguerite* de Navarre et sut exercer comme elle le mécénat. Elle épousa Emmanuel-Philibert de Savoie (1559).

MARGUERITE DE NAVARRE ou **D'ANGOULÊME.** ♦ (Angoulême, 1492 – Odos, Bigorre, 1549). Reine de Navarre. Fille de Charles d'Orléans, comte d'Angoulême, et de Louise* de Savoie, sœur de François* Ier auquel elle était très attachée, elle épousa Charles, duc d'Alençon (1509), puis Henri d'Albret, roi de Navarre (1527). Elle était une des femmes les plus instruites de son temps et fit de sa cour de Navarre un des foyers de l'humanisme. Fervente chrétienne, séduite par la Réforme, elle encouragea Lefèvre* d'Étaples, connut Calvin*, protégea les protestants. Parmi les érudits et les écrivains qui l'entourèrent, on peut citer : Robert Estienne*, Bonaventure Des* Périers, Marot*, Rabelais*, qui lui dédia le *Tiers Livre*. Elle-même écrivit, et son œuvre la plus célèbre est l'*Heptaméron**.

MARGUERITE DE PARME ou **D'AUTRICHE.** ♦ (Oudenaarde, 1522 – Ortona, dans les Abruzzes, 1586). Gouvernante générale des Pays-Bas (1559-1567). Fille naturelle de Charles* Quint, elle épousa Alexandre de Médicis, puis Octave Farnèse. Elle fut nommée gouvernante par Philippe* II d'Espagne, sous tutelle de la *consulta.* La noblesse du pays, mécontente, provoqua le renvoi de Granvelle puis après le compromis des nobles (1565) l'envoi du duc d'Albe à Bruxelles. Marguerite de Parme quitta les Pays-Bas pour l'Italie (1567). Elle eut pour fils Alexandre* Farnèse.

MARGUERITE DE PROVENCE. ♦ (1221 – Saint-Marcel, près de Paris, 1295). Reine de France, fille de Raimond Bérenger V, comte de Provence, elle épousa Louis* IX (1234), qu'elle accompagna à la septième croisade. Mère de Philippe* III.

MARGUERITE DE VALOIS, dite **la reine Margot.** ♦ (Saint-Germain-en-Laye, 1553 – Paris, 1615). Reine de Navarre. Fille d'Henri* II et de Catherine de Médicis, elle fut mariée à Henri de Navarre (1572), mariage qui, loin d'être le facteur de réconciliation qu'on avait espéré, fut une des causes de la Saint*-Barthélemy. Les deux époux se séparèrent d'ailleurs bientôt. Intelligente et cultivée, mais victime de sa nymphomanie, elle fut chassée de la cour par Henri* III, après des intrigues en faveur du duc d'Alençon, tint à Nérac* une cour brillante, puis fut enfermée à Usson en Auvergne (1587-1605). Son mariage avec Henri IV fut annulé, de son plein gré, en 1599 et, en 1605, elle revint à Paris. Elle a laissé des poèmes et des *Mémoires.*

MARGUERITE-MARIE ALACOQUE *(sainte).* ♦ (Verosvres, 1647 – Paray-le-Monial, 1690). Religieuse visitandine à Paray-le-Monial (1672), elle répandit la dévotion au Sacré-Cœur de Jésus, à la suite d'apparitions du Christ. – Fête le 16 octobre.

MARGUERITE STUART. ♦ (v. 1425 – Châlons-sur-Marne, 1445). Dauphine de France. Fille du roi d'Écosse Jacques Ier, elle fut mariée au futur Louis XI, qui la délaissa. Elle encouragea les artistes, notamment Alain Chartier.

MARGUERITE dite **VALDEMARSDOTTER** [« fille de Valdemar »]. ♦ (Søborg, Seeland, 1353 – Flensburg, 1412). Reine de Danemark, de Norvège et de Suède. Fille de Valdemar IV de Danemark, elle épousa Haakon* VI, roi de Norvège, et exerça la régence de Danemark en 1375 pour son fils Olav V (Olav* II de Danemark). En 1380, elle devint régente de Norvège puis, ayant battu le roi de Suède Albert de Mecklembourg, se fit proclamer reine de Suède. Son fils étant mort, elle désigna comme héritier son neveu Éric de Poméranie. Elle fut à l'origine de l'Union de Kalmar* (1397).

MARGUERITTE (Jean Auguste). ♦ Général français (Manheulles, Meuse, 1823 – Château de Beauraing, Belgique, 1870). Après avoir servi au Mexique et en Algérie, il commanda la brigade des 1er et 3e chasseurs d'Afrique au cours de la guerre de 1870 et se distingua à la bataille de Sedan (2 sept.) lors de laquelle il fut mortellement blessé. – Père de Paul et de Victor Margueritte.

MARGUERITTE (Paul). ♦ Écrivain français (Laghouat, Algérie, 1860 – Paris, 1918). Fils du général A. Margueritte *(ci-dessus).* Il entra au ministère de l'Instruction publique en 1881, commença sa carrière littéraire en 1884 et fut très influencé par le naturalisme. Ayant rompu avec Zola, il signa le *manifeste des Cinq* en 1887, écrivit quelques romans et travailla ensuite avec son frère cadet, Victor. Ils publièrent plusieurs ouvrages dont *Zette* (1903) et une grande fresque en quatre volumes sur la guerre de 1870 (*Une époque,* 1898-1904). Leur collaboration cessa en 1908. Paul Margueritte publia encore *La Faiblesse humaine* (1910), *L'Embusqué* (1916), *Jouir* (1918). ♦ VICTOR MARGUERITTE, son frère (Blida, Algérie, 1866 – Monestier, 1942). Il suivit la carrière militaire jusqu'en 1896, date à laquelle il collabora avec son frère. Il publia ensuite des ouvrages de tendance réaliste se préoccupant surtout des problèmes de l'émancipation de la femme : *Femme en chemin* (1921), *La Garçonne* (1922), qui provoqua un scandale, *Ton corps est à toi* (1927). Il s'intéressa également au rapprochement des peuples, notamment dans *La Patrie humaine* (1931), *Avortement de la S.D.N.* (1936).

MARGUERITTES. ♦ Ch.-l. de cant. du Gard (arr. de Nîmes), situé dans les Garrigues nîmoises. 2 572 hab. *(Marguerittois).* Église romane.

MARI ou **MÂRI.** ♦ Anc. cité de Mésopotamie, sur l'Euphrate (site actuel : tell Hariri, près d'Abû Kemal, Syrie). Fouilles par A. Parrot* de 1933 à 1957. Occupée dès la fin de la période d'Uruk*, Mari devint, au début du ~ IIIe millénaire, l'une des plus importantes cités-États du N. de la Mésopotamie et atteignit le sommet de sa puissance au début du ~ IIe millénaire, tandis qu'Isin* et Larsa* dominaient au sud. De cette époque datent le temple de Dagan* et le vaste palais qui ont été mis au jour. Le royaume fut soumis au premier empire d'Assyrie* et déclina après sa prise par Hammurabi (~ 1696).

Maria Chapdelaine. ♦ Récit du Canada français. Roman de Louis Hémon* (1913) qui relate avec sobriété la longue et secrète attente de l'héroïne, aux confins de la forêt canadienne; ayant perdu son fiancé, Maria se résigne à vivre, au milieu des travaux quotidiens, au sein d'une campagne rude mais généreuse. Pris dans la réalité, les personnages évoquent les pionniers canadiens attachés à leurs traditions et dont la vie se confond avec celle de la nature. Le roman diffusa en France une certaine idée de la vie au Canada français.

Mariage de Figaro (Le) ou **La Folle Journée.** ♦ Comédie en cinq actes, en prose, de Beaumarchais* (1784). On retrouve dans cette pièce les personnages du *Barbier de Séville* (1775). Trois ans après le mariage d'Almaviva et de Rosine, mené à bon terme par le rusé Figaro, le comte, las de sa jeune femme, court maintenant vers d'autres aventures. Amoureux de Suzanne, la jolie chambrière de sa femme, fiancée à Figaro, il entend satisfaire son caprice en exerçant le droit antique du seigneur ou en empêchant les noces. Bien décidés à faire échec à une telle prétention, la comtesse, Suzanne et Figaro, unis par l'intelligence la plus subtile, déjoueront les projets du comte et, le rendant ridicule, l'achemineront vers le repentir. Parmi les nombreux personnages de la pièce, celui de Chérubin, charmant petit page amoureux de la comtesse, demeure comme l'une des créations les plus vivantes de Beaumarchais. – Pièce divertissante par les multiples rebondissements de son intrigue et le brio étincelant de ses répliques, comédie de caractère par la diversité des types humains qu'elle nous propose, *Le Mariage de Figaro* se présente, à la veille de la Révolution, comme la plus éclatante des comédies de mœurs par la satire qu'elle développe d'un système social proche de sa fin. – La pièce inspira les *Noces de Figaro* de Mozart.

MARIAKERKE. ♦ Comm. de Belgique (Flandre-Orientale, arr. de Gand), sur le canal de Bruges à Gand. 8 000 hab. Produits maraîchers. Travail du caoutchouc.

MARIAMNE Ire. ♦ Reine juive (Jérusalem, v. ~ 60 – ~ 29). Petite-fille d'Hyrcan II, épouse d'Hérode* le Grand qui la fit mettre à mort. – Elle inspira des tragédies à Tristan l'Hermite (1636) et Voltaire (1724).

MARIANA DE LA REINA (Juan de). ♦ Théologien et historien espagnol (Talavera, Tolède, 1536 – Tolède, 1624). Recueilli par les Jésuites, il entra dans la Compagnie de Jésus en 1554. En 1561, il enseigna la théologie à Rome, puis se rendit en Sicile (1565), à Paris (1569-1574) et enfin à Tolède. En 1599, il écrivit le *De Rege et regis institutione* (« Du roi et de la royauté ») où il justifiait le tyrannicide et admettait la thèse de la souveraineté du peuple. Après l'assassinat d'Henri IV, l'ouvrage fut condamné par la Sorbonne et le parlement de Paris et, la même année, le général des Jésuites Aquaviva interdit aux Jésuites d'enseigner ces doctrines. – Mariana publia aussi *Historiae de rebus Hispaniae libri XX* (1592), en espagnol (1601); son *Historia general,* qui est une histoire de l'Espagne jusqu'à Charles Quint, lui valut d'être surnommé le « Tite-Live de l'Espagne ».

MARIANOA. ♦ V. de l'île de Cuba* dans les faubourgs de La Havane*. Env. 230 000 hab. Indus. alimentaires. Sucreries, distilleries de rhum.

Marianistes. *n. m. pl.* ♦ Ordre religieux qui prononce des vœux de chasteté, de pauvreté et d'obéissance et comprend des prêtres et des laïcs. Il fut fondé à Bordeaux en 1817 par l'abbé G.J. Chaminade. Il est destiné à l'enseignement. Il y a env. 3 000 marianistes répartis en 180 communautés. La maison mère est à Rome.

Marianne (La Vie de). ♦ Roman de Marivaux*, publié de 1731 à 1741. L'œuvre expose les confidences d'une jeune fille à l'une de ses amies. Après l'attaque d'une diligence où ses parents sont tués, Marianne, âgée de deux ans, est recueillie par un curé. Après la mort de ce dernier, elle devient apprentie lingère. Un vieillard, Monsieur de Climal, lui fait une cour assidue. Cependant, au cours d'un accident, Marianne rencontre un jeune homme, Monsieur de Valville, qui tombe amoureux d'elle. Or, Monsieur de Climal, qui n'est autre que l'oncle du jeune homme, propose à Marianne de la prendre pour maîtresse. Indignée, elle se réfugie dans un couvent. Valville la fait rechercher et envoie sa mère lui rendre visite et, malgré la mésalliance, le mariage est décidé. Mais le roman n'est pas fini : Valville perd un instant l'esprit, Marianne apprend qu'elle est la petite-fille d'un duc. Elle voit Valville se détacher d'elle, mais le retrouve finalement. – Les qualités de l'œuvre, malgré ses longueurs, sont remarquables : vérité des analyses psychologiques (notamment les remarques lucides de Marianne sur son propre comportement), évocation de divers milieux sociaux. Le personnage central est celui d'une jeune femme à la fois innocente et pleine de rouerie, qui sait admirablement manœuvrer parmi les pièges que lui tend la vie.

Marianne. ♦ Nom donné à la République en souvenir d'une société secrète républicaine destinée à renverser le Second Empire. Le terme, d'abord donné par les adversaires de la République, a perdu sa valeur péjorative.

MARIANNES *(îles),* en angl. **Mariana Islands,** anc. **Ladrones islands** (« îles des voleurs »). ♦ Archipel de la Micronésie* (Océanie) au N. des îles Carolines* et à l'E. des Philippines*, baigné par l'océan Pacifique occidental (mer des Philippines* à l'O.). Il est formé de quatorze îles disposées en arc de cercle et de l'île de Guam*. L'ensemble de l'archipel est volcanique, avec des récifs coralliens. Les îles principales sont, du N. au S., Rota, Tinan, Saipan où se situe le centre administratif *Garapan,* sur la côte ouest. 401 km² (non compris Guam*). 11 000 hab. environ. – Cultures de tubercules, riz, coprah. Cannes à sucre et coton dans les îles principales. ♦ *Hist.* Les îles furent annexées par l'Espagne en 1668. Guam* fut cédée aux États-Unis en 1898, la partie septentrionale de l'archipel vendue à l'Allemagne l'année suivante. Les îles furent occupées par les Japonais en 1914 puis placées sous mandat japonais en 1919 jusqu'à leur conquête par les Américains à partir de 1944. Les îles Mariannes placées depuis 1947 sous tutelle des États-Unis par l'O.N.U. *(United States Trust Territory of the Pacific Islands),* sont devenues territoire américain en 1976.

Ph. Nimatallah/Ricciarini

Art mésopotamien de **Mari :** Ebih-Il, l'intendant. Début du ~ IIIe millénaire. (Musée du Louvre, Paris.)

Ph. Carlo Bevilacqua/Ricciarini

Sainte Marie et l'Enfant Jésus, par D. Bouts. (Musée Correr, Venise.)

MARIANNES *(fosse des).* ♦ Fosse du Pacifique, à l'E. et au S. de l'archipel des Mariannes*. Le navire *Challenger II* y a enregistré la profondeur de 10 863 m (1951), puis le navire soviétique le *Vitiaz* y a enregistré 10 960 m (1958).

MARIÁNSKÉ LÁZNĚ. en all. **Marienbad.** ♦ V. de Tchécoslovaquie, en Bohême-Occidentale, au S. de Karlovy* Vary. 20 000 hab. environ. Station thermale, ouverte en 1918 à proximité de la Tepla, rivière chaude.

MARIAZELL. ♦ V. d'Autriche, située en Styrie* à 868 m d'altitude. 2 200 hab. C'est le plus grand centre de pèlerinage de l'Autriche. L'église du pèlerinage, construite entre 1644 et 1683, a subi de nombreux remaniements. On y vénère une statue de la Vierge *(Magna Mater Austriae).*

MARIB. ♦ Localité du Yémen du N., située dans une région de plateaux à l'E. de Sanaa*. Anc. cap. d'un royaume disparu (qu'on identifie parfois au royaume de Saba*) dont elle a conservé un remarquable réseau d'irrigation.

MARIBOR. ♦ V. de Yougoslavie (Slovénie*) sur la Drave. 91 000 hab. Monuments (cathédrale, hôtel de ville, château du XVe remanié au XVIIIe siècle). – Centre industriel important (textiles, métallurgie, constructions mécaniques, électrotechnique).

MARICA ou **MARITZA.** *n. f.*, en grec **Evros** (l'Hèbre des Anciens), en turc **Meriç.** ♦ Fl. de la péninsule des Balkans (450 km). Née en Bulgarie, dans le massif de Rila (Rhodope), elle arrose successivement Pazardžik*, Plovdiv*, Dimitrovgrad* et Edirne*, où elle prend alors la direction nord-sud. Elle reçoit la Tundža* et l'Arda*, marque la frontière gréco-turque et se jette dans la mer Égée, dans le golfe d'Enez. En Bulgarie, les *pays de la Marica* constituent l'ensemble agricole le plus prospère du pays grâce à un plan d'irrigation systématique. De plus, la riv. fournit un important potentiel électrique (Marica III).

MARICA-ISTOK. ♦ Localité de Bulgarie méridionale, au N. de la riv. Marica. Combinat textile sur un bassin de lignite.

MARÎCHÎ. ♦ Divinité féminine hindoue et bouddhique de l'Aube et de la Lumière. On lui prête le pouvoir de rendre invisibles ses fidèles et de les protéger contre les dangers de la guerre. Elle commande les démons de la tempête. Au Japon, divinité de la Victoire, protectrice des guerriers.

MARIE. ♦ Prénom porté par de nombreuses saintes et religieuses, classées ci-dessous par ordre chronologique. – **V.** *aussi* **Marie-Madeleine,** à l'ordre alphabétique.

MARIE *(sainte).* ♦ Dans la tradition chrétienne, vierge, mère de Jésus*, épouse de Joseph*. *Luc,* I, 36, fait d'elle la parente de sainte Élisabeth*, les apocryphes la fille de sainte Anne* et de saint Joachim*. C'est principalement *Luc,* I et II, qui narre son histoire : l'ange Gabriel lui annonce qu'elle enfantera, par le Saint-Esprit, un fils qu'on appellera Fils de Dieu (Annonciation); au cours d'une visite à Élisabeth, celle-ci lui confie qu'elle a conçu (c'est le signe promis à Marie) [Visitation]; lors d'un voyage à Bethléem, elle donne naissance à Jésus (Nativité). Dans *Jean,* elle apparaît lors des noces de Cana* et lors de la Passion, où Jésus la confie au « disciple bien-aimé ». – Le culte de la Vierge Marie se développa à partir du IVe siècle. La réflexion religieuse à son sujet (mariologie) aboutit à deux thèses principales : celle de l'Immaculée Conception de Marie, acceptée par le concile de Bâle (1431), érigée en dogme par Pie IX (1854); celle de son Assomption, érigée en dogme par Pie XII (1950). Fête principale le 15 août (Assomption). Apparitions de la Vierge : à Fatima (1917), Lourdes (1858), Paris (rue du Bac, 1830), Pontmain (1871), La Salette (1846), devenus des lieux de pèlerinage.

MARIE *(sainte).* ♦ Dans les Evangiles de Luc, X, 38, et Jean, XI, sœur de Marthe* et de Lazare*, de Béthanie. Assimilée à Marie*-Madeleine dans *Jean,* XII, 1-8.

MARIE *(sainte).* ♦ Épouse (?) de Clopas ou Cléophas. Dans les Évangiles, une des saintes femmes qui assistent à la Passion. Mère de Jacques* le Mineur, selon Marc, XV, 40. La légende provençale la surnomme JACOBÉ et la fait débarquer aux Saintes-Maries-de-la-Mer avec Marie Salomé (ci-dessous). Fête le 9 avril.

MARIE SALOMÉ *(sainte)* ou, dans l'Évangile *(Marc,* XV, 40), **SALOMÉ.** ♦ Une des saintes femmes qui assistent à la Passion. En rapprochant *Marc* et *Matthieu,* XXVII, 56, on déduit qu'elle est la mère de Jean et Jacques le Majeur. Selon la ponctuation de *Jean,* XIX, 25, on fait d'elle (ou de Marie de Clopas) la sœur de la Vierge Marie. Fête le 22 octobre.

MARIE L'ÉGYPTIENNE *(sainte).* ♦ Ascète chrétienne qui, après avoir été prostituée à Alexandrie, aurait passé quarante-sept ans au désert, au delà du Jourdain. Elle serait morte v. 421. Fête le 2 avril.

MARIE DE L'INCARNATION [*bienheureuse*] *(Barbe Jeanne Avrillot,* ép. de *Jean-Pierre Acarie).* ♦ Dame puis religieuse française (Paris, 1566 – Pontoise, 1618). Avec Bérulle*, elle installa en France les carmélites réformées par sainte Thérèse* (1604), puis, devenue veuve (1613), entra au Carmel (1615).

MARIE DE L'INCARNATION [*vénérable*] *(Marie Guyard).* ♦ Religieuse française (Tours, 1599 – Québec, 1672). Veuve en 1619, elle entra chez les ursulines de Tours (1631) et devint missionnaire au Canada (1639), où elle fonda et dirigea le premier couvent d'ursulines.

MARIE D'ÁGREDA *(María Coronel,* dite *María de Ágreda,* en fr.). ♦ (Ágreda, 1602 – 1665). Religieuse cordelière espagnole célèbre pour ses visions, auteur de *La Mystique Cité de Dieu* (1670), ouvrage condamné par l'Église.

MARIE DE SAINTE-EUPHRASIE PELLETIER *(sainte).* ♦ [Noirmoutier, 1796 – Angers, 1868]. Faisant partie de la congrégation de Notre-Dame du Refuge à Tours, elle fonda la maison d'Angers et le Bon Pasteur pour la sauvegarde des jeunes filles (1832). Canonisée en 1940. Fête le 24 avril.

MARIE. ♦ Prénom porté par de nombreuses souveraines (angl. *Mary,* esp. *María*), classées ci-dessous par pays : a) Angleterre *(Marie Tudor)* et Écosse *(Marie Stuart,* etc); b) duchesse de Bourgogne; c) reines de France (**V.** *aussi* **Marie-Amélie, Marie-Antoinette**); d) reines de Hongrie; e) reine de Naples; f) reines du Portugal. N.B. On trouvera à la suite l'écrivain MARIE DE FRANCE et les personnages dont le nom de famille est MARIE. Les prénoms composés se trouvent ensuite, à leur ordre alphabétique.

MARIE Ire TUDOR, dite **Marie la Catholique** ou **Marie la Sanglante,** en angl. **Bloody Mary.** ♦ (Greenwich, 1516 – Londres, 1558). Reine d'Angleterre (1553-1558). Fille d'Henri* VIII et de Catherine* d'Aragon, elle eut d'autant plus à souffrir de la disgrâce de sa mère qu'Anne* Boleyn la poursuivait de sa haine : pratiquement exilée, elle fut exclue de la succession et dut reconnaître l'illégitimité de sa naissance. De nouveau inquiétée sous Édouard* VI, elle lui succéda cependant, faisant triompher ses droits contre Jeanne Grey*. Elle rétablit le catholicisme. Son mariage avec Philippe* II souleva la désapprobation générale. La révolte de Wyatt* en fut la manifestation éclatante et provoqua un durcissement de la politique du règne : Jeanne Grey fut exécutée, Élisabeth enfermée à la Tour de Londres, et les protestants persécutés (dont Ridley, Latimer* et Cranmer*). La campagne entreprise contre la France à la suite de l'Espagne, qui se solda par la perte de Calais (1558), avait encore aggravé l'impopularité de la reine quand elle mourut. – Elle a inspiré un drame à Victor Hugo (1833).

MARIE DE GUISE ou **DE LORRAINE.** ♦ (Bar, 1515 – Édimbourg, 1560). Reine d'Écosse. Fille de Claude de Lorraine, duc de Guise, elle épousa Louis II d'Orléans, duc de Longueville, puis Jacques V d'Écosse, dont elle eut une fille, Marie* Stuart. Régente à la mort de son mari, en 1542, elle fut dominée par ses frères et lutta contre le parti favorable à la Réforme et à l'Angleterre.

MARIE Ire STUART. ♦ (Linlithgow, 1542 – Fotheringhay, 1587). Reine d'Écosse (1542-1567) et de France (1559-1560). Fille de Marie* de Guise et de Jacques* V d'Écosse. Tandis que sa mère exerçait la régence, elle fut fiancée au dauphin et élevée en France, où elle reçut une éducation très soignée (elle fut sans doute l'une des princesses les plus cultivées de son temps). Après un règne très bref, la mort de son mari François* II l'obligea à regagner l'Écosse. La révolte presbytérienne et nobiliaire s'opposait à son catholicisme et à son désir d'autorité. Elle montra d'abord une certaine modération, s'appuyant sur les chefs protestants, mais elle se les aliéna par son mariage avec Darnley* (1565). Il fit assassiner sous les yeux de la reine son favori Rizzio, mais fut bientôt assassiné à son tour à l'instigation du nouveau favori, Bothwell*. Celui-ci fut acquitté, mais lorsqu'il épousa Marie la révolte éclata. Après sa défaite à Carberry Hill (1567), Marie dut abdiquer en faveur de son fils Jacques* VI. Elle s'évada en 1568, mais son armée fut écrasée par Murray* à Langside et elle dut se réfugier en Angleterre. Elle y passa dix-huit ans, de prison en prison, traitée avec une méfiance justifiée, puisque le parti catholique se regroupait derrière elle pour en faire la rivale politique et religieuse d'Élisabeth* Ire. Plusieurs tentatives furent faites pour la délivrer et la mettre sur le trône d'Angleterre (dont celles de Norfolk et de Babington). Marie les encouragea avec une grande imprudence et le dernier complot provoqua son procès et sa condamnation à mort (1586) qu'Élisabeth hésita à faire exécuter. La fermeté et le courage dont elle fit preuve lors de sa fin tragique, sa beauté, sa culture, sa vie romanesque, inspirèrent de nombreux écrivains.

Marie Stuart. ♦ Drame en vers de Schiller (1800). Avec une simplicité de moyens toute classique, la pièce retrace la fin tragique de Marie Ire Stuart, pure incarnation de l'innocence sacrifiée à la fureur jalouse de son ennemie Élisabeth.

MARIE II STUART. ♦ (Londres, 1662 – *id.*, 1694.) Reine d'Angleterre (1689-1694). Fille de Jacques* II et de sa première femme, elle épousa Guillaume* d'Orange et monta avec lui sur le trône d'Angleterre, après la chute de son père.

MARIE DE BOURGOGNE. ♦ (Bruxelles, 1457 – Bruges, 1482). Duchesse de Bourgogne (1477-1482). Elle n'avait que vingt ans à la mort de son père Charles* le Téméraire. Louis* XI annexa la Bourgogne, envahit la Picardie, l'Artois et le Boulonnais, et voulut la marier au dauphin. La révolte de Gand, qu'il encouragea, la contraignit à signer le Grand Privilège (1477). Mais Maximilien d'Autriche, qu'elle avait épousé, battit Louis XI à Guinegatte (1479), ce qui lui permit de conserver la Flandre. Elle mourut d'une chute de cheval. Elle avait eu deux enfants : Philippe* le Beau et Marguerite* d'Autriche.

MARIE DE BRABANT. ♦ Reine de France (Louvain, 1254 – Murel, près de Meulan, 1321). Fille d'Henri III, duc de Brabant, elle épousa Philippe* III le Hardi (1274).

MARIE D'ANJOU. ♦ Reine de France (1404 – Châtellier, Poitou, 1463). Fille de Louis II d'Anjou, roi de Sicile, elle épousa Charles VII (1422). Mère de Louis* XI.

MARIE D'ANGLETERRE. ♦ (1496 – Westhorpe, 1534.) Reine de France. Fille d'Henri VII, elle fut mariée à Louis* XII qui avait trente-quatre ans de plus qu'elle, et la laissa veuve trois mois plus tard. Elle se remaria aussitôt au duc de Suffolk, son amant, qui l'avait suivie en France. Une de ses filles fut la mère de Jeanne Grey*.

MARIE DE MÉDICIS. ♦ (Florence, 1573 – Cologne, 1642.) Reine de France. Fille du grand-duc de Toscane et de l'archiduchesse Jeanne, elle épousa Henri IV (1600), à l'assassinat de qui on l'accuse parfois d'avoir incité les ennemis du roi. Elle gouverna alors comme régente sous l'influence de Léonora Galigaï* et de Concini*, dut faire face à l'agitation des grands, notamment aux états* généraux de 1614, et signa avec eux le traité de Loudun* (1616). Après le meurtre de Concini (1617), elle entra en guerre contre son fils Louis XIII et fut battue aux Ponts*-de-Cé (1620). Réconciliée avec le roi à la mort de Luynes*, elle entraîna Richelieu* au Conseil, mais l'influence grandissante de son protégé l'inquiéta bientôt et elle tenta de le faire disgracier : ce fut la journée des Dupes* (1630), à la suite de laquelle elle dut s'exiler (à Bruxelles, Londres, puis Cologne). Elle avait encouragé les artistes : Philippe de Champaigne, Rubens qui a peint une suite de tableaux destinés à son palais du Luxembourg (auj. au Louvre).

MARIE LESZCZYŃSKA. ♦ Reine de France (Breslau, 1703 – Versailles, 1768). Fille de Stanislas* Leszczyński, roi de Pologne, elle fut mariée à Louis XV (1725) et en eut dix enfants (dont 7 survécurent).

MARIE. ♦ (1370 – 1395). Reine de Hongrie (1382-1387). Fille de Louis* Ier le Grand, roi de Hongrie et de Pologne, elle dut abdiquer la couronne de Pologne en 1384 au profit de sa sœur Hedwige. Ses droits à la couronne de Hongrie furent contestés par Charles* III de Duras. Elle dut faire face à une révolte de nobles, au cours de laquelle sa mère fut tuée sous ses yeux et où elle dut la vie à Sigismond*, son mari, à qui elle abandonna le pouvoir.

MARIE D'AUTRICHE. ♦ (Bruxelles, 1505 – Cigales, 1558). Reine de Hongrie. Fille de Philippe* le Beau et de Jeanne* la Folle, sœur de Charles* Quint, elle épousa Louis* II, roi de Bohême et de Hongrie, qui fut tué à Mohács (1526), et se retira auprès de sa tante Marguerite* d'Autriche. Elle lui succéda comme gouvernante des Pays-Bas.

MARIE DE BLOIS. ♦ (1345 – Angers, 1404). Reine de Naples et comtesse de Provence par son mariage avec Louis* Ier d'Anjou. Elle fut régente pendant la minorité de son fils Louis* II et continua à le soutenir par la suite.

MARIE Ire DE BRAGANCE. ♦ (Lisbonne, 1734 – Rio de Janeiro, 1816). Reine du Portugal (1777-1816). Fille de Joseph* Ier, elle épousa en 1760 son oncle Pierre* III avec qui elle partagea le trône. Elle renvoya le ministre Pombal*. Elle fonda l'académie des sciences de Lisbonne (1779). Quand elle devint démente, son fils Jean* VI exerça la régence, et l'emmena au Brésil, après l'occupation du Portugal par les Français.

MARIE II DE BRAGANCE. ♦ (Rio de Janeiro, 1819 – Lisbonne, 1853). Reine de Portugal (1826-1853). Fille de Pierre* Ier, empereur du Brésil, qui lui céda la couronne du Portugal en 1826, elle fut fiancée à son oncle Michel (Miguel); ce dernier usurpa la royauté sous le nom de Michel* Ier. Marie II fut rétablie sur le trône par son père en 1834.

MARIE DE FRANCE. ♦ La première femme poète française (seconde moitié du XIIe s.) qui vécut à la cour d'Angleterre*. Elle est l'auteur de fables ésopiques *(Isopet)* et de *Lais* en vers octosyllabes, transcriptions de légendes bretonnes. – Le *Lai de Lanval* conte les amours mystérieuses d'un chevalier et d'une demoiselle; le *Lai du chèvrefeuille* évoque le message poétique laissé par Tristan* à Iseult* – La peinture délicate de l'amour et l'atmosphère de féerie assurèrent la célébrité de ces œuvres.

MARIE (Pierre Thomas Marie de Saint-Georges, dit). ♦ Homme politique français (Auxerre, 1795 – Paris, 1870). Député de la gauche dynastique (Parti du mouvement) [1842] sous la monarchie de Juillet, il fit partie du gouvernement provisoire après la Révolution* de février 1848. Républicain modéré, il fut, comme ministre des Travaux publics, l'organisateur des Ateliers* nationaux, créés en partie pour faire contrepoids à l'essor du mouvement socialiste. Ministre de la Justice (juil.-déc. 1848), il prit position contre Louis Napoléon Bonaparte, et, de 1863 à 1869, siégea avec l'opposition dans le Corps législatif.

MARIE (Pierre). ♦ Médecin français (Paris, 1853 – Cannes, 1940). Professeur de clinique neurologique à la Salpêtrière (1918), il a décrit et étudié de nombreuses maladies : l'acromégalie (1885), une variété d'ostéo-arthropathie (1890), une forme de névrite hypertrophique familiale (type de P. Marie) et l'hydrocéphalie héréditaire [1897]. (Acad. méd., 1911.)

MARIE-AMÉLIE DE BOURBON. ♦ Reine des Français (Caserte, 1782 – château de Claremont, 1866). Elle était la fille de Ferdinand IV, roi des Deux-Siciles, et de Marie-Caroline et épousa en 1809 le duc d'Orléans, futur Louis*-Philippe. Elle eut huit enfants et leur donna une éducation libérale. En 1848, elle suivit le roi dans son exil en Angleterre.

MARIE-ANTOINETTE (Marie-Antoinette Joseph Jeanne DE LORRAINE). ♦ Archiduchesse d'Autriche et reine de France (Vienne, 1755 – Paris, 1793). Fille de l'empereur germanique François* Ier et de l'impératrice Marie*-Thérèse, reine de Hongrie et de Bohême, elle passa son enfance à la cour de Schönbrunn, où elle reçut une éducation assez négligée. Destinée, comme sa sœur

Ph. Carlo Bevilacqua/Ricciarini

Marie d'Autriche, par A. Moro.
(Musée du Prado, Madrid.)

Marie*-Caroline, à servir la politique de la maison d'Autriche, elle fut mariée, grâce à l'entremise de Choiseul, avec le dauphin de France, futur Louis* XVI (mai 1770). De cette union naquirent quatre enfants, deux fils, Louis-Joseph (1781 – 1789) et le futur duc de Normandie, et deux filles, Marie-Thérèse Charlotte (future duchesse d'Angoulême*) et Sophie Hélène Béatrice. Frivole et insouciante, la jeune reine se rendit rapidement impopulaire par sa conduite légère, ses intrigues, réelles ou supposées, avec le comte d'Artois, frère du roi, A. de Fersen*, etc., et ses dépenses inconsidérées (affaire du Collier*, 1785). Peu favorable au progrès des idées philosophiques et moins encore aux tentatives de réformes proposées par les ministres de Louis XVI, Marie-Antoinette exerça une influence croissante sur le roi, influence qui, en 1789, devait rendre impossible une conciliation entre la monarchie et la Révolution. En dépit d'une entrevue avec Mirabeau, la reine refusa de se rallier à l'idée d'une monarchie constitutionnelle et préféra compter sur l'intervention étrangère pour sauver la royauté. Enfermée au Temple après la journée du 10 août* 1792, transférée à la Conciergerie le 2 août 1793, elle fut jugée par le Tribunal révolutionnaire et, face aux accusations de complot avec l'étranger et aux calomnies parfois infâmes que lancèrent contre elle les ultrarévolutionnaires (en particulier Hébert), elle garda une attitude digne et hautaine. Condamnée à mort, « l'Autrichienne » périt sur l'échafaud le 16 oct. 1793.

MARIE-CAROLINE. ♦ (Schönbrunn, 1752 – *id.,* 1814). Reine de Naples. Fille de Marie-Thérèse, elle épousa Ferdinand* IV de Sicile (1768) et dirigea à sa place les affaires de Naples. Elle-même cependant se laissait diriger par son favori lord Acton. Violemment opposée à la Révolution française, elle adhéra aux coalitions dirigées contre elle, dut se réfugier en Sicile sous la protection des Anglais en 1806, mais fut chassée par eux en 1811.

MARIE-CAROLINE DE BOURBON-SICILE. ♦ Duchesse de Berry (Caserte, 1798 – Brünsee, prov. de Styrie, Autriche, 1870). Fille de François Ier, roi des Deux-Siciles, elle épousa en 1816 le duc de Berry, Charles-Ferdinand, deuxième fils du comte d'Artois (futur Charles X). Sept mois après l'assassinat de son mari (1820), elle donna le jour au futur comte de Chambord. Elle suivit Charles X en exil en 1830 mais, désireuse d'assurer le trône à son fils, elle revint en France pour y organiser un soulèvement contre Louis-Philippe. Elle débarqua en Provence, puis gagna la Vendée où elle fut arrêtée à la suite d'une trahison (1832). Enfermée à la citadelle de Blaye, elle accoucha d'une fille (1833) qu'elle déclarait issue d'un mariage avec le comte Ettore Carlo Lucchesi-Palli. Le gouvernement de Louis-Philippe exploita le scandale et enleva tout crédit à la comtesse chez les légitimistes. Elle fut libérée et se rendit à Palerme.

MARIE-CHRISTINE DE BOURBON-SICILE. ♦ (Naples, 1806 – Le Havre, 1878). Reine d'Espagne (1833-1854). Fille de François Ier, roi des Deux-Siciles, elle épousa en 1829 Ferdinand* VII, roi d'Espagne. Elle obtint de son mari qu'il révoque la loi de 1714 et laisse le trône à sa fille Isabelle*, au détriment des droits de son frère don Carlos*, ce qui entraîna l'insurrection carliste* (1833-1839). Régente pour sa fille Isabelle II, elle dut gouverner avec les libéraux qui lui imposèrent une constitution (révolution de la Granja, 1836). Déconsidérée par sa liaison avec le garde du corps Muñoz, elle fut chassée par Espartero* (1840). Ayant repris le pouvoir en 1843, elle continua à s'opposer aux libertés constitutionnelles et dut s'exiler définitivement après le soulèvement de 1854.

MARIE-CHRISTINE DE HABSBOURG-LORRAINE. ♦ Reine d'Espagne (Gross-Seelowitz, 1858 – Madrid, 1929). Fille de l'archiduc Ferdinand-Charles d'Autriche, elle épousa en 1879 Alphonse XII. Elle eut deux filles et un fils, le futur Alphonse XIII. Elle assura la régence d'abord pour sa fille aînée (1885-1886) puis pour son fils (1886-1902). Elle assista à la révolte de Cuba et des Philippines.

MARIE-GALANTE (de l'esp. *Maria Galanda,* « la gracieuse »). ♦ Petite île des Antilles* françaises *(îles au Vent*),* dépendante de la Guadeloupe*, située à 30 km de Basse*-Terre. 150 km². 20 000 hab. env. **V. Grand-Bourg.**

MARIE-LOUISE DE HABSBOURG-LORRAINE. ♦ Impératrice des Français, archiduchesse d'Autriche (Vienne, 1791 – Parma. 1847). Fille de François II, empereur germanique, devenu François* Ier, empereur d'Autriche, et de Marie*-Thérèse de Naples. Elle épousa Napoléon Ier le 1er avril 1810 et lui donna un fils le 20 mars 1811, le roi de Rome. Lorsque Napoléon partit en campagne en 1813, il la nomma régente. Après l'abdication de son mari, elle rejoignit son père (avr. 1814). Le traité de Fontainebleau (1814) lui assurait la souveraineté viagère de Parme, de Plaisance et de Guastala et le titre de Majesté impériale. Abandonnant Napoléon à son sort, acceptant d'être séparée de son fils. elle épousa en 1821 le feld-maréchal autrichien von Neipperg et en eut deux enfants. Veuve en 1829, elle épousa en 1834 le comte de Bombelles. chambellan de la cour de Vienne.

Marie-Louise. *n. m. pl.* (de *Marie-Louise,* de Habsbourg-Lorraine [ci-dessus], seconde femme de Napoléon Ier). ♦ Nom donné aux conscrits de 1814.

MARIE-LOUISE DE PARME. ♦ Reine d'Espagne (Parme, 1751 – Rome, 1819). Fille de Philippe, duc de Parme, elle épousa en 1765 le futur Charles IV. Très influencée par son amant Godoy*, ministre à partir de 1792, elle domina complètement le roi son mari. – Exilée à partir de 1808, elle ne regagna jamais l'Espagne.

Ph. Carlo Bevilacqua/Ricciarini

Marie-Thérèse d'Autriche.

MARIE-MADELEINE, en gr. **Magdalênê** [« de Magdala »] *(sainte).* ♦ Dans les Évangiles, une des saintes femmes qui assistent à la Passion. On l'identifie avec la femme anonyme (pécheresse pour *Luc,* VII, 37) qui parfume les pieds de Jésus. Dans *Jean,* XII, 1-8, cette femme est Marie* de Béthanie, sœur de Marthe* et de Lazare*. Une légende la fait débarquer miraculeusement à Marseille avec Marthe et Lazare et fonder le couvent de la Sainte-Baume. Fête le 22 juillet.

MARIE-MADELEINE DE PAZZI *(sainte).* ♦ Carmélite italienne de la famille des Pazzi*, rivale des Médicis (Florence, 1566 – *id.,* 1607). Elle entra dans l'ordre des Carmélites en 1584 et s'y rendit célèbre par ses austérités, ses visions, ses extases au cours desquelles, notamment, elle reçut les stigmates. Béatifiée par Urbain VIII, elle fut canonisée en 1669 par Clément IX. La ville de Florence l'honore comme une de ses patronnes.

MARIENAU [maʀino]. ♦ Écart de la comm. de Forbach* (Moselle). Centrale thermique. Cokerie. Indus. chimiques. Carbochimie.

MARIENBAD. ♦ Ancien nom all. de Mariánské* Lázně (Tchécoslovaquie).

MARIE SALOMÉ. ♦ **V.** *ci-dessus,* les saintes MARIE.

MARIE-THÉRÈSE (Vienne, 1717 – *id.,* 1780). ♦ Impératrice d'Autriche (1740-1780), reine de Bohême et de Hongrie. Son père, l'empereur Charles* VI, n'ayant pas eu de fils, lui assura sa succession par la pragmatique* sanction, mais tous les États qui avaient accepté celle-ci au prix de la renonciation de François* Ier (Stéphane), le mari de Marie-Thérèse, au duché de Lorraine la dénoncèrent à la mort de l'empereur (guerre de la Succession* d'Autriche, 1740-1748). Charles* VII ayant été élu empereur et les Français occupant Prague, l'Autriche ne fut sauvée que par l'énergie et l'habileté de Marie-Thérèse, qui sut obtenir l'appui de la noblesse magyare et l'alliance de l'Angleterre et des Pays-Bas. Le traité d'Aix*-la-Chapelle rétablissait la pragmatique sanction (François Ier avait été couronné empereur dès 1745), mais la Silésie était perdue. Marie-Thérèse ne put accepter cette perte et, aidée de Kaunitz*, elle procéda à un renversement des alliances avant d'entreprendre une nouvelle guerre (la guerre de Sept* Ans). Le traité d'Hubertsburg* consacra cependant la suprématie prussienne en Allemagne du Nord et la victoire de Frédéric* II en Silésie. Celle-ci fut en partie compensée lors du premier partage de la Pologne (1772), auquel l'impératrice, poussée par Joseph* II, ne se résolut qu'à contrecœur : l'Autriche y acquit la Galicie orientale et la Petite Pologne, moins Cracovie. La guerre de Succession* de Bavière, enfin, au cours de laquelle Marie-Thérèse soutint très faiblement son fils, lui donna le district de l'Inn. – Tout au long de son règne, elle n'avait cessé de travailler, selon les principes du despotisme éclairé, à l'unité de ses États, que les périls des débuts avaient contribué à renforcer. Mais elle y mit une grande souplesse. Dans cet esprit, aidée d'Haugwitz, elle entreprit de lutter contre les particularismes locaux, en opposant aux diètes un conseil d'État, tout en sachant accorder à la Hongrie un compromis (1741). Certains États furent colonisés par l'implantation de paysans allemands. La législation fut unifiée (institution d'un code pénal), et la formation de militaires et de fonctionnaires dévoués à la cause publique assurée par la fondation de l'académie militaire de Wiener-Neustadt et du *Theresianum*. Parallèlement, elle lutta contre les pouvoirs de l'Église : bien qu'elle eût imposé le catholicisme comme religion d'État avec une grande intolérance, elle prit plusieurs mesures anticléricales (dissolution de la Compagnie de Jésus, 1773) qui devaient être amplifiées sous le règne de son fils. En effet, à la mort de son mari (1765), elle avait fait couronner empereur Joseph II, avec lequel elle ne partagea le pouvoir qu'en politique extérieure. Elle avait été une des souveraines les plus populaires. Parmi ses seize enfants, on peut citer Léopold* II, Marie*-Antoinette, reine de France, Marie*-Caroline, reine de Naples. – *L'ordre de Marie-Thérèse* (ruban blanc bordé de rouge) fut institué par elle en 1758.

MARIE-THÉRÈSE D'AUTRICHE. ♦ (Madrid, 1638 – Versailles, 1683). Reine de France. Fille de Philippe* IV d'Espagne, elle épousa Louis XIV, en application du traité des Pyrénées* (1660). Elle tint à la cour un rôle effacé, supportant sans murmurer les infidélités du roi. De ses six enfants, seul survécut le Grand Dauphin, qui mourut sans avoir régné.

MARIETTE (Pierre Jean). ♦ Collectionneur, graveur et essayiste français (Paris, 1694 – *id.*, 1774). Issu d'une famille de graveurs, éditeurs et marchands d'estampes, il enrichit la collection de son père. Cette collection fut dispersée en 1775, mais 1 300 dessins entrèrent dans les collections royales et sont aujourd'hui au cabinet des Dessins du Louvre. Mariette grava aussi de petites planches d'après les Carrache et le Guerchin et publia plusieurs ouvrages, notamment une *Notice sur Léonard de Vinci* et le catalogue de la vente Crozat*, premier modèle de ce type d'ouvrage (1742).

MARIETTE (Auguste). ♦ Égyptologue français (Boulogne-sur-Mer, 1821 – Le Caire, 1881). Employé en 1849 au département des antiquités égyptiennes du Louvre, il fut envoyé l'année suivante en Égypte pour y acheter des manuscrits coptes. Il échoua dans sa mission mais entreprit des fouilles à Saqqarah, où il découvrit le Sérapéum* (1850). Nommé directeur des travaux d'antiquités en Égypte par le vice-roi Saïd Pacha en 1858, il organisa un service des Antiquités puis entreprit des fouilles à Tanis*, Abydos*, Saqqarah*, Gizèh*, Thèbes*. Il dégagea les temples d'Edfou* et de Dendérah* et mit au jour quelques-unes des plus grandes œuvres d'art de l'Égypte ancienne : la statue en bois du Cheikh el-Beled, le scribe accroupi, la statue en diorite de Khéphren assis. Il mena une lutte acharnée contre les fouilles clandestines et l'exportation illicite des antiquités. En 1863, il fonda à Boulaq un musée dont les collections ont constitué le fonds de l'actuel musée du Caire. Il publia le résultat de ses fouilles dans de nombreux ouvrages parmi lesquels le *Catalogue du musée de Boulaq* (1864-1876), *Les Mastabas de l'Ancien Empire* (1889).

MARIGNAN, en it. **Marignano**, auj. **Melegnano**. ♦ V. d'Italie, en Lombardie, au S.-E. de Milan. ♦ *Hist.* François* Ier y remporta une victoire sur les Suisses alliés du duc de Milan (1515). – Baraguay d'Hilliers y battit les Autrichiens après Magenta (1859).

MARIGNANE. ♦ Comm. des Bouches-du-Rhône, arr. d'Aix-en-Provence, située à l'E. de l'étang de Berre. 20 227 hab. *(Marignanais)*. Aéroport de Marseille* (le 3e de France, après Paris et Nice, plus de 1 500 000 passagers). Indus. aéronautiques.

Ph. Nimatallah/Ricciarini

Marino Marini : « Les Contemplatifs », 1953. (Collection Jési, Milan.)

MARIGNY (Enguerrand *de*). ♦ Homme politique français (v. 1260 – Montfaucon, Paris, 1315). Spécialiste des finances, il soutint la politique monétaire de Philippe* IV le Bel. Son ministère et son immense fortune lui valurent des inimitiés et il fut pendu après la mort du roi, sous Louis* X.

MARIIS (*République socialiste soviétique autonome des;* en russe **Mariiskaja A.S.S.R.**). ♦ Une des seize républiques autonomes de la R.S.F.S. de Russie*, située dans le bassin du cours moyen de la Volga*. 23 200 km². 662 000 hab. (*Mariis*, Russes, Tatares). *Cap.* Iochkar-Ola. – Le territoire de la république est occupé par des collines au N.-E. et par une grande dépression à l'O. – *Écon.* Le sol est riche en calcaires, dolomites, argiles, sables (matériaux de construction) et en tourbe. L'activité agricole est représentée par la culture des céréales et du lin. Élevage bovin, porcin et ovin. Apiculture. Indus. métallurgiques, mécaniques (machines agricoles) et alimentaires. Filature du lin. Traitement du cuir et du bois. ♦ *Hist.* Dominés par les Mongols au XIIIe s., puis par les Russes (XVIe s.), les Mariis participèrent aux révoltes de Stenka Razine* (1670-1671) et de Pougatchev* (1773-1775). Après la révolution d'Octobre, le régime soviétique y fut instauré (1918). En novembre 1920 fut créée la région autonome des Mariis qui devint une R.S.S. autonome en 1936.

MARILLAC (Michel *de*). ♦ Homme politique français (Paris, 1563 – Châteaudun, 1632). Garde des Sceaux, il fit promulguer les ordonnances surnommées « Code Michau », qui furent refusées par les parlements. Grand juriste, homme intègre, d'une grande piété, il était un des chefs du parti dévot ; Marie de Médicis le choisit pour succéder à Richelieu, ce qui provoqua son arrestation, après la journée des Dupes* (1630). – Son frère, le maréchal LOUIS DE MARILLAC (1573-1632), également compromis, fut décapité. – Ils eurent pour nièce LOUISE* DE MARILLAC, cofondatrice des Filles de la Charité (**V. Vincent de Paul** [saint]).

MARIN Ier ou par confusion ancienne **MARTIN II.** ♦ 108e pape (882-884 [mort]), de Gallese (Rome), ancien évêque de Caere.

MARIN II. ♦ 128e pape (942-956 [mort]. Romain. **V.** *aussi* **Pornocratie.**

MARIN (John). ♦ Peintre américain (Rutherford, New Jersey, 1870 – Addison, Maine, 1953). Il abandonna l'architecture pour la peinture en 1899 et, après un séjour à Paris (1905-1910), exposa à New York, notamment chez Stieglitz et à l'Armory Show de 1913. Ses tableaux et plus encore ses aquarelles, consacrés à des paysages où le ciel, la mer (*Îlots du Maine*, 1922), les grandes constructions (ponts, buildings : *Lower Manhattan*, 1921) ont une place privilégiée, sont d'une facture libre et nerveuse, d'une spontanéité lyrique qui évoque les fauves. La délicatesse des couleurs, en particulier dans ses lavis, la légèreté et la fermeté du trait caractérisent une œuvre un peu en marge dans l'évolution de l'art américain.

MARIN (Louis). ♦ Homme politique français (Faulx, Meurthe-et-Moselle, 1871 – Paris, 1960). Député (1906-1940) et plusieurs fois ministre de 1929 à 1940 (en particulier ministre d'État, 1934-1936, mai-juin 1940), il affirma son opposition à l'armistice de juin 1940 et gagna Londres. Réélu député au lendemain de la guerre (1944-1951).

MARIN DE TYR, en gr. **Marinos.** ♦ Mathématicien et géographe grec de la fin du Ier siècle. Il remit à l'honneur la géographie mathématique, mettant au point un procédé de projection « orthogonale », appelée plus tard « projection de Mercator* ». Son œuvre ne nous est connue qu'à travers celle de Ptolémée* qui utilisa largement ses travaux.

MARINES. ♦ Ch.-l. de cant. du Val-d'Oise, arr. de Pontoise. 2 048 habitants.

MARINETTI (Filippo Tommaso). ♦ Écrivain italien de langues française et italienne (Alexandrie, Égypte, 1876 – Bellagio, 1944). Il fit connaître à Paris (1909) le programme futuriste dont les théories parurent dans le *Manifeste technique de la littérature futuriste* (Paris, 1912). Son rôle dans l'évolution de la peinture est également important. Il exalta les « mystiques de l'action » qui combattent le « culte des livres » dans ses propres ouvrages qui s'inspirent de thèmes contemporains choisis pour leur dynamisme, et dont la forme se veut également nouvelle par la rapidité d'écriture. – Engagé dans la guerre de Libye, Marinetti montra vite sa sympathie pour le fascisme qui correspondait dans les faits à ses thèses futuristes.

MARINGUES. ♦ Ch.-l. de cant. du Puy*-de-Dôme, arr. de Thiers*. 2 373 hab. *(Maringois)*. Église romane et gothique. Minoteries ; produits détersifs.

MARINI (Marino). ♦ Sculpteur, dessinateur et peintre italien (Pistoia, 1901). Après une série de représentations humaines tendant à exprimer une symbolique de la généralité (*Le Peuple*, 1929), il élabora une œuvre d'un dynamisme retenu, partiellement inspirée par la statuaire antique archaïque. La série des *Cavaliers* (à partir de 1936) met en œuvre des formes compactes animées et retenues par une tension interne qu'explicite le jeu subtil des surfaces courbes et des pans coupés ; l'étirement et la schématisation, l'emploi de la variation sur un thème *(Jongleurs, Danseuses...)* aboutissent à un répertoire de formes en mouvement et de relations entre structures organiques et espace. Marini est aussi l'auteur d'une série de portraits *(Campigli, Stravinski, Henry Miller, etc.)*.

Ph. Hubert Josse
Marivaux. École française du XVIIIe s. (Château de Versailles.)

MARÎNIDES. *n. m. pl.* [Banû Marîn]. ♦ Dynastie berbère du groupe des Zanatas qui régna sur le Maroc et temporairement sur le Maghreb (XIIIe-XVe s.). L'intervention des Marînides en Espagne contre les rois chrétiens de Castille permit seulement de maintenir au pouvoir les Nasrides de Grenade jusqu'à la fin du XVe siècle. En Afrique du Nord, Abû al-Hassan (1331-1351), qui fut le plus grand souverain marînide, occupa Tlemcen (1337), puis Tunis (1347). Après sa défaite à Kairouan (1348), il dut se réfugier au Maroc. Son successeur Abû Inan (1351-1358) entreprit de nouveau la conquête du Maghreb et s'empara de Tunis (1357). Mais ces aventures épuisèrent les Marînides qui négligèrent les problèmes internes du Maroc, où un état permanent de rébellion amena leur chute (XVe s.). Les Marînides furent de grands bâtisseurs et laissèrent de splendides monuments dans plusieurs villes maghrébines et notamment à Fès* et à Tlemcen*.

MARIN LA MESLÉE (Edmond). ♦ Officier aviateur français (Valenciennes, 1912 – près de Dessenheim, Haut-Rhin, 1945). Classé premier chasseur français (20 avions allemands abattus avant 1940). Affecté, en 1942, en Afrique du Nord, il fut tué, dans le ciel d'Alsace, lors de sa 105e mission.

MARINO ou **MARINI (Giambattista).** ♦ Poète italien (Naples, 1569 – 1625). Après une jeunesse indisciplinée, il se réfugia en France (1615) où Marie de Médicis, puis Louis XIII le couvrirent d'honneurs; de retour à Naples, après la publication de *L'Adone* (1623), il jouit de la faveur du duc d'Albe et mourut au milieu des louanges de ses contemporains. Grand amateur de curiosités et connaisseur d'art (*La Galeria,* 1619-1620), le « Cavalier Marin » cultiva une poésie où tout est destiné à susciter l'admiration de l'habileté formelle et des « extravagances [qui] rendent le monde beau ». Un recueil d'idylles, *Le Chalumeau (La Sampogna),* les vers de *La Lyre* (*La Lira,* 1602 à 1618) et surtout le poème mythologique de *L'Adone* (*Adonis;* 1623; vingt chants dédiés à Louis XIII) manifestent le goût de « la belle tromperie » et des métamorphoses qui caractérise cette poésie voluptueuse et ingénieuse. Le style recherché, la langue nourrie de tous les dialectes et de mots empruntés à toutes les techniques donnèrent naissance à une conception de l'émotion poétique (le *marinisme*) qui eut une influence considérable sur la littérature européenne, au début du XVIIe siècle.

MARION *(île).* ♦ Île du S. de l'océan Indien appartenant à l'archipel des îles du Prince*-Édouard et dépendant de l'Afrique* du Sud. Base météorologique.

Marion de Lorme ou **Marion Delorme.** ♦ Drame en 5 actes et en vers de V. Hugo*, inspiré de la vie de la célèbre courtisane. La pièce, qui portait d'abord le titre de *Un duel sous Richelieu,* tomba sous le coup de la censure et fut interdite sous le prétexte d'allusions politiques. Elle ne fut représentée qu'en 1831, avec l'actrice Marie Dorval* dans le rôle de Marion.

MARION-DUFRESNE (Nicolas Thomas). ♦ Navigateur français (Saint-Malo, 1729 – Tacouri, Nouvelle-Zélande, 1772). Parti pour Tahiti (1770) pour y ramener le chef polynésien Aoutourou venu en Europe avec Bougainville, il découvrit, avant Cook, les îles du Prince*-Édouard (Terre d'Espérance), *Marion* (île de la Prise-de-Possession) et Crozet (île Aride). Il fut tué par les indigènes dans la baie dite « des Assassins » (Nouvelle-Zélande).

MARIOTTE (*abbé* **Edme).** ♦ Physicien français (Dijon? v. 1620 – Paris, 1684). Il étudia les déformations élastiques des solides dont il énonça la loi en même temps que Hooke*. Intéressé par l'ophtalmologie, il découvrit le point aveugle de l'œil. Dans son *Traité de la percussion ou choc des corps* (1673), renonçant aux corps parfaitement durs au sens de Wallis*, il distingua les corps parfaitement élastiques et les corps parfaitement mous, fit remarquer que ce n'est pas le poids mais la quantité de matière qui intervient dans la quantité de mouvement et se préoccupa de la recherche des *centres de percussion*; mais là plus grande innovation est la tendance nettement expérimentale qui se dégage de son étude. Il étudia la compressibilité des gaz et revérifia (1676) la loi précédemment découverte par Boyle*, énonçant la proportionnalité inverse du volume et de la pression à température constante, en y adjoignant cependant une restriction (différente de celle de Boyle) relative à une limite due aux conditions de raréfaction du gaz *(loi de Boyle-Mariotte).* **V. Amontons, Towneley.** Il remarqua l'augmentation du volume de l'eau qui se congèle (1679). En optique, il donna une théorie des halos. Grâce au baromètre, il établit les bases de la prévision du temps. Il étudia les principes de l'hydrodynamique. Dans son essai *De la végétation des plantes* (1679), convaincu de la nature physique de la vie, il exposa les premiers éléments d'une théorie *atomiste* de la génération et du développement. **V. Maupertuis.** (Acad. sc., 1666.)

MARIOUPOL'. ♦ **V.** JDANOV.

MARIOUT *(lac),* en ar. **buhayrat Maryût,** anc. **Maréotis.** ♦ Lagune du littoral égyptien (Basse-Égypte), séparée de la Méditerranée par une langue de terre sur laquelle est construite Alexandrie. Autrefois alimentée par les eaux dérivées du Nil, elle est maintenant asséchée et vouée aux marais salants.

MARIS. ♦ **V.** MARIIS.

MARITAIN (Jacques). ♦ Philosophe et essayiste français (Paris, 1882 – Toulouse, 1973). Converti au catholicisme avec sa femme (née Oumancoff), il fut, contre la philosophie matérialiste et le bergsonisme, un des principaux interprètes du thomisme **(V. Thomas d'Aquin** [saint]**).** C'est en humaniste chrétien qu'il aborda les problèmes de l'expérience et de la philosophie religieuses, de l'esthétique et de la politique. (*De la philosophie chrétienne,* 1933; *Humanisme intégral,* 1936; *Intuition créatrice en art et en poésie,* 1962; *Principes d'une politique humaine,* 1944, etc.)

MARITIMES (PROVINCES). ♦ Provinces de l'E. du Canada comprenant la Nouvelle*-Écosse, le Nouveau*-Brunswick, et l'île du Prince*-Édouard. Ces provinces sont baignées au N. par le golfe du Saint-Laurent, qui les sépare de l'île de Terre-Neuve, et au S. par l'Atlantique.

MARITZA. ♦ **V.** MARICA.

MARIUS, en lat. **Caius Marius.** ♦ Général et homme politique romain (Cereatae, près d'Arpinum, ~ 157 – Rome, ~ 86). Issu de la classe équestre, excellent soldat, il se distingua en Espagne sous Scipion* Émilien (~ 133). Tribun (~ 119) puis préteur (~ 116), il servit comme lieutenant de Metellus* pendant la guerre de Jugurtha*, mais rompit avec son protecteur qui l'empêchait de poser sa candidature au consulat auquel ne pouvaient être élus que les membres de la noblesse. Élu consul (~ 107) par le parti populaire, il devint alors le symbole de la revanche de tous ceux que l'oligarchie sénatoriale écartait des honneurs publics. Il fit une réforme décisive de l'armée qui, ne recrutant plus selon la fortune, fut ouverte aux prolétaires et aux chômeurs et devint un puissant instrument pour la conquête de l'empire, mais aussi une force toute acquise pour l'exécution de coups d'État. Reparti en Afrique, il termina la guerre de Numidie, mais ce fut son questeur, Sylla*, qui obtint la reddition de Jugurtha*. Réélu consul de ~ 104 à ~ 100, il vainquit les Teutons à Aix (~ 102) et les Cimbres à Verceil (~ 101). Le parti populaire aurait pu alors être invincible, mais le prestigieux chef de guerre se montra un homme politique médiocre. Débordé par les chefs du parti populaire Saturninus et Glaucia, il laissa massacrer ses anciens alliés (~ 100) et s'exila en Afrique. Mais Sylla ayant reçu le commandement de la guerre contre Mithridate*, Marius se le fit octroyer par le peuple (~ 88). La guerre civile éclata. Sylla, chassé de Rome par Marius, y rentra avec ses légions; Marius, proscrit à son tour par Sylla, revint à Rome dès que Sylla fut parti pour l'Orient. Allié à Cinna*, il s'y livra à de sanglantes proscriptions et, nommé consul pour la septième fois, y mourut quelques jours plus tard (~ 86). Marius n'avait pas réussi à saisir le pouvoir qu'un autre chef militaire ne devait pas laisser échapper : son neveu Jules César*.

MARIUS VICTORINUS (Caius). ♦ Rhéteur latin (en Afrique, v. 300 – [mort] apr. 362). Il enseigna à Rome, se convertit v. 355 et, par ses traductions de Porphyre et Plotin, est à la base du néoplatonisme chrétien.

MARIVAUX (Pierre CARLET de CHAMBLAIN *de*). ♦ Auteur dramatique et écrivain français (Paris, 1688 – *id.*, 1763). Fils du directeur de la Monnaie de Riom, il fréquenta les salons parisiens dès son arrivée dans la capitale (1712). Ses débuts littéraires furent discrets et l'attention du public à son égard ne commença à s'éveiller qu'avec une comédie, *Arlequin poli par l'amour* (1720), représentée au Théâtre-Italien. Ruiné par la banqueroute de Law, il consacra dès lors toute son activité à la littérature, assumant à lui seul la rédaction d'un journal, *le Spectateur français* (1722) que remplacera *l'Indigent philosophe* (1728) puis *le Cabinet du philosophe* (1734). Outre deux romans qui sont des chefs-d'œuvre du genre par le réalisme de la peinture et la justesse de l'analyse, *La Vie de Marianne** (1731-1741) et *Le Paysan parvenu* (1735), c'est au théâtre qu'il consacrera le meilleur de son génie. Avec des fortunes diverses, durant une vingtaine d'années, il écrivit, soit pour la Comédie-Française, soit pour le Théâtre-Italien, une quarantaine de pièces dont plusieurs ont subi victorieusement l'épreuve du temps. Pour les comédiens italiens, héritiers de la commedia dell'arte et qui exercèrent sur lui une forte influence, il imagina des intrigues légères où le dialogue a toute la spontanéité d'une conversation de salon. *La Surprise de l'amour* (1722), *La Double Inconstance* (1723), *Le Prince travesti* (1724), *La Seconde Surprise de l'amour* (1727), *Le Jeu* de l'amour et du hasard* (1730), *Le Triomphe de l'amour* (1732), *L'Heureux Stratagème* (1733), *Les Fausses Confidences* (1737), *L'Épreuve* (1740). Mais l'incomparable élégance de la langue, le charme pastoral des personnages, la subtilité de l'analyse, si vivement critiqués par Voltaire, ne sauraient justifier le jugement de ceux qui réduisirent Marivaux au « marivaudage ». Sous les riantes couleurs d'un optimisme qui sera de mode jusqu'à la Révolution, Marivaux demeure un observateur lucide de l'injustice sociale comme de l'affectivité personnelle. Devenus des semblables dans cette quête du bonheur qui les rapproche, ses héros, maîtres et serviteurs, ont la soudaine révélation d'une authentique égalité. Peintre de la passion naissante, il a su en suggérer les prévisibles déviations, que décriront après lui, Sade* et Laclos*. (Acad. fr., 1743.)

MARKEVITCH (Igor). ♦ Chef d'orchestre et compositeur italien, d'origine russe (Kiev, 1912). S. de Diaghilev lui commanda son premier concerto pour piano (1928). Il devait, par la suite, composer des ballets (*Rébus*, 1931 ; *L'Envol d'Icare*, 1933), un oratorio, une cantate, des œuvres symphoniques et de la musique de chambre. Après la guerre, il se consacra au seul métier de chef d'orchestre (Concerts Lamoureux, orchestres philharmoniques de La Havane, de Montréal, de Monte-Carlo).

MARKHAM (*sir* Clements Robert). ♦ Géographe et voyageur anglais (Stillingfleet, près d'York, 1830 – Londres, 1916). Après une expédition à la recherche de sir J. Franklin (1850-1851), il fit un voyage au Pérou (1852-1853), puis en Éthiopie (1867) avant de devenir administrateur des forêts des Indes (1868). ♦ Sir ALBERT HASTINGS MARKHAM, son frère. Navigateur et explorateur anglais (Bagnères-de-Bigorre, 1841 – Londres, 1918). Il fit plusieurs expéditions dans l'Arctique (mer de Baffin, 1873 ; nord de la terre de Grant, 1875-1876) dont il publia la relation.

MARKHAM (*mont*). ♦ Sommet de 4 572 m, situé dans la partie méridionale de la terre Victoria dans l'Antarctique* oriental.

MARKO KRALJEVIĆ. ♦ Héros de la littérature serbe (v. 1335 – près de Rovine, 1394). Bien qu'il ait dû se soumettre aux Turcs, le prince Marko est devenu le héros le plus populaire et le personnage central de la poésie épique serbe. On lui attribua une force surnaturelle doublée de courage, de ruse et d'honnêteté.

MARKOV (Andreï Andreïevitch). ♦ Mathématicien russe (1856 – 1922). Élève de Tchebychev*, il doit être considéré comme un chef de file de l'école probabiliste russe. Ses travaux sur les fonctions aléatoires l'amenèrent à étudier un type de relations (*processus* ou *chaînes de Markov*, 1907) dans lequel la loi de probabilité ne dépend pas de l'évolution antérieure du système, mais d'une valeur prise à un instant déterminé. Son étude permit d'obtenir de très beaux résultats dans le domaine des probabilités. En macrolinguistique, il introduisit l'*analyse markovienne*, qui tient compte non seulement des fréquences de mots, mais aussi des fréquences d'enchaînements, et qui permit de faire progresser le décryptage, de faciliter la détection de fausses archives et d'imaginer des interpolations plausibles lorsque des passages courts sont illisibles dans un manuscrit.

Ph. Nimatallah/Ricciarini

Marius. (Musée du Vatican.)

MARKOVA (Lilian Alicia MARKS, dite Alicia). ♦ Danseuse anglaise (Londres, 1910). Elle débuta dans la compagnie des Ballets russes, de S. de Diaghilev. Elle créa avec A. Dolin, son partenaire, sa propre compagnie (1935-1938). Elle poursuivit ensuite une carrière internationale et devint directrice du corps de ballet du *Metropolitan Opera* de New York et de son école de danse, en 1963. Interprète inspirée, fidèle à la plus pure tradition du ballet romantique, elle excella dans son art par sa grâce aérienne et son immatérielle poésie. Elle est l'auteur d'un ouvrage, *Giselle and I* (« Giselle et moi », 1960).

MARKOVIČ (Svetozar). ♦ Publiciste et critique littéraire serbe (Jagodina-Svetozarevo, 1846 – Trieste, 1875). En tant que traducteur de Marx, et par ses critiques littéraires *(La Poésie et la Pensée, La Réalité dans la poésie)*, il introduisit en Serbie ses idées socialistes, marquant la fin du romantisme et le début du réalisme.

MARKO-VOVTCHOK (pseudonyme de **Maria MARKOVITCH)** [*Marko-Vovčok*]. ♦ Romancière ukrainienne (Iekaterinovka, près de Ielets, gouvernement d'Orel, 1834 – Naltchik, Caucase, 1907). Par son recueil de *Contes populaires* (1857), elle favorisa l'émancipation des serfs en Ukraine. Par la suite elle peignit dans des contes et des nouvelles le monde tragique de l'injustice et de la misère. Enfin elle obtint la célébrité en France par son roman *Maroussia* (1895). Son œuvre, écrite dans un style simple et vigoureux, est un modèle de prose ukrainienne.

MARKSTEIN [marstɛn]. *n. m.* ♦ Sommet des Vosges méridionales *(Haut-Rhin)*, au N.-O. du Grand Ballon. 1 267 m. – Station de sports d'hiver du Markstein, sur la route des Crêtes, à 1 200 m.

MARL. ♦ V. d'Allemagne occidentale (Rhénanie-Westphalie), dans la Ruhr*. 74 700 hab. Centre houiller, métallurgie, chimie et indus. textile.

MARLBOROUGH (John CHURCHILL, *1er duc de*). ♦ Général et homme politique anglais (Ashe, 1650 – Cranbourn Lodge, 1722). Il dut d'abord sa fortune au duc d'York* (qui avait pour maîtresse Arabella Churchill) qui lui conserva sa faveur une fois sur le trône. Il contribua à réprimer la rébellion de Monmouth*, mais fut l'un des premiers à abandonner le roi lors de la révolution de 1688. Guillaume* d'Orange garda à son égard une certaine méfiance et il ne retrouva son crédit qu'avec la reine Anne*, sur qui sa femme avait une grande influence. Chargé du commandement en chef de l'armée dans la guerre de Succession* d'Espagne, il remporta une suite d'importantes victoires avec le prince Eugène* : Höchstädt* (1704) sur les Bavarois, Ramillies* (1706) sur Villeroi*, Audenarde* (1708) sur Vendôme*, Malplaquet* (1709) sur Villars*. Ses liens avec le parti Whig* le firent tomber en disgrâce et perdre toute influence politique, bien que George* Ier l'eût réintégré dans ses dignités (une chanson populaire française rendit son nom légendaire, sous la forme de Malbrough).

MARLE. ♦ Ch.-l. de cant. de l'Aisne*, arr. de Laon*. 2 848 hab. *(Marlois)*. Église gothique (XIIe-XVIIIe s.). Importante sucrerie, distillerie, tissage. Marché agricole.

MARLES-LES-MINES. ♦ Comm. du Pas-de-Calais, arr. de Béthune. 9 942 hab. Centre houiller. Carrières de schiste. Centrale thermique.

MARLINSKI-BESTOUJEV (Alexandre Alexandrovitch) [*Aleksandr Marlinski-Bestužev*]. ♦ Romancier russe (Marli, près de Peterhof, 1797 – Caucase, 1837). Il participa en 1825 au mouvement des décabristes et fut déporté en Sibérie puis envoyé au Caucase en 1829 comme simple soldat. Ses romans, pleins de verve et d'esprit, ont pour cadre la Sibérie et le Caucase : *La Frégate Espoir* (1832), *Incursions* (1832), *Ammalat Bek* (1832), *Le Lieutenant Bielozor*. Admirateur de Byron et Hugo, il allia l'influence de ces deux écrivains.

MARLOWE (Christopher). ♦ Auteur dramatique anglais (Canterbury, 1564 – Londres, 1593). Contemporain de Shakespeare, il mena une existence aussi ardente que brève. Ami et protégé de sir Walter Raleigh, qui, après sa disgrâce, devait être condamné à la peine capitale, il affirma très tôt une pensée rebelle aux croyances religieuses et favorable aux seules spéculations d'ordre scientifique. Pathétique et puissante, son œuvre développe une apologie de la révolte individuelle en même temps qu'elle témoigne d'une qualité tragique pour laquelle nulle autre ne peut lui être comparée. Avec *Tamerlan* (*Tamburlaine the Great*, 1587), tragédie de l'ambition forcenée et vouée à l'échec, *Le Juif de Malte* (*The Rich Jew of Malta*, 1589), dénonciation du pouvoir monstrueux de l'argent, *Édouard* II* (1592), drame de l'impuissance et de la misère humaines, et surtout avec *La Tragique Histoire du docteur Faust* (*The Tragical History of Dr. Faustus*, 1588), affirmation du surnaturel et des lois morales héritées du Moyen Âge **(V. Faust)**, Marlowe a donné à la scène anglaise, avant Shakespeare, quatre de ses plus hauts chefs-d'œuvre. Il est aussi l'auteur d'un poème, *Héro et Léandre* (*Hero and Leander*, 1598) et d'une tragédie historique inspirée par la Saint-Barthélemy, *Massacre à Paris (Massacre at Paris)*. Il devait trouver la mort dans des circonstances mystérieuses.

MARLY. ♦ Comm. du Nord, arr. de Valenciennes. 13 117 hab. Centre industriel : textile, métallurgie, céramique. – Aérodrome de Valenciennes.

MARLY ou **MARLY-LA-MACHINE.** ♦ Écart de la comm. de Bougival (Yvelines), sur la Seine. Une machine y avait été construite sous Louis XIV pour conduire les eaux de la Seine à Versailles par l'intermédiaire de l'aqueduc de Marly ; détruite à la

Révolution, elle fut remplacée en 1855 par une autre machine hydraulique.

MARLY-LE-ROI. ♦ Ch.-l. de cant. des Yvelines (arr. de Saint-Germain-en-Laye), à l'E. de la forêt de Marly. 12 016 hab. *(Marlychois).* Jules Hardouin Mansart y fit construire pour Louis XIV un château dont le thème était la glorification du Roi-Soleil : le pavillon central, pavillon du soleil, était entouré par douze pavillons symbolisant les signes du zodiaque. Le château fut rasé au XIXᵉ siècle. – L'abreuvoir était orné de chevaux sculptés par Coustou* et qui sont actuellement à l'entrée de la place de la Concorde. Église reconstruite par Mansart au XVIIᵉ siècle. Parc.

MARMAGÃO. ♦ V. de l'Inde et port de la région de Goa*, ouvert en 1887. C'est, en tonnage, le plus grand port exportateur de l'Inde (minerai de fer de la région de Goa). Toutes les installations portuaires furent créées par les Japonais, qui s'y fournissent en minerai.

MARMANDE. ♦ Sous-préf. du Lot*-et-Garonne, ch.-l. d'arr. (9 cant., 100 comm., 77 456 hab.) sur la Garonne*, 16 129 hab. [12 145 aggl.] *(Marmandais).* Église des XIIIᵉ et XVIᵉ s., avec façade du XIVᵉ siècle. – Productions maraîchères. Fabrique de meubles; manufacture de tabac. ♦ *Hist.* Une charte de coutumes fut accordée par Richard* Cœur de Lion à Marmande, qui fut un lieu de péage important. Plusieurs combats s'y déroulèrent pendant la guerre de Cent Ans et pendant les guerres de Religion.

MARMARA *(mer de).* ♦ Petite mer, communiquant avec la mer Égée au S.-O. par le détroit des Dardanelles* et avec la mer Noire* au N. par le détroit du Bosphore*. 11 500 km². C'est l'ancienne Propontide*.

MARMION (Simon). ♦ Peintre et enlumineur français (Amiens ? v. 1425 – Valenciennes, 1489). Il fut célèbre comme enlumineur et travailla surtout à Amiens, Tournai et Valenciennes. Peu d'œuvres lui sont attribuées avec certitude, excepté un retable consacré à la vie de *saint Bertin* (1455-1459) dont seuls deux volets subsistent depuis 1789. La modération des gestes, la sérénité qui se dégage des visages se retrouvent dans certaines des œuvres qu'on lui attribue : la *Vierge de douleur* et un *Saint Jérôme au donateur.* Les enluminures des *Grandes Chroniques de Saint-Denis* seraient de sa main, ainsi que certaines planches d'un *Livre d'heures* qui appartiendrait au célèbre *Bréviaire du duc de Bourgogne,* œuvre à laquelle il travailla v. 1467.

MARMOLADA. *n.f.* ♦ Massif et point culminant des Dolomites* (3 342 m).

MARMONT (Auguste Frédéric Louis VIESSE *de*). ♦ Maréchal de France (Châtillon-sur-Seine, 1774 – Venise, 1852). Attaché à Bonaparte depuis le siège de Toulon (1793), il fut son aide de camp en Italie, puis l'accompagna en Égypte (1798). Il fut nommé général gouverneur de la Dalmatie (1806), qu'il sut mettre en valeur, *duc de Raguse* (1808), puis maréchal après la bataille de Wagram*. Il remplaça Masséna au commandement de l'armée du Portugal (mai 1811) et fut vaincu et blessé en Espagne par Wellington, aux Arapiles (1812). Il fit la campagne d'Allemagne [1813] (Bautzen*, Leipzig) et retarda par des actions remarquables l'avance des alliés; en 1814, il combattit devant Paris et, avec l'accord de Joseph Bonaparte, négocia la capitulation de la ville avec le tsar Alexandre. Le 3 avr. 1814, ignorant les projets d'abdication de l'Empereur, il fit passer ses troupes en Normandie au lieu de couvrir l'Empereur à Fontainebleau, ce qui fut considéré, injustement, comme une trahison. Cependant il essaya de faire reconnaître le roi de Rome. Louis XVIII le fit pair de France; en juil. 1830, il était à la tête des troupes royales qui combattaient la révolution à Paris. Il accompagna Charles X à Cherbourg et dut s'exiler. À Vienne, il fréquenta le duc de Reichstadt. Il a laissé des *Mémoires.*

MARMONTEL (Jean-François). ♦ Écrivain français (Bort-les-Orgues, 1723 – Ablonville, 1799). Attiré à Paris par Voltaire*, il acquit une grande célébrité à la Cour, puis en Europe, non par ses tragédies, mais par ses *Contes moraux* (1761) et surtout par deux romans idéologiques, *Bélisaire* (1767), qui vante la tolérance, et *Les Incas* (1777), qui stigmatise l'esclavage. Il réunit ses articles, écrits pour l'*Encyclopédie**, sous le titre *Éléments de littérature* (1787) et laissa inachevés ses *Mémoires d'un père* (posthumes, 1804), autobiographie précieuse pour connaître la société du XVIIIᵉ siècle.

Ph. Harlingue/Viollet

Bataille de la **Marne :** artillerie sur les hauteurs de La Ferté-sous-Jouarre.

Marmousets. *n. m. pl.* (Cf. Robert). ♦ Nom des sculptures grotesques des églises qui fut donné par dérision aux ministres de Charles* VI, la plupart anciens ministres de Charles V (ils furent renvoyés après la démence du roi, 1392).

MARMOUTIER. ♦ Anc. abbaye de l'ordre de Saint-Benoît, située à 3 km de Tours, sur la r. d de la Loire. Elle fut fondée par saint Martin* en 372. Dévastée par les Normands en 853, elle fut reconstruite en 1096 et Urbain II y prêcha la première croisade. À la Révolution, le monastère devint un hôpital militaire. Il n'en reste plus aujourd'hui que des vestiges. Marmoutier joua un rôle important dans la transmission des connaissances.

MARMOUTIER. ♦ Ch.-l. de cant. du Bas-Rhin*, arr. de Saverne. 1 801 hab. (1 644 aggl.). La ville est célèbre par son église, ancienne abbatiale bénédictine (façade romane des XIᵉ et XIIᵉ s., nef des XIIᵉ et XIVᵉ s., chœur et abside du XVIIIᵉ s.).

MARMUL. ♦ Gisement pétrolifère de la prov. de Dhofar*, dans le S.-O. du sultanat d'Oman (principauté d'Arabie).

MARNAY. ♦ Ch.-l. de cant. de la Haute-Saône, arr. de Vesoul, sur la r. d. de l'Ognon. 1 100 hab. Église (XIVᵉ-XVIᵉ s.).

MARNE. *n.f.* ♦ Riv. de France qui prend sa source sur le plateau de Langres* dans la Haute-Marne, traverse les départements de Haute-Marne, Meuse, Marne, Aisne, Seine-et-Marne et le Val-de-Marne, avant de se jeter dans la Seine (r. d.) à Charenton*-le-Pont. 525 km. Riv. à fortes crues, elle est navigable sur 365 km à partir de Saint-Dizier, mais l'importance économique de la navigation n'est notable qu'en aval d'Épernay, où la Marne est canalisée. Grossie par ses affl., l'Ornain*, le Grand et le Petit Morin* (r. g.) et l'Ourcq* (r. d.), elle arrose d'amont en aval Chaumont, Joinville, Saint-Dizier, Vitry-le-François, Châlons-sur-Marne, Ay, Épernay, Dormans, Château-Thierry, Charly, La Ferté*-sous-Jouarre, Meaux, Lagny, Neuilly-sur-Marne, Nogent-sur-Marne, Champigny et Créteil. La vallée de la Marne est, avec la vallée de l'Oise et celle de l'Aisne, l'une des trois grandes voies d'accès vers Paris suivies par les invasions (voir *ci-dessous* les batailles de la Marne). ♦ Les canaux de navigation de la Marne sont au nombre de cinq. CANAL DE LA HAUTE-MARNE (de Rouvray à Vitry-le-François). Il suit la Marne supérieure et relie le canal de la Marne à la Saône au canal latéral à la Marne. – CANAL LATÉRAL À LA MARNE. Il supplée l'insuffisance de la Marne depuis Vitry-le-François jusqu'à Épernay. Il relie le canal de la Haute-Marne et le canal de la Marne au Rhin à la partie canalisée de la Marne, et communique avec le canal de l'Aisne à la Marne. – CANAL DE LA MARNE À L'AISNE **(V. Aisne).** – CANAL DE LA MARNE À LA SAÔNE. Il part de Rouvray. – CANAL DE LA MARNE AU RHIN, de Vitry-le-François à Strasbourg.

Marne *(batailles de la).* ♦ En 1914, alors que les armées françaises battaient en retraite, Joffre* et son état-major, ainsi que Gallieni, gouverneur de Paris, conçurent dès le 25 août la manœuvre destinée à rétablir la situation. Celle-ci consista à poursuivre la retraite en attirant l'aile marchante allemande vers le S.-E. tandis qu'une VIᵉ armée française (Maunoury*) était concentrée devant Paris. Lorsque la Iʳᵉ armée allemande (von Kluck*), affaiblie d'ailleurs par des prélèvements de troupes destinées au front oriental (faute stratégique de Moltke*), eut franchi la Marne, elle fut attaquée sur son flanc (5 sept.). L'offensive générale fut déclenchée le 6 sur un front étendu de Meaux jusqu'à Verdun et Nancy **(V. Grand-Couronné).** Les principales batailles furent celles de l'Ourcq (attaque de Maunoury), du Grand et du Petit Morin où les Britanniques de French* ouvrirent une brèche déterminante, des marais de Saint-Gond où Foch* contint les assauts de Bülow* avant de passer à la contre-offensive. Le 9 sept. le repli allemand commença vers l'Aisne. Le plan Schlieffen* avait échoué. – *Seconde bataille de la Marne* : l'offensive du 27 mai 1918 **(V. Château-Thierry** [*bataille de*]) avait ramené les Allemands sur la Marne, franchie par eux le 15 juillet. Mais dès le 18 juil., la contre-offensive de Foch, avec l'attaque de flanc menée par Mangin* depuis la forêt de Villers-Cotterêts, contraignit Ludendorff* à la retraite et inaugura les offensives de la victoire. **V. Guerre mondiale** *(Première).*

MARNE *(dép. de la)* **[51].** ♦ Dép. du Bassin parisien formé d'une partie de la Champagne : Champagne pouilleuse (amendée) au centre, Champagne humide (prairies) à l'est. **V. Champagne.** Cette plaine, arrosée par la Marne, est dominée, à l'O., par les falaises de l'Île-de-France (montagne de Reims, 280 m) qui la séparent des plateaux de la Brie et du Tardenois. Région de Champagne*-Ardenne. ♦ 33 cant., 632 comm., 502 218 hab. *Préf.* Châlons*-sur-Marne. *Sous-préf.* Épernay*, Reims*, Sainte*-Menehould, Vitry*-le-François. *Ch.-l. de cant.* Anglure*, Avize*, Ay*, Beine-Nauroy (419 hab.), Bourgogne*, Châtillon*-sur-Marne, Dormans*. Écury-sur-Coole (312 hab.), Esternay*, Fère*-Champenoise. Fismes*, Givry-en-Argonne (610 hab.), Heiltz-le-Maurupt (407 hab.), Marson (259 hab.), Montmirail*, Montmort*, Saint-Rémy-en-Bouzemont-Saint-Genest-et-Issen (540 hab.), Sézanne*, Sompuis (301 hab.), Suippes*, Thiéblemont-Farémont (405 hab.), Vertus*, Verzy*, Ville-en-Tardenois (363 hab.), Ville-sur-Tourbe (238 hab.). – *Autres comm. et localités.* **V. Avenay-Val-d'Or,**

Ph. Hétier

Marne :
sculptures du portail central de la cathédrale de Reims.

Bouzy, Champaubert, Hautvillers, Lépine, Mourmelon-le-Grand, Sillery, Valmy, Vienne-le-Château, Vitry-en-Perthois.

MARNE (HAUTE-) [52]. *n. f.* ♦ Dép. du Bassin parisien (S.-E.), dans la région (anciennement C.A.R.) de Champagne*-Ardenne, formé d'une partie de la Champagne et d'une partie de la Bourgogne. Plateau boisé culminant au plateau de Langres, la Haute-Marne est divisée en deux régions : le Bassigny*, au centre, le Vallage au N., région la plus active et la plus peuplée. ♦ 28 cant., 541 comm., 222 243 hab. *Préf.* Chaumont*. *Sous-préf.* Langres*, Saint-Dizier*. *Ch.-l. de cant.* Andelot*, Arc*-en-Barrois, Auberive*, Bourmont (770 hab.), Bourbonne*-les-Bains, Châteauvillain*, Chevillon*, Clefmont (237 hab.), Doulaincourt*, Doulevant-le-Château (433 hab.), Fayl*-Billot, Joinville*, Juzennecourt (193 hab.), Laferté-sur-Amance (257 hab.), Longeau*, Montier*-en Der, Montigny-le-Roi (1 047 hab.), Neuilly*-L'Évêque, Nogent*-en-Bassigny, Poissons*, Prauthois (410 hab.), Saint-Blin (369 hab.), Val*-de-Meuse (Le), Varennes-sur-Amance (436 hab.), Vignory*, Wassy*. — *Autres comm. et localités.* **V. Chalindrey, Cirey-sur-blaise, Colombey-les-Deux-Églises.**

MARNE-LA-VALLÉE. ♦ Ville créée par un décret du 17 août 1972. Elle s'étendra sur les dép. de la Seine-Saint-Denis, du Val-de-Marne, de la Seine-et-Marne autour de Noisy*-le-Grand, du Val-Maubué (actuellement 12 000 hab.) et du Génitoy (6 000 hab.) et devrait former, avec un quatrième secteur, une aggl. de 550 000 hab. à la fin du XXe siècle.

MARNES-LA-COQUETTE. ♦ Comm. des Hauts-de-Seine (arr. de Nanterre), au S.-O. de Paris. 1 698 hab. Église Sainte-Eugénie (XIXe s.). Annexe de l'Institut Pasteur, dans le château de Villeneuve-l'Étang ; Pasteur* y est mort.

MARNIA, anc. **Lalla-Marnia.** ♦ V. d'Algérie, ch.-l. d'arr. du dép. de Tlemcen, près de la frontière marocaine. La *plaine de Marnia* est drainée par l'oued Tafna*. 21 600 hab. Centre commercial. Oliviers. Céréales. Patrie de Ben* Bella.

MARNIX (Philippe de Marnix, *seigneur* de Sainte-Aldegonde). ♦ Homme politique flamand (Bruxelles, 1538 — Leyde, 1598). Après avoir fait des études à Genève sous la direction de Calvin, il retourna aux Pays-Bas, entra dans l'opposition et fut l'un des organisateurs du Compromis des nobles (1566). Il défendit les iconoclastes de Flandre et fut condamné au bannissement perpétuel (1568). Réfugié en Frise orientale, il devint le conseiller de Guillaume d'Orange et mena à bien les négociations qui aboutirent à la *Pacification de Gand* (1576). Il reprit la lutte contre don Juan d'Autriche et Alexandre Farnèse. Nommé bourgmestre d'Anvers (1583), il défendit la ville contre les Espagnols (1584-1585). Il travailla à la paix entre les Pays-Bas et l'Espagne et à la tolérance pour les deux cultes. Il aurait composé le *Wilhelmuslied,* hymne néerlandais.

MAROC *n. m.* (Royaume chérifien du Maroc). ♦ État d'Afrique du Nord, le plus occidental du Maghreb*, limité à l'O. par l'océan Atlantique, au N. par le détroit de Gibraltar* et la Méditerranée*, à l'E. et au S. par l'Algérie*, et au S.-E. par le Sahara* occidental. 447 000 km². 17 500 000 hab. *(Marocains). Cap.* Rabat. *V. princ.* (plus de 100 000 hab.) **V. Casablanca, Fès, Marrakech, Meknès, Oujda, Safi, Tanger, Tétouan.** *Autres villes :* **V. Agadir, Beni-Mellal, Bin-el-Ouidane, Djerada, Essaouira** (anc. Mogador), **Figuig, Hoceima** (Al-), **Jadida** (El-) [anc. Mazagan], **Kenitra** (anc. Port-Lyautey), **Khouribga, Ksar el-Kébir, Ksar es-Souk, Larache, Mohammedia** (anc. Fedala), **Moulay-Idriss, Nador, Ouarzazate, Oued-Zem, Ouezzane, Salé, Sidi-Ifni, Sidi-Kacem** (anc. Petitjean), **Tarfaya, Taroudant, Taza, Youssoufia. V.** *aussi* **Anoual, Skhirat, Volubilis, Zellidja.** *Langues :* arabe (off.), français, dialectes berbères (ex. chleuh, sanadja, zénète...). — *Orogr.* Par sa situation entre la Méditerranée, l'Atlantique et le Sahara* **(V. Tafilalet),** le Maroc appartient à la fois au monde méditerranéen, au monde océanique et au monde atlantique. Son relief très montagneux comprenant le Rif **(V. Rif)** et la zone prérifaine (djebel Zerhoun), l'Atlas* (Moyen Atlas, Haut Atlas qui culmine au djebel Toubkal et Anti-Atlas) est moins accentué dans la partie occidentale du pays. Celle-ci est occupée par le plateau de la Meseta marocaine qui comporte des dépressions **(V. Haouz, Tadla)** et est bordée par des plaines côtières **(V. Gharb, Sous).** Ces caractères font que le Maroc atlantique est la partie la plus développée économiquement. La côte méditerranéenne est rocheuse, celle de l'Atlantique est parsemée de promontoires, dont le cap Blanc* et le cap Juby* — *Climat et hydrogr.* Grâce à son altitude, le Maroc est plus arrosé que le reste de l'Afrique du Nord, l'Atlas formant un véritable château d'eau avec des oueds permanents coulant vers l'Atlantique **(V. Bou Regreg, Oum er-Rebia, Sebou, Sous, Tensift)** et vers la Méditerranée **(V. Moulouya) ;** leur cours est régularisé par la construction de grands barrages réservoirs **(V. Bin el-Ouidane, Im-Fout)** permettant l'irrigation de larges périmètres (le plan quinquennal de 1968-1972 a favorisé l'hydraulique agricole ; quatre nouveaux barrages ont été construits en 1971, dont le début d'aménagement du projet Sebou). — *Écon.* L'agriculture continue à avoir la priorité (elle représente un tiers du produit national brut). Les zones irriguées sont consacrées surtout aux cultures industrielles (betteraves sucrières, coton, fourrage) et aux cultures d'exportation (agrumes, primeurs, riz), alors que le secteur traditionnel, assez archaïque, produit des céréales (1 267 000 t de blé, entre 1 et 2 000 000 de t d'orge), des légumes. De même, le secteur pastoral traditionnel (ovins, 17 000 000 de caprins) s'oppose au secteur moderne (bovins, ovins). La pêche alimente une importante indus. (conserveries de sardines). Le Maroc dispose d'importantes ressources minières inégalement mises en valeur [cuivre, fer, manganèse, antimoine (1 900 000 t de cobalt)]. Djerada-Hassiblab fournit de l'anthracite, les mines de Zellidja* du plomb et du zinc, mais la production essentielle reste les phosphates de Kouribga* et de Youssoufia*, qui font du Maroc le premier pays exportateur et le troisième pays producteur (plus de 14 100 000 t). L'industrialisation diversifiée (indus. chimiques, cimenteries, textile) est répartie dans les villes. Casablanca est le principal centre de concentration industrielle. L'effort d'aménagement touristique est considérable tant dans les « villes impériales » que sur les côtes **(V. Agadir, Hoceima** [Al]**)** et constitue un important apport de devises pour le pays. ♦ *Hist.* ANTIQUITÉ. L'histoire du Maroc, région habitée depuis la plus haute antiquité, commence quand les Phéniciens de Tyr y fondèrent le comptoir de Lixus (Larache) au ~ XIIe s. et plusieurs autres colonies. Pendant son voyage autour de la côte ouest d'Afrique (~ Ve s.), le navigateur carthaginois Hannon fit construire sur le rivage atlantique du pays plusieurs ports à partir desquels se propagea la civilisation carthaginoise dans les zones côtières. Comme ailleurs en Afrique du Nord, Rome succéda à Carthage après le court règne de dynasties locales dont le souverain le plus célèbre fut Juba II (~ 25-~ 23) qui régna des hauts plateaux orientaux à l'Atlantique. Ptolémée, fils de Juba, transforma le nord du pays en province romaine (Mauritanie* Tingitane) dirigée par un *procurator.* Pendant cette période, la région connut un grand développement agricole, un commerce actif et une urbanisation dont le site de Volubilis* atteste l'importance. Repoussée progressivement vers le nord, la domination romaine se limita à la région de Tanger (fin IIIe s.) qui fut rattachée à la Bétique (285) après l'abandon de la province tingitane. À l'arrivée des Vandales, la présence chrétienne se maintint vivace et les cités restèrent actives. — LA CONQUÊTE MUSULMANE ET LA DOMINATION ARABE (VIIe-Xe s.). Le gouverneur de l'*Ifriqiyya* (est de l'Afrique du Nord), Mûsâ* ibn Nusayr, organisa la conquête du Maroc. Les Berbères soumis furent rapidement convertis à l'islâm et enrôlés dans les armées arabes qui débarquèrent en Espagne. Mais, bien que le pays fût nominalement attaché au khalifat de Damas, il resta sous le contrôle des tribus ou confédérations berbères plus ou moins importantes jusqu'à l'apparition d'Idris Ier, qui fonda la dynastie arabe des Idrissides* et œuvra pour l'unification des tribus berbères dans un cadre indépendant du khalifat (686). Ses successeurs ne purent ni maintenir ni développer son œuvre et le pays se retrouva sous le contrôle des pouvoirs locaux et devint ensuite une proie convoitée à la fois par les Fâtimides*, nouveaux maîtres de l'Ifriqiyya, et les 'Umayyades* (Omeyyades) de Cordoue (Xe s.). — *Les dynasties berbères* (XIe-XVe s.). A partir du XIe s., le Maroc fut dirigé par une succession de trois dynasties qui débordèrent les frontières du pays et tentèrent d'imposer leur pouvoir sur les régions musulmanes voisines. — *1) Les Almoravides,* Berbères du Sud marocain, dirigés par Yûssuf ibn* Tashfîne conquirent le Maroc et fondèrent un vaste empire englobant l'ouest de l'Algérie et l'Espagne musulmane. Sous leur autorité le pays connut une grande prospérité. Marrakech*, capitale qu'ils fondèrent en 1062, devint le centre d'une grande activité artistique s'inspirant de l'art andalou. Les descendants de la dynastie ne furent pas à la hauteur des fondateurs. Ils se trouvèrent désarmés devant la vive résistance chrétienne en Espagne et par le prosélytisme subversif d'Ibn* Tumart, doctrinaire des Almohades*, dans l'Atlas. 'Abd* al-Mu'min, disciple d'Ibn Tumart, commença la conquête du Maroc (prise de Marrakech, 1147) et instaura la

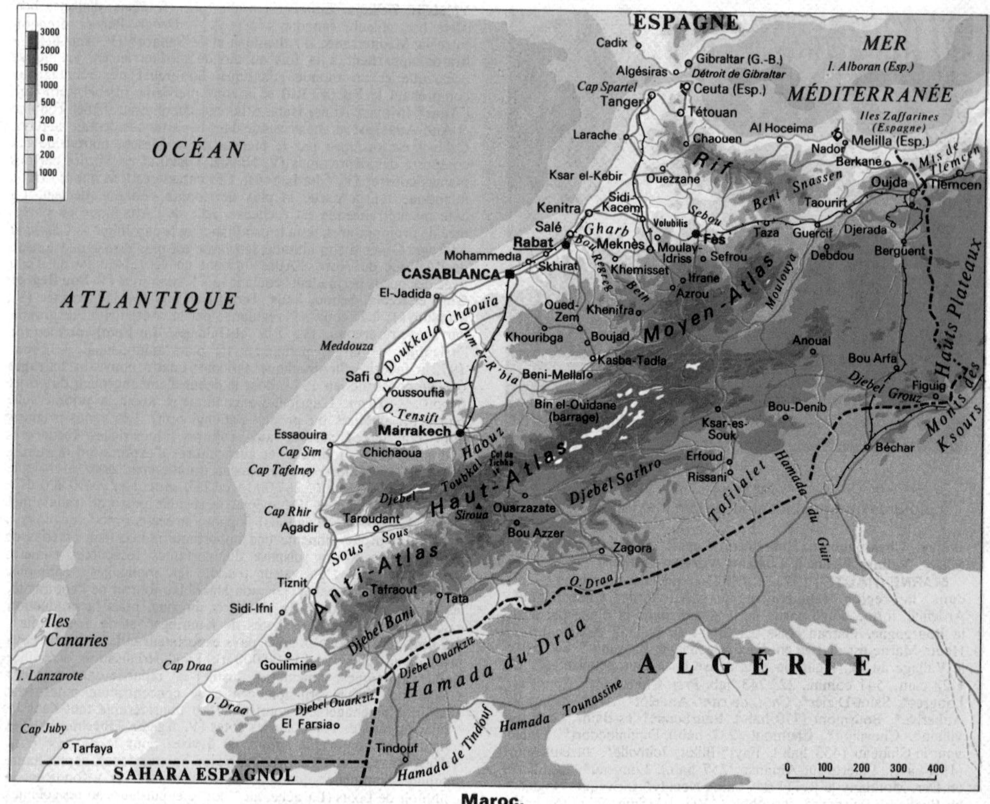

Maroc.

dynastie almohade. — *2) Les Almohades.* Bien organisés et munis d'une doctrine claire, les Almohades étendirent facilement leur pouvoir sur l'ensemble de l'Afrique du Nord et sur l'Espagne musulmane. Le règne de Ya'qûb al-Mansûr (1184-1199) fut la grande période de leur civilisation. Mais l'effondrement de cette dynastie fut aussi rapide que son avènement. Les luttes fratricides pour le pouvoir, la différence de qualité entre les fondateurs et les successeurs, l'immensité de l'empire et la résistance chrétienne en Espagne furent autant de raisons qui permirent aux Marînides de détrôner les Almohades (1269). — *3) Les Marînides,* Berbères des hauts plateaux, entretenant les mêmes prétentions que leurs prédécesseurs, ne purent rétablir l'unité du Maghreb ni arrêter la marche victorieuse de la reconquête chrétienne en Espagne. Néanmoins, la civilisation marocaine brilla de nouveau sous leurs règnes. L'indépendance du Maroc fut menacée par les incursions ibériques, résultat des progrès de la reconquête : au XVe s., les Portugais prirent Ceuta (1415), Tanger, Safi, Azemmour, Mazagan, Agadir et les Espagnols occupèrent Melilla (1497). Cette situation favorisa le revif religieux dans lequel s'exprima le nationalisme marocain : le culte des saints (maraboutisme) s'étendit ; les confréries se multiplièrent. Et à l'élan expansionniste des dynasties précédentes succéda la mystique de l'isolement, caractéristique du Maroc du XVIIe et du XVIIIe siècle. — ***Les dynasties chérifiennes*** (XVIe-XIXe s.). — *1) Les Sa'diens**. À l'appel de la population de Drâ, les Sa'diens, chérifs (descendants du prophète) installés aux confins du Sahara dès leur arrivée d'Arabie au milieu du XIVe s., prirent la direction de la guerre sainte *(jihâd).* Entre 1510 et 1523, ils s'imposèrent dans le sud du pays et purent ensuite reprendre Agadir sur les Portugais (1541). Cette victoire, génératrice d'un immense prestige, leur facilita la conquête du Maroc qu'ils achevèrent en 1554. Après sa victoire sur les Portugais à Ksar-el-Kébir*, Ahmad* al-Mansûr (1578-1603), le plus illustre des souverains sa'diens, s'opposa aux Turcs, déjà maîtres de l'Algérie et de la Tunisie et mena une politique de prestige. Cependant, malgré le contrôle des routes sahariennes et la réorganisation de l'armée et de l'administration, l'œuvre d'Ahmad al-Mansûr s'avéra peu solide ; de nouveau, le pays fut partagé entre des puissances locales parmi lesquelles figurait celle des chérifs Alawîtes* de Tafilelt (Tafilalet). — *2) Les Alawîtes.* Modestes au milieu du XVIIe s., ils contrôlaient un des axes du commerce saharien. Leurs chefs Mûlây Muhammad, puis Mûlây al-Rashid (1664-1672) entreprirent la conquête du pays (prise de Fès, 1666 ; prise de Marrakech, 1669) et fondèrent la dynastie alawîte qui règne encore sur le Maroc. Le monarque marocain le plus célèbre en Occident, Mûlây Ismâ'îl (1672-1727), consolida l'œuvre de ses prédécesseurs et donna un nouvel élan à la civilisation marocaine. Sa principale tâche fut de créer une puissante armée d'esclaves noirs et de combattre les populations insoumises. Il prit la plupart des places de l'Atlantique occupées par les Européens et sut défendre le pays contre les incursions turques. Mais une crise financière aggravée de révoltes militaires secoua le pays après la mort du souverain. Les troubles durèrent jusqu'en 1757. Le déclin du Maroc fut à peine ralenti pendant le long règne de Sîdî Muhammad ibn 'Abd Allâh (1757-1790) qui ne put empêcher les rébellions d'éclater ni les pouvoirs féodaux de se développer. Et au début du XIXe s., le Maroc, hermétiquement fermé sur lui-même, se trouva divisé en deux régions : le tiers du territoire seulement demeurait sous l'autorité effective du sultan ***(Blâd al-Makhzin)*** tandis que le reste du royaume était tenu par des tribus insoumises (***Blâd al-Sîba*** « pays de la dissidence »). — PÉNÉTRATION EUROPÉENNE (1830-1912). La prise d'Alger par des troupes françaises (1830), très mal accueillie au Maroc, amena le sultan Mûlây 'Abd al-Rahmân (1822-1859) à soutenir 'Abd* al-Qâdir (Abd-el-Kader) dans sa lutte nationaliste. Mais la victoire de Bugeaud sur l'Isly (1844) et les bombardements de Tanger et d'Essaouira (Mogador) par la marine française firent reculer le souverain. Par ailleurs, après les tentatives des commerçants britanniques, le marché marocain fut ouvert aux produits européens par le traité de commerce de 1856. L'Espagne reprit une politique d'expansion et le traité de 1861 imposa au Maroc une lourde indemnité de guerre. Dès lors, la Grande-Bretagne, l'Espagne et la France rivalisèrent pour s'approprier le pays. La pénétration économique européenne, à laquelle participa l'Allemagne (1890), engendra un déséquilibre persistant malgré l'action prudemment modernisante de Mûlây Hasan (1873-1894). Ce dernier profita des antagonismes entre les puissances pour retarder l'échéance de la colonisation. La conférence d'Algésiras (avr. 1906) plaça le Maroc sous une sorte de protectorat de puissances tandis que l'influence prépondérante de la France s'affirmait par le débarquement d'août 1907 à Casablanca. La marche inéluctable vers le protectorat français ne fut entravée que par la crise internationale provoquée par l'Allemagne (Guillaume II à Tanger*). Le sultan accepta le traité de protectorat (30 mars 1912). — LE PROTECTORAT (1912-1956). L'Espagne obtint une zone d'influence au N. (le Rif) et au S. (Ifni, Tarfaya). Outre Tanger qui acquit un statut international en 1923, le reste du pays était administré par la France. De 1912 à 1925, le protectorat français fut incarné par Lyautey*, premier résident général qui, au nom du sultan ou par la force, acquit le ralliement des tribus. Tout en conservant l'autorité du makhzin (maghzen) central et des anciens pouvoirs locaux, il institua une nouvelle administration destinée à les contrôler. Il mena aussi une action économique importante, en utilisant des capitaux privés (Banque de Paris et des Pays-Bas) pour équiper le pays. La colonisation rurale fut prudente (57 000 ha distribués; 200 000 ha achetés par des particuliers). L'immigration européenne fut importante (40 000 immigrants de 1919 à 1922). Mais la domination européenne demeura contestée par des mouvements sociaux et politiques : des paysans, dirigés par 'Abd* al-Karîm [Abd el-Krim], se révoltèrent (1921-1926). Après la répression qui s'ensuivit et le retrait de Lyautey, la France administra plus directement le pays. La colonisation rurale fut accélérée (840 000 ha en 1935), le peuplement européen encouragé, la conquête militaire reprise. Mais l'opposition nationale ne venait plus des montagnes; elle s'exprima à la fois à travers l'élite intellectuelle et dans le prolétariat des villes. En 1930, fut constitué le premier parti politique marocain, le « Comité d'action marocaine » animé par 'Allah al-Fâsî, Ouazzani et Balafraj, futurs fondateurs de l'*Istiqlâl*, qui se limitèrent au départ à contester l'administration directe. Après la Deuxième Guerre mondiale et l'entrée en scène des masses ouvrières dans le combat nationaliste, le système du protectorat fut partout ébranlé. Encouragé par les États-Unis, influencé par la Ligue arabe et cautionné par le sultan Muhammad* V (discours de Tanger, 1947), le mouvement nationaliste se renforça. Après la fête du trône de 1952, où le sultan réaffirma son intention d'indépendance, et de sanglants événements à Casablanca (7 et 8 décembre), la crise éclata. La Résidence tenta de s'appuyer sur les milieux traditionalistes (féodalistes du Sud), déposa le sultan et le remplaça par son cousin Ibn 'Arafa. Le mouvement nationaliste répondit par l'action armée. Mais après les revers d'Indochine (mai 1954) et l'insurrection algérienne (nov. 1954), le gouvernement français, non sans de fortes réticences, s'orienta vers une solution politique. Après la déclaration de La Celle-Saint-Cloud (nov. 1955), le Maroc obtint de la France son indépendance (3 mars 1956) et de l'Espagne (7 avr. 1956). — LE MAROC DEPUIS L'INDÉPENDANCE. Le Maroc indépendant connut une histoire agitée. — On assista d'abord à un antagonisme, latent ou déclaré, entre les représentants de la tradition absolutiste et féodale et les forces nouvelles nées sous le régime de protectorat (bourgeoisie libérale, petite bourgeoisie intellectuelle, prolétariat). Mais le prestige de Muhammad V, intact jusqu'à sa mort (1961), garantit le fonctionnement quasi régulier de la monarchie parlementaire. Cependant, les forces de gauche issues de l'Istiqlâl s'organisèrent en un parti autonome (Union nationale des forces populaires) dirigé par Mahdi Ben* Barka et Bouabid (1960). Rapidement, ce parti soutenu par le puissant syndicat U.M.T. dirigé par Mahjoub Ben Seddik prit de l'ampleur. Hasan II, successeur de Muhammad V, aidé par son ministre Oufkir, décida de briser tout mouvement d'opposition dangereux : l'émeute de Casablanca (mars 1965) fut très violemment réprimée, et le mouvement de gauche fut décapité après l'enlèvement de Ben Barka à Paris et son assassinat (nov. 1965). — Après avoir réussi à affaiblir les partis politiques, Hasan II se trouva en conflit avec une partie de l'armée dont il avait cependant favorisé l'importance croissante : deux tentatives d'attentats militaires (Skhirat, juil. 1971; Rabat, août 1972) dans lesquelles furent impliqués les chefs militaires les plus proches du roi (dont Oufkir) ont illustré les difficultés devant lesquelles se trouvent le souverain et le régime. — V. *aussi* **Sahara occidental.**

MAROC ESPAGNOL. *n. m.* ♦ Anc. protectorat reconnu à l'Espagne après la convention de Fès* (1912) sur la zone septentrionale du Rif* et sur une zone sud **(V. Ifni et Tarfaya).** Depuis la reconnaissance de l'indépendance du Maroc (1956), la zone du Rif* a été restituée au Maroc, une partie du « Maroc espagnol méridional » correspondant à l'actuelle prov. de Tarfaya* en 1958 et l'enclave d'Ifni* en 1969 **(V. Sidi-Ifni).** L'Espagne n'a conservé que quelques présides dont Ceuta* et Melilla*. ♦ *Hist.* Installée à Melilla* dès 1496 et à Ceuta* en 1580, l'Espagne eut à faire face au soulèvement du Rif* en 1921 et subit une grave défaite à Anoual*. La situation ne fut rétablie qu'en 1926. Franco*, qui s'était distingué durant la guerre du Rif, prit au Maroc, en 1936, la tête du soulèvement nationaliste avec Sanjurjo* et Mola* Vidal.

MAROILLES [maʀwal]. ♦ Comm. du Nord, arr. d'Avesnes-sur-Helpe. 1 533 hab. Ruines d'une abbaye bénédictine. — Fromageries (production de *maroilles*).

MAROMME. ♦ Ch.-l. de cant. de la Seine*-Maritime, arr. de Rouen*. 10 219 hab. *(Marommais).* — Produits pharmaceutiques, matières plastiques. — Patrie de A. Pélissier*.

MARONI. *n. m.* ♦ Fl. d'Amérique du Sud (680 km) tributaire de l'Atlantique, qui sépare la Guyane* française du Surinam* et prend sa source dans la serra Tumucumaque à la frontière brésilienne. Saint-Laurent*-du-Maroni se trouve près de son embouchure.

MAROT (Clément). ♦ Poète français (Cahors, 1496 — Turin, 1544). Fils du rhétoriqueur Jean Marot et « valet de chambre » de François* Iᵉʳ, puis de sa sœur Marguerite*, future reine de Navarre, il est l'auteur de poésies de cour qui obéissent aux formes traditionnelles (cf. le dizain *D'Anne qui lui jeta de la neige*) et de pièces de circonstance (*Temple de Cupido,* 1515), groupées dans le recueil l'*Adolescence clémentine* (1532). Soupçonné à plusieurs reprises de sympathie pour la Réforme (affaire des Placards, 1534) et pour Calvin* (qu'il rencontra en 1535), il connut l'exil et une mort solitaire. Les épreuves qu'il subit sont évoquées dans ses épîtres (*Épître à Lyon Jamet,* 1526; *Épître au roi, pour le délivrer de prison,* 1527), une satire allégorique féroce des mœurs judiciaires, *L'Enfer,* et des *Épigrammes.* On lui doit aussi des *Élégies* et la traduction des *Psaumes* (1536). — Maniant avec aisance le décasyllabe, il contribua à épurer la langue de son temps, s'exprimant avec un pittoresque (inventions verbales) et une clarté que vantèrent Boileau* et La* Fontaine.

MAR-PA. ♦ Religieux bouddhiste tibétain (1012 — 1096) qui importa au Tibet certaines doctrines ésotériques et traduisit de nombreux textes religieux indiens. Il fut le maître de Milarepa* et le fondateur d'une secte érémitique.

MARQUENTERRE. *n. m.* ♦ Plaine alluvionnaire de Picardie*, située entre l'estuaire de la Canche où prend fin le Boulonnais, et l'estuaire de la Somme où commence le Vimeu*. Sur env. 200 km les terres côtières ont été conquises sur la Manche depuis plus de deux siècles (élevage; cultures céréalières). Le littoral est jalonné de dunes entre lesquelles sont installés de petits ports de pêche (Le Crotoy*, Étaples*) et des stations balnéaires (Berck*-Plage, Le Touquet*).

MARQUET (Albert). ♦ Peintre et dessinateur français (Bordeaux, 1875 — Paris, 1947). Établi à Paris en 1890, il étudia aux Arts décoratifs puis aux Beaux-Arts dans l'atelier de Gustave Moreau en compagnie de son ami Matisse. Il s'intéressa à Manet, Lautrec, Bonnard, Cézanne, ainsi qu'au divisionnisme de Signac. En 1904, il alla peindre avec Dufy* en Normandie, et en 1905 participa à l'exposition dite des « fauves ». Il peignait alors des nus aux formes simplifiées par souci expressif, reflétant une certaine âpreté de vision, ainsi que des portraits (*A. de Rouveyre,* 1904), des scènes populaires et surtout des paysages et vues de ville (*Le Quai des Grands-Augustins; La Fête foraine au Havre,* 1906, *La Plage de Fécamp,* 1906; *Matisse peignant dans l'atelier de Manguin,* 1904-1905). Étalant largement des couleurs fluides, il eut toujours une prédilection pour les vues plongeantes et il établit souvent ses compositions à partir de lignes concises et asymétriques, tout en recherchant un équilibre entre les masses colorées et en éliminant les détails. Observateur aigu, il eut l'art de camper une attitude, de saisir le mouvement. Ses multiples dessins à la plume et au pinceau révèlent la souplesse et la prestesse de son trait qui firent dire à Matisse : « Il est notre Hokusaï ». Il eut tendance à abandonner les couleurs vives pour rechercher l'harmonie tonale, et il privilégia souvent les accords raffinés de gris et de bleu. Grand voyageur, il se rendit dans de nombreux ports européens, notamment en 1908-1909 à Hambourg et à Naples. En 1913, il voyagea au Maroc en compagnie de Matisse et Camoin* et il séjourna fréquemment en Algérie où il peignit fleurs, jardins et vue de port avec une gamme où dominent souvent des tonalités vertes qui lui sont personnelles. Il chercha à rendre avec probité et justesse l'émotion ressentie devant la nature en restant fidèle au rendu des apparences, mais en évitant le pittoresque anecdotique et en visant à l'essentiel. Il représenta maintes fois les quais de la Seine notamment le *Pont-Neuf,* suggérant l'atmosphère avec des tonalités nuancées, sourdes et une touche fondue (*Le Quai de Conti en hiver,* 1947). Il a aussi réalisé de nombreuses aquarelles et des illustrations de livres.

MARQUETTE (Jacques). ♦ Missionnaire jésuite et explorateur français (Laon, 1637 — sur les bords du lac Michigan, 1675). Arrivé au Canada vers 1666, le père Marquette explora avec Joliet les cours du Wisconsin, puis du Mississippi (appelé alors fleuve Colbert) et remonta l'Illinois [1673] (*Découverte de quelques pays et nations de l'Amérique septentrionale,* publié en 1862).

MARQUISE. ♦ Ch.-l. de cant. du Pas*-de-Calais, arr. de Boulogne*-sur-Mer. 5 079 hab. Église (XIIᵉ, XVᵉ, XVIᵉ s.). Carrières de marbre.

Ph. Sandro Prato/Ricciarini

Maroc : agriculture primitive.

Arch. Smeets

Vénus et **Mars,** par Véronèse. (Galerie Sabanda, Turin.)

MARQUISES *(îles).* ♦ Archipel de la Polynésie* française (Océanie) le plus proche de l'équateur. Constitué de volcans très disséqués, caractérisé par la rareté des récifs coralliens, il est formé d'une dizaine d'îles et d'îlots comprenant le groupe du N.-O. (île principale : Nuku* Hiva) et le groupe du S.-E. (île principale : Hiva Oa), où se situe le centre administratif, Atuana*. 1 274 km². 4 000 hab. environ. Climat chaud et humide. Cocotiers. ♦ *Hist.* Découvertes par Alvaro de Mendaña* en 1595, visitées par Cook* en 1774, les îles furent occupées au nom de la France par Abel Dupetit*-Thouars en 1842. **(V. Polynésie française).**

MARRAKECH. ♦ V. du Maroc méridional. 243 100 hab., ch.-l. de prov. (1 977 000 hab.) et préf. urbaine, située dans le Haouz*, au pied du versant N.-O. du Haut Atlas, sur un affl. du Tensift*. Établie dans un site admirable, entourée de palmeraies, la ville est l'une des plus belles du Maghreb. Remparts, nombreux minarets dont la Koutoubia (XIIe s.), palais, tombeaux des Saadiens. Place Djemâa el-Fna, souks, jardins (Agdal, Menara). Centre commercial et touristique. Artisanat. Indus. agricoles. ♦ *Hist.* Fondée par les Almoravides en 1062, elle devint la cap. des Almohades* (XIIe-XIIIe s.). Prise par les Marinides en 1269, elle fut délaissée. A partir du milieu du XVIe s., les chérifs saadiens en firent leur résidence.

MARRAST (Armand). ♦ Homme politique français (Saint-Gaudens, 1801 – Paris, 1852). Rédacteur aux journaux *la Tribune* (1830-1835) et *le National* (1841), il affirma des positions républicaines sous la monarchie de Juillet et fut un des organisateurs du banquet du 22 févr. 1848 dont l'interdiction par Guizot déclencha la révolution* de 1848 **(V. Banquets** [campagne des]. Membre du gouvernement et député républicain modéré à l'Assemblée constituante (avr. 1848), il contribua à la rédaction de la Constitution de la IIe République (nov. 1848).

MARS. ♦ Dieu romain identifié à l'Arès grec. **V. Arès.** Divinité primordiale dans les religions italiques, Mars préexistait à l'introduction d'Arès. À l'époque classique, il apparaît à Rome comme le dieu de la guerre. Parallèlement, il est aussi dieu de la végétation, dieu du printemps, parce que c'est à la fin de l'hiver que commencent les activités guerrières, et dieu de la jeunesse, parce que c'est elle qui est employée dans les combats. Son culte était célébré par les Saliens*. Les légendes qui se rapportent à Mars ne sont pour la plupart que des transpositions des mythes grecs. La seule proprement italique est celle qui fait de Mars le père de Romulus* et Remus*, jumeaux qu'il aurait eus de son union avec Rhea* Silvia.

MARS. ♦ Planète du système solaire, la première des planètes dites « supérieures » ou joviennes (distance au Soleil supérieure à celle de la Terre). Tournant autour du Soleil en 687 jours sur une orbite allongée l'amenant tous les quinze ans (1956, 1971) à 56 millions de km de notre planète, puis l'éloignant jusqu'à 400 millions de km, *Mars* tourne sur elle-même dans le sens direct en 24 h 37 mn 23 s. Elle a deux petits satellites, Deimos et Phobos. Légèrement aplatie aux pôles, elle a un diamètre équatorial de 6 828 km, et une densité par rapport à l'eau de 3,8. Elle est de couleur rouge orangé, couleur due à une fine couche d'oxyde de fer («planète rouge»); elle laisse entrevoir, à la lunette, des taches sombres dont l'alignement conduisit Schiaparelli* à émettre l'hypothèse fameuses des «canaux» (1877). Des sondes spatiales soviétiques (Mars II, nov. 1971) et américaines (Mariner IX, nov. 1971, Viking-1 juil. 1976, Viking-2 sept. 1976) ont photographié une surface importante de la planète qui présente un relief de type lunaire, avec de nombreux cratères d'origine volcanique récente aux grandes dimensions (diam. 250 km, prof. 6 500 m), et la trace d'anciennes rivières. Les pôles sont recouverts d'une couche de glace, et non comme on le croyait de neige carbonique (la température est trop élevée). L'atmosphère très ténue est composée essentiellement de gaz carbonique, d'un peu de vapeur d'eau, d'azote (3 %), d'argon (2 %), avec des traces de krypton et de xénon (pas d'hydrogène ni d'oxygène à l'état libre). Aucune couche d'ozone ne protège le sol des radiations solaires ultraviolettes. Les températures sont extrêmes (entre – 100° et + 70° C) et le vents sont violents (plus de 200 km-heure). La pression assez faible (5 millibars) empêche la présence d'eau liquide. La vie en surface paraît peu probable et l'analyse au spectromètre d'un échantillon de terre martienne n'a pas fait apparaître de trace de matière organique d'origine biologique. Mais l'hypothèse d'une vie «en profondeur» n'est pas écartée.

MARS (Anne Boutet, dite **Mlle).** ♦ Actrice française (Paris, 1779 – *id.,* 1847). Sociétaire de la Comédie-Française, elle y tint avec éclat l'emploi des coquettes et fut l'interprète de Victor Hugo dans *Hernani** (rôle de doña Sol, 1830).

MARSA *(traité de La).* ♦ Signé le 8 juin 1883 entre la France et la Tunisie, il confirmait (après les révoltes de Kairouan et de Sfax) l'établissement du protectorat français en Tunisie, et le traité du Bardo* (1881).

MARSA EL-BREGA. ♦ Port de la Libye (Cyrénaïque), au fond du golfe de la Grande Syrte*, au débouché de l'oléoduc en provenance de Zelten*. Raffinerie. Usine de liquéfaction du gaz en projet.

MARSAILLE (La), en it. **Marsaglia.** ♦ Localité d'Italie (Piémont). Catinat* y remporta une victoire sur le duc de Savoie et le prince Eugène* (1693), lors de la guerre de la ligue d'Augsbourg*.

MARSAIS (César CHESNEAU, *sieur du***).** ♦ Pédagogue, grammairien et philosophe français (Marseille, 1676 – Paris, 1756). Oratorien à Marseille, il vint faire son droit à Paris où il devint avocat puis précepteur dans de grandes familles, notamment celle de Law. En 1722, il faisait publier une *Exposition d'une méthode raisonnée pour apprendre la langue latine* et en 1730 le *Traité des tropes,* ouvrages qui le firent remarquer par d'Alembert et l'amenèrent à collaborer à l'Encyclopédie* pour les articles de grammaire et de philosophie. Sa méthode pour apprendre le latin fut contestée, mais le *Traité des tropes,* qui constitue une synthèse des problèmes fondamentaux de la rhétorique et le premier ouvrage systématique traitant de la sémantique lexicale, lui valut de nombreux adeptes (Condillac* notamment l'utilisa dans son ouvrage pour l'éducation du prince de Parme). Ses articles dans *L'Encyclopédie* constituent un ensemble significatif de textes sur la philosophie du langage.

MARSAL. ♦ Comm. de la Moselle (arr. de Château-Salins). 301 hab. – Église romane (*déb.* XIIe s.) avec abside gothique (XIVe s.). Enceinte fortifiée du XVIIe siècle. – Gisement de sel gemme.

MARSALA. ♦ V. d'Italie, sur la côte occidentale de Sicile* (prov. de Trapani). 83 000 hab. Célèbre pour ses vins doux. ♦ *Hist.* Anc. Lilybée*. Garibaldi* y débarqua avec les Mille en 1860.

MARSÂ MATRÛH (al). ♦ **V.** MERSA MATROUH.

MARSAN. *n. m.* ♦ Ancien petit pays de Gascogne qui dépendait autrefois des souverains de Béarn ; il devint au Moyen Âge un vicomté avec pour ch.-l. Mont*-de-Marsan. Il était bordé au N. et à l'O. par les Grandes Landes, le Condomois et le Bazadais, au S. par les Landes proprement dites, à l'E. par le Gabardan et le bas Armagnac. Il fut réuni à la Gascogne en 1607 et est aujourd'hui compris dans le dép. des Landes (arr. de *Mont-de-Marsan*).

MARSANNAY-LA-CÔTE. ♦ Comm. du département de la Côte-d'Or (arr. de Dijon), située sur le versant E. de la Côte d'Or à 272 m d'alt. 4 110 hab. Vins rouges. Sites pittoresques.

MARSCHNER (Heinrich August). ♦ Compositeur allemand (Zittau, 1795 – Hanovre, 1861). Maître de chapelle à Dresde, Leipzig puis Hanovre (1830-1859), il dut sa célébrité à de nombreux opéras d'inspiration romantique, parmi lesquels *Le Vampire* (1828), *Le Templier et la Juive* (1829) et *Hans Heiling* (1832). Son œuvre marque la transition entre celles de Weber et de Wagner sur qui il a exercé une indéniable influence *(Le Vaisseau fantôme).* On lui doit encore des lieder, de la musique de scène *(Le Prince de Hombourg)* et de chambre, des ballades et des œuvres chorales.

Marseillaise (La). ♦ Chant patriotique dont les paroles et (probablement) la musique furent composées à Strasbourg par l'officier du génie Rouget* de l'Isle sous le titre de «Chant de guerre pour l'armée du Rhin», et qui aurait été chanté (pour la première fois) par le groupe de fédérés marseillais, arrivés à Paris lors de l'insurrection du 10 août 1792 – d'où son nom. Il devint hymne national le 14 juillet 1795 jusqu'au Premier Empire, puis à nouveau à partir de février 1879.

MARSEILLAN. ♦ Comm. de l'Hérault, arr. de Béziers. 3 581 hab. Viticulture, vieillissement des eaux-de-vie. Ostréiculture. Usine de dessalement de l'eau de mer. À quelques kilomètres, station de *Marseillan-Plage.*

MARSEILLE. ♦ Préf. des Bouches*-du-Rhône, ch.-l. d'arr. (15 cant., 21 comm., 996 038 hab.) sur la côte méditerranéenne au fond d'une baie. 893 771 hab. *(Marseillais).* C'est la deuxième ville de France. La basilique Notre-Dame-de-la-Garde située sur une colline et la cathédrale de la Major ont toutes deux été construites au XIXe s. dans un style romano-byzantin. La basilique Saint-Victor, reste d'une abbaye fondée au Ve s., a été reconstruite au XIe siècle. Église romane Saint-Laurent à trois nefs. Église Saint-Ferréol (XVe s.). Fort Saint-Nicolas et fort Saint-Jean du

XVIIe s. ; maisons et hôtels anciens ; nombreux musées. La *Canebière* est la plus célèbre artère de la ville. La *Cité radieuse,* immeuble d'habitation, est l'œuvre de Le* Corbusier. Évêché, ville universitaire (disciplines scientifiques ; **V.** *aussi* **Aix-en-Provence**). – Marseille est le premier port de commerce français. Les importations : céréales, oléagineux, vins, primeurs, café, coton, engrais, cuirs, pétrole (79 262 000 t en 1975) l'emportent très nettement sur les exportations (16 520 000 t en 1975). Les produits coloniaux ont été dépassés par les hydrocarbures (2/3 du trafic total en 1968). Marseille est l'un des plus grands ports passagers du monde. Le vaste ensemble portuaire comprend les annexes de l'étang de Berre*, du golfe de Fos* et le port de Lavera*, régis administrativement par le port autonome de Marseille. L'aéroport de Marignane* est le troisième de France. – Grand centre industriel : constructions navales, mécaniques et électriques, huileries, savonneries, briqueteries, tuileries, raffineries de soufre, fabriques de peintures ; indus. alimentaires, textiles, maroquinerie. Manufacture de tabac, d'allumettes. Travail du cuir, des peaux. Pétrolochimie. – Patrie de A. Artaud*, de J.M. Barbaroux*, de A.M. Barthélemy*, J. Bouin*, Fr. Coli*, H. Daumier*, Ch. Fabry*, Fernandel*, E. Garnier*-Pagès, P. d'Hozier*, E. Jaloux*, C. Jullian*, C. Ch. du Marsais*, J. Mascaron*, A. Marticelli, É. Ollivier*, M. Petipa*, P. Puget*, L. Reybaud*, G. Ricard, E. Rostand*, A. Roussin*, A. Suarès*, A. Thiers*, H. d'Urfé*. ♦ Hist. *Massalia,* créée vers ~ 600 par des Grecs de Phocée* (d'où le nom de « cité phocéenne »), fut un foyer de civilisation pour les Celtes de Gaule. En ~ 49, César s'empara de *Massalia* qui s'était prononcée en faveur de Pompée ; elle devint ville fédérée de l'empire. Évêché au IVe s., Marseille fut un foyer du monachisme. Son rôle économique ayant décliné, la ville connut un nouvel essor maritime grâce aux croisades ; elle rivalisa alors avec Gênes. Elle fut réunie à la France en même temps que la Provence, en 1481. Elle fut décimée par la peste en 1720. Son expansion commerciale se prolongea jusqu'à la Révolution à laquelle elle se montra très favorable (bataillon des fédérés marseillais qui participa à la journée du 10 Août, adoptant et popularisant le chant créé par Rouget de l'Isle. **V. Marseillaise** [la]). Ruinée par les guerres de la Révolution et de l'Empire (blocus continental), elle retrouva sa prospérité à la suite des conquêtes coloniales et de l'ouverture du canal de Suez. L'aménagement du port, agrandi au début du XXe s., se prolonge de nos jours. La ville a été endommagée lors de la Deuxième Guerre mondiale. Elle a été libérée le 28 août 1944 par la Ire armée française.

MARSEILLE-EN-BEAUVAISIS. ♦ Ch.-l. de cant. de l'Oise*, arr. de Beauvais*. 870 hab. Indus. des matières plastiques.

MARSES. *n. m. pl.,* en lat. **Marsi.** ♦ Peuple de l'Italie anc., établi autour de *Marruvium* (San Benedetto de' Marsi) sur la r. E. du lac Fucinus. Les Marses étaient considérés comme les plus redoutables guerriers de l'Italie. Ils s'allièrent à Rome en ~ 304. En ~ 90, ils entraînèrent les peuples alliés dans une guerre contre la république, qui leur refusait le droit de cité (*guerre marsique,* ~ 90-~ 88). ♦ Peuple de Germanie, établi entre la Ruhr et la Lippe, les Marses furent vaincus par les Romains au ~ Ier siècle.

MARSH (James). ♦ Chimiste anglais (Londres, 1794 – Woolwich, 1846). Il mit au point, en 1836, un appareil qui permet de détecter et de doser l'arsenic. **V.** *aussi* **Orfila.**

MARSHALL (Alfred). ♦ Économiste anglais (Londres, 1842 – Cambridge, 1924). Professeur à Cambridge où il eut Keynes* pour étudiant, il tenta de synthétiser les principes de l'économie politique classique **(V. Smith, Ricardo)** et ceux du marginalisme **(V. Menger, Jevons, Walras).** Introduisant le facteur temps dans l'analyse économique par la distinction des courtes et longues périodes, il chercha en effet à préciser le rôle du coût objectif de production (longues périodes) et celui de l'utilité marginale (courtes périodes) dans la détermination de la valeur des biens et des services. Bien que partisan du libéralisme, il se montra favorable à des réformes sociales. (*Principes d'économie politique,* 1890-1907.)

MARSHALL (George Catlett). ♦ Général et homme politique américain (en Pennsylvanie, 1880 – Washington, 1959). Il servit aux Philippines, combattit en France, puis fut l'adjoint du général Pershing* (1919-1924). Il commanda ensuite un régiment américain en Chine (Tien-T'sin), puis dirigea une école militaire à Fort Benning. Nommé chef d'état-major par Roosevelt en septembre 1939, il joua le rôle de conseiller militaire du président pendant la guerre. En 1945, Truman l'envoya en Chine, où il tenta d'aplanir les oppositions entre le Kuo-min-tang et les communistes ; mais son échec permit à ces derniers de préparer leur victoire stratégique. Secrétaire d'État en 1947, il reporta son intérêt sur l'Europe et lança son plan d'assistance pour la reconstruction et le redressement financier de l'Europe *(plan Marshall).* Il entreprit en même temps les négociations préalables à la constitution de l'O.T.A.N. En 1949, il se retira et devint président de la Croix-Rouge américaine, mais fut rappelé comme secrétaire à la Défense pendant la guerre de Corée (1950-1951). – Prix Nobel de la paix (1953). ♦ PLAN MARSHALL. Programme de reconstruction européenne *(European Recovery Program)* proposé en 1947 par G. Marshall, adopté en 1948 pour les pays de l'O. de l'Europe, après l'échec de la conférence de Paris (juin 1947) où l'U.R.S.S. (Molotov) refusa de s'y associer. Il fut accepté par seize pays, dont la Grande-Bretagne, la France, les pays scandinaves et l'Italie. L'adoption du plan se heurta à une vive opposition communiste, en France et en Italie, où les P.C. cessèrent toute collaboration avec les autres partis. L'aide américaine, prévue pour 4 ans (85 % d'aide gratuite, 15 % de prêts à long terme), était assortie d'une orientation politique européenne : l'Organisation européenne de coopération économique (O.E.C.E.) répartissait les crédits de l'*Economic Cooperation Administration* (E.C.A.). La France reçut au titre du plan 2 milliards 800 millions de dollars.

MARSHALL *(archipel* ou *îles).* ♦ Groupe d'îles volcaniques et d'atolls coralliens, le plus oriental de la Micronésie* (Océanie), au N. de l'équateur, baigné par l'océan Pacifique occidental, situé à l'E. des îles Carolines* et au N. des îles Gilbert*. L'archipel Marshall, qui comprend trente-deux îles et atolls principaux, est disposé en deux chaînes parallèles : – les *îles Ratak* (« du soleil levant » ; dix-huit îles principales) à l'E., où se situe le centre administratif (île Majuro) – les *îles Ralik* (« du soleil couchant ») à l'O., comprenant quatorze îles principales dont Bikini*, Eniwetok et Kwajelein (le plus grand atoll du monde). 19 000 hab. environ. Cocotiers. Canne à sucre. Coton. ♦ *Hist.* Le capitaine Marshall explora partiellement les îles en 1788, mais la plus grande partie de la cartographie fut dressée par les expéditions russes d'Adam J. von Krusenstern* en 1803 et de von Kotzebue* en 1823. L'Allemagne annexa les îles en 1885-1886. En 1914, les Japonais s'en emparèrent puis les administrèrent comme territoire sous mandat (1920). Durant la Deuxième Guerre mondiale, les atolls de Kwajelein et d'Eniwetok furent entre autres le théâtre de violents combats. L'archipel fut placé en 1947 sous tutelle des États-Unis par l'O.N.U. *(United States Trust Territory of Pacific Islands).* Les atolls de Bikini* et Eniwetok devinrent des centres d'expérimentation de la bombe atomique.

MARSILE DE PADOUE. ♦ Théologien italien (Padoue, v. 1275 - 1280 – Munich, v. 1343), auteur avec Jean de Jandun du *Defensor pacis* (1324) écrit pour Louis IV de Bavière contre le pape Jean* XXII. Il y expose une conception entièrement sécularisée de la vie religieuse, l'Église n'étant qu'une institution humaine et l'autorité du pape étant inférieure à celle du concile. Il fut excommunié en 1327.

MARSILLARGUES. ♦ Comm. de l'Hérault, arr. de Montpellier. 3 048 hab. Église du XVIIe siècle.

MARSPICH. ♦ Anc. comm. de Moselle, supprimée en 1971 et rattachée à Hayange*.

MARSTON (John). ♦ Poète dramatique anglais (Coventry, v. 1575 – Londres, 1634). Il fit ses débuts dans la poésie satirique avec *Pygmalion* (1598) et *Le Châtiment de la perfidie* (*The Scourge of Villanie,* 1598) mais la verdeur de leur langage et l'âpreté de leur ton valurent à ces ouvrages d'être condamnés au feu. Se tournant alors vers le théâtre, Marston composa huit pièces, dont *Le Mécontent* (*The Malcontent,* 1604), où s'expriment avec force le désespoir et le dégoût d'un homme indigné par le spectacle du monde, et *La Merveille des femmes ou la Tragédie de Sophonisbe* (1606) d'une facture classique par la qualité de l'analyse psychologique et la sobriété du lyrisme. En collaboration avec Ben Jonson* et Chapman*, il publia *Holà ! Vers l'Orient* (*Eastward Ho !* 1605), mais cette comédie valut à ses auteurs d'être emprisonnés pour lèse-majesté. En 1607, il renonça au théâtre pour se faire ecclésiastique.

MARSYAS [*Marsuas*]. ♦ Silène de Phrygie*, inventeur mythique de la flûte à deux tuyaux. Selon une légende, la flûte avait été fabriquée par Athéna, mais la déesse, voyant dans un ruisseau ses joues ridiculement déformées quand elle y soufflait, l'avait jetée et maudite. Marsyas la ramassa et, l'estimant supérieure à la lyre d'Apollon*, défia le dieu. Celui-ci releva le défi à condition que le vainqueur disposât du vaincu. Apollon prouva la supériorité de son instrument qui pouvait être utilisé aussi à l'envers. Il suspendit alors Marsyas à un pin et l'écorcha vif, puis, envahi de remords, le transforma en fleuve. Selon une tradition, parmi les juges, seul Midas* avait donné raison à Marsyas et pour cela le dieu lui fit pousser des oreilles d'âne.

MARTABAN. ♦ Port de Birmanie à l'embouchure de la Saluen, face à celui de Mulmein* qui le supplanta au XIXe siècle. Il est

Ph. Louis Monier

Marseille : le port.

surtout célèbre pour ses exportations anciennes de jarres et de céladons. Ce n'est plus maintenant qu'un gros village de pêcheurs.

Martabani. ♦ V. CÉLADON.

MARTEL (Édouard Alfred). ♦ Spéléologue français (Pontoise, 1859 – près de Montbrison, 1938). Fondateur de la Société de spéléologie (1895), il explora notamment les gouffres de Dargilan*, Padirac*, les régions calcaires de France, d'Angleterre, d'Irlande, du Péloponnèse, du Caucase, des États-Unis. Auteur de *La Spéléologie ou la Science des cavernes* (1900); *La France ignorée* (1928-1930).

MARTEL (Thierry *de*). ♦ Chirurgien français (Maxéville, Meurthe-et-Moselle, 1876 – Paris, 1940). Auteur de travaux de gynécologie et de chirurgie du système nerveux, il mit au point une instrumentation pour la trépanation. Il est considéré comme le fondateur, avec Clovis Vincent, de l'école française de neurochirurgie. Sa mère, la comtesse de Martel, était connue en littérature sous le pseudonyme de Gyp. Il se suicida au moment de l'entrée des troupes allemandes à Paris, en 1940.

MARTELLANGE (Étienne Ange MARTEL, dit). ♦ Architecte français (Lyon, 1569 – Paris, 1641). Il appartint à la Compagnie de Jésus, y joua un rôle important de conseiller et surveilla l'édification de nombreuses églises bâties en France par les jésuites. Il séjourna à Rome, puis édifia notamment les collèges du *Puy* (1605-1607), de *La Flèche* (1612-1621), de *Roanne* (1617-1626), d'*Avignon*, etc. Il commença la construction de *Saint-Paul-Saint-Louis* (1626, en collaboration avec Derand), maison professe des jésuites à Paris. La diversité des plans et des formes adoptées, la volonté de s'appuyer sur les traditions locales révèlent une absence de doctrine ferme et cohérente qui rend inadéquat le terme d'« art jésuite », bien que l'on retrouve dans la plupart des réalisations du père Martellange et de son ordre certaines préoccupations identiques (préférence pour la nef unique favorable à la predication) et l'influence plus ou moins déterminante de l'église du *Gesù* à Rome **(V. Vignole).**

MARTENOT (Maurice). ♦ Ingénieur français (Paris, 1898). Élève de M. Long et de A. Cortot, il est l'inventeur d'un instrument de musique électronique, les « ondes Martenot » (1928), qui a apporté aux compositeurs des possibilités entièrement nouvelles par ses effets de résonance, d'écho et de relief. O. Messiaen, A. Jolivet et J. Martinon, notamment, ont composé de la musique pour cet instrument.

MARTHE *(sainte).* ♦ Dans les Évangiles de *Luc,* X, 38, et *Jean,* XI, sœur de Marie* et Lazare*, de Béthanie. Une légende la fait débarquer avec eux à Marseille. Fête le 29 juillet.

MARTÍ (José). ♦ Patriote et écrivain cubain (La Havane, 1853 – Dos Rios, 1895). Emprisonné dès 1869, pour ses idées révolutionnaires, il vécut en exil où il fonda le Parti révolutionnaire cubain. Il fut tué à la tête de l'armée libératrice à la bataille de Dos Ríos. Ses œuvres et ses idées eurent un rôle fondamental dans la formation de la conscience hispano-américaine et la libération de l'Amérique latine. Ses vers, très simples, sa poésie romantique et humanitaire le classent en marge de toute école (*Vers simples,* 1891).

MARTIAL (Marcus Valerius Martialis). ♦ Poète latin (Bilbilis, Espagne, v. 40 – *id.,* v. 104), ami de Pline* le Jeune et de Juvénal*. Auteur de 15 livres d'*Épigrammes,* il suivit dans certains la tradition alexandrine qui faisait de l'épigramme une courte pièce commémorative *(Sur les spectacles* et *Xenia et Apophoreta),* mais transforma la plupart de ses poèmes en satires mordantes visant un individu, donnant ainsi au nom du genre le sens nouveau de raillerie satirique.

MARTIAL *(saint).* ♦ Selon Grégoire de Tours, l'un des sept évêques qui auraient été envoyés en Gaule vers le milieu du IIIe s. pour y prêcher l'Évangile. Après avoir converti l'Aquitaine, le Rouergue, le Poitou et la Saintonge, il devint évêque de Limoges où il mourut et fut inhumé. L'*abbaye de Saint-Martial* fut fondée en 848 sur son tombeau.

MARTIANUS CAPELLA. ♦ Écrivain latin (Ve s.). Il est l'auteur d'une encyclopédie écrite sous forme romanesque, *Noces de Mercure et de la Philologie,* qui influença Cassiodore*.

MARTIGNAC (Jean-Baptiste Sylvère GAY, *comte de*). ♦ Homme politique français (Bordeaux, 1778 – Paris, 1832). Avocat royaliste à Bordeaux, il se rallia aux Bourbons. Procureur général à Limoges, élu député en 1821, il remplaça Villèle après les élections de 1827 (favorables à l'opposition) et devint chef du gouvernement de 1828 à 1829. Son cabinet, relativement libéral, constitua la dernière tentative de la Restauration pour concilier le gouvernement et la Chambre des députés. En août 1829, il fut remplacé par Polignac*, dont il devait prendre la défense lors du procès des ministres déchus sous la monarchie de Juillet.

MARTIGNY. ♦ V. de Suisse (Valais) au confluent de la Drance* et du Rhône. Alt. 470 m. 8 500 hab. Carrefour routier. Centre touristique. Métallurgie de l'aluminium, indus. chimique, distillerie (alcool de poire).

MARTIGUES. ♦ Ch.-l. de cant. des Bouches*-du-Rhône, arr. d'Aix*-en-Provence, sur l'étang de Berre* et sur le canal de Caronte*. 27 947 hab. [17 771 aggl.] *(Martigaux).* Des canaux divisent la ville en trois quartiers. Trois églises du XVIIe siècle. – Aux environs, chapelle romane Saint-Blaise, ruines d'une enceinte grecque (~ IVe s.). Port de pêche. Salines, raffineries de pétrole, indus. chimiques **(V. *aussi* Mède** [La]). – Patrie de Ch. Maurras*.

MARTIN *(saint).* ♦ Évêque de Tours (Sabaria, Pannonie, 316 – Candes, Touraine, 397). Jeune militaire à Amiens, il partagea, dit la tradition, son manteau avec un pauvre. Il rejoignit saint Hilaire qui l'ordonna prêtre à Poitiers, puis il fonda une communauté monastique à Ligugé (361). Évêque de Tours v. 370-371, il évangélisa les campagnes, fonda le monastère de Marmoutier. Sa *Vie* par son disciple Sulpice Sévère répandit son culte dans toute la Gaule; son tombeau devint le centre d'un important pèlerinage. Fête le 11 novembre.

MARTIN Ier *(saint).* ♦ (Todi, Ombrie, v. 590 – Cherson, Crimée, 654). 74e pape (649-654), martyr. Il réunit le concile du Latran (649) qui condamna les monothélètes*. L'empereur Constant II le fit arrêter (653), condamner, exiler : il mourut en Crimée, des mauvais traitements subis. – Fête le 13 avril.

MARTIN II, MARTIN III. ♦ Nom parfois donné, par confusion ancienne, aux papes Marin* Ier et Marin* II.

MARTIN IV *(Simon de Brion).* ♦ (v. 1210 – Pérouse, 1285). 187e pape (1281-1285). Élu sous la pression de Charles d'Anjou, roi de Sicile, il fut l'homme du parti français. Mais ses excommunications ne purent arrêter la révolte des « Vêpres* siciliennes » (1282) qui amena la ruine de ce parti.

MARTIN V *(Oddone Colonna).* ♦ (Genazzano, 1368 – Rome, 1431). 204e pape (1417-1431). Son élection, au concile de Constance*, mit fin au grand schisme* d'Occident. Il concentra tous les pouvoirs entre ses mains et restaura la vie de Rome. Il réunit le concile de Pavie-Sienne (1423-1424) et convoqua celui de Bâle* (1431).

MARTIN, dit l'Humain ou le Vieux. ♦ (Gérone, 1356 – Barcelone, 1410). Roi d'Aragon (1395-1410) et de Sicile (1409-1410). Lettré et ami des arts, il consolida les institutions libérales de la couronne d'Aragon et de Catalogne. Ferdinand* Ier lui succéda.

MARTIN (John). ♦ Peintre, aquarelliste et graveur anglais (Haydon Bridge, 1789 – Londres, 1854). Il s'installa à Londres comme peintre sur porcelaine et sur verre et devint célèbre avec *Josué ordonnant au soleil de s'arrêter* (1816). Considéré comme le rival de Turner* il produisit de grandes compositions historiques et bibliques : l'éclairage nocturne, le relief abrupt, tourmenté de ses paysages imaginaires aux personnages minuscules et aux perspectives architecturales rigoureuses et hallucinantes évoquent une atmosphère de cataclysme. Il est un représentant caractéristique du romantisme visionnaire anglais.

MARTIN (Henri). ♦ Historien français (Saint-Quentin, 1810 – Paris, 1883), auteur d'une œuvre importante en son temps, mais rapidement périmée par l'évolution de la science historique. Son *Histoire de France* (17 vol.; 1837-1854) accorde aux Celtes une influence excessive dans la genèse de la civilisation française.

MARTIN (Pierre). ♦ Ingénieur et industriel français (Bourges, 1824 – Fourchambault, Nièvre, 1915). Il perfectionna le four inventé par William Siemens*. Il pensa à utiliser le principe de la récupération des gaz chauds au four à sole pour la fusion de l'acier (1 700 °C environ). Il mit au point l'élaboration de l'acier sur sole en inventant un procédé d'affinage qui consiste en une fusion d'un mélange de fonte et de ferraille ou de minerai *(procédé Martin* ou *Siemens-Martin)* [**V. *aussi* Bessemer** et **Thomas**].

MARTIN (Germain). ♦ Économiste et homme politique français (Le Puy, 1872 – Paris, 1948). Républicain de gauche à la

Ph. Carlo Bevilacqua/Ricciarini

« Saint **Martin** partage son manteau », par **Simone Martini.** (Église Inférieure, Assise.)

Chambre des députés (1928), il fut plusieurs fois ministre. Il collabora à la publication de l'*Histoire de la nation francaise* (sous la direction de Hanotaux*, 1927) et publia de nombreux ouvrages sur l'histoire des finances de la France et, en collaboration, une étude sur *Le Chef d'entreprise; évolution de son rôle au XXe siècle* (1946).

MARTIN (Frank). ♦ Compositeur suisse (Genève, 1890 – Naarden, 1974). D'abord influencée par Franck, Fauré, Ravel, son œuvre a progressivement assimilé tous les procédés atonaux pour adopter enfin le langage sériel, conservant cependant une franchise d'accent qui fait son originalité. Cet effort de synthèse s'accompagne chez le musicien, résolu à sauvegarder les droits de sa sensibilité, d'une tension souvent dramatique. On lui doit notamment des œuvres lyriques et vocales (*Le Vin herbé*, d'après *Tristan et Iseult*, 1940), des oratorios (*In terra pax*, 1944; *Golgotha*, 1948; *Le Mystère de la Nativité*, 1959), de la musique symphonique (*Petite Symphonie concertante*, 1945), un opéra (*L'Orage*, 1955), de la musique de chambre, de scène, de ballet et des mélodies. Fixé en Hollande, F. Martin a enseigné ensuite au conservatoire de Cologne.

MARTIN (Archer John Porter). ♦ Biochimiste anglais (Londres, 1910). Inventeur, avec Synge*, de la chromophotographie de partage sur papier (1941), permettant l'analyse de substances en quantités très faibles. (Prix Nobel de chimie, 1952.)

MARTIN *(cap.). n. m.* ♦ Promontoire qui s'avance dans la Méditerranée à proximité de la station balnéaire de Roquebrune*-Cap Martin, entre Menton et Monaco (Alpes-Maritimes). Centre de villégiature.

MARTIN DE BRAGA *(saint).* ♦ (En Pannonie, 510-520 – Braga, 579). Moine, apôtre des Suèves de Galice qui étaient ariens, il devint évêque de Dumium (556) où il avait fondé un monastère, puis métropolitain de Braga, au Portugal (570). Fête le 20 mars.

MARTIN DU GARD (Roger). ♦ Écrivain français (Neuilly-sur-Seine, 1881 – Bellême, 1958). Bien que s'étant très vite consacré à la littérature, il puisa dans sa formation de chartiste (1903-1905) « une disposition d'esprit pour la recherche précise et la connaissance scientifique ». Après diverses tentatives (*Une vie de saint*, 1906, trilogie inachevée; *Devenir*, 1907, roman désavoué, ...) l'écrivain se retira à la campagne et y composa *Jean Barois* (1910-1913), roman d'un « honnête homme », partagé entre son adhésion à une raison laïque et matérialiste et un besoin mystique lié à la terreur du néant, évocation également du conflit moral engendré par l'affaire Dreyfus. Cet ouvrage à la technique originale (mêlant dialogues et indications scéniques) valut à son auteur l'estime des écrivains de la N.R.F. et l'amitié d'André Gide*, avec lequel Martin du Gard poursuivit une correspondance considérable (il y évoque dramatiquement un thème constant dans son œuvre : le problème de l'attitude devant la mort). Grand document sociologique retraçant minutieusement l'histoire de la crise politique et sociale avant la guerre de 1914-1918, la série des *Thibault** (9 vol., 1922-1940) évoque les luttes entre protestants et catholiques, conservateurs et révolutionnaires, conflits qui s'incarnent en deux frères, Antoine et Jacques, tous deux loyaux et liés par un « puissant atavisme commun », mais cherchant par des voies opposées et finalement vaines à donner un sens à leur vie. – Revenant à une technique classique pour évoquer la manière dont les personnages participent aux événements, Martin du Gard parvient à « mettre le lecteur en prise directe avec la scène » qu'il lui décrit, par un réalisme exact, fait de détails significatifs et cohérents. Évoquant avec intensité et par des moyens stylistiques discrets (qui annoncent parfois l'écriture de Camus) les problèmes de l'adolescence, de l'amour ou de la mort (les terribles descriptions médicales de l'agonie du père), les *Thibault* représentent sans doute l'apogée du roman post-balzacien en France. Cette tentative objective de l'art (Cf. l'épigraphe des *Souvenirs autobiographiques et littéraires*, 1935 : « Faire ressemblant est la seule excuse qu'on ait de parler de soi. ») n'exclut pas de hardies explorations psychologiques (Cf. *Le Cahier gris*), qualité que l'on retrouve dans une longue nouvelle, *Confidence africaine* (1931), dans le récit satirique *Vieille France* (1933) et dans les œuvres dramatiques, comme *Le Testament du père Leleu* (1914, farce paysanne montée par Jacques Copeau) ou *Un taciturne* (1931) qui évoque le thème de l'homosexualité. – On attend la publication des *Souvenirs du colonel Maumort* (1950), autobiographie fictive laissée inachevée. (Prix Nobel, 1937.)

MARTINET (André). ♦ Linguiste français (Albans-des-Villards, Savoie, 1908). Après des études d'anglais, puis de linguistique générale (il suivit l'enseignement de Meillet*), il subit l'influence de L. Hjelmslev* au Danemark, puis de Sapir* et de Bloomfield* aux États-Unis (1946-1955; époque où il fut professeur à l'université Columbia [New York] : 1947-1955). Spécialiste de phonologie, où il continue l'œuvre de Troubetskoy, il a publié *La Description phonologique du parler franco-provençal d'Hauteville (Savoie)* 1945, *Phonology as Fonctional Phonetics* (1949) et surtout *Économie des changements phonétiques* (1955), ouvrage qui fait de lui un maître de la phonologie diachronique. Il est l'auteur d'une initiation à la linguistique (*Éléments de linguistique générale*, 1960) et de nombreux articles théoriques *(La Linguistique synchronique)* et appliqués (*Le Français sans fard*, 1969).

MARTINET (Jean-Louis). ♦ Compositeur français (Sainte-Bazeille, 1912). Élève de la *Schola cantorum* et du conservatoire de Paris, il reçut aussi l'influence de R. Leibowitz et de l'école viennoise. Marquée d'abord par le dodécaphonisme, son œuvre témoigne d'une volonté de synthèse entre ces diverses tendances. Elle comprend un triptyque symphonique (*Orphée*, 1945), des pièces pour orchestre (*La Trilogie des Prométhées*, 1947; *Mouvements symphoniques*, 1954), de la musique chorale et des mélodies.

Ph. Carlo Bevilacqua/Ricciarini

Simone Martini : « Guidoriccio da Fogliano », détail. (Palais public, Sienne.)

MARTÍNEZ CAMPOS (Arsenio). ♦ Maréchal et homme politique espagnol (Ségovie, 1831 – Zaraus, 1900). Il déclencha le pronunciamento qui plaça Alphonse* XII sur le trône (1874) et se battit contre les carlistes* qu'il écrasa définitivement (1876). Nommé capitaine général, il pacifia Cuba (1877-1878), mais ne put faire appliquer les réformes promises aux Cubains. Rentré en Espagne, il continua à avoir un rôle et une influence politiques importants.

MARTÍNEZ DE LA ROSA (Francisco de Paula). ♦ Homme politique et écrivain espagnol (Grenade, 1789 – Madrid, 1862). Il prit part au mouvement national contre l'invasion française et fut élu en 1812 député libéral aux Cortès. Au retour de Ferdinand* VII, il fut exilé en Afrique (1814-1820), puis à Paris (1823-1834), où il fut marqué par le romantisme. Rappelé par Marie*-Christine en Espagne, il présida un cabinet qui établit la monarchie constitutionnelle par l'*Estatuto real* de 1834. Il écrivit en français deux drames romantiques : *La Conjuración de Venecia* (1830) et *Aben Humaya* (1834).

MARTINI (Simone DI MARTINO, dit **Simone MARTINI).** ♦ Peintre siennois (Sienne, v. 1282 – Avignon, 1344). Il exécuta pour sa ville natale une *Maestà* librement interprétée de Duccio*, sa première œuvre connue (1315) et, en 1328, la fresque commémorative du *Condottiere Guidoriccio da Fogliano* où apparaissent les thèmes chevaleresques, et son *Annonciation* de 1333, au lumineux dépouillement (Offices). Tôt célèbre hors de Sienne, appelé à Naples (v. 1317, *Couronnement de Robert d'Anjou)*, à Assise (v. 1326-1330, fresque à l'église inférieure), il partit en 1339 pour Avignon, où il rencontra Pétrarque* et étudia la peinture provençale (polyptyque « Stefaneschi », dispersé). Son art raffiné, occidental et gothique, privilégie le rôle décoratif de la surface colorée et le jeu expressif des lignes.

MARTINI (Giambattista, dit **il Padre, le Père).** ♦ Compositeur, historien et théoricien de la musique italienne (Bologne, 1706 – *id.*, 1784). Moine franciscain, il fut maître de chapelle à Saint-François de Bologne (1725). Il s'intéressa à tous les genres : musique sacrée (où il s'inspira de la polyphonie vocale du XVIe s), musique profane (*12 sonates d'orgue et de clavecin*, 1741, où il utilisa le contrepoint instrumental des XVIIe et XVIIIe s.), enfin opéra. Sa vaste culture lui valut d'être considéré comme la plus importante autorité musicale de son temps. Il fut le conseiller de musiciens tels que Jomelli, Jean-Chrétien Bach et Mozart, l'ami de Grétry, Gluck, Rameau, et le correspondant de Frédéric II. Il a publié une grande *Histoire de la musique* (3 vol., 1757-1781), œuvre inachevée qui se limita à la musique de l'Antiquité. À sa mort, les 17 000 volumes de sa bibliothèque ont été dispersés entre les bibliothèques des conservatoires de Bologne et de Vienne.

MARTINI (Jean-Paul) [J.-P. SCHWARTZENDORF dit]. ♦ Compositeur français, d'origine allemande (Freistadt, Palatinat, 1741 – Paris, 1816). Il se mit d'abord au service du roi Stanislas, à Nancy; il vint ensuite à Paris où il reçut la charge de maître de chapelle du prince de Condé, puis du comte d'Artois. Nommé inspecteur des études au Conservatoire, sous la Révolution (1795), il fut encore surintendant de la Chapelle royale sous Louis XVIII. Il a composé des opéras-comiques, de la musique de chambre, religieuse et militaire. Une romance célèbre, *Plaisir d'amour*, a assuré sa gloire.

MARTINI (Vicente MARTÍN Y SOLER, dit). ♦ Compositeur

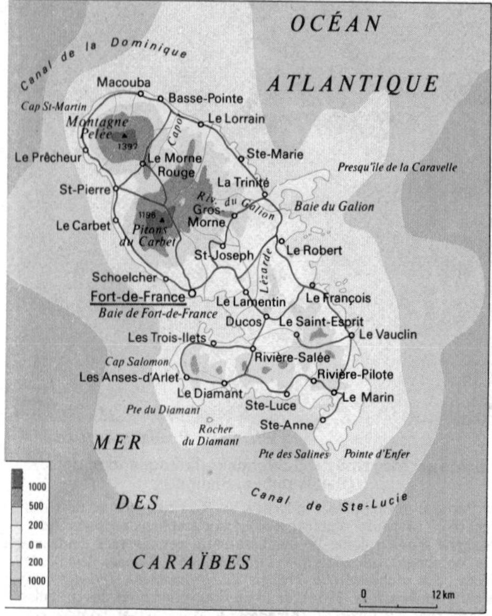

Martinique.

espagnol (Valence, 1754 – Saint-Pétersbourg, 1806). Au service de plusieurs familles princières, il séjourna dans un grand nombre de capitales européennes, composant surtout des opéras. Il fut un temps le rival de Mozart, à Vienne (1786). À la demande de Catherine II, il vint diriger à Saint-Pétersbourg l'opéra italien (1788-1801), mais la vogue de l'opéra français entraîna sa disgrâce. Il mourut dans la misère.

MARTINIQUE. *n. f.* ♦ Île des Petites Antilles* (îles au Vent*), formant un département français. Située à 7 000 km de la France, au S. de la Guadeloupe* dont elle est séparée par l'île Dominique, elle est baignée à l'E. par l'Atlantique et à l'O. par la mer des Caraïbes. Elle est moins étendue que la Guadeloupe (1 100 km²), mais plus peuplée (324 000 hab. en 1968, en majorité des mulâtres). [*Martiniquais*]. *Ch.-l.* Fort*-de-France. *Autres villes.* **V. François** *(Le),* **Lamentin** *(Le),* **Rivière-Pilote, Robert** *(Le),* **Sainte-Marie, Schoelcher.** – Unité monétaire : le franc. – *Orogr.* L'île est formée par un massif montagneux au N. (montagne Pelée*), de riches plaines au centre et des collines au sud. Elle est couverte de forêts de type équatorial (1/3 du pays), et de savanes où pâture le bétail (bovins, ovins, porcins). – Le climat, tropical, humide, subit l'influence des alizés. – *Écon.* Le sol, de caractère volcanique, est favorable à la culture extensive. Grandes plantations de canne à sucre, concentrées entre les mains de quelques grosses entreprises à caractère familial, bananes, ananas. Autres cultures : café, cacao, épices. Les cultures vivrières sont insuffisantes. Les exportations se font en direction de la France et des États-Unis (sucre, bananes, rhum, ananas). Les industries, comme dans toutes les Antilles, sont les sucreries, les distilleries de rhum et posent un problème de débouchés. La surpopulation de l'île est cause d'une forte émigration en direction de la métropole. L'équipement touristique s'est récemment développé. ♦ *Hist.* Découverte par Colomb en 1502, la Martinique fut colonisée en 1635 par la France, qui utilisa une main-d'œuvre d'esclaves africains. Elle fut occupée à deux reprises par les Anglais (1762 et 1794), subit le contrecoup de la Révolution française, et dut faire face au problème de l'esclavage et à la révolte des Noirs. En 1946, elle fut, comme la Guadeloupe, érigée en département français d'outre-mer.

MARTINON (Jean). ♦ Compositeur et chef d'orchestre français (Lyon, 1910 – Paris, 1976). Élève de A. Roussel et de Ch. Munch, il a poursuivi une brillante carrière de chef d'orchestre, dirigeant les Concerts Lamoureux, l'Orchestre philarmonique de Londres, l'Orchestre national. Il a assuré la direction générale de la musique à Düsseldorf, puis à Tel-Aviv. Son œuvre comprend de la musique symphonique *(3 symphonies, Concerto lyrique),* un opéra *(Hécube),* des pièces de musique de chambre et chorale (psaumes) et des mélodies.

MARTINOZZI (Laura). ♦ Duchesse de Modène (Fano, 1640 – Rome, 1687). Nièce de Mazarin, elle épousa en 1653 le duc Alphonse IV de Modène. En 1673, elle maria sa fille, Béatrice d'Este, au duc d'York, le futur Jacques II d'Angleterre. Louis XIV devait marquer son passage en France par des fêtes somptueuses. De retour à Modène, Laura Martinozzi laissa le pouvoir à son fils alors âgé de quatorze ans (1674) et se retira à Rome.

MARTINS (Joaquim Pedro de OLIVEIRA). ♦ Écrivain et homme politique portugais (1845 – 1894). Il dispersa son activité dans tous les domaines et laissa une œuvre inégale dont on extrait en général un roman considéré comme son chef-d'œuvre : *Les Fils de Jean Ier* (1891).

MARTINŮ (Bohuslav). ♦ Compositeur tchèque (Polička, Bohême, 1890 – Liestal, Suisse, 1959). Enfant prodige, violoniste de qualité, il fut l'élève de J. Suk et ses premières œuvres révèlent l'influence du folklore tchèque auquel il demeura attaché sa vie durant. Venu à Paris (1923), il y reçut l'enseignement de Roussel et de Stravinski, fréquenta le groupe des Six et se lia d'amitié avec Honegger. Ces rencontres modifièrent profondément son style, désormais très personnel et remarquable autant par la véhémence du rythme que par l'audace du langage. Il devint alors l'un des plus brillants représentants de l'École de Paris (qu'il fonda avec T. Harsanyi, M. Mihalovici, A. Tansman et A. Tcherepnine). Il émigra aux États-Unis (1940) et ne revint en Europe qu'après la guerre. Parmi ses compositions, on retiendra des mouvements symphoniques *(Half-time, La Bagarre),* des opéras et opéras-comiques *(Le Soldat et la Danseuse, Mirandolina, Ariane),* plusieurs *concertos* (pour clavecin, piano, violon, flûte, alto), six *symphonies,* une *Messe* de plein air, pour chœurs d'hommes et fanfares, de nombreux ouvrages de musique de chambre (quatuors, trios, quintettes, sextuor, sérénades), de ballet, de film et des mélodies.

MARTIUS (Karl Friedrich Philipp *von***).** ♦ Voyageur et botaniste allemand (Erlangen, 1794 – Munich, 1868). Il a donné le récit de son voyage au Brésil (*Reise nach Brasilien,* 1817-1820) où il décrit la vie des tribus amazoniennes, et publié une *Flora Brasiliensis* (1829).

MARTONNE (Emmanuel *de***).** ♦ Géographe français (Chabris, 1873 – Sceaux, 1955). Il publia un *Traité de géographie physique* (1909) et étudia particulièrement la morphologie des Alpes, l'érosion des glaciers, l'évolution des formes du relief (sous l'influence du climat). Il participa à la rédaction de la *Géographie universelle* **(V. Vidal de La Blache)** pour l'Europe centrale (1931). Auteur d'une *Géographie aérienne* (1948), il dirigea la publication de l'*Atlas de France.* (Acad. sc., 1942.)

MARTOV (Jouli Ossipovitch Zederbaum, dit**).** ♦ Homme politique russe (Constantinople, 1873 – Schömberg, Allemagne, 1923). Social-démocrate, rédacteur du journal marxiste *l'Iskra* (*l'Étincelle,* 1900), fondé par Lénine* et Plekhanov, il prit la tête de la fraction menchevique (1903). Défavorable au pouvoir des soviets après la révolution d'octobre 1917, il émigra en 1920.

MARTY (André). ♦ Homme politique français (Perpignan, 1886 – Toulouse, 1956). Officier mécanicien sur un bâtiment de la flotte envoyée en mer Noire contre les bolcheviks, il fut le chef de la mutinerie de 1919. Amnistié en 1923, élu député, il joua un rôle important dans la direction du Parti communiste français. Durant la guerre civile espagnole, il fut inspecteur des brigades* internationales. Réfugié en U.R.S.S. pendant la Deuxième Guerre mondiale, il retrouva son siège de député, mais fut exclu du Parti communiste en 1953.

MARTYNOV (A. Piker). ♦ Homme politique russe (1865 – 1935). Leader des « économistes » critiqués par Lénine*, il fut menchevik jusqu'à la révolution socialiste (oct. 1917). Admis au Parti communiste (1924), il participa à la rédaction de la revue *l'Internationale communiste.*

Martyrs (Les) ou **Le Triomphe de la religion chrétienne.** ♦ Épopée en prose de Chateaubriand* (1809) destinée à illustrer les thèses du *Génie* du christianisme* sur la supériorité de cette religion. En relatant la rencontre de la païenne Cymodocée et du chrétien Eudore, Chateaubriand évoque la confrontation, au IIIe s., de deux religions, c'est-à-dire de deux morales et de deux civilisations. L'œuvre contient de poétiques tableaux (apparition de Velléda) et des scènes épiques (les Francs de Pharamond), évoquant les premiers temps de l'histoire de France.

MARVEJOLS [maʀvəʒɔl]. ♦ Ch.-l. de cant. de la Lozère (arr. de Mende), situé dans la vallée de la Colagne, en lisière du Gévaudan. 5 367 hab. *(Marvejolais).* De son passé de ville forte, la V. conserve trois portes fortifiées (XIVe s.), des vestiges de remparts et des maisons pittoresques. Hôtels du XVIIe s. Station estivale. – Indus. textile (laine). Indus. alimentaires (conserveries) et du cuir.

MARVELL (Andrew). ♦ Écrivain satirique anglais (Winestead, Yorkshire, 1620 – Londres, 1678). Adjoint à Milton* comme secrétaire de la Maison de Cromwell, il fut nommé membre du Parlement où il siégea jusqu'à la fin de sa vie, et fut chargé de diverses missions à l'étranger. Il laissa derrière lui des recueils de poésie, mais surtout des pamphlets incisifs qui lui valurent un grand nombre d'ennemis.

MARWÂN II. ♦ Calife 'Umayyade* (règne de 744 à 749). Il fut destitué par Abû* al-Abbas, fondateur de la dynastie 'abbâside* (749). **V. 'Umayyades.**

MARX (Karl). ♦ Philosophe, économiste et homme politique allemand (Trèves, 1818 – Londres, 1883). D'une famille bourgeoise, il étudia le droit, l'histoire et la philosophie, découvrit la pensée de Hegel (sa dialectique), puis celle de Feuerbach* et fréquenta les « jeunes hégéliens » **(V. Hégélianisme** et **B. Bauer).** Après sa thèse sur Démocrite et Épicure (1841), il fut rédacteur puis directeur de la *Gazette rhénane.* Installé à Paris avec sa femme Jenny von Westphalen (1843-1845), il dirigea avec A. Ruge* les *Annales franco-allemandes* où parurent *Sur la question juive* et la *Contribution à la critique de la philosophie du droit de Hegel* (1844). Avec Engels* qui le rejoignit à Bruxelles (1845), il critiqua l'idéalisme et le matérialisme mécaniste, formulant les bases du matérialisme historique et affirmant la nécessité d'un dépassement de la philosophie théorique et d'une transformation radicale de la société (*La Sainte Famille,* 1845; *L'Idéologie* allemande,* 1846, non publiée alors). Dans *Misère* de la philosophie* (1847), Marx mit en question le socialisme « petit-bourgeois » de Proudhon*. Pour la Ligue des justes (puis des communistes) à laquelle ils avaient adhéré, Marx et Engels rédigèrent le *Manifeste* du parti communiste* (1848). Après un bref séjour à Paris (1848), puis à Cologne, Marx se fixa définitivement à Londres (1849), où il poursuivit ses travaux d'économie (*Travail salarié et Capital,* 1849; *Contribution* à la critique de l'économie politique,* 1859; le premier tome du *Capital**, 1867, **V. Engels**) et d'histoire (*Les Luttes de classes en France,* 1849-1850; *Le 18 Brumaire de Louis Bonaparte,* 1852). À la tête de la Ire Internationale (créée en 1864), il joua un rôle éminent dans le mouvement ouvrier, s'opposant aux tendances anarchistes et réformistes (partisans de Bakounine* et de Proudhon), donnant une analyse sur la Commune de Paris dans *La Guerre civile en France en 1871,* et suivant le développement des partis socialistes en Europe, en particulier de la social-démocratie allemande **(V. Lassalle** et **W. Liebknecht)** dont il critiqua les positions réformistes *(Critique* des programmes de Gotha et d'Erfurt,* avec Engels, 1875-1891). — Dans la doctrine de Marx, le matérialisme historique fait des forces productives et des rapports de production (division du travail) la base du régime social, c.-à-d. de la division de la société en classes opposées, et celle des superstructures juridiques, politiques (l'État comme instrument de la classe matériellement dominante) et idéologiques (religion, philosophie, etc.), superstructures qui exercent une action en retour sur l'infrastructure économique et sociale. En se développant, les forces productives entrent en conflit avec les rapports sociaux et politiques : contradictions qui s'expriment dans la lutte des classes, ainsi celle qui oppose bourgeois et prolétaires dans le système capitaliste. Dépassant les analyses de l'économie politique classique sur la valeur d'échange des produits, et sur le salaire naturel **(V. Ricardo),** Marx étudia les mécanismes de l'économie capitaliste (faire valoir le capital par l'échange). Il expliqua la formation de la plus-value par l'exploitation de la force de travail de l'ouvrier (surtravail impayé, ou sans contre-valeur) et du profit réalisé par le capitaliste (rapport de la plus-value sur le capital total), ainsi que l'accumulation du capital (plus-value accumulée). Il put ainsi étudier le développement des « contradictions » de ce système : la baisse tendancielle du taux de profit, car l'augmentation de la productivité du travail accroît plus vite le capital constant (valeur des moyens de production) que le capital variable (valeur de la force de travail, source de la plus-value), les crises périodiques de surproduction, la concentration du capital entre les mains d'une classe toujours plus restreinte, la formation d'une surpopulation relative de travailleurs (chômage) et la paupérisation accrue de leur classe. Ces contradictions, toujours selon Marx, ne peuvent se résoudre que par la transformation de la société capitaliste en société socialiste, par l'appropriation collective des moyens de production, révolution dont l'agent sera le prolétariat dont la dictature est la phase transitoire nécessaire vers la société communiste sans classe et donc sans État. Conception matérialiste et dialectique de l'histoire, le marxisme contient les principes théoriques d'une praxis révolutionnaire.

Ph. Hubert Josse

Karl Marx. Gouache de Schaumann. (Musée communiste, Prague.)

MARX (Wilhelm). ♦ Homme politique allemand (Cologne, 1863 — Bonn, 1946). Élu député du centre catholique (1920), il devint chancelier de la république de Weimar* (1923-1924). Partisan de la conciliation dans le règlement des réparations (**V. Versailles** [*traité de*]), il soutint la politique de son ministre Stresemann* et favorisa la relance de l'économie allemande. Après son échec aux élections présidentielles de 1925, il fut à nouveau chancelier (1926-1928).

MARX BROTHERS. ♦ Acteurs américains de cinéma, d'origine allemande. Fils de Samuel Marks, tailleur à New York, Léonard (dit CHICO, 1891 — 1961), Arthur (dit HARPO, 1893 — 1964) et Julius (dit GROUCHO, 1895) débutèrent très tôt au music-hall dans la parodie puis dans un numéro de clowns musicaux, en compagnie de trois autres de leurs frères, dont Herbert (dit ZEPPO, 1901, qui les quittera en 1935). Véritables auteurs de tous leurs films qui ne furent à l'origine que la transposition de leurs spectacles, ils ont introduit au cinéma l'univers de l'absurde, avec sa poésie délirante et son utilisation burlesque du langage. Fils de la *commedia dell'arte,* ils furent les champions d'une critique nihiliste, très affadie dans leurs derniers films. Réal. princ. *Noix de coco* (*Cocoanuts,* 1929), *Monnaie de singe* (*Monkey Business,* 1931), *Soupe au canard* (*Duck Soup,* 1933), *Une nuit à l'Opéra* (*A Night at the Opera,* 1935), *Un jour aux courses* (*A Day at the Races,* 1936), *Panique à l'hôtel* (*Room Service,* 1938), *Une nuit à Casablanca* (*A Night in Casablanca,* 1946).

MARY [*puy*]. *n. m.* ♦ Montagne volcanique du massif du Cantal (départ. du Cantal) qui s'élève au-dessus d'affl. de la Rue et de la Cère*. 1 787 m.

MARY (jusqu'en 1937 **Merv**). ♦ V. d'U.R.S.S. (Türkmenistan*), dans le delta du Murgâb*, et sur le canal du Karakoum*. 54 000 hab. Culture et égrenage du coton, traitement du cuir, indus. alimentaires.

MARYLAND. *n. m.* (du nom de Henriette *Mary,* femme de Charles Ier). ♦ État de l'E. des États-Unis, limité au N. par la Pennsylvanie, à l'E. par le Delaware et par l'Atlantique. 31 296 km². 3 100 000 hab. (1960). *Cap.* **V. Annapolis.** *V. princ.* **V. Baltimore.** Le district fédéral de Columbia **(V. Washington)** est enclavé dans l'État, à la frontière de la Virginie. — *Orogr.* L'O., qui forme une étroite bande entre la Pennsylvanie et la Virginie-Occidentale, est occupé par les Appalaches. La zone du Piedmont (piedmont appalachien) est un peu plus large. La majeure partie de l'État, autour de la baie de Chesapeake*, est constituée par une portion de la plaine côtière atlantique, découpée en rias par l'ennoyage postglaciaire. — *Écon.* L'agriculture est basée sur les céréales et l'élevage laitier (Piedmont et Appalaches), sur les cultures maraîchères dans la plaine côtière et sur le tabac dans le Sud. Pêche active. Houille (Appalaches). Indus. lourde, autour de la baie de Chesapeake, permettant l'importation de matières premières **(V. Baltimore)** : sidérurgie, métallurgie, raffineries de pétrole, indus. chimiques, etc. — Université. Patrie de G. Calvert, Fr. Douglas. ♦ *Hist.* Le territoire, exploré en 1603, fut concédé par Charles Ier à George Calvert (1632). Son fils Cecilius, 2e lord Baltimore et catholique, la colonisa. Après des luttes entre catholiques et puritains, la colonie, devenue anglicane, fut réunie à la Couronne (1688). Prospère de par sa situation maritime (constructions navales), le Maryland se déclara indépendant dès 1776, adopta la constitution en 1788. Pendant la guerre de Sécession, les centres agricoles du sud étaient favorables aux *sudistes,* mais l'État resta dans l'Union et Lee fut repoussé par les *nordistes* à Antietam (1862).

MASACCIO (Tommaso di Ser Giovanni, surnommé**).** ♦ Peintre italien (San Giovanni Valdarno, 1401 — Rome, 1428). Considéré comme le « créateur de la peinture » (Vasari, Stendhal), comme le peintre qui rendit impossible tout retour en arrière (Delacroix), il accomplit en peinture cette renaissance que ses amis Brunelleschi* et Donatello* avaient commencée en architecture et en sculpture, mais ne fut pas immédiatement compris. Ses œuvres les plus certaines sont la *Trinité* de Sainte-Marie-Nouvelle (Florence, 1426), un retable pour l'église pisane du Carmine (1426, dispersé) et, au Carmine de Florence, les célèbres fresques de la chapelle Brancacci (1427-1428), effectuées avec Masolino* da Panicale au cours d'une collaboration dont on ignore les conditions exactes, mais qui dut commencer v. 1424 (*Madone avec sainte Anne,* Offices). Dans les fresques de la chapelle Brancacci, on attribue à Masaccio *Adam et Ève chassés du Paradis, Le Paiement du tribut, Le Baptême des néophytes, Saint Pierre faisant l'aumône, Saint Pierre guérissant les malades avec son ombre,* et *La Résurrection du fils du roi d'Antioche et l'Intronisation de saint Pierre,* scène achevée par Filippino Lippi*. Masaccio a introduit en peinture l'ample vision du sculpteur donatellien, en accordant un rôle prépondérant à la lumière : uniforme, unidirectionnelle, « terrestre », elle assure avec la composition et la perspective, parfaitement maîtrisées, la cohérence d'un espace construit pour paraître au spectateur le prolongement du monde réel (Masaccio mit en perspective même les auréoles); traduite en touches dynamiques, elle régit l'émergence des masses, tourne sur les volumes, distribue les couleurs et les ombres (clair-obscur); elle est l'instrument aussi de la vision très synthétique du peintre qui, en lui faisant découvrir seulement l'essentiel, a retrouvé la grandeur « héroïque » qu'on avait vue chez Giotto*.

MASAÏS ou **MASSAÏS.** *n. m. pl.* ♦ Population nilo-hamitique

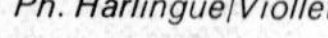

Ph. Harlingue/Viollet

Gaston Maspéro.

Ph. Harlingue/Viollet

Tomas Masaryk.

du Kenya* et de la Tanzanie*, pasteurs de type fortement hamite.

MASAN. ♦ V. de Corée du Sud et port de commerce sur le détroit de Corée, à l'O. de Busan. 100 000 hab. Indus. diverses, pêcheries.

MASANIELLO (Tommaso ANIELLO, dit). ♦ Révolutionnaire napolitain (Amalfi, 1620 – Naples, 1647). Ayant pris la tête d'une révolte contre l'autorité espagnole, il s'empara de la ville. Le vice-roi, obligé de traiter avec lui, le fit assassiner.

MASARYK (Tomas Garrigue). ♦ Homme politique tchécoslovaque (Hodonin, Moravie, 1850 – château de Lany, près de Prague, 1937). Professeur de philosophie à l'université de Prague (1882), il se fit connaître comme sociologue, fut député jeune-tchèque au Reichsrat autrichien (1891). Il s'exila en 1914 et organisa la légion tchécoslovaque qui combattit du côté des Alliés. Il fut élu président du gouvernement provisoire tchécoslovaque en 1917 puis président de la République (1918) et fit promulguer la constitution de 1920 qui lui donnait de grands pouvoirs. Il s'opposa au rattachement des Sudètes à l'Allemagne et refusa l'autonomie aux Slovaques. Il mena une politique de rapprochement avec la France, l'U.R.S.S. et avec la Petite-Entente (Roumanie et Yougoslavie). Réélu en 1927 puis en 1934, il renonça au pouvoir en 1935 pour raisons de santé et laissa le gouvernement à son collaborateur Beneš*. – Auteur de *Mémoires.* ♦ Son fils JAN MASARYK (Prague, 1886 – *id.,* 1948) fut ministre des Affaires étrangères dans le cabinet tchèque, en exil à Londres (juil. 1940), puis à Prague. Représentant de la Tchécoslovaquie à la conférence de San Francisco, il fut ensuite membre du cabinet Gottwald. Il se suicida lorsqu'il comprit que la politique soviétique déterminait le destin de son pays.

MASAYA. ♦ V. du Nicaragua (Amérique centrale), ch.-l. de dép., située entre les lacs Managua et Nicaragua. 35 000 hab. environ. La ville est traversée par la route panaméricaine et la voie ferrée Puerto* Morazán-Granada.

MASBATE. ♦ Île et province des Philippines, située au S. de l'île de Luçon*. 4 000 km². Près de 500 000 hab. C'est une des îles les plus peuplées de l'archipel. Culture de l'abaca et élevage de bovins. Quelques mines d'or et de cuivre.

MASCAGNI (Pietro). ♦ Compositeur italien (Livourne, 1863 – Rome, 1945). Il dut une célébrité soudaine à un opéra en un acte, *Cavalleria rusticana* (1890). Créateur, avec cet ouvrage d'un nouveau style, violent et rapide, le mélodrame vériste, il écrivit encore d'autres drames lyriques *(L'Amico Fritz, Le Maschere Nerone)* qui ne recueillirent qu'un médiocre succès.

MASCARA. ♦ V. d'Algérie, ch.-l. d'arr. du dép. de Mostaganem, située sur un plateau du Tell occidental. 52 900 hab. Vins de « montagne » réputés. Patrie d'"Abd*-al-Qâdir qui y installa son quartier général; prise par Clauzel en 1835, la ville fut rendue après le traité de la Tafna* (1837) avant d'être reprise par Bugeaud (1841).

MASCAREIGNES *(îles). n. f. pl.* ♦ Archipel de l'océan Indien, formé principalement par l'île Maurice* et l'île de la Réunion*.

MASCARENHAS (Pedro). ♦ Navigateur portugais du XVe-XVIe s. qui a, sans doute, exploré les Mascareignes* (Réunion et île Maurice) vers 1513.

Mascarille. ♦ Personnage de comédie créé par Molière*, type de valet d'humeur joyeuse et d'esprit inventif. Il apparaît dans *L'Étourdi*, Le Dépit* amoureux* et *Les Précieuses* ridicules.*

MASCARON (Jules). ♦ Prélat et prédicateur français (Marseille, 1634 – Agen, 1703). Il prêcha plusieurs fois à la Cour et y prononça des *Sermons.* Ses *Oraisons funèbres* (notamment celle de Turenne*, et celle de Pierre Séguier*, chancelier de France, 1672) offrent des accents vigoureux et une éloquence abondante qui le rapprochent de Fléchier* et de Bourdaloue*.

MASCART (Éleuthère). ♦ Physicien français (Quarouble, 1837 – Poissy, 1908). Il mit expérimentalement en évidence l'inexistence d'effets du premier ordre de « vent d'éther » [1874] **(V. Michelson).** On lui doit encore des études sur le spectre ultra-violet et un électromètre à quadrants.

MASCATE ou **MASQAT** (anc. **Sohar**). ♦ V. portuaire, cap. du sultanat d'Oman (principauté d'Arabie), qui s'étend au pied du djebel Hajar*, sur le golfe d'Oman, à quelques kilomètres du point d'aboutissement de l'oléoduc de Fahud **(V. Mina al-Fahal).** Env. 10 000 hab. Port de commerce actif. Protégée par un mur d'enceinte, la ville a conservé son caractère médiéval et abrite la résidence du sultan qui règne sur le territoire de l'Oman, la province S. du Dhofar* et l'île de Masirah*.

MASCATE-ET-OMAN *(sultanat de),* en ar. **Masqat oua 'Umân,** en angl. **Muscat and Oman.** ♦ Nom porté jusqu'en juil. 1970 par le sultanat d'Oman*.

MAS [mas]-**D'AGENAIS (Le).** ♦ Ch.-l. de cant. du Lot*-et-Garonne, arr. de Marmande*, sur la Garonne. 1 384 hab. Église romane possédant un *Christ en croix* de Rembrandt.

MAS [mas]-**D'AZIL (Le).** ♦ Ch.-l. de cant. de l'Ariège*, arr. de Pamiers*, sur l'Arize. 1 682 hab. Station préhistorique. Grotte creusée par l'Arize (420 m de long, 50 m de large, 65 à 140 m de haut) où l'on a trouvé des objets préhistoriques. Gravures préhistoriques de l'époque magdalénienne; ossements. Chapelle chrétienne du IIIe siècle. ♦ *Hist.* La grotte a servi de refuge aux premiers chrétiens, aux cathares et aux huguenots.

MASEFIELD (John Edward). ♦ Poète, dramaturge et romancier anglais (Ledbury, Herefordshire, 1878 – Abingdon, Berkshire, 1967). Après une jeunesse errante – Masefield était mousse sur un voilier, époque qu'il évoqua dans *Odtaa* (1926) – il collabora au *Spectator* et au *Manchester Guardian,* publiant *Les Ballades de la mer* (*Salt Water Ballads,* 1902), puis des *Ballades et Poèmes* (1910) d'un grand lyrisme. La critique fut déconcertée par le réalisme cru de ses autres poèmes : *La Miséricorde éternelle* (*The Everlasting Mercy,* 1911), *La Veuve de Bye street* (*The Widow in the Bye Street,* 1912), *Dauber* (1913). Son récit en vers sur la chasse, *Goupil le Renard* (*Reynard the Fox,* 1919), est rempli de réminiscences chaucériennes. La *Tragédie de Nan* (1909), marquée par le goût de l'horrible, valut à Masefield sa réputation de dramaturge. Il écrivit aussi des récits de guerre en prose : *L'Ancienne Première Ligne* (1917) et *La Bataille de la Somme* (1917), et une étude sur Shakespeare (1929). Son autobiographie, *Une très longue expérience,* parut en 1952.

MASERU. ♦ Cap. du Lesotho* à l'E. du pays, reliée à Bloemfontein* (Afrique du Sud) par voie ferrée. 18 000 habitants.

MASEVAUX. ♦ Ch.-l. de cant. du Haut-Rhin* (arr. de Thann), sur la Dollern au pied des Vosges. 3 473 hab. *(Masopolitains).* Reste de remparts du XIIIe siècle. Filatures de coton. ♦ *Hist.* Ch.-l. de l'Alsace française pendant la Première Guerre mondiale.

MASHERBRUM. *n. m.* ♦ Sommet de l'Himâlaya* (8 000 m), dans le Cachemire*, situé au S.-O. du Dapsang.

MASINISSA ou **MASSINISSA.** ♦ Roi des Numides orientaux (v. ~ 240 – ~ 149). D'abord allié de Carthage qu'il seconda dans sa lutte contre Rome en Espagne (seconde guerre Punique*), il choisit ensuite l'alliance romaine et favorisa le débarquement en Afrique de Scipion* l'Africain (~ 204). Après avoir dépouillé de ses États Syphax*, roi des Numides occidentaux, il contribua à la victoire de Zama* (~ 202). En Numidie, il encouragea la sédentarisation des nomades et l'urbanisation, et diffusa la civilisation punique et les cultes helléniques agraires dans les campagnes. À sa mort, au début de la troisième guerre Punique*, son fils Micipsa* hérita d'un puissant royaume, s'étendant de la Moulouya à la frontière carthaginoise.

MASIRAH *(île de). n. f.* ♦ Île du sultanat d'Oman* (Arabie), proche des côtes de la principauté dans la mer d'Oman. Base aérienne britannique.

MASJID-I-SULAIMÂN. ♦ V. d'Iran occidental (VIe province). 55 000 hab. C'est le plus ancien centre pétrolier du pays, mis en exploitation en 1908, relié à Abadan par pipe-line. – À proximité, restes de constructions de l'époque achéménide.

MASO DI BANCO. ♦ Peintre florentin (2e quart du XIVe s.). Il fut l'un des principaux disciples de Giotto* et peignit les fresques de la chapelle Bardi à l'église Santa Croce (Florence) : *Scènes de la vie de saint Sylvestre, Jugement dernier* (v. 1343). Il faut sans doute le distinguer de Giottino, avec qui certains l'identifient.

MASOLINO da Panicale (Tommaso di Cristoforo Fini, dit). ♦ Peintre italien (Panicale di Valdarno, 1383 – ?, av. 1447). Formé à Florence dans le plein épanouissement du style international, il manifesta un grand intérêt pour les préoccupations nouvelles (perspective, modelé) sans pourtant renoncer aux schèmes gothiques, même s'il changea notablement sa manière pendant sa collaboration avec Masaccio* (1424-1428), interrompue par un voyage en Hongrie (1425-1427). Il travailla avec le jeune peintre à la chapelle Brancacci (*Guérison de l'infirme* et *Résurrection de Tabithe*) puis à Rome (San Clemente). À Todi (San Stefano, 1432), et à Castiglione d'Olona (baptistère et collégiale, 1435), où il a laissé d'intéressants paysages, il revint à plus de pittoresque et de lyrisme.

MASPÉRO (Gaston). ♦ Égyptologue français (Paris, 1846 – 1916). Venu en Égypte en 1880, il y dirigea le musée de Boulaq et organisa de nombreuses fouilles [momies royales de Deir el-Bahari, 1886; sphinx de Gizeh, 1886; temple de Louxor, etc.]. (*L'Archéologie égyptienne,* 1887; *Histoire ancienne des peuples d'Orient,* 1894-1899). ♦ HENRI MASPÉRO, son fils. Sinologue français (Paris, 1883 – en déportation à Buchenwald, 1945). Professeur à l'École française d'Extrême-Orient (1911), il a étudié les langues et religions de l'Asie du Sud-Est et publia, entre autres, un ouvrage sur l'histoire de *La Chine antique* (1927).

Masque de fer *(le)*. ♦ Surnom donné à un prisonnier d'État mystérieux interné successivement au donjon de Pignerol, au fort de l'île Sainte-Marguerite, enfin à la Bastille, où il mourut en nov. 1703. Le visage entièrement dissimulé sous un masque muni, selon la tradition, d'une fermeture en acier, le prisonnier, qu'on enterra sous le nom de Marchioli, ne fut jamais identifié. Il semble que sa légende soit née du cas qu'en fit Voltaire, notamment dans le *Siècle de Louis XIV*. On vit alors tour à tour en l'homme masqué le surintendant Fouquet, un frère jumeau de Louis XIV, un fils illégitime de Mazarin et d'Anne d'Autriche ou encore de Louis XIV et de Mlle de la Vallière. Il pourrait s'agir du comte Mattioli, ministre du duc de Mantoue.

MASSA. ♦ V. d'Italie, en Toscane*, au pied des Alpes Apuanes et appartenant à la prov. de Massa et Carrare. 57 000 hab. Important centre d'exploitation du marbre, le second d'Italie après Carrare*. ♦ *Hist.* La ville fut érigée en duché en 1664. Napoléon le donna à sa sœur Élisa Bonaparte* en 1806. Il fut annexé par le Piémont en 1859.

MASSACHUSETTS. *n. m.* ♦ État du N.-E. des États-Unis (Nouvelle-Angleterre), sur la côte atlantique. 21 408 km². 5 148 578 hab. (1960). *Cap* **V. Boston.** *V. princ.* **V. Cambridge, Fall River, Lowell, Lynn, New Bedford, Newton, Springfield, Worcester.** *Autres V. et sites* **V. Concord, Lexington, Nantucket, Plymouth, Salem, Somerville.** — *Orogr.* L'État présente un échantillon des traits de la Nouvelle-Angleterre; de l'O. vers l'E., montagnes appalachiennes *(Green Mountains)*, vallée du Connecticut, zone de collines et de vallées *(Housatonic)*, plateau descendant doucement vers la plaine côtière. La côte est prolongée à l'E. par les restes de reliefs glaciaires ennoyés (**V. Cod** [cap]). — *Hydrogr.* **V. Connecticut, Merrimack.** — *Écon.* L'agriculture est surtout maraîchère; élevage laitier; œufs. Carrières de granite. Indus. mécaniques, électriques, alimentaires; imprimerie, cuir (chaussures), surtout à l'E., autour de Boston*. — Universités (dont Harvard*) et instituts techniques et scientifiques. — Patrie de P.W. Bridgman*, W. Bryant*, W. Coolidge*, Granville Hall, Clarence Lewis*, Benjamin Rumford*, S. Morse*, E.L. Thorndike*, Ed. C. Tolman*. ♦ *Hist.* Les 120 « pèlerins » du *Mayflower* fondèrent le premier établissement à Plymouth* en 1620. De nombreux puritains anglais s'installèrent dans la colonie (charte de 1629) établissant un régime théocratique et parfois persécuteur **(V. Salem).** Boston* prit au XVIIIe s. la tête du mouvement d'indépendance, et la guerre d'Indépendance commença dans la colonie **(V. Bunker Hill, Lexington).** Bien que particulariste, le Massachusetts ratifia la constitution en 1788. Au XIXe s., l'État, et notamment Boston, fut le centre intellectuel du pays.

Massacre des Innocents. ♦ V. INNOCENTS (saints).

MASSADA. ♦ V. historique de l'État d'Israël, située au N. de Sodome, à proximité de la mer Morte. Elle fut une forteresse d'Hérode, et les zélotes s'y réfugièrent après la prise de Jérusalem par les Romains et la destruction du Temple (70).

MASSAGÈTES. *n. m. pl.* ♦ Population scythe, établie v. le ~ VIIIe s. entre les cours inférieurs de l'Amou*-Daria et du Syr*-Daria. Les Massagètes repoussèrent les attaques de Cyrus* le Grand et de Darios (~ VIe s.), mais furent soumis par Alexandre* le Grand **(V. *aussi* Tomyris).**

MASSAOUA ou **MASSAWA.** ♦ V. et port d'Éthiopie, en Érythrée (plus de 17 000 hab.). Débouché maritime de l'Éthiopie sur la mer Rouge. — Base italienne pendant la campagne d'Éthiopie (1894-1896 et 1935-1936).

MASSÉ (Victor). ♦ Compositeur français (Lorient, 1822 — Paris, 1884). Professeur au Conservatoire (1866-1880), il a surtout composé pour le théâtre (*Galatée*, 1852; *Les Noces de Jeannette*, 1853; *Paul et Virginie*, 1876). Ces opéras-comiques, d'un style aimable, ont connu une longue popularité.

MASSÉ (Pierre). ♦ Ingénieur et économiste français (Paris, 1898). Directeur de l'équipement de l'Électricité de France (1946), commissaire général du plan d'équipement et de la productivité (1956-1966), il a cherché à tirer de la notion « d'optimum économique » définie par Pareto des règles pratiques pour l'orientation de la politique économique *(Le Choix des investissements, Le Plan ou l'Antihasard)*.

MASSÉNA (André). ♦ Maréchal de France (Nice, 1756 — Paris, 1817). Mousse sur un bateau, il s'engagea dans l'armée française en 1775. Après avoir démissionné en 1789, il s'engagea comme officier dans le bataillon des volontaires du Var. Général dès 1793, il s'illustra pendant la campagne d'Italie, notamment à Rivoli* (1797). Bonaparte l'appela alors « l'Enfant chéri de la Victoire ». Il remporta la bataille de Zurich sur Souvorov, le 25 sept. 1799, et évita ainsi à la France l'invasion des alliés. En 1800, immobilisant les Autrichiens devant Gênes, il permit à Bonaparte d'entrer en Italie et de remporter la victoire de Marengo*. Maréchal en 1804, il conquit le royaume de Naples (1806) et fut fait *duc de Rivoli* en 1808. Il se distingua aux batailles d'Essling et de Wagram et fut nommé *prince d'Essling* par Napoléon en 1810. L'Empereur lui confia le commandement de l'armée au Portugal (avril 1810), mais il échoua devant les lignes anglaises de Torres* Vedras et dut évacuer le pays (mars 1811), où il fut remplacé par Marmont*. En 1814, Masséna se rallia aux Bourbons. Il a laissé des *Mémoires*.

MASSENET (Jules). ♦ Compositeur français (Montaud, près de Saint-Étienne, 1842 — Paris, 1912). Doué d'une grande habileté, d'une connaissance très sûre de son métier, il chercha d'abord sa voie comme symphoniste (*Scènes hongroises*, 1871; *Scènes pittoresques*, 1873). Il s'orienta bientôt vers le théâtre où, après quelques essais malheureux, il devait connaître une longue suite de succès (*Hérodiade*, 1881; *Manon*, 1884; *Le Cid*, 1885; *Werther*, 1892; *Thaïs*, 1894; *Sapho*, 1897; *Grisélidis*, 1901; *Le Jongleur de Notre-Dame*, 1902) qui lui valurent le suffrage du grand public. Héritier de Gounod*, il sut assimiler certains procédés nouveaux de Wagner. Caractérisé par des phrases mélodiques courtes et voluptueuses, une déclamation proche de la parole, une connaissance subtile de l'instrumentation et de la voix humaine, son style raffiné, plus empreint de sensualité que de tendresse, n'évite pas toujours la fadeur et la mièvrerie. Auteur de musique instrumentale, vocale, de scène, d'oratorios et de ballets, il dut surtout sa renommée à ses nombreux opéras.

MASSEUBE. ♦ Ch.-l. de cant. du Gers, arr. de Mirande, sur le Gers. 1 591 hab. [979 aggl.] *(Massylvanois)*. Ruines gallo-romaines. Église XIIIe siècle. Expérimentation de cultures irriguées. ♦ *Hist.* Anc. bastide fondée par les moines de l'abbaye de l'Escaladieu.

MASSIF ARMORICAIN. ♦ **V.** ARMORICAIN (Massif).

MASSIF CENTRAL. *n. m.* ♦ Région montagneuse du centre de la France. Massif incliné vers le N. et l'O., composé surtout de matériaux anciens (cristallins et métamorphiques), il est constitué d'ensembles divers tiraillés vers les plaines du pourtour et n'affirmant leur unité qu'en fonction de ces dernières. Témoin de la chaîne « hercynienne », il fut raboté par l'érosion dès la fin du primaire (pénéplaine posthercynienne). Au secondaire, des sédiments se sont accumulés dans les mers au S.-E.; de grandes épaisseurs de calcaire jurassique se déposèrent dans l'aire de subsidence au S. (les Causses); puis le massif tendit à se soulever, mais l'érosion l'emporta. Au tertiaire, subissant le « contrecoup alpin », des dislocations affectèrent surtout l'E. et le S.-E. exhaussant les bords orientaux. À l'intérieur, le socle est découpé en horsts et fossés (plaine du Forez, du Puy, de Roanne; Limagnes) que séparent des cassures méridiennes. En même temps (dès l'oligocène) et jusqu'à une époque récente, des édifices volcaniques s'alignent le long des cassures; selon un axe N.-S. en Auvergne, Cézallier*, Cantal*, Aubrac* et un axe N.-O.—S.-E. dans le Velay* oriental. Au cœur du massif, l'Auvergne **(V. Auvergne)** juxtapose des plateaux cristallins (Gévaudan, Margeride, Livradois, monts du Forez), des reliefs « postiches » (plomb du Cantal, les puys, les monts Dore avec le puy de Sancy, point culminant du Massif central : 1 886 m) qui dominent les fonds déblayés des Limagnes. Thermalisme, riches cultures dans les bassins, élevage ailleurs, caractérisent la région. À l'O., le Limousin* est composé de plateaux étagés où la « montagne » que couvrent les landes domine de « bas plateaux » développant les prairies. L'extrémité S. du Massif central est caractérisée par les puissantes formations calcaires des Causses qu'entourent des massifs granitiques : le Ségala*, la Montagne* Noire à l'O., la Lozère* et l'Aigoual* à l'E. La bordure rhodano-méditerranéenne, découpée en blocs (Vivarais, monts Lyonnais, Beaujolais, Mâconnais, Charolais), forme un talus souvent escarpé, parfois très découpé, « les serres cévenoles ». Des couloirs où s'est installée la vie industrielle sont dégagés dans les dépôts de houille (dépression de Saint-Étienne et du Creusot). Le Massif central s'achève en pointe vers le N. dans le massif forestier du Morvan*. Le climat, à l'image du relief, présente une grande diversité; à l'O. les caractères océaniques dominent, tandis que les Cévennes sont méditerranéennes. Les paysages végétaux sont le résultat de l'emprise humaine. Les pins gagnent du terrain à la

Ph. Hétier

Massif central : région du Mont-Dore.

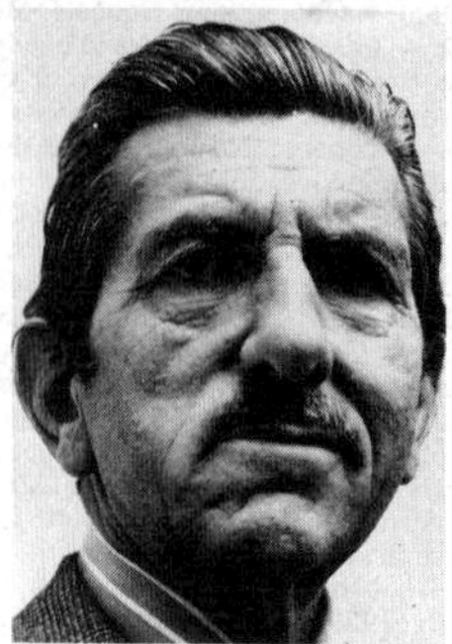

Ph. Louis Monier

Jacques Massu.

faveur des reboisements, tandis que le châtaignier recule. Du point de vue humain, les diverses unités du Massif central qui sont restées longtemps isolées, confinées dans l'archaïsme, alimentant de précoces courants d'émigration, tentent auj. de s'orienter vers l'élevage et vers de nouveaux genres de vie. La vie urbaine, en l'absence de capitale régionale, s'est organisée à la périphérie, au contact massif-plaine. L'activité industrielle est concentrée en de nombreux foyers éparpillés, où l'industrie traditionnelle manque de grandes entreprises (Limoges). Toutefois Clermont*-Ferrand, Roanne* et Montluçon* connaissent un rayonnement régional. Les villes de la zone minière, auj. en difficulté, cherchent à réorganiser leur région (Saint*-Étienne). Thermalisme (Vichy*).

MASSIGNON (Louis). ♦ Orientaliste français (Nogent-sur-Marne, 1883 – Paris, 1962). Professeur au Collège de France puis à l'École des hautes études, il a laissé d'importants travaux sur la mystique islamique : *La Passion d'Al-Hallâdj, martyr mystique de l'islâm* (1922), *Essai sur les origines du lexique technique de la mystique musulmane* (1922), *Les Sept Dormants d'Éphèse* (1955), *Parole donnée* (textes réunis et publiés en 1962). Bien que marié, il fut ordonné prêtre de l'église melkite.

MASSILLON (Jean-Baptiste). ♦ Prédicateur français (Hyères, 1663 – Beauregard, 1742). Prêtre et professeur de rhétorique, il fut appelé à prononcer des *Oraisons funèbres* (celle de Louis* XIV, 1715) et des *Sermons* à l'éloquence simple et persuasive. Faisant œuvre de moraliste plus que d'apologiste, il sut, en un style harmonieux et une langue châtiée, recourir au pathétique ou dénoncer avec hardiesse les fléaux de la guerre et les dangers de la puissance [cf. le *Petit Carême*, prononcé en 1718, devant Louis* XV, âgé de neuf ans]. (Acad. fr.)

MASSINE (Léonide). ♦ Danseur et chorégraphe américain, d'origine russe (Moscou, 1896). Élève de l'École impériale de Moscou, il fut engagé dans la compagnie des Ballets russes par S. de Diaghilev, et composa, entre 1913 et 1920, ses premières chorégraphies, influencées par l'esthétique de Cocteau, Picasso et du surréalisme. Il poursuivait ses activités de maître de ballet avec le comte de Beaumont, Ida Rubinstein et surtout les Ballets russes de Monte-Carlo. La guerre venue, Massine se rendit aux États-Unis; revenu en Europe (1947), il participa à la réalisation de films *(Les Chaussons rouges)*, composa de nouvelles chorégraphies. – Fortement marqué dès sa jeunesse par l'influence du théâtre, Massine a conçu le ballet comme la forme la plus accomplie de l'art du spectacle. Curieux de peinture, de poésie et de folklore, il a toujours composé ses chorégraphies sur des partitions musicales de valeur. Son apport à l'art contemporain de la danse a été considérable.

MASSINGER (Philip). ♦ Poète dramatique anglais (Salisbury, 1583 – Londres, 1640). Fils d'un membre du Parlement sous Élisabeth, il fut, jusqu'à l'âge d'homme, au contact de la société la plus raffinée de son temps. Collaborateur de Dekker* et de Fletcher*, il a signé de son seul nom une quinzaine de comédies, tragédies ou drames romanesques parmi lesquels *La Dame de la Cité* (*The City Madam,* 1619), peinture truculente de la pègre : *Une nouvelle façon de payer de vieilles dettes* (*A New Way to Pay Old Debts,* 1625), savoureux portrait d'un avare ; *Le Duc de Milan* (*The Duke of Milan,* 1618), *La Fille d'honneur* (*The Maid of Honour,* 1621), *L'Acteur romain* (*The Roman Actor,* 1626) où le souci d'édification sert de prétexte aux plus grandes audaces dans la peinture des vices.

MASSIS [masis] **(Henri).** ♦ Écrivain français (Paris, 1886 – *id.,* 1970). Il se fit remarquer, dès 1911, par une série d'enquêtes sur les *Jeunes gens d'aujourd'hui,* sorte de manifeste passionné des intellectuels engagés de sa génération. Militant dans les rangs de l'Action française, il anima avec Jacques Bainville* *la Revue universelle,* durant plus de vingt ans (1920-1944) et défendit âprement ses convictions confessionnelles et politiques : *Jugements,* 1923; *Défense de l'Occident,* 1927; *D'André Gide à Marcel Proust,* 1948; *Maurras et notre temps,* 1951; *De l'homme à Dieu,* 1959; *Barrès et nous,* 1962. (Acad. fr., 1960.)

MASSON (André). ♦ Peintre, dessinateur, graveur et décorateur français (Balagny, Oise, 1896). Il étudia notamment aux Beaux-Arts de Paris et, après une période cubiste, il évolua dans un sens plus mystérieux et onirique. Adhérant dès sa formation au surréalisme, il fut le premier à pratiquer systématiquement le dessin automatique, technique lui permettant de s'affranchir des conventions figuratives; la rapidité et la spontanéité du mouvement annulant en partie le contrôle de la raison et permettant une libération de l'inconscient. D'un trait précipité, saccadé, enchevêtré, il suggérait un univers de formes ambiguës, convulsives où l'organique, le végétal, l'animal et l'humain semblent s'associer, son dessin apparaissant « chargé de tout ce que [...] le peintre recèle d'émotionnel ». Dans ses tableaux, il resta souvent tributaire des schémas structurels hérités du cubisme (*Oiseaux percés de flèches,* 1926). Vers 1927, il créa « des tableaux de sable » (projection de sables parfois polychromes sur la toile irrégulièrement encollée avec adjonction de tracés de peinture) communiquant aux formes un élan qui évoque un monde en perpétuelle transformation. En 1928, il s'éloigna du surréalisme et poursuivit des expériences plastiques très diverses. Il procéda notamment à des rapprochements de motifs identifiables et symboliques ou recourut à des formes presque abstraites, avec une prédilection pour les thèmes de caractère agressif : série des *Massacres,* 1931; *Combats d'animaux, Insectes, Sacrifices, Tauromachies* dont une partie fut réalisée au cours d'un long séjour en Catalogne (1932-1934), et où s'affirment souvent des tendances expressionnistes. Il renoua ensuite avec Breton puis il se réfugia en Martinique et à New York (1941). Nombre de ses œuvres sont alors caractérisées par la richesse chromatique et la violence expressive des lignes intriquées et fluctuantes *(Antille).* Aux États-Unis, il exerça une influence notable sur les adeptes de l'*Action painting.* En 1947, il s'installa près d'Aix-en-Provence et entreprit les séries des *paysages provençaux*; des *Orgies*; *Délire-Lansquenet*; *Figures tutélaires* (1962-1965). En 1965, il fut chargé par Malraux de décorer le plafond de l'Odéon. La variété de ses options stylistiques laisse apparaître certaines constantes thématiques : sa tendance à « se pencher électivement sur les métamorphoses » et l'importance de l'érotisme qui doit « être tenu dans l'œuvre de Masson pour la clé de voûte. C'est lui qui dispose de l'agencement convulsif des corps d'homme et de femme »... (A. Breton). Remarquable dessinateur, il a aussi exécuté des illustrations de livres *(Les Conquérants)* et des décors.

MASSON (Loÿs). ♦ Écrivain français (Rose Hill, île Maurice, 1915 – Paris, 1969). Présent au monde, à cette terre des hommes dont il a célébré la splendeur avec les accents d'un lyrisme coloré et sauvage, poète catholique engagé dans la Résistance par amour de la liberté et de la justice, il a placé son espoir dans la révolution avant de faire retour à une contemplation qui fut, dès l'enfance dans l'île, son premier état. Synthèse d'un paganisme orphique et d'un christianisme sensible à la détresse des hommes, son œuvre est l'expression d'une soif d'absolu. Princ. recueils : *Délivrez-nous du mal* (1942), *Quatorze Poèmes du cœur vieillissant* (1952), *Les Vignes de septembre* (1955); romans : *Les Tortues* (1956), *La Douve* (1957), *Les Sexes foudroyés* (1958), *Le Notaire des Noirs* (1961).

Massore, *n. f.* (hébr. postérieur *masôrah,* « tradition, transmission »). ♦ Ensemble des annotations portées sur la Bible hébraïque par les docteurs juifs (VIe-XIIe s.) et destinées à en établir le texte ou à en relever les particularités. Ces docteurs *(massorètes)* étaient ceux des écoles rabbiniques de Babylonie (Sura, Pumbeditha, Nehardea) ou de Palestine (principalement Tibériade). Leur œuvre principale fut l'invention de signes vocaliques. Un texte finit par s'imposer, avec son système de vocalisation : celui de la famille Ben Asher, de Tibériade, achevé v. 900-930.

MAS-SOUBEYRAN (Le). ♦ Écart de la comm. de Mialet (Gard), dans les Cévennes. ♦ *Hist.* Après la révocation de l'Édit de Nantes (1685), la résistance des protestants cévenols fut suivie d'une répression très dure, incitant les paysans à prendre les armes **(V. Camisards).** La lutte dura jusqu'en 1710. Antoine Court fonda l'église dite du « Désert ». Ces souvenirs sont évoqués au *musée du Désert,* lieu de pèlerinage (premier dimanche de sept.) et lieu de recueillement du protestantisme.

MASSU (Jacques). ♦ Général français (Châlons-sur-Marne, 1908). Il rallia en 1940 les Forces françaises libres et prit part aux côtés du général Leclerc à toutes les campagnes d'Afrique et de France. Il donna la pleine mesure de ses qualités militaires dans la guerre d'Indochine, l'expédition de Suez (Port-Saïd, 1956) et les combats d'Algérie. Commandant de la 10e division parachutiste, il fut successivement commandant militaire du département d'Alger (1957), coprésident du Comité de salut public d'Algérie et du Sahara (13 mai 1958), chargé des fonctions de préfet d'Alger, commandant le corps d'armée d'Alger (déc. 1958). Rappelé par le gouvernement (semaine des barricades à Alger, janvier 1960), il fut nommé gouverneur de Metz (1961), puis commandant en chef des forces françaises en Allemagne (1966). Il publia en 1971 *La Vraie Bataille d'Alger,* sur son action durant l'année 1957.

MASSY. ♦ Ch.-l. de cant. de l'Essonne, arr. de Palaiseau. 37 224 hab. *(Massicois).* Grand ensemble résidentiel de Massy-Antony. – Matières plastiques; indus. électronique; matériel aéronautique.

MASSYS (Quinten ou Quentin). ♦ V. METSYS.

MÄSTLIN (Michael). ♦ Astronome et mathématicien allemand

(Göppingen, Wurtemberg, 1550 – Tübingen, 1631). Maître de Kepler*, il convertit celui-ci au copernicianisme dont il fut l'un des premiers défenseurs. **V. Copernic.**

MAS'ŪDI (Abū al-Hasan 'Alī al-). ♦ Écrivain et voyageur arabe (Baghdâd, ? – Le Caire, v. 956). Seuls deux textes nous sont parvenus : *Les Prairies d'or,* sorte de résumé des connaissances de l'époque, contiennent des développements historiques et géographiques augmentés d'informations religieuses, culinaires ainsi que de légendes. Son *Livre de l'avertissement,* œuvre ultime, renferme une autobibliographie critique et analytique.

Masu Kagami (« miroir limpide »). ♦ Chronique historique japonaise décrivant les événements qui se passèrent entre 1184 et 1338. Attribuée à Ichijô Fuyuyôshi, elle est remarquable pour son style élégant et sa parfaite objectivité. De nombreuses autres chroniques historiques japonaises reçurent également le nom de *Kagami* ou « miroir ».

MASULIPATNAM. ♦ V. de l'Inde (Andhra Pradesh) et port sur le delta de la Kistnâ. 153 000 hab. Indus. textiles, chimiques et alimentaires. Appelée également Bandar.

MAT ou **MATI.** *n. m.* ♦ Fl. d'Albanie (104 km) tributaire de l'Adriatique.

MATABÉLÉ ou **MATABELELAND.** *n. m.* ♦ Pays de l'Afrique australe, situé au N. du Transvaal en Rhodésie*. Il est constitué par des hauts plateaux atteignant jusqu'à 1 700 m et parcouru par des torrents qui prennent la direction du Zambèze* (N.), du Limpopo* (S.), du Sabi (E.). *Ch.-l.* Bulawayo*.

MATADI. ♦ Port du Zaïre (ex-Congo-Kinshasa) à proximité de l'embouchure du fl. Congo*, avant-port de Kinshasa*, relié à la capitale par voie ferrée. 110 000 hab. (1969).

MATA-HARI (Margareta Gertruida ZELLE, *dite***).** ♦ Danseuse et aventurière hollandaise (Leeuwarden, 1876 – Vincennes, 1917). Épouse d'un officier de l'armée coloniale hollandaise, elle s'initia à la danse orientale en Indonésie. Revenue en Europe, elle devint, sous le nom de Mata-Hari (1908), une interprète renommée de danses javanaises et hindoues. Accusée d'espionnage au profit de l'Allemagne, elle fut fusillée en 1917.

MATAMOROS. ♦ V. du Mexique septentrional, à l'embouchure du rio Grande* del Norte (État de Tamaulipas) et à la frontière des États-Unis, 182 887 hab. Évêché. – Centre commercial. Cultures de coton dans la région.

MATANZAS. ♦ Port de Cuba*, sur la côte septentrionale, sur le détroit de Floride. 90 000 hab. environ. Station balnéaire et centre touristique (monuments de l'époque coloniale). Exportations de sucre.

MATANZAS. ♦ Centre sidérurgique du Venezuela (État de Bolivar) au S. de l'Orénoque*.

MATAPAN *(cap),* anc. **Ténare*.** ♦ Pointe extrême du Péloponnèse* (Grèce), à l'extrémité de la chaîne du Taygète*. Falaise redoutée des navigateurs.

MATARÓ. ♦ V. d'Espagne orientale, sur la côte catalane (prov. de Barcelone). 42 000 hab. Pêche et conserveries. Bonneterie.

MATERA. ♦ V. d'Italie du Sud, dans le Basilicate*. Ch.-l. de prov. 39 000 hab. Habitations troglodytiques, cathédrale (XIIIe s.). Céramique.

Matérialisme et Empiriocriticisme. ♦ Œuvre de Lénine* (1909). Au moment de la réaction qui suivit la révolution de 1905 en Russie, se développa une critique du matérialisme dialectique chez plusieurs écrivains (dont Bogdanov*), disciples d'Avenarius* et de Mach*. Dénonçant ce « révisionnisme philosophique typique » et montrant sa relation avec la lutte historique des classes, Lénine oppose à l'empiriocriticisme et à toutes les formes d'idéalisme fidéiste les principes fondamentaux du matérialisme dialectique pour lequel la réalité objective existe indépendamment de la conscience qui la réfléchit (ou la reflète).

MATHA. ♦ Ch.-l. de cant. de la Charente-Maritime, arr. de Saint-Jean-d'Angély. 2 240 hab. *(Mathaliens).* Église romane (XIIe s.). Distillerie. Chaussures.

MATHAN. ♦ Personnage biblique cité dans le Livre des Rois. Prêtre de Baal à Jérusalem, sous le règne d'Athalie*, il aurait été égorgé sur ordre du grand-prêtre Joïada vers ~ 870. – Racine en a fait un des personnages d'*Athalie.*

MATHIAS *(saint).* ♦ **V.** MATTHIAS (saint).

MATHIAS Ier Corvin. ♦ (Kolozsvár, Cluj, 1440 – Vienne, 1490). Roi de Hongrie (1458-1490). Fils de Jean Hunyadi*, il fut emmené à Prague comme otage. À la mort de Ladislas V, il fut élu roi de Hongrie par les magnats. Il soumit les derniers foyers hussites en Hongrie et s'acquit ainsi la reconnaissance du clergé. Il lutta pour l'indépendance de la Hongrie contre l'Autriche et les Turcs. Il vainquit l'anti-roi Frédéric III (1462) mais dut reprendre la lutte contre lui plus tard (1485). Puis il affronta les Turcs; la Bosnie fut soumise en 1463, la Moldavie et la Valachie conquises en 1467. Mathias Ier lutta contre la Bohême (1468-1479); il prit d'abord le titre de roi de Bohême, puis se fit céder la Silésie, la Lusace et la Moravie à la paix d'Olomuc (1478). À l'intérieur, il réprima une révolte de la noblesse transylvaine, puis un complot mené par Janus Pannonius*. Il accrut l'autorité royale en réorganisant l'armée et en soumettant les tribunaux locaux à un tribunal suprême présidé par le roi. – Roi humaniste, Mathias Ier accueillit à sa cour les lettrés et les artistes venus d'Italie; l'influence italienne augmenta encore lorsqu'il épousa Béatrice d'Aragon, fille de Ferdinand Ier, roi de Naples. Il fonda la première université à Buda (1465), une bibliothèque *(la Corvina),* en 1471 la première imprimerie. – Ladislas VI fut élu roi de Hongrie après sa mort.

MATHIAS II. ♦ (Vienne, 1557 – *id.,* 1619). Empereur germanique, roi de Hongrie et de Bohême (1612-1619). Troisième fils de Maximilien* II, il succéda à son frère Rodolphe* II. L'échec de ses tentatives pour réconcilier catholiques et protestants devint manifeste avec la défenestration* de Prague. Il laissa la couronne à son cousin Ferdinand* II de Habsbourg.

MATHIEU, parfois **MATHIEU DE LA DRÔME (Philippe).** ♦ Homme politique et météorologiste français (Saint-Christophe, près de Romans, 1808 – Romans, 1865). Député à l'Assemblée constituante (1848), puis à la Législative (1849), il vota généralement avec la Montagne, fut proscrit après le coup d'État du 2 décembre 1851 et dut s'exiler en Belgique. À son retour en France, il fit paraître des *Almanachs météorologiques* (à partir de 1859).

MATHIEU (Georges). ♦ Peintre français (Boulogne-sur-Mer, 1921). Il étudia le droit et la philosophie, puis aborda la peinture v. 1942. Installé à Paris en 1947, il s'opposa avec ostentation à l'abstraction géométrique et prôna ce qu'il appela la « non-figuration psychique », puis l'abstraction lyrique. Admirateur de Wols et de Hartung* et de la peinture gestuelle américaine, il réalisa des œuvres non figuratives utilisant des coulées, des taches et des éclaboussures de couleurs étalées à la main ou au chiffon. Vers 1950, se fondant sur ce qu'il définit lui-même comme une « esthétique de la vitesse », il peignit des toiles immenses en misant sur l'impulsivité du geste, sur la rapidité de l'exécution (*La Bataille de Bouvines*; *Les Capétiens partout,* 1954). En éjectant directement la couleur du tube, il traça avec assurance des motifs graphiques impérieux et toujours élégants qui firent dire à Malraux : « Enfin, un calligraphe occidental! ». Émule de Dali, il a cultivé les excentricités, par goût de la provocation et de la publicité, il a multiplié les manifestes et a cherché la performance en réalisant des œuvres en public. Mais la critique considère souvent que son style tend au stéréotype. Il a publié : *D'Aristote à l'abstraction lyrique* (1959); *Au-delà du tachisme* (1963). [Acad. des bx-arts, 1975].

MATHIEU DE DOMBASLE. ♦ **V.** DOMBASLE.

MATHIEZ (Albert). ♦ Historien français (La Bruyère, Haute-Saône, 1874 – Paris, 1932). Auteur d'importants travaux sur la Révolution française, il s'est attaché par ses études à la réhabilitation de Robespierre*. (*La Révolution et l'Église,* 1911; *Études robespierristes,* 1917-1918; *La Révolution française,* 1922-1924; *Girondins et Montagnards,* 1930; *Le Directoire,* 1934.)

MATHILDE *(sainte).* ♦ Reine de Germanie (? – Quedlinburg, Saxe, 968). Épouse d'Henri Ier l'Oiseleur (909 ou 913), et mère d'Othon le Grand, elle fonda de nombreux monastères.

MATHILDE DE FLANDRE, dite **la reine Mathilde.** ♦ Duchesse de Normandie, puis reine d'Angleterre (morte en 1083). Fille de Baudouin V, comte de Flandre, elle épousa Guillaume* le Conquérant (1054), roi d'Angleterre en 1066. On lui attribua à tort la broderie dite «tapisserie de Bayeux*».

MATHILDE, dite **la comtesse Mathilde.** ♦ Marquise de Toscane (v. 1046 – Bondeno di Roncore, 1115). Alliée du pape Grégoire* VII lors de la querelle des Investitures, son château de Canossa* fut le cadre de la réconciliation de ce dernier avec l'empereur germanique Henri IV. En 1077, elle légua tous ses États (Toscane, une partie de la Lombardie avec Crémone, Ferrare, Mantoue, Modène et Reggio) au Saint-Siège, mais cette donation fut contestée après sa mort par les empereurs germaniques.

Arch. Rencontre

La princesse **Mathilde,** par E. Giraud. (Musée de Compiègne.)

MATHILDE ou **MAHAUT**. ♦ Impératrice allemande puis reine d'Angleterre (Londres, 1102 – Rouen, 1167). Fille d'Henri Ier d'Angleterre, elle épousa l'empereur germanique Henri V (1114), puis Geoffroi* V d'Anjou (1128). Héritière légitime du trône d'Angleterre (1135), elle fut spoliée par Étienne* de Blois contre qui elle fit la guerre en Angleterre mais ne réussit pas à reprendre son royaume. Mère d'Henri* II d'Angleterre.

MATHILDE ou **MAHAUT**. ♦ (morte en 1329). Comtesse d'Artois (1302-1329). Elle succéda à son père Robert* II au détriment de son neveu Robert* III.

MATHILDE *(princesse)*. ♦ Fille de Jérôme Bonaparte (Trieste, 1820 – Paris, 1904). Elle fut tout d'abord fiancée au futur Napoléon III, mais les fiançailles furent rompues par suite de l'emprisonnement du prince à Ham. Après un mariage malheureux la princesse Mathilde se fixa à Paris où, avant et après les événements de 1870 qui l'obligèrent pour un temps à s'expatrier, son salon fut le rendez-vous des personnalités les plus brillantes du monde artistique et littéraire (Taine, Renan, les Goncourt, Flaubert).

MATHURÂ. ♦ Ville de l'Inde (Uttar Pradesh) sur la Yamunâ*, une des sept villes saintes de l'Inde. 137 000 hab. (1970). Musée archéologique important et centre de pèlerinage. Petites indus. du coton et du papier. ♦ *Hist.* Elle joua un rôle important dans l'histoire politique (capitale indienne de la dynastie des Kuśâna* au IIe s.) comme dans l'histoire religieuse, son site ayant été considéré comme le lieu de naissance du dieu Krişna*, avatâra de Vişnu*. Elle fut pillée par Mahmûd* de Ghaznî en 1008 et ses temples furent démolis par Aurangzeb*.

MATHUSALEM ou **MATHUSALA**. ♦ Patriarche biblique (*Genèse,* V, 25). Symbole de longévité (il aurait vécu 969 « ans »).

Matière et Mémoire. ♦ Ouvrage de Bergson* (1889), où il étudie la relation de l'esprit et de la matière (corps) sur un exemple précis : celui de la mémoire dont il distingue deux formes, la mémoire-habitude pro-active et la mémoire pure représentative.

MATIFOU *(cap)*. ♦ Cap d'Algérie qui ferme à l'E. la baie d'Alger*. À proximité est située la comm. de *Cap-Matifou* (dép. d'Alger). 10 800 hab. Centre touristique.

MATIGNON. ♦ Ch.-l. de cant. des Côtes-du-Nord, arr. de Dinan*. 1 440 hab. Vestiges d'anciennes fortifications. Centre commercial.

Matignon *(hôtel)*. ♦ Hôtel du XVIIIe s., situé à Paris, rue de Varenne. Construit par Jean Courtonne (v. 1721), l'hôtel fut acquis par Jacques de Matignon, puis par Talleyrand (1808). Ambassade d'Autriche de 1888 à 1914, c'est depuis 1935 l'hôtel de la ***présidence du Conseil***. Entre une vaste cour d'honneur en hémicycle et de grands jardins, l'hôtel dresse deux façades à un étage, surmontées d'une balustrade et renflées d'un avant-corps semi-circulaire.

Matignon *(accords)*. ♦ Accords conclus après la formation du gouvernement de Front* populaire (sous la présidence de Léon Blum) entre les représentants du patronat français et ceux de la Confédération* générale du travail (C.G.T.) le 7 juin 1936. Complétés par plusieurs lois sociales (semaine de 40 heures, congés payés), ces accords portaient sur la reconnaissance du droit syndical, l'institution de contrats collectifs de travail, de délégués du personnel.

MATISSE (Henri). ♦ Peintre, dessinateur et sculpteur français (Le Cateau, 1869 – Nice, 1954). Il suivit des études de droit, devint clerc de notaire et décida de se consacrer à la peinture à la suite d'une maladie durant laquelle il s'était exercé à peindre. Il rencontra Marquet* aux Arts décoratifs, puis il entra aux Beaux-Arts dans l'atelier de Gustave Moreau* qui lui conseilla de faire des copies au Louvre et l'intéressa à l'art musulman. Il avait alors comme condisciples Marquet*, Rouault*, et il fit ensuite la connaissance de Dufy* et de Friesz*. À cette époque, Matisse pratiquait une peinture aux tons sourds, très traditionnelle, mais à la suite d'un séjour en Bretagne il se mit à peindre sur le motif, s'intéressant à l'impressionnisme, à Gauguin, Cézanne et Lautrec, dont les influences, parfois mêlées, marquent ses premières œuvres. En 1898, il travailla le nu à l'académie Carrière où il rencontra Derain* et il aborda alors la sculpture. Après avoir peint des tableaux dénotant l'influence de Cézanne et où s'affirme une grande liberté de facture (coups de brosse hâtifs, dessin schématisé des *Nus à l'atelier*), il exposa, à la suite d'un séjour à Saint-Tropez auprès de Signac* : *Luxe, Calme et Volupté* (1905) où il adoptait la technique divisionniste. Dans les toiles peintes à Collioure (été 1905), un style nouveau s'affirme avec force, caractérisé par l'emploi de couleurs violentes posées par larges taches plates selon une volonté plus expressive que strictement descriptive, un dessin d'apparence sommaire qui interprète avec hardiesse la forme humaine, un modelé à peine indiqué, l'abandon des valeurs et un certain mépris de l'espace perspectif traditionnel (*La Gitane,* 1905-1906 ; *Collioure,* 1905). Avec notamment Derain, Vlaminck, Marquet, il exposa au Salon d'automne de 1905 et apparut alors comme le chef de file de ceux que la critique intitula péjorativement « les fauves ». Il réalisa ensuite une vaste toile, *La Joie de vivre,* aux couleurs plates étalées avec légèreté ; négligeant les proportions, il mit l'accent sur la valeur expressive de la ligne cernant d'un trait souple et fluide les personnages. Développant ces tendances dans les deux versions du *Luxe* (1907, et 1907-1908) ainsi que dans la *Danse* de 1909 ou les *Baigneuses à la tortue* (1908), il évolua vers une simplification croissante, cernant souvent les formes d'un trait

Ph. Nimatallah/Ricciarini

Henri Matisse : « Hongroise en blouse verte ».
(A. M. Jean Salomon, Genève.)

épais. Ce style très personnel s'épanouit dans les compositions monumentales réalisées en 1909-1910 pour le collectionneur russe Stchoukine *(La Danse et la Musique)*. Tirant parti d'une gamme très limitée et d'une ligne en arabesque qui relie chaque personnage, il y créait un puissant effet dynamique. En 1908, l'atelier qu'il ouvrit à Paris obtint un grand succès et contribua à répandre son influence à l'étranger. Il voyagea au Maroc en 1911-1912 et jusque v. 1917 il multiplia les expériences plastiques, peignant notamment une série d'ateliers et de fenêtres où il tend à une composition synthétique et révèle une méditation très personnelle de l'apport du cubisme : les références à la réalité extérieure deviennent très allusives et les formes prennent parfois un aspect angulaire tandis que ses couleurs acquièrent une légèreté et une luminosité nouvelles (*Les Marocains,* 1916). Installé ensuite à Nice, il traita des thèmes familiers, particulièrement celui des ***Odalisques*** où s'épanouit un sentiment sensuel hédoniste. Il multiplia les effets décoratifs (tentures, tapis, poteries aux ramages luxuriants) et il revint à un léger modelé, ainsi qu'à un espace plus conventionnel (***Figure décorative sur fond ornemental,*** 1927). La commande d'une œuvre monumentale pour la fondation Barnes marqua une nouvelle étape dans sa carrière ; il reprit le thème de la *Danse* (1931) en tendant à une simplification radicale : la ligne devenue presque abstraite et la répartition des zones de couleurs pures structurent l'espace selon des rythmes inédits. Et dans le *Nu rose* (1935), le tracé épuré du contour commande la composition entière. Dans la série des papiers découpés (*Jazz; Boxeur nègre; Zulma,* 1950) — technique qui lui permet de « dessiner dans la couleur » — Matisse développa les principes de la *Danse.* Cette recherche de concision et de dépouillement culmina avec la décoration de la chapelle de Vence* (1951). Il créa de nouveaux accords de couleur et fut surtout un remarquable dessinateur. Il eut une prédilection pour les formes lovées en ellipse et sut charger son trait, si simple soit-il, d'un rare pouvoir évocateur. Tout en restant fidèle à la transcription du monde extérieur, il eut une conscience aiguë de l'autonomie du champ pictural et de la spécificité des moyens plastiques ; par là, il a rejoint les recherches des peintres non figuratifs. Il semble avoir réalisé, sans crise apparente, ce qu'il s'assignait comme but dès 1908 « un art d'équilibre, de pureté, de tranquillité ».

MATLOCK. ♦ V. d'Angleterre (Derbyshire), sur la Derwent, à 28 km au N. de Derby. 20 240 hab. Autrefois station thermale, la ville est devenue un centre agricole et commercial.

MATO GROSSO. *n. m.* (« Grande Brousse »). ♦ Vaste État du S.-O. du Brésil*, situé à l'E. de la Bolivie et du Paraguay, il confine au N. aux États d'Amazonas* et du Pará*, à l'E. avec l'État de Goiás*, dont il est en partie séparé par le rio Araguaia* et au S.-E. aux États de São* Paulo et Paraná*, dont il est séparé par le rio Paraná*. 1 231 549 km². 1 623 618 hab. (dens. très faible). *Cap.* Cuiabá*. Couvert de brousse et de savane, il est principalement constitué par des plateaux gréseux ***(plateau brésilien)***, dont sont issus les rios Tapajós*, Xingu* (affl. de l'Amazone), le Paraguay* et le Guaporé*. Élevage extensif (bovins). Plantations de café, de maté. Mines de manganèse (Corumbà). Importants gisements de minerais de métaux inexploités. L'État est traversé d'E. en O. par une route qui relie Brasilia* à Rio* Branco.

MATOŠ (Anton Gustav). ♦ Conteur et critique littéraire croate (Tovarnik, 1873 – Zagreb, 1914). Par ses articles et ses nouvelles au style alerte il eut une grande influence sur les jeunes écrivains de son époque : *Les Copeaux* (1899), *Essais* (1905), *Nos gens et nos provinces* (1910).

MATOSINHOS. ♦ V. et port du Portugal (Douro Litoral). Important port de pêche et nombreuses conserveries (sardines).

MATOUR. ♦ Ch.-l. de cant. de la Saône-et-Loire (arr. de Mâcon), dans le Charolais*. 1 290 hab. *(Matourins).* Musée. Métallurgie.

MÁTRA. *n. m. pl.* ♦ Monts du N. de la Hongrie*, d'origine volcanique, proches de la frontière tchécoslovaque. Les plus élevés du pays, ils culminent au mont Kékes (1 015 m). Nombreuses sources minérales et thermales. Région vinicole, sur les pentes méridionales. Centre touristique.

MATRAH. ♦ V. portuaire du sultanat d'Oman (Arabie), située aux portes de Mascate* sur le golfe Persique. 20 000 hab. environ. Centre commercial. Construction de bateaux. Point de départ de caravanes vers l'intérieur.

MATSUBARA. ♦ V. du Japon, banlieue industrielle à 10 km à l'E. de Sakai, ville satellite au S.-E. d'Ôsaka*. 101 000 habitants.

MATSUDO. ♦ V. du Japon, faisant partie de la banlieue N.-E. de Tôkyô*. 230 000 habitants.

MATSUE. ♦ V. du Japon, sur la côte de la mer du Japon (préfecture de Shimane). 125 000 hab. Ancien château fort (restauré) du XVIIe siècle. Ville agricole et artisanale de style ancien. – Elle a été célébrée par l'écrivain anglais (naturalisé japonais) Lafcadio Hearn, qui y vécut.

MATSUMOTO. ♦ V. du Japon (Honshû, préfecture de Nagano), grand marché de la soie. 180 000 hab. – Célèbre château fort du XVIe siècle.

MATSUYAMA. ♦ V. du Japon (île de Shikoku*) et chef-lieu de la préfecture de Ehime. 323 000 hab. (1969). Célèbre château (restauré) du XVIIe siècle. Indus. textiles et du papier.

MATSUZAKA. ♦ V. du Japon (Honshû, préfecture de Mie) et port sur la baie d'Ise. 110 000 hab. Constructions navales, indus. textiles (soie, coton) et exportation de bois.

MATSYS (Quentin). ♦ **V.** METSYS.

MATTÂNCHERI. ♦ V. de l'Inde (Kerala), banlieue S. de Kuchi Bandar (Cochin). 100 000 hab. Centre agricole et commercial.

MATTATHIAS. ♦ (~ IIe s.). Père des Maccabées. **V. Maccabée.**

MATTEI (Enrico). ♦ Homme d'affaires et homme politique italien (Acqualagna, 1906 – prov. de Pavie, 1962). Résistant, il fut nommé en 1945 commissaire de l'A.G.I.P. (Azienda Generale Italiana Petroli) et découvrit d'importants gisements de métane à Caviaga (1946). Il fut ensuite le fondateur et le président de l'E.N.I. (Ente Nazionale Idrocarburi), entreprise nationale qui tint davantage compte des intérêts des pays producteurs, modifiant ainsi le marché du pétrole. Membre de l'Assemblée consultative (1945-1946) et député du Parti démocrate-chrétien (1948-1953), il trouva la mort dans un accident d'avion dont les circonstances ont pu paraître obscures. – Sa vie a inspiré le film de F. Rosi : *Il caso Mattei (L'Affaire Mattei).*

MATTEOTTI (Giacomo). ♦ Homme politique italien (Fratta Polesine, Rovigo, 1885 – Rome, 1924). Élu député en 1919, il devint secrétaire général du Parti socialiste en 1924. Il fut assassiné par un groupe fasciste le 1er juin 1924, après qu'il eut, à la

Ph. Nino Cirani/Ricciarini

Mato Grosso : le cours du fleuve Xingu.

Chambre, fait le procès des méthodes fascistes. Son meurtre discrédita, en Italie et à l'étranger, le régime de Mussolini* avant même qu'il n'imposât ouvertement sa dictature (1925).

MATTERHORN. *n. m.* ♦ **V.** CERVIN.

MATTEUCCI (Carlo). ♦ Physicien et homme politique italien (Forli, 1811 – Ardenza, près de Livourne, 1868). Auteur de travaux sur les effets physiologiques de l'électricité, il établit la concomitance existant entre la production d'électricité et la contraction musculaire (*Essai sur les phénomènes électriques chez les animaux,* 1840). **V.** *aussi* **Du Bois-Reymond, Galvani.** Il fut sénateur (1848) et ministre de l'Instruction publique (1862).

MATTEUCCI (Pellegrino). ♦ Voyageur italien (Ravenne, 1850 – Londres, 1881). Il explora le Nil Bleu (1877-1878), l'Éthiopie (1879), puis traversa l'Afrique, de Khartoum au golfe de Guinée (1880-1881).

MATTHESON (Johann). ♦ Compositeur et musicographe allemand (Hambourg, 1681 – *id.,* 1764). Musicien érudit, il fut au service de l'ambassadeur d'Angleterre dans cette ville, puis cantor et chanoine de la cathédrale (1718-1728). Il accueillit Haendel lors du premier séjour de celui-ci à Hambourg (1703) puis finit par se brouiller avec lui. Atteint de surdité totale, il dut renoncer à la vie musicale et se consacra dès lors à des écrits théoriques et critiques. Son œuvre comprend huit opéras, vingt-quatre oratorios, des cantates, une *passion,* une messe et des pièces pour le clavecin. Ses nombreux ouvrages critiques (*Critica Musica,* 1722-1725 ; *Le Maître de chapelle accompli,* 1739) sont ceux d'un polémiste autant que d'un esthéticien. Ils témoignent d'une très vive curiosité d'esprit.

MATTHIAS ou **MATHIAS** *(saint).* ♦ Disciple de Jésus choisi pour remplacer Judas* (*Actes,* I, 23-26). Fête le 24 février.

MATTHIEU *(saint).* ♦ L'un des douze apôtres. Selon l'Évangile (*Matthieu,* IX, 9 ; *Marc,* II, 13 ; *Luc,* V, 27), il était percepteur (publicain) et il suivit Jésus à son appel. *Marc* et *Luc* l'appellent Lévi. La tradition lui attribue l'Évangile* dit « de saint Matthieu ». Fête le 21 septembre.

MA TUAN-LIN [*Ma Touan-lin, Ma Duanlin*]. ♦ Célèbre encyclopédiste chinois (1245 – 1322) qui consacra vingt années à l'élaboration d'un grand dictionnaire faisant suite à une encyclopédie réalisée au VIIIe s. par Tu You.

MATURIN (Charles Robert). ♦ Romancier et dramaturge irlandais (Dublin, 1782 – *id.,* 1824). La révocation de l'édit de Nantes obligea sa famille à émigrer et il fit ses études à Dublin avant d'entrer dans le clergé anglican, d'abord à Londres, puis à Dublin. Il écrivit des tragédies, *Bertram ou le Château de St-Aldobrand* (1816), *Manuel* (1817), *Fredolfo* (1819). Mais Maturin, qui avait commencé dès 1807 à publier des romans (*La Fatale Vengeance ou la Famille de Montorio ; Le Sauvage Enfant irlandais,* 1808 ; *Connal ou les Milésiens, The Milesian Chief,* 1812), trouva dans le récit en prose la forme qui convenait à son talent de conteur pessimiste et fantastique : *Eva ou Amour et Religion* (*Women or Pour et Contre,* 1818), *Les Albigeois* (1824). Son chef-d'œuvre est *Melmoth ou l'Homme errant* (*Melmoth the Wanderer,* 1820), l'un des plus importants romans noirs. **V. Melmoth.** Maturin, qui fut apprécié de Walter Scott et de lord Byron, est aussi l'auteur de *Cinq Sermons sur les erreurs de la religion catholique* (1824).

MATURÍN. ♦ V. du N.-E. du Venezuela, ch.-l. de l'État de Monagas (28 900 km²). Env. 300 000 hab.). 50 000 hab. Exploitation pétrolière alentour. Aéroport.

MATUTE (Ana María). ♦ Romancière espagnole (Barcelone, 1926). Ses premiers romans décrivent un univers délibérément en marge de la réalité. Elle s'est révélée au public par sa trilogie *Primera memoria* (1959), *Les soldats pleurent la nuit* (1963), *La Trappe* (1969), où elle envisage la guerre civile non pas comme une partie de l'histoire d'Espagne, mais comme un événement aux conséquences universelles.

Matzpen ou **Organisation socialiste israélienne (O.S.I.).** ♦ Groupe politique d'extrême gauche (marxiste-léniniste) constitué en 1962 et regroupant des Juifs et des Arabes. Le Matzpen s'est prononcé pour la « désionisation d'Israël » et critique tout nationalisme. Peu nombreux, les membres de ce parti n'exercent aucun rôle dans la politique d'Israël et sont fréquemment inquiétés.

MAUBEUGE. ♦ Ch.-l. de cant. du Nord*, arr. d'Avesnes*-sur-Helpe, dans le Hainaut*, sur la Sambre*. 32 172 hab. *(Maubeugeois).* Restes des fortifications de Vauban. – Forges, fonderies, constructions métalliques ; faïences, brasseries, glaces.

MAUBOURGUET. ♦ Ch.-l. de cant. des Hautes-Pyrénées* (arr. de Tarbes*), au confluent de l'Adour* et de l'Échez. 2 487 hab. *(Maubourguetois).* Église romane. Fonderies.

MAUCROIX (François *de***).** ♦ Poète et littérateur français (Noyon, 1619 – Reims, 1708). D'abord avocat, puis ordonné prêtre et devenu chanoine de Reims, il se lia avec des poètes comme Racine, Boileau et La Fontaine. Il écrivit des poèmes dont le ton évoque La Fontaine et donna des traductions qui furent rassemblées après sa mort (*Œuvres posthumes,* 1710). Une seconde édition accompagnant les *Nouvelles Œuvres diverses de La Fontaine* parut en 1820. Sa correspondance fut publiée en 1854 *(Œuvres diverses).*

MAUD (Terre de la reine). ♦ Partie du littoral de l'Antarctique*, au S. de l'Afrique. Possession norvégienne.

MAUDUIT (Jacques). ♦ Compositeur et luthiste français (Paris, 1557 – *id.,* 1627). Issu d'une famille de robe, il fut lui-même magistrat. Ami de Ronsard, à la mémoire de qui il écrivit un *Requiem* chanté aux obsèques du poète (1585), il fut le collaborateur de Baïf* et de Mersenne*. Animateur de la seconde « Académie de poésie et de musique » (1589) à laquelle il conféra un caractère plus musical que littéraire, il participa, comme musicien et chef d'orchestre, aux ballets de cour, sous les règnes de Henri IV et Louis XIII. Il a composé un grand nombre de messes, vêpres, hymnes, motets, fantaisies, chansons, psaumes et chansonnettes mesurées (d'après Baïf). Son style, d'une remarquable richesse d'harmonie, se caractérise aussi par l'élégance et le raffinement.

MAUGES. *n. m. pl.* ♦ Région de l'O. de la France, aux confins de l'Anjou et de la Vendée (*V. princ.* : Cholet*). Polyculture, élevage, viticulture **(V. Anjou).**

MAUGHAM (William Somerset). ♦ Romancier et dramaturge anglais (Paris, 1874 – Cap-Ferrat, 1965). Orphelin à dix ans, il dut quitter la France pour étudier à Canterbury, à Heidelberg, puis à Londres où il devint médecin. Mais il était attiré par la carrière littéraire : *Liza de Lambeth* parut en 1897 et *Mrs. Craddock* en 1902. Ces deux romans réalistes, évoquant la vie londonienne, assurèrent sa renommée. Maugham abandonna alors la médecine pour concevoir son autobiographique *Servitude humaine* (*Of Human Bondage*, 1915). La vie de Gauguin lui inspira *L'Envoûté* (*The Moon and Sixpence*, 1919). Se sentant profondément concerné par les problèmes religieux et moraux, Maugham fit alors l'apologie d'un mysticisme ascétique : *Le Fil du rasoir* (*The Razor's Edge*, 1940), *Le Voile peint* (1925). *La Ronde de l'amour* (*Cakes and Ale, or the Skeleton in the Cupboard*, mot à mot « gâteaux et bière, ou le squelette dans le placard », (1930), roman à clefs, s'attaquait au pharisaïsme en prônant le naturel. Grand voyageur (*L'Archipel aux sirènes*), il aimait surtout l'Europe latine (Espagne, Italie, France). Homme d'action, il fut agent secret pendant la Première Guerre mondiale. Il écrivit pour le théâtre, dans un style proche d'Oscar Wilde*, *Le Cercle* (1921), *À l'est de Suez* (1922), *Ceux qui nous sont supérieurs* (1923). De culture française, Maugham était un fervent de Voltaire, Maupassant, Renard ; le fruit de ses lectures ainsi que ses experiences personnelles sont relatés dans *Le Bilan* (1948) et le *Carnet d'un écrivain* (1949) où apparaît un scepticisme résigné quant à la bonté et à l'intelligence humaines.

Maugis. ♦ Personnage de la geste épique française de *Doon* de Mayence* (XIIe s.), où il apparaît dans *Renaud* de Montauban* ou *Les Quatre* Fils Aymon*. – « Personnage-Protée », il utilise ses dons magiques ou médicinaux pour venir en aide à son cousin, Renaud.

MAUGUIO [mogjo]. ♦ Ch.-l. de cant. de l'Hérault (arr. de Montpellier), situé dans la plaine du Languedoc, à quelques km de l'*étang de Mauguio*. 5 488 hab. (*Melgoriens* ou *Mauguiolins*). Vignobles et arbres fruitiers. ♦ *Hist.* De fondation antique, la cité devint au Moyen Âge la cap. du comté de Melgueil. ♦ ÉTANG DE MAUGUIO (ou *étang de l'Or)*. Étang du littoral languedocien (3 000 ha). Zone de protection de la nature et des sites, englobée dans l'unité touristique de la Grande*-Motte-Carnon.

MAULBERTSCH ou **MAULPERTSCH (Franz Anton)**. ♦ Peintre décorateur allemand (Langenargen, sur le lac de Constance, 1724 – Vienne, 1796). Il fut l'un des plus grands décorateurs à fresque de son époque en Europe centrale et un représentant caractéristique de la peinture rococo. Il subit l'influence italienne (Piazzetta*). Artiste plein de verve, il peupla ses fresques et ses tableaux de figures agitées aux gestes gracieux et aux proportions allongées, et mit en valeur les couleurs vives par de savants coups de lumière. Il travailla surtout en Autriche, Moravie et Hongrie et fut surnommé le « Tiepolo* viennois ».

MAULDE. *n. f.* ♦ Riv. du Limousin*, affl. de la Vienne* (72 km). Elle prend sa source au plateau de Gentioux, et alimente le lac de Vassivière*.

MAULE. *n. m.* ♦ Fl. (282 km) et prov. du Chili* central. 5 626 km². 89 000 hab. Ch.-l. Cauquenes.

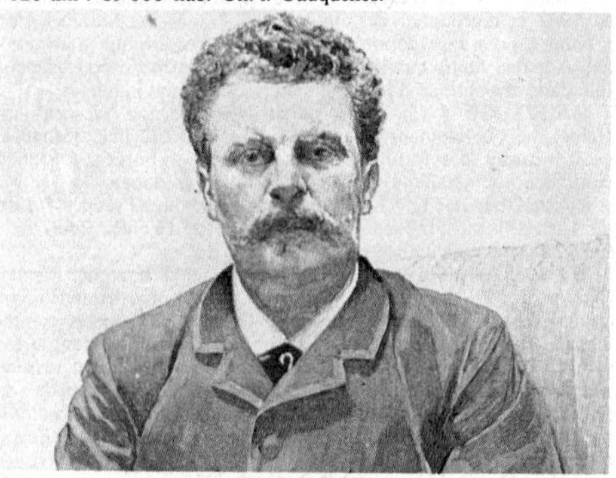

Ph. P.S.Z./Ricciarini

Guy de Maupassant.
Extrait de *la Revue illustrée.*

MAULÉON, anc. **Châtillon-sur-Sèvre**. ♦ Ch.-l. de cant. des Deux-Sèvres, arr. de Bressuire. 2 660 hab. Anc. abbaye de la Trinité (XVIIIe s.), abritant auj. divers services administratifs. Église du XVIIIe siècle. ♦ *Hist.* En 1793, durant la guerre de Vendée, de sanglants combats opposèrent à plusieurs reprises dans les murs de la ville les « Bleus » de Westermann à l'armée royaliste.

MAULÉON-BAROUSSE. ♦ Ch.-l. de cant. des Hautes-Pyrénées*, arr. de Bagnères*-de-Bigorre. 250 hab. *(Mauléonnais)*. Anc. cap. de la Barousse ; maisons du XVIe s. ; donjon du XIVe siècle. Eaux minérales ; extractions forestières.

MAULÉON-LICHARRE. ♦ Ch.-l. de cant. des Pyrénées*-Atlantiques, arr. d'Oloron*-Sainte-Marie, sur le Saison. 4 885 hab. Hôtel Renaissance, château du XVe s., en ruine. – Fabrication d'espadrilles, de sandales.

MAULNIER [monje] **(Jacques Louis TALAGRAND, dit Thierry)**. ♦ Journaliste et écrivain français (Alès, 1909). Condisciple et ami de Brasillach à l'École normale supérieure, il collabora dès 1930 à l'*Action française*. L'ensemble de ses chroniques et de ses essais témoigne avec rigueur d'un esprit libéral qui l'amena à rompre durant l'Occupation avec ses amis de l'*Action française*. Parmi ses écrits, il y a lieu de citer : *Mythes socialistes* (1936), *Au-delà du nationalisme* (1937), *La Pensée marxiste* (1948), *La Face de méduse du communisme* (1952), ainsi que des pièces de théâtre, dont *Jeanne et ses juges* (1949), et une pièce comique, *Le Sexe et le Néant*. [Acad. fr., 1964.]

Mau-Mau. *n. m. pl.* ♦ Société secrète des Kikouyous* **(V. Kenya)** qui se révoltèrent contre la minorité blanche. Ce fut la « tentative désespérée d'un peuple désespéré pour changer le système d'injustice économique et social » (B. A. Ogot). L'état d'urgence fut proclamé et la révolte totalement réduite en 1960.

MAUMUSSON *(pertuis de)*. *n. m.* ♦ Nom donné au détroit (env. 500 m) qui sépare le S. de l'île d'Oléron* de la côte de la Charente-Maritime, et qui fait communiquer l'embouchure de la Seudre* avec l'Océan.

MAUNA KEA (« Montagne blanche »). ♦ Point culminant de l'île Hawaï*, d'origine volcanique, situé au N.-E. de l'île, ainsi appelé à cause des neiges très fréquentes sur ses cimes. 4 205 m env. Ses flancs sont boisés. Du café est cultivé sur ses pentes.

MAUNOURY (Joseph). ♦ Maréchal de France (Maintenon, 1847 – près d'Artenay, Loiret, 1923). Officier d'artillerie, il prit part à la guerre franco-allemande (1870). Gouverneur militaire de Paris (1912-1914), il fut nommé commandant en chef de la VIe armée (au N. de Paris, août 1914), arrêta l'avance des troupes de von Kluck, livra la bataille de l'Ourcq par laquelle il contribua à la première victoire française de la Marne (sept. 1914). Promu maréchal de France à titre posthume.

MAUPAS (Charlemagne Émile de). ♦ Homme politique français (Bar-sur-Aube, 1818 – Paris, 1888). Nommé préfet de police à Paris par Louis Napoléon Bonaparte (oct. 1851), il prit une part active à la préparation du coup d'État du 2 décembre* 1851. Ministre de la Police (1852-1853), il adopta des mesures rigoureuses contre la presse et les mouvements républicains. Sénateur (1853), puis préfet de Marseille (1860-1866), il a laissé des *Mémoires sur le Second Empire* (1884-1885).

MAUPASSANT (Guy de). ♦ Écrivain français (Château de Miromesnil, Seine-Maritime, 1850 – Paris, 1893). Après une enfance libre et heureuse en Normandie, il assiste à la débâcle de 1870, puis accepte un emploi de fonctionnaire à Paris (parmi ces bureaucrates que l'on retrouve dans *La Parure, L'Héritage*, ...). Parallèlement à une vie sportive et joyeuse (les parties de canotage de *Mouche*), il fait son « apprentissage » littéraire sous la direction de Flaubert*, ami de la famille, qui lui impose les exigences de l'esthétique réaliste et lui fait connaître Huysmans*, Daudet*, Zola*. *Boule-de-Suif* (1880), une des nouvelles du recueil collectif *Les Soirées de Médan*, détermine sa vocation de conteur et lui assure le succès. Vivant désormais de ses livres, il publie quelque trois cents nouvelles en dix ans, évoquant la Normandie (*Les Contes de la bécasse*, 1883), rappelant des souvenirs de la guerre de 1870 (*Mademoiselle Fifi*, 1882) ou dénonçant la médiocrité et le cynisme des milieux parisiens (*Les Sœurs Rondoli*, 1884). **V. Contes et Nouvelles.** Débordant de sensuelle vitalité, fêté partout (comme *Bel*-Ami*, 1885), visitant sur son yacht l'Angleterre, l'Italie, l'Afrique du Nord (*Au soleil*, 1884 ; *Sur l'eau*, 1888), il est progressivement assombri par des troubles nerveux et la hantise de la mort, évolution visible dans ses six romans, de *Une vie* (1883) à *Fort comme la mort* (1889). Aux hallucinations (Cf. *Le Horla**, 1887) succède le délire, et il meurt après dix-huit mois d'internement. – Qu'il parle le savoureux patois normand de ses paysans ou décrive avec une précision lucide la montée de l'angoisse, Maupassant est bien le maître de la nouvelle, qui a appris à l'école de Flaubert à rechercher « la vérité choisie et expressive ». S'écartant de l'esthétique naturaliste, il veut donner de la vie une « vision plus complète, plus saisissante, plus probante que la réalité même » (préface de *Pierre et Jean*, 1888) ; d'où un style savamment simple, des notations brèves et aiguës sur le décor et sur les personnages (paysans matois, bourgeois niais, déshérités auxquels il voue une tendresse très pudique). Le récit, souvent banal, simple comme un scénario (c'est l'un des écrivains adaptés avec le plus de bonheur à l'écran), a « l'aspect, le mouvement de la vie même ».

MAUPEOU [mopu] **(René Nicolas Charles Augustin de)**. ♦ Homme politique français (Paris, 1714 – Le Thuit, Eure, 1792).

Chancelier de France en 1768, il s'opposa à Choiseul*, à la chute duquel il contribua. Appelé au pouvoir, il forma avec Aiguillon* et Terray* un véritable « triumvirat ». L'agitation parlementaire, encore accrue par l'affaire La Chalotais (**V. La Chalotais**), fut jugulée : les parlementaires récalcitrants exilés, on forma des conseils composés de membres révocables, cependant qu'on imposait des réformes pour apaiser l'opinion indignée. Cette tentative de despotisme éclairé devait prendre fin avec la mort de Louis XV.

MAUPERTUIS (Pierre Louis MOREAU *de***).** ♦ Mathématicien, savant et essayiste français (Saint-Malo, 1698 – Bâle, 1759). Il introduisit le newtonianisme en France en 1730. Il fit décider par l'Académie des sciences une expédition en Laponie (1736-1737) pour y mesurer la longueur d'un arc de méridien de 1° ; le résultat, comparé à la mesure faite à Paris, permit de conclure à l'aplatissement de la Terre vers les pôles. Reprenant en 1744 le « principe d'économie naturelle » de Fermat*, il énonça le *principe de moindre action,* faisant d'une erreur en optique, normale à son époque, une vérité mécanique. Il sut rattacher les *lois du choc* à son principe (1747). Dans le domaine de la biologie, où il reprit la théorie *atomiste* de Mariotte*, il exprima un *transformisme intégral (Essai sur la formation des corps organisés)* et pressentit la « mutation » des biologistes modernes. Il élabora la notion d'hérédité particulaire (particules séminales). Il s'intéressa aussi à l'origine des langues. De 1741 à 1756, appelé à l'académie royale de Prusse par Frédéric II, il contribua au rayonnement de la science française.

MAUR *(saint).* ♦ Abbé (v. 512 – 584). Identifié tardivement avec un disciple de saint Benoît, il passe pour l'introducteur en Gaule du monachisme bénédictin (v. 542). Une congrégation bénédictine porte son nom *(Mauristes).* Fête le 15 janvier.

MAURAGE. ♦ V. de Belgique (Hainaut, arr. de Soignies) sur la Haine. 5 200 hab. Houillères. Cokeries.

MAURAIN (Charles). ♦ Physicien français (Orléans, 1871 – Paris, 1967). Directeur de l'Institut de physique du globe (1921), il installa en France un réseau magnétique. On lui doit également des travaux sur le magnétisme et l'électricité terrestres, ainsi que sur la séismologie et la météorologie. (Acad. sc., 1930.)

MAURE-DE-BRETAGNE. ♦ Ch.-l. de cant. d'Ille-et-Vilaine, arr. de Redon*. 2 646 habitants.

MAUREPAS (Jean Frédéric PHÉLYPEAUX, *comte de***).** ♦ Homme politique français (Versailles, 1701 – Paris, 1781). Petit-neveu de Pontchartrain*, il prit la succession de son père au ministère de la Maison du roi puis passa à la Marine. Il embellit Paris, encouragea des missions scientifiques (Maupertuis*, Jussieu*), réforma l'administration de la Marine, et fut disgracié pour avoir été soupçonné d'une « poissonnade » contre Mme de Pompadour (1749). Rappelé par Louis XVI en 1774, malgré sa légèreté, il sut s'entourer d'hommes compétents (Turgot, Malesherbes, Vergennes, Sartine), mais ne sut pas les défendre contre les intrigues de cour. Son secrétaire publia sous son nom des *Mémoires.*

MAURES. *n. m. pl.,* en ar. **al-Mâr.** ♦ Population du Sahara* occidental, métissée de Berbères, d'Arabes et de Noirs, vivant principalement en Mauritanie*, mais également au Sahara* espagnol, au Mali* et au Sénégal*, répartie en de nombreuses tribus. La hiérarchie sociale se traduit par la présence d'une aristocratie guerrière et de celle des « marabouts » dans les oasis qui furent des foyers islamiques. Ce sont des éleveurs transhumants et des chasseurs dans la zone sahélienne et des nomades chameliers au N. en relation avec le Sud marocain. – Le mot a longtemps désigné en Occident les musulmans, notamment les conquérants de l'Espagne. **V. Regueïbat.**

MAURES. *n. m. pl.* ♦ Massif de la Provence maritime qui s'étend d'Hyères* à Fréjus*. Il est limité par les vallées du Gapeau et de l'Argens*. Ce sont des sommets arrondis de schistes noirs, couverts de forêts. Le point culminant est le signal de la Sauvette (780 m).

MAURÉTANIE. ♦ **V.** Mauritanie.

MAURIAC (François). ♦ Écrivain français (Bordeaux, 1885 – Paris, 1970). Chrétien de tradition familiale et d'éducation, élevé par une mère sévère, F. Mauriac évoquera souvent « le monde étroit et janséniste de [son] enfance pieuse, angoissée et repliée, et la province où elle baignait », le Bordelais (*Commencements d'une vie,* 1932 ; *Le Jeune Homme,* 1926 ; *La Province,* 1926 ; *Écrits intimes,* 1953). Venu à Paris en 1906, il se consacra à la littérature. Malgré la chaude approbation de Barrès*, son premier recueil poétique, *Les Mains jointes* (1909), passa inaperçu, comme ses romans *L'Enfant chargé de chaînes* (1913) et *La Robe prétexte* (1914). Révélé au public par *Le Baiser au lépreux* (1922), Mauriac allait désormais lier étroitement son œuvre à ses scrupules de chrétien divisé ; « Comment guérir la concupiscence ? Elle n'est jamais limitée à quelques actes : c'est un cancer généralisé ; l'infection est partout ». Devant les puissances du mal, il n'est que deux attitudes possibles, ou le renoncement (« *Le Désert de l'amour* – 1925 – ce pourrait être le titre de mon œuvre entière ») ou la révolte (peinte dans *Thérèse Desqueyroux,* 1927). S'ils dénoncent avec âpreté toute tentative de compromis, toute alliance du mensonge et de la religion (*La Pharisienne,* 1941), les romans de Mauriac, d'un spiritualisme amer et inquiet, traduisent sa fascination en face du monde et de ses prestiges charnels. Dans une atmosphère fiévreuse (à laquelle répondent l'aridité et les orages des Landes), des âmes débiles (*Génitrix,* 1923) ou forcenées (*Le Nœud de vipères,* 1932) sont saisies par un amour, souvent féroce (« cherchant qui dévorer ») et toujours insuffisant, qui les laisse seules dans « cette

Ph. Lauros-Giraudon

François Mauriac, par J. E. Blanche. (Musée des Beaux-Arts, Rouen.)

cage tapissée d'oreilles et d'yeux » que sont famille et société. À cet amour-haine qui évoque le monde racinien correspond une nostalgie de pureté (Cf. *Vie de Racine,* 1928). Ainsi se justifie cette plongée tragique au sein du mal et du péché. Construits suivant une sévère progression linéaire, utilisant les procédés de la rétrospection et du monologue intérieur, les romans de Mauriac, comme ses œuvres dramatiques (*Asmodée,* 1937 ; *Les Mal-Aimés,* 1945), traiteront donc le thème pathétique de la grâce et du rachat (*L'Agneau,* 1954). Auteur d'essais critiques (*La Rencontre avec Pascal,* 1926) et spirituels (*La Vie de Jésus,* 1936), Mauriac s'est également montré un journaliste et un polémiste de valeur. Les articles brefs et incisifs réunis dans le *Journal* (1934 à 1951), *Le Cahier noir,* écrit durant la Résistance, et le *Bloc-Notes* (1958 et 1961) le montrent soucieux, au nom du christianisme, d'une grande justice politique. Dans ce domaine, il épousa la cause des colonisés et les idéaux du gaullisme, terminant sa vie comblé d'honneurs. (Acad. fr. ; prix Nobel, 1952.)

MAURIAC. ♦ Sous-préf. du Cantal*, ch.-l. d'arr. (6 cant., 61 comm., 39 499 hab.). 4 274 hab. *(Mauriacois).* Très belle église romane, Notre-Dame-des-Miracles, qui abrite une Vierge noire. Marché agricole. – Aux environs, barrage de l'Aigle dans les gorges de la Dordogne (400 000 000 kWh/an).

MAURICE *(saint).* ♦ Martyr de la foi mort en 302 selon saint Eucher, archevêque de Lyon (*Passion,* ve s.), ou vers la fin du IIIe siècle. Saint Maurice aurait été le chef de la Légion thébaine envoyée par l'empereur Maximien* pour combattre les Bagaudes*. Les chrétiens de cette légion auraient été massacrés dans la plaine d'Agaune (auj. *Saint*-Maurice*) dans le Valais suisse, pour avoir refusé de sacrifier aux dieux. L'épisode, attesté par les écrivains ecclésiastiques à partir du IVe s., a semblé peu vraisemblable à de nombreux historiens.

MAURICE, en lat. **Flavius Mauricius Tiberius.** ♦ (v. 539 – 602). Empereur d'Orient (582-602). Général de Tibère* Ier, puis son gendre et successeur, il combattit les Perses (581), brisa la révolte des Maures en Afrique (587), repoussa les Lombards en Italie, les Avars et les Slaves dans les Balkans. Il établit les exarchats d'Italie et d'Afrique et réorganisa l'administration impériale. Mais l'armée, mécontentée par la réduction des soldes, se révolta et le renversa. Le centurion Phocas, proclamé empereur, le fit mettre à mort avec ses six fils.

MAURICE, *duc* puis *électeur* **de Saxe.** ♦ (Freiberg, 1521 – Sievershausen, 1553). Resté fidèle à Charles Quint lors de la ligue de Schmalkalden*, il reçut en récompense les titres et les possessions de son cousin Jean-Frédéric (1547). Il changea alors de camp, forma une ligue des princes protestants, après s'être assuré de l'appui de la France en échange des Trois-Évêchés (traité de Chambord, 1551), et obtint de Charles Quint, chassé d'Innsbruck, le traité de Passau* (1552). Il trouva la mort au cours d'une guerre contre son ancien allié le margrave de Brandebourg-Kulmbach.

MAURICE, dit le **Maréchal de Saxe.** ♦ **V.** Saxe.

MAURICE DE NASSAU. ♦ Prince d'Orange (Dillenburg, 1567 – La Haye, 1625). Stathouder des Provinces-Unies (1584-1625). Il succéda à son père Guillaume* le Taciturne et montra tout de suite les qualités d'un grand chef de guerre (prise de Breda, 1590, Nimègue, 1591, Groningue, 1594, défaite de l'archiduc Albert à Nieuport, 1600) ; il devait être un maître pour tous les grands capitaines du XVIIe siècle. Il s'opposa à Oldenbarneveldt*, qu'il fit exécuter.

MAURICE *(île),* en angl. **Mauritius,** anc. **île de France.** ♦ Île de l'océan Indien, au N.-E. de la Réunion*, appartenant à l'archipel des Mascareignes*. 1 865 km^2. 830 600 hab. *Langues :* anglais (off.), français, créole. *Cap.* Port*-Louis. *Pop.* Hindous, musulmans, Chinois, créoles. L'île Rodrigues est une dépendance de l'île

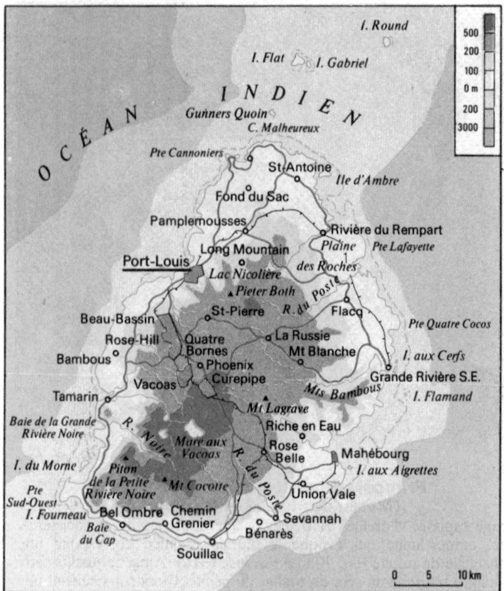

Île **Maurice.**

Maurice. – Île volcanique, chaude et humide, au climat tropical tempéré par les influences océaniques, elle est exposée aux cyclones pendant l'été. Son économie, essentiellement agricole, et basée sur la monoculture de la canne à sucre, est soumise aux fluctuations du cours du sucre. D'autre part, la densité de la population (440 hab./km²), accrue par une démographie galopante, a nécessité un programme de limitation des naissances. ♦ *Hist.* L'île fut découverte en 1505 par les Portugais puis occupée par les Hollandais jusqu'en 1710. Les Français s'y établirent en 1715 et elle prit le nom d'*île de France.* La* Bourdonnais en fut gouverneur de 1735 à 1746. Les Anglais s'en emparèrent en 1810 et s'en firent confirmer la possession en 1814. Jusqu'en 1903, elle fut administrée conjointement avec les Seychelles* comme une seule colonie britannique. Depuis 1968, elle constitue un État indépendant, membre du Commonwealth*.

MAURICIE. *n. f.* ♦ Partie du Québec* (Canada) située entre Montréal et Québec, dans la région du Saint*-Maurice. *V. princ. :* Trois*-Rivières. Installations hydro-électriques. Papeteries.

MAURIENNE. *n. f.* ♦ Nom donné à la vallée de l'Arc*, affl. de l'Isère*, dép. de la Savoie*. C'est une grande voie de passage entre la France et l'Italie. De nombreuses installations hydro-électriques alimentent des usines d'électrométallurgie et d'électrochimie. *Princ. V.* Modane*, Saint*-Jean-de-Maurienne.

MAURITANIE. *n. f.*, en lat. **Mauritania** ou **Mauretania.** ♦ Nom donné par les Romains à la région d'Afrique du Nord située à l'O. de la Numidie. Elle correspondait au ~ Iᵉʳ s. à la région comprise entre l'océan Atlantique et le Rummel, c'est-à-dire au Maroc et à une partie de l'Algérie actuels. Le pays était habité à l'origine par les Berbères semi-nomades appelés Maures *(Mauri)* par les Romains. La Moulouya formait la frontière entre le pays des Maures à l'O. et celui des Maessyles à l'E., qui furent intégrés dans le royaume de Numidie par Masinissa* en ~ 202. **V. Numidie.** Au ~ IIᵉ s., la Mauritanie s'accrut de la partie occidentale de la Numidie jusqu'au Rummel. **(V. Bocchus, Juba II).** Devenue province romaine en 40, elle fut divisée en *Mauritanie Tingitane* à l'O. de la Moulouya (cap. *Tingis,* Tanger ; V. princ. Volubilis) et *Mauritanie Césarienne* de la Moulouya au Rummel (cap. *Césarée,* Cherchell). Au IIIᵉ s., sous Dioclétien, fut créée la province de *Mauritanie Sitifienne* (cap. *Sitifis,* Sétif), formée par la partie orientale de la Mauritanie Césarienne. Après la conquête vandale (Vᵉ s.), la Mauritanie passa sous la domination byzantine (VIᵉ s.), puis sous celle des Arabes (VIIᵉ-VIIIᵉ s.). **V. Algérie, Maroc.**

MAURITANIE. *n. f. (République islamique de).* ♦ État de l'Afrique occidentale dont la façade atlantique s'étend de la péninsule du cap Blanc* à l'embouchure du Sénégal*. Il est limité par le Sahara* occidental (dont une partie lui a été accordée en 1976), l'Algérie* au N.-E., le Mali* à l'E. et au S.-E. et le Sénégal* au S.-O. (par le cours du fleuve Sénégal) et traversé par le tropique du Cancer au N. 1 031 000 km². 1 320 000 hab. *(Mauritaniens). Cap.* Nouakchott. *Langues :* arabe et français. *Pop.* Arabo-Berbères **(V. Maures),** métis **(V. Peuls)** et Noirs **(V. Ouolofs, Sarakollés, Toucouleurs).** *V. et localités principales :* **V. Akjoujt** (anc. Fort-Repoux), **Cansado, Fderik** (anc. Fort-Gouraud), **Kaédi, Nouadhibou** (anc. Port-Étienne) et **Zouerate.** – Vaste pénéplaine aux deux tiers saharienne, seul le S. du pays (zone sahélienne) connaît des pluies assez fréquentes. Les cultures vivrières (mil, sorgho, riz, maïs, dattes) représentent encore l'essentiel de la production agricole (celle de l'acacia, gomme arabique, étant concurrencée par le Mali). L'élevage (bovins, ovins, chèvres et chameaux) pratiqué par les nomades constitue une ressource importante, de même que la pêche sur la côte N.-O. Mais le développement de l'économie reste limité essentiellement aux industries extractives **(V. Akjoujt, Idjil).** ♦ *Hist.* Peuplée à l'origine de Berbères* Zénatas et surtout Sanhadjas et de Noirs (vallée du Sénégal), trait d'union entre l'Afrique noire et l'Afrique blanche, la Mauritanie fut envahie par les Arabes et arabisée (XIVᵉ-XVᵉ s.). Les Français, avec Faidherbe*, occupèrent son territoire (1855) qui fut placé sous protectorat français en 1904, puis devint une des colonies de l'Afrique*-Occidentale française (A.-O.F.) en 1920. République autonome au sein de la Communauté* (novembre 1958), elle accéda à l'indépendance le 20 novembre 1960, et dut lutter contre les revendications territoriales du Maroc*. Gouvernée depuis 1961 par Moktar Ould Daddah*, elle est membre de l'O.N.U. depuis 1961 et fait partie du groupe de Monrovia*.

MAUROCORDATO. ♦ **V.** MAVROCORDATOS.

MAUROIS (André - Pseudonyme littéraire devenu le nom légal d'**Émile HERZOG).** ♦ Romancier, essayiste et historien français (Elbeuf, 1885 – Neuilly-sur-Seine, 1967). Après une licence en philosophie, il dirigea l'usine familiale en Normandie (Cf. le roman *Bernard Quesnay,* 1926) ; agent de liaison près de l'armée britannique durant la Première Guerre mondiale, il évoqua ses souvenirs dans *Les Silences du colonel Bramble* (1918), ouvrage d'un humour délicat dont le succès détermina sa carrière littéraire. *Ni ange, ni bête* (1919), *Climats* (1928), *Le Cercle de famille* (1932) et *L'Instinct du bonheur* (1934), récits romanesques fort traditionnels, au ton mesuré, se présentaient comme des chroniques empreintes d'une sagesse sans illusion. La même pondération s'exprime dans des contes philosophiques (*Le Peseur d'âmes,* 1931) et dans des nouvelles d'anticipation (*Toujours, l'inattendu arrive,* 1943 ; *La Machine à lire les pensées,* 1943). Intéressé par les grandes synthèses historiques (*Histoire de l'Angleterre,* 1937 ; *des États-Unis,* 1943 ; *de la France,* 1947), Maurois s'est ensuite illustré dans un genre, qu'il a renouvelé avec *Ariel ou la Vie de Shelley* (1923), celui de la biographie romanesque. À la fois dossiers érudits et évocations vivantes, *La Vie de Disraeli* (1927), *Olympio ou la Vie de Victor Hugo* (1945), *À la recherche de M. Proust* (1949), *Prométhée ou la Vie de Balzac* (1965), etc., ont montré l'écrivain préoccupé d'élucider la démarche des hommes d'action ou des grands créateurs. (Acad. fr., 1938.)

MAUROLICO (Francesco), dit **Francesco da Messina.** ♦ Bénédictin et savant italien d'origine grecque (Messine, 1494 – *id.,* 1575). Ses travaux d'optique (publiés seulement en 1611) sur les prismes, les miroirs sphériques et le mécanisme de la vision préfigurent l'optique de Kepler*. En mathématiques, il étudia les sections coniques, qu'il traita comme sections planes du cône, détermina les centres de gravité de différents corps (pyramide, sections de la sphère, paraboloïde de révolution), fut le premier à pressentir une correspondance entre sommets et faces d'un polyèdre régulier (*Opuscula mathematica,* 1575). Il utilisa aussi, systématiquement, des lettres au lieu de nombres concrets et donna l'un des premiers exemples du mode de raisonnement appelé plus tard *induction mathématique* (*Arithmeticorum libri duo,* 1575).

MAURON. ♦ Ch.-l. de cant. du Morbihan, arr. de Vannes. 3 216 hab. Église en partie du XVIᵉ siècle. Maisons anciennes.

MAURRAS (Charles). ♦ Écrivain et homme politique français (Martigues, 1868 – Tours, 1952). Provençal influencé par la

Mauritanie.

pensée de Mistral*, puis sensible aux idées de Barrès*, de Renan* et d'A. France*, il exprima, par son amour pour la Grèce antique, son culte de l'ordre et de la raison. *L'Avenir de l'intelligence* (1900) et *Anthinéa* (1901) sont des méditations sur l'activité humaine face à la mort politique identifiée avec la démocratie, ou à la mort de l'art, c'est-à-dire le romantisme (*Romantisme et Révolution,* 1925). Ce néo-classicisme, illustré par les poèmes de *La Musique intérieure* (1925), explique l'adhésion de Maurras à l'école romane de Jean Moréas*. Son *Enquête sur la monarchie* (1900), venant après l'affaire Dreyfus*, inaugura le mouvement de *l'Action française* (1908 à 1944) dont il fut le principal animateur. Il y défendit le « nationalisme intégral », synthèse du traditionalisme et du nationalisme (*Mes idées politiques,* 1937), et acquit une influence considérable sur la partie la plus conservatrice de la bourgeoisie française, jusqu'à la mise à l'index de ses œuvres par Rome (de 1914 à 1939). Ayant soutenu Mussolini*, Franco*, puis Pétain*, Maurras fut condamné à la réclusion (1945), mais gracié peu de temps avant sa mort. (Acad. fr.; radié en 1945.)

MAURS. ♦ Ch.-l. de cant. du Cantal*, arr. d'Aurillac*. 2 749 hab. *(Maursois).* Église gothique.

MAURY (Jean Siffrein). ♦ Prélat français (Valréas, 1746 – Rome, 1817). Prédicateur célèbre, élu député du clergé aux États généraux (1789), il fut à l'Assemblée nationale constituante un des principaux soutien de l'Ancien Régime **(V. Aristocrates),** s'opposant à la Constitution civile du clergé, réclamant que l'autorité du pape soit reconnue à Avignon. Émigré à Rome en 1792, il fut nommé successivement évêque de Montefiascone (1792), archevêque de Nicée et cardinal (1794). Favorable à l'Empire, il revint en France (1806), où Napoléon le fit archevêque de Paris (1810), et il soutint la politique de l'Empereur au concile de 1811. De retour à Rome en 1814, il fut enfermé au château Saint-Ange, puis libéré à condition de démissionner. Auteur de *Panégyriques,* d'un *Essai sur l'éloquence de la chaire.* (Acad. fr., 1785.)

MAURY. ♦ Comm. des Pyrénées-Orientales (arr. de Perpignan), adossée aux Corbières. 1 298 hab. Vignobles. — À proximité, vestiges du château de Quéribus (XIe-XIIe s.).

MAURYA. *n. m. pl.* ♦ Dynastie indienne du Mâgadha* fondée vers ~ 322 par Chandragupta Maurya et qui contrôla une grande partie de l'Inde et de l'Afghânistân jusqu'en ~ 184. Elle compta une dizaine de souverains dont le plus considérable fut Aśoka*.

MAUSOLE. ♦ (Mort en ~ 353). Satrape de Carie* (~ 377-~ 353). Il prit part à la révolte contre Artaxerxès Mnémon (~ 362), se proclama indépendant et établit sa capitale à Halicarnasse qu'il embellit de somptueux édifices. Il étendit sa domination sur une partie de la Lydie, de l'Ionie, sur les îles voisines et dirigea la guerre de Rhodes, Chio, Byzance contre Athènes (« guerre sociale »). Après sa mort, sa sœur et épouse Artémise* II lui éleva un tombeau magnifique, le *Mausolée* (voir ce mot, *in* Robert) qui fut mis au nombre des Sept Merveilles du monde.

MAUSS (Marcel). ♦ Sociologue et ethnologue français (Épinal, 1873 – Paris, 1950). Disciple de Durkheim*, il publia une deuxième série de l'*Année sociologique,* puis dirigea l'Institut d'ethnologie de l'université de Paris. En collaboration avec H. Hubert*, il publia ses premiers travaux de sociologie religieuse (*Essai sur la nature et la fonction du sacrifice,* 1897-1898; *Esquisse d'une théorie générale de la magie,* 1902). Il a cherché à saisir le phénomène social dans sa totalité, « à rendre compte des aspects physique, physiologique, psychique et sociologique de toute conduite » (C. Lévi-Strauss), en particulier dans son ouvrage principal *Essai sur le don, forme archaïque de l'échange* (1932-1934). À partir de ses cours, ses élèves M. Leiris et D. Paulme ont publié un *Manuel d'ethnologie* (1947).

MAUTHAUSEN. ♦ V. d'Autriche (Haute-Autriche), sur le Danube. 3 600 hab. Camp de concentration nazi, établi en 1938. Ce fut à la fois un camp de travail (fabrication d'essence synthétique) aux conditions de vie inhumaines et un camp d'extermination. Sa population s'éleva jusqu'à 70 000 prisonniers, gardés par 260 S.S. Quelque 120 000 personnes y moururent d'épuisement ou des mauvais traitements, quand ils ne furent pas assassinés. Il fut libéré en mai 1945 par les Américains.

MAUZÉ-SUR-LE-MIGNON. ♦ Ch.-l. de cant. des Deux-Sèvres, arr. de Niort. 2 174 hab. *(Mauzéens).* Église romane (XIIe s.). Château Renaissance. — Patrie de René Caillié*.

MAVROCORDATOS ou **MAUROCORDATO (Alexandre).** ♦ Homme politique grec (Constantinople, 1791 – Égine, 1865), issu d'une grande famille phanariote. Élu président du Conseil exécutif par l'Assemblée nationale d'Épidaure (1822), il dirigea la défense de Missolonghi* en 1822. Considéré comme inspiré par la politique anglaise, il se retira de la vie publique à la suite de ses démêlés avec les chefs militaires et les russophiles, puis il reprit son activité en Étolie (1824), où il se lia d'amitié avec lord Byron*. Après la libération de la Grèce, il se tint à l'écart de la vie politique. Cependant, il présida encore le cabinet de 1854 qui conserva la neutralité de la Grèce pendant la crise orientale.

MAWSILLÎ (Ibrâhîm al). ♦ Musicien arabe (743 – Baghdâd, 806). Chanteur, instrumentiste célèbre, il fut le fondateur d'une école de musique et le musicien préféré de Hârûn-al-Rashîd (v. 785). ♦ Son fils, ISHÂQ AL MAWSILLÎ (767 – 850) perfectionna le système tonal et modal, ainsi que la technique du luth; ses compositions le rendirent plus célèbre encore que son père. Il incarne « toutes les traditions de la musique classique arabe » (S. Jargy).

Ph. Giraudon

L'empereur **Maximilien Ier** et sa famille, par B. Striguel. (Académie San Fernando, Madrid.)

MAXENCE, en lat. **Marcus Aurelius Valerius Maxentius.** ♦ ([mort] Pont Milvius, Rome, 312). Empereur romain (306-312). Fils de Maximien*, il fut proclamé Auguste à Rome par les prétoriens à la mort de Constance* Chlore. Il s'associa à son père, repoussa avec lui les armées de Sévère* et de Galère* et établit son autorité sur l'Italie, l'Afrique et l'Espagne. Puis il écarta son père du pouvoir et fut vaincu par Constantin* au pont Milvius*.

MAXÉVILLE [maksevil]. ♦ Comm. de Meurthe-et-Moselle, arr. de Nancy. 6 621 hab. Mine de fer; caoutchouc.

MAXIM (*sir* Hiram Stevens). ♦ Industriel américain devenu citoyen britannique en 1900 (Brockway's Mill, près de Sangerville, Maine, 1840 – Streatham, près de Londres, 1916). Il perfectionna la fabrication des lampes à filament de carbone. Établi en Angleterre (1881), il inventa le premier fusil automatique [1884] *(fusil Maxim),* et fonda la Maxim Gun Company, devenue ensuite la Vickers Limited. Il réalisa également une « machine volante » actionnée par la vapeur, qui parvint à s'élever au-dessus du sol.

MAXIME, en lat. **Magnus Clemens Maximus.** ♦ ([mort] 388). Empereur romain (383-388). Proclamé empereur par les légions de Bretagne, il tua Gratien*, s'établit à Trèves et se fit reconnaître par Théodose*. En 386, il prit l'Italie à Valentinien* II mais fut vaincu et tué par Théodose.

MAXIME le Confesseur *(saint).* ♦ Moine byzantin (Constantinople, v. 580 – Lazica, *auj.* Schemarum, Caucase, 662). Principal théologien du parti opposé aux monothélètes*, il fut arrêté à Rome (653), condamné à Constantinople, exilé, torturé; il refusa toujours le *Type* de Constant II. Auteur du *Commentaire de Denys le Mystique et de Grégoire de Naziance.* — Fête dans l'Église latine le 13 août, dans l'Église grecque le 21 janvier.

MAXIME PÉTRONE, en lat. **Petronius Maximus.** ♦ ([mort] Rome, 455). Empereur romain d'Occident (455). Il assassina Valentinien* III et força sa veuve Eudoxie à se remarier avec lui. Mais celle-ci appela Genséric*, roi des Vandales, et lui livra Rome. Maxime fut lapidé par le peuple.

Maximes (Les). ♦ Titre donné aux *Réflexions ou Sentences et Maximes morales,* de La* Rochefoucauld (1665; réédition, 1678), étude psychologique et morale de l'homme, enfermée en des formules lapidaires illustrant la thèse pessimiste de l'auteur : l'analyse successive des sentiments les plus nobles révèle l'empire de l'amour-propre (ou intérêt) et l'irrationalité de la passion. Cette œuvre d'une lucidité désabusée connut un grand succès et parut manifester en morale un « esprit de justesse et de précision » (Voltaire).

MAXIMIEN, en lat. **Marcus Aurelius Valerius Maximianus Herculius.** ♦ (près de Sirmium, Pannonie, v. 250 – Marseille, 310). Empereur romain (286-305 et 306-310). Élevé à l'empire par Dioclétien* (286), il partagea le pouvoir avec lui, reçut le titre d'auguste, gouverna l'Occident et prit, comme césar, Constance* Chlore. Il abdiqua en même temps que Dioclétien (305), mais reprit le pouvoir en 306, rappelé par son fils Maxence*, puis, écarté du pouvoir après la conférence de Carnuntum, il conspira contre Constantin* qui le contraignit à se donner la mort.

MAXIMILIEN Ier. ♦ (Wiener-Neustadt, 1459 – Wels, 1519). Archiduc d'Autriche, roi des Romains (1486), empereur germanique (1493). Fils de Frédéric* III, il épousa Marie* de Bourgogne, héritière de Charles* le Téméraire. Pour conserver ses nouvelles possessions, il dut d'abord lutter contre Louis* XI qu'il vainquit à Guinegatte* (1479) et dont il obtint la Franche-Comté et les Pays-Bas (paix d'Arras), puis contre Gand et Liège elles-mêmes, qui se soulevèrent contre son autorité, quand il resta régent à la mort de sa femme. Il fut inégalement heureux dans ses autres entreprises militaires, délivrant Vienne des armées de Mathias* Corvin, s'alliant à la ligue de Souabe contre les Suisses dont il dut reconnaître l'indépendance (1499), et subissant de graves échecs en Italie, où son second mariage avec Blanche Sforza* l'avait entraîné. Après avoir adhéré à la ligue de Cambrai* (1508), il se retourna contre la France, à laquelle il dut finalement céder le Milanais. Ces revers furent largement compensés par une remarquable politique d'alliance. Après son premier mariage avec Marie de Bourgogne, il voulut épouser Anne* de Bretagne. Charles* VIII l'ayant devancé et ayant renvoyé Marguerite* d'Autriche à son père, celui-ci reprit l'Artois et la Franche-Comté qui constituaient sa dot. Il maria ensuite son fils Philippe* le Beau à Jeanne* la Folle (1496), préparant ainsi le prodigieux héritage de Charles* Quint, puis ses petits-enfants, Ferdinand et Marie, avec les héritiers de Ladislas II Jagellon, ce qui devait faire passer la Bohême et la Hongrie sous la domination des Autrichiens. Mais c'est par son effort de réorganisation de l'empire que Maximilien peut être considéré comme le véritable fondateur de la puissance des Habsbourg. Après avoir regroupé l'Autriche, la Styrie, la Carinthie, la Carniole et le Tyrol en *États héréditaires,* il tenta d'étendre leur organisation à tout l'empire, et entra en conflit avec les princes allemands. Des compromis aboutirent à la fondation d'un tribunal suprême *(Reichskammergericht),* d'une chambre aulique *(Hofkammer),* d'une chancellerie *(Hofkanzler),* tandis que l'empire était divisé en dix « cercles ». Une armée permanente était instituée, des universités fondées. Si la centralisation était loin d'être parfaite, si les problèmes financiers restaient cruciaux, Maximilien, personnalité complexe, prince brillant et fastueux, bon capitaine, érudit, protecteur des humanistes (Ulrich von Hutten) ou des artistes (Dürer, Burgkmair*), et en même temps imprégné d'idéal chevaleresque, laissait à son successeur Charles Quint un empire qui dominait la moitié de l'Europe.

MAXIMILIEN II. ♦ (Vienne, 1527 – Ratisbonne, 1576). Empereur d'Allemagne, roi de Germanie et roi de Bohême, roi de Hongrie, il succéda à son père Ferdinand Ier. Très favorable à la Réforme, il resta pourtant apparemment fidèle au catholicisme, mais ne cessa d'encourager la liberté religieuse tout en tolérant la Contre-Réforme. Son règne fut dominé par la lutte contre les Turcs.

MAXIMILIEN Ier. ♦ (Munich, 1573 – Ingolstadt, 1651). Duc, puis Électeur de Bavière. Il fonda la Sainte Ligue (1609) et combattit pour l'empereur durant la guerre de Trente* Ans (la Montagne* Blanche, 1620).

MAXIMILIEN II EMMANUEL. ♦ (Munich, 1662 – *id.,* 1726). Électeur de Bavière (1679-1726). Petit-fils de Maximilien Ier, il s'illustra contre les Turcs (prise de Belgrade, 1688). Après avoir gouverné les Pays-Bas espagnols (1691-1699), qu'il s'efforça de relever, il soutint Louis* XIV lors de la guerre de la Succession* d'Espagne et ses États furent occupés par les Autrichiens après Höchstädt* (1704), tandis qu'il était lui-même vaincu à Ramillies* (1706).

MAXIMILIEN III EMMANUEL. ♦ (Munich, 1727 – *id.,* 1777). Électeur de Bavière (1745-1777). Fils de l'empereur Charles* VII, il s'opposa à Marie*-Thérèse pendant la guerre de la Succession* d'Autriche et la reconnut au traité de Füssen (1745). À sa mort éclata la guerre de la Succession* de Bavière.

MAXIMILIEN Ier JOSEPH. ♦ (Mannheim, 1756 – Nymphenburg, 1825). Électeur (1799-1806), puis roi de Bavière (1806-1825). Il servit dans l'armée française, avant que la succession de Bavière lui soit garantie par le traité de Teschen (1779), et devint duc de Deux-Ponts (1795) à la suite de son frère. À partir de 1801, il s'allia à la France à laquelle il céda ses possessions sur la rive gauche du Rhin, en échange de territoires considérables **(V. Bavière,** ***Hist.*****)** et du titre royal. Il rejoignit le camp des alliés suffisamment à temps pour obtenir le Palatinat rhénan au congrès de Vienne, en échange de ses acquisitions. Il accomplit d'importantes réformes et dota son pays d'une constitution libérale.

MAXIMILIEN II JOSEPH. ♦ (Munich, 1821 – *id.,* 1864). Roi de Bavière (1848-1864). Il succéda à son père Louis Ier, quand celui-ci abdiqua, et eut une politique libérale. Il essaya de réunir les petits États allemands face à l'Autriche et à la Prusse (Triade). Très cultivé, il encouragea la vie intellectuelle.

MAXIMILIEN. ♦ Empereur du Mexique (Vienne, 1832 – Querétaro, 1867). Frère de l'empereur François* Joseph, archiduc d'Autriche, marié en 1857 à la princesse Charlotte*, il ne reçut de son frère que des postes honorifiques et sans responsabilités. En 1863, Napoléon III lui offrit la couronne impériale du Mexique, qu'il finit par accepter. En butte à l'opposition de Juárez*, il ne put s'imposer aux Mexicains qu'avec l'appui de Napoléon III, qui l'abandonna ; toutes les démarches de sa femme, Charlotte, pour lui envoyer des secours échouèrent. Il fut capturé par Juárez et fusillé à Querétaro, ce qui entraîna sa femme dans la folie.

MAXIMILIEN DE BADE, dit **Max de Bade.** ♦ Homme politique allemand (Karlsruhe, 1867 – Salem, Constance, 1929). Nommé chancelier par l'empereur Guillaume* II (oct.-nov. 1918), il proposa l'armistice au président Wilson* et conseilla l'abdication à l'empereur.

MAXIMIN Ier le Thrace, en lat. **Caius Julius Verus Maximinus Thrax.** ♦ ([mort] 238). Empereur romain (235-238). Ancien berger thrace devenu officier de la classe équestre, il fut proclamé empereur par l'armée après l'assassinat de Sévère* Alexandre. Excellent chef de guerre, il combattit avec succès les Francs et les Iazyges, mais fut assassiné par ses propres soldats.

MAXIMIN II DAÏA, en lat. **Galerius Valerius Maximinus.**

Ph. Carlo Bevilacqua/Ricciarini

Bas-relief **Maya :** femme offrant une tête de jaguar à un personnage. (Musée anthropologique, Mexico.)

♦ ([mort] Tarse, 313). Ancien berger thrace, neveu de Galère* qui le nomma césar en 305, il gouverna l'Égypte et la Syrie. Il se fit proclamer auguste en 307 par ses soldats, resta maître de l'Orient à Nicomédie* d'où il reprit la persécution contre les chrétiens. Vaincu par Licinius* en 313, il s'empoisonna.

MAXIMOFF (Gregori Petrovich). ♦ Anarchiste russe (1893 – 1950). Devenu anarchiste sous l'influence des théories de Kropotkine*, il représenta la tendance anarcho-syndicaliste lors de la Révolution russe (oct. 1917) et dut quitter la Russie (1922) pour Berlin, Paris, puis les États-Unis (1925), où il publia, en anglais, un des principaux ouvrages sur la Révolution russe considérée du point de vue anarchiste (*Twenty Years of Terror in Russia,* 1940).

MAXWELL (James Clerk). ♦ Physicien écossais (Édimbourg, 1831 – Cambridge, 1879). Il participa à l'élaboration de la théorie cinétique des gaz, déterminant la fonction de distribution des vitesses dans l'état d'équilibre thermique statistique. **V. Boltzmann.** Il déduisit de ses mesures la valeur du *libre parcours moyen.* Il fut le premier à énoncer le *principe ergodique* (d'après lequel une trajectoire, à certaines exceptions près, est « partout dense » dans l'espace et le remplit « avec une densité constante »). Inspiré par les travaux de Faraday*, il entreprit la première étude mathématique du champ de forces magnétiques des courants (1855-1856). En 1862, il introduisit le concept de *courant de déplacement* (dans les diélectriques soumis à un champ électrique variable). Dans un mémoire publié en 1864, il exposa sa fameuse théorie électromagnétique de la lumière **(V.** ***aussi*** **Lorentz)** dans laquelle figurent les équations générales du champ électromagnétique. Cette théorie permit notamment de rendre compte des lois de la réflexion et de la réfraction. Par ailleurs, on peut le considérer comme l'un des inventeurs de la T.S.F. dont il établit les fondements théoriques. **V. H. Hertz.** En 1868, il publia la première analyse théorique de l'adaptabilité, dans laquelle il exposa le principe d'un dispositif à *feedback.* Il fut le premier également à rapprocher la notion d'information des notions de base de l'énergétique [1871] **(V.** ***aussi*** **Wiener).** Il prévit enfin la *pression de radiation* en 1873. **V. Bartoli.**

MÂYÂ DEVÎ. ♦ Nom donné à la mère du Bouddha*.

MAYAGÜEZ. ♦ V. et port de l'île de Porto* Rico sur la côte O., face à la république Dominicaine. Env. 90 000 hab. Chantiers navals. Sucreries. Manufactures de tabac.

MAYAPÁN (« la bannière des Mayas »). ♦ Site archéologique du Yucatán, très ruiné, exploré depuis 1950. ♦ *Hist.* Fondée vers l'an 1000 par un souverain toltèque de Tula, appelé Kukulcan (trad. maya de Quetzalcoatl), Mayapán fut le siège de la ligue qui domina le « nouvel empire » maya jusque vers 1200. **V. Mayas.**

MAYAS. *n. m. pl.* ♦ Peuple de l'Amérique centrale dont la brillante civilisation s'étendit lors de son apogée sur presque tout le territoire actuel du Guatemala, du Honduras britannique et du Mexique méridional (Chiapas, Yucatán). L'origine des Mayas, qui semble remonter au IVe s., est inconnue. L'« ancien empire » maya (IVe-IXe s.) vit se développer une grande civilisation, dont la chronologie est bien connue par les nombreuses stèles datées, témoignages des connaissances mathématiques et cosmographiques de ce peuple et de sa « hantise du temps » (J. Soustelle). Du sud (Petén, au Guatemala; Honduras), les centres mayas se répandirent vers le nord (Yucatán). Civilisation de cités, l'« ancien empire » correspond à un ensemble d'États hiérarchisés, dont la religion était liée à la computation du temps et qui disposaient d'une écriture hiéroglyphique élaborée. Les principaux centres furent Uaxactún, Tikal* (Petén), Piedras Negras, Palenque*, Copán, Bonampak*, et l'apogée de l'art et du savoir maya (« grande époque ») correspond aux VIIe, VIIIe et IXe siècles. Le déclin qui s'ensuivit est probablement dû en partie à l'épuisement des sols à la suite de la culture du maïs sur brûlis. Mais vers la fin du Xe s. une nouvelle culture toltèque-maya **(V. Mexique,** ***Hist.;*** **Toltèques)** apparaît au Yucatán. Chichén* Itzá fut réoccupé (987), Uxmal fondé et Mayapán* prit la tête d'une « ligue » qui constitua un « nouvel empire » maya (987); mais vers 1200 une période de divisions commença, jusqu'à l'effondrement de Mayapán (1441). Les Espagnols prirent la dernière ville maya indépendante en 1697 (Tayasol, Guatemala). Notre connaissance de la civilisation et de l'histoire des Mayas et des Toltèques est tributaire de chroniques rédigées après la conquête en maya et en caractères latins *(livres de Chilam-Balam),* mais les textes hiéroglyphiques antérieurs sont incomplètement déchiffrés. La religion est connue grâce au Popol* Vuh. — Les actuelles populations de langue maya (Mayas, Lacandons) sont env. 2 000 000.

MAYENCE, en all. **Mainz**. ♦ V. et port d'Allemagne occidentale et cap. du *Land* de Rhénanie*-Palatinat, sur la r. g. du Rhin, près de son confl. avec le Main. 174 100 hab. Évêché, université. Belle cathédrale (Xᵉ-XIIIᵉ s.) en partie romane, avec des adjonctions gothiques et baroques. Hôtels baroques; château de l'électeur, de style Renaissance (*fin* XVIᵉ s.), abritant un musée romano-germanique. Importante métropole commerciale du Rhin moyen, vouée au commerce des vins et des denrées alimentaires. Cimenteries, verreries, indus. mécaniques, constructions navales (péniches), édition (musique) et imprimeries. Musée Gutenberg, académie de musique réputée. — Patrie de Gutenberg*, du linguiste Franz Bopp* et du prélat Raban* Maur. ♦ *Hist.* Occupée par l'armée de Custine* en 1792, la ville fut reprise aux Français par les troupes prussiennes du duc de Brunswick après une longue défense (juill. 1793), puis rattachée à la France en 1797, après le traité de Campoformio. Elle entra dans le grand-duché de Hesse-Darmstadt en 1815. Elle fut occupée par les Français de 1918 à 1930.

MAYENNE (Charles de Lorraine, *duc de***)**. ♦ (Alençon, 1554 — Soissons, 1611). Homme politique français. Il prit la succession de son frère Henri, duc de Guise*, à la tête de la Ligue* (1589). Il fit couronner le cardinal de Lorraine, sous le nom de Charles X. Il fut vaincu à Arques* et à Ivry* et fit sa soumission à Henri* IV.

MAYENNE. *n. f.* ♦ Riv. de l'O. de la France (200 km), affl. de la Sarthe (r. d.). Elle prend sa source dans le dép. de l'Orne, traverse la Mayenne et le Maine-et-Loire où elle conflue en amont d'Angers. Elle arrose Mayenne*, Laval*, Château*-Gontier.

MAYENNE [53]. *n. f.* ♦ Dép. de l'O. de la France, région (anciennement C.A.R.) des pays de la Loire. 5 212 km². — *Orogr.* Le dép. s'étend sur le bas Maine, ou Maine noir, marge orientale du Massif armoricain, drainée par la Mayenne. C'est un pays de forêts et de bocage, qui se consacre à l'élevage ainsi qu'à la culture des arbres fruitiers (pommes à cidre). Le relief, qui culmine à 417 m au mont des Avaloirs, à l'extrême N.-E. du dép., s'incline vers le S. en direction du bassin de Laval.

♦ 27 cant., 275 comm., 258 814 hab. *Préf.* Laval*. *Sous-préf.* Mayenne*, Château*-Gontier. *Ch.-l. de cant.* Ambrières-le-Grand (1 812 hab.), Argentré (1 043 hab., 483 aggl.), Bais (1 105 hab., 547 aggl.), Bierné (752 hab.), Chailland (1 125 hab., 371 aggl.), Cossé*-le-Vivien, Couptrain (225 hab.), Craon*, Ernée*, Évron*, Gorron*, Grez-en-Bouère (1 093 hab., 598 aggl.), Horps [Le] (735 hab., 173 aggl.), Landivy (1 525 hab., 562 aggl.), Lassay*, Loiron (782 hab.), Meslay-du-Maine (1 843 hab.), Montsûrs (1 736 hab.), Pré*-en-Pail, Saint-Aignan-sur-Roë (756 hab.), Sainte*-Suzanne, Villaines-la-Juhel (2 323 hab.). *Autre comm.* **V. Renazé.**

MAYENNE. ♦ Sous-préf. du dép. de la Mayenne, ch.-l. d'arr. (12 cant., 112 comm., 89 556 hab.), sur la rivière Mayenne. 12 315 hab. [10 010 aggl.] *(Mayennais).* Basilique Notre-Dame, XIIᵉ et XVIᵉ s., de style gothique, très remaniée au XIXᵉ siècle. Église Saint-Martin, en partie romane. Vestiges de l'anc. château (XVᵉ s.). Hôtel de ville du XVIIᵉ siècle. Anc. couvent du XVIIᵉ s., auj. lycée. — Distillerie. Conserverie. Fonderie, indus. mécaniques. Indus. chimiques et pharmaceutiques. Textile, confection. Imprimerie. ♦ *Hist.* Violents combats pendant la guerre de Vendée. La ville a beaucoup souffert des bombardements de l'été 1944.

MAYER (Karl). ♦ Poète lyrique allemand (1786 — 1870). Représentant de l'école de Souabe **(V. J. Kerner),** il a surtout chanté dans ses *Poésies* (*Gedichte,* 1833, 1844, 1865, etc.) les paysages souabes.

MAYER (Julius Robert *von***)**. ♦ Physicien et médecin allemand (Heilbronn, 1814 — *id.,* 1878). Il énonça le premier principe de la thermodynamique (1842), établit l'équivalence des énergies mécanique et thermique (travail-chaleur) et détermina la valeur de l'équivalent mécanique de l'unité de chaleur (4,185 joules pour 1 cal.) **V. Joule, Helmholtz.** La *relation de Mayer* relie la masse molaire M d'un gaz parfait aux chaleurs spécifiques à pression constante (Cp) et à volume constant (Cv) : M (Cp — Cv) = 2 calories par degré. Étudiant la fonction chorophyllienne, il énonça que les plantes vertes réalisent leurs synthèses par transformation de l'énergie lumineuse en énergie chimique (1845).

MAYER (René). ♦ Homme politique français (Paris, 1895 — *id.,* 1972). L'un des promoteurs de la S.N.C.F. en 1937, il milita dans la Résistance et fit partie du Comité français de Libération nationale, puis de plusieurs cabinets sous la Quatrième République, comme ministre des Finances et comme ministre de la Justice. Président du Conseil (janv.-mai 1953), il déposa devant l'Assemblée nationale le projet de loi de la Communauté européenne de défense (C.E.D.), puis démissionna, n'ayant pas obtenu les pouvoirs spéciaux qu'il demandait en matière de finances.

MAYERLING. ♦ Hameau autrichien, situé à 37 km au S.-O. de Vienne. Le nom de cette localité est lié au drame découvert le 30 janv. 1889, jour où l'on retrouva le corps de l'archiduc héritier Rodolphe de Habsbourg, fils de François-Joseph et de l'impératrice Élisabeth, et celui de la baronne Marie Vetsera. Le silence que la cour impériale observa sur les circonstances du drame fit naître diverses hypothèses. La version du suicide, conséquence d'une liaison sans avenir possible, est aujourd'hui la plus fréquemment admise par les historiens. À l'emplacement du pavillon de chasse de l'archiduc, un carmel fut construit sur les ordres de l'empereur.

MAYET. ♦ Ch.-l. de cant. de la Sarthe, arr. de La Flèche. 3 268 hab. [1 983 aggl.] *(Mayetais).* Anc. église Saint-Martin (XIᵉ-XVIᵉ s.), *auj.* halles et hôtel de ville. Pylône de relais T.V.

Mayfair. ♦ Quartier élégant de l'O. de Londres (West End), s'étendant au S. de Marylebone, limité par Hyde Park et Green Park.

MAYNARD ou **MAINARD (François).** ♦ Poète français (Toulouse, v. 1582 — Aurillac, 1646), un des premiers académiciens. Secrétaire de Marguerite* de Valois, il composa pour elle le *Philandre,* poème pastoral en cinq chants. Devenu disciple de Malherbe*, il publia (1646) des *Odes,* des *Épigrammes* et des *Poésies (À la belle vieille)* où, dans une forme impeccable et des mètres très divers, sa verve réaliste succède à un lyrisme souvent mélancolique.

MAYO *(comté de)*, en irl. **Mhuigheo.** ♦ Comté de l'Irlande occidentale (Eire, prov. de Connacht), s'étendant sur une presqu'île au N. du comté de Galway*, sur les *monts de Mayo* (806 m au *mont Nephin*), le N. des monts de *Connemara* et l'O. de la plaine centrale. La région est drainée par de nombreux lacs (*loughs* Conn, Mask). Les côtes sont très découpées par de nombreuses baies (Clew, Blacksod, Killala *bays,* Broad Haven) et bordées d'îles (Achill Island). 5 395 km². 123 330 hab. *Ch.-l.* Castlebar (5 480 hab.). *V. princ.* Ballina (6 030 hab.).

MAYOL *(saint)*. ♦ **V.** MAÏEUL (saint).

MAYOL (Félix). ♦ Chanteur français de café-concert (Toulon, 1872 — *id.,* 1941). Popularisé par son toupet blond, son brin de muguet, l'agilité expressive de ses mains et sa rondeur souriante, il fut le créateur de plus d'un millier de chansons, à la grande époque du café-concert. *Viens poupoule, Cousine, À la cabane bambou, À la Martinique, Les Mains de femmes* furent ses plus durables succès.

MAYON. ♦ Volcan des îles Philippines, au sud de l'île de Luçon*, de 2 421 m d'alt., en activité permanente, de type conique parfait, au centre d'un lac. Il entra en éruption 42 fois en 300 ans. Les plus terribles de ses éruptions furent celles de 1814, 1897 et 1928.

MAYOTTE. ♦ Île de l'archipel des Comores*. 400 km²

MAYOW (John). ♦ Médecin et chimiste anglais (Londres, 1640 — *id.,* 1679). Auteur d'une première théorie de la respiration (*Tractatus duo,* 1668), puis d'une théorie de la respiration et de la combustion **(V. Boyle, Hooke)**, dont il veut montrer l'analogie (*Tractatus quinque medicophisici,* 1674), considérant l'air comme formé de deux parties, l'une inerte et l'autre active (esprit nitro-aérien), il créa une véritable technique de la manipulation des gaz (cuve à eau, tubes coudés). **V. Hales.**

MAZAGAN. ♦ **V.** JADIDA (El).

MAZAGRAN. ♦ Comm. d'Algérie, dép. de Mostaganem, sur le golfe d'Arzew. 2 800 habitants.

MAZAMET. ♦ Ch.-l. de cant. du Tarn*, arr. de Castres*. 16 853 hab. *(Mazamétains).* Menhirs. Ruines d'un château et d'une chapelle du XVᵉ siècle. Délainage des peaux (centre d'importance mondiale). Indus. textiles. Maroquinerie. Constructions métalliques. Mécanique de précision.

MAZANDÉRAN. *n. m.*, en persan **Mazandarân.** ♦ Province d'Iran, sur les bords de la mer Caspienne, au N. de Téhéran. 20 386 km², env. 1 639 365 hab. *Cap.* Sari. C'est une étroite bande littorale verdoyante, bordée par l'Elburz*, où les précipitations abondantes permettent la culture de riz, de tabac, de coton et de thé. Pêcheries d'esturgeon sur la côte (caviar).

MAZARIN (Jules), en it. **Giulio Mazarini.** ♦ Cardinal et homme

Ph. Nimatallah/Ricciarini

Le cardinal **Mazarin,** par P. Mignard. (Musée Condé, Chantilly.)

Ph. Rémy

Mazâr-I-Sharif : le tombeau d'Ali.

politique français d'origine italienne (Pescina, Abruzzes, 1602 – Vincennes, 1661). Sa famille était au service des princes Colonna qui protégèrent ses débuts. Il passa de l'armée pontificale à la diplomatie. Une mission en France lui permit de rencontrer Richelieu* (1630) et il servit désormais la France, contribuant à lui assurer la possession de Pignerol (1631). Nonce à Paris en 1635-1636, il se fit apprécier de Richelieu qui le fit nommer cardinal, alors qu'il n'avait jamais été ordonné, et en fit son principal collaborateur après la mort du père Joseph*. Son intelligence, son habileté, sa souplesse lui valurent de se voir confier par Louis XIII la direction du Conseil à la mort de Richelieu. À la stupeur de la cour, il resta le principal ministre d'Anne* d'Autriche régente (1643) et fut selon toute vraisemblance son amant et peut-être son mari. Il dut immédiatement faire face à l'hostilité des Grands (cabale des Importants*). La période de répit intérieur qui suivit et dura jusqu'en 1648 lui permit des réussites extérieures : après les victoires de Rocroi*, Nördlingen*, Lens*, le traité de Westphalie* fut conclu. Mais la guerre aggrava les difficultés financières et il dut multiplier les mesures fiscales. C'est l'une d'entre elles (l'affaire de la Paulette*) qui déclencha la Fronde parlementaire **(V. Fronde)**. Au milieu des libelles, des « mazarinades », il résista et parvint par son habileté à diviser ses adversaires et à conclure la paix de Rueil* (1649). L'arrestation de Condé* provoqua une recrudescence des hostilités et il fut obligé de s'exiler deux fois pendant la Fronde des princes, mais n'en continua pas moins à exercer le pouvoir par l'entremise d'Anne d'Autriche et de ses collaborateurs (Servien* aux Finances, Lionne* pour la politique étrangère, Le* Tellier pour la Guerre). Il sortit finalement vainqueur de l'épreuve, fut acclamé lors de son retour à Paris (1653) et resta seul maître jusqu'à sa mort. La paix des Pyrénées* mit fin à la guerre avec l'Espagne. Mazarin avait mené à son terme l'œuvre commencée par Richelieu et préparé le règne de Louis XIV, qu'il avait lui-même formé. Il fut un mécène éclairé, mais il acquit aussi une immense fortune et fit celle de toute sa famille. Il avait réuni de magnifiques collections et une bibliothèque importante (l'actuelle bibliothèque Mazarine), dont il fit don à l'État, fonda le collège des Quatre-Nations et l'Académie des beaux-arts.

Mazarine *(bibliothèque)*. ♦ Bibliothèque de Paris, dans l'aile gauche du palais de l'Institut*. Bibliothèque personnelle du cardinal Mazarin, elle fut la première à être ouverte au public, en 1643. Rattachée à la *Bibliothèque* nationale* (1923), puis à la *bibliothèque de l'Institut* (1945), elle renferme des fonds de caractère encyclopédique.

MAZÂR-I-SHARÎF. ♦ V. d'Afghânistân, chef-lieu de la province de Balkh (ancienne Bactres*). Env. 100 000 hab. Grand centre caravanier entre l'Iran, le Türkestân et l'Afghânistân (marché de la fourrure de Karakul et du coton).

MAZATLÁN. ♦ V. portuaire du Mexique septentrional, à l'entrée du golfe de Californie (Sinaloa*). 171 835 hab. Indus. alimentaires et textiles. Port exportateur de produits tropicaux (fruits, tabac) et de minerais (cuivre, plomb, zinc). – Station balnéaire. Carnaval.

MAZEPPA (Ivan Stepanovitch). ♦ Hetman des cosaques (près de Kiev, v. 1644 – Bendery, 1709). Il gouverna l'Ukraine à partir de 1687. D'abord allié de Pierre le Grand, il se rangea en 1708 du côté des Suédois, afin de défendre l'autonomie ukrainienne. Battu avec Charles XII à Poltava* (1709), il se réfugia à Bendery*. – Le personnage de Mazeppa, dont la légende raconte qu'il fut surpris en flagrant délit d'adultère par un Polonais jaloux, qui l'aurait attaché nu sur un cheval sauvage qui l'emporta jusqu'en Ukraine, a inspiré de nombreux romantiques (poèmes de Byron, Pouchkine, Victor Hugo; poème symphonique de Liszt, opéra de Tchaïkovski).

MAZINGARBE. ♦ Comm. du Pas*-de-Calais, arr. de Lens*. 10 060 hab. *(Mazingarbois)*. Mines de houille; cokeries; grand complexe carbochimique.

MAZOVIE. *n. f.*, en polon. **Mazowsze**. ♦ Région historique de la Pologne* centrale s'étendant de part et d'autre de la Vistule au N. de la petite Pologne. *V. princ.* Varsovie*. – Cultures de pommes de terre et du lin. ♦ *Hist.* Principauté gouvernée par une branche cadette de la famille des Piast dès 1138, la Mazovie eut Varsovie* pour capitale à partir de 1344, et fut rattachée à la couronne par Sigismond* Ier Jagellon avec la Cujavie* en 1526.

MAŽURANIĆ (Ivan). ♦ Poète croate (Novi, 1814 – Zagreb, 1890). Fondateur de la littérature croate moderne, il écrivit un poème épique : *La Mort de Smaïl-aga-Čengić* (1846). Écrit dans une langue très pure, ce poème qui raconte la lutte des peuples yougoslaves contre la domination turque rappelle l'*Osman* de Gundulić* et *Les Lauriers de la montagne* de Njegoš*; il eut une grande influence littéraire et politique.

MAZURIE. *n. f.*, en polon. **Mazury**. ♦ Région lacustre et boisée du N.-E. de la Pologne*, riveraine de la Baltique* à l'E. du delta de la Vistule*. *V. princ.* Olsztyn*. Cultures fourragères, pommes de terre, seigle. Élevage de bovins, de chevaux et de porcs. ♦ *Hist.* Conquise par les chevaliers Teutoniques au XIIIe s., la Mazurie fut, avec la Prusse*-Orientale, sous suzeraineté polonaise de 1525 à 1660, puis passa à la maison de Brandebourg, après la paix d'Oliwa*. Germanisée à partir de 1867, elle n'est redevenue polonaise qu'en 1945. – Au début de la Première Guerre mondiale, les forces allemandes d'Hindenburg*, après une première victoire à Tannenberg* (août 1914), battirent encore les Russes à deux reprises dans la région des lacs mazures (sept. 1914 et févr. 1915).

MAZZINI (Giuseppe). ♦ Patriote et révolutionnaire italien (Gênes, 1805 ou 1808 – Pise, 1872). Affilié aux carbonari, il fut arrêté, emprisonné et expulsé d'Italie. Réfugié en France (1831), il y fonda le mouvement « Jeune-Italie » dont le but était la libération et l'unification de l'Italie par la république (contrairement à la conception fédérative de Gioberti*) et dont l'inspiration restait profondément catholique. Après plusieurs conspirations manquées, Mazzini s'installa à Londres, où il publia ses deux œuvres *Foi et Avenir* (1835) et *Devoirs de l'homme* (1837). Rentré en Italie (1848), il s'enrôla quelque temps dans les troupes de Garibaldi avant de devenir l'un des triumvirs de la République romaine, jusqu'au rétablissement de la puissance papale par les troupes françaises (1849). Réfugié en Suisse, puis à Londres, il reprit ses activités de conspirateur, entra en relation avec Kossuth et Ledru-Rollin, tenta de fonder une Alliance républicaine universelle (1868). Revenu préparer en Italie l'avènement de la république, il fut arrêté en Sicile (1870), enfermé à Gaète; amnistié, il mourut peu après.

MAZZINI (Andrea Luigi). ♦ Socialiste italien (Pescia, Pistoia, 1814 – Marseille, 1852). Influencé par les idées de la gauche hégélienne **(V. Hégélianisme)** et celles de Saint-Simon, son ouvrage principal : *De l'Italie dans ses rapports avec la liberté et la civilisation* (1847), annonce par bien des thèmes le *Manifeste du parti communiste*, de Marx et Engels (1848).

MBABANE. ♦ Cap. du Ngwane*, à l'E. du pays, reliée par voie ferrée à Lourenço* Marquès (Mozambique) et au gisement de fer de Ngwenya. 14 000 habitants.

MBANDAKA, anc. **Coquilhatville**. ♦ V. du Zaïre (ex-Congo-Kinshasa) sur la r. g. du Congo*. 108 000 hab. (1969). Centre d'une région de cultures (café, cacao).

MBINI. ♦ Nouveau nom du Río Muni. **V. Río Muni.**

MBUJI-MAYI. ♦ V. du Zaïre dans le Sud Kasaï*. 256 000 hab. (1969). Terres diamantifères.

MEAD (George Herbert). ♦ Philosophe et sociologue américain (South Hadley, Massachusetts, 1863 – Chicago, 1931). Comme J. Dewey*, dont il fut l'ami, il a développé une philosophie d'inspiration pragmatiste et a élaboré une conception naturaliste (initialement behavioriste) des mécanismes psychosociologiques, insistant plus particulièrement sur le développement du langage et de la pensée (*La Philosophie du présent*, 1932; *L'Esprit, le Moi et la Société*, 1934; *La Philosophie de l'acte*, 1938.)

MEAD (Margaret). ♦ Anthropologue américaine (Philadelphie, 1901). Ses enquêtes ethnographiques portèrent sur les sociétés des îles Samoa, de la Nouvelle-Guinée, de Bali, etc. Influencée par la théorie psychanalytique **(V. Freud)**, elle a particulièrement étudié les relations entre la structure familiale et la psychologie de l'enfant, le problème de l'intégration de l'individu dans la société et en particulier les rites de passage lors de l'adolescence. (*Coming of age in Samoa*, 1927; *From the South Seas*, 1939, et, en collaboration avec Bateson, *Balinese Character*, 1942.)

MEADE (George Gordon). ♦ Général américain (Cadix, 1815 – Philadelphie, 1872). Il commanda après McClellan l'armée du Potomac (1863) et remporta sur Lee la bataille de Gettysburg.

MÉANDRE [*n. m.*], en gr. **Maiandros**, en turc **Menderes**. ♦ Fl. de la Turquie (Asie Mineure) [450 km], au cours sinueux (Cf. le mot méandre, *in* Robert), qui se jette dans la mer Égée. Il passait près de l'anc. Magnésie*. Ses alluvions ont comblé les ports des cités ioniennes Milet* et Priène*.

MEANY (William George). ♦ Syndicaliste américain (Harlem, 1894). Secrétaire et trésorier (1940-1952) puis président de l'*American Federation of Labour* (fédération américaine du travail), il présida la grande centrale syndicale née de la fusion de l'A.F.L. avec la C.I.O. (1955 : A.F.L.-C.I.O.). Réformiste, il s'opposait à toute action de grève, contrairement à son vice-président, W. Reuther*.

MEATH *(comté de)*, en irl. **Na Mhidhe.** ♦ Comté de la république d'Irlande, sur la côte de la mer d'Irlande, entre le comté de Louth au N. et celui de Dublin au S. 2 238 km^2. 71 729 hab. (1971). *Ch.-l.* Trim. *V. princ.* Navan et Kells*. Le comté, qui présente un relief de pénéplaine, est traversé par les étroites vallées de la Boyne* et du Blackwater. C'est un pays de riches pâturages et de culture (céréales, pomme de terre). ♦ *Hist.* L'anc. royaume de *Midhe* (« royaume du milieu ») fut fondé au IIe s. par Conn. Il était formé du comté de Meath actuel, du Westmeath, d'une partie du Cavan et du Longford et avait pour cap. Tara. Ses rois étaient traditionnellement les hauts rois d'Irlande ou *Árd-Ri.* Il fut gouverné jusqu'au XIIe s. par la branche sud de la famille O'Neill. En 1172, le royaume de Meath fut investi et érigé en comté par Hugh de Lacy, puis intégré au *Pale* d'Irlande.

MÉAULTE. ♦ Comm. de la Somme*, arr. de Péronne. 1 048 hab. Constructions aéronautiques et engins téléguidés.

MEAUX [mo]. ♦ Sous-préf. de la Seine-et-Marne, ch.-l. d'arr. (10 cant., 185 comm., 250 706 hab.), sur la Marne. 31 467 hab. *(Meldois).* La cathédrale Saint-Étienne (XIIe, XIIIe, XVIe s.) renferme la tombe de Bossuet; à proximité, l'anc. évêché (XVIIe s.) avec des salles et une chapelle du XIIe s., jardin dessiné par Le Nôtre; anc. remparts gallo-romains. Église Saint-Nicolas (XVIIIe s). Évêché. – Centre industriel : indus. du bois, travail du papier, imprimerie; métallurgie, fonderie; indus. chimiques; salaisons, conserveries, fromages de Brie; important marché. ♦ *Hist.* Oppidum d'un peuple gaulois, les *Meldi,* Meaux fut évêché à partir du IVe s. et devint ensuite capitale de la Brie. La ville appartint aux comtes de Champagne qui lui donnèrent une charte (1179). Guillaume de Briçonnet*, évêque de Meaux de 1516 à 1534, diffusa les idées réformistes de Lefèvre* d'Étaples, qui forma avec quelques autres le « Cénacle de Meaux ». Bossuet*, *l'Aigle de Meaux,* fut titulaire de l'évêché de 1681 à 1704.

MÉCÈNE, en lat. **Caius Cilnius Maecenas.** ♦ Chevalier romain de grande naissance étrusque (Arezzo ?, v. ~ 69 – 8). Ministre d'Auguste*, il encouragea les lettres et les arts, ouvrant sa maison sur l'Esquilin ou sa villa de Tibur (Tivoli) à des poètes comme Virgile*, Horace* et Properce*. Poète lui-même, il fut accusé de préciosité par ses contemporains. Son nom est devenu synonyme de protecteur des arts (voir mécène, mécénat, *in* Robert).

MÉCHAIN (Pierre). ♦ Astronome français (Laon, 1744 – Castellón de la Plana, 1804). Il vérifia, avec Cassini* et Le Gendre, la différence des longitudes des observatoires de Paris et de Greenwich. Avec Delambre*, il mesura de 1792 à 1798 la longueur de l'arc de méridien de Dunkerque à Barcelone afin de déterminer l'étalon métrique adopté comme unité légale de longueur par l'Assemblée constituante en 1791. (Acad. sc., 1782.)

MECHED ou **MECHHED.** ♦ **V. MESHED.**

MECHELEN. ♦ Nom néerlandais de Malines*.

MECHELEN-SUR-MEUSE, en néerl. **Mechelen-aan-de-Maas.** ♦ Comm. de Belgique (Limbourg, arr. de Tongres), sur la Meuse et sur le canal de Maastricht à Bois-le-Duc. 9 505 hab. ♦ *Hist.* L'atterrissage, par erreur, de deux officiers allemands, le 10 janv. 1940, permit à la Belgique de connaître le plan de violation de la neutralité belge par Hitler.

MECHTILDE VON MAGDEBOURG *(sainte).* ♦ Religieuse allemande (1210 – Helfta, près d'Eisleben, 1285). Elle fut d'abord béguine, puis cistercienne à Helfta. Son œuvre mystique, *Vom fliessenden Licht der Gottheit,* exprime dans un langage souvent proche de celui de la poésie courtoise, l'union de l'âme et de Dieu. Fête le 19 novembre.

MECKLEMBOURG. *n. m.*, en all. **Mecklenburg.** ♦ Anc. État d'Allemagne, situé au N. du Brandebourg, au bord de la mer Baltique. Il comportait des villes comme Rostock*, Stralsund*, Wismar*. Au VIe s., les Slaves y succédèrent aux Germains : Slaves

Ph. U.S.I.S. **Margaret Mead.**

Ph. U.S.I.S. **G. G. Meade.**

Obodrites* à l'O., Wilzes à l'est. Henri* le Lion, duc de Saxe, les soumit au XIIe s., mais le prince slave Pribislav, converti au christianisme et devenu prince d'Empire, continua à régner sur le Mecklenburg, ainsi que sa descendance. Passée à la Réforme, cette principauté fut divisée à de multiples reprises. Lors de la guerre de Trente* Ans, le *Mecklenburg-Schwerin* et le *Mecklenburg-Güstrow* appartinrent un moment à Wallenstein*. Une nouvelle division se produisit en 1695 entre *Mecklenburg-Schwerin* et *Mecklenburg-Strelitz*. Entrés dans la confédération* du Rhin, grands-ducs en 1815, les princes de Mecklenburg se rangèrent aux côtés de la Prusse et firent partie de la confédération* de l'Allemagne du Nord, puis de l'Empire allemand. Actuellement, le Mecklembourg est divisé en trois districts de la République démocratique allemande (Rostock, Schwerin et Neubrandenburg).

MECKLEMBOURG. *n. m.*, en all. **Mecklenburg.** ♦ Région de l'Allemagne nord-orientale s'étendant d'O. en E. entre l'Elbe et l'Oder et du N. au S. entre la Baltique et le Brandebourg. 22 938 km^2; 1 140 000 hab. Cap. **V. Schwerin.** *V. princ.* **V. Neubrandenburg, Rostock, Stralsund, Wismar.** – *Orogr.* La région présente un relief de plaines et collines morainiques, sillonnée de lacs (Müritz, Tollen) et drainée par la Warnow et les affl. r. d. de l'Elbe. – *Écon.* L'activité essentielle est l'agriculture (céréales, pomme de terre, élevage bovin). Rostock* est le premier complexe portuaire de la R.D.A.

MECQUE (La), en ar. **Makka.** ♦ Deuxième ville d'Arabie Sa'ûdite, cap. religieuse de l'islâm, située au S. de Médine dans la province du Hedjaz*, dont elle est le centre. Plus de 200 000 hab. (1970). La ville, berceau du prophète Mahomet*, est interdite aux non musulmans; c'est le plus grand centre de pèlerinage de l'islâm. La Grande Mosquée contient la *Ka'ba**. Nombreux petits commerces et artisanats. Une route relie le port de Djeddah*, où débarquent les pèlerins, à la Ville sainte. ♦ *Hist.* Mahomet* (Muhammad) y fit ses premières prédications, mais il se heurta aux riches marchands Qurayshites* et dut partir pour Médine*. En 630, il revint à La Mecque et rattacha l'islâm au culte de la Ka'ba*. Sous les 'Umayyades* et les 'Abbâssides, la ville fut généralement administrée par un membre de la famille califienne et à partir de 960 env. par un sharif des 'Alides*. Elle fut mise à sac en 930 par les Karmathes qui enlevèrent la Pierre noire de la Ka'ba et la conservèrent huit ans. La Ville sainte passa ensuite sous la domination des Ayyubides puis des mamelouks d'Égypte. En 1517, elle fut conquise par les Turcs Ottomans, tomba au pouvoir des Wahhabites* de 1803 à 1813, puis de Muhammad*-Ali jusqu'en 1840; elle fut alors rendue au sultan. Le pouvoir appartenait au sharif de La Mecque. En 1916, le sharif Husayn* se déclara indépendant, mais il fut chassé de la ville par 'Abd*-al-Azîz ibn Sa'ud (Ibn Seoud) en 1924. – La ville, interdite aux non-musulmans, fut visitée au XIXe s. par les voyageurs occidentaux Burckhardt et Burton*.

Médaille militaire. ♦ Décoration militaire française. Créée en 1852, elle est attribuée aux soldats, aux sous-officiers et aux généraux pour récompenser les actions d'éclat. Elle existe également en Belgique et au Japon.

MÉDAN. ♦ Comm. des Yvelines, arr. de Saint-Germain-en-Laye. 596 hab. Anc. château (XVIIe s). Église (XVIe s.). – Maison d'É. Zola*, autour de qui se tinrent de célèbres soirées littéraires (les *soirées de Médan*).

MEDAN. ♦ V. et port de l'Indonésie, sur la côte N.-E. de Sumatra, 600 000 hab. Port exportateur de pétrole et des produits des plantations (caoutchouc, tabac et produits alimentaires divers). C'est également un grand port de trafic avec la péninsule malaise.

MÉDARD *(saint).* ♦ (Salency, Vermandois, v. 456 – Tournai, v. 545). Évêque de Vermand [Saint-Quentin] (530), puis de Noyon et Tournai fusionnés. L'abbaye Saint-Médard-de-Soissons fut bâtie autour de ses reliques par Clotaire Ier. Les croyances populaires l'invoquent pour la pluie et le beau temps. Fête le 8 juin.

MEDAWAR (Peter Brian). ♦ Biologiste anglais (Brésil, 1915). Ses travaux sur la tolérance immunologique acquise lui valurent le prix Nobel de méd. (1960) avec F.M. Burnet*.

MÈDE (La). ♦ Section de la commune de Martigues*, Bouches*-du-Rhône, sur l'étang de Berre*. Raffineries de pétrole (10 235 000 t en 1971).

MÉDÉA. ♦ V. d'Algérie, ch.-l. du dép. et de l'arr. du même nom, dans l'Atlas tellien, sur un plateau situé entre l'Atlas de Blida* et les monts du Titteri qui dominent les hauts plateaux au nord. 48 100 hab. Vignobles. Le dép. de Médéa ou du Titteri (809 100 hab.) atteint au S. les monts des Ouled Naïl. *V. et localités princ.* **V. Aïn-Bessem, Djelfa, Ksar-el-Boukari, Sour-el-Ghozlan.** *Oasis.* **V. Bou-Saada.**

Médecin de campagne (Le). ♦ Roman de Balzac* (1833), dans lequel le récit de leur vie passée, fait par les deux personnages principaux (dont le docteur Benassis qui a entrepris de régénérer un petit village de Savoie), est entrecoupé de nombreuses discussions sur l'économie sociale. Ces dialogues d'idées révèlent le programme politique de Balzac : adepte des théories de Joseph de Maistre*, légitimiste et partisan de libertés très définies, il dénonce les dangers du suffrage universel, fait de la famille la cellule sociale par excellence et affirme la nécessité d'une hiérarchie sociale qu'assurent « la religion, la monarchie ».

Médecin de son honneur (Le), en esp. **El Médico de su Honra.** ♦ Drame de Calderón (1637). Ayant surpris sa femme à écrire une lettre à l'Infant, frère du roi, Don Gutierre décide de lui donner la mort, en la faisant saigner jusqu'à épuisement. Le roi, Don Pedro, qui se refuse à imputer cette mort à l'incapacité du médecin, propose à Don Gutierre la main d'une autre femme, doña Léonor, prenant soin de la prévenir du sort qui l'attend si elle devient à son tour infidèle, sort que la jeune femme accepte fièrement.

Médecine expérimentale (Introduction à l'étude de la). ♦ De C. Bernard* (1865). Destiné à être une préface aux *Principes de médecine expérimentale* (inachevés), l'ouvrage est une analyse des règles et des démarches de la méthode expérimentale en biologie.

Médecin malgré lui (Le). ♦ Comédie de Molière*, en trois actes, en prose (1666), qui reprend un thème de fabliau. Époux irascible, Sganarelle brutalise sa femme Martine. Comme les domestiques de Géronte sont à la recherche d'un médecin capable de guérir Lucinde, la fille de leur maître, devenue subitement muette, Martine, pour se venger, leur confie que Sganarelle est un médecin réputé dont la seule singularité est de ne consentir à soigner ses malades que si on l'y contraint à coups de bâton. À l'issue de ce traitement, Sganarelle consent à examiner Lucinde. La drôlerie de ses propos (qui satirisent la médecine et la fausse science) fait éclater de rire la jeune fille qui recouvre au même instant la parole. Elle épousera Léandre, car cette union, un temps contrariée, était l'unique cause de sa feinte infirmité.

Médecin volant (Le). ♦ Farce attribuée à Molière* et dont le sujet est emprunté à une farce italienne. Afin de gagner la confiance d'un père méfiant, Sganarelle apparaît tour à tour sous les traits de son propre personnage et sous l'aspect du médecin, laissant croire qu'il s'agit de deux frères, brouillés, mais étrangement ressemblants. L'agitation continuelle du personnage donne son titre à la pièce.

MÉDÉE, en gr. **Mêdeia**. ♦ Magicienne célèbre pour ses crimes, dont la légende appartient au cycle des Argonautes*. Fille du roi de Colchide*, éprise de Jason*, elle l'aide à s'emparer de la *Toison* d'Or* et s'enfuit avec lui. Pour retarder la poursuite engagée par son père, elle dépèce son propre frère et jette un à un ses membres sur la route. Parvenue à Iolcos, elle fait périr Pélias*, le roi qui avait imposé à Jason l'expédition en Colchide : sous prétexte de le rajeunir, elle incite ses filles à le dépecer et à jeter les morceaux dans un chaudron d'eau bouillante. Par cet étrange moyen, elle avait effectivement rajeuni son propre beau-père, Éson; mais elle se garde de ressusciter Pélias. Exilée alors avec Jason à Corinthe*, elle se voit répudier par celui-ci en faveur de Créüse*, la fille du roi Créon*, et se venge de la façon exemplaire racontée par Euripide (voir *ci-dessous).* Après ce crime, ayant épousé le roi d'Athènes Égée*, elle essaie de lui faire tuer Thésée* avant qu'il ne reconnaisse en lui son fils. Bannie pour ce forfait, elle regagne la Colchide avec son fils Médos (qu'elle avait eu d'Égée), héros éponyme des Mèdes. — La légende de Médée a inspiré la littérature et les arts longtemps après Euripide.

Médée, en gr. **Mêdeia**. ♦ Tragédie d'Euripide* (~ 431). Médée (**V.** *ci-dessus*), la magicienne orientale, est arrivée en exil à Corinthe, avec son mari Jason et ses enfants. Au bout de quelques années, le roi de Corinthe offre à Jason de lui succéder et de devenir son gendre. Vaniteux et faible, Jason accepte sa proposition, tandis que Médée feint de s'effacer et envoie à sa rivale Créüse* une tunique comme présent de noces. Mais la tunique est empoisonnée : Créüse meurt et le roi, son père, ne lui survit pas. Couronnant son œuvre de haine, Médée égorge ses propres enfants puis, enlevée par un char ailé, elle est transportée à Athènes où elle épousera le roi Égée. La pièce, qui offre la peinture d'une jalousie barbare, est l'une des plus pathétiques d'Euripide.

Médée. ♦ Tragédie de Corneille* (1635). Imitée de Sénèque, cette œuvre est fidèle à l'esprit de la tragédie antique. Par la liberté de l'invention, elle présente parfois d'étonnants points de ressemblance avec la dramaturgie élisabéthaine.

MEDELLÍN. ♦ V. de Colombie, ch.-l. du dép. d'Antioquia (63 000 km². 3 326 700 hab.) situé dans la Cordillère centrale, à 1 200 m d'alt. env. à l'E. de la vallée du Cauca. Archevêché. Université. Aéroport. Plus de 1 000 000 d'hab. (1968). Ancien centre d'expédition de minerais précieux, c'est une importante métropole industrielle et commerciale, au cœur d'une riche région de cultures tropicales (commerce du café). Indus. textiles, alimentaires, sidérurgiques, chimiques et mécaniques. Cimenteries.

MÉDENINE. ♦ V. de la Tunisie méridionale, ch.-l. de gouvernorat. 282 700 hab., située sur la bordure O. de la plaine de Djeffara de part et d'autre de l'oued du même nom. 5 300 hab. Ksar caractérisé par de célèbres « ghorfas » (entrepôts ou habitations). Artisanat (tapis).

MÈDES. *n. m. pl.* ♦ Peuple nomade (indo-européen) installé au ~ IXe s. sur le plateau iranien. Il constitua pour l'Assyrie un danger tel que Teglath-Phalasar entreprit sa soumission (~ 739-~ 736). Mais Sargon II dut reprendre la lutte (~ 715-~ 711) et Assarhaddon ne put empêcher l'expansion mède. Phraorte*, ayant réalisé l'union des tribus mèdes, occupa le Zagros et soumit les Perses. L'Assyrie tenta de neutraliser sa puissance en lançant les Scythes* contre les Mèdes; Phraorte fut tué en ~ 653 et son royaume resta soumis aux Scythes jusqu'à la révolte de son fils Cyaxare* (~ 625). Celui-ci mit fin à l'empire assyrien (chute de Ninive, ~ 612, **V. Assyrie**), le partagea avec ses alliés néo-babyloniens **(V. Babylone, Nabopolassar)** et poursuivit ses conquêtes en Anatolie. De sorte qu'à sa mort (~ 584) son fils Astyage* se trouva à la tête d'un empire (capitale Ecbatane*) menaçant celui de Babylone. Mais celui-ci manquait de cohésion et la révolte de Cyrus* II le Grand contre son suzerain (~ 556-~ 550) lui substitua l'empire perse.

MÉDIAN. *n. m.* ♦ Région d'Arabie Sa'ûdite qui s'étend entre le golfe d'Aqaba au N. et Médine au sud. Bordée par le désert syrien de la Chamiya*, le Médian est traversé par la barrière montagneuse du Hedjaz* *(montagnes du Médian).*

MEDICINE HAT (« chapeau du guérisseur [*medicine man*] », traduction d'un terme indien). ♦ V. du Canada dans le S. de l'Alberta, sur la Saskatchewan* du S. Env. 25 000 hab. Centre agricole, sur la ligne principale du *Canadian Pacific*. Gaz naturel, industrie.

MÉDICIS. *n. m. pl.* ♦ Famille italienne, de marchands et de banquiers, qui joua un rôle primordial dans l'histoire de Florence* et de la Toscane* du XVe s. à 1737, ainsi que dans la politique, les arts et les lettres de l'Europe. Probablement médecins ou apothicaires, d'après les six tourteaux de leurs armoiries, ils devinrent ensuite marchands et banquiers prospères. Les membres les plus célèbres de cette famille furent : ♦ GIOVANNI DE' MEDICI qui vainquit les Lombards en 1251. ♦ AVERARDO ou EVRARD, gonfalonier en 1314. ♦ SILVESTRE ou SALVESTRO DE'MEDICI (1331 — 1388), gonfalonier. Il se révolta contre les Albizzi en 1378 (révolte des ciompi), ce qui lui valut le bannissement en 1381. Banquiers importants, les Médicis prenaient alors la défense du peuple contre le patriciat. ♦ JEAN DE MÉDICIS, dit GIOVANNI DI BICCI (1360 — 1429). Fils d'Averardo, il fut gonfalonier de justice en 1421. Père de Cosme l'Ancien fondateur de la branche aînée, et de Lorenzo. ♦ COSME ou COSIMO DE'MEDICI, dit *l'Ancien,* fondateur de la branche aînée (Florence, 1389 — Careggi, 1464). Gonfalonier en 1429, il fut contraint à l'exil ainsi que sa famille par les Albizzi* (1433), mais réussit à revenir en 1434 pour détenir le pouvoir réel à Florence. Il y domina toute la politique, sans exercer réellement les magistratures qu'il faisait confier à des subalternes. Il vainquit Milan et Venise (1440 et 1452) et grâce à son immense fortune put exercer le mécénat. Il protégea notamment les architectes Brunelleschi et Michelozzo, le sculpteur Donatello et des peintres comme Fra Filippo Lippi et Fra Angelico. Admirateur de Platon, il fonda l'Académie platonicienne de Florence, dirigée par Marsile Ficin. Grâce à ses libéralités envers ses concitoyens, il reçut à sa mort le titre de *Père de la Patrie*. ♦ PIERRE LE GOUTTEUX, PIERO IL GOTTOSO, fils de Cosme l'Ancien (Florence, 1414 — *id.,* 1469). Il dirigea Florence principalement avec l'aide de son fils Laurent. ♦ LAURENT LE MAGNIFIQUE, LORENZO (Florence, 1449 — Careggi, 1492) exerça le pouvoir avec son frère *Julien de Médicis, Giuliano de' Medici* (Florence, 1453 — *id.,* 1478) qui fut assassiné lors de la conjuration des Pazzi* (1478) que Laurent réussit à abattre. Le pape, qui avait fomenté le complot, excommunia Laurent et soutint une guerre contre lui avec l'appui de Naples et de Sienne (1478-1480). Seigneur de Florence, prince de la Renaissance, Laurent protégea les artistes et les savants, notamment Verrocchio et Botticelli, fonda l'*Académie laurentienne* et favorisa l'imprimerie. Il n'entretint pas une véritable cour mais donna de nombreuses fêtes. Ses largesses et son manque de goût pour les affaires financières contribuèrent à la faillite des filiales de Londres (1477), de Bruges (1478), de Milan (1478) et d'Avignon (1479). Dès 1482, Savonarole* semait l'agitation dans Florence par ses critiques très vives des mœurs de ses contemporains. Laurent fut le père de Pierre II, de Julien et de *Jean de Médicis* **(V. Léon X).** Laurent de Médicis fut lui-même un poète délicat, capable de célébrer l'amour selon la conception néo-platonicienne dans son *Canzoniere* (chan-

Ph. Hétier

Médenine : ghorfas.

sons amoureuses d'inspiration pétrarquiste) ou bien d'exalter « la lumière, la beauté, l'amour brûlant » dans son poème mythologique *L'Ambra*. Les sonnets des *Bois d'amour (Selve d'amore)* et le *Triomphe de Bacchus et Ariane (Trionfo di Bacco e Arianna)*, « chant de carnaval », conviennent aux plaisirs et soulignent la brièveté de la jeunesse ; par leurs rythmes vifs et le réalisme discret de certaines descriptions, ces œuvres sont très représentatives de la poésie de la Renaissance. ♦ PIERRE II, PIERO II DE' MEDICI (Florence, 1471 – Cassino, 1503). Fils de Laurent, il soutint Charles VIII de France et fut chassé pour cette raison par les Florentins conduits par Savonarole. ♦ JULIEN, GIULIANO DE' MEDICI, duc de Nemours, frère de Pierre II (Florence, 1478 – Rome, 1516). Il revint au pouvoir grâce à Jules II et à la Sainte Ligue (1512). ♦ JULES DE MÉDICIS, fils de Julien. **V. Clément VII.** ♦ HIPPOLYTE, IPPOLITO DE' MEDICI, fils de Julien (Urbino, 1511 – Itri, 1535). Il gouverna Florence pour le compte du pape Clément VII (1531-1535). ♦ LAURENT II DE MEDICIS, LORENZO II DE' MEDICI (Florence, 1492 – *id.*, 1519). Fils de Pierre II, il succéda en 1513 à son oncle Julien et gouverna pour le compte de Léon X. Il fut le père de Catherine* de Médicis, reine de France. ♦ Après le gouvernement du cardinal *Jules de Médicis* (le futur Clément VII), Florence fut gouvernée par ALEXANDRE, ALESSANDRO DE' MEDICI (? v. 1510 – Florence, 1537) son fils ou celui de Laurent II de Médicis. Après l'expédition en Italie ordonnée par Charles Quint, Florence avait chassé les Médicis (1527), mais le pouvoir leur fut rendu en 1530 par Charles Quint lui-même, qui donna en mariage sa fille naturelle Marguerite de Parme à Alexandre et le fit duc de Florence (1531). Par ses débauches et sa dictature, Alexandre s'aliéna les Florentins qui s'en plaignirent à l'empereur. Dernier de la branche aînée, Alexandre fut assassiné par son cousin de la branche cadette (V. *ci-dessous* Lorenzino). La branche cadette des *Médicis*, dont la tige était *Lorenzo de' Medici* (1395 – 1440) frère de Cosme l'Ancien, fut représentée au XVIe s. par un petit-fils de Lorenzo, *Jean*. ♦ JEAN DE MÉDICIS, dit JEAN DES BANDES NOIRES, *Giovanni delle Bande Nere* (? 1498 – Modène, 1526) soutint l'action du pape Léon X dans le territoire d'Ancône. Après avoir pris le parti de la France en 1524, il mourut en combattant les Impériaux. Père de Cosimo (Cosme). ♦ LORENZINO DE' MEDICI, dit LORENZACCIO (Florence, 1514 – Venise, 1548). Il assassina son cousin le duc Alexandre de Médicis et fut assassiné sur l'ordre de Cosme Ier. ♦ COSME Ier, COSIMO DE' MEDICI (Florence, 1519 – près de Florence, 1574). Fils de Jean des Bandes Noires, il devint duc en 1537 ; mais, soumis à Charles Quint, il accepta des garnisons espagnoles. Il réprima la révolte des Strozzi* (1538) et conquit Sienne et Lucques. En 1569, il fut fait grand-duc de Toscane. En 1561 il avait fondé l'Académie. ♦ FRANÇOIS DE MÉDICIS, FRANCESCO DE' MEDICI (Florence, 1541 – *id.*, 1587). Fils de Cosme Ier, grand duc de Toscane (1574-1587), il exerça la dictature et entra dans la clientèle des Habsbourg d'Espagne. Il fut le père de Marie* de Médicis. ♦ FERDINAND Ier, FERDINANDO DE' MEDICI, frère de François (Florence, 1549 – *id.*, 1609). Il fonda le port de Livourne, protégea Jules* Romain et Galilée* et maria sa nièce Marie à Henri IV de France (1601). ♦ COSME II, COSIMO II DE' MEDICI, fils de Ferdinand (Florence, 1590 – *id.*, 1621). Grand-duc de Toscane (1609-1621). ♦ FERDINAND II, FERDINANDO II DE'MEDICI, fils de Cosme II (Florence, 1610 – *id.*, 1670). Grand-duc de Toscane (1621-1670). Il ferma la banque des Médicis, protégea Galilée et Torricelli* et fonda l'*Accademia del Cimento*, première académie des sciences naturelles en Europe (1657). ♦ COSME III, COSIMO III DE' MEDICI, fils de Ferdinand II (Florence, 1642 – *id.*, 1723). Grand-duc de Toscane (1670-1723). ♦ JEAN GASTON, GIAN GASTONE DE' MEDICI, fils de Cosme III (Florence, 1671 – *id.*, 1737). Dernier descendant mâle des Médicis, sa succession passa à François III, duc de Lorraine, mari de Marie-Thérèse d'Autriche. ♦ ANNE MARIE-LOUISE, ANNA MARIA LUISA DE'MEDICI, sœur de Jean Gaston (1667-1743). La famille s'éteignit avec elle.

Médicis *(villa)*. ♦ Villa située à Rome, sur le mont Pincio. Elle fut édifiée v. 1544 pour le cardinal Ricci da Montepulciano, puis acquise par le cardinal A. de Médicis. Bonaparte l'acheta en 1801, et l'Académie de France à Rome, fondée par Louis XIV en 1666, y fut transférée. Les artistes français lauréats du « prix de Rome » y font un séjour de trois ans.

MÉDIE. *n. f.*, en gr. **Mêdia**, pour les Assyriens **Madai**. ♦ Région située au N.-O. de l'Iran actuel, où les Mèdes se fixèrent au début du ~ Ier millénaire. **V. Mèdes.** La Médie fut ensuite une satrapie de l'empire perse et, après la conquête d'Alexandre (~ 330), s'ouvrit à la civilisation hellénistique. Après ~ 323, la *Grande Médie* échut à Peithon puis aux Séleucides, tandis que la *Petite Médie* restait perse (Atropatène). Au ~ IIe s., elle fut conquise par les Parthes **(V. Mithridate Ier, Mithridate II)** et fut sous la domination des Arsacides, puis des Sassanides jusqu'à la conquête arabe (633-651). *Cap.* **V. Ecbatane**, *auj.* Hamadân*.

MEDINA DEL CAMPO. ♦ V. d'Espagne centrale, en Vieille-Castille* (prov. de Valladolid). 14 300 hab. Ruines d'une anc. forteresse du XVe s., *la Mota*. Important nœud ferroviaire.

MEDINA SIDONIA (Alonso Pérez de Guzman, *duc de***).** ♦ (1550 – Sanlúcar, 1619). Amiral espagnol. Il présida au désastre de l'Invincible Armada* (1588), à la suite de la mort de Santa-Cruz, et connut d'autres défaites à la tête de la marine espagnole (Cadix, 1596).

MÉDINE, en ar. **Al-Médina** ou **Al-Madinat al-Nabi**. ♦ V. d'Arabie Sa'ûdite située à 594 m d'altitude, dans le Hedjaz*. Ville sainte de l'Islâm, abritant le tombeau de Mahomet* (Muhammad) et de Fatima*. 60 000 hab. Le pèlerinage, contrairement à celui de La Mecque, n'est pas obligatoire. Marché agricole actif. ♦ *Hist.* Mahomet* s'y réfugia après l'*Hégire*. Médine devint ainsi la seconde ville de l'Islâm et fut la résidence des premiers califes (Abû*-Bakr, 'Uthmân). La ville conserve leur tombeau. Ensuite, son histoire est similaire à celle de La Mecque.

Ph. Nimatallah/Ricciarini

Ferdinand II de **Médicis,** par G. Sustermans. (Galerie Palatine, Florence.)

MÉDINE. ♦ Village du Mali à proximité de Kayes. C'est dans cet ancien poste militaire du Sénégal que Faidherbe, en 1857, débloqua le mulâtre P. Holl et ses soldats, qui y résistaient depuis trois mois aux bandes d'El-Hadj-Omar.

MÉDINET EL-FAYOUM, en ar. **Madînat al-Fayyûm.** ♦ V. de Haute-Égypte, cap. de la prov. du Fayoum*. Env. 150 000 habitants. Mosquée Qaïtbai. Industries textiles, tanneries, manufacture de tabac. ♦ *Hist.* L'anc. *Shedit, Crocodilopolis* pour les Grecs, *Arsinoé* à l'époque ptolémaïque, était consacrée au dieu crocodile Sobek*. Ruines du temple de Sobek au N. de la ville.

MÉDINET-HABOU. ♦ Site archéologique d'Égypte, constitué par la partie S. de l'anc. Thèbes* occidentale. L'édifice principal est le temple de Ramsès* III dont le plan s'inspire de celui du Ramesséum*. Ses murs sont ornés des célèbres bas-reliefs représentant les campagnes du pharaon contre les Libyens et les peuples* de la Mer. Au S. des temples de Médinet-Habou subsistent les vestiges d'une enceinte rectangulaire, ancien lac de plaisance d'un palais d'Aménophis* III (auj. *Birket Habou*) qui était l'un des plus beaux édifices de la partie occidentale de l'ancienne cité.

Médiques *(guerres)*. ♦ Nom donné par les Grecs aux conflits qui les opposèrent à l'Empire perse durant la première moitié du ~ Ve siècle ; il fut particulièrement appliqué aux deux expéditions perses contre l'Hellade. L'affrontement des Grecs et des Perses commence réellement avec la soumission de l'Ionie* par Cyrus le Grand (~ 546) et se termine avec la conquête d'Alexandre le Grand (~ 330). L'impérialisme achéménide, visant à la domination de la Méditerranée, se heurtait aux intérêts de la Grèce maritime. Après la campagne contre les Scythes (~ 514), Darios* Ier avait deux bases contre l'Hellade, la satrapie de Thrace et la Macédoine vassale. D'autre part, les cités d'Ionie, mécontentes des faveurs accordées au commerce phénicien, se révoltèrent en ~ 499 à l'instigation de Milet **(V. Aristagoras)** et, avec l'aide athénienne, renversèrent la domination perse sur le littoral de l'Asie Mineure. Darios, après avoir réprimé la rébellion (~ 497-~ 493), décida de soumettre la Grèce. Sa campagne *(première guerre Médique)* se solda par la défaite de Marathon* (~ 490) qui laissait pourtant intact son empire. Ainsi son successeur Xerxès* Ier put-il entreprendre dix ans plus tard l'écrasement de l'Hellade par un déploiement de forces gigantesques : 300 000 à 400 000 hommes et 1 200 vaisseaux de guerre. Entre-temps, Athènes*, sous l'impulsion de Thémistocle*, avait construit une importante flotte. Pendant que Carthage, colonie de Tyr (qui était vassale des Perses), intervenait en Sicile contre les cités grecques, l'armée de Xerxès franchit l'Hellespont sur un pont de bateaux et traversa la péninsule grecque en brisant aux Thermopyles* la résistance des Spartiates **(V. Léonidas)**, s'empara d'Athènes, vidée de sa population, et l'incendia *(deuxième guerre Médique)*. Mais la flotte perse, après une première défaite près d'Artémision*, attirée par un stratagème de Thémistocle dans le chenal de Salamine*, fut anéantie. Xerxès se retira et une partie de son armée, commandée par Mardonios, fut battue à Platées* (~ 479) par les Spartiates de Pausanias*. Une escadre grecque infligea aux Perses une nouvelle défaite près du cap Mycale* (Ionie) et les cités grecques insurgées recouvrirent leur indépendance. Avec l'organisation de la ligue de Délos* qui s'ensuivit (~ 477), la mer Égée devint un « lac athénien ». Ayant transporté la guerre en Asie, les Athéniens remportèrent encore sur les Perses la victoire d'Eurymédon* en ~ 468 et celle de Chypre* en ~ 449 **(V. Cimon, Artaxerxès Ier)**. La *paix de Callias** (~ 448) mit fin aux guerres Médiques ; le Grand Roi reconnaissait l'indépendance des cités d'Ionie et la prépondérance athénienne en mer Égée. **V. Athènes, Grèce.**

Méditations métaphysiques (Les), en lat. **Meditationes de prima philosophia**. ♦ Traité de Descartes, écrit en latin (1641), pour lequel il ne reçut pas de la Sorbonne l'approbation qu'il escomptait. Il tente d'y démontrer la « distinction réelle de l'âme et du corps de l'homme » (d'où le problème de leur union), et l'existence de Dieu, créateur du mouvement de la nature et des vérités éternelles, dont l'esprit a en lui les idées innées (argument ontologique). Il y formule une théorie volontariste de l'erreur (qui vient de ce que notre volonté infinie affirme ou nie des idées que notre entendement fini ne conçoit ni clairement ni distinctement). Les six *Méditations* sont suivies d'*Objections* faites en particulier par Hobbes, Arnauld et Gassendi* et de *Réponses* de Descartes à celles-ci.

Méditations poétiques (Les) et **Nouvelles Méditations poétiques** (1823). ♦ Recueils de poésies lyriques de Lamartine*. Le premier fut célébré comme l'expression d'un renouveau poétique en raison de la sincérité de l'inspiration et de l'harmonieuse mélodie de l'expression. Pleurant la perte de la femme aimée (« Un seul être vous manque et tout est dépeuplé » : *L'Isolement*), le poète cherche consolation auprès de la nature, discrète confidente *(Le Vallon)*. Angoissé devant la fuite du temps *(Le Lac)*, il exprime ses inquiétudes religieuses avant d'affirmer sa confiance en l'Éternité *(L'Immortalité)*.

MÉDITERRANÉE, *n. f.* ♦ Mer intérieure comprise entre l'Europe méridionale, l'Asie occidentale et l'Afrique septentrionale. Elle baigne à l'O. l'Espagne*, au N. la France*, l'Italie*, la Yougoslavie* et l'Albanie* (par l'Adriatique), la Grèce* ; à l'E. la Turquie*, la Syrie*, le Liban*, Israël* ; au S. l'Égypte*, la Libye*, la Tunisie*, l'Algérie* et le Maroc*. C'est la plus vaste des mers continentales, formant avec son annexe la mer Noire* prolongée par la mer d'Azov* (qui baigne la Bulgarie*, la Roumanie*, l'U.R.S.S.*), une superficie d'env. 2 969 000 km². Elle s'allonge du détroit de Gibraltar (à l'O.) au fond de la mer d'Azov (au N.-E.) sur une longueur d'env. 3 800 km ; sa largeur est de 740 km entre Alger et Marseille, de 400 km entre le Péloponnèse* et la Tripolitaine*. Elle communique avec l'Atlantique par le détroit de Gibraltar* (15 km env.), avec la mer Rouge* artificiellement par le canal de Suez*. – La formation de la Méditerranée est due au soulèvement des plateaux et des chaînes de montagnes qui ont isolé la cuvette méditerranéenne de l'Atlantique à la fin de la période tertiaire ; les affaissements ont augmenté la superficie de la mer intérieure. Le trait le plus marquant de la géomorphologie méditerranéenne est la brusque plongée des côtes vers les grands fonds (2 500 à 4 000 m). Les plateaux continentaux y sont rares ; les principaux sont celui du golfe du Lion*, celui des Baléares (entre cet archipel et la côte espagnole), celui de la Tunisie-Sicile, et celui des Cyclades, très accidenté, qui s'étend des côtes helléniques aux côtes turques. Les géographes divisent habituellement la Méditerranée en deux parties. La *Méditerranée occidentale*, séparée du bassin oriental par le seuil sicilo-tunisien (Calabre, Sicile, Tunisie), large de 140 km entre Marsala* et le cap Bon* et où la profondeur ne dépasse pas 400 m. La dorsale corso-sarde isole la mer Tyrrhénienne*. La *Méditerranée orientale* est formée, à l'O., du bassin ionien, et, à l'É., du bassin levantin auquel s'ajoute la zone cypro-syrienne. Depuis 1960, diverses études ont fait ressortir à travers cet ensemble la présence d'une dorsale médiane est-méditerranéenne, s'étendant de l'Apulie* à Chypre, sur 1 900 km de long et plus de 200 km de large. – *Princ. îles. Îles du bassin occidental :* **V. Corse, Sardaigne, Zaffarines, Baléares.** *Îles du bassin oriental :* **V. Pantelleria, Lampedusa, Kerkennah, Djerba, Malte, Crète, Chypre, Ioniennes** *(îles)*, **Sporades, Cyclades.** – *Golfes :* **V. Gênes, Lion** *(golfe du)* [bassin occidental] ; **Tarente, Gabès, Syrte** *(Petite* et *Grande)*, **Iskenderun, Argos** [bassin oriental]. – La Méditerranée orientale se prolonge par la dépression de la mer Adriatique*, et par la cuvette d'effondrement récent de la mer Égée* morcelée par de nombreux fossés tectoniques encadrant les archipels ; la communication avec la mer Noire* se fait par le Bosphore* et le détroit des Dardanelles*. La Méditerranée se trouve dans une zone d'activité sismique importante ; la présence de fissures volcaniques dans le voisinage des côtes est indiquée par des volcans : Vésuve*, Stromboli*, Etna* ; il existe également des cratères sous-marins. – La *profondeur* moyenne de la Méditerranée est de 1 458 m ; les grandes fosses se situent au S. du cap Matapan* (5 121 m), au S.-E. de la Sicile* (4 115 m), dans la mer Tyrrhénienne* (3 785 m) et à l'E. des Baléares (3 420 m). L'influence des climats continentaux, assez chauds sous ces latitudes, se traduit par une forte évaporation, très supérieure aux précipitations et aux apports fluviaux. La *salinité* est donc très élevée (37 à 39 ‰ contre 35 ‰ dans l'Atlantique, au large de l'Espagne). « L'Atlantique doit fournir chaque année à sa mer latérale une couche d'au moins 1 m d'épaisseur » (F. Doumenge) ; les excédents d'eau d'entrée sont également fournis par la mer Noire* par l'intermédiaire de la mer de Marmara*. *La marée* est faible mais elle n'est pas nulle ; la différence entre le flux et le reflux atteint son maximum dans le golfe de Gabès (2,60 m aux équinoxes dans le golfe de Sfax*, 3 m à l'île de Djerba*). Sur le pourtour de la Méditerranée, les fleuves chargés de débris minéraux forment des deltas **(V. Rhône, Nil)** ; les apports des fleuves, détournés par les vents réguliers ou par les courants, forment des cordons littoraux (littoraux français [golfe du Lion] et vénitien). – *Climat.* Les *vents* méditerranéens sont en général réguliers. Les courants dominants sont les vents du N. en été, époque où le continent africain surchauffé détermine un violent appel d'air vers le S., tandis qu'en hiver le courant se renverse et souffle du S. au N. – La zone méditerranéenne est caractérisée par les *pluies* d'hiver, peu abondantes, et la sécheresse des étés. – Les *eaux*, chaudes en surface, ne présentent que de faibles variations thermiques en profondeur (on y relève la même température de 13° entre – 200 et – 4 000 m). Ce caractère, s'ajoutant au faible développement de la plate-forme continentale, permet d'expliquer la faible teneur en eaux des organismes vivants. – *Écon.* La Méditerranée est modérément poissonneuse (thon, bonite, sardine, anchois) ; il existe des élevages de moules et d'huîtres dans quelques bassins lagunaires et dans le N. du bassin occidental et de l'Adriatique. Les principaux centres de pêche se trouvent en Italie (golfe de Tarente à La Spezia* et sur le littoral napolitain) et en France dans le bassin de Thau* près de Sète. **V. Bouzigues.** La pêche permet au total d'obtenir 1 000 000 de t de prises. L'amplitude réduite des marées (14 cm dans le golfe de Gênes) et la configuration des côtes, en majeure partie rocheuses, sont propices à la navigation et à l'installation portuaire. De fait, cette mer a toujours formé un lien entre les pays qu'elle baigne. Le sel constitue une richesse non négligeable ; de grands marais salants se situent sur les côtes du « lido » et près des grands deltas ; la production moyenne annuelle est de 5 000 000 de t (en France : Aigues-Mortes et Salins-de-Giraud ; en Espagne : Torrevieja ; en Italie : Sardaigne et Pouilles, en Crimée et en Turquie). On trouve du corail dans le bassin occidental, sur les côtes de l'Algérie, de Sicile et de Sardaigne. Les éponges sont récoltées par les Grecs et les Syriens et dans la Petite Syrte. – Les côtes de la Méditerranée abritent de nombreux ports importants. Les *activités portuaires* se sont développées grâce aux exploitations pétrolières (oléoducs provenant du golfe Persique : Dammân-Haïfa ; d'Iraq : Kirkúk-Haïfa et Kirkúk-Tripoli ; du golfe d'Aqaba : Elath-Haïfa). Les ports de l'Afrique du Nord et du Proche-Orient exportent surtout des hydrocarbures bruts : Syrie **(V. Bâniyâs)**, Liban **(V. Tripoli, Saïda)**, Libye **(V. Sider** *[El]***)**, Tunisie **(V. Skira** *[La]***)**, Algérie **(V. Bejaia, Skikda, Arzew).** Les ports espagnols et français, italiens et grecs ont pu développer leur trafic en associant le développement d'industries lourdes avec le transit de produits pétroliers vers l'intérieur (en France, étang de Berre*, Fos*-sur-Mer). Cependant, les transports maritimes et les activités portuaires de la Méditerranée restent à un niveau modeste par rapport aux façades littorales de la mer du Nord et du N.-E. de l'Atlantique américain. Le bassin méditerranéen offre un cadre particulièrement favorable au tourisme : Costa* Brava et Costa* del Sol (Espagne), Côte* vermeille, Côte* d'Azur, Languedoc-Roussillon (France), Riviera* (Italie). Le tourisme est auj. une des princ. ressources de pays comme l'Espagne, le Maroc (Al-Hoceima*), la Tunisie (Hammamet, golfe de Gabès*), la Grèce, la Turquie, Israël, le Liban. Des pays comme l'Algérie réservent au développement touristique une part importante de leur budget **(V. Tipasa).** ♦ *Hist.* Elle peut schématiquement être divisée en plusieurs grandes périodes. Pendant la période *préromaine*,

Ph. Hétier

La **Méditerranée** aux Baléares, Majorque.

une succession d'États maritimes et commerçants, comme Carthage, l'ancienne Grèce et la Phénicie, étendirent leur influence (comptoirs, colonies) sur toutes ses côtes. **V. Carthage, Grèce** *(hist.)*, **Phénicie.** Du Iᵉʳ au IVᵉ s., la seconde période importante débuta avec l'expansion de Rome, aboutissant à une unification économique et politique des pays limitrophes comme partie de l'empire (« Mare nostrum »). **V. Rome.** La troisième période correspond en gros à la période allant du IVᵉ au XIᵉ s. et voit se briser l'unité romaine par l'invasion germanique et slave venue du N. et par les conquêtes arabes dans l'O. (Afrique du N., Espagne, Sicile). Les pirates sarrasins compromirent alors la navigation, entravant les installations côtières. À partir du XIᵉ s. commence une période d'activité maritime accrue. L'empire arabe se fractionna et les croisades contribuèrent à rouvrir les ports d'Orient. Constantinople, l'Espagne et les cités d'Italie reprirent leur position dans le commerce mondial, assumant un rôle d'intermédiaire entre l'Orient et l'Occident. Cependant, au XVᵉ s., l'ascension des Turcs Ottomans entraîna une seconde période d'éclipse, liée aux rivalités politiques. La conquête du Levant, des Balkans et de l'Afrique du Nord par les Ottomans correspondit en général à une diminution des activités commerciales, et la piraterie rendit à nouveau le négoce maritime hasardeux. Par ailleurs, la découverte de la route des Indes par le cap de Bonne*-Espérance (1487), puis celle de l'Amérique* (1492) enlevèrent au commerce méditerranéen une partie de son importance. Pendant plus de trois siècles, la Méditerranée ne fut qu'une annexe dans le commerce mondial. Au XIXᵉ s., l'industrialisation du N.-O. et du centre de l'Europe, la colonisation de l'Afrique du Nord par la France, firent à nouveau de la Méditerranée une voie maritime très active. L'ouverture du canal de Suez* (1869), en la mettant en communication par la mer Rouge avec l'océan Indien et le Pacifique, transforma complètement la carte des routes maritimes. Cependant, le retard du développement industriel des pays méditerranéens, dont l'économie restait agricole et artisanale, limitait leur pouvoir d'achat et leur capacité commerciale. Route maritime fréquentée depuis l'Antiquité, la Méditerranée est devenue une importante voie aérienne. R. Garros* effectua la première traversée en sept. 1913. Du XVIIIᵉ s. jusqu'à la Seconde Guerre mondiale, la Méditerranée fut dominée par la Grande-Bretagne qui y acquit le contrôle des points stratégiques essentiels : Gibraltar (1704), Malte (1800), Aden (1839), Chypre (1878), et finalement contrôla l'Égypte (1882). **V. Égypte,** *hist.* Mais, après la Seconde Guerre mondiale, Chypre et Malte devinrent indépendantes au sein du Commonwealth, Aden faisant partie de la république populaire du Sud-Yémen ; le statut de Gibraltar fut sérieusement mis en question par l'Espagne. En Méditerranée occidentale, pendant la même période, la France et l'Italie jouèrent un rôle important. La Seconde Guerre mondiale vit l'entrée des États-Unis en Afrique du Nord (1942). Après la guerre, les États-Unis s'opposèrent aux tentatives de pénétration de l'Union soviétique, assumant un rôle de leader (plan Marshall* ; Organisation* du Traité de l'Atlantique-Nord [O.T.A.N.] ; doctrine d'Eisenhower* sur le Proche-Orient). Le conflit israélo-arabe et la fermeture du canal de Suez (1967) ainsi que la présence de navires de guerre soviétiques jusqu'en 1969 menacèrent de faire à nouveau de la Méditerranée une zone de conflit mondial **(V. Israélo-Arabe** [*conflit*]**).**

MEDJERDA. *n. f.* ♦ Oued de l'Afrique du Nord orientale qui prend sa source en Algérie* près de Souk* Ahras, coule en Tunisie* où il passe à Jendouba*, reçoit son affl. princ., l'oued Mellègue, sépare la Dorsale* tunisienne des monts de Kroumirie*, passe au S. de Béja* et se jette au N. du golfe de Tunis* après avoir formé un delta, auj. drainé et irrigué, qui constitue la *basse Medjerda.*

MÉDOC. *n. m.* ♦ Région de la Gironde* entre Bordeaux* et la pointe de Grave* sur la r. g. de la Gironde. Vins rouges réputés **(V. Bordelais).**

MÉDUSE, en gr. **Medousa.** ♦ L'une des Gorgones*, la seule mortelle des trois. Son regard pétrifiait quiconque osait la fixer. Persée* la tue, se servant de son bouclier poli comme miroir pour ne pas la regarder. La tête de Méduse orne l'égide d'Athéna* ; à sa vue, ses ennemis se changeaient en pierre.

Méduse *(naufrage de la).* ♦ La *Méduse* était l'un des quatre bâtiments partis de l'île d'Aix le 17 juin 1816 pour se rendre au Sénégal à la suite des traités de 1815 (qui rendaient à la France cette colonie). Son naufrage eut lieu le 2 juillet sur le banc d'Arguin, à quarante lieues de la côte d'Afrique. Un radeau de 20 m de long sur 7 de large accueillit cent quarante-neuf passagers qui durent cohabiter pendant douze jours. Seuls, quinze d'entre eux furent retrouvés vivants par le brick l'*Argus,* les autres ayant été jetés à la mer ou même dévorés par les survivants. L'affaire eut un grand retentissement. — L'événement inspira à Géricault *Le Radeau de la Méduse* (Salon de 1819).

MEDWAY. *n. f.* ♦ Riv. du S. de l'Angleterre (130 km). Née entre les North Downs et le Weald, elle arrose Maidstone, coule jusqu'à la mer du Nord où elle forme un estuaire juste au S. de celui de la Tamise. Les villes de Rochester*, Gillingham*, Chatham*, situées près de l'embouchure, sont parfois appelées *villes de la Medway.*

MEERBEKE. ♦ Comm. de Belgique (Flandre-Orientale, arr. d'Alost). 5 100 habitants.

MEERHOUT. ♦ V. de Belgique (Anvers, arr. de Turnhout) sur la Grande Nèthe. 8 200 hab. Indus. du cuir.

MEERUT ou **MÎRÂTH.** ♦ V. de l'Inde (Uttar Pradesh) et camp

Arch. Smeets

Tête de **Méduse.**
Arcs du quadriportique du nouveau forum sévérien.
Début du IIᵉ s. Leptis Magna.

militaire important. 250 000 hab. [341 700 aggl.] (1970). Grande zone industrielle (textiles, industries chimiques). — C'est de cette ville qu'en 1857 partit la grande révolte des Sipahi (cipayes) qui ensanglanta l'Inde du Nord.

MÉGAL. *n. m.* ♦ Massif volcanique du Velay*, à l'E. du Puy* (1 435 m).

MEGALOPOLIS (la « grande ville »). ♦ Anc. ville de Grèce en Arcadie (Péloponnèse). Bâtie par Épaminondas* (~ 371-~ 368), elle fut la capitale de l'Arcadie unifiée, destinée à jouer le rôle de barrrière contre le danger lacédémonien et elle était le siège de l'assemblée dite des *« Dix Mille ».* Alliée avec la Macédoine et passée ensuite à la ligue Achéenne* (~ 234), Megalopolis fut la patrie des derniers hommes politiques de la Grèce avant la conquête romaine, Philopoemen* et Lycortas*, chefs de la ligue, et celle de l'historien Polybe*. Plusieurs fois détruite et rebâtie, elle fut détruite au Moyen Âge lors de l'invasion slave. — Ruines d'un théâtre et du *Thersilion* (siège de l'assemblée des Dix Mille).

Megalopolis. ♦ Terme tiré du grec *(voir ci-dessus)* pour désigner de vastes complexes urbains, et notamment celui qui s'étend, aux États-Unis, entre Boston et Washington **(V.** ces noms, et **New York, Philadelphie, Baltimore),** « gigantesque conurbation à l'intérieur de laquelle on peut circuler sur plus de 500 km [...] sans jamais sortir du paysage urbain » (J. Gottman).

MÉGARA HYBLÉA, en gr. **Megara Hublaia.** ♦ Anc. V. de Sicile* sur la côte ionienne. Colonie de Mégare*, fondée v. ~ 728, elle fonda à son tour Sélinonte*. Elle fut détruite v. ~ 483 par les Syracusains.

MÉGARE, en gr. **Megara.** ♦ V. de Grèce en Attique (Mégaride), sur l'isthme de Corinthe. Centre commercial. 17 300 hab. ♦ *Hist.* La cité préhistorique aurait été fondée par des colons cariens et lélèges et envahie par les Crétois au ~ XVIIᵉ siècle. Séparée de l'Attique ionienne par l'invasion des Doriens (~ XIIᵉ s.), elle fut dominée par une aristocratie dorienne sous l'autorité de Corinthe. Cité commerçante, très prospère dès le ~ VIIIᵉ s. grâce à ses deux ports, elle recouvra son indépendance et essaima ses colonies en Sicile (Megara* Hybléa, Sélinonte*), dans le Bosphore (Byzance*, Chalcédoine) et le Pont-Euxin (Héraclée*). Inaugurant l'âge des « tyrans », Mégare connut son apogée sous Théagène (~ 630-~ 600), qui fut porté au pouvoir par la classe moyenne et le peuple. Mais les Spartiates restaurèrent l'aristocratie et bientôt la lutte contre Athènes, qui s'empara de Salamine (~ 570), affaiblit Mégare. L'interdiction des marchés d'Attique pour Mégare, décrétée par Périclès (~ 432), fut une des causes de la guerre du Péloponnèse* qui marqua le début de sa décadence. — Patrie du poète élégiaque Théognis* (~ VIᵉ s.) et du philosophe Euclide* (~ IVᵉ s.), fondateur de l'*école de Mégare.*

MÉGARIQUES. *n. m. pl.* ♦ Philosophes grecs de l'école de Mégare fondée par Euclide* (dit « le Socratique »), [~ Vᵉ, ~ IVᵉ s.], dont les représentants les plus connus sont Dicdore* Cronos et Philon* le Mégarique. Leur philosophie, proche de celle des Éléates* par sa négation du mouvement, a abouti à la sophistique la plus abstraite, d'où le nom d'Éristiques donné aux représentants de cette école.

MÉGASTHÈNES. ♦ Historien et géographe grec (~ IIIᵉ s.). Il fut envoyé par Seleucos Nicator auprès du roi indien Chandragupta* (~ 302-~ 297) et a rapporté sur ces régions un des plus importants témoignages de l'époque.

MÉGÈRE. ♦ **V.** ÉRINYES.

Arch. Rencontre

Mehmet II « le Conquérant », par Nakkas Sinan Bey. (Musée Topkapi, Istanbul.)

Mégère apprivoisée (La) [*The Taming of the Shrew*]. ♦ Comédie de Shakespeare (1593). Fille d'un gentilhomme de Padoue, Catherine, la mégère, deviendra l'épouse soumise de l'habile Petrucchio, à la suite d'une série d'épreuves cruelles où le jeune homme aura brisé son orgueil.

MEGÈVE [məʒɛv] ou [meʒɛv]. ♦ Comm. de Haute-Savoie*, arr. de Bonneville*, sur un seuil de 1 113 m d'alt. faisant communiquer le val d'Arly* et le bassin de Sallanches. 5 199 hab. *(Megévans)*. Église du XVIIe siècle. C'est une des plus importantes stations françaises de sports d'hiver tant par son équipement que par sa renommée. Ses champs de ski s'étendent sur les pentes du mont d'Arbois, de Rochebrune et du contrefort des Aravis, le Jaillet.

MEGIDDO. ♦ Anc. place forte de Canaan*, commandant la plaine d'Esdrelon. Victoire de Touthmôsis* sur les Syriens (~ XVe s.); de Néchao sur Josias* (~ 609). Importantes fouilles depuis 1903 (Tell el-Moutesellim).

MEHALLAH EL-KOUBRA, en ar. **al-Mahallah al-Kubrâ**. ♦ V. de la Basse-Égypte (gouvernorat de Garbiéh) à 100 km au N. du Caire. 255 800 habitants. Indus. textiles.

MÉHÉMET 'ALI ou **MEHMET 'ALI.** ♦ **V.** MUHAMMAD-'ALI.

MEHMET. ♦ Nom de sultans ottomans. ♦ MEHMET Ier (mort à Andrinople, 1421). Sultan ottoman (1413-1421). Le plus jeune fils de Bâyazîd* Ier. À la mort de son père (1403), il enleva Brousse à son frère Isa, triompha de son autre frère Süleyman (1413) et fut reconnu sultan dans tout l'Empire ottoman. Il fit construire à Brousse la fameuse mosquée verte. ♦ MEHMET II [*al Fatih*, « le Conquérant »] (1429 – 1481). Sultan ottoman (1444-1446 et 1451-1481). Il prit Constantinople (29 mai 1453), occupa la Serbie (1459), la Morée septentrionale (1460), Lesbos (1462) et la Bosnie (1463). Il mena une longue guerre contre Venise, en Morée (1463-1480). Il fit plusieurs incursions en Europe (Autriche, Hongrie : 1474-1480) et envahit la Crimée (1475). Il occupa aussi les îles Ioniennes, mais échoua devant Rhodes. – Mehmet II fit édifier plusieurs monuments, dont la mosquée Fatih, à Istanbul. ♦ MEHMET III (1566 – Istanbul, 1603). Sultan ottoman (1595-1603). Il dut lutter contre des insurrections en Asie et contre des révoltes militaires à Istanbul tout en continuant la guerre contre l'Autriche. ♦ MEHMET IV (1642 – Andrinople, 1692). Sultan ottoman (1648-1687). Le début de son règne fut dominé par les intrigues de sa mère et de sa grand-mère et troublé par des révoltes. Mais l'ordre fut rétabli à la suite de la nomination de Mehmet Köprülü* au poste de grand vizir (1656). Une révolte militaire déposa le sultan après la défaite de Mohács (1687). ♦ MEHMET V (Istanbul, 1844 – *id.*, 1918). Sultan ottoman (1909-1918). Il accepta le régime constitutionnel proposé par le parti jeune-turc et n'eut qu'un rôle secondaire devant la montée du comité Union et Progrès qui entraîna l'Empire ottoman dans la guerre aux côtés de l'Allemagne. ♦ MEHMET VI (Istanbul, 1861 – San Remo, 1926). Dernier sultan ottoman (1918-1922). Il fut destitué par Mustafa Kemal et dut s'enfuir à La Mecque avant de s'installer en Italie.

MEHMET 'ALI ou **MÉHÉMET ALI.** ♦ **V.** MUHAMMAD-'ALI.

MEHRING (Franz). ♦ Homme politique allemand (Schlawe, Poméranie, 1846 – Berlin, 1919). Membre de l'aile gauche du Parti social-démocrate allemand, internationaliste, il adhéra à la Ligue spartakiste **(V. K. Liebknecht** et **R. Luxemburg)**, puis au Parti communiste allemand. (*Histoire de la social-démocratie allemande*, 1897-1898.)

MÉHUL (Étienne). ♦ Compositeur français (Givet, 1763 – Paris, 1817). Organiste, il composa d'abord de la musique religieuse puis, encouragé par Gluck, se consacra à l'opéra. De la trentaine d'ouvrages dramatiques qu'il a composés, il convient de retenir *Euphrosine et Corradin* (1790), *Stratonice* (1792), *Le Jeune Henri* (1797), *Ariodant* (1799), *L'Irato* (1801), *Uthal* (1806), et surtout *Joseph* (1807) considéré comme son chef-d'œuvre. Tout en maintenant la tradition de Gluck, Méhul a recherché dans ses opéras la couleur dans l'orchestration et affirmé un sens déjà romantique de l'action. Il est aussi l'auteur de ballets, de symphonies et d'hymnes patriotiques composés sous la Révolution, dont le célèbre *Chant du départ* (1794).

MEHUN-SUR-YÈVRE. ♦ Ch.-l. de cant. du Cher, arr. de Bourges, en Champagne berrichonne. 5 893 hab. *(Mehunois)*. Collégiale Notre-Dame, romane et gothique. Vestiges du château (XIVe s.) où mourut Charles VII. – Mécanique de précision. Confection, lingerie. Porcelaine.

MEIJE. *n. f.* ♦ Sommet de l'Oisans aux confins de l'Isère* et des Hautes-Alpes*. Elle comporte trois sommets : la *Meije orientale* (3 890 m), la *Meije centrale* ou *Doigt de Dieu* (3 974 m), la *Meije occidentale* ou *Grand Pic de la Meije* (3 983 m).

MEIJI-TENNÔ (mots japonais « gouvernement éclairé »). ♦ Nôm posthume donné au 122e empereur du Japon, Mutsuhito (Kyôto, 1852 – Tôkyô, 1912), qui régna de 1867 à 1912. Il succéda à son père Kômei, transféra sa capitale à Edo qu'il renomma Tôkyô, abolit le shôgunat des Tokugawa*, réforma les institutions féodales et accepta en 1889 une constitution de type moderne. Permettant l'introduction des idées et des techniques occidentales au Japon, il favorisa l'industrialisation du pays, ce qui lui permit de gagner deux guerres successives, l'une contre la Chine (1894-1895), l'autre contre la Russie (1904-1905). Il est le véritable créateur du Japon moderne. Son nom a été donné à la période de son règne, de 1868 à 1912. Son fils Taishô-Tennô lui succéda.

MEILHAC [mɛjak] **(Henri).** ♦ Auteur dramatique français (Paris, 1831 – *id.*, 1897). En collaboration avec Ludovic Halévy*, il fut l'auteur des nombreux opéras bouffes dont Offenbach* composa la musique durant les années les plus brillantes du Second Empire.

MEILI (Richard). ♦ Psychologue suisse (né en 1900). Il mit au point une épreuve qui permet à la fois de mesurer le niveau intellectuel de l'individu et de donner une connaissance approchée des aspects qualitatifs de son intelligence. Les résultats obtenus aux épreuves sont réunis en une synthèse graphique, le « profil psychologique ».

MEILLERAYE (Charles, *duc de* **La).** ♦ **V.** LA MEILLERAYE.

MEILLET (Antoine). ♦ Linguiste français (Moulins, 1866 – Châteaumeillant, Cher, 1936). Professeur à l'École des hautes études, il étudia de nombreuses langues indo-européennes, dont le slave (*Le Slave commun*, 1914), l'arménien (*Esquisse d'une histoire comparée de l'arménien classique*, 1903; *Alt-armenisches Elementarbuch*, 1913), le perse (*Grammaire du vieux-perse*, 1915), le latin et le grec (*Traité de grammaire comparée des langues classiques*, 1924, etc.), les langues germaniques (*Caractères généraux des langues germaniques*). Dès 1903, il avait publié une *Introduction à l'étude comparative des langues indo-européennes*, devenue classique. Coauteur du grand *Dictionnaire étymologique de la langue latine* (1932; avec Ernout) et coresponsable avec M. Cohen du recueil collectif *Les Langues du monde* (1924), Meillet fut le plus remarquable linguiste français de sa génération et eut de nombreux élèves (il découvrit notamment G. Guillaume*).

MEININGEN. ♦ V. d'Allemagne orientale (Thuringe, district de Suhl) et anc. cap. du duché de Meiningen, sur le cours supérieur de la Werra. 23 700 hab. Église du Xe s.; château des XVIe-XVIIe siècles. – Constructions mécaniques et travail du bois.

Meininger. *n. m. pl.* ♦ Compagnie de comédiens fondée en Saxe par le duc de Meiningen (1870-1890). Marquée par la leçon de Goethe*, cette troupe se constitua en réaction contre la confusion qui régnait sur les scènes d'Europe. Par une étude minutieuse du texte, l'élaboration d'un décor construit, un souci permanent de vérité dans le costume, les accessoires, le style d'interprétation, une stricte discipline destinée à maintenir la cohésion de la compagnie, cette troupe exerça une influence salutaire sur le théâtre des premières années du XXe s. et sur ses réformateurs.

Mein Kampf *(Mon combat)*. ♦ Ouvrage écrit par Hitler pendant l'année 1924 lors de son séjour en prison, après le putsch manqué de Munich : voulant d'abord faire une œuvre autobiographique, Hitler rédigea en fait un exposé de ses conceptions de l'homme et du monde. Ce lourd amalgame d'idées souvent contradictoires et de violentes diatribes devint le livre par excellence du national-socialisme à partir de 1933. **(V. Nazisme.)**

MEINONG (Alexius). ♦ Philosophe et psychologue autrichien (Lemberg, 1853 – Graz, 1920). Élève de F. Brentano*, il fonda le premier laboratoire de psychologie en Autriche (à Graz). Il a élaboré une théorie originale de l'objet de la connaissance qui tente de dépasser l'opposition entre le réalisme et l'idéalisme (*Recherches sur une théorie et une psychologie de l'objet*, 1904; *Sur la place de la théorie de l'objet dans le système des sciences*, 1907).

MEIR (Golda MEYERSON, née **MABOVITZ,** dite **Golda).** ♦ Femme politique israélienne (Kiev, 1898). Émigrée aux États-Unis avec sa famille en 1906, elle y milita dans des organisations sionistes avant d'immigrer en Palestine (1921) où elle adhéra à l'Histadrouth et au parti Mapaï. Elle fut le premier ambassadeur de l'État d'Israël en U.R.S.S. (1948), fut ensuite nommée ministre du Travail et des Affaires sociales (1949-1956), puis ministre des Affaires étrangères en remplacement de M. Sharett (1956-1966).

Après avoir assumé les fonctions de secrétaire général du Mapaï (1966), elle fut appelée à la tête du gouvernement israélien en mars 1969 et démissionna en avril 1974. **V. Israël,** *hist.*

MEIRELBEKE, en néerl. **Merelbeke.** ♦ V. de Belgique (Flandre-Orientale, arr. de Gand) sur l'Escaut. 13 700 hab. Cultures maraîchères et florales. Brasseries.

MEIRINGEN. ♦ V. de Suisse (cant. de Berne) dans la haute vallée de l'Aar*, en amont du lac de Brienz*. 3 700 hab. Centre d'excursions.

MEIRON *(mont)*. *n. m.* ♦ Point culminant des chaînes montagneuses d'Israël, situé dans les monts de Galilée*. 1 208 mètres.

MEISSEN. ♦ V. d'Allemagne orientale (Saxe-Anhalt, district de Dresde), sur la r. g. de l'Elbe, au N.-O. de Dresde. 50 000 hab. – Cathédrale gothique, château d'*Albrechtsburg* (XVe s.). – Manufacture de porcelaines, créée en 1709 et qui fut au XVIIIe s. la plus importante d'Europe. Métallurgie, constructions mécaniques et travail du cuir. ♦ *Hist.* **V. Misnie.**

MEISSNER (Georg). ♦ Anatomiste allemand (Hanovre, 1829 – Göttingen, 1905). Il mit en évidence les corpuscules du tact *(corpuscules de Meissner),* situés dans les papilles du derme.

MEISSNER. *n. m.* ♦ Petit massif basaltique de l'Allemagne moyenne (Hesse), au relief tabulaire, culminant à 749 m.

MEISSONIER (Jean Louis Ernest). ♦ Peintre et dessinateur français (Lyon, 1815 – Paris, 1891). D'abord peintre de genre, il se spécialisa ensuite dans les scènes de la vie militaire, dont il se plut à reproduire les détails avec un réalisme minutieux. Il acquit ainsi la célébrité et fut comblé d'honneurs par Napoléon III.

MEISSONNIER (Juste Aurèle). ♦ Peintre, sculpteur, décorateur et ornemaniste français d'origine italienne (Turin, 1695 – Paris, 1750). Il peignit des portraits, fut nommé par Louis XV dessinateur du cabinet du roi et organisa les fêtes royales. Il laissa des recueils d'ornements qui manifestent son goût pour le décor exubérant, asymétrique, contourné, et pour les motifs en forme de concrétions et de coquilles, qui en font l'un des plus brillants et pittoresques représentants du style rococo ou rocaille.

MEITNER (Lise). ♦ Physicienne autrichienne (Vienne, 1878 – 1968). Spécialiste de physique nucléaire, elle découvrit avec O. Hahn* le protactinium (1918) et réalisa de nombreux travaux sur les rayonnements; étudiant la fission de l'uranium, elle remarqua la formation de plusieurs nouveaux radio-éléments (transuraniens) dont elle interpréta la création, avec son neveu O. R. Frisch*, en utilisant le modèle nucléaire de la « goutte liquide » de Niels Bohr*.

MEI WEN-TING [*Mei Wending*]. ♦ Philosophe et astronome chinois (1663 – 1721) de grande réputation qui se fit surtout remarquer par ses idées libérales, favorables à l'adoption des idées occidentales.

MÉJEAN *(causse)*. *n. m.* ♦ Formation calcaire située dans les Grands Causses*, entre le Tarn* et la Jonte*. Elle a été affectée de phénomènes karstiques (gouffres, avens, sotchs) donnant à sa topographie un aspect ondulé. Auj. dépeuplé (4 hab./km^2) et déboisé, ce plateau se consacre presque exclusivement à l'élevage ovin (lait, fromage, viande). Toutefois, quelques îlots de cultures apparaissent dans les bas-fonds. Tourisme : gorges du Tarn*, aven Armand*, grottes de Dargilan*.

MEKELEN. ♦ Nom de Malines*.

MEKHITHAR ou **MECHITHAR (Pierre MANOUK**, dit **Mekhithar**, en fr. **le Consolateur).** ♦ Moine et théologien arménien, fondateur de la congrégation des *mékhitharistes* (Sivas, Anatolie, 1670 – Venise, 1749). Prêtre en 1696, il fonda sa congrégation, avec l'appui du pape, en 1712. Désireux de restaurer et de faire connaître la littérature arménienne, Mekhithar publia une *Grammaire* et un *Dictionnaire de la langue arménienne* (1727) et une édition de la *Bible* en arménien.

Ph. Hétier

Bananeraie au bord du **Mekong.**

MEKNÈS. ♦ V. du Maroc septentrional, ch.-l. de prov. 572 000 hab. et préf. urbaine, située sur un plateau au N.-O. du Moyen Atlas, dominée au N. par le djebel Zerhoun*. 185 000 hab. Monuments du XVIIe s. : enceintes percées de portes (Bab al-Mansûr), ruines de l'anc. cité impériale (« Versailles marocain ») du sultan Mûlây Ismaïl (1672-1727). Centre commercial, agricole et touristique.

MEKONG. *n. m.* ♦ Fl. d'Asie, l'un des plus longs du continent (4 200 km). Il naît à 4 875 m d'alt. sur le plateau du Tibet oriental, traverse le Yunnan* par d'étroits défilés, forme la frontière entre la Birmanie, le Laos et la Thaïlande, fertilise le Cambodge où il forme le Grand Lac (Tonle-sap) et se jette dans la mer de Chine méridionale en formant un immense delta au Viêt-nam. Il sert également de liaison entre toutes les régions qu'il traverse et de tout temps servit de voie de pénétration. Il est cependant peu navigable. De nombreux projets sont en cours afin de le régulariser. Il est très poissonneux.

MELANCHTHON (Philipp SCHWARZERD, hellénisé en**).** ♦ Réformateur religieux allemand (Bretten, 1497 – Wittenberg, 1560). Professeur de grec à l'université de Wittenberg, il rencontra Luther dont il devint le principal disciple. En 1519, à Leipzig, il écrivit son *Apologia pro Luthero* contre les attaques de J. Eck*. Ses *Loci communes theologiae* (1521) constituent le premier ouvrage de la théologie luthérienne. Il rédigea la *Confession d'Augsbourg* et l'*Apologie* de celle-ci. Il devint le chef de l'église luthérienne à la mort de Luther. Moins intransigeant que Luther, il a tenté d'aplanir les divergences entre les différents courants de la Réforme et même entre protestants et catholiques.

MÉLANÉSIE. *n. f.* (« îles noires », du gr. **melas** « noir » et **nêsos** « île »). ♦ Ensemble d'îles du Pacifique (Océanie) qui s'étend de la partie S.-O. de l'océan, entre l'équateur et le tropique du Capricorne, de la Nouvelle-Guinée aux îles Fidji. Elle comprend la Nouvelle*-Guinée (dont la partie occidentale appartient à l'Indonésie*, **V. Irian Barat**), l'archipel Bismarck*, les îles Salomon*, les Nouvelles*-Hébrides, la Nouvelle*-Calédonie et, plus à l'E., les îles Fidji*. Ces îles et archipels, peuplés en partie de Mélanésiens*, sont les plus étendus de l'Océanie tropicale (env. 965 000 km^2). Ils forment un ensemble montagneux et souvent élevé (5 040 m au pic Sukarno*); le volcanisme y est parfois actif (certaines îles appartiennent à la « ceinture de feu du Pacifique »); les formations coralliennes abondent. Le climat est constamment pluvieux et chaud mais varie suivant l'orientation et la latitude. Partout les risques de cyclones sont fréquents. Les zones intérieures sont en général couvertes de forêts denses. L'économie, de subsistance, est fondée sur le taro, l'igname, la patate douce, la canne à sucre et l'arbre à pain, la pêche et la chasse; les animaux domestiques sont essentiellement les porcs, les chiens et les volailles. – *N. B.* Se reporter aux articles consacrés aux différents archipels et îles.

MÉLANÉSIENS. *n. m. pl.* ♦ Population de la Mélanésie* (3 500 000 env.), présentant une certaine diversité de types physiques. En général, ils ont une peau très brune, une taille moyenne, un corps trapu, une puissante mâchoire carrée, des arcades sourcilières proéminentes, des cheveux crépus; sur les côtes, le type polynésien* apparaît nettement. Les langues et les dialectes sont très nombreux et appartiennent en général au groupe malayo-polynésien.

MÉLANIE l'Ancienne, en lat. **Antonia Melania.** ♦ Dame romaine, de famille consulaire (Rome, v. 349-350 – Jérusalem, 410). Veuve à vingt-deux ans, elle abandonna sa famille et sa fortune, et vécut en Égypte auprès des pères du désert puis au mont des Oliviers où elle fonda un monastère. Elle fut la protectrice de Rufin* d'Aquilée contre saint Jérôme*. ♦ Sa petite-fille, sainte MÉLANIE LA JEUNE (Rome, 383 – Jérusalem, 439) convainquit son mari Pinien *(Pinianus)* de vivre dans la chasteté, de liquider leur immense fortune au profit d'œuvres charitables et de fondations monastiques, et de renoncer au monde. Ils se retirèrent d'abord aux environs de Rome, puis (410) à Tagaste (Numidie) auprès de saint Alypius, disciple de saint Augustin, et enfin (417) à Jérusalem. Mélanie y vécut en recluse et fonda un monastère de femmes puis un monastère d'hommes. Elle fut en relations avec saint Paulin* de Nole, saint Augustin*, saint Jérôme*. Sa *Vie,* écrite sans doute par son factotum, le prêtre Gerontius, comporte de précieux témoignages sur la liturgie et les usages monastiques anciens. Fête le 31 décembre.

MÉLANTOIS. *n. m.* ♦ Région crayeuse de la Flandre française, au S. de Lille*.

MELBA (Helen MITCHELL, dite **Nellie).** ♦ Cantatrice australienne (Melbourne, 1859 – Sydney, 1931). Douée d'une voix exceptionnellement étendue, elle débuta à Bruxelles (1887) puis, après un séjour à l'Opéra de Paris, elle triompha sur toutes les scènes du monde. Peu avant sa retraite, elle a publié *Melodies and Memories* (Londres, 1925). – C'est en son honneur que les coupes de fruits et de crèmes glacées furent dénommées *(pêches Melba, etc.).*

MELBOURNE (William LAMB, *2e vicomte***).** ♦ Homme politique anglais (Londres, 1779 – Melbourne House, Derbyshire, 1848). Député whig, il se rallia aux tories dans le cabinet Canning*

Coll. Rui Nogueira

Dessin de **G. Méliès** pour « Le Voyage dans la Lune ».

(1827), puis les abandonna pour entrer dans le cabinet Grey* (1830-1834) comme ministre de l'Intérieur. Il dut alors faire face à l'agitation sociale et aux troubles irlandais et favorisa la réforme parlementaire. Devenu Premier ministre (1834, 1835-1841), il eut un ministère assez terne, mais exerça une certaine influence sur Victoria* dont il fit l'éducation politique.

MELBOURNE. ♦ V. d'Australie*, cap. de l'État de Victoria*, port sur la côte N. de la baie de Port Philip, au pied des Alpes* australiennes. Deuxième ville du pays après Sydney, et important centre ferroviaire relié à Sydney*, Adélaïde* et Perth*. 2 108 000 hab. Archevêché catholique. Université, seconde université à Clayton *(Monash)*. Important centre administratif. Le port très bien abrité, exporte de la laine, des céréales (avoine) et de la farine, des fruits, de la viande et des produits laitiers. Grand marché de la laine. Pétrolochimie. Constructions mécaniques et aéronautiques ; automobiles. Indus. textiles (confection) et alimentaires. Indus. du cuir ; verreries. ♦ *Hist.* Fondée en 1835, Melbourne fut la première capitale du Commonwealth d'Australie de 1901 à 1927.

MELCHIOR. ♦ Un des rois mages de la légende chrétienne, dépeint comme un vénérable vieillard. **V. Mages.**

MELCHIOR [Lauritz] (Hommel LEBRECHT, dit). ♦ Ténor américain d'origine danoise (Copenhague, 1890 — New York, 1973). Spécialiste du répertoire wagnérien, il fut à Bayreuth (1925-1931) puis au *Metropolitan Opera* de New York (jusqu'à 1950), par son dynamisme vocal et sa force athlétique, l'un des plus grands interprètes de Tristan et de Siegfried.

MELCHISÉDECH. ♦ Personnage biblique (*Genèse*, XIV, 18), roi de Salem, prêtre du Dieu Très-Haut *(El Elyôn)*. Il bénit Abraham. Figure messianique dans la spéculation juive et chrétienne.

MELCHTAL (Arnold *de*). ♦ Personnage légendaire de l'histoire suisse (*fin* XIIIe s.). Il châtia le bailli autrichien venu confisquer les bœufs de son père, rejoignit Stauffacher, Walter Fürst* et Guillaume* Tell et prêta le serment du Rütli* où ils se juraient de chasser les gouverneurs autrichiens de Suisse.

MÉLÉAGRE, en gr. **Meleagros.** ♦ Héros étolien de Calydon*. Lors de la fameuse chasse, il tue le *sanglier de Calydon* mais, dans la dispute qui s'ensuivit pour la possession de la dépouille, il tue les frères de sa mère ; celle-ci le maudit, appelant contre lui la colère des Érinyes. Méléagre se retire alors du combat entre Curètes et Calydoniens et ne consent à y revenir qu'au dernier moment, quand les ennemis incendient la ville. Il les repousse aisément, mais il périt lui-même.

MELEGNANO. ♦ Nom italien de Marignan*.

MELÉNDEZ (Luis Eugenio). ♦ Peintre et dessinateur espagnol (Madrid, 1716 — *id.*, 1780). Il réalisa notamment une série de natures mortes d'une facture lisse et sèche et qui révèlent un sens méticuleux de l'observation. Comme Chardin*, il aimait les motifs simples et familiers ; cependant, son art se rattache plutôt, par sa facture et l'esprit de ses compositions, à la tradition de Vélasquez et de Zurbarán, sans en avoir l'austère rigueur.

MÉLIÈS (Georges). ♦ Scénariste et réalisateur français de cinéma (Paris, 1861 — *id.*, 1938). Illusionniste amateur (il dirigea le théâtre Robert-Houdin) et dessinateur, il fit du cinéma, alors en sa naissance, un art véritable, par la richesse d'un génie inventif aussi savant que poétique. Des quelque 500 films qu'il tourna, entre 1896 et 1913, trois thèmes généraux d'inspiration se dégagent : la féerie *(Cendrillon, Le Palais des mille et une nuits, La Fée Libellule)*; la fiction scientifique *(Le Voyage à travers l'impossible, 20 000 Lieues sous les mers, La Conquête du pôle)*; l'histoire *(L'Affaire Dreyfus, La Civilisation à travers les âges)*. Créateur de la mise en scène cinématographique, inventeur d'ingénieux trucages, constructeur des premiers studios de cinéma (à Montreuil), ce pionnier du 7e art, qui connut la pauvreté et fut un moment oublié, eut la grâce naïve et la libre fantaisie d'un primitif.

MELILLA. ♦ V. et port de souveraineté espagnole, dépendant de la prov. de Málaga, situé sur la côte méditerranéenne du Maroc dans la zone orientale du Rif*, dans l'est de la pointe formée par le cap des Trois-Fourches. 86 000 hab. Port franc. Murailles du XVIe siècle. Patrie de F. Arrabal*. ♦ *Hist.* Anc. comptoir punique, puis romain, elle fut prise par les Espagnols en 1496 **(V. Maroc espagnol).**

MÉLINE (Jules). ♦ Homme politique français (Remiremont, 1838 — Paris, 1925). Représentant de l'opposition républicaine sous le Second Empire, membre de l'Assemblée nationale puis de la Chambre des députés (1872-1903), ministre de l'Agriculture (1883-1885), il fonda le *Mérite agricole* et fut un des principaux instigateurs de la politique protectionniste (institution du double tarif douanier, 1892). Il fut placé à la présidence du Conseil (1896) ; son gouvernement fut marqué par la reprise de l'activité économique et financière, mais aussi par le rebondissement de l'affaire Dreyfus. Hostile à la révision du procès, Méline dut démissionner (1898). Sénateur (1903-1925), à nouveau chargé du portefeuille de l'Agriculture (1915-1916), il lança l'idée du *retour à la terre* (1905), que devait reprendre le gouvernement de Vichy.

MELISEY. ♦ Ch.-l. de cant. de la Haute-Saône (arr. de Lure) sur la r. d. de l'Ognon. 1 844 hab. *(Morgelots)*. Métallurgie. Indus. textiles.

MÉLISSOS. ♦ Philosophe grec de l'école d'Élée* (Samos, ~ Ve s.). Il commandait la flotte samienne lorsqu'elle remporta la victoire sur les Athéniens. Il nous reste dix fragments de son œuvre *De l'Être* **(V. Éléates).**

MÉLITON *(saint)*. ♦ Évêque de Sardes [Asie Mineure] (IIe s.). Il fut une « lumière de l'Asie », dit Eusèbe de Césarée, mais de ses œuvres ne subsistent qu'une *Homélie sur la Pâque* et des fragments, notamment d'une *Apologie* à Marc Aurèle (176 ?). Fête le 1er avril.

MELITOPOL'. ♦ V. d'U.R.S.S. (Ukraine) au S. de Zaporojié. 137 000 hab. Métallurgie, Conserveries. Moteurs de petite cylindrée.

MELKART (en phénicien « roi de la cité »). ♦ Dieu phénicien, spécialement vénéré à Tyr et dans ses colonies, appelé aussi *Baal de Tyr*. Son temple, à Tyr, aurait été bâti par le roi Hiram* (~ Xe s.). Une fête annuelle célébrait le « réveil de Melkart ». Les Grecs l'assimilèrent à Héraclès.

MELLAN (Claude). ♦ Graveur et dessinateur français (Abbeville, 1598 — Paris, 1688). Il se rendit à Rome en 1624, travailla auprès de Villamena et de Vouet* et, rentré en France en 1637, répandit la technique de gravure au burin dite à une seule taille qui permettait une plus grande souplesse de modelé que la technique en taille croisée (*La Sainte Face*, 1649). Il réalisa des illustrations et des portraits à la pierre noire et à la sanguine *(Urbain VIII ; Gassendi)*.

MELLAOUI-EL-ARICH, en ar. **Mallawî al-'Arich.** ♦ V. de la Haute-Égypte (gouvernorat de Miniéh). 44 000 hab. Centre céréalier. À proximité, nécropoles antiques.

MELLE. ♦ Comm. de Belgique (Flandre-Orientale, arr. de Gand), sur l'Escaut. 8 800 hab. Produits maraîchers et laitiers.

MELLE. ♦ Ch.-l. de cant. des Deux-Sèvres, arr. de Niort. 4 489 hab. *(Mellois)*. Église Saint-Hilaire, de style roman poitevin (XIIe s.). Église Saint-Pierre, romane (XIIe s.). — Marché agricole. Ânes et mulets renommés. Indus. chimiques. ♦ *Hist.* La ville fut au Moyen Âge le siège d'un important atelier de frappe de la monnaie, qu'alimentait le plomb argentifère extrait des collines voisines.

MELLONI (Macedonio). ♦ Physicien italien (Parme, 1798 — Portici, 1854). Il améliora le galvanomètre par l'emploi d'un aimant compensateur, ainsi que la pile thermo-électrique inventée par Nobili*, ce qui lui permit d'étudier les propriétés de la chaleur rayonnante.

Melmoth. ♦ Personnage et titre de roman (*Melmoth the Wanderer*, «Melmoth, l'errant» [1820]) de Charles R. Maturin*. Le thème évoque Faust. Melmoth a obtenu du démon le prolongement de sa vie en échange de son âme ; il n'évitera la damnation qu'en trouvant un être pour partager son sort. Les épisodes terribles, contés avec raffinement, se succèdent, Melmoth recherchant des partenaires dans des situations désespérées. Ses amours avec Isidora, innocente comme la Marguerite de Goethe, se terminent par la mort de la jeune femme, terrassée par l'épouvante et les malheurs ; le démoniaque Melmoth se tue aussi. Malgré ses déséquilibres et ses moments de sentimentalisme, l'œuvre atteint une poésie fantastique et une rare puissance d'évocation ; elle inspira Balzac*, qui voulut la prolonger par *Melmoth réconcilié* ; elle fut très appréciée par les surréalistes.

MELNIKOV-PETCHERSKI (Paul Ivanovitch Melnikov, dit **Andrei Petcherski)** [*Melnikov-Pečerski*]. ♦ Romancier russe (Nijni-Novgorod, 1819 — *id.*, 1883). Connaissant parfaitement le folklore et la vie du peuple russe, il en parla dans des contes (*Les Contes de la grand-mère*, 1858) et dans deux romans : *Dans la forêt* (1868-1874) et *Dans les montagnes* (1875-1881), où il décrit la vie des vieux croyants près de Nijni-Novgorod.

MELOZZO DA FORLI (Michelozzo degli Ambrogi, dit**).** ♦ Peintre italien (Forli, 1438 — *id.*, 1494). Élève de Piero* della Francesca à Urbino, il fut un maître de la perspective et du raccourci et un représentant du style monumental, qu'il répandit à Rome: *Sixte IV inaugurant la bibliothèque Vaticane* (v. 1475, Vatican), l'*Ascension du Christ* (1480, église des Saints-Apôtres ; depuis 1711, le panneau central se trouve au Quirinal, les *Anges musiciens* et les *Têtes des apôtres* au Vatican). Sa dernière grande œuvre fut la coupole de la chapelle du Trésor, à Lorette (après 1477). On lui attribue souvent une part de collaboration dans deux cycles d'œuvres, *Les*

Hommes illustres (partie à Urbino, partie au Louvre) et *Les Arts libéraux* (partie à Berlin, détruite en 1945, partie à Londres, National Gallery) auxquels travaillèrent Berruguete* et peut-être Juste de Gand.

MELPOMÈNE, en gr. **Melpomenê**. ♦ L'une des Muses*, dont le nom dérive du verbe *melpô* (« chanter »). Primitivement, elle présidait au chant et à l'harmonie, puis elle fut associée à Dionysos et devint patronne de la tragédie. Unie à Achéloos*, elle donne naissance aux Sirènes*.

MELQART. ♦ V. MELKART.

MELROSE. ♦ Localité du S.-E. de l'Écosse (Roxburghshire), près de la Tweed. 1 500 hab. Très belle abbatiale du XIIe reconstruite au XIVe et au XVIe s. en style perpendiculaire.

MELSBROEK. ♦ Comm. de Belgique (Brabant). 2 000 hab. Aéroport militaire.

MELSELE. ♦ Comm. de Belgique (Flandre-Orientale, arr. de Saint-Nicolas). 6 800 hab. Produits maraîchers et laitiers; fruits.

MELSENS (Louis). ♦ Physicien belge (Louvain, 1814 – Bruxelles, 1886). Inventeur des paratonnerres à pointes, à raccordements terrestres et à conducteurs multiples. **V. Franklin.**

MELUN. ♦ Préf. de la Seine-et-Marne, ch.-l. d'arr. (13 cant., 210 comm., 276 347 hab.), sur la Seine. 36 269 hab. *(Melunais)*. À l'origine établie dans une île de la Seine, elle s'est étendue sur les deux rives du fleuve. Église Notre-Dame fondée par Robert le Pieux au XIe siècle; elle a été remaniée aux XIIe, XVe et XVIe siècles; la façade est de la Renaissance. Église Saint-Aspais (XVe, XVIe s.) à cinq nefs, restaurée après un incendie en 1944. Hôtel de ville dans un hôtel de la Renaissance. – Marché agricole (blé). Métallurgie; machines agricoles; constructions mécaniques; indus. textile; imprimerie; céramique; verrerie; indus. du caoutchouc; produits pharmaceutiques; brasseries, minoteries; fromages de Brie. – Patrie de J. Amyot*. ♦ *Hist.* Oppidum des Senones, *Melodunum* fut pris en ~ 53 par Labenius, et devint résidence royale des premiers Capétiens. Pendant la guerre de Cent Ans, Du Guesclin reprit Melun à Charles le Mauvais qui s'en était rendu maître. Les Anglais occupèrent la ville en 1420, et la rendirent en 1430 à Charles VII. Henri IV reprit Melun aux ligueurs.

MELUN-SÉNART. ♦ Ville nouvelle de Seine-et-Marne (une partie est dans l'Essonne), créée en 1969. 110 000 hab. (330 000 prévus pour 1985). Elle s'étend sur une surface de 17 000 ha comprise entre la ville de Melun et la forêt de Sénart et regroupe dix-huit communes divisées en trois secteurs : secteur Grand-Melun, secteur Bords-de-Seine-rive droite, secteur Lieusaint-Moissy-Val d'Yerres-Sud. Une zone industrielle sera aménagée.

MELUN-VILLAROCHE. ♦ Aérodrome de Seine-et-Marne situé à proximité de Melun.

Mélusine. ♦ Personnage de la légende médiévale qu'une faute condamne à devenir tous les samedis femme-serpent. Elle passait pour la fondatrice de la maison de Lusignan* *(Mélusine = Mère Lusigne)* et inspira un conte à W. Goethe*.

MELVILLE (Herman). ♦ Poète et romancier américain (New York, 1819 – *id.*, 1891). Sa vie, comme son œuvre, est marquée par l'océan : plutôt que de demeurer instituteur, il préféra s'enrôler à vingt-trois ans dans l'équipage d'une baleinière des mers du Sud et ne perdit jamais contact avec les marins; il séjourna aux îles Marquises. C'est en empruntant exclusivement ses images au monde de la mer que Melville est parvenu à donner à *Moby Dick ou la Baleine blanche (Moby Dick or the white Whale*, 1851), dédié à Hawthorne*, la forme d'un conte apocalyptique et obsédant. Le récit évoque la poursuite forcenée d'une baleine blanche par le capitaine Achab, habitué de la « lutte cosmique en mer », et dont le bateau sombrera. L'enchevêtrement des passages réalistes (où le lecteur est, par exemple, initié aux secrets du lancement du harpon) et des développements symboliques montrant en Moby Dick, la baleine, l'incarnation du Mal, de toute « la malignité intangible » du monde, fait de cette épopée le centre même des tensions auxquelles est soumis le romancier. De même, *Pierre ou les Ambiguïtés* (1852) évoque, dans une ambiance d'inceste, un conflit entre le Bien et le Mal. L'influence de Rabelais est évidente dans *Mardi* (*Mardi and a Voyage thither*, 1849), équipée maritime où le héros erre « d'île sonnante en île sereine » et où des moyens quasi surréalistes sont mis au service d'une quête métaphysique. Et c'est sous les aspects de l'obsession homosexuelle que *Billy Bud, gabier de misaine* (1890), dépeint le monde du Mal. Quant à la trame de ses *Contes* (*Bartleby* [*Bartleby, the scrivener*], *Benito Cereno*, etc., 1856) elle est constituée par le thème de l'échec dont semble marquée l'existence de cet esprit tourmenté qui n'acceptait pour « haute joie » que « l'inexorable intégrité de sa personne ».

MELVILLE (Jean-Pierre GRUMBACH, dit Jean-Pierre). ♦ Réalisateur français de cinéma (Paris, 1917 – *id.*, 1973). Il fut l'adaptateur sensible d'œuvres littéraires (*Le Silence de la mer*, d'après Vercors, 1949; *Les Enfants terribles*, d'après Cocteau, 1950). L'admiration qu'il portait au cinéma américain est sensible dans les films qu'il a réalisés depuis, marqués par la rigueur de la construction, la solidité de leur direction d'acteurs et par les thèmes qu'ils développent : ferveur de l'amitié virile, solitude des héros. *Deux Hommes dans Manhattan* (1959), *Le Doulos* (1963), *Le Deuxième Souffle* (1966), *Le Samouraï* (1967), *Le Cercle rouge* (1970).

MELVILLE *(baie de)*. ♦ Baie de la mer de Baffin, sur la côte O. du Groenland.

MELVILLE *(île)*. ♦ Île de l'archipel arctique canadien (îles de la Reine*-Élisabeth) située à l'O. du groupe et séparée de la terre de Banks par le détroit de McClure, de l'île Victoria par le *détroit de Melville*. Gaz naturel.

MELVILLE *(presqu'île de)*. ♦ Presqu'île du N. du Canada (océan Arctique).

MELVILLE *(île)*. ♦ Île de la côte N. de l'Australie*, à l'O. de la terre d'Arnhem*, dépendant du Territoire* du Nord. Réserve pour les indigènes.

MEMEL. ♦ Nom allemand de Klaïpeda*.

MEMLINC ou **MEMLING (Hans)**. ♦ Peintre flamand originaire de Rhénanie (Selingenstadt, v. 1433 – Bruges, 1494). On suppose qu'il se forma à Cologne, puis à Bruxelles, dans l'atelier de Van* der Weyden. Ayant acquis à Bruges le droit de bourgeoisie en 1465, il y dirigea un important atelier et travaillait pour les religieux, les riches citoyens et les hommes d'affaires italiens. Il connut l'art de Van der Goes*, Bouts*, mais s'inspira surtout de Van* Eyck et de Van* der Weyden sans hériter de la vigueur expressive et du sens tragique de ce dernier. Il préférait les compositions statiques, l'émotion contenue exprimant une religiosité paisible mais fervente. Excepté les œuvres où le caractère narratif est dominant (*Châsse de sainte Ursule*, 1489), il avait le sens des compositions amples et équilibrées (*Le Mariage mystique de sainte Catherine*, 1475-1479; *L'Adoration des Mages*, 1470). Il décrivit avec sensibilité les paysages et affirma sa virtuosité technique dans le rendu des détails, des costumes somptueux, l'emploi des coloris précieux et la délicatesse du modelé. Ses nombreux et élégants portraits attestent une forte tendance à l'idéalisation. À la fin de sa vie, il adopta fréquemment des motifs décoratifs italiens et dans *Bethsabée au bain* (v. 1484) la recherche de rythmes linéaires et de proportions harmonieuses, révélatrice d'un souci de beauté formelle, annonce l'esprit de la Renaissance.

MEMMI (Albert). ♦ Romancier tunisien d'expression française (Tunis, 1920). Individu pris entre trois mondes, A. Memmi a traduit sa propre expérience d'une « conscience douloureuse » dans des essais qui s'apparentent à des études sociologiques : *Portrait du colonisé*, précédé de *Portrait du colonisateur* (1957), et *Portrait d'un juif* (1964 et 1966); il y analyse la difficulté d'être « indigène dans un pays de colonisation, juif dans un univers antisémite, Africain dans un monde où triomphe l'Europe ». Le même déchirement s'exprime dans ses romans, *La Statue de sel* (1953), *Agar* (1955) et *Le Scorpion*. Essayant de « vivre sa particularité en la dépassant vers l'universel » (J.-P. Sartre), l'écrivain cerne en outre le « drame linguistique » que connaît la littérature maghrébine (« la littérature colonisée de langue européenne semble condamnée à mourir jeune »).

MEMMINGEN. ♦ V. d'Allemagne méridionale (R. F. A.; Bavière), sur le plateau bavarois. 29 800 hab. Enceinte et tours médiévales, église du XVe s., hôtel de ville rococo (*fin* XVIe s.). – Centre commercial et industriel (produits alimentaires, brasseries, manufactures de tabac, textiles).

MEMNON. ♦ Héros de la guerre de Troie*, roi des Éthiopiens. Venu pour secourir son oncle Priam, il fut tué par Achille*. Zeus avait pesé le sort des deux combattants devant leurs mères suppliantes, Thétis et Éos* (l'Aurore). Celle-ci obtint l'immortalité pour son fils.

MEMNON *(colosses de)*. ♦ Nom donné par les Grecs et les Romains aux deux statues colossales d'Aménophis* III qui précédaient le temple funéraire du pharaon aux environs de Thèbes*. Ce nom venait de la confusion que les Grecs avaient faite entre un personnage mythique appelé Memnon (**V.** *ci-dessus*) et le mot *mennou* (appellation donnée par les Égyptiens à tout édifice à caractère religieux) désignant les deux statues. À la suite d'un tremblement de terre en 27, le colosse nord fut en partie détruit.

Coll. Rui Nogueira

Jean-Pierre Melville (à droite) et Alain Delon.

Ph. Carlo Bevilacqua/Ricciarini

Memphis (Égypte) : le Sphinx.

Il se produisit alors un phénomène curieux qui vint enrichir la légende de Memnon et attira de nombreux visiteurs : lorsque la pierre du monument écroulé s'échauffait aux premiers rayons du soleil, elle rendait un son musical (c'était, disait-on, la voix de Memnon qui saluait sa mère, l'Aurore). Le phénomène cessa après une réparation effectuée par Septime* Sévère en 170.

Mémoires (Les). ♦ Œuvre posthume (1718) du cardinal de Retz*, rédigée de 1662 à sa mort, où il fait le récit notamment des événements de la Fronde* auxquels il fut mêlé. C'est une peinture colorée où alternent les scènes des troubles populaires (journée des Barricades, 1648) et des portraits pleins d'acuité, plus psychologiques que pittoresques, et prétextes à des jugements politiques. Témoin d'une véracité douteuse, l'auteur exprime sa personnalité, son goût de l'intrigue et son horreur d'être dupe en un style impressionniste et rapide.

Mémoires (Les). ♦ Œuvre posthume de Saint*-Simon, composée de 1694 à 1752, et travail de toute sa vie, consacré à recréer un monde déjà anachronique. Peignant les dernières années du règne de Louis* XIV, l'auteur s'y montre fidèle à la monarchie, mais hostile au roi qui a abaissé la noblesse. Ainsi, donnant des informations exactes, il ne sait « se garder de haine et d'affection » dans ses jugements. Il excelle à évoquer avec relief la foule des courtisans et à peindre des types humains par notations impressionnistes, révélant, à travers les particularités physiques et les attitudes, le caractère du personnage et le mobile de ses actions. Admirablement apte à saisir sous les masques les misères morales, Saint-Simon s'est forgé un style original, volontiers imagé, nerveux jusqu'à la brutalité, qui repose sur des ellipses expressives et, parfois, des néologismes hardis.

Mémoires d'outre-tombe (Les). ♦ Œuvre de Chateaubriand*. Cette vaste autobiographie, écrite de 1809 à 1848, subit un remaniement posthume pour être publiée dans *la Presse* (1848 à 1850), avant de paraître, au complet, en 1899. Chateaubriand y évoque successivement sa jeunesse (1768 à 1800), alimentée des « désirs et des songes » (Combourg*), puis sa carrière littéraire, de 1800 à 1814 (portraits de Joubert*, de Fontanes*,...), enfin son rôle politique, de 1814 à 1830. Il se plaît à souligner les contrastes entre ses trois carrières avant d'aborder la dernière, « mélange des trois précédentes ». Malgré son propos initial (« J'écris principalement pour rendre compte de moi-même à moi-même »), l'auteur, qui connaît « l'art de choisir et de cacher », a préféré styliser et adopter la vérité esthétique pour mieux soigner son « tombeau ». C'est un véritable poème, tantôt épique pour peindre les grands moments et les principaux personnages de cette période troublée (en particulier Bonaparte), tantôt lyrique, quand l'auteur rappelle les souvenirs du passé pour méditer sur la fragilité humaine. La forme met en œuvre tous les pouvoirs d'éloquence de la prose classique, solennelle ou grave, et développe les richesses rythmiques comme la variété expressive de la syntaxe préromantique (**V. Rousseau**), tour à tour enjouée et lyrique, toujours musicale.

Mémorables (Les). ♦ Œuvre de Xénophon*.

Mémorial de Sainte-Hélène. ♦ Œuvre de E.A. Las* Cases, consacrée à Napoléon.

MEMPHIS, transcription gr. de l'égypt. **Men-nofer**, « sa beauté (celle de Pépi* Ier) y réside » ; *auj.* **Badrashayn.** ♦ Anc. ville d'Égypte, sur la rive gauche du Nil, à 30 km au S. du Caire. Elle fut fondée, selon la tradition, par Ménès* (v. ~ 3000) sous la forme d'une forteresse, « les murs blancs », qui devint capitale de l'Égypte unifiée. Résidence des pharaons pendant tout l'Ancien Empire (comme en témoignent les nécropoles), la ville ne prit le nom de *Men-nofer* que sous le règne de Pépi Ier. Elle était, depuis les origines, le centre du culte de Ptah* et jouait un rôle religieux de première importance. Déchue du rang de capitale au profit de Thèbes*, au Moyen Empire, elle resta l'une des plus grandes villes d'Égypte (**V. Néchao Ier, Psammétique Ier**) jusqu'à la fondation d'Alexandrie*. Ville cosmopolite, elle possédait des temples dédiés à Baal* et à Astarté*. Elle subit les invasions des Hyksos* (**V. Kamôsis**), des Assyriens et des Perses. À l'époque hellénistique, les cultes d'Héphaïstos* (le Ptah grec) et d'Apis* (**V. Serapeum**) connurent une grande prospérité. Peu à peu supplantée par Alexandrie, Memphis fut finalement détruite par les Arabes et servit de carrière au Moyen Âge pour la construction du Caire. Il ne reste actuellement de l'anc. cité que quelques vestiges du temple de Ptah et une statue colossale couchée de Ramsès* II. Aux environs de la ville se trouvent les nécropoles de Gizeh*, Saqqarah*, Dahchour, Abousir et Abou Roache.

MEMPHIS. ♦ V. des États-Unis située sur la r. g. du Mississippi, au S.-O. du Tennessee. 620 873 hab. Important centre commercial (coton, bois de charpente, céréales, bétail). Pont sur le Mississippi. Indus. alimentaires et chimiques. ♦ *Hist.* La ville fut fondée en 1819 sur l'emplacement d'un fort. Prise par les nordistes en 1862, elle fut éprouvée par les suites de la guerre. C'est à Memphis que se développa le *blues*, et la ville fut un des hauts lieux du jazz, dans sa migration vers le Nord.

MENA (Juan *de*). ♦ Poète et chroniqueur espagnol (Cordoue, 1411 – Torrelaguna, 1456). Il est l'auteur du *Labyrinthe (El Laberinto)*, poème allégorique inspiré de Dante, de Virgile et de Lucain, où sont célébrés les épisodes marquants de l'histoire d'Espagne. On lui doit un poème sur les sept péchés mortels *(Los siete pecados mortales)*.

Menade. *n. f.* (gr. *mainesthai*, « être furieux »). ♦ Femme consacrée aux mystères de Bacchus et dont le caractère se confond avec celui des Bacchantes* (**V. Dionysos**).

MENADO. ♦ **V.** MANADO.

MÉNAGE (Gilles). ♦ Érudit et écrivain français (Angers, 1613 – Paris, 1692). Très mondain et auteur de vers galants, il fut raillé par Molière* sous le nom de Vadius. Préoccupé d'étymologie (*Origines de la langue française*, 1650, développé plus tard de manière à former le premier grand dictionnaire étymologique du français), il a publié aussi des *Observations sur la langue française* (1672), où il assouplit les préceptes de Vaugelas*.

MENAI *(détroit de)*. ♦ Détroit séparant l'île d'Anglesey* de la côte du pays de Galles.

MENAM (Me Nam ou **Moe Nam)** ou **CHAO PHRAYA.** *n. m.* ♦ Fl. le plus important de Thaïlande*, formé par quatre grands affluents qui coulent à travers le pays du N. vers le S. (d'O. en E. : Ping, Wang, Yom et Nam); le principal est le Ping, qui est rejoint par le Wang au N. de Tak, et le Nam par le Yom, près de Chum Saeng : le Ménam (Chao Phraya) naît à la jonction des rivières Ping et Nam au N. de Nakhon Sawan. Il se divise alors en de nombreux bras, dans une plaine deltaïque (anc. golfe marin comblé par les alluvions), dont l'un arrose Ayuthya*; le plus important est le Pa Sak. Le fl. atteint le golfe de Siam* après être passé à Bangkok*; il est soumis à de violentes crues estivales. Env. 1 200 km. Pendant des siècles, la Thaïlande utilisa le Chao Phraya comme source d'eau domestique, irrigation, transport, drainage et pêche. La basse plaine centrale est parcourue par un réseau de canaux qui sont utilisés pour le transport du riz, du teck et de divers produits vers Bangkok*.

MÉNANDRE, en gr. **Menandros.** ♦ Poète comique grec (Athènes, v. ~ 342 – v. ~ 292). Contemporain et ami d'Épicure, il vécut à l'époque où Athènes, entrée dans la décadence, devenue la cité des trafiquants, des parvenus, des soldats et des esclaves, avait perdu le sens de la vie publique qui fit sa grandeur, à ses origines. C'est pour ce public de qualité médiocre que Ménandre composa ses comédies dont les ressorts sont l'argent et la galanterie, et qui tournent souvent à la farce. Intrigues compliquées, situations exceptionnelles dénouées par l'inévitable scène de reconnaissance caractérisent ce théâtre qui vaut surtout par la qualité de l'observation et la souplesse expressive de la langue. Des cent huit comédies qu'il aurait composées, les fragments d'un petit nombre seulement nous sont parvenus, dont *L'Arbitrage (Epitrepontes)*, *La Belle aux cheveux coupés (Perikeiromenê)* et *La Samienne (Hê Samia)*.

MÉNANDRE. ♦ Écrivain et historien byzantin de la fin du VIe siècle. Surnommé *Protector* parce qu'il appartenait à la garde impériale, il rédigea une *Histoire des règnes de Justin et Tibère* dont certains fragments nous ont été transmis par Constantin VII Porphyrogénète.

MÉNANDRE ou **MENANDROS.** ♦ **V.** MILINDA.

MENANT (Joachim). ♦ Orientaliste français (Cherbourg, 1820 – Paris, 1899). Il fut l'un des fondateurs en France de l'assyriologie. Auteur de travaux sur l'écriture cunéiforme, il a publié des *Éléments d'épigraphie assyrienne* (1864), une *Grammaire assyrienne* (1873), un ouvrage sur *Les Langues perdues de la Perse et de l'Assyrie* (1885-1886).

MÉNARD (Louis). ♦ Savant et écrivain français (Paris, 1822 – *id.*, 1901). Esprit universel, on lui doit la découverte du collodion [1846] (**V. Schönbein**), des peintures de paysages, des poèmes, des études philosophiques, des ouvrages historiques. Auteur des *Rêveries d'un païen mystique* (1876), il enseigna également l'histoire et les arts décoratifs. Collaborateur de journaux proudhoniens en 1848, il avait été condamné en 1849 pour un ouvrage politique *(Prologue d'une révolution)* et avait dû s'exiler jusqu'en 1852, puis renoncer à la politique.

MENARS. ♦ Comm. du Loir-et-Cher (arr. de Blois), sur la r. d. de la Loire. 442 hab. Château XVIIe-XVIIIe s., ayant appartenu à Mme de Pompadour et au maréchal Victor.

MENAT. ♦ Ch.-l. de cant. du Puy*-de-Dôme, arr. de Riom*. 912 hab. Église romane, anc. abbatiale bénédictine. – Schistes bitumeux.

MENCHIKOV ou **MENTCHIKOV (Alexandre Danilovitch, prince).** ♦ Homme politique russe (1672 – Bérésovo, Sibérie, 1729). D'origine modeste, il devint l'ami de Pierre* Ier le Grand, qu'il accompagna avec Lefort en Occident (1697). Il prit une part active à la guerre du Nord, fut promu feld-maréchal pour avoir contribué à la victoire de Poltava (1709) et conquit la Courlande (1710) et la Poméranie (1713). Favori de Catherine* Ire dont il avait été l'amant et qu'il avait fait monter sur le trône à la mort du tsar (1725), il exerça une véritable dictature personnelle, mais fut exilé en Sibérie peu après l'avènement de Pierre* II, dont il était le tuteur.

MENCHIKOV (Alexandre Sergheïevitch). ♦ Amiral et diplomate russe (Saint-Pétersbourg, 1787 – *id.,* 1869). Envoyé en mission extraordinaire par Nicolas* Ier à Constantinople (1853) pour faire reconnaître le droit de protection de la Russie sur les chrétiens d'Orient, il échoua et fut chargé peu après de la direction de la guerre de Crimée*, au cours de laquelle il fut battu à l'Alma*, à Balaklava* et à Inkerman*.

MENCIUS. ♦ Nom latinisé du philosophe chinois Meng*-tzu.

MENDAÑA DE NEYRA, ou **DE NEIRA (Alvaro *de*).** ♦ Navigateur espagnol (1541 – île de Santa Cruz, 1595). Venu au Pérou (1558), il en partit en 1567 pour une première expédition au cours de laquelle il découvrit l'archipel des Salomon*. Lors d'un deuxième périple, il atteignit les Marquises, les îles Charlotte et Santa* Cruz (1595).

MENDE. ♦ Préf. du départ. de la Lozère, ch.-l. d'arr. [17 cant., 142 comm., 69 472 hab.], situé sur la r. g. du Lot* et dominant le causse de Mende. 11 472 hab. *(Mendois).* La V. est ramassée autour de la cathédrale Saint-Pierre, édifice du XIVe s., reconstruit au XVIIe siècle. Maisons anc., hôtel du XVIIe siècle. Restes de l'enceinte du XIIe siècle. Centre touristique en direction des gorges du Tarn*, de la Jonte*, des causses* et de l'aven Armand*. – Indus. textiles (serges); brasseries. ♦ *Hist.* La V. s'est développée sur un site proche du tombeau de saint Privat, évêque du Gévaudan. Siège épiscopal au Ve s., elle devint au XIVe s. cap. du Gévaudan*.

MENDEL (Johann, en religion **Gregori).** ♦ Botaniste et homme religieux autrichien (Heinzendorf, 1822 – Brünn, 1884). Fondateur de la génétique, il hybrida méthodiquement des lignées pures (homozygotes) de variétés du pois; il constata, comme Naudin*, l'uniformité de la première génération d'hybrides, semblables à celui des parents qui porte le caractère dominant (loi de dominance) et le polymorphisme de la suivante, dont les individus se répartissent statistiquement en homozygotes dominants (25 %) et récessifs (25 %) et hétérozygotes dominants (50 %). Enfin, il établit que les différents couples de caractères (allélomorphes) se transmettent indépendamment les uns des autres. D'abord méconnues, les lois de l'hybridation (ou *lois de Mendel*) furent vérifiées simultanément par H. De* Vries, Correns* et E. Tschermak* [1900] (*Versuche über Pflanzen Hybriden,* 1865).

MENDELEÏEV (Dimitri Ivanovitch). ♦ Chimiste russe (Tobolsk, 1834 – Saint-Pétersbourg, 1907). Il classa les éléments selon leur poids atomique et démontra que les propriétés chimiques des éléments sont des fonctions périodiques de leur poids atomique (*Classification périodique des éléments,* 1869), inaugurant ainsi une ère nouvelle en chimie. **V.** *aussi* **Cannizzaro, Moseley.** Il s'intéressa également aux travaux concernant la compressibilité des gaz et notamment à l'interprétation des résultats expérimentaux. Il participa aussi à la mise au point d'une poudre sans fumée à base de pyrocollodion.

MENDELSSOHN (Moses ou **Moïse).** ♦ Philosophe allemand (Dessau, 1729 – Berlin, 1786). Représentant de l'Aufklärung, il sut tempérer le rationalisme de Leibniz et Wolff. Dans la querelle qui opposa le fidéiste Jacobi* et le rationaliste Lessing*, il prit le parti de ce dernier, tout en restant fidèle au judaïsme qu'il contribua à réformer (*Entretiens philosophiques,* 1755; *De l'évidence en métaphysique,* 1763).

MENDELSSOHN-BARTHOLDY (Félix). ♦ Compositeur allemand (Hambourg, 1809 – Leipzig, 1847). Issu d'une famille aisée et de grande culture, convertie au luthéranisme, petit-fils du philosophe Moses Mendelssohn, il témoigna très tôt de dons exceptionnels. Auteur, à 17 ans, de l'étincelante ouverture pour *Le Songe d'une nuit d'été* (1826), il dirigea, trois ans plus tard, à Berlin, l'exécution de la *Passion selon saint Matthieu,* de J.-S. Bach (1829), véritable résurrection de ce chef-d'œuvre. Il entreprit une série de voyages (Italie, France, Angleterre) et ses activités de chef d'orchestre et de compositeur se multiplièrent. Nommé directeur général de la musique à Düsseldorf (1833), il se vit chargé des mêmes fonctions à la tête du Gewandhaus de Leipzig (1835). Il devait fonder dans cette ville (1843), avec R. Schumann et I. Moscheles, un conservatoire de musique dont la réputation s'étendit bientôt à toute l'Allemagne. La mort de sa sœur Fanny (1847) hâta sa propre disparition. Figure éminente du préromantisme par l'invention mélodique et la couleur orchestrale, Mendelssohn demeure un classique par la science du contrepoint, la clarté et la distinction de l'écriture. S'il cède parfois à l'effusion facile, au sentimentalisme, il possède la grâce, le charme, le sens de la transparence et de la légèreté. Ses scherzos sont à cet égard parmi les plus remarquables du genre. Son œuvre comprend notamment, outre des ouvertures (*Le Songe d'une nuit d'été, Les Hébrides,* 1832; *Ruy Blas,* 1839), des oratorios (*Paulus,* 1836; *Élie,* 1846), cinq symphonies (dont les symphonies *Réformation,* 1829; *Italienne,* 1833; *Écossaise,* 1842), des concertos pour piano (1831-1837), pour violon (1844), des pièces pour piano (*Romances sans paroles,* 1829-1845; 4 sonates), de la musique de scène (*Antigone, Athalie*), d'église et de chambre (quintettes, quatuors, sextuors, sonates), des duos, lieder et chœurs *a cappella.*

MENDERES (Adnan). ♦ Homme politique turc (1899 – 1961). Juriste, il se spécialisa dans les problèmes agricoles et coopéra à la fondation du Parti démocrate (1946). Premier ministre (1950-1960), il fut renversé par l'armée et exécuté.

MENDERES. ♦ **V.** MÉANDRE.

MENDÈS (Catulle). ♦ Écrivain français (Bordeaux, 1841 – Saint-Germain-en-Laye, 1909). Patronné par Théophile Gautier* et aidé de Villiers* de l'Isle-Adam, il fonda *la Revue fantaisiste* (1860), premier groupement des futurs parnassiens, puis raconta la *Légende du Parnasse contemporain* (1884). Passionné pour la culture germanique et ardent défenseur de R. Wagner*, il écrivit des livrets d'opéras, notamment *Gwendoline* (1886), mis en musique par Emmanuel Chabrier*, et *Isoline* (1880) dont André Messager* composa la musique. Auteur de chroniques, de romans et de nouvelles, il composa aussi des pièces, dont *La Reine Fiammette* (1898) et *Scarron* (1905), qui connurent un grand succès. Le recueil de poèmes, *Philoméla* (1863, dédié à Th. Gautier), offre des vers, érotiques pour la plupart et ciselés suivant l'esthétique parnassienne, qui révèlent le goût de C. Mendès pour le rare et le précieux.

MENDÈS FRANCE (Pierre). ♦ Homme politique français (Paris, 1907). Député radical-socialiste (1932-1940), sous-secrétaire d'État (deuxième cabinet Blum, 1938), il milita dans la Résistance après s'être évadé de la prison (1942) où il avait été interné par le gouvernement de Vichy. Il rejoignit en Grande-Bretagne les Forces françaises libres, comme combattant volontaire, et accomplit de dangereuses missions aériennes. Membre du Comité français de Libération nationale (gouvernement provisoire du général de Gaulle, 1944), démissionnaire en avril 1945, puis député (1946-1958), il fut appelé à la présidence du Conseil avec le portefeuille des Affaires étrangères (juin 1954). Son gouvernement mit fin à la guerre d'Indochine (accords de Genève*, juillet 1954), se prononça contre le traité de la C.E.D. (rejeté par l'Assemblée) et dut faire face aux débuts de la guerre d'Algérie. Tandis que les communistes et le M.R.P. refusaient le retour au scrutin d'arrondissement que Mendès France avait proposé, et que la droite craignait ses tendances dirigistes en matière économique, les partisans de l'Algérie française lui reprochaient sa volonté de procéder à la décolonisation. Il négocia le traité devant mener à l'indépendance de la Tunisie. Mais, après un débat à l'Assemblée sur l'Afrique du Nord, son cabinet dut démissionner (févr. 1955). Premier vice-président du Parti radical*-socialiste (1955-1957), P. Mendès France fut l'un des instigateurs du Front républicain (rassemblement de la gauche non communiste qui remporta de nombreux sièges aux élections législatives de janv. 1956). Ministre d'État

Ph. Roger/Viollet

Pierre Mendès France.

dans le gouvernement Guy Mollet (*déb.* 1956), démissionnaire en mai 1956 en signe de protestation contre la politique algérienne de ce dernier, il prit position, après l'insurrection du 13 mai 1958 à Alger, contre le régime gaulliste, créant l'Union des forces démocratiques. Membre du Parti socialiste* unifié (1959), après avoir quitté le Parti radical, il fut considéré comme le maître à penser d'une partie de la gauche française, soutenant la candidature de F. Mitterrand* à la présidence de la République (1965) et l'Union des forces de gauche. Il fut réélu député en 1967 (*Gouverner, c'est choisir,* 1953; *La Science économique et l'Action,* avec G. Ardant, 1954; *La République moderne,* 1962; *Préparer l'avenir,* 1968).

MENDES PINTO (Fernão). ♦ Voyageur portugais (Montemor-o-Velho, 1510 – Almada, 1583). En 1537, il se rendit aux Indes Orientales où il séjourna pendant plus de vingt ans. Ses *Peregrinação,* publiées en 1614, furent souvent traduites.

Mendiants *(ordres).* ♦ **V. Augustins, Carmel, Dominique** (saint), **François d'Assise** (saint). Cf. le Robert.

MENDOZA (Iñigo López *de, marquis de* **Santillana).** ♦ **V.** SANTILLANE.

MENDOZA (Pedro *de***).** ♦ Navigateur espagnol du XVIe s. (Cadix, 1487 – 1537). Il débarqua en Argentine et s'établit avec ses hommes sur l'emplacement actuel de Buenos Aires (1535); mais, menacé par la famine et attaqué par les Indiens, il en repartit et mourut sur le chemin du retour.

MENDOZA (Antonio *de***).** ♦ (v. 1490 – Lima, 1552). Premier vice-roi de la Nouvelle-Espagne **(V. Mexique)**, nommé par Charles Quint en 1535. Il occupa son poste jusqu'en 1550, puis fut vice-roi du Pérou. Au Mexique, il installa la première imprimerie et le premier collège d'Amérique (1536-1537).

MENDOZA (Diego Hurtado *de***).** ♦ **V.** HURTADO DE MENDOZA.

MENDOZA (Juan González *de***).** ♦ Religieux et voyageur espagnol (Tolède, v. 1540 – Popayán, Nouvelle-Grenade, 1617). Entré dans l'ordre de Saint-Augustin après une carrière militaire, il fut envoyé comme missionnaire en Chine (1580-1583), où il recueillit une importante documentation (*Historia de las cosas mas notables, ritos y costumbres del gran rey-no da China,* 1585).

MENDOZA. ♦ V. d'Argentine, sur le contrefort oriental des hautes Andes, ch.-l. de la prov. du même nom. 195 000 hab. (plus de 350 000 hab. avec les aggl.). Évêché. Centre de l'industrie vinicole argentine. Raffinerie de pétrole. ♦ *Hist.* Fondée en 1559 par les Espagnols, elle appartint au Chili jusqu'en 1776 et fut détruite par un tremblement de terre en 1861. ♦ La *province de Mendoza,* dans l'anc. région de Cuyo*, confine au Chili. Le rio Colorado* y prend sa source. Au N.-E., l'Aconcagua* culmine à 6 959 m. 150 839 km². 936 000 hab. L'irrigation a permis à la région d'avoir la première production vinicole de l'Argentine. Cultures fruitières. Minerai d'uranium. Gisements pétrolifères.

MENDRISIO. ♦ V. de Suisse (Tessin) entre le lac de Lugano* et le lac de Côme*. 5 000 hab. Maisons anciennes. Indus. textile.

MÉNECHME, en gr. **Menaikhmos.** ♦ Mathématicien grec (Proconnèse, v. ~ 375 – v. ~ 325). Élève d'Eudoxe* et de Platon*. auteur de travaux sur les coniques, il fut le premier à utiliser la méthode des intersections de coniques pour étudier le problème de la duplication du cube (ou problème déliaque); il s'intéressa également à la terminologie des mathématiques.

Ménechmes (Les), en gr. **Menaichmi.** ♦ Comédie de Plaute*, imitée de Ménandre. L'un des deux fils jumeaux d'un marchand sicilien a été enlevé. Devenu homme, l'autre part à la recherche de son frère et le retrouve en Épire où celui-ci a fait fortune. Mais la ressemblance entre les deux frères est si grande que chacun, femme, maîtresse et beau-père, s'y laisse prendre. Cette confusion engendre une suite de quiproquos et d'incidents comiques à la suite desquels les deux frères se reconnaissent. – Riche d'une grande force théâtrale, l'histoire des jumeaux a été reprise par le cardinal Bibbiena (*La Calandria,* 1513), Shakespeare (*Comedy of Errors,* 1593), Rotrou (*Les Ménechmes,* 1632), Regnard (*Les Ménechmes,* 1705).

MÉNÉLAOS ou **MÉNÉLAÜS d'Alexandrie.** ♦ Mathématicien grec (fin du Ier siècle). Il fonda la première géométrie non euclidienne à deux dimensions [la géométrie sphérique] **(V. Gauss)** et la trigonométrie sphérique, basée sur deux théorèmes qui portent son nom : le premier relatif au plan (concernant les transversales d'un triangle), le second à la sphère, mettant en évidence le rôle primordial de la corde de l'arc double (les *Sphériques*).

Ph. Nino Cirani/Ricciarini
Le mausolée de **Ménélik II** à Addis-Abeba.

MÉNÉLAS, en gr. **Menelaos.** ♦ Roi mythique de Sparte*, fils d'Atrée* et frère d'Agamemnon*. Il épousa Hélène*, la fille de Tyndare*, qui lui légua son royaume. Il eut d'elle une fille, Hermione*. L'enlèvement d'Hélène par Pâris* détermina la guerre de Troie*. Dans *L'Iliade**, Ménélas figure comme l'un des plus vaillants guerriers et il blesse Pâris lors d'un combat singulier; mais il est moins violent et plus effacé que les héros de premier plan.

MÉNÉLIK II. ♦ (Choa, 1844 – Addis-Abeba, 1913). Empereur d'Éthiopie (1889-1913). Fils du roi de Choa Hailé Malakat, il fut dépossédé de son royaume par Théodoros II, après la mort de son père, mais le reconquit (1865). Après le suicide de Théodoros, il dut reconnaître la souveraineté de Johannès IV (Kassa) en 1879, mais profitant des difficultés du négus, il regagna son royaume et tenta de s'appuyer sur les Italiens contre Johannès IV. Ce dernier ayant été battu et tué à *Metemma* par l'armée du Mahdi, Ménélik fut couronné empereur en 1889. Il repoussa les Italiens à Adoua et agrandit considérablement son royaume en tirant parti des rivalités colonialistes **(V. Éthiopie)**.

MENÉNDEZ PIDAL (Ramón). ♦ Critique littéraire, philologue et linguiste espagnol (La Corogne, 1869 – 1968). Il est l'auteur d'un important *Manuel de grammaire historique espagnole* (1904) et l'un des créateurs de la linguistique dans son pays. Son œuvre de critique littéraire et historique porte surtout sur le Moyen Âge *(L'Espagne du Cid, L'Épopée castillane).*

MENÉNDEZ Y PELAYO (Marcelino). ♦ Essayiste et critique espagnol (Santander, 1856 – Madrid, 1912). Grand érudit, il donna à la pensée conservatrice espagnole ses lettres de noblesse. À vingt et un ans, il publia *La Ciencia española* où le jeune polémiste combat le « complexe culturel » de l'Espagne. Mais c'est l'*Historia de los Heterodoxos* (1880-1882) qui établit sa réputation : cette œuvre considérable, où sont relevées les déviations de la pensée religieuse, exerça une influence idéologique durable. Comme critique littéraire, il s'imposa par ses méthodes scientifiques et sa remarquable sensibilité esthétique : *Origines du roman espagnol* et surtout *Histoire des idées esthétiques en Espagne* (1883).

MENENIUS AGRIPPA. ♦ Homme politique romain (~ VIe-~ Ve s.), consul en ~ 503. Par son apologue célèbre *Les Membres et l'Estomac,* il réussit à apaiser la plèbe qui, refusant l'obéissance aux consuls, s'était retirée sur le mont Sacré (~ 494). À la suite de cette réconciliation furent créés les tribuns de la plèbe, chargés de la défense du peuple (~ 471).

MÉNÈS, forme grecque de **Méneï.** ♦ Nom donné par la tradition grecque au roi du Sud qui aurait unifié l'Égypte au début du ~ IIIe millénaire et fondé Memphis*. Il est parfois identifié à Narmer, fondateur de la Ire dynastie thinite.

MENEZ ou **MENÉ** *(monts du).* ♦ Monts de Bretagne, au S.-E. de Saint-Brieuc (Côtes-du-Nord), culminant à Notre*-Dame de Bel-Air (341 m).

MENEZ-HOM. ♦ Hauteur de Bretagne (Finistère) à l'O. de Châteaulin et dominant la baie de Douarnenez et l'estuaire de l'Aulne (330 m).

MENGER (Carl). ♦ Économiste autrichien (Neu Sandec, Nowy Sącz, Galicie, 1840 – Vienne, 1921). En même temps que W.S. Jevons* et L. Walras*, il formule une nouvelle théorie de la valeur qui, mettant l'accent sur son fondement psychologique, prétend la déterminer non plus par le coût moyen nécessaire à la production des biens (théorie classique), mais par l'utilité de la dernière unité disponible de ces biens (ou utilité marginale); dans son ouvrage *Fondements de l'économie* (1874), il tenta d'appliquer le « principe marginal » à l'ensemble des phénomènes économiques. Fondateur de l'école marginaliste autrichienne (ou école de Vienne), **(V. Böhm-Bawerk, Wieser** [*von*]**)**, il a critiqué l'historisme de Schmoller (*Les Erreurs de l'historisme,* 1884).

MENG HAO-JAN [*Mong Hao-jan, Meng Haoran*]. ♦ Poète et peintre chinois (689 – 740). Il vécut en ermite et chanta la nature sous tous ses aspects. Il fut un des meilleurs poètes de l'époque des T'ang*.

MENG-KU [*Mong-kou, Menggu*]. ♦ Nom chinois du territoire autonome chinois de Mongolie-Intérieure (Nei-meng-Ku), créé en 1947 entre la république de Mongolie et les prov. du N.-E. de la Chine, avec pour capitale Hu*-Ho-Hao-T'o. Ce territoire, qui couvrait 1 180 000 km² pour une pop. d'env. 9 000 000 d'hab. (1957) avait été partiellement démembré au profit des prov. chinoises voisines (Shen-hsi, Shan-hsi, Hu-pei). Il avait été ramené à 450 000 km² et 6 240 000 hab. Cet immense territoire est constitué de steppes. La plupart des habitants sont des éleveurs nomades. Le climat, continental, est très rigoureux (hivers très rudes, vents violents).

MENGS (Anton Raphaël). ♦ Peintre, pastelliste, dessinateur et théoricien allemand (Aussig, Bohême, 1728 – Rome, 1779). En 1745, à Dresde, il devint peintre de la cour de Saxe et exécuta de nombreux portraits au pastel. À Rome, à partir de 1747, il imita Raphaël, se passionna pour les Antiques, puis fit la connaissance de Winckelmann* (1755). Il joua alors un rôle important dans l'élaboration des théories néo-classiques, prônant notamment le retour à la simplicité et à la noblesse antiques (*Réflexions sur la* *beauté*, 1762). Ainsi, dans la fresque du *Parnasse* pour la *villa Albani* (1761), il accentua le dessin, bannit les couleurs vives et les effets mouvementés de mise en scène. Devenu en 1761 peintre de la cour de Charles III d'Espagne, il travailla à Madrid et à Aranjuez.

MENG-TZU [*Mong-tseu, Mengzi*], en lat. **Mencius.** ♦ Philosophe chinois confucéen (v. ~ 372 — ~ 289). Auteur d'un célèbre traité de morale. Il écrivit, tant en poésie qu'en prose, dans un style qui fut longtemps admiré pour sa parfaite clarté. Polémiste habile, il s'attacha à développer les aspects idéalistes du confucianisme sans négliger les conditions matérielles de la vie. Il élabora une théorie morale des relations sociales, fondée sur l'accord entre la nature humaine et le Ciel (moralisme inné).

Ménilmontant. ♦ Un des quartiers du 20ᵉ arr. de Paris (N.-E.), ancien hameau de Belleville*, annexé à la capitale en 1860. Il est situé sur les collines les plus élevées de Paris, d'où des rues en pente raide offrent de vastes panoramas sur la ville. C'est un quartier animé, à la population très dense d'ouvriers et d'artisans. Malgré les espaces verts qu'offrent les Buttes*-Chaumont (au N.) et le cimetière du Père*-Lachaise (au S.), le quartier de Ménilmontant, devenu insalubre, est soumis à un important plan d'aménagement.

MENIN, en néerl. **Menen.** ♦ V. de Belgique (Flandre-Occidentale, arr. de Courtrai) à 18 km de Lille*, sur la Lys. 22 261 hab. Indus. textile. Miroiterie. Brasserie. — Menin fut fortifiée par Vauban en 1685.

MÉNIPPE, en gr. **Menippos.** ♦ Philosophe et poète de l'école cynique (Gadara, Coelésyrie, ~ IVᵉ, ~ IIIᵉ siècle). Esclave affranchi d'origine phénicienne, il est surtout connu pour être l'auteur d'écrits bouffons où il combinait la prose et les vers et qui sont à l'origine d'un genre appelé « satire ménippée ».

MENNECY. ♦ Ch.-l. de cant. de l'Essonne, arr. d'Évry. 4 051 hab. Église (XIIᵉ-XVIIIᵉ s.). Château de Villeroy (XVIᵉ s.). Au XVIIIᵉ s., une importante manufacture de céramique fonctionnait à Mennecy.

MENNETOU-SUR-CHER. ♦ Ch.-l. de cant. du Loir-et-Cher, arr. de Romorantin-Lanthenay. 967 hab. *(Mennetousiens)*. Église (XIIIᵉ-XVᵉ s.); vestiges de l'enceinte du XIIIᵉ s.; maisons anciennes.

MENNO, mennonites. ♦ V. SIMONSZ (Menno).

Ménon (Le) ou **Sur la vertu.** ♦ Dialogue platonicien. Avec ses interlocuteurs, Socrate* tente de répondre à la double question : quelle est la nature de la vertu et peut-elle s'enseigner? Il les amènera à reconnaître que la vertu est un bien, mais non un don de la nature, et d'autre part qu'elle ne peut s'enseigner (attaque contre les sophistes). Dans ce dialogue apparaît pour la première fois la théorie de la réminiscence.

MENOTTI (Gian Carlo). ♦ Compositeur italien (Cadegliano, 1911). Établi aux États-Unis (1928), il forma le projet d'une rénovation du théâtre lyrique par le choix de sujets réalistes, empruntés le plus souvent à une actualité tragique. Dans le prolongement du vérisme italien, son art témoigne d'une grande habileté et d'un lyrisme généreux, sans parvenir toujours à échapper aux tentations de la facilité. Doué d'un remarquable instinct théâtral, Menotti est généralement le librettiste et le metteur en scène de ses propres ouvrages. Ses plus grandes réussites, *Le Médium* (1946), *Le Téléphone* (1947), *Le Consul* (1950), recueillirent une audience mondiale, justifiant son dessein d'un art accessible au plus grand nombre. Il convient d'y ajouter deux opéras écrits, l'un pour la radio, *La Vieille Femme et le Bandit* (*The old Maid and the Thief*, 1939), l'autre pour la télévision, *Amahl et les Visiteurs nocturnes* (*Amahl and the night Visitors*, 1951). On lui doit encore un ballet (*The Unicorn*, 1956), deux concertos (pour piano, 1945; pour violon, 1952) et de la musique de chambre.

MENOU (Jacques François, *baron de***).** ♦ Général français (Boussay, Touraine, 1750 — Venise, 1810). Député de la noblesse aux États généraux en 1789, il se rallia à la Révolution et combattit en Vendée (1793). Il fut destitué pour incapacité le 13 vendémiaire*. Il succéda à Kléber* en Égypte (1800), mais fut incapable d'éviter l'abandon de l'Égypte (1801). Il fut nommé gouverneur général de la Toscane en 1808, puis de Venise en 1809.

MENTANA. ♦ Localité d'Italie centrale, dans le Latium (prov. de Rome). Les armées franco-pontificales y vainquirent les troupes de Garibaldi le 3 nov. 1867, retardant de quatre ans la prise de Rome.

MENTAWI ou **MENTAWEI.** ♦ Archipel indonésien s'allongeant parallèlement à la côte S.-O. de l'île de Sumatra, composé de sept îles principales de faible altitude et relativement peu peuplées. Pêcheries, cocoteraies.

MENTCHIKOV (Alexandre). ♦ V. MENCHIKOV (Alexandre).

Menteur (Le). ♦ Comédie de P. Corneille* (1644). S'inspirant de *La Vérité suspecte (La Verdad sospechosa)* du dramaturge espagnol Alarcón* y Mendoza, Corneille a volontairement « dépaysé le sujet pour l'habiller à la française », choisissant pour cadre Paris, « pays du beau monde et des galanteries », et plus précisément la place Royale (l'actuelle place des Vosges), la promenade à la mode sous Louis XIII. D'une fantaisie brillante, l'intrigue repose sur un imbroglio continuel, le héros ayant confondu les noms de deux jeunes filles. Plus qu'une comédie d'intrigue, la pièce est en fait une vraie comédie de caractère : le jeune Dorante se laisse emporter par un jaillissement quasi poétique d'inventions; il « débite ses menteries avec une telle présence d'esprit et tant de vivacité que cette imperfection a bonne grâce en sa personne » (*Discours sur le poème dramatique*, 1660). La pièce, complétée par

Ph. Lipnitzki-Viollet

Yehudi Menuhin.

la *Suite du Menteur* (1644), inspira à son tour *Le Menteur* (*Il Bugiardo*, 1750) de Goldoni*.

MENTHON-SAINT-BERNARD. ♦ Comm. de Haute-Savoie*, arr. d'Annecy*, sur le lac d'Annecy. 702 hab. Château des XIIIᵉ-XVᵉ siècles. Station climatique, plage au bord du lac.

MENTON. ♦ Ch.-l. de canton des Alpes*-Maritimes, arr. de Nice*, près de la frontière italienne. 25 271 hab. *(Mentonnais)*. Église Saint-Michel (XVIIᵉ s.). C'est l'une des plus importantes stations touristiques de la Côte d'Azur, résidence de nombreux retraités, renommée pour la douceur de son climat. Festival annuel. — Cultures de fleurs, d'agrumes (citrons). ♦ *Hist.* Menton appartint aux princes de Monaco, puis (1848) à la Sardaigne*. Elle fut réunie à la France en 1861.

MENTOR. ♦ Ami d'Ulysse* qui lui confia la gérance de ses biens à Ithaque et l'éducation de Télémaque*. Athéna* prenait souvent ses traits pour secourir Ulysse et son fils.

MENTOUHOTEP. ♦ Nom de plusieurs pharaons de la XIᵉ dynastie (~ 2065 — ~ 2000) [Moyen Empire]. Temple de Mentouhotep Iᵉʳ à Deir* el-Bahari.

MENUHIN (Yehudi). ♦ Violoniste américain (New York, 1916). Élève de G. Enesco et de A. Busch, il fit une carrière d'enfant prodige avant de s'affirmer comme l'un des plus grands violonistes du siècle. Musicien de chambre, il eut souvent pour partenaire sa sœur HEPHZIBAH (1920). Soliste et chef d'orchestre, homme de caractère, il jouit d'une réputation internationale. Bartók lui a dédié sa *Sonate pour violon seul* (1944).

MENUIRES (Les). ♦ Station de sports d'hiver de la Savoie*, à 1 800 m d'alt., située dans les Trois*-Vallées.

MENZALÉH *(lac)*, en ar. **Buhayrat al-Manzilah**, anc. **lacus Taniticus.** ♦ Lagune de la Basse-Égypte, bordant le delta du Nil entre Damiette et Port-Saïd, séparée de la Méditerranée par une étroite langue de terre, 1 800 km². On y pratique la pêche et la culture du riz (rive orientale). Des ruines subsistent encore à proximité **(V. Tanis)** et sur les îlots du lac.

MENZEL (Adolf *von***).** ♦ Peintre, dessinateur et graveur allemand (Breslau, 1815 — Berlin, 1905). Il se fit remarquer avec ses dessins pour *L'Histoire du Grand Frederick* de Kugler. Si dans ses grands tableaux historiques et pittoresques (*Le Concert de flûte* et *Le Repas à Sans-Souci*, 1850), peints avec brio dans un style naturaliste, il ne sut éviter ni l'anecdote ni une certaine convention expressive, il se montra plus personnel dans ses peintures d'intérieurs (*Escalier*, 1848) et ses vues urbaines (*Théâtre du Gymnase*, 1856); il sut en effet évoquer la poésie intime des lieux familiers et rendre la lumière diffuse et vibrante avec une riche gamme chromatique.

MENZEL-BOURGUIBA, anc. **Ferryville.** ♦ V. du N.-E. de la Tunisie sur la rive S. du lac de Bizerte*. 34 700 hab. Arsenal. Complexe industriel (sidérurgie, constructions navales et mécaniques).

Méphistophélès. ♦ Personnage de la légende de *Faust*. Il apparaît dans *Le Livre populaire* (1587), puis dans le drame de Marlowe (1588), enfin dans le *Faust* de Goethe, tour à tour génie du mal, pitoyable ange déchu, puis démon de la connaissance aspirant à dominer le monde afin de le détruire. Dans le drame de Goethe, son échec est manifeste puisque, en dépit de ses efforts, Faust ne renonce pas à assouvir dans l'action le désir d'infini qui le consume.

MER. ♦ Ch.-l. de cant. du Loir-et-Cher, arr. de Blois, sur la Tronne, petit affluent de la Loire. 4 645 hab. *(Mérois)*. Église (XIᵉ-XVᵉ s.). — Fonderies. Matelasserie. — Patrie de Pierre Jurieu*.

MERANO. ♦ V. d'Italie du Nord-Est, dans le Trentin* (prov. de Bolzano), sur l'Adige. 29 500 hab. Eaux radioactives, indus. chimiques.

Coll. Viollet

Gerardus Mercator, gravure du XVIIe s. (Bibliothèque nationale, Paris.)

MÉRANTE (Louis). ♦ Danseur et chorégraphe français (Paris, 1828 — Courbevoie, 1887). Après des débuts d'enfant prodige (à six ans) au théâtre de Liège, il fut engagé à l'opéra de Paris où il eut pour maître Lucien Petipa*.

MERAPI. *n. m.* ♦ Volcan du centre de l'île de Sumatra, dans les monts Barisan. 2 891 m. Il est en activité intermittente.

MÉRAY (Charles). ♦ Mathématicien français (Chalon-sur-Saône, 1835 — Dijon, 1911). Il définit la fonction analytique pour la variable complexe par un développement en série entière au voisinage d'un point régulier. L'un des premiers à développer l'arithmétisation des mathématiques, il donna un sens purement arithmétique à l'expression « nombre irrationnel » (1869).

MERCA ou **MERKA.** ♦ V. et port de Somalie* sur l'océan Indien. 100 000 hab. Port bananier.

MERCADANTE (Saverio). ♦ Compositeur italien (Altamura, 1795 — Naples, 1870). Directeur du conservatoire de Naples et musicien des plus féconds, il dut sa célébrité à ses nombreux opéras dont *Elisa et Claudio* (1821), *Les Brigands* (1830), *La Vestale* (1840), *Leonora* (1844). On lui doit aussi de la musique sacrée (20 messes), des cantates et des symphonies.

MERCANTOUR ou **ARGENTERA.** *n. m.* ♦ Massif cristallin des Alpes du Sud à la frontière italienne. Il culmine à 3 297 mètres.

MERCATI (Michele). ♦ Savant italien (San Miniato, Toscane, 1541 — Rome, 1593). Médecin du pape Clément VII et directeur du jardin botanique du Vatican, il créa en 1585 la première galerie minéralogique d'Europe. Dans sa *Metallotheca Vaticana* (1570, publiée en 1717), il affirma que les prétendues pierres de foudre (céraunies) sont en réalité le produit de l'industrie humaine.

MERCATOR (Gerhard KREMER, dit Gerardus). ♦ Mathématicien et géographe flamand (Rupelmonde, 1512 — Duisbourg, 1594). Auteur de deux globes céleste et terrestre réalisés à la demande de Charles Quint (1541) et de nombreuses cartes, il est le fondateur de la géographie mathématique moderne. Son nom reste attaché à la construction de la projection *(projection de Mercator),* représentation plane de la Terre, dont la surface est celle d'un cylindre tangent à l'équateur sphérique et où les longitudes sont figurées par des droites parallèles équidistantes et les degrés de latitude par des droites parallèles perpendiculaires au méridien. Cette projection, dont les principes furent exposés par E. Wright*, est utilisée en navigation maritime et aérienne jusqu'aux latitudes de 60° environ. Les principaux ouvrages de Mercator sont ses *Tabulae geographicae ad mentem Cl. Ptolemaei* (1578) et son *Atlas, sive cosmographicae meditationes de fabrica mundi et fabricatii figura* (1583).

Mercenaires *(guerres des).* ♦ Révolte des mercenaires de Carthage* (~ 240-~ 238) qui, licenciés après la première guerre Punique et s'estimant lésés, se soulevèrent sous la conduite du Libyen Mathô, rassemblant les mécontents autour d'eux. Après avoir menacé la puissance carthaginoise, notamment en assiégeant Utique, ils furent massacrés par une armée commandée par Hamilcar* Barca et Hannon* le Grand. Cette guerre inspira à Flaubert le roman *Salammbô**.

MERCHTEM. ♦ Comm. de Belgique (Brabant, arr. de Hal-Vilvorde). 8 700 hab. Église gothique (pietà du XVe s. de style brabançon). Indus. alimentaires. Important marché avicole (canard blanc de Merchtem).

Merci *(ordre de la)* ou **mercédaires.** ♦ Ordre religieux fondé par Pierre* Nolasque et Raimond* de Peñafort pour le rachat des chrétiens prisonniers des Maures (Barcelone, 1218). Approuvé en 1235 et placé sous la règle de saint Augustin*, ce fut aussi un ordre militaire qui conquit les Baléares (1229) et le royaume de Valence (1238).

MERCIE [*n. f.*], en angl. **MERCIA.** ♦ Royaume fondé par les Angles vers la fin du VIe s. dans le centre de l'Angleterre (région des Midlands). Il atteignit son apogée sous le règne de Penda* (632-654), puis déclina après la mort d'Offa* (796) et fut annexé par le Wessex*.

MERCIÉ (Antonin). ♦ Sculpteur et peintre français (Toulouse, 1845 — Paris, 1916). Élève de Falguière*, il devint, après son prix de Rome (1868) et à la suite du succès obtenu avec *Gloria Victis* (1872), l'un des sculpteurs officiels de la IIIe République. Il fut chargé de multiples commandes : travaux décoratifs et surtout statues commémoratives et monuments aux morts. Il mêla des réminiscences de la sculpture florentine (formes élégantes et nerveuses) et des tendances plus réalistes à une expression sentimentale.

MERCIER (Louis Sébastien). ♦ Écrivain français (Paris, 1740 — *id.,* 1814). Théoricien du théâtre, il a exercé, après Diderot*, une influence indéniable sur l'évolution du drame réaliste, national et populaire, avec son *Traité du théâtre ou Nouvel Essai sur l'art dramatique* (1773). Deux de ses mélodrames, *La Brouette du vinaigrier* (1775) et *Le Déserteur* (1782), illustrèrent ses théories avec succès. Observateur des mœurs et du langage, il est l'auteur du *Tableau de Paris* (12 vol. en 1790), véritable résurrection de la société française à la veille de la Révolution, et du *Nouveau Paris* (1799-1800).

MERCIER (Désiré). ♦ Prélat belge (Braine-l'Alleud, près de Malines, 1851 — Bruxelles, 1926). Professeur de philosophie à Louvain, directeur de la *Revue néo-scolastique,* évêque de Malines (1906) et cardinal (1907), il fut un artisan du renouveau thomiste demandé par Léon* XIII.

MERCKX (Eddy). ♦ Coureur cycliste belge (Meensel Kiesegen, 1945). Athlète d'exception, également doué dans tous les types d'épreuves, il est titulaire d'un remarquable palmarès, dans lequel figurent toutes les grandes « classiques » du cyclisme : Milan-San Remo (1966, 1967, 1969, 1972, 1975, 1976), le championnat du monde professionnel (1967, 1974), la Flèche wallonne (1967, 1972), Paris-Roubaix (1968, 1970, 1973). Il remporta le Tour d'Italie en 1968, 1970, 1972, 1973, 1974, et fut cinq fois vainqueur du Tour de France, de 1969 à 1972 et en 1974.

MERCŒUR (Philippe-Emmanuel de Lorraine, *duc de***).** ♦ (Nomény, Lorraine, 1558 — Nuremberg, 1602). Homme de guerre français. Henri* III avait épousé sa sœur et le nomma gouverneur de Bretagne. Il prit la tête de la Ligue* dans sa province après la mort des Guise*, intrigua avec l'Espagne et Henri* IV, auquel il se soumit finalement, en échange du mariage de sa fille avec le duc de Vendôme*. Il servit ensuite l'empereur contre les Turcs. Son oraison funèbre fut prononcée par saint François* de Sales.

MERCURE, en lat. **Mercurius.** ♦ Dieu romain protecteur des commerçants et des voyageurs assimilé à l'Hermès grec. **V. Hermès.**

MERCURE. ♦ Planète du système solaire, la plus proche du Soleil (groupe des planètes « inférieures »). Son diamètre (4 700 km), sa rotation autour du Soleil en 87,969 jours et sa densité de 5,45 ont pu être calculés. Son orbite est très allongée (périhélie : 58 millions de km, aphélie : 90 millions) et comporte une avance séculaire importante (vérification expérimentale de la relativité). Sa rotation sur elle-même dans le sens direct serait de 58,6 jours (Antoniadi, 1924). Son observation au télescope présente un fond jaunâtre avec des taches grises. En avril 1974, les observations faites par Mariner 10 ont permis de découvrir que, contrairement à toute attente, Mercure possède un champ magnétique et une atmosphère composée de gaz rares, et des traces d'hydrogène.

MERCUREY. ♦ Comm. de Saône-et-Loire, arr. de Chalon-sur-Saône, au pied de la côte chalonnaise. 1 397 hab. Vins rouges renommés **(V. Bourgogne).**

MERCY (Franz, *baron von***).** ♦ Homme de guerre allemand (Longwy, v. 1590 — Alerheim, près de Nordlingen, 1645). Originaire de Lorraine, il prit part à la guerre de Trente Ans, dans les rangs catholiques, puis passa au service de la Bavière contre les Suédois, puis les Français (victoire de Marienthal sur Turenne, 1645). ♦ CLAUDIUS FLORIMOND, *comte de* MERCY, son petit-fils (Longwy, 1666 — Crocetta, près de Parme, 1734). Il servit l'empereur Léopold Ier contre les Français puis contre les Turcs. ♦ FLORIMOND, *comte de* MERCY-ARGENTEAU, son fils adoptif (Liège, 1727 — Londres, 1794). Il fut ambassadeur d'Autriche à Paris (1780-1790) et exerça une grande influence sur Marie*-Antoinette. Sa correspondance avec Marie*-Thérèse constitue un précieux document sur la France de cette époque.

MERDRIGNAC. ♦ Ch.-l. de cant. des Côtes*-du-Nord, arr. de Dinan. 2 770 hab. *(Merdrignaciens).*

Mère (La). ♦ Roman de M. Gorki (1907). Le héros, Pavel Vlassov, et sa mère, Anna Kirilovna Vlassova, se lancent avec un enthousiasme et une foi inébranlables dans la lutte des ouvriers contre le patronat. Vsevolod Poudovkine en a tiré un film en 1926 et Bertolt Brecht une pièce.

Mère Courage et ses enfants *(Mutter Courage und ihre kinder).* ♦ Pièce en deux tableaux de Bertolt Brecht (1938) inspirée d'une œuvre de Grimmelshausen. L'action de ce drame se situe dans l'Allemagne déchirée et misérable de la guerre de Trente Ans. À suivre les troupes avec sa charrette, la cantinière Anna Fierling a fait de la guerre sa raison de vivre. Ni la haine qu'elle lui porte, ni la mort de ses trois enfants ne viendront à bout de son effrayante opiniâtreté.

MÉRÉ (Antoine GOMBAUD, *chevalier de***).** ♦ Écrivain et moraliste français (Poitou, 1607 – *id.*, 1684), ami de Ménage* et de Pascal* (1653). Dans ses *Conversations* (1669) et ses discours *(La Vraie Honnêteté)*, il se fait le théoricien des rapports en société et fixe l'idéal de l'« honnête homme ».

MEREDITH (George). ♦ Poète, journaliste et romancier anglais (Portsmouth, Hampshire, 1828 – Box Hill, Surrey, 1909). D'origine modeste, George Meredith garda toute sa vie un sentiment d'infériorité reflété par son style de « rhétoricien sentimental » (H. James). L'échec de son premier mariage (il avait épousé en 1849 la fille de l'écrivain Thomas Peacock) lui inspira les poèmes de *L'Amour moderne* (*Modern Love and Poems of the English Roadside,* 1862). Son roman *L'Épreuve de Richard Feverel* (*The Ordeal of Richard Feverel, a History of a Father and Son,* 1859) est également fondé sur son expérience de mari abandonné. Collaborateur du *Morning Post,* il fut correspondant de guerre en Italie (*Vittoria,* 1868). Meredith habita (1861-1862) avec Swinburne et Rossetti*, connut A. Noyes*, puis rencontra sa seconde femme, Mary Vulliamy, et s'établit à la campagne où il écrivit *Les Aventures de Harvey Richmond* (1871), *La Carrière de Beauchamp* (1875), *L'Amour dans la vallée* (1878) et surtout *L'Égoïste* (1879) qui évoque, avec une compréhension remarquable du point de vue féminin, le problème des rapports entre les sexes. Outre de nombreux romans, on doit encore à Meredith un essai *Sur l'idée de comédie et les usages de l'esprit comique* (1877). La faculté de rire de soi constituait pour ce poète le seul remède à la pédanterie et à la souffrance.

MEREJKOVSKI (Dimitri Sergueievitch) [*Merežkovski*]. ♦ Essayiste et romancier russe (Saint-Pétersbourg, 1866 – Paris, 1941). Il fut célèbre pour sa trilogie *Le Christ et l'Antéchrist* (1892-1904), dans laquelle il exposa son idée sur la nécessité d'une synthèse entre le paganisme et le christianisme, et où l'on voit à la fin l'idéal russe et chrétien l'emporter sur l'esprit occidental et païen. Après avoir été favorable à la révolution de 1905, il prit fermement position contre Lénine et le bolchevisme en 1917 et il émigra en France en 1920.

MERENPTAH. ♦ Pharaon de la XIXe dynastie (v. ~1235-~1224), successeur de Ramsès* II.

MÉRÉVILLE. ♦ Ch.-l. de cant. de l'Essonne, arr. d'Étampes. 2 195 hab. Église (XIe-XIIIe s.). Château (XVIe-XVIIIe s.); parc du XVIIIe s., dessiné par Hubert Robert.

MERGENTHALER (Ottmar). ♦ Inventeur américain d'origine allemande (Hachtel, Wurtemberg, 1854 – Baltimore, 1899). Horloger de son métier, il émigra en 1872 aux États-Unis et mit au point en 1885 la première linotype capable de fonctionner à l'aide d'un clavier semblable à celui d'une machine à écrire.

MERGUI. ♦ Archipel de la côte occidentale de Birmanie (péninsule malaise) composé de plus de 800 petites îles pour la plupart inhabitées et qui furent longtemps le refuge de pirates. Des populations de pêcheurs itinérants (Moken) y vivent d'une manière précaire.

MERI (Veijo Väinö Valvo). ♦ Romancier et nouvelliste finnois (Viipuri, 1928). Il renouvela la prose finnoise avec Holappa*, Hyry* notamment après 1950. Il décrit l'absurdité de la guerre dans *Une histoire de corde* (1957; trad. fr. 1962), *Quitte* (1961), *La Base* (1964). Il considère la vie civile comme un ensemble de tentatives de communication manquées entre individus et de rébellions futiles, dans *Une femme dessinée sur le miroir* (1963). *Des lettres de cent mètres de haut* (1969).

MÉRIBEL-LES-ALLUES. ♦ Station de sports d'hiver située à 1 600 m d'alt., en Savoie* (comm. des Allues) dans les Trois*-Vallées.

MÉRICOURT. ♦ Comm. du Pas-de-Calais, arr. d'Arras. 13 478 hab. Centre houiller. Constructions métalliques.

MÉRIDA. ♦ V. d'Espagne, en Estrémadure* (prov. de Badajoz), sur le Guadiana*. 38 300 hab. Ruines romaines remarquablement conservées (pont, théâtre, amphithéâtre). Industries (cimenterie, etc.). ♦ *Hist.* L'anc. *Augusta Emerita,* fondée vers 25, fut la cap. de la Lusitanie. Très prospère sous l'Empire romain, elle fut successivement prise par les Maures (713), puis par Alphonse IX de León qui la donna à l'ordre de Saint-Jacques.

MÉRIDA. ♦ V. du Mexique méridional, cap. de l'État de Yucatán*. 253 856 hab. Université. Cathédrale du XVIe s., Palacio Montejo (XVIe s.). Places et marché pittoresques. Musée archéologique. – Important centre commercial et industriel (cimenteries, manufacture de tabac, etc.). ♦ *Hist.* La ville fut fondée en 1542 par les Espagnols sur l'emplacement d'une ancienne ville maya, Tiho. Les pyramides furent arasées et servirent à la construction des premiers bâtiments de Mérida. De précieux manuscrits mayas y furent détruits par l'évêque Diego de Landa.

MÉRIDA. ♦ V. de l'O. du Venezuela, ch.-l. de l'État du même nom (11 300 km². Env. 320 000 hab.), situé à 1 640 m d'alt. dans la cordillère de Mérida. 50 000 hab. env. Archevêché. Université. Marché régional (blé, maïs). – *La cordillère de Mérida* qui prolonge la cordillère orientale des Andes au S.-E. du lac Maracaibo est orientée du S.-O. (San* Cristóbal) vers le N.-E. (Barquisimeto*) et culmine à La Columna (5 002 m). Ses reliefs sont séparés par des vallées très encaissées aux versants escarpés où alternent les prairies et les cultures (café, canne à sucre, cacao, coton).

MÉRIGNAC. ♦ Ch.-l. de cant. de la Gironde*, arr. de Bordeaux*. 47 777 hab. Aéroport de Bordeaux. Constructions aéronautiques, verrerie, tôlerie, fabriques de meubles. Vignobles de Graves.

MERIKARÊ. ♦ Roi d'Égypte de la Xe dynastie [v. ~2070] (première période intermédiaire). Pharaon d'Héracléopolis.

MÉRIMÉE (Prosper). ♦ Écrivain français (Paris, 1803 – Cannes, 1870). Élevé dans un milieu cultivé de tradition voltairienne, il termina ses études de droit mais s'intéressa surtout aux lettres, fréquenta les salons et se lia avec Stendhal*. Il publia successivement deux ouvrages, qui sont des mystifications littéraires, le *Théâtre* de Clara Gazul* (1825), pièces insolentes et alertes destinées à la lecture (recueil enrichi, en 1830, du *Carrosse du Saint-Sacrement* et de *L'Occasion*), et *La Guzla ou Choix de poésies illyriques* (1827). En 1830, parut une « esquisse historique », la *Chronique du règne de Charles IX,* roman de cape et d'épée au temps des guerres de Religion. En 1833, il groupa sous le titre de *Mosaïque** des récits d'inspiration très diverse, au style d'une remarquable concision, suivis de *La Double Méprise* (1833). Nommé inspecteur des monuments historiques, il parcourut toute la France (assisté du jeune Viollet*-le-Duc) pour en recenser les richesses archéologiques, puis voyagea dans les pays méditerranéens (notamment en Espagne) qui lui inspirèrent *La Vénus d'Ille* (1837), où apparaît son goût du fantastique, et les brefs romans de *Colomba** (1840) et de *Carmen** (1845), où la froideur du ton s'oppose à la violence des sentiments. Ami d'Eugénie de Montijo et très assidu à la cour de Napoléon III, il composa encore des nouvelles, telle *Lokis* (1869), où la terreur naît du réalisme le plus précis. Là repose en effet l'art de la nouvelle chez Mérimée; appartenant à la génération romantique, il en exploite les thèmes : recherche de l'exotisme et de la couleur locale, évocation de passions violentes et fatales, goût pour le fantastique. Refusant les facilités du pathétique, il adopte la progression linéaire, rattache strictement les descriptions à l'action et peint les personnages par leur comportement, en un style sobre jusqu'à la sécheresse, comparable à celui de Stendhal*. Qu'il soit ironique ou dramatique, le récit de Mérimée est toujours « net, svelte, alerte, coupé au vif » (Sainte-Beuve).

MÉRINAS. *n. m. pl.* ♦ Population de Madagascar* occupant, avec les Betsiléos, la partie centrale du plateau, la plus large et la plus élevée **(V. Imérina).** Ce sont des riziculteurs soigneux, des éleveurs de zébus et des commerçants; on recrute parmi eux de nombreux fonctionnaires. Ils sont divisés en un grand nombre de castes dont les Hovas, roturiers.

MÉRINDOL. ♦ Comm. du Vaucluse, arr. d'Apt. 869 hab. ♦ *Hist.* Une communauté vaudoise y fut massacrée (en 1545), sur ordre du parlement d'Aix, par des troupes que commandait le baron d'Oppède.

MÉRINIDES. *n. m. pl.* ♦ **V. MARÎNIDES.**

MERIONETHSHIRE ou **MERIONETH.** *n. m.*, en gallois **Sir Feirionydd.** ♦ Comté du N.-O. du pays de Galles, s'ouvrant à l'O. sur la *baie de Cardigan.* 1 709 km². 38 310 hab. (1961). *Ch.-l.* Dolgelley. *Autre ville :* **V. Barmouth.** Les principales ressources sont l'élevage et le tourisme. Centrale hydro-électrique (Tanygrisiau); centrale nucléaire de Trawsfynydd (1963).

MERKSEM. ♦ Comm. de Belgique dans l'aggl. d'Anvers, sur le canal de l'Escaut à la Meuse. 38 400 hab. Constructions mécaniques. Centrale électrique. Verreries. Bijouterie. Taille du diamant.

MERKSPLAS. ♦ Comm. de Belgique (Anvers, arr. de Turnhout). 5 000 hab. Taille du diamant. Pénitencier.

Ph. Prato/Ricciarini

Mérida (Espagne) : théâtre romain.

MERLEAU-PONTY (Maurice). ♦ Philosophe français (Rochefort, 1908 – Paris, 1961). Son œuvre exprime un effort sans cesse renouvelé de compréhension de l'expérience humaine (*Structure du comportement*, 1942; *Phénoménologie de la perception*, 1945; *Sens et Non-Sens*, 1948; *Les Aventures de la dialectique*, 1955; *Signes*, 1960, etc.). Reprenant le précepte phénoménologique du « retour aux choses mêmes » (Husserl*), Merleau-Ponty tente d'élucider ce qu'il y a d'irréfléchi dans notre perception du monde et de décrire, non d'expliquer, le réel. S'il critique les tendances réifiantes et mécanistes des sciences (biologie, psychologie), il met aussi en question la notion idéaliste d'une conscience pure, transparente à elle-même. La phénoménologie est chez lui la base d'une philosophie existentielle dont le thème central (comme chez Heidegger) est celui de l'expérience vécue, de la relation intentionnelle de la conscience au monde et aux autres. C'est incarné dans une nature et en situation historique que le sujet (conçu comme « transcendance vers le monde ») fait la découverte du sens (de la rationalité) par la confrontation de ses expériences avec celles d'autrui, par le recoupement des perspectives. Merleau-Ponty s'inspire des analyses du marxisme, mais refuse l'explication économiste du devenir historique, sans accepter pour autant une interprétation idéaliste. Cherchant à dépasser l'opposition de la liberté et de la nécessité, de la subjectivité et de l'objectivité, il maintient ouverte la dialectique de l'histoire. Vis-à-vis du parti communiste, il adopta « une attitude pratique de compréhension sans adhésion, de libre examen sans dénigrement » jusqu'à sa rupture en 1945 (**V. Sartre**).

MERLEBACH [mɛʀləbak]. ♦ Anc. comm. de Moselle, fusionnée avec Freyming sous le nom de Freyming*-Merlebach.

MERLIMONT-PLAGE. ♦ Station balnéaire et climatique du Pas*-de-Calais, comm. de Merlimont.

MERLIN (Philippe Antoine, *comte*, dit **MERLIN de DOUAI).** ♦ Homme politique français (Arleux, 1754 – Paris, 1838). Avocat au parlement des Flandres, député du Tiers État aux États généraux (1789), il fut réélu à la Convention (1792), où, avec les Montagnards, il vota pour la mort du roi, et fut le rapporteur de la loi des suspects (sept. 1793). Après la chute de Robespierre, il fut au Comité de salut public l'un des instigateurs de la réaction thermidorienne et mena une politique annexionniste. Membre du Conseil des Anciens, ministre de la Justice en 1795, il fut nommé directeur en remplacement de Barthélemy* après le coup d'État du 18 fructidor an V (4 sept. 1797) contre les royalistes. Il fut contraint de démissionner après la journée du 30 prairial* an VII pour sa participation au coup d'État du 22 floréal*. Procureur général de la Cour de cassation (1806-1814), comte d'Empire, il fut destitué après la 1re Restauration; proscrit comme régicide (1815), il ne revint en France qu'en 1830. (Acad. fr.)

MERLIN (Antoine Christophe, dit **MERLIN de THIONVILLE).** ♦ Homme politique français (Thionville, 1762 – Paris, 1833). Avocat à Metz, il fut élu à l'Assemblée législative (1791), où il se prononça pour la saisie des biens des émigrés. Réélu à la Convention (1792), il siégea avec les députés de la Montagne. Représentant en mission à Mayence, il ne put empêcher la reddition de la ville (juil. 1793). Il fut de ceux qui contribuèrent à la chute de Robespierre et passèrent ouvertement à la réaction contre les anciens Jacobins lors de la Convention thermidorienne. Membre du Conseil des Cinq-Cents, directeur des Postes (1798), il s'opposa au consulat à vie et se retira alors de la vie politique.

Merlin l'Enchanteur. ♦ Personnage fabuleux du *cycle breton*. Il s'éprend de la fée Viviane* et demeure en son pouvoir. Il devint le héros du roman en prose *Merlin*, de Robert* de Boron (XIIe-XIIIe s.).

MERMNADES. *n. m. pl.* ♦ Dynastie de Lydie*, fondée au ~ VIIe s. par Gygès*, fils de *Mermnas*. Les Mermnades étendirent la domination lydienne sur toute la moitié occidentale de l'Asie Mineure. Crésus*, fils d'Alyatte*, fut le dernier roi lydien avant la conquête perse (~ 546).

MERMOZ (Jean). ♦ Aviateur français (Aubenton, 1901 – dans l'Atlantique Sud, 1936). Après avoir été pilote militaire, il entra chez Latécoère* où il fut le pionnier de la ligne Rio de Janeiro-Santiago du Chili par-dessus la cordillère des Andes, et effectua la première liaison postale aérienne directe France-Amérique du Sud (12 mai 1930). Il disparut lors d'une liaison régulière, en mer, au large de Dakar, à bord de l'hydravion *Croix-du-Sud*.

MÉROPE, en gr. **Meropê.** ♦ Princesse légendaire du Péloponnèse. Son mari, un Héraclide roi de Messénie, ainsi que deux de ses fils sont tués par un autre Héraclide qui ensuite la force à l'épouser. Son fils cadet, sauvé par elle et parvenu à l'âge adulte, se venge en tuant l'usurpateur meurtrier. Cette histoire, racontée dans une tragédie d'Euripide dont il nous reste une cinquantaine de vers, inspira aussi la dramaturgie des XVIIe et XVIIIe s. : drames de Maffei*, Voltaire*, Alfieri*, etc.

MÉROVÉE. ♦ (mort v. 458). Roi des Francs Saliens (v. 447-458). Fils ou gendre de Clodion* le Chevelu, il participa à la victoire des champs Catalauniques* sur les Huns (451). Il donna son nom à la dynastie des Mérovingiens*. Père de Childéric* Ier.

MÉROVINGIENS. *n. m. pl.* ♦ Première dynastie des rois francs, qui tire son nom de Mérovée*. La mort de son petit-fils Clovis* (511), véritable fondateur du royaume franc, donna lieu au partage du royaume entre les fils de ce dernier, Childebert* Ier, Clodomir*, Clotaire* Ier et Thierry* Ier, qui aboutit par la suite à la division en quatre royaumes (**V. Aquitaine, Austrasie, Bourgogne, Neustrie**). Après les règnes de Clotaire Ier, de Clotaire* II et de Dagobert* Ier qui rétablit l'unité du royaume, la puissance de la dynastie décrut et le pouvoir passa à des maires du palais dont les principaux furent Ébroïn*, Pépin* de Landen, Pépin* de Herstal et Charles* Martel dont le fils Pépin* le Bref déposa le dernier mérovingien Childéric* III en 751 et fonda la dynastie carolingienne (**V. Carolingiens**). Cette période où le pouvoir central s'affaiblit vit le déclin du commerce et de l'industrie, et l'augmentation du pouvoir de l'aristocratie. – L'histoire des Francs à l'époque mérovingienne nous est connue par les récits de Grégoire* de Tours et du Pseudo-Frédégaire*.

MERRIMACK. *n. m.* ♦ Riv. du N.-E. des États-Unis (280 km) [Nouvelle-Angleterre] qui prend sa source dans les montagnes du New Hampshire, traverse cet État, puis pénètre dans le Massachusetts, coule vers l'E. et se jette dans l'Atlantique.

MERSA MATROUH, en ar. **al-Marsâ al-Matrûh.** ♦ V. et port d'Égypte, près de la Méditerranée. Ch.-l. du gouvernorat du Désert occidental. 10 000 hab. Station balnéaire. Centre administratif et commercial (fruits).

MERSCH. ♦ Ch.-l. de cant. du Luxembourg, sur l'Alzette. 3 500 hab. Château fort reconstruit au XVIe siècle. – Indus. chimiques.

MERSEBURG. ♦ V. d'Allemagne orientale (Saxe-Anhalt, district de Halle), sur la r. g. de la Saale. 49 200 hab. – Cathédrale du XIIIe s., château du XVe siècle. – Extraction de lignite, indus. chimiques (carbures, caoutchouc synthétique). Centrale thermique. À proximité, combinats chimiques de Leuna* et Schkopau*. ♦ *Hist.* Anc. forteresse carolingienne (IXe s.), gouvernée par ses évêques jusqu'au XVIe s., elle passa en 1561 à la Saxe électorale, fut de 1656 à 1738 la résidence des ducs de Saxe-Merseburg (branche Albertine), puis fut annexée à la Prusse en 1815.

MERS EL-KÉBIR, en ar. **Marsâ al-Kabîr** (« le grand port »). ♦ Comm. d'Algérie (dép. d'Ouahran), sur le golfe d'Ouahran*, à l'E. du cap Falcon*. 13 500 hab. Port de pêche. Rade profonde et bien abritée, elle devint en 1935 une des bases de la flotte française en Méditerranée. Le 3 juillet 1940, l'opération *Catapult* consista, pour les Britanniques, à neutraliser la flotte française, que l'armistice de juin 1940 obligeait à regagner ses ports d'attache (ce qui risquait de la faire passer sous le contrôle allemand). L'amiral Gensoul ayant refusé à la fois de continuer la guerre aux côtés des Britanniques, de se laisser désarmer et de se désarmer sous contrôle, l'amiral Somerville ouvrit le feu : la plupart des navires français furent gravement touchés, 1 300 marins furent tués, seul le cuirassé *Strasbourg* s'échappa. Au même moment les navires français ancrés en Grande-Bretagne étaient pris d'assaut; la flotte d'Alexandrie fut neutralisée après négociation entre les amiraux Godfroy et Cunningham (7 juil.). **V. Guerre mondiale** *(Deuxième)*. Les accords d'Évian (1962) concédèrent l'utilisation de la base à la France pour une durée de quinze ans, mais son évacuation anticipée fut décidée dès 1967.

MERSENNE (*l'abbé* **Marin).** ♦ Philosophe et savant français (près d'Oizé, Maine, 1588 – Paris, 1648). Partisan d'un travail scientifique collectif, il consacra sa vie à la science et favorisa les échanges entre tous les savants de son temps, leur rendant visite et entretenant avec eux une correspondance abondante (Descartes*, Pascal*, Fermat*, Beeckmann*, Torricelli*). Il publia les *Mécaniques de Galilée**, les *Nouvelles Pensées de Galilée*, puis cinq ouvrages « récréatifs » sur la science (1634) et organisa l'*Academia parisiensis* en 1635. L'un des premiers savants de laboratoire, possédant un « cabinet » de physique, il participa à l'institution de la physique quantitative. Devant les limites de la science, il adopta une position philosophique pragmatiste. L'étude de la doctrine galiléenne concernant la « chute des graves » le conduisit à entreprendre des vérifications expérimentales, notamment à l'aide du pendule pour lequel il découvrit la loi de proportionnalité à la racine carrée de la longueur; il fut le premier à utiliser le pendule

Coll. Viollet

Mers El-Kébir : 3 juillet 1940.
L'escadre française de l'amiral Gensoul attaquée par l'escadre anglaise de l'amiral Somerville.

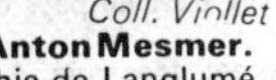

Coll. Viollet
Franz Anton Mesmer.
Lithographie de Langlumé.
(Bibl. nationale, Paris.)

Ph. Lauros-Giraudon
L'abbé **Marin Mersenne,**
par C. Duflos.
(Bibl. nationale, Paris.)

à la détermination de l'intensité de la pesanteur (1644); il étudia également le télescope à miroir parabolique. Mais ses travaux les plus importants concernent l'acoustique : il découvrit les lois des tuyaux sonores et des cordes vibrantes, observa l'existence des harmoniques supérieurs (sans cependant en découvrir la cause) et détermina la relation entre les fréquences et les notes de la gamme; enfin, il utilisa le phénomène de l'écho pour mesurer la vitesse du son (1636).

MERSEY. *n. f.* ♦ Fl. d'Angleterre (140 km). Née sur les flancs des Pennines, la Mersey traverse la plaine du Lancashire-Cheshire, passe près de Manchester et se jette dans la mer d'Irlande en un long estuaire qui forme une importante zone urbaine et économique **(V. Liverpool, Bootle, Birkenhead, Wallasey, Lancashire, Cheshire)**.

MERSIN. ♦ V. et port de Turquie, en Asie Mineure (Cilicie), sur la Méditerranée, située à l'extrême O. de la plaine de Cilicie. Ch.-l. de la prov. d'Içel, centre industriel et commercial; raffinerie de pétrole; exportation des produits agricoles et des minéraux de la région. 87 270 hab. — *Province (il) d'Içel :* 15 853 km². 510 500 hab. Mersin est bâtie à l'emplacement de la ville romaine de Pompéipolis dont les ruines subsistent. Des fouilles ont mis au jour des soubassements d'un village néolithique, fortifié au ~ IVᵉ millénaire et entouré d'une muraille au temps du Nouvel Empire hittite (~ XVᵉ-~ XIIIᵉ s.).

MERS-LES-BAINS. ♦ Comm. de la Somme* sur la Bresle*. 4 107 hab. *(Mersois).* Station balnéaire située sur le littoral de la Manche*. Verrerie.

MERTERT. ♦ Comm. du Luxembourg (cant. de Grevenmacher). 2 350 hab. Port sur la Moselle.

MERTHYR-TYDFIL, en gallois **Merthyr Tudful.** ♦ V. industrielle du S. du pays de Galles (Glamorganshire), sur la Taff. 59 040 hab. Extraction de fer et de houille. Indus. métallurgiques, chimiques et électriques. — La première locomotive à vapeur construite par R. Trevithick fut essayée en 1841 sur le parcours de Merthyr-Tydfil à Cardiff.

MERTON AND MORDEN. ♦ Aggl. industrielle de la banlieue S.-O. de Londres* (Surrey). 68 000 hab. Église paroissiale du XIIIᵉ s. remaniée au XIXᵉ siècle.

MERU. ♦ Montagne mythique de la cosmogonie hindoue, axe du monde situé théoriquement dans l'Himâlaya* et où sont censés demeurer tous les dieux. Il a cinq sommets disposés en quinconce et se trouve au centre des continents et des mers.

MÉRU. ♦ Ch.-l. de cant. de l'Oise*, arr. de Beauvais*. 6 504 hab. *(Méruviens).* Église gothique (XIIIᵉ-XVIᵉ s.) avec clocher roman. — Centre industriel, fabrique de blanc d'Espagne (dit de *Méru*), appareils de chauffage, équipements électroniques; matières plastiques.

MERULO (Claudio MERLOTTI, dit). ♦ Compositeur italien (Correggio, 1533 — Parme, 1604). Organiste de Saint-Marc à Venise (1566-1584), il entra ensuite au service du duc de Parme (1586). Auteur de musique vocale religieuse et profane (*messes et litanies* à 5, 8 et 12 voix; *sacrae cantiones* à 5 voix; *motets* à 4 voix; *madrigaux* à 3, 4 et 5 voix), il a composé également de la musique instrumentale (*Toccate et Ricercari d'intavolatura d'organo,* 1604-1605). L'alternance des passages fugués et des passages improvisés dans ses œuvres pour orgue, la distinction qu'il y établit entre le style vocal et le style instrumental annoncent Frescobaldi*.

MERV. ♦ Anc. nom de Mary* (Türkmenistan).

MERVILLE. ♦ Ch.-l. de cant. du Nord*, arr. de Dunkerque*, en Flandre, sur la Lys. 8 663 hab. *(Mervillois).* — Fonderies; indus. textiles; meubles.

MÉRY (Joseph). ♦ Écrivain français (Les Aygalades, Marseille, 1798 — Paris, 1866). Fondateur à Marseille de divers journaux antimonarchistes, il se fit ensuite connaître à Paris (1824) comme un brillant chroniqueur, avant de collaborer avec A.M. Barthélemy* à des pamphlets en vers où ils exprimaient leur hostilité à la Restauration (*Rome à Paris,* 1827; *Napoléon en Égypte,* 1828; *Le Fils de l'homme,* 1829). Leurs attaques se portèrent ensuite contre la monarchie de Juillet, avec le journal satirique *la Némésis* (1831). L'œuvre personnelle de Méry comporte de nombreux romans et nouvelles (que lui avait inspirés sa vie aventureuse), notamment *La Chasse au chastre* (1853) et *Monsieur Auguste* (1859). Il composa également des livrets d'opéra et des œuvres dramatiques, dont *Le Chariot d'argile* (1850) et *L'Imagier de Harlem* (1852) en collaboration avec G. de Nerval*.

MÉRYON (Charles). ♦ Graveur français (Paris, 1821 — Charenton, 1868). D'abord enseigne de vaisseau, il se consacra à la gravure à partir de 1849, puis fut atteint de troubles mentaux. Sa série d'eaux-fortes sur Paris (1850-1854), au graphisme acéré et précis, révèle un tempérament romantique et visionnaire auquel fut sensible Baudelaire.

MÉRY-SUR-OISE. ♦ Comm. du Val-d'Oise, arr. de Pontoise. 3 469 hab. Église Saint-Denis (XVᵉ-XVIᵉ s.); château (XVIᵉ-XVIIIᵉ s.).

MÉRY-SUR-SEINE. ♦ Ch.-l. de cant. de l'Aube, arr. de Nogent-sur-Seine, entre la Seine et le canal de la haute Seine. 1 139 hab. Église des XVᵉ et XVIᵉ siècles. Chapelle de 1357 (remaniée en 1620 et en 1825). — La ville fut incendiée par les Alliés en 1814.

MESABI RANGE. *n. f.* ♦ Chaîne de collines des États-Unis du N. (Minnesota), au N.-E. de Duluth, où se trouvent les plus grandes exploitations de minerai de fer des États-Unis (découvert en 1887).

MESCHACEBÉ. ♦ Nom anc. du Mississippi*, employé en particulier par Chateaubriand dans Atala*.

MESETA. *n. f.* (mot esp. « table »). ♦ Grand plateau hercynien du centre de la péninsule Ibérique, limité au N. par les monts Cantabriques*, au N.-E. par le bassin de l'Èbre, au S. par celui du Guadalquivir, à l'E. par les monts Ibériques et qui se poursuit à l'O. au delà de la frontière portugaise (Trás-os-Montes, Alantejo). En Espagne, la Meseta s'étend sur la Castille, l'Estrémadure, le León et une partie du Levant (Murcie). Ce relief de plateau est coupé par des sierras : sierra de Gredos et de Guadarrama au centre, séparant les deux Castilles, sierra de Gata à l'O., entre le León et l'Estrémadure (sierra de Guadalupe et monts de Tolède) et à l'E., sierra de Cuenca et prolongement de la cordillère Bétique au S.-E. (Levant). La Meseta est traversée d'E. en O. par trois grands fl. : le Douro*, le Tage* et le Guadiana*.

MESETA MAROCAINE. ♦ Région de plateaux du Maroc occidental limitée au N. par la plaine du Gharb*, à l'E. par les causses du Moyen Atlas, au S. par celles du Haut Atlas et à l'O. par les plaines littorales atlantiques. Traversés par les vallées encaissées du Bou*-Regreg, de l'Oum*-Er-Rebia, du Tensift* et de leurs affluents, ces plateaux comportent des dépressions **(V. Haouz, Tadla)**. On y distingue plusieurs régions dont la Chaouïa* à l'O., le Djebilet* au S. et le plateau des Phosphates* au centre.

MESHED, MECHHED ou **MECHED** (« lieu de martyre »). ♦ V. du N.-E. de l'Iran (IXᵉ prov.), sur le Kechef Rûd. Ch.-l. de la prov. du Khûrâsan*. 410 000 hab. (1966). Située au centre d'une oasis pourvue de riches vergers, Meshed est un lieu de pèlerinage attirant chaque année des centaines de milliers de musulmans chiites. — Indus. alimentaires (sucrerie, conserveries), filatures et tissage. ♦ *Hist.* La ville se développa avec la fondation en 817 du sanctuaire de l'imam Reza qui aurait été empoisonné par le calife Mahmoun. Le sanctuaire fut détruit plusieurs fois; sa dernière reconstruction date du XIVᵉ siècle. La population de l'anc. Tûs détruite par les Timurides à la fin du XIVᵉ s. vint s'établir à Meshed. La ville se couvrit de beaux monuments sous le règne des safavides Shâh Rokh et 'Abbâs Iᵉʳ le Grand. De 1736 à 1747, ce fut la capitale de la Perse sous le règne de Nâdir Shâh.

MÉSIE [*n. f.*], en lat. **Moesia.** ♦ Anc. région d'Europe du S.-E. limitée par la Macédoine* au S. et la Dacie* au nord. Soumise par les Romains entre ~ 75 et ~ 29, elle devint province romaine et fut divisée au IIIᵉ s. en *Mésie supérieure* (ch.-l. *Sardique*) et *Mésie inférieure* (ch.-l. *Marcianopolis*).

MESMER (Franz Anton). ♦ Médecin allemand (Iznang, Souabe, 1734 — Meersburg, 1815). Il affirma avoir découvert le « magnétisme animal », fluide qu'il prétendait pouvoir diriger, communiquer par contact ou à distance, et dont il fit le remède à toutes les maladies. Il connut quelque temps un vif succès à Paris, où les adeptes du « mesmérisme » constituèrent une véritable franc-maçonnerie et se regroupèrent en « société de l'Harmonie ». (*Mémoire sur la découverte du magnétisme animal,* 1779.)

MESNIL [mɛnil]**-LE-ROI (Le).** ♦ Comm. des Yvelines, arr. de Saint-Germain-en-Laye. 5 473 hab. *(Mesnilois).* Production de la semence « blanc de champignon ». — Littré* y possédait une petite propriété et y travailla à son dictionnaire.

MÉSOPOTAMIE. *n. f.* (grec *mesos* « milieu » et *potamos* « fleuve »). ♦ Région d'Asie antérieure, comprenant les vallées du Tigre et de l'Euphrate et tout le pays intermédiaire. Elle s'étend du Kurdistan au N. jusqu'au golfe Persique au S.-E. et se trouve limitée à l'E. par la chaîne du Zagros et à l'O. et au S. par les déserts de Syrie et d'Arabie. Corne est du Croissant fertile, elle constitue la majeure partie de l'actuel Iraq. — On distingue deux régions : au N. la *haute Mésopotamie* ou Djésireh* (arabe *al-Jazîra* « l'île »), vaste plateau en partie désertique, et, au S., le *'Irâq al-'Arabî* (« la falaise arabe »), grande plaine alluviale où le Tigre pénètre un peu en aval de Sâmarrâ, l'Euphrate un peu en aval de Hît. Celle-ci, qui est la Mésopotamie proprement dite, correspond à une zone vraisemblablement immergée au ~ Vᵉ millénaire et

Arch. Rencontre

Mésopotamie : travail des champs, stèle assyrienne. (British Museum, Londres).

progressivement comblée par les dépôts des deux fleuves. Au ~ IVe millénaire, le rivage avait considérablement gagné sur la mer, qui bordait alors El Obeid, Eridu, Ur. Le Tigre et l'Euphrate, s'étant rejoints plus tard, forment ensemble le Chatt* al-'Arab dont le delta, qui reçoit aussi le Karûn, progresse de quelque 30 m par an. Cette région, où les fleuves forment de nombreux bras et des lacs marécageux, fut irriguée méthodiquement dès la plus haute antiquité. Sa fertilité en fit un intense foyer de civilisation. L'irrigation, délaissée après les invasions mongoles (XIIIe s.), a repris à l'époque moderne. — **V.** *aussi* **Iraq.** ♦ *Hist.* Dans le courant du ~ Ve millénaire, l'agriculture se répandit en haute Mésopotamie et une civilisation paysanne culmina à la fin du millénaire, à Tell Halaf (Syrie septentrionale) et à Arpachiyah (Assyrie). L'avancée des terres créa un pays neuf, la future Babylonie, qui fut colonisé et où se fondèrent El Obeid*, Eridu*, Uruk*, Ur*. Au ~ IVe millénaire, probablement au cours de la période dite d'Uruk*, ces populations furent supplantées par de nouveaux venus, Sumériens et Sémites, dont la civilisation fleurit en basse Mésopotamie pendant 1 500 ans **(V. Sumer)**, se répandit au loin grâce à l'empire d'Akkad* et se prolongea par celle de Babylone*. À partir du ~ IIe millénaire, l'élément sémite (langue akkadienne) l'emporta définitivement. La religion, le droit, la littérature se fixèrent en même temps que se constituaient de grandes entités politiques **(V. Assyrie, Babylone, Mari).** L'empire de Hammurabi* (~ XVIIe- ~ XVIe s.). cimenta une vaste unité de civilisation dont le centre demeura Babylone et qui eut assez de vigueur pour assimiler invasions et dominations étrangères **(V. Kassites, Mitanni, Araméens, Élam).** Les empires assyrien (~ Xe-~ VIIe s.) et néo-babylonien (~ VIIe-~ VIe s.) s'effondrèrent pourtant sous les coups des empires indo-européens formés à l'est **(V. Mèdes, Perse).** Après la conquête d'Alexandre (~ 331), la Mésopotamie, constituée en satrapie (~ 323), échut à Séleucos (~ 321) et à ses successeurs **(V. Séleucides).** Séleucie* remplaça Babylone, mais l'hellénisation fut superficielle : le grec, langue officielle, ne remplaça pas l'araméen, parlé, selon les régions, depuis les ~ VIIe-~ IVe s. ; l'akkadien voire le sumérien restèrent étudiés par les scribes et les prêtres ; au vieux fond sémitique s'ajoutèrent moins d'éléments grecs que d'éléments perses (magisme, culte de Mithra). En ~ 141, la Mésopotamie fut conquise par les Parthes. La capitale devint Ctésiphon*. Les nouveaux maîtres favorisèrent des renouveaux nationaux (relèvement de Ninive, de Lagash) et la constitution de principautés indépendantes **(V. Édesse)**. Mais, dès le ~ Ier s., ils se heurtèrent à l'expansion romaine **(V. Parthes)**. Le conflit du monde « occidental » (Rome puis Byzance) et du monde « oriental » (Parthes arsacides puis Perses sassanides) eut la Mésopotamie pour théâtre et pour enjeu. Les principaux épisodes furent : l'érection d'une province romaine de Mésopotamie (199), la reconquête perse (237), l'offensive de Gordien III (242-244), la défaite de Valérien devant Shâhpuhr* Ier (260), la conquête du pays par Odenat* et son intégration au domaine de Palmyre* (262-273), la campagne de Carus (282-283), le rétablissement romain sous Dioclétien* qui annexa cinq satrapies transtigritanes (298) et créa les provinces d'Osroène et de Mésopotamie, la reconquête perse au IVe s. **(V. Shâhpuhr II)**, les victoires d'Héraclius* (627-628). Il faut pourtant souligner que, à part quelques pointes poussées de part et d'autre, la ligne de partage entre les deux domaines passa le plus souvent en Mésopotamie du Nord (vers Nisibe) de sorte que la Babylonie fut de civilisation perse. Avec les Sassanides, la religion officielle fut le mazdéisme **(V. Ahura Mazdâ).** Par ailleurs les communautés juives, issues de la déportation de Nabuchodonosor*, reprirent de l'importance après la chute de Jérusalem en 70 puis 135 **(V. Talmud, Massore)**. Le christianisme se répandit, d'abord à Édesse, à partir des IIe-IIIe s., et la Mésopotamie chrétienne dépendit d'abord du patriarcat d'Antioche ; mais son isolement politique l'amena à se constituer en Église « chaldéenne » indépendante (410, 424) ; celle-ci, ayant continué de professer le diphysisme christologique après le concile d'Éphèse* (431), fut appelée aussi nestorienne **(V. Nestorius).** Elle resta prépondérante en Babylonie, mais, au VIe s., elle fut supplantée au nord par l'Église syrienne jacobite, de doctrine opposée **(V. Jacques Baradée, Monophysites).** En outre, la Mésopotamie vit fleurir diverses religions gnostiques : bardesanisme, mandéisme **(V. Mandéens),** manichéisme **(V. Mani).** Après la conquête arabe (637-641), la Mésopotamie devint le *'Irâq al-'Arabî :* **V. Iraq.**

MÉSOPOTAMIE ARGENTINE. *n. f.* ♦ Région du N.-E. argentin, située entre les ríos Uruguay* et Paraná* et englobant les provinces d'Entre*-Ríos, Corrientes* et Misiones*. Traversée par les affl. et les sous-affl. des deux fleuves, c'est un pays de prairies bien irriguées.

MÉSORÉE [*n. f.*] en gr. **Mesorea**, auj. **Messaria**. ♦ Plaine de Chypre occupant près de la moitié de la superficie de l'île entre la chaîne de Carpas* et le massif de Troghodhos*. Irriguée et protégée par des barrages, elle est aujourd'hui très fertile.

MESSAGER (André). ♦ Compositeur français (Montluçon, 1853 — Paris, 1929). Élève de l'école Niedermeyer, il reçut les leçons de Saint-Saëns et entreprit d'abord une carrière d'organiste et de maître de chapelle, mais la composition et la direction d'orchestre assurèrent bientôt sa notoriété. Chef d'orchestre, puis directeur de l'Opéra-Comique (où il créa *Pelléas et Mélisande,* 1902), il assuma les mêmes fonctions au Covent Garden de Londres (1901-1907), puis à l'Opéra de Paris (1908-1914) où il monta la *Tétralogie* de Wagner. Nommé chef d'orchestre de la Société des concerts du Conservatoire (1908-1919), il dirigea encore les Ballets russes, de S. de Diaghilev (1924). Durant ces années, il avait enrichi le répertoire de l'opéra-comique et de l'opérette de quelques-uns de ses plus gracieux chefs-d'œuvre (*La Basoche,* 1890 ; *Les P'tites Michu,* 1897 ; *Véronique,* 1898 ; *Fortunio,* 1907 ; *Monsieur Beaucaire,* 1919 ; *Passionnément,* 1926 ; *Coup de roulis,* 1928). Musicien éclectique, curieux de nouveauté mais demeuré en même temps fidèle à la leçon des maîtres du passé, Messager a conféré à des genres réputés mineurs leurs lettres de noblesse. L'élégance de la ligne mélodique, la pudeur de l'épanchement lyrique, dans ses meilleurs ouvrages, en font l'un des représentants les plus éminents de l'art musical français. On lui doit encore une dizaine de ballets, de la musique de chambre et des mélodies.

MESSALA, en lat. **Marcus Valerius Messala Corvinus**. ♦ Orateur et général romain (Rome, ~ 64 — 8). Républicain, il se rallia à Octave après la défaite de Philippes* et reçut les honneurs du triomphe en ~ 27. Protecteur d'un groupe de poètes dont Tibulle* et Ovide*.

MESSALI HADJ (Ahmad). ♦ Nationaliste algérien (Tlemcen, 1898 — Paris, 1974). Il fonda en France deux groupements nationalistes : l'Étoile nord-africaine (1924) puis le Parti populaire algérien (P.P.A. ; 1937). Plusieurs fois emprisonné, il remplaça le P.P.A. interdit par le Mouvement pour le triomphe des libertés démocratiques (M.T.L.D. ; 1946), dont le contrôle lui échappa quand les membres qui refusaient les limites de la lutte légale formèrent le Comité révolutionnaire d'unité et d'action (C.R.U.A.), embryon du F.L.N. (1954). Les partisans de Messali Hadj se rassemblèrent alors au M.N.A. (Mouvement national algérien). Mis en résidence surveillée, Messali Hadj fut libéré en 1962.

MESSALINE, en lat. **Valeria Messalina**. ♦ Impératrice romaine ([mort] Rome, 48). Femme de Claude* dont elle eut Octavie* et Britannicus*, elle exerça sur son mari un empire absolu et fit exécuter les filles de Germanicus* et de Drusus*. Célèbre par ses débauches, elle se livra même à la prostitution, aux dires de Juvénal*, et bafoua Claude au point d'épouser son amant Silius. Averti de ce scandale par Narcisse*, l'empereur la fit assassiner dans les jardins de Lucullus*.

MESSÈNE, en gr. **Messênê**. ♦ Anc. V. de Grèce, cap. de la Messénie*. Fondée par le Thébain Épaminondas* après sa victoire de Leuctres* (~ 371) sur les Lacédémoniens et fortifiée, la ville faisait partie d'une barrière stratégique destinée à faire échec à Sparte. Elle fut ravagée par Lycortas* (~ 185), chef de la ligue Achéenne. — Ruines de la ville et de ses fortifications à l'actuel village de *Mavromati,* au pied du mont Ithôme.

MESSÉNIE. *n. f.*, en gr. **Messênia**. ♦ Région de la Grèce occupant l'extrémité S.-O. du Péloponnèse, limitée par l'Élide au N., l'Arcadie et la Laconie à l'est. Auj. *nome de Messénie :* 2 991 km². 173 080 hab. Ch.-l. Calamata*. *V. et localités princ.* **V. Messène, Méthone, Pylos.** ♦ *Hist.* Après l'invasion dorienne, Sparte*, qui convoitait les terres fertiles de Messénie, soumit ses habitants au bout d'une longue guerre (*première guerre de Messénie,* ~ 735-~ 715 ?). Soulevés par Aristomène* vers le milieu du ~ VIIe s., les Messéniens résistèrent pendant quinze ans aux Lacédémoniens *(deuxième guerre de Messénie)* qui, après leur victoire, organisèrent définitivement leur régime militaire. Des réfugiés messéniens s'établirent à Zancle (Sicile) qu'ils nommèrent Messine*. Un nouveau soulèvement des hilotes de Messénie

v. ~ 464 *(troisième guerre de Messénie)* fut brisé par les Spartiates avec l'aide des Athéniens qui ensuite, retirés de l'alliance, installèrent des Messéniens expulsés à Naupacte*. Épaminondas*, après sa victoire de Leuctres (~ 371), libéra les Messéniens et fonda Messène, qui devint leur capitale. Pour protéger son indépendance contre Sparte toujours menaçante, la Messénie fit appel tantôt à Athènes, tantôt à la Macédoine et enfin à Rome (~ 205). Opposés à l'unification du Péloponnèse par la ligue Achéenne, les Messéniens tuèrent Philopœmen*, mais le successeur de ce dernier, Lycortas*, brisa leurs tentatives séparatistes. Annexée par Rome (~ 144), la Messénie partagea le sort du Péloponnèse byzantin.

MESSERSCHMITT (Willy). ♦ Ingénieur allemand (Francfort-sur-le-Main, 1898). Spécialiste d'aéronautique, il dirigea une très importante usine de construction d'avions (Augsbourg). Il réalisa en particulier le chasseur Messerschmitt 109 (30 000 exemplaires de 1937 à 1945) et surtout le premier chasseur à réaction (Me 262) qui, conçu en 1938, ne fut utilisé dans les combats qu'en novembre 1944. La guerre terminée, Messerschmitt a poursuivi sa carrière en Espagne, en Allemagne et en Égypte.

Messiade (La). ♦ Poème épique (1748-1777) d'inspiration religieuse de F.G. Klopstock*. S'inspirant du *Paradis perdu* de Milton, cette œuvre relate la rédemption de l'humanité par la passion et le sacrifice du Christ.

MESSIAEN [mɛsjɑ̃] **(Olivier).** ♦ Compositeur français (Avignon, 1908). Précocement doué, il eut pour maîtres M. Emmanuel, M. Dupré et P. Dukas. Organiste à la Trinité, il fut professeur à l'École normale de musique, à la *Schola Cantorum* puis au Conservatoire (1942). Doué d'un sens pédagogique inné, il a assuré depuis plusieurs cours de composition à l'étranger. Marquée d'abord par l'influence de Franck et de Debussy, la musique de Messiaen s'inspire fréquemment de symboles religieux et mystiques. Elle se caractérise tantôt par l'usage de rythmes très différenciés d'origine orientale (Bali), tantôt par celui de modes médiévaux (plain-chant grégorien). Ornithologue, il a entrepris la notation musicale des chants d'oiseaux et assimilé ces éléments à plusieurs de ses compositions (*Réveil des oiseaux,* pour piano et orch., 1953; *Oiseaux exotiques,* 1956; *Catalogue d'oiseaux,* 1959). Sa riche orchestration le montre curieux de sonorités nouvelles; outre les cuivres, qui jouent un rôle éminent dans son œuvre, il utilise les ondes Martenot, le célesta, le vibraphone, divers instruments de percussion et exotiques. La musique concrète a également enrichi sa palette sonore. Enfin, ses recherches harmoniques multiplient les effets d'écho par une utilisation savante des harmoniques, du grave à l'aigu. Tous ces éléments synthétisés aboutissent à un lyrisme personnel et visent à créer un univers cosmique et, selon une conception religieuse toujours présente, un « arc-en-ciel théologique ». Parti de Debussy, il est arrivé au dodécaphonisme en sauvegardant sa liberté, celle d'un esprit « chatoyant, voluptueusement raffiné ». On doit à Messiaen des pièces pour orgue : *La Nativité du Seigneur* (1935), *Les Corps glorieux* (1939), *Messe de la Pentecôte* (1950), *Livre d'orgue* (1952); des œuvres vocales : *Poèmes pour mi* (1936), *Trois Petites Liturgies de la présence divine* (1944); pour piano : *Préludes* (1929), *Vingt Regards sur l'Enfant Jésus* (1944); de la musique de chambre : *Quatuor pour la fin des temps* (1941); des pièces pour orchestre : *Les Offrandes oubliées* (1930), *La Turangalila-Symphonie,* en dix parties (1948), *Chronochromie* (1960), *Couleurs de la cité céleste* (1963), ainsi que des pièces pour chœur et orchestre, des motets et des mélodies. Messiaen a également publié plusieurs ouvrages didactiques (*Techniques de mon langage musical,* 1944; *Traité du rythme,* 1954). Fondateur du groupe « Jeune-France » (1936) avec Y. Baudrier, Daniel-Lesur et A. Jolivet, Messiaen eut pour élèves P. Boulez, P. Henri, K.H. Stockhausen et Y. Xenakis.

Messie. *n. m.* (lat. *Messias,* de l'araméen *meschîkhâ,* « oint, consacré [par le Seigneur] »; en hébreu *mashiah*). ♦ Dans la religion juive, tout personnage consacré par le Seigneur : David (*Psaume,* XVIII, 51), Cyrus (*Isaïe,* XLV, 1), l'ensemble du peuple juif (*Psaume,* XXVIII, 8); plus particulièrement, un libérateur futur qui doit instaurer la royauté d'Israël (*Isaïe,* XI, 1-9, etc.). Dans la religion chrétienne, le Christ*.

Coll. Viollet

Chasseur **Messerschmitt** 108.

Messie (Le). ♦ Oratorio de Haendel* (Dublin, 1742). Sur un texte de Ch. Jennens, inspiré des Évangiles et des Prophètes, l'ouvrage relate, en une succession d'images tour à tour suaves, pathétiques ou joyeuses, les principales étapes de la vie du Christ. Il se divise en trois parties : annonce de la venue du Messie et récit de la Nativité; récit de la Rédemption; grâces rendues au Messie, rédempteur des hommes et vainqueur de la mort. Il comprend une ouverture, une « sinfonia pastorale » et 51 récitatifs, airs et chœurs. Accueilli dès sa première audition par un prodigieux succès, l'oratorio de Haendel n'a cessé depuis lors d'être considéré comme le chef-d'œuvre du genre.

MESSINE, en it. **Messina.** ♦ V. d'Italie, à l'extrémité N.-O. de la Sicile, sur le *détroit de Messine,* qui sépare la péninsule italienne de la Sicile. Ch.-l. de prov. 265 000 hab. Archevêché, université. Située au fond d'une grande rade dominée par les monts Péloritains, c'est un port de commerce et de voyageurs et une ville industrielle : raffinerie de pétrole, indus. chimiques et alimentaires. La ville fut totalement détruite par un violent séisme en 1908. ♦ *Hist.* Anc. *Zancle,* fondée par des Grecs de Chalcis et de Cumes v. ~ 730, *Messine* ne reçut son nom qu'au ~ Ve s., de Messéniens exilés. Des mercenaires campaniens, les Mamertins*, s'en emparèrent et firent appel à Rome contre les Carthaginois (~ 264), ce qui déclencha la première guerre Punique*. Verrès*, propréteur de la Sicile, séjourna dans cette ville. Messine subit diverses occupations, arabe en 831 et en 842-843, normande en 1061. Révoltée contre Charles* Ier d'Anjou lors du massacre des Vêpres* siciliennes (1282), elle se donna à l'Aragon. Elle fut châtiée en 1674 et 1678 pour s'être rebellée contre le roi de Naples; et, en 1848, Ferdinand II de Bourbon, bombardant cette ville de son propre royaume, s'acquit le surnom de *Re Bomba.* Toutefois, lors de l'*Expédition des Mille,* de Garibaldi, en 1860, Messine fut la dernière place forte du royaume à demeurer fidèle à la maison de Bourbon, la garnison résistant jusqu'au 13 mars 1861.

MESSMER (Pierre). ♦ Officier et homme politique français (Vincennes, 1916). Il rejoignit les Forces françaises libres (1940) et participa, avec la Légion étrangère, aux opérations d'Afrique et d'Italie, puis à la libération de Paris avec la division Leclerc (août 1944). Parachuté au Tonkin (1945), fait prisonnier par le Viêt-minh, il remplit, après la guerre d'Indochine, de hautes fonctions dans l'administration de la France d'outre-mer et occupa des postes de gouverneur puis de haut-commissaire en Afrique (1952-1959). Ministre des Armées de 1960 à 1969, il fut ensuite Premier ministre (juillet 1972 – mai 1974).

Mesta *(la).* ♦ Association espagnole des éleveurs de moutons. Des associations locales existèrent dès le XIIe s., et la Mesta de Castille regroupa toutes les autres à la fin du XIIIe siècle. La Mesta connut son apogée au XVIe siècle. Le pouvoir central, qui l'écrasait de taxes, eut toujours tendance à défendre la Mesta, mais celle-ci, en raison de son droit d'usage des communaux et des jachères, entrava gravement le développement de l'agriculture, en interdisant les clôtures et l'extension des labours. Aussi fut-elle restreinte au XVIIIe s. et ses privilèges définitivement abolis en 1836.

MESTA. *n. f.,* en gr. **Mestos.** *n. m.* ♦ Riv. de Bulgarie et de Grèce, née dans le Rhodope au Muss-Alla et tributaire de la mer Égée.

Mesure pour mesure *(Measure for Measure).* ♦ Drame en 5 actes, en vers et en prose, de W. Shakespeare (1604). Vincento, duc de Vienne, s'est retiré quelque temps dans la solitude, confiant le pouvoir à son conseiller Angelo. Magistrat honnête, Angelo va se métamorphoser en un épouvantable tyran, faisant condamner à mort Claudio qui a transgressé les nouvelles lois. Devenu amoureux d'Isabelle, sœur de Claudio, il propose à la jeune fille, si elle lui cède, de faire grâce à son frère. Harcelée par Claudio, Isabelle y consent, mais le retour du duc verra le triomphe de la justice.

META *(rio).* ♦ Riv. de Colombie (1 046 km) issue de la Cordillère orientale, elle donne son nom au *département du Meta* (85 220 km². 87 100 hab. env., ch.-l. Villavicencio*) et forme une partie de la frontière entre la Colombie et le Venezuela avant de confluer avec l'Orénoque*.

MÉTABIEF [metabjɛ]. ♦ Comm. du Doubs, arr. de Pontarlier, dans le mont d'Or (Jura). 1 463 m. Elle forme avec Jougne*, les Hôpitaux-Neufs et Longevilles-Mont-d'Or une station estivale et de sports d'hiver (alt. 1 010 m-1 460 m). 165 habitants.

Métamorphoses (Les) [*Metamorphoseis*]. ♦ Épopée mythologique en 15 livres, composée par Ovide* à partir de ~ 1. Histoire du monde, du chaos primitif à l'apothéose de César, au cours de laquelle s'enchaînent des légendes de transformations de dieux ou d'hommes en animaux, en plantes. C'est le type même de l'épopée alexandrine formée de tableaux juxtaposés (à la différence de l'Énéide*).

Métamorphoses (Les), anc. **L'Âne d'or.** ♦ Roman ou « fable milésienne » d'Apulée*, en 11 livres, à la fois satirique et mystique : Lucius, changé en âne par une Thessalienne, va d'aventure en aventure, à travers divers milieux sociaux, en quête de la rose qui lui rendra forme humaine. Il se consacre alors à Isis*. Rabelais, Cervantes, La Fontaine y ont puisé; Nerval en a subi l'influence. Le *Conte de Psyché* est inséré dans les livres IV à VI.

Métaphysique (La). ♦ Traité d'Aristote*, ainsi nommé parce qu'il faisait suite à *La Physique* (en gr. *ta meta ta phusika*) dans la classification des œuvres aristotéliciennes par Andronicos de

Rhodes (~ Ier s.). L'objet principal de ce traité est l'étude des premiers principes et causes de l'être et de la science et la connaissance des choses divines (philosophie première ou théologie). Aristote y affirme l'existence de Dieu, premier moteur immobile, acte et pensée purs, qui est cause efficiente et finale de la nature.

MÉTAPONTE, en gr. **Metapontion,** en lat. **Metapontum.** ♦ Anc. ville et port de l'Italie sur la côte E. de la Lucanie* (golfe de Tarente). Fondée au ~ VIIIe s. puis détruite par les Samnites*, elle fut reconstruite par les habitants de Sybaris* et devint l'un des centres de la Grande*-Grèce. Pythagore*, chassé de Crotone, y établit son école. Occupée par Hannibal* v. ~ 212, elle fut reconquise par Rome (~ 207) et saccagée par Spartacus*.

MÉTASTASE (Pierre), en it. **Pietro Trapassi,** dit **Metastasio.** ♦ Poète et dramaturge italien (Rome, 1698 – Vienne, 1782). Remarqué très jeune pour sa facilité et ses dons littéraires, il s'attira la faveur du public avec ses drames musicaux, *Les Jardins des Hespérides* (1721) et *Didon abandonnée* (1724). En 1725, il devint poète attitré de la cour de Vienne, où il fut protégé par Marie-Thérèse. Théoricien novateur dans ses essais critiques sur la *Poétique d'Aristote* et sur le *Théâtre grec,* Métastase réalisa également dans ses œuvres, où il préconisait l'équilibre entre l'expression littéraire et l'expression musicale, une intéressante révolution dans l'art dramatique; ses pièces, « pleines de cette poésie... et de cette élégance continue qui embellissent le naturel sans jamais le charger » (Voltaire), sont spécifiques du goût du XVIIIe siècle. *Sémiramis* (1729), *Artaxerxès* (1730), *La Clémence de Titus* (1734), *Achille à Scyros* (1736), *Attilius Regulus* (1740) furent mis en musique.

MÉTAURE [*n. m.*], en it. **Metauro.** ♦ Fl. de l'Italie centrale (110 km) qui naît dans les Apennins* et se jette dans l'Adriatique au S. de Fano. ♦ *Hist.* Lors de la seconde guerre Punique*, l'armée de secours envoyée à Hannibal* et commandée par Hasdrubal* Barca y fut détruite (~ 207).

METAXÁS (Ioannis). ♦ Général et homme politique grec (Ithaque, 1871 – Athènes, 1941). Germanophile, il soutint la politique de neutralité du roi Constantin* Ier (1915). Après la restauration de 1935, nommé Premier ministre par le roi Georges* II (1936), il abolit la Constitution et instaura la dictature dite du 4 août. Sa politique de rapprochement avec l'Allemagne hitlérienne fut compromise par les convoitises italiennes (occupation de l'Albanie en 1939). Cédant à la volonté quasi unanime du peuple grec, il se rangea en 1940 aux côtés de l'Angleterre et rejeta l'ultimatum italien. **V. Grèce,** *Hist.*

METCHNIKOV ou **METCHNIKOFF (Élie).** ♦ Zoologiste et microbiologiste russe (Ivanovka, près de Kharkov, 1845 – Paris, 1916). Il a formulé sa théorie de la phagocytose comme mode de défense de l'organisme contre les microbes (*L'Immunité dans les maladies infectieuses,* 1901). On lui doit aussi des études d'anthropologie physique. (Prix Nobel de méd., 1908.)

METELLUS. ♦ Branche de la famille romaine des Caecilii. ♦ LUCIUS CAECILIUS METELLUS (~ IIIe s.). Consul en ~ 251 pendant la première guerre Punique, il vainquit Hasdrubal* en Sicile. ♦ QUINTUS CAECILIUS METELLUS MACEDONICUS, « le Macédonien ». Petit-fils du précédent (~ IIe s.). Préteur en ~ 148, il réduisit la Macédoine en province romaine (~ 147) et vainquit la ligue Achéenne (~ 146). Consul en ~ 143, il combattit avec succès en Espagne. ♦ QUINTUS CAECILIUS METELLUS NUMIDICUS, « le Numidique ». Neveu du précédent ([mort] ~ 91). Consul en ~ 109, il fut chargé de la guerre contre Jugurtha*, mais se vit supplanté par Marius* qui par la suite le proscrivit et l'exila. ♦ QUINTUS CAECILIUS METELLUS PIUS. Fils du précédent (~ 130 – ~ 64). Il se distingua durant la guerre sociale (~ 90-~ 88). Partisan de Sylla*, il rentra avec lui à Rome après la guerre civile (~ 82). Envoyé en Espagne contre Sertorius*, il acheva la soumission du pays avec l'aide de Pompée* (~ 71). ♦ QUINTUS CAECILIUS METELLUS PIUS SCIPION. Fils adoptif du précédent et petit-fils de Scipion* Nasica ([mort] ~ 46). Consul en ~ 52, il soutint Pompée*; vaincu par César* à Thapsus* (~ 46), il se donna la mort.

MÉTEZEAU. ♦ Dynastie d'architectes français dont les principaux furent : ♦ CLÉMENT Ier (mort à Dreux, 1550); il participa à la construction de l'église Saint-Pierre et, de 1520 à 1537, à l'édification du beffroi. ♦ THIBAUT (Dreux, v. 1533 – Paris, 1593), fils du précédent. À Paris, il travailla à l'édification de la sépulture des Valois à la basilique de Saint-Denis. ♦ LOUIS (Dreux, v. 1562 – Paris, 1615). Petit-fils de Clément Ier, il fut architecte d'Henri IV, réalisa l'aqueduc de Rungis et on lui attribue généralement les façades de brique et de pierre de la *place Royale* (aujourd'hui *place des Vosges*) à Paris. ♦ CLÉMENT II (Dreux, 1581 – Paris, 1652). Frère cadet du précédent, il donna les plans de la *place ducale de Charleville* (1611), fit un voyage en 1611 à Florence à la demande de Marie de Médicis et devint le collaborateur de S. de Brosse* au Luxembourg. Il fut aussi chargé d'édifier la digue de La Rochelle (1627). Il construisit probablement la façade de l'*église Saint-Gervais et Saint-Protais* (1616) à Paris, longtemps attribuée à S. de Brosse. Elle se caractérise par l'adoption des trois ordres superposés et servit de prototype à plusieurs églises françaises du XVIIe siècle.

MÉTHODE d'Olympe. ♦ Évêque d'Olympe en Lycie (fin IIIe s.), auteur du *Banquet des dix vierges,* adversaire d'Origène *(Sur la résurrection).*

MÉTHODE *(saint).* ♦ (Thessalonique, v. 825 – en Moravie, 885). Apôtre des Slaves, avec son frère cadet Constantin (**V. Cyrille** le Philosophe). Envoyé par Photios auprès de Ratislav, roi de Moravie (863), il créa, avec son frère, l'Église et la liturgie slavonnes. Après la mort de Cyrille à Rome, il fut nommé archevêque de Pannonie (en fait, pour tous les pays slaves) [869] et affronta seul les querelles suscitées par le clergé franc à propos de l'étendue de sa juridiction et de la validité de sa liturgie; il fut emprisonné en Bavière (870-873), vit la liturgie slavonne interdite par Jean VIII (873) mais n'en tint pas compte, retourna à Rome en 880, à Constantinople en 882, obtenant l'approbation du pape (le même Jean VIII) et de l'empereur. À sa mort, la liturgie slavonne fut condamnée par Étienne V. Ses disciples, chassés de Moravie, la transmirent aux Bulgares, d'où elle se répandit chez les Serbes et les Russes; ils créèrent aussi l'alphabet dit *cyrillique.* Fête le 14 février.

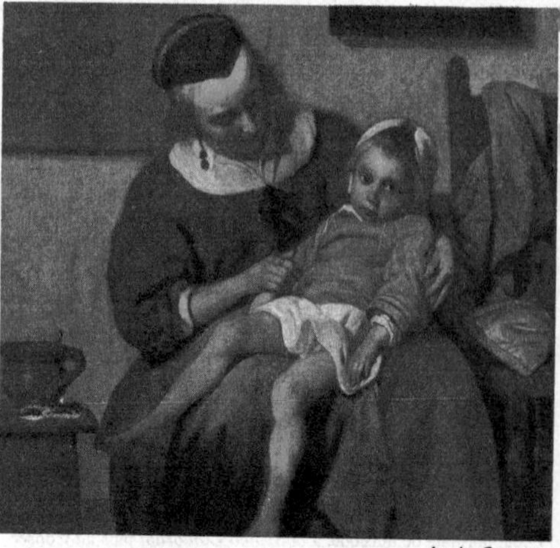

Arch. Smeets

G. Metsu : « L'Enfant malade ».
(Rijksmuseum, Amsterdam.)

Méthodistes. ♦ **V.** WESLEY (John).

MÉTHONE ou **MODON,** en gr. **Methônê.** ♦ Anc. V. de Grèce (Messénie) sur la mer Ionienne. Centre mycénien, elle fut soumise par Sparte. Détruite par un raz de marée en 365 et relevée, elle passa successivement des Byzantins aux Francs (1247), aux Vénitiens qui la fortifièrent et aux Turcs (1718). Elle fut occupée par les Français lors de la guerre de l'Indépendance grecque (1828).

METIUS (Jacob). ♦ Opticien néerlandais (Alkmaar ? – *id.,* 1628). Il fut l'un des premiers fabricants de lunettes d'approche. **V. Jansen, Lippershey.**

METLAOUI. ♦ Localité de la Tunisie méridionale (gouvernorat de Gafsa) au S.-O. de Gafsa*. Usines de traitement des phosphates. Direction de la Compagnie des phosphates de Gafsa.

MÉTON [*Metôn*]. ♦ Astronome athénien du ~ Ve siècle. Inventeur de la règle consistant en sept intercalations d'un mois en dix-neuf ans dans le calendrier lunaire (*cycle de Méton,* basé sur le fait que 19 ans lunaires auxquels sont ajoutés 7 mois correspondent à 19 ans solaires).

MÉTRA (Olivier). ♦ Compositeur français de musique légère (Reims, 1830 – Paris, 1889). Il dirigea les orchestres de nombreux théâtres à Paris, dont ceux des Folies-Bergère et de l'Opéra. Figure populaire de la musique légère, il a composé, outre ses dix-huit opérettes et ballets-divertissements, des quadrilles, polkas, mazurkas et valses (dont *La Vague* et *La Valse des roses*).

MÉTRODORE, en gr. **Mêtrodôros.** ♦ Philosophe grec épicurien (? v. ~ 330 – Athènes, ~ 277). Il aurait rencontré Épicure* à Lampsaque où il devint son disciple et il le suivit à Athènes. Leurs têtes unies dans un double buste symbolisaient l'amitié qui régnait au Jardin (groupe sculpté du Louvre).

Metropolitan Museum of Art. ♦ Musée de New* York, fondé en 1870 et contenant la plus importante collection d'objets d'art des États-Unis, couvrant une période de 5 000 ans. Il renferme des collections représentant les cultures européennes, celles du Proche-Orient et de l'Extrême-Orient (Chine) aussi bien que les arts d'Amérique. Les collections les plus importantes sont celles des peintures de l'école italienne, espagnole, hollandaise, flamande, allemande, française et américaine. Une collection d'arts graphiques comprend des gravures sur bois, des eaux-fortes, des gravures et des lithographies. Collection d'instruments musicaux de tous les pays, d'armes et d'armures, de costumes. – Une dépendance du *Metropolitan Museum of Art* est le musée des Cloîtres à *Fort Tyron Park,* consacré à l'art médiéval européen et comportant des cloîtres catalans démontés et reconstitués.

Metropolitan Opera de New York. ♦ La première scène lyrique des États-Unis, devenue l'une des plus fameuses du monde, ouverte en 1883. Financièrement soutenue par des personnes privées, elle a accueilli, depuis sa fondation, les plus grands chanteurs, chefs d'orchestre et metteurs en scène.

METSU (Gabriël). ♦ Peintre et dessinateur hollandais (Leyde, 1629 – Amsterdam, 1667). Fils de peintre et probablement élève de Gérard Dou*, il devint maître à Leyde en 1648 et s'établit ensuite à Amsterdam (v. 1650). Il peignit d'abord des sujets religieux, subit l'influence de Steen* et de Rembrandt*, puis se spécialisa dans les scènes de la vie familière, inspirées directement de Vermeer* : scènes d'extérieur ou sujets d'intimité domestique. Le caractère paisible, anecdotique et souvent sentimental de ses thèmes (conversations galantes, parties de musique), son habileté à rendre la texture des étoffes et la matière des objets en font l'un des « petits maîtres » les plus caractéristiques de l'art hollandais du XVIIe s. *(La Marchande de hareng; L'Enfant malade).*

METSYS ou **MASSY (Quentin).** ♦ Peintre, graveur et dessinateur flamand (Louvain, 1465 ou 1466 – Anvers, 1530). Probablement élève de Bouts* à Louvain, il fut ensuite reçu franc-maître à Anvers en 1491 et fit la connaissance d'Érasme. Héritier de l'art de Bouts*, mais aussi de Van* der Weyden (*L'Ensevelissement du Christ,* 1508-1511), il apparaît comme le continuateur de la tradition flamande du XVe s., mais il sut aussi assimiler les innovations venues d'Italie. Il adopta en effet les ordonnances équilibrées et amples, les motifs architecturaux de la Renaissance et une technique de modelé délicat aux ombres transparentes *(La Légende de sainte Anne).* Quelques œuvres religieuses dénotent des tendances au maniérisme, tandis que ses portraits pénétrants portent l'empreinte de l'idéal humaniste de la Renaissance *(Érasme; Pierre Gilles).* Sa curiosité envers les individus l'amena à pousser l'observation jusqu'à la caricature *(Portrait d'homme; Vieille Femme monstrueuse)* et à traiter de scènes profanes avec une intention moralisatrice *(Le Banquier et sa femme; Couple mal assorti).*

METTERNICH (Klemens Wenzel Nepomuk Lothar, *prince de* **METTERNICH-WINNEBURG).** ♦ Homme politique autrichien (Coblence, 1773 – Vienne, 1859). Fils d'un collaborateur de Kaunitz* (il devait épouser la petite-fille de ce dernier), il appartenait à une famille rhénane remontant au XIVe s. et qui avait fidèlement servi l'empire depuis la guerre de Trente Ans. Après avoir poursuivi ses études à Strasbourg, puis à Mayence, il entra très jeune dans la carrière diplomatique (congrès de Rastadt, 1797), représenta l'Autriche à Dresde et à Berlin, puis fut nommé ambassadeur à Paris (1806). Hostile à la Révolution française et à Napoléon Ier, il était déjà convaincu de la nécessité d'un répit pour l'Autriche. Dès qu'il fut à la tête du ministère des Affaires étrangères (1809), il pratiqua une politique d'alliance, scellée par le mariage de Marie-Louise et de Napoléon. Face à la puissance russe, il tenta de ménager la France après la campagne de Russie, mais échoua à s'entendre avec Napoléon qui était convaincu de sa mauvaise foi (entrevue de Dresde, 1813) et qu'il devait finalement abandonner pour favoriser le retour des Bourbons. Le congrès de Vienne (1815) marqua l'apogée de sa carrière. Homme d'ancien régime, sceptique et froid, totalement étranger au courant romantique nationaliste, mais cosmopolite au sens du XVIIIe s., il était partisan d'une Europe à l'image de celle de 1790, fondée sur « l'équilibre européen », et pensait lutter contre les principes révolutionnaires de liberté et de droit des peuples à disposer d'eux-mêmes. Ces principes étaient particulièrement dangereux pour l'empire autrichien, en faisant revivre les vieilles institutions régionales et les privilèges antérieurs à l'absolutisme. Si, avec l'aide de Castlereagh*, Metternich put faire triompher ses vues de modération et établir la paix en Europe pour une longue période, ni la Confédération* germanique ni le royaume lombardo-vénétien qui rétablirent pourtant la puissance autrichienne, ne correspondirent exactement à ses désirs. Il semble en effet avoir exercé une influence moins grande sur la politique intérieure de l'Autriche que sur sa politique étrangère : sur ce plan, son action visa à maintenir l'immobilisme en utilisant la Sainte-Alliance*, à laquelle il avait d'abord été étranger, au cours d'une série de congrès (Aix-la-Chapelle, Karlsbad, Troppau, Laibach, Vérone). Cependant, le retrait de l'Angleterre (1825), l'attitude des puissances face à l'indépendance grecque, les révolutions de 1830 marquèrent la fin de son système; la révolution viennoise, enfin, chassa en 1848 le vieux chancelier, dont le rôle politique était terminé. Malgré sa grande habileté et ses qualités diplomatiques, il n'avait pas su arrêter l'empire autrichien sur la voie du démembrement.

METZ [mɛs]. ♦ Préf. du dép. de la Moselle, ch.-l. d'arr. (10 cant. 146 comm. 285 810 hab. englobant *Metz-Ville* et *Metz-Campagne*), situé sur la Moselle*. 113 586 hab. (aggl. de 175 944 hab.) *(Messins).* Évêché. Centre universitaire en cours de création. – Église Saint-Pierre-aux-Nonnains, anc. basilique romaine construite v. 310, transformée en chapelle v. 620, plusieurs fois remaniée. Anc. chapelle des Templiers (XIIe s.). Cathédrale Saint-Étienne (XIIIe au XVe s.; vitraux contemporains). Églises gothiques. Porte des Allemands (XIIIe-XVe s.). Hôtels et maisons anc. Hôtel de ville du XVIIIe siècle. La place d'Armes (XVIIIe s.) est l'œuvre de J.-F. Blondel*. Palais de justice du XVIIIe siècle. Musée (archéologie gallo-romaine). – Nombreuses activités industrielles : construction électrique; matières plastiques; chaussures; meubles; indus. alimentaires (brasseries). – Patrie de F. de Curel*, Custine*, A. Daubrée*, Fabert*, de F.E. Kellermann*, P.L. de Lacretelle*, A. de Lasalle*, J.B. Leprince*, G. Pierné*, Pilâtre* de Rozier, J.V. Poncelet*, P.L. Roederer*, A. Thomas*, Verlaine*. ♦ *Hist.* Cap. des Celtes *Mediomatrices* (sous le nom de *Divodurum*), la ville devint l'un des centres de communication les plus importants de la Gaule romaine. Après les invasions, elle fut la cap. de l'Austrasie* et l'un des plus importants foyers de la renaissance carolingienne (saint Chrodegang). Comprise dans le Saint Empire de 923 au XIVe s., elle devint ville libre au XIIIe s., à la faveur de la lutte entre guelfes et gibelins. Faisant partie des Trois*-Évêchés, elle fut annexée par Henri II (1552); elle fut alors défendue contre les armées impériales par François de Guise*. L'arrivée des Français entraîna l'avènement au pouvoir de la classe des marchands et des légistes. La ville devait être intégrée au royaume en 1633. Au cours de la guerre franco-allemande (1870-1871), plusieurs batailles se déroulèrent dans les environs de la ville (opérations sous Metz : Borny, Gravelotte*-Rezonville, Saint-Privat-la-Montagne, 14-18 août 1870). Les forces prussiennes victorieuses contraignirent l'armée française de Bazaine* à se replier dans la ville. L'armée de Châlons, sous les ordres de Mac*-Mahon, chargée d'établir la jonction avec celle de Bazaine, ayant été vaincue à Sedan* le 2 sept., la ville de Metz capitula le 27 oct. 1870 après un siège de quelques semaines. Cette capitulation suscita la journée révolutionnaire du 30 octobre* à Paris. Par le traité de Francfort* (10 mai 1871), Metz fut annexé à l'Allemagne jusqu'en 1918.

METZERVISSE. ♦ Ch.-l. de cant. de la Moselle, arr. de Thionville-Est. 1 147 hab. – Chaudronnerie.

METZINGER (Jean). ♦ Peintre, dessinateur et graveur français (Nantes, 1883 – Paris, 1937). Il s'intéressa d'abord au divisionnisme, puis aux œuvres des fauves, mais les premières œuvres cubistes, de Braque* et de Picasso*, déterminèrent son évolution. Il dissocia géométriquement les formes, établissant l'espace à partir de multiples plans s'interpénétrant, il conféra une certaine densité à ses motifs en modulant avec finesse les tons (*Femme, face-profil,* 1917). Il exposa en 1911 au Salon d'Automne dans la salle des cubistes, puis participa activement aux réunions de la *Section d'or* dans l'atelier de Jacques Villon* à Puteaux. Préoccupé de problèmes théoriques, il publia avec Gleizes* : *Du cubisme* (1912). Il eut ensuite tendance à adopter une gamme chromatique plus vive et à rendre plus lisibles les allusions à la réalité extérieure, tout en restant fidèle aux principes constructifs hérités du cubisme.

MEUDON. ♦ Ch.-l. de cant. des Hauts-de-Seine (arr. de Nanterre), au S.-O. de Paris, à la lisière du bois de Meudon. 51 481 hab. [30 735 aggl.] *(Meudonnais).* Église (XVIe-XVIIIe s.). Observatoire d'astronomie physique, dans la partie conservée du Château-Neuf (construit par Mansart). Dans le parc de Chalais, Office national d'études et de recherches aéronautiques *(Chalais-Meudon);* puissante soufflerie créée en 1935. Maison d'Armande Béjart, transformée en musée. Maison de Rodin (moulages des œuvres du sculpteur). Meudon fut le lieu de résidence de Ronsard,

Arch. Smeets

Jean Metzinger : « La Femme à la guitare ».
(Musée des Beaux-Arts, Grenoble.)

Ambroise Paré, Rabelais (qui fut curé de la ville), de J.-J. Rousseau, Balzac, Wagner, Manet. Céline y vécut. – Indus. automobile, aéronautique. – Grand ensemble moderne de *Meudon-la-Forêt* (env. 25 000 hab.).

MEULAN. ♦ Ch.-l. de cant. des Yvelines, arr. de Mantes-la-Jolie, sur la Seine. 5 278 hab. *(Meulanais).* Église Saint-Nicolas (en partie des XIIe et XIIIe s.). Un pont métallique relie Meulan aux Mureaux.

MEULEBEKE. ♦ Comm. de Belgique (Flandre-Occidentale, arr. de Tielt). 10 600 hab. Indus. textile (toiles, dentelles, coton). Marché de produits agricoles.

MEULEN (Adam François *van der***).** ♦ Peintre, dessinateur et graveur d'origine flamande, naturalisé français (Bruxelles, 1632 – Paris, 1690). Formé par le peintre de batailles Pierre Snayers, il fit preuve d'une grande habileté dans le dessin des chevaux. Inscrit à la gilde de Bruxelles en 1651, il s'établit ensuite à Paris et fut chargé par Le* Brun de collaborer au projet des tentures des maisons royales (1667). Nommé peintre des batailles royales et peintre ordinaire du roi, il accéda à l'Académie en 1673. Topographe et mémorialiste chargé de célébrer les victoires de Louis XIV, il suivait les armées et relevait les sites. Il conçut avec ampleur de vastes panoramas, se déroulant en lignes parallèles, plaçant l'horizon assez haut. Il manifeste le goût de l'anecdote, du détail précis; paysagiste sensible aux valeurs de l'atmosphère, il utilise une pâte légère et des tonalités transparentes (*Vue de Lille assiégée;* œuvre destinée au château de Marly).

MEUNG [mœ̃]**-SUR-LOIRE.** ♦ Ch.-l. de cant. du Loiret, arr. d'Orléans, sur la r. d. de la Loire. 4 248 hab. *(Magdunois).* Château du XIIIe, remanié aux XVIIe et XVIIIe siècles. Église Saint-Liphard (XIe, XIIe, XIIIe s.). Vestiges de l'enceinte. – Fonderies. Emboutissage. – Patrie de Jean* de Meung.

MEUNIER (Constantin). ♦ Peintre et sculpteur belge (Etterbeck, Bruxelles, 1831 – Ixelles, 1905). Après des études à l'académie Saint-Luc avec De* Groux, des visites aux cristalleries de Val-Saint-Lambert et dans les mines de charbon lui révélèrent les conditions de la vie ouvrière; il s'en fit dès lors l'interprète dans de sombres et tragiques tableaux exécutés entre 1857 et 1884 *(Cabaret du borinage)* et surtout dans des sculptures en bronze. Si ses préoccupations sociales le rattachent au mouvement naturaliste, la conception et le traitement de ses figures l'en éloignent; en effet, éliminant le rendu minutieux des détails, il rechercha les effets de masse, la simplification des volumes, voulant accéder au type (*Herscheur,* 1905; *Le Coup de grisou,* 1887; *Monument au travail*).

MEURSAULT. ♦ Comm. de la Côte-d'Or (arr. de Beaune), bâtie au pied de la bordure viticole de la « Côte de Beaune ». 1 831 hab. *(Meurisaltiens).* Château du XIVe s., restauré au XIXe siècle. Église Saint-Nicholas (XVe s.). Bourg célèbre par la qualité de ses vins blancs et rouges.

MEURTHE. *n. f.* ♦ Riv. de Lorraine (170 km), affluent de la Moselle*. Elle traverse Saint-Dié*, Baccarat*, Lunéville*, Nancy*. Sa vallée est industrielle.

MEURTHE. *n. f.* ♦ Ancien département de la France du N.-E. qui devait son nom à la rivière qui le traverse. Il comprenait cinq arr. : Nancy, Château-Salins, Lunéville, Sarrebourg et Toul. Le traité de Francfort (1871) donna Château-Salins et Sarrebourg à la Prusse et, depuis 1918, ces arr. font partie du département de la Moselle. Les trois autres, auxquels fut ajouté l'arr. de Briey, ont formé le département de Meurthe-et-Moselle.

MEURTHE-ET-MOSELLE. *n. f.* [**54**]. ♦ Dép. de l'E. de la France ayant des frontières communes avec la Belgique et le Luxembourg. Il fut créé en 1871 avec des parties des dép. de la Meurthe et de la Moselle restées françaises après le traité de Francfort. 5 280 km². Au S.-O. du dép., un fragment des côtes de Meuse domine la dépression de la Woëvre* recouverte d'étangs et de bois. Le plateau de Briey*, au N. du dép., et la forêt de la Haye, à l'O. de Nancy, s'élèvent jusqu'aux côtes de Moselle. Le dép. est traversé par la Moselle, la Meurthe et leurs affl. **V. Lorraine** (région). ♦ 29 cant., 591 comm., 723 607 hab. *Préf.* Nancy*; *sous-préf.* Briey*, Lunéville*, Toul*. *Ch.-l. de cant.* Arracourt (321 hab.), Audun*-le-Roman, Baccarat*, Badonviller*, Bayon (1 421 hab.), Blâmont*, Chambley-Bussières (540 hab.), Cirey*-sur-Vezouze, Conflans*-en-Jarnisy, Colombey-les-Belles (723 hab.), Domèvre-en Haye (193 hab.), Gerbéviller*, Haroué*, Longuyon*, Longwy*, Nomeny (944 hab.), Pont*-à-Mousson, Saint*-Nicolas-de-Port, Thiaucourt-Regniéville (1 134 hab.), Vézelise*. *Autres comm. et localités.* **V. Auboué, Blainville-sur-l'Eau, Blénod-lès-Pont-à-Mousson, Champigneulles, Dieulouard, Dombasle-sur-Meurthe, Écrouves, Frouard, Grand-Couronné, Herserange, Homécourt, Hussigny-Godbrange, Jarny, Jarville-la-Malgrange, Jœuf, Laneuveville-devant-Nancy, Liverdun, Malzéville, Maxéville, Mont-Saint-Martin, Neuves-Maisons, Piennes, Pompey, Réhon, Saint-Max, Sion, Tomblaine, Tucquegnieux, Vandœuvre-lès-Nancy, Varangéville, Villers-lès-Nancy, Villerupt.**

Meurtre dans la cathédrale *(Murder in the Cathedral).* ♦ Pièce en 2 actes et un interlude de T.S. Eliot* (1935). Archevêque de Canterbury, Thomas Becket s'est fait un ennemi de Henri II Plantagenêt en défendant l'autonomie de l'Église contre l'arbitraire du pouvoir royal. Au terme d'un exil de sept années, Becket revient parmi ses fidèles. Dans la nuit de Noël, il est porteur d'un message de paix et d'amour, de sacrifice aussi, mais consenti dans l'humilité. Aux autres émissaires du roi qui l'accusent de trahison, il offre sa vie sans défaillance et tombe sous leurs coups. Avec une sobre éloquence, la pièce célèbre la liberté de la conscience, toujours mise en péril par les prétentions du pouvoir temporel.

MEUSE [*n. f.*], en néerl. **Maas.** ♦ Fl. de France, de Belgique et des Pays-Bas (950 km : 500 en France, 192 en Belgique et 258 aux Pays-Bas). La Meuse prend sa source au plateau de Langres (dans le Bassigny) à 456 m d'alt. et coule jusqu'à Charleville* dans une large vallée de prairies (terrains jurassiques) et arrose Verdun* et Sedan*. Dans les terrains primaires du plateau ardennais, elle a creusé une vallée encaissée; ses principaux affl. (r. d.) descendent des Ardennes : la Lesse et l'Ourthe (grossie de l'Amblève et de la Vesdre). Elle passe à Monthermé* où elle reçoit la Semois*, entre en Belgique à Agimont (98 m d'alt.) et draine la région du bassin houiller. Agreste et pittoresque jusqu'à Namur* (où la Meuse reçoit la Sambre*), la vallée retrouve ensuite son caractère industriel; après avoir arrosé Liège* et Maastricht*, la Meuse s'achève aux Pays-Bas par un delta qui se mêle à celui du Rhin*. Fleuve international comme l'Escaut (convention du 12 mai 1863), la Meuse est navigable de son embouchure à Sedan, puis suivie par le canal de l'Est. ♦ *Hist.* Des combats victorieux y furent livrés au cours de la Première Guerre mondiale. Foch y mena une offensive en 1918 grâce au mouvement offensif des armées américaines (Ligget). Au cours de la Deuxième Guerre mondiale, les blindés allemands franchirent le fleuve à Dinant*, Houx, Monthermé et Sedan, ce qui décida du sort de la campagne de France.

MEUSE. *n. f.* [**55**[. ♦ Dép. du N.-E. de la France situé à la frontière belge. 6 219 km². – C'est une région de plateaux boisés. La rivière Meuse traverse le département, elle longe à l'E. le plateau des *Hauts-de-Meuse* qui domine la dépression boisée de la Woëvre, et à l'O. les hauteurs de l'Argonne et le plateau jurassique du Bar*, traversé par l'Ornain. **V. Lorraine** (région). ♦ (28 cant. 570 comm. 218 575 hab.). *Préf.* Bar*-le-Duc; *sous-préf.* Commercy*, Verdun*. *Ch.-l. de cant.* Ancerville*, Charny-sur-Meuse (289 hab.), Clermont*-en-Argonne, Damvillers (588 hab.), Dun-sur-Meuse (717 hab.), Étain*, Fresnes-en-Woëvre (630 hab.), Gondrecourt*-le-Château, Ligny*-en-Barrois, Montiers-sur-Saulx (683 hab.), Montfaucon*, Montmédy*, Pierrefitte-sur-Aire (238 hab.), Revigny*-sur-Ornain, Saint-Mihiel*, Souilly*, Spincourt*, Stenay*, Triancourt-en-Argonne (534 hab.), Varennes*-en-Argonne, Vaubecourt (280 hab.), Vaucouleurs*, Vavincourt (445 hab.), Vigneulles-lès-Hattonchâtel (526 hab.), Void*.

MEUSNIER [mønje] **DE LA PLACE (Jean-Baptiste).** ♦ Officier et savant français (Tours, 1754 – Mayence, 1793). Élève de Monge*, il présenta (1776) une étude géométrique de la courbure des surfaces, contenant un théorème important qui porte son nom. Officier du génie, il collabora aux travaux de la rade de Cherbourg (1778-1789). Il participa au travail de Lavoisier* concernant la recherche d'un meilleur procédé pour préparer l'hydrogène et, à ce titre, exécuta avec lui une très belle expérience (1785) de décomposition de l'eau par le fer rougi, dont les conclusions ne permettaient plus aucun doute quant à la nature et à la composition de l'eau. Maréchal de camp auprès de l'armée du Rhin, il fut mortellement blessé à Mayence. (Acad. sc., 1784.)

MEXICALI. ♦ V. du Mexique septentrional, à la frontière des États-Unis, cap. de la Basse-Californie du Nord. 390 411 hab. Centre agricole (coton, fruits). Indus. chimiques.

MEXICO, en esp. **México.** ♦ Cap. du Mexique et ch.-l. du district fédéral, situé à 2 277 m d'alt. dans le Mexique central, à l'emplacement de l'ancienne capitale du royaume aztèque (Tenochtitlán).

Ph. Hétier

La **Meuse** à Revin.

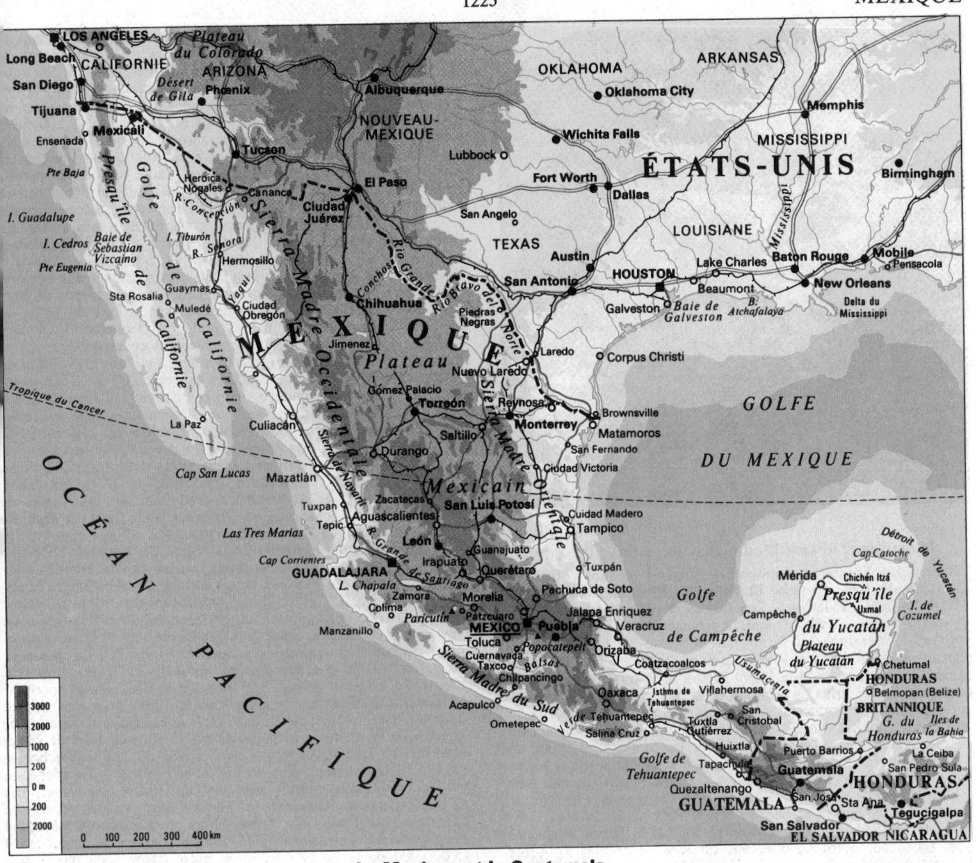

Le Mexique et le Guatemala.

3 025 564 hab. (1970), env. 7 500 000 hab. avec ses banlieues (Azcopotzalco, Coyoacán*, Gustavo* A. Madero, Ixtapalapa*, Naucalpán*, Tlalnepantla*, Tlalpán*, Xochimilco*, etc.). La *vallée de Mexico,* parcourue par le río de Las Balsas* au S.-O., délimite au S. le plateau central. – Archevêché. Université. Malgré de nombreux et admirables vestiges du passé colonial *(ci-dessous)* et des réussites architecturales modernes, Mexico, à la suite d'un intense développement démographique, a acquis en partie la physionomie d'une grande métropole américaine. Au centre, le *Paseo de la Reforma* demeure un bel exemple d'urbanisme de la fin du XIXᵉ siècle. Le parc de Chapultepec abrite plusieurs musées, dont le très remarquable *Musée national d'anthropologie* (1964), la plus riche collection d'art précolombien du monde, dans un cadre muséographique exceptionnel. La vieille ville, autour de la *place de la Constitution* (Zócalo), correspond à l'emplacement de l'ancienne capitale aztèque Tenochtitlán. Palais national du XVIᵉ s. (remanié aux XIXᵉ et XXᵉ s.), église du Sagrario, chirrugueresque (milieu XVIIIᵉ s.), cathédrale baroque et néo-classique (XVIIIᵉ s.). Aux alentours, églises baroques : San Francisco (XVIIIᵉ s.), Santo Domingo (XVIᵉ s.). Au N. (env. 20 km), basilique *Nuestra Señora de Guadalupe* (1533; reconstruite en 1709, agrandie). – Parmi les réalisations récentes, l'ensemble urbain de Nonoalco-Tlatelolco (quartier des « Trois Cultures » où les vestiges précolombiens et une église baroque ont été intégrés au quartier moderne). À 21 km du centre, au S., la cité universitaire (1950-1955), avec sa bibliothèque ornée de mosaïques. Stade olympique. À l'E. musée légué par Diego Rivera (Anahuacalli) : art précolombien. – Mexico est l'un des plus grands centres culturels d'Amérique latine. L'université comprend de nombreux instituts de recherche. Célèbre institut de cardiologie. – Avec ses faubourgs, c'est le plus grand centre indus. du pays (indus. textiles, métallurgiques : sidérurgie, laminoirs; raffineries de cuivre, de zinc, de pétrole; indus. électriques, électroniques, chimiques : cellulose; cimenteries; verreries; imprimerie et édition; indus. alimentaires : brasseries, etc.). – Patrie d'Azuela*, de Moctezuma*, Juan Ruiz de Alarcón* y d'O. Paz*, de Mendoza. ♦ *Hist.* La ville fut fondée par Cortés, sur le site même de Tenochtitlán, cap. aztèque, qu'il venait de prendre et de détruire (août 1521). **V. Mexique.** Résidence des vice-rois de la Nouvelle-Espagne jusqu'en 1810, elle devint en 1824, la cap. du Mexique. Occupée par les troupes des États-Unis en 1847, puis par les Français en 1863, elle fut reconquise par Juárez en 1867. Son développement démographique récent a été extrêmement rapide, posant de graves problèmes urbains et sociaux. – Le *District fédéral* (1 499 km², 6 815 000 hab.) s'étend tout autour de la ville de Mexico. – L'*État de Mexico* occupe le plateau d'Anáhuac*. 21 461 km². 3 353 000 hab. *Cap.* Toluca*. Les étés y sont chauds en dépit de l'altitude. C'est un riche secteur agricole (vallée de Toluca). Élevage laitier. Mines (plomb, cuivre, zinc, or). – *Site* **V. Teotihuacán.**

MEXIMIEUX. ♦ Ch.-l. de cant. de l'Ain*, arr. de Bourg*-en-Bresse, dans la Dombes*. 2 762 hab. Château des XIIᵉ, XVIᵉ et XVIIIᵉ siècles. Tréfilerie, confection. Patrie de Vaugelas*.

MEXIQUE, en esp. **México** ou **Méjico.** ♦ Pays d'Amérique centrale (off. *Estados Unidos de México*), situé entre l'océan Pacifique, à l'O., et le *golfe du Mexique* et la mer des Antilles, à l'E. et au S.-E. Il est bordé au N. par les États-Unis (Californie, Arizona, Nouveau-Mexique et Texas) et au S. par le Guatemala et le Honduras britannique. 1 972 546 km² (3 fois 1/2 la France; 3ᵉ pays d'Amérique latine). 60 150 000 hab. [1975] *(Mexicains),* la 3ᵉ pop. d'Amérique (après États-Unis et Brésil) en augmentation très rapide. *Cap.* **V. Mexico.** – *Langues :* espagnol (off.), langues indiennes (nahuatl, la langue des Aztèques, maya, zapotèque, totonaque, chinantèque, mazatèque, chorotega, tarasque, etc.). *Monnaie :* peso. – Le Mexique est une république fédérale comprenant 29 États **(V. Aguascalientes, Californie (Basse-), Campeche, Chiapas, Chihuaha, Coahuila, Colima, Durango, Guanajuato, Guerrero, Hidalgo, Jalisco, Mexico, Michoacán, Morelos, Nayarit, Nuevo León, Oaxaca, Puebla, Querétaro, San Luis Potosí, Sinaloa, Sonora, Tabasco, Tamaulipas, Tlaxcala, Veracruz, Yucatán, Zacatecas)** et 2 Territoires (Baja California Sur et Quintana Roo), à quoi il y a lieu d'ajouter le district fédéral de Mexico. *Princ. V.* (outre Mexico et ses faubourgs) **V. Acapulco, Aguascalientes, Campeche, Chiapas, Chihuahua, Ciudad Juárez, Ciudad Obregón, Ciudad Victoria, Coatzacoalcos, Colima, Córdoba, Cuernavaca, Culiacán, Durango, Ensenada, Gómez Palacio, Guadalajara, Guanajuato, Hermosillo, Irapuato, Jalapa, León, Matamoros, Mazatlán, Mérida, Mexicali, Monclova, Monterrey, Morelia, Nuevo Laredo, Oaxaca, Orizaba, Pachuca de Soto, Poza Rica, Puebla, Puerto Vallarta, Querétaro, Reynosa, Salamanca, Saltillo, San Luis Potosí, Tampico, Tapachula, Tepic, Tijuana, Torreón,** Uruapán, **Veracruz,**

Ph. Nino Cirani/Ricciarini

Mexique : Sierra Madre del Sur, État d'Oaxaca.

Villahermosa, Zacatecas, Zapopan. – *Autres V. et sites* **V. Bonampak, Chichén Itzá, Cholula, El Tajín, La Paz, Mayapán, Monte Albán, Palenque, Pátzcuaro, San Miguel de Allende, Taxco, Teotihuacán, Tequila, Tula, Tulum, Xochicalco, Zempoala.** – *Orographie.* Le Mexique est formé par un vaste plateau central (le plateau mexicain) qui s'élève vers le S. et l'O. et est flanqué par la Sierra Madre orientale et la Sierra Madre occidentale. Sa partie N. *(mesa del Norte),* aride ou semi-aride, est formée de bassins séparés par des chaînes montagneuses orientées N.-O. - S.-E.; sa partie S., plus élevée *(mesa Central),* est formée de bassins et de chaînes ou de pics volcaniques, l'ensemble s'élève en moyenne à 2 000 m d'alt.; ce plateau est limité au S. par une série de pics *(axe volcanique,* **V. Orizaba, Popocatépetl**). La Sierra Madre* occidentale est bordée par la plaine de Sonora*, dont les côtes sur le golfe de Californie sont basses et bordées d'îles. Plus au S., la côte Pacifique devient plus abrupte; elle correspond à la Sierra Madre du Sud. La façade maritime orientale, sur le golfe de Mexico, forme une plaine côtière adossée à la Sierra Madre orientale, les côtes, basses, sont souvent bordées de lagunes. L'isthme de Tehuantepec*, au S.-E. de ce premier ensemble, sépare le Mexique central des hautes terres de Chiapas (S.-E.) et de la péninsule du Yucatán (N.-E.); il n'a que 200 km de large. – **V. Anáhuac, Madre** (Sierras), **Mixteca, Orizaba, Paricutín, Peña Nevada, Popocatépetl.** – *Hydrogr.* **V. Balsas** (río de las), **Chapala** (lac), **Conchos, Grande de Santiago** (río), **Lerma, Pánuco. Usumacinta.** – *Climat.* Le Mexique est situé dans la zone tropicale et son climat, chaud et humide dans les parties basses (plaines côtières, Yucatán), se différencie par l'altitude et la pluviosité. Entre le Mexique aride du N. et le Mexique des terres chaudes tropicales, le plateau central, aux terres tempérées ou froides et suffisamment arrosées (pluies d'été), constitue le cœur économique du pays, avec sa cap. Mexico. – La *population,* en augmentation très rapide, est formée d'env. 15 % de Blancs, 60 % de métis *(Mestizos)* et 25 % d'Indiens (env. 5 000 000 de Mexicains parlent habituellement une langue indienne). – *Régions écon.* On peut distinguer 3 régions : *1) Le Nord,* délimité à la frontière américaine par le río Grande del Norte et où les villes mexicaines de la r. d. correspondent à des villes américaines sur la r. g. du fleuve (Ciudad Juárez, par ex.). Cette région, qui s'arrête au S. de l'État de Zacatecas, représente à elle seule env. la moitié de la superficie du pays. Le plateau central y est formé de bassins et de chaînes; il s'élève vers le S. pour atteindre 2 500 m au S. du tropique (dans le Zacatecas et le San Luis Potosí). La Sierra Madre occidentale, haute de plus de 3 000 m, s'incline en pente douce vers le golfe de Californie, dominant les plaines côtières de la Sonora et de la Sinaloa. La Sierra Madre orientale domine les larges plaines du Tamaulipas; ses pentes sont couvertes de forêts. La plupart des ríos se perdent dans les sables ou dans des lagunes intérieures. C'est une région de terres sèches, steppes ou pâturages, propre à l'élevage. Plantations de coton et de canne à sucre. Ressources minières abondantes (fer, argent, or, charbon). Pêche sur le golfe du Mexique. – *2) Le plateau central* et ses annexes montagneuses qui s'étendent entre le 22ᵉ et le 18ᵉ parallèle. C'est la région la plus élevée du Mexique avec la barrière volcanique de l'Orizaba et du Popocatépetl au S. (fréquents séismes). C'est aussi la région la plus peuplée. Les villes y occupent de hauts bassins encadrés de montagnes (Guanajuato, Mexico, Morelia, Toluca). Le climat tempéré ou assez rude (terres froides) et l'hydrographie (de nombreuses rivières descendent des volcans : Lerma, Grande de Santiago, Balsas) permettent l'élevage et diverses cultures (céréales, fruits et légumes). On trouve dans la région d'importants gisements miniers; argent (Guanajuato), or (El Oro). On y trouve aussi les plus grandes villes du Mexique avec la capitale : Mexico (Guadalajara, Puebla). – *3) Les régions tropicales* comprennent la côte d'Acapulco, la zone tropicale du golfe avec sa forêt équatoriale (Vera Cruz) et tout le Sud. Celui-ci s'étend du río Balsas (au S. de la vallée de Mexico) à la frontière du Guatemala. Débutant par la barrière montagneuse qui, de la Sierra Madre del Sur, rejoint la Sierra Madre occidentale par les reliefs de la Mixteca, il comprend les plateaux de l'Oaxaca, les plaines du Chiapas, du Tabasco et du Campeche qui appartiennent aux *terres chaudes.* La végétation y est riche et très variée, les forêts nombreuses. Cultures tropicales (canne à sucre, café, cacao, vanille...). La presqu'île du Yucatán (Yucatán et Chiapas), à l'extrême S.-E. du pays, est beaucoup plus sèche (savane; culture de l'agave). – La seule partie économiquement développée de cette zone tropicale est celle qui correspond, sur la côte du golfe, au Mexique central. Pétrole, indus., ports (**V. Tampico, Veracruz**). – *Écon.* L'*agriculture,* dont les rendements et les productions se développent rapidement, couvrant les besoins d'une population en rapide expansion et permettant des exportations, est inégalement évoluée. À côté des cultures vivrières du plateau central (maïs, haricots), assez primitives dans les communautés *(ejidos)* créées par la réforme agraire (et surtout dans celles des régions tropicales du S.), les « petits propriétaires » modernisent leurs exploitations, et de grandes entreprises agricoles, surtout sur le plateau central, pratiquent l'agriculture spécialisée ou l'élevage laitier. Les « terres froides » du centre produisent du maïs (plus de 9 000 000 de t), des haricots *(frijóles),* des fruits et légumes (fraises, tomates), de l'agave *(maguey)* associé à l'orge et de l'agave à tequila *(mezcal)* [distilleries de la région de Tequila]. L'élevage laitier (Mexico, Jalisco) est en développement rapide. Dans la zone tropicale, outre des cultures et un élevage de subsistance (maïs, chevaux, bovins), les cultures traditionnelles sont le tabac (70 000 t) et le sésame (160 000 t); la canne à sucre a connu un développement spectaculaire (2 900 000 t de sucre). Le développement du cocotier (coprah), du bananier (400 000 t de bananes), du café (240 000 t) et des agrumes (près de 2 270 000 t) est plus récent. Le Yucatán produit 150 000 t de sisal. L'élevage moderne se répand sur les plaines du golfe (Tabasco, etc.), mais c'est surtout dans les terres sèches du N. que l'élevage extensif est pratiqué, de même que les cultures irriguées de blé (3 000 000 t) et de coton (190 000 t). Le cheptel total s'élève à plus de 28 071 000 bovins (3ᵉ d'Amérique latine), plus de 11 700 000 porcs. – La pêche, en général artisanale, fournit des sardines (Basse-Californie), des tortues marines (Oaxaca) et surtout des grosses crevettes, exportées aux États-Unis. Ostréiculture. – *Ressources naturelles et industries.* Le charbon (Coahuila) est très insuffisant (5 000 000 de t); le pétrole, après avoir atteint 25 000 000 de t v. 1925, était en voie d'épuisement v. 1940, mais de nouvelles prospections ont permis d'atteindre plus de 37 000 000 de t (Poza Rica, Pánuco, N. de Veracruz). Gaz naturel 22 milliards de m³ (Tabasco, Reynosa) et pétrole (37 500 000 t) suffisent presque aux besoins intérieurs et forment la base de nombreuses indus. (raffineries à Tampico, Poza Rica, Mexico). L'électricité hydraulique (au N.-E. et au S.-O. de Mexico, au N.-E. de Puebla, sur le Balsas*, le Grijalva) représente plus de 16,2 milliards de kWh (1973). – Les traditionnelles mines d'argent (1 200 t) classent le Mexique 2ᵉ après le Canada. L'or (4 500 kg) a perdu de son importance; plomb (178 000 t), zinc (149 000 t de métal contenu). Le cuivre représente env. 90 000 t de métal annuelles; les productions de fluorite, de soufre (2 278 000 t), de baryte et de sel (3 000 000 de t, surtout exporté aux États-Unis) sont particulièrement importantes. 2 997 000 t de minerai de fer (près de Durango*) alimentent la sidérurgie (Monclova, Monterrey : 5 150 000 t d'acier; Mexico : laminoirs, métallurgie de transformation; Veracruz : tubes). La soude (100 000 t) permet une puissante indus. de la cellulose (près de Mexico, de Veracruz, de Colima et de Chihuahua). 500 000 t d'engrais chimiques. Ciment (au N. de Mexico). Caoutchouc, pneus. Verre (Monterrey, Mexico). Les indus. automobiles sont très récentes; avant 1960, l'importation des États-Unis couvrait les besoins. Camions et tracteurs de marques américaines sont montés au Mexique (350 000 véhicules en 1974). Le matériel électrique et électroménager (surtout à Mexico), les appareils de radio et télévision, les produits chimiques différenciés sont de plus en plus fabriqués sur place. L'indus. textile (au 1ᵉʳ rang en valeur de production) est en cours de modernisation (coton : Orizaba, Puebla, Mexico; laine : Mexico, Puebla, Guadalajara), fibres synthétiques. L'indus. du cuir (chaussures : exportation) et du bois (meubles) reste dispersée. Par contre, l'imprimerie et l'édition, depuis la guerre civile espagnole, ont fait de Mexico le plus grand centre d'Amérique latine. – Des indus. alimentaires (2ᵉ poste en importance après le textile), les plus modernes sont la brasserie (plus de 19 000 000 d'hl : Mexico, Orizaba, Monterrey), les boissons gazeuses, les distilleries d'agave, les minoteries, les conserveries. – Le réseau ferroviaire (23 600 km) ne peut desservir tout le pays. Le réseau routier est en rapide développement (40 000 km revêtus; autoroutes). Le trafic aérien, intense, est centré sur Mexico (aéroport international). – ***Le tourisme*** (1 500 000 personnes par an) permet de combler partiellement le déficit de la balance commerciale. – Les exportations concernent les produits tropicaux (coton, café, sucre), les produits de l'élevage et de la pêche, les minerais (zinc, plomb, cuivre, argent, sel, soufre), les légumes et les fruits, la viande, les produits fabriqués. Les importations concernent surtout les biens d'équipement industriel, le matériel automobile et les produits chimiques. ♦ *Hist.* Le Mexique actuel fut le lieu d'un développement continuel de civilisations. Dès le ~ XXe millénaire, des cultures (dites « archaïques ») existaient dans la vallée de Mexico. L'homme fossile retrouvé à Tepexpan, « chasseur aux armes de bois et de pierre [...], a vécu il y a douze ou quinze mille ans » (Soustelle). Le climat étant devenu plus sec et les grands animaux (mammouths, chevaux) ayant disparu, d'autres civilisations se succédèrent jusqu'à ~ 2000, contemporaines des débuts de la culture du maïs. Les « civilisations moyennes », agricoles, possédaient déjà un art élaboré, comme en témoignent leurs poteries, vanneries et leurs tumulus (probabl. entre ~ 1400 et 200). Vers le ~ Ier s., la région du golfe, le plateau central (région de Mexico) et l'Oaxaca virent apparaître une culture et un art très évolués **(V. Olmèques),** qui ont dû influencer la genèse de l' « ancien empire » maya. Celui-ci apparut au déb. du IVe s. et s'épanouit du VIIe à la fin du VIIIe s., du Yucatán au Guatemala. **V. Maya.** Des civilisations contemporaines (Ier-IXe s., épanouissement entre 600 et 800) se développèrent dans l'Oaxaca (Monte* Albán : Zapotèques), sur le plateau central (Teotihuacán*) et sur le golfe (El* Tajin), manifestant à l'égal des Mayas l'existence de sociétés hiérarchisées, économiquement organisées et puissantes. Ces civilisations sont dites « classiques ». — Au IXe s. apparaissent les Toltèques de Tula* **(V. Toltèques)** prospères jusqu'au XIIe s., mais dont la civilisation s'altère au Xe s., sous l'influence de nouvelles tribus. La migration mythique de Quetzalcoatl à la fin du Xe s. correspond à cet affaiblissement et à la renaissance maya de 987 (« nouvel empire »), qui donna naissance à une civilisation mixte, maya-toltèque **(V. Chichén-Itzá).** Mayapán* y domina par une sorte de ligue (jusqu'en 1204), puis par la puissance guerrière de tribus de la région du golfe (période « mexicaine », jusqu'en 1441). Aux mêmes époques, les tribus du Nord (Chichimèques) s'installèrent sur le plateau et se sédentarisèrent (XIIIe s.); de nombreuses villes furent fondées, dont les dynasties de chefs luttèrent pour l'hégémonie. Les tribus des *Mexica,* venues d'Aztlán, fondèrent leur cap. Tenochtitlán (Mexico) en 1325 et se donnèrent leur premier souverain cinquante ans plus tard. **V. Aztèques.** Profitant de la rivalité entre deux tribus dominantes, les Aztèques organisèrent une ligue où dominait Mexico et fondèrent un immense empire prospère de 1430 env. à la chute de Mexico (1521). Les Aztèques avaient soumis les Totonaques, les Zapotèques et les Mixtèques* de l'Oaxaca, échouant seulement devant les Tarasques* du Michoacán. Les Espagnols utilisèrent les sentiments anti-aztèques de certains d'entre eux pour conquérir le pays. Cortés débarqua en 1519 et fonda Veracruz. À l'aide d'alliés indiens et grâce au prestige superstitieux dont il jouissait auprès des Aztèques, il imposa la suzeraineté espagnole à Moctezuma. Mais les Espagnols ayant été chassés de Tenochtitlán en son absence par les Indiens révoltés à la suite du massacre des leurs **(V. Alvarado** [Pedro de]), Cortés, à son retour, prit et rasa leur capitale, sur laquelle fut construite Mexico. **V. Aztèques, Cortés.** Cortés fut gouverneur jusqu'en 1527 et le Mexique devint en 1535 la *vice-royauté de la Nouvelle-Espagne* **(V. Mendoza** [Antonio de]). La conquête se poursuivit jusqu'à la fin du XVIIe s., s'étendant vers le N. (Nouveau-Mexique, conquis en 1598 par J. de Oñate) et le S. (réduction des Mayas). Malgré l'action modératrice de l'Église (le 1er évêché date de 1527) et les décrets du pape Paul III (1537), les Indiens furent exploités, décimés, pratiquement réduits à l'esclavage. L'évangélisation, souvent brutale, s'accompagna de la destruction des civilisations indiennes et de la lutte contre les religions traditionnelles (l'Inquisition à Mexico, 1571), en même temps que d'un important effort d'éducation. La population indienne était réduite à 1 500 000 v. 1650 (le chiffre pour 1519 est inconnu, mais très supérieur). Malgré un effort de réformes économiques **(V. Gálvez** [José de]**),** le monopole espagnol fut de plus en plus mal supporté, tant par les Blancs que par les Indiens et les métis. En 1810, un mouvement pour chasser les Espagnols s'organisa **(V. Hidalgo y Costilla, Morelos y Pavón),** et en 1813 le congrès de Chilpancingo proclama l'indépendance; Morelos fut battu par les royalistes, mais un ancien chef royaliste **(V. Iturbide** [Agustín]**)** réalisa l'union des créoles et fit signer au vice-roi le traité de Córdoba qui consacrait l'indépendance (1821). La république fut proclamée en 1824 (Constitution). Sous la dictature épisodique de Santa* Anna, le Mexique connut une ère de troubles et de revers militaires (guerre avec les États-Unis, perte du Nouveau-Mexique, du Texas, de la Californie au traité de Guadalupe Hidalgo [1848]). En 1855, victoire des libéraux **(V. Juárez).** Après une guerre civile, Juárez l'emporta sur les conservateurs (1861), mais il dut suspendre la dette extérieure et la France, l'Angleterre et l'Espagne intervinrent militairement. Les propositions de Juárez furent rejetées par Napoléon III qui souhaitait créer un empire catholique en Amérique latine au bénéfice de la France et envahit le Mexique. **V.** ***ci-dessous*** **Mexique** (guerre du). Maximilien fut déposé et fusillé (juin 1867). Après la présidence de Juárez, la longue dictature de Porfirio Díaz* (1876-1911) développa l'économie au prix d'une politique d'injustice sociale et d'exploitation de la paysannerie indienne. Le libéral Madero*, ayant chassé Díaz, ne put maîtriser les courants révolutionnaires populaires **(V. Villa** [Pancho]**, Zapata);** il fut assassiné (1913). Au milieu des troubles, V. Carranza* fit adopter la Constitution de 1917 et préconisa une politique socialisante. Sous la présidence d'Obregón (1920-1924) commença l'application de la réforme agraire. Son assassinat par un catholique et la violente résistance catholique déclenchèrent sous Calles* (1924-1928) une politique anticléricale extrêmement dure et parfois meurtrière. Calles exilé, L. Cárdenas* mena une politique d'indépendance économique et de modernisation, tout en apaisant les luttes religieuses. Après plusieurs présidences où la politique de Cárdenas est continuée (Camacho, 1940-1946; Alemán, 1946-1952; Cortines, 1952-1958; Mateos, 1958-1964; Díaz Ordaz, 1964-1970; Echeverria, 1970-1976; López Portillo), le Mexique connaît un régime de démocratie à parti unique. Le *Partido Revolucionario Institucional* (P.R.I.), fondé par Calles, cherche à concilier toutes les tendances. — Depuis Miguel Alemán, l'économie se développe rapidement, tant dans le secteur public (dû à Cárdenas) que privé; la réforme et la modernisation agraires se poursuivent. Tous ces efforts sont d'autant plus indispensables que le Mexique doit faire face à une véritable explosion démographique (de 14 millions en 1920 à 35 en 1960 et près de 50 en 1970).

MEXIQUE *(guerre du).* ♦ Intervention française décidée et réalisée par Napoléon* III **(V. Empire** [Second]**)** pour établir au Mexique un empire au bénéfice de Maximilien d'Autriche. Dès 1845, à la demande du gouvernement du Nicaragua, qui souhaitait le percement d'un canal interocéanique, Louis-Napoléon Bonaparte avait formulé un projet de mise en valeur des contrées jusqu'alors inexploitées d'Amérique centrale, tout en y instaurant une nation latine face à la nation anglo-saxonne des États-Unis. Après l'avènement des libéraux au Mexique, le président Juárez décida la suspension de la dette intérieure et extérieure de son pays et le prélèvement d'une taxe sur les capitaux. Craignant pour les intérêts de leurs représentants au Mexique, les gouvernements britannique, espagnol et français lui adressèrent une protestation et envoyèrent des troupes qui débarquèrent fin 1861 à Veracruz. L'Angleterre et l'Espagne ayant signé avec Juárez* la convention de Soledad (fév. 1862), Napoléon III, en partie poussé par Morny* qui lui-même soutenait les intérêts du financier Jecker*, décida la poursuite des opérations au Mexique. Un corps expéditionnaire français échoua devant Puebla (mai 1862); après un siège qui dura de mars à juin 1863, Forey* réussit à prendre la ville et à provoquer la capitulation de Mexico. Maximilien* d'Autriche arrivé au Mexique, où il fut proclamé empereur, s'attira rapidement par sa politique l'hostilité de la droite catholique et de la gauche libérale, et suscita de nombreuses intrigues contre lui, dont celle de Bazaine*, remplaçant de Forey. La fin de la guerre de Sécession permit aux États-Unis d'apporter leur aide au président Juárez, dont les troupes n'avaient cessé de poursuivre depuis 1863 une guerre de guérilla. En 1866, les États-Unis exigèrent du gouvernement français le retrait de ses troupes; celles-ci quittèrent le Mexique (fév. 1867). Maximilien, resté au Mexique, fut fait prisonnier et fusillé à Querétaro (19 juin 1867). L'expédition du Mexique constitua un des grands échecs de la politique extérieure du Second Empire.

MEXIQUE *(golfe du). n. m.* ♦ Golfe de la partie occidentale de l'océan Atlantique qui baigne la côte S. des États-Unis (Mississippi*, Louisiane*, Texas*) ainsi que la côte orientale du Mexique. Il est fermé par la presqu'île de Floride* et la presqu'île mexicaine de Yucatán entre lesquelles se trouve l'île de Cuba; il communique avec la mer des Antilles par le détroit de Yucatán et avec l'Atlantique par le détroit de Floride. Les côtes mexicaines sont basses et lagunaires, les plaines côtières sont couvertes de forêts tropicales

Ph. Hétier

Mexique : piroguier indien de la tribu des Lacandons près de Bonampak.

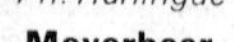
Ph. Harlingue-Viollet

Meyerbeer.

Coll. Viollet

Arthur Meyer.

abondamment arrosées. Pêche. — *Fl.* tributaires du golfe. **V. Alabama, Colorado, Rio Grande, Mississippi, Red River.** *Princ. V.* (au bord du golfe) **V. Corpus Christi, Havane (La), Tampa, Tampico, Veracruz;** (à proximité) **Houston** et **New Orleans.**

MEYER (Conrad Ferdinand). ♦ Romancier et poète suisse d'expression allemande (Zurich, 1825 – Kilchberg, près de Zurich, 1898). Nourri de culture germanique, mais aussi française et italienne (qu'il découvrit en partie à travers l'œuvre de J. Burckhardt), il a laissé une œuvre qui exprime ces différentes influences. Ses poèmes (*Vingt Ballades,* 1864; *Les Derniers Jours de Hutten,* 1871; *Poésies lyriques,* 1892) contiennent les premiers exemples de lyrisme symbolique dans la littérature allemande. Ses récits, ses nouvelles, qui s'inspirent généralement de faits historiques, témoignent d'un souci de rigueur, d'objectivité, tout en laissant apparaître les problèmes, voire les obsessions de cet écrivain névrosé, déraciné et pessimiste, partagé entre son rigorisme calviniste et un culte des hommes forts (*Jürg Jenatsch,* 1876; *Le Saint,* 1879, histoire stylisée de Thomas Becket; *Les Noces du moine,* 1884; *Tentation de Pescara,* 1887; *Angela Borgia,* 1891).

MEYER (Arthur). ♦ Journaliste français (Le Havre, 1844 – Paris, 1924). Fondateur avec E. Tarbé du journal *le Gaulois* (1875) qui, en 1879, devint un des organes des monarchistes, il soutint Boulanger et adopta ensuite des positions violemment antidreyfusardes.

MEYER (Viktor). ♦ Chimiste allemand (Berlin, 1848 – Heidelberg, 1897). Il mit au point une méthode de mesure des densités de vapeur et développa en chimie organique l'emploi de ce qu'il appela la *stéréochimie.* **V. Le Bel, Van't Hoff.**

MEYERBEER (Giacomo) [Jakob Liebmann BEER, dit]. ♦ Compositeur allemand (Berlin, 1791 – Paris, 1864). Pianiste très précoce, il fut l'élève de Clementi. Nommé compositeur de la cour de Hesse, il se rendit en Italie, puis s'installa à Paris (1826) où il s'associa à Scribe. Il devait ensuite assumer les fonctions de directeur général de la musique à Berlin (1842). Ses opéras, d'abord inspirés de ceux de Rossini, réalisent la synthèse entre les influences italienne, française et allemande (*Robert le Diable,* 1831; *Les Huguenots,* 1836; *Le Prophète,* 1849; *Le Pardon de Ploërmel,* 1859; *L'Africaine,* posthume, 1865). Bien que Meyerbeer excelle dans les grandes scènes historiques, son style apparaît artificiel et souvent parodique. Très appréciée en France au XIXe s., son œuvre le fut moins en Allemagne. Il composa également de la musique d'église, des œuvres symphoniques, des cantates et des mélodies.

MEYERHOF (Otto). ♦ Physiologiste allemand (Hanovre, 1884 – Philadelphie, 1951). Il obtint le prix Nobel de méd. (1922), avec A.V. Hill*, pour ses travaux sur la transformation de l'énergie dans le muscle.

MEYERHOLD (Vsevolod Emilievitch) [*Mejerxold*]. ♦ Metteur en scène russe (Penza, 1874 – 1942). Il débuta comme acteur au Théâtre d'art de Stanislavski* (1898). En désaccord avec ce dernier, il fonda la *Société du nouveau drame* (1902) puis, s'étant à nouveau rapproché de Stanislavski, le premier studio du Théâtre d'art (1905). Après une collaboration éphémère au Théâtre dramatique de Vera Kommissarjevskaïa* (1906-1907), il devint metteur en scène des théâtres impériaux (1908-1917) où il monta de fastueux spectacles (*Dom Juan,* de Molière; *Le Bal masqué,* de Lermontov), sans renoncer pour autant à la recherche, sous la triple influence du nô japonais, de la commedia dell'arte italienne et du ballet russe. La révolution de 1917 vit l'adaptation immédiate de Meyerhold au nouvel ordre politique. Inaugurant le premier théâtre de la république des Soviets (1920), il voulut faire coïncider l'avant-garde et la politique révolutionnaire. En libérant la scène, en la dotant d'une architecture fixe, avec une machinerie apparente, en utilisant des écrans et des plateaux tournants, il réalisait les premières mises en scène du *constructivisme.* Il renouvela la mise en scène de textes classiques (*Le Cocu magnifique,* 1922; *Le Revizor,* 1926; *Le malheur d'avoir trop d'esprit, La Forêt,* 1927), devenus de simples prétextes à une démonstration révolutionnaire, dans l'éclairage du marxisme. Plus syncrétique que synthétique, l'œuvre de Meyerhold devait susciter la critique la plus sévère du pouvoir, entraîner la dissolution de sa troupe (1938), sa propre arrestation (1939) et finalement son exécution (1942). Il fut réhabilité après la mort de Staline.

MEYERSON (Émile). ♦ Savant et philosophe français d'origine polonaise (Lublin, 1859 – Paris, 1933). À l'encontre du conventionalisme et du positivisme, il affirma que la connaissance scientifique vise à expliquer les phénomènes, à en connaître les causes effectives, en ramenant le divers, l'hétérogène à l'unité, à l'homogène. (*Identité et Réalité,* 1908, *De l'explication dans les sciences,* 1921; *Du cheminement de la pensée,* 1931.)

MEYLAN [mɛlɑ̃]. ♦ Comm. de l'Isère, arr. et aggl. de Grenoble. 6 680 hab.

MEYMAC [mɛmak]. ♦ Ch.-l. de cant. de la Corrèze*, arr. d'Ussel*, au S. du plateau de Millevaches. 2 691 hab. (1 756 aggl.). Église du XIIe s., romane et gothique; anc. abbatiale bénédictine. Maisons anciennes.

MEYNELL (Alice Christiana Gertrude Thompson). ♦ Poétesse et essayiste anglaise (Barnes, Surrey, 1847 – Londres, 1922). Marquée par son enfance en Italie, elle se convertit au catholicisme et fonda avec son mari deux revues catholiques, *Weekly Register* (1883-1895) et *Merry England* (1881-1898). Sa poésie (*Préludes,* 1875; *Poèmes,* 1893; *Père des femmes,* 1917; *Derniers Poèmes,* posth. 1923) se rapproche de celle d'Elizabeth Barrett Browning* et de Christina Rossetti. Parmi ses principaux essais, il faut noter *Le Rythme de la vie* (1893), *La Couleur de la vie* (1896), *Les Enfants* (1897).

MEYRINK (Gustav). ♦ Romancier autrichien (Vienne, 1868 – Starnberg, 1932). Fantastiques et sataniques, ses romans, en particulier *Le Golem* (1915) qui s'inspire de récits cabalistiques et qui fut porté à l'écran, sont aussi chargés d'intentions satiriques à l'égard du monde moderne (*Le Visage vert,* 1916; *La Nuit de Walpurgis,* 1917.)

MEYRUEIS. ♦ Ch.-l. de cant. de la Lozère (arr. de Florac), au contact du causse Méjean* et de l'Aigoual*. 1 142 hab. *(Meyrueisiens).* Tour de l'Horloge. Centre touristique pour la visite des Cévennes*, des Causses*, des gorges du Tarn*, de la grotte de Dargilan*. — Marché agricole.

MEYSSAC [mɛsak]. ♦ Ch.-l. de cant. de la Corrèze*, arr. de Brive*-la-Gaillarde. 1 134 hab. [749 aggl.] *(Meyssacois).* Ville bâtie en grès rouge. Poteries d'art.

MEYZIEUX [mɛzjø]. ♦ Ch.-l. de cant. du Rhône*, arr. de Lyon*. 10 446 hab. Produits chimiques; matières plastiques. Hôpital psychiatrique.

MÈZE. ♦ Ch.-l. de cant. de l'Hérault, arr. de Montpellier. 5 005 hab. (4 641 aggl.). Vestiges de remparts; église (XVe s.). Centre de conchyliculture.

MÉZENC [mɛzɛ̃k]. *n. m.* ♦ Massif volcanique du S.-O. du Velay* (1 754 m).

MÉZERAY (François EUDES de). ♦ Historien français (Ri, près d'Argentan, 1610 – Paris, 1683). Frère du fondateur de la congrégation des Eudistes, il publia une *Histoire de France* (1643-1651), suivie quelques années plus tard d'un *Abrégé chronologique* (1668). Il prit part à la Fronde. Esprit caustique, il aurait écrit des pamphlets politiques contre Mazarin, puis contre la politique fiscale de Colbert, qui lui firent perdre ses fonctions d'historiographe du roi. (Acad. fr., 1649.)

MÉZIDON. ♦ Ch.-l. de cant. du Calvados* (arr. de Lisieux*), sur la Dives*. 3 388 hab. Indus. alimentaire.

MÉZIÈRES. ♦ Ch.-l. du dép. des Ardennes, réuni administrativement (en 1966) à Charleville* et à trois autres communes, pour former la préf. de Charleville*-Mézières, sur la Meuse. 55 230 hab. *(Macériens).* Basilique gothique (XVe-*déb.* XVIIe s.). Remparts du XVIe siècle. Porte Neuve (1600). Hôtel de la préfecture (1732); anc. école du génie où Monge enseigna de 1764 à 1784. — Indus. artisanale (brosserie). Métallurgie (fonderies, ferronnerie, fabrication de grues, de bétonnières et de pelleteuses). — Patrie de Félix Savart*. ♦ *Hist.* Château fort (son nom dérive du lat. *Maceriae,* « murailles »), Mézières appartint au Xe s. aux comtes de Rethel. Les Liégeois s'y réfugièrent en 1214 (victoire de Philippe Auguste à Bouvines). Sous François Ier, la ville fut défendue par Bayard (1521) contre les attaques du comte de Nassau. En 1606, la création par Charles de Gonzague de la ville de Charleville, dotée de privilèges économiques et douaniers, nuisit au commerce de Mézières. Investie par les Allemands en 1870, la ville subit encore l'occupation allemande au cours des deux guerres mondiales.

MÉZIÈRES-EN-BRENNE. ♦ Ch.-l. de cant. de l'Indre, arr. de Le Blanc. 1 232 hab. — Église du XIVe siècle. Vestiges du château et des remparts.

MÉZIN. ♦ Ch.-l. de cant. du Lot*-et-Garonne, arr. de Nérac*, près du confluent de la Gélisse et de l'Auzone. 2 032 hab. *(Mézinais).* Église romane et gothique. Patrie de A. Fallières (statue).

MEZZETIN (Angelo COSTANTINI, dit). ♦ Acteur de la Comédie-Italienne (Vérone, 1654 – *id.,* 1729). D'abord acteur dans la troupe de l'hôtel de Bourgogne, il passa à la Comédie-Italienne où son interprétation du personnage d'Arlequin le rendit fameux. Par la poésie délicate dont il enrichit le modèle primitif, il fut digne d'inspirer Watteau.

MEZZOGIORNO. *n. m.*, en fr. « Midi ». ♦ Ensemble des régions du Sud italien comprenant le Latium* méridional, les Abruzzes*, la Campanie*, la Basilicate*, la Calabre*, les Pouilles*, la Sicile* et la Sardaigne*. 131 000 km². 19 400 000 hab., *Cap.* Naples*. Ces régions se caractérisent par un sous-développement très marqué par rapport au nord de l'Italie. Cette situation est due à divers facteurs : facteurs physiques (stérilité et exiguïté des terres arables, 87 % du sol étant occupé par des montagnes et des collines ; irrégularités climatiques : alternance de sécheresse et de pluies) : facteurs socio-économiques (croissance démographique accélérée, chômage endémique, revenu individuel très bas, vieillissement des structures agraires) ; facteurs historiques, enfin (l'unité italienne ayant favorisé le développement du N. au détriment de celui du S.). — *Écon.* Les rendements agricoles sont particulièrement bas. On cultive les céréales (blé dur, orge, maïs), des arbres fruitiers (figuiers, caroubiers, agrumes), la vigne. L'élevage ovin et caprin est développé. Les princ. ressources du sous-sol sont : le pétrole (Abruzzes*, Sicile*), raffiné à Naples, Bari, Augusta et en Sardaigne ; les hydrocarbures (Sicile*) ; les métaux non ferreux (Sardaigne*) et la bauxite (Abruzzes*, Pouilles*). Une importante centrale atomique a été installée à Garigliano*. — La région est relativement peu industrialisée. La plupart des villes sont de gros bourgs aux fonctions urbaines incomplètes. Naples* est le plus grand centre industriel (aciéries, raffinerie de pétrole, ind. chimiques, alimentaires). La chimie est localisée à Brindisi*, Crotone* et à l'O. et au S. de la Sicile*, et la métallurgie à Tarente* et Brindisi*. Depuis 1950, un organisme financier, la *Cassa per il Mezzogiorno* (Caisse du Midi), essaie d'améliorer les conditions socio-économiques. Une réforme agraire (1950) et de vastes travaux d'aménagement ont été entrepris. Le *plan Vannoni* (1954) et le *plan de développement économique* (1965-1969) se sont efforcés de lutter contre le chômage et, créant des emplois nouveaux, d'atténuer le déséquilibre économique entre le N. et le S. Dans les années 1960-1970, l'organisation du territoire du Sud italien s'est poursuivie. Des « zones de développement global » ont été aménagées (zones industrielles de Bari, Tarente, Brindisi, Ferrandina, Lecce). D'importants complexes industriels ont été implantés : l'aciérie *Italsider* de Tarente, la plus moderne d'Europe (4,5 millions de t d'acier en 1972, 10 millions prévus pour 1975) doit être complétée par une raffinerie, une cimenterie, un complexe électromécanique et un port. Dans le domaine de la chimie, il faut citer la raffinerie ANIC de Gela (Sicile) et celle de Sarroch (Sardaigne). Des complexes chimiques se sont récemment implantés à Pisticci, Manfredonia (engrais azotés), Raguse (polyéthylène ; ciment). Un grand centre électrochimique est projeté en Sicile (plan 1971-1975). En outre, l'ENI (entreprise nationale des hydrocarbures) poursuit son entreprise de « méthanisation » du Sud (méthanoduc La Spezia-Grosseto). Par ailleurs, la décentralisation de Fiat, d'Alfa-Romeo (usine Alfa-Sud de Naples-Bagnoli) et d'Olivetti sont les princ. réalisations dans le domaine de l'indus. mécanique. Des efforts notables ont été effectués dans l'aménagement des infrastructures (routes, voies ferrées, aéroports, ouvrages portuaires, adductions d'eau, aménagement de zones touristiques en Calabre et en Sardaigne). Cet effort se poursuit sous l'égide de l'État, qui pratique une politique « d'incitation » en faveur de l'implantation de nouvelles usines dans le Sud et poursuit, par l'intermédiaire d'instituts spécialisés (par exemple, l'I.A.S.M., Institut d'assistance au développement du Mezzogiorno) une politique d'assistance financière et technique.

MGAR-STONG-RCHAN-YUL-GSUNG. ♦ Ministre tibétain du roi Srong*-bcan Sgam-po (VIIᵉ s.) qui conquit le Türkestân* oriental et le Baltistân*. Il alla en Chine chercher une épouse chinoise pour son roi. Disgracié par le successeur de Srong-bcan Sgam-po, il se coupa lui-même la tête.

MIAJA MENANT (José). ♦ Général espagnol (Oviedo, 1878 — Mexico, 1958). Il fut un des rares généraux espagnols qui restèrent fidèles à la République lors du soulèvement franquiste de 1936 ; il joua un grand rôle comme défenseur de Madrid lors du siège de cette ville (oct.-nov. 1936).

MIAMI. ♦ V. des États-Unis, sur la côte E. de la Floride (au S.), à l'embouchure de la riv. Miami. 331 553 hab. La zone urbaine *(Greater Miami)* comprenant *Miami Beach* (sur l'Atlantique, de l'autre côté de la baie de Biscayne), Coral Gables, Hialeah, *North Miami Beach, South Miami,* etc., atteint 1 260 000 hab. L'intense activité touristique et l'importance exceptionnelle de la construction (hôtels, etc.) n'excluent pas un développement industriel différencié (vêtements, matières plastiques, électronique). — Université.

MIAO. *n. m. pl.* ♦ Groupe ethnique et linguistique du S. de la Chine qui pénétra au XIXᵉ s. au N. du Viêt-nam et au Laos (où ils sont appelés *Meo*), y apportant la culture du pavot à opium.

MIAOULIS (Andréas Vokos, dit). ♦ Amiral grec (Eubée, 1768 — Athènes, 1835). Riche armateur établi à Hydra*, il prit part à l'insurrection nationale et fut nommé au commandement des forces navales (1822). Il remporta des victoires qui le rendirent célèbre, notamment la destruction de la flotte égyptienne à Méthone (1825). **V. Kanáris.** Opposé à la politique pro-russe de Capo* d'Istria, il prit la tête de la révolte des Hydriotes et, bloqué par une escadre russe à Poros, il fit incendier la flotte grecque (1831).

MIASKOVSKY (Nikolaï Yakovlevitch). ♦ Compositeur russe (Novoguéorgievsk, 1881 — Moscou, 1950). Élève de Glière, de Liadov et de Rimski-Korsakov, il enseigna au conservatoire de Moscou à partir de 1920. Son œuvre, conforme aux directives du réalisme socialiste, comprend vingt-sept symphonies, des pièces pour orchestre militaire, de la musique chorale, de chambre, pour piano, et des mélodies. Il a publié de remarquables études sur Cl. Debussy et compta parmi ses élèves Kabalevsky et Khatchatourian.

MIASS. ♦ V. d'U.R.S.S. (R.S.F.S. de Russie), dans la région de Tcheliabinsk, sur la riv. Miass (647 km). 132 000 hab. Usine d'automobiles.

MICHAUX (*les frères* **Ernest** et **Pierre**). ♦ Inventeurs français. Charrons de Paris, ils inventèrent le bicycle à entraînement direct, en montant des pédales sur la roue avant de la draisienne (1861). **V. Drais.**

MICHAUX (Henri). ♦ Poète français d'origine belge (Namur, 1899). Poursuivant une expérience solitaire et pathétique, il a affirmé, dès son premier recueil, *Qui je fus* (1927), une révolte inspirée par l'hostilité qu'il ressent de la part du monde et par l'opacité qu'a pour lui l'univers. Animé d'une défiance radicale à l'égard du langage et de sa fallacieuse cohérence, il le désarticule avec une exaltation qui n'exclut ni l'humour ni l'expression d'une anxiété originelle dont il tente, par la violence, de s'affranchir. Le langage devient alors pour Michaux pur exorcisme. Mise en accusation permanente de la médiocrité du réel, son œuvre poétique, riche en sarcasmes, en invectives, en imprécations et en extravagances verbales d'une étonnante hardiesse, est l'expression d'un déchirement d'essence métaphysique. Si un voyage autour du monde (1928), voyage au cours duquel il séjourne en Amérique du Sud et en Extrême-Orient, l'a conduit à la découverte de mœurs et de paysages *étrangers* (*Ecuador,* 1929 ; *Un barbare en Asie,* 1932), il tient aussi que la seule aventure est d'ordre intérieur. Ses œuvres poétiques, souvent composées en une prose lapidaire et riche en inventions lexicales, évoquent le monde intérieur (*La nuit remue,* 1934), la difficulté de vivre (*Plume,* 1937) et leur projection fantastique en des mondes imaginaires d'une effrayante et magique cruauté (*Voyage en Grande Garabagne,* 1936 ; *Au pays de la magie,* 1942). Explorateur de l'inconscient et du rêve, il va tenter, par l'usage des stupéfiants (mescaline), une exploration, en quête de cette rupture avec le temps et l'espace (*Misérable miracle,* 1955). Cette exploration se continue avec *L'Infini turbulent* (1957), *Connaissance par les gouffres* (1961), *Les Grandes Épreuves de l'esprit* (1966). Ayant commencé à dessiner et à peindre dès 1926, il substitua de plus en plus l'expression graphique au poème, les êtres humains apparaissant dans ses compositions fantasmagoriques sous l'aspect de figures filiformes, dans de vastes mouvements idéographiques (*Meidosems,* 1948 ; *Mouvements,* 1951). Si Michaux a recueilli le meilleur de l'héritage surréaliste, il en a

Arch. Smeets

Henri Michaux : « Composition », 1970.
(Galerie le Point cardinal, Paris.)

poursuivi les plus hauts desseins avec une remarquable rigueur. Autres œuvres : *Épreuves, Exorcismes* (1945), *Face aux verrous* (1954), *Façons d'endormi, Façons d'éveillé* (1969).

MICHÉE. ♦ Prophète juif, originaire de Morésheth-Gath, près d'Hébron, contemporain d'Isaïe* (fin ~ VIIIe s.).

Michée *(livre de).* ♦ Livre biblique, un des douze petits prophètes (sept chapitres). I à III remontent sans doute au prophète ; le reste est postérieur à la déportation à Babylone (~ 587). Annonce d'un messie* devant naître à Bethléem (V, 1).

MICHEL ou **MICHAËL** *(saint).* ♦ Dans la Bible (*Daniel,* X, 13), ange préposé au peuple juif. Dans la tradition chrétienne, archange fêté le 29 septembre. — *Iconogr.* Peintures de Van der Weyden (Beaune), Raphaël (1502, Louvre), Rubens (Detroit).

MICHEL. ♦ Nom de souverains, classés dans l'ordre suivant : *a*) *Byzance ; b*) roi de *Pologne ; c*) roi de *Portugal ; d*) roi de *Roumanie ; e*) tsar de *Russie ; f*) prince de *Serbie.*

MICHEL Ier Rangabé. ♦ (mort en 843). Empereur byzantin (811-813). Défavorable aux iconoclastes, il s'attira l'hostilité de l'armée et, après sa défaite, infligée par les Bulgares, fut déposé par Léon* V.

MICHEL II le Bègue. ♦ (mort en 829). Empereur byzantin (820-829). Général, issu d'un milieu modeste, il fut à l'origine de l'avènement de Léon* V. Condamné à mort pour avoir conspiré contre celui-ci, il parvint à le faire assassiner et lui succéda. Il pratiqua une politique de tolérance religieuse, mais il ne put empêcher les Serbes d'enlever à l'empire la Dalmatie et les Arabes de s'emparer de la Crète et de la Sicile.

MICHEL III l'Ivrogne. ♦ (839 — 867). Empereur byzantin (842-867). Petit-fils du précédent et fils de Théophile, il régna d'abord sous la tutelle de sa mère Théodora, qui rétablit le culte des images. En 856, il associa au trône son oncle Bardas qui protégea les lettres, entreprit avec succès la conversion des Slaves et nomma Photios* patriarche, précipitant ainsi le schisme avec Rome. Sous l'influence de son nouveau favori Basile* le Macédonien, il l'aida à faire assassiner Bardas (866), puis il fut assassiné lui-même par Basile.

MICHEL IV le Paphlagonien. ♦ (mort en 1041). Empereur byzantin (1034-1041). Frère de l'eunuque Jean Orphanotrophe, il devint l'amant de l'impératrice Zoé*, puis son deuxième mari et empereur. Épileptique, dévoué à la religion et incapable, il laissa le gouvernement à son frère, puis abdiqua et prit l'habit religieux.

MICHEL V le Calfat. ♦ Empereur byzantin (1041-1042). Neveu du précédent, adopté par l'impératrice Zoé, il succéda à son oncle et essaya de se débarrasser de Zoé en l'enfermant dans un couvent. Mais, renversé par une émeute, il fut aveuglé et cloîtré.

MICHEL VI Stratiotikos. ♦ (mort en 1059). Empereur byzantin (1056-1057), le dernier de la dynastie macédonienne. Général désigné par les eunuques, il succéda à Théodora mais, devant la révolte de l'armée hostile à la noblesse civile, il dut abdiquer et se retira au couvent, remplacé par Isaac* Ier, représentant l'aristocratie militaire et terrienne.

Arch. Rencontre

Saint Michel. Icône du XIe s. (Trésor de Saint-Marc, Venise.)

MICHEL VII DOUKAS Parapinakès. ♦ Empereur byzantin (1071-1078). Mineur à la mort de son père Constantin* X, il monta sur le trône lorsque son beau-père Romain IV eut été fait prisonnier par les Saljuqides. Élève de Psellos*, adonné aux études théologiques, il laissa les affaires d'État à ses ministres. Tandis que les Normands s'emparaient de l'Italie méridionale et que l'Empire était menacé de tous côtés, les chefs de l'armée révoltée se proclamaient empereurs ; Michel abdiqua et fut nommé archevêque d'Éphèse.

MICHEL VIII PALÉOLOGUE. ♦ (1224 — 1282). Empereur byzantin de Nicée* (1259) et de Constantinople (1261-1282), fondateur de la dernière dynastie byzantine. Proclamé coempereur de Nicée après l'assassinat du régent **(V. Jean IV),** il vainquit Guillaume de Villehardouin et le despote d'Épire, restaura l'Empire byzantin de Constantinople (1261) et éloigna l'héritier légitime, Jean IV, en lui faisant crever les yeux. Il utilisa la force des armes et surtout son habileté diplomatique à la lutte contre l'Occident. Il accorda des privilèges commerciaux à Gênes pour contrebalancer la puissance de Venise et reconnut la primauté romaine signant l'union des Églises au concile de Lyon (1274) pour neutraliser la papauté et empêcher les projets de Charles d'Anjou. Il contribua aux Vêpres siciliennes (1282) qui éliminèrent la puissance angevine. Mais l'union des Églises ne put être effective, et pendant son règne la défense contre les Serbes au N. et contre les Turcs à l'E. fut négligée.

MICHEL IX PALÉOLOGUE. ♦ (1277 — 1320). Empereur byzantin (1295-1320), il fut associé au trône par son père Andronic* II.

MICHEL WIŚNIOWIECKI. ♦ (1638 — Lwów, 1673). Roi de Pologne* (1669-1673). Descendant des Jagellons, élu roi de Pologne après l'abdication de Casimir* V, il céda la Podolie aux Turcs et l'Ukraine aux Cosaques. Jean* III Sobieski lui succéda.

MICHEL Ier, en port. **Miguel.** ♦ (Queluz, 1802 — Brombach, Allemagne, 1866). Roi de Portugal (1828-1834). Fils de Jean* VI, il se mit à la tête des absolutistes et usurpa à sa fiancée, Marie* II, le trône du Portugal (1828). Il commença à persécuter les libéraux, mais son frère Pierre* Ier, empereur du Brésil, vint rétablir sa fille sur le trône. Vaincu après une longue guerre civile, Michel Ier dut abdiquer (1834).

MICHEL Ier. ♦ (Sinaïa, 1921). Roi de Roumanie (1927-1930 et 1940-1947). Il devint roi à la mort de Ferdinand Ier sous la tutelle d'un conseil de régence. Son père Carol II prit le pouvoir en 1930 et il redevint roi à son abdication en 1940. Il ne put s'opposer à l'institution de la dictature par Antonescu* mais le fit arrêter lors de la défaite du Reich. Il ne put empêcher l'institution du régime communiste et dut abdiquer.

MICHEL III Fédorovitch [*Fiodorovich*]. ♦ (1596 — Moscou, 1645). Tsar de Russie (1613-1645). Premier tsar de la dynastie des Romanov*, il fut élu à l'âge de dix-sept ans par le *Zemski Sobor* (états généraux russes) avec lequel il gouverna, avant d'être puissamment secondé par son père (1619-1633), le patriarche Philarète (Fédor Nikititch Romanov). Il s'attacha à pacifier le pays, qui traversait, depuis la mort d'Ivan* IV le Terrible (1584), une crise profonde (on appelle cette période « le Temps des troubles »). À l'extérieur, il fit la paix avec la Suède (1617) et la Pologne (1634). Son fils Alexis* Ier Mikhaïlovitch lui succéda.

MICHEL OBRENOVITCH. ♦ (Kragujevac, 1823 — Toptchider, près de Belgrade, 1868). Prince de Serbie (1839-1842 et 1860-1868). Fils de Miloch* Obrenovitch, il succéda à son frère Milan mais dut abdiquer. A la mort de Miloch, il redevint prince de Serbie, rentra à Belgrade libérée par les Turcs (1867) mais fut assassiné par les Karageorgévitch.

MICHEL (Jehan). ♦ Poète dramatique français (Angers v. 1430 — 1501). Docteur en médecine et poète, il procéda au remaniement du *Mystère de la Passion,* d'Arnoul Gréban*, pour une représentation de cette œuvre donnée à Angers en 1486. Ses additions témoignent d'une invention poétique souvent savoureuse et charmante.

MICHEL (Georges). ♦ Peintre et dessinateur français (Paris, 1768 — *id.,* 1843). Restaurateur de tableaux anciens, admirateur de Ruysdael* et de Rembrandt*, il abandonna les paysages mythologiques et s'attacha à peindre les environs de Paris et les moulins de Montmartre. Le caractère dramatique de sa vision, la liberté de facture de plusieurs de ses œuvres aux larges empâtements en font l'un des initiateurs du paysage romantique et de l'école de Barbizon* *(Orage sur la vallée de la Seine).*

MICHEL (Francisque). ♦ Érudit français (Lyon, 1809 — Paris, 1887). Il fit éditer de nombreux textes de littérature médiévale, parmi lesquels *La Chanson de Roland, Le Roman de la rose,* et publia par ailleurs des ouvrages d'érudition sur les sujets les plus divers, des travaux sur la civilisation du Pays basque, sur l'histoire du commerce et de la navigation à Bordeaux, des *Études de philologie comparée sur l'argot* (1856).

MICHEL (Clémence Louise, dite **Louise).** ♦ Révolutionnaire anarchiste française (Vroncourt-la-Côte, Haute-Marne, 1830 ou 1833 ? — Marseille, 1905). Institutrice à Paris (1856), elle milita dans l'opposition républicaine, adhéra à la Ire Internationale et participa activement à la Commune de Paris. Condamnée, elle fut déportée à Nouméa (1873), où elle se lia avec la population canaque et les Kabyles (déportés après leur insurrection). Amnistiée (1880), « la bonne Louise » ne cessa de lutter pour la libération des « damnés de la terre ». Elle a laissé une œuvre littéraire importante (discours, poèmes, romans, et *La Commune, histoire et souvenirs).*

MICHEL (André). ♦ Historien d'art français (Montpellier, 1853 – Paris, 1925). Élève de Taine, auteur de travaux sur *Boucher* (1886), sur l'*École française de David à Delacroix* (1890), il assuma la direction d'une importante *Histoire de l'art* (1896, achevée par P. Vitry en 1929).

MICHEL-ANGE (Michelangelo BUONARROTI, dit). ♦ Sculpteur, peintre, architecte, ingénieur et poète italien (Caprese, près d'Arezzo, 1475 – Rome, 1564). Les milieux humanistes du début du XVIe s. étaient déjà conscients qu'avec Michel-Ange s'était réalisé le mythe néo-platonicien du génie saturnien, solitaire, se dressant tel un démiurge afin d'affronter la matière brute et lui arracher une forme latente destinée à visualiser l'Idée. Michel-Ange situait la sculpture au sommet de la hiérarchie des arts. Et la démarche picturale, où le coloris soumis au dessin n'est destiné qu'à rendre le volume par le modelé, fut pour lui analogique à celle de la sculpture. Léonard*, son aîné de vingt-trois ans, représenta une vision antithétique élevant la peinture, miroir magique de la nature, au-dessus de tous les arts, ne donnant aucune place au problème religieux dans son esquisse d'une théorie du savoir alors que Michel-Ange situait le salut de l'âme au centre de ses préoccupations artistiques et intellectuelles. Là où l'un proposait des règles méthodiques et techniques (savoir objectif, positif), l'autre produisait des poèmes violents illustrant l'angoisse de la destinée humaine. Les débuts de Michel-Ange ne sont pas élucidés ; on sait cependant qu'il passa chez Ghirlandajo* qui lui enseigna la peinture et qu'il suivit les leçons du sculpteur Bertoldo. Mais cet enseignement ne determina guère la manière de Michel-Ange, qui renoua directement avec l'antique et avec l'art monumental toscan (Giotto*, Masaccio*, Donatello*). Dès ses premières sculptures, il sut assimiler ces influences. Ainsi le *Combat des Lapithes et des Centaures* (v. 1490, Bargello, Florence), tout en s'inspirant de la composition des sarcophages romains, révèle-t-il déjà le style tumultueux qui sera toujours le sien, tandis que la *Vierge à l'escalier* (v. 1491, casa Buonarroti, Florence) offre un bas-relief écrasé à la Donatello. Simultanément, Laurent de Médicis*, lui accordant sa faveur, lui permit d'étudier à loisir sa collection d'antiques et d'entrer en contact direct avec les humanistes de l'académie de Careggi (Politien*, Landino*, Pic* de la Mirandole) qui lui enseignèrent les préceptes néo-platoniciens et lui inculquèrent la volonté d'un syncrétisme entre la sagesse grecque et la foi chrétienne. Après la mort de Laurent (1492), au moment où une invasion menaçait Florence, Michel-Ange partit à Venise (1494) et séjourna ensuite à Bologne où il exécuta trois statuettes pour la châsse de saint Dominique (1494) dans le style de Jacopo* della Quercia. Après un retour à Florence, où il fut impressionné par les prédications eschatologiques de Savonarole*, il résida à Rome (1496-1501) où il composa une *Pietà* en marbre commandée par un cardinal français (1498-1499, basilique Saint-Pierre) : premier chef-d'œuvre, cette pietà traite le pathétique du thème d'une manière douce, concentrée dans le visage suave de la Vierge dont l'immense drapé laisse détaché le corps nu du Christ gisant. De nouveau à Florence (1501-1505), Michel-Ange y eut une grande activité grâce à la politique de prestige menée par le gonfalonier Soderini. D'un bloc de marbre jugé inutilisable, il tailla son *David* (1501-1504 ; placé sur la place de la Seigneurie jusqu'en 1873 ; de nos jours, conservé à l'Académie) aux formes géantes, à l'anatomie différenciée ; le faible déploiement des membres y est compensé par un déhanchement *(contrapposto)* surprenant, faisant basculer le corps vers la droite et rendant sensible la tension dans le repos. Il exécuta aussi des *tondi* (grands médaillons) dont deux bas-reliefs (*Madone Pitti*, 1505, Bargello ; *Madone à l'oiseau*, v. 1505, Royal Academy, Londres), jouant sur les possibilités de combinaison du « fini » et du « non-fini », et une peinture *a tempera* (*Tondo Doni*, 1503, Offices) où il inséra derrière le groupe ondulant et serré de la Sainte Famille des éléments de pastorale païenne (des éphèbes aux diverses poses). Pour la décoration de la salle du Conseil du palais de la Seigneurie, on lui commanda une fresque illustrant la *Bataille de Cascina* (1504-1506). Il se trouva alors en conflit ouvert avec Léonard qui avait à peindre la *Bataille d'Anghiari* pour la même commande. Mais ces deux œuvres ne dépassèrent pas le stade du carton. Celui de Michel-Ange (disparu ; connu par une copie de Bastiano de San Gallo) représentait les Florentins en train de se baigner dans l'Arno et affolés par l'attaque surprise des Pisans. La variété des attitudes, la richesse de l'expression, la précision de l'anatomie contenues dans cette œuvre consacrèrent sa réputation de peintre. En 1505, Michel-Ange repartit à Rome pour exécuter le mausolée de Jules* II ; le projet grandiose qu'il élabora fut suspendu un an plus tard. Mais, en 1508, le même Jules II lui confia le décor de la voûte de la chapelle Sixtine, fresque gigantesque (40 m de long ; 13 m de large) que Michel-Ange acheva en 1512. Comme divers maîtres du Quattrocento avaient déjà peint sur les murs l'histoire de l'humanité *sub Lege* et *sub Gratia* (cycles de la vie de Moïse et du Christ), il restait à compléter l'ensemble en illustrant l'histoire de l'humanité *ante Legum*. Cependant, au sens biblique de la Genèse, Michel-Ange superposa une signification néo-platonicienne évoquant l'idée du retour de l'âme humaine libérée du corps à Dieu, à la source, à l'essence. Aussi l'ordonnance de l'ensemble se trouve-t-elle justifiée. Dans une zone inférieure (lunettes et triangles courbés des fenêtres) sont évoqués en grisaille les malheurs de l'humanité d'après la Bible (niveau terrestre). Une seconde zone est occupée par les figures types de l'inspiration et de la voyance (douze prophètes et sibylles) qui, par leurs carrures puissantes, semblent soutenir la voûte massive (niveau intermédiaire). Dans la partie supérieure – découpée par une forte corniche où se meuvent les *ignudi* (adolescents nus symbolisant par diverses torsions les émotions multiples de l'âme) – sont peints à même la voûte neuf panneaux illustrant la Genèse (niveau céleste). De droite *(Ivresse de Noé)* à gauche *(Dieu séparant la lumière des ténèbres)*, la composition rigoureuse et géométrique se libère au fur et à mesure pour proposer enfin un monde aérien, flottant et comme éthéré. Aboutissement du dessin linéaire et précis des Florentins amplifié par la monumentalité romaine, cet ensemble impressionnant offre aussi une synthèse formelle (dominée par un cadre intentionnellement classique) puisant ses motifs dans les grands cycles narratifs du Quattrocento et du Trecento comme dans les œuvres antiques. En 1513, on fit à nouveau appel à Michel-Ange pour reprendre le projet de sépulture du pape Jules II. L'intention néo-platonicienne du premier projet est encore plus élaborée et plus explicite qu'à la Sixtine. Mais les six projets successifs (1505-1545) éliminèrent progressivement le programme néo-platonicien. Le monument actuel, à Saint-Pierre-aux-Liens (Rome), est la dernière version. Michel-Ange vécut cet échec comme la tragédie de sa vie. Le projet initial (1505) proposait un édifice libre organisant un étagement symbolique déchiffré par Panofsky : sur l'étage inférieur courait une suite de victoires (symbolisant l'âme humaine en état de liberté) et d'esclaves enchaînés (représentant l'âme « captive de la matière »). Au-dessus, aux quatre coins de la plate-forme devaient figurer les statues monumentales de la *Vita activa* et de la *Vita contemplativa* accompagnées de celles de Moïse et de saint Paul. Sur une seconde plate-forme, plus haut, deux anges, l'un souriant (heureux de recevoir l'âme du pape parmi les élus), l'autre pleurant (affligé de la perte que vient de subir le monde), portent un cercueil surmonté de l'effigie du pape assis. À l'origine donc, ce monument était censé représenter un triomphe spirituel. Mais, dès 1513, le projet fut réduit et modifié par l'ajout d'une *capelletta* avec sa Madone et ses Saints. Le *Moïse*, les *Esclaves* du Louvre et de l'Académie et la *Victoire* de la Seigneurie furent exécutés en fonction de ce projet. En 1516, le monument fut encore simplifié. En 1542, enfin, les esclaves et les victoires furent écartés. Mais l'artiste eut une autre occasion pour illustrer ses croyances et sa culture néo-platonicienne en exécutant lors de son dernier séjour florentin (1516-1534) la chapelle funéraire des Médicis à San Lorenzo. Dans cette œuvre, Michel-Ange prévoyait l'association intégrale des trois arts (architecture, sculpture et peinture) exprimant la synthèse entre la culture classique et la foi chrétienne dans la perspective du salut. Aussi l'« enveloppe » architecturale suit-elle le même schéma hiérarchique que le programme strictement funéraire : la zone inférieure recouverte de marbre blanc contrastant violemment avec l'encadrement gris de la *Pietra serena*

Arch. Rencontre

Michel-Ange : « Ignudo », voûte de la chapelle Sixtine, Vatican.

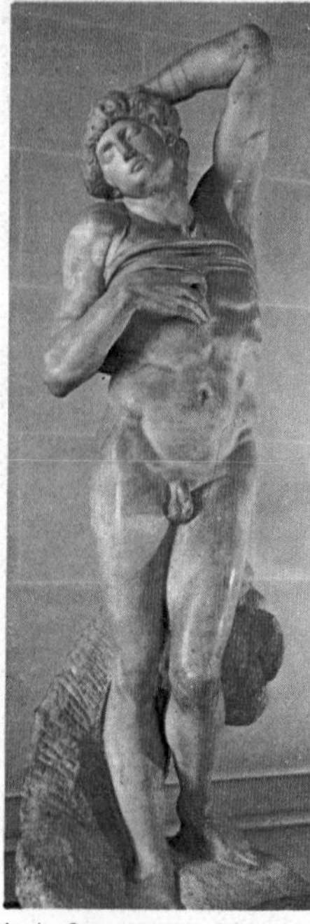

Arch. Smeets

Michel-Ange :
« Esclave mourant ».
(Musée du Louvre, Paris.)

Arch. Rencontre

Michel-Ange :
« Esclave rebelle ».
(Musée du Louvre, Paris.)

est laissée dans des ténèbres relatives, telle une crypte. Une architecture plus rationnelle, parcimonieusement éclairée, sert de zone intermédiaire tandis que la coupole — le niveau céleste — est baignée par une lumière crue. À l'intérieur de cet espace hiérarchisé par la lumière se font face les tombeaux des ducs : *Julien* (symbole de l'action associée à la générosité, à l'autorité, à l'ouverture, à Jupiter) et *Laurent* (symbole de la contemplation associée à la parcimonie, à la mélancolie, à la solitude, à Saturne). Les ducs trônent sur les sarcophages au-dessus des statues couchées du *Jour* et de la *Nuit* de l'*Aurore* et du *Crépuscule* (symboles des quatre aspects de la vie sur terre où la souffrance est un acte). Selon le projet initial devaient figurer à un niveau inférieur les quatre fleuves de l'Enfer (symbole du « quadruple aspect de la matière » dans son état brut, source de tout mal). Outre la *Madone* et les deux saints patrons de la famille des Médicis vers qui les regards des deux ducs sont tournés, des scènes bibliques et évangéliques étaient prévues pour décorer les lunettes *(Résurrection, Serpent d'airain, Judith)*. En 1524, Michel-Ange fut, par ailleurs, chargé de la construction de la bibliothèque des Médicis attenante à San Lorenzo. Il la dota d'une entrée *(ricetto)* qu'il laissa inachevée et qu'Ammanati (1560) termina selon ses dessins. L'espace réservé à cette entrée étant bien plus haut que long ou large, Michel-Ange y conçut un découpage cherchant à produire un effet d'étrangeté. Il y agença des formes habituellement destinées aux façades monumentales : les colonnes s'enfoncent dans les murs plus qu'elles ne portent, les volutes surgissent des parois telles des excroissances, l'escalier semble se déverser vers le sol. Si tous les éléments utilisés sont tirés du lexique classique, Michel-Ange les détourna tant de leur esprit que de leurs fonctions. Cette « esthétique de la perversion » a permis de déceler et de classer un courant architectural parallèle à ce que fut le maniérisme en peinture. — Portant un amour passionné et platonique au jeune romain Tomaso Cavalieri depuis 1532, Michel-Ange s'installa définitivement à Rome, à la suite de la mort de son père (1534). Il écrivit en cette période des poèmes désespérés et réalisa des dessins très souples *(Ganymède, Tityos, Phaéton)*. Paul III, le nouveau pape, lui commanda en 1536 le *Jugement dernier* (mur du fond de la chapelle Sixtine, 17 m × 13 m). Il y travailla jusqu'en 1541. Œuvre de transition, cette fresque révèle l'abandon de toute référence à l'idéologie païenne et propose un espace visionnaire, prélude aux conquêtes baroques, entièrement régi par les attitudes spirituelles (ascensionnel à gauche pour les élus ; en avalanche à droite pour les damnés autour d'un Christ puissant et coléreux, tel un Jupiter). Les corps brunâtres tourbillonnent sur un fond azur ; seul le mouvement total importe. Cependant dans les détails, les références formelles à l'antique persistent (torse du Belvédère, groupe de Niobé, etc.). Sa dernière œuvre peinte développe cette tendance spirituelle (*Crucifixion de saint Pierre; Conversion de saint Paul,* 1542-1545 ; chapelle Pauline, Vatican) ; l'espace transparent, incorporel, les formes dégrossies et les gestes comprimés y évoquent les représentations médiévales et révèlent un besoin de pénitence. Après avoir déploré sa participation aux « fables du monde », Michel-Ange chercha refuge auprès du Christ. Déjà, depuis 1537, il était en rapport avec Vittoria Colonna et les réformateurs catholiques qui l'entouraient. L'amitié que lui accorda cette dame fut sa dernière satisfaction. En 1547, Michel-Ange devint l'architecte officiel de la papauté ; il dirigea les travaux de la coupole de Saint-Pierre (terminés par Giacomo della* Porta) ; il aménagea le projet de *Sainte-Marie-des-Anges* dans les anciens thermes de Dioclétien (1561) ; il dessina l'étonnante *Porta Pia* (v. 1560) ; il acheva le *palais Farnèse* qu'il dota de sa puissante corniche ; enfin et surtout, il conçut l'ordonnance de la *place du Capitole* en adoptant un plan trapézoïdal suggérant un effet perspectif et en dotant les façades des deux palais latéraux de pilastres colossaux insistant sur la brutalité du rapport entre horizontales et verticales. Ne sculptant plus que pour lui-même, Michel-Ange exécuta en ces dernières années trois *Pietà* : celle du Dôme de Florence reste encore solidement construite selon une composition pyramidale (v. 1550-1555) ; la *Pietà de Palestrina* (Académie, Florence : 1550-1555) montre un Christ épuisé, effondré sur sa mère et rappelant l'étreinte des médiévales pietà germaniques ; enfin la *Pietà Rondanini* (Castello Sforza, Milan ; 1555-1564), inachevée, confond le Christ et la Vierge dans une même masse douloureuse, pathétique. Michel-Ange mourut en 1564 alors que sa gloire était déjà consacrée par le livre de Vasari (1550) et la biographie de Condivi (1553). — Si Raphaël*, Dürer* et Léonard* étaient surtout préoccupés par la proportion du corps humain et par l'organisation stabilisée de l'espace, Michel-Ange insistait plus sur la valeur du mouvement et soumettait ses productions à ses croyances et à ses hantises. Les formes sont chez lui fondamentalement mouvementées et distordues. Historiquement, Dürer et Raphaël travaillaient dans l'esprit du classicisme renaissant tandis que Michel-Ange ouvrit des voies nouvelles (maniérisme, baroque).

MICHELET (Jules). ♦ Historien et écrivain français (Paris, 1798 — Hyères, 1874). Au sortir d'une adolescence laborieuse, où il travailla dans l'imprimerie de son père tout en poursuivant de brillantes études, il fut chargé du cours d'histoire ancienne à l'École normale supérieure et se passionna pour la philosophie de l'histoire, à la lecture de Victor Cousin*, de Herder* et surtout de Vico* (auquel il empruntera le principe de « l'humanité qui se crée »). Nommé chef de la section historique aux Archives nationales (1831), il orienta ses recherches vers le passé national et entreprit son *Histoire de France*, dont six volumes (des origines à la mort de Louis XI) parurent de 1833 à 1844. Rompant avec le catholicisme, il développa ses idées démocratiques durant ses cours, très suivis, au Collège de France (depuis 1838, avec E. Quinet* et A. Mickiewicz*) et, pour mieux comprendre la monarchie absolue, aborda au préalable l'*Histoire de la Révolution française* (sept volumes, de 1847 à 1853), œuvre engagée et inspirée, enthousiaste mais remarquablement documentée. Destitué, après 1851, de toutes ses fonctions officielles, Michelet conféra aux derniers volumes de l'*Histoire de France* (de Louis XI à Louis XVI, 1855-1867) l'allure d'une polémique politique. Dans sa retraite, coupée par des voyages en province qui inspirèrent ses études de nature (dont *L'Oiseau,* 1856 ; *La Mer,* 1861), il continua cependant à affirmer sa tendresse pour l'humanité (*L'Amour,* 1859 ; *La Femme,* 1860) ou son espoir en l'avenir (*La Bible de l'humanité,* 1864). La mort l'empêcha d'achever son *Histoire du XIXe siècle* (trois volumes, de 1872 à 1875). Il laissait un *Journal intime.* L'œuvre historique de Michelet est celle d'un savant doublé d'un artiste ; cherchant dans l'histoire une « résurrection de la vie intégrale », il s'appuie sur une documentation rigoureuse qui concerne non seulement les événements, mais aussi bien la « base géographique » (« telle est la patrie, tel est l'homme ») et tous les aspects de la vie du passé. La synthèse de ces éléments vient nourrir sa philosophie de l'histoire (Cf. la *Préface* de 1869) qui considère l'évolution de l'humanité comme « un puissant travail de soi sur soi ». Ce mouvement historique s'incarne en de grandes figures présentées symboliquement suivant un mouvement, tantôt lyrique, tantôt épique. Cette histoire est donc véritablement poétique, portée par une prose au rythme nerveux, souvent haletant (parfois organisé en versets où abondent les vers blancs de six, huit et douze syllabes), et utilisant des métaphores saisissantes qui font de Michelet un grand prosateur romantique, original et audacieux.

MICHELIN *(les frères).* ♦ Industriels français. ANDRÉ (Paris, 1853 — *id.,* 1931) et ÉDOUARD (Clermont-Ferrand, 1859 — Orcines; Puy-de-Dôme, 1940). En 1891, Édouard imagina le pneumatique démontable pour la bicyclette. Les deux frères s'intéressèrent ensuite à la voiture à cheval et réalisèrent le premier pneu pour fiacre (1894). Enfin, en 1895, Édouard fit breveter le premier pneumatique démontable destiné aux voitures automobiles. Le *Guide Michelin* fut créé par André en 1900, suivi par une série de cartes concernant la France et quelques autres pays. Il s'attacha au problème de numérotage et de balisage des routes (1911). Les deux frères fondèrent d'importantes œuvres sociales, et appliquèrent les principes d'organisation du travail. ♦ FRANÇOIS MICHELIN (Clermont-Ferrand, 1926). Fils d'Étienne Michelin. Héritier du fondateur de la Compagnie Michelin, il est également, depuis 1968, administrateur de Citroën.

MICHELOZZO di Bartolomeo (Michelozzi). ♦ Architecte, sculpteur et ornemaniste italien (Florence, 1396 — *id.*, 1472). Élève de Ghiberti*, collaborateur de Donatello* et disciple, en architecture, de Brunelleschi*, il employa surtout ses talents de sculpteur à orner ses édifices. Cosme de Médicis, qu'il avait suivi en exil, lui confia en 1437 la reconstruction du couvent dominicain de San Marco **(V. Angelico, Savonarole)**. Dans les demeures civiles, il développa le thème du *cortile*, comme au Palazzo Vecchio (1439-1454) et au palais Médicis (Riccardi) où il a donné, en jouant sur les bossages et la corniche, une version allégée, très souvent imitée, du « palais-bloc » florentin (1444-1459). À la chapelle Portinari, à Sant'Eustorgio de Milan (1462), il lui plut d'agrémenter dans le goût lombard la simplicité brunelleschienne. Il travailla aussi pour le palais des Recteurs à Raguse (1462-1464).

MICHELS (Roberto). ♦ Sociologue et économiste italien d'origine allemande (Cologne, 1876 — Rome, 1936). Auteur d'une étude sur *Les Partis politiques, essai sur les tendances oligarchiques des démocraties* (1911), sur *Le Socialisme et le Fascisme comme courants politiques* (1925), d'une *Histoire du marxisme en Italie*, d'un *Cours de sociologie politique* (1927) qui font de lui un des fondateurs de la sociologie politique. Il fut d'abord attiré par le marxisme, puis par le fascisme.

MICHELSON (Albert). ♦ Physicien américain (Strzelno, Pologne, 1852 — Pasadena, Californie, 1931). Il est l'inventeur d'un interféromètre dont la grande sensibilité lui permit de faire des mesures précises de la vitesse de la lumière. Ses célèbres expériences, menées d'abord seul (1881), puis en collaboration avec Morley* (1887), dans le but de déceler un éventuel « vent d'éther » (qui serait alors dû à un entraînement par la Terre en mouvement) eurent des résultats négatifs qui sont à l'origine de la théorie de la relativité. **V. Fitzgerald, Lorentz, Einstein.** (Prix Nobel de phys., 1907.)

MICHIGAN *(lac)*, en angl. **Lake Michigan.** ♦ L'un des Grands Lacs* américains (57 994 km²); orienté N.-S., il communique au N.-E. avec le lac Huron (détroit de Mackinac), par lequel il est relié aux autres Grands Lacs. Il est situé en territoire des États-Unis (Michigan au N. et à l'E.; Wisconsin à l'O.; Illinois et Indiana au S.). Milwaukee*, Racine*, Chicago*, Gary* sont sur ses rives ouest et sud.

MICHIGAN *n. m.* (mots indiens, *michi* « grand », *gami* « eau »). ♦ État du centre N. des États-Unis, formé par deux péninsules. 150 779 km² (sans les lacs; l'État revendique 250 504 km² avec les eaux). 8 875 083 hab. (1970). *Cap.* Lansing. *V. princ.* **V. Dearborn, Detroit, Flint, Grand Rapids, Saginaw. V.** *aussi* **Ann Arbor.** — *Orogr.* La péninsule N. est une pénéplaine où affleure le bouclier canadien. Au S., des collines et un relief glaciaire (lacs, moraines). Forêts; nombreux lacs et rivières. — *Écon.* L'agriculture est basée sur la production de fruits et l'élevage laitier. L'exploitation de la forêt est importante. Nombreux minéraux (fer, cuivre, sel). Gaz naturel (près de 900 000 000 de m³). L'indus. automobile produit 40 % des véhicules des États-Unis **(V. Detroit)**. — Patrie de R. Flaherty*, G. Seaborg*, Cl. Shannon*. ♦ *Hist.* Colonisée par les Français après 1618, la région, devenue britannique puis occupée par les États-Unis (1787-1796), fut réoccupée par les Anglais (1812-1813). Le Michigan devint un État de l'Union (le 26ᵉ) en 1837. Le développement indus. au XXᵉ s. a dépendu en grande partie du développement de l'automobile (Ford).

MICHNA. ♦ V. MISHNAH.

MICHOACÁN. ♦ État du Mexique central proche du Pacifique. 59 864 km². 2 320 000 hab. *Cap.* Morelia*. *Autres villes :* **V. Pátzcuaro, Uruapán.** Il s'étend sur la sierra Madre* occidentale et jouit d'un climat subtropical tempéré par l'altitude. Cultures de canne à sucre, de tabac, de céréales. Richesses minérales (argent, or, plomb, mercure, tungstène, ...). Engraissement du bétail du Sonora (à Zacapu). Au S.-O. de Morelia s'élève le volcan du Paricutin. — Patrie de L. Cárdenas*, qui fut gouverneur de l'État, de Morelos* y Pavón.

MICIPSA. ♦ (mort en ~ 118). Roi de Numidie (~ 148-~ 118). Fils de Masinissa* et oncle de Jugurtha*, il gouverna sous la tutelle des Romains.

Mickey Mouse. ♦ Personnage de dessins animés, créé par Walt Disney. Souris anthropomorphe à la physionomie rieuse et mobile, vêtue d'une culotte courte laissant passer une longue queue, de grosses chaussures et de gants blancs à quatre doigts, Mickey est un personnage ambigu, ni homme ni animal. Le spectateur adulte comme l'enfant eut tôt fait de s'identifier à ce petit personnage malin, actif et hardi. Une ébauche de Mickey apparut pour la première fois vers 1928 : il s'appelait alors *Mortimer*. Il prit son nom définitif dans le premier dessin animé sonore de Walt Disney, *Steamboat Willie*. Plusieurs des films de la série des Mickey sont de remarquables réussites et eurent une influence durable sur le cinéma d'animation. On peut citer entre autres *L'Orchestre de Mickey, Les Nettoyeurs de pendules, L'Apprenti sorcier (Fantasia)* qui illustrait le poème symphonique de Paul Dukas. La firme Disney cessa de produire des Mickey originaux v. 1955, mais la carrière du personnage se poursuivit dans la bande dessinée.

MICKIEWICZ (Adam). ♦ Le plus célèbre des poètes polonais (Zaosje, près de Nowogródek, en Lituanie, auj. Biélorussie, 1798 — Péra, faub. de Constantinople, 1855). Étudiant à l'université de Wilno (*auj.* Vilnius) [1815-1819], il anima dès 1817 une société secrète d'étudiants, les « Philomates », dont l'objectif principal était de propager les idées patriotiques contre l'oppression tsariste. Professeur au gymnase de Kovno (*auj.* Kaunas) de 1819 à 1823, il y écrivit son premier poème important, *Ode à la jeunesse* (*Oda do młodości*, 1920), et devint le chef incontesté de la jeune école romantique polonaise après la publication de son premier recueil de poésies (*Poezje*, 1822) qui comportait les *Ballades et Romances (Ballady i Romanse)* et d'autres pièces lyriques. Dans son deuxième tome de *Poésies* (1823) furent insérés un poème épique, *Grazyna*, et deux parties d'un drame fantastique, les *Aïeux (Dziady)* ou *La Fête des morts*. Arrêté en oct. 1823 avec la majorité des « Philomates », il fut condamné à l'exil en Russie (oct. 1824) et nommé professeur au lycée d'Odessa (mars 1825), où il lui fut interdit d'enseigner. Il visita la Crimée, qui lui inspira les *Sonnets de Crimée* (*Sonety Krymskie*, 1826), méditation lyrique d'inspiration orientaliste, puis fut envoyé à Moscou (déc. 1826) où il se lia avec Pouchkine* et rédigea un grand poème dramatique sur le mode byronien : *Konrad Wallenrod* (publié en 1828 à Saint-Pétersbourg). Autorisé à quitter la Russie, il se rendit en Allemagne (où il rencontra Goethe à Weimar), en Suisse, puis en Italie où il apprit le soulèvement de la Pologne (1830) qu'il tenta de rejoindre avant de se replier sur Dresde. De cette époque datent les poèmes à sujets militaires : *La Redoute d'Ordon (Reduta Ordona), La Mort du colonel (Smierć pułkownika)* et la dernière partie des *Aïeux*, où il évoque la souffrance et les sentiments révolutionnaires de son peuple. Installé à Paris (août 1832), il devint le chef spirituel des Polonais émigrés et publia *Le Livre de la nation et des pèlerins polonais* (*Księgi narodu i pielgrzymstwa polskiego*, déc. 1932) avant d'écrire son chef-d'œuvre *Monsieur Thadée* (*Pan Tadeusz*, 1934), épopée historique et familière en douze chants où il décrit les mœurs et les coutumes lituaniennes. Nommé professeur de littérature latine à Lausanne (1839), il revint à Paris pour enseigner les littératures slaves au Collège de France (1840), mais fut suspendu de ses fonctions (1844) en raison du caractère messianique de son enseignement. Après avoir organisé en Italie une légion polonaise contre l'Autriche (1848), il se rendit en Turquie pour préparer une nouvelle légion contre la Russie (guerre de Crimée). Frappé de choléra, il mourut à Constantinople. Sa statue fut érigée à Paris par Bourdelle*.

MICMACS ou **SOURIQUOIS.** *n. m. pl.* ♦ Indiens d'Amérique du Nord, faisant partie des Algonquins*, qui étaient établis sur les côtes de Nouvelle-Écosse et de Gaspésie, puis à Terre-Neuve. Ils étaient 3 500 au XVIIᵉ s. et sont auj. très peu nombreux.

Micromégas. ♦ Conte philosophique (1752) où Voltaire*, s'inspirant de *Gulliver* de Swift*, exploite de façon neuve le thème pascalien des deux infinis, dans le but d'illustrer la relativité universelle. Gigantesque voyageur de l'espace, un habitant de Sirius, Micromégas (Petit-grand), va de globe en globe en compagnie du secrétaire de l'Académie de Saturne. Arrivé sur la Terre, il découvre une humanité démesurément orgueilleuse bien qu'infiniment petite, mais qui est capable, si elle sait éviter les vaines spéculations métaphysiques, de perfectionner sa connaissance de la nature. Ce récit est caractéristique de la manière de Voltaire, par la vivacité mordante des divers épisodes où sont raillés nombre de systèmes philosophiques en une langue elliptique et limpide.

MICRONÉSIE. *n. f.* (du gr. *micros*, « petit », et *nêsos*, « île »). ♦ Une des quatre grandes divisions de l'Océanie*, située à l'E. des Philippines, au N. de la Mélanésie et à l'O. de la Polynésie. Elle comprend le groupe des îles Mariannes*, Carolines*, Marshall*, Gilbert* et l'île isolée de Nauru*. 50 000 hab. env. *(Micronésiens*)*. Sauf quelques îles d'origine volcanique, comme Guam*, la plus grande des îles de la Micronésie, l'archipel est formé de bas îlots coralliens. Son extension en latitude et longitude explique les différences climatiques et pluviométriques (sécheresses parfois très longues à proximité de l'équateur). Les îles occidentales sont périodiquement touchées par des typhons. Les ressources principales sont le coprah et les phosphates des îles Nauru et Océan. À l'exception des îles Gilbert*, colonie britannique, de l'île indépendante de

Mickey Mouse, Minnie, Pluto.

Nauru*, de l'île de Guam*, possession extérieure des États-Unis, l'ensemble des archipels forme une zone stratégique placée par l'O.N.U. sous tutelle des États-Unis en 1947 *(United States Trust Territory of the Pacific Islands).* [capitale : Ponape].

MICRONÉSIENS. *n. m. pl.* ♦ Population de la Micronésie*, apparentée aux Polynésiens*, mais de taille plus petite et aux traits mongoloïdes plus prononcés. Ils parlent des dialectes appartenant au groupe malayo-polynésien.

MIDAS. ♦ Roi de Phrygie*, fils de Gordias*. Sous son règne ou sous la dynastie de ce nom (~ VIIIe s.), la Phrygie atteignit son apogée grâce aux mines d'or et de fer qu'elle possédait, mais elle succomba aux invasions des Cimmériens peu après ~ 700. Le roi Midas est le héros de plusieurs légendes très populaires. Ayant rendu Silène*, captif par erreur, à Dionysos*, le dieu lui promet d'exaucer un vœu. Midas demande d'avoir la faculté de changer en or tout ce qu'il touche. Il s'aperçoit bientôt que tout aliment et toute boisson qu'il porte à la bouche se transforment en or. Mourant de soif et de faim, il implore Dionysos de lui reprendre cette faveur. Le dieu lui conseille de se laver dans la source du Pactole* ; depuis lors, ce fleuve roule des paillettes d'or. Avec la même irréflexion, Midas, mêlé comme juge au concours qui opposait Apollon* et Marsyas*, déclare ce dernier meilleur musicien. Apollon, indigné, lui fait pousser des oreilles d'âne. Honteux, Midas cache ses oreilles sous une tiare; son barbier, incapable de garder le silence, confie le secret, qu'il était seul à posséder, à un trou creusé dans le sol. Bientôt, les roseaux se mettent en bruissant à répéter la phrase compromettante : « Midas, le roi Midas a des oreilles d'âne! »

MIDDELBURG. ♦ V. des Pays-Bas (ch.-l. de la Zélande) sur le canal de Walcheren. 29 334 hab. Abbaye des XIIe, XIVe et XVIe siècles. Hôtel de ville (Stadhuis) du XVIe siècle. — Indus. alimentaires et textiles. Engrais. Constructions électriques. Métallurgie.

MIDDENDORF (Alexandre Feodorovitch). ♦ Naturaliste et explorateur russe (Saint-Pétersbourg, *auj.* Leningrad, 1815 — Hellenorm, Livonie, 1894). Après une expédition en Laponie et dans l'océan Arctique (1840), il explora les régions entre le bassin Taïmyr et la mer d'Orkhotsk, étudiant les phénomènes météorologiques et géologiques (1842), puis la Nouvelle-Zemble (Novaia Zemlia) et l'Islande, faisant des observations sur le Gulf Stream (1867).

MIDDLESBROUGH. ♦ V. et port du N. de l'Angleterre (Yorkshire, North Riding), sur l'estuaire de la Tees. 157 400 hab. Nœud ferroviaire et important centre industriel (sidérurgie, métallurgie, chimie).

MIDDLESEX. *n. m.* ♦ Ancien comté d'Angleterre, au N.-O. de Londres, englobé pour une grande part dans le *Greater London* (1965). 601 km². 2 234 550 hab. *Ch.-l.* Brentford. *V. princ.* **V. Enfield, Hampton, Harrow-on-the-Hill, Tottenham, Twickenham.** Patrie de Brook Taylor.

MIDDLETON (Thomas). ♦ Auteur dramatique anglais (Londres, 1570 ? — Newington Butts, 1627). Il débuta au théâtre par des comédies de mœurs inspirées par la société londonienne du début du XVIIe siècle. *Une chaste jeune fille à Cheapside* (*A Chaste Maid in Cheapside,* 1612), pour se consacrer ensuite au drame : *Que les femmes se défient des femmes* (*Women beware Women,* v. 1612) dont l'héroïne est la fameuse courtisane italienne Bianca Capello; ou à la tragédie : *L'Enfant échangé* (*The Changeling,* 1624). De ce théâtre, où la violence des amours passionnelles engendre les crimes les plus affreux, les principaux mérites demeurent, avec le réalisme et la vérité de l'observation, la clarté et la pureté du langage. Il collabora avec J. Fletcher*.

MIDDLETON. ♦ V. du N. de l'Angleterre (Lancashire). 56 700 hab. Important centre textile (cotonnades, soieries).

MIDDLE WEST. *n. m.* (« moyen ouest »). ♦ Région des États-Unis, au S. des Grands Lacs, souvent appelée CENTRE-OUEST par les géographes français et qui correspond à la grande culture du maïs et à l'élevage des bovins pour la viande, avec des zones industrielles dans le Nord. **V. États-Unis; Illinois, Indiana, Iowa, Kentucky, Missouri, Tennessee.**

MIDHAT PACHA. ♦ Homme d'État ottoman (Istanbul, 1822 — Tâ'if, Arabie, 1884). Il exerça diverses fonctions importantes avant de devenir chef du parti Jeune*-Turquie. Il acquit le poste de grand vizir en 1872, fit déposer le sultan Abdül*-Aziz et promulgua une nouvelle constitution. Mais une intrigue de palais le fit renverser en 1877.

MIDI *(aiguille du).* ♦ Sommet du massif du mont Blanc*, dans le dép. de la Haute-Savoie* (3 845 m). Le plus haut téléphérique du monde permet, en deux tronçons, l'accès au sommet à partir de Chamonix*. Un troisième tronçon au-dessus de la vallée Blanche mène à la pointe d'Helbronner (3 452 m), d'où l'on peut rejoindre Courmayeur* en Italie par un autre téléphérique.

MIDI *(dents du).* ♦ Massif des Alpes suisses (Valais) au fond du val d'Illiez. Il culmine à 3 260 mètres.

MIDI *(canal du)* ou **Canal du Languedoc.** ♦ Canal de navigation long de 241 km, reliant la Méditerranée à la Garonne. Il commence à Toulouse et aboutit à l'étang de Thau après avoir franchi le seuil de Naurouze (ou du Lauragais) (altitude 151 m). Œuvre de P. Riquet*, il fut inauguré en 1680. Son trafic reste modeste.

MIDI DE BIGORRE *(pic du).* ♦ Anc. pic d'Arizes (2 877 m) en haut du col du Tourmalet*, Hautes-Pyrénées*. La route des Laquets s'élève jusqu'à 2 650 m; de là, un téléphérique conduit jusqu'au sommet du pic où ont été construits l'observatoire, l'institut de physique du globe et un émetteur de télévision (le plus puissant en France).

MIDI D'OSSAU *(pic du).* ♦ Sommet des Pyrénées*-Atlantiques (2 885 m), dominant le sud de la vallée d'Ossau*.

MIDI-PYRÉNÉES. *n. m.* ♦ La plus étendue des régions (anciennement C.A.R.) françaises. 8 départements. **V. Lot, Aveyron, Tarn-et-Garonne, Tarn, Gers, Garonne (Haute-), Pyrénées (Hautes), Ariège.** 45 602 km², une fois et demie la Belgique (8,2 % de la France). 2 268 200 hab. (4,4 % de la pop. française, 9e rang). 48 hab. au km² (20e rang). Immense amphithéâtre dissymétrique qui regroupe la partie orientale de la Guyenne*-Gascogne*, l'ouest du Languedoc* et le comté de Foix*, elle empiète sur trois ensembles géographiques très différents : la masse puissante des Pyrénées* centrales barrant l'horizon sur quelque 170 km, projetée sans transition depuis la plaine tarbaise à plus de 3 000 m d'altitude et flanquée, en Ariège, des Petites-Pyrénées; l'extrémité méridionale du Massif* central, du Rouergue granitique (600 m) aux causses et à la sévère Montagne Noire (1 200 m); la partie intérieure du Bassin aquitain* enfin, avec son large hémicycle de plateaux intermédiaires — causses du Quercy, 400 m, Albigeois et Lannemezan, 600 m — d'où les plaines tertiaires **(V. Aquitaine)** convergent, avec un réseau hydrographique très dense, vers la vallée de la Garonne (134 m à Toulouse, 55 au confluent du Tarn). Cet équilibre est rompu à l'O., où les rivières de Bigorre se détournent vers l'Adour; et à l'E., où le cadre montagneux s'ouvre sur le Midi méditerranéen par le seuil étroit du Lauragais ou col de Naurouze (191 m). Climat de type aquitain mais l'amplitude annuelle est plus forte (16° à Toulouse). — *Pop.* et *écon.* Affectant les plaines de la Garonne — « région la plus importante par sa fertilité après le nord du Bassin parisien » selon A. Young (1787) — comme les secteurs moins favorisés, le dépeuplement a sévi plus intensément encore qu'en Aquitaine. De 1851 à 1936, croissance de la pop. française : 13 %; recul de celle de la région : — 24 % (de 2 598 000 à 1 936 000 hab. = — 622 000). Le gain de pop., de 1962 à 1968 (+ 123 000) est dû pour les deux tiers à l'immigration (Haute-Garonne + 78 %, Hautes-Pyrénées + 11 %), Aveyron et Gers poursuivant leur déclin (— 3,1 % et — 0,4 %). Parallèlement, lent progrès de l'urbanisation (55 % de citadins contre 48 % en 1962) et diminution globale des actifs agricoles (46,4 % en 1954; 28 % en 1968 avec 232 000 personnes. Haute-Garonne, 13,5 %; Aveyron, 29,2 %; Lot, 41,3 %; Gers, 50,9 %). Plus évolutive, l'agriculture des vallées (Garonne et affl.) dépassait, dès 1962, le revenu agricole moyen. Ailleurs, les problèmes sont les mêmes qu'en Aquitaine*. Exploitations de 20 à 50 ha = 43 % de la S.A.U. mais les « moins de 20 ha » font 60 % du total. Blé (12 000 000 de q avec 30 q/ha). Maïs (3 700 000 q avec 44 q/ha). Vignoble, 116 000 ha (Armagnac, Gaillac). Vergers en extension (28 000 ha). Élevage : bovins (1 330 000 têtes dont 850 000 vaches avec 15 000 000 d'hl de lait); ovins (1 700 000 têtes, 20 % du troupeau national); porcins (850 000 têtes). Pour 13,5 % de la S.A.U. nationale, l'ensemble du Sud-Ouest compte seulement pour 11,5 % en valeur de la production agricole. Bâtiment et Travaux publics exclus — branche importante avec 94 000 personnes sur les 270 000 du secteur secondaire, mais trop artisanale — l'industrialisation manquée au siècle dernier reste très insuffisante malgré l'apport de nouvelles sources d'énergie : pour 17 % de l'électricité française d'origine hydraulique produits dans 149 centrales, 6 % seulement sont consommés sur place; et, comme en Aquitaine, le gaz naturel (Saint-Marcet*, Boussens*) a été en majeure partie détourné de la région. Domaine traditionnel : indus. agricoles et alimentaires, 21 000 personnes (conserves de viande, volailles, fruits, légumes; fromage de Roquefort* : 13 000 t/an, avec 50 000 hl de lait de brebis); matériaux de construction, 10 500 personnes; spécialités renommées, mais trop dispersées (textile, délainage de Mazamet*, centre mondial, ganterie de Millau*, chaussures) occupant quelque 60 000 personnes dans près de 5 000 entreprises. Charbon en déclin (Decazeville* 300 000 t; Carmaux* 1 300 000 t); plomb, tungstène (12 % de la prod. nationale); talc 196 000 t; 95 %). Sidérurgie modernisée (aciers fins de Saint-Juéry*, Decazeville*, Pamiers*). Domaine moderne : électrométallurgie (Ariège et Hautes-Pyrénées); constructions mécanique et électrique (17 000 personnes, Tarbes* et alentours); aérospatiale (Tarbes, Figeac et Toulouse*, avec surtout S.N.I.A.S. — Caravelle et Concorde —, C.N.E.S., 14 000 personnes); indus. chimique (11 000 personnes; engrais azotés 32 % de la prod. française); chlore, produits pharmaceutiques, caoutchouc, textiles artificiels; électronique (dernière venue, 2 000 personnes). L'expansion industrielle et le progrès continu du secteur tertiaire (39,6 %), où concentration et modernisation sont amorcées, commandent le redressement démographique, prévu pour 1985 dans l'hypothèse la plus favorable (2 490 000 hab.), un niveau encore inférieur à celui de 1851. L'aménagement nécessaire des grands axes routiers (par ex. Bordeaux-Marseille) devrait aider à réduire le déséquilibre entre le pôle toulousain (450 000 hab.), appelé à s'étendre de Muret à Montauban et Moissac, et un réseau de « villes moyennes » dont le développement apparaît de plus en plus nécessaire, notamment Albi*, Saint-Juéry, Carmaux et Tarbes (aggl. de 80 000), soucieuses de constituer avec leurs voisines de l'Adour un ensemble capable de s'imposer en face de Bordeaux et Toulouse*. L'évolution de l'Aquitaine* et celle du Midi-Pyrénées s'inscrivent dans un même cadre, celui du Sud-Ouest, caractérisé, dans tous les secteurs, par la faiblesse

Midi-Pyrénées.

de la fonction d'investissement : le secours d'organismes bancaires extérieurs lui est indispensable, de même que tout ce qui pourra stimuler sa propre capacité d'initiative.

MIDLANDS. *n. f. pl.* (« terre du milieu »). ♦ Région du centre de l'Angleterre, comprise entre les Pennines au N., les Cotswold Hills au S., le pays de Galles à l'O. Elle est partagée en deux grandes zones économiques : *East Midlands* (Nottingham*) et *West Midlands* (Birmingham*). C'est une région de plaines marneuses faisant suite à l'Angleterre du S.-E. et abondamment arrosées par la Severn*, l'Avon*, et la Trent*. Elle se consacre surtout à l'élevage bovin ; mais les secteurs les plus secs (Shropshire) pratiquent les labours et le val d'Eversham est voué aux cultures maraîchères et fruitières. L'ouest des Midlands **(V. Black Country)** est, depuis la fin du XVIIIe s., hautement industrialisé. La présence de houille le long de la vallée de la Trent (bassin du Derbyshire-Nottinghamshire-Yorkshire) et le fer (Leicestershire-Northamptonshire) a permis le développement de la grande industrie ; mais l'épuisement du sous-sol a nécessité une reconversion. Les Midlands demeurent cependant l'une des principales régions industrielles d'Angleterre. Les aciéries et la mécanique lourde y ont une importance considérable **(V. Birmingham, Coventry, Derby** [automobiles]**)**, ainsi que la chimie et l'industrie textile : soie (Derby), coton (Nottingham), laine (Leicester*) et textiles artificiels. Le travail du cuir est une spécialité de Leicester-Northampton, celui de la terre réfractaire est localisé autour de Stoke* on Trent (poteries).

MIDLOTHIAN. ♦ Comté du S.-O. de l'Écosse. 948 km². 590 900 hab. *Ch.-l.* Édimbourg*. Houille, papeteries.

MIDOU. *n. m.* ♦ Riv. d'Aquitaine* (105 km), conflue à Mont*-de-Marsan avec la Douze pour former la Midouze*.

MIDOUZE. *n. f.* ♦ Riv. d'Aquitaine, affl. de l'Adour* (43 km), formée de la réunion du Midou* et de la Douze* à Mont-de-Marsan ; elle conflue en aval de Tartas*.

MIDWAY *(îles)*. ♦ Atoll corallien circulaire de l'océan Pacifique N., qui entoure deux îles principales, possession des États-Unis. Lat. 28°13′, long. 177°23′. 2 356 hab. (1960). ♦ *Hist.* La *bataille aéronavale de Midway* (juin 1942) aboutit à une sévère défaite des Japonais.

MIERES. ♦ V. d'Espagne du Nord, dans les Asturies* (prov. d'Oviedo). 70 880 hab. Mines (houille, fer, cinabre, soufre). Important centre sidérurgique.

MIEROSŁAWSKI (Ludwik). ♦ Général polonais (Nemours, 1814 – Paris, 1878). Après avoir participé aux révolutions polonaises de 1830 et de 1846, il organisa en 1848 le soulèvement de Poznań, puis lutta aux côtés des insurgés napolitains et badois en 1849. Réfugié en France, il devint le chef militaire de l'insurrection polonaise de 1863, mais, battu à Radziejów, il se retira à Paris. On lui doit une *Histoire de la révolution de Pologne* (Paris, 1836-1838 ; 4 vol.).

MIES VAN DER ROHE (Ludwig). ♦ Architecte et dessinateur de meubles américain, d'origine allemande (Aachen, 1886 – Chicago, 1969). Fils de maçon, il reçut d'abord une formation artisanale et travailla comme dessinateur dans des agences d'architecte. Il suivit ensuite à Berlin un stage auprès du dessinateur Bruno Paul (1905-1907), puis de Behrens* (1908 à 1911). Il

Ph. U.S.I.S.

L. Mies van der Rohe : Lake Point Tower, Chicago.

conçut à partir de 1919 plusieurs projets novateurs : gratte-ciel à ossature d'acier et paroi transparente en verre; immeuble de bureaux où l'ossature en béton est en retrait des façades (1922) et maison en briques à niveau unique et à espace intérieur continu. Il entra en contact étroit avec les membres du groupe *De Stijl*, dont l'esthétique dépouillée le marqua profondément, et il collabora à la revue *G (Gestaltung)*. En 1926, il devint président du *Deutscher Werkbund*, et édifia le monument à la mémoire de Karl Liebknecht et Rosa Luxemburg, où le puissant effet des masses horizontales révèle l'influence de Berlage* et une tendance expressionniste. Organisant en 1927 l'exposition du Weissenhof à Stuttgart, il fit appel à la plupart des architectes d'avant-garde et édifia lui-même un immeuble où apparaissent les principaux éléments du style dit international. En 1929, il édifia l'une de ses œuvres majeures, le pavillon allemand de l'exposition de Barcelone, aux formes dépouillées orthogonales et aux proportions rigoureuses. Il conçut aussi tout le mobilier à piètement d'acier, encore en vogue aujourd'hui, et réalisa ensuite dans le même esprit la *Maison Tugenhat* à Brno. Succédant à Gropius*, il dirigea le Bauhaus* jusqu'à sa fermeture par les nazis en 1933. Il y défendit un strict rationalisme et prôna l'emploi systématique des éléments standardisés. Installé aux États-Unis en 1937 et devenu directeur de la section d'architecture de l'*Illinois Institute of Technology* à Chicago*. Il édifia dans cette ville de nombreux bâtiments de 1942 à 1956, notamment le *Crown Hall* (1950-1956), où les poutres d'acier à l'extérieur dégagent un vaste espace sans point d'appui. Il y réalisa aussi l'*immeuble de Lake Shore Drive* (1951), ainsi que le *Seagram building* à New York (1958) et le *La Fayette Park* à Détroit. S'imposant comme le maître de l'architecture en fer et verre, il manifesta un sens raffiné des proportions, un grand souci du détail, le goût des formes simples et rigoureuses. À la fin de sa vie, il tenta de tirer un effet plastique de la structure d'acier. Ses nombreux imitateurs lui ont surtout emprunté un type de façade transparente où dominent des effets de lignes verticales.

MIESZKO Ier ou **MIECZYSŁAW**. ♦ Prince de Pologne* (v. 960 – Poznań, 992). Premier Piast* historique, considéré comme le fondateur de la dynastie, il introduisit, par sa conversion (966), le catholicisme en Pologne, fonda le premier évêché à Poznan* en 968, et annexa la Silésie* et la Petite Pologne*. Son fils et successeur Boleslas* Ier, fut le premier roi de Pologne.

MIESZKO II, dit **l'Indolent**. ♦ Roi de Pologne* (1025–1034), fils et successeur de Boleslas* Ier, il perdit la presque totalité des conquêtes de celui-ci.

MIESZKO III, dit **le Vieux**. ♦ (1126 – 1202). Duc de Pologne*. Fils de Boleslas* III, il succéda à son frère Boleslas* IV en 1173, mais fut déposé pour son despotisme et remplacé en 1177 par Casimir* II.

MI FU [*Mi Fou*] ou **MI FEI**. ♦ Peintre chinois (1051 – 1107) et gouverneur militaire. Son style paysagiste appartient à celui dit de l'école du Sud. Les originaux de ses œuvres sont perdus, mais on les connaît par des copies faites par son fils. Bon poète et calligraphe, il écrivit également un traité de l'art du dessin.

MIFUNE TOSHIRO. ♦ Célèbre acteur de cinéma japonais contemporain (1920) qui joua dans un très grand nombre de films (*Rashômon, Les Sept Samurais, La Vie de Oharu, Rickshaw Man, Barbe rouge*, etc.). Il créa en 1960 sa compagnie de production.

MIGENNES. ♦ Comm. de l'Yonne (arr. d'Auxerre), située au N. d'Auxerre. 7 694 hab. Centre ferroviaire de Laroche-Migennes (**V. Laroche-Saint-Cydroine**). Matériel électrique. Matières plastiques. Indus. mécaniques. Menuiseries industrielles.

MIGNARD (Pierre). ♦ Peintre, décorateur et dessinateur français (Troyes, 1612 – Paris, 1695). Élève de Jean Boucher à Bourges, puis de S. Vouet* à Paris, il résida en Italie de 1635 à 1657; Il y admira surtout les Carrache*, le Dominiquin*, Pierre de Cortone*, Guido Reni* et Albani*. Ce long séjour lui valut le surnom de *Mignard le Romain*. Il exécuta des portraits appréciés de l'aristocratie et de petits tableaux imités de Raphaël que l'on appela « mignardes » *(Vierge à la grappe)*. Devenu en 1658 peintre ordinaire de la reine mère Anne d'Autriche, il produisit de nombreuses œuvres religieuses, réalisa des décorations pour des hôtels particuliers *(hôtel d'Épernon)* et obtint surtout un grand succès comme portraitiste *(Mme de la Vallière, Mme de Sévigné, Colbert, Bossuet)*. Il s'opposa violemment à Le* Brun et n'entra à l'Académie qu'en 1690; protégé par Louvois, il fut alors comblé de charges officielles. Brillant coloriste, il manifesta ses dons dans des compositions décoratives : voûte du *Val*-de-Grâce* (1663) aux tonalités claires et acides, composition qui donna prétexte à une violente cabale contre lui et qui fut défendue par Molière *(La Gloire du Val-de-Grâce)*; travaux aux châteaux de *Saint-Cloud* et de *Versailles* (disparus). Comme portraitiste, il n'hésitait pas à flatter ses modèles cherchant à en souligner l'élégance et la grâce *(Fillette faisant des bulles de savon)*.

MIGNE (*abbé* Jacques Paul). ♦ Ecclésiastique et éditeur français (Saint-Flour, 1800 – Paris, 1875). En 1836, il entreprit de publier une *Bibliothèque universelle du clergé* comprenant des collections des Écritures, des théologiens, des orateurs sacrés; des dictionnaires et encyclopédies; et surtout ses *Patrologies** latine et grecque, en tout plus de 1 000 volumes. Son imprimerie du Petit-Montrouge brûla en 1868, son entreprise qu'il avait déjà tenté de sauver par des trafics d'objets religieux périclita. Migne fut finalement condamné à Rome en raison de l'utilisation d'honoraires de messes pour le paiement de factures (1875).

MIGNET (Auguste). ♦ Historien français (Aix-en-Provence, 1796 – Paris, 1884). Rédacteur avec J.A. Manuel* du *Courrier français*, collaborateur de Thiers* au *National*, il est l'auteur de nombreux ouvrages historiques, notamment d'une *Histoire de la Révolution française* [1824]. (Acad. fr.)

Mignon. ♦ Personnage du *Wilhelm* Meister (Années d'apprentissage de)* de Goethe. Avec son vieil ami le harpiste, cette enfant, maladive et mélancolique, qui s'éprend de Wilhelm et meurt finalement de son amour pour lui, est une des figures les plus étranges et les plus touchantes du roman. Goethe en a fait le symbole de la nostalgie du Midi, du pays « où fleurissent les citronniers... » (l'adaptation de Carré et Barbier, pour le livret de l'opéra d'A. Thomas, *Mignon*, porte « le pays où fleurit l'oranger »).

MIGOT (Georges). ♦ Compositeur et musicologue français (Paris, 1891 - *id.*, 1976). Élève de Widor et M. Emmanuel, peintre, poète et esthéticien, nourri des leçons du passé médiéval et de la Renaissance, il a entrepris, dans les domaines de la mélodie, du rythme et de l'harmonie, des recherches fécondes, avec des œuvres lyriques et dépouillées (*Les Agrestides*, 1920; *Monodies*, 1924-1927; quatre *Suites* pour violon, piano, harpe et orgue [1924-1928]). Il retrouve la même sobriété de moyens dans des pièces pour piano destinées aux jeunes enfants (*Petit Livre d'Anne-Marie*, 1939), dans les douze études pour piano du *Zodiaque* (1933) ou dans le cycle de mélodies *Poèmes du Brugnon* (sur des textes de T. Klingsor, 1935). Migot a composé des oratorios christiques, œuvres d'amples proportions qui ont contribué au renouveau de la musique sacrée en France.

MIHAJLOVIĆ (Draža). ♦ Général yougoslave (Ivanjica, 1893 – Belgrade, 1946). Après l'invasion de la Yougoslavie (avr. 1941), il constitua des forces de résistance *(tchetniks)* qui luttèrent contre les Allemands mais aussi contre les *partisans* de Tito*, communistes. Après avoir été nommé ministre de la Guerre par le gouvernement yougoslave de Londres, il fut relevé de ses fonctions et privé, au profit de Tito, de l'appui des Alliés. Condamné à mort pour trahison en 1946, il fut fusillé.

MIHALOVICI (Marcel). ♦ Compositeur français d'origine roumaine (Bucarest, 1898). Élève de d'Indy, il se joignit à l'école de Paris qu'il marqua de son originalité. Imprégnée du folklore roumain, sa musique s'ouvre aussi bien aux techniques du chromatisme qu'à celles de l'atonalité et de l'écriture dodécaphonique. On lui doit des opéras *(L'Intransigeant Pluton, Phèdre, Le Retour)*, sept ballets, des œuvres pour orchestre *(Symphonie pour le temps présent)*, pour piano *(Ricercari)*, de la musique de chambre, plusieurs partitions pour des pièces radiophoniques *(Les Fioretti, Meurtre dans la cathédrale, Orphée)*.

MIHIRAKULA. ♦ Chef des « Huns Blancs » qui envahirent l'Inde du Nord vers 500, succédant à son père Toramâna. Il se signala par les destructions qu'il opéra sur son passage. Il fut finalement vaincu en 528 par une confédération de rois indiens et se réfugia au Cachemire où il disparut vers 532.

Mikado. *n. m.* (« Noble porte »). ♦ Ancien terme japonais désignant le palais impérial puis, par métaphore, l'empereur lui-même. – Ce mot n'est plus guère utilisé au Japon, où l'on préfère les titres honorifiques de *Tenshi* ou de *Tennô*.

MIKHAÏLOVSKI (Nikolaï Konstantinovitch) [*Mixajlovskǐ*]. ♦ Sociologue russe (Saint-Pétersbourg, 1842 – 1904). Il fit partie du groupe populiste extrémiste **(V. Narodniki).** Considérant le capitalisme comme un phénomène accidentel en Russie, il pensait réaliser une société socialiste sans prolétariat, dont la base eut été la communauté paysanne (le « mir »). Il exprima ses idées dans *Qu'est-ce que le progrès?* (1869) et *Lutte pour l'individualité* (1875). Il écrivit des études sur Tourgueniev, Tolstoï, Dostoïevski, Tchekhov et Gorki. Sa doctrine populiste fut critiquée par Plekhanov*, puis par Lénine*.

MIKOÏAN (Anastas Ivanovitch). ♦ Homme politique soviétique (Sanain, anc. gouvernement de Tiflis, auj. Arménie, 1895 –). D'origine arménienne, fils d'un ouvrier, il devint membre du Parti bolchevik en 1915 et fut l'un des leaders du mouvement révolutionnaire dans le Caucase du Sud. Dirigeant l'organisation clandestine de Bakou, il fut arrêté, puis rapidement libéré par les Anglais (1918). Il devint membre du Comité central du Parti (1923), membre du Politburo (1935), puis commissaire du peuple à divers commissariats économiques de 1926 à 1955, avec le titre de ministre depuis 1946. Il fut pendant la Deuxième Guerre mondiale membre du comité d'État à la Défense, chargé de ravitailler les forces armées. En 1952, il devint membre du Præsidium du Comité central du Parti. Après la mort de Staline, ayant soutenu Khrouchtchev*, il fut nommé premier vice-président du Conseil des ministres (1955). Président du Præsidium du Soviet suprême (1964-1965), il ne fut pas réélu au Præsidium du Comité central du Parti (1966), mais resta membre de ce comité.

MIKONOS. ♦ **V.** MYKONOS.

MIKSZÁTH (Kálmán). ♦ Écrivain hongrois (Szklabony, 1847 – Budapest, 1910). Né dans une famille de petits propriétaires, il fit des études de droit, travailla dans l'administration mais, ne rêvant que de littérature, vint à Budapest et chercha à vivre de sa plume. Des soucis d'argent et des soucis familiaux (sa femme le quitta) l'obligèrent à aller à Szeged où il travailla comme journaliste jusqu'en 1880. C'est dans le *Szegedi Napló* que parurent ses premières nouvelles à succès. En 1881, il publia *Frères slovaques* et en 1882 *Les Bons Palotz.* Il retourna à Budapest, se remaria avec son ex-femme (1887) et fut élu député. Il publia en 1900 *Drôle de mariage,* en 1908 *Le Cas du jeune Noszty avec Tóth Marie,* enfin, en 1910, un roman historique *La Ville noire.*

MIKVEH-ISRAËL. ♦ Localité de l'État d'Israël, située aux portes de Tel-Aviv et où fut fondée par les sionistes, en 1870, la première école d'agriculture de la Palestine. – Tourisme.

MILA. ♦ V. d'Algérie, ch.-l. d'arr. du dép. de Constantine, dans la vallée de l'oued el-Kebir (Kabylie* de Collo). 21 300 hab. Liège. Huileries.

MILAN, en it. **Milano.** ♦ V. d'Italie du Nord, cap. de la Lombardie*. Ch.-l. de prov. 1 675 000 hab. *(Milanais).* Située sur de grands axes de communication transalpins (Simplon, Saint-Gothard), c'est la capitale économique du Nord et même de l'Italie tout entière. Elle est riche en célèbres monuments : cathédrale (XIVᵉ-XVIᵉ s.), dite *le Dôme,* églises Saint-Ambroise (XIᵉ s.) et Santa Maria delle Grazie (XVᵉ s.) abritant « La Cène », de Léonard de Vinci, le château des Sforza, la pinacothèque Brera*, la bibliothèque Ambrosienne, le théâtre de la Scala (XVIIIᵉ s.). Aux édifices historiques se mêlent d'audacieuses constructions modernes (tour Pirelli, Metanopoli, ville du personnel de l'Institut national des hydrocarbures, ENI). L'activité industrielle est fort diversifiée : sidérurgie (usines Falck à Sesto San Giovanni), mécanique (machines-outils, automobiles Alfa Romeo; appareillage électrique et électronique), indus. chimiques (pétrolochimie: caoutchouc, pneus Pirelli; matières plastiques, engrais, Montecatini-Edison), enfin, industries textiles et arts graphiques. – Patrie d'Alessandro Manzoni*, de Frédéric Ozanam*, des Visconti* et des papes Alexandre* II, Urbain* III, Pie* IV, Grégoire* XIV. ♦ *Hist.* Fondée par les Gaulois Insubres v. ~ 400, Milan *(Mediolanum)* fut conquise par les Romains en ~ 222. Elle devint la résidence de l'empereur Maximien v. 300 et c'est là que fut signé le fameux *édit de Milan* (313) qui décrétait la fin de la persécution contre le christianisme. L'évêque Ambroise (saint) en fit la rivale religieuse de Rome (375-397). Ruinée par Attila (452) puis par les Ostrogoths (539), elle passa aux Lombards (569-774) et redevint la capitale de l'Italie où, depuis Othon Iᵉʳ (962), nombre d'empereurs germaniques vinrent ceindre la couronne de fer des rois lombards. Au XIᵉ s., Milan fut déchirée par la lutte contre les patares (ou patarins), partisans du mariage des prêtres et des réformes religieuses. Elle acquit son indépendance au XIIᵉ s. et fut à la tête de la ligue Lombarde contre Frédéric Barberousse. Vaincue en 1158, elle le fut de nouveau en 1162 et détruite, mais elle réussit à vaincre Barberousse à Legnano (1176) et à se voir confirmer ses privilèges. Comme les autres villes italiennes, Milan vit l'affrontement entre guelfes (les Della Torre) et gibelins; ce furent ces derniers **(V. Visconti)** qui l'emportèrent en 1311, et Gian Galeazzo Visconti fut même créé duc par l'empereur germanique Wenceslas en 1395. Après un essai d'indépendance à l'extinction des Visconti, Milan passa à Francesco Sforza (1450) puis à ses descendants jusqu'en 1535. **V. Sforza.** Dès 1498, les rois de France revendiquèrent le Milanais, arguant du fait que la grand-mère de Louis XIII était née Valentine Visconti; ce fut le début des guerres d'Italie. Milan, prise par Louis XII en 1499, fut reconquise par Ludovic Sforza (Ludovic le More) en 1500 puis la même année par Louis XII. François Iᵉʳ revendiqua également le Milanais jusqu'au traité de Madrid (1526). À l'extinction des Sforza, Charles Quint annexa le Milanais qu'il donna à son fils Philippe (II) en 1540. Les contraintes fiscales de l'occupant espagnol, qui suivaient les guerres d'Italie, freinèrent l'essor de Milan dont la population avait baissé de moitié à la fin du XVIᵉ siècle. Dirigée par son archevêque Charles Borromée, foyer de la Contre-Réforme, elle reprit quelque prestige à la fin du XVIᵉ siècle. Au traité de Rastatt (1714), le Milanais fut donné à l'Autriche. Prise par Bonaparte en 1796, Milan devint la capitale de la République cisalpine (1797), puis de la République italienne (1802) et du royaume d'Italie (1805). En 1815, le Milanais retomba sous la domination de l'Autriche et Milan devint la capitale du nouveau royaume lombardo-vénitien, mais aussi le rendez-vous des conspirateurs italiens contre l'Autriche. À la même époque, Milan devint l'un des principaux centres musicaux d'Europe, avec la Scala. Les 18-23 mars 1848, les Milanais chassèrent Radetzky; un gouvernement provisoire piémontais s'installa à Milan. Reprise par Radetzky* (6 août 1848) après sa victoire sur Charles*-Albert de Piémont-Sardaigne à Custozza (23 juil. 1848), elle fut délivrée par les Franco-Sardes en 1859 et s'intégra dans l'unité italienne.

MILANAIS. *n. m.* ♦ **V.** MILAN (Hist.).

MILAN OBRENOVITCH. ♦ (Iaşi, 1854 – Vienne, 1901). Prince (1868-1882) puis roi (1882-1889) de Serbie. Fils adoptif de Miloch* Obrenovitch, il lui succéda, régnant d'abord sous la régence de Ristitch*. Il soutint les vues panslavistes russes dans les Balkans, fut battu par les Turcs en 1876 et en 1877. Il fit reconnaître l'indépendance de la Serbie au congrès de Berlin (1878). En 1885, il se battit contre la Bulgarie. Il abdiqua en faveur de son fils Alexandre* Iᵉʳ Obrenovitch, mais revint comme chef de l'armée et établit un régime policier. Il dut une fois de plus s'exiler.

MILAREPA ou **MI-LA-RAS-PA.** ♦ Ascète semi-légendaire tibétain qui aurait vécu au XIᵉ siècle. Il fut le disciple de Mar-pa (« le traducteur ») et le fondateur d'une école mystique qui donna par la suite naissance au lamaïsme. Il aurait écrit le récit de sa vie et un recueil de chants mystiques.

MILAZZO. ♦ V. du N.-E. de la Sicile. 23 500 hab. Pêche, pétrolochimie. ♦ *Hist.* Anc. *Myles,* en lat., *Mylae.* Victoire navale des Romains commandés par C. Duilius sur les Carthaginois (~ 260), puis d'Agrippa sur la flotte de Sextus Pompée (~ 36). Garibaldi y vainquit les troupes napolitaines (1860).

MILET, en gr. **Milêtos.** ♦ Anc. V., d'Asie Mineure (Ionie) sur l'embouchure du Méandre*, dans le golfe Latmique *(Milésiens).* D'origine préhistorique, la ville fut peut-être occupée par les Crétois à l'époque minoenne. Habitée ensuite par des Cariens, elle fut colonisée au ~ XIᵉ s. par des Ioniens d'Attique et devint vers le ~ VIIIᵉ s. la plus importante des douze cités ioniennes. Son commerce s'étendait dans toute la Méditerranée et elle avait fondé plus de 60 colonies sur les côtes septentrionales de l'Asie Mineure, dont Abydos*, Amisos (Samsun*), Cyzique*, Lampsaque* et Sinope*, d'autres en Égypte (Naucratis), en Italie (Sybaris). Elle fut aussi le centre de l'école philosophique ionienne **(V. Thalès, Anaximandre, Anaximène, Archélaos)** et un foyer littéraire **(V. Aristide, Hécatée, Phocylide).** Renommée pour la vie raffinée qu'on y menait et pour ses courtisanes, elle était la patrie d'Aspasie*, maîtresse de Périclès. – Vassale des rois de Lydie, elle passa sous la domination perse en ~ 546. En tête de la révolte de l'Ionie, sous le tyran Aristagoras*, elle reçut l'aide d'Athènes* (~ 499), ce qui fut à l'origine des guerres Médiques*, mais elle fut prise et ravagée par les Perses en ~ 494. Indépendante après la victoire grecque (~ 479), elle entra dans l'orbite d'Athènes, puis passa de nouveau sous la domination perse (~ 401) et sous les Cariens (v. ~ 350). Prise et dévastée par Alexandre le Grand (~ 334), elle déclina progressivement. – Ruines près de l'actuel village de *Balat* : sanctuaire d'Apollon

Ph. Scala

Milan : la cathédrale.

(hellénistique), bouleutérion (~ IIe s.), théâtre romain, fortifications byzantines, mosquée du XVe siècle.

MILFORD HAVEN. ♦ V. et port du S.-O. du pays de Galles (Pembrokeshire), au fond de la *baie de Milford.* 13 460 hab. (1969). Premier port pétrolier du Royaume-Uni (59 193 000 t de trafic en 1974) relié à Swansea par oléoduc. ♦ *Hist.* Henri II s'y embarqua en 1172 pour conquérir l'Irlande.

MILHAUD (Darius). ♦ Compositeur français (Aix-en-Provence, 1892 – Genève, 1974). Issu d'une vieille famille judéo-provençale, il affirma très tôt des dons remarquables pour la musique. Il fut l'élève de Widor, de V. d'Indy et de Dukas; ses premiers enthousiasmes de jeunesse allèrent à Debussy, à la musique russe et à la poésie de P. Claudel, qu'il rejoignit à Rio de Janeiro, en qualité de secrétaire d'ambassade (1917-1919). À son retour en France, il entra dans le « groupe des Six » où il se lia d'amitié avec A. Honegger et G. Auric. Son œuvre était déjà importante, il voyagea alors à travers le monde, donnant de nombreux concerts. Réfugié aux États-Unis durant la Seconde Guerre mondiale (1940-1947), il enseigna la composition au Mills College, à Oakland (Californie), poste qu'il allait partager à son retour à Paris avec celui de professeur au Conservatoire. Auteur d'une œuvre très vaste (plus de 400 nos d'opus), il n'a cessé depuis lors de mener les activités parallèles de compositeur et de pédagogue. – « Citoyen d'un pays qui va de Constantinople à Mexico », Milhaud est d'abord un Méditerranéen. Cette origine suffit à justifier chez lui le goût de la couleur et de la lumière, la promptitude et la malice de l'esprit, la gravité d'une nature qui semble faite pour exprimer toutes les violences du drame et élargir le fait quotidien aux dimensions du mythe. Préoccupé de renouveler les moyens du langage harmonique, il a longtemps employé la polytonalité. Dans le domaine du rythme, il a su s'inspirer du folklore sud-américain, du jazz, autant que de la métrique grecque, dans les chœurs parlés des adaptations claudéliennes de tragédies antiques. Toutefois, la puissance épique et le dynamisme, la douceur et la tendresse, l'ironie provocante s'expriment toujours chez lui par une écriture ferme, volontaire, expressive. Milhaud a composé dans presque tous les genres : opéras (*Les Euménides,* 1917-1922; *Christophe Colomb,* 1928; *Maximilien,* 1930; *Médée,* 1938; *Bolivar,* 1943; *David,* 1952); opéras « minutes » (*L'Enlèvement d'Europe; L'Abandon d'Ariane; La Délivrance de Thésée,* 1927); ballets (*L'Homme et son Désir,* 1918; *Le Bœuf sur le toit,* 1919; *La Création du monde,* 1923; *Salade,* 1924; *Le Train bleu,* 1924; *Les Cloches,* 1945), musique de scène (*L'Orestie,* d'Eschyle : *Agamemnon,* 1913, *Les Choéphores,* 1915; *Protée,* 1913-1919; *L'Annonce faite à Marie,* 1932), pour orchestre (dix symphonies; suites d'orchestre : *provençale,* 1936, *française,* 1944, *campagnarde,* 1953, *concertos* pour divers instruments, *sérénades, quatuors, concertinos*), musique de chambre (douze quatuors à cordes), pièces pour piano (*Saudades do Brazil,* 1920), cantates, chœurs a cappella (*Cantique du Rhône*), mélodies (*Poèmes juifs,* 1916; et sur des textes de Ronsard, F. Jammes, Claudel, Gide, Léo Latil, R. Tagore, R. Chalupt, J. Cocteau), musique religieuse (*Psaumes et Prières*) et de film (*L'Espoir,* de Malraux, 1938).

MILIANA. ♦ V. d'Algérie, ch.-l. d'arr. du dép. d'El-Asnam, située sur les pentes du Zaccar*. 18 100 hab. Vignobles. Vergers. Le *massif de Miliana,* partie de l'Atlas* tellien, prolonge le Dahra* à l'E. et domine au S. la vallée du Chélif*, au N. et à l'O. la plaine de la Mitidja*. Il culmine au djebel Zaccar* (1 579 m). *V. princ.* (en bordure) **V. Cherchell** et **Hadjout.**

Milice française. ♦ Issue du service d'ordre de la Légion française des combattants, cette organisation fut créée sous le gouvernement de Vichy à l'instigation de J. Darnand* (janv. 1943). Avec sa fraction militarisée, les francs-gardes, elle participa activement à la politique de collaboration en luttant contre les réseaux de la Résistance française.

MILINDA. ♦ Nom indien d'un roi grec du Pañjâb, Menandros (v. ~ 160 – v. ~ 140), rendu célèbre par ses conversations philosophiques et religieuses avec le sage bouddhiste Nâgasena, et transcrites dans les « Conversations de Milinda ». C'est le roi Ménandre de Plutarque.

MILIOUKOV ou **MILIUKOV (Pavel Nikolaïevitch).** ♦ Historien et homme politique russe (Moscou, 1859 – Aix-les-Bains, 1943). Professeur à l'université de Moscou, de tendance libérale, il fut emprisonné pour ses idées politiques (1901), puis invité aux États-Unis, où il enseigna l'histoire russe. Rentré en Russie (1905), il devint l'un des fondateurs du parti des constitutionnels-démocrates (en abrév. russe *Kadety,* « Cadets ») et son chef de 1907 à 1917. Député à la troisième et à la quatrième douma, il adopta une attitude patriotique pendant la Première Guerre mondiale et organisa les partis modérés dans un bloc progressiste (août 1915). Ayant accusé la tsarine de germanophilie (nov. 1916), il tenta cependant de sauver la monarchie en février 1917. Après l'abdication de Nicolas* II, il devint ministre des Affaires étrangères dans le gouvernement provisoire du prince Lvov (mars 1917) et proclama alors sa fidélité aux Alliés (18 avril 1917). Mais il fut obligé de démissionner sous la pression du soviet de Pétrograd, qui exigeait la paix immédiate. Conseiller politique du général anticommuniste Denikine* après la révolution d'Octobre, il émigra en France où il écrivit *L'Histoire de la seconde révolution russe* (1921), *Le Grand Changement* (1927), *La Culture russe* (1942), *Souvenirs* (publiés en anglais en 1955) et, en collaboration avec Seignobos et Eisenmann, une *Histoire de la Russie* (1932-1933).

Military Cross. *n. f.* (abrév. M.C.), en fr. « croix militaire ». ♦ Décoration militaire de l'armée de terre britannique, créée en 1914.

MILL (James). ♦ Historien, philosophe et économiste anglais (Northwater Bridge, Forfarshire, 1773 – Kensington, 1836). Auteur d'une *Histoire de l'Inde britannique* (1818), il fut un disciple de Bentham* en morale et en économie politique (*Principes d'économie politique,* 1822) et de Hume* en ce qui concerne la philosophie de la connaissance (*Analyse des phénomènes de l'esprit humain,* 1829). Père de John Stuart Mill.

MILL (John STUART). ♦ Philosophe et économiste anglais (Londres, 1806 – Avignon, 1873). Formé par son père, James Mill*, il adopta à son tour les principes de la philosophie utilitariste de Bentham*, qu'il interpréta avec une largeur de vue nouvelle. Influencé par l'associationnisme de Hume*, il exposa dans son *Système de logique* inductive et déductive* (1843) les principes d'une théorie empiriste de la connaissance et les règles d'une logique pour laquelle la déduction est une généralisation et une formalisation d'opérations inductives. Bien qu'individualiste et libéral, il fit des concessions aux idées socialistes de l'époque, prôna l'intervention de l'État en faveur de la classe déshéritée, proposa une modification du droit de propriété et la formation de coopératives de production et se montra partisan de la libération politique de la femme (*Principes d'économie politique,* 1848; *La Liberté,* 1859; *Du gouvernement représentatif,* 1861; *De l'assujettissement des femmes,* 1869). Reprenant les principes de la morale utilitariste (*L'Utilitarisme**, 1861), il refusa d'y voir une justification de l'égoïsme et fit du bonheur général le but essentiel de nos actes. Dépassant l'agnosticisme de l'école empiriste, il conclut à l'existence de Dieu (*Trois Essais sur la religion,* 1874).

MILLAIS (John Everett). ♦ Peintre, dessinateur et graveur anglais (Southampton, 1829 – Londres, 1896). Précoce, il entra en 1840 à l'Académie royale. En 1848, il fonda avec Hunt* et Rossetti* la confrérie des préraphaélites; c'est alors qu'il exposa *Lorenzo et Isabella.* Le *Christ dans la maison de ses parents* (1850) fit scandale et fut violemment critiqué par Dickens. Ses œuvres ont souvent un caractère littéraire, sentimental et moralisateur mais révèlent un sens poétique personnel (*Ophélie,* 1852). Comme Hunt, Millais utilisait des fonds blancs encore humides afin d'obtenir un effet de brillance et peignait en extérieur des morceaux de paysages auxquels il ajoutait à l'atelier des personnages. Il fut un vigoureux portraitiste et, à partir de 1856, sut plaire au public en traitant des scènes populaires d'une facture moins méticuleuse.

MILLARDET (Alexis). ♦ Botaniste français (Montmirey-la-Ville, Jura, 1838 – Bordeaux, 1902). Il réalisa l'hybridation de cépages français et américains, et mit au point le traitement cuprique du mildiou.

MILLAS. ♦ Ch.-l. de cant. des Pyrénées-Orientales, arr. de Perpignan. 2 489 hab. Vestiges de murailles. Vergers.

MILLAU. ♦ Sous-préf. de l'Aveyron*, ch.-l. d'arr. (14 cant., 101 comm., 79 185 hab.), au confluent du Tarn* et de la Dourbie*. 23 442 hab. (*Millavois*). Église Notre-Dame XIIe-XVIe-XVIIe siècle. Place à arcades XIIe-XVIe siècle. – Fabrication de gants; indus. chimique; produits de teinture. – Patrie de Bonald*. ♦ *Hist.* Anc. cité romaine abritant les ateliers de poterie de la Gaufresenque, Millau, anc. place forte du protestantisme, fut démantelée par Richelieu.

Mille ou Mil (An). ♦ Selon une croyance tirée de l'interprétation de l'Apocalypse de saint Jean, les chrétiens de la fin du Xe s. crurent que l'An Mille ou l'an 1040 verrait la fin du monde. Le meilleur témoin de ces terreurs et de ces angoisses métaphysiques fut le moine chroniqueur Raoul* Glaber.

Mille *(Les), n. m.* ♦ Troupes de Garibaldi, appelées aussi les *Chemises rouges,* formées de volontaires internationaux, qui conquirent la Sicile et Naples en 1860.

Mille et Une Nuits [**Les**] *(Alfi Layla wa layla).* ♦ Recueil de

Ph. Nimatallah/Ricciarini

J. E. Millais : « Ophélie ».
(Tate Gallery, Londres.)

contes arabes. Œuvre anonyme, probablement élaborée par des générations de conteurs populaires. Mentionné par al-Mas'ûdi* (956; dans *Prairies d'or*) et par Ibn* Nadîm (mort en 995; dans *Fihrist*), cet ensemble de contes a au moins trois origines : une partie reprend un fond indo-persan légèrement marqué par une subtile influence hellénistique; une autre série de contes a pour cadre le Baghdâd fastueux du IXe s. animé par des personnages historiques (Hârûn* al-Rashid, Al-Amîn, les vizirs Barmakides*, Abû*-Nuwâs); enfin, le recueil fut enrichi par un apport égyptien — datant de l'époque fâtimide* — où le pittoresque s'allie souvent à la satire sociale. — *Les Mille et Une Nuits* furent révélées à l'Occident par la traduction française d'Antoine Galland (1646 — 1715). Parmi les traductions célèbres figurent les traductions anglaises de Lane et de Payne, l'adaptation française de Mardrus (1898-1904) et l'excellente traduction allemande de Littmann (1921-1928). **(V. Aladin, Ali Baba, Schéhérazade, Sindbâd).**

MILLE-ÎLES, en angl. **Thousand Islands.** ♦ Archipel fluvial du Canada, dans le Saint-Laurent, à la sortie du lac Ontario. Parc national.

MILLE-ÎLES *(rivière des).* ♦ Nom donné à un bras du Saint-Laurent au N. de l'île Jésus **(V. Montréal).**

MILLER (Johann Martin). ♦ Poète et romancier allemand (Ulm, 1750 — 1814). Poète populaire qui sut chanter dans ses vers sa Souabe natale, il s'est beaucoup inspiré des *Souffrances du jeune Werther**, de Goethe, en écrivant son roman *Siegwart* (1776) qui, par sa sentimentalité, est l'une des œuvres représentatives du *Sturm* und Drang.*

MILLER (William Hallowes). ♦ Minéralogiste anglais (1801 — 1880). Auteur de travaux de cristallographie. On a donné le nom de *millérite* au sulfure naturel de nickel NiS.

MILLER (Henry). ♦ Romancier américain (New York, 1891). De parents pauvres, il vécut dans un quartier prolétaire de Brooklyn où il prit goût à cette vie de la rue évoquée dans la vaste autobiographie qu'est son œuvre. Ayant élaboré une doctrine manichéenne suivant laquelle les États-Unis, ce « cauchemar climatisé » (*The Air-conditionned Nightmare,* 1945), sont la source du Mal, le monde latin la source du Bien, il quitta son pays en 1928 pour se fixer (en 1930) à Paris où il connut Anaïs Nin, Raymond Queneau et Blaise Cendrars. Se complaisant parmi les prostituées, son but n'en était pas moins une sorte d'ascèse par le mal qui l'apparente à Baudelaire. Aussi avide du langage que de la vie, il s'exprime comme un poète au sens premier du terme : en créant. Son premier livre, *Tropique du Cancer* (Paris, 1934), fit scandale. L'œuvre de Miller fut d'ailleurs interdite aux États-Unis jusqu'en 1960. *Tropique du Capricorne* (1939), centré sur Paris, est lui aussi biographique. Dans sa trilogie *(Sexus, Plexus, Nexus)* de la *Crucifixion en rose* (*The Rosy Crucifixion,* 1960), les forces primaires continuent de fasciner Miller. Dans la lignée de Whitman* et de Lautréamont, Miller a su créer une épopée personnelle d'une ampleur cosmique, allant du lyrisme le plus total à l'appréhension la plus brutale des choses. Sont également célèbres sa correspondance avec Lawrence Durrell parue en 1963. *Le Colosse de Maroussi* (1941) où il retrouve l'esprit de l'hellénisme et *Jours tranquilles à Clichy* (1956) dont on a tiré un film.

MILLER (Arthur Ashur). ♦ Auteur dramatique américain (New York, 1915). Son théâtre se propose comme une quête de la vérité et de la justice au sein des sociétés modernes, et particulièrement de la société américaine, qui conduit ses héros à un aveu d'impuissance. Œuv. princ. *Tous mes fils* (*All my Sons,* 1947), *Mort d'un commis voyageur* (*Death of a Salesman,* 1949), *Les Sorcières de Salem* (*The Crucible,* 1953), *Vu du pont* (*A View from the Bridge,* 1955), *Après la Chute* (*After the Fall,* 1963).

MILLERAND [milʀɑ] **(Étienne Alexandre).** ♦ Homme politique français (Paris, 1859 — Versailles, 1943). Collaborateur de Clemenceau* à la rédaction du journal *la Justice,* il siégea comme député radical (1885, 1889) avant d'évoluer vers le socialisme en affirmant la nécessité d'une socialisation des moyens de production (1896). Ministre du Commerce et de l'Industrie dans le cabinet Waldeck*-Rousseau (1899-1902), il contribua à faire adopter plusieurs lois sociales. Sa participation à ce ministère bourgeois fut néanmoins vivement critiquée par la plupart des socialistes (en particulier Jules Guesde) dont Millerand se désolidarisa progressivement après la formation du Parti socialiste unifié (1905). Ministre des Travaux publics (1909-1910), de la Guerre (1912-1913, 1914-1915), il fixa au lendemain de la Première Guerre mondiale le programme du « Bloc national » (conservateur) : maintien de l'Union sacrée, application stricte du traité de Versailles, défense de la propriété privée. Il fut à nouveau placé à la présidence du Conseil (janv.-sept. 1920). Président de la République (1920-1924), il dut démissionner après la victoire du Cartel* des gauches aux élections de 1924.

MILLET [milɛ] ou [mijɛ] **(Jean-François).** ♦ Peintre, pastelliste, dessinateur et graveur français (Gréville [Manche], 1814 — Barbizon, 1875). Fils de paysans, il étudia la peinture à Cherbourg puis dans l'atelier de Delaroche. Au Louvre, il admira les maîtres du XVIIe, particulièrement Poussin, Rubens et les Espagnols. Pour vivre, il exécuta de nombreux sujets galants et mythologiques inspirés de Fragonard et du Corrège, qui rappellent ceux de Diaz* de la Peña. Il fit aussi des portraits bien observés et rigoureusement peints (*Pauline Ono,* 1841; *Un officier de marine*). En 1848, il exposa *Le Vanneur* et à partir de 1849 il se fixa définitivement à

Arch. Rencontre

J.-F. Millet : « Les Botteleurs de foin ». (Musée du Louvre, Paris.)

Barbizon* où, contrairement à ses amis paysagistes, il s'attacha surtout à peindre les occupations familières des paysans (*Les Botteleurs,* 1850; *Les Glaneuses,* 1857; *L'Angelus,* 1858; *L'Homme à la houe,* 1862). Critique et public lui furent d'abord très hostiles, l'accusant de socialisme et lui reprochant le sentiment de solennité, de profonde tristesse qui se dégage de ses œuvres. Millet possède un sens classique de la composition et donne un caractère monumental à ses figures; son exécution est parfois lourde et terne à force d'être travaillée. À partir de 1860, il commença à être reconnu et vers la fin de sa vie il accorda une place plus importante au paysage, allégeant sa palette (*Le Printemps,* 1873). Certaines de ses peintures (*Les Carriers,* 1848-1849; *Les Scieurs de long*), par leur caractère pathétique et l'extrême liberté d'exécution, font songer à Daumier, et nombre de ses études, pastels ou dessins au fusain, révèlent un talent vigoureux et plus direct.

MILLEVACHES. ♦ Plateau du Limousin* à 978 m d'alt. C'est une sorte de « haute table » qui représente l'un des reliefs les plus anc. du Limousin. Au S. se trouvent les monts de Monédières*. La Creuse*, la Vienne*, la Vézère* et la Corrèze* y prennent leur source.

MILLEVOYE [mil(ə)vwa] **(Charles Hubert).** ♦ Poète français (Abbeville, 1782 — Paris, 1816), auteur notamment d'un recueil d'*Élégies* (1811) dont certaines pièces *(La Chute des feuilles, Le Poète mourant),* par leur mélancolie harmonieuse et discrète, annoncent le lyrisme romantique.

MILLIKAN (Robert Andrews). ♦ Physicien américain (Morrison, Illinois, 1868 — San Marino, Californie, 1953). Utilisant la méthode indiquée par Ehrenhaft* (1907), il détermina la charge de l'électron (*Expérience de Millikan,* 1913) en déterminant le champ électrique vertical nécessaire pour immobiliser une fine gouttelette d'huile tombant dans un gaz ionisé. Il étudia l'effet photo-électrique, et ses mesures, effectuées avec une lumière monochromatique, lui permirent de déterminer la valeur de la *constante de Planck** (1916) et confirmèrent la théorie proposée par Einstein*. Il s'est également intéressé au rayonnement cosmique et précisa notamment par ses travaux l'*effet de latitude* découvert par Clay* en 1927.

MILLY-LA-FORÊT. ♦ Ch.-l. de cant. de l'Essonne (arr. d'Évry). 3 180 hab. *(Milliacois).* Église (XIIe-XIIIe-XVe siècle). Halles du XIVe siècle. La chapelle Saint-Blaise-des-Simples (XIIe s.) a été restaurée en 1959 et décorée par Jean Cocteau, qui y est enterré. — Culture de plantes médicinales, de tabac.

MILLY-LAMARTINE, anc. **MILLY.** ♦ Comm. de Saône-et-Loire, arr. de Mâcon. 165 hab. Lamartine* a vécu dans ce village (maison) mais n'y est pas né, contrairement à ce qu'il a dit dans les *Méditations poétiques (Milly,* ou la *Terre natale).*

MILNE (Edward Arthur). ♦ Astrophysicien anglais (Hull, 1896 — Dublin, 1950). Auteur de travaux sur la structure interne des étoiles, sur l'atmosphère du soleil (1921), il développa la théorie des étoiles variables. **V. Chandrasekhar, Eddington.**

MILNE-EDWARDS (Henri). ♦ Physiologiste français d'origine belge (Bruges, 1800 — Paris, 1885). Considéré comme un des fondateurs de la physiologie en France, il fit des travaux sur les mollusques et les crustacés et se montra partisan de la théorie de la fixité des espèces [*Leçons d'anatomie et de physiologie,* 1855-1881]. (Acad. sc., 1838.) ♦ ALPHONSE MILNE-EDWARDS, son fils. Naturaliste français (Paris, 1835 — 1900). Ses travaux portèrent sur les mammifères, les oiseaux fossiles, les crustacés et la faune abyssale. (Acad. sc., 1879.)

MILNER (Alfred). ♦ Administrateur colonial anglais (Giessen, dans la Hesse, 1854 — près de Canterbury, 1925). Il fut gouverneur du Cap, haut-commissaire en Afrique du Sud (1897-1905) et négocia avec Kruger, avant de rompre en octobre 1899. Il négocia la paix de Vereeniging* et contribua à la préparation de l'union

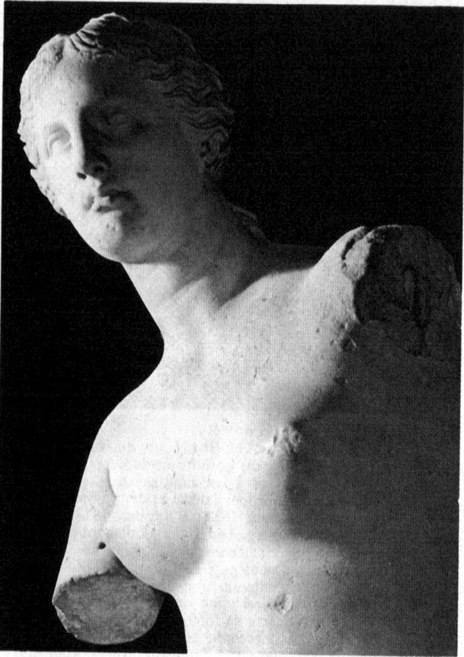

Arch. Smeets

Buste de la Vénus de **Milo.** (Musée du Louvre, Paris.)

entre vainqueurs et vaincus (**V. Afrique du Sud,** *Hist.*). Il retourna en Angleterre en 1907 et, à la Chambre des lords, s'opposa à Lloyd* George. Il fut secrétaire à la Guerre en 1918 et contribua à la désignation de Foch comme généralissime des armées alliées.

MILO, en gr. **Mêlos**. ♦ Île grecque, l'une des Cyclades*. 150 km². 4 050 hab. Ch.-l. Milo. – Dans les ruines de l'antique Mélos, on a découvert en 1820, brisée en morceaux, la célèbre *Vénus de Milo* (*auj.* au Louvre). Ruines d'une cité cycladique (~ IIIe millénaire) détruite par les Doriens vers ~ 1100, près de Psylacopi.

MILOCH OBRÉNOVITCH, en serbe **Miloš Obrenović**. ♦ (Dobrinje, 1780 – Belgrade, 1860). Prince de Serbie (1817-1839 et 1858-1860). Il prit part à la révolte de la Serbie contre les Turcs en 1804 et prit la tête de la nation après la fuite de Karageorges* qu'il fit assassiner à son retour (1817). Despote, il fut renversé en 1839 mais fut rappelé en 1858. – Père de Michel* Obrénovitch.

MILON, en lat. **Titus Annius Papianus Milo**. ♦ Homme politique romain (Lavinium, v. ~ 95 – Compsa, ~ 48), gendre de Sylla*. Tribun du peuple en ~ 57, il fit voter le rappel de Cicéron*. Accusé du meurtre de Clodius*, il fut défendu par Cicéron dans le *Pro Milone* (~ 52), mais néanmoins exilé.

MILON de Crotone. ♦ Athlète grec natif de Crotone (~ VIe-~ Ve s.). Il était invincible à la lutte, plusieurs fois couronné aux Jeux Olympiques et Pythiques. Aristocrate et pythagoricien, il commanda la guerre déclenchée v. ~ 510 par l'aristocratie de Crotone contre Sybaris*. Selon la tradition, ayant voulu fendre un arbre avec ses mains, les deux parties du tronc se resserrèrent sur lui ; ainsi retenu, il fut dévoré par les loups.

MILOSZ (Oscar Vladislas de Lubicz-Milosz, dit **O.V. de L.**). ♦ Poète et écrivain français d'origine lituanienne (Czereïa, Biélorussie, 1877 – Fontainebleau, 1939). Hors quelques voyages à l'étranger, la majeure partie de son existence s'est écoulée en France où il fit ses études et où il devait, en qualité de chargé d'affaires de Lituanie, représenter son pays auprès du gouvernement français (1919-1925). Ses débuts poétiques se firent sous l'influence du symbolisme (*Poème des décadences,* 1899), mais il devait, à la suite d'une illumination mystique (1914), orienter son œuvre et sa pensée vers la recherche d'un absolu. La quête du divin est déjà sensible dans un roman, *L'Amoureuse Initiation* (1910), et dans un drame, *Miguel Manara* (1913), où revit la figure solitaire et tourmentée de don Juan. Mais c'est avec des œuvres d'inspiration mystique : *Épître à Storge* (1917), *La Confession de Lemuel* (1922), *Ars Magna* (1924), *Arcanes* (1927), qu'il atteignit les sommets d'une expérience poétique devenue mode de connaissance et unique accès à la seule réalité qui importe au poète pour l'arracher à une solitude désespérée. Désormais, Milosz, converti au catholicisme (1927), se consacra à l'étude des textes sacrés, sans toutefois renoncer à avertir l'humanité des périls imminents qui la menacent : *L'Apocalypse de saint Jean déchiffrée* (1933), *La Clef de l'Apocalypse* (1938). Il est aussi l'auteur de plusieurs traductions de poètes : *Chefs-d'œuvre lyriques du Nord* (1912), *Daïnos* (1928), *Contes et Fabliaux de la vieille Lituanie* (1930).

MILOSZ (Czesław). ♦ Poète et romancier polonais (Szetejnie, Lituanie, 1911). Son œuvre est marquée par un catastrophisme lourd de pressentiment des événements proches : *Poème sur le temps figé (Poemat o czasie zastygłym,* 1933), *Trois Hivers* (*Trzy zimy,* 1936). Après avoir partagé les heures sombres de la Pologne sous l'occupation allemande qui lui inspira *Le Salut* (*Ocalenie,* 1945), il choisit la « liberté » et écrivit une série d'études en prose sur les intellectuels engagés dans le système de pensée du monde communiste : *La Pensée captive* (1953), *La Prise du pouvoir* (1955), *Issa* (1955).

MILTIADE, en gr. **Miltiadês**. ♦ Stratège athénien (~ 540 – ~ 489). Chargé de l'administration de la colonie athénienne de Chersonèse (~ 518), il suivit Darios* Ier, maître de la Thrace, dans sa campagne contre les Scythes (~ 514), pendant laquelle il tenta sans succès de couper la retraite de l'armée perse en détruisant un pont sur le Danube. Profitant de la révolte de l'Ionie (~ 499), il s'empara de Lemnos et d'Imbros, mais, après la répression de la révolte, il se réfugia à Athènes (~ 492). Promu par le parti oligarchique, il fut élu stratège. Pendant la première guerre Médique, très écouté au conseil des dix stratèges, il décida les Athéniens à marcher contre les Perses. Nommé au commandement sur le conseil d'Aristide*, il remporta sur Darios la victoire de Marathon (~ 490). Mais après l'opération manquée contre Paros (~ 489), accusé de trahison, il fut condamné à une lourde amende ; selon une tradition contestée par Hérodote, il ne put la payer et mourut en prison quelques jours après, succombant à ses blessures. Son fils Cimon* fut le principal bâtisseur de l'empire athénien.

MILTIADE *(saint)*. ♦ 32e pape (311-314 [mort]), Africain. Il recouvra les biens de l'Église confisqués depuis 303, vit la reconnaissance du christianisme par Constantin (édit de Milan, 313), présida le synode du Latran (oct. 313) où fut condamné Donat*. – Fête le 10 décembre.

MILTON (John). ♦ Poète et essayiste anglais (Londres, 1608 – *id.,* 1674). Cadet de trois enfants, d'une famille aisée, pieuse et cultivée, Milton fut initié très tôt à tous les arts, dont la musique et la poésie. À Saint Paul's, il eut pour condisciple Charles Diodati à qui il dédia sa meilleure œuvre latine, une élégie pastorale, *Epitaphium Damonis,* 1638. Étudiant à Cambridge (1625-1632), il composa l'*Allegro* (1631) qui fait pendant au *Penseroso* (1631) « moins des paysages que des états d'âme » (Legouis), ainsi que *Noël* (*On the Morning of Christ's Nativity,* 1645), ode de trente et une strophes, inspirée par Spenser* et Virgile *(Bucoliques).* Sans entrer dans les ordres auxquels il était destiné, Milton mena de 1632 à 1638 une vie de recueillement à Horton, près de Newcastle, où il écrivit des poèmes dialogués : *Arcades, Lycidas, Comus* (masque comparable aux *Bacchantes* d'Euripide et basé sur le platonisme de Spenser). Après la mort de sa mère (1637), Milton voyagea en France et en Italie où il lut Dante, Pétrarque, le Tasse ; il rencontra Galilée qu'il cita en exemple dans son discours contre la censure *Areopagitica ou de la liberté de la presse,* 1644. À Londres, depuis 1639, il était devenu l'un des polémistes puritains les plus virulents. *De la réforme touchant la discipline de l'Église* prône un retour à l'Église primitive et l'un de ses *Sonnets* (1645) proteste contre le massacre des Vaudois. *De l'éducation* (1644), inspiré du Tchèque Coménius, attaque « ces messieurs de Paris [aux] méthodes de frivolité et de prodigalité ». Le mariage de Milton avec Marie Powell (1642) fut à l'origine de *La Doctrine et la discipline du divorce* (1643) en tant que répudiation. *Le Jugement de Martin Bucer* (1644), *Tetrachordon* et *Colasterion* (1645) expriment aussi des idées antiféministes. *La Défense du peuple anglais* (1651), rédigée en latin, justifie le régicide, « nécessité publique » dans le cas de Charles Ier. Le retour de Charles II valut à Milton la perte d'un poste aux Affaires étrangères alors que, déjà, il était aveugle depuis 1652. Il consacra alors son temps à son chef-d'œuvre, le *Paradis* perdu* (*Paradise Lost,* 1667), poème biblique en douze chants. C'est une tragédie cosmique où « le personnage central n'est plus Adam mais Satan » (T.F. Bedes, 1941), une apologie de la révolte annonçant le satanisme romantique. Le *Paradis reconquis* (*Paradise Regained,* 1671) relate en quatre livres les épisodes de la Tentation tels qu'ils sont rapportés dans l'Évangile de saint Luc. Quant à *Samson Agonistes* (1671), poème dramatique en cinq actes, reflet de Milton aveugle et solitaire, il est structuré comme une tragédie grecque et s'achève par un chant du chœur célébrant le triomphe de Dieu. L'influence de Milton, comparé par Addison et Johnson à Homère et à Virgile, fut immense, notamment sur les romantiques anglais et français. Il voulut « être lui-même un vrai poème [pour] bien écrire sur les choses dignes de louange ».

Milvius *(pont)*. ♦ Pont sur le Tibre à 3 km de Rome. Constantin y vainquit Maxence le 28 oct. 312. La tradition veut que ses soldats aient arboré le signe de la croix sur leurs boucliers, l'empereur ayant eu une apparition de la croix dans le ciel, avec les mots *In hoc signo vinces,* « par ce signe tu vaincras ».

MILWAUKEE. ♦ V. des États-Unis, au S.-E. du Wisconsin, sur la rive O. du lac Michigan, au N. de Chicago. 709 537 hab. (zone urbaine de près de 1 400 000 hab.). C'est la plus grande ville du Wisconsin, peuplée à l'origine surtout par des Allemands. Centre commercial; port très actif. Indus. électriques et mécaniques, fonderies, automobiles, moteurs, motocyclettes. Indus. alimentaires (brasseries réputées). Indus. de la chaussure. – Musées. Université.

Mîmâmsâ. *n. f.* ♦ Doctrine philosophique indienne de « recherche mentale », constituant un célèbre commentaire des *Veda** et qui fut à l'origine d'une école philosophico-religieuse importante.

MIMIZAN. ♦ Ch.-l. de cant. des Landes, arr. de Mont*-de-Marsan. 6 629 hab. *(Mimizannais).* Vestiges d'une abbaye bénédictine. À 6 km, station balnéaire de MIMIZAN-PLAGE.

MIMNERME DE COLOPHON, en gr. **Mimnermos.** ♦ Poète et musicien grec (~ VIIe-~ VIe s.) considéré comme le créateur de l'élégie érotique. Ses chants intitulés *Nanno* sont un appel au plaisir sensuel, hanté pourtant par l'idée du néant. Il écrivit aussi un poème d'inspiration héroïque, *Smyrnéïde.*

MIN. ♦ Nom de la reine de Corée, de la dynastie des Yi* (1851 – 1895) qui fut assassinée dans son palais lors de l'invasion de son pays par les troupes japonaises en 1895.

MÎNÂ (el). ♦ Port de Tripoli* (Liban). Raffinage et exportation des pétroles amenés par oléoduc d'Iraq, d'Arabie Sa'ûdite et des îles Bahrein*. Aciérie. Important port de pêche.

MÎNÂ 'AL-AHMADÎ. ♦ V. portuaire de la principauté du Kuweit* [Koweït], située au S. de la ville de Kuweit, sur le golfe Persique. 65 000 hab. (1965). Le port, relié par oléoduc aux gisements de pétrole du N. et du S. du pays, est l'un des plus grands ports pétroliers du monde.

MÎNÂ AL-FAHAL. ♦ V. côtière de la principauté d'Oman, port de Saih* al-Malih situé à quelques kilomètres de Mascate. Aboutissement de l'oléoduc de Fahud*.

MINAMOTO (ou **Genji**). *n. m. pl.* ♦ Clan japonais d'ascendance impériale qui joua un très grand rôle dans l'histoire japonaise. notamment aux XIIe et XIIIe s., en s'oppósant par les armes au clan rival des Taira* (ou Heike). Les plus célèbres des Minamoto furent le shôgun *Minamoto-no-Yoritomo* et son frère le général *Minamoto-no-Yoshitsune* (voir ces noms).

MINAMOTO-NO-YORITOMO. ♦ Guerrier japonais (1147 – 1199) devenu en 1185, après avoir battu le clan rival des Taira*, le premier shôgun du Japon. Il instaura un « gouvernement militaire » *(Bakufu)* qui détint jusqu'en 1333 l'autorité suprême, l'empereur étant réduit à jouer un rôle de second plan. Il établit sa capitale à Kamakura*. Il fut nommé shôgun en 1192. Son fils Minamoto-no-Yoriie lui succéda en 1202, après trois ans de régence de Hôjô* Tokimasa.

MINAMOTO-NO-YOSHITSUNE. ♦ Guerrier japonais (1159 – 1189). Après avoir aidé son frère Yoritomo à vaincre le clan des Taira* et s'être rendu célèbre par ses exploits chevaleresques, il fut en butte aux persécutions du shôgun. Vaincu, il se suicida avec sa famille et ses partisans. La légende s'est emparée de sa mémoire et en a fait un des héros les plus populaires du Japon.

MINANGKABAU. *n. m.* ♦ Région du S. de l'île de Sumatra* (Indonésie), montagneuse, peuplée de Malais musulmans agriculteurs dont les coutumes matriarcales sont particulièrement remarquables (maisons collectives pour les femmes mariées). L'architecture de bois des villages est caractéristique de cette fertile région.

MINAS DE RÍO TINTO. ♦ V. d'Espagne méridionale, en Andalousie* (prov. de Huelva), au pied de la sierra Morena. 8 400 hab. Pyrites ferrocuivreuses au cœur d'une zone métallifère connue depuis l'Antiquité.

MINAS GERAIS. *n. m.* (« Mines générales »). ♦ État de l'E. du Brésil*, situé au N. de l'État de São* Paulo dont il est en partie séparé par le rio Grande*, il confine à l'E. à la serra da Mantiqueira* qui le sépare des États côtiers de Rio* de Janeiro et de Espírito* Santo, à l'O. avec l'État de Goiás*, dont il est séparé par le rio Paranaiba, et au N. avec l'État de Bahia*. 587 172 km². Env. 11 935 000 hab. *Cap.* Belo* Horizonte. – Domaine des *hautes terres,* il est traversé dans toute sa longueur par la serra do Espinhaço* et le rio São* Francisco. – Outre l'élevage extensif de bovins, les cultures de café, de canne à sucre et de coton, les ressources minières (fer, manganèse, bauxite, or, mica) ont permis l'installation d'importants complexes métallurgiques dans la région et alimentent le centre sidérurgique de Volta* Redonda (État de Rio). *V. princ.* Juiz* de Fora, Ouro* Prêto, Uberaba*. ♦ *Hist.* Au XVIIIe s., l'État de Minas Gerais était le plus fortuné du Brésil : or et pierres précieuses y avaient attiré toute l'énergie humaine disponible ; une classe bourgeoise y prospérait, hostile à la métropole. C'est de là que partit (en 1789) le premier mouvement d'indépendance qui fut sévèrement réprimé.

MIN CHIANG [*Min Jiang, Min Kiang*]. ♦ Nom de deux importantes riv. de Chine, l'une (500 km) se jetant dans le Yang*-tsê kiang, l'autre (400 km) dans la mer de Chine. Elles jouent toutes deux un rôle important dans l'irrigation des terres cultivables des basses plaines.

MINCHÔ. ♦ Peintre japonais (1352 – 1431), originaire de Kyôto, et moine bouddhiste, célèbre pour ses peintures à l'encre de Chine. Il subit l'influence des peintres chinois du XIVe siècle.

MINCIO. *n. m.* ♦ Riv. d'Italie, affl. de la r. g. du Pô, 194 km. Né dans le massif de l'Adamello, il traverse le Trentin, se jette dans le lac de Garde, arrose Mantoue qu'il entoure de trois lacs, avant de se jeter dans le Pô.

MINDANAO. ♦ Grande île du S. de l'archipel des Philippines*, divisée en deux régions administratives, *Mindanao del Norte* et *Mindanao del Sur.* Env. 100 000 km². 8 millions d'hab. L'île, montagneuse et volcanique, très fertile, produit principalement du tabac, de la canne à sucre, du riz et des épices. Elle est bordée à l'E. par une profonde fosse océanique de plus de 11 000 m de profondeur.

MINDEN. ♦ V. d'Allemagne occidentale (Rhénanie du Nord-Westphalie), sur la r. g. de la Weser, au débouché de la porte de Westphalie. 50 200 hab. Église du XIe s., cathédrale des XIe-XIIe s., *Rathaus* du XVe s., maisons anc. (style Renaissance de la Weser). Pont-canal (Weser-Mittellandkanal). Indus. mécaniques, textiles et chimiques. – Patrie de Fr. Bessel*. ♦ *Hist.* Fondée vers l'an 800 par Charlemagne autour d'un évêché, Minden devint une florissante cité commerciale et adhéra à la Hanse à la fin du XIIIe siècle. Gagnée par la Réforme (1526-1529), elle fut plus tard annexée par le Brandebourg (1648), puis par la Westphalie (1807) et par la Prusse (1814).

MINDÔN MIN. ♦ Roi de Birmanie qui succéda à son frère Pagan et régna de 1853 à 1878. Pacifiste et fervent bouddhiste, il fit des lois humanitaires, réforma le système des impôts, permit aux missionnaires étrangers de s'installer dans sa nouvelle capitale de Mandalay* et réunit, en 1871, un grand concile bouddhique. Son fils Thibaw*, cruel et débauché, lui succéda à sa mort (1878) après avoir fait égorger ses soixante-dix frères et sœurs.

MINDORO. ♦ Grande île du centre de l'archipel des Philippines*. Plus de 10 000 km². 500 000 hab. Montagneuse et couverte de forêts, elle est relativement peu peuplée, sauf sur les côtes qui abritent des populations de pêcheurs musulmans.

MINDSZENTY (József). ♦ Prélat hongrois (Czehiminshent, 1892 – Vienne, 1975). Archevêque d'Esztergom et primat de Hongrie (1945), cardinal (1946), il s'opposa au gouvernement communiste, fut arrêté (déc. 1948), condamné aux travaux forcés à perpétuité (fév. 1949), mis en résidence surveillée (1955). Libéré par l'insurrection d'octobre 1956 et réhabilité par le gouvernement Nagy*, il dut, après l'intervention soviétique, se réfugier à la légation américaine de Budapest et il y resta jusqu'en 1971, date où il se retira à Vienne.

MINERVE, en lat. **Minerva.** ♦ Déesse romaine identifiée à l'Athéna grecque. **V. Athéna.** Elle figurait dans la triade capitoline à côté de Jupiter* et Junon*, mais ne semble pas appartenir aux divinités primitives du panthéon latin.

MINERVE. ♦ Comm. de l'Hérault (arr. de Béziers), bâtie dans un site pittoresque dominant la vallée de la Cess. 125 hab. Église romane (X^e-XIe s.). Grottes préhistoriques. Musée d'archéologie et de paléontologie. ♦ *Hist.* Anc. capitale du Minervois. En 1210, pendant la croisade des albigeois, Simon de Montfort réduisit la place.

MINERVOIS. *n. m.* ♦ Région du bas Languedoc, située entre la Montagne* Noire et la vallée de l'Orb. Elle est constituée par un causse calcaire aride *(haut Minervois)* dominant au S. une plaine *(bas Minervois)* inclinée vers l'Aude. Cette dernière zone est à vocation viticole (vins réputés).

MING. ♦ Dynastie d'origine chinoise qui supplanta celle des Yüan* mongols en 1368 et qui s'établit à Pékin. Elle comporta vingt empereurs et fut remplacée en 1644 par la dynastie manchoue des Ch'ing*. Sous son égide, la Chine connut un prodigieux essor commercial, tant avec les pays d'Asie qu'avec ceux de l'Europe, et l'art (de la céramique en particulier) fut florissant. ♦ L'art chinois renoua alors avec l'antique tradition. On construisit de nombreux édifices, temples et palais (grand mur de Pékin, tombeau de la dynastie Ming non loin de Pékin). En peinture, des encyclopédies furent composées et une doctrine fut élaborée ; le peintre lettré et théoricien le plus caractéristique fut Tung Ch'i-shang (1555 – 1636). La peinture décorative fut représentée notamment par Liu Chi (1496 – 1576) qui fit des décorations de palais aux riches couleurs (fleurs et animaux). D'autre part, l'époque Ming fut une période d'érudition et de recherches intellectuelles.

Ming Chia [*Ming Jia, Ming Kia*]. ♦ « École des noms », antique école philosophique chinoise (~ IVe s.) de logique, qui s'opposait à l'école des lois (Fa Chia).

Arch. Rencontre

Minas de Río Tinto.

Ph. Giuseppe Pino/Ricciarini

Charlie Mingus.

MINGHETCHAOUR. ♦ V. d'U.R.S.S. (Azerbaïdjan*) sur la Koura*. Importante centrale hydro-électrique. Indus. textiles (coton). Machines agricoles. Usine de câbles.

MING TAO [*Ming Dao*]. ♦ Philosophe chinois (1032 – 1085), fondateur d'une école de pensée dite «de l'esprit», dont les idées furent reprises plus tard par Chu* Hsi.

MINGUS (Charles, dit Charlie). ♦ Contrebassiste, compositeur et chef d'orchestre de jazz noir américain (Nogales, Arizona, 1922). Il fonda, en 1957, sa propre formation, tâchant d'exprimer, avec les moyens du jazz moderne et la ferveur traditionnelle du *blues*, ses convictions politiques et raciales. Princ. enregistrements : *Pithecanthropus Erectus* (1956), *Fables of Faubus* (1959), *Passions of a Man* (1961).

MINHO. *n. m.*, en esp. **Miño**. ♦ Fl. du N.-O. de la péninsule Ibérique. 275 km. Né en Galice*, il traverse d'abord des gorges, reçoit le Sil, arrose Orense*, sert de frontière entre l'Espagne et le Portugal avant de se jeter dans l'Atlantique.

MINHO. *n. m.* ♦ Région du Portugal septentrional comprise entre la frontière espagnole au N., le Trás-Os-Montes à l'E. et l'Atlantique à l'O. 816 000 hab. *(Minhotes)*. C'est le berceau de la nation portugaise. *Cap.* Braga* (en port. Bragança). – *Orogr.* La région est formée d'un haut plateau granitique d'une altitude moyenne de 1 000 m, s'élevant vers l'intérieur et entaillé par les vallées profondes du Minho, de Lima et de Cavado. – *Hydrogr.* Minho*, Tamega. Le *climat*, très humide, rend les paysages verdoyants. – *Écon.* La vie rurale repose essentiellement sur une intense polyculture blé-maïs associée à l'élevage bovin. L'intérieur pratique la culture des pommes de terre et le littoral celle de la vigne, du houblon, du tabac et les cultures potagères (melons, pois). L'artisanat local (poterie, vannerie, tissage) est très vivant.

MINÎÈH ou **MINÎÈH-EBN-KHASIB**, en ar. **al-Minyâ**. ♦ V. de la haute Égypte. Ch.-l. de gouvernorat sur le Nil. 122 100 hab. Égrenage du coton, huileries, savonneries. C'est probablement l'ancienne *Ménat Khoufout* (« la nourrice du roi Khéops »).

Minimes *(ordre des)*. ♦ V. FRANÇOIS DE PAULE *(saint)*.

MINKOWSKI (Hermann). ♦ Mathématicien balte (Aleksotas, près de Kaunas, 1864 – Göttingen, 1909). Le grand prix de l'Académie des sciences lui fut attribué en 1882 pour un mémoire sur les formes quadratiques. Introduisant la géométrie dans l'étude de la théorie des nombres, il élabora une « géométrie des nombres » (*Théorie des nombres*, 1896). Il établit le formalisme quadridimensionnel adapté à la théorie de la relativité restreinte de son ancien élève Einstein* (espace à quatre dimensions appelé *espace-temps de Minkowski*).

MINNE (Georges, baron). ♦ Sculpteur, dessinateur et graveur belge (Gand, 1866 – Laethem-Saint-Martin, 1947). Les œuvres religieuses du début de sa carrière dénotent l'influence de Rodin puis des primitifs flamands et de la sculpture archaïque. Installé en 1897 à Laethem-Saint-Martin, il devint le chef spirituel de la communauté d'artistes qui y résidaient. Fortement marqué par les idées symbolistes, il illustra Maeterlinck et Verhaeren. Il chercha à exprimer dans ses œuvres ses préoccupations spiritualistes et mystiques et, après avoir subi v. 1910 l'ascendant du naturalisme de Constantin Meunier*, il procéda de nouveau à la simplification des volumes, laissant des parties à peine dégagées de la masse et recourant aussi à des déformations expressives. Il traita de préférence des sujets religieux ainsi que le thème de la mère et de l'enfant (*La Fontaine aux agenouillés*, 1898 ; *Monument à la reine Astrid*, 1937).

MINNEAPOLIS (de *minne*, mot sioux, « eaux »; et gr. *polis*, « ville »). ♦ V. des États-Unis, à l'E. du Minnesota, la plus grande ville de cet État, sur le Mississippi (chutes de Saint-Antoine). 431 977 hab. La ville forme une conurbation avec Saint* Paul (zone urbaine, 1 805 000 hab.). Centre indus. (bois ; farine ; machines agricoles) et commercial (1er marché du blé du pays et, probablement, du monde). – Université.

MINNELLI (Vincente). ♦ Réalisateur américain de cinéma (Chicago, 1913). Fils d'acteur, il fut tout d'abord décorateur et metteur en scène de revues avant de faire ses débuts au cinéma. Le goût du décor, de la couleur, raffiné parfois jusqu'au maniérisme, et un don onirique ont marqué ses meilleures réalisations, comédies musicales (*Un Américain à Paris, An American in Paris* [1950] ; *Tous en scène, The Bandwagon* [1952] ; *Brigadoon* [1953]), comédies ou drames.

MINNESOTA. *n. m.* ♦ État du centre N. des États-Unis, limité au N. par le Canada (prov. Ontario et Manitoba), à l'E. par le lac Supérieur et le Wisconsin. 217 736 km². 3 413 864 hab. (1960). *Cap.* **V. Saint Paul.** *V. princ.* **V. Duluth, Minneapolis.** – *Orogr.* L'État, qui est presque au centre du continent nord-américain, a été modelé par les glaciations. Des milliers de lacs, des prairies, des vallées et des collines en font une des régions les plus pittoresques des États-Unis. – Climat continental froid, avec de grandes variations de température. Plusieurs systèmes hydrographiques trouvent leur naissance dans le Minnesota : le Mississippi*, qui prend naissance au lac Hasca et reçoit plusieurs tributaires, dont la *Minnesota River;* le système aboutissant à la baie d'Hudson (Rainy River ; Red River) ; et celui qui se jette dans l'Atlantique par les Grands Lacs et le Saint-Laurent (Saint Louis River, etc.). – *Écon.* État traditionnellement agricole (avoine, foin, maïs, etc., élevage de bovins et volailles ; produits laitiers), le Minnesota possède d'importantes ressources minières (fer, notamment dans la Mesabi* Range : 1er producteur du pays), des carrières (granite, etc.) et de vastes forêts. Ces conditions ont permis le développement de plusieurs indus. : indus. alimentaires (viande, minoteries), machines, impression, électricité, pâte à papier. Grand producteur d'électricité (y compris par des centrales atomiques), le Minnesota est aussi un État commerçant, grâce au lac Supérieur **(V. Duluth)**, au Mississippi et aux autres moyens de transports (chemins de fer, route, air). – L'université du Minnesota compte plus de 60 000 étudiants. – Patrie de Sinclair Lewis*. ♦ *Hist.* Explorée par des trappeurs français et anglais au XVIIIe s., la région fut anglaise (1763), puis américaine (1787). Elle devint en 1858 le 32e État de l'Union. Vers 1865-1870, les Sioux furent combattus et réduits. Développée grâce à l'immigration des Nordiques, la région fut agitée par des troubles sociaux à la fin du siècle (mouvement Granger).

MIÑO. ♦ V. MINHO.

MINO DA FIESOLE. ♦ Sculpteur italien (Poppi, 1429 – Florence, 1484). Il travailla surtout à Florence, sculptant les bustes de Pierre de Médicis (1453, Bargello, Florence), de Nicolò Strozzi (1454, Berlin), d'Astorgio Manfredi (1455, Washington), de Jean de Médicis (1460, Florence) et les tombeaux de l'évêque Salutati (cathédrale de Fiesole) et du comte Ugo (1471-1481, église de la Badia, Florence). Il fit trois séjours à Rome, travaillant au Vatican et exécutant le tabernacle des Saintes Huiles à Sainte-Marie-du-Trastévère. Quoiqu'il ait cherché dans ses bustes l'expressivité de l'art romain antique, il fut surtout un maître de la sculpture gracieuse et décorative, en opposition avec l'art austère d'un Donatello*.

MINORQUE, en esp. **Menorca**. ♦ La seconde et la plus orientale des îles de l'archipel espagnol des Baléares*, au N.-E. de Majorque. 668 km². 60 000 hab. *(Minorquins)*. Ch.-l. Mahón. Vestiges romains (talats ou talayots). Cultures, pêche. Le tourisme est beaucoup moins développé qu'à Majorque et à Ibiza. ♦ *Hist.* L'île fut prise par les Anglais à plusieurs reprises (1708-1756, 1763-1782, 1799-1802).

MINOS. ♦ Roi de Cnossos* ou dynastie liée à la prépondérance de Cnossos et à la thalassocratie de Crète* (~ XVIe-~ XVe s.). Son nom est attaché à une légende extrêmement riche. Fils de Zeus* et d'Europe*, il figure comme le civilisateur des Crétois, roi juste, sage législateur et, après sa mort, un des juges des Enfers, avec Éaque* et Rhadamante*, son frère. Disputant la royauté avec son autre frère Sarpédon*, il prétend avoir été préféré par les dieux et, pour le prouver, demande à Poséidon* de faire sortir un taureau de la mer. Son vœu est exaucé, mais il omet de sacrifier l'animal promis au dieu. Poséidon rend alors le taureau furieux et inspire la passion amoureuse de Pasiphaé*, la femme de Minos, pour l'animal. Héraclès* tue ou capture le taureau qui dévastait le pays, mais de l'union de Pasiphaé avec l'animal naît le Minotaure*. Minos fait alors construire le Labyrinthe* sur les plans de Dédale* pour enfermer le monstre **(V. Talos).** Plus tard, ayant vaincu Athènes* pour venger le meurtre de son fils Androgée*, il impose aux Athéniens d'envoyer tous les neuf ans sept jeunes gens et sept jeunes filles comme pâture au Minotaure. Thésée, venu à Cnossos, tue le monstre et parvient à sortir du Labyrinthe avec l'aide d'Ariane*, fille de Minos. Plus tard, Thésée épouse la seconde fille du roi, Phèdre*.

MINOT (George Richards). ♦ Physiologiste américain (Boston, 1885 – ? 1950). Il obtint avec W.P. Murphy* et G.H. Whipple* le prix Nobel de méd. (1934) pour la découverte du traitement des anémies pernicieuses.

MINOTAURE. *n. m.*, en gr. **Minôtauros**. ♦ Monstre fabuleux de Crète*, au corps d'homme et à la tête de taureau, né de l'union de Pasiphaé* avec le taureau que Poséidon avait fait sortir de la mer. Minos*, honteux, le fait enfermer dans le Labyrinthe* et lui offre tous les neuf ans sept jeunes gens et sept jeunes filles, tribut qu'il avait imposé à Athènes, vengeant l'assassinat de son fils Androgée*. Thésée*, venu à Cnossos* parmi les sept jeunes gens, tue le monstre.

MINOUSSINSK ou **MINUSSINSK**. ♦ V. d'U.R.S.S. (R.S.F.S. de Russie), en Sibérie orientale, sur le haut Ienisseï*. 38 300 hab. (1959). Centre métallurgique important au milieu d'une région minière (uranium, cuivre, antimoine, charbon). Indus. alimentaires. Traitement du bois (meubles). – Centre d'une culture préhistorique du ~ IIIe millénaire.

MINSK. ♦ V. d'U.R.S.S., cap. de la Biélorussie* et ch.-l. de la région du même nom (40 800 km². 2 363 000 hab.), sur la Svislotch, affl. de la Berezina. 907 000 hab. Centre culturel (université fondée en 1921). Indus. alimentaires et textiles, camions, tracteurs, machines-outils. Nœud ferroviaire. ♦ *Hist.* Mentionnée dès le XIe s., la ville passa successivement à la Lituanie (1326), à la Pologne (1569) puis à la Russie (1654-1681), avant d'être annexée par cette dernière après le second partage de la Pologne (1793). Durant la Deuxième Guerre mondiale, Minsk fut en grande partie détruite. Sa population, qui comptait de nombreux juifs, fut presque complètement exterminée. Elle fut reprise par l'Armée rouge en 1944 et reconstruite après 1945.

MINUCIUS FELIX (Marcus). ♦ (IIe-IIIe s.). Écrivain latin chrétien, auteur de l'*Octavius*, dialogue de style cicéronien, présentant le christianisme aux Romains cultivés.

MINUIT ou **MINNEWIT (Peter)**. ♦ Ministre protestant hollandais, premier gouverneur de la colonie fondée sur l'emplacement de New* York (Wesel, v. 1580 – v. 1640). Il acheta l'île de Manhattan* aux Indiens et fonda La Nouvelle-Amsterdam.

MINYENS. *n. m. pl.*, en gr. **Minuai**. ♦ Peuple préhellénique apparenté aux Éoliens. Les Minyens vivaient dans la Thessalie maritime et autour du lac Copaïs, en Béotie, où se trouvait leur capitale Orchomène*. Ils suivirent les Éoliens dans la colonisation de Lesbos, Chio, Théra, etc.

MIQUE (Richard). ♦ Architecte, décorateur et paysagiste français (Nancy, 1728 – Paris, 1794). Issu d'une famille d'architectes lorrains, il travailla pour le roi Stanislas Poniatowski à Nancy, puis succéda à Gabriel* comme premier architecte de Louis XVI à partir de 1774. À Versailles, il construisit notamment le *couvent des Ursulines,* 1768 (aujourd'hui lycée Hoche), et à Saint-Denis l'*église des Carmélites*. Pour Marie-Antoinette, il transforma les *Petits-Appartements de la reine* au château de Versailles et éleva plusieurs pavillons inspirés de l'art grec (*le temple de l'Amour,* 1778) ou de Palladio* *(le Belvédère)*; il réalisa la décoration intérieure du *Petit Trianon,* aménagea les jardins et édifia le hameau de Marie-Antoinette, révélateur de la mode des jardins anglais et d'une nostalgie préromantique de la nature qui se développait, notamment sous l'influence de J.-J. Rousseau.

MIQUELON. ♦ Territoire français situé près de la côte méridionale de Terre-Neuve, dans l'Atlantique, et constitué par deux îles, la GRANDE MIQUELON et, plus au S., la PETITE MIQUELON ou *Langlade.* 18 km². Population de marins et de pêcheurs (morue). Les deux îles sont relativement accidentées (250 m au morne de la Grande-Montagne). L'étang du Grand Barachois, au S. de la Grande Miquelon, communique avec la mer par un chenal, tandis qu'au N. s'étend une plaine où s'est installé le village de Miquelon, au fond de la rade du même nom. L'intérieur est occupé par des tourbières. Les deux îles, françaises depuis 1763, sont reliées depuis 1783 par l'isthme sableux de Langlade et forment avec l'île Saint-Pierre, au S., un territoire français d'outre-mer **(V. Saint-Pierre-et-Miquelon.)**

MÎRÂBÂI. ♦ Poétesse indienne mystique (v. 1503 – 1570) adepte de Krişna*. Elle vécut à Dwârka sur la côte du Gujarât*, mena une vie errante et écrivit, dans le dialecte braj, des poèmes d'adoration fervente.

MIRABEAU (Victor RIQUETI, *marquis de***)**. ♦ Économiste français (Pertuis, Vaucluse, 1715 – Argenteuil, 1789). Représentant de l'école des physiocrates **(V. Quesnay)** et auteur de *Ami des hommes ou Traité sur la population* (1756), il prit position contre les fermiers généraux dans sa *Théorie de l'impôt* (1760). Père de Honoré Gabriel, comte de Mirabeau.

MIRABEAU (Honoré Gabriel RIQUETI, *comte de***)**. ♦ Orateur et homme politique français (Le Bignon, Loiret, 1749 – Paris, 1791). Fils de l'économiste Victor Riqueti baron de Mirabeau*, il était d'une laideur frappante et fascinante, d'une intelligence remarquable, d'une nature violente et passionnée. Peu aimé par son père, qui l'obligea à entrer dans l'armée (1767), il eut une jeunesse orageuse et fut plusieurs fois emprisonné par lettres de cachet sur l'intervention de son père. Ainsi, après sa liaison avec la jeune Sophie, épouse du marquis de Monnier, avec laquelle il s'était enfui en Suisse puis aux Pays-Bas, il fut enfermé au château de Vincennes (1777-1780) où il rédigea ses fameuses *Lettres à Sophie* (publiées en 1792) et son *Essai sur les lettres de cachet et les prisons d'État* (1782). Libéré, il vécut d'abord de sa plume, écrivant pamphlets et libelles pour dénoncer l'absolutisme royal, le règne des privilèges et des abus ; il fut ensuite chargé d'une mission diplomatique à la cour de Berlin (1786) ; Cf. *De la monarchie prussienne sous Frédéric le Grand* (1787) et *Histoire secrète sur la cour à Berlin,* dont l'anonymat fut vite démasqué et qui fit scandale (1789). Acquis aux idées nouvelles et partisan d'une monarchie constitutionnelle, il était membre d'une loge maçonnique et de la société des Amis* des Noirs, et lié au duc d'Orléans* Philippe Égalité, qu'il envisagea sans doute un moment de placer sur le trône à la place de Louis XVI. Candidat aux États généraux (1789), il fut rejeté par la noblesse mais élu par le Tiers État d'Aix. Orateur le plus brillant des États généraux, puis de l'Assemblée nationale constituante, il joua un rôle décisif dans les débuts de la Révolution, contribuant dès les premiers jours de mai 1789 à instaurer la liberté de presse avec la publication de son *Courrier* de Provence,* se rendant célèbre par sa fameuse apostrophe au marquis de Dreux*-Brézé (23 juin 1789). Il défendit avec brio les principes révolutionnaires, participa à la rédaction de la *Déclaration des droits* de l'homme et du citoyen,* proposa à l'Assemblée la mise à la disposition de la Nation des biens du clergé. Aussi ambitieux qu'intelligent, il souhaitait jouer comme ministre le rôle d'intermédiaire entre le roi et l'Assemblée. Celle-ci, pressentant le danger de telles ambitions, interdit aux députés de devenir ministre (7 novembre 1789). Mirabeau se désolidarisa alors peu à peu des patriotes pour défendre les prérogatives royales (en particulier contre le triumvirat Barnave*, A. Duport et A. de Lameth*), tenta de lutter pour que le droit de veto absolu fût accordé au pouvoir exécutif (au roi, mais l'Assemblée n'accorda que le veto suspensif), et pour que le roi restât investi du commandement de l'armée (mai 1790). Introduit à la cour par son ami, le prince d'Arenberg*, comte de La Marck, il devait y jouer le rôle de conseiller secret (à partir de 1790), recevant des subventions pour défendre à la tribune les intérêts royaux, mais sans cesser pourtant, à l'occasion, de défendre les principes révolutionnaires. Bien qu'accusé de trahison par certains députés, il avait gardé presque intacte sa popularité et venait d'être nommé à la présidence de l'Assemblée, quand il mourut brusquement. Cette mort prématurée ne permet pas de saisir parfaitement les intentions et les buts politiques qui furent les siens. On a publié ses *Œuvres oratoires,* et la *Correspondance entre le comte de Mirabeau et le comte de La Marck.* ♦ ANDRÉ BONIFACE RIQUETI *vicomte de* MIRABEAU (surnommé *Mirabeau-Tonneau* en raison de son embonpoint ou de son intempérance), frère du précédent (Paris, 1754 – Fribourg-en-Brisgau, 1792). Après avoir participé à la guerre d'Indépendance américaine, il fut élu député de la noblesse du Limousin aux États généraux (1789). Émigré dès 1790, il dirigea une légion de « hussards de la mort » contre les armées révolutionnaires françaises.

Miracle de Théophile. ♦ Drame en vers de Rutebeuf* (XIIIe s.) et premier « miracle de Notre-Dame » dans la littérature française, sur un thème très populaire au Moyen Âge. C'est l'histoire du pacte conclu avec Satan, afin d'obtenir des honneurs, par le clerc Théophile, de son repentir et de l'intercession miraculeuse de la Madone.

MÎR ALÎ SHÎR NEWÂI. ♦ Poète afghân (1140 – 1501) né à Herât, d'origine türk et d'expression persane et türk, auteur de nombreux poèmes épiques imités de ceux de ses prédécesseurs persans. Il est considéré comme l'un des plus grands poètes de langue chaghatai (türk).

MIRAMAS [miʀamas]. ♦ Comm. des Bouches-du-Rhône, arr. d'Aix-en-Provence. 10 879 hab. *(Miramassens).* La ville nouvelle (indus. chimiques) est dominée par le *Vieux Miramas.*

MIRANDA (Francisco). ♦ Patriote vénézuélien (Caracas, 1750 –

Ph. Hubert Josse

Le comte de **Mirabeau.** École française XVIIIe s. (Château de Versailles.)

Cadix, 1816). Officier de l'armée espagnole, il participa à la guerre d'Indépendance d'Amérique du Nord (1779-1781). Exilé en Europe, il y soutint la cause de la libération de sa patrie. Nommé général français, il combattit sous Dumouriez. Compromis par ses relations avec les Girondins, il dut gagner l'Angleterre. Des États-Unis, où il se rendit ensuite, il organisa une expédition au Venezuela pour y proclamer la république. Après l'échec de cette tentative, appelé à Caracas, il fit voter la Déclaration d'indépendance (1810). Après son retour à Londres, Bolívar* l'incita à retourner à Caracas. Il y fut battu par les Espagnols (1812); il leur fut livré (peut-être par Bolívar lui-même qui servit sous ses ordres et s'était brouillé avec lui) et fut emprisonné à Cadix, où il mourut. **V. Bolívar, Sucre, Venezuela,** ***Hist.***

MIRANDA. *n. m.* ♦ État du Venezuela, s'étendant au bord de la mer des Caraïbes, à l'E. de Caracas. 7 950 km². 492 350 hab. *Cap.* Los Teques (36 075 hab.).

MIRANDE. ♦ Sous-préf. du Gers*, ch.-l. d'arr. (8 cant., 151 comm., 42 374 hab.), sur la Grande-Baïse. 4 358 hab. [3 469 aggl.] *(Mirandais).* Église XVe siècle. Restes des remparts. Anc. couvent XVIIe siècle. Musées : des beaux-arts, et d'histoire locale. Élevages de volaille. Distilleries. ♦ *Hist.* Anc. bastide fondée au XIIIe s., Mirande fut évêché jusqu'au XVIIIe siècle.

MÎRÂTH. ♦ V. MEERUT.

MIRBEAU (Octave). ♦ Écrivain français (Trévières, 1848 — Paris, 1917). Très tôt orphelin de mère, il passa une jeunesse austère (ce qui explique peut-être qu'il ait peint des adolescents malheureux; Cf. *Le Calvaire,* 1887), puis se mêla ardemment aux combats littéraires et politiques de son époque; d'abord royaliste et catholique, il exprima des opinions violemment antisémites dans *les Grimaces* (revue fondée en 1883), puis évolua jusqu'à défendre des idées anarchistes, s'opposant avec âpreté à toutes les valeurs traditionnelles. Dans son œuvre romanesque, on retrouve la même condamnation violente de la société contemporaine et la dénonciation, parfois outrée, des turpitudes bourgeoises : *Le Journal d'une femme de chambre* (1900) reprend la satire sociale déjà présente dans *L'Abbé Jules* (1888) et *Sébastien Roch* (1890). D'un impressionnisme brutal et d'une sensualité assez trouble, *Le Jardin des supplices* (1899), « pages de crime et de sang », trahit la profonde misogynie d'un auteur, par ailleurs sincère dans son horreur des mensonges sociaux et politiques qu'il dénonce également dans son œuvre dramatique (*Les Mauvais Bergers,* 1896; *Les affaires sont les affaires,* 1903). Esprit curieux de nouveauté et nature passionnée, il mena aussi, comme journaliste, le combat pour la défense de l'art moderne (*Des artistes,* 1922).

MIRBEL (Charles François BRISSEAU ***de*****).** ♦ Botaniste français (Paris, 1776 — 1854). Directeur des jardins et des serres sous l'Empire, il fit des recherches sur la cellule et sur le développement embryonnaire. (Acad. sc., 1808.)

MIRDITË ou **MIRDITA.** *n. f.* ♦ Région montagneuse de l'Albanie* septentrionale, au S. du Drin, habitée par la tribu des *Mirdites.*

MIREBEAU. ♦ Ch.-l. de cant. de la Côte-d'Or (arr. de Dijon), tout proche de Dijon*. 1 004 hab. Vestiges de fortifications. Église des XIIIe et XVIe siècles. Maisons anciennes.

MIREBEAU ou **MIREBEAU-EN-POITOU.** ♦ Ch.-l. de cant. de la Vienne, arr. de Poitiers. 2 162 hab. *(Mirebalais).* Vestiges de l'enceinte et du château médiéval. Maisons anciennes.

Ph. Hétier

Juan Miró : « L'Œuf ».
(Fondation Maeght, Saint-Paul-de-Vence.)

MIRECOURT. ♦ Ch.-l. de cant. des Vosges, arr. de Neufchâteau, sur le Madon. 9 720 hab. *(Mirecourtiens).* Église (XVe s.). Halles (XVIIe s.). — Indus. textiles (dentelles, broderies), boissellerie, lutherie.

MIREPOIX. ♦ Ch.-l. de cant. de l'Ariège*, arr. de Pamiers, sur l'Hers*. 3 556 hab. *(Mirapiciens).* Bastide édifiée au XIIIe siècle. Anc. cathédrale du XVe s., clocher du XVIe siècle. Patrie du maréchal Clausel*.

Miriam. ♦ Personnage biblique (*Genèse,* XV, 20; *Nombres,* XII). Sœur de Moïse* et d'Aaron*, prophétesse.

MIRIBEL. ♦ Comm. de l'Ain*, arr. de Bourg*-en-Bresse, sur le Rhône*. 5 834 hab. *(Miribelans).* Bonneterie, cartonnerie.

MÎR JAFAR. ♦ Général indien musulman (1691 — 1765) qui trahit le roi du Bengale et permit ainsi aux Anglais de remporter la victoire de Plassey en 1757. Devenu nabâb du Bengale, il confirma les droits de l'Eastern Company sur cette province, ouvrant ainsi la porte de l'Inde aux entreprises commerciales anglaises.

MÎR JUMLA. ♦ Aventurier persan ([mort] 1663) au service des shâhs musulmans du Dekkan, qui réussit à se tailler un royaume indépendant dans le centre de l'Inde. Après s'être allié à Aurangzeb*, il céda la ville de Madras* aux Anglais, puis devint gouverneur du Bengale. Il fut tué en combattant les tribus de l'Assam.

MIRNYÏ ou **MIRNY.** ♦ V. d'U.R.S.S. (R.S.F.S. de Russie), en Iakoutie*. 25 000 hab. Petit village jusqu'en 1959, elle est aujourd'hui un centre d'industrie des diamants.

MIRÓ (Juan). ♦ Peintre, dessinateur, sculpteur et céramiste espagnol (Barcelone, 1893). Entré dès 1907 à l'école des beaux-arts de Barcelone, il étudia ensuite à l'Académie Galli (v. 1912) et s'intéressa aux principales tendances modernistes de la peinture européenne. Les paysages, portraits, natures mortes qu'il peignit alors dénotent les influences conjuguées de Van Gogh, Cézanne et Matisse, assimilées déjà d'une façon personnelle (*Ciurana, village et route,* 1917). Du cubisme, il retint surtout une décomposition abrupte, angulaire, des figures au caractère violemment expressif, se détachant sur un fond très ornementé (*Nu debout,* 1918) ou uniforme (*Autoportrait,* 1919). Miró eut ensuite tendance à traiter chaque détail avec une extrême minutie, tout en faisant perdre aux figures et aux objets leur caractère réaliste par l'agencement décoratif de l'ensemble de la composition, les formes prenant ainsi la valeur de signes (*La Ferme,* 1921; *La Fermière,* 1922). S'étant rendu à Paris dès 1919, il y rencontra son compatriote Picasso et il fréquenta aussi Reverdy, Max Jacob, Tzara, s'intéressant au mouvement dada; puis A. Masson le présenta à A. Breton. Il adhéra dès 1924 au surréalisme : « Son entrée, écrivit Breton, marque une étape importante dans le développement de l'art surréaliste »; il « franchit d'un bond les derniers barrages qui pouvaient encore faire obstacle à la totale spontanéité de l'expression. À partir de là, sa production atteste une innocence et une liberté qui n'ont pas été dépassées ». En effet, avec *Terre labourée* (1924), *Carnaval d'Arlequin* (1924-1925), il élaborait un univers très personnel où se manifeste une fantaisie débridée; créant et agençant avec une apparente et déconcertante aisance un répertoire de signes variés, oblongs, en ellipse, en étoile, de formes d'animaux, insectes, serpents, larves hybrides, avec une prédilection pour les motifs biomorphiques et embryonnaires, évoquant des protozoaires, il animait tout l'espace de la toile d'un mouvement fantasque. La pratique de l'automatisme pictural accrut la liberté de sa facture; il s'abandonna aux suggestions de la matière : taches, éclaboussures, laissant courir un trait délié lui suggérant des visions qu'il précise ensuite. Il créa des formes aux confins de l'abstraction (*La Naissance du monde,* 1925) toujours riches de suggestion (*Personnage lançant une pierre à un oiseau,* 1926). L'esprit ludique et l'humour insolent qui caractérisent une grande partie de sa production apparaissent aussi dans les collages réalisés v. 1927 à partir de matériaux frustes (*Danseuse espagnole,* 1928). Sa peinture évolua soit dans une direction plus abstraite, soit plus fantastique (*Intérieurs hollandais* [1928], *Portraits imaginaires).* Puis son inspiration prit un caractère plus angoissé, les formes un aspect monstrueux, convulsif et caricatural (*Femmes,* 1934). La guerre d'Espagne l'obligea à revenir en France en 1937. Dans une série de vingt-deux gouaches, les *Constellations,* les formes élémentaires, les silhouettes humaines prennent l'aspect de signes aériens, ponctuant et animant un espace aux couleurs intenses et légères à dominante rouge et noire. Après la guerre, il produisit des peintures murales (université de Harvard); il se consacra aussi longuement à la lithographie, à la céramique et à la sculpture en terre cuite, avec le céramiste Artigas, tout en poursuivant une œuvre picturale qui atteint parfois un laconisme extrême (*Bleu,* 1961). — L'œuvre de Miró témoigne d'une allégresse et d'une ingénuité rares, d'un sens plastique constant. Même lorsque l'exécution apparaît sommaire et négligée, elle révèle un trait élégant, concis ou délié, et un très grand sens de la couleur, étalée avec légèreté et transparence en créant des accords de couleurs très vives.

MIROMESNIL [miʀɔmenil] **(Armand Thomas HUE** ***de*****).** ♦ Homme politique français (près d'Orléans, 1723 — Miromesnil, 1796). Il s'opposa, en tant que président du parlement de Rouen, à la réforme de Maupeou*. Garde des Sceaux sous Maurepas*,

Ph. Mario Russo/Ricciarini

Miskolc : place Szabadsag.

il combattit les projets de Turgot*, inspira la suppression de la question (1780) et fut disgracié par Calonne*.

MIRON (François). ♦ Magistrat français (Paris, 1560 – 1609). Il intervint contre la réduction des rentes, ce qui lui valut le surnom de *Père du peuple.*

MIROSLAV. ♦ Prince serbe de Zahumlje (1163 – 1187). Il est l'auteur du célèbre *Évangile de Miroslav* (v. 1184), premier ouvrage important écrit en serbe.

MÎRZÂ 'ALÎ. ♦ V. BÂB.

MÎRZÂ HUSAYN 'ALÎ. ♦ V. BAHÂ'U'LLAH.

MIRZÂPUR. ♦ V. de l'Inde (Uttar Pradesh) sur le Gange, à l'E. d'Allâhâbâd. 120 000 hab. Filatures de coton et manufactures de tapis.

Misanthrope (Le). ♦ Comédie en cinq actes, en vers, de Molière* (1666). Pour Alceste, jeune seigneur d'humeur ombrageuse, l'exigence de la vérité prime tous les autres devoirs, au sein d'une société mondaine dont les rites et les usages sont fondés sur le mensonge. À l'encontre de son ami Philinte, qui est disposé à s'accommoder des défauts humains et à les traiter avec indulgence, Alceste attend de ses semblables une sincérité dans le jugement, une rigueur dans la conduite dont, pour sa propre part, il se croit capable. Ainsi n'épargne-t-il ni la prétention d'Oronte, poète ridicule, ni la pruderie d'Arsinoé, coquette mûrissante, ni la vanité d'Acaste et de Clitandre, petits marquis à la mode, ni la coquette duplicité de Célimène, jeune veuve dont il est devenu amoureux. C'est la constance de cet amour qui va le placer dans une situation intenable, et c'est l'échec de cette passion, trop exigeante pour l'insouciante Célimène, qui le détermine à quitter le monde.

MISÈNE *(cap).* ♦ Cap italien d'origine volcanique, en Campanie, fermant à l'O. le golfe de Naples. ♦ *Hist.* Au fond de la baie abritée par ce cap, la bourgade de *Misenum* fut sous Auguste* l'une des principales stations de la flotte romaine. Pline* l'Ancien y était commandant de la flotte lors de l'éruption du Vésuve* en ~ 79.

Misérables (Les). ♦ Roman en dix volumes (1862) de Victor Hugo*. « Poème de la conscience humaine », c'est une vaste fresque historique, sociale et humaine. Somme romanesque qui soutient une somme idéologique, l'ouvrage s'appuie sur une structure complexe, l'entrecroisement des destins personnels avec les forces de la société et les mouvements de l'histoire. Ses personnages symbolisent les énergies morales (Jean Valjean*), les grandeurs spirituelles (Mgr Myriel) et les misères sociales (les Thénardier, ou Fantine) du siècle. Le principal personnage, le forçat Jean Valjean*, personnifie les espoirs généreux de Victor Hugo : les étapes de sa régénération morale expriment la foi de l'auteur dans une domination progressive du Bien sur le Mal, le fatal déterminisme social (servi par l'inspecteur Javert) et les convulsions de l'histoire (Cf. *L'Émeute de juin 1832).* Si sa vision manichéenne paraît parfois naïve, Victor Hugo, excellant à évoquer des périodes *(L'Année 1817)* ou des grands événements *(Waterloo)* de l'histoire, manifeste dans cette œuvre sa maîtrise de romancier par la vie de certaines scènes (Gavroche* sur les barricades), le pittoresque des tableaux *(Les Égouts de Paris)* et le réalisme émouvant des portraits (Cosette*), mêlant tous les sujets comme tous les styles en un monument parfaitement architecturé.

Misère de la philosophie. ♦ Cet ouvrage, écrit en français par Marx* (1847), est une critique des théories économiques et sociales petites-bourgeoises et utopiques exposées par Proudhon* dans *La Philosophie de la misère* (1845). Engels rédigea la préface de la première édition allemande (1884).

MISHIMA YUKIO. ♦ Écrivain japonais (1925 – Tôkyô, 1970). Après des études de droit, il se consacra à la littérature et au théâtre, écrivit plus de douze romans, une centaine de nouvelles et des pièces de théâtre pour le Nô* et le Kabuki*. Ses sujets, empruntés à l'actualité, demeurent cependant traités selon une forme classique. Grand admirateur de la tradition japonaise et fervent adepte des vertus des *Samurai,* il déplore dans ses écrits le modernisme de son époque et donne une vue pessimiste de l'univers. Il se suicida dans des circonstances dramatiques. Parmi ses ouvrages (dont un grand nombre ont été traduits à l'étranger), on peut citer *Confessions d'un masque, Mort au milieu de l'été, Le Pavillon d'or, Cinq Pièces modernes pour le Nô, Soif d'amour.* Son style a cependant été critiqué comme superficiel et occidentalisé.

Mishnah ou **Michna.** *n. f.* ♦ Dans le judaïsme, compilation des enseignements et des décisions d'un certain nombre de rabbins (*tannaïm,* « enseignants ») interprétant la Torah*. Cette tradition orale fut consignée par écrit, en hébreu tardif raffiné, par Judah* le Prince (IIᵉ s.) ou sous sa direction. La Mishnah comporte 63 traités répartis en 6 ordres *(sedarim) :* les *Semences,* règles sur l'agriculture; les *Temps fixés,* sur les fêtes; les *Femmes;* les *Dommages,* lois civiles et criminelles; les *Choses saintes,* sur le culte; les *Purifications,* sur la pureté et l'impureté rituelles. Ces mêmes divisions sont conservées dans le Talmud* qui, à chaque passage de la Mishnah, ajoute commentaires et décisions.

MISIONES. *n. f. pl.* ♦ Prov. du N.-E. argentin, couloir entre le Paraguay* et le Brésil. 29 801 km². 447 000 hab. en 1965. *Ch.-l.* Posadas*. L'une des trois provinces de la Mésopotamie* argentine, elle est accidentée de reliefs couverts d'une forêt dense. – *Cultures* de canne à sucre, coton, maté, tabac, agrumes, thé. Usines de pâtes à papier. ♦ *Hist.* Les forêts des Misiones n'ont été conquises sur les Indiens qu'après 1880. Le nom de la région évoque l'action entreprise sur place par des compagnies de jésuites appliqués à la conversion des Indiens jusqu'au XVIIIᵉ siècle.

MISKOLC. ♦ V. de Hongrie, ch.-l. du comitat de Borsod Abaúj Zemplén, située au N.-E. du pays. 175 000 hab. – Palais du Conseil du comitat (XVIIIᵉ s., restauré). Temple calviniste gothique du XVᵉ siècle. – Université technique. Indus. alimentaires; meubles; chaussures; sidérurgie (Diósgyör).

MISNIE. *n. f.,* en all. **Meissen.** ♦ Anc. prov. d'Allemagne. Elle était située à l'E., autour de la ville de Meissen*, fondée en 929 par Henri* Iᵉʳ l'Oiseleur. Le margrave Géron* l'engloba dans son État, mais Othon* Iᵉʳ lui rendit son indépendance (965). Devenue margraviat du Saint Empire, la région passa au XIIᵉ s. à la maison de Wettin. Celle-ci, qui avait acquis la Thuringe* au XIIIᵉ s., hérita de l'électorat de Saxe*, auquel la Misnie fut réunie en 1423.

MI-SÖ'N. ♦ Site archéologique du Viêt-nam central, au S.-E. de la ville de Tourane, célèbre pour ses sanctuaires de briques de style Cham* datant du VIIᵉ au XIIIᵉ siècle.

MIṢR. ♦ Nom arabe de l'Égypte. **V. Égypte.**

Missi dominici (« les envoyés du maître »). ♦ Nom donné aux inspecteurs envoyés par l'empereur pour surveiller le gouvernement des comtes, à l'époque carolingienne. Ils existaient déjà à l'époque mérovingienne mais furent organisés par Charlemagne* (802). Se déplaçant par deux (un ecclésiastique et un laïc), ils étaient chargés de la justice d'appel, des impôts, des travaux publics et du domaine royal. Ils disparurent au début du Xᵉ siècle.

Missions étrangères *(société des).* ♦ Association religieuse fondée par les évêques François Pallu et Pierre Lambert de la Motte, vicaires apostoliques pour le Tonkin et pour la Cochinchine. Établie rue du Bac en 1663 et régulièrement constituée en 1664, elle était formée de prêtres séculiers et de frères coadjuteurs, voués aux missions en Extrême-Orient avec la charge d'y former des Églises et un clergé indigène. Le *séminaire des Missions étrangères,* à Paris, devait instruire les missionnaires et une partie du clergé local. La société assura au XIXᵉ s. la prépondérance française dans l'apostolat en Extrême-Orient. Depuis 1921, elle est dirigée par un supérieur élu.

MISSISSIPPI (parfois en fr. **MISSISSIPI**; anc. **MESCHACEBÉ).** *n. m.* ♦ Fl. des États-Unis qui traverse le pays du nord au sud. 3 780 km. Né près des Grands Lacs au N. du Minnesota, il parcourt une région de relief glaciaire, à lacs et tourbières, puis s'enfonce dans une vallée assez encaissée (rapides); il reçoit le Missouri* (beaucoup plus long que son cours supérieur) qui lui apporte les eaux des Rocheuses du N., à Saint Louis; 200 km plus au S., il reçoit l'Ohio*, puis l'Arkansas*; il coule alors dans un lit très vaste et aboutit à un immense delta, après avoir formé des méandres qui donnent naissance à des bras morts, et reçu la Red* River. La largeur et le débit du fl. diminuent au S. de Natchez (évaporation; effluents). Dans le delta, le fl. est exhaussé; de nombreux cours d'eau (bayous) échangent leurs eaux avec les siennes. – Du N. au S., le Mississippi arrose Minneapolis*, Saint Paul, Saint Louis*, Memphis*, Vicksburg*, Natchez*, Baton* Rouge et New* Orleans.

MISSISSIPPI. *n. m.* ♦ État du S. des États-Unis, bordé au S. par le golfe du Mexique. 123 584 km². 2 178 141 hab. (1960). *Cap.* **V. Jackson.** *Autres V.* Biloxi*, Greenville (41 000 hab.), Meridian (49 000 hab.), Natchez*. – *Orogr.* L'État est situé dans la plaine côtière du golfe du Mexique; il est formé dans sa majeure partie de collines. La côte est basse (plages de sable) et bordée d'îles. – Climat doux et égal. – *Écon.* État agricole (mais les agriculteurs représentent moins de 30 % des actifs), voué traditionnel-

Ph. A. Rey

Le **Mississippi** à Natchez.

lement au coton, qui reste très important, mais tend à être rattrapé par l'élevage (bovins). Le niveau de vie des petits agriculteurs reste bas et l'urbanisation est faible. Soja, maïs, riz et blé. Forêts. – Pétrole et gaz naturel. Indus. du bois, textiles, confection; indus. alimentaires et chimiques. – Universités. – Patrie de W. Faulkner*, Tennessee Williams*, Richard Wright*. ♦ *Hist.* La région fut explorée par Hernando de Soto en 1540-1541, puis par Marquette et Jolliet, qui descendirent le Mississippi en 1673. Le Moyne d'Iberville fonda un établissement sur le golfe du Mexique (près de Biloxi). **V.** *aussi* **Louisiane.** La France céda le territoire à l'Angleterre (1663), puis les Espagnols s'y installèrent. En 1795, le Mississippi érigé en territoire, devint américain. Il devint en 1817 le 20ᵉ État de l'Union. Esclavagiste et sécessionniste (1861), le Mississippi fut occupé par les nordistes après Vicksburg* (1863). Il fut réadmis dans l'Union en 1870. Les problèmes d'intégration raciale ont entraîné après 1964 de nombreuses résistances, et des violences racistes (Ku Klux Klan, etc.).

MISSOLONGHI, en gr. **Messolongion** ou **Mesolóngi**. ♦ V. de Grèce, ch.-l. du *nome* d'Étolie-et-Acarnanie, située sur une lagune à l'entrée du golfe de Corinthe. Centre commercial : tabac, produits de la pêche. 11 615 hab. ♦ *Hist.* La résistance de Missolonghi contre les Turcs (1821-1826) devint légendaire. Défendue par Botzaris, Karaïskakis et Mavrocordatos, la ville repoussa l'assaut turc en 1822. Lord Byron*, venu pour contribuer à la lutte grecque, y mourut en 1824. Au bout d'un nouveau siège (1825-1826), les défenseurs de Missolonghi, accablés par la famine, tentèrent de percer les lignes turques, tandis qu'une poignée d'hommes enfermés dans la citadelle faisait sauter les dépôts de poudre, entraînant dans la mort de nombreux ennemis.

MISSOURI. *n. m.* ♦ Riv. des États-Unis, affl. du Mississippi [r. d.] (4 370 km). Il prend sa source dans les Rocheuses, par la réunion de trois cours d'eau nés dans le parc de Yellowstone*. Après avoir traversé une série de défilés (chutes; rapides), il coule d'O. en E. dans le Montana, reçoit la *Yellowstone* River,* puis s'oriente vers le S.-E. et vers le sud. Il reçoit (r. d.) la *Platte* River,* près d'Omaha, la *Kansas River,* traverse l'État du Missouri d'O. en E. et conflue à Saint Louis. Le Missouri draine un bassin vaste et aride, où les riv. érodent le sol et sont chargées de boue en hiver; son débit est relativement faible. Des barrages régularisent les débits, irriguent des vallées et fournissent de l'énergie. La riv. n'est navigable que dans son cours inférieur. Elle arrose Great Falls (Montana), Bismarck* (Dakota du N.), Pierre* (Dakota du S.), Omaha*, Kansas* City, Jefferson* City (Missouri) et Saint Louis*.

MISSOURI. *n. m.* ♦ État du centre des États-Unis, situé à l'O. du Mississippi et limité à l'E. par ce fl. qui le sépare de l'Illinois. 180 456 km². 4 319 813 hab. (1960). *Cap.* **V. Jefferson City.** *V. princ.* **V. Kansas City, Saint Louis, Springfield.** – *Orogr.* Une grande partie de l'État, au S., est occupée par le massif des Ozarks*, qu'il partage avec l'Arkansas. C'est un massif arasé, formant plateau, entaillé par de profondes vallées. Le N. est formé par des plaines glaciaires et l'O. par une plaine sédimentaire riche en minéraux. Au S.-E., s'étend la plaine du Mississippi. – Climat continental. – *Écon.* État agricole dont les fermes s'agrandissent et diminuent en nombre. Les plus gros revenus (60 %) proviennent du bétail, des porcs, du lait, de la volaille et des œufs. Cultures de soja, maïs, blé, coton. Forêts dans les Ozarks. Richesses minérales : plomb (1ᵉʳ product.), baryte, carrières de pierre, ciment. Réserves de fer. Indus. alimentaires, bois, matériel de transport, chimie, imprimerie, etc. – Tourisme. – Universités (Saint Louis, Kansas City). – Patrie du général Pershing*, de H. Truman*, de Mark Twain*, de N. Wiener*. ♦ *Hist.* Explorée par Jolliet et Marquette (1673), la région fut englobée dans la Louisiane française; cédée à l'Espagne (1763), elle redevint française peu de temps avant la cession de la Louisiane qui la rendit américaine (1803). Territoire en 1812, le Missouri, esclavagiste, tarda à devenir un État, de par l'opposition des États du Nord. Le *compromis du Missouri* (1820) le fit admettre comme 24ᵉ État en même temps que le Maine (antiesclavagiste), en y interdisant partiellement l'esclavage. L'État resta dans l'Union pendant la guerre de Sécession, malgré des guérillas sudistes.

MISTASSINI. *n. f.* ♦ Riv. du Canada (Québec) [300 km], qui prend sa source à l'E. du lac homonyme et se jette dans le lac Saint-Jean **(V. Saguenay).**

MISTASSINI *(lac).* ♦ Lac du Canada (Québec) d'où sort le Rupert*.

MISTI. ♦ Volcan des Andes* occidentales du S. du Pérou (5 842 m) qui domine Arequipa* et les plateaux de la Puna*.

MISTINGUETT (Jeanne BOURGEOIS, dite**)**. ♦ Vedette française de music-hall (La Pointe-Raguet près Montmorency, 1875 – Bougival, 1956). Elle fut au théâtre et au cinéma l'interprète de nombreux succès, mais c'est au café-concert puis sur la scène des plus grands music-halls parisiens (Moulin-Rouge, Folies-Bergère, Casino de Paris) qu'elle conquit, dans l'entre-deux-guerres, une gloire incontestée. Avec sa gouaille faubourienne, son regard malicieux et le galbe parfait de ses jambes, elle incarna aux yeux du monde l'esprit de Paris.

MISTLER (Jean). ♦ Écrivain et homme politique français (Sorèze, 1897). Député radical de l'Aude (1928), il a occupé diverses charges officielles (sous-secrétaire d'État aux Beaux-Arts [1932], ministre des P.T.T. et du Commerce [1934]) et a été président de la commission des Affaires étrangères. Directeur littéraire de la Librairie Hachette (dont il a écrit l'histoire), il a composé de nombreux articles de critique littéraire pour des journaux, dont *l'Aurore*. Écrivain éclectique, J. Mistler est attiré par le fantastique : il a consacré des ouvrages à *Kaspar Hauser* (1971), à la *Vie d'Hoffmann* (1927); il a montré également son intérêt pour le romantisme dans des études sur *Mme de Staël,* sur *Richard Wagner* (1960), comme dans ses romans, *Châteaux en Bavière* (1925) et *Ethelka*. On lui doit des ouvrages historiques, écrits en collaboration, tel *Napoléon et l'Empire* (1968). [Acad. fr., 1966.]

MISTRA, en gr. **Mustras**. ♦ V. médiévale de Grèce (Laconie), à 5 km de Sparte. Elle fut bâtie en amphithéâtre par les habitants de Lakédémonia (la Sparte byzantine) autour de la forteresse élevée en 1249 par le prince d'Achaïe, Guillaume de Villehardouin. Après la reconquête byzantine **(V. Michel VIII Paléologue),** le *despotat de Mistra,* créé en 1349 par Jean* VI Cantacuzène et s'étendant sur toute la Morée byzantine, fut un apanage de l'Empire, gouverné par les frères ou les fils des empereurs. Mistra devint, sous les Paléologue, un important centre intellectuel **(V. Gémiste Pléthon, Bessarion)** et donna son nom à une école de peinture et d'architecture byzantine. Prise par les Turcs en 1460, sous l'autorité des Vénitiens de 1687 à 1715 et de nouveau sous les Turcs, la ville fut incendiée par les Albanais en 1770 et complètement détruite par Ibrâhîm (1825) lors de la guerre de l'Indépendance grecque. Les monastères de Péribleptos et de Pantanassa, les églises Sainte-Sophie et Métropole, le palais du despote, etc. (XIIᵉ-XVᵉ s.) sont les vestiges les plus importants.

MISTRAL (Frédéric). ♦ Écrivain français d'expression occitane (Maillane, 1830 – *id.,* 1914). Lié, dès l'adolescence, avec Joseph Roumanille*, il se voua comme lui à l'exaltation de la race occitane, consacrant désormais son génie à illustrer les beautés de la Provence et à faire renaître sa langue (Cf. *Mes origines, mémoires et récits,* 1906). Se voulant « humble élève du grand Homère », il commença en 1851 un poème épique en douze chants, *Mireille* (*Mirèio,* publié en 1859) qui évoque des passions soumises à une fatalité toute romantique dans le cadre puissamment réaliste de la Provence rhodanienne. Lamartine* salua la « majestueuse simplicité » de cette œuvre, que Ch. Gounod* adapta au théâtre lyrique en 1864. Un des sept félibres depuis 1854, avec Roumanille et Aubanel*, collaborateur actif de l'*Almanach provençal,* Mistral donna en 1866 une seconde épopée rustique, où le merveilleux s'allie au pittoresque, *Calendal (Calendau),* célébration allégorique du passé de la Provence maritime et montagnarde. Parallèlement, il présidait à la tentative pour élargir le félibrige de la Provence à la Catalogne, rêvant même d'une union latine que devait préparer l'organisation très précise donnée au mouvement en 1876. Au recueil lyrique *Les Îles d'or* (*Lis Isclo d'or,* 1876), d'une grande richesse verbale, succéda (1878) un vaste lexique embrassant les divers dialectes occitans modernes, le *Trésor du félibrige,* destiné à aider le peuple des « pastre e gènt di mas » à reconquérir sa langue. Jouissant d'une popularité considérable qui coïncidait avec le grand essor du félibrige, entraîné par son amitié pour Maurras* et sa sympathie pour la droite, Mistral connut la tentation du régionalisme; mais il se refusa à polémiquer et, après *Nerte* (*Nerto,* 1884), « poème avignonnais » inspiré d'une légende médiévale, et après un drame historique, *La Reine Jeanne* (*La Rèino Jano,* 1890), il préféra donner avec *Le Poème du Rhône* (*Lou Pouèmo dou Rose,* 1897) un tableau allégorique de la Provence qui doit évoluer, mais sans renier ses légendes et ses traditions. Dans son dernier recueil de poèmes, *Les Olivades* (*Les Oulivadou,* 1912), plus que le représentant de « l'idée latine », Mistral s'affirme comme le grand écrivain qui sut « par l'influx et la flamme de la divine poésie » évoquer la figure éternelle de la Provence. (Prix Nobel, 1904.)

MISTRAL (Lucila GODOY Y ALCAYAGA, dite **Gabriela)**. ♦ Poétesse chilienne (Chili, 1889 – New York, 1957). Son activité littéraire, sociale et pédagogique dans le monde entier lui valut en 1945 le premier prix Nobel de littérature décerné à un écrivain latino-américain. Chrétienne et démocrate, elle s'inspira visiblement dans ses premières œuvres de la Bible et de Rubén Darío*. Puis elle acquit un style personnel, simple, ferme et émouvant pour décrire la douleur de son cœur (*Sonnets de la mort*, 1915 ; *Désolation*, 1922). Nostalgique de la maternité et de l'amour (*Tendresse, Tala*), elle aima les enfants dont elle sut toujours s'attirer la sympathie ; elle écrivit pour eux en 1923 les charmantes *Rondes d'enfants*.

MITAKA. ♦ V. du Japon, dans la banlieue O. de Tôkyô. 150 000 hab. Artisanat, petites industries.

MITANNI. *n. m.* ♦ Empire qui domina une partie de l'Asie antérieure (Arménie, Syrie, Assyrie) aux ~ XVe-~ XIVe siècles. Il était composé d'une aristocratie guerrière mixte, hourrite et aryenne, dominant une population agricole. Il apparaît déjà formé v. ~ 1460 sous Shaushatar, vainqueur de l'Assyrie*. Le Mitanni entretint de bonnes relations avec Babylone et l'Égypte, les pharaons épousèrent des princesses mitanniennes (c'est sans doute le cas de Néfertiti), mais après l'assassinat de Dushratta v. ~ 1365 l'empire fut en partie reconquis par l'Assyrie ; le reste fut englobé dans l'empire hittite après ~ 1355. Sa capitale, Wassukana, n'a pas été localisée.

MITAU. ♦ Nom allemand de Ielgava*.

MITCHELL (Silas Weir). ♦ Médecin américain (Norwich, Connecticut, 1829 – Edgewood, 1914). Considéré comme un des fondateurs de la neurologie en Amérique, il fit des recherches sur les *Traumatismes des nerfs et leurs conséquences* [1872] (causalgie, 1864, appelée parfois syndrome de Mitchell).

MITCHELL (Margaret Munnerlyn). ♦ Romancière américaine (Atlanta, Géorgie, 1900 – *id.*, 1949). Auteur de *Autant* en emporte le vent*.

MITCHELL *(mont)*. ♦ Point culminant des Appalaches*, en Caroline* du Nord. 2 037 mètres.

MITCHOURINE (Ivan Vladimirovitch) [Mitšurin]. ♦ Agronome russe (Dolgori, gouvernement de Riazan, 1855 – Kozlov, auj. Mitchourinsk, 1935). Auteur des premières expériences de sélection artificielle en Russie, il affirma que l'influence du milieu est capable de modifier les caractères héréditaires des hybrides. Ses idées furent développées par Lyssenko*.

MITCHOURINSK ou **MITCHURINSK** (jusqu'à 1932, *Kozlov*). ♦ V. d'U.R.S.S. (R.S.F.S. de Russie) dans la région de Tambov, sur la Lesnaïa Voronej. 85 000 hab. (1962). Travail des métaux. Indus. alimentaires.

MITHRA. ♦ Dieu de l'ancien Iran, sans doute issu du Mitra indien. Son nom signifie « contrat » ; il est maître de troupeaux de bœufs. Ignoré de la réforme zoroastrienne **(V. Zarathoustra)**, il réapparaît à l'époque achéménide. C'est un dieu solaire et un sauveur eschatologique. Son culte se répandit dans le monde hellénistique puis romain. Il était alors l'objet d'un culte à mystères (sept degrés d'initiation) surtout en faveur chez les soldats. On lui sacrifiait un taureau (Cf. Taurobole, *in* Robert). Mithra est représenté, coiffé d'un bonnet, en train d'immoler le taureau primordial ; parfois le revers du bas-relief le montre partageant un repas avec Sol (le soleil). Sa fête, le 25 décembre, est à l'origine de celle de Noël.

MITHRIDATE Ier Ctistés (« le Fondateur »). ♦ Satrape perse de la Cappadoce pontique soumise à la Macédoine (~ 302 – ~ 266). Profitant du démembrement de l'empire d'Alexandre, il se proclama indépendant et fonda le royaume du Pont en ~ 280.

MITHRIDATE Ier Philhellène. ♦ Roi des Parthes v. ~ 171-~ 139, conquérant de l'Iran, de la Susiane, de la Perside, de la Babylonie. Il prit le titre de Grand Roi (~ 141). **V. Parthes.**

MITHRIDATE II le Grand. ♦ Roi des Parthes v. ~ 123-~ 86. Il libéra l'Iran oriental d'une invasion scythe, conquit une partie de l'Arménie et assura prospérité et cohésion à l'empire parthe.

MITHRIDATE VI Eupator, dit **le Grand.** ♦ (v. ~ 132 – Panticapée, ~ 63). Roi du Pont (~ 111-~ 63). Vers ~ 111, il s'empara du pouvoir et s'engagea dans une politique de conquêtes. Sultan oriental de culture hellénique, il désirait avant tout la grandeur de son royaume et sa politique visa toujours à chasser Rome de l'Asie. Il annexa le Bosphore cimmérien (~ 107) et partagea la Paphlagonie (~ 90) avec Nicomède*, roi de Bithynie. D'autre part, allié de Tigrane d'Arménie, il réussit à détrôner Ariobarzane de Cappadoce (~ 94). En ~ 92, Ariobarzane fut rétabli par les Romains. La guerre entre Rome et Mithridate devenait inévitable ; après avoir détruit la Bithynie, alliée de Rome (~ 88), il souleva les Grecs d'Asie puis la Grèce elle-même contre la domination romaine. Envoyé contre lui, Sylla* reprit Athènes (~ 86), le battit à Chéronée et à Orchomène et lui imposa la paix de Dardanos (~ 85). Cette paix fut maintenue pendant dix ans ; mais en ~ 74, la Bithynie fut annexée par Rome, Mithridate rouvrit les hostilités et mit le siège devant Cyzique. Chassé de Bithynie par Lucullus*, il fut définitivement vaincu par Pompée* (~ 66). Retiré en Crimée, il essaya alors de s'empoisonner mais par crainte que ses ennemis ne lui rendissent un jour ses procédés, il avait eu soin de se faire immuniser contre les poisons (Cf. le verbe *mithridatiser*, in Robert) ; le poison n'ayant plus d'action sur lui, il se fit donner la mort par un de ses soldats.

Mithridate. ♦ Tragédie de Racine*, en cinq actes et en vers (1673) dont le sujet est emprunté à Appien et à Plutarque. Mithridate **(V. *ci-dessus* Mithridate VI)**, roi du Pont, est amoureux de Monime, princesse grecque et s'apprête à l'épouser ; mais les deux fils du vieux roi, Xipharès et Pharnace, sont épris de la jeune fille, qui aime Xipharès. Le retour de Mithridate, que l'on tenait pour mort, va précipiter le drame. Soupçonneux et jaloux, il fait arrêter Pharnace, puis contraignant Monime à lui avouer son amour, il décide de donner la mort aux deux jeunes gens. Alors que Pharnace, échappé de sa prison, a soulevé le peuple contre Mithridate, Xipharès se porte au secours de son père. Magnanime, Mithridate mourant bénira l'union de Monime et de Xipharès.

MITIDJA. *n. f.* ♦ Plaine d'Algérie*, arrière-pays d'Alger, séparée de la mer par les coteaux du Sahel* d'Alger, bordée par le massif de Miliana* à l'O., l'Atlas* de Blida* et mitidjien au S. et la Grande Kabylie* à l'E. Elle est drainée principalement par l'oued Harrach*. Agrumes. Vignobles. Tabacs. *V. et localités princ.* **V. Arba** (El-), **Béni-Mered, Blida, Boudouaou, Boufarik, Dar el-Beïda, Harrach** (El-) ; **Hadjout** et **Rouïba.**

MITO. ♦ V. du Japon (Honshû, préf. d'Ibaraki), important carrefour ferroviaire et port de pêche. 171 000 hab. (1969). ♦ *Hist.* La cité eut une grande importance historique à l'époque des Tokugawa*, au XVIIe s., étant le siège d'une académie d'histoire, de littérature et de religion. Elle joua un grand rôle dans la restauration de l'empereur en 1868.

MITRA. ♦ Anc. divinité mineure de l'Inde védique, dont le nom signifiait « contrat » à l'origine puis « ami » en sanskrit postvédique. Elle symbolisait la perfection, l'harmonie, la lumière solaire et était généralement opposée à Varuna*. Elle semble avoir été une des principales divinités des peuples indo-européens. **V. *aussi* Mithra.**

MITRE (Bartolomé). ♦ Homme politique argentin (1821 – 1906). Exilé sous Rosas*, il contribua à le renverser en 1852. **V. Urquiza.** Il participa à la lutte pour l'indépendance de la province de Buenos Aires. Président de la république Argentine de 1862 à 1868, il développa l'enseignement et l'économie. Après sa retraite, il fut le chef de l'opposition libérale et fonda le grand journal *La Nación* (1870). Il est l'auteur d'ouvrages historiques, dont une biographie de San* Martin.

MITRY-MORY. ♦ Comm. de Seine-et-Marne, arr. de Meaux. 13 204 hab. [3 259 aggl.]. Église du XVIe siècle. Indus. alimentaires.

MITSCHERLICH (Eilhard). ♦ Chimiste allemand (Neuende, Oldenburg, 1794 – Berlin, 1863). Étudiant les formes de certains cristaux artificiels (notamment des phosphates et des arséniates d'un même métal), il découvrit l'*isomorphisme* et le *polymorphisme* (1820). Il publia son premier grand mémoire sur ce sujet (1821) en Suède, où Berzélius* l'avait fait venir. **V. *aussi* Beudant.** Sa définition de l'isomorphisme, considérée à tort comme une loi, suscita de vives critiques. Il s'intéressa à la détermination des poids atomiques (1826) et à la dilatation des substances cristallines, étudiant surtout le cas des cristaux anisotropes (1827). Il découvrit également les réactions de sulfonation et de nitration (1834).

Mitsubishi. ♦ Un des grands *zaibatsu* (oligopoles) japonais, fondé en 1885, groupant des banques, des entreprises de transport

Ph. Lauros-Giraudon

Costume de Jean Marais pour le rôle de **Mithridate,** par Brayer.

et de nombreuses usines (automobiles, électronique). Son chiffre d'affaires représente, en 1972, 10 % du P.N.B. japonais.

Mitsui. ♦ Un des grands *zaibatsu* (oligopoles) japonais, fondé à Kyôto au XVIe siècle. Il se développa surtout au XXe s. en participant à l'industrialisation des pays occupés par le Japon. Il contrôle de nombreux secteurs de la banque et de l'industrie.

MITTELLANDKANAL. *n. m.* ♦ Canal d'Allemagne centrale. Creusé de 1905 à 1930 et branché à l'E. du canal Dortmund-Ems, il traverse l'Allemagne jusqu'à l'Elbe, en lisière des *Börde,* passe près d'Osnabrück, Minden, Hanovre, Hildesheim et Brunswick, qui y sont reliées par un système de canaux latéraux. Axe principal de la navigation fluviale allemande avant 1945, ravitaillant l'Allemagne en houille et en fer, il a perdu, depuis le partage de l'Allemagne, une grande partie de son trafic.

MITTERRAND (François). ♦ Homme politique français (Jarnac, 1916). Mobilisé au début de la Deuxième Guerre mondiale, il fut fait prisonnier, parvint à s'évader, entra dans la Résistance et fonda le *Mouvement national des prisonniers.* Député de l'*Union démocratique et socialiste de la Résistance* pour le département de la Nièvre (1946-1958, et depuis 1962), ou sénateur (1959-1962), il fut successivement ministre des Anciens Combattants (1947-1948), de l'Information (1948), de la France d'outre-mer (1950-1951). Ministre d'État dans le cabinet Laniel (1953), il démissionna en raison de son désaccord sur la politique coloniale qu'il voulait voir s'orienter dans un sens plus libéral. Ministre de l'Intérieur (cabinet Mendès France, 1954-1955), puis de la Justice (cabinet Guy Mollet, 1956-1957), il vota contre l'investiture du général de Gaulle en juin 1958 et entra dans l'opposition. F. Mitterrand fut dès lors un des principaux leaders de la gauche socialiste. Candidat à la présidence de la République (1965), il parvint à mettre le général de Gaulle* en ballottage. Il contribua à la création de la *Fédération de la gauche démocrate et socialiste* (F.G.D.S., 1966). Secrétaire général du Parti socialiste* (1971), il put mettre au point avec le Parti communiste un programme commun de la gauche en vue des élections législatives de 1973, où les deux formations gagnèrent des voix sans pour autant faire basculer la majorité. De nouveau candidat, en mai 1974, à la présidence de la République, il obtint 49,30 % contre 50,70 % à V. Giscard* d'Estaing. (*Aux frontières de l'Union française,* 1953; *Présence française et abandon,* 1957; *La Chine au défi,* 1961; *Le Coup d'État permanent,* 1964; *La Paille et le Grain,* 1975).

MITTWEIDA. ♦ V. d'Allemagne orientale (Saxe-Anhalt, district de Karl-Marx-Stadt). 28 200 hab. Indus. textiles et mécaniques.

MIXTECA. *n. f.* ♦ Région montagneuse du Mexique méridional, qui s'étend sur les États de Puebla* et Oaxaca*, reliant la sierra Madre del Sur à la sierra Madre orientale. Elle est parcourue de vallées. C'est le pays des Mixtèques*.

MIXTÈQUES. *n. m. pl.* ♦ Indiens de l'ancien Mexique, dont les premières dynasties remontent au IXe siècle. Leur civilisation, organisée en petites cités, a produit une orfèvrerie remarquable. Vers le XIVe s., ils refoulèrent en partie les Zapotèques avant d'être soumis par les Aztèques.

MIYAJIMA. ♦ **V.** ITSUKUSHIMA.

MIYAKO (autrefois écrit Miaco ou Miako). ♦ Nom parfois donné à la capitale impériale du Japon, Kyôto. **V. Kyôto.**

MIYAKONOJÔ. ♦ V. du Japon (Kyûshû, préf. de Miyazaki), bâtie sur un plateau volcanique. 120 000 hab. Indus. textiles.

MIYAMOTO MUSASHI. ♦ Célèbre guerrier et peintre japonais (1584 – 1645), considéré comme le plus fameux escrimeur de l'histoire japonaise. Il écrivit un traité d'art militaire et peignit principalement des oiseaux et des coqs de combat.

MIYAZAKI. ♦ V. du Japon (Kyûshû), ch.-l. de préfecture. 214 000 hab. (1969). Important port de pêche sur la côte est.

MIZOGUCHI KENJI. ♦ Réalisateur japonais de cinéma (Tôkyô, 1898 – Kyôto, 1956). Auteur de plus de cent films, dus pour un bon nombre à la commande ou aux nécessités du temps de guerre, il s'est affirmé, dans la partie la plus remarquable de son œuvre, comme le chef de l'école japonaise et comme l'un des maîtres du cinéma mondial. Nés d'une lente maturation, ses plus grands films se caractérisent par le raffinement du style, la beauté des images où se conjuguent le réalisme et la légende, le hiératisme des attitudes et l'économie de la parole. Influencé à ses débuts par le cinéma soviétique, Mizoguchi poursuit le dessein d'une mise en accusation de la société moderne, attachée dans ses profondeurs à l'esprit féodal et au culte de la force, dont les victimes sont les faibles et les innocents, les femmes notamment. Apôtre d'un « nouvel humanisme », il s'institue le défenseur des valeurs morales et de la dignité humaine contre tous les aspects de la violence, dont la guerre. Cet aspect social n'exclut jamais un lyrisme émouvant. De son œuvre, on retiendra : *La Vie de O'Haru, femme galante* (1952), *Les Contes de la lune vague après la pluie* (1952), *Les Musiciens de Gion* (1953), *L'Intendant Sansho* (1954), *Les Amants crucifiés* (1954), *L'Impératrice Yang Kwei Fei* (1955).

MJØSA *(lac).* ♦ Le plus grand lac de Norvège, au N. d'Oslo*. 362 km². Il baigne les villes de Hamar*, Lillehammer*.

MKHAS-GRUB RGYA-MCHO. ♦ 11e dalaï-lama du Tibet (1838 – 1856), auteur de textes religieux. Il accueillit les voyageurs français Huc* et Gabet.

MLADÁ BOLESLAV. ♦ V. de Tchécoslovaquie, en Bohême centrale, sur la Jizera, au N.-E. de Prague. 30 000 hab. environ. Forteresse construite par Boleslav* II (*fin* Xe s.). – Centre indus. : constructions mécaniques (automobiles, matériel agricole), indus. métallurgique et chimique.

Ph. Louis Monier
Jules Moch.

MNÉMOSYNE, en gr. **Mnêmosunê.** ♦ Une des Titanides*, personnification de la Mémoire. Elle s'unit à Zeus* pendant neuf nuits de suite et de cette relation naquirent les neuf Muses*.

MNÉSICLÈS [*Mnêsiklês*]. ♦ Architecte athénien (seconde moitié du ~ Ve s.), auteur des propylées*. En dessinant cette porte monumentale de l'Acropole*, Mnésiclès adapta habilement son plan au terrain difficile. Plasticien ingénieux, il modela un ensemble architectural dont l'harmonie suscita l'admiration.

MO. ♦ **V.** MO-I-RANA.

MOAB. ♦ Personnage biblique (*Genèse,* XIX, 36), fils de Loth* Le peuple dont il est l'ancêtre éponyme (les Moabites). Le territoire de ce peuple, à l'est de la mer Morte. ♦ *Hist.* Rameau hébreu, le peuple de Moab occupa sa terre aux ~ XIVe-~ XIIIe siècles. Langue et religion proches d'Israël; dieu : Kamos. Moab fut soumis par David*, par Omri* (mais révolte du roi Mésa contre Achab*), par les Assyriens, puis absorbé par les Arabes (~ Ve s.).

MOANDA ou **MOUANDA.** ♦ Localité du Gabon*, près de Franceville*. C'est le site de l'un des plus importants gisements mondiaux de manganèse (25 % des réserves connues), évacué par Pointe* Noire (Congo).

MOBILE. ♦ V. et port des États-Unis (Alabama*), sur le golfe du Mexique, au fond de la *baie de Mobile (Mobile bay).* 187 717 hab. (30 % de Noirs); plus de 370 000 pour la zone urbaine. Indus. variées; constructions navales. Pétrole à proximité. ♦ *Hist.* Établie par les colons français de Le Moyne de Bienville (1711), la ville fut anglaise (1763) puis espagnole. Elle fut occupée par les Américains en 1813.

MÖBIUS (August Ferdinand). ♦ Astronome et mathématicien allemand (Schulpforta, 1790 – Leipzig, 1868). Par son *Barycentrische Calcul* (1827), dans lequel il employa l'orientation systématique des segments, des aires et des volumes, utilisa le concept de rapport anharmonique et introduisit la notion générale de transformation homographique montrant avec Chasles* que cette transformation comprend comme cas particuliers les déplacements, les similitudes et l'affinité, et que deux plans en correspondance homographique peuvent être placés en perspective. Il participa au développement de la géométrie projective **(V. Poncelet);** en topologie, il conçut une surface à un seul bord et à un seul côté *(ruban de Möbius)* formée par la torsion d'une longue bande de papier sans fin; il développa également la théorie des complexes linéaires de droites.

MOBUTU (Sese Seko). ♦ Général et homme politique congolais [Zaïre] (Lisala, 1930). Après la prise de pouvoir du haut commandement de l'armée nationale congolaise, en 1965, qui renversa le président Kasawubu par un coup d'État militaire, le commandant en chef de l'armée, le général Mobutu, devint en 1968 président de la République démocratique du Congo (Congo-Kinshasa) auj. Zaïre*, pour une période annoncée de cinq ans.

Moby Dick ou la Baleine blanche, en angl. **Moby Dick or The White Whale.** ♦ Roman de l'écrivain américain Herman Melville. **V. Melville.**

MOCENIGO. ♦ Famille noble de Venise, dont plusieurs membres furent doges, entre 1474 et 1778. Ils eurent à lutter contre les Turcs (défaite de Gallipoli, 1416, victoire de Skodra, paix en 1479 avec Mehmet II, abandon de Chypre en 1571).

MOCH [mɔk] **(Jules).** ♦ Homme politique français (Paris, 1893). Député S.F.I.O. (1928), membre du deuxième cabinet

L. Blum (1938), résistant pendant la Deuxième Guerre mondiale, il siégea à l'Assemblée consultative d'Alger (1944), aux Assemblées constituantes de 1945 et 1946, à l'Assemblée nationale (1946-1958). Il fut ministre des Travaux publics (1945-1947), de l'Intérieur (1947-1950), poste où il se signala par une dure répression des grèves (nov. 1947, début 1948), et ministre de la Défense nationale (1950-1951). Représentant de la France à la Commission du désarmement de l'O.N.U. (1953), il fit partie de l'éphémère cabinet P. Pflimlin (mai 1958).

MOCQUARD (Jean François Constant). ♦ Homme politique français (Bordeaux, 1791 – Paris, 1864). Après une brève carrière diplomatique (1812), il devint avocat et prit la défense de libéraux et de bonapartistes au cours de procès politiques sous la Restauration. Sous-préfet lors de la monarchie de Juillet, il se rallia dès 1848 à la politique du président Louis Napoléon Bonaparte; secrétaire et chef du cabinet de ce dernier, il le conseilla pour la préparation et l'exécution du coup d'État du 2 décembre 1851 et fut nommé sénateur en 1863.

MOCQUEREAU (*dom* André). ♦ Bénédictin et musicien français (La Tessoualle, près de Cholet, 1849 – Solesmes, 1930). Prieur de l'abbaye Saint-Pierre de Solesmes, il a joué un rôle éminent dans la restauration du plain-chant grégorien. Son ouvrage principal, le *Nombre musical grégorien* (2 vol., 1908-1927) et l'atelier paléographique qu'il ouvrit à Solesmes sont à l'origine du renouveau de la musique grégorienne.

MOCTEZUMA II ou **MONTEZUMA.** ♦ Empereur aztèque* (Mexico, 1466 – *id.*, 1520). Il se montra conciliant avec les troupes de Cortés*, mais ne put empêcher son peuple de se soulever contre les envahisseurs. C'est au cours d'une émeute qu'il mourut, blessé par une pierre.

MODANE. ♦ Ch.-l. de cant. de la Savoie*, arr. de Saint-Jean*-de-Maurienne, sur l'Arc*. 5 767 hab. *(Modanais).* Gare internationale, à l'extrémité du tunnel ferroviaire de Fréjus reliant la France à l'Italie. Centre industriel. – Centre expérimental de l'O.N.E.R.A. qui y utilise une importante et très moderne soufflerie aéronautique.

MODEL (Walter). ♦ Maréchal allemand (Genthin, 1891 – près de Duisbourg, 1945). Chef d'état-major de Busch en France (1940), il commanda en Russie une division blindée (1941), une armée (1943), puis le groupe d'armées du Sud à la tête duquel il remplaça Manstein* (mars 1944) et dont il organisa la retraite vers les Carpates **(V. Koniev).** En août 1944, il succéda à Kluge* au commandement du front de l'Ouest et, faute d'effectifs suffisants pour contenir les Alliés vainqueurs en Normandie*, il ramena ses troupes vers l'Allemagne. Il préconisa la contre-offensive des Ardennes*, qu'il exécuta sous les ordres de Rundstedt* à qui il avait transmis son commandement. Encerclé dans la Ruhr en mars-avril 1945, il refusa de se rendre à Eisenhower* et se suicida quand ses troupes capitulèrent. **V. Guerre mondiale *(Deuxième).***

MODÈNE, en it. **Modena.** ♦ V. d'Italie, en Émilie, sur la voie Émilienne. 157 000 hab. *(Modénais).* Archevêché, université. Cathédrale (XIe-XIIe s.) avec un campanile du XVe siècle. Églises, palais ducal (XVIIe s.), bibliothèque Estense (de la famille d'Este*), riche en manuscrits. – Indus. automobiles (Maserati) et ferroviaires, fabriques de chaussures. – Patrie de Bononcini*, Fallope*, P. Ferrari, du duc François de Modène. ♦ *Hist.* Modène fut d'abord une colonie romaine (~ 183), étape sur la via Æmilia. À la fin du Xe s., Othon Ier, empereur germanique, la donna aux marquis de Toscane mais elle reconquit son indépendance à la mort de la comtesse Mathilde (1115). Elle vit l'affrontement entre guelfes et gibelins et se donna à la famille d'Este* en 1288. Les Este la gouvernèrent jusqu'en 1796, date à laquelle elle fut prise par les Français. Partie de la république Cisalpine, puis du royaume d'Italie, elle redevint possession des Este. Son dernier duc, François V (1846-1859), chassé en 1848, s'y rétablit avec l'aide des Autrichiens en 1849. En 1859 Modène rejoignit le nouveau royaume d'Italie.

MODER. *n. f.* ♦ Riv. d'Alsace*, affl. du Rhin*, 80 km. Elle traverse Haguenau*.

MODIGLIANI (Amedeo). ♦ Peintre, dessinateur et sculpteur italien (Livourne, 1884 – Paris, 1920). Issu d'une famille de banquiers d'origine juive et manifestant très jeune des dons pour le dessin il reçut une formation artistique à Florence, puis à Venise (1903 à 1906) et resta marqué par la grâce linéaire de l'école siennoise. Il s'installa à Montmartre en 1906, puis à Montparnasse en 1909; atteint de tuberculose, alcoolique et toxicomane, il mena une existence tumultueuse qui se termina tragiquement. Ses premières œuvres laissent parfois apparaître une tendance expressionniste *(Portrait de la juive)* et reflètent surtout l'influence du graphisme elliptique de Lautrec, ainsi que l'emprise de Picasso. À partir de 1907, l'influence de Cézanne prévaut dans le traitement des figures, certains portraits traités par plans géométriques dénotant la connaissance des œuvres cubistes (*Beatrice Hastings,* 1915). Cependant, Modigliani s'intéressa peu aux recherches d'ordre spatial, et créa un type de visage s'inspirant en partie de Gauguin, de Picasso et de la sculpture africaine et océanienne, leur insufflant une grâce et une expression mélancolique, aux accents personnels. La même inspiration se retrouve dans la série de sculptures qu'il entreprit de 1910 à 1914 à l'instigation de Brâncusi. Son goût pour l'élongation et la stylisation s'affirme dans les œuvres de sa maturité, représentant des femmes, des enfants et la plupart de ses amis (*Max Jacob,* 1916; *Lipchitz,* 1916-1917; *Soutine,* 1917; *Jeanne Hébuterne*) ainsi que des nus féminins aux volumes lisses ou finement modelés (*Lolotte,* 1917; *Nu assis au divan,* 1917). Il resta fidèle à l'harmonie tonale et utilisa une gamme où dominent les bruns orangés ou les bleus sourds, et élabora un style personnel où prévaut un trait fin, élégant et continu définissant des formes étirées et sinueuses. Il n'évita pas toujours un certain maniérisme (cous allongés et flexibles, têtes penchées, yeux en amande souvent sans pupille, poses languissantes) qui est sans doute à l'origine de son immense succès, appuyé aussi sur le mythe du Montparnasse des « années folles » et du jeune artiste maudit.

MODON. ♦ V. de Grèce. **V. Méthone.**

MODRZEWSKI-FRYCZ. ♦ **V.** FRYCZ-MODRZEWSKI.

MOE (Jörgen Ingebrechsten). ♦ Écrivain norvégien (Hole, Ringerike, 1813 – Kristiansand, 1882). Pasteur, puis évêque de Kristiansand, il publia avec Asbjørnsen* les *Contes populaires norvégiens.* « Il nous faut, disait-il, une base populaire à notre vie spirituelle. »

MOËLAN-SUR-MER. ♦ Comm. du Finistère, arr. de Quimper. 2 185 hab. Chapelle et calvaire du XVIe siècle. – Mytiliculture.

MOERBEKE. ♦ Comm. de Belgique (Flandre-Orientale, arr. de Gand). 5 100 hab. Raffinerie de sucre.

MOERIS *(lac).* ♦ Nom du lac Karoun dans l'Égypte ancienne. **V. Karoun** (lac).

MOERO ou **MWERU** *(lac).* ♦ Lac d'Afrique centrale (4 850 km²), au S. du lac Tanganyika*, formant la frontière entre le Zaïre (ex-Congo-Kinshasa) et la Zambie*.

MOERS, anc. **Mörs.** ♦ V. d'Allemagne occidentale (Rhénanie-Westphalie), à 7 km au N.-O. de Duisbourg, non loin de la frontière des Pays-Bas. 49 000 hab. Houillères, constructions électriques, indus. textiles. ♦ *Hist.* Moers fut capitale de principauté.

MOGADISHU, en it. **Mogadiscio.** ♦ Cap. et port de la Somalie* sur l'océan Indien. 180 000 hab. Principal centre commercial du pays. Indus. de constructions.

MOGADOR. ♦ **V.** ESSAOUIRA.

MOGHILEV. ♦ V. d'U.R.S.S. (Biélorussie*), ch.-l. de la région du même nom (28 700 km². 1 233 000 hab.) sur le Dniepr*. 202 000 hab. Nœud ferroviaire. Centre industriel : indus. alimentaires et chimiques; fibres artificielles; machines de travaux publics (grues, etc.). ♦ *Hist.* Après avoir fait partie de la Lituanie puis de la Pologne, la ville fut annexée par la Russie en 1772. Lors de l'invasion de la Russie (1812), Davout y défit Bagration*.

MOGHOL, MOGOL ou **MOGHUL.** *n. m. (pl.).* ♦ Orthographe différente du mot *Mongol,* dont on se sert habituellement pour désigner les dynasties Timurides musulmanes qui régnèrent sur le N. de l'Inde à partir du début du XVIe siècle. Les *Grands Moghols,* souverains de cette dynastie, furent au nombre de dix-sept. Les plus connus d'entre eux sont Akbar*, Shâh* Jahân et Aurangzeb*. La dynastie n'eut plus qu'un rôle effacé à partir du début du

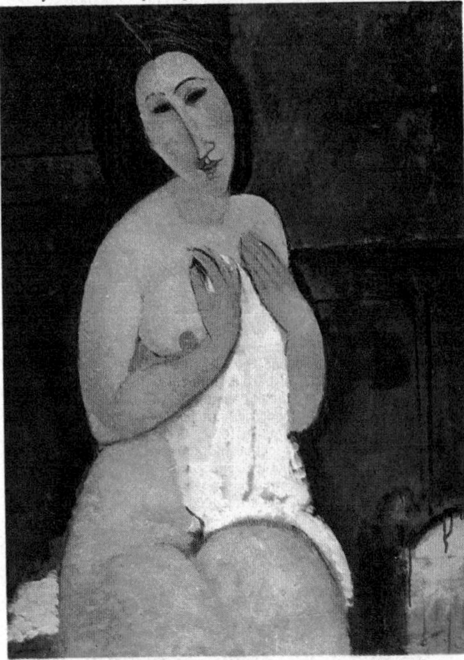

Arch. Smeets

A. Modigliani : « Nu avec un chemisier ». (Collection privée.)

XVIIIe s., les Anglais contrôlant leurs territoires, et s'éteignit avec Muhammad Bahâdur Shâh en 1857. – *Arts.* École de miniaturistes indiens du N., dont l'art fut fortement influencé par celui des peintres persans et qui fut florissante aux XVIe et XVIIe siècles. Elle donna naissance à un grand nombre d'écoles régionales en Inde. On la nomme parfois « école de Delhi » pour la distinguer de ces dernières.

MOGHOLISTÂN ou **MOGOLISTÂN**. *n. m.* ♦ Khânat de l'Asie centrale, fondé au XIVe s., et dont seraient issus les Tîmurides* de l'Inde (Grands Moghols). Le territoire de ce khânat fut réduit par les Kazakhs au XVIe s. et par la suite fut absorbé.

MOGODS. *n. m. pl.* ♦ Région montagneuse de la Tunisie septentrionale, au N.-E. des monts de Kroumirie*, habitée par des pasteurs sédentarisés cultivant les clairières **(V. Tell)**.

MOGOK. ♦ Petite ville de Birmanie, située à 100 km au N.-E. de Mandalay, au centre des montagnes du N. du pays Shan. Env. 10 000 hab. Elle doit son renom aux mines de rubis et de saphirs trouvées à proximité.

MOHÁCS. ♦ V. de Hongrie méridionale, sur le Danube. 20 000 hab. Indus. métallurgique. ♦ *Hist.* Louis* II de Hongrie y fut vaincu par Süleyman* le Magnifique (1526). La chrétienté y prit sa revanche avec Charles* V de Lorraine (1687).

MOHAMMED. ♦ **V.** MUHAMMAD, et aussi MAHOMET, MEHMET.

MOHAMMEDIA, anc. **Perrégaux**. ♦ V. d'Algérie, ch.-l. d'arr. du dép. d'Ouahran, au pied N. du Tell. 31 000 hab. Primeurs, agrumes, céréales. Confitures et conserves.

MOHAMMEDIA, anc. **Fedala**. ♦ V. et port du Maroc (prov. de Casablanca) sur l'Atlantique dans l'O. de la Chaouïa*. 35 000 hab. Port annexe au N.-E. de Casablanca*. Trafic pétrolier et raffinerie de pétrole. Cultures maraîchères. Brasseries.

MOHAVE. ♦ V. MOJAVE.

MOHAWK. *n. m. pl.* ♦ Indiens d'Amérique du Nord. Env. 3 000 au XVIIe s., ils étaient établis au S. des monts Adirondacks et faisaient partie de la confédération des Iroquois*. Ils vivent actuellement dans l'Ontario et aux environs de Montréal.

MOHAWK. *n. f.* ♦ Riv. des États-Unis [257 km] (État de New York), affl. de droite de l'Hudson*. Sa large vallée, qui sépare les Adirondacks des monts Catskill, est suivie par le canal Érié (la riv. n'est pas navigable). La Mohawk arrose Utica* et Schenectady*.

MOHÉLI. ♦ Île de l'archipel des Comores*. 290 km².

MOHENJO-DÂRO. ♦ Site archéologique du Pâkistân, situé à peu de distance du cours du bas Indus. On y trouve une ville ouvrière aux artères régulières, couronnée d'une citadelle construite en larges briques au centre de laquelle se trouve un grand bassin parementé de briques bitumées. Cette cité fut florissante de ~2500 à ~1500. Les inondations et les invasions la détruisirent. Elle est l'une des villes principales de ce que l'on appelle la « civilisation de l'Indus* » ou de *Mohenjo-Dâro*.

MOHICANS. *n. m. pl.* ♦ Anc. tribu indienne, popularisée par les romans de Fenimore Cooper*, et qui appartenait à l'ethnie des Algonquins orientaux. Elle occupait la région comprise entre l'Hudson et l'Atlantique. On en signale quelques descendants dans le Connecticut.

MOHINÎ. ♦ Divinité brâhmanique de l'Inde, forme féminine particulière au dieu Viṣṇu*. Śiva* s'unit à elle, créant ainsi un syncrétisme des deux principales sectes hindoues.

MOHL (Hugo *von*). ♦ Botaniste allemand (Stuttgart, 1805 – Tübingen, 1872). Il observa et décrivit le *protoplasme* cellulaire (terme qu'il proposa en 1843), les caractères du pollen, etc. (*Principes de l'anatomie et de la physiologie de la cellule végétale*, 1851.)

Ph. Sandro Prato/Ricciarini

Cité de **Mohenjo-Dâro ;** les bâtiments sont construits en briques cuites régulières.

MOHOLY-NAGY (László). ♦ Sculpteur, peintre, dessinateur, photographe et théoricien hongrois (Bacsborsód, près de Kiskunhalas, 1895 – Chicago, 1946). Il étudia le droit, puis fréquenta les cercles littéraires d'avant-garde et peignit d'abord des tableaux procédant du cubisme. En 1919, il fonda le groupe *Ma (Aujourd'hui)* et évolua vers l'abstraction. Il s'établit en 1920 en Allemagne et subit l'influence du constructivisme russe par l'intermédiaire d'El Lissitzky*. Il utilisa le papier collé, le verre, le bois, le métal et le plexiglas, réalisant de rigoureux assemblages de formes géométriques. De 1923 à 1929, il enseigna au Bauhaus, dirigeant l'atelier du métal et poursuivant ses recherches sur les propriétés plastiques des matériaux et sur les possibilités de la photographie, du photomontage et du cinéma. S'intéressant au problème des mouvements, il rédigea en 1922 un manifeste : *Système de forces dynamico-constructif*, et il fut l'un des premiers à réaliser des œuvres cinétiques : utilisant des matériaux transparents, il conçut un appareil muni d'ampoules électriques, permettant de produire des formes colorées, puis il créa ses *space modulators* avec des éléments colorés interchangeables. À partir de 1940, il réalisa des sculptures en plexiglas aux formes sinueuses perforées par des séries de trous. Membre du groupe *Abstraction-Création* à Paris, il s'établit ensuite à Londres, puis en 1937 à Chicago, où il fonda le *New Bauhaus* et l'*Institute of Design*. Théoricien, il est notamment l'auteur de *Malerei, Photographie, Film*, 1929, et de *Vision in Motion*, 1947.

MOHON. ♦ Anc. comm. des Ardennes (arr. de Mézières), rattachée à Charleville*-Mézières. 9 252 hab. *(Mohonnais)*. Église des XVe et XVIe siècles. Fonderies. Clouterie. Ferronnerie. Ateliers ferroviaires.

MOHOROVIČIĆ (Andrija). ♦ Géologue yougoslave (1857 – Zagreb, 1936). Professeur à l'université de Zagreb, il s'intéressa plus particulièrement à la sismologie et découvrit ce qu'on appela la *discontinuité de Mohorovičić*, qui se définit par un changement dans les propriétés des roches situées entre 30 et 60 km de profondeur.

Moï. *n. m. pl.* (mot vietnamien « sauvage »). ♦ Terme péjoratif utilisé par les Vietnamiens pour désigner les « populations montagnardes du S. de l'Indochine », les populations Stieng et Phnong du Cambodge et les Khâ du Laos. Certains ethnologues français préfèrent le néologisme *Pemsien* (de P.M.S.I., populations montagnardes du Sud indochinois).

MOIRA. ♦ **V.** MOIRES.

MO-I-RANA ou **MO**. ♦ V. et port de Norvège septentrionale, au fond du Rana fjord. 8 500 hab. Centre sidérurgique.

MOIRANS [mwaʀɑ̃]. ♦ Comm. de l'Isère, arr. de Grenoble. 4 589 hab. Indus. des matières plastiques. Papeterie. Aérodrome. – Patrie des frères Pâris*-Duverney.

MOIRANS-EN-MONTAGNE. ♦ Ch.-l. de cant. du Jura, arr. de Saint-Claude. 1 741 hab. *(Moirantins)*. Église du XVIe s. (rénovée). Manoir du XVIIe siècle. – Fromagerie (gruyère). Fabrique de jouets.

MOIRES. *n. f. pl.*, en gr. **Moirai**. ♦ Divinités grecques du Destin, identifiées avec les *Parques** des Romains. À l'origine une abstraction, la *moira* (« la part ») de la vie pour chacun, a évolué en une Moira universelle. Plus tard, celle-ci fut supplantée par trois Moires, filles de la Nuit ou de Zeus* et de Thémis* (Hésiode), fileuses qui disposent le fil de la vie de chaque humain. *Clotho* tient la quenouille et file la destinée au moment de la naissance, *Lachésis* tourne le fuseau et enroule le fil de l'existence, *Atropos* coupe le fil et détermine la mort.

MOÏSE, en hébr. **Mosché**, d'orig. égyptienne. ♦ Prophète, fondateur de la religion et de la nation d'Israël* (~ XIIIe s.). Sa vie n'est connue que par la tradition biblique postérieure et pose des problèmes d'historicité insolubles. Sa légende, les lois qu'on lui attribue occupent le *Pentateuque** (sauf la *Genèse*). Dans ce récit, à l'époque de l'asservissement d'Israël en Égypte, Moïse naît dans la tribu de Lévi*, est « exposé » sur le Nil et recueilli par une fille du pharaon. Ayant tué un Égyptien, il fuit au pays de Madian; la vision du Buisson ardent, sur l'Horeb (le Sinaï), lui révèle sa mission. Il prend la tête des Israélites, les fait sortir d'Égypte (Exode), les guide durant quarante ans dans le désert. Il leur impose la Loi (Décalogue) que Iahvé lui dicte sur le Sinaï et les mène en vue de la Terre promise, qu'il aperçoit, du mont Nébo, avant de mourir. Josué* lui succède. – La tradition israélite rapporte à Moïse la révélation du nom de Dieu (Iahvé*), les principes fondamentaux de sa religion (monothéisme, alliance divine, rite du sacrifice), l'unification des tribus en un *peuple*, la législation. Famille de Moïse : **V. Aaron, Jéthro, Miriam.** – *Icon.* Moïse est généralement représenté barbu, portant les tables de la Loi; deux cornes au front symbolisent sa puissance surnaturelle. Sculptures de Claus Sluter *(le puits de Moïse*, ci-dessous, Dijon); de Michel*-Ange (tombeau de Jules II).

MOÏSE *(puits de)*. ♦ Monument exécuté par Claus Sluter* en 1395-1405 à la chartreuse de Champmol* (Dijon), ancien piédestal d'un calvaire dressé au centre du cloître. L'ensemble des six statues (Moïse, Isaïe, Daniel, Zacharie, Jérémie, David) constitue un des chefs-d'œuvre du gothique bourguignon.

Moïse. ♦ Poème de Vigny* (1822), repris dans *Les Poèmes* antiques et modernes* (1826). À travers le personnage de Moïse, Vigny veut exprimer la solitude du génie, rançon de sa grandeur (« Je vivrai donc toujours puissant et solitaire? »). Au terme du monologue lyrique où il exhale sa lassitude (« Laissez-moi m'endormir du sommeil de la terre! »), le prophète est relevé de sa mission par Dieu.

MOISSAC. ♦ Ch.-l. de cant. du Tarn*-et-Garonne, arr. de Castelsarrasin, sur le Tarn*. 12 246 hab. [7 694 aggl.] *(Moissagais)*. Anc. église abbatiale Saint-Pierre Xe-XVe s. (avec un très beau cloître roman XIIe-XIIIe s.); le tympan de l'église (1100-1130) et les chapiteaux du cloître comptent parmi les chefs-d'œuvre de la sculpture romane. Anc. palais abbatial XVIe siècle. Église Xe siècle. Chasselas renommé, vins, manufactures de caoutchouc, tuilerie.

MOISSAN (Henri). ♦ Pharmacien et chimiste français (Paris, 1852 — *id.,* 1907). Il inventa le four électrique à arc industriel qui permet notamment la fusion de nombreux oxydes métalliques. Il isola le fluor en 1886. L'industrie de l'acétylène et des ferro-alliages put se développer grâce à l'invention de ce four. **V.** *aussi* **Héroult.** (Acad. sc., 1871; prix Nobel, 1906.)

MOÏSSEÏEV (Igor). ♦ Danseur et chorégraphe soviétique (Kiev, 1906). Élève de l'Académie de danse du Bolchoï de Moscou, il devint premier danseur en 1924. Depuis 1937, il est à la tête de l'ensemble officiel de danses populaires de l'U.R.S.S., s'efforçant d'intégrer le folklore russe, ukrainien ou caucasien, la danse classique et les thèmes d'inspiration révolutionnaire. En 1943, il a ouvert une école dans laquelle danse classique et danse folklorique sont enseignées. Le *ballet Moïsseïev,* par la perfection de sa mise en scène, par le chatoiement des couleurs, a remporté un immense succès international. Moïsseïev est l'auteur de ballets tels que : *Le Football* (1930), *Les Partisans* (1955), *Viva Cuba* (1962).

MOIVRE (Abraham *de*). ♦ Mathématicien anglais d'origine française (Vitry-le-François, 1667 — Londres, 1754). Il contribua au développement de la théorie des probabilités dont il précisa les principes **(V. Fermat, Huygens, Pascal)**; étudiant de nombreux problèmes d'application, il énonça la *règle des probabilités composées,* introduisit l'emploi des équations aux différences finies et découvrit, avec Stirling*, la formule donnant l'expression approchée d'une factorielle (1730). Il participa à l'introduction des nombres complexes en trigonométrie, utilisant la formule : $(\cos x + i \sin x)^n = \cos nx + i \sin nx$, pour n entier (*formule de Moivre,* 1730) qui se déduit de l'expression de ix énoncée par Cotes* en 1714. **V. Euler.** Il s'est également intéressé à la théorie des suites et des séries.

MOJAVE ou **MOHAVE** *(désert).* ♦ Région désertique des États-Unis s'étendant au S.-E. de la Californie, au N. de Los Angeles et de San Bernardino; le désert est bordé à l'O. par la sierra Nevada* et au N. par la vallée de la Mort*.

MOJI. ♦ V. du Japon (Kyûshû) faisant partie de la conurbation industrielle de Kita*-Kyûshû, avec Fukuoka, sur le détroit de Shimonoseki*. 150 000 hab. Elle est reliée à l'île de Honshû* par un long tunnel sous-marin. Grande base stratégique et industrielle (charbon, raffineries de pétrole).

MOKA. ♦ V. et port du Yémen du Nord à l'entrée de la mer Rouge (détroit de Bab* al-Mandab). Elle fut au XVIIIe s. une véritable métropole exportant des dattes, des aromates (myrrhe et encens) et un café renommé. *Auj.,* la ville a moins de 10 000 hab. et le commerce se fait par Hodeida.

MOKBO ou **MOKPO.** ♦ Port important de Corée du Sud, sur la mer Jaune. 130 000 hab. Pêche, industries alimentaires.

MOL. ♦ Comm. de Belgique (Anvers, arr. de Turnhout) à 56 km d'Anvers, entre le canal Albert et le canal de l'Escaut à la Meuse. 27 300 hab. C'est la comm. la plus étendue de Belgique (10 409 ha). Église (tour du XVe s.). — Indus. textiles. Constructions mécaniques. Centre de recherche atomique (fondé en 1953) dont l'Euratom exploite avec la Belgique un réacteur. Bureau central des mesures nucléaires de la Communauté européenne.

MOLA VIDAL (Emilio). ♦ Général espagnol (Cuba, 1887 — Burgos, 1937). Commandant en chef au Maroc (1935) puis gouverneur de Pampelune (1936), il joua un rôle important dans l'organisation du soulèvement nationaliste de Franco*, apportant au mouvement l'appui des forces carlistes*. Il s'empara d'Irún et déclencha l'offensive contre Bilbao, mais périt dans un accident d'avion.

MOLAY (Jacques *de*). ♦ Templier français (Molay, Franche-Comté, v. 1243 — Paris, 1314). Grand maître de l'ordre des Templiers depuis 1298, il fut arrêté sur l'ordre de Philippe* IV le Bel (1307). Sous la torture, il admit les crimes reprochés à son ordre (1309), mais, s'étant rétracté, il fut brûlé.

MOLD. ♦ Petite ville du N. du pays de Galles. Ch.-l. du Flintshire*. 6 500 habitants.

MOLDAU. *n. f.* ♦ Nom allemand de la Vltava (Tchécoslovaquie).

MOLDAVIE [*n. f.*] en roumain **Moldova.** ♦ Région historique et géographique de la Roumanie, située à l'extrémité N.-E. du pays *(Moldaves). Cap.* Iaşi*. *V. princ.* Bacău*, Bîrlad*, Botoşani*, Piatra* Neamt, Roman*, Suceava*. — *Orogr.* On distingue trois régions : la zone montagneuse des *Carpates* orientales* ou *moldaves,* d'une hauteur inférieure à 2 000 m; une zone de collines et de plateaux subcarpatiques, largement développée de la montagne au Prut, et la plaine moldave, au centre, se poursuivant au S. par la plaine valaque. — *Hydrogr.* Prut*, Siret* et leurs affluents. — *Écon.* L'agriculture des plaines et des collines repose sur les céréales (blé, maïs), la vigne et les fruits, celle de la montagne sur l'exploitation des forêts et l'élevage. Le sous-sol est riche en pétrole et en lignite. L'aménagement hydro-électrique de la Bistrita* est en cours. L'indus. lourde est peu développée (laminoirs et fonderies

Ph. Roger Pic

Ballets **Moïsseïev.**

de Roman). Les indus. chimiques (fabrication de cellulose, produits pharmaceutiques) est surtout localisée à Bacău et Piatra Neamt. Les indus. textiles et alimentaires sont représentées dans toutes les villes. ♦ *Hist.* Fondée au XIVe s. par Bogdan Ier, elle connut à cette époque un épanouissement spirituel et économique exceptionnel. Soumise par les Turcs auxquels Étienne le Grand (1457-1504) résista héroïquement mais sans succès, elle passa sous l'influence des Autrichiens (1774) et des Russes (1806-1812) qui l'amputèrent d'une partie de ses territoires **(V. Roumanie,** ***Hist.*****)**. En 1859, la Moldavie s'unit à la Valachie* pour former la Roumanie sous la direction du prince moldave Alexandre Cuza* (**V.** *aussi* **Moldavie** [rép. socialiste de]).

MOLDAVIE. *n. f. (République socialiste soviétique de),* en russe **Moldavskaïa S.S.R.** ♦ République fédérée du S.-O. de l'U.R.S.S., qui s'étend à l'E. de la Roumanie dont elle est séparée par le Prut*, au delà de la r. g. du Dniestr* à l'E. où elle confine avec la république d'Ukraine qui la borde également au N. et au sud. 33 700 km². 3 570 000 hab. (plus de 65 % de *Moldaves;* densité de pop. élevée, [105 hab./km²; 1re d'U.R.S.S.]). *Cap.* Kichinev* *V. princ.* **V. Beltsy, Bendery, Tiraspol.** — Pays à vocation essentiellement agricole, la Moldavie, qui couvre la plus grande partie de la Bessarabie* entre l'avant-pays des Carpates à l'O. et les hauteurs de Volhynie-Podolie à l'E., occupe une des premières places de l'Union dans le domaine de l'indus. alimentaire. Le climat continental et l'irrigation (bas Dniestr) permettent la culture de la vigne, des arbres fruitiers, du blé, du maïs, du tournesol, de la betterave à sucre et du tabac. Les deux tiers du revenu national sont fournis par les conserveries, l'indus. vinicole (vins fins, champagnes, cognacs) et sucrière, les huileries et les manufactures de tabac. Parallèlement, l'aménagement hydro-électrique du Dniestr (Doubossary) et la construction des nouvelles centrales thermiques (Beltsy, Kichinev, Moldavskaïa) ont permis un développement notable de l'indus. légère (confection, bonneterie, soie), des constructions mécaniques, de l'appareillage électrique et des matériaux de construction. L'élevage extensif du mouton est pratiqué dans le S. du pays. ♦ *Hist.* Constituée en 1940, à partir de l'anc. *République autonome de Moldavie* (8 400 km². Créée en 1924) qui faisait partie de l'Ukraine, et d'une grande partie de la Bessarabie* enlevée à la Roumanie par l'U.R.S.S., la Moldavie, occupée par les armées roumaines et hitlériennes de 1941 a 1944, fit retour à l'U.R.S.S. en 1944. La Roumanie y renonça définitivement au traité de Paris en 1947.

MOLÉ (Édouard). ♦ Procureur général au parlement de Paris (Paris, 1558 — *id.,* 1614). Pendant la Ligue*, il négocia l'abjuration d'Henri IV. ♦ MATHIEU, son fils (Paris, 1584 — *id.,* 1656). Premier président, il joua un rôle modérateur pendant la Fronde* et négocia la paix de Rueil* (1649). Il a laissé des *Mémoires.*

MOLÉ (Louis Mathieu, *comte***).** ♦ Homme politique français (Paris, 1781 — Champlâtreux, 1855). Après avoir assumé de nombreuses fonctions sous l'Empire, il se rallia aux Bourbons, fut nommé ministre de la Marine (1815-1818), avant de se ranger dans l'opposition libérale. Ministre des Affaires étrangères au début de la monarchie* de Juillet, il se montra peu favorable à l'intervention en faveur des révolutions hors de France (Italie, Pologne, etc.). Représentant du parti de la « Résistance* », il prit la succession de Thiers comme Premier ministre (1836-1839). Député de droite après 1848, il prôna la restriction du suffrage universel. Hostile au coup d'État du 2 décembre 1851, il quitta peu après la vie publique. (Acad. fr., 1840.)

MOLENBEEK-SAINT-JEAN, en néerl. **Sint-Jans-Molenbeek.** ♦ Comm. de Belgique (Brabant, arr. de Bruxelles-Capitale). 66 300 hab. Indus. alimentaires (sucrerie), textiles, chimiques. Travail du cuir (chaussure).

MOLÈNE. ♦ Île et comm. du Finistère, entre Ouessant et la pointe Saint-Mathieu, arr. de Saint-Renan. 527 hab. Culture de l'orge, de la pomme de terre; petit port de pêche (homards, langoustes).

MOLESCHOTT (Jacobus). ♦ Physiologiste et philosophe hollandais (Bois-le-Duc, 1822 — Rome, 1893). Sa philosophie est un matérialisme mécaniste (*Circulation de la vie,* 1852).

Ph. Nimatallah/Ricciarini

Molière, par P. Mignard. (Musée Condé, Chantilly.)

MOLFETTA. ♦ V. d'Italie du Sud, dans les Pouilles (prov. de Bari). 60 000 hab. Centre agricole actif et port sur l'Adriatique.

MOLIÈRE (Jean-Baptiste POQUELIN, dit). ♦ Auteur dramatique et comédien français (Paris, 1622 — *id.*, 1673). Fils de Jean Poquelin, marchand tapissier établi dans le quartier des Halles, il perdit prématurément sa mère (1632). Il poursuivit de solides études chez les jésuites du collège de Clermont puis se prépara à devenir avocat (1636). La rencontre de Tiberio Fiorelli, dit Scaramouche, et celle de Madeleine Béjart le déterminèrent à renoncer à cette carrière pour le théâtre. Avec Madeleine Béjart, ses frères Joseph et Louis et neuf autres comédiens, il signa l'acte de fondation de l'Illustre*-Théâtre (1643). Les débuts de la compagnie furent désastreux et Jean-Baptiste Poquelin, devenu Molière, fut incarcéré au Châtelet (1645). — Cependant, Madeleine, Joseph et Geneviève Béjart, demeurés fidèles à Molière, rejoignirent avec lui la troupe de Dufresne et décidèrent de quitter Paris pour la province. Molière devint bientôt le chef de cette troupe dont les protecteurs les plus éminents seront le duc d'Épernon, gouverneur de Guyenne (1646) et le prince de Conti, gouverneur du Languedoc (1650). C'est au cours de ces pérégrinations que Molière fit représenter à Lyon sa première comédie, l'*Étourdi** (1655). — Au terme de ces fécondes années d'apprentissage, la troupe rentra à Paris (1658) et joua devant le roi *Nicomède* de Corneille et la farce du *Docteur amoureux*, cette dernière avec un vif succès. Monsieur, frère du roi, prit les comédiens sous sa protection et l'accueil triomphal que le public réserva aux *Précieuses* ridicules* (1659) établit la réputation de Molière à Paris. Enrichie de trois nouveaux comédiens, Jodelet, La Grange et Du Croisy, la troupe se fixa au Palais-Royal. Elle y représenta *Sganarelle ou le Cocu imaginaire* (1660), *Don Garcie de Navarre*, *l'École* des maris*, et alla interpréter chez Fouquet, à Vaux-le-Vicomte, la première comédie-ballet de Molière, *Les Fâcheux** (1661). — Marié à Armande Béjart, fille (ou sœur) de Madeleine, Molière connut un nouveau succès avec *l'École des femmes* (1662), succès qui eut pour effet immédiat de susciter la jalousie de ses rivaux de l'hôtel de Bourgogne et l'hostilité de certains dévots. Aux menaces et aux insultes de ses adversaires, Molière répondit par la *Critique* de l'École des femmes* et l'*Impromptu* de Versailles* (1663). Quelques jours après la naissance d'un fils qui ne vécut que quelques mois et dont le roi avait été le parrain, Molière fit représenter *Le Mariage forcé*, comédie-ballet, puis *La Princesse d'Élide*, comédie mêlée de musique avec ballets sur le thème des *Plaisirs de l'île enchantée*, enfin les trois premiers actes de *Tartuffe* (1664). Avant même que la pièce fût achevée, la compagnie du Saint-Sacrement, soutenue par la reine mère et inspirée par le prince de Conti, libertin qui a fait sa conversion, en obtinrent l'interdiction. Sur l'insistance de ses comédiens, Molière composa alors *Dom Juan* (1665), mais ce chef-d'œuvre disparut de l'affiche quelques semaines plus tard. Cependant, une nouvelle comédie-ballet, l'*Amour* médecin*, fut représentée devant le roi qui prit la troupe sous sa protection et lui octroya 6 000 livres de pension. — Malade, en désaccord avec Armande, Molière s'éloigna quelque temps du théâtre pour achever la comédie du *Misanthrope** dont la représentation déconcerta le public qui accueillit toutefois avec plus de chaleur la farce du *Médecin* malgré lui* (1666). L'hiver venu, Molière composa pour les fêtes de la cour une pastorale héroïque, *Mélicerte*, et un petit acte mêlé de danses, *Le Sicilien ou l'Amour peintre*. Mais la représentation de l'*Imposteur*, version édulcorée de *Tartuffe*, fut suivie le lendemain d'une nouvelle interdiction signifiée cette fois à Molière par le président Lamoignon et par l'archevêque de Paris. Un placet au roi resta sans écho. L'année suivante, la création d'*Amphitryon** fut accueillie avec faveur, mais celle de *George* Dandin ou le Mari confondu* ne recueillit qu'un demi-succès et l'*Avare* fut un échec (1668). Enfin autorisée après la mort de la reine mère, la représentation de *Tartuffe** (1669) connut un franc succès et Molière, reprenant confiance en lui-même, composa pour les fêtes de la cour trois nouvelles comédies-ballets, *Monsieur* de Pourceaugnac* (1669), *Les Amants magnifiques* et le *Bourgeois* gentilhomme* (1670) puis, en collaboration avec Corneille, une « pièce à machines » d'une exquise invention poétique, *Psyché* (1671). En cette même année, il donna encore *Les Fourberies* de Scapin*, la plus étincelante de ses farces à l'italienne, qui fut médiocrement accueillie, et une comédie-ballet, la *Comtesse d'Escarbagnas*. Il travaillait depuis 1668 à une grande comédie de mœurs, *Les Femmes* savantes*, représentée avec un succès considérable (1672). Réconcilié avec Armande, Molière fut de nouveau père, mais l'enfant mourut, moins d'un mois après sa naissance. C'est vers ce temps que le succès des intrigues de Lully eut pour effet de priver Molière de la faveur royale. Sa nouvelle comédie, *Le Malade* imaginaire*, ne fut pas jouée devant la cour, et sa mort qui survint quelques heures après la quatrième représentation de cette œuvre, à la vérité plus tragique que bouffonne, fut suivie d'une inhumation nocturne et quasi clandestine (21 février 1673). — Auteur, acteur, directeur de troupe, Molière n'a vécu que pour le théâtre. Utilisant la totalité des ressources de la scène, il y apparaît comme un créateur dans tous les domaines. Metteur en scène soucieux de précision, il a enseigné aux comédiens les vertus du naturel et de la simplicité. Cette même passion de la vérité se retrouve dans l'observation qu'il fait des caractères humains, de leurs contradictions, de leurs ridicules. Avec une liberté et une hardiesse impitoyables, il arrache sur le visage du bourgeois, du marquis, du dévot, du pédant, du parvenu, le masque sous lequel celui-ci dissimule son imposture. Avec lui, pour la première fois, la grandeur comique atteint la dimension tragique. Vivant désormais hors du temps, ses personnages, devenus des archétypes, s'élèvent à l'universel.

MOLINA (Luis). ♦ Jésuite espagnol (Cuenca, 1536 — Madrid, 1600), professeur de théologie à Evora (Portugal), auteur de l'*Accord du libre arbitre avec le don de la grâce, la prescience divine, la providence, la prédestination et la réprobation* (*Concordia* [...], 1588) qui déclencha de violentes réactions des dominicains ainsi qu'une longue controverse sur la grâce **(V. Jansénisme).** Sa doctrine *(molinisme)* tend à remplacer la notion de grâce *efficace* par une grâce *suffisante* à laquelle l'homme, pour faire le bien, doit consentir en vertu de son libre arbitre. En conséquence, la prédestination stricte est remplacée par une prédestination en *prévision des mérites*, lesquels sont connus de Dieu grâce à sa *science moyenne*. Ces idées répandues par Molina venaient en fait des jésuites Lessius et Fonseca.

MOLINA (Fray Gabriel TÉLLEZ, dit TIRSO DE MOLINA). ♦ Auteur dramatique espagnol (Madrid, v. 1583 — Soria, 1648). Devenu supérieur de l'ordre de la *Merced* où il était entré en 1601, il y exerça avec autorité des charges importantes, sans cesser de se consacrer à l'activité littéraire, au moins jusqu'à 1638. Des trois à quatre cents pièces qu'il a composées et qui font de lui, entre Lope de Vega et Calderón, l'un des maîtres du théâtre espagnol, se détachent des comédies d'intrigue : *Marthe la dévote* (*Marta la Piadosa*, 1614), des comédies romanesques : *Les Amants de Teruel* (*Los Amantes de Teruel*, 1635) et surtout une comédie de caractère, *Le Trompeur de Séville* (*El Burlador de Sevilla*, v. 1625), première apparition au théâtre de Don Juan*, personnage qui donnera naissance à un mythe universel, ainsi qu'un drame religieux (auto sacramental) : *Le Damné par manque de confiance* (*El Condenado por Desconfiado*, 1635). Nul dogmatisme, nul souci des convenances ne restreignent la libre démarche de Tirso de Molina dans son interprétation des sentiments et des passions. Seule subsiste, avec un dessein moral, une curiosité toujours renouvelée pour l'homme et son destin. En témoignent encore ses *Miscellâneas*, *Les Jardins de Tolède* (*Los Cigarrales de Toledo*, 1621?), recueil de contes et de comédies, et *Amuser et être utile* (*Deleitar aprovechando*, 1635).

MOLINOS (Miguel *de*). ♦ Théologien espagnol (Muniesa, Teruel, 1628 — Rome, 1696), fixé à Rome en 1663. Sa *Guide spirituelle* répandit la doctrine dite *quiétiste :* l'âme imprégnée passivement de Dieu, en repos parfait devant lui, ne saurait pécher, même si l'homme semble enfreindre les commandements. Emprisonné en 1685, Molinos se rétracta, mais sa doctrine (molinosisme) fut condamnée par Innocent* XI (1687) et il finit sa vie enfermé dans un couvent.

MOLISE, *n.f. (prov. de)* ou de **Campobasso***. ♦ Région de l'Italie péninsulaire, rattachée à la région des Abruzzes*.

MOLITG [mɔlitʃ]**-LES-BAINS.** ♦ Comm. des Pyrénées-Orientales, arr. de Prades. 229 hab. Station thermale dont les eaux sont utilisées en dermatologie et dans les affections du nez, de la gorge, des oreilles. Fabrication de produits de beauté avec le plancton thermal.

MOLITOR (Gabriel Jean Joseph, *comte*). ♦ Maréchal de France

(Hayange, 1770 – Paris, 1849). Il se distingua en Suisse sous Masséna (victoire sur Souvorov à Zurich, 1799), occupa la Dalmatie (1806), fut nommé gouverneur de la Poméranie suédoise (1807), des villes hanséatiques (1810), puis de la Hollande qu'il défendit vaillamment avant de l'évacuer (1813). Nommé inspecteur général de l'armée par Louis XVIII (après la campagne de France, 1814), il se rallia à Napoléon Ier pendant les Cent-Jours. Promu maréchal et fait pair de France après avoir participé à l'expédition d'Espagne (1823), il fut ensuite gouverneur des Invalides et grand chancelier de la Légion d'honneur.

MOLLENDO. ♦ V. et port du Pérou méridional, sur le Pacifique (dép. d'Arequipa*). 20 000 hab. Important port de commerce relié par chemin de fer à Arequipa.

MOLLET (Guy). ♦ Homme politique français (Flers, 1905 – Paris, 1975). À la S.F.I.O. dès avant la guerre, fait prisonnier en 1940 et rapatrié en 1942 pour raisons de santé, il milita dans la Résistance (Libération-Nord). Maire d'Arras en 1945, élu député (1946) et secrétaire général de la S.F.I.O. (1946-1969), il joua à plusieurs reprises un rôle d'arbitre sous la Quatrième République en accordant ou en refusant la participation des socialistes aux divers gouvernements, et fit lui-même partie de plusieurs cabinets (Blum, Queuille, Pleven). Après la victoire du Front républicain (socialistes et radicaux de Mendès France) aux élections législatives de janvier 1956, Guy Mollet assuma la présidence du Conseil à partir du 31 janvier 1956. Contrastant avec l'adoption de la loi-cadre accordant une relative autonomie à l'Afrique noire (Defferre), la politique algérienne du gouvernement Mollet fut marquée par un net durcissement, qui provoqua la démission de P. Mendès France; nomination de R. Lacoste comme résident général en Algérie en remplacement du général Catroux, obtention pour le gouvernement de pouvoirs spéciaux et augmentation des forces militaires en Algérie, arraisonnement d'un avion marocain à bord duquel se trouvaient de nombreux chefs du F.L.N. (oct. 1956). L'échec de l'expédition franco-britannique et israélienne de Suez (nov.-déc. 1956) contribua aux difficultés du cabinet Guy Mollet, qui, après avoir adopté des mesures en faveur des travailleurs et signé le traité de Rome (mars 1957) posant les bases du Marché commun européen et de l'Euratom, dut démissionner (21 mai 1957), ayant été mis en minorité par l'Assemblée nationale sur la question économique et financière. Rappelé dans l'éphémère cabinet Pflimlin lors de la crise de mai 1958, Guy Mollet se montra favorable au rappel du général de Gaulle et fit partie de son gouvernement comme ministre d'État, avant de rentrer dans l'opposition dès janvier 1959, de participer au soutien de la candidature de F. Mitterrand* à la présidence de la République (1965) et à l'entrée de la S.F.I.O. dans la *Fédération de la gauche démocrate et socialiste* (1966).

MOLLIEN (Nicolas François, *comte***).** ♦ Administrateur et homme politique français (Rouen, 1758 – Paris, 1850). Pendant la Révolution, il fut nommé directeur des domaines dans le département de l'Eure. Destitué en 1792, il fut emprisonné sous la Terreur (1794). Après le 18 Brumaire, Bonaparte lui confia plusieurs postes. Conseiller financier de l'Empereur, il fut ministre du Trésor public de 1806 à 1814 et pendant les Cent*-Jours. Il réorganisa son administration et imposa la comptabilité en partie double. Au moment de la Restauration, Mollien refusa le ministère des Finances mais accepta la pairie. Il a laissé ses mémoires *(Mémoires d'un ministre du Trésor public).*

MOLLWITZ, auj. en polon. **Małujowice.** ♦ Localité de Pologne (voïévodie d'Opole) en Basse-Silésie. – Victoire de Frédéric* II le Grand sur les Autrichiens (1741).

MOLNÁR (Ferenc). ♦ Auteur dramatique et écrivain hongrois (Budapest, 1878 – New York, 1952). Romancier (*Les Garçons de la rue Pál,* 1907), il a surtout écrit pour le théâtre, où son œuvre, pénétrée de mysticisme, se colore d'une fantaisie qui est propre à la poésie hongroise. Œuvre princ. : *Liliom** (1909).

MOLOCH [mɔlɔk] *(le),* en hébr. **ha-Molék** (peut-être primitivement *ha-Mélék* « le roi »; la forme *Moloch* est issue de la traduction grecque de la Bible, dite version des Septante). ♦ Divinité mentionnée dans la Bible (*Lév.* XVIII, 21 et XX, 2-5; *II Rois* XXIII, 10; *Jér.* XXXII, 35). Il s'agit probablement d'un dieu cananéen adopté par Israël. En son honneur, des enfants étaient « passés par le feu », c'est-à-dire immolés puis brûlés (sur cette coutume, **V. Baal, Cananéens**). Son culte, dans la vallée de Hinnom (*Gêy Hinnom,* d'où *Géhenne*), fut prohibé par Josias mais reprit plus tard, provoquant l'indignation des prophètes et des rédacteurs bibliques. Certains ont pensé que le Moloch désignerait non un dieu mais un type de sacrifice; cette thèse a été réfutée.

MOLOSSES. *n. m. pl.,* en gr. **Molossoi.** ♦ Peuple de l'anc. Épire*, établi autour d'Ambracie qui fut leur capitale. Ils auraient été soumis par Molossos, fils de Pyrrhos et petit-fils d'Achille. Considérés comme des demi-barbares, ils ne jouèrent pas de rôle important dans les affaires grecques. Leur pays donna une race de chiens réputés pour leur sauvagerie (Cf. Molosse, *in* Robert).

MOLOTOV (Viatcheslav Mikhaïlovitch Skriabine, dit). ♦ Homme politique soviétique (Kukarka, *auj.* Sovetsk, gouvernement de Viatka, *auj.* Kirov, 1890 –). Issu de la bourgeoisie, membre du Parti bolchevik dès 1906, il prit le nom de combat de *Molotov* (du russe *molot,* marteau). Déporté en 1909 dans la région de Vologda, puis libéré (1911), il fut l'un des fondateurs du journal *Pravda* (1912). Déporté de nouveau à Irkoutsk (1915), il réussit à s'évader en 1916. Après la révolution d'Octobre 1917, il devint membre du Comité central du Parti communiste (1921), puis membre du Politburo (1926), puis en 1930 président du Conseil des commissaires du peuple (Premier ministre). Président de la IIIe Internationale* (1930-1934), il fut nommé par Staline commissaire aux Affaires étrangères en mai 1939; il négocia alors et signa au Kremlin avec Ribbentrop* le pacte germano-soviétique (28 sept. 1939). En mai 1941, Staline assuma personnellement la présidence du Conseil des commissaires du peuple et Molotov devint son adjoint. Vice-président du Comité d'État à la Défense après l'invasion allemande, il se rendit en Angleterre et aux États-Unis en 1942, et participa aux conférences de Téhéran, Yalta et Potsdam. Remplacé par Vychinski* en 1949, il reprit son poste au ministère des Affaires étrangères après la mort de Staline (mars 1953). Représentant la tendance stalinienne la plus dure, il fut muté au ministère du Contrôle d'État (nov. 1956), puis exclu du Comité central du Parti et accusé par Khrouchtchev* d'activités « antiparti » (juin 1957). Nommé ambassadeur en Mongolie (1957-1961), puis représentant permanent à l'Agence internationale de l'énergie atomique à Vienne (1960-1961), il fut en 1964 exclu du Parti communiste.

MOLOTOV. ♦ Anc. nom de Perm'* (U.R.S.S.).

MOLSHEIM [mɔlsɛm]. ♦ Sous-préfecture du Bas-Rhin*, ch.-l. d'arr. (5 cant., 70 comm., 67 777 hab.) sur la Bruche. 6 001 hab. (5 718 aggl.). Église des XVIe et XVIIe s.; ancien hôtel de ville (Meitzig) Renaissance; maisons des XVIe et XVIIe s.; restes de fortifications. Collège de jésuites fondé en 1580. Vins fins, constructions mécaniques. Patrie du général F.J. Westermann*. ♦ *Hist.* Ville impériale à partir de 1308, Molsheim joua un grand rôle dans l'histoire de l'Alsace.

MOLTKE (Helmuth, *comte von***).** ♦ Feld-maréchal prussien (Parchim, Mecklemburg, 1800 – Berlin, 1891). Il passa du service du Danemark à celui de la Prusse (1822). Après avoir pris part à des campagnes en Turquie (1835-1839), il devint chef de l'état-major (1858) et fut l'artisan avec Roon* de la réforme militaire décidée par Bismarck*. Disciple de Clausewitz, créateur de la stratégie prussienne, il fit de l'armée allemande la première de son temps. La conduite des opérations de la guerre contre l'Autriche et de celle de 1870 fut son œuvre. Il a laissé des ouvrages de stratégie et d'histoire militaire.

MOLTKE (Helmuth *von***),** dit **le Jeune.** ♦ Général allemand (Gersdorff, Mecklembourg, 1848 – Berlin, 1916). Neveu du maréchal von Moltke*, il succéda à Schlieffen* à la tête du Grand Quartier général (1906). Il reprit le *plan Schlieffen* avec quelques modifications en 1914 et mena rapidement l'invasion de la Belgique et la « bataille des frontières ». Mais, manquant (de son propre aveu) de l'audace nécessaire aux grands capitaines, il renforça les fronts de Lorraine et de Prusse-Orientale au lieu d'accorder le maximum de forces à son aile marchante. Cette erreur stratégique lui coûta la défaite de la Marne*, après laquelle il fut relevé de son commandement au profit de Falkenhayn*. En 1915, il devint chef d'état-major des forces de l'intérieur. **V. Guerre mondiale** *(Première).*

MOLUQUES. *n. f. pl.,* en indon. **Maluku.** ♦ Archipel de l'Indonésie, le plus oriental du groupe, composé de vastes îles disséminées sur une grande étendue et totalisant plus de 47 000 km². Env. 1 000 000 d'hab. *Ch.-l.* Amboine*, sur l'île du même nom, située au S. de l'archipel. La population des îles méridionales est christianisée depuis le XVIe siècle. (François-Xavier y séjourna en 1546.)

MOMBASA ou **MOMBASSA.** ♦ V. et port du Kenya* sur la côte S. du pays, reliée par voie ferrée à Nairobi* et à Kampala* (Ouganda). 179 575 hab. Institut musulman. Grand port desservant le Kenya et l'Ouganda. Raffinerie de pétrole. Cimenterie. Usine d'engrais. – Les environs voient se développer le tourisme balnéaire. ♦ *Hist.* Important comptoir arabe depuis le XIIe s., la ville fut occupée par les Portugais de 1505 à 1698.

MOMMSEN (Theodor). ♦ Historien et homme politique allemand (Garding, Schleswig, 1817 – Charlottenburg, 1903). Direc-

Ph. U.S.I.S.

Molotov.

Ph. Louis Monier

Guy Mollet.

Ph. Hétier

Île de **Møn.**

teur du *Corpus inscriptionum latinarum* et des *Monumenta Germaniae historica,* il s'est surtout spécialisé en histoire romaine [histoire des corporations de la monnaie, etc.]. (Prix Nobel de littérature, 1902.)

MOMPOU (Federico). ♦ Compositeur espagnol (Barcelone, 1893). Au cours du long séjour qu'il fit à Paris (1920-1941), il subit l'influence de la musique française. Il sut toutefois s'en libérer et affirmer un style très personnel dans des œuvres riches de couleur et de poésie qui doivent au folklore espagnol ou catalan leur pouvoir incantatoire (*Cants magics, Charmes, Pessebres, Suburbis,* pour piano, ainsi que des mélodies).

MØN. ♦ Île du Danemark, dans la Baltique*, au S.-E. de l'île de Sjaelland* à laquelle elle est reliée par un pont. 209 km². 14 100 hab. *Ch.-l.* Stege. Lieu de villégiature (côte orientale bordée de hautes falaises calcaires). — Céréales, betterave à sucre.

MONACO *(principauté de).* ♦ État souverain d'Europe (placé sous la protection de la France), sur la côte méditerranéenne, enclavé dans le dép. français des Alpes-Maritimes. 1,5 km². 23 000 hab. *(Monégasques).* La principauté s'étend sur une étroite bande côtière de 3 km de long limitée par le mont Agel (1 100 m) et la Tête-de-Chien (504 m). Elle est divisée en quatre sections : *Monaco-ville,* située en partie sur un promontoire rocheux entouré de remparts (palais des XVIᵉ-XVIIᵉ s., cathédrale Saint-Nicolas, musée océanographique, jardin exotique), La* Condamine, Monte*-Carlo, et le nouveau quartier industriel de Fontvieille à l'O. (indus. alimentaire, produits de beauté). Port de plaisance. Le casino de Monte-Carlo, le tourisme et l'émission de timbres-poste sont les principales ressources économiques du pays. [*Carte.* **V. Provence-Côte d'Azur**]. ♦ *Hist.* Colonie phénicienne puis grecque possédant un temple dédié à Hercule, la ville prit au ~ Iᵉʳ s. le nom de *Portus Herculis Monoeci* (surnom d'Hercule venant peut-être d'une racine indo-européenne *mon-* : promontoire, rocher). En 1070, elle devint possession des Grimaldi, famille originaire de Gênes. Annexée à l'Espagne (1524-1641) puis à la France (1793-1814), elle recouvra son indépendance en 1861, mais se plaça alors spontanément sous la protection de la France. Aux Grimaldi succédèrent les Goyon-Matignon (1731) puis les Polignac (1949) qui gardèrent les armes et le nom de Grimaldi. Le souverain actuel, Rainier* III, est prince de Monaco depuis 1949.

Monadologie (La). ♦ Traité philosophique de Leibniz* écrit en français (1714) et publié après sa mort. Il expose la théorie des « monades », leur nature (substances simples douées d'appétition et de perception), leur degré de perfection (hiérarchie des êtres jusqu'à l'homme, monade douée de raison et capable de s'élever à la connaissance); il traite de Dieu, dont il démontre l'existence en perfectionnant l'argument ontologique. Leibniz traite enfin de « l'harmonie préétablie » (par laquelle il résout le problème de la communication des monades).

MONAGHAN *(comté de),* en irl. **Mhuineachain.** ♦ Comté de la république d'Irlande (prov. d'Ulster*) limité au N. par l'Irlande du Nord. 1 289 km². 47 100 hab. *Ch.-l.* Monaghan (4 015 hab.). — Pays de collines (les *drumlins*) voué à une polyculture vivrière (seigle, pomme de terre) et aux pâturages.

MONALDESCHI (Giovanni, *marquis de***).** ♦ D'une famille noble d'Orvieto, il fut écuyer et amant de la reine Christine* de Suède, qui le fit assassiner à Fontainebleau (1657).

Monarchianisme ou **Modalisme** *(le).* ♦ Hérésie qui prit naissance en Asie Mineure (*fin* IIᵉ s.), se répandit à Rome puis à Carthage, et dont un des représentants fut Sabellius*. Sa doctrine consiste dans l'affirmation de l'Unité divine, le Fils et le Saint-Esprit de la Trinité n'étant plus considérés que comme modes du Père. Elle fut condamnée par le pape Calixte Iᵉʳ.

Monarchie de Juillet. ♦ Nom donné au règne de Louis*-Philippe Iᵉʳ (1830-1848), appelé au pouvoir après la révolution* de juillet 1830 **(V. Charles X).** Sans supprimer le suffrage censitaire, le nouveau régime fut véritablement parlementaire. La noblesse se vit dépossédée au profit de la grande bourgeoisie d'affaires. La monarchie de Juillet n'en fut pas moins marquée par une importante agitation politique : légitimiste (tentative de la duchesse de Berry*, 1832), bonapartiste (affaires de Strasbourg [1836] et de Boulogne [1840], **V. Napoléon III**) et républicaine (juin* 1832, avril* 1834, attentat de Fieschi* [1835], mai* 1839). L'accélération du progrès économique et la révolution industrielle s'accompagnèrent d'une profonde mise en question des valeurs traditionnelles : développement du catholicisme libéral et du mouvement socialiste, liés à la constitution d'un prolétariat de condition misérable. Après avoir tenté de gouverner avec les représentants du parti du Mouvement* **(V. Laffitte),** pour qui la révolution de 1830 n'était qu'un point de départ vers des réformes démocratiques et qui prônaient une politique de soutien aux mouvements révolutionnaires européens (Pologne, Italie, etc.), Louis-Philippe s'appuya sur les chefs du parti de la Résistance* **(V. Périer** [Casimir], **Broglie, Soult, Molé, Thiers, Guizot),** hostiles à toutes réformes parlementaires et électorales. Désireux de se faire admettre par les différents gouvernements européens, mais aussi de s'imposer, le nouveau régime adopta une politique extérieure relativement pacifique : rapprochement avec l'Angleterre sur la question belge (prise d'Anvers*, 1832), occupation d'Ancône* (1832). La France se trouva néanmoins isolée quelque temps par sa politique au Moyen-Orient (traité de Londres* de 1840; politique extérieure de Thiers*); la politique d'entente cordiale avec la Grande-Bretagne reprit en 1841, contrecarrée toutefois par certaines difficultés (dont l'affaire Pritchard*). Enfin, avec la conquête de l'Algérie* et l'acquisition de comptoirs en Afrique noire, en Extrême-Orient et dans le Pacifique (Tahiti), la monarchie étendait les colonies françaises. Une crise économique et financière (1846-1847), doublée d'une crise politique (campagne des Banquets*, 1847-1848) aboutit à la révolution* de février 1848, qui provoqua la chute de Louis-Philippe et la proclamation de la Deuxième République* par le gouvernement provisoire (25 février 1848).

Monarchiens. *n. m. pl.* ♦ Nom donné à ceux qui, à l'Assemblée* nationale constituante, se firent les défenseurs d'une constitution de type anglais (d'où aussi le nom d'*anglomanes*), avec pouvoir royal fort et deux chambres, l'une dignitaire, l'autre élue. Ils conseillèrent à Louis XVI le transfert de l'Assemblée en province et le rappel des troupes à Versailles (fin sept. 1789) qui contribua au soulèvement populaire des 5 et 6 octobre* 1789.

MONASTIER-SUR-GAZEILLE (Le). ♦ Ch.-l. de cant. de la Haute-Loire*, arr. du Puy*. 2 338 hab. Église romane et gothique. Chapelle romane. Château fortifié du XIVᵉ siècle. Maisons anciennes. — Moulinage de la soie.

MONASTIR. ♦ Ville de Macédoine. **V. Bitola.**

MONASTIR. ♦ V. de Tunisie (gouvernorat de Sousse) située sur une presqu'île du S. du golfe de Hammamet*. 12 600 hab. Remparts. Ribat fondé au VIIIᵉ siècle. Grande mosquée (IXᵉ-XIᵉ s.); mosquée moderne. Port de pêche. Conserveries. Importantes salines. Station balnéaire (plage de Skanès). — Patrie de Habib Bourguiba*. ♦ *Hist.* Anc. cité punique puis romaine, qui, après la construction du *ribat de Monastir* et alors que Kairouan était provisoirement déchu de son rang de capitale au profit de Mahdia, devint la ville sainte de la Tunisie.

MONATTE (Pierre). ♦ Syndicaliste français (Monlet, Haute-Loire, 1881 — Vanves, 1960). Anarchiste, puis syndicaliste révolutionnaire, fondateur de la revue *la Vie ouvrière* (1909-1914), il fut membre du Comité confédéral de la C.G.T. avant 1914. Exclu du P.C.F., il créa l'organe de la ligue syndicaliste *la Révolution prolétarienne.*

MONBAZILLAC. ♦ Comm. de la Dordogne*, arr. de Bergerac*. 846 hab. Château du XVIᵉ siècle. — Vins blancs célèbres.

MONCADE (Hugues *de***),** en esp. **Hugo de Moncada.** ♦ (mort près de Naples, 1528). Homme de guerre espagnol. Il passa du service de Charles* VIII à celui de César Borgia et de Gonzalve* de Cordoue. Battu par Andrea Doria (1524), il servit les Colonna* contre Clément* VII et mit au pillage le Vatican. Il fut tué alors qu'il défendait Naples contre Lautrec* et Andrea Doria.

MONCEAU-SUR-SAMBRE. ♦ Comm. de Belgique (Hainaut, arr. de Charleroi). 10 400 hab. Houillères. Indus. métallurgiques. Centrale électrique.

MONCEY (Bon Adrien JEANNOT *de***).** ♦ Maréchal de France (Palise, Doubs, 1754 — Paris, 1842). Engagé volontaire à quinze ans, il combattit en 1793-1794 dans les Pyrénées; ayant repoussé les Espagnols en 1795, il devint général et arrêta les combats lorsque l'Espagne signa le traité de Bâle*. Inspecteur général de la gendarmerie (1801), il fit échouer les conspirations royalistes contre Napoléon, il fut fait maréchal (1804), *duc de Conegliano* (1808). Il servit de nouveau en Espagne en 1808 (prise de Saragosse, 1809) et en 1823. En 1815, il fut enfermé au fort de Ham pour avoir refusé de juger Ney*. Il devint gouverneur des Invalides (1833), où il reçut les cendres de Napoléon (1840).

MÖNCHENGLADBACH. ♦ V. d'Allemagne occidentale (Rhénanie du Nord-Westphalie), entre le Rhin (E. de Düsseldorf) et la Meuse. 152 185 hab. (1969). Abbatiale des XIᵉ-XIIIᵉ s. Indus. textiles (laine peignée, fibres synthétiques), indus. métallurgiques (fonderies), mécaniques et chimiques.

MONCLOVA. ♦ V. du Mexique septentrional (Coahuila*) au N.-O. de Monterrey*. L'un des plus grands centres métallurgiques du pays avec Monterrey (fonte, acier; métall. du plomb). Indus. chimiques.

MONCONTOUR. ♦ Ch.-l. de cant. des Côtes-du-Nord, arr. de Saint-Brieuc. 1 187 hab. *(Moncontourais).* Église Saint-Mathurin (XVIe et XVIIIe s.); hôtels anciens. Aux environs château des Granges (XVIIIe s.) et château de la Touche-Trébry (XVIe s.). ♦ *Hist.* Ancienne ville fortifiée, Moncontour connut plusieurs sièges. Le chef des chouans, Boishardy, y combattit contre les républicains en 1793.

MONCONTOUR. ♦ Ch.-l. de cant. de la Vienne, arr. de Châtellerault. 543 hab. Église romane. Donjon (XIIe-XVe s.). Vestiges de l'anc. enceinte. Maisons anc. ♦ *Hist.* En 1569, le futur Henri III, alors duc d'Anjou, y vainquit l'armée protestante de l'amiral de Coligny*, qui fut presque anéantie.

MONCOUTANT. ♦ Ch.-l. de cant. des Deux-Sèvres, arr. de Parthenay. 2 598 hab. [1 616 aggl.] *(Moncoutantais).* Marché agricole.

MONCTON. ♦ V. du Canada (Nouveau-Brunswick) à env. 150 km au N.-E. de Saint John. 45 847 hab. (1966). Centre de transports (bureaux du *Canadian National Railways,* aéroport). — Université francophone; centre culturel français de la province.

MONDEGO. *n. m.* ♦ Fl. du Portugal* (225 km). Né dans la *serra da Estrela,* il irrigue la Beira*, arrose Coïmbra*, et se jette dans l'Atlantique.

MONDELANGE. ♦ Comm. de la Moselle, arr. de Thionville-Ouest, au débouché de la vallée de l'Orne. 6 470 hab. — Constructions métalliques et mécaniques. Boulonnerie.

MONDEVILLE (Henri *de*). ♦ (1260 — 1320). Chirurgien de Philippe le Bel puis de Louis le Hutin, il fut un des premiers à s'opposer à certaines théories de Galien.

MONDEVILLE. ♦ Comm. du Calvados*, arr. de Caen*. 9 796 hab. *(Mondevillais).* Centre métallurgique; produits chimiques.

MONDINO DEI LIUCCI ou **RAIMONDINO DEI LIUZZI.** ♦ Anatomiste italien (Bologne, v. 1270 — 1326). Il fit de nombreuses autopsies et rédigea l'un des premiers grands traités d'anatomie.

MONDONVILLE (Jean Joseph CASSANÉA *de*). ♦ Compositeur et violoniste français (Narbonne, 1711 — Belleville, 1772). Il a composé des opéras, dont *Titon et l'Aurore* (1753), que les partisans de la musique française prétendirent opposer à l'ouvrage de Pergolèse, *La Servante maîtresse,* lors de la querelle des Bouffons. Son œuvre comprend encore de la musique instrumentale (sonates pour violon; pièces pour clavecin) et vocale (motets et airs).

MONDOR (Henri). ♦ Chirurgien et écrivain français (Saint-Cernin, Cantal, 1885 — Neuilly-sur-Seine, 1962). Auteur de traités de chirurgie et d'ouvrages sur de nombreux savants français (tels Dupuytren, Pasteur), il se fit également connaître par ses études d'histoire et de critique littéraires, en particulier sur Mallarmé (*Vie de Mallarmé,* 1941-1942; *Mallarmé plus intime,* 1944), sur Paul Valéry et sur Alain. (Acad. méd., 1945; Acad. fr., 1946; Acad. sc., 1961.)

MONDORF-LES-BAINS. ♦ V. d'eaux du Luxembourg. 1 920 hab. On y traite les affections du foie et de la vésicule.

MONDOUBLEAU. ♦ Ch.-l. de cant. du Loir-et-Cher, arr. de Vendôme. 1 510 hab. *(Mondoublotiers).* Vestiges d'un château (X[e] et XVe s.) et de l'anc. enceinte. Maisons anciennes. Dolmen. — Tanneries.

MONDOVI. ♦ Comm. d'Algérie dans la plaine d'Annaba*. 11 519 hab. Vignobles. Tabac. — Patrie d'Albert Camus*.

MONDOVI. ♦ V. d'Italie continentale, dans le Piémont (prov. de Cuneo), au pied des Alpes ligures. 21 000 hab. Aciéries, gisement d'uranium. — Victoire de Bonaparte sur les Piémontais (21 avril 1796).

MONDRIAN (Piet MONDRIAAN, dit Pieter). ♦ Peintre, dessinateur et théoricien néerlandais (Amersfoort, 1872 — New York, 1944). Issu d'une famille calviniste, il fit difficilement admettre à son père sa vocation de peintre. Il se consacra à l'enseignement du dessin, obtint son diplôme en 1889, et suivit des cours à l'académie des beaux-arts d'Amsterdam de 1892 à 1895. Après avoir peint des tableaux d'une facture assez académique, il évolua dans ses paysages vers un traitement simplifié des formes, utilisant une gamme personnelle, dense, aux accords délicats de gris, mauve et violet (*Ferme de Duivendrecht,* 1905-1907, puis *Bois d'Oele,* 1908-1910). S'étant intéressé à la théosophie dès 1892, il subit l'influence des théories de Schoenmae Kers et devint membre de la société de théosophie en 1909. À la suite de sa rencontre avec Toorop*, il fut influencé par la technique divisionniste, fragmenta sa touche (série de *Dunes, Tour-phare de Westkapelle,* 1908-1911) et manifesta des tendances symbolistes (triptyque : *Évolution,* v. 1911). Un séjour à Paris, de 1911 à 1914, joua un rôle décisif pour Mondrian : la découverte du cubisme l'incita à éliminer progressivement les références à la réalité extérieure, le caractère contingent des figures, pour chercher les structures fondamentales des formes; il entreprit alors des séries ayant pour thème l'arbre, la façade d'une église, la mer, les dunes, dans lesquelles chaque œuvre constitue une étape vers une plus grande abstraction. Il tendit alors à segmenter l'espace de la toile jusqu'à éliminer les légères ponctuations en arc de cercle pour privilégier exclusivement le rapport du trait horizontal-vertical. Il continua en Hollande, où il revint en 1914, sa série dite « des plus et moins » (*Composition avec figures,* 1917). À cette époque, il fit la connaissance de Theo Van Doesburg et fonda avec lui la revue *De Stijl* (1917), publiant des articles où il énonçait les principes du néo-plasticisme, exposé ensuite dans un texte publié en 1920. Trouvant dans la théosophie la justification spirituelle de sa peinture, il prôna l'élimination de toute expression irrationnelle, subjective, l'abandon de toute forme superflue, décorative, et préconisa une facture nette, lisse et brillante, des formes tracées à la règle, fondée sur l'unique rapport orthogonal et l'adoption des trois couleurs primaires : rouge, jaune et bleu, contrastant avec la non-couleur (blanc, gris, noir). Il abandonna ainsi v. 1920 les agencements de carrés ou de rectangles de tonalités variées pour s'en tenir rigoureusement à une grille de lignes noires où il disposa des carrés et rectangles de dimensions variables, définissant des plans de couleur pure, à la recherche d'un équilibre asymétrique. Il s'installa à Paris de 1919 à 1938, poursuivant avec une rigueur exemplaire son œuvre, participa en 1930 au groupe *Cercle et carré,* puis en 1931 à *Abstraction-Création.* Il s'installa à New York en 1940, abandonnant alors les lignes noires au profit de lignes constituées de petits rectangles colorés (*Broadway Boogie-Woogie,* 1942-1943), conférant un rythme plus allègre et saccadé (*Victory Boogie-Woogie,* 1943-1944, inachevé). À la recherche d'une pureté absolue et accordant à la peinture une haute valeur éthique, il y vit le moyen de réaliser l'unité entre la matière et l'esprit et visa à faire éclater de son cadre l'expression plastique (aménagement de son atelier selon les principes du néo-plasticisme). En adoptant des formes strictement non figuratives et en limitant la peinture à ses composantes élémentaires, il a fait porter sa réflexion sur la spécificité de l'art et s'est affirmé comme le principal fondateur de l'abstraction géométrique. Son esthétique a exercé une influence déterminante sur l'architecture et le décor contemporains.

MONÉDIÈRES *(monts de).* ♦ Massif du S. du plateau de Millevaches* dans le Limousin*, entre la Vézère et la Corrèze. Le sommet est à 920 mètres.

MONEIN [mɔnɛ̃]. ♦ Ch.-l. de cant. des Pyrénées*-Atlantiques, arr. d'Oloron*-Sainte-Marie. 4 005 hab. (1 848 aggl.). Église du XVe siècle. Vins et fruits renommés.

MONEMVASIE. ♦ V. MALVOISIE.

MONET (Claude). ♦ Peintre et dessinateur français (Paris, 1840 — Giverny, 1926). Il fit ses études secondaires au Havre. En 1856, Boudin* remarqua ses caricatures et ses dessins et lui prodigua leçons et conseils, l'incitant surtout à peindre en plein air. À Paris, en 1857, il suivit des cours à l'Académie suisse où il rencontra Pissarro*. Après son service militaire en Algérie (1861), où il eut la révélation de la lumière méditerranéenne, il étudia dans l'atelier de Gleyre, devint l'ami de Renoir*, Sisley, Bazille. Il alla peindre en leur compagnie à Chailly-en-Bière, près de Fontainebleau. Il séjourna aussi plusieurs fois sur la côte normande en

Arch. Smeets

Claude Monet : « La Cathédrale de Rouen ». (Museum of Fine Arts, Boston.)

Ph. Nimatallah/Ricciarini

Claude Monet : « La Cathédrale de Rouen ».
(Musée des Beaux-Arts, Rouen.)

compagnie de Boudin* et Jongkind*. Fortement impressionné par la peinture claire de Manet* et par la modernité de sa vision, il entreprit en 1865 un *Déjeuner sur l'herbe* que critiqua Courbet*. Après un premier succès au Salon de 1866 *(Camille à la robe verte),* suivi par un échec en 1867 (*Femmes au jardin,* 1866), il peignit des portraits, des scènes d'intérieur et, surtout, des paysages, qui révèlent l'élaboration d'un style personnel, par abandon progressif des influences de Courbet, des peintres de Barbizon* (Daubigny*), de Boudin et de Jongkind et l'adoption d'une touche large, apparente, de tonalités claires et modulées. Réfugié à Londres pendant la guerre de 1870, il découvrit Constable* et Turner*, chercha à rendre l'atmosphère humide et brumeuse de la ville *(Pont de Westminster),* revint par la Hollande *(Champs de tulipes).* Installé à Argenteuil (1872-1876), il travailla sur un bateau transformé en atelier, étudiant l'air et la lumière; fasciné par le jeu des reflets dans l'eau, il voulut fixer les effets de lumière les plus fugitifs; il fragmenta d'une façon plus apparente sa touche, évitant les couleurs opaques, colorant des ombres et renonçant parfois au ton local. Il décida avec ses amis de fonder une société anonyme de peintres, sculpteurs et graveurs et d'organiser une exposition des œuvres refusées par le Salon officiel. Sa toile *Impression, soleil levant* (1872), exposée en 1874 chez Nadar*, inspira au critique du *Charivari* L. Leroy le terme (péjoratif) d'« impressionniste » qui allait faire fortune. À Argenteuil, Monet peignit quelques-unes de ses œuvres les plus caractéristiques (*Régates à Argenteuil,* 1874; *La Seine à Argenteuil,* 1874). Les dissensions au sein du groupe l'amenèrent à s'éloigner de ses amis et à refuser de participer en 1880 à la 5e exposition impressionniste. Pour étudier les variations de la forme suivant les changements d'éclairage, il réalisa des séries (*Les Meules,* 1890; *La Cathédrale de Rouen,* 1892-1904; *Bords de la Tamise,* 1899-1904); en suggérant les formes par quelques taches de couleur, il finit par détruire la notion académique de forme et, bien qu'il se défendît de ne faire rien d'autre que du « réalisme », il imposa une vision subjective, notamment en peignant sa série des *Nymphéas* exécutées dans sa propriété de Giverny, dans l'Eure; les formes s'y désintègrent en masses de couleurs intenses et vibrantes jusqu'à atteindre la non-figuration. Ainsi, le maître des impressionnistes fut considéré comme un précurseur par les tenants de l'abstraction lyrique. Il avait voulu, pour sa part, signifier « un instant de la conscience du monde » et traverser, selon le mot de Proust, « le miroir magique de la réalité ».

MONÊTIER-LES-BAINS. ♦ Ch.-l. de cant. des Hautes-Alpes*, arr. de Briançon*, sur la Guisanne, 806 hab. Église du XVe siècle. Sources thermales.

MONFLANQUIN. ♦ Ch.-l. de cant. du Lot*-et-Garonne, arr. de Villeneuve*-sur-Lot, près de la Lède. 2 354 hab. (970 aggl.). Anc. bastide du XIIIe s., église des XIVe-XVe siècles.

MONFREID (Daniel *de***).** ♦ Peintre et graveur français (Paris, 1856 – Corneilla-de-Conflent, Pyrénées-Orientales, 1929). Ami de Paul Gauguin, il illustra son livre sur la civilisation maorie, *Noa-Noa,* et entretint avec lui une importante correspondance, qui fut publiée en 1918. ♦ HENRY DE MONFREID, son fils (Leucate, Aude, 1879 – Ingrandes, Indre, 1974). Il mena sur les rives de la mer Rouge, ainsi qu'en Éthiopie, une vie aventureuse qui lui inspira des récits de voyage et des romans d'action insolites et colorés, parmi lesquels : *Secrets de la mer Rouge* (1932), *La Croisière du hachisch* (1937), *Pilleurs d'épaves* (1955), *Testament de pirate* (1963).

MONGE (Gaspard, *comte de* **Péluse).** ♦ Mathématicien français (Beaune, 1746 – Paris, 1818). Fils d'un marchand forain, admis à l'école du génie militaire de Mézières (1764), il fut invité par Turgot à venir enseigner à Paris en 1780. Adepte de la Révolution, il fut ministre de la Marine, participa à la création de l'École normale, et fut l'initiateur de l'École polytechnique. Il renouvela entièrement l'étude de la géométrie infinitésimale, et, ayant créé une nouvelle méthode d'intégration géométrique, il obtint d'importants résultats de géométrie analytique à trois dimensions (concernant notamment les enveloppes de surfaces, les caractéristiques et des notions de transformations de contact); il les enseigna alors à l'École polytechnique et les publia en 1795 *(Feuilles d'analyse)* puis, sous une forme plus complète, en 1807 *(Application de l'analyse à la géométrie).* On trouve notamment, dans cette étude, une présentation parfaite des « coordonnées plückériennes » dont il est le véritable créateur. **V. Plücker.** Il fut le premier à préciser les principes de la géométrie descriptive et à en développer les méthodes et les applications (soit en géométrie pure, soit pour le travail de l'ingénieur et en architecture). Il enseigna cette science avant 1770 et l'utilisa dans divers travaux, mais le premier exposé publié fut sa « Géométrie descriptive », en 1799, cours qu'il enseigna à l'École normale (1795). Il étudia les équations aux différentielles totales, dont il précisa la signification géométrique, et son travail ébauche les recherches ultérieures de Pfaff*. Il participa également au développement de la théorie des équations aux dérivées partielles. S'intéressant aussi à la pratique, il réalisa la synthèse de l'eau sans connaître les travaux de Cavendish* et de Lavoisier* et contresigna le procès-verbal de la grande expérience de Lavoisier (1785). Il étudia encore, quantitativement, la dilatation et la liquéfaction des gaz (il réussit à liquéfier l'anhydride sulfureux en 1784). Son œuvre est caractérisée par une vision globale réunissant les aspects analytique, géométrique et pratique.

MONGIE (La). ♦ Station de sports d'hiver des Hautes-Pyrénées*, située sur la route du col du Tourmalet*.

MÖNGKE. ♦ Empereur mongol de Chine (1251-1259), né en 1209, petit-fils de Temüjin* et successeur de Güyük sur le trône de Peking. Il fut couronné sous le nom de Hsien-tsung. Il se montra favorable aux religions étrangères. Son frère Qûbilai* Khân lui succéda à sa mort.

MONGKUT. ♦ Roi du Siam (1851-1868), né à Bangkok en 1804, appelé aussi Rama IV, frère et successeur de Nang Klao (Rama III). D'esprit très ouvert, il signa des traités commerciaux avec les grands pays européens, confia l'éducation de ses enfants à une gouvernante anglaise et fit de nombreuses réformes, tant dans le clergé que dans l'administration. Prince érudit, il est l'auteur de poèmes et d'ouvrages sur la religion et l'histoire. Son fils aîné, Chulalongkorn* (Rama V) lui succéda.

Mongol. *adj. et n. m.* ♦ Terme générique appliqué à un grand nombre de tribus de l'Asie centrale et du S. de la Sibérie (région du lac Baïkal). Les peuples mongols, unis sous la direction de Temûjin* (Gengis Khân) en 1206, se rendirent célèbres par leurs conquêtes et leur hardiesse. Ils conquirent la Chine vers le milieu du XIIIe s. et y fondèrent en 1280 leur propre dynastie, dite des Yüan*. Actuellement répartis en Chine, en république de Mongolie et en Sibérie, ils comptent un peu plus de 3 000 000 d'individus. La plupart mènent encore, comme leurs ancêtres, une vie nomade. **V. Moghol, Yüan.**

MONGOLIE. *n. f.* ♦ Région de l'Asie centrale formant un vaste plateau, en partie relevé sur ses bords, partagée politiquement entre la Chine (**V. Meng-Ku** ou *Mongolie-Intérieure*) et la République populaire de Mongolie *(ci-dessous).* Le plateau est bordé au N.-O. par les chaînes de l'Altaï*, du Tannou ou Tannu et des Saïan*. Au S.-E., il est séparé de la plaine du N. de la Chine par une ceinture d'escarpements accusés, continuation du Grand Khingan qui limite la Mongolie à l'E. de la Manchourie*. Au S.-O., le plateau confine aux chaînes du Nan Chan qui bordent la partie N.-E. du plateau tibétain; plus à l'O., le plateau est limité par le rebord des bassins du Sin-Kiang **(V. Hsin-Chiang)** [Turkestan chinois]. De hautes montagnes d'origine glaciaire s'élèvent sur le plateau, le long desquelles l'érosion a provoqué des affaissements. Au S.-O. se situe le désert de Gobi*. Dans d'autres zones, des cônes volcaniques surgissent, formant des épanchements de laves, en particulier à l'extrême E. dans la région de Darigan; les paysages mettent en évidence un volcanisme récent. Entre les crêtes de montagnes et les pics s'étendent de grands bassins qui, dans les parties les plus basses, possèdent des lacs ou des cuvettes salées. L'hydrographie est essentiellement partagée entre les bassins des affl. de l'Amour* au N.-E. (Chilka, Argoun), le Kergulen à l'E. et les tributaires du lac Baïkal au N. **(V. Selenga.)**

MONGOLIE, *n. f. (République populaire de Mongolie),* anc. *Mongolie-Extérieure.* ♦ État de l'Asie du Centre-Est, limité au N. par l'U.R.S.S. (R.S.F.S. de Russie*), à l'O. et au S.-O. par la *Mongolie-Intérieure* **(V. Meng-Ku)** et au S.-E. par le Hsin*-Chiang (Sin-Kiang ou Turkestan chinois). 1 565 000 km² (soit trois fois la France). 1 210 000 hab. (1968), de race et de langue mongoles. *Cap.* Oulan* Bator. *Autres V.:* Altjaj, Bajan Hongar, Borja, Cecerleg. Choybalsan, Dalan-Dzadagad, Dahran, Hatgal, Ih-Bogdo Illa. Kobdo, Mandat Gobi, Muren, Saïn Chanda, Ulangom, Utjasutai. – *Orogr. et hydrogr.* Bien que défavorisée par son climat continental (étés chauds, hivers rigoureux), la Mongolie, par une mise en valeur rationnelle, tente de s'intégrer progressivement dans les nations développées. Les précipitations sont partout inférieures à 300 mm, notamment dans la dépression du désert de Gobi*. Au N. et à l'O., le relief monotone est interrompu par les alignements montagneux (Altaï, monts du Saïan* [ou Sayan] et, à l'E., par le Grand Khingan. Les sommets portent parfois de belles forêts, cependant la végétation reste semi-steppique (taïga). Le S. est endoréique tandis que les cours de l'O. se jettent dans des bassins lacustres **(V. Mongolie,** *ci-dessus***)**; au N. les principaux fleuves sont tributaires du lac Baïkal **(V. Selenga)** tandis qu'à l'E. ce sont des affl. de l'Amour*. – L'*économie* est essentiellement agro-pastorale, l'élevage y tenant la première place (bovins, ovins, chevaux); le développement des coopératives a permis d'améliorer le rendement du troupeau et des fermes d'État ont été créées (mécanisation). Le secteur de l'*indus.* lourde est actif : charbon, pétrole, fer, métaux non ferreux. Les autres activités concernent la transformation des matières premières locales (conserveries, traitement de peaux, chaussures) et la production de biens de consommation. Plusieurs centres industriels sont en développement. [*Carte.* **V. Chine.**] ♦ *Hist.* L'événement principal de l'histoire de la Mongolie se place à la fin du XVIe s., époque de la conversion des Mongols* s'orientant vers le bouddhisme lamaïque tibétain. Entre 1635 et 1691, les diverses tribus de l'E. firent leur soumission aux chefs chinois mandchous. La Mongolie fut le théâtre de la rivalité russo-chinoise. Lorsque la souveraineté mandchou (1911) s'écroula, la Mongolie indépendante ou extérieure devint un protectorat chinois. Lors de la révolution russe, les Chinois tentèrent de réannexer toute la Mongolie. La Mongolie-Extérieure fut occupée en 1921 par les troupes soviétiques. Mais, en 1924, la République populaire de Mongolie fut proclamée **(V. Choybalsan);** et le régime communiste brisa l'église bouddhiste et le régime social qui s'était organisé sous son influence. L'indépendance de la Mongolie fut reconnue en 1924 par l'U.R.S.S. et en 1946 par la Chine. La République fut admise à l'O.N.U. en 1961. Elle reste auj. sous l'influence soviétique.

MONGOLIE-INTÉRIEURE. ♦ **V.** MENG-KU.

MONIER (Joseph). ♦ Inventeur français (1823 – 1906). Il conçut le principe du béton armé (1867). **V. Freyssinet, Hennebique.**

MONIME, en gr. **Monimê.** ♦ Grecque d'une grande beauté (morte en ~72), captive et épouse de Mithridate* VI Eupator qui, vaincu par Lucullus* et se croyant perdu, lui envoya l'ordre de se tuer pour ne pas tomber entre les mains du vainqueur.

MONIQUE *(sainte).* ♦ (Thagaste, auj. Souk-Ahras, Algérie, v. 331 – Ostie, 387). Mère de saint Augustin*. Chrétienne, elle influença la conversion de son fils. Fête le 27 août.

MONISTROL-SUR-LOIRE. ♦ Ch.-l. de cant. de la Haute-Loire*, arr. d'Yssingeaux*, près de la Loire*. 4 633 hab. *(Monistroliens).* Église en partie romane, château du XVe s. – Quincaillerie, outillage; indus. textile.

Moniteur universel (le). ♦ Journal politique fondé en 1789 par C. J. Panckoucke* et où furent publiés les débats de l'Assemblée nationale constituante. Propriété des Panckoucke, *le Moniteur* devint pourtant le journal officiel du gouvernement français à partir de 1799 (*Journal officiel de la République française* en 1848, *Journal officiel de l'Empire français* en 1852). Des conflits devaient cependant opposer la direction du *Moniteur* et le gouvernement de Napoléon III, et, le 1er janvier 1869, fut publié un nouveau *Journal officiel. Le Moniteur* continua à paraître jusqu'en 1901 et devint un organe conservateur.

MONIZ (António Caetano DE ABREU FREIRE Egas). ♦ Médecin portugais (Avanca, Estarreja, 1874 – Lisbonne, 1955). Promoteur de l'artériographie cérébrale (1927), il fut également un des premiers à préconiser et à pratiquer des interventions chirurgicales portant sur le cerveau, pour remédier à certaines maladies mentales [1935-1936]. (Prix Nobel de méd., 1949.)

MONK ou **MONCK (George,** *1er duc d'***Albemarle).** ♦ Général et homme politique anglais (Potheridge, 1608 – Newhall, 1670). D'abord rallié à Charles* Ier, il fut pris par les Parlementaires qui l'obligèrent à servir leur cause (il remporta des victoires en Écosse et sur Tromp*). À la mort de Cromwell*, il devint maître de la situation, avec son armée d'Écosse, et restaura la royauté après avoir convaincu Charles* II de faire la déclaration de Breda* (1660). Retiré des affaires publiques, il se dévoua lors de la peste de Londres (1665).

MONK (Thelonious Sphere). ♦ Pianiste, compositeur et chef d'orchestre de jazz noir américain (Rocky Mount, Caroline du Nord, 1920). Il fut un des pionniers du *be-bop* et ses hardiesses musicales exercèrent une grande influence sur le jazz moderne. Princ. enregistrements : *Round About Midnight* (1947), *Brilliant Corners* (1956), *Blue Monk* (1958).

MÔN-KHMER. *n. m. pl.* ♦ Groupe de peuples de l'Inde et du S.-E. de l'Asie, autrefois très puissants et répartis sur une vaste zone géographique, et dont il ne reste plus que des îlots isolés, totalisant env. 5 000 000 d'individus, au Cambodge, en Birmanie, au Laos et dans la péninsule malaise. Les langues d'origine môn-khmer sont encore parlées par de nombreux peuples, tant en Asie du S.-E. qu'en Inde et en Malaisie.

MONLUC ou **MONTLUC (Blaise de Lasseran Massencome,** *seigneur de***).** ♦ Chroniqueur français (près de Condom, v. 1500 – près d'Agen, 1577), maréchal de France sous quatre rois, il fut le défenseur de Sienne (1555). Nommé gouverneur de Guyenne, il rédigea dès 1570 sept livres de *Commentaires,* publiés en 1592. – S'inspirant de Jules César, il évoque dans un style clair et pittoresque les événements de l'histoire civile et militaire qu'il a vécus.

MONMOUTH (Geoffrey *de***).** ♦ Historien anglo-normand, (v. 1100 – 1154). Élevé dans un monastère bénédictin voisin de Monmouth, dans le pays de Galles, il en devint l'archidiacre. Son *Histoire des Bretons (Historia Regum Britanniae),* écrite en latin avant 1147 et dédiée au fils d'Henri Ier, est une œuvre d'imagination déguisée. Geoffrey est donc pour une large part le créateur de la légende arthurienne. Il fait de Brut, père des Bretons, l'arrière-petit-fils d'Énée, venu en Grande-Bretagne où il fonda *Troynovant* (la nouvelle Troie), plus tard appelée Londres. Arthur est présenté comme le défenseur héroïque des Bretons, vainqueur des Anglo-Saxons, des Pictes et des Scots. Les Normands et les Anglo-Saxons adoptèrent aussitôt cette grande figure comme un glorieux ancêtre et le fait contribua à créer le patriotisme anglais.

MONMOUTH (James SCOTT, *duc de***).** ♦ Fils présumé de Charles* II (Rotterdam, 1649 – Londres, 1685). Le parti protestant essaya de l'opposer comme prétendant au duc d'York*. Un complot manqué contre celui-ci l'obligea à s'exiler en Hollande (1683). Il revint à l'avènement de Jacques* II et fut décapité.

MONMOUTH. ♦ V. du S.-E. du pays de Galles, au confl. de la Wye et du Monnow (ch.-l. du Monmouthshire* jusqu'en 1939). Centre agricole et industriel (produits alimentaires). Château normand (fin XIe s.) où naquit Henri V. À proximité, abbaye cistercienne de Tintern (1131).

MONMOUTHSHIRE. *n. m.,* en gallois *Sir Fynwy.* ♦ Comté du S.-O. de l'Angleterre, prolongeant à l'E. le Glamorganshire, en bordure du *canal de Bristol,* et administrativement rattaché au pays de Galles. 1 403 km². 464 850 hab. *Ch.-l.* **V. Newport.** *V. princ.* **V. Abergavenny, Cwmbran, Ebbw Vale, Pontypool.** À l'O. de l'Usk s'étendent des plaines peu industrialisées. La vallée de la Wye, jusqu'à Monmouth, est très pittoresque. À l'O. de l'Usk s'étend une zone montagneuse riche en houille, en fer et en plomb. Les villes (Ebbw Vale, Newport, Pontypool, etc.) sont essentiellement des centres métallurgiques. – Patrie d'Henri* V, A. Bevan*, A.-R. Wallace.

Monnaies *(hôtel des).* ♦ Hôtel de Paris situé quai de Conti. Édifié par J.D. Antoine*, de 1768 à 1774, il représente la première manifestation architecturale importante du style Louis XVI; la longue façade sur la Seine est d'une simplicité harmonieuse. L'intérieur (bel escalier, salle du musée) offre un remarquable ensemble décoratif du XVIIIe siècle. Centre de la fabrication monétaire en France, l'hôtel des Monnaies renferme un musée (depuis 1827) et édite des médailles (depuis 1832).

MONNERVILLE (Gaston). ♦ Homme politique français (Cayenne, 1897). Député radical-socialiste (1932-1940), résistant pendant la Deuxième Guerre mondiale, réélu député (1945-1946), il contribua à faire adopter la transformation de la Guadeloupe, de la Martinique, de la Guyane et de la Réunion en départements français (1946). Membre du Conseil de la République (1946), qu'il présida (1947-1958), il fut ensuite président du Sénat (1958-1968), fonction qu'il remplit en étant dans l'opposition au régime. Membre du Conseil constitutionnel (1974).

MONNET (Jean). ♦ Économiste français et homme politique international, initiateur de l'Europe unie (Cognac, France, 1888). Pendant la Première Guerre mondiale, il représenta la France dans les comités exécutifs alliés pour la répartition des ressources communes. Nommé en 1919 secrétaire général adjoint de la Société des Nations, il la quitta en 1923 pour se consacrer à des activités privées. De 1923 à 1938, il assura les emprunts de stabilisation et de réorganisation économique de la Pologne et de la Roumanie, ainsi que la réorganisation des chemins de fer chi-

Ph. Roger-Viollet

Gaston Monnerville.

Ph. U.S.I.S.

Jean Monnet.

nois. Au début de la Seconde Guerre mondiale, il fut nommé par les gouvernements français et anglais président du Comité de coordination de l'effort de guerre allié ; en juin 1940, il fut à l'origine de la proposition d'union franco-britannique. Nommé par Churchill membre du Conseil britannique des approvisionnements de guerre, il partit pour Washington en août 1940 et participa à l'organisation de la défense commune (élaboration du Victory Program de Roosevelt). En 1943, il devint membre du Comité français de libération nationale à Alger. En 1945, il fut président du Comité français des approvisionnements à Washington et signataire des accords prêt-bail avec les États-Unis. En 1946, il fut l'initiateur de la planification avec le premier plan de modernisation et d'équipement (1947-1952). Défenseur de l'idée d'une Europe unie, il est à l'origine de la déclaration du 9 mai 1950, qui jette les bases de la Communauté européenne du charbon et de l'acier, plus connue sous le nom de Plan Schuman*. Premier président de la Haute Autorité de la CECA (1952-1955), M. Monnet quitta son poste afin de « pouvoir participer, dans une entière liberté d'action et de parole, à la réalisation de l'unité européenne ». Il créa alors (1955) le Comité d'action pour les États-Unis d'Europe, dont il demeurera le président, et dont les membres sont les représentants des partis politiques et des syndicats libres des pays de la Communauté.

MONNIER (Henri). ♦ Écrivain et caricaturiste français (Paris, 1799 — 1877). Après une existence de fonctionnaire, qui inspira ses albums de lithographies coloriées, *Les Mœurs administratives* (1828), il fut encouragé au dessin satirique par le succès de ses illustrations des *Chansons* de Béranger*. Dans ses *Scènes populaires dessinées à la plume* (1830) apparaît la figure de Joseph Prudhomme*, type de bourgeois solennel et satisfait de l'époque romantique, qui devient le personnage de sa comédie, *Grandeur et décadence de M. Joseph Prudhomme* (1853), et des *Mémoires de Joseph Prudhomme* (1857). Auteur de vaudevilles et de comédies, Henri Monnier jouait lui-même ses pièces.

MONNOYER (Jean-Baptiste, dit Baptiste). ♦ Peintre et dessinateur français (Lille, 1634 — Paris, 1699). Reçu à l'Académie en 1655, il travailla pour Le* Brun aux Gobelins, à la Savonnerie et à Versailles. Il collabora aussi à la décoration des *hôtels Lambert* et *Lauzun* (Paris) et des châteaux de Vaux, Vincennes, Saint-Cloud, Trianon et Marly. Il se spécialisa dans les compositions florales. Visant à l'effet décoratif et à l'élégance de l'ensemble, il donna parfois un caractère ostentatoire à ses agencements de fleurs et d'accessoires précieux. Appelé à Londres par lord Montaigu, il travailla notamment au *palais de Kensington.*

MONOD. ♦ Famille protestante française dont les membres les plus connus furent JEAN (Genève, 1765 — Paris, 1836), pasteur à Copenhague puis à Paris, et ses fils FRÉDÉRIC (Monnaz, Vaud, 1794 — Paris, 1863) et ADOLPHE (Copenhague, 1802 — Paris, 1856), pasteurs le premier à Paris, le second à Naples, Lyon puis Paris, tous deux chefs de file du « Réveil » protestant de la première moitié du XIXe siècle.

MONOD (Robert). ♦ Chirurgien français (Pau, 1884 — Paris, 1970). On lui doit des travaux sur l'anesthésie, la transfusion sanguine et surtout la chirurgie pulmonaire d'exérèse. (Acad. méd., 1952.)

MONOD (Jacques). ♦ Biochimiste français (Paris, 1910 — Cannes, 1976). Prix Nobel de méd. (1965) avec F. Jacob* et A. Lwoff* pour ses travaux sur les mécanismes biochimiques de la transmission de l'information génétique [rôle de l'acide ribonucléique-A.R.N. « messager », action régulatrice des gènes dans la synthèse des protéines]. (*Genetic regulatory mechanisms in the synthesis of proteins,* 1961, avec F. Jacob ; *Le Hasard et la Nécessité,* 1970.)

Ph. Louis Monier

Jacques Monod.

MONOMAQUE (Vladimir) [*Monomax*]. ♦ Écrivain russe (1053 — 1125). Grand prince de Kiev, auteur d'un célèbre *Enseignement à ses fils.* Cette œuvre, imprégnée de philosophie chrétienne, traite des mœurs de l'époque.

Monophysites. *n. m. pl.* ♦ (Cf. le Robert). Hérétiques chrétiens (à partir du Ve s.) professant l'unité de nature du Christ incarné, sa nature humaine étant absorbée dans la divine. **V. Eutychès.** Condamné à Chalcédoine (451), le monophysisme resta vivant en Orient (Égypte, Palestine, Syrie), surtout dans les milieux monastiques. Après que Sévère d'Antioche eut nuancé sa théologie, les Églises syrienne (jacobite), arménienne, copte, éthiopienne (encore monophysites) persistèrent dans le schisme plutôt par tradition de vocabulaire et opposition politique à Byzance.

MONOPOLI. ♦ V. d'Italie, dans les Pouilles (prov. de Bari). 37 000 hab. Port sur l'Adriatique.

Monothélètes. *n. m. pl.* (grec **monos,** « un », et **thélèma,** « volonté »). ♦ Hérétiques chrétiens (VIIe siècle). Pour réunifier l'empire divisé entre l'Occident catholique et l'Orient inclinant au monophysisme, l'empereur Héraclius adopta la doctrine du *monoénergisme,* qui devint le *monothélisme,* avouant les deux natures du Christ incarné, mais une seule volonté, la divine. Sauf Honorius*, les papes condamnèrent cette doctrine et repoussèrent les édits impériaux : *Ecthèse* d'Héraclius (638), *Type* de Constant II (648). La crise ne fut résolue, dans le sens catholique, que sous Constantin IV Pogonate (concile de Constantinople*, 680-681). **V.** *aussi* **Honorius Ier, Séverin, Jean IV, Théodore Ier, Martin Ier, Agathon, Maxime** le Confesseur.

MONPAZIER. ♦ Ch.-l. de cant. de la Dordogne*, arr. de Bergerac*. 656 hab. *(Monpaziérois).* Anc. bastide anglaise (XIIIe-XIVe s.), avec une place centrale entourée d'arcades gothiques ; église XIVe-XVIe s. ; maisons du XIIIe siècle.

MONREALE. ♦ V. d'Italie, en Sicile (prov. de Palerme), située au-dessus de Palerme. 24 000 hab. Cathédrale de style normand (XIIe s.) ornée de très belles mosaïques.

MONRO (Harold). ♦ Poète anglais d'origine écossaise (Bruxelles, Belgique, 1879 — mort en 1932). Créateur du centre de réunion des poètes georgiens* (George V) grâce à l'ouverture d'une librairie célèbre *(Poetry Bookshop),* Harold Monro fut aussi le fondateur de la *Revue de poésie* (Londres, 1911) et le directeur du *Chapbook Mensuel* (1919-1925). Ses principaux recueils sont : *Poèmes* (1906), *Avant l'aube* (1911), *Les Enfants de l'amour* (1914), *Étranges Rencontres* (1917), *La terre est à vendre* (1928).

MONROE (James). ♦ Homme politique et président des États-Unis (en Virginie, 1758 — New York, 1831). Après avoir été blessé et nommé capitaine pendant la guerre d'Indépendance, il devint l'ami de Jefferson* et fut élu député de la Virginie (1782), puis gouverneur de cet État (1799-1802). Il négocia à Paris l'achat de la Louisiane* à la France (avec R. Livingston). Secrétaire d'État sous la présidence de Madison* (1811-1815), il engagea le pays dans la guerre de 1812 avec l'Angleterre. Il devint le 5e président des États-Unis (1816) et fut réélu, restant président de 1817 à 1825. À l'intérieur, Monroe parvint à apaiser les luttes politiques (inaugurant « l'ère des bons sentiments ») et à résoudre momentanément l'opposition des États du N. et du S. dans le problème de l'esclavage (compromis du Missouri*, 1820). À l'extérieur, ce fut l'achat de la Floride à l'Espagne (1819) et la reconnaissance des nouvelles républiques d'Amérique du Sud (1822) qui marquèrent sa présidence, moins toutefois que la définition des principes de politique étrangère des États-Unis en 1823 *(doctrine de Monroe).*

MONROE (Norma Jean BAKER, dite Marilyn). ♦ Actrice américaine de cinéma (Los Angeles, 1926 — Hollywood, 1962). Belle fille aux attraits souverains, assez spirituelle pour n'être point dupe de son personnage, elle devait, vouée à une irrémédiable solitude, se donner la mort. Films princ. : *Monkey Business,* de Hawks, 1952, *Les hommes préfèrent les blondes* (*Gentlemen prefer Blondes,* 1953), *Sept Ans de réflexion,* de Tashlin (*Seven Years Itch,* 1955), *Certains l'aiment chaud* (*Some like it Hot,* 1959), de B. Wilder *Les Désaxés* (*The Misfits,* 1961), d'après A. Miller.

MONROVIA. ♦ Cap. du Liberia*, située sur l'Atlantique, reliée par voies ferrées (les seules du pays) aux gisements d'extraction de fer **(V. Bomi Hills).** 90 000 hab. Université. Centre commercial et port minéralier. Raffineries de pétrole. Cimenterie. Huileries, brasseries, usines textiles. ♦ *Hist.* Fondée en 1822 par l'American Colonization Society pour d'anciens esclaves noirs libérés. Son nom lui fut donné en l'honneur du président Monroe*. — *La conférence de Monrovia* (1961) réunit la plupart des États africains indépendants et affirma le courant d'une Afrique réformiste, sans recours à la violence ni à l'ingérence dans les affaires intérieures des États.

MONS [mɔ̃s]. en néerl. **Bergen.** ♦ V. de Belgique (ch.-l. du Hainaut) située sur les canaux du Centre et de Condé à Mons, à l'E. du Borinage*. 28 000 hab. *(Montois).* **V.** *aussi* **Cuesmes.** Collégiale Sainte-Waudru bâtie entre 1450 et 1621. Grand-place (XVIe et XVIIe siècle). Hôtel de ville gothique. Beffroi baroque. Musées. Faculté polytechnique et centre de recherches nucléaires. Touché par la récession houillère (cokeries, métallurgie), le secteur Mons-Borinage doit se reconvertir (prétrolochimie). Céramique. Verrerie. Cimenterie. — Patrie de François-Joseph Fétis*, de R. de Lassus*. ♦ *Hist.* Un château y fut édifié av. 642 et sainte Waudru y fonda un monastère en 650. Capitale du comté de Hainaut en 1295, Mons fut la rivale de Valenciennes. La domination de la maison de Bour-

Ph. Tétrel

Assassinat de Jean sans Peur au pont de Montereau, 1419. Chronique de **Monstrelet.** (Bibliothèque nationale, Paris.)

gogne aux XVe et XVIe s. fut pour Mons une ère de prospérité, interrompue par les guerres de Religion (luttes entre Louis de Nassau et le duc d'Albe). La ville fut assiégée par Louis XIV en 1691, puis occupée à maintes reprises; le style architectural du vieux Mons date de cette époque. De nouveau réunie à la France après 1794, la ville devint chef-lieu du département de Jemappes*. Les Allemands occupèrent Mons en 1914 et en 1940. — Centre de la colombophilie, Mons est aussi réputée pour ses jeux traditionnels, dont l'ancien jeu de paume français (jeu de balle).

MONS. ♦ V. de Belgique (prov. et arr. de Liège). 5 000 hab. Houillères.

MONS ou **MONS-EN-BARŒUL.** ♦ Comm. du Nord, dans l'arr. et la banlieue N.-E. de Lille*. 17 166 hab. Indus. textile.

MONSÉGUR. ♦ Ch.-l. de cant. de la Gironde*, arr. de Langon*. 1 630 hab. *(Monségurais).* Anc. bastide (XIIIe siècle). — Vins.

MONS-EN-PÉVÈLE. ♦ Comm. du Nord, arr. de Lille. 1 921 hab. ♦ *Hist.* Philippe le Bel y vainquit les Flamands le 18 août 1304.

Monsieur. ♦ Nom donné, à partir de la fin du XVIe s. en France, à l'aîné des frères du roi. Il fut porté par le duc d'Anjou*, frère d'Henri III, Gaston d'Orléans*, frère de Louis XIII, Philippe d'Orléans, frère de Louis XIV, le comte de Provence sous Louis XVI et le comte d'Artois, sous Louis XVIII.

Monsieur *(paix de),* **paix de Beaulieu** ou **paix de Loches.** ♦ Accord signé en 1576, pour une part à Beaulieu, entre catholiques et protestants, par l'intermédiaire de Monsieur, duc d'Alençon puis duc d'Anjou*. Outre les avantages accordés à leurs chefs, les protestants y gagnèrent la liberté de culte, sauf à Paris, et de nombreuses places fortes dans le Midi. Cette paix, mal accueillie par les catholiques, fut à l'origine de la Ligue*.

Monsieur de Pourceaugnac. ♦ Comédie-ballet en trois actes, en prose, de Molière*. Musique de Lulli (1669). Gentilhomme limousin, Pourceaugnac est venu à Paris pour y épouser Julie, fille d'Oronte, qui est aimée du jeune Éraste. Personnage peu scrupuleux, celui-ci va engager le malheureux provincial dans une suite d'aventures burlesques qui transformeront bientôt son séjour parisien en un affreux cauchemar. Berné et amer, Pourceaugnac quittera Paris, dégoûté de la capitale et du mariage.

Monsieur Teste. ♦ Recueil de textes de Paul Valéry*, dont les principaux sont *La Soirée avec Monsieur Teste* (1895), *Lettre de Madame Émilie Teste* (1924), *Extraits du Log-Book de Monsieur Teste* (1925), *Lettre d'un ami* (1924). L'ensemble, avec le jeu des locuteurs et des points de vue, construit un être littéraire improbable, « sorte d'animal intellectuel », à la fois esprit *(tête),* parole et *texte,* témoin (lat. *testis*). Teste est un pur génie, solitaire et improductif, « sans livres, sans besoin d'écrire », observateur froid de lui-même et des autres. Il représente la tension vers le général et le quelconque, à la limite des possibilités littéraires quant à l'élaboration d'un *personnage.* Projection des fantasmes de son auteur, Teste est aussi un personnage doté d'un regard, d'activités, dont la moins significative est sans doute l'écriture — car il ne peut écrire que du Valéry — et les plus importantes sont les plus machinales, car elles sont à la fois générales et caractéristiques d'un individu. La *Soirée,* œuvre de jeunesse, pose avec une acuité extrême les problèmes de l'individuel et du général, de l'esprit et du corps, du silence et du langage.

MONSIGNY (Pierre Alexandre). ♦ Compositeur français (Fauquembergues, 1729 — Paris, 1817). Intendant de la maison du duc d'Orléans, il a composé pour le théâtre de la Foire une douzaine d'opéras-comiques d'une inspiration fraîche et naïve qui fit leur succès (*Les Aveux indiscrets,* 1759; *Rose et Colas,* 1764; *Le Déserteur,* 1769; *La Belle Arsène,* 1775; *Félix ou l'Enfant trouvé,* 1777). Sedaine fut son librettiste pour la plupart de ces ouvrages où la qualité de l'émotion annonce la transformation de l'opéra-comique en drame lyrique de demi-caractère. Ruiné par la Révolution, Monsigny succéda à Grétry à l'Institut (1813).

MONSTRELET (Enguerrand *de***).** ♦ Chroniqueur français (Montrelet ? Picardie, v. 1390 — v. 1453). Écrite pour la maison de Luxembourg, sa *Chronique,* relatant les événements de 1400 à 1440, s'inscrit dans la lignée de celles de Froissart et, quoique jugée de valeur littéraire moindre et souvent critiquée pour sa partialité, n'en est pas moins une source importante de connaissances sur la première partie du XVe siècle.

MONSU DESIDERIO (« monsieur Didier » en napolitain). ♦ Nom d'artiste recouvrant deux peintres lorrains actifs à Naples dans la première moitié du XVIIe s., qui purent travailler ensemble à certaines œuvres ou peut-être avoir un atelier commun. Le premier, DIDIER BARRAT (ou Barat ou Barra), né à Metz en 1590, aurait gagné Rome en 1608 et se serait fixé à Naples en 1617. C'est surtout un perspectiviste. Le second, FRANÇOIS DE NOME (ou de Nomé), né à Metz en 1593, vint à Rome en 1602 et à Naples en 1610. Il est l'auteur de scènes bibliques ou hagiographiques, qu'il situe le plus souvent dans un décor d'architectures fantastiques, de ruines en train de s'écrouler, de villes en feu *(Destruction de Jérusalem; Destruction* et *Incendie de Sodome).* Ces architectures, volontiers surchargées de sculptures, sont souvent travaillées à l'aide d'une technique particulière : empâtements clairs se détachant en relief sur un fond sombre réapparu par grattage. Les éclairages ainsi obtenus, de même que la disproportion des personnages perdus parmi ces bâtisses désolées, procurent une impression de catastrophe et d'étrangeté. Plutôt que la trace de quelque schizophrénie chez l'artiste, séduisante aux yeux des surréalistes et des psychiatres modernes, il semble judicieux d'y voir un maniérisme influencé par les décors de théâtre contemporains. Un certain nombre de tableaux attribués à « Monsu Desiderio » se sont révélés être des imitations, témoignant d'une certaine vogue de cette manière.

MONTAGNA (Bartolomeo). ♦ Peintre italien (Orzinuovi, près de Brescia, v. 1450 — Vicence, 1523). Formé à Venise, il y travailla de façon intermittente, mais résida principalement à Vicence. Il est l'auteur de puissantes compositions monumentales telles que la *Pietà* (église de la Madone del Monte Berico, 1500), la *Nativité* (1502, Orgiano), la *Présentation au Temple* (Vicence). Mais ses tonalités brunes et plombées dénotent un certain archaïsme en ce début du XVIe s., et ce n'est qu'avec les *Madones* de la fin de sa carrière qu'il s'efforça d'alléger sa palette.

MONTAGNAC. ♦ Ch.-l. de cant. de l'Hérault, arr. de Béziers. 3 021 hab. (2 732 aggl.). Église (XIVe s.). À proximité, l'abbaye de Valmagne, fondée par les Cisterciens au XIIe siècle.

MONTAGNAIS. *n. m. pl.* ♦ Tribus indiennes du Canada qu'on trouve entre la riv. Churchill et le lac des Esclaves. D'autres tribus du même nom vivent dans le Saguenay et en Labrador.

Montagnards [*n. m. pl.*] et **Montagne** [*n. f.*]. ♦ Nom donné aux députés qui, à l'Assemblée* législative, siégeaient sur les plus hauts bancs de l'Assemblée (la « Montagne ») et qui se signalèrent par leurs positions extrémistes. Journalistes, avocats, les Montagnards étaient généralement, comme les Girondins*, des représentants de la bourgeoisie, mais, à la différence de ces derniers, les chefs de la Montagne **(V. Barras, Billaud-Varenne, Collot d'Herbois, Couthon, David, Desmoulins, Fabre d'Églantine, Fouché, Le Bas, Marat, Robespierre, Saint-Just)** s'appuyèrent sur les éléments révolutionnaires les plus avancés : la Commune insurrectionnelle de Paris et les sections parisiennes des sans-culottes par lesquelles ils avaient, dans l'ensemble, été élus à la Convention*. Aussi a-t-on pu dire que « la rivalité de la Gironde et de la Montagne revêtait les aspects d'un conflit de classe » (A. Soboul). Après la proscription des Girondins (2 juin 1793), les Montagnards adoptèrent des solutions révolutionnaires radicales. **V. Convention** (montagnarde). Après la chute de Robespierre et de ses partisans, les Montagnards tentèrent de s'opposer à la réaction thermidorienne par laquelle ils furent les premiers visés **(V. Germinal, Prairial** [an III]**).**

Montagnards. ♦ Nom que prirent sous la Deuxième République les députés de gauche (républicains radicaux et socialistes : Barbès, F. Pyat, Ledru-Rollin, Delescluze, ...) à l'Assemblée constituante (1848), puis à l'Assemblée législative (1849). Hostiles au projet de l'expédition de Rome*, ils organisèrent la journée du 13 juin* 1849 qui échoua. Constituée d'une majorité de représentants du parti de l'Ordre, l'Assemblée législative adopta alors des mesures autoritaires visant à empêcher un nouvel essor de la Montagne.

MONTAGNE (La). ♦ Comm. de la Loire-Atlantique, arr. de Nantes, aggl. de Saint-Nazaire. 5 089 habitants.

MONTAGNE BLANCHE. *n. f.,* en tchèque **Bílá Hora.** ♦ Colline proche de Prague (à l'ouest). Les impériaux, sous la conduite de Tilly*, y écrasèrent l'armée protestante de Frédéric* V (électeur palatin). Ce fut la première bataille de la guerre de Trente* Ans (8 nov. 1620); elle mit un terme aux efforts des protestants de Bohême pour s'affranchir des Habsbourg*.

Montagne magique (La), en all. **Der Zauberberg.** ♦ Roman de T. Mann* (1924). Venu pour rendre visite à son cousin au sanatorium de Davos (Suisse), H. Castorp se fait lui-même hospitaliser et demeure sept ans dans l'atmosphère envoûtante et morbide de cet univers clos, hors du temps, de la réalité historique et de ses obligations. Il y a tout le loisir d'y observer une société cosmopolite, à laquelle tout semble licite, et que T. Mann dépeint avec ironie, d'y parfaire sa culture, sa formation politique en suivant les conversations de l'Italien Settembrini, nationaliste et libéral, et du Juif oriental Naphta, partisan de la violence terroriste, et d'y vivre une intrigue sentimentale, jusqu'au jour où la guerre le sort de ce rêve. Dans cette œuvre riche et dense se retrouvent les thèmes

Ph. Giraudon

Montaigne. École française du XVIe s. (Musée Condé, Chantilly.)

chers à T. Mann : son attirance pour le pathologique et la mort qu'il décrit ici avec une précision et une minutie de médecin, ses préoccupations sociologiques et politiques sur l'Allemagne de l'époque et, plus généralement, son sentiment de la décadence de la civilisation occidentale.

MONTAGNE NOIRE. ♦ Rebord méridional du Massif central dominant la vallée du Thoré. La Montagne Noire culmine à 1 210 m au pic de Nore. Prairies et forêts au N., le versant S. descend vers le Minervois.

MONTAGNES NOIRES. ♦ Alignement de crêtes, au S. du bassin de Châteaulin (Bretagne*, Finistère), culminant à 326 m.

MONTAGU. ♦ V. MONTAIGU.

MONTAIGNE [mɔ̃tɛɲ] ou [mɔ̃taɲ] **(Michel EYQUEM *de*).** ♦ Écrivain français (Château de Montaigne, Dordogne, 1533 – Bordeaux, 1592). Magistrat à Bordeaux, où il se lia d'amitié avec Étienne de La* Boétie qui le gagna pour un temps au stoïcisme, puis investi d'un mandat municipal, Montaigne se retira sur ses terres, après avoir pris la leçon des hommes et des événements durant de brefs séjours à la cour et grâce à un long voyage (1580-1581) à travers l'Europe (Cf. *le Journal*). Dès 1572, il avait groupé des réflexions sur ses lectures et sur sa vie, noyau d'un ouvrage (1580) nommé *Essais** (tentatives et expériences), « consubstantiel à son auteur et membre de sa vie », qui évolua et se développa jusqu'aux trois livres de 1588. Persuadé que l'égotisme (connaissance, culture et jouissance du moi) permet d'établir des lois mentales universelles et que « chaque homme porte en soi la forme entière de l'humaine condition », Montaigne se décrit et se commente en utilisant une méthode introspective dont il reconnaît la difficulté, « le jugeant et le jugé étant en continuelle mutation et branle » (II, 12), et en confrontant son expérience et son propre texte à ses lectures. Cette analyse lui révèle les dangers de l'imagination et la vanité de la raison, facultés qui ne permettent à l'homme de trouver ni la justice ni la vérité *(Apologie de Raymond de Sebonde*)*. De ce scepticisme modéré découle la morale de Montaigne. Se donnant comme exemple et non comme maître (« instruisable, non instruisant »), il juge que « vivre à propos », c'est se connaître pour se dominer et conserver sa liberté intérieure. C'est par cette indépendance du jugement et la maîtrise des passions (qui exclut le fanatisme comme la duplicité) que l'homme parvient au « grand et glorieux chef-d'œuvre », la réalisation lucide de sa nature. – L'œuvre de Montaigne, célébrée par ses contemporains (et éditée, après sa mort, par les soins de Mademoiselle de Gournay*), fut très discutée dès le XVIIe s. ; mais, aux accusations de vanité « haïssable » portées par Pascal* et Malebranche* et de fausse sincérité portées par Rousseau*, succédèrent les jugements admiratifs de Voltaire* et des philosophes qui saluèrent, comme on ne cessa de le faire après eux, la sagesse de cette morale et la lucidité de l'enquête psychologique, menée « à sauts et à gambades » dans un style « simple et savoureux, tel sur le papier qu'à la bouche ».

MONTAIGU ou **MONTAGU (Jean *de*).** ♦ Homme politique français (v. 1349 – Paris, 1409). Favori de Charles V, il fut chargé de la surintendance des Finances de 1388 à 1392 sous Charles VI puis de la garde de Paris en 1405. Il fut arrêté en 1409 sur l'ordre du duc de Bourgogne, accusé de malversations et décapité aux Halles. Sa mémoire fut réhabilitée trois ans plus tard.

MONTAIGU, en néerl. **Scherpenheuvel.** ♦ Comm. de Belgique (Brabant, arr. de Louvain). 6 400 hab. Maison des archiducs (1601). L'église (1609) est l'un des premiers édifices baroques construits en Belgique ; son architecte est Coebergher, l'inventeur des monts-de-piété. Important pèlerinage de la Vierge.

MONTAIGU. ♦ Ch.-l. de cant. de la Vendée, arr. de La Roche-sur-Yon. 3 234 hab. *(Montaigusiens* ou *Montacutains)*. Vestiges de l'anc. château. – Constructions mécaniques. Confection, chaussures. Meubles. ♦ *Hist.* Combats pendant la guerre de Vendée.

MONTALE (Eugenio). ♦ Poète italien (Gênes, 1896 –). S'étant d'abord destiné au bel canto, il effectua des études musicales poussées, puis devint critique littéraire avant de se rendre à Florence (1920) où il dirigea la bibliothèque Vieusseux. Révoqué de son poste par le fascisme (1939), il reprit dès la Libération ses activités de journaliste et de critique à Milan. Dès 1925, avec son recueil poétique *Os de seiche* (*Ossi di seppia,* 1925), Montale est apparu comme le chef de file de l'école « hermétique » (1920-1945), exprimant un pessimisme absolu – en une langue dense et laconique, reposant sur des rythmes alternés et fortement martelés. *Les Occasions* (1939), *Finistère* (1943), puis *La Tourmente et autres poèmes* (*La Bufera e altre,* 1957) expriment la même angoisse face au monde et la même technique « hermétique », mais ces recueils semblent animés d'un lyrisme contenu, comme *Xenia* (1966) et *Altri Xenia* (1967-1968), inspirés par la mort de sa femme et contenus dans *Satura* (1962-1970), témoignage de la poésie sévère et difficile de Montale. Prix Nobel de litt. (1975).

MONTALEMBERT (Marc René, *marquis de*). ♦ Général français (Angoulême, 1714 – Paris, 1800). Spécialisé dans l'art des fortifications, il fut le précurseur de la fortification perpendiculaire ou polygonale (système des forts détachés) et fortifia l'île d'Oléron et l'île d'Aix. Il fonda également les forges de Ruelle, près d'Angoulême, qui fournirent canons et projectiles pour la marine française [*La Fortification perpendiculaire,* 1776]. (Acad. sc., 1747.)

MONTALEMBERT (Charles FORBES, *comte de*). ♦ Publiciste et homme politique français (Londres, 1810 – Paris, 1870). Fils d'un émigré français et d'une Écossaise protestante, venu très jeune à Paris, il participa avec enthousiasme au groupe des catholiques libéraux de Lacordaire* et Lamennais* et collabora à *l'Avenir* (1830). Après la condamnation des thèses de ce journal par l'encyclique papale *Mirari Vos* (1832), Montalembert se soumit et se sépara de Lamennais. Membre de la Chambre des pairs où il se prononça pour la liberté religieuse et la liberté de l'enseignement, il fut élu, après la révolution de février 1848, à l'Assemblée constituante, où il siégea avec la droite, se ralliant à la politique du prince-président Louis Napoléon Bonaparte. Il fit partie du Corps législatif jusqu'en 1857. Directeur du *Correspondant* (journal du catholicisme libéral), il a laissé une *Histoire de sainte Élisabeth* (1836), un ouvrage sur les *Intérêts catholiques au XIXe siècle* (1852), une étude sur *Les Moines d'Occident depuis saint Benoît jusqu'à saint Bernard* [1860-1867]. (Acad. fr., 1852.)

MONTALIVET-LES-BAINS. ♦ Centre naturiste de la Gironde, dans la comm. de Vendays-Montalivet, arr. de Lesparre-Médoc.

MONTAN ou **MONTANUS.** ♦ (Phrygie, IIe s.). Prophète d'une secte chrétienne (montaniste) qui professait la supériorité du prophétisme sur la hiérarchie ecclésiastique, la venue imminente du Paraclet, la recherche du martyre. Le mouvement se répandit après 172. Tertullien y adhéra un moment.

MONTANA. *n. m.* ♦ État du N.-O. des États-Unis, situé en partie dans les Rocheuses et limité au N. par le Canada (prov. d'Alberta et Saskatchewan). 381 087 km². 674 767 hab. (1960). *Cap.* **V. Helena.** *Autres V.* Anaconda*, Billings (53 000 hab.), Great Falls (55 000 hab.). – *Orogr.* La partie E. de l'État (les 3/5) appartient aux « grandes plaines » *(Great Plains),* formant un plateau découpé par de nombreuses petites rivières, traversé d'E. en O. par le Missouri et du S.-O. au N.-E. par la Yellowstone. Au centre de l'État s'élèvent des montagnes isolées. La partie orientale est occupée par les chaînes et les vallées des Rocheuses et possède des paysages extrêmement pittoresques (*Glacier National Park,* etc.). La ligne de partage des eaux forme la frontière du Montana et de l'Idaho. – Le climat, continental, est fonction de l'altitude (le nombre des jours sans gelée varie de 87 à 141, dans les régions habitées). – *Écon.* L'agriculture est pratiquée dans les vallées de l'O., et par *dry farming* dans les plateaux de l'Est. L'élevage est pratiqué dans toutes les zones non montagneuses. Les deux produits les plus importants sont les bovins et le blé ; suivent les porcs, les moutons, les cultures de fourrage, orge, betteraves. Les forêts (surtout conifères) produisent pour près de 70 000 000 de dollars de bois annuellement. – Les richesses minières sont considérables : cuivre (le secteur autour de Butte-Anaconda produit 18 % du cuivre des États-Unis), zinc, or, manganèse, phosphates. Importantes ressources en charbon (surtout lignite). Gaz naturel et pétrole. Indus. du bois, métallurgie (cuivre, zinc, plomb), indus. alimentaires. L'énergie est fournie par l'hydro-électricité. – Le tourisme est florissant dans les Rocheuses. – Université du Montana à Missala (dans l'O. de l'État). ♦ *Hist.* La région fut en partie parcourue par les trappeurs français au déb. du XVIIIe siècle. Elle fut vendue par la France aux États-Unis avec la Louisiane (1803). Les mines d'or, découvertes en 1852, attirèrent les immigrants, et le territoire du

Montana fut créé en 1864. Les Indiens (Sioux, Cheyennes, Pieds-Noirs) résistèrent longtemps (victoire des Sioux sur Custer en 1876) et ne furent réduits qu'en 1881. L'État fut créé en 1889 (41e État).

MONTANA-VERMALA. ♦ Station d'été et de sports d'hiver de Suisse (Valais) à quelques kilomètres de Crans*-sur-Sierre. Alt. 1 500-2 600 mètres.

MONTANDON (Georges). ♦ Ethnologue français d'origine suisse (né en 1879). Ses travaux furent influencés par la théorie diffusionniste **(V. Graebner, W. Schmidt)** [*La Généalogie des instruments à musique et les cycles de civilisation,* 1919; *L'Ologenèse culturelle, traité d'ethnologie cyclo-culturelle et d'ergologie systématique,* 1934].

MONTANÉ (Lucien). ♦ Médecin et anthropologue français (1858 – 1937). Il fit des recherches en craniologie et étudia spécialement la microcéphalie.

MONTARGIS [mɔ̃taʀʒi]. ♦ Sous-préf. du Loiret, ch.-l. d'arr. (10 cant., 128 comm., 129 608 hab.) sur le Loing. 19 981 hab. [18 087 aggl.] *(Montargois).* Église de la Madeleine (XVIe-XVIIe s.). Vestiges de l'ancienne enceinte. – Manufacture de caoutchouc. Matériel électrique et électronique. Produits pharmaceutiques. – Patrie du peintre Girodet*-Trioson, de Jeanne-Marie Guyon*, de Pierre-Louis Manuel*.

MONTATAIRE. ♦ Comm. de l'Oise*, arr. de Senlis*. 10 020 hab. Banlieue S.-O. de Creil*, dans la vallée du Thérain*. Ville industrielle : métallurgie (grandes forges, importants laminoirs, galvanisation), matériel agricole, indus. textiles, confection, etc.

MONTAUBAN. ♦ Préf. du Tarn*-et-Garonne, ch.-l. d'arr. (14 cant., 92 comm., 118 786 hab.). 48 555 hab. *(Montalbanais).* Église Saint-Jacques XIVe-XVe siècles. Cathédrale XVIIe-XVIIIe siècles. Place à arcades avec maisons du XVIIe siècle. Musée Ingres. Indus. textiles, alimentaires, chaussures, constructions aéronautiques et électriques. – Patrie de A. Bourdelle*, L. Cladel*, D. Ingres*, Jean* Bon Saint-André, E. Mercadier, E. Pouvillon, le marquis de Pompignan*. ♦ *Hist.* Fondée au XIIe s. par le comte de Toulouse A. Jourdain, Montauban devint au XVIe s. une place de sûreté protestante dont Richelieu fit détruire les fortifications. La ville fut décimée par les dragonnades et par la peste.

MONTAUBAN. ♦ Ch.-l. de cant. d'Ille-et-Vilaine, arr. de Rennes. 3 071 hab. *(Montalbanais).* Fromagerie. – Aux environs, château de Montauban (XVe s.); chapelle de Lannelou (XIVe s.); chapelle Saint-Maurice (XVIIIe s.), restaurée.

MONTAUSIER (Charles de Sainte-Maure, *duc de***).** ♦ Gentilhomme français (1610 – Paris, 1690). Brillant homme de guerre, gouverneur de plusieurs provinces, il resta fidèle au roi pendant la Fronde* et devint gouverneur du Dauphin, fils de Louis XIV. Il avait été un des habitués de l'hôtel de Rambouillet* et épousa Julie d'Angennes, pour qui fut composée la *Guirlande de Julie.*

MONTBARD. ♦ Sous-préf. de la Côte-d'Or, ch.-l. d'arr. (12 cant., 254 comm., 75 499 hab.), en marge de l'Auxois, sur la Brenne. 7 333 hab. *(Montbardois).* Hôtel de ville. Vestiges du château des ducs de Bourgogne (XIVe s.), acquis par Buffon en 1742. Parc. Musée. – Port sur le canal de Bourgogne et cité industrielle (indus. métallurgiques [tubes d'acier], matières plastiques). – Patrie de Buffon* et de Daubenton*.

MONTBAZON (Marie de Bretagne, *duchesse de***).** ♦ Dame française (1612 – Paris, 1657). Elle avait épousé Hercule de Rohan, duc de Montbazon, et multiplia les aventures galantes (le duc de Longueville* fut un de ses amants). Elle se mêla aux intrigues de la cabale des Importants* et à celles de la Fronde*.

MONTBAZON. ♦ Ch.-l. de cant. d'Indre-et-Loire, arr. de Tours. 1 903 hab. Donjon en partie démantelé (XIe s.). – Robinetterie de précision.

Ph. J.-C. Thiallier/Galliphot

Montauban (Ille-et-Vilaine) : le château.

MONTBEL (Guillaume Isidore BARON, *comte de***).** ♦ Homme politique français (Toulouse, 1787 – Frohsdorf, Autriche, 1861). Maire de Toulouse, puis député ultra (1827), il prit position contre l'intervention en faveur des Grecs **(V. Navarin,** 1827). Successivement ministre de l'Instruction publique, de l'Intérieur et des Finances dans le cabinet Polignac, il signa les quatre ordonnances de Saint-Cloud (25 juillet 1830) qui furent à l'origine de la révolution de juillet 1830. Exilé en Autriche, condamné par contumace, il fut amnistié en 1837.

MONTBÉLIARD. ♦ Sous-préf. du dép. du Doubs, ch.-l. d'arr. (9 cant., 206 comm., 178 520 hab.), sur le canal du Rhône au Rhin. 25 240 hab. *(Montbéliardais).* La V., proche de Belfort, forme avec Hérimoncourt*, Mandeure*, Seloncourt*, Sochaux*, Valentigney*, une agglomération de 116 038 habitants. – Château des comtes de Montbéliard (XVe-XVIIIe s.). Halle (XVIe s.). Hôtel de ville (XVIIIe s.). Temple Saint-Martin (XVIIe s.). École des douanes. Grand centre industriel (fonderies, indus. automobiles). Instruments de précision. Indus. textiles (coton, bonneterie). Travail du bois et du cuivre. – La zone de *Montbéliard-Belfort* constitue une région urbaine spécialisée dans les indus. mécaniques (Peugeot, Alsthom). – Patrie de G. Cuvier* et G. Duvernoy*. ♦ *Hist.* La ville fut la capitale d'un comté d'Empire, remontant au XIIe s. et passé au XIVe s. par mariage au Wurtemberg. Elle connut plusieurs occupations françaises (le futur Louis XI en 1444, Louis XIV de 1674 à 1697; puis en 1723-1748) et fut définitivement réunie à la France par le traité de Lunéville (1801).

MONTBENOÎT. ♦ Ch.-l. de cant. du Doubs, arr. de Pontarlier, sur la r. g. du Doubs. 205 hab. – Anc. abbatiale fondée par un sire de Joux; église (XIIe-XVIe s.); cloître (XVe s.).

MONT-BLANC. ♦ **V.** BLANC (mont).

MONTBOZON. ♦ Ch.-l. de cant. de la Haute-Saône (arr. de Vesoul), sur la r. d. de l'Ognon. 468 hab. Château du XVIe siècle.

MONTBRISON. ♦ Sous-préf. de la Loire*, ch.-l. d'arr. (10 cant., 140 comm., 121 852 hab.), au pied des monts du Forez*. 10 123 hab. *(Montbrisonnais).* Église Notre-Dame-d'Espérance (XIIIe-XVe s.); palais de justice dans une église du XVIIIe siècle. Maisons anciennes. – Indus. mécaniques; bonneterie; fabrique de jouets. – Patrie de P. Boulez*, V.R. de Laprade*. ♦ *Hist.* Cap. des comtes du Forez depuis 1441, la ville fut réunie à la couronne par François Ier; elle souffrit beaucoup des guerres de Religion.

MONTBRON. ♦ Ch.-l. de cant. de la Charente, arr. d'Angoulême. 2 383 hab. *(Montbronnais).* Église romane, XIIe siècle. Vestiges de l'anc. enceinte et du château. Aux environs, vestiges préhistoriques. – Indus. textile.

MONTBRUN (Charles DUPUY, *seigneur de***).** ♦ Homme de guerre français (Montbrun, près du Ventoux, v. 1530 – Grenoble, 1575). Converti au protestantisme, il prit la tête des huguenots du Dauphiné après avoir servi sous les ordres du baron des Adrets et, fait prisonnier, fut décapité.

MONTCALM. *n. m.* ♦ Pic des Pyrénées ariégeoises à la frontière espagnole, dominant la vallée de Vicdessos (3 080 m).

MONTCALM DE SAINT-VÉRAN (Louis Joseph, *marquis de***).** ♦ Général français (château de Candiac, près de Nîmes, 1712 – Québec, 1759). Commandant des troupes françaises au Canada en 1756, il prit plusieurs forts aux Anglais (Oswego, 1756, William Henry, 1757), mais fut mortellement blessé en tentant d'assurer la défense de Québec.

MONTCEAU-LES-MINES. ♦ Ch.-l. de cant. de Saône-et-Loire (arr. de Chalon-sur-Saône), situé sur la Bourbince et le canal du Centre. 27 486 hab. *(Montcelliens).* La V. fait partie de la communauté urbaine du Creusot*. Église néo-romane (XIXe s.). Monument aux morts par Bourdelle*. – Bassin houiller de *Blanzy-Montceau-les-Mines* et centre industriel; constructions métalliques et mécaniques, matériel de levage (grues). Équipements électriques. Bonneterie.

MONTCENIS. ♦ Ch.-l. de cant. de Saône-et-Loire (arr. d'Autun). 2 201 hab. *(Montcinois).* La V. fait partie de la communauté urbaine du Creusot*-Montceau*-les-Mines. – Anc. château fort des ducs de Bourgogne. Église gothique et maisons anc. (XVe-XVIe s.).

MONT-CENIS. ♦ **V.** CENIS (Mont-).

MONTCHANIN. ♦ Ch.-l. de cant. de Saône-et-Loire (arr. de Chalon-sur-Saône), situé entre la Dhune* et la Bourbince*, au centre de la communauté urbaine Le Creusot-Montceau-les-Mines. 6 408 hab. *(Montchaninois).* – Centre industriel : métallurgie; briqueteries, tuileries. Anc. mines de houille.

MONTCHRESTIEN (Antoine *de***).** ♦ Auteur dramatique et économiste français (Falaise, v. 1575 – Les Tourailles, près de Domfront, 1621). À l'exemple de Robert Garnier, il a conçu la tragédie comme une école de sagesse et de piété, célébrant les vertus d'un stoïcisme chrétien confondu souvent avec l'humanisme le plus serein. Il fut respectueux de l'enseignement de Malherbe et ses tragédies écrites dans un style très pur, *Sophonisbe* (1596), *L'Écossaise* (Marie Stuart), *David, Aman, Hector,* publiées en un recueil (1601), bien que traversées de violences et de crimes, expriment une tendresse mélancolique, une douceur d'élégie qui les apparentent à de grands poèmes lyriques. Réfugié en Angleterre à la suite d'un duel (1605-1611), Montchrestien, à son retour en France, créa une manufacture d'ustensiles et d'outils à Châtillon-sur-Loire et publia un *Traité d'économie politique* (1616). Avec l'expression « économie politique » qu'il forgea, il fut l'un des premiers à affirmer l'importance décisive dans la vie sociale des activités économiques de production et d'échange des biens, que l'État doit, selon lui, encourager. Mêlé à une insurrection des huguenots contre le roi (sans qu'on puisse affirmer qu'il ait adhéré à la Réforme), Montchrestien fut tué, peu après, dans une hôtellerie.

MONTCORVIN (Jean, dit *de*), en it. **Giovanni di Monte Corvino.** ♦ (en Calabre, v. 1247 – Cambaluc, 1328). Missionnaire italien (frère mineur), premier archevêque de Cambaluc* en 1307. Trois lettres de lui (1292-1293, 1305, 1306) parvinrent en Occident, très précieuses pour la connaissance de l'Inde et de la Chine.

MONTCUQ [mɔ̃ky]. ♦ Ch.-l. de cant. du Lot, arr. de Cahors, 1 195 hab. *(Montcuquois).*

MONT-DAUPHIN. ♦ Comm. des Hautes-Alpes, arr. de Briançon. Anc. cité fortifiée, à peu près déserte (74 hab.), sur un promontoire dominant la Durance. Ensemble de bâtiments militaires du déb. du XVIIIe s. La citadelle fut construite par Vauban pour défendre le Dauphiné contre la Savoie.

MONT-DE-MARSAN. ♦ Préf. des Landes, ch.-l. d'arr. (16 cant., 179 comm., 145 214 hab.), au confluent de la Douze* et du Midou*. 27 749 hab. *(Montois).* – Musée Dubalen, musée des beaux-arts. – Important marché agricole. Scieries, distilleries de résine, constructions mécaniques. – Patrie de P. Bosquet*, Ch. Despiau*. ♦ *Hist.* Anc. carrefour des routes de pèlerinage vers Saint-Jacques-de-Compostelle.

MONTDIDIER. ♦ Sous-préf. de la Somme*, sur les Trois-Doms, ch.-l. d'arr. (5 cant., 135 comm., 47 335 hab.). 6 105 hab. [5 785 aggl.] *(Montdidériens).* Église Saint-Pierre (XVIe s.), église du Saint-Sépulcre (XVe et XVIe s.). Petites indus. (lingerie, maroquinerie). Engrais. Marché agricole. Patrie de Parmentier*. ♦ *Hist.* Montdidier doit son nom à Didier*, roi des Lombards*. Disputée par la France et la Bourgogne* au XVe s., elle fut détruite sous Louis XI. Le 21 mars 1918, une offensive allemande que Hindenburg* et Ludendorff* voulaient décisive (*Friedensturm,* « assaut pour la paix ») créa une poche de plus de 60 km de profondeur en direction de Noyon et de Montdidier (pris les 25 et 27 mars). Une conséquence fut l'élaboration, par les Alliés, d'un commandement unique **(V. Doullens)** qui échut à Foch*. Celui-ci reconquit le terrain perdu, lors de son offensive du 8 août 1918. **V. Guerre mondiale** *(Première).*

MONT-DOL. ♦ Comm. d'Ille-et-Vilaine, au pied d'une éminence granitique haute de 65 m, arr. de Saint-Malo. 1 105 hab. Église (XIIe-XIIIe s); tour et chapelle Notre-Dame de l'Espérance (XIXe s.). Gisement préhistorique (ossements d'animaux, outils de silex).

MONT-DORE ou **MONTS-DORE.** ♦ Massif volcanique d'Auvergne culminant au puy de Sancy* (1 886 m).

MONT-DORE (Le). ♦ Comm. du Puy*-de-Dôme, arr. de Clermont*-Ferrand, dans le massif du Mont-Dore, sur la Dordogne*, au pied du puy de Sancy*. 2 419 hab. Station thermale et de sports d'hiver, située près de La Bourboule. Eaux bicarbonatées, sodiques, ferrugineuses, siliceuses, utilisées contre l'arthrite, les rhumatismes, les affections des voies respiratoires. ♦ *Hist.* Les eaux du Mont-Dore étaient déjà connues par les Romains.

MONTE (Philippe *de*). ♦ Compositeur flamand (Malines, 1521 – Prague, 1603). Madrigaliste réputé, il fut au service de Philippe II d'Espagne avant d'être engagé par Maximilien II en qualité de maître de chapelle, alternativement à Vienne et à Prague. Son œuvre, très abondante, comprend plus de 1 000 madrigaux, profanes et spirituels (à 3, 5 et 7 voix), une cinquantaine de messes, plus de 300 motets, ainsi que des chansons françaises. Excellent polyphoniste, maître du contrepoint flamand, il sut assimiler avec habileté les éléments italiens.

Ph. Hétier

Environs de **Mont-Dol.**

MONTE ALBÁN. ♦ Site archéologique du S. du Mexique, à 9 km d'Oaxaca*. Nombreux édifices, dont une vaste plate-forme, plusieurs temples et un remarquable jeu de pelote. Stèle. Tombes ornées de peinture. ♦ *Hist.* Centre d'une des grandes civilisations « classiques » de l'ancien Mexique, celle des Zapotèques*, dont l'apogée se situe du IVe au VIIe siècle.

MONTEBELLO. ♦ Comm. d'Italie, en Lombardie, province de Pavie. ♦ *Hist.* Le 9 juin 1800, Lannes* y remporta une victoire sur les Autrichiens et devint *duc de Montebello.* – Le 20 mai 1859, le général Forey y battit également les Autrichiens.

MONTEBOURG. ♦ Ch.-l. de cant. de la Manche*, arr. de Cherbourg*. 2 318 hab. Église du XIVe siècle. Cimenterie.

MONTE-CARLO. ♦ Une des quatre sections de la principauté de Monaco* située au N.-E. du port. Casino (construit en 1879 par Ch. Garnier). Station de radio-télévision.

MONTECATINI-TERME. ♦ V. d'Italie, en Toscane (prov. de Pistoia). 18 000 hab. Station thermale de grande renommée.

MONTECH [mɔ̃tɛʃ]. ♦ Ch.-l. de cant. du Tarn*-et-Garonne, arr. de Montauban*, sur le canal latéral à la Garonne. 2 538 hab. Église du XIVe siècle. Scieries.

MONTÉCLAIR (Michel Pignolet *de*). ♦ Compositeur français (Andelot, 1666 – Saint-Denis, 1737). Maître de musique, puis contrebassiste à l'Opéra, il y fit représenter divers ouvrages, dont l'opéra-ballet *Les Festes de l'été* (1716) et *Jephté,* le premier opéra biblique français (1732). Son œuvre comprend encore de la musique instrumentale (sérénades ou concerts, 1797), des cantates, motets, airs, ainsi que plusieurs recueils de menuets et contredanses. Rival de Rameau, il semble aussi avoir exercé quelque influence sur lui. Il a publié *Méthode pour apprendre la musique* (1700).

MONTECRISTO. ♦ Petite île montagneuse d'Italie (10 km^2), sur la mer Tyrrhénienne, à 40 km au S.-O. de l'île d'Elbe. Le port de pêche a été rendu célèbre par le roman d'A. Dumas* père.

MONTECUCCOLI (Raimondo, *prince*). ♦ Homme de guerre italien (Montecuccolo, près de Modène, 1609 – Linz, 1680). Au service de l'empereur, puis du roi de Pologne, il se distingua pendant la guerre de Trente* Ans (Breitenfeld, Nördlingen*), contre les Turcs (victoire de Saint-Gotthard*, 1664) et enfin contre Turenne* (1672-1675). Son œuvre sur l'art militaire est une des plus importantes de son époque.

MONTEFELTRO *(comtes de)*. ♦ Famille italienne gibeline qui régna sur la ville d'Urbino* de 1213 à 1322 et de 1375 à 1508. ♦ FEDERIGO III (1422 – 1482). Duc d'Urbino en 1474. Il combattit Sigismondo Malatesta pour le compte du Saint-Siège puis les Vénitiens qu'il vainquit à Molinelle (1467). Il pratiqua le mécénat et la cour d'Urbino, raffinée, put inspirer *Le Courtisan* de B. Castiglione. ♦ GUIDOBALDO MONTEFELTRO, fils de Federigo III. Il mourut en 1508 et le duché d'Urbino passa aux Della Rovere.

MONTEGNÉE. ♦ Comm. de Belgique (prov. et arr. de Liège). 11 900 hab. Houillères.

MONTEGO BAY. ♦ V. de la Jamaïque*, située sur la côte N.-O. de l'île. 24 000 hab. Centre commercial. Principale station touristique et balnéaire de l'île.

MONTEIL (Parfait Louis). ♦ Officier et explorateur français (Paris, 1855 – Herblay, 1925). Parti de Saint-Louis (Sénégal) en 1890, il explora la boucle du Niger et revint à Tripoli par le Fezzan (1892).

MONTÉLIMAR. ♦ Ch.-l. de cant. de la Drôme, arr. de Valence*, sur le Roubion. 27 483 hab. *(Montiliens).* Église Sainte-Croix, en partie des XVe et XVIe siècles. Anc. château (enceinte du XVe s., donjon du XIIe s.). Centre commercial. Fabriques de nougats. Indus. textiles; cartonnerie; chaux et ciments. Centrale hydro-électrique sur une dérivation du Rhône. – Patrie de L. H. de Freycinet*. ♦ *Hist.* Adémar* de Monteil, seigneur de la ville au XIIe s., lui a donné son nom *(Montilium Adhomari).* Montélimar fut plusieurs fois attaquée pendant les guerres de Religion et prise par Coligny (1562), La Suze (1585), Lesdiguières (1587). C'est Olivier de Serres* qui introduisit la culture des amandiers, base de la fabrication des nougats.

MONTEMAYOR (Jorge *de*). ♦ Écrivain espagnol d'origine portugaise (1520 – 1561). Il est l'auteur de *La Diane* (1559), roman pastoral qui eut un succès considérable en Europe et dont l'influence fut décisive sur l'évolution du genre.

MONTENDRE. ♦ Ch.-l. de cant. de la Charente-Maritime, arr. de Jonzac. 2 908 hab. Vestiges d'un château du XIIe siècle. – Minoterie. Confection. Matériaux de construction.

MONTÉNÉGRO. *n. m.*, en serbo-croate **Crna Gora** (« montagne noire »). ♦ La plus petite (13 812 km^2) des républiques fédératives de Yougoslavie, située au N. de l'Albanie. 503 000 hab. *(Monténégrins),* cap. Titograd*. Trois régions : les sommets dinariques élevés (Durmitor* : 2 530 m, Komovi : 2 483 m) et verdoyants, entre lesquels s'encastrent des « poljès » karstiques; le Primorje monténégrin, qui, de Kotor à l'Albanie, fait suite à la côte dalmate; il est profondément entaillé par le golfe de Kotor*. L'arrière-pays est formé de vallées (Moraca, Zeta, rives du lac Skadar). – *V. princ.* Titograd, Kotor, Cetinje. – *Écon.* Dans la montagne, l'élevage transhumant a été remplacé par l'élevage coopératif. Le climat très doux de la côte a permis l'implantation d'oliviers et d'agrumes (Kotor, Budva), de vergers et de jardins dans les vallées. On extrait de la bauxite dans la montagne (Nikšić), du plomb et du zinc à Suplja Stijena. On a construit une hydrocentrale à Muroševicá Rijeka. L'indus. du cuir et du bois est localisée dans la montagne et la métallurgie à Titograd. ♦ *Hist.* Après avoir formé, au sein de la Grande Serbie, l'État de la Zeta (XIe-XIVe s.), ce pays put maintenir son indépendance sous la dynastie des Balchides, puis sous celle des Crnojevitch dont le fils Ivan fonda le monastère de Cetinje* (1478). Du XVIe au XIXe s., les métropolites de Cetinje gouvernèrent la principauté du Monténégro sous le nom de Vladikas. Le prince Danilo Ier (1697-1735) fixa la dignité épiscopale dans sa famille, procéda au massacre des musulmans dans son État et s'allia avec la Russie contre les Turcs. Avec Danilo II (1851-1860), la principauté se sécularisa. Son successeur, Nicolas* Ier (1860-1918), vainquit les Turcs et obtint d'importants accroissements territoriaux. Il resserra les liens avec la Russie et l'Italie et se proclama roi en 1910. À la faveur des guerres balkaniques, il agrandit encore son État qui eut une frontière commune avec la Serbie : le Monténégro se rangea aux côtés de celle-ci contre l'Autriche. Mais les Autrichiens l'envahirent en 1916. En 1918, à l'assemblée de Podgoritza, le Monténégro fut réuni à la Serbie avant d'être englobé dans la Yougoslavie. Au cours de la Seconde Guerre mondiale (1941), l'Italie tenta, sans succès, de reconstituer un État indépendant du Monténégro sous son protectorat. Depuis 1946, le Monténégro est une république fédérative de la Yougoslavie*.

MONTENOTTE. ♦ V. CAIRO MONTENOTTE.

MONTÉPIN (Xavier de). ♦ Romancier populaire français (Apremont, 1823 — Paris, 1902). Ayant débuté dans le journalisme en 1848 par des articles opposés au socialisme, il se tourna ensuite vers le roman-feuilleton, y dénonçant au contraire l'extrême misère ouvrière à l'occasion d'intrigues mélodramatiques où sont stigmatisés les vices des riches et des puissants (*Sa Majesté l'Argent*, 5 vol.; 1877). D'une fécondité extrême, il composa (en collaboration) *Les Chevaliers du lansquenet* (10 vol.; 1847) et *Les Viveurs d'autrefois* (4 vol.; 1848) avant de publier plus de 350 volumes, au ton sentimental et au style relâché, dont le succès fut tel qu'il les adapta souvent pour le théâtre. Le plus significatif reste *La Porteuse de pain* (5 vol.; 1884-1885), dont l'innocente héroïne, victime de crapules finalement démasquées, pourra s'écrier en retrouvant ses enfants : « J'ai bien souffert, mais aujourd'hui, c'est le paradis : Dieu est bon ! ».

MONTEREAU ou **MONTEREAU-FAUT-YONNE.** ♦ Ch.-l. de cant. de la Seine-et-Marne (arr. de Provins), au confluent de l'Yonne et de la Seine. 21 610 hab. *(Monterelais).* Église Notre-Dame-et-Saint-Loup (XIVe, XVIe s.) à cinq nefs. Deux ponts de pierre du XVIIIe siècle. — Un plan de modernisation de la ville est en cours. Port de batellerie. Centre industriel (câbles électriques; produits réfractaires; briqueterie, tuilerie; porcelaine; constructions métalliques; machines agricoles; produits pharmaceutiques; indus. alimentaires). ♦ *Hist.* Prieuré au VIe s. sous le nom de *Monasteriolum*; les comtes de Sens bâtirent un château fort au XIe siècle. Le 10 septembre 1419, Jean sans Peur fut assassiné sur le pont de Montereau. Le 18 février 1814, Napoléon chassa les Autrichiens de la ville.

MONTEREY. ♦ V. des États-Unis (Californie*) sur le Pacifique. Centre historique et touristique. 22 618 hab. (1960).

MONTERÍA. ♦ V. du N.-O. de la Colombie, ch.-l. du dép. de Córdoba (27 750 km². 442 200 hab. env.), sur le rio Sinú (tributaire de la mer des Antilles). 110 000 hab. Évêché. Centre commercial.

MONTERREY. ♦ V. du Mexique septentrional, située au pied de la sierra Madre* orientale. Cap. de l'État de Nuevo* León. 830 336 hab. Archevêché. — Centre commercial. C'est l'un des plus importants centres industriels du pays, produisant une grande partie de l'acier mexicain. Indus. métallurgique (fer, cuivre, plomb...); indus. chimiques, verrerie. Raffineries de pétrole. Manufacture de tabac. Brasseries. — Patrie d'A. Reyes.

MONTESPAN (Françoise Athénaïs de Rochechouart de Mortemart, *marquise de***).** ♦ Dame française (Lussac-les-Châteaux, 1641 — Bourbon-l'Archambault, 1707). Fille du duc de Mortemart, d'abord connue sous le nom de Mlle de Tonnay-Charente, elle épousa Pardaillan de Gondrin, marquis de Montespan, et eut pour fils le duc d'Antin*. Son esprit était aussi célèbre que sa beauté. À vingt-six ans, elle devint la maîtresse de Louis XIV (1667). Elle occupa à la cour une place officielle. Elle eut du roi huit enfants dont six survécurent et furent légitimés (parmi eux, le duc du Maine*, la future duchesse de Bourbon, Mlle de Blois qui épousa Philippe d'Orléans*, et le comte de Toulouse*). Compromise dans l'affaire des Poisons*, elle fut peu à peu remplacée par Mme de Maintenon*, mais resta à la cour jusqu'en 1691.

MONTESQUIEU (Charles de SECONDAT, *baron de* **LA BRÈDE et** *de***).** ♦ Moraliste, penseur et philosophe français (château de La Brède, Bordelais, 1689 — Paris, 1755). Fils de magistrat, devenu lui-même président à mortier au parlement de Bordeaux (1626), il acquit une réputation de bel esprit avec ses *Lettres* persanes* (anonymes, 1721), plaisante satire de la France, qui lui ouvrit les salons de Mme de Lambert* et Mme de Tencin*. S'intéressant surtout à l'histoire et à la philosophie politique (il fonda la *théorie* dite *des climats*), il entreprit (1728 à 1731) un voyage documentaire en Europe (surtout en Angleterre) pour étudier l'organisation politique des diverses nations. Puis, retiré à La Brède, il rédigea ses *Considérations* sur les causes de la grandeur des Romains et de leur décadence* (anonyme, 1734), œuvre détachée de l'*Esprit* des lois* qui parut en 1748; cet ouvrage, résultat d'un travail de vingt années, suscita des attaques (auxquelles l'auteur répondit par sa *Défense de l'Esprit des lois*, 1750), mais connut un succès considérable. Montesquieu s'y montrait un penseur libéral dont les idées sur les libertés et leurs garanties institutionnelles, notamment la séparation des pouvoirs, sont dictées par un profond respect de la personne humaine et le goût des réformes équitables. Ces idées exercèrent une influence profonde, en particulier sur les législateurs des assemblées révolutionnaires. Écrivain désireux de mener « à la sagesse et à la vérité par le plaisir », il sut traduire clairement sa pensée, en des sentences très denses et vigoureuses, recourant parfois à des anecdotes et à des remarques spirituelles pour « mettre du sel » dans ses ouvrages austères. L'« honnête homme », enfin, se dévoile dans ses notes, longtemps inédites (*Cahiers*, 1941), avec sa mefiance à l'égard des préjugés comme des passions et son goût d'un bonheur raisonné appliqué à l'individu comme à la société. (Acad. fr., 1728.)

Ph. Hubert Josse

Montesquieu. École française du XVIIIe s. (Château de Versailles.)

MONTESQUIEU-VOLVESTRE. ♦ Ch.-l. de cant. de la Haute-Garonne*, arr. de Muret*, sur l'Arize. 1 969 hab. Église fortifiée avec portail Renaissance, maisons anciennes.

MONTESQUIOU (Pierre *de, comte d'***Artagnan).** ♦ Maréchal de France (1645 — 1725). Il se distingua à Malplaquet* et à Denain* et fit partie du conseil de régence (1720).

MONTESQUIOU-FEZENSAC (*abbé* **François Xavier Marc Antoine,** *duc de***).** ♦ Homme politique français (château de Marsan, Gascogne, 1756 — château de Cirey-sur-Blaise, Haute-Marne, 1832). Agent général du clergé qu'il représenta aux États généraux (1789), il fut à l'Assemblée nationale constituante un des « aristocrates* » partisans de l'Ancien Régime et s'opposa à l'abolition des privilèges et à la Constitution civile du clergé. Il émigra en 1792 et, revenu en France en 1795, fit partie du comité royaliste **(V. Royer-Collard).** Exilé à Menton sous l'Empire, il fut ministre de l'Intérieur sous la Restauration (1814-1815), pair (1815), comte (1817), puis duc [1821]. (Acad. fr., 1816.)

MONTESSON. ♦ Comm. des Yvelines, arr. de Saint-Germain-en-Laye. 9 413 hab. Matériel de construction. Indus. électronique.

MONTESSORI (Maria). ♦ Éducatrice italienne (Chiaravalle, près d'Ancône, 1870 — Noord-Wijk, Pays-Bas, 1952). Elle fut la première Italienne à obtenir le doctorat en médecine; elle exerça la médecine générale, puis se consacra à l'éducation des enfants retardés mentaux, obtint la direction de la *Scuola Ortofrenica* et une chaire universitaire de professeur d'hygiène et d'anthropologie. Cherchant à étendre son expérience pédagogique aux enfants normaux, elle fonda une école à Rome (1907) et mit au point une méthode d'enseignement qui connut rapidement le succès dans plusieurs pays d'Europe. Cette méthode attache une importance prépondérante à l'éducation sensorielle, au développement de la mémoire et met l'accent sur la liberté active de l'enfant, dirigé sans contrainte par l'éducateur. (*Pédagogie scientifique*, 1909; *L'Enfant*, 1935; *Les Étapes de l'éducation*, 1936; *De l'enfant à l'adolescent*, 1948.)

MONTEUX (Pierre). ♦ Chef d'orchestre français (Paris, 1875 — Hancock [Maine], États-Unis, 1964). Il acquit la célébrité quand,

Ph. Cauboue

Jean de Montfort couronné duc de Bretagne. Histoire de la Bretagne de Pierre le Baud, XVe s. (Bibliothèque nationale, Paris.)

S. de Diaghilev lui ayant confié la direction de l'orchestre des Ballets russes (1911), il interpréta en première audition *Daphnis et Chloé,* de Ravel, *Jeux,* de Debussy, *Le Sacre du printemps* et *Le Rossignol,* de Stravinski. Successivement à la tête des plus grands ensembles symphoniques, il fut aussi le fondateur de l'Orchestre symphonique de Paris.

MONTEUX. ♦ Comm. du Vaucluse, arr. de Carpentras. 5 891 hab. Important centre de pyrotechnie. Primeurs; conserves alimentaires. — Fête annuelle provençale.

MONTEVERDI (Claudio). ♦ Compositeur italien (Crémone, 1567 — Venise, 1643). Issu d'une famille aisée et cultivée, il reçut une éducation humaniste et fut à Mantoue l'élève de M. Ingegneri. Entré au service du duc Vincent Gonzague (1590), il suivit ce prince en Hongrie et dans les Flandres. À la mort du duc, il obtint la fonction de maître de chapelle à Saint-Marc de Venise (1613), poste qu'il occupa jusqu'à sa mort. Lors du sac de Mantoue (1627), la majeure partie de son œuvre fut détruite. Il avait épousé Claudia Cattaneo (1595). Devenu veuf, il entra plus tard dans les ordres (1632). Il eut de nombreux élèves, parmi lesquels G.B. Rovetta et F. Cavalli. — Celui à qui son siècle devait réserver le qualificatif de « divino » devint très tôt maître dans l'art de la composition. Il avait publié ses premières œuvres de musique vocale dès 1582 (*Sacrae Cantiunculae)* bientôt suivies des *Madrigali spirituali* (1583) et des *Canzonette* (1584). Il y tentait déjà de substituer la monodie au style polyphonique, et au récitatif aride des Florentins, un tour plus souple et plus mélodieux. Les trois livres suivants de madrigaux à 5 voix (1603-1605), les *Scherzi musicali* à 3 voix (1607) marquent une évolution décisive dans l'art de Monteverdi. Il y abandonne définitivement la polyphonie du XVIe s. pour une expression lyrique du drame humain où l'instrument se mêle à la voix, en soutient les inflexions de ses propres accents. Doué d'une exceptionnelle capacité de synthèse, il a su assimiler la musique franco-flamande, retenir l'enseignement de Peri et de Caccini, et mettre ces acquisitions au service d'une nature passionnée, apte à traduire tous les mouvements du cœur humain. La mort prématurée de sa femme coïncide avec la naissance d'*Orfeo* (1607), premier drame lyrique (« dramma per musica ») et l'un des plus grands événements de l'histoire musicale. Le sens théâtral, déjà latent dans ses madrigaux, l'expression juste du sentiment s'y révèlent avec une force inconnue jusqu'alors. Soutenue par une riche orchestration, la passion éclate dans un récitatif aux modulations et aux dissonances toutes nouvelles. Le chromatisme, les audaces d'harmonie y fondent ce style « agité » *(incitato)* dont les critiques contemporains s'effarouchèrent mais que le public accueillit avec enthousiasme. Ce génie de l'expression dramatique se retrouve encore dans le célèbre lamento d'*Arianna* (1608) et dans les quelques ouvrages de Monteverdi qui nous sont parvenus : *Tirsi e Clori* (1616), *Le Combat de Tancrède et de Clorinde* (*Il Combattimento di Tancredi e Clorinda,* 1624); *Le Retour d'Ulysse* (*Il Ritorno di Ulisse in patria,* 1641) et surtout dans *Le Couronnement de Poppée* (*L'Incoronazione di Poppea,* 1642) où la variété des personnages et des sentiments, la richesse des éléments théâtraux, le mélange du tragique et du bouffon annoncent le mélodrame et l'opéra moderne.

MONTEVIDEO. ♦ Capitale de l'Uruguay, sur la r. N. du río de La Plata. 1 203 000 hab. avec sa banlieue. Archevêché. Université. Aéroport. Seule grande ville du pays, elle groupe plus de 40 % de sa population. Important marché de laines. Métropole industrielle monopolisant l'essentiel des indus. textiles et alimentaires (en particulier celles de la viande de conserve et de la viande congelée, grâce à son réseau d'installations frigorifiques) et des peaux et cuirs destinés à l'exportation. Grande activité portuaire. Les deux tiers du commerce extérieur de l'Uruguay passent par Montevideo. — Patrie de J. Artigas*, P. Figari*, Ricciotti Garibaldi*, J. Laforgue*, Lautréamont*, J. Rodó*, J. Supervielle*. ♦ *Hist.* Fondée par les Espagnols en 1726, la ville fut peuplée par des colons des Canaries et de Galice. Au XIXe s., elle fut l'enjeu de plusieurs puissances; assiégée par les armées argentines et uruguayennes en 1843, elle ne fut délivrée qu'en 1851 par les Anglo-Français. C'est durant ce siège qu'elle prospéra et fut pendant quelque temps le plus grand port du río de La Plata. Elle devint capitale de l'Uruguay en 1830 et son essor fut lié au développement de l'hinterland, notamment à l'élevage.

MONTEYNARD. ♦ Comm. de l'Isère, arr. de Grenoble. 174 hab. Barrage sur le Drac et centrale hydro-électrique.

MONTEZUMA. ♦ **V.** MOCTEZUMA II.

MONTFAUCON (Bernard *de***).** ♦ Religieux et érudit français (château de Soulage, Languedoc, 1655 — Paris, 1741). Entré chez les bénédictins de la congrégation de Saint-Maur, à Toulouse puis à Paris (aux Blancs-Manteaux puis à Saint-Germain-des-Prés), il étudia le grec et les langues orientales. Il fournit des éditions des Pères grecs, notamment Athanase, et une édition des *Hexaples* **(V. Origène).** Il publia également plusieurs volumineux répertoires de sources pour l'archéologie et un ouvrage de méthode, *Paleographia graeca* (1706). Disciple de Mabillon*, il fut un maître incontesté de l'érudition mariste.

Montfaucon. ♦ Ancien lieu-dit, situé jadis à l'extérieur de Paris (N.-E.), sur une éminence voisine du quartier du Temple*. Depuis le XIIe s. s'y élevait un gibet qui fut utilisé jusqu'au XVIIe s., avant d'être transféré (1761) à la Villette, pour disparaître en 1790. François Villon évoqua peut-être l'horreur de ce lieu dans *La Ballade des pendus,* comme Marot dans son épigramme contre Maillart.

MONTFAUCON. ♦ Ch.-l. de cant. de la Meuse, arr. de Verdun. 353 hab. — L'ancien village a été détruit pendant la Première Guerre mondiale. Les Américains y remportèrent une victoire en sept. 1918 (mémorial américain).

MONTFERMEIL. ♦ Ch.-l. de cant. de la Seine-Saint-Denis (arr. du Raincy), à l'E. de Paris. 21 178 hab. Métallurgie.

MONTFERRAND. ♦ Faubourg de Clermont*-Ferrand (Puy*-de-Dôme). 7 000 hab. Église Notre-Dame, des XIIIe et XIVe s., nombreuses maisons anciennes. — Montferrand a été rattaché à Clermont en 1633.

MONTFERRAT. ♦ Famille lombarde qui se distingua pendant les croisades. ♦ GUILLAUME V, dit *Longue-Épée* ([mort] 1185). Il participa à la troisième croisade* et épousa Sibylle* de Jérusalem, acquérant ainsi les comtés de Jaffa et d'Ascalon. **V. Conrad.** ♦ BONIFACE Ier ou III ([mort] Satalieh, Anatolie, 1207). L'un des chefs de la quatrième croisade, il participa à la prise de Constantinople et devint roi de Thessalonique (1204-1207).

MONTFERRAT. *n. m.,* en it. **Monferrato.** ♦ Région d'Italie septentrionale (Piémont*), au S.-E. de Turin, entre Asti* et Casale*. Formée de bombements argilo-sableux, le Montferrat est une grande région vinicole (vins d'Asti).

MONTFORT. ♦ Famille féodale dont les membres les plus connus sont, outre Simon IV *(ci-dessous),* AMAURY VI, son fils, comte de Montfort (Otrante, Apulie — 1241). Il céda ses droits sur le comté de Toulouse au roi de France Louis VIII (1226). ♦ SIMON, comte de Leicester (v. 1200 — Evesham, Worcestershire, 1265). Fils de Simon IV. Établi en Angleterre vers 1230, il prit la tête de la révolte des barons qui imposa à Henri* III les *Provisions d'Oxford** (1258). S'étant révolté de nouveau, il mena la guerre des barons (1261-1265), exerça une sorte de dictature après sa victoire de 1264 mais fut finalement vaincu et tué.

MONTFORT (Simon IV, *comte de***).** ♦ (v. 1150 — 1218). Second fils de Simon III, comte de Montfort. Champion de l'Église et de la foi, il participa en 1202 à la 5e croisade et s'y couvrit de gloire. Revenu en France, où il prit part à la croisade contre les albigeois (1209), il se vit confier par les croisés la garde des domaines de Béziers et de Carcassonne qui venaient d'être pris aux hérétiques cathares. Simon devint alors un seigneur puissant terrassant les hérétiques, battant le comte de Toulouse, Raymond VI, à Castelnaudary (1212), remportant en 1213 sur le roi d'Aragon, allié de Raymond VI, la victoire de Muret. En 1215, il s'emparait de Narbonne et de Toulouse, et se trouvait investi du comté de Toulouse par le concile du Latran. Mais Raymond VI ayant soulevé les populations provençales qui lui étaient inféodées, Simon dut tourner ses armes vers la vallée du Rhône. Aussitôt l'ancien comte de Toulouse reconquérait son fief. C'est alors que, revenu en toute hâte mettre le siège devant la ville, Simon périt, victime d'un boulet ennemi.

MONTFORT (Jean *de***).** ♦ (1293 — 1345). Fils du duc Arthur II de Bretagne et de Yolande de Dreux, comtesse de Montfort-l'Amaury. À la mort de son frère consanguin, Jean III le Bon, il se dressa contre Charles de Blois désigné comme héritier de Bretagne, et s'empara du duché (1341). C'est alors qu'ayant été déchu par le roi de France Philippe VI, il fut capturé sous les murs de Nantes par les troupes royales conduites par le duc de Normandie, fils du roi. Fait prisonnier dans la tour du Louvre (1343), il réussit à s'en échapper (1345). Ayant prêté serment d'allégeance à Édouard III d'Angleterre, il devait mourir peu après dans Hennebont* assiégé.

MONTFORT ou **MONTFORT-SUR-MEU.** ♦ Ch.-l. de cant. d'Ille-et-Vilaine, au confl. du Garun et du Meu, arr. de Rennes. 3 206 hab. *(Montfortais).* Vestiges de fortifications, tour du XIVe siècle. Abattoir industriel. — Aux environs, abbaye de Saint-Jacques (XIIe-XIVe s.), actuellement séminaire; hôpital Saint-Lazare, ancienne léproserie.

MONTFORT-EN-CHALOSSE. ♦ Ch.-l. de cant. des Landes*, arr. de Dax*. 1 142 hab. [420 aggl.] *(Montfortois)*. Église romane agrandie au XVe siècle. Conserves de foie gras.

MONTFORT-L'AMAURY. ♦ Ch.-l. de cant. des Yvelines, arr. de Rambouillet. 2 282 hab. *(Montfortais)*. Église Saint-Pierre (XVe, XVIe, XVIIe s.). Anc. charnier (XVIe-XVIIe s.). Maison où vécut et mourut Maurice Ravel* (musée). Ruines d'un château (X^e-XVe s.). Villégiature.

MONTFORT-SUR-RISLE. ♦ Ch.-l. de cant. de l'Eure*, arr. de Bernay*, sur la Risle*. 766 habitants.

MONTGENÈVRE. ♦ Localité des Hautes-Alpes, située au *col du Mont-Genèvre,* sur la route de Briançon à Turin. Station de sports d'hiver créée en 1907 (entre 1 860 et 2 600 m).

MONTGERON. ♦ Ch.-l. de cant. de l'Essonne (arr. d'Évry). 22 020 hab. Ville résidentielle.

MONTGOLFIER *(les frères de)*. ♦ Industriels et inventeurs français. JOSEPH (Vidalon-lès-Annonay, Vivarais, 1740 – Balaruc-les-Bains, Hérault, 1810) et ÉTIENNE (Vidalon-lès-Annonay, 1745 – Serrières, Ardèche, 1799). Directeurs de la manufacture familiale de papier à Annonay, Étienne introduisit les méthodes hollandaises de papeterie et le papier vélin, Joseph inventa le papier à filtrer, dit *joseph*. Ensemble, ils inventèrent les premiers aérostats, ballons à air chaud, dits *montgolfières* (1783), avec lesquelles ils effectuèrent de célèbres ascensions (4 juin 1783, Annonay; 19 sept., Versailles; etc.). **V.** aussi **Pilâtre de Rozier.** Ils imaginèrent également le *bélier hydraulique* (1792), machine qui sert à élever l'eau. (Acad. sc. : Étienne, 1796; Joseph, 1807.)

MONTGOMERY (Gabriel de LORGES, *comte de***).** ♦ (v. 1530 – Paris, 1574). Homme de guerre français. Capitaine de la garde écossaise, il causa involontairement la mort d'Henri* II au cours d'un tournoi (1559). Après un séjour en Angleterre, il revint prendre la tête des huguenots (1562), tenta de secourir La Rochelle (1574) et, vaincu à Domfront, fut condamné à mort.

MONTGOMERY (Bernard Law Montgomery, *1er vicomte* **Montgomery of Alamein).** ♦ Maréchal britannique (Londres, 1887 – Hampshire, 1976). Commandant une division en France et en Belgique en 1939-1940, il rembarqua à Dunkerque*, dirigea la défense du S.-E. de l'Angleterre, puis fut nommé à la tête de la VIIIe armée en Égypte (sept. 1942). Il emporta le front établi par Rommel* à El Alamein* (24 oct.) et il sut organiser son offensive de façon à mettre fin à la suite de progressions et de retraites qui avaient jusqu'alors constitué la guerre en Libye; il atteignit Tripoli (23 janv. 1943) où il fut rejoint par Leclerc*, puis la Tunisie (fév.) où ses troupes réunies aux forces franco-anglo-américaines venues d'Algérie, sous le commandement d'Alexander*, contraignirent les Italo-Allemands à capituler (cap Bon*, 12 mai 1943). De là, il débarqua au S. de la Sicile (10 juill.), puis en Italie (3-9 sept.). En 1944, il commanda, sous Eisenhower, les forces terrestres du débarquement en Normandie*, puis le 21e groupe d'armées qu'il mena, par la France du Nord et la Belgique, et malgré l'échec d'Arnhem*, jusqu'en Allemagne. Le 4 mai 1945, il reçut la capitulation des armées allemandes du Danemark, de Hollande et des îles Frisonnes. Après la guerre, il occupa divers postes de haut commandement et fut notamment commandant adjoint des forces atlantiques en Europe (1951-1958). **V. Guerre mondiale** *(Deuxième)*.

MONTGOMERY. ♦ V. des États-Unis, cap. de l'Alabama*. 129 375 hab. Important centre et marché agricole : coton, bétail (c'est le plus grand marché de bétail du S.-E. des États-Unis), bois. ♦ *Hist.* La ville fut créée en 1819, près du fort Toulouse établi en 1715 par J.B. Le Moyne; elle devint cap. de l'État en 1847. Le mouvement de protestation contre la ségrégation raciale, conduit par Martin Luther King, commença à Montgomery en 1955.

MONTGOMERY, en gallois **Trefaldwyn.** ♦ Localité du pays de Galles (Montgomeryshire), à la frontière anglo-galloise. 975 hab. Marché agricole. Église du XIIIe s. en gothique primitif.

MONTGOMERYSHIRE. *n. m.,* en gallois **Sir Drefaldwyn.** ♦ Comté du pays de Galles s'étendant le long de la frontière anglo-galloise. 2 064 km². 44 165 hab. (1961). *Ch.-l.* Welshpool*. **V.** *aussi* **Montgomery.** Le Montgomeryshire présente un relief varié (hautes collines, landes et bois). C'est le comté le plus boisé du pays de Galles. Ses princ. ressources sont l'élevage, la céréaliculture et l'exploitation des forêts.

MONTHERLANT (Henry Millon *de***).** ♦ Écrivain français (Paris, 1896 – *id.,* 1972). Ses premières œuvres autobiographiques, *La Relève du matin* (1920) et *Le Songe* (1922), retracent la jeunesse catholique de l'écrivain, son expérience exaltée de la guerre, puis son existence partagée entre la pratique du sport (*Les Olympiques,* 1924 et 1938) et la création littéraire, exercices similaires de volonté qui se veut orgueilleuse (« L'action est la sœur du rêve. ») Décidé à épuiser « la vie par l'alternance », il célébra un idéal de vie héroïque dont la femme est volontiers exclue (*Les Bestiaires,* 1926, récit de ses expériences tauromachiques en Espagne), puis fit l'apologie de la sensualité dans *Les Voyageurs traqués* (*Aux fontaines du désir,* 1927; *La Petite Infante de Castille,* 1929; *Un voyageur solitaire est un diable,* 1961). Au retour de voyages en Europe et en Afrique (*L'Histoire d'amour de la rose des sables,* 1951, est extraite d'un texte non publié, traitant de la question coloniale), il publia une étude de mœurs incisive, *Les Célibataires* (1934), puis fustigea ce qu'il appela la « morale de midinette » dans une série romanesque aux acides analyses psychologiques, *Les Jeunes Filles* (1936), *Pitié pour les femmes* (1936), *Le Démon du bien* (1937) et *Les Lépreuses* (1939), pour mieux exalter « tout ce qu'on entend par le mot générosité » (Cf. *Service inutile,* 1935). Ce thème de l'être qui rompt avec un autre parce qu'il ne peut l'estimer, cet orgueilleux idéal d'accomplissement personnel inspirent le théâtre de Montherlant : *La Reine* morte* (1942), *Fils de personne* (1943), *Le Maître de Santiago* (1947), *Malatesta* (1948), *La Ville dont le prince est un enfant* (1952), *Port-Royal* (1954), *Le Cardinal d'Espagne* (1960), illustrent des idéologies différentes (« syncrétisme et alternance »), mais offrent des personnages assoiffés d'absolu et qui rêvent d'un « immense retirement ». Revenu au roman avec *Le Chaos et la Nuit* (1963) et *Un assassin est mon maître* (1971), Montherlant s'est montré un prosateur d'une grande aisance, dont le style, noble et rigoureux, sait allier la métaphore à la formule, faire alterner des images, somptueuses parfois jusqu'à l'emphase, et des dialogues serrés et directs. – Après avoir souvent, dans ses œuvres, « honoré le suicide » comme étant « une parcelle de liberté dans la nécessité », l'écrivain, pour échapper à « l'angoisse de devenir aveugle subitement », se donna la mort. (Acad. fr., 1960.)

MONTHERMÉ. ♦ Ch.-l. de cant. des Ardennes (arr. de Charleville-Mézières), sur la Meuse, au confluent de la Semois. 3 682 hab. Église du XIIe s., reconstruite au XVe siècle. – Métallurgie.

MONTHEY. ♦ V. de Suisse (Valais) sur la Vièze, affl. du Rhône (r. g.), à 7 km à l'O. de Saint*-Maurice. 6 800 hab. Château du XIIIe s. (vestiges). Indus. chimiques, constructions mécaniques, manufacture de tabac. Vignobles.

MONTHOLON (Charles Tristan, *comte de***).** ♦ Général français (Paris, 1783 – 1853). Chambellan de l'impératrice (1809), ambassadeur auprès du grand-duc de Würzburg (1811), il resta fidèle à Napoléon Ier qui le nomma général et chambellan du Palais pendant les Cent-Jours et qu'il accompagna à Sainte-Hélène en 1815. De retour en France après la mort de l'Empereur, il publia, avec Gourgaud, des *Mémoires pour servir à l'histoire de France sous Napoléon par les généraux qui ont partagé sa captivité* (1822-1825). Resté bonapartiste, il participa à la tentative de Boulogne de Louis Napoléon Bonaparte (1840), et, incarcéré au fort de Ham (1840-1847), y rédigea les *Récits de la captivité de Napoléon* (1849). Député à l'Assemblée législative (1849), il se tint à l'écart du coup d'État du 2 décembre 1851 et fut disgracié.

MONTI (Vicenzo). ♦ Poète italien (Alfonsine, 1754 – Milan, 1828). Il interrompit ses études de droit pour se consacrer à la littérature et partit pour Rome où il gagna la protection de Pie VI. Ses premières œuvres (*La Beauté de l'Univers,* 1781; *La Bassvilliane,* 1793) sont antirévolutionnaires. Mais, admirateur de Napoléon, Monti donna à ses poèmes un sens démocratique et anticatholique (*Prométhée,* 1797), qui l'obligea à l'exil à Paris au retour des Austro-Russes, puis le fit accéder, entre 1802 et 1806, à de hautes fonctions, dans l'Italie napoléonienne. Monti composa alors des œuvres courtisanes comme sa tragédie *Caïus Gracchus*

Arch. Rencontre

Expérience aérostatique réalisée en 1784 avec une **montgolfière.** (Musée de l'Air, Paris.)

(1800) et le poème épico-lyrique, *Le Barde de la Forêt-Noire* (*Il Bardo della Selva Nera,* 1806), inspiré d'Ossian*. À la chute de Napoléon, Monti se rallia aux Autrichiens, faisant paraître de nouvelles œuvres de circonstances, toujours inspirées du néo-classicisme; parallèlement il se livrait à d'importants travaux philologiques et linguistiques, et donnait de nombreuses traductions des poètes latins et grecs (dont l'*Iliade*).

MONTICELLI (Adolphe). ♦ Peintre français (Marseille, 1824 – *id.,* 1886). Il fit ses études à Marseille, séjourna à Paris de 1846 à 1849, alla peindre à Barbizon* avec son ami Diaz* et plus tard se lia avec Cézanne. Il usait d'une touche nerveuse, épaisse, malaxée, dans ses scènes imaginaires de fêtes galantes, ses portraits, nus, natures mortes et scènes de cirque, au caractère plus expressionniste que descriptif. Van* Gogh admirait sa technique et la richesse de son chromatisme (*L'Arlésienne,* 1870).

MONTIER-EN-DER. ♦ Ch.-l. de cant. de la Haute-Marne (arr. de Saint-Dizier), sur la Voire, dans le *pays de Der.* 2 342 hab. *(Dervois).* Église Notre-Dame, de style gothique primitif champenois (en partie du XIIIe s.). – Fromagerie. Sucrerie. Matériel agricole. Haras.

MONTIGNAC. ♦ Ch.-l. de cant. de la Dordogne*, arr. de Sarlat* sur la Vézère*. 2 998 hab. *(Montignacois).* Château du XIVe siècle. – Aux env., se trouve la grotte de Lascaux*. – Indus. du bois de noyer. Patrie de Joubert*.

MONTIGNIES-LE-TILLEUL. ♦ Comm. de Belgique (Hainaut, arr. de Charleroi) sur la Sambre. 8 500 hab. Indus. mécaniques. Matériaux de construction.

MONTIGNIES-SUR-SAMBRE. ♦ Comm. de Belgique (Hainaut, arr. de Charleroi). 24 447 hab. Indus. métallurgiques. Cokeries. Hauts fourneaux. Briqueteries.

MONTIGNY-EN-GOHELLE. ♦ Comm. du Pas-de-Calais, arr. et aggl. de Lens. 9 003 hab. Houille.

MONTIGNY-LE-ROI. ♦ Comm. de Haute-Marne, bâtie sur un promontoire du plateau de Langres, entre la Meuse et la Traire. **V. Val de Meuse (Le).**

MONTIGNY-LÈS-CORMEILLES. ♦ Comm. du Val-d'Oise, arr. d'Argenteuil. 7 022 hab. Indus. métallurgiques; constructions mécaniques; chaudières.

MONTIGNY-LÈS-METZ. ♦ Ch.-l. de cant. de la Moselle, arr. et aggl. de Metz-Campagne. 26 638 hab. *(Montigniens).* Constructions électriques. Indus. alimentaires.

MONTIJO. ♦ V. d'Espagne, en Estrémadure* (prov. de Badajoz). 15 000 hab. Château des comtes de Montijo, famille d'où était issue l'impératrice Eugénie*, femme de Napoléon III.

MONTIVILLIERS. ♦ Ch.-l. de cant. de la Seine*-Maritime, arr. du Havre. 9 057 hab. *(Montivilliens).* Église des XIe et XVe s.; cimetière avec galerie en bois du XVIe siècle. – Chaudronnerie, minoterie.

Montjoie ! ♦ Cri de ralliement guerrier qui apparut au XIIe siècle. On disait en France « Montjoie... Saint Denis! », et en Angleterre « Montjoie... Saint Georges! ».

MONTJUICH. *n. m.* ♦ Colline située au S. de Barcelone, dans la banlieue. Jardins et édifices datant de l'Exposition internationale de 1929.

MONTLHÉRY. ♦ Ch.-l. de cant. de l'Essonne (arr. de Palaiseau). 3 924 hab. Église (XIIIe s.), remaniée au XVIIe siècle. Hôtel-Dieu (XIIe s.). Tour de Montlhéry (XIIIe-XIVe s.). – Cultures de primeurs. – L'*autodrome de Montlhéry* se trouve sur la commune de Linas*. ♦ *Hist.* Le 16 juillet 1465, bataille entre Louis* XI et Charles* le Téméraire coalisé avec des seigneurs dans la *ligue du Bien public.*

MONT-LOUIS. ♦ Ch.-l. de cant. des Pyrénées-Orientales (arr. de Prades), à 1 600 m d'altitude. 506 hab. *(Montlouisiens).* Église du XVIIIe siècle. Remparts élevés par Vauban. – Four solaire dans la citadelle. – Station d'été et de sports d'hiver.

MONTLUC. ♦ V. MONLUC.

MONTLUÇON. ♦ Sous-préf. de l'Allier*, ch.-l. d'arr. (9 cant., 107 comm., 142 681 hab.), sur le Cher*. 59 983 hab. *(Montluçonnais).* Église Notre-Dame, du XVe s.; église Saint-Pierre (XIIe et XVe s.). Anc. château des ducs de Bourgogne (XVe-XVIe s.). Maisons anciennes. – Pneumatiques, confection, appareils de chauffage, électricité, mécanique, métallurgie, produits chimiques. – Patrie de R. Dautry*, J. Georges*, A. Messager*.

MONTLUEL. ♦ Ch.-l. de cant. de l'Ain*, arr. de Bourg*-en-Bresse, dans la Dombes*. 3 486 hab. Ruines d'un château du XIe siècle. Indus. plastiques.

MONTMAGNY. ♦ Comm. du Val-d'Oise, arr. de Montmorency, près de Deuil*-la-Barre. 6 630 hab. Indus. chimique; fonderies.

MONTMAJOUR. ♦ Écart de la comm. d'Arles* (Bouches*-du-Rhône). Ancienne abbaye : église, cloître XIIe s.; bâtiments conventuels, ruines XVIIIe s.; donjon du XIVe siècle. Chapelle souterraine Saint-Pierre (Xe s.). Chapelle Sainte-Croix du XIIe siècle.

Montmartre. ♦ Anc. commune de la Seine, rattachée à Paris en 1860 et qui forme auj. le 18e arr. – Site légendaire du martyre de saint Denis (v. 150), la *colline Montmartre* ou *butte Montmartre (Mons Martis* ou *Mons Mercurii,* plutôt que *Mons Martyrum)* fut occupée dès la fin du XIe s. par de puissantes communautés religieuses; l'église *Saint-Pierre* (1147) est un des plus anc. sanctuaires romano-gothiques de Paris. Au sommet de la butte (130 m), point culminant de Paris, se dresse la basilique du *Sacré*-Cœur.* Forteresse naturelle, Montmartre a tenu une certaine place dans l'histoire militaire de Paris (le premier épisode de la Commune s'y déroula). Quartier pittoresque qui conserva son caractère campagnard jusqu'au début du XXe s., la butte, avec ses vignes et ses moulins, inspira les peintres, depuis Georges Michel* jusqu'à Utrillo*, et fut le berceau du cubisme **(V. Bateau-Lavoir).** Montmartre connaît toujours une grande animation nocturne et reste, avec ses boîtes de nuit (de la place Clichy à la place Pigalle) et ses cabarets *(place du Tertre),* un des grands pôles touristiques de Paris.

MONTMAURIN. ♦ Comm. de la Haute-Garonne, arr. de Saint-Gaudens, dans le Comminges. 178 hab. Les restes d'une importante ville gallo-romaine (Ier-IVe s.) y furent découverts. – Nombreux gîtes préhistoriques aux alentours. – Établissement thermal à proximité.

MONTMÉDY. ♦ Ch.-l. de cant. de la Meuse, arr. de Verdun, sur la Chiers. 2 308 hab. *(Montmédiens).* – Ville fortifiée par Vauban.

MONTMÉLIAN. ♦ Ch.-l. de cant. de la Savoie*, arr. de Chambéry*, sur l'Isère*, anc. place forte. 2 517 hab. *(Montmélianais).* Carrefour de routes et de voies ferrées. Vins blancs.

MONTMIRAIL. ♦ Ch.-l. de cant. de la Marne, arr. d'Épernay, sur le Petit Morin. 3 016 hab. *(Montmiraillais).* Château (XVIe-XVIIe s.). Église des XIVe et XVIe siècles. – Patrie du cardinal de Retz, qui y eut pour précepteur saint Vincent de Paul. ♦ *Hist.* Anc. baronnie de Champagne, Montmirail fut érigé en duché-pairie et cédé à Louvois en 1672. En 1814, Napoléon y vainquit les armées russe et prussienne. Quartier général de l'armée allemande de von Bülow en 1914, Montmirail fut repris par les armées françaises qui purent ainsi rétablir leurs positions sur la ligne de la Marne.

MONTMORENCY. ♦ Famille noble française. Ses membres les plus illustres sont : MATTHIEU Ier, baron de MONTMORENCY (mort v. 1160). Connétable de France (1138), il épousa successivement une fille d'Henri Ier d'Angleterre et la veuve de Louis VI le Gros, roi de France. – MATTHIEU II, baron de MONTMORENCY, son petit-fils (1174 – 1230). Il prit Château-Gaillard (1202) et conquit la Normandie sur les Anglais. Il se distingua à la bataille de Bouvines (1214) et fut nommé connétable de France (1218). Il commanda l'armée de Louis VIII contre les albigeois. Lors de la révolte féodale pendant la minorité de Louis IX, il fut le plus solide appui de la reine Blanche de Castille. ♦ CHARLES, baron de MONTMORENCY (1325 – 1381). Il prit part aux batailles de Crécy (1346) et de Poitiers (1356) et fut l'un des négociateurs du traité de Brétigny (1360). ♦ JEAN II, baron de MONTMORENCY, seigneur de Nivelle. **V. Nivelle** *(Jean de).* ♦ ANNE, Ier duc de MONTMORENCY (Chantilly, 1493 – Paris, 1567). Connétable de France. Favori de François* Ier avec lequel il avait été élevé, il se distingua à Ravenne* (1512), à Marignan* (1515), à la Bicoque* (1522), et fut fait prisonnier avec le roi à Pavie*. Il pratiqua avec succès en Provence la tactique de la terre brûlée contre Charles* Quint (1536), et fut nommé maréchal, puis connétable de France. Il jouit

Ph. Giraudon

La tour de **Montlhéry.**

jusqu'en 1540 d'une influence déterminante. Après un exil dans ses terres, il revint en grâce avec Henri* II et fut un des responsables de la paix de Cateau*-Cambrésis, qu'il fit signer dans le désir d'être libéré, ayant été fait prisonnier à la bataille de Saint*-Quentin. Il s'allia au duc de Guise* et au maréchal de Saint*-André dans un triumvirat destiné à s'opposer à la politique d'apaisement de Catherine* de Médicis, poursuivit la lutte contre les protestants, et fut tué en livrant bataille à Condé* à Saint-Denis. ♦ FRANÇOIS, 2e duc de MONTMORENCY, son fils (v. 1530 – 1579), maréchal de France, s'opposa à lui par son esprit de modération, échappa de peu à la Saint*-Barthélemy et appuya le parti des Politiques*. ♦ HENRI Ier, 3e duc de MONTMORENCY, d'abord appelé DAMVILLE (1534 – Agde, 1614), frère de François, fut, lui aussi, d'une tolérance qui lui valut l'hostilité des Guise*. Il fut un des chefs du parti des Politiques et favorisa l'avènement d'Henri IV. ♦ HENRI II, 4e et dernier duc de MONTMORENCY (Chantilly, 1595 – Toulouse, 1632). Filleul de Henri IV, amiral de France, gouverneur du Languedoc, il y lutta contre les protestants : sièges de Montauban, de Montpellier (1622), prise de l'île de Ré, de l'île d'Oléron (1625). Il se distingua dans le Piémont, fut nommé maréchal, mais, ayant intrigué avec Gaston d'Orléans* et pris les armes contre Richelieu*, il fut fait prisonnier par Schomberg* et condamné à mort à Toulouse, malgré de multiples intercessions. Le duché-pairie de Montmorency passa alors aux Condé*.

MONTMORENCY. ♦ Sous-préf. du Val-d'Oise, ch.-l. d'arr. (10 cant., 61 comm., 296 244 hab.), à la lisière de la forêt de Montmorency (châtaigniers). 18 498 hab. *(Montmorenciens)*. – Église Saint-Martin (XVIe s., restaurée, remarquables vitraux). L'ancien château du XVIIe s. abrite le lycée J.-J. Rousseau. – Rousseau* vécut à Montmorency de 1756 à 1762; invité par Mme d'Épinay, il s'installa d'abord à l'Ermitage, puis en 1757 dans la maison de Montlouis. – Arboriculture. Matériaux de construction. Produits pharmaceutiques. Indus. alimentaires.

MONTMORENCY-BOUTEVILLE (François, *comte de***).** ♦ (1600 – Paris, 1627). Gentilhomme français. Il fut condamné à mort pour avoir bravé l'interdiction de Richelieu* et s'être battu en duel en pleine place Royale. Il eut pour fils le maréchal de Luxembourg*.

MONTMORENCY-LAVAL (Mathieu Jean Félicité, *duc de***).** ♦ Homme politique français (Paris, 1766 – 1826). Il prit part à la guerre d'Indépendance américaine. Élu député de la noblesse aux États généraux (1789), il se rallia au Tiers État dès le début du mois de juin, se prononça pour la renonciation à tous les titres et privilèges dans la nuit du 4 août* 1789. Il émigra en Suisse en 1792 et s'y lia avec Mme de Staël. Rentré en France après le 9 Thermidor, il adopta sous la Restauration des positions ultra-royalistes. Aide de camp du comte d'Artois, ministre des Affaires étrangères (1821-1822), il participa au congrès de Vérone (1822), où il contribua à décider de l'intervention en Espagne.

MONTMORILLON. ♦ Sous-préf. de la Vienne, ch.-l. d'arr. (11 cant., 101 comm., 86 936 hab.), sur la Gartempe. 6 888 hab. [5 453 aggl.] *(Montmorillonnais)*. Église Notre-Dame (XIe-XIVe s.), possédant de remarquables fresques du début du XIIIe siècle. Église Saint-Laurent (XIIe s.). Anc. chapelle sépulcrale du XIIe s., de forme octogonale. – Confection. Meubles. Matériaux de construction.

MONTMORT. ♦ Ch.-l. de cant. de la Marne (arr. d'Épernay), sur le Surmelin. 437 hab. Église des XIe, XIIe et XVe s. (gothique). Château de style Renaissance. Aux environs, vestiges du prieuré clunisien du Mont-Armé (XIIIe s.) et château de la Charmoye, anc. abbaye cistercienne (1167).

MONTOIR-DE-BRETAGNE. ♦ Comm. de la Loire-Atlantique, faub. industriel de Saint*-Nazaire. 5 171 hab. (4 453 aggl.).

MONTOIRE ou **MONTOIRE-SUR-LE-LOIR.** ♦ Ch.-l. de cant. du Loir-et-Cher, arr. de Vendôme, sur le Loir. 3 432 hab. *(Montoiriens)*. Ancienne chapelle Saint-Gilles, avec peintures murales du XIIe siècle. Vestiges d'un château (XIIe et XIVe s.). – Articles en béton. Champignonnières et conserves de champignons. ♦ Hist. *Entrevue de Montoire :* le 24 octobre 1940, Pétain* eut dans cette ville un entretien avec Hitler*. Le principe d'une collaboration avec l'Allemagne y fut admis, toutefois Pétain éluda la question de l'alliance contre l'Angleterre et la signature d'une paix séparée.

Montparnasse. ♦ Un des quatre quartiers administratifs du 14e arr. de Paris, situé au S. du bd du Montparnasse, autour du *cimetière du Montparnasse* (créé en 1824). Secteur paisible aux alentours de l'*Observatoire**, où communautés religieuses et hôpitaux se succèdent **(V. Port-Royal),** le quartier s'anime auprès du carrefour formé par le bd Raspail et le bd du Montparnasse (statue de *Balzac,* par Rodin*) : très fréquenté entre les deux guerres par la bohème cosmopolite et domaine des peintres et des sculpteurs, il garde de célèbres cafés littéraires et des ateliers d'artistes; doté de nombreux théâtres et salles de spectacle, Montparnasse connaît toujours une vie nocturne intense. À l'emplacement de l'anc. gare Montparnasse (démolie en 1967), une vaste réalisation d'urbanisme renouvelle la physionomie du quartier : un centre commercial, administratif et culturel autour d'une tour de 200 m de hauteur (dite *tour Montparnasse*), desservi par des voies nouvelles donnant accès aux autoroutes du Sud et du Sud-Ouest. Les responsables de ce complexe sont, notamment, Lopez et Beaudouin*.

MONTPELIER. ♦ V. des États-Unis (Nouvelle-Angleterre), cap. du Vermont, dans le centre de l'État. 8 782 hab. (1960).

Ph. Louis Monier

Henri II de **Montmorency.** Gravure du XVIIe s. (Collection privée.)

Ph. Giraudon

Anne de **Montmorency.** École des Clouet, XVIe s. (Musée Condé, Chantilly.)

MONTPELLIER. ♦ Préf. du dép. de l'Hérault, ch.-l. d'arr. (14 cant., 118 comm., 324 892 hab.), relié à la mer par le Lez. 167 211 hab. *(Montpelliérains)*. Aéroport de Fréjorgues. La promenade du Peyrou à l'O., aménagée aux XVIIe et XVIIIe s. (château d'eau, aqueduc), et la place de la Comédie (l'Œuf) à l'E. enserrent le vieux noyau urbain où sont groupés les prestigieux hôtels édifiés aux XVIIe et XVIIIe siècles. La cathédrale gothique (XIVe s.) a durement souffert au cours des guerres de Religion; le chœur fut reconstruit au XIXe s. (néo-gothique). Au N.-O. de la ville, le jardin des plantes est le plus anc. de France (1593). Musée Favre (Greuze, Delacroix, Courbet, Houdon). – Cap. du Languedoc, Montpellier est le siège de la vie administrative et universitaire (sa faculté de médecine est la plus anc. d'Europe; campus universitaire). Elle connaît depuis 1962 une forte expansion démographique en partie liée à l'afflux des rapatriés d'Algérie (l'aggl. compte 176 836 hab.) et l'obligeant à s'étendre v. l'O. à la Paillade (ville satellite). – Place commerciale développée grâce à l'économie viticole, elle joue un rôle important (marché-gare) dans la commercialisation des produits de l'agriculture. Indus. textiles et métallurgiques. Plus récemment, indus. électriques et électroniques (IBM); indus. pharmaceutiques. Indus. alimentaires (biscuiteries, conserveries, chocolateries, huileries). Ville touristique, dont l'essor est en partie lié à l'aménagement du littoral languedocien. – Patrie de Cambacérès*, J. Cambon*, A. Comte*, F.X. Fabre*, A. Michel*, A.J. Balard*, F. Bazille*, Ch. Renouvier*. ♦ *Hist.* À l'origine, la ville fut un comptoir important des épices d'Orient; située à proximité de la mer, elle utilisait le port de Lattes*. En 1141, elle octroyait une charte communale, et dès cette époque possédait des écoles de médecine et de droit, puis une université en 1289 (fréquentée au XVIe s. par Rabelais). En 1536, l'évêché de Maguelone fut transféré dans la ville. Centre protestant durant les guerres de Religion; la V. fut soumise par Louis XIII en 1622 après un long siège; en 1628, les murs furent détruits, sauf la citadelle. Siège d'une intendance du Languedoc, elle connut au XVIIe s. (après env. un siècle de luttes civiles) essor et prospérité.

MONTPELLIER-LE-VIEUX. ♦ Site de l'Aveyron*. Chaos où le ruissellement des eaux a creusé dans les calcaires des formes gigantesques (dites *la Citadelle, la Porte de Mycènes, le Navire, l'Amphore*).

MONTPENSIER (Catherine Marie de LORRAINE, *duchesse de***).** ♦ (1552 – Paris, 1596). Dame française, sœur d'Henri de Guise* et de Mayenne*, elle épousa Louis II de Bourbon, duc de Montpensier. Elle fut une ligueuse ardente et contribua à la journée des Barricades*. Elle se rallia cependant à Henri* IV, et sa fille épousa Gaston d'Orléans*.

MONTPENSIER (Anne Marie Louise d'ORLÉANS, *duchesse de***),** dite **la Grande Mademoiselle.** ♦ (Paris, 1627 – 1693.) Fille de Gaston d'Orléans* et de Marie de Bourbon, duchesse de Montpensier. Elle prit part à la Fronde* et fit tirer le canon de la Bastille sur les troupes royales pour défendre Condé*, lors de la bataille du faubourg Saint-Antoine. Elle était une des plus riches héritières d'Europe et fit de multiples projets de mariage qui échouèrent tous. Elle devait finalement épouser secrètement Lauzun* (1681) dont elle se sépara bientôt. Elle a laissé des *Mémoires*.

MONTPENSIER (Antoine Marie Philippe Louis d'ORLÉANS, *duc de***).** ♦ Cinquième fils de Louis*-Philippe (Neuilly-sur-Seine, 1824 – Sanlúcar, près de Séville, 1890). Officier, il participa à la conquête de l'Algérie de 1844 à 1846. En 1846, son père lui fit épouser Marie-Louise de Bourbon, sœur de la reine Isabelle d'Espagne, mariage qui compromit les tentatives d'entente cordiale avec l'Angleterre. De tendance libérale, le duc de Montpensier poussa en vain son père à renvoyer Guizot, et, après la révolution de février 1848, s'installa en Espagne, où il acquit peu après la nationalité espagnole, fut fait dauphin d'Espagne et capitaine général (1859). Exilé au Portugal (1868) en raison de ses positions politiques libérales, il fut candidat au trône (1870), mais échoua et fut à nouveau exilé aux Baléares après l'avènement d'Amédée

Ph. Nino Cirani/Ricciarini

Montréal (Canada).

de Savoie (1871). En 1873, il parvint cependant à placer sur le trône son gendre Alphonse XII.

MONTPEZAT-SOUS-BAUZON. ♦ Ch.-l. de cant. de l'Ardèche*, arr. de Largentière*, au N. du volcan de la Gravenne. 831 hab. *(Montpezatiens).* Production de fruits. Moulinage de la soie. Usine hydro-électrique souterraine alimentée par la Loire.

MONTPON-MÉNESTÉROL, anc. **Montpon-sur-l'Isle**. ♦ Ch.-l. de cant. de la Dordogne*, arr. de Périgueux*. 5 863 hab. *(Montponnais).* Aux env., anc. chartreuse de Vauclaire fondée au XIVe s., église gothique.

MONTRACHET [mɔ̃ʀaʃɛ]. ♦ Vignoble de la Côte-d'Or. Vins blancs réputés. **V. Chassagne-Montrachet, Puligny-Montrachet.**

MONTRÉAL [mɔ̃ʀeal]. ♦ V. du Canada (Québec), la plus grande du pays avec Toronto, située sur le Saint-Laurent, au confluent de la riv. Ottawa (Outaouais). 1 222 225 hab. (1966). Aggl. 2 533 000 hab. (1969), avec Ville de Laval*, Verdun*, Saint-Michel, *Montréal Nord* (67 806 hab.), Saint-Laurent*, Lasalle* et Lachine* (67 % d'origine française, 12 % Anglais, 7 % Italiens). – La ville est bâtie sur l'*île de Montréal*, séparée au N.-O. de l'île Jésus par la riv. des Prairies et délimitée au S. par le lac Saint-Louis et au S.-E. par le Saint-Laurent. L'île est dominée par le mont Royal (234 m). – Montréal conserve quelques édifices de son passé (séminaire Saint-Sulpice, 1683; Notre-Dame-de-Bonsecours, 1771) et le quartier des quais présente des rues d'apparence ancienne. Mais le centre (place Ville-Marie, place Bonaventure) possède des immeubles très élevés. La rue Sainte-Catherine est l'artère commerçante la plus active. – Important musée des beaux-arts. – Centre commercial et financier. Indus. variées : habillement, matériel électrique, matériel ferroviaire, aéronautique, automobile (véhicules commerciaux); indus. alimentaires et du tabac. Indus. chimiques et du pétrole dans le Grand Montréal. – Le port est le premier du Canada (25 000 000 de t par an) : blé, produits pétroliers. Cinq grands ponts traversent le Saint-Laurent (ponts Victoria, 1860; Jacques Cartier, 1930; Champlain, 1962, etc.). Métro depuis 1966. Aéroport international à Dorval. – L'*université de Montréal* de langue française se trouve au N.-O. de mont Royal; d'abord branche de l'univ. Laval de Québec (1876), elle est devenue autonome en 1920. – L'université McGill, de langue anglaise, reçoit env. 15 000 étudiants.

MONTRÉAL. ♦ Ch.-l. de cant. de l'Aude, arr. de Carcassonne. 1 678 hab. Église (XIVe s.) de type gothique méridional.

MONTRÉAL. ♦ Ch.-l. de cant. du Gers*, arr. de Condom*. 1 714 hab. *(Montréalais).* Église du XIIIe siècle. Eaux-de-vie.

MONTRÉJEAU [mɔ̃ʀeʒo]. ♦ Ch.-l. de cant. de la Haute-Garonne*, arr. de Saint-Gaudens*, sur la Garonne*. 4 041 hab. *(Montréjeaulais).* Anc. bastide. Bonneterie. Vins.

MONTRÉSOR [mɔ̃tʀezɔʀ]. ♦ Ch.-l. de cant. d'Indre-et-Loire, arr. de Loches. 506 hab. Château des XVe-XVIe s., restauré au XIXe siècle. Collégiale Renaissance. Halles en bois (XVIIe s.). Maisons anciennes.

MONTREUIL ou **MONTREUIL-SOUS-BOIS.** ♦ Ch.-l. de cant. de la Seine-Saint-Denis (arr. de Bobigny), à l'E. de Paris. 95 859 hab. *(Montreuillois).* Église Saint-Pierre-et-Saint-Paul (en partie du XIIe s. et du XVIe s., remaniée). Maison dans laquelle vécut G. Méliès*. Musée de l'Histoire vivante, consacré au mouvement social en France. – Cultures maraîchères, arbres fruitiers. Indus. chimiques, produits pharmaceutiques; constructions mécaniques; ébénisterie; confection.

MONTREUIL ou **MONTREUIL-SUR-MER.** ♦ Sous-préf. du Pas*-de-Calais, ch.-l. d'arr. (6 cant., 141 comm., 92 095 hab.), sur la Canche*. 3 296 hab. *(Montreuillois).* – Anc. place forte; remparts (XIIIe, XVIe, XVIIe s.); église gothique Saint-Saulve, incendiée au XVIe s., réparée aux XVIIe, XVIIIe s.; citadelle du XVIe siècle.

MONTREUIL-BELLAY. ♦ Ch.-l. de cant. du Maine-et-Loire, arr. de Saumur, sur la r. d. du Thouët. 3 121 hab. [2 404 aggl.] *(Montreuillais).* Anc. château des Du Bellay (XIIIe et XVe s.). Église Notre-Dame (XVe s.), de style gothique flamboyant. Vestiges de l'anc. prieuré (XIIe-XVIIe s.). Maisons et hôtels anciens. Vestiges de l'enceinte du XVe siècle. – Indus. chimique.

MONTREUX. ♦ V. de Suisse (Vaud) formée par les communes de Montreux et Veytoux, sur la r. d. du lac Léman. 20 000 hab. Vignobles. Importante station climatique. – La *convention de Montreux* (20 juillet 1936), abrogeant les clauses du traité de Lausanne de 1923, autorisa la remilitarisation des détroits turcs du Bosphore et des Dardanelles.

MONTREVEL [mɔ̃ʀ(ə)vɛl]**-EN-BRESSE.** ♦ Ch.-l. de cant. de l'Ain*, arr. de Bourg*-en-Bresse, sur la Reyssouze, dans la Bresse. 1 495 hab. Confection; meubles.

MONTRICHARD [mɔ̃tʀiʃaʀ]. ♦ Ch.-l. de cant. du Loir-et-Cher, arr. de Blois, sur la r. d. du Cher. 3 313 hab. *(Montrichardais).* Église (XIIe, XIIIe, XVe s.). Vestiges de l'anc. forteresse (donjon du XIIe s.); maisons anciennes. – Conserves. Constructions métalliques. Engrais chimiques.

MONTRIOND [mɔ̃ʀjɔ̃]. ♦ Comm. de la Haute-Savoie, arr. de Thonon-les-Bains. 536 hab. Station touristique au bord d'un petit lac de montagne.

MONTROND [mɔ̃ʀɔ̃]**-LES-BAINS.** ♦ Comm. de la Loire, arr. de Montbrison. 2 436 hab. Restes d'un château des XIVe-XVIe siècles. Station hydrominérale. – Indus. du bois.

MONTROSE (James Graham, *5e comte,* puis *1er marquis de***).** ♦ Général écossais (Old Montrose, 1612 – Édimbourg, 1650). Il passa du parti presbytérien à celui de Charles* Ier et souleva les Highlands en faveur du roi (1644), remportant de brillantes victoires. Contraint de s'exiler après la défaite de Naseby*, il fit une tentative pour mettre Charles* II sur le trône, qui échoua. Trahi, il fut exécuté. Il avait écrit des poèmes d'inspiration royaliste.

MONTROUGE [mɔ̃ʀuʒ]. ♦ Ch.-l. de cant. des Hauts-de-Seine (arr. d'Antony), dans la banlieue S. de Paris. 44 943 hab. *(Montrougiens).* Ecole normale supérieure de jeunes filles. Fort où le maréchal Pétain fut emprisonné (août 1945) et où R. Brasillach fut exécuté. – Produits pharmaceutiques; matières plastiques; ascenseurs; emballages métalliques; indus. alimentaires; imprimerie; indus. électronique; mécanique de précision.

MONTS (Pierre de GUA, *sieur de***).** ♦ Colonisateur français (en Saintonge, v. 1568 – v. 1630). Parti pour le Canada (1604), il en explora le littoral et y fonda le premier établissement français, Port-Royal (Acadie).

MONT-SAINT-AIGNAN. ♦ Comm. de la Seine-Maritime, dans l'arr. et la banlieue N. de Rouen*. 15 925 hab. Église Renaissance.

MONT-SAINT-AMAND, en néerl. **Sint Amandsberg.** ♦ Comm. de Belgique (Flandre-Orientale) dans la banlieue de Gand. 24 800 hab. Produits maraîchers.

MONT-SAINT-MARTIN. ♦ Comm. de Meurthe-et-Moselle, arr. de Briey. 10 014 hab. Sidérurgie.

MONT-SAINT-MICHEL (Le). ♦ Comm. de la Manche*, arr. d'Avranches* sur un îlot rocheux de forme conique, haut de 78 m. 105 hab. Cette petite île, avec son abbaye bénédictine de style gothique, est reliée au continent par une route sur digue. Des marées de très forte amplitude sur un rivage très plat entourent très rapidement le Mont. Les principales constructions de l'abbaye datent des XIIe et XIIIe siècles. Au sommet du Mont, l'église abbatiale domine l'abbaye avec sa flèche haute de 152 mètres. L'église possède une nef, un transept romans et un chœur gothique flamboyant des XVe et XVIe siècles. La *Merveille,* très belle construction gothique en granit, s'élève sur trois niveaux : en bas l'aumônerie et le cellier, au-dessus la salle des Hôtes et la salle des Chevaliers, au-dessus le réfectoire et le cloître. Les remparts datent des XIIIe et XVe siècles. – L'abbaye fut construite sur le lieu d'un très ancien pèlerinage à Saint-Michel (VIIIe s.).

MONT-SAINT-VINCENT. ♦ Ch.-l. de cant. de Saône-et-Loire (arr. de Chalon-sur-Saône), situé à 600 m d'altitude. 379 hab. Église romane des XIe-XIIe siècles. Maisons anc. et anc. grenier à sel.

MONTSAUCHE. ♦ Ch.-l. de cant. de la Nièvre (arr. de Château-Chinon), bâti à 650 m d'alt. dans le Morvan. 855 hab. Centre touristique. À proximité, se trouve le lac des Settons*. ♦ *Hist.* La ville fut détruite en 1944 par les Allemands.

MONTSÉGUR. ♦ Comm. de l'Ariège*, arr. de Foix*. 167 hab. Ruines du château, sur un piton rocheux (1 207 m). ♦ *Hist.* En 1244, la forteresse dans laquelle s'étaient réfugiés les albigeois* fut assaillie et prise par les croisés. C'était la dernière place forte de la secte, et les ruines du château constituent un des hauts lieux du catharisme.

MONTSERRAT. *n. m.* (en fr. « montagne sciée »). ♦ Massif montagneux de Catalogne*, au N.-O. de Barcelone, culminant à 1 235 m. Une abbaye bénédictine y fut fondée au IXe s. C'est un lieu de pèlerinage fréquenté où est vénérée la Vierge noire.

MONTSOREAU. ♦ Comm. du Maine-et-Loire (arr. de Saumur), sur la r. g. de la Loire. 547 hab. Église en partie du XIIIe siècle. Maisons anc. Château construit au XVe s. par les seigneurs de Chambes. L'un de leurs descendants, Charles de Chambes, assassina Bussy d'Amboise à Brain-sur-Allones en 1579. Cet événement inspira à Alexandre Dumas certaines des péripéties de son roman *La Dame de Monsoreau.*

MONT-SUR-MARCHIENNE. ♦ Comm. de Belgique (Hainaut, arr. de Charleroi). 14 300 hab. Houillères. Indus. métallurgiques.

MONTVILLE. ♦ Comm. de la Seine-Maritime, arr. et aggl. de Rouen. 4 139 hab. Indus. textiles. Matières plastiques.

MONTYON (Jean-Baptiste Antoine AUGET, *baron de***).** ♦ Administrateur et philanthrope français (Paris, 1733 — 1820). Après avoir été chargé de nombreuses fonctions administratives (maître de requêtes, intendant) avant la Révolution, il émigra à Genève puis à Londres. Il mit une grande partie de sa fortune au service d'hôpitaux, d'œuvres de charité et fonda en 1782 le prix de Vertu, attribué chaque année par l'Académie française au « Français pauvre ayant accompli l'action la plus vertueuse », ainsi qu'un prix littéraire.

MONY (Stéphane). ♦ Ingénieur français (1800 — 1884). **V. Flachat.**

MONZA. ♦ V. d'Italie, en Lombardie (prov. de Milan). 94 000 hab. Indus. textiles, mécaniques, fabriques de meubles et de chapeaux de paille. — Autodrome réputé. ♦ *Hist.* C'est dans sa cathédrale que se trouve la couronne de fer des rois lombards. Le roi Humbert Ier fut assassiné à Monza (1900).

MONZIE (Anatole *de***).** ♦ Homme politique français (Bazas, Gironde, 1876 — Paris, 1947). Député (1909-1919, 1929-1940), sénateur (1920-1929), il fut plusieurs fois ministre (des Travaux publics, des Finances, de l'Instruction publique), en particulier dans les cabinets Daladier et Reynaud (1938-1940), et se tint à l'écart du gouvernement de Vichy (sur lequel il porta un jugement critique). Directeur de la publication de *l'Encyclopédie française* (à partir de 1936), il a laissé plusieurs ouvrages d'histoire (*Rome sans Canossa,* 1918; *Destin hors série,* 1928; *Pétition pour l'histoire,* 1942).

MOORE (Thomas). ♦ Poète irlandais (Dublin, 1779 — Sloperton, Londres, 1852). Avant de quitter sa ville natale, Moore fit partie de la conspiration pour l'unité de l'Irlande. Étudiant en droit à Londres, il séduisit les lettrés par une traduction en vers des *Odes d'Anacréon,* 1800. Ses *Poèmes de Thomas Little* (1801), de caractère érotique, lui permirent d'éviter la prison pour dettes. Ayant obtenu un poste administratif aux Bermudes (1803-1805), il y composa une romance orientale *Lalla Rockh* (1817) qui lui valut une gloire européenne. C'est aussi son voyage aux Bermudes et en Amérique qui lui inspira les *Épîtres, Odes et autres Poèmes* (1806). Il chantait lui-même dans les salons ses *Mélodies irlandaises* harmonisées par sir John Stevenson (1807) et on le sacra chantre national de l'Irlande. Mais il est surtout célèbre auj. pour ses dons satiriques : épigrammes du *Petit Courrier (The Twopenny Bag),* esquisses sur « les groupes d'Anglais ridicules » *(La Famille Fudge à Paris,* 1818; *Les Fudge en Angleterre,* 1835). Moore est à l'origine de la poésie « angélique » : *Les Amours des anges* (1823), qui fut censuré pour irréligion, inspira Vigny. Ami de Byron*, il écrivit sa *Vie* d'après ses mémoires manuscrits qu'il brûla sur le conseil d'Augusta Leigh, la demi-sœur de Byron.

MOORE (George Augustus). ♦ Romancier, poète et auteur dramatique irlandais (Moore Hall, Ballyglass County, 1852 — Londres, 1933). Indiscipliné, le jeune George Moore fit de mauvaises études et n'entra pas à l'université. À sa majorité, il s'installa à Paris où il apprit la peinture et s'enthousiasma pour Manet, Degas, Corot. Mais, lisant Pater, Balzac et Tourgueniev, il se découvrit écrivain. Marqué par Baudelaire, il publia des poèmes (*Fleurs de passion, Flowers of Passion,* 1877), et c'est en français qu'il rédigea ses *Poèmes païens* et la première version des *Confessions d'un jeune Anglais* (*Confessions of a Young Man,* 1888), roman « décadent » où le héros se dépeint comme un « raté » ayant tout sacrifié à son art, « père, mère, richesses, maîtresses ». Prenant Zola* pour modèle, il publia alors un roman réaliste *La Femme du cabotin* (*Mummer's Wife,* 1885) où il proclame : « Changez le milieu d'un homme, et dans deux ou trois générations vous aurez changé sa constitution physique, sa façon de vivre et un bon nombre de ses idées. » Les Goncourt lui donnèrent l'idée de prendre une servante pour héroïne de son roman naturaliste *Esther Waters* (1894), aux remarquables descriptions de paysages anglais. De retour en Irlande, en 1901, il contribua au renouveau celtique en compagnie de Yeats*, Synge*, Lady Gregory, E. Martyn, soutint le théâtre irlandais et publia des nouvelles sur la vie irlandaise (*Le Champ inculte,* 1903). Moore s'intéressa alors à la vie de *Sœur Thérèse* (1901) ainsi qu'à celle du Christ : *Solitude du Kerith, histoire syriaque* (*The Brook Kerith, a Syrian Story,* 1916), comparable à la *Vie de Jésus* de Renan. George Moore laissa encore une magistrale autobiographie en trois volumes : *Ave* (1911), *Salve* (1912) et *Vale* (1914) réunis sous le titre de *Salut! (Hail and Farewell!).* Ch. Morgan* fut son exécuteur testamentaire.

MOORE (Henry). ♦ Sculpteur et dessinateur anglais (Castleford, Yorkshire, 1898). Fils de mineur, il fut d'abord instituteur, puis entreprit des études d'art. Il se forma d'abord à la *School of Art* de Leeds puis au *Royal College of Art* de Londres (1921-1924). À partir de 1923 il séjourna fréquemment à Paris, et en 1925 il voyagea pendant six mois en Italie. Dès 1928, il créa ses premières sculptures monumentales (entrée du métro Saint-James). Tirant la leçon de l'art de Brâncusi* et s'intéressant aux sculptures précolombiennes, il subit aussi l'attraction de l'art de Picasso et s'affranchit des conventions figuratives naturalistes. « La figure humaine est ce qui m'intéresse le plus profondément », écrivit-il; en effet, il a traité avec une particulière prédilection le thème de la mère et de l'enfant, du couple, de la figure couchée ou dressée. Le surréalisme l'incita à ne pas reculer devant les rapprochements inattendus, les métamorphoses irrationnelles. Il pratiqua une figuration très allusive, traitant avec une extrême liberté les proportions, l'anatomie, éliminant radicalement certains détails et exploitant les effets de distorsions, étirement, aplatissement ou renflement des volumes. Il fut toujours préoccupé d'insuffler aux formes une forte charge émotionnelle. Il s'intéressa particulièrement au problème du vide, ménageant souvent dans des volumes souples, sinueux, asymétriques des cavités à l'intérieur desquelles il insère sans les ajuster de nouveaux volumes dont certaines parties s'érigent dans l'espace. Il procéda ainsi à une analyse complexe du rapport entre les pleins et les vides *(Figures couchées, forme intérieur-extérieur).* Vers 1938-1939, il créa des formes plus strictement abstraites, aux arêtes tranchées entre lesquelles des fils tendus concrétisent des lignes de force. La variété des recherches de Moore et leur qualité expressive révèlent l'un des talents plastiques les plus inventifs de son époque.

MOORE (Stanford). ♦ Biochimiste américain (Chicago, 1913). Auteur de travaux sur la structure chimique des protéines, il étudia particulièrement, avec W. Stein*, la ribonucléase, utilisant notamment les méthodes chromatographiques. (Prix Nobel de chimie, 1972.)

MOOREA. ♦ Île triangulaire d'origine volcanique, dans l'archipel de la Société* (Polynésie française) appartenant au groupe des *îles du Vent* et située à l'O. de Tahiti*. Elle possède deux baies, celle de Papeotai et celle de Paopao, ou baie de Cook. Les paysages y sont d'une grande beauté. 136 km². 4 000 hab. environ.

MOORSEL. ♦ Comm. de Belgique (Flandre-Orientale, arr. d'Alost). 5 100 hab. Château du XVIe siècle. Église (XIIIe-XVIIIe s.).

MOOSE JAW (« mâchoire d'élan »). ♦ V. du Canada (Saskatchewan) à l'O. de Regina*. 33 417 hab. (1967). Lieu de passage des deux grandes lignes ferroviaires intercontinentales et de grandes routes. Raffineries de pétrole; meunerie. Abattoirs.

MOPSOS. ♦ Devin de l'oracle d'Apollon de Claros (Colophon), petit-fils de Tirésias*. Il rencontre Calchas* rentrant de la guerre de Troie et se montre plus habile que lui dans l'art de la divination. Calchas meurt aussitôt de dépit.

MOPTI. ♦ V. du Mali*, sur la r. d. du Niger*, au confluent du Bani, dans la plaine de Macina*. 16 000 hab. Rizerie.

MORÂDÂBÂD. ♦ V. de l'Inde (Uttar Pradesh) à env. 140 km à l'E. de Delhi*. Env. 200 000 hab. Importantes usines métallurgiques et textiles (coton). ♦ *Hist.* Elle fut fondée par les Moghols* au début du XVIIe siècle.

MORAIS (Francisco *de***).** ♦ Écrivain portugais (Bragance, v. 1500 — Evora, 1572). Trésorier de Jean* III, il est l'auteur du *Palmerin d'Angleterre,* roman de chevalerie qui connut un grand succès.

MORALES (Luis *de***).** ♦ Peintre espagnol (Badajoz, v. 1500 — *id.,* 1586). Sa formation est mal connue, mais les œuvres sorties de son atelier révèlent les influences conjuguées du romanisme flamand et du maniérisme italien, plus particulièrement du Parmesan* et de l'école lombarde. Avec des formes étirées, des gestes recherchés, un modelé souple hérité du *sfumato* de Léonard*, il insista sur le caractère émouvant de ses représentations *(Vierges douloureuses, Pietà, Ecce Homo).* Cette recherche de pathétisme donne un accent spécifiquement hispanique à son maniérisme et reflète un sentimentalisme religieux qui lui valut le surnom de *El Divino.*

MORAND (Paul). ♦ Écrivain français (Paris, 1888 — *id.,* 1976). Appelé par sa carrière diplomatique à séjourner à Londres, Rome, Paris, Bucarest, Berne (où il vécut après la Libération, avant de s'installer à Tanger), Morand s'est voulu le « globe-trotter de la littérature ». Attentif à « surveiller la désorganisation du monde » moderne, il a donné dans ses poèmes (*Lampes à arc,*

Ph. Nimatallah/Ricciarini

Henry Moore : « Figure étendue ».
(Tate Gallery, Londres.)

1919 ; *Feuilles de température,* 1920), dans un roman, *Lewis et Irène* (1924), et surtout dans des récits vifs et rapides, enrichis d'images inédites, une peinture brillante du Paris d'avant-guerre, d'un monde trépidant en proie aux idéologies nouvelles, d'une civilisation cosmopolite. *Les Chroniques du vingtième siècle,* où sont regroupés *L'Europe galante* (1925), *Bouddha vivant* (1927), *Magie noire* (1928) et *Champions du monde* (1930), montrent l'écrivain sensible au génie de chaque race, tandis que, réunies en 1965 dans les *Nouvelles d'une vie,* d'autres études se répartissent en *Nouvelles des yeux* (*Tendres Stocks,* 1921), vision satirique de notre temps, et *Nouvelles du cœur* (*Milady,* 1927), évocation d'un monde moins superficiel. Cette évolution s'est accentuée depuis la guerre, et *Le Flagellant de Séville* (1951), *Hécate et ses chiens* (1954), *Tais-toi* (1965) se présentent comme des explorations hardies des domaines de l'inconscient. L'écriture impressionniste, « le trait en éclair, le ton cassant, l'image qui fait sursauter », annoncent en P. Morand l'« inventeur du style moderne » (J. Chardonne) [Acad. fr., 1968].

MORANE *(les frères).* ♦ Industriels et aviateurs français. Léon (Paris, 1885 – *id.,* 1918) et Robert (Paris, 1886 – *id.,* 1968). Ils créèrent, avec l'ingénieur Saulnier, la firme de construction aéronautique qui porte leurs noms (Morane-Saulnier), spécialisée dans l'étude de prototypes d'avions et d'hydravions (1910). Léon fut le premier à dépasser la vitesse de 100 km/h et l'altitude de 2 500 m (1910).

MORANGIS. ♦ Comm. de l'Essonne (arr. de Palaiseau). 6 922 hab. Église du XVIe s., remaniée au XVIIIe s. ; tour du XIIIe siècle. – Équipement pour autos ; outillage.

MORAT, en all. **Murten.** ♦ V. de Suisse (cant. de Fribourg) sur le lac de Morat *(Murtensee).* 3 300 hab. Remparts du XVe s., rues à arcades, maisons anciennes. ♦ *Hist.* Victoire des Suisses, alliés de Louis* XI, sur Charles* le Téméraire (1476).

MORATÍN (Leandro Fernández *de***).** ♦ Auteur dramatique espagnol (Madrid, 1760 – Paris, 1828). Fils de Nicolás Fernández de Moratín (1737-1780), lui-même auteur dramatique, il fut profondément marqué par l'influence française, grand admirateur de Molière. Il fit représenter avec succès plusieurs comédies, dont *Le Vieillard et la Jeune Fille* (*El Viejo y la Niña,* 1790) et *Le Oui des jeunes filles* (*El sí de las Niñas,* 1806). Par ses traductions de Shakespeare* (*Hamlet,* 1812) et de Molière* (*L'École des maris,* 1812 ; *Le Médecin malgré lui,* 1814), il a montré son attachement aux littératures étrangères, sans toutefois renoncer à illustrer le théâtre de son pays.

MORAVA [*n. f.*] en all. **March.** ♦ Riv. de Tchécoslovaquie et d'Autriche (378 km), affl. du Danube (r. g.). Sortie des monts Jeseniki, elle passe à Olomouc* et forme la frontière entre la Tchécoslovaquie et l'Autriche jusqu'à sa confluence avec le Danube.

MORAVA. *n. f.* ♦ Riv. de Yougoslavie (245 km), affl. r. d. du Danube. Formée par la réunion de la Morava de l'O. (298 km) et de la Morava du S. (318 km), elle traverse du N. au S. toute la Serbie*.

MORAVIA (Alberto PINCHERLE, dit **Alberto).** ♦ Écrivain italien (Rome, 1907). Longtemps immobilisé durant son enfance par la tuberculose, Moravia s'instruisit lui-même dans les sanatoriums où il fut soigné, et manifesta dès son premier roman, *Les Indifférents* (*Gli Indifferenti,* 1929), une vision mûrie de la vie ; derrière la peinture critique des premières années du fascisme, l'écrivain abordait le thème qu'allaient illustrer à peu près tous ses ouvrages : la difficulté de l'individu à s'insérer dans une réalité sociale dont les valeurs sont désormais, selon lui, l'argent et le sexe, l'ambiguïté des rapports avec la femme et plus profondément l'inquiétude existentielle qui saisit les hommes, étrangers à eux-mêmes et au monde. Après *Les Ambitions déçues* (*Le Ambizioni Sbagliate,* 1935) et *La Belle Vie* (1935), Moravia, inquiété par le régime fasciste, partit aux États-Unis, en Chine et aux Indes, où il fit des reportages. Depuis son retour en Italie, l'écrivain – auquel on doit également de nombreuses critiques littéraires et cinématographiques – a poursuivi son œuvre romanesque avec *Agostino* (1945), *La Belle Romaine* (1947), *La Désobéissance* (1948) et *Le Mépris* (1954), études au style dépouillé et volontairement neutre. *Le Conformiste* (1951), *L'Ennui* (1960) et *L'Attention* (1965), confirment le pessimisme de l'écrivain.

MORAVIE [*n. f.*] en tchèque **Morava.** ♦ Partie centrale de la Tchécoslovaquie*. 26 095 km². 3 719 499 hab. (1968). La Moravie est divisée administrativement en deux régions *(kraj) : Moravie-Septentrionale* et *Moravie-Méridionale.* V. princ. **V. Brno, Frýdek-Místek, Gottwaldov, Karviná, Kroměříž, Olomouc, Opava, Ostrava, Přerov.** – *Orogr.* La Moravie correspond essentiellement au réseau hydrographique formé par la Morava et ses principaux affluents, la Svratka et la Dyje. Les bassins d'Olomouc* et de Gottwaldov*, au N.-O., de Brno*, dans la vallée de la Svratka et d'Hadonin sur la basse Morava, sont de riches régions agricoles (céréales, vignes, betteraves, élevage porcin et bovin) et industrielles (métallurgie, textiles, travail du cuir). **V. Tchécoslovaquie.** Dans la région d'Hadonin se trouvent, des gisements de lignite et d'hydrocarbures. Au N.-E., la Silésie tchécoslovaque (comprise dans la division administrative de la *Moravie-Septentrionale*), entre les Jeseniky à l'O. et les Beskydes à l'E., est devenue, grâce à son bassin houiller, une région hautement industrialisée dont Ostrava* est le centre. ♦ *Hist.* Peuplée avant l'ère chrétienne par les Celtes Boïens, puis par les Quades (v. ~ 15), la Moravie fut occupée au VIe s. par une population slave qui dut résister aux envahisseurs Avars avec l'aide du Franc Samo, puis de Charlemagne. Le *royaume de Grande-Moravie* put alors être fondé vers 830 par Moïmir, chef d'une tribu slave morave. Sous Rostislav (846-869) commença l'évangélisation du royaume par Cyrille* et Méthode. Son successeur, Svatopluk (870-894), agrandit considérablement le territoire (qui comprit à un moment donné la Slovaquie occidentale et la Bohême), mais à sa mort le royaume fut partagé entre ses fils. La Moravie fut envahie à la fin du IXe s. par les Magyars. En 1029, elle fut rattachée à la Bohême, puis érigée temporairement en margraviat en 1182. Son histoire se confond ultérieurement avec celle de la Bohême. **V. Bohême.**

MORAY (James Stuart, *Ier comte de***).** ♦ **V.** Murray.

MORAY FIRTH, en fr. **golfe de Moray.** ♦ Large baie de la côte N.-E. de l'Écosse, qui, à la hauteur d'Inverness, se resserre pour former successivement le loch Ness*, puis le canal Calédonien*.

MORAYSHIRE. *n. m.* ♦ Comté du N. de l'Écosse, sur la mer du Nord, entre le Banffshire à l'E. et le Nairnshire à l'O., sur le *Moray Firth.* 1 234 km². 49 160 hab. *Ch.-l.* Elgin*.

MORBIHAN *(golfe du)* [*Mor-bihan,* « petite mer »]. ♦ Golfe presque fermé, constituant une mer intérieure parsemée de nombreuses îles dont Gavrinis* et l'Île*-aux-Moines. D'une largeur de 20 km et d'une profondeur de 15 km, il communique avec l'Atlantique par un étroit goulet. Sur ses bords se trouvent Auray* et Vannes*. Il est bordé au S. par la presqu'île de Rhuys. – Région touristique.

MORBIHAN. [**56**]. *n. m.* ♦ Dép. côtier de l'O. de la France, situé dans la partie méridionale du massif Armoricain (région [anciennement C.A.R.] de Bretagne*). 7 092 km². – *Orogr.* Le dép. est formé de collines et de plateaux de faible hauteur (landes de Lanvaux) ; les plateaux sont entaillés par des vallées encaissées (Blavet*, Scorff, Oust*). La côte, moins élevée que dans le N. de la Bretagne, est ouverte par de profondes rias et par le golfe du Morbihan* ; le littoral est bordé d'îles (Quiberon*, ancienne île, a été rattachée à la côte par un isthme).
♦ 38 cant., 263 comm., 560 841 hab. *Préf.* Vannes*, *sous-préf.* Lorient*, Pontivy*. *Ch.-l. de cant.* Allaire (2 219 hab.), Auray*, Baud*, Belle*-Île, Belz*, Cléguérec (2 812 hab.), Elven*, Faouët* (Le), Gacilly (La) [1 353 hab.], Gourin*, Grand*-Champ, Groix*, Guéméné*-sur-Scorff, Guer*, Hennebont*, Josselin*, Locminé*, Malestroit*, Mauron*, Muzillac (2 516 hab.), Ploërmel*, Plouay*, Pluvigner*, Port-Scorff (1 704 hab.), Port*-Louis, Questembert*, Quiberon*, Roche*-Bernard (La), Rochefort*-en-Terre, Rohan*, Saint-Jean-Brévelay (1 967 hab.), Sarzeau*, Trinité*-Porhoët (La). *Autres comm. et lieux.* **V. Arradon, Arzal, Arzon, Bono, Carnac, Coëtquidan-Bellevue, Étel, Gavrinis, Hoëdic** (île de), **Houat** (île de), **Île-aux-Moines** (L'), **Lanester, Languidic, Lann-Bihoué, Larmor-Plage, Locmariaquer, Palais** (Le), **Penthièvre, Ploemeur, Pluméliau, Port-Navalo, Riantec, Saint-Gildas-de-Rhuys, Saint-Pierre-Quiberon, Sainte-Anne-d'Auray, Trinité-sur-Mer** (La).

MORCENX [mɔrsɛ̃s]. ♦ Ch.-l. de cant. des Landes, arr. de Mont*-de-Marsan. 5 305 hab. *(Morcenais).* Indus. du bois. Centrale thermique.

MORDACQ (Jean Henri). ♦ Général français (Clermont-Ferrand, 1868 – Paris, 1943). D'origine irlandaise, il suivit l'école militaire de Saint-Cyr, servit en Algérie et au Tonkin et fut nommé commandant en second de l'École spéciale militaire (1912-1914). Commandant de division au début de la Première Guerre mondiale, il fut

Ph. Garanger/Giraudon

Moravie :
complexe sidérurgique de Košice.

le chef de cabinet de G. Clemenceau (1917-1920). [*Le Ministère Clemenceau, journal d'un témoin* (1930-1931); *Clemenceau* (1939).]

MORDOVIE. *n. f.* (*République socialiste soviétique autonome de*; en russe **Mordovskaja A.S.S.R.**). ♦ Une des seize républiques autonomes de la R.S.F.S. de Russie. Elle est située dans le N.-E. des collines volgiennes et sa partie O. est occupée par la dépression des riv. Oka et Don. 26 200 km². 1 009 000 hab. (*Mordves**, Russes, Tatars). *Cap.* Saransk*. – *Écon.* La Mordovie est un pays de forêts et de steppes. Sur les terres défrichées (1 216 000 ha en 1961), on cultive le seigle, le blé, le maïs, le chanvre, les betteraves à sucre et le tabac (du type *makhorka*). Élevage bovin et ovin. Apiculture. Indus. métallurgiques, mécaniques, chimiques et alimentaires. Traitement du bois. ♦ *Hist.* Occupés par les Mongols au XIIIe s., puis par les Russes (XVIe s.), les *Mordves* participèrent aux révoltes de Stenka Razine* (1670-1671) et de Pougatchev* (1773-1775). Après la révolution d'Octobre, le régime soviétique y fut instauré (1918). Partie de la région de la Moyenne Volga en 1928, la Mordovie devint région autonome en janvier 1930, puis R.S.S. autonome en 1934.

MORDVES. *n. m. pl.*, en russe **Mordva** ou **Mordvy**. ♦ Peuple finnois d'agriculteurs et de pêcheurs, établi dès le Ier s. dans le bassin de l'Oka*. Il se subdivisait en trois groupes : les Mokchanes et Ersans, qui habitaient dans les gouvernements de Penza et de Nijni-Novgorod et les Karataiens, musulmans et tatarisés (dans les gouvernements de Simbirsk et de Kazan). Aujourd'hui les Mordves font partie de la R.S.S. autonome de la Mordovie*.

MORE, en lat. **Morus (Thomas)** [*saint*]. ♦ Homme politique et humaniste anglais (Londres, 1478 – 1535). Il étudia à Oxford et devint homme de loi. Dans l'opposition sous Henri* VII, il eut une brillante carrière politique sous Henri* VIII; après avoir été ambassadeur extraordinaire et chancelier du duché de Lancaster, il fut nommé à la chancellerie du royaume. Resté catholique, tout en préconisant une réforme de l'Église, il désapprouva le divorce d'Henri* VIII, fut emprisonné et exécuté. Humaniste, il était l'ami d'Érasme* avec qui il traduisit certains *Dialogues* de Lucien*. Mais il est surtout connu comme l'auteur de *L'Utopie** qui eut un grand succès en Europe. Il a également écrit des traités polémiques et des poésies.

MORÉAS (Jean PAPADIAMANTOPOULOS, dit **Jean).** ♦ Poète français d'origine grecque (Athènes, 1856 – Paris, 1910). Il passa sa jeunesse à Athènes, puis, après avoir parcouru l'Europe (notamment l'Allemagne), il se fixa définitivement à Paris (1882). D'abord rangé dans l' « école décadente » avec *Les Syrtes* (1884), il se rattacha fougueusement au mouvement symboliste (*Les Cantilènes,* 1886). Pourtant, hostile à « l'inintelligible » chez ceux qu'il avait défendus par un manifeste ardent (1886), il quitta les symbolistes pour renouer avec la tradition gréco-latine. Fondant, avec le jeune Charles Maurras*, l' « école romane », il fit paraître *Le Pèlerin passionné* (1891) et surtout *Les Stances* (six livres, 1899 à 1901 ; septième livre, posth., 1920), méditations sur la vie et sur le monde où s'allient la subtilité symboliste et la rigueur classique.

MOREAU (Jean-Baptiste). ♦ Compositeur français (Angers, 1656 – Paris, 1733). Maître de chapelle des cathédrales de Langres et de Dijon, il fut introduit à la cour où la faveur de Louis XIV lui valut d'être nommé maître de musique de la maison de Saint-Cyr. Il y composa de la musique pour des cantiques de Racine et pour ses deux tragédies bibliques *Esther* (1689) et *Athalie* (1691). Professeur de chant et de composition, il eut Montéclair, d'Andrieu et Clérambault pour élèves.

MOREAU (Louis Gabriel, dit **Moreau l'Aîné).** ♦ Peintre et graveur français (Paris, 1740 – *id.*, 1806). Élève de Demachy, il peignit des vues d'architecture, des pastorales et surtout des vues de la banlieue et des environs de Paris qui révèlent une conception du paysage dénuée d'artifice et une sensibilité à la transparence de l'atmosphère (*Vues des coteaux de Meudon prises du parc de Saint-Cloud,* vers 1785).

MOREAU (Jean-Michel, dit **Moreau le Jeune).** ♦ Dessinateur et graveur français, frère du précédent (Paris, 1741 – *id.*, 1814). Il devint un graveur réputé avec ses illustrations des *Chansons* de Laborde et fut nommé dessinateur du Cabinet du roi, puis (à la suite de Cochin) dessinateur des Menus Plaisirs (1770). Il relata notamment le *mariage de Louis XVI,* illustra J.-J. Rousseau (1774-1783), Molière et Voltaire et donna deux séries de dessins pour le monument du Costume (1777-1783) composés comme des scènes de mœurs pleines de vivacité. Dessinateur au trait élégant, précis et souple, il a laissé de nombreux croquis à la mine de plomb et plus de 2 000 gravures.

MOREAU (Jean Victor). ♦ Général français (Morlaix, 1763 – Laun, Bohême, 1813). Engagé comme volontaire dans l'armée révolutionnaire (1791) après une carrière judiciaire, il fut nommé général en 1793 et participa, sous les ordres de Pichegru, à la conquête de la Hollande (1794-1795). Commandant de l'armée de Rhin-et-Moselle (1796), il pénétra en Bavière, mais la défaite de Jourdan l'obligea à effectuer une retraite sur l'Alsace. En 1797, il franchissait à nouveau le Rhin, s'emparait de Kehl, mais était arrêté dans son avance par les préparatifs de la paix à Leoben. Un moment suspecté par le Directoire, en raison de ses relations avec Pichegru, il reprit ses fonctions en 1799 dans l'armée d'Italie, mais fut battu par Souvorov à Cassano (avr. 1799). Ayant appuyé Bonaparte lors du coup d'État du 18 Brumaire, il fut nommé commandant en chef de l'armée du Rhin (1800) et remporta la victoire de Hohenlinden* (déc. 1800). S'estimant insuffisamment payé pour ses services, il s'opposa de plus en plus vivement à Bonaparte et se lia aux royalistes Cadoudal, Pichegru. Arrêté en 1804, il vécut en exil aux États-Unis, où il se fit agriculteur. Appelé comme conseiller militaire par le tsar Alexandre (1813), il fut peu après mortellement blessé près de Dresde.

Arch. Smeets

Gustave Moreau : « L'Apparition », 1876.
(Musée du Louvre, Paris.)

MOREAU (Gustave). ♦ Peintre, graveur et dessinateur français (Paris, 1826 – *id.*, 1898). Fils d'un architecte, il étudia dans l'atelier de François Picot et, en 1848, rencontra Chassériau* qui exerça sur lui une influence prédominante. En Italie, de 1857 à 1859, il fit de nombreuses œuvres d'après Michel-Ange, Carpaccio, Mantegna et Gozzoli. Il connut la notoriété au Salon de 1869 avec *Œdipe et le Sphinx*. Son esthétisme raffiné et sensuel, opposé au réalisme et à l'impressionnisme, plut aux poètes parnassiens et symbolistes, à Huysmans et à Proust. Il subit l'influence des miniatures persanes, indiennes et des émaux du Moyen Âge. Il chargea ses sujets allégoriques et mythologiques d'un symbolisme personnel obscur, compréhensible seulement par les éclaircissements écrits qu'il en donna. Il chercha à évoquer ses idées par l'arabesque, la ligne, les moyens plastiques, mais le caractère anecdotique de ses grandes compositions, surchargées de détails et peintes avec une matière riche et comme laquée, dans des tonalités recherchées, semble mal correspondre à ses intentions. Mais dans ses aquarelles, dessins et ébauches à l'huile, il sut se libérer de la description et donner à la couleur une valeur expressive autonome. Professeur à l'École des beaux-arts à partir de 1892, il eut comme élèves Rouault, Matisse, Marquet, Manguin et Camoin, quelques-uns des futurs fauves. Sa maison, transformée en musée, conserve 1 200 peintures et aquarelles et plus de 7 000 dessins.

MOREAU DE TOURS (Jacques Joseph). ♦ Aliéniste français (Montrésor, Indre-et-Loire, 1804 – Paris, 1884). Médecin à Bicêtre puis Ivry, attaché à la direction des *Annales médico-psychologiques,* il étudia les effets du haschich (dissolution des facultés intellectuelles, production d'un rêve sans sommeil), l'étiologie de l'épilepsie (1854), la folie névropathique (1869).

MOREAU-NÉLATON (Étienne). ♦ Peintre, collectionneur et historien d'art français (Paris, 1859 – *id.*, 1927). Élève d'Harpignies, auteur de quelques paysages (au musée du Louvre), il est plus connu pour ses monographies sur Corot, Delacroix, Manet, Jongkind, Millet, et pour l'importante collection de peintures et dessins qu'il réunit et dont il fit don aux musées nationaux (en 1923 et 1927). Cette collection (actuellement au musée du Louvre) comprend notamment des toiles de Corot, Delacroix, Millet, Manet *(Le Déjeuner sur l'herbe),* Monet, Pissarro, Sisley.

MORECAMBE AND HEYSHAM. ♦ V. et station balnéaire du N.-E. de l'Angleterre (Lancashire), sur la baie de Morecambe. 40 230 hab. Raffinerie de pétrole.

MORÉE, *n. f.* ♦ Nom du Péloponnèse (XIIe-XIVe s.). Désignant d'abord l'Élide, en raison de l'importance de la culture du mûrier (en grec *morea,* en lat. *morus*), ce nom fut étendu à toute la presqu'île avec l'invasion franque. La *principauté franque* d'Achaïe ou *de Morée,* fondée en 1207 lors du démembrement de l'empire byzantin par les croisés, dut bientôt céder aux Byzantins Mistra* et d'autres places fortes. Disputée par les rois de Naples et les Navarrais, annexée ensuite par les Byzantins, elle fut submergée par la conquête turque (1463-1479). Les Vénitiens occupèrent plusieurs places jusqu'en 1537 et de 1687 à 1715 mais durent les céder aux Turcs par le traité de Passarowitz* (1718). Foyer de la révolution nationale grecque, la Morée fut ravagée par l'armée égyptienne d'Ibrâhîm (1824-1827). L'expédition française du maréchal Maison* força les Turcs à évacuer la presqu'île qui fut définitivement rendue à la Grèce.

MORÉE. ♦ Ch.-l. de cant. du Loir-et-Cher, arr. de Vendôme. 979 hab. Église (XIe s.); grange dîmière à triple nef (XVe s.); vestiges de l'ancienne enceinte.

MOREL (Bénédict Auguste). ♦ Médecin français (Vienne, Autriche, 1809 – Saint-Yon, 1873). Médecin à l'asile de Maréville, près de Nancy (1846), puis à Saint-Yon, il préconisa, sous l'influence des méthodes thérapeutiques de l'anglais Conolly, des réformes de l'organisation des asiles d'aliénés.

MORELIA. ♦ V. du Mexique central, située au pied de la sierra Madre* occidentale sur les hauts plateaux, cap. de l'État de Michoacán*. 209 507 hab. Archevêché. Cathédrale baroque, XVIIe-XVIIIe siècles. Église Santa Rosa (XVIIe s.). Sanctuaire de Guadalupe (bel intérieur baroque). Collège San Nicolás, du XVIe siècle. Palais et maisons anciennes. – Indus. alimentaires (sucre, café, ...).

MORELLET [mɔʀɛlɛ] **(André).** ♦ Écrivain et philosophe français (Lyon, 1727 – Paris, 1819), collaborateur de l'*Encyclopédie** (articles sur la religion) et auteur de *Mélanges de littérature et de philosophie au XVIIIe siècle.*

MORELLY [mɔʀəli]. ♦ Philosophe français du XVIIIe s., dont la vie et la personnalité sont mal connues. Il est notamment auteur d'un *Essai sur l'esprit humain* (1743), d'un *Essai sur le cœur humain ou Principes naturels de l'éducation* (1745) et surtout du *Code de la nature* (1755) d'abord attribué à Diderot, où il expose les bases d'un communisme primitif de type agraire qui influença Gracchus Babeuf.

MORELOS, *n. m.* ♦ État mexicain, situé au S. du plateau de l'Anáhuac* (État de Mexico). 4 941 km^2. 546 000 hab. (1967). *Cap.* Cuernavaca*. Site de Xochicalco*. – Canne à sucre. – Patrie de E. Zapata*.

MORELOS Y PAVÓN (José María). ♦ Prêtre mexicain (dans le Michoacán, 1765 – San Cristóbal, 1815). Métis, curé de diverses localités, il prit, en 1811, la suite de Hidalgo* y Costilla dans la révolte nationale. S'étant rendu maître du sud du Mexique, il proclama l'indépendance de son pays. Battu en 1815, il fut fusillé par les Espagnols.

MORENA *(sierra), n. f.* (« Chaîne brune »). ♦ Région montagneuse du S. de l'Espagne, à la frontière portugaise, entre les bassins du Guadiana et du Guadalquivir. Elle culmine à 1 300 m. Maquis faiblement peuplé. Barrages assurant l'irrigation des plaines. Gisements de mercure (Almadén), de plomb (Carolina), de cuivre (Rió Tinto), et de houille (Puertollano, Peñarroya).

MORENO (Jacob Levy). ♦ Psychosociologue américain d'orig. roumaine (Bucarest, 1892 – 1974). Libérer la spontanéité créatrice humaine des obstacles qui l'entravent, tel fut le but des recherches de Moreno en psychologie individuelle et sociale. Ainsi, s'inspirant des principes psychanalytiques **(V. Freud),** le *psychodrame* et le *sociodrame* constituent une thérapeutique individuelle ou de groupe (*Le Théâtre improvisé,* 1923; *Psychodrame,* 1946). Parallèlement à la dynamique des groupes **(V. K. Lewin),** Moreno contribua au développement de la *sociométrie* avec sa technique du sociogramme qui permet la représentation du jeu des forces régissant les relations des individus au sein d'un groupe (*Sociométrie, méthode expérimentale et science de la société,* 1951).

MORERI (Louis). ♦ Ecclésiastique, poète et érudit français (Bargemon, 1643 – Paris, 1680), auteur d'un *Grand Dictionnaire historique* (1674).

MORESNET, *n. m.* ♦ Petit territoire belge, à la frontière allemande et hollandaise. La Calamine* couvre une partie de ce territoire, qui bénéficia de la neutralité de 1841 à 1919, alors que le *Neu-Moresnet* était rattaché à la Prusse. **V. Néau** et **Malmédy.**

MORETA Y CABAÑA (Agustín). ♦ Poète dramatique espagnol (Madrid, 1618 – Tolède, 1669). Il fut, après Calderón*, l'un des derniers maîtres du théâtre espagnol, à la fin du siècle d'or. Ses comédies, qui ont pour cadre les fêtes de la cour, ont été souvent imitées par les auteurs français et anglais du XVIIe siècle. La plus célèbre d'entre elles, *Dédain pour dédain* (*El Desdén con el Desdén,* 1652) imitée de Lope* de Vega, a servi de modèle à Molière* pour *La Princesse d'Élide.* Autres œuv. *Le Beau Don Diègue* (*El Lindo don Diego,* 1654) et *L'Honneur avant tout* (*Primero es la honra,* 1676).

MORET-SUR-LOING. ♦ Ch.-l. de cant. de la Seine-et-Marne (arr. de Melun), sur le Loing. 3 250 hab. *(Morétains).* Anc. ville fortifiée. Église (XIIIe, XIVe, XVe s.). Donjon (XIIe, XVIIe s.), restes d'un château. Maisons anciennes. Maison dans laquelle vécut et mourut A. Sisley*. – Spécialité de sucre d'orge; machines-outils.

MOREZ [mɔʀɛ] ou [mɔʀɛz]. ♦ Ch.-l. de cant. du Jura, arr. de Saint-Claude, sur la Bienne. 6 704 hab. École nationale d'optique et de lunetterie. Instruments de précision (optique, horlogerie). Électronique. Émailleries. Centre de tourisme et de sports d'hiver.

MORGAN. ♦ V. DE MORGAN.

MORGAN (Lewis Henry). ♦ Ethnologue américain (près d'Aurora, N.Y., 1818 – Rochester, 1881). Après avoir étudié le système de parenté de diverses tribus indiennes, il exposa dans deux importantes études (1871; 1877) une conception du développement de la famille. Théoricien de l'évolutionnisme, il affirma l'importance des facteurs technologiques et économiques dans l'évolution des sociétés et les relations entre systèmes de production, de parenté et conscience sociale. Engels* utilisa son œuvre. *Systems of Consanguinity and Affinity of the human Family,* 1871; *Ancient Society* [...], 1877.

MORGAN (John Pierpont). ♦ Financier américain (Hartford, Connecticut, 1837 – Rome, 1913). Fils d'un banquier, JUNIUS SPENCER MORGAN (1813-1890) qui géra la plupart des investissements britanniques aux États-Unis, il fonda lui-même le trust américain de l'acier (*United States Steel Corporation,* 1901) sans parvenir toutefois à faire passer sous son contrôle les compagnies de navigation. Grand financier américain, il se fit également connaître comme philanthrope et collectionneur d'œuvres d'art. ♦ JOHN PIERPONT MORGAN (Irvington, New York, 1867 – Boca Grande, Floride, 1943), fils du précédent, prit la direction de la firme « J.P. Morgan and Co. » à la mort de son père; celle-ci connut un grand essor lors de la Première Guerre mondiale et put ainsi soutenir l'effort des Alliés. Dirigée par Young, la Banque Morgan apporta une aide financière importante au gouvernement français (1924) et contribua à l'élaboration du plan de réparations dues à la France par l'Allemagne (plan Young). ♦ ANN TRACY MORGAN, sœur du précédent (New York, 1873 – 1952). Francophile et militante féministe, elle fonda de nombreuses œuvres sociales pendant les deux guerres mondiales.

MORGAN (Conway Lloyd). ♦ Psychologue anglais (Londres, 1852 – 1936). Il fut l'un des premiers à formuler les bases d'une psychologie animale objective, rompant avec l'anthropomorphisme.

MORGAN (Jacques de). ♦ Archéologue et préhistorien français (Huisseau-sur-Cosson, Loir-et-Cher, 1857 – Marseille, 1924). Après des expéditions géologiques, il dirigea le Service des antiquités en Égypte (1892). En Perse (1897), il poursuivit les fouilles de Suse. Auteur de *Recherches sur les origines de l'Égypte* (1896-1897), *Premières Civilisations* (1909), *L'Humanité préhistorique* (1921), *Manuel de numismatique orientale, de l'Antiquité et du Moyen Âge* (1925-1927). Il fut le premier à introduire le terme de *mésolithique.*

MORGAN (Thomas Hunt). ♦ Biologiste américain (Lexington, Kentucky, 1866 – Pasadena, Californie, 1945). Avec ses élèves, C.B. Bridges*, A.H. Sturtevant* et H.J. Muller*, il fit faire des progrès considérables à la génétique. Utilisant comme matériel d'expérience la mouche du vinaigre *(drosophila melanogaster),* ils décelèrent en quelques années et sur des centaines de milliers de mouches quatre cents mutations. En les combinant méthodiquement deux à deux, ils montrèrent qu'elles se répartissent en quatre groupes se transmettant solidairement et correspondant à des gènes situés sur le même chromosome; ils purent ainsi établir la carte de répartition des gènes sur les chromosomes (*La Génétique de la drosophile,* 1925; *La Théorie des gènes,* 1926; *Embryologie et Génétique,* 1933). (Prix Nobel de méd., 1933.)

MORGAN (Charles Langbridge). ♦ Romancier et dramaturge anglais (Bromley, Kent, 1894 – Londres, 1958). Après la guerre, où il servit dans la marine, Morgan collabora au *Times* et publia des romans dont *Portrait dans un miroir* (1929) qui eut en traduction plus de succès en France que l'original en Angleterre. Le public anglais fit un meilleur accueil à *Fontaine* (*The Fountain,* 1932), roman psychologique dont le but est de « découvrir ce qu'il faut faire passer avant soi-même ». Dans *Sparkenbroke* (1936), autre très grand succès de librairie, l'auteur prône l'accomplissement par l'art, l'amour ou la mort. Charles Morgan donna aussi quelques pièces de théâtre (*Le Fleuve étincelant* [*The Flashing Stream*], 1938; *Le Cristal ardent* [*The Burning Glass*], 1953) et des essais critiques (*Reflets dans un miroir,* 1944 et 1946, *Libertés de l'esprit, 1950).*

MORGAN (Simone ROUSSEL, dite Michèle). ♦ Actrice française de cinéma (Neuilly-sur-Seine, 1920). Elle acquit la notoriété avec *Gribouille* (1937), puis *Quai des Brumes* (1938), *La Loi du Nord* (1939) et *Remorques.* Après un séjour aux États-Unis, elle tourna de nombreux films, dont *La Symphonie pastorale* (1946) et *Les Grandes Manœuvres* (1955). Son personnage, lyrique et rêveur,

Coll. Henri Frossard

Michèle Morgan.

Ph. Harlingue-Viollet

Jacques de Morgan.

souvent pathétique, est servi par un visage et un regard d'une émouvante beauté.

Morgane (la fée). ♦ Personnage fabuleux du *cycle breton* qui apparaît dans les chansons de Merlin* et d'Ogier* le Danois comme une fée bienveillante et guérisseuse.

MORGARTEN. *n. m.* ♦ Montagne de Suisse (cant. de Schwyz et de Zoug) au S.-E. du lac d'Aegeri. La route de Zurich à Schwyz y passe par un étroit défilé où, le 15 nov. 1315, les confédérés des cantons de Schwyz, Unterwald et Uri remportèrent une victoire décisive sur Léopold* Ier de Habsbourg, duc d'Autriche.

MORGAT. ♦ Hameau situé près de Crozon (Finistère), sur la baie de Douarnenez. Port de pêche (sardines) et de plaisance; station balnéaire.

MORGE. *n. f.* ♦ Riv. de l'Aube (15 km) sous-affl. de la Seine. Réservoir d'alimentation en eau de Paris.

MORGENSTERN (Christian). ♦ Poète allemand (Munich ou Hambourg, 1871 — Merano, Trente, Italie, 1914). Auteur de poèmes humoristiques et satiriques rassemblés dans un recueil intitulé *Tous les poèmes du gibet (Alle Galgenlieder)*. Outre des poèmes d'inspiration religieuse (*Mélancolie,* 1906; *Nous trouvâmes un chemin,* 1914), il a laissé de nombreuses traductions d'œuvres d'Ibsen, de Strindberg.

MORGENSTERN (Oskar). ♦ Économiste américain d'origine autrichienne (Görlitz, 1902). Directeur de l'Institut autrichien de recherches des cycles économiques (1935-1938), il émigra aux États-Unis (1938) où il publia de nombreux ouvrages d'économie politique, en particulier sur la théorie des jeux et des comportements économiques en collaboration avec Neumann*.

MORGENTHAU (Henry). ♦ Homme d'État américain d'origine allemande (New York, 1891 — *id.,* 1967). D'abord fermier, il devint l'ami de Roosevelt, qui en fit l'un des principaux artisans du *New Deal,* comme spécialiste de l'agriculture (1922-1933), puis secrétaire d'État au Trésor (1934-1945). Il fut à l'origine de la conférence de Bretton Woods (1943), de la création de la Banque mondiale et du Fonds monétaire international. Son plan de destruction de l'industrie allemande (1945), tendant à vouer l'Allemagne exclusivement à l'agriculture, ayant été refusé par Truman, il démissionna (juill. 1945).

MORGES. ♦ V. et port de Suisse (cant. de Vaud) sur la r. d. du lac Léman*. 8 400 hab. Station touristique. Vignobles. — Patrie de F. Caballero*, A. Forel*, A. Yersin*. — Le château construit au XIIIe s. par Amédée V de Savoie et remanié au XVIe abrite le musée militaire vaudois.

MORHANGE. ♦ Comm. de la Moselle (arr. de Forbach). 5 222 hab. — Église du XVe siècle. — Matières plastiques.

MORI ARINORI. ♦ Homme politique japonais (Satsuma, 1848 — 1889). Il fut chargé d'affaires à Washington et à Londres (1879) et ministre de l'Éducation de 1885 à 1889. D'idées progressistes, anglophile, il réorganisa l'enseignement au Japon et fut surnommé le « père de l'instruction moderne ». Il fut assassiné par un fanatique.

MÓRICZ (Zsigmond). ♦ Écrivain hongrois (Tiszacsecse, 1872 — Léanyfalu, 1942). Après de brèves études de droit, il devint journaliste. Il connut le succès avec ses premières nouvelles, *Sept Sous* (1908). Ses autres romans furent souvent réédités de son vivant. Il décrit dans un langage assez cru et avec un grand sens de l'observation la vie des paysans, l'atmosphère des petites villes, les révoltes et leurs échecs.

MORIENVAL. ♦ Comm. de l'Oise* (arr. de Senlis*). 606 hab. L'église abbatiale Notre-Dame, avec ses trois clochers, est l'un des plus beaux édifices romans de la région parisienne. Fondée au IXe s. par Charles le Chauve, elle fut reconstruite aux XIe-XIIe s. (et restaurée à la fin du XIXe s. sur l'initiative de Renan). Le déambulatoire du XIIe s. compte parmi les plus anciens voûtements d'ogives.

MORIGUCHI. ♦ V. du Japon, dans la banlieue N. d'Ôsaka. 176 000 hab. Indus. diverses.

MÖRIKE (Édouard). ♦ Écrivain allemand (Ludwigsburg, 1804 — Stuttgart, 1875). Représentant de l'école souabe, il est l'auteur d'un « roman d'éducation », *Le Peintre Nolten* (1832) [qui rappelle parfois le *Wilhelm Meister* de Goethe] et d'une nouvelle : *Voyage de Mozart à Prague* (1856). Son lyrisme laisse transparaître la hantise de la mort.

MORIN (Arthur). ♦ Général et physicien français (Paris, 1795 — *id.,* 1880). On lui doit un appareil qui permet d'étudier les lois de la chute libre des corps. **V. Atwood.** (Acad. sc., 1843.)

MORIN (Paul). ♦ Poète canadien d'expression française (Montréal, 1889 — *id.,* 1960). Avocat, il consacra beaucoup de son temps à des travaux littéraires, fit un long séjour en France, visita l'Europe et l'Afrique du Nord, pays et civilisation par lesquels il fut conquis. Il s'attacha à évoquer, dans des poèmes de facture parnassienne, la « profonde, amoureuse paix orientale » ou bien son amour de la France *(La Rose au jardin smyrniote)*. Ses deux recueils poétiques, *Le Paon d'émail* (1911) et *Poèmes de cendre et d'or* (1922), renferment des sonnets à la forme rigoureuse et aux rythmes raffinés.

MORIN (Edgard). ♦ Sociologue français (Paris, 1921). Auteur d'une étude sociologique sur l'évolution d'une commune bretonne (Plodémet), il s'est surtout intéressé aux problèmes de la communication de masse (*Le Cinéma ou l'Homme imaginaire,* 1956, etc.).

MORIN (Grand et Petit). *n. m.* ♦ Affl. de la Marne. Le *Grand Morin* (112 km) traverse Coulommiers; le *Petit Morin* (90 km) traverse Montmirail*. ♦ *Hist.* Des combats se déroulèrent entre les deux rivières du 5 au 10 septembre 1914, pendant la bataille de la Marne.

Ph. Louis Monier

Edgard Morin.

MORINS [*n. m. pl.*], en lat. **Morini.** ♦ Anc. peuple de la Gaule belgique* établi dans l'actuel Boulonnais et dont les villes princ. étaient *Teruanna* (Thérouanne) et *Gesoriacum* (Boulogne). César* les soumit difficilement en ~ 55. Dans l'organisation romaine de la Gaule, leur territoire fut compris dans la Belgique IIe.

MORI ÔGAI. ♦ Écrivain japonais (Shimane, 1862 — Tôkyô, 1922). Après des études en Allemagne, il traduisit les œuvres de Goethe, de Schiller, d'Ibsen et d'autres grands écrivains européens, introduisant ainsi au Japon l'art de la nouvelle. Ses œuvres (romans, nouvelles, pièces historiques et essais, biographies et drames) eurent une grande influence sur l'évolution de la littérature et de la poésie japonaises modernes. Il rédigea ses meilleures œuvres vers la fin de sa vie *(La Ballerine, Vita sexualis, L'Oie sauvage)*.

MORIOKA. ♦ V. du Japon (Honshû, préf. de Iwate) dans le Tôhoku, sur la riv. Kitagami. Env. 200 000 hab. Ville universitaire. Fonderies, textiles.

MORISOT (Berthe). ♦ Peintre français (Bourges, 1841 — Paris, 1895). Elle étudia avec le Lyonnais Guichard et, de 1862 à 1868, avec Corot*. Elle rencontra Manet* en 1868, l'intéressa à la peinture de plein air, devint son modèle favori et épousa son frère en 1876. Elle participa en 1874 à la première exposition impressionniste et exposa ensuite régulièrement avec le groupe. À partir de 1877, sa personnalité s'affirma dans des portraits et des scènes intimistes (*Derrière la jalousie,* 1878) d'une grande fraîcheur de ton, aux touches larges, subtilement nuancées et disposées avec liberté. Vers 1889, subissant l'influence de Renoir*, elle modela les formes avec plus d'insistance.

Morisque. *adj.* et *n.* ♦ Nom donné aux musulmans espagnols convertis de force au catholicisme. Leur expulsion, à partir de 1609, provoqua le départ de 275 000 personnes env. et porta un coup très dur à l'économie et surtout à l'agriculture espagnole.

MORITZ (Karl Philipp). ♦ Écrivain allemand (Hameln, 1757 — Berlin, 1793). Apprenti chapelier, il tenta quelque temps de faire une carrière d'acteur, fut appelé ensuite par Basedow au *Philanthropium* de Dessau, puis enseigna au gymnase de Berlin (1778). Après un voyage en Angleterre, il se rendit en Italie où il se lia avec Goethe (1786), grâce à qui il obtint une chaire de professeur d'antiquités classiques à l'académie des beaux-arts de Berlin (1789). Outre le récit sous forme de lettres de ses voyages en Angleterre et en Italie, il publia une œuvre à caractère autobiographique sur sa jeunesse aventureuse et assez malheureuse (*Anton Reiser,* 1785-1790), des drames et un petit traité d'esthétique *(Über die bildende Nachahmung des Schönen)*, qui eut une forte influence sur Goethe et l'école de Weimar. Esprit original, Moritz a exprimé dans ses œuvres les influences diverses du rationalisme de l'*Aufklärung,* du piétisme et du préromantisme du *Sturm und Drang.*

MORLAAS [mɔʀlas]. ♦ Ch.-l. de cant. des Pyrénées*-Atlantiques, arr. de Pau*. 1 702 hab. *(Morlans)*. Église romane et gothique avec un remarquable portail roman.

MORLAIX [mɔʀlɛ]. ♦ Sous-préf. du Finistère, ch.-l. d'arr. (10 cant., 60 comm., 123 821 hab.), au fond de l'estuaire du Dossen ou *rivière de Morlaix,* enjambée par un long viaduc. 21 516 hab. *(Morlaisiens)*. Église Saint-Mélaine, de style gothique flamboyant; ancien couvent des Dominicains fondé au XIIIe s.; églises gothique et classique. Nombreuses maisons anciennes (notamment sur la

Ph. Carlo Bevilacqua/Ricciarini

Antonio Moro : portrait de la femme de l'artiste. (Musée du Prado, Madrid.)

Grand-Rue); maison de la duchesse Anne (*fin* XVe s.). Plage à Carantec*. – Port. Manufacture de tabac, créée au XVIIe siècle. Foire aux chevaux. Indus. mécaniques; indus. alimentaires; produits pharmaceutiques; bonneterie. – Patrie du général Moreau*.

MORLANWELZ-[-vɛ]**-MARIEMONT**. ♦ Comm. de Belgique (Hainaut, arr. de Thuin). 8 400 hab. Ruines de l'abbaye de l'Olive fondée en 1218. Château de Mariemont (1546, reconstruit en 1605 et en 1756, puis en 1830). Houillères. Métallurgie. Cimenterie.

MORLEY (Edward Williams). ♦ Physicien et chimiste américain (Newark, New Jersey, 1838 – 1923). Il reprit en 1887, avec Michelson*, la célèbre expérience que ce dernier avait réalisée en 1881, et dont le résultat négatif prouva l'absence d' « éther » et, par conséquent, qu'il n'y avait pas d'espace absolu.

MORMANT. ♦ Ch.-l. de cant. de la Seine-et-Marne, arr. de Melun. 1 655 hab. – Église (XIIIe, XVe s.). ♦ Le 17 février 1814, Victor et Oudinot y remportèrent une victoire sur les Austro-Russes.

Mormons. ♦ **V.** SMITH (Joseph).

MORNAY (Philippe *de***)**. ♦ **V.** DUPLESSIS-MORNAY.

MORNE-À-L'EAU. ♦ Comm. de la Guadeloupe* (arr. de Pointe-à-Pitre), sur la côte N.-E. de la *Grande-Terre*. 15 000 hab. env. Rhumeries. Sucreries.

MORNY (Charles Auguste Louis Joseph, *comte*, puis *duc de***)**. ♦ Homme politique français (Paris, 1811 – *id.*, 1865). Fils naturel du général de Flahaut et de la reine Hortense, et donc frère utérin du futur Napoléon* III, il servit quelque temps comme officier en Algérie. Revenu en France (1838), il devint propriétaire d'une industrie sucrière près de Clermont-Ferrand, fut élu député (1842) et siégea avec les conservateurs qui soutinrent la politique de Guizot. Il fut élu à l'Assemblée législative (mai 1849) et prit une part active à la préparation et à la réalisation du coup d'État du 2 décembre* 1851, comme ministre de l'Intérieur. Après avoir démissionné dès janvier 1852, par opposition au décret sur la confiscation des biens de la famille d'Orléans, il devint membre du Corps législatif (1852) qu'il présida de 1854 à sa mort. Il fut nommé ambassadeur à Saint-Pétersbourg (1856-1857), où il épousa une jeune fille de la haute aristocratie (Troubetskoï). Assez favorable à la libéralisation du Second Empire, il s'était lancé activement dans les affaires dès 1851 (chemins de fer, mines, etc.), fonda la station balnéaire de Deauville, et, afin de réaliser avec le banquier Jecker* une importante affaire financière sur les dettes contractées par le Mexique, contribua à entraîner le gouvernement français dans la désastreuse expédition du Mexique*.

MORO (Anton MOOR VAN DASHORST, dit **Antonio)**. ♦ Peintre néerlandais (Utrecht, 1517 – Anvers, 1576). Élève de Scorel*, on le trouve inscrit comme maître à Anvers en 1547. Il séjourna peut-être à Rome en 1550-1551 et fut protégé par le cardinal de Granvelle. En 1551-1552, il travailla à la cour du Portugal, puis en Espagne au service de Philippe II. Sa carrière se poursuivit à Bruxelles, Anvers et Utrecht, et il fit sans doute un nouveau séjour en Espagne en 1559. Essentiellement portraitiste, il ne se départit jamais d'une certaine distance à l'égard de ses modèles et fut, en tant que coloriste, marqué par l'art des Vénitiens. L'austérité de ses mises en page, sa prédilection pour les poses nobles, les expressions retenues, l'importance accordée au costume contribuèrent à créer un style de portrait de cour dont le type se répandit au XVIe s., grâce, notamment, à Sánchez* Coello et qui semble avoir influencé Vélasquez* *(Nain de Granvelle; Marie Tudor)*.

MORO (Aldo). ♦ Homme politique italien (Maglie, Lecce, 1916). Élu député en 1946, il siégea à l'Assemblée dans les rangs des démocrates chrétiens, dont il prit la tête en 1959. Nommé président du Conseil en 1963, il voulait « l'ouverture à gauche » de son parti et forma un gouvernement de coalition avec les socialistes (**V. Nenni, Saragat**). Il dut démissionner plusieurs fois, soit à cause de la rupture de la coalition de centre-gauche (juin 1963), soit à cause des difficultés économiques que des mesures dirigistes ne parvenaient pas à enrayer (juin 1964, janv. 1966). Rappelé par le président Saragat* en 1966, il dut démissionner à nouveau en juin 1968 mais redevint président du Conseil en 1974. Démissionnaire en juil. 1976, il fut élu président du conseil national de la démocratie chrétienne (oct. 1976).

MORON. ♦ V. d'Argentine (prov. et banlieue O. de Buenos* Aires). 344 000 hab. Centre industriel.

MORÓN DE LA FRONTERA. ♦ V. d'Espagne du Sud, en Andalousie* (prov. de Séville). 35 250 hab. Église gothique San Miguel.

MORONI (Giovanni Battista). ♦ Peintre italien (Albino, province de Bergame, v. 1520-1530 – Bergame, 1578). Formé à Brescia, il travailla surtout pour les églises de Bergame et des environs, à qui il fournit nombre de retables de facture traditionnelle. La partie la plus remarquable de son œuvre réside dans ses portraits, à mi-corps ou en pied, d'une belle sobriété d'exécution, où l'influence de Titien* est très nette. On citera : *Bernardo Spina* et une série de portraits à l'académie Carrara (Bergame), *Le Tailleur* (National Gallery, Londres), *Antonio Navagero, podestat de Bergame* (Brera, Milan).

MORONI. ♦ Ch.-l. de l'archipel des Comores* sur la côte S.-O. de la Grande Comore. 10 000 hab. Port de pêche.

MORONUBU. ♦ **V.** HISHIKAWA.

MOROSAGLIA. ♦ Ch.-l. de cant. de la Corse*, arr. de Corte*. 1 222 hab. – Patrie de P. Paoli* (maison natale).

MOROSINI. ♦ Famille italienne qui donna plusieurs doges à Venise. Le plus connu, FRANCESCO MOROSINI (Venise, 1618 – Nauplie, 1694), dut sa célébrité à sa défense de Candie (1667-1669) contre les Turcs. Il conquit ensuite le Péloponèse (1684-1688).

MORPHÉE, en gr. **Morpheus**. ♦ L'un des nombreux enfants d'*Hypnos* (le Sommeil), représenté souvent comme un jeune homme ailé. Il dispense aux mortels le sommeil en les touchant d'une fleur de pavot et il suscite les rêves dans lesquels il prend la forme (en grec *morphê*) de différents personnages (Cf. l'expression : *être dans les bras de Morphée*).

MORRIS (William). ♦ Écrivain, dessinateur, peintre, décorateur et théoricien anglais (Walthamstow, Essex, 1834 – Londres, 1896). Nourri de culture médiévale, il se lia avec Burne*-Jones et commença des études d'architecte. Sous l'influence de Rossetti*, il s'intéressa à la peinture (*La Belle Iseult*, 1857) et publia *La Défense de Guenièvre et autres poèmes*, caractéristiques de ses tendances archaïsantes et de sa passion pour le Moyen Âge. En 1859, il édifia avec son ami P. Webb sa maison *(Red House)* et en dessina le décor et l'ameublement. Il décida alors de se consacrer aux métiers d'art et fonda avec plusieurs artistes préraphaélites la firme *Morris, Marshall, Faulkner and Co.* (devenue en 1875 la *Morris and Co.*) qui se proposait de renouveler et de revaloriser la production artisanale dans le domaine de la décoration. Cette entreprise aboutit à la formation en 1888 par C.R. Ashbee de l'*Arts and crafts Exhibition society*. Partisan de réformes sociales, ennemi du goût victorien et de la production industrielle, il voulait avec ses amis créer des formes nouvelles en accord avec la fonction des objets et prônait paradoxalement le retour au Moyen Âge et aux formes inspirées de la nature. De 1884 à 1890, il fut un actif militant socialiste (Cf. *Un rêve de John Bull*, 1888; *Nouvelles de nulle part*, 1891). Le mouvement inspiré par Morris exerça une profonde influence sur le développement de l'Art nouveau et est à l'origine, malgré ses tendances archaïsantes, d'un vaste mouvement qui aboutit au renouvellement de l'esthétique de l'objet usuel.

MORRIS (Charles W.). ♦ Philosophe et linguiste américain (né en 1901). Représentant du néo-positivisme en Amérique, il a dirigé, avec R. Carnap* et O. Neurath*, *L'International Encyclopedia of Unified Science*, et a cherché à intégrer aux études syntaxiques et sémantiques sur le langage une « pragmatique » (règles de l'utilisation des signes par le sujet) *Logical Positivism, Pragmatism and Scientific Empiricism*, 1937. *Foundations of the Theory of Signs*, 1938, propose une sémiotique largement issue des analyses de Ch. S. Peirce*.

MORRISON *(mont)*. ♦ Sommet le plus élevé de l'île de Taïwan* (3 997 m). Il est appelé *Niitakayama* (ou *Shinkozan*) par les Japonais et *Yushan* par les Chinois.

MORS. ♦ Île du Danemark, dans le Limfjord*. 27 100 hab. Collines et falaises dominant la mer. *V. princ.* Nykøbing Mors.

MORSANG-SUR-ORGE. ♦ Ch.-l. de cant. de l'Essonne (arr. d'Évry). 16 337 hab. *(Morsaintois)*.

MORSE (Samuel Finley Breese). ♦ Peintre et physicien américain (Charlestown, Massachusetts, 1791 – New York, 1872). Il imagina le télégraphe électrique en 1832, mais l'intérêt de son invention ne fut pas immédiatement apprécié; la première démonstration eut lieu en 1837 et la première ligne établie (Washington-Baltimore) fut essayée le 24 mai 1844. **V.** *aussi* **Cooke, Weber,**

Wheatstone. Il conçut également un alphabet conventionnel qui porte son nom, utilisable sur son appareil. Il suggéra d'utiliser son système de télégraphie pour la détermination des longitudes (1839), ce qui fut effectué par l'amiral Wilkes en 1844.

MORSZTYN (Jan Andrzej). ♦ Poète polonais (près de Cracovie, 1613 – Châteauvillain, 1693). Il vécut à la cour de Ladislas* IV, puis à celle de Casimir* V, qui le chargèrent de missions diplomatiques importantes, et devint le chef du parti français en Pologne après l'abdication de Casimir V. Convaincu de trahison par Jean* III Sobieski, il se réfugia en France. Connu pour ses traductions du Tasse *(Amyntas)*, de Marini *(Adonis)* et de Corneille *(Le Cid)*, considéré comme le meilleur représentant de la littérature baroque en Pologne, il écrivit des vers de circonstance (épigrammes, compliments, panégyriques) et des poèmes d'inspiration amoureuse ou religieuse rassemblés en deux recueils : *La Canicule* (*Kanikuła albo psia gwiazda*, 1647) et *Le Luth* (*Lutnia*, 1661).

MORT *(vallée de la)*, en angl. **Death Valley**. ♦ Vallée désertique des États-Unis, en Californie*, près de la frontière du Nevada, au N. du désert Mojave. C'est un fossé d'effondrement s'enfonçant au-dessous du niveau de la mer, d'une aridité quasi totale (parc national).

MORTAGNE-AU-PERCHE. ♦ Sous-préf. de l'Orne*, ch.-l. d'arr. (11 cant., 146 comm., 70 520 hab.), dans le Perche*. 4 708 hab. *(Mortagnais)*. Église Notre-Dame, de style flamboyant. Ancien hôtel des comtes du Perche (XVIIe s.). Porte Saint-Denis des XIIe-XVIe siècles. – Marché aux chevaux, fonderie. – Patrie d'Alain*. ♦ *Hist.* Ancienne capitale du *comté de Perche*.

MORTAGNE-SUR-SÈVRE. ♦ Ch.-l. de cant. de la Vendée, arr. de La Roche-sur-Yon, sur la r. d. de la Sèvre Nantaise. 4 418 hab. [3 768 aggl.] *(Mortagnais)*. Église des XIIe et XVe s., remaniée au XIXe siècle. Ruines d'un château des XIVe et XVe siècles. – Textile, confection. Tannerie.

MORTAIN. ♦ Ch.-l. de cant. de la Manche*, arr. d'Avranches*. 2 601 hab. *(Mortinais)*. Église Saint-Évroult, XIIIe-XIVe siècle. Ancienne abbaye fondée au XIIe s., devenue un séminaire. – Fabrique de câbles, laiterie. – Patrie de l'abbé H. Breuil*. – La ville a été très endommagée en 1944 (bataille de Mortain).

MORTARA. ♦ V. d'Italie (Lombardie) entre Milan et Turin. 15 100 hab. Duomo San Lorenzo de style gothique lombard (1375). ♦ *Hist.* Victoire des Autrichiens sur les Piémontais en 1849.

MORTE *(mer)*. *n. f.* ♦ Mer fermée qui se situe à 56 km des côtes méditerranéennes sur la frontière entre Israël et la Jordanie (75 km sur 15 km de large). Ses eaux sont partagées entre les deux pays, sa rive O. appartient à Israël et sa rive E. à la Jordanie. Le Jourdain*, qui délimite les deux États, s'y jette, venant du lac de Tibériade ; la mer Morte est reliée à la mer Rouge par l'oued Araba* et le golfe d'Aqaba*. Ses eaux occupent le fond de la dépression de Ghor* à plus de 500 m au-dessous du niveau de la mer ; leur taux de salinité est si élevé qu'aucune vie n'y est possible. Des ouvrages ont été mis en place pour le dessalement des eaux, utilisées pour l'irrigation des terres du Néguev*. Gisements importants de potasse exploités depuis 1932, de brome et de magnésium depuis 1948, aux alentours.

Morte *(manuscrits de la mer)*. ♦ **V.** QUMRÂN.

MORTEAU. ♦ Ch.-l. de cant. du Doubs (arr. de Pontarlier), situé au-dessus de la r. g. du Doubs. 6 396 hab. *(Mortuassiens* ou *Mortuaciens)*. Incendiée en 1865, la ville a été entièrement reconstruite. – Horlogerie. Indus. alimentaires (saucisses fumées). – Centre touristique. Sports d'hiver.

MORTEFONTAINE. ♦ Comm. de l'Oise*, arr. de Senlis*. 733 hab. Le château du XVIIIe s., propriété de Joseph Bonaparte au déb. du XIXe s., fut reconstruit à la fin du XIXe s. en style Renaissance. Vastes jardins anglais qui servirent de thème à Corot* *(Souvenir de Mortefontaine)* et inspirèrent Nerval* *(Sylvie)*.

MORT-HOMME (Le). ♦ Massif au N. de Verdun* sur lequel se déroulèrent de violents combats pendant la bataille de Verdun.

MORTIER (Édouard Adolphe Casimir Joseph). ♦ Maréchal de France (Le Cateau-Cambrésis, 1768 – Paris, 1835). Volontaire en 1791, promu général en 1799 puis maréchal en 1804, il fut fait *duc de Trévise* après s'être distingué lors de la campagne de Prusse (1807). Après avoir participé aux campagnes de l'Empire, il se rallia à Louis XVIII (1814), mais refusa néanmoins de juger le maréchal Ney après les Cent-Jours. Député (1816-1819), pair de France, il fut nommé ambassadeur de France en Russie au début de la monarchie de Juillet, puis président du Conseil et ministre de la Guerre (1834-1835). Il fut tué lors de l'attentat de Fieschi* (28 juillet 1835).

MORTILLET (Gabriel *de*). ♦ Archéologue et préhistorien français (Meylan, Isère, 1821 – Saint-Germain-en-Laye, 1898). Professeur à l'école d'anthropologie de Broca, il donna une chronologie archéologique des temps lithiques (âge de pierre) fondée sur la succession des types d'outils *(chelléen, moustérien, solutréen, magdalénien)* et fut amené à supposer l'existence d'êtres intermédiaires entre le singe et l'homme (anthropopithèques). *Le Préhistorique : antiquité de l'homme*, 1882.

MORTIMER. ♦ Famille féodale galloise. ♦ ROGER DE MORTIMER, 1er comte de la Marche (v. 1287 – Smithfield, 1330). D'abord au service d'Édouard* II, il se révolta contre lui (1321-1322). Réfugié en France, il apporta son appui à la reine d'Angleterre, Isabelle* de France, dont il était l'amant, pour envahir l'Angleterre (1326) et forcer le roi à abdiquer. Après l'assassinat de ce dernier, il exerça la dictature, mais fut arrêté par Édouard* III et exécuté. ♦ ANNE DE MORTIMER (*déb.* XVe s.). Descendante d'Édouard III, elle transmit ses droits au trône à son mari Richard d'York* et fut ainsi à l'origine de la guerre des Deux-Roses.

MORTON (James DOUGLAS, *4e comte de*). ♦ Régent d'Écosse (Dalkeith, v. 1525 – Édimbourg, 1581). Marie Stuart le fit grand chancelier ; néanmoins, il prit part aux attentats contre Rizzio, puis contre Darnley*. Il contribua à la défaite des armées de la reine, et succéda comme régent à Murray* dont il avait été le principal conseiller (1572-1580). Ses abus et sa brutalité le rendirent impopulaire et il fut accusé du meurtre de Darnley et exécuté.

MORTON (Ferdinand Joseph LA MENTHE, dit Jelly Roll). ♦ Pianiste, compositeur, chanteur et chef d'orchestre de jazz créole américain (Gulfport, Louisiane, 1885 – Los Angeles, 1941). Pionnier du jazz, qu'il prétendait avoir inventé, il jouait dès 1902 à La Nouvelle-Orléans. À Chicago, en 1926, il fonda les Red Hot Peppers, dont l'influence devait être décisive sur le jazz orchestral. Comme compositeur on lui doit : *King Porter Stomp, Kansas City Blues*. Princ. enregistrements : *The Pearls* (1923), *Original Jelly Roll Blues* (1926), *Doctor Jazz* (1926).

MORTSEL. ♦ Comm. de Belgique dans la banlieue S.-E. d'Anvers. 27 900 hab. Métallurgie. Montage d'automobiles. Indus. chimiques : produits photographiques. Matériaux de construction. Indus. alimentaires.

MORUS (Thomas). ♦ **V.** MORE (Thomas).

MORVAN. *n. m.* ♦ Région montagneuse chevauchant les départements de la Nièvre, de la Côte-d'Or et de la Saône-et-Loire. Massif cristallin constituant une avancée au N.-E. du Massif central, s'enfonçant sous les plaines sédimentaires de la Bourgogne et se terminant brutalement au S., au-dessus de la dépression autunoise. Bloc dissymétrique, dont l'altitude croît du N. vers le S., il est segmenté par des fractures (au N.-O.) et faillé à l'E. et à l'O. La topographie d'ensemble est sans vigueur. Les sommets les plus élevés sont localisés au S. (Haut-Folin, 902 m). Le climat pluvieux et rude en général (gel) a facilité la désagrégation du granite (« Morvan pourri »), tapissant les fonds d'arène que couvrent des prairies, tandis que les pentes sont boisées. Vaste espace forestier. Le pays, imitant les plaines du pourtour, s'oriente vers l'élevage semi-extensif. Tourisme.

MORZINE. ♦ Comm. de la Haute-Savoie*, arr. de Thonon*-les-Bains, sur la Dranse. 2 450 hab. *(Morzinois)*. Importante station d'été et de sports d'hiver à 961 m d'alt. À proximité, la nouvelle station de sports d'hiver d'Avoriaz, de conception très moderne.

Mosaïque. ♦ Recueil de sept nouvelles de Mérimée* (1833), auxquelles il adjoignit plus tard trois autres récits écrits entre 1833 et 1837. Toutes remarquables par la rapidité de la progression et la sobriété du style, elles manifestent une inspiration variée. Si *Le Vase étrusque* est une nouvelle d'analyse psychologique, les autres récits adoptent un ton objectif qui contraste avec l'intensité des passions. À *Mateo Falcone*, sombre histoire d'honneur corse, succède le récit héroïque de *L'Enlèvement de la redoute*, puis *Tamango*, « épopée » d'une révolte d'esclaves, au dénouement désabusé. D'autres nouvelles, comme *La Vision de Charles XI* et *Les Âmes du purgatoire*, légende espagnole, laissent une grande place au fantastique, tandis que *La Vénus d'Ille* (1837), à l'expression dense et élégante, distille habilement l'horreur.

MOSCA (Gaetano). ♦ Sociologue italien (Palerme, 1858 – Rome, 1941). Professeur de droit à Palerme puis à Rome, il assuma à plusieurs reprises des fonctions importantes au sein du gouvernement italien. Voulant établir les bases d'une théorie politique scientifique, il affirma que le fait caractéristique commun à toutes les grandes formes politiques est la distinction entre classes dirigeante et dirigée et fut amené ainsi à opposer à la démocratie le gouvernement par une minorité (oligarchie, aristocratie). *Éléments de science politique*, 1896 ; *Traité de droit constitutionnel*, 1906 ; *Histoire des doctrines politiques*, 1933 ; etc.

MOSCARDÓ (José). ♦ Général espagnol (Madrid, 1878 – *id.*, 1956). Gouverneur militaire de Tolède en 1936, il se rallia au soulèvement nationaliste et dirigea l'héroïque défense de l'Alcazar de Tolède*. Il commanda ensuite le corps d'armée d'Aragon.

MOSCHELES (Ignaz). ♦ Pianiste et compositeur tchèque (Prague, 1794 – Leipzig, 1870). Élève d'Albrechtsberger et de Salieri, il fut lié à Beethoven qui lui confia la transcription pour piano de *Fidelio* (1814). Il fit une carrière européenne de virtuose avant de se fixer à Londres (1821-1846) et d'assurer avec Mendelssohn la direction du conservatoire de Leipzig. Excellent pédagogue, il a également publié des pièces pour le piano (7 concertos, 24 études, 2 sonates).

MOSCHOS (Jean). ♦ Ascète chrétien (Damas – Rome, 619), auteur du *Pré spirituel*, récits édifiants sur les ermites d'Orient.

MOSCOU, en russe **Moskva**. ♦ Cap. de l'U.R.S.S. et centre administratif de la R.S.F.S. de Russie*, ch.-l. de la région du même nom (47 000 km². 12 049 000 hab.), sur la Moskova*. 6 942 000 hab. *(Moscovites)*. Par un décret du praesidium (août 1960), les villes voisines de Babouchkine, Kountsevo, Lioublino, Perovo et Touchino furent fusionnées avec Moscou ; divisée en 17 arr., elle occupe auj. une superficie de 87 500 ha. Centre administratif, siège du Soviet suprême, Moscou est le plus grand centre culturel et scientifique du pays. Siège de l'Académie

Ph. Hétier

Moscou : l'église Saint-Nicolas-des-Tisserands.

des sciences de l'U.R.S.S. et de deux universités : l'*université Lomonossov,* fondée par M.V. Lomonossov* en 1755 (nouvel ensemble de bâtiments construits en 1949-1953 sur 200 ha), et l'*université de l'Amitié « Patrice Lumumba »,* pour les étudiants du tiers monde, fondée en 1960. *Bibliothèque Lénine* (fondée en 1925), l'une des trois plus grandes du monde. *Musée* d'art *Pouchkine, musée du Kremlin, musée* central *Lénine* et *galerie Trétiakov.* Activités théâtrales : Grand Théâtre [en russe *Bolchoï Téatr,* construit en 1824], Petit Théâtre [en russe *Malyi Téatr*], Théâtre d'art académique de Moscou « M. Gorki », en abrév. russe MKHAT (fondé en 1898 par K.S. Stanislavski*), musicales (conservatoire) et cinématographiques (studios de cinéma [dont le plus grand est le studio de la *Mosfilm*]). De nombreux monuments historiques, surtout au Kremlin*, quartier central et forteresse de Moscou, dominent la r. g. de la Moskova. Sur la place Rouge, en bordure du Kremlin, se trouve le mausolée de Lénine. Parcs de culture et de repos. Le métro [1930-1935] est particulièrement luxueux et compte 53 stations. Le boulevard périphérique (109 km) a été mis en service en 1962. Moscou est la plaque tournante des voies de communication de l'U.R.S.S. Par le canal de Moscou et la Volga*, les trois ports fluviaux de la cap. sont reliés à cinq mers : Blanche*, Baltique*, Caspienne*, mer Noire* et mer d'Azov*. Quatre aéroports internationaux. — Indus. légère et alimentaire, grand centre textile (laine, coton). Constructions mécaniques (automobiles, machines-outils, appareils de précision), équipements électrique et électronique. Indus. chimiques (teinture, caoutchouc synthétique, médicaments, parfums). Trois gazoducs relient Moscou avec Saratov*, Dachava (Ukraine occidentale) et Stavropol*. Reliée avec les stations hydro-électriques de Kouïbychev* et de Volgograd*, elle possède ses propres centrales thermiques. — Patrie de Alexandre* II Nikolaïevitch, Alexis* Ier Mikhaïlovitch, Alexis* Petrovitch, Caran* d'Ache, Dostoïevski*, Denis Fonvizine*, Ivan* III, Alexandre Herzen*, Roman Jakobson*, Wassily Kandinsky*, Paul Karrer*, Sofia Kovaleskaïa*, Piotr Kropotkine*, Krylov*, Leonov*, Lermontov*, Massine*, Milioukov*, Pasternak*, Pierre* Ier le Grand, Pouchkine*, Scriabine*, Sophie* Alexeïevna, Souvorov*, Nikolaï Troubetzkoy*, H. Troyat*.

♦ *Hist.* Moscou est mentionnée pour la première fois par les chroniqueurs russes en 1147, mais les données archéologiques montrent qu'il y existait un campement de pêcheurs dès l'époque néolithique. Dolgorouki, prince de Souzdal, y fit construire un premier Kremlin en bois (1156). Dévastée par le prince de Riazan (1176), puis par les Mongols de Batû* qân (1237), Moscou devint la cap. d'une principauté vassale de la Horde d'or, sous Daniel* Nevski (1263). Son fils Ivan* Ier Kalita obtint du khan Ouzbek le titre de grand-prince et le droit de percevoir les impôts dans les principautés russes pour le compte de la Horde : il imposa ainsi sa suzeraineté à Tver, Riazan et Souzdal. En 1326, le métropolite Théognoste transféra son siège de Vladimir à Moscou, qui devint le centre religieux du pays. Les fils d'Ivan Ier (**V. Siméon le Superbe** et **Ivan II Ivanovitch)** poursuivirent la politique de leur père et à la fin du XIVe s. la supériorité de la principauté de Moscou (appelée Moscovie* jusqu'au XVIIe s.) fut reconnue par les villes voisines qui se rangèrent sous son drapeau pour lutter contre le joug mongol. Dirigés par Dimitri* IV Donskoï, les Russes remportèrent la victoire de Koulikovo (1380), mais en 1382 Moscou fut prise et pillée par le khan de la Horde d'or, Togtamich. De nouveau vassale des Mongols jusqu'à la fin du XVe s., sous les règnes de Vassili* Ier et Vassili* II, Moscou réussit, sous le règne d'Ivan* III le Grand (1462-1505), à annexer la plupart des principautés voisines (de Iaroslavl, 1463; de Perm, 1472; de Rostov, 1474; de Novgorod, 1478; de Tver, 1485, et de Viatka, 1489). Son fils et successeur Vassili* III annexa ensuite Pskov (1510), Riazan (1521) et Smolensk (1522). Après ce « rassemblement des terres russes » ne restèrent en dehors de son contrôle que la Biélorussie (Minsk) et la Petite Russie (Kiev) qui demeurèrent en grande partie polonaises jusqu'à la fin du XVIIe s., date à laquelle elles furent cédées par la Pologne à la Russie (traité de Moscou du 6 mars 1686). Les Khanats de Kazan* et d'Astrakhan* furent dominés par Ivan* le Terrible, mais les Tatars de Crimée occupèrent Moscou en 1571 et brûlèrent la ville, sauf le Kremlin de pierre, qui fut construit en 1367. Considérée par les Russes comme « la troisième Rome » après la chute de Constantinople (1453) et surtout après la création du patriarcat de Moscou (1589), la ville fut prise en 1611 par les Polonais sous la conduite de Ladislas* IV, puis délivrée par une levée de masses populaires (1612). En 1715, Pierre* le Grand transféra sa cap. à Saint-Pétersbourg (auj. Leningrad*), mais Moscou resta la cap. religieuse de l'empire et le lieu de couronnement des tsars. Abandonnée par Koutouzov*, occupée par les troupes de Napoléon* Ier (14 sept. 1812), Moscou fut incendiée la nuit suivante (probablement sur les ordres de son gouverneur militaire Rostopchine*); cet incendie obligea les Français à se retirer (19 oct.). Vers 1870 commença à se développer à Moscou le mouvement ouvrier et vers 1880 les premiers « cercles » marxistes firent leur apparition. Après une vague de grèves (1902), le prolétariat de Moscou joua un rôle important pendant la révolution de 1905-1907 (insurrection armée en déc. 1905). Le régime soviétique y fut instauré (après cinq jours de combats) le 2 nov. 1917. Le 11 mars 1918, le gouvernement soviétique fut transféré de Petrograd à Moscou, qui devint la cap. de la R.S.F.S. de Russie, puis le siège de la IIIe Internationale* (1919) et à partir du 30 déc. 1922 la cap de l'U.R.S.S. En 1936-1938 eurent lieu à Moscou les procès des opposants à Staline*; plusieurs bolcheviks de la vieille garde y furent exécutés (entre autres Zinoviev*, Kamenev*, Toukhatchevski*, Rykov* et Boukharine*). Le 23 août 1939 fut signé à Moscou le pacte germano-soviétique, et le 12 mars 1940 le traité qui mit fin à la guerre russo-finlandaise (par ce traité, la Finlande cédait à l'U.R.S.S. l'isthme de la Carélie avec Vyborg* et la Carélie* orientale). Pendant la Seconde Guerre mondiale, l'offensive allemande contre Moscou, déclenchée le 30 sept. 1941, menaça la ville dès le 15 oct., date à laquelle tomba Kalinine. Le 19 oct., Moscou fut déclarée en état de siège. Vers la fin du mois, les Soviétiques, ayant livré des batailles défensives acharnées, réussirent à arrêter les Allemands dans la région de Toula (100 km à l'O. de Moscou). Après un regroupement de ses forces (51 divisions), la Wehrmacht lança le 15 nov. une deuxième offensive, s'empara de Klin (au N. de la ville), contourna Toula au S. et s'approcha à 25 km de Moscou. Le 6 déc. 1941, l'armée soviétique contre-attaqua, brisa les groupements de flanc allemands au N. et au S. de la ville (27 déc.) et en janvier-avril 1942 se trouva avancée jusqu'à 350 km à l'O. de Moscou. — Le 10 déc. 1944 fut signé à Moscou le traité franco-soviétique par lequel les deux nations s'engagèrent à empêcher une nouvelle agression allemande.

MOSCOVIE. *n. f.* ♦ Nom donné à la principauté de Moscou* jusqu'au XVIIe siècle.

MOSELEY (Henry Gwyn-Jeffreys). ♦ Physicien anglais (Weymouth, 1887 — Gallipoli, 1915). Inventeur de la spectroscopie des rayons X [1913] (**V.** *aussi* **Bragg, Kossel, Laue, Siegbahn**), il énonça la loi reliant les fréquences les plus élevées et le nombre atomique de chaque élément qui l'émet. Son étude, permettant de déterminer la structure électronique de chaque atome, confirma l'ordre et les lacunes de la classification périodique **(V. Mendeleïev),** et fut à l'origine des découvertes du hafnium et du rhénium.

MOSELLE. *n. f.* ♦ Affl. gauche du Rhin moyen, traversant le N.-E. de la France et l'O. de l'Allemagne, et formant frontière entre le grand-duché de Luxembourg et le *Land* de Rhénanie-Palatinat. (550 km dont 200 en territoire français). La Moselle prend sa source dans les Vosges, à 725 m d'alt.; elle arrose Remiremont*, Épinal*, Metz*, Toul*; elle reçoit la Meurthe à Frouard, la Seille, l'Orne, la Fentsch, la Sarre, et rejoint le Rhin à Coblence, après avoir traversé Trèves* et le massif schisteux-rhénan. Canalisée entre Frouard (à la jonction du canal de la Marne au Rhin) et Metz, la Moselle est reliée à la Saône par le canal de l'Est, à la Meuse, à la Marne et au Rhin par le canal de la Marne au Rhin. Elle est accessible aux chalands de 1 500 t jusqu'à Metz.

MOSELLE. [**57**]. *n. f.* ♦ Dép. du N.-E. de la France, région (anciennement C.A.R.) de la Lorraine*. 6 214 km². Le dép. s'étend en majeure partie sur le Plateau lorrain, dominé à l'O. par les côtes de Moselle, région argileuse (domaine de la forêt feuillue) diversifiée par des affleurements de couches calcaires qui forment des hauteurs escarpées. La Moselle et ses affl. (**V. Orne** à l'O., **Seille** et **Sarre** plus à l'E.) coulent du N. au S. — La population comporte un fort pourcentage d'étrangers employés dans les mines et dans l'industrie. — *Écon.* **V. Lorraine.**

♦ 42 cant., 739 comm., 994 081 hab. *Préf.* Metz*; *sous-préf.* Boulay*-Moselle, Château*-Salins, Forbach*, Sarrebourg*, Sarreguemines*, Thionville*. *Ch.-l. de cant.* Albestroff, 449 hab.; Ars*-sur-Moselle; Bitche*; Bouzonville*; Cattenom, 1 867 hab.; Delme*; Dieuze*; Faulquemont*; Fénétrange*; Florange*; Fontoy*; Freyming*-Merlebach; Grostenquin, 543 hab.; Hayange*.

Lorquin*; Metzervisse*; Montigny*-lès-Metz; Moyeuvre*-Grande; Pange, 533 hab.; Phalsbourg*; Réchicourt-le-Château, 982 hab.; Rohrbach*-lès-Bitche; Rombas*; Saint*-Avold; Sarralbe*; Sierck*-les-Bains; Verny, 1 014 hab.; Vic*-sur-Seille; Vigy, 930 hab.; Volmunster, 718 hab.; Woippy*; Yutz*. *Autres localités et sites :* **V. Algrange, Amnéville, Audun-le-Tiche, Aumetz, Behren-lès-Forbach, Borny, Carling, Creutzwald, Fameck, Farébersviller, Folschviller, Gandrange, Gorze, Gravelotte, Grosbliederstroff, Hagondange, Hettange-Grande, Hombourg-Haut, Hôpital** (L'), **Knutange, Longeville-lès-Metz, Maizières-lès-Metz, Marienau, Marsal, Mondelange, Morhange, Moussey, Nilvange, Petite-Rosselle, Rezonville, Richemont, Rosselange, Saint-Louis-lès-Bitche, Saint-Privat-la-Montagne, Serémange-Erzange, Stiring-Wendel, Talange, Terville, Uckange, Vallerysthal.**

MOSER (Lukas). ♦ Peintre originaire du Haut-Rhin (première moitié du XVe s.). *Le Retable de sainte Madeleine* de l'église de Tiefenbronn dénote un tempérament original; son style dérive du gothique international, mais indique un intérêt pour les recherches nouvelles. Soucieux de rendre le modelé et d'affermir les volumes, il manifesta aussi une volonté de recherche dans le domaine de la perspective et surtout de la lumière. Le traitement du paysage et des natures mortes révèle une grande fraîcheur d'inspiration dans le choix des détails familiers décrits avec grâce et pittoresque.

MOSKOVA. *n. f.*, en russe **Moskva.** ♦ Riv. de l'U.R.S.S. (502 km). Née dans le plateau des Valdaï*, elle conflue avec l'Oka, après avoir arrosé la région de Moscou, ainsi que les villes de Moscou*, Mojaïsk, Zvenigorod et Kolomna. Un canal la relie à la Volga*.

MOSQUITOS *(côte des). n. f.* ♦ Région d'Amérique centrale sur la mer des Antilles (Atlantique), partagée entre le Nicaragua* et le Honduras*. Cette région est habitée par les *Indiens Mosquitos.* Ville : **V. Bluefields.**

MOSS. ♦ V. et port de Norvège, sur une baie, à l'E. du fjord d'Oslo. Ch.-l. du comté d'Østfold. 19 700 hab. – Papeteries, indus. textiles et alimentaires. ♦ *Hist.* En 1814 y fut signée une convention unissant la Norvège et la Suède.

MOSSADEGH (Muhammad). ♦ Homme d'État iranien (Téhéran, 1880 – *id.*, 1967). Issu d'un milieu riche et puissant (son père fut ministre, sa mère était alliée à la dynastie Qadjar), il fut élevé en Occident et devint docteur en droit en Suisse. Gouverneur de provinces, il devint ministre des Finances (1921), puis des Affaires étrangères (1923-1925) dans le gouvernement de Rizâh khân. Il protesta contre le couronnement de ce dernier **(V. Rizâh shâh)** et dut alors abandonner la vie politique. Réélu député en 1943 (après la déposition de Rizâh), il dirigea le *Front national,* mouvement nationaliste allié au parti de gauche Tudeh. Toute son action fut dès lors consacrée à la lutte pour assurer à l'Iran l'indépendance économique par la possession de ses richesses pétrolières. Parvenu au pouvoir en 1951, il fit voter la nationalisation des pétroles, liquidant l'*Anglo-Iranian Oil Company;* mais les représailles économiques et les difficultés intérieures amenèrent le shâh Muhammad Rizâh à désavouer Mossadegh, qui fut renversé par le coup d'État militaire du général Zahedi, soutenu par le souverain (19 août 1953). Condamné à la prison, libéré en 1956, Mossadegh vécut dans la retraite jusqu'à sa mort.

MÖSSBAUER (Rudolf). ♦ Physicien allemand (Munich, 1929). Il montra que des phénomènes de résonance peuvent être observés pour des rayons γ émis ou absorbés par des réseaux cristallins portés à très basse température (*effet Mössbauer,* 1958); cet effet s'applique, entre autres, à la mesure du décalage gravitationnel, à l'évaluation des décalages produits par un mouvement accéléré (vérifications des prévisions d'Einstein*), à l'étude des structures magnétiques en ferrimagnétisme. (Prix Nobel de phys., 1961.)

Ph. Hétier

La **Moselle** à Épinal.

MOSSIS. *n. m. pl.* ♦ Peuple noir de la Haute*-Volta qui émigre notamment en Côte*-d'Ivoire et au Ghâna*. ♦ *Hist.* Ils formèrent à partir du XIe s. des états féodaux qui déclinèrent au XVIe s. après des luttes contre les royaumes voisins. Leurs chefs traditionnels subsistent, mais leur pouvoir s'amenuise dans les villes. **(V. Mali).**

MOSSO (Angelo). ♦ Physiologiste italien (Turin, 1846 – 1910). Il inventa l'ergographe (1890), qui permet d'étudier et de mesurer le travail musculaire, et fit des recherches sur l'irrigation sanguine du cerveau. Il fonda les *Archives italiennes de biologie* (1882).

MOSSOUL ou **MOSUL,** en ar. **Al-Mawṣil.** ♦ V. d'Iraq, située sur la r. d. du Tigre*, à proximité de l'anc. Ninive*. Ch.-l. de province. 350 000 hab. env. [3e V. du pays]. Archevêché (nombreuses sectes chrétiennes). Université. Musée archéologique. Elle est située à 265 m d'altitude entre le djebel Sindjar à l'O. et les contreforts du Kurdistan. Elle doit à sa situation un climat accusé (hivers froids et pluvieux, étés chauds et secs). Principal centre commercial de la haute Mésopotamie* (cultures de céréales, plantes textiles, fruits), c'est la première ville industrielle de l'Iraq (avant Baghdâd). Indus. alimentaires (sucreries), textiles (centre national de fabrication des tissus de coton), indus. du cuir, cimenterie. Importante raffinerie de pétrole. La *province de Mossoul,* riche en pétrole (raffinerie d'Aïn Zolah), possède un important vignoble. ♦ *Hist.* Anc. métropole chrétienne qui succéda à Ninive*, la ville fut conquise par les Arabes en 641; elle devint alors le centre principal de la Mésopotamie* septentrionale. Au Xe s., elle fut le siège d'un émirat quasi indépendant, puis devint cap. d'un État saljuqide (fin du XIe s.). Pillée par les Mongols, en 1262, elle passa ensuite sous la domination des Perses, puis des Ottomans. Assiégée par Nâdir* Shâh en 1743, elle fut occupée par les Britanniques en novembre 1918 qui l'annexèrent à l'Iraq* malgré les protestations de la Turquie (annexion confirmée par la S.D.N. en 1925).

MOST. ♦ V. de Tchécoslovaquie, en Bohême-Septentrionale, sur la Bílina. 55 000 hab. Grâce aux gisements locaux de lignite, la ville est devenue un centre industriel : indus. chimiques (matières plastiques, essence synthétique). Porcelaine. **V. *aussi* Děčín.**

MOSTAGANEM. ♦ V. et port d'Algérie, ch.-l. du dép. et de l'arr. du même nom, située sur le golfe d'Arzew, entre la Macta* au S. et la vallée du Chélif* au nord. 68 900 hab. Centre commercial d'une riche région agricole. Vignobles. Primeurs. *V. et localités princ. du dép. de Mostaganem* (702 000 hab.) **V. Ighil, Izane, Mascara, Mazagran.**

MOSTAR. ♦ V. de Yougoslavie (Bosnie-Herzégovine) sur la Neretva*. 55 000 hab. Pont du XVIe s., mosquées. – Marché agricole (fruits, vins). Indus. textiles.

MOTAGUA *(río). n. m.* ♦ Fleuve du Guatemala (547 km), tributaire de l'Atlantique (golfe de Honduras), qui prend sa source dans le S. de la Cordillère centrale.

MOTALA. ♦ V. et port de Suède méridionale, sur le *Motalaström,* à sa sortie du lac Vättern*. 27 400 hab. Station de radiodiffusion. Usine hydro-électrique. Indus. métallurgiques et mécaniques. Fabrique d'armes.

MOTHERWELL (Robert). ♦ Peintre américain (Aberdeen, État de Washington, 1915). Après des études de philosophie et un bref séjour en France, il étudia les beaux-arts à l'université Columbia à New York. Il eut, à partir de 1948, un rôle d'animateur, avec Newman, Rothko*, etc., et dirigea avec A. Rosenberg les *Documents of Modern Art* (1944-1951). Après une brève période d'inspiration surréaliste, il réalisa des collages et des peintures abstraites où des recherches de puissance chromatique s'allient à la spontanéité du trait (*La Traversée,* 1948). Peu à peu, ses toiles s'organisèrent autour de signes souvent massifs, qui structurent et à la fois altèrent un espace homogène (*Élégies pour la République espagnole,* 1954, où d'amples formes noires aux contours courbes se détachent sur des zones de couleurs franches; *Après-midi dans Barcelone,* 1958). Certains critiques ont souligné les implications psychanalytiques de ces compositions et de leur symbolique.

MOTHERWELL (MOTHERWELL AND WISHAW). ♦ V. d'Écosse, dans les Lowlands (Lanarkshire), à 18 km au S.-E. de Glasgow, près de la r. d. de la Clyde. 74 630 hab. (1966). Sidérurgie, indus. mécaniques et textiles.

MOTHE-SAINT-HÉRAY (La). ♦ Ch.-l. de cant. des Deux-Sèvres, arr. de Niort. 2 046 hab. *(Mothais).* Église du XVe siècle. Vestiges d'un château Louis XIII. Maisons anciennes. – Fromagerie.

MOTRIL. ♦ V. d'Espagne du Sud en Andalousie* (prov. de Grenade). 25 000 hab. Port sur la Méditerranée. Centre comm.

MOTTE-SERVOLEX (La). ♦ Ch.-l. de cant. de la Savoie*, arr. de Chambéry*. 3 683 hab. [1 108 aggl.] *(Motterains).* Cultures fruitières.

MOTTEVILLE (Françoise BERTAUT *de*). ♦ Dame française (Paris, 1621 – *id.*, 1689). Confidente d'Anne d'Autriche dont elle fut la femme de chambre, elle écrivit ses *Mémoires pour servir à l'histoire d'Anne d'Autriche.*

MO-TZU [*Mo-tseu, Mezi*]. ♦ Philosophe chinois confucéen (~479 – ~381). Auteur d'un traité philosophique socialisant qui donna naissance à un courant de pensée logicien, et dans lequel il prône l'amour universel.

MOUANDA. ♦ **V.** Moanda.

MOUCHET *(mont). n. m.* ♦ Sommet d'Auvergne, situé au N. des monts de la Margeride (dép. de la Haute-Loire). 1 465 m. – Un monument national des maquis de France y a été érigé en 1946.

MOUCHEZ (Ernest). ♦ Officier de marine et astronome français (Madrid, 1821 – Wissous, 1892). Il effectua les relevés hydrographiques des côtes du Brésil (1857-1860) et d'Algérie (1867). En 1874, à l'île Saint-Paul, il observa le passage de Vénus sur le Soleil. Directeur de l'Observatoire de Paris (1878), il établit la carte photographique du ciel. **V.** *aussi* **Gill, Henry.** (Acad. sc., 1875.)

MOUCHY (Philippe de NOAILLES, *duc de***).** ♦ Maréchal de France (Paris, 1715 – *id.,* 1794). Fils du maréchal de Noailles, il fut nommé gouverneur de Versailles (1740) et de Guyenne (1775-1786). Membre de l'Assemblée des notables (1787-1788), royaliste, il fut condamné à mort et guillotiné sous la Terreur.

Mouette [La] *(Tchaïka).* ♦ Pièce en quatre actes d'Anton Tchekhov* (1896). Dans la maison de campagne où vit son fils Constantin Treplev, écrivain et poète, Arkadina, comédienne vieillissante, a retrouvé pour l'été son amant Trigorine, auteur à succès, le conseiller d'État Sorine et le docteur Dorn. Pour Nina, une voisine qui rêve de théâtre, Treplev a composé une pièce que la jeune fille, un soir, joue dans le parc. Devenue amoureuse de Trigorine, Nina s'enfuit avec lui, mais bientôt l'écrivain l'abandonne, sa seule préoccupation étant de se vouer à son art. Autre chercheur d'absolu, Treplev se donne la mort, et Nina, devenue comédienne, découvrira que la vérité de l'art se trouve dans le travail et dans la souffrance.

MOUGINS. ♦ Comm. des Alpes*-Maritimes, arr. de Grasse*. 6 346 hab. Restes d'enceinte (porte du XVe s.). Centre touristique. – Patrie de F. Lamy*.

MOUILLARD (Louis). ♦ Ingénieur français (Lyon, 1834 – Le Caire, 1897). S'inspirant d'abord du vol des oiseaux, puis ayant compris l'intérêt des ailes rigides, il construisit plusieurs planeurs. Il est l'auteur de trois livres qui inspirèrent les pionniers de l'aviation : *L'Empire de l'air, Essai d'ornithologie appliquée à l'aviation* (1881) et *Le Vol sans battements.* **V. Chanute.**

MOUILLERON-EN-PAREDS [parɛ]. ♦ Comm. de la Vendée, arr. de Fontenay-le-Comte. 1 244 hab. [743 aggl.]. Église du XVe siècle. Château Renaissance. Enceinte fortifiée. – Patrie de G. Clemenceau* et du maréchal de Lattre* de Tassigny.

MOUKDEN. ♦ **V.** Mukden.

MOULAY. ♦ **V.** Mûlây.

MOULAY-IDRISS. ♦ V. du Maroc occidental (prov. de Meknès), au N. de Meknès*, sur le versant S. du djebel Zerhoun* dominant la plaine de Volubilis*. 8 100 hab. Ville sainte où se trouve le mausolée d'Idrîs* Ier, saint le plus vénéré du Maroc. Pèlerinage.

MOULE (Le). ♦ Comm. de la Guadeloupe* (arr. de Pointe-à-Pitre), sur la côte E. de la *Grande-Terre.* 17 000 hab. env. Rhumeries. Sucreries.

MOULIN (Jean-François Auguste). ♦ Général et homme politique français (Caen, 1752 – Pierrefitte, 1810). Volontaire en 1791, général en 1793, il fut envoyé dans l'Ouest contre les Vendéens, prit le commandement de l'armée de Brest, des Alpes (1794), de Hollande (1797) et d'Angleterre (1798). Après la journée du 30 prairial* an VII (18 juin 1799), il fut nommé membre du Directoire*. D'abord hostile au coup d'État du 18 Brumaire, il se rallia finalement à l'Empire et fut nommé commandant-gouverneur d'Anvers (1807).

MOULIN (Jean). ♦ Résistant français (Béziers, 1899 – en déportation, 1943). Préfet de Chartres (1940), il refusa de signer un document présenté par les autorités allemandes et accusant d'atrocité des soldats français de couleur; mis en disponibilité par le gouvernement de Vichy, il se rallia au général de Gaulle à Londres. Chargé par celui-ci d'unifier la Résistance française, il fut parachuté dans la zone sud (1942). Après la création des Mouvements unis de Résistance, début 1943, il fut nommé à la présidence du Conseil* national de la Résistance. Livré peu après aux Allemands par trahison, il mourut des suites de tortures héroïquement supportées, au cours de son transfert en Allemagne. Il fut inhumé au Panthéon en 1965.

MOULINS. ♦ Préf. de l'Allier*, ch.-l. d'arr. (11 cant., 111 comm., 119 321 hab.), sur l'Allier*. 27 408 hab. *(Moulinois).* La cathédrale Notre-Dame renferme le célèbre triptyque du *Maître de Moulins* **(V.** *ci-dessous***).** Mausolée de Henri de Montmorency (XVIIe s.), par François Anguier*, dans la chapelle d'un ancien couvent. Beffroi du XVe siècle. Restes du château des ducs de Bourbon. Maisons anciennes. – Marché rural important. Travail du cuir, fabrique de chaussures. Constructions mécaniques. Indus. alimentaires. Produits chimiques. Imprimeries. – Patrie de Th. de Banville*, du duc de Berwick*, de G. Bidault*, A. Laussedat*, A. Meillet*. ♦ *Hist.* La ville doit son nom aux moulins à eau qui y étaient établis au bord de l'Allier. À partir du XIVe s., les ducs de Bourbon s'établirent dans la ville qui fut rattachée à la couronne de France en 1532. En 1566, l'*ordonnance de Moulins,* promulguée dans le cadre des réformes administratives de Michel de L'Hospital*, unifia la procédure judiciaire; elle fut appliquée jusqu'en 1790 : d'après cette ordonnance, les biens de la couronne sont inaliénables; les gouvernements de province ne peuvent lever des impôts sans l'autorisation du roi; les parlements ont le droit de remontrance.

Ph. Nimatallah/Ricciarini

Le Maître de Moulins : « Enfant en prière ». (Musée du Louvre, Paris.)

MOULINS (Maître de). ♦ On désigne sous ce nom l'auteur du triptyque du *Couronnement de la Vierge* de la cathédrale de Moulins, exécuté v. 1498 pour le duc de Bourbon et sa femme. On a regroupé autour de cette œuvre plusieurs tableaux qui lui sont stylistiquement apparentés, notamment la *Nativité,* dite *du cardinal Rolin* (v. 1480-1483), les *Portraits de Pierre de Bourbon et Anne de France* (1492-1493), *Une jeune princesse (Marguerite d'Autriche?).* L'attention portée au détail, le caractère du dessin trahissent une formation flamande. Mais la composition ample, clairement ordonnée, inspirée de la tradition sculpturale médiévale, la plasticité des formes apparentée à Fouquet*, l'iconographie et l'expression retenue et gracieuse constituent un ensemble de caractères typiquement français. Ce peintre a tour à tour été identifié à Jean Perréal*, Jean Bourdichon*, Jean Hey, Jean Prévost, à un élève de Van* der Weyden.

MOULINS-ENGILBERT. ♦ Ch.-l. de cant. de la Nièvre (arr. de Château-Chinon), en lisière du Morvan. 1 905 hab. Église Saint-Jean-Baptiste (XVIe s.). Château des comtes de Nevers, des XIIIe et XVe siècles. Hôtel de ville (anc. couvent du XVIIe s.). Vestiges de fortifications et de maisons anc. des XVe et XVIe siècles. – Marché agricole. Cuir.

MOULOUYA *(oued).* ♦ Fl. du Maroc oriental (450 km) qui prend sa source dans le Moyen Atlas, longe le versant E. du Moyen Atlas, puis du Rif* et se jette dans la Méditerranée* non loin de la frontière algérienne.

MOUNANA. ♦ Gisement d'uranium du Gabon*, près de Franceville*. C'est dans un gisement voisin, à Oklo, que, comme l'ont établi des recherches menées en 1972, une réaction en chaîne spontanée a dû s'effectuer il y a un milliard sept cents millions d'années; la teneur du gisement en uranium 235 y est en effet variable, alors que partout ailleurs elle est constante.

MOUNDOU. ♦ V. du S.-O. de la république du Tchad*, sur le Logone* occidental. 30 000 hab. Centre commercial. Égrenage du coton.

MOUNET-SULLY (Jean SULLY, *dit***).** ♦ Acteur français (Bergerac, 1841 – Paris, 1916). La noblesse et la puissance de son jeu de tragédien ont marqué les grands rôles du répertoire classique et romantique qu'il interpréta à la Comédie-Française et au théâtre antique d'Orange. Son *Œdipe* demeure sa création la plus célèbre.

MOUNIER (Jean-Joseph). ♦ Homme politique français (Grenoble, 1758 – Paris, 1806). Il fut élu député du Tiers État aux États généraux (1789); c'est sur sa proposition que fut prêté le serment du Jeu* de paume (20 juin 1789). Président de l'Assemblée nationale constituante, il fut un des principaux représentants du groupe des monarchiens*. Chef de la délégation de l'Assemblée reçue par le roi le 5 octobre* 1789, il démissionna peu après. Il émigra en Suisse (1790-1801), où il rédigea son *Appel au tribunal de l'opinion publique*.

MOUNIER (Emmanuel). ♦ Philosophe et publiciste français (Grenoble, 1905 – Châtenay-Malabry, 1950). Influencé par Bergson, Maritain, Péguy, il fonda la revue *Esprit* (1932) et joua un rôle important dans le mouvement intellectuel, spirituel et politique en France entre les deux guerres. Dénonçant le désordre économique, social et spirituel du monde capitaliste et son individualisme bourgeois, il lui opposa son « personnalisme » qui tente de faire une synthèse du christianisme et du socialisme et préfère aux spéculations une pensée existentielle, tournée vers l'action. (*Révolution personnaliste et communautaire,* 1935; *Traité du caractère,* 1946; *Introduction aux existentialismes,* 1946; *Le Personnalisme,* 1949.)

MOUNTBATTEN OF BURMA [« de Birmanie »] **(Louis,** *1er comte*). ♦ Amiral britannique (Windsor, 1900), fils du prince Louis de Battenberg. Pendant la Deuxième Guerre mondiale, il fut commandant de porte-avions (1941), chef des opérations aéronavales combinées (1942), commandant en chef interallié pour l'Asie du Sud-Est; il chassa les Japonais de l'océan Indien et de Birmanie (1943-1945). Il fut ensuite le dernier vice-roi de l'Inde (1946-1947), puis exerça diverses fonctions de haut commandement (chef d'état-major de la Défense, 1959-1965). La dignité d'amiral de la flotte lui fut conférée en 1956.

MOUNT ISA. ♦ V. de l'O. de l'État du Queensland* (Australie) reliée par voie ferrée à Townsville*. Important gisement de cuivre, plomb, argent, zinc.

MOUNT VERNON. ♦ Domaine situé dans l'État de Virginie occidentale, sur le Potomac du Sud. – Tombeau de G. Washington et de sa femme Marthe, érigé entre 1831 et 1837. La maison qui leur appartenait a été fidèlement restaurée.

MOURAD. ♦ **V.** MURAT.

MOURAVIEV ou **MURAVIEV (Nikolaï Nikolaïevitch).** ♦ Général russe (Saint-Pétersbourg, 1809 – Paris, 1881). Nommé gouverneur de la Sibérie orientale (1847-1861), il occupa les territoires au S. de l'Amour et signa avec la Chine un traité avantageux (1858), ce qui lui valut le titre de comte de l'Amour (en russe *Amourski*). Il contribua à l'exploration scientifique de la Sibérie.

MOURENX [murɛ̃s] ou [murɛks]. ♦ Comm. des Pyrénées*-Atlantiques, arr. de Pau*. 10 734 hab. – Cité résidentielle moderne où sont logés les employés des usines de Lacq* (Mourenx-Ville-Nouvelle).

MOURET (Jean Joseph). ♦ Compositeur français (Avignon, 1682 – Charenton, 1738). Surintendant de la musique chez la duchesse du Maine, Mouret fut le principal animateur des « grandes nuits de Sceaux » (1714-1725). – Contemporain de Rameau, il a su, comme Campra*, établir la synthèse entre les goûts français et italien, rénovant la musique française après la mort de Lully. Il est l'auteur de symphonies, de musique de chambre, d'église et de théâtre (*Ariane, Pirithoüs,* tragédies lyriques; *Les Festes ou le Triomphe de Thalie,* opéra-ballet; *Les Amours des dieux,* ballet héroïque). Son originalité réside surtout dans ses deux cents *divertissements* qui préfigurent l'opéra-comique français.

MOURGÂB. ♦ **V.** MURGÂB.

MOURGUET (Laurent). ♦ Marionnettiste français (1769 – 1844), créateur du personnage et du spectacle de Guignol*, à Lyon.

MOURMANSK. ♦ V. et port d'U.R.S.S. (R.S.F.S. de Russie), ch.-l. de la région du même nom (144 900 km^2. 767 000 hab.), sur la côte N. de la péninsule de Kola* (mer de Barents). 309 000 hab. Le port, situé à 200 km au delà du cercle polaire et à 70 km de la mer sur la rive d'un fjord long et étroit, reste libre de glaces en hiver. Grand centre de pêcheries, de traitement du poisson et de constructions navales. Centrale hydro-électrique, à Touloma. ♦ *Hist.* La ville, aménagée en 1915, à la suite de la construction du chemin de fer de Kirov, s'est considérablement développée (8 800 hab. en 1926; auj. la ville la plus peuplée du monde au delà du cercle polaire) depuis la mise en exploitation de la route maritime du Nord, dont elle est le terminus ouest. Durant les deux guerres mondiales, le port fut utilisé par les Alliés pour ravitailler les Russes. D'énormes quantités de matériel de guerre y furent transportées par les convois alliés de 1941 à 1945.

MOURMELON-LE-GRAND. ♦ Comm. de la Marne, arr. de Châlons-sur-Marne, sur le Seu (ou Cheneu). 6 130 hab. Église (chœur et transept du XIIIe s.). – Camp militaire créé en 1857.

MOURNE *(monts),* en angl. **Mourne Mountains.** ♦ Petit massif montagneux d'Irlande* du Nord, s'étendant de la *baie de Dundrum* au *golfe de Newry* et culminant à 852 m au *Slieve Donard.*

MOURSIL ou **MURSIL Ier.** ♦ Roi des Hittites (~ XVIe s.). Il lutta contre les Hourrites en Mésopotamie du Nord, détruisit Alep, prit Babylone en ~ 1530. ♦ MOURSIL ou MURSIL II. Roi des Hittites de ~ 1345 à ~ 1315 env. Il lutta en Anatolie, au N. contre les Gasgas, au S.-O. contre divers princes locaux qu'il soumit; en Syrie il affermit l'œuvre de son père Souppilouliouma*. **V. Hittites.**

MOURZOUK, en ar. **Murzuq,** en it. **Murzuch.** ♦ Oasis de Libye, dans le Fezzan*, au N. de l'*erg de Mourzouk.* 3 000 habitants.

MOUSCRON, en néerl. **Moeskroen.** ♦ Ville de Belgique, ch.-l. d'arr. (Hainaut), à la frontière française. 37 600 hab. Musée du folklore Léon Maes. Indus. textiles (laine et coton).

MOUSSEY. ♦ Comm. de la Moselle, arr. de Sarrebourg. 1 072 hab. – Filatures et tissages. Fabrique de chaussures.

MOUSSORGSKY (Modest Petrovitch). ♦ Compositeur russe (Karevo, près de Pskov, 1839 – Saint-Pétersbourg, 1881). Fils de propriétaire terrien, il entra dans la carrière militaire et devint lieutenant (1856), mais la rencontre de Balakirev et de C. Cui l'incita à se consacrer à la composition. Il quitta définitivement l'armée (1858) et s'associa dès lors au futur « groupe des Cinq ». L'abolition du servage entraîna sa ruine. La médiocrité de sa situation et l'insuccès l'aigrirent. En dépit de la sollicitude de Balakirev, de Rimski-Korsakov, il commença à mener une vie errante et sombra dans l'alcoolisme. Sa fin solitaire, à l'hôpital militaire de Saint-Pétersbourg, fut tragique. – Ennemi de la rhétorique, autodidacte (Balakirev lui enseigna l'harmonie), Moussorgsky a révolutionné la musique par sa profonde vérité humaine et le pouvoir expressif spontané de son art. Proche de la souffrance des humbles, il sut donner à ses héros, princes déchus, infirmes, enfants et adolescents, une candeur farouche. Dans ses mélodies autant que dans ses opéras, il excelle à saisir les inflexions de la voix humaine, à fixer les aspects mouvants du paysage intérieur. Son œuvre comprend des mélodies : *Années juvéniles* (1857-1866), *La Chambre d'enfants* (1868-1872), *Sans soleil* (1874), *Chants et Danses de la mort* (1875); des œuvres chorales : *Œdipe* (1858), *Le Roi Saül* (1863), *Quatre Chœurs d'hommes* (1880); des pièces pour piano : *Intermezzo* (1861), *Tableaux d'une exposition* (1874) qui furent orchestrés par M. Ravel, et des œuvres symphoniques : *Une nuit sur le mont Chauve* (1867) dont la version définitive est de Rimski-Korsakov. De son œuvre lyrique se détache *Boris Godounov* (1re représ. 1874) dont l'élaboration fut lente et difficile, et qui constitue, par la grandeur du lyrisme, la nouveauté dans l'art du récitatif, l'emploi du style modal, l'un des chefs-d'œuvre de l'histoire de l'opéra. Remanié par Rimski-Korsakov, l'ouvrage est, de nos jours, représenté dans sa version originale. Il convient encore de mentionner *La Khovanchtchina* (1872-1881), inachevée; et *La Foire de Sorotchinsky,* opéra-comique d'après Gogol (1874-1881), inachevée.

MOUSTIER (le). ♦ Site préhistorique de Dordogne, comm. de Peyrac-le-Moustier, sur la r. d. de la Vézère, non loin des Eyzies*. On a donné le nom de *Moustérien* à une période du paléolithique moyen correspondant à la diffusion de l'homme de Néandertal*.

MOUSTIERS-SAINTE-MARIE. ♦ Ch.-l. de cant. des Alpes*-de-Haute-Provence, arr. de Digne*, à l'entrée d'une crevasse où coule un torrent. Église romane et gothique. ♦ *Hist.* Moustiers fut fondée au XVe s. par une colonie de moines; elle fut renommée pour ses faïences aux XVIIe et XVIIIe siècles. La ville est en aval des gorges du Verdon*.

MOUTHE. ♦ Ch.-l. de cant. du Doubs (arr. de Pontarlier), près du Doubs naissant. 760 hab. Station de sports d'hiver.

MOUTIER, en all. **Münster.** ♦ V. de Suisse (cant. de Berne) sur la r. g. de la Birse. 7 400 hab. Chapelle romane (XIe s.). Mécanique de précision.

MOÛTIERS ou **MOÛTIERS-TARENTAISE.** ♦ Ch.-l. de cant. de la Savoie*, arr. d'Albertville*, au confluent du Doron et de

Ph. Harlingue-Viollet

M.P. Moussorgsky. par I. I. Répine. (Galerie Tretiakov, Moscou.)

l'Isère*. 4 788 hab. *(Moutiérains)*. Cathédrale Saint-Pierre (XVe s.) avec un trésor. Maisons anciennes. Centre commercial (foires). Indus. électrométallurgique. Barrage sur l'Isère. ♦ *Hist.* C'est l'anc. cap. de la Tarentaise*.

MOUTON (Georges, *comte de* **LOBAU).** ♦ Maréchal de France (Phalsbourg, 1770 – Paris, 1838). Engagé comme volontaire en 1792, il se distingua pendant les campagnes de l'Empire et fut fait comte de Lobau par Napoléon Ier après la prise de l'île de Lobau (1809). Fait prisonnier à Dresde (1813), puis à Waterloo (1815), il revint en France en 1818 et siégea comme député libéral à la fin de la Restauration (1828-1830). Nommé commandant de la garde nationale, il fut fait maréchal (1831) et pair de France (1833) par Louis-Philippe.

MOUTON-DUVERNET (Régis Barthélemy, *baron***).** ♦ Général français (Le Puy, 1769 – Lyon, 1816). Il fit toutes les guerres de la Révolution et de l'Empire et fut nommé général en 1813. Il se rallia à Napoléon au moment des Cent-Jours. Proscrit, il se cacha après le retour des Bourbons, puis se livra en mars 1816 et on le fusilla.

MOUVAUX. ♦ Comm. du Nord, arr. de Lille. 11 247 hab. Indus. textile.

Mouvement *(parti du)*. ♦ Nom donné sous la monarchie* de Juillet au parti qui considérait la révolution de 1830 comme un point de départ pour promouvoir progressivement une politique de réformes démocratiques. Ses représentants (O. Barrot*, Laffitte*, La* Fayette, etc.) tentèrent également d'imposer une politique de soutien aux mouvements révolutionnaires européens. Ce parti de la « gauche dynastique », appelé au pouvoir par Louis-Philippe (1831-1832), fut rapidement évincé par le parti de la Résistance*.

Mouvement républicain populaire (M.R.P.). ♦ Parti politique français fondé en nov. 1944 et s'inspirant des principes de la démocratie chrétienne. Le M.R.P., ralliant la majorité de l'électorat chrétien traditionaliste, fut, avec le Parti communiste français, le grand vainqueur des élections de 1945 et forma, avec celui-ci et les socialistes, le système du tripartisme (1946-1947). Ce parti, dont plusieurs membres jouèrent un rôle important sous la Quatrième République comme présidents du Conseil ou ministres (G. Bidault*, Robert Schuman*, P. Pflimlin*) proposa un programme de réformes sociales familiales, se fit l'artisan du rapprochement franco-allemand et de la création d'une Europe unie. Divisés à propos de la question algérienne, certains de ses membres se rallièrent au gaullisme, d'autres, avec J. Lecanuet, fondèrent le Centre démocrate (1966).

MOUWATALLI ou **MUWATALLI.** ♦ Roi des Hittites de ~ 1315 à ~ 1290 env. Assailli par les Gasgas, par les *Ahhijawa* (Achéens?), contraint d'abandonner sa capitale Hattousas*, voyant le Mitanni* et l'Amourrou se détacher de l'empire hittite, il redressa la situation. Il infligea aux Égyptiens la défaite de Qadesh (v. ~ 1296, **V. Ramsès II). V. Hittites.**

MOUY. ♦ Ch.-l. de cant. de l'Oise* (arr. de Clermont*) sur la r. d. du Thérain*. 3 850 hab. Église XIIe-XVIe siècle. Indus. diverses (chaussures, tissus élastiques, brosses).

MOUZAFFER (ou MUZAFFAR) ED-DĪN. ♦ (Téhéran, 1853 – *id.*, 1907). Shâh de Perse (1896-1906). Fils et successeur de Nâsir ed-Din. Prodigue et de caractère faible, il fut en butte à des difficultés financières qui l'amenèrent à faire des emprunts à l'étranger. Anglais et Russes rivalisèrent d'influence dans le pays, investissant des sommes considérables. Bien qu'hostile aux réformes, le shâh dut accorder à la fin de son règne une constitution à son pays et instituer un parlement.

MOUZON. ♦ Ch.-l. de cant. des Ardennes (arr. de Sedan), dans une île formée par la Meuse et le canal de l'Est. 3 272 hab. *(Mouzonnais)*. Porte de Bourgogne (XIVe-XVe s.). Hospice (bâtiments conventuels du XVIIIe s.). Église Notre-Dame, de style gothique champenois (1212). – Sidérurgie. Laminage. Feutre, pantoufles. Revêtement de sol.

Moyen Âge. ♦ Période « moyenne » comprise entre l'Antiquité et les Temps modernes, allant traditionnellement de la chute de l'Empire romain (476) à 1453 (chute de Constantinople) ou plutôt à 1492 (découverte de l'Amérique, fin de la Reconquista). Cette période est caractérisée par un nouvel équilibre de la société et de l'économie. **(V. Féodalité** et **vassalité.)**

MOYENMOUTIER. ♦ Comm. des Vosges, arr. de Saint-Dié. 4 148 hab. *(Médianimonastériens)*. Anc. église abbatiale reconstruite au XVIIIe siècle. – Filatures, tissages.

MOYEN-ORIENT. ♦ **V.** PROCHE-ORIENT.

MOYEUVRE-GRANDE. ♦ Ch.-l. de cant. de la Moselle, arr. de Thionville-Ouest, aggl. de Hagondange. 14 568 hab. – Sidérurgie. Constructions métalliques et mécaniques.

MOYNIER (Gustave). ♦ Philanthrope suisse (Genève, 1826 – *id.*, 1910). Il participa avec H. Dunant* à la fondation de la Croix-Rouge dont il présida le Comité international, et créa l'*Institut de droit international* (1873).

Mozabites. *n. m. pl.* ♦ **V.** MZAB.

MOZAC. ♦ Comm. du Puy-de-Dôme, arr. de Riom. 1 795 hab. Abbatiale bénédictine fondée au VIIe s., reconstruite à diverses reprises aux XIIe, XVe et XVIIIe siècles. Elle renferme un trésor comprenant la châsse de saint Calmain (*fin* XIIe s.) et celle de saint Austremoine.

MOZAMBIQUE. *n. m.* ♦ Territoire du S. de l'Afrique orientale, baigné à l'E. par l'océan Indien (canal de Mozambique), traversé au S. par le tropique du Capricorne. 784 000 km². 7 100 000 hab. *Cap.* Maputo. **V. Lourenço Marques.** *Langues :* portugais (off.), dialectes bantous. *Pop. :* Bantous, Portugais, Indiens, Chinois. *V. princ. :* **V. Beira, Tété.** – *Orogr., Hydrogr. et Climat.* Le pays est formé d'une grande plaine côtière et de plateaux intérieurs s'abaissant du N. au sud. Il est arrosé par de nombreux fleuves dont les plus importants sont le Zambèze* et le Limpopo*. La région du Mozambique est livrée à l'influence des masses d'air tropical maritime du S. de l'océan Indien qui empêchent la sécheresse totale. – *Écon.* Elle est essentiellement agricole : cultures vivrières pratiquées par les indigènes (blé, riz, maïs, manioc, arachide) et cultures d'exportation, sur les grandes plantations européennes (coton, noix de cajou, canne à sucre, sisal, thé et coprah). L'industrialisation reste assez faible, mais le potentiel énergétique et la production d'électricité sont importants (barrage de Cabora*-Bassa). Le Mozambique est un réservoir de main-d'œuvre pour l'Afrique du Sud et il constitue surtout une façade portuaire pour l'arrière-pays. ♦ *Hist.* Le Mozambique fut visité dès le Moyen Âge par des commerçants arabes qui y fondèrent des comptoirs. En 1498, Vasco de Gama* y aborda et les Portugais passèrent des accords avec les chefs indigènes. Ils se maintinrent sur les côtes et signèrent en 1752 un accord fixant au cap Delgado* la limite de leurs zones d'influence avec le sultan de Mascate-et-Oman. L'intérieur du pays fut exploré à partir de 1877 par Serpa Pinto. En 1951, le Mozambique devint une province portugaise d'outre-mer. À partir de 1962 est née l'organisation armée du *Front de libération du Mozambique* (Frelimo), agissant en particulier au N. du pays. En septembre 1974 un accord est intervenu entre le Frelimo et le gouvernement portugais aux termes duquel le Mozambique a accédé officiellement à l'indépendance le 25 juin 1975.

MOZAMBIQUE *(canal de)*. ♦ Bras de mer de l'océan Indien, compris entre la côte sud-orientale de l'Afrique* et l'île de Madagascar*. Il est long de 1 500 à 1 700 km et large de 400 à 850 km. Très ouvert au S. sur le bassin de Madagascar, il est fermé au N. par des écueils et par les Comores*.

MOZART (Léopold). ♦ Violoniste et compositeur allemand (Augsbourg, 1719 – Salzbourg, 1787). Vice-maître de chapelle à la cour de Salzbourg, successivement au service des archevêques Sigismund von Schrattenbach (1763) et Hieronymus Colloredo (1772), il a laissé une œuvre volumineuse *(opéras, oratorios, symphonies, concertos, sérénades)*. Il publia une *Méthode de violon*. Il eut sept enfants dont cinq moururent en bas âge.

MOZART (Johann Chrysostomus Wolfgang Gottlieb, dit **Wolfgang Amadeus).** ♦ Compositeur autrichien (Salzbourg, 1756 – Vienne, 1791). Fils de Léopold Mozart et de Maria Anna

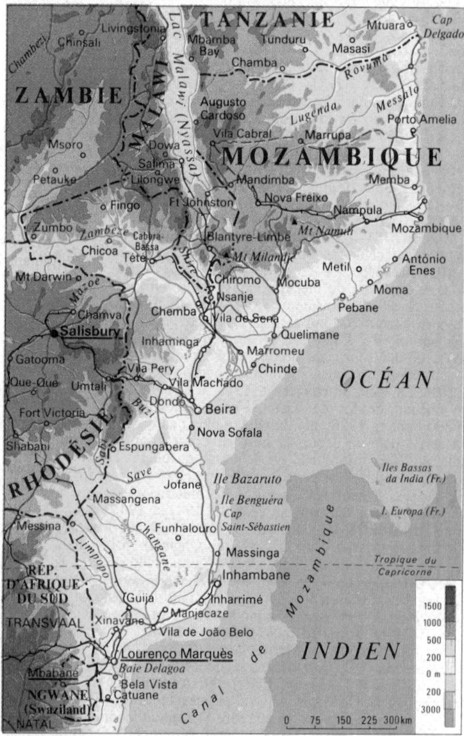

Mozambique.

Pertl, il reçut de son père une solide formation et témoigna très tôt de dons exceptionnels pour la musique. Virtuose précoce du clavier et du violon, il entreprit, dès l'âge de six ans, en compagnie de son père et de sa sœur Maria Anna, une première tournée de concerts en Allemagne, Autriche, France, Angleterre et Hollande (1762-1766). Fêté par les souverains d'Europe (Marie-Thérèse, Louis XV, George III) et par les salons, l'enfant prodige recueillit à Londres la leçon de l'italianisant Jean-Chrétien Bach*, et à Paris, celle du claveciniste J. Schobert* dont l'influence, un peu plus tard, s'avéra profonde sur ses propres compositions. De retour à Salzbourg, Mozart reprit le cours de ses études avec M. Haydn et l'organiste Adlgasser. Comme le voulait la coutume, il partit ensuite pour l'Italie où il effectua deux voyages. Au cours du premier (1769-1771), qui se transforma en tournée triomphale, il fut reçu à Milan par le symphoniste Sammartini, à Bologne par le P. Martini* dont il fut quelque temps l'élève, et à Rome par le pape Clément XIV. Le second séjour fut plus bref (oct. 1772-janv. 1773) mais, au cours de l'un et de l'autre, Mozart avait eu la révélation d'un monde musical nouveau. De retour à Salzbourg ou un nouveau prince-archevêque, H. Colloredo, venait d'être nommé, Mozart remplit les fonctions de premier violon à la cour, se consacrant à la composition (plus de 200 n^os^ d'opus à la date de 1773). Il décida de repartir pour une nouvelle tournée de concerts, cette fois avec sa mère (1777-1778). Cet ultime voyage (Munich, Augsbourg, Mannheim, Paris) devait être marqué pour lui par la rencontre à Mannheim du compositeur Chr. Cannabich, animateur du centre musical le plus actif d'Allemagne, et par la mort de sa mère, survenue à Paris (1778). De ce voyage, Mozart revint désenchanté par l'accueil glacé de Paris et blessé par une déception amoureuse, l'échec de sa passion pour la chanteuse Aloysia Weber, à Mannheim. Parmi les œuvres composées dans ces années d'apprentissage, se détachent plusieurs partitions remarquables (*Ire Symphonie K. 16,* 1764; *Symphonies K. 200, 183, 201,* 1773-1774; *Symphonie concertante,* 1778; *La Finta semplice, Bastien et Bastienne,* 1768; *Mithridate,* 1770; *Lucio Silla,* 1773; *La Finta giardiniera, Il Re Pastore,* 1775, opéras; ainsi que des concertos pour violon, un concerto pour flûte et harpe, des messes, des sonates, des sérénades et divertissements). Au début de 1779, Mozart reprit à Salzbourg ses fonctions de maître de chapelle. Ses rapports avec l'archevêque étant devenus intolérables, il rompit définitivement avec lui (1781). À Vienne où il se fixa, ses relations avec les empereurs Joseph II puis Léopold II ne devaient guère être marquées par plus d'intelligence. En 1782, il épousa Constance Weber, sœur d'Aloysia. La même année, il eut la révélation, grâce au baron Van Swieten, des oratorios de Haendel et de quelques partitions de Bach (dont le *Clavecin bien tempéré*). Son style allait s'en trouver profondément modifié. Cette période de maturation avait vu naître plusieurs chefs-d'œuvre, dont *La Messe du Couronnement,* K. 317, *Les Vêpres du confesseur,* K. 339 (1779-1780); les *Symphonies* en si b. K. 319 et en ut K. 338 (1779); *La Gran Partita* pour 13 vents, K. 361 (1781); les opéras *Thamos* (1779), *Idoménée* (1781) et surtout *l'Enlèvement au sérail* (*Die Entfürung aus dem Serail,* 1781) premier opéra-comique allemand, affirmation triomphante d'un génie populaire libéré de l'influence italienne; des *sérénades, sonates, lieder, fugues* et *préludes.* D'abord marquée par le succès, la période qui suit (1782-1788) se caractérise par l'élévation de la pensée, et le souci d'aborder les plus grands thèmes. Durant ces années, Mozart adhéra à la franc-maçonnerie (1784) et il y trouva un idéal philosophique; il se lia avec L. Da Ponte et le directeur de théâtre E. Schikaneder. Mais l'incompréhension des Viennois entraînant l'échec, au concert et au théâtre, de quelques-uns de ses chefs-d'œuvre, compromit sa carrière. Son père mourut en 1787. Seule, la compréhensive et chaleureuse amitié du public de Prague le sauva du désespoir. De cette période datent notamment les *Symphonies Haffner, Linz* (1782), *Prague* (1786), *en mi b.* K. 543, *en sol m.* K. 550 et *Jupiter* (1788); les six *Quatuors* à J. Haydn (1783-1784-1785); les grands *Concertos* de piano : K. 449, 450, 451, 452, 453, 456, 459, 491 et le *Concerto du Couronnement* K. 537 (1784-1787); la *Grande Messe* en ut m. K. 427 (1783); la *Fantaisie* en ut m. K. 475, l'*Ode funèbre* (*Trauermusik,* K. 477, 1785); le *Quintette en sol m.* K. 516 (1787); *la Petite Musique de nuit* (*Eine Kleine Nachtmusik,* K. 525, 1787); de nombreuses pièces de *musique de chambre (sonates, trios, quatuors),* des Lieder dont le serein *Abendempfindung,* K. 523 (1787), et deux opéras qui font date dans l'histoire de la musique universelle : *Les Noces de Figaro* (*Le Nozze di Figaro,* 1786) et *Don Juan* (*Don Giovanni,* 1787). Les trois dernières années de la vie de Mozart (1789-1791), marquées par le dénuement, furent aussi celles où il accéda à une sérénité qu'aucune épreuve ne put altérer. Ayant reçu de Léopold II le titre illusoire de compositeur de la Chambre impériale, il attendit vainement un emploi de la cour de Prusse; le voyage qu'il fit à Potsdam (1789) lui permit, en s'arrêtant à Leipzig, de rendre un dernier hommage au génie de J.-S. Bach. Sa santé déclinante, le délire de persécution dont il commence à souffrir, l'échec financier de ses derniers concerts, le demi-succès de ses nouveaux ouvrages lyriques (*Cosi Fan Tutte,* 1790; *La Clémence de Titus,* 1791) ne trouvèrent point de remède efficace dans le triomphe inespéré de *La Flûte enchantée* (*Die Zauberflöte,* Vienne, 1791). La mystérieuse commande, par un envoyé du comte Walsseg, d'un *Requiem* qu'il devait laisser

Ph. Hubert Josse

Wolfgang Amadeus Mozart enfant, avec son père et sa sœur, par Carmontelle. (Musée Carnavalet, Paris.)

inachevé, le confirma dans la pensée que sa fin est proche. Il mourut dans la nuit du 5 décembre 1791. — Caractérisée par un étonnant retour à la limpidité de ses jeunes années, et pourtant hantée par la présence de la mort, cette dernière période vit naître, avec les chefs-d'œuvre déjà nommés, d'autres ouvrages d'une absolue perfection formelle, où le musicien célèbre une dernière fois la beauté d'un monde, où sa foi chrétienne ne voit que le pâle reflet d'un au-delà lumineux : *Trio à Puchberg* K. 563, *Danses allemandes* K. 567 et 571, *Sonate* en si b. K. 570, *Quintette* de clarinette K. 581 (1788-1789); *Quintette à cordes* K. 593 (1790), *Concerto* en si b. K. 595, *Lieder* K. 596 à 598, *Quintette à cordes* en mi b. K. 614, *Ave verum* K. 618, *Concerto* pour clarinette K. 622 (1791). Au terme de sa brève existence, Mozart a laissé une œuvre immense (près de 700 n^os^ d'opus au catalogue établi par L. von Koechel* et remanié par A. Einstein, 1947). Au confluent des écoles allemande, italienne et française, il a assimilé tous les styles et réussi la synthèse des courants contrastés de deux siècles de musique européenne. Grand dramaturge, il a créé des personnages immortels transposant toutes passions en pure musicalité. De sa musique symphonique, religieuse et de chambre, il a fait la confidente de son être le plus intime, tour à tour illuminé par la joie, déchiré par l'angoisse et la douleur, et s'en libérant enfin dans un élan de foi aux pouvoirs de la raison et de la bonté humaines ou aux promesses d'une félicité supra-terrestre. Trop longtemps apprécié pour son alacrité et sa seule élégance, il s'est révélé de nos jours sous le visage d'un poète à qui nul sentiment de l'âme humaine n'est étranger et qui sait traduire, dans ses œuvres les plus hautes, le dualisme permanent de l'ombre et de la lumière, du doute et de l'espoir, de la pesanteur et de la grâce, dualisme qui fait le drame de la condition d'homme et dont la mort marque le terme. Il y ajoute la déchirante nostalgie d'une pureté et d'une transparence perdues depuis l'enfance.

Mricchakatikâ (« Le petit chariot de terre cuite »). ♦ Drame lyrique sanskrit en dix actes, dû à Śûdraka (date indéterminée, mais av. le VIIe s.), réputé être un des chefs-d'œuvre du théâtre indien.

MROŻEK (Sławomir). ♦ Écrivain et dramaturge polonais (Borzęcin, 1930). Auteur de nombreuses nouvelles. *L'Éléphant* (1957), *Noce à Fouillis-l'Atome* (1957), *La Pluie* (1962) rappellent Gombrowicz* par le style et la raillerie. Mrożek s'est révélé comme un auteur dramatique marquant dans ses pièces satiriques, où il parodie (à la manière de Ionesco) la futilité et la dérision de la pensée et de la condition humaines. *Les Policiers* (1958), *Le Calvaire de M. Ohey* (1960), *Le Dindon* (1960), *Tango* (1964).

M.R.P. ♦ Sigle du Mouvement* républicain populaire.

M'SILA. ♦ V. d'Algérie, ch.-l. d'arr. du dép. de Sétif, sur la bordure N. du Hodna*. 20 182 habitants.

MU'ALLAQÂT. *n. f. pl.* (participe passif du verbe *'allaqa* « suspendre »). ♦ Nom donné aux meilleurs poèmes de l'époque antéislamique (sans doute par l'auteur d'une anthologie, du nom de Hammâd* al-Râwiyah, mort v. 772). « Jaillissements successifs d'images, de sentences, de cris d'amour ou de colère, où la grâce se mêle à la rudesse et la tendresse à la violence » (W. Marçais), ils développent tour à tour des thèmes érotiques (évocation de la bien-aimée, nostalgie que provoque son départ, etc.), descriptifs (vie du désert, des campements, etc.). Les plus connus des poètes antéislamiques sont 'Amr* Ibn Kulthûm, 'Antara* Al-'Absi, Harîth, Imru'* Al-Qays, Labîd*, Nâbigha*, Tarafa*, Zuhayr*.

MU'ÂWIYYA Ier. ♦ Fondateur de la dynastie des 'Umayyades*

Ph. De Gregorio/Ricciarini

Alfons Mucha : « Calendrier ».

de Damas (La Mecque, v. 603 – Damas, 680). Petit-fils d'Umayya, il fut secrétaire de Mahomet* avant d'être gouverneur de Syrie (641). Après avoir refusé de reconnaître **'Ali*** comme calife (656), il se fit élire à l'issue de l'« arbitrage d'Adroh » (658). Sous son règne, les troupes musulmanes commencèrent à pénétrer en Iran oriental et à progresser vers l'ouest en Afrique. En organisant un État monarchique, dont la capitale fut Damas, il réussit à légitimer la succession de son fils Yazīd **(V. 'Umayyades).**

MUCHA (Alfons). ♦ Peintre, dessinateur, lithographe et affichiste tchèque (Ivancice, Moravie, 1860 – Prague, 1939). Il étudia à Prague, Munich, puis à Paris dans l'atelier de J.P. Laurens. Par ses affiches, ses illustrations (*Clio,* d'A. France), ses panneaux décoratifs et ses agencements de vitrine, ses modèles de bijoux et de robes pour Sarah Bernhardt, il fut l'un des plus célèbres et fertiles représentants du style 1900 (Art Nouveau). Son graphisme exacerbé privilégie exclusivement la ligne sinueuse et le décor floral (*Médée,* 1898).

MU-CH'I [*Mou-K'i, Muqi*]. ♦ Peintre chinois (v. 1215 – v. 1250?) et moine ch'an qui se rendit fameux par ses peintures représentant des animaux. Son style « sans contrainte » fut souvent imité en Chine comme au Japon.

MUCIUS SCAEVOLA, en lat. **Caius Mucius Cordus Scaevola** (« le gaucher »). ♦ Héros légendaire romain (fin ~ VIe s.) qui, durant la guerre contre les Étrusques, s'introduisit dans le camp ennemi pour tenter de tuer Porsenna*. Fait prisonnier, il se laissa brûler la main droite plutôt que de dénoncer ses complices, d'où son surnom.

Muckraker. *n. m.* (mot angl. *Fouille-fumier).* ♦ Représentant d'une tendance littéraire américaine du début du XXe siècle. Ce courant part de Stephen Crane* pour aboutir à Jack London*, Frank Norris* et Upton Sinclair*. Ce nom leur fut donné par Th. Roosevelt.

MUENCHENGRAETZ *(conférences de).* ♦ Elles réunirent du 10 au 20 sept. 1833 les représentants de l'Autriche, de la Prusse et de la Russie qui, face aux mouvements révolutionnaires européens de 1830 et au rapprochement franco-anglais, tentèrent de reformer la Sainte-Alliance.

MUGELLO. *n. m.* ♦ Vallée d'Italie, en Toscane (prov. de Florence), dont le centre est Borgo San Lorenzo. La Sieve, affl. de l'Arno, l'arrose. Céréales et vignes. Élevage bovin et ovin. Artisanat.

MUHAMMAD. ♦ V. MAHOMET.

MUHAMMAD-ALI. ♦ (Cavalla, Macédoine, 1769 – près d'Alexandrie 1849). Vice-roi d'Égypte (1805-1849) et fondateur de la dynastie qui régna en Égypte jusqu'en 1952. D'origine albanaise ou turque, il fut envoyé en Égypte à la tête d'un corps albanais pour combattre Bonaparte (1798). Il sut se maintenir à la direction de son armée malgré les défaites qu'il subit. Après le départ des Français (1801), il tenta de mettre fin à l'anarchie qui sévissait dans le pays et s'empara du pouvoir en 1804. Se faisant reconnaître pacha d'Égypte par le sultan ottoman*, il se chargea de réduire les mamelouks* turbulents à l'obéissance et s'en débarrassa en leur tendant un guet-apens où trois cents de leurs chefs périrent (1er mars 1811). Il fut dès lors le véritable maître de l'Égypte. Ayant modernisé son armée avec l'aide de Selve (Sulaymân pacha), capitaine français converti à l'islâm, il mena une guerre violente contre les Wahhabites* (1812-1819) qu'il chassa du Hedjaz. Il lutta ensuite contre les pirates de la mer Rouge, conquit le Soudan septentrional (1820-1822) et fonda Khartoum*. Il constitua une flotte de guerre qu'il envoya contre les Grecs insurgés. Mais les flottes anglaise, française et russe lui infligèrent la défaite de Navarin* (oct. 1827). Le sultan ottoman lui céda la Crète mais lui refusa la Syrie. Ses armées, dirigées par son fils Ibrahîm, conquirent la Palestine et la Syrie (1831-1832) et refoulèrent les Turcs jusqu'à Konya. Marchant sur Istanbul, ils ne furent arrêtés que par l'intervention des grandes puissances. En 1839, il reprit la guerre contre les Ottomans qu'il vainquit à Nizib, mais, malgré le soutien de la France, il ne put profiter de sa victoire. Sous la pression militaire et diplomatique de l'Angleterre, il se résigna à évacuer la Syrie, la Crète et le Hedjaz ; le sultan lui accorda alors en compensation la possession héréditaire de l'Égypte et du Soudan (1841). Malade, il céda la régence à son fils Ibrahîm, qui mourut avant lui. Muhammad-'Ali fut le fondateur de l'Égypte moderne. Il nationalisa toutes les terres cultivables (1814), améliora le système d'irrigation et introduisit de nouvelles cultures (coton, canne à sucre). Il développa le réseau routier, fit construire plusieurs ateliers industriels, transforma l'enseignement, envoya des étudiants en Europe et fit appel à des techniciens européens. Si les Européens voyaient en lui un réformateur hardi dont l'œuvre allait dans le sens de leurs intérêts, les Égyptiens le considèrent comme l'oppresseur impitoyable du paysannat tout en reconnaissant en lui l'initiateur du réveil national et le précurseur de la renaissance arabe *(al-Nahdâ).*

MUHAMMAD AL-SÂDIQ. ♦ (Tunis, 1812 – *id.,* 1882). Bey de Tunis (1859-1882). Il tenta de se dégager des puissances occidentales malgré de grandes difficultés financières. Devant l'imminence de l'intervention française, il essaya de s'appuyer sur l'Italie, mais celle-ci n'intervint pas et Muhammad bey fut amené à signer le traité du Bardo* (1881) qui établit le protectorat français en Tunisie.

MUHAMMAD GHORÎ. ♦ Sultan türk de Ghor et de Ghaznî [actuellement en Afghânistân] ([mort] 1206), qui se rendit célèbre par les raids de pillage incessants qu'il effectua dans le Pañjâb et l'Inde gangétique. C'est à la suite de ses conquêtes que fut établie à Delhi la dynastie musulmane dite « des Esclaves », le territoire ayant été cédé par Muhammad Ghorî à un de ses « esclaves » türk, Qutb* ud-Dîn Aîbak.

MUHAMMAD IBN TUGHLUQ. ♦ Sultan musulman de Delhi (1325-1351). Ayant décidé, en 1327, de transférer sa cap. dans le Dekkan, à Daulatâbâd*, il força la population entière de Delhi à le suivre. Sous son règne tyrannique, les révoltes se succédèrent sans trêve. Il en profita pour étendre ses conquêtes dans le Dekkan. Son cousin Firûz Shâh Tughluq lui succéda.

MUHAMMAD V IBN YÛSUF. ♦ (Fès, 1909 – Rabat, 1961). Sultan (1927) puis roi du Maroc (1957-1961). À la mort de son père (1927), il fut choisi par les autorités françaises comme sultan, au détriment de ses deux frères aînés. Il sut s'imposer et se rendre populaire tout en coopérant avec la France. Pendant la Deuxième Guerre mondiale, il refusa d'appliquer les mesures antisémites dictées par le gouvernement de Vichy. Lorsque l'Istiqlâl* lança le mot d'ordre d'indépendance (1944), il laissa apparaître sa sympathie pour les nationalistes. Dans son discours de Tanger (1947), il insista sur les affinités du Maroc avec les autres pays arabes. Le général Juin, nommé résident général, appliqua alors des mesures sévères ; en 1951, n'arrivant pas à imposer sa volonté au sultan, il mobilisa les tribus berbères contre lui. En 1953, Augustin Guillaume, nouveau résident général, adopta une politique similaire ; le gouvernement français déporta le sultan en Corse, puis à Madagascar. Il en résulta une violente crise et les nationalistes engagèrent le combat armé (terrorisme et guérilla dans le Rif). En 1955, le gouvernement français rappela le sultan qui eut un retour triomphal. En 1956, le Maroc devint indépendant, Muhammad V assuma la responsabilité du pouvoir et dut faire face à de graves problèmes politiques, économiques et sociaux. Il mena une politique prudente et modérée et son action fut facilitée par l'immense prestige dont il jouissait. En 1960, il devint chef du gouvernement et nomma son fils et successeur Hasan à la vice-présidence. Il mourut subitement à Rabat le 26 fév. 1961.

MUHAMMAD RIZÂH (RIZÂ ou RÉZA) SHÂH. ♦ (Téhéran, 1919). Shâh d'Iran (1941). Élevé à l'occidentale, il succéda à son père **(V. Rizâh Shâh)** dans des conditions difficiles, l'Iran étant en partie occupé par les Russes et par les Anglais ; l'influence de ces derniers, qui se retirèrent en 1946, fut battue en brèche par celle des États-Unis. Le développement de la production pétrolière de l'Iran entraîna sous son règne une crise internationale qui s'acheva par l'élimination du Premier ministre Mossadegh*, dont la politique d'indépendance économique avait entraîné de graves difficultés. Évoluant ensuite vers une conception plus nationale et réformiste de la politique intérieure, le shâh entreprit après 1963 (référendum) une politique d'évolution sociale et économique associée à une répression autoritaire des mouvements de gauche et d'extrême gauche (la « révolution blanche »). À l'extérieur, le rapprochement de l'Iran avec l'U.R.S.S., puis avec la Chine, traduisait à la fois l'évolution internationale et le désir de neutralisme du pays (**V. Iran,** *Hist.*). — Muhammad Rizâh épousa d'abord la sœur du roi Farûk d'Égypte (Fawzia, 1939-1948), puis en 1951, Soraya Esfandiari Bakhtiari, et enfin, en 1959, Farah Diba qui lui donna un héritier.

MUHAMMADZAI. *n. m. pl.* ♦ Dynastie indo-afghâne fondée en 1838 à Kâbul par Dust* Muhammad et dont l'ex-souverain de l'Afghânistân, Zahîr Shâh (monté sur le trône en 1933), est le dernier représentant.

MUHARRAK (al). ♦ V. principale de l'île du même nom qui fait partie de l'archipel de Bahreïn* dans le golfe Persique. Env. 35 000 hab. Pêche de perles.

MÜHLBERG AN DER ELBE. ♦ V. d'Allemagne orientale sur l'Elbe (Saxe). 5 000 hab. ♦ *Hist.* Charles Quint y remporta une victoire (1547) sur les protestants commandés par l'électeur Jean-Frédéric de Saxe, qui fut fait prisonnier. Ce fut la fin de la ligue de Schmalkalden*.

MÜHSAM (Erich). ♦ Anarchiste et écrivain révolutionnaire allemand (1878 — 1934). Auteur d'une « Marseillaise des conseils ouvriers », il participa au gouvernement de la République bavaroise des Conseils (7-13 avril 1919); condamné à quinze ans de prison, il fut amnistié en 1924. Arrêté par les nazis en 1933, il fut assassiné dans un camp de concentration.

MUIR (Edwin). ♦ Poète et critique anglais (Deerness, Orkneys, 1887 — 1957). Après des études primaires, il travailla à Glasgow, puis devint journaliste à Londres. Marié en 1919, il parcourut l'Europe, traduisant Kafka en collaboration avec sa femme. Son *Autobiographie* (1954) éclaire cette vie de poète nomade, dont l'œuvre (six volumes de vers commencés en 1925) comprenant *Un pied au Paradis* (*One Foot in Eden,* 1956) fut publiée après sa mort (*Collected Poems,* 1960). Edwin Muir écrivit aussi un important essai critique, *La Structure du roman* (1928) et des *Essais sur la littérature et la société* (1949).

MU'IZZ (Li-Dîn-Allâh Abû Tamûm al-). ♦ Calife fâtimide (Mahdia, Tunisie, 931 — Le Caire, 975). Il régna sur l'Égypte, la Syrie et l'Afrique du Nord. **V. Fâtimides.**

MUKALLÂ. ♦ V. portuaire du Yémen du Sud sur le golfe d'Aden, à 450 km à l'E. d'Aden, dans l'Hadramaout*. Centre urbain. Port de pêche et de commerce (café, tabac). Env. 20 000 hab. — Le *district de Mukalla* est l'un des plus producteurs du Yémen du Sud.

MUKDEN ou **MOUKDEN.** ♦ Anc. nom de la ville chinoise de Shen-Yang* dans le Liao-ning*. ♦ *Hist.* La ville fut prise par les Japonais en 1905 après une bataille décisive contre les Russes. **V. Russo-japonaise** (guerre). Elle est également célèbre pour l'incident qui fut à l'origine de l'occupation de la Manchourie par les Japonais, malgré la condamnation des puissances, en 1931. Cet incident (sabotage d'une voie ferrée) marque au Japon le début d'une politique militariste qui dura jusqu'en 1945.

MUKHERJÎ (Dhan Gopal). ♦ Écrivain et conteur indien bengalî (1890 — 1936) d'expression anglaise, auteur prolixe de romans et de contes très appréciés par la jeunesse *(Kari l'éléphant).*

MUKUNDA-RÂM. ♦ Poète indien mystique (XVIe — XVIIe s.) hindou, auteur de ballades dédiées à la déesse Durgâ*, et chantre des gens des castes inférieures. Il écrivait en bengalî.

MULATIÈRE (La). ♦ Comm. du Rhône, dans l'arr. et la banlieue S. de Lyon*. 8 165 hab. Ateliers ferroviaires. Jouets. Appareils de pesage.

MÛLÂY ou **MOULAY.** (mot arabe « mon seigneur »). ♦ Titre honorifique porté par les descendants du Prophète, et notamment par les sultans de la dynastie chérifienne du Maroc.

MULDE. *n. f.* ♦ Riv. d'Allemagne orientale (260 km) et affl. r. g. de l'Elbe, née dans les monts Métallifères et formée par la réunion de la *Mulde de Zwickau* et de la *Mulde de Freiberg.*

MULDER (Gerardus Johannis). ♦ Chimiste hollandais (Utrecht, 1802 — Bennekom, 1880). Auteur de recherches sur la chimie animale et sur les protéines, il fut l'un des fondateurs de la chimie agricole. **V. Boussingault.**

MULHACÉN. *n. m.* ♦ Point culminant de la péninsule Ibérique, dans la sierra Nevada* (3 481 m).

MÜLHEIM AN DER RUHR. ♦ V. d'Allemagne occidentale (Rhénanie-Westphalie), dans la Ruhr*, à l'O. d'Essen. 190 400 hab. (1969). Église du XIe s., château de Broich (XIe-XIIe s.). — Important centre industriel (aciéries, forges, raffineries de pétrole, indus. chimiques et textiles). — Patrie d'Hugo Stinnes*.

MULHOUSE. ♦ Sous-préf. du Haut-Rhin*, ch.-l. d'arr. (8 cant., 73 comm., 250 070 hab.) sur l'Ill* et le canal du Rhône* au Rhin, au N.-O. de Bâle* en Suisse. 118 558 hab. *(Mulhousiens).* Hôtel de ville du XVIe s., musées. Aéroport international Bâle-Mulhouse. Indus. textiles et impressions sur tissus, indus. chimiques, constructions mécaniques. — Patrie de Jean Lambert*, G. Engelmann*, A. Dreyfus*, P. Weiss*, A. Werner*.

MULL *(île).* ♦ Île du N.-O. de l'Écosse (Argyllshire [910 km²]), appartenant au groupe des Hébrides intérieures *(Inner Hebrides),* baignée au S. et à l'O. par l'Atlantique, au N. et au N.-E. par le *Sound of Mull,* qui la sépare du continent et à l'O. par le *firth of Lorne.* 2 150 hab. Pêche, élevage ovin, tourisme.

MÜLLER (Johannes). ♦ **V.** REGIOMONTANUS.

MÜLLER (Gerhard Friedrich). ♦ Voyageur, géographe et historien russe d'origine allemande (Hervorden, Westphalie, 1705 — Moscou, 1783). Il participa à une expédition scientifique en Sibérie et au Kamtchatka, (1733-1748) au cours de laquelle il fit des études historiques et ethniques (*Histoire de Sibérie,* 1750; *Histoire des voyages et découvertes des Russes,* 1766).

MÜLLER (Friedrich, dit **MALER-MÜLLER** et parfois **Teufels MÜLLER,** « Müller du Diable »). ♦ Peintre et poète allemand (Kreuznach, 1749 — Rome, 1825). L'un des représentants du *Sturm* und Drang,* il s'installa en Italie (1778), où il fut tour à tour peintre, antiquaire et guide touristique, et où il se convertit au catholicisme. Plus que pour sa *Vie de Faust* (1776-1778, inachevée), il est connu pour ses histoires paysannes (*La Tonte des moutons,* [*Die Schafschur*], 1775); il y exprime son « sens de la farce populaire, de l'idylle réaliste et rustique » (G. Bianquis). Il puisa son inspiration dans les vieilles légendes médiévales, comme dans *Golo et Geneviève* (*Golo und Genova,* 1775-1781, publié en 1811 : **V. Geneviève de Brabant**).

MÜLLER (Johannes *von***).** ♦ Historien suisse (Schaffhouse, 1752 — Kassel, 1809). Ayant délaissé la théologie protestante pour l'histoire, il obtint un poste de bibliothécaire auprès du prince-évêque de Mayence (1786) et d'historiographe de Frédéric II de Prusse. Après avoir tenté de constituer une ligue défensive des États allemands contre la France, il fut nommé secrétaire d'État du royaume de Westphalie à l'instigation de Napoléon Ier (1807). Il a laissé une *Histoire universelle* dont est surtout connu le premier volume, *Histoire de la Confédération suisse* (1780-1808) et des *Essais historiques.*

MÜLLER (Wilhelm). ♦ Écrivain et poète allemand (Dessau, 1794 — 1827). Auteur de chants en l'honneur du soulèvement des Grecs contre les Turcs (*Lieder der Griechen,* 1821), ce poète d'importance mineure doit sa célébrité à Schubert* qui mit en musique deux cycles de ses lieder : *La Belle Meunière (Die schöne Müllerin)* et le *Voyage d'hiver (Winterreise).*

MÜLLER (Johannes Peter). ♦ Physiologiste allemand (Coblence, 1801 — Berlin, 1858). Professeur à Berlin, il eut parmi ses élèves Du* Bois-Reymond, Helmholtz*, Brücke*. Partisan du vitalisme, il fut un des pionniers de l'embryogénie des invertébrés marins, et fit d'importants travaux sur la physiologie nerveuse; il affirma que la sensation dépend de l'organe sensoriel et non du mode d'excitation et que la représentation de l'espace est innée (nativisme). *Leçons de physiologie,* 1827; *Manuel de physiologie humaine,* 1857. — *Fibres* ou *cellules de Müller :* cellules de soutien qui occupent l'épaisseur de la rétine.

MÜLLER (Fritz). ♦ Naturaliste allemand (près d'Erfurt, 1821 — Blumenau, Brésil, 1897). Il contribua à faire connaître la théorie transformiste de Darwin* et formula la loi biogénétique fondamentale d'après laquelle l'ontogenèse est une récapitulation abrégée de la phylogenèse **(V.** *von* **Baer** et **Haeckel).**

MULLER (Friedrich Max). ♦ Linguiste, orientaliste et mythologue allemand établi en Angleterre (Dessau, 1823 — Oxford, 1900). Après des études en Allemagne, il suivit à Paris les cours de sanskrit de Burnouf. L'étude des religions de l'Inde l'amena à considérer les forces naturelles personnalisées comme les premières divinités adorées par les hommes [théorie dite naturiste] (*Introduction à la science comparée des religions,* 1874; *Leçons sur l'origine et le développement de la religion étudiés à la lumière des religions de l'Inde,* 1879; *Contributions à une mythologie*). Ses *Leçons sur la science du langage* (1861, trad. fr. 1864) connurent un grand succès, avant d'être vivement critiquées.

MÜLLER (David Heinrich). ♦ Orientaliste autrichien (Buczacz, Galicie, 1846 — Vienne, 1912). On lui doit des travaux sur *Les*

Ph. Hétier

Mulhouse : façade de l'hôtel de ville.

Villes fortifiées et châteaux de l'Arabie méridionale (1879-1881) et sur les langues sémitiques (*Pour servir à une grammaire comparative des langues sémitiques*, 1888; *Documents épigraphiques d'Arabie*, 1889; etc.).

MÜLLER (Georg Elias). ♦ Philosophe et psychologue allemand (Grimma, 1850 – Göttingen, 1934). Un des principaux représentants de la psychophysiologie scientifique en Allemagne, il a critiqué la loi établie par Fechner* (*Zur Grundlegung der Psychophysik*, 1878; *Komplextheorie und Gestalttheorie*, 1923; *Abriss der Psychology*, 1924).

MULLER (Hermann Joseph). ♦ Biologiste américain (New York, 1890). Collaborateur de T.H. Morgan*, il a étudié les phénomènes de « linkage » (groupes de liaison de chromosomes) et de « crossing-over » (entrecroisement des chromosomes), les gènes létaux, la fréquence des mutations. (Prix Nobel de méd., 1946.)

MÜLLER (Paul Hermann). ♦ Biochimiste suisse (Olten, 1899 – Bâle, 1965). Il fit des recherches sur les colorants synthétiques, puis sur les insecticides [dont le D.D.T.]. (Prix Nobel de méd., 1948.)

MULLIGAN (Gerald Joseph, dit Gerry). ♦ Saxophoniste baryton, arrangeur et chef d'orchestre de jazz américain (New York, 1927). Il participa comme arrangeur et comme soliste aux célèbres sessions d'enregistrement organisées en 1948 par Miles Davis pour la marque *Capitol*. Après avoir joué dans l'orchestre de Claude Thornhill (1952), il forma en Californie un quartette sans piano, dont le style raffiné et la sonorité précieuse (née des improvisations en contrepoint du saxophone baryton et de la trompette) devaient influencer durablement le jazz de la côte ouest. En 1960, G. Mulligan prit la tête d'un grand orchestre avec lequel il fit plusieurs tournées en Europe, mais il semblerait que depuis 1965 son évolution personnelle lui ait fait préférer le petit ensemble de quatre à six musiciens.

MULLIKEN (Robert Sanderson). ♦ Chimiste américain (Newburyport, 1896). Auteur, avec F. Hund* et J.E. Lennard*-Jones, de la théorie des orbitales moléculaires, application de la mécanique ondulatoire au problème des liaisons chimiques qui permet de mieux comprendre la notion de valence et de nombreux faits expérimentaux. **V.** *aussi* **Pauling, Slater.** (Prix Nobel de chimie, 1966.)

MULLINGAR, en irl. **Muileann Cearr.** ♦ V. d'Irlande et ch.-l. du comté de Westmeath*, dans la plaine centrale. 6 470 hab. (1966). Évêché catholique. Marché agricole.

MULMEIN ou **MOULMEIN.** ♦ V. et port de Birmanie, au débouché du Saluen; cap. du Tenasserim. 115 900 hab. Constructions navales. Exportation de bois de teck et de riz.

MULTĀN. ♦ V. du Pâkistân et ch.-l. de prov. sur la riv. Chenâb*. 597 000 hab. (1969). Gros marché agricole. Indus. de précision (coutellerie), céramique. Bijouterie renommée.

MULTIEN [myltjɛ̃]. *n. m.* ♦ Anc. pays de France situé au N.-E. de Paris entre la Marne et l'Ourcq, et dont la capitale était Meaux*.

MULTSCHER (Hans). ♦ Peintre et sculpteur souabe (Reichenhofen, v. 1400 – Ulm, 1467). Il semble surtout avoir travaillé à Ulm. Réagissant contre le raffinement et la grâce du gothique tardif, il adopta les recherches réalistes des Flamands et manifesta un insistant souci d'expressivité souvent poussé jusqu'à la caricature. Dans ses compositions, il accumulait les formes rudes, aimait les détails pittoresques et donnait un aspect tranchant aux volumes (*Retable de Wurzach*, 1437).

MUMMIUS, en lat. **Lucius Mummius.** ♦ Général romain (~ IIᵉ s.). Consul en ~ 146, il anéantit la ligue Achéenne*, acheva la conquête de la Grèce qui devint province romaine sous le nom d'Achaïe, et pilla Corinthe qu'il dépouilla de toutes ses œuvres d'art.

MUN (Thomas). ♦ Économiste anglais du XVIIᵉ siècle. Son *Discours sur le commerce anglais aux Indes orientales* (1621) fait de lui un des représentants les plus connus de la doctrine mercantiliste en Angleterre.

MUN (Albert, *comte de*). ♦ Homme politique français (Lumigny, Seine-et-Marne, 1841 – Bordeaux, 1914). Représentant du catholicisme social (**V. Harmel, La Tour Du Pin**), il fut d'abord partisan d'un corporatisme chrétien, puis d'une collaboration de classes dans le cadre de syndicats mixtes, patrons-ouvriers, sous le contrôle de l'État. Monarchiste, puis républicain, il fut élu député et fut un des promoteurs de la législation en faveur des travailleurs (loi sur le travail des femmes, 1892). *Ma vocation sociale*, 1908. (Acad. fr., 1897.)

MUNCH (Peter Andreas). ♦ Historien et archéologue norvégien (Christiania [Oslo], 1810 – Rome, 1863). Ses recherches historiques influencèrent Asbjørnsen*, Moe*, Bjørnson*, et Ibsen*. Il laissa une grande œuvre inachevée : l'*Histoire du peuple norvégien*.

MUNCH (Edvard). ♦ Peintre, dessinateur et graveur norvégien (Loïten, 1863 – Ékely, près d'Oslo, 1944). Il fut dans sa jeunesse profondément marqué par plusieurs deuils et ne cessa d'exprimer dans sa peinture l'obsession de la mort. En 1855, il fit un premier voyage à Paris et s'intéressa aux recherches impressionnistes. Il retourna en France en 1885, fréquenta l'atelier de Bonnat*, subit l'influence des théories néo-impressionnistes et admira l'art de Gauguin* et de Van* Gogh. Abandonnant la description des faits, il chercha à communiquer son sentiment tragique de la vie et, à partir de 1889, voulut grouper ses œuvres dans un ensemble qui formerait *La Frise de la vie*. Ses intentions et les moyens plastiques utilisés le rapprochent du symbolisme et des nabis avec lesquels il entra d'ailleurs en contact à Paris vers 1896-1897. Créant des compositions synthétiques où les plans et les contours sont cernés de lignes sinueuses (qui rappellent les arabesques de l'Art Nouveau), il étala les couleurs par aplats dans des tonalités sourdes ou intenses, selon les qualités expressives et la fonction symbolique dont il les dotait (*Le Cri*, 1893; *La Jalousie*, 1893). À partir de 1894, il réalisa une série de lithographies puis de xylographies (1910) et d'eaux-fortes au graphisme souple et appuyé dont la tension expressive révèle une sensibilité angoissée. À partir de 1900, sa palette devint plus légère, ses couleurs plus éclatantes, sa facture prit un audacieux aspect d'ébauche et les intentions symboliques devinrent moins apparentes. Il exerça une grande influence sur les artistes expressionnistes du groupe Die Brücke, sur Kokoschka* et Egon Schiele.

MUNCH (Charles). ♦ Chef d'orchestre français (Strasbourg, 1891 – Richmond, Virginie, États-Unis, 1968). Professeur de violon et violon solo à Strasbourg, puis au Gewandhaus de Leipzig, sous la baguette de Furtwängler, il commença une grande carrière de chef d'orchestre à la tête de la Société des concerts du Conservatoire (1938). Il dirigea l'Orchestre symphonique de Boston (1949-1961) et fut le fondateur de l'Orchestre de Paris (1967). Joignant un tempérament passionné à une technique précise, il a donné d'inoubliables interprétations de Berlioz, Ravel, Roussel et Honegger.

MÜNCHHAUSEN (Karl Friedrich Hieronymus, *baron de*). ♦ Officier qui servit dans l'armée russe contre les Turcs en 1740 (Gut Bodenwerder, Hanovre, 1720 – *id.*, 1797). Il est connu par le récit de ses aventures extraordinaires qui ont inspiré écrivains et cinéastes (*Aventures du baron de Münchhausen*, devenu en France le *baron de Crac*).

Munda. *n. m.* ♦ Groupe de langues peut-être apparentées au môn*-khmer, parlées actuellement dans le centre et l'E. de l'Inde par des groupes de populations relativement primitives. L'aire d'extension des langues munda fut probablement beaucoup plus grande autrefois qu'à l'heure actuelle. Elles ne sont plus parlées que par moins de 5 000 000 de personnes (surtout par le groupe le plus important, celui des Santali, dans le Bengale-Occidental).

MUNDA. ♦ Anc. V. d'Espagne (Bétique), célèbre par la victoire de César* sur Sextus Pompée*, son frère Cneius, et Labienus* (~ 45).

MUNDIGAK. ♦ Site antique de l'Afghânistân oriental, dont les monuments, restes de trois villes successives, remontent au ~ IIIᵉ millénaire. Le site fut abandonné vers le ~ VIᵉ siècle.

MUNDT (Theodor). ♦ Écrivain allemand (1808 – 1861). Membre du groupe Jeune*-Allemagne, il en a exprimé les idées et les inquiétudes dans ses œuvres. Son roman *Madonna ou les Entretiens avec une sainte* (1835), traite de l'« émancipation de la chair », de la libération sensuelle de la femme.

MUNICH, en all. **München.** ♦ V. d'Allemagne méridionale, cap. du *Land* de Bavière et troisième ville d'Allemagne, sur l'Isar, au centre du plateau bavarois. 1 302 600 hab. (*Munichois*). Archevêché, université. Malgré la destruction massive de la plupart des monuments antérieurs à la Renaissance (ceux qui subsistent : l'*Altes Rathaus* et la *Peterkirche*, ont été presque entièrement restaurés), Munich conserve encore un bel ensemble de monuments Renaissance et baroques. *Frauenkirche* (*fin* XVᵉ s.), de style gothique tardif : *Michaëlkirche* (*fin* XVIᵉ s.) influencée par la Renaissance italienne. La *Residenz*, anc. palais de Wittelsbach, fut construite du XVᵉ au XIXᵉ siècle. Le théâtre de la Residenz, le palais archiépiscopal et l'église Saint-Jean-Népomucène (ou *Asamkirche*, **V. Asam**) sont les plus remarquables monuments baroques de la ville. Louis Iᵉʳ de Bavière, au début du XIXᵉ s. dota la capitale bavaroise d'un important patrimoine monumental (*Feldernhalle, S. Bonifazius Basilika, Propiläen*, université), de musées (*Alte Pinakothek, Glyptothek* [sculptures]) et de larges artères (*Ludwigstrasse, Königsplatz*). Grand centre financier et bancaire.

Arch. Smeets

Edvard Munch : « Musique dans la rue », 1889. (Kunsthalle, Zurich.)

Munich est en outre la métropole commerciale et industrielle de l'Allemagne méridionale, bien desservie par un réseau très dense de communications (liaisons ferroviaires et aériennes, autoroutes vers Berlin, Karlsruhe et Salzbourg). Le large éventail de ses activités industrielles : constructions mécaniques (machines, wagons, automobiles) et électriques, produits chimiques, matériel de précision et optique, porcelaine (Nymphenburg), imprimerie, édition, indus. du cinéma, célèbres brasseries, témoigne de la vitalité économique. Munich est par ailleurs un centre culturel et artistique de grand rayonnement. Elle possède de nombreux musées (*Alte* et *Neue Pinakothek,* musée national bavarois, *Deutsches Museum, Neue Staatsgalerie*) et l'une des plus importantes universités d'Allemagne. Ses fêtes réputées (carnaval, fête de la bière) et la beauté des environs (château de Nymphenburg) attirent de nombreux touristes. – Patrie d'E. Buchner, Ch. de Coster, H. Himmler*, Isabeau* de Bavière, Maximilien* Ier et Othon* Ier de Bavière, M. Scheler*, R. Strauss*. ♦ *Hist.* Munich doit son nom à l'établissement d'une communauté de moines *(Mönchen)* à Tergensee, près duquel Henri le Lion fonda l'actuelle cité vers 1158. En 1255, Munich devint la capitale de la Bavière et la résidence des ducs de Wittelsbach, futurs rois de Bavière. Après le grand incendie de 1327 qui détruisit la ville, Munich fut reconstruite par Louis Ier, considéré comme son second fondateur. Ses successeurs continuèrent cette politique d'embellissement de la cité (notamment Maximilien Ier au XVIIe, Louis Ier, Maximilien II et Louis II, au XIXe). – Après le renversement des Wittelsbach* par Kurt Eisner* le 8 nov. 1918, Munich vit la révolution écrasée par les troupes gouvernementales de Berlin en mai 1919 dans un climat de terreur dont profita le national-socialisme qui y naquit. Le 9 nov. 1923, Hitler déclencha à Munich le putsch dit « de la brasserie », en vue de s'emparer du pouvoir en Bavière, putsch qui échoua devant la réaction de la droite traditionaliste. Les 29 et 30 sept. 1938, se réunit à Munich une conférence internationale (voir *ci-dessous*). La ville souffrit beaucoup de la Deuxième Guerre mondiale.

Munich *(accords de).* ♦ Conférence tenue à Munich en septembre 1938 et qui réunit les représentants de la France (Daladier), de la Grande-Bretagne (Chamberlain), de l'Italie (Mussolini) et de l'Allemagne (Hitler). Les accords qui en résultèrent marquèrent le recul des démocraties occidentales qui, par crainte d'un conflit, laissèrent Hitler annexer le territoire des Sudètes. Les accords de Munich, qui avaient suscité un grand espoir dans les opinions publiques française et britannique, ne firent que renforcer l'Allemagne dans sa politique d'expansion.

MUNICHIE ou **MUNYCHIE**, en grec **Mounikhia.** ♦ L'un des trois ports de l'antique Athènes*. Couronné par une forteresse à sa pointe S., ce port était un arsenal annexe du Pirée. Auj. port de tourisme, connu sous le nom de *Tourkolimano* [port turc].

MUNSHI (Kanaiyalâl Maniklâl). ♦ Homme d'État indien (né à Bombay, 1887). Il fut ministre de l'ancien État d'Uttar Pradesh de 1952 à 1957, et ami de Gandhi*. Il est surtout connu pour ses nombreuses œuvres littéraires (écrites en gujarâtî).

MÜNSTER (Sebastian). ♦ Théologien, hébraïsant et cosmographe allemand (Ingelheim, 1489 – Bâle, 1552). Membre de l'ordre des Cordeliers, il adhéra à la Réforme et enseigna l'hébreu et les mathématiques à l'université de Bâle. Il est l'auteur d'une *Biblia hebraïca* (1534-1535), d'une grammaire et d'un dictionnaire araméens. Dans son *Horologiographia* (1531-1533), il donna une forme moderne à l'art des cadrans solaires. Il est également l'auteur d'une *Cosmographia universalis* (1544) et d'une nouvelle édition de la géographie de Ptolémée.

MUNSTER [*n. m.*] en irl. **Muma.** ♦ L'une des quatre provinces d'Irlande, s'étendant au S. et au S.-O. de l'Eire et correspondant aux comtés de Clare, de Cork, de Kerry, de Limerick, de Tipperary et de Waterford. 24 119 km². 858 400 hab. (1966). *Cap.* Cork*. C'est la partie la plus montagneuse d'Irlande, dominée par les *monts de Kerry* (1 041 m au *Carrantuohill,* point culminant de l'Irlande) et de nombreux petits massifs (monts Caha au S., monts de la péninsule de Dingle et de l'O. du Waterford). Les plaines occupent la majeure partie des comtés de Clare, de Tipperary (Golden Vale) et du Limerick. Les côtes O. (Kerry) sont découpées en péninsules digitées et bordées d'îles. L'agriculture (blé, seigle, orge, pomme de terre, betterave sucrière) est favorisée dans le N. et le S.-O. (Limerick, Cork, Waterford) et est complétée partout par l'élevage. L'activité industrielle est limitée aux villes de Limerick*-Shannon* et de Cork, principaux centres urbains et débouchés maritimes de l'Irlande méridionale. À la transformation des produits agricoles de l'arrière-pays (indus. alimentaires et textiles) s'ajoutent maintenant des indus. mécaniques et chimiques. ♦ *Hist.* Le Munster était l'un des cinq royaumes d'Irlande (fondé par Eoghan Mór). À partir du Ve s., il se divisa en *Munster du Nord* (Deasmhuma ou Desmond) et *Munster du Sud* (Tuadhmhumha ou Thomond).

MÜNSTER (Münster in Westfalen). ♦ V. d'Allemagne occidentale (Rhénanie-Westphalie) et ch.-l. de district à l'extrémité N. du bassin de la Ruhr*, au centre du *bassin de Münster,* sur le canal Rhin-Herne. 203 300 hab. La ville a conservé un cachet médiéval, avec ses maisons à arcades, ses églises (cathédrale édifiée de 1174 à 1265) et son hôtel de ville gothique (XIVe s.). C'est un centre commercial (foires) et industriel important (machines, indus. textiles). – Patrie d'Heinrich Brüning* et du général von Kluck*.

Coll. Viollet

Axel Munthe.

♦ *Hist.* Fondée vers 805 par l'évêque Ludger, Münster fut dotée d'une charte en 1068 et devint une florissante cité commerciale (travail de la laine) qui adhéra à la Hanse. Vers 1532, elle fut le principal foyer du mouvement anabaptiste **(V. Anabaptistes),** écrasé en 1536. En 1648, les négociations du *traité de Westphalie** s'y déroulèrent.

MUNSTER. ♦ Ch.-l. de cant. du Haut-Rhin* (arr. Colmar), au confluent de la Petite et de la Grande Fecht. 4 982 hab. *(Munstériens).* Hôtel de ville de 1550. Indus. textiles. Fromage réputé (le munster).

MUNTÉNIE [*n. f.*] (en roum. **Muntenia)** ou **GRANDE VALACHIE.** ♦ Région de la Roumanie méridionale, correspondant à la partie orientale de la Valachie*, à l'E. de l'Olt. *Cap.* Bucarest*.

MUNTHE (Axel). ♦ Écrivain suédois (Oskarshamm, 1857 – Stockholm, 1949). Après des études de médecine à Uppsala, puis à Paris (à l'école de Charcot), il exerça à Paris (1881), puis à Rome (1890) et à Naples (cf. *De Naples,* 1885; *Esquisses,* 1888). Son expérience de médecin militaire durant la Première Guerre mondiale lui inspira *Croix-Rouge et Croix de fer* (*Red Cross and Iron Cross,* 1916), tandis que les années enchanteresses qu'il avait passées en Italie, notamment à Capri, devaient être évoquées de façon transposée dans *Le Livre de San Michele* (*Story of San Michele,* 1929), qui connut un grand succès; l'ouvrage révèle la « curiosité incurable » de l'écrivain pour la mort (qui fut sa hantise) et son amour pour les « pauvres bêtes innocentes et martyrisées », sentiment que l'on devait retrouver dans *Hommes et Bêtes* (1937).

MUNYCHIE. ♦ **V.** MUNICHIE.

MÜNZER ou **MÜNTZER** ou **MUNCERUS (Thomas).** ♦ Réformateur religieux allemand (Stolberg, Harz, 1489 ? – Mülhausen, Thuringe, 1525). Appartenant à l'ordre des Augustins, il étudia la mystique médiévale tout en recevant une formation humaniste. En 1519, il rencontra Luther*; mais, bien qu'adhérant aux idées de la Réforme, il se sépara de lui, tant sur le plan religieux que politique. Il fut successivement prédicateur à Zwickau, Wittenberg et Allstedt, avant d'être chassé de chacune de ces villes. À Mülhausen, où il avait pris le pouvoir avec ses disciples, il fut le chef anabaptiste de la révolte des paysans, prêchant un communisme évangélique; mais il fut exécuté après la défaite de Frankenhausen (1525). Dans son ouvrage *La Guerre des paysans,* Engels* voit en lui un des premiers révolutionnaires modernes.

MUQADDASI (Abû 'Abd Allâh Muhammad ibn Ahmad al-). ♦ Géographe arabe du Xe s. (né à Jérusalem et mort après 988). Ses voyages le menèrent à travers tout le monde musulman sur lequel son ouvrage, *La Meilleure Division pour connaître les régions du monde (Ahsan at-taqâsîm fi ma'rifat al-aqâlîm),* offre une documentation précieuse.

MUR. *n. f.* ♦ Riv. d'Europe centrale (445 km), issue des Alpes autrichiennes, elle arrose Graz* en Styrie et se jette dans la Drave* (Slovénie). Installations hydro-électriques.

MURÂD. ♦ Fondateur de la dynastie murâdite, qui régna sur la Tunisie ottomane, de 1640 à 1704. – Murâd Ier, II, III. Souverains de cette dynastie. **V. Tunisie,** *Hist.*

MURÂD BEY. ♦ (en Circassie, v. 1750 – 1801). Mamelouk d'Égypte. Il partagea le pouvoir à partir de 1776 avec Ibrâhîm bey. Vaincu par Bonaparte à la bataille des Pyramides (1798), il s'entendit avec Kléber* qui lui laissa le gouvernement de la Haute-Égypte.

Ph. Hubert Josse

Joachim Murat, par F. Gérard. (Château de Versailles.)

Muraille de Chine (Grande Muraille), en chin. **Wan-Li Ch'ang Ch'eng.** ♦ Mur défensif élevé du ~ IVe au ~ IIIe s., en plusieurs tronçons, entre la Chine et les steppes, afin d'empêcher la pénétration massive des peuples barbares du N.-ouest. Ces tronçons furent réunis en ~ 204 pour former une frontière continue, par le premier grand empereur de Chine, Shih Huang-di des Ch'in. Plus de 300 000 travailleurs y participèrent. Le mur N. fut élevé pendant le règne manchou des Ch'ing. Il était percé de quatre portes principales. Par endroits, cette muraille fut doublée ou triplée. On évalue sa longueur totale à près de 3 000 km. L'ouvrage a de 6 à 18 m de hauteur, pour une épaisseur de 8 à 10 mètres. Un large chemin de ronde, permettant à des chars de circuler, était aménagé à son faîte, et de distance en distance, étaient établies des tours de garde. Cette muraille protectrice servait également de route pour les émissaires impériaux. Elle est partiellement en ruine.

MURANO. ♦ Aggl. de la comm. de Venise (Italie), sur une île de la lagune. Basilique Santa Maria, du XIIe s. Centre traditionnel depuis le XIIIe s. de la verrerie d'art (glaces de Venise). — Dans l'île voisine (San Michele) se trouve le cimetière de Venise.

MURASAKI SHIKIBU. ♦ Femme de lettres japonaise qui vécut aux Xe et XIe s., épouse d'un noble de la famille des Fujiwara* et dame de cour de l'impératrice Akiko. Elle termina en 1004 son célèbre roman de mœurs sur les milieux de la cour de Heian*, le *Genji monogatari* (« Roman de Genji »), considéré depuis cette époque comme le plus pur chef-d'œuvre romanesque de la littérature japonaise.

MURAT. ♦ Nom de sultans ottomans. ♦ MURAT Ier (v. 1319 — 1389). Sultan ottoman (1359-1389). Il succéda à son père Orkhân* (Orhan) et élargit ses territoires en Europe : il prit la Thrace, Gallipoli et Andrinople qui devint sa capitale (1365). Il battit Hongrois et Serbes, occupa Monastir (1380), Sofia (v. 1385), Niš (1386) et Thessalonique (1387). Il soumit aussi l'Asie Mineure. Son vizir Halil pacha fut le fondateur du corps des janissaires. ♦ MURAT II (v. 1401 — Andrinople, 1451). Sultan ottoman (1421-1451). Après avoir éliminé le prétendant Mustafa, il dirigea l'offensive turque dans les Balkans et en Asie Mineure. Sa cour abrita des savants et des hommes de lettres. ♦ MURAT III (1546 — 1595). Sultan ottoman (1574-1595). Sous son règne, l'armée turque emporta de grandes victoires contre la Perse (1576-1590). ♦ MURAT IV (v. 1609 — Istanbul, 1640). Sultan ottoman (1623-1640). Il fut le dernier sultan guerrier et enleva Baghdâd aux Iraniens (1638). ♦ MURAT V (1840 — 1904). Sultan ottoman. Il fut déposé au bout de quelques mois.

MURAT (Joachim). ♦ Maréchal de France et roi de Naples (Labastide-Fortunière [depuis, Labastide-Murat], 1767 — Pizzo, en Calabre, 1815). Fils d'un aubergiste, il s'engagea dans l'armée en 1787; officier en 1792, il fit partie de la garde constitutionnelle de Louis XVI. Chef d'escadron (1796), il seconda Bonaparte le 13 Vendémiaire et devint son aide de camp lors de la première campagne d'Italie (1796). Il l'accompagna en Égypte; nommé général de division après Aboukir, il rentra en France avec Bonaparte, participa activement au 18 Brumaire* et devint commandant de la garde consulaire. En 1800, il épousa Caroline Bonaparte. Napoléon le combla d'honneurs, le faisant maréchal (1804), prince d'Empire (1805). D'un remarquable courage physique, il combattit dans les grandes batailles napoléoniennes. Commandant en chef en Espagne (1808), il réprima dans le sang l'insurrection populaire de Madrid (2 mai). Déçu de n'être pas fait roi d'Espagne, il accepta le royaume de Naples en juillet 1808. Il régna sous le nom de JOACHIM NAPOLÉON, succédant à Joseph Bonaparte* qui avait entrepris des réformes inspirées de celles du Consulat, que Murat continua et développa. Il entoura sa cour d'un grand faste et crut pouvoir mener une politique personnelle. Il fut appelé par Napoléon pour la campagne de Russie et l'empereur rentra en France en lui laissant le commandement (déc. 1812). Il abandonna son poste en janv. 1813 après s'être violemment querellé avec Davout, et regagna son royaume où il intrigua avec l'Autriche. Il fit pourtant aux côtés de Napoléon la campagne d'Allemagne de 1813 (Dresde, Leipzig). De retour à Naples, il signa avec l'Autriche et l'Angleterre (janv. 1814) un traité qui lui garantissait son royaume mais le mettait dans l'obligation de fournir 30 000 hommes aux ennemis de l'empereur. Le congrès de Vienne* rendit le royaume de Naples aux Bourbons. Murat tenta en vain de soulever les nationalistes italiens (1815), au moment des Cent*-Jours, et les incita à lutter pour leur indépendance; il déclara la guerre à l'Autriche dans sa déclaration de Rimini (30 mars 1815). Il se réfugia en Corse après Waterloo et tenta un débarquement en Calabre où il fut pris. Il fut condamné et fusillé sur ordre de Ferdinand IV, le 13 octobre 1815.

MURAT. ♦ Ch.-l. de cant. du Cantal*, arr. de Saint*-Flour, sur l'Alagnon*. 3 050 hab. *(Muratais).* Église Notre-Dame-des-Oliviers (XVe s.); maisons anciennes. Centre touristique.

MURATO. ♦ Ch.-l. de cant. de la Corse*, arr. de Bastia*, sur le Bevinco. 1 031 hab. Aux environs, église romane San Michele en appareil polychrome. Vignobles. — Patrie de G. Fieschi*.

MURATORI (Ludovico Antonio). ♦ Polygraphe et historien italien (Vignola, Modène, 1672 — Modène, 1750). Prêtre qui fit preuve d'un grand zèle religieux, auteur d'une correspondance considérable, Muratori fut un écrivain fécond et varié. Il est notamment l'auteur d'un essai de médecine sociale, *De la peste* (*Del governo della peste,* 1714) et d'un traité en faveur de la codification des lois, *Les Défauts de la jurisprudence* (*Dei Difetti della Giurisprudenza,* 1742). Historien remarquable, il donna à ses compatriotes le sentiment de leur unité nationale dans les vingt-huit volumes en latin des *Rerum italicarum scriptores* (1723-1751), dont il donna un résumé en italien (*Les Annales d'Italie,* 1744-1749). ♦ *Canon de Muratori :* fragment manuscrit (VIIIe s.) découvert par lui, donnant la liste des livres saints reçus par l'Église de Rome v. 180, soit, pour le Nouveau Testament, le canon catholique actuel **(V. Bible)** moins les *Épîtres aux Hébreux,* de Jacques, IIIe de Jean, Ire et IIe de Pierre, mais auquel s'ajoutait l'*Apocalypse de Pierre.*

MURCHISON (*sir* Roderick Impey). ♦ Géologue écossais (Taradale, Ross-shire, 1792 — Londres, 1871). Il est l'auteur d'ouvrages sur *Le Système silurien* (1839), *La Géologie de la Russie* (1846) et d'un *Atlas géologique de l'Europe* (1856). On a donné le nom de *murchisonite* à un minéral de la famille des feldspaths.

MURCIE, en esp. **Murcia.** ♦ V. d'Espagne du Sud, dans le Levant*. Ch.-l. de prov. sur le Segura, au centre d'une riche *huerta.* 261 200 hab. Évêché, université. Cathédrale (XIVe-XVe s.). La ville centralise et exporte la production d'agrumes de la région Murcie-Albacete. Centre industriel : conserves de fruits, fabrication de crin de Florence. La *prov. de Murcie* (11 317 km^2) compte 800 500 habitants.

MUR-DE-BRETAGNE. ♦ Ch.-l. de cant. des Côtes-du-Nord, arr. de Guingamp. 2 231 hab. (1 094 aggl.) [*Mûrois*]. Chapelle Sainte-Suzanne (XVIIe s.). — Aux environs, lac artificiel formé dans les gorges du Blavet* par le barrage de Guerlédan.

MURDOCH (William). ♦ Ingénieur anglais (Bellow Mill, Ayrshire, 1754 — près de Soho, Staffordshire, 1839). Ayant découvert l'intérêt du gaz dégagé par la combustion du charbon, il en mit au point l'exploitation (1792) et réussit dès 1798 à éclairer une aciérie. **V. *aussi* Lebon.**

MURDOCK (George Peter). ♦ Ethnologue américain (Connecticut, 1897). Fondateur de la revue *Ethnology* (1962, Pittsburgh), il a tenté de donner à l'ethnologie comparée une méthodologie rigoureuse et de formuler une théorie empirique de la structure sociale basée sur des données quantitatives (*The Social Structure,* 1949).

MURE (La). ♦ Ch.-l. de cant. de l'Isère*, arr. de Grenoble*. 6 731 hab. *(Murois).* Tour de l'Horloge, halles anciennes. Centre commercial; anthracite.

MUREAUX (Les). ♦ Comm. des Yvelines (arr. de Mantes-la-Jolie), sur la Seine, en face de Meulan* (pont). 22 040 hab.

(Muriautins). Construction aéronautique; constructions mécaniques; tuilerie; indus. chimique.

MURENA, en lat. **Lucius Licinius Murena.** ♦ Légat de Lucullus* (~ Iᵉʳ s.). Il se distingua dans la guerre contre Mithridate*. Élu consul pour ~ 62 contre Catilina* et Servius Sulpicius, il fut accusé de corruption électorale par ce dernier. Cicéron* le défendit dans le *Pro Murena* (nov. ~ 63).

MUREȘ, en hongr. **Maros.** *n. m.* ♦ Riv. d'Europe centrale (900 km), irriguant la Roumanie et la Hongrie. Née dans les Carpates orientales, elle arrose Tîrgu*-Mureș, Alba*-Julia, contourne le Bihor, arrose Arad* et rejoint la Tisza près de Szeged (Hongrie). – En Roumanie, la Région autonome magyare de Mureș (Transylvanie orientale) compte 12 250 km², 970 000 hab. env. (de langue hongroise) et a pour capitale Tîrgu-Mures.

MURET (Marc-Antoine). ♦ Humaniste français (Muret, Limousin, 1526 – Rome, 1585). Professeur à Bordeaux où il eut Montaigne pour élève, puis à Paris et à Toulouse où il fut accusé de « mœurs contre nature », il gagna l'Italie où il fut ordonné prêtre en 1576. Outre des éditions de poésies françaises, un commentaire des *Amours* de Ronsard, il a laissé des poésies latines *(Juvelinia)* et des *Hymnes d'église.*

MURET. ♦ Sous-préf. de la Haute-Garonne*, ch.-l. d'arr. (10 cant., 126 comm., 80 675 hab.). 13 598 hab. [10 515 aggl.] *(Murétains).* Restes d'un pont XIIIᵉ s., église XIV-XVᵉ s., maisons XVᵉ-XVIᵉ siècle. Fonderie, fabrique d'instruments chirurgicaux. Station de radiodiffusion (Radio-Toulouse). Patrie de C. Ader*, N. Dalayrac*, du maréchal Niel*. ♦ *Hist.* Anc. cap. du comté de Comminges*. En 1213, Simon de Montfort y battit Pierre II d'Aragon et le comte de Toulouse.

MURGÂB, MURGHÂB ou **MOURGÂB.** *n. m.* ♦ Fl. d'U.R.S.S. (852 km). Né en Afghânistân, il disparaît dans les sables du Karakoum* [Karakum], au N.-O. de la ville de Mary (Türkmenistan). Il se jetait autrefois dans la mer Caspienne.

MURGER [myʀʒɛʀ] **(Henri).** ♦ Écrivain français (Paris, 1822 – 1861). Pour suivre sa vocation d'écrivain, il fit l'apprentissage de la misère; soutenu par des écrivains comme Gérard de Nerval*, il fit paraître, d'abord dans un journal, puis en recueil, *Les Scènes de la vie de bohème* (1848) qui connurent un grand succès et qu'il adapta au théâtre (1851) en collaboration avec Th. Barrière. Ces épisodes dont les personnages, par une idéalisation aimable, deviennent le symbole d'une jeunesse insouciante et heureuse, devaient inspirer à Giacomo Puccini* son célèbre opéra *La Bohème* (1896).

MURILLO (Bartolomé Estebán). ♦ Peintre espagnol (Séville, 1618 – *id.*, 1682). Orphelin à dix ans, il fit son apprentissage auprès d'un peintre italianisant d'orientation maniériste : Juan del Castillo, puis il peignit pour vivre de nombreuses images pieuses. D'abord marqué par Ribalta*, Ribera* et Zurbarán*, il se dégagea assez rapidement de leur emprise, révélant une connaissance de la peinture flamande et vénitienne qui laisse supposer qu'il étudia les collections royales au cours d'un séjour à Madrid. L'exécution d'un cycle de onze tableaux pour les Franciscains de Séville (1645-1646) le rendit célèbre; il fut dès lors surchargé de commandes et travailla surtout pour les Franciscains, les Capucins et les Augustins. Au début, l'adoption de couleurs sombres et de types vigoureusement caractérisés le rattachent encore au courant « ténébriste » *(La Cuisine des anges).* Mais progressivement sa facture s'assouplit; élaborant un style personnel, il recourut à une gamme plus claire et légère, à dominante dorée, il baigna dans une lumière diffuse ses compositions, où spirales et formes onduleuses prédominent et il rendit avec une pâte fluide et des tons rompus les reflets et les irisations. La série des grands cycles : pour Santa María la Blanca v. 1669, pour le couvent des Capucins 1665, et surtout pour l'église de l'hôpital de la Charité, ainsi que les multiples tableaux de dévotion destinés à des particuliers *(Éducation de la Vierge; Nativité de la Vierge)* reflètent une piété tendre et suave aux accents familiers, qui trouve sa mesure dans l'exaltation de la charité, de la foi et de l'Immaculée Conception. Quant à ses représentations d'enfants, jeunes mendiants, voleurs, ainsi que ses scènes de genre attestant un goût pour l'observation directe des types, elles semblent l'expression d'une même vision optimiste et sentimentale. Il réalisa aussi quelques paysages et des portraits dénués d'afféterie où apparaît la délicatesse de son chromatisme. Il jouit de son vivant d'une renommée internationale et ses *Immaculée Conception* furent copiées et abondamment reproduites aux XVIIIᵉ et XIXᵉ s., au point de devenir des archétypes d'images pieuses.

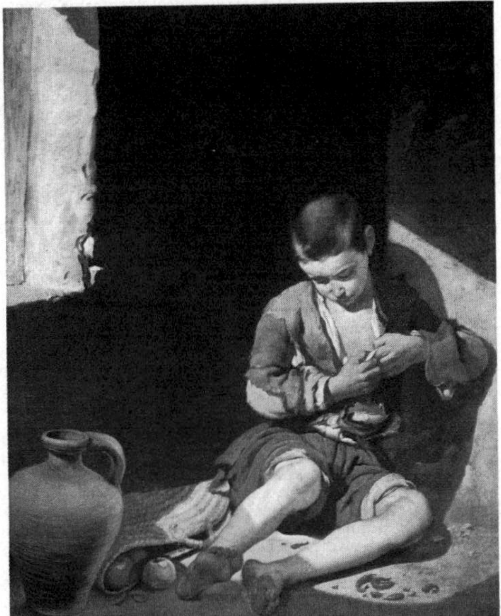

Arch. Smeets

Murillo : « Le Jeune Mendiant ». (Musée du Louvre, Paris.)

Coll. Rui Nogueira

Murnau.

MURNAU (Friedrich Wilhelm Plumpe, dit). ♦ Réalisateur allemand de cinéma, naturalisé américain (Bielefeld, 1889 – Los Angeles, 1931). Esprit cultivé, formé d'abord aux disciplines du théâtre par Max Reinhardt*, il devait s'affirmer comme l'un des maîtres de l'expressionnisme allemand avec *Nosferatu le Vampire* (*Nosferatu, ein Symphonie des Grauens,* 1922). L'art des éclairages, du ralenti, du décor, le jeu de la caméra en mouvement, créant un univers envoûtant propre à Murnau, devaient atteindre leur maximum d'efficacité avec *Le Dernier des hommes* (*Der letzte Mann,* 1924). L'échec de deux de ses réalisations pourtant remarquables dans leur esthétique baroque (*Tartuffe,* 1925; *Faust,* 1926) le détermina à quitter l'Allemagne pour les États-Unis où son œuvre la plus accomplie, *L'Aurore* (*Sunrise,* 1927), fut mal accueillie. Cependant il devait réaliser encore *Tabou* (*Tabu,* 1931, coscénariste R. Flaherty*), hymne à l'innocence retrouvée et point final d'une œuvre qui est une méditation pathétique sur les thèmes de l'amour impossible, de la fatalité et de la mort.

MURNER (Thomas). ♦ Théologien alsacien (Oberehnheim, *auj.* Obernai, 1475 – 1537 ?). Il fréquenta l'école du couvent des Franciscains à Strasbourg, entra dans les ordres (1490), voyagea avant de se fixer en Alsace. Grand érudit, il ne fut pas cependant un humaniste, comme le montre sa *Nova Germania* (1502) dirigée contre l'œuvre de l'humaniste Wimpheling* [ou Wimpfeling] *(Germania).* Prédicateur, poète et publiciste satirique, il reprit, après S. Brandt*, le thème de la folie humaine (le péché) dans la plupart de ses écrits (*La Conjuration des fous,* 1512; *Corporation des coquins,* 1512; *Le Pré aux godelureaux,* 1515; *Le Moulin de Shwindelsheim,* 1515, etc.). Adversaire résolu des thèses de Luther, il écrivit *Le Grand Fou luthérien.*

Muromachi. ♦ Période de l'histoire japonaise s'étendant de la chute du Bakufu de Kamakura* en 1333 jusqu'en 1573 et pendant laquelle le Japon fut dirigé par les shôgun de la famille des Ashikaga*. Cette période, l'une des plus sombres de l'histoire du Japon, fut marquée par des guerres civiles incessantes **(V. Ōnin-no-Ran)** et la destruction de nombreuses villes, entre autres de celle de Kyôto. Elle vit en revanche l'épanouissement de nom-

Ph. Boyer-Viollet

William Parry Murphy.

breuses formes d'art (peinture, céramique) et la création du théâtre de nô.

MURORAN. ♦ V. du Japon, sur la côte S. de l'île de Hokkaidô, et deuxième port de commerce du pays. Env. 200 000 hab. Ce port important fut très tôt fréquenté par les flottes étrangères qui y trouvèrent un mouillage sûr et bien abrité. La ville possède des industries de l'acier et exporte du charbon, du fer et du bois vers les centres industriels du Honshû.

MURPHY (William Parry). ♦ Médecin américain (Stoughton, Wisconsin, 1892). Il obtint, avec G. Minot* et G.H. Whipple*, le prix Nobel de méd. (1934) pour ses recherches sur la thérapeutique de l'anémie pernicieuse. On lui doit également une méthode de diagnostic des calculs vésiculaires *(signe de Murphy)* et de traitement de la péritonite purulente généralisée *(méthode de Murphy).*

MURRAY ou **MORAY (James Stuart,** 1er comte *de*). ♦ (v. 1531 – Linlithgow, 1570). Fils naturel de Jacques* V d'Écosse et demi-frère de Marie* Stuart, il prit la tête du parti protestant, fut d'abord le conseiller de sa sœur, mais à la suite du mariage de celle-ci avec Darnley*, il se révolta et fut mêlé à l'assassinat de Rizzio et à celui de Darnley. Nommé régent quand Marie abdiqua, il défit ses partisans à Langside (1568). Il mourut assassiné.

MURRAY (James). ♦ Général britannique (v. 1720 – Battle Sussex, 1794). Il prit part à la guerre de Sept* Ans au Canada (défense de Québec et prise de Montréal). Premier gouverneur britannique du Canada (1763-1766), il s'opposa à la politique antifrançaise des Anglais. Il fut ensuite gouverneur de Minorque (1774).

MURRAY (*sir* James Augustus Henry). ♦ Philologue et lexicographe anglais (Denholm, 1837 – Oxford, 1915). Professeur, il devint en 1878 directeur de la publication du *New English Dictionary,* qui était en préparation depuis 1858. Sous son impulsion et celle de Bradley, ce dictionnaire historique de la langue anglaise (couramment appelé le dictionnaire d'Oxford) fut rédigé et publié en quasi-totalité. Il fut président de la *Philological Society* de Londres.

MURRAY (Henry Alexander). ♦ Psychologue américain (1892). Influencé par la théorie psychanalytique, il a mis au point un test projectif (le Thematic Aperception Test ou T.A.T.); celui-ci se compose d'une série de planches représentant des situations variées à propos desquelles le sujet (testé) doit faire un récit. L'interprétation permet l'exploration de sa personnalité, comportant trois variables : les besoins de motivation, les facteurs internes (sur-moi intégré, sur-moi conflictuel, moi idéal et narcissisme), et les traits généraux de la personnalité, émotivité, créativité, etc. (*L'Exploration de la personnalité,* 1938.)

MURRAY. *n. m.* ♦ Fl. du S.-E. de l'Australie* (2 574 km). Né dans les Alpes* australiennes, au S.-O. du mont Kosciusko*, il trace la plus grande partie de la frontière entre l'État de Victoria* et celui de Nouvelle*-Galles du Sud, reçoit son principal affl. de d. **(V. Darling)** avant de pénétrer dans l'État d'Australie*-Méridionale, et se jette dans l'océan Indien austral par un estuaire en grande partie barré par un cordon littoral. La *vallée du Murray* a une très grande importance économique, car elle traverse la zone du blé *(Wheat belt)* et de l'élevage du mouton. Le cours du fl. a été aménagé et permet de larges périmètres d'irrigation. Le *bassin du Murray-Darling* couvre 910 000 km².

MÜRREN. ♦ Localité de Suisse (cant. de Berne), située dans l'Oberland* bernois sur le versant E. du Schilthorn. Station d'été et de sports d'hiver, dans un site remarquable. Alt. 1650-2 231 mètres.

MURUGA. ♦ V. KÂRTTIKEYA.

MURUGAN. ♦ Divinité hindoue du S. de l'Inde, identifiée comme étant Subrâhmanya, un des fils de Śiva*. C'est la divinité la plus vénérée des Tamils*, dieu de la Beauté et de la Guerre. On le représente armé de la lance et de l'arc et monté sur un paon faisant la roue.

MURUROA. ♦ Îlot (atoll) de l'archipel de Tuamotu* [*Touamotou*], devenu célèbre par l'installation d'une base d'expérimentation française d'engins atomiques.

MURVIEL-LÈS-BÉZIERS. ♦ Ch.-l. de cant. de l'Hérault, arr. de Béziers. 2 023 hab. *(Murviellois).* Église gothique. Château (XVIe, XVIIe s.).

MÜRZZUSCHLAG. ♦ V. d'Autriche, située en Styrie, au pied du Semmering. 11 900 hab. Station de sports d'hiver.

MÛSÂ. ♦ Forme arabe de *Moïse.*

MÛSÂ IBN NUSAYR. ♦ Général arabe (La Mecque, v. 640 – *id.,* 718). Profitant de l'inorganisation de la résistance berbère contre l'occupation arabe, il envahit le Maghreb, atteignit la côte marocaine (708), ordonna à son lieutenant Taraq* de débarquer en Espagne (711) et dirigea la conquête de la péninsule Ibérique pour le calife 'umayyade* de Damas, al-Walîd (711-715).

MUSALA *(pic).* ♦ V. MUSS-ALLA.

MUSASHINO. ♦ V. du Japon (Honshû) au N.-O. de Tôkyô, au centre d'une plaine maraîchère (légumes). 140 000 hab. Indus. de la soie.

MUSÉE, en gr. **Mousaios.** ♦ Poète grec qui vécut probablement en Égypte vers la fin du Ve s. Son poème, *Héro et Léandre,* évoquant l'élégie alexandrine et certaines techniques de Nonnos*, fut très populaire à l'époque byzantine.

MUSELLI (Vincent). ♦ Poète français (Argentan, 1879 – Paris, 1956). Fidèle à la grande tradition classique, son œuvre est marquée par l'influence des poètes de la Pléiade autant que par celle de Baudelaire et de Moréas. La noblesse de son inspiration, la rigueur de sa forme, n'en excluent pas un fervent amour de la vie et des plaisirs du monde. Princ. recueils : *Les Travaux et les Jeux* (1914), *Les Sonnets moraux* (1934), *Les Convives* (1947).

MUSES. *n.f. pl.,* en gr. **Mousai** (Cf. Muse, *in* Robert). ♦ Divinités patronnes des chants et des sciences, dont la généalogie, le nombre et les attributions précises ont beaucoup changé selon les époques. Avec Hésiode, elles sont définies comme neuf sœurs, filles de Zeus* et de Mnémosyne*. **V. Calliope, Clio, Érato, Euterpe, Melpomène, Polymnie, Terpsichore, Thalie, Uranie.**

Muséum national d'histoire naturelle. ♦ Établissement scientifique de Paris, sur la r. g. de la Seine. À l'origine *Jardin royal des herbes médicinales* réalisé, sous Louis XIII, par Guy de La* Brosse (1626), le « Jardin du roi » devint un grand foyer scientifique quand Buffon*, aidé de Daubenton*, en fut l'intendant (1739 à 1788). Un corps professoral fut constitué, dont firent partie notamment les Jussieu*, Fourcroy*, Lacépède* et, plus tard, Chevreul*, les Milne*-Edwards, les Becquerel*. Des naturalistes comme Cuvier*, Lamarck* et Geoffroy* Saint-Hilaire s'y illustrèrent. À l'instigation de Lakanal*, la Convention dota le Jardin, devenu *Muséum national d'histoire naturelle* (1793), d'une ménagerie et organisa sa bibliothèque. Actuellement rattaché, comme le Collège* de France, au ministère de l'Éducation nationale, le Muséum comprend le *Jardin des Plantes,* des *galeries* consacrées aux trois règnes de la nature, des *laboratoires* de sciences naturelles et une riche *bibliothèque.* Sous sa dépendance ont été placés la *ménagerie* et le *parc zoologique* de Vincennes* ainsi que le *musée de l'Homme* du palais de Chaillot*.

MUSGRAVE *(monts).* ♦ Hauteurs de l'Australie* (1 515 m), dans la zone désertique au S. des monts Macdonnel*, sur la frontière entre le Territoire* du Nord et l'Australie*-Méridionale.

MUSHAKOJI (Saneatsu). ♦ Romancier et dramaturge japonais (Tôkyô, 1885 –). Son œuvre est influencée par le christianisme et reflète son humanitarisme et son idéalisme. Ses romans possèdent presque tous une trame psychologique décrivant l'âme japonaise.

MUSIL (Robert *von*). ♦ Écrivain autrichien (Klagenfurt, Carinthie, 1880 – Genève, 1942). D'abord destiné à la carrière militaire, il l'abandonna pour préparer un diplôme d'ingénieur, puis étudia à Berlin la psychologie et la philosophie (thèse sur E. Mach, 1908). Paru en 1906, son premier roman, *Les Désarrois de l'élève Törless (Die Verwirrungen des Zöglings Törless),* connut un grand succès. Évoquant le souvenir pénible des académies militaires où Musil passa plusieurs années, l'ouvrage raconte une histoire violente d'adolescents pervers. Musil publia ensuite deux recueils de nouvelles qui furent considérées à l'époque comme un manifeste de l'expressionnisme (*Associations* [*Vereinigungen*], 1911, et *Trois Femmes* [*Drei Frauen*], 1924) et un drame (*Les Exaltés* [*Die Schwärmer*], 1921, dont la première représentation fut un échec). Il travaillait surtout à son œuvre maîtresse, *L'Homme* sans qualités (Der Mann ohne Eigenschaften).* Ce roman, dont seules les deux premières parties furent publiées (1930, 1933) et qui demeura inachevé, est une critique, d'une ironie subtile mais profondément pessimiste, de la monarchie austro-hongroise vers les années 1914 et, plus généralement, des valeurs du monde moderne. Réfugié en Suisse lors de l'invasion de l'Autriche par les troupes allemandes, Musil vécut de plus en plus solitaire et méconnu. Ce n'est que vers les années 1950, lorsque furent publiés les chapitres inédits, les fragments et notes de *L'Homme sans qualités* que l'œuvre de Musil fut estimée à sa juste valeur et mise au rang des plus importantes par son analyse lucide de la réalité, son style clair et précis.

MUSS-ALLA ou **MUSALLĂ** (ar. « lieu de prières »). ♦ Sommet de Bulgarie, point culminant du Rhodope (2 925 m), dans le Rila*. Il a porté les noms de *pic Staline* et *pic Dimitrov*.

MUSSCHENBROEK. ♦ **V.** VAN MUSSCHENBROEK.

MUSSET (Alfred de). ♦ Écrivain français (Paris, 1810 – *id.*, 1857). Doué d'une rare précocité, introduit dès 1828 dans le *cénacle** de Nodier*, il se lia avec Vigny* et Sainte*-Beuve et obtint de flatteurs succès littéraires. Ses *Contes d'Espagne et d'Italie* (1830) manifestaient un romantisme agressif, par la recherche d'une couleur locale de fantaisie, la peinture de passions violentes et le goût de la virtuosité métrique. Génie précoce et épris de liberté, indifférent aux écoles et aux modes, il allait doter le théâtre français de quelques-uns de ses chefs-d'œuvre. Incompris jusqu'à la découverte de *Un caprice,* le théâtre de Musset est considéré aujourd'hui comme la contribution la plus originale et la plus durable du romantisme français à l'art dramatique. Il l'avait écrit pour la lecture et non pour la scène, où il avait essuyé des déboires (échec de *La Nuit vénitienne*) et intitulé *Un spectacle dans un fauteuil* (1832), puis *Comédies et Proverbes* (1840). Affirmant son indépendance à l'égard du nouvel esprit romantique (mission sociale de l'écrivain), il voulut retrouver l'inspiration intime et sincère (« Ce qu'il faut à l'artiste ou au poète, c'est l'émotion ») et s'exprima indirectement par les héros de ses pièces (*Les Caprices* de Marianne,* 1833 ; *Fantasio**, 1834 ; *Lorenzaccio**, 1834 ; *Le Chandelier**, 1835 ; *Il ne faut jurer de rien,* 1836). Cette œuvre théâtrale a longtemps déconcerté le public par sa fantaisie et par le désinvolte mélange des genres. La versatilité de ses héros, la complexité de leur caractère où le désir de pureté, l'aspiration à l'idéal se conjuguent avec l'abandon au vice et au désespoir ont d'abord choqué. Ce personnage au double visage, c'est Musset lui-même, et son œuvre est le reflet le plus fidèle de son angoisse intime. Ainsi *On ne badine pas avec l'amour* (1834) rappelle, par son titre, l'« amour insensé » de Musset pour George Sand*. Cette douloureuse aventure (1833-1835), transposée dans le roman *La Confession* d'un enfant du siècle* (1836), donne sa gravité à l'épanchement lyrique des *Nuits** (1835-1837), de *La Lettre à Lamartine* (1836) ou de *Souvenir* (1841). Désormais désenchanté, malade, le poète donnera alternativement des contes *(Histoire d'un merle blanc)* ou des fantaisies poétiques *(Sur trois marches de marbre rose)* et des œuvres plus amères et tourmentées (*L'Espoir en Dieu,* 1838). Excellant à manier le badinage spirituel et ironique, Musset sut également exprimer les élans de la passion ou ce qui fut son drame intérieur : la tentation de la débauche et la nostalgie de la pureté qui habitent « son cœur saignant, son cœur brûlant et ennuyé » (Sainte-Beuve).

MUSSIDAN. ♦ Ch.-l. de cant. de la Dordogne*, arr. de Périgueux*, sur l'Isle*. 3 168 hab. *(Mussidanais).* Indus. textile, tissage de toiles, fabrication de chaussures.

MUSSOLINI (Benito Amilcare Andrea). ♦ Homme d'État italien (Varano dei Costa, Romagne, 1883 – Dongo, Côme, 1945). Né d'un père forgeron et d'une mère institutrice, il fit ses études à l'École normale d'instituteurs, et obtint son diplôme à 18 ans. Il enseigna deux ans, s'inscrivit au parti socialiste, puis, pour se soustraire au service militaire, il passa en Suisse où il vécut de 1902 à 1904, exerçant divers métiers et se liant avec les milieux socialistes cosmopolites. Là, il forma sa culture politique par des lectures, des conversations, et par l'action syndicale auprès des travailleurs émigrés italiens; il perfectionna sa connaissance du français et de l'allemand. Rentré en Italie, il se décida à faire son service militaire (1904-1906), obtint pour quelque temps un poste de professeur de français, puis devint journaliste à Trente. Comme organisateur de grèves, et pour avoir participé à des campagnes contre la guerre coloniale en Libye, il fit de la prison. Appelé en 1912 à Milan par les leaders socialistes pour diriger *l'Avanti,* journal du parti, il se montra jusqu'en 1914 un socialiste intransigeant et fut d'abord résolument neutraliste. Brusquement, il changea totalement d'opinion et fit campagne pour l'intervention italienne. Il fut accusé d'avoir fait volte-face pour de l'argent de provenance française, et dut démissionner du parti socialiste. Il fonda alors *Il Popolo d'Italia,* créa aussi les *Faisceaux d'action révolutionnaire,* pour soutenir le parti des interventionnistes. Ceux-ci l'ayant emporté (juin 1915), Mussolini, devant mettre ses actes en accord avec ses paroles, partit pour le front. Grièvement blessé en 1917 au cours d'un exercice, réformé, il reprit la direction du journal dans lequel il soutint les thèses nationalistes et annexionnistes. Il protesta après la victoire contre les « promesses non tenues par les Alliés » (question des terres « irrédentes ». **V. Italie** [*hist.*]). En mars 1919, avec quelques *arditi* (combattants d'élite chargés d'opérations hardies, durant la guerre), il fonda les « Faisceaux italiens de combat » **(V. Fascisme),** dont le succès fut lié à la situation chaotique de l'Italie d'après-guerre **(V. Italie** [*hist*]**).** Au congrès de Rome en nov. 1921, Mussolini donna une existence officielle au parti fasciste, doublé d'une organisation syndicale (l'*Union ouvrière du travail*). Le nombre des adhérents à son parti passa de 31 000 à la fin de l'année 1921 à 720 000 au printemps 1922. Il gagna la confiance de la bourgeoisie, des milieux industriels, des milieux de l'armée et de la police, par la violence même avec laquelle ses « fasci » matèrent les révoltes ouvrières. Il remporta sa première victoire lors de la grève organisée par les socialistes, qu'il brisa par la force le 1er août 1922 en s'emparant de la municipalité de Milan, avec la connivence tacite des autorités. Le *Duce* (le Guide), comme il se faisait appeler, prépara alors avec minutie la « marche sur Rome » : s'assurant du soutien des notabilités locales et des officiers antiparlementaires, après avoir conduit à Rome 126 000 hommes médiocrement armés (« marche » que lui-même fit, de Milan, en wagon-lit), il obtint du roi Victor*-Emmanuel III de prendre la tête d'un gouvernement. N'ayant pas d'expérience parlementaire, Mussolini eut l'habileté de ne pas s'emparer immédiatement de tous les leviers de commande : il se réserva les ministères de l'Intérieur et des Affaires étrangères. Dès le 16 nov. 1922, il reçut de la Chambre, après une

Ph. Ricerche editoriali/Ricciarini

Caricature de **Mussolini** publiée dans *« l'Âne »* en 1925.

Ph. Ricerche editoriali/Ricciarini

L'incendie du journal *« L'Avanti »* par les fascistes ; planche publiée dans *« l'Âne »* en 1922.

simple intimidation verbale (le discours dit « du bivouac »), les pleins pouvoirs pour 12 mois, par 306 voix sur 429 et 7 abstentions. Tandis que se déchaînait une intense campagne d'intoxication, en janv. 1923 naissait la milice fasciste et peu à peu l'opposition se trouva complètement démantelée malgré une certaine résistance parlementaire (35 % des voix à l'opposition aux élections de 1924). Devant l'indignation que souleva le meurtre du député Matteotti*, les partis d'opposition, notamment les communistes, se retirèrent en signe de protestation, ce qui laissa le champ libre aux ambitions du Duce : les lois de déc. 1925 et janv. 1926 établirent sa dictature ; responsable seulement devant le roi, il se fit attribuer en plus le pouvoir législatif. Dès 1928, il établit le système de la liste unique et du parti unique (pour la politique intérieure et étrangère de Mussolini, **V. Fascisme** et **Italie** [*hist.*]). Ce fut à partir de 1936, avec l'affaire d'Éthiopie*, que Mussolini se lança dans des entreprises conquérantes qui le détournèrent des alliances avec les démocraties occidentales, tandis que ses bons rapports avec Hitler* (axe* Rome-Berlin, 1936 ; pacte d'Acier, 1939) le liaient étroitement à l'Allemagne. Il perdit progressivement toute initiative au profit d'Hitler. Pourtant, ne se sentant pas prêt, il proclama le 3 sept. 1939 la non-belligérance de l'Italie. Devant les rapides victoires de l'Allemagne, il eut peur de ne pouvoir « s'asseoir à la table de la paix comme belligérant » et décida, contre la volonté d'une partie de son entourage **(V. Ciano)**, mais avec l'assentiment du roi (le prince de Piémont acceptant le commandement de l'armée chargée d'attaquer la France) de lancer le pays dans la guerre (juin 1940). La dictature se durcit avec la succession des défaites militaires dans les Balkans, en Grèce, en Afrique du Nord, puis en Italie **(V. Guerre mondiale** [*Deuxième*]**)**. Les revers déclenchèrent de vives critiques même au sein du parti fasciste. Mis en minorité par le Grand Conseil fasciste qu'il avait institué, Mussolini, convoqué par le roi, fut arrêté sur l'ordre de celui-ci à la sortie de l'audience (25 juill. 1943). Interné dans les Abruzzes, à 2 000 m d'altitude, il fut délivré par un commando allemand de S.S.*, le 12 sept. 1943. Il accepta alors d'être, à Salò (lac de Garde), placé par Hitler à la tête d'un gouvernement fasciste qui, derrière quelques aspects socialisants, ne lui laissa qu'un rôle de *gauleiter*. Il fit fusiller plusieurs des membres du Grand Conseil qui avaient voté contre lui, dont son gendre, Ciano. Lors de l'effondrement du Reich, Mussolini tenta de fuir en uniforme allemand, mais il fut arrêté le 26 avril 1945 par un détachement de partisans communistes qui l'exécutèrent avec sa maîtresse Clara Petacci le 27 avril. Leurs cadavres furent pendus par les pieds à Milan, et insultés par la foule. L'année suivante, les restes du corps de Mussolini, recueillis dans une caisse, furent inhumés en Romagne.

MUSSOORIE. ♦ Station climatique indienne, créée dans l'Uttar Pradesh, au flanc de l'Himâlaya, par les Britanniques, à 3 000 m d'alt., non loin de la capitale d'été anglaise, Dehra-dun.

MUSSY-SUR-SEINE, anc. **Mussy-L'Évêque**. ♦ Ch.-l. de cant. de l'Aube, arr. de Troyes, sur un bras de la Seine. 1 429 hab. *(Musséens)*. Église Saint-Jean-Baptiste (XIIIᵉ s.). Restes d'un château des XVᵉ et XVIIIᵉ siècles. — Travail du bois et des métaux (tréfilage). — Patrie de Pauline de Beaumont (amie de Chateaubriand), de Boursault*.

Arch. Rencontre

Minaret de **Mutawakkil 'Alâ Allâh** à Sâmarrâ.

Coll. Viollet

Mustafa Kemal.

MUSTADI BI-AMR ALLÂH (Abû Muhammad Hassan al-). ♦ Calife 'abbâsside (Baghdâd, 1142 — *id.*, 1180). Sous son règne, Saladin* (Salah-al-Dîn) fit reconnaître l'autorité 'abbâsside en Égypte.

MUSTAFA. ♦ Nom de plusieurs sultans ottomans. ♦ MUSTAFA Iᵉʳ (Istanbul, 1591 — *id.*, 1639). Sultan ottoman (1617-1618 et 1622-1623). Il fut renversé par les janissaires quatre mois après son accession au trône. Osman* II, qui le remplaça, fut assassiné (1622) et Mustafa, rappelé, fut de nouveau déposé l'année suivante. ♦ MUSTAFA II (Istanbul, 1664 — *id.*, 1703). Sultan ottoman (1695-1703). Sous son règne, les troupes turques furent vaincues à Zeuta (1697) par le prince Eugène et, deux ans plus tard, Mustafa dut abandonner la Hongrie presque entière aux Habsbourg. Après la prise d'Azov par Pierre le Grand, il dut céder cette ville aux Russes (1700). Il fut renversé et empoisonné par les janissaires. ♦ MUSTAFA III (Istanbul, 1717 — *id.*, 1774). Sultan ottoman (1757-1774). Son règne fut marqué par une ruineuse guerre contre la Russie (1768-1774). Abdul*-Hamid Iᵉʳ lui succéda. ♦ MUSTAFA IV (Istanbul, 1779 — *id.*, 1808). Sultan ottoman (1807-1808). Il arrêta immédiatement la politique de réformes inaugurée par son prédecesseur et cousin, Sélim* III.

MUSTAFA KAMIL. ♦ Leader nationaliste égyptien (Le Caire, 1874 — *id.*, 1908). D'éducation française, il se lia d'amitié avec Juliette Adam*. Il fonda le Parti national qui lutta pour l'indépendance de son pays et créa le journal *al-Liwa* (1900) où il exprima ses idées nationalistes. Encouragé par le khédive Abbas* II, il soutint au début le mouvement panislamique lancé par le sultan ottoman Abdül*-Hamid II. Il écrivit un grand nombre d'ouvrages en arabe, en français et en anglais : *Le Péril anglais* (1899); *Égyptiens et Anglais* (1906); *Lettres égyptiennes-françaises*, correspondance avec Juliette Adam (1909).

MUSTAFA KEMAL (Mustafa Kemal Pacha [Paša] dit **KEMAL ATATÜRK** « Père des Türk »**)**. ♦ Homme d'État turc (Salonique, 1881 — Istanbul, 1938). Il entra très jeune à l'école militaire de Salonique avant de continuer ses études à Monastir (1895), puis à l'école de guerre d'Istanbul (1899) et enfin à l'Académie de guerre, d'où il sortit avec le grade de capitaine (1905). S'intéressant tôt à la politique, il prit parti pour les opposants au régime rétrograde du sultan Abdül*-Hamid II. Mais une fois nommé à l'état-major de Salonique, il se tint à l'écart des activités politiques, probablement en raison de son opposition à certains Jeunes-Turcs, dont Enver* pacha. Pendant la Première Guerre mondiale, son action contribua à faire échouer les attaques franco-anglaises contre la presqu'île de Gallipoli (1915). Il commanda ensuite un corps d'armée sur le front du Caucase, enleva aux Russes les villes de Bitlis et de Monsh (1916) et fit la connaissance d'Ismet **(V. Inönü)** qui allait devenir son compagnon le plus fidèle. Nommé commandant de la VIIᵉ armée de Palestine, il fut mis en congé en raison de son désaccord avec le général allemand Falkenhayn. Quant Mehmet* VI accéda au trône, il fut rappelé au même poste et effectua une retraite en bon ordre. Apprenant la signature de l'armistice (1918), il exprima son opposition, notamment aux clauses concernant son armée. Rentrant à Istanbul, il essaya de constituer un cabinet nationaliste, mais l'opposition de Mehmet VI le décida à agir en Anatolie. Arrivé à Samsun (mai 1919) accompagné de quelques amis et de quelques officiers, il répondit à la décision du gouvernement de « placer la Turquie sous la protection des grandes puissances » par la circulaire qui affirmait l'indépendance absolue de l'État et de la nation. Il réunit le congrès de Sivas (sept. 1919) qui élit un comité représentatif dont il s'assura la direction. En avril 1920, il réunit à Ankara la première Grande Assemblée nationale qui décida de s'approprier la représentativité de la nation ainsi que les pouvoirs législatif et exécutif. L'Assemblée délégua ses pouvoirs à un conseil de ministres dirigé par Mustafa Kemal et la première convention internationale qu'elle conclut fut l'armistice signé avec la France (mai 1920) qui mit fin aux combats en Cilicie. La lutte pour l'indépendance commença réellement quand les Grecs attaquèrent le plateau anatolien avec le consentement des puissances alliées (juin 1920). L'offensive grecque fut brisée par Ismet à Inönü (janv. 1921). Une seconde défaite des Grecs à Inönü n'arrêta pas leur action. Cependant l'armée grecque dut battre en retraite et la Grande Assemblée donna à Mustafa Kemal le titre de maréchal. Des négociations avec les Alliés (mars-avril 1922) n'aboutirent pas et Mustafa Kemal prépara l'offensive finale : la victoire d'Afyon (août 1922) fut un succès définitif et l'armistice fut signé à Mudanya (oct. 1922). Pour empêcher le gouvernement du sultan de participer à la conférence de Lausanne, Mustafa Kemal abolit le sultanat (nov. 1922) et le gouvernement nationaliste put seul discuter avec les Alliés et signer la paix (juillet 1923). La deuxième Grande Assemblée nationale fut élue en août 1923 et Mustafa Kemal fonda le Parti républicain du peuple, parti unique, et se fit élire président de la République (oct. 1923). Il fixa sa capitale à Ankara et abolit le califat (1924). — Dès ce moment, Mustafa Kemal commença à appliquer sa politique de réformes : il supprima les tribunaux religieux (1924) et laïcisa l'État malgré la résistance des milieux conservateurs (1928). Il abolit la polygamie, suspendit les ordres religieux, adopta les caractères latins à la place des caractères arabes (1928), imposa le port du costume occidental et la lecture du Coran en turc (1931). Ces réformes suscitèrent deux révoltes (1925, 1930). Mustafa Kemal s'appliqua à redresser la situation économique de la Turquie en nationalisant les sociétés étrangères et en fondant une banque d'État, la *Merkez Bankasi*, qui se substitua à la *Banque ottomane*, devenue le symbole de l'emprise européenne sur l'économie turque. Mais, en agriculture, il ne toucha pas à la caste des grands propriétaires fonciers qui se rallièrent à lui. L'infrastructure minière et le réseau de communications furent modernisés. — En politique étrangère, il établit de bons rapports avec les pays voisins : il régla les questions en suspens avec la Grèce (traité d'Ankara, oct. 1930), l'U.R.S.S. (1928 et 1932), la Bulgarie (1929). En 1932, la Turquie fut admise à la S.D.N. et la convention de Montreux lui restitua le contrôle intégral des Détroits (1936). — Intransigeant, rigoureux, autoritaire, Mustafa Kemal, décidé à relever la Turquie en tant qu'État et nation, mena une lutte implacable contre un gouvernement et une tradition islamique jugés rétrogrades et responsables du déclin ottoman. À sa mort, Ismet Inönü* lui succéda.

MUSTÂGH. *n. m.* ♦ Un des sommets les plus élevés (7 293 m) du massif himalayen du Karakoram*. Il fut vaincu en 1956 par des expéditions britanniques et françaises.

MUSTA'LÎ BI-LLÂH (Abû al-Qâsim Ahmad al-). ♦ (Le Caire, 1074 — *id.*, 1101). Calife fâtimide* d'Égypte (1094-1101). Le pouvoir réel lui échappait et était exercé par le tout-puissant vizir al-Afdhal.

MUSTANSIR BI-LLÂH (Abû Tamîm Ma'add al-). ♦ (Le Caire, 1029 — *id.*, 1094). Calife fâtimide* (1036-1094). Il commença par régner sous la régence de sa mère. La première période de son règne fut marquée par des troubles causés par une crise financière aiguë que l'impuissance des vizirs ne put empêcher, malgré les grands profits tirés du commerce entretenu avec l'Inde. Le luxe de la cour contrastait avec la misère populaire et la longue famine (1067-1072) généralisa le désordre. Mustansir appela Badr al-Djamâlî, général arménien, le nomma vizir et lui confia les pleins pouvoirs pour lutter contre le désordre et assainir les finances (1074).

MUSTAPÄÄ (P., pseudonyme de **Martti Henrikki Haavio).** ♦ Poète finnois (Temmes, 1899), professeur à l'université de Helsinki, membre de l'Académie de Finlande, connu pour ses travaux sur le folklore, les mythes et les religions. Son premier recueil, *Chanson sur les yeux merveilleux* (1925), d'une forme nouvelle, traite les éléments folkloriques et mythiques à la fois avec humour et nostalgie. Il s'affirma comme l'un des plus grands poètes finnois avec les recueils *Adieu, Arcadie* (1945), *L'Armoise et l'Églantine* (1947), *Il n'est point de rivage, ô Thétis* (1948), *L'Oiseleur* (1952), où d'antiques mythes sont quelquefois le prétexte à une méditation sur les conditions et la valeur de la création artistique.

MUSTA'SIM BI-LLÂH (Abû Ahmad 'Abd Allâh ibn al-Mustansir al-). ♦ Dernier calife 'abbâsside* (Baghdâd, 1212 — 1258). Il se rendit sans condition à l'armée mongole; Hûlâgû Qan le fit exécuter avec plusieurs de ses parents.

MU'TADID (al). ♦ Autre nom d''Abbâd II. **V. 'Abbâdides.**

MU'TAMID (al). ♦ Autre nom d''Abbâd III. **V. 'Abbâdides.**

MUTANABBÎ (Ahmad Abû al-Taïb al-). ♦ Poète arabe (Kûfa, 915 — Baghdâd, 965). Dans sa jeunesse, il se serait fait passer pour prophète, d'où son nom *al-Mutanabbi* (« Celui qui prétend à la prophétie »). Il fit carrière de panégyriste professionnel auprès de plusieurs souverains dont Sayf* al-Dawla et Kafûr*. Traitant d'une façon nouvelle les anciens genres, Al-Mutanabbi transforma la *qasîda** classique en écourtant le prologue amoureux. Concis et précis, ses vers sont animés d'un souffle épique qui subsiste même dans sa poésie de circonstance.

MU-TAN-CHIANG. *n. m.* [*Mou-tan-kiang, Mudanjiang*]. ♦ Riv. de Manchourie chinoise (750 km), affl. du Sungari à I-lan. ♦ V. de la prov. du Hei-lung chiang, sur ce fleuve. 200 000 habitants.

MU'TASIM BI-LLÂH (Abû Ishâq Muhammad al-). ♦ Calife 'abbâsside* (796 — Sâmarrâ, 842). Il transféra la capitale à Sâmarrâ où il fit construire un grand palais et des casernes pour ses troupes turques. Il vainquit les Byzantins à Amorion (838).

MUTAWAKKIL 'ALÂ ALLÂH (Ja'afar al-). ♦ Calife 'abbâsside* (822-861) **V. 'Abbâssides.** Il fit construire une somptueuse résidence à Sâmarrâ.

Mu'tazilites. *n. m. pl.* [*Mu'tazila*] (en arabe « ceux qui se séparent »). ♦ Sectateurs d'une doctrine religieuse islamique fondée au VIIIe s. par l'ascète Wacil ibn'ata ([mort] 748). Dressés contre les docteurs orthodoxes de l'islâm, les mu'tazilites firent appel à la *raison ('aql)* comme source de connaissance religieuse. Ils professaient que l'homme est libre de ses actes : la *justice divine* doit récompenser les bons et châtier les méchants. Ils considéraient qu'il existe un Bien et un Mal absolus, discernés non par Allah, mais par la Raison. Selon eux, l'*unité divine* est un pur esprit qui ne supporte pas les attributs, dont celui de la parole; d'où leur conception d'un Coran* créé qui ne peut être éternel comme Allah. Cette théorie fut adoptée par le calife 'abbâsside* Mâmûn qui l'imposa en 833 comme article de foi. Les dissidents, dont Ibn* Hanbal, subirent les effets d'une inquisition fanatique. Elle dura jusqu'à l'arrivée au pouvoir d'al-Mûtawakkil qui se tourna vers les théologiens orthodoxes et les mercenaires turcs pour combattre les mu'tazilites et les mystiques (à partir de 847).

MUTSU HITO. ♦ V. MEIJI TENNÔ.

MUTTENZ. ♦ V. de Suisse (cant. de Bâle-Campagne) au N.-E. de Bâle* dans la plaine du Rhin. 12 000 hab. Église romane fortifiée (adjonctions gothiques). Indus. métallurgique et chimique.

Mutuellistes *(Association ouvrière des).* ♦ Fondée à Lyon en 1828, elle devint dès les débuts de la monarchie de Juillet un organisme de lutte contre la dégradation de la condition ouvrière, et joua un rôle décisif dans l'organisation des journées insurrectionnelles d'avril* 1834.

MUTZIG. ♦ Comm. du Bas-Rhin*, arr. de Molsheim*, sur la Bruche. 4 589 hab. (3 625 aggl.). Porte du Moyen Âge, hôtel de ville du XVIIIe siècle. — Brasserie, indus. textiles, matières plastiques.

MUZAFFARPUR. ♦ V. de l'Inde (Bihâr) sur un affl. de la Gaghrâ, à 50 km au N. de Patna. 160 000 hab. Centre agricole et commercial.

MWANZA. ♦ V. du N. de la Tanzanie* située sur les rives du lac Victoria*, reliée par voie ferrée à Dar* es-Salaam. 34 856 hab. Centre d'une région diamantifère. Argent. Or.

MYCALE, en gr. **Mukalê.** ♦ Mont et promontoire d'Asie Mineure (Ionie), sur le détroit de Samos. La flotte grecque, commandée par Xanthippos* et Léotychide* y défit la force navale perse en ~ 479, le jour même de la victoire terrestre de Platées*. Athènes* et Sparte* portaient ainsi la guerre Médique sur les côtes mêmes d'Asie. Auj. *Samsun dag* (turc).

MYCÈNES, en gr. **Mukênai.** ♦ Anc. V. de Grèce (Péloponnèse), cap. de l'Argolide* achéenne et principal foyer de la première civilisation hellénique, dite *mycénienne.* L'acropole de Mycènes fut habitée dès le début de l'âge du bronze (v. ~ 3000). Les Achéens* y fondèrent au ~ XVIIe s. le premier palais et les fortifications, puis, après une destruction, le palais fut reconstruit et le périmètre agrandi (~ XIVe s.) par la construction d'une enceinte cyclopéenne. Florissante dès le ~ XVIe s., Mycènes était en relation avec la Crète*

Arch. Smeets

Civilisation de **Mycènes :** « Vase aux guerriers ». Détail d'un cratère d'argile, XIIe s. (Musée national, Athènes.)

minoenne et s'essayait aux activités maritimes. Après la chute de Cnossos*, Mycènes, héritant de la thalassocratie crétoise et du contrôle du commerce des métaux, poussa plus loin le commerce dans la Méditerranée. Si Mycènes n'était pas alors la capitale d'un empire achéen, elle dominait néanmoins les autres principautés achéennes. L'expédition contre Troie* (v. ~ 1230), qui aurait réuni une formidable coalition achéenne menée par le roi de Mycènes Agamemnon*, serait le dernier et le plus célèbre épisode de l'expansion achéenne. Vers la fin du ~ XIIe s. les Doriens* détruisirent Mycènes ainsi que les cités voisines de Tirynthe* et d'Argos*, mettant fin à une brillante civilisation. Petite bourgade indépendante à l'époque historique, elle prit part aux guerres Médiques, mais peu après (v. ~ 468) elle fut prise et dévastée par les Argiens. – La *civilisation mycénienne,* couvrant toute la période du bronze récent (~ 1600-~ 1100), résulta du contact des Achéens avec le monde égéen. Durant les deux premiers siècles (créto-mycénien), l'influence minoenne est manifeste, surtout dans les arts, mais ensuite (~ XIVe-~ XIIIe s.) la civilisation mycénienne affirma son originalité. Dans le domaine religieux, par l'introduction des divinités indo-européennes et par la fusion d'autres divinités avec des cultes anatoliens et crétois, se constitua presque entièrement le Panthéon grec. Aux légendes des navigateurs et des aventuriers **(V. Argonautes, Héraclès, Ulysse)** s'ajoutent les légendes dynastiques des cités. Deux dynasties légendaires, les Perséides et les Pélopides (Atrides) se succèdent sur le trône de Mycènes. La première, fondée par Persée*, se termine avec Eurysthée. Le trône échoit à Atrée*, fils de Pélops* et frère de Thyeste. Le déchirement des deux frères ouvre le drame sanglant des Atrides **(V. Agamemnon, Clytemnestre, Égisthe, Oreste).** Les Héraclides* reprennent enfin le trône enlevé à leur ancêtre. **V. Argos, Tirynthe, Pylos.** On présume aujourd'hui l'existence d'une tradition épique et orale qui aurait plus tard contribué à la composition des épopées homériques. Quoi qu'il en soit, le récent déchiffrement (1953) de l'écriture *linéaire B* des tablettes mycéniennes a prouvé que le mycénien était un dialecte grec. Dans la civilisation matérielle et les arts, l'apport de Mycènes est aussi considérable. Les trésors livrés par les tombes témoignent d'une armurerie et d'une orfèvrerie très avancées : épées, masques d'or traités au repoussé sur le visage même du défunt, coupes en or. L'aspect le plus imposant de cette civilisation se révèle par les ruines même de la cité, qui affirment l'originalité de l'architecture mycénienne. En 1876 les travaux de H. Schliemann* mettaient au jour le premier « cercle royal » des six tombes à fosse et leur trésor (~ XVIe s.), attirant l'attention sur la civilisation mycénienne. Des fouilles ultérieures ont dégagé ou mis en valeur les vestiges de l'acropole et plusieurs sépultures en dehors de l'enceinte. Cette muraille à l'appareil cyclopéen (périmètre de 900 m, épaisseur moyenne de 5 m) est presque entièrement conservée. La célèbre *porte des Lions* (ou *des Lionnes*) est l'entrée monumentale de l'acropole. Les traces qui restent du palais royal, bâti en terrasses successives au sommet de l'acropole, montrent suffisamment son plan, organisé autour du *mégaron* : salle du trône, cours, escalier monumental, etc. Les sépultures mises au jour sont nombreuses, appartenant à tous les types d'inhumation pratiqués dans le monde achéen : tombes à fosse, tombes à chambre et neuf tombes à coupole (~ XVe-~ XIVe s.), sépultures princières dont le *trésor d'Atrée* (ou *tombe d'Agamemnon*), considéré comme l'un des chefs-d'œuvre de l'architecture mycénienne, et la *tombe de Clytemnestre,* noms dépourvus de toute référence historique.

MYDORGE (Claude). ♦ Mathématicien français (Paris, 1585 – *id.,* 1647). Trésorier de France en la généralité d'Amiens, grand ami de Descartes*, il s'est intéressé à l'optique et à la géométrie. Il est l'auteur du *Grand Traité des coniques.*

Ph. Prato/Ricciarini

Mysore : travaux agricoles.

MYKÉRINOS, nom gr. de **Menkaourê.** ♦ Pharaon de la IVe dynastie (v. ~ 2609) [Ancien Empire]. Fils et successeur de Khéphren*, il fit construire à Gizèh* la moins élevée des trois grandes pyramides.

MYKONOS. ♦ Île grecque de la mer Égée, l'une des Cyclades*, entre Tinos et Délos. 75 km^2. 3 820 hab. Ch.-l. et port : Mykonos. 3 010 hab. Centre touristique. Musée d'antiquités.

MYLES. ♦ **V.** MILAZZO.

MYRDAL (Karl Gunnar). ♦ Homme politique et économiste suédois (Gustaf, Dalécarlie, 1898 –). Sénateur (1934 et 1942), ministre du Commerce et de l'Industrie (1945-1947), secrétaire de la Commission économique pour l'Europe des Nations unies (1947-1957), il a donné une analyse des crises économiques et des conditions du retour à l'équilibre monétaire (*L'Équilibre monétaire,* 1939, trad. fr. en 1950) ainsi qu'une importante étude sur le problème des Noirs aux États-Unis (*An American Dilemma : The Negro Problem and Modern Democracy,* 1944). [Prix Nobel de sc. écon., 1974.]

MYRMIDONS. *n. m. pl.,* en gr. **Murmidones.** ♦ Peuple de Phtiothide en Thessalie*. Selon une tradition, ils étaient à l'origine des fourmis dans l'île d'Égine, déserte d'hommes. Le roi Éaque* pria Zeus, son père, de peupler l'île, et celui-ci transforma les fourmis (en grec *murmêkes*) en guerriers. Une partie des Myrmidons suivit Pélée*, le fils d'Éaque, en Thessalie. Commandés par Achille* à la guerre de Troie*, les Myrmidons se montrèrent des combattants intrépides (Cf. Myrmidon, *in* Robert).

MYRON, en gr. **Murôn.** ♦ Sculpteur grec (Éleuthères, Béotie, première moitié du ~ Ve s.). On le disait élève d'Agéladas* de même que Polyclète* et Phidias*, tous sortis de l'école d'Argos*; mais il travailla surtout à Athènes* après les guerres Médiques comme bronzier. Son art mène à l'achèvement des recherches préclassiques du mouvement qui anime le corps humain en fixant l'instantané au moment de l'équilibre le plus instable ou dans l'effort le plus expressif. Auteur de nombreuses statues de dieux, d'athlètes et d'animaux mentionnées dans les textes, il nous est connu surtout par les copies romaines de son *Discobole** (musée des Thermes, Rome) et par les fragments de son groupe *Athéna et Marsyas* (Athéna à Francfort et Marsyas au musée du Latran, Rome).

MYSIE [*n. f.*], en gr. **Musia.** ♦ Anc. région du N.-O. de l'Asie Mineure, limitée par la Propontide* au N., par la Bithynie* et la Phrygie* à l'E., par la Lydie* au S. et par la mer Égée à l'O. La Troade et l'Éolide grecque, sur les côtes égéennes, sont parfois considérées comme faisant partie de la Mysie. Elle passa successivement sous la domination des Perses, des Séleucides*, de Pergame* et de Rome. *V. princ.* Pergame, Cyzique*, Lampsaque*. Elle était traversée par le Granique*.

MYSORE ou **MAISÛR.** *n. m.* ♦ Prov. du S.-O. de l'Inde. 192 000 km^2. Plus de 30 000 000 d'hab. *Ch.-l.* Bangalore*. Région principalement agricole avec quelques districts industriels. – La ville de MYSORE (300 000 hab.), située dans le S. de la prov. à 770 m d'alt., fut le siège d'un anc. petit État indépendant gouverné par un mahârâja. Son jardin zoologique est un des plus beaux de l'Inde. Petites indus. électriques et des matières plastiques.

Mystères de Paris (Les). ♦ Roman d'Eugène Sue* (1842-1843) paru d'abord en feuilleton. Fleur-de-Marie, enfant trouvée et prostituée au cœur pur, est reconnue par son père Rodolphe de Gérolstein; puis, refusant l'amour pour expier son passé, elle meurt après avoir prononcé ses vœux. À partir de cette intrigue, Eugène Sue se fait l'écho des protestations humanitaires et socialistes de son époque, évoquant de façon saisissante les vices et les hontes de la société. D'innombrables types, souvent opposés de façon manichéenne, animent cette fresque colorée. Volontiers mélodramatique, écrit en une langue rapide et parfois relâchée, cet ouvrage, qui est à l'origine d'une considérable série de « Mystères », valut à son auteur une extraordinaire popularité.

MY THO. ♦ V. du Viêt-nam du Sud et ch.-l. de prov. dans le delta du Mekong*, non loin de Saigon. 60 000 hab. Anc. base navale française.

MYTICHTCHI. ♦ V. d'U.R.S.S. (R.S.F.S. de Russie), dans la région de Moscou. 119 000 hab. Indus. mécaniques.

MYTILÈNE, en gr. **Mutilênê.** ♦ V. et port de Grèce, ch.-l. de l'île et du nome de Lesbos*, sur la côte E. de l'île. Centre commercial. 23 425 hab. Elle est située sur l'emplacement de l'antique Mytilène qui au Moyen Âge donna son nom à l'île et rattachée par un isthme au château (Kastro) génois de Kateluzzi (XIVe s.) dominant l'entrée du port. – Vestiges d'un ancien théâtre; musée archéologique. – Patrie des deux frères Barberousse*. ♦ *Hist.* **V. Lesbos.**

MYZEQEJE, MYZEQEJA ou **MYZEQEJEN.** *n. m.* ♦ Plaine d'Albanie*, entre le Shkumbi* et le Seman*. Des travaux d'assainissement y ont été entrepris.

MZAB. *n. m.* ♦ Région du Sahara algérien (dép. des Oasis) située sur un plateau, au N.-E. du Grand Erg occidental et à l'O. du Souf*. *Centre princ.* **V. Ghardaïa.** Cette région aux ressources assez pauvres (palmiers, artisanat) contraint ses habitants, les *Mozabites* ou *Mzabites,* à l'émigration, en particulier vers les grandes villes commerçantes d'Algérie. ♦ *Hist.* Les Mozabites, musulmans kharijites*, d'origine berbère*, s'établirent dans cette région du N. du Sahara, où ils conservent une certaine autonomie, après la destruction du royaume de Tahert* par les shi'ites au Xe siècle.

Ph. Dan Dubert/U.N.E.S.C.O.

Pétra, ancienne capitale des **Nabatéens :** cité des tombeaux, près du théâtre.

NABATÉENS. *n. m. pl.,* en gr. **Nabataioi.** ♦ Anc. peuple de l'Arabie du N.-O., nomades peu à peu sédentarisés. Mentionnés dès le ~ VIIe s., ils contrôlèrent le trafic caravanier (épices, encens) entre l'Arabie et le bassin méditerranéen. Vers le ~ Ve s., ils chassèrent les occupants du pays d'Édom et s'approprièrent leur capitale **(V. Pétra).** Leur prospérité culmina à l'époque hellénistique; ils entretinrent de bons rapports avec Rome (Caligula leur donna Damas), mais Trajan* les soumit en 106 et les incorpora à la province d'Arabie. – Leur langue était nord-sémitique, leur écriture cursive prépare celle de l'arabe. La religion était sémitique. Leur architecture, taillée dans le roc, et leur statuaire offrent une synthèse des styles assyro-babylonien et hellénique, avec de nombreux traits originaux. Poterie d'une finesse unique dans le monde antique.

NABERT (Jean). ♦ Philosophe français (1881 – 1960). Sa philosophie morale, influencée par Kant et Fichte, a pour point de départ une analyse de *L'Expérience intérieure de la liberté* (1924). Mais c'est davantage encore l'épreuve de la solitude, de l'échec et de la faute qui font découvrir à la conscience le mal, base de toute réflexion morale, tout en lui révélant son exigence d'absolu (*Éléments pour une éthique,* 1943; *Essai sur le mal,* 1955).

NABEUL. ♦ V. de Tunisie (gouvernorat du cap Bon) située sur la côte S. du cap Bon, bordant le golfe d'Hammamet*. 14 000 hab. Orangers et grenadiers. Distilleries de parfums. Artisanat.

NĀBIGHA (al-Dhubyânî). ♦ Poète arabe antéislamique (VIe s.). Il fut panégyriste et propagandiste des seigneurs de Hira, puis de Ghassân, avant de rejoindre sa tribu. Outre les éloges et les satires, il écrivit le plus beau poème d'amour de cette époque.

NABIS. ♦ (mort en ~ 192). Tyran de Sparte (v. ~ 205 – ~ 192) qui se signala par ses cruautés. Chef de bande d'origine obscure, il prit le pouvoir, profitant de la guerre de Macédoine. Il trahit son allié Philippe V de Macédoine, mais le traité qu'il conclut avec les Romains ne lui fut pas profitable. Dans la guerre qu'il entreprit ensuite contre la ligue Achéenne, il fut vaincu par Philopœmen*. Les Éoliens qu'il appela à son secours le mirent à mort, puis ils furent chassés par les Spartiates qui rejoignirent la ligue Achéenne.

NABOKOV-SIRINE (Vladimir Vladimirovitch) [*Nabokov*]. ♦ Poète et romancier russe, naturalisé américain en 1945 (Saint-Pétersbourg, 1899 –). Ses premiers romans furent écrits en russe et le mirent au premier plan des écrivains émigrés russes : *Machenka* (1926), *Désespoir* (1934). Puis, installé aux États-Unis, il écrivit *Nikolaï Gogol* (1944), et commença à écrire, en anglais, *Lolita* (1958) qui raconte l'histoire de l'amour d'une adolescente de treize ans et d'un homme mûr.

NABONIDE. ♦ Dernier roi de Babylone*, de ~ 556 à ~ 539. Ancien gouverneur de la ville sous Nabuchodonosor* II, porté au pouvoir par le parti des prêtres, il se préoccupa de réformes religieuses et vécut loin de la capitale, confiant la régence à son fils Balthasar*. Il mourut prisonnier de Cyrus, vainqueur de Babylone en ~ 539.

NABOPOLASSAR. ♦ Roi du Pays de la Mer, il se proclama roi de Babylone en ~ 625, fondant l'empire néo-babylonien, et conquit le pays sur les Assyriens qu'attaquaient ses alliés Mèdes. Il mourut en ~ 605 alors que son fils Nabuchodonosor II étendait ses conquêtes en Syrie. **V. Babylone; Assyrie.**

NABU. ♦ Dans la religion assyro-babylonienne, dieu de l'écriture, représenté portant le calame et la tablette; fils de Marduk*.

NABUCHODONOSOR Ier. ♦ Troisième roi de la dynastie d'Isin, roi de Babylone* v. ~ 1137. Il rendit une certaine puissance à Babylone, repoussa les Élamites, mais échoua contre l'Assyrie.

NABUCHODONOSOR II. ♦ Roi de Babylone de ~ 605 à ~ 562, fils de Nabopolassar*. Son règne marqua l'apogée de l'empire néo-babylonien (monuments de Babylone*) et une extension vers l'ouest, contre l'Égypte. Dès avant son avènement, il avait battu les Égyptiens à Karkémish (~ 605, **V. Néchao II**). Le royaume de Juda* s'étant soulevé à l'instigation de Néchao II, roi d'Égypte, il prit Jérusalem (~ 597), remplaça le roi **(V. Joachin, Sédécias),** déporta nobles et artisans. La résistance n'étant pas découragée, il tenta de la briser par les plus cruelles mesures : il détruisit la ville et le temple (~ 587), il annexa le royaume et déporta la population (captivité de Babylone, ~ 586) [récit biblique : *II Rois,* XXIV-XXV, *Jérémie*]. Il prit Tyr après treize ans de siège en ~ 573 et mena une campagne jusqu'en Égypte en ~ 568, à l'avènement d'Amasis*.

NACHTIGAL (Gustav). ♦ Explorateur allemand (Eichstedt, près de Stendal, 1834 – golfe de Guinée, 1885). Parti de Tripoli en 1869, il explora le Fezzan, le Tibesti, le Bornou, la région du lac Tchad et l'Égypte. De retour en Europe (1875), il fut nommé consul d'Allemagne à Tunis (1882) et chargé de la délimitation des régions acquises par l'Allemagne en Afrique occidentale (*Sahara und Sudan,* 1879-1881).

NADAR (Félix TOURNACHON, dit**).** ♦ Photographe, aéronaute, dessinateur et écrivain français (Paris, 1820 – *id.,* 1910). Venu de Lyon à Paris pour y étudier la médecine, il délaissa bientôt celle-ci pour la littérature et commença à publier, sous le pseudonyme de Nadar, des nouvelles et des critiques de spectacles. Il fonda en 1849, la *Revue comique* et le *Petit Journal pour rire* et, ayant ouvert un atelier de photographie, il publia à partir de 1854, sous le titre de *Panthéon Nadar,* une série de portraits des célébrités contemporaines où figurent Théophile Gautier, Alexandre Dumas, Rachel, George Sand, Sarah Bernhardt. Il réalisa en 1858 les premières photographies prises d'aérostat, et fit construire en 1863 le ballon *Le Géant,* avec lequel il effectua plusieurs ascensions qu'il a relatées dans son livre *Les Mémoires*

Coll. Viollet

Nadar, dans la nacelle d'un ballon.

du Géant (1864). Aérostier enthousiaste, il n'en fut pas moins l'un des plus ardents propagandistes de l'idée du « plus lourd que l'air ». En 1874, il accueillit dans son atelier du boulevard des Capucines la première exposition impressionniste. Nadar a laissé un volume de Mémoires : *Quand j'étais photographe* (1900).

NADAUD (Gustave). ♦ Musicien et chansonnier français (Roubaix, 1820 – Paris, 1893). Il publia diverses chansons (300 env.) sous forme de recueils et quelques-unes sous forme d'albums accompagnées de la musique (une centaine de ses chansons ont été mises en musique par lui). Les plus connues sont *Les Reines de Mabille,* le *Docteur Grégoire,* le *Vieux Tilleul,* la *Valse des adieux* et surtout *Les Deux Gendarmes.* Outre ces chansons et des opérettes, on lui doit un roman intitulé *Une idylle* et *Contes, proverbes, scènes et récits en vers.*

NÂDIR SHÂH (Nâdir Kuli Beg, dit**).** ♦ Shâh de Perse (Kubkan, 1688 – Fathabad, 1747). Après avoir servi le gouverneur du Khûrasan (Khorassan), il fut disgracié et devint chef de bande, sous la domination afghane qui avait renversé les Safavides. Soutenant l'héritier légitime de cette dynastie, Tahmasp, Nâdir chassa les Afghans et reçut de Tahmasp restauré le gouvernement de plusieurs provinces, dont le Khûrasan. Il attaqua et vainquit les Turcs à Hamadan en 1731, tandis que le shâh se faisait battre par les Ottomans. Nâdir déposa alors le shâh, déclarant roi le jeune fils de Tahmasp, Abbas, qui devint Abbas III. Nâdir gouverna réellement et monta sur le trône à la mort du jeune souverain (1736). Il conquit l'Afghânistân (1738) et envahit le N.-O. de l'Inde (1739), ramenant de Delhi un immense butin, avant d'attaquer Boukhara et Khiva (1740). Despotique et impitoyable, il s'efforça de donner à la Perse un régime de dictature militaire et de l'unifier par la réconciliation des shi'ites et des sunnites. Il fut assassiné par des conspirateurs.

NÂDIR SHÂH. ♦ Souverain d'Afghânistân (1929-1933) né en 1880, du clan des Muhammadzai*. Après avoir chassé un usurpateur, il établit sa dynastie et promulgua de nombreuses réformes destinées à moderniser son pays. Après son assassinat, son fils Zahir* Shâh lui succéda.

NADJAF ou **NAJAF.** ♦ **V.** Nedjef.

NADJD ou **NAJD.** ♦ **V.** Nedjd.

NADOR. ♦ V. du Maroc, ch.-l. de prov. (347 000 hab.), située au S. de Melilla près de la Méditerranée, au pied du versant N. du Rif*. Complexe sidérurgique en cours de création.

NAESTVED. ♦ V. du Danemark, au S.-O. de l'île de Sjaelland*, avec port fluvial sur la Susâ. 19 200 hab. Ville anc. : église gothique de Saint-Pierre (XIIIe s.), hôtel de ville (XVIe s.), « Maison des apôtres » *(Apostelgården).* – Céramiques.

NAEVIUS (Cneius). ♦ Poète latin (en Campanie, v. ~270 – Utique, v. ~201). Auteur d'une épopée, *Poenicum bellum,* qui a pour sujet la première guerre Punique, il composa des tragédies à sujet grec *(Romulus et Clastidium)* et une trentaine de comédies à sujet romain, œuvres dont il ne reste que des fragments. Ces satires, riches en mots d'esprit, visent les contemporains et les amis de Scipion l'Africain. Elles lui valurent d'être condamné à la prison, puis à l'exil.

NAFT-I-SHÂH. ♦ Centre pétrolier iranien, sur la frontière irakienne. Le gisement est exploité par le S.N.I.P. (Société nationale de pétroles iraniens) et le pétrole est raffiné à Kermânshâh*.

NAFT-KHANE. ♦ Centre pétrolier de l'Iraq, situé au N.-E. de Baghdâd à proximité de la frontière iranienne, et qui alimente les raffineries d'Alwand, Dauwa, Khânaqîn*, Muftich, Qaiyara et Kermânshâh (Iran).

NAGAI KAFÛ. ♦ Écrivain japonais (1879 – 1959). Il s'attacha à décrire la vie des petites gens de la ville de Tôkyô avec beaucoup de tendresse. Parmi ses œuvres traduites et connues à l'étranger, *Le Renard, La Rivière Sumida, Les Deux Épouses, Une étrange histoire à l'est du fleuve,* et son autobiographie *Kafû le grattepapier.*

NÂGALAND. *n. m.* ♦ État de l'Assam* (frontière N.-E. de l'Inde), région habitée par les tribus des Nâgâ, créé en 1964. Peu peuplé (moins de 500 000 hab. pour une superficie de 16 500 km²) avec pour capitale le bourg de Kohima (10 000 hab.), cet État produit surtout du thé qu'il exporte vers l'Inde et la Birmanie.

NAGANO. ♦ V. du Japon et chef-lieu de préfecture au N.-O. de Tôkyô. 283 000 hab. (1969). Centre indus. (meubles) et commercial.

NAGANO OSAMI. ♦ Amiral japonais (Kôchi, 1880 – Tôkyô, 1947) qui fut pendant la Deuxième Guerre mondiale chef d'état-major de la marine japonaise. Arrêté en 1945 et condamné pour crimes de guerre, il mourut en prison.

NAGAOKA. ♦ V. du Japon (Honshû, Niigata). 160 000 hab. Station réputée de sports d'hiver. Indus. diverses.

NAGAOKA HANTARÔ. ♦ Physicien japonais (1865 – 1947). Il réalisa vers 1910 un modèle de structure atomique qui devait plus tard être confirmé par Rutherford*.

NÂGÂRJUNA. ♦ Philosophe bouddhiste indien (IIe – IIIe s.) originaire de l'Inde du Sud, dont l'enseignement révolutionna les théories du bouddhisme de la « Grande Voie » ou Mahâyâna*. Il écrivit de nombreux traités philosophiques. On lui en attribue de plus nombreux encore. Il est vénéré dans tout le monde bouddhique, aussi bien à Ceylan qu'en Chine, au Tibet et au Japon.

NAGARKOIL ou **NÂGERCOIL** (« temple du serpent »). ♦ V. de l'Inde (Tamilnâdu) près du cap Comorin. 150 000 hab. Centre religieux hindou.

NAGASAKI. ♦ V. du Japon (Kyûshû) et chef-lieu de préfecture sur la côte S., au fond d'une baie bien abritée entourée de collines. 425 000 hab. (1969). ♦ *Hist.* Ce port, qui fut du XVIe au XVIIIe s. un comptoir hollandais (île de Deshima), devint au XIXe s. le principal port de transit avec la Chine et l'Occident. Le 9 août 1945, trois jours après Hiroshima*, les Américains larguèrent sur la ville une seconde bombe atomique. Elle fit 80 000 victimes et amena la capitulation du Japon (**V. Guerre mondiale** [*Deuxième*]).

NAGDONG [*Naktong gang*]. *n. m.* ♦ Fl. de Corée (520 km). Né dans les monts Sobaeg Sanmaeg, il se dirige vers le S. et se jette dans la mer du Japon non loin du port de Busan (Fusan). Il est en grande partie navigable.

NÄGELI (Karl Wilhelm *von***).** ♦ Botaniste suisse (Kilchberg, 1817 – Münich, 1891). Il découvrit les anthérozoïdes (gamètes mâles) des fougères.

NAG HAMADI, en ar. **Naj' Hammâdî.** ♦ V. de la haute Égypte (gouvernorat de Kénèh), sur un coude du Nil. 8 000 hab. Sucreries. Barrage sur le Nil. À proximité, couvent copte Abou Ménas. – Vers 1945 y ont été découverts des manuscrits (en copte, traduit du grec), de nombreux livres gnostiques, dont l'*Évangile de Thomas* (apocryphe).

NAGÎB (Muhammad). ♦ **V.** Néguib.

NAGORNY-KARABAKH. ♦ Région autonome de l'U.R.S.S., située dans le Petit Caucase et faisant partie de l'Azerbaïdjan*. 4 400 km². 153 000 hab. (90 % d'Arméniens). *Ch.-l.* Stépanakert (jusqu'à 1923 Khankendy). 32 000 hab. (1972). Céréales, vignes, légumes. Élevage ovin. Indus. alimentaire. Moulinage de la soie. Traitement du bois. Matériels de construction. Artisanat de tapis. Station hydro-électrique sur le Terter, à Madaghiz.

NAGOYA. ♦ V. du Japon (Honshû*) sur le golfe d'Ise. 2 014 000 hab. (1969). Grand port indus. et commercial fondé en 1610 sur un ancien delta comblé. Centre d'une conurbation de près de 4 000 000 d'hab. Métallurgie lourde, pétrolochimie, indus. aéronautique, automobile, mécanique, matières plastiques. Centre universitaire. Son ancien château (reconstruit) abrite un musée historique.

NÂGPUR. ♦ V. de l'Inde (Mahârâstra), sur le fl. Nag. 904 000 hab. (1970). Aéroport. Centre universitaire, commercial (agrumes) et industriel (tissages, métallurgie). Mines de fer et de bauxite à proximité.

NAGUMO CHUICHI. ♦ Vice-amiral japonais qui commanda, le 7 déc. 1941, la flotte aéronavale qui attaqua Pearl* Harbor, attaque qui décida les États-Unis à entrer en guerre contre le Japon et l'Allemagne nazie.

NAGY (Imre). ♦ Homme politique hongrois (Kaposvár, 1896 – Budapest, 1958). Fils de paysans, il fut militant socialiste avant d'adhérer au communisme lors de sa captivité en Russie, pendant la Première Guerre mondiale. Après l'échec du gouvernement de Béla Kun*, dont il faisait partie, il s'exila à Moscou et ne revint en Hongrie qu'avec les troupes soviétiques en 1944. Ministre de l'Agriculture, puis de l'Intérieur, président de l'Assemblée nationale, il devint président du Conseil après la démission de Rákosi (1953) et le resta jusqu'en 1955. Il mena une politique de libéralisation (amnistie, abolition des camps d'internement, tolérance religieuse). Mais l'opposition des partisans de Rákosi amena son remplacement par Hegedüs. Son retour au pouvoir était réclamé par le cercle Petöfi, groupant de jeunes intellectuels de Budapest. À la suite du mouvement révolutionnaire d'oct. 1956, il reprit le pouvoir, faisant entrer au gouvernement des personnalités non communistes et promettant le retrait des troupes soviétiques, enfin proclamant la neutralité de la Hongrie. Devant l'avance des troupes soviétiques, il lança en vain un appel à l'O.N.U. Il se réfugia à l'ambassade de Yougoslavie. Après un procès secret, il fut condamné à mort et exécuté avec d'autres personnalités ayant joué un rôle dans la révolution de 1956.

NAHA. ♦ V. du Japon (archipel des Ryū*-kyū, île d'Okinawa*). 90 000 hab. Port de commerce. Indus. textiles et céramique. ♦ *Hist.* Elle fut occupée par le Japon en 1609. Elle fut l'enjeu de terribles combats en mai-juin 1945.

NAHHÂS PACHA (Mustaphâ). ♦ Homme politique égyptien (Le Caire, 1876 – Alexandrie, 1965). Il succéda à la direction du parti du *wafd** à Sa'd Zaghlûl* et milita pour l'indépendance de l'Égypte et la fin de la monarchie absolue. Il fut plusieurs fois Premier ministre, malgré son opposition au palais, soit en raison de la situation politique et de certains rapports de forces (1928, 1930, 1936-1937), soit par la volonté de Londres (1942-1944). En désaccord avec le roi Fârûq*, soutenu par les Anglais, il fut appelé au pouvoir en 1950 pour résoudre une crise intérieure grave. Se trouvant dans une situation paradoxale du fait de son conflit avec le roi Fârûq, de sa détermination de liquider les séquelles de l'occupation anglaise et de sa volonté de maintenir l'ordre menacé par une crise sociale aiguë, il ne réussit pas à trouver les solutions appropriées. Après le succès du coup d'État militaire de juil. 1952, il se retira de la vie politique.

NAHR AL-'ASI. ♦ Nom actuel de l'Oronte*.

Nahua. *n. m.* ♦ Ensemble de dialectes (dont le principal est le nahuatl) indiens d'Amérique centrale (Mexique), souvent désignés sous le nom impropre d'aztèque. Actuellement la langue nahua est parlée par env. 700 000 personnes; l'écriture n'est plus utilisée, sauf pour le nahuatl classique.

NAHUEL HUAPI *(lac de).* ♦ Lac d'origine glaciaire dans les Andes de Patagonie argentine (prov. du Rio Negro* et Neuquén*). Env. 549 km². Parc national. Centre touristique.

NAHUM. ♦ Prophète juif (fin ~ VIIe s.).

Nahum *(Livre de).* ♦ Livre biblique, un des douze petits prophètes (trois chap.), retouché postérieurement au prophète. Oracles contre Ninive.

NAIDU (Sarojinî). ♦ Poétesse indienne (1879 – 1949), originaire du Bengale (elle fut surnommée « le rossignol indien ») et femme politique. Elle devint en 1925 la première femme président du Congrès. Elle écrivait en anglais et en hindî.

NAIRN. ♦ V. de la côte N.-E. de l'Écosse et ch.-l. de comté à l'embouchure de la Nairn, sur le *Moray Firth,* à l'E. d'Inverness. – Le *Nairnshire* a 422 km² et 8 430 habitants.

NAIROBI. ♦ Cap. du Kenya*, au S. du pays et des hautes terres, reliée par voie ferrée à Mombasa* et à Kampala* (Ouganda), avec un embranchement vers le lac Victoria. 535 200 hab. Important carrefour économique et humain. Université. Centre commercial et administratif. Industries du bois, alimentaires et mécaniques. Aciérie. – Réserve d'animaux à proximité de la ville.

NAKAE CHÔMIN. ♦ Philosophe japonais (1847 – 1901). Il étudia en France et en Allemagne et traduisit les œuvres de J.-J. Rousseau. Il était de tendance matérialiste.

NAKHITCHEVAN' [*n. m.*] (*République socialiste soviétique autonome de,* en russe **Nakhitchevanskaja A.S.S.R.**). ♦ Située dans le S. de la Transcaucasie, entre l'Arménie et l'Iran, elle fait partie de l'Azerbaïdjan*. 5 500 km². 211 000 hab. (85 % d'Azerbaïdjanais). *Cap.* Nakhitchevan' (35 000 hab., mausolées de Ioussouf ibn Koutaïr [1162] et Momine-Khatoum [1186]). – Au S. et au S.-O., la république est occupée par une plaine semi-désertique et, au N.-E. elle est traversée par deux chaînes montagneuses (Daralaghez et Zanghezour), où prédomine la végétation subalpine et alpine. Riv. princ. Araxe*. – *Écon.* L'activité agricole est surtout representée par la culture des céréales, du coton, du tabac, de la vigne et des fruits. Élevage ovin. L'indus. est limitée à l'extraction du sel gemme, l'égrenage du coton et la vinification. ♦ *Hist.* Partie de l'empire des Mèdes du ~ VIIIe au ~ VIIe s., puis de celui d'Alexandre le Grand (~ IVe s.), la région fut conquise par les Romains (~ Ier s.), les Iraniens (début IIIe s.), les Arabes (VIIe s.) et les Tataro-mongols (XIIIe s.). Disputée entre l'Iran et la Turquie (fin XVIe-déb. XVIIIe s.), elle devint un khanat indépendant v. 1750. Annexée par la Russie après la guerre russo-iranienne (1826-1828), elle fut envahie par les Turcs en juil. 1918, puis par les Anglais (fin 1918). En juil. 1920, l'Armée rouge occupa la région et y instaura le régime soviétique. Le 9 fév. 1924 fut formée la R.S.S.A. de Nakhitchevan', comprise dans l'Azerbaïdjan.

NAKHODKA. ♦ V. et port d'U.R.S.S. (R.S.F.S. de Russie), en Sibérie extrême-orientale, sur la mer du Japon au N. de Vladivostok. 105 000 hab. Réparation de bateaux. Pêche. Conserveries de poissons. Station de chemin de fer du transmandchourien et princ. port russe en relation avec le Japon.

NAKHORN PATHOM. ♦ V. de Thaïlande et ancienne capitale du royaume môn de Dvarâvatî (VIe s.), surtout célèbre pour son immense stûpa de briques émaillées élevé au XIXe siècle. Env. 35 000 hab. Site archéologique et touristique important, à 50 km à l'O. de Bangkok.

NAKSKOV. ♦ V. et port du Danemark, à l'O. de l'île de Lolland*, au fond du *Nakskovfjord.* 16 800 hab. – Grande sucrerie; chantiers navals; fonderie.

NÂLANDÂ. ♦ Célèbre université bouddhique de l'Inde (dans le Bihâr*), fondée au Ve s., où venaient étudier des religieux venus de toute l'Asie. Elle fut détruite à la fin du XIIe s. par les invasions musulmanes et ne se releva jamais de ses ruines.

NA-LAN HSING-TÊ [*Na-Lang Sing-tö, Nalan Xingde*]. ♦ Poète chinois d'origine manchoue (1654 – 1685). Il fut officier de la garde impériale et est considéré comme l'un des plus grands poètes de la dynastie des Ch'ing*.

NAŁKOWSKA (Zofia). ♦ Femme de lettres polonaise (Varsovie, 1884 – *id.,* 1954). Analyste de l'âme féminine, elle fut une observatrice attentive de l'action exercée par le milieu sur les caractères et les destins humains. On lui doit une série de nouvelles et de romans : *Les Femmes* (*Kobiety,* 1904), le *Roman de Thérèse Hennert* (*Romans Teresy Hennert,* 1923), *La Frontière* (*Jranica,* 1935) où, à l'étude des passions les plus amorales, succède l'analyse cruelle des mobiles. Après la Seconde Guerre mondiale, le souvenir des épreuves récentes lui inspira *Les Médaillons* (*Medaliony,* 1946), bouleversant témoignage des souffrances morales et physiques endurées dans les camps hitlériens.

NALTCHIK. ♦ V. d'U.R.S.S. (R.S.F.S. de Russie), cap. de la Kabardino*-Balkarie, sur la riv. Naltchik, dans le bassin du Terek. 146 000 hab. Centre culturel et touristique (alpinisme). Université fondée en 1957. Indus. mécaniques, métallurgiques, chimiques et alimentaires.

NAMANGAN. ♦ V. d'U.R.S.S. (Ouzbékistan*) dans la vallée de Fergana*. 175 000 hab. Indus. textiles (coton, soie) et alimentaires. Elle fut détruite par un tremblement de terre en 1927 et reconstruite sur un plan moderne.

NAMAQUAS ou **NAMAS.** *n. m. pl.* ♦ Un des groupes principaux du peuple hottentot*.

NÂMDEV. ♦ Poète mystique indien (v. 1269 – v. 1344) originaire du Mahârâṣtra*. De la caste des tailleurs, quelque peu brigand, il devint célèbre pour ses poèmes d'adoration à Viṣnu*, qui témoignent d'une très haute spiritualité.

NAM DINH. ♦ V. du Viêt-nam du N., située sur le delta de la rivière Rouge (Sông Kôi) au S.-E. d'Hanoi. Env. 100 000 hab. – Indus. textiles.

NAMEN. ♦ Nom flam. de Namur*.

NAMIB *(désert du).* ♦ Zone aride de la région côtière du Sud*-Ouest africain, qui s'étend du N. du pays jusqu'à l'embouchure de l'Orange*. Il a donné son nom à la *Namibie,* ou Sud*-Ouest africain. Entre Lüderitz* et la frontière sud-africaine se situe la zone diamantifère du pays.

NAMIBIE. *n. f.* ♦ V. SUD-OUEST AFRICAIN.

NAMMÂLVÂR. ♦ Poète mystique indien (v. 800) originaire du S. de l'Inde, célèbre pour ses chants dédiés à Viṣnu* et écrits en tamil*. Bien qu'il mourût assez jeune, les œuvres qu'il a laissées sont nombreuses.

NAMOUK KEMAL. ♦ Écrivain turc (Tekirdağ, 1840 – Chio, 1888). Il dut s'exiler en Europe (Paris, Londres, Bruxelles, Vienne) à la suite de ses articles politiques. Il publia à Londres (1868-1870) le journal *Hürriyet* (« Liberté »), avec Ziyâ* Pacha, qui fut l'organe le plus actif de la propagande libérale clandestine. Il fit figure de chef du mouvement des *Jeunes-Turcs,* première étape vers le développement des idées républicaines. Il fut à la fois journaliste, poète, dramaturge, romancier, biographe et historien. Influencé par le romantisme français, il laissa une œuvre abondante animée d'un patriotisme ardent. Parmi ses œuvres les plus célèbres

Ph. Nino Cirani/Ricciarini

Nairobi.

Ph. Hétier

Namur.

figurent le drame *Vatan* (« Patrie »), ses *Odes à la liberté et à la patrie.*

NAMPO. ♦ **V.** JINNANPO.

NAMUR *(province de).* ♦ Prov. belge. 3 660 km². 384 000 hab. *Langue :* français. *Ch.-l.* Namur. *trois arr.* **V. Dinant, Namur, Philippeville.** On peut diviser la province en six régions géographiques : la plaine basse de Sambre-Meuse; le plateau du Condroz* au S.-E.; celui d'entre Sambre et Meuse au S.-O.; la Famenne* au S. de ces plateaux; une partie de l'Ardenne*; une partie du plateau du Brabant*. La province de Namur est drainée par la Meuse et la Sambre, canalisées, et leurs affluents. La diversité de sa production est en relation avec la variété géographique : avoine, orge, seigle, trèfle et pomme de terre; élevage bovin; chevaux. Les régions de la Sambre-et-Meuse et du Brabant, plus riches, produisent des légumes, de la betterave à sucre et du blé. La Famenne est une région de prairies et de bois. Indus. chimiques et textiles dans les centres urbains. Tourisme.

NAMUR, en néerl. **Namen.** ♦ V. de Belgique (ch.-l. de la prov. homonyme), au confluent de la Sambre* et de la Meuse*. 32 600 hab. *(Namurois).* Évêché. – Beffroi du XIVᵉ siècle. Église Saint-Loup, baroque (1621-1645). Cathédrale Saint-Aubain, classique (tour du XIIIᵉ s.). Ancien palais épiscopal (1726-1740). Siège du gouvernement provincial. Musées. Halle aux viandes de 1588 (antiquités romaines et mérovingiennes). Citadelle du XVIIIᵉ s. (château des comtes de Namur). – Indus. chimiques et textiles. Coutellerie fine. Dinanderie **(V. Dinant).** Chaudronnerie. Cimenteries. Tanneries. Tourisme. ♦ *Hist.* Forteresse des Aduatiques dont César s'empara en ~ 57, *Namurcum Castrum* se développa sous les Mérovingiens et devint le ch.-l. d'un *pagus* sous Charlemagne. Son enceinte s'agrandit au IXᵉ s., puis aux XIVᵉ et XVᵉ siècles. Philippe le Bon acheta Namur et son comté en 1421. Sa position stratégique valut à la ville de nombreux sièges dont celui de 1692, célébré par Boileau et Racine *(odes).* Elle fut reprise par le comte de Clermont en 1746; l'Autriche s'en empara de nouveau en 1748, puis la France en 1792. Namur fut le chef-lieu du département de Sambre-et-Meuse jusqu'en 1814. Après Waterloo (1815), l'arrière-garde de Grouchy s'y installa. Démantelée en 1862, Namur retrouva sa situation de place forte en 1887. En 1914, l'armée belge s'y replia avant de gagner la France.

Nana. ♦ Roman d'Émile Zola* (1879) qui fait partie du cycle des *Rougon*-Macquart.* Fille de Gervaise (l'héroïne de *L'Assommoir**), la courtisane Nana suscite les convoitises masculines par sa beauté sensuelle. Saisie d'un étrange bonheur à avilir les hommes qui l'entourent, elle accélère, à sa manière, la débâcle de la société; sa mort dans la corruption correspondra au déclenchement de la guerre de 1870. Puissant symbole sexuel, Nana devient aussi un symbole social de la vengeance du peuple sur les classes riches.

NÂNA FADNAVÎS. ♦ Brâhmane indien du Mahârâstra (1741 – 1800) qui dirigea avec compétence la politique de l'empire mahrâta en lutte contre les Anglais. Il signa avec ceux-ci un traité de paix en 1782.

NÂNAK. ♦ Poète mystique indien et réformateur religieux (près de Lahore, 1469 – 1539). Fondateur de la secte religieuse des Sikhs* et auteur du livre sacré de ceux-ci, l'*Âdi-granth.* Il fut le premier des « guru » (grand maître spirituel), des Sikhs*.

NÂNA SAHIB. ♦ Râja indien (1825 – 1862) du Mahârâṣtra* qui, lors de la révolte des Cipayes (Sipahi) en 1857, prit la tête du mouvement. Battu par les Anglais à Kânpur, il se réfugia au Népal.

NANBOKUCHÔ [« Cour du Nord et du Sud »]. ♦ Nom donné à la période de l'histoire japonaise allant de 1336 à 1392, pendant laquelle il y eut deux cours impériales, l'une légitime (celle dite du Sud) et l'autre imposée par les shôgun Ashikaga* à Kyôto. Ce fut une période de guerres civiles ininterrompues. Elle se termina par un compromis.

NANÇAY. ♦ Comm. du Cher (arr. de Bourges), en Sologne. 753 hab. Observatoire de radio-astronomie.

NAN CH'ANG [*Nan Tch'ang, Nanchang*]. ♦ V. de Chine et capitale de la province du Chiang-hsi, sur la rivière Han, ancien centre de production de porcelaines. 600 000 hab. Aujourd'hui centre indus. important.

NAN CHAO [*Nan Tchao, Nan Zhao*]. *n. m.* ♦ Ancien État thaï de l'O. du Yunnan* (Chine du Sud) fondé au déb. du VIIIᵉ siècle. Au Xᵉ s., il fut supplanté par le royaume de Ta-li qui, deux siècles plus tard, devait être annexé par la Chine et transformé en province.

NAN-CHUNG [*Nan-tch'ong, Nanchong*]. ♦ V. de Chine (Szu-ch'uan). 200 000 hab. Important centre agricole.

NANCY. ♦ Préf. de la Meurthe-et-Moselle, ch.-l. d'arr. (9 cant., 184 comm., 376 991 hab.), sur la Meurthe. 127 826 hab. *(Nancéiens).* La ville doit son originalité aux travaux d'architecture réalisés au XVIIIᵉ s. sur l'initiative du roi Stanislas. L'église des Cordeliers (XVᵉ s.) renferme les tombeaux des princes lorrains. La cathédrale (XVIIIᵉ s.) possède un trésor. L'église Notre-Dame-de-Bon-Secours a été élevée par Héré* au XVIIIᵉ s. pour le roi Stanislas, sur l'emplacement d'une anc. chapelle. L'église Saint-Sébastien a été reconstruite au XVIIIᵉ siècle. La place Stanislas, anc. place Royale, vaste rectangle bordé de cinq pavillons, dont l'hôtel de ville et le musée des Beaux-Arts, reliés les uns aux autres par des grilles en fer forgé de Jean Lamour, frappe par son harmonie, elle est ornée en son centre d'une statue de Stanislas. Face à l'hôtel de ville se dresse l'arc de triomphe élevé par Héré à la gloire de Louis XV; cet arc conduit à la place Carrière bordée d'hôtels du XVIIIᵉ s. et fermée par le palais du Gouvernement, œuvre de Héré, précédé d'une cour ovale entourée d'une colonnade. Le palais ducal (XVIᵉ s.) endommagé en 1792, restauré au XIXᵉ s., abrite le Musée lorrain. Des vestiges d'anc. fortifications subsistent : porte de la Craffe (XIVᵉ s.), porte de la Citadelle (XVIᵉ s.), porte Saint-Georges (XVIIᵉ s.), porte Desilles (XVIIIᵉ siècle). Cours Léopold, promenade créée au XVIIIᵉ s.; parc de la Pépinière fondé en 1765; jardin botanique aménagé par le roi Stanislas en 1752. La place d'Alliance, bordée d'hôtels du XVIIIᵉ s., a été dessinée par Héré. La bibliothèque municipale est située dans un bâtiment du XVIIIᵉ siècle. Palais de l'Université (XIXᵉ s.) une nouvelle faculté a été construite. Maisons et hôtels anciens; musée de l'école de Nancy. Une ville moderne est en cours de développement. L'architecte B. Zehrfuss a aménagé un nouveau quartier de la ville. Évêché. Nancy est une métropole économique, industrielle, intellectuelle. De nombreuses écoles techniques et scientifiques y sont implantées. Une autoroute relie Nancy à Metz depuis 1972. La richesse du sol a fait la prospérité de la ville : fer, sel, houille ont permis la création de nombreuses indus. : métallurgie, aciéries, fonderies, chaudronnerie; constructions métalliques, mécaniques, machines-outils; indus. électrique; produits réfractaires; matériaux de construction: produits chimiques, indus. de la soude, matières plastiques; indus. du froid; instruments de précision; meubles; manufacture d'instruments de musique; indus. alimentaires : minoteries, brasseries, conserveries; confection; imprimerie; caoutchouc; cartonnages; manufacture de tabac, faïencerie; cristallerie; chaussures. – Patrie de J. de Boufflers*, de J. Callot*, de C.M. Clodion*, de P. Colin*, de Ch. de Dombasle, du comte A. Drouot*, de L. Febvre*, de François* Iᵉʳ de Habsbourg-Lorraine, de É. Gallé*, d'E. de Goncourt*, de Grandville*, d'E. Héré*, de J.B. Isabey*, de L.H. Lyautey*, de R. Mique*, de Ch. Palissot* de Montenoy, de Pixérécourt*, d'H. Poincaré*, de J.F. de Saint*-Lambert, de P. Schaeffer*, d'A. Schneider*, d'I. Silvestre*, d'E. Tisserant. ♦ *Hist.* Nancy fut résidence des ducs de Lorraine au XIIIᵉ siècle. Charles* le Téméraire prit la ville en 1475; il en fut chassé l'année suivante par le duc de Lorraine René II et mourut en essayant de reconquérir Nancy le 5 janvier 1477. À la fin du XVIᵉ s., Charles III fit construire la Ville-Neuve. Les Français occupèrent Nancy en 1633-1659, 1670-1698, 1702-1712 et Lunéville devint alors capitale de la Lorraine. C'est sur l'initiative de Stanislas Leszczyński que furent entrepris au XVIIIᵉ s. de considérables travaux d'embellissement de la ville (voir *ci-dessus*). Nancy devint française en 1766 et le siège d'une université, d'un parlement, d'un évêché. Lors de la guerre franco-allemande de 1870-1871, la ville fut occupée par les forces ennemies (août 1870) après la défaite française de Forbach. Lors de la Première Guerre mondiale, la ville évita l'occupation allemande grâce aux opérations de Castelnau.

Nancy *(école de).* ♦ École fondée à la fin du XIXᵉ s. par É. Gallé*, verrier et céramiste, dans le but de renouveler les arts décoratifs en s'inspirant de la nature (faune et flore). Autour de Gallé se groupèrent les frères Daum, L. Marjorelle, E. Vallin, G. Hœntschel, V. Prouvé. L'école se constitua en société en 1901, se définissant comme une « alliance provinciale des industries de l'art ».

NÂNDER. ♦ V. du Dekkan (Inde, Mahârâṣtra), sise à l'extrémité N. d'un grand lac formé par un bras de la Godâvarî. 111 000 hab. Centre agricole.

NANDIN. ♦ Nom du taureau blanc qui sert de monture au dieu Śiva* en Inde, symbole de force et de virilité. On trouve son effigie dans tous les temples hindous consacrés à Śiva*.

NANGAL. ♦ V. de l'Inde, dans le Pañjâb. 42 400 hab. Indus. des engrais chimiques. Production d'eau lourde.

NÂNGA PARBAT. *n. m.* ♦ Sommet de l'Himâlaya* occidental, dans le Cachemire (8 114 m). Il fut gravi en 1953 par une expédition austro-allemande.

NANGIS (Guillaume *de*). ♦ **V.** GUILLAUME DE NANGIS.

NANGIS [nɑ̃ʒi]. ♦ Ch.-l. de cant. de la Seine-et-Marne, arr. de Provins. 5 362 hab. Église Saint-Martin (XIIIe, XVe, XVIIIe siècle). Hôtel de ville dans l'anc. château de la Motte-Nangis. — Machines agricoles ; indus. alimentaires ; liqueurs.

NANG KLAO. ♦ Roi du Siam (Rama III, 1787 — 1851) qui succéda en 1824 à son père Phuttaleutla. Il conquit le Laos et le Cambodge et ouvrit des relations diplomatiques avec les États-Unis dès 1833. Son frère Mongkut* lui succéda à sa mort.

NANKIN [*Nan-ching, Nan-King, Nanjing*]. ♦ V. de Chine, port fluvial sur le Yang*-tsê kiang et cap. de la province du Chiang-su. 1 450 000 hab. (1957). Centre indus. (sidérurgie, constructions mécaniques, textiles, instruments d'optique) et culturel (université, centres de recherche). ♦ *Hist.* De fondation très ancienne, elle fut la capitale de la Chine jusqu'en 1450, puis de nouveau de 1928 à 1949. Les T'ai-p'ing* révoltés en firent leur capitale en 1853. La République chinoise y fut proclamée en 1911. — Le *traité de Nankin,* signé en 1842 entre les Chinois et les Anglais, mit fin à la guerre de l'Opium* et donna Hong-kong à l'Angleterre.

NAN-NING [*Nanning*]. ♦ V. de Chine et port fluvial important sur le Hsi-kiang. 300 000 hab. Capitale de la prov. du Kuang-hsi et grand centre commercial et agricole.

NANSEN (Fridtjof). ♦ Savant, explorateur et homme politique norvégien (Store-Frøn, près de Christiania, 1861 — Lysaker, 1930). Après avoir réalisé la traversée du Groenland d'est en ouest (1888), il entreprit à bord du *Fram* l'exploration de l'océan glacial Arctique (1893-1896). Il atteignit l'archipel de Nouvelle-Sibérie, fut contraint d'hiverner sur la terre François-Joseph et fut accueilli au printemps 1896 par la mission Jackson à la terre Alexandra. Spécialisé dans les études océanographiques, il se consacra également à la vie politique, participa à la séparation de la Norvège et de la Suède (traité de Karlstadt, 1905) et, après la Première Guerre mondiale, fut délégué à la S.D.N., s'occupant du rapatriement des prisonniers et du problème des réfugiés (*À travers le Groenland,* 1891 : *Vers le pôle,* 1897, etc.). — Prix Nobel de la paix, 1922.

NAN-TCH'ANG. ♦ V. NAN CH'ANG.

NANTERRE. ♦ Préf. des Hauts-de-Seine, ch.-l. d'arr. (30 cant., 24 comm., 1 073 633 hab.). 90 632 hab. *(Nanterrois).* Basilique nationale de Sainte-Geneviève (XIIIe, XVIIe, XXe siècle). La préfecture, édifice de verre et de béton, est l'œuvre de A. Wogensky ; une cité administrative va être construite. Évêché. Ville universitaire (lettres et droit), résidence universitaire. Le plan de la ville subit des remaniements importants en relation avec l'aménagement du quartier de la Défense*. — Indus. automobiles ; matériel électrique ; jouets ; mécanique de précision ; fonderies ; tôlerie ; papeteries ; indus. alimentaires. — Patrie de sainte Geneviève*, de E. Chenard*, de F. Hanriot*. — L'université fut l'un des centres de l'agitation étudiante en mai* 1968.

NANTES. ♦ Préf. de la Loire-Atlantique. Port de mer au fond de l'estuaire de la Loire, au confluent de l'Erdre* et de la Sèvre*-Nantaise avec la Loire, à 56 km à l'intérieur des terres. Ch.-l. d'arr. (18 cant., 69 comm., 482 911 hab.), 266 106 hab. [253 105 aggl.]. *(Nantais).* [Le grand Nantes compte 400 812 hab.] Évêché. Université. — Château gothique et Renaissance, construit dans la seconde moitié du XVe s. par François II de Bretagne sur l'emplacement d'une forteresse des IXe-Xe s. et modifié par Philippe de Mercœur pendant la Ligue. Ancienne résidence des ducs de Bretagne, ce château abrite aujourd'hui le musée d'Art populaire régional, le musée des Arts décoratifs et le musée de la Marine. — Cathédrale Saint-Pierre-Saint-Paul, construite de 1434 à 1893 dans le style gothique flamboyant ; son transept renferme le tombeau monumental de François II de Bretagne, sculpté par Michel Colombe de 1502 à 1507, ainsi que le monument funéraire du général de Lamoricière*, œuvre de l'architecte Boitte et du sculpteur Paul Dubois. Église Sainte-Croix, XVIIe s., restaurée au XIXe siècle. Église de l'Immaculée-Conception (XVe siècle). Manoir dit de Jean V (XIVe siècle). Hôtel de ville du XVIIe siècle. Ancienne maison du chapitre, dite la Psalette, XVe siècle. Porte Saint-Pierre (XVe s.), vestige des anciennes fortifications. Nombreux hôtels anciens, notamment du XVIIIe siècle. Musées. — L'activité portuaire, qui connut un net fléchissement au XIXe s. du fait, d'une part, de l'ensablement de l'estuaire de la Loire, et, d'autre part, de la politique impériale (Blocus continental), est aujourd'hui en croissance régulière et met le complexe Nantes-Saint-Nazaire **(V. Saint-Nazaire)** au cinquième rang des ports français. Les importations : hydrocarbures bruts et raffinés, houille, soufre, bitume, ciment, phosphates, tourteaux, farines d'oléagineux et de poisson, bananes, céréales, sucre, papier, bois, tôles (10 771 000 t en 1975), l'emportent nettement sur les exportations : hydrocarbures raffinés, cendres de pyrites, fer blanc, sable, blé, orge, pommes de terre, sucre (1 662 000 t en 1975), déséquilibre dû au trafic pétrolier, assuré par l'annexe de Donges*. Le complexe portuaire, qui comprend trois établissements principaux à Nantes, Donges et Saint-Nazaire, constitue administrativement un port autonome géré par un conseil où sont représentés les deux chambres de commerce, les usagers et l'État. Aux activités du port sont étroitement liés l'industrie et le commerce nantais. La construction navale et la métallurgie y tiennent un rôle de premier plan : fonderies d'acier et de métaux non ferreux, chaudronnerie. Construction mécanique. Matériel ferroviaire et aéronautique. Machines de navires. Moteurs Diesel. Matériel agricole. Équipements électroménagers. Ferblanterie et indus. du conditionnement liées à des indus. alimentaires bien développées : conserves, raffineries de sucre, traitement des riz exotiques, minoteries, brasseries, biscuiteries. Les industries chimiques sont également représentées (engrais, savonnerie, matières plastiques), ainsi que les activités liées au textile et à la confection, aux indus. du bois (bois d'œuvre, meubles, papier) et du cuir (tanneries, corroieries, usines de chaussures). Nantes est aussi un centre de commercialisation des produits viticoles renommés de sa région : muscadet, gros plant. — *Patrie de :* Anne* de Bretagne, Aristide Briand*, Germain Boffrand*, Jacques Cassard*, le général Cambronne*, Jules Dupré*, Louis Juchault de Lamoricière*, Jules Verne*, Pierre Waldeck*-Rousseau. ♦ *Hist.* L'antique cité des *Namnetes* devint sous l'empire romain un important centre commercial et administratif. Christianisée vers le milieu du IIIe s. par saint Clair, elle fut placée par Clotaire Ier en 560 sous la tutelle de l'évêque saint Félix. Lors du soulèvement de la Bretagne contre les successeurs de Charlemagne, Nantes prit le parti de ces derniers. Aussi Nominoé rasa-t-il les fortifications de la ville, en même temps que celles de Rennes, lorsqu'il eut réussi à se faire proclamer roi de Bretagne en 842. Une année plus tard, les Normands prirent la ville et n'en furent chassés qu'en 936 par Alain Barbetorte, à la mort duquel la souveraineté de la Bretagne fut revendiquée à la fois par les comtes de Nantes et de Rennes. Philippe Auguste mit fin à leurs luttes en créant Pierre de Dreux duc de Bretagne. Celui-ci choisit pour capitale Nantes, qu'il entoura de fortifications et dut défendre contre les entreprises de Jean sans Terre (1214). Pendant les guerres de la Succession de Bretagne, qui opposèrent Jean de Montfort à Charles de Bretagne, la ville prit parti pour celui-ci, après s'être un temps rangée aux côtés de Jean de Montfort. Elle ne se rendit au fils de ce dernier, proclamé duc sous le nom de Jean IV, que lorsque ses alliés anglais se furent retirés. Pendant la Réforme, Nantes s'engagea dans la Ligue, groupée autour du duc de Mercœur, alors gouverneur de la province. Elle se rendit en 1598 à Henri IV, qui y promulgua l'*édit de Nantes* **(V. *ci-dessous*).** Au XVIIe et surtout au XVIIIe s., la ville prit un essor considérable grâce au commerce triangulaire* qui ne devait cesser complètement que dans le deuxième tiers du XIXe siècle. En 1789, elle embrassa le parti républicain et pendant la guerre de Vendée de nombreux combats opposèrent bleus et blancs sous ses murs. Pendant la Terreur le Comité de salut public y envoya, pour procéder à l'épuration des suspects, le député du Cantal Jean-Baptiste Carrier*. C'est à l'instigation de ce dernier que furent organisées les « noyades », qui consistaient à couler dans la Loire des bateaux chargés de prisonniers. — Nantes fut occupée par les troupes allemandes de juin 1940 à août 1944. Les bombardements alliés, de septembre 1943 à la fin de la guerre, endommagèrent de nombreux quartiers.

NANTES *(édit de)* [1598]. ♦ Édit signé par Henri IV, pour apaiser les conflits religieux, en fixant légalement le statut des protestants en France. Des concessions considérables leur étaient faites : outre la liberté de conscience, ils jouissaient de la liberté de culte dans les domiciles seigneuriaux, dans deux villes ou villages par baillage, et dans toutes les villes où le culte réformé existait de fait. Différents gages préservaient cette liberté, mais les articles

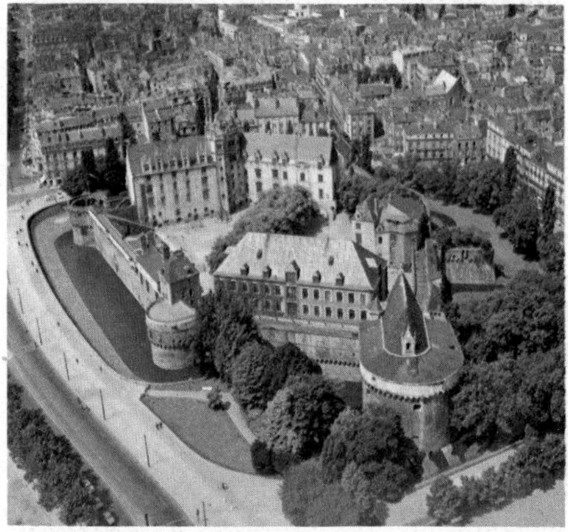

Ph. Roger-Viollet

Nantes : le château.

secrets apportaient un certain nombre de réserves, pour atténuer les préventions des catholiques. Sur le plan juridique, une amnistie rendit aux protestants l'intégralité de leurs droits civiques, tandis que les « chambres mi-parties » étaient instituées. En politique, ils avaient accès à tous les emplois et le droit de porter des remontrances au roi. Des garanties militaires appuyaient l'ensemble par la concession d'une centaine de places de sûreté. Cet exemple de tolérance, unique en Europe, n'était en fait qu'un compromis imposé par l'épuisement des deux partis. Il créait un « État dans l'État », ce qui explique l'hostilité des parlements quand ils durent l'accepter, et celle de Richelieu, abolissant les privilèges militaires à la paix d'Alès (1629), puis celle de Louis XIV. ♦ RÉVOCATION DE L'ÉDIT DE NANTES. Signé par Louis XIV à Fontainebleau en 1685, cet édit supprimait tous les avantages accordés par Henri IV aux protestants. Leur culte fut interdit, les pasteurs bannis. La lutte contre le protestantisme avait en fait recommencé beaucoup plus tôt. À partir de 1661, des restrictions croissantes à l'application de l'édit de Nantes avaient accompagné une violente propagande (caisse des conversions 1676, dragonnades* 1680). Le nombre des conversions plus ou moins forcées fut si important qu'on put croire l'édit de Nantes devenu réellement inutile et qu'on ne mesura pas l'ampleur des conséquences de sa révocation, qui fut d'ailleurs bien accueillie par la majorité de l'opinion publique. Plus de 200 000 protestants (officiers, industriels, commerçants, artisans, agriculteurs) émigrèrent, accueillis surtout en Prusse et en Hollande où ils fondèrent parfois des foyers d'hostilité à la France, tandis que se produisaient des révoltes **(V. Camisards).**

Nantes à Brest *(canal de)*. ♦ Canal de Bretagne, reliant Nantes à Brest, mis en service en 1838. D'une longueur totale de 360 km, il est ouvert à la navigation sur 227 km, la partie située à l'O. du barrage de Guerlédan étant désaffectée.

NANTEUIL (Robert). ♦ Graveur et pastelliste français (Reims, 1623 – Paris, 1678). Il travailla d'abord à Reims puis s'établit à Paris en 1647. Portraitiste, il assimila la leçon de rigueur et de fermeté de P. de Champaigne* et grâce à A. Bosse* perfectionna sa technique du burin. Il devint graveur de Louis XIV (1657) et s'affirma comme le graveur le plus important de la seconde moitié du XVIIe s. par ses sobres portraits (deux cents environ) représentant les membres de la cour et les grands dignitaires *(Louis XIV, Colbert)*. Il fut l'un des premiers à employer la technique du pastel et laissa des notes manuscrites sur son art *(Maximes et Réflexions)*.

NANTEUIL (Célestin LE BŒUF-NANTEUIL, dit). ♦ Peintre, pastelliste, dessinateur et graveur français (Rome, 1813 – Marlotte, 1873). Élève de Langlois, il travailla ensuite dans l'atelier d'Ingres*. Lithographe et aquafortiste, il fut l'un des plus brillants illustrateurs de la poésie romantique (Gautier, Nerval, Petrus Borel, Hugo); ses milliers de vignettes et de frontispices contribuèrent à la vogue du « style troubadour ». De 1848 à 1868, il exécuta une série de peintures allégoriques d'un style assez conventionnel.

NAN-T'ONG. ♦ **V.** NAN-T'UNG.

NANTOU. ♦ V. de l'île de Taïwan, ch.-l. de district dans la partie occidentale.

NANTUA. ♦ Sous-préf. de l'Ain*, ch.-l. d'arr. (6 cant., 73 comm., 60 794 hab.) dans une cluse du Jura, sur le lac Nantua. 3 954 hab. *(Nantuatiens)*. Église du XIIe s., anc. abbatiale bénédictine. Centre de villégiature. Indus. textiles : tissage de la soie, fabrication de dentelles et de tulles. Fabrique de contre-plaqué; cycles. – Patrie de A. Baudin.

NANTUCKET. ♦ Île du littoral N.-E. des États-Unis (Massachusetts) au S.-E. du cap Cod*. Ancien centre de l'indus. baleinière (XVIIIe s.), surpassé vers 1820 par New* Bedford. L'île (3 559 hab.) vit aujourd'hui du tourisme (notamment dans le village de Nantucket).

NAN-T'UNG [*Nan-t'ong, Nantong*]. ♦ V. de Chine (Chiang-su) sur l'estuaire du Yang-tsê, à 100 km au N. de Shanghai. Env. 400 000 hab. Indus. textiles (coton).

NAO *(cap de la)*. ♦ Cap espagnol de la Méditerranée, sur la côte du Levant*, entre Alicante et Valence.

NAOROJÎ DADABHAI. ♦ Homme politique indien (Bombay, 1825 – 1917) d'origine parsî, qui devint président du Congrès en 1886 et fut élu membre du Parlement en 1895. Il joua un rôle important dans la formation politique de l'Inde moderne.

Ph. Louis Monier

Naples.

NAPIER ou **NEPER (John,** *baron de* **Merchiston).** ♦ Mathématicien écossais (Merchiston, près d'Édimbourg, 1550 – *id.*, 1617). Cherchant à simplifier les calculs trigonométriques des astronomes, il réalisa d'abord des réglettes chiffrées puis, en reprenant une idée ancienne consistant à comparer les progressions arithmétique et géométrique, il découvrit les logarithmes dits *népériens* (1614) dont il établit la théorie et qui le menèrent à la construction de tables; il conseilla ensuite Briggs* dans l'établissement des tables de logarithmes décimaux, plus adaptés aux calculs numériques. Les tables de logarithmes eurent un succès immédiat, tant elles répondaient aux besoins contemporains; Kepler* dédia ses *Tabulae rudolphinae* à Napier, son calcul ayant été largement facilité par l'emploi des logarithmes. Il établit également les principes sur lesquels sont basées certaines machines à calculer (1617). **V. Schickard.**

NAPLES, en it. **Napoli.** ♦ V. et port d'Italie du S., ch.-l. de la Campanie*, sur la mer Tyrrhénienne, au fond du *golfe de Naples*, au pied du Vésuve*. 1 236 000 hab. *(Napolitains)*. Université. Castel Nuovo (XIIIe s.), Castel dell'Ovo, Dôme (XIIIe s., remanié), églises gothiques (dont Santa Chiara), chartreuse San Martino, musée national. La V. s'étend sur 20 km de Pozzuoli à Portici. L'aggl. est très peuplée (2 068 hab./km²). Des îlots d'habitations sordides et des bidonvilles sont proches des façades cossues des grands immeubles (quartiers modernes développés dans un climat de spéculation immobilière) et des villas du bord de mer sur les pentes du Vésuve. Le port a une double fonction : commerciale (ravitaillement en fer, coke, minerais des aciéries de Bagnoli, importation de produits pétroliers) et touristique (transport de passagers vers les îles, croisières dans le golfe et le long de la côte). Le secteur industriel est très développé. L'aggl. napolitaine est le principal centre économique du Mezzogiorno* : aciéries et cimenteries de Bagnoli, raffineries de pétrole, indus. chimiques (engrais, caoutchouc, verreries), mécaniques (Olivetti) à Pozzuoli, textiles et alimentaires. ♦ *Hist.* Fondée v. ~ 600 sous le nom de *Parthénopé* par des Grecs de Cumes (Campanie), la ville prit le nom de *Paléopolis* (« ville ancienne ») v. ~ 500 lorsque des Athéniens ou des Chalcidiens fondèrent la cité de *Néapolis* (« ville nouvelle »). Alliée de Rome (~ 326), elle résista à Pyrrhus (~ 280) et Hannibal n'osa pas l'attaquer. Séjour de Virgile (~ Ier s.), de Claude et de Néron (Ier s.), elle fut prise par les Ostrogoths en 493, mais fut reprise en 544 par Byzance. Elle devint normande en 1137 puis, sous les Angevins, fut la capitale du royaume de Naples, et l'histoire de la ville se confond dès lors avec celle du royaume **(V.** *ci-dessous***).** Elle se révolta en 1848; la prise de la ville par Garibaldi (1860) marqua la fin du royaume des Deux-Siciles. Naples rejoignit le royaume d'Italie (1861). Elle fut libérée le 1er oct. 1943 par la Ve armée américaine.

NAPLES *(royaume de)* puis **DEUX-SICILES** *(royaume des)*. ♦ Ancien royaume d'Italie (S. de l'Italie péninsulaire et Sicile). Il fut pris par les Normands au XIe s., qui y fondèrent plusieurs principautés, dont la plus importante fut celle de Robert* Guiscard qui, reconnu par le pape Nicolas II en 1059, s'empara du duché entier de Naples en 1071. Roger* Ier, le frère de Guiscard, enleva la Sicile aux Arabes (1061-1091) et Roger* II (1127-1154) obtint le titre de roi de Sicile en 1130. Guelfes, les rois de Sicile s'opposèrent aux empereurs germaniques jusqu'en 1186, date à laquelle la fille de Roger II, Constance, épousa Henri* VI d'Allemagne. Le fils de ce dernier, Frédéric* II, séjourna en Italie du Sud, fonda l'université de Naples (1224) et établit les Constitutions de Melfi. L'empereur germanique Conrad IV (1250-1254) et Manfred combattirent les papes. Le pape Clément VII attribua le royaume de Sicile à Charles* Ier d'Anjou (1265) qui conquit son royaume sur Manfred* en 1266 puis sur Conradin* (1268). Régnant sur Naples et la Sicile (1266-1285), Charles d'Anjou mena une politique d'opposition aux libertés municipales, qui suscita l'insurrection des Vêpres* siciliennes (1282): il dut céder la Sicile à Pierre* III d'Aragon. Charles d'Anjou échoua à la reconquérir, malgré l'appui du pape, et son fils Charles II (1285-1309) dut reconnaître l'indépendance de la Sicile (le royaume de Naples restant à la dynastie angevine). Naples, grande cité d'affaires sous Robert* d'Anjou le Sage (1309-1343), combattit du côté des guelfes contre Louis de Bavière, empereur germanique, et protégea Florence. Après le règne de Jeanne* Ire (1343-1382), le pouvoir revint à Charles* III de Duras (1381-1386), puis au fils de ce dernier, Ladislas* (1386-1414). Jeanne* II, en désignant deux héritiers, Alphonse* V d'Aragon et Louis III d'Anjou, déclencha de nouvelles guerres. Alphonse V, vainqueur en 1442, réunit Naples à la Sicile (1er royaume des *Deux-Siciles*, 1442-1458). À sa mort, la Sicile resta à l'Aragon tandis que Naples allait à un fils d'Alphonse V, Ferdinand* Ier (1458-1494). Les revendications des Français lors des guerres d'Italie aboutirent à donner le royaume à l'Aragon **(V. Ferdinand II d'Anjou).** Malgré plusieurs révoltes, notamment en 1647, Naples ne put s'affranchir de la domination de l'Espagne, qui l'accablait d'impôts. Après une brève occupation autrichienne (1713-1735), l'empereur Charles VI céda le royaume à Charles VII de Bourbon-Espagne (1735-1759) qui réorganisa le royaume dans le sens du despotisme éclairé avec son ministre Tanucci. Lorsque Charles VII dut regagner l'Espagne à la mort de son frère (Ferdinand VI), le royaume passa à son fils Ferdinand IV (1759-1825), qui gouverna en despote. Après avoir participé à la guerre contre la France, le royaume devint la *république Parthénopéenne* (1799-1800). Les Bourbons, rétablis dans le royaume, en furent chassés en 1805 par Napoléon. Ce dernier donna Naples à Joseph Bonaparte* (1806) puis à Murat* (1808-1815). Les Bourbons, restés en Sicile, furent restaurés à la chute de Napoléon, mais furent chassés en 1820. En 1821, le royaume fut gouverné à nouveau par Ferdinand IV puis par François* Ier (1825-1830) et Ferdinand* II (1830-1859). En 1860, l'expédition des « Mille » de Garibaldi battit plusieurs fois l'armée royale et, en 1861, le dernier roi des Deux-Siciles, François* II, dut s'exiler tandis que le royaume rejoignait le nouveau royaume d'Italie.

NAPLOUSE ou **NÂBULUS, NABLUS.** ♦ V. de Jordanie (Cisjordanie), ch.-l. de district, située dans les monts de Samarie, à proximité de l'anc. Sichem*. La ville est occupée par Israël depuis la *guerre des six jours*. Env. 60 000 hab. Principal centre commercial de la Samarie. ♦ *Hist.* La ville gréco-romaine de *Flavia Neapolis* fut fondée en 72 par Vespasien sur l'emplacement de Sichem.

NAPO *(rio). n. m.* ♦ Riv. d'Amérique du Sud, qui prend sa source dans les Andes de l'Équateur et traverse le N. du Pérou avant de se jeter dans l'Amazone*, en aval d'Iquitos. 1 020 km. Elle donne son nom à la prov. de Napo Pastaza en Équateur.

NAPOLÉON Ier (Napoléon BONAPARTE, couronné sous le nom de**).** ♦ (Ajaccio, 15 août 1769 — île de Sainte-Hélène, 5 mai 1821). Premier consul à vie (1802-1804), puis empereur des Français (1804-1815). Second fils de Charles Marie Buonaparte et de Laetitia Ramolino, il eut quatre frères et trois sœurs **(V. Bonaparte).** Son prénom, *Napoléon,* d'origine germanique, est étymologiquement apparenté à *Niebelungen.* De petite noblesse, il étudia au collège d'Autun, puis à l'école militaire de Brienne (1779-1784); il en sortit lieutenant en second et connut la vie de garnison jusqu'en 1791. Après l'échec d'une tentative de carrière politique en Corse, il s'installa en France avec sa famille. Nommé chef de l'artillerie au siège de Toulon*, il contribua à la prise de la ville qui s'était livrée aux Anglais (déc. 1793). Nommé général de brigade et commandant de l'artillerie à l'armée d'Italie (1794), il fut emprisonné après le 9 Thermidor en raison de ses amitiés pour les jacobins, mais vite relâché. Le 13 Vendémiaire* (5 oct. 1795), Barras* appela Bonaparte pour réprimer l'insurrection royaliste dirigée contre le Directoire; il fut alors nommé commandant en chef de l'armée de l'intérieur. Nommé général en chef de l'armée d'Italie le 2 mars 1796, il épousa le 9 mars Joséphine Tascher de La Pagerie, veuve du général de Beauharnais* **(V. Joséphine).** La campagne d'Italie, contre les forces austro-piémontaises, fut menée avec une rapidité foudroyante, révélant le génie militaire de Bonaparte : victoires de Montenotte*, Mondovi*, Lodi*, entrée des Français à Milan le 15 mai, création de la république Cispadane*. Après le traité de Cherasco*, de nouvelles victoires furent remportées, notamment à Lonato, Castiglione*, Arcole*, Rivoli*, puis Bonaparte prit Mantoue (2 févr. 1797) et marcha sur Vienne. Un armistice demandé par l'Autriche fut signé à Leoben* (18 avr. 1797). Le traité de Campoformio* assurait à la France la rive gauche du Rhin et créait la république Cisalpine*. La popularité immense de Bonaparte inquiéta le Directoire qui chercha à l'éloigner, tout en utilisant ses talents militaires, et ce fut l'expédition d'Égypte **(V. Égypte)** destinée à couper à l'Angleterre la route des Indes. Après la prise de Malte (11 juin 1798), le débarquement à Alexandrie, le 1er juil., prépara la victoire des Pyramides qui ouvrait la route du Caire, mais la destruction de la flotte française à Aboukir* (1-2 août) immobilisa les armées de Bonaparte; il repoussa l'attaque des Turcs en Syrie, mais échoua devant Saint-Jean-d'Acre (juil. 1799). Le Directoire connaissant à ce moment de grandes difficultés, Bonaparte abandonna l'Égypte, laissant le commandement à Kléber* (22 août 1799). Dès son retour il organisa un coup d'État contre le Directoire (9 nov. 1799), avec l'aide de Sieyès, Talleyrand, Fouché, Murat et de son frère Lucien **(V. Brumaire** [18]**)** « Il s'agissait de clore l'ère révolutionnaire, la consolidation devait succéder aux bouleversements, la prépondérance sociale des possédants enfin définitivement assise : la primauté des notables » (A. Soboul). Utilisant les diverses oppositions (royalistes, modérées ou jacobines) à un régime déconsidéré, Bonaparte utilisait son prestige personnel, sans révéler ses projets à long terme. Premier consul à côté de Cambacérès* et de Lebrun* **(V. Consulat, Constitution de l'an VIII)**, Napoléon Bonaparte, tout en assurant son pouvoir personnel par une Constitution qui escamotait le suffrage universel, émiettait le pouvoir législatif et confisquait l'exécutif au profit du Premier Consul. Il réorganisa les finances, la justice, l'administration, il créa les lycées, la Légion* d'honneur, la Banque* de France, fit promulguer un Code* civil (Code Napoléon) qui modifiait profondément les structures juridiques; il signa le Concordat* (avril 1802) pour se concilier les milieux catholiques (« les conquérants habiles ne sont jamais brouillés avec les prêtres »); sa conception de la religion était utilitaire, la religion, faite pour l'État, devant garantir l'obéissance au pouvoir civil. À l'extérieur, Bonaparte attaqua les Autrichiens. Passant le Grand-Saint-Bernard (21 mai 1800), il les battait à Marengo* (14 juin) et Moreau remportait la victoire de Hohenlinden*, suivie de la paix de Lunéville* (févr. 1801). L'Angleterre dut signer la paix d'Amiens* (mars 1801). En France, l'opposition royaliste au Consulat s'enhardit (attentat de la rue Saint-Nicaise, le 24 déc. 1800), Bonaparte et Fouché en profitèrent pour frapper les jacobins

Arch. Smeets

Napoléon Bonaparte au pont d'Arcole, par Gros, détail. (Musée du Louvre, Paris.)

(déportations en Guyane, exécutions) alors que les auteurs de l'attentat se révélèrent être des royalistes complices de Cadoudal. Le 2 août 1802, un « sénatus-consulte » ratifié par plébiscite nommait Bonaparte consul à vie; l'amnistie accordée aux émigrés avait achevé de concilier à Bonaparte une partie de l'opposition réactionnaire. Mais les tentatives royalistes (notamment le complot de Cadoudal* [1803], auquel s'étaient joints Moreau* et Pichegru*) permirent à Bonaparte d'utiliser l'émotion de l'opinion publique et de continuer son ascension politique tout en rompant définitivement avec les royalistes (enlèvement et exécution du duc d'Enghien*, 21 mars 1804). Le 18 mai 1804, après diverses sollicitations savamment orchestrées, le Sénat quasi unanime proclamait Napoléon Bonaparte empereur des Français sous le nom de Napoléon Ier et déclarait l'Empire héréditaire (décisions ratifiées par plébiscite). Le pape Pie* VII vint de Rome afin de procéder au sacre qui eut lieu à Notre-Dame de Paris (2 déc. 1804). Aussitôt Napoléon organisa une cour impériale qu'il voulait digne des fastes de l'Ancien Régime. Les membres de la famille Bonaparte furent proclamés princes et altesses, honneurs et décorations furent généreusement distribués aux partisans du nouvel empereur (archi-chanceliers, maréchaux, grands officiers civils, etc.). En outre, la république italienne était transformée en royaume (mai 1805), Napoléon proclamé *roi d'Italie* à Milan et Eugène de Beauharnais nommé vice-roi. — À partir de 1805, le destin de Napoléon, qui avait éliminé presque toute opposition organisée à l'intérieur, est celui d'un conquérant et se confond avec la politique européenne. L'Angleterre, qui avait rompu la paix d'Amiens en 1803 et constitué une armée (à laquelle Bonaparte avait pensé s'opposer en installant le camp de Boulogne*), formait avec l'Autriche, la Russie et les Deux-Siciles la troisième coalition*. Le 20 oct. 1805, les Autrichiens furent battus à Ulm*; la grave défaite navale de Trafalgar* (21 oct. 1805) ne ralentit pas les offensives de Napoléon, qui remporta le 2 déc. 1805 la victoire d'Austerlitz*. Le 15 déc., la Prusse signait le traité de Vienne*, le 26 déc., le traité de Presbourg* mettait fin à la coalition. Les Bourbons d'Espagne (Ferdinand IV et Marie-Caroline) ayant abandonné leur trône de Naples, Joseph Bonaparte fut placé sur ce trône (févr. 1806) et, en juin 1806, Lucien Bonaparte devint roi de Hollande. La Confédération* du Rhin, qui marquait la fin du Saint-Empire, fut créée le 12 juil. 1806. Une nouvelle campagne contre la Prusse et la Russie commença en 1806; la Prusse fut écrasée à Iéna*, à Auerstedt*; à Berlin, Napoléon déclara le Blocus* continental le 21 nov. puis il entra en Pologne, battit les Russes à Eylau* (8 févr. 1807), bataille très meurtrière et incertaine; le 14 juin, il était vainqueur à Friedland. L'entrevue de Tilsit* avec le tsar Alexandre Ier (25 juin) suivit cette victoire : la Prusse était réduite à quatre provinces, le reste constitua le grand-duché de Varsovie et le royaume de Westphalie, sur lequel régna Jérôme Bonaparte*. Rentré à Paris, Napoléon poursuivit son œuvre intérieure, assurant son absolutisme sur tous les plans (police, université impériale, **V. Fontanes**); le Tribunat créé sous le Consulat fut supprimé (1807), le Sénat et le Corps législatif n'étaient plus que des chambres d'enregistrement. Mais la politique expansionniste de l'Empereur ne se ralentit pas; il fit occuper le Portugal en nov. 1807 pour le contraindre à respecter le blocus

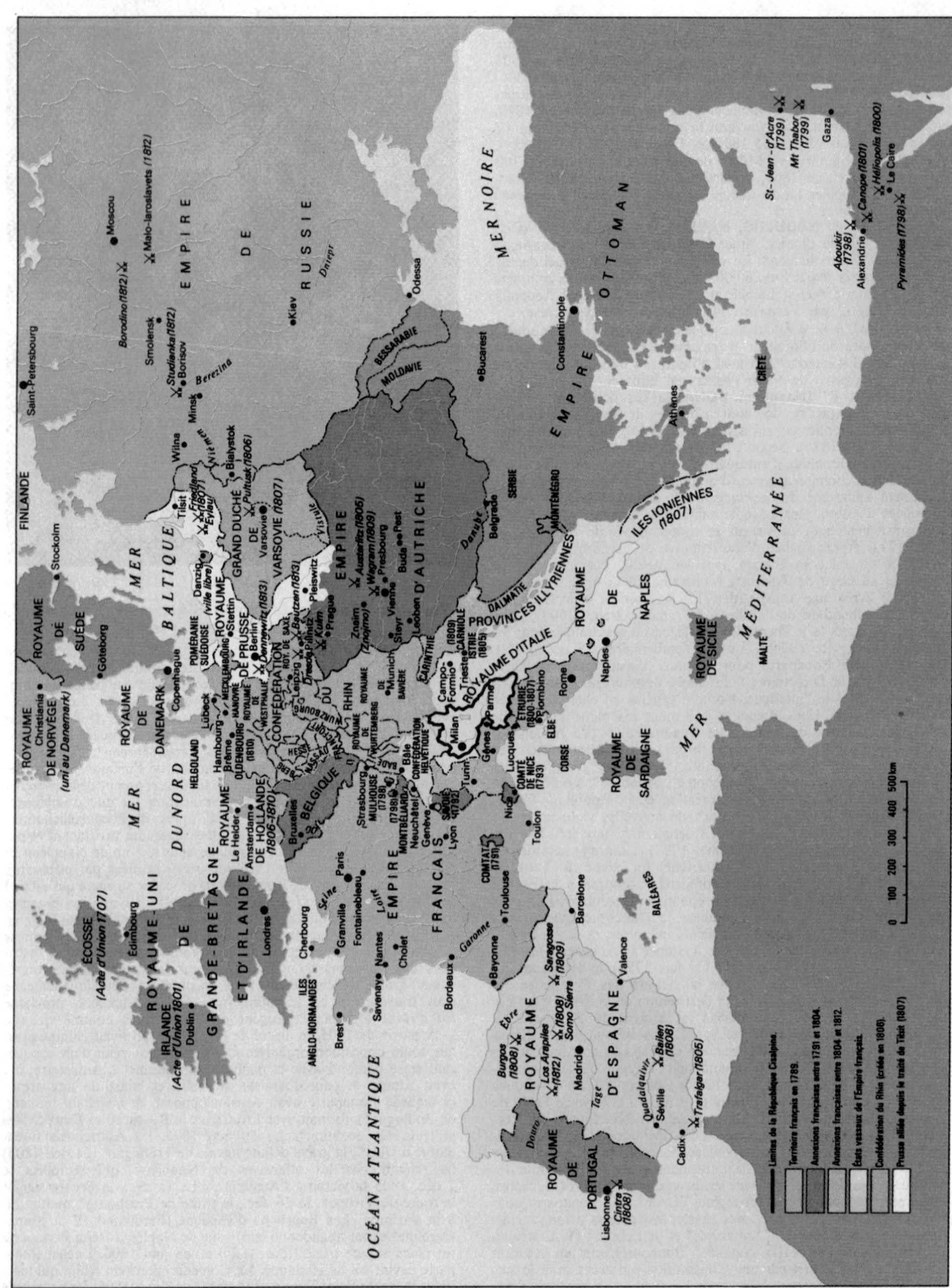

L'empire de **Napoléon Ier**.

continental ; la guerre d'Espagne (**V. Espagne,** *Hist.*) débuta par l'entrée de Murat à Madrid (23 mars 1808), qui provoqua un soulèvement de la population, suivi d'une répression extrêmement violente entraînant l'insurrection générale du pays et les atrocités évoquées par Goya. Le 5 mai, Napoléon forçait Charles IV et son fils Ferdinand VII à signer leur abdication à Bayonne. Joseph Bonaparte devenait roi d'Espagne, Murat le remplaçait sur le trône de Naples. Mais bientôt les Français capitulaient (Bailén*, Sintra*) et, après l'entrevue d'Erfurt* (oct. 1808), Napoléon intervint lui-même en Espagne pour rétablir la situation, mais l'Empereur dut rentrer à Paris en janv. 1809, laissant Soult et Ney sur place : Soult fut défait à Vitoria* par Wellington (21 juin 1813). Les victoires françaises d'Abensberg, de Ratisbonne*, d'Eckmühl (avr. 1809), d'Essling* et celle de Wagram* (6 juil.) conduisirent a la paix de Vienne* (14 oct. 1809). D'autre part, Pie VII ayant refusé de rompre avec l'Angleterre, Napoléon annexa à l'empire les États pontificaux (mai 1809) et fit enlever le pape (juil.). Ayant divorcé de Joséphine, qui ne lui avait pas donné d'enfant, il épousa Marie*-Louise de Habsbourg, fille de l'empereur d'Autriche (2 avr. 1810), qui mettait au monde un fils, immédiatement proclamé roi de Rome, le 20 mars 1811. Après deux ans de paix relative pendant laquelle l'empire s'était encore étendu (annexion de la Hollande), comptant 130 départements, la Suède ayant élu Bernadotte prince héritier, Napoléon, ayant rompu son alliance avec le tsar Alexandre Ier, entreprit la campagne de Russie (juin-déc. 1812 ; **V. Russie**) dont les principales phases sont l'avance rapide des Français, leur entrée à Moscou où un immense incendie se déclara le lendemain et la retraite de l'armée française dans des conditions épouvantables. Napoléon, apprenant la conspiration du général Malet*, était rentré précipitamment à Paris, laissant à Murat*, qui allait déserter, les débris de son armée. Les opérations reprirent au printemps 1813 contre la Prusse, la Russie, l'Autriche, la Suède. L'Empereur remporta des victoires à Lützen*, Bautzen*, Dresde, mais fut défait à Leipzig* [oct. 1813] (« bataille des nations »). C'était ensuite l'invasion et la campagne de France* (janv.-mars 1814); après l'échec des négociations de Châtillon* entre la France et les Alliés, Napoléon remporta encore des victoires à Champaubert, Montmirail, Château-Thierry, Mormant, Nangis, Montereau, mais ne put empêcher les Alliés d'entrer dans Paris (31 mars). Talleyrand obtint du Sénat la déchéance de l'Empereur, qui, retiré à Fontainebleau, abdiqua le 4 avril; il garda son titre d'empereur et on lui octroya la souveraineté de l'île d'Elbe* et une rente. Cependant, en France, une opposition bonapartiste s'organisait contre Louis* XVIII, dont le régime paraissait fragile. Napoléon résolut de rentrer en France; il débarqua le 1er mars 1815 à Golfe-Juan; sa marche sur Paris fut triomphale et il entra aux Tuileries le 20 mai, reprenant le pouvoir **(V. Cent*-Jours).** Aussitôt, l'Europe se coalisa et lui imposa la défaite de Waterloo* (18 juin 1815). L'Empereur abdiqua pour la seconde fois, mais en faveur de son fils (22 juin); il se confia à l'Angleterre qui le déporta à Sainte-Hélène avec quelques fidèles. Il y arriva le 17 oct. 1815; durant ses cinq années de captivité, il fut constamment en butte aux vexations du gouverneur Hudson Lowe. L'Empereur dicta ses *Mémoires* à Las* Cases. Il mourut, probablement d'un cancer à l'estomac, le 5 mai 1821. Le retour des cendres eut lieu sous Louis-Philippe, en 1840, et le cercueil fut déposé aux Invalides. — Napoléon fut considéré par Thiers, Sainte-Beuve et Stendhal comme un écrivain remarquable. Œuvres : *Histoire de la Corse, Lettre à Buttafucco, Dialogue sur l'amour, Le Masque prophète, Le Comte d'Essex, Le Souper de Beaucaire, Clisson et Eugénie.* Ses écrits les plus importants sont sa *Correspondance,* publiée par ordre de Napoléon III en trente-deux volumes, et contenant notamment ses lettres à Joséphine et à Marie-Louise. Les quatre derniers volumes sont réservés aux mémoires écrits par Napoléon à Sainte-Hélène. — *Icon.* Les épisodes les plus marquants de la vie de l'Empereur ont inspiré de nombreux peintres français. **(V. David, Girodet, Gros, Ingres, Raffet, Vernet** [Carle et Horace]**)** et les caricaturistes anglais **(V. Rowlandson, Cruikshank).**

Napoléon *(route).* ♦ Route empruntée par Napoléon Ier à travers les Alpes, lors de son retour de l'île d'Elbe. Elle part de Cannes, traverse Grasse, Castellane, Digne, Sisteron, Gap, Vizille et aboutit à Grenoble.

NAPOLÉON II (François Charles Joseph Napoléon BONAPARTE). ♦ Fils de Napoléon Ier et de Marie-Louise (Paris, 1811 — Schönbrunn, 1832), il fut dès sa naissance proclamé *roi de Rome.* Après la première abdication de Napoléon (4 avr. 1814), Marie-Louise l'emmena à la cour d'Autriche. Napoléon abdiqua une seconde fois mais en sa faveur (22 juin 1815); il fut alors reconnu par les Chambres des Cent-Jours sous le nom de Napoléon II, mais non par les Alliés. Il vécut auprès de son grand-père maternel François II, empereur d'Autriche, sous le nom de *duc de Reichstadt.* Son nom fut acclamé à Paris en 1830, Metternich s'en servit contre Louis-Philippe. À partir de 1830, il devint l'ami de Marmont* qui lui parla de la gloire de son père. Il mourut à l'âge de vingt et un ans de la tuberculose. Les cendres de Napoléon II furent rendues à la France par Hitler (1940) et déposées aux Invalides. — Sa vie a inspiré E. Rostand* pour *L'Aiglon.*

NAPOLÉON III (Charles Louis Napoléon BONAPARTE). ♦ (Paris, 1808 — Chislehurst, Kent, 1873). Empereur des Français (1852-1870). Troisième fils de Louis Bonaparte*, frère de Napoléon Ier et roi de Hollande, et d'Hortense de Beauharnais*, il fut élevé à Arenenberg (canton de Thurgovie, Suisse) après la chute de l'Empire (1815) et eut pour précepteur le fils de l'ancien conventionnel Le Bas. Après avoir fréquenté le collège d'Augsbourg et l'école militaire de Thoune, il devint officier d'artillerie et, en 1831, prit part à l'insurrection des libéraux italiens (Menotti, etc.) en Romagne. À la mort du duc de Reichstadt, l'Aiglon (1832), il se considéra comme le véritable chef du parti bonapartiste. Après l'échec de la conspiration de Strasbourg (1836) contre la monarchie* de Juillet, il s'exila au Brésil, aux États-Unis puis en Angleterre. La seconde tentative qu'il entreprit à Boulogne en 1840, à l'occasion du retour des cendres de son oncle, échoua également. Emprisonné au fort de Ham, il parvint à s'évader en Angleterre (1846), revêtu des habits d'un maçon du nom de Badinguet (surnom qui lui restera). De retour en France après la révolution de février 1848, il fut élu à l'Assemblée constituante (avr. 1848). Cet homme, dont on a souvent affirmé les qualités de cœur, mais aussi « l'entêtement dans l'indécision » (É. Ollivier), comme d'ailleurs l'obstination dans la décision, était doué d'une intelligence certaine et d'une assez vaste culture; il avait déjà exposé à cette époque sa conception du « césarisme démocratique » (*Idées napoléoniennes,* 1839) et ses théories économiques (*L'Extinction du paupérisme,* 1846), largement influencées par les œuvres de Saint-Simon. Le souvenir de la légende napoléonienne, mais plus encore la crainte bourgeoise du « péril rouge » après les journées de juin* 1848 assurèrent à Louis Napoléon Bonaparte le soutien du parti de l'Ordre* pour sa candidature à la présidence de la IIe République*. Élu à une large majorité le 10 déc. 1848, il sut, avec l'appui de ses partisans, manœuvrer habilement, laissant les conservateurs de l'Assemblée* législative mener une politique réactionnaire (expédition de Rome*, 1849; loi Falloux, suppression du suffrage universel, mai 1850), et se présenta lui-même tour à tour comme le champion du suffrage universel, le protecteur du monde ouvrier, de la religion, etc. N'ayant pu obtenir la révision de la Constitution qui lui aurait permis de se faire réélire en 1852, il perpétra, avec le soutien de ses conseillers et d'hommes politiques capables de le seconder (Morny*, Persigny, Mocquard, Rouher, Saint-Arnaud), le coup d'État du 2 décembre* 1851, qui proclamait la dissolution de l'Assemblée et qu'il fit plébisciter le 20 décembre. La Constitution de janv. 1852, qui restreignait considérablement le pouvoir législatif au profit de l'exécutif, allait permettre la restauration de l'Empire **(V. Empire** [Second]**),** proclamé le 2 déc. 1852 après un nouveau plébiscite. Napoléon III, « Napoléon le Petit » (Victor Hugo), qui épousa en 1853 une comtesse espagnole, Eugénie de Montijo, dont il eut un fils Eugène Louis Napoléon (1856-1879), exerça d'abord une véritable dictature : répression des oppositions républicaine et légitimiste, serment de fidélité exigé des fonctionnaires, suppression de la liberté de presse. Durant cette période, caractérisée par un important essor des finances, de l'industrie et du commerce, l'empereur, après ses premières déclarations pacifistes (« L'Empire, c'est la paix. »), pratiqua une politique extérieure nettement plus belliqueuse pour effacer la honte des traités de 1815 et réaffirmer la politique napoléonienne des nationalités. La guerre de Crimée* (1854), qui s'acheva par le congrès et le traité de Paris* (1856), contribua à rendre à la France son rôle d'arbitre dans le bassin méditerranéen. Ancien carbonaro, Napoléon III, à la suite de l'attentat d'Orsini* (janv. 1858) et de l'entrevue avec Cavour* à Plombières*, décida d'apporter son soutien au roi Victor-Emmanuel II de Sardaigne dans sa lutte pour l'unité italienne. Si la campagne d'Italie* (1859) menée par les troupes franco-sardes contre l'Autriche rendit la Lombardie au Piémont et permit l'annexion de Nice et de la Savoie par la France **(V. Turin** [traité de]**),** elle fut loin de satisfaire pleinement les alliés italiens de l'empereur qui s'attira par ailleurs l'hostilité des catholiques français par sa politique italienne. Dès cette époque (1859-1860), Napoléon III entreprit de faire quelques concessions pour libéraliser le régime : rétablissement du droit d'adresse (1860), puis d'interpellation (1867), relative liberté de presse, droit de coalition accordé aux ouvriers. Cependant, il poursuivait à l'extérieur une politique d'expansion colonialiste (en Cochinchine, au Moyen-Orient [campagne de Syrie], en Afrique du Nord et en Afrique noire [conquête du Sénégal par Faidherbe]). Toutefois, l'échec de l'expédition du Mexique* (1862-1867), l'influence de plus en plus grande de la Prusse, victorieuse de l'Autriche à Sadowa* (1866), la question romaine **(V. Mentana)** ébranlèrent le régime impérial. La tentative pour instaurer un Empire parlementaire (début 1870, **V. E. Ollivier)** ne fit que renforcer l'opposition, malgré un plébiscite apparemment favorable à l'empereur, en mai 1870. À la suite de divers incidents, les relations entre les gouvernements français et prussien s'étaient détériorées. En dépit des conseils de modération et de prudence qui lui furent adressés, Napoléon III se décida à déclarer la guerre à la Prusse (juil. 1870). Après les premiers échecs subis par les armées françaises, l'empereur appela Cousin*-Montauban pour former un nouveau cabinet (9 août) qui ne put redresser la situation militaire. Après la défaite et la capitulation de Sedan* (2 sept. 1870), Napoléon III, fait prisonnier, fut interné au château de Wilhelmshöhe, près de Kassel. Le 4 septembre* 1870, l'Assemblée proclamait la déchéance de l'empereur qui s'exila en Angleterre, où il mourut trois années plus tard.

NAPOULE (La). ♦ Station balnéaire et port de plaisance des Alpes*-Maritimes, comm. de Mandelieu. Ruines d'un château des XIVe et XVe siècles.

NARA. ♦ V. du Japon, dans l'île de Honshū*, au S. du lac Biwa. 200 000 hab. (1969). Elle comprend de très nombreux monuments bouddhiques. Ville d'art et centre commercial. Tourisme. ♦ *Hist.* Nara, qui correspond à l'antique Heijô-kyô, fut la capitale impériale de 710 à 784 et fut abandonnée au profit de la nouvelle ville de Heian-kyô (Kyôto). C'est à Nara que commença de se développer, aux VIe et VIIe s., le bouddhisme nouvellement importé de Corée.

NÂRADA. ♦ Sage des temps mythiques de l'Inde, barde et messager des dieux de l'hindouisme, auquel la tradition attribue un grand nombre d'ouvrages religieux et techniques.

NARAM-SIN. ♦ Roi d'Akkad*, troisième successeur de Sargon* l'Ancien (~ XXIVe s.). Il restaura l'intégrité de l'empire, se fit proclamer « roi des quatre nations »; une stèle commémorant ses victoires est au Louvre.

NÂRÂSIMHA. Nom donné en Inde au quatrième Avatâra du dieu Visnu* qui se manifesta sous la forme d'un homme à tête de lion pour châtier un roi impie. Ses représentations sont très nombreuses dans les temples dédiés à Viṣnu.

NÂRÂYANGANJ. ♦ V. du Bangla Desh, sur la rivière Meghna, et faubourg indus. important de la capitale Dacca*. 400 000 hab. Constructions navales, manufactures de jute.

NARBADÂ. *n. f.* ♦ Fl. de l'Inde, qui prend sa source dans les monts du Madhya* Pradesh et se jette dans la mer d'Oman (golfe de Cambay). 1 230 km. C'est un des grands fleuves sacrés des Hindous.

NARBONNAISE [*n. f.*], en lat. **Narbonensis.** ♦ Une des quatre provinces de la Gaule romaine constituée en ~ 27 par Auguste. Elle comprenait l'anc. « Province » au S. de la Gaule, conquise entre ~ 125 et ~ 100, et dont les principaux peuples étaient : les Allobroges*, les Salyens* et les Volces*. Au IVe s., elle fut divisée en trois provinces : la *Narbonnaise Ire* (ch.-l. *Narbo Martius :* Narbonne), la *Narbonnaise IIe* (ch.-l. *Aquae Sextiae :* Aix-en-Provence), la *Viennoise* (ch.-l. *Vienna :* Vienne).

NARBONNE. ♦ Sous-préf. de l'Aude, ch.-l. d'arr. (7 cant., 82 comm., 106 071 hab.) situé dans la plaine du bas Languedoc, à proximité de la mer. 40 035 hab. [*Narbonnais*]. De son passé ancien subsistent de nombreux monuments. Le *palais des archevêques* est un édifice fortifié, avec une façade à trois tours carrées des XIIIe et XIVe s. (musée d'Art et d'Histoire). L'anc. *cathédrale Saint-Just*, commencée en 1272 et restée inachevée, se réduit à un chœur grandiose de type gothique flanqué de deux tours carrées (XVe s.). Basilique gothique Saint-Paul-Serge bâtie sur l'emplacement d'une nécropole (IVe-Ve s.). Cimetière paléo-chrétien. — Place commerciale au cœur de la plaine viticole, Narbonne commercialise les vins de sa région (Corbières, Minervois). Son industrie reste liée en partie à la viticulture (indus. chimiques [soufre, sulfate de cuivre], matériel vini-viticole, tonnelleries ; distilleries). Centre touristique, la ville s'ouvre sur la Méditerranée. Station balnéaire. — Patrie de Mondonville*, H. Cros, P. Reverdy*, Charles Trenet*. ♦ *Hist.* Narbonne s'est développée sur un site celtique. En ~118, elle devint colonie romaine (la première fondée en Gaule) sous le nom de *Narbo Martius,* puis capitale de la Narbonnaise Ire. Les Wisigoths, puis les Arabes (719) l'occupèrent, avant que Pépin le Bref ne la reprît en 759. Au Moyen Âge, la vicomté relevant du comté de Toulouse administrait le *Bourg* (moitié S. de la V.) et les archevêques la *Cité* (moitié N.). La ville fut rattachée à la Couronne en 1509. Jusqu'au XIVe s. ce fut un grand centre commercial et une cité maritime active. Ses activités portuaires déclinèrent à la suite des modifications du cours de l'Aude et du comblement du golfe (auj. étang de Sigean).

NARCISSE, en gr. **Narkissos.** ♦ Jeune homme béotien célèbre dans la légende pour sa beauté. Insensible à l'amour passionné d'Écho*, d'autres nymphes et de mortelles, il est puni par Némésis ; épris de sa propre image reflétée dans une fontaine, il se penche sur l'eau et languit de désespoir devant son idole insaisissable. À l'endroit où il mourut pousse la fleur qui porte son nom. Selon une autre version, l'image de son visage lui rappelle celui de sa sœur jumelle dont la mort prématurée l'avait affligé.

NARCISSE. ♦ (mort en 54). Affranchi et secrétaire de l'empereur Claude*. Il exerça une grande influence politique et acquit une fortune scandaleuse. Il provoqua la chute de Messaline* et, partisan de Britannicus*, s'opposa aux intrigues d'Agrippine* en faveur de Néron*. À l'avènement de ce dernier, il fut exilé en Campanie et mis à mort.

NARES (*sir* **George Strong**). ♦ Navigateur et explorateur écossais (Aberdeen, 1831 — Surbiton, Surrey, 1915). Il participa à plusieurs expéditions dans l'Arctique, en particulier avec Markham (1875-1876), puis explora les mers du Sud [1878] (*Narrative of a Voyage to the Polar Sea during 1875-1876 ;* 1878).

NARESUEN. ♦ Roi du Siam (1590 — 1605) à Ayuthyâ*. Après avoir été prisonnier des Birmans qui avaient envahi le pays, il put remonter sur le trône avec son jeune frère Ekathotsarot qui lui succéda à sa mort. Il s'illustra surtout par ses guerres de conquête en basse Birmanie et au Cambodge dont il prit la capitale, Lovêk, en 1605.

NAREW [*n. m.*], en russe **Narev.** ♦ Rivière de l'U.R.S.S. et de la Pologne, née près de la frontière polono-soviétique (Biélorussie*), elle traverse la Podlachie* au S. de Bialystok, arrose Ostrołęka* et se jette dans le Bug* près de son confluent avec la Vistule. — 480 km. Elle reçoit sur sa rive droite de nombreux affluents issus des lacs mazures.

NARMER. ♦ V. MÉNÈS.

Narodniki. *n. m. pl.* (du russe *narod,* peuple). ♦ Adhérents du *narodnitchestvo,* premier mouvement socialiste révolutionnaire en Russie, au XIXe s. Leur but était de soulever par la propagande les paysans, mécontents malgré l'abolition du servage par Alexandre* II (1861), de renverser le tsarisme et d'organiser un communisme agraire. Intellectuels enthousiastes, les narodniki se répandirent dans les campagnes pour rééduquer les paysans, mais cette « Marche vers le peuple » *(Khozdénie v narod),* décrite par Tourgueniev*, aboutit à un échec. Au congrès de Voronèje (1879), le mouvement se scinda en deux. Les modérés (G.V. Plekhanov*, P.B. Axelrod*, Vera Zassoulitch*) continuèrent l'action politique. Les extrémistes (Jéliabov, Perovskaïa, Vera Figner) se regroupèrent dans le mouvement *Narodnaïa Volia* (« Volonté du peuple »), qui organisa l'assassinat d'Alexandre II (la bombe fut jetée contre le tsar par Grinevitski, le 1er mars 1881). Ses chefs furent exécutés ou emprisonnés dans la forteresse de Schlüsselburg*. En 1880-1890, la tendance libérale (N.K. Mikhaïlovski) devint la plus importante parmi les narodniki et s'engagea dans la voie de compromis avec le gouvernement tsariste. Lénine* critiqua le *narodnitchestvo* qui exprimait, selon lui, l'idéologie de la république paysanne en Russie et sous-estimait le rôle du prolétariat.

NARRAGANSETT (nom d'une tribu indienne évoquée dans les romans de F. Cooper). ♦ Baie profonde sur la côte N.-E. des États-Unis, dans l'État de Rhode Island, s'enfonçant dans les terres en plusieurs bras de mer (dont la riv. Providence, **V. Providence**) et où se trouvent plusieurs îles (dont Rhode Island, où se trouve Newport*).

NARSÈS. ♦ Général byzantin d'origine arménienne (v. 478 — Rome, 568 ou 573). Il contribua avec Bélisaire à l'échec de la sédition Nika* à Constantinople (532). Chargé par Justinien* Ier de combattre les Ostrogoths* en Italie, il vainquit Totila* (552) et réorganisa l'Italie après la capitulation des Goths (555). Bon administrateur mais cupide, il aurait été destitué par Justin* II en 567.

NARVA. ♦ V. d'U.R.S.S. (Estonie*) et port fluvial sur la *Narva* ou *Narova* (78 km ; émissaire du lac Tchoudsk* et tributaire du golfe de Finlande*). 27 600 hab. (1959). Centre important d'indus. textile. Centrale hydro-électrique. ♦ *Hist.* Fondée par les Danois en 1223, Narva fut occupée par les chevaliers Teutoniques* (1347), par Ivan* le Terrible (1558), puis par les Suédois (1581). Charles* XII y vainquit les Russes en 1700. Pierre* le Grand reprit la ville en 1704 et la transforma en place forte. Les bolcheviks y arrêtèrent l'avance allemande vers Petrograd le 23 fév. 1918 (fêté comme jour de naissance de l'armée rouge, bien qu'elle ait été créée par le décret du 28 janv. 1918). Narva fut incorporée l'année suivante à l'Estonie.

NARVÁEZ (Pánfilo *de***).** ♦ Navigateur espagnol (Valladolid, v. 1470 — 1529). D. Velázquez*, gouverneur de Cuba, le chargea de combattre Cortés* par lequel il fut vaincu (1520). De retour à Cuba, il reçut l'autorisation de fonder une colonie en Caroline du Sud ; parti en 1528 avec Cabeza* de Vaca, il longea la côte du Mexique, atteignit la Floride mais fit naufrage (près de l'île de Matagorda).

NARVÁEZ (Manuel Ramón María, *duc de* **Valence).** ♦ Homme politique espagnol (Andalousie, 1800 — Madrid, 1868). Il combattit les Français (1823), s'attacha à Marie*-Christine, puis vainquit les carlistes* (1836). Adversaire d'Espartero*, il le renversa en 1843, rappela en Espagne Marie-Christine et imposa la Constitution autoritaire de 1845. Écarté du pouvoir, il y revint avec la droite à plusieurs reprises, mais sa politique de répression à outrance (contre les républicains, puis les carlistes) contribua à provoquer la révolution de 1868.

NARVIK. ♦ V. et port du N.-O. de la Norvège, au fond de l'Ofoten Fjord. 14 000 hab. Centre d'exportation du minerai en provenance des mines de Suède septentrionale, auxquelles elle est reliée par voie ferrée. ♦ *Hist.* En avr. 1940, les troupes norvégiennes et alliées, qui voulaient couper la « route du fer » à l'Axe, y affrontèrent les Allemands qui s'emparèrent de la ville à plusieurs reprises. **V. Guerre mondiale** *(Deuxième).*

NARYCHKINE. ♦ Famille russe qui donna au tsar Alexis* Ier sa seconde épouse, NATHALIE NARYCHKINE (1651 — 1694) ; de cette union naquit le futur Pierre* le Grand. Après la mort de Fédor* III, les Narychkine, qui furent les premiers « occidentalistes » russes, tentèrent de placer Pierre sur le trône, mais les Streltsy* en révolte massacrèrent le frère de Nathalie, Ivan, et imposèrent comme régente Sophie (26 mai 1682).

NARYN. *n. m.* ♦ Fl. d'U.R.S.S. (Kirghizistan*). 720 km. Né dans les glaciers des monts T'ien*-shan (Tien-chan), il porte le nom de Syr*-Daria, après sa confluence avec le Kara-Daria.

N.A.S.A. *n. f.* ♦ Sigle américain de *National Aeronautics and Space Administration,* « Organisme de recherches spatiales et aéronautiques » constitué en 1958 aux États-Unis pour orienter et coordonner les travaux des divers départements civils et militaires.

Ph. Hétier

Rade de **Narvik.**

NASBINALS. ♦ Ch.-l. de cant. de la Lozère, arr. de Mende. 722 hab. Station estivale au cœur de l'Aubrac. Église romane. Maisons anciennes. Foires.

NASEBY. ♦ Village d'Angleterre au N. de Northampton. Victoire décisive de Fairfax* et de Cromwell*, à la tête des parlementaires, sur le prince Rupert* et les royalistes (1645).

NÂSER-É-KHOSRAU. ♦ Philosophe et poète persan (XIe s.). Délégué par le calife fâtimide* du Caire en tant que chef des Ismaïliens* au Khurâsân, il fut un propagandiste efficace de cette secte. Sa poésie est riche en sentences et en exhortations. Il y dénonce le luxe de la vie des cours, l'abus des puissants et l'hypocrisie des dévots défenseurs de l'orthodoxie. Il composa simultanément des traités théologiques et philosophiques. Après un séjour en Égypte, il écrivit le récit de son voyage *(Safar-Nâmé).*

NASH (John). ♦ Architecte anglais (Londres, 1752 – île de Wight, 1835). Il préconisa l'emploi du fer dans la construction des ponts, imita le gothique dans plusieurs châteaux, fut palladien dans quelques villas et s'inspira aussi du « cottage » populaire. Devenu le favori du prince de Galles, il construisit le *pavillon royal de Brighton* (1815-1821) dans un style éclectique et pittoresque inspiré de l'architecture chinoise et indienne et donna les plans de *Regent's Park* et de *Regent Street,* d'un classicisme élégant et austère.

NASHE ou **NASH (Thomas).** ♦ Romancier, dramaturge et satiriste anglais (Lowestoft, Suffolk, 1567 – v. 1601). Fils d'un clergyman anglican, il fit ses études à Cambridge, puis voyagea sur le continent. De retour à Londres (où il se lia avec R. Greene) en 1588, il écrivit un essai, *L'Anatomie de l'absurdité* (*Anatomie of Absurdities,* 1589), contenant une critique du classicisme. Prenant parti contre les puritains, il publia, de 1589 à 1590, sous le pseudonyme de Pasquil, une série de pamphlets. C'est d'ailleurs à la suite de *Larmes du Christ sur Jérusalem* (*Christes teares over Jerusalem,* 1593), apostrophe à la moralité décadente de la Londres élisabéthaine, que Nashe dut se réfugier dans l'île de Wight où il conçut son roman picaresque, *Le Voyageur malheureux ou Jack Wilton* (*The Unfortunate Traveller or Jack Wilton,* 1594) dont le héros assiste aux grandes scènes de la Réforme en Flandre et en Allemagne et découvre l'Italie avec ses bandits et ses courtisanes. *La Supplique au diable de Pierre Sans-le-sou* (*Pierce Penniless, His supplication to the Devil,* 1592) valut à Nashe, par sa violence et sa hardiesse, le surnom d'Arétin anglais.

NASHVILLE. ♦ V. des États-Unis, dans le centre N. de l'État du Tennessee, dont elle est la capitale. 444 489 hab. (avec Davidson). Centre financier. Centre religieux méthodiste et baptiste. Indus. diverses : tissus artificiels, chaussures, verre, caoutchouc, etc. – Université Vanderbilt.

NÂSIK. ♦ V. de l'Inde (Mahârâṣtra) au N. de Bombay. 174 000 hab. [aggl. 291 000] (1970). Anc. cité sacrée et lieu fréquenté de pèlerinage pour les hindous. Elle garde encore de nombreux monuments dont des grottes du Ier s. avant notre ère au VIIe s. – Quelques petites industries.

NASIR-ED-DÎN DE TUS. ♦ Homme d'État, mathématicien et astronome persan (Tus, 1201 – Baghdâd, 1274). Auteur d'une œuvre scientifique immense, incluant de nombreuses traductions en arabe et en persan d'ouvrages anciens, ainsi que des travaux de mathématiques et d'astronomie, il composa l'*Akhlaq-é Nasseri (Éthique à Nasser),* l'un des plus remarquables traités de morale du XIIIe s. islamique.

NASIR ou **NASSER ED-DIN.** ♦ (Téhéran, 1831 – *id.,* 1896). Shâh de Perse (1848-1896). Fils de Muhammad Shâh, de la dynastie des Qadjars*, il tenta de moderniser la Perse. Il lutta contre la corruption et l'indiscipline, réorganisant l'administration et l'armée, développa l'instruction, introduisit le télégraphe et les postes et fit construire des routes. Favorable à l'occidentalisation, il fut le premier souverain de Perse à voyager en Occident (1873, 1878, 1889). Cependant, après avoir fait exécuter son vizir Taghi Khân, en 1851, il ne put s'opposer aux pressions anglaises et russes et dut abandonner l'Afghânistân aux Anglais, et Merv aux Russes. Il lutta contre le bâbisme*, mais ne put le réduire et fut en butte à l'opposition de l'opinion publique nationaliste. Il mourut assassiné.

NASIRIYYA. ♦ V. d'Iraq, située sur l'Euphrate en amont du lac Hammar*. Ch.-l. de province. Plus de 30 000 hab. Céréales et blé dans la région. Grandes palmeraies (dattes).

NASRIDES. *n. m. pl.* ♦ Dernière dynastie arabe de l'Espagne qui régna à Grenade* de 1238 à 1492. La défaite des Almohades* devant les chrétiens à la bataille de Las Navas* de Tolosa (1212) permit aux Nasrides de prendre le pouvoir à Grenade. Le premier souverain de cette dynastie, Muhammad Ier ([mort] 1273), devint vassal du roi Ferdinand* III de Castille et l'aida à prendre Séville (1248). Il commença la construction de l'Alhambra* et fit de Grenade une ville prospère, en accueillant les réfugiés musulmans venant de Séville, Murcie et Valence. Le royaume de Grenade occupait le S.-E. de l'Andalousie et la deuxième grande ville en fut Málaga. Les successeurs de Muhammad Ier entrèrent dans de continuelles luttes de factions et la plupart des vingt souverains nasrides moururent de mort violente. La dynastie vacillait entre la soumission à la Castille et sa dépendance des Marinides* de Fès. L'alliance avec ces derniers provoqua la défaite qu'infligea Alphonse* XI à Yûsuf Ier (1333-1354), au Rio Salado (1340). Après deux siècles de désordre interne, au cours desquels les chrétiens reprirent plusieurs positions clés (notamment Gibraltar, en 1462), Grenade fut reconquise par Ferdinand* II d'Aragon, sous le règne agité de Boabdil*.

Ph. Hétier

Londres : Regent Street édifiée d'après les plans de John Nash.

NASSAU. ♦ V. ADOLPHE, FRÉDÉRIC-HENRI, GUILLAUME, MAURICE DE NASSAU.

NASSAU. *n. m.* ♦ Anc. duché de l'Allemagne situé au N. du Main et à l'E. du Rhin avec pour capitale Wiesbaden. Il est actuellement compris dans le land de Hesse (R.F.A.). La maison de *Nassau,* issue du château de Nassau (Palatinat), se divisa en deux branches au XIIIe siècle. – La ligne walramienne (issue de Walram II, [mort] 1276) régna sur le comté puis duché (1806) de *Nassau* jusqu'en 1866, date à laquelle le duché fut annexé par la Prusse et forma avec la Hesse la province de *Hesse-Nassau.* Le dernier duc, Adolphe ([mort] 1905), devint grand-duc de Luxembourg ; ses descendants règnent toujours au Luxembourg. – La ligne othonienne acquit en 1530 la principauté d'Orange, en France. La ligne d'*Orange-Nassau* donna un stathouder à la Hollande **(V. Guillaume le Taciturne).** Son descendant Guillaume III d'Orange devint roi d'Angleterre en 1688 et à sa mort le titre passa à une branche de la famille qui règne sur les Pays-Bas depuis 1747.

NASSAU. ♦ Capitale des îles Bahamas* située dans l'île de New Providence (l'une des plus petites îles de l'archipel). 101 182 hab. (1970). Évêché. Centre touristique très actif (hôtellerie, port de plaisance, etc.).

NASSER (Gamal Abdel), en ar. **Jamâl 'Abd-al-NÂSIR.** ♦ Homme d'État égyptien (Bani Murr, prov. d'Assiout, Haute-Égypte, 1918 – Le Caire, 1970). Issu d'une pauvre famille campagnarde, il fut reçu à l'Académie militaire du Caire en 1937. Nationaliste ardent dès sa jeunesse, il fonda en 1942 le mouvement clandestin des *Officiers patriotes* afin de lutter contre l'hégémonie anglaise. Blessé pendant le premier conflit israélo-arabe (1948), humilié par la défaite, il fut dès lors convaincu de la nécessité de renverser le régime en place et organisa le groupement secret des *Officiers libres,* qui mena le coup d'État de juil. 1952 avec le général Néguib*. Dès la prise du pouvoir, le *Conseil de la révolution* entama la réforme agraire et interdit tous les partis politiques, même le *wafd*.* Néguib fut progressivement écarté du pouvoir et dès la fin de 1954 Nasser devint le véritable maître de l'Égypte. Dans sa *Philosophie de la révolution* (1954), il expose sa doctrine fondée sur le panarabisme et sur le soutien des mouvements de libération nationale. Il confirma cette vocation à la conférence de Bandung (1955), réponse au pacte de Baghdâd, et y fit figure d'un leader à l'échelle du monde afro-asiatique. Mettant en pratique la politique du « non-alignement », il engagea un jeu d'équilibre entre le bloc socialiste et les puissances occidentales. Profitant du refus des crédits anglo-américains destinés au financement du barrage d'Assouan, il nationalisa le canal de Suez* (juil. 1956). La France, l'Angleterre et Israël ripostèrent par une intervention qui, après une rapide victoire militaire, aboutit à un échec politique après l'intervention des États-Unis et de l'U.R.S.S. Nasser tira de cette intervention un succès politique qui lui permit de nationaliser les biens étrangers en Égypte. Ayant liquidé toute opposition intérieure de droite (Frères* musulmans) comme de gauche (les communistes), il promulga une nouvelle Constitution qui lui donna un rôle prépondérant à la tête de l'État et du parti unique. Voulant accélérer le processus d'unification du monde arabe, il forma avec la Syrie la *République arabe unie* (févr. 1958) qui devait éclater en 1961. Il soutint militairement le Parti républicain pendant la guerre civile du Yémen et continua à aider les mouvements africains de libération nationale. À partir de 1961, il appliqua une

Ph. Hétier

Province du **Natal** : Durban.

seconde réforme agraire qui limita la propriété individuelle à 100 feddans (42 ha) et commença la seconde étape des grandes nationalisations (1961-1963). Il mit en place une économie étatique en partie fondée sur des considérations de prestige et dont le barrage d'Assouan* fut le symbole. Après la défaite éclair de juin 1967 contre Israël (**V. Israélo arabe** [conflit]), Nasser accepta l'aide massive de l'U.R.S.S. pour reconstituer son armée et abandonna le rôle de leadership à l'échelle du monde arabe pour s'occuper en priorité des séquelles de la guerre de juin 1967. Sa dernière action fut de tenter de procéder à un arbitrage entre les Palestiniens et le roi Husayn* de Jordanie pendant le « septembre sanglant » (1970). Il mourut peu après subitement (28 sept. 1970). Malgré ses erreurs et ses échecs, Nasser est considéré comme le grand libérateur et le deuxième grand réformateur de l'Égypte moderne, après Muhammad*-'Ali (1769-1849).

NASUTION (Abdul Haris). ♦ Général et homme d'État indonésien (Sumatra, 1918 –). Il devint chef d'état-major en 1950, puis ministre des Affaires étrangères. Destitué par Sukarno*, il fut remplacé en 1967 par le général Suharto*.

NATAL. *n. m.* (le pays fut découvert le jour de Noël – *Natalis* – par Vasco de Gama). ♦ Province d'Afrique* du Sud sur la côte S.-E., baignée par l'océan Indien. 86 967 km². Env. 3 000 000 d'hab. *Ch.-l.* Pietermaritzburg. *V. princ.* **V. Durban-Pinetown, Newcastle.** ♦ *Hist.* Avant 1838, Port-Natal n'était qu'un poste commercial du Cap. Les colons boers, venus du Cap, battirent les Zoulous* (Blood River, déc. 1838) et fondèrent une république indépendante, que Londres refusa de reconnaître. Pour éviter une migration des Zoulous vers le S. et défendre leurs intérêts économiques, les Anglais intervinrent, dégageant Port Natal assiégé par J. Pretorius et forçant les Boers à repartir vers le N.-O. (Orange). Le Natal fut proclamé république (1843), puis colonie séparée (1856), demeurant sous l'influence anglaise. Après 1850, la culture de la canne à sucre fit engager des ouvriers indiens, dont les descendants forment une part importante de la population actuelle. Quant aux Zoulous, ils furent pour la plupart parqués dans des réserves. La révolte du chef Cetewayo, battu par les Anglais, aboutit à la création du protectorat du Zoulouland, au N. du Natal.

NATAL. ♦ V. et port du Brésil, cap. de l'État de Rio* Grande do Norte, sur l'Atlantique. Env. 240 000 hab. Université. Archevêché. Industries chimiques, textiles et alimentaires.

NATANIYA. ♦ V. et port de l'État d'Israël, située sur la côte méditerranéenne, au N. d'Acre*. Env. 60 000 hab. (5e du pays). La ville, entourée de champs d'agrumes, est devenue l'un des centres industriels les plus actifs de l'État (indus. alimentaires; textiles; indus. du cuir, des diamants; électrotechnique; produits pharmaceutiques). Station balnéaire.

NATCHEZ [natʃɛz]. *n. m. pl.* ♦ Indiens d'Amérique du Nord, qui étaient au XVIIe s. env. 5 000, établis dans le S.-O. du Mississippi. Leur niveau de civilisation était assez élevé, et leur culte solaire, ainsi que leur organisation sociale, avaient retenu l'attention. Ils furent dispersés lors d'une guerre désastreuse avec les Français (1729-1731) et on ne connaissait plus que deux Indiens capables de parler leur langue, en 1940, chez les Cherokees*. – Ils furent évoqués par Chateaubriand (voir *ci-dessous*).

Natchez (Les). ♦ Poème en prose de Chateaubriand* (publ. 1826), qui se veut l'« épopée de l'homme primitif ». Cette œuvre de jeunesse (1791 à 1800) fut le point de départ des épisodes d'*Atala** et de *René**.

NATCHEZ. ♦ Petite ville des États-Unis, au S.-O. de l'État du Mississippi, sur le fleuve Mississippi. 23 791 hab. (1960). La ville et ses environs possèdent de nombreux témoignages de l'architecture sudiste d'avant la guerre de Sécession *(antebellum)*. Tourisme. – Indus. du bois, du caoutchouc, du papier; pétrolochimie.

NATHAN. ♦ Prophète biblique (*II Samuel*, VII; XII), conseiller de David*. Il le dissuade de bâtir un temple, lui reproche le meurtre d'Urie* et son adultère avec Bethsabée*, assure sa succession à Salomon* contre Adonias.

NATIH. ♦ Gisement de pétrole de l'émirat d'Oman*, desservi par l'oléoduc qui, de Yibaï via Fahud*, aboutit au port d'embarquement de Mînâ* al-Fahal sur le golfe d'Oman.

National (le). ♦ Journal parisien fondé par Carrel*, Dubochet, Mignet* et Thiers* (début 1830) et financé en partie par le banquier J. Laffitte*. Organe de l'opposition constitutionnelle libérale à la Restauration et favorable à l'établissement de la branche d'Orléans, où s'exprima la résistance aux ordonnances de Saint-Cloud (25 juil. 1830, **V. Révolution* française de 1830**), il cessa de paraître après le coup d'État du 2 déc. 1851.

National Gallery. *n. f.* ♦ Célèbre musée de peinture de Londres, situé sur le côté N. de Trafalgar Square. Construit en 1821, il abrite l'une des plus riches collections du monde et possède un remarquable choix de primitifs italiens, de peinture hollandaise et allemande du XVIe s., française du XVIIe s. et anglaise des XVIIIe et XIXe siècles.

National-socialisme. ♦ **V.** NAZISME.

N.A.T.O. ♦ Sigle anglo-saxon de *North Atlantic Treaty Organization*. **V. Organisation du traité de l'Atlantique Nord** (O.T.A.N.).

NATOIRE (Charles Joseph). ♦ Peintre, dessinateur et décorateur français (Nîmes, 1700 – Castel Gandolfo, 1777). Élève de Lemoine*, il fut par ses décorations élégantes l'un des maîtres de la peinture rococo (*Histoire de Psyché*, 1733-1739, dans le salon ovale de *l'hôtel Rohan-Soubise* à Paris, *appartements du premier étage au château de Versailles*). Il exécuta de nombreux tableaux mythologiques et galants et donna les cartons de tapisseries de l'histoire de Don Quichotte (1735-1744) pour la manufacture de Beauvais. Directeur de l'Académie de France à Rome, il décora la voûte de *Saint-Louis-des-Français*.

NATORP (Paul). ♦ Philosophe allemand (Düsseldorf, 1854 – Marburg, 1924). Représentant de l'école de Marburg (**V. Néokantisme** et **H. Cohen**), il fit du retour à l'idéalisme critique de Kant le moyen de lutter contre le naturalisme et de dépasser l'opposition entre l'expérience et la raison. Affirmant l'unité de la pensée et de l'être, il interpréta la théorie platonicienne des Idées dans le sens du criticisme (*La Doctrine platonicienne des Idées, une Introduction à l'idéalisme*, 1903) et tenta de fonder les mathématiques sur des bases logiques (*Les Fondements logiques de la science exacte*, 1910). Il insista par ailleurs sur la diffusion de la culture intellectuelle comme moyen de résoudre les problèmes sociaux (*Sozialidealismus*, 1920).

NATSUME SÔSEKI. ♦ Écrivain japonais (Tôkyô, 1867 – 1916) et poète renommé de haikai. Il écrivit de nombreux romans et nouvelles *(Botchan; Je suis un chat; Un cœur; La Porte; La Tour de Londres; Lumière et Obscurité)*.

NATTA (Giulio). ♦ Chimiste italien (Imperia, 1903 –). On lui doit la création, à l'aide des catalyseurs « stéréospécifiques » qu'il avait découverts, d'une nouvelle branche de la chimie macromoléculaire, l'étude des polymères tactiques et atactiques; ses travaux, de grand intérêt théorique, ont en outre permis la production de nombreuses matières plastiques et textiles synthétiques nouveaux. **V. Ziegler.** (Prix Nobel de chimie, 1963; Acad. sc., 1964.)

NATTIER (Jean-Marc). ♦ Peintre et dessinateur français (Paris, 1685 – *id.*, 1766). Filleul de Jouvenet* et élève de son père le portraitiste Marc Nattier, il dessina d'abord pour la gravure (les Rubens du Luxembourg) et exécuta à Amsterdam, à la demande de Pierre le Grand, *La Bataille de Poltava* et des portraits. Ruiné par la banqueroute de Law, il se consacra au portrait, obtint la faveur de Marie Leszczyńska et devint en 1742 le portraitiste attiré de la famille royale *(Mesdames Henriette et Adélaïde de France)*. Spécialiste du portrait mythologique, il sut flatter ses modèles, les représenta en déesses ou en allégories dans des poses élégantes mais stéréotypées. Habile technicien, il aimait à rendre les étoffes bleues et brillantes, la fraîcheur des carnations. Il mourut oublié, le genre du portrait d'apparat ayant subi la désaffection du public.

Natura rerum (De). ♦ **V.** LUCRÈCE.

NAUCALPAN. ♦ V. du Mexique, banlieue de Mexico (à l'ouest). 373 605 habitants.

NAUCRATIS, auj. **Kôm al-Gief.** ♦ Anc. V. d'Égypte sur la branche canopique du Nil, fondée par les Milésiens sous Psammétique* Ier (~ VIIe s.) pour servir de comptoir commercial entre la Grèce et l'Égypte. Plus tard, Amasis* y concentra tout le commerce grec. Autour de l'*Hellénion* (temple de tous les dieux grecs) se groupaient les établissements des douze cités grecques qui avaient pris part au développement du comptoir. La ville déclina avec la fondation d'Alexandrie*.

NAUDIN (Charles Victor). ♦ Botaniste français (Autun, 1815 – Antibes, 1899). Fondateur (en même temps que Mendel*) de la génétique, il a hybridé méthodiquement de nombreuses espèces et variétés de plantes; il constata, de façon générale, l'uniformité de la première génération d'hybrides (type intermédiaire entre ceux des parents) et le polymorphisme des suivantes, laissant apparaître des combinaisons variées de caractères de la génération initiale;

celles-ci s'expliquent naturellement, d'après lui, « par la disjonction des deux espèces dans le pollen et les ovules des hybrides » (loi de pureté des gamètes). Naudin a soutenu par ailleurs une théorie proche de celle de Darwin sur l'origine des espèces à partir des variétés. *(Les Hybrides du règne végétal; Détermination de l'espèce dans le règne végétal.)*

NAULOQUE. ♦ Anc. V. et port de Sicile au S. de Messine*. Lieu de la victoire navale d'Agrippa* sur Sextus Pompée* (~ 36).

NAUMBURG. ♦ V. d'Allemagne orientale (district de Halle), sur la Saale. 39 900 hab. Cathédrale (XIIe-XIIIe s.). – Centre industriel : textiles, indus. mécaniques et alimentaires.

NAUNDORFF ou **NAUNDORF (Karl Wilhelm).** ♦ Aventurier prussien qui fut le plus célèbre des faux dauphins de France (Potsdam, 1787 – Delft, 1845). S'étant fait passer pour Louis* XVII, il prit le titre de duc de Normandie et publia *Mémoires du duc de Normandie* (1831) et *Révélations sur l'existence de Louis XVII* (1832). Venu en France (1834) pour témoigner au procès d'un autre faux dauphin (le duc de Richemont), il fut expulsé. Ses descendants tentèrent à plusieurs reprises (en vain) de saisir la justice française de cette affaire. (Certains constituèrent même une association des royalistes naundorffistes.)

NAUPACTE, en grec **Naupaktos.** ♦ V. et port de Grèce en Étolie (Locride O.). Située sur le golfe de Corinthe, elle est dominée par une citadelle vénitienne dont les remparts enserrent le port. 8 170 hab. ♦ *Hist.* Naupacte fut prise en ~ 455 par les Athéniens qui, en expulsant les Locriens, y établirent des réfugiés de Messénie fuyant les Spartiates. À l'issue de la guerre du Péloponnèse, elle fut remise par les Spartiates aux Locriens. Les Vénitiens l'appelaient Lépante **(V. Lépante).**

NAUPLIE, en grec **Nauplion** ou **Anapli.** ♦ V. et port de Grèce (Péloponnèse), ch.-l. du nome d'Argolide*, située au fond du golfe Argolique. Centre commercial et touristique. 9 280 hab. Citadelle vénitienne. Musée (antiquités mycéniennes). ♦ *Hist.* Port d'Argos* à partir de ~ 638, Nauplie ne joua pas un rôle important durant l'Antiquité. Passée des Francs aux Vénitiens (1377) et disputée par les despotes de Mistra, elle fut puissamment fortifiée. Cédée aux Turcs (1540), elle fut de nouveau occupée par les Vénitiens (1686-1715). Libérée par les Grecs révoltés (1822), elle devint la première capitale de la Grèce indépendante (1829-1834).

Naurouse *(seuil de).* ♦ Passage reliant le Languedoc au Bassin aquitain – 191 m. **V. Lauragais.**

NAURU. ♦ Île volcanique isolée (rattachée à la Micronésie) [Océanie], immédiatement au S. de l'équateur, baignée par l'océan Pacifique occidental. C'est un atoll d'origine corallienne et de forme circulaire. Env. 22 km². 7 000 hab. *Cap.* Makwa (4 000 hab.). Cocotiers. Phosphates (6e prod. mondial), en voie d'épuisement. ♦ *Hist.* L'île fut découverte par les Anglais en 1798, annexée par l'Allemagne en 1888. Occupée par les Australiens en 1914, elle fut placée sous mandat britannique en 1920. Sous la tutelle de l'O.N.U. à partir de 1947, elle fut administrée conjointement par l'Australie, la Nouvelle-Zélande et la Grande-Bretagne. C'est depuis le 31 janv. 1968 une république indépendante dont les Affaires étrangères et la Défense sont assurées par l'Australie.

Nausée (La). ♦ Roman de J.-P. Sartre* (1938) qui illustre cette phrase de *L'Être et le Néant :* « Une nausée discrète et insurmontable révèle perpétuellement mon corps à ma conscience ». Thème sartrien par excellence, la fascination de la conscience devant le réel devient la trame même du roman, et le drame intérieur d'A. Roquentin, intellectuel isolé (donc disponible) au sein d'une grande ville; envahi par un malaise grandissant devant l'existence des choses, puis la sienne, soumis au regard d'autrui, il ressent progressivement cette existence comme « une mollesse, une faiblesse de l'être ».

NAUSICAA [*Nausikaa*]. ♦ Phéacienne, fille du roi Alcinoos* et héroïne de l'un des plus beaux épisodes de *l'Odyssée**. Après avoir lavé le linge de sa famille, avec ses servantes, Nausicaa joue à la balle avec elles au bord de la rivière. Les cris des jeunes filles réveillent Ulysse* qui dormait sur la rive, épuisé après son dernier naufrage. Le héros apparaît devant elles en couvrant sa nudité avec des branchages. Les servantes s'enfuient effrayées. Seule Nausicaa reste, lui donne des vêtements et de la nourriture, puis elle rappelle ses servantes et les réprimande. Le soir tombé, elle conduit l'étranger au palais en lui faisant suivre de loin sa voiture, pour éviter les médisances. Touchée par la beauté physique et morale du héros, elle avoue à son père son sentiment et celui-ci consent à leur mariage. Mais, apprenant qu'Ulysse a une épouse, Pénélope, qui l'attend à Ithaque, ils y renoncent. – L'épisode de Nausicaa inspire l'un des chapitres de l'*Ulysse* de Joyce.

NAUSIPHANÈS. ♦ Philosophe grec de l'école atomiste (Téos, ~ IVe s.). Il étudia la philosophie de Démocrite* et est généralement considéré comme le premier maître d'Épicure*.

Nautilus. ♦ Premier sous-marin atomique construit par les États-Unis en 1954. Son nom rend hommage au roman de Jules Verne, *Vingt Mille Lieues sous les mers.* **V. Verne** (Jules).

NAVACELLES *(cirque de).* ♦ Site des causses du Larzac*, creusé profondément dans les calcaires par un méandre de la Vis.

NAVAHOS ou **NAVAJOS.** *n. m. pl.* ♦ Indiens d'Amérique du Nord. Apparentés aux Apaches, ils acquirent de la civilisation pueblo* la pratique de l'agriculture et des Espagnols celle de l'élevage. Env. 4 000 à la fin du XVIIe s., ils forment aujourd'hui le peuple indien le plus important d'Amérique du Nord (env. 45 000). Ils ont résisté à l'assimilation américaine et vivent dans une large réserve de l'Arizona*.

NAVARIN, *auj.* **Pylos.** ♦ V. maritime de Grèce en Messénie, près de l'ancienne Pylos*, célèbre par la bataille navale qui opposa en 1827 les escadres de la Triple-Alliance (Angleterre, France et Russie) à la flotte turco-égyptienne. Après le refus turc de l'armistice proposé par les trois puissances et accepté par les insurgés grecs, les escadres alliées mouillèrent dans la rade de Navarin face aux bâtiments musulmans afin d'intimider les Turco-Égyptiens d'Ibrâhîm qui ravageaient la Messénie. La bataille, provoquée par un incident aussitôt généralisé, se termina par la destruction de la plus grande partie de la flotte musulmane; les flottes alliées, bien que durement éprouvées, ne perdirent aucun bâtiment. Qualifiée de malentendu et d'épisode déplorable par la diplomatie britannique, cette victoire ne contribua pas moins à la ratification de l'indépendance de la Grèce.

NAVARRE [*n. f.*], en esp. **Navarra.** ♦ Région historique de l'Espagne, comprise entre les Pyrénées et les monts Ibériques, s'étendant transversalement du N.-E. au S.-O. 402 000 hab. *(Navarrais). Cap.* Pampelune. *V. princ.* Estella*, Pampelune*, Roncevaux*. – *Orogr.* Le N. *(Navarre pyrénéenne),* montagneux, est entaillé de vallées profondes. De hauts massifs hercyniens se dressent dans la région de Roncevaux. Le S., plus riant, est sillonné par les vallées de l'Ega, de l'Arga et de l'Aragón*, et de l'Èbre*. – *Écon.* La montagne pratique l'élevage ovin et bovin, le S. les cultures céréalières basées sur le maïs associées à celle de l'olivier dans le bassin de l'Èbre. L'indus. est pratiquement inexistante. ♦ *Hist.* Peuplée par les Basques ou Vascons, cette région défendit son indépendance contre les Romains, les Wisigoths et les Francs. Le *royaume de Navarre* se constitua obscurément vers 830. Au XIe s., il s'étendait des Pyrénées jusqu'à l'Èbre supérieur et même jusqu'à la *basse Navarre* (ou *Navarre française*). Il fut réuni à l'Aragon, à la France (XIVe s.) et appartint à la maison d'Albret (XVe s.). Au XVIe s., Ferdinand* d'Aragon l'annexa à l'Espagne tandis que la *basse Navarre* revenait définitivement à la France. La Navarre, très attachée à ses franchises *(fueros),* souffrit de la centralisation imposée par les rois d'Espagne. Sa participation aux guerres carlistes au XIXe s. lui fit perdre ses derniers privilèges. Durant la guerre civile, les Navarrais fidèles au carlisme se rallièrent à Franco.

NAVARRENX [navarɛ̃s]. ♦ Ch.-l. de cant. des Pyrénées*-Atlantiques, arr. d'Oloron*-Sainte-Marie, sur le gave d'Oloron. 1 064 hab. Église du XVe s., enceinte du XVIIe siècle. Centre traditionnel de pêche au saumon.

NAVAS DE TOLOSA (Las). ♦ Localité de l'Espagne méridionale, située au N. de Jaén. ♦ *Hist.* Lieu de la victoire remportée en 1212, par les forces unies de Castille **(V. Alphonse VIII),** d'Aragon et de Navarre sur les Almohades*, et qui marqua une étape décisive de la *Reconquête.*

NAVEZ (François Joseph). ♦ Peintre et dessinateur belge (Charleroi, 1787 – Bruxelles, 1869). Élève de David* à Paris à partir de 1813, il le suivit ensuite à Bruxelles pendant son exil. De 1817 à 1822, il vécut à Rome où il rencontra Ingres. Après avoir admiré les œuvres de Raphaël à Rome, il s'intéressa aussi aux primitifs flamands. Ses peintures d'histoire, à sujets mythologiques et religieux, dénotent un certain éclectisme stylistique. Ses portraits révèlent un talent très sûr; ils se caractérisent par la qualité de l'observation psychologique, la rigueur de la mise en page, l'élégance du trait et la finesse du chromatisme *(La Famille de Hemp-*

Ph. Hétier

Navarre : environs de Pampelune.

tine-Larivière; David). Navez joua un rôle important comme directeur de l'Académie de Bruxelles à partir de 1830, et certains portraits de David lui ont parfois été attribués.

NAVIER (Henri). ♦ Ingénieur français (Dijon, 1785 – Paris, 1836). Auteur de la première théorie générale de l'élasticité (*Lois de l'équilibre et du mouvement des corps solides élastiques,* 1821), il étudia la flexion, la résistance à la traction et au choc (**V. Cauchy, Lamé**) ; on lui doit également des études d'hydrodynamique, notamment sur l'écoulement des liquides dans les tuyaux. **V. Poiseuille.** (Acad. sc., 1824.)

Navigation *(acte de).* ♦ Cette loi, promulguée en 1651, réservait aux navires anglais le commerce extérieur de l'Angleterre, en interdisant aux navires étrangers de transporter dans les ports anglais des denrées autres que celles de leur pays. Elle frappa particulièrement le commerce hollandais et entraîna la première guerre hollandaise qui contraignit les Provinces-Unies à capituler (1654). Elle favorisa le commerce britannique jusqu'à son abolition (1849 à 1854).

NAVIRE. *n. m.* ♦ Nom d'un groupe de constellations. **V. Argo.**

NAXOS. ♦ Île grecque, la plus grande des Cyclades*. 442 km² ; 14 200 hab. Ch.-l. et port : Naxos. 2 890 h. Vins liquoreux ; extraction de marbre. ♦ *Hist.* Dans la légende, Thésée* faisant escale à Naxos après avoir tué le Minotaure, y abandonne Ariane* que Dionysos* recueille le lendemain. Le culte du dieu, patron des vignes qui abondaient dans l'île, est à l'origine de l'un de ses noms (Dionysias). Colonisée par les Ioniens, Naxos dominait les Cyclades à l'époque archaïque. Elle atteignit son apogée vers la fin du ~ VIᵉ s. sous le tyran Lygdamis. Ravagée par les Perses, elle participa à la bataille de Salamine. Après les victoires grecques, elle fit partie de la ligue de Délos, mais, insurgée contre l'impérialisme athénien, elle fut prise et reçut une clérouchie (colonie) athénienne (~ 470-~ 404). Comme les autres Cyclades, à l'issue de la quatrième croisade, elle passa aux Vénitiens de 1207 à 1566 et ensuite aux Turcs de 1579 à 1821.

NAY [naj]. ♦ Ch.-l. de cant. des Pyrénées*-Atlantiques, arr. de Pau*, sur le gave de Pau*. 3 795 hab. *(Nayais).* Église du XVᵉ s., maison dite de Jeanne d'Albret, de style Renaissance. – Indus. textiles, fabrication de bérets basques.

NÂYANNÂR. *n. m. pl.* ♦ Nom collectif donné en Inde du Sud à un groupe de soixante-trois poètes mystiques adorateurs de Śiva* et qui vécurent probablement du VIIᵉ au XIᵉ siècle. Leurs œuvres sont groupées dans le *Têvarâm,* ensemble poétique tamil rédigé vers le XIᵉ siècle.

NAYARIT. *n. m.* ♦ État du Mexique central, en bordure du Pacifique, dans la sierra Madre occidentale (appelée *sierra de Nayarit*) : il est traversé par le río Grande* de Santiago. 27 621 km². 532 000 hab. *Cap.* Tepic*. – La plaine côtière, fertilisée par les eaux du fleuve et de climat subtropical, se prête aux cultures de la canne à sucre, du café, du coton, du tabac. Indus. alimentaires et chimiques.

NAZARÉ. ♦ V. et port du Portugal, sur la côte d'Estrémadure* (district de Leiria). 9 200 hab. Pêche de la morue. Le caractère pittoresque du port en a fait une station touristique très fréquentée.

Nazaréen, en gr. **Nazarênos** ou **Nazôraios.** ♦ Le *Nazaréen :* surnom de Jésus, dont le sens est controversé : « le saint de Dieu » (araméen *nazir*) ? « originaire de Nazareth » ? – Les *Nazaréens :* les premiers chrétiens, pour les juifs. Une secte hérétique (hypothétique), pour les premiers chrétiens. Un des noms que se donnent les mandéens*.

NAZARETH. ♦ V. de l'État d'Israël en Galilée, située au S.-O. du lac de Tibériade entre le mont Carmel et le mont Thabor, *ch.-l.* de district du Nord. 40 000 hab. [1969]. *(Nazaréens).* Centre de tourisme et de pèlerinage (église de l'Annonciation). ♦ *Hist.* C'est dans cette ville, appartenant à la tribu de Zabulon, qu'une lecture des Évangiles (**V. Nazaréen**) place la résidence de Joseph et de Marie et l'enfance et la vie cachée de Jésus. Les croisés s'en emparèrent (1099) et un évêché y fut établi jusqu'au départ des croisés (1263).

Ph. Prato/Ricciarini

Nazaré.

NAZIANCE ou **NAZIANZE.** ♦ Anc. V. de Cappadoce (Asie Mineure), près de l'actuel village de *Nenezi,* illustrée par saint Grégoire de Naziance l'Ancien, évêque en 329, et surtout par son fils, saint Grégoire* de Naziance, qui lui succéda en 374.

NAZIM HIKMET. ♦ Poète et dramaturge turc (1902 – Moscou, 1963). Au début de sa carrière, il fut connu par ses poèmes patriotiques écrits dans un mètre syllabique qu'il abandonna à la suite de l'influence des futuristes russes. Aussi introduisit-il dans la poésie turque la technique du vers libre. Élargissant le champ de la thématique poétique, il utilisa une écriture provocante, comportant des images et des associations inattendues, destinées à agir contre les séquelles de la poésie traditionnelle. Plus tard, il écrivit ses épopées sur Bedreddin (leader religieux révolutionnaire d'Anatolie au XVᵉ s.) et sur la guerre de libération nationale dans un style plus conventionnel. Ses drames, écrits dans une vigoureuse prose, sont essentiellement inspirés du marxisme. Ses poèmes furent traduits en français par Hasan Gureh : *Paysages humains* (1942-1950) ; *Poèmes* (1951) ; *C'est un dur métier que l'exil* (1957) ; *Paris, ma rose* (1961).

Nazisme, *n. m.,* de **National-Socialisme** [en all. *Nazionalsozialismus*]. ♦ Idéologie politique exposée par Hitler dans *Mein* Kampf,* et qui fut mise en application par le régime du IIIᵉ Reich. Reprenant des courants de pensée déjà anciens, tels que le racisme antisémite, le « totalitarisme » mis en avant par le fascisme italien, et le pangermanisme*, régénérés par la déception de la défaite de 1918, Hitler eut l'habileté de traduire en quelques idées-forces, capables d'entraîner les foules vers l'action, les aspirations de l'Allemagne en crise. Le slogan *« ein Volk, ein Reich, ein Führer »* (un peuple, un empire, un chef) résume la conception hitlérienne du monde : dans le « nouvel empire » (IIIᵉ Reich) achèvement de l'unité nationale, la race germanique, race supérieure devant être protégée de toute contamination (interdiction des mariages mixtes), devrait engager la conquête de l'« espace vital » *(Lebensraum),* notamment vers l'Est. Cette Allemagne nouvelle serait gouvernée par un chef, le *Reichsführer,* dont l'autorité infaillible et absolue permettrait d'instaurer un « ordre nouveau » dans le cadre d'un État totalitaire (**V. Fascisme**). Le parti nazi (Parti national-socialiste ouvrier allemand), parti unique, hiérarchisé, représentait la minorité agissante. Appuyé par les S.A.*, les S.S.* et la police (**V. Gestapo**), il était chargé de la propagande et de l'information (**V. Goering**). Comme le fascisme en Italie, le nazisme accordait une grande importance à l'adhésion de la jeunesse. Le nazisme reprenait aussi les conceptions antiparlementaire, anti-égalitaire et antidémocratique du fascisme. [Pour l'histoire du national-socialisme, **V. Hitler, Allemagne** *(hist.)*.] Après la guerre, les principaux organismes (état-major du parti, S.S., S.D. et Gestapo) furent déclarés criminels (**V. Nuremberg** [*procès de*]) et commencèrent en Allemagne de multiples et délicats procès de « dénazification ». – *Néonazisme.* Nom donné aux mouvements que l'on estime être des résurgences du national-socialisme, notamment au N.P.D. bavarois (National-demokratische Partei Deutschlands) qui obtint 5 % aux élections au Bundestag.

NAZOR (Vladimir). ♦ Écrivain et homme politique croate (Postire, île de Brač, 1876 – Zagreb, 1949). Il fut élu président du présidium de la République populaire de Croatie. Il réagit dans ses poèmes contre le pessimisme de Kranjčević* et chante la beauté de son pays natal : *Poésies lyriques* (1910), *Les Rois croates* (1912), *L'Ours Brundo* (1915). Outre de nombreuses traductions, il laissa des contes : *Contes d'Istrie* (1913), *Stoimena* (1916), *Contes de l'enfance* (1924), *Nouvelles de Zagreb* (1942), et des romans dont *Le Pâtre Loda* (1946). En 1943, il gagna le maquis et y écrivit un recueil de poèmes : *Avec les partisans.*

NAZWA. ♦ V. du sultanat d'Oman*, située dans le djebel Akhdar*, principal centre de la région d'Oman*. Le Wadi Sama'il, qui la traverse, la relie à Mascate* et à la plaine côtière de la Batinah. Une piste part de Nazwa en direction de Buraymi et d'Abû* Dhabî au nord-ouest.

N'DJAMENA. ♦ Nouveau nom de Fort*-Lamy, cap. du Tchad.

NDOLA. ♦ V. de Zambie*. 150 800 hab. Indus. métallurgiques et alimentaires. Usine de détersifs.

NEAGH *(lough). n. m.* ♦ Lac d'Irlande du Nord (comté d'Antrim), à l'O. de Belfast et traversé par le Bann*. C'est le plus grand (396 km²) des lacs du Royaume-Uni. La pêche et le tourisme sont développés sur ses rives. Lurgan*, Armagh*, Portadown* se trouvent sur son rivage.

NEANDERTAL ou **NÉANDERTHAL.** ♦ Vallée d'Allemagne occidentale (Rhénanie-Westphalie), dans la région de Düsseldorf (vallée de la Düssel). – La découverte en 1856 d'un crâne humain fossile dans une grotte de cette vallée fit donner le nom d'*homme de Neandertal (Homo Neandertalensis)* à ce type tout à fait distinct d'hominidé. Des ossements présentant les mêmes caractéristiques ont été retrouvés à divers endroits en Europe (en Belgique à Spy, en France à la Chapelle-aux-Saints, au Moustier*, à La Quina, à La Ferrassie, en Italie, en Croatie, et dans le sud de l'U.R.S.S.), en Palestine et en Afrique du Nord. *L'homme de Neandertal* vivait à l'ère paléolithique moyenne durant l'interglaciaire de Riss-Würm et le début de la glaciation würmienne (v. ~ 150 000 – ~ 35 000). Trapu et de petite taille (inférieure à 1,50 m), il possédait une architecture faciale spécifique : crâne dolichocéphale, visière orbitaire

Ph. Enrico Robba/Ricciarini

Homme de Neandertal : empreinte de pied. (Grotte de Toirano, Italie.)

très développée, appareil masticatoire en forte saillie vers l'avant. Son cerveau, malgré l'aspect aplati de la boîte crânienne, avait une structure assez différente de celle de l'homme actuel et une capacité moyenne supérieure (1 450 cm³). Ses outils étaient caractéristiques de la culture moustérienne (**V. Moustier** [Le]). Il travaillait le bois et la peau et avait des pratiques mortuaires à caractère symbolique. Certains paléontologistes ont voulu voir dans l'homme de Neandertal le « chaînon manquant » qui rattacherait l'homme aux anthropoïdes, ce qui résoudrait le problème de la rupture entre les cultures du paléolithique moyen et du paléolithique supérieur et celui de l'apparition soudaine de l'*Homo sapiens*. Mais on pense plus généralement que l'*Homo sapiens* serait né de l'évolution d'autres types humains ayant existé parallèlement et antérieurement à l'*homme de Neandertal*.

NÉARQUE, en gr. **Nearkhos**. ♦ Navigateur grec et lieutenant d'Alexandre le Grand (~ IVe s.) originaire de Crète et établi à Amphipolis. Il fut nommé gouverneur de Lycie, puis il accompagna le conquérant dans son expédition en Inde. Ayant reçu le commandement de la flotte construite sur l'Hydaspe, il descendit l'Indus avec l'armée, puis il entreprit (~ 326-~ 325) une exploration des côtes de la mer Érythrée et du golfe Persique jusqu'à l'embouchure de l'Euphrate (154 jours). La mort d'Alexandre empêcha la réalisation du périple de l'Arabie. Néarque reçut la satrapie de Lycie et de Pamphylie et fut l'allié d'Antigonos* Monophthalmos. Il laissa un récit de son exploration *(périple)* qui servit de base aux *Indica* (description de l'Inde) d'Arrien*.

NEATH, en gallois **Castell-Nedd**. ♦ V. du S. du pays de Galles (Glamorganshire), sur la *Neath*. 30 940 hab. (1961). – Ruines d'un château du XIIe s. et d'une abbaye du XIIIe siècle. – Houille, sidérurgie et métallurgie, raffinerie de pétrole.

NÉAU, en all. **Eupen**. ♦ V. de Belgique (Liège, arr. de Verviers) au confluent de la Helle et de la Vesdre. 14 964 hab. en majorité de langue allemande. Église baroque Saint-Nicolas (1727). Hôtel de ville (couvent de 1776). – Son barrage (longueur : 410 m, hauteur : 63 m), qui alimente la région en eau potable, retient les eaux de la Vesdre en un lac de 125 ha. Centrale électrique. Établissement hydrothérapique. Sanatorium. Indus. : textile, câblerie, brasserie, manufacture d'aiguilles. ♦ *Hist.* Après avoir appartenu au duché de Limbourg, la ville fut le ch.-l. d'un des deux cantons – l'autre étant celui de Malmédy – réunis à la Prusse en 1815 et rendus à la Belgique en 1919 (traité de Versailles). La ville fut temporairement annexée au IIIe Reich de 1940 à 1944. Néau avait dû son développement aux tisserands flamands (nombreuses maisons patriciennes) qui, aux XIVe et XVe s., quittèrent Bruges et Gand.

NEBBIO. *n. m.* ♦ Région côtière au N. de la Corse*, au S. du golfe de Saint-Florent*. *V. princ. :* **V. Murato, Saint-Florent.**

NEBIT-DAG. ♦ V. d'U.R.S.S. (Türkmenistan*). 32 900 hab. (1959). Centre du district pétrolier de Neftedag. Production d'électricité par turbines à gaz.

NÉBO. *n. m.* ♦ Montagne biblique du pays de Moab, vis-à-vis de Jéricho. Moïse* y meurt après avoir vu de loin la Terre promise (*Deutéronome*, XXXIV). On l'identifie auj. au *Neba*.

NÉBOUZAN. *n. m.* ♦ Anc. pays de Gascogne* ; Saint-Gaudens* en était le chef-lieu.

NEBRASKA. *n. m.* ♦ État du centre des États-Unis. 200 018 km². 1 483 791 hab. (1970). *Cap.* **V. Lincoln.** *Autre ville* **V. Omaha.** – *Orogr.* L'État est formé par une vaste plaine légèrement ondulée qui s'étend du Missouri aux frontières du Colorado et du Wyoming en s'élevant progressivement du S.-E. au N.-O. Une région de lœss y précède une zone de collines, moins fertiles, parcourue de riches vallées ; à l'O., des « hautes plaines » présentent des canyons, quelques buttes, et deux zones montagneuses boisées. Le coin N.-O. est formé de *badlands*. La princ. riv. du Nebraska est la Platte*, affl. du Missouri. – *Climat* continental sec. – *Écon.* État agricole avec env. 26 % d'agriculteurs (pourcentage très élevé pour les États-Unis). L'élevage fournit 70 % du revenu agricole (surtout bovins). Les principales cultures sont le maïs, le blé, l'avoine ; les terres cultivées ont augmenté en surface, grâce à l'irrigation, et le nombre des exploitations a diminué. Indus. agricoles, métallurgie légère, machines, instruments de précision, indus. du bois, prod. chimiques et plastiques. Pétrole et gaz naturel. – Universités à Lincoln et Omaha. – Patrie de Harold Lloyd. ♦ *Hist.* Explorée par les Espagnols, puis par les Français, la région fut vendue aux États-Unis avec la Louisiane (1803). Territoire en 1854, le Nebraska, qui appartint au camp nordiste, devint le 37e État de l'Union en 1867. Les combats contre les Indiens aboutirent à leur écrasement vers 1880. La fin du XIXe s. fut marquée au Nebraska par des troubles agraires.

NECHAKO. *n. f.* ♦ Riv. du Canada, affl. du Fraser*, qu'elle rejoint à Prince George. Elle prend sa source en deux branches, dans la chaîne côtière. 400 km. – *Plateau de la Nechako*, séparant les monts Columbia des monts Cassiar.

NÉCHAO ou **NÉKAO**. ♦ Nom de deux pharaons de la XXVIe dynastie saïte. ♦ NÉCHAO Ier. Père de Psammétique* Ier. Il fut établi par les Assyriens comme prince de Saïs* et de Memphis* v. ~ 670. ♦ NÉCHAO II. Deuxième pharaon de la XXVIe dynastie, fils et successeur de Psammétique* Ier (v. ~ 609-~ 594). Il reprit la politique d'expansion égyptienne en Syrie, tua Josias, roi de Juda, allié des Babyloniens, à Megiddo*, soumit la Palestine et la Syrie, atteignit l'Euphrate, mais fut écrasé par Nabuchodonosor* II à Karkemish* (~ 605). Il favorisa la renaissance économique du pays, remit en activité le canal du Nil à la mer Rouge et fit faire le tour de l'Afrique à des marins phéniciens.

NECKAR. *n. m.* ♦ Fl. d'Allemagne occidentale et affl. r. d. du Rhin. 370 km. Né en bordure de la Forêt-Noire, près de la source du Danube, il coule vers le N.-E. en contournant le Jura franconien, arrose Tübingen*, Esslingen*, Stuttgart*, décrit entre Heilbronn* et Heidelberg* une large boucle au pied de l'Odenwald et rejoint le Rhin à Mannheim. L'Enz, le Kocher et la Jagst sont ses princ. affl. Le Neckar a été aménagé pour la navigation de chalands de 1 350 t. La construction d'un canal Neckar-Danube, reliant Stuttgart à Ulm, est prévue. Le cours supérieur du fleuve est planté de vignobles.

NECKARSULM. ♦ V. d'Allemagne occidentale (Bade-Wurtemberg), sur le Neckar. 15 400 hab. Château de l'ordre Teutonique (XVIe s.). – Indus. automobile.

NECKER [nɛkʀ] ou [nɛkɛʀ] **(Jacques)**. ♦ Financier et homme d'État, issu d'une famille protestante du Holstein (Genève, 1732 – Coppet, près de Genève, 1804). Venu à Paris (1747), il y fut commis de banque et s'installa comme banquier en 1763. C'est en partie sous l'influence de sa femme qu'il se lança dans la vie publique. Dès 1772, il se faisait connaître par son *Éloge de Colbert*, couronné par l'Académie, puis en 1775 par son *Essai sur la législation et le commerce des grains*, où il attaquait la politique économique libérale de Turgot, auquel il succéda comme directeur du Trésor royal (1776) puis des Finances (1777). Financier habile et honnête, il tenta de faire face à une situation financière rendue particulièrement difficile par les dépenses inconsidérées de la cour et celles occasionnées par la guerre d'Indépendance américaine, en pratiquant une politique d'économie et d'emprunt ; il tenta de réformer l'assiette de l'impôt, d'associer les notables à l'administration des provinces (création d'assemblées provinciales dès 1778), supprima la mainmorte et les servitudes personnelles sur le domaine royal (1779) et adoucit la procédure criminelle. La publication de son *Compte rendu au Roi* (1781), révélant l'état des finances françaises, connut un certain succès auprès du public, mais l'obligea à démissionner. Il fut remplacé peu après par Calonne* dont il attaqua la politique dans son traité *De l'administration des finances de la France* (1784). La crise financière s'étant doublée d'une crise politique d'autorité, Necker fut rappelé comme ministre d'État par Louis XVI le 25 août 1788 (après la démission de Loménie* de Brienne), peu après la convocation des états généraux. Il fit réunir l'Assemblée des notables* (nov.-déc. 1788), et, malgré l'opposition des aristocrates, réussit à obtenir le doublement du tiers état aux états généraux. Son renvoi (11 juil. 1789, connu par le peuple parisien le 12 juil.) contribua à développer le mouvement révolutionnaire populaire ; il fut rappelé le 15 juil. après la prise de la Bastille*. Il ne réussit pas à redresser la situation économique et financière et se retira des affaires publiques en 1790, s'installant à Coppet avec sa fille Mme de Staël*.

NECTANÉBO. ♦ Nom grec de deux pharaons de la XXXe dynastie sébennytique. ♦ NECTANÉBO Ier, en égypt. *Nekhtnebf*. Originaire de Sébennytos, dans le Delta, il fonda la XXXe dynastie sébennytique (v. ~ 378-~ 360). Il fit échouer une nouvelle tentative de reconquête perse. ♦ NECTANÉBO II, en égypt. *Nekhtharheb*, petit-neveu du précédent. Il s'empara du pouvoir que détenait son oncle Tachôs* (v. ~ 359-~ 341). Avec l'aide des Grecs, il réussit à repousser l'armée perse (~ 351), mais une nouvelle offensive d'Artaxerxès* III le força à s'enfuir en Haute-Égypte (~ 342). Il fut le dernier pharaon indépendant. Grand bâtisseur, il entreprit la construction de l'Iséum (temple dédié à Isis) de Behbeït el-Hagar et des premiers édifices de Philae*.

NEDERBRAKEL. ♦ Comm. de Belgique (Flandre-Orientale, arr. d'Audenarde). 6 600 hab. Indus. alimentaires. – Au S. de la ville, le Top possède des sources d'eau minérale.

NEDERLAND. ♦ Nom néerlandais des Pays*-Bas.

NEDIM (Ahmet). ♦ Poète turc (Istanbul, 1681 – *id.*, 1730). Ses œuvres, rassemblées dans un *Divan* composé de chansons, de ghazel et de pièces de circonstance, marquent le retour à la simplicité.

Arch. Smeets

La reine **Néfertiti.** Buste polychrome trouvé à Tell el-Amarna. ~ XIVe s. (Staatliches Museum, Berlin.)

NEDJD ou **NADJD**. *n. m.* (« haut pays »). ♦ Vaste plateau semi-désertique du centre de l'Arabie Sa'ûdite, souvent appelé Arabie « tabulaire », qui s'étend à l'E. de la barrière montagneuse du Hedjaz*, entre le désert du Grand Néfud* au N. et l'immense désert du Rub* al-Khali au S.; il s'incline à l'E. vers le Hassa*. Il culmine au djebel Chammar*. Les rares pluies qui tombent dans le N. y forment des étendues herbeuses utilisées comme pâturages par les tribus nomades. – *L'émirat du Nedjd* (1 390 000 km²; 3 à 4 000 000 d'hab.) a pour *cap.* Riyad* (la cap. du royaume). *Autres villes :* **V. Anaiza, Burayda** (marché chamelier). Cultures de céréales, de palmiers-dattiers, d'arbres fruitiers et de vigne dans les oasis. Indus. artisanales : travail du cuir, du cuivre, fabrication d'armes. Le pipe-line transarabique, la route qui unit la mer Rouge au golfe Persique à partir de Djeddah*, et l'unique voie ferrée de la péninsule, qui relie Riyad à Damman*, traversent le Nedjd.

NEDJEF. ♦ V. d'Iraq, située au S. de Hilla* dans la province de Karbala* à proximité du désert. Plus de 100 000 hab. Comme Karbala, c'est le lieu de sépulture d'un grand nombre de musulmans shiites (iraniens, indiens, ...), ce qui en fait un centre de pèlerinage important.

NEDJIRAN. *n. m.* ♦ Montagne du S. de l'‘Asîr*, à la frontière yéménite. Province du S. de l'Arabie Sa'ûdite.

NEEDHAM (John Turberville). ♦ Savant anglais (Londres, 1713 – Bruxelles, 1781). Fondateur de la Société littéraire de Bruxelles, il est l'auteur d'ouvrages philosophiques. Ses travaux en biologie (micrographie), bien que critiqués par Spallanzani*, furent utilisés par les partisans de la génération spontanée.

NÉEL (Louis). ♦ Physicien français (Lyon, 1904). Son hypothèse du cas du champ moléculaire négatif (1932) lui permit d'élaborer une théorie de l'antiferromagnétisme, interprétant l'aimantation résultante nulle par un couplage antiparallèle des atomes. Elle lui permit en outre d'établir une théorie quantitative des ferrimagnétiques dans lesquels les moments magnétiques sont encore orientés en deux directions opposées, mais sont en nombres différents; ces travaux ont contribué au progrès de la technique des ferrites, et plus généralement, des matériaux magnétiques isolants. **V. L. Landau, P. Weiss.** (Acad. sc., 1953; prix Nobel de phys., 1970.)

NEEROETEREN. ♦ Comm. de Belgique (Limbourg, arr. de Maeseyck) en Campine*, sur le canal de Maastricht à Bois-le-Duc. 6 500 hab. Église du XVe siècle. – Indus. du bois.

NEERPELT. ♦ Comm. de Belgique (Limbourg, arr. de Maeseyck), en Campine*, sur le canal de l'Escaut à la Meuse. 8 200 hab. Indus. du bois. Textiles.

NEERWINDEN. ♦ Comm. de Belgique (Brabant), au N.-O. de Liège. 1 000 hab. Victoire de Luxembourg* sur Guillaume* III d'Orange (1693). Cent ans plus tard, Dumouriez* y fut vaincu par Frédéric de Saxe*-Cobourg et dut évacuer la Belgique (18 mars 1793).

N.E.F.A. *n. m.* (abréviation de l'angl. « North-East Frontier Agency »). ♦ Partie du territoire de l'Inde se trouvant à l'extrême N.-E. du pays, entre le Bhûtan* et la Birmanie, peuplée de tribus Nâga* (qui ont formé un État semi-indépendant, le Nâgaland*), et réclamée par la Chine. Depuis 1971, cette province indienne est appelée *Arunachal Pradesh.*

Nef des fous (La), en allemand **Das Narrenschiff.** ♦ Œuvre satirique de Sébastien Brandt* publiée à Strasbourg en 1494, illustrée avec des gravures de l'auteur et de Dürer. L'auteur y décrit les aberrations des sens (folie, péché). Traduite en toutes les langues, cette œuvre inspira le peintre Jérôme Bosch* (*La Nef des fous,* au Musée du Louvre) et Érasme (*Éloge* de la folie).*

NÉFERTARI. ♦ Reine d'Égypte (~ XIIIe s.), première femme de Ramsès* II. Sa tombe est la plus belle de celles de la vallée des Reines.

NÉFERTITI (« la belle est venue »). ♦ Reine d'Égypte, femme du pharaon Aménophis* IV Akhnaton (seconde moitié du ~ XIVe s.). Elle participa à la révolution religieuse accomplie par Aménophis IV (**V. Akhnaton**) et resta fidèle au culte d'Aton après la mort de son mari. Elle est célèbre par ses nombreux portraits en ronde bosse trouvés à Tell* el-Amarna : buste polychrome (conservé au musée Dahlem, Berlin), buste inachevé en quartzite rose (musée du Caire).

NEFTEDAG. *n. m.* ♦ District pétrolier de l'U.R.S.S., autour de Nebit* Dag (Türkmenistan*), au bord de la mer Caspienne*.

NEFUD, NÉFOUD ou **NUFÛD (Grand).** *n. m.* ♦ Désert de sable du N. de l'Arabie Sa'ûdite, qui s'étend sur plus de 50 000 km² entre le désert de Syrie et le Nedjd, qui le sépare du Rub* al-Khali. De maigres pâturages y nourrissent en hiver le bétail des Bédouins nomades (chameaux, moutons).

NÈGREPELISSE. ♦ Ch.-l. de cant. du Tarn*-et-Garonne, arr. de Montauban*, sur l'Aveyron*. 2 415 hab. ♦ *Hist.* V. protestante que Louis* XIII enleva en 1622.

NÈGREPONT. ♦ V. EUBÉE.

NÉGRIER (François de). ♦ Général français (Le Mans, 1788 – Paris, 1848). Il participa aux campagnes de l'Empire (de 1806 à 1815), servit ensuite en Algérie. Député (1848), placé à la tête d'un commandement lors de l'insurrection de juin (1848), il fut tué faubourg Saint-Antoine. ♦ FRANÇOIS OSCAR de NÉGRIER, son neveu. Général français (Belfort, 1839 – Côtes-du-Nord, 1913). Il se distingua lors de la guerre de 1870. Fait prisonnier à Metz, il réussit à s'évader et à rejoindre Faidherbe dans le Nord. Après avoir servi dans le Sud oranais, il fut envoyé au Tonkin (1884), où il fut grièvement blessé, ce qui entraîna la perte de Lang* Son (1885) qu'il venait d'occuper.

Négrilles. ♦ V. PYGMÉES.

NEGRÍN LÓPEZ (Juan). ♦ Homme politique espagnol (Canaries, 1887 – Paris, 1956). Militant socialiste, il fut ministre des Finances de Largo* Caballero (1936), puis succéda à ce dernier comme président du Conseil (1937) au sein du gouvernement républicain, réfugié à Valence, puis à Barcelone. Il fut déposé par une junte de militaires et d'anarchistes en 1939 et se retira en France. Il présida le gouvernement républicain en exil jusqu'en 1945.

NEGRI SEMBILAN. *n. m.* ♦ État faisant partie de la Malaysia* et ancien État de la péninsule malaise, sur le détroit de Malaka (Malacca), constitué de neuf États plus petits. 6 643 km². Env. 500 000 hab. *Cap.* Seremban (80 000 hab.). Exportations de riz, de latex, de tungstène.

Négritos. *n. m. pl.* ♦ Nom donné en Asie du S.-E. à des populations primitives océano-asiatiques de Pygmées, à la pigmentation foncée et aux cheveux crépus, qui furent progressivement refoulées dans les montagnes par les populations malaises ou plus évoluées. On les trouve notamment dans le centre de la péninsule malaise (Semang), aux Philippines (Aetas, Negros), en Nouvelle*-Guinée et dans les îles Andaman*.

NEGRO *(río).* ♦ Fl. d'Argentine (1 000 km) formé par la confluence des ríos Neuquén et Limay, descendus des Andes; il traverse d'E. en O. la prov. du Río Negro et arrose Viedma* avant de se jeter dans l'Atlantique. – La *province du Río Negro* située au N. de la Patagonie* débouche sur l'Atlantique à l'E. par le golfe de San Matias. 203 013 km². 213 000 hab. *Ch.-l.* Viedma*. Dans la partie méridionale des Andes, au S. du lac Nahuel* Huapí, le río Chubut* prend sa source. Culture de la vigne, de fruits et de betteraves dans la vallée du río Negro.

NEGRO *(río).* ♦ Rivière d'Amérique du Sud (env. 600 km), née au Brésil (État de Rio Grande do Sul), elle traverse l'Uruguay d'E. en O. et forme au centre une vaste lagune *(Lagoa del rio Negro)* avant de rejoindre l'Uruguay* au río de La* Plata.

NEGRO *(río).* n. m. ♦ Riv. d'Amérique du Sud. Née en Colombie, où elle forme une partie de la frontière avec le Venezuela, elle reçoit le Cassiquiare* qui la fait communiquer avec l'Orénoque, traverse l'État d'Amazonas* et se jette dans l'Amazone en aval de Manaus*. 2 200 km.

NEGROS. ♦ Île du centre de l'archipel des Philippines*, partagée en deux provinces administratives. 13 670 km². 2 300 000 hab. *V. princ.* Bacolod, Dumaguete. Île volcanique, couverte de montagnes boisées au sein desquelles vivent de nombreuses tribus de Négritos*. Produit principalement de la canne à sucre, du riz, du maïs et des noix de coco.

NEGRUZZI (Costache). ♦ Écrivain et homme politique roumain (Iași, 1808 – 1868). Il fut un des artisans du renouveau littéraire moldave, participa à la création du théâtre national de Iași (avec Alecsandri* et Kogălniceanu*), devint ministre des Finances sous

Alexandre Cuza*. Auteur de poèmes et de nouvelles historiques (*Alexandru Lăpuşneanu*, 1840).

NÉGUEV. *n. m.* ♦ Étendue naguère désertique en forme de cône, au S. de l'État d'Israël, occupant plus de la moitié de la surface de l'État. Bordant la Cisjordanie au N., la mer Morte au N.-E., il est séparé de la Jordanie à l'E. par le Wadi Araba*, et sa pointe méridionale touche au golfe d'Aqaba*. Il n'était habité que par des Bédouins et, dans le N., par des Arabes sédentarisés ou à demi sédentarisés. La masse croissante d'immigrants a conduit Israël à une tentative de mise en valeur des terres du Néguev, grâce au dessalement des eaux souterraines et des eaux de la mer Morte. L'aménagement d'un système de canalisations *Kinnereth-Néguev* permet de faire bénéficier ces terres des eaux du Jourdain depuis le lac de Tibériade (ou lac Kinnereth) et d'y implanter un nombre croissant d'exploitations agricoles. Amplifié par le système Yarkon*-Néguev à l'E. de Tel-Aviv, ce système d'irrigation a transformé l'agriculture du pays. Les terres limoneuses de la région de Beersheba*, dans le N., se prêtent à une agriculture intensive (blé, orge, betterave sucrière, arbres fruitiers, agrumes). Oliveraies et orangeries dans le Néguev central. Primeurs dans la vallée du Wadi Araba. En outre, la région a vu s'implanter des industries qui traitent les importantes richesses d'un sous-sol prospecté depuis quinze ans, particulièrement au voisinage de la mer Morte : chlorures de potassium et de magnésium, potasse, brome, fer, cuivre, soufre, phosphates (au N.), cuivre de Timna* et phosphates (au S.), chrome de la région d'Elath, feldspath, manganèse. Les phosphates sont traités dans les usines d'engrais de Haïfa*. Un oléoduc franchit le Néguev, acheminant du pétrole du port d'Elath* sur le golfe d'Aqaba jusqu'au port pétrolier d'embarquement de Haïfa. Une route traverse le Néguev à partir d'Elath, se ramifie à Beersheba, faisant communiquer le S. du pays avec la Méditerranée.

NÉGUIB ou **NAGÎB (Muhammad).** ♦ Militaire égyptien (Khartoum, 1901 –). Fils d'un officier égyptien, il participa à la première guerre israélo-arabe (1948-1949) après des études et une carrière militaires brillantes. Il fut choisi comme chef par les instigateurs du complot de 1952. Il obligea Fârûq* à abdiquer (juil. 1952) et proclama la république (juin 1953). Démis de ses fonctions de président de la République (25 févr. 1954), il fut tout de suite restauré en raison de la pression des masses. Il fut définitivement écarté du pouvoir par Nasser* en oct. 1954.

NÉHÉMIE. ♦ Personnage biblique, fonctionnaire juif auprès d'Artaxerxès Ier ; il seconda Esdras pour la restauration de Jérusalem (~ Ve s.).

Néhémie *(livre de)*. ♦ Un des livres historiques de la Bible, suite du livre d'Esdras*, avec lequel il ne formait qu'un à l'origine ; même auteur, probablement un disciple du Chroniste (~ IVe s.). Treize chapitres. La Vulgate l'appelle *II Esdras*.

NEHRU (Jawâharlâl [pandit]**).** ♦ Homme politique indien (Allahâbâd, 1889 – Delhi, 1964). Il se fit remarquer pour son action patriotique aux côtés de Gandhi* et fut, à ce titre, plusieurs fois emprisonné par les autorités anglaises. Devenu dès 1929 président du Parti du Congrès, il se montra un fervent partisan de la non-violence, mais ne put empêcher celle-ci lors de la partition de l'Inde et du Pâkistân, malgré son amitié avec Ali Jinnah*. Il devint Premier ministre en 1947 et fut élu en 1950 président de l'Union indienne. Grand patriote, il fut également un bon écrivain en langue anglaise. Ses œuvres, *History of India, Discovery of India*, et ses *Lettres* à sa fille Indirâ Gandhi* eurent un grand retentissement.

NEI-CHIANG [*Nei-Kiang, Neijiang*]. ♦ V. de Chine (Szu-ch'uan). 200 000 hab. Indus. alimentaires.

NEIDHART VON REUENTHAL (en Bavière). ♦ Chevalier et poète allemand (v. 1180 – v. 1250). Avec ses chansons d'été *(Sommerlieder)* et d'hiver *(Winterlieder)*, il a créé un genre nouveau que K. Lachmann qualifia de « poésie villageoise de cour », courtoise par la technique et villageoise par le milieu évoqué. Reprenant de façon réaliste et satirique les thèmes du minnesang, il les amplifie jusqu'au burlesque, voire à l'obscène.

NEIGE *(crêt de la)*. ♦ Sommet le plus élevé du Jura* (Ain). 1 723 m.

NEIGES *(piton des)*. ♦ Ancien volcan de la Réunion*, au centre O. de l'île. Point culminant 3 069 mètres.

NEI-KIANG. ♦ V. NEI-CHIANG.

NEIPPERG (Adam Albrecht, *comte von***).** ♦ Général autrichien (Vienne, 1775 – Parme, 1829). Il participa aux campagnes contre la France à partir de 1793. Ambassadeur en Suède (1811-1813), il rallia Bernadotte à la coalition (1813) et signa une alliance secrète avec Murat (1814). François II le nomma grand-maître du palais de l'impératrice Marie*-Louise. Il devint l'amant de celle-ci et l'épousa quelques mois après la mort de Napoléon Ier (1821).

NEISSE de LUSACE. *n. f.*, en polon. **Nysa Łużycka.** ♦ Rivière d'Europe centrale, née en Tchécoslovaquie où elle arrose Jablonec* nad Nisou ; elle traverse les Sudètes* et la Lusace*, arrose Görlitz* et marque la frontière polono-allemande avant de rejoindre l'Oder* et former l'Oder*-Neisse. 256 km.

NEITHARDT ou **NITHART (Mathis).** ♦ V. GRÜNEWALD (Matthias).

NEIVA. ♦ V. de Colombie, ch.-l. du dép. de Huila (19 820 km². 393 800 hab. env.) et port fluvial sur le cours supérieur du Magdalena*. 84 000 hab. Centre commercial.

NÉKAO. ♦ V. NÉCHAO.

NEKRASSOV (Nicolas Alexeievitch) [*Nekrasov*]. ♦ Journaliste et poète russe (Iouzvine, près de Vinnitsa 1821 – Saint-Pétersbourg, 1877). De 1847 à 1866 il relança et dirigea *le Contemporain*, journal que Pouchkine* avait créé, puis il prit la direction des *Annales de la patrie*. Son œuvre de poète est double, d'une part littéraire, d'autre part populaire. Nekrassov devint célèbre en chantant la misère du peuple. De sa poésie littéraire, on peut retenir le poème satirique du *Brigand*, l'élégie *La Patrie* (1846), un poème sur l'amour tragique : *Qu'il m'arrive de rouler la nuit par une rue sombre* (1846), poème objectif et narratif sur la vie des paysans : *Vlas* (1854) et *Le Gel au nez rouge* (1863), idéalisant la paysanne russe. Cependant les vers les plus caractéristiques de sa manière sont ceux qu'il écrivit dans le style des chansons populaires : *Les Colporteurs* (1861) et *Qui vit heureux en Russie ?* (1865-1876). Écrit dans un style vigoureux, ce poème est une vaste satire réaliste. Il fut meilleur critique et journaliste que poète et Tourgueniev* a dit sévèrement de lui que « la poésie n'avait même pas rendu visite à ses vers ».

NÉLATON (Auguste). ♦ Chirurgien français (Paris, 1807 – 1873). Chirurgien de Garibaldi et de Napoléon III, il acquit une célébrité européenne. Ses *Éléments de pathologie chirurgicale* furent rédigés d'après ses cours, par ses élèves, dont Péan* [1844-1860]. (Acad. méd. 1856 ; Acad. sc. 1867.)

NELLIGAN (Émile). ♦ Poète canadien d'expression française (Montréal, 1879 – *id.*, 1941). Rebelle à toute discipline, il se consacra à la poésie dès l'âge de dix-sept ans (1897) et fut le plus jeune membre de l'école littéraire de Montréal ; mais il glissa de la mélancolie à la névrose et sombra dans la folie en 1899, mourant en 1941 sans avoir recouvré la raison. Son œuvre poétique, publiée en 1903, composée avant sa vingtième année, est marquée par un réseau d'influences : admirateur de Rimbaud*, qu'il fit connaître au Canada, É. Nelligan est également proche de Baudelaire* par son goût du morbide et son refus de la réalité, proche aussi de Verlaine* auquel il s'assimile par son art des transpositions symboliques et musicales, frère de Rollinat*, enfin, quand il exprime sa détresse devant la montée de « Dégoût, Haine et Névrose ». Dans ses poèmes, l'horreur devant le « champ noir de la vie », « la rage – De se savoir poète et objet du mépris – De se savoir un cœur et de n'être compris » (Cf. *La Romance du vin*), s'accompagne de la nostalgie du « Jardin clos, scellé » de l'enfance dont il évoque les bonheurs anciens en des rêveries lumineuses et musicales (Cf. *Le Jardin d'antan*). – Poésie qui a sa source dans la vie intérieure et antérieure, l'œuvre de Nelligan expose, avec une grande maîtrise rythmique, les états de conscience d'un être qui se sent sombrer « dans l'abîme du rêve ».

NELLORE. ♦ V. de l'Inde (Andhra Pradesh) sur la côte du Coromandel, à 150 km au N. de Madras. 150 000 hab. Exploitations de mica. Port de pêche.

NELSON (Horatio, *vicomte***).** ♦ Amiral anglais (Burnham Thorpe, Norfolk, 1758 – au large de Trafalgar, 1805). Entré dans la marine à douze ans, il était lieutenant en 1777 et capitaine de vaisseau en 1779. Sous les ordres de l'amiral Hood, il participa aux sièges de Toulon (juin 1793), de Bastia et de Calvi (1794). Il fut blessé lors de ce dernier combat, pendant lequel il perdit l'usage de l'œil droit. La victoire remportée au cap Saint-Vincent, au Portugal (févr. 1797), confirma ses grandes qualités d'homme de guerre. Il fut nommé contre-amiral et chevalier de l'ordre du Bain. En juil. 1797, étant à la tête d'une expédition contre Santa Cruz de Tenerife, il fut blessé et on dut l'amputer du bras droit. Après sa convalescence, il reçut le commandement d'une escadre chargée de surveiller la flotte française de Toulon, qui se préparait secrètement à l'expédition d'Égypte ; elle échappa à la surveillance

Ph. Keystone

Jawâharlâl Nehru.

de Nelson qui la rechercha dans toute la Méditerranée, la trouva finalement en rade d'Aboukir* et l'anéantit le 1er août 1798. Après cette victoire, il fut fait baron. Il se dirigea ensuite vers Naples afin de défendre le royaume envahi par les Français qu'il haïssait; sans doute influencé par sa maîtresse lady Hamilton, il incita les souverains à refuser la capitulation que le cardinal Ruffo avait signée avec les révolutionnaires napolitains et fit pendre l'amiral Caracciolo qui avait pris parti pour eux (1799). Le retour de Nelson à Londres fut triomphal et il fut fait duc de Bronte (1800). En 1801, sous le commandement de sir Hyde Parker, Nelson fut envoyé en mer Baltique afin de briser la « ligue de la neutralité armée » qui était en train de se former entre la Russie et le Danemark, la Suède et la France. Il détruisit la flotte danoise et l'escadre russe devant Copenhague, mettant fin ainsi au projet de coalition. Après la rupture de la paix d'Amiens (1803), Nelson reçut le commandement de la flotte anglaise en Méditerranée. En 1805, la flotte française aux ordres de Villeneuve* quittait Toulon afin d'attirer les Anglais vers les Antilles et permettre ainsi un débarquement français en Angleterre. Nelson suivit Villeneuve jusqu'aux Antilles. Mais la flotte française revint en Europe, suivie par les navires de Nelson. Elle fut bloquée à Cadix par Collingwood*. Nelson put alors l'attaquer, ainsi que la flotte espagnole, à Trafalgar (21 oct. 1805). Ce fut une grande victoire navale, assurant la maîtrise des mers à l'Angleterre, mais Nelson y fut tué au combat. Ses dernières paroles (« grâce à Dieu, j'ai fait mon devoir ») sont restées légendaires. – *Lettres* à Lady Hamilton (1814); *Lettres et Dépêches.* – Statue à Trafalgar Square (Londres).

NELSON. *n. m.* ♦ Fl. du Canada (Manitoba). Issu du lac Winnipeg, il se jette dans la baie d'Hudson (Port Nelson). Env. 650 kilomètres.

NELSON. ♦ V. et port du N. de l'île du Sud de la Nouvelle*-Zélande au fond de la baie de Tasman, située dans une zone de culture intensive de fruits et de légumes. 27 615 hab. Centre commercial. Conserveries et confitureries. – Patrie de Rutherford*.

NEMANJA (Étienne). ♦ V. ÉTIENNE NEMANJA.

NĚMCOVÀ (Božena). ♦ Romancière tchèque (Vienne, 1820 – Prague, 1862). Elle débuta par un recueil de *Contes populaires* (1845-1847) composé avec goût et dans l'esprit romantique. Mais elle se consacra bientôt à des récits réalistes à thèmes sociaux : *Baruška* (1853), *Bara la Sauvage* (1856) et surtout *La Grand-mère* (1855), roman autobiographique qui est devenu un classique de la littérature tchèque.

NÉMÉE, en grec **Nemea.** ♦ Localité de l'anc. Grèce dans l'Argolide (*auj.* nome de Corinthie), rattachée à la légende d'Héraclès* qui aurait débarrassé la région d'un redoutable lion. ♦ Les *jeux Néméens,* l'une des quatre plus grandes fêtes panhelléniques, s'y célébraient tous les deux ou trois ans depuis le début du ~ VIe s. jusqu'à la fin du paganisme. Selon une tradition, ils avaient été fondés par les Sept Chefs de l'expédition contre Thèbes en l'honneur de Zeus Néméen; selon une autre, le fondateur était Héraclès et les jeux célébraient son triomphe sur le lion. Une série d'odes triomphales *(Épinicies)* de Pindare* a célébré les vainqueurs (les *Néméennes*). – À 5 km de l'actuelle Némée (4 360 hab.), ruines d'un fameux temple dorique de Zeus (~ IVe s.) dans lequel ont été incorporés les restes du temple archaïque.

NÉMÉSIS. ♦ Une des divinités primordiales grecques, personnifiant l'*Indignation,* la *Vengeance des dieux* contre la démesure.

Ph. Giraudon

Hercule et le lion de **Némée,** par Rubens. (Collection Moussalli, Paris.)

Fille de *Nyx* (la Nuit), aimée de Zeus*, elle se métamorphose en oie pour échapper à ses ardeurs. Mais Zeus se change en cygne et s'unit à elle. La déesse pondit un œuf que l'on confia à Léda*; de cet œuf sortit Hélène* (ou Hélène et Pollux).

NEMIROVITCH-DANTCHENKO (Vladimir Ivanovitch) [Nemirovič-Dančenho]. ♦ Écrivain, auteur dramatique et animateur de théâtre russe (Tiflis, 1858 – Moscou, 1943). Auteur de romans (*Le Gagne-pain littéraire,* 1891) et de pièces de théâtre (*La Nouvelle Affaire,* 1890; *Le Prix de la vie,* 1896); il est plus connu comme fondateur avec Stanislavski du « Théâtre d'art » de Moscou (1898). Critique remarquable par sa rigueur d'esprit, metteur en scène de Tchekhov et de Gorki, il a exercé une forte influence sur le développement de l'art dramatique dans son pays.

NEMOURS (Jacques d'ARMAGNAC, *duc de*). ♦ (Paris, v. 1437 – *id.,* 1477). Noble français. Il participa à la ligue du Bien public. Gouverneur de Paris et de l'Ile-de-France, il conspira à nouveau contre Louis XI et fut décapité. ♦ LOUIS D'ARMAGNAC, *duc de Nemours,* son fils (v. 1472 – Cérignole, 1503), qui prit part aux guerres d'Italie, fut défait par Gonzalve* de Cordoue et tué à Cérignole*.

NEMOURS (Julien de Médicis, *duc de*). ♦ V. MÉDICIS.

NEMOURS (Louis Charles Philippe d'ORLÉANS, *duc de*). ♦ Deuxième fils de Louis*-Philippe (Paris, 1814 – Versailles, 1896). Pressenti pour le trône de Grèce en 1824, puis pour celui de Belgique (1831), que son père refusa pour ne point déplaire à l'Angleterre, il prit part au siège d'Anvers (1832), puis à la conquête de l'Algérie (1834-1842). Pair de France, il vécut en exil après la révolution de février 1848. Revenu en France en 1871, il fut réintégré dans l'armée comme général de division, mais rayé des cadres en 1886. Il avait épousé Victoria de Saxe-Cobourg-Kohary en 1840.

NEMOURS. ♦ V. d'Algérie. Anc. nom de Ghazaouet*.

NEMOURS. ♦ Ch.-l. de cant. de Seine-et-Marne, dans le Gâtinais, sur le Loing* et le canal du Loing. 9 233 hab. *(Nemouriens).* Église Saint-Jean-Baptiste (XVIe s.); château (XIIe s.), remanié aux XVe et XVIIe siècles. Centre de villégiature et de tourisme. – Sables pour verrerie, cristallerie, céramique, grès; carrières de pierres de taille; robinetterie. – Patrie d'É. Bézout*, Ph. Liébert, L. Mierosławski*. ♦ *Hist.* Nemours fut érigé en duché-pairie (1404) pour Charles III de Navarre et revint ensuite à la couronne. Louis XIV donna à son frère Philippe d'Orléans le duché qui resta dans la maison d'Orléans jusqu'à la Révolution.

NEMROD. ♦ Personnage biblique (*Genèse,* X, 8-11), fils de Coush, grand chasseur, donné comme roi de Babel* et fondateur de Ninive*. On l'a rapproché de Ninurta, dieu suméro-akkadien de la chasse et de la guerre.

NENE ou **NEN.** *n. f.* ♦ Riv. d'Angleterre (166 km) arrosant les villes de Northampton et Peterborough, drainant la région des Fens (Norfolk) et se jetant dans le golfe du Wash.

NENNI (Pietro). ♦ Homme politique italien (Faenza, 1891). Militant socialiste, il fut rédacteur en chef de l'*Avanti,* devint secrétaire général du Parti socialiste italien. Ayant rompu, depuis l'avènement du fascisme antiparlementaire, avec Mussolini, il dut quitter l'Italie. Il gagna la France en 1926. Il participa à la guerre d'Espagne (1936-1939). De retour en Italie après la chute du fascisme, il fut nommé ministre des Affaires étrangères par De* Gasperi (1946). Il refusa le traité de paix de 1947. À partir de 1957, il s'éloigna des communistes après l'écrasement de la révolte hongroise par l'U.R.S.S. (1956) et préconisa l'alliance avec l'aile gauche des démocrates-chrétiens (ouverture à droite vers la tendance A. Moro*). Nommé vice-président du Conseil d'A. Moro en 1963, il favorisa, en 1966, l'unité du Parti socialiste (P.S.I. et P.S.D.I.) dont il devint président, unité rompue en 1970; démissionnant alors de son poste de ministre des Affaires étrangères (1968-1970), il fut, en 1973, triomphalement réélu à la présidence du parti socialiste.

NÉO-CÉSARÉE, auj. *en turc,* **Niksar.** ♦ V. d'Asie Mineure, au S.-E. de Samsun. 10 500 hab. ♦ *Hist.* L'antique Cabeira, connue sous le nom grec de *Neo-Kaisareia* à l'époque romaine, était la cap. du Pont* Polémoniaque. Patrie de saint Grégoire* le Thaumaturge, évêque v. 240, elle fut un des premiers évêchés. Elle fut prise par les Turcs en 1077.

Néo-Destour. *n. m.* ♦ V. DESTOUR.

Néo-kantisme *(le).* ♦ Mouvement philosophique préconisant le retour au criticisme de Kant (d'où le nom de *néo-criticisme*), qui se développa en Allemagne vers 1860 **(V. Lange, Liebmann, Paulsen.** École logique de Marburg : **V. H. Cohen, Natorp, Stammler, Cassirer.** École axiologique de Bade : **V. Windelband, Rickert, Bauch, Münsterberg, Troeltsch.** École relativiste : **V. Simmel, Volkelt)**; en France **(V. Renouvier** et ses disciples); en Italie **(V. Chiapelli)**; au Danemark **(V. Höffding)**.

Néo-platonisme *(le).* ♦ Doctrine philosophique à tendance mystique qui a pris naissance à la fin du IIe s., à Alexandrie*, lieu de rencontre des civilisations grecque et orientales et dont Ammonios* Saccas est considéré comme le fondateur. Jusqu'au Ve s., le néo-platonisme se développa non seulement à Alexandrie, mais à Rome, à Apamée (Syrie) et Athènes. Cette doctrine doit beaucoup aux philosophes grecs (Pythagore, Aristote et Platon), mais aussi à la pensée orientale et au développement de nouvelles croyances religieuses. Ses thèmes fondamentaux sont la théorie de l'émanation (ou procession) de toutes choses à partir de l'Un (ou du

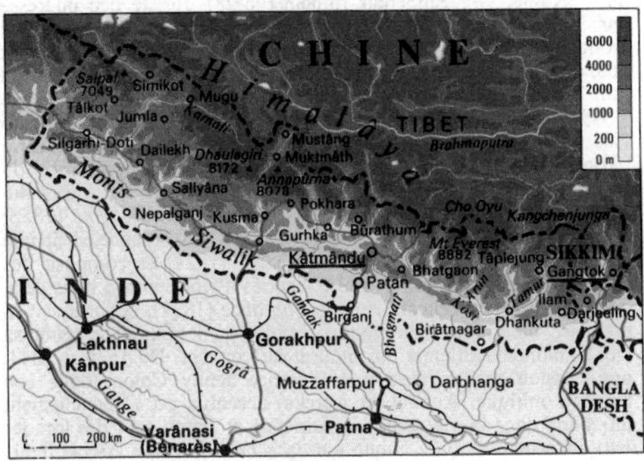

Népal.

Bien), celle des trois hypostases (ou triades) – L'Un, l'Intelligence et l'Âme – et le mouvement de retour de l'Âme vers l'Un (ou conversion). Chez la plupart des néo-platoniciens, la philosophie est recherche d'une expérience mystique supra-rationnelle **(V. Plotin, Porphyre, Jamblique, Proclus, Ammonios, Hiéroclès** (en gr. Hieroklês), **Simplicius).**

NÉOPTOLÈME, en gr. **Neoptolemos**. ♦ Autre nom de Pyrrhos*, fils d'Achille.

Néo-pythagorisme *(le)*. ♦ Doctrine philosophique à tendance mystique. Elle fut fondée par le romain P. Nigidus* Figulus (~ Ier s.) qui prétendit faire revivre les théories de Pythagore*, tout en y introduisant des éléments du platonisme et du stoïcisme. Parmi les néo-pythagoriciens, on compte Q. Sextius et son fils qui créèrent la secte végétarienne des sextii (Ier s.); Anaxilaos de Larisse; Apollonios* de Tyane; Numénius* d'Apamée. Cette doctrine finit par se confondre avec le néo*-platonisme à la fin du IIe siècle.

NÉOUVIELLE ou **NÉOUVIEL** *(massif de)*. ♦ Massif des Hautes-Pyrénées* entre le gave de Pau et la Neste* d'Aure. Point culminant : pic d'Aubert 3 092 m. Réserve naturelle (faune et flore).

N.E.P. *n. f.* (abrév. de **Novaja Ekonomitcheskaja Politika**, « Nouvelle Politique économique »). ♦ Après l'échec du « communisme de guerre », Lénine admit : « Le passage immédiat aux formes purement socialistes dépasse nos forces ». Il préconisa alors la N.E.P., qui fut, dans une large mesure, un rétablissement du capitalisme. Les mesures prises de mars à oct. 1921 (dénationalisation du commerce intérieur et des petites entreprises industrielles, remplacement de la réquisition des produits agricoles par un impôt en nature) eurent comme résultat l'augmentation de la production agricole et industrielle de l'U.R.S.S. Mais, d'autre part, la N.E.P. favorisa la spéculation. Une nouvelle bourgeoisie (les *nepmans*) fit son apparition. Trotski, Kamenev et Zinoviev s'opposèrent à la N.E.P., qui fut dénoncée par Staline en 1928.

NÉPAL ou **NEPAL**. *n. m.* ♦ État d'Asie (monarchie constitutionnelle), limité par le Tibet* chinois au N., l'Inde* au sud. 141 000 km². 11 400 000 hab. *(Népalais). Cap.* Kâtmându. *Langue off.* nepali. *Religion :* hindouisme et bouddhisme. – *Orogr.* Plusieurs zones différenciées s'étendent du S. au N. du pays : le Teraï, plaine au climat tropical humide, est dominé par l'ensemble des montagnes préhimâlayennes; les Siwalik (2 000 m). Des cols permettent de franchir la chaîne des Mahâbhârat Lekh et de pénétrer au Népal central, traversé par de grandes rivières et de larges vallées (Kâtmându). Le Grand Himâlaya*, dont les pics culminent à plus de 8 000 m d'alt., encadre au N. du pays des vallées orientées E.-O. Le Népal est sillonné de rivières descendant vers le Gange. De climat tropical, le territoire reçoit faiblement la mousson d'été. Le Népal oriental, très humide, s'oppose au Népal occidental, plus sec. Les caractères tropicaux s'atténuent avec l'altitude. La population se répartit en groupes mongoloïdes venus du Tibet (montagnards Sherpas, Bhotias), installés dans les hautes vallées trans-himâlayennes, et en groupes indo-européens (Gurkhas), habitant les régions situées au-dessous de 2 500 m. – *Écon.* L'agriculture (riz, blé, maïs) et l'élevage (buffles, yacks, moutons, chèvres) dominent. Les ressources minières sont faibles (mica, marbre, cuivre et fer, presque inexploités). Le domaine énergétique (hydro-électricité) est en plein essor. – L'industrie reste essentiellement artisanale (travail de la laine, cotonnades, ustensiles métalliques, etc.). Transformation du jute, ciment, matériel agricole à Kâtmându. – Les *communications* sont difficiles (5 000 km de routes, dont 1/5 seulement est asphalté, quelques voies ferrées). Aéroports à Kâtmându, Biratnagar, Pokhara, Simra, Bharahawa. – Les échanges commerciaux se font avec l'Inde, la Chine et le Pâkistân. Exportation de produits alimentaires et de bois rares; importation de produits manufacturés. – Tourisme actif. ♦ *Hist.* L'histoire ancienne du Népal se confond avec la légende. Au VIIe s., Amśuvarman fonda la dynastie Thakur qui régna jusqu'au XIIIe siècle. Des princes indiens fuyant la domination musulmane s'installèrent au Népal et y créèrent les dynasties d'Ayodhyâ (XIVe s.) et Malla (XIVe-XVIIIe s.). Des guerriers rajputes établirent à Gurkha leur propre dynastie (XVIe s.) puis conquirent toutes les principautés népalaises (1768). Après une guerre qui opposa les Népalais aux Britanniques (1814), le Népal dut céder aux Anglais le Teraï et le Sikkim. Quand l'Inde se substitua aux Britanniques (1947), le roi Tribhuvana Bir Bikram, évinçant les ministres qui avaient pris une trop grande importance politique, reprit le pouvoir.

NEPER (John). ♦ **V.** NAPIER (John).

NÉPHÉRITÈS. ♦ Nom grec de deux pharaons de la XXIXe dynastie mendésienne : *Neifêriti.* ♦ NÉPHÉRITÈS Ier, originaire de Mendès, dans le Delta, fonda la XXIXe dynastie (v. ~ 398-~ 393). Il débarrassa l'Égypte de la domination des Perses et conclut contre eux une alliance avec Lacédémone. ♦ NÉPHÉRITÈS II, quatrième pharaon de la XXIXe dynastie (v. ~ 378). Il fut presque immédiatement détrôné par Nectanébès de Sébennytos (Nectanebo* Ier).

NEPHTALI. ♦ Personnage biblique (*Genèse*, XXXV, 25), fils de Jacob* et de Bilhah, servante de Rachel*. Ancêtre éponyme d'une tribu d'Israël, dont le territoire était situé au N. du lac de Tibériade.

NÉPHTYS, nom gr. de **Nebtho**. ♦ Déesse égyptienne, sœur d'Osiris* et femme de Seth*.

NEPOS (Cornelius). ♦ **V.** CORNELIUS NEPOS.

NEPTUNE. ♦ Dieu romain identifié au Poséidon grec. Il ne possède pas de légendes antérieures à son assimilation avec Poséidon. **V. Poséidon.**

NEPTUNE. ♦ Huitième des planètes principales du système solaire dans l'ordre croissant des distances au Soleil*. *Diamètre :* 50 000 km env.; *densité :* 1,33 à 2,17; *rotation* sur elle-même : 15 h 48 mn, autour du Soleil : 164 ans 280 jours. Elle possède deux satellites (Triton et Néréide). **V. Adams, Le Verrier.**

NÉRAC. ♦ Sous-préf. du Lot*-et-Garonne, ch.-l. d'arr. (7 cant. 62 comm., 42 017 hab.), sur la Baïse*. 7 437 hab. *(Néracais).* Église Saint-Nicolas, construite par Victor Louis* au XVIIIe siècle. Pont-Vieux gothique. Le quartier du Petit-Nérac possède des maisons anc. – Indus. alimentaires; fabrique de chaussures, de bouchons; chaudronnerie. ♦ *Hist.* Nérac fut la capitale de la seigneurie d'Albret (1306); avec Marguerite de Valois et surtout avec sa fille, Jeanne d'Albret, la ville devint le principal centre du protestantisme français au XVIe siècle. *L'édit de Nérac* (1579) accorda 15 places de sûreté aux protestants. Nérac fut démantelée après la conquête de la Navarre par Louis XIII (1621).

NERCHINSK. ♦ V. d'U.R.S.S. (R.S.F.S. de Russie), en Sibérie orientale, dans la région de Tchita. 13 500 hab. (1959). Indus. alimentaires. Usine d'appareils électriques. ♦ *Hist.* Fondée en 1654, la ville fut un grand marché de la fourrure au XVIIe siècle. Après les hostilités entre la Russie et la Chine (après 1680) y fut signé en 1689 le traité qui établit la frontière (riv. Gorbitsa, chaîne des Stanovoï, riv. Argun) et contribua au développement des relations politiques et commerciales entre les deux pays.

NÉRÉE, en gr. **Nêreus**. ♦ L'un des plus anc. dieux de la Mer, appelé aussi « le Vieillard de la mer ». Fils de Gaia* et de Pontos*, il épouse l'océanide Doris* qui lui donne cinquante filles, les Néréides*. Il est considéré comme un dieu bienveillant pour les navigateurs, possédant le pouvoir de se métamorphoser et de prédire l'avenir.

NÉRÉIDES. *n. f. pl.* [*Nêrêides*]. ♦ Divinités marines, filles de Nérée* et de Doris*, au nombre de cinquante. Les plus célèbres d'entre elles sont Thétis*, Amphitrite* et Galatée*. Pour la plupart, elles représentent, chacune par son nom, un aspect particulier de la mer. On les imaginait très belles et joyeuses, parfois mi-femmes mi-poissons, nageant parmi les tritons et les dauphins.

NERETVA. *n. f.* ♦ Riv. de Yougoslavie née en Bosnie*-Herzégovine. Elle arrose Mostar* et se jette dans l'Adriatique* en Dalmatie* (275 km). – De violents combats s'y déroulèrent durant la Deuxième Guerre mondiale.

NERI (Philippe). ♦ **V.** PHILIPPE NERI *(saint).*

NÉRIS [neʀi]**-LES-BAINS**. ♦ Comm. de l'Allier*, arr. de Montluçon*. 3 021 hab. Église romane, nécropole mérovingienne. Restes d'arènes et de piscines romaines. Station thermale réputée dont les eaux sont efficaces contre les maladies du système nerveux et les rhumatismes. Les Romains utilisaient déjà les eaux de Néris.

NERNST (Walther). ♦ Physicien et chimiste allemand (Briesen, 1864 – Ober-Zibelle, 1941). Il inventa la lampe électrique à incandescence *(lampe de Nernst)*, toujours utilisée dans le domaine spectral de l'infrarouge. Il imagina une théorie de piles fondée sur l'ionisation des électrolytes **(V. Arrhenius)** et effectua des mesures aux très basses températures pour la détermination des chaleurs spécifiques. – *Principe de Nernst* (ou troisième principe de la thermodynamique) : principe énoncé par Nernst en 1906, selon lequel la variation d'entropie dans une transformation est nulle quand cette transformation est effectuée au zéro absolu. **V. Planck.** *Traité de chimie générale.* (Prix Nobel de chimie, 1920.)

NÉRON, en lat. **Lucius Domitius Claudius Nero**. ♦ (Antium, 37 – Rome, 68). Empereur romain (54-68). Fils de Domitius Ahenobarbus* et d'Agrippine* la Jeune, il était par celle-ci le neveu de Caligula* et l'arrière-petit-fils d'Auguste*. Dévorée par l'ambition politique, Agrippine consacra toute son intelligence à faire accéder son fils au pouvoir; elle le fit adopter par Claude* qu'elle avait épousé en secondes noces; et grâce aux manœuvres de Burrus*, préfet du prétoire à la mort de Claude, Néron fut proclamé empereur par la garde prétorienne. Sa mère avait placé auprès de lui, avec Burrus, le philosophe Sénèque*. Les premières années de son règne furent calmes; mais par crainte d'un rival et pour ôter à sa

Ph. Nimatallah/Ricciarini

Nerva.
(Musée national, Rome.)

Ph. Nimatallah/Ricciarini

Néron.
(Musée national, Rome.)

mère un moyen de chantage, Néron empoisonna Britannicus* (55), puis, pour se libérer de la tutelle maternelle, fit tuer Agrippine (59). Burrus mourut en 62 et Sénèque se retira. Soumis à l'influence néfaste de Poppée* qu'il avait épousée après avoir répudié Octavie*, à celle de son favori Tigellin, préfet du prétoire, et à celle de Pétrone*, Néron sombra alors dans un despotisme sanglant et compliqué d'extravagances. Déséquilibré, doté d'une étrange sentimentalité alliée à une peur constante qui lui faisaient aimer et tuer ceux qui l'entouraient, il rêva de fonder un ordre nouveau sur ce qu'il appelait la beauté et le primat des valeurs esthétiques. Poète et acteur, il se livrait à des compétitions au cirque comme cocher et récitait des vers au théâtre. Lors du grand incendie de Rome (64), accusé d'être l'incendiaire, il détourna la responsabilité sur les chrétiens et déclencha contre eux une cruelle persécution. Ce désastre lui donna l'occasion de se faire construire sur l'Esquilin un étrange palais, la Maison dorée *(Domus aurea)*, véritable microcosme dont il était le centre. S'appuyant sur la plèbe qu'il comblait de spectacles et de jeux, il déjoua les complots de l'aristocratie, dont le plus célèbre fut celui de Pison* (65) qui vit périr Sénèque et Lucain*, et pour couvrir ses dépenses somptueuses, il s'appropria les fortunes sénatoriales. Le mécontentement grandit; Vindex* appela la Gaule aux armes contre lui, Galba* fut proclamé empereur, et Néron, déclaré ennemi public, s'enfuit de Rome. Après une crise de paranoïa, il sombra dans l'apathie puis se fit tuer par un de ses affranchis et, d'après Suétone, s'écria en mourant : « Quel artiste périt avec moi ! » (68). Ce règne anarchique fut cependant marqué par plusieurs succès extérieurs : Corbulon* repoussa les Parthes et Suetonius Paulinus réprima la révolte de Boadicée* en Grande-Bretagne.

NÉRONDES. ♦ Ch.-l. de cant. du Cher, arr. de Saint-Amand-Mont-Rond. 1 331 hab. Église du XIIe s., château (XIIIe et XVIIe s.).

NERTHE. *n. f.* ♦ Massif de la chaîne de l'Estaque, au N. de Marseille. La Nerthe est traversée par un long tunnel ferroviaire.

NERUDA (Jan). ♦ Poète et conteur tchèque (Prague, 1834 – *id.*, 1891). Il débuta par un recueil de vers d'inspiration romantique : *Fleurs de cimetière* (1857). Puis, après une série de feuilletons tels que *Tableaux de l'étranger* (1873), dans lesquels il révéla ses dons d'observateur réaliste, il réunit dans plusieurs recueils de courts récits pleins de poésie et d'humour se rattachant principalement à un vieux quartier de Prague, riche de ses souvenirs d'enfance : *Arabesques* (1864-1880), *Contes de Mala Strana* (1878-1885).

NERUDA (Ricardo Neftalí REYES, dit Pablo). ♦ Poète chilien (Parral, 1904 – Santiago, 1973). Neruda passa son enfance près de la forêt, au milieu d'une nature entièrement vierge; sa poésie en gardera toujours mémoire. C'est le poète de la terre et de l'amour. Dans les *Vingt Poèmes d'amour* (1924), la femme symbolise le monde qu'il est avide de connaître : « Corps de femme [...] mon corps de paysan sauvage te creuse et fait jaillir l'enfant du fond de la terre. » Dans *Résidence sur la terre* (1933-1935) se fait jour un pessimisme angoissé d'où le tire la révolution. La guerre civile espagnole le trouva aux côtés des républicains qu'il célébra dans *l'Espagne au cœur* (1938). Il exalta aussi la résistance russe *(Chant à Stalingrad)*. Sa carrière de diplomate l'avait conduit dans le monde entier; élu sénateur en 1943, son adhésion au parti communiste l'exila de son pays. Quelque temps après son retour, il publia le *Chant général* (1950), chef-d'œuvre de poésie tellurique qui exalte avec un souffle puissant toute la vie du Nouveau Continent, les végétaux, les hommes, les animaux, dénonce l'imposture des conquérants et la tristesse des peuples exploités. Dans cette somme, le poème *« Hauteurs du Machupicchu »* est un magnifique cri de douleur et de fraternité, riche d'images. Suivront entre autres œuvres : *Tout l'amour,* 1953; *Mémorial de l'île noire,* 1964, et une pièce de théâtre : *Splendeur et Mort de Joaquín Murieta,* 1967. – Poète à l'imagination puissante et au lyrisme délicat, vigoureusement engagé dans son siècle, son cri de révolte se fit entendre dans le monde entier.

NERVA, en lat. **Marcus Cocceius Nerva.** ♦ (Narnia, Ombrie, 26 – Rome, 98). Empereur romain (96-98). Juriste peu intéressé par la politique, il fut proclamé empereur après l'assassinat de Domitien*. Il passa les deux années de son règne à réparer les maux de son prédécesseur et sut préparer sa succession en adoptant Trajan* qu'il désigna comme futur empereur.

NERVAL (Gérard LABRUNIE, dit Gérard *de*). ♦ Écrivain français (Paris, 1808 – *id.*, 1855). Privé tôt de sa mère, il fut élevé parmi les paysages mélancoliques et les récits légendaires du Valois. Il se lia à Paris avec Th. Gautier* et mena une vie insouciante qu'il évoqua dans *Les Petits Châteaux de Bohême* (1853) et *La Bohême galante* (1855). Fasciné par l'Allemagne, il fit une traduction célèbre du *Faust* de Goethe* (1827) et composa des contes (*La Main de gloire,* 1832) inspirés d'Hoffmann*; mais déjà, dans des poèmes délicats comme *Fantaisie* (1832), apparaissait la première incarnation du mythe féminin qu'il poursuivit toute sa vie, la blonde Adrienne qui mourut au couvent. De 1836 à 1841, une passion malheureuse pour l'actrice Jenny Colon (dans son langage onirique, Aurélie ou Aurélia) accentua cet « épanchement du songe dans la vie réelle » : Adrienne et Jenny sont dès lors les deux incarnations (la « Sainte » et la « Fée ») de son éternel féminin, qui se confond bientôt avec l'âme de la nature (Isis* ou Cybèle*), puis avec la Vierge Marie* ou sa propre mère qui intercède pour sa rédemption. Ce syncrétisme religieux est d'ailleurs l'aboutissement des recherches ésotériques sur les mythologies et les cultes antiques, effectuées par Nerval lors de son *Voyage en Orient* (1843, relation en 1851) ou de ses études (1852) sur les *Illuminés* du XVIIIe s. (Cazotte*, Restif* de la Bretonne). Sujet désormais au délire, il transcrivit cependant les principaux épisodes de son aventure spirituelle dans *Les Filles* du feu* (1854), *Aurélia* ou *Pandora,* comme dans les sonnets des *Chimères** (1854). On le retrouva pendu, près du Châtelet. *Aurélia ou Le Rêve et la Vie* (inachevé et posth., 1865) est caractéristique de la quête de Nerval : par une sorte de « descente aux Enfers », le poète tente de rechercher le « fantôme rose et blond » d'Adrienne, qui a revêtu les apparences d'Aurélia. Ses visions successives sont autant d'épreuves, mais aussi de révélations partielles d'une illumination mystique dont la réalité et le rêve offrent les signes et les symboles. Car, faisant référence à Apulée*, Dante* et Swedenborg*, Nerval est convaincu que le songe aide à « percer ces portes d'ivoire ou de corne qui nous séparent du monde invisible ». Relation émouvante d'une expérience dramatique intimement vécue, l'œuvre de Nerval (en prose comme en vers) est une incantation à la fois précise et mystérieuse qui établit des correspondances entre le rêve et la vie, préfigurant en cela l'œuvre de Baudelaire* ou celle de Mallarmé*, aussi bien que les tentatives des surréalistes. Mais cet aspect essentiel de son œuvre ne saurait faire oublier l'esprit, la gaieté et le sens artistique raffiné du prosateur de la première période, et du voyageur érudit.

NERVI (Pier Luigi). ♦ Ingénieur et architecte italien (Sondrio, Lombardie, 1891). Il termina des études d'ingénieur à Bologne en 1913 et, en 1920, il fondait sa propre entreprise de béton. Défendant des principes strictement fonctionnalistes, il montra dès ses premières réalisations une grande maîtrise dans la technique du béton armé, cherchant à rationaliser les étapes de la construction en visant la rapidité, l'économie et la solution technique la mieux adaptée au programme. Il s'est presque exclusivement consacré à la création de bâtiments industriels ou à usage collectif. Dans le stade de Florence (1929-1931), il affirma avec force les structures et réalisa une prouesse technique en édifiant l'escalier hélicoïdal, révélant du même coup les qualités expressives de ce matériau. Dans les hangars d'avions construits à Orvieto, Orbetello et Torre del Lago (1936-1941), il adopta des poutres multiples entrecroisées en béton armé permettant de grandes portées. Il s'attacha à étudier la résistance du béton en fonction de la forme donnée au matériau et il inventa un nouveau type de béton *(ferro-cemento)* ainsi que des modèles de coffrages. Il réalisa la voûte du palais des expositions de Turin (1948-1949) à partir d'éléments emboîtés de cinq centimètres d'épaisseur. Il édifia ensuite le *casino du Lido d'Ostie* (1950), la *salle des fêtes de Chianciano Terme* (1952), la *manufacture des tabacs de Bologne* (1952), l'*usine de la filature Gatti* à Rome (1953). Avec Brevr et Zehrfuss, il conçut la salle de conférence de l'U.N.E.S.C.O. en utilisant une couverture en voile plissé de béton armé. Il conçut ensuite la structure de la remarquable *tour Pirelli* à Milan, avec des piliers s'amincissant progressivement, puis édifia *le petit et le grand Palais des sports* (1956-1958), *le stade Flaminio* à Rome (1959) et l'immense *palais du Travail* à Turin (1967). Il s'est imposé comme l'un des maîtres de l'architecture en béton armé; tirant parti de la maniabilité de ce matériau, il a créé des structures très variées et a su rendre plastiquement explicite la logique constructive qui détermine ses édifices.

NERVIÓN. *n. m.* ♦ Fl. d'Espagne septentrionale (prov. basques), tributaire de l'Atlantique (72 km). Sa *ría* compte d'importants chantiers navals. Sidérurgie à Sestao et Baracaldo.

NESLE [nɛl]. ♦ Ch.-l. de cant. de la Somme* sur l'Ingon, arr. de Péronne*. 2 483 hab. *(Neslois)*. Église romane. Huilerie, distillerie.

Nesle (hôtel de). ♦ Hôtel bâti au XIVe s., situé à Paris, sur la r. g. de la Seine. Il devint ***hôtel de Nevers*** (1572), puis ***hôtel Guénégaud*** (1641; importants remaniements par Mansart*), enfin ***hôtel de Conti*** (1670) avant d'être remplacé par l'***hôtel des Monnaies*** (construit de 1768 à 1775). La *tour de Nesle* (nommée d'abord tour Philippe Hamelin), défense, vers l'O., de l'enceinte de Philippe Auguste, était située à l'emplacement de l'actuel palais de l'Institut*, face à la tour du Louvre; elle aurait été le théâtre, selon la tradition populaire, des débauches des trois belles-filles de Philippe le Bel (v. 1315), évoquées dans un drame d'Alexandre Dumas.

NESS *(loch)*. ♦ Lac du N.-E. de l'Écosse(Inverness-shire) qui occupe sur une longueur de 42 km la dépression du *Glen More* et fait communiquer le *canal Calédonien* avec la mer du Nord *(Moray Firth)*. Au XIXe et au début du XXe s., la légende d'un monstre au fond du loch a alimenté les chroniques des journalistes en mal de copie.

NESSELRODE (Karl Vassilievitch, *comte***).** ♦ Homme politique russe (Lisbonne, 1780 – Saint-Pétersbourg, 1862). D'origine allemande, ami et disciple de Metternich, il fut nommé par Alexandre Ier ministre des Affaires étrangères (1816). Membre du Conseil de l'Etat (1821), puis chancelier de l'empire (1845), il resta toute sa vie fidèle à la Sainte-Alliance et encouragea les souverains occidentaux à étouffer dans leurs États les aspirations nationales, en aidant notamment l'Autriche pendant la révolte nationale hongroise (1849). En 1856, il fut remplacé au poste de ministre des Affaires étrangères par Gortchakov*.

NESSOS ou **NESSUS.** ♦ Un des centaures*, lié notamment à la légende de la mort d'Héraclès*. Faisant fonction de passeur à une rivière, il essaie de violer Déjanire*. Aux cris de sa femme, Héraclès intervient et blesse mortellement le centaure d'une flèche. Mais avant de mourir, celui-ci donne à Déjanire le prétendu philtre de fidélité, mélange de son sang et de sa semence, qui cause plus tard la mort du héros. Héraclès, revêtu d'une tunique empoisonnée par ce mélange que Déjanire lui envoie comme présent de noces, est consumé par le poison (d'où l'expression : *tunique de Nessus*, signifiant un présent funeste).

NESTE D'AURE ou **GRANDE NESTE.** *n. f.* ♦ Riv. des Hautes-Pyrénées* (65 km), formée de plusieurs Nestes (Couplan, Moudang, Louron), qui descend du mont Perdu et du massif de Néouvielle* (source princ. au cirque de Troumouze). Elle alimente le canal de la Neste et de nombreuses centrales électriques, et se jette dans la Garonne*.

NESTOR. ♦ Roi légendaire de Pylos*, fils de Chloris*. Il vécut pendant trois générations par la grâce d'Apollon, repenti pour le meurtre des Niobides **(V. Niobé)**. Il participa ainsi à l'expédition des Argonautes, à la chasse au sanglier de Calydon, à la lutte des Laphithes contre les centaures et même à la guerre de Troie*, où il excelle surtout comme conseiller, par ses interventions modératrices et ses efforts pour ramener la concorde dans le camp grec. L'*Odyssée** lui réserve un retour heureux. Il accueille Télémaque* et lui donne des renseignements sur son père.

NESTORIUS. ♦ Hérésiarque chrétien (Germanica Cesarea, Syrie, v. 380 – Kargeh, 451). Patriarche de Constantinople de 428 à 431. Formé à l'école d'Antioche, il croyait en la séparation des deux natures du Christ, divine et humaine, et affirmait en conséquence que la Vierge Marie peut être appelée à la rigueur « mère du Christ » *(Christotokos)* mais non « mère de Dieu » *(Théotokos)*. Il fut condamné et banni à la suite du concile d'Éphèse* (431). Mais ses doctrines (nestorianisme) gagnèrent la Perse et l'*Église d'Orient* dite *nestorienne* (Cf. Robert) s'étendit en Asie centrale, en Inde et jusqu'en Chine, comptant plus de deux cents évêchés et des dizaines de millions de fidèles à l'époque de son apogée (XIIe s.). Il subsiste env. 80 000 chrétiens nestoriens, en Iran, en Iraq et aux États-Unis, où le patriarche vit en exil.

NESTROY (Johann). ♦ Acteur et auteur dramatique autrichien (Vienne, 1801 – Graz, 1862). Tour à tour satirique, féerique et parodique, son théâtre, d'inspiration populaire, a enchanté la société viennoise de son temps. – Princ. œuvres : *À terre et au premier étage, ou les Jeux du hasard* (*Zu ebener Erde und im ersten Stock oder Die Launen des Glücks*, 1835).

NETCHAÏEFF ou **NETCHAÏEV** [*Sergheï Gennadievitch*]. ♦ Révolutionnaire russe (1847 – Saint-Pétersbourg, 1882). Il participa à l'agitation étudiante à Moscou et fonda un groupe révolutionnaire nihiliste terroriste. Émigré à Genève (1868), il rencontra Bakounine* sur lequel il exerça une profonde influence et qui collabora peut-être à son *Catéchisme révolutionnaire* (1868-1869), où il exhortait la jeunesse à « détruire le plus possible ». Extradé de Suisse (1872), il mourut en prison.

NÈTHE. *n. f.* ♦ Riv. de Belgique (Campine) comprenant la *Petite* et la *Grande Nèthe;* celle-ci (90 km) prend sa source dans le Limbourg et conflue avec la *Petite Nèthe* (64 km) à Lierre*. Elle arrose Duffel*, Geel*, Kessel*-lez-Lierre, Meerhout*, Nijlen*, Westerlo*. ♦ *Hist.* Sous le Second Empire, le *département des Deux-Nèthes* avait pour ch.-l. Anvers.

NEUBOURG (Le). ♦ Ch.-l. de cant. de l'Eure* (arr. d'Évreux*), dans la plaine du Neubourg. 3 216 hab. *(Neubourgeois)*. – Église du XVIe s., restes d'un château féodal. Aux environs, *château du Champ-de-Bataille*, de style Louis XIII. – Construction de machines agricoles. – Patrie de J.-C. Dupont* de l'Eure. – La *campagne* (ou *plaine) du Neubourg* fait partie des plateaux de grande culture de la haute Normandie.

NEUBRANDENBURG. ♦ V. d'Allemagne orientale (Mecklembourg) et ch.-l. de district, sur le Tollensee. 37 940 hab. (1964). Carrefour de communications et centre industriel (matériaux de construction, machines agricoles, travail du cuir et indus. alimentaires).

NEUCHÂTEL, en all. **Neuenburg.** ♦ V. de l'O. de la Suisse, à l'extrémité N.-O. du *lac de Neuchâtel*, au pied du Jura. Ch.-l. du cant. de Neuchâtel. 35 600 hab. *(Neuchâtelois)*. Important nœud ferroviaire entre Paris et Milan. Centre administratif et universitaire. Station touristique (station de sports d'hiver de Chaumont). La ville, construite en partie sur les pentes du Chaumont, s'étage jusqu'au lac dans un site pittoresque. Château (XIIe-XVIe s.) et collégiale (XIIe-XIIIe s.), maison des Halles (XVIe s.). – Horlogerie, indus. mécaniques et alimentaires. – Patrie de A.L. Breguet*, M. Petitpierre*, J. Piaget*. – Le CANTON DE NEUCHÂTEL, limité par le cant. de Berne* au N., le lac de Neuchâtel à l'E., le cant. de Vaud* au S., et la France à l'O., s'étend essentiellement sur le Jura. 797 km². 167 000 hab., pour la plupart de religion protestante et de langue française. *V. princ. :* **V. Chaux-de-Fonds (La), Locle (Le).** Le canton est formé de trois régions : une étroite bande côtière le long du lac, appelée *Le Vignoble*, consacrée à la culture de la vigne et des arbres fruitiers. une région intermédiaire, *Les Vallées*, consacrée à l'élevage (production de gruyère) et constituée par le val de Ruz et le val de Travers; et les *Montagnes neuchâteloises*, princ. centre de l'indus. horlogère. – Patrie de C.E. Guillaume* (Fleurier), E. de Vattel* (Couvet). ♦ *Hist.* La région de Neuchâtel *(Novum castellum)*, après avoir fait partie du royaume de Bourgogne, fut rattachée au XIe s. à l'empire germanique. Elle fut cédée au roi de Prusse en 1707. Attribuée par Napoléon au général Berthier en tant que principauté, de 1806 à 1814, elle retourna à la Prusse jusqu'en 1848. Elle n'obtint définitivement son indépendance qu'en 1857.

NEUCHÂTEL *(lac de)*, en all. **Neuenburgersee.** ♦ Lac de Suisse (cant. de Neuchâtel) au pied du Jura. Long de 38 km, large de 3 à 8 km. 216 km². Il est réparti entre les cantons de Neuchâtel à l'O., Berne* au N., Fribourg* à l'E. et Vaud* au sud. C'est le plus grand des lacs entièrement suisses. Traversé du S.-O. au N.-E. par la Thièle*, il reçoit l'Areuse et le Seyon au N.-O. et la Broye au nord-est. Il est relié aux lacs de Bienne* et de Morat* par la Thièle et la Broye canalisées, et baigne les villes de Neuchâtel au N., La Tène* au N.-O. et Yverdon* au sud.

NEUENGAMME. ♦ Quartier au S.-E. de Hambourg. – Camp de concentration de 1939 à 1945.

NEUF-BRISACH [nøbʀizak]. ♦ Ch.-l. de cant. du Haut-Rhin* (arr. de Colmar), sur le canal du Rhône* au Rhin. 2 580 hab. *(Brisaciens)*. Conserves, produits chimiques. – Place forte construite en 1699 par Vauban.

NEUFCHÂTEAU [nøʃato]. ♦ V. de Belgique (ch.-l. d'arr. de la prov. du Luxembourg), en Ardenne* (alt. 427 m). 2 700 hab. Tour Griffon. – Indus. du bois. Pépinières. Horticulture.

NEUFCHATEAU [nøʃɑto]. ♦ Sous-préf. des Vosges, ch.-l. d'arr. (7 cant., 176 comm., 69 030 hab.), sur la Meuse. 8 829 hab. *(Néocastriens* ou *Neufchâtellois)*. Église Saint-Nicolas (XIIe au XVIe s.); église Saint-Christophe (XIIe au XVIe s.). Maisons anciennes. – Indus. laitière; indus. du bois; jouets.

NEUFCHÂTEL [nøʃɑtɛl]**-EN-BRAY.** ♦ Ch.-l. de cant. de la Seine*-Maritime, sur la Béthune. 6 133 hab. *(Neufchâtelois)*. La ville a été en grande partie détruite en 1940, et reconstruite. – Église Notre-Dame (XIIIe-XVe s.). Aux environs, *château de Mesnières*, de la Renaissance. – Marché agricole, fabrication de fromages (« bondons »). – Distillerie, chaussures.

NEUHAUSEN AM RHEINFALL. ♦ V. de Suisse (cant. de Schaffhouse) sur le Rhin. 11 600 hab. Chutes du Rhin. Château de Wörth, château de Laufen. – Métallurgie de l'aluminium, indus. mécanique (matériel ferroviaire, armes), électrochimie.

NEUHOF ou **NEUHOFF (Theodor,** *baron de*, dit **le roi Théodore).** ♦ Aventurier allemand (Cologne, 1694 – Londres, 1756). Officier, il se rendit en Suède, en Espagne où il fut le favori de Ripperda, puis en France où il se mêla aux spéculations de Law* et fut ruiné. Nommé résident de l'empereur Charles VI à Florence, il participa avec des émigrés corses à une expédition en Corse où il se fit nommer roi sous le nom de Théodore Ier (1736). Ayant dû quitter l'île peu après, il tenta encore en vain deux débarquements et se retira en Angleterre où il fut emprisonné pour dettes.

NEUILLÉ-PONT-PIERRE. ♦ Ch.-l. de cant. d'Indre-et-Loire,

Ph. Rémy

Écluse à **Neuf-Brisach.**

Ph. Giraudon

Résidence de Wurzburg construite par **Balthazar Johann Neumann :** fresque de l'escalier monumental, par Tiepolo.

arr. de Tours. 1 376 hab. *(Noviliaciens).* Église (XIIe et XVIe s.).

NEUILLY ou **NEUILLY-SUR-SEINE.** ♦ Ch.-l. de cant. des Hauts-de-Seine (arr. de Nanterre), au N. du bois de Boulogne. 71 215 hab. *(Neuilléens).* Situé à l'O. de Paris, Neuilly est considéré comme un quartier de la capitale. Zone résidentielle. Le *pont de Neuilly,* construit au XVIIIe s. par Perronet, a été transformé au XXe siècle. Vestiges du château de Neuilly (XIXe s.). Folie Saint-James (XVIIIe s.). Hôpital américain de Paris. — Produits chimiques, pharmaceutiques. Aciers spéciaux; conserves; verrerie. — Patrie de J. Charcot*, du prince de Joinville*, de R. Martin* du Gard. ♦ Hist. *Traité de Neuilly* signé le 27 nov. 1919 entre les Alliés et la Bulgarie*. Celle-ci cédait des territoires à la Grèce (Thrace occidentale), à la Roumanie (Dobroudja), à la Yougoslavie (en Macédoine). Elle réduisait son armée à 20 000 hommes. **V. Guerre mondiale** *(Première).*

NEUILLY-L'ÉVÊQUE. ♦ Ch.-l. de cant. de la Haute-Marne, arr. de Langres. 694 hab. Matériel médico-chirurgical.

NEUILLY-PLAISANCE. ♦ Ch.-l. de cant. de la Seine-Saint-Denis (arr. du Raincy), à l'E. de Paris. 17 619 hab. *(Nocéens).*

NEUILLY-SUR-MARNE. ♦ Comm. de la Seine-Saint-Denis, arr. du Raincy. 22 603 hab. Église (*fin* XIIe s.). Hôpitaux psychiatriques de Ville-Evrard et de Maison-Blanche.

NEUMANN (Balthazar Johann). ♦ Ingénieur militaire, architecte et urbaniste allemand (Eger, Bohême, 1687 — Würzburg, 1753). Il dirigea de nombreux travaux de fortification et entra au service des princes Schönborn. À partir de 1720, et durant trente ans, il dirigea la construction de la célèbre *résidence de Würzburg* dont Maximilien von Welsch avait d'abord été chargé. En 1723, il alla à Paris présenter ses plans à R. de Cotte* et à Boffrand* qui, eux aussi, donnèrent des projets. Hildebrandt fut à son tour appelé à Würzburg. Cependant, Neumann affirma sa personnalité dans la chapelle, la salle impériale et le monumental escalier dont la décoration peinte fut confiée à Tiepolo*. Il est l'auteur de nombreux châteaux (*Bruchsal,* 1729-1733 et *Werneck,* 1733-1737), dont le répertoire formel est caractéristique du baroque tardif ou de l'esprit rococo. Dans les églises de *Vierzehnheiligen* (1743-1772), de *Neresheim* (1747-1792) et *Saint-Paulin de Trèves* (1734-1754), il se montra remarquable technicien. Il avait le sens des masses clairement articulées, des rythmes dynamiques, jouant des interpénétrations d'espaces circulaires et elliptiques et utilisant de riches décorations intérieures stuquées d'une polychromie délicate.

NEUMANN (Franz Ernst). ♦ Physicien allemand (Joachimsthal, Uckermark, 1798 — Königsberg, 1895). Il exposa dans deux mémoires (1845, 1848) la première théorie mathématique de l'induction dans laquelle il introduisit notamment la notion de potentiel en électrocinétique. **V. Faraday, Lenz.** Il s'intéressa également aux solides : par des mesures de conductibilités thermique et électrique, il précisa les travaux de Wiedemann* et Franz* (1862), il étudia la réfraction dans les substances anisotropes ainsi que leur dilatation et proposa un système de projection et de notation cristallographiques.

NEUMANN (Carl Gottfried). ♦ Mathématicien allemand (Königsberg, 1832 — Leipzig, 1925), fils de Franz Ernst Neumann*. Auteur de recherches d'analyse et de physique mathématique, son nom est resté attaché au problème de la détermination d'une fonction harmonique dans un volume, connaissant les valeurs, en chaque point de la frontière, de sa dérivée normale. **V. Green.**

NEUMANN (Johannes *von***).** ♦ Mathématicien américain d'origine hongroise (Budapest, 1903 — Washington, 1957). L'un des chefs de file de la pensée mathématique moderne, il s'est intéressé à la mécanique quantique qu'il présenta sous une forme axiomatique (*Fondements mathématiques de la mécanique quantique,* 1932); il participa à l'établissement de la théorie des ensembles, poursuivant les recherches de Zermelo*, et ses travaux d'algèbre constituent un outil puissant pour les algébristes actuels. Il eut un rôle important dans l'essor de la cybernétique, participant au progrès des machines à calculer, imaginant une machine autoreproductrice susceptible de contribuer au développement de la génétique **(V. Shannon)**; s'intéressant à la théorie des jeux stratégiques, il publia, en collaboration avec O. Morgenstern*, en 1944, la *Théorie des jeux et du comportement économique.* Il contribua également au progrès de l'astronomie, complétant les études d'Eddington* (concernant la relation masse-luminosité).

NEUMÜNSTER. ♦ V. d'Allemagne nord-occidentale (Schleswig-Holstein). 75 000 hab. Centre industriel (constructions mécaniques, textiles).

NEUNKIRCHEN. ♦ V. d'Allemagne occidentale (Sarre), sur la Blies, affl. de la Sarre. 46 000 hab. Centre minier, sidérurgie, matériel ferroviaire.

NEUQUÉN. ♦ V. d'Argentine, ch.-l. de la province du même nom, située au confluent du río Neuquén et du río Limay, qui forment le río Negro*. 17 500 hab. — La *province de Neuquén,* située aux confins du Chili dont elle est séparée par la cordillère des Andes, s'étend entre la prov. de Mendoza* au N. et celle de Río Negro* au S. 94 078 km². 122 000 hab. Vignobles dans la vallée du río Neuquén. Pétrole.

NEURATH (Otto). ♦ Philosophe et logicien d'origine autrichienne (Vienne, 1882 — Oxford, 1945). Représentant du Cercle de Vienne*, auteur d'un ouvrage sur le physicalisme (1931), il dirigea à Chicago *L'International Encyclopedia of Unified Science,* avec R. Carnap* et Ch. Morris.

NEURUPPIN. ♦ V. d'Allemagne orientale (Brandebourg, district de Potsdam), sur le lac Ruppin. 23 500 hab. Marché agricole et centre d'indus. chimiques. — Patrie de T. Fontane*.

NEUSIEDL *(lac),* en hongr. **Fertö.** ♦ Lac peu profond de l'Europe centrale (200 km² env.), à la frontière austro-hongroise (la plus grande partie appartient à l'Autriche).

NEUSS. ♦ V. et port d'Allemagne occidentale (Rhénanie du Nord-Westphalie), sur la r. d. du Rhin, face à Düsseldorf*. 116 500 hab. (1969). Église gothique (*Quirinuskirche,* XIe-XIIe s.). — Important nœud de communications et centre industriel actif (constructions de machines, indus. chimiques et alimentaires). — Patrie de Theodor Schwann*. ♦ *Hist.* Anc. forteresse romaine *(Novaesium),* qui devint en 1074 possession des évêques de Cologne, elle fut assiégée par Charles le Téméraire en 1474. Elle fut occupée par les Français de 1794 à 1813.

NEUSTRIE. *n. f.* ♦ Royaume franc constitué à la mort de Clotaire* Ier (561) et limité par la mer du Nord, la Meuse et la Loire, avec pour villes principales Paris et Soissons. Il s'opposa à l'Austrasie* **(V. Chilpéric Ier, Sigebert Ier, Frédégonde** et **Brunehaut).** Clotaire* II réunit l'Austrasie à la *Neustrie* (613), mais, après la mort de Dagobert* Ier (639), les deux royaumes furent séparés. La *Neustrie* tomba sous le pouvoir de maires du palais, notamment Ebroïn*. Battus à Tertry (687), les Neustriens passèrent sous le pouvoir des maires du palais d'Austrasie.

NEUTRA (Richard Joseph). ♦ Architecte américain d'origine autrichienne (Vienne, 1892). Il termina des études techniques en 1917 et il subit au début de sa carrière l'ascendant de Loos* et de Wagner*. Il se rendit en Suisse et en Allemagne et en 1922 avec comme collaborateur Mendelssohn, il remporta un concours ayant pour thème un centre d'affaires à Haiffa. Il se rendit en 1923 aux États-Unis et fit un stage auprès de F.L. Wright*. Il travailla ensuite à un important projet pour une ville d'un million d'habitants *(Rush City Reformed).* Il s'installa en 1926 à Los Angeles et publia une étude sur les procédés de préfabrication : *Wie baut Amerika.* Dans ses bâtiments collectifs et immeubles d'habitation, il adopta avec souplesse les principes du style international (*Corona School* à Los Angeles). Il s'imposa surtout comme un constructeur de maisons particulières (projet de maison préfabriquée *Diatown* - réalisation de la *Lovel Health House,* 1927-1929) se spécialisant dans la réalisation de résidences luxueuses (*maisons de Joseph von Sternberg* à San Fernando Valley [1936], de *John Nesbitt* à Brentwood [1942] et *maison du désert* ou *Kaufmann House* à Palm Spring [1946-1947]). Les influences de F.L. Wright y apparaissent infléchies dans le sens de l'austérité et de la rigueur formelle (strictes orthogonales); il insista sur les horizontales et chercha comme lui l'intégration à la nature, la compénétration de l'espace intérieur et extérieur par le jeu des toitures plates en avancées, des terrasses, des parois vitrées, d'un plan d'eau, ainsi que par les effets de matériaux tirés souvent des ressources locales (bois, pierres). Adepte du plan libre et de la structure métallique, il exerça une influence notable sur plusieurs architectes américains.

NEU-ULM. ♦ V. d'Allemagne occidentale (Bavière), sur la r. g. du Danube, en face d'Ulm*, dont elle constitue un faubourg et à laquelle elle a été rattachée en 1938. 24 400 habitants.

NEUVES-MAISONS. ♦ Comm. de Meurthe-et-Moselle, arr. de Nancy, sur la Moselle. 6 591 hab. *(Néodaniens).* Mines de fer, hauts fourneaux, forges, aciéries.

NEUVIC. ♦ Ch. l. de cant. de la Corrèze*, arr. d'Ussel*. 2 479 hab. [1 457 aggl.] *(Neuvicois).* Église des XIIe et XVe siècles. À 3 km de la ville, barrage de Neuvic-d'Ussel sur la Triouzoune (plage, sports nautiques) et usine hydro-électrique, 46 millions de kWh par an. Marchés agricoles importants.

NEUVIC. ♦ Ch.-l. de cant. de la Dordogne*, arr. de Périgueux*. 2 747 hab. Château de la Renaissance. — Fabrication de chaussures.

NEUVILLE-DE-POITOU. ♦ Ch.-l. de cant. de la Vienne, arr. de Poitiers. 3 104 hab. [1770 aggl.] *(Neuvillois).* Vestiges du château de Furigny. — Important marché agricole et viticole.

NEUVILLE-SUR-SAÔNE. ♦ Ch.-l. de cant. du Rhône*, arr. de Lyon*, sur la Saône*. 5 760 hab. Indus. textiles; fabrique de meubles; indus. chimiques.

NEUVY-LE-ROI. ♦ Ch.-l. de cant. d'Indre-et-Loire, arr. de Tours. Église (du XIIe au XVIe s.). Dolmen.

NEUVY-SAINT-SÉPULCHRE. ♦ Ch.-l. de cant. de l'Indre, arr. de La Châtre, 1 804 hab. *(Noviciens)*. L'église collégiale fut construite au XIe s. sur le modèle du Saint-Sépulcre de Jérusalem. Elle renferme une relique du Précieux Sang qui fait l'objet d'un pèlerinage annuel. — Confection.

NEUVY-SUR-LOIRE. ♦ Comm. de la Nièvre, arr. de Cosne-sur-Loire. 1 147 hab. Église (XIIIe-XVe s.). Château du XVe siècle. Pyramide à la mémoire de quatre habitants tués lors du coup d'État du 2 déc. 1851.

NEUWIED. ♦ V. d'Allemagne occidentale (Rhénanie-Palatinat) sur la r. d. du Rhin, au N. de Coblence. 28 000 hab. Château du XVIIIe siècle. — Indus. métallurgiques et mécaniques, travail du cuir et du bois. — Patrie d'Élisabeth de Roumanie.

NÉVA. *n. f.* ♦ Fl. d'U.R.S.S. (région de Leningrad, R.S.F.S. de Russie). 74 km. Émissaire du lac Ladoga*, il se jette dans le golfe de Finlande* par un vaste delta ramifié sur lequel est construite la ville de Leningrad*. En 1240, le prince Alexandre y remporta une victoire décisive sur les Suédois et fut dès lors appelé Nevski **(V. Alexandre* Nevski)**.

NEVADA. *n. m.* ♦ État de l'O. des États-Unis, situé dans les Rocheuses. 286 299 km²; 488 738 hab. (1970) [faible dens.]. *Cap.* Carson City. *V. princ.* **V. Las Vegas, Reno.** — *Orogr.* La plus grande partie de l'État se trouve dans le Grand Bassin *(Great Basin)*, plateau séparant les chaînes occidentales et orientales des Rocheuses et contenant de nombreux reliefs (buttes, mesas, chaînes montagneuses N.-S.). Au N.-E. se trouve le partage entre les rivières tributaires de la Snake River (affl. de la Columbia, vers le Pacifique) et les rivières du Grand Bassin, notamment la Humboldt River, qui se vide dans le lac Humboldt. Au S.-E. coulent des tributaires du Colorado, celui-ci formant frontière avec l'Arizona. — *Climat* sec, très ensoleillé. — *Écon.* L'État est le plus aride des États-Unis; toute l'agriculture y dépend de l'irrigation (fourrage, céréales; dans le S., tomates, fruits). L'élevage est beaucoup plus important (bovins). Les richesses minérales sont l'or, le cuivre, l'argent, le manganèse et divers métaux rares. L'indus. comprend notamment le traitement du bois, du verre, les produits chimiques et insecticides. Une grande partie des revenus de l'État provient du tourisme, encouragé notamment par la liberté des jeux d'argent **(V. Las Vegas)**, unique aux États-Unis. — Université du Nevada (à Las Vegas et Reno). ♦ *Hist.* La région fut explorée par J. S. Smith (1827), Kit Carson, J.C. Fremont (1843). Voie de passage vers la Californie*, elle fut parcourue par les Américains à partir de 1849 (ruée vers l'or); elle appartenait au Mexique qui la céda aux États-Unis en 1848 (en même temps que le Texas et le Nouveau-Mexique). Compris dans l'Utah (1850), le Nevada se développa anarchiquement autour des mines d'or et d'argent; il devint le 36e État de l'Union dès 1864.

NEVADA *(sierra). n. f.* ♦ Chaîne montagneuse du S. de l'Espagne formant la partie méridionale de la cordillère Bétique*, d'une longueur de 350 km et culminant au Mulhacén* (3 481 m).

NEVADA *(sierra). n. f.* ♦ Chaîne de montagnes des États-Unis, bordant l'État de Californie à l'E., et culminant au mont Whitney*. Elle sépare la *Grande Vallée* californienne du Grand Bassin **(V. Nevada)** et au S., du désert Mojave. Le versant O., arrosé et boisé, fournit de l'eau pour l'irrigation et la production d'électricité. Parcs nationaux : Yosemite*, Kings Canyon, Sequoia.

Ph. U.S.I.S.

Maison construite d'après les plans de **Richard Joseph Neutra,** à Los Angeles.

NEVERS. ♦ Préf. du dép. de la Nièvre (7 cant., 83 comm., 130 005 hab.), au confluent de la Loire et de la Nièvre. 45 068 hab. *(Nivernais)*. La cathédrale Saint-Cyr-et-Sainte-Juliette a le titre de basilique (XIe au XVIe s.); elle possède deux absides opposées, l'une romane à l'O., l'autre gothique à l'E. (fortement endommagée en 1944, elle est en cours de restauration). Un baptistère du VIe s. y a été découvert. Église Saint-Étienne (XIe s.). Église Saint-Pierre (XVIIe s.). Anc. évêché (XVIIIe s.) *auj.* palais de justice. Palais ducal (XVe-XVIe s.). Musée municipal, musée archéologique du Nivernais. Fabrique de faïences d'art fondée au XVIIe s. Porte du Croux (XIVe s.) et porte de Paris (XVIIIe s.), élevée après la victoire de Fontenoy. Couvent de Saint-Gildard où vécut Bernadette* Soubirous. Maisons anc. Centre municipal en construction. Évêché. — La fonction économique de la ville est importante : métallurgie; machines agricoles, appareils ménagers; constructions électriques; produits chimiques et pharmaceutiques; engrais; usine de pneumatiques; imprimerie; instruments chirurgicaux; faïences artistiques. — Patrie d'A. Billaut*, P.G. Chaumette*, A. Ducrot*, L. Vicat*. ♦ *Hist.* À l'origine forteresse gauloise *(Noviodunum)*, la V. fut l'un des foyers de la révolte gauloise de ~ 52. Évêché au Ve s., elle devint cap. du comté de Nevers à la fin du IXe s. Le comte Pierre de Courtenay fortifia Nevers et lui donna une charte (XIIe s.). Le comté, possédé successivement par les ducs de Bourgogne et la maison de Clèves, fut érigé en duché-pairie par François Ier en 1538. Il passa, par mariage, à la famille des Gonzague de Mantoue (1565). En 1659, Mazarin acheta le duché qui revint ensuite à son neveu Mancini et resta dans la famille jusqu'à la Révolution. — La ville a souffert des bombardements au cours de la dernière guerre.

Neveu de Rameau (Le). ♦ Roman satirique de Diderot* (1762; publ. posthume, par une traduction de Goethe*, 1805; en français, 1821, 1891). Il se présente comme le dialogue entre *Lui* (Jean-François Rameau) et *Moi* (le philosophe Diderot). Le neveu de Rameau, personnage recréé à partir d'un individu réel, est un « singulier mélange de hauteur et de bassesse, de bon sens et de déraison ». Parasite cultivé et passionné de musique, il est parfaitement amoral mais « quelquefois profond dans sa dépravation » : souvent, en effet, il traduit, de façon cynique, les pensées intimes et les inquiétudes de Diderot concernant le problème de la morale (« On est dédommagé de la perte de son innocence par celle de ses préjugés... »). Ce dialogue offre également un tableau satirique des mœurs intellectuelles parisiennes, brossé avec un réalisme original : attitudes et gestes sont évoqués avec verve en un style remarquablement expressif et séduisant.

NEVILLE. ♦ Famille anglaise. ♦ RALPH NEVILLE, 1er comte de Westmorland (1364 — 1425). Il épousa la fille de Jean de Gand, demi-sœur d'Henri IV. Il maria sa fille Cecily à Richard d'York; elle fut la mère d'Édouard IV et de Richard III. **V.** *aussi* **Warwick (Richard Neville,** *comte de*).

NEVSKI. ♦ **V.** ALEXANDRE (Alexandre Iaroslavitch Nevski); DANIEL (Daniel Alexandrovitch Nevski).

NEWÂI. ♦ **V.** MÎR ALÎ SHÎR NEWÂI.

NEW AMSTERDAM. ♦ V. et port de la Guyana, créé en 1740 par les Hollandais sur l'estuaire de la Berbice. 15 000 hab. env. Centre commercial.

NEWARK. ♦ V. et port des États-Unis, au N.-E. du New* Jersey, à 12 km de Manhattan **(V. New York)**. 378 222 hab. La zone urbaine atteint 1 850 000 hab. Le port fait partie de celui de New York. Indus. variées. Centre financier. — Patrie de Stephen Crane*.

NEWARK ON TRENT. ♦ V. du centre de l'Angleterre (Nottinghamshire), sur le Devon, au N. de Nottingham. 24 650 hab. Château normand où mourut Jean* sans Terre en 1216, église des XIe-XVe siècle. — Centre agricole (brasseries, sucreries).

NEW BEDFORD. ♦ V. et port des États-Unis, sur la côte S. du Massachusetts. 10 262 hab. Ce fut, au début du XIXe s. et après Nantucket*, la capitale de la pêche à la baleine, puis un centre d'indus. textiles, enfin d'indus. électriques et mécaniques.

NEW BRITAIN. ♦ V. des États-Unis (Connecticut*) près de Hartford. 82 685 hab. (1970); zone urbaine, près de 150 000 hab. Indus. (quincaillerie, machines automatiques).

NEW BRUNSWICK. ♦ **V.** NOUVEAU-BRUNSWICK.

NEWBURN. ♦ V. du N.-O. de l'Angleterre (Northumberland), sur la Tyne, dans la banlieue de Newcastle. 27 900 hab. Extraction de houille, mécanique et indus. légères.

NEWBURY. ♦ V. du S. de l'Angleterre (Berkshire), à 35 km au S.-O. de Reading, sur la Kennet. 20 400 hab. Ruines d'un prieuré du XIIe siècle. *Cloth Hall* (maison des drapiers, XVIe s.). — Indus. légères.

NEWCASTLE (William CAVENDISH, *1er duc de*). ♦ (v. 1592 — Welbreck, 1676). Homme politique anglais. Favori de Jacques* Ier, il fut le gouverneur du futur Charles* II. Resté fidèle au roi pendant la guerre civile, il leva, à ses frais, une armée de gentilshommes, commanda l'armée royale au N. de la Trent, et tenta d'empêcher le désastre de Marston Moor (1644). Il revint d'exil lors de la Restauration et fut fait duc. Il est l'auteur de pièces de théâtre et de traités sur l'élevage des chevaux.

NEWCASTLE (Thomas Pelham HOLLES, *duc de*). ♦ Homme politique anglais (1693 — Londres, 1768). Il avait épousé la petite-fille de Marlborough* et il joua pendant quarante ans un rôle prépondérant dans la vie politique anglaise, grâce à sa fortune et à son sens des manœuvres parlementaires. Il fut d'abord secrétaire d'État (1724), fit ensuite nommer son frère Pelham Premier ministre, et lui succéda enfin (1754-1756). Pitt* amena sa chute en 1756, mais il retrouva bientôt son poste, laissant à Pitt la conduite de la guerre de Sept Ans. À partir de 1762, il passa à l'opposition.

NEWCASTLE. ♦ V. industrielle et commerciale d'Australie*, un des ports les plus importants de Nouvelle*-Galles du Sud, situé sur l'estuaire de la riv. Hunter, à proximité d'importants bassins houillers. 233 967 hab. La ville est située au N. de Sydney* à laquelle elle est reliée par route et voie ferrée, ainsi qu'aux zones riches de blé, laine et bétail du N. de l'État. Université autonome. Centre commercial très actif. Indus. métallurgiques. Aciéries (20 % de la production australienne), chantiers navals. La production de houille dans les gisements de la région s'élève à 10 000 000 de t (30 % de la production australienne). Indus. textiles (coton, textiles synthétiques). Indus. chimiques (engrais) et alimentaires. Verrerie.

NEWCASTLE. ♦ V. d'Afrique* du Sud (Natal) reliée à Durban* et à Johannesburg par voie ferrée. Houille.

NEWCASTLE UNDER LYME. ♦ V. du N. de l'Angleterre (Staffordshire), près de Stoke on Trent dont elle constitue un faubourg. 76 400 hab. Université. Houille, céramique.

NEWCASTLE UPON TYNE, ON TYNE ou **NEWCASTLE.** ♦ V. du N.-O. de l'Angleterre, ch.-l. du Northumberland, sur la r. g. de la Tyne, à 15 km de l'embouchure. 240 300 hab. Évêché anglican. Université. Maisons du XVIIIe s., cathédrale gothique (en partie du XIVe s.), château fondé en 1080 par Guillaume le Roux, fils de Guillaume le Conquérant. Intéressants musées *(Laing Art Gallery* et *Museum, Hatton Gallery).* — Grand centre d'extraction et d'exportation de houille (bassin de Durham*) et principal centre industriel du N. de l'Angleterre : raffinage de pétrole, sidérurgie et métallurgie lourde, indus. mécaniques et constructions navales, chimie. — Patrie de Mark Akenside, lord Cuthbeth Collingwood*.

NEWCOMB (Simon). ♦ Mathématicien et astronome américain (Wallace, Nouvelle-Écosse, 1835 — Washington, 1909). On lui doit une importante étude sur les quatre premières planètes et des valeurs de constantes fondamentales en astronomie qui sont conventionnellement encore admises : constantes de la précession et de la nutation, parallaxe solaire (*The Elements of The Four Inner Planets, and The Fundamental Constants of Astronomy,* 1895).

NEWCOMEN (Thomas). ♦ Mécanicien anglais (Darmouth, 1663 — Londres, 1729). La première machine atmosphérique utilisable naquit de son association avec Thomas Savery* [1705] **(V. Caus).** Cette *machine à feu,* mise en service en 1712, fut considérablement améliorée par James Watt* en 1767 et devint la *machine à vapeur.*

New Deal (amér. « nouvelle donne »). ♦ Nom donné à la nouvelle méthode d'action gouvernementale et aux programmes économique et social préconisés aux États-Unis par F.D. Roosevelt pour triompher de la grande crise* de 1929. **V. Roosevelt *(Franklin Delano).***

NEW DELHI. ♦ V. moderne de Delhi* et cap. administrative de l'Inde. 324 300 hab. (1970). Entièrement construite sur un plan grandiose (style impérial anglo-indien), à peu de distance de la vieille ville de Delhi, à partir de 1912, elle fut inaugurée en 1931. Elle abrite le siège du gouvernement de l'Inde et les principaux ministères et ne cesse de se développer. **V. Delhi.**

NEW ENGLAND. ♦ **V.** NOUVELLE-ANGLETERRE.

NEWFOUNDLAND (« terre nouvellement découverte »). ♦ **V.** TERRE-NEUVE.

NEW HAMPSHIRE. *n. m.* ♦ État du N.-E. des États-Unis (Nouvelle-Angleterre). 24 192 km². 737 681 hab. (1970). *Cap.* **V. Concord.** *Autres villes.* **V. Manchester, Portsmouth.** — *Orogr.* À l'O. et au N., les reliefs appalachiens (*White Mountains :* mont Washington, 1 917 m ; mont Monadnock, au S., 965 m) bordés par la vallée du Connecticut* (qui forme frontière avec le Vermont). L'E. est un plateau qui s'incline vers le S.-E. ; la plaine s'étend entre le Merrimack et la mer. — *Hydrogr.* **V. Merrimack.** — *Écon.* Élevage, volailles ; cultures dans les vallées. Plus de 80 % de l'État est en forêts. Carrières. Indus. textiles, mécaniques et du cuir, traditionnelles en Nouvelle-Angleterre. L'indus. électronique se développe. — Patrie de Mary B. Eddy, G. Whipple. ♦ *Hist.* La région reçut son nom en 1629 (John Mason) ; après avoir été annexée au Massachusetts, puis rattachée à la Nouvelle-Angleterre, elle devint province en 1692. L'État devint indépendant (1776) et fut parmi les treize premiers à ratifier la constitution fédérale (1788).

Ph. A. Rey

New Delhi.

NEWHAVEN. ♦ V. et port de la côte du S. de l'Angleterre (East Sussex), sur la Manche, entre Brighton et Eastbourne. 8 300 hab. Station balnéaire reliée à Dieppe par paquebots.

NEW HAVEN. ♦ V. et port des États-Unis (Connecticut) sur le détroit de Long Island, à une centaine de kilomètres de New York. 133 543 hab. ; zone urbaine, près de 350 000 hab. Siège de l'université de Yale*. — Patrie de W. Gibbs et de Ch. Goodyear. ♦ *Hist.* Fondée par des puritains, la ville eut au XVIIe s. un régime théocratique, et n'entra dans la colonie qu'en 1664. Elle fut capitale de l'État avec Hartford jusqu'en 1875.

NE WIN. ♦ Général et homme politique birman (Prome, 1911). Il combattit aux côtés des Japonais pendant la Deuxième Guerre mondiale afin d'obtenir l'indépendance de son pays colonisé par l'Angleterre. devint commandant en chef de l'armée birmane en 1943, puis milita aux côtés d'U Nu*. À la suite d'un coup d'État, il renversa celui-ci (1962) et devint chef de l'Union birmane.

NEW JERSEY. *n. m.* ♦ État de l'E. des États-Unis sur la côte atlantique. 21 300 km². 6 066 782 hab. (1960) massés surtout au N.-E. de l'État (près de New York) et à l'O., près de Philadelphie. *Cap.* **V. Trenton.** *Princ. villes :* **V. Camden, Elizabeth, Jersey City, Newark, Paterson.** *Autres villes :* **V. Atlantic City, Princeton.** — *Orogr.* Le territoire forme une série de zones qui s'abaissent des montagnes du N.-O. (Appalaches*) jusqu'à la côte plate et marécageuse. — *Écon.* État indus. grâce au marché des métropoles avoisinantes, notamment New York, le New Jersey produit du matériel électrique, des automobiles, des produits chimiques, construit des avions et des navires, etc. Agriculture maraîchère. Tourisme balnéaire sur la côte **(V. Atlantic City).** — L'État est le siège de l'université de Princeton. — Patrie de N. Butler, A. Kroeber, J. Marin (voir *aussi* les princ. V.). ♦ *Hist.* Annexé par l'Angleterre en 1664, le New Jersey devint indépendant en 1776 et fut l'un des treize premiers États en 1787. L'industrialisation, au XIXe s., fut stimulée par les marchés de New York à l'E. et de Philadelphie à l'O., tout proches de l'État, et par un régime favorable aux grandes sociétés. W. Wilson fut gouverneur de l'État (1910-1912).

NEWMAN (John Henry). ♦ Homme d'Église et écrivain anglais (Londres, 1801 — Edgbaston, près de Birmingham, 1890). Anglican, vicaire de Saint Clement's (1824) puis curé de Saint Mary's à Oxford (1828), il fut le centre du mouvement d'Oxford*, qui tendait à un christianisme plus pur, moins étatisé, et aboutit à sa conversion retentissante au catholicisme (1845). Prêtre (1847), il introduisit l'Oratoire en Angleterre (1848), mais échoua dans la fondation d'une université catholique à Dublin (1851-1858) ; en difficulté avec les catholiques extrémistes, notamment Manning*, mais soutenu par Léon XIII, il devint cardinal (1879). Il est l'auteur de nombreux *Tracts for the Times,* de l'*Apologia pro vita sua* (1864), de la *Grammaire de l'assentiment* (*Grammar of Assent,* 1870), de *Lettres au duc de Norfolk* où, contre Gladstone, il démontre la compatibilité du catholicisme romain et du civisme (1874).

NEWMARKET. ♦ V. du S.-E. de l'Angleterre (West Suffolk). 11 300 hab. Centre commercial (foires). Célèbre hippodrome créé par Jacques Ier. Berceau du Jockey-Club. Élevage de chevaux de course.

NEW MEXICO. ♦ **V.** NOUVEAU-MEXIQUE.

NEW ORLEANS, en fr. **La Nouvelle-Orléans.** ♦ V. et port fluvial des États-Unis (Louisiane), sur le Mississippi, au S. du lac Pontchartrain. 585 787 hab. (zone urbaine, 1 034 316 hab.). La ville conserve de nombreux témoignages de son passé français et espagnol, notamment le quartier ancien appelé *Vieux Carré* (nombreuses maisons de style créole). Ce caractère historique et la célébration du Mardi gras en font une des grandes villes touristiques des États-Unis. — Le port est très actif (plus de 17 000 000 de t en 1969). Indus. chimiques : pétrole. — Plusieurs universités (Tulane, Loyola, Dillard). — Patrie de Louis Armstrong*. ♦ *Hist.* **V. Nouvelle Orléans** (La). Après qu'en 1803 Napoléon eut vendu la Louisiane aux États-Unis, la ville fut le site de la victoire d'Andrew Jackson sur les Anglais (janv. 1815). Capitale de la Louisiane, New Orleans connut une période de prospérité matérielle et culturelle. Mais la prise de la ville par l'amiral Farragut et l'occupation nordiste (1862), puis le transfert de la capitale à Baton Rouge (1880) marquèrent un déclin relatif. Dans les premières décennies du XXe s., la ville, qui fut le lieu de naissance de la musique de jazz, retrouva la prospérité économique grâce à la découverte du pétrole en Louisiane et à l'essor du commerce du coton et du sucre.

NEW PLYMOUTH. ♦ V. et port de la Nouvelle*-Zélande, sur la côte S.-O. de l'île du Nord, proche du mont Egmont (2 519 m, sports d'hiver), relié par voie ferrée à Wellington. 35 280 hab. Important centre de produits laitiers. — À proximité, gisement de gaz naturel de Kapuni* relié par gazoduc à Auckland*.

NEWPORT. ♦ V. d'Angleterre. Ch.-l. de l'île de Wight*, à l'embouchure de la Medina. 19 480 hab. À 2 km, château normand de Carisbrooke.

NEWPORT. ♦ V. du N.-E. des États-Unis (État de Rhode Island), sur une île (Rhode Island) de la baie de Narragansett. 35 901 hab.

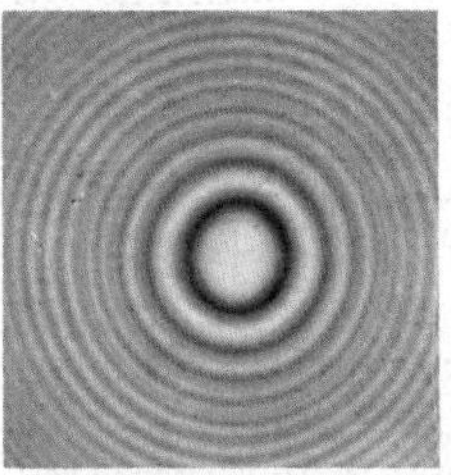
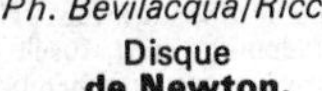

Ph. Bevilacqua/Ricciarini

Disque **de Newton.**

Ph. P.S.Z./Ricciarini

Isaac Newton. Gravure de Guadagnini.

(1965) [47 000 en 1960]. Anc. cap. de l'État avec Providence (jusqu'à 1900). Base navale. Indus. électriques. La ville conserve des témoignages architecturaux de son passé (elle fut fondée en 1639). – Festival annuel de jazz (depuis 1954). – Patrie de W. Channing.

NEWPORT, en gallois **Casnewidd ar Wysg**. ♦ V. du S.-E. du pays de Galles, ch.-l. du Monmouthshire, près du confl. de l'Usk et de la Severn. 112 000 hab. – Vestiges d'un château des XIIe-XVe siècles. L'église normande *St. Woolos* fut élevée au rang de cathédrale en 1921. – Le port exporte le charbon local et importe du fer. L'activité industrielle repose sur la fabrication d'acier, d'aluminium, de produits chimiques et d'équipement électrique. La ville est reliée à Bristol par un pont routier et un tunnel ferroviaire.

NEWPORT NEWS. ♦ V. et port des États-Unis, au S.-O. de la Virginie*, sur le côté N. du grand port de Hampton* Roads. 137 348 hab. (1970). Chantiers navals parmi les plus grands du pays (constructions de sous-marins atomiques, etc.). Indus. diverses.

NEW ROSS, en irl. **Ros Mhic Treoin**. ♦ V. de la république d'Irlande (Eire, comté de Wexford*), près du confl. du Barrow et de la Nore. 4 570 hab. (1966). Centre agricole et commercial. – Aux env., ruines d'une abbaye de la fin du XIIe siècle.

NEWRY. ♦ V. anc. et port d'Irlande du Nord (comté de Down), sur le Clanrye et la *baie de Newry*. 12 430 hab. (1961). Évêché catholique. Église des XVIe-XVIIIe siècles. – Centre textile (lin, coton).

NEW TERRITORIES. ♦ **V.** HONG KONG.

NEWTON (*sir* **Isaac**). ♦ Mathématicien, physicien, astronome et penseur anglais (Woolsthorpe, Lincolnshire, 1642 – Kensington, Middlesex, 1727). Entré à l'université de Cambridge en 1661, la grande peste de Londres (1665-1666) le contraignit à une retraite absolue dans son pays natal : c'est sans doute là que, « au sommet de ses forces créatrices », comme il le dit lui-même en 1714, il amorça la grande œuvre de sa vie, fruit d'une profonde méditation solitaire. Devenu professeur de mathématiques à Cambridge, il donna (1669) une théorie de la composition de la lumière blanche, et publia en 1675 sa théorie de la lumière et des couleurs. Newton, atomiste comme Galilée* et Huygens*, attribuait une structure corpusculaire à la lumière. Ses travaux, associés à ceux de Malebranche*, constituent une théorie moderne des couleurs. Tandis qu'il développait ses recherches d'optique, Newton progressait lentement dans le domaine de la mécanique. Ses doutes constructeurs et hardis l'amenèrent à créer un nouvel outil mathématique, le *calcul des fluxions*, fondement du calcul différentiel et du calcul intégral. **V.** *aussi* **Barrow.** Sur le continent, Leibniz* inventait de son côté « l'analyse infinitésimale », ce qui provoqua une controverse relative à la priorité de leur découverte (les *fluxions* de Newton n'étant rien d'autre que les *dérivées* de Leibniz). Newton participa également au progrès du calcul, donnant des développements de séries (notamment le *binôme de Newton*) et mettant au point une méthode de résolution numérique des équations qui fut utilisée dès 1685 dans l'*Algebra* de Wallis* et fut légèrement modifiée par Raphson en 1690 (méthode Newton-Raphson). Ces découvertes lui permirent de publier en 1687 son œuvre maîtresse, les *Philosophiae naturalis principia mathematica*, dans laquelle est exposée sa théorie de l'attraction universelle, réalisant l'unification de la physique céleste et de la physique terrestre; élaborée depuis 1665, sa théorie avait enfin atteint la rigueur parfaite que Newton exigeait. L'importance de son œuvre, attestée par tous les travaux qui suivirent, fut encore plus remarquable en astronomie, à laquelle Newton fournit encore le *télescope à réflexion* (**V. Gregory**) et l'*analyse spectrale de la lumière* comme moyens de développement. Les méthodes de calcul qu'il utilisa dans ses « Principia » en font un précurseur du calcul vectoriel et de la géométrie infinitésimale directe. La pensée physique de Newton s'accompagnait d'une théologie; dans le *Scholium generale* qui termine les *Principia*, il fit une profession de foi positiviste, adoptant l'attitude *hypotheses non fingo*, mais il s'agissait en fait d'un repli tactique afin d'éviter les polémiques qu'il avait subies en optique de la part des cartésiens. Le Newton de l'*Opticks* est clair et explicite sur les images ayant contribué à ses créations, il y montre Dieu substantiellement présent, partout et toujours, tandis que le Newton des *Principia* s'en tient aux certitudes mathématiques. Les travaux de Newton, par leur génie, débordent les cadres de l'astronomie et de la mécanique; son œuvre, contestée par les cartésiens et par Leibniz, domina le XVIIIe siècle. – *Pomme de Newton.* Selon une anecdote, Newton aurait été mis sur la voie de la découverte de l'attraction universelle en voyant tomber une pomme à ses pieds; il aurait alors imaginé d'étendre l'attraction terrestre jusqu'à la Lune, puis au Soleil et aux planètes, et son calcul lui permit de retrouver les lois de Kepler*. – *Disque de Newton,* disque comportant les couleurs du spectre solaire et démontrant empiriquement la composition de la lumière blanche.

NEWTON (*sir* **Charles Thomas**). ♦ Archéologue britannique (Bredwardine, Herefordshire, 1816 – Margate, 1894). Directeur des Antiquités grecques et romaines, il fit en Grèce et en Asie Mineure d'importantes découvertes archéologiques, en particulier celle du mausolée d'Halicarnasse [1856]. (*Discoveries at Halicarnassus, Cnidus and Branchidae,* 1862; *Essays on Art and Archaeology,* 1880.)

NEWTON. ♦ V. des États-Unis (Massachusetts) dans la zone urbaine de Boston. 92 384 hab. (1960). Cité résidentielle. Indus. de précision (électronique, etc.).

NEWTOWNABBEY. ♦ V. d'Irlande du Nord (comté d'Antrim), dans la banlieue N. de Belfast. 37 440 hab. (1961). Formée en 1958 par la réunion de plusieurs villages, c'est aujourd'hui la 3e ville d'Irlande du Nord et un important centre textile.

NEW WESTMINSTER. ♦ V. du Canada (Colombie* britannique) située sur l'estuaire du Fraser et faisant partie de la zone urbaine de Vancouver*. 38 013 hab. (1966). Port d'exportation (bois, cuivre, zinc, céréales). Indus. du bois et alimentaires.

NEW WINDSOR. ♦ **V.** WINDSOR.

NEW YORK. *n. m.* ♦ État du N.-E. des États-Unis. 127 433 km². 18 236 937 hab. dont 10 % de non-Blancs (1970); 2e État après la Californie. *Cap.* Albany. *Princ. villes :* **V. New York City; Buffalo, Niagara Falls, Rochester, Schenectady, Syracuse, Utica, Yonkers.** – *Orogr.* Le N. de l'État est occupé par le massif circulaire des Adirondacks*, séparé, à l'E., des Appalaches par une dépression N.-S. (frontière du Vermont) et, au S., d'une zone de plateaux par la vallée de la Mohawk*. Ces plateaux s'abaissent au N. vers la plaine qui borde le lac Ontario et s'élèvent à l'E. (monts Catskill, au S. des Adirondacks). Du N. d'Albany au coin S.-E. de l'État s'étend la vallée de l'Hudson*, qui débouche dans la baie de New York. L'île de Long* Island à l'E. de la ville de New York fait partie de l'État. – *Écon.* C'est le 1er État du pays pour l'indus., le commerce et les activités financières. L'agriculture (notamment l'élevage laitier, les volailles) conserve une grande importance. L'indus. lourde (sidérurgie à Buffalo), l'indus. électrique et optique, l'imprimerie et le papier, la confection, sont particulièrement bien représentés à New York, autour de la ville et dans les principaux centres. New York City est un centre commercial et financier mondial; son port est le premier du pays. – Nombreuses universités, dont Columbia, Cornell, l'université d'État et l'université de la ville de New York. Académie militaire de West Point. – L'État de New York (outre les princ. V.) est la patrie de M. Clark*, Melvil Dewey*, G. Eastman*, Cl. Hull*, F. Kellogg*, I. Singer*, G. Westinghouse*. ♦ *Hist.* La colonisation du pays par les Hollandais, puis par les Anglais, commença par le site de New York City (voir ce nom, *Hist.*). L'E. de la région étant peuplé d'Iroquois, en guerre avec les Hurons (alliés à la France), les Anglais s'appuyèrent sur les premiers dans leur lutte contre les Français (**V. États-Unis**). D'importants combats de la guerre d'Indépendance (Long Island, 1776; Saratoga, 1777) se déroulèrent dans la colonie. Après l'indépendance, la capitale fut transférée à Albany (1797). Le rôle politique de l'État est resté primordial et deux de ses gouverneurs (Th. Roosevelt, Franklin D. Roosevelt) devinrent présidents des États-Unis.

NEW YORK (CITY). ♦ La plus grande ville des États-Unis, située à l'embouchure de l'Hudson, au S.-E. de l'État de New York, sur l'océan Atlantique. 7 798 757 hab. [1970] *(New-Yorkais)* dont près de 1 100 000 Noirs (la plus grande aggl. noire du monde). La zone urbaine compte près de 11 500 000 hab., la conurbation env. 15 000 000. La ville proprement dite est formée de l'île de Manhattan*, séparée de Bronx* (au N.) par la riv. Harlem; de Queens* et de Brooklyn*, sur Long Island; de Richmond, sur Staten Island. La ville est prolongée au N. par Mount Vernon, Yonkers*, New Rochelle et à l'O., sur la r. d. de l'Hudson, par plusieurs grandes villes du New Jersey (Jersey* City, Bayonne, Newark*, Elizabeth, etc.). New York comprend de nombreuses petites îles, dont *Ellis Island* (bureaux d'immigration) et l'île dite de la Liberté *(Liberty Island)* où se trouve la statue due à Bartholdi. – *Écon.* Le port est le deuxième du monde (après Rotterdam) et le premier des États-Unis. New York est la capitale financière du monde occidental et le plus grand centre commercial des États-Unis (ces deux activités étant surtout l'apanage de Manhattan). La zone urbaine a la première place parmi les centres indus. du pays (plus de 35 000 entreprises, employant près de 1 000 000 de personnes) : imprimerie et édition, indus. alimentaires, électricité, produits chimiques, mécanique et textiles sont les activités les plus importantes. – La partie la plus célèbre de New York City correspond aux deux tiers S. de l'île de Manhattan. Du S. au N., se succèdent le parc de la Batterie *(Battery)*, le quartier financier autour de *Wall Street* (avec des bâtiments parmi les plus hauts du monde), l'hôtel de ville *(City Hall)*, le quartier chinois *(Chinatown)*, le quartier intellectuel et artistique de *Greenwich Village* et la zone misérable de *Bowery*, puis, à partir de la 30e rue et le long des principales avenues, le

Ph. G. Feinstein

New York : Central Park.

Madison Square Garden, l'*Empire State* (surnom de l'État de New York) *Building,* la bibliothèque publique, la gare centrale *(Grand Central),* le *Rockefeller Center* et la cathédrale St. Patrick (néo-gothique); à la 59e rue, commence le parc rectangulaire dit *Central Park* à l'O. duquel se trouve le *Lincoln Center.* Au N. (110e rue) se trouve l'université Columbia et commence le quartier noir de Harlem. Parmi les avenues, la Cinquième et *Park Avenue* sont les plus notables. **V.** *aussi* **Broadway.** New York possède les plus riches musées des États-Unis; le *Metropolitan Museum of Art,* le *Museum of Modern Art,* le musée Guggenheim (art contemporain, dans un bâtiment dû à Frank Lloyd Wright), la collection Frick, le musée des Cloîtres (art médiéval; cloîtres catalans reconstruits dans un parc au N.-O. de Manhattan, *Fort Tryon Park*). Quelques spécimens d'architecture ancienne subsistent : *St. Paul's Chapel* (1764), *St. Mark's in the Bowery* (1799), l'hôtel de ville (1812). Les activités musicales *(New York Philarmonic Orchestra, Metropolitan Opera)* attirent à New York les plus grands musiciens (Dvořák* a été directeur du conservatoire; Toscanini* y termina sa carrière). — Les transports urbains sont très développés (ch. de fer, métropolitains, autobus). Plusieurs grands ponts et un tunnel franchissent l'East River, entre Manhattan et Queens ou Brooklyn (*Brooklyn Bridge,* 1883; *Manhattan Bridge,* 1909). Le *George Washington Bridge* (1931) traverse l'Hudson, et le *Verrazano-Narrows Bridge* (1964) relie Brooklyn et Staten Island. Les deux principaux aéroports de New York sont La Guardia (Queens) et le *John F. Kennedy International Airport* (Idlewild, Queens). — New York abrite le siège de l'Organisation des Nations unies (à l'E. de Manhattan, sur l'East River). — Patrie de C.D. Anderson*, E. De* Valera, J. Epstein*, W. Irving*, William et Henry James*, H. Melville*, Y. Menuhin*, A. Miller*, Henry Miller*, Ann Morgan*, Hermann Muller*, E. O'Neill*, R. Oppenheimer*, J. Robbins*, Theodore Roosevelt*, Franklin Roosevelt*, J. Stevens*, J. Taras, Edith Wharton*, Ch. Wilkes*. ♦ *Hist.* La baie de New York fut visitée en 1525 par G. da Verrazano*, puis en 1609 par H. Hudson*, qui remonta la rivière qui porte aujourd'hui son nom. En 1614, les Hollandais construisirent un fort au S. de l'île de Manhattan et établirent en 1625 la capitale d'une colonie (Nouvelle-Hollande), qu'ils appelèrent *Neuwe Amsterdam.* Peter Minuit, en 1626, acheta aux Indiens la totalité de l'île pour le compte de la Compagnie hollandaise des Indes occidentales, contre quelques verroteries. En 1664, les Anglais s'emparèrent de la colonie, qu'ils nommèrent *New York*; elle fut reprise par les Hollandais (1673) qui la perdirent définitivement l'année suivante. Enrichie au début du XVIIIe s. par le trafic d'esclaves (l'esclavage devait être supprimé en 1827 dans l'État de New York), New York devint rapidement un centre d'anticolonialisme, chassant par exemple le gouverneur anglais W. Tryon en 1775. Mais l'échec de Washington à Long Island (bataille d'août 1776) livra la ville aux Anglais. Après l'indépendance (1783), New York fut le siège du gouvernement américain (1785-1789) et resta cap. de l'État de New York jusqu'en 1797. Sa population atteignait 60 000 hab. en 1800. Centre financier (bourse fondée en 1792), puis commercial, surtout après l'ouverture du canal Érié reliant le lac Érié et l'Hudson, New York devint vers 1850 le plus grand port des États-Unis et son principal point d'immigration. La pop. atteignait alors 550 000 hab. À partir de 1874, la ville s'etendit hors de Manhattan, atteignant sa superficie actuelle à la fin du XIXe s. (1 500 000 hab. en 1890). Le développement urbain (le premier gratte-ciel, dit « Fer à repasser », *Flat iron Building,* date de 1902), l'équipement portuaire, les communications (métro à partir de 1904, ponts sur l'Hudson et l'East River, aérodromes) se développèrent rapidement (voir *ci-dessus*). Depuis 1952, New York abrite le siège permanent de l'O.N.U.

NEY [nɛ] **(Michel).** ♦ Maréchal de France (Sarrelouis, 1769 — Paris, 1815). Fils d'un tonnelier, il s'engagea dans l'armée (1788). Sa carrière fut brillante : capitaine en 1794, il était général de brigade deux ans plus tard, après la prise de Mannheim. C'était un homme intrépide (on le surnomma « le brave des braves ») et très énergique. Il se distingua à Hohenlinden* et s'occupa de l'organisation politique et militaire de la Suisse d'oct. 1802 à déc. 1803. Maréchal d'Empire en 1804, il remporta la victoire d'Elchingen (1805) qui fut suivie de la victoire d'Ulm*. Napoléon le fit alors *duc d'Elchingen.* Sa participation à la bataille de Friedland* fut décisive. Il fut ensuite envoyé en Espagne (1808) où il occupa la Galice, les Asturies, luttant contre les guérilleros. En 1812, il fit la campagne et la retraite de Russie pendant lesquelles il se couvrit de gloire, et fut fait *prince de la Moskova.* Il participa à la campagne de 1813 (Bautzen*, Lützen*), fut battu à Dennewitz. Il poussa Napoléon à abdiquer en 1814, se rallia à Louis XVIII qui le fit pair de France et gouverneur de Besançon. Le roi le chargea d'arrêter Napoléon à son retour de l'île d'Elbe et Ney promit de ramener « l'usurpateur dans une cage de fer »; mais il se rallia avec ses troupes à l'Empereur, le 13 mars 1815. Il fit preuve d'un grand courage à la bataille des Quatre-Bras (16 juin 1815) ainsi qu'à Waterloo, où son intervention ne fut pas heureuse. S'étant caché, il fut arrêté et il comparut devant la Chambre des pairs pour avoir trahi les Bourbons. Il fut condamné à mort, fusillé le lendemain, près de l'observatoire de Paris (statue commémorative par Rude). — *Mémoires* (1833).

NEYAGAWA. ♦ V. du Japon, dans la banl. N.-E. d'Ôsaka*. 200 000 hab. Faub. industriel.

NEYRAC-LES-BAINS. ♦ Station thermale de l'Ardèche*, comm. de Meyras, sur l'Ardèche*. Ses eaux sont utilisées contre les maladies de la peau.

NEZÂMI. ♦ Poète persan (Gandjé, Caucase, actuelle Kirovabad, 1141 — *id.,* 1209). Il est surtout célèbre par sa *Khamsé* (littéralement « ensemble de cinq ») constituée par cinq *masnavis* (poèmes didactiques). Mis à part le *Trésor des mystères* qui expose des principes moraux et mystiques animés d'anecdotes, les autres poèmes relatent des épopées romanesques. En effet, *Khosrau et Shirin* décrit les exploits et les amours du roi sassanide Khosrô II Parviz. *Laïla et Majnûn* reprend une vieille légende arabe illustrant un « amour fou » qui ne se réalise que dans la mort. *Les Sept Idoles* raconte sept histoires merveilleuses dites par chacune des sept favorites du roi sassanide Bahrâm Gour. Enfin, le *Livre d'Alexandre* s'inspire de l'image orientale d'Alexandre* le Grand et le glorifie en tant que sage, prophète et conquérant. Poète difficile, Nezâmi atteint une haute qualité esthétique par le choix particulier des métaphores et des associations originales de mots.

NEZVAL (Vítězslav). ♦ Poète tchèque (Biskupovice u Trebiče, 1900 — Prague, 1958). Il évolua de l'impressionnisme, avec des recueils tels que *Le Pont* (1922), *Pantomime* (1924), vers le surréalisme avec *Poèmes à la nuit* (1930), *Le Macfarlane de verre* (1932), *Adieu et Mouchoir* (1934), *La Femme au pluriel* (1936), *Prague aux doigts de pluie* (1936). Puis il fut quelque temps entraîné au réalisme socialiste : *Staline* (1949), *Le Chant de la paix* (1950). Enfin, il retrouva avec joie son village natal dans ses derniers recueils : *De mon pays* (1951), *Les Ailes* (1952).

NGAN-... [chinois]. ♦ **V.** AN-...

N'GAOUNDÉRÉ. ♦ V. du N. du Cameroun* sur le plateau central de l'Adamaoua*. 16 000 hab. Région d'élevage (abattoirs). Gisement de bauxite en prospection. Terminus prévu du ch de fer transcamerounais en construction **(V. Yaoundé)**; son prolongement vers le N.-E. (Tchad) avec embranchement vers la république Centrafricaine est envisagé.

NGAU *(île).* ♦ **V.** FIDJI (îles).

NGÔ DINH DIÊM. ♦ Homme politique viêtnamien (Quang Binh, 1901 — Saigon, 1963), chef du parti catholique du Sud Viêt-nam. Après avoir été plusieurs fois ministre, il succéda au prince Buu Loc en 1954, puis fut élu chef de l'État et Premier ministre en 1956. Il devint président de la république du Sud Viêt-nam en 1961. Il fut assassiné par un complot militariste dans des circonstances assez troubles. Sa famille, qui tenait presque tous les leviers du pouvoir, fut éliminée ou obligée de se réfugier à l'étranger.

N'GORONGORO *(cratère du).* ♦ Un des plus grands cratères du monde (15 km de diamètre) situé au N. de la Tanzanie* et occupé en son centre par un lac salé. Réserve d'animaux. Tourisme.

NGUYÊN. ♦ Famille de seigneurs viêtnamiens de Huê fondée par Nguyên Kim au début du XVIe siècle. Elle régna sur le centre de l'Annam jusqu'en 1802 et donna au Viêt-nam unifié une longue dynastie d'empereurs qui ne se termina qu'avec l'abdication, en 1945, de Bao Dai (Nguyên* Vinh Thuy).

NGUYÊN AI QUO. ♦ **V.** HÔ CHI MINH.

NGUYÊN BINH KHIÊM. ♦ Lettré confucéen et astrologue vietnamien (1491 — 1585) au service des rois usurpateurs de la dynastie des Mac*, auteur de vers prophétiques et de poésies rustiques écrites en langue chinoise.

NGUYÊN CAO KY. ♦ Général et homme politique vietnamien (Sontay, 1931). À la suite d'un coup d'État militaire, il devint en 1965 Premier ministre du Sud Viêt-nam. Il fut nommé vice-président de la République en 1967, le président étant Nguyên* Van Thiêu.

NGUYÊN DU. ♦ Poète vietnamien (1765 — 1820) au service des empereurs de la dynastie des Lê, puis de celle des Nguyên. Il fut ambassadeur en Chine en 1813 et écrivit un ouvrage poétique considéré comme le chef-d'œuvre de la littérature vietnamienne, le *Kim Vân Kiêu.*

NGUYÊN THÊ TÔ. ♦ **V.** GIA-LONG.

NGUYÊN TRAI. ♦ Ministre des rois de la dynastie des Lê* et poète vietnamien (1380 — 1442) de langue chinoise, auteur de nombreux ouvrages politiques et historiques ainsi que de poèmes. Son épouse ayant été accusée d'avoir empoisonné le roi Lê Thai Tôn, il fut condamné à mort et exécuté avec toute sa famille.

NGUYÊN VAN THIÊU. ♦ Général et homme politique vietnamien (Phan rang, 1923). Il devint vice-président du Conseil et ministre de la Défense nationale après le coup d'État de 1965 **(V. Nguyên Cao Ky),** puis chef de l'État et enfin président de la République du Sud Viêt-nam en 1967. Réélu en 1971, il a obtenu le soutien des États-Unis dans la conduite de la guerre du Viêt-nam, puis après le cessez-le-feu. Il démissionna le 21 avril 1975. **V. Viêt-nam.**

NGUYÊN VINH THUY. ♦ (Hué, 1913). Empereur d'Annam* (Bao Dai, 1925-1945). Fils et successeur de Khaï-Dinh, il dénonça le traité franco-annamite de protectorat, le 11 mars 1945, sous la pression des Japonais et abdiqua peu avant la proclamation de la république du Viêt-nam comme État libre faisant partie de la Fédération indochinoise et de l'Union française. À partir de 1949, l'ex-empereur tenta de regrouper le nouvel État sous l'autorité du gouvernement central de Saigon puis, retiré en France, désigna en 1954 Ngô* Dinh Diêm comme chef du gouvernement. Le référendum de septembre 1955 l'écarta définitivement du pouvoir.

NGWANE. *n. m.* ou **SWAZILAND.** ♦ État d'Afrique australe, enclavé dans l'Afrique* du Sud et limité à l'E. par le Mozambique*. 17 363 km². 410 000 hab. *Cap.* Mbabane. *Langues :* anglais (off.), siswati. *Pop.* Swazis, d'origine bantoue. — *Orogr.* et *climat.* Son relief est formé de hauts plateaux descendant vers l'océan Indien. Le climat, subtropical, est tempéré à l'O. par l'altitude. — *Écon.* Le Ngwane est le plus riche des petits États d'Afrique du Sud. Outre son agriculture variée (canne à sucre, agrumes, maïs, coton) et un élevage important, il possède un sous-sol riche en amiante, en fer (Ngwenya), or, étain, charbon. [*Carte.* **V. Afrique du Sud**]. ♦ *Hist.* Protectorat britannique *(Swaziland)* en 1902, il fut administré par le Transvaal, puis, à partir de 1906, par un haut-commissaire britannique. Le royaume du Ngwane obtint son indépendance en 1968.

NHA TRANG. ♦ V. anc. du Sud Viêt-nam et important port de pêche. Env. 20 000 hab. Sa rade est d'une grande beauté. Elle fut transformée de 1970 à 1973 en base stratégique par les troupes américaines stationnées au Viêt-nam. Raffineries de pétrole et petites indus. annexes.

NIAGARA. *n. m.* ♦ Fl. d'Amérique du Nord formant au N.-E. une partie de la frontière entre les États-Unis et le Canada, et joignant le lac Ontario* au lac Érié*. 54 km. Ses chutes et ses rapides ont entraîné la création du canal Welland* pour la navigation. **V. Niagara Falls.**

NIAGARA FALLS (« chutes du Niagara »). ♦ V. des États-Unis (à l'O. de l'État de New York), à la frontière canadienne, non loin de Buffalo*. 102 394 hab. (1960). La ville tire des chutes du Niagara* l'énergie hydro-électrique alimentant ses industries (électrochimie, électrométallurgie, etc.) et aussi son importance touristique (plus de 2 millions de visiteurs par an). — La ville homonyme sur la rive canadienne (Ontario) a 56 891 hab. (1966).

NIAMEY. ♦ Cap. de la république du Niger*, située dans l'O. du pays sur la r. g. du Niger*. 50 000 hab. Mosquée pyramidale. Complexe textile. Exportation de bétail et de viande.

NIAUX [njo]. ♦ Comm. de l'Ariège*, arr. de Foix*. 228 hab. Constructions mécaniques. Grotte à plusieurs salles, décorées de peintures préhistoriques (env. ~ 12 000 ans).

NIBELUNGEN ou **NIFLUNGEN.** ♦ Mythol. germanique. Nains habitant le monde souterrain (« la terre de la brume », *Niflheim*). Ils règnent sur les richesses minières et possèdent un trésor que le héros Siegfried* conquiert après avoir tué leur roi Nibelung et vaincu le nain Alberich (Aubéron). Le nom de Nibelungen est porté par les détenteurs successifs du trésor, Siegfried et ses guerriers, puis les Burgondes.

Nibelungen *(Chanson des)* [**Nibelungenlied**]. ♦ Épopée allemande, écrite en Autriche au début du XIIIe s., trente-neuf chants, en deux parties : mort de Siegfried, vengeance de Kriemhild. Le héros Siegfried a conquis le trésor des Nibelungen (voir *ci-dessus*) et a acquis des pouvoirs magiques. Pour obtenir la main de Kriemhild, il aide Gunther, roi burgonde et frère de celle-ci, à conquérir Brünhild*, farouche reine d'Islande, et même joue son rôle auprès d'elle. Plus tard, la supercherie est dévoilée et Brünhild fait tuer Siegfried par Hagen*, son fidèle vassal. Vingt-six ans après, Kriemhild, qui a épousé Etzel (= Attila), attire Gunther et Hagen au pays des Huns. Ils sont vaincus par Dietrich von Berne (= Théodoric). Kriemhild décapite Hagen avec l'épée de Siegfried; elle-même est tuée par Hildebrand, un des chevaliers de Dietrich. — Cette légende, dont le noyau primitif remonte au VIe s., se répandit chez les peuples germaniques; épisodes et personnages se retrouvent dans l'*Edda* poétique* et dans la *Völsunga* saga* scandinave, mais le *Nibelungenlied* représente un état plus littéraire, plus « courtois ». Partiellement publiée en 1757 par Bodmer*, elle connut un regain de popularité à l'époque romantique : Wagner en tira sa *Tétralogie**.

NICAISE *(saint).* ♦ Évêque de Reims, le dixième selon la tradition, massacré devant son église lors d'une invasion des Vandales (407) ou des Huns (451). Fête le 14 décembre.

NICARAGUA. *n. m.* ♦ État d'Amérique centrale. République située entre la mer des Antilles et l'océan Pacifique, limité au N. par le Honduras et au S. par le Costa Rica. 130 000 km². 2 210 000 hab. [1971] *(Nicaraguayens). Langue :* espagnol, langues indiennes. *Unité monétaire :* le córdoba. *Cap.* **V. Managua.** *V. princ.* **V. Bluefields, Granada, León, Masaya, Puerto Morazán.** — *Orogr.* et *hydrogr.* La côte Pacifique est dominée par une chaîne volcanique ne dépassant pas 1 800 m d'alt., qui sépare l'océan de la grande dépression intérieure occupée par les lacs de Managua* et de Nicaragua*. La vaste région de l'E., parcourue de lignes montagneuses orientées d'O. en E. (cordillères Segoviana, Dariense, et Isabelia, au N.), est traversée par de nombreux cours d'eau aux vallées fertiles, dont le río Coco* à la frontière du Honduras, et le río San* Juan à la frontière du Costa Rica. Les montagnes, aux pentes forestières, s'abaissent vers la plaine côtière des Caraïbes (côte des Mosquitos*), basse et lagunaire, couverte de forêts denses entretenues par une forte pluviosité. Le climat, tropical, est tempéré par l'altitude. — *Pop.* et *écon.* La population, formée en majorité de métis, est concentrée dans les villes du Pacifique à l'O. des lacs. Bien que rural, le Nicaragua est assez urbanisé. Les régions du N.-E. sont presque désertes. Les Indiens des montagnes et ceux de la plaine des Caraïbes vivent isolés. Le niveau de vie est très bas. Le café et le coton (119 000 t) sont les produits de base de l'économie. Les régions volcaniques de l'O. possèdent des plantations de bananes, de canne à sucre, des cacaoyers. Les cultures vivrières (blé, maïs, sorgho, haricots, ...) sont suffisantes pour des besoins limités. Élevage de bovins (plus de 1 300 000 en 1967), de porcins sur les plateaux de l'intérieur. Grande richesse forestière (pins, cèdres, acajous, guyacans). Les gisements miniers, abondants, sont peu exploités, à l'exception de l'or (4 668 kg en 1966). Quelques gisements de pétrole. La production d'énergie électrique est très faible. L'industrie est encore peu développée. Indus. alimentaires (sucreries, huileries, brasseries, conditionnement de la viande), fabrique de cigarettes, textiles, industries du bois, du cuir, de l'or. Cimenteries. Les exportations portent sur l'or, le café, les bananes, les produits laitiers, et se font essentiellement vers les États-Unis, le Japon et l'Allemagne. Importations d'objets manufacturés et de machines (la balance commerciale est déficitaire). La route panaméricaine relie les grandes villes de l'Ouest. Elle est doublée par la voie ferrée Puerto Morazán-Granada. Routes transversales. Le pays est divisé en seize départements et un territoire (gouverneurs nommés). [*Carte.* **V. Amérique centrale**]. ♦ *Hist.* Découvert par Colomb en 1502, le pays fut conquis par González d'Ávila, qui vainquit le chef indien Nicarao (d'où *Nicaragua*). Intégré dans la capitainerie générale du Guatemala* (1560), le Nicaragua acquit son indépendance en 1821. Pendant le XIXe s., il fut troublé par les guerres civiles et les interventions des Anglais (protectorat sur la côte des Mosquitos, 1848) et des Américains (1912-1933). Le président Anastasio Somoza, qui s'était emparé du pouvoir en 1936, resta le maître absolu jusqu'en 1956. Après son assassinat, son fils lui succéda et l'influence de la famille Somoza resta prépondérante dans le pays. — Le tremblement de terre de déc. 1972 détruisit la capitale Managua*.

NICARAGUA *(lac de). n. m.* ♦ Grand lac d'Amérique centrale (Nicaragua*) qui occupe, au S. du lac Managua*, la grande dépression intérieure séparée du Pacifique par une barrière volcanique. 8 400 km². Ses eaux se déversent dans l'Atlantique par le río San* Juan. Plusieurs îles, dont l'*île Ometepe,* formée par le volcan du même nom. La ville de Granada* s'élève sur la rive O. du lac, à proximité de la capitale Managua.

NICCOLINI (Giovanni Battista). ♦ Auteur dramatique italien (Bagni di San Giuliano, 1782 — Florence, 1861). Marqué par l'influence des idées libérales, son théâtre, d'inspiration d'abord classique, devait subir une évolution sensible vers le romantisme. Ses œuvres principales sont des tragédies : *Antonio Foscarini* (1827), *Ludovico Sforza* (1834), *Filippo Strozzi* (1847).

NICE. ♦ Préf. des Alpes*-Maritimes, ch.-l. d'arr. (24 cant., 101 comm., 449 809 hab.) sur la baie des Anges*, à l'embouchure du Paillon. 325 400 hab. *(Niçois).* Cathérale Sainte-Réparate du XVIIe s.; église Saint-Jacques du XVIIe s., décoration baroque; chapelles. Ancien palais Lascaris du XVIIe siècle. Le *vieux Nice* forme un quartier pittoresque. La *Promenade des Anglais,* en bordure de mer, est mondialement connue. Évêché. Université. Nice est une station hivernale et estivale et un centre touristique de

Ph. Nino Cirani/Ricciarini

Le cratère du N'Gorongoro.

Nice. *Ph. Hétier*

renom mondial. Nombreuses manifestations culturelles et touristiques. Carnaval annuel. – Indus. électronique (IBM), constructions mécaniques, maroquinerie, chaussures; indus. alimentaires, parfums, manufacture de tabac. Marché international des fleurs. Le port est spécialisé dans le trafic des marchandises et des liaisons avec la Corse; aéroport international très actif. – Patrie de A. Binet*, Adolphe Blanqui*, A. Calmette*, H. Cavendish*, G. Garibaldi*, A. Masséna* (musée), Ch. A. Van* Loo, E.M. de Vogüé* ♦ *Hist.* Colonie grecque sous le nom de *Nikaïa* (de *Nikê*, « victoire »), la ville fut conquise par les Romains au Ier siècle. Petite ville de la prov. romaine, dont la cap. était *Cemevelum* (Cimiez); Nice la remplaça progressivement après le IVe siècle. Elle fut rattachée au comté de Provence (970); elle se révolta en 1166 contre Bérenger III, mais se soumit à Raimond Bérenger IV. Elle passa sous la domination des Angevins avec le reste de la Provence, puis se livra en 1388 à Amédée VII de Savoie. Nice et le *comté de Nice* passèrent ainsi à la Savoie. Plusieurs fois assiégée et prise (par Catinat en 1691, par Berwick), elle fut restituée à la Savoie. La Convention réunit le comté, occupé en sept. 1792, à la France le 31 janv. 1793; mais Nice revint au Piémont en 1814. Le début de l'urbanisation du Nice moderne date de cette époque sarde; l'essor touristique de la ville avait pour contrepartie une crise économique due à la séparation d'avec la France. Napoléon III, s'alliant avec le Piémont, négocia la cession de Nice (1860 : traité de Turin, puis plébiscite). L'essor de la ville s'accéléra et elle devint l'une des capitales touristiques de l'Europe. Après 1950, elle reçut de nombreux réfugiés d'Afrique du Nord.

NICÉE, en grec **Nikaia**, *auj.* **Iznik**. ♦ Anc. V. d'Asie Mineure (Bithynie) sur le lac d'Iznik. Fondée en ~ 316 par Antigonos sous le nom d'*Antigoneia,* elle fut prise par Lysimaque* qui la baptisa *Nikaia,* du nom de sa femme. Cap. de la Bithynie avant la fondation de Nicomédie (~ 264), elle prit de l'importance sous les Romains et était célèbre pour ses fêtes dionysiaques. Patrie de Dion* Cassius et d'Hipparque*. Prise par les Saljuqides en 1078, libérée et remise aux Byzantins par les croisés en 1097, elle fut la capitale de l'empire de Nicée. Sous la domination turque depuis 1333, elle devint l'un des principaux centres de l'empire ottoman, célèbre pour ses ateliers de poterie. ♦ L'EMPIRE DE NICÉE (1206 1261), fondé par Théodore* Ier Lascaris après la prise de Constantinople par les croisés, fut avec l'empire de Trébizonde* et le despotat d'Épire l'un des États qui assurèrent la continuité de l'empire byzantin*. Il s'étendait à une grande partie de l'Asie Mineure et conquit ensuite une partie de la Thrace et de la Grèce. Les successeurs de Théodore Ier furent Jean* III Doukas Vatatzès, Théodore* II Lascaris, Jean* IV Lascaris et Michel* VIII Paléologue. ♦ CONCILES DE NICÉE. – *Nicée I :* 1er concile œcuménique réuni en 325 par Constantin pour régler la question de l'arianisme. Arius* y fut condamné et un symbole de foi fut adopté, qui demeure la base du *credo* chrétien (ci-dessous). – *Nicée II :* 7e concile œcuménique réuni en 787 par Constantin VI et l'impératrice Irène pour trancher la querelle de l'iconoclasme. Le culte des images y fut autorisé et même conseillé (distinction faite entre le culte de « dulie » adressé aux créatures représentées, et le culte de « latrie » adressé à Dieu seul). – SYMBOLE OU CREDO DE NICÉE. Profession de foi rédigée par les Pères du *concile de Nicée I.* Contre Arius*, elle affirme le Verbe « engendré, non créé » et le déclare « consubstantiel au Père » *(homoousios).*

NICÉPHORE *(saint).* ♦ Patriarche de Constantinople en 806 (Constantinople, v. 758 – en exil dans un monastère, 829). Ancien commissaire impérial au concile de Nicée* II (787), il fut favorable aux images, mais n'en défendit pas moins l'empereur Nicéphore Ier le Logothète contre le fanatisme des moines de Stoudios **(V. Iconoclastes, Théodore le Studite).** Il fut déposé et exilé par Léon V l'Arménien pour avoir refusé de rouvrir la querelle, qu'il jugeait tranchée (815). Auteur de *Réfutations* où il défend l'iconolâtrie (distinguée de l'idolâtrie) et d'une chronique de l'Empire byzantin, couvrant les années 602-769, connue sous le titre de *Breviarium Nicephori.* Fête le 13 mars.

NICÉPHORE Ier le Logothète, en grec **Nikêphoros**. ♦ (mort en 811). Empereur byzantin (802-811). Grand logothète (surintendant des finances) de l'impératrice Irène*, porté sur le trône par un coup d'État, il pratiqua une politique modérée pour consolider les réformes des iconoclastes, sans pour autant éviter les démêlés avec le parti monastique. Pendant son règne, l'empire, affaibli par les luttes intestines et par les échecs d'Irène, dut renoncer à l'Italie, cédée à Charlemagne (803), payer tribut à Hârûn* al-Rashid (807), faire face au soulèvement des Slaves du Péloponnèse (807) et au péril bulgare. Nicéphore fut vaincu et tué par le khan bulgare Krum qui fit de son crâne une coupe à boire.

NICÉPHORE II PHOCAS. ♦ (v. 921 – 969). Empereur byzantin (963-969). D'une famille de militaires cappadociens, lui-même chef de guerre éminent, il reçut très tôt des titres honorifiques pour ses campagnes victorieuses en Asie Mineure. Il reprit la Crète aux Arabes (961) et les poursuivit en Cilicie, remportant de brillantes victoires. Il fut facilement porté sur le trône à la mort de Romain* II, grâce à sa popularité auprès de l'armée. Éperdument amoureux de la veuve de son prédécesseur, la belle Théophano, il l'épousa, puis la quitta pour continuer ses campagnes. Après la reconquête de la Cilicie et de Chypre, il poussa son armée jusqu'en Syrie et en Mésopotamie en reprenant Antioche. En même temps, il luttait contre les Bulgares qu'il opposait habilement aux Russes et tenait en échec Othon le Grand en organisant la défense de l'Italie du Sud. Mais sa politique fiscale lui coûta l'hostilité du clergé et des milieux influents. Trahi par sa femme, il fut assassiné par l'amant de celle-ci, Jean* Tzimiskès.

NICÉPHORE III Botanêiatès. ♦ (mort après 1081). Empereur byzantin (1078-1081). Général en Asie Mineure, il se révolta contre le faible Michel* VII Doukas et, avec l'aide des Saljuqides, le remplaça et épousa sa femme. Il ne se maintint sur le trône que grâce à l'habileté militaire d'Alexis* Comnène qui finalement se révolta contre lui. Nicéphore abdiqua et se retira dans un monastère.

NICÉPHORE GRÉGORAS. ♦ **V.** GRÉGORAS (Nicéphore).

NICHIREN. ♦ Religieux bouddhiste japonais (près de Kamakura, 1222 – 1282). Après avoir appartenu à la secte du Tendai*, il créa en 1253 une secte piétiste fondée sur le titre d'un sûtra bouddhique. Il écrivit quelques ouvrages religieux, et prêcha sa foi avec violence et intolérance. Condamné pour avoir troublé l'ordre public, il fut exilé. Pardonné, il établit sa secte et envoya des missionnaires jusqu'en Corée et en Sibérie. Certaines sectes modernes, telles que la Sôka* Gakkai, se réclament de son enseignement.

NICHOLSON (William). ♦ Chimiste et physicien anglais (Londres, 1753 – *id.,* 1815). Avec Carlisle*, il découvrit l'électrolyse de l'eau (1800). Il imagina également un aréomètre.

NICIAS [Nikias]. ♦ Stratège et homme politique athénien (mort à Syracuse, ~ 413). Appartenant à une riche famille de concessionnaires des mines d'argent de Laurion, il fut l'un des chefs du parti aristocratique et après la mort de Périclès s'opposa au démagogue Cléon. Il battit les Spartiates à Sphactérie (~ 425) et s'empara de Cythère (~ 424). Modéré, il conclut en ~ 421 avec les Lacédémoniens une trêve de cinquante ans *(paix de Nicias)* qui ne fut en fait qu'un court répit de la guerre du Péloponnèse*. Opposé alors à la démagogie belliqueuse d'Alcibiade*, il accepta à contrecœur de partager avec celui-ci le commandement de la campagne de Sicile (~ 415). Il assiégea Syracuse*, mais, opérant avec lenteur et indécision, il ne put empêcher le Lacédémonien Gylippos* de renforcer la ville. Malade et déçu, il entreprit une retraite mais il se laissa encercler et, arrêté, fut mis à mort par les Syracusains.

NICOBAR. ♦ Groupe d'îles de l'océan Indien, au S. des îles Andaman*. Env. 12 500 hab. L'archipel est peuplé de pêcheurs animistes parlant un dialecte apparenté aux langues môn*-khmer et dont les activités principales sont la pêche et la culture des cocotiers. Ces îles furent occupées par les Japonais durant la Deuxième Guerre mondiale. Elles constituent avec les îles Andaman un territoire de l'Union indienne.

NICODÈME *(saint).* ♦ Dans l'Évangile de Jean, pharisien devenu disciple de Jésus. Il aide Joseph d'Arimathie à l'ensevelir. Fête le 3 août.

NICOL (William). ♦ Physicien anglais (en Écosse, 1768? – Édimbourg, 1851). Il réalisa le premier polariseur *(prisme de Nicol* ou nicol, 1828). **V. Malus.**

NICOLAÏ (Christoph Friedrich). ♦ Critique allemand (Berlin, 1733 – 1811). Libraire à Berlin, il fut sans doute une des figures les plus représentatives du déisme rationaliste et populaire qui caractérisa le siècle des lumières. S'il fut considéré comme le chef des philosophes éclairés de Berlin, c'est moins par ses écrits (dont un roman satirique dénonçant le fanatisme religieux : *Vie et Opinions de Sebaldus Nothanker,* 1773), que comme éditeur et animateur de nombreuses revues littéraires, critiques et encyclopédiques, en particulier les *Lettres littéraires* (1759-1765) dont Lessing* fut le principal rédacteur et *l'Allgemeine deutsche Bibliothek* (1765-1792).

NICOLAIER (Arthur). ♦ Médecin et bactériologiste allemand (Cosel, Haute-Silésie, 1862 – Berlin, 1945). Il a donné la description du bacille du tétanos agissant par les toxines qu'il sécrète (*bacille de Nicolaier*).

NICOLAS (*saint*). ♦ Évêque de Myre, en Lycie (*déb.* IVe s.). La légende le présente nourrisson, jeûnant le vendredi au sein maternel et, plus tard, ressuscitant trois petits enfants égorgés et mis au saloir par un aubergiste. Dans la mythologie enfantine des pays nordiques, il est le Père Noël (*Santa Claus*). Patron de la Russie. Patron des avocats. Fête le 6 décembre.

NICOLAS Ier LE GRAND (*saint*). ♦ [Rome, v. 800 – 867]. 105e pape, de 858 à 867. Il définit avec énergie la primauté pontificale, résistant aux pressions et cassant les décisions du concile de Metz (863) qui acceptaient le divorce de Lothaire II, contraignant Hincmar* de Reims à réintégrer Rothade, évêque de Soissons, luttant contre l'anarchie féodale italienne (déposition de Jean de Ravenne). Il prit le parti d'Ignace* contre Photios*. Auteur des *Responsa ad consulta Bulgarorum*, réponses à cent six questions du roi Boris de Bulgarie. Fête le 13 novembre.

NICOLAS II (*Gérard de Bourgogne*). ♦ [Chevron, Savoie, v. 980 – Florence, 1061]. 153e pape (1059-1061), ancien archevêque de Florence (1046) élu par le clergé à l'instigation de Pierre* Damien et d'Hildebrand **(V. Grégoire VII)** contre Benoît* X. Par un concile (Rome, 1059), il fit réserver aux seuls cardinaux le droit d'élire le pape. Il fit alliance avec les Normands, nommant Robert* Guiscard duc des Pouilles et de Calabre (1059).

NICOLAS III (*Giovanni Gaetano Orsini*). ♦ [Rome, 1210-1220 – près de Viterbe, 1280]. 186e pape (1277-1280). Il amena Charles d'Anjou à renoncer au titre de sénateur de Rome et à sa charge de vicaire de l'Empire en Toscane.

NICOLAS IV (*Girolamo Masci* ou *Jérôme d'Ascoli*). ♦ [près d'Ascoli, v. 1230 – Rome, 1292]. 189e pape (1288-1292), ancien général des Frères mineurs (1274), évêque de Palestrina (1281). Il couronna Charles II d'Anjou roi de Sicile (1289).

NICOLAS V (*Pietro Rainalducci*). ♦ [près de Rieti, v. 1260 – Avignon, 1333]. Antipape en 1328. Franciscain « spirituel », élu pape à Rome grâce à Louis de Bavière, contre Jean* XXII. Il se soumit en 1330.

NICOLAS V (*Tommaso Parentuccelli*). ♦ [Pise, 1398 – Rome, 1455]. 206e pape, de 1447 à 1455. Il signa avec Frédéric* III le concordat de Vienne (1448) et le couronna empereur à Rome (1452). Son pontificat vit la fin du concile schismatique de Bâle* et la soumission de Félix V **(V. Amédée VIII de Savoie)** [1449] mais aussi la chute de Constantinople et la vaine tentative d'organiser une croisade italienne pour la délivrer. Il fut par excellence le pape de la Renaissance, entretint une cour de lettrés (Pogge, Valla, Manetti, Alberti), entreprit de grands travaux et fonda la bibliothèque Vaticane.

NICOLAS ou **NIKITA Ier PETROVIĆ NJEGOŠ** (ou **PETROVITCH NIEGOCH**). ♦ (Niegoch, 1841 – Antibes, 1921). Prince (1860-1910) puis roi du Monténégro (1910-1918). Neveu et successeur de Danilo Ier, il eut un grand prestige parmi les Slaves du Sud tant par son courage politique et guerrier que par ses talents littéraires. Il combattit contre les Turcs (1876-1878, 1912-1913), doubla l'étendue de son petit pays dont il obtint l'indépendance et se proclama roi en 1910 **(V. Monténégro,** ***hist.*****)**. En 1914, il prit part à la guerre aux côtés des Alliés, mais suspecté de complicité secrète avec les puissances centrales, il fut déchu lors de la réunion du Monténégro et de la Serbie (1918) et resta exilé en France.

NICOLAS Ier Pavlovitch. ♦ (Tsarskoïe Selo, *auj.* Pouchkine, 1796 – Saint-Pétersbourg, 1855). Empereur de Russie (1825-1855). Troisième fils du tsar Paul Ier, il épousa en 1817 la princesse Charlotte (appelée en Russie Alexandra Fédorovna), fille du roi de Prusse, Frédéric-Guillaume III. Le tsar Alexandre* Ier, qui mourut le 1er décembre 1825, avait désigné comme son successeur non l'aîné de ses frères, Constantin, vice-roi de Pologne, mais le cadet Nicolas, sans avertir celui-ci. Il en résulta une sorte d'interrègne, dont profitèrent les décabristes*. Leur coup d'État improvisé (14 déc. 1825) échoua grâce à Nicolas, qui fit canonner les rebelles sur la place Saint-Isaac à Saint-Pétersbourg (*auj.* Leningrad*). Cette tentative d'émeute renforça la tendance antiprogressiste de la politique intérieure du nouveau tsar. Couronné empereur de Russie à Moscou (1826), puis roi de Pologne à Varsovie (1829), Nicolas Ier se proclama ouvertement le champion de l'absolutisme. Appelé le « Tsar de fer » par ses admirateurs et « Nicolas la Trique » par les libéraux, il resta fidèle aux principes de la Sainte-Alliance, assumant le rôle de « gendarme de l'Europe ». Après la révolution de 1830 en France, il ferma les ports russes aux navires français et entama des pourparlers avec la Prusse et l'Autriche en vue d'une action commune pour rétablir les Bourbons, mais ses alliés reconnurent Louis-Philippe, et il dut accepter le fait accompli. Ayant mobilisé une armée sur la demande du roi de Hollande Guillaume Ier, pour mater la révolution belge (1830), il dut l'envoyer en Pologne, où éclata une révolte à Varsovie au mois de septembre 1831 et l'insurrection fut écrasée dans le sang. Nicolas Ier abolit la Constitution et la Pologne* cessa d'exister en tant qu'État. Il intervint ensuite en Turquie et l'obligea, par le traité d'Unkiar*-Skélessi (1833), à fermer les Détroits aux navires de guerre des puissances occidentales. La même année, il signa avec l'Autriche l'accord de Münchengrätz garantissant l'indépendance de la Turquie, et proclama à nouveau avec Metternich le principe d'intervention. Sur la demande de François-Joseph d'Autriche, il envoya en Hongrie un corps expéditionnaire, dirigé par Paskievitch, qui écrasa le mouvement national hongrois (1848-1849). La France et l'Angleterre s'étant montrées hostiles à cette politique d'ingérence, Nicolas Ier leur déclara la guerre (févr. 1854). Les Alliés attaquèrent la Russie en Crimée et assiégèrent Sébastopol qui fut fortifiée par Totleben* et défendue par Menchikov et plus tard par Gortchakov*. Le siège durait encore le 18 février 1855, date à laquelle Nicolas Ier, désespéré par l'échec qui s'annonçait, mourut subitement en laissant le trône à son fils Alexandre* II.

NICOLAS II Alexandrovitch [Aleksandrovič]. ♦ (Tsarskoïe Selo, *auj.* Pouchkine, 1868 – Iékaterinbourg, *auj.* Sverdlovsk, 1918). Dernier empereur de Russie (1894-1917). Fils d'Alexandre* III, il lui succéda le 1er novembre 1894 et fut couronné à Moscou en mai 1895. Le 26 novembre 1894, il épousa la princesse Alice, fille du grand-duc de Hesse-Darmstadt, Louis IV (appelée en Russie Alexandra Feodorovna). À l'intérieur, il considéra la défense de ses droits d'autocrate comme un devoir moral et religieux. À l'extérieur, il poursuivit la politique européenne de son père. Il confirma l'alliance franco-russe, visita la France en 1896 et reçut le président Félix Faure en Russie en 1897. Par une note, il proposa à toutes les puissances une réduction des armements, ainsi que l'installation d'un tribunal international, chargé d'arbitrer les conflits entre les États (la première conférence mondiale de la paix eut lieu en 1899 à La Haye). Pourtant, il engagea son pays dans la guerre russo-japonaise (1904-1905). La défaite russe en Extrême-Orient fut l'une des causes de la révolution* de 1905. Sur le conseil de Witte*, Nicolas II promit de convoquer une douma législative (17 oct. 1905), mais pendant la réaction de Stolypine* (1906-1907) les révoltes furent sévèrement réprimées, ce qui valut à l'empereur le surnom de *Nikolaï Krovavyï* (« Nicolas le Sanglant »), confirmé par le massacre des 270 grévistes des mines de la Léna en Sibérie (avr. 1912). L'annexion de la Bosnie-Herzégovine par l'Autriche-Hongrie en 1908 provoqua un vif mécontentement en Russie, mais Nicolas II céda devant la menace d'une intervention allemande et abandonna la Serbie, qui fut directement intéressée dans cette annexion. Après la déclaration de guerre de l'Autriche à la Serbie, Nicolas II proclama la mobilisation générale (30 juill. 1914) qui déclencha la Première Guerre mondiale (1er août). Ayant subi l'influence néfaste de la tsarina et de Raspoutine*, qui lui imposa des ministres suspects, il fut obligé d'abdiquer après la révolution* de février 1917, le 2 (15) mars. Le gouvernement provisoire décida d'arrêter les souverains le 20 mars (2 avr.). Transféré à Tobolsk, puis à Iékaterinbourg, Nicolas II y fut exécuté avec tous les siens sur l'ordre du soviet régional d'Oural, le 17 juillet 1918. Le *Journal intime de Nicolas II* fut publié en 1925, et deux ans après, *Les Lettres du tsar à la tsarina*, 1914-1917.

NICOLAS DE CUSE ou **DE KUES (Nikolaus KREBS** ou **Chrypffs,** dit**).** ♦ Théologien, savant et philosophe allemand (Kues, diocèse de Trèves, 1401 – Todi, Ombrie, 1464). Docteur en droit de l'université de Padoue, il avait également étudié la médecine. Ordonné prêtre, il devint cardinal, évêque de Brixen et gouverneur de Rome et fut chargé d'importantes missions dont celle de réformer en Allemagne les abus de l'Église. Dans le *De concordantia catholica* (1433), il prône un juste milieu entre le pouvoir pontifical et les droits du concile; son *De pace fidei* (écrit en 1453, à la prise de Constantinople par les Turcs) tente de montrer qu'au delà de la diversité des confessions et des rites (christianisme, islâm, bouddhisme), il existe une croyance en un Dieu unique. Philosophe, il est l'auteur du *De docta ignorantia*. La docte (ou savante) ignorance est celle qui est consciente de ses limites; l'homme ne peut penser Dieu, l'infini où les contraires coïncident, que par une méthode

Arch. Smeets

« La Soirée de saint **Nicolas** », par Jan Steen. (Rijksmuseum, Amsterdam.)

analogique; les conséquences de cette affirmation consistent en une critique de la cosmologie d'Aristote* (voir *De caelo*) qui fait de Nicolas de Cuse un précurseur de Copernic*.

Nicolas Nickleby, en angl. **The Life and Adventures of Nicholas Nickleby**. ♦ Roman de Charles Dickens publié en 1839 et qui visait à dénoncer les traitements infligés aux enfants dans les écoles privées. **V. Dickens.**

NICOLAS PISANO. ♦ **V.** PISANO.

NICOLE *(sainte)*. ♦ **V.** COLETTE *(sainte)*.

NICOLE (Pierre). ♦ Moraliste français (Chartres, 1625 – Paris, 1695). Il enseigna aux Petites Écoles de Port*-Royal, soutint des polémiques en faveur du jansénisme, collabora à la *Logique* de Port-Royal* (1662) et au *Nouveau Testament de Mons* (1667). Après la reprise des persécutions (1679), il rejoignit Arnauld* aux Pays-Bas, séjourna dans les Flandres, mais regagna Paris en 1683 et se réconcilia avec les autorités. Auteur des *Essais de morale* (1671-1678).

NICOLLE (Charles). ♦ Bactériologiste français (Rouen, 1866 – Tunis, 1936). Collaborateur de Pasteur*, puis directeur de l'Institut Pasteur de Tunis (1903-1936), il fit des recherches sur la fièvre de Malte et le typhus exanthématique, montrant que celui-ci se transmet par le pou du corps, découverte qui rendit possible la prophylaxie de cette maladie. [*Naissance, vie et mort des maladies infectieuses*.] (Acad. sc. 1929; prix Nobel de méd. 1928.)

NICOLÒ DELL'ABATE. ♦ **V.** DELL'ABATE.

NICOMAQUE de GÉRASE, en gr. **Nikomakhos**. ♦ Mathematicien grec de la fin du Ier siècle. Auteur d'une *Introduction arithmétique* dans laquelle il abandonna la rigueur pratiquée par Euclide* et d'un *Manuel d'harmonique* qui eut un grand retentissement au Moyen Âge.

NICOMÈDE Ier. ♦ Roi de Bithynie (v. ~ 278 – ~ 250). Premier prince de sa dynastie à prendre le titre de roi, il fonda la ville de Nicomédie*.

NICOMÈDE II Épiphane. ♦ Roi de Bithynie (~ 149 – ~ 91). Fils de Prusias* II; menacé d'être mis à mort par son père, il le renversa et le fit périr (**V.** *ci-dessous* **Nicomède**, de Corneille*). Allié d'abord aux Romains, puis à Mithridate*, il fut forcé par Rome de renoncer à la Paphlagonie.

Nicomède. ♦ Tragédie de P. Corneille* (1651) dont le sujet est emprunté à l'historien latin Justin *(Histoires)*. Le faible Prusias, roi de Bithynie, dominé par sa seconde femme, Arsinoé, a éloigné son fils Nicomède, né d'un premier lit, et fait revenir de Rome, où il a été élevé, Attale, son second fils, enfant d'Arsinoé. Docile vassal de la puissance romaine, Attale est amoureux de Laodice, reine d'Arménie, mais la jeune femme lui préfère Nicomède, cœur loyal et guerrier valeureux. L'ambassadeur romain, Flaminius, s'attarde en Bithynie pour comploter avec Arsinoé contre Nicomède, empêcher son mariage avec Laodice, et l'écarter définitivement du trône. Mais Nicomède revient à la cour de Prusias et tente de dresser son père contre les Romains. Menacé d'être livré en otage à ses ennemis, Nicomède sera libéré par le peuple de Bithynie, conduit par Attale lui-même qui a enfin compris quel allié déloyal Rome était pour lui. Il va rétablir l'ordre, rendre à son père le trône que le peuple voulait lui attribuer et assurer Prusias de son dévouement. Cette générosité triomphe des dernières résistances du roi et d'Arsinoé. Flaminius assure Nicomède de l'estime des Romains et peut-être même de leur amitié.

NICOMÈDE III Philopator. ♦ Roi de Bithynie (~ 91 – ~ 74). Fils et successeur de Nicomède II. Allié de Rome, il fut deux fois chassé de ses États par Mithridate* et rétabli par les Romains auxquels il légua son royaume (~ 75). La Bithynie devint province romaine.

NICOMÉDIE, en gr. **Nikomêdeia**, auj. **Izmit***. ♦ Anc. V. d'Asie Mineure, cap. de la Bithynie*, fondée par Nicomède* Ier en ~ 264. Résidence impériale de Dioclétien*, puis de Constantin* le Grand, elle fut une des plus belles villes au début de l'ère chrétienne. – Patrie d'Arrien*, Psellos*, Planude*.

Ph. Ch. Braesch/Galliphot

Nicomédie, aujourd'hui **Izmit.**

NICOPOLIS. ♦ Anc. nom de *Nikopol*, petite ville de Bulgarie (5 400 hab.) sur le Danube. ♦ *Hist.* Bataille (28 septembre 1396) durant laquelle les chrétiens, avec à leur tête Sigismond* d'Allemagne, furent écrasés par Bayazid* Ier. Cette défaite laissa libre champ aux Turcs dans les Balkans.

NICOSIE, en gr. **Leukôsia** ou **Lefkosia**. ♦ Cap. de Chypre, dans la plaine de Mésorée. Marché agricole. 117 000 hab. – Enceinte vénitienne (1567); cathédrale Sainte-Sophie (XIIIe s.) et autres monuments gothiques (**V. Eudes de Montreuil**). ♦ *Hist.* Cap. du royaume franc des Lusignan* (**V.** *aussi* **Chypre**).

NICOT (Jean, *seigneur de* **VILLEMAIN)**. ♦ Diplomate et érudit français (Nîmes, v. 1530 – Paris, 1600). Secrétaire d'Henri II, ambassadeur de François II au Portugal (1559-1561), il a introduit en France le tabac, connu d'abord sous le nom de « nicotiane ». On lui doit le premier dictionnaire de la langue française consacré à cette langue seule (*Trésor de la langue française tant ancienne que moderne*, 1606).

NICOYA *(péninsule de)*. *n. f.* ♦ Longue péninsule de la côte N. du Costa Rica (Amérique centrale) sur le Pacifique, délimitant le *golfe de Nicoya*. Gisements aurifères.

NIDA. ♦ Rivière de Pologne, affl. g. de la Vistule*. 142 km. – Aux environs se déroula en 1914 la bataille des Quatre*-Rivières.

NIDWALD, en all. **Nidwalden**. ♦ Moitié E. du cant. d'Unterwald*.

Niebelungen *(Chansons des)*. ♦ **V.** NIBELUNGEN.

NIEBUHR (Carsten). ♦ Voyageur et géographe allemand d'origine danoise (Lüdingworth, Hanovre, 1733 – Meldorf, Holstein, 1815). Il participa à une mission scientifique en Arabie (1761-1767) au cours de laquelle il recueillit une abondante documentation. *Description de l'Arabie* (1773); *Relation du voyage en Arabie* (1776-1786).

NIEBUHR (Reinhold). ♦ Théologien protestant américain (Wright City, Missouri, 1892 – Stockbridge, 1971). Pasteur à Détroit, puis professeur de morale à la faculté de théologie protestante de New York, il s'intéressa aux problèmes du monde ouvrier et du syndicalisme et milita dans le Parti socialiste américain. Disciple de K. Barth*, il a insisté sur la nécessité de l'engagement du chrétien dans le monde social (*Moral Man and Immoral Society*, 1932; *An Interpretation of Christian Ethics*, 1936; *Christian Realism and Political Problems*, 1954).

NIEDERBRONN [nidɛʀbʀɔn]**-LES-BAINS**. ♦ Ch.-l. de cant. du Bas-Rhin* (arr. de Haguenau*). 4 407 hab. (4 234 aggl.). Vestiges gallo-romains. – Constructions mécaniques. Centre d'excursions. Station hydro-minérale et climatique (maladies du tube digestif, obésité, hypertension).

NIEDERMEYER (Louis). ♦ Compositeur et pédagogue français, d'origine suisse (Nyon, 1802 – Paris, 1861). Élève de I. Moscheles, à Vienne, il se fixa à Paris (1823), où l'amitié de Rossini ne suffit point à assurer le succès de ses opéras. Il abandonna alors le théâtre pour la musique religieuse. Il a fondé l'école de musique sacrée à laquelle il a donné son nom.

NIEGOCH (Pierre). ♦ **V.** NJEGOŠ *(Petar)*.

NIEL (Adolphe). ♦ Maréchal de France (Muret, 1802 – Paris, 1869). Il prit part à la guerre de Crimée (1854-1855), et fut fait maréchal après s'être distingué à la bataille de Solferino lors de la campagne d'Italie (juin 1859). Nommé ministre de la Guerre (1867), il entreprit une œuvre de réorganisation de l'armée française (extension du recrutement, création de la garde nationale mobile).

NIEL. ♦ Comm. de Belgique (prov. et arr. d'Anvers) sur le Rupel. 10 500 hab. Constructions mécaniques. Briqueteries. Cimenteries. Faïencerie.

NIELSEN (Carl August). ♦ Compositeur danois (Nørre Lyndelse, 1865 – Copenhague, 1931). Violoniste, chef d'orchestre, professeur au conservatoire de Copenhague dont il fut le directeur, il a joué un rôle de premier plan dans la vie musicale de son pays. Marqué d'abord par l'influence de Wagner et de Brahms, il a évolué du néo-classicisme à l'atonalité, demeurant toujours fidèle à une écriture claire et personnelle, d'une grande fermeté de contours, au contrepoint riche et complexe. Son œuvre comprend des opéras (*Saül et David*, 1902; *Mascarade*, 1906), *six symphonies* (1892-1925), des *concertos*, de la *musique de chambre*, et des *pièces chorales* d'inspiration populaire.

NIEMCEWICZ (Julian Ursyn). ♦ Homme politique et écrivain polonais (Skoki, Lituanie, 1757 – Paris, 1841). Il fut historien, essayiste, dramaturge, poète, romancier et mémorialiste. Auteur de la première comédie politique originale en Pologne : *Le Retour du député* (*Powrót posła*, 1790), il devint en 1794 l'aide de camp de Kościuszko et fut interné à Saint-Pétersbourg (1794-1796) après la défaite de Maciejowice*. Après de longs séjours en Angleterre et aux États-Unis, il rentra en Pologne (1807) et publia en 1816 ses *Chants historiques (Spiewy historyczne)*, sorte de manuel populaire d'histoire nationale. Exilé en France pour avoir participé à l'insurrection de 1830-1831, il écrivit également des fables, des romans, des mémoires et une *Histoire de Sigismond III*.

NIÉMEN. *n. m.*, en russe **Neman** ou **Nieman**, en lituanien **Nemunas**, en all. **Memel**, en polon. **Niémen**. ♦ Fl. d'U.R.S.S. 937 km. Né dans les « hauteurs de Minsk » *(Minskaïa Vozvychenost)*, il suit son cours vers l'O. et arrose un large bassin en grande partie marécageux en Biélorussie*; puis, en passant par Grodno*, il s'oriente vers le N. et pénètre en Lituanie*. À Kaunas*, il se dirige de nouveau vers l'O. et sert de frontière entre la Lituanie et la région de Kaliningrad. Il se déverse dans le golfe Kourski (mer Baltique*) après avoir arrosé Sovietsk* (anc. Tilsit). *Affl. princ.* Vilia (r. d.), Chtchara, Slivotch et Soudokh (r. g.). Pris par les glaces de décembre à mars, il est navigable pour les petits navires jusqu'au village de Belista (à env. 700 km de l'embouchure). Flottage. Station hydro-électrique près de Kaunas. Le Niémen est relié par des canaux avec le Dniepr, la Visla et le Pregolia. — L'escadrille française *Normandie-Niémen* fut engagée dans la région du Niémen aux côtés des forces soviétiques de 1942 à 1945.

NIEMEYER (Oscar Soares Filho). ♦ Architecte brésilien (Rio de Janeiro, 1907). Après avoir étudié aux Beaux-Arts de Rio de Janeiro jusqu'en 1934, il travailla auprès de Lúcio Costa* et fut chargé de diriger à sa suite la construction du *ministère de l'Éducation et de la Culture* à Rio de Janeiro (1936-1943) dont Le* Corbusier fut l'architecte-conseil. Il subit fortement l'influence de ce dernier et après avoir réalisé notamment un hôtel sur pilotis à Ouro Prêto, il fit preuve d'une grande imagination formelle en édifiant à la demande de Kubitschek l'ensemble de *Pampulha* (1942-1944) : *restaurant circulaire, yatch-club* au toit renversé à double pente et terrasse s'avançant dans l'eau, etc. Il donna un projet pour le siège de l'O.N.U. (1947). Il étudia notamment l'utilisation du béton armé dans le développement des surfaces courbes complexes (*usine Duchen,* 1950). Il réalisa ensuite avec de nombreux collaborateurs les pavillons d'exposition dans le parc d'Ibirapuéra à São Paulo : *palais des Nations, des États, des Industries* (1951-1954). Après de multiples réalisations, il fut chargé par le président Kubitschek de réaliser les bâtiments officiels de la nouvelle capitale Brasilia* : se conformant au projet directeur fourni par L. Costa, il sut donner à l'ensemble de ses réalisations un caractère harmonieux et monumental. Il édifia d'abord le *palais de l'Aurore* (1958) dont la longue horizontale est scandée par les piliers extérieurs en voile de béton et aux formes de losanges incurvés. Dans la place des *Trois-Pouvoirs,* il réalisa une composition claire équilibrée et en même temps spectaculaire, en établissant des rapports savants entre bâtiments horizontaux et verticaux et en tirant parti du contraste des volumes rectangulaires et courbes *(palais de Justice, palais du Planato* et *palais du Parlement).* Il est aussi l'auteur de la *cathédrale* de la série des *ministères* et d'un *théâtre.* Après la démission de Kubitschek, Niemeyer a beaucoup travaillé à l'étranger. Il a notamment édifié à Paris le *siège du Parti communiste.* Il a su créer des rapports élégants entre les courbes et les orthogonales, jouant des contrastes entre le béton armé et les éléments en verre et acier, et préférant les effets linéaires aux effets de masse; mais il a souvent été critiqué pour son indifférence à l'égard de certains problèmes d'ordre strictement fonctionnel.

NIEMÖLLER (Martin). ♦ Pasteur protestant allemand (Lippstadt, 1892). Pasteur à Berlin-Dahlem (1931-1937), il prit rapidement position pour l'Église confessante contre l'idéologie nazie et son « christianisme positif ». Il fut interné en camp de concentration dès 1937. Après la Libération, il milita contre le réarmement de l'Allemagne.

NIEPCE [njɛps] **(Nicéphore).** ♦ Physicien français (Chalon-sur-Saône, 1765 — *id.,* 1833). Il conçut un moteur à explosion destiné à la propulsion d'un bateau (1807). Intéressé par la lithographie, utilisant la chambre noire et du papier enduit de chlorure d'argent, il obtint des épreuves négatives (qu'il ne pouvait pas fixer). En 1829, il s'associa avec Daguerre* qui utilisait également la chambre noire pour ses « dioramas », mais Niepce mourut avant que les résultats soient obtenus. **V. Talbot, Eastman, Cros, Ducos du Hauron.**

NIEPCE DE SAINT-VICTOR (Abel). ♦ Officier et inventeur français (Saint-Cyr, près de Chalon-sur-Saône, 1805 — Paris, 1870). Neveu de Nicéphore Niepce*, il inventa la photographie sur verre par émulsion d'albumine, et un procédé d'héliogravure sur métaux.

NIETZSCHE (Friedrich). ♦ Philosophe allemand (Röcken, Thuringe, 1844 — Weimar, 1900). Après une éducation luthérienne dans un milieu exclusivement féminin et des études de philologie et de philosophie, il obtint une chaire de philologie à Bâle (1869). Lié avec R. Wagner*, en qui il admirait alors « le contraire de toutes les vertus allemandes », ainsi qu'avec Cosima von Bülow, amie du musicien, et influencé par Schopenhauer*, il vit dans la tragédie la victoire des Grecs sur le pessimisme, grâce à la synthèse de l'esprit apollinien de la forme (arts plastiques) et à l'enthousiasme dionysiaque (musique). [*L'Origine de la tragédie,* 1872.] Dans les *Considérations inactuelles* (1873-1876), il formula une mise en question de la culture allemande et du système scientifique de la civilisation, tout en exprimant déjà des réserves sur Wagner (dont il se sépara en 1878), devenu nationaliste prussien et pieux. Malade, il quitta l'enseignement (1878) et, à part des relations affectives avec Lou Andréas Salomé (qu'il demanda en mariage), il vécut de plus en plus solitaire et incompris, séjournant en Suisse, en Italie et dans le midi de la France. Dénonçant les préjugés moraux et annonçant la transmutation générale des valeurs, ses ouvrages sont écrits dans un style aphoristique, critique et polémique (*Humain* trop humain,* 1878; *Aurores*,* 1881; *Le Gai* Savoir,* 1883-1887; *Par*-delà le bien et le mal,* 1886; *La Généalogie* de la morale,* 1887; *Le Crépuscule des idoles, L'Antéchrist, Le Cas Wagner* et *Ecce Homo,* son autobiographie, 1888) ou lyrique et visionnaire (*Ainsi* parlait Zarathoustra* (1883-1885). Atteint de paralysie générale (1889), Nietzsche fut d'abord interné, puis soigné par sa mère et sa sœur; celle-ci contribua à faire connaître ses œuvres, mais fut aussi en partie responsable, avec son mari Foerster, nationaliste prussien et antisémite, de leur récupération par l'idéologie nazie. — « Disciple du philosophe Dionysos » ou des penseurs présocratiques, poète, physiologiste et législateur *(La Naissance de la philosophie à l'époque de la tragédie),* Nietzsche substitue à la traditionnelle recherche du vrai celle du sens, le problème de la généalogie des valeurs et du principe des évaluations, montrant comment s'opèrent les déplacements et les renversements de perspective. Si la « volonté de puissance » sous sa forme active est créatrice de valeurs qui affirment la vie, d'une morale aristocratique, les forces réactives triomphent en opposant à la vie un idéal qui « n'a cessé de mentir en jetant l'anathème sur la réalité » : l'idéal de Socrate, le premier décadent, celui du platonisme avec son monde intelligible immuable, ceux du judaïsme et du christianisme avec leur morale d'esclaves, celui de l'humanisme moderne dont l'égalitarisme trahit des origines plébéiennes et chrétiennes. Aussi faut-il, selon Nietzsche, opérer une transmutation générale des valeurs, conquérir la liberté en s'affranchissant des valeurs établies. Ainsi, en même temps que la mort de Dieu et du dernier homme, le plus méprisable de tous car il a perdu le sens de son propre dépassement, Zarathoustra annonce la venue du surhomme qui créera des valeurs nouvelles et dont la volonté de puissance sera l'affirmation la plus totale de la vie, coïncidant avec l'acceptation la plus joyeuse de l'éternel retour.

Ph. Lauros-Giraudon

Oscar Niemeyer : chapelle Saint-François-d'Assise à Belo Horizonte. Brésil.

NIEUPORT (Édouard de NIÉPORT, dit **Édouard).** ♦ Aviateur et ingénieur français (Blida, 1875 — sur le champ d'aviation de Charny, près de Verdun, 1911). Un des premiers constructeurs d'avions (1909), il contribua à l'essor de l'aviation par ses études aérodynamiques. Il fut champion du monde de vitesse (177 km/h), détint le record mondial de distance parcourue entre le lever et le coucher du soleil (1 225 km).

NIEUPORT, en néerl. **Nieuwpoort.** ♦ V. de Belgique (Flandre-Occidentale, arr. de Furnes) à 16 km d'Ostende, située à la jonction de canaux importants (six ponts-écluses) : canal de Furnes, de l'Yser, de Passendale, etc. 7 200 hab. Halle aux draps de 1480 (reconstruite). Église gothique. — Commerce du bois et du charbon. Sardineries. Produits chimiques. ♦ *Hist.* À la suite d'une modification du cours de l'Yser (1116), Philippe d'Alsace put y créer un nouveau port (Nieuwpoort). En 1600, Maurice de Nassau y battit l'archiduc Albert. Lors de l'invasion allemande de 1914, la plaine fut inondée. À 3 km, Nieuport-les-Bains (Nieuwpoort-Bad), station balnéaire.

NIEUWERKERKEN. ♦ Comm. de Belgique (Flandre-Orientale, arr. d'Alost). 5 700 hab. Culture du lin.

NIEUWEVELD *(monts).* ♦ Monts d'Afrique du Sud situés au centre S. de la province du Cap*, et appartenant au système du Karroo*. Ils culminent à 1 912 mètres.

NIEVO (Ippolito). ♦ Patriote et poète italien (Padoue, 1831 — en Méditerranée, 1861). Officier dans les troupes garibaldiennes, il écrivit des *Poésies* (1854-1855) animées d'un ardent patriotisme, auxquelles succéda un recueil romantique et politique, *Les Lucioles* (*Lucciole,* 1858). Dans ses romans, *Ange de bonté* (1855) et *Le Comte berger* (1857), Nievo évoqua, non sans humour, les mœurs campagnardes. Dans le même style aisé et souvent humoristique, il composa ses *Confessions d'un octogénaire* (*Confessioni di un ottuagenario;* posth., 1867), roman historique qui offre un intéressant document sur la vie italienne dans la première moitié du XIXe siècle.

NIÈVRE. *n. f.* ♦ Affl. de la Loire (r. d.), confluant à Nevers*. 53 km. Elle est constituée de la *Nièvre de Champlemy* et de la *Nièvre de Bourras* et se grossit de la *Nièvre de Prémery* à l'O. de Guérigny.

NIÈVRE. [**58**]. *n. f.* ♦ Département situé en lisière du Bassin parisien (région [anciennement C.A.R.] de Bourgogne*). Le Morvan* occupe la partie E. du département. Entre le Morvan et le plateau du Nivernais s'étend la dépression du Bazois*, région

Niger.

bocagère associant l'élevage à la culture. À l'O., les plateaux forestiers du Nivernais*. La Sologne bourbonnaise, entre la Loire et l'Allier, et le Val-de-Loire, constitue la région la plus basse du département, pourtant ourlée de collines.
♦ (25 cant., 313 comm., 252 696 hab.). 6 888 km². *Préf.* Nevers. *Sous-préf.* Château-Chinon, Clamecy, Cosne-sur-Loire. *Ch.-l. de cant.* Brinon-sur-Beuvron (284 hab.), La Charité*-sur-Loire, Châtillon*-en-Bazois, Clamecy*, Corbigny*, Cosne*-sur-Loire, Decize*, Donzy*, Dornes*, Fours*, Lormes*, Luzy*, Montsauche*, Moulins*-Engilbert, Pougues*-les-Eaux, Pouilly*-sur-Loire, Prémery*, Saint*-Amand-en-Puisaye, Saint-Bénin-d'Azy (1 126 hab.), Saint-Pierre-le-Moûtier (2 227 hab.), Saint-Saulge (1 209 hab.), Tannay*, Varzy*. *Autres comm. et sites.* **V. Arleuf, Corvol-l'Orgueilleux, Entrains, Fourchambault, Guérigny, Machine (La), Neuvy-sur-Loire, Saint-Honoré-les-Bains, Saint-Parize-le-Châtel, Varennes-Vauzelles.**

NIĞDE. ♦ V. de Turquie, au S.-O. de Kayseri* (Anatolie centrale). Ch.-l. de la province homonyme. 21 663 hab. (1965). La ville conserve les ruines d'une citadelle saljuqide (*fin* XIᵉ s., restaurée *fin* XVᵉ s.), plusieurs mosquées (XIIIᵉ et XIVᵉ s.), une medersa (1409) et de beaux mausolées (*Hudavent Türbesi*, 1312).

NIGER. *n. m.* ♦ Fl. de l'Afrique occidentale (4 200 km, 3ᵉ d'Afrique) dont le cours forme une large « boucle » dans le Soudan* occidental. Né sur le versant N.-O. de la Dorsale* guinéenne, orienté S.-O. -N.-E., il irrigue la haute Guinée* orientale, puis passe au Mali* par Bamako*; sur son parcours malien, il forme après Ségou* un large delta intérieur **(V. Macina, Mopti)** où se situe le barrage de Sansanding*, jusqu'aux environs de Tombouctou*; il s'oriente alors brusquement, par capture, vers l'E., puis le S.-E. et passe à Gao*. Au Niger*, il arrose Niamey*, puis coule au Nigeria* où, entre ses deux principaux affl. (r. g.), le Sokoto* et la Bénoué*, a été aménagé le barrage de Kaanji*. D'Onitsha* à l'Océan (golfe de Guinée*), il est navigable toute l'année et forme avant de se jeter dans l'Atlantique (à 100 km env.) un vaste delta marécageux (Port* Harcourt). – Son régime de type fluvial tropical est rendu très complexe par l'étalement de son cours moyen (cuvette sahélienne). Son bassin (plus de 2 000 000 de km²) englobe huit pays de l'Ouest africain. Il est limité au S.-O. par la Dorsale* guinéenne, au N.-E. par l'Aïr et au S.-E. par le plateau Bauchi **(V. Nigeria)** et a été l'objet d'une sédimentation presque continue où n'affleurent que de rares accidents **(V. Bandiagara).** ♦ *Hist.* Principaux royaumes établis sur les r. du fl. : **V. Bambara** et **Segou, Songhaï** et **Gao.**

NIGER. *n. m. (république du).* ♦ État de l'Afrique occidentale, situé au S. du tropique du Cancer. Sans débouché sur l'Océan, il est limité au N. par l'Algérie* et la Libye*, à l'E. par le Tchad*, au S. par le Nigeria* et le Dahomey*, à l'O. par la Haute*-Volta et le Mali*. 1 189 800 km². 4 600 000 hab. *(Nigériens). Cap.* Niamey. – *Langues :* français (off.), dialectes berbères, djermas, Haoussas, ... – *Pop.* Arabo-berbères. **(V. Touaregs).** Métis **(V. Peuls** et **Songhaïs).** Noires **(V. Haoussas).** – *V. et localités princ. :* **V. Agadès, Arlit, Maradi, Tahoua** et **Zinder.** – *Orogr. :* Massifs **(V. Aïr** et **Tibesti)**; plateau **(V. Ténéré)**; désert **(V. Sahara).** – *Hydrogr. :* fleuve **(V. Niger).** Lac **(V. Tchad).** – Pays en grande partie sahélien et désertique, à l'exception d'une zone méridionale de climat soudanien, il est formé par un vaste plateau qui sépare deux cuvettes, le bassin occidental du Niger et le bassin oriental qui appartient à la cuvette du lac Tchad. – Son économie est essentiellement rurale (cultures vivrières et cultures d'exportation : arachide, coton et tabac; élevage et pêche). Les richesses de son sous-sol **(V. Agadès)** pourront permettre au Niger d'accéder au développement. La construction d'une voie ferrée jusqu'à Parakou* fera du Dahomey* le débouché du pays **(V. Cotonou).** ♦ *Hist.* La partie orientale du Niger fut du Xᵉ au XIXᵉ s. le centre du royaume de Bornou* tandis que les royaumes haoussas apparus au S. à partir du Xᵉ s. s'étendirent sur la quasi-totalité du territoire. Ils durent lutter contre l'empire Songhaï*, installé dans la partie occidentale du pays, et détruit par les Marocains en 1591. Les Haoussas furent alors unifiés et islamisés par les Peuls*. Colonisé par la France au début du XXᵉ s., inclus dans l'A.-O. F., le pays accéda à l'indépendance le 3 août 1960, avec le président Diori* Hamani. Celui-ci fut renversé le 15 avril 1974 par le lieutenant-colonel Seyni-Kountché, qui suspendit la constitution et interdit les partis politiques.

NIGERIA. *n. m. ou f.* ♦ État fédéral d'Afrique* occidentale (membre du Commonwealth*) baigné au S. par le golfe de Guinée* (golfe de Bénin* à l'O. et du Biafra* à l'E.). Il est limité à l'O. par le Dahomey*, au N. par le Niger*, à l'E. par le Cameroun* et au N.-E. par le Tchad*. 924 000 km². 62.930.000 hab. (la plus forte population de l'Afrique de l'Ouest). *Cap. fédérale :* Lagos. – *Langues :* anglais (off.), nombreux dialectes. – *Pop. :* les princ. groupes sont les Yoroubas* au S.-O., les Ibos* au S.-E., les Haoussas* et Peuls* au N. – Le (ou la) Nigeria est marqué par une forte opposition entre le N. et le S. Les États méridionaux (Ouest, Moyen-Ouest, Centre-Est, Sud-Est et des Rivières) représentent la partie vitale du pays et concentrent la majeure partie de la population urbaine. – *V. princ. :* État de l'Ouest. **V. Abeokuta, Ede, Ibadan, Ife, Ilesha, Iwo, Ogbomosho, Oshogbo** et **Oyo.** – État du Moyen-Ouest : **V. Benin City.** – État du Centre-Est. **V. Aba, Enugu** et **Onitsha.** – État des Rivières. **V. Port Harcourt.** – État du Sud-Est. **V. Calabar.** (V. de l'anc. Nigeria du N. auj. divisée en six États). **V. Ilorin, Jos, Kaduna, Kano, Maïduguri** et **Sokoto.** – Le Nigeria présente du N. au S. tous les climats et toutes les cultures depuis la zone sahélienne jusqu'aux régions équatoriales. Il est constitué par de vastes plateaux cristallins qui s'inclinent au N. sur les plaines du bassin du Niger et du Tchad et au S. sur une plaine côtière, aux côtes sablonneuses, qui atteint son maximum au niveau du delta. Seul accident notable, à proximité de la frontière camerounaise, le pic Vogel [2 040 m]. **(V. Adamaoua).** Cependant, le trait le plus marquant de son relief est constitué par la double dépression du Niger* et de son principal affl. la Bénoué, en forme d'Y, dont les deux branches latérales séparent la zone S. de celle du N. Son *économie* agricole, vivrière et commerciale est très diversifiée dans la partie S. : cacao (1ʳᵉ prod. mond.) à l'O., palmistes (2ᵉ prod. mond.) à l'E. et au centre, produits forestiers (hévéa, ébène, bois pour contreplaqué). Dans la partie N., l'élevage occupe une place prépondérante. Cependant, les cultures commerciales progressent : coton, arachides (3ᵉ prod. mond.), tabac et canne à sucre. La transformation des produits agricoles a suscité des industries (huile de palme, 2ᵉ prod. mond.; caoutchouc; textiles, cuir). Le barrage de Kaïnji* alimente les villes actives du S.-O., mais l'essentiel de la richesse du pays provient de son sous-sol (niobium, étain, charbon, zinc et fer), pétrole et gaz naturel dans le delta. ♦ *Hist.* Avant l'arrivée des Européens, deux civilisations s'affrontaient au Nigeria : les féodalités musulmanes du N. **(V. Haoussa, Bornou** et **Sokoto)** et les royaumes du S. **(V. Yoroubas** et **Bénin).** Les Anglais, établis à Lagos dès 1861, étendirent leur influence sur la zone côtière, à l'initiative de la « Royal Niger Company », puis sur les émirats septentrionaux annexés par Lugard en 1900 (gouvernement de l'*Indirect Rule*). Les deux protectorats de la Nigeria du Sud et du Nord furent réunis en 1914, puis transformés en une fédération de quatre États en 1954. Indépendante en 1960, elle restait dans le Commonwealth*, la partie septentrionale de l'anc. Cameroun britannique entrant dans la fédération (1961), et elle devint république indépendante en 1963. Membre de l'O.N.U. (1967). Une tentative de séparatisme de la Nigeria orientale eut lieu entre 1967 et 1970. **(V. Biafra).**

NIGGLI (Paul). ♦ Minéralogiste suisse (Zofingen, 1888 – Zurich, 1953). Auteur de recherches sur les espèces minérales et sur leur classification, il soutint la thèse magmatiste pour élaborer la théorie de la pétrogenèse; il appliqua les lois de la thermodynamique et de la cristallochimie à l'étude de l'évolution du magma et de ses dérivés, dont il put ainsi définir les étapes essentielles (1935-1938).

NIGHTINGALE (Florence). ♦ Infirmière britannique (Florence, 1820 – Londres, 1910). Fondatrice d'un hôpital pour dames invalides (Londres, 1853), elle organisa ensuite des hôpitaux militaires de campagne, pendant l'expédition de Crimée (1854-1855), la guerre de Sécession et la guerre franco-allemande. Elle organisa la formation du personnel hospitalier. *Notes on Nursing* (1859).

NIGIDIUS FIGULUS (Publius). ♦ Sénateur, écrivain et philosophe romain (~ 98 – ~ 44), il fut exilé en ~ 46 après avoir pris le parti de Pompée*. Il est considéré comme le fondateur du néo*-pythagorisme.

NIGRITIE [nigʀisi]. *n. f.* (du lat. *Nigritia,* de *Niger* « noir »). ♦ Ancien nom donné à la zone soudanaise **(V. Soudan)** comprise entre le Sahara, le Nil et la zone guinéenne.

NIHON. ♦ Nom japonais désignant les îles japonaises, signifiant « origine du soleil ». Il était autrefois prononcé NIPPON, à la manière chinoise.

Nihongi ou **Nihon shoki.** ♦ Annales historico-mythologiques du Japon, composées en langue chinoise classique et comprenant trente livres. C'est un complément du *Kojiki*. Il fut écrit huit ans après celui-ci, en 720. C'est un ouvrage extrêmement important pour la connaissance de la protohistoire et des anciennes coutumes du Japon.

NIHON-KAI. ♦ **V.** JAPON (mer du).

NIIGATA. ♦ V. du Japon (Honshû) et port principal de la côte ouest. 382 000 hab. Indus. pétrolifères (puits à proximité), textiles (filatures de coton) et mécaniques. Port de transit vers la Sibérie et la Corée et d'importation de pétrole.

NIIHAMA. ♦ V. du Japon (Shikoku, préfecture de Ehime) sur la côte de la mer intérieure. 130 000 hab. Raffineries de cuivre. Indus. du nickel et de l'aluminium.

NIJINSKI (Vatslav Fomitch). ♦ Danseur et chorégraphe russe, d'origine polonaise (Kiev, 1890 – Londres, 1950). Après avoir débuté au Théâtre Marie, de Saint-Pétersbourg (1907), il fut engagé par S. de Diaghilev pour la première tournée des « Ballets russes », à Paris (1909). Il devait y affirmer, durant quatre années, des qualités exceptionnelles : perfection de la technique, beauté de l'expression, pouvoir de séduction. Ses interprétations font date dans l'histoire de la danse (*Les Sylphides, Shéhérazade, Pétrouchka, Daphnis et Chloé,* et surtout *Le Spectre de la rose* et *L'Après-Midi d'un faune* où l'ampleur prodigieuse de ses bonds, d'une grâce magique, fit l'émerveillement des connaisseurs et du grand public). Au cours d'une tournée en Amérique du Sud, il avait épousé une jeune danseuse hongroise, Romala de Pulszky (1913). À l'annonce de cette nouvelle, Diaghilev décida de rompre l'engagement qui le liait au danseur. Une réconciliation suivit, mais la santé mentale de Nijinski, déjà altérée, périclita. Il devait sombrer dans la folie (1918), traînant désormais de clinique en clinique une existence misérable. Chorégraphe, ses trois ballets, *L'Après-Midi d'un faune* (mus. Debussy), *Jeux* et *Le Sacre du printemps* (mus. Stravinski) furent âprement discutés, mais son génie foudroyé de danseur a laissé un impérissable souvenir. ♦ BRONISLAVA NIJINSKA, sa sœur (Varsovie, 1891) fut danseuse, chorégraphe et pédagogue. Elle a composé de nombreux ballets pour la troupe de S. de Diaghilev, pour l'Opéra de Paris, pour les compagnies d'Ida Rubinstein, du colonel de Basil et du marquis de Cuevas. Elle a collaboré aux États-Unis avec le *Ballet Théâtre* et fondé à Hollywood une école de danse.

NIJLEN. ♦ V. de Belgique (Anvers, arr. de Malines) sur la Petite Nèthe canalisée, à 24 km de Malines. 9 800 hab. Cultures de primeurs. Taille du diamant.

NIJNI-NOVGOROD. ♦ Anc. nom de Gorki* (U.R.S.S.).

NIJNI TAGHIL. ♦ V. d'U.R.S.S. (R.S.F.S. de Russie, région de Sverdlovsk), sur la Taghil (439 km) à l'E. de l'Oural*. 378 000 hab. Centre d'indus. métallurgiques (fer, acier) et mécaniques.

Nika *(sédition de).* ♦ Nom donné à l'insurrection du peuple de Constantinople, déclenchée en 532 par les factions du cirque. **V. Bleus et Verts.** L'émeute prit ce nom à cause du cri de ralliement *Nika!* (« Vaincs ! » ou « Victoire ! »), utilisé par les révoltés. Ceux-ci, maîtres de la ville pendant quelques jours, mirent le feu à Sainte-Sophie et aux bâtiments de l'administration. L'empereur Justinien* Ier, sur le point de prendre la fuite, fut encouragé par l'énergique impératrice Théodora*. Le général Bélisaire* avec ses mercenaires réprima la révolte par le massacre de 30 000 insurgés dans l'hippodrome.

NIKKÔ. ♦ Petite ville japonaise, située à environ 140 km au N. de Tôkyô. Elle est célèbre pour ses deux ensembles de sanctuaires (Tôshôgû) et de temples élevés vers 1636, dans le style chinois de l'époque des Ming*.

NIKOLAÏEV. ♦ V. de l'U.R.S.S. (Ukraine), ch.-l. de la région du même nom (24 700 km², 1 122 000 hab.), port maritime et fluvial important sur l'estuaire du Boug* (Bug) méridional. 331 000 hab. Constructions navales. Indus. métallurgique. Cimenterie. ♦ *Hist.* Fondée par Potemkine* en 1789, elle fut le port de construction et d'entretien de la flotte militaire de la mer Noire avant d'être éclipsée par Odessa*.

NIKON (Nikita Minine). ♦ Prélat russe (Près de Nijni-Novgorod, 1605 – Iaroslavl', 1681). Successivement métropolite de Novgorod en 1648, puis patriarche de Moscou en 1652, il eut une grande influence sur le tsar Alexis. Partisan du retour à l'orthodoxie grecque, il fit réviser les traductions de l'Écriture sainte et suscita l'opposition des « vieux croyants » dirigés par Avvakoum*.

Nigeria.

NIKOPOL'. ♦ V. d'U.R.S.S. (Ukraine) sur le Dniepr*. 125 000 hab. Exploitation d'un riche gisement de manganèse situé dans la région.

NIL. *n. m.* ♦ Fl. d'Afrique du N.-E. De direction S.-N., c'est le plus long fleuve du monde (6 671 km). Son bassin (2 849 000 km²) couvre le Tanganyika, le Kenya, le Ruanda, le Burundi, le Congo, le Soudan, l'Éthiopie et l'Égypte. Né au N. du lac Tanganyika (Burundi), il porte successivement les noms de *Kasumo* puis de *Kagera,* traverse ensuite le lac Victoria *(Nil Victoria),* franchit les chutes de Rimpon et d'Owen, pénètre dans le lac Kioga, traverse les chutes Murchison, puis le lac Albert, coule dans la plaine du Soudan méridional où il prend le nom de *Bahr el-Djebel* (Gebel), et franchit une zone marécageuse. Il reçoit le Bahr* el-Ghazal (r. g.) et pénètre dans les marais du lac Nô. Il prend ensuite le nom de *Nil Blanc* (Bahr* el-Abiad) et reçoit le Sobat (r. d.). À la hauteur de Khartoum, il s'accroît du *Nil Bleu* (Bahr* el-Azrak) et, plus loin, de l'Atbara et de l'oued Malik. Le Nil franchit alors les régions désertiques de Nubie et de Haute-Égypte par une succession de « cataractes » ou rapides, numérotées de 6 à 1 entre Khartoum et Assouan. C'est au niveau de la 2e cataracte que s'effectue son entrée en Égypte. Entre Assouan et Le Caire, le fleuve coule dans une vallée étroite et fertile, et se jette, à 160 km au N. du Caire, dans la Méditerranée, en un vaste delta marécageux d'une superficie de 23 000 km² et dont les deux principales branches sont celles de Rosette et Damiette. Le régime du Nil est assez particulier; les crues commencent en juin et sont portées vers le cours inférieur par le Nil Bleu et l'Atbara, gonflés par les pluies tropicales. En Égypte, le niveau maximal des crues se situe en septembre. Les eaux limoneuses qui inondent alors le pays sont captées et redistribuées sur les terres avoisinantes grâce aux barrages de Ziftah*, d'Assiout*, d'Hammadi, d'Esna* et surtout aux deux barrages géants d'Assouan (**V. Assouan** et **Sadd-el-Ali**).

NIL BLANC. ♦ V. BAHR EL-ABIAD.

NIL BLEU. ♦ V. BAHR EL-AZRAK.

NÎLGIRI. *n. m.* (« collines bleues »). ♦ Massif montagneux du S. du Dekkan (Inde), renommé pour ses plantations de théiers et de caféiers, ainsi que pour ses stations estivales situées à environ 2 000 m d'altitude.

NILVANGE. ♦ Comm. de la Moselle, arr. et aggl. de Thionville-Ouest. 8 136 hab. *(Nilvangeois)* [**V. Knutange**].

NIMBA *(mont).* ♦ Sommet de la Dorsale* guinéenne (1 752 m), au S.-E. de la Guinée. Véritable montagne de fer dont l'exploitation est liée au problème du transport.

NIMÈGUE, en néerl. **Nijmegen**. ♦ V. des Pays-Bas (Gueldre), sur le Waal* (r. g.), bras occidental du Rhin, proche de la frontière germanique. 127 172 hab. (1960). Université catholique. Église Saint-Étienne (XIIIe-XVe s.). Hôtel de ville du XVIe s. La plupart des monuments anciens furent détruits en 1944 et en 1945. – Centre industriel : constructions mécaniques, appareils électriques et de chauffage, papeterie, fibres artificielles, savonnerie, manufactures de vêtements et de chaussures. – Patrie de Henri* VI d'Allemagne. ♦ *Hist. Noviomagus* romaine, la ville fut un camp militaire. Ville impériale en 1230, elle passa aux comtes de Gueldre en 1247 puis fut prise par les Espagnols en 1585 et par Turenne en 1672. Les Français l'occupèrent de 1795 à 1814.

NIMÈGUE *(traités de).* ♦ Suite de traités (1678-1679) mettant fin à la guerre de Hollande, signés entre la France, les Provinces-Unies, l'Espagne et l'Empire. L'Espagne dut céder à la France la Franche-Comté et un certain nombre de places. Ces traités consacraient la prééminence française et marquèrent l'apogée du règne de Louis XIV.

NÎMES. ♦ Préf. du Gard, ch.-l. d'arr. (19 cant., 177 comm., 319 216 hab.), situé en lisière des Garrigues. 129 866 hab. *(Nîmois).* De nombreux monuments romains, témoignant de la splendeur ancienne de la ville, sont situés dans un large cercle débordant le vieux Nîmes. L'amphithéâtre dit *Arènes* date du Ier s.; il comprend deux étages de portiques et 34 rangs de gradins et a la forme d'une ellipse. Près de 24 000 personnes pouvaient y prendre place. Maison* carrée. Jardin de la Fontaine. Le temple de Diane et la tour Magne, octogonale, mesurant plus de 30 m, sont probablement des édifices romains, mais leur origine reste énigmatique. Au *Castellum* (château d'eau romain) aboutissait l'aqueduc, alimentant la ville en eau. Dans le *vieux Nîmes* est édifiée la cathédrale Notre-Dame-et-Saint-Castor (1096); plusieurs fois ruinée, elle fut reconstruite au XIXe s. dans le style romano-byzantin. Musées. – Nîmes est le centre de commerce des vins, légumes, fruits de l'arrière-pays. La ville développe auj. son activité industrielle vers Saint-Césaire et Courbessac. Indus. alimentaires. Métallurgie. Constructions électriques. Les fabriques de chaussures, la confection et la bonneterie ont relayé l'industrie de la soie et du velours, jadis prospère. Évêché. Institut universitaire de technologie. Aéroport de Garons. – Patrie de J. Nicot*, F. Guizot*, J. Reboul*, A. Crémieux*, A. Daudet*, H. Bataille*. ♦ *Hist.* L'origine de Nîmes fut la source dont elle devait tirer son nom (le génie de la fontaine était appelé *Nemausus*). Les Romains y succédèrent au Volsques Arécomiques (~ 121), et la ville connut un rapide essor : Agrippa* y fonda une colonie de vétérans (~ 19), Auguste* l'agrandit, et Antonin* le Pieux, dont la famille maternelle était originaire de la ville, l'amena à son apogée. La domination romaine devait y laisser de nombreux monuments. Vandales, Wisigoths, Francs, Sarrasins s'y succédèrent, du Ve s. à l'avènement des Carolingiens. La ville dépendit ensuite des comtes de Toulouse, puis de la maison d'Aragon. Victime de la croisade des albigeois, elle fut rattachée au domaine royal en 1229. Au XVIe s., elle devait constituer l'un des principaux foyers du calvinisme et être le théâtre d'un important massacre de catholiques, la Michelade. Soumis par Louis XIII en 1629, les huguenots y obtinrent la tolérance religieuse (pacification de Nîmes). Les haines religieuses y persistèrent néanmoins pendant le XVIIe et le XVIIIe siècle.

NIMIER (Roger Nimier de la Perrière, dit **Roger).** ♦ Romancier français (Paris, 1925 – *id.*, 1962). Pour avoir appartenu « à cette génération heureuse qui aura eu vingt ans pour la fin du monde civilisé », en l'occurrence la Deuxième Guerre mondiale, R. Nimier se voulut le témoin « sans amour, mais avec passion » d'une jeunesse désengagée, hostile aux idéologies comme aux morales. Dans *Les Épées* (1949) et surtout *Le Hussard bleu* (1950) s'exprime un mépris volontiers provocant, cynisme apparent, dissimulant peut-être une sensibilité romantique. Après *Les Enfants tristes* (1951) et *Histoire d'un amour* (1953), R. Nimier se consacra à ses activités de journaliste et de critique littéraire (cf. *Journées de lecture;* posth., 1965), avant de trouver la mort dans un accident de voiture.

NIMITZ (Chester William). ♦ Amiral américain (Fredericksburg, Texas, 1885 – Yerba Buena Island, Chili, 1966). Chef d'état-major des forces sous-marines de l'Atlantique lors de la Première Guerre mondiale, il exerça divers commandements entre les deux guerres, avant de devenir, après Pearl* Harbor (1941), commandant en chef de la flotte du Pacifique. Le Pacifique central lui fut affecté comme théâtre d'opérations et il y dirigea la reconquête américaine, non sans heurts avec l'armée de terre et MacArthur*. Conjointement avec ce dernier, il reçut la capitulation japonaise le 2 septembre 1945. **V. Guerre mondiale *(Deuxième).***

NIMRUD. ♦ Site à 35 km au S.-E. de Mossoul (Irak) où furent découvertes les ruines de l'ancienne *Kalkhu* (la *Kalah* biblique, *Genèse*, X, 11), capitale assyrienne fondée par Assurnazirpal* II en ~ 879 et détruite par les Mèdes en ~ 612. – Fouilles par Layard (1845) puis Rassam, reprises par Mallowan (1949). Ruines des palais d'Assurnazirpal II, Salmanasar III, Adad-nirâri III, Assarhaddon.

NING-HSIA *(Ningxia*]. ♦ V. NING-PO.

NING-HSIA HUI-TSU [*Ningxia Huizu*]. *n. m.* ♦ Région autonome au S. de la Mongolie-Intérieure (Chine), montagneuse et sèche, traversée par le cours du Huang*-ho et relativement peu peuplée (pasteurs musulmans). On y cultive du blé et du soja. Artisanat de tapis de feutre.

NING-PO [*Ningbo*]. ♦ Port de la côte chinoise du Chê-Kiang. 250 000 hab. Indus. textile, exportations de conserves de poissons, de thé et de coton. ♦ *Hist.* Son entrée fut permise aux Européens en 1842 à la suite de la guerre de l'Opium*. Il se nomma Ning-Hsia de 1911 à 1949.

NINIVE. ♦ Anc. ville d'Assyrie, sur le Tigre (ruines à Quyundjik et Nabi-Yunus, en face de Mossoul, Iraq). Habitée dès l'époque protohistorique (~ IIIe millénaire), elle devint capitale de l'ancien Empire assyrien sous Shamshi*-Adad Ier. Mais sa splendeur date de Sennachérib* : celui-ci la fortifia, la munit d'adductions d'eau et y bâtit un immense palais. Ses successeurs Assarhaddon* et Assurbanipal* y eurent aussi le leur. La bibliothèque d'Assurbanipal comportait env. 25 000 tablettes en cunéiformes **(V. Gilgamesh).** La ville fut détruite par les Mèdes et les Néo-Babyloniens en ~ 612 **(V. Assyrie).** Après l'échec de Botta (1842), les fouilles furent menées par Layard (1847), Loftus, Rassam, et fournirent au British Museum de magnifiques bas-reliefs ; elles demeurent inachevées. – *Légende :* **V. Sardanapale.**

NIÑO (Pedro Alonso, surnommé **El Negro).** ♦ Navigateur espagnol (Moguer, 1468 – v. 1505). Il participa à la troisième expédition de C. Colomb (1498) et explora les côtes du Venezuela (en particulier à l'île Margarita) où il précéda de peu A. de Hojeda (1499-1500).

Ph. Nimatallah/Ricciarini

Prisonniers de guerre. Bas-relief provenant du palais d'Assurbanipal à Ninive. (Musée du Louvre, Paris.)

NINOVE. ♦ V. de Belgique (Flandre-Orientale, arr. d'Alost) sur la Dendre, près de Bruxelles. 12 100 hab. Église de 1635-1723. Produits laitiers et maraîchers. Indus. textiles (coton, soie artificielle).

NIN Y CASTELLANO (Joaquín). ♦ Compositeur et musicologue cubain, d'origine espagnole (La Havane, 1879 – *id.*, 1949). Élève de V. d'Indy, il fut professeur à la Schola cantorum. Animateur de la vie musicale à La Havane, il a laissé une œuvre peu abondante (un *mimodrame*, un *ballet*, de la *musique de chambre)* et s'est attaché à redonner vie aux œuvres de la musique espagnole populaire du passé *(chansons, noëls, sonates).*

NIOBÉ. ♦ Fille de Tantale* et épouse d'Amphion*, roi de Thèbes*. Elle a de lui sept fils et sept filles. Orgueilleuse et fière, elle se vantait d'être supérieure à Léto* qui n'avait que deux enfants. Vengeant leur mère offensée, Apollon* et Artémis* tuent les enfants de Niobé *(Niobides)* à coups de flèches. Seule s'échappe une fille, Chloris*, future mère de Nestor*.

NIOLO. *n. m.* ♦ Région de hautes montagnes du centre de la Corse*, parcourue par le cours supérieur du Golo*.

NIORT. ♦ Préf. des Deux-Sèvres, ch.-l. d'arr. (17 cant., 180 comm., 177 836 hab.), sur la Sèvre Niortaise. 57 660 hab. [46 744 aggl.] *(Niortais).* Église Notre-Dame du XVe s., remaniée au XVIIIe siècle. Vestiges de l'ancien château fort des comtes de Poitiers. Anc. hôtel de ville, XVIe siècle. Maisons anciennes. Vestiges gallo-romains. – Minoteries. Distilleries. Constructions mécaniques. Matériel électrique. Indus. chimique. Importantes tanneries, peausseries, fabriques de gants et de chaussures. Confection. Imprimerie. Foire annuelle. – Patrie de Mme de Maintenon*, Louis de Fontanes*. ♦ *Hist.* Le bourg gallo-romain de *Novium Ritum* (le nouveau gué) est né à l'emplacement d'un gué sur la Sèvre. Aux confins du Marais, du Poitou et de la Vendée, il joua dès le Moyen Âge un rôle de point de contact entre ces régions, rôle que renforcèrent la construction du château fort par Henri II Plantagenêt et l'octroi d'importantes franchises municipales, ainsi que le creusement du port sur la Sèvre Niortaise. Dès le XIIIe s., les activités liées à la préparation des cuirs s'implantèrent solidement et contribuèrent pour une bonne part à la prospérité de la ville. Disputée pendant la guerre de Cent Ans, celle-ci fut reprise aux Anglais par Du Guesclin en 1372. Acquise à la Réforme, elle fut au XVIe et au XVIIe s. un foyer calviniste actif, et la révocation de l'édit de Nantes affecta gravement son essor en la privant d'une grande partie de sa population.

NIPIGON *(lac).* ♦ Lac du Canada (Ontario), relié au lac Supérieur. 4 450 km^2.

NIPISSING. *n. m.* ♦ Lac du Canada (Ontario) qui se déverse à l'O. dans la baie Géorgienne du lac Huron. Env. 850 km^2. Minerai d'uranium.

NIPKOW (Paul). ♦ Ingénieur allemand (Lauenburg, Poméranie, 1860 – Berlin, 1940). Il imagina le disque perforé explorateur (1884) avec lequel Baird* réalisa la première transmission d'image. **V.** *aussi* **Rosing, Zworykin.**

NIPPON. ♦ Prononciation japonaise du nom chinois du Japon. **V. Nihon.**

NIPPUR, *auj.* **Nuffar,** Iraq. ♦ Anc. ville de basse Mésopotamie, principal centre religieux de Sumer* à la fin du ~ IVe et au ~ IIIe millénaire. Ruines des temples d'Enlil, d'Inanna, d'Ishtar.

NIRENBERG (Marshall W.). ♦ Biochimiste anglais (New York, 1927). Ses travaux sur l'interprétation du code génétique intervenant dans la synthèse des protéines lui valurent le prix Nobel de méd. (1968) avec R. Holley* et H.G. Khorana*.

NIŠ. ♦ V. de Yougoslavie (Serbie). 81 000 hab. Vestiges de remparts d'une anc. citadelle byzantine. Tombeaux byzantins. Forteresse ottomane. – Centre commercial et industriel (manufacture de tabac, métallurgie et électrométallurgie, textiles). ♦ *Hist.* Mentionnée dès 140 sous le nom de *Naissus*, elle fut la patrie de, Constantin le Grand. Détruite par les Huns (441), elle passa sous domination ottomane de 1375 à 1878.

NISARD (Désiré). ♦ Critique littéraire français (Châtillon-sur-Seine, 1806 – San Remo, 1888). Auteur d'articles d'opinion républicaine dans le *National* et le *Journal des débats,* il se rallia au régime du Second Empire et fit une brillante carrière universitaire. Directeur d'une édition des classiques latins, il a laissé une *Histoire de la littérature française* (1844-1861), surtout intéressante pour la période classique (XVIIe s.). [Acad. fr., 1850.]

NISHINA YOSHIO. ♦ Physicien japonais (1890 – 1951) qui créa au Japon un laboratoire d'études de l'énergie nucléaire et installa en 1927 le premier cyclotron japonais.

NISHINOMIYA. ♦ V. du Japon (Honshû, préfecture de Hyôgo), sur la baie d'Ôsaka. 380 000 hab. Machines-outils, indus. chimiques, distilleries de saké.

NISSAN-LEZ-ENSÉRUNE. ♦ Comm. de l'Hérault, arr. de Béziers. 2 515 hab. Église de type gothique méridional. À proximité, l'oppidum d'Ensérune **(V. Ensérune).**

NISUS. ♦ Guerrier troyen, compagnon d'Énée* dont l'amitié avec Euryale* est devenue légendaire (Énéide*, chap. IX).

NITERÓI. ♦ V. et port du Brésil, cap. de l'État de Rio* de Janeiro située dans la baie de Guanabara* face à Rio. 304 000 hab. Université. Archevêché. Aggl. industrielle dans la conurbation de Rio de Janeiro. Constructions navales. Indus. chimiques, textiles et alimentaires.

NITHARD. ♦ Chroniqueur français du IXe siècle. On lui doit une

Histoire des fils de Louis le Pieux et la transmission des *Serments** *de Strasbourg.*

NITÔKRIS, nom gr. de **Nitakrit**. ♦ Reine d'Égypte qui aurait gouverné comme pharaon à la fin de la VIe dynastie (~ XXIVe s.) et aurait entraîné dans sa mort les meurtriers de son époux. Cette figure légendaire pourrait recouvrir celle de Néith, femme de Pépi* II.

NITRA. ♦ V. de Tchécoslovaquie, en Slovaquie-Occidentale, sur la riv. *Nitra.* 41 552 hab. (1967). Évêché. Château. Cathédrale de style mi-gothique, mi-baroque (XIIIe, XIVe et XVIIe s.). Église du XIIe siècle. Édifices baroques. – Centre agricole et industriel.

NITRIE *(désert de)* ou **OUADI NATROUM**. ♦ Désert de basse Égypte, au S.-O. du delta. De nombreux ermites s'y retirèrent aux IVe et Ve siècles.

NI TSAN [*Ni Zan*]. ♦ Peintre chinois (1301 – 1374), un des plus grands maîtres du paysage de l'époque des Yüan (Mongols). Également réputé comme calligraphe et poète.

NITTI (Francesco Saverio). ♦ Homme politique italien (Melfi, 1868 – Rome, 1953). Économiste, député radical (1904), il succéda à Orlando à la tête du gouvernement (juin 1919-juin 1920). Devant la montée de l'agitation nationaliste déclenchée par le traité de Saint*-Germain-en-Laye, il dut démissionner. Opposé au fascisme, il s'exila et fut déporté par les nazis en 1943. Rentré en Italie après la guerre, il protesta contre le traité de 1947. Sénateur en 1948.

NIVE. *n. f.* ♦ Affl. de l'Adour* (78 km), elle prend sa source dans les Pyrénées*, traverse Saint*-Jean-Pied-de-Port, Cambo*-les-Bains et conflue à Bayonne*.

NIVEDITA. ♦ Nom indien pris par une disciple de Vivekânanda*, miss Margaret Noble (Irlande, 1867 – Calcutta, 1911) qui écrivit de nombreux ouvrages sur l'hindouisme.

NIVELLE (Jean *de***), [Jean II de Montmorency**, *seigneur de* **Nivelle].** ♦ (1402-1477). Fidèle à Louis XI, il tenta de détacher son fils de l'alliance avec Charles le Téméraire. Jean n'ayant pas obéi à l'appel de son père, celui-ci le déshérita et l'aurait maudit. On a voulu expliquer ainsi la locution : « c'est le chien [terme d'injure] de Jean de Nivelle, qui fuit quand on l'appelle », mais l'explication est très probablement postérieure.

NIVELLE (Robert Georges). ♦ Général français (Tulle, 1856 – Paris, 1924). Officier d'artillerie, il participa à l'expédition de Chine (1900), puis servit en Afrique du Nord. Placé à la tête du IVe régiment d'artillerie (1911), il se battit en Alsace et sur l'Ourcq au début de la Première Guerre mondiale. Nommé commandant de division du IIIe corps d'armée (1915), puis de la IIe armée (1916), il contribua par plusieurs contre-offensives à arrêter l'avance des forces allemandes sur Verdun (1916). Remplaçant de Joffre* à la tête des armées du Nord et du Nord-Est, il fut relevé de ses fonctions et remplacé par Pétain* après l'échec de l'offensive du Chemin des Dames [Aisne] (avril 1917); mais la commission chargée d'étudier les causes de cet échec ne révéla point d'erreurs tactiques de la part de Nivelle.

NIVELLE DE LA CHAUSSÉE. ♦ **V.** La Chaussée.

NIVELLES, en néerl. **Nijvel**. ♦ V. de Belgique (Brabant, ch.-l. d'arr.) sur la Thines, à 32 km de Bruxelles. 15 100 hab. *(Nivellois* ou « Aclot »). Plus de 500 maisons anciennes, ainsi que la collégiale, furent brûlées en 1940, mais la ville a été parfaitement reconstruite. La collégiale Sainte-Gertrude, commencée au XIe s., est le plus imposant monument mosano-rhénan du pays (restes de l'église mérovingienne des VIIe et VIIIe s.). Église des Récollets, fondée par Marguerite d'Autriche en 1525. Musée d'archéologie. – Indus. métallurgiques. Matériel de chemin de fer. Papeteries. Indus. textile (coton). ♦ *Hist.* Itte, femme de Pépin de Landen, et Gertrude, sa fille, y fondèrent en 645 un monastère. La ville était réputée pour ses toiles fines (batiste), mais, à la suite de l'émeute de 1647, les tisserands portèrent cette industrie à Valenciennes, Cambrai et Douai. – Célèbre procession où l'on expose le cercueil de sainte Gertrude et où l'on présente les géants Argayon.

NIVERNAIS. *n. m.* ♦ Région de Bourgogne située entre le massif du Morvan et la vallée de la Loire. Elle comprend d'E. en O. : la plaine bocagère du Bazois*, riche région agricole associant culture et élevage; les plateaux forestiers du Nivernais culminent à 452 m; la plaine alluviale du Val de Loire nivernais, où alternent vergers et prairies dans les fonds et vignobles à la naissance des coteaux.

Nivernais *(canal du).* ♦ Canal unissant la Seine à la Loire, construit de 1785 à 1842. Il suit le cours de l'Yonne depuis Auxerre* jusqu'à La Chaise, puis celui de l'Aron, et atteint la Loire à Decize*.

NIWA FUMIO. ♦ Écrivain japonais (1904). Il se fit connaître par ses romans « sociaux », notamment *Le Blé qui lève* (1953).

NIXON (Richard Milhous). ♦ Homme d'État américain (Yorba Linda, Calif., 1913), deux fois président des Etats-Unis (1968 et 1972). Ses parents, venus d'Irlande au XVIIe s., appartenaient tous deux à la secte des quakers. Avocat en Californie, il fut mobilisé dans la Marine et fit la guerre dans des postes à terre comme officier de réserve. À la paix, en 1945, il s'affilia au parti républicain, fut élu représentant en 1947, sénateur en 1951. Il se distingua par un zèle d'inquisiteur contre le communisme et contre « les activités non américaines » *(Un-American Activities)*, et obtint la condamnation d'un haut fonctionnaire, Alger Hiss. Il fut élu vice-président des États-Unis en 1952 après une campagne où il dénonça ce qu'il appela la coupable faiblesse des démocrates vis-à-vis de Moscou. Il fut l'infatigable lieutenant d'Eisenhower*

Ph. U.S.I.S.

Richard M. Nixon.

jusqu'en 1960, exerçant en fait le pouvoir durant la maladie du président. Il consacra de nouveau sa réputation d'opposition à l'U.R.S.S. en « tenant tête à Khrouchtchev* » lors d'une mission à Moscou en 1958. Candidat à la Maison-Blanche en nov. 1960, il fut battu de justesse par John F. Kennedy*. Pendant huit ans, il exerça, à New York, sa profession d'avocat, avec grand succès. En 1968, les difficultés de l'administration démocrate dans la guerre du Viêt*-nam le firent revenir à la politique, mais avec des idées opposées à celles qu'il avait naguère défendues. Selon l'expression de Garry Wills dans le *Saturday Evening Post*, « le secret du retour de Nixon en surface résida pour une large part dans sa disposition à sacrifier son moi passé à son moi présent ». Le 5 nov. 1968, il fut élu président sur un programme promettant « une nouvelle prospérité, sans inflation et sans guerre ». Il avait loué « la très grande sagesse » du général de Gaulle en politique extérieure, à l'égard de l'U.R.S.S. et de la Chine. Il définit ainsi, en 1969, ce que serait sa propre politique : « Nous ne pouvons espérer que tous les peuples deviendront nos amis; mais nous pouvons tenter de faire en sorte que personne ne devienne notre ennemi ». À la politique du *containment* succédait celle du *non-entanglement :* « Là où nos intérêts, ou nos engagements, ne seront pas en jeu, notre rôle sera limité ». Si elle leur est explicitement demandée, les États-Unis fourniront à leurs alliés « une aide militaire et économique, mais ils demanderont aux pays menacés de fournir les hommes nécessaires à leur défense ». La « vietnamisation » **(V. Viêt-nam)** suivit cette ligne : les troupes américaines furent retirées, l'aide militaire continua, jusqu'à l'armistice, sous forme de bombardements massifs sur le Viêt-nam du Nord et des blocus de ports. Précédé de son conseiller Kissinger*, Nixon fit, concurremment, ce qu'il appela « la percée » vers Peking (févr. 1972) et Moscou (mai 1972). Bien accueilli dans l'une et l'autre capitale, il revint de Moscou avec un accord limitant la production et l'emploi des armes atomiques. Il compléta cette nouvelle politique « d'alliances russo-américaine contre la guerre » (Raymond Aron) par « les plus importants contrats commerciaux jamais conclus entre deux nations ». Dans une atmosphère de succès, Nixon fut réélu à la présidence, avec 60,7 % des voix, en nov. 1972. Des revers suivirent de peu ce triomphe. Il fut accusé, par la presse d'abord, par un nombre grandissant de représentants et de sénateurs ensuite, d'avoir négligé d'empêcher, voire autorisé, l'espionnage illicite des secrets du parti démocrate au Watergate, immeuble siège de ce parti. Par ailleurs, de graves difficultés économiques, une forte inflation, le déficit de la balance des comptes et de celle des paiements, ainsi que de celle du commerce, avaient, dès l'été 1971, contraint Nixon à suspendre la convertibilité du dollar et à frapper les importations d'une surtaxe de 10 %. La baisse de la devise se poursuivit en 1972 et en 1973. Les intérêts commerciaux des États-Unis et ceux de l'Europe occidentale s'opposèrent. Nixon fut accusé, dans une partie de l'opinion publique des pays de la Communauté européenne, de sacrifier les intérêts et peut-être l'indépendance de ceux-ci à l'entente avec l'U.R.S.S. Cependant après huit mois de délibérations, la Chambre des représentants, en juillet 1974, votait la mise en accusation du président « pour délits commis envers les États-Unis » dans l'affaire du Watergate. Le 5 août, Nixon avouait qu'il avait participé à la dissimulation de cette affaire. Acculé au dilemme de la poursuite judiciaire ou de la démission, il abandonna spontanément son mandat le 9 août 1974. Il désigna le vice-président Gerald Ford* pour lui succéder. Celui-ci, usant de son droit de grâce, arguant des souffrances déjà endurées par Nixon, de sa santé ébranlée, et de la paix sociale, l'exonéra de toute poursuite.

NÎZAMI (Abû Mûhammad Ilyas). ♦ **V.** Nezâmi.

NIZAN (Paul). ♦ Philosophe, essayiste et romancier français (Tours, 1905 – près de Dunkerque, 1940). Entré à l'École normale en 1924 (avec R. Aron et J.-P. Sartre), Nizan partit brusquement de France en 1925. L'indécision politique, la révolte contre un monde où il se sentait contraint, aliéné, le dégoût de « cet exercice officiel qu'on appelle encore philosophie », et une secrète hantise de la mort amenèrent le jeune Nizan à partir pour Aden (1925). Il n'y trouva qu'une « image fortement concentrée de notre mère l'Europe » (*Aden Arabie*, 1931). De retour en France, il s'inscrivit au parti communiste français (1927). Après l'agrégation, il abandonna bientôt l'enseignement pour le journalisme et la littérature, qu'il considérait à la fois comme un « instrument de connaissance » et un « acte d'accusation ». Auteur d'un pamphlet visant les philosophes universitaires, *Les Chiens de garde* [de la bourgeoisie] (1932), d'une étude sur *Les Matérialistes de l'Antiquité* (1936), d'un essai historique et politique sur les accords de Munich (*Chroniques de septembre*, 1939), il laissa également une œuvre romanesque. C'est à travers son expérience personnelle qu'il analysa les aliénations de la petite bourgeoisie dans *Antoine Bloyé* (1933), la vie d'un jeune professeur militant communiste au sein de la bourgeoisie provinciale dans *Le Cheval de Troie* (1934), les expériences politiques révolutionnaires de jeunes intellectuels dans *La Conspiration* (1938). P. Nizan quitta le P.C.F. après la signature du pacte germano-soviétique. Mobilisé au début de la guerre et affecté dans le Nord, il fut tué peu après. Son œuvre fut presque oubliée jusqu'en 1960, date à laquelle était réédité *Aden Arabie* avec une importante préface de J.-P. Sartre.

NJEGOŠ (Petar Petrović). ♦ Prince-évêque de Monténégro et poète serbe (Njegoš, 1813 – Cetinje, 1851). Il créa un Sénat à pouvoir législatif, exécutif et judiciaire, afin d'arrêter les luttes entre les tribus monténégrines. Poète idéaliste et délicat, il écrivit une épopée religieuse : *La Torche du microcosme*, et un célèbre drame épique : *Les Lauriers de la montagne*, qui chante l'héroïsme des Monténégrins.

NKONGSAMBA. ♦ V. du Cameroun*, reliée par voie ferrée à Douala*. 60 000 hab. Café.

NKRUMAH (Kwame). ♦ Homme politique ghanéen (Accra, 1909-1972). Premier ministre de la Côte* de l'Or depuis 1952, puis du Ghâna* indépendant (1957), il fut l'initiateur de la Conférence d'Accra* (1958) et devint président de la République du Ghâna* en 1960. L'orientation de sa politique vers le socialisme, la concentration de tous les pouvoirs entre ses mains entraînèrent son renversement (1966), alors qu'il voyageait en Chine.

N.K.V.D. (abrév. des mots russes *Narodnyï Komissariat Vnoutrennykh Diel*, Commissariat du peuple aux Affaires intérieures). ♦ Après avoir absorbé la Guépéou* (10 juil. 1934), il devint l'organisme de la police générale chargé des affaires de la police secrète. Dirigé par Iagoda (1934-1936; exécuté en 1938) puis par Iejov (1936-1938, exécuté en févr. 1939), et ensuite par Beria*, il joua un rôle très important dans les « purges » ordonnées par Staline*. En 1941, l'essentiel des attributions du N.K.V.D. passa à un nouvel organisme, le N.K.G.B. (*Narodnyï Komissariat gossoudarstvenoï besopasnosti*, Commissariat du peuple pour la sécurité de l'État). En 1946, tous les commissariats du peuple furent baptisés ministères : le M.V.D. (anc. N.K.V.D.) et le M.G.B. (anc. N.K.G.B.) furent dirigés respectivement par Krouglov et Abakoumov, mais Beria demeura le chef de la police politique jusqu'à déc. 1953, date à laquelle il fut exécuté. Auj. la police secrète soviétique porte le nom de K.G.B. (*Komitet gossoudarstvenoï besopasnosti*, Comité pour la sécurité de l'État).

NÔ *(lac)*. ♦ Cuvette lacustre du Soudan* méridional où se forme le Nil Blanc **(V. Bahr el-Abiad)** par la jonction du Bahr* el-Ghazal et du Bahr* el-Djebel. Peu profonde, comblée par les apports des rivières convergentes, elle est auj. une vaste zone de marécages.

NOAILLES. ♦ Famille française originaire de Noailles (Corrèze). Ses principaux représentants (outre Louis-Marie et Anna [ci-dessous]) furent : ♦ ANTOINE DE NOAILLES (1504 – 1562), amiral de France. Il se distingua à Cérisoles* (1544), et fut ambassadeur à Londres. ♦ FRANÇOIS DE NOAILLES, son frère (1519 – 1585), fut évêque de Dax et ambassadeur à Londres, à Venise et à Constantinople. Il fut l'un des artisans de l'alliance entre la France et la Turquie. ♦ ANNE JULES DE NOAILLES, comte d'Ayen et 2ᵉ duc de Noailles (1650 – Versailles, 1708). Gouverneur du Languedoc, il y appliqua la politique des dragonnades*. Il combattit en Espagne et fut fait maréchal de France. — LOUIS ANTOINE, son frère (Teyssière, près d'Aurillac, 1651 – Paris, 1729). Champion du gallicanisme, il devint archevêque de Paris (1695) et cardinal (1700). Il fit des tentatives de conciliation entre Bossuet* et Fénelon* et s'opposa longtemps à la bulle *Unigenitus**. ♦ ADRIEN MAURICE, comte d'Ayen et 3ᵉ duc de Noailles (Paris, 1678 – 1766), fils d'Anne Jules, épousa une nièce de Mme de Maintenon*, ce qui facilita sa carrière. Après avoir pris part à la guerre de la Succession* d'Espagne, il aida le Régent à faire casser le testament de Louis* XIV. Président du conseil des Finances (1715 – 1718), il fut écarté pour son opposition à Law*. Il combattit de nouveau (Philippsburg, 1734; Dettingen, 1743), devint maréchal de France, puis ministre des Affaires étrangères (1744 – 1745) et conclut une alliance avec la Prusse. Il a laissé des mémoires et une correspondance.

NOAILLES (Louis Marie, *chevalier d'***Arpajon,** *vicomte de***).** ♦ Général français (Paris, 1756 – La Havane, 1804). Fils du maréchal Mouchy*, il participa aux côtés de La* Fayette à la guerre d'Indépendance des États-Unis. Membre de l'Assemblée des notables (1787-1788), puis député de la noblesse aux États généraux (1789), il se prononça en faveur de l'abolition des privilèges (nuit du 4 août 1789). Émigré en 1792 aux États-Unis, il combattit avec Rochambeau à Saint-Domingue et fut mortellement blessé au cours d'une bataille.

Ph. Giraudon

Anna de Noailles, par H. Teichen. (Collection privée.)

NOAILLES (Anna *princesse* **Brancovan,** *comtesse* **Mathieu** *de***).** ♦ Poète français (Paris, 1876 – *id.*, 1933). D'origine grecque par sa mère, elle recueillit très tôt l'héritage de la culture française et en retint la tendance à l'universalité. Retrouvant, dans une forme néo-classique, les sources d'un lyrisme tari depuis le romantisme, elle exprima, dès ses premiers vers, une passion frémissante de la lumière et des paysages français (*Le Cœur innombrable*, 1901; *L'Ombre des jours*, 1902). Puis, étendant son regard à de plus vastes horizons, elle célébra l'enchantement de la beauté du monde (*Les Éblouissements*, 1907). Un amour païen de la vie s'exhale encore dans des recueils où résonnent pourtant les accents d'une gravité nouvelle (*Les Vivants et les Morts*, 1913; *Les Forces éternelles*, 1921). Les grands thèmes de la fuite du temps, de l'adieu à la jeunesse, de la solitude, de la mort inéluctable se développent avec une insistance plus pathétique encore dans *l'Honneur de souffrir* (1927). Romancière, Anna de Noailles a publié *La Nouvelle Espérance* (1903), *Le Visage émerveillé* (1904) ainsi que des mémoires, *Le Livre de ma vie* (1932).

NOÂMI. ♦ Peintre japonais (1397 – 1471) au service des shôgun Ashikaga*, réputé pour ses paysages, sa calligraphie et ses poèmes. Il fut également maître de la cérémonie du thé.

NOBEL (Alfred). ♦ Industriel et chimiste suédois (Stockholm, 1833 – San Remo, 1896). Il découvrit la dynamite (1866), puis créa la dynamite-gomme. Avec sa fortune, il instaura par testament cinq prix annuels destinés à récompenser les bienfaiteurs de l'humanité et qui concernent : la physique, la chimie, la physiologie et la médecine, la littérature et la paix. En 1968 a été créé un prix Nobel d'écon. politique.

NOBEOKÂ. ♦ V. du Japon (Kyûshû, préf. de Miyazaki) sur la côte est. 140 000 hab. Centre industriel.

NOBILE (Umberto). ♦ Aviateur, explorateur et général italien (Lauro, Avellino, 1885). En 1926, il réalisa avec Amundsen* la première expédition de survol du pôle Nord à bord du dirigeable *Norge*. Il repartit en 1928 sur le dirigeable *Italia* qui s'abîma au large du Spitzberg (ou Svalbard). Un brise-glace soviétique sauva Nobile et son équipage mais Amundsen* périt en tentant de leur porter secours. Renvoyé de l'armée en 1930, Nobile devint expert en aéronautique au service de l'U.R.S.S. de 1932 à 1936. Après un séjour aux États-Unis, il fut élu député en Italie (1947).

NOBILI (Leopoldo). ♦ Physicien italien (Trassilico, 1787 – Florence, 1835). Inventeur d'un galvanomètre à système d'aimants « astatique » (1826) et d'une pile thermo-électrique destinée à étudier les rayons calorifiques (thermopile). **V. Melloni.**

Noces de Figaro (Les). ♦ Opéra-comique en quatre actes de W. A. Mozart* (1786) sur un livret de Lorenzo Da Ponte, d'après la comédie de Beaumarchais *Le Mariage de Figaro* (1784). L'œuvre témoigne d'une synthèse exemplaire entre le chant et la phrase musicale, qui exige parfois une très grande virtuosité. Grâce au nombre réduit des airs (quatorze sur les vingt-huit morceaux de l'opéra), l'opéra gagne en vivacité et en mouvement. L'intention satirique et sociale de la comédie a été quelque peu trahie par le librettiste, mais l'opéra y gagne en charme et fraîcheur.

NODIER (Charles). ♦ Écrivain français (Besançon, 1780 – Paris, 1844) qui fit de son salon, à l'Arsenal*, le centre de la vie littéraire à Paris (1824 à 1830) et du mouvement romantique **(V. Cénacle).** Conscient de l'importance du rêve (« Le sommeil [...] est l'état le plus lucide de la pensée »), il écrivit des *Contes* où le fantastique se mêle à l'humour et à l'émotion, comme *Trilby ou le Lutin d'Argail* (1822), et *La Fée aux miettes* (1832), où la folie des « lunatiques » apparaît comme le moyen de réunir le rêve et la réalité. Les phantasmes, gracieux ou terrifiants, de *Smarra ou les*

Démons de la nuit (1821) illustrent bien la tentative littéraire de Nodier : montrer que nous sommes constamment entre deux mondes, dont l'un, la Terre, n'est « qu'un lieu de passage », idée qui inspirera Nerval*, puis les surréalistes et l'onirisme littéraire. (Acad. fr., 1833.)

NOÉ (en hébr. *Noakh*). ♦ Patriarche biblique (*Genèse*, VI-IX), fils de Lamech*, père de Sem*, Cham* et Japhet*. Unique juste sauvé du Déluge pour être la souche d'une humanité nouvelle. – *Arche de Noé :* bâtiment flottant dans lequel le patriarche embarque avec lui toutes les races animales; elle s'arrête au mont Ararat*. Ensuite Noé plante la vigne, s'enivre, maudit Cham qui s'est moqué de sa nudité. Dans la légende sumérienne, le héros parallèle à Noé est Outa-Napishtim.

NOËL (Jean-Baptiste). ♦ Homme politique français (Remiremont, Vosges, 1727 – Paris, 1793). Procureur-syndic au début de la Révolution, il fut élu député à la Convention (1792), où il siégea avec les Girondins avec lesquels il fut décrété d'accusation et condamné à mort.

NOËL (Marie ROUGET, dite Marie). ♦ Poétesse française (Auxerre, 1883 – *id.*, 1968). « Recluse en poésie et en contemplation », sa vie s'est écoulée au cœur de sa Bourgogne natale. Son œuvre, aussi touchante par sa grâce naïve que par sa ferveur et son humilité, exprime, souvent par le mode de la chanson populaire, une foi chrétienne tout imprégnée de spiritualité franciscaine. Marie Noël a publié *Les Chansons et les Heures* (1921), *Le Rosaire des joies* (1930), *Chants et Psaumes d'automne* (1947), *Les Chants d'arrière-saison* (1961) ainsi que des *Contes* (1942) et un récit autobiographique : *Notes intimes* (1959).

Nœud de vipères (Le). ♦ Roman de François Mauriac* (1933). Reclus dans sa propriété en Gironde, un vieil homme malade tend ses dernières forces pour spolier de son héritage sa « famille aux aguets, qui attend le moment de la curée ». Dans une lettre à sa femme à laquelle l'attache un amour-haine féroce, il livre son cœur, « ce nœud de vipères [...] saturé de leur venin »; « homme qu'on n'avait pas aimé, [...] pour qui personne au monde n'avait souffert », il a organisé autour de lui, avec une amère volupté, un véritable enfer domestique. Pourtant, au moment où va s'achever cette existence de réprouvé, Dieu viendra à la rencontre du vieil incroyant.

NŒUX-LES-MINES. ♦ Comm. du Pas-de-Calais, arr. de Lens. 13 325 hab. Houille. Indus. chimique. Lingerie.

NOGARET (Guillaume *de*). ♦ Homme politique français (Saint-Félix, près de Toulouse, v. 1260-1270 – 1313). Professeur de droit à Montpellier (1291), il entra au service de Philippe* IV le Bel (1296) et fut nommé chancelier (1302-1313). Il mena la lutte contre Boniface* VIII qu'il arrêta à Anagni* avec l'aide de Sciarra Colonna (1303). Il fut à l'origine de l'arrestation des Templiers (1307).

NOGARO. ♦ Ch.-l. de cant. du Gers* (arr. de Condom*), sur le Midou*. 2 393 hab. *(Nogaroliens)*. Église romane. – Vins, eaux-de-vie d'Armagnac. Briqueterie.

NOGENT-EN-BASSIGNY. ♦ Ch.-l. de cant. de la Haute-Marne, arr. de Chaumont, sur la Traine. 4 822 hab. *(Nogentais)*. Centre de la coutellerie.

NOGENT-LE-ROI. ♦ Ch.-l. de cant. d'Eure-et-Loir, arr. de Dreux. 1 795 hab. *(Nogentais)*. Église de style gothique flamboyant et Renaissance, avec vitraux du XVIe siècle.

NOGENT-LE-ROTROU. ♦ Sous-préf. d'Eure-et-Loir, ch.-l. d'arr. (4 cant., 84 comm., 36 261 hab.). 12 319 hab. [11 040 aggl.] *(Nogentais)*. Église Notre-Dame (XIIIe s.). Église Saint-Hilaire (XIIIe, XVe, XVIe, XVIIIe s.). Château Saint-Jean (XIe, XIIe, XIIIe s.). – Cidreries. Distilleries. Machines agricoles. Accessoires pour l'automobile. Électronique. Pharmacie. Tanneries. – Patrie de Rémi Belleau*, Charles de Bourbon, comte de Soissons*, Gustave Le* Bon.

NOGENT-SUR-MARNE. ♦ Sous-préf. du Val-de-Marne, ch.-l. d'arr. (10 cant., 47 comm., 311 836 hab.) à l'E. du bois de Vincennes. 26 704 hab. *(Nogentais)*. Église Saint-Saturnin (XIe-XIIIe-XVe s.). Maison nationale de retraite des artistes. Fondation Smith-Lesouëf, rattachée à la Bibliothèque nationale. Centre nautique. Nogent est traditionnellement un lieu de villégiature et de réjouissances populaires pour les Parisiens : guinguettes, bals, « foire à la ferraille », « fête du petit vin blanc ». – Indus. chimiques. – Watteau y est mort.

Arch. Rencontre.

Séance solennelle de la remise des prix **Nobel.**

NOGENT-SUR-OISE, anc. **Nogent-les-Vierges**. ♦ Comm. de l'Oise*, arr. de Senlis*. 11 506 hab. *(Nogentais)*. Église (XIIe-XVIe siècle). – V. industrielle séparée de Creil* par la voie ferrée (constructions métalliques et mécaniques, fonderie d'aluminium).

NOGENT-SUR-SEINE. ♦ Sous-préf. de l'Aube et ch.-l. d'arr. (5 cant., 86 comm., 47 218 hab.), sur la Seine. 4 447 hab. *(Nogentais)*. Église Saint-Laurent (XVe-XVIe s., remaniée au XVIIe s.). Indus. alimentaires. Mobilier. Constructions électriques. Matières plastiques. – Du pétrole a été découvert dans les environs. ♦ *Hist.* Nogent (*Novientum,* 859) appartint aux religieux de Saint-Denis puis aux comtes de Champagne et fut réuni à la couronne en 1314. – En 1814, Napoléon y établit son quartier général, mais la ville fut occupée par les Autrichiens qui l'incendièrent. Flaubert y séjourna.

NOGENT-SUR-VERNISSON. ♦ Comm. du Loiret, arr. de Montargis, 1 793 hab. Usine de tubes pour la construction automobile.

NOGHINSK (jusqu'en 1930, **Bogorodsk**). ♦ V. d'U.R.S.S. (R.S.F.S. de Russie), dans la région de Moscou, sur la Kliazma (721 km). 104 000 hab. Indus. textiles (coton).

NOGI KITEN. ♦ Général et comte japonais (Yamaguchi, 1849 – Tôkyô, 1912) vainqueur des Russes à Port-Arthur et à Mukden en 1904-1905. Il se suicida lors de la mort de l'empereur Meiji* pour ne pas lui survivre.

NOGUCHI HIDEYO. ♦ Médecin bactériologiste japonais (Inawashiro, 1876 – Accra, 1928) qui trouva une réaction permettant de mettre en évidence le virus de la syphilis. Il mourut au cours de ses travaux sur la fièvre jaune, en Afrique.

NOGUCHI ISAMU. ♦ Sculpteur et paysagiste japonais, naturalisé américain (Los Angeles, 1904 –). Après des études à Paris et au Mexique, il se fit connaître en Occident. On lui doit notamment le jardin de pierres japonais du palais de l'UNESCO à Paris (1958).

NOGUÈRES. ♦ Comm. des Pyrénées-Atlantiques, arr. de Pau*. 168 hab. Usine d'aluminium.

NOGUÈS [nɔgɛs] **(Charles Auguste Paul)**. ♦ Général français (Monléon-Magnoac, 1876 – Paris, 1971). Sorti de Polytechnique, il fit la plus grande partie de sa carrière en Afrique du Nord. Attaché au cabinet de Lyautey (1912), il revint après la Première Guerre mondiale au Maroc. Il participa à la guerre du Rif (1924-1926), fut nommé résident général au Maroc (1936). Commandant en chef des opérations en Afrique du Nord (1939), il se déclara partisan de la poursuite de la guerre en juin 1940, mais se rallia très vite à Pétain et fit arrêter les parlementaires français du Massilia (venus au Maroc). En nov. 1942, il tenta d'organiser la résistance au débarquement allié, suivant les ordres du gouvernement de Vichy. Rallié à Darlan, puis au général Giraud, il fut obligé de quitter son poste lors de l'arrivée du général de Gaulle à Alger et s'exila au Portugal. Jugé par contumace en 1947, il vint en France se constituer prisonnier (1954). Mis en liberté provisoire, il fut chargé par le gouvernement E. Faure de négocier le retour du sultan Muhammad* V au Maroc.

NOGUÈS (Maurice). ♦ Pilote français (Rennes, 1889 – Corbigny, 1934). Il servit dans une escadrille de bombardement pendant la Première Guerre mondiale. En 1922, il réalisa la première liaison commerciale Bucarest-Constantinople-Ankara et, en 1931, inaugura le premier service postal France-Indochine.

NOHANT-VIC. ♦ Comm. de l'Indre, arr. de La Châtre. 608 hab. (163 aggl.). Église des XIIe-XIIIe siècles. Maison où George Sand*, « la dame de Nohant », vécut son enfance et les dernières années de sa vie.

NOIR (le Prince). ♦ **V.** ÉDOUARD, prince de Galles (né en 1330).

NOIR (Yvan SALMON, dit Victor). ♦ Journaliste français (Attigny, Vosges, 1848 – Auteuil, 1870). Le prince Pierre Bonaparte ayant fait paraître dans *l'Avenir de la Corse* un article où il calomniait les rédacteurs de *la Revanche,* P. Grousset, directeur de cette feuille à Paris, chargea U. de Fonvielle et V. Noir de lui demander réparation. Ce dernier fut tué par le prince d'un coup de pistolet; son enterrement fut l'occasion d'une importante manifestation républicaine contre le régime impérial, sous le ministère É. Ollivier*.

NOIR *(causse). n. m.* ♦ Partie des Grands Causses* entre la Jonte et la Dourbie, naguère couvert d'épaisses forêts de pins. Tourisme (chaos de Montpellier*-le-Vieux; grottes de Dargilan*).

NOIRE *(mer),* anc. **Pont*-Euxin**. ♦ Mer continentale (435 000 km²) comprise entre l'U.R.S.S. au N. et à l'E., la Roumanie et la Bulgarie à l'O. et la Turquie au sud. Elle communique avec la Méditerranée à travers la mer de Marmara* par les détroits du Bosphore* et des Dardanelles*, et avec la mer d'Azov* par le détroit de Kertch*. Ses nombreux tributaires **(V. Boug** [Bug méridional], **Dniepr, Dniestr, Danube, Kizil-Irmak, Rion, Sakarya)** rendent ses eaux peu salées. La pêche, très active sur les côtes du Nord (notamment en Crimée), y est compromise par la présence d'hydrogène sulfuré au-dessous de 200 m (prof. maxim. 2 245 m env.). La mer Noire, qui abrite de nombreux centres balnéaires et touristiques, joue un rôle économique important grâce au trafic actif des ports roumains (Constanţa), bulgares (Burgas, Varna), turcs (Samsun, Sinope, Trébizonde, Zonguldak) et soviétiques (Batoumi, Féodossia, Kherson [à l'embouchure du Dniepr], Novorossiisk, Nikolaïev, Odessa, Sébastopol, Sotchi, Soukhoumi, Yalta). – Zone stratégique importante dans la question d'Orient* et durant la guerre de Crimée*, la mer Noire fut le théâtre de la mutinerie du cuirassé « Potemkine* », en 1905.

NOIRÉTABLE. ♦ Ch.-l. de cant. de la Loire*, arr. de Montbrison*. 1 932 hab. Église du XVe siècle. Station touristique.

NOIRMOUTIER-EN-L'ÎLE. ♦ Ch.-l. du cant. de l'ÎLE DE NOIRMOUTIER, dans le dép. de la Vendée (arr. des Sables-d'Olonne). Port et station balnéaire. 4 085 hab. [2 273 aggl.], hors saison *(Noirmoutrins)*. Église Saint-Philibert, romane et gothique. Château du XVe s. avec donjon du XIe s., aujourd'hui musée. Maisons anciennes. – Conserverie.

NOISIEL. ♦ Comm. de Seine-et-Marne, arr. de Meaux, sur la Marne. 1 274 hab. Chocolaterie.

NOISY-LE-GRAND. ♦ Ch.-l. de cant. de la Seine-Saint-Denis, arr. du Raincy, à l'E. de Paris. 25 486 hab. *(Noiséens)*.

NOISY-LE-SEC. ♦ Ch.-l. de cant. de la Seine-Saint-Denis arr. de Bobigny, au N.-E. de Paris. 34 079 hab. Gare importante. Indus. chimiques; produits pharmaceutiques; métallurgie.

NOK. ♦ **V.** JOS (Nigeria).

NOLASQUE (*saint* Pierre). ♦ **V.** PIERRE NOLASQUE *(saint)*.

NOLAY. ♦ Ch.-l. de cant. de la Côte-d'Or (arr. de Beaune) sur la Cuzanne. 1 529 hab. [*Nolaytois*]. Halles du XIVe siècle. Église classique (1672). – Vins. Indus. alimentaires (conserveries). – Patrie de Lazare Carnot* (statue par Deglane).

NOLDE (Emil HANSEN, dit Emil). ♦ Peintre et graveur allemand (Nolde, Schleswig, 1867 – Seebüll, 1956). D'abord élève de sculpture sur bois à Flensburg, il devint professeur à l'École des beaux-arts de Saint-Gall. À partir de 1898, il se consacra entièrement à la peinture. Il séjourna à Paris en 1899-1900 et, en 1902, s'installa à Berlin. À partir de 1906, il exposa irrégulièrement à *die Brücke,* puis il entra en contact avec les membres du *Blaue Reiter* (Cavalier bleu), tout en se montrant soucieux de conserver son indépendance. Il avait pris en 1904 le nom de son village natal. D'abord sensible à l'influence indirecte de l'impressionnisme, et aussi de Daumier*, il utilisa une touche insistante et épaisse qui dénotait déjà ses tendances expressionnistes (*Roses rouges et jaunes,* 1907). Ces tendances s'amplifièrent sous l'influence de Munch* et de Van* Gogh. Il peignit des scènes de mœurs où la violence de l'expression, la brutalité des formes sommaires tendent souvent à la caricature (*Dans la loge,* 1911; *Villageois à l'auberge,* 1912), des paysages tourmentés révélant une approche de la nature d'ordre émotionnel au mépris d'une fidèle description (*La Mer,* 1915). Tandis que son tempérament visionnaire s'exprime surtout dans les scènes religieuses ou allégoriques traitées avec une férocité qui rappelle Ensor* (*Siméon,* 1915; triptyque de *Sainte Marie l'Égyptienne;* la *Vie du Christ*). À la suite d'un voyage en Nouvelle-Guinée (1913-1915), il représenta des types indigènes et des masques en soumettant des formes à des déformations expressives et en utilisant une pâte dense et des rapports de tons stridents qui accentuent la sensualité brutale, le caractère sarcastique et « magique » de ses visions. Une grande partie de ses toiles fut confisquée par les nazis. Son œuvre gravé, comme ses tableaux, s'inscrit dans le courant de l'expressionnisme allemand. Il a aussi laissé une autobiographie : *Das eigene Leben; Jahre der Kampfe,* 1934.

NOLE, en it. **Nola.** ♦ V. d'Italie, en Campanie (prov. de Caserte). 25 000 hab. – Dans cette ville, Auguste mourut en 14, saint Félix naquit et fut prêtre (v. 200 – 220) et saint Paulin fonda un monastère. ♦ *Hist.* Hannibal* qui l'assiégeait y fut battu deux fois par Marcellus (~ 216 et ~ 215).

NOLHAC [nɔlak] **(Pierre GIRAULD *de*).** ♦ Poète, érudit et historien français (Ambert, 1859 – Paris, 1936). Auteur d'ouvrages sur les humanistes (*Érasme en Italie,* 1888; *Pétrarque et l'humanisme,* 1892; *Ronsard et l'humanisme,* 1921) et d'ouvrages sur l'histoire anecdotique des personnages qui furent liés à la vie du château de Versailles, dont il fut conservateur (*La Reine Marie-Antoinette,* 1889; *Louis XV et Marie Leczinska,* 1900), il publia également des recueils de poèmes dans le style de l'école parnassienne. (Acad. fr., 1922.)

Ph. Keystone

Luigi Nono.

NOLI (Antonio Da, parfois connu sous le nom d'**Antoniotto Uso di Mare).** ♦ Navigateur génois (Gênes, v. 1415 – v. 1461). Entré au service de Don Henri du Portugal (Henri le Navigateur), il explora, avec Ca'* da Mósto, la côte du Sénégal et de Gambie (1455-1456). Une partie de sa relation de voyage fut publiée dans les *Annali di geografia e di statistica* (Groberg de Hemsoé – Gênes, 1802).

NOLLET (*abbé* Jean Antoine). ♦ Physicien français (Pimprez, 1700 – Paris, 1770). Disciple de Du* Fay, il fut le premier à pratiquer un enseignement de physique expérimentale (collège de Navarre). Démonstrateur d'expériences, il prouva que le son est conduit par l'eau (1743) et pensa à utiliser l'électricité en thérapeutique. (Acad. sc., 1739.)

Nombres. *n. m. pl.* (trad. du lat. *Numeri* et du gr. *Arithmoi,* « dénombrements » à cause des recensements et généalogies de ce texte). ♦ Quatrième livre du Pentateuque*, appelé en hébreu *Be-midbâr,* « dans le désert », d'après la première phrase. Les trente-six chapitres contiennent le départ du Sinaï, la concentration des israélites à Qadès et le voyage jusqu'au pays de Moab avec le partage de la Terre promise. – *Composition :* **V. Pentateuque**.

NOMEXY. ♦ Comm. des Vosges, arr. d'Épinal. 2 772 hab. Indus. textile.

NOMINOÉ, NOMENOÉ ou **NOMINOË.** ♦ Comte de Rennes puis duc de Bretagne ([mort] près de Vendôme en 851). Après avoir combattu les Francs v. 824, pourchassé les pirates normands et vaincu Charles le Chauve, il se fit proclamer roi d'Armorique et laissa le pouvoir à son fils Erispoé qui continua son œuvre d'unification de la Bretagne.

NOMPAR DE CAUMONT. ♦ **V.** LA FORCE (JACQUES NOMPAR, *duc de*), (HENRI JACQUES). – **V.** LAUZUN (ANTONIN NOMPAR).

NONANCOURT. ♦ Ch.-l. de cant. de l'Eure* (arr. d'Évreux), sur l'Avre*. 1 688 hab. *(Nonancourtois)*. – Église de 1511 (vitraux Renaissance). – Fabrique de caoutchouc.

NONIUS (Petrus). ♦ **V.** NUNES.

NONNOS. ♦ Poète grec (Panopolis, Égypte, Ve s.), chef d'une école sans grand éclat (**V. Musée**). Son poème épique *Les Dionysiaques,* en quarante-huit chants et en hexamètres, raconte la vie de Dionysos et sa campagne contre l'Inde. C'est la dernière et tardive épopée grecque païenne, où une riche imagination est submergée par l'érudition alexandrine et une rhétorique exubérante. – Converti au christianisme, Nonnos composa une *Paraphrase de l'Évangile selon saint Jean.*

NONO (Luigi). ♦ Compositeur italien (Venise, 1924). Élève de Malipiero, Maderna et Scherchen, adepte de la technique sérielle dont il est le plus éminent représentant en Italie avec L. Berio*, il a affirmé très tôt une sensibilité vibrante dans des ouvrages que caractérise une volonté passionnée d'engagement politique. Animé par un idéal de fraternité humaine, il assigne à la musique une fonction militante et libératrice. Un don mélodique exceptionnel, la couleur et la diversité de timbres de ses œuvres orchestrales, la richesse polyphonique de ses œuvres chorales, le définissent comme l'un des grands lyriques contemporains. Pour la scène, il a composé *Le Manteau rouge,* ballet, d'après Lorca (1954), *Intolleranza,* opéra (1961); de ses œuvres instrumentales, on retiendra; *Polifonica-Monodia-Ritmica* (1951), *Canti per tredici strumenti* (1954), *Incontri* (1955), *Varianti* (1957), *Diario polacco* (journal polonais), pour orchestre (1958); pour les voix : *Épitaphe pour García Lorca* (1952-1953), *La Victoire de Guernica,* pour chœur et orchestre, d'après P. Éluard (1954), *La Terra e la Campagna,* d'après C. Pavese (1958), *Ha venido,* d'après Machado (1960), *Sul ponte di Hiroshima* (1962), *La Fabbrica illuminata,* pour voix et bande magnétique (1965).

NONTRON. Sous-préf. de la Dordogne*, ch.-l. d'arr. (8 cant., 80 comm., 50 933 hab.). 4 006 hab. *(Nontronnais)*. Ville pittoresque sur un promontoire escarpé. Anc. château. – Fabrication de pantoufles.

NONZA. ♦ Ch.-l. de cant. de la Corse*, arr. de Bastia*, sur la côte occidentale du cap Corse*. 137 hab. Le village est bâti sur une falaise haute de 150 m plongeant à pic dans la mer. Église Sainte-Julie (XVIe siècle).

NORANDA. ♦ V. et site minier du Canada (Québec), à l'O. de la prov. près de l'Ontario. 11 500 hab. – Mines de cuivre, or, fer. Fonderies de cuivre (**V. Rouyn**).

NORBERT *(saint)*. ♦ (Gennep, près de Xanter, Rhénanie, v. 1080 – Magdebourg, 1134). Mondain converti, prêtre (1115), il devint prédicateur itinérant (1118) en Flandre et fonda, près de Laon, l'ordre des Prémontrés* (1120) ou « chanoines blancs » sous la règle augustinienne. Évêque de Magdebourg en 1126. Fête le 6 juin.

NORD *(mer du)*. ♦ Dépendance de l'océan Atlantique*, bordée à l'O. par la Grande-Bretagne, les îles Orcades et Shetland, à l'E. par la France, la Belgique, les Pays-Bas, l'Allemagne et le Danemark, et s'étendant sur 570 000 km². La mer du Nord s'ouvre sur la

Baltique à l'E. par les détroits du *Skagerrak**, du *Kattegat**, du *Grand* et du *Petit-Belt* **(V. Belt)**, du *Sund** ; elle s'ouvre sur la Manche au S. par le pas* de Calais et sur l'Atlantique à l'O., au N. du seuil formé par les îles Orcades et Shetland, au niveau du 61ᵉ parallèle N. La profondeur de la mer du Nord dépasse rarement 100 m, sauf au large des côtes écossaises (dépression du Devil's Hole, 240 m) et le long des côtes méridionales de Norvège (auge norvégienne, 600 à 700 m). Au centre, s'étend le haut-fond (13 à 20 m) du *Dogger* Bank*. Les côtes britanniques sont bordées de falaises, mais les côtes du S.-E. (Belgique, Pays-Bas) sont basses et sableuses. En Scandinavie, elles sont profondément échancrées de fjords. L'amplitude des marées varie de 1,50 m à 6 m. Les courants de marée sont assez violents en bordure des côtes britanniques et le long des côtes flamandes, où ils peuvent occasionner des raz-de-marée et des inondations catastrophiques (inondations de la Zélande en 1949 et 1953). La mer du Nord subit d'autre part l'influence du courant tiède de la dérive nord-atlantique. Les eaux fluviales et les eaux peu salées de la Baltique, pénétrant par le Kattegat, abaissent en surface le taux de salinité à 31 ‰. En revanche, les influences océaniques, qui pénètrent par le pas de Calais et au N. entre les Shetland et la Norvège, l'élèvent jusqu'à 35 ‰. Les températures moyennes de la mer du Nord sont de 6,5° en février et de 17,5° en août. Le gel est généralement limité à la côte danoise (mer des Wadden) et aux estuaires des fleuves. La mer du Nord, grande voie de passage vers les pays d'Europe occidentale, connaît un trafic intense et a une grande importance économique. Deux des trois plus grands ports mondiaux, Londres* et Rotterdam* se trouvent sur ses rives. La pêche (hareng, morue) est largement pratiquée. **V. Ostende, Nieuport, Zeebrugge, Bruges** (Belgique); **Flessingue, Ijmuiden, Scheveningen** (Pays-Bas); **Cuxhaven, Bremerhaven** (Allemagne). **Kingston, Lowestoft, Yarmouth, Dundee, Aberdeen** (Grande-Bretagne). **Feroé** [îles], **Jutland** [presqu'île du] (Danemark), **Dogger Bank.** La somme des prises est évaluée à 2 150 000 t/an (dont 43 % pour le hareng). En 1964, des gisements de gaz et surtout de pétrole ont été découverts dans le bassin méridional de la mer du Nord, à l'E. des côtes d'Écosse, des Orcades et des Shetland et jusqu'aux côtes occidentales de Norvège. Dès 1965, les réserves des zones pétrolifères récemment découvertes (West Sole, Leman Bank, Hewet, Indefatigable, Viking) étaient évaluées à 910 milliards de m³, dont 143 milliards exploitables. Le bassin pétrolifère septentrional découvert en 1969, est le plus étendu; les gisements d'Ekofish (eaux norvégiennes) et de Dan (eaux danoises) sont en cours d'exploitation depuis 1973. Ceux de Forties (au N.-E. d'Aberdeen), Montrose, Auk, Beryll, Frigg, Argyll, Piper et Brent représentent des réserves évaluées en janv. 1973 à 550 milliards de m³ et à 150 milliards de t de gaz.

Nord (*canal de la* **mer du)**, en néerl. **Noordzee Kanaal**. ♦ Inauguré en 1876, il part d'Amsterdam et occupe la largeur de l'embouchure de l'Ij (500 m). Longueur : 24 km. À l'E., le canal est isolé de l'Ij par un barrage de 2 km de long sur 40 m de large. Du côté de la mer du Nord, les écluses durent être agrandies en 1886 et en 1919.

NORD *(canal du)*. ♦ Détroit, d'une largeur de 35 km, unissant l'Atlantique à la mer d'Irlande, entre la côte N.-E. d'Irlande et le S.-O. de l'Écosse.

Nord *(canal du)*. ♦ Canal reliant l'Oise à la Scarpe, de Noyon à Douai (95 km); il permet une meilleure liaison entre les régions industrielles du Nord et de Paris, en dégageant le canal de Saint*-Quentin.

NORD *(cap)*, en norv. **Nordkapp**. ♦ Cap de Norvège sur la côte N. de l'île de Magerøy. Point le plus septentrional d'Europe continentale (71° 10′ lat. N.). C'est une haute table rocheuse.

NORD *(île du)*, en angl. **North Island**; ou **île Fumante**. ♦ **V.** NOUVELLE-ZÉLANDE.

NORD. *n. m.* ♦ Région (anciennement C.A.R.) française. Deux départements: **V. Nord, Pas-de-Calais.** 12 400 km² (2 % de l'espace national, 18ᵉ rang). 3 913 000 hab. (7,8 % de la France, 3ᵉ rang). densité = 308 (2ᵉ rang). — Réunissant Flandre et Artois, elle évoque, dès l'abord, l'image classique du « plat pays » doucement incliné vers la frontière belge et vers le rivage. En fait, la médiocrité du relief et la monotonie des horizons flamands masquent une réelle diversité : entre les falaises des Blanc- et Gris-Nez et les belles vallées de la Canche* et de l'Authie*, le Boulonnais* ouvre sa « boutonnière » verdoyante à l'extrémité du bombement artésien (200 m) dont la craie s'étend, avec l'openfield, par-delà les collines de Gohelle, jusqu'en Mélantois, près de Lille. À l'E., autour de la Sambre, Hainaut* et Thiérache* offrent un ensemble varié (100-150 m) et bocager, aux belles forêts, transition entre le massif ardennais et les sèches ondulations du Cambrésis qui annoncent le bas-pays. Encore celui-ci juxtapose-t-il deux plaines bien différentes : la Flandre intérieure, d'argile tertiaire (50-80 m, 107 m en Pévèle), avec ses lignes d'arbres et son alignement de « monts » sablonneux (Eperlecques, 95 m, Cassel, 173 m, Cats, 168 m); et la Flandre maritime, nue, sillonnée de canaux, récemment conquise sur la mer dont un cordon de dunes la protège **(V. Flandre).** C'est le climat qui vaut à la région son unité physique : humide — plus par la répartition des pluies dans l'année que par leur importance (de 541 mm à Dunkerque à 1 000 mm en Artois) — nébuleux et frais, il incite au confort domestique. — *Écon.* Des facilités de circulation évidentes coïncidant avec une situation exceptionnelle lui permirent de s'affirmer, du Moyen Âge au XVIIIᵉ s., comme un grand foyer d'économie textile et commerciale, aux villes étroitement solidaires des campagnes : sa population atteignait 1 270 000 hab. en 1801 (4,6 % de la population française). Capitaux et main-d'œuvre, alliés à la présence de la houille et de l'eau, devaient alors y déclencher une révolution industrielle sans égale en France et en faire l'un des pôles de l'Europe du N.-O. : 2 027 000 hab. en 1861 ; 3 030 000 en 1911. Au cœur de ce milieu façonné par l'histoire, se trouvait brutalement surimposé un énorme conglomérat industriel, avec son « pays noir », son urbanisation massive (Lille : de 52 000 à 218 000 hab.; Roubaix-Tourcoing : de 25 000 à 300 000 hab.) et l'altération profonde d'un espace rural de plus en plus soumis aux emprises extérieures. — Moteur de la croissance, le charbon (1851 : 1 000 000 de t; 1913 : 30 000 000 de t) lui permettait de s'imposer dans tous les domaines de la production nationale. Au grand foyer textile de Lille*, Roubaix*-Tourcoing, Armentières* (1ᵉʳ rang en France : 2 500 usines; 90 % du peignage et 39 % de la filature de la laine; 32 % de celle du coton; 85 % de celle du lin) s'ajoutaient, en substance : sur le bassin houiller, la sidérurgie de la Sambre et de l'Escaut (22 % de l'acier français, 14 % de la fonte brute) flanquée de la métallurgie de transformation (laminés, matériel minier, agricole, ferroviaire, ...), de l'industrie chimique (acides, engrais, carbochimie, ...) et de celle du verre; sur la Sambre, les machines-outils et autour du port de Dunkerque, les constructions navales et le raffinage. Haute pression démographique et industrialisation puissante en firent ainsi une région pilote, plus évocatrice du « triangle lourd » que du reste de la France. — Cette puissance est, depuis la guerre, très atteinte par la crise, à vrai dire ancienne, du textile et le recul continu du charbon (25 000 000 de t en 1965. 110 000 mineurs ; 7 715 000 t en 1975 ; 35 000 mineurs) voué à disparaître en 1983; la sidérurgie même souffrait de son monolithisme. Déjà sensible en 1962, le fléchissement démographique s'est accentué du fait de l'émigration (3 815 000 en 1968; 3 864 000 en 1971). Le sous-développement social (mortalité infantile 22,3 ‰, France 18,2 ‰) et culturel (retard du second degré) de la région, lié à la prédominance numérique d'une classe ouvrière de faible qualification et au cadre de vie d'un autre âge, s'est trouvé mis en lumière. Les concurrences nouvelles, régionales et internationales — position dans la C.E.E. — imposaient au Nord un effort accéléré de modernisation. La sidérurgie s'est adaptée (24 % et 26 % des fonte et acier français) par regroupements, fusions et diversification (indus. automobile...) sur la Sambre et à Denain*-Valenciennes*, désormais relié par canal élargi au grand complexe intégré (4 000 000 de t d'acier en 1971 ; 7 072 000 t d'acier en 1975), implanté en 1963 à Dunkerque* (3ᵉ port français : 29 000 000 de t). Même évolution dans le textile où fibres artificielles et synthétiques tendent à l'emporter; reconversion ébauchée dans les houillères (bâtiment, matériaux de construction, plastiques, mécanique) : le gaz naturel néerlandais prend le relais. Et c'est en fonction de la vocation française et européenne de la région que doivent être développées les infrastructures ferroviaires, fluviales et routières (autoroute Paris-Lille-Anvers, Paris-Valenciennes-Bruxelles; transversale Maubeuge-Dunkerque). Mais la tâche reste considérable pour lui assurer, en l'an 2000, les 5 600 000 hab. prévus au Livre blanc. Tandis que les indus. de transformation devraient absorber de 8 à 10 000 personnes de plus par an (au lieu de 1 000), l'emploi industriel global (bâtiment et T.P. exclus) devrait augmenter de 250 000 personnes (une trentaine d'usines nouvelles chaque année). Se posent du même coup, avec acuité, les problèmes de la formation professionnelle et de l'environnement (rénovation urbaine). — Le récent « Livre vert » traduit les mêmes préoccupations dans l'*agriculture*, aux prises avec l'exode (169 000 personnes en 1954; 100 000 en 1972; 50 000 en 1985) et le grignotage urbain. Forte de son passé et de la haute productivité de ses exploitations moyennes, avec 3,5 % des actifs (contre 51,2 % dans le secondaire et 41 % dans un tertiaire en rapide progrès), elle produit, sur 2,2 % de la S.A.U. : 6 % du blé français, 5 % de l'avoine, 13 % du houblon, 17 % de betteraves, 12 % du lin..., mais les productions animales (8 % des viandes de bœuf et de porc, 5,3 % du lait) ne cessent de croître (60 % du revenu agricole). Au 2ᵉ rang pour la valeur ajoutée agricole par travail-

Arch. Rencontre

Le cap **Nord (Nordkapp).**

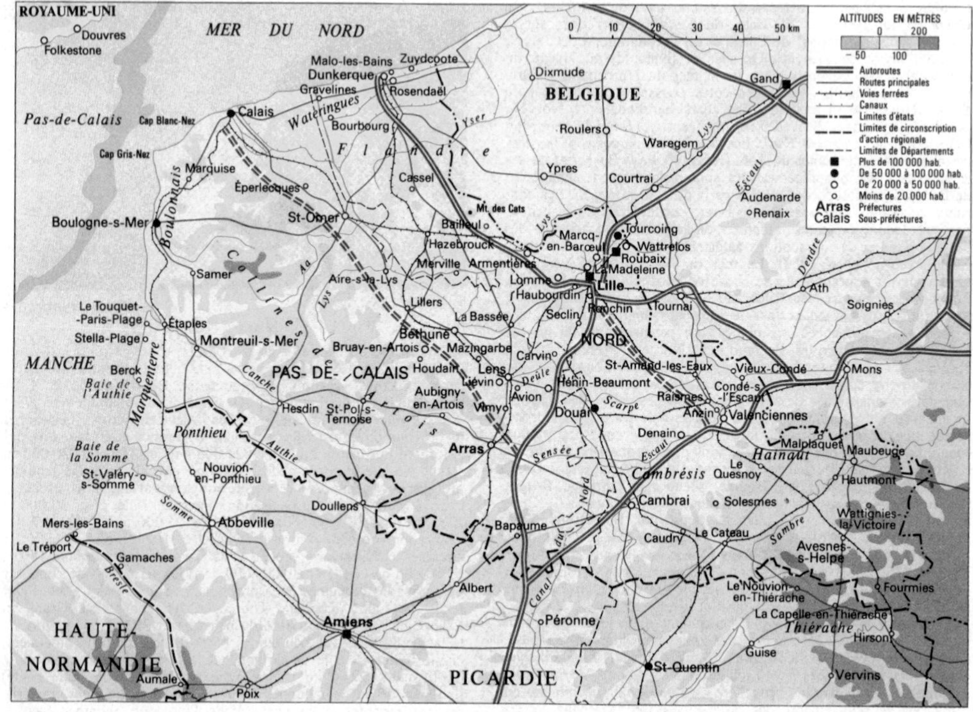

Le Nord.

leur, le Nord fournit en outre 10 % de la production des indus. alimentaires (bière, sucre, farine, ...) dont 17 % des conserves de poisson, liées à la pêche que domine Boulogne* (1er rang : 126 000 t), Calais* restant le 1er port français de voyageurs (1 500 000 = 38 %). Le Nord, puissance vieillissante, mais qui se ranime, est l'une des meilleures chances de la France.

NORD. [59], *n. m.* ♦ Dép. du N.-O. de la France, région (anciennement C.A.R.) du Nord*. 5 774 km². – *Orogr.* D'E. en O., on y distingue : la région de la Sambre* formée de schistes, de grès et de calcaires ; le Hainaut* et le Cambrésis*, plateaux de craie recouverts de limons ; le bassin houiller ou Pays noir, la Pévèle*, la Flandre intérieure argileuse, boisée et la Flandre maritime conquise sur l'eau, séparée de la côte par un cordon de dunes.
♦ *Préf.* Lille* ; *sous-préf.* Avesnes*-sur-Helpe, Cambrai*, Douai*, Dunkerque*, Valenciennes*. *Ch.-l. de cant. :* Arleux*, Armentières*, Bailleul*, Bassée* (La), Bavay*, Bergues*, Berlaimont*, Bouchain*, Bourbourg*, Carnières (1 060 hab.), Cassel*, Cateau* (Le), Clary*, Condé*-sur-l'Escaut, Cysoing*, Denain, Gravelines*, Haubourdin*, Hautmont*, Hazebrouck*, Hondschoote*, Landrecies*, Lannoy (1 182 hab.), Marchiennes*, Marcoing (2 064 hab.), Marcq*-en-Barœul, Maubeuge*, Merville*, Orchies*, Pont*-à-Marcq, Le Quesnoy*, Quesnoy*-sur-Deûle, Roubaix*, Saint*-Amand-les-Eaux, Seclin*, Solesmes*, Solre*-le-Château, Steenvoorde*, Tourcoing*, Trélon*, Wormhoudt (3 004 hab.) *Autres comm. :* **V. Aniche, Annapes, Anzin, Bray-Dunes, Caudry, Comines, Coudekerque-Branche, Croix, Douchy-les-Mines, Escaudain, Faches-Thumesnil, Feignies, Ferrière-la-Grande, Flers-lez-Lille, Flines-lez-Râches, Fourmies, Fresnes-sur-Escaut, Grande-Synthe, Hellemmes-Lille, Hem, Houplines, Jeumont, Lallaing, Lambersart, Lambres-lès-Douai, Lesquin, Lomme, Loos, Lourches, Lys-lès-Lannoy, Madeleine (La), Malo-les-Bains, Malplaquet, Marly, Maroilles, Mons-en-Barœul, Mons-en-Pévèle, Mouvaux, Petite-Synthe, Raismes, Ronchin, Roncq, Rosendaël, Rousies, Saint-André, Saint-Pol-sur-Mer, Sin-le-Noble, Somain, Vieux-Condé, Villeneuve-d'Ascq, Wasquehal, Wattignies, Wattignies-la-Victoire, Wattrelos, Waziers.**

NORDENSKJÖLD ou **NORDENSKIÖLD (Adolf Erik,** *baron***).** ♦ Naturaliste et explorateur suédois (Helsinki, 1832 – Dalbjö, Lund, 1901). Il participa et dirigea plusieurs expéditions dans les régions arctiques (notamment 1868, exploration du Spitzberg ; 1870, côte occidentale du Groenland ; 1872-1873, expédition vers le pôle Nord) et, avec Palander*, à bord de la *Véga,* découvrit le passage maritime du Nord-Est (1878-1880). Outre le récit du *Voyage de la « Véga »* (tr. fr. 1883-1884), il a laissé des travaux de géographie historique. ♦ OTTO NORDENSKJÖLD ou NORDENSKIÖLD, son neveu. Explorateur suédois (Sjögelö, 1869 – Göteborg, 1928). Il explora la Patagonie et la Terre de Feu (1895-1897 et 1920-1921), l'Alaska (1898), le Groenland oriental (1900 et 1909), l'Antarctique (1901-1903) et le Svalbard (ou Spitzberg, 1906).

NORD-EST, en port. **Nordeste,** *n. m.* ♦ Région du Brésil correspondant à l'une des cinq grandes unités régionales du pays (hab. *Nordestins*). **V. Brésil.**

NORD-EST *(passage du).* ♦ Passage entre le N. de l'Europe et l'Asie par l'océan Arctique (au N. de la Sibérie) et le détroit de Béring. Les navigateurs tentèrent d'en trouver la route depuis le XVe s., notamment pour atteindre par mer les Indes et la Chine. **V. Barents, Willoughby** (XVIe s.), **Hudson** (XVIIe s.), **Béring** (XVIIIe s.). C'est Nordenskjöld* qui le reconnut en 1878-1879. Il fut traversé pour la première fois d'E. en O. par l'expédition de R. Amundsen* en 1903-1906.

NÖRDLINGEN. ♦ V. d'Allemagne fédérale (Bavière), au N.-O. d'Augsbourg, sur l'Eger. 14 000 hab. Nombreux monuments médiévaux (XIVe-XVIe s.). Indus. textile ; mécanique de précision. ♦ *Hist.* Victoire des Impériaux sur Bernard* de Saxe-Weimar qui commandait aux Suédois, au cours de la guerre de Trente* Ans (1634). Victoire de Condé* et de Turenne* sur le général bavarois Mercy* (1645).

Nord-Ouest *(Compagnie du).* ♦ Compagnie rivale de celle de la baie d'Hudson*, fondée en 1787 à Montréal. Elle s'opposa violemment à sa rivale, avant de s'unir à elle en 1821. – Mackenzie* explora le N.-O. du Canada pour son compte.

NORD-OUEST *(passage du).* ♦ Passage entre l'Atlantique Nord et le Pacifique. par l'archipel arctique canadien, la mer de Beaufort, au N. de l'Alaska, et le détroit de Béring. Après de nombreux échecs, du XVIe au XIXe s., il fut franchi en 1850 par McClure*, qui le parcourut par mer et par terre (en traîneau). Amundsen* réussit le premier à le franchir entièrement par voie maritime (1903 et 1906).

NORD-OUEST *(Territoire du),* en angl. **North West Territory.** ♦ Ancien territoire des États-Unis (région des Grands Lacs et de l'Ohio) correspondant aux États d'Ohio, Indiana, Illinois, Michigan, Wisconsin, Minnesota. Devenu anglais en 1763, il fut attribué aux États-Unis par le traité de Paris (1783). Les difficultés suscitées par les Anglais, qui s'appuyaient sur les tribus indiennes, aboutirent à la guerre de 1812. Le traité de Gand (1814) confirma la possession du territoire par les États-Unis.

NORD-OUEST *(Territoires du),* en angl. **Northwest Territories.** ♦ Partie septentrionale du Canada, située au N. de la Colombie* britannique, de l'Alberta, de la Saskatchewan et du Manitoba. 3 379 683 km² (6 fois la France). Env. 30 000 hab. (42 % d'Européens, 35 % d'Eskimos, 23 % d'Indiens). Les Territoires sont divisés en trois districts **(V. Franklin, Keewatin, Mackenzie)** et comprennent les îles de la baie d'Hudson, de la baie d'Ungava et les îles arctiques. Gouvernement territorial à Yellowknife*. – Les Territoires sont presque entièrement situés dans les zones subarctique et arctique ; au S., une zone de transition est couverte de forêts. Le climat (très variable) est toujours très rigoureux et continental : moyenne de janv. à mars autour de – 27 °C près du Mackenzie ; dans l'Arctique, gel de sept. à juil. Au N. du Grand Lac des Esclaves* *(Great Slave Lake)*, le sol est gelé en permanence. On peut distinguer quatre régions : montagnes à l'O. (Mackenzie, Franklin et Richardson) culminant à 2 100 m ; basses terres sédimentaires de la riv. Mackenzie*, parsemées de lacs, **V. Esclaves** (lac des), **Ours** (lac de l') ; bouclier canadien dans le reste des Territoires, bordé par des montagnes et par une côte à fjords au N., enfin îles de l'Arctique (terre de Baffin* ; île Victoria*). – Les ressources naturelles provenaient surtout de la faune ; mais les caribous, les bœufs musqués et les baleines ont été décimés depuis la fin du XIXe s. (de 2 000 000 à 200 000 caribous, *par ex.*). La chasse aux fourrures (renards blancs, phoques), la pêche (lac des Esclaves, etc.) produisent d'importants revenus. L'agriculture est limitée au S. du district Mackenzie (céréales, légumes). Les forêts ne sont exploitées que dans la vallée du Mackenzie. Richesses minières : pétrole (Norman Wells), radium, argent, cuivre et uranium (Grand Lac de l'Ours [**V. Port Radium**]), or (Yellowknife), cuivre et zinc, exploités depuis 1966 (Pine Point). ♦ *Hist.* La Compagnie de la baie d'Hudson céda la région au Canada en 1870, en même temps que le Yukon, l'Alberta, la Saskatchewan et le Manitoba. La frontière sud des territoires fut fixée au 60e parallèle (1912).

NORE *(pic de)*. ♦ Point culminant de la Montagne* Noire (1 210 m), sur la limite des dép. de l'Aude et du Tarn.

NORFOLK (Thomas Howard, *3e duc de***).** ♦ (1473 – 1554). Homme politique anglais. Oncle de Catherine* Howard et d'Anne* Boleyn, il présida le tribunal qui condamna cette dernière, après avoir favorisé son mariage. Il réprima le « Pèlerinage* de grâce », mais resta catholique. L'exécution de Catherine provoqua sa chute et sa condamnation à mort. ♦ THOMAS HOWARD, *4e duc de Norfolk* (1536 – 1572), petit-fils du précédent. D'abord favori d'Élisabeth*, il entra en rivalité avec Robert Dudley*. Son projet de délivrer Marie* Stuart le fit emprisonner, et il fut décapité pour avoir pris part à un complot avec l'Espagne.

NORFOLK. *n. m.* ♦ Comté du S.-E. de l'Angleterre, dans la partie septentrionale de l'East Anglia, bordé au N. et à l'E. par la mer du Nord. 5 319 km². 616 000 hab. *Ch.-l.* Norwich*. *Ville principale :* Yarmouth*. – Le Norfolk est une région de plaines argileuses et plutôt humides, parsemées de *broads* ou étangs couverts de joncs. Pourtant, les terres amendées donnent de riches cultures de céréales (blé, betterave sucrière) et du fourrage. On pratique la pêche sur la côte (Great Yarmouth). Norwich est la seule ville industrialisée. – Patrie de l'amiral Nelson*.

NORFOLK. ♦ V. et port des États-Unis, près de l'extrémité de la baie de Chesapeake (Virginie). 268 331 hab. (zone urbaine, 633 142). Port. **V. Hampton Roads.** – Indus., constructions navales. – Patrie du poète français F. Viélé*-Griffin.

NORILSK. ♦ V. d'U.R.S.S. (R.S.F.S. de Russie), dans le territoire de Krasnoïarsk (Sibérie orientale). 136 000 hab. Indus. métallurgiques (cuivre, nickel).

NORIQUE [*n. m.*], en lat. **Noricum.** ♦ Anc. région de l'Europe centrale située entre le Danube au N., la Pannonie* à l'E. et la Rhétie* à l'O. Habitée par les Celtes Taurisques, dont le centre principal était *Noreia* (Neumarkt), elle subit les invasions des Boïens* et des Gètes* et devint province romaine sous Auguste* (~ 16).

Normales *(Écoles)*. ♦ ÉCOLES NORMALES SUPÉRIEURES. Établissements publics ouverts, sur concours, aux jeunes gens (Écoles de la rue d'Ulm, Paris, et de Saint-Cloud) et aux jeunes filles (Écoles de Sèvres et de Fontenay-aux-Roses) se destinant à l'enseignement (des sciences ou des lettres). La première École normale fut fondée à l'instigation de Lakanal (1794). Depuis 1912, existe également une *École normale supérieure de l'enseignement technique.* – Les écoles normales primaires, ainsi appelées depuis 1879, forment les instituteurs et institutrices de l'enseignement primaire.

NORMANDIE. *n. f.* ♦ Anc. province française dont les territoires correspondaient à ceux des actuelles régions (anciennement C.A.R.) de Haute- et Basse-Normandie *(ci-dessous)*. Elles ne connut aucune unité jusqu'à la conquête romaine (~ 56). Elle était alors occupée par des peuples très variés, rattachés à la Belgique ou à la Gaule celtique. Les Romains en firent la IIe Lyonnaise au Ier siècle. Soumise par les Francs* (Ve s.), elle devait être rattachée à la Neustrie*. Les VIe et VIIe s. y furent marqués par l'essor du monachisme (Jumièges, Fécamp, Fontenelle fondée par saint Wandrille). L'unité politique fut concédée aux Normands* par le roi de France au IXe siècle. Maîtres de la haute Normandie, ils conquirent peu à peu la basse Normandie, et le duché leur fut officiellement confirmé en 945. Ils pratiquèrent une politique d'alliance avec les Capétiens. Sous leur administration particulièrement ferme, le pays connut un redressement général : tandis que l'économie reprenait, les anc. abbayes furent relevées et de nouvelles furent fondées (Mont-Saint-Michel). Malgré quelques révoltes, comme celle qui troubla les débuts du règne de Guillaume* le Conquérant, la féodalité s'organisa de façon presque parfaite et fut totalement mise au service du pouvoir central. Au XIe s., les Normands étaient en mesure de conquérir l'Angleterre. L'empire anglo-normand, menacé sous Robert* II Courteheuse qui se révolta contre son père Guillaume le Conquérant, avec l'aide du roi de France Philippe Ier, fut reconstitué sous Henri Ier Beauclerc, et la Normandie passa en même temps que l'Angleterre à la dynastie des Plantagenêt* (XIIe s.). Cependant, dès le XIIIe s., Philippe* Auguste, après avoir échoué à s'emparer de la province sous Richard* Cœur de Lion, y parvint sous Jean* sans Terre, et Henri* III d'Angleterre devait renoncer officiellement à sa possession en 1259. Le pays conserva pourtant une certaine indépendance et contraignit par ses révoltes les rois de France à lui accorder une charte (1315), dont les clauses devaient rester en vigueur jusqu'au XVIIe s. : il disposait d'un tribunal, l'Échiquier, devenu parlement en 1515, et d'états provinciaux. La guerre de Cent* Ans en fit naturellement un de ses principaux champs de bataille et le rendit à l'Angleterre. Il ne devait être repris par Charles VII qu'en 1450, par la victoire de Forligny. La restauration économique qu'il connut au XVIe s. devait être interrompue par les guerres de Religion*. La Réforme avait rencontré un grand succès en Normandie, et, malgré l'émigration importante provoquée par la révocation de l'édit de Nantes*, le noyau protestant devait subsister. Le XVIIe s. fut néanmoins marqué par une grande prospérité (développement de l'industrie textile à Rouen, à Elbeuf, dans le Cotentin, faïenceries, forges...), en contraste avec la misère du début du siècle (révolte des nu-pieds). Le développement du commerce maritime devait se poursuivre au XVIIIe s., tandis que s'amorçait la transformation agricole du pays vers l'élevage. Le particularisme trouva sa dernière expression avec l'insurrection des Girondins*. ♦ *Débarquement en Normandie :* à partir du 6 juin 1944, l'opération *Overlord,* sous le commandement du général Eisenhower*, consista à débarquer 3 500 000 Américano-Britanniques (150 000 le premier jour, 1 000 000 au bout d'un mois) appuyés au début par 2 000 avions. Une préparation minutieuse, d'intenses bombardements stratégiques, la surprise (les Allemands attendaient le débarquement dans le Pas-de-Calais) permirent aux Alliés d'établir en six jours une tête de pont de 10 à 20 km. Tandis que les renforts affluaient **(V. Arromanches)** et que se déroulait la bataille pour Caen (pris le 9 juill.), les Américains coupaient en deux le Cotentin (chute de Cherbourg, 26 juin) et exploitaient le succès en direction de Saint-Lô. L'offensive de Bradley* (25 juill.) rompit le front allemand et par la « trouée d'Avranches » (ville prise le 31 juill.) déferla le raid de Patton* vers la Bretagne puis v. l'E. (libération de Paris par Leclerc*, 24-25 août). Cependant les Anglo-Canadiens, après la prise de Falaise (16 août) et l'encerclement, avec le concours de Patton, d'une partie de la VIIe armée allemande (19 août), progressaient parallèlement à la côte : ils atteignirent Abbeville (2 sept.) et Lille (3 sept.). Les 11-12 sept., les forces d'*Overlord* firent leur jonction avec celles d'*Anvil* **(V. Provence)** et l'assaut des Alliés contre l'Allemagne commença. **V. Guerre mondiale** *(Deuxième)*.

NORMANDIE (BASSE-). ♦ Région (anciennement C.A.R.) française. Trois départements : **V. Calvados, Manche, Orne.** 17 583 km² : 3,2 % du territoire (15e rang). 1 306 200 hab. : 2,5 % de la pop. française (18e rang) ; densité 72. – Réunissant l'ouest et le centre de l'ancienne province, elle repose à la fois sur les terrains anciens du Massif armoricain (pour 52 %) et sur les assises sédimentaires du Bassin parisien, de part et d'autre d'une ligne qui, en Cotentin*, dessine un vaste golfe autour des marais de Carentan puis s'infléchit au S.-E., vers Alençon*. En zone « bocaine », les schistes imperméables donnent un relief désordonné, fragmenté à l'infini par les cours d'eau ; l'altitude (100 m) augmente dans la moitié S., dominée par deux crêtes parallèles, gréseuses ou granitiques aux vallées encaissées (« Suisse normande »), allongées de Villedieu* au mont Pinçon (369 m) et à Falaise, puis d'Avranches, Vire et Domfront au signal d'Écouves : bombement des « Collines de Normandie », sommets de l'O. français (417 m). En zone sédimentaire, les horizons s'adoucissent et s'ordonnent selon les divers affleurements, du Bessin liasique à la *cuesta* crétacée qui souligne la retombée des plateaux du Lieuvin (140 m) sur les marnes de la vallée d'Auge* ; là encore, l'altitude s'élève au S., dans les collines du pays d'Ouche* et du Perche* (320 m), liées à un bombement du socle qui, au delà de l'Orne* prolonge le précédent. De Mortain* à Andaines, Écouves* et Bellême*, ces hauteurs projettent, entre Normandie et Maine, une succession de belles forêts. Ailleurs règne le « bocage », aux parcelles encloses de « fossés » plantés d'arbres et de haies vives ; très dense, presque étouffant sur les terres « bocaines » où il ajoute à la confusion des paysages ; beaucoup plus aéré en Bessin* et Perche, il se retrouve, au delà de l'auréole des « campagnes » jurassiques, de nouveau très serré en Pays d'Auge. Facteur d'unité essentiel, l'humidité du climat stimule cette végétation : les précipitations augmentent du littoral (600-700 mm) vers les collines (1 000-1 200 mm) où les hivers, ailleurs très modérés, se font plus rigoureux ; les étés restent frais ; le ciel est changeant, soumis en toute saison aux dépressions atlantiques. – *Pop.* et *Écon.* Autrefois très peuplée (7 % de la population française en 1700 ; 5 % en 1801 : d = 75 ; moy. fr. 51), modèle de civilisation rurale constellée de bourgs-marchés, la Basse-Normandie a mal réagi au choc de la révolution industrielle : émigration et dénatalité lui ont fait perdre 461 000 hab. (– 30 %) de 1826 (1 547 000) à 1920 (1086 000). Si le renversement, amorcé ensuite, s'est confirmé depuis 1945 (forte fécondité : 38,7 % de moins de 20 ans), le taux d'accroissement réel de sa population reste très inférieur à son taux naturel (7,9 ‰, France 6 ‰), l'émigration persistante ayant absorbé la moitié de ses gains. Et, avec 1 260 000 hab. en 1968, il n'est pas sûr qu'elle en ait 1 400 000 en 1985 (alors que ses seuls

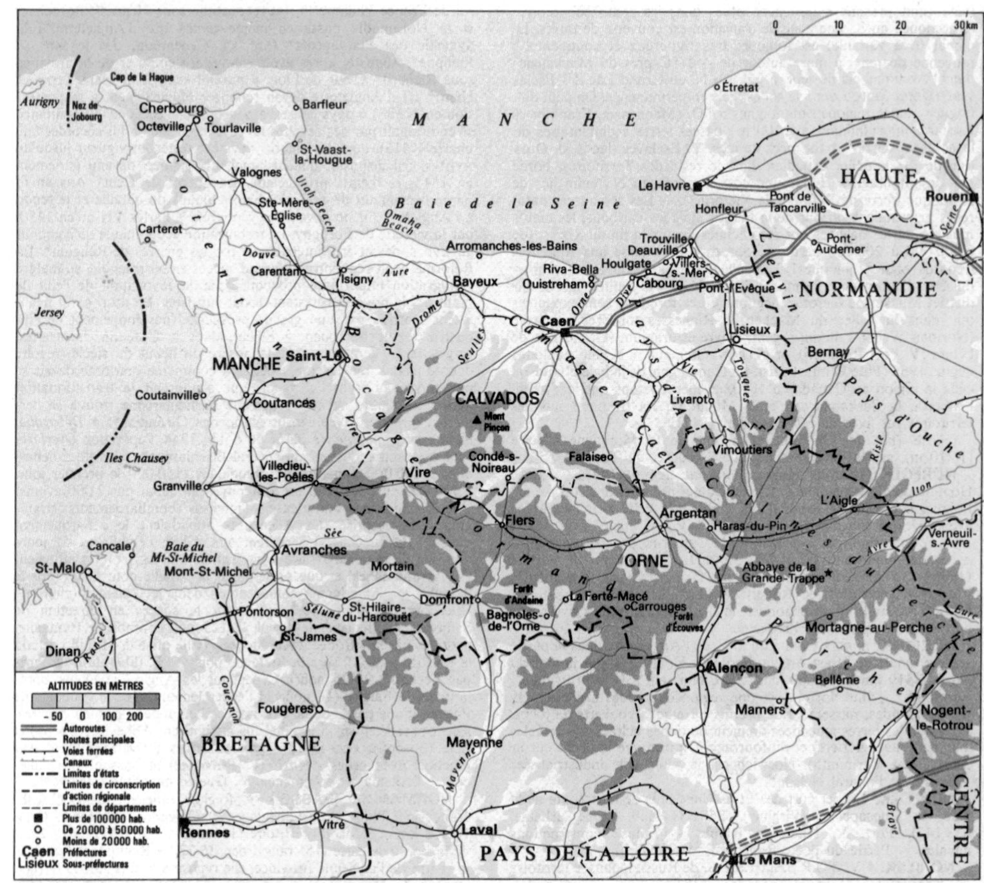

Basse-Normandie.

excédents de naissances lui assureraient 1 500 000 hab.). Ainsi se pose avec acuité le problème de l'emploi dans une région où la population rurale (52 %) reste exceptionnellement dense (44 au km²; et jusqu'à 60) et où l'agriculture occupe le tiers des actifs (Manche, 40 %). À l'exception des maraîchages côtiers et de l'îlot céréalier très évolué des plaines centrales, l'herbe a, depuis un siècle, submergé les bocages et les productions animales comptent pour 85 % (Manche, Orne : 89 %). La région est au 1er rang pour le lait (25 millions d'hl : 12,6 % de la production française — dont la moitié dans la Manche); au 3e pour la viande bovine (Orne en tête); les gros élevages comme ceux des veaux, porcins et ovins s'intègrent le plus souvent aux petites exploitations familiales, trait dominant des structures en dehors des « campagnes », du Bessin et du Plain où se concentrent les « plus de 50 ha » (5 % du total sur 23 % de la S.A.U.). Les « moins de 20 ha » (72 % dont 1/4 au-dessous de 5) couvrent 36 % des terres : elles l'emportent dans le « Bocage normand » (quadrilatère Avranches*, Coutances*, Saint-Lô*, Domfront*) et la Manche (30 % d'exploitations de moins de 5 ha sur 7 % de la S.A.U.) est rattachée à la Zone de rénovation bretonne. Également disséminées, les exploitations moyennes de 20 à 50 ha emploient près du quart des agriculteurs sur 41 % de la surface : bénéficiaires des concentrations, elles sont instruments de progrès dans un ensemble souvent archaïque, paralysé par ses mentalités, son morcellement et son parcellement excessifs (retard du remembrement). L'insuffisance de la productivité explique le maigre revenu par exploitant (19e puis 18e rang sur 22), tandis que la vente de produits primaires n'apporte que peu de valeur ajoutée à l'agriculture. Le milieu rural souffre d'un sous-équipement lié à la dispersion de l'habitat, souvent vétuste, et à l'émiettement communal (1 825 communes de moins de 2 000 hab.). De profondes transformations sont néanmoins suscitées par une industrie laitière ultra-moderne, aux dimensions européennes, de caractère privé (Nestlé, Gloria, Préval, Dupont) ou coopératif (Elle et Vire qui, en 1971, a collecté 1 327 000 t de lait auprès de 52 000 producteurs). Cette industrie produit 1/4 de la production nationale de beurre laitier, 1/3 de celle de camembert. Ces transformations sont aidées par l'initiative des instances professionnelles (Programme d'actions concertées, véritable plan de développement, encouragé par l'État). Mais le progrès agricole ne peut aller sans la poursuite de l'exode : de 172 000 actifs à la terre en 1968 aux 100 000 prévus pour 1985 (18,5 %). Depuis 1954-1960, les emplois secondaires ont connu une expansion sans précédent (+ 50 %). Aux secteurs traditionnels, indus. alimentaires, bâtiment, sidérurgie (Mondeville*), mécanique, la décentralisation a ajouté essentiellement l'automobile (Caen) et la construction électrique. Tertiaire inclus, 9 000 postes de travail par an ont été créés de 1962 à 1968, freinant l'émigration (− 14 600 contre − 52 000, de 1954 à 1962) et déclenchant une poussée urbaine spectaculaire (+ 17 %, taux record) : Caen*, aggl. de 170 000 hab. (+ 4 % l'an depuis 15 ans); Alençon* (+ 3,5 %); Bayeux*, Lisieux*, Flers*, Vire* (plus de 2 % l'an). Cependant les secteurs secondaire et tertiaire n'occupent encore que 30 et 37,1 % des actifs et si le progrès industriel a effleuré le Bocage, il est à peu près absent du Cotentin* (isolement de Cherbourg* 80 000 hab., malgré l'apport du turbotrain). Avec 48 % seulement de population urbaine (France 70 %), la région reste celle des petites villes de moins de dix et vingt mille habitants. — Insuffisant (4 000 jeunes partent chaque année), le tissu industriel est fragile : sa consolidation volontaire (prév. 1985 : 34 %), qui appelle une meilleure infrastructure (autoroute A 13 ; axe Caen-Rennes) et un gros effort de formation des hommes, s'impose comme facteur d'entraînement (tertiaire : 47,5 % en 1985) et de progrès démographique. La qualité du cadre de vie devrait y aider, comme elle devrait favoriser le développement du tourisme, tant sur le littoral (de la Côte fleurie à Granville* et au Mont*-Saint-Michel) qu'à l'intérieur (Parc Normandie-Maine) et celui des activités de loisirs (domaine du cheval de selle). Un taux d'activité élevé (42,2 % — France 40,2), allié à une conscience régionale très vive, paraissent être les meilleurs garants de l'avenir.

NORMANDIE (HAUTE-). *n. f.* ♦ Région (anciennement C.A.R.) française. Deux départements : **V. Eure, Seine-Maritime.** 12 379 km² (2 % de la France), 1 595 700 hab. (3 % de la population française, 15e rang), 122 hab. au km² (4e rang). — Partie orientale de l'ancienne province de Normandie, elle repose sur l'auréole crétacée du bassin parisien (alt. 150-200 m), de part et d'autre de la basse Seine, aux méandres fortement encaissés dans la masse crayeuse surélevée, creusée de vallées profondes et tombant en falaises abruptes, hautes de 70 à 100 m sur des plages de galets. Les cailloutis des terrasses alluviales et l'argile à silex des plateaux expliquent l'étendue des forêts (19 % de la superficie : Brotonne, Lyons, Eu...), mais c'est la présence du limon qui, le climat océanique aidant — avec des précipitations dégradées de la côte (1 000 mm) vers l'intérieur (600 mm) —, assure l'unité d'un groupe de « pays » souvent plus évocateurs des plaines de l'Île-de-France que des bocages de l'Ouest : c'est l'originalité de cette fraction de la Normandie, aux terroirs agricoles variés et de qualité, rassemblés autour d'un grand axe de développement portuaire, industriel et urbain. Ce pôle d'activités, de renommée ancienne, stimulé au XIXe s. par la croissance parisienne, lui a valu une stabilité démographique qui la distingue des autres régions de l'Ouest, en particulier de la Basse-Normandie (en milliers d'hab. : 1801, 1 012; 1911, 1 201; 1936, 1 220). Une solide tradition industrielle lui permet aujourd'hui d'épouser le rythme extraordinaire de son trafic portuaire, facteur essentiel de son dynamisme économique **(V. Rouen)**, aux entrées et sorties équilibrées : de 7 000 000 à 13 000 000 de t de 1960 à 1970. **V. Havre** (Le), port de front de mer dont les entrées sont de sept à huit fois supérieures aux sorties (primauté du pétrole) : de 16 000 000 à 58 000 000 de t en 1960 et 1970; trafic global passé de 23 000 000 à 71 000 000 de t en dix ans; avec une perspective de 170 000 000 de t pour 1985. Le développement s'appuie sur la montée démographique continue depuis la guerre (en milliers d'hab. : 1946, 1 162; 1962, 1 398; 1968, 1 497 : + 28 %), marquée par un taux de natalité de 19 ‰ (France : 16,8), une proportion élevée de moins de 20 ans et, de 1962 à 1968, une croissance rapide de la population active (8 %; France 6,20 %) : la population atteindrait ainsi 1 800 000 hab. en 1985. La Basse-Seine concentrera l'essentiel de cet accroissement (de 1 150 000 hab. en 1968 à 1 480 000 ou 1 800 000 en 1985, selon l'une ou l'autre hypothèse). L'appareil industriel y est imposant, avec, dans des entreprises de dimension moyenne, une très forte proportion des 260 000 emplois du secteur secondaire régional : 1er rang pour le raffinage du pétrole, 55 000 000 de t : 35 % de notre production dans cinq centres, dont Gonfreville*-l'Orcher appelé à devenir l'un des pôles de la pétrochimie européenne. Une des premières places également dans la chimie des engrais; 3e rang pour les constructions électriques et les industries du papier (16 % des pâtes, 25 % des papiers d'impression, 40 % du papier journal français, en région rouennaise). 45 % des salariés de l'industrie sont dans la métallurgie, née au XIXe s., concentrée surtout à Rouen*, avec prédominance des industries mécaniques; 20 % dans le bâtiment et les travaux publics; 12 % dans le textile (coton de Rouen, laine cardée d'Elbeuf-Louviers) et ses annexes. De 1954 à 1969, 412 établissements ont été ouverts, dus à la décentralisation parisienne et aux investissements étrangers; ils confirment la primauté de la transformation des métaux, de la chimie et de la construction électrique : autant de signes d'un développement industriel continu (46 % des actifs prévus en 1985) que favorisent

Haute-Normandie.

à la fois la demande parisienne, l'engagement de puissants groupes internationaux et le potentiel considérable qui subsiste en zone portuaire. Hors de cette zone, l'industrie anime depuis longtemps certaines vallées : l'Andelle, l'Austreberthe, la Bresle* (verrerie). L'agriculture, que sollicitent les grands foyers de consommation, est en cours d'intégration, qu'il s'agisse des grandes cultures des plateaux du Vexin*, du Neubourg et de Saint-André, de la polyculture intensive du pays de Caux* ou des herbages du Bray*, du Roumois* et du Lieuvin*. Les productions animales comptent pour près des 2/3 de ses recettes : viande de bœuf et surtout lait — respectivement 5,4 % et 4,4 % des productions nationales sur 2,8 % du territoire agricole. La « Centrale laitière » a collecté, en 1971, 200 000 000 de l de lait et les industries laitières sont en tête d'un important ensemble d'industries alimentaires (22 000 emplois). Les productions végétales n'en comptent pas moins pour 3 % au plan national et participent activement aux exportations régionales. Avec 72 500 pers. (11,9 % des actifs) et des unités de production d'une moyenne de 35 ha, cette agriculture évoluée, en voie de concentration (7,6 % des actifs en 1985), reste confrontée à des problèmes de structure (petites exploitations), d'organisation en face des exigences du marché urbain et surtout de formation des hommes — comme, d'ailleurs, l'ensemble de la région, malgré les progrès réalisés depuis la création de l'académie de Rouen en 1964 et celle de l'université en 1966 (10 000 étudiants en 1971). Employant aujourd'hui 45,6 % des actifs, soit 280 000 pers. dont près de 45 000 dans les transports, le secteur tertiaire devrait passer à 51,2 % en 1985. — Un tel développement nécessite le progrès continu de l'infrastructure fluviale (trafic Seine 1949 : 7 000 000 de t; 1969 : 27 000 000 de t; prév. 1985 : 43 000 000 de t), ferroviaire et routière (trafic : + 12 % l'an) ainsi que des liaisons tant avec l'intérieur (« Seine-Est ») qu'avec la Basse-Normandie (autoroute Paris-Rouen-Caen) et la Grande-Bretagne (transit entre Londres et Paris). En outre, dans cette région fortement urbanisée (70 % de la population), la concentration du peuplement en Basse-Seine, devenue « boulevard industriel » — agglomérations de Rouen*-Elbeuf : 1968, 430 000 hab.; 1985, 850 000 — Le Havre : 270 000 et 430 000 — appelle une réaction en faveur de l'aménagement rural et de l'équilibre entre « vallée » (couronne de villes moyennes dont Le Vaudreuil, ville nouvelle), « littoral » (Dieppe 40 000 hab.; 100 000 en 1985) et « plateaux » : croissance de la « zone amont » (Louviers*; Vernon*; Évreux* : 46 000 hab. + 75 % depuis 1954), transition entre Basse-Seine et région parisienne, en face de laquelle la Haute-Normandie, soucieuse de sauvegarder sa personnalité, entend garder ses distances et constituer un complexe industriel et portuaire de taille européenne, semi-autonome.

Normandie-Niémen *(escadrille)*. ♦ Formation aérienne de chasse appartenant aux forces françaises. Elle participa aux offensives de Russie Blanche et fut intégrée à une division aérienne soviétique de 1942 à 1945.

NORMANDS, *n. m. pl.*, de **northmanni** (« hommes du Nord »). ♦ Nom donné à l'époque carolingienne aux pirates scandinaves qui, sous la conduite de chefs ou *vikings* (rois ou guerriers de la mer) ont, aux IXe et Xe s., fait de nombreuses incursions sur les côtes de l'Europe et le long des fleuves. Les premiers raids eurent lieu à la fin du VIIIe s. en Irlande et en Angleterre. Vaincus par Alfred* le Grand (878), ils réussirent cependant à s'établir en Angleterre **(V. Canut le Grand)**. En Europe continentale, leurs attaques ne furent sérieuses qu'après le règne de Charlemagne (à partir de 819). Ils attaquèrent Paris dès 845, mais furent repoussés en 885-886 par le comte Eudes*. Ils s'établirent à l'embouchure de la Seine en 896. Les rois achetaient leur départ. Charles* le Simple, incapable de les combattre, céda finalement à leur chef Rollon* la future *Normandie* par le traité de Saint*-Clair-sur-Epte (911). Cependant, les conquêtes n'étaient pas terminées; en 1066, le duc de Normandie Guillaume le Conquérant conquit l'Angleterre. Au début du XIe s., des aventuriers normands partirent à la conquête de l'Italie du Sud et de la Sicile où ils fondèrent des royaumes **(V. Robert Guiscard, Naples, Sicile)**. Au IXe s., d'autres Normands (les Varègues*) avaient pénétré en Russie où Riourik* fonda Novgorod*, v. 860. Descendant les fleuves, ils attaquèrent Constantinople (860-861). Le successeur de Riourik, Oleg* le Sage, fonda la principauté de Kiev* en 882. Les Normands découvrirent l'Islande (874), le Groenland v. 982 et l'Amérique v. 1000.

NORNES (les). ♦ Mythologie germanique. Divinités du destin. Ce sont trois femmes : Urd (connaissant le passé), Wertandi (le présent), Skuld (l'avenir). Elles se tiennent au pied de l'arbre Yggdrasil*, qu'elles arrosent avec l'eau de la fontaine Urd.

NORODOM ANG VODEY. ♦ Roi du Cambodge (1859 — 1904). Sous son règne (1864-1904) eut lieu l'établissement du protectorat de la France sur le Cambodge. Il établit sa capitale à Phnom Penh. Son frère Sisowath* lui succéda.

NORODOM SIHANUK. ♦ Roi du Cambodge (Phnom Penh, 1922) couronné en 1941. En 1955, il abdiqua en faveur de son père Norodom Suramarit afin de se consacrer aux affaires du royaume en tant que Premier ministre, et fit des réformes importantes. Une révolte militaire l'obligea, en 1970, à laisser la place au général Lon Nol. Il se réfugia alors à Peking, où il forma un gouvernement et d'où il dirigea les « Khmers rouges » opposés au nouveau régime. Revenu à Phnom Penh après le départ de Lon Nol (1975), il démissionna après la création de l'État démocratique du Cambodge. **V. Cambodge.**

NØRRESUNDBY. ♦ V. et port du Danemark, faubourg d'Aalborg*, au N. du Jutland*, sur la rive N. du Limfjord. 9 000 hab. (1960). – Cimenteries.

NORRIS (Frank). ♦ Journaliste et romancier américain (Chicago, 1870 – San Francisco, 1902). Après des études à Paris et aux États-Unis, il devint le correspondant en Afrique du Sud du *San Francisco Chronicle.* Son roman *Mc Teague* (1899), illustration de la vie des taudis de San Francisco, fut remarqué par sa puissance et son réalisme. Mais il fut consacré par le premier volume de sa « trilogie du blé » (*La Pieuvre, The Octopus,* 1901). Le second volet (*La Fosse, The Pit,* 1903) évoque Chicago et la fosse symbolique de la Bourse aux grains. *Le Loup* devait mettre en scène le consommateur lointain.

NORRISH (Ronald George Weyford). ♦ Chimiste britannique (Cambridge, 1897). Auteur de recherches sur le problème de la mesure de la vitesse des réactions chimiques ultra-rapides, il mit au point avec G. Porter* une méthode basée sur la mise en présence de deux réactifs dans un état d'équilibre et sur le déclenchement de la réaction par un agent extérieur pendant un temps déterminé et extrêmement court, permettant d'étudier des phénomènes qui se déroulent en un dix-milliardième de seconde. (Prix Nobel de chimie, 1967.)

NORRKÖPING. ♦ V. et port du S.-E. de la Suède, sur la riv. Motalaström qui se jette un peu plus loin dans le Braviken (fjord). 94 884 hab. (1968). Aéroport de Kungsängen. Carrefour ferroviaire et routier. Le Motalaström lui fournit l'énergie nécessaire à ses nombreuses indus., filatures, papeteries, constructions mécaniques, appareillage électrique. Chantiers navals.

NORRLAND. *n. m.* (« pays du Nord »). ♦ Région septentrionale de la Suède, s'étendant au N. des grands lacs. Elle se présente comme un large plateau surélevé à l'O. et s'abaissant vers le golfe de Botnie* **(V. Suède).** Les ressources sont essentiellement tirées des forêts de résineux et de bouleaux, des gisements ferreux de Laponie (Kiruna*, Gällivare*), ou non ferreux (Skellefteå*-Boliden, Lajsvall). *V. princ.* Gällivare*, Gävle*, Kiruna*, Luleå*, Östersund*, Skellefteå*, Sundsvall*, Umeå*.

NORTH (Frederick, *2ᵉ comte de Guilford* **et** *8ᵉ baron North***).** ♦ Homme politique anglais (Londres, 1732 – *id.,* 1793). Tory, Premier ministre en 1770-1782, il appliqua la politique de George* III qui aboutit à la guerre de l'Indépendance des colonies d'Amérique et dut se retirer en 1782, au moment où le roi se détournait des affaires. Il s'allia ensuite à Fox*, fit partie du cabinet de Portland* et mena l'opposition contre Pitt*.

NORTHALLERTON. ♦ V. d'Angleterre ch.-l. du Yorkshire*, North Riding. 6 730 hab. Église du XIIᵉ siècle. ♦ *Hist.* Aux environs fut livrée la *bataille de l'Étendard* (22 août 1138) par laquelle le roi d'Écosse David Iᵉʳ fut défait par l'archevêque Thurstan.

NORTHAMPTON. ♦ V. du centre de l'Angleterre. Ch.-l. du Northamptonshire, sur la Nene River. 126 608 hab. Évêché catholique. Église du Saint-Sépulcre (XIIᵉ s.), de forme circulaire, Abington Abbey (manoir du XVᵉ s.). – Fabrique de chaussures, indus. mécaniques, brasseries, tissages. ♦ *Hist.* Fondée par les Saxons, Northampton fut en 1460, le siège de l'une des principales batailles de la guerre des Deux-Roses, qui vit la victoire des partisans des York sur Henri VI et les Lancastre.

NORTHAMPTONSHIRE, abrév. **Northants.** *n. m.* ♦ Comté du centre de l'Angleterre, dans l'E. des Midlands. 2 368 km². 467 843 hab. *Ch.-l.* Northampton*. *V. princ. :* **V. Corby, Daventry, Kettering, Peterborough.** C'est un pays de céréaliculture et d'élevage. Les industries sont concentrées sur l'axe Londres-Carlisle et autour de Northampton et Corby (acier). Les plus importantes sont le travail du cuir, les indus. mécaniques et alimentaires.

NORTH BERWICK. ♦ V. d'Écosse orientale (East Lothian), sur la r. sud du Firth of Forth. Port et station balnéaire. Ruines d'une abbaye cistercienne du XIIᵉ siècle.

NORTH CAROLINA. ♦ **V.** Caroline du Nord.

NORTH DAKOTA. ♦ **V.** Dakota du Nord.

NORTHROP (John Howard). ♦ Biochimiste américain (Yonkers, New York, 1891). Auteur de travaux sur les enzymes et les virus-protéines, il en obtint certains sous forme cristallisée (pepsine, 1930; trypsine, 1931); il étudia également l'agglutination des bactéries. (Prix Nobel de chimie, 1946; **V. Stanley, Sumner.**)

NORTH SHIELDS. ♦ **V.** Tynemouth.

NORTHUMBERLAND *(duc de).* ♦ Titre porté par John Dudley*.

NORTHUMBERLAND. *n. m.* ♦ Comté du N.-E. de l'Angleterre, à la frontière de l'Écosse. 5 229 km². 795 000 hab. *Ch.-l.* Newcastle*-upon-Tyne. *V. princ. :* **V. Berwick-upon-Tweed, Blyth, Tynemouth, Wallsend.** Au N., en bordure de l'Écosse et du Cumberland s'étendent les Cheviot Hills, qui se prolongent vers le S. en hauts plateaux occupant tout le centre du comté. La plaine côtière est sableuse. La terre, peu fertile, est vouée en grande partie à l'élevage ovin. Le bassin de la Tyne (région de Newcastle-Tynemouth), très riche en houille, est fortement industrialisé (sidérurgie, métallurgie, chimie). La houille est exportée par les ports de Blyth, Newcastle et Tynemouth. La pêche est pratiquée autour de Tynemouth.

NORTHUMBRIE. *n. f.,* en angl. **Northumbria.** ♦ Royaume fondé au Vᵉ s. par les Angles, au N. de l'Humber. Il atteignit son apogée sous les règnes d'Edwin* (617-632) puis d'Oswald* (635-642) et d'Oswy (ou Oswiu) [642-670]. York*, métropole de la *Northumbrie,* propagea la civilisation chrétienne. La *Northumbrie* fut annexée par Egbert* le Grand, roi du Wessex (827).

NORTH YORK MOORS. *n. f. pl.* (« landes du Nord de York »). ♦ Ligne de côtes du N.-E. de l'Angleterre (Yorkshire, North Riding) comprise entre les Cleveland Hills au N., le val de Pickering* au S., le val d'York* à l'O. et la mer du Nord à l'est.

NORTON (Thomas). ♦ Auteur dramatique anglais (Londres, 1532 – Sharpenhoe, 1584). En collaboration avec Thomas Sackville*, il est l'auteur de la première tragédie profane du théâtre anglais, *Gordebuc ou Ferrex et Porrex* (1560), œuvre composée dans l'esprit de Sénèque.

NORT-SUR-ERDRE. ♦ Ch.-l. de cant. de la Loire-Atlantique, arr. de Châteaubriant. 4 442 hab. (2 390 aggl.). – Minoterie.

NORVÈGE. *n. f.,* en norv. **Norge.** ♦ État de l'Europe du Nord, formant la bordure occidentale de la Scandinavie*. Elle est baignée au N. et à l'O. par la mer de Norvège (océan Atlantique) et la mer du Nord*, au S. par le Skagerrak* et limitée à l'E. par l'U.R.S.S., la Finlande (au N.) et la Suède. Elle comprend en outre les îles Svalbard*, Jan* Mayen, l'île Bouvet, l'île Pierre Iᵉʳ et la Terre de la Reine-Maud*. 323 879 km² (métropole). 4 010 000 hab. (1975) [*Norvégiens,* dont 20 000 Lapons]. *Cap.* (et 1ʳᵉ V.) : Oslo. *V. princ.* Alesund*, Arendal*, Bergen* (3ᵉ V.), Bodø*, Drammen*, Halden*, Hamar*, Hammerfest*, Haugesund*, Horten*, Fredrikstad*, Kristiansand*, Kristiansund*, Lillehammer*, Moss*, Narvik*, Oslo*, Sarpsborg*, Skien*, Stavanger*, Tromsø*, Trondheim* (2ᵉ V.). *Langue :* norvégien. *Religion :* en majorité luthérienne. Le royaume est divisé en 20 comtés *(fylke),* dont les villes d'Oslo et de Bergen. – *Orogr.* La Norvège se présente comme un ensemble de plateaux et de montagnes (alt. moyenne 500 m, point culminant 2 468 m), dont les versants O. tombent abruptement vers la mer, alors que les versants E. s'abaissent graduellement vers la Suède. La calotte glaciaire qui recouvrait la Scandinavie au quaternaire a laissé sa trace dans les innombrables lacs et les profondes vallées du pays dont certaines ont été envahies par la mer, formant les fjords. Les variations du niveau de la mer expliquent aussi le caractère accidenté des côtes (près de 20 000 km) et l'existence d'environ 150 000 îles (îles Lofoten*, îles Vesterålen*). Les glaciers couvrent 5 000 km² (principalement dans le S.-O. et le centre O.). Les cours d'eau, alimentés par les eaux de fonte des glaciers, sont nombreux et propices à l'exploitation hydro-électrique. Le plus important est le Glåma. La végétation est caractérisée par les pâturages et les forêts de conifères du S. et du S.-O., les bouleaux et les saules dans les régions plus élevées, puis la toundra de l'extrême nord. – *Climat.* Malgré sa latitude élevée (soleil de minuit dans le Finnmark*), la Norvège bénéficie d'un climat assez doux, grâce à l'influence du Gulf Stream (la température moyenne des côtes varie entre 2° en janv. et 14° en juill.). La température s'abaisse graduellement à l'intérieur des terres. Les précipitations sont abondantes dans le district des grands fjords (2 000 mm par an à Bergen), mais n'atteignent que 500 mm dans le Finnmark. – *Écon.* L'agriculture est rendue difficile par le relief (71 % du sol sont totalement incultes). Les quelques plaines côtières du S. et les vallées concentrent la majorité des cultures maraîchères et fruitières. Avoine, orge, blé. La pomme de terre est cultivée dans tout le pays. La production forestière (conifères essentiellement) est très importante (8 600 000 m³ de bois en 1975), les forêts et les bois occupant 25 % des terres. L'élevage, pratiqué surtout en étable, est relativement développé : 1 632 000 ovins, 963 000 bovins, 785 000 porcins (1974). Mais la production laitière (1 821 000 t de lait en 1975) ne suffit pas à la consommation nationale. On élève aussi de nombreuses espèces d'animaux à fourrure dans les fermes (renards, visons). Élevage de rennes dans le Finnmark*. – La pêche est une ressource essentielle. En 1968, la production atteignait 1 199 000 t de harengs, sardines et anchois, 779 100 t de maquereaux, 244 600 t de morues (pêchées autour des îles Lofoten* et Vesterålen*). Production d'huile de foie de morue, de poisson séché, usines de surgélation sur la côte du Nord. – Les ressources minières sont faibles : charbon du Spitzberg* (389 000 t en 1975), fer de Varanger* et de Dunderland, cuivre de Røros, petites mines d'argent, molybdène, plomb et zinc. La production

Arch. Rencontre

Norvège : paysage du Gudbrandsdal.

d'électricité est très importante, grâce au relief glaciaire (prod. annuelle : 78 milliards de kWh). C'est elle qui alimente les indus. métallurgiques : métallurgie du fer et des ferro-alliages (2 645 000 t en 1975, complexe sidérurgique de Mo-i-Rana), métallurgie du nickel (importé du Canada) à Kristiansand*, de la bauxite et de l'alumine près du Sognefjord*, à Ardal et Sunndal. La Norvège est le premier exportateur européen pour l'aluminium (594 900 t en 1975). Électrométallurgie. Chantiers navals importants (Oslo* où l'on construit des navires-citernes pour le transport de gaz liquides, Stavanger*, Bergen*, Trondheim*). Indus. chimique (azotes, fertilisants azotés [627 200 t en 1973], nitrates et superphosphates). L'indus. du bois joue toujours un grand rôle dans l'économie : papeteries et surtout production de pâte de bois (permettant la fabrication de fibre de rayonne, d'alcool éthylique). — *Commerce.* À cause de la faiblesse des ressources naturelles, les importations (machines, produits manufacturés, matières premières) l'emportent sur les exportations (navires, papier, cellulose, aluminium). Les échanges se font principalement avec la Suède, l'Allemagne (R.F.A.), le Royaume-Uni et les États-Unis. — *Transports.* La mer est le principal moyen de communication, aussi bien entre le N. et le S. du pays qu'avec les pays étrangers. La marine marchande est la troisième du monde. Le pays possède plusieurs aéroports internationaux (Oslo, Flesland, Stavanger-Sola). Le réseau routier (69 597 km en 1968), malgré les contraintes imposées par le relief (passages par bac) est assez bon. Les voies ferrées sont en quantité limitée (4 242 km en 1968) et sont surtout dans le S. du pays. Le *tourisme* joue depuis la Deuxième Guerre mondiale un rôle substantiel dans l'économie. — Patrie de N.H. Abel*, R. Amundsen*, Bjørnson*. C. Collett*, O. Duun*, H. Egede*, Erik* le Rouge, E. Grieg*, K. Hamsun, L. *baron* Holberg*, H. Ibsen*, A. Kielland*, Leiv* Eriksson, J. Lie*, E. Munch*, F. Nansen*, S. Obstfelder, V. Quisling*, A. Skram*, H. Sverdrup*, S. Undset*, T. Vesaas*, G. Vigeland, N. Vogt*, J. Welhaven*, H. Wergeland*. ♦ *Hist.* L'histoire de la Norvège ne commence à être connue qu'à partir du IXe s., quand les Vikings ou Normands* partirent des côtes O. de la Scandinavie pour des expéditions dans toute l'Europe. Les petits royaumes qui la composaient alors furent unifiés pour la première fois par Harald* Ier Haarfager en 872, puis christianisés au XIe s. par Olav* II le Saint. La victoire des Anglais et des Danois sur Olav (Stiklestad, 1030) ouvrit une période d'anarchie qui ne devait prendre fin qu'en 1201, avec le roi Sverre. Le XIIIe s. vit l'apogée de la Norvège qui se trouva, sous Haakon* IV, à la tête d'un vaste empire s'étendant sur le Groenland et l'Islande et disposant d'une organisation et d'une culture (ce fut l'époque des sagas) très en avance par rapport au reste de la Scandinavie. Le déclin s'amorça dès le XIVe s. : le commerce de la mer du Nord fut assuré par les Allemands, et la Hanse* contrôla toute l'économie, tandis que la peste noire ravageait le pays qui, à la suite de mariages et de successions, passa à la Suède avec Magnus* Eriksson, puis au Danemark avec la reine Marguerite* (1343), avant d'entrer dans l'Union de Kalmar* (1397). **V. Danemark** ***(Hist.),*** **Suède** ***(Hist.).*** — La rupture de cette union, en 1523, n'amena pas l'indépendance de la Norvège, mais la plaça sous la domination de fait du Danemark qui allait durer pendant trois siècles. Ce pays imposa en effet à la Norvège le luthéranisme et la contraignit, du fait de ses échecs militaires, à céder successivement à la Suède le Jämtland et l'Härjedalen (Brömsebro*, 1645) et le Boshuslän (Roskilde*, 1658). Le renouveau culturel et économique que la Norvège connut alors devait être interrompu par les guerres napoléoniennes et le blocus anglo-suédois qui répondit au blocus continental. — Le traité de Kiel (1814) marqua le passage à la domination suédoise, imposée par Bernadotte, et la fin de celle du Danemark qui avait pourtant tenté de l'empêcher en émancipant la Norvège par l'établissement d'un parlement, le *Storting,* et de la constitution la plus libérale de l'époque, la constitution d'Eidsvold (1814). Celle-ci devait être respectée par la Suède et assurer au pays une certaine indépendance. — Cependant, la montée du sentiment national, encouragé par une floraison d'écrivains (parmi lesquels Ibsen), amena en 1905 la rupture définitive de l'union avec la Suède et l'avènement au trône de Norvège de Haakon* VII (1905-1957), auquel succéda son fils, Olav V. Le pays avait connu pendant le XIXe s. une forte expansion économique, industrielle et sociale (suffrage universel dès 1898) et disposait au début du XXe s. de la troisième flotte du monde. La Norvège parvint à maintenir sa neutralité en 1914, mais l'importance stratégique de ses côtes et de Narvik amena l'occupation allemande en 1940. Malgré la formation d'un gouvernement de « collaboration » sous la direction de Quisling*, la résistance fut très active dans l'ensemble de la population. **V. Guerre mondiale** ***(Deuxième).*** Après la guerre, les travaillistes, qui avaient exercé le pouvoir depuis 1935, le retrouvèrent. Ils furent battus aux élections en 1965 et en 1969 par une coalition des autres partis, sans que soient modifiées les options fondamentales du pays, qui avaient adhéré à l'O.T.A.N. (1949) sans admettre la présence de troupes étrangères et au Conseil Nordique (1957).

NORWICH. ♦ V. de l'E. de l'Angleterre (East Anglia), sur le Wensum. Ch.-l. du Norfolk. 121 688 hab. Évêché anglican et université. Très belle cathédrale érigée en 1096, mêlant le roman au gothique primitif; château normand et vieilles demeures du XVe s. *(Stranger's Hall, Guildhall, Peter Mancroft).* — Centre

Norvège.

industriel : indus. textiles, fabriques de chaussures, indus. mécaniques et alimentaires. ♦ *Hist.* L'anc. *Nordwic,* fondée par les Angles, connut au Moyen Âge une grande prospérité. Rattachée au royaume d'Est Anglie, elle fut, à partir de 1094, une riche ville épiscopale qui s'enrichit dans le travail de la laine développé par des immigrants flamands et hollandais entre le XIVe et le XVIe siècle.

NORWID (Cyprien Kamil). ♦ Poète, dramaturge, peintre et sculpteur polonais (Laskawo-Głuchy, près de Varsovie, 1821 — Paris, 1883). Après ses débuts de poète à Varsovie (1840), il quitta la Pologne pour l'Italie (1842) où il étudia la peinture et la sculpture avant de s'établir à Paris en 1849. Solitaire et méconnu, vivant de ses dessins, il écrivit un dialogue philosophique en vers

Ph. De Gregorio/Ricciarini

Notre-Dame de Paris.

sur le rôle de la beauté et de la vérité dans l'art, *Promethidion* (1851), des poèmes, *Le Piano de Chopin* (*Fortepian Szopena,* 1863), *Poésies* (*Poezje,* 1863) et *Vade mecum* (1865-1866) ainsi que des drames où il évoqua le passé de la Pologne (*Wanda,* 1851) et de l'Égypte antique (*Cléopâtre,* 1870-1872). Très intellectuelle, l'œuvre de Norwid, où le lyrisme masqué et l'ironie romantique s'expriment par des symboles d'une extrême profondeur, fut redécouverte par Przesmycki Zenon (1861-1944). Elle est considérée *auj.* comme l'un des sommets de la littérature polonaise.

NOSKE (Gustav). ♦ Homme politique allemand (Brandebourg, 1868 – Hanovre, 1946). Membre du Parti social-démocrate allemand, il ordonna et organisa la répression de l'insurrection spartakiste (**V. K. Liebknecht** et **R. Luxemburg,** 1919). Ministre de la Reichswehr (1919), il se retira après l'échec du putsch de Kapp* et du général von Lüttwitz qu'il avait soutenu (1920).

NOSSACK (Hans Erich). ♦ Écrivain allemand (Hambourg, 1901 –). Son œuvre (poèmes, œuvres dramatiques, romans : *Interview avec la mort,* 1948; *Spirale,* 1956; *Le Frère cadet,* 1958; *Avant la dernière révolte,* 1961) est représentative par ses thèmes (retour vers l'enfance, familiarité avec la mort) de ce qu'on a appelé le « réalisme magique » dans la littérature allemande d'après-guerre.

NOSSI-BÉ ou **NOSY-BÉ.** ♦ Île volcanique du canal de Mozambique au N.-O. de Madagascar* dont elle dépend. Son climat est typiquement équatorial. Vanille. Poivrier. Café. Tourisme.

NOSTRADAMUS (Michel de Nostre-Dame, dit**).** ♦ Médecin et astrologue français (Saint-Rémy-de-Provence, 1503 – Salon, 1566). Médecin de Charles IX, il est célèbre par son recueil de prédictions : *Centuries astrologiques* (1555).

Notables (Assemblée des). ♦ Les difficultés financières et la menace de banqueroute (en partie consécutive à la participation de la France à la guerre de l'Indépendance de l'Amérique) poussèrent Calonne* à en décider la réunion le 29 déc. 1786. Réunie le 22 févr. 1787, l'Assemblée, composée essentiellement de privilégiés, se montra violemment hostile aux projets de réformes fiscales (**V. Loménie de Brienne).** Une seconde Assemblée fut convoquée en nov. 1788 par Necker*.

NOTEĆ. *n. f.* ♦ Rivière de Pologne* qui prend sa source en Cujavie*, traverse le lac Gopło (24 km de long, 2 340 ha) et rejoint la Warta* (r. d.) par un canal artificiel de 32 km. – 366 km.

NOTKER III, l'Allemand *(Teutonicus)* ou **le Lippu** *(Labeo).* ♦ Écrivain et bénédictin suisse (en Thurgovie, v. 950 – Saint-Gall, 1022). Il passa la plus grande partie de sa vie au couvent de Saint-Gall qui était alors l'un des foyers de la culture humaniste en Allemagne. Auteur de traductions en allemand et de commentaires de *La Consolation de la philosophie* de Boèce, des *Noces de Philologie et Mercure* de Martianus Capella et du *Psautier,* il fut l'un des premiers à faire de l'allemand une langue littéraire et philosophique.

NOTRE-DAME-DE-BEL-AIR. ♦ Point culminant des monts du Menez (Côtes-du-Nord) à 341 m, où s'élève une chapelle (fin XIXe s.).

NOTRE-DAME-DE-BELLECOMBE. ♦ Comm. de la Savoie*, arr. d'Albertville* au-dessus de l'Arly*. 371 hab. Station d'été et de sports d'hiver.

NOTRE-DAME-DE-BONDEVILLE. ♦ Comm. de la Seine-Maritime, arr. de Rouen. 5 794 hab. Indus. textile.

NOTRE-DAME-DE-GRAVENCHON. ♦ Comm. de la Seine*-Maritime (arr. du Havre*), sur la Seine*, 6 273 hab. *(Gravenchonnais).* – Raffinerie de pétrole : passage de l'oléoduc, **V. Havre (Le),** indus. chimiques, usine à gaz.

NOTRE-DAME-DE-LORETTE. ♦ Colline du plateau de l'Artois (Pas-de-Calais) qui fut reprise aux Allemands en mai 1915 au cours de la bataille de l'Artois. Cimetière national de dix-huit mille tombes.

Notre-Dame de Paris. ♦ Église métropolitaine de Paris, située dans l'île de la Cité*. Entreprise par l'évêque Maurice de Sully en 1163, elle fut terminée dans son gros œuvre en 1245; mais on travailla à l'édifice jusqu'en 1345, et l'évolution du style (des débuts de l'art gothique à son épanouissement) est sensible dans l'architecture comme dans la statuaire. Viollet*-le-Duc restaura le monument de 1845 à 1864, effaçant les déprédations subies notamment durant la Révolution et rétablissant la flèche centrale (90 m). Dominant un vaste parvis, la façade occidentale présente une ordonnance d'une grande clarté : les deux tours quadrangulaires sont reliées à leur base par une élégante galerie à jour; au-dessous, la grande rose, flanquée de deux baies géminées, puis la *galerie des rois,* surmontant les trois portails; celui du *Jugement,* plus important, est encadré par le *portail de la Vierge* (au N.) et celui *de Sainte-Anne* (au S.). Jadis coloriés, d'innombrables statues et reliefs, illustrant l'Histoire sainte, représentant les signes du zodiaque et les travaux des mois ou symbolisant les vertus et les vices, se répartissent autour des vantaux ornés de pentures en fer forgé. Long de 130 m (sur 48 m de large), l'intérieur s'élance de 35 m sous la voûte d'ogive; encadrée de doubles collatéraux, eux-mêmes surmontés de tribunes qui se poursuivent autour du chœur et de l'abside, la nef est entourée de vingt-neuf chapelles logées entre les contreforts et construites de 1296 à 1320 par Pierre de Chelles. Son père Jean* de Chelles, assisté de Pierre* de Montreuil, ouvrit aux branches du transept les deux roses qui conservent en partie – comme celle de la façade – leurs vitraux du XIIIe siècle. Autour du chœur subsistent quelques bas-reliefs de la clôture de pierre due à J. Ravy (XIVe s.), auteur également des arcs-boutants de 15 m de volée qui entourent le chevet de la cathédrale.

Notre-Dame de Paris. ♦ Roman de V. Hugo* (1831) qui évoque un Moyen Âge pittoresque, représentatif de l'engouement du romantisme pour le « gothique ». Pour ressusciter le Paris de Louis XI, l'auteur, après s'être livré à des recherches historiques, recrée la « couleur locale » par la force de son imagination et brosse de grandioses fresques des masses populaires (*La Cour des miracles,* au XVe s.) ou revient sans cesse à la cathédrale, monde architectural et Bible vivante. Les personnages ne sont que les éléments de cet ensemble : associant le sublime et le grotesque, V. Hugo oppose en antithèses puissantes le prêtre maléfique, Frollo, au monstre très bénéfique, Quasimodo*, principaux personnages du drame dont la Esméralda* est la victime, illustrant la fatalité des passions.

NOTTINGHAM. ♦ V. du centre de l'Angleterre. Ch.-l. du Nottinghamshire*, sur la Trent. 299 758 hab. Évêché catholique. Université. La ville conserve un château Renaissance, une église du XVe s. en gothique perpendiculaire, quelques vieilles demeures (*Ye Olde Trip to Jerusalem,* une auberge du XIIe s., *Wollaton House,* maison élisabéthaine) et possède des musées et galeries d'art. – Au cœur du bassin houiller de la Trent, Nottingham est connue depuis la fin du XVIe s. pour sa bonneterie. La chimie vient en bonne place (produits pharmaceutiques) ainsi que les indus. mécaniques (cycles), du cuir et les manufactures de tabac. – Patrie de Richard Parkes Bonington* et William Booth*.

NOTTINGHAMSHIRE. *n. m.* ♦ Comté du centre de l'Angleterre (Midlands) s'étendant de chaque côté de la Trent*. 2 185 km^2. 974 640 hab. *Ch.-l.* Nottingham*. *V. princ.* : **V. Newark on Trent, Southwell, Worksop.** – Le Nottinghamshire est surtout un pays de forêts. La plus célèbre est celle de Sherwood* où s'illustra Robin* des Bois. 73 % du sol est cultivé (céréales, betteraves sucrières, pommes de terre, fourrage). Le reboisement est en cours depuis le XVIIIe siècle. Le sous-sol de la vallée de la Trent est riche en houille. Le Nottinghamshire est fortement industrialisé (voir les villes).

NOUADHIBOU ou **NUADIBU** (*anc.* **Port-Étienne).** ♦ Port de la Mauritanie sur la r. E. de la presqu'île du cap Blanc*, fermant la baie du Lévrier. Il est relié par la seule voie ferrée du pays (675 km) aux gisements de la kedia d'Idjil* (**V. Fderik** et **Zouerate**). 6 000 hab. Premier port de l'Afrique francophone (10 000 000 de t). Pêche. Ensemble industriel (frigorifiques et conserveries) en cours de construction.

NOUAKCHOTT. ♦ Cap. de la République islamique de Mauritanie*, fondée en 1957 aux portes du désert, près de la côte atlantique (on l'a surnommée la « Brasília des sables »). Un wharf y a été aménagé recevant le cuivre d'Akjoujt*. 30 000 hab. Centre administratif et commercial. Usine de dessalement d'eau de mer pour l'alimentation de la ville.

NOUKOUS ou **NUKUS.** ♦ V. d'U.R.S.S., cap. de la Karakalpakie*, sur le delta de l'Amou*-Daria. 46 000 hab. (1963). Indus. alimentaires et textiles.

NOUMÉA. ♦ Cap. et port de la Nouvelle*-Calédonie, fondée en 1854 sur une presqu'île à l'extrémité S.-O. du pays, sur la mer de Corail*, au fond d'une excellente rade. 47 966 hab. (1969), soit env. la moitié de la pop. du pays. Institut français d'Océanie à proximité. Centre administratif, commercial et industriel. Le nickel est traité à proximité, à Doniambo (fonderies et production de sulfure de nickel, alimentées en énergie par la centrale de Yaté*). Usines de conserves de viande et de bois. – Patrie de F. Carco*.

NOUREEV (Rudolf). ♦ Danseur et chorégraphe soviétique (Irkoutsk, Sibérie, 1938). Danseur étoile de la troupe du théâtre Kirov de Leningrad, il fit sa première apparition en Europe occidentale à la tête de cette compagnie (Paris, 1961). Danseur d'élévation d'une exceptionnelle virtuosité, doué d'une remarquable beauté plastique, il interpréta notamment les ballets *Le Lac des cygnes* et *La Bayadère*. Son triomphe l'incita à demeurer en Occident. Engagé par le marquis de Cuevas, il se produisit dans sa compagnie et commença dès lors une carrière internationale. Invité à Covent Garden, il y fut le partenaire de M. Fonteyn (*Marguerite et Armand,* 1963). Il fut naturalisé Anglais en 1962.

Nourritures terrestres (Les). ♦ Œuvre d'André Gide* (1897). Dans ce livre, dont le ton lyrique n'exclut pas le caractère didactique, l'écrivain prescrit au jeune Nathanaël d'abandonner toute règle morale et toute habitude de pensée pour goûter avec ferveur la vie dans sa spontanéité et pour mieux connaître soi-même et le monde. Cette exaltation du sensualisme et ce culte de la disponibilité impliquent cependant un effort personnel, un don total de soi : « Que l'importance soit dans ton regard, non dans la chose regardée. » Succession de rêveries poétiques qui s'inspirent de sources multiples (contes orientaux, grands textes bibliques et discours inspirés de Nietzsche*), cette œuvre exerça une influence considérable.

NOUVEAU (Germain). ♦ Poète français (Pourrières, Var, 1851 – 1920). Après avoir songé à embrasser le sacerdoce, il vint à Paris et fréquenta la « bohème » littéraire, notamment Verlaine* et Rimbaud*. Ses premiers poèmes lui assurèrent la notoriété; mais, transformant radicalement sa vie, il composa une œuvre d'inspiration mystique, la ***Doctrine de l'amour*** (1881; signée du nom d'Humilis), à laquelle succédèrent des poèmes d'amour sensuel, les *Valentines* (1883). Optant définitivement pour le renoncement chrétien, Germain Nouveau termina son existence en voyages à pied et en pèlerinages, continuant à dire dans ses vers (dont l'expression est à l'image de la violence de ses sentiments) l'alternative devant laquelle il se trouva toute sa vie, sensualité ou mysticisme (*Œuvres poétiques,* réunies en 1953).

NOUVEAU-BRUNSWICK. *n. m.,* en angl. **New Brunswick.** ♦ Prov. de l'E. du Canada, limitée à l'O. par les États-Unis (Maine). 73 437 km². 616 788 hab. – *Cap.* Fredericton. *V. princ.* **V. Saint John, Moncton** (autres V. de plus de 10 000 hab. : Bathurst, Campbellton, Edmundston, Lancaster, Oromocto). – *Langues :* anglais, français. – *Orogr.* La prov. correspond à un prolongement du système appalachien. Le S. est formé de roches précambriennes, le centre de roches métamorphiques culminant à 820 m (mont Carleton). L'E. de la prov. est une plaine. La plupart des riv. (Nipisiguit, Miramichi, etc.) coulent du S.-O. au N.-E.; la riv. Saint John coule vers le S. et la baie de Fundy. – *Climat* plus continental que maritime (moyenne de janv. : – 7,2 °C; de juil. : 16 °C). – *Écon.* L'agriculture, d'abord de subsistance, s'est spécialisée; élevage laitier, fourrage, pommes de terre, fruits (pommes, baies). La forêt alimente une importante indus. du bois. La pêche (crustacés, sardines, morues) emploie plus de 11 000 personnes. L'équipement hydro-électrique (notamment de la riv. Saint John et de ses affl.) dépassait 600 000 kWh en 1967. Outre les indus. du bois et du traitement du poisson, la prov. abrite des indus. alimentaires, des constructions navales et des indus. textiles. – Universités à Fredericton *(Univ. du Nouveau-Brunswick),* Sackville *(Mount Allison University),* Moncton, Edmundston et Bathurst. ♦ *Hist.* La région fut découverte par J. Cabot (1497), puis par J. Cartier (1534) et explorée par Champlain et de Monts (établissement à l'embouchure de la riv. Sainte Croix). Après de vives contestations entre Anglais et Français, les premiers obtinrent la prov. par le traité d'Utrecht; ils expulsèrent les Acadiens français en 1755. Des colons écossais, puis des loyalistes anglais venus des États-Unis colonisèrent la prov., créée en 1784. **V. Acadie, Nouvelle-Écosse.** Le Nouveau-Brunswick reçut un gouvernement en 1849, un an après la Nouvelle-Écosse, et rejoignit la fédération canadienne, malgré de vives oppositions, en 1867.

NOUVEAU-HANOVRE. ♦ **V.** LAVONGAÏ.

NOUVEAU-MECKLEMBOURG. ♦ **V.** NOUVELLE-IRLANDE.

NOUVEAU-MEXIQUE [*n. m.*], en angl. **New Mexico.** ♦ État du S.-O. des États-Unis. 315 115 km². 1 016 000 hab. (1970) dont 56 255 Indiens (Navajos, Apaches, Pueblos). – *Langues :* anglais, espagnol, langues indiennes. – *Cap.* Santa Fe. *V. Princ.* **V. Albuquerque.** *Autres V. et sites.* **V. Los Alamos, Taos.** – *Orogr.* L'État est formé de hauts plateaux entamés par de profonds canyons (à l'E., une portion du Llano* Estacado, à l'O. une partie des plateaux du Colorado*, beaucoup plus accidentés) et des chaînes montagneuses orientées N.-S., dans le centre (S. de la chaîne *Sangre de Cristo* avec le *Wheeler Peak,* 4 145 m; *Black Range* dans le S. de l'État, etc.). L'État est traversé du N. au S. par le *rio* Grande* et plus à l'E. par la *Pecos River.* – Le *climat* est assez sec et ensoleillé, mais les hivers sont froids (moyenne entre 4 °C et – 2 °C). – *Écon.* L'agriculture est pratiquée à l'E. du rio Grande, notamment par irrigation : coton, fourrage, sorgho, blé, maïs. Élevage de bovins et moutons. Les ressources minérales font du Nouveau-Mexique le 8ᵉ producteur des États-Unis (pétrole, gaz naturel, potasse, cuivre, uranium; l'or, l'argent, le plomb et le zinc, autrefois exploités, ont perdu leur importance). – Le tourisme est très actif, grâce aux beautés naturelles (canyons, grottes de Carlsbad, formations rocheuses, déserts), aux restes des civilisations indiennes et aux villages indiens. – Cinq universités, dont l'univ. d'État, à Albuquerque. ♦ *Hist.* Explorée par Coronado (1540-1542), Antonio de Espejo et Bernardino Beltrán (1582-1583), la région fut colonisée dès la fin du XVIᵉ s. par les Espagnols (San Juan, 1598; Santa Fe, 1609); chassés par les Indiens révoltés (les Apaches en 1676, les Pueblos un peu plus tard), ceux-ci la reconquirent en 1692. Province mexicaine, quand le Mexique devint indépendant (1821-1823; **V. Mexique,** *hist.*), mais déjà pénétré par l'immigration américaine, le pays fut occupé sans résistance (1846) et cédé aux États-Unis en même temps que le Texas (1848). La lutte contre les Apaches s'y prolongea jusqu'en 1886. Territoire en 1850, le Nouveau-Mexique devint en 1912 le 47ᵉ État de l'Union. – La première bombe atomique y fut expérimentée durant la dernière phase de la Seconde Guerre mondiale (Los* Alamos).

NOUVEAU QUÉBEC. *n. m.* ♦ Nom donné à l'anc. district d'Ungava depuis son rattachement au Québec et, plus généralement, à tout le Labrador* québécois.

NOUVELLE AMSTERDAM (La), en néerl. **Nieuw Amsterdam.** ♦ V. NEW YORK *(City).* Hist.

NOUVELLE-AMSTERDAM *(île de La)* ou **AMSTERDAM** *(île).* ♦ Île située au S. de l'océan Indien (terres Australes*). D'une superficie de 55 km² env., elle est de formation récente, massive et d'origine volcanique, et culmine à 911 mètres. D'un climat océanique tempéré (précipitations assez abondantes, vents), elle est couverte de prairies, d'étangs et de marais tourbeux et est une des rares îles australes à posséder quelques arbres. Sa faune est peu abondante (rookeries de manchots, otaries). ♦ *Hist.* Aperçue par Sébastien del Cano (voyage de Magellan, 1522), visitée par d'Entrecasteaux (1792), elle devint officiellement possession française en 1893 (terres Australes* et Antarctiques françaises). Station météorologique. **V. Saint-Paul** (île).

NOUVELLE-ANGLETERRE, en angl. **New England.** ♦ Région du N.-E. des États-Unis, formée par les anciennes colonies anglaises fondées au XVIIᵉ s., sur la côte atlantique et par les États qui en sont issus. **V. Connecticut, Maine, Massachusetts, New Hampshire, Rhode Island, Vermont.**

NOUVELLE-BRETAGNE, en angl. **New Britain,** anc. en all. **Neupommern** (Nouvelle-Poméranie). ♦ Île principale de l'archipel Bismarck*, en Mélanésie* (Océanie), située au N.-E. de la Nouvelle*-Guinée, baignée au S. par la mer des Salomon*. Elle forme un arc de cercle S.-O. – N.-E. 37 000 km² env. 13 000 hab. env. (Mélanésiens, Européens et Chinois). *V. princ.* **V. Rabaul.** – Terre accidentée et montagneuse, elle est constituée de volcans actifs qui s'élèvent à plus de 2 000 m. Les plaines sont limitées sur la zone côtière; la plus riche se situe à l'extrémité septentrionale dans la péninsule Gazelle; culture du cacao par des planteurs indigènes organisés en coopératives. Le climat est de type équatorial. Forêts denses. Coprah. Cacao. Noix de coco. ♦ *Hist.* La Nouvelle-Bretagne fut découverte en 1700 par William Dampier*. Elle fut protectorat allemand de 1884 à 1914, puis confiée sous mandat à l'Australie. Prise par les Japonais en 1942 **(V. Rabaul),** elle fut réoccupée par les Australiens en 1945. Depuis 1946 elle est placée sous tutelle de l'Australie*.

NOUVELLE-CALÉDONIE. *n. f.* ♦ Île de la Mélanésie* (Océanie), dans l'océan Pacifique S.-O. (mer de Corail*). Située au N. du tropique du Capricorne, elle s'étire sur 400 km de long du N.-O. au S.-E., sa largeur variant entre 40 et 50 km. Avec ses dépendances (Loyauté* [îles], Pins* [îles], Huon [îles] et les petites îles de Chesterfield), elle possède au total env. 19 200 km². 120 000 hab. env. *(Néo-Calédoniens)* dont 47 % de Mélanésiens appelés parfois Canaques, 39 % d'Européens auxquels s'ajoutent des Indonésiens, des Polynésiens et des Asiatiques. *Cap.* **V. Nouméa.** – L'île est ceinturée par un récif-barrière corallien (l'un des plus beaux du monde) qui isole les terres. La Nouvelle-Calédonie est formée par une longue arête montagneuse qui culmine dans le N. (mont Panié, 1 650 m) et au S. (pic Humboldt, 1 618 m); elle s'abaisse progressivement en une succession de gradins et de collines vers l'O., tandis qu'à l'E. elle se précipite rapidement. Son *climat* est subtropical, dominé par l'alizé S.-E. – N.-O. Ce régime oppose une côte orientale plus arrosée (2 000 à 3 000 mm), à la végétation exubé-

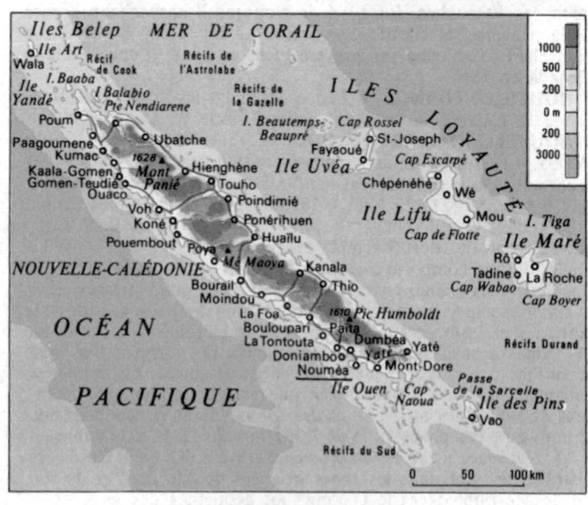

Nouvelle-Calédonie.

rante (cocotiers, lianes, fleurs éclatantes), à un versant occidental plus abrité et plus sec (1 000 mm), domaine de la savane avec une forêt de niaoulis, seul arbre qui résiste aux brûlis pratiqués par les populations pour régénérer les pâturages extensifs. Des cyclones peuvent survenir en été. Les rivières sont courtes et régulières. – *Écon.* Outre les cultures de subsistance (ignames, patates douces, taros, manioc, maïs), l'agriculture comporte des cultures de plantations, cocotiers et café (export. de café et coprah). L'élevage extensif compte env. 100 000 bovins et 20 000 chèvres (export. de peaux). Cependant, le fondement de l'économie néo-calédonienne est le nickel (3ᵉ producteur mondial), extrait en particulier à Thio*, traité à Doniambo, près de Nouméa, grâce à l'énergie produite par la centrale de Yaté*. Le nickel représente les 4/5 des exportations du pays (minerais ou métal). Les ressources minières comprennent également du chrome, du cobalt, du fer, du cuivre, de l'or et du manganèse. D'autre part, la Nouvelle-Calédonie semble vouloir se doter à court ou moyen terme d'une industrie touristique, mais l'inflation des prix, causée par le développement économique, est un frein. ♦ *Hist.* L'île, peuplée par des Mélanésiens, fut découverte par J. Cook* qui la nomma en 1774; d'Entrecasteaux* la visita en 1793 et en 1843 une mission catholique française s'y établit. À la suite du massacre des marins français de l'*Alcmène* par les indigènes (1850), le contre-amiral Febvrier Despointes prit possession de l'île au nom de la France (1853). Nouméa* fut fondée l'année suivante et la Nouvelle-Calédonie fut rattachée aux Établissements français de l'Océanie (Polynésie française [Tahiti]) puis devint colonie autonome en 1860. L'île et certaines de ses dépendances (**V. Pins** [île des]) servirent pendant plusieurs années (1864-1896) de colonie pénitentiaire (**V. H. Rochefort**) alors que des immigrants libres y étaient attirés. En 1878, l'abus des concessions entraîna une révolte indigène (insurrection des Canaques). Ralliée aux Forces françaises libres en 1940, la Nouvelle-Calédonie contribua à la création du bataillon du Pacifique. Elle fut occupée par les Américains en 1942. La colonie fut érigée en territoire français d'outre-mer en 1946, maintint son statut en 1958 dans la Communauté. Elle est territoire d'outre-mer (T.O.M.).

NOUVELLE-ÉCOSSE, en angl. (lat.) **NOVA SCOTIA**. *n. f.* ♦ Prov. de la côte E. du Canada, faisant partie des provinces maritimes et comprenant la péninsule de Nouvelle-Écosse et l'île du Cap-Breton. 54 565 km². 770 000 hab. (1971). *Cap.* Halifax. *V. princ.* **V. Dartmouth, Sydney.** – *Orogr.* La moitié S. de la péninsule est formée de rocs cristallins; elle s'élève depuis la côte jusqu'à env. 200 m d'alt.; des chaînes ne dépassant pas 300 m s'étendent le long de la baie de Fundy* (North Mountains) et vers le N. (Cobequid Mountains). Au N., les hauteurs du Cap-Breton atteignent 400 mètres. Des plaines, dépressions et vallées correspondent aux terrains plus tendres. Nombreux lacs et cours d'eau. – *Climat* humide, océanique avec de fortes influences continentales (hivers froids). – *Écon.* Seuls 5 % des terres ont une vocation agricole (élevage laitier, volailles, œufs; airelles). Forêts. Mines de charbon (en diminution; rentabilité insuffisante); pierres de taille; sel; gypse. La pêche (homards, coquillages; morue) se développe rapidement (+ 88 % entre 1960 et 1965) et une très grande usine de conditionnement de poisson a été implantée sur la côte S. (Lunenburg). – L'indus. est relativement peu développée. Aciérie à Sydney. Usines d'eau lourde (Glace Bay, détroit de Canso). ♦ *Hist.* La région fut découverte par J. Cabot* en 1497; elle avait sans doute été atteinte par les Normands vers le XIᵉ siècle. Les Français y fondèrent Port-Royal (*auj.* Annapolis) en 1604, mais furent chassés par les Anglais venus de Virginie. Une charte concédée par le roi d'Angleterre Jacques Iᵉʳ à William Alexander créa la *Nova Scotia* (1621). Les Français s'y établirent de nouveau après le traité de Breda (1667), et les luttes entre eux et les Anglais aboutirent au traité d'Utrecht (1713) et à la cession définitive à l'Angleterre. **V. Acadie.** Les Anglais ayant expulsé les colons d'origine française (1755), la Nouvelle-Écosse fut peuplée d'Anglais loyalistes ayant quitté les États-Unis. En 1784, le Nouveau-Brunswick fut séparé de la province, et l'île de Cap-Breton lui fut réunie en 1819. La Nouvelle-Écosse reçut un gouvernement en 1848 et entra dans le Canada en 1867.

NOUVELLE FRANCE. ♦ Terme désignant les possessions françaises au Canada, au XVIIᵉ et au XVIIIᵉ siècle. **V. Canada,** ***hist.***

NOUVELLE-GALLES DU SUD. *n. f.*, en angl. **New South Wales.** ♦ État du S.-E. du Commonwealth d'Australie*, baigné par l'océan Pacifique (mer de Tasman*); il englobe le territoire fédéral de Canberra*. 821 428 km², 4 589 600 hab. (État le plus peuplé d'Australie). *Cap.* Sydney*. *V. princ.* **V. Broken Hill, Bulli, Lithgow, Newcastle, Port Kreml**a et **Wollongong.** – La Nouvelle-Galles du Sud comporte trois régions naturelles parallèles à l'océan Pacifique : les plaines côtières où se jettent de nombreuses rivières aux vallées alluviales et qui s'étendent le long des baies que forme la côte; les plateaux et les montagnes de la Cordillère* australienne (**V. Alpes australiennes, Blue Mountains**), qui forment une ligne de partage des eaux; les plaines inclinées de l'ouest. Le *climat* est généralement doux, tempéré, bien que parfois de hautes températures soient notées au N.-O. et des froids vifs au S. des plateaux. La moyenne des pluies varie de 2 032 mm au N.-E. à 178 mm au N.-O. L'absence d'eau est un problème grave à l'O. de la Cordillère australienne, sauf dans les zones irriguées du Murray* et de son affl. le Murrumbidgee; le Darling* est assujetti à des sécheresses régulières. – *Écon.* Basée sur l'agriculture et l'élevage, elle est consacrée dans son ensemble au *mixed farming.* L'élevage du mouton (mérinos sur les plaines et les pentes de l'O.) est la principale activité agricole, l'élevage bovin pour la boucherie et la laiterie est important sur la côte et les plateaux. Le blé est la céréale par excellence; on le trouve au pied S.-O. de la Cordillère australienne (*Wheat Belt*). La Nouvelle-Galles du Sud est le plus important producteur de bois des États australiens (eucalyptus et plantations de bois tendres : 1/4 de la production). Au N. de la zone côtière, on cultive la canne à sucre. Importants gisements de minerais variés, le charbon étant le plus important (**V. Newcastle, Bulli**); 90 % de l'énergie électrique provient des stations thermiques (même après l'achèvement du projet des *Snowy* Mountains,* 20 % seulement proviendra de l'hydro-électricité). Gisements d'argent, plomb et zinc (**V. Broken Hill**), cuivre, étain, or, opale (Lightning Ridge). Les industries sont principalement localisées à Sydney, qui abrite les 2/3 des usines; centres industriels importants. **V. Newcastle, Wollongong, Lithgow** et **Broken Hill.** Métallurgie, sidérurgie et indus. dérivées; indus. textiles, alimentaires et chimiques. Économiquement, la Nouvelle-Galles du Sud est l'État le plus important d'Australie. ♦ *Hist.* D'abord colonie pénitentiaire, la Nouvelle-Galles du Sud reçut de nombreux colons à la fin du XVIIIᵉ s. (élevage du mouton). À l'origine, la colonie comprenait la Tasmanie* le Victoria*, l'Australie* méridionale, le Queensland* et la Nouvelle*-Zélande. Ces divers territoires devinrent des colonies distinctes entre 1825 et 1863.

NOUVELLE-GÉORGIE. *n. f.* ♦ Île de la chaîne occidentale de l'archipel des Salomon*.

NOUVELLE-GRENADE. ♦ Anc. nom de la Colombie*.

NOUVELLE-GUINÉE, en angl. **New Guinea**, en néerl. **Nieuw Guinea.** ♦ La plus grande île du monde après l'Australie et le Groenland, située dans l'océan Pacifique S.-O., principale portion de la Mélanésie* (Océanie). Elle est séparée au S. de l'Australie* par le détroit de Torres*. 775 210 km². 3 000 000 d'hab. env. (Mélanésiens*, Papous*, Negritos*, Européens). – La Nouvelle-Guinée est séparée administrativement en trois parties : *Irian* Barat* sous la dépendance de l'Indonésie*, à l'O.; ***territoire de Papua*** ou *Papouasie*, en angl. *Territory of Papua,* au S.-E. (îles d'Entrecasteaux*, Louisiade*, île Woodlark*, îles Trobriand*), indépendant en 1975 ; le *territoire du Nord-Est,* en angl. *New Guinea Trust Territory,* sous tutelle australienne, qui comprend l'archipel Bismarck*, la partie septentrionale des îles Salomon* (**V. Bougainville, Buka**). La Nouvelle-Guinée orientale et ses dépendances sont donc administrées par l'Australie*; elle possède un seul centre administratif, Port* Moresby. Elle forme une union administrative sous le contrôle du Département des territoires de Canberra*. *V. princ.* (dans le territoire du Nord-Est) **V. Lae, Madang.** – *Orogr.* Le relief de la Nouvelle-Guinée, de formation récente, est axé sur la chaîne centrale qui s'étend d'O. en E. sur 2 000 km. Elle s'élargit en son centre et possède encore des volcans actifs. Volcanique, l'île subit de nombreux et fréquents tremblements de terre. Dans la partie S.-E. de la chaîne se situent les points culminants (**V. Sukarno** [pic]); la partie méridionale s'élève brutalement au-dessus d'une plaine sédimentaire marécageuse échancrée par le golfe de Papouasie; une grande barrière corallienne prolonge la chaîne à l'E. dans la mer. Le versant N. encore mal connu est beaucoup plus échelonné et domine une dépression interne qui la sépare de la chaîne du Nord atteignant parfois 4 000 m. Les côtes, souvent rectilignes, sont proches de fosses sous-marines profondes. Le *climat* est de type équatorial de montagne, à forte pluviosité (entre 2 000 et 5 000 mm), la forêt (plus des 2/3 de l'île) est localement détruite par la pratique de la culture sur brûlis, surtout entre 1 500 m et 1 800 m d'altitude, zone exempte de malaria qui concentre l'essentiel de la population aborigène. Le réseau hydrographique est abondant, à hautes eaux permanentes, torrentielles dans l'intérieur. Vers la côte méridionale, les rivières forment un vaste dédale de bras, dans une atmosphère saturée d'humidité. – *Écon.* Longtemps entravée par les obstacles physiques, l'évolution économique, avant la Seconde Guerre mondiale, dépendait des deux administrations coloniales qui avaient des intérêts différents. Pour la Hollande, la Nouvelle-Guinée n'était qu'un territoire lointain

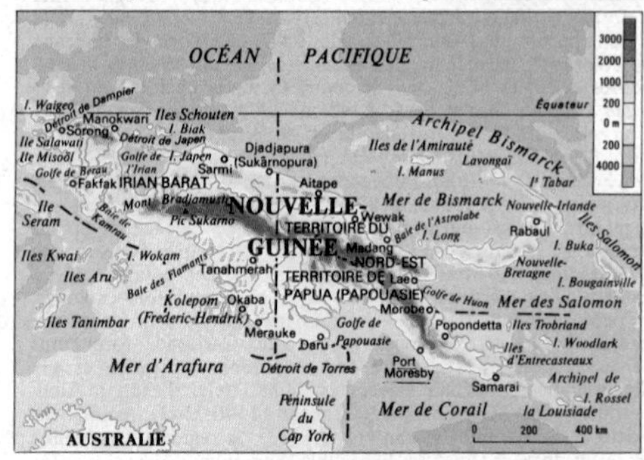

Nouvelle-Guinée.

et peu peuplé des Indes néerlandaises; l'Australie y voyait surtout une position stratégique. Ce n'est qu'après 1945 que débuta un développement. Dans les territoires australiens, les investissements publics et privés augmentent de façon constante depuis 1960, mais le peu de ressources de l'Indonésie permet difficilement un accroissement similaire. L'agriculture de subsistance est prédominante (patates douces, base de l'alimentation, ignames, bananes), le seul bétail étant le porc pour la consommation locale. Près des villes, le surplus des denrées alimentaires peut être commercialisé. L'agriculture commerciale apparaît surtout dans le territoire du Nord-Est, où son extension doit beaucoup à l'anc. administration allemande et à l'augmentation récente des plantations par les autochtones. Dans le territoire de la Nouvelle-Guinée du Sud-Est (Papouasie), plus de la moitié des exploitations (242 800 ha) est détenue par les Papous. Les principaux produits d'exportation sont : le coprah, le café en grain, les noix de coco, le cacao en grain, le caoutchouc, le pyrèthre, le bois (contre-plaqué), les peaux de crocodiles. Les industries manufacturières sont essentiellement le séchage et le broyage du coprah, la fermentation et le séchage du cacao et les scieries (usine de contre-plaqué dans la vallée de Bulolo, territoire du Nord-Est); quelques usines alimentaires et de boissons. *N. B.* Pour la Nouvelle-Guinée sous dépendance indonésienne **V. Irian Barat.** ♦ *Hist.* L'île fut découverte par le Portugais Jorge de Meneses* (1526) et reçut son nom en 1546 de l'Espagnol Ortiz de Retez qui trouva des similitudes entre les Noirs africains et les populations autochtones. L'Espagnol L. Váez de Torres* franchit le détroit qui porte son nom et reconnut l'insularité de la Nouvelle-Guinée. Les premiers navigateurs anglais à s'aventurer dans les eaux bordières furent W. Dampier* (1699-1700) et P. Carteret* (1767). Plus tard, James Cook* (1770) en vérifia à nouveau l'insularité. L'exploration intérieure de l'île ne débuta qu'à la fin du XIXe s. et s'achève à peine de nos jours. En 1828, les Hollandais revendiquèrent la partie occidentale de la Nouvelle-Guinée **(V. Irian Barat).** En 1883, la colonie australienne du Queensland* réclama l'annexion du S.-E. de l'île (Papouasie) au nom de la Grande-Bretagne, mais Londres rejeta ce projet. Cependant, après l'établissement de la *Compagnie* allemande de *Nouvelle-Guinée*, sur la côte N.-E., le *traité d'avril 1885* fixa les frontières des deux protectorats orientaux : le N.-E. prit le nom de *Kaiser Wilhelmsland;* le S.-E. fut annexé officiellement à la couronne britannique en 1888, puis passa en 1906 sous l'autorité du Commonwealth d'Australie* et fut appelé *Territoire de Papua.* Dès le début du premier conflit mondial, les Australiens occupèrent le Kaiser Wilhelmsland qui fut placé sous mandat australien par la S.D.N. (1921). Pendant la Deuxième Guerre mondiale, les Japonais occupèrent le N. de la Nouvelle-Guinée, mais leur tentative d'accès jusqu'à Port*-Moresby fut contrecarrée par les Américains. Dès le début de 1943, les Alliés contre-attaquaient en Nouvelle-Guinée. L'île allait servir de point de décollage pour une reconquête des Philippines*. En 1949, l'O.N.U. confirma la tutelle de l'Australie* sur la Nouvelle-Guinée orientale (territoire du Nord-Est) et ses dépendances. Le Territoire de Papua a accédé à l'indépendance en sept. 1975 (chef de l'État : Élisabeth II).

Nouvelle Héloïse (Julie ou la). ♦ Roman épistolaire de J.-J. Rousseau* (1761), dont le sous-titre est *Lettres de deux amants d'une petite ville au pied des Alpes.* Deux personnages séduisants et vertueux, Julie* d'Étanges et son précepteur Saint*-Preux, s'aiment d'une passion irrésistible; mais la mésalliance est impossible et Julie épouse M. de Wolmar. Désormais, elle qui « n'aima si chèrement la vertu même que comme la plus douce des voluptés » sera une épouse et une mère irréprochables, retrouvant son équilibre dans la vie rustique et familiale de Clarens que M. de Wolmar, lui-même, invitera Saint-Preux à partager. En fait, ce récit d'un amour malheureux, prétexte à des analyses pénétrantes ou à des effusions exaltées et situé dans un cadre harmonieux « qui ravit les sens, émeut le cœur, élève l'âme », est aussi un roman philosophique et moral qui illustre les charmes et les bienfaits de la vie rustique, propice à l'épanouissement des qualités naturelles. Cette transposition poétique des idées, des sentiments et des rêves de Rousseau connut un succès prodigieux et contribua considérablement à développer le goût pour « la coupe amère et douce de la sensibilité », uni à la vision subjective des paysages, préparant ainsi la voie au romantisme.

NOUVELLE-IRLANDE, en angl. **New Ireland**, anc. en all. **Neumeklenburg** (Nouveau-Mecklembourg). ♦ Île de l'archipel Bismarck*, en Mélanésie* (Océanie), située au N. de la Nouvelle*-Bretagne dont elle est séparée par le canal de Saint-Georges. Dans sa prolongation se situe à l'O. l'île Lavongaï*. 8 000 km² env. 40 000 hab. env. (Mélanésiens, Européens et Chinois). *V. princ.* Kavieng, à l'extrémité septentrionale de l'île. — À la différence de la Nouvelle-Bretagne, elle n'a pas de volcanisme actif; elle est montagneuse, en particulier dans le S. — Coprah, cacao. ♦ *Hist.* Elle fut découverte en 1616 par les Hollandais; une tentative de colonisation y échoua en 1880. Protectorat allemand en 1884, elle fut placée sous mandat de l'Australie après la Première Guerre mondiale. Occupée par les Japonais en 1942, elle fut réoccupée par l'Australie* en 1945 et placée sous sa tutelle en 1946.

NOUVELLE-ORLÉANS (La). ♦ Nom français de *New* Orleans*, princ. ville de la Louisiane. ♦ *Hist.* Fondée par Bienville v. 1718, et nommée en l'honneur du régent, le duc d'Orléans, la ville fut le siège du gouverneur de la Louisiane (1722). Cédée à l'Espagne en

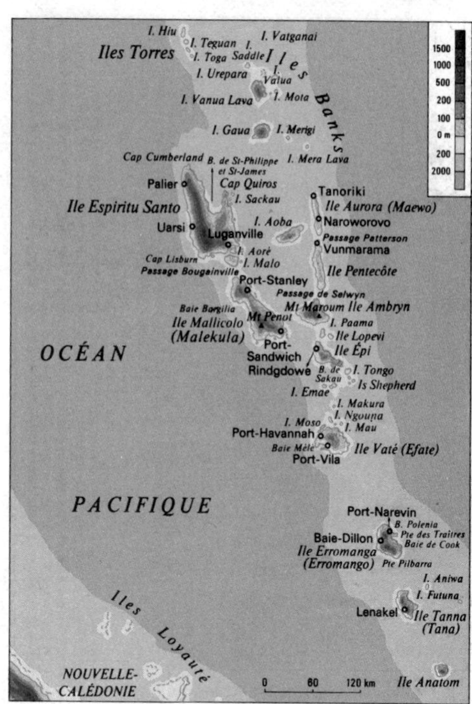

Nouvelles-Hébrides.

1762, elle fut restituée à la France en 1800, puis passa aux États-Unis (1803) avec le reste de l'État. Elle était déjà un port important. **V. New Orleans.** Dans les années 1900, le quartier réservé de La Nouvelle-Orléans (Storyville, fermé en 1917) vit la naissance du jazz. Par extension, on appelle « Nouvelle-Orléans » le style issu de ce jazz primitif ou s'efforçant d'y ressembler. **V.** *aussi* **Dixieland.** Principaux représentants : Louis Armstrong*, Sidney Bechet*, Barney Bigard*, Baby et Johnny Dodds, Jimmy Noone*, tous nés à La Nouvelle-Orléans; King Oliver*, Jelly Roll Morton*, Kid Ory, originaires des environs.

NOUVELLE-POMÉRANIE. ♦ **V.** NOUVELLE-BRETAGNE.

Nouvelle Revue française *(la).* ♦ Revue littéraire fondée en 1909, doublée dès 1911 d'une maison d'édition (la N.R.F.), devenue, depuis, Gallimard, elle fut animée par A. Gide, J. Copeau, H. Ghéon, J. Schlumberger, etc., et dirigée par J. Rivière (1919-1925), J. Paulhan* (1925-1940), Drieu La Rochelle (1940-1943). La N.R.F., qui cessa de paraître de 1943 à 1953 et qui est publiée depuis 1953 (Nouvelle N.R.F.) sous la direction de J. Paulhan et M. Arland, contribua à faire connaître de nombreux écrivains tant français qu'étrangers. Elle s'était proposée de « marquer une morale littéraire moins facile et plus désintéressée, (de) faire preuve d'une vraie tenue, d'une authentique rigueur ».

Nouvelles exemplaires, en esp. **Novelas Ejemplares.** ♦ **V.** CERVANTÈS.

NOUVELLES-HÉBRIDES. *n. f. pl.*, en angl. **New Hebrides.** ♦ Archipel de la Mélanésie* (Océanie), dans l'océan Pacifique du S.-O. (mer de Corail*), situé entre les îles Salomon* au N.-O. et la Nouvelle*-Calédonie au sud-ouest. L'archipel est composé d'env. quarante îles dont douze principales qui se groupent du N.-O. au S.-E. en quatre ensembles : le groupe du N. comprend les îles Torres, les îles Banks, l'île Aurora et l'île Espirutu* Santo; le groupe du centre-N. comprend l'île Pentecôte, l'île Mallicolo ou Malekula et l'île Ambryn; le groupe du centre-S. comprend l'île Epi et l'île Vaté*; le groupe du S. comprend l'île Erromanga (ou Erromango), l'île Tanna (ou Tana) et l'île Anatom. 14 763 km². 90 000 hab. [*Néo-Hébridais*] (Mélanésiens*, Vietnamiens, Chinois, Tahitiens, insulaires des îles Wallis et Futuna, Néo-Calédoniens, Européens [4 000 env., surtout Français]). *Langues off.* français et anglais. *Centre administratif.* **V. Vila** (ou Port-Vila). *Autres villes* **V. Luganville.** — *Orogr.* Le relief d'origine volcanique est très diversifié; de hautes montagnes accidentées succèdent aux hauts plateaux, aux collines et bas plateaux, aux plates-formes côtières et enfin aux récifs coralliens proches des rivages. Le volcanisme l'emporte et l'importance des tremblements de terre indique une structure instable; certaines îles comprennent un seul cône volcanique et quelques volcans sont en activité (îles Ambryn et Tanna, volcan du Lopevi). — Le *climat* est équatorial et insalubre (paludisme), chaud et humide en toute saison, bien que les versants E.

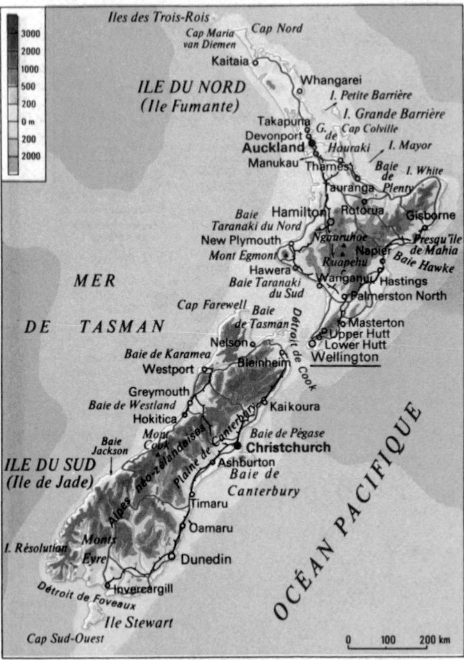

Nouvelle-Zélande.

soient plus secs qu'à l'ouest. L'ensemble du groupe est couvert de forêts denses, les régions plus sèches de savanes boisées. – *L'économie* des Nouvelles-Hébrides est basée sur la production de coprah (85 % des exportations) qui reste cependant marginale. Un peu de cacao et de café. Gisement de manganèse dans l'île Vaté*. Les exportations se font en grande partie vers la France, tandis que les importations proviennent d'Australie. ♦ *Hist.* Le Portugais P.F. de Queirós* découvrit la plus grande des îles des Nouvelles-Hébrides, Espiritu* Santo, en 1606. Les îles furent redécouvertes par L. de Bougainville* qui les nomma *Grandes Cyclades* en 1768 et c'est J. Cook* qui, en 1774, donna son nom actuel à l'archipel et en établit la première carte. Les premiers Européens (Anglais et Français) à s'installer dans les îles au cours du XIXᵉ s. furent des missionnaires protestants et des commerçants en bois de santal, puis des planteurs. Les rivalités franco-anglaises (en partie australienne et néo-calédonienne) aboutirent en 1887 à l'institution d'une commission navale mixte puis en 1906 (par la convention de Londres) à un condominium franco-britannique ratifié en 1922. Ce traité reconnaissait les Nouvelles-Hébrides « territoire d'influence commune » placé sous un régime de condominium. Durant le second conflit mondial, elles furent une base alliée importante.

NOUVELLE-SIBÉRIE. *n. f.*, en russe **Novo sibirskié ostrova**, « îles de Novosibirsk ». ♦ Archipel de l'U.R.S.S., dans l'océan Arctique, entre la mer des Laptev* et la mer de Sibérie orientale, faisant partie de la R.S.S. autonome de Iakoutie*. Superficie totale : 38 000 km². Il est constitué par trois groupes : îles d'Anjou, de Liakhov* et de De-Long (228 km²). Il fut découvert par P.F. Anjou en 1820-1824.

NOUVELLE-ZÉLANDE. *n. f.*, en angl. **New Zealand.** ♦ État insulaire d'Océanie* et d'Australasie (archipel de la Polynésie*) baigné par l'océan Pacifique S., la mer de Tasman* à l'O., situé à l'E. de l'Australie. La Nouvelle-Zélande proprement dite comprend l'île du Nord ou « île fumante » (114 687 km²), séparée par le détroit de Cook* de l'île du Sud ou « île de jade » (150 460 km²), l'île Stewart*, les îles Chatham* et quelques îlots mineurs. 268 675 km². 3.090.000 hab. (Néo-Zélandais, dont plus de 200 000 Maoris*). *Cap.* Wellington*. *Langue :* anglais. *V. et loc. principales :* **V. Auckland, Christchurch, Dunedin, Hamilton, Kapuni, Nelson, New Plymouth.** *Territoires extérieurs* **V. Auckland** (îles), **Cook** (îles), **Kermadec** (îles) et **Ross** [île de] (Antarctique). – Les deux îles principales de la Nouvelle-Zélande, allongées du N. au S. sur environ 1 500 km, dépassent rarement 200 km de largeur. Leurs côtes sont presque partout profondément découpées. C'est un pays très accidenté, où les plaines sont rares et s'encastrent au milieu des massifs montagneux ou entre la montagne et la mer (plaine de Canterbury et de Southland dans l'île du Sud, plaine d'Auckland dans l'île du Nord). – L'ÎLE DU NORD. Les principaux sommets y sont constitués par des volcans dont quelques-uns sont encore actifs (d'où son nom d'« île fumante ») ; le centre est occupé par un plateau de lave, où les sources chaudes, les geysers, les sources thermales et les fumerolles sont innombrables et où se dressent de nombreux cônes volcaniques dont les plus importants sont le Ruapehu (2 798 m), le Ngauruhoe (2 292 m) et, isolé à l'O., le mont Egmont (2 519 m). La Nouvelle-Zélande appartient en effet à la « ceinture de feu » du Pacifique, et les séismes y sont fréquents. – L'ÎLE DU SUD est formée, pour les trois quarts, de terrains accidentés et montagneux (Alpes* néo-zélandaises, mont Cook*). Les paysages y sont structurés par le relief glaciaire. La présence de néphrite lui a valu le nom d'« île de jade ». – *Le climat* est tempéré, océanique. Les vents sont violents, les pluies abondantes en toute saison, avec un maximum en hiver. Le pays est situé entièrement dans la zone tempérée ; son allongement sur plus de 1 500 km amène une certaine variété entre le N. et le S. ; à l'influence de la latitude s'ajoute l'influence du relief. L'hydrographie est caractérisée par des rivières courtes, importante ressource hydro-électrique, surtout dans l'île du Sud, et par de nombreux lacs profonds, d'origine volcanique ou glaciaire. – *L'économie* de la Nouvelle-Zélande repose essentiellement sur l'agriculture pastorale. Elle produit les revenus les plus élevés du monde par rapport à la population (à l'exception du Kuweit). La Nouvelle-Zélande a transformé rapidement et avec succès une terre à forêts (conifères) en un pays à pâturage intensif : 89 % des terres utilisées sont consacrées à l'élevage. La prairie et le pâturage entrent pour 97 % dans la nourriture du cheptel et les cultures fourragères pour 3 % seulement. La mécanisation est très poussée (93 % des vaches sont traites mécaniquement) et l'utilisation des engrais est intensive. Le cheptel est d'abord constitué par les ovins (56 000 000 de têtes), les mérinos sont moins nombreux que les croisés fournissant à la fois de la laine et de la viande ; puis les bovins (9 775 000 têtes) surtout dans l'île du Nord (on compte plus de 54 000 laiteries). Porcs et chevaux. 95 % des exportations proviennent de l'élevage : laine, produits laitiers (beurre, fromage, lait en poudre, caséine), viande (agneau, mouton, bœuf, veau, porc). La Nouvelle-Zélande est le premier pays exportateur de beurre, le second de laine (product. 298 400 t) et de fromage. L'industrialisation du pays a longtemps été limitée par l'étroitesse du marché et l'absence de matières premières. La Deuxième Guerre mondiale a stimulé les industries autres que l'industrie alimentaire (laiteries, fromageries, conserves de viande) : équipement des transports, confection et chaussures, indus. du bois (meubles), imprimerie et édition, récepteurs de radio et de télévision. Les industries alimentaires elles-mêmes se sont diversifiées : conserveries de fruits et confitureries. Si la Nouvelle-Zélande ne possède pas de pétrole, un gisement de gaz a été découvert à Kapuri. L'industrialisation repose sur l'énergie hydro-électrique. La production d'électricité est de 18 milliards de kWh env., dont 14,2 milliards d'hydro-électricité, surtout dans l'île du Sud (**V. Cook** [détroit de]). Mais l'entrée de la Grande-Bretagne (dont la Nouvelle-Zélande dépend économiquement) dans le Marché commun fait peser sur l'économie néo-zélandaise une grave menace. ♦ *Hist.* Peuplée d'abord par les Maoris*, la Nouvelle-Zélande fut découverte par Abel Tasman* en 1642. J. Cook* longea ses côtes et démontra l'insularité du pays en 1769. La réputation guerrière

Ph. Sandro Prato/Ricciarini

Nouvelle-Zélande : île du Nord, élevage de moutons.

des Maoris ne favorisa pas un peuplement précoce du pays. Les premiers Européens qui s'y aventurèrent furent des missionnaires, des pêcheurs baleiniers et des commerçants. Le gouvernement anglais se résolut à une prise de possession officielle reconnue par les chefs maoris (traité de Waitangi, 1840), qui garantissait aux autochtones la possession de leur terre. Cette promesse ne fut pas tenue, d'où la première guerre maorie (1842-1846). La Nouvelle*-Zélande, qui dépendait de la Nouvelle*-Galles du Sud (Australie), fut érigée en colonie en 1851 et Londres lui accorda une constitution en 1853. La découverte de gisements d'or et la fin de la seconde guerre maorie (1860-1868) permirent un brusque essor de la Nouvelle-Zélande. Les chercheurs d'or déçus durent s'employer à d'autres activités et la culture profita de cette arrivée massive de consommateurs. Dès la fin du XIXe s., la Nouvelle-Zélande devint le pays modèle du socialisme à l'anglaise. Elle fut le premier pays du monde à accorder le droit de vote aux femmes (1893), la journée de huit heures pour les salariés (1856), la retraite accordée aux travailleurs de plus de soixante-cinq ans (1898). En 1907, elle devint un « dominion » britannique et acquit son indépendance totale au sein du Commonwealth* en 1931. Elle participa aux deux conflits mondiaux. Membre de l'O.T.A.S.E. Comme l'Australie, la Nouvelle-Zélande a vivement protesté (1973) contre les expériences nucléaires militaires de la France dans le Pacifique.

NOUVELLE-ZEMBLE. *n. f.* ♦ V. NOVAÏA ZEMLIA.

NOUVION-EN-THIÉRACHE (Le). ♦ Ch.-l. de cant. de l'Aisne*, arr. de Vervins*. 3 343 hab. *(Nouvionnais).* Fabrique de jouets, verreries. — Patrie d'E. Lavisse*.

NOUZONVILLE. ♦ Comm. des Ardennes, arr. de Charleville-Mézières, sur la Meuse. 7 798 hab. Église du XVIIIe siècle.

NOVA (Juan *de***).** ♦ Navigateur espagnol (2e moitié du XVe s. — *déb.* du XVIe s.). Entré au service du Portugal, il découvrit l'île de l'Ascension* (1501) et l'île de Sainte*-Hélène (1502).

NOVA GOA. ♦ V. GOA.

NOVAÏA ZEMLIA (« nouvelle terre ») ou **NOUVELLE ZEMBLE.** *n. f.* ♦ Archipel d'U.R.S.S. (région d'Arkhangelsk) situé entre la mer de Barents* (O.) et la mer de Kara*. Il est constitué par deux grandes îles, *Severnyï* « septentrionale » et *Ioújnyï* « méridionale », séparées par le détroit de *Matouchkine Char* et par plusieurs petites îles. Il forme un croissant allongé (superficie totale 82 600 km²). L'archipel (alt. max. 1 590 m) et l'île Vaïgatch au S. (3 400 km², alt. max. 170 m) constituent une prolongation de la chaîne montagneuse Paï-Khoï, branche de l'Oural. Couvert de glaces au N. et de toundra au S., il est inhabité. Stations météorologiques.

NOVA IGUAÇU. ♦ V. du Brésil, dans l'État de Rio* de Janeiro, proche de Rio. 478 000 hab. (aggl.). Nombreuses indus. Raffinerie de zinc.

NOVALIS (Friedrich, *baron von* **Hardenberg,** dit**).** ♦ Poète allemand (Wiedersteht, comté de Mansfeld, 1772 — Weissenfels, 1801). Influencé par l'idéalisme de Fichte et les théories esthétiques des frères Schlegel*, mais surtout marqué par la mort prématurée de sa fiancée (Sophie von Kühn), il écrivit ses *Hymnes à la nuit* (symbole de l'unité divine), où transparaît son exaltation mystique. Il publia ensuite les *Disciples de Saïs* (1797), essai poético-philosophique (souvent hermétique dans son interprétation allégorique de la nature) et un roman éducatif (inachevé) *Henri d'Ofterdingen* (1802) qui s'oppose par son romantisme au *Wilhelm Meister* de Goethe. Ses *Cantiques* et *La Chrétienté ou l'Europe* (1799) expriment la nostalgie de la foi religieuse du Moyen Âge et d'une théocratie. Ainsi son « idéalisme magique » (influencé en partie par les théories de Baader*) mêle sans cesse le sentiment de la nature à la foi chrétienne.

NOVA LISBOA («nouvelle Lisbonne»). ♦ V. de l'Angola central. 40 000 hab. Centre administratif. — Appelée auj. HUAMBO.

NOVARE, en it. **Novara.** ♦ V. d'Italie du N., dans le Piémont*. Ch.-l. de prov. sur un affl. du Pô. 96 000 hab. Indus. textiles et chimiques; imprimeries. ♦ *Hist.* Fondée par César, la ville fut détruite par les Barbares au Ve siècle. Au XIIe s., elle adhéra à la ligue Lombarde, puis Gibeline. Les Français y furent vaincus par les Suisses de Maximilien Sforza en 1513. Charles-Albert de Sardaigne s'y fit battre en 1849 par les troupes autrichiennes commandées par Radetzky.

NOVATIEN, en lat. **Novatianus.** ♦ Prêtre romain (IIIe s.) et antipape (251). Il se fit nommer évêque de Rome contre le pape Fabien qu'il accusait de complaisance à l'égard des *lapsi* (chrétiens qui avaient « failli » lors de la persécution de Dèce). L'Église schismatique dite *novatienne* s'établit à Rome, en Gaule, en Espagne et ne disparut qu'au VIIIe siècle.

NOVEMPOPULANIE [nɔvɛmpɔpylani]. *n. f.* ♦ Province de la Gaule romaine ainsi appelée, selon la tradition, parce qu'elle regroupait neuf peuples. Elle formait une partie de la province d'Aquitaine et était aussi nommée Aquitaine III. **V. Aquitaine.**

NOVERRE (Jean Georges). ♦ Danseur et chorégraphe français (Paris, 1727 — Saint-Germain-en-Laye, 1810). Il débuta à la cour de Louis XV (1742); à l'issue d'un séjour en Allemagne (1747), il rentra en France où il régla ses premiers ballets. Il se rendit ensuite à Londres (1755-1757) où la rencontre de Garrick le conduisit à préciser les grandes lignes de sa réforme de la danse. C'est à Lyon qu'il monta les *Fêtes du sérail, Les Réjouissances flamandes, La Mort d'Ajax, Orphée aux Enfers* et publia ses célèbres *Lettres sur la danse et sur les ballets* (1760). Il y définit la danse comme « une peinture vivante des passions, des mœurs, des usages ». Il recommande aux danseurs l'étude de l'histoire, de la mythologie, de la musique, de l'anatomie, du dessin et leur conseille de travailler en collaboration étroite avec le musicien. Il exige que soit bannie du ballet toute manifestation de pure virtuosité. Appelé à Vienne, il collabora avec Gluck *(Iphigénie en Tauride, Alceste).* Il vécut à Londres durant la Révolution; de retour en France, il consacra les dernières années de sa vie à la rédaction d'un dictionnaire de la danse.

NOVES. ♦ Comm. des Bouches-du-Rhône, arr. d'Arles. 3 759 hab. Église fondée au IXe siècle. Indus. alimentaires. — Patrie de Laure de Sade, qui fut célébrée par Pétrarque*.

NOVÉ ZÁMKY. ♦ V. de Tchécoslovaquie, en Slovaquie-Occidentale, sur la Nitra. 25 000 hab. environ. Carrefour ferroviaire (liaisons avec la Hongrie et Bratislava*). — Ruines d'une forteresse érigée au XVIe s. contre les Turcs. — Constructions mécaniques, indus. alimentaires. — À proximité, parc géologique.

NOVGOROD. ♦ V. d'U.R.S.S. (R.S.F.S. de Russie), ch.-l. de la région du même nom (55 300 km². 721 000 hab.), sur le Volkhov*, à 9 km du lac Ilmen*. 128 000 hab. Traitement du bois (meubles). Nœud ferroviaire. — Dans la région sont nés Diaghilev* et Rachmaninov*. ♦ *Hist.* Novgorod (en russe « nouvelle ville ») fut fondée par les Varègues*. La ville devint en 862 la cap. d'une principauté sous Riourik*. Le successeur de ce dernier, Oleg* le Sage, ayant conquis Kiev*, y transporta sa cap. (882). D'abord tributaire des grands princes de Kiev, puis annexée à leur territoire, elle fut administrée par leurs fils aînés. Enrichie par son florissant commerce (pelleteries), Novgorod acquit une grande autonomie après le démembrement de la Russie kiévienne (1132) et devint une république féodale, gouvernée par la *viétché* (assemblée de tous les citadins, où prédominaient les riches propriétaires et les marchands). Menacée par les chevaliers Teutoniques*, elle dut faire appel au prince Alexandre* Nevski qui la sauva (1242) mais lui imposa un tribut. Alliée aux Polonais pour faire face à l'expansion russe, Novgorod fut annexée par le prince de Moscou Ivan* III en 1478.

NOVI LIGURE. ♦ V. d'Italie du N., dans le Piémont (prov. d'Alexandrie), au pied de l'Apennin. 27 000 hab. Centre sidérurgique et nœud ferroviaire important.

NOVI SAD. ♦ V. de Yougoslavie, cap. de la Vojvodine, sur le Danube. 123 000 hab. Elle englobe le bourg de Petrovaradin* auquel elle est reliée par un pont. Port fluvial et centre industriel (indus. alimentaires et mécaniques, métallurgie).

NOVIUS. ♦ Poète comique latin (~ Ier s.). Dix-sept titres et divers fragments subsistent de son œuvre, constituée d'*atellanes,* comédies bouffonnes d'inspiration populaire, auxquelles il donna, comme Pomponius de Bologne, son contemporain, une forme littéraire.

NOVOCHAKHTINSK. ♦ V. d'U.R.S.S. (R.S.F.S, de Russie) dans la région de Rostov. 102 000 hab. Extraction de houille. Indus. chimiques et alimentaires.

NOVOKOUÏBYCHEVSK ou **NOVOKUIBYSHEVSK** (« Nouveau Kouïbychev »). ♦ V. d'U.R.S.S. (R.S.F.S. de Russie), dans la région de Kouïbychev*. 104 000 hab. Indus. pétrolières et alimentaires. Alcool synthétique. Matériaux de construction.

NOVOKOUZNETSK ou **NOVOKUZNETSK,** anc. **Kuznetsk** et, de 1932 à 1961, **Stalinsk.** ♦ V. d'U.R.S.S. (R.S.F.S. de Russie) dans le Kouzbass*, en Sibérie occidentale, sur le fl. Tom*. 499 000 hab. Centre industriel. Indus. métallurgiques, chimiques, houillères, et mécaniques. Nœud ferroviaire.

NOVOMESKÝ (Laco). ♦ Poète et homme politique tchécoslovaque (Budapest, 1904 — Prague, 1976). Il débuta par des vers d'inspiration sociale dans *Dimanche* (1927), *Rhomboïde* (1932), *Les Fenêtres ouvertes* (1935), *Le Saint hors du village* (1939). Ministre slovaque, il fut arrêté en 1950, et libéré en 1956. Il

Ph. Roger-Viollet

Novalis.

publia ses souvenirs dans des poèmes tels que : *La Villa Thérèse* (1963), *De là-bas* (1964).

NOVOMOSKOVSK (anc. **Bobriki**, de 1934 à 1961 **Stalinogorsk**). ♦ V. d'U.R.S.S. (R.S.F.S. de Russie) dans la région de Toula, près d'un bassin houiller. 134 000 hab. Indus. chimiques et alimentaires. Centrale thermique.

NOVOROSSISK. ♦ V. et port d'U.R.S.S. (R.S.F.S. de Russie), dans le territoire du Krasnodar, sur la mer Noire. 133 000 hab. Grand centre de fabrication du ciment. Travail de métaux. Indus. mécaniques et alimentaires. Exportation de blé.

NOVOSSIBIRSK ou **NOVOSIBIRSK** (jusqu'en 1925 **Novonikolaïevsk**). ♦ V. d'U.R.S.S. (R.S.F.S. de Russie), ch.-l. de la région du même nom (178 200 km², 2 472 000 hab.), en Sibérie occidentale, sur l'Ob'* et le Transsibérien. 1 161 000 hab. Centre culturel. Université fondée en 1959. Importantes indus. métallurgiques, mécaniques, chimiques et alimentaires. Centrale hydro-électrique sur l'Ob'.

NOVOTCHERKASK. ♦ V. d'U.R.S.S. (R.S.F.S. de Russie), dans la région de Rostov. 162 000 hab. Centre culturel (plusieurs écoles supérieures). Construction de machines (équipement pour l'indus. pétrolière). Indus. alimentaires. Matériaux de construction. – La ville fut fondée en 1805.

NOVOTNÝ (Antonin). ♦ Homme politique tchécoslovaque (Lefnany, 1904 – Prague, 1975). Membre du P.C. tchécoslovaque depuis 1921, puis incarcéré par les nazis de 1941 à 1945, il devint en 1951 secrétaire général du P.C. et fut élu en 1957 président de la République. Sous Novotný, la Tchécoslovaquie connut une période de néo-stalinisme jusqu'en 1968 où la tendance libérale l'emporta avec Dubček* et Svoboda.

NOVOVORONEJ. ♦ Localité d'U.R.S.S. (R.S.F.S. de Russie) au S. de Voronej. Centrale nucléaire.

Novum Organum ou **Nouvelle méthode pour l'interprétation de la nature.** ♦ Deuxième partie de l'*Instauratio Magna* de Francis Bacon* (1620). Après une critique des préjugés, « idoles » ou erreurs de l'esprit, l'ouvrage propose « un programme des sciences de la nature (...) la connaissance des formes ou essences, en partant des faits, au moyen de l'induction » (É. Bréhier).

Novy Mir. ♦ Revue littéraire soviétique fondée en 1925. Elle contribua à faire connaître Maïakovski, Nekrassov, Soljenitsyne et publia également en russe les œuvres de Scott Fitzgerald, J.D. Salinger et J.-P. Sartre.

NOWA HUTA (« la nouvelle fonderie »). ♦ Aggl. industrielle de Pologne, située dans la banlieue E. de Cracovie*. 120 000 hab. Elle abrite depuis 1950 un grand centre d'industries sidérurgiques et métallurgiques.

NOYELLES-GODAULT. ♦ Comm. du Pas-de-Calais, arr. de Lens. 5 551 hab. Houille, métallurgie.

NOYERS [nɔjɛʀ]. ♦ Ch.-l. de cant. de l'Yonne (arr. d'Avallon), sur le Serein. 881 hab. Anc. ville fortifiée. Place à arcades et maisons en bois (XVᵉ-XVIᵉ s.). Église de la dernière période gothique (1491-1515). Musée (collections préhistoriques). Site gallo-romain à proximité *(Tête de fer)*.

NOYES (Alfred). ♦ Poète anglais (Welverhampton, Staffordshire, 1880 – Ryde, île de Wight, 1958). Inspiré par les légendes populaires, il écrivit des contes de fées en vers : *La Fleur du vieux Japon* (1903), *Forêt et Thym sauvage* (1905). Robin des Bois est le héros de son drame poétique *Robin Hood* (1926). C'est à l'instigation de George Meredith* qu'il s'était adonné à la poésie, publiant d'abord *Le Tissage des ans* (1902), puis *Drake* (1906-1908). On lui doit encore *Drake, récits de l'auberge de la Sirène* (1913) et *Les Porteurs de torches* (1922-1930).

NOYON [nwajɔ̃]. ♦ Ch.-l. de cant. de l'Oise*, arr. de Compiègne*. 11 863 hab. *(Noyonnais)*. Vestiges gallo-romains. Cathédrale Notre-Dame, l'un des plus purs exemples du premier style gothique (XIIᵉ-XIVᵉ s.). Hôtel de ville (XVᵉ-XVIᵉ s.). Maison de Calvin (gothique, XVIᵉ s.). – Indus. métallurgiques et alimentaires, engrais, constructions mécaniques. – Patrie de Calvin*, Maucroix*, J. Sarazin*. ♦ *Hist.* La ville est de fondation gallo-romaine. Charlemagne y fut couronné (768); ce fut l'une des premières cités françaises à obtenir une charte des libertés communales (1108). En 1516, un traité d'alliance y fut signé entre François Iᵉʳ et Charles Quint. Lors de la Première Guerre mondiale, Noyon a beaucoup souffert, prise par les Allemands (septembre 1914), reprise par les Français (mars 1917) qui durent l'évacuer après de violents combats (mars-avril 1918), elle ne fut libérée qu'en août 1918.

Ph. Carlo Bevilacqua/Ricciarini

Nubie, Assouan : peinture rupestre.

Ph. Nino Cirani/Ricciarini

Nubie : Atbara.

NOZAY. ♦ Ch.-l. de cant. de la Loire-Atlantique, arr. de Châteaubriant. 3 276 hab. [1 868 aggl.]. *(Nozéens)*. Menhirs. – Minerai de fer.

NOZEROY. ♦ Ch.-l. de cant. du Jura, arr. de Lons-le-Saunier. 416 hab. Anc. ville féodale (ruines du château et des remparts). Église du XVIᵉ siècle.

NU *(U-)*. ♦ Avocat et homme d'État birman (Wakema, 1907). Il fut Premier ministre de 1947 à 1962. Le général Ne Win le remplaça à la suite d'un coup d'État. Fervent bouddhiste et patriote, il écrivit plusieurs ouvrages pour expliquer sa politique.

NU'AYAMA (Mikhayîl). ♦ Écrivain chrétien du Liban (né en 1894). De culture russe, il est l'auteur d'un recueil de sentences ainsi que de poèmes et de pièces de théâtre où la langue classique côtoie la langue parlée. Dans sa poésie, il s'efforce de se détacher de la rigidité de la prosodie classique.

NUBIE. *n. f.* ♦ Région désertique de l'Afrique nord-orientale, s'étendant d'Assouan* (Égypte) à Khartoum* (Soudan) et correspondant au bassin du Nil de la 1ʳᵉ à la 6ᵉ cataracte et aux déserts avoisinants; le désert Libyque (ou occidental) à l'O. du Nil et le désert Arabique à l'E. (hab. *Nubiens*). – À l'O. du Nil, le relief est plat, mais se relève le long des côtes de la mer Rouge par des massifs cristallins et volcaniques (monts de l'Etbaï) dont certains sommets atteignent plus de 2 000 mètres. La présence du Nil* et de son affl. l'Atbarah* favorise dans ces régions la culture du coton, des dattes et de la canne à sucre. ♦ *Hist.* À l'époque des pharaons, cette région était connue sous le nom de *pays de Cush;* les Grecs et les Romains l'appelèrent *Éthiopie*. Dès les premières dynasties de l'Ancien Empire, les pharaons se tournèrent vers ces « pays du Sud ». Ils établirent leur protectorat sur la Basse-Nubie ou Ouaouat (du nom de la tribu la plus voisine d'Assouan) d'où ils importaient or, diorite et bois précieux **(V. Éléphantine)** et qui leur fournissait des mercenaires pour l'armée. Sous les XIᵉ et XIIᵉ dynasties, Amménémès* Iᵉʳ et Sésostris* Iᵉʳ établirent la frontière à Semneh, au delà de la 2ᵉ cataracte. Après l'invasion des Hyksos*, Touthmôsis* Iᵉʳ mena une campagne au delà de Semneh (~ 1529-~ 1528) et fonda la *province de Cush*. Un vice-roi égyptien fut installé à Kerma. Des temples furent construits à Soleb, Barbal et plus tard à Abou* Simbel et Philae*, mais l'égyptianisation de la Nubie ne se fit pas sans de sanglantes répressions. Profitant de la période d'anarchie en Égypte, amenée par la fondation de la XXIIᵉ dynastie libyenne en ~ 950 **(V. Chéchonq Iᵉʳ)**, le pays de Cush recouvra son indépendance et fonda le 1ʳᵉ dynastie de Napata, en amont de la 4ᵉ cataracte. Au ~ VIIIᵉ s., le roi de Cush, Chabako, annexa l'Égypte à la Nubie et se proclama unique pharaon de Méroé à la Méditerranée. Napata demeurait sa résidence principale. Mais cette XXVᵉ dynastie coushite (ou empire éthiopien) fut renversée par les Assyriens en ~ 671. Repliés en Nubie, les descendants de la XXVᵉ dynastie continuèrent à régner sur la Nubie, à Napata, puis à Méroé (à partir du ~ VIᵉ s.). Mais, au ~ IVᵉ s., le royaume nubien, ayant perdu tout contact avec la civilisation égyptienne et s'étant africanisé, disparut sous les coups du roi éthiopien d'Aksoum (v. ~ 350).

NUBLE. ♦ Prov. du Chili* central. 14 211 km². 318 000 hab. Ch.-l. Chillán.

Nuées (Les), en gr. **Nephelai.** ♦ Comédie d'Aristophane* (~ 423). Le paysan Strepsiade déplore les prodigalités de son fils Philippide, et l'accumulation de dettes qu'elles entraînent. Pour apaiser les créanciers, il faut un homme habile, à l'éloquence persuasive. Strepsiade se rend à l'école où Socrate* enseigne l'art de rendre bonnes les mauvaises causes. Le philosophe lui apparaît, suspendu en l'air dans un panier, invoquant les Nuées, les seules divinités qu'il reconnaisse. Déconcerté, l'innocent Strepsiade recueille une leçon inintelligible pour lui et s'enfuit. Il parvient à persuader son fils de prendre sa place. Philippide apprend de Socrate l'art de dénaturer la vérité et assiste à la mise en pièces du bien par le mal. Revenu chez lui, le jeune homme met les créanciers en fuite et, comme il a appris à ne rien respecter, il soufflette son père qui, devenu furieux, se venge en incendiant la maison de Socrate. La pièce développe une attaque en règle contre les sophistes, mais en accablant Socrate elle témoigne d'une flagrante injustice, puisque le philosophe n'eut jamais rien de commun avec les sophistes, ses adversaires.

NUEVO BAZTÁN. ♦ Village d'Espagne, dans la province de Madrid. Fondé par un ministre de Louis Ier d'Espagne, J. Goyeneche, ce village fut conçu par José de Churriguera (église, palais du ministre).

NUEVO LAREDO. ♦ V. du Mexique septentrional (État de Tamaulipas*), située sur la r. d. du rio Grande* del Norte et jumelle de la ville américaine de Laredo (Texas). 150 922 hab. Important centre commercial à la frontière des États-Unis.

NUEVO LEÓN. *n. m.* ♦ État du Mexique septentrional. 64 555 km². 1 695 000 hab. *Cap.* Monterrey*. Il est situé dans la Sierra Madre* orientale; sa frontière nord est formée par le rio Grande* del Norte; à l'E. se dresse le sommet de la Peña* Nevada, à la frontière du Tamaulipas*. Agriculture dans les régions irriguées (coton, céréales, canne à sucre). Élevage. Richesses minérales : zinc, cuivre, plomb, pétrole et gaz naturel. Indus. métallurgiques et chimiques. Textiles.

NUFÛD ou **NEFOUD.** *n. m.* ♦ V. NEFUD.

Nuit des rois (La) ou Ce que vous voudrez *(Twelfth Night or What you will).* ♦ Comédie en cinq actes de W. Shakespeare (v. 1600). Échappée d'un naufrage, Viola arrive à la cour d'Illyrie, déguisée en page. Amoureux de la belle Olivia, le duc Orsino se sert de cet aimable messager pour intercéder en sa faveur auprès de la jeune femme. D'abord sensible au charme du bel adolescent, Olivia se ravise dès qu'arrive Sébastien, frère de Viola, dont elle est tombée aussitôt amoureuse. De son côté, Viola aime le duc Orsino et parvient à le conquérir par sa grâce et son talent de musicienne.

Nuits (Les), en angl. **The Complaint, or Night-Thoughts on Life, Death and Immortality.** ♦ Œuvre principale d'E. Young*, publiée en 1742-1745 et prenant le contre-pied des conceptions des *Essais sur l'homme* de Pope. Traduit en français en 1812, ce poème fut alors divisé en quinze « nuits ».

Nuits (Les). ♦ Poèmes d'A. de Musset* (1835-1837) qui se présentent sous la forme d'un entretien lyrique du poète (l'homme trahi par l'amour) et sa muse (le génie créateur) ou son double (la solitude). Dans la *Nuit de Mai* (1835), la muse se présente en consolatrice au poète accablé et l'incite, en vain, à chanter sa souffrance. La *Nuit de Décembre* (nov. 1835), poème en octosyllabes, présente le dialogue entre Musset tourmenté par « le boiteux ennui » et « un étranger vêtu de noir », son double hallucinant et mélancolique. La muse réapparaît, dans la *Nuit d'Août* (1836), pour reprocher au poète son désir frénétique de jouir de la vie. Enfin, la *Nuit d'Octobre* (1837) est le récit, d'abord indigné, puis apaisé, que le poète fait à la muse de « son triste amour », épreuve féconde comme l'est la souffrance pour tout être humain. Traduction immédiate et sincère des émotions les plus intimes de Musset (notamment sa rupture avec George Sand), ces poèmes à l'éloquence passionnée évoquent donc également, par étapes successives, le problème des bienfaits de la douleur.

NUITS *(côte de).* ♦ Région de grands crus en Côte d'Or (Bourgogne), au N. de la côte de Beaune. Vins à Gevrey*-Chambertin (Chambertin), Morey-Saint-Denis, Chambolle*-Musigny, Vougeot* (Clos Vougeot), Vosne*-Romanée (Romanée-Conti), Nuits*-Saint-Georges, Premeaux*.

NUITS-SAINT-GEORGES. ♦ Ch.-l. de cant. de la Côte-d'Or (arr. de Beaune), situé au pied de la côte de Nuits. 4 386 hab. *(Nuitons).* Hôtel de ville du XVIIIe siècle. Église Saint-Symphorien (fin XIIIe s). Maisons anc. Beffroi du XVIIIe siècle. Centre commercial : les vignobles du terroir de Nuits sont célèbres. **V. Nuits** *(côte de).* Jus de fruits. Pierres de construction. – Patrie de F. Tisserand*.

NUKUALOFA. ♦ Cap. des îles Tonga*, sur la côte N. de l'île Tongatapu. 15 000 hab. environ.

NUKU HIVA. ♦ La plus grande des îles Marquises*. 117 km². Port principal, *Hakapehi.*

NUMANCE, en lat. **Numantia.** ♦ V. de l'ancienne Espagne (près de l'actuelle Soria*) qui résista avec acharnement à la conquête romaine. Après un long siège (~ 134 – ~ 133), Scipion* Émilien réduisit les habitants par la famine et rasa la ville après un siège et un blocus systématique. – On a découvert sur le site les restes de trois étages archéologiques.

Numance *(El Cerco de Numancia).* ♦ Drame de Cervantes* (v. 1582). Vainement attaquée par les armées romaines, la ville de Numance ne se rendit qu'après un long siège, puis elle fut détruite par son vainqueur, Scipion Émilien (~ 133). C'est l'histoire de cette héroïque résistance que relate la pièce, riche en épisodes pathétiques.

NUMA POMPILIUS. ♦ Second roi légendaire de Rome (v. ~ 715 – v. ~ 672). Sabin pieux et pacifique, il se disait inspiré par la nymphe Égérie* et aurait organisé la vie religieuse romaine : il fonda les collèges religieux des saliens, des vestales, des pontifes, divisa l'année en 12 mois et distingua les jours fastes et néfastes.

NUMAZU. ♦ V. du Japon (Honshû, préf. de Shizuoka), sur la baie de Suruga. 190 000 hab. Indus. textiles, centre de villégiature.

NUMENIUS, en gr. **Nouménios.** ♦ Philosophe grec (Apamée, Syrie, IIe s.). On ignore presque tout de sa vie. Origène* et Eusèbe ont transmis des passages de ses traités : *Platon et les Académiciens; Doctrines secrètes de Platon; Sur les nombres; Sur le Bien.* Néo*-pythagoricien, il fut aussi un précurseur du néo*-platonisme.

NUMÉRIEN, en lat. **Marcus Aurelius Numerianus.** ♦ ([mort] 284). Empereur romain (284). Fils de l'empereur Carus*, il lui succéda avec son frère Carin* mais fut assassiné par Aper, préfet du prétoire.

NUMIDIE, *n.f.*, en lat. **Numidia.** ♦ Nom donné par les Romains à la région d'Afrique du Nord s'étendant au ~ IIe s. entre le territoire de Carthage à l'E. et l'oued Moulouya à l'O., et correspondant à une partie de l'Algérie actuelle. Au ~ IIIe s., la Numidie était peuplée par des Berbères semi-nomades répartis en deux tribus, les Massaesyles à l'O. et les Massyles à l'E. autour de Cirta. Excellents cavaliers, engagés en grand nombre dans l'armée carthaginoise, ils étaient sollicités par Rome qui cherchait à obtenir leur alliance. Au cours de la seconde guerre Punique, Masinissa*, chef des Massyles, dépossédé de ses territoires par Syphax*, chef des Massaesyles et allié de Carthage, sollicita l'appui de Rome. Vainqueur de Syphax grâce à son alliance avec Scipion* l'Africain (~ 202), Masinissa reçut les terres situées à l'O. de Carthage jusqu'à la Moulouya. Il réalisa le premier l'unité du royaume numide auquel il tenta de donner une civilisation de type hellénistique, et fit de Cirta* sa capitale **(V. Masinissa).** À la mort de Masinissa (~ 148), Scipion* Émilien partagea la Numidie entre les trois fils de ce dernier. Prenant soin de ne jamais laisser le royaume se réunifier politiquement, Rome obligea le dernier fils de Masinissa, Micipsa, à diviser à sa mort (~ 118) son royaume entre Hiempsal et Adherbal*, ses fils légitimes, et Jugurtha*, le fils naturel de son frère. Mais ce dernier, voulant reconstituer le royaume de Masinissa, fit tuer Hiempsal, puis massacrer Adherbal à qui les Romains avaient confié la partie orientale de la Numidie avec Cirta, et tint Rome en échec pendant sept ans (~ 113-~ 105). Il fut finalement vaincu par Sylla à qui le livra son beau-père Bocchus*, roi de Mauritanie **(V. Jugurtha).** Pour prix de sa trahison, la Mauritanie reçut la partie occidentale de la Numidie entre la Moulouya et le Rummel **(V. Mauritanie).** La Numidie restait autonome sous un roi vassal de Rome. Après la défaite de Juba* Ier à Thapsus* (~ 46), la Numidie forma la province d'*Africa Nova* **(V. Afrique,** [*province romaine d'*]**).** Juridiquement détaché de la province d'Afrique au Ier s. par Caligula*, le pays redevint indépendant sous Septime* Sévère. Les Romains donnèrent alors un grand essor à l'agriculture et à l'urbanisation (Timgad, Lambèse, Tebessa). La christianisation s'y était faite rapidement dès le IIe s., mais au IVe s., le pays devint le principal centre du donatisme **(V. Donat),** schisme qui trouva son terrain d'élection dans les milieux ruraux comme réaction contre le christianisme romain,

Ph. Diamante-Ostuni/Ricciarini

Numazu, sur la baie de Suruga, et le Fuji-San.

religion de la classe urbaine aisée. La Numidie souffrit très vite du déclin de l'empire, et après avoir été ébranlée par la conquête vandale (429-533) elle passa définitivement sous la domination arabe au VIIIe s. **V. Algérie.**

NUMITOR. ♦ Roi légendaire d'Albe*, fils de Procas* et grand-père de Romulus*.

NUNES (Pedro), en latin **Petrus Nonius.** ♦ Astronome et mathématicien portugais (né à Alcacer do Sal, entre 1492 et 1502 – mort en 1577). Il montra que le chemin le plus court entre deux points de la surface terrestre est l'arc de grand cercle et non, selon l'opinion commune à son époque, la courbe coupant les méridiens sous un angle constant (1537). Il étudia le problème du plus grand commun diviseur de deux expressions algébriques, résolut le problème du crépuscule le plus court. Il inventa également un appareil ingénieux, le *nonius,* permettant de mesurer avec précision les petits angles (1542), mais qui, trop fragile, fut supplanté par le vernier au siècle suivant.

NÚÑEZ (Álvaro). ♦ Navigateur espagnol du XVIe s. (mort à Séville, entre 1559 et 1564). Il explora la Floride* (1528) puis le Río de La Plata jusqu'à Asunción (1540).

NÚÑEZ DE ARCE (Gaspar). ♦ Poète et dramaturge espagnol (1834 – 1903). Il se voulut utile à la société en dissertant sur les conflits entre la religion et la science, la morale et l'instinct. Sa poésie, parfois politique, trouva un large écho à l'étranger.

NUNGESSER [nœʒesɛʀ] **(Charles).** ♦ Officier et aviateur français (Paris, 1892 – dans l'Atlantique Nord, 1927). Un des as de la chasse pendant la Première Guerre mondiale, il disparut avec Coli*, à bord de son avion *L'Oiseau blanc,* au-dessus de l'Atlantique Nord.

NUNNENBECK (Lienhard). ♦ Poète allemand (2e moitié du XVe s. – après 1513). Maître* chanteur de l'école de Nuremberg, où il eut H. Sachs* pour élève, il est surtout connu pour ses poèmes d'inspiration religieuse en l'honneur de la Vierge.

NÛR AL-DÎN MAHMÛD (al-Mâlik al-Adîl ibn Zangî). ♦ Atabek d'Alep (1146-1174). Fils de Zanki*, il secourut Damas, menacée par les croisés (sept. 1148). Il acheva la conquête du comté d'Edesse et prit aux Francs plusieurs forteresses. Il fit occuper l'Égypte par Chîrkûh (1163-1169), où son neveu Salâh al-Dîn (Saladin*) mit fin à la dynastie fâtimide* en se proclamant sultan et en rétablissant le sunnisme* (1171). Outre ses qualités guerrières, Nûr al-Dîn fut un protecteur des arts et des sciences, fondateur d'hôpitaux, écoles et bibliothèques.

NUREMBERG, en all. **Nürnberg.** ♦ V. d'Allemagne occidentale (Bavière) et ch.-l. de la Franconie, sur la Pegnitz. 474 200 hab. (1969). Le noyau de la ville médiévale s'organise à l'intérieur d'une enceinte des XVe-XVIe s., renforcée de 128 portes. L'église gothique Saint-Laurent (XIVe-XVe s.), Saint-Sébald (XIIIe s.) et le château impérial ont été les moins touchés par la guerre. Une grande partie du quartier médiéval endommagée ou détruite, a été restaurée (*Mauthalle,* anc. grenier à blé du XVe s. ; maison d'A. Dürer) ou même complètement reconstituée après 1945 d'après des documents d'époque. La ville moderne s'est développée *extra-muros.* – Nuremberg, qui est depuis le Moyen Âge une florissante cité commerçante (importante foire des jouets), a ajouté à cette fonction traditionnelle des activités industrielles modernes : constructions mécaniques, électriques et chimiques, produits alimentaires, manufactures de jouets réputées. La ville a été dotée d'un port en 1972. – Patrie d'Albrecht Dürer*, Johann Pachelbel*, Hans Sachs, Sigismond* de Luxembourg, Wenceslas* II. ♦ *Hist.* Fondée v. 1050 près du tombeau de saint Sébald, Nuremberg appartint longtemps aux Hohenzollern. Frédéric II la déclara ville libre impériale au XIIIe siècle. En 1256, elle adhéra à la Confédération du Rhin et devint rapidement une importante cité commerciale, établissant des échanges entre les ports de la Méditerranée et les ports allemands de la Baltique. Elle atteignit son apogée aux XIVe-XVIe s., vit naître A. Dürer* et devint une métropole artistique. Mais les grandes découvertes (nouvelles routes commerciales passant par le cap de Bonne-Espérance) et les guerres européennes des XVIIe-XVIIIe s. furent à l'origine de son déclin. En 1806, Nuremberg fut rattachée à la Bavière et connut à nouveau une certaine prospérité. Hitler en fit le siège du congrès annuel du Parti national-socialiste. La ville fut très affectée par la Deuxième Guerre mondiale et dut être restaurée ou reconstruite (voir *ci-dessus*). – La Nuremberg médiévale a été célébrée par R. Wagner dans *Les Maîtres chanteurs de Nuremberg.*

Ph. Diamante-Ostuni/Ricciarini

Nuremberg : pont sur la Peignitz.

Nuremberg *(procès de).* ♦ Procès intenté, devant un tribunal militaire international, à 24 dirigeants et à 8 organisations de l'Allemagne nazie (20 nov. 1945 – 1er oct. 1946). Les accusations portaient sur des crimes de guerre et des crimes contre la paix et contre l'humanité. Ne comparurent pas : Robert Ley (suicidé le 25 oct. 1945), Gustav Krupp* (cas disjoint pour raison de santé), Martin Bormann* (« en fuite », probablement mort en mai 1945). Furent condamnés à mort : Bormann* (par contumace), Franck, Frick, Goering*, Jodl*, Kaltenbrunner, Keitel*, Ribbentrop*, Rosenberg, Sauckel, Seyss*-Inquart, Steicher ; les condamnés furent exécutés par pendaison le 16 oct. 1946, sauf Goering, qui s'était suicidé la veille. Furent condamnés à des peines de prison : Dönitz*, Funk*, Hess*, Neurath, Raeder*, Schirach, Speer. Fritsch, Papen* et Schacht furent acquittés. La Gestapo*, le N.S.D.A.P., les S.S.* et le S.D. furent condamnés à titre collectif.

NURHACHI. ♦ (1559-1626). Empereur de Chine, de la dynastie des Ch'ing*. Parvenu au pouvoir en 1583, il se proclama empereur en 1616 sous le nom chinois de T'ai Tsu des Ch'ing, après avoir fait l'unité de son peuple **(V. Jürchet)** et avoir préparé la domination mandchoue sur l'empire chinois décadent de la dynastie des Ming*. Son fils Abaqai lui succéda sous le titre de T'ai Tsung.

NŪRISTĀN. *n. m.* (« pays de la lumière »). ♦ Nom donné à l'ancien Kafiristân après sa conquête par les Afghâns en 1890. Il se compose de vallées himalayennes profondément encaissées situées au N.-E. de Kâbul*, et habitées par des peuples caucasiens cultivateurs sédentaires. Env. 100 000 habitants.

NUSA TENGGARA. *n. m. pl.* ♦ Nom indonésien des petites îles de la Sonde* orientale, comprenant un millier d'îles et d'îlots abritant une population mélangée aux mœurs et aux langues très différentes. Env. 500 000 habitants.

NYASA ou **NYASSA** *(lac).* ♦ **V.** MALAWI.

NYASALAND ou **NYASSALAND.** ♦ **V.** MALAWI *(Hist.).*

NYBORG (le « château neuf »). ♦ V. et port du Danemark, sur la côte O. de la Fionie*, au fond du *Nyborgfjord.* 11 500 hab. Restes de l'anc. forteresse destinée au Moyen Âge à fermer le passage du Grand-Belt aux pirates. – Port de transit, relié par ferry-boat à Korsør. Indus. textile. – Patrie de Christian II.

NYERERE (Julius). ♦ Homme politique de Tanzanie* (Butiama, 1922). Premier ministre du Tanganyika indépendant (1961), il fut élu un an plus tard président de la République. En 1964, il devint président de l'Union de la République de Tanzanie (Tanganyika et Zanzibar), et fut réélu en avril 1972. Il fut l'un des principaux adhérents à l'Organisation* de l'unité africaine (O.U.A.).

NYÍREGYHÁZA. ♦ V. de Hongrie, ch.-l. du comitat de Szabolcs-Szatmár, située dans le N.-E. du pays. 65 000 hab. – Temple luthérien. Intéressantes maisons paysannes.

NYKØBING FALSTER. ♦ V. du Danemark, dans l'île de Falster*, sur la r. d. du Guldborg Sund. 17 800 hab. Évêché. – Fonderies, textiles.

NYON. ♦ V. de Suisse (Vaud) sur la r. d. du lac Léman. 8 500 hab. Faïences peintes. – Patrie d'A. Cortot*, L. Niedermeyer* et E. Rod*. ♦ *Hist.* L'ancienne *Noviodunum,* fondée par César en ~45, était une des cités les plus puissantes de l'Helvétie*. Vestiges romains. Le château (XIIe s.), restauré au XVIe s., abrite le musée d'archéologie et d'histoire régionale.

NYONS [njɔ̃]. ♦ Sous-préf. de la Drôme*, ch.-l. d'arr. (7 cant., 103 comm., 45 476 hab.), sur l'Eygues. 5 207 hab. *(Nyonsais).* Vieille ville pittoresque (quartier des Forts). Pont du XIVe s. sur l'Eygues. – Oliviers, lavande, chênes truffiers. – Indus. alimentaires, textiles ; cartonnages.

NYROP (Kristoffer). ♦ Philologue danois (Copenhague, 1858 – 1931). Éminent spécialiste de la langue française, il est l'auteur d'un *Manuel phonétique du français parlé* (trad. fr. par E. Philippot), et d'une *Grammaire historique de la langue française,* en français (1899-1930).

NYSA ŁUŻYCKA. ♦ **V.** NEISSE DE LUSACE.

NYSSE, en lat. **Nyssa.** ♦ Anc. V. d'Asie Mineure (Cappadoce). Fondée au ~IIIe s. par un roi séleucide, elle était florissante à l'époque romaine. Saint Grégoire* de Nysse en fut évêque. Ruines d'importants monuments romains près de l'actuel village *Sultanhisar :* théâtre, *géronticon* (salle du conseil des Anciens), portiques ornés de mosaïques, etc.

NYSTAD, anc. nom (suédois) de **Uusikaupunki.** ♦ V. de Finlande. Par le *traité de Nystad* (10 sept. 1721) qui mit fin à la guerre du Nord*, la Suède cédait à la Russie la Livonie*, l'Estonie*, l'Ingrie*, la Carélie* occidentale ainsi que la ville de Vyborg* et les îles Sarema et Khiouma.

Nyugat, « Occident ». ♦ Revue littéraire hongroise parue en 1908 (et jusqu'en 1941). La revue permit à de jeunes écrivains de s'exprimer et publia des œuvres d'avant-garde. Y ont participé Ady*, Babits*, Karinthy, Móricz*, Kosztolányi*.

Ph. Nino Cirani/Ricciarini

Oakland.

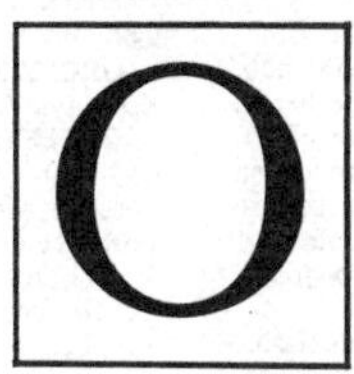

O (François, *marquis d'*). ♦ Homme politique français (Paris, v. 1535 – *id.*, 1594). Il appartenait à une anc. famille de Normandie qui s'éteignit avec lui. Favori d'Henri III, qui le nomma surintendant des Finances (1578), puis gouverneur d'Île-de-France, il contribua à la conversion d'Henri IV.

O.A.C.I. ♦ Sigle de l'Organisation* de l'aviation civile internationale (en angl., *International Civil Aviation Organization* [I.C.A.O.]).

OAHU. ♦ Île la plus peuplée de l'archipel des Hawaï (États-Unis d'Amérique). **V. Hawaï.** Elle est constituée par deux anciens volcans, devenus aujourd'hui deux chaînes parallèles reliées par une plaine et entourées de formations volcaniques plus récentes. Sur l'île se trouvent Honolulu*, la base de Pearl* Harbor et des plages célèbres (Waikiki), ainsi que la plupart des villes de l'archipel (Aila, 12 000 hab.; Kailua, 25 600 hab.; Kaneohe, 14 400 hab.; Wahiawa, la seule ville de l'intérieur, 15 500 hab.). – L'équipement routier de l'île compte notamment plusieurs autoroutes partant de Honolulu.

OAKLAND. ♦ V. et port des États-Unis (Californie*) faisant partie de la zone métropolitaine de San* Francisco. 358 486 hab. (1970). Important port de commerce et centre indus. (indus. alimentaires, automobiles, électricité, etc.).

OAK RIDGE. ♦ V. des États-Unis dans le Tennessee, près de Knoxville*. La ville fut créée en 1942 pour abriter le centre atomique américain (traitement de l'uranium); elle atteignit 75 000 hab. (1945) puis déclina (27 169 hab. en 1960). D'abord centre militaire, Oak Ridge est devenue une ville industrielle classique.

O.A.S. ♦ Sigle de l'*Organisation armée secrète* qui, après l'échec du putsch militaire d'Alger (21 avril 1961), fut constituée à l'instigation des généraux Jouhaud, Salan, d'hommes politiques comme Susini et d'autres et tenta par tous les moyens (y compris le terrorisme) de s'opposer à la politique algérienne du général de Gaulle. Son action s'intensifia lors de la signature des accords d'Évian (mars 1962); mais, peu après, les principaux chefs de l'O.A.S. (Jouhaud, Salan, Degueldre) étaient arrêtés.

OASIS *(dép. des)*. ♦ Dép. d'Algérie, couvrant près de la moitié du Sahara algérien, jusqu'au massif du Hoggar et de ses dépendances. 1 297 000 km^2; 505 500 hab. *Ch.-l.* Ouargla. *V. princ.* **V. Goléa** (El-), **Ghardaïa, In-Salah, Laghouat, Oued** (El-), **Tamanrasset, Touggourt.** *Princ. groupes d'oasis :* **V. Mzab, Souf** et **Tidikelt.** – La majeure partie des exploitations de pétrole et de gaz algériennes se situe dans ce département. Usines de conditionnement des dattes (Deglet Nour).

OATES (Titus). ♦ Aventurier anglais (Oakham, 1649 – Londres, 1705). Il prétendit dénoncer un complot « papiste », tramé par les jésuites, et réussit à émouvoir l'opinion. Il finit par être confondu et jeté en prison, après avoir provoqué des persécutions contre les catholiques.

OAXACA (Oaxaca de Juárez). ♦ V. du Mexique méridional, cap. de l'État du même nom. 116 826 hab. Située à 1 500 m d'alt. au pied de la sierra Madre* del Sur, c'est une vieille ville qui conserve des vestiges de l'époque coloniale (places; cathédrale XVIe-XVIIe s.; églises, marché). Musée. – Indus. textiles et chimiques. – À proximité, site de Monte* Albán. – Patrie de R. Tamayo*. – L'ÉTAT D'OAXACA, baigné par le Pacifique, s'étend sur les hautes terres montagneuses de la Mixteca*. 95 364 km^2. 2 171 733 hab. (1970). Cultures de canne à sucre, café, cacao, coton; céréales en alt. Grandes richesses minérales (argent, cuivre, manganèse; importants gisements de fer). Pêche (tortues). – Patrie de B. Juárez*.

OB' ou **OBI.** *n. m.* ♦ Fl. d'U.R.S.S. (R.S.F.S. de Russie). 4 230 km env. Princ. affl., l'Irtysh ou Irtych. Le bassin de l'Ob' a près de 3 000 000 de km^2 (le double de la Volga). Né de la confluence des riv. Katun et Biia dans l'Altaï*, il arrose, en Sibérie occidentale, les villes de Barnaoul*, Novossibirsk*, Kolpachevo, Salekhard, Novosib et se jette dans l'océan Arctique (mer de Kara*), après avoir reçu les eaux des riv. Tom*, Chulym, Ket et Vakh (r. d.), Irtysh* (r. g.). Centrale hydro-électrique près de Novossibirsk. Importante voie navigable.

OBAN. ♦ Port et station balnéaire du N.-O. de l'Écosse (comté d'Argyll). 6 200 hab. Centre touristique.

OBEID *(tell El)*. ♦ **V.** EL OBEID.

OBEÏD (El-). ♦ V. du centre du Soudan*, dans le Kordofan*. 70 000 hab. Commerce de gomme arabique et de millet.

OBERAMMERGAU. ♦ V. d'Allemagne méridionale (Bavière, R.F.A.), dans les Préalpes de Bavière. 5 400 hab. Station climatique, célèbre pour ses nombreux ateliers de sculpture sur bois et son *Mystère de la Passion* monté et joué tous les dix ans par les habitants depuis le XVIIe siècle.

OBERHAUSEN. ♦ V. et port d'Allemagne occidentale (Rhénanie-Westphalie), dans la partie O. du bassin de la Ruhr*, sur le canal Rhin-Herne. 249 900 hab. Important centre industriel (houillères, sidérurgie).

OBERKAMPF (Christophe Philippe). ♦ Industriel français d'origine bavaroise (Weissenbach, 1738 – Jouy, 1815). Installé à Paris en 1757, il fonda peu après la manufacture de Jouy-en-Josas, première fabrique de toiles peintes ou indiennes de Jouy, et la première filature de coton à Essonnes. Naturalisé français (1770), anobli en 1787, il fut décoré de la Légion d'honneur par l'empereur Napoléon Ier lui-même.

OBERLAND BERNOIS. *n. m.* (« haut pays de Berne »). ♦ Région montagneuse de Suisse (cant. de Berne) formée par la haute vallée de la Sarine* et le bassin supérieur de l'Aar* et de ses affl. en amont de Thoune*. Elle comprend le flanc N. des Alpes bernoises (dont la face N.-O. du massif de l'Aar*) et voisine avec les sommets de l'Eiger*, de la Jungfrau*, du Finsteraarhorn. Grande région touristique : Adelboden*, Grindelwald*, Gstaad*, Kandersteg*, Mürren*, Wengen*. Chemin de fer du Lötschberg*.

OBERLIN (Jean Frédéric). ♦ Théologien et philanthrope alsacien (Strasbourg, 1740 – Waldersbach, Ban de la Roche, 1826). Étudiant en théologie à Strasbourg, grand admirateur de J.-J. Rousseau, mais aussi de Swedenborg, il devint pasteur à Waldersbach (1767). Dans cette région alors très défavorisée de l'Alsace, il contribua à améliorer l'agriculture, à introduire le tissage du coton, à créer une caisse d'épargne et de prêt. Il développa l'instruction en s'inspirant des méthodes pédagogiques de Pestalozzi*.

Oberman. ♦ **V.** SENANCOUR.

OBERNAI. ♦ Ch.-l. de cant. du Bas-Rhin*, arr. d'Erstein*, sur l'Ehn. 6 619 hab. (6 051 aggl.). L'une des villes les plus pittoresques d'Alsace (halle aux blés du XVIe s. ; hôtel de ville du XVIe s. ; puits de la Renaissance). Musée. – Appareils de chauffage, constructions métallurgiques, vins. – Patrie de Ch. Freppel*.

OBÉRON ou **AUBÉRON.** ♦ Roi des elfes qui joue un rôle important dans la chanson de geste anonyme *Huon* de Bordeaux* (*déb.* XIIIe s.). Ce nain, qui connaît les pensées humaines et les secrets du Paradis, se fait le champion de la loyauté et de la pureté. – Il réapparaît dans les œuvres de Chaucer*, de Spenser*, de Shakespeare* *(Le Songe* d'une nuit d'été)* et de Ch. M. Wieland*.

OBERTH (Hermann). ♦ Ingénieur allemand (Hermannstadt, 1894). Spécialiste des fusées, il dirigea une équipe à laquelle appartenait W. von Braun*. Il est l'un des précurseurs de l'astronautique.

OBEY (André). ♦ Auteur dramatique français (Douai, 1892 – Montsoreau, 1975). Romancier, il se consacra bientôt au théâtre, sous l'influence de Jacques Copeau. Son œuvre s'inspire de personnages légendaires ou mythiques : *Noé* (1931), *Le Viol de Lucrèce* (1931), *Vénus et Adonis* (1932), *Le Trompeur de Séville* (1937), *Lazare* (1951).

OBIHIRO. ♦ V. du Japon (Hokkaidô), centre agricole et commercial de la plaine de la rivière Tokachi (à l'est). 140 000 hab.

Oblomov. ♦ Roman de I. Gontcharov* (1849-1859). Le héros, Oblomov, jeune homme indolent et incapable du moindre effort, déçoit la femme qu'il aime, disparaît de la société et fait de sa logeuse sa maîtresse. Poussée par son entourage, elle lui soutire toute sa fortune et il finit par en mourir. Le nom d'Oblomov est devenu un nom commun et le mot « oblomovchtchina » *(oblomovisme)* désigne en russe l'inertie, la passivité.

OBOCK. ♦ V. et port du Territoire des Afars* et des Issas. 700 hab. – Elle fut en 1882 le ch.-l. de la colonie d'Obock, supplanté en 1892 par Djibouti*.

OBODRITES, ou **ABODRITES.** *n. m. pl.* ♦ Population slave qui occupa la région située entre l'Elbe inférieure et la mer Baltique (la Wagria, le Holstein de l'E. et le Mecklembourg) dès le VIIe siècle. Les Obodrites s'allièrent à Charlemagne contre les Saxons et poursuivirent la lutte contre eux jusqu'à la victoire définitive d'Henri* le Lion, duc de Saxe. Ils subirent alors la domination germanique et se convertirent au christianisme.

OBRA. *n. f.* ♦ Rivière de Pologne* (250 km) qui prend sa source au N.-O. de Kalisz, en Grande Pologne, et partage ses eaux entre l'Oder* (r. d.) et la Warta* (r. g.).

OBREGÓN (Alvaro). ♦ Homme politique mexicain (dans le Sonora, 1880 – près de Mexico, 1928). Soutenu par le Parti travailliste, il se souleva contre Carranza* et, après l'assassinat de ce dernier, devint président de la République (1920-1924). Il mena une politique sociale contre l'Église et les grands propriétaires terriens et patronna la réforme de l'instruction publique de Vasconcelos. Il mourut assassiné par un catholique.

OBRÉNOVITCH ou **OBRENOVIĆ.** ♦ Dynastie serbe fondée en 1817 par Miloch Ier. Rivaux des Karageorgévitch, les Obrénovitch furent chassés du pouvoir de 1842 à 1858 mais revinrent et demeurèrent jusqu'à l'assassinat du roi Alexandre (1903). **V. Michel, Milan, Miloch Obrénovitch.**

O'BRIEN. ♦ Famille irlandaise, remontant à Brian Borce (1014) qui régna sur l'Irlande au XIe siècle. Le maréchal de Mac*-Mahon appartenait à une de ses branches. ♦ WILLIAM SMITH O'BRIEN (Dromoland, Clare, 1803 – Bangor, Carnarvon, 1864). Député au Parlement, partisan de l'émancipation, il ne se rallia à O'Connel* qu'en 1843 et s'en détacha bientôt pour prendre la tête du mouvement extrémiste de la Jeune*-Irlande. Arrêté quand échoua le soulèvement qu'il avait tenté en 1848, il fut condamné à mort, gracié, déporté, puis libéré en 1854.

OBRIGHEIM. ♦ V. d'Allemagne occidentale (Bade-Wurtemberg), sur le Neckar. Centrale nucléaire.

Observatoire de Paris. ♦ Fondé en 1667 par Louis XIV, il fut affecté aux observations d'astronomie et de météorologie. Sa construction, décidée par Colbert*, fut confiée à Claude Perrault* (de 1667 à 1672) qui l'axa sur la ligne méridienne de Paris ; sa direction fut assurée par Cassini*. La coupole fut édifiée sous Louis-Philippe à la demande d'Arago*. L'observatoire de Paris – auquel a été rattaché en 1927 celui de Meudon* – participe à l'établissement de la carte photographique du ciel (entreprise depuis 1880) et est le siège du *Bureau international de l'heure* (transmission par radio).

OBWALD, en all. **Obwalden.** ♦ Moitié O. du cant. d'Unterwald*.

OCAGNE (Maurice d'). ♦ Mathématicien français (Paris, 1862 – Le Havre, 1938). Inventeur de la *nomographie* (1884) dont les principes et les applications sont exposés dans son *Traité de nomographie* (1899), il s'est également intéressé aux machines à calculer.

O.C.A.M.M. ou **O.C.A.M.** ♦ Sigle de l'Organisation* commune africaine, malgache et mauricienne.

O'CASEY (Sean). ♦ Auteur dramatique irlandais de langue anglaise (Dublin, 1883 – Torquay, 1964). Il participa à la révolte de 1916, à la révolution de 1920, puis à la guerre civile de 1922. Son expérience de la condition ouvrière, son attachement à la cause de l'indépendance irlandaise lui ont inspiré une œuvre dramatique dont le peuple d'Irlande est le protagoniste. Tantôt disposés par lassitude à l'acceptation d'une condition misérable, tantôt enflammés par la lutte révolutionnaire et prêts au sacrifice suprême, ses personnages sont campés avec force et objectivité. Un symbolisme poétique qui se conjugue avec un réalisme teinté d'humour fait l'originalité de ce théâtre, mi-satirique, mi-épique. Œuv. princ. *L'Ombre d'un franc-tireur* (*The Shadow of a Gunman,* 1925), *La Charrue et les Étoiles* (*The Plough and the Stars,* 1926), *Roses rouges pour moi* (*Red Roses for me,* 1943), *Coquin de coq* (*Cock-A-Doodle Dandy,* 1949). Rénovateur avec Synge* du théâtre irlandais, O'Casey a publié des articles de critique dramatique (*Essays in the Theatre,* 1937).

OCCAM (Guillaume d'). ♦ **V.** GUILLAUME D'OCCAM.

OCCHIALINI (Giuseppe). ♦ Physicien italien (Fossombrone, 1907). **V. Blackett.**

OCCIDENT *(empire d'),* en lat. **Imperium Romanum.** ♦ Nom donné lors du partage de l'Empire romain (395) au royaume où régnait Honorius*. Supprimé en 476, il fut rétabli lors du couronnement de Charlemagne (800). Voir par la suite Saint* Empire romain germanique.

Occidentalistes. *n. m. pl.* ♦ Mouvement littéraire russe du début du XIXe s. dont les adeptes tels que Tchaadaïev*, Bielinski*, Herzen*, ... voulaient faire suivre à la Russie l'évolution de l'Occident. Ils s'opposaient aux slavophiles*.

OCCITANIE. *n. f.,* en lat. **Auxitana Provincia.** ♦ Un des noms des pays de langue d'oc au Moyen Âge.

OCCLEVE ou **HOCCLEVE (Thomas).** ♦ Poète anglais (v. 1368 – v. 1450). Clerc au *Privy Seal Office* (garde des Sceaux) de Londres pendant vingt-quatre ans, il fut l'ami de Chaucer dont il fit le portrait ; et son meilleur poème *(Mère de Dieu),* une oraison à la Vierge, fut longtemps attribué à ce dernier. *La Male Règle de T. Occleve,* autobiographique, donne des images de la ville de Londres de cette époque. Il s'inspira d'un traité latin d'Aegidius Colonna pour composer le *Gouvernail des princes* (*The Regement of Princes,* 1411-1412), long poème destiné à flatter le futur Henri V.

O.C.D.E. ♦ Sigle de l'Organisation* de coopération et de développement économique (en angl., *Organization for Economic Cooperation and Development* [*O.E.C.D.*]).

OCÉAN. *n. m.,* en gr. **Ôkeanos.** ♦ Élément cosmogonique de la légende grecque, formé par l'eau qui entoure le disque de la Terre comme un fleuve. Sur ses bords mystérieux habitaient des peuples fabuleux. Personnifié, il devint l'aîné des Titans* qui s'unit à sa sœur Téthys* et a d'elle plus de trois mille fils, les fleuves, autant de filles, les Océanides*.

OCÉAN *(île),* en angl. **Ocean Island.** ♦ **V.** GILBERT et ELLICE (îles).

OCÉANIDES. *n. f. pl.* [*Ôkeanides*]. ♦ Nymphes, filles d'Océan* et de Téthys*, qui personnifient les sources, les ruisseaux, les vagues de la mer, etc. Parmi les Océanides (trois mille, selon Hésiode), les plus célèbres sont Clyméné*, Dioné*, Doris* et Styx*. Les Océanides forment le chœur dans le *Prométhée enchaîné* d'Eschyle.

OCÉANIE. *n. f.* ♦ L'une des « cinq parties » traditionnelles du monde, qui comprend l'Australie* et les groupes d'îles qui s'égrènent dans l'océan Pacifique entre l'Asie et l'Amérique. **V. Mélanésie, Micronésie, Polynésie.**

OCÉANIE *(Établissements français de l').* ♦ Nom donné de 1885 à 1946 à la colonie, auj. *territoire d'outre-mer* (T.O.M.) de la Polynésie* française.

OC-EO ou **GO-OC-EO.** ♦ Site protohistorique du Viêt-nam du Sud, à la pointe de Camau, qui fut au début de l'empire du Fu-nan* (Ier-IIe s.) un port florissant, étape entre l'Inde et le monde extrême-oriental. De fondation très anc., le site fut occupé jusqu'au VIIIe s. environ.

OCH. ♦ V. d'U.R.S.S. (Kirghizistan*), ch.-l. de la région du même nom (73 900 km², 1 152 000 hab.) dans l'extrémité S. de la vallée de Fergâna*. 120 000 hab. Indus. textiles (soie, coton) et alimentaires.

OCHINO (Bernardino). ♦ **V.** BERNARDIN DE SIENNE.

OCHOA Y ALBORNOZ (Severo). ♦ Médecin américain d'origine espagnole (Luarca, Oviedo, 1905). Ses recherches sur la biosynthèse des acides nucléiques et leurs propriétés lui valurent, ainsi qu'à A. Kornberg*, le prix Nobel de méd. (1959).

OCHOZIAS. ♦ Roi d'Israël (v. ~852-~851), fils d'Achab*. Cf. *I Rois,* XXII, 52 - *II Rois,* I, 18.

OCHOZIAS. ♦ Roi de Juda (v. ~842), fils de Joram* de Juda et d'Athalie*. Cf. *II Rois,* VIII-IX.

OCHS (Pierre). ♦ Homme politique suisse (Nantes, 1752 – Bâle, 1821). Magistrat suprême des corporations (1782), il se rallia aux idées révolutionnaires et devint, malgré lui, un instrument du

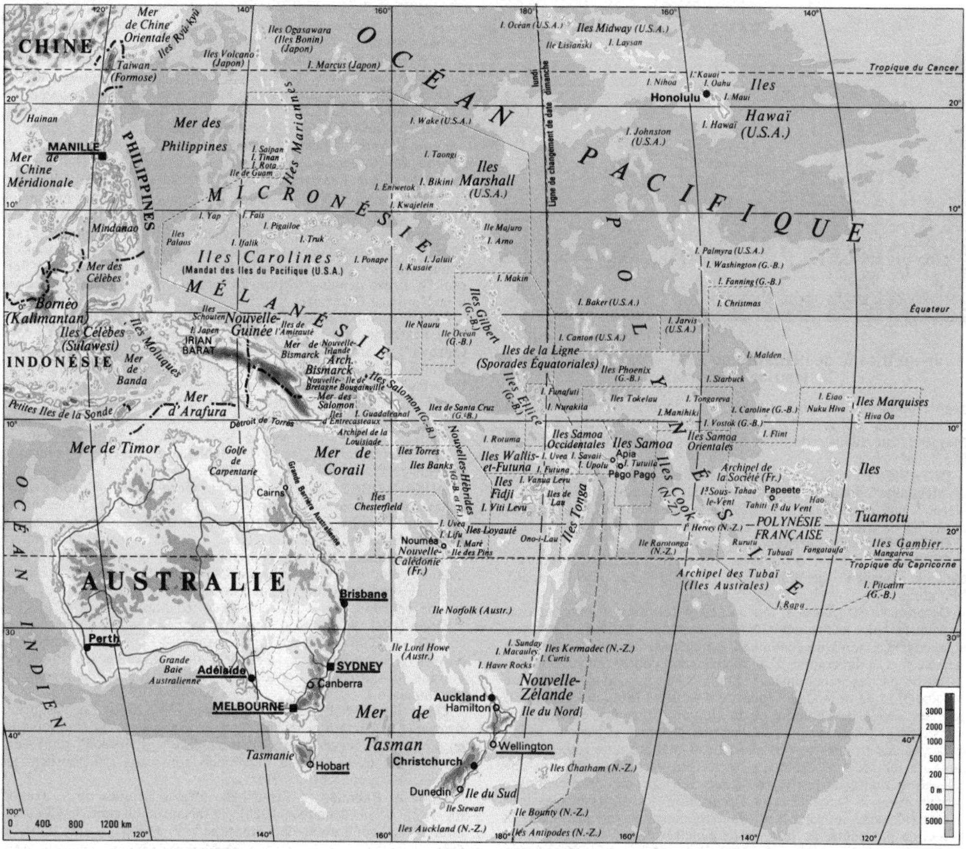

Océanie.

gouvernement français. Chargé par Bonaparte de préparer la constitution de la République helvétique (décembre 1797), il fut nommé membre du directoire helvétique (août 1798), mais dut démissionner peu après le coup d'État du 30 prairial an VII. Il a laissé une *Histoire de la ville et du pays de Bâle.*

OCKEGHEM (Johannes). ♦ Compositeur franco-flamand (Termonde ? v. 1420 – Tours, v. 1495). Chantre et maître de chapelle à la cour de France, sous Charles VII, Louis XI et Charles VIII, il reçut de son vivant l'hommage de ses plus illustres contemporains, dont Érasme. Son art raffiné du contrepoint et du canon se caractérise par la rigueur, la puissance et l'expressivité. Il a excellé dans les grandes formes de la musique sacrée.

O'CONNEL (Daniel). ♦ Homme politique irlandais (près de Cahirciveen, Kerry, 1775 – Gênes, 1847). Issu d'une vieille famille traditionaliste, catholique et ruinée, il commença ses études en France et les poursuivit à Lincoln's Inn avant de devenir un brillant avocat. Cependant, il s'était intéressé dès 1800 au problème de l'émancipation irlandaise, qu'il lia au problème des catholiques. Son éloquence, son habileté, son dynamisme, devaient lui valoir une immense popularité. Il fonda en 1823 l'Association catholique qui s'étendit rapidement à toute l'Irlande. Grâce à l'institution de la rente catholique, elle disposa de sommes considérables et devint un véritable gouvernement parallèle. Dissoute en 1825, elle se reforma immédiatement. L'élection triomphale d'O'Connel, inéligible puisque catholique, montra l'ampleur du mouvement et obligea le gouvernement de Wellington*, poussé par Peel*, à accorder le Bill d'émancipation des catholiques (1829). Celui-ci ne résolut en fait aucun problème et O'Connel poursuivit la lutte, prenant appui sur les whigs et demandant avec eux la réforme parlementaire (1832), puis le rappel de l'Union, c'est-à-dire l'autonomie. Il joua alors un rôle de premier plan aux Communes. Élu maire de Dublin, il poursuivit une active propagande, et réunit des foules considérables (près de 1 000 000 d'auditeurs au mont Tara en 1843). Arrêté, il vit sa condamnation cassée par les Lords. Cependant, son recul devant le gouvernement anglais (Clontarf, 1843), ses méthodes reposant sur la résistance passive et les manifestations de masse, mais rejetant toute violence et respectant la légalité, avaient détourné de lui les extrémistes de la Jeune-Irlande. Il avait su donner à l'Irlande l'impulsion qui la conduirait à l'indépendance.

O'CONNOR. ♦ Famille irlandaise qui donna des rois aux Connaught (*auj.* Connacht).

O'CONNOR (Feargus Edward). ♦ Homme politique irlandais (Connorville, près de Cork, Irlande, v. 1794 – Londres, 1855). Entré en 1832 au Parlement comme partisan d'O'Connel*, il se détourna de la question irlandaise pour s'intéresser aux questions sociales et devint le plus célèbre leader du chartisme* dont il fit un mouvement de protestation de masse. Orateur très populaire, il dirigea un journal à grand tirage : le *Northern Star* (1837). Vers 1846, il orienta ses revendications vers le partage des grandes propriétés, et son échec (1848) précéda de peu sa démence.

OCOS. ♦ Port du Guatemala*, sur la côte du Pacifique. **V.** *aussi* **Champerico, San José.**

OCTAVE. ♦ Nom francisé du futur empereur Auguste, *Caius Octavius Thurinus,* petit-neveu de César* qui l'adopta en ~ 44, date où il prit le nom de *Caius Julius Caesar Octavianus* (Octavien). **V. Auguste.**

OCTAVIE. ♦ Sœur d'Auguste* (v. ~ 70 – ~ 11). À la suite des

Ph. Boyer-Viollet

Maurice d'Ocagne.

Coll. Viollet

Sean O'Casey.

Ph. Lauros-Giraudon

Vue du théâtre de l'**Odéon,** au XIXe s. par J.V. Nicolle. (Château de la Malmaison.)

négociations de Brindisi* (~ 40), elle épousa Antoine* qui la délaissa pour Cléopâtre*. De son premier époux, elle avait eu Marcellus qu'Auguste destinait à l'Empire et qu'il fit épouser à sa fille Julie*.

OCTAVIE. ♦ (v. 42 – île de Pandateria, 62). Fille de Claude* et de Messaline*, sœur de Britannicus*. Elle fut mariée en 53 au futur Néron* qui la répudia (62) pour épouser Poppée*, puis l'exila dans l'île de Pandateria* et la contraignit à s'ouvrir les veines.

OCTAVIEN. ♦ **V.** Octave.

OCTEVILLE. ♦ Ch.-l. de cant. de la Manche*, arr. de Cherbourg*, dans la banlieue de Cherbourg. 12 625 hab. (7 924 aggl.). Minoterie.

Octobre 1789 *(journées des 5 et 6).* ♦ Journées révolutionnaires provoquées par le mécontentement du peuple parisien consécutif à la crise économique (chômage, renchérissement du coût de la vie, etc.) et à la crainte d'un mouvement contre-révolutionnaire. Conseillé par les monarchiens*, Louis XVI, qui n'avait sanctionné ni l'abolition de la féodalité (nuit du 4 août* 1789), ni la Déclaration des droits de l'homme et du citoyen (26 août), envisagea le transfert de l'Assemblée constituante en province et surtout décida le rappel des troupes à Versailles. Le 5 octobre, une foule importante de femmes, de chômeurs, se dirigea vers Versailles, où une délégation fut reçue par le roi. Louis XVI promit de reconnaître l'abolition de la féodalité et la Déclaration des droits et d'assurer le ravitaillement de Paris. La* Fayette, arrivé à Versailles dans la soirée, ne put empêcher la foule de pénétrer dans le château après avoir massacré les gardes du corps, le 6 octobre au matin. Après avoir rétabli quelque peu l'ordre parmi les émeutiers révolutionnaires, il parut au balcon du château avec le roi, la reine et le dauphin, ayant engagé Louis XVI à ce geste de réconciliation symbolique. Le soir même, la famille royale gagnait Paris et s'installait aux Tuileries, suivie par l'Assemblée* constituante le 19 octobre 1789.

Octobre 1870 *(journée du 31).* ♦ Épisode révolutionnaire du siège de Paris* qui fit suite à la capitulation de Bazaine à Metz* (27 oct. 1870), mais échoua.

Octobre *(révolution d').* ♦ **V.** Révolution de 1917.

ODA NOBUNAGA. ♦ Seigneur de guerre japonais (Owari, 1534 – Kyôto, 1582). Après avoir battu presque tous ses rivaux, il déposa le dernier des shôgun Ashikaga* et se proclama chef militaire du Japon (1573). Il s'efforça de pacifier les autres seigneurs en les courbant sous son autorité, aidé par deux généraux qui deviendront célèbres par la suite, Toyotomi Hideyoshi* et Tokugawa* Ieyasu. Il fut tué par traîtrise alors qu'il était au faîte de sa puissance. Hideyoshi recueillit son héritage et continua sa politique d'unification.

ODAWARA. ♦ V. du Japon (Honshû, Kanagawa) sur la baie de Sagami, à 75 km au S. de Tôkyô. 160 000 hab. Célèbre château. – Indus. plastiques.

ODENAT ou **ODHEINAT (Septimius).** ♦ Prince de Palmyre (mort à Émèse, 267). Chef arabe d'origine nabatéenne*, il acquit son indépendance sous Valérien* et lutta d'abord aux côtés de Shâhpuhr* Ier contre la Syrie romaine (256), puis fut chargé de la défense de l'Orient romain par Gallien*, qu'il força à lui conférer le titre d'*imperator.* À sa mort, sa femme Zénobie* lui succéda.

ODENSE (du dieu Odin*). ♦ V. et port du Danemark, cap. de la Fionie*, troisième ville du pays. Située sur l'Odense Å et reliée au *fjord d'Odense* par un canal. 103 850 hab. [138 697 aggl.] (1969). Évêché. Université (la troisième du Danemark). Aéroport. Carrefour ferroviaire. – Anc. ville : cathédrale Saint-Knud (XIIIe s.), église Notre-Dame (XIIIe s.), château (1720), hôtel de ville (1880-1883), musée Andersen. Musée de plein air (le village de Fionie, reconstitution de vieilles maisons rurales). – Indus. électriques et mécaniques, filatures, brasseries. Port de commerce (produits agricoles), chantiers navals. – Patrie d'Andersen*. ♦ *Hist.* Le roi Canut* IV aurait été tué dans l'église de Saint-Alban en 1086 et canonisé en 1101. La ville devint alors un lieu de pèlerinage.

ODENWALD. *n. m.* ♦ Massif boisé d'Allemagne occidentale (Hesse) s'étendant entre les vallées du Rhin moyen à l'O., du Main au N. et du Neckar au S., entre Darmstadt et Mannheim. Formé de roches cristallines (à l'E.) et gréseuses (à l'O.), il s'abaisse vers le S. en direction de la vallée du Neckar et culmine à 626 m *(Katzenbückel).* Assez pauvre, il est voué à une maigre polyculture vivrière.

Odéon (l'). ♦ Monument de Paris, à proximité du palais du Luxembourg*. Édifié de 1779 à 1782 par de Wailly* et Peyre*, il est entouré, au rez-de-chaussée, de galeries à arcades; à l'intérieur, plafond d'André Masson* (1965). Dès 1797, l'édifice abrita le *théâtre de l'Odéon,* puis diverses troupes (de 1789 à 1840). Deux fois détruit par l'incendie, l'édifice fut reconstruit par Chalgrin* (1807) et reprit (1841) sa place de second « théâtre national » (il eut pour directeurs notamment Antoine*, 1906-1913, et F. Gémier*, 1922-1930). Rattaché en 1946 à la Comédie*-Française sous le nom de *salle Luxembourg,* de nouveau autonome comme *théâtre de France* de 1959 à 1968 (directeur : J.-L. Barrault*), il est depuis 1971 *théâtre national de l'Odéon,* rattaché à la Comédie-Française.

ODER, *n. m.,* en polon. **Odra,** *n. f.* ♦ Fleuve de Pologne* (848 km) né à l'extrémité E. des Sudètes*, en Tchécoslovaquie où il arrose Ostrava*, avant de pénétrer en haute Silésie* par la porte de Moravie. Devenu navigable à Racibórz*, il passe à Opole*, Wrocław*, reçoit la Neisse* de Lusace en amont de Eisenhüttenstadt* en Allemagne orientale, où il forme la frontière germano-polonaise **(V. Oder-Neisse),** arrose Francfort*-sur-l'Oder, et conflue avec la Warta* avant de se jeter dans la Baltique* par le golfe de Szczecin*. Le canal de Bydgoszcz* le relie à la Vistule et celui de l'Oder à la Spree, à Berlin.

ODER-NEISSE *(ligne),* en polon. **Odra-Nysa.** ♦ Limite occidentale de la Pologne* qui part de la côte baltique, traverse l'île d'Uznam*, rejoint l'Oder* au S. de Szczecin et suit le cours du fleuve, puis de son affluent la Neisse* de Lusace, jusqu'à la frontière tchécoslovaque. Frontière provisoire fixée après la défaite allemande et approuvée par les accords de Potsdam* en 1945, elle fut reconnue comme définitive par la République démocratique allemande en 1950 et par la République fédérale en déc. 1970.

Odes (Les). ♦ Œuvre d'Horace*, formée de trois livres publiés en ~ 23 et d'un quatrième publié après ~ 17. Sur le modèle des œuvres lyriques grecques d'Alcée*, de Sapho* et de Pindare*, Horace y entremêle des thèmes mythologiques, nationaux et personnels.

Odes (Les). ♦ Poésies (cinq livres, 1550-1556) par lesquelles Ronsard* a l'ambition de restaurer en français le lyrisme antique, en s'inspirant successivement de Pindare*, d'Horace* et d'Anacréon*. Les livres les plus personnels sont ceux qui abordent les thèmes épicuriens chers à Horace.

Odes et Ballades. ♦ Recueil de poésies lyriques de V. Hugo* (de 1822 à l'éd. définitive, 1828). Se faisant le disciple de Chateaubriand* et l'admirateur de Lamartine*, V. Hugo groupe, dans les *Odes,* des pièces officielles qui expriment ses convictions légitimistes et catholiques et des pièces intimes concernant son enfance ou ses espoirs amoureux. Les *Ballades* illustrent le « genre troubadour » (mis à la mode par W. Scott* et Ch. Nodier*); elles manifestent déjà la virtuosité rythmique de Hugo. Enfin, les *Préfaces successives* définissent les conceptions de l'auteur sur l'essence de la poésie et la fonction du poète, « sentinelle » de l'humanité et « écho » de Dieu.

ODESSA. ♦ V. et port d'U.R.S.S. (Ukraine), ch.-l. de la région du même nom (33 300 km², 2 311 000 hab.) et principal port de la mer Noire* situé entre le Dniestr* et le Dniepr*. 892 000 hab. Stations balnéaires et climatiques aux environs. Université. Centre culturel et industriel. Raffinerie de pétrole. Centrale thermique. Constructions navales et mécaniques. Machines agricoles. Indus. alimentaires (sucreries, conserveries), chimiques, textiles, et de précision. Travail du cuir. – Patrie de I.E. Babel*, M. Donskoï*, Véra Inber*, V. Kataïev*, R. Malinovski*, A. Vychinski*. – Séjours de A. Mickiewicz*, D. Mendeleïev*, A. Pouchkine*. ♦ *Hist.* Fondée en 1794 par Catherine II, près du site de l'anc. port grec d'Odessos, la ville, base navale et commerciale de la mer Noire, se développa rapidement sous l'impulsion du duc Armand Emmanuel de Richeleur, gouverneur de la prov. d'Odessa (1803-1814). Troisième ville de la Russie et premier port d'exportation de céréales au XIXe s., Odessa devint en 1905 un foyer d'agitation révolutionnaire (épisode du cuirassé Potemkine*). Occupée par les Autrichiens en 1918, puis par les alliés de Denikine* qui soutenaient le mouvement contre-révolutionnaire (1918-1919), elle fut définitivement prise par l'armée rouge en 1920. Durant la Deuxième Guerre mondiale, la ville, en grande partie détruite par les Allemands qui l'occupèrent en 1941 **(V. Rundstedt),** fut reconquise par les troupes de Malinovski en 1944.

ODESSA. ♦ V. des États-Unis, dans l'O. du Texas (Llano Estacado). 80 338 hab. (1960). Centre de l'extraction pétrolière, sur une des réserves les plus importantes connues.

Odes triomphales ou **Épinicies.** ♦ **V.** Pindare.

ODET. *n. m.* ♦ Fl. côtier du Finistère (56 km). Il traverse Quimper* et débouche dans l'Atlantique à Bénodet*.

ODETS (Clifford). ♦ Acteur et auteur dramatique américain (Philadelphie, 1906). Les thèmes sociaux occupent une large place dans son théâtre qui critique, souvent avec force, le système économique américain. Œuv. princ. : *Éveille-toi et chante* (*Awake and sing,* 1935), *En attendant Lefty* (*Waiting for Lefty,* 1935).

ODHEINAT. ♦ **V.** Odenat.

ODILE *(sainte).* ♦ (v. 660 – v. 720). Fondatrice du monastère de Hohenburg (*Mont-Sainte-Odile,* Alsace). Sa *Vie* (écrit anonyme du Xe s.) comporte une partie légendaire : fille d'un duc d'Alsace, elle serait née aveugle ; sur le point d'être mise à mort, elle aurait échappé au supplice grâce à sa mère et aurait été miraculeusement guérie, sur les lieux où elle fonda plus tard son monastère. Patronne de l'Alsace. Fête le 13 décembre.

ODILON *(saint).* ♦ Religieux français (Mercœur, en Auvergne, 962 – Souvigny, 1049). Cinquième abbé de Cluny*, de 994 à 1049, il développa l'ordre clunisien, faisant passer de 37 à 65 le nombre des maisons affiliées et établissant les principes de l'administration (soumission absolue à la maison mère). Il institua la Trêve de Dieu et la fête des Morts. Fête le 1er janvier.

ODIN (nom vieux-scandinave correspondant à l'allemand **Wotan** et signifiant « fureur »). ♦ Principal dieu germanique, de la famille des Ases*. Il est le dieu de la guerre, de l'écriture runique, de la poésie. Il est aussi magicien (chaman), et rusé. Son séjour est le Walhalla* ; il fait périr les guerriers pour les y appeler et préparer d'autres combats, contre les démons. Ses animaux sont le loup et le corbeau ; son cheval est Sleipnir, à huit jambes ; son arme est le javelot ; il possède l'anneau magique Draupnir ; il est borgne. Il recevait des sacrifices humains.

ODOACRE. ♦ (v. 433 – Ravenne, 493). Roi des Hérules* (476-493). D'abord au service des Romains, il se révolta et déposa l'empereur Romulus* Augustule (476) dont il tua le père, Oreste*. Maître de l'Italie, il renvoya les insignes impériaux à Zénon*, empereur d'Orient, rétablissant ainsi l'unité de l'Empire. Ce dernier, inquiet de sa puissance croissante, lança contre lui Théodoric* le Grand qui l'assiégea dans Ravenne (490-493) et l'assassina.

ODOIEVSKI (Vladimir Fiodorovitch) [Odojevski]. ♦ Romancier russe (Moscou, 1804 – *id.,* 1869). Il est l'auteur de nouvelles fantastiques (*L'Asile d'aliénés,* 1824) qui témoignent de l'influence de E.T.A. Hoffmann*, et de nouvelles philosophiques (*Les Nuits russes,* 1844).

ODON *(saint).* ♦ (Près de Tours, v. 879 – Tours, 942). Abbé de Baume-les-Messieurs (924) et deuxième abbé de Cluny* (927) dont il fit le centre de la réforme monastique. Il étendit son action réformatrice en Bourgogne et en Italie, à Rome notamment où il accomplit quatre voyages. Fête le 18 novembre.

O'DONNELL Y JORRIS (Leopoldo). ♦ Général et homme politique espagnol (Tenerife, 1809 – Biarritz, 1867). Il combattit contre les carlistes et à Cuba (1844-1848), puis participa au pronunciamento de 1854 qui chassa la reine Marie*-Christine. Ministre d'Espartero*, auquel il succéda comme chef du gouvernement (1856), il démissionna devant l'opposition de Narváez*. Rappelé de 1858 à 1863, il entreprit l'expédition victorieuse de Tétouan (1860). Il fut, après la victoire, fait *duc de Tétouan* et revint une dernière fois au pouvoir comme chef du parti modéré (1866).

ODORIC DE PORDENONE *(bienheureux).* ♦ Missionnaire italien (Pordenone, Frioul, v. 1265 – Udine, 1331). Frère mineur, prêtre (1290), il voyagea en Tartarie, puis (1314-1330) en Inde, à Sumatra et Bornéo, en Chine, au Tibet. À son retour, il dicta un récit de ses voyages *(Histoires,* appelé aussi *Itinéraire* ou *Relation).*

ODRA. ♦ Nom polonais de l'Oder*.

Odyssée (L'), en gr. **Odusseia.** ♦ Épopée grecque en vingt-quatre chants (12 109 vers), attribuée, comme *L'Iliade*,* à Homère*. Son sujet est le retour d'Ulysse* *(Odusseus)* à sa patrie après la guerre de Troie*. L'existence de trois parties assez nettes dans le récit corrobore l'hypothèse de trois poèmes primitifs réunis postérieurement en un seul. Dans la première partie appelée *Télémachie* (chants I - IV), Télémaque*, conseillé par Mentor*, part aux nouvelles de son père Ulysse, à Pylos **(V. Nestor)** et à Sparte, tandis qu'à Ithaque* les prétendants, installés dans le palais du roi absent, disputent la main de sa femme Pénélope* et dilapident sa fortune. La partie centrale est constituée par les *Récits d'Ulysse* (chants V - XII). Libéré par Calypso*, le héros fait naufrage sur les côtes de l'île des Phéaciens* (Skeria ou Corcyre). Accueilli par le roi Alcinoos* **(V. Nausicaa),** il écoute un aède raconter l'histoire du cheval de Troie*. Il fait alors le récit de ses aventures : aux pays des Cicones, des Lotophages*, des Cyclopes* **(V. Polyphème),** des Lestrygons*, des Cimmériens, aux Enfers, l'ensorcellement de ses compagnons par Circé*, ses stratagèmes pour échapper aux Sirènes*, à Charybde* et Scylla, enfin son idylle avec Calypso et son départ d'Ogygie*. Dans la dernière partie, la *Vengeance d'Ulysse* (chants XIII - XXIV), le héros, rentré à Ithaque **(V. Eumée, Euryclée),** s'introduit déguisé dans son palais et massacre les prétendants, puis il rencontre son père Laërte*, vainc les peuples des prétendants et rétablit la paix à Ithaque. – *L'Odyssée,* roman féerique et d'aventures, est aussi une encyclopédie de géographie fabuleuse, à l'origine de laquelle serait, selon Victor Bérard, un « périple phénicien » (récit de navigateur phénicien). Le divin y intervient moins que dans *L'Iliade* et les mœurs paraissent moins rudes ; un personnage central y déploie ses qualités physiques et intellectuelles et y évolue du point de vue psychologique. Par ces aspects ainsi que par des différences linguistiques entre les deux épopées, la composition de *L'Odyssée* paraît plus récente que celle de *L'Iliade.* On la fixe généralement vers la fin du ~ VIIIe siècle.

O.E.A. *(Organisation des États américains),* en angl. **Organization of American States (O.A.S.).** ♦ Organisme né en 1948 au cours de la 9e conférence panaméricaine et qui rassemblait 20 États. Créée pour régler les problèmes communs aux États du continent américain et y maintenir la paix, cette organisation, sous l'influence des États-Unis, est essentiellement dirigée contre les mouvements communistes. Cuba en a été exclu en 1962.

ŒCOLAMPADE (Johannes HAUSSCHEIN ou **HUSSCHIN,** dit**).** ♦ Humaniste et réformateur religieux allemand (Weinsberg, 1482 – Bâle, 1531). À Bâle où il était professeur, il connut Érasme*. Ayant adhéré aux idées de la Réforme, il y réorganisa l'Église et l'Université et tenta, en vain, de réconcilier Zwingli*, dont il était l'ami, et Luther*. Il est l'auteur de *Commentaires de l'Écriture.*

ŒDIPE, en gr. **Oidipous.** ♦ Personnage de la mythologie grecque. Issu de la famille des Labdacides, fils de Laïos*, roi de Thèbes*, et de Jocaste*, Œdipe est éloigné du palais paternel dès qu'un oracle apprend à ses parents qu'il tuerait son père et épouserait sa mère. Exposé sur le Cithéron*, il est recueilli et élevé par Polybos, roi de Corinthe*. Fuyant sa patrie pour échapper à la prédiction, sur une route de Phocide, il se querelle avec un voyageur et le tue : c'était Laïos, son père. Arrivé à Thèbes, il sait répondre aux énigmes que le Sphinx* posait aux passants et le monstre meurt. En témoignage de gratitude, les habitants de la ville proclament Œdipe roi et Jocaste devient son épouse. C'était l'accomplissement de l'oracle. – Selon Sophocle*, la ville de Thèbes est alors ravagée par la peste et Œdipe décide de faire rechercher l'assassin de Laïos qui devait s'y cacher. Une enquête minutieusement menée lui révèle que ce coupable, objet de la colère des dieux, n'est autre que lui-même. À cette nouvelle, Jocaste se pend et Œdipe se crève les yeux. Chassé par ses fils, il part sur les routes de l'Attique, guidé par sa fille Antigone*. Dans un bois, à Colone, il disparaît mystérieusement, objet de la pitié des dieux, au milieu des éclairs et des grondements de tonnerre. – De la trilogie que lui a consacrée Eschyle, il ne subsiste que *Les Sept* contre Thèbes,* évocation de la rivalité meurtrière d'Étéocle* et de Polynice*, fils d'Œdipe. Avec ses trois chefs-d'œuvre : *Antigone** (*Antigonê,* v. ~ 442), *Œdipe roi* (*Oidipous turannos,* v. ~ 430) et *Œdipe à Colone** (*Oidipous epi kolônô,* v. ~ 401), animant pour toujours la légende, Sophocle a su lui conférer une puissance tragique inégalée. Ni Euripide (*Les Phéniciennes** [*Phoinissai*] ~ 408), ni Sénèque *(Œdipe)* ne sont parvenus à enrichir ou à illustrer la légende de façon durable. – La littérature dramatique française est riche d'œuvres inspirées par la figure d'Œdipe et de sa descendance. Citons les œuvres de Robert Garnier (*Antigone,* 1580), de Corneille (*Œdipe,* 1659), de Voltaire (*Œdipe,* 1718), d'André Gide (*Œdipe,* 1931), de Jean Cocteau (*La Machine infernale,* 1934) et de Jean Anouilh (*Antigone,* 1944).

OEHLENSCHLAEGER (Adam Gottlob). ♦ Poète et dramaturge danois (Vesterbro, près de Copenhague, 1779 – Copenhague, 1850). Chef de file du romantisme national, il écrivit sa première œuvre importante en 1802 *(Cornes d'or)*; il publia deux recueils de poèmes en 1803 et 1805. Les sujets de ses tragédies *Baldur le bon* et *Hakon Jarl* sont puisés dans la mythologie nordique *(eddas* et *sagas).* En 1801, il entreprit un long voyage à travers

Ph. Prato/Ricciarini

Odense : cathédrale Saint-Knud.

l'Europe, composant à Paris sa tragédie *Palnatoke* et ses *Poèmes du Nord* (*Nordiske Digte,* 1807). Son œuvre la plus célèbre est la transcription dramatique du conte d'*Aladin ou la Lampe merveilleuse* (1804). Lors d'un voyage en Suède, il fut couronné à Lund le « roi des poètes du Nord ». Selon Georg Brandes*, « il marqua le point de départ de la vie spirituelle moderne au Danemark ». Ibsen*, Bjørnson* et Strindberg* furent influencés par ses œuvres.

ŒHMICHEN (Étienne). ♦ Ingénieur français (Châlons-sur-Marne, 1884 – Paris, 1955). Il construisit un appareil à voilure tournante qui lui permit de rester en l'air pendant dix minutes (1921) et fut le premier à parcourir un kilomètre en circuit fermé sur un hélicoptère de sa construction (1924). Il a aussi étudié les principales théories de l'aérodynamique, la mécanique des fluides.

OERLIKON. ♦ V. ÖRLIKON.

OERSTED ou **ØRSTED (Christian).** ♦ Physicien danois (Rudkøbing, 1777 – Copenhague, 1851). Il découvrit l'existence du champ magnétique créé par les courants (expérience d'Œrsted, 1820). **V. Ampère, Faraday.** Il étudia également la compressibilité des solides et des liquides (1822).

OERTEL, ORTELS ou **HORTELS**, en lat. **Ortelius (Abraham).** ♦ Cosmographe et cartographe flamand (Anvers, 1527 – 1598). Appelé « le Ptolémée du XVIe siècle », il fut nommé géographe royal par Philippe II d'Espagne (1575). En 1570 parut son *Theatrum Orbis Terrarum,* atlas comportant 70 cartes et 53 planches; l'ouvrage fut complété par le *Catalogus geographorum* (1595).

ŒSEL. ♦ **V.** SAREMA.

ŒTA, en gr. **Oitê**, *auj.* **Katavothra.** ♦ Massif boisé de la Grèce centrale, entre la Thessalie et la Phocide. 2 166 m. À ses pieds s'ouvre le défilé des Thermopyles*.

Œuvres morales. ♦ Ouvrages de Plutarque* qui, en dépit du titre, abordent des questions très diverses *(Sur la superstition, Sur le mariage)* dont l'auteur essaie de dégager quelques leçons de sagesse pratique : nécessité de la modération pour atteindre le bonheur, réflexions sur les devoirs envers la famille, la cité.

OFANTO, *n. m.*, anc. **Aufidus.** ♦ Fl. d'Italie méridionale (134 km). Né dans la prov. de Vellino, il arrose la Campanie et les Pouilles*, avant de se jeter dans l'Adriatique.

OFFA. ♦ (mort en 796). Roi de Mercie (757-796). Neveu d'Ethelbald à qui il succéda, il imposa sa tutelle au Kent, au Sussex et à l'Est-Anglie. Il signa un traité de commerce avec Charlemagne en 796 et protégea l'Église.

OFFALY *(comté d')*, en irl. **Uabh Failghe**, anc. **King's County** (« le comté du roi »). ♦ Comté de la république d'Irlande (prov. de Leinster), s'étendant dans la partie orientale de la plaine centrale. 1 996 km². 51 135 hab. (1961). *Ch.-l.* Tullamore.

OFFENBACH (Jacques). ♦ Compositeur français d'origine allemande (Cologne, 1819 – Paris, 1880). Fils d'un chantre à la synagogue de Cologne, il étudia le violoncelle au conservatoire de Paris. Violoncelliste, puis chef d'orchestre, il ouvrit un peu plus tard à Paris son propre théâtre, les Bouffes-Parisiens (1855). Après 1866, il devait poursuivre, sur d'autres scènes parisiennes (dont les Variétés et le Palais-Royal), une carrière brillante. Avec ses librettistes Meilhac* et Halévy, dont la verve parodique et la fantaisie inventive s'accordaient à son propre génie comique, il a laissé une œuvre truculente et colorée, riche de trouvailles mélodiques et de gaieté, menée avec un véritable génie du pastiche moqueur et qui est le reflet fidèle d'un certain esprit parisien, sous le Second Empire. De la centaine d'opérettes qu'il a composées, on retiendra *Orphée aux Enfers* (1858), *La Belle Hélène* (1864), *La Vie parisienne* (1866), *La Grande-Duchesse de Gérolstein* (1867), *La Périchole* (1868), *Les Brigands* (1869), *Madame Favart* (1878), *La Fille du tambour-major* (1879), ouvrages où triompha sa principale interprète, Hortense Schneider. C'est après sa mort que furent représentés les *Contes d'Hoffmann* (1881), opéra-comique où il atteint les sommets du réalisme fantastique.

OFFENBACH-SUR-LE-MAIN. ♦ V. d'Allemagne occidentale (Hesse) et port sur le Main, dans la banlieue E. de Francfort. 117 500 hab. (1969). Château du XVIe siècle. – Principal centre industriel de la Hesse après Francfort, réputé pour le travail des peaux (tanneries, mégisseries). Métallurgie et construction de machines, produits chimiques, textiles. – Patrie de Tony Johannot*.

OFFENBURG. ♦ V. d'Allemagne occidentale (Bade-Wurtemberg), sur la Kinzig, en lisière de la Forêt-Noire, au centre d'une riche région vinicole. 28 000 hab. Centre touristique.

Office de radiodiffusion-télévision française (O.R.T.F.). ♦ La Radiodiffusion française, d'abord sous tutelle des P.T.T., fut érigée en 1939 en administration autonome rattachée au président du Conseil. Elle se transforma en 1959 en *Radiodiffusion-télévision françqise* (R.T.F.), établissement public de l'État à caractère industriel et commercial, doté d'un budget autonome. En 1964, elle reçut un nouveau statut et devint l'*Office de radiodiffusion-télévision française.* En 1974, l'Office fut remplacé par six organismes : un établissement public chargé de la diffusion, quatre sociétés nationales de programmation et une société de production. À Paris, la *maison de la Radio* fut construite sur les plans d'Henry Bernard* de 1952 à 1963.

Offices *(palais des)*, en it. **Palazzo degli Uffizi.** ♦ Palais de Florence, construit pour Cosme Ier par Vasari, de 1560 à 1580, pour abriter les bureaux *(Uffizi)* de Toscane. – La *galerie des Offices* est l'un des plus riches musées de peintures du monde; elle abrite une incomparable collection de peintures italiennes des XIVe-XVe siècles.

O.F.M. ♦ Initiales de l'ordre des Frères mineurs, nom officiel des franciscains. **V. François d'Assise** *(saint).*

ÔGAKI. ♦ V. du Japon (Honshû, préf. de Gifu). 140 000 hab. Célèbre château fort de la fin du XVIe siècle. Artisanat.

OGARIOV (Nikolaï Platonovitch). ♦ Révolutionnaire, publiciste et poète russe (Saint-Pétersbourg, 1813 – Greenwich, 1877). Adversaire farouche de l'autocratie et de la féodalité, il émigra à Londres en 1856 et seconda son ami d'enfance Herzen* dans la rédaction de *La Cloche* (en russe *Kolokol*). Partisan du « socialisme russe paysan », il exprima dans ses poèmes (*Poésie,* 1856) ses idées démocratiques, mais aussi la déception et le regret d'un bonheur manqué.

OGASAWARA. ♦ Nom japonais des îles *Bonin,* composées de trois groupes d'îles au S. du Japon (annexées par le Japon en 1876).

OGATA KENZAN. ♦ V. KENZAN OGATA.

OGATA KŌRIN. ♦ Peintre japonais (1663 – 1743) créateur d'un style essentiellement décoratif qu'il appliqua également à la technique de la laque. Ses œuvres sont universellement appréciées pour leurs qualités stylistiques et de coloris. Il fut également calligraphe et maître de la cérémonie du thé.

OGBOMOSHO. ♦ V. du Nigeria* (rég. Ouest). 319 800 hab. Cacao. Centre commercial.

OGDEN. ♦ V. des États-Unis, la deuxième de l'Utah, au N. de Salt* Lake City. 68 480 hab. (124 000 pour la zone urbaine). Centre ferroviaire et commercial de la région (produits agricoles, bétail).

Ogier le Danois. ♦ Personnage de l'épopée française. il apparaît dans *La Chanson de Roland** et est le héros de la *Chevalerie Ogier,* composée par Raimbert de Paris (fin du XIIe s.) et rattachée au cycle de *Doon* de Mayence.* – Pour venger son honneur sali par Charlemagne, Ogier lutte contre l'Empereur avec bravoure, avant de se repentir et de devenir moine bénédictin.

OGINO KYŪSAKU. ♦ Médecin japonais (Togohashi, 1882 – Niigata, 1974). Auteur de recherches sur le cycle de l'ovulation, il fut l'inventeur d'une méthode permettant théoriquement de calculer les périodes probables de fécondité de la femme (*méthode Ogino* ou *Ogino-Knaus*).

OGLETHORPE (James Édouard). ♦ Général et philanthrope anglais (Londres, 1698 – Cranham Hall, Essex, 1785). Ayant obtenu une charte du roi George II, il fonda en 1732-1733 la colonie de Géorgie* et la ville de Savannah pour y accueillir les détenus pour dettes et les protestants persécutés d'Europe. La fondation de cette colonie fut à l'origine d'une guerre avec les Espagnols de Floride, qu'Oglethorpe battit en 1743.

OGLIO, *n. m.* ♦ Riv. italienne (280 km), affl. de la r. g. du Pô. Né dans le massif de l'Adamello, il se jette dans le Pô au S. de Mantoue.

OGNON, *n. m.* ♦ Riv. de l'E. de la France (190 km). Née dans les Vosges près du ballon de Servance, elle arrose Montbozon*, Marnay* et se jette dans la Saône (r. g.), au S. de Gray*.

ÖGÖDEI. ♦ Empereur mongol de Chine (1229-1241) né en 1186. Troisième fils de Temüjin et ayant reçu en heritage en 1229 l'E. du lac Baïkal*, il envahit la Chine du Nord et se proclama empereur sous le nom de T'ai Tsung. Il fit des raids en Corée, sur la Perse et l'Europe orientale. À sa mort, sa veuve Töregene assura la régence pour son fils Güyük.

OGOOUÉ, *n. m.* ♦ Fl. d'Afrique équatoriale (1 200 km), qui prend sa source au Congo-Brazzaville, passe à Franceville*, à Lambaréné* et se jette dans l'Atlantique en formant un delta où

Ph. Lauros-Giraudon

Caricature de **Jacques Offenbach** par André Gill, parue dans le journal « **La Lune** » du 4 novembre 1866.

se situe Port*-Gentil. Il est navigable jusqu'à N'Djolé.

OGUZ. ♦ V. TÜRKMÈNES.

OGYGÈS, en gr. **Ôgugos.** ♦ Roi fabuleux de Béotie* et d'Attique* **(V. Ogygie).** Son nom est lié à un déluge qui aurait noyé ses territoires, trois siècles avant le déluge de Deucalion.

OGYGIE, en gr. **Ôgugia.** ♦ L'île de Calypso*, dans l'*Odyssée**. On la situait près de Gibraltar. — Nom donné parfois, dans la littérature classique, à la Béotie et à l'Attique, où régnait Ogygès*, à l'époque du premier déluge.

OHANA (Maurice). ♦ Compositeur français (Casablanca, 1914), l'un des fondateurs du groupe « Zodiaque » (1947). Œuvres de mus. de chambre, cantate d'après Lorca, etc.

OHANET. ♦ Gisement pétrolier du Sahara algérien (dép. des Oasis), au N.-O. d'Edjelé*, relié par oléoduc à Hassi*-Messaoud.

O. HENRY (William Sydney PORTER, dit). ♦ Écrivain américain (Greensboro, Caroline du N., 1862 — New York, 1910). Fils d'un médecin, il travailla d'abord dans un dispensaire, puis s'installa au Texas, dans un ranch, avant de devenir employé de banque. Accusé de détournements de fonds, il s'enfuit en Amérique du Sud où il mena une vie vagabonde. Emprisonné en 1898 pour cinq ans à Columbus (Ohio), il publia des nouvelles, sous divers pseudonymes, dont celui d'O. Henry (nom de l'un de ses gardiens). Ses quelque six cents nouvelles furent groupées en recueils : *Des choux et des rois* [*Cabbages and Kings*], 1904, inspiré par un séjour en Amérique centrale ; *Les Quatre Millions* [*The Four Millions*], 1906 ; *Cœurs du Far West* [*Hearts of the West*], 1907 ; *Le Gentil Escroc* [*The Gentle Grafter*], 1908 ; *Pierres qui roulent* [*Rolling Stones*], 1913. Maître incontesté de la nouvelle humoristique en Amérique, O. Henry donna son nom à un prix fondé en 1918.

O'HIGGINS (Bernardo). ♦ Homme politique chilien (Chillán, 1776 — Lima, 1842). Général en chef de l'armée chilienne, il fut battu par les Espagnols (1814). Passé en Argentine, il en revint à la tête d'une armée levée par San* Martín. Victorieux à Chacabuco, il fut nommé « directeur suprême de la nation » et proclama l'indépendance (1818). Il entreprit la mise en valeur du pays mais fut renversé en 1823. Il se retira au Pérou où il mourut.

O'HIGGINS. ♦ Prov. du Chili* central. 7 112 km². 289 000 hab. *Ch.-l.* Rancagua*.

OHIO. *n. m.* ♦ Riv. des États-Unis, affl. (r. g.) du Mississippi. 1 580 km. Formé à Pittsburgh (Pennsylvanie) par la réunion de l'Alleghany* et de la Monongahela, il coule vers le S.-O. puis vers l'O., formant la frontière entre les États d'Ohio et de Virginie occid., puis du Kentucky ; en aval de Cincinnati, il sépare l'Indiana du Kentucky, puis cet État de l'Illinois. L'Ohio arrose Pittsburgh*, Huntington*, Cincinnati*, Louisville*. Ses affl. de g. sont les riv. qui ont traversé le plateau (Kentucky, Cumberland, Tennessee*), ceux de d. sont les cours d'eau de la région morainique (Miami, Wabash...). L'Ohio apporte en moyenne 8 400 m³/s au Mississippi* (équivalent du Danube), soit plus que le fleuve lui-même, au confluent. Les basses eaux (été) peuvent n'être que de 1 000 m³/s, mais les hautes eaux de printemps peuvent dépasser 30 000 m³/s ; « il se classe parmi les plus violentes des grandes rivières du monde » (Blanchard). La riv., difficilement navigable (rapides), est aménagée (canaux de dérivation, écluses) ; c'est une grande voie de passage. — Les *pays de l'Ohio,* formant le N.-E. de la Grande Plaine américaine, constituent une région naturelle **(V. Ohio** [État] **; Indiana, Illinois, Kentucky).**

OHIO [ɔajɔ]. *n. m.* ♦ État du centre-nord des États-Unis, limité au N. par le Michigan et le lac Érié, à l'E. par la Pennsylvanie, au S.-E. par la Virginie occidentale, au S. par le Kentucky (la frontière S.-E. et S. étant formée par l'Ohio, riv.) et à l'O. par l'Indiana. 106 289 km². 10 652 017 hab. [1970] (plus de 8 % de Noirs). *Cap.* Columbus. *V. princ.* **V. Akron, Canton, Cincinnati, Cleveland, Dayton, Lorain, Toledo, Youngstown.** — *Orogr.* Trois parties naturelles : la plaine des Lacs, au N.-E., la plaine centrale (O. et S.) avec un relief glaciaire ; à l'E. le plateau des Alleghanys, prolongeant les reliefs de Pennsylvanie. Au N., les rivières coulent vers le lac Érié, au S., sur une longueur triple, vers l'Ohio. — *Écon.* L'agriculture occupe env. la moitié de la surface (céréales, soja, tabac, pommes de terre, fruits). Élevage. Indus. lourdes (sidérurgie : 1/5 du fer et de l'acier des États-Unis), indus. chimiques (caoutchouc à Akron), mécanique. Ressources minérales : charbon, sel, pétrole et gaz naturel. Les transports indus. dépendent en grande partie des voies d'eau (Ohio, canaux) et des chemins de fer. — Nombreux collèges et universités (Columbus, Kent, Bowling Green, Cleveland, Cincinnati, etc.). — Patrie de Sherwood Anderson*, W. Campbell*, Arthur Compton*, Ch. Dawes*, Th. Edison*, W. Harding*, R.B. Hayes*, Ernest King*, W. McKinley, L.A. Pelton* (voir aussi aux princ. V.). ♦ *Hist.* Explorée par Cavelier de La Salle v. 1670, la région était habitée par les Iroquois. La compagnie de l'Ohio, fondée par les Anglais, colonisa le pays et parvint à éliminer les Français (1763, traité de Paris). La région fut cédée aux États-Unis en 1783 et une période de lutte contre les Indiens s'acheva par le traité de Greenville (1795). L'Ohio devint le 17ᵉ État de l'Union en 1803. En 1812-1813, la guerre contre les Anglais et leurs alliés Indiens fut menée à bien par le général W. Harrison. Le grand développement économique de l'État date de la fin du XIXᵉ siècle.

OHLIN (Bertil). ♦ Économiste suédois (prov. de Kristianstad, 1899 —). Leader du Parti travailliste (1944), ministre du Commerce (1944-1945), il a appliqué les principes du marginalisme à l'étude du commerce international et ouvert la voie à l'analyse macroéconomique moderne (*Le Commerce interrégional et le Commerce international,* 1933).

Arch. Smeets

Ohrid, église de Saint-Clément : « La Présentation de la Vierge au temple ». Peinture byzantine.

OHM (Georg Simon). ♦ Physicien allemand (Erlangen, 1789 — Munich, 1854). Initiateur d'une terminologie scientifique dans les phénomènes d'électrocinétique, il définit les grandeurs électriques et découvrit, en 1827, la loi fondamentale des courants électriques *(loi d'Ohm),* définissant de ce fait avec précision les concepts de résistance et de résistivité, ainsi que leurs inverses. **V. Pouillet.** ♦ LOI D'OHM : formule reliant la chute de potentiel V observée pour une portion de circuit en suivant le sens du courant : $V = I \Sigma R - \Sigma E$, I étant l'intensité du courant, Σ R la somme des résistances, et Σ E la somme algébrique des forces électromotrices.

OHNET (Georges). ♦ Romancier français (Paris, 1848 — *id.,* 1918). Il débuta après 1870 comme journaliste politique, puis connut un grand succès au théâtre avec son drame *Régina Sarpi* (1875). Il acquit la notoriété par une série de romans, groupés sous le titre *Les Batailles de la vie,* où il se faisait l'héritier (contesté par Francisque Sarcey* et Jules Lemaître*) du sentimentalisme romantique. Solidement construits, illustrant l'opposition (vivement ressentie à l'époque) de l'aristocratie et de la ploutocratie naissante, mais présentant des analyses psychologiques conventionnelles, *Serge Panine* (1881), *Le Maître de forges* (1882) et *La Grande Marnière* (1885) connurent un succès considérable, qui ne se démentit pas quand l'auteur adapta ces récits au théâtre.

OHŘE, en all. **Eger.** ♦ Riv. d'Europe centrale (310 km), prenant sa source en Allemagne, puis pénétrant en Tchécoslovaquie, où elle longe le massif montagneux de l'Erzgebirge* avant de se jeter dans l'Elbe* à Litoměřice. Elle arrose Karlovy* Vary.

OHRID ou **OKHRID.** ♦ V. de Yougoslavie (Macédoine), sur le lac du même nom. 14 000 hab. Centre touristique (forteresse, vieux quartiers, églises byzantines à fresques).

OHRID ou **OKHRID** *(lac d').* ♦ Lac situé au S.-O. de la Macédoine (348 km²) et partagé entre la Yougoslavie et l'Albanie.

OHRMAZD ou **ORMUZD** (contraction pehlvie pour *Ahura Mazdâ*). ♦ Dans la religion mazdéenne, dieu incarnant le principe du bien contre son frère jumeau Ahriman*. Fils de Zurvan*.

OIGNIES. ♦ Comm. du Pas-de-Calais, arr. de Lens. 12 563 hab. Centre industriel : matériaux de construction.

OIMEKON. ♦ Village d'U.R.S.S. (R.S.S. autonome de Iakoutie) sur l'Indighirka. Il détient le record mondial absolu du froid (— 80 °C).

OIRON. ♦ Comm. des Deux-Sèvres, arr. de Bressuire. 830 hab. Église de styles flamboyant et Renaissance. Château Renaissance et classique.

OIRÖT. *n. m. pl.* ♦ Important groupe de peuples türko-mongols qui, en 1207, se soumit à Temüjin (Gengis qân). Ses tribus s'établirent dans la région du lac Baïkal*. Les Manchous de la dynastie chinoise des Ch'ing* les écrasèrent en 1757. Il ne reste plus de ce peuple autrefois important qu'une centaine de milliers d'individus disséminés dans les monts de l'Altaï*.

OISANS. *n. m.* ♦ Région des Alpes françaises délimitée par les vallées de la Romanche*, de la Durance* et du Drac*. C'est un ensemble montagneux de roches cristallines où culminent trois sommets : les Écrins* (4 103 m) le Pelvoux* (3 946 m), la Meije* (3 983 m). La Romanche* y prend sa source. L'Oisans est un centre important d'alpinisme et de sports d'hiver. Ses ressources en électricité hydraulique sont largement exploitées. On y pratique l'élevage. **V. Alpe d'Huez, Bérarde** (La), **Bourg-d'Oisans** (Le), **Deux-Alpes** (Les), **Grave** (La).

OISE. *n. f.* ♦ Riv. du Bassin parisien (302 km), un des principaux affl. de la Seine, sur la r. d. Elle prend sa source au S.-E. de Chimay, en Belgique, et entre en France après un parcours de 15 km. Presque entièrement navigable, canalisée sur 104 km, elle arrose Hirson*, La Fère*, Compiègne*, Creil*, pour rejoindre la Seine en aval de Conflans-Sainte-Honorine. *Princ. affl.* : Aisne*, Serre, Thérain*.

OISE. *n. f.* [**60**]. ♦ Dép. du Bassin parisien, région (anciennement C.A.R.) de Picardie (**V. Picardie**). 5 887 km². *Régions* : **V. Beauvaisis, Bray** (pays de), **Thelle** (pays de), **Valois, Vexin français.** — *Orogr.* Au N., région fertile des plaines de Santerre*, craie recouverte de limons. À l'O., l'extrémité du pays de Bray*, au S., la Thelle*, au N.-E., les plateaux du Soissonnais* et du Noyonnais entaillés de larges vallées humides par l'Aisne* et l'Oise*. Dans le Valois, la couverture calcaire des sols a été érodée, laissant apparaître des sables sur lesquels se trouvent les forêts de Compiègne* et Chantilly*.

♦ 35 cant. 696 comm. 553 586 hab. *Préf.* Beauvais*. *Sous-préf.* Clermont*, Compiègne*, Senlis*. *Ch.-l. de cant.* Attichy (1 391 hab.), Auneuil (1 679 hab.), Beauvais*, Breteuil*, Betz (457 hab.), Chaumont*-en-Vexin, Clermont*, Compiègne*, Creil*, Crépy*-en-Valois, Coudray-Saint-Germer [Le] (338 hab.), Crèvecœur*-le-Grand, Estrées*-Saint-Denis, Formerie (2 011 hab.), Froissy (577 hab.), Grandvilliers (2 426 hab.), Guiscard (1 343 hab.), Lassigny*, Liancourt*, Maignelay (640 hab.), Marseille*-en-Beauvaisis, Méru*, Mouy*, Nanteuil-le-Haudouin (1 766 hab.), Neuilly-en-Thelle (1 943 hab.), Nivillers (262 hab.), Noailles (1 333 hab.), Noyon*, Pont*-Sainte-Maxence, Ressons-sur-Matz (1 144 hab.), Ribecourt*, Saint*-Just-en-Chaussée, Senlis*, Songeons (850 hab.). *Autres comm.* **V. Chambly, Chantilly, Ermenonville, Gouvieux, Montataire, Morienval, Mortefontaine, Nogent-sur-Oise, Pierrefonds, Raray, Rethondes, Saint-Germer-de-Fly, Saint-Leu-d'Esserent, Thourotte, Villers-Saint-Paul.**

Oiseaux (Les), en gr. **Ornithes**. ♦ Comédie d'Aristophane* (~ 414). Dans le dessein de fuir les tracas et les scandales de leur cité, deux sages athéniens décident d'aller fonder une ville à mi-hauteur, entre ciel et terre. Accueillis d'abord avec hostilité par le chœur des oiseaux, ils parviennent à s'entendre avec les habitants de l'air, et tous décident de fonder Coucouville-les-Nuées (Nephélococcygie). La ville à peine construite, commence le défilé des requêtes des hommes et des dieux. Les uns ayant été chassés pour leur cupidité, les autres bien accueillis pour leur désintéressement, Nephélococcygie deviendra la cité du bonheur, à l'image de ce qu'aurait pu devenir Athènes si elle avait retenu les conseils d'Aristophane, inspirés par une méfiance égale envers les hommes et les dieux.

OISEMONT. ♦ Ch.-l. de cant. de la Somme*, arr. d'Amiens*. 1 113 hab. Église du XIIe siècle. Sucrerie.

OISSEL. ♦ Comm. de la Seine-Maritime, arr. de Rouen. 10 190 hab. Indus. chimique, textile, céramique. Centrale thermique.

O.I.T. ♦ Sigle de l'Organisation* internationale du travail.

ÔITA. ♦ V. du Japon (Nord-Est Kyûshû), ch.-l. de préf. 250 000 hab. Centre industriel (métallurgie, papeteries) et gros marché agricole. Port de transit avec le Honshû.

ÔJIN-TENNÔ. ♦ 15e empereur du Japon. Selon la tradition il aurait vécu de 201 à 310. Célèbre pour ses exploits militaires, il fut divinisé et devint par la suite le Kami* shintô de la guerre, sous le nom de Hachiman (ou des « huit bannières »).

OKA. *n. f.* ♦ Riv. d'U.R.S.S. (R.S.F.S. de Russie), affl. d. de la Volga qu'elle rejoint à Gorki (1 480 km). Née dans les hauteurs de la Russie centrale, elle arrose les villes d'Orel*, Riazan*, Dzerjinsk*, Gorki*. Elle reçoit les eaux de la Moskova*, près de Kolomna*.

OKAKURA KAKUZÔ. ♦ Lettré et esthète japonais (1863 — 1913), fondateur de l'université des Arts de Tôkyô. Il est surtout connu comme étant l'auteur du *Livre du thé* (1906).

OKÂRA. ♦ V. du Pâkistân, à 50 km au S.-O. de Lahore. 116 000 hab. Centre agricole.

OKAYAMA. ♦ V. du Japon, ch.-l. de préf. de l'île de Honshû*. 375 000 hab. Important centre indus. et commercial. — Très beau château féodal élevé en 1573. — Indus. florissante de la céramique.

OKAZAKI. ♦ V. du Japon (Honshû, préf. de Aichi). 205 000 hab. Indus. de la céramique, des textiles, et chimiques.

OKEN (Lorenz Ockenfuss, dit). ♦ Naturaliste allemand (Bohlsbach, Bade, 1779 — Zurich, 1851). Fondateur de l'école des philosophes de la nature, il est l'auteur d'une *Esquisse d'un système d'anatomie et de physiologie* (1821) et d'une *Histoire naturelle générale* (1833-1841).

OKHOTSK *(mer d')*. ♦ Mer intérieure d'Asie nord-orientale délimitée par la côte de l'E. de la Sibérie, la presqu'île du Kamchatka*, les îles Kouriles* (ou Kuriles) et de Sakhaline*. 1 589 843 km². Profondeur maximale 3 372 m, profondeur moyenne 840 m. Elle est fermée au N. par les glaces de novembre à mai. Elle est l'enjeu d'une dure compétition entre les pêcheurs soviétiques et japonais (pêche industrielle des crabes). Port princ. **V. Magadan.**

Ph. U.S.I.S.

Oklahoma City : le Capitole.

OKHRID. ♦ V. OHRID.

OKINAWA. ♦ Île principale de l'archipel des Ryû*-kyû (appartenant au Japon) et située au S. de celui-ci. Env. 1 000 000 d'hab. Sa population à la culture originale parle une langue qui semble apparentée au japonais. Elle fut le théâtre de sanglantes batailles en 1945. Son chef-lieu, Naha*, fut jusqu'en 1972 une importante base militaire américaine.

OKLAHOMA (mot choktaw « le peuple rouge »), *n. m.* ♦ État du centre-S. des États-Unis. 181 090 km². 2 559 253 hab. (1960). *Cap.* Oklahoma City. *Autre ville.* **V. Tulsa.** — *Orogr.* L'O. de l'État est constitué par une plaine qui s'élève d'E. en O. et qui est traversée de nombreuses rivières (affl. de la *Red River* et, au N., de l'Arkansas). Des dépôts de gypse y forment des reliefs érodés et abrupts (*Glass Mountains,* « montagnes de verre »). À l'E., le bassin de l'Arkansas est bordé par des régions montagneuses : l'extrémité O. des Ozarks*, au N.-E.; une partie des monts Ouachita*, au sud-est. Plus à l'O., les monts Wichita. — *Climat* continental, plus froid et plus sec à l'ouest. — *Écon.* Grâce à la lutte contre l'érosion, à l'irrigation dans l'O., la production de blé est la 3e des États-Unis. Le coton demeure important. Fourrage, avoine, maïs, arachides, sorgho, riz. Fruits et légumes (dans l'est). Élevage de bovins (viande). Bois dans le S.-E. (monts Ouachita). — Les ressources minérales les plus importantes sont constituées par le pétrole (3e État producteur) et le gaz (**V. Tulsa**). Réserves métalliques très variées. — Les indus. alimentaires (viande), les raffineries de pétrole et la pétrolochimie, la métallurgie, la fabrication du verre dépendent directement des ressources mentionnées ci-dessus. — Patrie de Rosella Hightower. ♦ *Hist.* Visitée par les Espagnols au XVIe s., la région fit partie (1682) de la Louisiane* française et fut vendue avec elle par Napoléon Ier aux États-Unis (1803). Réserve indienne des « Cinq Nations » (Cherokee, Choktaw, Chickasa, Creek, Seminole) en 1819, elle leur fut disputée sous le prétexte de l'aide indienne aux Sudistes. Dépossédés après 1870, les Indiens furent reconnus citoyens américains en 1901. L'Oklahoma devint en 1907 le 46e État. — L'érosion des terres et la rentabilisation des entreprises ont causé dans les années 1930 la ruine et l'exode des *Oakies,* que Steinbeck* a contés dans *Les Raisins de la colère.*

OKLAHOMA CITY. ♦ V. des États-Unis, cap. et principale ville de l'Oklahoma, située au centre de cet État. 366 481 hab.; zone urbaine, plus de 600 000 hab. Centre commercial et indus. d'une riche région agricole (céréales, élevage), la ville et ses environs sont devenus après 1928 l'un des grands producteurs de pétrole du pays. Les derricks apparurent en ville même, et jusque sur les pelouses du capitole de l'État. — Université de la ville et école de médecine de l'université d'État.

OKSANEN (A., pseudonyme de **Karl August Engelbrekt AHLQUIST)**. ♦ Poète et linguiste finnois (Kuopio, 1826 — Helsinki, 1889). Professeur de finnois et recteur de l'université d'Helsinki. Il établit la versification finnoise sur des modèles occidentaux dans *Théorie de la prosodie finnoise d'un point de vue linguistique* (1863), publia des poèmes *(Étincelles). Premier Essaim* (1868), *Deuxième Essaim,* admirés de son vivant, furent moins appréciés par la suite.

ÔKUMA SHIGENOBU. ♦ Homme politique japonais (1838 — 1922) qui succéda en 1898 à Itô Hirobumi à la présidence du Conseil. Il fonda l'université de Waseda à Tôkyô. Blessé dans un attentat, il abandonna la vie politique en 1889, puis reprit ses fonctions quelques années plus tard. Il signa avec la Russie un traité d'alliance en 1916.

OKU YASUTAKA. ♦ Maréchal japonais (Fukuoka, 1846 — Tôkyô, 1930), chef d'état-major de 1906 à 1912 après avoir combattu victorieusement en Chine et contre la Russie. Il fut fait comte en 1911.

O.K.W. ♦ Initiales de *Oberkommando der Wehrmacht*, « commandement suprême des forces armées », organisme par lequel Hitler remplaça le ministère de la Guerre et le commandement en chef des armées (général von Fritsch), le 4 février 1938. Dirigé par les généraux Keitel* et Jodl*, il fut l'exécutant de la stratégie hitlérienne jusqu'en 1945.

OLAF. ♦ V. OLAV.

ÖLAND. ♦ Île de Suède, dans la Baltique*, en face de Kalmar* dont elle n'est distante que de 5 km. 1 339 km². 34 000 hab. *V. princ.* Borgholm. De forme très allongée (135 km de long, 4 à 15 km de large), l'île est surtout constituée de falaises calcaires peu fertiles. Lieu de villégiature.

OLARGUES. ♦ Ch.-l. de cant. de l'Hérault, arr. de Béziers. 630 hab. Village pittoresque bâti sur une butte rocheuse insérée dans une boucle du Jaur.

OLAUS MAGNUS (Olof MÅNSSON, en lat.). ♦ Prêtre et diplomate suédois (Linköping, 1490 – Rome, 1557). Il est surtout connu par ses ouvrages sur la Suède du XVIe siècle (*Carta marina*, 1536; *Historia de gentibus septentrionibus*, 1555).

OLAUS PETRI (Olof PETERSSON, latinisé en**)**. ♦ Réformateur suédois (Örebro, 1493 – Stockholm, 1552). Il étudia successivement à Uppsala, Leipzig et Wittenberg (1516-1518) où il adhéra au luthéranisme. Prédicateur à Stockholm (1523), fait chancelier par le roi Gustave Ier Vasa (1531), il contribua largement à implanter la Réforme en Suède (publication du premier manuel liturgique suédois, 1529, et d'une trad. en suédois du *Nouveau Testament*). Ayant perdu la faveur du roi, en raison de critiques qu'il lui aurait adressées (1539), Olaus Petri fut condamné à mort pour haute trahison, puis gracié. Il a laissé une *Chronique suédoise*, précieuse pour la connaissance de l'histoire de la Suède dans la première moitié du XVIe siècle, et un drame biblique, *Tobiae Comedia* (1550).

OLAV Ier Hunger. ♦ Roi de Danemark (1086-1095). Son surnom de Hunger (faim) lui vint de la famine qui frappa le pays sous son règne. ♦ OLAV II HAAKONSSON [« fils de Haakon »] (Akershus, 1370 – Falsterbo, 1387). Roi de Danemark et de Norvège (sous le nom d'Olav V). Fils d'Haakon VI de Norvège et de Marguerite* de Danemark, il devint roi de Danemark en 1376 et roi de Norvège en 1380 sous la tutelle de sa mère.

OLAV. ♦ Nom de rois de Norvège. ♦ OLAV Ier TRYGVESSON (v. 964 – 1000). Roi de Norvège (995-1000) descendant d'Harald Haarfager. Après avoir vécu chez les Varègues de Novgorod, il séjourna en Angleterre. Il se convertit au christianisme et tenta de l'introduire en Norvège. Il fut battu par Sven de Danemark et Olav* Skötkonung de Suède au combat naval de Svolder où il périt. ♦ OLAV II HARALDSSON, dit *le Gros* ou *le Saint* (v. 995 – Stiklestad, près de Trondheim, 1030). Roi de Norvège (1015-1028), après avoir participé à des expéditions de Vikings. Il tenta d'imposer le christianisme par la force. Il fut battu par les nobles norvégiens païens soutenus par le roi danois Canut* (Knud) le Grand. Réfugié à Novgorod, il échoua dans le projet de reconquête de son royaume et fut tué. ♦ OLAV III HARALDSSON, dit *Kyrre* [« le Tranquille »] ([mort] 1093). Roi de Norvège (1066 avec son frère Magnus II; 1069-1093). Il fonda Bergen. ♦ OLAV IV MAGNUSSON (1100-1115). Roi de Norvège (1103-1115). Il régna avec ses frères. ♦ OLAV V HAAKONSSON. **V. Olav II de Danemark.**

OLAV SKÖTKONUNG. ♦ ([mort] 1026). Roi de Suède (v. 994-1026). Allié à Sven de Danemark, il vainquit Olav* Ier de Norvège (Svolder, 1000). Il favorisa l'expansion du christianisme auquel il s'était converti en 1008. La dynastie des Stenkil succéda à la sienne en 1060.

OLBRACHT (Kamil ZEMAN, dit Ivan). ♦ Romancier tchèque (Semily, 1882 – Prague, 1952). Il révéla dès ses premiers romans une profonde compréhension de la psychologie : *La Geôle la plus sombre* (1916), *L'Étrange Amitié de l'acteur Jesenius* (1919). Sensible aux injustices sociales, il en vit le remède dans le communisme qu'il défendit avec des romans tels que *Anne la prolétaire* (1928). Il revint au romantisme et au lyrisme avec *Nikola Šuhaj, brigand* (1933) qui raconte l'histoire d'un insoumis de la Russie subcarpatique.

OLDBURY. ♦ V. d'Angleterre (Worcestershire, *county borough* de Warley*), dans la banlieue O. de Birmingham. 53 950 hab. Fabrication de tubes d'acier, de produits chimiques et de matières plastiques. Centrale nucléaire.

OLDENBARNEVELT (Jan van). ♦ Homme politique hollandais (Amersfoort, 1547 – La Haye, 1619). Grand pensionnaire de Hollande, il servit Guillaume* le Taciturne. Il contribua puissamment à l'établissement de la république des Provinces*-Unies (alliance avec la France et l'Angleterre, développement du commerce, trêve de douze ans avec l'Espagne, 1609). Il défendit la république contre Maurice* de Nassau qui le fit exécuter.

OLDENBOURG, en all. **Oldenburg.** *n. m.* ♦ Anc. État d'Allemagne, situé au N.-O., en bordure de la mer du Nord, et qui comprenait, outre le pays d'Oldenbourg, les provinces de Lübeck et de Birkenfeld. Sa capitale était Oldenbourg. Les *comtes d'Oldenbourg*, connus dès le XIe s., obtinrent leur indépendance sous Henri* le Lion (1180). En 1460, le comte Christian VIII acquit le Holstein, devint roi de Danemark (Christian* Ier) et laissa l'Oldenbourg à son frère. La branche cadette s'étant éteinte, le pays revint en 1667 au roi de Danemark, qui le partagea avec le duc de Holstein-Gottorp. En 1773, Christian VII de Danemark échangea avec le futur Paul* Ier de Russie, chef des Holstein-Gottorp, l'Oldenbourg contre le Holstein. Devenu duché du Saint-Empire, l'Oldenbourg passa ensuite à Frédéric-Auguste, de la branche de Lübeck, et ses descendants le conservèrent jusqu'en 1918. L'Oldenbourg, ayant adhéré à la Confédération* du Rhin (1808), forma sous l'Empire le département français des Bouches-du-Weser. Il seconda la politique de Bismarck* et entra dans le Zollverein*, puis dans l'Empire allemand (1871). Il fait actuellement partie de l'État de Basse-Saxe de la République fédérale. – Des lignes cadettes issues de la maison d'Oldenbourg accédèrent aux trônes de Russie (branche des Holstein-Gottorp avec Pierre* III), de Suède (branche de Lübeck, 1751-1818), et de Danemark, lors de l'extinction de la branche aînée (branche de Schleswig-Holstein-Sonderburg-Glücksburg, 1863).

OLDENBOURG, en all. **Oldenburg.** ♦ V. d'Allemagne nord-occidentale (Basse-Saxe) et ch.-l. de district, sur une boucle de la Hunte et le canal Ems-Hunte. 131 200 hab. (1969). Château des grands-ducs de Holstein-Gottorp (XVIIe-XVIIIe s.). – Centre administratif et princ. débouché agricole et commercial d'un arrière-pays fertile (cultures maraîchères et florales). Important marché aux bestiaux. Indus. alimentaires (conserves de viande), constructions navales et mécaniques, verreries, indus. textiles. Port fluvial. – Patrie de J.F. Herbart*, K. Jaspers*.

OLDHAM. ♦ V. d'Angleterre (Lancashire), au N.-E. de Manchester, en bordure des Pennines. 105 705 hab. (1971). Importantes filatures de coton.

OLDUVAI ou **OLDOWAI** *(gorge)*. ♦ Site préhistorique du N. de la Tanzanie* où fut découvert par Leakey* le *zinjanthropus*, anthropoïde utilisant des outils.

OLEG le Sage, ou en scand. **Helgi.** ♦ (? – 912). Grand prince de Kiev (882?-912). Prince varègue, il succéda à Riourik* à Novgorod (v. 879), puis, après 880, conquit Kiev* qui devint la capitale d'un État russe sous contrôle varègue, s'étendant de la Néva à la mer Noire et axé sur la route commerciale reliant les pays nordiques aux contrées méditerranéennes. En 907, il parut devant Constantinople et obtint des Byzantins un traité de commerce, renouvelé et élargi en 911.

OLEN. ♦ Comm. de Belgique (Anvers, arr. de Turnhout) près du canal Albert. 7 400 hab. Indus. chimiques : radium (centres producteurs d'importance mondiale), cobalt, uranium et cuivre.

OLÉRON *(île d')*. ♦ Île de l'océan Atlantique, au S. de l'embouchure de la Charente*, orientée S.-E.–N.-O. (long. : 30 km, larg. max. : 11 km). Elle est reliée au continent par un viaduc sur piles (longueur 3 000 m, en Charente-Maritime). L'île est séparée de l'île de Ré* par le *pertuis d'Antioche** (où se situe l'île d'Aix*) et du continent au S.-E. par le *pertuis de Maumusson**. C'est la plus grande des îles françaises après la Corse (175 km²). 15 000 hab. env. *(Oléronais)*. *V. princ.* **V. Château-d'Oléron (Le), Saint-Pierre-d'Oléron.** – Ostréiculture. Pêche. Récolte du goémon, varech. Anc. salines. Tourisme (forêt domaniale de Saint-Trojan, **V. Saint-Trojan-les-Bains**). ♦ *Hist.* L'île fut habitée dès les temps préhistoriques (mégalithes); c'est l'*Ularius* des Vénètes. Elle fut réunie à la Couronne sous Charles V, après avoir appartenu aux comtes d'Anjou, puis aux ducs d'Aquitaine. Les ***Jugements ou Rôles d'Oléron***, décisions du droit maritime de l'Océan (XIe ou XIIe s.), ont bénéficié d'une grande autorité comme code maritime jusqu'au XVIIe s. (ils devinrent la loi commune du Ponant).

OLETTE. ♦ Ch.-l. de cant. des Pyrénées-Orientales, arr. de Prades. 680 hab. Église (nef du XIIe s.). – Centrale hydro-électrique de la S.N.C.F.

OLGA *(sainte)*. ♦ (? – 969). Princesse de Kiev*, fille présumée d'Oleg* le Sage, épouse du grand prince Igor* dont elle fut veuve en 945. Elle exerça la régence jusqu'à l'avènement de son fils Svia-

Ph. Hétier

Île d'**Oléron.**

Coll. Rui Nogueira

Sir Laurence Kerr Olivier dans le film « Le Limier ».

toslav* Ier (964). Convertie en 954, elle tenta en vain de répandre le christianisme dans son pays.

OLI ou **OLID (Cristóbal de)**. ♦ Navigateur et conquistador espagnol (Breza ou Linares, Jaén, 1488 – Naco, Honduras, 1524). Il participa à la conquête du Mexique avec H. Cortés* qui, en 1523, le chargea d'une expédition au Honduras*. S'étant opposé au pouvoir de Cortés et déclaré indépendant, Oli fut tué par Francisco de Las Casas, sur l'ordre de Cortés.

OLIBRIUS. ♦ **V.** OLYBRIUS.

OLIER (Jean-Jacques, connu sous le nom de *Monsieur*). ♦ Prêtre français (Paris, 1608 – 1657). Curé de Saint-Sulpice (1642-1652), il réforma sa paroisse, y créant un séminaire (1645) qui essaima et pour lequel il fonda la compagnie des prêtres de Saint-Sulpice *(sulpiciens)*. Avec Monsieur de La Dauversière, il créa la société de N.-D. de Montréal qui, à partir de 1642, envoya des colons et des sulpiciens au Canada.

OLINDA. ♦ V. du N.-E. du Brésil, dans l'État de Pernambouc*. 119 400 hab. (avec l'aggl.). Archevêché. Station balnéaire proche de Recife.

OLIPHANT (Markus Lawrence Elwin). ♦ Physicien britannique (Adélaïde, Australie, 1901 –). En collaboration avec Rutherford* et Harteck*, il identifia le tritium (1934) puis, en 1945, avec McMillan*, inventa le synchrocyclotron.

OLIVA. ♦ **V.** OLIWA.

OLIVARES (Gaspar de GUZMÁN, *comte-duc d'*). ♦ Homme politique espagnol (Rome, 1587 – Toro, 1645). Favori de Philippe* IV, il exerça le pouvoir de 1621 à 1643. Homme énergique et d'une grande probité, il lutta contre la corruption générale et tenta d'assainir les finances, mais son ambition et peut-être son sens de la grandeur espagnole le jetèrent dans des entreprises audacieuses : il reprit sans succès la guerre avec les Provinces-Unies **(V. Spinola),** jeta l'Espagne dans la guerre de Trente* Ans (1636) et fut contraint par cette politique à des mesures de fiscalité oppressives qui provoquèrent de graves troubles intérieurs et, par contrecoup, son bannissement. Il avait été le protecteur de Rubens, Velázquez, Murillo, Lope de Vega.

OLIVER (Joe, dit **King,** « le roi »). ♦ Cornettiste, compositeur et chef d'orchestre de jazz Noir américain (près de La Nouvelle-Orléans, 1885 – Savannah, Géorgie, 1938). Un des pionniers du jazz de La Nouvelle-Orléans, émigré à Chicago en 1918, il fut le maître d'Armstrong*, qui joua dans son orchestre en 1922. Princ. enregistrements : *Mabel's dream* (1923), *Dippermouth blues* (1923), *Showboat shuffle* (1927).

OLIVER (Juan García). ♦ Anarchiste espagnol (né en 1897). Dirigeant de la Fédération anarchiste ibérique. Emprisonné de 1923 à 1931, il contribua en 1936 à la création des premières colonnes de miliciens en Catalogne et fut ministre de la Justice dans le gouvernement de Largo Caballero (jusqu'en mai 1937).

OLIVET (Pierre Joseph THOULIER *d'*). ♦ Grammairien français (Salins, Franche-Comté, 1682 – Paris, 1768). Jésuite (1700), il quitta la Compagnie avant d'avoir prononcé ses vœux définitifs pour se consacrer à ses travaux sur la langue et la littérature. Admirateur de Cicéron, dont il traduisit le *De Natura deorum,* il publia notamment une *Histoire de l'Académie* (1729) qui fait suite à celle de Pellisson et des *Essais de grammaire* [1732]. (Acad. fr., 1723.)

OLIVET. ♦ Comm. du Loiret (arr. d'Orléans), sur le Loiret. 8 170 hab. *(Olivetins)*. Horticulture.

OLIVÉTAN (Pierre ROBERT, dit**)**. ♦ Réformateur français (Noyon, 1506 – en Italie, 1538). Cousin de Calvin, il adhéra à la Réforme, enseigna le grec et l'hébreu à Strasbourg, puis gagna Genève où il collabora à la traduction française de la Bible (1535).

Olivier. ♦ Personnage exemplaire de *La Chanson de Roland**, Olivier, paladin plein de bravoure, oppose sa prudence tactique à la témérité de son ami Roland*. – « Roland est preux et Olivier est sage. »

OLIVIER (François). ♦ Homme politique français (Paris, 1487 – Amboise, 1560). Garde des Sceaux et chancelier (1545), il fut un moment disgracié à cause de son opposition aux dépenses de Diane de Poitiers*. Il favorisa la politique des Guise et réprima sévèrement la conjuration d'Amboise.

OLIVIER (*sir* **Laurence KERR)**. ♦ Acteur et metteur en scène anglais (Dorking, 1907 –). Entré à l'*Old Vic Theatre* (1937), il s'y spécialisa très tôt dans l'interprétation et la mise en scène du théâtre shakespearien. Il devait mener parallèlement une carrière d'acteur de cinéma en Allemagne, puis à Hollywood (1931). Rentré en Angleterre après la Deuxième Guerre mondiale, il porta à l'écran trois chefs-d'œuvre de Shakespeare : *Henri V* (1945), *Hamlet* (1948) et *Richard III* (1955). Directeur du théâtre national anglais (1962).

OLIVIERS *(mont des)* [*auj.* **Djebel el-Toûr**]. ♦ Montagne (alt. env. 800 m), à l'E. de Jérusalem. Les Évangiles y situent la dernière veillée et l'arrestation de Jésus*. **V. Gethsémani.**

Olivier Twist. ♦ **V.** TWIST (Oliver).

OLIWA ou **Oliva**. ♦ Anc. localité de Pologne (*auj.* faubourg de Gdańsk). Abbaye cistercienne fondée en 1170 (*auj.* cathédrale), où fut signée entre la Suède, la Prusse et la Pologne, *la paix d'Oliwa* (1660), par laquelle Casimir* V de Pologne céda la Livonie* à la Suède et renonça à la suzeraineté sur la Prusse* orientale.

OLLIERGUES. ♦ Ch.-l. de cant. du Puy*-de-Dôme, arr. d'Ambert*. 1 444 hab. *(Ollierguois)*. Maisons anc. Coutellerie; instruments chirurgicaux.

OLLIOULES. ♦ Ch.-l. de cant. du Var*, arr. de Toulon*. 7 803 hab. (4 390 aggl.). Indus. alimentaires.

OLLIVIER (Émile). ♦ Homme politique français (Marseille, 1825 – Saint-Gervais-les-Bains, 1913). Avocat, il fut élu député (1857), il siégea avec l'opposition républicaine (groupe des cinq : Darimon, J. Favre*, Hénon, L.J.E. Picard) au sein du Corps législatif. L'orientation plus libérale du régime l'amena à se rallier à la politique impériale. Fondateur du Tiers Parti (1863), il prit position contre la politique autoritaire de Rouher*. Après la démission de ce dernier (1869), il fut chargé par Napoléon III de former un nouveau ministère (début janv. 1870) et nommé lui-même ministre de la Justice et des Cultes. La tentative pour rétablir un régime vraiment parlementaire ne put sauver l'Empire en dépit du plébiscite apparemment favorable du 8 mai 1870. L'affaire Victor Noir*, le développement des mouvements de grève (Aubin, Le Creusot, etc.) et surtout la détérioration des relations avec la Prusse en précipitèrent la chute. Après la déclaration de la guerre (juillet 1870), que le ministre fit voter, suivant sa propre expression, « d'un cœur léger », et les premiers échecs de l'armée française devant les Prussiens, É. Ollivier fut remplacé par Cousin*-Montauban (9 août). Émigré en Italie, où il resta jusqu'en 1873, il a laissé plusieurs ouvrages sur le Second Empire [*Le Ministère du 2 janvier,* 1875; *L'Empire libéral,* 1894-1902]. (Acad. fr., 1870.)

OLMEDO (José Joaquín). ♦ Homme politique et poète équatorien (Guayaquil, 1780 – *id.*, 1847). Ami de Bolívar*, il contribua à la réunion de son pays à la Grande-Colombie (1822). Quand l'Équateur devint indépendant (1830), il en rédigea la Constitution. Poète néo-classique, il composa une *Ode à la victoire de Junín (Hymne à Bolívar)*.

OLMÈQUES. *n. m. pl.* (**Olmeca**, « les gens du caoutchouc » en aztèque, désignant les habitants des côtes du golfe et une tribu mythique). ♦ Nom donné aux membres du peuple correspondant à la civilisation prémaya née au ~ Ier s. dans la région du golfe du Mexique (N. du Chiapas) et diffusée dans l'intérieur. On lui rapporte les statuettes de Tlatilco (bébés-jaguars), les reliefs stylisés de danseurs de Monte* Albán, certains monuments de Cholula*. Le style est issu des sites du golfe (Veracruz et Tabasco), têtes colossales, bas-reliefs et jades développant le thème de l'homme-félin.

OLMETO. ♦ Ch.-l. de cant. de la Corse*, arr. de Sartène*. 1 248 hab. On y voit la maison où mourut, en 1863, Colomba Carabelli, l'héroïne qui inspira P. Mérimée* pour *Colomba.*

OLMÜTZ. ♦ Anc. nom all. d'Olomouc* (Tchécoslovaquie). ♦ *Hist. La reculade d'Olmütz* (28-29 novembre 1850) consomma la renonciation du roi de Prusse Frédéric*-Guillaume IV à ses projets d'« union restreinte » de l'Allemagne du Nord sous sa direction : en le menaçant de guerre, le cabinet autrichien de Schwarzenberg* réussit à maintenir l'ancienne confédération germanique.

OLOMOUC, anc. en all. **Olmütz**. ♦ V. de Tchécoslovaquie, en Moravie-Septentrionale, sur la Morava. 78 703 hab. (1967). Archevêché. Université Palacký. La ville conserve des monuments anciens : la cathédrale (1131, restaurée), le doyenné de la cathédrale (XVIIe s.), le palais archiépiscopal (1670), des églises baroques, l'hôtel de ville (XIVe s.) et plusieurs hôtels de style Renaissance. – Important centre indus. : indus. sidérurgiques, mécaniques (machines-outils), matières plastiques, indus. alimentaires (chocolat, sucreries, brasseries). Marché agricole. ♦ *Hist.* **V. Olmütz.**

OLONZAC. ♦ Ch.-l. de cant. de l'Hérault, arr. de Béziers. 1 856 hab. [*Olonzaguais*]. Vestiges d'une enceinte fortifiée. Vignobles.

OLORON *(gave d')*. ♦ Torrent des Pyrénées*-Atlantiques (130 km), formé par la réunion à Oloron*-Sainte-Marie des gaves d'Aspe* et d'Ossau*. Il arrose Navarrenx, Sauveterre*-de-Béarn, et se jette dans le gave de Pau* à Peyrehorade*.

OLORON-SAINTE-MARIE. ♦ Sous-préf. des Pyrénées*-Atlantiques, ch.-l. d'arr. (12 cant., 157 comm., 79 635 hab.), au confluent des gaves d'Ossau* et d'Aspe* qui, réunis, forment le gave d'Oloron*. 13 903 hab. *(Oloronais)*. Dans la vieille ville, église Sainte-Croix (romane), nombreuses maisons anciennes. Anc. cathédrale du XIIe s. (chœur reconstruit au XIVe s., très beau portail roman [descente de croix]). – Indus. textiles, fabrication de bérets, de chaussures, de meubles ; chocolaterie. ♦ *Hist.* Les invasions barbares détruisirent la ville romane. Au XIe s. le vicomte de Béarn releva la cité dévastée et en fit un centre militaire et commerçant. La ville fut le siège d'un évêché du IVe s. jusqu'en 1790.

O.L.P. ♦ Sigle de l'Organisation de la libération de la Palestine. **V. Palestine.**

OLSZEWSKI (Karol Stanislav). ♦ Physicien et chimiste polonais (Broniszow, Galicie, 1846 – Cracovie, 1915). Il parvint en 1883, avec Wroblewski*, à liquéfier certains gaz dits « permanents » : l'azote, l'oxygène, l'oxyde de carbone. **V.** *aussi* **Cailletet, Dewar, Kamerlingh Onnes, Pictet.** On lui doit également un appareillage permettant la soudure à l'arc (1885).

OLSZTYN, en all. **Allenstein.** ♦ V. du N.-E. de la Pologne*, ch.-l. de la voïévodie du même nom (956 600 hab.), en Mazurie*, 75 000 hab. Évêché. Foyer culturel et scientifique. Centre de villégiature et important nœud ferroviaire. Matériel agricole. Indus. chimiques et alimentaires.

OLT. *n. m.* ♦ Riv. de Roumanie, 700 km, affl. du Danube (r. g.). Née en Transylvanie (Carpates orientales), elle débouche en Valachie par le défilé de Turnu Rosu (« la tour rouge »), oblique vers le sud et rejoint le Danube à Turnu Magurele.

OLTEN. ♦ V. de Suisse (cant. de Soleure), au pied du Jura, sur l'Aar, à la frontière du canton d'Argovie*. 21 700 hab. Important nœud ferroviaire au croisement des lignes Genève-Romanshorn et Bâle-Italie. Indus. métallurgique et textile, chaussures. – Patrie de P. Müller*.

OLTÉNIE. *n. f.* (en roum. **Oltenia**) ou **PETITE VALACHIE.** ♦ Partie de la plaine de Valachie située à l'O. de l'Olt, limitée à l'O. par les Carpates et au N. par la Podgoria. 20 300 km², 1 550 000 hab. *Ch.-l.* Craiova*. *V. princ.* Turnu* Severin. Importants gisements de pétrole.

OLYBRIUS, en lat. **Anicius Olybrius.** ♦ ([mort] 472). Empereur romain d'Occident (472). Gendre de Valentinien* III, incapable et fanfaron (Cf. *olibrius, in* Robert), il fut élevé à l'Empire par Ricimer* et mourut peu après.

OLYMPE. *n. m.*, en gr. **Olumpos.** ♦ Massif montagneux de Grèce sur les confins de la Thessalie* et de la Macédoine*, en bordure du golfe Thermaïque. 2 917 m. La vallée de Tempé* le sépare de l'Ossa*. – Les Grecs ont donné le nom d'Olympe à plusieurs monts ou sommets. ♦ *Mythol.* Montagne sainte du polythéisme grec, l'Olympe abrite sur sa cime la plus haute le palais de Zeus* où se réunissent les *Olympiens* pour délibérer ou pour festoyer. On confondit peu à peu les hauteurs grandioses et inaccessibles de la demeure divine avec le ciel et *Olympe* devint ainsi le synonyme de *ciel* (Cf. *Olympe, in* Robert). C'est dans les mythes théogoniques relatifs à l'Olympe des Hellènes que la religion naturiste préhellénique s'humanise, les divinités chtoniennes d'origine orientale perdent leur prépondérance au profit des divinités ouraniennes, un équilibre des éléments mâle et féminin s'établissant. Ainsi les Olympiens, après avoir vaincu les Titans* et, plus tard, les Géants* et le monstre Typhon* qui représentent les forces chaotiques et désordonnées, sont constitués en société familiale, dont le caractère patriarcal deviendra net avec l'apport culturel des Doriens.

OLYMPIA. ♦ V. des États-Unis, cap. de l'État de Washington, située à l'extrême sud du Puget* Sound. 18 273 hab. (1960). Port d'exportation. Ostréiculture.

Olympia. ♦ Œuvre de Manet* (musée du Jeu de paume, Paris). Cette toile, peinte (1863) pour le Salon de 1865, et inspirée par la *Vénus d'Urbin* du Titien, constitue une étape importante dans l'évolution du peintre, après le *Déjeuner sur l'herbe.* Le contraste du nu, aux larges aplats clairs, et du fond très sombre fut violemment critiqué, ainsi que le raccourci du bras gauche (non conforme aux règles académiques de la perspective); en outre, la pudibonderie de l'époque se choqua du « réalisme » du sujet. La répartition des zones claires (le nu, le lit, le bouquet et la robe claire de la femme noire) et des zones sombres (le fond, la tête de la Noire, le chat), la fermeté du trait cernant les formes, la sérénité de la composition, les libertés prises avec la perspective classique, font de ce tableau un précurseur de certaines tendances de l'art du XXe s. (notamment de Matisse).

OLYMPIAS [Olumpias]. ♦ (v. ~ 375 – Pydna, ~ 316). Reine de Macédoine. Fille de Néoptolème, roi d'Épire, elle épousa Philippe* II et eut pour fils Alexandre*. Répudiée par Philippe, elle se retira auprès de son père. Elle intrigua contre Philippe et, après son assassinat, elle fit mettre à mort sa deuxième femme Cléopâtre et la fille de celle-ci. Ambitieuse et avide, elle disputa le pouvoir au régent Antipatros, pendant les campagnes d'Alexandre. Après la mort du conquérant, elle se réfugia de nouveau en Épire, puis s'allia à Polyperchon, successeur d'Antipatros. Prenant le pouvoir, elle extermina le demi-frère d'Alexandre Philippe, sa femme et leurs fidèles. Mais Cassandre* l'assiégea dans Pydna, prit la ville et livra Olympias aux parents de ses victimes qui la massacrèrent

OLYMPIE, en grec **Olumpia.** ♦ Sanctuaire de l'anc. Grèce en Élide (N.-O. du Péloponnèse), dans le triangle formé par le mont Kronion et le confluent de l'Alphée et du Kladéos. Des cultes très anciens consacrèrent tôt le sol d'Olympie. Mais son importance à l'époque historique est due surtout à la célébration des *Jeux Olympiques**. Plus qu'un centre religieux et sportif, Olympie devint le rendez-vous du monde grec, point de repère de son unité, centre diplomatique, musée religieux et artistique. La légende reflète la succession des peuples ou des maîtres du pays. Ainsi à l'origine des Jeux Olympiques seraient tantôt les compétitions des Curètes, compagnons de Zeus* enfant, tantôt le concours (course de chars) entre l'Achéen Pélops* et Œnomaos, tantôt, dans la tradition dorienne, la victoire d'Héraclès* sur Augias. À l'époque historique, l'importance du sanctuaire et des jeux suscite les convoitises. Le contrôle passe v. ~ 576 peut-être de Pisa à Élis, protégée de Sparte. Au ~ Ve s. à l'apogée du sanctuaire et de l'esprit olympique, les cités grecques, surtout les colonies, bâtissent les *trésors* (chapelles) et envoient de riches offrandes ; Élis élève le magnifique temple de Zeus Olympien et Phidias* façonne la colossale statue chryséléphantine (d'or et d'ivoire) de Zeus. Vers le milieu du ~ IVe s. commence le déclin qui est d'ailleurs celui de l'ancienne religion et de la civilisation grecques. Le territoire sacré fut souvent violé. Les Arcadiens s'en emparèrent de ~ 364 à ~ 362, les Macédoniens en ~ 342, puis les Romains en devinrent les maîtres (~ IIe s.). Pillée par Sylla (~ 80), livrée à la mégalomanie de Néron, Olympie connut les bienfaits d'Hadrien et d'Hérode Atticus, puis fut dépouillée pour l'embellissement de Constantinople. Après la destruction des temples païens ordonnée par Théodose* II en 426, un tremblement de terre ruina les édifices civils. Complètement abandonné, le site fut couvert par les alluvions de l'Alphée. – Les premières fouilles furent entreprises par un groupe de Français participant à l'expédition du maréchal Maison* en Morée (1829). Un demi-siècle plus tard (1875-1881), un groupe d'archéologues allemands sous la direction de l'historien E. Curtius* mit au jour les ruines en exhumant 130 statues, de nombreux objets d'art. Plus tard, W. Dörpfeld entreprit des recherches orientées vers la préhistoire. En 1953, l'École allemande mit au jour Léonidaion et, à partir de 1958, déblaya le stade. – Le site archéologique, à quelques km du village actuel, est l'un des plus importants de la Grèce. Les installations sportives et les bâtiments civils se situent autour de l'*Altis* (bois sacré) ; le *Gymnase* dorique (~ IIe s.), la *Palestre* (~ IIIe s.), la basilique byzantine (Ve s.), les Thermes classiques et romains, le *Léonidaion* (~ 350), qui fut le plus grand hôtel de l'Antiquité avec ses 80 chambres, le *Bouleutérion,* siège du sénat olympique (~ IVe siècle), le Portique sud (~ IVe s.), peut-être le marché, la maison de Néron (60) à l'emplacement de l'*Hellanodikéion* (~ 400), l'*Exèdre* d'Hérode Atticus (IIe s.), réservoir d'eau, le *Prytanée* (~ Ve s.), réfectoire des athlètes, etc. Dans l'Altis, à côté des traces préhistoriques (~ XVe s.), se trouvent les ruines du *Métroon* (déb. du ~ IVe s.), temple dorique de Rhéa, et de l'*Héraïon* (v. ~ 650), temple ionique d'Héra, le plus ancien des temples grecs de grandes dimensions (50 × 20 m) ; c'est là que l'on a trouvé l'*Hermès* de Praxitèle*. Du célèbre temple de Zeus Olympien, construit par l'Éléen Libon de ~ 470 à ~ 457, il ne reste que peu d'éléments architecturaux ; d'ordre dorique et de dimensions colossales (64 × 27,60 m), il abritait la statue de Zeus, œuvre de Phidias. – Le musée d'Olympie renferme notamment : les deux frontons du temple de Zeus, chacun constitué de 21 statues représentant respectivement le combat des Centaures et des Lapithes et les préparatifs du concours entre Pélops et Œnomaos ; six des douze métopes du même temple et quelques célèbres statues.

Olympio. ♦ Double poétique de V. Hugo*, « figure dans laquelle [dit-il] il se personnifie, et s'incarne. C'est encore l'homme, mais ce n'est plus le moi ». (**V. Voix intérieures** [Les] et **Rayons et les Ombres** [Les]).

Olympiques *(Jeux).* ♦ D'abord compétitions sportives locales d'Élide* tombées en désuétude, les jeux d'Olympie furent rétablis

Ph. Mario Russo/Ricciarini

L'Olympe.

Arch. Smeets

Détail du fronton ouest du temple de Zeus à **Olympie.** ~ Ve s. (Musée d'Olympie.)

par le roi semi-légendaire d'Élide Iphitos, contemporain du législateur Lycurgue* de Sparte (~ IXe s. ?), sur le conseil de l'oracle de Delphes pour remédier aux guerres qui décimaient les populations. La *trêve sacrée* conclue en même temps avec Sparte et Pisa consacrait l'inviolabilité de l'Élide et l'interruption des hostilités pendant le mois sacré, celui des jeux célébrés pendant la nouvelle lune du solstice d'été; on appelait *olympiade* l'intervalle de quatre ans séparant deux célébrations des Jeux. La liste des vainqueurs inaugurée en ~ 776 devint plus tard une référence chronologique, aussi l'an ~ 776 marque-t il à la fois la première célébration officielle (historique) des Jeux Olympiques et le départ de la chronologie grecque comptée par *olympiades.* Cette fête réunit tout le monde grec dès le ~ VIIe siècle. Aux compétitions ne participaient que des Grecs ayant pleins droits de citoyenneté. Le sénat d'Élis, appelé sénat olympique pendant la période des Jeux, avait le pouvoir d'exclure une cité ou d'imposer une amende pour violation de la trêve sacrée ou pour crime contre l'hellénisme. Les concurrents prêtaient serment de respecter le règlement et les vainqueurs recevaient comme prix une couronne de branches tressées d'olivier. Au début, les concours duraient un seul jour, puis trois et enfin cinq jours. Le premier concours gymnique était la course à pied d'un stade (192,25 m), puis s'ajoutèrent successivement la course double, la course de 24 stades (4 614 m), le *pentathlon* (saut, disque, javelot, course à pied, lutte), le pugilat, le pancrace, la course des hoplites. Les courses de chars et, plus tard, de chevaux montés se déroulaient à l'hippodrome. De grands honneurs étaient réservés aux *olympioniques* dans leurs cités. Les Macédoniens furent admis après leur victoire de Chéronée et les Romains s'imposèrent après la conquête de la Grèce (~ 146). La célébration de Jeux fut interdite en 394 par un édit de Théodose Ier. ♦ Les *Jeux Olympiques* modernes ont été organisés à partir de 1896 sur l'initiative de Pierre de Coubertin* pour renouer avec la tradition pacifiste et les idéaux de l'éducation physique nés à Olympie. Sommet des compétitions sportives internationales, les Jeux Olympiques réunissent tous les quatre ans des milliers de concurrents non professionnels appartenant à presque tous les pays du monde. Leur programme comprend aujourd'hui presque tous les sports. Les Jeux, perturbés par les deux guerres mondiales, ont été célébrés dans les villes suivantes : Athènes (1896), Paris (1900), Saint-Louis (1904), Londres (1908), Stockholm (1912), Anvers (1920), Paris (1924), Amsterdam (1928), Los Angeles (1932), Berlin (1936), Londres (1948), Helsinki (1952), Melbourne (1956), Rome (1960), Tôkyô (1964), Mexico (1968), Munich (1972). Des JEUX OLYMPIQUES D'HIVER réservés aux sports de neige et de glace ont eu lieu à partir de 1924 : Chamonix (1924), Saint-Moritz, Suisse (1928), Lake Placid, États-Unis (1932), Garmisch-Partenkirchen, Allemagne (1936), Saint-Moritz (1948), Oslo (1952), Cortina d'Ampezzo, Italie (1956), Squaw Valley, États-Unis (1960), Innsbruck, Autriche (1964), Grenoble (1968), Sapporo, Japon (1972). Les Jeux de 1976 se sont déroulés à Montréal et ceux d'hiver à Innsbruck (Autriche). Le tir à l'arc, supprimé des Jeux Olympiques en 1920, y fut réadmis en 1972.

OLYNTHE, en grec **Olunthos.** ♦ Anc. V. de Grèce en Chalcidique, à 5 km du golfe Toronaïque (de Kassandra). Pendant les guerres médiques*, elle fut prise par Artabaze qui noya, dit-on, tous ses habitants dans un étang. Repeuplée par le déplacement obligatoire d'habitants des villes voisines, imposé par le roi de Macédoine Perdiccas II, Olynthe connut un rapide essor. Elle opposa une farouche résistance de quatre ans aux Spartiates (~ 383-~ 379). La menace macédonienne contre Olynthe fut le signal d'alarme pour les cités grecques, surtout Athènes, que Démosthène* par ses trois *Olynthiennes* décida à la lutte. Malgré l'aide athénienne, la ville, prise par Philippe* II en ~ 348, fut rasée et ses habitants vendus comme esclaves. — Vestiges et traces de la ville antique et d'un habitat néolithique.

Olynthiennes. ♦ Trois harangues de Démosthène*, prononcées en ~ 349. L'orateur essaie de persuader les Athéniens de porter secours à Olynthe*, attaquée par Philippe* de Macédoine. Il blâme l'avilissement et la mollesse de ses concitoyens et les appelle à renoncer aux fêtes et aux spectacles pour financer la guerre.

OM. *n. m.* ♦ Riv. d'U.R.S.S. (R.S.F.S. de Russie), en Sibérie occidentale, dans les régions de Novossibirsk et d'Omsk. 1 259 km. Né dans les marais de Bassiougan, il arrose la steppe de Baraba et se jette dans l'Irtych* (r. d.) à Omsk*.

OMAGH. ♦ V. d'Irlande du Nord et ch.-l. du comté de Tyrone*, sur le Strule. 9 990 hab. (1966). Marché agricole (produits laitiers) et centre textile (chemiseries).

OMAHA. ♦ V. des États-Unis, la principale du Nebraska*, à l'extrême E. de l'État, sur le Missouri, face à Council Bluffs, Iowa. 346 929 hab. (zone urbaine 538 718 hab.). Centre commercial de produits agricoles : marché du bétail et des céréales. Indus. agricoles; raffineries de pétrole, équipement ferroviaire, etc. Nombreuses compagnies d'assurances. — Université. À l'O. de la ville se trouve l'établissement pédagogique connu sous le nom de *Boy's Town,* communauté régie entièrement par les enfants qui la forment.

OMALIUS d'HALLOY (Jean-Baptiste Julien, *baron d'*). ♦ Administrateur et géographe belge (Liège, 1783 — Bruxelles, 1875). Secrétaire général de la province de Liège (1815), gouverneur de la province de Namur (1815), conseiller d'État, sénateur (1848), il réalisa, à la demande de Napoléon Ier, la carte géologique de l'Empire français.

OMAN. *n. m.* ♦ Région qui occupe l'angle oriental de la péninsule Arabique sur le golfe Persique, le golfe d'Oman et la mer d'Oman et qui se trouve divisée entre les principautés arabes unies (côte des Pirates*) et le sultanat d'Oman*. *V. princ.* Nazwa*. Isolé de l'Arabie du Nord par le désert du Rub* al-Khali, il est dominé par les lignes montagneuses du Hajar* et du Akhdar* sur le golfe d'Oman et par la chaîne du Samhan* à la frontière yéménite. — Palmiers-dattiers, arbres fruitiers et céréales des oasis. Pétrole.

OMAN *(mer d'). n. f.* ♦ Mer formée au S.-O. de l'Asie par l'océan Indien et qui borde la côte occidentale de la péninsule Arabique à l'O. et à l'E. des côtes du Pâkistân et de l'Inde occidentale. — La mer d'Oman est appelée aujourd'hui mer d'Arabie.

OMAN *(golfe d'). n. m.* ♦ Golfe situé au débouché du golfe Persique, avec lequel il communique par le détroit d'Ormuz*. Ses eaux se déversent dans la mer d'Oman* après avoir baigné les côtes méridionales d'Iran et la côte orientale de la péninsule Arabique (région d'Oman*).

OMAN *(sultanat d')* ou [jusqu'en juil. 1970] **MASCATE-ET-OMAN** *(sultanat de),* en ar. **Masqat oua 'Umân.** ♦ Sultanat du S.-E. de la péninsule Arabique, bordé à l'E. par le golfe d'Oman et au S. par la mer d'Oman. Il confine aux principautés de la côte des Pirates (Trucial States), à l'Arabie Sa'ûdite et au Yémen du S., mais les frontières restent imprécises, notamment avec l'Arabie Sa'ûdite. 220 000 km² avec l'archipel de Kouria* Mouria et l'île de Masirah*. 750 000 hab. env., dont 40 000 dans le Dhofar (en majorité Arabes). *Cap.* Mascate*. *Langue off.* arabe (autres langues : indien, pakistanais). *Religion :* islâm. *Unités monétaires :* rial saoudite, roupie du golfe Persique, thaler. *Princ. V.* **V. Fahud, Marmul, Matrah, Mînâ al-Fahal, Natih, Nazwa, Risut, Sahar, Salaalah, Sour.** — *Orographie :* **V. Akhdar, Cham, Dhofar, Hajar, Wisham.** La principauté comprend la région montagneuse du Dhofar à la frontière du Yémen, la région vallonnée de l'Oman, dont la côte aux larges indentations est bordée par les îles de Kouria Maria au S. et l'île de Masirah* au N., et les chaînes montagneuses du djebel Hajar surplombant au S.-E. la côte de Mascate sur le golfe d'Oman, doublé du djebel Akhdar à l'arrière-plan. La montagne se prolonge jusqu'à la presqu'île de Musandam entre le golfe d'Oman et le golfe Persique, à la pointe orientale de la principauté, tandis qu'elle s'abaisse en direction de Sour au sud. La plaine côtière de la Batinah s'étend au pied des plus hauts sommets de l'Hajar. La vallée du wadi Sama'il, qui franchit les chaînes montagneuses et aboutit à Nazwa, permet de gagner l'arrière-pays. — La *population,* en majorité arabe, comprend les tribus sédentaires des régions côtières (Africains, Iraniens, Indiens de Mascate) et les nomades des provinces de Djalan et d'Al Zahirah. Deux sectes musulmanes : les Khawarijs, rassemblés à l'intérieur du pays, et les Ibadis du littoral. — Le *climat,* aride en bordure du désert, est chaud et humide en bordure de côte. La pluviosité est suffisante dans certaines vallées du Hajar. — *Econ.* La plaine de la Batinah et les oasis de l'intérieur ainsi que de la région du Dhofar entre la mer et le Samhan sont fertiles (palmiers-dattiers, arbres fruitiers : oliviers, orangers, citronniers, figuiers, grenadiers, manguiers, vigne. Céréales : blé, millet, maïs). La luzerne et les légumes sont aussi cultivés sur les pentes montagneuses de l'Akhdar. Noix de coco dans le Dhofar. Outre l'élevage de chameaux par les tribus nomades, on trouve des moutons et des chèvres en montagne. Pêche le long des côtes (sardine, maquereau). L'industrie est tout entière axée sur le pétrole (découvert en 1967). Un oléoduc relie les gisements de Yibai, Fahud et Natih, dans le N., au port pétrolier de Mina al-Fahal sur le golfe d'Oman. — Le *commerce* extérieur de la principauté se fait avec l'Asie (Inde, Pâkistân, ...) et l'Europe; exportation de pétrole brut, dattes, agrumes, bois, poisson séché, farine de poisson, importation de produits alimentaires (riz) et manufacturés. Depuis 1955, une route unit Oman à la province du

Dhofar. Une autre route aboutit à Fahud. Mascate, la capitale, est reliée par air à Bahreïn et au Kuweit. ♦ *Hist.* Cette région fut depuis la plus haute Antiquité en relation avec les civilisations de la Mésopotamie, de la Perse et de l'Inde. En ~ 536, les Perses s'en emparèrent. Vers le début de l'ère chrétienne, les marins d'Oman effectuaient une grande partie du commerce entre la Méditerranée et le monde asiatique. Conquis à l'islâm au milieu du VIIe s., nominalement rattaché au califat de Baghdâd, le pays d'Oman se rallia au kharijisme et repoussa les tentatives d'Harûn* al-Rashid pour rétablir l'orthodoxie sunnite. Au XVIe s., les Portugais occupèrent le territoire; ils s'y maintinrent jusqu'en 1650. En 1793, le sultanat de Mascate-et-Oman fut fondé par un descendant d'Ahmed ibn-Saïd, du clan des Bou-Saïd; le sultanat est encore gouverné par la même dynastie. En 1798, les Anglais conclurent un traité d'amitié avec le sultan, traité renouvelé en 1891. Au cours du XXe s., le sultan demanda plusieurs fois l'intervention des troupes britanniques pour lutter contre les tribus rebelles ibadîtes qui tentèrent de soulever l'Oman contre le sultan, puis contre la guérilla du Dhofar* (Front populaire de libération d'Oman et du golfe Arabique [F.P.L.O.G.A.], se réclamant du marxisme-léninisme). En juil. 1970, le souverain de Mascate-et-Oman, qui régnait depuis trente-huit ans, abdiqua en faveur de son fils Qabous. Le territoire a pris alors le titre de sultanat d'Oman, monarchie absolue liée par un traité d'amitié, de commerce et de navigation avec la Grande-Bretagne.

OMAR. ♦ V. 'UMAR.

OMAR KHAYAM. ♦ V. KHAYYÂM ('Umar).

OMBRIE. *n. f.*, en it. **Umbria.** ♦ Région historique située au S. de l'Italie centrale, s'étendant de part et d'autre de la vallée du Tibre. 8 456 km². 793 000 hab. *(Ombriens).* Elle est formée des prov. de Pérouse et Terni. Le relief est en grande partie montagneux. L'épaisse masse calcaire de l'Apennin devient vers l'O. un effritement de massifs nettement moins élevés (800 à 1 000 m) et de collines entre lesquels s'intercalent des bassins intérieurs (lac Trasimène, dépressions de Pérouse, Assise et Foligno). — *Hydr.* Tibre*, Nera*, Velino, lac Trasimène*. *V. princ. :* Assise* Foligno*, Gubbio*, Orvieto*, Pérouse*, Spolète* et Terni*. — *Écon.* Sur de petites propriétés morcelées, on cultive du maïs et des plantes fourragères, mais l'olivier constitue la ressource majeure et la production d'huile est importante. La vigne a régressé et se cantonne aux environs d'Orvieto*. L'élevage ovin, bovin et porcin est florissant. D'importantes centrales hydro-électriques ont été installées sur la Nera et le Velino, alimentant en énergie l'électrométallurgie et l'électrochimie lourdes de Terni*, principal centre industriel de la région. ♦ *Hist.* S'étendant, à l'origine, de la plaine du Pô au Picenum*, le territoire des Ombriens fut bientôt réduit par la poussée des Gaulois* au N., des Sabins* au S. et des Étrusques* à l'O. et passa très vite sous la domination des Romains aux côtés desquels les Ombriens combattirent au cours de la guerre samnite (~ IVe s.).

OMBRONE. *n. m.* ♦ Fl. d'Italie (161 km). Né dans les monts du Chianti, il coule en Toscane, irrigue la Maremme et se jette dans la mer Tyrrhénienne.

OMDOURMAN ou **OMDURMAN**, en ar. **Umm Durmân.** ♦ V. du Soudan*, sur la r. g. du Nil*, face à Khartoum* dont elle constitue une dépendance. 190 000 hab. V. arabe traditionnelle contrastant avec la cap. ♦ *Hist.* Ce fut la cap. du Mahdi* à partir de 1884, puis de son successeur. Kitchener* s'en empara en 1898.

O'MEARA (Barry Edward). ♦ Médecin irlandais (en Irlande, 1786 — Londres, 1836). Médecin de Napoléon Ier à Sainte-Hélène (1815), il fut relevé de ses fonctions par Hudson Lowe* (1818) pour avoir pris trop ouvertement le parti de l'Empereur. Il publia des documents sur le séjour de Napoléon Ier à Sainte-Hélène, en particulier *Napoléon en exil ou l'Écho de Sainte-Hélène* (1822).

OMEYADES. ♦ V. 'UMAYYADES.

ÔMIYA. ♦ V. du Japon (Honshû, préf. de Saitama), au N. de Tôkyô. 250 000 hab. Gros marché agricole.

OMPHALE, en gr. **Omphalê.** ♦ Reine légendaire de Lydie*, liée à la légende d'Héraclès*. Pour se purifier d'un meurtre, le héros devient son esclave. À son service, il débarrasse le pays des monstres et des pillards, soumet ses ennemis et remporte de riches butins. Omphale, pleine d'admiration, le libère et l'épouse. Selon une variante de l'époque hellénistique, Héraclès est en même temps l'esclave et l'amant d'Omphale; la reine l'oblige à porter des robes de femme et à filer la laine à ses pieds (thème iconographique).

OMRE (Arthur). ♦ Romancier norvégien (Brunlanes, 1887). Il refléta par son œuvre l'atmosphère des années 30 en se penchant sur les origines sociales et psychologiques du crime dans ses nouvelles et ses romans : *Contrebandiers* (1936), *La Fuite* (1936), *Le Pont des soupirs* (1937) et *Kristinus Bergman* (1938), où l'on sent l'influence d'Hemingway. Puis il publia des recueils de nouvelles : *Il arrive parfois* (1941), *Brise changeante* (1950), *Pièces d'or et Autres Récits* (1954).

OMRI. ♦ Roi d'Israël (v. ~ 884-874). Vainqueur de l'usurpateur Zimri, il fonda une capitale, Samarie*, et une dynastie, la *maison d'Omri* (**V. Achab, Ochozias, Joram** d'Israël), réprouvée comme idolâtre par la Bible (*I Rois,* XVI, 16 sqq). Luttes contre la Syrie, domination sur Moab*.

O.M.S. ♦ Sigle de l'Organisation* mondiale de la santé, en angl. *World Health Organization* (W.H.O.).

OMSK. ♦ V. d'U.R.S.S. (R.S.F.S. de Russie), ch.-l. de la région du même nom (139 500 km². 1 829 000 hab.), en Sibérie occidentale, port fluvial, au confluent de l'Om* et de l'Irtych* (Irtysh). 850 000 hab. Centrale thermique. Indus. mécaniques (machines agricoles), chimiques, textiles (laine) et alimentaires. Traitement du cuir et du bois. Important centre de raffinage de pétrole. Centre ferroviaire sur le Transsibérien. — Patrie d'Annenski. ♦ *Hist.* Fondée en 1716 autour d'un fort établi, la ville devint dès le milieu du XIXe s. le principal centre commercial, administratif et militaire de la Sibérie occidentale (Dostoïevski* y fut déporté). Durant la guerre civile, l'amiral Koltchak* prit à Omsk le titre de régent suprême (nov. 1918) et en fit sa capitale (1918-1919) après avoir écrasé les socialistes modérés. Conquise par les Soviétiques (nov. 1919), elle fut la capitale de la Sibérie avant Novossibirsk*.

ÔMUTA. ♦ V. du Japon (Kyûshû, préf. de Fukuoka) sur la baie de Shimabara. 230 000 hab. Mines de charbon, aciéries. Filatures de coton, indus. chimiques. Port artificiel.

ONAN. ♦ Personnage biblique (*Genèse,* XXXVIII, 4-10), fils de Juda*. La loi du lévirat l'ayant obligé à épouser la veuve de son frère, il « fraude par terre » pour ne pas lui donner de descendant. *Péché d'Onan,* l'onanisme.

ONASSIS (Aristote). ♦ Armateur (Smyrne, 1902 — Paris, 1975). Réfugié en Grèce (1922) puis en Argentine, il exerça divers métiers (standardiste, importateur de tabac, fabricant de cigarettes, consul général de Grèce en Argentine) et acheta ses premiers bateaux en 1936, se spécialisant finalement dans le transport du pétrole par super-tankers. Il épousa en 1968 la veuve du président John Kennedy.

ONEGA *(lac).* ♦ Lac d'U.R.S.S., situé dans la R.S.S.A. de Carélie* et la R.S.F.S. de Russie* (régions de Leningrad et de Vologda). 9 900 km². La Svir* y prend sa source et déverse ses eaux dans le lac Ladoga*. Le lac Onega est relié à la mer Blanche par le canal Baltique-mer Blanche. Sur sa r. O. est située Petrozavodsk*, cap. de la Carélie.

O'NEILL. ♦ Famille royale irlandaise qui prétendait descendre de Niall des Neuf Otages (405), premier roi d'Irlande. Sa branche la plus importante, rivale des O'Donnell*, fut celle d'Ulster, qui, tout en étant vassale de l'Angleterre, maintint l'indépendance de l'Irlande jusqu'au XVIe siècle. ♦ HUGH O'NEILL, *2e comte de Tyrone* (v. 1540 — Rome, 1616). Il servit les Anglais avant de se rebeller contre eux. Après une première période de succès (1595-1599), il fut écrasé en raison du retard des secours espagnols (1603) et contraint de s'exiler. ♦ OWEN ROE O'NEILL (v. 1590 — 1649), son neveu, servit trente ans l'Espagne avec éclat avant de prendre la tête de la révolte irlandaise en 1642. Il avait formé la Confédération de Kilkenny et remporté plusieurs victoires quand sa mort brutale permit le succès de Cromwell* et la fin de l'indépendance.

O'NEILL (Eugene Gladstone). ♦ Auteur dramatique américain (New York, 1888 — Boston, 1953). Fils d'acteurs, autodidacte, il eut une jeunesse aventureuse et découvrit sa vocation théâtrale durant le séjour qu'il fit dans un sanatorium. Montées par le *Guild Theatre* et par la troupe des *Provincetown Players,* ses premières œuvres furent d'inspiration naturaliste : *Derrière l'horizon* (*Beyond the Horizon,* 1919) et *Anna Christie* (1920). Avec *Le Singe velu* (*The Hairy Ape,* 1921), sa première œuvre dramatique d'importance, O'Neill inaugura une seconde manière, celle d'un symbolisme teinté de mysticisme poétique. Au delà de la dénonciation du matérialisme et des injustices sociales, un pessimisme radical s'y fait jour. Avec les années, son œuvre inclina insensiblement à l'autobiographie : *Empereur Jones* (*Emperor Jones,* 1921), *Le Désir sous les ormes* (*Desire under the Elms,* 1924), *Le deuil sied à Électre* (*Mourning becomes Electra,* 1931), *Long Voyage dans la nuit* (*A long Day's Journey into Night,* 1940), *La Marque du poète* (*A Touch of the Poet,* 1958).

ÔNIN-NO-RAN. ♦ Nom donné au Japon à la guerre civile qui eut lieu dans le centre de l'île de Honshû* pendant l'ère Ônin (1467-1477) et qui dura dix années. Elle vit s'affronter, pour des motifs de suprématie, la plupart des seigneurs de guerre du Japon. La ville de Kyôto* fut, pendant cette sanglante bataille, presque entièrement détruite.

Ph. Carlo Bevilacqua/Ricciarini

Ombrie : Assise.

ONISHI TAKIJIRO. ♦ Amiral japonais qui, en 1944, créa et organisa les escadrilles-suicide appelées Kamikaze* («vent surnaturel») en un dernier espoir de sauver le Japon de la défaite. Il se suicida en 1945.

ONITSHA. ♦ V. du Nigeria*, région du Centre-Est **(V. Biafra),** sur la r. g. du Niger*. 163 000 hab.

ONK *(djebel).* ♦ Massif montagneux de l'Algérie orientale, en bordure du Sahara, situé à l'E. des monts de Nemencha et au S. des monts de Tébessa*. Extraction de phosphates.

ONON. *n. m.* ♦ Riv. de l'U.R.S.S. (R.S.F.S. de Russie) et de la République populaire de Mongolie, en Sibérie orientale, sous-affl. de l'Amour*. 953 km, dont 410 km en Mongolie. Né en Mongolie (monts de Khenteï), il arrose la région de Tchita [Chita], et, réuni à l'Ingoda (690 km), forme la Chilka* [Shilka].

ONO-NO-KOMACHI. ♦ Célèbre poétesse japonaise (Kyôto, 834 – 900) réputée autant pour son art que pour sa beauté, favorite de l'empereur Ninmyô-tennô (834-850).

ONSAGER (Lars). ♦ Physicien et chimiste norvégien, naturalisé américain (Oslo, 1911 – Miami, 1976). Il améliora les solutions de Debye*-Hückel* en faisant intervenir le mouvement brownien des ions [1926] **(V. Brown)** et donna les bases de la théorie des systèmes hors d'équilibre pour l'étude desquels il établit des relations qui portent son nom (quatrième principe de la thermodynamique). On lui doit également des recherches sur l'hélium aux très basses températures **(V.** *aussi* **Kamerlingh Onnes)** et sur les plasmas **(V.** *aussi* **Langmuir).** (Prix Nobel de chimie, 1968.)

ONSORI. ♦ Poète persan ([mort] 1040). Grand panégyriste, il assuma la fonction de poète officiel auprès du gouverneur du Khorasan, puis auprès du sultan Mahmûd* de Ghaznî, ensuite à la cour de Mas'ûd.

ONTAKE. *n. m.* ♦ Sommet du massif central des « Alpes japonaises » (Honshû). Plus de 2 500 m. Cette montagne est la plus sacrée du Japon après le mont Fuji*-san.

ONTARIO. *n. m.* ♦ Prov. du Canada, située à l'O. du Québec. 1 068 464 km². 7 637 000 hab. [1970] (la plus peuplée des prov. canadiennes). – *Cap.* Toronto. *Autres villes :* **V. Brantford, Cornwall, Fort William, Guelph, Hamilton, Kingston, Kitchener, London, Niagara Falls, Oshawa, Peterborough, Saint Catharines, Sarnia, Sault Sainte Marie, Sudbury, Windsor. V.** *aussi* **Ottawa.** – *Orogr.* Le coin S.-E. de la prov., entre la Georgian Bay (lac Huron*), la riv. Ottawa et le lac Ontario, est une plaine surélevée au S. de la Georgian Bay et dont le principal accident est l'escarpement du Niagara; les sept huitièmes de la population se trouvent dans cette zone. Plus au N., entre la frontière du Manitoba et celle du Québec, s'étendent les terres du bouclier canadien, plus accidentées et parsemées de lacs (Saint-Joseph, Nipigon*, Abitibi*). Le N. correspond aux basses terres bordant la baie d'Hudson et la baie James; il est drainé par des rivières coulant vers le N.-E., alors que les cours d'eau du S. sont presque tous tributaires du Saint-Laurent*. – Le *climat* du S. est relativement clément (moy. d'hiver, env. – 4 °C aux bords du lac Érié). – *Écon.* L'Ontario produit env. 40 % du revenu national; c'est la première région économique du Canada, produisant par ex. plus de 90 % du matériel automobile et des machines agricoles. L'agriculture (S. de la prov.) est diversifiée : céréales, notamment blé et maïs (au S.-O., entre les lacs Érié et Huron), légumes et fruits (rives S.-O. du lac Ontario), tabac (côte N. du lac Érié). L'élevage des bovins et porcins, les produits laitiers et les volailles fournissent un revenu très important. 72 % des terres de la prov. sont en forêts (dont 63 % sont productives). Les pêcheries des Grands Lacs et des lacs de l'intérieur emploient plus de 3 000 personnes. Leur produit est de plus de 5 millions de dollars; les fourrures (40 % chassées; 60 % d'élevage) correspondent à un revenu six fois plus important (visons, castors, etc.). – Les richesses minérales sont très variées : nickel et cuivre (notamment près de Sudbury), or, minerai de fer, uranium; gaz naturel. L'hydro-électricité fournit (1968) 6 000 000 de kWh installés (notamment sur la riv. Niagara et le Saint-Laurent). Les princ. indus., localisées dans le S. (notamment autour de Toronto), sont les indus. alimentaires (viande, brasseries, conserves), la sidérurgie, les indus. mécaniques, l'aéronautique, les indus. électriques, la pétrolochimie, l'habillement et l'imprimerie. Voir les princ. villes (en outre, l'indus. automobile est représentée à Oakville et Oshawa*, la métallurgie du nickel à Port Colborne, le traitement des minerais radioactifs à Port Hope, une usine atomique se trouve à Chalk River). – Les transports par eau (Grands Lacs, Saint-Laurent) donnent à l'Ontario la deuxième place après le Québec, dans l'activité portuaire canadienne. Plus de 15 000 km de chemins de fer. Liaisons aériennes très actives (aéroport de Toronto). – Patrie de sir Frederick Banting **(V.** *aussi* les villes). ♦ *Hist.* La région fut explorée par Étienne Brulé, puis par Champlain (1615). Cédée à l'Angleterre en 1763 (paix de Paris), elle fut peu après incluse dans la colonie de Québec. Les colons anglo-saxons restèrent fidèles à la Grande-Bretagne après l'indépendance américaine et York, la capitale du Haut-Canada *(Upper Canada) – auj.* Toronto – fut incendiée en 1812, pendant la guerre anglo-américaine. Les premières actions pour l'autonomie ayant échoué, la région, devenue Canada de l'Ouest *(Canada West)* en 1841, eut son gouvernement à Ottawa (1858). En 1867, l'établissement du dominion du Canada donna à la région le statut de *prov. de l'Ontario* (cap. Toronto). **V. Canada.**

ONTARIO *(lac),* en angl. **Lake Ontario.** ♦ Le plus oriental des Grands Lacs américains. 18 800 km². Situé à une moindre altitude que les autres lacs, il communique avec le lac Érié par les chutes du Niagara; vers l'O., le Saint-Laurent aménagé lui donne un débouché maritime. Il sépare le Canada (Ontario) des États-Unis (New York). La navigation y est rarement entravée par les glaces. Toronto*, Rochester*, Hamilton* (Canada) se trouvent sur ses rives.

Ph. Nino Cirani/Ricciarini

Le lac **Ontario.**

O.N.U. ♦ Sigle de l'Organisation* des Nations unies (en angl., U.N.O., *United Nations Organization*).

OÔ *(lac d').* ♦ Petit lac des Pyrénées, près de Luchon, dans le val d'Astau (à 1 500 m d'alt.), il est traversé par la Neste d'Oô.

ÔOKA SHÔHEI. ♦ Écrivain japonais (né en 1909). Ayant participé à la guerre dans le Pacifique, il en revint avec des notes qui lui permirent d'écrire de terribles récits de guerre à trame psychologique. L'un des plus célèbres, *Nobi,* fut traduit sous le titre « Les Feux » (1957).

OORT (Jan Hendrik). ♦ Astronome néerlandais (Franeker, 1900). Auteur de travaux sur la cinématique de la galaxie (rotation différentielle, 1926; potentiel et masse, 1932; reconnaissance de sa structure spirale, 1955), il montra que le Soleil tourne selon un cercle, autour du centre galactique désigné par Shapley*, à la vitesse de 215 km/s et à la distance de 28 000 années-lumière environ; on lui doit également des études sur le rayonnement de l'hydrogène intergalactique dans la raie 21 cm qui fournirent des précisions sur la structure de notre galaxie et des données importantes sur la masse en hydrogène de quelques galaxies voisines.

OOSTAKKER. ♦ Comm. de Belgique (Flandre-Orientale, arr. de Gand) sur le canal de Terneuzen*. 8 400 hab. – Indus. agricoles.

OOSTENDE. ♦ Nom néerlandais d'Ostende*.

OOSTKAMP. ♦ Comm. de Belgique (Flandre-Occidentale, arr. de Bruges) sur le canal de Bruges à Gand. 8 300 hab. Église romane. – Constructions électriques.

O.P. ♦ Initiales de l'ordre des Prêcheurs, nom officiel des Dominicains. **V. Dominique** [*saint*].

OPAVA, anc. en all. **Troppau.** ♦ V. de Tchécoslovaquie, sur l'*Opava,* en Moravie-Septentrionale. 46 746 hab. (1967). La ville conserve des monuments anciens (cathédrale gothique Sainte-Marie [XIIIe s.], église du Saint-Esprit [1234], « tour de l'Horloge »). Musée silésien. – Centre commercial (bois, produits agricoles). Indus. textiles. ♦ *Hist.* **V. Troppau.**

Opéra *(théâtre de l').* ♦ Monument de Paris. Siège de l'*Académie nationale de musique et de danse* qui, après avoir occupé plusieurs salles depuis 1669, s'y installa en 1875. L'édifice fut élevé de 1862 à 1875 par Charles Garnier* qui en fit le plus grand théâtre du monde pour la superficie (env. 11 000 m²). Caractéristique du style du Second Empire par son ornementation fastueuse (statuaire abondante avec, notamment, *La Danse* de Carpeaux*), il offre une façade imposante coupée d'une loggia aux colonnes corinthiennes, en pierre, surmontée d'un attique très orné et couronnée d'un large dôme qui précède un immense fronton triangulaire. À l'intérieur, un superbe escalier mène au grand foyer, décoré par Paul Baudry, et à la salle dotée de cinq étages de loges, et d'un plafond par M. Chagall* (1964). Bibliothèque très riche. L'Opéra donne son nom à une avenue et au quartier qu'elle traverse.

OPHIR. *n. m.* ♦ Dans la Bible *(Livre des Rois),* pays d'Orient où les flottes d'Hiram* et de Salomon* envoyèrent des vaisseaux en partance d'Asiongaber « près d'Elath, dans le rivage de la mer Rouge » pour ramener des talents d'or. On l'a assimilé à l'Arabie heureuse ou au Yémen, parfois à l'Inde ou à l'Afrique australe.

OPHÜLS (Max OPPENHEIMER, dit **Max).** ♦ Réalisateur allemand de cinéma (Sarrebrück, 1902 – Hambourg, 1957). Issu d'une famille de bonne bourgeoisie rhénane, il se voua très jeune au théâtre. Tenu pour frivole et maniéré alors que son œuvre est d'un moraliste inquiet et d'un artiste raffiné, il a enrichi le cinéma de quelques films charmants, et parfois profonds, qui sont autant d'hommages à la beauté de la femme, à sa grâce et à son intelligence, qui sont pour Ophüls les uniques recours de l'homme contre la pesanteur, la tristesse et la mort. Réal. princ. : *Liebelei* (1932), *La Tendre Ennemie* (1936), *La Ronde* (1950), *Le Plaisir* (1952), *Madame de* (1953) et surtout *Lola Montès* (1955), considéré comme son chef-d'œuvre, malgré les modifications imposées par les producteurs.

OPIMIUS, en lat. **Lucius Opimius.** ♦ Homme politique romain (~ IIe s.). Consul en ~ 121, il lutta contre les lois agraires de Caius Gracchus* au meurtre duquel il contribua.

OPITZ (Martin). ♦ Poète et dramaturge allemand (Bunzlau, 1597 – Dantzig, 1639). Fortement influencé par la pensée de Heinsius, il a joué un rôle important dans l'évolution du théâtre allemand au XVIIe siècle. Moins que par son *Livre de la poésie allemande* (*Das Buch von der deutschen Poeterei,* 1624), où il rappelle la poésie aux règles, à l'imitation de Malherbe en France, ce sont ses traductions du théâtre grec (*Les Troyennes,* d'Euripide) ou du théâtre anglais dans le goût italien (*Liebskampf,* 1630), ses livrets d'opéras *(Daphné)* ou d'oratorios (*Judith,* 1635) qui ont marqué le théâtre de son pays.

Opium *(guerre de l').* ♦ Nom donné à la guerre anglo-chinoise de 1839-1842, provoquée par la saisie, à Canton, d'une grande quantité d'opium livrée par les Anglais. Ces derniers bombardèrent Canton et occupèrent Hong-kong. Le traité de Nankin mit fin à cette guerre : les Chinois furent obligés de rembourser l'opium confisqué et d'ouvrir un certain nombre de leurs ports au commerce des Européens.

OPOLE, en all. **Oppeln.** ♦ V. de Pologne*, sur l'Oder*, ch.-l. de voïévodie et centre économique de la Silésie* centrale, dite *Silésie d'Opole.* 71 000 hab. Carrefour ferroviaire et fluvial. Cimenteries. Textiles. – *La voïévodie d'Opole,* située de part et d'autre de l'Oder, entre la Haute et la Basse Silésie*, est un grand centre agricole et compte 1 009 100 habitants.

OPPENHEIMER (Jacob Robert). ♦ Physicien américain (New York, 1904 – Princeton, 1967). Auteur de travaux concernant la théorie quantique de l'atome. Selon les études qu'il a laissées, cette théorie, considérée actuellement comme non satisfaisante, présage une grande révolution scientifique. Nommé directeur du centre de Los Alamos (1943), il élabora, avec une équipe d'éminents physiciens rassemblés par lui, la première bombe nucléaire (bombe A). Président de la commission consultative sur l'énergie atomique, puis relevé de cette fonction en 1954 sur sa demande, il reçut le prix Enrico Fermi en 1963. Oppenheimer est l'auteur d'écrits sur le rôle de la science dans le monde contemporain, notamment *The Open mind* et *Science and the Common Understanding.*

OPPENORD, OPPENORDT ou **OPPENOODRDT (Gilles, Marie).** ♦ Architecte, décorateur et ornemaniste français (Paris, 1672 – *id.,* 1742). Il fut élève de J.H. Mansart et, après un séjour à Rome (1692-1698), il donna pour l'église St-Sulpice (Paris) les plans du *maître-autel* (en partie détruit), travailla au *chœur* et aux *portails nord* et *sud* (vers 1720). Il fut architecte du duc d'Orléans, donna les plans des *Écuries* du prince de Condé au château d'Enghien. Par ses motifs décoratifs où dominent les formes en arabesques (recueils gravés et publiés par Gabriel Huquier de 1737 à 1751), il fut l'un des plus importants propagateurs du style rococo ou rocaille. On l'appela le « Borromini français ».

OPWIJK. ♦ Comm. de Belgique (Brabant, arr. de Bruxelles). 9 600 hab. Marché agricole. Indus. textiles.

ORADEA, en all. **Grosswardein,** en hongr. **Nagyvarad.** ♦ V. de Roumanie, près de la frontière hongroise. Ch.-l. de la région administrative de Crişana, sur le *Criş* Rapide.* 134 970 hab. Cathédrale du XVIIIe s., palais de l'Évêché. Centre industriel : machines-outils, fabrication d'alumine et de produits chimiques ; indus. textiles et alimentaires. Aux environs, sources thermales. ♦ *Hist.* Citadelle hongroise rasée par les Tatars en 1241, la ville fut reconstruite au XIVe s. et occupée par les Turcs jusqu'au XVIIIe s., puis intégrée à l'empire d'Autriche-Hongrie. En 1919, elle fut cédée à la Roumanie.

ORADOUR-SUR-GLANE. ♦ Comm. de la Haute-Vienne*, arr. de Rochechouart*, 1 671 hab. (747 aggl.). ♦ *Hist.* Le 10 juin 1944, les Allemands, par mesure de représailles, massacrèrent 643 personnes, dont 500 femmes et enfants, qui périrent enfermés dans l'église volontairement incendiée. Les ruines ont été conservées, et le village reconstruit à proximité. Le nom d'Oradour demeure comme l'un des symboles de la barbarie nazie.

ORADOUR-SUR-VAYRES. ♦ Ch.-l. de cant. de la Haute-Vienne*, arr. de Rochechouart*. 2 086 hab. (829 aggl.).

ORAISON. ♦ Comm. des Alpes-de-Haute-Provence (arr. de Digne), sur la Durance. 2 702 hab. Usine hydro-électrique.

Oraisons funèbres. ♦ Ensemble de onze oraisons (de 1667 à 1687) où Bossuet* veut « dans un seul malheur déplorer toutes les calamités du genre humain et dans une seule mort faire voir la mort et le néant de toutes les grandeurs humaines », car Dieu sacrifie les grands de ce monde à l'instruction du reste des hommes (*Oraison d'Henriette* de France,* 1669). Aussi chaque oraison est-elle bâtie selon une composition rigoureuse qui met en relief une pensée simple : l'*Oraison d'Henriette* d'Angleterre* (1670) illustre la vanité et le néant de la destinée humaine dont la seule grandeur est dans une mort sainte. De même l'orateur exalte-t-il, dans l'*Oraison de Condé** (1687), non seulement l'illustre capitaine, mais surtout le chrétien fervent. Dès lors « l'éloquence ne doit paraître qu'à la suite de la sagesse,... lumière ardente et luisante, qui ne (brille) que pour échauffer ». S'adaptant souplement à son auditoire et à son sujet, Bossuet manie les tours expressifs ou les périodes oratoires, un vocabulaire concret ou une rhétorique fastueuse, l'éloquence « brûlante et rapide » (d'Alembert) ou la gravité lyrique, mais il se montre toujours « énergique et [...] délié dans tous les actes du discours » (Valéry).

ORAN. ♦ V. OUAHRAN.

ORANGE. *n. m.* ♦ Fl. de l'Afrique australe (1 860 km) qui prend sa source dans le Lesotho*, reçoit son princ. affl. (r. d.), le Vaal*, et se jette dans l'Atlantique. Un vaste projet d'aménagement sur son cours est à l'étude, qui permettra la création de terres irriguées et augmentera notablement la production d'électricité hydraulique du pays.

ORANGE *(Province de l'État libre d').* ♦ Prov. centrale de l'Afrique* du Sud. 129 153 km². *Ch.-l.* Bloemfontein. Mines d'or et de diamants. ♦ *Hist.* Occupé par des colons boers, dont le plus gros contingent arriva avec le grand Trek de 1836 (**V. Afrique du Sud,** *Hist.*), le territoire fut le cadre de l'opposition entre Boers et missionnaires anglais, désireux de protéger les indigènes Criquas. Après le soulèvement dirigé par J. Pretorius*, les Anglais reconnurent l'indépendance de l'Orange (convention de Bloemfontein, 1852), fixant la frontière au fleuve. À l'E., les Basutos, conseillés par un groupe de pasteurs protestants français, firent appel aux Anglais. Après plusieurs batailles entre Boers et Basutos (1868), les Anglais annexèrent le Basutoland, mais, après une révolte des Boers (1879-1881), durent revenir à la formule du protectorat. Quant à la frontière O. de l'Orange, elle fut réduite par l'achat (forcé) de la zone diamantifère de Kimberley par Le Cap (1876). Ensuite, l'histoire de l'État libre d'Orange dépend du sort de son allié boer, le Transvaal*.

ORANGE. ♦ Ch.-l. de cant. du Vaucluse*, arr. d'Avignon*, 25 630 hab. [17 852 aggl.] *(Orangeois).* Ancienne cathédrale du XIIe siècle. L'*Arc de Triomphe* romain, construit entre 10 et 25, est l'un des plus beaux qui nous soit parvenu. Théâtre antique construit v. 120. Marché agricole, indus. textile, fabrique de chaussures. Tourisme. – Patrie de A. de Gasparin*. ♦ Hist. *Aurasio,* bourgade celtique, devint *Colonia Julia Secundanorum,* colonie romaine sous Auguste*, de nombreux monuments y furent alors élevés. Évêché au IVe s., il s'y tint plusieurs conciles. Au XIIIe s., Orange devint une principauté. En 1673, Louis XIV fit raser le château des princes d'Orange, situé sur la colline Saint-Eutrope. En 1702, la principauté d'Orange fut réunie à la France. Le territoire d'Orange revint par le jeu des alliances à la branche hollandaise de la famille des Nassau* (au XVIe s.) qui conserve encore le titre de *prince d'Orange.*

Orangerie *(musée de l').* ♦ **V.** TUILERIES, LOUVRE.

ORANIENBURG. ♦ V. d'Allemagne orientale (distr. de Potsdam), sur la Havel. 21 000 hab. Château baroque. – Le camp de concentration d'*Oranienburg-Sachsenhausen,* établi dès 1933 pour les opposants au nazisme, devint le centre administratif du système concentrationnaire nazi. Il se dédoubla pour former le camp de *Gross Rosen.*

Ph. Carlo Bevilacqua/Ricciarini

Orange : l'arc de triomphe romain.

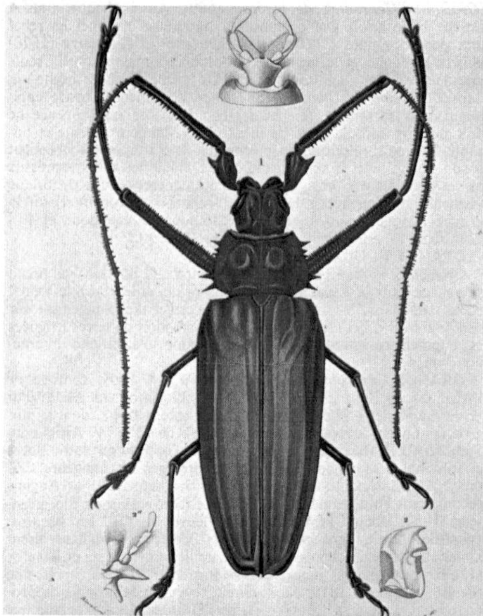

Arch. Rencontre

Planche extraite du « Dictionnaire universel d'histoire naturelle » de Charles d'**Orbigny.**

Oratoire *(l').* ♦ Congrégation de prêtres fondée à Rome par saint Philippe* Neri (1575). Les maisons sont autonomes; elles tiennent un congrès tous les dix ans. Il fut introduit en Angleterre par Newman* (1848). – *Oratoire de France,* ou *de Jésus et Marie Immaculée;* fondé par le cardinal de Bérulle* sur le modèle de l'Oratoire italien (1611); ses constitutions furent élaborées sous Condren*. Oratoriens célèbres : **V. Jean Eudes** (saint),**Malebranche, Massillon, R. Simon.** Supprimé en 1792, l'Oratoire fut restauré en 1852 par les oratoriens Pététot et Gratry*; dispersé en 1880 puis 1903; rétabli en 1920 par le P. Courcoux. Il possède le collège Massillon à Paris et celui de Juilly.

Oratoire *(l').* ♦ Temple calviniste à Paris. Anc. chapelle des Oratoriens, construite pour le cardinal de Bérulle* par Jacques Lemercier* et Clément Métezeau* (1621 à 1630); l'édifice fut restauré complètement lors des dégagements des abords du Louvre. – En 1811, l'Oratoire devint un temple, siège du Consistoire réformé.

ORB. *n. m.* ♦ Fl. côtier du S. de la France (145 km). Il arrose Béziers* et Bédarieux*, et se jette dans la Méditerranée. Le régime pluvial méditerranéen qui caractérise son bassin entraîne des crues soudaines et violentes.

ORBAY (François *d'***).** ♦ Architecte, dessinateur et graveur français (Paris, 1634 – *id.,* 1697). Élève, puis collaborateur de Le* Vau, il fit un voyage à Rome en 1660, fut nommé membre de l'Académie royale d'architecture en 1671 et devint le collaborateur de J.H. Mansart*. Il est l'auteur de l'*hôpital de la Trinité et des Carmélites* de Lyon, de la *cathédrale* de Montauban et de l'*hôtel des Comédiens* à Paris (dont il ne reste que quelques vestiges). Certains historiens lui prêtent aujourd'hui un rôle important dans les principales réalisations architecturales entreprises sous Louis XIV, notamment dans la conception de la *colonnade du Louvre** (1667-1673) généralement attribuée à Perrault*.

ORBE. *n. f.* ♦ Riv. du Jura suisse (57 km). Elle prend sa source dans le Jura français au S.-E. de Morez*, traverse le lac des Rousses*, la vallée de Joux*, les lacs de Joux et Brenet, puis disparaît dans des gouffres naturels pour reparaître à 222 m en contrebas par la *source de l'Orbe,* arrose le bourg d'Orbe, puis prend le nom de Thièle. **V. Thièle.**

ORBEC. ♦ Ch.-l. de cant. du Calvados*, arr. de Lisieux*. 3 529 hab. *(Orbecquois).* Église Notre-Dame du XVe siècle. Maisons anciennes.

ORBEY. ♦ Comm. du Haut-Rhin, arr. de Ribeauvillé. 3 282 hab. Indus. textile. – Théâtre de bombardements et de violents combats au cours des deux dernières guerres.

ORBIGNY (Alcide DESSALINES *d'***).** ♦ Naturaliste, paléontologue et ethnologue français (Couëron, Loire-Atlantique, 1802 – Pierrefitte-sur-Seine, 1857). Ses premiers travaux portèrent sur les foraminifères (1825). D'une expédition en Amérique du Sud, il rapporta des documents sur la flore, la faune et sur les tribus (Guaranis, Patagons, Araucans, Aymaras) dont il étudia les caractères physiques, la civilisation, la langue (*Voyage dans l'Amérique méridionale,* 1834-1847). Élève de Cuvier, il fut un des fondateurs de la paléontologie stratigraphique et émit l'hypothèse des créations successives. (*Paléontologie française; Cours élémentaire de paléontologie et de géologie stratigraphiques,* 1849). ♦ CHARLES DESSALINES D'ORBIGNY. Son frère, géologue français (Couëron, Loire-Atlantique, 1806 – 1876). On lui doit une *Description géologique des environs de Paris* (1838), un *Dictionnaire universel d'histoire naturelle* (1839-1849), un *Manuel de géologie* (1852), etc.

ORCADES *(îles) n. f. pl.,* en angl. **Orkney Islands.** ♦ Archipel britannique, au N.-E. de l'Écosse, dont il est séparé par le détroit de Pentland. Il est formé d'env. 70 îles, dont 28 seulement sont habitées. 975 km². 18 750 hab. *Ch.-l.* Kirkwall (4 315 hab.). *Princ. îles :* au centre, Mainland (ou Pomona), au S., Hoy et South Ronaldsay et, au N., les îlots de Stronsay, Rowsay, Westray, Sanday et North Ronaldsay. On y cultive l'avoine et l'orge et on y pratique l'élevage (bovin et ovin) et la pêche (hareng, morue). Une centrale électrique éolienne a été édifiée dans la rade militaire de *Scapa* Flow,* entre Mainland et les îles du sud. Les Orcades recèlent de nombreux vestiges préhistoriques (tumulus de Maeshowe).

ORCADES du Sud. *n. f. pl.* ♦ Archipel situé à la limite des océans Atlantique et Antarctique (terres Australes*), au bord du continent Antarctique* et comprenant les îles Coronation, Signy, Powell et Laurie (à l'E.). Découvertes par l'Anglais Powell (1821), les îles sont britanniques (dépendance des Falkland*), mais ont été également revendiquées par l'Argentine qui y installa une station météorologique.

ORCAGNA (Andrea di Cione Arcangelo, dit**).** ♦ Peintre, sculpteur et architecte florentin (connu de 1343 à 1368). Il reste de lui le retable sévère de Santa Maria Novella (1354-1357) et le tabernacle gothique d'Orsanmichele, avec ses reliefs de la *Dormition* et de l'*Assomption de la Vierge* (1352-1359). Maître d'œuvre du dôme d'Orvieto* de 1359 à 1362, il eut à donner son avis, à Florence, sur la continuation de Santa Maria del Fiore. – Son frère NARDO ([mort] v. 1366) décora la chapelle Strozzi, à Santa Maria Novella.

ORCHA. ♦ V. d'U.R.S.S. (Biélorussie) dans la région de Vitebsk, sur le Dniepr. 101 000 hab. Indus. mécaniques, textiles et alimentaires. Nœud ferroviaire.

ORCHIES [ɔʀʃi]. ♦ Ch.-l. de cant. du Nord*, arr. de Douai*, dans la Pévèle. 6 011 hab. *(Orchésiens).* Commerce de semences. Chaudronnerie; faïences. Indus. alimentaires (chicorée).

ORCHOMÈNE, en grec **Orkhomenos.** ♦ Anc. V. de Grèce en Arcadie. Florissante au ~ Ve s., elle fut prise et ravagée par les Athéniens pendant la guerre du Péloponnèse. Opposée aux Macédoniens et à la ligue Achéenne, dévastée à l'époque romaine, elle fut rebâtie au Ier siècle. – Vestiges d'un temple dorique du ~ VIe s. et d'un sanctuaire d'Artémis.

ORCHOMÈNE, en grec **Orkhomenos.** ♦ Anc. V. de Grèce en Béotie, près du lac Copaïs. Capitale des Minyens, ce fut l'une des villes les plus anciennes et les plus riches de la Grèce. Selon la tradition, Orchomène avait imposé à Thèbes un tribut, dont les Thébains furent affranchis par Héraclès*. Membre de la confédération béotienne au ~ VIIe s., elle collabora avec les Perses pendant les guerres Médiques*. Dirigée par le parti aristocratique, elle se brouilla avec Thèbes quand la démocratie prévalut dans cette cité. Détruite par les Thébains en ~ 364, puis en ~ 349, elle fut relevée par les Phocidiens la première fois, par les Macédoniens la seconde, et disparut à l'époque romaine. – Les fouilles, inaugurées en 1880 par Schliemann*, ont mis au jour une tombe à coupole *(trésor de Minyas),* des traces d'une cité néolithique (~ VIe-~ IVe millénaire), d'une maison à abside et à mégaron (~ 2000) où l'on a exhumé d'admirables exemples de poterie *minyenne.*

ORCIÈRES. ♦ Ch.-l. de cant. des Hautes-Alpes*, arr. de Gap*, 734 hab. *(Orciérois).* Station de sports d'hiver. Indus. du bois.

ORCIÈRES-MERLETTE. ♦ Station d'été et de sports d'hiver des Hautes-Alpes* (1 850-2 650 m).

ORCIVAL. ♦ Comm. du Puy-de-Dôme, arr. de Clermont-Ferrand. 396 hab. Église romane de style auvergnat très pur.

ORDENER (Michel, *comte***).** ♦ Général français (Saint-Avold, 1755 – Compiègne, 1811). Il fut chargé d'arrêter le duc d'Enghien* (mars 1804). Blessé à Austerlitz, il se retira du service actif.

ORDERIC VITAL. ♦ Historien français (Attingham, Angleterre, v. 1075 – après 1143). Membre d'une abbaye du diocèse de Lisieux, il a laissé une *Histoire ecclésiastique* qui s'étend de Jésus-Christ à 1140 (manuscrit autographe à la Bibliothèque nationale de Paris).

ORDJONIKIDZE (Grigori Konstantinovitch). ♦ Homme politique géorgien (Gorecha, gouv. de Koutaïssi, Géorgie, 1886 – Moscou, 1937). Bolchevik dès 1903, il participa à la révolution de Transcaucasie (1905-1907), et fut emprisonné puis exilé. En 1917, il prit une part active à l'insurrection de Petrograd, et, après la prise du pouvoir par les bolcheviks, fut nommé commissaire extraordinaire d'Ukraine, président du comité central du Parti bolchevik (1926) et membre du bureau politique. Impliqué dans le procès de Moscou (1935) comme opposant au régime, il fut condamné à mort.

ORDJONIKIDZE (jusqu'en 1932, **Vladicaucase**; de 1944 à 1954 **Dzaoudzikaou).** ♦ V. d'U.R.S.S. (R.S.F.S. de Russie), cap. de l'Ossétie* du Nord, sur le Terek* dans le Caucase du Nord. 236 000 hab. Centre culturel. Métallurgie des non-ferreux. Centrale thermique.

ORDOS. *n. m.* ♦ Plateau de Chine du Nord, enclos dans la boucle du Huang*-ho, autrefois fief des Mongols orientaux. Cette région vit s'éclore, du ~ IIe millénaire au début de notre ère, une culture du bronze caractérisée par un art animalier extrêmement élaboré, appartenant à l'art dit « des steppes ».

Ordre *(Parti de l').* ♦ Nom donné sous la IIe République au Parti conservateur qui se constitua peu après l'insurrection de juin* 1848, regroupant des monarchistes (légitimistes et orléanistes), des républicains conservateurs, parfois même modérés, unis par leur opposition au mouvement socialiste. Après avoir soutenu la candidature de Louis Napoléon Bonaparte à la présidence de la République (décembre 1848), le Parti de l'Ordre fut victorieux aux élections de mai 1849.

Ordre moral *(l').* ♦ Cette expression, déjà utilisée par Napoléon III (1869), désigne la coalition monarchiste et conservatrice qui renversa Thiers (24 mai 1873) et porta Mac*-Mahon à la présidence de la Troisième République.

ORDU. ♦ V. et port de Turquie orientale, sur la mer Noire*. Ch.-l. de prov. 23 000 hab. Centre commercial (céréales, avelines).

ÖREBRO. ♦ V. de Suède centrale, à l'O. de Stockholm* et au bord du lac Hjälmaren. Ch.-l. du comté homonyme. 89 140 hab. (1968). Basilique *Nikolai Kyrkan (fin* XIIIe s.*).* — Centre indus. : manufactures de chaussures, constructions mécaniques, indus. alimentaires. — Patrie d'Olaus* Petri, M. Siegbahn*.

OREGON. *n. m.* ♦ État du N.-O. des États-Unis, sur la façade Pacifique. 249 281 km². 2 091 385 hab. (1970). *Cap.* Salem. *V. princ.* **V. Portland, Eugene.** — *Orogr.* La région côtière, montagneuse, est formée par la chaîne côtière *(Coast Range)* et, au S., par les monts Klamath. La chaîne côtière est bordée à l'E. par la vallée de la Willamette* où se trouve Portland. Plus à l'E., la chaîne des Cascades* *(Cascade Range)* traverse l'État du N. au S. Toute la partie E. (les 2/3 de l'État) forme un plateau intérieur d'une alt. moyenne de 1 500 m, où se trouvent plusieurs chaînes (Montagnes Bleues, etc.) et des canyons; sa partie S. est aride, parfois désertique; le N. est une région d'élevage et de céréales. — *Écon.* Exploitation du bois des forêts. Agriculture (blé, fruits; élevage). Pêcheries. Indus. (bois, indus. alimentaires, etc.). ♦ *Hist.* La région fut explorée autour de 1800 et les Américains y fondèrent alors des établissements. Territoire (1848), l'Oregon s'étendait jusqu'au Canada (la frontière ne fut fixée qu'après des discussions avec les Anglais). Après la création du Washington*, l'Oregon fut admis au rang d'État (1859).

OREKHOVO-ZOUEVO [~ **-ZUEVO**]. ♦ V. d'U.R.S.S. (R.S.F.S. de Russie), dans la région de Moscou, sur la Kliazma (affl. g. de l'Oka, 721 km). 120 000 hab. Important centre textile. Indus. mécaniques et chimiques.

OREL. ♦ V. d'U.R.S.S. (R.S.F.S. de Russie), ch.-l. de la région du même nom (24 700 km², 919 000 hab.), sur le cours supérieur non navigable de l'Oka*. 232 000 hab. Indus. alimentaires et mécaniques (machines agricoles et textiles). Fabrication de chaussures. Confection. La ville fut fondée en 1564. — Patrie de Andreïev*, Tourgueniev*. Dans la région est né Rostopchine*.

ORELLANA (Francisco *de***).** ♦ Explorateur espagnol du XVIe siècle (Trujillo, Estrémadure, ? — Amazonie, 1550). Compagnon de Pizarro lors de la conquête du Pérou, il explora les régions à l'E. de la Cordillière des Andes, atteignit le Napo puis l'Amazone* dont il descendit le cours jusqu'à l'Atlantique (1541).

ORELLI (Johann Kaspar *von***).** ♦ Philologue suisse (Zurich, 1787-Zurich, 1849). Professeur à l'université de Zurich, il donna d'excellentes éditions de Cicéron* (1826-1838), d'Horace* (1837-1843) et de Tacite* (1846-1848).

Ph. Nino Cirani/Ricciarini

L'Orénoque.

ORENBOURG (de 1938 à 1957 **Tchkalov**). ♦ V. d'U.R.S.S. (R.S.F.S. de Russie), ch.-l. de la région du même nom (123 900 km², 2 043 000 hab.), sur l'Oural*. 345 000 hab. Centre culturel. Indus. mécaniques (machines agricoles) et alimentaires. Nœud ferroviaire. — Patrie de Malenkov*. ♦ *Hist.* La ville, fondée en 1735, fut assiégée en vain par l'armée insurrectionnelle de Pougatchev* (1773-1774).

ORÉNOQUE, en esp. **Orínoco.** *n. m.* ♦ Fl. du Venezuela (3 000 km) qui prend sa source dans la sierra Parima à la frontière brésilienne, dévale le plateau des Guyanes (État d'Amazonas), et sépare dans son cours moyen le Venezuela de la Colombie d'où lui viennent ses affl. r. g. Guaviare et Meta*. S'orientant vers l'E. il traverse les *llanos,* arrose Ciudad* Bolivar et Ciudad* Guayana où il conflue avec le Caroní*, avant de se jeter dans l'Atlantique par un vaste delta marécageux (25 000 km² env.) formé d'innombrables bras dont les principaux sont la Boca Grande et le Macaréo. Dans son cours supérieur, le Cassiquiare* le fait communiquer avec l'Amazone* par le río Negro*. Quatrième fleuve du monde par son débit, navigable sur 700 km, son bassin (960 000 km² env.) couvre en totalité la région de *la Guyane*.

ORENSE, anc. **Aquae Urentes.** ♦ V. d'Espagne du N.-O., en Galice*. Ch.-l. de prov. sur le Minho*. 67 300 hab. Évêché, cathédrale San Martín (XIIIe s.). Princ. centre commercial de la Galice intérieure. — Anc. cap. des Suèves* aux VIe et VIIe siècles.

ORESME (Nicolas ou **Nicole).** ♦ Philosophe, économiste et savant français (en Normandie, v. 1320 — Lisieux, 1382). Précepteur du futur Charles* V, puis évêque de Lisieux (1377), il traduisit plusieurs ouvrages d'Aristote, écrivit un traité des monnaies *(De l'origine, nature et mutation des monnaies).* Dans le *De cœlo et mundo,* traité de géométrie et de cosmographie, il envisage la possibilité de la rotation de la terre autour de son axe **(V. Copernic).**

ORESTE, en gr. **Orestês.** ♦ Personnage de la mythologie grecque. Issu de la famille des Atrides*, fils d'Agamemnon* et de Clytemnestre*. Averti par sa sœur Électre* des circonstances de la mort de son père, il le vengea, avec l'aide de son ami Pylade*, en tuant sa mère et le complice de celle-ci, Égisthe*. Ce parricide lui valut d'être longtemps poursuivi par les Érinyes*. Après son acquittement par l'Aréopage*, grâce à l'intervention d'Athéna*, il épousa Hermione* et régna à Mycènes. — Le personnage apparaît dans de nombreuses œuvres, tant classiques que modernes. Parmi les principales, on citera : *L'Orestie,* trilogie d'Eschyle* *(Agamemnon, Choéphores*, Euménides*,* ~ 458); *Électre,* de Sophocle (v. ~ 425); *Andromaque* (v. ~ 426); *Iphigénie* en Tauride* (~ 414); *Électre* (~ 413); *Oreste* (~ 408) d'Euripide*, *Andromaque*,* de Racine (1667), *Électre,* de Crébillon (1708), *Oreste,* de Voltaire (1750), *Iphigénie en Tauride,* de Goethe (1779-1787), *Électre,* de Jean Giraudoux (1937), *Les Mouches,* de Jean-Paul Sartre (1943).

ORESTE. ♦ (Mort à Plaisance, 476). Homme politique romain. Après avoir détrôné Julius* Nepos grâce à Odoacre*, il plaça son fils Romulus* Augustule sur le trône et gouverna l'Italie en son nom. Il fut vaincu et tué par Odoacre.

Orestie (L'), en gr. **Oresteia.** ♦ Trilogie d'Eschyle*, composée d'*Agamemnon**, des *Choéphores** et des *Euménides**, qui fut représentée en ~ 458. C'est la seule trilogie d'Eschyle et du théâtre grec qui nous soit parvenue en entier. Elle est considérée comme le sommet de la dramaturgie d'Eschyle. Le drame satyrique *Protée,* qui accompagnait la trilogie, est aujourd'hui perdu.

ØRESUND. *n. m.* ♦ Détroit unissant la mer Baltique* au Kattegat*, entre l'île de Sjaelland* (Danemark) et l'extrémité S. de la Suède. 4,5 km au point le plus étroit.

OREZZA. ♦ Localité de Corse, arr. de Corte. Sources thermales.

Orfeo. ♦ Opéra en cinq actes de Striggio, musique de Monteverdi* (Mantoue, 1607). Composé à la commande du duc Vincent Gonzague, l'ouvrage fut représenté pour les fêtes du carnaval et obtint un succès considérable. Par l'emploi d'un récitatif mélodique, *l'Orfeo* réalisait une synthèse des plus récents modes de chant : air de cour, de ballet, madrigal, canzone, recitativo secco, arioso. Dissimulé derrière la scène, un orchestre de trente-six instruments participait à la vie du drame. Par ce chef-d'œuvre, Monteverdi fut le premier à « articuler la musique de telle façon qu'elle fût consciente à chaque instant de sa fonction au service du drame » (A. Berg).

ORFF (Carl). ♦ Compositeur allemand (Munich, 1895). Il se consacra d'abord à la direction d'orchestre, puis à l'enseignement, fondant à Munich (1924) la *Gunther Schule* de gymnastique rythmique et de danse classique où il appliqua une méthode d'enseignement musical établie sur l'éducation par le rythme. Esprit de vaste culture, marqué par les influences de la tragédie grecque, des jeux improvisés du Moyen Âge et des musiques orientales, il a recours aux formes archaïques du théâtre sacré, de la danse rituelle, et tend, dans ses œuvres les plus caractéristiques, à réduire le chant à une psalmodie, parfois même à une récitation monocorde. L'orchestre, riche en percussions, ne forme plus qu'un fond sonore que domine la parole, empruntant à des textes latins, grecs, allemands ou français leur pouvoir incantatoire. On lui doit notamment : *Carmina burana,* cantate (1937), *Der Mond* (1938), *Catulli carmina* (1942), *Antigonæ* (1948), *Trionfo di Afrodite* (1951), *Commedia de Christi resurrectione* (1955), *Œdipus der Tyrann* (1959), *Prometheus* (1967).

ORFILA (Mathieu Joseph Bonaventure). ♦ Médecin et chimiste français d'origine espagnole (Mahón, 1787 — Paris, 1853). Il s'est intéressé à la toxicologie et particulièrement à l'empoisonnement par l'anhydride arsénieux. **V.** *aussi* **Marsh.** Il est l'auteur d'un *Traité des poisons* (1813), et fondateur du musée Dupuytren.

Organisation commune africaine, [malgache] et mauricienne (O.C.A.[M.]M.). ♦ Organisation créée en 1965, succédant à l'Union africaine et malgache (U.A.M.), à l'Union africaine et malgache de coopération économique (U.A.M.C.E.) et à l'Organisation africaine et malgache de coopération économique (O.A.M.C.E.). Constituée par la majorité des États d'Afrique francophone (la Mauritanie s'en est retirée en juin 1965 et le Zaïre en 1972; l'île Maurice y a été admise en janvier 1969). Son but est d'organiser la coopération économique culturelle et sociale entre ses membres; ses adversaires la présentent comme une concurrente de l'Organisation* de l'unité africaine (O.U.A.). Lors de la huitième conférence des chefs des États membres (avril 1972), l'O.C.A.M.M. était constituée par quatorze États : Cameroun, République Centrafricaine, République populaire du Congo, Côte-d'Ivoire, Dahomey, Gabon, Haute-Volta, Madagascar, île Maurice, Niger, Ruanda, Sénégal, Tchad, Togo. Le Cameroun s'est retiré en juil. 1973, le Tchad et Madagascar en août 1973 et le Gabon en sept. 1976. Les Seychelles en sont membre depuis févr. 1977.

Organisation de coopération et de développement économique (O.C.D.E.). ♦ Organisme créé en 1961, succédant à l'Organisation européenne de coopération économique (O.E.C.E.) fondée en 1948. Son siège est à Paris*; le Canada et les États-Unis puis le Japon (1964) y ont adhéré. Elle a pour fonction de coordonner les politiques économiques des États membres, de faire bénéficier les pays moins développés de l'expérience des pays industrialisés et de favoriser le développement du commerce international.

Organisation de l'aviation civile internationale (O.A.C.I.). ♦ Institution spécialisée de l'O.N.U., créée en 1947 et dont le siège est à Montréal*. Elle a pour rôle d'uniformiser les normes les pratiques recommandées et les procédures et de promouvoir des mesures de sécurité aérienne.

Organisation de l'unité africaine (O.U.A.). ♦ « L'idée panafricaine a suscité après Bandoung des conférences, certaines idéologiquement très orientées » (H. Dechamps) dont l'aboutissement a été, en mai 1963, la création de l'Organisation de l'unité africaine (O.U.A.), dont le siège est à Addis-Abéba et « qui devait unifier les plans et les politiques de tous ses membres». L'O.U.A. comptait quarante-trois membres en 1977.

Organisation des États américains. ♦ **V.** O.E.A.

Organisation des Nations unies (O.N.U., en angl. **U.N.O.).** ♦ Organisation internationale ayant succédé à la Société* des Nations et dont le but est d'assurer le maintien de la paix et de la sécurité internationales. Elle tient son mandat de la *charte des Nations unies,* signée à San Francisco le 26 juin 1945 par les représentants de cinquante et une nations en guerre contre l'Axe. Elle compte auj. cent cinquante-cinq États. Son siège est à New York. Les organes de l'O.N.U. sont l'*Assemblée générale* qui comprend tous les pays membres, le *Conseil de sécurité* (composé de 15 membres dont 5 permanents : États-Unis, U.R.S.S., France, Grande-Bretagne, Chine), qui est l'organe exécutif sur le plan politique, le *Conseil de tutelle,* chargé d'administrer les territoires sous tutelle, le *Conseil économique et social,* la *Cour* internationale de justice* et le *Secrétariat général* où se sont déjà succédé quatre secrétaires généraux : Trygve Lie, Norvégien (1946-1952); Dag Hammarskjöld, Suédois (1953-1961); U Thant, Birman (1961-1972); Kurt Waldheim, Autrichien (1972). Bien que dotée de pouvoirs plus étendus que la S.D.N., l'O.N.U. a souvent été paralysée par le droit de veto conféré à chaque membre du Conseil de sécurité, et son action s'est révélée inefficace chaque fois qu'elle s'est heurtée à l'opposition d'une grande puissance.

Ph. U.S.I.S.

Siège de l'**Organisation des Nations unies.**

Organisation du traité de l'Asie du Sud-Est (O.T.A.S.E.). ♦ Organisme créé en 1954 et dont le siège est à Bangkok* (Thaïlande). Pacte de défense contre toute agression extérieure et contre toute subversion dans le Sud-Est asiatique; elle est essentiellement dirigée contre la politique des États et des mouvements communistes. Elle a un rôle de coopération économique et culturelle.

Organisation du traité de l'Atlantique Nord (O.T.A.N., en angl. **N.A.T.O.).** ♦ Organisation fondée le 4 avril 1949 à Washington, groupant la Belgique, le Canada, le Danemark, les États-Unis, la France, la Grande-Bretagne, l'Islande, l'Italie, le Luxembourg, la Norvège, les Pays-Bas et le Portugal; elle fut étendue à la Grèce, à la Turquie (1952) puis à la République fédérale allemande (1955). L'O.T.A.N. a pour but de « sauvegarder la paix et la sécurité et de développer la stabilité et le bien-être dans la région de l'Atlantique Nord ». Elle assure aux Européens l'alliance des États-Unis contre toute agression. Bien que restant membre de l'alliance, la France s'est retirée de l'O.T.A.N. (1966) dont le siège fut transféré de Paris à Bruxelles. En réplique à l'O.T.A.N., les puissances communistes ont fondé en 1955 l'Organisation du pacte de Varsovie*. La Grèce s'est retirée de l'O.T.A.N. en août 1974.

Organisation européenne pour la recherche nucléaire. ♦ **V.** C.E.R.N.

Organisation internationale du travail (O.I.T.). ♦ Institution spécialisée de l'Organisation* des Nations unies (O.N.U.), dont le siège est à Genève*. Elle résulte de la transformation de l'anc. *Bureau international du travail* (B.I.T.), créé en 1919 et associé à la S.D.N. L'O.I.T., reconstituée en 1946, a commencé à fonctionner en 1948. Elle est destinée à améliorer les conditions du travail et à promouvoir plus de justice sociale dans le monde. Ses activités sont l'élaboration d'un droit international du travail par voie de convention que les États sont invités à ratifier.

Organisation mondiale de la santé (O.M.S.). ♦ Institution spécialisée de l'O.N.U., créée en 1946 et dont le siège est à Genève*. Son bureau pour l'Europe est à Copenhague. Son but est « d'amener tous les peuples à un niveau de santé le plus élevé possible ».

Organon (L'). ♦ Titre sous lequel sont rangées les œuvres logiques d'Aristote*. L'utilisation de ce terme, qui n'est pas de lui, signifierait que la logique n'est pas une partie mais l'instrument (en gr. *organon*) du savoir. Ce corpus comprend : *Les Catégories*; L'Hermeneia* (De l'interprétation) qui est une étude de la proposition; *Les Analytiques*; Les Topiques*; La Réfutation des sophistes.*

ORGE. *n.f.* ♦ Affl. de la Seine (50 km) coulant en Île-de-France.

ORGELET-LE-BOURGET ou **ORGELET.** ♦ Ch.-l. de cant. du Jura, arr. de Lons-Le-Saunier. 1 756 hab. Église (XVe-XVIe s.). Hôpital (en partie du XIIIe siècle).

ORGNAC *(aven d').* ♦ Grotte de l'Ardèche près de Barjac explorée en 1935 par R. de Joly. Stalagmites géantes. Gisements du paléolithique inférieur et supérieur.

ORGON. ♦ Ch.-l. de cant. des Bouches*-du-Rhône, arr. d'Arles*, sur la Durance*, 2 049 hab. *(Orgonnais).* Église du XIVe siècle. — Cartonneries.

ORHAN VELI. ♦ Poète turc (Bey Koz, Bosphore, 1914 — Istanbul, 1950). Il exerça une grande influence sur la poésie turque contemporaine en rompant avec toute la poétique classique (mètre conventionnel, rythme, lexique et thèmes). Il affronta une violente opposition émanant des cercles conservateurs mais, au moment de sa mort, la réputation de son œuvre était fermement établie. Il introduisit la langue parlée turque et sa richesse idiomatique dans la poésie et revalorisa les poèmes et les chansons populaires.

ORHY *(pic d').* ♦ Sommet des Pyrénées*-Atlantiques à la frontière espagnole (2 017 m).

ORIBASE, en gr. **Oreibasios.** ♦ Médecin grec (Pergame, Mysie, v. 325 — Byzance, 403). Attaché à la personne de l'empereur Julien, il fut banni par Valentinien Ier et Valens, puis rappelé auprès des empereurs en raison de la réputation qu'il avait acquise comme médecin auprès des Barbares. Auteur d'une encyclopédie des connaissances médicales.

ORIENT *(Empire romain d').* ♦ **V.** BYZANCE.

Orient *(question d').* ♦ Nom donné à l'ensemble des problèmes politiques posés à la diplomatie européenne à partir du XVIIIe s. par la décadence de l'Empire ottoman et par son éventuelle liquidation. **V. Ottoman** *(Empire),* **Turquie.**

Orientales (les). ♦ Recueil de poésies lyriques de V. Hugo* (1829). Défendant dans sa *Préface* le principe de la liberté dans l'art, aussi bien pour le choix du sujet que pour l'expression, V. Hugo consacre la vogue de la poésie pittoresque, l'attrait du Moyen Âge et de l'exotisme en présentant des tableaux d'une grande richesse de coloris et d'images *(Sarah la baigneuse),* affirmant en outre sa virtuosité par des jeux rythmiques *(Les Djinns)* ou la musicalité de certaines pièces *(Clair de Lune).* Les *Orientales* ne sont cependant pas un « livre inutile de pure poésie »; le recueil contribue à la défense d'une cause, celle de la lutte menée pour leur indépendance par les Grecs contre les Turcs *(L'Enfant).*

ORIGÈNE, en gr. **Ôrigenês.** ♦ Docteur chrétien de langue grecque (Alexandrie, v. 185 – Tyr, v. 254). De famille chrétienne (son père mourut martyr en 202), il succéda à Clément* d'Alexandrie à la tête du didascalée chrétien d'Alexandrie, tout en approfondissant ses études philosophiques auprès d'Ammonios* Saccas. En rivalité avec son évêque Demetrius qui lui reprocha de s'être fait ordonner prêtre sans son consentement et aussi de s'être autrefois fait volontairement émasculer, il se fixa à Césarée de Palestine (231). Il subit la torture sous Dèce et mourut des suites de ses blessures. Il a écrit de nombreux traités ascétiques, dogmatiques *(De principiis)*, polémiques *(Contre Celse)* et surtout des ouvrages d'exégèse *(Homélies, Commentaires)* interprétant l'Écriture dans un triple sens littéral, moral, mystique. Ses *Hexaples* présentaient la Bible sur six colonnes (texte hébreu, transcription et versions grecques). Représentant de la gnose dite orthodoxe, il fut le premier à proposer un système complet du christianisme, intégrant les théories néo-platoniciennes. Plusieurs points de sa doctrine furent condamnés par la suite (concile de Constantinople, 553).

Origine des espèces au moyen de la sélection naturelle *(De l')*. ♦ Ouvrage de Darwin* (1859) où il expose ses théories sur l'évolution des espèces.

Origines du christianisme *(Histoire des)*. ♦ Recueil d'essais historiques d'Ernest Renan (1863 à 1883), qui tente d'expliquer la genèse de la civilisation moderne dans sept volumes dont le plus célèbre, le premier, est la *Vie de Jésus* (1863) (**V. Renan** et **Jésus** [*Vie de*]).

ORIHUELA. ♦ V. d'Espagne du S.-E., dans le Levant* (prov. d'Alicante), sur le Segura. 45 000 hab. Centre commercial au milieu d'une riche *huerta* plantée d'orangers. Cathédrale gothique (XIVe-XVe s.), palais épiscopal (XVIIIe s.).

ORION, en gr. **Ôriôn.** ♦ Géant mythique d'une grande beauté et chasseur renommé dans la légende grecque. Ayant débarrassé l'île de Chio des fauves, il veut épouser la fille du roi, mais celui-ci, opposé à ce mariage, l'enivre et l'aveugle. Orion retrouve la vue en s'exposant aux rayons du soleil levant. Éos*, amoureuse de lui, l'enlève et le transporte à Délos, où il devient compagnon d'Artémis*. Le chasseur poursuit les Pléiades* pendant cinq ans, puis il veut faire violence à l'une des suivantes d'Artémis ou à elle-même. La déesse envoie alors contre lui un scorpion qui le pique au talon et provoque sa mort. Orion et le Scorpion sont changés en constellations (ci-dessous).

ORION, en lat. **Orion.** ♦ Constellation de la zone équatoriale. *Nébuleuse d'Orion* : nébuleuse galactique à raies d'émission s'étalant dans l'*Épée d'Orion*, filet lumineux formé de trois étoiles très rapprochées, au-dessous du *Baudrier d'Orion* constitué par trois étoiles placées au milieu en ligne oblique. **V. Bételgeuse, Rigel.**

ORISSÂ. *n. m.* ♦ Prov. orientale de l'Inde, sur le golfe du Bengale, au sud du Bihâr* et du Bengale* occidental, traversée par le fleuve Mahânadî. 155 824 km². Env. 22 000 000 d'hab. Elle est couverte de forêts denses où demeurent encore des tribus primitives. Les villes importantes se trouvent sur la côte. *Ch.-l.* Bhubaneśvar.

ORIZABA. ♦ V. du Mexique central (État de Veracruz*). Plus de 50 000 hab. Indus. alimentaires (brasseries, etc.), textiles (coton). Cimenteries.

ORIZABA *(pic d')* ou **CITLALTÉPETL.** *n. m.* ♦ Pic volcanique du Mexique central, dressé au pied de la Sierra Madre* orientale et le plus souvent couvert de neige. Point culminant du Mexique (5 700 m).

ORKHAN ou **ORHAN (Gazi).** ♦ Fils d'Osman* Ier, chef ottoman (1336 – 1359). Il fit de Brousse sa capitale, soumit quelques principautés d'Anatolie, commença à s'installer solidement en Europe (1354) et intervint dans la politique intérieure de Constantinople. Il fonda de nombreuses mosquées et écoles. Père de Murat* Ier.

ORKNEY. ♦ **V.** ORCADES.

ORLANDO (Vittorio Emanuele). ♦ Homme politique italien (Palerme, 1860 – Rome, 1952). Après une carrière de juriste, il fut élu député (1897-1925) et occupa plusieurs fonctions ministérielles. C'est en tant que président du Conseil (1916-1917) qu'il participa à la Conférence de la paix ; ne pouvant faire respecter aux Alliés les promesses concernant les « terres irrédentes » (Dalmatie, Istrie), il démissionna. Adversaire du fascisme, il ne revint à la vie politique qu'après la Deuxième Guerre mondiale et fut élu député en 1946. Il a publié des *Mémoires* (1961).

ORLÉANAIS. *n. m.* ♦ Ancien royaume franc, qui forma un comté sous les Carolingiens. Il faisait partie du domaine royal dès Hugues Capet. Confié en apanage à plusieurs princes du sang sous Philippe VI, Charles V et Louis XIII, il fut définitivement rattaché au domaine royal en 1626. Ses limites chevauchaient celles des départements actuels du Loiret, du Loir-et-Cher et de l'Eure-et-Loir.

ORLÉANS *(maison d')*. ♦ Nom de quatre familles princières françaises. – La première fut représentée par PHILIPPE (1344-1375), fils de Philippe VI, et mort sans postérité. – La deuxième, issue de LOUIS, fils de Charles V (duc d'Orléans en 1392) et dont le petit-fils régna sous le nom de Louis XII. – La troisième fut représentée par GASTON, frère de Louis XIII, mort sans postérité. – La quatrième, issue de PHILIPPE, frère de Louis XIV et dont le descendant régna sous le nom de Louis-Philippe. – Les membres les plus importants des différentes maisons d'Orléans sont traités ci-dessous (par ordre chronologique des dates de naissance).

ORLÉANS (Louis, *duc d'***).** ♦ Deuxième fils de Charles V et frère de Charles* VI (Paris, 1372 – Paris, 1407). Protégé par la

Ph. Cauboue

Origène. Miniature du XIIIe s. (Bibliothèque nationale, Paris.)

reine Isabeau de Bavière dont il était probablement l'amant, il lutta pour le pouvoir contre les ducs de Bourgogne Philippe* II le Hardi puis Jean* sans Peur. Son assassinat par les hommes de Jean sans Peur déclencha la guerre civile (**V. Armagnacs** et **Bourguignons**). Père de Dunois* et de Charles d'Orléans.

ORLÉANS (Charles *d'***).** ♦ Poète français (Paris, 1391 – Amboise, 1465). Duc d'Orléans, petit-fils de Charles V, neveu de Charles VI et père de Louis XII, grand seigneur, chef des Armagnacs, il fut fait prisonnier à Azincourt (1415) et demeura vingt-cinq ans captif en Angleterre. À son retour, il fit de sa *cour* de Blois un centre de poésie. – Il chanta lui-même sous forme allégorique, en ballades et rondeaux, l'exil *(En regardant vers le pays de France)*, le temps envolé, sa solitude *(En la forêt d'ennuyeuse tristesse)* ou la nature *(En regardant ces belles fleurs...)*. – « Jamais les sentiments doux, tendres sans vraie passion, mélancoliques sans vraie tristesse, n'ont trouvé un interprète plus délicat » (G. Paris).

ORLÉANS (Gaston, *comte d'***Eu,** *duc d'***).** ♦ Troisième fils de Henri IV et frère de Louis XIII (Fontainebleau, 1608 – Blois, 1660). Dépourvu de caractère, mais non de culture, il ne cessa d'intriguer contre Richelieu, puis Mazarin, toujours sans succès, et laissa condamner ses complices (Ornano* et Chalais*, Montmorency*, Cinq*-Mars et de Thou*). Mazarin le fit exiler à Blois (1652) où il finit ses jours. De son premier mariage, avec Mlle de Montpensier, était née une fille, la Grande Mademoiselle*.

ORLÉANS (Philippe, *duc d'***).** ♦ Second fils de Louis XIII et frère de Louis XIV (Saint-Germain-en-Laye, 1640 – Saint-Cloud, 1701), il était généralement appelé *Monsieur*. Il épousa Henriette* d'Angleterre, puis Charlotte*-Élisabeth de Bavière, princesse Palatine, eut pour fils le futur Régent, mais était connu pour son homosexualité (notamment pour ses relations avec le chevalier de Lorraine). Il se comporta brillamment à la guerre (victoire de Cassel*, 1677) mais Louis XIV ne lui confia plus de commandements.

ORLÉANS (Philippe, *duc d'***).** ♦ Régent de France (Saint-Cloud, 1674 – Versailles, 1723). Fils de Philippe d'Orléans, frère de Louis XIV, et de Charlotte*-Élisabeth, il porta d'abord le titre de duc de Chartres. Sous l'influence de son précepteur Dubois*, il épousa Mlle de Blois, fille de Louis XIV et de Mme de Montespan*, et se révéla habile capitaine, particulièrement à Neerwinden* et en Espagne : après l'Aragon et la Catalogne, il prit Lérida (1707-1708), mais complota bientôt pour s'emparer du trône d'Espagne, et fut exilé de la cour, tandis que Louis XIV, par son testament, donnait le pouvoir effectif au duc du Maine*. Ce testament devait être cassé par le Parlement en 1715 et le duc d'Orléans devint régent. Son arrivée au pouvoir correspondit à une réaction générale qui se manifesta aussi bien dans les mœurs, qui devinrent très libres, par opposition au rigorisme imposé par Mme de Maintenon* (ce fut l'époque des « roués »), qu'en matière religieuse où le Régent fut amené, par son indifférence même, à libérer les jansénistes, et en matière politique. La haute aristocratie, dont Saint*-Simon peut être considéré comme le porte-parole, prit sa revanche et s'empara du pouvoir qu'elle exerça par une multitude de conseils (polysynodie), faisant la preuve de son

Ph. Giraudon

Louis Philippe Joseph duc d'**Orléans,** dit Philippe-Égalité École française vers 1785-1788. (Musée Massey, Tarbes.)

incapacité dès 1718. Le Parlement, qui avait cassé le testament de Louis XIV, obtint le droit de remontrance et cette concession, qui allait entraver la monarchie pendant le reste du XVIIIe s., fut d'abord un handicap pour le Régent lui-même, qui dut compter avec la pression de l'opinion. Intelligent, brillant, mais paresseux et débauché, il devait faire face à une situation financière particulièrement critique, troublée encore par l'échec du système de Law **(V. Law)** dont les frères Pâris* assurèrent la liquidation sans parvenir à rétablir l'équilibre. Elle fut en partie compensée par une heureuse politique étrangère menée par Dubois **(V. Dubois).**

ORLÉANS (Louis Philippe Joseph *duc d'***Orléans**, dit **PHILIPPE-ÉGALITÉ**. ♦ Homme politique français (Saint-Cloud, 1747 – Paris, 1793). Duc de Montpensier, de Chartres, puis d'Orléans, il avait épousé l'arrière-petite-fille de Louis XIV, Adélaïde de Bourbon-Penthièvre en 1769 et possédait une fortune considérable, qu'il devait en partie mettre au service de ses ambitions politiques. Franc-maçon (grand maître maçonnique en 1786), adepte des idées nouvelles et admirateur du régime politique anglais, il s'opposa au ministère de Maupeou et fut exilé (1771-1772). Après avoir servi quelque temps dans la marine sous Louis XVI, il saisit toutes les occasions (affaire du Collier, politique financière) pour afficher son hostilité au régime et à la cour. Député de la noblesse aux États généraux (1789), il se rallia parmi les premiers au Tiers État. Lié à Mirabeau*, il songea peut-être à prendre la place de Louis XVI ou du moins à se faire nommer régent. Exilé en Angleterre après les journées révolutionnaires des 5 et 6 octobre 1789, il revint en France en 1790. Élu député à la Convention (1792, où il prit le nom de *Philippe-Égalité*), il vota la mort du roi, son cousin. Son fils, le futur Louis-Philippe, ayant émigré avec Dumouriez, après la trahison de celui-ci, le duc d'Orléans fut suspecté et, arrêté par les Montagnards, il fut condamné à mort pour avoir aspiré à la royauté et guillotiné.

ORLÉANS (Ferdinand, *duc d'***).** ♦ Fils aîné de Louis*-Philippe (Palerme, 1810 – Neuilly-sur-Seine, 1842). Duc de Chartres, puis d'Orléans, il prit part en 1832 au siège d'Anvers, puis à la conquête de l'Algérie. En 1836, il créa le corps des chasseurs à pied *(chasseurs d'Orléans).* Marié à la princesse Hélène de Mecklembourg, il eut deux fils, le comte de Paris (1838 – 1894) et le duc de Chartres (1840 – 1910). Il fut tué dans un accident de voiture.

ORLÉANS (Henri *d'***).** ♦ Explorateur français, fils aîné du duc de Chartres (Ham, près de Richmond, Angleterre, 1867 – Saigon, 1901). Il fit plusieurs expéditions en Asie centrale, en Afrique orientale, en Éthiopie, et écrivit *De Paris au Tonkin à travers le Tibet inconnu* (1891) avec Bonvalot*.

ORLÉANS. ♦ Préf. du Loiret*, ch.-l. d'arr. (16 cant., 122 comm., 266 493 hab.), anc. cap. de l'Orléanais, sur la Loire. 100 134 hab. [94 382 aggl.] *(Orléanais).* Évêché. Faculté de droit, faculté des sciences. Collège littéraire universitaire. Institut universitaire de technologie. – La cathédrale Sainte-Croix, en partie détruite pendant les guerres de Religion, a été reconstruite aux XVIIe et XVIIIe s. : les deux façades du transept ont été ajoutées par un architecte jésuite au XVIIe s.; la façade occidentale et les tours sont du XVIIIe siècle. Église Notre-Dame-de-Recouvrance (XVIe-XVIIe s.). ancienne église Saint-Pierre (XIIe-XIIIe), église Saint-Aignan (XVe). église Saint-Donatien (XVIe-XVIIe), église Saint-Euverte (XVe XVIIe s.). Hôtel de ville de style Renaissance où mourut François II. Hôtels anciens. – Pneumatiques. Produits pharmaceutiques. Verre. Construction électrique. Machines agricoles. Automobiles. Fonderies. Mécanique générale. Réparation de matériel ferroviaire. Robinetterie industrielle. Laboratoires de recherches géologiques. Informatique. Confection. Indus. alimentaires (vinaigre réputé; pâte de coings). Patrie de Raoul Blanchard*, Jacques Bongars*, Alfred Cornu*, Étienne Dolet*, Entragues* (Henriette de Balzac d'), Étienne de Flacourt*, Charles Gravier*, Gustave Lanson*, Charles Loyson* dit le Père Hyacinthe, Charles Malfray*, Charles Maurain*, Miromesnil* (Armand Thomas, duc de), Charles Péguy*, Robert-Joseph Pothier*, Robert* le Pieux, Paul Séjourné*, Marie Touchet*, Jean Zay*. ♦ *Hist.* La cité carnute de *Genabum* occupait, au cœur d'une zone de passage très fréquentée, une situation qui lui valut d'être souvent convoitée par les conquérants au cours de son histoire. Devenue *Aurelianum* après la conquête romaine, elle fut assiégée par Attila au début du IVe s., puis prise par Clovis* en 498, qui y fit tenir le premier concile réuni en France. Sous le règne de Charlemagne, la ville acquit le prestige d'une capitale intellectuelle, sous l'impulsion de l'évêque Théodulf*, abbé de Fleury (auj. Saint-Benoît-sur-Loire) qui y créa plusieurs écoles dont la réputation dépassa rapidement les limites de l'Orléanais. Ces écoles devaient accéder en 1305, sous le pontificat de Clément V, au rang d'université. Sous les Capétiens, aux Xe et XIe s., Orléans devint ville royale, et capitale de fait de la France : trois rois s'y firent sacrer. En 1428, la ville, qui s'était rangée dans le parti des Armagnacs, derrière le « roi de Bourges » (le futur Charles* VII), fut investie par les Anglais. Elle fut délivrée par Jeanne d'Arc le 8 mai 1429, après un siège de sept mois. Orléans connut au XVIIe et au XVIIIe s. une ère de grande prospérité, fondée sur un commerce et une industrie que vivifiaient la navigation sur la Loire et la création de manufactures nouvelles. Ce mouvement se poursuivit après la Révolution, pendant laquelle Orléans était restée relativement paisible, puis pendant tout le XIXe siècle. Des combats acharnés se déroulèrent en 1870 autour de la ville, point d'appui de la Ire armée de la Loire chargée de délivrer Paris. Pendant la dernière guerre, Orléans fut durement éprouvée par les bombardements allemands et alliés en 1940 et 1944.

ORLÉANS *(canal d').* ♦ Une des branches, aujourd'hui désaffectée, du canal du Loing*. 76 km. (L'autre branche est le canal de Briare*).

ORLÉANSVILLE. ♦ V. d'Algérie. Nom anc. de El-Asnam*.

ORLEY (Bernard Van). ♦ Peintre, dessinateur et ornemaniste flamand (Bruxelles, 1488 – *id.*, 1541). Fils de peintre, il se forma à Bruxelles et fit peut-être un séjour en Italie. Il fut peintre de la cour de Marguerite d'Autriche de 1518 à 1527. Par la rigueur de l'observation, ses portraits s'inscrivent dans la tradition réaliste flamande tout en reflétant l'idéal humaniste de la Renaissance par l'ampleur et la conception synthétique de la composition (*Georges Zelle,* 1519). Fervent romaniste, il subit l'influence de Gossart* et pratiqua souvent un italianisme ostentatoire dans ses œuvres religieuses et allégoriques. À la recherche d'une certaine véhémence expressive, il aime les imposantes architectures romaines, les raccourcis perspectifs, les formes amples et tourmentées, les musculatures saillantes (*Retable de Furnes,* 1515; *Triptyque de la Vertu et de la Patience*). Dans les cartons des célèbres tapisseries, *Les Chasses de Maximilien,* il confère un caractère monumental à sa description familière et naturaliste de la nature.

ÖRLIKON ou **OERLIKON.** ♦ Anc. comm. de Suisse (cant. de Zurich) aujourd'hui rattachée à Zurich* (N.-E.). Constructions mécaniques (locomotives), outillage électrique, indus. textile. La manufacture d'armes reste célèbre.

ORLY. ♦ Ch.-l. de cant. du Val-de-Marne, arr. de Créteil. 30 571 hab. L'AÉROPORT dessert la capitale, il appartient à l'*Aéroport de Paris.* Équipé d'installations très modernes, il est (1973) le plus important d'Europe continentale (aérogares d'*Orly-Sud* [1961] et d'*Orly-Ouest* [1971]). 11 250 000 passagers en 1971. Orly pourra recevoir 20 000 000 de passagers par an.

Ormée. *n. f.* ♦ Mouvement municipal qui se forma à Bordeaux pendant la Fronde* (1651). Il se rangea aux côtés des Princes contre Mazarin* et imposa son autorité à la ville et à l'oligarchie municipale. Ce mouvement présentait un programme fraternel à caractère révolutionnaire (réforme hardie de la procédure judiciaire, par ex.). L'arrivée des troupes royales fit échouer le soulèvement et l'un de ses chefs fut exécuté.

ORMESSON (LEFÈVRE *d'***).** ♦ Famille française qui eut pour fondateur OLIVIER Ier LEFÈVRE D'ORMESSON (1525 – 1600), conseiller de Michel de L'Hospital* et président de la Cour des comptes. ♦ OLIVIER III LEFÈVRE D'ORMESSON (1617 – 1686). Rapporteur du procès Fouquet*, il refusa de conclure à la mort de l'accusé et fut contraint à se retirer, en vendant sa charge. Ses mémoires constituent un précieux document sur cette affaire. ♦ MARIE FRANÇOIS DE PAULE LEFÈVRE, *marquis* D'ORMESSON (1710 – 1775), conseiller au Parlement, intendant des Finances (1756) et conseiller d'État, soutint la réforme de Maupeou* et inspira la déclaration sur l'amélioration de la perception de la taille.

ORMESSON (Wladimir Olivier LEFÈVRE D'ORMESSON, *comte* **Wladimir** *d'***).** ♦ Diplomate et écrivain français (Saint-Pétersbourg, 1888 – Ormesson, 1973). Collaborateur au *Temps* et au *Figaro,* il fut ambassadeur au Vatican (mai-oct. 1940, 1948-1956), en Argentine (1945-1948), et publia plusieurs ouvrages :

Enfances diplomatiques (1931), *La Révolution allemande* (1934), *Le Clergé et l'Académie* [1965]. (Acad. fr., 1956.)

ORMESSON (Jean LEFÈVRE D'). ♦ Journaliste et écrivain français (Paris, 1925). Président-directeur du *Figaro*. Auteur d'articles, d'essais, de romans : *Un amour pour rien* (1960), *Au revoir et merci* (1966), *Au plaisir de Dieu* [Acad. fr., 1974].

ORMESSON-SUR-MARNE. ♦ Comm. du Val-de-Marne, arr. de Nogent-sur-Marne, 8 367 hab. *(Ormessonnais)*. Église de l'Assomption (XVIIIe s.) reconstruite au XXe siècle. *Château d'Ormesson* (XVIe-XVIIIe s.), avec un parc dessiné par Le Nôtre. ♦ *Hist.* La commune doit son nom à la famille Lefèvre d'Ormesson qui acquit le château au XVIIe siècle.

ORMIZD. ♦ Nom de cinq rois sassanides de Perse. ♦ ORMIZD Ier, de 272 à 273, favorable à Mani*. ♦ ORMIZD II, roi de 302 à 309/310. ♦ ORMIZD III, roi de 457 à 459 **(V. Pérôz)**. ♦ ORMIZD IV, roi de 579 à 590, fils de Khosrô* Ier, assassiné avec la complicité de son fils Khosrô* II lors des troubles qui suivirent la révolte du général Bahrâm Tchobên. ♦ ORMIZD V, roi en 632, assassiné par les troupes de Yazdgard III.

ORMONDE. ♦ Nom porté par la famille anglo-irlandaise des Butler. ♦ JAMES BUTLER, Ier duc d'Ormonde (Londres, 1610 – Kingston Lacy, 1688), réprima la révolte irlandaise de 1640, resta fidèle au roi et favorisa la restauration de Charles* II. Il fut de nouveau lord-lieutenant d'Irlande en 1662-1669 et 1676-1685. ♦ JAMES BUTLER, 2e duc d'Ormonde (Dublin, 1665 – Avignon, 1745), en grand crédit auprès de la reine Anne*, prit la suite de Marlborough* à la tête de l'armée et fut disgracié par George* Ier.

ORMUZ ou **HORMUZ** *(île d')*. ♦ Île rocheuse, en Iran, sur le *détroit d'Ormuz* qui sépare le golfe Persique de la mer d'Oman. Mines d'ocre et de sel gemme. ♦ *Hist.* L'île, autrefois appelée Djarem, prit son nom actuel lorsque la population de la ville d'Ormuz, sur le continent (près de Minâb), fut contrainte de s'y réfugier au début du XIVe siècle. Une nouvelle ville fut alors fondée, qui garda le nom d'Ormuz et devint le plus important centre commercial du golfe Persique. Albuquerque s'en étant emparé en 1514, elle devint une base portugaise sur la route des Indes pendant plus d'un siècle. En 1622, les Anglais l'attaquèrent avec l'aide d'Abbâs Ier le Grand. La ville fut détruite et ses activités transférées sur le continent où fut fondée le port de Bandar* Abbas. Un village s'est bâti à proximité des ruines de l'ancienne ville.

ORMUZD. ♦ Rois sassanides. **V. Ormizd.**

ORNAIN. *n. m.* ♦ Sous-affluent (120 km) de la Marne. Il arrose Bar*-le-Duc et traverse le Bar.

ORNANO. ♦ Famille d'origine corse. ♦ SAMPIERO D'ORNANO ou SAMPIERO CORSO (Bastelica, 1501 – La Rocca, 1567). Il servit François* Ier et Henri* II, et tenta d'arracher la Corse à la domination génoise. Il étrangla sa femme qui avait entrepris des négociations avec les Génois, et mourut lui-même assassiné. ♦ ALPHONSE D'ORNANO, son fils (v. 1548 – Bordeaux, 1610). Maréchal de France. Élevé à la cour de Henri II, il resta fidèle à Henri* III contre la Ligue* et se rallia à Henri* IV, aidant Lesdiguières* à pacifier le Dauphiné. ♦ JEAN-BAPTISTE D'ORNANO, comte de Monlaur, son fils (Sisteron, 1581 – Vincennes, 1626) prit part aux complots de Gaston d'Orléans* (il était surintendant) général de sa maison), fut impliqué dans la conspiration de Chalais*, et mourut en prison. ♦ PHILIPPE ANTOINE D'ORNANO (Ajaccio, 1784 – Paris, 1863). Après une brillante carrière militaire sous l'Empire, il accompagna Napoléon jusqu'à son embarquement pour l'île d'Elbe, fut exilé par les Bourbons, et devint maréchal de France sous Napoléon III.

ORNANS [ɔʀnɑ̃]. ♦ Ch.-l. de cant. du Doubs, arr. de Besançon, construit sur les deux rives de la Loue (double rangée de vieilles maisons sur pilotis). 4 244 hab. *(Ornanais)*. Église du XVIe s. Hôtels (XVe, XVIIe et XVIIIe s.). – Horlogerie. Scieries. Constructions mécaniques. Indus. textiles. – Patrie de G. Courbet* (Cf. la toile célèbre : *Enterrement à Ornans*).

ORNE. *n. f.* ♦ Affl. de la Moselle, en Lorraine. 86 km. Née dans la Woëvre, elle creuse les côtes de Moselle. Sa vallée est industrielle. **V. Homécourt, Jœuf, Moyeuvre.**

ORNE. *n. f.* ♦ Fl. de Normandie qui prend sa source près de Sées*, 152 km. Elle arrose Argentan*, Caen* et se jette dans la Manche à Ouistreham*. Le fleuve est doublé d'un canal, de Caen à Ouistreham.

ORNE *n. f.* [**61**]. ♦ Dép. de l'O. de la France, région (anciennement C.A.R.) de la Basse-Normandie*. 6 100 km². – *Orogr.* Le dép. est situé à la limite du Massif armoricain* et du Bassin parisien*. À l'O., il empiète sur le pays d'Auge* et les collines de Normandie (417 m à la forêt d'Ecouves*), région de bocages, d'élevage de bovins (production de fromages et de beurre). Au S.-E. du dép., s'élèvent les collines du Perche*.
♦ 36 cant., 507 comm., 296 821 hab. *Préf.* Alençon* ; *sous-préf.* Argentan*, Mortagne*-au-Perche. *Ch.-l. de cant. :* Aigle* (L'), Athis*-de-l'Orne, Bazoches-sur-Hoëne (624 hab.), Bellême*, Briouze (1 855 hab.), Carrouges*, Courtomer (783 hab.), Domfront*, Écouché*, Exmes (443 hab.), Ferté-Frênel [La] (451 hab.), Ferté-Macé (La), Flers*, Gacé*, Juvigny-sous-Andaine (983 hab.), Longny*-au-Perche, Mêle-sur-Sarthe (967 hab.), Merlerault [Le] (1 139 hab.), Messei (1 180 hab.), Mortrée (1 057 hab.), Moulins-la-Marche (917 hab.), Nocé (705 hab.), Passais (1 031 hab.), Pervenchères (471 hab.), Putanges-Pont-Écrepin (918 hab.). Remalard (1 256 hab.), Sées*, Theil [Le] (1 207 hab.), Tinchebray*, Tourouvre*, Trun (1 393 hab.), Vimoutiers*. *Autres comm. :* **V. Bagnoles-de-l'Orne, Pin-au-Haras** (Le).

ORO *(monte d')*. ♦ Sommet du centre de la Corse*. 2 391 mètres.

ORODE II, en gr. **Orôdês**. ♦ Roi des Parthes de ~ 55 à ~ 37. Complice de son frère Mithridate III dans l'empoisonnement de leur père Phraate III (~ 57), il succéda à celui-là lorsqu'il fut renversé par les nobles. Son règne marqua l'apogée de l'Empire parthe, surtout grâce à la victoire de son général **(V. Suréna)** sur les Romains **(V. Crassus)** à Carrhes (~ 53). Il fut lui-même assassiné par son fils Phraate IV.

ORONTE [*n. m.*], en ar. **Nahr al-'Asi**. ♦ Anc. nom d'un fl. du Liban central, de l'O. de la Syrie et du S.-O. de la Turquie. 571 km. Il naît au Liban, s'oriente v. le N. et passe à travers le *lac d'Homs** (barrage réservoir d'irrigation), puis il coule dans la dépression marécageuse d'Al Ghab*, se dirige vers l'O. et se jette dans la Méditerranée, en Turquie, près du port de Samandag, après avoir arrosé Antioche* (auj. Antakya). Le fl. alimente des stations de pompage et des canaux d'irrigation entre Homs* et Hamâ* (Syrie).

OROSE (Paul), en lat. **Paulus Orosius**. ♦ Historien et apologiste chrétien, né à Tarragone v. 390. Il vécut longtemps à Hippone auprès de saint Augustin qui lui conseilla d'écrire les sept livres de son *Histoire contre les païens* (415-417).

OROYA (LA). ♦ V. LA OROYA.

OROZCO (José Clemente). ♦ Peintre mexicain (Zapotlán, 1883 – Mexico, 1949). Il fit des études d'ingénieur agronome, puis commença à étudier l'architecture. Il décida ensuite de devenir peintre et suivit les cours de l'académie de San Carlos. Dans ses premières œuvres exposées, qui traitaient de la prostitution (*Casa de lágrimas*, 1915), il manifestait ses préoccupations sociales. Engagé dans la lutte révolutionnaire, il publia ensuite des caricatures. Il signa avec D. Rivera* et Siqueiros* le Manifeste de l'art révolutionnaire (1921) et il fut chargé de nombreuses décorations murales destinées aux bâtiments officiels et dans lesquelles il exprima avec un lyrisme vigoureux sa sympathie pour le peuple et les opprimés (*École préparatoire* de Mexico 1923-1927). Aux États-Unis, il réalisa *Prométhée* (pour le *Pomona College*, Californie, 1930) puis décora la *New-School for social research* (1931) au Mexique ; en 1932-1934, *Catharsis* pour le palais des *Beaux-Arts ;* de 1936-1939, il travailla à Guadalajara *(Palais du gouverneur* et *Université)* puis de nouveau à Mexico (*Cour suprême*, 1941 ; *École normale*, 1948). Il a contribué à l'élaboration d'un expressionnisme spécifiquement mexicain en adoptant une figuration lisible et rude, recourant à des simplifications de la figure humaine et à une certaine schématisation, donnant aux formes un aspect solide, statique et monumental accentuant les oppositions des tons sombres et des couleurs vives.

ORPHÉE, en gr. **Orpheus**. ♦ Aède mythique de Thrace*, fils

Arch. Smeets

Orozco : « Les Menaces », 1936.
(Collection privée, Guadalajara, Mexique.)

Coll. Rui Nogueira

Séquence du film **Orfeu negro.**

du roi Œagre et de la muse Calliope*. Sa légende, l'une des plus obscures de la mythologie grecque, est liée à la religion des mystères ainsi qu'à une littérature sacrée allant jusqu'aux origines du christianisme. Orphée invente la cithare, ou reçoit d'Apollon* la lyre à sept cordes et en ajoute deux, atteignant ainsi le nombre des Muses, neuf. Son chant charmait les dieux et les mortels, apprivoisait les fauves, parvenait même à émouvoir les êtres inanimés. Par ce pouvoir, unissant la poésie et la musique, il est très utile à l'expédition des Argonautes*, au cours de laquelle il triomphe des Sirènes*. C'est aussi par ses mélodies qu'il apaise Cerbère* et charme les divinités infernales, quand il descend aux Enfers pour obtenir le retour à la vie de son épouse disparue (pour ce mythe, **V. Eurydice**). Affligé par la perte définitive de celle-ci, Orphée reste jusqu'à la fin inconsolable et solitaire. Selon la version la plus répandue sur sa mort, il est mis en pièces par les Ménades, soit pour avoir dédaigné l'amour des femmes de Thrace, soit pour avoir exclu les femmes des mystères. Selon une autre version, Orphée est foudroyé par Zeus pour avoir révélé ses expériences du royaume des morts à ses mystes. — *L'orphisme* est une religion initiatique, ensemble des doctrines théogoniques-cosmogoniques et eschatologiques (immortalité de l'âme et cycle des réincarnations jusqu'à la purification définitive), des rites mystiques et des règles pour une *vie orphique* (ascèse et initiation). Apparu dès le ~ VIe s. comme un courant réformateur, l'orphisme resta toujours une secte religieuse bien qu'accrédité par des intellectuels comme Euripide et Aristophane, par la philosophie pythagoricienne, platonicienne et, surtout, néo-pythagoricienne et néo-platonicienne. Il put néanmois s'infiltrer dans une religion adoptée par la cité athénienne, celle des *mystères d'Éleusis*, créée par syncrétisme des cultes orphiques, dionysiaques et chtoniens ou agraires (de Déméter). Enfin, par la préoccupation principale de la vie future et par sa tendance monothéiste, l'orphisme a élaboré le passage du paganisme au christianisme. **V. Orphiques** *(Poèmes)*. — L'histoire tragique d'*Orphée et d'Eurydice* depuis Virgile *(Géorgiques)* et Ovide *(Métamorphoses)* a donné naissance à une grande tradition littéraire, musicale et artistique. Citons parmi les œuvres les plus connues : les opéras de Monteverdi, Gluck, Offenbach, le drame chorégraphique de Roger-Ducasse, le ballet de Balanchine-Stravinski, les tableaux de Bruegel le Jeune, Tintoret, Rubens, N. Poussin, Delacroix, les films de J. Cocteau et de Marcel Camus (*Orfeu Negro*, « Orphée noir »).

Orphiques *(Poèmes)*. ♦ On donnait ce nom générique à une littérature apocryphe rattachée au nom d'Orphée* et comprenant des ouvrages de formes et d'époques différentes. Les plus anciens, datant du ~ VIe s., sont essentiellement les restes des œuvres théogoniques attribuées à l'aède mythique ou interpolées aux poèmes homériques et hésiodiques et dus probablement à des savants tel qu'Onomacrite d'Athènes ou Phérecyde de Scyros. Les œuvres orphiques postérieures sont quatre-vingt-huit hymnes du Ier et du IIe s., chantés dans les mystères orphiques, les *Argonautica* et les *Lithica*, poèmes philosophiques du IVe s., etc.

Orphisme. *n. m.* ♦ **V.** ORPHÉE.

ORPINGTON. ♦ V. résidentielle de la banlieue S.-E. de Londres* (Kent). 80 300 habitants.

ORRY (Jean). ♦ Homme politique français au service de l'Espagne (Paris, 1652 — 1719). Envoyé par Chamillart* au service de Philippe V (1701), il accomplit une réforme de l'administration espagnole sur le modèle français, ce qui le rendit très impopulaire et provoqua finalement son renvoi (1715). ♦ PHILIBERT ORRY, son fils (Troyes, 1689 — près de Nogent-sur-Seine, 1747). Contrôleur général des Finances sous Louis XV (1730-1745) pendant le ministère de Fleury*, puis directeur des Bâtiments, Arts et Manufactures. Il eut un rôle important dans le redressement de l'économie, favorisé par une heureuse conjoncture. Les finances furent rétablies par des économies et des réformes administratives, le commerce et l'industrie encouragés, la construction de routes et de canaux entreprise. Son intransigeance lui avait fait de nombreux ennemis et il donna sa démission (1745) quand la haute finance reprit du crédit auprès de Mme de Pompadour.

ORSAY (Alfred Guillaume Gabriel, *comte d'***).** ♦ Officier français (Paris, 1801 — 1852). Homme mondain et cultivé, il fut lieutenant des gardes du corps de Louis XVIII, puis se lia avec Louis Napoléon Bonaparte, qui le nomma directeur des Beaux-Arts.

ORSAY. ♦ Ch.-l. de cant. de l'Essonne (arr. de Palaiseau), sur l'Yvette. 12 120 hab. *(Orcéens)*. Église Saint-Martin-et-Saint-Laurent (XIIe, XVIIIe s.). Faculté des sciences. Laboratoire de physique nucléaire. — Site choisi pour l'École supérieure d'électricité et le Centre d'études supérieures industrielles (au N. d'Orsay, 1974-1975).

ORSEOLO. ♦ Famille noble italienne qui donna des doges à la république de Venise. ♦ PIETRO ORSEOLO (mort à Saint-Michel-de-Cuxa, Roussillon, 1027) fut doge en 976. ♦ PIETRO II ORSEOLO, fils de Pietro, fut doge de 991 à 1009 et termina la reconstruction du palais des Doges commencée par son père. Il étendit la domination de Venise sur la Dalmatie (1000). ♦ OTTONE ORSEOLO, fils de Pietro II, lui succéda comme doge. ♦ PIERRE (v. 1011-1046), fils d'Ottone. Roi de Hongrie (1038-1046).

ORSINI. ♦ Famille romaine guelfe rivale des Colonna et qui fournit trois papes à l'Église (Célestin* III, Nicolas* III et Benoît* XIII). ♦ MATTEO ROSSO ORSINI. Il gouverna Rome après la mort de Grégoire IX (1241) et lutta contre Frédéric II, empereur germanique. ♦ GIOVANNI ORSINI, fils de Matteo Rosso. Il devint le pape Nicolas III (1277-1280). — Dans la lutte entre Boniface VIII et le roi de France Philippe IV le Bel, les Orsini soutinrent vainement Boniface VIII à la différence des Colonna qui soutenaient le roi de France. ♦ Le cardinal NAPOLEONE ORSINI (v. 1263 — Avignon, 1342) suivit le Saint-Siège à Avignon. — Au XIIIe s., les Orsini prirent San Marin (1266), Nepi (1293), Nola (1295). ♦ Au service de Sixte IV, le condottiere VIRGINIO ORSINI ([mort] Naples, 1497) battit les Napolitains alliés aux Colonna à Campomorte (1482). Il s'allia ensuite à Charles VIII de France (1494), fut fait prisonnier par César Borgia qui le fit empoisonner. — Avec l'avènement de Jules II (1503), les Orsini triomphèrent des Borgia*. — La princesse des Ursins* (corruption de *Orsini*) avait épousé FLAVIO ORSINI, duc de Bracciano.

ORSINI (Felice). ♦ Révolutionnaire italien (Meldola, près de Forli, 1819 — Paris, 1858). Étudiant en droit, à Bologne, il s'affilia au mouvement Jeune-Italie et prit part au soulèvement libéral de 1843. Arrêté et condamné (1844), il bénéficia de l'amnistie du pape Pie IX (1846). Installé en Toscane, il fut à nouveau arrêté pour détention d'une presse clandestine. Devenu l'un des principaux agents de G. Mazzini*, il fut élu à l'Assemblée constituante à Rome après l'instauration de la République romaine (1849) et se distingua aux côtés de Garibaldi* dans la lutte contre les forces françaises (expédition de Rome **V. Oudinot**). Après la défaite de Rome, il émigra à Gênes puis à Nice et participa à de nombreuses tentatives de soulèvement. Arrêté en 1855 et condamné à mort, il parvint à s'évader et à gagner l'Angleterre, d'où il prépara son attentat contre Napoléon* III (avec Pieri, Rudio et Gomez). Après celui-ci (14 janvier 1858), auquel l'empereur échappa, mais qui fit de nombreuses victimes, Orsini, défendu par J. Favre*, fut condamné à mort et exécuté. Cet attentat, qui contribua en France au renforcement de la répression (loi de sûreté générale donnant au pouvoir le droit d'expulser ou d'interner tout ancien condamné politique, 1858), devait aussi amener Napoléon III à soutenir le mouvement pour l'unité italienne (**V. Italie** [campagne de 1859]).

ORSK. ♦ V. d'U.R.S.S. (R.S.F.S. de Russie), dans la région d'Orenbourg, sur l'Oural*. 225 000 hab. Indus. métallurgiques (cuivre, nickel), pétrolières et alimentaires. Construction de machines. Nœud ferroviaire.

ORS Y ROVIRA (Eugenio *d'***).** ♦ Essayiste et critique d'art espagnol, d'origine catalane (Barcelone, 1882 — Villanueva, 1954). Écrivain bilingue (espagnol et catalan), il est l'auteur d'essais et de romans philosophiques : *Secret de la philosophie* (1947), *Eugenio et son démon* (1943). Sa *Civilisation dans l'histoire* a contribué à élargir l'horizon de la pensée espagnole. Critique d'art, il a élaboré une théorie du baroque dans lequel il voit une constante stylistique et historique (*Du baroque, L'Art de Goya*, 1928).

ORTA ou **AB HORTO (Garcia da).** ♦ Savant et voyageur portugais (Elvas, v. 1490 — 1570). Il accompagna en qualité de médecin une expédition aux Indes orientales. Il fut le premier à étudier le choléra asiatique et publia à son retour une *Histoire des drogues, espiceries et de certains médicaments simples qui naissent ès Indes et en Amérique* (1563). La traduction en français a été publiée en 1619.

ORTEGA Y GASSET (José). ♦ Philosophe et écrivain espagnol (Madrid, 1883 – *id.*, 1955). Grand admirateur de la pensée germanique, c'est avec sévérité qu'il analysa le destin de l'Espagne contemporaine. Fondateur de la *Revista de Occidente*, il contribua à propager dans son pays des idées novatrices, à l'ouvrir sur l'Europe. Bien que ses réflexions sur le développement de l'art et de la philosophie et sur la crise du monde moderne soient empreintes d'un certain pessimisme, il resta attaché à la civilisation occidentale et au libéralisme. Dépassant l'idéalisme kantien qui l'avait d'abord influencé, il insista sur la relation concrète de l'homme au monde, affirmant la nécessité pour la raison et la culture d'être au service de la vie. Député aux Cortes (1931-1933), promoteur spirituel de la république espagnole, il vécut en exil (1936-1945), mais ne cessa point d'exercer une influence déterminante sur les milieux intellectuels (*L'Espagne invertébrée*, 1922; *La Déshumanisation de l'art* et *Idée sur le roman*, 1926; *La Révolte des masses*, 1930; *Histoire comme système*, 1941, etc.).

O.R.T.F. ♦ Sigle de l'Office* de radiodiffusion-télévision française.

ORTHEZ [ɔʀtɛs]. ♦ Ch.-l. de cant. des Pyrénées*-Atlantiques (arr. de Pau*), sur le gave de Pau*. 10 640 hab. *(Orthéziens)*. Église du XVe s.; la tour Moncade (XIIIe s.) est un vestige de la forteresse construite par le vicomte de Béarn. Pont-Vieux fortifié (XIIIe-XIVe s.); maisons anc. dont celle de Jeanne* d'Albret (1500). – Centre commercial; indus. alimentaires (jambon de Bayonne). Indus. textile, chaussures, papeterie. – Patrie de G. Planté*, de Paul Reclus*. ♦ *Hist.* Les comtes de Foix habitèrent le château. La V. fut prise et mise à sac par les protestants en 1569. En 1814, le maréchal Soult* y fut vaincu par Wellington*.

Orthodoxes (Églises). ♦ Appellation courante de l'Église byzantine séparée de Rome en 1054 **(V. Cérulaire, schisme)** et des Églises de même rite. Elles professent les dogmes fondamentaux du christianisme mais ne reconnaissent que les sept conciles* œcuméniques tenus avant le schisme de Photios* (jusqu'à Nicée II, 787). Elles refusent comme innovations les dogmes et usages introduits depuis lors chez les catholiques, notamment le *filioque**, le purgatoire, l'immaculée conception de Marie, la suprématie du pape (considéré seulement comme un des cinq patriarches) et *a fortiori* son infaillibilité doctrinale. Pour elles, le Christ est le seul chef de l'Église; celle-ci exprime son autorité par la réunion des évêques (synodes). Les Églises orthodoxes comportent des *patriarcats* : Constantinople, Alexandrie, Antioche, Jérusalem; des *Églises autocéphales* (désignant leur primat) : Grèce, Chypre, Roumanie, Russie, Serbie, Bulgarie, Géorgie, Tchécoslovaquie, Pologne, Albanie; des *Églises autonomes* (leur primat doit être consacré par l'Église dont elles dépendent) : Finlande, Chine; et des communautés dispersées, notamment aux États-Unis, Canada, Argentine, Australie, France. ♦ *Hist.* Avant le schisme, **V. Église.** Les excommunications de 1054 ne visaient que des personnes, et les contemporains n'y virent pas le départ d'un schisme; celui-ci existait, de fait, bien antérieurement et il alla en s'aggravant. Les autres patriarcats imitèrent Constantinople : à Antioche, après 1098, il y eut deux hiérarchies ecclésiastiques (grecque et latine); Jérusalem se sépara en 1188. L'irréparable fut consommé avec la quatrième croisade et le pillage de Constantinople par les Latins (1204). Des unions, pour motifs politiques, furent réalisées aux conciles de Lyon* (1274, rompues en 1281) et de Ferrare-Florence [1439, rompues à la chute de Constantinople, 1453] **(V. Bâle, Ferrare, Florence** [*concile de*]), mais l'Église orthodoxe, dans son ensemble, refusa les concessions faites alors par les empereurs. L'Église orthodoxe connut son plus grand rayonnement spirituel au XIVe s. avec saint Grégoire* Palamas, Nicolas Cabasilas*, et, en Russie, Serge* de Radonège. Après la chute de l'Empire byzantin, l'Église subsista, contrôlée et parfois persécutée par les Turcs. Le mont Athos* resta le principal foyer de spiritualité, mais c'est la Russie qui devint le fief de l'orthodoxie : Moscou, érigée en patriarcat autocéphale en 1589, se considéra comme la « troisième Rome ». Au XVIIe s., la Russie fut divisée par le schisme *(raskol)* des « vieux-croyants », condamnés au synode de Moscou, 1666-1667 **(V. Avvakoum, Nikon)**; le patriarcat fut supprimé en 1721 et Pierre le Grand affirma son emprise sur l'Église. Après une renaissance au XIXe s. et la formation d'Églises autocéphales dans les Balkans libérés des Turcs, le XXe s. fut celui de la persécution communiste (depuis 1917 en Russie). Les Églises orthodoxes ont cherché à se rapprocher entre elles **(V. Athénagoras Ier)**, ainsi que des Églises* orientales monophysites (depuis 1964) et des catholiques **(V. Vatican II)**.

ORTIGUEIRA. ♦ V. de l'extrémité N.-O. de l'Espagne, en Galice* (prov. de La Corogne). 21 800 hab. Port et station balnéaire sur l'Atlantique.

ORTLER ou **ORTLES.** *n. m.* ♦ Massif des Alpes italiennes, dans le Trentin*, limité par les vallées de l'Adige et de l'Adda. 3 889 m.

ORURO. ♦ V. de Bolivie* andine, ch.-l. de dép., située à près de 4 000 m d'alt., au S. de La Paz, à la lisière de l'Altiplano bolivien. 98 000 hab. Évêché. Carrefour ferroviaire et routier. Centre minier traitant l'étain de la région. Indus. textiles. – *Dép. d'Oruro.* 53 588 km². 280 000 hab. Lac de Poopó*, saline de Coipasa*.

ORVAL *(abbaye d')*. ♦ Abbaye de Belgique (prov. du Luxembourg), près de Villers-devant-Orval. Fondée v. 1070 sous la règle de saint Benoît, elle devint cistercienne en 1132 et fut l'une des plus riches des Pays-Bas. Incendiée en 1537 puis en 1793 par les troupes françaises, elle fut relevée par les cisterciens en 1926. Ruines de l'église du XIIe siècle.

ORVAULT. ♦ Comm. de la Loire-Atlantique, dans l'aggl. et l'arr. de Nantes*. 13 513 hab. (339 aggl.).

ORVIETO. ♦ V. d'Italie, en Ombrie (prov. de Terni), sur un affl. du Tibre, la Paglia. 25 500 hab. L'ancienne *Urbs Vetus* fut fondée par les Étrusques, qui ont laissé une nécropole découverte en 1874. Cathédrale du XIIIe s. de styles roman et gothique, célèbre pour ses fresques (Signorelli*, Fra Angelico*) et les mosaïques de sa façade. Palais des Papes (XIIIe s.). – La région d'Orvieto produit un vin blanc réputé.

ORWELL (Eric, Arthur Blair, dit George). ♦ Essayiste et romancier anglais (Motihari, Bengale, 1903 – Londres, 1950). Étudiant boursier à Eton, il ne s'intégra pas à ce milieu et préféra s'engager dans la police en Birmanie (1922-1927), période évoquée dans *Burmese days*, 1933. De retour en Europe, il publia quelques essais, notamment sur le chômage, dans des revues parisiennes. Mais il ne devait prendre son nom de plume qu'en 1933 pour la publication de *La Vache enragée (Down and out in Paris and London)*, où est relatée, comme dans « La Route qui mène au quai Wigan » (*The Road to Wigan pier*, 1937), son expérience de la misère. George Orwell, qui se voulait un « Monsieur Tout-le-Monde », méprisait les intellectuels de gauche, « les doctrinaires ». Son roman le plus célèbre, *1984* (publié en 1949), évoque avec force et sensibilité la déshumanisation qui guette notre monde fasciné par les techniques totalitaires. À la différence du *Brave new world (Le Meilleur des mondes)* de Huxley*, la satire y est directement politique et d'actualité, comme dans *Les Animaux* (*Animal Farm*, 1945), allégorie peut-être inspirée de Swift et qui s'en prend au régime de dictature prolétarienne (où « tous [les animaux] sont égaux, mais certains plus égaux que les autres »). « Hommage à la Catalogne » (*Homage to Catalonia*, 1938), issu d'une expérience personnelle dans la guerre d'Espagne, dénonçait déjà l'écrasement de l'aile gauche anarchiste par les communistes. Orwell s'en était pris violemment à l'hitlérisme dans *Un peu d'air, s'il vous plaît* (*Coming up for air*, 1939). Son œuvre complète a été publiée à Londres en 1968 *(Collected Essays, Journalism and Letters of George Orwell)*.

ORZESZKOWA (Elisa). ♦ Romancière polonaise (Milkowszczyzna, près de Grodno [Lituanie], 1841 – Grodno, 1910). Après l'échec de l'insurrection polonaise de 1863, elle se consacra à une littérature orientée vers les problèmes sociaux et économiques. Son idéal humanitaire et son patriotisme lui inspirèrent de nombreux romans à thèse, en liaison avec les problèmes de son pays. *Image des années de famine* (*Obrazek z lat głodowyck*, 1866), *Marthe* (*Martha*, 1873) sur la condition des femmes, *Meir Ezofowicz* (1878) sur la vie des juifs, *Sur le Niémen* (*Nad Niemen*, 1889), sorte de fresque sur la vie de la petite noblesse, *Le Rustre* (*Cham*, 1889), roman psychologique où elle exposa ses idées socialistes, *Les Argonautes* (*Argonauci*, 1897), description didactique et morale de la ruine d'une famille.

OSA *(péninsule d')*. *n. f.* ♦ Péninsule de la côte sud du Costa Rica (Amérique centrale), sur le Pacifique, délimitant le golfe Dulce.

ÔSAKA. ♦ Importante ville commerciale et indus. du Japon, sur la mer intérieure, non loin de Kyôto*, au débouché de la plaine du Kansai. 3 500 000 hab. C'est la seconde ville du Japon après Tôkyô et le centre de la conurbation indus. Ôsaka-Kôbe. La ville est parcourue de canaux (on l'appelle parfois la « Venise du Japon »). – Nombreuses indus. (métallurgie, machines-outils,

Ph. Tani Capacchione/Ricciarini

Orvieto : façade de la cathédrale.

Ph. Carlo Bevilacqua/Ricciarini

Art égyptien. **Osiris** accueille le pharaon Sethi Ier. Peinture murale décorant une nécropole thébaine.

appareillage électrique, indus. textiles). Le port est le 3e du Japon. Aéroport international (Itami). ♦ *Hist.* Elle fut fondée au IIIe s. et agrandie à la fin du XVIe. Hideyoshi y fit élever un immense château. Très éprouvée par les bombardements de 1945, elle fut entièrement reconstruite, ainsi que son château, transformé en musée historique. Elle donna asile, en 1970, à une grande exposition internationale qui contribua à son embellissement et à son enrichissement.

O.S.B. ♦ Initiales de l'ordre de Saint-Benoît. **V. Bénédictins.**

OSBORNE (Thomas). ♦ **V.** DANBY (comte de).

OSBORNE (John James). ♦ Auteur dramatique anglais (Londres, 1929). Chef de file, durant quelques années, de la génération des « jeunes gens en colère » *(Angry young Men)*, il décrit dans son théâtre la vanité de l'anticonformisme et l'échec de toute révolte. Œuvr. princ. : *La Paix du dimanche* (*Look back in Anger,* 1956), *Comique* (*The Entertainer,* 1957), *Épitaphe pour George Dillon* (*Epitaph for George Dillon,* 1958), *Inadmissible Évidence* (1964).

OSCAR Ier. ♦ (Paris, 1799 – Stockholm, 1859). Roi de Suède et de Norvège (1844-1859). Il fit des réformes parlementaires en 1845 et 1848. ♦ OSCAR II (Stockholm, 1829 – *id.,* 1907). Roi de Suède (1872-1907) et de Norvège (1872-1905). Il vit la fin de l'union entre la Norvège et la Suède (1905). Il publia des traductions de Goethe et de Shakespeare et des romans historiques.

OSÉE. ♦ Prophète d'Israël, vers ~ 780-~ 740.

Osée *(livre d').* ♦ Livre biblique, un des douze petits prophètes (quatorze chapitres). Prophéties contre la « prostitution » (= idolâtrie) d'Israël.

OSÉE. ♦ Dernier roi d'Israël* (v. ~ 730-~ 721), détrôné par Salmanazar. Cf. *II Rois,* XVII.

ÖSEL. ♦ Nom suédois de Sarema* (Estonie).

OSHAWA. ♦ V. du Canada (Ontario), située sur la rive N. du lac Ontario, à l'E. de Toronto. 78 028 hab. (1966). Centre de l'indus. automobile (usines de la *General Motors*). – Grande usine de pneumatiques aux environs immédiats (Whitby).

OSHOGBO. ♦ V. du Nigeria* (rég. ouest). 240 000 hab. Cacao.

OSIANDER (Andreas HOSEMANN, dit**).** ♦ Théologien protestant allemand (Gunzenhausen, Brandebourg, 1498 – Königsberg, 1552). Étudiant en théologie à Ingolstadt, puis professeur d'hébreu au couvent des Augustins de Nuremberg, il adhéra à la Réforme, participa au colloque de Marbourg (1519), à la diète d'Augsbourg (1530), et signa le traité de Schmalkalden. Ayant dû quitter Nuremberg, il devint prédicateur et professeur de théologie à la nouvelle université de Königsberg (1549), où il enseigna une doctrine sur la justification qui, différant à maints égards de celle de Luther, suscita de violentes polémiques à la mort de ce dernier. La doctrine d'Osiander fut condamnée en 1566. Auteur des *Harmoniae Evangelicae libri IV* (publiés à Bâle, 1537), de la *Biblia sacra* (1660), Osiander fut le premier à publier l'*Astronomie* de Copernic (1543).

OSIJEK. ♦ V. de Yougoslavie (Croatie), port fluvial sur la Drave*, dans la plaine pannonienne (Podravina*). 80 000 hab. Indus. diverses (savonneries, fabrique d'allumettes, fonderies, textiles, constructions mécaniques).

OSIRIS, nom gr. d'**Us-yri,** « celui qui est sur le trône », c'est-à-dire « le roi ». ♦ Dieu égyptien anthropomorphe représenté sous l'aspect d'une momie, les bras croisés sur la poitrine, tenant d'une main le sceptre, de l'autre le fouet, portant l'étroite barbe tressée des pharaons et des dieux et coiffé de la couronne *atef* de la Haute-Égypte, mitre blanche surmontée de deux plumes d'autruche. Osiris avait été adoré à l'origine comme dieu des forces végétales, et sa personnalité s'enrichit au fur et à mesure que son culte s'étendit. Image tantôt du grain qui renaît, tantôt du Nil qui connaît une nouvelle crue, tantôt de la Lune qui resplendit de nouveau ou même du Soleil qui réapparaît après la nuit, il devint le dieu du recommencement par excellence et, de là, le dieu des morts, garant de la survie humaine dans le monde souterrain, le type même de l'homme promis à une renaissance spirituelle après la mort. À la fin de la Ve dynastie, le roi mort était déjà un Osiris; à la veille du Moyen Empire, tous les morts étaient eux aussi des Osiris. La mythologie populaire constitua alors la triade Osiris-Isis*-Horus* et se chargea de construire autour du dieu une légende qui tentait d'en concilier les différents aspects : jaloux de son frère Osiris, « l'être perpétuellement bon » aimé de toute la terre, Seth* décida de le tuer; il enferma son corps dans un coffre de bois qu'il jeta dans le Nil; partie à la recherche de son époux, Isis retrouva le corps à Byblos* et le ramena en Égypte; mais Seth ayant découvert la cachette où Isis l'avait déposé dépeça le cadavre et en dispersa les morceaux. Ressuscité par les soins d'Anubis* et d'Isis, Osiris régna désormais sur les morts qui, traités selon ses enseignements, pouvaient comme lui atteindre la vie éternelle. De son époux défunt, Isis aurait conçu un fils, Horus, destiné à venger son père. Doublement bienfaisant sur terre et dans la mort, toujours dispensateur de vie, Osiris fut le dieu que l'on adora avec la plus grande ferveur. Son culte, originaire d'Abydos*, franchit les limites de l'Égypte et gagna la Grèce et l'Empire romain **(V. Isis).**

OSLER (*sir* **William).** ♦ Médecin anglais (Bond Head, Canada, 1849 – Oxford, 1919). Il a fait des recherches sur l'endocardite infectieuse maligne à évolution lente (*maladie d'Osler* ou *de Jaccoud-Osler),* sur l'angiomatose hémorragique familiale *(maladie de Rendu-Osler),* etc.

ÖSLING ou **OESLING.** ♦ Région du grand-duché du Luxembourg (N.) faisant partie des Ardennes* et s'opposant au *Gutland* (« Bon pays »).

OSLO. ♦ Cap. de la Norvège, au S.-E. du pays, au fond de l'*Oslofjord,* qui s'ouvre sur le Skagerrak*. Ch.-l. du comté d'Oslo ou Akershus*. 487 600 hab. [579 500 aggl.] (1969). Évêché (fondé au XIIe s.). Importante université. Aéroports : Oslo-Fornebu (à 11 km), Gardemoen (à 35 km, lignes d'Amérique du Nord). Carrefour ferroviaire et routier. Le centre de la ville, d'abord situé près de la forteresse Akershus (reconstruite au XVIIe s.), s'est déplacé vers l'O. Les activités se concentrent autour du port, de l'hôtel de ville (construit de 1931 à 1950) et de la *Karl Johan Gate,* artère principale. À l'E. se situe maintenant le quartier ouvrier. Cathédrale (*fin* XVIIe s., restaurée). Galerie nationale, musée folklorique national de plein air. Musée norvégien de la navigation, bateau des Vikings, musée du Kon-Tiki. Parc de Frogner (sculptures de Gustav Vigeland). À Holmenkollen, tremplin de saut utilisé pour les compétitions internationales de ski. – Le port concentre la moitié des importations du pays (charbon, pétrole, produits alimentaires) et le cinquième des exportations (pâte à papier, poisson, produits de l'industrie). – Centre indus. : métallurgie, textiles, conserveries, aciéries, chantiers navals (navires-citernes pour le transport de gaz liquides). – Patrie de F. Thaulow. ♦ *Hist.* Fondée au XIe s. par Harald III, Oslo fut détruite par un incendie en 1624. Reconstruite par le roi Christian IV, elle prit le nom de Christiania qu'elle conserva jusqu'en 1925. Lorsque la Norvège fut séparée du Danemark en 1814, elle devint la capitale du pays.

OSMAN. ♦ Nom de sultans ottomans. – OSMAN Ier GAZI (Söğüt, 1259 – *id.,* 1324). Fondateur de la dynastie ottomane (1281-1326). Fils d'Ertogrul, il se proclama indépendant, prit le titre de sultan et progressa vers Iznik et Brousse. Père d'Orkhan*. ♦ OSMAN II (Istanbul, v. 1603 – *id.,* 1622). Sultan ottoman (1618-1622). Il prit part à la guerre contre la Pologne (1621) et fut renversé à la suite d'une révolte des janissaires. ♦ OSMAN III (Istanbul, v. 1699 – *id.,* 1757). Sultan ottoman (1754-1757). Son règne fut une période de paix.

OSMANLIS. *n. m. pl.* ♦ Membres d'une des tribus turcomanes qui vinrent s'installer en Asie Mineure avec l'invasion saljûqide* (XIIIe s.). Les Osmanlis dirigés par Ertoğrul s'établirent dans la région de Söğüt où le sultan saljûqide 'Alâ al-Dîn leur assigna un territoire devenu le noyau du futur Empire ottoman.

OSMAN PACHA GAZI ou **OSMAN NOURI PACHA.** ♦ Général turc (Tokat, Anatolie, 1832 – Istanbul, 1900). Il participa à la répression des insurrections de Crète (1867) et de Serbie (1876) et se distingua en Crimée et au Yémen. Il défendit Plevna contre deux armées russes (août-déc. 1877). Après avoir réorganisé l'armée et avoir été ministre de la guerre (1878-1888), il vainquit les Grecs en 1897.

OSMOND (Floris). ♦ Métallurgiste français (Paris, 1849 – Saint-Leu, 1912). Il créa la métallographie, concevant la métallographie microscopique et l'analyse thermique. L'étude qu'il fit de la trempe de l'acier lui permit de remarquer les points de transformation et de préciser la composition des produits sidérurgiques.

OSNABRÜCK. ♦ V. d'Allemagne nord-occidentale (Basse-Saxe), entre le *Teutoburgerwald* et les *Wiehengebirge,* sur la Hase, affl. de l'Ems. 140 000 hab. (1969). Évêché catholique. Hôtel de ville de style gothique tardif (1487-1512); cathédrale Saint-Pierre (XIIIe s.), église-halle Sainte-Marie (XIVe s.). – Important carrefour de communications (voies ferrées internationales), relié à la Ruhr par le *Mittellandkanal.* Centre commercial et industriel : sidérurgie, constructions mécaniques (châssis automobiles, matériel de précision), indus. textiles (filatures, tissages), papeteries. ♦ *Hist.* Siège d'un évêché fondé par Charlemagne (783), la ville s'enrichit dans le commerce de la toile. Les préliminaires du traité de Westphalie (1648) s'y déroulèrent.

OSORKON. ♦ Nom de trois pharaons des XXIIe et XXIIIe dynasties, d'origine libyenne. – OSORKON Ier (v. ~ 929-~ 893). OSORKON II (v. ~ 870-~ 847). OSORKON III *le Pontife* (v. ~ 757-~ 748).

OSORNO. ♦ V. du Chili central, ch.-l. de prov. située au S. de Valdivia*, dans une région de lacs **(V. Llanquihue)** et de volcans. 70 000 hab. (1969). Centre touristique. Indus. alimentaires. La *prov. d'Osorno* compte 160 000 hab. (9 083 km²).

OSQUES. *n. m. pl.,* en lat. **Osci.** ♦ Peuple de langue sabellique de l'Italie anc., établi en Campanie*, influencé par les Grecs et soumis par les Samnites*, mais qui conserva sa langue jusqu'au ~ Ier siècle.

OSSA, *auj.* **Kissavos.** ♦ Massif montagneux de Grèce en Thessalie (nome de Larissa), séparé de l'Olympe* par la vallée de Tempé. 1978 m. – Dans la mythologie, les géants Aloades* entassent le Pélion sur l'Ossa pour attaquer les Olympiens.

OSSAU *(gave d').* ♦ Torrent des Pyrénées*-Atlantiques (80 km) qui arrose la vallée du même nom. Il prend sa source près du pic du Midi* d'Ossau, traverse Eaux*-Chaudes, Laruns* et rejoint le gave d'Aspe* à Oloron*-Sainte-Marie pour former le gave d'Oloron*.

Osservatore Romano (l'). ♦ Journal officieux du Saint-Siège (quotidien, en italien), fondé en 1861, imprimé dans la cité du Vatican depuis 1930. Certaines rubriques (« Nos informations », « Saint-Siège », « Cité du Vatican ») ont un caractère officiel. Il publie de larges extraits pontificaux (encycliques, bulles, messages divers) et fait autorité pour les discours du pape jusqu'à leur publication dans les *Acta Sanctae Sedis.* Il est prolongé par des sélections hebdomadaires en italien, en français, en espagnol, et, le dimanche, par un hebdomadaire populaire illustré, sans aucun caractère officiel, *l'Osservatore della domenica.*

OSSÈTES ou **OSSES.** *n. m. pl.* ♦ Peuple guerrier du Caucase (Ossétie*), d'origine iranienne. Il se subdivise en quatre groupes : Tangaours, Digouriens, Kourtatines et Alaghirs. De taille élevée, bruns, les Ossètes parlent une langue de la famille iranienne.

OSSÉTIE. *n. f.* ♦ Contrée d'U.R.S.S., située dans le Grand Caucase, et partagée entre la République autonome d'*Ossétie du Nord* et la région autonome d'*Ossétie du Sud.* – *Écon.* L'activité agricole est représentée par la culture du blé, du maïs, des légumes et de la vigne. Élevage ovin. Indus. métallurgiques (métaux non ferreux), mécaniques et alimentaires. Traitement du bois. ♦ OSSÉTIE DU NORD (République socialiste soviétique autonome d'; en russe *Severo-Osetinskaja A.S.S.R.*). Une des seize républiques autonomes de la R.S.F.S. de Russie*, située sur les pentes septentrionales du Grand Caucase, et dans le bassin du Terek. 8 000 km². 531 000 hab. (*Ossètes**, Russes, Arméniens, Géorgiens, Ukrainiens). *Cap.* Ordjonikidze. ♦ OSSÉTIE DU SUD (en russe *Iougo-Osetinskaja aftonomnaja oblast*). Région autonome comprise dans la république fédérée de Géorgie*, située sur les pentes méridionales du Grand Caucase. 3 300 km². 101 000 hab. *Ch.-l.* Tskhinvali (de 1934 à 1961, Staliniri), sur la Liakhva. 28 000 hab. ♦ *Hist.* Après la guerre victorieuse des Russes contre la Turquie (1768-1774), l'Ossétie fut annexée par la Russie. En févr. 1918, le régime soviétique y fut instauré. Disputée entre les bolcheviks et les Russes blancs (1919-1920), l'Ossétie fit partie de la R.S.S. autonome des Montagnes (1921). En 1922 fut créée la région autonome d'*Ossétie du Sud,* comprise dans la R.S.S. de Géorgie. En juil. 1924, la république des Montagnes fut supprimée et l'*Ossétie du Nord* devint une région autonome de la R.S.F.S. de Russie, puis une R.S.S. autonome en 1936.

Ossian *(Poèmes d'),* en angl. **Fragments of Ancient Poetry collected in the Highlands of Scotland and translated from the Gaelic or Erse language,** 1760. ♦ Chants épiques attribués à OISIN, dit OSSIAN, fils du barde et guerrier légendaire Fingal, qui aurait vécu au IIIe siècle. C'est la tradition orale qui permit à James Macpherson* de composer les poèmes ossianiques auxquels s'ajoutèrent *Fingal* (*an ancient epic poem in six books,* 1761) et *Temora,* 1763, en huit livres. Écrits dans une prose rythmée riche en métaphores, ces chants de guerre et d'amour d'un pays de brume et de rochers eurent en Europe une immense influence. Il fallut deux siècles pour attribuer la paternité du cycle ossianique à James Macpherson*.

OSSINNIKI. ♦ V. d'U.R.S.S. (R.S.F.S. de Russie), dans le Kouzbass*, en Sibérie occidentale, sur le fl. Tom*. 71 000 hab. (1962). Extraction houillère.

OSSOURI. ♦ **V.** OZOURI (Gabon).

OSSUN [ɔsœ̃]. ♦ Ch.-l. de cant. des Hautes-Pyrénées*, arr. de Tarbes*. 1 896 hab. [188 aggl.] *(Ossunais).* Vestiges d'un camp romain; château XVe s. Constructions métallurgiques.

OSTENDE, en néerl. **Oostende.** ♦ V. et port de Belgique (ch.-l. d'arr. de la Flandre-Occidentale) sur la mer du Nord. 57 400 hab. Musée des Beaux-Arts et musée Ensor* (né à Ostende). Principal port de pêche de la Belgique (homards, huîtres). Chantiers navals, indus. chimiques (savon) et mécaniques, centre de cure thermale et marine, station balnéaire. Gare maritime (malle de Douvres). ♦ *Hist.* Village de pêcheurs (Ostendeter-Streepe) au XIe s., fortifié par le prince d'Orange en 1583, Ostende fut rattaché à la France de 1794 à 1814. Occupée par les Allemands en 1914, la ville subit de nombreux bombardements. La digue fut endommagée en 1940.

OSTENDE *(canal d').* ♦ Canal reliant Bruges à Ostende (23 km).

ÖSTERSUND. ♦ V. du N. de la Suède, au bord du lac Storsjön. Ch.-l. du comté du Jämtland. 27 000 hab. (1968). Musée de plein air (vieilles demeures provinciales). – Indus. du bois. Constructions mécaniques. – Station touristique.

OSTIAK(S). *n. m. pl.* ♦ Tribus paléo-sibériennes de chasseurs, installées dans la zone forestière de la moyenne vallée de l'Ob'*. De petite taille, bruns, les Ostiaks (ou Ougriens) ont été plus ou moins influencés par les Samoyèdes.

OSTIE, en it. **Ostia.** ♦ Localité d'Italie (comm. de Rome), non loin de l'embouchure du Tibre, à 24 km de Rome, fondée près des ruines de l'anc. Ostie romaine (voir ci-dessous). – À quelques km, sur la côte, *Lido di Ostia* ou *Lido di Roma,* station balnéaire reliée à la capitale par une autoroute et un métro. ♦ *Hist.* L'anc. ville d'Ostie *(Ostia Antica),* actuellement à l'intérieur des terres, était le port maritime de Rome. Elle fut fondée, selon la légende, par Ancus* Martius. Mais son véritable rôle ne commença qu'avec la deuxième guerre Punique* (~ IIIe s.) pendant laquelle elle servit de base militaire. Elle devint par la suite un important port de commerce. Elle fut mise à sac par Marius* et reconstruite par Sylla*. Pour lutter contre l'ensablement, l'empereur Claude* fit construire sur la rive droite du Tibre de nouveaux bassins qui furent agrandis sous Trajan*. Bien qu'en concurrence croissante avec Pozzuoli, le port connut son apogée au Ier siècle. Son déclin commença au IVe s. sous le règne de Constantin* en raison de la perte du monopole commercial de Rome en Méditerranée occidentale; la malaria fit bientôt abandonner la ville. Elle se releva au IXe s. mais ne connut qu'une renaissance précaire. Les fouilles entreprises au XIXe s. et poursuivies de façon systématique à partir de 1909 ont mis au jour la majeure partie de la ville antique, thermes de Neptune (mosaïques), théâtre, *Mithraeum* (sanctuaire du dieu Mithra), *Capitolium,* bel ensemble de la place des Corporations, maisons à plusieurs étages *(insulae)* et intéressante nécropole (*Isola Sacra,* IIe-IVe s.).

OSTRAVA. ♦ V. de Tchécoslovaquie, sur l'Oder*, à 20 km de la frontière polonaise. Ch.-l. de la Moravie*-Septentrionale. 273 280 hab. (1968). Aéroport (lignes intérieures). Carrefour ferroviaire (lignes en direction de la Pologne et de la République démocratique allemande) et routier. École supérieure des mines. Église Saint-Venceslas (XIIIe s). Hôtel de ville (1687), transformé en musée. – Ostrava est le centre d'une très importante région indus., grâce aux gisements de houille, lignite, fer. Indus. métallurgiques (laminoirs), mécaniques (machines-outils, matériel de forage, véhicules) et chimiques. – Ostrava forme une conurbation avec les centres indus. voisins. **V. Frýdek-Místek, Karviná.**

OSTROGOTHS (« Goths brillants »). ♦ Nom des Goths orientaux

Ph. Marc Garanger

Le port d'**Ostende.**

Ph. Lauros-Giraudon

Othon Iᵉʳ. Manuscrit français, XVᵉ s. « Miroir historial », par Vincent de Beauvais. (Musée Condé, Chantilly.)

soumis par les Huns* v. 375 et intégrés à leur empire jusqu'à la mort d'Attila (453). Ils s'établirent ensuite en Pannonie avec l'accord de l'empire d'Orient mais, ayant attaqué Constantinople (847), ils furent détournés par Zénon* vers l'Italie qu'ils conquirent sous Théodoric* le Grand (488-493). Après la régence d'Amalasonte* et le règne de Théodat*, Justinien Iᵉʳ chargea les généraux Bélisaire* et Narsès* de reconquérir l'Italie sur les rois Vitigès* et Totila* (536-552). La résistance cessa en 555.

OSTROŁĘKA ou **Ostrolenka.** ♦ V. de Pologne* (voïévodie de Varsovie) sur la r. g. du Narew*. 15 000 hab. ♦ *Hist.* Théâtre d'une victoire française dirigée par Savary* en 1807 et de furieux combats entre les Russes et les Polonais insurgés qui furent battus en 1831.

OSTROVSKI (Alexandre Nikolaïevitch). ♦ Auteur dramatique russe (Moscou, 1823 – Chtchelikovo, gouvernement de Kostroma, 1886). Empruntant la voie ouverte par Gogol, il a enrichi la scène russe d'un répertoire proprement national. Peintre d'une bourgeoisie encore disposée à s'humilier devant l'aristocratie, il en a décrit avec une rare acuité dans l'observation les préjugés : *Pauvreté n'est pas vice* (1854), et les vaines aspirations à la dignité et au bonheur : *L'Orage* (1860). Son œuvre la plus originale, où se conjuguent l'humour et la magie, *La Forêt* (1871), en annonce une autre, *Snegourotchka* (1873), d'inspiration typiquement populaire. Avant de devenir directeur des théâtres de Moscou (1884), il fut l'auteur de nombreuses mises en scène marquées d'un puissant réalisme.

OSTROVSKI (Nicolaï Alexeïevitch) [*Ostrovski*]. ♦ Romancier soviétique (Vilija, Volhynie, 1904 – Moscou, 1936). Son roman autobiographique, *Et l'acier fut trempé* (1934), le rendit aussitôt célèbre. Le héros, jeune et aveugle, lutte pour le triomphe de la révolution et du socialisme.

OSTRÓW WIELKOPOLSKI, en all. **Ostrowo.** ♦ V. de Pologne* (voïévodie de Poznań) en grande Pologne. 45 000 hab. Indus. métallurgiques; meubles.

OSTWALD (Wilhelm). ♦ Chimiste et philosophe allemand (Riga, 1853 – Grossbothen, près de Leipzig, 1932). En chimie physique, il est surtout connu pour ses importants travaux sur les électrolytes (**V.** *aussi* **Arrhenius**) et la catalyse. Sa philosophie de la nature fondée sur les lois de l'énergétique se rapproche de l'empiriocriticisme (**V. Avenarius, E. Mach** et **Rankine**) par sa conception de la science comme « économie de pensée ». (*Vorlesungen über Naturphilosophie,* « Leçons sur la nature de la philosophie », 1902). Prix Nobel de chimie, 1909.

OSUNA (Pedro de Alcántara, Téllez y Girón, dit **El Grande).** ♦ (Valladolid, 1579 – Madrid, 1624). Homme politique espagnol. Après s'être distingué au combat en Flandre, il prit position en faveur des Provinces-Unies et des Morisques*. La protection du duc de Lerma* lui valut d'être nommé vice-roi de Sicile, puis de Naples, où il s'opposa à l'établissement de l'Inquisition. Rappelé en 1620, il fut mis en jugement dès l'avènement de Philippe* IV et mourut en prison.

OSWALD *(saint).* ♦ (v. 602 – Maserfield, 642). Roi de Northumbrie (635-642). Fils d'Ethelfrith*, il battit les Gallois et favorisa le christianisme. Il fut vaincu et tué par Penda*, roi de Mercie.

OSWALD von Wolkenstein. ♦ Poète de langue allemande (château de Wolkenstein, Tyrol méridional, 1377 – château de Schöneck, Tyrol, 1445). « Grand virtuose du rythme et de la rime » (G. Zink), utilisant avec verve toutes les possibilités de sa langue, il a tour à tour évoqué dans ses poèmes ses voyages et ses expériences amoureuses. Sa poésie exprime surtout son attachement sensuel à la vie.

OŚWIĘCIM, plus connue sous son nom all. **Auschwitz.** ♦ V. de Pologne* (voïévodie de Cracovie) au S.-E. de Katowice. 38 000 hab. Centre industriel où fut construit entre 1949 et 1955 le plus grand combinat chimique de Pologne (caoutchouc, matières synthétiques). – Durant la Deuxième Guerre mondiale, les Allemands y créèrent le camp de concentration tristement célèbre d'Auschwitz*.

OSWY ou **OSWIU.** ♦ (? – 670). Roi de Northumbrie (642-670). Fils d'Ethelfrith* et frère d'Oswald*, il vainquit le roi de Mercie, Penda* (654). Il favorisa le christianisme et présida le concile de Whitby (664) où triompha la liturgie romaine.

OTAKAR Iᵉʳ, OTAKAR II, rois de Bohême. ♦ **V.** Ottokar.

O.T.A.N. ♦ Sigle de l'Organisation* du traité de l'Atlantique Nord.

OTARU. ♦ V. du Japon (Hokkaidô), sur la baie d'Ishikari, au N. de Sapporo. Env. 200 000 hab. Port charbonnier et de pêche. Transit avec l'U.R.S.S. et Honshû. Indus. du caoutchouc et du papier.

O.T.A.S.E. ♦ Sigle de l'Organisation* du traité de l'Asie du Sud-Est (en angl., *South East Asia Treaty Organization,* S.E.A.T.O.).

OTFRID ou **OTFRIED de WISSEMBOURG.** ♦ Moine et poète de langue allemande de la deuxième moitié du ɪxᵉ siècle. Élève de Raban Maur à Fulda, puis moine à l'abbaye de Wissembourg, il est l'auteur du *Livre des Évangiles,* écrit entre 850 et 873 et dédié au roi Louis le Germanique et à l'évêque de Constance. Ce poème didactique en vers rimés (plus de 16 000 vers) retrace la vie du Christ, de la naissance à sa Passion et à sa mort, et s'achève par une évocation du Jugement dernier.

OTHE *(pays d').* ♦ Massif de l'E. du Bassin parisien, situé au S. de Troyes. Compris entre l'Yonne, la Vanne, la Seine et l'Armance, il est couvert de belles forêts.

Othello ou **Le Maure de Venise** *(Othello, the Moor of Venice).* ♦ Drame en cinq actes de W. Shakespeare (1604). Général maure au service de Venise, Othello a épousé la belle et vertueuse Desdémone. Officier d'Othello, Iago tente de séduire Desdémone, qui le repousse. Pour se venger, il persuade Othello que Desdémone a pour amant l'honnête Cassio. Devenu fou de jalousie, Othello étrangle Desdémone, mais comprenant qu'il a été abusé, il se poignarde de désespoir. – La pièce a inspiré un opéra à Verdi : *Otello.*

OTHMAN IBN AFFAN. ♦ **V.** 'Uthmân.

OTHNIËL. ♦ Juge d'Israël (~ xɪɪᵉ s.). Cf. *Juges,* I, 13; III, 9.

OTHON, en lat. **Marcus Salvius Otho.** ♦ (Ferentinum, 32 – Betriacum, 69). Empereur romain (69). D'abord favori de Néron*, il refusa de lui céder de bon gré sa femme Poppée* et fut envoyé comme gouverneur en Lusitanie (58-68). Il appuya Galba* contre Néron, puis, voyant que Galba désignait Pison comme successeur, il le fit massacrer (69) et fut reconnu comme empereur dans tout l'empire, sauf en Germanie où les légions avaient proclamé Vitellius*. Il entra en lutte contre ce dernier, mais, écrasé à Bédriac*, il se donna la mort.

OTHON ou **OTTON DE NORDHEIM.** ♦ (mort en 1083). Duc de Bavière (1061-1070). Prince saxon, il conspira constamment contre l'empereur Henri* IV qui lui enleva la Bavière. Il continua à participer aux révoltes saxonnes contre ce dernier.

OTHON ou **OTTON Iᵉʳ DE WITTELSBACH.** ♦ (v. 1120 – Pfullendorf, 1183). Duc de Bavière (1180-1183). Frédéric* Barberousse lui donna le duché de Bavière, dont il avait dépouillé Henri le Lion. La famille des Wittelsbach régna sur la Bavière jusqu'en 1918.

OTHON ou **OTTON Iᵉʳ.** ♦ (Munich, 1848 – Fürstenried, 1916). Roi de Bavière (1886-1913). Atteint de démence comme son frère Louis* II, auquel il succéda en 1886, il resta interné jusqu'à sa mort. Son cousin Louis* III lui succéda en 1913.

OTHON ou **OTTON Iᵉʳ, le Grand.** ♦ (Walhausen, 912 – Memleben, 973). Roi de Germanie (936-973) et empereur germanique (962-973). Fils d'Henri* Iᵉʳ l'Oiseleur, il dut faire face à plusieurs révoltes : celle de son frère Henri et d'Eberhard, duc de Franconie (938-939), celle de son fils Liudolf et de Conrad, duc de Lorraine (953-954). Il triompha des féodaux avec l'appui de l'Église et déposséda les ducs allemands au profit de sa famille. Il imposa son autorité à la Lorraine en 944 et intervint en France où il se prononça en faveur du carolingien Louis IV (948). Il fonda surtout sa puissance sur le prestige que lui valurent ses victoires sur les Hongrois et sur les Slaves (**V. Hermann Billung**) [955]. Il intervint en Italie où il se fit reconnaître roi de Pavie en 951, puis à sa seconde expédition, couronner empereur à Rome par le pape Jean* XII (962), fondant ainsi le Saint Empire romain germanique. Il plaça la papauté en tutelle et déposa Jean XII en 963, puis Benoît V en 964. Il organisa des missions d'évangélisation dans les terres de l'est chez les Slaves et fonda l'évêché de Magdebourg (968). Pour protéger l'empire, il fonda des marches militaires aux frontières, telle l'Ostmark (la future Autriche). ♦ Othon II (955 – Rome, 983). Empereur germanique (973-983).

Fils d'Othon Ier et mari de Théophano* (972), il s'occupa surtout de se rendre maître de l'Italie, mais fut vaincu au cap Colonne par les Sarrasins (982), ce qui permit aux Slaves de se libérer de l'emprise allemande à l'est de l'Elbe. ♦ OTHON ou OTTON III (980 – Paterno, près de Viterbe, 1002). Empereur germanique (983-1002). Fils d'Othon II, il régna d'abord sous la régence de sa mère Théophano, puis de sa grand-mère Adélaïde. Il descendit en Italie en 996, nomma son cousin pape (Grégoire V) et se fit sacrer empereur par lui. En 999, il nomma pape son ancien précepteur Gerbert (Sylvestre II). Il fit de Rome sa capitale et, sous l'influence du pape, rêva de reconstituer l'empire chrétien. Il eut pour successeur Henri de Bavière **(V. Henri II)**.

OTHON ou **OTTON IV DE BRUNSWICK.** ♦ (v. 1174 – au Harzburg, 1218). Empereur germanique (1198-1218). Fils de Henri* le Lion, il fut élu empereur à la mort d'Henri VI par le parti guelfe en concurrence avec Philippe* de Souabe de la famille des Hohenstaufen, soutenu par le parti gibelin. Reconnu et couronné par le pape Innocent* III après l'assassinat de son rival, il entreprit la conquête du royaume de Sicile, contrairement à ses accords avec le Saint-Siège, et fut excommunié. Innocent lui opposa le fils d'Henri VI, Frédéric* II (1212). Après sa défaite à Bouvines* devant Philippe* Auguste, allié des gibelins (1214), Othon ne jouit plus d'aucun appui en Allemagne.

OTHON ou **OTTON Ier.** ♦ (Salzbourg, 1815 – Bamberg, 1867). Roi de Grèce (1832-1862). Fils de Louis Ier de Bavière, il fut désigné pour occuper le trône de Grèce par la conférence de Londres. Devenu impopulaire à cause des abus de ses conseillers bavarois, il dut accorder une Constitution (1844) à la suite d'une insurrection. Incapable de répondre aux problèmes intérieurs et aux aspirations nationales des Grecs pendant la crise orientale, il fut renversé par une révolte en 1862. **V. Grèce** (Hist.).

OTHON ou **OTTON de BAMBERG** *(saint)*. ♦ (en Souabe, v. 1060 – Bamberg, 1139). Évêque de Bamberg (1102-1124). Il évangélisa la Poméranie* à la demande de Boleslas III de Pologne. – Fête le 2 juillet.

OTHON ou **OTTON DE FREISING.** ♦ Historien allemand (v. 1111 – Morimond, Bourgogne, 1158). Petit-fils de l'empereur Henri IV, il fut abbé de Morimond (1136) puis évêque de Freising (1137) et réforma les mœurs ecclésiastiques. Il exerça une certaine influence politique sous Frédéric Barberousse. Auteur des *Gesta Frederici I imperatoris.*

OTRANTE, en it. **Otranto.** ♦ V. d'Italie du S. (4 500 hab.) dans les Pouilles (prov. de Lecce), sur la mer Ionienne, à l'extrémité orientale de la péninsule, dans la terre de ce nom, sur le *canal d'Otrante.*

OTRANTE *(canal d')*. ♦ Détroit d'une largeur de 70 km, séparant l'Adriatique de la mer Ionienne.

ÔTSU. ♦ V. du Japon (Honshû, préf. de Shiga), sur le lac Biwa, ancienne cité impériale aux IIe et VIIe s. 165 000 hab. Indus. textiles et chimiques, marché du riz.

OTTAWA ou **OUTAOUAIS.** *n. m. pl.* ♦ Indiens d'Amérique du Nord, établis au XVIIe s. sur les bords du lac Huron et installés maintenant dans le Michigan et l'Oklahoma.

OTTAWA. *n. f.* (en fr. **Outaouais**). ♦ Riv. du Canada, princ. affl. du Saint-Laurent (r. g.). Elle prend naissance au lac Victoria, sert de frontière aux prov. d'Ontario et de Québec, arrose Ottawa et se jette dans le lac des Deux-Montagnes, en aval de Montréal, d'où elle gagne en trois branches le Saint-Laurent (au Québec on lui donne son nom français OUTAOUAIS). *Affl.* **V. Gâtineau.**

OTTAWA. ♦ V. du Canada (prov. d'Ontario) et cap. fédérale du pays. Env. 300 000 hab. (aggl. 527 000 hab. ; 1969), cinquième ville du Canada. La ville est bâtie sur un ensemble de collines dans un site agréable sur la riv. Ottawa. Parlement de style néo-gothique (1859-1865 ; reconstruit après un incendie en 1916). Musées. – Indus. du bois. Indus. alimentaires. Imprimeries. – Universités. ♦ *Hist.* La ville s'appela Bytown jusqu'en 1854 du nom de son fondateur By (1827). En 1858, la reine Victoria la choisit comme cap. du Canada, réglant ainsi la rivalité entre Montréal et Toronto. – CONFÉRENCE D'OTTAWA : conférence économique entre le Royaume-Uni et ses dominions (1932), qui aboutit aux *accords d'Ottawa* établissant le principe de la « préférence impériale » accordée par le Royaume-Uni aux produits du Commonwealth.

OTTIGNIES. ♦ Comm. de Belgique (Brabant, arr. de Nivelles) sur la Dyle*. 5 600 hab. Métallurgie (fabrique de limes). Centre ferroviaire important. – Campus de l'université francophone de Louvain*-la-Neuve qui doit recevoir 20 000 étudiants.

OTTMARSHEIM [ɔtmaʀsɛm]. ♦ Comm. du Haut-Rhin*, arr. de Mulhouse. 1 766 hab. Installation hydro-électrique sur le grand canal d'Alsace* (975 000 000 de kWh/an).

OTTO (Nikolaus). ♦ Ingénieur allemand (Holzhausen, 1832 – Cologne, 1891). Il mit au point et présenta en 1876 le moteur à quatre temps dont la théorie avait été établie en 1862 par Beau* de Rochas. **V. Lenoir, Daimler.**

OTTO (Rudolf). ♦ Philosophe allemand et historien des religions (Peine, 1860 – Marburg, 1937). Professeur à Breslau (1904-1917), puis à Marburg (1917-1929), il publia un ouvrage sur *Le Sacré* (*Das Heilige,* 1917) qui marqua une date importante dans l'étude du sentiment religieux, dont l'auteur s'est proposé de donner une description phénoménologique en montrant son caractère non rationnel et ambivalent (fascination et terreur à l'égard du sacré).

OTTOKAR de Styrie, en all. **OTTOKAR von Steiermark.** ♦ Chroniqueur allemand de la fin du XIIIe s. et début du XIVe siècle. Auteur d'une *Chronique autrichienne* en vers (v. 1310).

OTTOKAR Ier PREMYSL. ♦ (mort en 1230). Roi de Bohême (1198-1230). Fils de Ladislas* II, il se fit concéder le titre de roi par l'empereur germanique Philippe de Souabe. Il favorisa dans ses États la colonisation allemande. ♦ OTTOKAR II PREMYSL (v. 1230 – près de Dürnkrut, 1278). Roi de Bohême (1253-1278). Petit-fils du précédent, il acquit la Moravie (1247) puis rattacha à ses États la Styrie (1260), la Carinthie, la Carniole et l'Istrie (1269). Il combattit les païens en Prusse et y fonda la ville de Königsberg. Sa puissance fut brisée par l'empereur germanique Rodolphe* Ier de Habsbourg, dont il avait contesté l'élection, et il ne conserva que la Bohême et la Moravie (1276).

OTTOMAN *(Empire)*. ♦ Édifié au XVe s. sur les ruines de l'État saljûqide et de l'Empire byzantin, l'Empire ottoman s'étendit rapidement en Europe jusqu'aux frontières austro-hongroises, au Moyen-Orient, où les frontières iraniennes furent souvent violées, et enfin au nord de l'Afrique (sauf au Maroc). Il constitua une grande puissance méditerranéenne, héritière de l'Empire romain et du califat arabe (XVIe s.-*déb.* XVIIe s.). Mais dès le début du XVIIe s. un lent déclin commença pour l'empire dont l'organisation et les institutions figées ne correspondaient plus aux exigences de l'évolution historique. Aucun des souverains ne put empêcher le processus de décomposition qui le morcela, du fait du réveil des nationalismes balkaniques et arabes comme de la politique interventionniste et impérialiste des nouvelles grandes puissances industrielles (XIXe s.-*déb.* XXe s.). L'intégrité de l'Anatolie même ne fut préservée qu'avec la suppression de l'empire agonisant et l'instauration de la République (1920-1923). – I. LES ORIGINES ET LA FORMATION DE L'EMPIRE OTTOMAN (1290-1451). À l'époque du déclin du pouvoir saljûqide **(V. Saljûqides)** apparurent les puissances locales des tribus turques installées un siècle plus tôt sur les frontières turco-byzantines, aux extrémités occidentales de l'Anatolie (*mil.* XIIe s.). Constituant des émirats autonomes *(beylik),* ces tribus devinrent totalement indépendantes à la fin du XIIIe siècle. Parmi elles figurait la tribu des Osmanlis*. Appartenant à la branche oghuz des Turcs, les Osmanlis reçurent, sous leur chef Ertoğrul, la région de Söğüt (Seuyut) pour la défendre contre les Byzantins (1260). Osman*, fils et successeur d'Ertoğrul, attaqua les Grecs et plaça sous son contrôle une partie de la Bithynie byzantine. Son fils Orkhan* occupa Brousse (1326), Nicée (1331), Nicomédie (1337) et à sa mort les Osmanlis possédaient les deux rives des Dardanelles et étaient déjà solidement implantés en Thrace. Mais le véritable créateur de la puissance ottomane en Europe orientale fut Murat* Ier (1359-1389). Il prit Andrinople (1363) ; occupa la Macédoine, la Thrace orientale et la Bulgarie. En Anatolie, malgré certains avantages acquis, son action ne fut pas décisive. Cependant, en créant une administration centralisée (le *divan*) dirigée par le grand vizir et une armée redoutable **(V. Janissaires),** il jeta les bases d'un grand État que l'œuvre de son fils Bayazid* Ier consolida. Ce dernier conquit la quasi-totalité des émirats turcs d'Anatolie et continua l'invasion de l'Europe balkanique jusqu'aux frontières hongroises (1393-1395). Il renforça ses positions en triomphant de la croisade lancée par Sigismond (roi de Hongrie) et encouragée par le pape Boniface IX (Nicopolis, sept. 1396). Mais à la suite de l'attaque des troupes mongoles dirigées par Tamerlan (Tîmûr*-i Lang) et de sa défaite à Ankara (1402), Bayazid perdit les émirats turcs d'Anatolie que son vainqueur reconstitua. Ce fut Mehmet* Ier qui réintégra ces émirats dans l'Empire ottoman (1421). Murat* II élargit ses possessions tant en Europe qu'en Asie Mineure et repoussa une nouvelle croisade (Varna, nov. 1444). Ce souverain installa sa capitale à Andrinople (Edirne), qui devint un grand centre intellec-

Ph. Carlo Bevilacqua/Ricciarini

Empire **ottoman** : le vizir assiste à une décapitation. Manuscrit du XVIIe s. (Bibliothèque Marciana, Venise.)

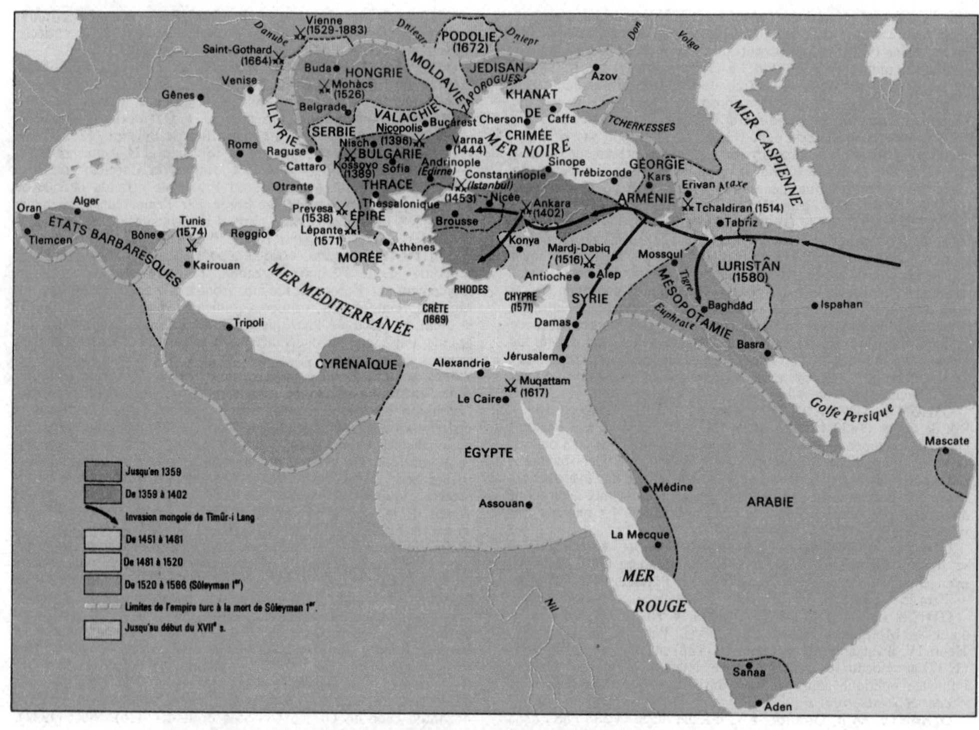

L'expansion et l'apogée de l'empire **ottoman** (XIVe-XVIIe.)

tuel et artistique. À sa mort (1451), l'empire était déjà solide. Son armée fut puissante et son administration efficace. Pourtant les Ottomans ne purent encore contester la suprématie maritime des Occidentaux où Génois et surtout Vénitiens dominaient toujours. — 2. L'APOGÉE DE L'EMPIRE OTTOMAN (1451-1566). La première action d'éclat de Mehmet* II (1451-1481) fut la prise de Constantinople (29 mai 1453); il y installa sa capitale en 1457-1458. Durant son règne (1451-1481), les Turcs étendirent leur domination sur le Péloponnèse, l'Albanie, la Bosnie, la Moldavie. À la suite d'une guerre, Venise dut pour la première fois payer un tribut annuel afin de conserver ses possessions et ses privilèges commerciaux. Le successeur de Mehmet II, Bayazid* II (1481-1512), consolida l'administration mais ne put venir à bout des mamelouks* d'Égypte. Ces deux souverains encouragèrent le peuplement turc à Constantinople et en Europe balkanique. Selim Ier (1512-1520) s'attacha à conquérir les pays d'Islâm : il occupa successivement l'Anatolie orientale, l'Azerbaïdjan, la Cilicie, le Kurdistân, la Syrie, la Palestine et l'Égypte. Son fils Süleyman* (1520-1566), le plus célèbre des souverains ottomans, continua triomphalement l'œuvre de conquête de ses prédécesseurs tant sur le front oriental que sur le front occidental. Il plaça la quasi-totalité des pays arabo-musulmans sous son autorité (Iraq, Arabie, Afrique du Nord [sauf le Maroc] en plus des conquêtes de Selim). En Europe, il occupa Belgrade, Rhodes, la Hongrie et la Transylvanie. Maître de cet immense empire, il entra en rivalité avec Charles* Quint en Europe centrale, en Méditerranée, en Afrique du Nord tandis que le roi de France, François Ier, chercha à obtenir son alliance. À cette époque, la flotte turque dominait déjà la Méditerranée orientale et ses incursions en Méditerranée occidentale, souvent menaçantes, contribuèrent à maintenir la flotte espagnole loin des rivages des pays d'Orient. Pour exercer son autorité absolue, le sultan s'appuyait sur un appareil administratif centralisé. Le gouvernement était dirigé par le grand vizir assisté d'un certain nombre de vizirs, révocables à tout moment, de deux juges militaires *(kadi-asker)*, du secrétaire des finances *(defterdar)*, du grand amiral *(kapudan pacha)* et du chef des janissaires* *(agha)*. La protection de l'empire était assurée par une puissante armée qui comprenait des troupes régulières payées par le Trésor et composées de janissaires, de canonniers, armuriers, cavaliers *(sipahi)*, et des troupes irrégulières. La marine, constituée principalement de corsaires, fut un élément essentiel de la suprématie turque. Elle disposait d'arsenaux en Méditerranée et en mer Noire. Mais la faille de l'empire se trouvait dans l'organisation du commerce : déjà, la structure des échanges entre l'Occident, fournissant des produits manufacturés et l'Orient, livrant des matières premières, était opérante. Avec le temps, elle ne fit que se renforcer. Et dès la fin du XVIe s. la concurrence de la route du Cap pour le commerce avec l'Extrême-Orient devint effective. — 3. LE COMMENCEMENT DU DÉCLIN (XVIIe-XVIIIe s.). Les successeurs de Süleyman, malgré quelques succès (conquête de Chypre, 1570-1571 ; prise définitive de Tunis, 1574 ; occupation de la Géorgie, 1590), ne furent pas en mesure d'éviter d'éclatantes défaites (Lépante, 1571 ; Moldavie ; Hongrie). Ahmet* Ier (1604-1617) dut faire face à des révoltes dans l'empire. Le corps des janissaires, avec le meurtre du sultan Osman* II (mai 1622), commença à intervenir dans les crises de succession. Les intrigues de palais fomentées par les sultanes mères n'aidèrent pas à empêcher les désordres, la désagrégation administrative et les révoltes militaires. Cependant plusieurs membres de la famille Köprülü* furent nommés successivement au poste de grand vizir et purent rétablir l'ordre et mener une œuvre de redressement. Après l'échec du second siège de Vienne (1683), les armées ottomanes subirent plusieurs défaites et la paix de Karlowitz (1699) fut le premier traité défavorable signé par le sultan, qui perdait presque toutes ses possessions en Hongrie. Avec le XVIIe s. finissant, apparut pour la première fois la puissance russe dans le domaine ottoman. Au XVIIIe s., l'empire n'enregistra que des revers : le traité de Passarowitz (1718) fut favorable aux Autrichiens ; les Turcs durent céder à la Perse les provinces du Caucase (1736). Une guerre turco-russe consacra la présence des Russes dans la mer Noire (1774), et le traité de Kutchuk-Kaïnardji pourrait être considéré comme le point de départ de la question d'Orient* dans laquelle l'Empire ottoman allait devenir l'enjeu d'une lutte entre l'Angleterre, la Russie, la France et l'Autriche. — 4. L'EMPIRE EN CRISE (*fin* XVIIIe s.-*fin* XIXe s.). Après la guerre contre les Russes et les Autrichiens, Selim* III dut signer la paix de Svitchov (1791) qui consacra un statu quo avec les Autrichiens et la paix de Jassy (1792) qui permit aux Russes d'obtenir de nouveaux territoires. Cependant plusieurs provinces se révoltèrent (Syrie, Hedjaz, Bulgarie, Serbie), et l'expédition de Bonaparte en Égypte (1798-1802) constitua une difficulté supplémentaire. Cherchant à réorganiser l'armée (1802), Selim III fut déposé par les janissaires en révolte. Sentant la nécessité d'une politique de réformes, Mahmut* II (1808-1839) supprima le corps des janissaires (1826) qu'il fit massacrer. Son action, limitée, fut élargie par Abdül*-Medjid (1839-1861) qui inaugura la période des *Tanzimat** caractérisée par l'introduction de réformes dans le système législatif, l'appareil scolaire et les corps administratifs. Cette politique fut menée au moment même où l'empire se trouvait secoué par les divers nationalismes : Ali* de Tebelen tint tête pendant vingt ans aux Ottomans (Épire), Muhammad*-'Ali s'émancipa en Égypte et s'imposa en Arabie et au Soudan. Le mouvement national grec, après l'action de Rhigas* (1797), visa à l'indépendance totale (1821) qu'il put obtenir (1830) grâce à la lutte implacable qu'il mena et aux soutiens russe et anglais. La Serbie, la Moldavie

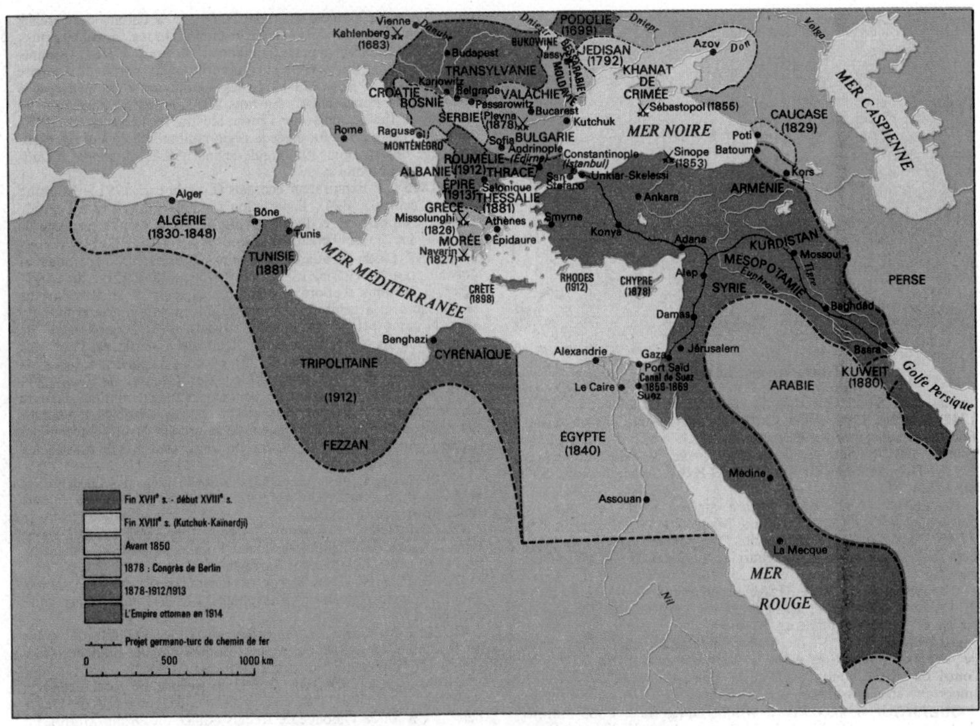

Le recul de l'empire **ottoman** (1699-1914).

et la Valachie devinrent autonomes. Plus tard, la guerre de Crimée* (1854-1855) et le traité de Paris (1856) aboutirent à l'union de la Moldavie et de la Valachie qui formèrent en 1862 la Roumanie*. Mais divers troubles ne purent être évités malgré la libéralisation du régime ottoman pendant l'avènement d'Abdül*-Hamid II (1876-1909). Une guerre éclata entre Russes et Turcs. La défaite ottomane constitua une nouvelle étape dans le démembrement de l'empire (1878) : la Serbie devint totalement indépendante ; la Roumélie orientale peuplée de Bulgares acquit l'autonomie ; la Grèce reprit la Thessalie tandis que l'Angleterre, la France et l'Italie se partagèrent l'Afrique du Nord (Égypte, Tunisie, Libye) à l'avance. — 5. LA FIN DE L'EMPIRE (*fin* XIXe s.-1923). Après une courte période libérale, Abdül*-Hamid II suspendit la constitution, rétablit le pouvoir absolu et se fonda sur une idéologie panislamique dont certaines minorités furent les victimes (massacres des Arméniens, 1894 ; 1896). Il ne parvint cependant ni à stabiliser la situation politique ni à assainir l'économie. Et à propos de la Macédoine, réclamée à la fois par les Turcs, les Bulgares, les Grecs et les Serbes, la « question balkanique » resta posée. Dans cette atmosphère éclata la révolution des « Jeunes-Turcs » animant les comités « Union et Progrès » **(V. Jeune-Turquie).** Des officiers et des intellectuels libéraux renversèrent le sultan (1909) et désignèrent Mehmet* V (1909-1918) comme son successeur. Mais les Jeunes-Turcs abandonnèrent vite leur programme libéral et prônèrent un panturquisme ultra-nationaliste. L'empire perdit la Tripolitaine (1911), presque toute la Thrace (1912). En 1913, le triumvirat jeune-turc (Enver*-Talât*-Djemal*) accentua la politique autoritaire du pouvoir et eut recours au soutien germanique. Ils entraînèrent l'empire dans la guerre, aux côtés de l'Allemagne. Après la défaite, l'action de Mustafa* Kemal qui dirigea la lutte nationale eut pour conséquence la suppression de l'empire et l'instauration d'une république (1923). **V. Turquie** *(Hist.)* ♦ *Personnages politiques et écrivains de l'Empire ottoman.* **(V. Abdül-Aziz ; Abdül-Hamid I, II ; Abdül-Medjid I ; Ahmet I, II, III ; Ahmedî ; Ahmet Mithat ; Ahmet Vefik ; 'Ali Pacha** de Tebelen ; **'Ali Pacha ; Bakî ; Barberousse ; Bâyazid I** et **II ; Chinassi ; Dédé Korkout ; Djamal Pacha ; Enver Pacha ; Evliyâ Tchélébî ; Fikret Tevfik ; Fuzuli ; janissaires ; Jeune-Turc ; Karaca Oglan, Köprülü ; Köroghlou ; Lâmi'î Çelebi ; Mahmut I, II ; Mehmet I, II, III, IV, V, VI ; Murat I, II, III, IV, V ; Mustafa I, II, III, IV ; Namouk Kemal ; Naima ; Nedim ; Orkan ; Osman I, II, III ; Osmanlis ; Sélim I, II, III ; Sinan ; Süleyman I, [II] ; Süleyman Tchelebi ; Talât Pacha ; Yunus Emre, Ziya Gök Alp ; Ziya Pacha).**

OTTON. ♦ V. OTHON.

Ottonienne *(branche).* ♦ Dynastie allemande d'origine saxonne fondée en 919 par Henri* Ier l'Oiseleur. **V. Othon Ier, Othon II, Othon III, Henri II.**

OTWAY (Thomas). ♦ Poète dramatique anglais (Trotten, 1652 — Londres, 1685). Ses débuts dans la carrière dramatique furent marqués par des adaptations de Corneille et de Racine (*Titus et Bérénice,* 1677) et de Molière (*Les Fourberies de Scapin,* 1677) et par une transposition du *Roméo et Juliette* de Shakespeare dans l'histoire romaine (*L'Histoire de la chute de Caius Marcus,* 1680). Ses œuvres fondamentales demeurent *L'Orpheline* (*The Orphan,* 1680) et surtout *Venise sauvée* (*Venice preserved,* 1682), dernière résurgence du drame élisabéthain au XVIIe siècle.

ÖTZTAL *(massif de l'). n. m.* ♦ Massif montagneux autrichien, appartenant à l'axe cristallin des Alpes, situé entre l'Inn et l'Adige ; il culmine au Wildspitze (3 776 m). Centre touristique et de sports d'hiver.

O.U.A. ♦ **V.** ORGANISATION DE L'UNITÉ AFRICAINE.

OUACHITA ou **WACHITA** *(monts).* ♦ Région de collines dans le centre S. des États-Unis (Arkansas et Oklahoma) ; c'est, comme les monts Ozarks*, un affleurement hercynien. — La Ouachita *(Ouachita River),* née dans les monts Ouachita (Arkansas), coule vers l'E., puis le S. et se jette dans la Red River (Louisiane). 800 km. Elle est aménagée par des barrages.

OUADDAÏ ou **OUADAÏ.** *n. m.* ♦ Région du Tchad aux confins du Sahara, formée de plateaux granitiques aux vallées cultivées. *V. princ.* **V. Abéché.** ♦ *Hist.* La région correspond à l'ancien royaume du Soudan tchadien ; soumis depuis le XVe s. à une dynastie venue du Darfour, il ne fut islamisé qu'au XVIIe s. et s'étendit sur la région du Chari au XVIIIe siècle. Placé sous protectorat français en 1909, il fut rattaché au Tchad en 1912.

OUADI NATROUM, en ar. **Wâdi Natrûm.** *n. m.* ♦ Région de la basse Égypte, à l'O. du Nil, formée d'une quinzaine de lacs s'étendant au fond d'une dépression de 25 km de longueur. On extrait de ceux-ci du sel commun et du natron (carbonate de soude) qui servait jadis à la momification, utilisé maintenant pour le blanchiment du lin et la fabrication du verre. Couvents coptes. **V. Nitrie.**

OUAGADOUGOU. ♦ Cap. administrative de la Haute*-Volta, de création récente, située au cœur du pays, reliée par voie ferrée (3 000 km) à Abidjan* (Côte-d'Ivoire) par Bobo* Dioulasso. 110 000 hab. Indus. légères. Abattoirs, entrepôts frigorifiques.

OUAHRAN, anc. **Oran.** ♦ V. et port d'Algérie, ch.-l. du dép. et de l'arr. du même nom, sur le golfe d'Ouahran, à l'E. de Mers* el-Kébir. 324 500 hab. Université. Évêché. Centre commercial et industriel. Troisième port d'Algérie, exportation de produits agricoles. ♦ *Hist.* Elle fut fondée en 903 par des musulmans andalous sur le site d'une ancienne colonie romaine et devint un important centre d'échanges puis un repaire de pirates au XVe siècle. Après Mers el-Kébir, elle fut prise en 1509 par Jiménez* de Cisneros. Les Espagnols s'y installèrent et construisirent des fortifi-

Arch. Rencontre

Ouarzazate : la casbah.

cations (fort Santa Cruz). Ils la conservèrent (sauf entre 1708 et 1732) jusqu'en 1790, année où la ville fut détruite par un séisme. Elle fut occupée par les Français en 1831. – *Le dép. d'Ouahran* compte 706 200 hab. *V. et localités princ.* **V. Aïn-Temouchent, Arzew, Hammam-bou-Hadjar, Mers el-Kébir, Mohammedia, Sidi-bel-Abbès, Sig.**

OUARGLA. ♦ Oasis du Sahara algérien, ch.-l. du dép. des Oasis*, au S.-O. du Souf*, entre le Mzab et le Grand Erg oriental. 27 400 hab. Très riche palmeraie. D'importants gisements pétroliers se trouvent au S.-E. de Ouargla. **V. Gassi (el-)** et **Hassi-Messaoud.**

OUARSENIS. *n. m.* ♦ Massif montagneux de l'Algérie, partie de l'Atlas* tellien, situé entre la vallée longitudinale du Chélif* au N. et les Hauts Plateaux au sud.

OUARZAZATE. ♦ V. du Maroc méridional, ch.-l. d'une prov. de 434 500 hab., située entre le Haut Atlas et l'Anti-Atlas, sur l'oued du même nom, à l'O. de la vallée du Draa*. 4 200 hab. Important centre artisanal (tapis). Palmeraie.

OUBANGUI. *n. m.* ♦ Riv. d'Afrique équatoriale, 1 160 km, née de la réunion du Ouellé et du M'Bomou. Il coule d'abord E.-O., comme ces deux riv., puis s'oriente vers le S., traçant la frontière entre l'Empire Centrafricain et le Zaïre (ex-Congo-Kinshasa), où il passe à Bangui*, puis entre les deux Congo*, avant de se jeter en formant un delta dans le fl. Congo* (r. d.).

OUBANGUI-CHARI. *n. m.* ♦ Anc. territoire français membre de l'Afrique*-Équatoriale française, devenu indépendant sous le nom de République centrafricaine [**V. Centrafricain**] (1958).

OUCHE. *n. f.* ♦ Affl. de la Saône (r. d.). 85 km. Son cours se dirige d'abord vers le S., avant de tracer un demi-cercle S.-N.-N.-S., dont le sommet est au S. de Dijon. L'Ouche conflue près de Saint-Jean-de-Losne, à l'O. de Dole.

OUCHE *(pays d').* ♦ Région de Normandie qui s'étend sur les dép. de l'Eure* et de l'Orne* entre la Charentonne et l'Iton*. Prairies et forêts. – **V. Conches-en-Ouche.**

OUCHY. ♦ Faub. et port de Lausanne (cant. de Vaud) sur le lac Léman*. – Patrie d'A. Vinet*.

OUDENAARDE. ♦ **V. AUDENARDE.**

OUDH. *n. m.* ♦ Ancien royaume indo-musulman du nord de l'Inde (centre de l'Uttar* Pradesh qui fut fondé à Ayodhyâ (Oudh). Il devint britannique en 1856, et on lui adjoignit alors la région d'Âgra. En 1902, il prit le nom de *United Provinces of Âgra and Oudh.* Les nabâbs* de la ville de Lakhnau (Lucknow) portèrent le titre d'Oudh.

OUDINOT (Nicolas Charles, *duc de* **Reggio).** ♦ Maréchal de France (Bar-le-Duc, 1767 – Paris, 1847). Lieutenant-colonel des volontaires de la Meuse en 1792, il se distingua en Italie (1799), à Austerlitz (1805), Ostrołęka et Friedland (1807), fut promu maréchal après avoir contribué à la victoire de Wagram (1809). Il prit encore part aux campagnes de Russie (1812), d'Allemagne (1813) et de France (1814). Rallié à Louis XVIII, il fut fait pair de France, grand chancelier de la Légion d'honneur et devint gouverneur des Invalides en 1842. ♦ NICOLAS CHARLES VICTOR OUDINOT son fils. Général français (1791 – 1863). Aide de camp de Masséna au Portugal (1810), il participa aux dernières campagnes de l'Empire. Rallié à Louis XVIII (1814), il donna sa démission après la révolution de 1830; puis, ayant reprit ses fonctions (1835), servit en Algérie. Placé à la tête des troupes françaises chargées de renverser la République romaine, il prit Rome* en juillet 1849.

OUDMOURTES, UDMURT ou **VOTIAKS.** *n. m. pl.* ♦ Peuple d'origine finno-ougrienne, établi entre la Viatka et la Kama. 624 000 Oudmourtes habitaient en U.R.S.S. en 1969, dont 474 800 dans la R.S.S.A. d'Oudmourtie*.

OUDMOURTIE ou **UDMURTIE.** *n. f.* *(République socialiste soviétique autonome d'*; en russe **Udmurtskaja A.S.S.R.).** ♦ Une des seize républiques autonomes de la R.S.F.S. de Russie*, située dans le bassin supérieur de la Kama*. 42 100 km². 1 396 000 hab. (*Oudmourtes* ou *Udmurt,* Russes, Tatars). *Cap.* **V. Ijevsk.** *V. princ.* **V. Sarapoul.** Pays de plaines et de collines, l'Oudmourtie est fragmentée par des vallées. – *Écon.* Les forêts occupent 40 % du territoire. L'activité agricole est représentée par la culture des céréales (seigle, avoine, blé) et l'élevage bovin. Indus. métallurgiques, mécaniques et alimentaires. Traitement du bois. ♦ *Hist.* Dominée par les Tatars (XIIIᵉ-XVIᵉ s.), l'Oudmourtie fit partie de l'empire russe en 1552. En 1773-1775, les Oudmourtes participèrent à la révolte de Pougatchev*. En nov. 1917, le régime soviétique fut instauré à Ijevsk, puis sur l'ensemble du territoire (févr. 1918). Après la guerre civile fut créée la région autonome de Vot (en russe *Votskaja oblast,* nov. 1920) qui devint *R.S.S. autonome d'Oudmourtie* en décembre 1934.

OUDNEY. ♦ Explorateur écossais (Édimbourg, 1791 – Murmur, Soudan central, 1824). Il participa comme naturaliste à l'expédition de Clapperton* et Denham* de Tripoli à Kouka (capitale du Bornou) par le lac Tchad (1822).

OUDRY (Jean-Baptiste). ♦ Peintre, dessinateur, décorateur et graveur français (Paris, 1686 – Beauvais, 1755). Élève de Largillière*, il pratiqua d'abord la peinture religieuse et le portrait, puis se consacra à la peinture d'animaux, à la nature morte et au paysage. Nommé peintre des chasses royales, il fut aussi directeur de la manufacture de tapisseries de Beauvais à partir de 1734 puis surinspecteur des Gobelins (1736) et conçut plusieurs séries de cartons (*Les Verdures fines,* 1736; *Les Chasses de Louis XV,* 1734-1745). Sa production de peintre animalier continue l'œuvre de Desportes*. Il peignit aussi des paysages sensibles et exécuta des natures mortes qui témoignent de sa grande virtuosité technique (*Canard blanc,* 1753). Il illustra de deux cent trente dessins les *Fables* de La Fontaine.

OUED (El-). ♦ Oasis du Sahara algérien (dép. des Oasis), dans le Souf*, à proximité de la frontière tunisienne. 86 100 hab. Importante palmeraie. Marché.

OUED-FODDA. ♦ Comm. d'Algérie (dép. d'El-Asnam) située dans la vallée du Chélif*, sur l'oued Fodda, au pied du versant N. de l'Ouarsenis. 13 000 hab. Barrage.

OUED-ZEM. ♦ V. du Maroc occidental (prov. de Casablanca), située à l'E. du plateau des Phosphates*. 18 600 hab. Centre commercial.

OUELLÉ ou **UÉLÉ.** *n. m.* ♦ Riv. d'Afrique centrale qui coule au N. du Zaïre* et forme avec le M'Bomou une des branches supérieures de l'Oubangui* (r. g.). 1 300 km.

OUEN [wã] ou **DADON** *(saint).* ♦ Évêque de Rouen (Sancy, Soissonnais, v. 600 – Clichy, v. 684). Référendaire de Dagobert* Iᵉʳ, il fonda l'abbaye de Rebais (vallée du Grand Morin), fut appelé à l'épiscopat en même temps que saint Éloi* (640) et fut consacré l'année suivante. Il contribua au développement du monachisme normand et négocia la paix entre Neustrie et Austrasie. Auteur d'une *Vie de saint Éloi.* Fête le 14 août.

OUENZA *(djebel).* ♦ Montagne de l'Algérie orientale, proche de la Tunisie, au N. des monts de Tébessa*. 1 272 m. Gisement de minerai de fer exporté par Annaba*.

OUESSANT *(île d').* ♦ Île de Bretagne (Finistère), ch.-l. de cant., arr. de Brest. 1 817 hab. *(Ouessantins).* L'île forme un plateau de 7 km sur 4 km (point culminant 65 m). Élevage de moutons de pré-salé; culture de la pomme de terre. – Les environs de l'île sont dangereux pour la navigation (« Qui voit Ouessant voit son sang »). ♦ *Hist.* Combat naval à l'issue incertaine entre l'escadre anglaise de Keppel et française d'Orvilliers, le 27 juillet 1778. Vic-

Ph. Lauros-Giraudon

J.-B. Oudry : « Chevreuil poursuivi par des chiens ». (Musée des Beaux-Arts, Rouen.)

toire de l'escadre britannique de Howe sur celle de Villaret de Joyeuse le 1er juin 1794.

OUEZZANE ou **OUEZZAN.** ♦ V. du Maroc occidental (prov. de Rabat) située en pays prérifain, en contact avec la plaine du Gharb. 26 200 hab. Centre commercial.

OUFA ou **UFA.** *n. f.* ♦ Riv. d'U.R.S.S. 912 km. Née dans l'Oural* central, elle arrose les régions de Tcheliabinsk et de Sverdlovsk, ainsi que la Bachkirie, où elle se jette dans la Bielaïa* (la ville d'Oufa est située au confluent). Centrale hydro-électrique à Pavlovsk.

OUFA ou **UFA.** ♦ V. d'U.R.S.S. (R.S.F.S. de Russie), cap. de la Bachkirie* [Bashkirie], sur la r. d. de la Bielaïa à sa jonction avec l'Oufa* [Ufa] dans le Second-Bakou*. 773 000 hab. Centre culturel. Université fondée en 1957. Indus. pétrolières, chimiques, mécaniques et alimentaires. Traitement du bois. — Patrie d'Aksakov*.

OUFKIR (Muhammad). ♦ Général marocain (Bou Denib, 1920 — Rabat, 1972). Ministre de l'Intérieur du Maroc en 1965, il fut accusé en France d'être l'instigateur de l'enlèvement de Ben* Barka et condamné par contumace à la réclusion perpétuelle par la cour d'assises de la Seine (1967). Ministre de la Défense en 1971 et considéré comme le plus fidèle serviteur de la monarchie, il fut néanmoins accusé d'être l'organisateur du complot qui avait failli coûter la vie au roi. Il périt au palais royal et, selon Hasan* II lui-même, par «suicide de trahison».

OUGANDA, en angl. **Uganda.** *n. m.* ♦ État de l'Afrique orientale, limité au N. par le Soudan*, à l'E. par le Kenya*. Env. 236 000 km². Env. 9 550 000 hab. [1969] *(Ougandais). Cap.* Kampala. *Langues :* anglais (off.), nombreux dialectes. *Pop.* **V. Bagandas, Bantous...** *V. princ.* **V. Entebbe** et **Jinja.** — *Orogr.* et *climat.* L'Ouganda est un pays continental traversé au S. par l'équateur; il forme un plateau central relevé entre le lac Albert* et le lac Édouard* dans le massif de Ruwenzori*. Parsemé de lacs et de marécages **(V. Victoria),** il est drainé par le cours supérieur du Nil*. Son climat équatorial est modifié par l'altitude. — *Écon.* Elle est essentiellement agricole, avec quelques cultures commerciales (café, coton, canne à sucre, thé). Ses principales richesses minières sont constituées par le cuivre de Kilembe*. Métallurgie. Indus. alimentaires et textiles dans les grandes villes. [*Carte.* **V. Kenya**]. ♦ *Hist.* Protectorat britannique depuis 1890, l'Ouganda obtint son indépendance dans le cadre du Commonwealth en 1962, et devint une république l'année suivante.

Ouganda *(martyrs de l').* ♦ Nom donné à vingt-deux Ougandais récemment baptisés, dont Charles Lwanga, qui furent martyrisés à Namugongo (Ouganda) en 1886, et canonisés lors du concile de Vatican II. Fête le 3 juin.

OUGARIT ou **UGARIT.** ♦ Anc. cité de la Méditerranée orientale dont les vestiges ont été retrouvés à Ras Shamra, au N. de Lattaquié (Syrie). Fouilles par C. Schaeffer (à partir de 1929). ♦ *Hist.* Les fouilles archéologiques ont distingué cinq niveaux dont le plus ancien (niveau V) remonte au néolithique. Au cours des ~ IVe et ~ IIIe mill. (niveaux IV et III), la cité fut en relation avec la Mésopotamie et vit l'installation des « Phéniciens » *(déb.* ~ IIIe mill., **V. Cananéens);** mais sa prospérité tomba, contrecoup de la chute d'Akkad, à la fin du ~ IIIe mill. Pourtant le commerce reprit (niveau II, *déb.* ~ IIe mill.) et Ougarit entretint d'étroites relations avec l'Égypte de la XIIe dynastie; elle fut aussi un comptoir crétois. Les invasions hyksos amenèrent une décadence. Avec l'occupation égyptienne (XVIIIe dynastie, ~ XVIe s.), Ougarit connut sa période la plus prospère, assez brève, car elle fut ruinée par un tremblement de terre au ~ XIVe siècle. Au ~ XIIIe s., Ougarit fut une colonie mycénienne, mais elle ne se releva que pour être détruite par les peuples* de la Mer v. ~ 1200. Comptoir grec au ~ VIe s., elle déclina rapidement. — Aux niveaux II et I correspondent les principaux monuments retrouvés : temples de Dagon et de Baal, palais, fortifications, tombes voûtées. Des archives ont permis la découverte et le déchiffrement (dès 1930) de l'*ougaritique,* dialecte sémitique du N.-O. noté par une écriture alphabétique de nature cunéiforme. Les poèmes ougaritiques (*Baal et Anat, Poème de Yâm, Légende de Keret, Légende de Danel,* etc.) sont les seuls textes littéraires cananéens connus; ils datent du ~ XIVe siècle. — **V. Phénicie.**

OUGHTRED (William). ♦ Mathématicien et théologien britannique (Eton, 1574 — Albury, Surrey, 1660). Il introduisit le signe × de la multiplication, contribua à l'utilisation des abréviations trigonométriques et perfectionna avec Harriot* la méthode de résolution numérique approchée de Viète*.

OUGRÉE. ♦ Comm. de Belgique (Liège) dans la banlieue S.-O. de Liège, sur la Meuse. 21 200 hab. Indus. métallurgiques (fondées par Gilles Lamarche). Constructions mécaniques. Sidérurgie. Indus. textiles et chimiques. Zinc. Houillères. Cimenteries.

OUGRIENS. *n. m. pl.* ♦ Désignation d'une fraction des peuples ouralo-altaïens, comprenant les Ostiak* et les Voghul (Vogoules).

OUIDAH. ♦ V. et port du Dahomey, sur la côte ouest. 19 000 hab. Plantations de café et de palmiers à huile. Pêche. ♦ *Hist.* Ce fut le centre du trafic des esclaves qui domina jusqu'au XIXe s. toute la vie du royaume. En 1721, les Portugais y établirent un port qui forma une enclave jusqu'en 1961.

OUISTREHAM [wistʀəam]. ♦ Comm. du Calvados*, arr. de Caen*, à l'embouchure de l'Orne*, au débouché du canal qui relie Caen à la mer. Église des XIIe-XIIIe siècles. Station balnéaire à Riva-Bella.

OUJDA ou **OUDJDA.** ♦ V. du N.-O. du Maroc, ch.-l. de prov.

Arch. Smeets

Déesse de la fécondité, couvercle de pyxide en ivoire provenant d'**Ougarit.** ~ XIVe ~ XIIIe s. (Musée du Louvre, Paris.)

(529 100 hab.), située à proximité de la frontière algérienne, à l'E. de l'oued Isly*. 149 300 hab. Centre commercial.

OUJGOROD ou **UJGOROD.** ♦ V. d'U.R.S.S. (Ukraine), ch.-l. de l'Ukraine* subcarpatique, sur l'Ouj. 65 000 hab. Université (depuis 1946). Indus. alimentaires. Travail du bois. Centrale thermique.

OULAN-BATOR, ULAN BATOR ou **ULÂN BATÂR** (« Héros rouge »), anc. **Ourga.** ♦ Cap. de la République populaire de Mongolie*, située dans la vallée marécageuse de Tola, à la limite du désert de Gobi, sur un plateau balayé par les vents, au-dessus du niveau de la mer. 204 000 hab. (1963). La ville est reliée par voie ferrée à Irkoutsk (Russie) et à Péking. — Simple centre religieux jusqu'en 1921, elle est auj. un centre industriel (transformation des produits de l'élevage), de constructions mécaniques (locomotives), et minier. Université. Station de radiodiffusion. — En 1966, Oulan-Bator fut ravagée par des inondations désastreuses.

OULAN-OUDE ou **ULAN-UDE** (jusqu'en 1934, **Verkhnéudinsk).** ♦ V. d'U.R.S.S. (R.S.F.S. de Russie), cap. de la Bouriatie* **(V.** *aussi* **Buriat),** sur la r. d. de la Selenga*. 254 000 hab. Usine de locomotives et de wagons. Verrerie. Indus. alimentaires (viande). Nœud ferroviaire.

OULED NAÏL *(monts des).* ♦ Massif montagneux de l'Algérie méridionale, partie de l'Atlas* saharien, entre le dj. Amour* à l'O. et les monts du Zab* à l'E., habité par des tribus nomades ou semi-nomades de la *confédération des Ouled Naïl.* Au pied du versant N. s'étendent plusieurs chotts dont celui du Hodna* à l'E. *V. princ.* **V. Djelfa.**

OULIANOV [Ulianov]. ♦ Nom de famille de Lénine*.

OULIANOVSK ou **ULIANOVSK** (jusqu'en 1924 **Simbirsk).** ♦ V. d'U.R.S.S. (R.S.F.S. de Russie), ch.-l. de la région du même nom (37 300 km², 1 205 000 hab.), sur la Volga*. 351 000 hab. Indus. mécaniques et alimentaires. Traitement du cuir. Patrie de V.I. Oulianov (Lénine*) et de A.F. Kerenski*. ♦ *Hist.* Fondée en 1648, la ville fut le centre de l'insurrection dirigée par Stenka Razine* qui fut battu aux environs.

OULLINS [ulɛ̃]. ♦ Comm. du Rhône, dans l'arr. et la banlieue S. de Lyon*. 26 859 hab. Château des XVIe et XVIIe siècles. Indus. pharmaceutiques, textiles et alimentaires. Émaillerie.

OULU, en suéd. **Uleåborg.** ♦ V. et port de Finlande, dans la partie N. du golfe de Botnie*, à l'embouchure de l'Oulujoki. Ch.-l. du comté homonyme. 86 764 hab. (1969). Évêché. Cathédrale (1770-1776, restaurée en 1832). — Indus. du bois (scieries, pâte à papier, cellulose), constructions mécaniques, manufactures de cuir. Savonneries. — Port de commerce.

OULUJÄRVI *(lac).* ♦ Lac de Finlande septentrionale, tributaire du golfe de Botnie* par l'Oulujoki. 1002 km².

OUM ER-REBIA ou **OUM ER-R'BIA** *(oued).* ♦ Fl. du Maroc occidental qui prend sa source dans le Moyen Atlas dont il longe le versant O., traverse le Tadla* puis la Meseta marocaine et se jette dans l'Atlantique. 556 km. Nombreux barrages sur son cours **V. Im*-Fout** et **Bin* el-Ouidane** (sur l'oued el-Abid, un de ses affl. de g.).

OUOLOFS ou **WOLOFS.** *n. m. pl.* ♦ Peuple noir musulman, établi principalement au N.-O. du Sénégal*. Agriculteurs et éleveurs.

OUR. ♦ **V. UR.**

OURAL [Ural]. *n. m.* ♦ Fl. d'U.R.S.S. 2 534 km. Né dans l'Oural-Tau (chaîne de l'Oural* du S., 300 km, altitude jusqu'à 1 067 m), il reçoit les eaux de l'Or, de l'Ilek (r. g.) et du Sakmara (r. d.) et se déverse dans la mer Caspienne*, après avoir arrosé l'Oural

Ph. Hétier

Ouro Prêto.

méridional, le Kazakhstân* occidental, ainsi que les villes de Magnitogorsk*, Orsk*, Orenbourg*, Ouralsk* et Gouriev*. Navigable jusqu'à Ouralsk (Orenbourg au printemps), il est riche en poisson.

OURAL [Ural]. *n. m.* ♦ Système montagneux d'U.R.S.S., s'étendant du N. au S., entre la mer de Karsk (océan Arctique) et la mer Caspienne. Plus de 2 000 km de longueur sur 60 à 150 km de large. Constitué par une longue chaîne montagneuse presque ininterrompue, et par de petites chaînes parallèles, il sépare la partie européenne de l'U.R.S.S. de la Sibérie* asiatique. Au N., l'*Oural polaire,* couvert de toundra et de petits glaciers, atteint 1 894 m à la montagne Narodnaïa (ou Naroda). Les collines de l'*Oural central,* d'une alt. moyenne de 500 m, sont entrecoupées par des passages (nombreuses routes et voies ferrées). L'*Oural méridional,* couvert de forêts jusqu'à une alt. de 1 000 m, culmine au mont Iaman-Tau [Jaman-Tau] (1 638 m). Parmi ses riv., les plus importantes sont la Kama* et son affl. Bielaïa* (nées à l'O.), et l'Oural* (né à l'E.). Appelé parfois « le musée des minerais », l'Oural est extrêmement riche en fer, cuivre, chrome, nickel, manganèse, magnésium, or, platine, ainsi qu'en métaux rares, découverts pour la première fois dans la région, comme l'*uralite,* l'ilménite et le ruthénium. La sidérurgie y est très développée (plus d'un tiers de la production globale de l'U.R.S.S. en 1960). Ressources houillères estimées à 7 milliards de t (production env. 30 000 000 t/an). Indus. forestières. À l'O., entre l'Oural et la Volga*, s'étend la région pétrolière du Second-Bakou*. *V. princ.* Oufa, Perm, Nijni-Tanghil, Sverdlovsk, Tcheliabinsk, Magnitogorsk, Orsk.

OURAL *(bassin pétrolier d').* ♦ V. BAKOU (SECOND-).

OURALSK ou **URALSK.** ♦ V. d'U.R.S.S. (Kazakhstân*), ch.-l. de la région du même nom (151 200 km², 517 000 hab.) sur l'Oural*. 134 000 hab. Usines métallurgiques, indus. alimentaires.

OURANOS ou **URANUS.** ♦ Personnification du Ciel dans la mythologie grecque, engendré par Gaia* (la Terre). Premier élément mâle dans la *Théogonie** hésiodique, il s'unit à sa mère ; de cette union naquirent les Titans* et les Titanides*, les Cyclopes*, les Hécatonchires*. Le dernier des Titans, Cronos*, armé par sa mère d'une faucille, trancha les testicules de son père et les jeta dans la mer. Le sang d'Ouranos féconda de nouveau Gaia qui engendra les Géants*, les Érinyes* et les nymphes des frênes.

OURARTOU. ♦ V. URARTU.

OURCQ. *n. m.* ♦ Affl. de la Marne (80 km), arrosant Fère*-en-Tardenois. — *Le canal de l'Ourcq* (108 km) fait communiquer l'Ourcq avec la Seine, qu'il rejoint à Paris. Il passe à Pantin*. ♦ Hist. *Bataille de l'Ourcq* (5-9 sept. 1914) entre les Français commandés par Maunoury* et les Allemands de Kluck*.

OURGA. ♦ Anc. nom de Oulan*-Bator.

OURMIA. ♦ Anc. nom de Rezaiyeh*.

OURO PRÊTO. ♦ V. du Brésil dans l'État de Minas* Gerais, au S.-E. de Belo Horizonte. 9 000 hab. Industries chimiques et métallurgiques. Aluminium. ♦ *Hist.* Cap. de l'État jusqu'en 1897, la ville doit sa renommée à la découverte de l'or en 1698 et reste un centre touristique recherché grâce à sa beauté architecturale. C'est là que prit naissance, à la fin du XVIIIᵉ s., le mouvement d'indépendance du Brésil.

OUROUK. ♦ V. URUK.

OURS *(Grand Lac de l'),* en angl. **Great Bear Lake.** ♦ Grand lac du N.-O. du Canada (territoires du N.-O.), sur le cercle arctique. 29 000 km². Il est drainé par la *rivière de l'Ours.* — Mines d'uranium.

Ourse (Grande). *n. f.,* en lat. **Ursa major.** ♦ Constellation circumpolaire rappelant grossièrement la forme d'un chariot avec sa caisse, elle contient une importante galaxie M 81 et une nébuleuse planétaire M 97.

Ourse (Petite). *n. f.,* en lat. **Ursa minor.** ♦ De même forme générale que la Grande Ourse*, son étoile α est la Polaire*.

OURTHE. *n. f.* ♦ Riv. de Belgique (132 km) prenant sa source dans les Hautes-Fagnes* du Luxembourg et se jetant dans la Meuse en amont de Liège. La vallée de l'Ourthe est touristique.

OUSE. *n. f.* ♦ Nom de plusieurs riv. d'Angleterre. — LA GRANDE OUSE (185 km) naît dans le Northamptonshire, draine le Cambridgeshire et le Norfolk (Bedford, Huntingdon, Ely), se jette dans le golfe du Wash. — L'OUSE DU YORKSHIRE (259 km), née dans les Pennines, de la réunion de l'Ure et de la Swale, arrose York et se jette dans la Humber* avec l'Aire* et le Don*. — L'OUSE DU SUSSEX (55 km), issue du Weald, arrose Lewes et Newhaven avant de se jeter dans la Manche.

OUSPENSKI (Gleb Ivanovitch) [*Uspenski*]. ♦ Conteur russe (Toula, 1843 — Strelna, gouvernement de Saint-Pétersbourg, 1902). Ses premières nouvelles décrivent la vie des faubourgs de Toula (*Les Coutumes de la rue Rasteriaieva,* 1866), puis il peignit avec beaucoup d'humanité la vie des paysans dans *La Puissance de la terre* (1882).

OUSSOURI ou **USSURI.** ♦ Riv. de l'Asie orientale (907 km), affl. de l'Amour qu'elle rejoint à Khabarovsk*. Elle forme sur une grande partie de son cours la frontière entre l'Extrême-Orient soviétique et la Manchourie chinoise (Hei-lung-chiang).

OUSSOURIISK ou **USSURIISK** (anc. **Nikolsk-Øussuriisk,** de 1935 à 1957 **Vorochilov).** ♦ V. d'U.R.S.S. (R.S.F.S. de Russie) en Sibérie extrême-orientale, dans le territoire du littoral, sur l'Ussuri (Oussouri*). 128 000 hab. Ateliers de chemins de fer. Raffineries de pétrole. Combinat de beurre et de graisse. Sucrerie.

OUST. *n. m.* ♦ Affl. de la Vilaine (155 km). Il est suivi par l'ancien canal de Nantes à Brest.

Oustachis, en croate **Ustaši,** « insurgés ». ♦ Membres d'une société nationaliste croate, fondée en 1929, qui avait pour chef Ante Pavélitch*. Employant des procédés terroristes, ils furent les auteurs de l'attentat dirigé contre Alexandre* de Yougoslavie (1934). Hitler leur ayant accordé l'indépendance de la Croatie, ils soutinrent les Allemands contre les patriotes de Tito.

OUST-[ou **UST'-**] **KAMENOGORSK.** ♦ V. d'U.R.S.S., ch.-l. de la région du Kazakhstân oriental (97 300 km², 866 000 hab.) au pied de l'Altaï* et sur l'Irtysh*. 230 000 hab. métallurgie du plomb et du zinc, du titane et du magnésium. Indus. mécaniques et alimentaires. Importante centrale hydro-électrique. La ville fut fondée en 1720. — Patrie de Kornilov*.

OUST-OURT ou **UST-URT.** *n. m.* ♦ Plateau désertique d'U.R.S.S. (Kazakhstân* et Ouzbekistân*) entre la mer d'Aral* et la mer Caspienne* (200-370 m d'alt.) et parsemé de dépressions salines.

OUSTRIC *(affaire).* ♦ Un des nombreux scandales financiers de la Troisième République. Au lendemain de la Première Guerre mondiale, Albert Oustric fonda une banque d'affaires qui fut autorisée à introduire en bourse des actions de la société italienne Snia Viscosa. La faillite de la banque Oustric (1929) suscita dans l'opinion publique une émotion d'autant plus grande que plusieurs personnalités politiques furent impliquées dans cette affaire, en particulier le ministre des Finances, Raoul Péret. Le cabinet Tardieu* fut contraint de démissionner à l'occasion de ce scandale.

OUTAMARO. ♦ V. UTAMARO.

OUTAOUAIS. *n. m.* ♦ Nom français de la riv. Ottawa*.

OUTREAU. ♦ Comm. du Pas*-de-Calais, faubourg de Boulogne*. 13 735 hab. — Métallurgie, fonderies.

OUTREMONT. ♦ V. du Canada (Québec) dans l'aggl. de Montréal, dans l'île de Montréal au N. du mont Royal. 30 800 hab. — Administrativement distinct, Outremont est en fait un quartier de Montréal*.

OUVÉA. ♦ V. UVÉA.

Ph. Nino Cirani/Ricciarini

Ouzbékistan : le mausolée Gur-Emir abritant le corps de Tîmûr-I-Lang à Samarkand.

OUVÈZE. *n. f.* ♦ Affl. (r. d.) de la Sorgue* (85 km). Elle traverse les Baronnies*, arrose Vaison*-la-Romaine, pénètre dans le Comtat Venaissin et conflue à Bédarrides*.

OUVRARD (Gabriel Julien). ♦ Financier français (près de Clisson, 1770 – Londres, 1846). Il spécula sur la fabrication du papier pendant la Révolution, fut nommé grâce à Barras munitionnaire général de la marine en 1797, poste où il fit une fortune rapide et scandaleuse. Emprisonné en 1800, libéré peu après par l'entremise de Cambacérès et de Joséphine, il fut banquier du gouvernement et soumissionnaire des fournitures de l'armée, ce qui lui permit de s'enrichir encore. Il avait également le monopole du commerce avec les colonies espagnoles. Napoléon, qui avait pris ombrage de sa puissance, le contraignit à déposer son bilan en 1806. Arrêté à plusieurs reprises, il fut emprisonné de 1809 à 1814, après avoir escroqué le ministre des Finances. En 1817, sa fortune permit au duc de Richelieu de régler les indemnités de guerre. Il fut nommé munitionnaire général de l'armée d'Espagne en 1823; accusé de faire des bénéfices exagérés et frauduleux, il fut encore emprisonné plusieurs fois. Il a laissé des *Mémoires* (1826).

OU-YANG HSIU [*Ouyang Xiu, Ngeou-yang Sieou*]. ♦ Lettré et homme politique chinois (1007 – 1072) qui s'opposa aux vues philosophiques de Wang* An-shih, étant partisan du retour aux idées strictement confucéennes. Il fit des recherches concernant les inscriptions anciennes de la Chine et écrivit de nombreuses œuvres sur des sujets divers, allant de l'art de cultiver les pivoines à la biographie.

OUZBÉKIE. ♦ V. OUZBÉKISTAN.

OUZBÉKISTAN ou **UZBEKISTÂN.** *n. m.*, ou **OUZBÉKIE.** *n. f.* *(République socialiste soviétique d')*, en russe **Uzbekskaja S.S.R.** ♦ Une des quinze républiques fédérées d'U.R.S.S. S'étendant en Asie soviétique centrale, entre l'Amou* Daria et le Syr*-Daria. Elle confine au N. et au N.-E. avec le Kazakhstân, à l'E. et au S.-E. avec le Tadjikistân* et le Kirghizistân*, à l'O. avec le Türkmenistân*, et au S. avec l'Afghânistân* et le Pâkistân*. 449 600 km². 11 669 000 hab. Population multinationale (*Ouzbeks* 62 %, Russes 13 %, Tatares 6 %, Kazakhs 4 %, Tadjiks 4 %, Karakalpaks 2 %). *Cap.* **V. Tachkent,** *V. princ.* **V. Andijan, Boukhara** [Bukhara], **Fergâna, Kokand, Namangan, Noukous** [Nukus] (cap. de la République autonome de la Karakalpakie*), **Samarkand, Tchirtchik** [Chirchik]. – L'Ouzbékistan forme une vaste constellation d'oasis dans les déserts (Kyzylkoum*, steppe de la Faim). Seuls des fleuves aussi puissants que l'Amou*-Daria et le Syr-Daria parviennent à franchir ces déserts sans se perdre dans les sables. – *Écon.* Le sous-sol est riche en gisements (houille, pétrole et gaz, cuivre, plomb, zinc, manganèse, bauxite, or, graphite). L'activité agricole, dans les régions artificiellement irriguées et dans les vallées du Zeravchan* et du Fergâna*, est représentée par les cultures du coton (70 % de la production globale d'U.R.S.S.), de la vigne, du riz, de la canne à sucre, du tabac et par l'horticulture. La sériculture est importante (50 % de la production de soie naturelle de l'U.R.S.S.). L'élevage est surtout ovin (30 % des moutons astrakan d'U.R.S.S.). L'industrie est représentée par la production des machines destinées à la culture et à la transformation du coton. La métallurgie des non-ferreux et la sidérurgie, les soieries et les raffineries de sucre sont développées. 60 % des besoins en énergie électrique sont couverts par des centrales hydro-électriques. ♦ *Hist.* Cette partie de l'Asie centrale fut conquise par Cyrus* au ~ VIᵉ s., puis par Alexandre* le Grand en ~ 328 **(V. Sogdiane).** Au VIᵉ s., elle fut dominée par les Türks, aux VIIᵉ-VIIIᵉ s. par les Arabes, et aux Xᵉ-XIIᵉ s. de nouveau par les Türks, époque à laquelle la contrée reçut le nom de *Türkestân**. Au début du XVIᵉ s., elle fut conquise par les Uzbeks (Ouzbeks), qui y fondèrent les grands khanats de Boukhara* [Bukhara] et du Khârezm* (ou de Khiva), puis le khanat de Kokand* au XVIIIᵉ siècle. En 1868, les trois khanats se reconnurent vassaux de l'empire russe. Après la révolution d'Octobre, un conseil contrôlé par les bolcheviks fut formé à Tachkent. Les Uzbeks convoquèrent un congrès à Kokand (déc. 1917) et y formèrent un gouvernement national, qui fut supprimé par les communistes en fév. 1918. En avr. 1918, fut créée la R.S.S. autonome de Türkestân, qui faisait partie de la R.S.F.S. de Russie. Malgré des mesures d'apaisement prises sur l'ordre de Lénine, le régime soviétique fut obligé de faire face à un mouvement de résistance, la révolte des Bashmaki (1919-1922). En 1922, les khanats de Khiva et de Boukhara devinrent les républiques socialistes soviétiques de Khârezm et de Boukhara. Après la délimitation territoriale des républiques de Türkestân, de Boukhara et du Khârezm (qui furent partagées entre le Kazakhstân, le Kirghizistân, l'Ouzbékistan, le Tadjikistân et le Türkmenistan), l'Ouzbékistan devint en 1924 une R.S.S. fédérée d'U.R.S.S.

OVALAU *(île).* ♦ **V.** FIDJI (îles).

OVANDO (Nicolas *de***).** ♦ Conquistador espagnol (v. 1460-1518). En 1502, il fut envoyé à Hispaniola pour surveiller Bobadilla* qu'il fit envoyer en Espagne et fut lui-même remplacé par Diego Colomb (1509).

OVERBECK (Johann Friedrich). ♦ Peintre, fresquiste, graveur et dessinateur allemand (Lübeck, 1789 – Rome, 1869). Déçu par l'enseignement reçu à Vienne, il fonda avec Franz Pforr* la confrérie de Saint-Luc (1809). En 1810, les deux peintres s'installèrent à Rome dans le couvent désaffecté de Saint-Isidore et, rejoints par plusieurs artistes, ils formèrent le groupe des nazaréens. Overbeck, converti au catholicisme en 1813, devint le maître à penser du groupe; il prônait un retour à la « pureté » et à la naïveté des maîtres du Quattrocento. Il participa à la décoration de la villa Bartholdy (1816) et du casino de la villa Massimi (1828). Il pasticha Raphaël et le Pérugin dans des œuvres aux coloris pâles et peu ombrés, aux contours précis, qui révèlent surtout un sentimentalisme religieux.

Ph. Nino Cirani/Ricciarini

Ouzbékistan : Tachkent, monument aux héros de la Révolution.

OVERIJSE. ♦ Comm. de Belgique (Brabant, arr. de Bruxelles) sur l'Yssche, près de Bruxelles. 13 600 hab. Église (1489-1520). Château des comtes de Hoorne (XVIᵉ et XVIIᵉ s.), où résida Joseph Bonaparte. – Roseraies. Serres (raisins, tomates, fraises, pêches).

OVERIJSEL ou **OVERIJSSEL.** *n. m.* ♦ Prov. des Pays-Bas, limitée au N. par la Frise et la Drenthe, à l'E. par l'Allemagne, au S. par la Gueldre et à l'O. par les polders de l'Ijselmeer. 3 344 km². 835 500 hab. *Ch.-l.* **V. Zwolle.** *V. princ.* **V. Deventer, Enschede, Hengelo.** La province, aux sols sableux ou tourbeux, est arrosée par l'Ijsel et de nombreux canaux. Élevage. Céréales, pommes de terre. La province s'est fortement industrialisée : textile (Twente). Indus. alimentaires et chimiques. ♦ *Hist.* L'Overijsel ou Oversticht, après avoir fait partie de l'évêché d'Utrecht, fut incorporé en 1528 au royaume hollandais des Habsbourg. Au Moyen Âge, les villes hanséatiques de Deventer, Kampen et Zwolle furent les plus importantes des Pays-Bas. En 1962, la province acquit administrativement le polder du Nord-Est.

ØVERLAND (Arnulf). ♦ Poète norvégien (Kristiansund, 1889 – Oslo, 1968). Après la Première Guerre mondiale il se rallia au groupe marxiste de S. Hoel* autour de la revue *Mot Dag.* Dans ses recueils de vers, il exprime sa compassion pour l'opprimé, son indignation contre l'oppresseur : *Pain et Vin* (1919), *La Montagne bleue* (1927), *Commandements* (1929), *Front rouge* (1937). Au retour d'un camp de concentration, où il était resté de 1941 à 1945, il publia un recueil poétique : *Nous survivons à tout* (1945) et *Retour à la vie* (1946). Dans ses derniers recueils de vers, il revint à un style plus lyrique : *Les Minutes de la vie* (1965).

OVERPELT. ♦ Comm. de Belgique (Limbourg, arr. de Maeseyck). 9 800 hab. Raffineries (cadmium, cobalt, plomb, zinc).

OVIDE (Publius Ovidius Naso). ♦ Poète latin (Sulmona, Abruzzes, ~ 43 – Tomes [Constanța], Roumanie, 17 ou 18). Favori de la haute société, plus intellectuel que poète, il exploita toutes les tendances de la poésie élégiaque. Il composa des œuvres d'inspiration érotique comme les *Amours* qui chantent sa passion imaginaire pour Corinne, les *Héroïdes*, lettres fictives d'héroïnes mythologiques (Didon, Phèdre), les *Fards, L'Art* d'aimer* et les *Remèdes d'amour,* traités parodiques sur la société élégante de Rome. Lassé de ces jeux littéraires alexandrins, Ovide rêva d'une œuvre plus ambitieuse et, après le succès de sa tragédie *Médée,* entreprit les *Métamorphoses**, poème mythologique en quinze livres. En même temps, il s'appliquait à des recherches érudites dans les *Fastes,* calendrier commenté. Brutalement exilé à Tomes (8) sous le prétexte d'avoir fait preuve d'immoralité dans *L'Art d'aimer,* il envoya à Rome pendant dix ans des poèmes épistolaires à ses amis, les *Tristes** et les *Pontiques**, échos de la douleur de l'exilé, œuvres originales, malgré l'artifice littéraire.

OVIEDO. ♦ V. d'Espagne du N.-O., dans les Asturies*. Ch.-l. de prov. 133 000 hab. Évêché, université (*fin* XVIᵉ s.). À proximité, basilique San Julián de los Prados (IXᵉ s.), anc. palais royal, monument très remarquable de l'art asturien. Centre industriel (métallurgie, fabrique d'armes et d'explosifs). ♦ *Hist.* Anc. cap. du royaume des Asturies, la ville fut fondée par Pélage* au VIIIᵉ siècle. Centre d'une violente insurrection communiste en 1934.

OWEN (Robert). ♦ Réformateur et socialiste britannique (Newtown, Montgomeryshire, 1771 – 1858). Copropriétaire d'un établissement textile à New Lanark, en Écosse, il y appliqua avec succès un programme de réformes visant l'amélioration de la situation des ouvriers de l'entreprise. Cherchant à étendre son expérience, il proposa dans ses *Nouveaux Points de vue sur la société* ou *Essais sur la formation du caractère humain* (1812) un plan de transformation de la législation sociale du travail. Puis il tenta de fonder en Amérique une colonie communiste (New Harmony, Indiana), mais échoua. De retour en Angleterre, il exposa dans un périodique (*The New Moral World,* 1836-1844) ses théories communistes et utopiques qui contribuèrent au développement du mouvement chartiste, influencèrent le socialiste français Cabet*, mais furent critiquées par Fourier*.

OWEN (*sir* **Richard**). ♦ Anatomiste et paléontologue anglais (Lancaster, 1804 — Londres, 1892). Ses recherches portent sur l'anatomie comparée, la zoologie et la paléontologie (craniologie).

OWEN GLENDOWER. ♦ Chef gallois (v. 1359 — Monington, Herefordshire, 1416). Il se révolta contre Henri* IV d'Angleterre en 1400 mais fut vaincu en 1409.

OWENS (James CLEVELAND, dit **Jess).** ♦ Athlète américain (Decatur, Alabama, 1914). Cet athlète d'exception battit coup sur coup en 1935, à Ann Arbor (Michigan), cinq records du monde. Il remporta quatre titres olympiques aux Jeux de Berlin de 1936, dans les épreuves de 100 m, 200 m, 4 × 100 m et saut en longueur.

OWHADI (Rokn al-Dîn). ♦ Poète persan (XIVe s.). Il est surtout célèbre par son grand poème, *La Coupe de Djamshid,* qui traite de problèmes mystiques, moraux et sociaux.

OXENSTIERNA (Axel, *comte*). ♦ (Fânö, 1583 — Stockholm, 1654). Homme politique suédois, conseiller du roi Gustave*-Adolphe dès 1611, il négocia la paix avec le Danemark et la Russie. Après la mort de Gustave-Adolphe, il devint tuteur de Christine*. Il continua la politique d'alliance avec la France et d'intervention en Allemagne, ce qui lui permit d'imposer aux Danois la paix de Brömsebro (1645) et de consolider la suprématie suédoise aux traités de Westphalie* (1648). Ses heurts avec Christine lui firent perdre son influence, mais il resta chancelier jusqu'à sa mort.

OXFORD. ♦ V. du S. de l'Angleterre. Ch.-l. de l'Oxfordshire au confluent de la Tamise et de la Cherwell. 109 300 hab. (*Oxoniens* [*Oxonians*] ou *Oxfordiens*). Évêché. Célèbre université (voir ci-dessous). Ville d'art contenant, outre les collèges de l'université (ci-dessous), la cathédrale du XIIe s., alliant le roman au gothique, *St. Mary's Church* (XVe-XVIIe s.), *St. Peter in the East Church* (1706-1708), œuvre de sir Christopher Wren, l'*Ashmolean Museum,* le plus ancien musée des îles britanniques, renfermant des collections d'art minoen, égyptien, grec et chinois et surtout la *bibliothèque Bodleienne* abritant de riches collections de manuscrits enluminés et d'incunables. Oxford s'est industrialisée à partir de 1912 (moteurs, automobiles [Morris], produits alimentaires, confection). — Patrie de Jean* sans Terre, Richard* Cœur de Lion, Pusey*, Ch. Reade*, Winston Churchill*. ♦ Hist. *Oxnaford* fut fondée au VIIIe s. autour du prieuré de Sainte-Frideswide et mentionnée pour la première fois en 912 dans la *Chronique anglo-saxonne.* Elle prit, par le commerce, un certain essor, qui s'accrut à l'époque normande. Elle subit plusieurs attaques danoises (Xe-XIe s.). En 1258, *les provisions d'Oxford** y furent signées, mais du XIIIe au XVIe s. l'importance historique de la ville décrut au profit de celle de l'université. Au XVIIe s., Oxford fut l'un des bastions du royalisme.

OXFORD *(université d').* ♦ C'est, avec celle de Cambridge, l'une des plus prestigieuses universités de Grande-Bretagne et du monde. Fondée en 1133 par le théologien Robert Pullen et quelques étudiants chassés de Paris, l'université d'Oxford connut dès le XIIIe s. un grand développement à la fois intellectuel et religieux : des congrégations de Dominicains, de Franciscains et de Carmes s'y installèrent, et des maîtres prestigieux (Roger Bacon*, Duns* Scot, John Wiclif*, qui fut à l'origine du mouvement des *Lollards**, Robert Grosseteste*, Érasme*) y enseignèrent. À cette époque, les frictions entre l'université et la population de la ville étaient courantes. La plus grave d'entre elles, en 1209, entraîna le départ de plusieurs maîtres et étudiants, qui allèrent fonder l'université de Cambridge*. À partir du XVIe s., les querelles politico-religieuses s'intensifièrent. Très traditionaliste, l'université soutint Henri VIII et l'anglicanisme. Au XVIIe s., elle fut quelque temps (1642-1646) la capitale des royalistes et au XVIIIe soutint les jacobites. C'est encore d'Oxford que partit, en 1833, le *mouvement tractarien* (**V. Oxford** [*mouvement d'*]). L'université a conservé son prestige jusqu'à ce jour. Elle accueille environ 9 000 étudiants répartis dans vingt-quatre collèges, dont les plus fameux sont : *University* (1249), *Balliol* (1263), *Merton* (1264), *Exeter* (1314), *Oriel* (1326), *Queen's* (1340), *New College* (1379), *Lincoln* (1427), *All Souls* (1438), *Magdalen* (1458), *Brasenose* (1509), *Corpus Christi* (1517), *Christ's Church* (1546), *Trinity* (1554), *St. John's. Jesus* (1571), *Wadham* (1610), *Pembroke* (1624) et *Worcester* (1714). Les autres monuments notables sont la rotonde de *Radcliffe Camera,* servant de bibliothèque scientifique, et le *Sheldonian Theatre.* Deux maisons d'éditions scientifiques, *Oxford University Press* et *Clarendon Press,* sont directement rattachées à l'université.

Ph. Hétier

Oxford : Magdalen College.

Oxford *(provisions d').* ♦ Concessions faites par le roi Henri* III aux barons révoltés conduits par Simon de Montfort* (1258). Elles instituaient la réunion d'un parlement trois fois par an et un conseil permanent auprès du souverain. Le roi les annula dès 1266.

Oxford *(mouvement d').* ♦ Le *mouvement d'Oxford,* dit aussi *tractarien,* groupa des clergymen et intellectuels désireux de réformer l'Église anglicane (pour éviter une réforme imposée par un gouvernement libéral) et de la libérer de l'emprise de l'État. Ses principales figures furent John Keble qui donna le branle avec son sermon sur l'« apostasie nationale » (14 juillet 1833), John Pusey et John Henry Newman* qui rédigea la majeure partie des *Tracts for the Times* (1833-1841). Ceux-ci exprimaient des tendances de plus en plus proches du catholicisme, mais la conversion de Newman (1845) n'entraîna pas celle des principaux chefs du mouvement. L'Église anglicane rétablit pourtant des usages jugés « papistes » : communion fréquente, confession auriculaire, culte de la Vierge et des saints, ornements, limitant par là même l'expansion du renouveau catholique dans l'Angleterre du XIXe siècle.

OXFORDSHIRE. *n. m.*, abrév. **Oxon.** ♦ Comté de l'Angleterre méridionale, au N.-O. de Londres, entre les *Cotswold* et les *Chiltern Hills,* et compris entre le Northumberland et le Warwickshire au N., le Gloucestershire à l'O., le Berkshire au S. et le Buckinghamshire à l'est. 1 939 km². 203 161 hab. (1961). *Ch.-l.* Oxford*. *V. princ.* **V. Banbury, Henley-on-Thames.** — Le comté est une succession de collines peu élevées et culmine à 253 m dans les Chiltern Hills. L'économie est surtout rurale (céréales, élevage). L'industrie est peu importante (textiles, mécanique).

OXUS. *n. m.* ♦ Anc. nom de l'Amou*-Daria. [Âmu-Dariâ].

OXYRHYNCHOS, en égypt. **Pimazi,** auj. **al-Bahnasah.** ♦ Anc. V. de Haute-Égypte sur la r. g. du Nil à 200 km au S.-O. du Caire. Elle était consacrée au dieu Seth*, incarné dans son animal sacré, le poisson oxyrhynque qui, selon la légende, avait mangé le sexe d'Osiris* démembré. — On y a retrouvé un grand nombre de papyrus d'époque romaine et byzantine (Ier au Xe s.).

OYAMA. ♦ V. du Japon (Honshû, préf. de Tochigi), à 70 km au N. de Tôkyô. 101 000 hab. Centre agricole.

OYAMA IWAO. ♦ Maréchal et homme d'État japonais (Kagoshima, 1842 — Tôkyô, 1916), plusieurs fois ministre. Il prit Port-Arthur (Lü*-shun) en 1894 et fut fait «duc de Mukden» et conseiller de l'empereur Meiji.

OYAPOCK ou **OYAPOC.** *n. m.* ♦ Fl. d'Amérique du Sud (500 km) qui forme la frontière entre la Guyane française et le Brésil (territoire de l'Amapá) et prend sa source dans la sierra Tumucumaque à la frontière brésilienne. Il se jette dans l'Atlantique *(baie de l'Oyapock).* Nombreuses chutes.

Oya-shio. *n. m.* ♦ Courant marin froid venu de l'océan glacial Arctique et longeant les côtes japonaises après avoir traversé la mer d'Okhotsk*. Il se heurte au courant chaud (Kuro*-shio) venu du Sud. Ses eaux refroidissent considérablement les côtes N. des îles japonaises.

OYO. ♦ V. du Nigeria* (rég. Ouest). 112 300 hab. Centre agricole (cacao). Cap. de l'anc. royaume Yorouba* (résidence du chef temporel) qui supplanta Ife* à partir du XVIe siècle.

OYONNAX [ɔjɔna]. ♦ Ch.-l. de cant. de l'Ain*, arr. de Nantua*, sur l'Ange, dans le Jura. 20 122 hab. *(Oyonnaxiens).* Spécialisé dans l'indus. des matières plastiques. Centre important de fabrication de lunettes de soleil.

OZANAM (Frédéric). ♦ Historien et écrivain catholique français (Milan, 1813 — Marseille, 1853). Il fut l'un des fondateurs de la société de Saint-Vincent-de-Paul (1833) et collabora, avec Lacordaire*, au journal des républicains catholiques (*l'Ère nouvelle,* 1848). *Essai sur la philosophie de Dante,* 1839 ; *Études germaniques,* 1847-1849 ; *La Civilisation au Ve siècle,* 1856 ; *Discours sur la société de Saint-Vincent-de-Paul,* 1870.

OZARKS *(monts). n. m. pl.* ♦ Région montagneuse et forestière du centre S. des États-Unis, s'étendant de Saint-Louis (Missouri) à la rivière Arkansas (Arkansas). C'est un affleurement hercynien, arasé, dans la grande plaine centrale.

OZIAS. ♦ **V.** AZARIAS.

OZOURI, OSSOURI ou **OUSSOURI.** ♦ Gisement de pétrole du Gabon, aux environs de Port*-Gentil.

Ph. Nino Cirarini/Ricciarini

Tallara (Pérou) : village de pêcheurs sur la côte de l'océan **Pacifique.** (Voir page 1380.)

P

PAAL. ♦ Comm. de Belgique (Limbourg, arr. de Hasselt) en Campine. 6 600 hab. Travail du bois.

PABIANICE. ♦ V. de Pologne* (voïévodie de Łódź). 58 000 hab. – Indus. chimiques et textiles.

PABLO (Luis *de*). ♦ Compositeur espagnol (Bilbao, 1930). Adepte de l'esthétique de Webern et de celle de John Cage, dont il a réalisé la synthèse dans des œuvres qui ressortissent pour une grande part au domaine de la « musique aléatoire » (*Radial,* pour huit groupes de trois instruments, 1960; *Polar,* pour onze instruments, 1961; *Escena,* pour chœur mixte et dix-huit instruments, 1964; *Iniciativas,* pour orchestre, 1968; la série des *Módulos* I, II, III, IV, V, 1965-1967), il a poursuivi ses recherches au théâtre avec *Por diversos motivos* et *Protocolo* (1969). Animateur de la vie musicale madrilène, il jouit d'une grande réputation dans les milieux de l'avant-garde européenne.

PABST (Georg Wilhelm). ♦ Réalisateur allemand de cinéma, d'origine autrichienne (Vienne, 1885 – *id.,* 1967). Dénonçant les séductions de la banalité, il voulut exprimer dans son œuvre la réalité sociale de l'Allemagne vaincue, au lendemain de la Première Guerre mondiale. Ce réalisme démonstratif, non exempt d'un romantisme désordonné : « Loulou » (*Die Büchse der Pandora,* 1928), « Trois Pages d'un journal » (*Das Tagebuch einer verlorenen,* 1929), a inspiré des œuvres parfois inégales, mais de la plus haute qualité par leur signification humaine : « La Rue sans joie » (*Die Freudlose Gasse,* 1925), « Quatre de l'infanterie » (*West Front 1918,* 1930), « L'Opéra de quat'sous », d'après Brecht (*Die Dreigroschenoper,* 1931), « La Tragédie de la mine » (*Kameradschaft,* 1931). Parmi ses dernières œuvres importantes, il faut signaler un *Don Quichotte* réalisé en France (1934), et interprété par Chaliapine, et *Le Procès* (1947).

PACCA (Bartolomeo). ♦ Prélat italien (Bénévent, 1756 – Rome, 1844). Cardinal en 1801, il devint secrétaire d'État en 1808. Pour avoir influencé Pie* VII dans la signature de la bulle d'excommunication de Napoléon, il fut enlevé de Rome en même temps que le pape (1809) et enfermé à Fénestrelle (Piémont). De nouveau avec le pape, il lui fit signer la rétraction du concordat de Fontainebleau (1813). De retour à Rome (1814), il fit rétablir l'ordre des Jésuites (1816). Il a laissé d'intéressants *Mémoires* (1830).

PACCHIONI (Antonio). ♦ Médecin et anatomiste italien (Reggio nell'Emilia, 1665 – Rome, 1726). Il fit des recherches sur les méninges, en particulier la dure-mère. *Granulations de Pacchioni :* expansions du feuillet arachnoïdien des méninges jusque dans la dure-mère.

PACELLI (Eugenio). ♦ **V.** PIE XII.

Pacem in terris *(encyclique)*. ♦ **V.** JEAN XXIII.

PACHE (Jean Nicolas). ♦ Homme politique français (Paris, 1746 – Thin-le-Moutier, Ardennes, 1823). Adepte enthousiaste des idées révolutionnaires, il pencha d'abord pour les Girondins et prit la succession de Servan comme ministre de la Guerre d'oct. 1792 à févr. 1793. Rallié aux Montagnards et maire de la Commune* de Paris (févr. 1793-mai 1794), c'est lui qui fit graver sur les monuments publics la devise « Liberté, Égalité, Fraternité ».

PACHECO (Francisco). ♦ Peintre, dessinateur et théoricien espagnol (Sanlúcar de Barrameda, 1564 – Séville, 1654). Il étudia à Séville, fit un voyage en Flandre, se rendit à Madrid et à Tolède où il rencontra le Greco* (1611). À Séville, il fonda une académie de peinture renommée et eut pour élèves A. Cano* et Vélasquez*. Dans ses grandes compositions, l'influence du maniérisme tend progressivement à disparaître au profit d'une observation plus réaliste et de l'utilisation d'un clair-obscur contrasté. Il peignit aussi de vigoureux portraits. Il fut l'un des plus importants initiateurs du « ténébrisme » en Espagne et joua un important rôle de théoricien (*Libro de descripción de verdaderos retratos,* commencé en 1599, et *Arte de la pintura,* 1639).

PACHELBEL (Johann). ♦ Compositeur allemand (Nuremberg, v. 1653 – *id.,* 1706). Organiste à Eisenach, Erfurt, Stuttgart, Gotha, puis à Saint-Sebald de Nuremberg, il a laissé des œuvres pour clavier *(préludes, fugues, toccatas, chorals, sonates, chaconnes)* ainsi que des œuvres vocales *(motets, cantates, magnificats, airs, messes)* et de la musique de chambre. L'importance de Pachelbel réside essentiellement dans ses œuvres pour orgue, qui synthétisent les différentes esthétiques de son époque. Elles se caractérisent par la souplesse de l'écriture, la simplicité de l'harmonie et la beauté mélodique. Son influence sur J.-S. Bach* est indéniable.

PACHER (Michael). ♦ Peintre et sculpteur autrichien (Neustift, près de Brixen, v. 1435 – Salzburg, 1498). Il est l'auteur du *retable de Saint-Wolfgang* (1471-1481) et du *retable des Pères de l'Église,* dit aussi *de Brixen* (v. 1483). Sa façon d'établir les figures dans l'espace, de leur conférer un caractère monumental, son art de l'éclairage et des raccourcis, l'aspect dur et tranchant de ses volumes trahissent l'influence de la peinture padouane et vénitienne, particulièrement celle de Mantegna*. Cependant, son attachement au décor flamboyant, son goût pour les costumes somptueux, la tension expressive des figures et les formes tourmentées révèlent un tempérament germanique sans doute l'un des plus puissants de la peinture du XVe siècle.

PA CHIN [*Ba Jin*]. ♦ Romancier chinois contemporain (né en 1905) qui, après des études à Paris (1926), retourna en Chine où il combattit les outrances du milieu familial traditionnel. Parmi ses œuvres les plus connues se trouve la trilogie *Famille, Printemps, Automne.*

PACHUCA DE SOTO. ♦ V. du Mexique central, située sur les

Ph. Giraudon

Luca Pacioli, par Jacopo de Barbari. (Galerie nationale Capodimonte, Naples.)

hauts plateaux du centre, au N.-O. de Mexico, cap. de l'État d'Hidalgo*. 70 000 hab. Monuments de l'époque coloniale. Mines d'or et d'argent.

PACIFIQUE *(océan). n. m.*, anc. **Grand Océan.** ♦ La plus grande masse maritime du globe comprise entre l'Amérique à l'E., l'Asie et l'Australie à l'ouest. De forme grossièrement circulaire, l'océan Pacifique est largement ouvert au S. vers l'Antarctique et communique au N. avec l'océan Arctique par le détroit de Béring*. Sa superficie est d'env. 180 000 000 de km² si l'on inclut les mers bordières (mers de Béring*, d'Okhotsk* du Japon*, de Chine*, mer Jaune*, des Célèbes*...). Les côtes du Pacifique ont des contours très variés; les côtes américaines sont pour la plupart montagneuses et rectilignes, à l'exception de l'extrême nord (Alaska) et de l'extrême sud (Patagonie), tandis que les côtes asiatiques sont plutôt basses et irrégulières. Le Pacifique comporte des dorsales dont les sommets sont des îles (Hawaï, Tuamotu, île de Pâques); il est bordé au N. et à l'O. par une guirlande insulaire et volcanique appelée la ceinture de feu du Pacifique et qui comprend les îles Aléoutiennes*, Kouriles*, Mariannes*, Philippines*, Tonga*, Kermadec*...; c'est là qu'on a sondé les plus grandes profondeurs connues du globe : plus de 10 000 m dans les fosses des Kouriles, des Mariannes et des Philippines. D'autres fosses atteignent plus de 7 000 m le long des côtes du Chili et du Pérou. Au volcanisme insulaire s'associent des tremblements de terre qui engendrent dans la mer des ondes appelées « tsunamis » de leur nom japonais, et qui causent des ravages en abordant les côtes. Par ailleurs, le Pacifique, dans sa partie tropicale, est parsemé de récifs coralliens qui se sont développés autour de montagnes basaltiques (atolls) ou aux abords d'îles non coralliennes (récifs-barrière). Enfin, le Pacifique est parcouru de courants, dont le courant de Humboldt*, le Kuro*-shio et l'Oya*-shio. ♦ *Hist.* L'océan Pacifique fut découvert par Balboa* en 1513. En 1520, Magellan*, pénétrant par le cap Horn, lui donna son nom actuel. L'océan Pacifique a pris une véritable importance économique à partir de la Seconde Guerre mondiale : elle est due à l'essor industriel du Japon et de l'Australie et au développement des échanges commerciaux entre les États-Unis et le Japon. ♦ *Guerre du Pacifique* (1941-1945). **V. Guerre mondiale** *(Deuxième).*

PACINOTTI (Antonio). ♦ Physicien italien (Pise, 1841 — *id.*, 1912). Il imagina en 1864 l'*induit en anneau* des machines électriques et montra que sa machine fonctionnait aussi en tant que moteur (première *dynamo*). **V. Pixii, Siemens, Gramme.**

PACIOLI (Luca), dit **Luca di Borgo.** ♦ Mathématicien italien (Borgo San Sepolcro, 1445? — Rome, 1514). Son ouvrage le plus important, *Summa de arithmetica, geometria, proportioni et proportionalità* (1494), est une sorte d'encyclopédie rassemblant toutes les connaissances mathématiques de son temps; l'auteur, apportant très peu de nouveau au point de vue mathématique, signale les auteurs dont il s'est inspiré ou qu'il a copiés : Platon* et Aristote*, Euclide*, Archimède*, Nicomaque*, Théon* de Smyrne et Boèce*, Thâbit, Léonard* de Pise, Bradwardine, Albert* de Saxe, Jordanus* Nemorarius, Jean de Sacrobosco*, Prodoscino de Beldomandi. La première partie contient la matière première traditionnelle de l'arithmétique théorique et de l'algorisme, la seconde partie traite de divers problèmes de géométrie pratique.

PACÔME *(saint).* ♦ (Haute-Égypte, 286 — 346). Fondateur du cénobitisme, à Tabennêsi (323). Sa *Règle* copte est connue par une version de saint Jérôme; elle influença tout le monachisme. Fête le 14 mai.

Pacte de Baghdâd. ♦ Accord signé entre la Turquie et la monarchie hâchémite d'Iraq (février 1955) et auquel adhérèrent la Grande-Bretagne, l'Iran et le Pâkistân. Ce pacte était essentiellement dirigé contre l'influence de l'U.R.S.S. dans cette partie du monde et rencontra l'hostilité de l'Égypte et de la Syrie. Après la révolution de juillet 1958 qui mit fin à la monarchie hâchémite, l'Iraq quitta le pacte (1959). Celui-ci continue toutefois à être appuyé par les États-Unis (sous le nom de CENTO : *Central Treaty Organisation*).

PACTOLE. *n. m.*, en gr. **Paktôlos.** ♦ Riv. de l'anc. Lydie (Asie Mineure), affl. de l'Hermos (Gediz). Elle baignait Sardes* et, avec les paillettes d'or qu'elle roulait, était la source des richesses fabuleuses de Crésus*. Cf. la légende de Midas* et le mot *pactole* (*in* Robert).

PACUVIUS (Marcus). ♦ Poète dramatique latin (Brindisi, ~220 — Tarente, v. ~132). Neveu du poète Ennius*, il composa douze *palliatae*, tragédies à personnages grecs, où prédomine l'influence d'Euripide, et une *praetexta : Paulus*, tragédie romaine. Il ne subsiste que des fragments (environ 400 vers) de son œuvre.

PACY-SUR-EURE. ♦ Ch.-l. de cant. de l'Eure*, arr. d'Évreux*, sur l'Eure*. 3 217 hab. *(Pacéens).* — Église Saint-Aubin du XIIe siècle.

PADANG. ♦ V. d'Indonésie, sur la côte O. de Sumatra*. 200 000 hab. Indus. charbonnières et port exportateur à Telukbajur. ♦ *Hist.* La V. fut fondée en 1664 par les Hollandais.

Paddington. ♦ Quartier résidentiel de la partie O. de Londres, entre Regent's Park et Hyde Park. 127 500 habitants.

PADERBORN. ♦ V. d'Allemagne occid. (Rhénanie du Nord-Westphalie), au pied de l'Eggegebirge, sur la Pader. 60 360 hab. (1967). Archevêché. Cathédrale du XIIIe s.; église Saint-Barthélemy (halle romane de la fin du XIe siècle). — Centre industriel (cimenteries, indus. mécaniques). — Patrie de H. Aldergrever*. ♦ *Hist.* Charlemagne y rencontra en 799 l'empereur Léon III. Promue au rang d'évêché en 805, Paderborn fut dès le XIIIe s. une florissante cité hanséatique, importante étape sur le *Hellweg*, route commerciale joignant la Flandre à la Saxe.

PADEREWSKI (Ignacy Jan). ♦ Pianiste et homme politique polonais (Kuryłówka, 1860 — New York, 1941). Virtuose dont la célébrité fut mondiale, il fit bénéficier la cause de l'indépendance de la Pologne de son immense prestige. Patriote intransigeant devenu après la Première Guerre mondiale président du Conseil et ministre des Affaires étrangères, il participa à ce titre à la signature du traité de Versailles (1919). Il poursuivit encore ses activités en faveur de son pays après 1939, quand, devenu le chef du gouvernement polonais en exil, il exerça les prérogatives d'un président de la République. Il mourut au cours d'une dernière mission aux États-Unis. Compositeur, il a laissé des opéras (*Manru, Saquntala*), une symphonie, de la musique pour piano et des mélodies, le tout dans un style très traditionnel.

PADIRAC. ♦ Comm. du Lot*, arr. de Gourdon*. 177 hab. — *Gouffre de Padirac*, gouffre qui s'ouvre dans le causse jusqu'à une profondeur de 75 m. Il conduit à une riv. souterraine de plus de 6 km qui se jette dans la Dordogne*. Site touristique : ce gouffre a été aménagé pour la visite (ascenseurs, barques). Musée Norbert-Casteret.

PADMA. *n. f.* ♦ Rivière de l'Inde et du Pâkistân. 300 km. C'est le bras principal du delta du Gange.

PADMASAMBHAVA. ♦ Religieux bouddhiste indien, originaire du Cachemire (VIIIe s.). Il se rendit au Tibet sur l'invitation d'un de ses maîtres, s'y installa et y prêcha le bouddhisme tantrique, inaugurant ainsi une école de bouddhisme tibétain, celle des rNying*-ma-pa, la première au Tibet. Il est maintenant vénéré comme un grand saint par les Tibétains.

PADOUE, en it. **Padova.** ♦ V. d'Italie du N., en Vénétie*, ch.-l. de prov. 215 000 hab. *(Padouans).* Évêché, université (XIIIe s.). Basilique Sant'Antonio, dite « il Santo » (XIIIe s.), qui abrite le tombeau de saint Antoine*; cathédrale (XIIIe s.); chapelle des Scrovegni à l'Arena, décorée de fresques de Giotto*; scuola di Sant'Antonio (peintures de Titien*). Ville commerciale et industrielle (textiles, chimie, sucreries), au carrefour des routes de Milan, Venise et Bologne. — Patrie de Tite*-Live. ♦ *Hist.* Municipe romain (v. ~215), elle fut dévastée par Alaric (409) puis par Attila (452) et passa aux Lombards. Frédéric II, empereur germanique, y fonda en 1221 une université qui devint fameuse pour l'enseignement du droit. Padoue connut l'affrontement entre guelfes et gibelins au XIIIe s., puis se donna aux Carrara en 1318. En 1405, Venise la prit et la garda jusqu'au traité de Campoformio (1797) par lequel Bonaparte livra la République de Venise et ses possessions aux Autrichiens. Elle rejoignit le royaume d'Italie (1805-1814) et fut le ch.-l. du dép. de la Brenta. De nouveau livrée à l'Autriche en 1814, elle se révolta en 1848. En 1866, elle se fondit dans l'unité italienne. C'est près de Padoue, après la victoire de Vittorio Veneto, que les Autrichiens signèrent l'armistice du 3 nov. 1918 qui mit fin pour l'Italie à la Première Guerre mondiale.

PAEPE (César *de*). ♦ Socialiste belge (Ostende, 1842 — Cannes, 1890). Ouvrier typographe, puis médecin, il fonda avec quelques amis la société *Le Peuple* qui devint la section belge de la Ire Internationale. En 1885, il créa le Parti ouvrier belge. Influencé par Proudhon et Marx, il semble se rattacher à ce « socialisme mixte, à la fois mutuelliste et marxiste, qu'on appelle collectivisme » (E. Halévy) [*Recherches sur les principes fondamentaux de l'économie sociale*, 1879; *Le Suffrage universel et la capacité politique de la classe ouvrière*, 1890].

PAER (Ferdinando). ♦ Compositeur italien (Parme, 1771 —

Paris, 1839). Chef d'orchestre à la cour de Dresde, il fut maître de chapelle de Napoléon Ier (1807-1812), directeur de l'Opéra-Comique puis directeur de la musique de chambre de Louis-Philippe (1832). De ses nombreux opéras, un seul connut le succès, *Le Maître de chapelle* (1821), plaisante satire de la musique italienne. Il a composé de la *musique d'église, symphonique,* de *chambre,* et des *mélodies.*

PAESIELLO (Giovanni). ♦ V. PAISIELLO.

PAESTUM [pɛstɔm ; -um], en gr. **Poseidônia.** ♦ Anc. V. d'Italie sur le golfe de Salerne (Lucanie), dans la Grande*-Grèce (commune actuelle de Capaccio). Fondée par des colons de Sybaris* vers la fin du ~ VIIe s., prise par les Lucaniens au ~ IVe s., elle devint colonie romaine v. ~ 273. Elle fut ravagée par les Sarrasins en 877. — Le pseudo-temple de Poséidon est l'un des plus beaux témoignages de l'architecture grecque classique (~ Ve s.). Les tombes d'une nécropole, découverte en 1969 à proximité du temple, ont révélé les seules peintures grecques de style classique qui soient encore parvenues jusqu'à nous.

PÁEZ (*Père* Gaspar). ♦ Missionnaire espagnol (1582 — 1635). Il a donné des descriptions géographiques et ethnographiques sur la région du Nil et l'Abyssinie (1618).

PAGAN. ♦ V. de Birmanie* centrale, sur l'Irawady, et anc. capitale birmane (XIe-XIIIe s.). Cette ville très étendue, maintenant formée de plusieurs villages, comportait, à la fin du XIIIe s., plus de 5 000 monuments bouddhiques, monastères et palais. Il n'en reste plus qu'environ 1 500. Ils constituent un témoignage sur l'architecture et l'art de la Birmanie centrale à cette époque. ♦ *Hist.* La ville dut sa fortune à l'action d'Anawratha*, qui en fit sa capitale au XIe siècle.

PAGANINI (Niccolo). ♦ Violoniste italien (Gênes, 1782 — Nice, 1840). Enfant prodige, il se produisit très tôt en public. Après des études musicales approfondies à Parme, il entreprit en Italie, puis dans toute l'Europe, de nombreuses tournées qui lui valurent une extraordinaire renommée. Doué d'un étonnant génie d'interprète, il déchaîna l'enthousiasme de ses contemporains par le caractère réellement démoniaque de son jeu. Pour son instrument, il a composé diverses pièces (24 *Caprices* pour violon seul, 1820; des *concertos, sonates, variations* et *quatuors* pour violon et guitare) d'une rare difficulté d'exécution. Il a fortement contribué à l'évolution de l'art du violon par de nombreuses innovations techniques.

PAGAN MIN. ♦ Roi de Birmanie (1846-1853). Les nombreuses exécutions arbitraires qu'il ordonna, ainsi que sa haine des étrangers attirèrent l'attention des Anglais qui, après avoir vu leurs bateaux saisis, décidèrent de débarquer à Rangoon*. En 1853, Mindon Min succéda à son frère et fit la paix avec les Anglais, qui demeurèrent néanmoins dans la Basse-Birmanie.

PAGET (*sir* James). ♦ Chirurgien anglais (Yarmouth, 1814 — Londres, 1899). Il a donné son nom à différentes maladies, dont l'ostéite déformante hypertrophique.

PAGNOL (Marcel). ♦ Écrivain et auteur dramatique français (Aubagne, 1895 — Paris, 1974). Il abandonna une carrière de professeur d'anglais après ses débuts d'auteur dramatique (*Les Marchands de gloire,* avec Paul Nivoix, 1925) puis sembla s'orienter vers l'avant-garde (*Jazz,* 1926) à laquelle il préféra bientôt le naturalisme, avec une comédie de mœurs, *Topaze** (1928), dont le succès s'est maintenu. Avec trois œuvres qui constituent l'évocation colorée, sur un mode à la fois débonnaire et mélodramatique, du folklore marseillais : *Marius* (1929), *Fanny* (1931) et *César* (1946), il devait connaître la consécration populaire. Le succès de leur adaptation cinématographique l'encouragea à réaliser d'autres films : *Angèle* (1934), *Regain* (1937), *La Femme du boulanger* (1939) d'après des œuvres de Jean Giono*. Revenu au théâtre avec *Judas* (1955) et *Fabien* (1956), il a publié en une trilogie ses souvenirs d'enfance et de jeunesse [*La Gloire de mon père,* 1957; *Le Château de ma mère,* 1958; *Le Temps des secrets,* 1960]. (Acad. fr., 1946.)

PAGO PAGO. ♦ Centre administratif des *Samoa* orientales,* sur l'île de Tutuila*. 2 100 hab. Importante base navale des États-Unis. Usines de conserves de thon. Tourisme.

PAHANG. *n. m.* ♦ Anc. État de la péninsule Malaise, situé au centre de celle-ci. 36 000 km². 500 000 hab. env. Le Pahang fait partie maintenant de la Malaysia. *Ch.-l.* Kuantan (50 000 hab.).

PAHLAVI ou **PAHLÉVI.** *n. m. pl.* ♦ Dynastie perse fondée par Rizâh Shâh, qui prit le pouvoir en 1925, après avoir déposé les Qâdjars*. **V. Rizâh Shâh, Muhammad Rizâh Shâh.** — Le nom de la dynastie est celui même de la langue et de la littérature du moyen perse (on dit aussi *Pehlvi*).

PAHOUINS. ♦ V. FANGS.

PA HSIEN [*Pa Hien, Ba Xian*]. ♦ « Les huit immortels » chinois. Divers groupes de sages et de poètes portent ce nom. Ils étaient pour la plupart taoïstes ou d'obédience ch'an (zen). Les œuvres picturales les représentent souvent causant ou écrivant dans la nature.

PAÏJÄNNE (*lac*). ♦ Lac de Finlande méridionale, tributaire du golfe de Finlande par le Kymijoki. 1 300 km². Il baigne Jyväskylä*.

Paillasse. ♦ Personnage de la farce, à l'imitation du *Pagliaccio* napolitain. Valet de Pantalon, réputé pour sa sottise.

PAILLERON (Édouard). ♦ Auteur dramatique français (Paris, 1834 — *id.,* 1899). Il débuta au théâtre par quelques pièces en vers, mais le meilleur de son œuvre dramatique est constitué par des comédies de mœurs, spirituelles et habilement construites, où s'exprime une satire sans méchanceté. (*L'Étincelle,* 1879; *Le Monde où l'on s'ennuie,* 1881; *La Souris,* 1887; *Cabotins,* 1894.) (Acad. fr., 1882.)

PAIMBŒUF. ♦ Ch.-l. de cant. de la Loire-Atlantique, arr. de Saint-Nazaire, sur la r. g. de l'estuaire de la Loire. 3 806 hab. (*Paimblotins*). Hôpital du XVIIe siècle. — Métallurgie. Indus. chimiques.

PAIMPOL. ♦ Ch.-l. de cant. des Côtes*-du-Nord, arr. de Saint-Brieuc, dans le Trégorrois*, au fond d'une vaste baie. 8 144 hab. (*Paimpolais*). Ancien port de pêche à la morue vers l'Islande et Terre-Neuve, Paimpol se consacre aujourd'hui à la pêche côtière et à l'ostréiculture. Marché de primeurs. Navigation de plaisance; centre touristique très fréquenté; construction de bateaux. École nationale de la marine marchande. — Pierre Loti a célébré la ville dans son roman *Pêcheur* d'Islande.*

PAIMPONT (*forêt de*). ♦ Forêt de Bretagne s'étendant à l'O. de Rennes et au N. du camp de Coëtquidan sur 6 070 ha. On l'identifie à la forêt de Brocéliande des romans de la Table ronde.

PAIN DE SUCRE. *n. m.,* en port. **Pão de Açucàr.** ♦ Relief résiduel, montagne conique à l'entrée de la baie de Guanabara, surplombant Rio* de Janeiro (395 m).

PAINE (Thomas). ♦ Homme politique et pamphlétaire américain (Thetford, Norfolk, 1737 — New York, 1809). De famille quaker et très pauvre, c'est pendant une période de chômage en 1774 qu'il rencontra Franklin. Celui-ci l'envoya à Philadelphie où il fit carrière dans le journalisme. Directeur du *Pennsylvania Magazine,* il collaborait aussi au *Pennsylvania Journal,* son concurrent. La série de pamphlets qu'il publia de 1776 à 1783 (réunis sous le titre *La Crise américaine*) est dans l'esprit de la *Déclaration* d'indépendance.* Son essai *Le Bien public* (*Public Good,* 1780), attaque directe des monarchies et des aristocraties héréditaires, fut largement diffusé et exerça une énorme influence sur la formation de la conscience politique américaine. *Le Sens commun* (1776) joua le rôle d'un détonateur intellectuel dans le déclenchement de la révolution américaine. Renvoyé de l'armée de Washington en 1774, il perdit bientôt son poste de secrétaire de la commission des Affaires étrangères à cause de son caractère impulsif. De retour en Angleterre, il y fut accusé de haute trahison à la suite de son écrit *Les Droits de l'homme* (1791) qui réfute les *Réflexions sur la Révolution française* de Burke. Il devint alors citoyen français et entra à la Convention comme délégué girondin. Ce fut dans la prison du Luxembourg où Robespierre le fit enfermer qu'il rédigea *Le Siècle de raison* (*The Age of Reason,* 1794-1796) improprement appelé « Bible de l'athée » et dont le sous-titre est : « Recherches sur la vraie théologie et sur la théologie fabuleuse ». Sa *Dissertation sur les premiers principes du gouvernement* (1795) constitue un énoncé clair et simple de la doctrine démocratique.

PAINLEVÉ (Paul). ♦ Mathématicien et homme politique français (Paris, 1863 — *id.,* 1933). Ses travaux concernent notamment les équations différentielles dont il fonda la *théorie analytique,* les fonctions de variables complexes et la mécanique générale (frottement et mécanique des fluides en particulier). Intéressé par l'aviation, envisageant, face à une opinion sceptique, les possibilités du plus lourd que l'air, il fut le premier passager de Wilbur Wright* (1908) et de Henri Farman*. Il obtint, du Parlement qui l'avait consulté, le vote du premier crédit pour l'aviation (1910); entré la même année à la Chambre des députés, il fut ministre de l'Instruction publique (oct. 1915-déc. 1916) et de la Guerre (mars-sept. 1917); il devint président du Conseil et ministre de la Guerre (sept.-nov. 1917). Il fut l'un des fondateurs du Cartel des gauches (1924). Président de la Chambre (juin 1924-avril 1925), redevenu président du Conseil et ministre de la Guerre (avril 1925), ayant pris les Finances (oct. 1925), il fut renversé avec son troisième cabinet (nov. 1925). Ministre de la Guerre quasi permanent de 1925 à 1929, il fit voter le service militaire d'un an (1928) et présida à la création de la ligne Maginot. (Acad. sc., 1900.)

Ph. Carlo Bevilacqua/Ricciarini

Paestum : la « basilique ».

Pairs *(Chambre des).* ♦ Supprimée lors de la Révolution, elle fut rétablie sous la Restauration (1814) en remplacement du Sénat napoléonien. Ses membres, qui siégeaient au palais du Luxembourg, étaient nommés à titre personnel par le roi et pouvaient transmettre la pairie à leurs descendants (jusqu'en 1831). En vertu de la charte* de 1814, la Chambre des pairs partageait le pouvoir législatif avec la Chambre des députés. Elle fut définitivement supprimée en 1848.

PAISIELLO ou **PAESIELLO (Giovanni).** ♦ Compositeur italien (Tarente, 1740 — Naples, 1816). Ses débuts sur les grandes scènes lyriques d'Italie en firent un rival heureux de Piccinni, Pergolèse et Cimarosa. Nommé maître de chapelle de Catherine II, à Saint-Pétersbourg (1776-1784), puis de Ferdinand IV, à Naples (1784-1799), il devint maître de musique du Premier consul (1801), puis musicien de Murat et de Joseph Bonaparte. Le retour des Bourbons précipita sa disgrâce. On lui doit une centaine d'ouvrages de théâtre, dont *La Serva padrona* (1781), *Il Barbiere di Siviglia* (1782) et *La Bella Molinara* (1788); de la musique d'église *(messes, motets, cantates, oratorios);* symphonique *(symphonies, concertos);* de chambre *(sonates, quatuors).* Plus inspiré dans le genre de l'opéra bouffe que dans celui de l'opéra seria, le style de Paisiello révèle des tendances déjà romantiques. Son sens de la variété rythmique et de l'invention mélodique s'enrichit de l'emploi de formes très libres et d'une instrumentation colorée.

PAISIJ. ♦ Moine bulgare du mont Athos (Bansko, 1722 — Samokov, 1798). Il instruisit les Bulgares de leur glorieux passé dans une *Histoire des Slaves bulgares* (1762).

PAISLEY. ♦ V. du centre de l'Écosse, ch.-l. du comté de Renfrew, à l'O. de Glasgow, sur le *White Cart Water.* 95 800 hab. (1966). Évêché catholique. Abbaye de style gothique rayonnant (xve s.). Importantes indus. textiles (coton), mécaniques et chimiques. Aéroport de Glasgow.

Paix (La), en gr. **Eirênê.** ♦ Comédie d'Aristophane* (~ 421). Composée dans l'attente longtemps déçue de la paix qui devait se conclure entre Sparte et Athènes, la pièce a pour héros Trygée, vieux et sage vigneron athénien déterminé à hâter le retour de la concorde entre les deux cités. Volant jusqu'à l'Olympe sur un scarabée géant, il apprend d'Hermès que la Guerre, décidée à exterminer la Grèce, a enfermé la Paix au fond d'une caverne. Avec l'aide du chœur, composé de laboureurs, Trygée exhume la belle déesse captive puis redescend à Athènes en sa compagnie et, en dépit de la fureur de tous les profiteurs de guerre, il célèbre sa victoire en épousant Opôra, divinité des moissons. D'une plaisante verdeur de langage, la pièce se caractérise par un optimisme joyeux.

PAIX *(rivière de la),* en angl. **Peace River.** ♦ Riv. du Canada (Colombie britannique et Alberta [1 700 km]); née dans les Rocheuses, elle conflue avec la riv. des Esclaves* près du lac Athabaska. Très importants aménagements hydro-électriques en cours.

Paix de Dieu. ♦ Restriction apportée par l'Église au droit de guerre privée. Elle interdisait la guerre contre les clercs, les marchands, les pèlerins et les laboureurs (1016). Ceux qui enfreignaient cette paix étaient frappés d'excommunication.

PAJOU (Augustin). ♦ Sculpteur français (Paris, 1730 — *id.,* 1809). Élève de J.B. Lemoyne*, il séjourna à Rome de 1752 à 1756. Il fut le rival de Caffieri et le sculpteur de Mme du Barry dont il fit plusieurs portraits. Il réalisa la décoration sculptée de l'*opéra de Versailles* (1768-1770), qui témoigne de son habileté technique et de sa fantaisie inventive dans le domaine de l'ornementation. Il sculpta plusieurs statues de grands hommes commandées par Louis XVI *(Descartes, Pascal, Bossuet)* et des portraits (*Hubert Robert,* 1789; *Mme Vigée-Lebrun,* 1783), et obtint un succès de scandale avec sa *Psyché abandonnée* (1785-1791) dont le modelé souple et les attitudes gracieuses sont caractéristiques d'une grande partie de sa production.

PAKHTUNISTÂN ou **PATHANISTÂN.** *n. m.* ♦ Région de la frontière pakistano-afghane, appartenant au Pâkistân, mais que l'Afghânistân voudrait voir devenir indépendante. Cette région, montagneuse, est l'habitat d'env. 2 500 000 *Pathans,* tribus semi-nomades musulmanes de langue pashto.

PÂKISTÂN. *n. m.* ♦ État d'Asie, limité à l'O. par l'Iran, au N. par l'Afghânistân, à l'E. par l'Inde et au S. par la mer d'Oman. 803 940 km². 70 000 000 d'hab. (*Pakistanais,* de types divers : turko-iranien, scytho-dravidien, indo-afghan). *Cap.* Islamabad. *V. princ.* **V. Hyderabad, Karachi, Lahore, Lyallpur, Multan, Peshawar, Rawalpindi.** *Langues off. :* urdu, anglais. *Religion :* musulmane (97 %). — *Orogr.* La région septentrionale est adossée au plateau afghân et à l'Himâlaya. À l'O. de la vallée de l'Indus s'étendent les riches plaines de Peshawar et de Bannu; à l'E., le plateau de Potvar, très érodé. Au S. de ce plateau, la plaine alluviale des Cinq-Rivières constitue la province du Pañjâb, fertilisée par l'irrigation. Entre le Pañjâb et la mer, le désert irrigué du Sind* est constitué d'E. en O. par la chaîne montagneuse de Kirthar, la vallée de l'Indus et le désert de Thar. Le Baluchistân*, à l'O., est un plateau aride entouré par les chaînes afghânes (N.-E.) et par la région côtière du Makran (S.). — De *climat* sub-désertique, le Pâkistân reçoit la mousson avec des effets atténués. La saison froide comporte des températures basses (13 °C en janv.). La végétation qui couvre le pays s'étage de la savane (ou étendues semi-désertiques) aux paysages de type alpin. — L'Indus et ses affl. (Jhelam, Chenâb, Ravî, Satlej) arrosent le territoire. Lors des crues provoquées par la mousson et la fonte des neiges (mai-nov.), ils peuvent occasionner de graves dégâts. — *Écon.* Une agriculture intensive est pratiquée tout le long du cours de l'Indus. Le Panjâb (riz, sorgho, blé, coton) et le Sind (mêmes cultures, plus maïs, orge, millet) sont les principales régions productrices. La canne à sucre et le coton sont cultivés au Pañjâb, et à Peshawar. — L'élevage (bovins, ovins, caprins) joue un rôle économique important (lait, fromages, viandes, laine, peaux), mais sa qualité est souvent médiocre. La pêche se développe (aménagement des ports, comme Karachi). — Les ressources minières sont minces (charbon du Pañjâb et du Baluchistân), mais les ressources en gaz naturel (Sui, Larkana, dans le Sind) et en hydro-électricité (barrages sur le Jhelam et sur la riv. Kâbul) sont abondantes. Mines de sel à Kohat et dans la *Salt Range.* — Les *industries* tiennent une place encore limitée dans l'économie du pays : petite mécanique (Karachi), matériel électrique, cimenteries (Hyderâbâd), indus. chimiques (acide sulfurique, engrais azotés, à Multân et Lyallpur). Chantiers navals à Karachi. L'indus. textile (Lahore, Karachi) se développe en liaison avec l'agriculture. L'apport de l'artisanat n'est pas négligeable. — *Commerce.* Le Bangla Desh (ex-Pâkistân oriental) était à la fois le principal débouché (70 % des exportations : coton, riz, machines, etc.), et le principal fournisseur (thé, jute, soie, pâte à papier) du Pâkistân avant 1971. Sa perte provoqua un remaniement de la politique commerciale extérieure du Pâkistân qui réduisit les importations (biens d'équipement, matières premières) et développa les exportations de cotonnades (le coton prendrait ainsi la place du jute). — *Communications.* Les voies maritimes et aériennes sont plus développées que les réseaux routier et ferroviaire (9 000 km), peu utiles aux communications existant autrefois avec le Bangla Desh. ♦ *Hist.* Avant 1947, date de la division de l'Empire des Indes en deux États, l'histoire du Pâkistân est inséparable de celle de l'Inde. **V. Inde.** Les hindous ayant refusé aux musulmans le droit de se joindre au Congrès national indien en 1885 pour lutter pour l'indépendance, ceux-ci créèrent la « Ligue musulmane de l'Inde ». Sous la direction de Gandhi, le Congrès tenta de se rapprocher des musulmans, dirigés par Muhammad 'Ali Jinnah. L'idée d'un État islamique autonome apparut avec le poète Muhammad Iqbâl. La «résolution de Lahore» (1940) réclama la création de cet État. En 1947, le Pâkistân fut fondé, Jinnah en étant le gouverneur général. La constitution (1956) fit du Pâkistân une république islamique avec à sa tête le président Iskandar* Mirzâ. Un coup d'État militaire renversa Mirzâ et plaça le général Ayyûb* Khan au pouvoir. La guerre indo-pâkistânaise éclata en 1965. Ayyûb Khan abandonna alors la présidence en 1969 et confia le pouvoir à Yahiâ* Khan, qui le transmit à Ali Bhutto en 1971. Après la répression menée par les troupes pâkistânaises, l'Inde intervint dans la guerre de «libération», qui consacra, en 1971, la séparation du Pâkistân de sa province orientale qui devint le Bangla* Desh. En 1973, Ali Bhutto abandonnait le poste de chef de l'État pour celui de Premier ministre.

PAKUBUWANA. ♦ Nom de sept sultans musulmans de la côte N. de l'île de Java*, qui régnèrent dans la région de Surakarta du début du xviiie s. à 1858. Ils cédèrent de nombreux territoires aux Hollandais qui réduisirent progressivement leur autorité. Le premier de ces princes fonda, en 1749, la ville de Djakarta*.

PÂLA. ♦ Dynastie indienne de rois du Bengale fondée vers 750 et qui gouverna le Bengale et le Bihâr jusque v. 1200. Ses souverains, fervents bouddhistes, inaugurèrent un art qui serait à l'origine de nombreuses formes népalaises et tibétaines. La dynastie fut détruite par les musulmans de Delhi, et celle des Sêna la remplaça.

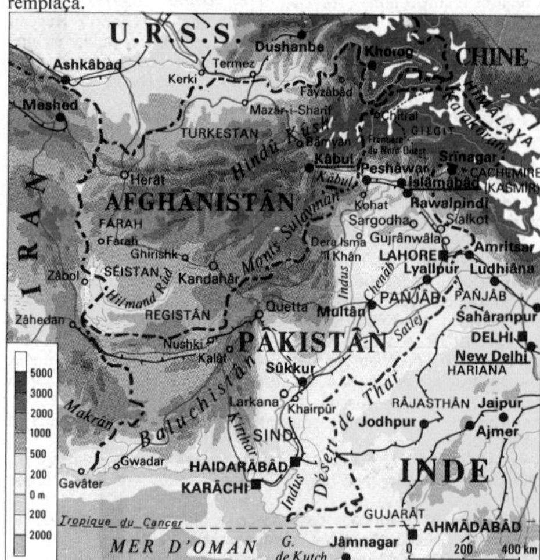

Pâkistân.

PALACKÝ (František). ♦ Historien et homme politique tchèque (Hodslavice, Moravie, 1798 – Prague, 1876). Il écrivit une *Histoire de la Bohême,* de tendance nationaliste. Il présida le congrès panslave de Prague (1848) et lutta ensuite contre le dualisme Autriche-Hongrie.

PALADRU. ♦ Comm. de l'Isère, arr. de La Tour-du-Pin. 468 hab. Station estivale au N. du lac de Paladru.

PALAFOX (José de, *duc de* **Saragosse).** ♦ Général espagnol (Saragosse, 1780 – Madrid, 1847). Il souleva l'Aragon contre les Français (1808) et s'illustra par son héroïque défense de Saragosse* en 1809.

PALAIS (Le). ♦ Comm. du Morbihan, arr. de Lorient, dans l'île de Belle*-Île. 2 691 hab. Petite station balnéaire, port.

Palais (Grand et **Petit).** ♦ Édifices de Paris, situés entre le Cours*-la-Reine et les Champs*-Élysées. Le *Grand Palais,* construit de 1897 à 1900 par Deglane, Louvet et Thomas, est très caractéristique de l' « Art Nouveau » : quadriges colossaux de G. Recipon*; bassin par R. Larche. Sa partie O. est affectée au *palais de la Découverte* (1937), institut culturel et musée scientifique (planétarium). Le Grand Palais est doté de *galeries nationales d'expositions temporaires* (créées en 1964, terminées en 1971) qui accueillent divers salons. – Le *Petit Palais,* édifié en 1900 par Ch. Girault, présente une décoration intérieure par M. Denis* et Albert Besnard*. Il est occupé en partie par le *musée des Beaux-Arts de la Ville de Paris* (les sections d'art contemporain ont été transférées au *musée d'Art* moderne);* il abrite également des expositions temporaires.

Palais-Bourbon. ♦ V. BOURBON (palais).

PALAISEAU. ♦ Sous-préf. de l'Essonne, ch.-l. d'arr. (12 cantons, 63 comm., 338 608 hab.). 23 426 hab. *(Palaisiens).* Église en majeure partie du XVe siècle. Centre résidentiel. – Cultures maraîchères. – Site choisi pour plusieurs grandes écoles (École polytechnique, École des ponts et chaussées). – Patrie de J. Bara*.

Palais-Royal *(le).* ♦ Ensemble de bâtiments et de jardins, à Paris. Bâti et aménagé pour Richelieu sur les plans de J. Lemercier* (1633), le *Palais-Cardinal* comprenait une salle de théâtre (détruite en 1753). Légué au roi par Richelieu dès 1636, il devint *Palais-Royal* (1643) quand Anne d'Autriche y habita. Le Régent en fit sa résidence. À la suite d'un incendie, le palais fut considérablement modifié par Contant* d'Ivry pour Philippe d'Orléans (le futur Philippe-Égalité). Victor Louis* aménagea les jardins flanqués de maisons à arcades; les *galeries de Bois* (au S.) devinrent un rendez-vous d'affaires et de galanterie très fréquenté; furent également construits (1787-1790) le *théâtre du Palais-Royal* et la salle du Théâtre-Français **(V. Comédie-Française).** Foyer d'agitation populaire sous la Révolution (discours de Camille Desmoulins, en 1789), siège du Tribunat (1799), le Palais-Royal revint aux Orléans sous Louis XVIII. Fontaine* édifia alors la double colonnade de la galerie d'Orléans. Incendiés sous la Commune, les bâtiments furent restaurés de 1872 à 1876 et abritent aujourd'hui le Conseil d'État et l'administration des Beaux-Arts.

PALAIS-SUR-VIENNE (Le). ♦ Comm. de la Haute-Vienne, arr. de Limoges. 2 682 hab. Carrières de quartz. Cuivre. Caoutchouc. ♦ *Hist.* Siège d'une diète carolingienne en 832.

PALAM. ♦ Aéroport international de New* Delhi, en Inde.

PALAMAS (Gregorios). ♦ V. GRÉGOIRE PALAMAS (saint).

PALAMAS (Kostis). ♦ Poète grec (Patras, 1859 – Athènes, 1943). Il domina la vie littéraire de son pays pendant un demi-siècle et fut le chef de l'école athénienne qui généralisa l'usage de la langue démotique dans la littérature. Parnassien à ses débuts, il donna le meilleur de lui-même à partir de son adhésion au symbolisme : *Les Yeux de mon âme* (1892), *Iambes et Anapestes* (1897), *Le Tombeau* (1898), *La Vie immuable* (1904). Dans deux grandes compositions épico-lyriques, *Les Douze Paroles du tzigane* (1907) et *La Flûte du roi* (1910), il essaya de symboliser le devenir de la civilisation et de l'hellénisme. Il faut encore citer ses *Exercices satiriques* (1907-1909), poèmes de brûlante satire politique, la nouvelle *Mort de Pallicare* (1891), le drame *Trisevjeni* et ses études critiques. Palamas exerça une grande influence sur la poésie grecque des premières décennies du siècle.

PALAMÈDE, en gr. **Palamêdês.** ♦ Héros de la guerre de Troie*. Ayant déjoué la ruse d'Ulysse* qui simulait la folie pour se soustraire à l'expédition, il est victime d'une accusation de trahison montée de toutes pièces par celui-ci. Jugé et condamné à mort, Palamède est lapidé par les Grecs. Son père Nauplios le venge en provoquant le naufrage de la flotte grecque et en suscitant l'infidélité des femmes des héros absents à Troie. On attribuait à Palamède, qui fut élève de Chiron*, un grand nombre d'inventions : certains caractères de l'alphabet et parfois les nombres, la monnaie, le jeu de dames, de dés, d'osselets, etc.

PALANDER (Louis). ♦ Navigateur et explorateur suédois (Karlskrona, 1842 – Djursholm, 1920). Il accompagna A.E. Nordenskjöld* lors de plusieurs expéditions dans les régions arctiques, en particulier à bord de la *Vega* à la recherche du passage du Nord-Est (1878-1880). Il fut nommé ministre de la Marine en 1901.

PALAOS ou **PALAU** *(îles).* ♦ V. CAROLINES (îles).

PALAPRAT (Jean). ♦ Écrivain français (Toulouse, v. 1650 – Paris, 1721). Avocat, puis capitoul dans sa ville natale, il vécut à Paris après 1688 et voyagea en Italie. Il composa avec Brueys sept comédies, dont *Le Grondeur* (1691).

Ph. Hétier

Les jardins du **Palais-Royal.**

PALATIN *(mont),* en lat. **Palatinus mons.** ♦ Colline de Rome située entre le Tibre et le Forum, séparée de l'Aventin* par une étroite vallée. Partie la plus anciennement habitée de Rome (*Roma quadrata* de Romulus), le Palatin devint à l'époque d'Auguste la colline impériale par excellence, et finit par être occupé entièrement par les palais (*Domus Augustana,* maison de Livie, palais de Tibère, de Caligula, palais Flavien). Ses ruines ont été partiellement recouvertes au Moyen Âge par des forteresses et au XVIe s. par la *villa* – ou jardins – des Farnèse.

PALATINAT. *n. m.,* en allemand **Pfalz.** ♦ Région historique d'Allemagne, dont les villes principales étaient Spire*, Mannheim*, Heidelberg*, Neustadt*, Amberg*. Le terme, qui désignait à l'origine les domaines des comtes palatins représentant dans chaque région l'autorité impériale, fut réservé au XIIe s. à ceux des comtes palatins du Rhin, anciens comtes palatins de Lotharingie*. Cette dignité fut donnée par Frédéric* Barberousse à son demi-frère Conrad (1156). La région passa ensuite à la Saxe avec les Guelfes* et enfin, avec les Wittelsbach*, à la Bavière dont elle fut séparée par le pacte de Pavie (1329), obtenant le titre électoral en 1355, contre la cession du *Haut-Palatinat.* Au XVe s., le Palatinat connut une ère de prospérité et s'agrandit (Robert* III fut élu empereur en 1400). Après une division au XVe s., il passa presque tout entier à la branche de Simmern, qui devait elle-même donner naissance à plusieurs lignes (Deux-Ponts, Neuburg, Sulzbach, Birkenfeld). Devenu un centre actif de résistance intellectuelle et religieuse à l'hégémonie impériale (l'université de Heidelberg, fondée en 1386, devint un des foyers du calvinisme), le Palatinat prit la tête de l'Union évangélique, avec Frédéric* IV et surtout Frédéric* V. Aussi la guerre de Trente* Ans fut-elle pour lui un désastre. Au traité de Westphalie*, son électeur retrouva une partie de ses États, dont le reste était laissé à la Bavière. Le Palatinat devait cependant passer par héritage à la ligue catholique de Neuburg, et fut alors ravagé par les armées de Louis XIV qui prétendait défendre les droits de sa belle-sœur. **(V. Augsbourg** [*guerre de la ligue d'*].**)** À la fin du XVIIIe s., Charles-Théodore hérita de la Bavière (1777) et son successeur Maximilien*-Joseph échangea son titre d'électeur contre celui de roi de Bavière (1805). Démantelé lors de l'occupation française, le Palatinat suivit les destinées de la Bavière jusqu'en 1918, et donna une grande partie de son territoire à la Sarre en 1919. Il fait actuellement partie du land de *Rhénanie-Palatinat* dans la République fédérale allemande.

PALATINAT (Haut-). *n. m.,* en all. **Oberpfalz.** ♦ Région d'Allemagne (Bavière*) correspondant au district de Ratisbonne*.

PALATINAT (*forêt du* **Haut-),** en all. **Oberpfälzerwald.** ♦ Hauts plateaux faillés (env. 900 m) d'Allemagne sud-orientale (Bavière), disposés le long de la *forêt de Bohême.*

Palatine *(école)* ou **école du Palais.** ♦ École de la cour carolingienne où enseigna Alcuin*, de 782 à 796 environ. Elle fut un des points de départ de la renaissance carolingienne.

PALATINE *(princesse).* ♦ Nom porté par Anne de Gonzague* et par Charlotte*-Élisabeth de Bavière.

PALAVAS [palavas]**-LES-FLOTS.** ♦ Comm. de l'Hérault (arr. de Montpellier), à l'embouchure du Lez. 2 757 hab. Station balnéaire et climatique. Pêche.

PALAWAN. ♦ Île de l'archipel des Philippines* située au N.-E. de Bornéo*. 250 000 hab. (c'est l'île la moins peuplée des Philippines). Longue de 450 km et large de 25, elle est extrêmement montagneuse, avec des sommets dépassant 2 000 m d'alt., couverte de forêts denses (faune et flore identiques à celles de Bornéo). Exploitations forestières, hévéas. Quelques mines de manganèse. *Ch.-l.* Puerto-Princesa (sur la côte orientale).

PA LAY CU ou **PLEIKU** (nom francisé). ♦ Division administrative du Sud Viêt-nam, à la frontière du Cambodge, chef-lieu de la prov. de Gia-Lai.

PALEMBANG. ♦ V. d'Indonésie* et premier port indonésien, sur le fl. Musi et sur la côte S.-E. de Sumatra*. Env. 600 000 hab. Grand centre commercial et indus. : raffineries, produits dérivés

Ph. Nino Cirani/Ricciarini

Palenque.

du pétrole, caoutchouc. Constructions navales. Métallurgie. Le port, très développé, exporte principalement du pétrole. ♦ *Hist.* Fondée avant le VIIe s., la ville fut la capitale d'un sultanat du XIVe au XIXe siècle.

PALENCIA. ♦ V. d'Espagne centrale, en Vieille-Castille*. Ch.-l. de prov. 48 600 hab. Évêché. Centre industriel. – Alphonse* VIII y fonda la première université d'Espagne en 1208.

PALENQUE (nom esp. de *Otulum,* « maisons fortifiées »; on ignore le nom antique). ♦ Site archéologique situé au Yucatán*, dans la forêt, au N. de l'État de Chiapas*. Elle fut jusqu'au Xe s. une capitale de l'empire maya*. Ses vestiges (en particulier la pyramide nécropole dite des Inscriptions, les édifices construits sur une vaste plate-forme dite *El Palacio,* les temples dits du Soleil et de la Croix-Feuillue) forment un ensemble remarquable de monuments datant du VIe au Xe siècle.

PALÉOLOGUE, en gr. **Palaiologos.** ♦ Célèbre famille byzantine mentionnée dès le milieu du XIe siècle. Elle parvint au trône de Constantinople en 1261 en la personne de Michel VIII qui, proclamé d'abord empereur de Nicée* (1258), reconquit l'empire aux Latins. La dynastie des Paléologues régna pendant deux siècles, jusqu'à la chute de l'empire, en alternant avec les Cantacuzènes. **V. Michel VIII, Andronic II, Michel IX, Andronic III, Jean V, Andronic IV, Manuel II, Jean VII, Jean VIII, Constantin XI Dragasès.** La même famille donna plusieurs souverains au despotat de Mistra*, et, par un mariage avec une héritière du comté de Montferrat, une nouvelle maison de Montferrat (1305-1553).

PALÉOLOGUE (Maurice). ♦ Diplomate français (Paris, 1859 – *id.,* 1944). Attaché au service des Affaires réservées du Quai d'Orsay (1886-1906), il fut un témoin de l'affaire Dreyfus sur laquelle il rédigea un *Journal* (publié en 1955). Ambassadeur à Sofia (1907), directeur des Affaires politiques au Quai d'Orsay (1912-1914), il fut ensuite ambassadeur en Russie de 1914 à 1917 et publia en 1921 un important ouvrage sur la fin du tsarisme [*La Russie des tsars pendant la guerre*]. (Acad. fr., 1928.)

PALERME, en it. **Palermo.** ♦ V. d'Italie insulaire, sur la côte N.-O. de la Sicile*. Ch.-l. de prov. 634 000 hab. Université, archevêché. La ville s'étend au fond d'un large golfe dominé par le mont Pellegrino, en bordure de la Conca d'Oro. Cathédrale (XIIe-XVIIIe s.), églises de style arabe et byzantin (San Giovanni degli Eremiti, San Cataldo), chapelle Palatine dans le palais royal. Nombreux palais, catacombes des Capucins. Port sur la mer Tyrrhénienne en relation avec l'Italie continentale et la Sicile, exportant des agrumes, du vin et du soufre. Ind. mécaniques, chimiques et alimentaires, constructions navales. ♦ *Hist.* Fondée par les Phéniciens sous le nom de *Panormos,* Palerme devint romaine en ~ 254. L.C. Metellus y battit les Carthaginois (~ 251). La ville fut conquise par les Arabes sur les Byzantins en 835 ; ceux-ci furent vaincus par Robert Guiscard en 1072 et Palerme fit alors partie du royaume normand. Passée aux Angevins, elle se révolta contre Charles* Ier d'Anjou **(V. Vêpres siciliennes,** 1282**).** Elle passa ensuite aux Aragonais, puis aux Bourbons de Naples. Elle subit des tremblements de terre, notamment en 1693, 1726 et 1823. Elle se révolta contre le roi en 1820 et 1848. Elle fut prise par Garibaldi (1860) et rejoignit en 1861 le nouveau royaume d'Italie. – Elle fut libérée de l'emprise germano-fasciste par les Américains en juil. 1943.

PALESTINE. *n.f.* ♦ Contrée du Proche-Orient, dont les frontières varièrent au cours de l'histoire; délimitée à l'O. par la Méditerranée, à l'E. par la dépression du Gohr se prolongeant par la mer Morte, au sud par le Néguev. Peuplée dès la préhistoire, la région constitua une voie de passage privilégiée entre l'Asie et l'Afrique orientale. La civilisation cananéenne **(V. Canaan)** qui s'y développa à partir du ~ IIIe millénaire fut tour à tour sous l'influence des Mésopotamiens venus de Chaldée au ~ XVIIIe s. et des Égyptiens (~ XVIe-~ XIIIe s.) et prit fin lors de l'invasion des Philistins* (~ XIIe s., qui donnèrent leur nom au pays) et des Hébreux*, venus d'Égypte sous la conduite de Moïse*, puis de Josué (~ XIIe s.). La Bible constitue la principale source d'informations sur la période de l'installation et de l'organisation théologico-politique des Hébreux en Canaan et des luttes qui les opposèrent aux Philistins, Araméens, Ammonites, Édomites, Moabites, Amalécites. Après la mort de Salomon, l'État hébreu fut divisé en ~ 931 en royaume d'Israël* au N. (conquis par les Assyriens en ~ 721) et de Juda* au S. (conquis par les Babyloniens en ~ 587, ~ 586). Sous les Perses (~ 538-~ 333), un édit de Cyrus autorisa des Juifs exilés à regagner la Judée (reconstruction du Temple de Jérusalem). Après la conquête d'Alexandre le Grand (~ 333), le pays fut soumis aux Lagides* (~ 323-~ 197), puis aux Séleucides* (~ 197-~ 129). L'État hébreu connut un nouvel essor sous la dynastie des Asmonéens (Jean Hyrcan*). Sous la domination romaine qui vit la naissance du christianisme **(V. Jésus-Christ)** [~ 64-324], la Palestine fut agitée par deux révoltes juives : la première (66-70) réprimée par Titus, la seconde dirigée par Simon Bar* Kocheba (ou Kokheba) [132-135], et après laquelle le pays devint province de Syro-Palestine et colonie romaine interdite aux Juifs. Après la domination byzantine, la Palestine fut quelque temps occupée par les Perses (614-629), puis conquise par les Arabes* (636, 'Umayyades, 'Abbâsides, puis Fâtimides) et par les croisés (XIe s., royaume latin de Jérusalem*). Reprise par Saladin* (1187), elle passa sous la tutelle des dynasties Bahrites* (1250-1382), puis Burdjites (1382-1517). Épargnée par Tîmûr-i Lang (1401), elle fut occupée par les Turcs (1516) et rattachée à l'Empire ottoman. Agitée périodiquement par les rivalités entre les diverses communautés chrétiennes, la Palestine connut cependant dès le XVIe s. un important essor économique. Revendiquée par le sultan d'Égypte, Muhammad 'Ali, en échange de la Morée, la région redevint également à cette époque un des enjeux de la politique des puissances occidentales : la querelle des Lieux saints fut l'un des motifs de la guerre de Crimée* (1854-1855). À la fin du XIXe s. commença l'immigration juive, organisée à partir de 1897 **(V. Sionisme).** Après le démantèlement de l'Empire ottoman, le gouvernement britannique signa avec le gouvernement français des accords de partage puis reconnut par la déclaration Balfour* le projet de création d'un Foyer national juif en Palestine. Les heurts qui opposèrent rapidement les populations juive et arabe mirent en évidence les dangers d'une réalisation du plan sioniste d'immigration juive illimitée. Au lendemain de la Deuxième Guerre mondiale, au cours de laquelle les Juifs de Palestine luttèrent aux côtés des Britanniques (en dépit d'une opposition croissante à la politique de la puissance mandataire), tandis qu'une partie des Arabes palestiniens se montraient plutôt favorables aux forces de l'Axe, les Juifs entrèrent en conflit ouvert avec l'administration britannique. Après avoir proposé plusieurs plans pour régler la question de la Palestine, la Grande-Bretagne porta le problème devant l'O.N.U. Mais la décision de partager le pays en deux États, arabe et juif (nov. 1947), fut rejetée par les États arabes et provoqua une guerre civile judéo-arabe (*fin* 1947-*déb.* 1948) et le début de l'exode des Palestiniens. Au terme de la première guerre israélo-arabe (1948-1949), ce qui restait de la Palestine arabe (la Cisjordanie*) fut annexé au royaume de Jordanie*. Elle fut occupée par les Israéliens au lendemain de la guerre des six jours (1967). Depuis lors, les Palestiniens, leurs organisations usant souvent du terrorisme, n'ont cessé de revendiquer la Palestine comme leur patrie. L'O.L.P. (Organisation de la libération de la Palestine) de Yasser Arafat*, créée en 1964 et reconnue par l'O.N.U. en 1974, a adhéré à la ligue arabe* en sept. 1976.

PALESTRINA (Giovanni Pierluigi *da***).** ♦ Compositeur italien (Préneste, v. 1525 – Rome, 1594). Nommé organiste et maître de chant à la cathédrale de sa ville natale (1544), il fut ensuite appelé à Rome par le pape Jules III pour y diriger la maîtrise de la chapelle Giulia (1551). Destitué par Paul IV, après son mariage avec Lucrezia Gori (1552), il fut successivement directeur de la musique à Saint-Jean-de-Latran, Sainte-Marie-Majeure, à Tivoli, au service du cardinal d'Este, puis à Saint-Pierre de Rome (1571), poste qu'il occupa jusqu'à sa mort. Il avait médité d'entrer dans les ordres après la mort de sa femme et de ses deux fils, victimes de la peste (1580), mais il se remaria en 1581. Ami de Philippe de Neri, apprécié de plusieurs princes en Europe, il connut à la fin de sa vie une gloire incontestée. – Palestrina a laissé une œuvre abondante. On lui doit une centaine de *messes* (de 4 à 8 voix), plus de 600 *motets* (de 4 à 12 voix), des *offertoires, hymnes, psaumes, cantiques, lamentations, madrigaux* spirituels et profanes, *ricercari* pour orgue. C'est dans ses messes (*Papae Marcelli,* 1567 ; *Assumpta est Maria,* 1585 ; *Ascendo ad Patrem,* 1601) qu'il a le mieux exprimé son sentiment religieux. Construites tantôt sur des fragments de madrigaux ou de motets, tantôt sur un *cantus firmus* tiré du plain-chant ou sur des thèmes originaux, plus rarement sur des thèmes de chansons populaires, elles sont toujours d'une architecture équilibrée, sévère et pure. S'il soigne l'intelligibilité du texte (syllabisme rigoureux du *Credo*), il n'exclut pas le lyrisme (*Kyrie* et *Agnus dei*) et ménage des passages pleins de force et d'ampleur (le *Gloria* et le *Sanctus* sont de véritables hymnes à la joie). Mais l'ordonnance de ses messes est immuable, tandis que ses *motets, offertoires* et *madrigaux* spirituels sont d'une grande liberté. La polyphonie surgit du mot qui a suscité son imagination créatrice.

PALESTRO. ♦ V. d'Algérie. Nom anc. de Lakhdaria*.

PALESTRO. ♦ Village d'Italie du N., dans le Piémont (prov. de Pavie). 3 000 hab. Les Franco-Piémontais y vainquirent les troupes autrichiennes lors de la campagne d'Italie (30 mai 1859).

PALGHÂT. ♦ V. de l'Inde, dans le Dekkan, région de Madras. 55 000 hab. Commandant la grande route entre la côte de Malabâr et l'intérieur du pays, elle avait jadis une grande importance stratégique. Elle fut prise par les Anglais en 1768.

Pâli. *n. m.* ♦ Langue religieuse du bouddhisme des écoles du S. (Ceylan et S.-E. asiatique) apparentée au sanskrit.

PALIĆ *(lac de).* ♦ Lac de Yougoslavie (Vojvodine), près de Subotica.

PALIKAO. ♦ Forme francisée de Pa-li-ch'iao. Village de Chine (Ho-pei). ♦ *Hist.* En sept. 1860, les forces françaises **(V. Cousin* Montauban)** et anglaises y remportèrent sur les Chinois une victoire qui leur ouvrit les portes de Peking.

PALIMÉ. ♦ V. de l'O. du Togo* reliée par voie ferrée à Lomé*. 16 000 hab. — Caféiers.

PALINGES. ♦ Ch.-l. de cant. de Saône-et-Loire (arr. de Charolles). 1 782 hab. Église romane (XIe-XIIe s.) à clocher octogonal. Indus. chimique, indus. du meuble, poteries. — Aux env., château de Digoine (XVIIIe siècle).

PALISOT DE BEAUVOIS (Ambroise Marie François Joseph, *baron de***).** ♦ Voyageur et naturaliste français (Arras, 1752 — Paris, 1820). Au retour de ses voyages en Afrique, à Saint-Domingue et en Amérique du Nord, il publia un ouvrage sur les *Insectes recueillis en Afrique et en Amérique* (1805-1821). Il s'est consacré par ailleurs à l'étude des graminées et des mousses (*Muscologie ou Traité sur les mousses,* 1822).

PALISSOT DE MONTENOY (Charles). ♦ Auteur comique et publiciste français (Nancy, 1730 — Paris, 1814). Dans ses comédies, *Le Cercle* (1755) et surtout *Les Philosophes* (1760), il attaqua Diderot*, J.-J. Rousseau*, Helvétius* et Duclos*.

PALISSY (Bernard). ♦ Céramiste et savant français (Saintes ou Lacapelle-Biron, v. 1510 — Paris, 1589 ou 1590). Il voyagea avant de s'installer comme verrier à Saintes où il se maria. Après de longues années de recherche et d'expériences, allant jusqu'à brûler ses meubles et le plancher de sa maison pour entretenir son four, il découvrit le secret de la composition des émaux. Dès lors, bien que devenu huguenot, il fut protégé par le connétable de Montmorency et par Catherine de Médicis. Plus tard cependant, il fut emprisonné à la Bastille (1589) pour avoir refusé d'abjurer la foi protestante et y mourut. Artiste, il fut aussi savant, chimiste et géologue, précurseur de la paléontologie par ses études et ses observations sur les fossiles. Il écrivit plusieurs traités dont le *Discours admirable de l'art de terre, de son utilité, des émaux et du feu* et le *Discours admirable de la nature des eaux et des fontaines.*

PALITANA. ♦ V. de l'Inde occidentale, dans la presqu'île du Kathiâwâr, et cap. d'un anc. petit État princier. 25 000 hab. Centre important de pèlerinages pour les fidèles du jaïnisme qui se rendent à la colline proche de Satruñjaya où se trouvent des centaines de temples.

PALK *(détroit de).* ♦ Détroit large de 100 km environ, situé entre le N. de l'île de Ceylan et les côtes méridionales de l'Inde et faisant communiquer le golfe du Bengale et celui de Manaar.

PALLADIO (Andrea di Pietro dalla Gondola, dit**).** ♦ Architecte italien (Padoue, 1508 — Vicence, 1580). Il fut tailleur de pierre jusque v. 1540. L'amitié de l'humaniste Trissino, des voyages à Rome (1541, 1547, 1549) où il apprécia les monuments antiques sur lesquels il rédigea un guide (*Antiquités de Rome,* 1554), une profonde connaissance de Vitruve* qu'il réédita (1556), une grande assimilation des productions de ses contemporains (Bramante*, Jules* Romain, Serlio*), lui permirent de rassembler les données architecturales, théoriques et pratiques, pour mener à bien l'adaptation des éléments antiques (colonne, fronton, baie, etc.) à des programmes modernes conformes au goût et aux besoins de la classe dominante. L'intérêt de son œuvre aux multiples richesses réside dans cette réactualisation de la structure architecturale antique : évitant la copie du modèle, allant même jusqu'à en modifier les normes, il s'attacha à reconduire parfaitement son équilibre, ses rapports harmoniques, son rythme monumental, tentant même de l'enrichir par une sorte de picturalisme produit par l'agencement judicieux des pleins et des vides qui, par leur contact avec la lumière, engendrent des valeurs plastiques. Que ce soit à la ville ou à la campagne, il eut toujours le souci d'organiser ses formes en fonction des possibilités qu'offre l'environnement. Le palais, la villa, l'église, le théâtre furent les quatre types d'édifices que Palladio imprégna de son style. Il para Vicence d'un nombre important de palais. Pour le *palazzo della Ragione* (dit « la Basilique », 1545), il répéta, dans un rythme impeccable et sur deux étages dorique et ionique, le motif original de l'arcade retombant sur deux colonnes pourvues latéralement d'un petit entablement. L'emploi du bossage sur la façade du *palais Thiene* (1556) révèle l'absorption de l'enseignement des architectes contemporains dans un discours empreint de l'esprit antique. Les éléments d'un *cortile* furent déplacés sur la façade du *palais Chiericati* (1566), où la prédominance des vides sur les pleins crée une sorte de circulation entre l'enveloppe du palais et les alentours. Nous retrouvons sur la haute façade du *palais Valmarana* (1566) cette même utilisation d'idiomes classiques hors de leurs contextes : la cassure qu'imposent les larges pilastres colossaux à l'ordre mineur rappelle le parti conçu par Michel*-Ange au Capitole. Dans ses villas, Palladio sut systématiser l'idée d'un plan autonome enfermant toutes les fonctions de ces unités socio-économiques. Il proposa de multiples solutions, combinant toujours une partie centrale destinée au maître et des parties latérales abritant les habitations des employés, les étables, les entrepôts. Il adopta ainsi soit un système central (*villa Trissino,* v. 1553; *villa Rotonda,* 1568-1571); soit un développement horizontal (*villa Barbaro,* 1555-1559; *villa Emo,* 1559); soit une clôture semi-circulaire *(Badoer, Mocenigo)*; soit un plan à corps articulés autour de cours ouvertes et fermées (*Sarego,* 1568-1569), etc. Souvent, l'agencement se trouve dicté par le site : aussi le parti central de la *villa Rotonda,* avec ses quatre façades identiques, est-il justifié par l'émergence du bâtiment sur la colline; le déploiement des longs côtés de la *villa Barbaro* est destiné à insister sur l'écran continu de la colline boisée sur lequel se découpent les ailes et le corps central. Toutes ces villas surgissent dans le paysage telles des « fabriques conçues par un peintre humaniste » (Chastel) : les façades reproduisent littéralement celles des temples antiques qui ne purent être rigoureusement adaptées aux églises que Palladio bâtit à Venise : à *Saint-Georges-Majeur* (1566-1580), au *Rédempteur* (1577-1580), la façade, devant refléter la division intérieure (nef centrale et bas-côtés), est composée de deux façades classiques jouant l'une dans l'autre, selon l'esthétique maniériste. À la veille de sa mort, Palladio dessina le *théâtre Olympique* de Vicence (1580), sommet de sa manière chromatique produite par la dilatation de la lumière. Cette salle semi-elliptique, dominée par le *proscenium* traité en façade monumentale percée par trois ouvertures où s'exercent les effets d'une perspective accélérée, est enveloppée par la galerie qui couronne les gradins. — Considéré comme le grand maître de la synthèse des classicismes grec et romain, Palladio acquit une grande vogue en Occident du XVIIe s. au début du XIXe s. Ses *Quatre Livres d'architecture* (1570) furent partout étudiés. Le mouvement du néo-palladianisme naquit, au début du XVIIe s., en Angleterre, avec I. Jones*. Il y fut développé au XVIIIe s. par Colin, Campbell, lord Burlington, W. Kent, etc. Ce courant domina le monde occidental au XVIIIe s. : en Pologne, il fut représenté par Merlini, Zawadski, etc.; en Tchécoslovaquie, par C.F. Schuricht; en Russie par Giacomo Quarenghi* et ses disciples; aux États-Unis par P. Harrison, T. Jefferson. Palladio devint la référence suprême du néo-classicisme parce que, comme l'a dit Goethe, il fut le seul génie qui sut adapter l'antique aux formules de vie contemporaine.

PALLANZA. ♦ Fraction de la commune italienne de Verbania, dans le Piémont*. Station touristique fréquentée, sur le lac Majeur*.

PALLAS. ♦ Surnom d'Athéna*. Une légende tardive en faisait une fille de Triton*, amie de jeunesse d'Athéna, tuée accidentellement lors d'un de leurs jeux. Pour l'honorer, Athéna prit son nom et façonna le *Palladion,* statue douée de propriétés magiques.

PALLAS. ♦ Un des Géants* de la mythologie grecque. Il voulut violer Athéna* qui, selon une variante, était sa fille. Celle-ci l'écorcha et fit de sa peau une cuirasse qu'elle portait pendant le combat contre les Géants.

PALLAS. ♦ Affranchi et favori de l'empereur Claude* (mort en 60). Il lui fit épouser Agrippine* et adopter Néron*. Puis, avec Agrippine, il empoisonna l'empereur et mourut lui-même empoisonné par Néron, qui lui confisqua ses biens.

PALLAS (Peter Simon). ♦ Naturaliste et ethnographe allemand (Berlin, 1741 — *id.,* 1811). Il prit part à plusieurs expéditions scientifiques en Sibérie (pour observer le passage de Vénus sur le Soleil, 1768-1769), en Russie orientale et occidentale, en Crimée, après lesquelles il publia ses relations de voyages (avec cartes), un ouvrage sur la flore russe (*Flora russica,* 1784) et des *Recueils et documents sur les peuplades mongoles* (1776). Il est l'auteur d'ouvrages de sciences naturelles (*Zoographia Russiae asiaticae,* 1811) et d'une description des langues.

PALLAVA. ♦ Dynastie indienne de l'Inde du Sud-Est qui régna dans la région de Madras* du IIIe au IXe siècle. Sous son égide furent creusés dans le roc de nombreux temples hindous et élevés

Arch. Rencontre

Palladio : la villa Rotonda.

Arch. Smeets

Palma le Vieux : « Portrait d'homme » (détail). (Musée des Beaux-Arts, Bordeaux.)

les premiers grands temples construits du S. de l'Inde. Puissance maritime, elle créa de nombreux ports sur la côte de Coromandel* et commerça probablement avec Ceylan et la Malaisie. La dynastie des Chola* la supplanta à la fin du IXe siècle.

PALLAVICINI. ♦ Famille noble italienne de Lombardie. ♦ OBERTO PALLAVICINI ([mort] 1269), chef des gibelins de Lombardie, il soutint l'empereur germanique Frédéric II. ♦ PIETRO SFORZA PALLAVICINI (Rome, 1607 – *id.*, 1667). Professeur de théologie jusqu'en 1651. Cardinal, il écrivit une histoire du concile de Trente (1656-1657).

PALLICE (La). ♦ Avant-port et faubourg industriel de La Rochelle*

PALMA le Vieux (Iacopo NEGRETTI, dit Palma il Vecchio). ♦ Peintre italien (Serina, près de Bergame, v. 1480 – Venise, 1528). Il est douteux qu'il ait été l'élève de G. Bellini, à Venise où il arriva jeune. Son art montre l'influence des peintres de Bergame et surtout celle de Giorgione*, dont il chercha à retrouver la somptuosité blonde dans certaines *Madones* ou dans les *Trois Sœurs* (Dresde). Il acheva d'ailleurs des toiles laissées en chantier par la mort de ce maître. Il est aussi l'auteur de vastes compositions d'église : *Polyptyque de sainte Barbe* (Santa Maria Formosa, Venise), *La Vierge entre deux saints* (San Stefano, Vicence).

PALMA le Jeune (Iacopo di Antonio NEGRETTI, dit Palma il Giovane). ♦ Peintre italien (Venise, 1544 – *id.*, 1628). Fils et élève d'Antonio Palma, et petit-neveu de Palma* le Vieux. Après avoir travaillé très jeune avec Titien* et séjourné huit ans à Rome, il peignit, dans la manière du Tintoret*, de grandes compositions pour les églises de Venise. Après l'incendie de 1577, il participa à la décoration du palais des Doges, avec, notamment, un *Jugement dernier* mouvementé, dans la salle du Scrutin. Il décora également l'oratoire des Crociferi (v. 1578-1590). On le classe parmi les représentants les plus caractéristiques du maniérisme vénitien.

PALMA (Ricardo). ♦ Conteur folkloriste péruvien (Lima, 1833 – *id.*, 1919). Il a rassemblé et décrit avec humour le fonds folklorique du Pérou ; il est l'auteur des *Traditions péruviennes.*

PALMA (île de La). ♦ Île volcanique de l'archipel espagnol des Canaries*. 726 km². 70 000 hab. *Ch.-l.* Santa Cruz de La Palma (11 500 hab.).

PALMA ou PALMA DE MAJORQUE. ♦ V. de l'archipel espagnol des Baléares*, cap. de l'île de Majorque* et ch.-l. de prov., sur la côte S. 167 400 hab. La vieille ville a conservé intacts d'intéressants monuments : la cathédrale (XIIIe-XVIIe s.), chef-d'œuvre de l'art catalan, l'église San Francisco et son cloître roman (XIVe s.), la Casa Consistorial et le château de Bellver, dominant la ville, l'Almudaina, anc. palais des rois de Majorque, etc. Importante station touristique, en constant développement autour de la baie de Palma (constructions hôtelières). Aérodrome international.

PALMAS (Las). ♦ V. de la côte N.-E. de la Grande Canarie* (Espagne). Ch.-l. de prov. 244 400 hab. Port d'escale et de cabotage. Centre touristique. *La prov. de Las Palmas* (4 065 km², 537 000 hab.) comprend l'E. de l'archipel : Grande Canarie, Fuerteventura, Lanzarote.

PALMER (Samuel). ♦ Peintre, dessinateur et aquarelliste anglais (Walworth, Londres, 1805 – Reigate, Surrey, 1881). Admirateur de John Martin Turner* et de David Cox, il rencontra en 1822 John Linnel qui lui fit découvrir Dürer, Lucas de Leyde et lui présenta Blake* dont il subit fortement l'influence. De 1826 à 1832 il se fixa à Shoreham et autour de lui se groupèrent quelques peintres dits « les Anciens ». Esprit mystique et visionnaire, il représenta des paysages où il accumula les détails dans un schéma de composition souvent symbolique. Il sut exprimer une vision très personnelle et recréer d'une façon originale et naïve les conventions de la pastorale *(Bergers sous la pleine lune).*

PALMER *(terre).* ♦ Nom parfois donné à la péninsule Antarctique*. **V. Graham** (terre de).

PALMERSTON (Henry Temple, *troisième vicomte***).** ♦ Homme politique britannique (Broadlands, Hampshire, 1784 – Brocket Hall, Hertfordshire, 1865). Il entra aux Communes en 1807 comme député tory, mais évolua bientôt et quitta le cabinet Wellington* pour se rapprocher des whigs sous l'influence de Canning*. Ministre des Affaires étrangères de Grey* (1830-1841) puis de Russell* (1846-1851), il se distingua par la fermeté et l'intransigeance de son attitude face aux puissances germaniques, à la France et à la Russie, mais aussi à ses collègues ou à la cour, ce qui lui valut à la fois une immense popularité et de violentes antipathies. Il entrava en effet l'action de la France en Belgique (1830), en Espagne (1834), et en Égypte (1841), celle de la Russie sur l'Empire ottoman (traité des Détroits*, 1841). Ses interventions en Chine (guerre de 1841-1842), en Grèce (affaire Pacifico, 1850) et en Europe (soutien des libéraux en Suisse, en France, en Italie), provoquèrent au Parlement une violente réaction. Il répliqua à la motion de censure déposée contre sa politique par un célèbre discours où il compara les droits des citoyens britanniques à ceux des citoyens romains. Appelé comme Premier ministre (1855-1865) au moment de la guerre de Crimée, il remporta de brillants succès avec le traité de Paris (1856) et la seconde guerre de Chine, mais il ne put ensuite ni empêcher la France de bénéficier de l'unité italienne et de la construction du canal de Suez, ni la Prusse de s'emparer des duchés* et faillit provoquer une grave rupture avec les États-Unis en soutenant les sudistes lors de la guerre de Sécession*.

PALMIRA. ♦ V. de la Colombie située dans la vallée du Cauca* sur le versant O. de la Cordillère centrale. 148 500 hab. – Évêché. Centre agricole.

PALMYRE, en gr. **Palmura** (nom classique traduisant l'antique **Tadmor,** « cité des palmiers »). ♦ Oasis du désert de Syrie, au N.-E. de Damas, capitale de la Palmyrène. ♦ *Hist.* Mentionnée dès le ~IIIe millénaire, Tadmor subit l'influence des Amorites, des Araméens, puis des Arabes. Elle s'hellénisa après la conquête d'Alexandre puis, au Ier s., entra dans l'orbite de Rome. Après la chute de Pétra* (106), elle s'assura le monopole du commerce caravanier entre l'Inde et la Méditerranée (par la Mésopotamie puis le désert) et acquit une grande prospérité. De 260 à 272, elle devint même une véritable puissance **(V. Odenat, Zénobie)** mais fut brisée par Rome **(V. Aurélien).** – Le *palmyrénien* est un dialecte araméen occidental où se dénotent certaines influences d'araméen oriental, témoins des liens avec la Mésopotamie. – La *religion* était centrée sur la triade Bêl (peut-être un ancien dieu Bôl, transformé sous l'influence babylonienne, **V. Bêl**), Yarhibôl (le Soleil), Aglibôl (la Lune). – La plupart des monuments dont les ruines subsistent datent du début du IIe s. : sanctuaire de Bêl, ceint d'un mur et de portiques ; rue bordée d'arcades et arche monumentale. Caveaux et tours funéraires.

PALO ALTO. ♦ V. des États-Unis (Californie*), au S. de la baie de San Francisco. 52 287 hab. (1960). – Siège de l'université (privée) de Stanford.

PALOMAR *(mont).* ♦ Montagne des États-Unis (Californie) au N.-E. de San Diego. 1 871 m. *L'observatoire du mont Palomar* possède un télescope de 5 m d'ouverture.

PALOS. ♦ Cap du S.-E. de l'Espagne, sur la Méditerranée, au N. de Cartagène.

PALOS ou PALOS DE MOGUER. ♦ Petit port d'Espagne, auj. ensablé, sur la côte S.-O., au fond du golfe de Cadix, à l'embouchure du río Tinto. 2 500 hab. – Christophe Colomb* s'y embarqua pour l'Amérique le 3 août 1492.

PALSGRAVE (John). ♦ Humaniste anglais (Londres, v. 1480 – Wadenhoe, Northamptonshire, 1554). Maître ès arts à l'université de Paris, il écrivit en anglais la première grammaire française, *Esclarcissement de la langue françoyse* (1531), dédiée à Henri VIII et rééditée en 1852.

PALUDAN-MÜLLER (Fredrik). ♦ Écrivain danois (Kjerteminde, 1809 – Copenhague, 1876). Après une série de poèmes dont les sujets sont empruntés à l'Antiquité grecque (*Amour et Psyché,* 1834, *Vénus,* 1841, *Noces d'une dryade,* 1844), il écrivit son principal ouvrage, le roman en vers *Adam Homo* (trois volumes, 1841-1848). D'inspiration byronienne, cette œuvre a été appelée le « Faust danois ».

PAMIERS. ♦ Sous-préf. de l'Ariège*, ch.-l. d'arr. (6 cant. 116 comm. 56 695 hab.) sur l'Ariège*. 15 179 hab. *(Appaméens).* Église Notre-Dame-du-Camp avec une façade en brique (XVIIe-XVIIIe s.) ; cathédrale Saint-Antonin (XVIIe s.) ; évêché. Marché agricole, métallurgie. **V. Midi*-Pyrénées.** – Patrie de Delcassé*, G. Fauré*. ♦ *Hist.* Au XIIIe s., Pamiers devint le siège d'un évêché. Avec l'arrestation du premier évêque de Pamiers naquit l'opposition entre Philippe* le Bel et Boniface* VIII. Au XVIIe s. un conflit éclata entre le roi de France et le pape, conséquence de l'opposition de l'évêque de Pamiers à Louis* XIV (affaire de la Régale*).

PAMIR. *n. m.* ♦ Hauts plateaux et ensemble de chaînes montagneuses de l'Asie centrale. Ils s'étendent en grande partie sur le Tadjikistân* et se prolongent sur l'est de l'Afghânistân* et le Hsin*-chiang chinois, à une altitude d'au moins 3 000 m pour les vallées et jusqu'à 7 495 m pour le plus haut sommet (pic Communisme*). Les vallées, couvertes de prairies, sont utilisées par les Kirghiz* pour l'élevage de leurs troupeaux (principalement de moutons et de chèvres). Les montagnes sont parsemées de glaciers immenses et de lacs morainiques.

PAMPA. *n. f.* ♦ Vaste plaine du Centre et de l'Est argentin. Elle est constituée par une prairie plate seulement rompue par les sierras méridionales de la Ventana et du Tandil et la sierra de

Córdoba* à l'ouest. Nombreux marécages et étangs. – La *pampa humide,* au S.-O. de Buenos Aires, limoneuse et de climat tempéré, est un vaste domaine agricole et pastoral, et bénéficie d'un important réseau de communications maritime, fluvial, ferroviaire et routier qui dessert notamment les prov. de Buenos Aires, Santa Fe, Córdoba, San Luis, la Pampa. Terre de céréales (blé, maïs), fourrage (luzerne), oléagineux, p. de terre, légumes, fruits et d'élevage intensif (bovins, ovins) dans les riches pâturages proches de Buenos Aires, elle s'assure, à elle seule, 80 % des exportations en grains et viandes, et réunit les deux tiers de la pop. active dans le réseau Buenos Aires, Santa Fe, Córdoba. Important foyer d'industries sur les rives du Paraná. – La *pampa sèche* à l'O. et au S., au climat aride, pauvre et peu peuplée, offre un paysage de brousse et de steppe. – La *Pampa,* province centrale de l'Argentine. Elle est traversée à l'O. par le rio Salado*, 143 440 km². 174 000 hab. (dens. infime). *Ch.-l.* Santa* Rosa. Riches troupeaux dans les prairies de l'E., pays des gauchos.

PAMPELUNE, en esp. **Pamplona**. ♦ V. d'Espagne du Nord. Cap. de la Navarre*, sur l'Arga. 108 000 hab. Centre commercial (foires célèbres) et industriel. Très belle cathédrale gothique (1397-1530), cloître du XIVᵉ s., *casa consistorial* (fin XVIIᵉ s.). ♦ *Hist.* La fondation de l'anc. *Pompaleo* fut attribuée à Pompée*. Envahie plus tard par les Goths et les Maures, elle fut cap. du royaume de Navarre de 905 à 1841.

PAMPHYLIE. *n. f.,* en gr. **Pamphulia** (« toutes les tribus »). ♦ Anc. région côtière du S. de l'Asie Mineure, entre la Cilicie* à l'E. et la Lycie* à l'O., limitée par la Pisidie* au nord. Colonisée dès le ~ IIᵉ millénaire par des peuples très divers, elle fut d'abord soumise aux Perses, puis à Alexandre, aux Séleucides* et à Pergame*. Devenue province romaine en ~ 24, elle fut réunie par Claude à la Lycie (43).

PAMUKKALE. ♦ Site de Turquie. **V. Hiérapolis.**

PAN. ♦ Dieu des bergers d'Arcadie*, d'où son culte se répandit dans toute la Grèce. Divinité de la fécondité, il est représenté comme un démon semblable à Silène* et aux satyres* : pieds et queue de bouc, torse velu d'homme, face barbue et surmontée de cornes. Il protège et féconde les troupeaux, préside les danses des nymphes en jouant de la syrinx, mais parfois ses apparitions inattendues inspirent une terreur subite *(panique).* D'une puissance sexuelle jamais rassasiée, il poursuit les nymphes **(V. Écho, Séléné, Syrinx)** et les jeunes garçons. Selon une tradition, il est fils d'Hermès*. Nouveau-né d'une laideur monstrueuse, il fut rejeté par sa mère, mais Hermès le présenta aux dieux de l'Olympe qui, à sa vue, éclatèrent de rire. Dionysos, particulièrement amusé, l'accueillit comme un de ses compagnons. Plus tard, les Alexandrins en rapprochant le nom du dieu du mot grec *pan* (le tout) en firent une incarnation de l'Univers. Ainsi Plutarque, dans une légende symbolique qu'il rapporte, annonce la fin du paganisme par une voix qui clame sur la mer : « Le grand Pan est mort ».

PANAMÁ. *n. m.* ♦ État d'Amérique centrale (république) formant un isthme compris entre la Colombie* au S.-E. et le Costa* Rica au N.-O. et séparant l'Atlantique (au nord) [mer des Antilles] et le Pacifique (au sud). 75 650 km². 1 417 000 hab. en 1969 *(Panaméens).* Pays le moins peuplé d'Amérique centrale. *Langues :* espagnol (officielle), anglais. *Unité monétaire :* le balboa. *Capitale* **V. Panamá.** *V. princ.* **V. Balboa, Colón, Cristóbal, David.** – *Orogr.* Le pays a la forme d'un S orienté E.-O., dont la partie incurvée forme dans l'Atlantique le golfe des Mosquitos et dans le Pacifique le golfe de Panamá séparé du golfe de Chiriqui par une péninsule (Azuero). Les golfes de la côte Pacifique sont parsemés d'îlots et d'îles (île de Coiba [pénitencier]; archipel des Perles dans le golfe de Panamá). La zone du canal (**V.** *Hist.*) occupe la partie la plus étroite de l'isthme et sépare le pays en deux. La montagne surplombe les côtes et particulièrement la côte caraïbe (sauf vers la frontière du Costa Rica). Une cordillère volcanique prolonge la cordillère costaricaine et culmine dans la sierra de Tabasara*, au Chiriqui*. Les reliefs qui la prolongent après la zone du canal (cordillère de San* Blas et Serrania* del Darién) sont de moindre altitude et entaillés de nombreuses vallées. La forêt couvre l'ensemble des pentes montagneuses. Mangroves et palmiers constituent la végétation des plaines côtières. Le climat, tropical, est tempéré à l'intérieur par l'altitude. *Pop. et écon.* La population, en majorité métisse, vit surtout sur les terres fertiles de la côte Pacifique. L'agriculture occupe 70 % de la population active, dans de grandes plantations de canne à sucre (env. 1 000 000 de t), de cacao, et surtout de bananes (583 000 t), celles-ci sont entre les mains de sociétés américaines qui emploient une main-d'œuvre noire. Café sur la côte Pacifique, près du Costa Rica. Les cultures vivrières (riz, maïs, manioc, haricots, noix de coco,...) ne satisfont qu'imparfaitement à des besoins limités. Élevage de bovins et de porcins dans les prairies. Pêche côtière (crustacés) et de haute mer. Culture des perles (côte Pacifique). L'industrie, peu développée, est surtout alimentaire (sucre, jus de fruits, huiles végétales, conserves, ...). Fabriques de cigarettes. L'industrie du bois se développe. Cimenteries. Dérivés du pétrole. La ressource fondamentale du pays reste liée à l'activité commerciale de la zone du canal (en particulier de la zone franche de Colón), administrée par les États-Unis qui versent au gouvernement de Panamá d'importantes redevances. Le commerce extérieur qui se fait essentiellement avec les États-Unis porte sur l'exportation des bananes (première place dans les exportations et revenu le plus important après le canal), du sucre, du café et du cacao. ♦ *Hist.* Exploré par Bastidas et Colomb en 1502, l'isthme de Panamá fut colonisé par les Espagnols en 1510; en 1513 il fut traversé par Balboa*, premier Européen à avoir aperçu l'océan Pacifique. Durant toute la colonisation espagnole, il fut une voie de passage des grandes routes commerciales et aussi un repaire de flibustiers. La région dépendit successivement de la vice-royauté du Pérou*, de la Nouvelle-Grenade, puis de la Colombie, après l'indépendance de ce pays (1821). Avec la découverte de l'or en Californie (1848) et la construction du chemin de fer à travers l'isthme, la région connut l'influence grandissante des États-Unis. Ceux-ci reprirent l'idée de Lesseps*, creusement d'un canal interocéanique (**V. Panamá,** canal de) et suscitèrent une révolte au Panamá, qui proclama son indépendance en 1903. Ils se firent alors céder une zone de 10 miles d'un océan à l'autre pour y construire le canal, en échange d'une indemnité à la Colombie et d'une rente au Panamá. Des mouvements nationalistes panaméens ont souvent rendu difficiles les rapports avec les États-Unis; mais l'importance vitale, pour la population, du canal (sous contrôle des États-Unis) compromet les chances des revendications panaméennes. Cependant, craignant des infiltrations castristes, les États-Unis ont donné leur accord de principe à un nouveau traité qui reconnaîtrait la souveraineté panaméenne sur la zone du canal (1965).

PANAMÁ. ♦ Capitale de la république de Panamá, située sur le Pacifique près de l'extrémité du canal (Balboa) et au fond du golfe de Panamá. 418 013 hab. (1970). Archevêché. Important centre commercial. Industries alimentaires, brasseries, industrie du tabac, cimenteries. L'essentiel de l'activité portuaire sur le Pacifique passe non pas par Panamá, mais par Balboa*, aux portes de la capitale. ♦ *Hist.* Fondée en 1519, la ville garde l'empreinte de la colonisation espagnole.

Panamá *(congrès de).* ♦ Congrès qui se réunit en 1826 sur l'initiative de Bolívar*, qui tentait alors de susciter une vaste confédération de l'ensemble des États d'Amérique latine, auxquels il rêvait d'associer l'Amérique centrale et en particulier le Mexique. Ce congrès se solda par un échec.

PANAMÁ *(golfe de). n. m.* ♦ Golfe formé par le Pacifique sur la côte méridionale de l'isthme de Panamá et s'étendant entre la péninsule de Azuero* et la Serrania del Sapo à la frontière de la Colombie. Surplombé de massifs montagneux, surtout au S.-O. de l'isthme, il abrite des îles dont l'archipel des Perles. Panamá* et son port Balboa* (dans la zone du canal) occupent le fond du golfe.

PANAMÁ *(canal de). n. m.* ♦ Canal interocéanique qui relie l'Atlantique au Pacifique à travers l'isthme de Panamá, sur une longueur de 80 km environ. Le canal est pourvu d'écluses aux deux extrémités : écluses de Gatún entre l'Atlantique et le lac de Gatún, de Pedro Miguel et de Miraflores, près du Pacifique. – *Zone du canal de Panamá,* zone de 10 miles (env. 16 km) de large, de part et d'autre du canal, administrée par les États-Unis (**V. Panamá,** *Hist.*). Les principaux ports desservant le canal s'y trouvent. **V. Colón, Cristóbal, Balboa.** Elle comprend une partie du lac de Gatún.

Panamá (affaire de). ♦ Le plus important scandale financier de la Troisième République*. Après avoir obtenu du gouvernement colombien une concession territoriale, F. de Lesseps* réunit à Paris un congrès international en vue de la construction du canal interocéanique de Panamá (1879-1881). Sous-estimant les difficultés techniques de l'entreprise, dont les ingénieurs avaient évalué le coût à 1 200 millions et qui coûta la vie à de nombreux ouvriers, F. de Lesseps s'engagea dans des dépenses inconsidérées, faisant appel au public et à plusieurs financiers (L. Arton, C. Hertz, le baron J. de Reinach*, etc.) pour financer l'opération. Une grande partie des sommes collectées fut utilisée dans des campagnes de presse pour soutenir le projet. En 1887, Lesseps renonçant à sa première idée fit appel à Eiffel* pour construire un canal à écluses et dut, pour ce faire, lancer de nouveaux emprunts. Ayant réussi à se procurer le concours de plusieurs parlementaires et ministres, il obtint du gouvernement le vote d'une loi autorisant un emprunt à lots (remboursables par tirage au sort, juin 1888);

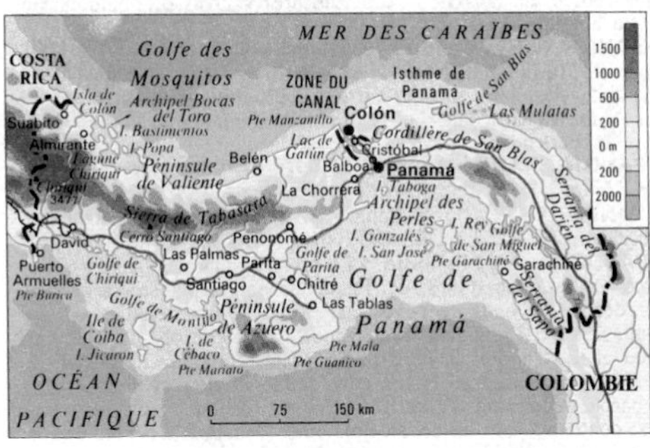

Panamá.

mais il était trop tard et la compagnie dut être liquidée (fév. 1889). La banqueroute atteignit près de 800 000 souscripteurs. En raison de la collusion entre le pouvoir et la haute finance, on tenta d'étouffer le scandale jusqu'en 1891, date à laquelle une enquête fut ouverte pour abus de confiance et escroquerie contre F. de Lesseps (et son fils), et des poursuites furent lancées contre les financiers Reinach* (qui fut trouvé mort à son domicile), C. Hertz (qui passa en Angleterre), etc. F. de Lesseps fut condamné à cinq ans de prison, les ingénieurs (dont Eiffel) à deux ans. [La sentence fut d'ailleurs cassée pour vice de procédure peu après.] Parmi les personnalités politiques impliquées dans l'affaire, seul le ministre Baïhaut, qui avoua avoir été acheté, fut condamné. Mais ce scandale eut d'importantes répercussions politiques et idéologiques (importantes campagnes de presse contre la finance juive lancée par l'antisémite Drumont* dans son journal *la Libre Parole*).

Panaméricaine *(route)*. ♦ Réseau routier desservant les princ. villes d'Amérique latine. Projetée en 1923 et commencée en 1936, elle part de Laredo (Texas). Elle traverse l'Amérique centrale jusqu'à Panamá, passe à Caracas* (Venezuela), Bogota* (Colombie), Quito* (Équateur), puis suit la côte pacifique à travers le Pérou (Lima*), le Chili (Santiago*) jusqu'à Puerto Montt. D'autres tronçons traversent le Brésil (Porto Velho, Cuiba, Brasília, Rio de Janeiro, São Paulo), Buenos Aires par Montevideo (Paraguay) et traverse l'Argentine pour rejoindre Santiago.

PANAY. ♦ Île de l'archipel des Philippines, entre celles de Mindoro* et de Negros*. Env. 12 500 km². 1 800 000 hab. L'île est montagneuse dans l'O. (plus de 2 000 m d'alt.) et basse dans la partie orientale (plaines fertiles, riz, maïs, cocotiers). *Princ. V.* **V. Iloilo.**

Pañcatantra. *n. m.* (« les cinq livres »). ♦ Recueil de contes et de fables indiens formé v. le VIe s. en réunissant 70 contes très anciens. Traduits d'abord en persan, puis en arabe, ces contes sont arrivés en Europe sous le nom de *Bidpai** (ou *Pilpayî*), du nom supposé d'un brâhmane indien qui les aurait écrits. Ces contes, souvent repris et transformés en Europe, forment le fond de nombreuses légendes et contes de fées.

PANČEVO. ♦ V. de Yougoslavie (Vojvodine), située près de la r. g. du Danube. 46 700 hab. Engrais.

PAÑCHAMA. ♦ **V.** PARIAH.

Panchen lama. *n. m.* (« moine lettré »). ♦ Titre pris par les incarnations successives de Sa-sKya-Pandita au Tibet, et caractéristique des supérieurs du couvent du Tashi Lhun-po. Le panchen lama était le chef religieux le plus vénéré au Tibet, à l'égal du dalai*-lama. Le dernier fut destitué en 1964.

PANCHIAO. ♦ V. de l'île de Taiwan, banlieue indus. à 7 km au S.-O. de Taipei. 110 000 habitants.

PANCKOUCKE. ♦ Famille d'éditeurs français. ♦ CHARLES JOSEPH PANCKOUCKE (Lille, 1736 – Paris, 1798). Libraire et possesseur d'une maison d'édition, qui publia, entre autres, une édition des œuvres de Voltaire et des œuvres de Buffon, il acheta le *Mercure de France,* auquel il donna un essor considérable, fit paraître une *Encyclopédie méthodique et par ordre de matières* (1772-achevée 1832) et fonda en novembre 1789 le journal *le Moniteur**, ou la *Gazette nationale.* ♦ CHARLES LOUIS FLEURY PANCKOUCKE, fils du précédent (1780 – 1844). Il publia, entre autres, un *Dictionnaire des sciences médicales* (1812-1822) et surtout une *Bibliothèque latine-française* (1825-1839) pour laquelle il donna la traduction d'œuvres de Tacite.

PANDATERIA ou **PANDATARIA.** ♦ Île volcanique de la mer Tyrrhénienne au large de Cumes* (Campanie). Lieu d'exil de Julie*, d'Agrippine* l'Aînée et d'Octavie*.

PANDAVA. ♦ Noble famille de chefs de clans de l'Inde védique, à laquelle appartenaient les cinq frères héros du grand poème épique de l'Inde, le *Mahâbhârata**.

PANDION. ♦ Nom de deux rois légendaires d'Athènes*. Le premier est le fils d'Erichthonios*, père lui-même d'Érechthée* et de Philomèle*. Le second est un arrière-petit-fils du précédent, père d'Égée*. Détrôné par ses cousins, il se réfugia à Mégare et devint roi de cette cité.

Pandit. *n. m.* ♦ Titre de lettré donné en Inde aux religieux versés dans l'étude du sanskrit et des Écritures sacrées de l'hindouisme ou du bouddhisme.

PANDIT (Vijaya Lakṣmî). ♦ Femme politique indienne (1900), sœur de Jawaharlâl Nehru*. Après avoir suivi le mouvement Gandhi*, elle entra dans la carrière diplomatique et fut plusieurs fois ambassadeur. Elle fut la première femme ministre en Inde (élue au Parlement en 1964).

PANDJA, PIANDJ ou **ÂB-I PANDJA.** *n. m.* ♦ Un des noms pris par l'Amou*-Daria dans son cours supérieur.

PANDO. ♦ Dép. de l'extrémité N. de la Bolivie à la frontière brésilienne. 68 827 km². 24 400 hab. *Ch.-l.* Cobija.

PANDORE, en gr. **Pandôra.** ♦ La première femme, dans *Les Travaux* et les Jours* d'Hésiode. Façonnée par Héphaïstos à l'image des déesses, elle est envoyée par Zeus comme châtiment aux hommes à qui Prométhée avait apporté le feu dérobé au Ciel. Les dieux et les Charites la parent de tous les dons : beauté, charme, habileté manuelle, etc. Hermès lui donne la ruse et la fourberie, la parole séduisante et l'art de tromper. On lui confie aussi une jarre contenant tous les maux. Épiméthée*, malgré le conseil de son frère Prométhée, l'épouse. Dévorée de curiosité, Pandore soulève le couvercle de la jarre, répandant tous les maux sur la terre. Elle devint la mère de Pyrrha*, la femme de Deucalion.

PÂÑDYA. ♦ Dynastie indienne de l'Inde du Sud qui régna sur une partie de cette région du IIe s. au déb. du XIVe, et dont la capitale était à Madura*. Les invasions musulmanes la détruisirent.

PANETH (Friedrich Adolph). ♦ Physicien et chimiste autrichien (Vienne, 1887 – 1958). Auteur, avec Hevesy*, des premières expériences utilisant les traceurs radioactifs (1913), il participa par ses travaux sur les radicaux libres (1925) à la compréhension des mécanismes de réactions en chaîne.

PANETIUS, en gr. **Panaitios.** ♦ Philosophe grec du moyen stoïcisme (Rhodes, v. ~180 – Athènes, v. ~110). Il étudia à Pergame et à Athènes, se rendit à Rome où il fréquenta les milieux cultivés, puis dirigea le Portique*. Posidonius* fut son disciple. Seul le *De Officiis* de Cicéron* nous renseigne sur sa doctrine morale.

PANG-... [*chinois*]. ♦ **V.** PENG-...

PANGALOS (Théodoros). ♦ Général et homme politique grec (Salamine, 1878 – Athènes, 1952). Profitant de l'instabilité politique qui suivit la proclamation de la république (1924), il s'empara du pouvoir par un coup d'État (1925), établit sa dictature et se fit élire président (1926). Il fut renversé quelques mois plus tard par le coup d'État du général Condylis*.

PANGÉE. *n. m.,* en gr. **Paggaion.** ♦ Massif montagneux de Grèce (Macédoine), ramification du Rhodope. 1 956 mètres. Dans l'Antiquité, les mines d'or du Pangée suscitèrent les convoitises et furent longuement disputées aux Thraces par Thasos, Athènes et la Perse. Philippe* II de Macédoine en fit une possession macédonienne. L'antique Amphipolis* était située sur un contrefort S.-O. du Pangée.

Pangermanisme. *n. m.* ♦ Mouvement né au XIXe s. et qui se développa au début du XXe s. dans une Allemagne en pleine expansion économique, dans le but de rassembler sous une même autorité tous les peuples d'origine germanique. Aux aspects économiques (recherche de marchés) et politiques (création d'une Europe centrale sous la domination allemande) s'ajouta le sentiment de la supériorité raciale des Allemands **(V. Gobineau; H.S. Chamberlain).** Le pangermanisme rencontra les sympathies de Guillaume* II qui entreprit la *« Weltpolitik »* (politique mondiale), sous l'influence notamment de Bernhardi*, et conduisit l'Allemagne à la Première Guerre mondiale. Avec le nazisme*, le pangermanisme se détourna des conquêtes coloniales pour des ambitions plus européennes [« espace vital »]. **(V. Nazisme; Hitler.)**

PANGIM ou **PANJIM.** ♦ **V.** GOA (Nova Goa).

Pangloss *(le docteur)*. ♦ Personnage de *Candide** (1759), conte de Voltaire*. Incarnation de la thèse de Leibniz* que Voltaire combat (« Tout est pour le mieux dans le meilleur des mondes possibles »), le précepteur Pangloss (« tout en langue ») garde, malgré les leçons de l'expérience, son optimisme inébranlable.

PANHARD [pɑ̃aʀ]. ♦ Famille d'ingénieurs et de constructeurs d'automobiles français. ♦ RENÉ (Paris, 1841 – La Bourboule, 1908) fonda avec É. Levassor la Société Panhard et Levassor (1886) afin d'exploiter les brevets de Daimler*; ils construisirent la première voiture automobile à essence (1891) qui effectua la traversée de Paris et, conduite par le fils de René, Hippolyte, le trajet Paris-Nice (1893). ♦ PAUL (Versailles, 1881 – Neuilly, 1969), neveu de René, et JEAN (Paris, 1913), fils de Paul, se consacrèrent au développement de la société qui acquit de nombreux brevets et fut, en 1965, absorbée par Citroën.

PANIKKAR (Kavalam Madhava). ♦ Diplomate indien (Kerala, 1895 – Dehli, 1963), plusieurs fois ambassadeur notamment en France. Il fut également un écrivain (ouvrages historiques) et poète d'expression malayalam.

PÂNINI. ♦ Célèbre grammairien indien (v. le ~IVe s.) du Nord de l'Inde. Ses œuvres, souvent commentées **(V. Patañjali),** contri-

Ph. Giraudon

Pandore, par Le Rosso.
(École des Beaux-Arts, Paris.)

buèrent à fixer le sanskrit classique et sont à l'origine d'une science logique de la grammaire. La précision de ses analyses morphosyntaxiques en fait le premier linguiste connu qui se soit attaché à la description précise, explicite et complète d'une langue.

PANIS (Étienne-Jean). ♦ Homme politique français (dans le Périgord, 1757 – ?, 1838). Avocat à Paris, rallié aux idées révolutionnaires, il participa à la plupart des journées révolutionnaires, fut membre de la Commune insurrectionnelle de Paris (10 août 1792), puis de l'administration de la police. Député montagnard à la Convention et membre du Comité de sûreté générale, il contribua à la chute de Robespierre dont il avait été partisan jusqu'à l'élimination de Danton et des indulgents. Décrété d'accusation après les journées de prairial an III (mai 1795), il délaissa la vie politique. Proscrit comme régicide en 1816, il vécut en Italie jusqu'en 1830.

PANIZZA (Oskar). ♦ Dramaturge allemand (Bas-Kissingen, 1853 – Venise, 1921). Médecin aliéniste qui sombra lui-même dans la folie, il est l'auteur d'un poème dramatique, *Le Concile d'amour (Das Liebes Konzil,* 1895), pièce d'un humour subversif, inspirée par une haine violente du dogme catholique.

PAÑJÂB (souvent altéré en **PUNJAB, PENJAB**). *n. m.* ♦ Région géographique formée par les provinces de l'Inde* du N.-O. et du Pâkistân*, faisant partie de la grande région du N.-O. du sub-continent indien. Arrosée par cinq rivières (d'où le nom de *Pañj* [cinq] *ab* [rivière]), affluents de l'Indus*, cette région très fertile vit se développer de grandes civilisations et fut le lieu de passage de la plupart des envahisseurs de la plaine gangétique. De grands travaux d'irrigation sur le Jhelam, la Chenâb, la Râvi, la Beas et le Satlej ont fait d'elle une grande productrice de blé. *Pañjâb pakistanais.* Le Pâkistân, en 1947, constitua avec la partie qui lui revenait une province musulmane divisée en plusieurs districts : ceux de Rawalpindi*, de Lahore* (chef-lieu), de Multân et d'Islâmâbâd*. Plus de 20 000 000 d'hab. – *Pañjâb indien.* Divisé entre les États du Pañjâb et du Hariana*, il est à peu près aussi peuplé que la partie pakistanaise (20 000 000 d'hab. pour une superficie deux fois moindre). La ville nouvelle de Chandigârh*, (œuvre de Le Corbusier) en est la capitale. Les autres villes importantes sont Amritsar* (la ville sacrée des Sikhs*), Patiala, Jullundur.

PANJIM. ♦ V. GOA (Nova Goa).

PANKHURST (Emmeline Goulden, *Mrs.*). ♦ Femme politique anglaise (Manchester, 1858 – Londres, 1928). Femme d'un avocat féministe, elle fonda l'Union féminine sociale et politique (1903) et milita d'une façon spectaculaire, à la tête de ses suffragettes, pour le vote des femmes. Elle fut plusieurs fois arrêtée, obtint gain de cause en 1918 et fut ensuite candidate conservatrice aux Communes.

PANKOW. ♦ Aggl. située dans la banlieue N. de Berlin-Est, sur la Panke, affl. de la Sprée. Château de Niederschönhausen (XVIIIe s.). – Siège du gouvernement de la R.D.A.

P'AN-KU [*P'an-kou, Pangu*]. ♦ Grand démiurge de la mythologie traditionnelle chinoise, créateur de l'Univers et premier empereur mythique de la Chine.

PAN KU [*Ban Gu*]. ♦ Écrivain chinois et historien du Ier s. ([mort] 92), fils de Pan Piao. Il collabora avec son père et sa sœur au *Livre des Han occidentaux,* suite des *Mémoires historiques* de *Szu*-ma Ts'ien.*

PANNE (La), en néerl. **De Panne.** ♦ V. de Belgique (Flandre-Occidentale, arr. de Furnes) sur la mer du Nord, à 30 km d'Ostende. 7 000 hab. Station balnéaire dans un vallonnement des dunes (appelé « panne »). – Léopold Ier y rencontra des représentants de la nation en 1831.

PANNESIÈRE-CHAUMARD *(barrage de).* ♦ Barrage sur l'Yonne (Nièvre), mis en eau en 1950. Il fut construit pour régulariser le débit de l'Yonne et de la Seine, et pour la production d'énergie électrique. Lac de 520 ha. Usine électrique.

PANNINI (Giovanni Paolo). ♦ Peintre et dessinateur italien (Plaisance, 1691 – Rome, 1765). Il étudia l'architecture et la scénographie auprès des Bibiena* à Bologne, puis travailla à Rome où il se fit peintre de « vedute » (vues de ville) au style sec et précis et chroniqueur des fêtes et cérémonies publiques *(Benoît XIV recevant Charles III, roi de Naples).* Il exécuta aussi des vues de monuments antiques, des scènes religieuses ayant pour cadre de vastes architectures *(Jésus et les marchands du Temple)* et surtout des compositions fantaisistes de ruines, d'une facture plus souple et lumineuse et qui, révélant un sentiment presque romantique de la nature, inspirèrent Hubert Robert*.

PANNONIE. *n. f.,* en lat. **Pannonia.** ♦ Anc. région de l'Europe centrale entre le Norique* à l'O., l'Illyrie* au S., le Danube au N., correspondant à l'O. de l'actuelle Hongrie et à une partie de la Yougoslavie. Habitée par des Illyriens puis par des Celtes* et des Boïens*, elle fut conquise par Rome entre ~35 et ~9 ; elle devint province romaine en l'an 9 et fut divisée en *Pannonie supérieure,* cap. *Savaria* (Szombathely) et *Pannonie inférieure,* cap. *Sirmium* (Mitrovica). Envahie successivement aux Ve et VIe s. par les Huns*, les Ostrogoths* et les Lombards*, elle demeura finalement aux mains des Hongrois en 894.

Pannonien (*Bassin* ou *Plaines pannoniennes*). ♦ Ensemble de plaines limité à l'O. et au S. par les Alpes orientales et dinariques*, au N. et à l'E. par les Carpates*. Cette vaste cuvette est partagée entre le S.-E. de la Hongrie, le N. de la Yougoslavie et l'extrémité O. de la Roumanie. À cette zone géologique appartiennent la

Arch. Smeets

Giovanni Paolo Pannini : « Le Concert ».
(Musée du Louvre, Paris.)

Slavonie*, la Podravina* et la Posavina* **(V. Croatie)** et la Vojvodine*.

PANNONIUS (Janus). ♦ Écrivain hongrois (? 1434 – Medvegrád, 1472). Après des études en Italie, notamment à l'université de Padoue où il fut l'élève de Marsile Ficin, et où il se rendit célèbre par ses épigrammes et ses panégyriques, il retourna en 1458 en Hongrie. Il devint évêque de Pécs et chancelier royal. Ce fut le premier poète lyrique hongrois, ses poésies chantant l'amour et la patrie. Il prit part à la campagne contre les Turcs ; ses divergences avec le roi l'amenèrent à participer à une conspiration. Après l'échec de celle-ci, il s'enfuit et mourut à Medvegrád.

PANOVA (Véra Feodorovna) [*Panova*]. ♦ Écrivain soviétique (Rostov-sur-le-Don, 1905 – Leningrad, 1973). Son métier de journaliste lui apprit à connaître la vie de divers milieux prolétariens. Elle écrivit avec sensibilité et tact des œuvres comme *Les Compagnons* (1946), *Kroujilikha* (1948), *Clair Rivage* (1949), *Les Saisons, Le Roman sentimental, Serioja* (1955), *À l'aube* (1966). Outre des romans et nouvelles, elle aborda le théâtre (*Bourrasque* [1942], *Jeunes filles, ...*) et le cinéma. Son analyse des rapports humains témoigne d'une grande finesse psychologique.

Pantagruel (Horribles et Épouvantables Faits et Prouesses du très renommé). ♦ Livre II (1532) de l'œuvre de Rabelais*, auquel succèderont le *Tiers,* le *Quart* et le *Cinquième Livre.* – Le géant Pantagruel, fils de Gargantua*, qui visite les universités de province et de Paris, reçoit de son père une « Lettre sur l'éducation » où s'expriment, avec lyrisme, l'enthousiasme des humanistes pour la culture et la sagesse antiques, le rêve d'une connaissance universelle qui anime Rabelais et son souci d'assurer la formation morale par la foi religieuse. Puis Pantagruel, après avoir dénoncé la jurisprudence médiévale, rencontre Panurge* qui l'accompagnera dans la guerre contre les Dipsodes.

Pantalon. ♦ Type de la comédie italienne, originaire de Venise. Vieillard amoureux et salace, d'une avarice sordide, il est la cible perpétuelle de tous les valets d'intrigue.

PANTANAL (mot port. signifiant *marécage*). ♦ Région marécageuse située aux frontières du Brésil, de la Bolivie et du Paraguay et constituée par une plaine alluviale périodiquement inondée par le rio Paraguay* et son affl. r. d. Cuiabá.

PANTELLERIA. ♦ Île italienne, entre la Tunisie et la Sicile, rattachée à la prov. de Trapani. 83 km². 10 000 hab. L'île vit de la culture de la vigne (raisin de table), de l'élevage des ovins et des ânes et de la pêche aux éponges.

Panthéon (du gr. *pan* : tout, et *théos* : dieu). ♦ Temple de Rome construit par Agrippa en ~27 au champ de Mars et reconstruit sous les règnes d'Hadrien*, d'Antonin* le Pieux et de Septime* Sévère. D'abord consacré à Jupiter *Vindicator,* il fut ensuite dédié à l'ensemble des dieux, puis transformé par le pape Boniface* IV en une église vouée à *Sainte-Marie-aux-Martyrs* et communément appelée *Santa Maria Rotonda.* Tombeaux de Raphaël et d'Annibale Carrache, des rois Victor-Emmanuel II et Humbert Ier, de la reine Marguerite.

Panthéon *(le).* ♦ Monument de Paris, situé sur la montagne Sainte-Geneviève, au cœur du Quartier* latin. L'édification de ce vaste sanctuaire, destiné d'abord à être l'église Sainte*-Geneviève, fut commencée de 1764 à 1780 par Soufflot*, poursuivie par Rondelet* (1780 à 1789) et achevée en 1812 (suppression des clochers et obturation des fenêtres). Désireux d'unir « la légèreté de la construction des édifices gothiques avec la pureté et la magnificence de l'architecture grecque », Soufflot donna des proportions monumentales à l'église, décora la façade principale d'un péristyle de colonnes corinthiennes surmontées d'un fronton triangulaire (sculpté par David* d'Angers, 1831) et éleva un dôme

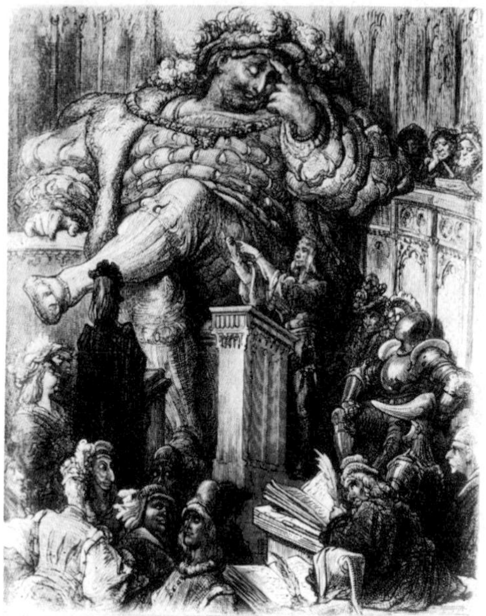

Ph. Harlingue-Viollet

Panurge devant Pantagruel, gravure de Gustave Doré.

ceint de colonnes et coiffé d'un lanterneau (83 m du sol). L'intérieur en croix grecque renferme des peintures murales par Bonnat*, Cabanel*, Detaille*, Puvis* de Chavannes (*Sainte Geneviève veillant sur Paris*, 1874). À la coupole, *Apothéose de sainte Geneviève* par Gros* (1811). Transformé par la Révolution en un Panthéon consacré aux grands hommes, rendu au culte catholique en 1806, *temple de la Gloire* en 1830, de nouveau église catholique de 1851 à 1870, le monument est voué au souvenir des grands hommes depuis les funérailles de Victor Hugo (1885).

Panthères noires, en angl. **Black Panthers**. ♦ L'une des principales « organisations de libération » de la communauté noire aux États-Unis. Adoptant des positions radicales, elle vise à promouvoir le « pouvoir noir » *(black power)* par la base, en contrôlant l'élection des maires, chefs de police, etc., dans les districts habités par des Noirs. Elle est particulièrement active à New York.

PANTIN. ♦ Ch.-l. de cant. de la Seine-Saint-Denis, arr. de Bobigny, au N.-E. de Paris. 47 714 hab. *(Pantinois)*. Église Saint-Germain-l'Auxerrois (XVIIe, XVIIIe s.). Cimetière parisien. Port sur le canal de l'Ourcq. Grands moulins de Pantin. Manufacture de tabac et d'allumettes. Métallurgie; appareillage électrique; savonneries.

PÁNUCO *(río)*. *n. m.* ♦ Fl. du Mexique central (680 km) qui prend sa source dans la sierra Madre* orientale, qui délimite au N. la vallée de Mexico et se jette dans le golfe du Mexique. À son embouchure se trouve Tampico*.

Panurge. ♦ Personnage du *Pantagruel** de F. Rabelais*, dont le nom, en grec, signifie « rusé, apte à tout faire ». Son ingéniosité sans scrupule et son goût de la mystification en font un type littéraire truculent. — Dans le *Tiers*, le *Quart* et le *Cinquième Livre*, les étapes burlesques de son voyage en quête du bonheur sont l'occasion pour Rabelais de critiquer la justice, puis d'attaquer à la fois l'Église romaine *(île des Papimanes)* et la Réforme *(îles des Papefigues)* pour mieux célébrer *messer Gaster* (le ventre), symbole des besoins qui régissent la *Nature*. S'étant moqué au passage de la sottise humaine *(Dindenault et ses moutons)*, Panurge consulte l'oracle de la *Dive Bouteille* qui l'incite, symboliquement, à s'enivrer de science.

PANZINI (Alfredo). ♦ Écrivain italien (Senigallia, 1863 — Rome, 1939). Venu assez tard à la littérature, il connut un vrai succès avec *La Lanterne de Diogène* (*La Lanterna di Diogene*, 1907) qui se présente comme son journal de vacances, mais devient, grâce à une délicate imagination poétique, un vagabondage sentimental et intellectuel à propos de menus événements réels. Cette alternance savante des croquis réalistes et des évocations élégiaques se retrouve dans le *Voyage d'un pauvre homme de lettres* (*Viaggio di un povero letterato*, 1913 et publ. en 1919) où le ton se fait cependant plus grave et l'ironie plus mordante. D'un scepticisme plus serein, le court roman de *Xantippe* (*Santippe*, 1914) révèle en Panzini un humaniste très fin (il fut l'élève de Carducci*) qui présente sous une lumière subtile les figures complémentaires de la sagesse, incarnées ici par Socrate et sa femme.

PAO-KI. ♦ V. de Chine (Shen-Hsi), sur le Wei-ho. 130 100 hab. Centre textile.

PAOLI (Pasquale ou **Pascal)**. ♦ Patriote corse (Morosaglia, Corse, 1725 — Londres, 1807). Exilé en Italie avec son père, il servit dans l'armée napolitaine. De retour dans son pays natal en 1753, il fut nommé général en chef de l'armée de Corse (1755) et, vainqueur des Génois auxquels il ne laissa que le littoral, tenta d'organiser un gouvernement démocratique régulier, contribua à développer l'agriculture et le commerce corses, et à fonder une université à Corte. Lorsque les Génois vendirent à la France leurs droits sur la Corse (1767), P. Paoli voulut s'opposer à ses nouveaux adversaires. Charles Marie Bonaparte* lutta à ses côtés puis l'abandonna pour se rallier au gouvernement royal. Vaincu, il émigra en Angleterre. Rappelé par l'Assemblée nationale constituante (1790), il fut nommé lieutenant et gouverneur de la Corse. Mais, en 1793, il prit position contre la Convention et fit appel aux Anglais; la famille Bonaparte se réfugia alors en France. Contrairement à son attente, les Anglais nommèrent dans l'île, en la personne d'Eliott, un autre vice-roi que lui. P. Paoli mourut en exil en Angleterre.

PAO-T'EOU. ♦ V. PAO T'OU.

PAO-TING [*Baoding*]. ♦ V. de Chine, cap. de la prov. du Ho*-pei jusqu'en 1958. 300 000 hab. Grand centre agricole et militaire. Indus. alimentaires.

PAO-T'OU [*P'ao-t'éou, Paotow, Baotou*]. ♦ V. de Chine (Mongolie-Intérieure) sur le moyen cours du Huang*-ho. 700 000 hab. Centre sidérurgique important. Indus. (laine, savon) et artisanats (tapis, peaux).

PAOUSTOVSKI (Konstantin Gueorguievitch) [*Paustovski*]. ♦ Conteur et romancier soviétique (Moscou, 1892 — 1968). Héritier des traditions d'humanisme de la littérature russe, Paoustovski a empreint ses récits de chaleur humaine. Que ce soit dans ses recueils *Navires qui se rencontrent* (1928), *Les Nuages brillants* (1929) ou dans ses nouvelles (*Kara-Bougaz*, 1932; *Colchide*, qui décrit lyriquement les transformations que les Soviétiques apportent à la nature; *La Neige*), on retrouve partout cette poésie, cet humanisme qui font tout le charme de sa prose. De 1947 à 1967 il se consacra à un cycle autobiographique en six tomes : *Histoire d'une vie.*

PAPADIAMANDIS (Alexandros). ♦ Prosateur grec (île de Skiathos, 1851 — 1911). L'un des nouvellistes les plus populaires de la Grèce moderne, il a créé un univers des humbles, surtout des paysans et des pêcheurs, où la simplicité des caractères et la naïveté des sentiments trouvent l'expression la plus appropriée *(La Tueuse, Nouvelles de Noël, Nouvelles de Pâques)*. La piété de l'écrivain, ainsi que son purisme, contraire au courant littéraire progressiste de son époque, n'ont pas nui à son réalisme.

PAPADOPOULOS (Georgios). ♦ Général et homme politique grec (Corinthie, 1919). Chef de la junte militaire qui prit le pouvoir à Athènes par le coup d'État du 21 avril 1967, il prit la tête du gouvernement en décembre 1968, la direction des ministères de la Défense et des Affaires étrangères, ainsi que la supervision de la politique économique. En 1972, il assuma aussi la régence en renvoyant le général Zoïtakis. Il proclama ensuite (1er juin 1973) la déchéance de la monarchie et l'établissement de la république et fut nommé président pour huit ans. Il fut renversé le 25 novembre 1973 et condamné à mort en août 1975.

PAPAGOS (Alexandros). ♦ Maréchal grec (Athènes, 1883 — *id.*, 1955). Ministre de la Guerre (1935) et chef d'état-major de l'armée (1936-1940) sous le ministère Metaxas, il commanda l'armée grecque lors de la Deuxième Guerre* mondiale : il repoussa les Italiens en Épire et jusqu'en Albanie (nov. 1940-janv. 1941), mais fut capturé par les nazis (avr. 1941) et interné en Allemagne jusqu'en 1945. Il reçut à son retour la dignité de maréchal. Lors de la guerre civile, il dirigea les opérations contre les communistes (1949) puis il regroupa les partis de droite dans le *Rassemblement hellénique* et prit la tête du gouvernement (1952-1955).

PAPANASTASIOU (Alexandros). ♦ Homme politique grec (Tripolis, Arcadie, 1876 — Athènes, 1936). Avec le « groupe des Sociologues » qu'il fonda (1907), il milita pour la réforme agricole et réussit la distribution de la terre des grandes propriétés aux paysans (1911). Premier ministre en 1924, il proclama la république. Chef d'un parti travailliste et agricole, il fut de nouveau président du Conseil en 1932 et dirigea plusieurs ministères. Il travailla pour une union balkanique et présida plusieurs conférences interbalkaniques dans ce but.

PAPANDRÉOU (Georges). ♦ Homme politique grec (Patras, 1888 — Athènes, 1968). Fondateur du Parti social-démocrate (1935), il fut exilé, en 1938, par la dictature de Métaxas*. À la tête d'un gouvernement d'union nationale formé au Caire en mai 1944 et installé à Athènes libérée en octobre 1944, ayant voulu désarmer les forces de la résistance, il provoqua une crise politique et l'affrontement entre les partisans de la gauche et les troupes britanniques. Chef du Parti libéral (1954), il forma l'Union du centre qui l'emporta aux élections de novembre 1963 et obtint la majorité absolue aux élections de février 1964. Mais sa tentative pour épurer l'armée de ses extrémistes de droite se heurta au refus du roi Constantin* II qui l'obligea à démissionner en juillet 1965. De violentes manifestations antimonarchistes se déroulèrent, et la crise politique ainsi commencée conduisit à l'avènement de la junte militaire en avril 1967.

PAPANINE (Ivan Dmitrievitch). ♦ Amiral et explorateur soviétique (Sébastopol, 1894 –). Explorateur des régions polaires (archipel François-Joseph et cap Tcheliouskine, 1932-1935; Groenland, pôle Nord, 1937-1938), il commanda la navigation arctique à bord du brise-glace *Stalina* (1939-1940) et fut nommé commandant des Transports du Nord lors de la Deuxième Guerre mondiale.

PAPE-CARPANTIER (Marie). ♦ Pédagogue française (La Flèche, 1815 – Villiers-le-Bel, Seine-et-Oise, 1878). Après avoir travaillé dans la première école maternelle française (alors appelée salle d'asile), elle fut chargée de la direction de l'École normale maternelle (1848) puis de l'inspection générale des « salles d'asile » et publia plusieurs ouvrages pédagogiques sur l'enseignement maternel et primaire (*Enseignement pratique dans les écoles maternelles*, 1849; *Histoires et leçons de choses pour les enfants*, 1858; *Enseignement par les yeux*, 1869-1875; *Cours d'éducation primaire*).

PAPEETE. ♦ Cap. de la Polynésie* française sur la côte N.-O. de l'île de Tahiti*. 19 903 hab. (1962). C'est l'un des plus grands centres de peuplement urbain du Pacifique Sud. Port exportateur de coprah et de vanille. Siège de la base aérienne du centre d'expérimentation du Pacifique (C.E.P.). Centre touristique.

PAPEN (Franz *von*). ♦ Homme politique allemand (Werl, Westphalie, 1879 – Obersasbach, 1969). Ancien officier, simple député du centre catholique au parlement de Prusse (1923-1932), il fut appelé à la Chancellerie par le maréchal Hindenburg* en 1932 (**V. Allemagne,** *Hist.*) et forma le « cabinet des barons ». Levant immédiatement l'interdiction qui frappait les S.A.*, il déclencha une vague de violence à laquelle il répondit en proclamant la loi martiale à Berlin. N'étant « pris au sérieux ni par ses amis ni par ses ennemis » (François*-Poncet), il dut s'incliner devant l'intransigeance d'Hitler et sa démission le 17 novembre 1932 prépara l'accession de celui-ci au pouvoir. Acquitté par le tribunal de Nuremberg*, il fut condamné par un tribunal allemand et relaché en 1949. Il a publié ses mémoires : *Der Warheit eine Gasse* (1952); *Vom Scheitern einer Demokratie* (1968).

Papes *(palais des)*. ♦ **V.** Avignon.

PAPHLAGONIE [pafla-]. *n. f.*, en gr. et en lat. **Paphlagonia**. ♦ Anc. région côtière du N. de l'Asie Mineure, entre la Bithynie* à l'O., le Pont* à l'E. et la Galatie* au sud. *V. princ.* Sinope*. Indépendante aux ~ IIIe et ~ IIe s., elle fut léguée au ~ Ier s. par son dernier souverain au père de Mithridate* VI Eupator et annexée par les Romains en ~ 63 avec la Bithynie, puis rattachée à la province de Bithynie et Pont.

PAPHOS [pafos]. ♦ Nom de deux anc. villes voisines sur la côte O. de Chypre. La légende attribue la fondation de l'une d'entre elles à Paphos, fils de Pygmalion*. – *Pale-Paphos* (« Antique Paphos »), fondée par les Phéniciens v. le ~ Xe s., puis colonisée par les Grecs, fut célèbre pour le culte qu'on y rendait à Aphrodite*, identifiée à la divinité sémitique d'Ashtart et surnommée *Paphia*. – *Néo-Paphos* (« Nouvelle Paphos »), fondée par les Achéens selon la tradition grecque (donc plus ancienne que sa voisine), elle devint capitale de l'île à l'époque romaine.

PAPIAS *(saint)*. ♦ Père apostolique, évêque de Hiérapolis, en Phrygie (IIe s.). Disciple de Jean d'Éphèse; auteur d'*Exégèse des paroles du Seigneur* dont subsistent des fragments. Fête le 22 février.

PAPIN (Denis). ♦ Inventeur français (Chitenay, près de Blois, 1647 – Londres, 1714). Il discerna le premier la force élastique de la vapeur d'eau. **V. Caus, Savery.** Chassé en Angleterre par la révocation de l'édit de Nantes, après avoir travaillé auprès de Huygens* à Paris, il réalisa sa « marmite » pour laquelle il imagina la soupape de sûreté. Parti résider à Kassel (Allemagne), il établit le principe d'une machine à vapeur à piston (1687). **V. Newcomen, Watt.** Il réalisa également un bateau à vapeur à quatre roues à aubes (1707). **V. Jouffroy d'Abbans.** Oublié, il mourut dans la misère en Angleterre.

PAPINEAU (Louis Joseph). ♦ Homme politique canadien (Montréal, 1786 – Montebello, 1871). Après avoir combattu le projet d'union du Haut et du Bas-Canada, il devint président de l'Assemblée législative du Bas-Canada (1825-1838) et défendit les revendications des Canadiens français (92 résolutions, 1834). Il fut l'un des instigateurs de la rébellion de 1837, à laquelle il ne prit pas part personnellement. Il se réfugia aux États-Unis, puis en France, et ne retrouva aucune influence à son retour en 1847. Les Canadiens français était alors dirigés par Lafontaine*.

PAPINI (Giovanni). ♦ Écrivain italien (Florence, 1881 – 1956). Issu d'un milieu modeste, autodidacte vivement intéressé par les mouvements d'idées contemporains, Papini débuta dans le journalisme où il se montra un critique littéraire mordant, notamment avec les *Éreintements* (*Stroncature*, 1916) et défendit le futurisme de Marinetti* contre le «décadentisme» de D'Annunzio* (Journal, *Lacerba*, 1913). – Athée militant et bientôt nationaliste, Papini fut un partisan enthousiaste de l'intervention (1915), avant d'effectuer une spectaculaire conversion au catholicisme, mettant désormais l'impétuosité de son style au service de la cause religieuse. *L'Histoire du Christ* (*Storia di Cristo*, 1921), qui connut une notoriété internationale, fut suivie de *Les Ouvriers de la vigne, Saint Augustin* (1929), puis de *Gog* (1931); enfin, *Le Diable* (1953), source de nombreuses controverses, fut censuré par le Saint-Siège. – Papini est également l'auteur d'ouvrages lyriques, *Les Cent Pages de poésie* (*Cento Pagine di poesia*, 1915), et surtout d'une autobiographie intellectuelle ardemment sincère, *Un homme fini* (*Un Uomo finito*, 1912).

PAPINIEN (Aemilius Papinianus). ♦ Jurisconsulte romain ([mort] 212), préfet du prétoire sous Septime* Sévère (205) et mis à mort par Caracalla*.

PAPOUASIE. *n. f.* ♦ **V.** Nouvelle-Guinée (territoire de Papua).

PAPOUS ou **PAPOUAS.** *n. m. pl.* ♦ Population de la Nouvelle*-Guinée et des îles voisines. Ils se caractérisent par un nez busqué et sont en général plus pigmentés et plus velus que les autres Mélanésiens*. Ils parlent des langues n'appartenant pas au groupe malayo-polynésien.

PAPPUS (ou **PAPPOS**) **d'Alexandrie.** ♦ Mathématicien et compilateur grec de la fin du IIIe siècle. Son ouvrage le plus important, la *Collection mathématique*, est d'une grande valeur au point de vue historique; on y trouve des reproductions de nombreux passages des mathématiciens antérieurs et, en même temps, des solutions nouvelles à des problèmes existants et de nouveaux énoncés; il faut remarquer notamment des théorèmes concernant le rapport anharmonique et l'involution, l'énoncé du « problème de Pappus » (lieu à quatre droites) et la première définition (la seule laissée par les Anciens) du centre de gravité.

PAPUA *(territoire de)*. ♦ **V.** Nouvelle-Guinée.

PÂQUES *(île de)*. en esp. **Isla de Pascua.** ♦ Île de Polynésie* dans le Pacifique oriental. Découverte par le navigateur hollandais Roggeveen, elle est possession chilienne depuis 1888. L'île, d'origine volcanique (540 m alt.), presque déserte, reste célèbre par ses sculptures de type mégalithique et ses monuments.

PARÁ. ♦ État du N.-E. brésilien, situé au S. de la Guyane et à l'E. de l'État d'Amazonas. Il confine au N.-E. à l'État d'Amapá*, dont il est séparé au N. par les bouches de l'Amazone, à l'E. à l'Atlantique. 1 248 042 km². 1 988 000 hab. (dens. infime). Cap. Belém*. Couvert aux deux tiers par la forêt amazonienne, il est irrigué par l'Amazone* (dont l'embouchure abrite l'île de Marajó* comprise dans l'État), le Xingu*, le Tapajos et le Tocantins. – Cacao, caoutchouc (notamment à Santarém). Très importants gisements de minerai de fer, découverts récemment. Or. Élevage de bovins (Marajo). – *Pará* est l'ancien nom de Belém*.

PARACELSE (Philippus Aureolus Theophrastus Bombastus *von* Hohenheim, dit). ♦ Médecin et alchimiste suisse (Einsiedeln, près de Zurich, v. 1493 – Salzbourg, 1541). À Bâle, où il enseigna la médecine, il fit scandale en critiquant les théories de Galien et d'Avicenne (et, dit-on même, en brûlant leurs œuvres). Sa théorie médicale avait pour base l'idée alchimiste des correspondances ou analogies entre les différentes parties du corps humain (microcosme) et celles de l'univers dans sa totalité (macrocosme). Il contribua par ailleurs au développement de la chimie et peut-être de l'homéopathie.

Paraclet *(le)*. ♦ Abbaye fondée en 1129 par Abélard* et dont Héloïse fut la première abbesse; actuellement, seuls les murs d'enceinte subsistent (dép. de l'Aube).

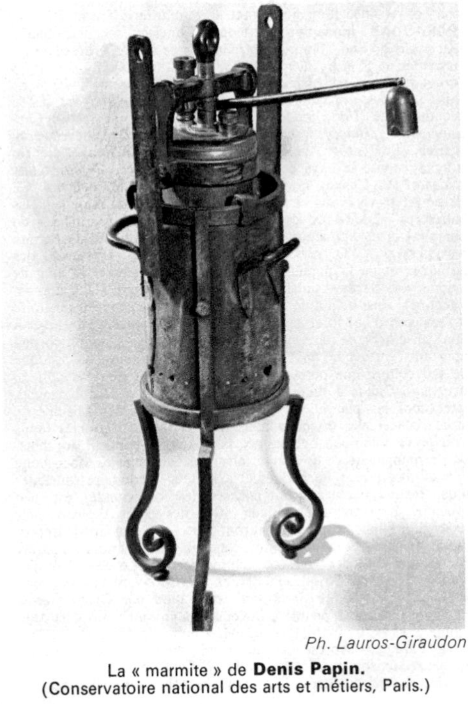

Ph. Lauros-Giraudon

La « marmite » de **Denis Papin.**
(Conservatoire national des arts et métiers, Paris.)

PARADIS (Grand). *n. m.*, en it. **Gran Paradiso.** ♦ Massif des Alpes occidentales (Italie), appartenant à l'ensemble des *Alpes Grées** et dominant au S.-O. le val d'Aoste*. Il culmine à 4 061 m et est un important centre touristique (parc national).

Paradis perdu (le), en angl. **Paradise Lost.** ♦ Poème biblique de John Milton* publié en dix chants en 1667 et en douze chants en 1674. Sans doute inspiré par la représentation à Rome du *Mystère de la désobéissance d'Adam et Ève,* il fut d'abord conçu sous la forme d'une tragédie. L'épopée ne suit pas une progression chronologique : dans les livres I et II les anges révoltés sont jetés dans un enfer qui rappelle les évocations fantastiques de Bruegel, alors que la rébellion initiale de ses anges contre Dieu est exposée dans le livre III. Satan rôde autour de l'Éden (IV), mais la création d'Adam et d'Ève n'a pas lieu avant le livre V. Le livre IX décrit la tentation où Satan s'adresse à Ève comme un courtisan du XVIIe s. à sa maîtresse. Les livres XI et XII annoncent *Le Paradis reconquis :* Dieu a accepté le repentir d'Adam et d'Ève. « Quant au style, c'est le plus latin qu'il y ait dans la poésie anglaise... Le style périodique, le vers sans rime, beau de sa seule cadence, avec ses rejets et ses inversions, ont une solennité sévère, une énergie qui ne connaît pas de fléchissement... C'est une œuvre sans égale dans la poésie anglaise. » (Legouis.)

Paradis reconquis (Le), en angl. **Paradise Regained.** ♦ Poème biblique en quatre livres de John Milton* (1671). Alors que dans *Le Paradis perdu* la présentation du fils de Dieu aux anges (III) provoquait la rébellion de Lucifer, ce dernier est ici précipité à terre « comme Antée par Hercule » par le Christ, au cours des quarante jours qu'il passera au désert (Évangile selon saint Luc).

Paradoxe sur le comédien (Le). ♦ Essai de Diderot* (v. 1773 ; remanié, 1778 ; publié 1830) qui étudie le problème des rapports de l'acteur et du personnage, puis aborde celui de la création artistique, en général. Il s'agit d'un dialogue dont un des interlocuteurs est le porte-parole de Diderot ; pour lui, l'illusion de la vérité n'est valable que pour le spectateur ; le grand acteur, par un dédoublement lucide qui s'appuie sur le jugement et la pénétration, obtient des effets auxquels sa sensibilité aurait nui : « La sensibilité n'est guère la qualité d'un grand génie. » Cette pensée « paradoxale », étendue à la littérature et à tous les arts, jette les bases d'une esthétique intellectualiste à laquelle, au XIXe s., adhèrent notamment Poe* et Baudelaire*.

PARAGUANÁ *(péninsule de). n. f.* ♦ Presqu'île du Venezuela, d'Amérique du Sud, comprise entre la Bolivie au N., le Brésil à l'E., l'Argentine au S. et à l'ouest. 406 752 km^2. 2 650 000 hab. en 1975 neries de pétrole, salines.

PARAGUAY. *n. m.* ♦ Riv. d'Amérique du Sud (2 200 km) qui prend sa source dans le Mato* Grosso au Brésil et conflue avec le Paraná* (r. d.) à Corrientes* en Argentine. Elle traverse et inonde périodiquement la région de Pantanal* avant de former la frontière entre le Brésil et le Paraguay où elle borde le Chaco paraguayen, arrose Concepción*, Asunción* et reçoit le Pilcomayo*. Elle forme encore la frontière entre le Paraguay et l'Argentine, arrose Formosa* et reçoit le Bermejo* avant de rejoindre le Paraná.

PARAGUAY [paʀagwɛ, prononc. francisée]. ♦ République d'Amérique du Sud, comprise entre la Bolivie au N., le Brésil à l'E., l'Argentine au S. et à l'ouest. 406 752 km^2. 2 650 000 hab. en 1975 *(Paraguayens),* faible dens. 65 % d'Indiens Guaranis*, 30 % de métis. *Langues,* espagnol (langue off.), guarani. *Religion,* 89 % de catholiques. *Unité monétaire,* le guarani (depuis 1946). *Cap* Asunción. *V. princ.* **V. Concepción, Coronel Oviedo, Encarnación, Villarica.** — *Hydrogr.* **V. Paraguay, Paraná, Pilcomayo.** Le rio Paraguay divise le pays en deux zones distinctes : le *Paraguay occidental* **(V. Chaco),** aride et vide, et le *Paraguay oriental.* Ce dernier est traversé du N. au S. par des reliefs qui rejoignent les contreforts méridionaux du Mato* Grosso au N. (cordillères de Amambay et de Maracaju), surplombent au S. la vallée du Paraná et s'abaissent à l'O. vers la vallée du Paraguay. L'essentiel des ressources et de la population du pays s'y concentre le long de l'unique voie ferrée Asunción-Villarica (qui aboutit à Posadas en Argentine), ainsi qu'autour de Concepción. La moitié du territoire est recouvert d'une forêt dense où on exploite le *quebracho* (arbre à tanin), et le tiers, de pâturages qui permettent l'élevage d'un cheptel important (surtout bovins). Sur les terres cultivables, on pratique une polyculture que permet une forte irrigation (par les affl. du Paraguay). Canne à sucre (d'où l'on tire rhum et alcool rectifié), maté (dont les plantations concurrencent celles des Misiones*), coton, riz, céréales (manioc, maïs, blé,...), tabac, vignobles (dans la région de Villarica). Le sous-sol, peu exploité, contient des minerais de manganèse et de cuivre, ainsi que du pétrole. Mais, faute de main-d'œuvre et de capitaux, le secteur secondaire (quelques indus. textiles, alimentaires, conserveries de viande) est peu développé. Exportation de viande (30 % des export.), peaux, bois précieux, produits tropicaux (surtout vers les États-Unis). Importations de produits manufacturés. La voie d'eau Paraná-Paraguay reste la meilleure des voies de communication. Le réseau routier comprend 700 km de routes modernes. ♦ *Hist.* Avant sa découverte par Díaz de Solís (1515) et son exploration par Diego García (1525), le pays était peuplé d'Indiens tupi-guaranis. C'est surtout comme pays de transit par voie fluviale entre La Plata et le Pérou que le Paraguay représentait un intérêt pour les Espagnols. La capitale, Asunción, fut fondée en 1537. Le Paraguay fut rattaché à la vice-royauté du Pérou. Les colons se mêlèrent vite à la population indienne, donnant naissance à un type métis prédominant. Les Jésuites arrivèrent en 1585, fondant une des plus remarquables réalisations missionnaires ; ayant reçu de Philippe II l'administration d'une contrée à l'E. du fleuve Paraná, ils parvinrent, entre 1610 et 1767, à réunir les Indiens en « réductions », sortes de communautés théocratiques sous la direction des Pères. Ces petites républiques, organisées contre les Portugais venus du Brésil, conservèrent farouchement leur indépendance économique (commerce du maté) et politique. Ce mode de colonisation paternaliste contribua à préserver la culture et la langue des Guaranis, autant parlée aujourd'hui que l'espagnol. Néanmoins, cet État dans l'État suscita l'opposition des colons espagnols et, en 1767, les Jésuites furent expulsés : leur œuvre, qui semblait avoir atteint son apogée, s'effondra rapidement. Le Paraguay proclama son indépendance en 1811. Il se développa sous la dictature de Francia* (1814-1840) puis sous celle de Solano López : ce dernier entraîna le pays dans la sanglante *guerre du Paraguay* (1865-1870) menée contre le Brésil, l'Argentine et l'Uruguay réunis (sur les 300 000 individus restants on comptait un homme pour vingt-huit femmes). La découverte du pétrole dans le Chaco* provoqua une nouvelle guerre contre la Bolivie (guerre du Chaco, 1928-1935). Le Paraguay se reconstruisit peu à peu, toujours partagé par les rivalités entre *colorados* (libéraux) et *azules* (conservateurs). Depuis 1954, le président Stroessner exerce, avec l'appui du parti *colorado,* un pouvoir dictatorial, toute opposition étant supprimée et le Parti communiste étant mis hors la loi.

PARAÍBA. ♦ État côtier du Nordeste brésilien, situé entre les États de Rio Grande do Norte au N. et du Pernambouc au S. et traversé en partie par le rio Paraíba do Norte (300 km) qui arrose la capitale, João* Pessoa, avant de se jeter dans l'Atlantique. Climat semi-aride à l'exception du littoral. Culture du coton. Élevage. — *V. princ.* Campina* Grande.

PARAÍBA DO SUL. *n. f.* ♦ Fl. du Brésil (1 058 km), issu de la serra do Mar* (État de São Paulo) qu'il sépare de la serra da Mantiqueira*, il traverse l'État de Rio* de Janeiro, arrose Volta* Redonda et Campos*, avant de se jeter dans l'Atlantique. Sa vallée a permis l'installation d'un réseau ferroviaire et routier reliant Rio à São Paulo.

PARÂKKAMÂ-BÂHU. ♦ Nom porté par plusieurs dynasties de l'île de Ceylan*, du milieu du XIIe s. env., jusqu'au début du XVIe siècle. Ils établirent leur capitale à Polonnaruwa et y laissèrent d'importants témoins de l'art de leur temps. Ils étaient de fervents bouddhistes. Ils eurent à repousser les attaques des Tamil* du sud de l'Inde et accueillirent les premiers navigateurs portugais.

PARAKOU. ♦ V. du centre E. du Dahomey*, reliée par voie ferrée à Cotonou*. 20 000 hab. — Exploitations forestières. Kapok.

PARALIE, en grec **Paralia** (« la Côte »). ♦ Littoral de l'Attique, subdivision du territoire de l'antique Athènes.

Paralipomènes *(livres des)* [gr. **paraleipomena,** « choses omises »]. ♦ Titre donné par les Septante et la Vulgate aux livres bibliques des *Chroniques*.*

PARAMARIBO. ♦ Cap. du Surinam* (ex-Guyane hollandaise), port à l'embouchure de la riv. Surinam, sur l'Atlantique. 130 000 hab. — Évêché. Centre commercial important. Le port, très actif, exporte les produits tropicaux (sucre, cacao, café) et la bauxite. Aéroport à Zanderig. Tête de ligne de l'unique voie ferrée du pays. La diversité des cultes donne à la ville une physionomie particulière (grand nombre de temples, églises, synagogues, mosquées).

Paraguay.

PARAMÉ. ♦ Anc. comm. qui a fusionné avec Saint-Malo. Importante station balnéaire. **V. Saint-Malo.**

PARANÁ *(rio)*. n. m. ♦ Fl. d'Amérique du Sud (3 300 km), formé au Brésil par la confluence du Paranaíba* et du rio Grande*. Il traverse les États de São* Paulo et Paraná* qu'il sépare du Mato* Grosso et forme la frontière entre le Paraguay et le Brésil. Après avoir reçu l'Iguaçu*, il sépare le Paraguay de l'Argentine où il arrose Posadas* (face à Encarnación), conflue avec le rio Paraguay* à Corrientes*, longe du N. au S. le Chaco* et la Mésopotamie* argentine et baigne Paraná* et Rosario* avant de rejoindre l'Atlantique, où ses eaux se confondent avec celles de l'Uruguay* pour former le río de La* Plata. — Le *bassin du Paraná* cerne la partie la plus élevée du plateau brésilien, et la ligne ferroviaire qui relie le plateau à São Paulo le traverse. Le *haut Paraná* est tropical et forestier, tandis que le *bas Paraná* est inclus dans la Pampa* humide, où se pratique un élevage extensif. Cultures dans la vallée : tabac, riz, agrumes.

PARANÁ. *n. m.* ♦ État côtier du S.-E. brésilien séparé de l'Argentine par l'Iguaçu*. 199 554 km². 7 723 000 hab. *Cap.* Curitiba*. La serra do Mar*, à l'E., y domine une dense forêt côtière couverte de pins. Élevage. Cultures tempérées (blé, orge, arbres fruitiers) et tropicales (coton et surtout café dont la production dépasse auj. celle de l'État de São Paulo, et atteint 52 % de la prod. totale).

PARANÁ. ♦ V. d'Argentine située sur la r. g. du río Paraná, face à Santa* Fé. Ch.-l. de la prov. d'Entre*-Ríos. 190 000 hab. — Archevêché. Port fluvial actif. Centre commercial et industriel (indus. alimentaires).

PARANAÍBA. *n. m.* ♦ Riv. du Brésil (957 km) née dans l'État de Minas* Gerais qu'elle sépare en partie de l'État de Goiás*, elle conflue avec le rio Grande* pour former le Paraná*.

PARANDOWSKI (Jan). ♦ Écrivain polonais (Lwów, auj. Lvov, 1895). Fidèle à l'humanisme, il écrivit des essais : *Mythologie* (1923), *Le Disque d'Olympie* (*Dysk olimpijski*, 1933), *Les Trois Signes du zodiaque* (*Trzy znaki Zodiaku*, 1938), *L'Alchimie du verbe* (1950). Dans son roman *Le Ciel en flammes* (*Niebo w płomieniach*, 1936), le monde psychique du héros se forme dans le conflit entre la religion et la science.

Pararaton. *n. m.* ♦ Célèbre chronique historique javanaise, peut-être rédigée v. la fin du XVIe ou le déb. du XVIIe s. et racontant, sur un ton de légende, l'histoire des royaumes javanais de Singhasari et de Modjopahit. Cette chronique a, semble-t-il, servi de modèle à nombre d'autres récits historiques plus tardifs.

PARAY [paʀɛ]**-LE-MONIAL**. ♦ Ch.-l. de cant. de la Saône-et-Loire (arr. de Charolles), sur la r. d. de la Bourbince. 11 077 hab. *(Parodiens)*. Église de l'anc. prieuré bénédictin (début XIe s.), élevée au rang de basilique en 1875 et placée sous le vocable du *Sacré-Cœur*. Entrepris en 1109 sur le modèle de Cluny, l'édifice constitue un parfait exemple du style roman bourguignon par l'équilibre de ses formes (clocher octogonal à la croisée du transept, narthex surmonté de deux tours carrées, chevet harmonieusement étagé). La dévotion au Sacré-Cœur s'y est développée au XIXe s. à la suite de la béatification de Marguerite*-Marie Alacoque (pèlerinages). — Indus. céramique, fibrociment.

PARAY-VIEILLE-POSTE. ♦ Comm. de l'Essonne, arr. de Palaiseau, à proximité de l'aéroport d'Orly*. 7 395 hab. — Constructions mécaniques.

Par-delà le bien et le mal *(Jenseits von Gut und Böse)*. ♦ Ouvrage philosophique de Nietzsche* (1886). Critiquant le modernisme dans toutes ses expressions — philosophie, arts, sciences et politique — dont il dénonce les préjugés intellectuels et moraux d'origine plébéienne et chrétienne, il lui oppose « un étalon contraire, aussi peu moderne que possible, qui se distingue par sa noblesse et son caractère approbateur », l'idée de la sélection d'une nouvelle aristocratie **(V. Généalogie de la morale)**.

PARDIES ou **PARDIES-MONEIN**. ♦ Comm. des Pyrénées*-Atlantiques, arr. d'Oloron*-Sainte-Marie. 954 hab. — Indus. chimiques.

PARDO BAZÁN (Emilia). ♦ Romancière espagnole (La Corogne, 1852 — Madrid, 1921). Grande admiratrice des écrivains russes et surtout de Zola*, mais fervente catholique, elle sut tirer parti du naturalisme français en le combinant avec le réalisme traditionnel. Son meilleur roman *Le Château d'Ulloa* (*Los Pazos de Ulloa*, 1886) montre la déchéance de l'aristocratie en Galice, sa province natale.

PARDUBICE. ♦ V. de Tchécoslovaquie, en Bohême orientale, au confluent de l'Elbe* et de la Chrudimka. 68 099 hab. (1967). La ville conserve de vieux quartiers aux maisons de style Renaissance. Château (début XVIe s.). Musée. — Marché de produits agricoles et centre industriel : indus. alimentaires (pain d'épice), mécaniques, pétrolochimie.

PARÉ (Ambroise). ♦ Chirurgien français (Bourg-Hersent, près de Laval, v. 1509 — Paris, 1590). Devenu barbier-chirurgien en 1536, il fut successivement chirurgien d'Henri II, François II, Charles IX et Henri III. Il inventa la méthode de ligature des artères qu'il substitua à leur cautérisation lors d'amputation. Il est l'auteur de plusieurs traités *Méthode de traicter les playes faites par les arquebuses* [...] ; *Méthode curative des plaies et fractures de la tête* [...] ; *Dix Livres de chirurgie* [...]. Il est considéré comme le père de la chirurgie moderne.

PARENAGO (Paul). ♦ Astronome russe (né en 1900). Il découvrit la séquence des étoiles « sous-naines » (1938), étudia la structure interne des étoiles et publia un important catalogue d'étoiles variables (1958). **V.** *aussi* **Pickering.**

Ph. Roger-Viollet

Paray-le-Monial : l'église.

PARENTIS [-tis]**-EN-BORN**. ♦ Ch.-l. de cant. des Landes*, arr. de Mont*-de-Marsan, près de l'étang de Biscarosse et de Parentis. 3 769 hab. *(Parentissois)*. — Église du XVe siècle. Exploitation du plus important gisement de pétrole français (env. 1 350 000 t par an). Le pétrole est traité dans une raffinerie installée au bec d'Ambès*.

PARETO (Vilfredo Frederigo Samaso, *marquis*). ♦ Économiste et sociologue italien (Paris, 1848 — Coligny, Suisse, 1923). Docteur ès sciences avec une thèse sur *L'Équilibre des corps solides*, il se consacra ensuite à l'économie politique qu'il enseigna après L. Walras à l'université de Lausanne où il occupa à partir de 1912 la chaire de sociologie. Cherchant à faire de l'économie une science objective, il a formulé une théorie de l'« optimum économique », mettant l'accent sur sa relativité dans un système de libre concurrence. L'économie politique n'est pour Pareto qu'une partie de la sociologie, étude objective des actions humaines qui doit distinguer dans toute conduite un aspect logique (attitudes justificatrices qu'il nomme « dérivations ») et un aspect irrationnel (« résidu ») qui constitue en réalité la base de la vie sociale. Sa conception de la société est fondée sur une distinction entre des élites et les autres couches sociales ; d'autre part, il affirme la nécessité de la « circulation des élites » comme condition de l'équilibre social. (*Cours d'économie politique*, 1896 ; *Manuel d'économie politique*, 1906 ; *Traité de sociologie générale*, 1916.)

PARET Y ALCÁZAR (Luis). ♦ Peintre et dessinateur espagnol (Madrid, 1747 — *id.*, 1799). Il reçut des conseils d'un élève de Boucher, voyagea en France et en Italie et subit surtout l'influence de la peinture française. Il peignit des vues de ports d'Espagne, des portraits, des scènes de genre *(Le Bal masqué)* et représenta des scènes relatant les événements contemporains *(Le Serment de Ferdinand VII)*, d'une facture souple et brillante. Son art, spirituel et gracieux, fut apprécié par le roi Charles III.

PARIA *(golfe de)*. *n. m.* ♦ Golfe qui borde les côtes vénézuéliennes au N. du delta de l'Orénoque, et est délimité par l'île de la Trinité à l'E. et à l'O. par la *péninsule de Paria*, faite d'une arête montagneuse étirée qui ferme le golfe. Le golfe communique avec l'Atlantique par des détroits.

Pariah. *n. m.* ♦ Membre de la sous-caste indienne des « Harijan » ou « intouchables » de l'Inde brâhmanique, particulièrement impure pour les brâhmanes orthodoxes. Les Européens ont étendu à tort ce nom à tous les intouchables, normalement dénommés *Panchama* (la 5e catégorie), extérieure aux 4 castes traditionnelles.

PARICUTÍN. *n. m.* ♦ Volcan actuellement inactif du Mexique central (État de Michoacán*) au S.-O. de Morelia*. Il surgit en 1943, s'élevant en quelques jours à 300 m au-dessus des terres environnantes.

PARIEU (Marie Louis Esquirou *de*). ♦ Homme politique français (Aurillac, 1815 — Paris, 1893). Élu député à l'Assemblée constituante (1848), puis à l'Assemblée législative (1849), il fut nommé ministre de l'Instruction publique après Falloux*, dont il fit voter la loi sur la liberté de l'enseignement (1850). Vice-président du Conseil d'État sous le Second Empire (1855-1870), il fut sénateur sous la Troisième République (1876-1885).

PARINI (Giuseppe). ♦ Poète italien (Bosisio, 1729 — Milan, 1799). Ordonné prêtre (1754) après une adolescence besogneuse, il fut précepteur pendant huit ans chez le duc Serbelloni (1754-1762), avant d'être nommé surintendant des écoles publiques de Brera. Il est l'auteur de nombreuses *Odes* développant des thèmes civiques (*La Vita rustica*, 1758 ; *La Salubrità dell'aria*, 1759 ; *L'Impostura*, 1761) ou des sujets amoureux (*Il Messaggio*, 1793). Pour avoir observé la frivolité de la haute société milanaise, il la dépeignit dans un vaste poème en vers libres, *Le Jour (Il Giorno)*, composé de quatre chants : *Matin* (*Mattino*, 1763); *Midi* (*Mezzogiorno*, 1765); *Soir* et *Nuit* (*Vespro* et *Notte*, posth., 1801). Opposant le faste et la futilité d'un jeune élégant au labeur du petit peuple et cachant son indignation sous la bouffonnerie d'un ton épique, Parini critique âprement les mœurs de la noblesse milanaise de l'époque.

PARIS (Matthew). ♦ Moine bénédictin, chroniqueur et dessinateur anglais (mort en 1259). Entré à Saint-Albans en 1217, il fut chargé de nombreuses missions. En France, il dirigea l'enquête qui mit fin aux excès de Robert le Bougre (1239). **V. Inquisition.** En Norvège, il travailla à la réforme monastique (1248). Auteur des *Chronica majora* qui sont une source originale pour la période 1235-1259 et dont il donna plusieurs abrégés; de vies de saints anglais, en vers anglo-normands; de cartes d'Angleterre, de Palestine, de l'itinéraire de Londres en Apulie. Il est la plus ancienne source d'héraldique britannique (130 écus).

PARIS [paʀis] **(Paulin).** ♦ Érudit français (Avenay, Marne, 1800 – Paris, 1881). Conservateur à la Bibliothèque royale, puis professeur au Collège de France, il se spécialisa dans la littérature du Moyen Âge, qu'il contribua à faire connaître, publiant des textes médiévaux ou des adaptations en français moderne (*Berthe au grand pied*, 1831; *Les Aventures de maître Renard*, 1861; *Les Romans de la Table ronde*, 1868-1877).

PARIS [paʀis] **(Gaston).** ♦ Érudit français (Avenay, 1839 – Cannes, 1903). Il succéda à son père, Paulin Paris, comme professeur au Collège de France, dont il fut nommé administrateur en 1895. Spécialiste de littérature médiévale, il contribua à promouvoir un enseignement scientifique de la philologie, fonda la *Revue critique* (1866) et *Romania* (1872). Auteur d'une *Histoire poétique de Charlemagne* (1865), d'ouvrages sur *La Poésie au Moyen Âge* (1885 et 1895), *La Littérature française au Moyen Âge* (1888), *Les Légendes du Moyen Âge* (1903), il a formulé une théorie sur l'origine de la chanson de geste, qui fut mise en question par J. Bédier*. (Acad. fr., 1895.)

PARIS (*prince* Henri Robert d'ORLÉANS, *comte de*). ♦ Chef de la maison de France (Le Nouvion-en-Thiérache, 1908). Fils de Jean d'Orléans, duc de Guise (1874 – 1940) et d'Isabelle d'Orléans (1878 – 1961), tous deux arrière-petits-enfants de Louis*-Philippe, roi des Français, il hérita du titre de *comte de Paris*, déjà porté par Eudes* (vers 880), fils de Robert* le Fort, titre rétabli par le roi Louis-Philippe en faveur de son petit-fils Louis-Philippe (1838 – 1894), grand-père de l'actuel prétendant au trône de France. Il vécut en exil après 1926, date de la mort de son oncle Philippe, duc d'Orléans, mort qui faisait de son père l'héritier de la couronne de France. Il épousa en 1931 la princesse Isabelle d'Orléans et Bragance qui lui donna onze enfants. Installé à Larache (Maroc espagnol), il se rendit incognito à Alger (déc. 1942) où ses fidèles tentèrent d'éliminer Darlan* et de réaliser sous sa direction l'unité des Français dans la guerre. L'opposition des Américains contribua essentiellement à faire échouer son plan après l'assassinat de l'amiral. Rentré en France à la suite de l'abrogation des lois d'exil (1950), il continua la publication d'un *Bulletin mensuel* jusqu'en 1967.

PARIS. ♦ Capitale de la France, constituant un département [**75**] et une préfecture. Indissociable de l'agglomération dont elle est le centre, la ville de Paris est constituée de vingt arrondissements (fixés par la loi de 1859) et compte env. 2 600 000 hab. sur une surface de 105 km². Sa population est désormais stable, tandis que croît rapidement celle de l'agglomération parisienne qui, sur 1 700 km², groupe 1/6 de la population française avec plus de 8 000 000 d'hab. (recensement de 1968) répartis en 279 communes. Cette agglomération-métropole (la 4ᵉ du monde après *Tôkyô, New York, Londres*) ne peut être délimitée avec précision, car les circonscriptions administratives ne correspondent pas exactement au tissu urbain, en expansion constante; on distingue la proche banlieue (« agglomération restreinte ») qui s'étend sur près de 350 km² autour de la ville historique, totalise 70 communes et couvre la majeure partie de trois départements *(Hauts*-de-Seine; Seine*-Saint-Denis; Val*-de-Marne)* de la grande banlieue (« couronne suburbaine »), constituée de 209 communes sur une surface de 1 370 km², empiétant largement sur les départements du *Val*-d'Oise*, des *Yvelines**, de l'*Essonne** et même de la *Seine*-et-Marne*. Situé sur la Seine, au cœur du Bassin parisien* au centre duquel converge le réseau hydrographique constitué par la Seine* et ses affluents, l'Oise* et la Marne*, important carrefour routier contrôlant la croisée des routes Nord-Sud et Est-Ouest, Paris est rapidement devenu le plus important foyer commercial, puis le centre politique, administratif, économique et culturel de la France. Capitale politique de la France, Paris est le siège du gouvernement, des corps constitués, des grands corps de l'État et de nombreux organismes internationaux. – «Commune régie par le code de l'administration communale» (loi du 31 déc. 1975), la capitale est dirigée par un maire (J. Chirac*, dès mars 1977), élu au suffrage universel indirect, assisté de 18 adjoints et de commissions d'arrondissement. Celui-ci convoque le *Conseil de Paris* composé de 109 élus; il est responsable de l'aménagement urbain, des finances et des affaires économiques, de l'urbanisme, du logement, de l'action culturelle et sociale, sous le contrôle du *préfet de Paris*. Ce dernier s'occupe des affaires judiciaires et militaires. ♦ Bien que remodelé considérablement au milieu du XIXᵉ s. par les travaux (larges percées et constructions d'immeubles) effectués par le préfet Haussmann*, Paris a cependant gardé sa configuration particulière qui rappelle son développement concentrique de part et d'autre de la Seine, qu'enjambent trente-trois ponts (Pont*-Neuf, pont Alexandre-III, etc.). Le fleuve cerne l'*île Saint*-Louis*, reliée à l'île de la *Cité**, noyau initial de la ville et qui fut le cadre privilégié de son passé religieux, avec *Notre*-Dame de Paris* et la *Sainte*-Chapelle*, ainsi que le siège de l'autorité royale, puis judiciaire, avec le *Palais (de Justice)* et la *Conciergerie**. – Sur la rive droite, secteur commerçant où se groupèrent dès le Moyen Âge les diverses corporations, le *quartier des Halles**, qui fut le principal marché parisien du XIIᵉ s. au milieu du XXᵉ s., est actuellement livré aux urbanistes et aux restaurateurs pour un aménagement qui dégagera notamment l'église *Saint*-Eustache*. Plus en aval, au delà de l'anc. *place de Grève**, s'élève l'*Hôtel de Ville*, siège de l'administration parisienne et théâtre (notamment depuis 1789) des principaux événements de l'histoire de la capitale. À l'est (avant le quartier populeux de la *Bastille**, puis le *bois de Vincennes*, à la limite duquel se dresse le *château*), s'étend le *Marais**, quartier à la mode au XVIIᵉ s., dont une restauration (décrétée en 1962) s'attache à sauvegarder ou à réhabiliter les remarquables ensembles : la *place des Vosges** et les somptueux hôtels particuliers (cadre d'un festival annuel de théâtre et de musique), tels les *hôtels de Sens**, de *Carnavalet**, de *Sully** et de *Rohan*-Soubise** (qui abrite les *Archives* nationales*). Autres témoins du passé, situés au centre-nord de la capitale, le *Palais*-Royal* et son paisible jardin ainsi que les hôtels du XVIIᵉ s. (où est installée la *Bibliothèque nationale*) contrastent avec l'animation permanente qui règne sur les *Grands Boulevards*, où boutiques, cinémas et théâtres avoisinent les grandes compagnies d'assurances, la *Banque de France* et la *Bourse*. Très fréquentées également et regroupant les commerces de luxe (le *faubourg Saint-Honoré*), les artères qui mènent à l'*Opéra** et à la *Madeleine** sont bordées d'immeubles abritant des « grands magasins », les sièges sociaux d'importantes firmes commerciales, des banques et des bureaux. Au nord enfin, avant la limite que représente pour la ville le boulevard périphérique (englobant à l'est les quartiers restés populaires de *Belleville** – avec le parc des *Buttes*-Chaumont* – et de *Ménilmontant** – que borde le cimetière du *Père*-Lachaise*), s'offre un pittoresque paysage urbain : la *butte Montmartre**, sur laquelle se dresse la basilique du *Sacré*-Cœur*, après avoir connu une vie artistique intense au XIXᵉ s., conserve une animation considérable, nocturne notamment. À l'ouest de Paris, près du *bois de Boulogne** (en lisière duquel s'étendent les quartiers résidentiels d'*Auteuil** au S. et de *Neuilly** au N.), de grandes avenues élégantes (bordées de nombreux musées dont le *musée national d'Art moderne*) rayonnent autour du *palais de Chaillot** dont le vaste édifice et les jardins, tournés vers la Seine, prolongent la perspective offerte, sur la rive gauche, par le *Champ*-de-Mars*. Plus au nord, la *place de l'Étoile* (place Charles-de-Gaulle)*, au centre de laquelle se dresse l'*Arc* de Triomphe*, ouvre la prestigieuse perspective des *Champs*-Élysées* (**V. Palais** [*Petit* et *Grand*]) qui s'étend vers la *place de la Concorde** puis, au delà des *jardins* de l'ancien palais des *Tuileries** (**V. Carrousel** [*arc du*]), vers le *palais du Louvre*;* flanqué à l'est par l'anc. paroisse des rois de France, *Saint*-Germain-l'Auxerrois*, ce monumental édifice, longtemps résidence royale, puis impériale, est actuellement, par les collections artistiques qu'il renferme, l'un des musées les plus riches au monde. Dans l'axe N.-S. du Palais, sur l'autre rive du fleuve, s'ouvrent les deux ailes élégantes du *palais de l'Institut** (siège de l'*Institut* de France*). La rive gauche, en effet, conserve toujours la marque de sa vocation intellectuelle et religieuse, héritage du Moyen Âge; secteur privilégié de l'Université, dès le XIIᵉ s., le *Quartier* latin*, installé sur les pentes de la montagne Sainte-Geneviève (que couronne actuellement le *Panthéon**), garde encore – malgré la création en 1970 de treize universités nouvelles dans la région parisienne – son rayonnement intellectuel (avec la *Sorbonne**, le *Collège* de France*, de nombreuses facultés et grandes écoles, des lycées, bibliothèques uni-

Ph. Louis Monier

Paris : la place des Vosges.

versitaires, librairies...) comme son animation estudiantine. Foyer religieux également comme en témoignent les restes de l'abbaye de *Saint*-Germain-des-Prés* (vᵉ s.), l'anc. ***hôtel*** des abbés de *Cluny** (édifié au xvᵉ s. près des ***thermes*** romains qui évoquent la Lutèce du IIIᵉ s.) et l'église ***Saint*-Étienne-du-Mont*** (xvIᵉ s.), assumant à nouveau sa vocation spirituelle au xvIIᵉ s. avec le *Val*-de-Grâce*, le sud-est de Paris a gardé de nombreux couvents (parfois transformés en hôpitaux), notamment dans les quartiers des *Gobelins**, de l'*Observatoire* (Port*-Royal)* et de *Saint*-Sulpice*. Doté par ailleurs de vastes espaces verts (le *Jardin des plantes*, officiellement dénommé *Muséum* d'histoire naturelle*, le *parc Montsouris*, à la limite d'un quartier en pleine évolution, et le *jardin du Luxembourg**, dont le ***palais*** abrite le Sénat), ce secteur paisible de la rive gauche contraste avec le quartier de *Montparnasse** (plus au sud); après avoir connu au début du xxᵉ s. une notoriété internationale grâce aux artistes et aux hommes de lettres qui le fréquentaient, ce quartier est appelé, avec la réalisation de l'ensemble *Maine-Montparnasse*, à devenir un centre essentiellement commercial et administratif. Au delà du *faubourg Saint-Germain* qui conserve de belles demeures du xvIIIᵉ s., notamment le *palais Bourbon** (siège de l'*Assemblée nationale*) dont la façade, sur la Seine, est tournée vers la *Concorde*, s'étend le calme quartier (ministères; luxueux immeubles) de l'***hôtel des Invalides**** dont le dôme superbe répond à celui de l'*École militaire*, très significative de l'esthétique classique; devant s'ouvre la perspective du Champ-de-Mars, aménagée dans la courbe N.-E.–S.-O. dessinée par la Seine et dominée par la célèbre *tour Eiffel**, avec laquelle rivalisent maintenant les tours d'habitations élevées au *Front-de-Seine*. Dans les années 1970, l'urbanisme tendant à utiliser au maximum l'espace urbain, l'extension se fit en hauteur dans les secteurs soumis à de grandes opérations immobilières comme à *Belleville*, dans le quartier de *Maine-Montparnasse* et dans le XIIIᵉ arrondissement, autour de la *place d'Italie* (874 ha) où sont actuellement construits de nouveaux noyaux urbains, à l'image de ceux du rond-point de la *Défense**. L'aménagement de ces secteurs dépourvus de passé historique pose moins de problèmes que la restauration et la rénovation du quartier du *Marais**, des *Halles** et du plateau *Beaubourg**, appelées à modifier le centre même de la capitale. ♦ *Écon.* Dès la fin du XIXᵉ s., les industries importantes ont quitté la ville historique pour s'installer dans la banlieue immédiate, puis s'implanter dans toute l'agglomération parisienne **(V. Parisienne** [*région*]**)**, principalement au nord, puis au nord-est et au sud-est (d'autres banlieues, au sud-ouest notamment, restant résidentielles). Les industries mécaniques, et particulièrement l'industrie automobile, occupent les secteurs délimités par les méandres de la Seine (Renault à *Boulogne-Billancourt* et à *Flins*; Simca à *Poissy*). Le nord de la ville est l'emplacement privilégié des industries chimiques et alimentaires *(plaine Saint-Denis)*. À l'ouest sont implantées les industries électroniques qui bénéficient de la main-d'œuvre abondante que leur procure la population parisienne. La capitale proprement dite reste le domaine des « industries fines » : notamment 4/5 des activités du textile et de l'habillement (au centre-est) et 3/4 des industries à caractère culturel (impression, édition, cinéma). Le secteur tertiaire (administration publique et privée, banques, assurances, etc.) subit une décentralisation que l'État s'efforce d'accélérer par la prime de « localisation des activités tertiaires » et qui tend à le transférer dans l'Ouest parisien (notamment autour de *la Défense** et, au delà, vers Saint-Germain-en-Laye). Cependant, si plusieurs écoles supérieures ont quitté la capitale, le secteur privé coopère plus lentement à ce mouvement de décentralisation, et 72 % des sièges sociaux des grandes sociétés françaises (par ex. 250 maisons d'édition sur 300) sont parisiens. Le commerce se transforme profondément, suivant un double mouvement : des magasins en libre-service et à grandes surfaces tendent à remplacer les petites boutiques, tandis que s'opère le dédoublement de certains grands magasins vers la périphérie de Paris, voire en banlieue, à proximité des grands ensembles locatifs qui s'y créent. Cette nouvelle répartition géographique des activités secondaires et tertiaires explique les importants déplacements internes de la population parisienne : plus de 1 200 000 personnes sont concernées par des migrations journalières, pour les mêmes raisons professionnelles qui sont à l'origine de l'attraction démographique exercée par la capitale sur la province (40 % seulement de ses habitants sont nés à Paris) comme sur les étrangers, dont l'immigration pose de graves problèmes économiques et sociaux. La nécessité de ces déplacements pose de sérieuses difficultés de transport que la création du boulevard périphérique autoroutier, sur lequel aboutissent actuellement quatre autoroutes, ne suffit pas à pallier. Deux tronçons du R.E.R. (« Réseau express régional ») ont été mis en service (1970) pour remédier aux besoins des transports publics des banlieues est et ouest. À l'intérieur de la capitale, la circulation automobile, malgré la création de voies sur berge et la construction de nombreux parcs souterrains, devient de plus en plus difficile. Faute de recourir à des mesures limitant sévèrement le stationnement (comme, par ex., à New York), les autorités municipales n'apportent aucune réponse à l'accroissement rapide du parc automobile. – Troisième complexe portuaire de France, après Marseille et Le Havre, au premier rang des grandes concentrations fluviales européennes, le *port autonome de Paris* (organisé en 1968) a totalisé en 1971 un trafic de 42 000 000 de t; son essor,

Ph. Stella

Paris moderne : le quartier Italie.

lié à l'expansion de la région parisienne, a nécessité la création, à la périphérie de l'agglomération, de « ports concentrés », pourvus de véritables zones industrielles : *Gennevilliers**, en aval de Paris, a vu en 1971 son trafic se monter à plus de 7 000 000 de t tandis que *Bonneuil** (en amont) accroissait son trafic grâce à la récente ouverture de l'écluse de *Créteil*. À l'intersection des voies d'eau et des grands réseaux routiers vont être créés d'importants complexes portuaires, comme ceux de *Limay, Lagny* et l'*Île-Saint-Germain*. – Pour les activités de la région (aéroports, etc.), **V. Parisienne** (région). ♦ *Hist.* À l'origine petite bourgade de mariniers et de pêcheurs celtes (les *Parisii*) qui s'étaient installés sur l'île la plus vaste de la Seine (l'actuelle *île de la Cité**), LUTÈCE fut conquise par les Romains en ~ 52 et connut un premier développement urbain sur la rive gauche du fleuve (pentes de l'actuelle montagne Sainte-Geneviève) comme en témoignent les ruines des *thermes de Cluny** et les *arènes de Lutèce* (IIIᵉ s.). C'est là qu'en 360 Julien fut proclamé empereur. Menacée par les Huns d'Attila (451), puis par les Francs (v. 460), la ville, qu'avait préservée l'intervention de sainte Geneviève*, reprit son essor quand Clovis* l'adopta comme capitale (486). Abbayes et prieurés se multiplièrent alors sur la rive droite *(Saint*-Germain-l'Auxerrois)* comme sur la rive gauche (la future *Saint*-Germain-des-Prés)*, assurant à la ville un grand rayonnement religieux. Délaissé par les derniers Mérovingiens, puis par Charlemagne (pour *Aix-la-Chapelle*), plusieurs fois victime des raids des Normands au IXᵉ s. (mais sauvée par l'évêque Gozlin et le comte Eudes durant le siège de 885-886), Paris dut attendre l'avènement de la dynastie capétienne (987) pour connaître, comme capitale du royaume, une extension urbaine et un développement économique considérables. Le règne de Philippe* Auguste, notamment, vit l'édification d'une enceinte complète, tandis que les rues principales étaient pavées et que des ponts reliaient la rive droite (essentiellement commerçante depuis qu'un marché y avait été installé par Louis VI) et la rive gauche (secteur de l'Université à partir de 1215) à la *Cité*, centre politique (avec le *Palais* royal) et religieux (avec *Notre*-Dame*, dont Maurice de Sully* avait entrepris la construction en 1163). Doté d'une puissante corporation de « marchands de l'eau » (origine du blason de Paris), faisant pièce à l'autorité royale par celle du prévôt des marchands, devenu l'une des premières places du commerce d'argent, Paris fut au XIIIᵉ s. la plus grande cité (100 000 hab.) de l'Occident chrétien. Le pouvoir municipal accru allait faire de la ville, durant le XIVᵉ et le XVᵉ s., un foyer d'agitation communaliste et révolutionnaire. Au cours de cette sombre période (guerre de Cent Ans succédant à la peste de 1348), Paris fut le théâtre de l'insurrection d'Étienne Marcel* (1358), des révoltes de 1382 et 1420, de la rivalité des Bourguignons* et des Armagnacs* (qui furent massacrés par la population parisienne en 1418). Pactisant avec les Anglais, la ville fut assiégée en vain par Jeanne d'Arc (en 1430), puis fut reprise par la dynastie légitime (Charles VII) en 1436. Il fallut attendre François Iᵉʳ pour que Paris, longtemps suspect, devint à nouveau la résidence des rois; le *Vieux Louvre** (édifié par Philippe Auguste) fut en partie remplacé par des bâtiments Renais-

Ph. Stella

Paris : le Palais de Justice.

sance; la construction de l'*Hôtel* de Ville*, de *Saint*-Eustache*, du *Collège* de France*, puis — sous les derniers Valois — des *Tuileries** et du *Pont*-Neuf* fut entreprise. Dans sa majorité ardemment catholique, la ville fut à nouveau ensanglantée par les guerres de Religion (à partir de 1534). Après la Saint-Barthélemy (1572) et la journée des Barricades (1588) qui força Henri III à s'enfuir avant de faire subir un nouveau siège à la capitale que décima alors une terrible famine (1589), ce fut Henri* IV, rendu maître de Paris grâce à son abjuration en 1594, qui veilla à l'embellissement de la cité (création de l'actuelle *place des Vosges**, de la *place Dauphine*, des *quais de l'Arsenal, de l'Horloge, des Orfèvres*) comme à sa prospérité. Poursuivant son extension, la ville s'agrandit sous Louis XIII par de nouveaux quartiers (*le Marais** et, plus au nord, le *faubourg Saint-Honoré* et le quartier de la *Bastille**), ce qui exigea une nouvelle enceinte (1631) correspondant au tracé des actuels *boulevards. L'île Saint*-Louis* fut aménagée, et de nouveaux secteurs se peuplèrent sur la rive gauche, aux abords du *palais du Luxembourg**, construit par Marie de Médicis, et du *Val*-de-Grâce*, édifié par Anne d'Autriche. Dans le même temps, l'importance culturelle de Paris se manifestait par la création de l'Imprimerie royale (1620), du *Jardin des plantes** (1626) et de l'*Académie* française* (1635). Après les troubles de la Fronde* (1648-1652), la ville, à laquelle désormais Louis XIV préférait Versailles (1680), resta cependant le siège du Parlement et (partiellement) la capitale administrative. Glorifiant la monarchie et son souverain, de nombreux bâtiments furent édifiés sous l'autorité de Colbert* (qui fit appel notamment à Perrault* et à Mansart*) : la *colonnade du Louvre*, l'*Observatoire**, les *Invalides**, la *Salpêtrière**, l'actuel *palais de l'Institut** (1661), les arcs de triomphe des *portes Saint-Denis* et *Saint-Martin*, tandis qu'étaient créées les *places Vendôme*, du Carrousel, des Victoires*, dessinés les *jardins des Tuileries** et instituée la manufacture des *Gobelins**. L'organisation d'*académies (des Inscriptions, des Sciences...)* favorisa le rayonnement intellectuel de la capitale, vie littéraire et artistique qui allait se poursuivre durant le XVIIIe s., avec la multiplication des cafés et des théâtres (*Odéon*, Comédie*-Française*, installée dans une partie du *Palais*-Royal*). Le développement du négoce et de la banque, la fièvre d'affairisme (**V. Law**) et de spéculation immobilière faisaient se bâtir des immeubles de rapport à côté de superbes hôtels particuliers (les actuels *ministère de la Marine* et *hôtel Crillon*, flanquant la *place Louis-XV — auj. la Concorde** — qu'un pont relia à la rive gauche). Paris continuant son expansion vers l'ouest (l'*École militaire*) comme vers le nord (le quartier de la *Chaussée-d'Antin*) atteignit, à la veille de la Révolution, le chiffre de 650 000 hab., à l'intérieur du mur d'octroi dit « des fermiers généraux » (1784), qui allait lui donner son cadre jusqu'en 1860. La *prise de la Bastille** (1789) replaça la capitale à la tête de la France pour toute l'époque de la Révolution; en effet, les grandes journées révolutionnaires devaient s'y décider ou s'y dérouler, qu'elles fussent pacifiques (*fêtes de la Fédération**, en 1790, ou de *l'Être* suprême*, en 1794) ou sanglantes (**V. Révolution française**). Napoléon, ambitionnant de faire de la ville la capitale de l'Europe, y fit effectuer de grands travaux (agrandissement du *Louvre;* érection de l'*arc* de triomphe* de l'Étoile, de la *colonne Vendôme*), en accéléra l'équipement (création de marchés et d'abattoirs; ouverture du canal de l'Ourcq; alimentation de la ville en eau potable). Ces embellissements (la *Madeleine**, le *Panthéon**) et aménagements (réseau d'égouts) allaient être poursuivis durant la Restauration, puis la monarchie de Juillet. C'est le Second Empire, cependant, qui donna à Paris son visage actuel et renforça la centralisation administrative, économique, sociale et culturelle. Paris, doté de deux *préfets (de la Seine, de police)* et d'un *Conseil*, divisé en vingt arrondissements (1860) administrés par un maire et ses adjoints, subit une transformation considérable, inspirée à la fois par un souci d'urbanisme et des préoccupations politiques et policières. Haussmann* réorganisa la *Cité*, éventra le centre de grandes percées rectilignes, bordées d'immeubles habités par les classes aisées, refoulant ainsi les masses ouvrières, que l'expansion de la production industrielle avait attirées vers la ville, dans les quartiers périphériques, notamment à l'est; il réorganisa les *Halles** centrales (vastes pavillons de V. Baltard*), fit construire de nombreux ponts, tandis que s'élevait l'*Opéra** de Garnier* et que de vastes parcs étaient créés par Alphand* à l'est *(bois de Vincennes*)* comme à l'ouest *(bois de Boulogne*)*. Paris, centre d'un réseau ferroviaire de plus en plus dense, connut alors, du fait de son essor industriel, un développement démographique considérable (1 800 000 hab. en 1871). Parallèlement s'accentuait entre l'est et l'ouest de la capitale un déséquilibre social déjà sensible lors des insurrections de 1830 et 1848 (**V. Révolution de 1830, de 1848**) et qui devait s'exprimer dramatiquement durant la *Commune de Paris* (mars à mai 1871), succédant au siège de cinq mois établi par les Allemands devant la ville (**V. Commune de Paris**). Sous la IIIe République, la capitale retrouva sa prospérité économique (que révélèrent les *Expositions* de 1878, de 1889 — érection de la *tour Eiffel** — et de 1900 — construction du *Grand* et du *Petit Palais*, pont Alexandre-III*) et une influence culturelle d'échelle européenne. Le paysage parisien se transforma avec le *Sacré-Cœur*, tandis que des quartiers nouveaux apparaissaient, surtout à l'ouest de la ville *(Trocadéro*, Passy*, Auteuil*...)*. Après la guerre de 1914-1918 (**V. Guerre mondiale** [*Première*]), durant laquelle elle fut soumise à des bombardements et à des raids aériens, la capitale commença à élargir ses limites géographiques sur tout le département de la Seine, appelant un effort considérable dans le domaine des communications; parallèlement, l'utilisation d'un nouveau matériau (le béton) permettait le renouvellement architectural qu'apportèrent les réalisations de Perret* (*N.-D. du Raincy*, 1923) et Le* Corbusier (à la *Cité universitaire*), notamment. À la même époque, où des quartiers comme *Montmartre** et *Montparnasse** connaissaient une animation artistique considérable, des accès de fièvre politique ou économique secouaient l'opinion et entraînaient les manifestations d'extrême droite (1934) et les ripostes des partis ouvriers qui aboutirent à la constitution du *Front* populaire* (1936). La population parisienne connut encore de graves difficultés et divisions durant la guerre de 1939-1945 (**V. Guerre mondiale** [*Deuxième*]), qui vit Paris occupé par la Wehrmacht dès juin 1940 : la période sombre de l'occupation allemande fut marquée par les arrestations et les déportations de juifs et de communistes, les actions de la Résistance, l'exécution d'otages, notamment au *Mont-Valérien**. Le *Conseil national de la Résistance* (qui tint à Paris sa première réunion, le 27 mai 1943) déclencha, à l'approche des troupes américaines, l'insurrection des F.F.I. que soutint la police municipale (19 août 1944), préparant ainsi la libération de la ville, le 24 août 1944 (entrée de la division Leclerc*). Le 26, les troupes françaises, conduites par le général de Gaulle, descendaient les Champs-Élysées. Dès lors, l'histoire de Paris se confond à nouveau avec celle de la France (**V. République** [*Quatrième*]).

Paris *(traité de)*. ♦ Traité signé entre Louis IX et Raymond VII de Toulouse en 1229 et qui mit fin à la croisade des albigeois. Il rattachait au domaine royal les sénéchaussées de Nîmes-Beaucaire et de Carcassonne-Béziers et donnait au frère de Louis IX, Alphonse de Poitiers, l'espérance des autres États du comte de Toulouse : Toulouse, Albigeois et Rouergue.

Paris *(traité de)*. ♦ Traité de 1259 qui mit provisoirement fin au conflit franco-anglais. Le roi d'Angleterre Henri III renonçait à tous les droits sur les territoires annexés par Philippe Auguste tandis que Louis IX lui restituait le Limousin, le Périgord, la Guyenne, le Quercy, l'Agenois et une partie de la Saintonge.

Paris *(traité de)*. ♦ Signé le 10 fév. 1763 par la France, l'Angleterre et le Portugal pour mettre fin à la guerre de Sept* Ans. L'Angleterre reçut de la France le Canada, les territoires à l'E. du Mississippi, plusieurs Antilles, le Sénégal et les possessions de l'Inde; de l'Espagne, elle reçut la Floride (la France devant céder la Louisiane à l'Espagne qui reçut aussi Cuba et les Philippines). La France recouvrait Belle-Île, la Martinique, la Guadeloupe et des comptoirs en Afrique et en Inde.

Paris *(traité de)*. ♦ 15 mai 1796. À la suite de l'armistice de Cherasco*, le roi de Sardaigne cédait à la France la Savoie et les comtés de Nice, de Tende, de Beuil.

Paris *(traité de)*. ♦ Traité signé le 30 mai 1814 entre les Alliés (Angleterre, Autriche, Prusse, Russie) et la France. Celle-ci, abandonnant ses conquêtes de la Révolution et de l'Empire, retrouvait ses frontières de 1792, conservant cependant Mulhouse, Montbéliard, Chambéry, Annecy, le comtat Venaissin, une partie de la Savoie, les places fortes de Philippeville, Marienbourg, Sarrelouis et Landau. Elle retrouvait ses colonies, sauf l'île de France (île Maurice) et cédait à l'Angleterre Sainte-Lucie et Tobago.

Paris *(second traité de)*. ♦ Traité signé le 20 novembre 1815 entre la France et les Alliés coalisés contre elle (Autriche, Grande-Bretagne, Prusse, Russie). La France s'y fit enlever Philippeville, Marienbourg et Bouillon au profit des Pays-Bas; la Prusse annexait la Sarre, le Landau était rattaché au Palatinat bavarois; la plus grande partie du pays de Gex rattachée à la Confédération helvétique; enfin Chambéry et Annecy étaient rendus au roi de Sardaigne. En outre, la France devait verser une indemnité de 700 millions, restituer les œuvres d'art prises par Napoléon et entretenir une armée d'occupation de 150 000 hommes répartis dans le N. et l'E. du pays, pendant trois ans.

Paris *(traité de)*. ♦ Traité marquant la fin de la guerre de Crimée* (1854-1856), à l'issue du *congrès de Paris*, qui réunit à partir du 25 février 1856 les ministres des Affaires étrangères de la Russie, de la Turquie, de la Grande-Bretagne, de la Sardaigne, de l'Autriche et de la Prusse, sous la présidence de Walewski*, ministre français des Affaires étrangères. La Russie vaincue cédait le sud de la Bessarabie et la Moldavie, reconnaissait l'intégrité de l'Empire ottoman dont le sultan accorderait dorénavant aux chrétiens les mêmes droits qu'à ses autres sujets. Le traité stipulait par ailleurs la neutralisation de la mer Noire et la libre circulation sur le Danube.

Paris *(traité de)*. ♦ Traité de 1947 signé entre les puissances victorieuses et l'Italie, la Roumanie, la Bulgarie, la Hongrie et la Finlande. L'Italie cédait à la France quelques territoires, une partie de l'Istrie et Zara à la Yougoslavie; elle cédait les îles du Dodécanèse à la Grèce. Elle payait de lourdes indemnités aux pays avec lesquels elle avait été en guerre. La Roumanie cédait la Bessarabie à l'U.R.S.S.; la Hongrie restituait la Transylvanie à la Roumanie. La Bulgarie était ramenée à ses frontières du 1er janv. 1941. La Finlande cédait à l'U.R.S.S. la Carélie méridionale avec Vyborg, les régions de Petsamo et de Salla ainsi que le droit d'installer une base militaire à Porkala.

Paris *(conférences de)*. ♦ *18 janv. 1919-10 août 1920 :* conférence de la paix, après la Première Guerre mondiale. Elle réunit les vingt-sept puissances victorieuses, alliées ou associées, excluant les puissances vaincues. Les décisions furent prises, en fait, par le conseil des Quatre, à savoir les États-Unis (Wilson), le Royaume-Uni (Lloyd George), la France (Clemenceau) et l'Italie (Orlando). La conférence élabora le pacte de la Société des Nations et les traités de Versailles*, Saint*-Germain-en-Laye, Neuilly*, Trianon*, Sèvres*. ♦ *25 avr.-12 juillet 1946 :* conférence réunissant, après la Deuxième Guerre mondiale, les ministres des Affaires étrangères des États-Unis (Byrnes), de la Grande-Bretagne (Bevin), de l'U.R.S.S. (Molotov) et de la France (Bidault). Elle fixa les frontières de la Bulgarie, de la Hongrie et de la Roumanie, mais elle achoppa sur le problème allemand. ♦ *29 juil.-15 oct. 1946 :* conférence « des 21 Nations » qui avaient combattu les pays de l'Axe. Elle prépara l'élaboration des traités de paix avec l'Italie, la Roumanie, la Hongrie, la Bulgarie, la Finlande, signés à Paris le 10 février 1947. L'Italie cédait des territoires à la France (dans les Alpes), à la Yougoslavie (en Istrie), à la Grèce (le Dodécanèse) et renonçait à ses colonies. La Bulgarie restituait les territoires conquis sur la Yougoslavie et la Grèce (Macédoine, Thrace) mais conservait la Dobroudja méridionale cédée par la Roumanie en 1940. La Roumanie cédait à l'U.R.S.S. la Bessarabie et la Bucovine du Nord, mais récupérait la Transylvanie sur la Hongrie. La Finlande confirmait la cession, à l'U.R.S.S., des zones de Petsamo et de Salla et de la Carélie méridionale. Ces pays devaient payer d'importantes réparations, diminuer leurs armements, donner des garanties sur leur régime politique et la dénazification. La liberté de navigation sur le Danube était assurée.

Paris *(école de)*. ♦ Nom donné v. 1925 pour désigner les peintres et sculpteurs venus se joindre à l'école moderne française à Paris, notamment Pascin, Soutine, Modigliani, Chagall, Vertès, Foujita, Brâncuşi. Des musiciens se sont joints à l'école de Paris, tels Beck, Harsanyi, Martinú, Mihalovici, Tansman, Tcherepnine.

PÂRIS [pɑʀis]. ♦ Fils cadet de Priam* et d'Hécube*. Peu avant sa naissance, Hécube rêva qu'elle enfantait une torche qui incendiait Troie*. Craignant une malédiction, Hécube fit exposer l'enfant dès sa naissance sur le mont Ida. Les bergers le recueillirent, l'élevèrent et lui donnèrent le nom d'*Alexandre* (« protecteur des hommes »). Plus tard, il est reconnu et prend sa place à la maison royale. Choisi par les dieux comme juge dans la dispute opposant Héra*, Athéna* et Aphrodite* pour la pomme d'or lancée malicieusement par Éris (la Discorde) et dédiée « à la plus belle », Pâris donne la pomme à Aphrodite. Celle-ci lui promettait l'amour d'Hélène* (la plus belle des mortelles), Athéna lui offrait la sagesse et Héra l'empire d'Asie. L'enlèvement d'Hélène, femme de Ménélas*, provoque la guerre de Troie. Dans l'*Iliade**, Pâris, l'auteur du rapt, est vaincu lors d'un combat singulier par Ménélas et sauvé au dernier moment grâce à l'intervention d'Aphrodite. C'est une de ses flèches, dirigée par Apollon, qui blesse mortellement Achille* au talon. Il est tué lui-même par Philoctète*.

PÂRIS *(les frères)*. ♦ Financiers français dont le plus connu fut JOSEPH, dit PÂRIS [paʀi]-DUVERNEY (Moirans, 1684 – Paris, 1770). Chargé par le comte de Noailles des finances du royaume, il fut évincé par Law et tenta de s'opposer au « système » de ce dernier en créant une assemblée générale d'actionnaires; mais il fut finalement exilé en Dauphiné. Après la banqueroute et la fuite de Law, il joua un rôle important dans la réorganisation des finances. De retour d'un nouvel exil, il fonda la première école militaire.

PÂRIS [pɑʀis] **(François de Pâris,** dit **le diacre Pâris).** ♦ Religieux français (Paris, 1690 – *id.*, 1727). Fils d'un conseiller au Parlement, janséniste ardent, il refusa d'être ordonné prêtre par humilité et fut l'un des « appelants » lors de la promulgation de la bulle *Unigenitus*. Il mena une vie abrégée par les austérités et consacrée à l'instruction du peuple et à la bienfaisance (il distribua toute sa fortune). Sa réputation de sainteté s'accrut encore après sa mort, dans les milieux jansénistes, et sa tombe, au cimetière Saint-Médard, fut le théâtre de manifestations d'hystérie collective des convulsionnaires **(V. Jansénisme)**.

PARISIEN *(Bassin)*. *n. m.* ♦ Cuvette sédimentaire limitée par des massifs anciens : le Massif armoricain* à l'O., le Massif* central au S., les Ardennes* au N. et les Vosges* à l'E. Le Bassin parisien est formé d'une succession de couches sédimentaires approximativement concentriques, inclinées vers le centre de la cuvette où se trouve Paris* et se terminant à l'E. par des cuestas. Les couches géologiques les plus anciennes affleurent sur le pourtour, les plus récentes apparaissent au centre. Le Bassin parisien se divise en quatre grands ensembles : au centre, l'Île-de-France, formée de plates-formes tertiaires souvent recouvertes de limons **(V. Parisienne** [*région*]**)**; au N. et à l'O., la Picardie* et la Normandie*, plateaux crayeux, eux aussi recouverts de limons; au S., les pays de la Loire*, où plaines et plateaux alternent; enfin, à l'E., les pays de « côtes » : Bourgogne*, Champagne*, Lorraine*. Le Bassin parisien occupe en surface le quart du territoire national. Il est drainé par la Seine* et ses affluents, la Loire*, la Meuse*, la Moselle*. – *Démogr., écon. :* voir les régions, et notamment l'Île-de-France **(V. Parisienne** [*région*]**)**.

PARISIENNE *(région)*. ♦ Région française [Île-de-France depuis juin 1976]. (8 départements : Paris, Hauts-de-Seine, Seine-Saint-Denis, Val-de-Marne, Essonne, Val-d'Oise, Yvelines, Seine-et-Marne). 12 100 km² (2,2 % du territoire national) : 9 878 600 hab. (1975). 9 250 674 (1968) [19 % de la population française; 1er rang] d = 770 (1er r.). Elle repose sur les terrains tertiaires qui, au-dessus de l'auréole de craie du crétacé, occupent le centre déprimé du Bassin parisien*. Le présence en alternance avec argiles et sables, de quatre assises résistantes (calcaires ou meulières de Beauce et de Brie, calcaire de Saint-Ouen et calcaire grossier), successivement dégagées par l'érosion du nord au sud du fait du pendage des couches, y détermine un ensemble de plates-formes subhorizontales de différents niveaux qui, outre la convergence vers la Seine (25 m à Paris) d'un réseau hydrographique très creusé (Oise, Marne, Yerres, Essonne, Orge), sont le trait dominant de sa morphologie. Le passage de l'une à l'autre se fait par un ressaut dont l'importance est liée à celle de la couche tendre intermédiaire : entre calcaires de Beauce et de Brie, les sables de Fontainebleau, épais de 60 m, sont, avec leurs grès souvent chaotiques, un élément et un attrait majeurs du paysage. – Uniforme, dénudée et sèche, la plate-forme de Beauce* (150 m) se prolonge, à travers les Yvelines humides (calcaire « meuliérisé ») et pittoresques (vallées à corniches, encaissées et ramifiées : Yvette, Bièvre, Port-Royal) jusqu'au fleuve qu'elle domine, de Meudon (170 m) au confluent de la Mauldre. Par le coteau du Hurepoix – hémicycle bien marqué, de Verrières à Palaiseau et Linas (buttes témoins de Roche-Turpin, 154 m, Montlhéry) et d'Arpajon au Gâtinais – elle retombe sur celle de Brie* (80-90 m) qui franchit l'entaille vigoureuse de la Seine et s'étend vers l'est jusqu'à la falaise de l'Île-de-France : calcaire meuliérisé et marnes sous-jacentes lui valent humidité, fraîcheur et boisement qui la distinguent de la Beauce. Au N., la plaine de « France » – entre Marne, Ourcq et Oise – et le Vexin français – de l'Oise à l'Epte – correspondent respectivement aux affleurements du calcaire de Saint-Ouen et du calcaire grossier : de nombreuses buttes (Cormeilles, Montmorency) y témoignent de l'ancienne extension des étages supérieurs du tertiaire. – De l'Isle-Adam à Rambouillet et Fontainebleau, une ceinture de massifs forestiers qui épouse les lacunes du revêtement limoneux et les sables ou argiles ajoute au charme et à la diversité des paysages dont les nuances reflètent la variété des sols. – Le *climat*, soumis à l'affrontement des influences océaniques (pour plus de 60 %) et continentales, est également nuancé : sa variabilité est grande et les moyennes expriment mal l'instabilité du temps. Depuis le centre du Bassin – avec Paris (janv. 3° 5, juil. 19° 5) îlot de chaleur urbain au ciel changeant – l'hiver se rafraîchit vers le N. et l'E., l'été se réchauffe au S.-E. et l'amplitude se réduit vers le S.-O.; la pluie (620 mm max. d'automne et d'été, min. de février) augmente vers le Valois et la Brie orientale (700 mm). ♦ *Écon.* En fait, la variété des conditions locales est infinie; topographie, sols et micro-climats se combinent pour offrir une vaste gamme de possibilités culturales que la demande parisienne a très tôt poussé à rechercher et à exploiter. Avec des systèmes de production très différents, l'*agriculture* (plus de 60 % de la superficie de la région) y est toujours intensive, de caractère industriel et riche : dans les exploitations de grande culture des plateaux limoneux (betterave-blé, maïs, plantes fourragères; élevage bovin plus ou moins dense) comme dans celles de

Ph. Stella

Région **parisienne :** usines Renault à Boulogne-Billancourt.

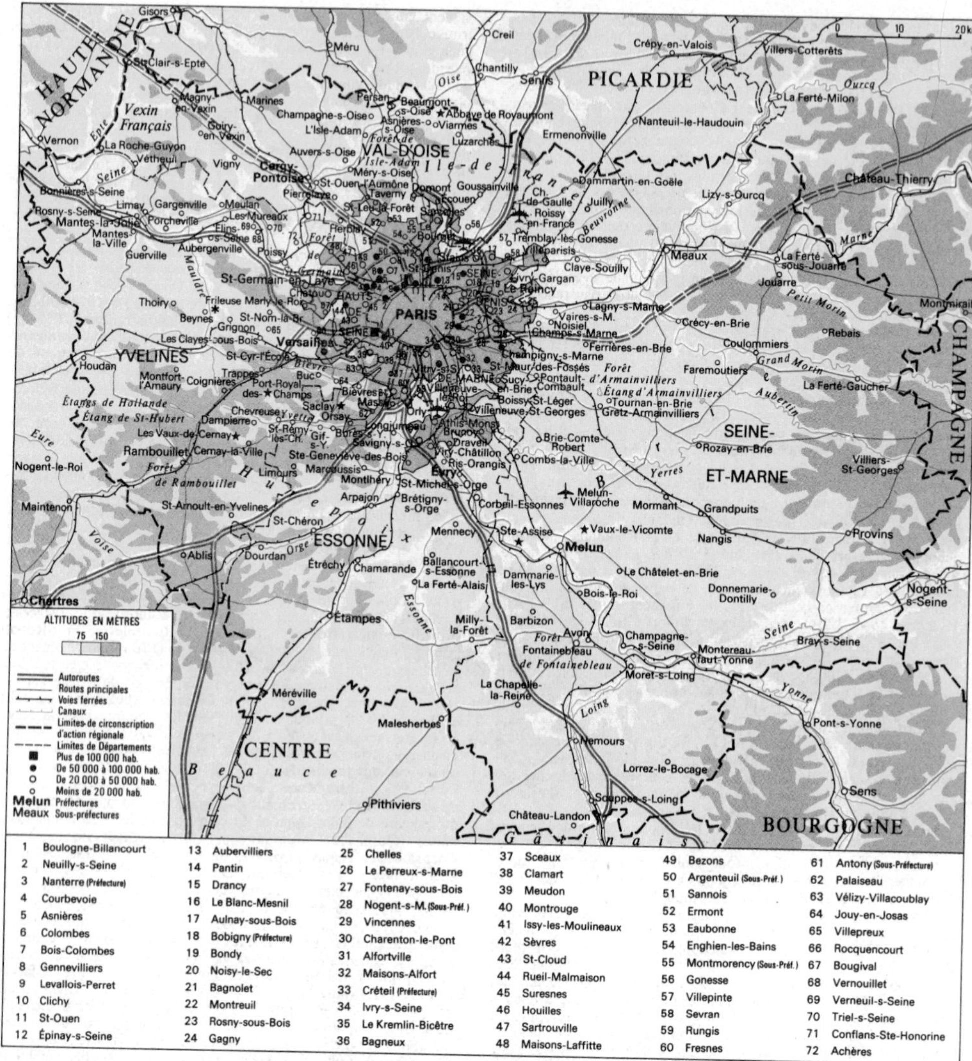

Région parisienne.

cultures maraîchère-primeuriste, légumière de plein champ ou fruitière des vallées et des coteaux. Cette agriculture de pointe occupait 57 000 personnes en 1968 (1,3 % des actifs de la R.P.), 53 000 en 1971 (1,1 %); elle en comptait 47 000 en 1976 (0,97 %). Mais, stimulée par l'urbanisation, elle en est également victime, contrainte de reculer sans cesse devant son envahissante emprise. Né à la faveur de la « grande croisée » (Lutèce, 5 000 hab.) Paris s'est, pendant quinze siècles, développé dans la plaine de l'ancien méandre de la Seine (300 ha au XIVe s., 300 000 hab.; 3 370 ha au XVIIIe s., 500 000 hab.). Puis la révolution industrielle l'a brutalement projeté hors de ses limites, fixées à 8 500 ha en 1860, alors que ville et agglomération se confondaient encore avec près de 2 000 000 d'hab. Un siècle plus tard, en 1962, elles en rassemblaient 7 400 000 soit 1/10 de la région — 1 200 km^2 dont 105 pour Paris — 80 % de sa population (8 500 000). Celle-ci a atteint 9 200 000 en 1968 et doublé, en 1973, le cap des 10 millions. Paris étant depuis longtemps stabilisé (2,9 millions en 1921; 2,8 en 1954; 2,6 en 1968) et les zones rurales (près de 11 000 km^2) n'évoluant que lentement (d = 45), cet accroissement se poursuit au seul bénéfice de la banlieue qui ne cesse de se densifier (d = 6 000) et de s'étendre. Ainsi ont achevé de disparaître les terres agricoles de la Seine (27 000 ha en 1892; 3 500 en 1957) tandis que de 1965 à 1975 l'agglomération, à sa périphérie dévorante, en aura transformé quelque 25 000 ha en sol urbain. Autour de la capitale politique, administrative et culturelle **(V. Paris)** s'est donc constitué un foyer commercial et financier puis industriel, subitement grossi, en quelques poussées successives (1890-1910 surtout) qui en ont fait la plus puissante de nos concentrations économiques. Plus du quart de notre potentiel; 21 % de la population active nationale, soit 4 550 000 personnes dont 1 850 000 dans le secondaire (41 %) [métallurgie et mécanique 800 000: bâtiment et travaux publics 450 000, chimie 140 000, édition 125 000] et 2 700 000 dans le tertiaire, en progression continue (57,9 %) [institutions financières 900 000; administration 550 000; commerce 550 000]. 60 % des chercheurs scientifiques, 40 % de l'encadrement supérieur français travaillent dans cette zone. Centre de gestion des grandes entreprises françaises (65 % des sièges sociaux), l'agglom. parisienne reçoit près de 50 % du chiffre d'affaires des sociétés industrielles et commerciales françaises. Port autonome créé en 1968 (44 millions de t). Avec plus du quart des revenus distribués, énorme centre de consommation (marché de Rungis, ouvert en 1969, le plus grand du monde). Agrégat d'activités les plus diverses, comprenant toutes les formes d'entreprises, tous les types de travail et de travailleurs, et reposant sur l'immigration, provinciale et étrangère. — Le prestige du Paris historique a longtemps masqué les réalités du Paris contemporain, fruit d'une croissance trop rapide et anarchique. La sous-administration, corrigée par la réforme départementale (1964) et la création de la R.P. (1966) puis par celle des trois académies, Paris, Créteil, Versailles (déc. 1971), le sous-équipement séculaire dans tous les domaines qui a nécessité la création du « District » (1961), outil d'aménagement et d'équipement, puis, en 1965, du « Schéma directeur de la R.P. », conçu dans la perspective de l'an 2000 et progressivement intégré aux VIe et VIIe Plans (1971-1980). À l'étalement en tache d'huile succédera une extension volontaire de la zone urbanisée (+ 1 000 km^2), en direction de la Basse-Seine, selon deux axes tangents à l'agglomération actuelle

(Melun-Mantes, 90 km, et Meaux-Pontoise, 75 km); outre les centres urbains rénovés (la Défense, Nanterre, Créteil, Choisy-le-Roi) cinq villes nouvelles (Melun*-Sénart, Évry*, Saint-Quentin*-en-Yvelines, Cergy*-Pontoise, Marne*-la-Vallée) verront le jour, dotées de zones d'activités et reliées par fer et route au reste de l'agglomération, dans le cadre des grandes infrastructures de liaison, actions clés de l'aménagement, en cours de réalisation (R.E.R. ; autoroutes de dégagement, de A 1 à A 10; rocades routières, du boulevard périphérique à la N 186 et à l'ARISO). Points forts de la restructuration de la R.P. – qui, hors Paris, ne comptait qu'une grande ville, Versailles (94 915 hab.) – ces nouvelles cités groupent, depuis 1976, 325 000 personnes et leur offrent 130 000 emplois. – Immense chantier aux paysages urbains extraordinairement divers, allégé par la décentralisation, Paris connaît aujourd'hui une croissance plus modérée que par le passé. Après avoir confisqué à son profit, pendant un siècle, le faible accroissement démographique national, il s'inscrit désormais, avec sa région, dans la progression générale de la population urbaine (+ 9,2 % de 1962 à 1968 = 4^e^ rang) comme de la population globale (10 350 000 hab. en 1976 pour une France de 54 millions; 12 millions en 1980; 14 millions sur 72 en l'an 2000). Au centre d'une agriculture aussi compétitive que son industrie, Paris, symbole d'une civilisation, se doit néanmoins, à l'heure européenne, de conserver sa prééminence et de s'affirmer plus que jamais capitale internationale. Signe de son rayonnement, l'aéroport de Roissy*-en-France, ouvert en 1974, accueille, depuis 1975, autant de passagers qu'Orly-Sud en 1970; il en prévoit 35 millions en 1980 et 50 en 1990.

Parisienne (La). ♦ Comédie en trois actes, en prose, de Henri Becque* (1885). Excédée par la jalousie tyrannique de Lafont dont elle est la maîtresse, Clotilde du Mesnil, épouse d'un mari trop confiant, rompt avec son amant en faveur du jeune Simpson qui ne tarde pas à la délaisser. Clotilde revient alors à Lafont et le ménage à trois reprend son cours paisible. Dissimulée par le brillant du fard et du clinquant, la sordide réalité de l'adultère bourgeois est dépeinte dans cette pièce avec une rare vigueur.

PARISIS. *n. m.* ♦ Petit pays de l'Île-de-France situé au N.-O. de Paris, limité par l'Oise, la Seine et le pays de France. Il fait partie du Val*-d'Oise. **V. Cormeilles-en-Parisis.**

PARIS-PLAGE. ♦ **V.** TOUQUET-PARIS-PLAGE (Le).

PARK (Mungo). ♦ Chirurgien et explorateur écossais (Foulshiels, Selkirkshire, 1771 – Boussa, Nigeria, 1806). Lors d'une première expédition en Afrique (1795-1797), il atteignit Pisania (Gambie) où il demeura quelque temps pour rassembler des renseignements sur le peuple et la langue mandingues; il poursuivit son voyage jusqu'au fleuve Niger dont il remonta le cours jusqu'en amont de Ségou; mais l'hostilité des Maures l'obligea à rebrousser chemin. Décidé après Houghton* à parvenir à Tombouctou, il entreprit un second voyage (1805) au cours duquel il mourut sur le Niger. Son journal, rédigé pour le compte de l'*African Society*, fut publié en 1815-1816; il contient une précieuse documentation sur les Maures et les différents peuples de Sénégambie et des bords du Niger (*Travels in the Interior of Africa).*

PARKER (Charlie Christopher), surnommé **Bird**, « l'oiseau ». ♦ Saxophoniste, compositeur et chef d'orchestre de jazz noir américain (Kansas City, 1920 – New York, 1955). Principal créateur du style *be*-bop* dans les années 1940, il dirigea de petites formations, à partir de 1945, notamment avec Dizzy Gillespie* et Miles Davis*. Il transforma profondément le jazz en élaborant une phrase mélodique plus complexe et plus souple, souvent inspirée et toujours équilibrée, et une nouvelle rythmique. Princ. enregistrements : *Billie's bounce* (1945), *Ko-ko* (1945), *Parker's mood* (1948), *Salt peanuts* (avec Gillespie).

PARKINSON (James). ♦ Médecin anglais (Hoxton, Middlesex, 1755 – Londres, 1824). Il est connu par sa description de la paralysie agitante (dite *maladie de Parkinson).*

Parlement. *n. m.* ♦ Cf. Robert.

Parlement (Court, avr.-mai 1640**)**, en angl. **Short Parliament.** ♦ Nom du quatrième Parlement convoqué par Charles* Ier. Sous la conduite de Pym* et de Hampden, il s'opposa au roi qui le renvoya. ♦ PARLEMENT (*Long*, 1640-1660), en angl. *Long Parliament.* Nom du cinquième Parlement convoqué par Charles* Ier. Il fut « purgé » en 1648 et renvoyé par Cromwell*, rappelé à sa mort, et finalement contraint de se dissoudre lui-même par Monk*. ♦ PARLEMENT (*Croupion*, 1648), en angl. *Rump Parliament.* Nom donné à ce qui restait du Long Parlement « purgé » par Cromwell* et uniquement formé de puritains. ♦ PARLEMENT (*Barebone*, 1653), en angl. *Barebone's Parliament.* Parlement par lequel Cromwell* tenta de remplacer le Long Parlement et qui prit le nom d'un de ses membres. Formé de puritains et d'anabaptistes, il déploya un zèle brouillon et fanatique. Cromwell préféra le renvoyer et se faire nommer protecteur. ♦ PARLEMENT (*Convention*, 1660). Il succéda au Long Parlement, rappela Charles* II et pratiqua une politique de réaction (exécution de régicides, licenciement de l'armée républicaine).

Parlement *(loi sur le).* ♦ **V.** PARLIAMENT ACT.

Parliament Act *(loi sur le Parlement).* ♦ Loi votée définitivement en Angleterre en 1911. Elle fixait la durée des législatures à cinq ans, mais, surtout, elle diminuait les pouvoirs de la Chambre des lords, qui ne pouvaient plus s'exercer en matière financière et comportaient un droit de veto suspensif limité à deux fois.

PARME, en it. **Parma.** ♦ V. d'Italie centrale, en Émilie*. Ch.-l. de prov. entre l'Apennin et le Pô. 163 000 hab. *(Parmesans).* Évêché, université du XVe siècle. Académie des beaux-arts. Cathédrale (XIIe s.) à campanile gothique, baptistère romano-gothique (XIIe-XIIIe s.). Églises San Giovanni Evangelista (XVIe-XVII s.), avec des fresques du Corrège* et du Parmesan*. Palais de la Pilotta (XVIe-XVIIe s.) abritant la Galerie nationale et le théâtre Farnèse. Située sur la Via Emilia, c'est un centre industriel (sucreries, indus. chimiques et mécaniques). La région produit un jambon renommé et le fromage dit *parmesan.* Les violettes de Parme furent célèbres. Patrie de Francesco Mazzola, dit le Parmesan*. ♦ *Hist.* Fondée par les Étrusques, elle devint en ~ 183 une colonie romaine qui reçut sous Auguste le nom de *Julia Augusta.* Gibeline, alliée à Frédéric II, elle devint guelfe avec les Rossi, partisans du pape (1247). En 1344, Azzo Da Coreggio la vendit à Obizzo III d'Este qui la revendit en 1346 à Lucchino Visconti. En 1511, Parme fut annexée par le Saint-Siège et, lors du pontificat de Paul III, passa à son fils naturel Pier Luigi Farnèse* (1545). Les Farnèse régnèrent sur Parme et Plaisance jusqu'en 1731. Parme fut attribuée par la suite au fils d'Élisabeth Farnèse, don Carlos, qui la céda à l'Autriche (1735). Après la paix d'Aix-la-Chapelle (1748), elle fut attribuée à un autre fils d'Élisabeth Farnèse, don Philippe, qui eut pour successeur son fils Ferdinand. À la mort de ce dernier (1802), Napoléon annexa le duché de Parme et de Plaisance. Parme devint alors le ch.-l. du dép. du Taro et Cambacérès reçut le titre de *duc de Parme.* En 1814, Parme fut donnée avec Guastalla à l'ex-impératrice des Français, Marie-Louise, devenue la maîtresse, puis la femme de Neipperg. À sa mort (1847), Parme passa à Charles-Louis, duc de Lucques (descendant des Bourbon-Parme), qui en fut chassé en 1849. Son fils Charles III mourut assassiné en 1854. Le fils de ce dernier, Robert, régna sous la régence de sa mère Louise Marie-Thérèse de Bourbon, fille du duc de Berry. Il fut chassé en 1859 et le duché s'unit en 1860 au nouveau royaume d'Italie.

PARMÉNIDE, en gr. **Parmenidês.** ♦ Philosophe grec de l'école d'Élée* (Élée, v. ~ 544 - v. ~ 450). Il suivit vraisemblablement les leçons de Xénophane*. Il aurait été législateur de sa ville natale avant de gagner Athènes v. ~ 504 où, avec son disciple Zénon* (d'Élée), il combattit la philosophie matérialiste des Ioniens*. Il nous est parvenu une cinquantaine de vers de son poème, *De la nature,* où il traite de la vérité ou de l'unité et de l'éternité de l'être. Il peut être considéré comme le père de l'ontologie.

Parménide (Le). ♦ Dialogue platonicien où Socrate* et ses interlocuteurs (Zénon* d'Élée et Parménide*) font un examen critique de la théorie des idées auquel fait suite un exercice dialectique sur la question de l'un et du multiple. **V. Platon.**

PARMÉNION. ♦ Général macédonien (mort à Ecbatane, v. ~ 330). Lieutenant de Philippe II, puis d'Alexandre le Grand, il contribua à l'organisation de l'armée et aux victoires macédoniennes. Ayant voulu dissuader Alexandre de continuer sa campagne en Asie, il lui suggéra d'accepter la paix offerte par Darios. Impliqué dans un complot, il fut mis à mort.

PARMENTIER (Antoine Augustin). ♦ Pharmacien militaire et agronome français (Montdidier, 1737 – Paris, 1813). Apothicaire major de l'hôtel royal des Invalides (1772), il publia un travail consacré à l'examen chimique de la pomme de terre (1773), dont il répandit la culture en France, ouvrage qui lui valut le prix fondé par l'académie de Besançon pour récompenser les recherches sur les végétaux de remplacement pour l'alimentation humaine. Auteur d'études sur la conservation des vins, des farines, sur l'utilisation des produits laitiers, etc., il fut nommé premier pharmacien des armées et inspecteur général du service de santé (1805-1813) et

Ph. Gino Begotti/Ricciarini

Région **parisienne** : boulevard périphérique (à Paris).

Ph. Hétier

Le **Parnasse,** Delphes et le stade.

contribua à promouvoir la vaccination antivariolique. (Acad. sc., 1795.)

PARMESAN (Francesco Mazzola, dit **il Parmigianino,** en fr. **le).** ♦ Peintre italien (Parme, 1503 – Casalmaggiore, 1540). Issu d'une famille de peintres, il fut un artiste précoce et travailla à Parme avec le Corrège* dès 1519. À cette influence majeure s'ajoutèrent celles de Raphaël* et de Michel*-Ange, dont il connut les œuvres au cours d'un séjour à Rome (1524-1527). Il sut pourtant dominer ces leçons, et même sa virtuosité personnelle *(Autoportrait dans un miroir convexe,* 1523-1524, Vienne), pour élaborer un style où l'élégance un peu sophistiquée des formes n'exclut pas la vigueur : *La Vision de saint Jérôme* (1527, Londres), *La Madone à la rose* (1527, Dresde), *La Vierge au long cou* (1534-1540, Florence). Après avoir travaillé à Bologne, il regagna Parme en 1531 et y peignit les fresques de Santa Maria della Steccata, aux somptueuses figures bibliques ou décoratives (1531-1539). Portraitiste remarquable il allia à la richesse aristocratique de ses effigies une psychologie faite de suggestion et de mélancolie : *Jeune Prélat* (galerie Borghèse, Rome), *La Femme au turban* (Parme), *La Courtisane Antea* ou *Femmes au renard* (Naples). Mort jeune, il exerça cependant une grande influence dans toute l'Italie par la diffusion de ses gravures, et en France par le Primatice* et Nicolo Dell'* Abate, qui furent les héritiers de son style.

PARNAÍBA. *n. m.* ♦ Fl. du Brésil (Nordeste) tributaire de l'Atlantique (1 700 km), il sert de frontière entre les États côtiers de Maranhão* et de Piauí* où il arrose Teresina*.

PARNASSE [*n. m.*] en gr. **Parnassos.** ♦ Massif montagneux de Grèce, en Phocide*. 2 457 m. Sur son versant S. est située Delphes*. Dans l'Antiquité, le Parnasse était consacré à Dionysos, puis à Appollon* et aux Muses*. L'oracle d'Apollon pythien **(V. Python),** la fontaine Castalia*, la grotte Corycienne (stalactites), les rochers Phédriades (d'où l'on précipitait les sacrilèges) lui conféraient le caractère de montagne sacrée. Deucalion* et Pyrrha y abordèrent avec leur arche après le déluge. Dans la tradition tardive, le Parnasse remplace Hélicon comme résidence des Muses et lieu d'inspiration des poètes (Cf. Parnasse, parnassien *in* Robert).

Parnasse contemporain (Le). ♦ « Recueil de vers nouveaux », publié par l'éditeur Lemerre en trois volumes successifs, en 1866, 1871 et 1876. Formulation théorique de ceux qui se voulurent, par réaction contre le romantisme, des « parnassiens », la première livraison notamment (qui contient des poèmes de Gautier*, Banville*, Leconte* de Lisle, Baudelaire*, Hérédia*, Coppée*, Catulle Mendès*, Sully*-Prudhomme, Verlaine* et Mallarmé*) atteste la vitalité d'un mouvement poétique comprenant des artistes de tendance et de valeur très diverses, mais rapprochés par des aspirations communes : la recherche de la perfection formelle et le culte de « l'art pour l'art » préconisé par Gautier.

PARNELL (Charles Stewart). ♦ Homme politique irlandais (Avondale, Wicklow, 1846 – Brighton, 1891). Issu d'une famille de grands propriétaires protestants d'origine anglaise, il se fit cependant le défenseur de la cause irlandaise (l'exécution de trois fenians, les martyrs de Manchester, en 1867 fut pour lui déterminante). Député aux Communes en 1874, il prit la tête du Parti autonomiste irlandais *(Home Rule Party)* dont il fit un parti puissant et discipliné. Redonnant son importance à l'action parlementaire, il joua, grâce à son énergie, à son autorité et à son habileté, un rôle considérable au Parlement, d'abord en reprenant la tactique de l'obstruction inaugurée par Biggar, ensuite en jouant le rôle d'arbitre entre conservateurs et libéraux. La grande crise agraire de 1878 le poussa à faire siennes les revendications de la paysannerie : il prit la direction de la *Irish Land League* et lutta contre la loi répressive de 1880. Emprisonné, il signa un compromis *(Kilmainham Treaty),* par lequel il s'engageait à faire cesser l'agitation, encore accrue par son incarcération, en échange de concessions du gouvernement anglais. Sa politique fut remise en cause par l'assassinat du secrétaire pour l'Irlande à Phoenix Park (1886). Accusé lui-même d'y avoir pris part, il démontra son innocence, et, grâce à sa position de force au Parlement et au ralliement de Gladstone* à l'idée de *Home* Rule,* il avait l'espoir de faire triompher ses vues quand sa carrière politique fut arrêtée : sa liaison avec la femme d'un de ses principaux collaborateurs, O'Shea, rendue publique par un procès en divorce, détourna de lui une partie de l'opinion puritaine, Gladstone, l'Église d'Irlande et finalement la majorité de son parti. Il mourut peu après.

PARNÈS. *n. m.* ♦ Montagne de Grèce en Attique, au N. d'Athènes. 1 413 mètres. Grotte préhistorique abritant à l'époque classique un sanctuaire de Pan.

PARNY (Évariste Désiré de Forges, *vicomte de***).** ♦ Poète français (île Bourbon, 1753 – Paris, 1814), auteur de *Poésies érotiques,* hommage délicat à la grâce féminine. Rêve nostalgique de la femme aimée *(Enfin, ma chère Éléonore),* ou désir idyllique d'une paix intérieure *(Projet de solitude),* ces poèmes, par leur grâce et leur finesse, annoncent le lyrisme romantique.

Paroles d'un croyant. ♦ Œuvre de Lamennais* (1834). Dans cette œuvre, « dédiée au peuple » et écrite dans un style d'inspiration biblique, l'auteur défend la démocratie comme étant fondée sur les Évangiles eux-mêmes. Parue peu après la condamnation du journal *l'Avenir* par le Saint-Siège, elle fut également condamnée par l'encyclique *Singulari nos* (juil. 1834) et acheva la rupture de Lamennais d'avec l'Église catholique.

PAROPAMISOS. ♦ Anc. nom grec donné aux chaînes montagneuses de l'Hindū-kūsh occidental et plus particulièrement au Kūh-i Bâbâ en Afghânistân.

PAROS. ♦ Île grecque, l'une des Cyclades*, à l'O. de Naxos. 186 km². 6 780 hab. *Ch.-l.,* Paros, port sur la côte occidentale. 1 955 hab. – Église byzantine (VIe-Xe s.); musée abritant notamment un *marbre de Paros,* fragment d'une table chronologique **(V. Arundel** [marbres d']**)** et une inscription sur la vie du poète Archiloque*, natif de Paros. – Patrie du sculpteur Scopas*. – Anc. carrières de marbre blanc du mont Marpissa. ♦ *Hist.* Colonisée d'abord par les Crétois, puis par les Ioniens, Paros florissait dès le ~ VIIIe siècle. Ses ateliers de sculpture étaient fameux au ~ VIe siècle. Alliée des Perses en ~ 490, l'île fut soumise plus tard par les Athéniens, puis passa successivement aux Macédoniens, aux Ptolémées et aux Romains. **V. Cyclades.**

PARQUES. *n. f. pl.,* en lat. **Parcae.** ♦ Divinités du Destin dans la religion romaine, identifiées aux Moires* grecques. Elles étaient représentées sur le Forum par trois statues appelées les *Tria Fata :* les « trois Destinées ».

PARRHASIOS. ♦ Peintre grec originaire d'Éphèse*, travaillant à Athènes* v. ~ 400. L'un des maîtres, avec Zeuxis*, du tableau de chevalet qui remplaça alors la fresque monumentale, il fut cependant le principal adversaire de celui-ci. À l'innovation du jeu de lumière et d'ombre il opposa la prépondérance du dessin et la force expressive de la ligne. Il traita des sujets mythologiques, toujours soucieux d'en dégager l'allégorie. Son tableau représentant le peuple athénien *(Dêmos)* suscita l'admiration des anciens.

PARROCEL (Joseph). ♦ Peintre, dessinateur et graveur français (Brignoles, 1646 – Paris, 1704). Issu d'une famille de peintres, il fut d'abord l'élève de son frère *Louis* (1634 – 1694), puis, à Rome, du peintre de batailles J. Courtois*. Admirateur de S. Rosa* et des Vénitiens, il revint en France en 1675 et devint membre de l'Académie en 1676. Il peignit quelques tableaux à sujet religieux, des scènes de genre et de chasse, mais se consacra surtout à la peinture de batailles et à des scènes de la vie de camp. Moins en faveur que Adam François Van der Meulen*, il obtint cependant quelques commandes officielles, grâce à l'appui de Louvois (onze tableaux pour Louis XIV). Tempérament imaginatif, il affectionnait les scènes mouvementées, employait une touche grasse et nerveuse et des éclats de couleurs rares; il fut l'un des initiateurs des scènes de « fêtes galantes » (*La Foire de Bezons,* v. 1700).

PARROT (André). ♦ Pasteur réformé et archéologue français (Désandans, Doubs, 1901). Il dirigea les fouilles de Lagash (1931-1933), Larsa (1933) et surtout Mâri* (1933-1957). Il devint conservateur en chef au musée du Louvre (antiquités orientales et arts musulmans) [1946]. Auteur de *Archéologie mésopotamienne* (1946-1953), *Ziggurats et tour de Babel* (1949), *Mission archéologique de Mâri* (1958-1959), *Sumer* (1960), *Assur* (1961) et fondateur des *Cahiers d'archéologie biblique* (1952).

PARRY (*sir* **William Edward).** ♦ Navigateur anglais (Bath, 1790 – Greenwich. 1855). Il a exploré les régions arctiques, en 1818 la terre de Baffin avec Ross, en 1821-1823 et 1824-1825 le N. du Spitzberg (ou Svalbard).

PARRY *(îles).* ♦ Partie de l'archipel arctique* canadien (Territoires du N.-O., district de Franklin) au S.-O. de la terre de Banks, baignée à l'E. par l'océan Glacial Arctique. Les îles principales sont Bathurst, Cornwallis, Melville et Prince Patrick. Elles sont désertes et inhospitalières. Le peuplement n'y est pas permanent.

PARSA. ♦ V. PERSÉPOLIS.

Parsifal. ♦ Drame musical en trois actes et cinq tableaux, poème et musique de Richard Wagner* (Bayreuth, 1882). Inspiré de la légende du Graal, transmise par Chrétien de Troyes et adaptée par son disciple, le trouvère allemand Wolfram von Eschenbach, le poème de Wagner, conçu dès 1857, mêle la spiritualité chrétienne et la tradition ésotérique universelle. Séduit par la fascinante Kundry, fille du magicien Klingsor, le chaste Parsifal triomphe de ses ennemis en s'emparant de la lance de l'enchanteur. Par elle, il guérit la blessure du malheureux Amfortas et reconquiert le Saint-Graal dont il devient le roi, dans l'enchantement du vendredi saint. Ultime message du grand compositeur, l'ouvrage développe une affirmation des pouvoirs du bien sur le mal, au sein d'une humanité régénérée par le sacrifice de l'artiste en qui s'incarnent, par le renoncement au monde, toute exigence et toute pureté. Son interprétation, dans un sens strictement chrétien, a inspiré à Nietzsche, par réaction, son *Zarathoustra.* L'art de Wagner atteint ici les sommets de l'expression musicale.

Parsis. *n. m. pl.* ♦ Descendants des zoroastriens de Perse qui émigrèrent en Inde à partir du VIIIe s. pour échapper à la persécution musulmane (certains zoroastriens restèrent en Perse, **V. Guèbres**). Ils se concentrèrent dans le Gujarât (Surat et surtout Bombay). Ils conservèrent leurs particularités, notamment la coutume de ne pas enterrer les morts mais de les exposer sur des « tours de silence », pour ne pas souiller la terre. C'est auprès d'eux qu'au XVIIIe s. Anquetil-Duperron recueillit l'Avesta*. Ils forment aujourd'hui une communauté prospère et européanisée d'environ 100 000 personnes.

PARSONS (*sir* Charles Algernon). ♦ Ingénieur anglais (Londres, 1854 – au cours d'une croisière aux Indes, 1931). Inventeur d'un type de turbine à vapeur et à réaction encore utilisé sur un grand nombre de navires. **V.** *aussi* **De Laval, Rateau.**

PARSONS (Talcott). ♦ Sociologue américain (Colorado Springs, 1902). Auteur d'une sociologie de l'action sociale et de ses motivations, il a tenté de considérer les rapports sociaux comme un ensemble d'informations (*The Structure of the Social Action,* 1937; *The Social System,* 1951; *Structure and Progress in Modern Society,* 1959).

Partage de midi. ♦ Drame en trois actes de Paul Claudel* (1906). Cette pièce, par certains côtés autobiographiques, a pour héros Mesa et Ysé, epouse de De Ciz, dont la rencontre, sur un navire à destination de l'Orient, va susciter la passion la plus exaltée que deux êtres puissent éprouver l'un pour l'autre. Interdit par les lois divines et humaines, cet implacable amour ne trouvera d'issue que dans la mort des deux amants.

PARTHENAY. ♦ Sous-préf. des Deux-Sèvres, ch.-l. d'arr. (8 cant., 81 comm., 66 918 hab.), sur la r. d. du Thouet. 11 755 hab. (*Parthenaisiens).* Anc. collégiale Sainte-Croix du XIIe s. (clocher du XVe s.). Restes des anciennes églises des Cordeliers (XIIIe-XVe s.) et Notre-Dame-de-la-Couldre (XIIe s.). Vestiges de l'ancien château du XIIIe s. et des remparts de la citadelle (portes). Pont gothique. Nombreuses maisons anc. des XVe et XVIe siècles. Aux environs, à *Parthenay-le-Vieux,* anc. église prieurale Saint-Pierre, des XIe et XIIe siècles. – Marché agricole (bovins de race parthenaise). Indus. alimentaires : important centre d'abattage; pâtes; confiserie. – Matériaux de construction. Construction mécanique. Charpente métallique. ♦ *Hist.* Importante étape sur la route de Saint-Jacques-de-Compostelle, Parthenay était au Moyen Âge la capitale de la Gâtine. La ville fut érigée en duché-pairie pour le maréchal de La Meilleraye en 1663 et acquise par le comte d'Artois en 1776. Elle fut pendant la guerre de Vendée l'un des foyers de l'insurrection royaliste, et l'armée républicaine de Westermann l'occupa en juin 1793.

Parthénon *(le).* ♦ Temple d'Athéna*, le monument le plus prestigieux de l'Acropole* d'Athènes et de la Grèce. Son édification, décidée à l'instigation de Périclès*, fut confiée aux architectes Ictinos* et Callicratès* qui travaillèrent sous la direction de Phidias*. Construit de ~447 à ~432 en marbre pentélique sur les fondements d'un temple resté inachevé et incendié par les Perses en ~480, le Parthénon est un temple dorique périptère, de dimensions assez modestes (69,51 m × 30,88 m). Sa décoration sculpturale était l'œuvre de Phidias et de son atelier. La galerie extérieure comprend 46 colonnes doriques qui supportaient notamment la frise dorique (quelques éléments de 92 métopes de cette frise restent en place) et les frontons de deux façades **(V. Phidias).** L'intérieur, fermé sur les côtés longs par des murs, était ouvert aux façades avec des portiques à 6 colonnes doriques. La frise ionique des Panathénées entourait tout le temple sous le plafond des galeries. Entre le *pronaos* (vestibule d'entrée, à l'E.) et l'*opisthodome* (vestibule arrière à l'O.), le temple proprement dit était divisé par un mur en deux parties, l'*Hécatompédon* (« long de cent pieds ») évoquait le temple archaïque, et le *Parthénon* (« salle des vierges ») dont le nom, d'origine discutée, devait désigner, à partir du ~IVe s., l'ensemble de l'édifice. L'Hécatompédon (à l'E.) était le sanctuaire abritant la statue chryséléphantine d'Athéna, haute de 12 m, œuvre de Phidias. Une colonnade dorique, sur laquelle se superposait une deuxième rangée de colonnes plus menues, flanquait les trois côtés de la salle. Le Parthénon, orné de quatre colonnes ioniques, abritait peut-être les trésors sacrés et, plus tard, le trésor de la cité. – Au VIe s., le Parthénon fut transformé en église de la Vierge. En 1687, lors de la guerre turco-vénitienne, le temple qui abritait une poudrière turque fut gravement endommagé quand un obus vénitien provoqua une explosion qui détruisit toute la partie centrale. Transformé ensuite en mosquée (1688-1749) avec l'adjonction d'un minaret, le Parthénon fut amputé de la plus grande partie de sa décoration sculpturale (dont les frontons) par lord Elgin* (1802). Ces sculptures sont exposées au British Museum. Le musée du Louvre et le musée de l'Acropole renferment quelques éléments de la frise et des métopes.

PARTHÉNOPE, en gr. **Parthenopê.** ♦ Nom semi-légendaire d'une anc. V. d'Italie (Campanie), fondée par les Grecs de Cumes* v. ~600 et qui reçut en ~500 le nom de *Palaiopolis* (anc. ville) quand fut établie dans les environs une nouvelle ville, *Néapolis,* sur le site actuel de Naples*.

PARTHÉNOPÉENNE *(république).* ♦ Créée par Championnet* le 23 janv. 1799 sur le territoire du royaume de Naples* qui était gouverné par les Bourbons. Naples fut reprise le 13 juin 1799 par le cardinal Ruffo et Fra* Diavolo; de violentes représailles furent exercées sur les libéraux napolitains qui avaient soutenu les Français.

PARTHES. *n. m. pl.* ♦ Peuple semi-nomade, d'origine iranienne, installé au S.-O. de la mer Caspienne *(Parthie).* Leur organisation sociale reposait sur la prééminence d'une aristocratie guerrière. Vers ~250, ils fondèrent une dynastie indépendante de l'empire séleucide **(V. Arsace, Arsacides).** Avec Mithridate* Ier, leur puissance s'étendit en Iran (à partir de ~160) et en Babylonie, conquise sur les Séleucides (~141). L'empire parthe fut à son apogée sous Orode* II dont le général en chef **(V. Suréna)** écrasa les Romains **(V. Crassus)** à Carrhes (Harran) en ~53. Les Parthes poussèrent jusqu'en Syrie et en Palestine, tinrent Antoine en échec en Arménie et, en ~20, conclurent avec Rome un traité fixant leur frontière commune sur l'Euphrate. Par la suite, les luttes continuèrent : l'Arménie passa sous la suzeraineté romaine en 63 **(V. Corbulon).** Trajan l'occupa ainsi que la Mésopotamie et l'Assyrie (114-117), Septime Sévère saccagea Ctésiphon*, la capitale parthe, et étendit l'Empire romain jusqu'à Ninive (198-200). En 224 le dernier roi parthe **(V. Artaban V)** fut vaincu par la révolte d'Ardachêr*, fondateur de la dynastie perse sassanide*.

PARTHIE ou **PARTHIÈNE.** *n. f.* ♦ *Géogr. anc.* Région située au N. du plateau iranien et au S.-E. de la mer Caspienne, dont elle était séparée par les montagnes d'Hyrcanie (Elbourz). Elle fit partie de l'empire perse dès Cyrus II qui la conquit v. ~540, passa à Alexandre le Grand (~331), puis à Séleucos Ier (~301), avant d'accéder à l'indépendance v. ~250 et de devenir le foyer de l'empire arsacide **(V. Parthes).**

PARTICELLI (Michel). ♦ **V.** ÉMERY (Michel Particelli d').

Parties des animaux (Des). ♦ Traité d'Aristote* sur la zoologie. Postérieur à l'*Histoire des animaux* (recueil d'observations et d'expériences sur près de cinq cents espèces animales), Aristote y expose les principes de sa méthode en biologie dans une perspective finaliste. Il étudie l'anatomie comparée et le fonctionnement des organes des êtres vivants. On peut ajouter à ce traité celui sur *La Génération des animaux* qui analyse les modes de reproduction animale et l'embryologie.

PÂRVATÎ. ♦ Divinité hindoue, śakti de Śiva*, parfois considérée, sous le nom de Devî, comme une divinité suprême. Elle peut prendre une multitude d'aspects, dont les plus connus sont ceux de Kâlî* et de Durgâ. Fille de l'Himâlaya, elle représenterait la puissance de la nature.

PARYSATIS. ♦ Reine des Perses (morte en ~395), tante et épouse de Darios* II, mère d'Artaxerxès* II et de Cyrus* le Jeune. Voulant préparer pour ce dernier la voie du trône, elle lui fit donner le pouvoir en Asie Mineure. Après l'échec de l'attentat contre Artaxerxès II (~404), elle obtint la vie sauve pour son fils favori. Elle trempa encore dans de nombreux complots et empoisonna Stateira, épouse d'Artaxerxès II.

PASADENA. ♦ V. des États-Unis (Californie*), près de Los Angeles. 116 407 hab. (1960). – Centre commercial (produits agricoles de la vallée de San Gabriel) et résidentiel. Siège du *California Institute of Technology* (laboratoire de la N.A.S.A., etc., **V.** *aussi* **Palomar** [mont]).

PASARGADES. ♦ Anc. cité royale de Perse, d'où la famille achéménide était originaire, et dont Cyrus II le Grand fit sa capitale. Elle resta capitale jusqu'à la fondation de Persépolis. Ruines auj. près de Chiraz et de Persépolis. Tombeau de Cyrus II.

Arch. Smeets

Frise du **Parthénon :** cavaliers. (British Museum, Londres.)

Ph. Giraudon

Portrait présumé de **Blaise Pascal,** attribué à Ph. de Champaigne. (Collection Moussalli.)

PASAY. ♦ Anc. nom de la ville de Rizal (Philippines).

PASCAL Ier *(saint).* ♦ 98e pape (817-824 [mort]). Romain. Il obtint de Louis le Pieux une *Constitution* (817) garantissant à la papauté la possession perpétuelle de ses territoires **(V. Étienne II, Adrien Ier)** et son indépendance à l'égard de l'Empire. Il couronna Lothaire (823) et envoya Ebbon* de Reims en Scandinavie. Fête le 11 février.

PASCAL II *(Rainier).* ♦ (Bieda, près de Ravenne, v. 1050 – Rome, 1118). 158e pape, de 1099 à 1118. Il poursuivit l'action de Grégoire* VII dans la querelle des Investitures*. Henri IV lui opposa plusieurs antipapes : Théodoric (1100), Albert (1102), Sylvestre* IV (1105). Il favorisa Henri* V contre Henri* IV, puis se heurta à lui quand il eut succédé à son père (1106). Le concordat de Sutri (12 févr. 1111) ne résolut pas le différend, ni l'emprisonnement du pape (févr.-avr. 1111) qui céda mais se rétracta (concile du Latran, 1112), ni la descente de l'empereur sur Rome (1117).

PASCAL III *(Guido da Crema).* ♦ (Crema, Lombardie, v. 1100 – Rome, 1168). Antipape de 1164 à sa mort, contre Alexandre* III. Soutenu par Frédéric* Barberousse, il avait succédé à l'antipape Victor* IV (ou V).

PASCAL (Blaise). ♦ Savant, penseur et écrivain français (Clermont-Ferrand, 1623 – Paris, 1662). Son père, Étienne Pascal, qui avait remarqué ses dons exceptionnels, veilla sur son instruction et, venu habiter Paris (1631), le fit admettre aux réunions de savants de l'abbé Mersenne*, auxquelles lui-même participait. Auteur à seize ans d'un *Essai sur les coniques* dans lequel il généralisait des méthodes exposées par Viète*, Pascal conçut trois ans plus tard une machine arithmétique ; c'est durant cette période, à Rouen, que la famille subit l'influence janséniste (1639-1647). P. Petit étant venu effectuer devant son père et lui l'expérience de Torricelli (1646), Pascal la refit publiquement, puis, rentré à Paris, publia ses *Expériences nouvelles touchant le vide* (1647). N'osant pas encore affirmer l'absurdité de « l'horreur du vide », il imagina la célèbre expérience du puy de Dôme, réalisée par son beau-frère ; cette entreprise permit à Pascal d'affirmer que « la nature n'a aucune répugnance pour le vide... ». Il rédigea alors les traités de l'*Équilibre des liqueurs* et de la *Pesanteur de la masse de l'air* (publiés en 1663), dans lesquels il décrit des dispositifs expérimentaux et analyse les phénomènes d'hydrostatique, précisant la notion de pression et ébauchant une transposition du principe de Torricelli pour les systèmes pesants. Auteur du *Traité du triangle arithmétique* (1654), il fonda, avec Fermat et et Huygens, le calcul des probabilités. De 1651 à 1654, fréquentant la société des « honnêtes gens » (notamment les libertins Méré* et Miton*), il prit conscience de l'importance de l'« art d'agréer » (art de séduire et de pénétrer les esprits) que l'on trouve dans le *Discours sur les passions de l'amour* (1652), étude intéressante que certains lui attribuent. Il avait cependant poursuivi ses recherches scientifiques et, en 1658, lança un défi à tous les mathématiciens sur la « roulette » (problème de la cycloïde), courbe qu'il étudia particulièrement, utilisant la technique des indivisibles qu'il avait admirablement mise au point. Sous l'influence de sa sœur Jacqueline (entrée en religion), puis d'événements où il vit l'œuvre de la Providence, bouleversé enfin par son extase du 23 novembre 1654 (le *Mémorial*), il fit retraite à Port-Royal des Champs ; là, il se rapprocha des jansénistes *(Entretien avec M. de Sacy)* qu'il défendit dans les dix-huit lettres polémiques dites les *Provinciales** (1656-1657), qui attaquent les jésuites sur leur interprétation de la grâce. La conception mystique d'un Dieu caché apparaît dans les *Lettres à Mademoiselle de Roannez* et surtout dans les notes (appelées les *Pensées**) relevées dès 1657 dans le dessein d'écrire une *Apologie de la religion chrétienne* qui aurait été destinée aux indifférents et aux incrédules. Ce désir de convaincre avait motivé *L'Art de persuader* (v. 1557) où s'exprimaient ses principes littéraires, qui annoncent la doctrine classique. Distinguant l'ordre naturel (l'esprit) de l'ordre surnaturel (la volonté), il fait appel dans son œuvre, successivement, à « l'esprit de géométrie » (le raisonnement mathématique) et à « l'esprit de finesse » (la logique du cœur). Homme de science, il veut entraîner l'adhésion par des démonstrations serrées, soutenues par des phrases impérieuses au vocabulaire dépouillé ; mais il sait aussi toucher l'imagination et le cœur par une « vraie éloquence », tantôt dramatique (répétitions, antithèses), tantôt pathétique (interrogations, exclamations passionnées), mais toujours mesurée. Cette recherche (sensible dans les *Provinciales* et plus nettement dans les *Pensées*) d'un style « naturel » où l'expression mise totalement au service de l'idée soit claire pour être efficace apparaît significative de l'évolution de la prose française au XVIIe siècle. ♦ *Principe de* PASCAL : principe d'hydrostatique pouvant s'énoncer ainsi : « Dans un fluide incompressible en équilibre, les pressions se transmettent intégralement. »

PASCAL (Jacqueline), en rel. *sœur* **Sainte-Euphémie.** ♦ (Clermont-Ferrand, 1625 – Paris, 1661). Sœur de Blaise Pascal*, elle entra à Port*-Royal (1652), influa sur la conversion définitive de son frère et fut, dans le groupe janséniste, une des plus fermes adversaires de tout compromis.

PASCH (Moritz). ♦ Logicien de langue allemande (Wrocław, Pologne, 1843 – 1930). On lui doit l'une des premières axiomatisations de la géométrie (1882).

PASCIN (Julius PINKAS). ♦ Peintre américain d'origine bulgare (Vidin, Bulgarie, 1885 – Paris, 1930). Né d'un père juif espagnol et d'une mère italienne, il se forma à Vienne puis à Munich. Pour gagner sa vie, il exécuta des dessins humoristiques et satiriques. Il arriva en 1905 à Paris, et participa dès 1912-1913 à de grandes expositions à Berlin, Cologne et New York *(Armory Show).* Lorsque la guerre éclata, il se réfugia aux États-Unis. Au cours de voyages (Floride, Texas, Mexique, Cuba), il croqua sur le vif au crayon, à l'encre de Chine et à l'aquarelle, des scènes d'un humour parfois féroce (*Le Matin au Pullman-car,* 1919 ; *Marché à La Nouvelle-Orléans,* 1918). De retour à Paris en 1920, il mena une existence de noctambule fastueux. Cette période parisienne fut entrecoupée de voyages en Tunisie et en Algérie qui apaisèrent son goût pour l'exotisme. En 1923, il exposa chez Berthe Weill. Hanté par l'histoire du *Fils prodigue,* il développa ce thème dans de très nombreuses variations. Il illustra les ouvrages de Paul Morand, Heine, Warnod et de son ami Mac Orlan. – Jusqu'en 1907, les dessins de Pascin, influencés par le style « Sécession » et le *Jugendstil,* étaient assez léchés, mais vibrant néanmoins grâce à l'utilisation du pointillé qui accompagne souvent le contour de la forme (*Le Café-terrasse,* 1906 ; *Les Deux Filles,* 1907). À partir de 1908, malgré les influences du fauvisme, sa palette resta nuancée (*Femme nue debout,* 1908). En 1913, on peut percevoir dans certaines de ses toiles l'aspect nacré qui est l'une des caractéristiques de ses dernières œuvres *(Au bal Tabarin).* À cette époque il ne resta pas indifférent au cubisme, il raffermit son dessin d'où l'élément figuratif disparaît parfois complètement (*Femme dans un paysage,* 1916). Cette recherche du volume et de la structure est particulièrement sensible dans les dessins qu'il exécuta en Floride (1915) ou à La Nouvelle-Orléans (1918). En 1918, il réalisa quelques sculptures inspirées par l'art primitif. C'est après son retour à Paris et ses voyages en Afrique du Nord qu'il affirma sa manière dite « nacrée ». Pascin, qui menait une vie nocturne mouvementée, aimait les ambiances exotiques et les belles de nuit. Allongées, enlacées dans des positions suggestives, elles mettent en valeur ses qualités exceptionnelles de dessinateur. Le peintre disperse sur leurs corps une lumière cendrée, gonflée d'ombres (*Deux Femmes,* 1928). Pascin, qui recherche les transparences, gratte, efface tous les empâtements, ce qui donne parfois à ses toiles un aspect inachevé. Quelques touches de couleurs vives sont çà et là frottées à la périphérie de la toile le plus souvent dominée par des gris et des ocres très légers. La nostalgie, la voluptueuse tristesse de ses « filles », sa vie errante et dissipée, font de Pascin l'un des peintres « maudits » les plus représentatifs de l'école de Paris.

PASCOLI (Giovanni). ♦ Poète italien (San Mauro, Romagne, 1855 – Bologne, 1912). Après une enfance attristée par des deuils successifs (son père fut assassiné) et un court emprisonnement (1878) dû à sa participation aux mouvements politiques internationaux, Pascoli mena de pair sa carrière d'enseignant (Livourne, 1887 ; Bologne, 1895 ; Messine, de 1897 à 1903 ; Pise, 1903 à 1906) et son œuvre de poète. Il fut l'élève de Carducci. – Manifestant une sensibilité ouverte à la nature, aux spectacles d'une vie simple et sereine, il adopta un ton élégiaque dans le recueil *Myricae* (publié en 1891), d'inspiration pastorale, puis mêla la générosité sociale au lyrisme bucolique dans les deux volumes de *Poemetti* (1904 et 1909). *Les Poèmes conviviaux* (*Poemi conviviali,* 1904) évoquent, à partir des deux thèmes de l'amour et de la mort, l'évolution de l'Antiquité que les *Poèmes italiques* (1911) tentent de faire revivre à partir de portraits psychologiques et littéraires. Ces thèmes se retrouvent dans les remarquables *Chants latins (Carmi latini)* que Pascoli composa de 1885 à 1911. Les deux volumes (posth., 1914 et 1930) sont composés de poésies lyriques *(Poemata et Epigrammata)*, de chants inspirés de l'Antiquité romaine *(Liber de Poetis)*, avant de retracer le passage du paganisme au christianisme *(Poemata christiana)*. – La poétique de Pascoli est définie dans les écrits intitulés *Le Petit Enfant* (*Il fanciullino*, 1897 et 1902) où il compare le poète, selon une image déjà utilisée par Leopardi*, à un « petit enfant éternel qui voit tout avec émerveillement, comme la première fois ».

PAS DE CALAIS, en angl. **Straits of Dover** (« détroit de Douvres » ou **the English Channel**). ♦ Détroit entre la France et l'Angleterre **(V. Kent)** faisant communiquer la Manche* et la mer du Nord*, entre le cap Gris*-Nez et le cap Dungeness*. Ce détroit (long. 185 km, larg. 31 km, prof. 64 m) constitue un des passages maritimes les plus fréquentés du globe, faisant de Calais* et de Douvres* des ports de voyageurs très actifs, reliés par des services maritimes fréquents assurant la continuité ferroviaire Paris-Londres (et auj., par aéroglisseur – angl. *overcraft* – et par avion), tous moyens capables de transporter les automobiles. – Le tunnel sous la Manche*, dont l'exécution commencée en 1974 fut interrompue en 1975, aurait partiellement modifié ces structures.

PAS-DE-CALAIS [**62**]. *n. m.* ♦ Dép. du N.-O. de la France, région (anciennement C.A.R.) du Nord*. 6 639 km². – *Orogr.* La plus grande partie du dép. s'étend sur les collines de l'Artois* recouvertes de limon ; elles dominent la Flandre* au N. et le Marquenterre* au S. Au N.-O., la fosse du Boulonnais* s'achève sur la mer par une côte à falaises. À l'E. se trouve le seuil du Cambrésis. ♦ *Préf.* Arras* ; *sous-préf.* Béthune*, Boulogne*-sur-Mer, Calais*, Lens*, Montreuil*, Saint*-Omer. *Ch.-l. de cant.* Aire*, Ardres*, Aubigny-en-Artois (1 131 hab.), Audruicq*, Auxi*-le-Château, Avesnes-le-Comte (1 437 hab.), Bapaume*, Beaumetz-lès-Loges (570 hab.), Bertincourt (836 hab.), Bruay*-en-Artois, Cambrin (791 hab.), Campagne-lès-Hesdin (1 369 hab.), Carvin*, Croisilles (711 hab.), Desvres*, Étaples*, Fauquembergues (951 hab.), Fruges*, Guînes*, Hénin*-Beaumont, Hesdin*, Heuchin (603 hab.), Houdain*, Hucqueliers (555 hab.), Laventie*, Liévin*, Lillers*, Lumbres*, Marquion (856 hab.), Marquise*, Norrent-Fontes (1 343 hab.), Parcq [Le] (650 hab.), Pas-en-Artois (913 hab.), Saint*-Pol-sur-Ternoise, Samer*, Vimy*, Vitry*-en-Artois. *Autres comm. et localités :* **V. Achicourt, Ambleteuse, Annay, Berck, Cauchy-à-la-Tour, Courrières, Dourges, Douvrin, Equihen-Plage, Fouquières-lès-Lens, Frévent, Grenay, Hardelot-Plage, Harnes, Isbergues, Leforest, Libercourt, Marles-les-Mines, Mazingarbe, Merlimont-Plage, Nœux-les-Mines, Notre-Dame-de-Lorette** (colline de), **Noyelles-Godault, Oignies, Outreau, Portel** (Le), **Sains-en-Gohelle, Saint-Martin-Boulogne, Sallaumines, Sangatte, Souchez, Stella-Plage, Touquet-Paris-Plage** (Le), **Wimereux, Wissant.**

PASDELOUP (Jules Étienne). ♦ Chef d'orchestre français (Paris, 1819 – Fontainebleau, 1881). Fondateur de la *société des Jeunes Artistes du Conservatoire* (1851), il inaugura les *Concerts populaires*, au cirque d'Hiver, à Paris (1861), mettant ainsi la culture musicale à la portée d'un large public. Après une longue période d'interruption, les *Concerts Pasdeloup* reprirent en 1920, sous la direction de Rhené-Baton, puis d'Albert Wolff.

PASEK (Jan Chryzostom). ♦ Écrivain polonais (Węgrzynowice, 1636 – 1701). Petit propriétaire terrien, il prit part aux guerres contre la Suède, la Hongrie et la Russie. Dans ses *Mémoires* (*Pamiętniki*, publiés seulement en 1836), il décrivit ses péripéties des années 1656-1688 et fit revivre la société de son temps. Son style, spontané, est celui d'un extraordinaire causeur. Selon Mickiewicz, les *Mémoires* sont « un monument historique et une œuvre d'art ».

PASIONARIA (La). ♦ **V.** IBARRURI (Dolores).

PASIPHAÉ [pazifae]. ♦ Fille d'Hélios* (le Soleil) et d'une Océanide, sœur de la magicienne Circé*. Elle épouse Minos*, le roi de Cnossos*, et lui donne Ariane*, Androgée* et Phèdre*. Dans la légende, elle est célèbre surtout pour son union contre nature avec le taureau de Crète **(V. Minos).** Pour satisfaire sa passion, inspirée par Poséidon, Pasiphaé fait fabriquer par Dédale* une génisse de bois creux et s'enferme à l'intérieur, attirant ainsi l'animal. De cette union monstrueuse naît le Minotaure*. Jalouse des amours adultères de Minos, Pasiphaé lui jette un sort : de son corps sortent des scorpions et des serpents qui provoquent la mort de ses amantes.

PASKIEVITCH (Ivan Fiodorovitch). ♦ Feld-maréchal russe (Poltava, 1782 – Varsovie, 1856). Commandant de division, il se distingua durant les campagnes contre la France (1812-1814). Pendant la guerre contre la Perse, il fut nommé par Nicolas Iᵉʳ commandant en chef de l'armée du Caucase (1825). Après avoir conquis l'Arménie persane, il s'empara d'Erevan (1827) et signa le traité de Tourkmantchaï (1828) par lequel le Caucase du Sud fut annexé à la Russie. En 1829, il se battit contre les Turcs, puis, promu feld-maréchal, réprima l'insurrection polonaise et entra à Varsovie* (8 sept. 1831), ce qui lui valut le poste de gouverneur général de la Pologne (1832). En 1849, il commanda les forces qui réprimèrent le soulèvement armé en Hongrie.

PASMORE (Victor). ♦ Peintre anglais (Chelsham, Surrey, 1908). De 1929 à 1936, les influences du fauvisme, du cubisme et de l'art abstrait, se firent sentir dans son œuvre. En 1936, se consacrant à la peinture, il revint à un style voisin de l'impressionnisme. Ce n'est qu'en 1947-1948, qu'il renoua avec l'art abstrait. En 1950, il organisa à Londres sa première exposition d'art abstrait. Certaines de ses recherches étaient alors proches de Mondrian, mais encore marquées par l'emprise d'une « matière graphique » qu'il avait trouvée en particulier chez Van Gogh (*Motif ovale en ocre, brun et rose*, 1951). Il commença ensuite à travailler sur des reliefs et des constructions-montages. Dans ses œuvres les plus récentes, il créa des « espaces irrationnels », en utilisant des plans cassés, des lignes arrêtées qui découpent la surface principale, et les plans constitués d'éléments collés, en décrochement continuel (*Prospectives paintings*, 1971). Cette démarche très recherchée est réalisée avec une remarquable économie de moyens.

PASOLINI (Pier Paolo). ♦ Poète, romancier et cinéaste italien (Bologne, 1922 – près de Rome, 1975). Il manifesta sa passion pour la poésie populaire en réalisant une *Anthologie de la poésie populaire* que suivit le recueil *Poésie dialectale du XXᵉ siècle.* Lui-même s'adonna à la création littéraire en composant divers ouvrages poétiques (*Poésie en forme de rose ; Où est ma patrie ?*, 1949 ; *Les Cendres de Gramsci*, 1957) à l'expression originale empruntant au dialecte du Frioul. Ont paru successivement *Les Enfants de la vie* (1955) qui évoque avec réalisme la jeunesse misérable des faubourgs de Rome, *Une vie violente* (1959) où l'écrivain dénonce les déchirements politiques et sociaux. Dès 1961, c'est par le cinéma que Pasolini accusa le monde bourgeois, recourant à l'allégorie et à la parabole dans *L'Évangile selon saint Matthieu* (1964), *Des oiseaux petits et gros* (*Uccellacci e uccellini*, 1965), *Œdipe-Roi* (*Edipo Re*, 1967), *Théorème* (*Teorema*, 1969), *Porcherie (Porcile), Les Contes de Canterbury* (1972). Dans *Médée* (*Medea*, 1969), ses préoccupations morales et politiques se doublent de recherches psychanalytiques.

PASQUIER (Étienne). ♦ Avocat, humaniste et historien français (Paris, 1529 – *id.*, 1615) qui, après avoir donné des poésies galantes, composa (de 1561 à sa mort) les neuf livres des *Recherches de la France* où il examine avec probité et érudition les origines des institutions françaises, étudiant particulièrement les progrès de l'autorité royale. Abordant à la fois l'évolution des mœurs, des croyances, des idées et des lettres, intéressé par la dimension sociale du langage, il peut être considéré comme le premier historien de la France.

PASQUIER (Étienne, *baron* puis *duc***).** ♦ Homme politique français (Paris, 1767 – *id.*, 1862). Conseiller au Parlement, emprisonné sous la Terreur, il fut conseiller d'État et préfet de police sous l'Empire et fait baron par Napoléon Iᵉʳ. Rallié aux Bourbons, il présida la Chambre des députés (1816), fut ministre de la Justice dans le cabinet Richelieu (1817-1818), ministre des Affaires étrangères dans les cabinets Decazes et Richelieu puis devint pair en 1821. Rallié à Louis-Philippe qui le fit chancelier de France, il quitta la vie politique en 1848. (Acad. fr., 1842.)

Pasquier (Chronique des). ♦ **V.** DUHAMEL (Georges).

Pasquin. ♦ Type de valet de la comédie italienne. Volubile et vantard, son insolence et sa gloutonnerie n'ont d'égal que sa ruse et sa sagacité.

PASQUINI (Bernardo). ♦ Compositeur italien (Massa Valdinievole, 1637 – Rome, 1710). Organiste de plusieurs églises romaines, il dirigea les concerts de la reine Christine de Suède, fut claveciniste du prince Borghèse et mit en scène de nombreux spectacles pour Ferdinand de Médicis. En outre, il joua devant Louis XIV, à Paris, et Léopold Iᵉʳ, à Vienne. Il eut de nombreux disciples, dont Kerll, Krieger et D. Scarlatti. On lui doit de la musique pour clavier *(toccatas, partitas, suites, sonates)*, de la musique vocale *(airs, motets, cantates, oratorios)* ainsi que de nombreux opéras. Dans son théâtre lyrique, Pasquini montre une prédilection pour les spectacles fastueux et les longs airs mélodiques très ornés. Son style devient plus dramatique dans ses dernières œuvres. C'est avec sa musique pour clavier qu'il donne toute sa mesure : sa virtuosité lui permet une plus grande liberté d'expression. Ses *toccatas* en deux mouvements annoncent le couple *toccata* et *fugue*.

PASSAMAQUODDY *(baie de)*. ♦ Baie de l'Atlantique à la frontière des États-Unis (Maine*) et du Canada (Nouveau-Brunswick) ; elle s'ouvre sur la baie de Fundy.

PASSARGE (Siegfried). ♦ Voyageur et géographe allemand

Ph. A. Rey

Pas-de-Calais : Calais.

(Königsberg, 1867 – Brême, 1958). Il explora le Cameroun (1893-1894), le désert du Kalahari (1896-1899) et le Venezuela (1901-1902) et se consacra surtout à la géomorphologie.

PASSAROWITZ ou **POŽAREVAC.** ♦ V. de Yougoslavie. L'Autriche, Venise et la Turquie y conclurent un traité en 1718 : la Turquie cédait un certain nombre de territoires dont le Banat.

PASSAU. ♦ V. d'Allemagne occidentale (Bavière), au confluent du Danube et de l'Inn. Port fluvial. 32 700 hab. ♦ *Hist.* Un traité y fut conclu (1552) entre Maurice* de Saxe et Ferdinand* Ier, agissant au nom de Charles Quint. Il assurait la liberté religieuse aux princes protestants.

PASSERAT (Jean). ♦ Humaniste et poète français (Troyes, 1534 – Paris, 1602), professeur d'éloquence au Collège royal. Il a laissé des satires, des poèmes, et contribua à la *Satire* Ménippée.*

PASSERO *(cap).* ♦ Cap de l'extrémité S.-E. de la Sicile.

PASSEUR (Étienne MORIN, dit **Steve).** ♦ Auteur dramatique français (Sedan, 1899 – Paris, 1966). Un humour glacé, un cynisme brutal dans la peinture de caractères passionnés jusqu'à l'extravagance ont fait l'originalité de son théâtre (*L'Acheteuse,* 1930).

Passion. *n.f.* ♦ Cf. Robert.

Passion. ♦ Nom donné aux interprétations musicales chantées de la passion du Christ dès le Moyen Âge. Au xve s., apparaît la polyphonie. Au xviie s., la Passion tend à se rapprocher de l'oratorio religieux. Au xviiie s., de nombreux musiciens, notamment Schutz et J.-S. Bach, composèrent des *Passions* mais après le milieu du siècle, avec la diminution du sentiment religieux, le genre tomba en décadence.

PASSY (Hippolyte Philibert). ♦ Homme politique et économiste français (Garches, 1793 – Paris, 1880). Député (1830), il affirma son opposition à la colonisation de l'Algérie. Ministre des Finances (1834, 1839-1840, 1848-1849) et du Commerce (1836), il fit partie de la commission contre l'esclavage (1841) et quitta les affaires publiques après le coup d'État (1851). En économie, il fut un des promoteurs du libre-échange. ♦ FRÉDÉRIC PASSY, neveu du précédent. Économiste français (Paris, 1822 – Neuilly-sur-Seine, 1912). Auteur d'ouvrages d'économie politique (*Leçons d'économie politique,* 1861), il est surtout connu comme fondateur de la *Ligue internationale de la paix* (1867), de la *Société pour l'arbitrage entre les nations* (1870). (Prix Nobel de la paix en 1901 avec Dunant.)

PASSY. ♦ Comm. de la Haute-Savoie, arr. de Bonneville. 11 122 hab. Cultures fruitières et viticulture. Centrale hydroélectrique sur une dérivation de l'Arve. À proximité, station climatique et sanatoriale au plateau d'Assy*.

PASSY. ♦ Anc. comm. du dép. de la Seine, située au N. d'Auteuil* et annexée à Paris en 1860 (16e arr.). Hameau de bûcherons au xiiie s., doté d'un pavillon de chasse (xve s.) transformé en château au xvie s., Passy connut une grande vogue au xviiie s. en raison des eaux ferrugineuses qui y furent exploitées. Des financiers y élevèrent alors de riches demeures, tandis qu'au xixe s. venaient s'y installer artistes et écrivains (la maison de Balzac, dans la pittoresque rue Berton [l'entrée est aujourd'hui rue Raynouard]). Calme (d'où le nombre de maisons de retraite et de santé), situé près du bois de Boulogne*, c'est essentiellement un quartier résidentiel, au centre duquel s'élève, près de la Seine, la *maison de la Radio,* construite pour l'Office* de radiodiffusion-télévision française.

PASTERNAK (Boris Leonidovitch) [*Pasternak*]. ♦ Poète et romancier russe (Moscou, 1890 – Peredelkino, près de Moscou, 1960). Ami de Maïakovski*, il fut d'abord influencé par l'école futuriste* (*Un jumeau dans le nuage,* 1913). En 1922, son recueil de poèmes *Ma sœur la vie* le rendit aussitôt célèbre. Un second volume suivit en 1923, *Thèmes et Variations.* Sa poésie annonçait alors l'imaginisme* par sa vision analytique des choses. En 1925, il fit paraître *L'Enfance de Luvers,* livre écrit en prose poétique et qui témoigne de ses dons d'observation. Cette même année, il aborda le thème de la révolution dans ses poèmes *L'Année 1905* et *Lieutenant Schmidt.* Puis, revenant à une poésie plus profondément individualiste, il publia en 1932 son recueil *La Seconde Naissance.* En 1935 il évoqua en prose dans *Sauf-Conduit* ses souvenirs et le suicide de Maïakovski. À cette époque, en désaccord avec la poésie soviétique officielle, il se consacra plus particulièrement à des traductions (poésie géorgienne, Shakespeare). En 1943 et 1945 parurent encore successivement deux recueils de poèmes lyriques, *Les Premiers Trains du matin* et *Espace terrestre.* Enfin, c'est en Italie que fut publié son roman *Le Docteur Jivago* (1957), interdit en Union soviétique. En 1958, le prix Nobel de littérature lui fut décerné, mais il ne put le recevoir. – Dans sa poésie, Pasternak allie l'individualisme occidental à la richesse émotionnelle et rythmique de la langue russe. Il accueillit la révolution comme un renouvellement du communisme chrétien et sa poésie créa un monde en fonction de la vie éternelle. Sa popularité fut plus grande parmi les poètes que dans le grand public, en Russie.

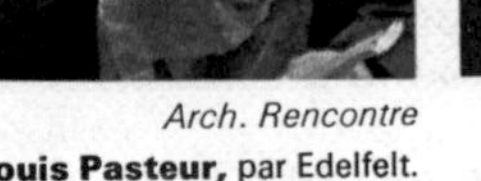

Arch. Rencontre

Louis Pasteur, par Edelfelt.

Ph. U.S.I.S.

Boris L. Pasternak.

PASTEUR (Louis). ♦ Chimiste et biologiste français, fondateur de la microbiologie (Dole, 1822 – Villeneuve-l'Étang, Marne-la-Coquette, 1895). Ses travaux de cristallographie (1847) font de lui un des promoteurs de la *stéréochimie.* Ses études sur les fermentations lui permirent de découvrir les micro-organismes qui les provoquent, de critiquer, après des expériences minutieuses, la théorie de la génération spontanée (alors défendue par Pouchet*) et de mettre au point une méthode de conservation des liquides fermentescibles (vin, bière, etc.) ou *pasteurisation.* Avec ses recherches sur les maladies infectieuses et contagieuses, il précisa sa théorie des germes (microbes), bouleversant la médecine et la chirurgie, où il préconisa la méthode de l'*asepsie.* Il étudia ainsi les maladies du ver à soie, découvrit (après Davaine*) le bacille charbonneux, puis le vibrion du choléra chez les poules, et réalisa successivement les vaccins préventifs contre ces maladies, et surtout celui contre la rage (1885). La création de l'*Institut Pasteur* (1888) permit à ses élèves et collaborateurs (A. Calmette*, C. Chamberland*, E. Duclaux*, A. Laveran*, F. Mesnil, É. Metchnikov*, C. Nicolle*, É. Roux*, A. Yersin*) de poursuivre les recherches de microbiologie. Les œuvres et la correspondance de L. Pasteur furent publiées par son petit-fils L. Pasteur* Vallery-Radot. Sa figure de savant désintéressé lui a valu le titre de bienfaiteur de l'humanité. (Acad. sc., 1862 ; Acad. fr., 1881.)

Pasteur *(Institut).* ♦ Établissement scientifique fondé en novembre 1888, au lendemain des découvertes de Pasteur* sur la rage et reconnu d'utilité publique. Cet institut est non seulement un très grand centre de sérums et de vaccins, mais également de recherches (de virologie, d'immunologie, d'allergologie, de biochimie, etc.) et d'enseignement (organisation de cours et conférences pour étudiants et chercheurs).

PASTEUR VALLERY-RADOT (Louis). ♦ Médecin et écrivain français (Paris, 1886 – *id.,* 1970). Petit-fils de L. Pasteur*, dont il publia les *Œuvres complètes* (1924-1939), la *Correspondance* (1952) et sur lequel il écrivit un ouvrage, *Pasteur, cet inconnu* (1954), il s'est spécialisé dans l'étude de l'anaphylaxie et des maladies du rein. (Acad. méd., 1936 ; Acad. fr., 1944.)

PASTO ou **SAN JUAN DE PASTO.** ♦ V. du S. de la Colombie. Ch.-l. du dép. de Nariño (32 370 km^2. 633 850 hab. env.). – Centre minier. Industries textiles.

Pastorale *(symphonie).* ♦ V. BEETHOVEN.

PASTORET (Pierre, *comte* puis *marquis de***).** ♦ Homme politique français (Marseille, 1756 – Paris, 1840). Procureur général syndic de la Seine (1791), député à la Législative (1791-1792) où il siégea parmi les monarchistes constitutionnels (feuillants*), il émigra après le 10 août 1792. Membre du Conseil des Cinq-Cents (1795), exilé après le 18 Fructidor (4 sept. 1797) jusqu'en 1800, il enseigna ensuite le droit et la philosophie tout en assumant diverses fonctions politiques, mais refusa de prêter serment en 1830 [*Éloge de Voltaire,* 1779 ; *Histoire de la législation,* 1817-1837]. (Acad. fr., 1820.)

Pastoureaux. ♦ Paysans qui formèrent des bandes vers 1250 pour aller délivrer Louis* IX en Égypte. Le mouvement dégénéra en pillages et les pastoureaux furent exterminés sur l'ordre de la régente Blanche de Castille (1251).

PATAGONIE. *n. f.* ♦ Région méridionale de l'Argentine qui s'étend au S. de la Pampa*, du Colorado* argentin, au S. du continent américain, et couvre les provinces du Río* Negro, Chubut*, Santa* Cruz et la partie orientale de la Terre* de Feu (800 000 km^2, près d'un tiers du territoire). Dans un sens plus large le terme est appliqué à toute l'extrémité du continent américain et couvre au Chili les prov. de Chiloé, Aisén, Magellanes et comprend les îles de l'archipel chilien. Constituée, à l'O., par les Andes pluvieuses de Patagonie aux flancs couverts de forêts et parsemés de lacs (Argentino, Buenos Aires, Nahuel* Huapí, Viedma), à l'E., c'est un vaste plateau pierreux au climat aride, couvert de steppes, très faiblement peuplé sauf dans la riche vallée du río Negro (Amérindiens dans le Sud. **V. Araucanie**) qui s'abaisse vers l'Atlantique où les côtes, bordées de falaises, sont marquées par des profonds golfes (San Matias, San Jorge, Bahía Grande). Dès la fin du xixe s., le plateau fut occupé par de vastes élevages (bovins et surtout ovins). Cultures dans la vallée du río Negro. L'économie de la région repose sur la laine dont Buenos* Aires et Bahía* Blanca monopolisent le marché, le pétrole de Comodoro Rivadavia, et le charbon du río Turbio dans le sud. L'exploitation des réserves de fer et de sel au N. du río Chubut* exigerait de gros investissements.

ainsi que celle du potentiel hydro-électrique du río Limay. ♦ *Hist.* C'est à Magellan* que l'on attribue la découverte de la côte de Patagonie en 1520.

PĀTALIPUTRA. ♦ V. PATNA.

PATAN. ♦ V. du Nepal*, dans la vallée de Katmandu*, et anc. capitale de l'État. 150 000 hab. C'est une ville-musée aux nombreux monuments du XVIIe s., réputée de fondation très ancienne. Artisanats divers (poterie, tapis, objets en bois).

PATAÑJALI. ♦ Célèbre philosophe et grammairien indien (v. le ~ IIe s.), commentateur de Pânini*. Il est l'auteur d'aphorismes sur le yoga qui ont été révélés en Europe par Schopenhauer.

Pataria. *n. f.* ♦ Mouvement religieux milanais et lombard (v. 1055-1075) dont les membres *(patarins)* luttèrent contre la richesse du haut clergé, dans le sens de la réforme grégorienne **(V. Grégoire VII).** Ce mouvement était orthodoxe, mais aux XIIe-XIIIe s. on appela aussi patarins les tenants des hérésies populaires lombardes proches des cathares*.

Patarins. ♦ V. PATARIA.

PA-TA SHAN-JEN [*Bada Shanren*]. ♦ Moine chinois et peintre (1626 – v. 1705), paysagiste aussi renommé pour ses œuvres (dessins de fleurs et d'animaux à l'encre, dans le style traditionnel) que pour son excentricité et son intempérance.

PATAY. ♦ Ch.-l. -de cant. du Loiret, arr. d'Orléans. 1 948 hab. *(Patichons).* ♦ *Hist.* Défaite des armées anglaises devant Jeanne d'Arc le 18 juin 1429.

PATCH (Alexander McCarrell). ♦ Général américain (Fort Huachuca, Arizona, 1889 – San Antonio, Texas, 1945). Nommé général en 1942, il dirigea la défense de la Nouvelle-Calédonie française, puis acheva la conquête de Guadalcanal*. En août 1944, il débarqua en Provence* à la tête de la VIIe armée, libéra la Franche-Comté puis, intégré au VIe groupe d'armées (Devers), il entra en Lorraine, en Alsace, en Allemagne (Worms, Heidelberg); obliquant vers le S., il conquit alors la Bavière. La 2e D.B. de Leclerc* était sous son commandement.

PATENIER ou **PATINIR (Joachim).** ♦ Peintre flamand (Bouvignes, v. 1480 – Anvers, 1524). Inscrit à la gilde d'Anvers en 1515, il fit en 1520-1521 la connaissance de Dürer* qui apprécia son talent. Il subit surtout l'influence de Bosch* *(La Tentation de saint Antoine)* et sans doute celle de Gérard David*. L'un des premiers, il modifia le rapport figure-paysage au profit de ce dernier. Son parti pris de vue plongeante lui permet de développer de vastes panoramas dont les détails sont rendus avec minutie et pittoresque et qui s'intègrent à l'ensemble de la composition grâce à une perspective aérienne, d'un chromatisme subtilement nuancé, et une ordonnance de plans à dominante successivement verte, brune et bleue. Il savait suggérer un climat poétique particulier *(La Fuite en Égypte)* et les formules qu'il fixa furent reprises par de nombreux paysagistes flamands au cours du XVIe siècle.

PATER (Jean-Baptiste Joseph). ♦ Peintre et dessinateur français (Valenciennes, 1695 – Paris, 1736). Fils d'un sculpteur ornemaniste, il fut en 1713 l'élève de Watteau*. Comme Lancret*, Pater imita son maître et peignit avec une facture légère et dans des tonalités claires des scènes galantes et des fêtes villageoises. Il représenta aussi des scènes de mœurs, notamment des *femmes au bain* dont l'esprit galant plaisait au public.

PATER (Walter Horatio). ♦ Critique essayiste et romancier anglais (Shadwell, Londres, 1839 – Oxford, 1894). D'origine hollandaise, Pater fit ses études à Oxford, où il enseigna après avoir renoncé au sacerdoce qui le tentait. Son culte de la beauté le conduisit en Italie où il admira les chefs-d'œuvre de la Renaissance, qu'il devait étudier dans *Studies in the history of the Renaissance* (1873). *Marius l'Épicurien,* roman procédant par évocations d'« états d'âme », constitue un bon exemple de l'esthétisme de la fin du XIXe siècle. On doit encore à Pater des *Portraits imaginaires* (*Imaginary Portraits,* 1887) dont les héros « attendent tous un nouvel âge d'or, l'avènement d'une perfection éthique ou formelle ». Cette œuvre marqua profondément Moore*, alors que Proust aurait pu se réclamer de *L'Enfant dans la maison* (1894).

PATERSON. ♦ V. des États-Unis, au N.-E. du New Jersey, à 26 km au N.-O. de New* York. 142 919 hab. (la zone métropolitaine Paterson-Clifton-Passaic compte env. 1 400 000 hab.) – Centre de commerce. Indus. variées (au XIXe s., grand centre de l'indus. textile).

PATHANISTĀN. *n. m.* ♦ V. PAKHTUNISTĀN.

PATHÉ *(les frères).* ♦ Ingénieurs français : Émile (Paris, 1860 – *id.,* 1937) et CHARLES (Chevry-Cossigny, 1863 – Monte-Carlo, 1957). Ils fondèrent, avec Henri Lioret*, l'industrie phonographique française (ils remplacèrent le cylindre par le disque). Charles, premier fabricant de pellicule vierge, créa également le premier laboratoire de tirage de film (1905) et imagina, en 1909, le premier journal d'actualités cinématographiques.

Pathelin (La Farce de Maître Pierre). ♦ Farce française d'auteur inconnu (v. 1464). Avocat sans cause, Pathelin se voit reprocher par sa femme Guillemette de ne pouvoir lui donner du drap pour se vêtir. Il va trouver dans sa boutique Maître Guillaume Joceaulme, le drapier, et lui extorque, en le flattant, une pièce de drap qu'il s'engage à lui payer le soir même au cours d'un bon dîner. Quand Joceaulme arrive, prêt à faire bombance, il trouve Pathelin agité, en proie au délire. Guillemette le persuade qu'il fut la victime d'une hallucination. Cependant, le berger du drapier, Thibaut l'Agnelet, assigné devant le juge par son maître et inquiet

Ph. Carlo Bevilacqua/Ricciarini

Joachim Patenier : « La Tentation de saint Antoine ». (Musée du Prado, Madrid.)

du juste châtiment qui l'attend pour avoir assommé plusieurs moutons, vient confier sa cause à Pathelin. Il est convenu que le berger ne répondra que par des bêlements aux questions du juge. Devant le tribunal, Joceaulme, stupéfait de revoir Pathelin en bonne santé, embrouille son discours, confondant soudain drap et moutons tandis que Thibaut bêle à perdre haleine. Hors de lui, le juge renvoie les parties dos à dos, mais lorsque Pathelin sollicite du berger ses honoraires, celui-ci lui répond à son tour par des bêlements. À trompeur, trompeur et demi. Cette joyeuse comédie de mœurs et de caractères est aussi, dans l'histoire de notre théâtre, la première comédie française.

Pather pañchali *(La Complainte du sentier).* ♦ Roman indien écrit en bengali par B.B. Banerjī (1929) et mis en scène à l'écran par Satyajit Ray* en 1955. Ce film est le premier d'une trilogie cinématographique qui comprend également « Aparajito » *(L'Invaincu)* et *Le Monde d'Apu,* œuvre qui par son réalisme expressif et sa force émotive fit connaître le cinéma indien internationalement.

PATHET LAO. *n. m.* ♦ Parti politique laotien fondé en 1949 par le prince Souphanouvong*, se réclamant des forces progressistes et revendiquant la neutralité du pays. Le parti Neo Lao Haksat prit en 1958 sa succession, avec une orientation nettement plus communiste. **V. Souphanouvong** et **Laos.**

PATIĀLA. *n. m.* ♦ Anc. État princier indien et ville du Pañjâb, à 200 km au N.-O. de Delhi. 140 000 hab. Siège de l'université du Pañjâb. Artisanats divers, commerce des grains. L'État et sa cap. furent fondés en 1763.

PATIN (Gui). ♦ Médecin et écrivain français (Hodenc-en-Bray, Picardie, 1601 – Paris, 1672). Docteur en méd. (1624), il fut successivement professeur, censeur et doyen de la faculté de médecine de Paris. Auteur de traités de médecine, il est davantage connu par ses *Lettres,* qui constituent une chronique de son époque.

PATINIR (Joachim). ♦ V. PATENIER (Joachim).

PATIÑO (José). ♦ Homme politique espagnol (Milan, 1667 – San Ildefonso, 1736). Il joua un rôle capital dans le redressement colonial et maritime de l'Espagne sous Philippe* V, dont il fut le principal conseiller à partir de 1733. Il fonda notamment les compagnies qui desservaient le Venezuela, les Antilles et les Philippines, et entreprit la construction de l'arsenal d'El Ferrol.

PATMOS. ♦ Île grecque du Dodécanèse, au S.-E. de l'Icarie. 35 km². 2 430 hab. *Ch.-l.* Patmos ou Chora (850 hab.). Monastère de Saint-Jean-le-Théologue (XIe-XVe s.) : fresques byzantines, bibliothèque de manuscrits et de codes. ♦ *Hist.* Lieu d'exil pendant l'époque romaine, Patmos fut la retraite de Jean* l'Évangéliste (81-96) qui y écrivit l'*Apocalypse.* L'empereur byzantin Alexis* Ier Comnène fonda le monastère (XIe s.) qui devint un centre de la vie monastique et abrita à partir de 1669 une école théologique.

PATNA. ♦ V. de l'Inde, capitale du Bihâr*. 460 000 hab. Important carrefour de communications sur le Gange. Centre commercial et artisanal (objets de bronze, de bois, etc.). ♦ *Hist.* C'est l'anc. Pâtaliputra, fondée au ~ VIe s., anc. capitale, à partir du ~ IIIe s., de la dynastie des Maurya, illustrée par le roi Aśoka*.

PATRAS, en gr. **Patrai** ou **Patra.** ♦ V. et port de Grèce dans le N.-O. du Péloponnèse, ch.-l. du nome d'Achaïe. 111 610 hab. Indus. textiles; pneumatiques (Pirelli); papeteries. Troisième port de Grèce (après Le Pirée et Thessalonique) : exportations de raisins secs, de vins, de tabac, d'agrumes. Relié par ferry-boats avec Brindisi, Corfou et Igouménitsa, c'est un nœud du trafic maritime de passagers. Université. Château byzantin remanié par les Francs, les Vénitiens et les Turcs. Odéon romain restauré. – Patrie du poète K. Palamas* et de G. Papandréou*. ♦ *Hist.* Patras fut fondée par les Achéens qui réunirent trois bourgades habitées par les Pélasges, puis par les Ioniens et enfin par les Achéens. Pendant la guerre du Péloponnèse, elle fut l'alliée d'Athènes et, à l'époque macédonienne, participa à la ligue Achéenne. Sous les Romains, elle devint la première ville du Péloponnèse. Saint André* y prêcha et, selon la tradition, y aurait été crucifié. La ville résista en 805 aux Slaves du Péloponnèse révoltés contre les Byzantins. Elle était très prospère pendant la conquête franque (XIIIe s.). Les Vénitiens l'enlevèrent au despotat de Mistra (1408-1430) et aux Turcs (1687-1715). Incendiée par les Turcs en 1821, elle fut libérée en 1828 par le général Maison*.

PATRICK ou **PATRICE** *(saint)*. ♦ Apôtre de l'Irlande (dans l'actuel Cumberland, Grande-Bretagne, v. 389 – dans le Glamorganshire, 461). Enlevé par des pirates d'Irlande, il passa là six ans en esclavage, acheva sa formation en Gaule, sans doute à Auxerre, auprès des saints Amatre, puis Germain*, et repartit évangéliser l'Irlande (432) sans qu'on puisse préciser le détail de son action. Patron de l'Irlande, où la Saint-Patrick (17 mars) est fête nationale.

Patriote français *(le)*. ♦ Journal fondé en mai 1789 par Brissot*. Il fut interdit après la publication du 1er numéro, mais reparut de juil. 1789 à août 1793 et fut l'un des principaux organes des Girondins (ou brissotins).

Patriotes. *n. m. pl.* ♦ Nom donné lors de la Révolution française aux partisans des idées nouvelles. Sous l'Assemblée* nationale constituante, ils s'opposèrent aux aristocrates* et aux monarchiens*. Les patriotes ne formaient pas cependant un groupe politique homogène; l'aile droite était constituée de monarchistes constitutionnels (La* Fayette, Talleyrand*, Sieyès*, etc.); plus à gauche se trouvait alors le triumvirat Barnave*, A. Lameth*, Duport*, lesquels se joignirent aux monarchistes constitutionnels en 1791; à l'extrême gauche enfin des démocrates, partisans du suffrage universel (l'abbé Grégoire, Pétion* et Robespierre*). On a parfois appelé « patriotes du 10 août 1792 » les Girondins*, par opposition aux « patriotes du 2 septembre 1793 », désignant les Montagnards.

Patriotes *(ligue des)*. ♦ Fondée en 1882 par Déroulède*, avec pour journal *le Drapeau* (1882-1889), cette ligue nationaliste favorable à une démocratie plébiscitaire (antiparlementaire) et souhaitant une prompte revanche militaire sur l'Allemagne défendit le boulangisme et fut pour cette raison dissoute par le gouvernement (1889). Reconstituée en 1895 sous le nom de Ligue patriotique des intérêts français, elle fit partie des mouvements antidreyfusards. Dirigée par Barrès (1914), puis Castelnau (1923), elle disparut à la veille de la Deuxième Guerre mondiale.

PATROCLE, en gr. **Patroklos**. ♦ Héros de la guerre de Troie* dans l'*Iliade** et les poèmes cycliques. Son amitié avec Achille* reste proverbiale. Fils du roi de Locride, il doit s'exiler très jeune, après un meurtre commis dans un accès de colère. Accueilli et purifié par Pélée, il devient le compagnon de son fils Achille et prend part à l'expédition grecque. Quand Achille se brouille avec Agamemnon, Patrocle le suit dans sa retraite. Mais devant le péril qui menace l'armée achéenne, autorisé par Achille, il revêt l'armure de celui-ci, repousse les Troyens, tue plusieurs d'entre eux, mais est tué lui-même par Hector* en combat singulier. La nouvelle de sa mort détermine le retour d'Achille au combat. Il reprend le cadavre de son ami et lui fait des funérailles grandioses.

Patrologie. *n. f.* ♦ Collection complète, ou très étendue, des écrits des Pères de l'Église (Cf. Robert). – *Patrologie latine,* 217 vol. in-4°, 1844-1855, et *Patrologie grecque,* 162 vol. in-4°, 1857-1866, éditées par l'abbé Migne*. Ces collections, publiées rapidement d'après des éditions antérieures, n'ont pas encore été remplacées par les collections critiques en cours de publication (*Corpus scriptorum ecclesiasticorum latinorum,* Vienne, depuis 1868; *Sources chrétiennes,* Paris, depuis 1942).

PATRU (Olivier). ♦ Avocat français (Paris, 1604 – *id.,* 1681), réformateur de l'éloquence judiciaire. Admis (1640) à l'Académie* française, il fut à l'origine du traditionnel discours de remerciement. Un des principaux rédacteurs du dictionnaire de Richelet*, il est connu aussi pour son amitié avec Boileau*.

PATTEN (Simon Nelson). ♦ Économiste et sociologue américain (Cossayuna, New York, 1852 – Browns Mills, New Jersey, 1922). Auteur des *Fondements économiques de la protection* (1890), il s'y affirme comme un partisan du protectionnisme (surtout pour les nations « dynamiques » qui, ayant encore d'importantes forces économiques à développer, ont intérêt à se protéger des nations « statiques » qui ont achevé leur développement et atteint la phase des rendements décroissants).

PATTI (Adelina). ♦ Cantatrice italienne (Madrid, 1843 – Craig-y-Nos Castle, Angleterre 1919). Soprano léger, elle débuta à New York dans *Lucie de Lammermoor* (1859) et fit ensuite une des carrières les plus glorieuses de toute l'histoire du théâtre lyrique. Elle a triomphé dans les rôles de Chérubin, des *Noces de Figaro,* Zerline, de *Don Juan,* Rosine, du *Barbier de Séville,* Marguerite, de *Faust,* et dans le répertoire italien du XIXe siècle.

PATTON (George). ♦ Général américain (San Gabriel, Californie, 1885 – Heidelberg, 1945). Spécialiste des chars, il débarqua au Maroc en nov. 1942 à la tête d'une division blindée, combattit en Tunisie et en Sicile (1943), puis commanda la IIIe armée américaine, tenue en réserve lors du débarquement en Normandie*. À sa tête, il exploita victorieusement la trouée d'Avranches et atteignit Rennes le 4 août 1944. Il lança alors ses forces dans toute la Bretagne puis, laissant aux Forces* françaises de l'intérieur le soin d'en achever la libération, il se retourna vers l'est, libéra

Arch. Rencontre

Barques « Mariposas » de **Pátzcuaro.**

Orléans et Chartres (17 et 18 août), puis Nancy (15 sept.), Metz et ses forts (22 nov.-13 déc.); enfin, il contre-attaqua en direction de Bastogne* lors de l'offensive de Rundstedt* dans les Ardennes* (décembre). Après d'importants succès en mars 1945 près de Mayence, il franchit le Rhin le 22 à Oppenheim, entra à Leipzig (14 avr.) puis en Bohême. Il dut s'arrêter, sur ordre, à 90 km de Prague pour laisser le champ libre aux Soviétiques. Le 25 avril, il fit sa jonction avec les forces de Koniev*. Il fut tué dans un accident d'automobile. **V. Guerre mondiale** *(Deuxième).*

PÂTURAGES. ♦ Comm. de Belgique (Hainaut, arr. de Mons) dans le Borinage*. 10 100 hab. Brasseries. Carrosserie. Cartonnerie. Matériaux de construction. Indus. textiles. – Fénelon, évêque de Cambrai, y composa certains chapitres du *Télémaque*.

PÁTZCUARO. ♦ V. du Mexique central (Michoacán), près du lac homonyme. Env. 25 000 hab. Nombreux monuments coloniaux; basilique *Nuestra Señora de la Salud* (1543), places; musée des arts populaires.

PAU *(gave de)*. *n. m.* ♦ Riv. de France formée de plusieurs gaves (Gavarnie et Héas) qui descendent des cirques de Gavarnie* et de Troumouse*. Il arrose Argelès*, Lourdes*, Pau*, Orthez*, et se jette dans l'Adour* à 20 km de l'océan Atlantique. Il alimente une quinzaine de centrales hydro-électriques. – *Affl.* gaves de Barèges, de Cauterets*, d'Argelès, d'Oloron*.

PAU. ♦ Préf. des Pyrénées*-Atlantiques, ch.-l. d'arr. (16 cant., 277 comm., 238 673 hab.) sur le gave de Pau*, 76 227 hab. [71 865 aggl.] *(Palois).* – Le château du XIIIe s., donjon du XIVe s., restauré au XIXe s., renferme de très belles tapisseries des Gobelins et des Flandres, ainsi qu'une importante documentation sur Henri IV et un musée régional du Béarn. – Station climatique réputée. Centre commercial. L'indus. (métallurgie spécialisée) s'est développée en fonction du gaz de Lacq. Filatures, fabrication de chaussures. – Patrie de J. Bernadotte devenu Charles* XIV de Suède (musée dans sa maison natale), de Ch. Bourbaki*, de P. Emmanuel*, de J. de Gassion*, d'Henri* IV. ♦ *Hist.* Les vicomtes de Béarn bâtirent un château autour duquel le village se développa. Au XVe s., Pau devint la capitale du Béarn*, puis celle des rois de Navarre*. Le futur Henri IV y naquit en 1553, sa mère Jeanne* d'Albret, convertie au protestantisme, y persécuta les catholiques. Quand elle mourut, Catherine, sœur d'Henri, devint régente du Béarn. En 1620, Louis XIII rétablit le culte catholique dans la ville, et le Béarn fut réuni à la couronne.

PAUILLAC. ♦ Ch.-l. de cant. de la Gironde*, arr. de Lesparre*-Médoc, sur la Gironde*. 5 961 hab. [2 678 aggl.] *(Pauillacais).* Port sur la Gironde, dépendant du port autonome de Bordeaux*; port pétrolier et raffinerie. Vins célèbres de Château-Lafite, Château-Latour, Mouton-Rothschild.

PAUL *(saint)*. ♦ (Tarse, v. 5-15 – Rome, v. 62-64). Apôtre du christianisme plus spécialement auprès des non-juifs, d'où son surnom : l'Apôtre des gentils. Son action nous est connue par les Actes* des Apôtres et ses Épîtres*. Juif rigoriste, nommé Saül, il combattit le christianisme naissant, mais se convertit, selon les Actes, à la suite d'une vision du Christ sur le chemin de Damas*. Parti d'Antioche, il prêcha et fonda des communautés chrétiennes au cours de trois voyages missionnaires dans l'Orient hellénisé : Asie Mineure (Galatie, Éphèse), Macédoine, Grèce (Corinthe). Compagnons de ces voyages : Barnabé*, Jean surnommé Marc*, Silas*, Timothée*, Tite*. Arrêté à Jérusalem, incarcéré deux ans à Césarée, il fut transféré à Rome où, selon la tradition, il fut condamné et exécuté. Son influence, dispensant les gentils de la circoncision et autres prescriptions judaïques, dégagea la religion nouvelle du judéo-christianisme et la répandit dans le monde méditerranéen. Sa doctrine (paulinisme) est une mystique du Christ, rédempteur de l'humanité déchue que la loi mosaïque ne suffit plus à justifier, et une mystique de l'Église, corps à la fois visible et invisible du Christ. – *Icon.* La conversion de saint Paul : peintures de Giovanni Bellini (Pesaro), Signorelli (Lorette), Michel-Ange (chapelle Pauline, Vatican), du Caravage (Santa Maria del Popolo, Rome).

PAUL Ier *(saint).* ♦ 93e pape (757-767 [mort]). Romain. Frère du pape Étienne* II, il réorganisa le pouvoir temporel de la papauté (pouvoir que son « primicier » Christophe exerça durement) et renouvela l'alliance avec Pépin le Bref. Il accueillit les moines byzantins chassés par les iconoclastes*. Fête le 28 juin.

PAUL II *(Pietro Barbo).* ♦ (Venise, 1417 – Rome, 1471). 209e pape (1464-1471). Il échoua dans ses efforts pour organiser une croisade contre les Turcs et dans ceux qu'il déploya contre Louis* XI pour faire rapporter la pragmatique* sanction de Bourges. Il supprima les abréviateurs apostoliques, ce qui le fit passer pour ennemi des humanistes, qui bénéficiaient jusqu'alors de cette sinécure.

PAUL III *(Alessandro Farnese).* ♦ (Canino, 1468 – Rome, 1549). 218e pape, de 1534 à 1549. Cardinal à 26 ans, prince humaniste et fastueux, il n'en fut pas moins le pape de la Réforme catholique **(V. Contre-Réforme)** : préparation et réunion du concile de Trente* (1545) qu'il suspendit en 1549 par suite de désaccords avec Charles Quint; approbation de la Compagnie de Jésus* (1540); réorganisation de l'Inquisition* (1542); nomination de cardinaux acquis à l'idée de réforme; publication d'un catalogue de livres prohibés (1543, **V. Index**). Il fit élever le palais Farnèse* par Sangallo* le Jeune puis par Michel*-Ange; étant pape, il fit exécuter par celui-ci le *Jugement dernier* de la Sixtine* (1536-1541) et les fresques de la Pauline* (1542-1550) et lui confia la direction des travaux de Saint*-Pierre (1546). – Stendhal s'inspira du personnage d'Alexandre Farnèse jeune pour le caractère de Fabrice* del Dongo dans *La Chartreuse de Parme.*

PAUL IV *(Gian Pietro Carafa).* ♦ (près d'Avellino, Campanie, 1476 – Rome, 1559). 221e pape, de 1555 à 1559, ancien évêque de Chieti (1504), archevêque de Brindisi (1518), fondateur, avec saint Gaétan de Thiène, de l'ordre des Théatins (Rome, 1524), cardinal archevêque de Naples (1536). Il fut un pape sévère et réformateur **(V. Contre-Réforme, Inquisition)** mais méfiant à l'égard du concile de Trente* qu'il ne rouvrit pas. Hostile à la domination espagnole sur le royaume de Naples, il dut signer la paix après la défaite de son neveu Carlo Carafa* et l'invasion des États pontificaux par le duc d'Albe* (1556).

PAUL V *(Camillo Borghese).* ♦ (Rome, 1552 – 1621). 231e pape (1605-1621). Il fit appliquer les décrets du concile de Trente sur la résidence des clercs, excommunia le doge et le Sénat de Venise (1606; l'arbitrage d'Henri IV mit fin au conflit en 1607), condamna les théories de Galilée* et de Copernic* (1616), fit achever Saint*-Pierre par Maderna*.

PAUL VI *(Giovanni Battista Montini).* ♦ (Concesio, Brescia, 1897). 260e pape, élu en 1963. Fils d'un journaliste, ordonné en 1920, il fit presque toute sa carrière à la secrétairerie d'État, dont il était prosecrétaire pour les affaires ordinaires quand Pie XII, en 1954, le nomma archevêque de Milan sans le créer cardinal, en sorte qu'il ne participa pas au conclave de 1958. Il fut créé cardinal la même année par Jean XXIII. Dès son élection à la papauté, il annonça sa volonté de poursuivre dans la voie tracée par Jean XXIII. Il continua le IIe concile du Vatican dont il prolongea l'esprit « œcuménique » par des gestes de portée mondiale : voyage à Jérusalem où il rencontra le patriarche de Constantinople Athénagoras* Ier (janv. 1964), à Bombay (déc. 1964), à New York et allocution à l'O.N.U. (oct. 1965), à Bogotá (août 1968), à Genève sur l'invitation du Conseil* œcuménique des Églises (juin 1969), en Ouganda (août 1969), en Asie du S.-E., Océanie, Australie (nov.-déc. 1970). Il mit en œuvre la réforme décidée par le concile : réorganisation de la curie (1967), réforme de la liturgie, simplifiée et pouvant être célébrée désormais en langue vulgaire (1969), réforme du calendrier festival (1969). Il promulgua les encycliques *Sacerdotalis celibatus* (1967), réaffirmant la nécessité du célibat des prêtres de rite romain, *Populorum progressio* (1967) sur le progrès des peuples et le sous-développement, *Humanae vitae* (1968), contre la contraception, mais admettant le contrôle « naturel » des naissances.

PAUL Ier. ♦ (Athènes, 1901 – *id.,* 1964). Roi de Grèce (1947-1964). Fils cadet de Constantin* Ier, il succéda à son frère Georges* II. Il servit dans la marine grecque pendant l'expédition d'Asie Mineure (1920) et pendant la Deuxième Guerre mondiale. Son fils Constantin* II lui succéda.

PAUL Ier Petrovitch. ♦ (Saint-Pétersbourg, 1754 – *id.,* 1801). Empereur de Russie (1796-1801). Fils de Pierre* III et de Catherine* II la Grande, qui le tint à l'écart du pouvoir, il prit, dès son avènement, le contre-pied de la politique intérieure de sa mère. Il rétablit la succession au trône par ordre de primogéniture, prit diverses mesures en faveur des paysans, des serfs et du clergé rural et diminua le nombre des gouvernements. Ennemi de la Révolution française, il ferma les frontières, établit la censure et adhéra à la seconde coalition* contre la France (occupation des îles Ioniennes, succès de Souvorov* en Italie et en Suisse, 1799). Après la défaite de Zurich* (sept. 1799), il modifia sa politique extérieure, expulsa les Bourbons de Mitau (Ielgava), s'allia avec Bonaparte et forma contre l'Angleterre une « ligue des neutres » en vue de fermer la Baltique aux Anglais (déc. 1800). Il mourut assassiné à la suite d'un complot fomenté à la cour en mars 1801. Il eut plusieurs fils dont Alexandre* Ier (qui lui succéda), Constantin* Pavlovitch et Nicolas* Ier.

PAUL-BONCOUR (Joseph). ♦ Homme politique français (Saint-Aignan, Loir-et-Cher, 1873 – Paris, 1972). Ministre du Travail (1911), il fonda l'Union socialiste républicaine (1931) après avoir milité au sein du Parti socialiste. Sénateur (1931-1940) puis délégué de la France à la S.D.N. (1932), il présida un éphémère Conseil des ministres (déc. 1932-janv. 1933), puis fut chargé des portefeuilles des Affaires étrangères (1933, 1938) et de la Guerre (1934). Ministre d'État délégué à Genève (1936), il vota contre les pleins pouvoirs au maréchal Pétain en 1940. Membre de l'Assemblée consultative (1944) puis du Conseil de la République (1946-1948), il participa à la conférence de San Francisco où il signa la charte des Nations unies (1946). Il publia ses mémoires sous le titre *Entre-deux-guerres. Souvenirs de la IIIe République* (1946).

PAUL DE LA CROIX *(saint)* [*Paolo Francesco Danei*]. ♦ Religieux italien, fondateur de la congrégation des PP. passionistes (Ovada, rép. de Gênes, 1694 – Rome, 1775). Animé d'une intense dévotion pour la Passion de Jésus-Christ, il fonda un monastère au mont Argentario (Orbetello). Sa *règle,* modifiée à cause de son excessive austérité, fut finalement approuvée par Benoît XIV (1741). D'autres maisons furent alors fondées, ainsi qu'une congrégation féminine *(passionistines)* [1771]. Fête le 19 octobre.

PAUL DE THÈBES *(saint).* ♦ Traditionnellement, premier ermite qui aurait précédé saint Antoine en Thébaïde. Mais sa *Vie,* par saint Jérôme, semble légendaire. Fête le 15 janvier.

PAUL DIACRE ou **PAUL WARNEFRIED.** ♦ Historien (né dans le Frioul, v. 720 – Mont-Cassin, v. 799). Il est l'auteur d'une *Chronique des Lombards* et de l'hymne *Ut queant laxis.*

PAUL ÉMILE, en lat. **Lucius Aemilius Paullus** ou **Paulus.** ♦ Homme politique romain ([mort] Cannes, ~ 216). Consul en ~ 219 puis en ~ 216 avec Varron*, il fut vaincu et tué à la bataille de Cannes* lors de la deuxième guerre Punique*. ♦ PAUL ÉMILE *le Macédonique,* en lat. *Lucius Aemilius Paullus* ou *Paulus Macedonicus.* Homme politique romain, fils du précédent (~ 227 – ~ 160). Consul en ~ 168, il vainquit Persée à Pydna* et s'empara de la Macédoine.

Paulette *(édit de la),* du nom du financier *Paulet.* ♦ Ordonnance d'Henri IV rendant héréditaires les offices, moyennant une taxe. Une tentative pour suspendre ce système fut à l'origine de la Fronde* parlementaire (1648).

Paul et Virginie. ♦ Roman idyllique de Bernardin* de Saint-Pierre, qui figure dans le dernier volume des *Études* de la nature* (1787) comme une illustration des idées de Rousseau* dont l'auteur est le disciple. Voulant, en effet, « réunir à la beauté de la nature entre les tropiques la beauté morale d'une petite société », l'auteur évoque au sein des paysages magnifiques de l'île de France (île Maurice) l'amour naissant chez deux adolescents qui ignorent naturellement le mal (« Leur théologie était toute en sentiment, comme celle de la nature, et leur morale toute en action, comme celle de l'Évangile »). Cette idylle sentimentale connut un succès considérable, auquel contribuèrent les descriptions suggestives de paysages exotiques à la « pompe à la fois magnifique et sauvage ».

PAULHAN (Frédéric). ♦ Philosophe français (Nîmes, 1856 – Paris, 1931). Collaborateur à la *Revue de philosophie,* il a publié de nombreux ouvrages de psychologie, *Éléments de l'esprit* (1889), *Types intellectuels* (1896), *Psychologie de l'invention* (1900).

PAULHAN (Jean). ♦ Écrivain français (Nîmes, 1884 – Boissise-la-Bertrand, Seine-et-Marne, 1968), fils de Frédéric Paulhan.

Ph. Carlo Bevilacqua/Ricciarini

Saint **Paul,** par Alonso Cano. (Cathédrale de Grenade.)

Chercheur d'or, planteur, puis professeur à Madagascar (1907-1911), il publia à son retour en France *Les Hain-Tenys mérinas* (1913), ouvrage sur la poésie malgache, et fut nommé professeur de langues orientales. Mobilisé comme sergent dans les zouaves au début de la Première Guerre mondiale, il a évoqué son expérience dans *Le Guerrier appliqué* (1915). Secrétaire (1920), puis directeur de *la Nouvelle* Revue française* (1925), il n'a cessé de jouer le rôle d'« éminence grise de la littérature française », tout en occupant une place importante comme théoricien de la langue et de la littérature et comme critique d'art. Ayant abandonné la direction de la N.R.F. en 1940 (il devait la reprendre en 1953), il fonda dans la clandestinité sous l'occupation allemande les *Lettres françaises* (avec J. Decour) et les *Éditions de Minuit,* avec Vercors (1941). Outre des réflexions sur la création littéraire et l'écriture (*Entretiens sur des faits divers,* 1930 ; *Les Fleurs de Tarbes,* 1941 : *Clefs pour la poésie,* 1944), il écrivit plusieurs essais sur l'art [*Braque le patron,* 1946 ; *Fautrier l'enragé, L'Art informel,* 1962]. (Acad. fr., 1963.)

PAULI (Johannes). ♦ Théologien et écrivain alsacien (Pfedersheim, entre 1450 et 1454 – Thann, 1533). Il compta parmi les grands prédicateurs alsaciens ; mais il est surtout connu pour son recueil d'histoires gaies et sérieuses où les héros sont des fils de paysans, des lansquenets, des cochers, etc. (*Schimpf und Ernst,* 1522). Cette œuvre fut traduite dans diverses langues d'Europe.

PAULI (Wolfgang). ♦ Physicien suisse d'origine autrichienne (Vienne, 1900 – Zurich, 1958). Il participa à l'élaboration de la théorie quantique des champs. **V. Dirac, Heisenberg, Wigner.** Auteur de travaux sur les électrons, il énonça le *principe d'exclusion* (1925). Il émit, avec Fermi*, l'hypothèse du neutrino (1931). (Prix Nobel de phys., 1945.)

PAULIN DE NOLE *(saint),* en lat. **Meropius Pontius Paulinus.** ♦ Poète latin chrétien (Bordeaux, 353 – Nole, Campanie, 431). Disciple d'Ausone, gouverneur de Campanie, il renonça au monde en 393, à Nole, dont il devint évêque en 409. Œuvres : *Épîtres* à Ausone, 35 poèmes dont 14 en l'honneur de saint Félix* de Nole, une *Correspondance.* Fête le 22 juin.

Pauline *(chapelle).* ♦ Chapelle vaticane bâtie pour Paul III par Antonio da Sangallo le Jeune (v. 1537-1540). Sur les murs latéraux, Michel-Ange peignit *La Conversion de saint Paul* (1542-1545) et *La Crucifixion de saint Pierre* (1545-1550).

PAULING (Linus Carl). ♦ Chimiste américain (Portland, Oregon, 1901 –). Abordant avec Slater*, après Heitler* et London* (1927), les problèmes de chimie atomique du point de vue de la mécanique quantique, il permit l'interprétation de certains composés spéciaux, notamment de systèmes complexes et macromoléculaires, précisant la nature des liaisons chimiques et la structure des molécules. On lui doit également la découverte fondamentale, avec Inato, Singer et Well, d'une « maladie moléculaire » de l'hémoglobine [1949]. (Prix Nobel de chimie, 1954 ; prix Nobel de la paix, 1962.)

PAULUS [polys] **(Jean-Paul HABANS,** dit**).** ♦ Chanteur français de café-concert (Saint-Esprit, près de Bayonne, 1845 – Saint-Mandé, 1908). Aimé du public populaire pour sa verve et son entrain, il connut la célébrité dans les débuts de la Troisième République, avec des chansons d'inspiration cocardière *(En r'venant d'la r'vue, Les Pioupious d'Auvergne, Le Père la Victoire).* Après avoir été à l'*Eldorado,* à la *Scala* et à l'*Alcazar d'été* l'idole des Parisiens, il devait mourir dans la gêne.

PAULUS (Friedrich). ♦ Maréchal allemand (Breitenau, Hesse, 1890 – Dresde, 1957). Ayant contribué, comme adjoint de Halder à l'État-Major général, à la mise au point du plan d'attaque contre l'U.R.S.S. (1941), il y commanda un corps blindé, puis la VIe armée. Lors de l'offensive de l'été 1942, il fut chargé de prendre Stalingrad, conquit effectivement une partie de la ville, mais y fut encerclé et dut capituler (2 févr. 1943). Il fut interné en U.R.S.S., puis transféré en Allemagne de l'Est (1953).

PAUME (serment du **Jeu de**). ♦ V. JEU DE PAUME.

PAURAVA. ♦ V. PÔROS.

PAUSANIAS. ♦ Général spartiate de la famille des Agides* (mort v. ~470). Commandant l'armée grecque, il remporta contre le Perse Mardonios la victoire de Platées* (~479). Il enleva ensuite aux Perses une grande partie de Chypre et Byzance (~477). Ses ambitions accrues par ces succès le rendirent suspect de complicité avec Xerxès. Acquitté lors d'un premier procès, il s'installa d'abord à Byzance où il se rendit odieux par son faste oriental, puis, chassé par les Athéniens, il dut aller en Troade. Rappelé à Sparte et démasqué, il se réfugia dans le temple d'Athéna où on l'emmura.

PAUSANIAS. ♦ ([mort] v. ~380). Roi de Sparte (~408-~395), petit-fils du précédent. Modéré, il aida secrètement Thrasybule* à renverser les Trente Tyrans (~403) imposés à Athènes par Lysandre*. Accusé plus tard d'être responsable d'un échec lacédémonien en Béotie (~395), il s'exila à Tégée.

Pauvres (Petites Sœurs des). ♦ Congrégation religieuse fondée par Jeanne Jugan (Saint-Servan, 1839) et approuvée par le Saint-Siège en 1878. Outre les trois vœux, les religieuses prononcent celui d'hospitalité. Elles se consacrent à l'assistance aux vieillards. La congrégation est répandue dans 24 pays.

PAVÉLITCH (Ante). ♦ Homme politique croate (Bradina, Herzégovine, 1889 – Madrid, 1959). Député de Zagreb, il prit la tête en 1929 du mouvement nationaliste des oustachis contre la politique centralisatrice de la Serbie*. Exilé à l'étranger, il organisa l'assassinat du roi Alexandre* Ier à Marseille (1934). Chef de l'État croate en 1941 (**V. Croatie,** *hist.*), il aligna sa politique sur celle de l'Italie et de l'Allemagne. En 1945, il s'enfuit en Argentine puis s'établit en Espagne.

PAVESE (Cesare). ♦ Écrivain italien (San Stefano Belbo, 1908 – Turin, 1950). Après un bref passage dans l'enseignement, il commença à traduire les auteurs anglais (Dickens, De Foe) et surtout américains (Melville, Faulkner et Steinbeck), puis dirigea, dès 1936, une grande maison d'édition à Turin. Parallèlement, dès 1930, Pavese avait composé des poèmes, *Travailler fatigue* (*Lavorare stanca,* 1936 ; augmenté en 1943), qui, écrits en vers libres, se rattachent au mouvement « crépusculaire » ; déjà y apparaît le thème de la solitude du poète, sa lutte contre le « vice absurde » qu'est son penchant vers la mort, dont on retrouvera les échos amplifiés dans ses derniers recueils poétiques, *La Terre et la Mort* (1945) et *Viendra la mort et elle aura tes yeux* (posth.). – Astreint à un séjour forcé en Calabre (1935-1936) en raison de ses opinions antifascistes, l'écrivain traversa une grave crise et commença à rédiger un journal (*Le Métier de vivre* ; posth., 1952) où s'exprime la tension angoissée qui le conduisit au suicide. Tiraillé entre son désir de « conserver un regard ouvert sur la réalité immédiate, quotidienne, rugueuse » et la tentation de se détacher de la nature et des hommes pour revenir à soi, Pavese exprima sa difficulté d'être dans des romans où une langue précise sert une lucidité aiguë : *Tes pays* (*Paesi tuoi,* 1939 ; publié en 1941), *La Prison* (*Il Carcere,* 1938-1939), *La Plage* (*La Spiaggia,* 1942) et *Vacances d'août* (*Feria d'agosto,* 1941-1944 ; publié en 1946), où apparaît le double thème de la nature et du passé qui hante l'écrivain. Après la Libération, Pavese, établi à Turin, y poursuivit parallèlement son travail d'éditeur, ses études d'ethnologie et son œuvre littéraire ; *Dialogues avec Leucò* (1947), *La Maison sur la colline* (1948), puis *La Lune et les feux de joie* (*La Luna e i falo,* 1949), « souvenir de l'enfance et du monde », exprimèrent encore la conception de l'écrivain sur l'amour et la guerre (l'un et l'autre reposant sur des rapports de violence agressive), son dégoût de la « frivolité » tragique qui relie les êtres, et son amour pour la campagne, dépeinte avec un réalisme très sobre. Après cette période de création intense, un « calme et las renoncement » conduisit Pavese au suicide.

PAVIE (Auguste Jean-Marie). ♦ Diplomate et explorateur français (Dinan, 1847 – Thourie, Ille-et-Vilaine, 1925). Sergent de l'infanterie coloniale en Cochinchine (1869-1870) où il revint, participant à la construction de la ligne télégraphique Phnom Penh-Bangkok (1879), il fut successivement vice-consul à Luang Prabang (1886), consul général à Bangkok (1891) et commissaire général du Laos. Il contribua à étendre l'influence française en Indochine, en particulier contre les prétentions du Siam (1893, traité par lequel le Siam renonçait à la rive gauche du Mékong). Ses explorations enrichirent la connaissance des régions de l'Annam, du Tonkin et du Yunnan.

PAVIE, en it. **Pavia.** ♦ V. d'Italie du N., en Lombardie*, ch.-l. de prov. sur le Tessin*. 84 000 hab. Évêché, université, église San Pietro in Ciel d'Oro abritant le tombeau de saint Augustin, cathédrale (XVe s.), chartreuse (XIVe-XVe s.), église San Michele (XIIe s.), château des Visconti (XIVe s.). Ville de carrefour, Pavie est un centre d'indus. mécaniques (machines à écrire et à coudre). ♦ *Hist.* Anc. *Ticinum* des Insubres, la ville fut anéantie par Odoacre (476). Sous les Lombards, elle devint capitale de leur royaume (572), mais sa prise par Charlemagne en 774 mit fin au règne des Lombards. C'était une cité gibeline, Othon Ier (951) et Frédéric Ier Barberousse (1154) y vinrent s'y faire couronner rois d'Italie. En 1360, elle fut annexée par les Visconti de Milan. – Les Français y furent vaincus par les Impériaux, sous les ordres de Lannoy, et François Ier fut fait

Ph. L'Esperto/Ricciarini

La chartreuse de **Pavie.**

prisonnier (1525). Lautrec, pour venger cette défaite, pilla la ville (1527). Elle passa aux Espagnols (1540), à l'Autriche (1714), puis à la France (1796). Elle fit partie du royaume d'Italie créé par Napoléon Ier et fut ch.-l. du dép. de l'Olona. Livrée à l'Autriche en 1814 par les traités de Vienne, elle fut libérée en 1859 par la victoire franco-sarde. Elle se fondit dans le royaume d'Italie en 1860.

PAVILLON (Nicolas). ♦ Prélat français (Paris, 1597 – Alet, 1677). Disciple de saint Vincent de Paul, nommé évêque d'Alet en 1639, il joua un rôle de premier plan dans le mouvement janséniste. Il fut l'un des évêques qui refusèrent de signer le formulaire (*Avis sur le formulaire,* 1663) et s'opposa à Louis XIV dans l'affaire de la régale. Les *Instructions sur le rituel du diocèse d'Aleth* qu'il avait publiées en 1667 furent condamnées par Rome à l'instigation des Jésuites (1668).

Pavillons noirs. ♦ V. Hô.

PAVILLONS-SOUS-BOIS. ♦ Ch.-l. de cant. de la Seine-Saint-Denis, arr. de Bobigny, au N.-E. de Paris. 19 084 hab. *(Pavillonnais).*

PAVILLY. ♦ Ch.-l. de cant. de la Seine*-Maritime, arr. de Rouen*, 5 212 hab. *(Pavillais).* – Filature et tissage de coton.

PAVIN *(lac).* ♦ Lac de cratère du Puy-de-Dôme, situé dans les monts Dore.

PAVLODAR. ♦ V. d'U.R.S.S. (Kazakhstan*), ch.-l. de la région du même nom (127 500 km², 709 000 hab.), sur l'Irtych*. 187 000 hab. Indus. alimentaires. Fonderies. Métallurgie de l'aluminium. Indus. mécanique (moissonneuses-batteuses).

PAVLOV (Ivan Petrovitch). ♦ Physiologiste et médecin russe (Riazan', 1849 – Moscou, 1936). Influencé par les idées d'I. Setchenov*, il fut amené par ses travaux sur la digestion, notamment sur le réflexe salivaire, à formuler la notion de réflexe conditionné ou acquis « provoqué, en l'absence de l'excitant normal, par un excitant qui lui a été préalablement associé » (1903). Avec ses élèves, il étudia expérimentalement les conditions de sa formation et de sa disparition, en établit les lois et en donna une interprétation physiologique, en y voyant des liaisons nerveuses nouvelles et temporaires. Étendant ses recherches à la psychologie humaine, il affirma qu'elle est régie par les mêmes lois que la psychologie animale, dont elle se distingue par la création d'un second système de signalisation (le langage et les concepts) se superposant au système de signalisation sensoriel. Ses travaux convergent donc vers l'idée de l'unité fondamentale du physiologique et du psychologique. Ils influencèrent considérablement les études de physiologie nerveuse, ainsi que celles de psychologie normale et pathologique **(V. Bechterev, Watson** et le behaviorisme**).** *Œuv. : Vingt Ans d'expérience dans le domaine de l'activité nerveuse supérieure des animaux,* 1922 ; *Le Réflexe conditionné,* 1935. (Prix Nobel de physiologie et méd., 1904.)

PAVLOVA (Anna). ♦ Danseuse russe (Saint-Pétersbourg, 1882 – La Haye, 1931). Dès ses débuts au Théâtre-Marie, elle fut remarquée pour sa grâce émouvante et fragile. Promue première danseuse (1906), elle excella dans les grands rôles du répertoire *(Le Lac des cygnes, Esméralda, La Belle au bois dormant).* C'est en 1909 qu'elle rallia la compagnie des Ballets russes, de S. de Diaghilev, où elle eut V. Nijinski pour partenaire. De retour en Russie (1913), elle quitta bientôt son pays et se fixa à Londres où elle fonda sa propre compagnie.

PAWLIKOWSKA-JASNORZEWSKA (Maria). ♦ Poète et dramaturge polonaise (1894 – 1945). Ayant débuté avec des poèmes lyriques caractérisés par la litote et par la richesse des associations, elle écrivit les pièces de théâtre *Le Blé d'Égypte* (*Egipska pszenica,* 1932), *Les Cavaliers bleus* (*Zalotnicy niebiescy,* 1933), *Le Retour de la mère* (*Powrót mamy,* 1935), et *Les Fourmis* (*Mrówki,* 1936).

PAWNEE. *n. m. pl.* ♦ Indiens d'Amérique du Nord, établis dès le XVIe s. au Nebraska. Appelés *Panis* par les Français, ils étaient très belliqueux et furent particulièrement hostiles aux Espagnols. Env. 13 000 au XVIIe s., ils ne sont plus actuellement que quelques centaines dans une réserve de l'Oklahoma.

PAWTUCKET. ♦ V. du N.-E. des États-Unis (Rhode Island), qui forme avec Providence* une zone métropolitaine. 77 538 hab. (1965).

PAXTON (*sir* Joseph). ♦ Jardinier, paysagiste, ingénieur et architecte anglais (Milton-Bryant, Bedforshire, 1803 – Sydenham, 1865). Fils de fermier, il devint chef jardinier du duc de Devonshire et construisit sa première serre en 1828. Avec la grande serre de Chatsworth (1837-1840), il mit au point un type d'éléments préfabriqués en verre montés sur châssis métallique léger qu'il réutilisa dans l'immense pavillon du *Crystal Palace,* 1851, élevé en six mois à Hyde Park pour l'Exposition universelle de 1851 (remonté à Sydenham, brûlé en 1936). Le strict fonctionnalisme et l'audace de cette construction font de Paxton un précurseur de l'architecture moderne.

PAYEN (Anselme). ♦ Chimiste français (Paris, 1795 – *id.*, 1871). Il analysa de nombreuses substances alimentaires, dont le grain de blé. En collaboration avec Persoz*, il isola un catalyseur biologique, agent de saccharification de l'amidon (1833) et fut le premier à interpréter l'action de ce genre de substance qu'il nomma *diastase.* **V. Pasteur, Berthelot, Buchner.**

PAYERNE, en all. **Peterlingen.** ♦ V. de Suisse (Vaud) sur la Broye, au S.-O. du lac Morat. 6 000 hab. Église abbatiale (Xe-XIIe s.). Indus. alimentaire, manufacture de tabac. – Patrie de H. de Jomini*. ♦ *Hist.* La ville fut une résidence des souverains de Bourgogne. La reine Berthe y fit fonder, en 962, un monastère dépendant de Cluny dont il reste l'église.

Ph. Hétier

Pays-Bas : champ de tulipes au sud de Haarlem.

PAYNE (Thomas). ♦ V. PAINE (Thomas).

PAYSANDÚ. ♦ V. de l'Uruguay, située au S. de Salto* sur le río Uruguay*. Env. 60 000 hab. – Port fluvial. Conserveries de viande. Tanneries.

Paysans *(guerre des),* en all. **Bauernkrieg.** ♦ Révolte générale des paysans allemands (1524-1526), qui se produisit en Souabe, en Franconie, en Thuringe, en Alsace et dans les Alpes autrichiennes. La cause principale en était les conditions misérables des campagnes, qui avaient déjà provoqué des troubles au XVe siècle. La question religieuse vint s'y ajouter avec la doctrine révolutionnaire des anabaptistes, parmi lesquels Münzer*. Des nobles mécontents participèrent également à la révolte (Götz von Berlichingen*). Luther*, après avoir encouragé la naissance du mouvement, s'en sépara et demanda sa répression. Celle-ci, commencée par la ligue de Souabe*, fit plus de 100 000 morts.

PAYS-BAS, en néer. **Nederland.** *n. m. pl.* ♦ Monarchie constitutionnelle de l'Europe du Nord, limitée à l'E. par la République fédérale d'Allemagne, au S. par la Belgique, à l'O. et au N. par la mer du Nord et divisée en douze provinces **(V. Brabant-Septentrional, Drenthe, Frise, Groningue, Gueldre, Hollande-Méridionale, Hollande-Septentrionale, Ijselmeer** [polders de l'], **Limbourg, Overijsel, Utrecht, Zélande).** 34 182 km² (les eaux occupent 7 400 km² du territoire). 13 650 000 hab. *(Néerlandais). Langues :* néerlandais et frison. *Unité monétaire,* le florin. *Cap.* **V. Amsterdam.** Résidence du gouvernement et de la cour : **V. Haye (La).** *V. princ.* **V. Arnhem, Eindhoven, Groningue, Haarlem, Nimègue, Rotterdam, Utrecht.** – Les Pays-Bas sont composés d'îles et d'une plaine alluviale dont l'altitude – excepté les collines du Limbourg (321 m) – est voisine du niveau de la mer ou inférieure à celui-ci et où la Meuse, le Rhin et l'Escaut, les trois voies navigables les plus importantes de l'Europe occidentale, formant un vaste ensemble deltaïque, se jettent dans la mer du Nord, frontière maritime de plus de 800 km. La partie occidentale du pays constitue un même ensemble urbain, la *Randstad* Holland,* groupant Amsterdam, Haarlem, Leyde, La Haye, Delft, Rotterdam, Dordrecht, Utrecht, Hilversum. – *Climat* océanique frais se dégradant vers l'intérieur. Pluviosité : 700 à 900 mm annuels. – *Écon.* Dans l'agriculture et l'horticulture, intensives et de très haut rendement (4 500 kg/ha pour le blé, 40 t pour la betterave sucrière), les coopératives (env. 5 000) jouent un grand rôle. La petite entreprise domine (60 % des fermes ont moins de 10 ha). La grande culture couvre env. 35 % des terres (800 000 ha). 40 % des céréales sont destinés à l'alimentation du bétail. On cultive surtout la betterave sucrière, la pomme de terre et les céréales. La culture en serre couvre plus de 6 500 ha. Plus de 58 000 ha sont réservés à la culture maraîchère et plus de 2 250 ha (dont 1 250 en serres) à la floriculture. La surface boisée (pin sylvestre) ne couvre que 7% du territoire. – L'industrie laitière est la plus importante de toutes les indus. agricoles. Le cheptel bovin (race hollando-frisonne et Meuse-Rhin-Ijsel) compte env. 5 millions d'animaux (production laitière : 4 250 l par animal et par an). Élevage porcin (95 000 exploitations) et ovin (Texel). Chevaux. Pêche (hareng, anguille, maquereau). – L'indus. est alimentée par la houille du Limbourg, par le pétrole de Twente et des raffineries de Rotterdam, et surtout par le gaz naturel de Slochteren. Les possibilités de l'indus. de transformation se sont accrues par l'adjonction d'indus. de base essentielles : sidérurgie (le secteur métallurgique occupe 1/4 de la pop. active), pétrole, pétrolochimie. Bien qu'en expansion,

Pays-Bas.

l'indus. chimique ne se classe qu'au troisième rang, après l'indus. métallurgique et électrotechnique et les indus. alimentaires (outre l'indus. laitière – voir plus haut –, légumes, fruits, viande, cacao, café, thé, tabac, huiles, graisses). – *Communications.* Le réseau ferré et routier est très dense et moderne. Les voies fluviales (notamment le Rhin) sont d'importance européenne. 53 % des transports sur le Rhin sont effectués par des entreprises néerlandaises, qui effectuent d'autre part le tiers des transports routiers en Europe occidentale. – Le tourisme est très actif, dû notamment aux richesses artistiques d'Amsterdam et de nombreuses villes. ♦ *Hist.* Peuplés par des Celtes un siècle avant notre ère, les Pays-Bas, conquis par les Romains qui apprirent aux autochtones à drainer les terres et à creuser des canaux, furent appelés Germanie inférieure (Bataves et Frisons étant assimilés aux Germains). Après les invasions barbares (IIIᵉ et IVᵉ s.), la répartition ethnique était identique à celle de la période préromaine : Saxons dans l'E., Frisons sur la côte, Francs au S. des grands fleuves. La christianisation fut lente et l'évangélisation effective date de la domination carolingienne. Les traités de Verdun (843), de Mersen (870) et de Ribemont (880) brisèrent l'unité territoriale des Pays-Bas : l'Escaut servit de frontière entre les royaumes de Charles le Chauve et de Lothaire. Au XIIIᵉ s., une transgression marine transforma le lac Flevo en un golfe marin, le Zuiderzee*. Les bouleversements qui en résultèrent hâtèrent la disparition des petites seigneuries au profit des grands féodaux comme les comtes de Hollande, de Gueldre, de Frise, ou les évêques d'Utrecht. Grâce aux dissensions entre seigneurs, les communes acquirent peu à peu leur indépendance et s'enrichirent (exportation de hareng, importation de sel, de laine). Les principaux ports, avec Amsterdam, s'affilièrent à la Hanse. Les Pays-Bas passèrent à la Bourgogne quand Philippe le Hardi, duc de Bourgogne, épousa, en 1384, Marguerite, héritière du comté de Flandre puis du Brabant (à la mort de Jeanne de Brabant, en 1405). À l'exception de la Gueldre, érigée en duché depuis 1339, les Pays-Bas furent réunis au domaine bourguignon quand Jacqueline de Bavière (héritière de Hollande, Zélande et Hainaut) dut céder ses domaines à Philippe le Bon, son cousin. Ce fut une époque de haute civilisation. Charles le Téméraire désirait reconstituer la Lotharingie en réunissant, par l'annexion de la Lorraine, ses États de « par-deçà » (Pays-Bas) à ceux de « par-delà » (Bourgogne, Franche-Comté). Cette politique l'entraîna dans une série de guerres désastreuses; il mourut à Nancy en 1477. Sa fille, Marie, épousa alors Maximilien d'Autriche, et les Pays-Bas passèrent sous la domination des Habsbourg. En 1482, Maximilien signa avec Louis XI le traité d'Arras qui laissait à la France la Bourgogne ducale et la Picardie. C'est à cette époque que disparut le particularisme urbain malgré les soulèvements (Bruges, Gand, 1492-1495). En 1493, Philippe le Beau devint maître des Pays-Bas mais épousa l'héritière de la maison d'Espagne. Son fils Charles Quint domina donc les Pays-Bas et les Espagnes (1516) avant d'être élu roi des Romains (1519). C'est lui qui compléta le bloc des Pays-Bas, dix-sept provinces groupées en un cercle de Bourgogne (1548), qui dota le pays d'une administration centralisée, mais écrasa ses sujets d'impôts alors qu'épices, or et diamants affluaient d'Amérique. Luthéranisme et calvinisme provoquèrent à la même époque le rétablissement de l'Inquisition. En 1555, Charles Quint abdiqua en faveur de Philippe II, qui provoqua le mécontentement par sa politique catholique (révolte des Gueux*). Gouverneur (1567), le duc d'Albe* appliqua des mesures draconiennes (les comtes d'Egmont* et de Hoorne* en furent les victimes les plus connues). En conséquence, la Zélande et la Hollande, refuge des calvinistes, firent sécession avec Guillaume* d'Orange (1572). Il fallut attendre la pacification de Gand (1576) pour retrouver un moment l'unité des Pays-Bas. Flandre et Hainaut devinrent alors calvinistes, et Juan d'Autriche dut évacuer les provinces du Sud (Édit perpétuel, 1577). Les catholiques formèrent la *confédération d'Arras* pour lutter contre les orangistes qui lui opposèrent l'*union d'Utrecht,* acte de naissance des Provinces-Unies, fédération de sept républiques (Gueldre, Hollande, Zélande, Utrecht, Frise, Overijsel, Groningue). Alexandre* Farnèse négocia toutefois la paix d'Arras avec les provinces catholiques et réussit à s'emparer d'Anvers (1585). Avec la trêve de Douze Ans (1609), l'existence autonome des Provinces-Unies fut entérinée. Isabelle, fille de Philippe II, favorisa à partir de 1621 (mort de l'archiduc Albert) un catholicisme intransigeant qui eut pour résultat la naissance de foyers de la Contre-Réforme à Bruges, Ypres, Malines et Louvain. L'Espagne céda le Brabant-Septentrional et la Flandre zélandaise aux Provinces-Unies en 1648, alors que les Hollandais contrôlaient les bouches de l'Escaut. Ce fut le début de l'hégémonie hollandaise sur mer. Pour ruiner les empires coloniaux portugais et espagnol et stimuler le commerce, des sociétés par actions avaient été créées dès 1602 *(Compagnie des Indes orientales).* Les îles de la Sonde devinrent les *îles Néerlandaises.* Une compagnie était installée en Afrique australe. À l'embouchure de l'Hudson, en Amérique du N., fut fondée La Nouvelle-Amsterdam qui deviendra New* York. Des banques furent créées à Middelbourg, Delft, Rotterdam et Amsterdam (1609) et financèrent l'aménagement de polders. Célèbre pour ses imprimeurs (Elzevir), la Hollande, pays accueillant aux réfugiés politiques et religieux, fut la « librairie générale de l'Europe ». Ses universités (comme Leyde) étaient renommées. Le XVIIIe s. fut le siècle d'or des Pays-Bas tant sur le plan artistique qu'économique. Cette expansion économique contrariait les intérêts anglais et une guerre (surtout navale) éclata en 1652. Par la paix de Westminster, les Pays-Bas durent reconnaître l'*acte de navigation* de Cromwell qui portait un coup très dur à leur commerce maritime. Le pays conclut alors une alliance défensive avec la France (1662) et surprit la flotte anglaise dans la Tamise : la paix de Breda* accorda l'Insulinde et le Surinam aux Pays-Bas, qui perdirent La Nouvelle-Amsterdam. Devant les succès de Louis XIV, une triple alliance fut conclue entre les Provinces-Unies, l'Angleterre et la Suède. Mais une action diplomatique détacha ces deux dernières puissances des Pays-Bas, qui furent envahis par l'armée française en 1672. Guillaume* III fit ouvrir les écluses et crever les digues. En 1674, il épousa Marie, fille aînée de Jacques II d'Angleterre, et la guerre avec la France s'acheva sans perte pour les Provinces-Unies (paix de Nimègue*, 1678). Néanmoins, Guillaume III adhéra (1689) à la ligue d'Augsbourg contre la France. En 1717, les Provinces-Unies entrèrent dans l'alliance franco-anglaise contre l'Espagne. Elles durent aussi participer à la guerre de Succession d'Autriche (1740-1748) contre la France et partager la défaite de Fontenoy. Après Jemappes, les Français occupèrent les Pays-Bas et rétablirent la navigation sur l'Escaut **(V. Anvers).** La victoire de Fleurus (1794) leur permit d'occuper totalement le pays, qui fut doté d'une constitution à la française (1798) remaniée par Bonaparte en 1801. Érigé en royaume en 1806, le pays fut placé sous la souveraineté de Louis Bonaparte, détrôné en 1810 pour avoir appliqué trop mollement les ordres (Blocus continental) de Napoléon. La perte de la dernière colonie néerlandaise (Java) et la nouvelle de la défaite française de Leipzig firent éclater une révolte en 1813 : le futur Guillaume Ier prit le titre de « prince souverain ». Après Waterloo, l'Angleterre restitua les colonies hollandaises sauf Le Cap, Ceylan et une partie de la Guyane. En 1814, fut admis le principe de la réunion des Provinces-Unies avec les anciens Pays-Bas autrichiens et l'évêché de Liège, c'est-à-dire avec l'actuelle Belgique, décision entérinée par le congrès de Vienne qui y ajouta le duché de Luxembourg, Bruxelles et La Haye se partageant le rôle de capitale. Mécontents, les éléments belges catholiques et libéraux furent les protagonistes de la révolution belge de 1830 **(V. Belgique, *Hist.*).** Sous l'influence des révolutions européennes, en 1848, Guillaume II promulgua une nouvelle constitution et les principes protectionnistes ainsi que l'esclavage dans les colonies furent abolis. De gigantesques travaux furent entrepris : canal de la mer du Nord, d'Amsterdam à Ijmuiden, Nieuwe Waterweg **(V. Rotterdam).** À la mort de Guillaume III (1890), sa fille, Wilhelmine, ne recueillit qu'une partie de l'héritage car le Luxembourg (qui passa à la maison de Nassau) suivit la loi salique. Pendant la Première Guerre mondiale, la neutralité des Pays-Bas fut respectée. L'entre-deux-guerres fut une période de prospérité économique : assèchement du Zuiderzee, exploitation des charbonnages du Limbourg, création de nombreuses coopératives et concentrations industrielles. Envahis le 10 mai 1940, les Pays-Bas subirent l'occupation allemande jusqu'en 1945. Libérés, ils décidèrent la suppression des barrières douanières : la conférence du Benelux eut lieu à La Haye en mars 1949. Un autre pacte, en 1948, avait été signé entre le Benelux, l'Angleterre et la France. Les Pays-Bas adhérèrent avec les autres États du Benelux au Conseil de l'Europe (1949), à la CECA (1951), au Marché commun de l'Europe des Six (traité de Rome, 1957) et à l'Euratom. Sur le plan colonial, une « conférence de la Table ronde » se tint à La Haye en 1949 pour reconnaître l'indépendance de la république d'Indonésie*. Quant à la Nouvelle-Guinée, elle fut remise à l'administration indonésienne en 1963.

PAYS NOIR. *n. m.* ♦ V. BLACK COUNTRY.

PAZ (Octavio). ♦ Poète et essayiste mexicain (Mexico 1914 –). Au cours de sa vie vagabonde, il se lia d'amitié avec les surréalistes. Il publia en 1949 *Liberté sur parole.* Son œuvre poétique évoque notamment les souffrances et l'amertume de l'amour. *Pierre de soleil* (1957) est un poème où se mêle au thème de l'amour et de la liberté le « cauchemar de l'histoire »; *L'Arc et la Lyre,* un art poétique. De sang indien, Paz est marqué par une tradition qui oppose deux cultures : aztèque et hispanique; son essai *Le Labyrinthe de la solitude* (1957) est une recherche passionnée de « l'essentiel mexicain ».

PAZ (La). ♦ V. LA PAZ.

PAZARDŽIK. ♦ V. de Bulgarie. Ch.-l. de district sur la Marica, près de Plovdiv. 55 410 hab. Caoutchouc synthétique.

PAZ DEL RÍO. ♦ V. de Colombie située au N.-E. de Bogotá* dans la Cordillère orientale. Premier centre sidérurgique du pays alimenté par les gisements de minerai de fer et de charbon de la région.

PAZYRYK. ♦ Site de Sibérie méridionale (Altaï) où furent retrouvées en 1929 de nombreuses tombes contenant des chambres à parois de bois, caractéristiques d'une culture apparentée à celle des Scythes* de la steppe et datant du ~V^e au Ier siècle. Dans ces sépultures furent trouvés, dans un remarquable état de conservation, corps, vêtements, mobilier, chevaux. Les pièces les plus remarquables se trouvent au musée de Leningrad.

PAZZI. ♦ Famille guelfe de Florence rivale des Médicis* dans les affaires publiques. — FRANCESCO PAZZI. En 1478, il fomenta un complot avec l'aide du neveu du pape Sixte IV, Girolamo Riario*, contre les Médicis. Seul Julien de Médicis mourut et Laurent le Magnifique massacra les conjurés. Il bannit les autres Pazzi de Florence. Sixte IV, qui avait excommunié Laurent, fut obligé de faire la paix en 1480.

P.C.F. ♦ Sigle du Parti communiste* français.

PEACE RIVER. ♦ V. PAIX (rivière de la).

PEACOCK (Thomas Love). ♦ Romancier anglais (Weymouth, Dorsetshire, 1785 — Lower Halliford, Middlesex, 1866). De famille bourgeoise, il reçut une éducation indépendante. Ami de Shelley, qu'il avait rencontré à Londres en 1812, il n'en fut pas moins l'adversaire déclaré des lakistes. Ainsi, les protagonistes de *L'Abbaye de Cauchemar* (*Nightmare Abbey,* 1818) caricaturent Coleridge, Byron et même Shelley. De même, dans *Mélincourt* (*Melincourt, or Sir Oran Haut-Ton,* 1817), Coleridge, Southey et Wordsworth sont dépeints sans aménité par le porte-parole de l'auteur, Simon Sarcastic. Le sarcasme était en effet le ton qu'adopta Peacock face au romantisme, dont il prit systématiquement le contre-pied dans des « récits » (Peacock leur refusa toujours le titre de « romans ») dont l'intrigue, fort mince, était seulement destinée à servir de prétexte à la raillerie. Son œuvre procède à la fois du « conte philosophique à la Voltaire et du roman parlé à la Diderot » (Cazamian).

PÉAGE-DE-ROUSSILLON (Le). ♦ Comm. de l'Isère, arr. de Vienne. 5 765 hab. Indus. textiles et chimiques. Centrale thermique. Culture de pêches.

PEAK DISTRICT. *n. m.* (« région des pics »). ♦ Région du centre de l'Angleterre (N. du Derbyshire), à l'extrémité S. des Pennines. 1 295 km². Formée de hauts plateaux et de gorges pittoresques, elle est drainée par les affl. de la Mersey et de la Derwent (Wye, Dove) et culmine au *Kinder Scout* à 687 mètres.

PÉAN (Jules Émile). ♦ Chirurgien français (Marboué, près de Châteaudun, 1830 — Paris, 1898). Élève de Nélaton*, il inventa de nombreux procédés et instruments chirurgicaux et réalisa la première résection du pylore [1879]. (Acad. méd., 1885.)

PEANO (Giuseppe). ♦ Logicien et mathématicien italien (Cuneo, 1858 — Turin, 1932). Il mit au point un système ingénieux de signes qui permet d'exposer les principes de la logique et les résultats des différentes branches des mathématiques dans un langage dit *formalisé* (*Formulaire de mathématiques,* 1895-1905). Il présenta ainsi l'arithmétique, la géométrie projective, la théorie des ensembles, le calcul infinitésimal et le calcul vectoriel. Ses notations ont été en partie conservées dans le langage formalisé actuel. Il tenta par ailleurs de réaliser une langue internationale.

PEARL HARBOR (« le port des perles »). ♦ Base navale des États-Unis aux îles Hawaï*, près de Honolulu*, dans une baie très protégée. ♦ *Hist.* Fondée en 1907, la base devint une des plus importantes du Pacifique. Elle fut attaquée par surprise par l'aviation

Ph. Mario Russo/Ricciarini

Pécs : la place centrale.

japonaise, qui infligea de très lourdes pertes aux forces navales et aériennes américaines (7 déc. 1941). L'effet psychologique créé dans l'opinion américaine par l'attaque de Pearl Harbor permit à Roosevelt de faire entrer les États-Unis dans la guerre.

PEARSON (Karl). ♦ Mathématicien et statisticien anglais (Londres, 1857 – *id.*, 1936). Il mit au point une méthode mathématique et graphique (dite biométrique) conduisant à l'application de formules de mathématique statistique pour le développement de la science anthropologique **(V. Galton, Weldon)**; on lui doit notamment une généralisation de la notion d'écart, sous la forme d'un écart quadratique global, en calcul des probabilités. **V.** *aussi* **Quételet.**

PEARSON (Lester Bowles). ♦ Homme d'État canadien (Toronto, 1897 – Ottawa 1972). Diplomate, député libéral, il fut ministre des Affaires étrangères du gouvernement Saint*-Laurent, de 1948 à 1957. Il a été président de l'Assemblée générale des Nations unies (1952-1953). En 1957, il reçut le prix Nobel de la paix pour le rôle d'intermédiaire qu'il avait joué entre les États-Unis et la Grande-Bretagne, lors de la crise de Suez* (1956). Chef du Parti libéral en 1957, il devint Premier ministre du Canada en 1963 et se retira en déc. 1967. En politique extérieure, il se montra partisan de l'O.T.A.N.; sur le plan intérieur, alors que son parti n'avait plus la majorité absolue à la Chambre depuis 1965, il avait à résoudre le problème dominant des revendications autonomistes, voire «indépendantistes» du Québec, surtout après la visite interrompue du général de Gaulle* au Canada en 1967.

PEARY (Robert Edwin). ♦ Navigateur et explorateur américain (Cresson Springs, Pennsylvanie, 1856 – Washington, 1920). Après des expéditions au Groenland dont il reconnut l'insularité, il explora les terres de Grinnell et de Grant (1905 et 1909) et atteignit le pôle Nord le 6 avr. 1909. (*Nearest the Pole,* 1906; *The North Pole,* 1910.)

Peau d'Âne. ♦ Conte en vers où Ch. Perrault* (1715) narre les aventures de la princesse charmante que le vieux roi veuf (son propre père) veut épouser et qui, malgré son déguisement sous la dépouille d'un âne extraordinaire, se fera reconnaître involontairement et aimer d'un jeune prince.

Peau de chagrin (La). ♦ Roman philosophique de Balzac* (1831). Après une jeunesse ardemment studieuse, Raphaël de Valentin, caractère faible, abandonne son rêve « d'une grande renommée littéraire » pour la « conquête du pouvoir ». Vite déçu et ruiné, il acquiert la Peau de chagrin : ce talisman, image du temps à vivre, satisfera au prix de son amoindrissement les passions du jeune homme. Ce récit illustre le tragique dilemme qui, pour Balzac, est celui de la condition humaine : « Tuer les sentiments pour vivre vieux, ou mourir en acceptant le martyre des passions. »

PEĆ. ♦ V. de Yougoslavie (Kosovo-Metohija). 28 300 hab. Patriarcat serbe. – Artisanat du cuir, tourisme.

PECHAWAR. ♦ **V.** Peshawar.

PECHELBRONN. ♦ Comm. (de Merkwiller-Pechelbronn) du Bas-Rhin*. 778 hab. – Ancienne exploitation de pétrole.

Pêcheur d'Islande. ♦ Roman de Pierre Loti* (1886), situé en Bretagne, à Paimpol. Yann et Sylvestre naviguent ensemble sur *la Marie* et mènent la rude existence des pêcheurs d'Islande. Sylvestre périra en mer, de même que Yann, qui n'aura goûté qu'un bonheur de courte durée avec Gaud, sa jeune épouse. Sur cette intrigue très simple, Loti a bâti un récit dont la véritable héroïne est la mer. Toujours présente, elle est évoquée avec puissance et poésie et, par son hostilité, illustre la hantise de la mort, thème fondamental de l'œuvre de Loti.

PECHILI. ♦ V. Po-hai.

PECHSTEIN (Max). ♦ Peintre, dessinateur et graveur allemand (Zwickau, 1881 – Berlin, 1955). Après un apprentissage chez un peintre local (à partir de 1896), il alla étudier aux Beaux-Arts de Dresde (1900-1903) et fut surtout attiré par l'œuvre de Van Gogh et de Gauguin. Devenu membre de *die Brücke** en 1906, il voyagea ensuite en Italie et à Paris, puis s'installa à Berlin (1908). Auteur de portraits, de nus, de scènes de plage et de paysages traités d'une manière large avec un trait abrégé et des couleurs vives parfois arbitraires, ses œuvres reflètent souvent l'influence de Cézanne, et surtout de Matisse à partir de 1908, et se caractérisent fréquemment par une certaine dureté du dessin (*Jeune fille en maillot jaune et noir,* 1909). Ayant voyagé en 1914 aux îles Palaos, il traita des sujets exotiques. Ses œuvres furent condamnées par les nazis. Après la guerre, il devint professeur aux Beaux-Arts de Berlin. Il fut l'un des moins extrêmes parmi les expressionnistes allemands et sut mieux que d'autres gagner la faveur du public.

PECQ (Le). ♦ Ch.-l. de cant. des Yvelines, arr. de Saint-Germain-en-Laye, sur la Seine. 13 824 hab. – Église (XVIIIe s.). Ville résidentielle. – Indus. alimentaires; teintures.

PECQUET (Jean). ♦ Médecin et anatomiste français (Dieppe, 1622 – Paris, 1674). Célèbre pour sa découverte des vaisseaux chylifères. (On donne le nom de « citerne » ou « réservoir de Pecquet » au renflement inférieur du canal thoracique où ils aboutissent.) [Acad. sc., 1666.]

PECQUEUR (Constantin). ♦ Économiste français (Arleux, 1801 – Saint-Leu-Taverny, 1887). D'abord adepte des théories de Saint-Simon, puis du fouriérisme, il collabora au phalanstère (1832-1835). Ses œuvres, où il critique la propriété privée et la concentration industrielle, font de lui un représentant d'un collectivisme à tendance spiritualiste (*Des améliorations matérielles dans leurs rapports avec la liberté,* 1839).

PÉCS. ♦ V. de Hongrie, ch.-l. du comitat de Baranya, située au S. du pays, sur les contreforts du mont Mecsek. 145 000 hab. Djami du pacha Ghazi Kassim (XVIe s.); djami de Yakovah Hussan et turbeh octogonal d'Idris Baba; cathédrale Saint-Étienne (XIe s.), église de Tous-les-Saints (XIIe, remaniée). Maisons médiévales. – Centre industriel (indus. alimentaires, tanneries, cokerie, céramique). ♦ *Hist.* À l'emplacement de Pécs existait déjà un établissement celte qui prit le nom de Sopianae et devint la capitale de la Pannonie inférieure sous l'empereur Hadrien. Au IXe s., la ville était du ressort des archevêques de Salzbourg et s'appelait *Quinque Ecclesiae.* En 1009, saint Étienne y fonda un évêché. Louis le Grand y créa en 1367 la première université hongroise. Occupée par les Turcs de 1543 à 1686, Pécs devint un centre commercial prospère; de nombreux monuments (mosquées) y furent bâtis. Après la reconquête, son développement fut lent jusqu'au milieu du XIXe s., où de nombreuses industries y furent installées.

PEDRELL (Felipe). ♦ Musicologue et compositeur espagnol (Tortosa, 1841 – Barcelone, 1922). Admirateur de Wagner, il découvrit très tôt les vertus du folklore musical de son pays, affirmant en même temps : « La musique de chaque pays doit se retremper aux sources du peuple. » Par la publication de plus de trois cents ouvrages, musicaux, historiques et didactiques (*Études de bibliographie musicale; Les Musiciens anonymes; Le Folklore musical castillan du XVIe siècle; Le Chansonnier musical populaire),* il a joué un rôle éminent dans la renaissance de la musique espagnole. Professeur au conservatoire de Madrid, il eut de nombreux élèves, dont M. de Falla et E. Granados. Il a composé des opéras, de la musique symphonique, chorale et de chambre.

PEDRO. ♦ V. Pierre Ier (du Brésil, du Portugal).

PEDRO DE VALDIVIA. ♦ Petite V. du Chili, située dans la prov. d'Antofagasta*, au cœur du *Norte Grande.* Exploitation de nitrate de sodium près de la ville.

PEEBLES. *n. m.* ♦ Comté du S. de l'Écosse, à l'E. des comtés de Midlothian, de Selkirk, de Dumfries et de Lanark. 899 km², 14 160 hab. (1961). *Ch.-l.* Peebles, au confl. de la Tweed et de l'Eddleston Water (5 600 hab.). Élevage, pêche (saumon, truites), lainages (tweed).

PEEL (*sir* Robert). ♦ Homme politique anglais (Chamber Hall, Lancashire, 1788 – Londres, 1850). Issu d'une riche famille d'industriels, il entra aux Communes en 1809 comme député tory. Nommé secrétaire d'État pour l'Irlande, il réagit avec énergie et intégrité contre l'agitation catholique (institution d'une police). Ministre de l'Intérieur sous Liverpool* et Wellington*, il améliora l'appareil judiciaire, l'instruction populaire, créa une police à Londres (c'est de lui que les « bobbies » tirèrent leur surnom) et se rallia à l'émancipation des catholiques devant la recrudescence des troubles irlandais (1829). Après la réforme de 1832, il sut adapter son parti à la nouvelle situation et le rebaptisa « conservateur » (manifeste de Tamworth, 1834). Lors de ses ministères (1834-1835, 1841-1846), il prit de nombreuses mesures économiques et financières, rétablissant par exemple les impôts sur les revenus les plus forts ou assurant la stabilité de la livre par la réforme de la Banque d'Angleterre. Ce fut son évolution sur la question du libre-échange, brusquée par le risque de famine en Irlande (abolition des *corn-laws,* 1846), qui provoqua la scission de son parti : les « Jeune-Angleterre », menés par Disraeli, provoquèrent sa chute. Il avait considérablement favorisé le passage de son pays à l'ère industrielle et il conserva jusqu'à sa mort accidentelle une grande influence sur la vie politique anglaise.

PEELE (George). ♦ Poète et auteur dramatique anglais (Londres,

v. 1558 – *id.*, v. 1597). Prédécesseur de Shakespeare, il appartint au groupe des beaux esprits universitaires *(University Wits)* qui contribua à la renaissance des formes théâtrales profanes en Angleterre. Œuvre princ. *Le Jugement de Pâris* (*The Arraignment of Paris,* 1584).

PEENEMÜNDE. ♦ Localité et port d'Allemagne orientale (district de Rostock), sur la Baltique, près de l'estuaire de la Peene. Cet ancien village de pêcheurs fut de 1939 à 1945, sous la direction de W. von Braun, une importante base d'essais de V1, V2 et d'engins spéciaux fabriqués et essayés par le IIIe Reich.

PEER. ♦ Comm. de Belgique (Limbourg, arr. de Maeseyck) sur le Dommel. 5 900 hab. Hôtel de ville (1637). Église avec tour bâtie vers 1500. – Produits laitiers.

Peer Gynt. ♦ Drame lyrique et satirique (1867) de H. Ibsen. À l'opposé de Brand*, Peer se caractérise par son manque de volonté, il vit dans l'anarchie, cédant à toutes ses impulsions. À la fin de la pièce, seul l'amour de la droite et pure Solveig le sauvera. À travers ce drame on retrouve toute la vie populaire de la Norvège et son folklore avec les *trolls* et les êtres fantastiques. Grieg* a composé une partition célèbre pour ce drame (1875).

PÉGASE, en gr. **Pêgasos.** ♦ Cheval ailé de la légende, symbole de l'inspiration poétique. Né du sang de Méduse* ou sorti de son cou tranché par Persée, il est dompté par Bellérophon* et l'aide à tuer la Chimère*. D'un coup de son sabot, il fait jaillir la source Hippocrène* sur l'Hélicon.

Pégase, en lat. **Pegasus.** ♦ Constellation australe, voisine d'Andromède*.

PEGOLOTTI (Francesco Balduccio). ♦ Marchand et voyageur florentin (XIVe s.). Facteur des Bardi, il alla jusqu'en Chine. Il rédigea un manuel *Pratica della mercatora* où il décrit toute l'activité commerciale de son temps.

PÉGOUD (Adolphe). ♦ Aviateur français (Montferrat, Isère, 1889 – Petit-Croix, près de Belfort, 1915). Il fut le premier à sauter en parachute de son avion (19 août 1913) et à réussir le « looping » (1er sept.). Il fut abattu pendant la Première Guerre mondiale.

PEGU. ♦ V. de Basse-Birmanie, au N.-E. de Rangoon*. 50 000 hab. Elle donna son nom à la région du bas Irawady. Petites indus. et artisanat. ♦ *Hist.* Ce fut la cap. de la Birmanie au XVIe siècle.

PÉGUY (Charles). ♦ Écrivain français (Orléans, 1873 - Villeroy, 1914). D'origine modeste (il se référera toujours avec fierté à son ascendance paysanne), orphelin de père (1874), il put poursuivre ses études comme boursier, et entrer (1894) à l'École normale supérieure où il eut pour maîtres Joseph Bédier, Romain Rolland et surtout Bergson* (*Note sur M. Bergson et la philosophie bergsonienne,* 1914). Mû par un fervent humanitarisme, il vit à cette époque dans l'« établissement de la République socialiste universelle » le seul « remède au mal universel ». Il se rangea avec force aux côtés de Jaurès* durant l'affaire Dreyfus* et resta persuadé que « l'essentiel est que [...] la mystique ne soit point dévorée par la politique à laquelle elle a donné naissance » (*Notre jeunesse,* 1910). Il se sépara dès 1900 de ses anciens compagnons de lutte, dont il désapprouvait l'anticléricalisme et l'antimilitarisme. Les *Cahiers de la Quinzaine* (qu'il fonda en 1900 pour y aborder tous les problèmes politiques contemporains, y publiant ses œuvres, celles de Romain Rolland, J. Benda, André Suarès) révèlent l'évolution de Péguy qui, alarmé par « la menace d'une invasion allemande », va bientôt lier sa mystique socialiste à une mystique de la patrie française (*Notre patrie,* 1905) qu'il voit comme une figure privilégiée de la cité de Dieu. En effet, revenu à la foi catholique (1908), il va dès lors mener de pair son œuvre en prose, souvent polémique, toujours engagée, et une œuvre lyrique chargée de spiritualité. S'élevant contre le « monde moderne », la « tyrannie du parti intellectuel », les menées des politiques, la morale figée des bien-pensants, il appelle à la remontée à l'intérieur de la race pour retrouver la mission d'héroïsme et de sainteté qu'il attribue à sa « terre charnelle » (*Clio, dialogue de l'histoire et de l'âme païenne,* 1909 et 1912, posth. 1917). L'invocation des « anciens » incarnant un « héroïsme de race (temporelle) promu en héroïsme de grâce, de race éternelle » *(Victor-Marie, comte Hugo,* 1910), fait réapparaître dans son œuvre le personnage de Jeanne d'Arc (auquel l'écrivain avait déjà consacré un « drame en trois pièces », en 1897). Écrits en vers libres, adoptant la forme du verset, vont se succéder le *Mystère de la charité de Jeanne d'Arc* (1910), méditation sur l'amour, et *Le Porche du mystère de la deuxième vertu* (1911), qui célèbre l'espérance; en termes étonnamment familiers, sur un ton d'une simplicité solennelle, s'y trouvent soulignés la nécessité de la « racination » du spirituel dans le charnel (mystère de l'Incarnation) et « les jeux incroyables de la Grâce » (mystère de la Rédemption). Immenses symphonies où les thèmes s'entrecroisent, renouvelés par des images et des métaphores familières et mystiques, *La Tapisserie de sainte Geneviève et de Jeanne d'Arc* (1912), *La Tapisserie de Notre-Dame* (1913), puis *Ève* (1913) sont de vastes litanies où la poésie se transmue en prière; s'appuyant sur le foisonnement du lexique, la structure verbale inlassablement répétée fait de ces méditations en alexandrins rimés, qui procèdent avec une « lenteur solennelle », de véritables oraisons au ton prophétique. Ce rythme poétique avait d'ailleurs été longuement préparé par le caractère répétitif et scandé de sa prose. Isolé en raison de son intransigeance, suspect à l'Église dont il attaquait le conservatisme, comme aux socialistes dont il dénonçait le pacifisme, quasiment ignoré du grand public, Péguy qui appelait de tous ses vœux la « génération de la revanche » tomba au front, à la veille de la bataille de la Marne. Son influence littéraire, malgré le caractère atemporel d'un style sans équivalent dans la littérature moderne, n'a cessé, depuis sa mort, de croître.

PEHUEN. ♦ Région du Chili, située entre le fl. Bío-Bío et Valdivia, peuplée d'Indiens Araucans, dits *Pehuenches,* c'est-à-dire « gens du pin ».

PEI-CHING [*Bei Jing, Pékin*]. ♦ Nom («capitale du Nord») donné en 1403 par l'empereur Yung-lê [Ch'eng* Tsu], des Ming*, à la ville que les Européens nomment Pékin. **V. Peking.**

PEI-HO [*Beihe*]. *n. m.* ♦ Fl. de Chine du Nord (450 km). Il se jette dans le golfe du Po-hai (ou de Pei-chihli), après avoir arrosé la région de Peking et traversé T'ien-tsin. De nombreux barrages sur son cours permettent de fournir ces villes en eau potable.

PEINE. ♦ V. d'Allemagne occidentale (Basse-Saxe), au N. de Salzgitter, sur le *Mittellandkanal.* 29 700 hab. (1961). Raffinerie de pétrole, sidérurgie.

PEIPER (Tadeusz). ♦ Essayiste polonais (1891 – 1961). Influencé par le futurisme, il écrivit *Les Bouches nouvelles* (*Nowe usta,* 1925) et *Là* (*Tedy,* 1930), où il codifia le programme théorique du mouvement littéraire polonais *L'Avant-Garde.* Selon Peiper, la poésie ne doit pas être basée sur les sentiments, mais sur une conception rationaliste du monde (« ville - masse - machine »).

PEI-PING. ♦ **V.** PEKING.

PEÏPOUS ou **TCHOUDSK** *(lac),* en estonien **Peipsi Järv,** en russe **Chudskoye Ozero.** ♦ Lac du N.-O. de l'U.R.S.S., entre les républiques de Russie et d'Estonie. Ses eaux, très hautes en mai et juillet-août, sont chaudes en été et gelées de déc. à avril. Sa longueur atteint 96 km du N. au S. et 50 km d'E. en O. Sa superficie, d'env. 3 600 km², varie périodiquement. Le rivage N. est bordé de dunes. – Pêche. ♦ *Hist.* En avril 1242, les Chevaliers porte-glaive y furent vaincus par Alexandre Nevski. De violents combats s'y déroulèrent entre Russes et Allemands en 1944.

PEÏRA-CAVA. ♦ Station d'été et de sports d'hiver des Alpes*-Maritimes, comm. de Lucéram, à 1 480 m.

PEIRCE (Charles Sanders). ♦ Philosophe et logicien américain (Cambridge, Massachusetts, 1839-Milford, Pennsylvanie, 1914). Juger la vérité de nos idées selon leur portée pratique, c.-à-d. la possibilité de les contrôler expérimentalement, telle est la thèse fondamentale de son « pragmaticisme » **(V. *aussi* W. James).** Peirce a contribué également au développement de la logique mathématique des relations (*Comment rendre nos idées claires,* 1878) et a fondé la science générale des signes ou sémiotique.

PEIRE CARDENAL. ♦ Troubadour (XIIIe s.) et auteur de sirventès politiques où il défend sa patrie occitane contre les atrocités de la croisade des albigeois* et qui constituent une œuvre passionnée, véritable *« Châtiments* du XIIIe s. » (Jeanroy).

PEIRESC (Nicolas Claude Fabri *de*). ♦ Savant français (Belgentier, Provence, 1580 – Aix-en-Provence, 1637). Élève de Galilée* à Padoue, il fut passionné d'astronomie; il eut, en même temps que son maître, l'idée de la détermination des longitudes par la mesure des positions respectives des satellites et, en observant ceux-ci, découvrit la nébuleuse d'Orion (1610); il fut le premier à observer Mercure en plein jour et décela la « lumière cendrée » de Vénus; avec Gassendi*, il dressa la première carte de la Lune (gravée en 1636). Conseiller au parlement de Provence, il rassembla de nombreuses antiquités et monnaies et acquit une partie de la collection de Rubens.

PEIXOTO (Floriano). ♦ Maréchal et homme d'État brésilien (Maceió, 1842 – Rio, 1895). Il fut un des artisans de la révolution qui chassa Pierre* II en 1889 et fut président de la République de 1891 à 1894.

PEKALONGAN. ♦ V. de la côte N. de Java, à 338 km à l'E. - S.-E. de Djakarta. 102 380 hab. (1961). Port commercial exportant les produits de l'intérieur de l'île (caoutchouc, sucre). Sucreries, impression sur textiles (batik).

PEKING [*Pei-ping, Bei-ping*] ou **PÉKIN** (francisation). ♦ Capitale de la république populaire de Chine, dans la province du Ho-pei. Plus de 7 057 000 hab. (1971). Le centre historique de la

Coll. Viollet

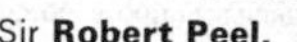

Sir **Robert Peel.**

Coll. Viollet

Charles Péguy.

ville (V. ci-dessous *Hist.*) comprend deux parties. La première cité, au N., est parfois appelée « ville tartare »; elle est enclose de murs et contient dans sa partie N. la cité impériale, laquelle renferme à son tour la « cité interdite » (maintenant un musée); l'entrée à la « cité interdite » (Wu Men) conduit aux deux cours dites de la suprême harmonie et de la durable harmonie; de nombreuses œuvres d'art des dynasties Shang à Ming s'y trouvent. Musée historique. Au S. du musée du palais se trouvent deux parcs et le palais de la Culture, ainsi que la porte « de la Paix céleste » (T'ien an Men) percée dans le mur S. de la cité impériale. Mausolée de Mao Tsêtung sur la place T'ien an Men. Plusieurs lacs artificiels, aux bords desquels se trouvent la Bibliothèque nationale, les bâtiments gouvernementaux, s'étendent à partir du mur N. de la «cité intérieure». La « cité extérieure » (ou « ville chinoise »), où se trouve la gare de Ch'ien Min, est elle aussi entourée de murs et contient les quartiers commerçants et populaires et quelques grands temples (temple du Ciel, etc.) et monuments. Les faubourgs s'étendent loin en dehors des murs. Peking, siège central de la vie politique du pays, est également un grand centre culturel : université de Peking (fondée en 1898), université du Peuple (fondée par Sun Yat-sen en 1912). Les quartiers indus. de la ville se trouvent surtout à l'est. À l'indus. légère (meunerie; indus. textile et de l'habillement) se sont ajoutées les machines-outils, l'outillage de précision, les fibres synthétiques, l'automobile. Au S.-E. (Feng-t'ai, Ch'ang-hsin-tien), indus. ferroviaires et tubes. Métallurgie à Shih-ching-shan (20 km à l'O.). C'est à Peking que se trouvent également les imprimeries et éditions les plus importantes du pays. La plupart des administrations ont leur siège principal dans la ville. ♦ *Hist.* De fondation très ancienne, la ville de Peking ne dut son développement qu'à l'initiative des Mongols de la dynastie des Yüan qui en firent leur capitale en 1267, sous le nom de Khânbalik (ville du Khân). Marco Polo y vécut. La dynastie manchoue des Ch'ing l'agrandit et créa une seconde ville au S. de celle des Mongols.

PEKKANEN (Toivo Rikhard). ♦ Romancier, nouvelliste et auteur dramatique finnois (Kotka, 1902 – Copenhague, 1957). Membre de l'académie de Finlande. Fils d'ouvrier, ouvrier spécialisé, il se fit connaître par un roman en partie autobiographique, *À l'ombre de l'usine* (1932; trad. fr. 1943). Il critiqua les valeurs bourgeoises dans le roman *Les Enfants des marchands* (1934) et les nouvelles *Le Festin de la vie et de la mort* (1945). Réformiste dans les questions sociales, il décrit une grève dans *Aux rives de ma Finlande* (1937; trad. fr. 1946), qu'il combina avec *Les Années passées* (1940) en un volume, *Les Meules du Seigneur* (1946). Il a publié une trilogie sur sa ville natale, *L'Aurore* (1948), *Les Camarades* (1948), *Les Vainqueurs et les Vaincus* (1952). Il donne cours à son penchant pour l'irréel dans ses drames *Le Démon* (1939), *Le Pays des souhaits accomplis* (1956) et les nouvelles *L'Homme et les Messieurs aux barbes rouges* (1950).

PÉLAGE, en lat. **Pelagius.** ♦ Moine hérésiarque (Grande-Bretagne, v. 360 – Égypte, v. 422). Il séjourna à Rome, passa en Afrique (410) puis en Palestine. Sa doctrine (pélagianisme) affirme l'excellence de la création et le libre arbitre aux dépens du péché originel et de la grâce. Elle fut combattue par saint Augustin* et condamnée par plusieurs conciles africains (411, 416, 418) et par le concile d'Éphèse (431). Elle fut défendue par son disciple Caelestius et par Julien* d'Éclane.

PÉLAGE Ier. ♦ 60e pape (555-560 [mort]). Romain.

PÉLAGE II. ♦ (Rome, 520-590). 63e pape (579-590). Élu pendant le siège de Rome par les Lombards, il obtint l'assistance militaire de Byzance (585) grâce à son apocrisiaire, le futur Grégoire* le Grand.

PÉLAGE ou **PELAYO.** ♦ ([mort] Cangas, 737). Roi des Asturies (v. 718-737). Chef des Wisigoths, il remporta sur les Arabes la victoire de Covadonga (718), victoire considérée comme le début de la *Reconquista.*

PÉLASGES. *n. m. pl.*, en gr. **Pelasgoi.** ♦ Nom donné par des écrivains grecs aux habitants primitifs de l'Égéide avant l'arrivée des Hellènes. **V. Achéens, Éoliens, Ioniens.** On les considérait comme un peuple autochtone et barbare (ne parlant pas le grec) ou comme des tribus errantes, répandues dans une grande partie de la Méditerranée, surtout dans l'Hellade, l'Illyrie, l'Italie méridionale, le littoral de l'Asie Mineure. Hommes petits et basanés, les Pélasges étaient sans doute apparentés aux Cariens et aux Lélèges venus v. ~ 2 600 de l'Asie en Crète, dans les Cyclades, en Thessalie, etc. **(V. Grèce)** aux Tyrrhéniens ou Étrusques et à d'autres peuples italiotes, aux Ibères, aux Ligures, etc. Dans l'Hellade postérieure à l'invasion indo-européenne, on localisait les Pélasges surtout en Thessalie (Larissa), en Arcadie et dans certaines îles dont Lemnos. On appela murailles *pélasgiques* les murailles cyclopéennes (faites d'énormes pierres sans ciment) d'époque mycénienne, comme celle d'Athènes, ou préhellénique. Le terme de Pélasges n'a plus aujourd'hui de sens historique. Il est établi que les habitants primitifs de l'Égéide n'étaient pas des autochtones, et que des vagues successives d'émigrants d'origines différentes y ont été amalgamées.

PÉLASGIQUE *(golfe)*, ou **PAGASÉTIQUE.** ♦ Golfe de la mer Égée en Grèce (Thessalie). **V. Volo.**

PELÉ (Edson Arantès DO NASCIMENTO, dit**).** ♦ Footballeur brésilien (Três Carações, Minas Gerais, 1940). Révélé par la Coupe du Monde de 1958 remportée par le Brésil, équipier habituel de l'équipe de Santos, Pelé s'est rapidement imposé comme le meilleur joueur du monde. Buteur remarquable, c'est aussi un excellent meneur de jeu.

Ph. Giraudon

« Noces de Thétis et de **Pélée** », par J. Wtewael. (Musée des Beaux-Arts, Nancy.)

PÉLÉE, en gr. **Pêleus.** ♦ Roi légendaire des Myrmidons*, fils d'Éaque*. Banni d'Égine avec son frère Télamon* pour l'assassinat de leur demi-frère Phocos, il est accueilli et purifié par le roi de Phthie, qui lui donne en mariage sa fille Antigone. Mais, ayant tué accidentellement son beau-père, il doit s'exiler de nouveau. Il est accueilli et purifié cette fois par le roi d'Iolcos, Acaste. Le destin pourtant lui est défavorable. La reine Astydamie, amoureuse de lui et repoussée, le calomnie auprès de sa femme Antigone, qui se donne la mort, et auprès d'Acaste. Le roi, pour se venger, l'invite à la chasse sur le mont Pélion et l'abandonne endormi et désarmé parmi les Centaures. Sauvé par Chiron*, Pélée se venge plus tard en tuant Acaste et en dépeçant Astydamie. C'est grâce aux conseils de Chiron que Pélée parvient à saisir Thétis*, la néréide que les dieux lui destinaient comme femme. À leurs noces, tous les dieux, invités, apportent des cadeaux, mais Éris (la Discorde), qu'on a omis d'inviter, lance la pomme d'or qui provoque la dispute des trois déesses et est à l'origine de la guerre de Troie. Thétis tuait ses enfants en les trempant dans le feu pour les rendre immortels. Pélée sauva le dernier, Achille*. Il figure aussi parmi les Argonautes*.

PELÉE *(montagne).* ♦ Sommet volcanique de la Martinique*, situé dans le N. de l'île. 1 430 m. Ses éruptions sont violentes; la plus terrible, en 1902, détruisit complètement la ville côtière de Saint*-Pierre.

Pèlerinage de Childe Harold, en angl. **Childe Harold's Pilgrimage.** ♦ Sorte de journal de voyage en vers que Byron* rapporta de son voyage en Orient et dont les deux premiers chants furent publiés en 1812 par John Murray. En 1816 et en 1818 parurent les quatre autres chants (4 455 vers) où les descriptions pittoresques alternent avec les méditations mélancoliques. Dès le troisième chant, Byron jette son masque de pèlerin-chevalier. Solitaire, il considère l'histoire et le destin avec une amertume qu'il traîne de Waterloo à Genève et de Venise à Rome. « Harold, transparente personnification de Byron, fut considéré comme un esprit révolutionnaire et parut incarner le mal du siècle. » (P.F. Aubier.)

Pèlerinage de grâce, en angl. **Pilgrimage of Grace.** ♦ Ce mouvement de révolte mi-religieux, mi-social, agita le nord de l'Angleterre en 1536, à la suite des sécularisations accomplies par Thomas Cromwell*, qui aggravaient le sort des fermiers et supprimaient les aumônes. Le duc de Norfolk* le dispersa au prix de quelques promesses et fit exécuter les meneurs.

PÈLERIN DE MARICOURT. ♦ V. PIERRE DE MARICOURT.

PELETIER DU MANS (Jacques). ♦ Humaniste français (Le Mans, 1517 – Paris, 1582), traducteur d'Horace* et auteur d'*Œuvres poétiques* (1547) puis d'un *Art* poétique français* (1555) qui illustrent la doctrine de la Pléiade.

PELHAM (Henry). ♦ Homme politique anglais (1696 – Londres, 1754). Frère du duc de Newcastle*, membre du Parlement dès 1717, il soutint d'abord Walpole* et fut Premier ministre de 1743 à sa mort, appuyé par son frère. Tout en acceptant Pitt* dans son cabinet, il signa le traité d'Aix-la-Chapelle.

PÉLIAS. ♦ Roi légendaire d'Iolcos en Thessalie, fils de Poséidon*. Usurpateur du trône appartenant à son frère Éson*, il avait reçu d'un oracle le conseil de se méfier de l'homme chaussé d'une seule sandale. C'est Jason*, le fils d'Éson, qui arrive un jour dans le port d'Iolcos, ainsi chaussé. Pélias l'appelle et lui demande ce qu'il aurait fait si, étant roi, quelqu'un se présentait pour revendiquer le trône; Jason répond qu'il l'aurait envoyé à la conquête de la Toison* d'or. Pélias applique immédiatement son conseil. En l'absence de Jason qui part avec les Argonautes*, il oblige Éson et sa femme à se donner la mort. À l'issue heureuse de l'expédition, Médée*, qui suit Jason, incite les filles de Pélias à dépecer leur père et à faire bouillir ses morceaux dans un chaudron en leur faisant croire que cela lui rendra la jeunesse. Alceste*, seule des Péliades, s'abstient de participer à cet acte qui se révélera être la vengeance de Médée.

PELIGOT (Eugène Melchior). ♦ Chimiste français (Paris, 1811 – *id.*, 1890). Auteur de recherches sur la fonction alcool (**V. Dumas**), il isola l'uranium (1841). **V. Klaproth.** (Acad. sc., 1852.)

PÉLION. *n. m.* ♦ Massif montagneux de la Grèce (Thessalie), à la base de la presqu'île de Magnésie. 1 651 mètres. Rattaché au N.-O. à l'Ossa*, il se prolonge vers le S.-E. par les chaînes de l'Eubée. Il est fameux pour la douceur de son climat, ses forêts et ses sources, mais aussi pour ses villages pittoresques (Portaria, Zagora, Miliès, Makrinitsa) qui furent pendant l'occupation turque des foyers de culture grecque : églises byzantines, anc. bibliothèques, vieilles maisons de style local, artisanat. – Son nom est rattaché aux légendes des géants Aloades, des Centaures, du mariage de Pélée et de Thétis. **V. Ossa.** Le Pélion abritait un sanctuaire de Zeus Akraios et un oracle d'Apollon.

PÉLISSIER (Aimable Jean Jacques). ♦ Maréchal de France (Maromme, 1794 – Alger, 1864). Après avoir pris part aux expéditions d'Espagne (1823) et de Morée (1828-1829) et à la conquête de l'Algérie (1839-1854), il fut nommé à la tête de l'armée de Crimée en remplacement de Canrobert; la prise de Sébastopol (sept. 1855) lui valut le bâton de maréchal et le titre de *duc de Malakoff.* Vice-président du Sénat au début du Second Empire, ambassadeur à Londres (1858), il termina sa vie comme gouverneur général de l'Algérie (1860-1864).

PELL (John). ♦ Mathématicien et astronome anglais (Southwyke, Sussex, 1610 – Londres, 1685). Son nom est resté attaché à l'équation $Nx^2 + 1 = y^2$. **V. Fermat.**

PELLA. ♦ Anc. V. de Grèce, cap. du royaume de Macédoine* à partir de la fin du ~ ve siècle. À cette époque, le roi Archélaos* en fit sa cap. en quittant Aigai (*auj.* Edessa) et voulut lui donner le prestige de la culture hellénique en accueillant Euripide*, le peintre Zeuxis* et d'autres intellectuels et artistes. Pella connut son apogée pendant le règne de Philippe II et d'Alexandre le Grand. Décadente depuis la conquête romaine, elle disparut au VIe siècle. Des fouilles entreprises récemment près de l'actuel village de Palaia Pella *(nome de Pella)* ont mis au jour quelques vestiges de l'enceinte et des édifices de la cité. Musée archéologique. – L'actuel *nome de Pella* (Macédoine) a une superficie de 2 481 km². 126 085 hab. *Ch.-l.* Edessa (13 970 hab.).

PELLAN (Alfred). ♦ Peintre, dessinateur, graveur et décorateur canadien (Québec, 1906). Il chercha à se dégager de l'emprise du traditionalisme et séjourna à Paris de 1926 à 1940, puis de nouveau à partir de 1952. Se dégageant progressivement de la figuration réaliste conventionnelle, il subit des influences très variées, notamment celles du cubisme, puis du surréalisme. En 1935, il exposa à Paris avec le groupe *Forces nouvelles.* Il eut tendance à agencer avec une grande liberté des éléments figuratifs aux formes simplifiées. Faisant preuve d'un sens constructif original, il créa un espace complexe à partir de fragments d'un chromatisme riche et éclatant qui donna à ses œuvres un caractère imaginaire et fortement décoratif (*Les Carnivores,* 1966).

Pelléas et Mélisande. ♦ Drame musical en cinq actes et treize tableaux, musique de Cl. Debussy*, poème de M. Maeterlinck (Paris, 1902). Le vieux Golaud, époux de la frêle Mélisande, a surpris l'amour qui vient d'unir son demi-frère Pelléas à sa jeune femme. Dans un accès de jalousie, il tue Pelléas, et ce meurtre détermine Mélisande à se donner la mort. Composée en réaction contre l'esthétique wagnérienne, encore prédominante, autant qu'elle s'inscrit contre les traditions de l'opéra italien, l'œuvre marque l'aboutissement du symbolisme par l'étrangeté de son atmosphère poétique et le rôle qui s'y trouve dévolu au chant dramatique, « récitatif infini » et pure expression des plus secrets mouvements de l'âme. Par son dépouillement volontaire, elle exprime un retour à la simplicité classique et constitue une date importante dans l'histoire du drame musical.

PELLERIN (Jean Charles). ♦ Imprimeur français (Épinal, 1756 – *id.*, 1836). Il est célèbre pour les images populaires qu'il composa dès l'époque de la Révolution et imprima lui-même à partir de 1800 (avec ses collaborateurs Canivet, Verneuil, Réveillé, ...) et qui connurent un succès considérable dans toute la France. Sous la Restauration, il se retira des affaires et laissa la direction de son entreprise à son fils Nicolas.

PELLERIN (Le). ♦ Ch.-l. de cant. de la Loire-Atlantique, dans l'aggl. de Nantes, arr. de Saint-Nazaire. 2 728 hab. [2 017 aggl.] *(Pellerinais).*

PELLETAN (Eugène). ♦ Homme politique français (Saint-Palais-sur-Mer, 1813 – Paris, 1884). Collaborateur de Girardin à *la Presse,* théoricien du progrès continu (*La Profession de foi du XIXe s.,* 1852), il affirma son opposition à l'Empire, fut nommé membre du gouvernement de la Défense nationale après la déchéance de Napoléon III (4 sept. 1870-févr. 1871), élu député, puis sénateur.

PELLETAN (Camille). ♦ Homme politique français, fils d'Eugène Pelletan (Paris, 1846 – *id.*, 1915). Rédacteur au journal *la Justice* (1880), député radical (1881-1912), il dénonça la politique d'expansion coloniale de J. Ferry et le boulangisme. Après avoir présidé le premier congrès radical-socialiste (1901), il fut nommé ministre de la Marine dans le cabinet Combes (1902-1905), et contribua activement à la séparation des Églises et de l'État.

PELLETIER (Pierre Joseph). ♦ Pharmacien français (Paris, 1788 – Clichy-la-Garenne, Seine, 1842). Il réussit à extraire un principe vomitif (émétine) de la racine d'ipéca (1817) et, effectuant des recherches sur le cholestérol en collaboration avec Caventou*, il découvrit la strychnine (1818), la brucine (1819), la vératrine, l'acide cévadique et la quinine (1820). **V. Woodward.** Pelletier et Caventou, étudiant également la physiologie végétale, introduisirent le mot *chlorophylle* (1818). Pelletier isola encore la narcéine et la thébaïne de l'opium (1832). Il effectua par ailleurs des travaux sur les matières colorantes, sur la dorure par voie humide, sur les huiles de résine, etc. (Acad. méd., 1820; Acad. sc., 1840.)

PELLETIER-DOISY (Georges). ♦ Général aviateur français (Auch, 1892 – Marrakech, 1953), surnommé familièrement Pivolo. Il fut un pionnier des grandes liaisons aériennes internationales (Constantinople-Paris, 1919; Paris-Tôkyô, 1924).

PELLICO (Silvio). ♦ Écrivain italien (Saluces, 1789 – Turin, 1854). Durant un séjour en France (1800 à 1809) il fut gagné à l'esprit encyclopédique et aux idées libérales. De retour à Milan, lié avec Monti* et Foscolo*, il exprima ses sentiments patriotiques dans sa tragédie *Francesca da Rimini* (1815; traduite en anglais par Byron*), puis défendit les thèses romantiques auxquelles il avait adhéré au contact de Mme de Staël* et de Schlegel*. Directeur du journal milanais *Il Conciliatore* connu pour ses opinions libérales, Pellico fut condamné à mort comme *carbonaro* par les Autrichiens, puis vit sa peine commuée en un emprisonnement à Brno, au Spielberg. Gracié après neuf années de « carcere duro », il composa ses mémoires, *Mes prisons* (*Le mie Prigioni,* 1832), où il fait montre d'une résignation chrétienne qui déçut un peu les patriotes italiens; pourtant l'ouvrage connut une considérable diffusion et fit de Pellico le symbole du patriote martyrisé par les despotes étrangers.

PELLIOT (Paul). ♦ Sinologue français (Paris, 1878 – 1945). Professeur de chinois à l'École française d'Extrême-Orient (Hanoi, 1901), il contribua à l'exploration archéologique de l'Asie centrale (1906-1909), découvrant de nombreux manuscrits chinois, tibétains, etc., du VIe au IXe s. dans les grottes de Touen-houang (*Les Grottes de Touen-houang,* 1920-1924; *La Mission Pelliot en Asie centrale,* 1924).

PELLISSON (Paul). ♦ Avocat, puis écrivain français (Béziers, 1624 – Paris, 1693). Ami de Conrart*, il écrivit une *Histoire de l'Académie* française* (1653), avant de défendre son bienfaiteur Fouquet* dans ses *Trois Discours,* restés célèbres, qui lui valurent l'incarcération. Amnistié, il devint historiographe de Louis* XIV (1670) et rédigea des ouvrages d'érudition théologique. (Acad. fr.)

PELLOUTIER (Fernand). ♦ Syndicaliste anarchiste français (Paris, 1867 – Sèvres, 1901). Jeune journaliste, il adhéra au Parti ouvrier français (**V. Guesde** [Jules]). Délégué aux bourses du travail à Saint-Nazaire puis à Nantes, il fit adopter le principe de la grève générale. À Paris, il se rallia aux idées libertaires et contribua au rapprochement des mouvements anarchiste et syndicaliste. Secrétaire de la Fédération des bourses du travail (1895), il fonda *l'Ouvrier des Deux-Mondes* (1897), revue d'économie sociale. Son *Histoire des bourses du travail* (posthume) est une œuvre essentielle du syndicalisme anarchiste révolutionnaire.

PÉLOPIDAS. ♦ Général et homme politique thébain ([mort] Cynocéphales en ~ 364). Il se réfugia à Athènes lorsque les Spartiates prirent la citadelle de Thèbes* (Cadmée) et établirent le régime oligarchique en ~ 382, mais trois ans plus tard, à la tête de Thébains bannis, il prit de nuit la ville, chassa les Spartiates et les oligarques (**V. Archias**) et établit la démocratie. Il fut avec son ami Épaminondas* l'artisan de l'hégémonie thébaine après la victoire de Leuctres (~ 371) à laquelle il participa. Il combattit le tyran de Phères, Alexandre, lui enleva Larissa* (~ 369) et le défit de nouveau à Cynocéphales* (~ 364), mais il périt au cours de cette bataille.

PÉLOPONNÈSE. *n. m.,* ou **MORÉE.** *n. f.,* en gr. **Peloponnêsos** (l'île de Pélops). ♦ Presqu'île de la Grèce qui termine au S. la péninsule balkanique entre la mer Égée et la mer Ionienne. Rattachée à la Grèce centrale par l'isthme de Corinthe qui a été coupé en 1893 par un canal, le Péloponnèse est en réalité aujourd'hui une île reliée au continent par un pont. Les golfes profonds de Patras, de Corinthe, Saronique, Argolique, de Laconie et de Messénie lui

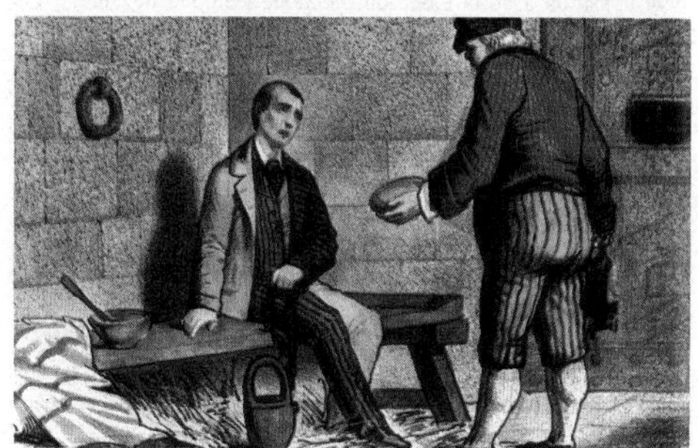

Ph. Ricerche editoriali/Ricciarini

Silvio Pellico en prison à Brno.
(Collection privée, Milan.)

Ph. Hétier

Le **Péloponnèse.**

confèrent une forme de feuille de figuier. – Une des neuf régions géographiques de la Grèce, le Péloponnèse est divisé en sept *nomes* (départements) : Achaïe*, Arcadie*, Argolide*, Corinthie **(V. Corinthe)**, Élide*, Laconie*, Messénie*. 21 063 km². 986 910 hab. (1971). *V. et loc. princ.* **V. Patras, Calamata, Corinthe, Nauplie, Sparte, Tripolis** et *aussi* **Épidaure, Mycènes, Olympie, Tégée, Trézène, Malvoisie, Navarin.** – Région montagneuse, formée essentiellement par le prolongement de la chaîne du Pinde, du système dinarique et des chaînes de la Grèce orientale, elle est morcelée par des dépressions qui isolent les princ. massifs : Aroania ou Chelmos, Érymanthe* ou Olonos, Kyllini ou Ziria, Taygète*, Parnon. Les plaines alluviales d'Argolide, de Laconie et de Messénie, les hautes plaines de Mégalopolis et de Tripolis et les plaines côtières du N.-O. (Élide, Achaïe) occupent les princ. dépressions drainées par de petits fleuves dont l'Eurotas*, l'Alphée*, le Pénée*, le Ladon*. *Cultures :* olivier, vigne, céréales, agrumes, tabac, coton. Élevage de moutons. Minerais : sulfure de fer ; lignite. ♦ *Hist.* Habitée primitivement par des Pélasges, le Péloponnèse connut la civilisation égéenne dès la première moitié du ~ IIIe millénaire. **V. Grèce, Égée** (mer), **Argos.** Les Ioniens*, premiers envahisseurs hellènes (~ XXe s.), refoulèrent les Pélasges dans l'Arcadie ou se mélangèrent avec eux. Les Achéens*, qui suivirent (~ XVIIe s.), adoptèrent la civilisation crétoise et, héritant de la thalassocratie minoenne, développèrent la première civilisation hellénique, qui fut appelée *mycénienne* du nom de leur princ. centre. **V. Mycènes** et *aussi* **Argos, Tirynthe, Pylos.** Les Doriens*, venus vers la fin du ~ XIIe s., refoulèrent dans l'Achaïe et l'Arcadie les Achéens ou les réduisirent à l'esclavage. À partir du ~ XIe s., de nouveaux centres actifs apparaissent. **V. Argos, Corinthe, Sicyone, Sparte.** Corinthe connut un grand essor maritime. Sparte soumit les Messéniens (~ VIIIe-~ VIIe s.) et imposa partout l'aristocratie dorienne, puis, ayant brisé la résistance d'Argos, elle prit la tête de la ligue Péloponnésienne (~ VIe s.) avec laquelle elle triompha d'Athènes* pendant la guerre du Péloponnèse (voir *ci-dessous*). L'hégémonie lacédémonienne prit fin avec la défaite de Leuctres* (~ 371). Sous l'impulsion des vainqueurs thébains **(V. Épaminondas, Pélopidas),** plusieurs cités péloponnésiennes établirent la démocratie et s'organisèrent contre l'expansion spartiate. **V. Mégalopolis, Messène.** Après la bataille de Chéronée (~ 338), Sparte prit la direction de la lutte contre les Macédoniens. La ligue Achéenne*, réorganisée v. ~ 280, fut l'alliée des Macédoniens contre Sparte, puis celle des Romains (début du ~ IIe s.), enfin, dressée contre l'intervention de Rome dans les affaires péloponnésiennes, elle fut écrasée en ~ 146 à Leucopetra. Partie de la province romaine d'Achaïe, le Péloponnèse constitua avec la Crète un *thème* de l'Empire byzantin*. Les tribus slaves qui s'infiltrèrent dans la presqu'île, surtout au VIIIe s., s'hellénisèrent peu à peu. Après la conquête latine (1205-1212), le Péloponnèse devint une principauté franque divisée en douze baronnies et connut le système féodal. Mais, à partir de la conquête franque et jusqu'au XIXe s., la presqu'île est connue sous le nom de Morée. **V. Mistra, Grèce.** ♦ *Guerre du Péloponnèse* (~ 431-~ 404). Conflit qui opposa Athènes à Sparte et engagea presque toutes les cités grecques partagées entre l'empire athénien et la ligue *(symachie)* péloponnésienne. Culminant les luttes interminables pour l'hégémonie, cette guerre fut néfaste pour la Grèce classique et précipita le déclin de la *cité.* À l'origine du conflit, il y eut la rivalité entre les deux grandes puissances du monde grec pour la prédominance sur le continent et les îles, rivalité accentuée par l'opposition de deux systèmes politiques : la démocratie et l'oligarchie. L'alliance d'Athènes avec Corcyre **(V. Corfou),** colonie corinthienne rebelle, le secours corinthien à Potidée* révolté contre Athènes, les conflits entre Athènes et Mégare*, Thèbes* et Platées en furent les causes immédiates. Contre l'empire maritime d'Athènes **(V. Délos),** le camp lacédémonien réunissait la plus grande partie de la Grèce centrale (Mégaride, Béotie, Phocide, Locride, Étolie), tout le Péloponnèse à l'exception des Achéens et des Argiens qui gardaient la neutralité. Tandis que la flotte athénienne ravageait les côtes péloponnésiennes, les Spartiates **(V. Archidamos II)** pillaient l'Attique sans réussir à prendre Athènes, protégée par les Longs Murs. Mais une épidémie de peste décima la population entassée dans la ville : un tiers des habitants et des réfugiés périt en deux ans (~ 430-~ 429). Périclès*, accusé de ce désastre et déposé par l'assemblée, fut ensuite rappelé, mais, atteint de la peste, il mourut en ~ 429. Partagés entre les démagogues et les modérés, partisans de la paix, les Athéniens continuèrent la guerre, encouragés par quelques succès : Cléon réprima la révolte de Mytilène (~ 427) et remporta une victoire dans l'îlot de Sphactérie refusant la paix offerte par les Spartiates (~ 425). Mais par la suite le général lacédémonien Brasidas* enleva aux Athéniens Amphipolis (~ 422). Cléon et Brasidas ayant été tués dans cette bataille, les modérés des deux parties conclurent en ~ 421 la paix de Nicias*, restituant mutuellement leurs conquêtes. Mais les clauses de ce traité prévu pour cinquante ans ne furent jamais appliquées. Tandis que les alliés des Lacédémoniens refusaient la paix et que Sparte offrait son alliance à Athènes, la guerre continuait par alliés interposés pour reprendre ouvertement en ~ 418. Sparte, par sa victoire de Mantinée*, rétablit son autorité minée par les efforts d'Alcibiade* pour diviser la ligue péloponnésienne. L'ambitieux Alcibiade fit décider par les Athéniens l'expédition de Sicile (~ 415) pour aider Ségeste* attaquée par Syracuse*, alliée de Sparte. L'expédition se termina en ~ 413 par un désastre. **V. Alcibiade, Nicias, Gylippos.** Athènes s'affaiblit par la défection de nombreux alliés et par la désertion de vingt mille esclaves travaillant aux mines de Laurion*, pendant que Sparte obtenait par l'alliance avec Darios* II Ochos de considérables moyens financiers. La déception du peuple et l'écrasement des couches aisées par les charges fiscales suscitèrent des troubles. À la suite d'une mutinerie, le conseil oligarchique des Quatre*-Cents s'installa pour quelque temps au pouvoir (~ 411). Les démocrates réunis par Alcibiade remportèrent sur les Spartiates les victoires d'Abydos (~ 411), de Cyzique* (~ 410), de Byzance (~ 409). Mais Lysandre*, ayant renforcé la flotte spartiate grâce à l'or perse, battit Alcibiade à Colophon (~ 407). Après une dernière victoire aux îles Arginuses* (~ 406), la flotte athénienne, affaiblie par le limogeage d'Alcibiade et l'exécution des stratèges vainqueurs des Arginuses, subit la défaite décisive d'Aigos* Potamos (~ 405). Athènes, assiégée par Lysandre et accablée par la famine, capitula en ~ 404 et accepta les conditions des vainqueurs : livraison de la flotte, destruction des Longs Murs, évacuation des clérouquies athéniennes. La démocratie fut abolie et le conseil oligarchique des Trente* Tyrans exerça le pouvoir, appuyé par une garnison lacédémonienne. – Les *Histoires* de Thucydide*, complétées par les *Helléniques* de Xénophon* pour la période après ~ 411, constituent le récit le plus détaillé de la guerre du Péloponnèse.

PÉLOPS. ♦ Héros éponyme du Péloponnèse*, fils du roi de Lydie, Tantale*. Celui-ci le tue et le sert aux dieux pour les mettre à l'épreuve. Seule, Déméter se trompe et dévore une épaule. Les dieux indignés punissent Tantale et rendent la vie à Pélops en remplaçant l'épaule dévorée par une épaule artificielle, faite d'ivoire. Émigré en Grèce, Pélops s'unit à Hippodamie qui lui donne plusieurs enfants dont Atrée* et Thyeste*. Il était considéré comme le premier instaurateur des Jeux Olympiques, avant Héraclès qui les aurait rénovés.

PELOTAS. ♦ V. et port du Brésil, situé dans le S. du Rio* Grande do Sul, près de la Lagoa dos Patos. 208 672 hab. (1968). – Indus. textiles, alimentaires, chimiques, mécaniques.

PELOUZE (Théophile Jules). ♦ Chimiste français (Valognes, 1807 – Paris, 1867). Il découvrit les nitriles (1834) et parvint, en les hydrolisant, à obtenir la synthèse des acides organiques.

PELTIER (Jean Charles Athanase). ♦ Physicien français (Ham, 1785 – Paris, 1845). Il découvrit en 1834 l'effet calorifique du courant électrique passant à travers la jonction de deux métaux différents *(effet Peltier).* Il détermina expérimentalement la température de l'eau en caléfaction (1841).

PELTON (Lester Allen). ♦ Ingénieur américain (Vermilion, Ohio, 1829 – Oakland, Californie, 1908). Inventeur d'un type de turbine hydraulique à action (turbine *Pelton*) qui convient aux hautes et très hautes chutes. **V. Kaplan.**

PÉLUSE, en lat. **Pelusium,** « la ville boueuse », en égypt. **Sa'inu** ou **Per-Amun,** « demeure d'Amon », auj. **Tell Farama.** ♦ Anc. V. et port d'Égypte, sur la branche la plus orientale du Nil (dite *pélusiaque*), à 35 km au S.-E. de Port*-Saïd. À l'époque tardive, elle devint un poste fortifié face à la frontière syrienne. Cambyse* y remporta une victoire décisive contre les Égyptiens (~ 525). – Monge* reçut de Napoléon le titre de *comte de Péluse* au retour de l'expédition d'Égypte.

PÉLUSSIN. ♦ Ch.-l. de cant. de la Loire*, arr. de Saint*-Étienne, au pied du mont Pilat*. 2 831 hab. Moulinage de la soie. – Patrie de Gaston Baty*.

PELVOUX. *n. m.* ♦ Massif cristallin des Alpes françaises proche de Briançon*. Les points culminants en sont la barre des Écrins* (4 103 m) et la pointe Puiseux (3 946 m). Parc national destiné à la conservation de la faune et de la flore.

PELVOUX. ♦ Comm. des Hautes-Alpes*, arr. de Briançon*. 310 hab. – Alpinisme, sports d'hiver.

PEMATANG SIANTAR. ♦ V. d'Indonésie (N. de Sumatra). 120 000 hab. Centre commercial et agricole.

PEMBA. ♦ Île de l'océan Indien proche des côtes d'Afrique, au N. de Zanzibar*. 2 640 km². 164 243 hab. (1967). Girofle (principal centre producteur mondial). ♦ *Hist.* **V. Zanzibar** et **Tanzanie.**

PEMBROKE *(comtes de).* ♦ Famille anglaise. ♦ RICHARD DE CLARE, 2e comte de Pembroke, dit Richard *Strongbow* (arc fort) [v. 1130 – Dublin, 1176]. Il aida le roi irlandais Dermot Mac Murrough à reconquérir son royaume. Devenu son gendre, il lui succéda en 1171 et conquit la majeure partie de l'Irlande orientale. ♦ WILLIAM MARSHAL, comte de Pembroke, gendre du précédent (v. 1146 – Cavesham, Berkshire, 1219). Il fut régent d'Angleterre à la mort de Jean sans Terre (1216) durant la minorité d'Henri III.

PEMBROKE. ♦ V. du S.-O. du pays de Galles (Pembrokeshire), sur la r. S. de la *baie de Milford.* 13 740 hab. (1961). L'agglomération comprend la ville de Pembroke proprement dite et le centre industriel et militaire de *Pembroke Dock* (arsenaux et constructions navales). – Le château fut érigé au XIe s. par Arnulf de Montgomery et remanié au XIIIe siècle. Henri VII y naquit en 1457.

PEMBROKESHIRE. [*n. m.*] en gallois **Sir Benfro.** ♦ Le plus occidental des comtés du pays de Galles, compris entre la *baie de Cardigan* et le *canal de Bristol.* 1 136 km². 97 295 hab. (1971). *Ch.-l.* **V. Haverfordwest.** *V. princ.* **V. Milford* Haven, Pembroke.** Le comté présente un relief de collines faiblement ondulées et de plaines. La côte est très découpée (baies de St. Brides et de Milford). L'économie, à part les industries de Milford Haven, est tournée vers l'agriculture et l'élevage laitier.

PEMSIENS. *n. m. pl.* ♦ Nom donné par les ethnologues français aux « populations montagnardes du Sud indochinois » (P.M.S.I.), afin de remplacer les termes péjoratifs de Moï* et de Khâ qui, dans les langues indochinoises, signifient « sauvages » et désignent les tribus d'origine proto-malaises ou indonésiennes refoulées dans les montagnes par l'avance des Thaïs ou Vietnamiens.

PENALBA (Alicia Perez). ♦ Sculpteur argentin (San Pedro, Argentine, 1918). Élève de l'école des beaux-arts de Buenos Aires, elle commença par peindre. À Paris (1948), elle aborda la gravure, puis la sculpture. Élève de Zadkine, influencée par Arp, elle produisit des sculptures verticales chargées de valeurs symboliques *(Totems d'amour, Liturgies végétales),* puis des formes amples et ouvertes parfois conçues en fonction d'un programme architectural *(Projet pour un miroir d'eau,* 1961).

PEÑA NEVADA. *n. f.* ♦ Haut sommet des sierras mexicaines, situé dans la sierra Madre* orientale, à la frontière des États de Tamaulipas* et de Nuevo* León, près du tropique. 3 664 m.

PENANG. *n. m.* ♦ État de Malaysia*, sur la côte occidentale de la péninsule malaise, constitué par l'île de Penang et par une bande côtière. 1 036 km². Env. 803 545 hab. (est. 1970). – La ville de PENANG, PINANG (ou *Georgetown*) est un port important servant principalement au transit. Env. 270 000 hab. Elle fut créée par les Britanniques en 1786.

PEÑARROYA-PUEBLONUEVO. ♦ V. d'Espagne méridionale, en Andalousie* (prov. de Cordoue). 27 200 hab. Important gisement houiller et métallifère, fonderies de plomb et de zinc, papeteries, centrale électrique.

PÉNATES. *n. m. pl.* ♦ Divinités protectrices du foyer dans la religion romaine. Ils veillent à la nourriture *(penus)* et demeurent distincts des lares*. De même que chaque foyer possède ses pénates, l'État romain a des *pénates publics* apportés en Italie, selon la tradition, par Énée*. Ils reçoivent un culte dans le temple de Vesta*.

PÉNAUD (Alphonse). ♦ Inventeur français (Paris, 1850 – *id.,* 1880). Auteur de recherches aéronautiques au moyen de maquettes volantes, il fut un précurseur de l'aviation, envisageant l'aile en flèche, le train d'atterrissage escamotable, le manche à balai; il fit breveter en 1876 un appareil volant à hélice capable de s'élever avec un homme à bord, mais, ayant vainement cherché de l'aide pour le construire, il se suicida.

PENCK (Albrecht). ♦ Géographe allemand (Leipzig, 1858 – Prague, 1945). Spécialisé en géomorphologie, il étudia les problèmes de la glaciation du quaternaire (période qu'il évalua à 600 000 ans) dans les Alpes. Il fit également des monographies sur divers pays [Belgique, Pays-Bas, etc.] (*Morphologie der Erdoberfläche,* 1894). ♦ WALTER PENCK, son fils. Géographe allemand (Vienne, 1888 – Stuttgart, 1923). Il se spécialisa également en géomorphologie et étudia la tectonique de l'Asie Mineure et de l'Atacama (Amérique du Sud).

PENDA. ♦ Roi de Mercie (632-654). Il battit les rois de Northumbrie Edwin* (632) et Oswald* (642) mais fut vaincu et tué par Oswy*, roi de Northumbrie (654).

PENDERECKI (Krzisztof). ♦ Compositeur polonais (Debica, 1933). Une brusque célébrité lui vint avec trois œuvres, *Strophes* pour soprano, récitant et dix instruments, *Émanations* pour deux orchestres à cordes et *Psaumes de David,* pour chœur mixte, deux pianos et percussion (1959), où s'affirme une personnalité originale et puissante, marquée par l'influence de E. Varèse* et de I. Xenakis*. De ses nombreuses compositions on retiendra encore *Anaklasis,* pour cordes et percussion (1960), *Threnos,* à la mémoire des victimes d'Hiroshima, pour 52 instruments à cordes (1961), *Fluorescences,* pour grand orchestre (1962), une *Sonate,* pour violoncelle et orchestre (1964), et *De natura sonoris,* pour orchestre (1966). Un retour du musicien à la tradition préclassique, manifeste dans l'usage de la polyphonie renaissante, est apparu dans la *Passion selon saint Luc,* pour soli, chœurs et orchestre (1963-1965), le *Dies irae,* à la mémoire des victimes d'Auschwitz, pour soprano, ténor et basse solos, chœurs et orchestre, et un opéra, *Les Possédées de Loudun* (1969), où se reconnaît une nouvelle influence, celle des oratorios de A. Honegger.

PENDJAB. ♦ V. PAÑJÂB.

PÉNÉE. [*n. m.*] en gr. **Pêneios.** ♦ Fleuve de Grèce. 200 km. Né dans le Pinde, il draine la plaine de Thessalie*, arrose Larissa* et se jette dans la mer Égée par la vallée de Tempe. – Fleuve du Péloponnèse en Élide. Dans la légende d'Héraclès*, le héros détourne les eaux du Pénée et de l'Alphée* pour nettoyer les écuries d'Augias*.

PÉNÉLOPE, en gr. **Pênelopê.** ♦ Femme d'Ulysse* et mère de Télémaque*, dont l'*Odyssée** a fait un symbole de la fidélité conjugale. Pendant les vingt années de l'absence du héros, elle repousse les demandes pressantes des prétendants qui sont installés dans le palais et dilapident les biens du roi d'Ithaque. Elle leur promet de choisir l'un d'entre eux quand elle aura fini de tisser le linceul de son beau-père et elle défait la nuit ce qu'elle a tissé le jour (d'où l'expression « la toile de Pénélope »). Selon une tradition posthomérique, elle cède successivement aux cent vingt-neuf prétendants et elle est bannie par Ulysse à son retour.

PENFIELD (Wilder Graves). ♦ Neurologiste canadien (Spokane, 1891 – Montréal, 1976). Élève de Sherrington, fondateur d'un laboratoire de neuro-cytologie, il a fait des recherches sur le traitement chirurgical de l'épilepsie.

P'ENG-HU LIEH-TAO [*Penghu Liedao*]. ♦ Nom chinois de l'archipel des Pescadores (64 îlots) se trouvant dans le détroit de Taiwan* et qui fut, de 1895 à 1945, sous la tutelle du Japon. L'archipel, uniquement peuplé de pêcheurs (env. 100 000 hab.), est maintenant administré par le gouvernement de Taiwan.

PENG-PU [*Peng-pou, Bengbu*]. ♦ V. de Chine (An-hui). 280 000 hab. Indus. textiles et chimiques.

P'ENG TÊH-HUAI [*P'eng Tö-houai, Peng Dehuai*]. ♦ Militaire et homme politique chinois (Hu-nan, 1898 –), commandant des volontaires chinois en Corée de 1950 à 1953. Il fut, en 1954, ministre de la Défense en Chine et maréchal. Opposé au « grand bond en avant » préconisé par Mao* Tsê-tung, il fut destitué en 1959 et remplacé par Lin* Piao.

PEN-HSI [*Pen-si, Benxi*]. ♦ V. de Chine (Liao-ning), à l'E. de Shen-yang. 200 000 hab. Mines de charbon et indus. métallurgiques.

PENICHE. ♦ V. du Portugal, sur la côte d'Estrémadure* (district de Leiria). 15 000 hab. Second port de pêche du Portugal. Conserveries. Citadelle du XVIIe siècle.

PENMARCH [pɛ̃maʀ ou pɛnmaʀ]. ♦ Comm. du Finistère, arr. de Quimper. 7 320 hab., au S. de la baie d'Audierne, près de la pointe de Penmarch. Église Saint-Nonna (XVIe s.), de style gothique flamboyant. – Pêche; conserves (sardines; légumes). – À l'extrémité de la pointe de Penmarch se trouve le phare d'Eckmühl. Station balnéaire à Saint*-Guénolé.

PENN (William). ♦ Quaker anglais (Londres, 1644 – Field Ruscombe, près de Londres, 1718). Fils de l'amiral sir William Penn qui conquit la Jamaïque, il adhéra à la secte des quakers (1666). Il fut arrêté et emprisonné à la tour de Londres pour son activité de prédicateur (1666) et y rédigea son ouvrage *No Cross, no Crown* (« Pas de croix, pas de couronne », 1669). Libéré, il voyagea en Hollande, en Allemagne, où il prit contact avec d'autres sectes, et, à son retour en Angleterre, il obtint, contre une créance de plusieurs milliers de livres sur la couronne, une concession en Amérique du Nord. Il y fonda en 1682 une colonie qui prit le nom de *Pennsylvanie**, et la ville de Philadelphie*, formulant la constitution et les lois d'un État démocratique et libéral (*Frames of Government,* 1682-1701, qui devait inspirer en partie la législation des États-Unis). Revenu en Angleterre (1684), il se lia avec Jacques* II, de qui il obtint en 1687 la *Déclaration d'indulgence* qui instaurait une certaine tolérance religieuse. À la chute des Stuarts, les quakers furent à nouveau victimes de persécutions, et W. Penn fut privé de sa colonie jusqu'en 1694.

PENNE-D'AGENAIS. ♦ Ch.-l. de cant. du Lot*-et-Garonne, arr. de Villeneuve*-sur-Lot, près du Lot. 2 099 hab. (944 aggl.). – Anc. ville forte, ruines d'un château féodal et de remparts; au sommet, la basilique N.-D. de Peyragude, lieu de pèlerinage.

PENNES-MIRABEAU (Les). ♦ Comm. des Bouches-du-Rhône, arr. d'Aix. 10 233 hab. (mais le village ne compte que 1 587 hab.). Indus. alimentaires (huile), électricité.

PENNINE *(chaîne)* ou **PENNINES** *(les).* ♦ Ligne de hauteurs de l'Angleterre septentrionale, s'étendant des monts Cheviot* à la vallée de la Trent suivant une direction nord-sud. Bordée au N.-O. par la vallée de l'Eden, les collines du *Lake* District* et la vallée supérieure de la Lune, à l'E. par le val d'York* et à l'O. par les plaines du Lancashire et du Cheshire, cette zone est formée par un ensemble de hauts plateaux faillés et entaillés de vallées transversales en auge (vallée de la Tyne*, de la Wear*, de la Tees*, de la Swale, de la Nidd, de l'Ure, de la Wharfe, de l'Ouse*, de la Trent*, de la Derwent* et de l'Aire*). Elle culmine au *Cross* Fell* (893 m) au N., et au *High Peak* (635 m) au sud. Son sol est couvert de bois et d'une maigre végétation. Les régions avoisinantes **(V. Lancashire, Yorkshire)** possèdent de riches bassins houillers.

PENNSYLVANIE. *n. f.,* en angl. **Pennsylvania** (d'après le nom de *W. Penn).* ♦ État de l'E. des États-Unis. 117 413 km². 11 793 909 hab. (1970). *Cap.* Harrisburg. *V. princ.* **V. Allentown,**

Altoona, Bethlehem, Erie, Harrisburg, Philadelphie, Pittsburgh, Reading, Scranton. *Autre localité.* **V. Gettysburg.** – *Orogr.* De forme rectangulaire, l'Etat présente cinq régions : au S.-E. une petite zone de plaine côtière, près de Philadelphie **(V. Delaware, New Jersey)**; puis une région qui correspond au piémont appalachien, prolongé par des collines; la région centrale formée de vallées *(Great Valley)* et de chaînes parallèles, dites *Newer Appalachians* **(V. Appalaches)**; le plateau des Alleghanys, plus à l'O.; enfin une portion de la plaine du lac Érié. – *Hydrogr.* **V. Delaware, Susquehanna.** – *Climat* « continental humide », avec d'amples variations. – *Écon.* La production agricole reste importante (élevage laitier, poulets, céréales, etc.), mais son indus. place l'État au deuxième rang après l'État de New York, notamment grâce au charbon et à l'acier **(V. Bethlehem, Pittsburgh)**. Cependant, l'extraction du charbon, du pétrole et du gaz naturel sont en déclin depuis la Première Guerre mondiale. Par contre, des indus. très différenciées se sont développées, notamment autour de Philadelphie. – Patrie de J. Buchanan*, R. Fulton*, G. Marshall*, B.F. Skinner*, G. Stein*, Benjamin West* (voir aussi les grandes villes). ♦ *Hist.* La région fut explorée par Hudson (1609) et E. Brûlé (1615). Les comptoirs suédois ayant été pris par les Hollandais, puis par les Anglais (1644), le quaker William Penn reçut le territoire (1681) et en fit un État démocratique, tolérant, dont les habitants vivaient en bonne intelligence avec les Indiens (Algonquins). L'arrivée de nombreux colons anglo-saxons, irlandais et huguenots, le développement économique, l'importance prise par Philadelphie firent de la Pennsylvanie le centre des colonies américaines. Sur le plan religieux, la ville fut au XVIIIe s. le centre des adeptes du théologien allemand Schwenckfeld*. Le territoire joua un grand rôle dans la Révolution et sa préparation **(V.** *notamment* **Franklin** [B.]), et la Déclaration d'indépendance fut signée à Philadelphie (1776). Après 1790, l'État eut un gouvernement plus conservateur et fédéraliste, d'ailleurs évincé en 1799. Le développement industriel du XIXe s., surtout grâce aux mines de charbon, fit de la Pennsylvanie un des États les plus riches des États-Unis. Pendant la guerre civile, la bataille de Gettysburg s'y déroula.

Pensées (Les). ♦ Œuvre de Marc* Aurèle. Écrites à la fin de sa vie, ses méditations et réflexions « à lui-même » témoignent d'une vision assez pessimiste de l'existence humaine à laquelle l'auteur oppose toutes les vertus stoïciennes : maîtrise de soi, autonomie de l'homme, adhésion du sage à l'ordre universel.

Pensées *(les).* ♦ Notes de Pascal*, recueillies après sa mort (1670), matériaux et fragments rédigés de l'*Apologie de la religion chrétienne,* conçue dès 1657 et qui aurait préparé, par le raisonnement, l'adhésion des indifférents et des incrédules à la foi. Cet ouvrage aurait sans doute comporté deux parties destinées à entraîner le lecteur de l'indifférence orgueilleuse au désespoir, avant de lui proposer de « vouloir » (argument du pari) atteindre à la certitude au sein de l'Église de Jésus-Christ. – Dans *Misère de l'homme sans Dieu,* Pascal, s'appuyant sur Montaigne* pour mieux le dépasser, souligne la corruption de la nature humaine, l'aveuglement des sens et l'impuissance de la raison à comprendre les faits ontologiques. Puis, révélant que le sentiment de sa misère fait la grandeur même de ce « roi dépossédé », Pascal évoque la *Félicité de l'homme avec Dieu,* engage son lecteur à « parier » et à croire dans le Réparateur qui rend compte de sa misère comme de sa grandeur. Le désordre dans lequel furent retrouvées ces notes posa de graves problèmes d'édition : L. Brunschvicg (1897) et L. Lafuma (1947) adoptèrent l'ordre du manuscrit, tandis que J. Chevalier (1925) s'attachait à reconstituer le plan pour mieux retrouver le sens de l'œuvre. Il reste la grandeur du dessein, le pouvoir de conviction, la pénétration psychologique et surtout la puissance poétique de cette émouvante œuvre mystique qui reçut un accueil réservé au XVIIe s., fut condamnée par les philosophes du XVIIIe s. avant d'enthousiasmer Chateaubriand* et les romantiques.

Pensionnaire. *n. m.* (Terme utilisé aux Pays-Bas dès le XVe s. pour désigner les magistrats siégeant aux états provinciaux). ♦ Oldenbarneveldt*, d'abord « avocat », reçut le titre de *grand pensionnaire* et on prit l'habitude de donner ce titre au pensionnaire de Hollande. Le grand pensionnaire avait, dans les faits, un pouvoir équivalent à celui d'un Premier ministre et entrait souvent en conflit avec le stathouder. **(V.** *par ex.* **Witt** [Jan De].)

Ph. Nino Cirani/Ricciarini

Pennsylvanie : aciérie à Pittsburgh, au bord du Monongahela.

Pentagone. *n. m.* ♦ Bâtiment en forme de pentagone, à Washington (États-Unis), qui abrite l'état-major général des forces armées ainsi que le secrétariat à la Défense (ministère des Armées) des États-Unis. – Ces services eux-mêmes.

Pentateuque. *n. m.* (Cf. Robert) [du gr. **pentateuchos**, « ouvrage composé de cinq livres »]. ♦ Ensemble des cinq premiers livres de la Bible, en hébreu la *Torah,* « la Loi ». Ces cinq livres sont : la *Genèse**, l'*Exode**, le *Lévitique**, les *Nombres**, le *Deutéronome**. Ils représentent le noyau primitif de la littérature biblique. La critique y distingue trois rédactions principales, le Iahviste (~ IXe s.), l'Élohiste (~ VIIIe s.), le Chroniqueur, incluant le Code sacerdotal (~ IVe s.). Ils contiennent l'histoire des Hébreux, puis des « fils d'Israël » (c.-à-d. de Jacob), depuis ses origines mythiques (Création, Déluge) jusqu'à la mort de Moïse, ainsi que l'exposé de la loi mosaïque.

PENTECÔTE *(île de la).* ♦ **V.** NOUVELLES-HÉBRIDES.

PENTÉLIQUE. *n. m.*, en gr. **Pentelikon.** ♦ Montagne de la Grèce (Attique), au N.-E. d'Athènes. 1 109 mètres. Son marbre blanc, réputé dès ~ 570, fut utilisé pour la construction des monuments de l'Acropole et d'autres édifices d'Athènes. – Grotte à stalactites; anc. monastère; palais de marbre de la duchesse de Plaisance.

PENTHÉSILÉE, en gr. **Penthesileia.** ♦ Reine des Amazones* qui prend part à la guerre de Troie* aux côtés des Troyens. Achille* la blesse mortellement, mais s'apercevant alors de sa beauté il tombe amoureux d'elle et tue Thersite* qui ose se moquer de sa passion.

PENTHIÈVRE [pɛ̃-] **(Louis Jean-Marie de Bourbon,** *duc de***).** ♦ Amiral de France (Rambouillet, 1725 – Bizy, près de Vernon, 1793). Fils du comte de Toulouse, amiral de France en 1734 et gouverneur de Bretagne, il se distingua à la bataille de Fontenoy (1745). Possesseur d'une immense fortune et connu pour sa réputation de mécène. (Il fut, entre autres, le protecteur de Florian.) Il eut un fils, le prince de Lamballe (mort en 1768) dont la femme, Marie-Thérèse, fut tuée lors des massacres de septembre 1792, et une fille, Louise-Marie Adélaïde, qui épousa le duc d'Orléans*, Philippe Égalité.

PENTHIÈVRE. *n. m.* ♦ Ancien comté de la Bretagne, situé dans le dép. actuel des Côtes-du-Nord; il s'étendait de Guingamp* à Lamballe*.

PENTHIÈVRE. ♦ Station balnéaire située au N. de la presqu'île de Quiberon (Morbihan). Fort du XIXe siècle.

Pen-ts'ao *[Ben-cao]* « herbier ». ♦ Titre de très nombreux ouvrages scientifiques chinois, réunissant des éléments de botanique, de minéralogie et d'histoire naturelle et utilisés pour les pratiques médicales.

PENZA. ♦ V. d'U.R.S.S. (R.S.F.S. de Russie), ch.-l. de la région du même nom (43 200 km^2, 1 518 000 hab.), sur la Soura (affl. d. de la Volga, 864 km). 383 000 hab. Fabrication de machines pour les indus. chimiques et textiles. Scieries. Papeteries. Cycles. Montres. Nœud ferroviaire. – La ville fut fondée en 1666.

PEORIA. ♦ V. des États-Unis (Illinois). 126 963 hab.; zone urbaine, près de 340 000 hab. Située au cœur du *corn belt,* la ville est un centre pour l'indus. des équipements agricoles. Indus. diverses.

PEPE (Guglielmo). ♦ Général italien (Squillace, Calabre, 1783 – Turin, 1855). Partisan de la révolution dès la proclamation de la république Parthénopéenne, il prit part aux campagnes d'Italie aux côtés des Français et servit les rois Joseph (Joseph Bonaparte) et Murat. Il fut l'un des dirigeants de la révolution de 1820, mais fut battu par les Autrichiens et contraint à l'exil. Il ne retourna dans son pays qu'en 1848 pour commander les troupes envoyées à Naples à Charles-Albert, puis défendit Venise contre les Autrichiens, avec Manin.

PÉPI. ♦ Nom de deux pharaons de la VIe dynastie (Ancien Empire). ♦ PÉPI Ier, troisième pharaon de la VIe dynastie (v. ~ 2400). ♦ PÉPI II, fils de Pépi Ier. Cinquième pharaon de la VIe dynastie (v. ~ 2300). Il régna quatre-vingt-quinze ans et ce règne interminable contribua sans doute à la désagrégation de l'Ancien Empire, en figeant les institutions.

PÉPIN l'Ancien ou **DE LANDEN.** ♦ Ancêtre des Carolingiens ([mort] 639). Grand propriétaire austrasien, il fut maire du palais sous Clotaire II et Dagobert* Ier. Il maria sa fille au fils d'Arnoul*, Anségisel*. Père de Grimoald*.

PEPIN le Jeune ou **DE HERSTAL.** ♦ ([mort] Jupille, 714). Fils d'Anségisel*, il fut maire du palais d'Austrasie (v. 680). Battu par Ébroïn*, maire du palais de Neustrie à Leucofao (680), il triompha des Neustriens à Tertry* (687) et devint maire du palais de Neustrie et de Bourgogne sous Childebert* III, reconstituant ainsi l'unité du royaume franc. Père de Charles* Martel.

PÉPIN le Bref (« le petit »). ♦ (Jupille, 714 – Saint-Denis, 768). Maire du palais (741-751) puis roi des Francs, premier des Carolingiens (751-768). Fils de Charles* Martel, il reçut la Neustrie, la Bourgogne et la Provence, tandis que son frère Carloman* recevait l'Austrasie et la Thuringe. Il s'unit à son frère pour réprimer la révolte générale qui avait éclaté à leur avènement. Carloman abdiqua (747) et Pépin refit l'unité à son profit. Mais il hésita à détrôner le dernier mérovingien Childéric* III qu'il avait dû rétablir pour apaiser les révoltes (743). S'étant acquis le consentement pontifical, il déposa Childéric, se fit élire roi au « champ de mai » de Soissons (751) et sacrer par saint Boniface* (752). Il paya l'appui pontifical en menant deux expéditions contre les Lombards en Italie (754 et 756), tuant leur roi Aistolf*, leur prenant l'exarchat de Ravenne et la Pentapole. Sacré par le pape Étienne* II (754), il lui donna les territoires conquis, créant ainsi les États pontificaux. Il vainquit les Saxons et les Bavarois, reprit Narbonne aux Arabes (759) et réprima la révolte de l'Aquitaine. Mari de Berthe au grand pied et père de Carloman et de Charlemagne.

PÉPIN. ♦ (777 – Milan, 810). Roi d'Italie (781-810). Fils de Charlemagne, il combattit les Avars (796). En 806, il reçut la Bavière et l'Alémanie.

PÉPIN Ier. ♦ (803 – Poitiers, 838). Roi d'Aquitaine (817-838). Fils de Louis* le Pieux, il se révolta contre son père en 830 et 833, mais aida son frère Louis le Germanique à le rétablir sur le trône (835). ♦ PÉPIN II (v. 823 – Senlis, après 864). Roi d'Aquitaine (838-852). Fils de Pépin Ier, il s'allia à Lothaire contre Charles le Chauve. Il fut dépouillé de son royaume par ce dernier.

PEPINSTER. ♦ V. de Belgique (Liège, arr. de Verviers). 5 100 hab. Indus. textiles (laine).

PEPUSCH (John Christopher). ♦ Compositeur anglais, d'origine allemande (Berlin, 1667 – Londres, 1752). Il fut organiste à la cour de Prusse avant de se fixer à Londres. Chef d'orchestre, auteur de travaux de musicologie (*Traité d'harmonie,* 1731), il a composé des *concertos, cantates, motets* et *masques.* Il est surtout célèbre pour son arrangement d'airs populaires qui forment la partition du *Beggar's Opera,* de J. Gay, ouvrage qui fit échec aux opéras de Haendel (1728).

PEPYS (Samuel) [peps]. ♦ Mémorialiste anglais (Londres, 1633 – Clapham, 1703). Issu de la petite bourgeoisie, il n'en fit pas moins ses études à Saint Paul's, puis à Cambridge. Ayant directement participé à la restauration de Charles II, il obtint un poste important à l'Amirauté en 1673 et fut président de la Société royale. Incarcéré en 1672 et en 1679, sous l'accusation de papisme, il démissionna mais se fit élire au Parlement (1679). « Il semble qu'il n'ait eu d'autre désir que de se montrer respectable et qu'il ait tenu un journal pour montrer qu'il ne l'était justement pas » (Stevenson). Son *Journal* (*Pepys'Diary* déchiffré par John Smith et publié en 1825), écrit dans une sténographie personnelle, est en effet un document unique de sincérité et « nul roman réaliste ne dépassera, en vérité sûre, la formule de cet art involontaire » (Legouis). Les années 1659-1669 (couronnement de Charles II, ravages de la peste, incendie de Londres...) y sont relatées au jour le jour sous tous leurs aspects. Pepys avait publié plusieurs volumes sur l'histoire de la marine mais détruit son œuvre plus personnelle, un long poème, *L'amour est une tricherie (Love is a Cheat).*

Péra. ♦ Quartier d'Istanbul* (actuellement Beyoğlu) bâti par les Génois et qui supplanta la ville voisine de Galata* au XVIe siècle.

PERAK. *n. m.* ♦ État de Malaysia*, dans le N. de la péninsule malaise. 20 670 km². 1 800 000 hab. Importantes mines d'étain. Intérieur très montagneux (culture de l'hévéa). *Cap.* Ipoh (250 000 hab.).

PERCÉ *(rocher).* ♦ Rocher rectangulaire de la côte de Gaspésie (Québec, Canada), creusé d'arches naturelles. Tourisme.

Perceval. ♦ Héros du dernier roman inachevé, *Perceval ou le Conte du Graal* écrit (v. 1180) par Chrétien* de Troyes, qui en fait le symbole dramatique de la condition humaine. *Perceval,* ayant abandonné sa mère pour devenir chevalier, sort enfin de son aveuglement spirituel en s'initiant au mystère du Graal*, dans le château du roi Pêcheur.

PERCHE. *n. m.* ♦ Région de l'O. du Bassin parisien, aux confins du bocage normand. Elle couvre l'O. du département d'Eure-et-Loir et l'E. du département de l'Orne*. C'est un pays vallonné et humide où prédominent le bocage et la forêt. Les chevaux de trait du Perche *(percherons)* sont réputés depuis longtemps. *V. princ.* **V. Nogent-le-Rotrou.** ♦ *Hist.* L'ancien comté du Perche fut réuni à la couronne en 1525.

PERCHE *(col de la).* ♦ Seuil des Pyrénées-Orientales (1577 m) séparant le bassin de la Têt* (Conflent*) de celui du Segre* (Cerdagne*).

PERCIER (Charles). ♦ Architecte français (Paris, 1764 – *id.,* 1838). Il séjourna à Rome et s'inspira des monuments romains, utilisant les motifs décoratifs égyptiens, grecs et pompéiens ainsi que ceux de la Renaissance. Ami de Fontaine*, il collabora avec lui à la décoration de nombreux hôtels particuliers, à l'époque du Directoire. Napoléon chargea les deux architectes de restaurer et d'aménager les résidences officielles. Ils devinrent ainsi les maîtres de l'architecture impériale et, par leur rôle dans l'ornementation intérieure, les promoteurs du style Empire. Ils voulaient créer une architecture grandiose d'un éclectisme modéré (*projet du palais du roi de Rome* à Chaillot); ils élevèrent l'*arc du Carrousel,* 1806-1808 et l'*aile du Louvre* sur la rue de Rivoli. Percier cessa ses activités officielles à partir de la Restauration.

PERCY. ♦ Famille anglaise originaire de Percy, en Normandie. ♦ HENRY PERCY, 1er comte de Northumberland (1341 – Bramham Moor, 1408). Il combattit en Écosse et en France. Il participa à l'avènement au trône d'Henri IV mais se révolta en 1403 ainsi que ses deux fils, qui furent tués. Révolté de nouveau en 1404, il rentra en Angleterre à la tête d'une armée (1408) mais fut vaincu et tué.

Ph. Stella

Charles Percier : l'aile nord du Louvre.

PERCY. ♦ Ch.-l. de cant. de la Manche*, arr. de Saint-Lô*. 2 371 hab. [1 006 aggl.] *(Percyais).* – Indus. laitière. – Patrie du cardinal Grente.

PERDICCAS. ♦ Nom de plusieurs rois de Macédoine. ♦ PERDICCAS Ier (~ VIIIe - ~ VIIe s.). Roi de Macédoine, fondateur de la dynastie des *Argéades* (originaires d'Argos). Selon la tradition, Perdiccas, venu d'Argos avec sa famille au début du ~ VIIe s., s'empara d'une partie de la Macédoine, établit la monarchie et fonda Aigai (Edessa), sa première capitale. ♦ PERDICCAS II ([mort] v. ~ 413). Roi de Macédoine (v. ~ 454-~413). Il soutint une longue lutte contre les Thraces (Odryses) et manœuvra, pendant la guerre du Péloponnèse, entre Sparte et Athènes qu'il trahit tour à tour. ♦ PERDICCAS III ([mort] v. ~ 359). Roi de Macédoine (~ 365-~ 359), frère d'Alexandre* II et de Philippe* II. Il lutta contre les prétendants au trône et les Athéniens au sujet d'Amphipolis. Promoteur de l'hellénisation de la Macédoine, il mourut en luttant contre les Illyriens.

PERDICCAS. ♦ Général macédonien, lieutenant d'Alexandre* le Grand ([mort] ~ 321). Compagnon du conquérant dans ses campagnes, il fut l'un des quatre régents après la mort de celui-ci. Il se montra énergique mais aussi perfide et cruel dans son effort pour maintenir l'unité de l'empire d'Alexandre à son profit et épousa la sœur du conquérant, Cléopâtre. Seul contre les autres diadoques, avec Eumène* de Cappadoce, il lutta avec succès mais il périt lors d'une campagne en Égypte contre Antigonos et Ptolémée Ier, assassiné par ses officiers.

PERDIGUIER (Agricol). ♦ Menuisier et homme politique français (Morières-lès-Avignon, 1805 – Paris, 1875). Compagnon menuisier du Devoir de liberté sous le nom d'Avignonnais la Vertu, il accomplit son tour de France. Il en fit le récit dans les *Mémoires d'un compagnon* (1854), qui constituent un précieux document sur la vie quotidienne d'un ouvrier français au début du XIXe s., peu avant le début de l'ère industrielle. Pacifiste avant la lettre, il tenta de réconcilier les deux « Devoirs », qu'un perpétuel conflit conduisit parfois à s'affronter en luttes armées. En 1839, il ouvre dans le faubourg Saint-Antoine une école d'éducation populaire où il enseigne le trait, et publie le *Livre du compagnonnage.* Député en 1848, il est proscrit après le coup d'État du 2 Décembre et se réfugie à Genève. Rentré à Paris, il y ouvre une librairie.

PERDU *(mont)* [n. m.] en esp. *monte Perdido.* ♦ Le plus élevé des sommets des Pyrénées espagnoles, en Aragon, 3 355 m.

Père Duchesne (le). ♦ Périodique révolutionnaire publié par Hébert* en 1789. Très populaire par son contenu et par son style grossier, il fut éliminé avec le parti des « enragés » (hébertistes) par Robespierre. **V.** *aussi* **Duchesne** *(le père).*

PÉRÉFIXE (Hardouin de BEAUMONT *de*). ♦ Prélat français (près de Châtellerault, 1605 – Paris, 1670). Précepteur de Louis XIV, il lui inculqua le culte de Henri IV, dont il publia une *Vie.* Archevêque de Paris en 1664, il exigea des religieuses de Port*-Royal la signature du formulaire et décida de les disperser après leur refus [1664]. (Acad. fr.)

Père Goriot (Le). ♦ Roman de Balzac* (1834-1835) où apparaissent des personnages clés de *La Comédie* humaine.* Peinture d'une passion paternelle exclusive et un peu trouble, ce récit décrit la déchéance et la mort pathétique de Goriot, qui mène une vie misérable à la pension Vauquer pour mieux combler ses deux filles qu'il idolâtre. Richement mariées et mêlées à des intrigues de toute sorte, celles-ci l'abandonnent, même à son agonie. Parallèlement à ce « martyre de la paternité », se dessine le destin d'Eugène de Rastignac*, jeune provincial naïf mais ambitieux qui, profitant de la terrible expérience de l'inquiétant Vautrin*, sera prêt, à la fin du roman, à affronter Paris et la société.

PEREIRA. ♦ V. de Colombie située sur le versant E. de la Cordillère centrale, dans la vallée du Cauca*. 224 421 hab. (1969). – Évêché. Centre commercial (café). Indus. alimentaires.

PEREIRE (Jacob Émile). ♦ Homme d'affaires français (Bordeaux, 1800 – Paris, 1875). Venu à Paris en 1822, il y fut d'abord courtier de change et adhéra quelque temps au saint-simonisme,

Ph. Giraudon

« Le Rendez-vous des amis », par Max Ernst (détail). **Péret** (11). (Collection L. Bau, Hambourg.)

collaborant au *Globe* et au *National.* Après s'être consacré à la construction, l'exploitation et l'administration des premières lignes de chemin de fer françaises (Paris — Saint-Germain-en-Laye, 1835, lignes du Nord, de Lyon, du Midi), il fonda une société, *le Crédit mobilier* (1852), pour le prêt à long terme aux industriels, innovation qui le brouilla avec Rothschild*. Pereire obtint un peu plus tard le contrôle de la *Compagnie générale maritime* qu'il transforma en *Compagnie générale transatlantique.* Député de 1863 à 1869, il perdit son rôle de premier plan après la faillite et la liquidation du Crédit mobilier, qui avait été un des moteurs de l'essor industriel sous le Second Empire. ♦ ISAAC PEREIRE, frère du précédent (Bordeaux, 1806 — Armainvilliers, Seine-et-Marne, 1880). Il travailla en collaboration avec son frère dans la plupart de ses entreprises et fut également membre du Corps législatif de 1863 à 1869.

PEREKOP *(isthme de).* ♦ Isthme de la république d'Ukraine; seule route de terre vers la Crimée. Colonie grecque *(Taphros),* la région de Perekop passa aux Mongols (Tatars) au XIIIe s. Son importance stratégique explique les nombreuses batailles qui s'y sont déroulées : victoire de l'armée rouge en 1920, victoire allemande en 1941. L'isthme est actuellement emprunté par une route, une voie ferrée et un canal d'irrigation.

Père-Lachaise *(cimetière du).* ♦ Cimetière de Paris; administrativement *cimetière de l'Est,* il est situé à Ménilmontant*, dans le 20e arrondissement. Sur l'emplacement d'un domaine des jésuites où résida le P. La Chaise, confesseur de Louis XIV, fut aménagée en 1804 la plus vaste nécropole de Paris (env. quarante-quatre ha) dessinée par Brongniart*. Dans un site accidenté et verdoyant sont disposées les sépultures de très nombreux personnages illustres. *Monument aux morts* de Bartholomé* (1899). Dans le coin N.-E., mur des Fédérés*.

PÉRÈS (Joseph). ♦ Mathématicien français (Clermont-Ferrand, 1890 — Neuilly-sur-Seine, 1962). Spécialiste de mécanique, il étudia notamment la théorie du choc avec frottement; en mécanique des milieux continus, il employa les lois de la similitude pour la réalisation de nombreuses expériences; il participa au développement, en France, de la méthode d'analogie électrique utilisant la cuve rhéographique pour résoudre l'équation de Laplace* (1931); on lui doit également des recherches d'analyse fonctionnelle. (Acad. sc., 1942.)

Pères Blancs (*Société des missionnaires d'Afrique* ou). ♦ Congrégation de prêtres séculiers fondée à Alger en 1868 par Lavigerie* pour l'évangélisation de l'Afrique.

Pères de l'Église. ♦ Écrivains ecclésiastiques, interprètes autorisés de la tradition chrétienne. L'Église catholique réclame trois conditions pour qu'un auteur soit appelé Père : l'antiquité, la sainteté, l'orthodoxie. La première limite la période des Pères à Grégoire le Grand pour les latins, à Jean Damascène pour les grecs. Les deux autres font exclure des auteurs tels que Tertullien*, Clément* d'Alexandrie ou Origène*. La qualité de Père est distincte du titre de Docteur*. Principaux Pères : **V.** *Saints* **Ambroise, Athanase, Augustin, Basile de Césarée, Cyprien, Cyrille d'Alexandrie, Éphrem, Grégoire Ier, Grégoire de Nazianze, Grégoire de Nysse, Hilaire de Poitiers, Irénée, Isidore de Séville, Jean Cassien, Jean Chrysostome, Jean Damascène, Jérôme.**

PÉRET (Benjamin). ♦ Écrivain français (Rezé, 1899 — Paris, 1959). Rallié dès ses débuts au groupe surréaliste (1919), il participa, avec René Crevel, aux premières expériences d'enregistrement du rêve parlé, sous l'influence du sommeil hypnotique (1922). Sa durable agressivité à l'encontre des moralismes de tous bords et son hostilité à tout engagement de la poésie (*Déshonneur des poètes,* 1945) témoignent de sa fidélité au surréalisme. Princ. recueils : *Le Passager du transatlantique* (1921), *Dormir, dormir dans les pierres* (1927), *Le Grand Jeu* (1928), *Je sublime* (1936).

PÉREZ DE AYALA (Ramón). ♦ Écrivain espagnol (Oviedo, 1880 — Madrid, 1962). Élève des jésuites, il fit de solides études à l'université d'Oviedo et publia avec Ortega* y Gasset la revue *España.* Tour à tour ambassadeur à Londres, conservateur de la bibliothèque nationale de Madrid, enfin directeur du musée du Prado, il est l'auteur de romans remarquables par la finesse des traits et l'ironie : *Troteras y Danzaderas* (1913), *Belarmino y Apolonio* (1921), *Luna de miel, luna de hiel* (1923), *Tigre Juán* (1926), ainsi que de poèmes : *La Paz del sendero* (1903), *El Sendero inumerable* (1915). *El Sendero andante* (1921).

PÉREZ GALDÓS (Benito). ♦ Romancier et dramaturge espagnol (Canaries, 1843 — Madrid, 1920). Grand voyageur, journaliste, homme politique à l'activité intense, Pérez Galdós publia une œuvre considérable avant de sombrer dans la misère. De 1873 à 1912 il entreprit la suite des *Episodios nacionales,* vaste geste du peuple espagnol, sorte de miroir critique de la réalité sociale, historique et politique. Dans ses nombreux romans il évoque les classes bourgeoises et populaires à Madrid de 1850 à 1900, accumulant détails et dialogues observés pour décrire la réalité de la vie quotidienne, « l'histoire intérieure » (Unamuno). Laissant à ses personnages une grande liberté d'action, Pérez Galdós en fait des êtres bien vivants et des types caractérisés qu'on a souvent comparés à ceux de Balzac*. Dénonciateur du fanatisme religieux (*Donã Perfecta,* 1876), peintre de l'amour (*Marianela,* 1878), de la jalousie (*Fortunata y Jacintà,* 1887), de l'exaltation mystique (*Nazarini,* 1895), il montre son inquiétude métaphysique dans *El Amigo Mauso.* Toute son œuvre apparaît comme le reflet d'une conception de l'art du roman et de son désir de se tenir « entre l'exactitude et la beauté de la représentation ». Son œuvre théâtrale, adaptée de ses romans, révèle la même générosité et le même réalisme.

PERGAME, en gr. **Pergamon,** auj. **Bergama.** ♦ Anc. V. d'Asie Mineure (Mysie) dans la vallée du Caïcos (Bakir). L'actuelle Bergama (province d'Izmir) est un centre commercial. 21 690 hab. — Pergame fut la cap. d'un royaume hellénistique très puissant aux ~ IIIe et ~ IIe siècles. **V. Eumène, Attale.** Profitant de la guerre fratricide entre Séleucides, les Attalides s'allièrent avec les Romains et, après la victoire romaine près de Magnésie* du Sipyle (~ 189), étendirent leur domaine de l'Hellespont à la Carie* et de l'Ionie* à la Cappadoce et à la Phrygie* occidentale. La ville, avec ses monopoles royaux de fabrication de parchemin (*pergamênê,* en gr.), de tissus, avec son activité commerciale intercontinentale, devint un grand centre cosmopolite et culturel. Ornée de monuments grandioses, elle donna un nouveau départ à l'urbanisme et rivalisa avec les deux autres grands centres hellénistiques, Alexandrie* et Antioche*. Sa bibliothèque (400 000 volumes) disputa à celle d'Alexandrie l'autorité sur le rétablissement des textes d'Homère* et d'autres textes grecs, mais n'eut jamais une équipe égalant celle de sa rivale. La chasse aux manuscrits et aux œuvres d'art, l'invention du parchemin en réponse à l'interdiction d'exportation de papyrus par un roi d'Égypte, le mécénat royal des Attalides, comme celui des Ptolémées, ainsi que l'édification des monuments à Athènes (portiques d'Attale, d'Eumène, etc.) sont dus à cette course au prestige. Légué par Attale* III aux Romains (~ 133), le royaume de Pergame devint la pointe avancée de l'expansion romaine à l'Orient. — Des fouilles allemandes commencées en 1878 ont mis au jour d'importants vestiges : temples d'Athéna Polias (~ IVe s.), d'Héra, de Déméter, Asclépiéion, autel de Zeus, théâtre, etc.

PERGAUD (Louis). ♦ Écrivain français (Belmont, 1882 — près de Verdun, 1914). Élevé en Franche-Comté, il garda un contact étroit avec les choses de la campagne, familiarité qu'accrut son métier d'instituteur rural. Venu à Paris en 1907, il fut bientôt nommé rédacteur au service des beaux-arts de la Ville de Paris. Il débuta dans la carrière littéraire avec des recueils poétiques, *L'Aube* (1904) et *L'Herbe d'avril* (1908). Mais c'est avec des récits pleins d'humour et de fraîcheur, concernant bêtes et gens de la campagne, qu'il devait exprimer son talent. « Histoires de bêtes », *De Goupil à Margot* (1910) et *Le Roman de Miraut, chien de chasse* (1914) offrent de sensibles études d'une psychologie animale anthropomorphe, au sein d'évocations réalistes de la vie rurale. Dans *La Guerre des boutons* (1912; porté à l'écran en 1962), Pergaud présentait avec une verve épique les combats que se livrent deux troupes de gamins, venus de deux villages différents, en un récit « plein de verdeur, de gaieté, de vérité et de misère ».

PERGOLA (Ange *della***).** ♦ Condottiere italien ([mort] 1427). Au service de Filippo-Maria Visconti*, il combattit les Suisses — qu'il ne put vaincre (1422) —, ensuite, avec succès, Charles Malatesta* (1424) puis les Florentins. Il délivra Brescia des Vénitiens (1426), vit la destruction de la flotte milanaise sur le Pô et mourut peu après.

PERGOLÈSE (Jean-Baptiste), en it. **Giovan Battista PERGOLESI.** ♦ Compositeur italien (Jesi, près d'Ancône, 1710 — Pozzuoli, 1736). De modeste origine et de santé précaire, il fit ses études au conservatoire de Naples. Devenu maître de chapelle du prince de Stigliano, il obtint son premier succès avec *Ló Frate'nnamorato* (1732), opéra bouffe en dialecte napolitain. Peu après, son « intermezzo » à deux voix, *La Serva Padrona* (*La Servante maîtresse,* 1733), connut un véritable triomphe. Représenté plus tard à Paris (1752), ce petit ouvrage allait décider de l'avenir d'un nouveau genre, l'opéra comique, et déclencher la fameuse « Querelle des Bouffons ». L'insuccès, partiel ou total, de ses autres ouvrages, notamment des *opera seria*, devait précipiter la fin précoce du compositeur. Outre ses œuvres pour le théâtre, Pergolèse a composé de la musique religieuse, dont un célèbre *Stabat Mater* (1736), des sonates et des concertos. Un nombre important de pièces en tout genre lui fut attribué après sa mort ; leur authenticité est fort douteuse. Remarquable par sa spontanéité, sa beauté expressive et la richesse de sa mélodie, la musique de Pergolèse est celle d'un musicien inventif et spirituel, parfois capable d'une indéniable grandeur.

PERI (Jacopo). ♦ Compositeur italien (Rome, 1561 – Florence, 1633). Chanteur et musicien à la cour des Médicis, il apparaît, plus encore que son contemporain et rival G. Caccini, comme le véritable créateur du style « rappresentativo » qu'il a défini lui-même par l'emploi de formes musicales qui, « plus relevées que le parler ordinaire et moins régulièrement dessinées que les pures mélodies du chant, fussent à mi-chemin des deux ». Sur des poèmes de O. Rinuccini, il a composé plusieurs opéras, dont *Dafne* (1597) et *Euridice* (1600), ce dernier pour les noces de Marie de Médicis avec Henri IV. On lui doit en outre des ballets, intermèdes, cantates et madrigaux.

PÉRI (Gabriel). ♦ Homme politique français (Toulon, 1902 – Paris, 1941). Secrétaire général des Jeunesses communistes, il fut journaliste au journal *Clarté* (de Barbusse) et entra à *l'Humanité* (1924), où il s'occupa du service de politique étrangère. Membre du Comité central du Parti communiste français (1929), élu député (1932), il anima les *Cahiers* clandestins du Parti sous l'occupation. Livré aux Allemands, il fut fusillé avec d'autres otages au mont Valérien (15 déc. 1941).

PÉRIANDRE, en gr. **Periandros.** ♦ Tyran de Corinthe (~ 627 – v. ~ 585). Fils de Cypsélos, qui renversa l'aristocratie dorienne, il fut l'un des plus célèbres représentants de la tyrannie dans la Grèce archaïque. Il répondit à la crise agraire et démographique par des mesures hardies dont l'interdiction d'achat d'esclaves, la dévaluation monétaire, le développement de l'industrie et du commerce. Corinthe, à l'apogée de son expansion pendant son règne, fonda de nouvelles colonies **(V. Apollonia, Leucade, Potidée)**, soumit Corcyre et domina toute la Grèce occidentale et l'Illyrie. Protecteur des lettres et des arts, il aurait accueilli à sa cour Arion* et fut placé par la tradition au nombre des Sept Sages*. De caractère violent, il tua sa femme Mélissa lors d'une scène de ménage en la précipitant du haut d'un escalier.

PÉRIBONKA. *n. f.* ♦ Riv. du Canada (Québec) [480 km] qui se jette dans le lac Saint-Jean.

PÉRICLÈS, en gr. *Periklês.* ♦ Homme politique athénien (v. ~ 495 – ~ 429). Fils du stratège Xanthippos* et apparenté par sa mère à la famille illustre des Alcméonides* de tradition démocratique **(V. Clisthène)**, il eut pour maîtres à penser Anaxagore* et Zénon d'Élée. Porté vers les grandes affaires de la cité par son rationalisme et son optimisme, il choisit le parti démocratique adverse de Cimon*. Dès ~ 463, il brilla à l'assemblée par la puissance de son discours qui lui valut le surnom d'*Olympien*. Adjoint d'Éphialte, il fut avec lui l'auteur de grandes réformes démocratiques qu'il acheva après l'assassinat de ce dernier (~ 461) : confiscation des attributions politiques de l'Aréopage* réparties entre la boulê*, l'ecclésia (assemblée) et l'héliée*, démocratisation de l'archontat **(V. Archonte)** par la généralisation du tirage au sort et la participation de la troisième classe, accession de tous les citoyens aux dignités avec la *misthophoria* (rémunération), gratuité des spectacles. Sans avoir d'autre fonction que celle de stratège annuellement renouvelée, Périclès monopolisa la scène politique d'Athènes pendant trente ans. Ayant éliminé l'opposition oligarchique par l'ostracisme de Thucydide (~ 443), il fut investi d'une autorité presque absolue. Principal inspirateur de l'impérialisme athénien, il renforça la flotte, acheva les Longs Murs et exerça une politique de pression économique sur les partenaires d'Athènes dans la confédération attico-délienne. Il fit transporter le trésor de la ligue de Délos à Athènes, obligea les alliés à contribuer aux frais de la grandeur d'Athènes, brisa la révolte de l'Eubée (~ 446) et de Samos (~ 440), implanta des clérouquies en Thrace et dans les îles, fonda Amphipolis* et la colonie « panhellénique » de Thurium*. Conséquence de cette politique, un premier conflit avec Sparte, Corinthe et la Béotie (~ 457-~ 446), dénoué par la paix de *Trente Ans*, fut le prélude de la guerre du Péloponnèse*. Mais entre ces deux guerres Périclès fit d'Athènes la métropole resplendissante de la civilisation et de l'art classique. Confiant à Phidias* la direction esthétique de l'édification des monuments de l'Acropole* et de l'Attique, il lui donna comme collaborateurs les meilleurs architectes et artistes de son temps. **V. Callicratès, Ictinos, Mnésiclès.** Avec Hérodote et Protagoras, qu'il accueillit à Athènes, Sophocle*, Anaxagore, Socrate, Phidias, Alcibiade*, son neveu, fréquentèrent sa maison, formant le célèbre cercle d'Aspasie*, sa maîtresse. Mais l'achèvement de la démocratie et la grandeur d'Athènes ne furent pas sans revers. Obligé de diminuer le nombre des bénéficiaires de la *misthophoria*, Périclès promulgua la loi refusant les droits civiques aux enfants des citoyens athéniens et des femmes étrangères. Première victime de cette mesure lui-même, il se vit refuser le droit de se marier avec Aspasie. La guerre du Péloponnèse enfin et le désastre d'Athènes frappée par la peste (~ 430) marquèrent la fin de sa carrière. Ses ennemis qui auparavant avaient intenté des procès contre ses amis Phidias et Anaxagore, puis contre sa compagne Aspasie, l'accusèrent directement d'avoir provoqué la guerre afin d'éviter de rendre ses comptes. Déposé par l'assemblée, il fut rappelé quelques mois plus tard (~ 429), mais il périt dans la même année, victime de la peste. Le nom de « siècle de Périclès » a été donné à l'époque la plus brillante de la civilisation grecque.

PERIER (Claude). ♦ Industriel et banquier français (Grenoble, 1742 – Paris, 1801). Fabricant de toile à Grenoble et Vizille, il acquit sous la Révolution des biens nationaux et la mine d'Anzin. Associé au banquier Perrégaux*, il participa au financement du coup d'État du 18 Brumaire et à la fondation de la Banque de France (1801). Ses fils assurèrent sa succession. ♦ CASIMIR PERIER, homme politique français (Grenoble, 1777 – Paris, 1832). Fils de Claude Perier. Directeur de la banque de son père et régent de la Banque de France, il siégea à plusieurs reprises comme député à partir de 1817. Représentant de l'opposition libérale, il prit position contre les cabinets Villèle, puis Polignac et se rallia à Louis-Philippe lors de la révolution de juillet 1830. Président de la Chambre et chef du parti de la Résistance* sous la monarchie* de Juillet, il succéda au ministère Laffitte (1831) comme chef du cabinet et ministre de l'Intérieur. Dans l'espoir de favoriser l'essor des affaires, il mena une politique de répression de l'opposition et des troubles sociaux (en particulier lors de la révolte des canuts de Lyon, nov.-déc. 1831). – Ses fils et son petit-fils prirent le nom de CASIMIR-PERIER.

PÉRIGNON (*dom* Pierre). ♦ Moine bénédictin (Sainte-Menehould, 1638 – près d'Épernay, 1715). Il fut cellérier, puis procureur de l'abbaye d'Hautvillers près d'Épernay. En sa qualité de cellérier, il était chargé du soin des vignes de l'abbaye. Il rendit son nom célèbre en inventant un procédé pour rendre mousseux le vin de champagne, qui eut dès lors une notoriété et une valeur commerciale immenses.

PÉRIGNON (Dominique Catherine, *marquis de*). ♦ Maréchal de France (Grenade, Haute-Garonne, 1754 – Paris, 1818). Député à l'Assemblée législative (1791), il délaissa la politique pour l'armée. À la tête de la légion des Pyrénées, il remporta plusieurs victoires sur les Espagnols (la Montagne Noire, nov. 1794; Figueras), grâce auxquelles put être signée la paix avec l'Espagne. Député au Conseil des Cinq-Cents (1795), ambassadeur à Madrid, il participa à une campagne en Italie au cours de laquelle il fut blessé et fait prisonnier (1799). Sénateur (1801), maréchal de France (1804), il fut fait comte d'Empire en 1811, puis se rallia aux Bourbons qui le firent pair de France (1814) et marquis (1817).

PÉRIGNY. ♦ Comm. de Charente-Maritime, arr. et aggl. de La Rochelle. 1 737 hab. Fabrication de pièces détachées pour l'automobile.

PÉRIGORD. *n. m.* ♦ Ancienne région historique qui fait aujourd'hui partie de la circonscription d'action régionale d'Aquitaine*, notamment dans le département de la Dordogne*. On distingue au N. le *Périgord blanc* (avec Périgueux*) et au S. le *Périgord noir* (avec Sarlat*), recouvert de forêts de pins. C'est une région de plateaux calcaires entaillés par la Dordogne, la Vézère, l'Auvézère et l'Isle, dont les larges vallées portent de riches cultures : blé, maïs, arbres fruitiers, vignes (vin de Monbazillac); on y pratique également l'élevage. On exploite le noyer et le chêne truffier. Dans les vallées, nombreux sites préhistoriques (Lascaux*, Les Eyzies*). ♦ *Hist.* Peuplée par les Celtes *Petrocorii* avant et après la conquête romaine, la région forma un diocèse, puis un comté sous les Mérovingiens. Elle fut réunie au Xe s. à l'Angoumois, puis à la Marche*. Disputée par le roi de France et le roi d'Angleterre (elle relevait au XIIe s. du duché d'Aquitaine), elle souffrit

Ph. Hétier

Périgord : château de la Filolie, près de Sarlat.

Arch. Smeets

Constant Permeke : « Vue d'Aertrijcke ». (Stedelijk Museum, Amsterdam).

particulièrement de la guerre de Cent* Ans, avant de revenir à la France (1398) et d'être intégrée au domaine royal par Henri IV. Le malaise économique du début du XVIIe s. y entraîna des soulèvements (révolte des Croquants, Fronde).

PÉRIGUEUX. ♦ Préf. de la Dordogne*, ch.-l. d'arr. (16 cant., 199 comm., 167 415 hab.), sur l'Isle*. 40 091 hab. [36 991 aggl.] *(Pétrocoriens* ou *Périgourdins)*. – Nombreux monuments. Arènes romaines du IIIe siècle. La *cathédrale Saint-Front,* romano-byzantine (XIIe s.), en croix grecque et à cinq coupoles ; elle a été restaurée de 1852 à 1901. Église Saint-Étienne-de-la-Cité (XIIe s.), chapelle Saint-Jean du XVIe siècle. Tour Mataguerre, restes du château de Barrière (XIIe-XVe siècle). Intéressantes maisons des XVe et XVIe s., hôtels Renaissance. Évêché. – Commerce régional très actif. Indus. alimentaires : truffes, cèpes, pâtés de foie gras, eau-de-vie de prunes, conserves. Métallurgie, manufacture de tabac, confection, bonneterie, chaussures. – Patrie de Ch. Ardant* du Picq, de Léon Bloy*, du général Daumesnil*. ♦ *Hist.* La ville romaine de Vésone devint Pétrocorès au IIIe siècle. Au Xe s., ce fut la capitale du comté de Périgord. Cédée aux Anglais par le traité de Brétigny en 1360, elle revint sous l'autorité française à la fin du XIVe siècle.

PERIM *(île). n. f.* ♦ Petite île de caractère volcanique, dans le détroit de Bab* al-Mandad, à l'entrée de la mer Rouge. Occupant une position stratégique, elle est aujourd'hui rattachée au Yémen du Sud après avoir été sous mandat britannique et avoir fait partie de la colonie d'Aden.

PERKIN *(sir* **William Henry).** ♦ Chimiste anglais (Londres, 1838 – Sudbury, 1907). Il découvrit, en 1854, les dérivés de l'aniline qui fournissent une gamme importante de colorants dont la mauvéine qu'il prépara, par hasard, en 1856.

PERLIS. *n. m.* ♦ État de Malaysia*, à l'extrême N. de la péninsule malaise et formant frontière avec la Thaïlande, dont il fit partie jusqu'en 1909. 800 km². 120 000 hab. Mines d'étain, caoutchouc, coprah. *Cap.* Kangar.

PERM' (de 1940 à 1957, **Molotov**). ♦ V. d'U.R.S.S. (R.S.F.S. de Russie), ch.-l. de la région du même nom (160 700 km², 3 065 000 hab.), dans l'Oural*, sur la Kama*. 881 000 hab. Centre culturel. Université fondée en 1916. Indus. mécaniques (moteurs, équipement minier), chimiques et pétrolières. Traitement du bois. Chantier naval. Centrale hydro-électrique. Nœud ferroviaire.

PERMEKE (Constant). ♦ Peintre, dessinateur et sculpteur belge (Anvers, 1886 – Ostende, 1952). Après avoir étudié la peinture aux académies de Bruges, Gand puis Bruxelles, il alla s'établir dans la communauté de Laethem-Saint-Martin en 1909, fondant avec Fritz van der Berghe, Léon et Gustave de Smet ce qu'on a appelé la deuxième école de Laethem-Saint-Martin. En 1912, il s'installa à Ostende. Blessé durant la guerre, il fut évacué en Angleterre et commença alors à exprimer une vision plus personnelle, les influences impressionnistes s'effaçant pour faire place à un traitement vigoureux et monumental des formes humaines au canon très massif, peintes avec une pâte épaisse et sombre. Revenu en Belgique, il vécut à Anvers, Ostende et Jabbeke, peignant des paysages, particulièrement des marines, des scènes de port, scènes de la vie des marins et des paysans. Exprimant les sentiments humanitaires qu'il éprouvait envers le labeur quotidien des classes populaires, il en souligna l'énergie tranquille et la générosité. Il eut une prédilection pour les formes colossales et raides, qui semblent déborder les limites de la toile et recourut par souci expressif à des déformations anatomiques, prenant aussi des libertés avec l'espace perspectif traditionnel. Il eut tendance à souligner l'aspect fruste et brutal de ses personnages, utilisa des formes plus schématiques et une gamme dominante ocre et brune (*Les Deux Mariniers; Les Fiancés,* 1923). Le caractère fortement plastique, la robustesse de ses formes se retrouvent dans les sculptures qu'il réalisa à partir de 1935 (*Marie Lou,* 1935-1936). Tempérament chaleureux, il a magnifié avec gravité la vie populaire (*Étable,* 1933 ; *Le Semeur*) et s'est affirmé comme le plus puissant des expressionnistes belges.

PERMOSER (Balthasar). ♦ Sculpteur allemand (Kammer, près de Traunstein, 1651 – Dresde, 1732). Il étudia à Vienne, puis séjourna à Rome, sans doute de 1675 à 1689. Nommé sculpteur à la cour de Saxe en 1689, il exécuta une partie du décor sculpté du *Zwinger* de Dresde bâti par Poeppelmann* (statues d'*Atlantes, Allégories des saisons)*. Son goût des formes mouvementées, proliférantes et contournées s'épanouit dans l'*Apothéose du prince Eugène* (vers 1718-1721) et en fait l'un des représentants les plus caractéristiques du baroque saxon.

PERNAMBOUC *(État de).* ♦ État du Nordeste brésilien. 98 281 km². 5 252 590 hab. *Cap.* Recife*. – La plaine littorale adossée au plateau de la Borborema rassemble toutes les ressources de l'État (agriculture autour de Recife, canne à sucre), tandis que le contraste climatique voue l'intérieur des terres à l'élevage (porcs). Indus. textiles, alimentaires, chimiques, cimenteries.

PERNELLE *(sainte).* ♦ **V.** PÉTRONILLE (sainte).

PERNES-LES-FONTAINES. ♦ Ch.-l. de cant. du Vaucluse*, arr. de Carpentras*, sur la Nesque, 5 560 hab. [2 954 aggl.] *(Pernois)*. Église Notre-Dame, romane; chapelle et pont Notre-Dame du XVIe siècle. Enceinte du XVe s., porte Villeneuve fortifiée 1550. – Cultures de fruits, conserves. – Patrie de E. Fléchier*. – Ancienne capitale du comtat* Venaissin.

PERNIK, anc. **Dimitrovo.** ♦ V. de Bulgarie occidentale, au S.-O. de Sofia, sur la Struma. 80 000 hab. Exploitation de lignite. Indus. sidérurgique et chimique.

PERNIS. ♦ Localité des Pays-Bas (Hollande-Méridionale) sur la Meuse à l'O. de Rotterdam. Raffineries de pétrole. Caoutchouc synthétique.

PEROLS. ♦ Comm. de l'Hérault (arr. de Montpellier), entre les étangs de Mauguio et Perols. 2 914 hab. Bonneterie.

PERÓN (Juan Domingo). ♦ Homme politique argentin (Lobos, Buenos Aires, 1895 – Buenos Aires, 1974). Il participa au coup d'État militaire de 1943 et devint ministre du Travail, puis vice-président. Il conquit la sympathie du peuple par une série de mesures sociales. Soutenu par les *descamisados* (« sans chemises ») et les syndicats, il fut élu président de la République en 1946 et établit une dictature qui trouva l'appui du clergé, de l'armée, des partis de gauche et des nationalistes d'extrême droite. Sa doctrine, le « justicialisme », conciliait mesures sociales, politique antiaméricaine, catholicisme, répression, nationalisations, ce qui amena une transformation radicale du pays. Les premières années du régime soulevèrent un enthousiasme populaire entretenu par la femme du dictateur, EVA PERÓN, surnommée *Evita* et vénérée par le peuple. Les salaires des travailleurs des villes augmentèrent de 47 % entre 1946 et 1955, au détriment des agriculteurs. Mais Perón se vit bientôt confronté à des difficultés économiques qui s'aggravèrent de conflits avec l'Église (légalisation du divorce et de la prostitution) et avec l'armée. Excommunié, il fut renversé par un putsch en 1955 et se réfugia en Espagne. Perón garda de nombreux partisans en Argentine, et en 1973, les élections redonnèrent le pouvoir aux péronistes qui le portèrent à nouveau à la présidence de la République. À sa mort, sa troisième femme lui succéda. **V. Argentine.**

PÉRONNAS. ♦ Comm. de l'Ain*, arr. de Bourg*-en-Bresse. 2 356 hab. (487 aggl.). Tuilerie, appareils de levage.

PÉRONNE. ♦ Sous-préf. de la Somme*, au confluent de la Somme* et de la Cologne. Ch.-l. d'arr. (8 cant. 171 comm. 81 819 hab.). 7 701 hab. *(Péronnais)*. – Église XVIe s. et château XIIIe s. restaurés. Restes de remparts. Musée. Filature de laine, briqueterie, matières plastiques, brasserie. ♦ *Hist.* C'est à Péronne qu'eut lieu en 1468 l'entrevue entre Charles* le Téméraire et Louis* XI qui se disputaient la Picardie*. Au XVIe s., la ville subit un assaut de Charles* Quint : les habitants conduits par Marie Fouré repoussèrent les assaillants. En 1870, la ville fut bombardée par les Prussiens pendant treize jours. Elle fut presque entièrement détruite pendant la Première Guerre mondiale, lors de la bataille de la Somme.

PÉRONNES-LEZ-BINCHE. ♦ Comm. de Belgique (Hainaut, arr. de Soignies). 5 700 hab. Église Notre-Dame (XIIe, XVIe et XVIIIe s.).

PÉROT (Alfred). ♦ Physicien français (Metz, 1863 – Paris, 1925). **V. Fabry.**

PÉROTIN (Perotinus magnus). ♦ Compositeur français (déb. du XIIIe s.). Sa vie et son œuvre sont mal connues. Maître de chapelle à Notre-Dame de Paris, auteur d'*organa* à quatre voix, de *conduits* et d'une *monodie*, il a également remanié des *organa* à deux voix déjà existants. Il peut être considéré comme l'un des principaux créateurs de la musique polyphonique. Si, jusqu'à la fin du XIIe s., l'*organum* à deux voix était courant, Pérotin fut le premier à y utiliser trois et quatre voix. Cette forme plus ample et plus complexe eut une profonde influence sur la musique française et occidentale où allaient naître le *motet* et le grand *conduit* polyphonique.

PÉROU, en esp. **Perú.** *n. m.* ♦ Etat (république) d'Amérique du Sud, limité par le Pacifique à l'O., l'Équateur et la Colombie au N., le Brésil à l'E., la Bolivie et le Chili au sud. 1 285 215 km². Env. 15 840 000 hab. *(Péruviens)* [estim. 1975], dont 46 % d'Indiens et moins de 15 % de « Blancs ». *Langues* espagnol et quechua (off.), aymara (Andes), arawak, penoan (Amazonie). *Religion* 82 % de catholiques. *Unité monétaire* le sol. *Cap.* Lima*. *Div. admin.* (dép. et ch.-l.) Amazonas (Chachapoyas), Ancash (Huaras), Apurimac* (Abancay), Arequipa*, Ayacucho, Cajamarca, Callao*, Cuzco*, Huancavelica, Huánuco, Ica, Junín* (Huáncayo*), La Libertad (Trujillo*), Lambayeque (Chiclayo*), Lima*, Loreto (Iquitos*), Madre* de Dios (Puerto Maldonado), Moquegua, Pasco (Cerro* de Pasco), Piura*, Puno*, San Martin (Moyobamba), Tacna*, Tumbes. *Site* **V. Machupicchu.** – *Hydrogr.* **V. Apurimac, Javari, Madre de Dios, Marañón, Purus, Titicaca** (lac), **Ucayali.** – *Orogr.* Le pays est formé par une masse montagneuse complexe, entaillée de profondes vallées, et s'abaissant du S.-E. au N.-O. La transition est brusque avec la côte, alors que le piémont andin descend progressivement à l'E. vers la plaine amazonienne. – *Écon.* Dans les Andes, la vie économique relève d'une agriculture primitive, soit en équipes coopératives, soit en grandes haciendas d'organisation semi-féodale; une réforme agraire (1964) tente d'en modifier les conditions. L'agriculture moderne n'est pratiquée que dans la région côtière, sur des grandes propriétés où travaillent des ouvriers saisonniers; la politique d'irrigation est destinée à atténuer le déséquilibre entre ces grandes exploitations et la petite propriété aux rendements très bas. Les productions agricoles essentielles sont le coton et la canne à sucre, ainsi que le riz (région côtière), les céréales, la pomme de terre et l'alfa (Andes), un peu de tabac, café, cacao, bananes, coca (premier producteur avec la Bolivie). Élevage (moutons, lamas, alpagas). La pêche est très active (près de 3 500 000 t en 1975). L'importance économique du guano a diminué. Les richesses et la production minières sont considérables : cuivre, plomb, zinc, tungstène, vanadium ont éclipsé les richesses traditionnelles en or et argent. Le minerai de fer est traité à Chimbote (aciérie) depuis 1956. Le pétrole fournit (v. 1965) 4 % du produit national brut. Les indus. textiles et alimentaires se développent. Les transports, entravés par l'orographie tourmentée du pays, reposent sur des routes trop peu nombreuses et une infrastructure ferroviaire datant du XIXe s. (lignes du S. et centrale, celle-ci s'élevant à plus de 5 000 m d'alt.). Le niveau de vie moyen est très bas. – La balance commerciale est déficitaire. Le Pérou exporte du café, des huiles de poisson (premier producteur mondial, 30 % des exportations), des produits minéraux (cuivre, zinc, plomb, ...), du sucre (50 % de la production), du coton, de la coca. Il importe des biens d'équipement. – *Régions.* Le pays est divisé en trois grandes unités naturelles. – 1) *La côte,* étroite, longue de 2 200 km, est désertique. Son climat, frais (moins de 20° de moyenne à Lima), est caractérisé par une épaisse couche de stratus (de juin à oct.) créée par le courant froid de Humboldt*. Le brouillard ne se transforme jamais en pluie, l'aridité est totale et l'irrigation indispensable aux cultures (surtout coton et canne à sucre). Indus. sucrières, textiles, alimentaires. Activités minières (cuivre, argent, plomb, ...). Pétrole. Aciéries de Chimbote*. Les villes (Chiclayo, Trujillo, Callao, Lima) sont reliées entre elles par la route panaméricaine. – 2) *La sierra* andine comprend les cordillères occidentale, centrale et orientale, ainsi que le plateau de la Puna, encastré à 4 000 m au centre de la masse montagneuse. La cordillère occidentale *(Cordillera Negra* et *C. Blanca),* de caractère volcanique, dépasse 5 000 m d'alt. La cordillère centrale, moins élevée, s'étend entre le Marañón* et son affl. le Huallaga. Les reliefs de la cordillère orientale descendent en pente douce jusqu'à la plaine de l'Est. Les Andes du Sud, plus larges et plus élevées que celles du Nord, sont entrecoupées par un plateau steppique *(Altiplano),* qui prolonge les hautes plaines boliviennes. Climat froid en altitude, avec de grandes variations quotidiennes par beau temps. L'hydrographie de cette zone est formée par des cours d'eau torrentiels en direction du Pacifique, et, sur le versant E., des fleuves coulant en direction de l'Amazone (Apurimac*, Marañón*, ...). Cultures tropicales dans le N. (café, bananes); céréales, légumes et fruits sur les pentes. Mines. Élevage (ovins, bovins). – 3) *La région orientale* couvre le piémont andin (Montaña), la plaine amazonienne (Amazonie* péruvienne) et celle du Madre* de Dios. 700 000 km². Région de forêts denses au climat tropical chaud et humide. Des tribus d'Indiens (dont les *Jivaros**), chasseurs et coupeurs de bois, ou pasteurs et cultivateurs, y vivent. Caoutchouc dans la forêt, cultures tropicales dans les vallées. Pétrole à Pucalpa et près d'Iquitos*, la seule ville importante. ♦ *Hist.* L'empire inca qui avait eu son centre au Pérou fut conquis par F. Pizarro* entre 1531 et 1536 **(V. Incas).** Les conquistadores se répartirent les Indiens asservis, en particulier pour l'exploitation des mines de Potosí*. La *vice-royauté du Pérou,* créée en 1543, comprit d'abord toute l'Amérique du Sud espagnole, mais fut considérablement diminuée par la création des vice-royautés de Nouvelle-Grenade (1739), du Río de La Plata (1776) et de la capitainerie générale du Chili (1742). Au XVIIe s., le Pérou fut une riche colonie, qui déclina bien vite : épuisement des mines, révolte des Indiens conduits par Tupac Amaru. Mais l'indépendance vint, imposée de l'extérieur par San* Martín qui fut élu « protecteur » du pays (il abandonna ses pouvoirs, laissant le champ libre à Bolívar), et confirmée par la victoire de Sucre* sur les Espagnols (bataille d'Ayacucho*, 1824). Dès 1825, une scission sépara le *haut Pérou,* qui prit le nom de Bolivie*. Pendant tout le XIXe s., le pays fut aux mains d'une oligarchie foncière et de dictateurs militaires. La guerre du Pacifique (1879-1883), qui opposa Bolivie, Chili et Pérou, se termina par la victoire chilienne et l'abandon de Tacna*. La reconstruction fut lente et se fit avec l'aide des capitaux étrangers. En 1924 fut créée l'*Alianza popular revolucionaria americana* (A.P.R.A.), mouvement progressiste qui tenta de lutter contre l'oligarchie conservatrice se maintint en place. En 1968, le général Velasco Alvarado prit le pouvoir et lança des réformes hardies, ainsi qu'une nationalisation des compagnies américaines. Le Congrès fut suspendu, la constitution devant être révisée. En 1975, le président fut déposé par le général Morales Bermudez qui s'engagea à poursuivre le processus révolutionnaire. ♦ *Arts.* On distingue cinq périodes dans l'art précolombien du Pérou et des régions avoisinantes (Bolivie, N. du Chili) : la civilisation Chavín* (~ 700 ?-~ 200 ?) et les cultures postérieures (architecture, tissage, céramique); la période des civilisations de Mochica (côte N.), de Paracas et de Nazca (nécropoles de la côte S.), ainsi que de plusieurs centres andins (v. 1000), période riche en tissus polychromes et en céramiques remarquables; la civilisation de Tiahuanaco* (700 ?-1300 ?); celle du royaume Chimú* (v. 1300-v. 1440); enfin celle de l'expansion inca (v. 1440-1532; **V. Inca).**

PÉROUGES. ♦ Comm. de l'Ain*, arr. de Bourg*-en-Bresse, dans la Dombes*. 489 hab. *(Pérougiens).* Bourg fortifié pittoresque; église fortifiée (XIIIe-XVe s.), maison des XVe et XVIe siècles. Le bourg, évocation saisissante d'une petite ville médiévale, attire de nombreux touristes.

PÉROUSE, en it. **Perugia.** ♦ V. d'Italie, en Ombrie*. Ch.-l. de prov. 128 616 hab. *(Pérugins).* Archevêché, université pour étrangers. Ruines étrusques et romaines, cathédrale gothique, églises du XIVe s., Collegio del Cambio, décoré de fresques du Pérugin, palais communal (XIIIe-XVe s.). Pérouse fut au XVe s. le centre d'une célèbre école de peinture dite école ombrienne. Patrie du Pérugin*. – Indus. mécaniques, textiles et alimentaires. ♦ *Hist.* Anc. ville étrusque, puis municipe romain (~ 310), elle fut pillée par Octave (~ 40) lors de la *guerre de Pérouse* déclenchée par L. Antonius, frère de Marc Antoine. Appartenant aux États pontificaux, elle fut troublée par les partis rivaux Oddi et Baglioni, de sorte que les papes Jules II, Léon X et Paul III durent y rétablir la paix. À partir de 1540, elle appartint aux papes, se révolta en 1859 contre Pie IX et passa au royaume d'Italie en 1860.

PEROVSKAÏA (Sofia Lvovna). ♦ Révolutionnaire anarchiste russe (Saint-Pétersbourg, 1853 – *id,* 1881). Fille du gouverneur de Saint-Pétersbourg, elle fut arrêtée et exécutée pour sa participation à l'attentat contre Alexandre II.

PÉRÔZ, forme hellénistique de **Firûz.** ♦ Roi sassanide de Perse, de 459 à 484. Il prit le pouvoir sur son frère Ormizd III et fut tué en luttant contre les Huns Hephthalites.

PERPENNA, en lat. **Marcus Ventus Perpenna.** ♦ Général

Pérou.

Coll. Viollet

« Barbe-Bleue » de **Charles Perrault**, illustré par Gustave Doré.

romain ([mort] Osca, auj. Huesca, ~ 72). Partisan de Marius* chassé de Sicile par Pompée*, il se mit au service de Sertorius* en Espagne. Il fit ensuite assassiner ce dernier (~ 72) et tenta de négocier avec Pompée qui le fit exécuter.

PERPÉTUE et **FÉLICITÉ** *(saintes)*. ♦ Martyres d'Afrique, mortes en 203 à Carthage avec leurs compagnons Saturus, Saturninus, Revocatus, Secundulus. Les *Actes de Perpétue et Félicité,* parfois attribués à Tertullien, sont une composition littéraire, mais très précieuse parce que contemporaine des événements.

PERPIGNAN. ♦ Préf. du département des Pyrénées-Orientales, ch.-l. d'arr. [8 cant., 85 comm., 198 391 hab.], sur la Têt, dans la plaine du Roussillon. 104 095 hab. *(Perpignanais).* Évêché. La citadelle qui domine la ville au S. date du XVIe s.; elle englobe l'anc. palais des rois de Majorque (XIIIe-XIVe s.). Dans la vieille ville, le Castillet est une forteresse élevée au XIVe s., et remaniée au XVe s. La *Loge,* de style gothique, fondée au XIVe s. pour abriter la Bourse, est une imitation des palais municipaux italiens. Cathédrale Saint-Jean, édifice de type gothique méridional (retables des XVe et XVIe s.). Musées. — Perpignan commercialise les fruits et primeurs de la région. Centre industriel : métallurgie, indus. alimentaires (conserveries, distilleries). Bonneterie. Ville touristique dont la croissance est liée à l'aménagement du littoral du Languedoc*-Roussillon. Aéroport de Llabanère. ♦ *Hist.* Mentionnée au début du Xe s., la V. fut léguée avec le Roussillon au roi d'Aragon. Au XIIIe s., capitale des rois de Majorque, son rôle politique lui fit connaître la prospérité. Louis XIII envahit le Roussillon, prit la V. qui perdit dès lors de son importance. En 1602, l'évêché d'Elne y fut transféré.

PERRAULT [pɛʀo] **(Claude).** ♦ Architecte, médecin et physicien français (Paris, 1613 — 1688). Traducteur des œuvres de Vitruve, on lui attribue le projet de la colonnade du Louvre, de l'observatoire de Paris et du château de Sceaux pour Colbert. Naturaliste, il était partisan de l'iatromécanisme de Borelli* [*Mécanique des animaux*]. (Acad. sc., 1666.)

PERRAULT [pɛʀo] **(Charles).** ♦ Écrivain français (Paris, 1628 — *id.,* 1703). Grand commis protégé par Colbert*, il publia des œuvres parodiques ou galantes avant de prendre parti pour les Modernes contre les Anciens, à l'Académie* française dont il était membre (1671). Son poème polémique *Le Siècle de Louis le Grand* (1687), puis ses *Parallèles des Anciens et des Modernes* (1688 à 1692), vivement contestés par Boileau*, présentent et codifient ses arguments : critiquant le principe d'autorité et affirmant que le progrès est possible en art comme en sciences, il souligne la supériorité du « siècle de Louis » sur le siècle d'Auguste. Ses *Histoires* ou *Contes* du temps passé* (appelés aussi *Contes de ma mère l'Oye,* 1697) assurèrent sa célébrité et inaugurèrent le genre littéraire des contes de fées.

PERRÉAL (Jean). ♦ Peintre miniaturiste français (Paris ?, v. 1450 — Paris ou Lyon ?, 1530). En 1483, il fut au service de la ville de Lyon, puis travailla pour Charles VIII, Louis XII et François Ier. Il fit plusieurs voyages en Italie (1494, 1502 et 1509). Perréal consacra une part importante de son activité à l'organisation des « entrées » et des fêtes (*Entrée de Charles VIII à Lyon,* 1489; *Fête donnée à l'occasion du mariage de Louis XII et de Marie d'Angleterre,* 1514). Il aurait conçu le projet du *tombeau de Philibert II de Savoie et de Marguerite d'Autriche,* exécuté par Michel Colombe et participa au programme décoratif de l'église de Brou, v. 1504-1506. On lui doit également les projets pour les médailles d'Anne de Bretagne et de Louis XII. Ses miniatures *(Portrait de Charles VIII; Portrait d'Anne de Bretagne; Portrait de Pierre Sala)* sont imprégnées d'un profond naturalisme et d'un goût sculptural dans le modelé des visages. Le frontispice qui illustre les poèmes de Jean de Meung (v. 1516) est au contraire marqué par un certain italianisme. *Le portrait de Louis XII,* peint vers 1514, correspond tout à fait au style de ses miniatures, et peut lui être attribué avec certitude. Avec Bourdichon, il fut le peintre le plus important de sa génération.

PERRÉGAUX (Jean-Frédéric, *comte de***).** ♦ Banquier français (Neuchâtel, Suisse, 1744 — Viry-Châtillon, 1808). Installé comme banquier à Paris, il spécula sur les assignats lors de la Révolution. Fondateur de la caisse des comptes courants à Paris (avec Desprez et Récamier) en 1796, il devint sénateur et régent de la Banque de France (1800).

PERRÉGAUX. ♦ V. d'Algérie. Nom anc. de Mohammedia*.

PERRET (Auguste). ♦ Architecte français (Ixelles, 1874 — Paris, 1954). Fils d'un maçon communard exilé en Belgique, il entreprit à l'École des beaux-arts de Paris des études d'architecture avec ses frères Gustave (1876 — 1952) et Claude (1880 — 1960), qui furent ensuite ses associés. Par l'usage qu'il fit du béton armé dans un immeuble construit en 1903 rue Franklin, il s'affirma d'emblée comme un novateur, en adoptant un plan flexible et en cherchant, contrairement à Hennebique dans l'immeuble de la rue Danton, à tirer des conséquences formelles de l'emploi du nouveau matériau; il évita notamment de masquer totalement la structure portante qui contraste ainsi avec les panneaux de remplissage. Dans le *garage* de la rue de Ponthieu (1906), il développa les possibilités techniques du béton et sembla pressentir les partis esthétiques adoptés ultérieurement par les tenants du style international (formes orthogonales dépouillées, vastes baies vitrées). Dans le *théâtre des Champs-Élysées,* la disposition des revêtements de marbre suggère la structure et à l'intérieur, l'emploi de poteaux en béton permet de dégager l'espace. Perret tentait de retrouver dans une structure fonctionnelle spécifique au matériau le souvenir des ordres, des proportions, des modénatures, des effets d'équilibre et de symétrie de l'architecture classique *(musée des Travaux publics,* 1937; *Mobilier national; centre de Saclay).* Sa maîtrise technique s'affirma dans des édifices industriels (*entrepôt* à Casablanca avec couverture en voile mince, 1915). À *Notre-Dame du Raincy* (1922-1923), il adopta le béton armé **(V. Baudot)** laissant à nu les poteaux et voûtes surbaissées et tirant un parti décoratif des éléments préfabriqués (claustra à motifs géométriques). En 1929, il édifia l'*École normale de musique* en se fondant sur des impératifs fonctionnels (acoustiques). Après la guerre, il fut notamment chargé de la reconstruction du Havre, mais son premier projet fut jugé trop audacieux. Il joua un rôle historique de premier plan dans l'élaboration de l'architecture contemporaine, en systématisant l'usage du béton armé et en prônant la standardisation; mais les formes qu'il eut tendance à privilégier apparaissent plutôt comme une réinterprétation du néo-classicisme, et par là se rapprochent du style monumental qui se développa en Italie, en Allemagne et en U.R.S.S. à partir des années 1930.

PERRET (Jacques). ♦ Écrivain français (Trappes, Seine-et-Oise, 1901). Après avoir mené une vie d'aventures en Guyane et en Amérique, d'où il rapporta ses savoureuses *Histoires sous le vent* (1944), il rentra en France et fit en 1936 ses débuts de romancier avec *Roucou,* suivi en 1937 d'*Ernest le Rebelle.* Mobilisé en 1939, il fut fait prisonnier, s'évada, et rejoignit le maquis. Il évoqua sous une forme romancée sa vie de prisonnier et ses tentatives d'évasion dans *Le Caporal épinglé* (1947), et son expérience de franc-tireur dans *Bande à part* (1951), roman qui tente la gageure de débarrasser le souvenir de la Résistance des poncifs qui l'encombrent, en montrant au jour le jour la vie dans le maquis d'hommes qui n'étaient ni des héros ni des truands. Cette œuvre sensible et cocasse fut suivie de contes et de récits pleins de fantaisie : *Le Vent dans les voiles* (1948), *La Bête Mahousse* (1951), *Rôle de plaisance* (1957), *Les Biffins de Gonesse* (1961), ainsi que de pamphlets où l'auteur laisse s'épanouir sa verve naturelle : *Bâtons dans les roues* (1953), *Salade de saison* (1957), *Le Vilain Temps* (1963). Plutôt conteur que véritable romancier, Jacques Perret écrit dans un style vigoureux et dru, ne dédaignant pas à l'occasion le calembour poétique et les truculences de la langue populaire, ce qui, plus encore que des sympathies politiques dont il n'a jamais fait mystère, le situe dans la lignée de Céline et de Nimier.

PERREUX-SUR-MARNE (Le). ♦ Ch.-l. de cant. du Val-de-Marne, arr. de Nogent-sur-Marne. 29 099 hab. Commune résidentielle.

PERRIER (François). ♦ Général et géodésien français (Vallaraugue, Gard, 1833 — Montpellier, 1888). Chef du service géographique de l'armée, il fut un des promoteurs de la nouvelle triangulation de la France et réalisa, avec Ibáñez* de Ibero, la jonction géodésique entre l'Algérie et l'Afrique du Nord (1879). ♦ GEORGES PERRIER, son fils. Géodésien français (Montpellier, 1872 — Paris, 1946). Il prit part à une expédition en Équateur pour la mesure d'un arc de méridien équatorial, et enseigna la géodésie et l'astronomie à l'École polytechnique. (Acad. sc., 1926.)

PERRIER (Edmond). ♦ Naturaliste français (Tulle, 1844 – Paris, 1921). Il est l'auteur de travaux sur les invertébrés et d'ouvrages de philosophie zoologique (*Colonies animales et la formation des organismes,* 1881 ; *La Philosophie zoologique avant Darwin,* 1884 ; *Traité de zoologie,* achevé par son frère). [Acad. sc., 1892.]

PERRIN (Jean). Physicien français (Lille, 1870 – New York, 1942). Il réalisa une expérience (1895) qui montrait que les rayons cathodiques sont formés de particules chargées d'électricité négative, première preuve directe de l'existence de l'électron. Il donna des énoncés extrêmement généraux des deux principes de la thermodynamique (*Les Principes,* 1901) – le premier sera appliqué par P. Langevin* à l'établissement des lois générales de la mécanique. Il effectua des recherches sur les émulsions, les lames minces et le mouvement brownien **(V. Brown)** afin de déterminer la valeur du nombre d'Avogadro* et de prouver définitivement l'existence des atomes ; les résultats qu'il obtint, après des expériences très délicates (1908), permirent de vérifier les prévisions d'Einstein*. Il exprima clairement la notion de transmutation nucléaire (1920). Il participa à la fondation du Centre national de la recherche scientifique (1938) et créa le palais de la Découverte. (Acad. sc., 1923 ; prix Nobel de phys., 1926) – Père de Francis Perrin.

PERRIN (Francis). ♦ Physicien français (Paris, 1901), fils de Jean Perrin. Il participa aux essais qui permirent de montrer qu'on pouvait obtenir et contrôler une réaction en chaîne entretenue (1939). **V. Joliot.** Il devint haut-commissaire à l'énergie atomique en 1951. (Acad. sc., 1953.)

PERRONET (Jean Rodolphe). ♦ Ingénieur français (Suresnes, 1708 – Paris, 1794). Il dirigea la construction d'un grand nombre de ponts, dont le pont de la Concorde à Paris (1787-1791). Il fonda, avec Trudaine*, l'École des ponts et chaussées. (Acad. sc., 1765.)

PERRONNEAU (Jean-Baptiste). ♦ Peintre, pastelliste, graveur et dessinateur français (Paris, 1715 – Amsterdam, 1783). Il se forma auprès du graveur L. Cars, puis dans les ateliers de Natoire* et de Drouais*. Admirateur de Chardin*, il fut un portraitiste sensible (*L'Enfant au livre,* 1746). Il adopta la technique du pastel, mais ne put rivaliser avec La* Tour. À la recherche de commandes, il voyagea beaucoup en province, en Italie, en Hollande et fut en 1781 appelé en Russie. Il se fit une clientèle surtout parmi la bourgeoisie, et s'il n'eut pas le brio ni la facture vigoureuse de La Tour, il fut un observateur fidèle, pratiquant un art discret parfois presque austère et utilisant des harmonies délicates (*Abraham van Robais,* 1767).

PERROS-GUIREC [pɛʀosgiʀɛk]. ♦ Ch.-l. de cant. des Côtes-du-Nord, arr. de Lannion*, sur la côte. 6 913 hab. Église (nef romane, chœur du XIVe s.). – Port de pêche et de plaisance. Importante station balnéaire comprenant de nombreuses plages dont Trestraou, Trestrignel, Ploumanac'h*, La Clarté (chapelle en granit rose du XVe s.). Carrières de granit rose ; construction de petits bateaux.

PERROT (Jules). ♦ Danseur et chorégraphe français (Lyon, 1810 – Paramé, 1892). Élève de Vestris, il débuta à l'Opéra de Paris, aux côtés de Marie Taglioni (1830) et révéla aussitôt des qualités exceptionnelles de danseur d'élévation *(Flore et Zéphire).* Ayant rencontré Carlotta Grisi (1833), il entreprit avec elle plusieurs tournées en Europe avant de faire à Paris une rentrée triomphale. Promu ensuite premier danseur et maître de ballet au *Her Majesty's Theatre* de Londres (1842-1848), il y composa de nombreuses chorégraphies. C'est au Théâtre impérial de Saint-Pétersbourg (1849-1859) qu'il acheva sa carrière. Incomparable animateur de la danse à l'époque romantique, J. Perrot suscita l'enthousiasme de Th. Gautier qui le surnomma « Perrot l'Aérien, Perrot le Sylphe, le Taglioni mâle ».

PERROT D'ABLANCOURT (Nicolas). ♦ Historien français (Châlons-sur-Marne, 1606 – Paris, 1664), dont les traductions des classiques grecs et latins (1637-1664) furent jugées plus élégantes qu'exactes, et surnommées *Les Belles Infidèles.* (Acad. fr.)

PERROUX (François). ♦ Économiste français (Lyon, 1903). Fondateur de l'Institut de science économique appliquée (1944), professeur au Collège de France (1955), il est directeur, depuis 1960, de l'Institut d'études et de développement économique et social. Tout en critiquant les types d'économie totalement planifiée et en maintenant sa confiance dans le caractère dynamique du système capitaliste, il a proposé, entre le socialisme et le capitalisme libéral traditionnel, une tierce solution. Admettant à côté du secteur capitaliste (privé) un secteur étatisé et reconnaissant la nécessité de certaines interventions des pouvoirs publics en matière économique et sociale, il a vu dans la communauté de travail (entreprise considérée comme un tout organisé) le moyen d'abolir l'opposition entre salariés et entrepreneurs et de promouvoir la personne humaine. *Le Problème du profit,* 1926 ; *Capitalisme et Communauté de travail,* 1938 ; *Cours d'économie politique,* 1939 ; *La Valeur,* 1943 ; *Théorie générale du progrès,* 1957. Dans *La Coexistence pacifique,* 1958, l'auteur pose le problème des rapports entre les systèmes capitaliste et socialiste.

PERRY (Oliver Hazard). ♦ Marin américain (dans le Rhode Island, 1785 – Trinidad, 1819). Il écrasa la flotte britannique sur le lac Érié (1813) durant la guerre anglo-américaine de 1812-1814.

PERSAN. ♦ Comm. du Val-d'Oise, arr. de Pontoise, près de Beaumont*-sur-Oise. 6 587 hab. *(Persanais).* Forges, fonderies, constructions mécaniques. Imprimerie.

PERSE (Aulus Persius Flaccus). ♦ Poète latin (Volterra, 34 – Rome, 62), mort à 28 ans. Auteur de six *Satires.* Stoïcien ami de Lucain*, il y exprima les passions, les haines d'un adolescent aspirant à une totale pureté, dans un style heurté et souvent obscur.

PERSE. *n. f.* ♦ *Géogr. anc.* Pays des Perses, c'est-à-dire, classiquement, la *Perside* des Grecs (auj. *Fars*), région de Chiraz et de Persépolis, bordant la rive N.-E. du golfe Persique. Le terme est couramment étendu à l'ensemble de l'ancien Iran dominé par les Perses, ou même la totalité de l'empire perse (la ou le *Persique* des Grecs). L'actuel empire perse a pris le nom d'Iran en 1935. **V. Iran.** ♦ *Hist.* LA PERSE ANTIQUE ET PRÉISLAMIQUE. L'Iran pré- et protohistorique est connu par plusieurs sites, dont le principal est Tépé Sialk **(V. Sialk).** Au ~ IIe millénaire, tandis que l'Élam développait une civilisation en rapport avec celle de Babylonie **(V. Élam),** des envahisseurs indo-européens donnèrent son nom à l'immense plateau iranien où ils s'établirent (Iran = *Ayryana Vaejô,* « l'origine des Aryens ») ; l'art de ces peuples nomades ou semi-nomades, influencé par les bronzes du Luristan*, est bien représenté par l'art scythe **(V. Scythes).** Au ~ IXe s., les Perses *(Parsu),* qui sont aussi des Indo-Européens, sont mentionnés par les textes assyriens ; leur pays *(Parsua)* situé alors au N. de l'Assyrie, entre le Tigre et le lac d'Ourmia, fut ravagé par Salmanasar* III. Ils s'établirent v. ~ 700 dans la région qui devint la Perse proprement dite (*Parsa,* auj. *Fars*) et furent d'abord dominés par leurs frères de race, les Mèdes, qui les inclurent dans leur empire **(V. Mèdes).** En ~ 556-~ 550, la révolte d'un roitelet, Cyrus* II le Grand, porta au pouvoir une dynastie perse **(V. Achéménides)** dont l'empire devait être le plus vaste de toute l'Antiquité. Après les conquêtes de Cyrus* II et de Cambyse* II, celui-ci atteignit son apogée avec le règne de Darios* Ier (~ 522-~ 486). De l'Indus à la Méditerranée, comprenant même l'Égypte, l'Asie Mineure et la Thrace, l'empire était alors divisé en une vingtaine de satrapies où le pouvoir se trouvait réparti entre le satrape, un administrateur civil et un commandant militaire, et où une surveillance supplémentaire était exercée par des inspecteurs itinérants appelés « les yeux et les oreilles du roi ». Les diverses capitales (Pasargades*, Persépolis*, Ecbatane*, Suse*, Sardes*) étaient reliées par des routes royales ; un système de messagers et de relais assuraient les communications. La religion officielle était le mazdéisme **(V. Ahura Mazdâ),** mais chaque peuple conservait ses dieux nationaux. Une monnaie d'or, la « monnaie de Darios » ou *darique,* symbolisa la puissance économique de l'empire. Mais ce règne, qui vit la construction de Persépolis et du mausolée royal de Naqsh-i-Rustam, et dont la gloire est célébrée par l'inscription de Béhistun*, fut aussi celui des premiers échecs, face aux Grecs : révolte des villes d'Ionie, guerres Médiques*, continuées sous Xerxès* Ier et marquées par les défaites de Marathon* (~ 490), Salamine* (~ 480), Platées et Mycale (~ 479) ; en ~ 449, la victoire grecque fut consacrée par la paix de Callias. En fait, l'empire perse était affaibli par son étendue même et par le disparate des peuples qu'il groupait ; le pouvoir central se trouvait miné par les crises successorales sanglantes qu'ouvrait, à chaque fois, la mort du Grand Roi, et par les menées des satrapes, toujours portés à se conduire en souverains indépendants. Il est probable que l'empire ne dura que grâce à l'absence de puissance organisée autour de lui. Aussi, lorsque la Macédoine s'affirma, se montra-t-il incapable de résister aux coups de Philippe* et surtout d'Alexandre* qui le conquit en quelques années : batailles du Granique (~ 334), d'Issos (~ 333),

Ph. Nino Cirani/Ricciarini

Perse : Tombe d'Artaxerxès Ier.
(Nécropole achéménide de Naqsh-i-Rustam, Iran.)

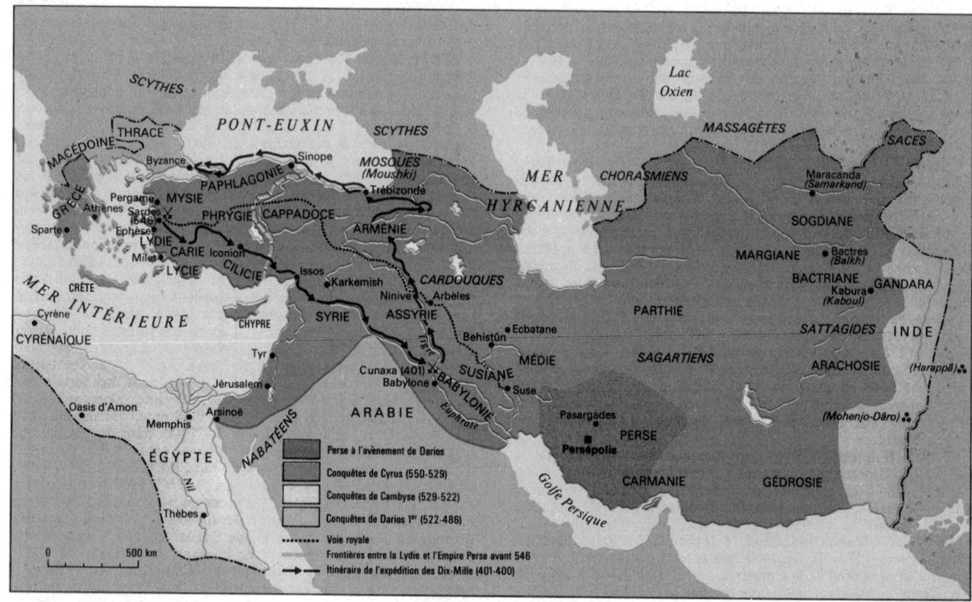

L'Empire perse.

de Gaugamèles (~ 331), assassinat de Darios* III en fuite (~ 330). La mort précoce du conquérant (~ 323) fit tourner court son grand projet : unifier l'hellénisme et la civilisation perse. Au cours des querelles de la succession d'Alexandre, la Perse revint à Peithon, puis à Séleucos* (~ 301) et à ses successeurs **(V. Séleucides).** Mais dès le ~ IIIe s., la puissance des Séleucides fut battue en brèche par celle des Parthes, qui fondèrent une dynastie nouvelle **(V. Arsacides)** dont les possessions s'étendirent peu à peu; en ~ 141, le titre impérial fut rétabli par Mithridate* Ier, conquérant de l'Iran, de la Perside, de la Babylonie. Le nouvel empire atteignit son apogée sous Orode* II (~ 55-~ 37), et une longue rivalité avec l'empire romain commença **(V. Parthes).** La capitale était alors Ctésiphon*. La civilisation était suffisamment colorée d'hellénisme pour qu'au début du IIIe s., la révolte d'un prince proprement perse, Ardachêr*, apparût comme une réaction nationale. Ardachêr mit fin à la dynastie arsacide et, s'étant rendu maître de l'empire (224-226), instaura celle des Sassanides **(V. Sassanides).** La Perse vécut alors quatre siècles parmi les plus brillants de son histoire. Le Grand Roi, entouré d'un rituel impressionnant, gouvernait assisté d'un général en chef et d'un vizir. L'État tirait sa force d'une vigoureuse centralisation administrative (des provinces moins indépendantes avaient remplacé les anciennes satrapies) et s'appuyait sur la religion officielle, le mazdéisme réorganisé, soumis à un pontife suprême, et puisant sa foi dans l'*Avesta** reconstitué; les religions nouvelles apparues au IIIe s., christianisme et manichéisme **(V. Mani),** furent persécutées de façon intermittente; en ce qui concerne le christianisme, l'Église perse fut la première à se constituer en Église indépendante (424) et fut plus tard appelée « nestorienne » **(V. Nestorius).** La société était divisée en quatre classes : prêtres ou « mages », guerriers, scribes, artisans et paysans. L'impôt était établi par tête et sur la propriété foncière. Les capitales étaient Ctésiphon, Suse, Gundeshâhpuhr. Un système de courriers royaux avait été reconstitué, comme sous les Achéménides. Les arts connurent un rayonnement remarquable : palais royaux, avec voûtes et coupoles; bas-reliefs et orfèvrerie à sujets animaliers. Avec le développement du moyen perse ou *pehlvi* comme langue officielle et littéraire, apparaissent les plus anciens textes iraniens connus (hors l'*Avesta* et les inscriptions achéménides); il s'agit de littérature religieuse, avec le *Denkard,* précieuse encyclopédie du mazdéisme, ou le *Bundahishn,* récit cosmologique, mais aussi de littérature profane (*Livre des exploits d'Ardachêr, Livre des souverains* connu seulement à travers Firdûsi). Politiquement, l'empire sassanide hérita de la rivalité romano-parthe, avec les mêmes enjeux **(V. Arménie, Mésopotamie).** Les principales campagnes eurent lieu sous Ardachêr*, Shâhpuhr* Ier (vainqueur de Valérien* en 260), Bahrâm* II, Shâhpuhr* II (vainqueur de Julien* en 363), Khosrô* Ier et Khosrô* II qui l'un et l'autre, respectivement face à Justinien* et à Héraclius*, durent signer la paix après avoir d'abord remporté d'éclatantes victoires. À l'autre extrémité de l'empire, les rois sassanides eurent à combattre les Huns, apparus au début du Ve s. **(V. Bahrâm V, Pérôz, Khosrô Ier).** L'empire sassanide connut son apogée culturel sous Khosrô Ier (531-579) et sa plus grande extension territoriale sous Khosrô II (590-628), celui-ci ayant momentanément reconstitué l'équivalent de l'empire achéménide. Mais ses défaites et son assassinat ouvrirent une période de troubles qui coïncida avec les premières attaques des Arabes (633). Ceux-ci, vainqueurs à Al Qâdisiyya (637) et à Nevahend (642) envahirent la Perse tandis que Yazdgard* III se réfugiait à Merv; du fond du Türkestân, et même de Chine, ses successeurs se prétendirent encore « rois de Perse » jusqu'au VIIIe s. — LA DOMINATION ARABE, TURQUE ET MONGOLE. L'adaptation de la Perse à la civilisation et à la religion de l'islâm se fit sans heurts. Sur le plan économique, la féodalité locale conserva ses possessions, moyennant tribut, sous le califat ʻumayyade. Le Khûrasân (Khorassan) s'opposa cependant au califat et contribua à son renversement par les ʻAbbâssides* (750). Ces derniers, installés à Baghdâd, favorisèrent des coutumes proches de celles des Sassanides, et la Perse joua un rôle essentiel dans la modification de la culture islamique, jusqu'alors essentiellement arabe. Cependant, au IXe s., l'affaiblissement du califat suscita l'apparition de dynasties locales : Tahirides du Khûrasân* [Khorassan] (821-873), Saffarides du Séistan, qui dominèrent le Khûrasân de 873 à 900, date où les Samanides* l'emportèrent, annexant en outre le Mazandéran. Sous les Samanides, la Perse connut un essor commercial et culturel considérable (essor de la littérature persane, avec Firdûsi, etc.). Le rôle croissant des Türk dans l'organisation militaire samanide entraîna l'essor des Ghaznavides* [ou Ghaznévides] **(V. Alptegîn, Mahmûd de Ghaznî)** en Afghânistân et en Iran, et surtout des Saljûqides [Seldjoukides] : Toghrul-Bey soumit toute la Perse, renversa les Buyides (Bouyides) à Baghdâd, restaurant le calife ʻabbâsside aux côtés de qui il gouverna. L'empire perse fut reconstitué pendant le XIe s., puis se divisa à nouveau à la mort de Mâlik Shâh (1092) : le sultanat saljûqide de Perse disparut en 1194. **V. Saljûqides.** Cette époque vit l'immigration de tribus türk et l'affaiblissement de la brillante civilisation islamo-perse. — Au XIIIe s. (1221-1222), les Mongols envahirent le pays. Gengis Khan (Temüjin*) eut surtout un rôle de conquérant destructeur et c'est Hûlagû* Qân qui régna sur l'Iran et l'actuel Iraq, renversant les ʻAbbassides à Baghdâd (1258). Les qâns mongols de Perse (Ilqâns ou Ilkhans) adoptèrent l'islâm vers la fin du XIIIe s., mais ne purent maintenir l'unité. Au XIVe s., plusieurs dynasties provinciales se partageaient le pays. L'invasion de Tîmûr*-i-Lang [Tamerlan] (1381-1387) fut plus destructrice encore que celle de Gengis; mais les Tîmûrides, qui se maintinrent en Perse jusqu'en 1517, gouvernant depuis l'Afghânistân, favorisèrent au XVe s. une renaissance culturelle en Iran oriental, alors que l'ouest du pays, dépeuplé et misérable, était à la merci des tribus türkmènes et de leurs rivalités (confédération de hordes, dites du « Mouton-Noir » et du « Mouton-Blanc »). — LES SAFAVIDES [SÉFÉVIDES]. Ismâʻil* Ier, descendant d'une famille déjà ancienne **(V. Safavides),** fonda un État autour de l'idée mystique d'une Perse shiʻite, opposée aux Ottomans sunnites. Il vainquit les Ouzbeks [Uzbeks], les chassant du Khûrasân. Contre les Ottomans, les Safavides furent battus à Chaldiran [Tchaldiran] en 1514, mais Sélim Ier ne sut pas exploiter sa victoire. Sous Tahmasp Ier (1524-1576), les Turcs ottomans conquirent l'Iraq et Baghdâd (1534) et occupèrent même pendant un temps la capitale, Tabriz. Sous Abbas* Ier le Grand [Shâh Abbas], l'armée fut réorganisée et modernisée (avec l'aide de deux conseillers anglais), le commerce se développa, une nouvelle capitale, Ispahan*, fut choisie et embellie; enfin, la Perse refoula les Ottomans, reprenant la Mésopotamie et Baghdâd (1623-1638). Au XVIIe s., malgré le raffinement et le luxe de la classe dominante et de la cour, la Perse safavide déclina; mais elle exerça une influence culturelle remarquable sur l'Europe (voyages de Tavernier, Chardin; vogue de la Perse, dont témoigne l'œuvre de Montesquieu, les *Lettres persanes*) et une très forte influence politique et civilisatrice sur l'Inde des Mogols. En 1722, les Afghans attaquèrent le pays, atteignant et dévastant Ispahan. Un émir afghan usurpa le trône, mais l'héritier safavide Tahmasp II, soutenu par Nâdir, fut restauré avant d'être dominé par son protecteur qui se fit couronner en 1736. **V. Nâdir Shâh.** — LA PERSE AUX XVIIIe ET XIXe SIÈCLES. L'empire de Nâdir Shâh, assassiné en 1747, était le produit d'une dictature personnelle et ne lui survécut pas. La dynastie éphémère des Zends, fondée par Karim Khan (1747-1779), fut éliminée par un chef de tribu türkmène, Agha* Muhammad qui vainquit le dernier Zend, battit les Türkmènes et le petit-fils de Nâdir, qui régnait sur le Khûrasân. Agha Muhammad se fit couronner à Téhéran (1794); il combattit les Russes en Géorgie (1795) avant d'être assassiné. Il avait fondé la dynastie des Qâdjars*. Son successeur Fath'Ali Shâh (1797-1834) eut un règne difficile, dominé par le danger que représentaient pour le pays des rivalités et des intérêts européens. Bonaparte envisagea un moment une expédition franco-russe en Perse pour attaquer l'Inde anglaise; mais le tsar Paul Ier fut assassiné en 1801 et l'entente franco-russe disparut. Attaqué par les Russes, qui annexèrent la Géorgie, Fath'Ali, malgré le soutien de Napoléon Ier qui lui dépêcha un conseiller militaire (Fabvier) fut vaincu (1813 : abandon de la Géorgie; 1828 : perte de l'Arménie). Contre l'Afghânistân, que les Russes l'incitaient à conquérir, le successeur de Fath'Ali, Muhammad Shâh (1834-1838), se heurta aux Anglais. Nâsir ed-Din (1848-1896) tenta de réorganiser l'État et l'armée perses, avec l'aide de son vizir Taghi Khan (qu'il fit exécuter). **V. Nâsir ed-Din.** Il lutta contre le mouvement réformateur fondé par Bâb **(V. Bâbisme)** par une répression sanglante, et la naissance d'un sentiment nationaliste l'empêcha de favoriser comme il le voulait les intérêts anglais (tentative de vente du monopole des tabacs, 1870). Son successeur, Muzaffar ed-Din (1896-1907), dut promulguer une constitution et réunir un parlement (1906); s'appuyant sur l'autocratie russe, il profita de l'accord anglo-russe pour obtenir aussi l'appui des Anglais, en qui les libéraux avaient mis leurs espoirs, ainsi déçus. L'autocratisme des derniers Qâdjars, joint au renforcement des positions économiques anglaise et russe, déclencha plusieurs complots nationalistes ou libéraux. Celui de Rizâh Khan réussit et aboutit au pouvoir de la dynastie des Pahlavi*, fondateurs de l'Iran moderne. — **V. Iran,** *Hist.*; **Rizâh Shâh.**

PERSÉE, en gr. **Perseus.** ♦ Fils de Zeus* et de Danaé*, fille du roi d'Argos*, Acrisios*. Celui-ci, averti par un oracle qu'il serait tué par son petit-fils, enferme la mère et l'enfant dans un coffre de bois et l'abandonne sur les flots qui le rejettent dans l'île de Sériphos. Plus tard, le roi de l'île, Polydectès, amoureux de Danaé et voulant se débarrasser de Persée, lui enjoint de rapporter la tête de Méduse*. Persée, portant le casque d'Hadès qui le rend invisible et des sandales ailées, aidé par Athéna*, parvient à trancher le cou du monstre et prend sa tête. Passant en Éthiopie, il délivre Andromède* en tuant le monstre marin qui devait la dévorer, et l'épouse. De retour à Sériphos, il trouve sa mère persécutée par Polydectès dont elle repoussait les avances. Il montre la tête de Méduse au roi et à ses amis, qui sont immédiatement transformés en statues de pierre. Acrisios s'enfuit à Larissa. Plus tard, Persée, lançant le disque lors des jeux funèbres à Larissa, tue accidentellement un spectateur qui n'était autre qu'Acrisios. À cause de ce meurtre, Persée échange le royaume d'Argos contre celui de Tirynthe*. Parmi ses fils figure Alcée*, le grand-père d'Héraclès*. Après sa mort il est placé parmi les constellations.

PERSÉE. ♦ (v. ~ 212 — Alba Fucens, v. ~ 165). Dernier roi de Macédoine (~ 179-~ 168). Fils illégitime de Philippe* V, il chercha à rétablir en Grèce l'hégémonie macédonienne. Informée de ses desseins par Eumène* II de Pergame, Rome engagea la guerre contre lui (~ 171). En ~ 168, Persée fut vaincu par Paul* Émile à Pydna* et emmené à Rome où il mourut en captivité.

PERSEIGNE *(forêt de)*. ♦ Forêt de la Sarthe, s'étendant sur plus de 5 000 ha, entre Mamers et Alençon. Elle atteint 340 m d'alt. au *signal de Perseigne.*

PERSÉPHONE, en gr. **Persephonê.** ♦ Fille de Zeus* et de Déméter*, appelée aussi *Coré*. Enlevée par Hadès*, elle devient la reine des Enfers, mais, selon le compromis imposé par Zeus, elle monte sur la terre à l'époque des premières poussées printanières et retourne au monde souterrain à l'époque des semences. **(V. Pirithoos, Thésée).** Dans le mythe orphique, Perséphone, unie à Zeus, donne naissance à Zagreus, le « premier Dionysos* ». La signification de son mythe était révélée dans les mystères d'Éleusis* **(V. Déméter)** Elle fut identifiée avec *Proserpine*, la déesse romaine des Enfers.

PERSÉPOLIS, en vieux perse **Parsa.** ♦ Anc. cité royale de l'empire perse achéménide, fondée par Darios* Ier *(fin* ~ VIe s.), agrandie par Xerxès Ier et Artaxerxès Ier. La V., construite sur une immense esplanade et montrant les ruines des palais de Darios *(Apadana)* et de Xerxès, constitue l'un des plus imposants monuments de l'art achéménide, empruntant des éléments à la Mésopotamie (frises sculptées), à l'Égypte (salles hypostyles) et même à l'Ionie (colonnes cannelées) et les fondant dans un ensemble empreint d'une grandeur solennelle, typique des Achéménides. La V. fut saccagée et incendiée par Alexandre le Grand (~ 331), sans qu'on s'explique bien cet acte de vandalisme.

Perses (Les), en gr. **Persai.** ♦ Tragédie d'Eschyle* (~ 472). La scène se passe à Suse, devant le palais royal où plane une atmosphère d'angoisse. Le chœur des vieillards, dans l'attente des nouvelles de l'expédition conduite par Xerxès contre les Grecs, essaie de tromper son inquiétude en célébrant la valeur des soldats perses. Mais un songe douloureux de la reine Atossa, mère de Xerxès, apparaît à tous comme un signe funeste. Confirmation en est aussitôt donnée par un messager qui annonce le désastre des Perses à Salamine. Alors, Atossa et le chœur évoquent l'ombre de Darios, père de Xerxès, qui sort de son tombeau pour inciter les Perses à ne plus lancer d'expéditions maritimes et maudire la folie conquérante de son fils. Blessé, loqueteux, objet de la réprobation générale, celui-ci apparaît enfin. La pièce s'achève par des lamentations. Poème patriotique composé à la gloire de la Grèce, la tragédie développe en même temps un éloge de la modération, de la démocratie et de la paix.

PERSHING (John Joseph). ♦ Général américain (dans le Missouri, 1860 — Washington, 1948). Il combattit pendant la guerre avec l'Espagne (1898) et la campagne des Philippines (1900-1904). Commandant du corps expéditionnaire américain en France, en 1917, il dirigea les actions du bois Belleau (qui permirent l'offensive sur Soissons) et de Saint-Mihiel*. Chef d'état-major (1921-1924). Auteur de mémoires (*My Experiences in the World War,* 1931).

PERSIGNY (Jean Gilbert Victor FIALIN, *duc de***).** ♦ Homme politique français (Saint-Germain-l'Espinasse, Loire, 1808 — Nice, 1872). Renvoyé de l'armée en raison de ses positions républicaines (1831), il devint peu après bonapartiste, entra en relation avec Louis Napoléon Bonaparte (1834) auquel il apporta son aide lors des tentatives manquées de Strasbourg (1836) et de Boulogne (1840). Emprisonné quelque temps après, puis relâché, il soutint la candidature de Louis Napoléon Bonaparte à la présidence (déc. 1848), fut élu à l'Assemblée législative (mai 1849), et participa au coup d'État du 2 décembre* 1851. Napoléon III le nomma ministre de l'Intérieur (1852-1854, 1860-1863) et ambassadeur à Londres (1855-1858, 1859-1860). La libéralisation relative du régime le contraignit à la retraite. Auteur de *Mémoires* (publiés en 1896).

PERSIQUE ou **ARABIQUE** *(golfe). n. m.* ♦ Golfe séparant les côtes d'Iran de la façade orientale de l'Arabie, communiquant avec le golfe d'Oman et, par la mer d'Oman, avec l'océan Indien. Le Tigre* et l'Euphrate* s'y jettent par le delta du Chatt* al-Arab. *V. princ. sur le golfe :* **V. Abadan** (dans le fond du golfe), **Kuweit, Mina al Ahmadi, Qatif, Damman, Dharan, Muharrak, Manama, Doha;** ces villes se trouvent sur la rive arabique, où la côte est basse et bordée de lagunes, et où la faible profondeur des eaux permet l'exploitation de gisements pétrolifères sous-marins **(V. Bahrein, Kuweit).** Les champs pétrolifères d'Arabie Sa'ûdite se trouvent près de la côte (Abqayq, Damman, Dharan, Qatif). Pêcheries (perles).

PERSOZ (Jean-François). ♦ Pharmacien et chimiste français (Gex, 1805 — Paris, 1868). Connu surtout pour ses travaux sur la diastase **(V. Payen),** il étudia également, avec Biot*, l'*inversion* du sucre de canne, s'intéressa aux matières colorantes et révéla un cas d'empoisonnement par le phosphore. Il mit au point la méthode classique de préparation du méthane, à partir de l'acide acétique.

Ph. Nino Cirani/Ricciarini

Persépolis : bas-relief, escalier ouest.

PERTH. ♦ Cap. de l'Australie*-Occidentale, au S.-O. de cet État, sur la r. d. de la riv. Swan, à env. 19 km au N.-E. de son embouchure, reliée à Sydney et à Melbourne par le chemin de fer transaustralien. Aggl. 703 200 hab. Université. Centre commercial et des affaires. Développement industriel, en particulier dans la banlieue. – Fremantle* constitue son avant-port.

PERTH. ♦ V. d'Écosse et ch.-l. du comté de Perth, sur la r. d. du Tay. 41 200 hab. Église St.John (XIIe-XVe s.). Centre industriel (teintureries, distilleries). ♦ *Hist.* Anc. camp romain *(Victoria),* la ville fut érigée en bourg royal par Guillaume* le Lion en 1210 puis devint capitale de l'Écosse, rôle qu'elle perdit au profit d'Édimbourg après l'assassinat de Jacques* Ier (1437). – Le *comté de Perth* (6 458 km^2. 127 060 hab.), formé au N. de hauts plateaux qui annoncent les Grampians et au S. de plaines appartenant au système des Lowlands, a pour princ. ressources la céréaliculture (avoine) et l'élevage ovin.

PERTHARITE. ♦ (mort en 688). Roi des Lombards (661, puis 671-688). Il succéda à son père Aribert Ier, se vit disputer le pouvoir par son frère Godebert et par le duc de Bénévent. Il put cependant reprendre son trône à la mort de ce dernier. – Corneille en fit le héros d'une de ses tragédies (1651).

PERTHOIS. *n. m.* ♦ Pays de la Champagne humide (Marne) entre la Marne et l'Ornain. C'est une grande voie de passage avec le confluent de la Marne et de la Blaise, dans la région de Perthes et Vitry-le-François. Élevage et forêts.

PERTHUS [pɛʀtys] **(Le).** ♦ Comm. des Pyrénées-Orientales, arr. de Céret. 862 hab. Le col *du Perthus* est sur la frontière franco-espagnole. Centre commercial. ♦ *Hist.* C'est par ce passage, commandé par la forteresse de Bellegarde, qu'Hannibal pénétra en Gaule en ~ 218.

PERTINAX, en lat. **Publius Helvius Pertinax.** ♦ (Alba Pompeia, Ligurie, 126 – Rome, 193). Empereur romain (janv.-mars 193). Préfet de Rome, en 192, il fut proclamé empereur malgré lui par les prétoriens et le sénat, après l'assassinat de Commode*. Il tenta d'améliorer les finances de l'État, mais fut massacré par les prétoriens après quatre-vingt-sept jours de règne.

PERTUIS. ♦ Ch.-l. de cant. du Vaucluse*, arr. d'Apt*, sur le Lez. 8 422 hab. *(Pertuisiens).* – Église gothique remaniée au XVIe s., tour de l'horloge du XIIIe siècle. Marché agricole, centre commercial. – Patrie de Victor Riqueti de Mirabeau*.

PERTUIS BRETON. ♦ Détroit séparant l'île de Ré de la côte du marais poitevin.

PERTUSATO *(cap).* ♦ Pointe située à l'extrémité méridionale de la Corse au S.-E. de Bonifacio.

PÉRUGIN (Pietro di Cristoforo VANNUCCI, dit **il Perugino,** en fr. **le).** ♦ Peintre italien (Città della Pieve, v. 1445 – Fontignano, Pieve, Pérouse, 1523). Ombrien marqué par l'ordonnance claire des compositions de Piero* della Francesca, il fit ses débuts à Florence, où il s'initia aux techniques de l'huile dans l'atelier de Verrocchio*. Les débuts de sa carrière sont mal connus (première œuvre de date certaine : *Saint Sébastien,* 1478, église de Cerqueto). En 1481, il était assez réputé pour être appelé à Rome et participer à la décoration de la Sixtine* : *La Remise des clefs à saint Pierre,* exécutée avec la collaboration du Pinturicchio*, montre son sens de l'espace, sa chaude luminosité, la sérénité de ses figures. Ce fut le début de sa gloire. Retourné à Florence en 1486, il eut deux ateliers, à Florence et à Pérouse, qui fournirent une quantité considérable de tableaux, œuvres d'aides et d'élèves que le maître surveillait. Cette activité commercialisée, cette soif d'argent et d'honneurs (il prit rang parmi les magistrats de Pérouse en 1501), n'allèrent pas sans une baisse de qualité et, dès cette époque, on critiqua la facilité et la joliesse de ses productions. Néanmoins, il avait fixé (notamment avec ses *Madones à l'Enfant*) le caractère d'un art religieux appelé à un durable succès et il sut peindre encore des œuvres importantes : la *Crucifixion* de Santa Maddalena de' Pazzi à Florence, où trois arcades régissent une composition d'une belle simplicité (1495-1496); le triptyque de la chartreuse de Pavie (1499); les fresques du Collegio del Cambio à Pérouse *(La Transfiguration, L'Adoration des bergers, La Force et la Tempérance, La Prudence et la Justice)* où des thèmes chrétiens et païens se rencontrent de façon séduisante (1499-1500; il fut aidé par son jeune élève, Raphaël); *Le Mariage de la Vierge* (1504, musée de Caen). En 1505, Isabelle d'Este l'appela à Mantoue et il peignit pour elle quelques tableaux « laborieux » (André Chastel), dont *Le Combat de l'Amour et de la Chasteté* qui orna son « studiolo » (*auj.* au Louvre). Le Pérugin occupe, dans l'histoire de l'art, une position ambiguë : initiateur d'un art clair et reposé, il ouvrit les voies de Raphaël mais aussi celles de l'imagerie religieuse du XIXe siècle.

PERUTZ (Max Ferdinand). ♦ Biochimiste britannique d'origine autrichienne (Vienne, 1914). Auteur de recherches sur l'hémoglobine, il détermina avec J.C. Kendrew* la structure tridimensionnelle de celle-ci, ainsi que celle de la myoglobine (1960), protéine globulaire voisine, grâce à la technique de diffraction des rayons X. **V. Bragg.** (Prix Nobel de chimie, 1962.)

PÉRUWELZ. ♦ V. de Belgique (Hainaut, arr. de Tournai) à la frontière française. 7 900 hab. Église Saint-Quentin (tour du XVIe). Aux environs, *Bon Secours,* lieu de pèlerinage; château de l'Ermitage (1749), en territoire français. – Indus. chimiques (plastique) et textiles (laine). Matériaux de construction (carrelages). Carrières de marbre.

PERUZZI (Baldassare). ♦ Architecte et peintre italien (Sienne, 1481 – Rome, 1536). Après avoir été l'assistant du Pinturicchio* à Sienne, il se fixa à Rome en 1503 et, à partir de 1508, se consacra principalement à l'architecture : construction et décoration de la *Farnésine,* son chef-d'œuvre (1508-1511), plan de la cathédrale de Carpi (1515), direction des travaux de Saint-Pierre de Rome (1520). Ruiné par le sac de Rome (1527), il rentra à Sienne où il bâtit les fortifications, des villas, le *château Belcaro.* Revenu à Rome, il construisit le *palais Massimo.* Si la Farnésine*, sous les agréments décoratifs qui en font un abrégé du raffinement de l'époque, maintient les principes classiques de Bramante, le goût personnel de Peruzzi l'entraîna ensuite dans des recherches virtuoses telles que la façade en courbe ou les fausses fenêtres du palais Massimo. Scénographe et décorateur, il travailla pour le théâtre et régla maintes fêtes pontificales, notamment le couronnement de Clément VII (1523).

PERVOOURALSK ou **PERVOURALSK.** ♦ V. d'U.R.S.S. (R.S.F.S. de Russie), dans la région de Sverdlovsk, sur la Tchoussovaïa [Tchusovaïa] (affl. de la Kama, 735 km). 119 000 hab. Indus. métallurgiques et mécaniques.

PESARO. ♦ V. et port d'Italie, dans les Marches*. Ch.-l. de prov. sur l'Adriatique, à l'embouchure de la Foglia. 75 000 hab. Palais ducal (XVe s.). Station balnéaire. Raffinerie de soufre. À partir du XVe s., la ville acquit une grande renommée dans la fabrication de majolique et de faïence. Patrie de Rossini*. ♦ *Hist.* Anc. *Pisaurum,* colonie romaine (~ 184), elle fit partie de la donation de Pépin* le Bref au Saint-Siège. Elle appartint aux Malatesta de 1285 à 1445, date à laquelle elle fut vendue aux Sforza*.

PESCADORES *(îles). n. m. pl.* ♦ **V.** P'ENG-HU LIEH-TAO.

PESCARA. *n. f.* ♦ Fl. d'Italie péninsulaire, né dans les Abruzzes* (145 km avec le Pesaro) et se jetant dans l'Adriatique à Pescara*. Nombreuses centrales électriques.

PESCARA. ♦ V. d'Italie méridionale, dans les Abruzzes*. Ch.-l. de prov. à l'embouchure du fleuve du même nom. 115 122 hab. Station balnéaire fréquentée. Centre commercial et indus.; pétrole. – Patrie de G. D'Annunzio.

PESCENNIUS NIGER. ♦ Général romain ([mort] près de Cyzique, 195). Légat de Syrie, il fut proclamé empereur par ses soldats à la mort de Pertinax* tandis que Septime* Sévère était proclamé par les légions d'Illyrie (193). Il essaya de s'entendre avec ce dernier, mais fut vaincu par lui à Issos, et tué.

PESCHIERA DEL GARDA (« pêcherie du [lac de] Garde »). ♦ V. d'Italie du Nord, en Vénétie* (prov. de Vérone*), sur le Mincio et le lac de Garde. 6 000 hab. ♦ *Hist.* Ce fut jusqu'en 1903, avec Vérone*, Mantoue* et Legnano*, l'une des places fortes du « quadrilatère* lombard », qui commandait les routes des Alpes.

PESHÂWAR. ♦ V. du N.-O. du Pâkistân, important poste commercial et militaire à l'entrée de la passe de Khyber, reliant le Pâkistân à l'Afghânistân. Plus de 300 000 hab. (avec l'important cantonnement militaire à l'O. de la ville). Centre commercial et artisanal (tapis, poteries, armes, textiles, objets de cuivre). Anc. capitale du Gandhâra*, la ville conserve d'intéressants monuments (fort bâti par les Sikhs, anc. monastère bouddhiste de Gorkhatu, mosquée mogol de Mahabat Khan [1630]). Musée.

Peshiṭto (la) [« la Simple »]. ♦ Version syriaque de la Bible* chrétienne (Ancien et Nouveau Testament) élaborée à Édesse à partir du IIe siècle.

Peshwa. ♦ Titre des premiers ministres des râja hindous du Maharaṣtra* dont la charge devint héréditaire à partir de 1720. Ils exercèrent le pouvoir à la place des mahârâja, s'établirent à Poona près de Bombay* et s'opposèrent violemment aux menées anglaises jusqu'au début du XIXe siècle.

Ph. Roger-Viollet

B. Peruzzi : la « Farnésine ».

PESMES [pɛm]. ♦ Ch.-l. de cant. de la Haute-Saône, arr. de Vesoul. 1 029 hab. Église (XIIe-XIVe s., avec des apports du XVIe s.). Vestiges d'anc. fortifications. Ruines d'un château et d'une chapelle (XIIIe s.). – Outillage.

PESQUIDOUX (Joseph *de***).** ♦ Écrivain français (Savigny-lès-Beaune, 1869 – Saint-Pierre-du-Houga, Gers, 1946). Gentilhomme terrien, il se consacra à la littérature pour dépeindre sa région et chanta les joies de la vie rustique dans ses essais et récits : *Sol de France* (1912), *Travaux et jeux rustiques* (1921), *Sur la glèbe* (1922), *Le Livre de raison* (1925-1932), *La Harde* (1936). Grand prix de littérature en 1927. (Acad. fr., 1936.)

PESSAC. ♦ Ch.-l. de cant. de la Gironde*, arr. de Bordeaux*. 37 044 hab. *(Pessacais).* Excellents vins rouges (vignobles des Graves). Aciéries, meubles, indus. textile, indus. alimentaire.

PESSÕA (Fernando). ♦ Écrivain portugais (Lisbonne, 1888 – *id.,* 1935). Poète très original, il ne fut connu qu'après sa mort, car il ne publia que sous des noms d'emprunt, révélateurs des multiples aspects de sa personnalité (*Œuvres complètes,* 1942-1946). Il transpose ses émotions sur le plan intellectuel et son œuvre est le témoignage d'une époque d'incertitude en face de la complexité du monde. Plusieurs de ses poèmes *(Ode maritime, Le Gardien de troupeaux, ...)* ont été traduits en français.

PESSÕA CAMARA (Hélder). ♦ Archevêque brésilien (Fortalza, 1909). Prêtre en 1931, nommé évêque auxiliaire à Rio de Janeiro (1952), puis archevêque de Recife (1964), il s'est fait connaître dans son pays et sur le plan international par ses prises de position en faveur des pauvres et des opprimés des pays du Tiers-Monde.

PEST. ♦ Partie de Budapest située sur la rive gauche du Danube. Elle formait avant 1873 une ville indépendante et fut réunie à cette date à Buda pour former Budapest. **V. Budapest.**

PESTALOZZI (Johann Heinrich). ♦ Pédagogue suisse (Zurich, 1746 – Brugg, 1827). Promoteur de l'éducation populaire, il consacra la plus grande partie de sa vie à fonder et diriger des écoles pour enfants pauvres en milieu rural. Philanthrope, persuadé qu'une réforme morale et sociale n'est possible que par une réforme de l'instruction, il s'attacha, en disciple de J.-J. Rousseau et sans doute aussi de J.-B. Basedow, à formuler les principes d'un enseignement concret et gradué. Son œuvre la plus connue est un roman où il expose ses conceptions pédagogiques et son idéal humanitaire (*Lienhard und Gertrud,* 1781-1787).

PESTAÑA (Angel). ♦ Homme politique espagnol (1886 – 1937). Ouvrier horloger, membre du syndicat des métallurgistes, puis secrétaire de la Confédération nationale du travail (C.N.T.) en 1914, il contribua avec S. Segui au développement de l'anarcho-syndicalisme (1916-1923). Devenu réformiste, il fut exclu de la C.N.T. (1931) et fondé un parti syndicaliste (1934) dont il fut le député (1936).

Peste. *n. f.* ♦ (Cf. Robert). Le nom de peste fut donné par les Anciens à toutes les maladies épidémiques à forte mortalité (ex. *peste d'Athènes* de ~ 430 à ~ 427). La *peste,* dite *de Justinien,* qui ravagea les deux rives européenne et africaine de la Méditerranée entre 542 et 592 env. fut probablement une véritable épidémie de peste. – La *peste noire* ou *grande peste* se répandit d'Asie centrale (1337-1339) vers la Chine, où elle aurait fait 13 millions de victimes, l'Inde et l'Europe. Apparue en Europe en 1347, elle détruisit l'armée de la Horde d'Or qui assiégeait les Génois à Caffa (Crimée), puis l'épidémie gagna la Sicile et l'Italie péninsulaire (*peste de Florence,* 1348), la France et l'Espagne. En 1349, elle se propagea en Allemagne, en Europe centrale puis en Angleterre (où la population fut atteinte dans des proportions effrayantes : 28 % en 1348, encore 13 % en 1375). Elle fit ses plus nombreuses victimes en Toscane, en Espagne septentrionale et dans le midi de la France. Selon les estimations, l'Europe perdit environ 25 millions d'habitants et l'Asie autant. D'autres pestes importantes furent celles de *Thessalie, Macédoine, Thrace et Constantinople* (1466), de *Venise* (1478), de *Londres* (1664-1665 : env. 100 000 morts sur 460 000 hab.), de *Marseille* (1720-1722 : env. 40 000 morts). La dernière épidémie importante en Europe eut lieu en Russie, dans le bassin de la Volga, en 1878-1879. Il y eut encore des épidémies à Paris (1920). La peste d'Alger (1930 et 1944) a inspiré à Camus* son roman *La Peste.*

Peste (La). ♦ Roman d'A. Camus* (1947). Le livre raconte une épidémie de peste à Oran dans les années 1940. Le récit symbolise l'absurdité de la condition humaine, contre laquelle il n'est que d'éphémères victoires.

PETAH TIKVA (ou TIQWA). ♦ V. de l'État d'Israël dans la banlieue de Tel*-Aviv. 80 000 hab. (1970). C'est une ville en expansion, au S. de la vallée du Yarkon* (agrumes). Indus. textiles, chimiques et mécaniques. Travail du cuir.

PÉTAIN (Philippe). ♦ Maréchal et homme d'État français (Cauchy-à-la-Tour, 1856 – île d'Yeu, 1951). Général en août 1914, il participa aux batailles de la Marne* (sept. 1914), d'Artois* (mai 1915), de Champagne* (sept. 1915), avant d'être appelé à la défense de Verdun* (25 févr. 1916). Son action personnelle y fut décisive, même après sa promotion au commandement du groupe d'armées du Centre et son remplacement, sur le terrain, par Nivelle* (1er mai 1916). Après l'échec du Chemin* des Dames, il remplaça le même Nivelle comme commandant en chef des armées (15 mai 1917), poste qu'il conserva jusqu'à la fin de la guerre, même lorsqu'il fut soumis à Foch*, commandant interallié. Au printemps 1917, il sut reprendre les troupes en main,

Ph. Roger-Viollet

Philippe Pétain.

par la fermeté (condamnation à mort de déserteurs, lutte contre le défaitisme), mais surtout en rétablissant la confiance et en procurant des succès locaux par des attaques soigneusement préparées **(V. Malmaison).** Il fut créé maréchal de France le 19 nov. 1918. Après la guerre, il occupa divers postes de haut commandement, fut chargé de rétablir la situation dans le Rif* (1925, **V. Abd al-Karim**) puis, après le 6 févr. 1934, devint ministre de la Guerre. Ambassadeur en Espagne en 1939, il fut rappelé par Paul Reynaud* pour être vice-président du Conseil (mai 1940). Déjà il estimait la guerre perdue. Devenu président du Conseil, à Bordeaux, dans la nuit du 16 au 17 juin 1940, il demanda l'armistice **(V. Rethondes).** Le 1er juillet, il installa le gouvernement à Vichy; le 10, les Assemblées lui remirent tous les pouvoirs et, le lendemain, un acte constitutionnel fit de lui le chef de l'*État* français.* Il exerça également la présidence du Conseil (vice-présidents : Laval*, puis Darlan*), jusqu'au moment où les Allemands exigèrent qu'il y nomme P. Laval (18 avr. 1942). Ses buts politiques furent de préserver au mieux les intérêts de la France vaincue et d'amorcer peut-être une renaissance; mais, secret et soumis à de nombreuses pressions, il donne l'impression d'avoir oscillé entre une attitude d'indépendance française dans le cadre de la convention d'armistice (contacts avec la Grande-Bretagne par Louis Rougier en oct. 1940, et avec les États-Unis par l'amiral Leahy*, ambassadeur à Vichy) et une attitude de collaboration active avec l'Allemagne (entrevue avec Hitler à Montoire* le 24 oct. 1940, action de P. Laval). En novembre 1942, lors des débarquements anglo-américains au Maroc et en Algérie, la décision qu'il prit déçut tous ceux qui avaient espéré qu'il gagnerait l'Afrique du Nord, qu'il ordonnerait à tous les bâtiments de guerre stationnés à Toulon d'appareiller vers le large, et que, face à la violation de l'armistice par les Allemands, il replacerait la France aux côtés des Alliés. Il refusa de quitter la France où l'invasion de la zone libre ne lui laissa que l'ombre du pouvoir; il fit siennes, bon gré mal gré, les directives de l'occupant. Le 20 août 1944, il fut enlevé par les Allemands et emmené à Belfort, puis à Sigmaringen*, où il refusa de cautionner un simulacre de gouvernement français. Il réussit à gagner la Suisse et se présenta en France pour être jugé (25 avr. 1945) : la Haute Cour le condamna à mort (août 1945), mais cette peine fut commuée en détention perpétuelle, au Pourtalet puis à l'île d'Yeu. Dès 1940, surtout après l'entrevue de Montoire, les Français de Londres le dénonçaient comme traître, sentiment qui fut celui de la Résistance et, après la guerre, de toute une partie de l'opinion; d'autres, au contraire, ont continué de voir en lui non seulement la seule autorité légitime de la France après juin 1940, mais l'homme qui avait sauvé tout ce que la défaite permettait de sauver. D'où les campagnes de réhabilitation et les polémiques qui se sont succédé depuis sa mort. (Acad. fr., 1929; radié en 1945). **V. Guerre mondiale** *(Première; Deuxième).*

PÉTANGE. ♦ V. du grand-duché de Luxembourg, canton d'Esch-sur-Alzette, dans la vallée de la Chiers. 11 200 hab. Fer.

PETAU (Denis). ♦ Jésuite français (Orléans, 1583 – Paris, 1652). Professeur de théologie positive au collège de Clermont à Paris, il passa pour l'un des hommes les plus érudits de son temps. Il publia des éditions d'auteurs anciens, des ouvrages de chronologie historique et les *Theologica dogmata* (1644-1650).

PETCHENÈGUES. *n. m. pl.* ♦ Population de race turque, appelée par les sources byzantines *Patzinakoi,* en latin *Bisseni,* et en hongrois *Besenyö.* Installés entre la Volga et l'Oural, les Petchenègues subirent les attaques des Khazars et des Oghuz à la fin du IXᵉ s. et s'établirent entre le Don et le Dniepr, repoussant les Hongrois vers l'O. Alliés avec le tsar de la Bulgarie Siméon, ils attaquèrent de nouveau les Hongrois en 896 et fondèrent un vaste empire entre le Don et le Danube. L'empereur de Byzance Constantin VII Porphyrogénète (v. 905-959) tenta de maintenir avec eux des relations amicales, mais ils envahirent à plusieurs reprises la Thrace. Ayant menacé Kiev et tué le grand prince Sviatoslav* (972), ils défirent les Byzantins à Silistrie et campèrent sous les murs de Constantinople (hiver 1090-1091). L'empereur Alexis Iᵉʳ Comnène obtint l'aide des Koumans, et le 29 avril 1091 l'armée des Petchenègues fut anéantie. Malgré leur défaite, ils ne cessèrent d'inquiéter Byzance, jusqu'à leur complète extermination par Jean Comnène (1122).

PETCHENGA. ♦ V. PETSAMO.

PETCHILI. ♦ V. PO-HAI.

PETCHORA. *n. f.* ♦ Riv. d'U.R.S.S. (1 790 km) [République autonome des Komis* et région d'Arkhangelsk]. Née dans les pentes O. de l'Oural septentrional, elle se jette dans la mer de Barents. Navigable jusqu'à la ville de Narian-Mara de mai à octobre. Pêche. Flottage du bois. — *Le bassin de la Petchora* renferme de vastes gisements de houille exploités depuis 1942 (Vorkouta*) et un gisement de pétrole à Oukhta.

PETEGEM-AAN-DELEIE. ♦ Comm. de Belgique (Flandre-Orientale, arr. de Gand) sur la Lys. 6 300 hab. Indus. textiles (tissage, soieries).

PETÉN. *n. m.* ♦ Prov. du N. du Guatemala constituée par un vaste plateau qui fait suite au plateau du Yucatán* mexicain dont il a les caractères. Département du Guatemala s'étendant sur près de la moitié du pays et où l'on trouve les ruines des anciennes cités mayas recouvertes par la forêt tropicale **(V. Tikal)**. Les Indiens mayas* qui y habitent tirent leur subsistance du maïs et de la gomme. Forêts. Le grand lac Petén s'étend au centre du département.

PETERBOROUGH (Charles MORDAUNT, *3ᵉ comte de***).** ♦ Général anglais (v. 1658 — Lisbonne, 1735). Il fut commandant en chef des troupes anglaises en Espagne lors de la guerre de Succession* d'Espagne, défendit brillamment Barcelone, mais ne sut pas s'entendre avec les forces autrichiennes. Il devint ensuite l'un des chefs du parti tory*.

PETERBOROUGH. ♦ V. de l'O. de l'Angleterre, à l'extrémité occidentale des *Fens,* sur la Nene river. 62 340 hab. Évêché. Cathédrale (XIIᵉ-XIIIᵉ s.) dont l'extérieur est roman et l'intérieur gothique, abritant le tombeau de Catherine d'Aragon. — Centre agricole, commercial et industriel (indus. mécaniques et électriques). — Le *soke de Peterborough,* rattaché jusqu'en 1965 au Northamptonshire, forme maintenant, avec la région de Huntingdon*, un comté indépendant.

PETERBOROUGH. ♦ V. du Canada (Ontario), située au N.-E. de Toronto. 56 177 hab. (1966). Indus. alimentaires (céréales). Machines électriques, fabrication de bateaux, horlogerie.

PETERHEAD. ♦ V. et port de la côte N.-O. de l'Écosse (Aberdeenshire). 12 500 hab. (1961). Pêche au hareng, conserveries.

PETERHOF. ♦ Ancien nom (allemand) de Petrodvorets. **V. Petrodvorets.**

PETERLINGEN. ♦ V. PAYERNE.

Peterloo. ♦ En 1819, une manifestation de 60 000 personnes réunies pour réclamer l'abolition des *corn-laws* et la réforme électorale, à Manchester (à St. Peter's Fields), fut chargée par la cavalerie, ce qui fit plusieurs morts et de nombreux blessés. Cet épisode, qui fut l'un des plus violents de l'histoire sociale du XIXᵉ s. anglais, fut appelé par dérision Peterloo, allusion à Waterloo.

PETERMANN (August Heinrich). ♦ Cartographe et géographe allemand (Bleicherode, 1822 — Gotha, 1878). Il organisa plusieurs expéditions en Afrique et la première expédition allemande au Groenland, fonda une importante publication périodique de géographie (*Petermanns Mitteilungen,* 1855).

Peter Pan. ♦ Personnage de *Peter Pan in Kensington Gardens,* d'un roman *Le Petit Oiseau blanc* (1902), d'un conte *Peter et Wendy* (1911), de James Barrie*. Enfin au « Never Land » dans les jardins de Kensington, Peter Pan n'est jamais triste. « Je suis la jeunesse, la joie, je suis un oiseau qui a cassé la coquille de l'œuf. » Il était né depuis une semaine quand il entendit son père et sa mère parler de son avenir d'adulte, et c'est pour « toujours rester un enfant pour pouvoir s'amuser » qu'il se détache des siens. Peter Pan incarne le mythe de l'enfance dont l'homme garde le souvenir nostalgique. Une statue lui est dédiée à Londres (Kensington Gardens).

PETERS (Carl). ♦ Explorateur et colonisateur allemand (Neuhaus an der Elbe, 1856 — Bad Harzburg, 1918). Créateur de la Société allemande de colonisation (1884), il entreprit trois expéditions en Afrique orientale (1884, 1887, 1890-1891), explora la région entre le Zambèze et le Zabi et contribua à la fondation de l'Afrique-Orientale allemande.

PÉTION [petjɔ̃] **(Anne Alexandre SABÈS, dit).** ♦ Homme politique haïtien (Port-au-Prince, 1770 — *id.,* 1818). Officier dans l'armée française, puis dans celle d'Haïti, il finit par se déclarer contre Toussaint* Louverture. Après l'arrestation de ce dernier, il repassa du côté des insurgés, élimina Dessalines* et Christophe* et proclama la république d'Haïti **(V. Haïti,** *Hist.*) dont il fut président jusqu'à sa mort (1807-1818).

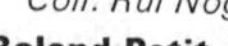
Coll. Rui Nogueira
Roland Petit.

Ph. P.S.Z./Ricciarini
J. Pétion de Villeneuve.

PÉTION DE VILLENEUVE (Jérôme). ♦ Homme politique français (Chartres, 1756 — Saint-Émilion, 1794). Avocat à Chartres, élu député du Tiers État aux États généraux (1789), il était membre de la Société des amis des Noirs et du Club des jacobins. Maire de la commune* de Paris (nov. 1791-nov. 1792), Premier président de la Convention (sept. 1792) et membre du premier Comité de salut public, il s'était rallié aux Girondins. Lors de leur élimination (début juin 1793), il tenta, avec Buzot* et Barbaroux*, un soulèvement fédéraliste* en Normandie et, ayant échoué, se suicida.

PETIPA (Marius). ♦ Danseur et chorégraphe français (Marseille, 1822 — Saint-Pétersbourg, 1910). Élève de son père, JEAN ANTOINE PETIPA, il débuta à Bruxelles et se produisit peu après à Nantes où il composa ses premières chorégraphies. Devenu l'élève de Vestris, il parut à la Comédie-Française au cours d'un gala, aux côtés de Carlotta Grisi (1840). On le retrouve ensuite à Bordeaux, puis à Madrid où il s'initia à la danse espagnole. Invité par le Théâtre impérial de Saint-Pétersbourg, en qualité de premier danseur (1847), il succéda à J. Perrot* dans l'emploi de maître de ballet (1859). Une longue carrière de chorégraphe commençait alors pour lui dans un pays qu'il n'allait plus quitter. Une inspiration romantique, curieuse de pittoresque, prédomine dans ses premières œuvres *(Trilby, Le Papillon, Don Quichotte).* Cependant, des qualités dramatiques plus affirmées se font jour avec *La Bayadère* (1877) et *Roxane ou la Belle Monténégrine* (1878). La venue à Saint-Pétersbourg d'une jeune troupe de danseurs italiens (P. Legnani, C. Brianza, E. Cecchetti), sa collaboration avec les musiciens Tchaïkovski et Glazounov, le jeune maître de ballet L. Ivanov influèrent sur son esthétique, l'incitant à attribuer un rôle prédominant tant à la pantomime qu'à la musique. De cette époque datent ses grands chefs-d'œuvre : *La Vestale* (1888), *La Belle au bois dormant* (1890), *Cendrillon* (1893), *Barbe-Bleue* (1896), *Raymonda* (1898), *Les Saisons* (1900). Née de la synthèse de la technique française, de la virtuosité italienne et du lyrisme russe, l'œuvre de M. Petipa est celle d'un précurseur. Elle est à l'origine de la révolution qu'allaient opérer les Ballets russes de S. de Diaghilev. ♦ JOSEPH LUCIEN PETIPA, frère aîné de Marius, danseur et chorégraphe français (Marseille, 1815 — Versailles, 1898), fut à l'Opéra le partenaire de Fanny Elssler (*La Sylphide,* 1840) et, à la création de *Giselle**, celui de Carlotta Grisi (1842). Danseur d'élévation d'une grande légèreté, il fut aussi chorégraphe à l'Opéra de Paris.

PETIT (Pierre). ♦ Mathématicien et physicien français (Montluçon, 1598 — Lagny, Seine-et-Marne, 1677). Les célèbres travaux de Pascal* concernant la pesanteur de l'air et l'horreur du vide débutèrent à la suite d'une répétition de l'expérience de Torricelli* que Petit effectua en 1646 devant les deux Pascal père et fils.

PETIT (Jean-Louis). ♦ Chirurgien français (Paris, 1674 — *id.,* 1750). Il s'intéressa non seulement aux techniques chirurgicales, mais aux causes des maladies et à leur évolution [*Traité de chirurgie,* inachevé]. (Acad. sc., 1715.)

PETIT (Alexis Thérèse). ♦ Physicien français (Vesoul, 1791 — Paris, 1820). Avec Dulong*, il conçut un thermomètre à poids qui leur permit de déterminer les coefficients de dilatation cubique de divers métaux (1818), il mesura la dilatation du mercure et, ayant déterminé les chaleurs spécifiques de corps simples solides (douze métaux notamment), énonça la loi sur la chaleur spécifique des éléments (*loi de Dulong et Petit,* 1819).

PETIT (Roland). ♦ Danseur et chorégraphe français (Villemomble, 1924). Transfuge de l'Opéra où il fut l'élève de S. Lifar*, il s'imposa, dès l'après-guerre, successivement à la tête du Ballet des Champs-Élysées (1945), puis des Ballets de Paris (1946) où il monta ses premières chorégraphies. Il se consacra ensuite au cinéma, réglant à Hollywood plusieurs films de danse. Il revint en France en 1954 et y reforma sa troupe. — R. Petit est d'abord un homme de théâtre pour qui le spectacle doit exprimer tous les aspects du réel et tous les rêves de l'esprit. Le choix de ses musiciens (Chopin, Liszt, Schumann, Kosma, Constant, Milhaud, Dutilleux) et celui de ses peintres (Carzou, Clavé, Buffet, Brassai, Ernst) sont révélateurs de cet éclectisme. Il a épousé la danseuse R. Jeanmaire* qui assume avec lui la direction du *Casino de Paris,* où R. Petit a monté deux revues à grand spectacle.

PETIT-BELT. ♦ V. BELT.

PETIT-BOURG. ♦ Ch.-l. de cant. de la Guadeloupe sur la côte E. de Basse-Terre. 10 350 hab. Distilleries (rhum).

Petit Chaperon rouge (Le). ♦ Personnage et titre d'un conte* de Ch. Perrault* (1697). Après avoir mangé la « mère-grand » (« Tire la chevillette, la bobinette cherra »), le loup dévorera l'imprudente héroïne, le Petit Chaperon rouge.

PETIT-COURONNE (Le). ♦ Comm. de la Seine*-Maritime, arr. de Rouen*. 4 890 hab. (*Couronnais* ou *Petit-Couronniers*). — Maison de Corneille (musée). — Raffinerie de pétrole : passage de l'oléoduc. **V. Havre** (Le), indus. pétrolochimique; biscuiterie.

PETITE-ROSSELLE. ♦ Comm. de la Moselle, arr. et aggl. de Forbach. 8 301 hab. Centre minier (houille).

PETITE-SYNTHE. ♦ Comm. du Nord*, arr. de Dunkerque*, en Flandre. 13 691 hab. Filature; indus. alimentaires.

Pétition des droits, en angl. **Petition of Right.** ♦ Le Parlement anglais présenta cette requête à Charles* Ier en 1628 pour lutter contre ses mesures absolutistes.

PETITJEAN. ♦ V. SIDI-KACEM.

PETITPIERRE (Max). ♦ Homme politique suisse (Neuchâtel, 1899). Délégué à la conférence de San Francisco (1945), il fut élu président de la Confédération en 1950, 1955 et 1960, mais abandonna sa charge en 1961.

Petit Poucet (Le). ♦ Titre d'un conte* de Ch. Perrault* (1697), où l'ingéniosité du héros, le Petit Poucet, triomphe de la brutalité d'un ogre, chaussé des « bottes de sept lieues ». La légende qui l'inspire se rattache aux mythes initiatiques.

PETIT-QUEVILLY (Le). ♦ Comm. de la Seine*-Maritime, arr. de Rouen*. 23 001 hab. *(Quevillais).* — Chapelle Saint-Julien du XIIe siècle. — Produits chimiques dérivés du pétrole; métallurgie. Indus. textiles et alimentaires.

PETLIOURA (Simon Vassiliévitch) [*Petliura*]. ♦ Homme politique ukrainien (Poltava, 1879 — Paris, 1926). L'un des fondateurs du parti social-démocrate ukrainien (1905), il devint ministre de la Guerre du premier gouvernement indépendant de l'Ukraine en juil. 1917. Après le traité de Brest*-Litovsk (mars 1918), les Allemands installèrent un gouvernement dirigé par le général Skoropadski à Kiev, mais durent quitter l'Ukraine, dès l'annonce de la révolution à Berlin (nov. 1918). Les partis autonomistes ukrainiens créèrent alors un directoire (13 nov. 1918), avec Petlioura à sa tête, et il s'empara du pouvoir. Pendant une brève période de confusion, Kiev fut pris et repris une dizaine de fois par l'Armée rouge, les Russes blancs, les partisans de Makhno* et les Ukrainiens de Petlioura aidés par les Français. Les lieutenants de Petlioura, les *atamans,* se livrèrent à d'horribles pogromes, tuant les juifs par milliers. En févr. 1919, l'Armée rouge, ayant vaincu les troupes de Petlioura, entra dans Kiev; le directoire s'enfuit à Vinnitsa. Petlioura s'allia avec les Polonais, qui occupèrent Kiev le 25 avr. 1920, mais les bolcheviks, après une offensive déclenchée le 5 juin 1920, s'emparèrent de Jitomir, de Berdichev, de Kiev et de Vinnitsa. Petlioura émigra en France (1921); il fut assassiné en 1926 à Paris par le jeune juif ukrainien Schwarzbard. **(V.** *aussi* **Ukraine).**

PETÖFI (Sándor). ♦ Poète et héros national hongrois (Kiskörös, 1823 — Segesvár, 1849). Fils d'un boucher et d'une servante, il abandonna ses études et fit partie d'une troupe théâtrale ambulante, puis devint soldat. Son premier recueil de poèmes, en 1844, lui valut la célébrité. Il fit connaissance avec Jókai*, Arany* et les milieux littéraires. En 1847, il épousa Julie Szendrey, à qui furent dédiés la plupart de ses poèmes. Il joua un rôle actif dans la révolution de 1848. Le 15 mars, à la tête de la jeunesse de Pest, il manifesta en faveur des réformes. C'est alors qu'il écrivit les vers célèbres : « Debout, Hongrois, la patrie t'appelle.» Le 15 mars est devenu la fête nationale hongroise. Petöfi s'engagea ensuite dans l'armée hongroise (les *honvéds*) et fut tué à la bataille de Segesvár (1849). — Poète national hongrois, Petöfi chanta, dans une langue d'une très grande simplicité, sa patrie, son amour pour sa femme. Il fut le premier à décrire la grande plaine hongroise. Poète romantique et lyrique, il fut aussi poète populaire (*Jean le Preux,* poème épique d'inspiration populaire, 1844).

PÉTRA. ♦ Nom gréco-latin (« rocher ») d'une cité de l'Antiquité, entre la mer Rouge et la mer Morte (*auj.* Al-Batrâ, en Jordanie). Ancienne capitale des Édomites, elle devint vers le ~ ve s. celle des Nabatéens* et fut un important centre commercial (entrepôts) entre l'Arabie et la mer Rouge d'une part, le port de Gaza et Damas de l'autre. Elle déclina après la victoire de Trajan (106). — Célèbre par son site au milieu de falaises où sont sculptées les façades de nombreux tombeaux et temples (dont le *Khaznah al-Faraun,* « Trésor des pharaons »).

PÉTRARQUE, en it. **Francesco Petrarca.** ♦ Poète et humaniste italien (Arezzo, 1304 — près de Padoue, 1374). Il suivit sa famille, exilée par les guelfes noirs, à Avignon (1312) et fréquenta l'université de Montpellier avant de poursuivre ses études juridiques à Bologne. C'est en 1327, de retour en Avignon, qu'il rencontra Laure de Noves pour laquelle il ressentit une grande passion, sublimée à la mort de la jeune femme. Dès lors il mena une vie animée, où les voyages (en Flandres et en France, 1333; en Italie, 1337) alternent avec les méditations solitaires (*De Vita solitaria,* 1356), les amours avec les recherches érudites. En effet, grand admirateur de Cicéron*, de Sénèque* et de Virgile*, Pétrarque fut animé d'une véritable fascination pour l'Antiquité et, outre une remarquable activité d'humaniste, écrivit de nombreuses œuvres en latin, dont ses *Lettres* et l'*Africa* (1337-1347), poème de la synthèse romano-chrétienne. Dans le *Secretum (Mon secret)* apparaît le goût de l'écrivain pour une subtile et lucide introspection. Jouissant d'une renommée grandissante, sacré premier poète de l'époque, très lié avec Boccace*, Pétrarque fut parallèlement chargé de nombreuses missions politiques, s'installa à Venise (1362), puis près de Padoue (1367) où il mourut. Si Pétrarque fut avant tout, pour ses contemporains, le restaurateur des lettres latines, pour les modernes, sa gloire reste attachée au recueil de ses poèmes italiens, le *Canzoniere* (imprimé en 1470) qui groupe les *Rimes (Rime)* et *Les Triomphes (I Trionfi),* pièces allégoriques et morales. Les *Rimes* (principalement des sonnets écrits dès 1327) glorifient la beauté physique et spirituelle de Laure*, évoquée au sein d'une nature harmonieuse. Objet de désir, la jeune femme devient après sa mort objet d'adoration, et « aux sombres nuits d'angoisse » succèdent des souffrances plus complexes, voire métaphysiques. Remarquable de vérité quand il exprime les sentiments amoureux, son obsession de la fragilité de l'existence ou son déchirement entre mysticisme et raison, Pétrarque sut également assouplir la langue poétique en des vers d'une grande musicalité, mélancoliques, et une métrique raffinée jusqu'à la virtuosité. Conçue primitivement par Pétrarque comme mineure (et appelée *Rerum vulgarium fragmenta),* cette œuvre poétique a inspiré de nombreux imitateurs, en Italie puis en France.

PETRASSI (Goffredo). ♦ Compositeur italien (Zagarolo, 1904). Esprit d'une large culture humaniste, formé à l'école du chant grégorien et de la polyphonie vocale, il a subi, dans une première période néo-classique, l'influence de Hindemith, Casella et Stravinski (*Partita* pour orchestre, 1933; *Premier Concerto* pour orchestre, 1934). Il a manifesté ensuite le souci d'assimiler les acquisitions de son temps, notamment la leçon de Bartók (*4e concerto* pour orchestre à cordes, 1954). Abandonnant peu à peu le système tonal, il a réalisé d'admirables synthèses dans le domaine symphonique (*5e concerto* pour orchestre, 1955; *concerto* pour flûte et orchestre, 1960). C'est dans des compositions chorales qu'il s'est affirmé comme l'un des grands auteurs de musique religieuse de sa génération (*Psaume IX* pour chœur mixte, cordes, cuivres, deux pianos et percussion, 1936; *Magnificat* pour soprano, chœur mixte et orchestre, 1940; *Coro di morti,* madrigal dramatique pour chœur d'hommes, cuivres, trois pianos et percussion, 1941; *Noche oscura,* d'après saint Jean de la Croix, pour chœur mixte et orchestre, 1951). On lui doit encore des ballets (*La Follia d'Orlando,* d'après l'Arioste, 1943; *Ritratto di Don Chisciotte,* 1945), ainsi que deux opéras (*Il Cordovano,* 1948, et *La Morte dell'aria,* 1950).

PETRIE (William Matthew Flinders). ♦ Égyptologue anglais (Charlton, 1853 — Jérusalem, 1942). Fondateur de l'*Egyptian Research Account* (1894) qui devint en 1906 la *British School of Archaeology,* il pratiqua des fouilles au Fayoum*, à Tanis*, Naucratis*, Tell* el-Amarna, Abydos*, Memphis*. Ses découvertes les plus importantes furent celles de Nagada (1904-1905), où il mit en lumière plusieurs cultures prédynastiques et celle de la stèle

Ph. Ostuni/Ricciarini

Pétra : en haut, les colonnades du palais de justice.

Ph. Hétier

Petrodvorets :
les jardins du palais.

de Mineptah, à Thèbes, qui mentionnait le nom d'« Israël ». À partir de 1926 Petrie transféra ses recherches en Palestine du Sud et ne revint jamais en Égypte. Ses travaux, fondamentaux pour l'égyptologie, ont essentiellement contribué à mettre au point des méthodes de datation et de fouilles en apprenant à tirer parti des documents en apparence les plus insignifiants (tessons de poterie, bouchons de jarres). Il réussit ainsi à retracer l'histoire de la civilisation égyptienne de l'époque préhistorique à la période romaine.

PETRODVORETS, jusqu'en 1944 **Peterhof**. ♦ V. d'U.R.S.S. (R.S.F.S. de Russie), dans la région de Leningrad*, sur le golfe de Finlande. 21 700 hab. (1959). Usines de montres. Grande lapidairerie fondée en 1722. Anc. résidence impériale de style baroque (palais, parc) bâtie en 1714-1728 et complétée par V.V. Rastrelli (1747-1752). Jets d'eau et sculptures de M.I. Kozlovski. Musée. – Très endommagée en 1941-1943, par les Allemands, elle fut reconstruite presque entièrement.

PETROGRAD. ♦ Nom donné en 1914 à Saint-Pétersbourg afin de russifier ce nom (« la ville de Pierre [le Grand] »); la ville fut rebaptisée en 1924 et devint Leningrad*.

PÉTRONE (Caius Petronius Arbiter). ♦ Écrivain latin ([mort] 65). Grand seigneur épicurien, intime de Néron*, il fut compromis dans la conjuration de Pison et contraint de se tuer. Il est sans doute l'auteur du *Satiricon**.

PÉTRONILLE, PÉTRONELLE, PERRONELLE, PERNELLE ou **PERRINE** *(sainte)*. ♦ Vierge romaine vénérée à Saint-Pierre de Rome depuis le IVe siècle. La légende en fait la fille, spirituelle ou réelle, de saint Pierre. Elle passait pour guérir de la fièvre. Sa chapelle ayant été concédée à Pépin le Bref (750), elle devint la patronne des rois de France et la France fut la « fille aînée de l'Église » comme Pétronille était la « fille de saint Pierre ». C'est pour sa chapelle qu'originellement Michel-Ange sculpta la *Pietà**, sur une commande du cardinal de Bilhères-Lagraulas. Fête le 31 mai.

PETROPAVLOVSK. ♦ V. d'U.R.S.S., ch.-l. de la région du Kazakhstan du Nord (44 300 km², 564 000 hab.), sur l'Ishim*. 173 000 hab. Nœud ferroviaire. Indus. alimentaires. Construction de machines agricoles. Textiles.

PETROPAVLOVSK-KAMCHATSKI ou **-KAMTCHATSKI.** ♦ V. et port d'U.R.S.S. (R.S.F.S. de Russie), ch.-l. de la région de Kamchatka (472 300 km², 281 000 hab.), en Sibérie extrême-orientale, sur la côte S.-E. du Kamchatka*. 154 000 hab. Importante base navale. Réparation de bateaux. Indus. alimentaires. Pêche.

PETRÓPOLIS. ♦ V. du Brésil, anc. cap. de l'État de Rio* de Janeiro (1894-1903). – Plus de 200 000 hab. – Évêché. Station climatique (800 m alt.). Indus. textiles et chimiques.

PETROŞANI ou **PETROŞENI.** ♦ V. de Roumanie, en Transylvanie (région de Hunedoara), sur le Jiu. 15 000 hab. Important bassin houiller. Siège de l'Institut des mines.

Petrouchka. ♦ Ballet en quatre tableaux, musique d'Igor Stravinski*, chorégraphie de M. Fokine, décors et costumes d'A. Benois; création à Paris par la compagnie des Ballets russes de S. de Diaghilev (1911). Le Mardi gras, à Saint-Pétersbourg, sur la place de l'Amirauté, un petit théâtre de marionnettes présente son spectacle : l'aventure de trois personnages, Petrouchka, le Maure et la Ballerine, qu'anime un vieux magicien. Séduite par le Maure, la Ballerine se montre insensible au chagrin de son amoureux Petrouchka. Bafoué, poursuivi, rossé par le Maure, Petrouchka en reçoit un coup mortel. Mais son joyeux fantôme surgit soudain au-dessus du théâtre. Partition vivante et colorée, d'une savoureuse inspiration populaire, ce fut l'un des plus beaux spectacles montés par Diaghilev. La hardiesse mélodique et harmonique, les nouveautés de l'orchestration marquent la naissance d'une esthétique nouvelle.

PETROV (Eugène Petrovitch). ♦ **V.** ILF (Ilya).

PETROVARADIN. ♦ V. de Yougoslavie (Vojvodine) située sur le Danube* face à Novi Sad. Ancienne forteresse autrichienne.

PETROVGRAD. ♦ Anc. nom de la V. yougoslave de Zrenjanin*.

PETROZAVODSK. ♦ V. et port d'U.R.S.S. (R.S.F.S. de Russie), cap. de la Carélie*, sur la rive O. du lac Onega*. 185 000 hab. Université fondée en 1940. Indus. métallurgiques et textiles.

PETRUCCI (Ottaviano). ♦ Imprimeur italien (Fossombrone, Urbino, 1466 – Venise, 1539). Il eut le premier l'idée de reproduire par les procédés de l'imprimerie les caractères de la musique mesurée. Son art à graver les types de ses caractères lui fit atteindre la perfection dans ce domaine. Premier imprimeur de musique, il obtint de la Seigneurie de Venise le privilège d'être seul à imprimer de la musique mesurée pour vingt années et obtint ce même privilège du pape Léon X quand il retourna dans sa ville natale, Fossombrone près d'Urbino, où il transporta son imprimerie.

PETRUS KY. ♦ **V.** TRU'O'NG VINH KY.

PETSAMO, en russe **Petchenga.** ♦ V. et port d'U.R.S.S. (R.S.F.S. de Russie), sur l'océan Arctique, en Laponie. Gisements de nickel, métallurgie du cuivre et du nickel. ♦ *Hist.* Finlandaise à partir de 1918, la ville fut occupée par les Soviétiques entre 1939 et 1940. La Finlande dut la céder à l'U.R.S.S. après la guerre russo-finlandaise (1941-1944), par le traité de Paris (1947).

PETTY (*sir* William). ♦ Médecin et économiste anglais (Romsey, Hampshire, 1623 – Londres, 1687). Médecin des troupes anglaises en Irlande, puis conseiller de Cromwell et de Charles II, il défendit la liberté commerciale et fut un des premiers à reconnaître que les prix des marchandises sont déterminés par le travail nécessaire à leur production (*Essais d'arithmétique économique,* 1680; *Anatomie politique,* 1691).

PEUGEOT (Armand). ♦ Industriel français (Valentigney, 1849 – Neuilly-sur-Seine, 1915), arrière-petit-fils de Jean-Pierre Peugeot, qui fonda la première usine Peugeot en 1819. Avec son frère EUGÈNE (Hérimoncourt, 1844 – *id.*, 1907), il fonda en 1885 la première fabrique française de vélocipèdes, construisit en 1890 une voiture à quatre roues, dotée d'un moteur à pétrole Daimler. Armand Peugeot réalisa dès 1895 un moteur à essence et fonda alors la *Société des automobiles Peugeot.*

PEULS ou **FOULBÉS.** *n. m. pl.* ♦ Peuple musulman de l'Afrique occidentale, pasteurs semi-nomades, nombreux en Guinée et au Mali*. Venus sans doute du Sahara en cours de dessèchement, ils se mêlèrent aux populations indigènes et s'établirent politiquement au Sénégal*, dans le Fouta*-Djalon (XVIIe s.), au Macina* (XIVe s.), au Nigeria* intérieur **(V. Sokoto)** et au N. du Cameroun* (XVIIIe s.) **(V. Adamaoua).**

Peuples de la Mer. ♦ Nom donné par les Égyptiens à des tribus indo-européennes qui, v. ~ 1200, se répandirent en Asie* Mineure (où elles auraient détruit l'empire hittite), en Syrie, en Crète et dans les îles de la mer Égée, en Phénicie-Palestine (où elles ruinèrent Ougarit et où l'une d'elles se fixa. **V. Philistins**). Leur assaut contre l'Égypte fut repoussé par Ramsès* III en ~ 1194-~ 1191 **(V. Médinet-Habou).**

Peur (La Grande). ♦ Nom donné à la révolte des paysans qui s'armèrent en juillet-août 1789 contre les seigneurs, mirent à sac des châteaux, brûlèrent des chartriers... Succédant à la révolution parisienne (prise de la Bastille*), elle fut provoquée par la crainte d'une réaction nobiliaire, d'un complot aristocratique et se répandit à travers les provinces françaises. C'est notamment pour mettre un terme à cette révolte que l'Assemblée constituante vota l'abolition de la féodalité dans la nuit du 4 août* 1789.

PEUTINGER (Konrad). ♦ Humaniste et collectionneur allemand (Augsbourg, 1465 – 1547). Il possédait une copie médiévale d'une carte des itinéraires de l'empire romain (IIIe s.-IVe s.) qui fut découverte à Worms au XVe s. et qui, malgré des erreurs, constitue un document précieux. Cette carte, dite *Table de Peutinger,* se trouve actuellement à Vienne.

PÉVÈLE ou **PUELLE.** *n. f.* ♦ Pays de la Flandre française, dans le département du Nord, situé entre la vallée de la Deûle et celle de la Scarpe. *V. princ.* Orchies.

PEVSNER (Antoine). ♦ Sculpteur et peintre français d'origine russe (Orel, 1886 – Paris, 1962). Frère de Naum Gabo*, il étudia aux Beaux-Arts de Kiev de 1902 à 1909, puis à Saint-Pétersbourg (1910) et se rendit ensuite à Paris (1910-1913) où il s'intéressa aux divers mouvements d'avant-garde. Il fut aussi frappé par l'architecture de la *tour Eiffel.* Au cours d'un séjour à Oslo, il se consacra en partie à la peinture et collabora aux recherches plastiques de son frère. Revenu dans son pays en 1917, il enseigna aux ateliers d'art de l'État de Moscou et il signa avec son frère le *Manifeste réaliste* (publié en 1920) en faveur d'un art indépendant, non figuratif et qui reconsidère les problèmes spatio-temporels. Après avoir séjourné en 1922 à Berlin, il s'établit définitivement à Paris en 1923 et, outre des peintures non figuratives de caractère géométrique, il réalisa surtout des constructions dans des matériaux transparents (celluloïd) et en lames métalliques (*Portrait de Marcel Duchamp,* 1920; *Construction dans l'espace,* 1929), puis il eut tendance à préférer l'usage de fines tiges de bronze, de cuivre ou de laiton soudées et engendrant des figures d'apparence géométrique où dominent des surfaces incurvées, gauches ou développables, tendues à partir d'axes droits ou courbes. Il créa ainsi des formes ouvertes en rotation, faisant alterner un jeu savant et rigoureux de surfaces convexes et concaves. Abandonnant le volume plein, la masse compacte, il tira parti de la trajectoire des courbes pour suggérer des formes en expansion (lignes rayonnantes, en faisceau, formes hélicoïdales, en fuseau, en spirales) dont le caractère dynamique est amplifié par les effets d'oxydation du matériau sur lequel glisse ou se répercute la lumière (*Construction pour un aéroport,* 1934; *Surfaces développables,* 1936-1938; *Colonnes,* 1946-1954; *La Colonne de la paix,* 1954; *Structures cosmogoniques; Vision spectrale,* 1959).

PEYRAT [pɛʀa]-**LE-CHÂTEAU.** ♦ Comm. de la Haute-Vienne*, arr. de Limoges*. 1 594 hab. — Centrale hydro-électrique sur la Maulde*, utilisant les eaux du lac artificiel de Vassivière* (87 000 000 de kWh par an).

PEYRE [pɛʀ] **(Joseph).** ♦ Architecte et décorateur français (Paris, 1730 — Choisy-le-Roy, 1785). Représentant du style néo-classique en architecture et de la stricte imitation de l'architecture antique (*Œuvre d'architecture,* 1765), il édifia avec De Wailly* le *théâtre de l'Odéon** à Paris (aujourd'hui *Théâtre de France*).

PEYREFITTE (Roger). ♦ Romancier et auteur dramatique français (Castres, 1907). Après une éducation religieuse et une carrière diplomatique à laquelle mit fin la Libération, Roger Peyrefitte a fait ses débuts littéraires avec un roman psychologique d'une grande puissance, *Les Amitiés particulières* (1944), où étaient dépeints les émois d'adolescents, pensionnaires d'un collège religieux. Dans cet ouvrage, qui fut salué par Gide, apparaissait le personnage de Georges de Sarre que l'on devait retrouver dans les récits suivants, où l'écrivain mettait une complaisance de plus en plus équivoque à peindre *Les Amours singulières* (1949). Après l'intermède que représente dans son œuvre *La Mort d'une mère* (1950), livre sobrement émouvant, R. Peyrefitte a abordé une littérature documentaire et satirique où il cherche à faire « la somme du bien et du mal, loin des préjugés et des thèses, à travers des personnages fictifs ou réels ». Consacrés à des institutions (*Les Ambassades,* 1951; *La Fin des ambassades,* 1953), à des questions d'ordre religieux (*Les Clefs de Saint-Pierre,* 1955; *Chevaliers de Malte,* 1957), social ou moral (*Les Fils de la lumière,* étude sur la franc-maçonnerie, 1961; *Les Juifs,* 1965), ces ouvrages, qui ont connu un succès de scandale, soulignent avec une malice souvent redoutable les ignominies d'une société où l'écrivain se sent « en marge ».

PEYREFITTE [pɛʀfit] **(Alain).** ♦ Homme politique français (Najac, Aveyron, 1925). Député U.N.R., puis U.D.R. (depuis 1958), il fut successivement nommé ministre délégué auprès du Premier ministre, chargé des rapatriés (sept.-déc. 1962), ministre de l'Information (1962-1966), de la Recherche scientifique et des Questions atomiques et spatiales (1966-1967), de l'Éducation nationale (1967-mai 1968). Maire de Provins depuis 1965, il a été élu secrétaire général de l'U.D.R. (sept. 1972) et nommé ministre chargé des réformes administratives dans le 2e cabinet P. Messmer (1973). Ministre des Affaires culturelles, de l'Environnement (1974). Auteur de *Quand la Chine s'éveillera...* (1973), *Le Mal français* (1976). — Acad. fr., 1977.

PEYREHORADE [pɛʀɘɔʀad]. ♦ Ch.-l. de cant. des Landes*, arr. de Dax*, au confluent des gaves de Pau* et d'Oloron*. 2 719 hab. *(Peyrehoradais).* — Ruines du château d'Aspremont; manoir de Montréal (XVIe s.).

PEYRESOURDE *(col de).* ♦ Col des Hautes-Pyrénées*, 1 563 m, entre Arreau et Bagnères*-de-Luchon.

PEYRONNET ou **PEYRONET (Charles Ignace,** *comte de*). ♦ Homme politique français (Bordeaux, 1778 — château de Montferrand, Gironde, 1854). Hostile à l'Empire, il se rallia aux Bourbons, siégea comme député ultra (1820) et, nommé garde des Sceaux dans le ministère Villèle (1831-1838), fut un des principaux instigateurs des lois les plus réactionnaires de la Restauration : limitation de la liberté de presse (1822), loi sur le sacrilège (1825), loi sur le droit d'aînesse, loi de « justice et d'amour » (1827), dont Royer-Collard devait dire qu'on pouvait remplacer ses dispositions par l'unique article : « L'imprimerie est supprimée en France. » Ministre de l'Intérieur dans le cabinet Polignac (1829-1830), il prit part à la rédaction et à la signature des quatre ordonnances de Saint-Cloud (25 juil. 1830) qui déclenchèrent la révolution de juillet 1830. Condamné, il fut amnistié en 1836.

PEYRONY (Denis). ♦ Préhistorien français (Cussac, Dordogne, 1869 — Sarlat, 1954). Collaborateur de l'abbé Breuil*, il a exploré de nombreuses grottes du Périgord (La Ferrassie, Les Eyzies, Font-de-Gaume, Combarelles). Il tenta de donner une chronologie du paléolithique et étudia surtout l'époque moustérienne. (*Éléments de préhistoire,* 1946.)

PEYROU *(promenade du).* ♦ Promenade située sur une terrasse dominant Montpellier*. Elle fut bâtie sous Louis XIV (statue équestre du roi). L'aqueduc, long de 880 m, aboutissant au château d'eau, règle avec une remarquable maîtrise le problème de l'alimentation en eau de Montpellier.

PÉZENAS [peznɑs]. ♦ Ch.-l. de cant. de l'Hérault (arr. de Béziers), dans la plaine viticole de l'Hérault. 9 630 hab. *(Piscénois).* Les rues de la Juiverie et des Litanies appelées « Le Ghetto » sont restées intactes depuis le XIVe s. Nombreux hôtels Renaissance et classiques. Tribunal de commerce dans l'anc. maison consulaire (1552). — Vins et spiritueux. Cultures maraîchères. Fonderie. Constructions mécaniques. Chaussures. ♦ *Hist.* Camp romain *(Piscenae),* la V. devint seigneurie royale à partir de 1261. Célèbre pour ses foires, elle devint un grand marché lainier. Les états généraux du Languedoc y tinrent séance en 1456. Molière y joua en 1650 et y fit de nombreux séjours de 1653 à 1657.

PFAFF (Johann Friedrich). ♦ Mathématicien allemand (Stuttgart, 1765 — Halle, 1825). Auteur de travaux sur les équations aux dérivées partielles et les systèmes d'équations différentielles.

PFÄFFIKON. ♦ V. de Suisse (canton de Zurich) à l'extrémité N.-E. du lac de Pfäffikon *(Pfäffikersee),* à l'E. de Zurich. 5 700 hab. Église gothique. — Indus. textile (laine), câbleries, manufacture de caoutchouc.

PFEFFEL (Gottlieb Konrad). ♦ Écrivain alsacien (Colmar, 1736 — 1809). Aveugle dès 1757, il consacra sa vie à l'étude de la tactique militaire et à la littérature. Avec l'autorisation de Louis XV, il fonda à Colmar une académie militaire pour les jeunes gens protestants qui ne pouvaient fréquenter l'Académie royale (1773). En 1803, il fut nommé président du consistoire évangélique de Colmar. Il a laissé des recueils de poésies et surtout des *Fables* (1783), une *Collection de contes et de nouvelles* (trad. fr. par son fils en 1825); beaucoup sont restés populaires.

PFITZNER (Hans). ♦ Compositeur allemand (Moscou, 1869 — Salzbourg, 1949). Chef d'orchestre et professeur de composition à Berlin, Coblence et Munich, il s'éleva avec véhémence contre la musique moderne dans des pamphlets d'une inspiration nationaliste assez étroite. Rival malheureux de R. Strauss, il a laissé une œuvre inspirée de Wagner et de Brahms qui le fit considérer comme le dernier des romantiques : cinq *opéras,* dont *Palestrina* (1917), deux *symphonies,* des *concertos,* de la *musique de chambre, chorale* et de nombreux *lieder.*

PFLIMLIN (Pierre). ♦ Homme politique français (Roubaix, 1907). Membre des deux Assemblées constituantes (1945, 1946), député M.R.P. à l'Assemblée nationale (1946), il fut chargé de plusieurs portefeuilles sous la Quatrième République. Président national du M.R.P. (1956-1959), il fut appelé à la présidence du Conseil lors de la crise d'Alger de mai* 1958. Il démissionna avec son gouvernement dès le 29 mai et fut nommé ministre d'État dans le cabinet de Ch. de Gaulle (juin 1958-janv. 1959) et ministre chargé de la coopération dans le premier ministère de G. Pompidou (avril-mai 1962). Maire de Strasbourg depuis 1959, il a présidé l'Assemblée consultative du Conseil de l'Europe (1963-1966).

PFORR (Franz). ♦ Peintre, graveur et dessinateur allemand (Francfort-sur-le-Main, 1788 — Albano, 1812). Fils d'un peintre, il fonda avec son ami Overbeck* la confrérie de Saint-Luc et fit ensuite partie du groupe des nazaréens, à Rome. Comme ses compagnons, il imita Raphaël et les peintres de la Renaissance italienne; il s'inspira aussi de l'école allemande des XVe et XVIe siècles. D'un tempérament sensible et naïf, il eût été une des personnalités les plus originales du groupe s'il n'était mort prématurément.

PFORZHEIM. ♦ V. d'Allemagne occidentale (Bade-Wurtemberg), dans le N. de la Forêt-Noire. 86 400 hab. Églises des XIIe et XVe siècles. — Centre de bijouterie et d'horlogerie; constructions électriques; papeteries. — Patrie de J. Reuchlin*.

PHAÉTON, en gr. **Phaethôn** (« le Brillant »). ♦ Fils d'Hélios* (le Soleil) et de l'océanide Clyméné*. Ayant obtenu de son père la permission de conduire son char pendant une journée, il prend les guides des chevaux célestes. Mais bientôt, effrayé par la vue des animaux-signes du Zodiaque, il perd le commandement du char qui descend trop bas, brûlant les montagnes, ou monte trop haut, risquant de se heurter aux constellations. Zeus*, craignant une destruction de l'Univers, le foudroie **(V. Cycnos, Héliades).**

PHAGS-PA. ♦ Religieux bouddhiste tibétain (v. 1239 — v. 1279) appelé à Peking (Khânbalik) par Qubilai* khân et nommé directeur de l'Église bouddhique de Chine. Il créa, en 1269, une écriture mongole. Revenu au Tibet en 1275, il fut élu roi du pays.

Ph. Louis Monier

Alain Peyrefitte.

Ph. Louis Monier

Roger Peyrefitte.

Ph. Carlo Bevilacqua/Ricciarini

Phaistos : vue d'ensemble.

PHAISTOS. ♦ Anc. V. de Crète*, près de la côte S. de l'île. Un des centres les plus brillants de la civilisation minoenne. Son histoire s'apparente à celle de Cnossos*. Elle fut ruinée par Gortyne*, sa voisine, v. le ~ IVe siècle. — Les fouilles italiennes, depuis 1900, ont exhumé les ruines de deux palais avec des superpositions successives (~ 2000-~ 1400).

Phalange espagnole, en esp. **Falange española.** ♦ Organisation politique espagnole fondée par José Antonio Primo* de Rivera en 1933. S'inspirant du fascisme italien, la Phalange rejetait le dilemme capitalisme-socialisme, prônant une réforme agraire, diverses nationalisations et la création d'un État centralisé et autoritaire : « España, una, grande y libre. » En 1934, la Phalange fusionna avec les Juntes offensives nationales-syndicalistes (J.O.N.S.) dont elle adopta le symbole : le joug et les flèches. Elle joua un rôle essentiel dans le soulèvement nationaliste de 1936 et ses effectifs augmentèrent rapidement. En 1937, Franco* proclama la Phalange parti unique et en devint le chef. Après la guerre civile, la Phalange encadra la vie politique nationale, mais peu à peu son rôle décrut jusqu'à se limiter à des activités sociales.

PHALARIS. ♦ Tyran d'Agrigente (v. ~ 570-~ 554). Originaire d'Astypalée (îlot du Dodécanèse), il s'empara du pouvoir avec l'aide des ouvriers révoltés. Il étendit son autorité sur Himère et défit les Carthaginois. Sa cruauté est illustrée par le fameux taureau d'airain dans lequel, dit-on, il faisait rôtir ses ennemis. Les *Lettres de Phalaris* (apologie de la tyrannie) sont apocryphes.

PHALSBOURG [falsbuʀ]. ♦ Ch.-l. de cant. de la Moselle, arr. de Sarrebourg. 3 898 hab. Porte de France (reste des fortifications de Vauban). Place d'armes (XVIIe s.). Hôtel de ville (XVIIe s.). Patrie de G. Mouton*. ♦ *Hist.* La ville fut annexée à la France en 1661. En 1814-1815, elle opposa une énergique résistance aux Alliés, mais fut prise en 1870 par les Allemands.

PHAM DINH-HÔ. ♦ Lettré et fonctionnaire vietnamien de la cour impériale de Huê (1768 — 1839), auteur de nombreux ouvrages rédigés en chinois et de dictionnaires sino-vietnamiens.

PHAM DUY KHIÊM. ♦ Diplomate vietnamien, ambassadeur à Paris et écrivain d'expression française et vietnamienne (né en 1908). Ses ouvrages les plus représentatifs sont *Légendes des terres sereines* et *Frères de sang.*

PHAM VAN DONG. ♦ Homme politique vietnamien (né en 1906), collaborateur de Hô* Chi Minh. Il fut un des fondateurs de l'armée du Viêt*-minh et Premier ministre du Nord Viêt-nam (1955-1976). Après la réunification du Viêt-nam, Pham Van Dong devint chef du gouvernement vietnamien, sous la présidence de Ton Duc Than (juil. 1976).

Phanar. ♦ Quartier grec de Constantinople (Istanbul), ainsi nommé à cause d'un phare illuminant l'entrée du port. Ses habitants (les *Phanariotes*), descendants de nobles familles byzantines, jouèrent un rôle important dans l'administration et la diplomatie de l'Empire ottoman. Dans les débats intellectuels et les affrontements politiques de l'hellénisme moderne, ils représentèrent les tendances conservatrices.

PHAN CHÂU TRINH. ♦ Écrivain et patriote vietnamien (1872 — 1926), auteur d'ouvrages politiques importants en vietnamien et d'écrits en chinois. Il fut l'un des champions de l'indépendance du Viêt-nam.

PHAN KHAC SU'U'. ♦ Homme politique vietnamien (Cantho, 1905) nationaliste, plusieurs fois ministre dans le gouvernement de Saigon. Il fut élu chef de l'État en 1964, démissionna en 1965 et devint président de l'Assemblée nationale.

PHAN THIÊT. ♦ V. du Viêt-nam du Sud, ch.-l. de la province de Binh Thuân, sur la côte d'Annam*, et important port de pêche. 70 000 habitants.

PHARAMOND. ♦ Chef franc légendaire, descendant de Priam. Il aurait vécu au Ve siècle. Il est mentionné dès le VIIIe s. et son existence historique était encore incontestée au XVIIIe siècle.

Pharisiens. *n. m. pl.,* en hébr. **perushim,** « les séparés ». ♦ Membres d'un des principaux partis du judaïsme ancien, importants à partir de Jean Hyrcan (~ 135-~ 105), persécutés d'ailleurs par les Asmonéens (**V. Alexandre Jannée**). Très attachés à la Loi, ils l'expliquaient en fonction de la tradition orale, la nuançaient et n'hésitaient pas à innover. Les Évangiles les accusent d'un ritualisme stérile (d'où le sens péjoratif attribué au mot, Cf. Robert) : au contraire, c'est par eux, principalement, que le judaïsme survécut à la catastrophe de 70. **V.** *aussi* **Hillel, Shammai.**

PHARNACE Ier, en gr. **Pharnakês.** ♦ Roi du Pont (v. ~ 184-~ 157). ♦ PHARNACE II. Roi du Bosphore cimmérien (~ 63-~ 47). Fils de Mithridate* VI, il poussa son père à s'empoisonner et reçut des Romains, en récompense, le royaume du Bosphore (~ 63). Il profita de la guerre civile entre César* et Pompée* pour mener une politique de conquêtes. Il fut vaincu à Zéla (~ 47) par César qui caractérisa cette foudroyante campagne par la célèbre formule *veni, vidi, vici* (« Je suis venu, j'ai vu, j'ai vaincu »).

PHAROS. ♦ Île de l'anc. Égypte, voisine d'Alexandrie*. En ~ 285, Ptolémée* II Philadelphe la fit relier à la ville par un môle de 1 300 m de long et y fit construire par Sostrate de Cnide une tour de marbre blanc haute de 180 m, au sommet de laquelle on entretenait des feux pendant la nuit pour guider les bateaux (de là vient le mot *phare*). Les anciens la considéraient comme une des sept merveilles du monde. Elle fut détruite en 1302 par un tremblement de terre.

PHARSALE, *auj.* **Fársala.** ♦ V. de Grèce (Thessalie) au S. de Lárissa, 5 800 hab. — César* y vainquit Pompée* et l'armée sénatoriale (~ 48).

Pharsale (La) ou **la Guerre civile.** ♦ Épopée historique en dix chants (v. 60), de Lucain*, retraçant la lutte de César* et Pompée*. Imitée d'Ennius* pour la composition, elle est de type hellénistique. Dans cette épopée stoïcienne, le drame de la guerre civile est un drame spirituel dominé par les figures de César, admiré bien que blâmé, Pompée qui s'épure dans la défaite et Caton*, véritable saint du stoïcisme. On y retrouve la même puissance poétique que dans les tragédies de Sénèque*.

PHASE, *n. m.,* en gr. **Phasis.** ♦ Fleuve de l'anc. Colchide* (Géorgie) qui se jetait dans le Pont-Euxin près de la ville de *Phasis.* Son nom est associé à la légende des Argonautes et de la Toison d'or. Il était considéré par les Anciens comme la limite de l'Europe et de l'Asie. Aujourd'hui le *Rion**.

PHÉACIENS. [*n. m. pl.*], en gr. **Phaiakes.** ♦ Peuple fabuleux habitant l'île de Skeria identifiée avec Corcyre (*auj.* Corfou*). Dans l'*Odyssée**, le roi des Phéaciens Alcinoos*, père de Nausicaa, offre l'hospitalité à Ulysse*, donne une fête pour l'honorer et lui fournit un navire équipé pour regagner Ithaque.

PHÉBÉ, en gr. **Phoibê.** ♦ Surnom d'Artémis assimilée à la Lune. **V. Artémis.**

PHÉBUS ou **PHOEBUS,** en gr. **Phoibos** (« le Brillant »). ♦ Surnom ou épithète d'Apollon, considéré comme dieu de la lumière. **V. Apollon.**

PHÉDON, en gr. **Phaidôn.** ♦ Philosophe grec (~ IVe s.). Il fut un des disciples les plus fidèles de Socrate* (**V. Phédron** [Le] de Platon*). Les théories de son école (Élis) étaient assez proches de celles des mégariques*. Dans sa philosophie morale, Phédon identifie Souverain Bien et Sagesse.

Phédon (Le). ♦ Dialogue de Platon* qui retrace les derniers moments de Socrate*. Celui-ci va aborder avec ses disciples le problème de l'immortalité de l'âme. La théorie des Idées et de la réminiscence, donnée par Socrate comme preuve de l'immortalité, y est formulée dans une atmosphère de mysticisme hérité de l'orphisme ou du pythagorisme. La philosophie y apparaît comme un apprentissage de la mort (« Philosopher, c'est apprendre à mourir »), comme une purification par rapport aux désirs et aux plaisirs du corps. Le dialogue se termine par un mythe grandiose sur la destinée des âmes dans l'au-delà. L'entretien fut rapporté à Platon par Phédon*.

PHÈDRE, en gr. **Phaidra.** ♦ Personnage de la mythologie grecque. Fille de Minos et de Pasiphaé, sœur d'Ariane et femme de Thésée. Amoureuse de son beau-fils Hippolyte et repoussée par lui, elle accusa le jeune homme d'avoir voulu lui faire violence. À la demande de Thésée, Poséidon fit périr Hippolyte. Désespérée, Phèdre se pendit. — Dans l'Antiquité, l'histoire de Phèdre a inspiré Sophocle*, Euripide* *(Hippolyte porte-couronne)* et Sénèque*. Dans la littérature française, elle a été mise à la scène par plusieurs auteurs, dont Robert Garnier (1573) et Racine (1677).

Phèdre. ♦ Tragédie en cinq actes, en vers, de Racine (1677), inspirée des œuvres d'Euripide et de Sénèque. En l'absence de Thésée que l'on tient pour mort, Phèdre déclare sa passion à Hippolyte, jeune prince dont la loyauté à l'égard de son père est irréprochable et qui aime Aricie d'un amour partagé. Le retour inattendu du roi surprend Phèdre qui, sur le conseil insidieux de sa nourrice Oenone, accuse son beau-fils d'avoir tenté de lui faire violence. Effrayée par les possibles effets de sa calomnie, Phèdre se dispose à avouer la vérité à Thésée quand elle apprend qu'Hippolyte aime Aricie. Alors, la jalouse fureur qui s'empare d'elle lui inspire de garder un silence qui entraînera la mort d'Hippolyte, abandonné par son père à la vengeance de Neptune (le récit de cette mort sera fait par son gouverneur Théramène). Tragédie de la prédestination, telle que Port-Royal en enseignait la doctrine, la *Phèdre* de Racine réintroduit aussi sur la scène française la notion de fatalité, ressort essentiel de la tragédie grecque.

Phèdre (Le), en gr. **Phaidros.** ♦ Dialogue platonicien sur l'art oratoire qui reprend des thèmes du *Banquet** sur l'amour et la beauté. À l'aide d'un très beau mythe, Socrate décrit le désir qu'éprouve l'âme de contempler à nouveau les réalités véritables (essences), et il oppose la rhétorique philosophique et la méthode dialectique qui vise ce but à la rhétorique sophistique qui ne cherche qu'à flatter.

PHÈDRE (Caius Julius Phaedrus ou **Phaeder)**. ♦ Fabuliste latin (~ 15 – 50) originaire de Thrace, de formation grecque, affranchi d'Auguste*. Auteur de cent vingt-trois fables imitées d'Ésope*, il introduisit ce genre à Rome.

PHÉLYPEAUX. ♦ Famille de magistrats français qui se divisa en plusieurs branches. **V. Pontchartrain, Maurepas.**

PHÉLYPPEAUX (Antoine Le Picard, *de***)**. ♦ Officier français (Angle, Poitou, 1768 – Saint-Jean-d'Acre, 1799). Condisciple de Bonaparte à l'École militaire, il émigra lors de la Révolution et servit dans l'armée des princes, puis dans celle du prince de Condé. Revenu en France, il tenta de soulever le Berry contre les forces révolutionnaires, prit Sancerre (1796), mais fut arrêté peu après aux environs d'Orléans. Ayant réussi à s'évader, il gagna l'étranger, puis de retour à Paris, libéra de la prison du Temple l'Anglais sir Sidney Smith qu'il accompagna au Moyen-Orient. Là, il joua un rôle décisif dans l'organisation de la défense de Saint-Jean-d'Acre contre les troupes de Bonaparte, mais mourut peu après.

PHÉNICIE. [*n. f.*] en gr. **Phoinikè**. ♦ Région côtière de l'Asie antérieure, sur la Méditerranée, s'étendant depuis le mont Carmel au S. jusque vers l'embouchure de l'Oronte au N. (*auj.* Israël*, Liban*, Syrie*). **V. Cananéens.** *V. princ.* Akko **(V. Acre)**, Arvad **(V. Rouad)**, Béryte **(V. Beyrouth)**, Byblos*, Ougarit*, Sidon*, Tyr*. ♦ *Hist.* Dès le ~ IIIe millénaire, la Phénicie apparaît orientée vers le commerce maritime. Elle était en relation avec l'Égypte **(V. Byblos)** et la Mésopotamie **(V. Ougarit)**. Le pays était organisé en cités-États ayant chacune son roi et ses dieux, mais unies par la civilisation. Au ~ IIe millénaire, renforcement de l'influence égyptienne, devenue occupation militaire sous la XVIIIe dynastie (~ XVIe s.) et maintenue après le conflit égypto-hittite (frontière au N. de Beyrouth). L'invasion des peuples* de la Mer (v. ~ 1200) détruisit plusieurs cités phéniciennes (Ougarit, sans doute Sidon, Tyr), mais prépara une période d'indépendance et de prospérité : les Phéniciens bénéficièrent du déclin des empires hittite et égyptien ainsi que de la chute de la principale puissance maritime, celle des Égéo-Mycéniens, devant les invasions doriennes. Ils furent alors les plus actifs commerçants de la Méditerranée, allant chercher au delà de Gibraltar l'argent et l'étain des mines d'Espagne, recueillant sur les côtes d'Afrique et dans la mer Égée le murex dont ils tiraient la pourpre, exportant des verreries, du bois de construction (cèdres du Liban) et même de la main-d'œuvre qualifiée (construction du Temple de Jérusalem, **V. Hiram**), fondant des colonies à Chypre, en Crète, en Sicile, à Malte, en Espagne (Gadès, **V. Cadix**), en Afrique (Utique*, Hadrumète*, Leptis*, Carthage*). La principale cité était alors Tyr. À partir du ~ IXe s., la domination assyrienne (campagnes d'Assurnazirpal II et de ses successeurs) entraîna des révoltes **(V. Tyr, Sidon)**. Puis vint la domination néo-babylonienne (siège de Tyr par Nabuchodonosor ~ 586-~ 573), bientôt remplacée par celle des Perses (~ 538) ; Sidon reprit alors la prépondérance sur Tyr ; les flottes phéniciennes jouèrent leur rôle dans les guerres Médiques, du côté perse. Par la suite, les cités phéniciennes s'ouvrirent à l'hellénisme. Lors de l'expédition d'Alexandre, elles l'accueillirent, sauf Tyr qu'il dut prendre (~ 332). La Phénicie fut ensuite disputée entre les Lagides et les Séleucides, subit anarchie et guerres civiles, passa à Tigrane d'Arménie (~ 83-69) et fut enfin incorporée à l'Empire romain (province de Syrie, v. 64). – *Religion.* Cultes agraires, transformés en mystères de salut personnel à l'époque hellénistique. Les dieux étaient vénérés sur des hauts lieux ou dans des temples urbains, chaque cité possédant ses dieux particuliers. Des sacrifices, notamment le sacrifice de rachat des premiers-nés royaux, selon l'usage cananéen, étaient pratiqués ; mais, sauf circonstances exceptionnelles, une victime animale remplaça les enfants assez tôt (attesté au ~ VIe s.). *Princ. divinités* **V. Adonis, Ashtart, Atargatis, Baal, Eshmoun, Hadad, Melkart.** – *Langue.* Le phénicien est une langue sémitique du groupe cananéen, subdivisée en différents dialectes. L'invention de l'alphabet par les Phéniciens est discutée. Si le principe d'une écriture alphabétique est attesté dès le ~ XIVe s. par les textes d'Ougarit (les signes eux-mêmes le sont au ~ XIIIe s. par les inscriptions de Byblos), l'origine de ces signes est inconnue. Mais il est certain que ce sont les Phéniciens qui répandirent l'alphabet dans le monde méditerranéen et le transmirent notamment aux Grecs. – *Arts.* L'art phénicien passe pour peu original, à cause des nettes influences égyptiennes et mésopotamiennes qu'on y relève. La fusion des divers éléments montre pourtant une habileté particulière. Statuaire : colosses de Byblos* (égyptisants), statuettes, bas-reliefs (stèles d'Ougarit, sarcophage d'Ahiram de Byblos). Architecture : usage de la pierre (les Phéniciens eurent une renommée de constructeurs), préoccupations urbanistiques (canalisations, rues à angle droit), belles tombes voûtées.

Phéniciennes (Les), en gr. **Phoinissai**. ♦ Tragédie d'Euripide* (~ 409) dont le sujet est repris d'Eschyle *(Les Sept contre Thèbes)*. Dans l'imminence de l'attaque contre Thèbes*, menée par l'un des fils d'Œdipe*, les messagers apportent la nouvelle du duel entre Étéocle et Polynice où tous deux trouveront la mort. Éperdue de douleur, après avoir vainement tenté de les réconcilier, Jocaste se suicide. Pour sauver Thèbes, Ménécée, fils de Créon, offre sa vie et meurt à son tour. Tenu pour responsable de tous ces malheurs, condamné à l'exil, Œdipe s'éloigne, guidé par Antigone. Composé de Phéniciennes venues à Thèbes parce que Cadmos, fondateur de la ville, était phénicien, le chœur voit sa fonction réduite à celle d'un intermède. S'apparentant au mélodrame plutôt qu'à la tragédie, l'œuvre a inspiré Racine *(La Thébaïde)*.

PHÉNIX. [*n. m.*] en gr. **Phoinix**. ♦ Oiseau fabuleux d'Éthiopie, vivant pendant 500 ou 1461 ans, ou pendant plusieurs millénaires. De la taille d'un aigle royal au plumage de couleurs splendides, le Phénix meurt sur un bûcher ou un nid qu'il prépare en amassant des plantes aromatiques et de l'encens. Il renaît de ses cendres et le nouveau Phénix vole à Héliopolis d'Égypte, centre du culte du Soleil auquel Phénix est associé.

Phénoménologie de l'esprit (La). ♦ Œuvre de Hegel* (1807), qui décrit les étapes de la formation de la conscience individuelle, de la certitude sensible immédiate à la conscience de soi et de l'opposition des consciences de soi à leur réconciliation dans la Raison. Ces étapes sont également celles de l'esprit universel (objectif) dans la genèse historique de sa culture. Le long chemin de ce développement passe par toutes les formes du rapport et de l'opposition du sujet et de l'objet, de la conscience et du monde ; il est l'histoire des aliénations et des contradictions engendrées et dépassées par l'esprit, qui s'achemine ainsi du savoir phénoménal au savoir absolu, identité du sujet et de l'objet, de l'Esprit et de la Substance.

PHÈRES, en gr. **Pherai**. ♦ Anc. V. de Grèce (Thessalie). Son roi légendaire Admète*, époux d'Alceste*, y accueille Apollon chassé de l'Olympe. – Au ~ IVe s., ses tyrans Jason et Alexandre étendirent leur hégémonie sur une partie de la Thessalie. Philippe* II de Macédoine, appelé par Larissa, s'empara de Phères en ~ 352.

Phi. *n. m. pl.* ♦ Au Laos et en Thaïlande, esprits ou génies tutélaires, généralement considérés comme les gardiens du sol. On les vénère et les craint et chaque propriétaire leur élève une petite maison-sanctuaire. Ils sont appelés « Neak » ou « Nak » au Cambodge.

PHIDIAS, en gr. **Pheidias**. ♦ Sculpteur athénien (v. ~ 490 – après ~ 430), le représentant le plus illustre de l'art classique grec. Son nom est lié à la splendeur d'Athènes* du siècle de Périclès*, l'homme d'État qui lui confia la surintendance des travaux d'embellissement de la ville. D'abord élève d'Hêgias à Athènes, il apprit la technique du bronze à la fameuse école d'Argos* où il aurait été l'élève d'Agéladas* de même que Myron* et Polyclète*, ses contemporains. Dirigeant le chantier de l'Acropole*, Phidias, qui fut également architecte et peintre, sut imposer une conception plastique d'ensemble et amena Ictinos*, l'architecte du Parthénon*, à modifier le style dorique du temple en fonction de son investissement sculptural. On lui attribue *l'Apollon* de Kassel, l'Amazone Mattéi, l'Anadoumène Farnèse.* Nous connaissons seulement par des descriptions (Pausanias) ses statues colossales de culte : sur l'Acropole, *Athéna Promachos* (v. ~ 454) en bronze, *Athéna Lemnia* (~ 450), *Athéna Parthénos* (~ 438) chryséléphantine ; à Olympie la statue chryséléphantine de *Zeus* (v. ~ 433), l'œuvre la plus admirable de l'Antiquité grecque et l'une des sept* merveilles du monde. Par contre, la décoration sculpturale du Parthénon, œuvre de Phidias et de son atelier, conservée en grande partie (British Museum, Louvre, Athènes), témoigne de son art. Les quatre-vingt-douze métopes (dix-sept conservées) représentaient les combats des Olympiens et des Géants, des Amazones et des Athéniens, des Centaures et des Lapithes et la prise de Troie. La frise intérieure déployait sur 159 m la procession des Panathénées. Les deux frontons, qui semblent avoir été sculptés per-

Ph. Bevilacqua/Ricciarini

Phénicie : masque d'homme.

Ph. Bevilacqua/Ricciarini

Phénicie : Carthagène, une stèle du Tophet.

sonnellement par Phidias, représentaient la naissance d'Athéna et le concours d'Athéna et de Poséidon pour la souveraineté sur la ville. Phidias se révèle, dans ces marbres, l'initiateur et le maître inégalé du style classique. Réaliste par la vérité anatomique de la forme humaine et la fidélité des représentations, idéaliste par l'élévation de son esprit, cette création se détache du « style sévère » pour exprimer une pensée religieuse et civique. Sa plastique, d'une ampleur étonnante, fait concourir l'expression de l'intelligence et la noblesse à la vigueur, la grâce à la majesté, la sérénité au mouvement. Parmi les nombreux sculpteurs immédiatement influencés par son art, citons Alcamène*, Callimaque* et Crésilas. Phidias, accusé par les adversaires de Périclès de s'être approprié une partie de l'or et de l'ivoire destinés à la construction de la statue colossale d'Athéna Parthénos, ainsi que d'impiété, dut s'exiler d'Athènes et mourut à Olympie.

PHILADELPHIE, en angl. **Philadelphia.** ♦ V. des États-Unis, la plus grande de Pennsylvanie*, au S.-E. de l'État, sur la Delaware. 1 927 863 hab. (1970) [25 % de Noirs]; la zone métropolitaine (villes voisines, en Pennsylvanie : Burlington, Camden* dans le New Jersey) compte plus de 4 700 000 hab. Nombreuses indus. (métallurgie, textiles, chimie, indus. alimentaires). Le port est le troisième des États-Unis (49 000 000 de t en 1970). Troisième place financière du pays. Nombreuses activités éducatives (université de Pennsylvanie, *Temple University,* etc.) et culturelles (Académie des beaux-arts; importants musées). Archevêché. — La ville est célèbre aux États-Unis pour son quartier ancien et ses monuments, restes de sa prospérité au XVIIIe siècle. Un effort d'urbanisme récent tend à éliminer d'assez nombreux quartiers insalubres, notamment ceux qui sont habités par la communauté noire. — Patrie de Henry C. Carey*, William M. Davis*, du général McClellan*, de Man Ray*, Margaret Mead*. ♦ *Hist.* La ville fut fondée et organisée par W. Penn (1682); elle devint au XVIIIe s. une des cités les plus prospères et le premier centre intellectuel de la colonie. Ce fut à Philadelphie que se tinrent les congrès de 1774 et 1775 et que fut signée la Déclaration d'indépendance (1776). Elle fut cap. des États-Unis (1790-1800) mais, au XIXe s., fut dépassée en importance culturelle par Boston et New York.

PHILAE, nom gr. de l'égypt. **P-aaleq** « la frontière », *auj.* **Jazirat Filah.** ♦ Île du Nil, de 400 m de long sur 135 m de large, en amont de la première cataracte, à quelques kilomètres du barrage d'Assouan. Île sainte, domaine de la déesse Isis*, elle reçut tardivement ses premiers édifices. Le plus ancien est le pavillon de Nectanébo* II, au S.-O. de l'île. Le temple principal, dédié à Isis, était aussi l'œuvre de Nectanébo II. En partie détruit par les inondations, il fut reconstruit sous Ptolémée* II et Ptolémée* XIII. Un immense parvis flanqué de deux longs portiques mène au premier pylône derrière lequel une cour, limitée d'un côté par le *mammisi,* de l'autre par une colonnade, précède un second pylône, une petite salle hypostyle et les salles fermées du temple et de sa terrasse. Ce monument est remarquable par ses bas-reliefs et les textes gravés sur ses murs et ses colonnes. Au N. se trouve le temple d'Horus* vengeur, à l'E. le petit temple d'Hathor* construit par Ptolémée* VI et au S.-E. le kiosque de Trajan* où l'empereur s'était fait représenter en dévôt de la triade osirienne. Philae fut longtemps un îlot de résistance au christianisme et reçut des pèlerins païens jusque dans la seconde moitié du Ve siècle. Depuis la construction du barrage d'Assouan, les temples étaient presque

Coll. Henri Frossard

Gérard Philipe.

entièrement submergés pendant dix mois de l'année. Une opération de sauvegarde menée par l'UNESCO, consistant à démonter les temples pour les reconstruire dans l'île voisine d'Agilkia, a été entreprise en juil. 1972.

Philèbe (Le), en gr. **Philêbos.** ♦ Dialogue platonicien de la dernière période, sur le plaisir. Contrairement à la morale ascétique du Phédon*, Socrate et ses interlocuteurs (Philèbe et Protarque) affirment ici une position plus nuancée qui concilie raison et plaisir.

PHILÉMON. ♦ Poète comique grec (Syracuse? ~361 — Le Pirée, ~262). Contemporain et rival de Ménandre, il a inspiré Plaute *(Mercator).* Il ne nous reste que des fragments de son œuvre.

Philémon et Baucis. ♦ Personnages d'une légende rapportée par Ovide. Paysans très âgés et pauvres de Phrygie, ils reçoivent un soir Zeus* et Hermès qui, transformés en voyageurs, trouvent toutes les portes du village fermées. Indignés, les dieux envoient un déluge et tout le village est englouti sous les eaux, sauf la chaumière des deux vieillards qui se transforme en temple. Exauçant leur prière, les dieux accordent à leurs hôtes de n'être jamais séparés et, après leur mort, les transforment en deux arbres.

PHILÉTAS. ♦ Poète grec (Cos, v. ~340 — v. ~290) qui anima un cénacle littéraire à Cos*. Ses élégies amoureuses, modèle de ce genre dans la poésie alexandrine, influencèrent Properce* et les autres élégiaques latins. Il nous reste de son œuvre une cinquantaine de vers.

PHILIBERT Ier le Chasseur. ♦ (1465 — 1482). Duc de Savoie (1472-1482). Il régna sous la régence de sa mère Yolande de France. ♦ PHILIBERT II *le Beau* (1480 — 1504). Duc de Savoie (1497-1504). Sa femme Marguerite* d'Autriche éleva à sa mémoire l'église de Brou*.

PHILIDOR (François André DANICAN, dit). ♦ Compositeur et joueur d'échecs français (Dreux, 1726 — Londres, 1795). Issu d'une famille de musiciens, il étudia avec Campra, puis, après avoir échoué dans le domaine de la musique religieuse, il se consacra au théâtre, avec une quinzaine d'opéras-comiques, dont ***Blaise le savetier, Le Jardinier et son seigneur, Tom Jones, Le Sorcier, L'Amant déguisé, Le Bon Fils, L'Amitié au village.*** Il apparaît comme l'un des créateurs de ce genre en France. Ami de Diderot, il collabora avec Jean-Jacques Rousseau* pour les *Muses galantes* et le *Devin du village* (1752) ainsi qu'avec Sedaine et Favart. — Il fut aussi le plus célèbre joueur d'échecs de son temps et a publié une *Analyse du jeu des échecs* (1749).

PHILIP (André). ♦ Homme politique français (Pont-Saint-Esprit, 1902 — Paris, 1970). Député socialiste du Rhône (1936), résistant, membre du Comité français de libération nationale, il assuma d'importantes charges politiques après la Libération. Représentant du protestantisme social, il fit connaître en France les idées de H. de Man* et publia *L'Europe unie* (1953), *La Démocratie industrielle* (1955), *Le Socialisme trahi* (1958).

PHILIPE (Gérard). ♦ Acteur français (Cannes, 1922 — Paris, 1959). Sa création de *Caligula,* d'Albert Camus (1945), attira sur lui l'attention des critiques et des cinéastes. Quelques années plus tard (1951), son interprétation du *Cid* et du *Prince de Hombourg,* au Ve festival d'Avignon, allait lui valoir la consécration du grand public. Il allait devenir, pour toute une génération, l'interprète idéal de Hugo *(Ruy Blas)* et de Musset *(Lorenzaccio, Perdican, Octave).* Dans le même temps, sa jeunesse, sa ferveur et sa grâce triomphaient à l'écran dans des films de Christian*-Jaque *(Fanfan la Tulipe),* René Clair* *(Les Grandes Manœuvres)* et René Clément* *(Monsieur Ripois).* Sa disparition brutale a privé la scène française d'un de ses plus grands interprètes.

PHILIPPA DE HAINAUT. ♦ Reine d'Angleterre (v. 1314 — Windsor, 1369). Fille de Guillaume le Bon, comte de Hainaut et de Hollande, elle épousa Édouard III (1327) et intervint en faveur des bourgeois de Calais. Elle protégea Froissart* qui fut son secrétaire à partir de 1361.

PHILIPPE. ♦ Prénom porté par des saints et des souverains (ducs de *Bourgogne*; rois d'*Espagne*; comte de *Flandre*; rois de *France*; empereur *germanique*; landgrave de *Hesse*; roi de *Macédoine*; souverain des *Pays-Bas*; empereur *romain*). — Le prince *Philippe de Grèce* (prince consort de Grande-Bretagne) est classé après le nom de famille *Philippe.*

PHILIPPE *(saint).* ♦ L'un des douze Apôtres dans les Évangiles. La tradition en fait l'évangélisateur de la Scythie et de la Phrygie. Il aurait été crucifié v. 80 à Hiérapolis. — Fête le 11 mai.

PHILIPPE *(saint).* ♦ L'un des sept diacres, dans les Actes des Apôtres, où il baptise Simon le Magicien et l'eunuque de la reine Candace (VIII). Fête le 6 juin.

PHILIPPE Ier DE ROUVRE. ♦ (Château de Rouvre, près de Dijon, 1346 — *id.,* 1361). Duc de Bourgogne (1349-1361), il fut le dernier de la première maison capétienne de Bourgogne.

PHILIPPE II le Hardi. ♦ (Pontoise, 1342 — Hal, 1404). Duc de Bourgogne (1363-1404). Fils du roi de France, Jean II. Sa conduite courageuse à la bataille de Poitiers (1356) lui valut son surnom et l'apanage du duché de Bourgogne (1363), par lequel la deuxième maison capétienne de Bourgogne était fondée. Il épousa Marguerite de Mâle qui lui apporta la Flandre où il mit fin à la révolte des Gantois par la paix de Tournai (1385). À la mort de son frère Charles V de France (1380), il fut l'un des régents de Charles VI mais fut écarté du pouvoir en 1388. En 1392, il revint au gouvernement où il s'opposa à Louis d'Orléans*. Il protégea le sculpteur Claus Sluter*. — Père de Jean* sans Peur.

PHILIPPE III le Bon. ♦ (Dijon, 1396 – Bruges, 1467). Duc de Bourgogne (1419-1467). Pour venger l'assassinat de son père Jean* sans Peur, il s'allia aux Anglais et participa au traité de Troyes* qui déshéritait le dauphin Charles* (VII) de France (1420). Après avoir lutté contre lui, il se réconcilia par la paix d'Arras* qui lui accordait des villes de la Somme et la dispense de l'hommage de vassalité pour la Flandre (1435). Maître de la Bourgogne, de la Franche-Comté, de la Flandre, de l'Artois et des provinces belges **(V. Jacqueline de Bavière)**, il fut le plus puissant souverain d'Europe. Il supprima les libertés communales mais fit régner une bonne administration en créant des états généraux, des cours de justice et un conseil suprême. Mécène, il protégea les artistes **(V. J. Van Eyck, Ockeghem)**. Il créa l'ordre de la Toison d'or. – Père de Charles* le Téméraire.

PHILIPPE Ier le Beau. ♦ V. *ci-dessous*, sous PHILIPPE (Pays-Bas).

PHILIPPE II. ♦ (Valladolid, 1527 – Escurial, 1598). Roi d'Espagne (1556-1598). Fils de Charles* Quint et d'Isabelle de Portugal, il fut élevé en Castille. Cette éducation exclusivement espagnole le fit peu apprécier aux Pays-Bas, qui lui furent confiés en 1555, et en Angleterre, où il séjourna après son mariage avec Marie* Tudor. À l'abdication de Charles Quint, qui l'avait très tôt associé au pouvoir, il hérita de la couronne d'Espagne (1556) et reprit la politique de son père, mais d'une façon beaucoup plus systématique et plus étroite : la guerre avec la France reprit, les brillants succès remportés d'abord (Saint*-Quentin, 1557, Gravelines*, 1558) ne purent être exploités et la paix de Cateau*-Cambrésis fut signée (1559). Le but essentiel de Philippe II était d'assurer le triomphe du catholicisme dans ses États et à l'extérieur. Aidé de l'Inquisition*, il arrêta facilement le protestantisme espagnol. Les morisques furent persécutés, leur révolte à Grenade (1568-1570) écrasée. Mais la lutte contre la Réforme aux Pays-Bas, commencée dès 1559, aboutit, malgré l'extrême sévérité de la répression, à la perte d'une partie de ces provinces (Union d'Utrecht*). Elles avaient en effet reçu l'appui de l'Angleterre. Philippe II, qui avait cherché en vain à épouser Élisabeth* après la mort de Marie Tudor, se décida à intervenir après l'exécution de Marie* Stuart, sa cousine. Il envoya contre l'Angleterre l'Invincible Armada* qui fut détruite (1588). Les troubles français, le problème de la succession des Valois le firent s'allier à la Ligue*. Alexandre* Farnèse occupa alors Paris (1590) et Rouen (1592) et Philippe II pensait mettre sa fille Isabelle, fille d'Élisabeth de Valois et catholique, sur le trône de France. Ce projet échoua devant le refus des états généraux et surtout la défaite de Fontaine-Française, de sorte que le traité de Vervins* (1598) reprit le traité du Cateau*-Cambrésis. La lutte contre l'Infidèle fut plus heureuse puisqu'elle fut couronnée par la victoire de Lépante* (1571). Un autre résultat positif du règne fut l'annexion du Portugal (1580). – La personnalité du roi reste impénétrable, faite de contrastes, sous un masque de froideur. Capable de tendresse familiale et de crimes perfides, il mêlait le goût du faste à l'austérité et à une scrupuleuse religiosité. Cette attitude est en quelque sorte symbolisée par el Escorial*, palais somptueux dont le plan est inspiré par le martyre de saint Laurent. Le sentiment de son infériorité, notamment par rapport à son père, poussa Philippe II à entraver l'action de ses conseillers les plus brillants (Albe*, Granvelle*, don Juan*, Alexandre* Farnèse,...) et à accomplir un labeur acharné. Le complexe système bureaucratique qu'il instaura (1586) devait rester célèbre par sa lenteur et fut un facteur de paralysie. Ajouté à son fanatisme despotique qui l'entraîna à une politique coûteuse, il amena l'Espagne à la catastrophe financière, malgré l'afflux de l'or américain, et prépara son affaiblissement général. Ce fut cependant sous son règne que s'ouvrit le « siècle d'or ».

PHILIPPE III. ♦ (Madrid, 1578 – *id.*, 1621). Roi d'Espagne (1598-1621). Fils de Philippe* II auquel il succéda, il ne sut pas continuer son œuvre : peu capable lui-même, il laissa le pouvoir à des favoris médiocres comme le duc de Lerma*. Son règne fut marqué par la paix avec l'Angleterre (1604), la trêve de Douze Ans avec les Provinces-Unies (1609) et l'alliance avec la France (mariage de Louis* XIII et d'Anne* d'Autriche, 1611). L'expulsion des morisques* aggrava encore une situation économique et financière difficile.

PHILIPPE IV. ♦ (Valladolid, 1605 – Madrid, 1665). Roi d'Espagne (1621-1665). Il fut le successeur de Philippe* III. Dominé, de la même façon, par un favori **(V. Olivares)**, son règne se distingue du précédent par son caractère belliqueux ; la guerre contre les Provinces-Unies aboutit à leur indépendance (traité de Münster, 1648) ; la lutte contre la France se prolongea au delà de la guerre de Trente* Ans et, malgré la Fronde*, se termina par le traité des Pyrénées* (1659) après l'alliance franco-anglaise et la bataille des Dunes*. Des révoltes intérieures furent le fruit d'une politique de centralisation (insurrection de la Biscaye, de la Catalogne, du Portugal qui retrouva son indépendance). L'hégémonie européenne échappait définitivement à l'Espagne.

PHILIPPE V. ♦ (Versailles, 1683 – Madrid, 1746). Roi d'Espagne (1700-1746). Second fils du Grand Dauphin, petit-fils de Louis XIV, il porta d'abord le titre de duc d'Anjou. Louis XIV ayant accepté après bien des hésitations le testament de Charles II qui le désignait pour héritier, il monta sur le trône d'Espagne et dut faire face à la guerre de Succession* d'Espagne. Sauvé par la victoire du maréchal de Vendôme à Villaviciosa* (1710), après avoir été chassé deux fois de Madrid, il fut confirmé dans ses droits par la paix d'Utrecht* (1713) ; mais l'Espagne perdait Gibraltar et Minorque. Il subit d'abord l'influence de la princesse des Ursins*, *camarera mayor* de sa première femme, Marie-Louise Gabrielle de Savoie. L'Espagne connut alors une tentative de centralisation sur le mode français (œuvre d'Orry*), qui soumettait même l'Inquisition. Le roi se trouva ensuite sous l'ascendant de sa seconde femme Élisabeth* Farnèse et, à travers elle, d'Alberoni*. La politique de celui-ci faillit provoquer une guerre avec la France et l'Angleterre et il dut le renvoyer (1719). En 1724, il abdiqua en faveur de son fils Louis, mais reprit sept mois plus tard la couronne à la mort de celui-ci. Après la rupture avec la France qui renvoya sa fille, fiancée à Louis* XV (1725), il se rapprocha de l'Autriche, sous l'influence du ministre Ripperda*, et obtint pour ses fils les villes de Parme et Plaisance, au traité de Séville (1729). Elles furent échangées contre Naples et la Sicile (1738), lors de la guerre de Succession* de Pologne. À la veille de sa mort, il s'engagea encore dans la guerre de Succession* d'Autriche, à la suite des tensions nées avec l'Angleterre en raison du nouvel essor colonial et maritime de l'Espagne.

Ph. Hétier

Détail du tombeau de **Philippe II le Hardi,** par Sluter. (Musée de Dijon.)

PHILIPPE D'ALSACE. ♦ (v. 1136-1140 – Acre, 1191). Comte de Flandre (1168-1191). Fils de Thierry d'Alsace, il s'appuya sur les villes auxquelles il accorda des chartes de franchise. Il mourut à la troisième croisade.

PHILIPPE Ier. ♦ (1052 – Melun, 1108). Roi de France (1060-1108). Couronné du vivant de son père Henri Ier en 1059, il lui succéda en 1060 sous la tutelle de son oncle, Baudouin* V, comte de Flandre (1060-1066). Après la mort de ce dernier (1067), il intervint dans la succession de Flandre en soutenant Arnoul III contre Robert le Frison. Malgré sa défaite au mont Cassel (1071) devant Robert le Frison, il obtint son alliance et épousa sa nièce Berthe de Hollande (v. 1072-1073). Inquiet de la puissance de son vassal, le duc de Normandie Guillaume Ier le Conquérant, roi d'Angleterre depuis 1066, il poussa son fils Robert Courteheuse à la révolte (1078) et continua à le soutenir contre le nouveau roi d'Angleterre Guillaume II le Roux (1087). La répudiation de sa femme et son remariage avec Bertrade* de Montfort (1092) lui valurent d'être excommunié (1095-1105), ce qui l'empêcha de participer à la première croisade. Par intrigue, donation et achat, il augmenta le domaine royal du Gâtinais (1068), du Vexin français (1082) et du Berry (1100). Il réussit à défendre le Vexin contre les attaques anglaises en 1087, puis en 1097-1098 grâce à son fils, le futur Louis* VI, qu'il associa à la couronne en 1099.

PHILIPPE II Auguste. ♦ (Paris, 1165 – Mantes, 1223). Roi de France (1180-1223). Fils de Louis* VII, il fut sacré du vivant de son père (1179). Par son mariage avec Isabelle* de Hainaut (1180), il acquit l'Artois. Dès le début du règne, il engagea la lutte avec les Plantagenêts dont l'empire franco-anglais menaçait la monarchie française. Il excita les dissensions entre Henri II d'Angleterre et ses fils, notamment Richard Cœur de Lion avec lequel il s'allia pour battre Henri II à Azay-le-Rideau (1189), puis avec qui il participa à la troisième croisade (Richard étant devenu roi en 1189). Après la prise de Saint*-Jean d'Acre, Philippe Auguste, brouillé avec Richard, regagna la France (1191) où il intrigua avec Jean* sans Terre pour s'emparer des possessions françaises des Plantagenêts. Dès la libération de Richard, emprisonné par l'empereur Henri VI (1193-1194) que Philippe Auguste avait encouragé dans cette décision, la lutte reprit. Philippe Auguste, vaincu à Fréteval* (1194), à Courcelles (près de Beauvais) en 1198, ne fut sauvé que par la mort du roi d'Angleterre (1199). Il reconnut Jean sans Terre roi contre la cession d'une partie du

Vexin normand et du pays d'Évreux (1200). Mais, en 1202, il le fit condamner à la saisie de ses fiefs qu'il conquit de 1202 à 1206 : la Normandie (prise de Château-Gaillard), le Maine, l'Anjou, la Touraine, la Saintonge et momentanément le Poitou. Jean sans Terre, ayant suscité une coalition contre lui, fut battu à la Roche-aux-Moines (près d'Angers) tandis que ses alliés, l'empereur Othon IV et le comte de Flandre, Ferdinand* de Portugal, étaient écrasés à Bouvines* (1214). Philippe Auguste augmenta également le domaine royal de la terre d'Auvergne, de l'Amiénois, du Vermandois et du Valois. Il compléta ses conquêtes par une politique de centralisation, créant les baillis et les sénéchaux. Il maintint de bons rapports avec l'Église, fit reconnaître partout sa suzeraineté et s'appuya sur la bourgeoisie en favorisant le mouvement communal et le commerce. Il ne put établir des impôts permanents, mais disposa d'une bonne trésorerie qu'il confia aux Templiers. Il veilla à l'agrandissement et à l'embellissement de Paris où il fit construire le Louvre et une nouvelle enceinte (la Tour de Nesle*). Il pourvut l'université de Paris de statuts (1215). Son mariage avec Agnès* de Méran après la répudiation d'Isambour* de Danemark lui valut un conflit avec le Saint-Siège : Innocent* III jeta l'interdit sur la France (1200). — Père de Louis* VIII.

PHILIPPE III le Hardi. ♦ (Poissy, 1245 — Perpignan, 1285). Roi de France (1270-1285), fils de Louis* IX. À la mort de son oncle Alphonse* II de France, il acquit le comté de Toulouse, le Poitou et l'Auvergne (1271) et céda le comtat Venaissin au Saint-Siège (1274). Il soutint son oncle Charles* Ier d'Anjou, en s'opposant à Pierre* III d'Aragon, après 1282. Le pape ayant déposé Pierre III et donné son royaume au fils du roi de France, Charles de Valois, Philippe III mena alors la « croisade » d'Aragon (1284-1285) pour conquérir l'Aragon mais échoua. Il épousa Isabelle* d'Aragon (qui fut la mère de Philippe IV), puis, à la mort de celle-ci, Marie* de Brabant à qui il sacrifia son favori Pierre de La* Brosse. — Père de Charles* de Valois.

PHILIPPE IV le Bel. ♦ (Fontainebleau, 1268 — *id.*, 1314). Roi de France (1285-1314). Fils de Philippe* III. Par son mariage avec Jeanne* Ire de Navarre, il acquit la Champagne et la Navarre (1284). Il gouverna en s'appuyant sur les légistes, spécialistes du droit romain, imbus de l'autorité royale; les principaux furent Pierre Flote*, Guillaume de Nogaret* et Enguerrand de Marigny*. Sous leur influence, la centralisation monarchique se poursuivit par l'achèvement de la spécialisation de la cour du roi en sections judiciaires (le parlement institué sous Saint Louis fut organisé en 1303) et en sections financières. Philippe IV, en guerre avec Édouard Ier d'Angleterre en Guyenne (1294-1299), quoique victorieux, régla le conflit par la promesse de mariage entre sa fille Isabelle de France et le futur Édouard II d'Angleterre. Il tenta d'annexer la Flandre, dont il emprisonna le comte, Gui* de Dampierre (1300), et dont il confia le gouvernement à Gui de Châtillon. Après le soulèvement de la Flandre, où les Français furent massacrés à Bruges, et la défaite de Courtrai (1302), il remporta la victoire de Mons-en-Pévèle (1304) et acquit Lille, Douai et Béthune au traité d'Athis-Mons (1305). Opposé à l'ingérence pontificale dans les affaires françaises, il entra en conflit avec Boniface* VIII, mécontent de la levée de décimes sur le clergé (1296) et de l'arrestation de Bernard Saisset*, évêque de Pamiers (1301). Il s'assura l'appui de l'opinion publique contre le pape en convoquant les premiers états généraux (1302) et le fit arrêter à Anagni* (1303). Le conflit ne cessa qu'avec l'élection en 1305 d'un pape français, sous la pression de Philippe le Bel **(V. Clément V).** Le roi tenta de pallier ses difficultés financières en essayant d'établir des impôts réguliers, en taxant lourdement les juifs et les Lombards, parfois en confisquant leurs biens et en pratiquant des dévaluations monétaires. Il s'attaqua aux Templiers* dont il convoitait les richesses, faisant arrêter leurs chefs (1307), obtenant de Clément V la suppression de l'ordre (1312) et faisant condamner au bûcher des dignitaires dont Jacques de Molay* (1314). S'il ne réussit pas à confisquer leurs biens, il conserva les richesses monétaires de l'ordre. Il augmenta le domaine royal de Lyon et du Lyonnais (1312). — Personnage énigmatique, très mal connu, Philippe IV fut-il le premier roi absolu ou bien le jouet de ses ministres ? Son règne marqua pour la France l'affranchissement de la tutelle pontificale et le début d'une politique où l'autorité du roi devient sans limites. Cependant, la crise économique générale en Europe eut pour conséquence des révoltes dans les villes, dont celle de 1306 à Paris, qui furent durement réprimées. Le mécontentement était grand à la mort du roi. — Père de Louis* X, Philippe* V, Charles* IV.

PHILIPPE V le Long. ♦ (1294 — Longchamp, 1322). Roi de France et de Navarre (1317-1322). Fils de Philippe* IV le Bel, il épousa Jeanne* de Bourgogne. Il succéda à son frère Louis* X après la mort du fils de ce dernier, Jean Ier. Il s'imposa avec l'appui des états généraux, au détriment de la fille de Louis X, Jeanne* (II de Navarre). Il mit fin à la guerre de Flandre commencée sous Philippe IV (1320). Il développa les milices urbaines et l'administration financière, notamment par l'institution de la Chambre des comptes (1320) mais ne réussit pas à unifier les poids et mesures. Il ordonna la poursuite des juifs et des lépreux accusés d'empoisonner les puits et procéda à la confiscation des biens des premiers et à leur bannissement. Il encouragea l'action de l'Inquisition contre les hérétiques du Midi. Il proclama l'inaliénabilité du domaine de la Couronne. Mort sans héritier mâle, ce fut son frère Charles* IV qui lui succéda.

PHILIPPE VI DE VALOIS. ♦ (1294 — Nogent-le-Roi, 1350). Roi de France (1328-1350), premier de la dynastie des Valois*. Fils de Charles* de Valois, frère de Philippe IV le Bel, il épousa Jeanne* de Bourgogne. Après la mort de Charles* IV sans héritier, il fut reconnu comme roi par les barons du royaume qui écartèrent Philippe d'Évreux (également neveu de Philippe IV) et surtout Édouard III d'Angleterre, petit-fils par sa mère de Philippe IV. Choisi en tant que prince français, Philippe VI était aussi le plus âgé des prétendants. Il reconnut la possession de la Navarre à la femme de Philippe d'Évreux, Jeanne* (II de Navarre), fille de Louis X le Hutin (1328). L'expédition qu'il mena en Flandre pour soutenir son vassal le comte Louis de Nevers contre ses sujets révoltés se termina par sa victoire à Cassel* (1328). Édouard III lui avait prêté hommage pour la Gascogne et la Guyenne dès 1329, mais en 1337, mécontent des empiétements de Philippe en Guyenne et de ses intrigues avec ses ennemis écossais, il lui envoya son défi et revendiqua le trône de France. Ce fut le début de la guerre de Cent* Ans. Édouard III, allié à l'empereur germanique Louis IV de Bavière et surtout à la Flandre **(V. Van Artevelde)**, remporta la victoire navale de l'Écluse* (1340) puis débarqua en France (1346). Battu sur terre à Crécy* (1346), Philippe VI conclut une trêve après la prise de Calais* (1347). Outre la guerre, son règne fut marqué par une crise économique grave, des famines, et par la grande épidémie de peste noire (1348) qui ravagea l'Europe. Il augmenta le domaine royal par l'apport de son apanage (comtés de Valois, de Chartres, du Maine et de l'Anjou) et par l'achat du Dauphiné* et de Montpellier (1349). — Père de Jean* II.

PHILIPPE Ier DE SOUABE. ♦ (v. 1177 — Bamberg, 1208). Empereur germanique (1198-1208). Fils de Frédéric* Barberousse, il fut évêque de Würzburg (1190), puis reçut de son frère Henri* VI la Toscane et les États de la comtesse Mathilde* (1195), puis le duché de Souabe (1196). Il fut élu empereur en concurrence avec Othon* IV de Brunswick (1198), eut constamment l'avantage sur lui, mais fut assassiné.

PHILIPPE Ier le Magnanime. ♦ Landgrave de Hesse (Marbourg, 1504 — Kassel, 1567). Il dirigea la répression de la révolte des paysans*, en Thuringe (1525), mais passa en 1526 dans le camp de la Réforme, fonda la première université protestante allemande à Marbourg (1527), où il organisa un colloque pour réconcilier Luther* et Zwingli* (1529), et constitua avec Jean*-Frédéric de Saxe la ligue de Schmalkalden* (1530). Sa position de chef du protestantisme allemand fut ébranlée par le fait de sa bigamie. Fait prisonnier, il fut libéré lors du traité de Passau* et essaya, dès lors, de réunir catholiques et protestants.

PHILIPPE II. ♦ (v. ~ 382 — Aigai, ~ 336). Roi de Macédoine (~ 359-~ 336). Troisième fils d'Amyntas* III, envoyé à Thèbes comme otage (~ 368-~ 365), il y fit son éducation hellénique et s'inspira des innovations militaires d'Épaminondas. À la mort de son frère Perdiccas* III, il devint régent pour son neveu Amyntas* IV, mais l'écarta en ~ 356 et se proclama roi. Assisté par ses lieutenants Antipatros* et Parménion*, il organisa la phalange macédonienne, raffermit son autorité et mit en œuvre de grands projets. Après des campagnes victorieuses contre les barbares des Balkans, ayant obtenu la neutralité d'Athènes*, il étendit sa domination sur le littoral de la Thrace où il occupa Philippes* et les mines d'or du Pangée* (~ 358), puis les colonies athéniennes d'Amphipolis*, Pydna* et Potidée* (~ 357-~ 356). Disposant alors de grands moyens financiers et renforcé par l'alliance de l'Épire après son mariage avec Olympias*, il entreprit de dominer toute la Grèce. Soutenu dans les cités par un parti macédonien très actif, il exploita habilement la lassitude des populations et la dégradation économique de la Grèce déchirée par les luttes incessantes. Appelé par Larissa* contre les tyrans de Phères*, il devint maître de la Thessalie (~ 354), puis il occupa Olynthe* (~ 348) et la Chersonèse tandis que Démosthène*, avec ses harangues passionnées **(V. Philippiques, Olynthiennes)**, essayait en vain d'alarmer les Athéniens. **V. Isocrate, Eschine.** Ayant imposé à Athènes la paix de Philocrate (~ 346), il intervint en Grèce centrale et dévasta la Phocide* dont il prit la place au conseil des amphictyons. **V. Sacrées *(guerres).*** Athènes, où le parti antimacédonien l'emporta, empêcha Philippe d'occuper Byzance en ~ 341, mais le Macédonien, chargé d'exécuter une sentence du conseil amphictyonique contre les Locriens, occupa Élatée* en ~ 339. Ayant ensuite écrasé l'alliance d'Athènes et de Thèbes* à Chéronée* (~ 338), il devint le maître incontesté de la Grèce (à l'exception de Sparte). Le congrès panhellénique qu'il convoqua alors à Corinthe (~ 337) le reconnut comme arbitre politique d'une ligue hellénique et son chef militaire en temps de guerre. Philippe fit décider la guerre des Grecs unis contre Darios, mais il périt assassiné, peut-être à l'instigation d'Olympias, son épouse, délaissée pour Cléopâtre. Ses projets furent réalisés par son fils Alexandre* le Grand.

PHILIPPE V. ♦ (~ 238 — Amphipolis, ~ 179). Roi de Macédoine (~ 221-~ 179), fils de Démétrios II. Voulant s'assurer le contrôle de l'Adriatique, il s'allia avec Hannibal* (~ 215), mais se heurta aux Romains qui formèrent contre lui une alliance de plusieurs États grecs. Il obtint de Rome la paix de Phoenikê (~ 205) qui lui laissa ses accès sur l'Adriatique. Désireux alors de conquérir les détroits et la Grèce d'Asie, il s'allia avec Antiochos* III, mais, à la demande de Pergame, d'Athènes et de Rhodes, Rome intervint et Flaminius* lui infligea la défaite de Cynocéphales* (~ 197) qui le chassa de la Grèce. Philippe apporta alors son appui aux Romains mais ne réussit pas à gagner leur confiance.

PHILIPPE Ier le Beau. ♦ (Bruges, 1478 – Burgos, 1506). Souverain des Pays-Bas (1482-1506), roi de Castille (1504-1506). Fils de Maximilien* Ier et de Marie* de Bourgogne, il hérita de sa mère les Pays-Bas et dut s'opposer à son père qui voulait en conserver la régence (1495). Il épousa Jeanne* la Folle, fille d'Isabelle*de Castille et de Ferdinand* d'Aragon, dont il eut six enfants (parmi lesquels Charles* Quint et Ferdinand* Ier). À la mort d'Isabelle, il monta avec sa femme sur le trône de Castille, malgré l'opposition de Ferdinand d'Aragon, et mourut prématurément.

PHILIPPE l'Arabe, en lat. **Marcus Julius Philippus**. ♦ (Bostra, Syrie, v. 204 – Vérone, 249). Empereur romain (244-249). Préfet du prétoire sous Gordien* III, il le fit assassiner et s'empara du pouvoir. Il tenta de rendre à l'empire la sécurité et la paix et célébra le millénaire de Rome (248), mais son règne fut une succession d'invasions et lui-même fut vaincu et tué à Vérone par Dèce*.

PHILIPPE le Tétrarque. ♦ V. HÉRODE PHILIPPE, tétrarque.

PHILIPPE (Charles-Louis). ♦ Écrivain français (Cérilly, 1874 – 1909). D'abord encouragé à la poésie par les symbolistes (de René Ghil* à Mallarmé*), il gagne la notoriété par son œuvre romanesque, tout imprégnée des souvenirs de sa modeste vie d'employé. *Bubu de Montparnasse* (1901), *Marie Donadieu* (1904) et *Croquignole* (1906) peignent avec tendresse la vie des pauvres gens auxquels amour et espoir sont interdits. Parfois, comme dans *La Mère et l'Enfant* (1900), les souvenirs prennent la valeur d'un symbole, celui de l'humanité rachetée par la souffrance. Initiateur de la littérature « populiste », Charles-Louis Philippe en fut aussi un des maîtres.

PHILIPPE AUGUSTE. ♦ V. *ci-dessus* sous PHILIPPE, rois de France.

PHILIPPE DE GRÈCE (*duc d'***Édimbourg**). ♦ Prince consort de Grande-Bretagne (Corfou, 1921). Descendant par sa mère de la reine Victoria*, il épousa la princesse Élisabeth qui, devenue reine en 1952, lui donna le titre de prince consort en 1957.

PHILIPPE DE VITRY. ♦ Théoricien de la musique et compositeur français (Vitry, 1291 – Meaux, 1361). Ami et conseiller du dauphin Jean, duc de Normandie, il occupa d'importantes fonctions à la cour de Philippe VI de Valois et de Jean II le Bon. Il fut évêque de Meaux (1351). Esprit de haute culture, il entretint des relations avec l'élite intellectuelle de son temps, notamment avec Pétrarque. À ce titre, il peut être considéré comme l'un des précurseurs de l'humanisme français. De nombreux traités, transcrits d'après son enseignement

Philippines

(*Liber musicalium, Ars contrapuncti* et surtout *Ars nova musicae*, v. 1325), montrent l'importance de son rôle dans l'élaboration d'un « art nouveau » qui, en se substituant à l'*ars antiqua*, a révolutionné la musique dès la fin du XIVe siècle. Il se caractérise par une théorie de la notation mesurée et du contrepoint et manifeste un souci d'affranchissement mélodique et rythmique qui annonce la Renaissance. Musicien et poète, Philippe de Vitry a peu composé. Une dizaine de ses motets nous est parvenue; quelques pièces du *Roman de Fauvel* lui sont attribuées.

PHILIPPE ÉGALITÉ. ♦ V. ORLÉANS (Louis Philippe Joseph, duc d').

PHILIPPE NERI (*saint*). ♦ Prêtre italien, fondateur de l'Oratoire (Florence, 1515 – Rome, 1595). Il se consacra au service des pèlerins, des valétudinaires, des pauvres, puis groupa des fidèles en réunions pieuses qui conquirent Rome dans le mouvement de la Contre*-Réforme et donnèrent naissance à l'institut de l'Oratoire (1575). Fête le 26 mai.

PHILIPPES, en gr. **Philippoi**. ♦ Anc. V. macédonienne de Thrace, près de la mer Égée. Appelée d'abord Crénidès, elle fut prise par Philippe* II (~ 358) qui la fortifia et en fit le centre des exploitations minières du mont Pangée. Antoine* et Octave y vainquirent Brutus* et Cassius* (~ 42). Elle devint colonie romaine sous Auguste*; saint Paul* y fut emprisonné et y fonda une des premières communautés chrétiennes d'Europe, à laquelle il adressa son *Épître aux Philippiens*.

PHILIPPEVILLE. ♦ V. d'Algérie. Anc. nom de Skikda*.

PHILIPPEVILLE. ♦ V. de Belgique (ch.-l. d'arr. de la province de Namur), dans les Ardennes* (alt. 290 m). 1 991 hab. – Église de 1556 et vestiges de remparts. – Manufactures de tabac. Tourisme. ♦ *Hist.* La ville fut créée par Charles Quint, qui lui donna le nom de son fils, *Philippe* (futur Philippe II), et fortifiée pour faire face à Marienbourg qui avait été enlevée par les Français en 1554. Annexée par Louis XIV en 1668, elle fit partie du système défensif de la frontière du N. jusqu'en 1815.

PHILIPPINES (*mer des*). ♦ Partie de l'océan Pacifique s'étendant au N. et à l'E. des îles Philippines et comprise entre Taïwan (Formose) au N., les îles Mariannes à l'E., les Carolines au S.-E. et les Philippines au S.-O. De violents combats s'y livrèrent de 1942 à 1944 entre Américains et Japonais. **V. Guerre mondiale** [*Deuxième*].

PHILIPPINES, *n. f. pl.* (*république des*), en esp. **República de Filipinas**, en tagalog **Republika ñg Philipinas**. ♦ État et archipel de l'Insulinde s'étendant entre 4° 23' et 21° 25' de latitude N., 116° et 126° 30' de longitude E. et baigné au N. par la mer de Chine méridionale, à l'E. par l'océan Pacifique (mer des Philippines), au S. par la mer des Célèbes et au S.-O. par la mer de Sulu. 299 765 km^2. 36 684 486 hab. (recens. 1970) [*Philippins*]. *Langues :* anglais (40 %), tagalog, espagnol (2 %). *Religion.* Catholique (83 %). *Cap.* **V. Quezón (City).** *V. princ.* **V. Batangas, Cadiz, Calbayog, Caloocan, Cebu, Davao, General Santos, Iloilo, Iriga, Manille, Rizal, San Carlos** et **Zamboanga.** L'archipel comprend plus de 7 000 îles (îles princ. **V. Luçon, Mindanao, Samar, Negros, Palawan, Panay, Mindoro, Leyte, Cebu, Masbate**). – *Orogr.* Les îles présentent un relief tourmenté; faillé (grande faille méridienne de Luçon ou faille des Philippines), de formation récente (ère quaternaire) où le volcanisme est encore actif (Mayón Taal) et les secousses sismiques fréquentes. Le mont Apo (2 953 m) à Mindanao et le mont Halcón (2 585 m) à Mindoro sont les points culminants de l'archipel. Les plaines sont rares et exiguës (plaine de Luçon, bassins de Cagayán et de Davao [Mindanao]). Les côtes, découpées, sont souvent bordées de récifs de corail. À l'E. de l'archipel philippin s'allonge la plus grande fosse sous-marine connue (10 600 m). – *Hydrogr.* Lacs de Boy et Lanao. – Le *climat* est de type tropical : chaleur constante, pluviosité abondante (1 500 à 3 500 mm/an). L'influence océanique, la position allongée de l'archipel et sa structure montagneuse sont à l'origine de nuances locales assez marquées (plus grande différenciation à l'O. entre saison sèche et saison humide, plus grande pluviosité à l'E.). Les cyclones *(baguios)* atteignent surtout le N. de l'archipel. La végétation est particulièrement exubérante et la forêt couvre 60 % du territoire. Elle est toutefois en régression et cède la place à la savane et aux zones herbeuses *(cogones)*. – La *population*, très hétérogène, s'est formée en vagues successives d'éléments protomalais, indonésiens, indochinois, arabes, chinois, japonais, espagnols, à côté desquels subsiste une minorité de groupes philippins (Negritos, Ignarots, Tagals, etc.). La densité est forte (123 hab./km^2; 495 hab./km^2 autour de Manille). Le taux d'accroissement a toujours été élevé (autour de 3,5 % par an). – *Écon.* L'agriculture, base de l'économie philippine, emploie 60 % de la population et occupe 28 % du sol. Les cultures vivrières prédominent. Le riz représente 40 % du sol cultivé, soit 3,5 millions d'ha (dont 400 000 ha en culture sèche ou *caiñgin*). L'aide américaine a permis la production de variétés à haut rendement (5,6 millions de t en 1970). Le maïs, cultivé sur 2 millions d'ha (15 % de la surface cultivée), constitue la nourriture de base d'un quart de la population. Patates douces au N. de Luçon, manioc dans les îles du S., légumes et fruits tropicaux autour de Manille. Les cultures spéculatives se sont développées avec l'aide américaine : canne à sucre (1 500 000 t), dérivés du cocotier (coprah : 1er prod. mondial, huile de coco), abaca ou chanvre de Manille (monopole mondial), tabac (introduit au XVIe s. par les Espagnols). L'importance de l'élevage (buffles, bœufs, porcs) est notable. Les structures agraires sont encore archaïques et, malgré une réforme entreprise en 1953, 40 % des paysans sont des métayers relevant d'un grand domaine et vivant sur des lopins de moins de 4 ha. – Les ressources minières et énergétiques sont variées : or (18 747 kg en 1969), argent, cuivre, chrome, fer, manganèse, argent. La plupart des mines sont concentrées à Luçon (Baguio), dans les Visayas et au N. de Mindoro. Le potentiel hydro-électrique est important (barrage d'Ambuklao, près de Baguio, île de Luçon). – L'industrie, qui ne représente encore que 25 % du revenu national, se développe; elle est localisée autour de Manille. Il s'agit surtout de transformation de produits agricoles (décorticage du riz, transformation du sucre et de la noix de coco, indus. textiles, manufactures de cigares et de cigarettes). Après l'indépendance (1946) se sont développées des indus. chimiques (huileries, fabriques d'engrais et de produits pharmaceutiques, des cimenteries et des brasseries). La pêche (perles, coraux) est active sur les côtes. – *Communications, commerce, tourisme.* Le réseau ferroviaire compte 1 050 km et le réseau routier 56 000 km. Les côtes abritent de nombreux ports, répartis surtout à Luçon, Mindanao, Mindoro. La balance commerciale est déficitaire. Le commerce extérieur s'effectue surtout avec les U.S.A. Le tourisme est en plein essor. ♦ *Hist.* Après avoir appartenu aux anc. royaumes maritimes indo-malais de Critivijaya et de Madjapahit (VIIe-XVe s.), les Philippines furent découvertes par Magellan* en 1521. Colonisées par l'Espagne dès le premier quart du XVIe s., elles reçurent le nom de l'infant *Philippe* (futur Philippe II). L'archipel avait le statut particulier de colonie d'une colonie. En effet, il était administré par un gouvernement qui relevait du vice-roi du Mexique. La colonisation allait de pair avec la christianisation des populations indigènes. Les terres furent distribuées aux communautés religieuses et aux « caciques » locaux. Les Espagnols firent de l'archipel philippin un comptoir de distribution de produits chinois vers le Mexique (trafic de galions entre Manille et Acapulco). Mais l'intolérance religieuse et les rigueurs de l'administration espagnole provoquèrent de nombreux troubles durant trois siècles (soulèvements des minorités chinoise de Manille et musulmane de Mindanao). La fin du XIXe s. vit l'éclosion du nationalisme philippin. L'écrivain José Rizal* y Alonzo rallia les suffrages de la bourgeoisie d'origine métisse, écartée du pouvoir par les Espagnols et aspirant à l'indépendance. Rizal fonda en 1892 la *Ligua Filipina*, société civique à buts réformistes. Considéré par les Espagnols comme agent principal de l'insurrection armée de 1896, il fut exécuté. Au même moment, le *Katipunan*, société secrète d'origine populaire, intensifia la lutte pour l'indépendance. Son chef, E. Aguinaldo, se rapprocha des États-Unis, alors en guerre contre l'Espagne **(V. Hispano-américaine** [*guerre*]**)**, mais il ne put, malgré leurs promesses, obtenir d'eux l'indépendance. Après avoir coulé la flotte espagnole dans le port de Manille, les Américains annexèrent les Philippines (traité de Paris, 1898). Les troupes nationalistes d'Aguinaldo reprirent alors la lutte armée et proclamèrent la république (janv. 1899). Sous l'administration américaine, les Philippines accédèrent graduellement à l'autonomie (*Philippine Bill* de 1902, loi de Jones de 1916). Enfin, en 1934, la loi Tydings-McDuffe fut votée, prévoyant l'indépendance des Philippines au bout d'une période de dix ans. Une constitution fut élaborée et Quezón élu président du « Commonwealth des Philippines ». Après l'invasion de l'archipel par les Japonais (1942), la résistance s'organisa autour du mouvement communiste *Huk**. Après l'éviction des Japonais par MacArthur (débarquement de Leyte, prise de Manille), la république fut proclamée officiellement (1946). Depuis, le gouvernement philippin demeure sous l'influence économique et politique des États-Unis (adhésion à l'O.T.A.S.E., lutte anticommuniste, protection des intérêts américains dans l'archipel), mais il doit compter, surtout depuis 1965, avec des mouvements d'opposition de mieux en mieux organisés (parti communiste, nouvelle armée populaire ou NAP).

PHILIPPIQUE BARDANE, en grec **Philippikos Bardanês**. ♦ Empereur byzantin (711-713). D'origine arménienne, il mena une révolte dans la Chersonèse et détrôna Justinien II. Il soutint les monothélètes, mais ne put empêcher les Bulgares et les Arabes de ravager l'empire. Il fut renversé par l'armée et eut les yeux crevés.

Philippiques. ♦ Harangues de Démosthène* contre Philippe* II de Macédoine prononcées, la première en ~ 351, la deuxième en ~ 344, la troisième en ~ 341 (une quatrième est contestée). Dans les *Philippiques,* Démosthène dresse des plans de guerre, préconise des mesures de mobilisation, dénonce l'enjeu militaire et diplomatique de Philippe et critique sévèrement l'apathie et l'oisiveté des Athéniens, en essayant d'éveiller chez eux les sentiments de responsabilité et de fierté dus au glorieux passé de leur cité.

PHILIPPOPOLI ou **PHILIPPOVI.** ♦ V. PLOVDIV.

PHILIPPSBURG. ♦ V. d'Allemagne occidentale (Bade-Wurtemberg), sur le Saalbach et un bras du Rhin, au N. de Karlsruhe. 36 000 hab. ♦ *Hist.* L'anc. *Udenheim,* fortifiée par les évêques de Spire, fut l'enjeu de nombreux combats au cours des guerres des XVIIe et XVIIIe siècles.

PHILISTINS. *n. m. pl.* ♦ Peuple de l'Antiquité, d'origine incertaine (un des peuples* de la Mer), qui s'installa sur le littoral de Canaan vers ~ 1190 et donna son nom à l'ensemble du pays **(V. Palestine).** Ils dominèrent les Cananéens* et les Israélites **(V. Israël),** mais ces derniers finirent par l'emporter, sous la royauté

Ph. Giraudon

« **Philopœmen** reconnu par une vieille femme », par Rubens. (Musée du Louvre, Paris.)

de David*. La Bible (*Juges,* I *Samuel*) garde de nombreux souvenirs de ces luttes. **V. Samson, Samuel, Saül, Jonathan, David, Goliath.** Les cinq villes ou « satrapies » des Philistins étaient Gaza, Asdod, Ascalon, Gath, Eqron (ou Accaron). Leur langue, non sémitique, n'a laissé qu'un mot : *sérèn,* « prince, satrape ». Leur civilisation était de type mycénien. Poteries caractéristiques qu'on a rapprochées de poteries crétoises. Ils avaient adopté des dieux sémitiques : Dagon **(V. Dagan),** Baal*-Zébub, Astoreth.

PHILOCTÈTE, en gr. **Philoktêtês.** ♦ Un des chefs grecs de l'expédition contre Troie*, dans *l'Iliade.* Mordu par un serpent, il est abandonné sur l'île de Lemnos. Rappelé la dixième année de la guerre, il tue Pâris*, contribuant ainsi à la victoire grecque. Héros éponyme d'une tragédie de Sophocle, qui enrichit les épisodes homériques. – *Philoctète.* Tragédie de Sophocle* (~ 409). Blessé au pied pendant la traversée qui acheminait les Grecs vers Troie, Philoctète a été abandonné par ses compagnons dans une île déserte. On lui a laissé un arc et des flèches magiques, dons d'Héraclès, afin qu'il ne meure pas de faim. Neuf ans après, les Grecs apprennent d'un oracle que, sans ces armes infaillibles, ils ne pourront prendre Troie. Ulysse, qui sait la haine que lui porte Philoctète, charge Néoptolème, fils d'Achille, d'obtenir, grâce à une ruse, la remise des armes aux Grecs. Se présentant comme un ennemi d'Ulysse, le jeune homme gagne la confiance de Philoctète qui lui donne l'arc et les flèches. Mais, Néoptolème, pris soudain de repentir, lui avoue la vérité et lui restitue ses armes. C'est alors qu'Héraclès apparaît et ordonne au malade, son ami, de se rendre à Troie où Asclépios le guérira. Dans l'affrontement qui l'oppose à la cruauté des dieux et des hommes, Néoptolème a affirmé sa foi en une justice tout humaine.

PHILODÈME, en gr. **Philodêmos.** ♦ Philosophe grec, épicurien (Gadara, Cœlésyrie, v. ~ 110 – Italie, v. ~ 28). Il vécut essentiellement à Rome où il eut sans doute Cicéron pour auditeur, à Naples et à Herculanum (où quelques textes ont été retrouvés).

PHILOLAOS. ♦ Philosophe et astronome grec de l'école pythagoricienne (Crotone ou Tarente, v. ~ 470 – Héraclée, *fin* ~ Ve s.). Il fonda une école pythagoricienne à Thèbes et fut, dit-on, un des premiers à divulguer la pensée de son maître. On lui attribue une théorie astronomique dans laquelle la sphéricité et le mouvement de la Terre sont affirmés.

PHILOMÈLE, en gr. **Philomêla.** ♦ Princesse légendaire d'Athènes, fille de Pandion*. Son beau-frère Térée, roi de Thrace, lui ayant fait violence, lui coupe la langue pour l'empêcher de parler. Mais Philomèle trouve le moyen de le dénoncer à sa sœur Procné en brodant son aventure sur une tapisserie qu'elle lui fait parvenir. Procné, pour se venger, tue son propre fils et le sert à son mari. Pourchassées par Térée, les deux sœurs sont sauvées par les dieux qui transforment Procné en rossignol, Philomèle en hirondelle.

PHILOMÈNE *(sainte).* ♦ Martyre imaginaire dont le culte se répandit au XIXe siècle. En 1802, on découvrit dans les catacombes Sainte-Priscille, à Rome, des ossements que des fragments d'inscription firent prendre pour les reliques d'une jeune martyre qui se serait nommée *Filumena.* En 1805, le transfert de ces « reliques » à Mugnano, près de Naples, procura une grande notoriété à cette « sainte » et, peu après, sa vie fut décrite par une religieuse italienne, d'après des visions. La région de Naples et, grâce au curé d'Ars, Jean* Marie Baptiste Vianney, la France pratiquèrent la dévotion à sainte Philomène. Mais, en 1904, H. Marruchi rendit les ossements à l'anonymat en montrant notamment que les tuiles portant l'inscription étaient des matériaux de récupération. Fêtée anciennement le 11 août, sainte Philomène a été supprimée du calendrier liturgique sous Jean XXIII (1961).

PHILON le Juif ou **d'Alexandrie** [*Philôn*]. ♦ Philosophe grec d'origine juive (Alexandrie, v. ~ 13 – 54). Issu d'une famille bourgeoise, il reçut une formation hellénique, tout en étudiant la Bible et la pensée hébraïque. D'abord attiré par la vie contemplative, il prit part ensuite aux affaires politiques. Il fut envoyé comme député à Rome (39-41) auprès de l'empereur Caligula pour plaider la cause de ses coreligionnaires qui refusaient de rendre un culte à la statue de l'empereur. Ses œuvres se partagent en : traités apologétiques, exégétiques *(Questions et Solutions sur la Genèse et l'Exode; Commentaire allégorique de la Genèse)*, des ouvrages de philosophie *(Sur l'esclavage de l'insensé; Sur la liberté du sage)*. Sa pensée apparaît comme une tentative de conciliation et de synthèse entre sa foi monothéiste et l'héritage de la philosophie grecque, en particulier Platon et les stoïciens. Philon est souvent considéré comme un précurseur du néo*-platonisme.

PHILOPŒMEN [*Philopoimên*]. ♦ Stratège et homme politique grec (Megalopolis, v. ~ 252 – Messène, ~ 183). Préparé par l'ascèse à une vie austère et active, il se distingua très vite par ses vertus civiques et ses qualités militaires. Élu huit fois stratège de la ligue Achéenne* à partir de ~ 208, il réorganisa son armée et lutta pour réaliser une unité hellénique contre la menace romaine et la domination macédonienne. Il battit les Étoliens à Larissa (~ 208), et par sa victoire de Mantinée (~ 206), obligea Sparte à entrer dans la ligue, puis, après une tentative séparatiste de cette cité (~ 188), il en fit raser les murailles et déporter les habitants. Lors d'une expédition contre Messène*, détachée de la ligue par les agents des Romains, il fut battu, fait prisonnier et condamné à boire la ciguë. Son successeur Lycortas* vengea sa mort. Plutarque le surnomma le *dernier des Grecs.*

PHILOPON (Jean), en gr. **Philoponos.** ♦ Philosophe et grammairien grec (Alexandrie, v. 490 – v. 566). Penseur chrétien, il fréquenta l'école néo-platonicienne. Il écrivit un traité *Contre Proclos sur l'éternité du monde,* où il soutient la thèse de la création du monde dans le temps propre à la théologie judéo-chrétienne.

Philosophe sans le savoir (Le). ♦ Comédie en cinq actes, en prose, de Sedaine* (1765). À la veille du mariage de sa fille, un honnête et opulent commerçant, M. Vanderk, apprend que son fils va se battre en duel pour venger l'honneur des négociants qu'un jeune officier a traités devant lui de fripons. Auparavant, le jeune Vanderk avait appris de son père qu'il était de sang noble et non roturier. La nouvelle de la mort du jeune homme parvient alors au père, mais elle est vite reconnue pour fausse, les deux adversaires s'étant réconciliés sur le terrain du duel. Célébrant les vertus de la bourgeoisie marchande, la pièce peut être tenue pour le chef-d'œuvre de la comédie sérieuse, au XVIIIe siècle.

Philosophie de la misère (La), Système des contradictions économiques (1846). ♦ Ouvrage où Proudhon* expose ses théories économiques et sociales dans un esprit réformiste, préservant la petite propriété et cherchant à concilier les classes opposées. L'ouvrage fut critiqué par Marx* *(Misère* de la philosophie).*

Philosophie de l'art (La). ♦ Œuvre de H. Taine* (1882). L'intérêt de cette œuvre réside dans la tentative pour faire de l'esthétique et de l'histoire de l'art une science positive, par l'analyse sociologique de la création artistique. Elle comporte des études sur la nature et la production de l'œuvre d'art, sur l'art en Italie, aux Pays-Bas et en Grèce.

Philosophie du droit (Principes de la). ♦ Ouvrage de Hegel* (1820-1821). « Monde de l'esprit produit comme seconde nature à partir de lui-même », le système du droit est l'actualisation de la liberté en ses différents moments : le droit abstrait (de la personne privée dont le vouloir se réalise dans la propriété), la moralité subjective (affirmation de l'exigence infinie de la subjectivité) et la moralité objective. C'est dans la famille, la société civile (monde du libéralisme bourgeois) et surtout l'État (organisation rationnelle de la vie d'un peuple, réalité en acte de l'Idée morale) que la liberté devient un monde réel (universel concret). Critiquant le formalisme moral de Kant et la théorie contractuelle de l'État de Rousseau, Hegel « a voulu réconcilier la subjectivité chrétienne infinie avec l'idéal de la cité antique, selon lequel l'État est pour le citoyen le but final de son monde » (J. Hyppolite).

Philosophie positive (Cours de). ♦ D'Auguste Comte* (1830-1842). Exposé du système positif du savoir, où sont développées la fameuse loi des trois états du développement de l'esprit humain (théologique, métaphysique et positif) et la classification linéaire des sciences dont la plus complexe, la sociologie (mot créé par Comte), constitue la base de la morale, de la politique et de la religion positives.

Philosophie zoologique. ♦ Ouvrage de Lamarck* (1809) où il expose sa théorie sur l'origine et l'évolution des espèces.

PHLÉGRÉENS *(champs).* ♦ Région volcanique d'Italie méridionale (Campanie), à l'O. de Naples, où subsistent des cratères non éteints *(Monte Nuovo, Solfatara).*

PHNOM PENH. ♦ Capitale du Cambodge, située au confluent des « Quatre bras » du Mekong*, entre le delta de ce fl. et le Grand Lac ou Tonlé*-Sap. 1 800 000 hab. Vaste et aérée, moderne, elle est bâtie autour d'une petite colline. Palais du XIXe siècle. Ville commerciale et administrative. ♦ *Hist.* Créée au XVe s., elle fut capitale temporaire avant de devenir officielle en 1860. Elle fut le siège, en 1886, du gouvernement général français de l'Indochine.

PHOCAS [*Phôkas*]. ♦ (mort en 610). Empereur byzantin (602-610). Simple centurion porté au trône par une sédition militaire, il mit à mort l'empereur Maurice* et ses fils. Régnant par la terreur au milieu des conspirations, il ne put défendre l'empire contre les Perses et, renversé par Héraclius* Ier, fut massacré par la foule.

PHOCÉE, en gr. **Phôkaia.** ♦ Anc. V. d'Asie Mineure (Ionie) dans le golfe de Smyrne (hab. *Phocéens*). Fondée peut-être par des Phocidiens et Athéniens v. le ~ Xe s., elle obtint dès le ~ VIIe s. une grande importance commerciale et fonda une douzaine de colonies sur les côtes septentrionales de l'Asie Mineure, dont Lampsaque* et Amisos (Samsun*) et surtout en Méditerranée occidentale : *Massalia* (Marseille*) en France, Emporium en Espagne, etc. Après la prise de leur ville par les Perses (~ 545), les Phocéens émigrèrent en Corse où ils essayèrent de fonder un État maritime. Devant les attaques conjuguées des Carthaginois et des Étrusques, ils émigrèrent de nouveau en Italie du Sud **(V. Grande-Grèce)** où ils fondèrent Élée*. Phocée, relevée entre-temps, fut assiégée par les Romains en ~ 190. Elle connut un nouvel essor commercial sous les Génois qui fondèrent v. 1300 la *Nouvelle Phocée* au N.-E. de la ville antique. – Ruines d'un temple archaïque d'Athéna et d'une forteresse génoise à l'actuel village de *Phoça.*

PHOCIDE. *n. f.*, en grec **Phôkis.** ♦ Anc. contrée de la Grèce entre la Béotie à l'E., l'Étolie à l'O., le golfe de Corinthe au S. et la Phthiotide au N., correspondant à l'actuel *nome de Phocide.* 2 121 km². 41 360 hab. Ch.-l. Amphissa*. Pays montagneux formé par le Parnasse* et les Bardousia, elle séparait la Locride* en deux parties (est et ouest). Ses V. princ. étaient Amphissa, Daulis* et Élatée*. Le sanctuaire de Delphes*, disputé aux Phocidiens par les Béotiens et les Thessaliens, fut l'enjeu des guerres Sacrées*. Ravagée par Philippe* II de Macédoine, la Phocide se rangea ensuite aux côtés des Macédoniens.

PHOCION, en gr. **Phôkiôn.** ♦ Général et orateur athénien (v. ~ 402 – ~ 318) du parti aristocratique. Élu quarante-cinq fois stratège, il repoussa les Macédoniens de l'Eubée et de la Chersonèse*. Valeureux combattant, mais aussi partisan de la paix, il sut être un ambassadeur efficace auprès d'Alexandre et d'Antipatros. Dans l'exaltation des passions nationalistes, il fut injustement condamné à boire la ciguë. Orateur vigoureux, il était estimé de son grand adversaire Démosthène. Son œuvre est perdue.

PHOCYLIDE, en gr. **Phôkulidês.** ♦ Poète grec (Milet, ~ VIe s.). Auteur de vers sentencieux en hexamètres ou distiques élégiaques, admirés et imités à l'époque hellénistique. Parmi divers plagiats figure le recueil *Maximes de Phocylide.*

PHOENIX *(archipel).* ♦ **V.** GILBERT et ELLICE (îles).

PHOENIX. ♦ V. des États-Unis, cap. de l'Arizona, bâtie dans une oasis de la Salt River. 581 562 hab.; zone urbaine, plus de 950 000 hab. Au centre d'une zone agricole (irriguée par le *Roosevelt Dam*) et minière (métaux non ferreux), la ville, bien située sur la transcontinentale sud, est en expansion rapide. Son climat en fait un centre résidentiel et touristique.

PHOKAS. ♦ **V.** PHOCAS.

PHOLOS. ♦ Un des Centaures*, fils de Silène*. Il reçoit avec beaucoup d'égards Héraclès* et, à sa demande, ouvre une jarre de vin réservée aux Centaures. Humant l'odeur enivrante, ceux-ci deviennent furieux et attaquent la grotte de Pholos, lançant des rochers et des arbres enflammés. Héraclès tue plusieurs Centaures et disperse les autres. Après le combat, une flèche du héros tombe par hasard sur le pied de Pholos et le blesse mortellement. Héraclès lui accorde des honneurs funèbres.

Phormion, en lat. **Phormio.** ♦ Comédie de Térence* (~ 161) ayant pour thème les rapports réciproques des jeunes gens et des vieillards. Molière s'en inspira dans les *Fourberies de Scapin.*

PHOSPHATES *(plateau des).* ♦ Nom donné au Maroc à une partie des plateaux de la Meseta* de la haute Chaouïa. *V. princ.* **V. Khouribga** et **Oued-Zem.**

PHOTIOS ou **PHOTIUS** (*saint,* pour l'Église orthodoxe). ♦ Théologien byzantin (Constantinople, v. 820 – *id.*, 895). Michel III le fit nommer patriarche de Constantinople en 858, à la place d'Ignace*, mais le pape Nicolas Ier l'excommunia et le déposa (863). Photios riposta en faisant excommunier le pape par un

Ph. Hétier

Marché à **Phnom Penh.**

Édith Piaf. *Ph. Lipnitzki-Viollet*

concile réuni à Constantinople en 867 (schisme de Photios). Déposé en faveur d'Ignace à l'avènement de l'empereur Basile Ier, il fut condamné par le IVe concile œcuménique de Constantinople* (869-870); à la mort d'Ignace (877), il fut réinstallé puis réhabilité et il garda de bonnes relations avec Rome. Néanmoins, il apparut comme le champion de l'« orthodoxie » face à Rome, et son attitude servit de modèle au XIe s. lorsque l'Église orthodoxe se sépara de l'Église romaine. C'est lui qui avait organisé la mission de Cyrille* et de Méthode* auprès des Slaves (862-863). – Œuvr. princ. : le *Myriobiblion* ou *Bibliothèque* de Photios (analyse d'ouvrages dont beaucoup sont perdus), *Amphilochia, Contre les manichéens, Traité sur le Saint-Esprit* (où il combat le *Filioque**).

PHRAATE, en gr. **Phraatês**. ♦ Nom de plusieurs rois des Parthes. ♦ PHRAATE III fut empoisonné par ses fils Mithridate III et Orode II (~ 57). ♦ PHRAATE IV, roi de ~ 37 à 2, assassina ses frères et son père Orode* II. Il vainquit les légions d'Antoine en Arménie (~ 36), se vit disputer le trône par Tiridate II, allié des Romains, et fut contraint de traiter avec ceux-ci.

Phra Lo. ♦ Grand poème siamois datant du début du XVIIe s., en vers de 4 pieds intercalés dans de la prose rythmée, racontant une histoire semblable à celle de Roméo et Juliette, d'inspiration bouddhique; attribué au roi Narai.

PHRAORTE, en gr. **Phraortês**, en iranien **Fravarti**. ♦ Nom de deux rois mèdes dont le plus important régna v. ~ 670 et fut tué devant Ninive en ~ 653. **V. Mèdes.**

PHRIXOS et HELLÉ, en gr. **Phroixos et Hellê**. ♦ Enfants d'Athamas* et de Néphélé. Ino*, la seconde femme d'Athamas qui déteste ses beaux-enfants, persuade les paysannes de griller les grains du blé avant de les semer. Devant la disette qui s'ensuit, Athamas demande à Delphes un oracle. Les envoyés, soudoyés par Ino, disent que Zeus exige qu'on lui sacrifie Phrixos, et Athamas obéit. Mais Néphélé donne à son fils un bélier à toison* d'or qui enlève les deux enfants et s'envole. Hellé tombe dans la mer qui depuis porte son nom *(Hellespont*)* et Phrixos, parvenu seul à Colchide, sacrifie le bélier et offre sa toison au roi Æétès.

PHRYGIE. *n. f.*, en gr. et en lat. **Phrygia**. ♦ Anc. contrée d'Asie Mineure occupant la partie O. du plateau anatolien, entre la Lydie* et la Cappadoce*. Son étendue a beaucoup varié suivant les époques. La partie N.-O. de l'Asie Mineure fut appelée au ~ VIe s. *Petite Phrygie* ou *Phrygie hellespontique. V. et localités princ.* **V. Dorylée, Gordion, Hiérapolis, Iconion, Ipsos, Laodicée.** – Peuple indo-européen, les Phrygiens (ou *Moushki*), venus de la Thrace ou de la région danubienne, occupèrent presque toute la partie centrale et occidentale de l'Asie Mineure, portant le dernier coup à l'empire hittite (v. ~ 1200) et disputant le haut de l'Euphrate aux Assyriens (v. ~ 1100). Leur royaume, axé sur le Sangarios, avec Gordion* comme cap., atteignit son apogée au ~ VIIIe s., sous le règne (ou la dynastie) de Midas*, fils de Gordios*. Aux prises pendant des siècles avec les Assyriens, la Phrygie succomba v. la fin du ~ VIIIe s. aux invasions des Cimmériens. Évincée alors par la Lydie, elle tomba avec elle sous la domination perse en ~ 546. Disputée par les diadoques d'Alexandre, elle passa des Séleucides* au royaume de Pergame* (~ 188), tandis que la partie E., envahie par les Celtes (~ 275), prenait le nom de Galatie*. À partir de ~ 103 elle fit partie de la province romaine d'Asie. La civilisation phrygienne, culminant au ~ VIIIe s., a dépassé l'expansion territoriale et la durée de l'État de Midas. Ses réalisations dans les arts plastiques (notamment la céramique peinte) et la musique (mode *phrygien*) révèlent les contacts avec la Grèce archaïque. Son originalité, surtout dans les domaines architectural et religieux, a renforcé l'hypothèse de l'acheminement des influences anatoliennes vers la Grèce par la Phrygie. Cybèle*, la grande déesse phrygienne, initia Dionysos* à ses mystères, ou, d'après une autre légende, celui-ci fut éduqué par Silène* (Cf. les légendes de Marsyas*, de Midas et des Silènes). Le culte de Cybèle et d'Attis*, introduit dans le monde gréco-romain, y apportait un élément mystique et orgiaque typiquement oriental. Aussi les premiers temps du christianisme en Phrygie (IIe s.) furent-ils marqués par l'hérésie du montanisme.

PHRYNÉ [*Phrunê*]. ♦ Courtisane grecque du ~ IVe s. Joueuse de flûte originaire de Thespies, elle fut l'hétaïre la plus riche et la plus célèbre d'Athènes. Maîtresse de Praxitèle*, elle lui aurait servi de modèle pour ses statues d'Aphrodite. Selon la tradition, Phryné, accusée d'impiété, fut acquittée par le tribunal des héliastes désarmés par sa beauté quand son défenseur Hypéride*, à bout d'arguments, dévoila le corps de sa cliente.

PHRYNICHOS [*Phrunikhos*]. ♦ Poète tragique athénien (fin du ~ VIe s. – début du ~ Ve s.). Prédécesseur d'Eschyle, il exerça une forte influence sur l'évolution de la tragédie en la dégageant de la choristique par l'usage du masque et du costume pour l'acteur qui y interprétait plusieurs rôles. De son œuvre il ne subsiste que des fragments.

PHRYNICHOS. ♦ Poète comique athénien (fin du ~ Ve s.). Contemporain d'Aristophane, il dut sa réputation à deux comédies, *Le Misanthrope* (*Monotropos*, ~ 419) et *Les Muses* (~ 405).

PHTAH. ♦ **V.** PTAH.

PHTHIOTIDE ou **PHTIOTIDE**. *n. f.*, en grec **Phthiôtis**. ♦ Anc. contrée de la Grèce au N. de la Béotie et de la Phocide, à l'O. du golfe Lamiaque (de Lamia). Étendue autour de la vallée du Sperchéios, la Phthiotide constituait la plus méridionale des quatre zones de la Thessalie. Selon la légende, elle fut habitée par les Myrmidons*. Sa cap., Phthia, patrie d'Achille, n'a pu être située. – L'actuel *nome de Phthiotide*, moins étendu au N. que l'anc. région, a 4 368 km², 154 540 hab. Ch-l. Lamia*.

PHUKET. ♦ Petite île de Thaïlande, sur la côte orientale de la péninsule malaise, productrice d'étain, de coprah et de caoutchouc. Env. 100 000 hab. L'île, connue autrefois sous le nom de Junkceylon, fut âprement disputée par les Thai aux Anglais.

PHU QU'O'C. ♦ Île de la côte sud du Cambodge, appartenant au Sud Viêt-nam, lieu de relégation à l'époque coloniale, maintenant centre de pêche et de fabrication de sauces de poisson (nu'o'c mam).

PHYA TAKSIN. ♦ Général siamois d'origine chinoise (1734 – ?). Il combattit les Birmans et, après le sac d'Ayuthyâ, créa sa propre armée. Il se fit proclamer roi en 1768 et tenta de refaire l'unité siamoise. Devenu fou, il fut assassiné par le général Chakri* qui fonda la ville de Bangkok et, sous le nom de Rama Ier, créa sa propre dynastie, en 1782.

Physiocrates (les). ♦ Économistes du XVIIIe s., qui, voyant dans l'agriculture la source essentielle des richesses, préconisèrent une politique économique libérale favorisant son développement **(V. Quesnay, Baudeau, Le Trosne, Mirabeau** et aussi **Condorcet, Gournay** et **Turgot).**

Physiologie du goût (La) ou **Méditations de gastronomie transcendante.** ♦ Ouvrage de Brillat*-Savarin (publié en 1826). Partant de l'idée que « les animaux se repaissent, (que) l'homme mange (et que) l'homme d'esprit seul sait manger », l'auteur étudie dans cet ouvrage le goût, la gastronomie et l'importance de la table dans la vie sociale en mêlant aux dissertations scientifiques des anecdotes plaisantes.

Physique (La). ♦ Traité d'Aristote*, en huit livres, dont l'objet est la détermination des principes des choses naturelles. Celles-ci ont pour caractéristique essentielle d'être en mouvement; Aristote en étudie les différentes formes et la nature, tout en dégageant les notions de puissance (matière) et d'acte (forme). L'ouvrage se termine sur des considérations métaphysiques : l'existence du mouvement implique un premier moteur immobile.

PIAF (Giovanna GASSION, dite Édith). ♦ Chanteuse française (Paris, 1915 – *id.*, 1963). Enfant du pavé de Paris, elle commença par chanter dans les rues. La rencontre de Louis Leplée, directeur d'un cabaret, décida de son avenir (1935). Bientôt connue par la radio, le disque et le music-hall, elle allait devenir en quelques années, par la sûreté de l'instinct, la générosité de l'inspiration, le pouvoir d'envoûtement d'une voix aux inflexions bouleversantes, la plus grande figure de l'histoire de la chanson. Ses dernières années, marquées par une lutte pathétique contre la maladie et la mort, ont achevé de bâtir sa légende. Inspirant des auteurs de qualité, elle a composé elle-même plusieurs de ses chansons *(La Vie en rose)* et permis à de nombreux talents de se révéler (Y. Montand, G. Moustaki). L.P. Fargue a écrit d'elle : « Quand il s'agit d'évoquer pour nous le triomphe de l'amour, la dureté du destin, l'angoisse haletante des trains, la joie de la lumière ou la fatalité du cœur, elle se hausse jusqu'à des notes ultimes et vibrantes, touches claires et pures, échappées, comme ces coups de pinceaux divins qui apparaissent dans les sombres histoires de Goya, de Delacroix ou de Forain. »

PIAGET (Jean). ♦ Psychologue suisse (Neuchâtel, 1896). Spécialiste de psychologie de l'enfant, il chercha à « reconstituer la genèse ou les phases de formation de l'intelligence » et admit, contrairement à H. Wallon*, que son développement se fait de façon continue, dans le sens de « la socialisation progressive d'une pensée individuelle, d'abord réfractaire à l'adaptation sociale, puis de plus en plus pénétrée par les influences adultes ambiantes ». Selon Piaget, la pensée de l'enfant passe graduellement par une période sensori-motrice (acquisition de la notion d'objet permanent, jusqu'à 2 ans environ), préopératoire (égocentrique et animiste, jusqu'à 4 ans), intuitive (apparition au niveau sensori-moteur de la réversibilité des opérations et du concept de conversation, jusqu'à 7 ans), opératoire-concrète (opérations complexes sur des objets, jusqu'à 11 ans); elle atteint enfin (entre 11 et 14 ans) le stade d'équilibre final, celui des conduites intellectuelles supérieures (opérations logiques, formelles). La psychologie génétique de Piaget est liée à des recherches de logique (étude des conditions formelles de la connaissance, de la vérité), de sémiotique (fonctions symboliques) et d'épistémologie. (*Le Langage et la pensée chez l'enfant,* 1923; *Le Jugement et le raisonnement chez l'enfant,* 1925; *La Représentation du monde chez l'enfant,* 1926; *La Naissance de l'intelligence,* 1947; *Introduction à l'épistémologie génétique,* 1950; *Essai sur les transformations des opérations logiques,* 1953).

PIANA. ♦ Ch.-l. de cant. de la Corse*, arr. d'Ajaccio*, au N. du golfe de Porto*. 781 hab. — Église du XVIIIe siècle. Centre d'excursions vers les *calanques de Piana,* dédale d'escarpements de granit rouge dominant la mer.

PIAST. ♦ Nom de la dynastie des ducs et rois de Pologne*, fondatrice du premier État polonais, sous Mieszko* Ier v. 960, et dont les représentants en ligne directe gouvernèrent la Pologne jusqu'en 1370. **(V. Boleslas Ier, Mieszko II, Casimir Ier, Boleslas II, Ladislas Ier, Boleslas III, Ladislas II, Boleslas IV, Mieszko III, Casimir II, Ladislas Ier** Łokietek, **Casimir III.)** Issue de la tribu des Polanes, probablement originaire de la Cujavie*, elle s'éteignit en Pologne avec Casimir III le Grand (1370) et fut remplacée par la dynastie des Jagellons* (1386). — Les Piast continuèrent néanmoins à régner en Mazovie* jusqu'en 1526 et sur diverses principautés de Silésie* jusqu'en 1675.

PIATIGORSK. ♦ V. d'U.R.S.S. (R.S.F.S. de Russie), dans le Caucase (territoire de Stavropol), sur la riv. Podkoumok. 74 000 hab. (1962). Station thermale. Musée M. Lermontov*, lequel fut tué dans un duel près de la ville en 1841.

PIATRA NEAMT. ♦ V. de Roumanie, en Moldavie (région de Bacău) sur la r. g. de la Bistriţa*. 56 068 hab. Indus. chimiques et alimentaires, travail du bois. — Aux environs, monastère de Bistriţa.

PIAUBERT (Jean). ♦ Peintre français (Feydieu, Gironde, 1900). Il élabora un style abstrait précis et construit, où la rigueur et parfois l'austérité de la composition est chargée de construire un espace poétique peuplé de formes nettes et de mouvements. Un dessin ferme et élégant, une recherche délicate de la couleur, la clarté des compositions, sans exclure l'inventivité plastique, inscrivent Piaubert dans la tradition française (*Azur vorace,* 1955; *Palingénésies,* 1965).

PIAUÍ. *n. m.* ♦ État du Brésil (Nordeste) séparé du Maranhão à l'O. par le Parnaíba* et de l'État de Bahia au S. par la *serra de Piauí,* il est limité à l'E. par les États de Ceará* et Pernambouc*. 250 934 km². 1 734 865 hab. *Cap.* Teresina*. — Élevage extensif (bovins).

PIAVE. *n. m.* ou *n. f.* ♦ Fl. italien (220 km), né dans les Alpes* Carniques, à la frontière autrichienne, arrosant la Vénétie* avant de se jeter dans l'Adriatique*. — Théâtre de violents combats entre Italiens et Autrichiens lors de la Première Guerre mondiale.

Ph. Nimatallah/Ricciarini

F. Picabia : « Udnie ou la Danse ».
(Musée national d'Art moderne, Paris.)

PIAZZETTA (Giambattista). ♦ Peintre, décorateur, sculpteur, dessinateur et aquafortiste italien (Venise, 1683 — *id.,* 1754). Il pratiqua comme son père la sculpture sur bois et étudia la peinture à Bologne auprès de Crespi*. Il exécuta des scènes religieuses (*L'Assomption de la Vierge,* 1755), des portraits et des scènes de genre qui révèlent son goût pour l'observation des mœurs populaires (*La Devineresse,* 1740). Il avait le sens des volumes modelés avec vigueur, des clairs-obscurs contrastés, jouant avec virtuosité des tonalités grises, blanches et brunes. Cependant, ses mises en pages aérées, les couleurs claires et vives de sa dernière période ne sont pas sans annoncer Tiepolo*. Il laissa de nombreux nus au fusain et à la craie, modelés avec délicatesse.

PIAZZI (Giuseppe). ♦ Astronome italien (Ponte in Valtellina, 1746 — Naples, 1826). Il réalisa, d'après ses observations de Palerme (1792-1813), le premier catalogue fournissant des positions précises (7 646 étoiles); en effectuant ses relevés, il découvrit fortuitement la planète Cérès (1801).

PIBRAC (Guy du FAUR, *seigneur de***).** ♦ Magistrat et poète français (Pibrac, 1529 — Paris, 1584). Conseiller au parlement de Toulouse, puis avocat général au parlement de Paris (1565) après avoir représenté le roi au concile de Trente (1562), il accompagna en Pologne le duc d'Anjou (futur Henri III), « roy élu de Pologne » (1573). De retour en France, il signa avec les protestants la paix de Beaulieu (1576) et devint chancelier de Marguerite de Navarre. Il avait publié en 1574 des *Quatrains contenant préceptes et enseignements utiles pour la vie de l'homme.*

PIBRAC. ♦ Comm. de la Haute-Garonne, arr. de Toulouse. 1 539 hab. Château Renaissance. Basilique du XXe siècle. Pèlerinage au tombeau de sainte Germaine Cousin (15 juin).

PIBUL SONGKRAM. ♦ Maréchal et homme politique thaïlandais (Bangkok, 1897 —). Après des études en France, il participa au coup d'État de 1932 et devint Premier ministre en 1938. Afin d'annexer les provinces occidentales du Cambodge (dont Angkor), il s'allia aux Japonais (1942). Il reprit le pouvoir en 1947 après un nouveau coup d'État, mais fut finalement destitué en 1957 par Sarit Thanarat. Il se retira en 1961 à Tôkyô.

PICABIA (Francis). ♦ Peintre, dessinateur et écrivain français (Paris, 1879 — *id.,* 1953). Il étudia aux Beaux-Arts dans l'atelier de Cormon (1897) et, influencé surtout par Sisley, peignit jusqu'en 1907 des paysages impressionnistes; subissant ensuite l'influence du cubisme, il modifia brusquement son style. Élaborant une manière personnelle que son ami Apollinaire qualifia d'« orphique », il adopta une palette éclatante, divisa l'espace de la toile en fragments angulaires vivement contrastés, puis recourut à des formes curvilinéaires, d'apparence parfois organique, mêlées aussi à des éléments mécaniques. Par leur caractère dynamique et coloré, ses œuvres de 1913-1914 révèlent des affinités avec le futurisme, et témoignent aussi d'une tendance à l'abstraction, déjà sensible dans *Caoutchouc* (1908). Ayant obtenu un succès de scandale à l'exposition de l'*Armory Show* à New York en 1913, il se rendit de nouveau aux États-Unis en 1915 et y devint, avec Duchamp qu'il connaissait depuis 1911, et en compagnie de Man Ray*, le propagateur d'un esprit « pré-dada » : il refusait tout dogme esthétique, fût-il d'avant-garde, et s'attaquait aux valeurs consacrées avec un esprit provocant et insolent. Vers 1915, il eut tendance à dessiner des motifs de rouages, des parties d'objets manufacturés, dans un style qui imite et parfois copie littéralement les épures d'ingénieurs, les dénaturant par des titres et des inscriptions symboliques parfois absurdes ou chargées d'allusions sexuelles *(Paroxysme de la douleur, M'amenez-y).* Cet esprit sarcastique s'épanouit dans la revue *391,* qu'il fonda à Barcelone en 1917. Entré ensuite en contact avec Tzara* au cours d'un séjour en Suisse, Picabia devint à Paris l'un des plus ardents propagateurs de Dada, suscitant des scandales à l'occasion du Salon d'automne ou des indépendants. Puis il rompit brutalement avec le mouvement dada (1922) et avec Breton (1924), inaugurant dans sa peinture une période plus lyrique et expressionniste, dite des « monstres » *(La Femme au monocle)* et réalisant avec divers objets courants des collages pleins de fantaisie *(Les Centimètres; Cure-Dents).* Il conçut aussi le *Ballet Relâche* et le scénario d'*Entracte,* tourné par René Clair* (1924). Retiré dans le Midi, il revint à une figuration plus académique à laquelle il donna un caractère onirique en établissant des effets de surimpression (période des *transparences,* à partir de 1927). Il réalisa durant la guerre des peintures commerciales et, à partir de 1945, aborda de nouveau la non-figuration. Ses textes (*Poèmes et dessins de la fille née sans mère,* 1918; *Pensée sans langage,* 1919; *Unique Eunuque,* 1920; *Jésus-Christ Rastaquouère,* 1920, etc.) font appel à l'inconscient et au hasard et témoignent d'une extrême liberté. Nombre de ses propositions de l'époque Dada ont été ultérieurement exploitées par les tenants du néo-dadaïsme, du pop'art et de l'art conceptuel.

PICARD (Jean). ♦ Astronome et géodésien français (La Flèche, 1620 — Paris, 1682). Il utilisa le micromètre de A. Auzout* pour monter une lunette à réticule sur le quart de cercle à l'aide de laquelle il effectua, en 1669-1670, une mesure du degré terrestre selon la méthode de triangulation de Snell*, entre Sourdon

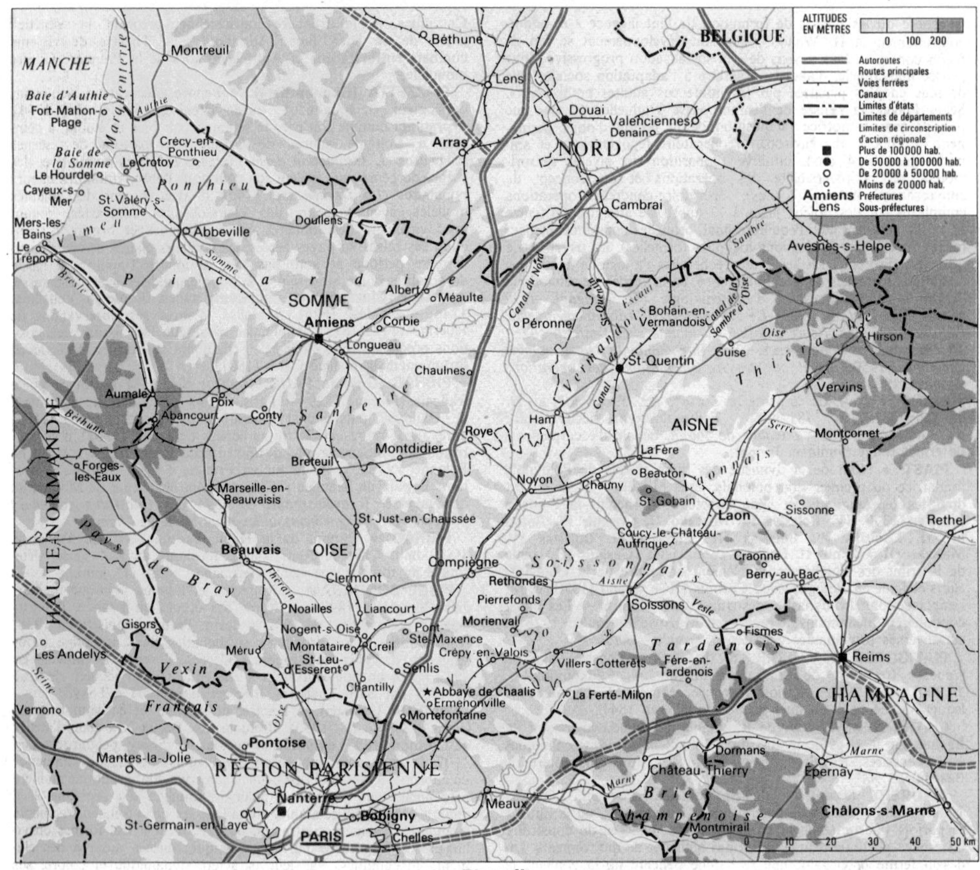

Picardie.

(près d'Amiens) et Malvoisine (près de Paris); la valeur exacte du rayon terrestre ainsi déterminée à partir du *degré de Picard* permit à Newton* de mettre définitivement au point sa théorie de la gravitation universelle. En 1675, il découvrit fortuitement (sans pouvoir l'expliquer) la « lumière barométrique » [décharge électrique dans un gaz raréfié] **(V. Hauksbee).** On lui doit également une estimation de la vitesse de propagation du son (1677). **V.** *aussi* **Mersenne.** Il travailla à la réalisation de la carte de France avec La* Hire. (Acad. sc., 1666.)

PICARD (Louis Joseph Ernest). ♦ Homme politique français (Paris, 1821 – *id.*, 1877). Avocat et journaliste, il fut élu au Corps législatif (1857) où il siégea avec l'opposition républicaine (groupe des cinq : Darimon, J. Favre, Hénon, É. Ollivier); réélu en 1863 et en 1869, il continua à faire partie de la gauche tout en se séparant des républicains extrémistes. Ministre des Finances dans le gouvernement de la Défense nationale (4 sept. 1870), député républicain modéré à l'Assemblée nationale, il fut appelé par Thiers au ministère de l'Intérieur (févr.-mai 1871).

PICARD (Émile). ♦ Mathématicien français (Paris, 1856 – *id.*, 1941). Parmi les nombreuses études qu'il entreprit, il s'intéressa aux fonctions analytiques uniformes et multiformes, aux fonctions de plusieurs variables. Son théorème (1879) concernant les familles normales, associé à ceux de Landau* et de Schottky*, constitue le *cycle de Picard* qui conduit à une classification des fonctions analytiques régulières. Il étendit les idées de Galois* aux équations différentielles linéaires (1883). Il étudia, d'un point de vue analytique, les intégrales simples attachées aux surfaces algébriques (1885) et participa ainsi à la création de la géométrie algébrique. Il retrouva, dans toute sa généralité, la méthode des approximations successives appliquées aux équations différentielles (1890). Il étudia également la méthode, utilisée aujourd'hui par les machines électroniques, qui consiste à remplacer l'équation différentielle par une équation aux différences finies dont on fait tendre le « pas » vers zéro [1899-1904]. (Acad. sc., 1889; Acad. fr., 1924.)

PICARD (Charles). ♦ Archéologue français (Arnay-le-Duc, 1883 – Paris, 1965). Membre de l'École française d'Athènes, il s'est surtout consacré à des travaux sur la Grèce antique (*Manuel d'archéologie grecque,* 1935-1948).

PICARDIE. *n. f.* ♦ Ancienne province française et grand gouvernement, la Picardie avait pour capitale Amiens et couvrait les territoires actuels de la Somme, ainsi que d'une partie de l'Oise, de l'Aisne et du Pas-de-Calais. **(V. Amiénois, Boulonnais, Ponthieu, Santerre, Vermandois,** et *aussi* **Thiérache, Valois.)** ♦ *Hist.* Habitée par plusieurs peuples (Morins, Bellovaques) au moment de la conquête romaine, la Picardie fut comprise dans la Belgique* IIe. Au Moyen Âge, elle subit d'abord l'influence de la Flandre et connut la même prospérité à partir du XIIe s. avec l'introduction de l'industrie drapière et la fondation de nombreuses communes. Elle reçut son nom actuel au XIIIe siècle. Peu à peu réunie au domaine royal (XIIe-XIVe s.), elle fut donnée au duc de Bourgogne par le roi d'Angleterre lors de la guerre de Cent* Ans, et ne retourna au roi de France qu'après la mort de Charles* le Téméraire. Région frontière jusqu'au milieu du XVIIe s., elle souffrit à plusieurs reprises d'invasions espagnoles, et devait encore être un champ de bataille lors des deux guerres mondiales.

PICARDIE. *n. f.* ♦ Région (anciennement C.A.R.) française (départements : **V. Aisne, Oise, Somme)** 19 528 km² (3,59 % de la superficie de la France, 14e rang); 1 678 000 hab. (3,2 % de la population française, 12e rang); 81 hab./km² (10e rang). – Correspondant à peu près à l'ancienne province (Ponthieu, Vimeu, Amiénois, Santerre, Vermandois, Valois, Thiérache), grossie du Beauvaisis, du Bray oriental, du Soissonnais et d'une parcelle de la Champagne, elle repose à la fois sur la craie du secondaire et les formations tertiaires de l'Île-de-France. Mais un manteau quasi continu de limon, « terre arable idéale », assure l'unité physique de l'ensemble, voué de tout temps, le climat océanique aidant, à une économie agricole de type évolué. – Au paysage ouvert du plateau limoneux s'opposent le bocage des zones argilo-sableuses et celui des « Bas-Champs » de la plaine côtière (Marquenterre), ainsi que les fonds alluviaux des vallées où les eaux se mêlent à une végétation foisonnante. Une grande aisance y a toujours régné, liée, à travers les siècles, à l'étroite combinaison des industries textiles, de l'artisanat et de l'agriculture (labour, élevage, hortillonnage). – La révolution industrielle a ruiné cet ancien équilibre diffus et, faute de pôles d'attraction locaux, a déclenché l'exode vers Paris. Restée rurale, zone de transit entre les deux grands foyers d'activité qui l'enserrent, la

Picardie n'a participé que très modestement aux premières phases de l'industrialisation. Mais un redressement s'est opéré : la population globale s'est accrue de près de 17 % depuis 1936 et le secteur secondaire y est maintenant en progrès continu. – L'*agriculture* y occupait encore 15,9 % de la population active en 1968 (96 000 personnes) contre 28,5 en 1954 (France, env. 16 %) avec des exploitations d'une superficie généralement très supérieure à la moyenne nationale (42 ha contre 18). La production, surtout végétale, fournit 12 % du blé tendre français et 37 % des betteraves industrielles. Sa valeur dépasse 3,5 milliards de francs et, par personne active, elle progresse d'environ 10 % l'an. Très prospère, cette agriculture, où la coopération se développe (commercialisation des céréales et de la viande, transformations du lait), est néanmoins confrontée à de gros besoins de capitaux ainsi qu'à des problèmes de sauvegarde d'un espace rural menacé par la proximité envahissante des grandes concentrations urbaines. – L'*industrie* picarde employait, en 1968, env. 50 % de la population active – soit 272 000 personnes – contre 38,7 en 1954 (France : 39,6 %). Le textile (jute, laine, coton, bonneterie, textiles artificiels, confection) occupe encore des positions solides avec 15 % des effectifs : laine (Amiens, Beauvais, Péronne), coton (Saint-Quentin, Amiens), bonneterie (Vermandois), textiles artificiels (N. de l'Aisne, Abbeville). Mais il est maintenant dépassé par la métallurgie. À la fonderie, l'aciérie, la serrurerie traditionnelles se sont ajoutés la construction automobile (Montataire, Villers-Cotterêts) et la fabrication d'accessoires (Beauvais, Amiens), la construction aéronautique (Méault), celle des vélomoteurs (Saint-Quentin), des tracteurs et machines agricoles (Beauvais, Montataire) et le pneumatique (Amiens). La chimie (verre de Saint-Gobain, Creil) s'est enrichie des produits pharmaceutiques (Compiègne), des savons et détergents, des matières plastiques. Et dans le domaine alimentaire, les sucreries (40 % de la production nationale), minoteries et biscuiteries (Château-Thierry) se modernisent et les conserveries (50 % des petits pois français) continuent d'essaimer. Ces foyers industriels se dispersent en petites unités à travers la région. La vallée de l'Oise en constitue néanmoins l'axe majeur (Creil-Montataire, Compiègne-Noyon, Chauny-La Fère), avec ses vallées affluentes (Esches, Thérain...). Puis viennent, à l'O., le Vimeu, la vallée de la Bresle; au N., les noyaux de Doullens, Albert, Péronne; au N.-E., certains cantons du Vermandois et de Thiérache; à l'E., Laon et Château-Thierry. Quatre centres urbains dominent cet ensemble toujours diffus : Amiens (22 000 emplois), Saint-Quentin (19 000), Beauvais (10 000), Soissons (10 000). – La Picardie a donc changé de visage mais le voisinage de l'agglomération parisienne ne cesse de renforcer le département de l'Oise, alors que l'exode continue à sévir dans les deux autres : une amélioration des liaisons transversales s'impose, d'Amiens vers l'Oise et la Thiérache, pour favoriser un meilleur équilibre régional. Les progrès du secteur tertiaire (39 % seulement; France : 44,7 %) sont également très souhaitables, avec le développement du tourisme (aménagement de la baie de la Somme et mise en valeur des forêts de l'Oise) et surtout celui des institutions de formation autour de l'université d'Amiens créée en 1968.

PICASSO (Pablo RUIZ Y PICASSO, dit Pablo). ♦ Peintre, dessinateur, graveur, sculpteur, céramiste et écrivain espagnol (Málaga, 1881 – Mougins, 1973). Nul peintre du XXe s. n'a exercé un tel pouvoir de fascination sur ses contemporains. Ayant en effet acquis la notoriété vers 1920, il connut quelques années plus tard une gloire sans éclipse. Fils d'un professeur de dessin à Málaga, installé avec toute sa famille en 1881 à La Corogne, il manifesta très jeune des dons exceptionnels, au point que son père lui remit solennellement sa palette et ses pinceaux. Sa famille se fixa ensuite à Barcelone et, en 1898, il entra brillamment à l'école des beaux-arts où son père avait été nommé professeur. Dès cette époque, ses œuvres attestent une parfaite assimilation de la manière réaliste et sombre propre aux peintres académiques d'alors (*Science et Charité*, 1893; *La Première Communion*), tandis que la force de son tempérament apparaît dans ses portraits (*Fillette aux pieds nus*, 1895). Il s'abstint ensuite de fréquenter l'académie San Fernando à Madrid, où il avait été admis en 1897, mais il fit des visites assidues au Prado. Revenu à Barcelone en 1899, il fréquenta le cabaret *El Quatre Gats* où se retrouvait la jeunesse intellectuelle et artistique et, en 1900, il se rendit pour la première fois à Paris, puis à Madrid, où il fut l'un des fondateurs de la revue *Arte jovén*, qui publia ses premiers dessins. Dans les œuvres qu'il peignit alors, il s'affranchissait de la figuration académique et se montrait réceptif aux divers courants picturaux, s'appropriant rapidement et expérimentant les propositions les plus variées, tout en s'intéressant particulièrement à Lautrec, Steinlein, Bonnard et Gauguin. Il représenta surtout des scènes de cabaret et des prostituées (*Le Moulin de la Galette*, 1900; *Femme au chien*, 1901) et créa des compositions symboliques inspirées du Greco et de Puvis de Chavannes (*Évocation; L'Enterrement de Casagemas*, 1901). C'est alors que débuta ce que l'on a appelé la « période bleue », période d'effusion sentimentale, au cours de laquelle Picasso exprima sa commisération pour les déshérités sur un mode tragique ou nostalgique. Il peignit alors des compositions d'esprit naturaliste (*Autoportrait*, 1901; *Célestine*, 1903) ou symbolique (*La Vie*, 1903; *L'Étreinte*, 1903) où dominent les tonalités en camaïeu, d'un bleu froid. Tandis qu'il s'installait définitivement à Paris (1904), au Bateau-Lavoir, le caractère graphique de ses œuvres s'accentua (*Femme au corbeau*, 1904; *Maternité*, 1905); il représentait avec prédilection de frêles adolescents, saltimbanques, arlequins, acrobates aux expressions évanescentes et suaves, usant d'un trait fin, élégant et maniéré, et de tonalités grises ou roses. Ses œuvres de l'« époque rose » (qui dura jusqu'en 1907) correspondent à sa liaison avec Fernande Olivier et traduisent une vision plus optimiste du monde. Mais simultanément, la multiplicité des jalons qu'il posait indique cette tendance au changement, l'une des constantes majeures de sa personnalité qui l'ont souvent fait comparer à la figure mythique de Protée. En 1906, année où il passa l'été à Gosol, il interrogea simultanément l'art grec (*La Coiffure*, 1906) mais surtout les arts primitifs, la sculpture ibérique préromane et probablement les masques africains (*Nu sur fond rouge*, 1906). Il insista sur les volumes et adopta une gamme ocre et brune (*La Femme aux pains*, 1906), simplifia et durcit les formes en schématisant les volumes, tout en approfondissant la leçon de Cézanne (*Portrait de Gertrude Stein*, 1906; *Autoportrait à la palette*, 1906). Avec les *Demoiselles d'Avignon* (1907), œuvre inachevée et composite, il rompait brutalement avec la figuration traditionnelle, détruisant du même coup l'espace perspectif, le clair-obscur et la représentation réaliste de la forme humaine. Cet attentat à la vraisemblance, qu'avait déjà réalisé à sa manière le Douanier Rousseau*, provoqua une certaine stupeur et marqua le point de départ du cubisme, dont Picasso allait devenir, avec Braque, le principal créateur. Interprétant la formule de Cézanne, « traiter la nature par le cylindre, la sphère et le cône... », il donna aux volumes un aspect géométrique, construisant les formes par plans angulaires contrastés (*Femme debout*, 1908), et multipliant les points de vue pour représenter un même objet, échelonnant parfois les volumes cubiques dans l'espace (*Usine à Horta de Ebro*, 1909). En 1910, il passa l'été à Cadaquès avec Derain, puis en 1911 séjourna avec Braque à Céret et en 1912 à Sorgues. Après la phase du cubisme dit « cézannien », il eut tendance à réduire les volumes à une articulation de plans, accentuant le morcellement et la fragmentation des formes, au point de leur faire perdre la lisibilité (*Portrait d'Ambroise Vollard*, 1909-1910; *Kahnweiller*, 1910). Il donna à ses œuvres un caractère plus linéaire (*Fille et soldat*, 1911) et introduisit des lettres d'imprimerie (*Le Pigeon aux petits pois*, 1911-1912), puis des matériaux étrangers à la peinture, confrontés et intégrés à des textures peintes en trompe l'œil (*Nature morte à la chaise cannée*, 1912), inaugurant ainsi la série des papiers collés ou collages (bouts de journaux, de cartons, papiers peints, toiles, etc.). À cette phase dite du « cubisme analytique » succéda le « cubisme synthétique » : les compositions se simplifièrent et, par un agencement de lignes et de surfaces plus amples, limitées en nombre, il établit des rapports plastiques visant à suggérer les formes et les caractères essentiels des objets (*Feuille de musique et guitare; Bouteille, verre et violon*; 1912-1913). À partir de 1914, il multiplia les effets décoratifs plus fantaisistes, donna plus d'éclat à la couleur et privilégia les lignes souples (*Guéridon*, 1914). Il reprit alors le thème des arlequins, qu'il traita par formes planes, comme découpées selon des plans verticaux, série qui allait culminer avec les *Trois Musiciens* (1921) et se développer en prenant un caractère dynamique dans *La Danse* (1925). Depuis 1917, Picasso était revenu subitement à une figuration plus classique. Il s'était, à cette date, rendu à Rome en compagnie de J. Cocteau pour la création du ballet *Parade* et avait rencontré la danseuse des Ballets russes Olga Koklova qui devint sa femme en 1918. Durant cette période dite « ingresque » (*Portrait d'Olga dans un fauteuil*, 1917; *Baigneuse*, 1918), il créa des figures sculpturales d'apparence colossale, à la stature énorme, aux formes enflées drapées dans des costumes grecs, aux visages paisibles (*Deux femmes courant sur la plage*, 1922). L'inspiration classique était surtout évidente dans une composition monumentale et sereine comme *Flûtes de Pan* (1923). Outre des portraits d'enfants, d'une veine tendre et gracieuse (*Paul en pierrot*, 1925), il poursuivait les expériences cubistes dans un style curvilinéaire aux aplats de couleurs éclatantes (*Mandoline et guitare*, 1925). Son trait parfois rigide (*Deux femmes à la fenêtre*, 1927), parfois sinueux (*Minotaure*, 1928; *Acrobate*, 1930), devint de plus en plus synthétique et épuré et prit parfois l'aspect d'une arabesque enveloppante (*Le Rêve*, 1932). L'influence du surréalisme transparaît ensuite dans l'irrévérencieuse *Crucifixion* (1930) aux figures monstrueuses et tordues, et dans une série de tableaux où se déploient des métamorphoses fantastiques : volumes arrondis, éléments anatomiques d'apparence biomorphique ou osseuse, chargées d'allusions féroces et sexuelles (*Figures au bord de la mer*, 1931). Bouleversé par la guerre d'Espagne, il publia une série : *Songes et mensonges de Franco* (1936), et à la suite du bombardement de la petite ville basque, réalisa le véhément *Guernica* (1936). Il peignit ensuite une série de portraits tour à tour attendris ou caricaturaux (*Portrait de Dora Maar*, 1937; *Femme qui pleure*, 1937) dans lesquels les parties constitutives du visage humain sont disloquées et réagencées avec une totale liberté, tout en restant identifiables. Ces œuvres, qui furent souvent reçues comme un défi au bon sens, symbolisent pour le grand public la manière de Picasso. En 1944, il adhéra au parti communiste, sans pour autant se plier à l'esthétique du réalisme socialiste (*Le Charnier*, 1945; *Massacres de Corée*, 1951); il créa la célèbre *Colombe* pour l'affi-

Ph. Nimatallah/Ricciarini

Pablo Picasso : « Femme en chemise », vers 1905. (Tate Gallery, Londres.)

che du mouvement de la Paix (1949). Établi sur la Côte d'Azur, il s'adonna avec passion à la céramique et à la lithographie. Poursuivant avec une exceptionnelle vitalité une production multiforme, il interrogea avec ferveur et humour les chefs-d'œuvre du passé (série des *Femmes d'Alger,* 1955; des *Ménines,* 1957), exécuta une importante série d'*Ateliers* (1956), des portraits de Jacqueline Roques, qui allait devenir sa femme en 1958, de *Peintre et son modèle* (1963), de *Nus* (1964). Outre une exceptionnelle œuvre graphique d'où l'invention et la fantaisie ne sont jamais absentes (*Minotauromachie,* 1936), Picasso poursuivit une très importante activité de sculpteur, allant de la trouvaille incongrue et poétique (*Le Verre d'absinthe,* 1914; *Tête de taureau,* 1943) au travail plus traditionnel du bronze (*Chèvre,* 1950). Cette énorme production, que Malraux a caractérisée comme « la plus grande entreprise de destruction et de création de formes de notre temps », témoigne d'une « liberté souveraine » et relève souvent du défi, comme l'attestent ses subites volte-face, sa diversité et son audace formelle. Plus que tout autre, Picasso a contribué à libérer la vision (notamment en tant que créateur du cubisme); s'il a fait une large place à l'irrationnel et au caprice, il n'a cependant jamais cessé de se référer à la figure humaine et à l'objet, portant tour à tour un regard compatissant, attendri, féroce, ironique ou dramatique sur le monde, ses transpositions plastiques étant presque toujours chargées d'une vive affectivité. Il a vécu l'expression plastique comme jouissance, ce dont témoigne le caractère spontané, impulsif et imprévu de sa production. Incarnant aux yeux du public la peinture moderne, il a su jusqu'à la fin soutenir son mythe.

Piccadilly. ♦ Importante artère du centre de Londres, allant de *Hyde Park Corner* à la place circulaire dite *Piccadilly Circus,* et bordée sur une partie de son côté S. par *Green Park.*

PICCARD (Auguste). ♦ Physicien suisse (Bâle, 1884 – Lausanne, 1962). Il conçut un ballon à nacelle étanche qui lui permit d'effectuer les premières ascensions stratosphériques et réalisa le bathyscaphe (1948) qui, évoluant librement, permit des plongées sous-marines de grande profondeur, révolutionnant les méthodes de l'océanographie.

PICCININO (Niccolo). ♦ Condottiere italien (Pérouse, 1375 – Cusago, Milan, 1444). Formé par son oncle Braccio de Montone, il servit les Visconti après 1425. – JACOPO PICCININO (1423 – 1465), son fils. Il servit Venise puis, travaillant pour lui-même, alla guerroyer contre Sienne (1455). Il servit ensuite les Aragon* à Naples (1465) mais les trahit et mourut étranglé.

PICCINNI (Niccolo). ♦ Compositeur italien (Bari, 1728 – Passy, 1800). Il connut en Italie ses premiers succès au théâtre (*Alessandro nell' Indie,* 1758; *La Cecchina,* 1760). Il avait écrit une cinquantaine d'opéras quand il se rendit à Paris (1776). Nommé professeur de chant de la reine puis directeur du Théâtre-Italien, il fut opposé à Gluck* par les *piccinnistes* (La Harpe, Marmontel, Morellet, Chastellux) après le succès de son opéra, *Roland* (1778). Si Gluck l'emporta dans le tournoi musical des deux *Iphigénie en Tauride* (1779-1781), Piccinni eut sa revanche sur un nouveau rival, Sacchini, avec sa *Didon* (1783). Mais ses autres ouvrages échouèrent et Gluck finit par triompher. Modeste et réservé, de nature peu combative, Piccinni avait été engagé dans cette querelle malgré lui. Si la lutte fut acharnée entre gluckistes et piccinistes, les deux musiciens s'estimèrent toujours profondément. Chassé de France par la Révolution, il y revint (1798) et fut nommé inspecteur au Conservatoire. Sans avoir la puissance de son grand rival, Piccinni sut parfaitement s'adapter aux exigences du public français, grâce aux avis de Marmontel. Aussi habile dans l'opéra sérieux que dans l'opéra bouffe, où il annonce Rossini, il a participé à la rénovation de l'opéra classique en France.

PICCOLOMINI (Enea Silvio). ♦ **V.** PIE II.

PICCOLOMINI (Ottavio). ♦ Général autrichien (Florence, 1599 – Vienne, 1656). Il passa du service de l'Espagne à celui de l'Empire, prit part à la bataille de la Montagne* Blanche (1620), à celle de Lützen* (1632) sous les ordres de Wallenstein*, qu'il trahit, provoquant son assassinat (1634), puis à la bataille de Nördlingen* (1634) et battit les Français à Thionville* (1639). Il est un des héros de Schiller* dans sa tragédie *Wallenstein.*

PIC DE LA MIRANDOLE (Giovanni Pico della Mirandola). ♦ Philosophe italien (château de la Mirandole, duché de Ferrare, 1463 – Florence, 1494). C'est à l'université de Padoue que celui qui fut surnommé « prince des érudits » apprit l'arabe, l'hébreu et le chaldaïque (araméen) et s'initia à la kabbale. Après un séjour en France, il se rendit à Florence où, auprès de Marsile Ficin*, il découvrit Platon*, le néo-platonisme et les livres hermétiques. Son ouvrage *Conclusiones philosophicae, cabalisticae et theologicae* fut condamné par la curie romaine, et lui-même, déclaré hérétique, se réfugia quelque temps en France. De retour à Florence où il s'installa sous la protection de Laurent de Médicis* (le Magnifique), il rédigea son *Heptaplus* (« exposé des sept aspects de la création ») et son *De Ente et uno,* tout en se liant, à cette époque, avec Savonarole*. Il est possible qu'il soit mort empoisonné. Pic de la Mirandole ne se contenta pas de montrer les liens des différentes religions; il voulut surtout analyser la Bible et interpréter le christianisme à l'aide des théories de la kabbale.

PICENUM. *n. m.* ♦ Région de l'Italie anc. sur la côte Adriatique au S. d'Ancona (Ancône*). Peuplée par des Ombriens, puis par des Sabins*, elle fut soumise par Rome en ~ 269. *V. princ.* Asculum Picenum (auj. Ascoli* Piceno).

PICHEGRU (Charles). ♦ Général français (Les Planches-près-Arbois, Jura, 1761 – Paris, 1804). Il fit la guerre d'Amérique, fut commandant en chef de l'armée du Rhin; il conquit les Pays-Bas et la Hollande (1794-1795). Le 1er avril 1795, il était à la tête de la garnison de Paris. À la suite de généreuses propositions du prince de Condé, il se rallia à la cause royaliste; membre du Conseil des Cinq*-Cents en 1797, il fut déporté en Guyane après le 18 Fructidor, s'évada, gagna l'Angleterre, revint secrètement en France en février 1804, préparant avec Cadoudal* un complot contre Bonaparte. Il fut dénoncé, arrêté et trouvé étranglé dans sa cellule le 6 avril 1804.

PICHETTE (Henri). ♦ Poète français (Châteauroux, 1924). L'expérience prématurée, à l'orée des temps atomiques, du tragique de la condition humaine, et l'immense espoir que peut néanmoins susciter l'avenir, ont inspiré ses premières œuvres (*Apoèmes,* 1947) d'un lyrisme généreux. Ami d'Antonin Artaud, il a confié au théâtre le soin d'exprimer son angoisse dans deux ouvrages qui s'apparentent davantage au discours poétique qu'à l'action dramatique : *Les Épiphanies* (1947), et *Nucléa* (1952). Cédant à la tentation surréaliste d'engager la poésie sur les voies de l'action révolutionnaire (*Les Revendications,* 1958), il n'a pas cessé de défendre et d'illustrer, dans son œuvre, la cause de l'homme et de sa liberté (*Odes à chacun,* 1960).

PI CHING. ♦ Inventeur chinois (XIe s.). Il aurait inventé les caractères mobiles en imprimerie (1041). **V. Coster.**

PICKERING (Edward). ♦ Astronome américain (Boston, Massachusetts, 1846 – Cambridge, Massachusetts, 1919). Inventeur du photomètre à double image et du photomètre méridien (1879) qui permit des mesures de magnitudes stellaires visuelles souvent encore valables **(V. Steinheil),** il distingua les notions de magnitude visuelle et de magnitude photographique (1882), entreprit, grâce à l'emploi d'un prisme objectif, l'établissement du catalogue général de spectres stellaires (1885) et découvrit les étoiles doubles spectroscopiques (1890). On lui doit également une classification des étoiles variables (1911). **V. Parenago.**

PICKERING *(val de).* ♦ Dépression transversale du N.-E. de l'Angleterre (Yorkshire, North Riding) comprise entre les lignes de côtes des North* York Moors au N. et des Yorkshire* Wolds au sud.

PICKERING. ♦ Localité du Canada, près de Toronto (Ontario). 1 816 hab. Très importante centrale nucléaire (2 000 000 de kWh en 1973).

PICKFORD (Gladys Mary Smith, dite **Mary).** ♦ Actrice américaine de cinéma (Toronto, Canada, 1893 –). Le charme et la blondeur fragile de celle que l'on a surnommée « la petite fiancée du monde » ont attendri les foules, à la grande époque du cinéma américain. Elle participa, avec Douglas Fairbanks, Charles Chaplin et D.W. Griffith, à la fondation de la firme « United Artists » (1919) et parut, entre 1909 et 1932, dans plus de deux cents films.

Pickwick. ♦ Personnage du roman de Charles Dickens*, *Les Aventures de M. Pickwick* (*The Posthumous Papers of the Pickwick Club,* 1837), d'abord publié en vingt numéros mensuels de 1836 à 1837. Autour de Samuel Pickwick, fondateur du club, et de Sam

Weller, son serviteur, se regroupent de très curieux individus : Tracy Tupman, Auguste Snodgrass, Nathaniel Winkle, chargés de faire au club des rapports sur leurs aventures et mésaventures. Dans la tradition du roman picaresque, le lien entre les épisodes est faible, constitué par la personnalité du jovial Pickwick, sorte de Don Quichotte inversé à qui les aventures viennent sans qu'il les appelle. Les types humains les plus excentriques défilent : filous, snobs, charlatans... Sans abandonner tout esprit satirique, l'œuvre célèbre avec gaieté une certaine Angleterre où les conventions sociales les plus absurdes engendrent une poésie inattendue.

PICO BLANCO. *n. m.* ♦ Sommet volcanique du Costa Rica (Amérique centrale) situé dans la cordillère de Talamanca*, au S.-E. du Chirripo* Grande. 3 565 mètres.

PICQUART (Georges). ♦ Général français (Strasbourg, 1854 – Amiens, 1914). Après avoir servi en Algérie, au Tonkin et en Annam, il fut nommé chef du bureau des renseignements (1895). Persuadé de l'innocence de Dreyfus* (et de la culpabilité d'Esterhazy*), il lutta pour la révision du procès, mais fut transféré peu après en Tunisie (1896). Il fut promu général et nommé ministre de la Guerre dans le cabinet Clemenceau (1906-1909).

PICQUIGNY. ♦ Ch.-l. de cant. de la Somme* (arr. d'Amiens*) sur la Somme*. 1 317 hab. – Ruines d'un château du xve siècle. Église collégiale (xie, xiiie et xvie s.). Maisons à pans de bois des xve et xvie siècles. Tissage du jute. Appareillage électrique. ♦ *Hist.* En 1475, Louis* XI et Édouard* IV d'Angleterre y signèrent un traité de paix dit *traité de Picquigny,* qui mettait fin à la guerre de Cent* Ans.

PICTAVES ou **PICTONS.** *n. m. pl.,* en lat. **Pictavi** ou **Pictones.** ♦ Peuple de la Gaule établi autour de *Limonum* ou *Pictavi* (Poitiers*). Son territoire fut compris dans l'Aquitaine* seconde.

PICTES, en lat. **Pictii.** ♦ Nom donné jusqu'au ixe s. au peuple établi dans les basses terres de l'Écosse*. C'est pour défendre la Bretagne contre leurs assauts que fut édifié le mur d'Hadrien* (122) ou mur des Pictes.

PICTET (Raoul). ♦ Physicien suisse (Genève, 1846 – Paris, 1929). Il réalisa, en même temps que Cailletet*, la première liquéfaction de l'oxygène et de l'azote [1877] **(V.** *aussi* **Olszewski, Wroblewski)** et établit la disparition des affinités chimiques aux basses températures.

PICTONS. ♦ V. PICTAVES.

PIDURUTALAGALA. *n. m.* ♦ Sommet le plus élevé du massif central de l'île de Ceylan*. 2 524 m.

PIE Ier *(saint).* ♦ 10e pape (140-155 (?) [mort]), martyr (?). Fête le 11 juillet.

PIE II *(Enea Silvio Piccolomini).* ♦ (Pienza, prov. de Sienne, 1405 – Ancône, 1464). 208e pape (1458-1464). Humaniste et poète latin sous le nom d'Æneas Silvius, il fut un des secrétaires du concile de Bâle* au sein duquel il prit parti contre Eugène* IV. Rallié (1442), il négocia le retour de l'Allemagne sous l'obédience d'Eugène IV (1445), devint évêque de Trieste (1447), puis de Sienne (1449) et cardinal (1456). Pape, il lutta contre la pragmatique* sanction de Bourges et tenta une croisade populaire contre les Turcs. Il mourut à Ancône avant de s'embarquer.

PIE III *(Francesco Todeschini-Piccolomini).* ♦ (Sienne, 1436 – Rome, 1503). 213e pape, vingt-six jours en oct.-nov. 1503, ancien archevêque de Sienne, neveu de Pie* II.

PIE IV *(Jean-Ange de Médicis,* en it. *Gianangelo de Medici).* ♦ (Milan, 1499 – Rome, 1565). 222e pape (1559-1565). Il rouvrit le concile de Trente* (1562, clos en 1563) et promulgua la bulle *Benedictus Deus* qui en confirmait les décisions (1564). Il fut assisté par son neveu Charles* Borromée et par Philippe* Neri.

PIE V (saint) [*Antonio Ghislieri*]. ♦ (Bosco Marengo, Lombardie, 1504 – Rome, 1572). 223e pape, de 1566 à 1572. Dominicain, grand inquisiteur (1558), il continua la Réforme catholique **(V. Contre-Réforme),** fit régner l'austérité à Rome, publia le *Catéchisme romain* issu du concile de Trente, un bréviaire et un missel. Il réaffirma la supériorité du pape sur les souverains, excommunia et déposa, sans résultat, Élisabeth* d'Angleterre (1570) à la suite de l'emprisonnement de Marie* Stuart. Il échoua à unir les princes chrétiens contre les Turcs, mais la ligue qu'il forma avec Venise et l'Espagne aboutit à la victoire de Lépante* (1571). Fête le 30 avril.

PIE VI *(Gianangelo Braschi).* ♦ (Cesena, 1717 – Valence, Dauphiné, 1799). 248e pape, de 1775 à 1799. Il se heurta au joséphisme **(V. Joseph II),** et son voyage à Vienne (1782) n'eut pas de résultat. Face à la Révolution française, il hésita puis condamna la Constitution* civile du clergé (1791); il subit l'annexion d'Avignon et du Comtat Venaissin (1791). Lors de la campagne d'Italie, l'armistice de Bologne (1796) lui accorda un répit, mais le traité de Tolentino* (1797) l'obligea à céder des territoires. Après le meurtre de Duphot* et l'entrée de Berthier* dans Rome (10 févr. 1798), il fut déchu comme souverain temporel, vit la proclamation de la République romaine et fut transféré à Sienne, Florence, puis, devant l'avance autrichienne, à Parme, Turin, Grenoble et Valence où il mourut. La papauté risquant d'être abolie, il avait spécifié les conditions particulières d'un conclave qui désignerait son successeur **(V. Pie VII).**

PIE VII *(Barnaba Chiaramonti).* ♦ (Cesena, 1742 – Rome, 1823). 249e pape, de 1800 à 1823, bénédictin, ancien évêque de Tivoli, puis d'Imola, élu à Venise en raison des circonstances **(V. Pie VI).** Il fit signer par le cardinal Consalvi* le concordat* de 1801 avec Napoléon et sacra celui-ci empereur à Paris (2 déc. 1804). Mais ses refus, notamment d'annuler le mariage de Jérôme Bonaparte et de prendre part au Blocus continental, amenèrent l'occupation de Rome par Miollis (1808), puis l'annexion des États de l'Église* à l'Empire, ce à quoi il répondit par l'excommunication de Napoléon (*Quum memoranda,* 10 juin 1809). Arrêté, emprisonné à Savone (1809) puis à Fontainebleau (1812), il finit par signer les préliminaires d'un concordat nettement gallican (« concordat de Fontainebleau », 1813) qu'il dénonça aussitôt comme extorqué sous la violence. Rentré à Rome à la Restauration, il obtint, grâce à Consalvi, négociateur au congrès de Vienne, la reconstitution presque entière des États de l'Église. Il rétablit la Compagnie de Jésus (1814). Il accueillit à Rome la mère de Napoléon Ier, après la chute de l'Empire.

PIE VIII *(Francesco Saverio Castiglioni).* ♦ (Cingoli, 1761 – Rome, 1830). 251e pape (1829-1830), ancien cardinal-évêque de Cesena (1816) puis évêque suburbicaire de Frascati (1821). Malade, il se reposa des soins de la politique sur le cardinal Albani. Son pontificat vit l'émancipation des catholiques anglais (*bill* de 1829) et le rétablissement de la hiérarchie ecclésiastique aux Pays-Bas (1829).

PIE IX *(Giovanni Maria Mastaï Ferretti).* ♦ (Senigallia, 1792 – Rome, 1878). 253e pape, de 1846 à 1878, ancien archevêque de Spolète (1831) puis évêque d'Imola (1832) et cardinal (1840). Des mesures d'amnistie et des réformes lui valurent d'abord une réputation de libéral et une grande popularité. Lors des révolutions de 1848, il accorda une constitution aux États de l'Église, mais, ayant refusé de déclarer la guerre à l'Autriche, il fut dépassé par le mouvement populaire et s'enfuit à Gaète (24 nov. 1848) tandis que s'instituait une République romaine **(V. Mazzini, Garibaldi).** Le pouvoir temporel du pape fut rétabli par le corps expéditionnaire français (14 juill. 1849), **V. Oudinot**; pourtant la question romaine restait ouverte. Après Magenta, Solferino et la constitution du royaume d'Italie, le pape perdit des territoires (Marches et Ombrie, 1860) ; il résista encore à la tentative de Garibaldi sur Rome, avec l'aide des troupes françaises (1867); mais, celles-ci ayant été rappelées après les premiers revers de Napoléon III dans la guerre qu'il avait déclarée à la Prusse, le roi d'Italie fit occuper la ville (1870). Pie IX se considéra comme prisonnier et refusa la « loi des garanties » (1871) qui lui reconnaissait la souveraineté sur le Vatican et promettait la non-immixtion de l'État italien dans les affaires de l'Église. Il proclama le dogme de l'Immaculée Conception de Marie (8 déc. 1854), condamna le libéralisme, le socialisme, le naturalisme (encyclique *Quanta* cura,* accompagnée du *Syllabus**, 1864), réunit le Ier concile du Vatican* qui proclama le dogme de l'infaillibilité pontificale (18 juill. 1870).

PIE X (saint) [*Giuseppe Sarto*]. ♦ (Riese, 1835 – Rome, 1914). 255e pape (1903-1914), ancien patriarche de Venise et cardinal (1893). En France, il protesta contre la loi de séparation de l'Église et de l'État (encycliques *Vehementer nos* et *Gravissimi officii,* 1906), condamna la démocratie chrétienne du *Sillon* **(V. Sangnier** [Marc**])** [1910] et *l'Action* française* (mise à l'Index, 1914). Pape surtout religieux, il restaura le plain-chant (1903), ordonna la refonte du bréviaire et du psautier, chargea le cardinal Gasparri* de la codification du droit canonique (qui devait aboutir en 1917). Il condamna le mouvement moderniste (décret *Lamentabili* et encyclique *Pascendi,* 1907 ; excommunication de Loisy*, 1908) et y fit face par la création d'une Commission pontificale des études bibliques (1907) et la révision de la Vulgate*. Canonisé en 1954. Fête le 21 août.

PIE XI *(Achille Ratti).* ♦ (Desio, Lombardie, 1857 – Rome, 1939). 257e pape (1922-1939), ancien préfet de l'Ambrosienne de Milan (1907) puis de la Vaticane (1914), nonce à Varsovie (1919), archevêque de Milan et cardinal (1921). Son pontificat vit la signature des accords du Latran* (1929), des concordats avec de nombreux pays, notamment des pays créés en Europe centrale après la Première Guerre mondiale, mais aussi la condamnation de l'Action française (1926), des excès du fascisme (1931), du nazisme (1937) et du bolchevisme (1937), ainsi que d'impuissants appels à la paix (1938). Il fut pape de l'Action catholique (apostolat des laïcs) et des missions (ordination d'évêques indien, chinois, japonais, vietnamien).

Ph. P.S.Z./Ricciarini

Pie II.

Ph. P.S.Z./Ricciarini

Pie IV.

Ph. Ostuni-Diamante/Ricciarini

Piémont : Asti.

PIE XII *(Eugenio Pacelli)*. ♦ (Rome, 1876 – Castel Gandolfo, 1958). 258ᵉ pape, de 1939 à 1958, ancien nonce en Bavière (1914) et à Berlin (1920), cardinal (1929), secrétaire d'État (1930) et principal collaborateur de Pie XI auquel il succéda. Lors de la Deuxième Guerre mondiale, il multiplia les organismes humanitaires et intervint vainement pour la paix. Il condamna le fascisme et le nazisme, mais les méthodes dont il usa pour s'opposer aux persécutions et pour défendre la personne humaine ont fait l'objet de polémiques. De même, il protesta vainement contre le sort fait aux catholiques dans les pays communistes de l'après-guerre. Il voulut préciser la doctrine chrétienne face au monde moderne, multiplia les discours, messages radiodiffusés et encycliques, condamna le marxisme, l'existentialisme athée, le freudisme, augmenta le nombre des cardinaux (la majorité passant aux non-Italiens) et des évêques autochtones en pays de mission. Il érigea en dogme l'Assomption de Marie (bulle *Munificentissimus Deus,* 1950).

PIECK (Wilhelm). ♦ Homme politique allemand (Guben, Brandebourg, 1876 – Berlin, 1960). Ouvrier, membre du Parti social-démocrate à partir de 1895, il fut l'un des fondateurs du Parti communiste allemand (1918). Député au Reichstag (1928), il émigra en France en 1933 puis en 1939 en U.R.S.S. Rentré à Berlin en 1945, il fut élu coprésident du Parti socialiste unifié (1946) et dirigea le 3ᵉ Congrès du Peuple qui élabora la Constitution. Élu président de la République démocratique allemande en 1949, il fut réélu jusqu'à sa mort.

PIEDICROCE (D'OREZZA). ♦ Ch.-l. de cant. de la Corse*, arr. de Corte*. 311 hab. – Église baroque, ruines du couvent d'Orezza. Station thermale (eaux ferrugineuses et gazeuses).

PIÉMONT. *n. m.*, en it. **Piemonte.** ♦ Région de l'Italie nord-occidentale, limitée au N. et à l'O. par les Alpes, à l'E. par le lac Majeur, le Tessin et le Pô, au S. par l'Apennin ligure. Il est formé d'une partie des Alpes et de la plaine du Pô. 25 400 km². 4 434 802 hab. *(Piémontais). Cap.* Turin. La région comprend six prov. : Alessandria, Asti, Cuneo, Novare, Turin et Verceil. Les paysages sont assez variés. Au N., les Alpes forment un grand arc. Dans cette zone se dressent les sommets les plus hauts d'Italie et de France : mont Viso* (3 841 m), Grand Paradis* (4 061 m), mont Blanc* (4 807 m), Cervin* (4 478 m) et mont Rose* (4 638 m). Ces massifs sont creusés de défilés et de vallées profondes qui font communiquer l'Italie avec la France (col de Larche, du Mont-Genèvre, du Saint-Bernard* et du Simplon*). Des amphithéâtres morainiques (Ivrée, Biella) et des collines (Montferrat, Langhe, Rivoli et Canavese) font la transition entre la haute montagne et la plaine. Celle-ci est formée à l'O. de terrasses sèches et à l'E. d'une plaine marécageuse (Novare, Verceil). Le climat est continental. – *Hydrogr.* Bormida*, Doire* Baltée, Doire* Ripaire, Pô*, Sesia*, Tanaro* et Tessin*. *Villes princ.* Asti*, Biella*, Chivasso*, Ivrée*, Novare*, Suse*, Turin* et Verceil*. – *Écon.* La montagne est le domaine de l'élevage et du tourisme d'hiver. De nombreuses centrales hydro-électriques ont été établies sur le cours des rivières. La plaine a des rendements élevés grâce à l'irrigation (canal Cavour, du Pô au Tessin) et à une mécanisation poussée. L'habitat rural est composé de grosses fermes, les *cascine.* On y cultive du blé, du maïs, du seigle, du fourrage et de la betterave à sucre et on pratique l'élevage des bêtes à cornes. Le riz est cultivé intensivement autour de Novare et Verceil. La vigne est présente partout, notamment dans le Monferrat (prov. d'Asti et d'Alessandria). Le Piémont produit 14 % du vin italien. Les cultures maraîchères se localisent aux abords des villes. L'activité industrielle est importante et diversifiée : métallurgie primaire à Turin et dans la vallée de la Doire Ripaire, construction automobile à Turin (Fiat, Lancia), indus. mécaniques à Alessandria*, machines à écrire à Ivrée. L'indus. textile est la plus ancienne : laine à Biella*, coton à Turin et dans la vallée de la Doire Ripaire, textiles artificiels (Biella, Novare et Turin). Le Piémont est la seconde région économique d'Italie après la Lombardie. ♦ *Hist.* Comprenant la Gaule transpadane et le N. de la Ligurie à l'époque romaine, le Piémont appartint à la maison de Savoie au XIᵉ s., mais ne fut annexé qu'en 1418 **(V. Savoie).** Il fut occupé par la France de 1796 à 1814. À partir du congrès de Vienne, **V. Italie** *(hist.).*

PIENNES. ♦ Comm. de Meurthe-et-Moselle, arr. de Briey. 3 559 hab. Mines de fer.

PIERCE (Franklin). ♦ Homme politique américain (Hillsboro, New Hampshire, 1804 – Concord, 1896). Quatorzième président des États-Unis. Représentant, puis sénateur du New Hampshire, démocrate favorable à Jackson*, il fut élu président (1853) malgré ses sympathies sudistes. Celles-ci l'incitèrent à un compromis dangereux à propos de l'esclavage (1854, Kansas-Nebraska). Son expansionnisme (manifeste d'Ostende) resta sans effet. Il fut l'un des opposants de Lincoln* pendant la guerre de Sécession*.

Piérides. *n. f. pl.* ♦ Surnom donné (par des poètes latins surtout) aux Muses* considérées comme originaires de Piérie, en Thrace. – Selon une autre tradition, les Piérides sont neuf filles de Piéros, héros éponyme de Piérie. Fières de leur talent musical, elles engagent un concours de chant avec les Muses sur l'Hélicon et sont vaincues. Pour les punir, les Muses les transforment en oiseaux.

PIERNÉ (Gabriel). ♦ Compositeur français (Metz, 1863 – Ploujean, 1937). Organiste, il fut le successeur de C. Franck à Sainte-Clotilde et dirigea les Concerts Colonne (1910-1934). Élève de Franck et de Massenet, il a laissé une œuvre de facture traditionnelle, mais empreinte d'élégance et d'esprit et riche d'une orchestration subtile et colorée. Elle comporte des comédies lyriques (*Fragonard,* 1934), des ballets (*Cydalise et le Chèvre-pied,* 1923; *Impressions de music-hall,* 1927; *Images,* 1935), des oratorios (*L'An Mil,* 1897; *La Croisade des enfants,* 1902; *Saint François d'Assise,* 1912), de la musique de scène, des poèmes symphoniques, de nombreuses pièces de musique de chambre et des mélodies. Chef d'orchestre, il fut l'un des plus courageux promoteurs de la musique moderne en France.

PIERO DELLA FRANCESCA. ♦ Peintre italien (Borgo San Sepolcro, Toscane, v. 1416 – *id.*, 1492). Il partagea son activité entre sa ville natale *(Polyptyque de la Miséricorde,* 1445-1462; *Résurrection,* v. 1462), Arezzo, qui possède son chef-d'œuvre. *La Légende de la Croix* (1452-1466, San Francesco), et les cours de Ferrare, Rome, Urbino, Rimini. À Urbino, où Bramante* fut son élève, il peignit sa *Flagellation* et le double portrait de *Frédéric de Montefeltro et Battista Sforza* (Offices); à Rimini, il composa une fresque pour le « Tempio Malatestiano » (1451). Il écrivit, à la fin de sa vie, ses traités de perspective et de géométrie, le *De Prospectiva pingendi* et le *De quinque corporibus regularibus* (apr. 1482). Il a joint aux mathématiques la science de la couleur et celle du paysage apprises de Domenico Veneziano* à Florence (v. 1439), mais aussi des Siennois et des Flamands. La variété de la palette, la tendresse des couleurs, la qualité surtout d'une « lumière-matière » héritée de Fra Angelico* participent à l'harmonie spatiale de son monde, où tout est architecture, et d'abord la figure humaine.

PIERO DI COSIMO (Piero di LORENZO, dit). ♦ Peintre italien (Florence, 1462 – *id.*, 1521). Il produisit une peinture séduisante et unique, tant par l'originalité du style que par une iconographie exceptionnelle. À part un court séjour à Rome (1481), où il aida son maître *Cosimo* Rosselli (d'où son surnom) à décorer une partie de la chapelle Sixtine, Piero ne quitta jamais Florence. Sa peinture, imprégnée par l'influence de Signorelli, occupe une place particulière dans l'école florentine. Ses groupes de nus marqueront Michel*-Ange. Ses plantes et bêtes révèlent, au delà d'une précision botanique et zoologique peu commune, une communication « suprasensible » avec les règnes végétal et animal. Par son insistance à rendre les valeurs lumineuses et atmosphériques, à l'instar des peintres nordiques, il s'opposa à la plupart des maîtres florentins en négligeant le dessin au profit de la couleur. Outre quelques œuvres religieuses (*Adoration de l'Enfant,* Tolète, Ohio; *Visitation,* Washington), plusieurs portraits dont l'étonnant profil de *Simonetta Vespucci* (Chantilly), des tableaux mythologiques isolés parmi lesquels se distinguent le tumultueux *Combat des Lapithes* (Londres) et l'énigmatique *Mort de Procris (id.),* Piero peignit un cycle présentant les origines de l'histoire de l'humanité selon un mode iconographique unique dans la peinture de la Renaissance. Si la *Scène de chasse* (New York) n'offre que violence et horreur, massacre et mort dominant un combat livré, tous contre tous, par des centaures, des bêtes et des hommes, le *Retour de la chasse* (New York) montre un milieu humain apaisé mais encore fort fruste tandis que le *Paysage des animaux* (Oxford) décrit la coexistence paisible de l'homme et de la bête. La glorification de l'action civilisatrice de Vulcain, qui apprit aux hommes la maîtrise du feu, représente la seconde phase de l'évolution humaine où la domestication des animaux est assurée, la vie familiale instaurée (*Vulcain découvert par les Nymphes,* Hartford, Connecticut; *Vulcain et Éole éducateurs de l'humanité,* Ottawa). Enfin, Bacchus, à qui Ovide attribue l'enseignement d'une partie du rituel religieux (le feu allumé sur les autels; les offrandes aux divinités) et la découverte du miel, put par son intervention rendre la vie agréable (*Mésaventures de Silène; Découverte du miel,* Worcester). La vision du monde illustrée dans cet ensemble s'inspire de Lucrèce. Piero y glorifie, en effet, les dieux et demi-dieux classiques qui ne furent pas créateurs (comme Jéhovah) mais éducateurs. Par leur enseignement, l'humanité, dépassant l'horrible vie sauvage, atteint une existence orientée vers l'énergie naturelle. Le règne de Vulcain et de Bacchus serait le stade idéal de l'évolution humaine. Décalée par rapport à l'idéologie de la Renaissance, cette conception primitiviste du monde correspond au portrait psychologique de Piero brossé par Vasari* : épris de passion pour les animaux et les plantes, menant une vie « plus bestiale qu'humaine », méprisant la compagnie de ses semblables, solitaire, refusant de « faire la paix avec Dieu », Piero était considéré à Florence comme un être anormal, dérangé, quasi « sauvage ».

PIÉRON (Henri). ♦ Philosophe et psychologue français (Paris, 1881 – 1964). Fondateur de la psychologie objective, expérimentale, « ramenant les faits psychologiques à des mécanismes physiologiques en négligeant l'aspect subjectif du fait de conscience ». Outre un traité sur la *Technique de psychologie expérimentale* (en collaboration avec E. Toulouse* et Vaschide), on lui doit des travaux sur la mémoire, la physiologie du sommeil, *Le Cerveau et la Pensée* (1923), la *Psychologie expérimentale* (1925) sur *La Sensation, guide de vie* (1945) et un important *Traité de psychologie appliquée* (1954).

PIERRE. ♦ Prénom (angl. et all. *Peter;* it. *Pietro;* esp. et port. *Pedro*) porté par de nombreux saints et souverains. ci-dessous classés dans l'ordre : a) saints; b) rois d'*Aragon*; c) empereurs du *Brésil*; d) duc de *Bretagne*; e) rois de *Castille*; f) prince de *Monténégro*; g) rois de *Portugal*; h) empereurs de *Russie*; i) rois de *Serbie*. – Les noms de personnages comportant ce prénom (Pierre de Maricourt, etc.) précèdent les noms de lieux.

PIERRE *(saint).* ♦ Dans les Évangiles, le principal des douze Apôtres. Fils de Jonas *(Matthieu)* ou de Jean (IVe Évangile), il se nommait Simon jusqu'à ce que Jésus le surnomme *Képhas,* « Pierre » (épisode de la fondation ecclésiastique dans *Matthieu,* XVI, 18) : « Tu es Pierre et sur cette pierre, je bâtirai mon Église. » Pêcheur sur le lac de Tibériade, il est avec son frère André* le premier à suivre Jésus. Il assiste à la Transfiguration et aux principaux miracles, renie son Maître par trois fois lors de la Passion, voit le tombeau vide et, après la Résurrection, reçoit la charge de pasteur universel (*Jean,* XXI, 15-17). Dans les Actes des Apôtres, il dirige le groupe des disciples; lors de la Pentecôte annonce aux juifs l'avènement du Royaume et la Résurrection du Christ; est arrêté deux fois et miraculeusement délivré; convertit le centurion Corneille*; intervient lors du « concile » de Jérusalem en faveur de Paul et de la non-circoncision des gentils. Selon la tradition il vint à Rome dont il aurait été le premier évêque (le premier pape) et il fut martyrisé sous Néron, en 64. Il serait enseveli sur le mont Vatican, au lieu où s'élève la basilique qui porte son nom. On lui attribue les deux Épîtres* canoniques qui portent son nom. – *Années de saint Pierre :* les trente-deux ans traditionnels de son pontificat. – *Clefs de saint Pierre :* attribut de l'apôtre, puis de la papauté, à cause de *Matthieu,* XVI, 19. – *Croix de saint Pierre :* croix latine renversée, saint Pierre étant souvent représenté crucifié la tête en bas. – *Iconogr.* Statue assise (bronze) de la basilique vaticane (époque incertaine); peintures de Dürer (*Les Quatre Apôtres,* Munich), le Greco (Tolède, Escorial, Leningrad), Masaccio et F. Lippi (Carmine, à Florence), Zurbarán (Séville).

PIERRE Chrysologue *(saint),* en gr. **Khrusologos,** « Parole d'or ». ♦ Docteur de l'Église (Imola, 406 – 450), évêque de Ravenne v. 432-440, célèbre par l'élégance de ses *Homélies.* Il prit position contre Eutychès*. Fête le 30 juillet.

PIERRE Damien *(saint).* ♦ (Ravenne, 1007 – Ostie, 1072). Il ouvrit une école à Ravenne puis se retira dans un ermitage avant de devenir évêque d'Ostie. Il fut avec le futur Grégoire* VII un des promoteurs de la réforme du clergé. Son *De divina omnipotentia* est une défense des dogmes de l'Église chrétienne contre la dialectique et la philosophie. – Fête le 23 février.

PIERRE CÉLESTIN *(saint).* ♦ **V.** CÉLESTIN V (saint).

PIERRE Nolasque *(saint).* ♦ Religieux languedocien (v. 1182/1189 – Barcelone, 1256/1258). Ayant suivi Simon de Montfort* dans sa croisade contre les albigeois*, il reçut la garde du jeune Jacques* Ier d'Aragon, prisonnier. Il devint son précepteur à Barcelone et, avec son aide et celle de Raimond de Peñafort, il fonda l'ordre de la Merci*, pour le rachat des captifs. Fête le 31 janvier. Il a inspiré à Zurbarán* un cycle de tableaux (Prado et cathédrale de Séville : *L'Apparition de saint Pierre à saint Pierre Nolasque, La Vision de saint Pierre Nolasque*).

PIERRE d'Alcantara *(saint)* [Pedro Garavito]. ♦ Franciscain et mystique espagnol (Alcantara, 1499 – Las Arenas, 1562). Définiteur puis provincial de son ordre, il se retira à Arabida puis Berrocal et organisa une branche réformée, les *Frères mineurs de la plus stricte observance* (« alcantarins »), approuvée en 1562. Sainte Thérèse* le consulta avant d'entreprendre sa réforme du Carmel. Auteur d'un *Traité de l'oraison.* Fête le 19 octobre.

PIERRE Canisius *(saint).* ♦ Jésuite hollandais, docteur de l'Église (Nimègue, 1521 – Fribourg, 1597). Un des principaux théologiens des premières sessions du concile de Trente, il fut ensuite, par excellence, l'homme de la Contre*-Réforme dans l'Allemagne protestante. Provincial de son ordre pour la Germanie (1556), fondateur du collège de Fribourg en Suisse (1580). Auteur d'un catéchisme célèbre : *Summa doctrinae christianae.* Fête le 21 décembre.

PIERRE Fourier *(saint).* ♦ Prêtre français (Mirecourt, Lorraine, 1565 – Gray, 1640). Chanoine régulier et curé de Mattaincourt (1597-1632), il fonda, avec la bienheureuse Alix Le Clerc, la congrégation des *Chanoinesses régulières de Notre-Dame* pour l'éducation des jeunes filles pauvres; il réforma la congrégation des *Chanoines réguliers du Saint-Sauveur.* Il prêcha des missions en Lorraine contre le protestantisme, acquit un prestige qui le mêla, malgré lui, à d'importantes affaires et dut quitter le pays pour échapper à la vindicte de Richelieu lorsque celui-ci l'occupa. Ses lettres familières sont d'un excellent écrivain, l'égal parfois de saint François de Sales. Fête le 9 décembre.

PIERRE Chanel *(saint).* ♦ Missionnaire français (Cuet, près de Belley, Ain, 1803 – île Futuna, 1841). Prêtre de la congrégation des maristes, il évangélisa Wallis et Futuna et fut massacré. Il est le premier martyr de l'Océanie. Fête le 28 avril.

PIERRE Ier. ♦ (1068 – Huesca, 1104). Roi d'Aragon et de Navarre (1094-1104). Fils de Sanche Ier, il conquit Huesca (1096) et Barbastro (1100). Son frère Alphonse Ier lui succéda.

PIERRE II. ♦ (1174 – 1213). Roi d'Aragon (1196-1213). Il étendit son autorité sur toute la Catalogne et se fit couronner par le pape (auquel il prêta hommage de vassalité) au grand scandale de ses sujets. Il participa à la bataille de Las Navas* de Tolosa (1212) contre les Maures et à celle de Muret (1213) où il fut tué **(V. Albigeois).**

PIERRE III, dit **le Grand.** ♦ (1239 – Villafranca del Panadès, Catalogne, 1285). Roi d'Aragon (1276-1285), fils de Jacques * Ier. Ayant acquis des droits sur la Sicile par son mariage avec Constance (fille de Manfred*, roi de Sicile) en 1262, il encouragea la révolte des Vêpres* siciliennes contre Charles* Ier d'Anjou (1282) et conquit l'île où il régna sous le nom de *Pierre Ier*. Il repoussa la « croisade » d'Aragon menée contre lui par le roi de France Philippe* III, à l'instigation de son oncle Charles d'Anjou.

PIERRE IV, dit **le Cérémonieux.** ♦ (1319 – 1387). Roi d'Aragon (1336-1387). Il enleva Majorque et le Roussillon à son cousin Jacques* II (1344), écrasa la rébellion de la noblesse aragonaise (1348), occupa la Sardaigne (1354) et soutint Henri* de Trastamare contre Pierre* le Cruel.

PIERRE Ier *(Pedro Ier).* ♦ Empereur du Brésil et roi du Portugal sous le nom de *Pierre IV* (Queluz, 1798 – Lisbonne, 1834). Fils de Jean VI du Portugal, il se réfugia, lors de l'invasion française, au Brésil dont il devint régent (1821). Il prit alors la tête de la révolution nationale, fit proclamer l'indépendance (Ipiranga, 1822) et devint empereur constitutionnel. Il ne put éviter la sécession de l'Uruguay et, en 1831, abdiqua en faveur de son fils **(V. Pierre II).** Ayant hérité, en 1826, la couronne du Portugal, il la céda à sa fille Marie II (1834).

PIERRE II *(Pedro II).* ♦ Empereur du Brésil (Rio, 1825 – Paris, 1891). Fils et successeur de Pierre Ier, il régna jusqu'en 1840 sous la tutelle de Andrada e Silva. En 1851, il soutint l'Uruguay et le Paraguay contre le dictateur argentin Rosas*, puis combattit le dictateur paraguayen Solano López (1866-1870). Il régna en prince cultivé, philosophe et savant, attiré par le positivisme, toujours respectueux de la Constitution. Mais il s'attira l'hostilité de l'Église par ses mesures de laïcisation. Sa décision d'abolir l'esclavage (1888) dressa contre lui les riches planteurs et un soulèvement militaire le força à abdiquer (1889) et à se réfugier en Europe.

PIERRE Ier MAUCLERC. ♦ (1190 – 1250). Comte de Dreux, duc de Bretagne. Fils de Robert II, comte de Dreux, il devint régent et duc de Bretagne en épousant Alix, sœur d'Arthur Ier de Bretagne. En désaccord avec le clergé, il fut excommunié en 1217. Il servit fidèlement Philippe Auguste et Louis VIII et fut hostile à Blanche de Castille. Lorsque son fils Jean Ier le Roux devint majeur, il partit en croisade; il fut fait prisonnier avec Saint Louis en Égypte et mourut en mer lors de son retour.

PIERRE, dit **le Cruel.** ♦ (Burgos, 1334 – Montiel, 1369). Roi

Ph. Carlo Bevilacqua/Ricciarini

Saint **Pierre** et saint André, par un disciple de Guido da Siena, XIIIe s. (Pinacothèque, Sienne.)

Arch. Rencontre

Pierre le Grand, par Aert de Gelder. (Rijksmuseum, Amsterdam.)

de Castille et de León (1350-1369). Il succéda à son père Alphonse* XI. Il dut faire face à des révoltes, notamment celle de son frère Henri* de Trastamare qui revendiquait le trône. Aidé par Édouard*, prince de Galles, il remporta la victoire de Najera sur Henri et Du* Guesclin (1367) mais fut battu à Montiel (1369). Il mourut assassiné par son frère qui monta sur le trône.

PIERRE II PETROVIĆ NJEGOŠ. ♦ **V.** NJEGOŠ (Petar Petrović).

PIERRE Ier, dit le Justicier, en port. **Pedro.** ♦ (Coimbra, 1320 – Estremoz, 1367). Roi de Portugal (1357-1367). Fils d'Alphonse IV, il fut marié à Constance de Castille, mais s'éprit d'une dame de sa suite, Inès* de Castro. Devenu veuf il l'épousa, au grand scandale de son père qui la fit assassiner. Quand Pierre fut roi à son tour, il auréola de mysticisme la légende d'Inès. Son règne fut caractérisé par la lutte contre la féodalité ecclésiastique et de la corruption du haut clergé.

PIERRE II. ♦ (Lisbonne, 1648 – *id.*, 1706.) Roi de Portugal (1683-1706). Fils de Jean* IV, il fut régent sous le règne de son frère Alphonse* VI, faible d'esprit, et obtint de l'Espagne l'indépendance du Portugal (1668). Devenu roi en 1683, il se déclara d'abord pour la France, puis s'allia avec l'Angleterre sous l'influence de lord Methuen avec lequel il signa le traité qui devait placer pour des siècles le Portugal dans l'alliance britannique.

PIERRE III. ♦ (Lisbonne, 1717 – *id.*, 1786). Roi de Portugal (1777-1786). Fils de Jean* V, il épousa sa nièce Marie* Ire avec laquelle il partagea le trône sans avoir part au gouvernement.

PIERRE IV, roi de Portugal. ♦ **V.** PIERRE Ier empereur du Brésil.

PIERRE V. ♦ (Lisbonne, 1837 – *id.*, 1861). Roi de Portugal (1853-1861). Il succéda à sa mère Marie* II et s'appliqua surtout à rétablir la paix et à développer l'instruction. Son frère Louis* Ier poursuivit son œuvre.

PIERRE Ier Alexeïevitch, dit **Pierre le Grand.** ♦ (Moscou, 1672 – Saint-Pétersbourg, 1725). Fils d'Alexis Ier et de Nathalie Narychkine, sa seconde femme, il fut désigné comme successeur, mais les streltsy* firent couronner simultanément Pierre et son demi-frère Ivan V, sous la régence de leur sœur Sophie. Pierre eut une jeunesse très indépendante, fréquenta des occidentaux et organisa ses premiers régiments. En 1689, il élimina Sophie et Ivan V, laissant le gouvernement à sa mère. Celle-ci étant morte (1694), Pierre inaugura son règne personnel en recherchant un débouché maritime pour la Russie. Utilisant la flotte qu'il avait fait construire, il attaqua les Turcs, prenant rapidement Azov (1696). Mais il n'avait pas obtenu le soutien des Occidentaux dans son projet de croisade contre l'islâm. Persuadé de la nécessité de profondes réformes, il partit en 1697 avec le Suisse Lefort, qui l'avait initié aux techniques et aux coutumes de l'Occident. Il visita incognito la Hollande, l'Angleterre, Vienne, étudiant les constructions navales et les industries. En 1698, la grande révolte des streltsy le contraignit à rentrer précipitamment; il en fit exécuter env. 4 000 et imposa diverses réformes des coutumes, mal acceptées et assez superficielles (vêtement, calendrier). L'européanisation de la Russie dépendant de son expansion vers les mers ouvertes, Pierre visait avant tout la maîtrise de la Baltique. S'alliant à la Pologne et au Danemark (1699), le tsar entra en guerre contre Charles* XII, au pouvoir depuis deux ans. Celui-ci s'avéra un chef de guerre exceptionnel; ayant battu les Russes à Narva, il signa une paix séparée avec la Pologne et envahit la Russie. Mais Pierre Ier s'était emparé de Nieuschantz et y fonda un port qui allait devenir sa capitale en 1715 (Peterburg, puis Saint-Pétersbourg). Après avoir menacé Moscou (1707), Charles XII chercha à favoriser la sécession de l'Ukraine, s'appuyant sur les Cosaques de Mazeppa, mais Pierre le battit de manière décisive à Poltava*. Le roi de Suède dut se réfugier en Turquie et le tsar put annexer les provinces suédoises de la Baltique; la paix de Nystad (1721) devait donner à la Russie la première place en Europe du Nord. Cependant, la politique antiturque du tsar s'étant heurtée à l'hostilité de la France, de l'Angleterre et de la Hollande, Pierre dut rendre Azov aux Turcs (1711) et son voyage diplomatique en Europe (1716-1717) ne fut pas un succès. De retour, il dut réorganiser l'administration, essentiellement pour assurer une fiscalité très lourde nécessaire à son « dirigisme de guerre » (A. Fichelle). L'étatisme autoritaire triompha dans les grands travaux et la hiérarchisation bureaucratique d'une nouvelle noblesse. Parfois hâtive, toujours imposée tyranniquement (police secrète, tortures, mise à mort du tsarévitch Alexis, 1718), cette politique de réforme engageait cependant la Russie vers l'avenir. Mais ce fut au prix d'un profond déséquilibre entre la puissance militaire et politique et la fragilité des structures étatiques que seule une autorité personnelle impitoyable rendait efficaces. Enfin, l'aggravation du servage, faisant du paysan une marchandise négociable, ne pouvait favoriser longtemps l'expansion économique et devait freiner l'évolution de la Russie vers l'économie capitaliste. Artisan de la grandeur russe, Pierre Ier fut proclamé en 1722 par le Sénat « père de la patrie, imperator et grand ». Sa personnalité exceptionnelle fut reconnue dès le XVIIIe s. (Cf. Voltaire, *Histoire de la Russie sous Pierre le Grand*). On a publié un *Journal* de ses campagnes contre la Suède, et des *Lettres*.

PIERRE II Alexeïevitch. ♦ (Saint-Pétersbourg, 1715 – *id.*, 1730). Empereur de Russie (1727-1730), fils d'Alexis* Petrovitch et petit-fils de Pierre le Grand, il succéda à Catherine* Ire qui l'avait désigné à l'instigation de Menchikov*, dont il subit la tutelle avant de le faire exiler. Le pouvoir passa à la vieille aristocratie moscovite et la capitale fut retransférée à Moscou. Dernier descendant mâle des Romanov*, il mourut à l'âge de quinze ans. Anna* Ivanovna lui succéda.

PIERRE III Fédorovitch. ♦ (Kiel, 1728 – château de Ropcha, près de Peterhof, 1762). Empereur de Russie (janv.-juin 1762). Petit-fils de Pierre le Grand par sa mère (Anna Petrovna), débile physique et intellectuel, il fut marié en 1745 à Sophie d'Anhalt-Zerbst, la future Catherine* II et succéda en janv. 1762 à la tsarine Élisabeth*, sa tante. Fervent admirateur de Frédéric* II, il s'empressa, dès son avènement, de renverser la politique extérieure de la Russie, renonçant aux conquêtes prussiennes (Poméranie et Prusse orientale) et s'alliant avec Frédéric II, l'ennemi de la veille. Sa politique intérieure, marquée par le mépris des Russes, la persécution de l'Église orthodoxe et les libertés qu'il accorda à la noblesse, favorisa le complot qui porta sa femme au trône (28 juin 1762). Peu après, il fut assassiné, sans doute par Alexis Orlov, dans des circonstances mystérieuses qui permirent à Pougatchev* de se faire passer pour Pierre III en 1773.

PIERRE Ier. ♦ (Belgrade, 1844 – *id.*, 1921). Roi de Serbie (1903-1918) puis de Yougoslavie (1918-1921). Fils d'Alexandre Karageorgévitch, il participa à la révolte de la Bosnie contre les Turcs de 1875. Dès 1914, il confia la régence à son fils Alexandre*. ♦ PIERRE II (Belgrade, 1923 – Los Angeles, 1970). Roi de Yougoslavie (1934-1941). Il régna d'abord sous la régence de son oncle Paul Karageorgévitch puis arriva au pouvoir, mais ne réussit pas à se maintenir lors de l'invasion de la Wehrmacht.

PIERRE DE CHELLES. ♦ Maître d'œuvre français du XIVe s., peut-être apparenté à Jean de Chelles. **V. Jean de Chelles.**

PIERRE DE CORTONE. ♦ **V.** CORTONE (Pietro Berrettini).

PIERRE II DE COURTENAY. ♦ **V.** COURTENAY (maison de).

PIERRE DE MARICOURT ou **PETRUS PEREGRINUS** ou **PÈLERIN DE MARICOURT.** ♦ Ingénieur et physicien français (né à Maricourt au XIIIe siècle). Maître de Roger Bacon*, il écrivit une célèbre épître (*Epistola de magnete*, 1269), dans laquelle il apportait une contribution déterminante à la théorie du magnétisme **(V. Della Porta)** et présentait de profondes considérations sur les conditions et les procédés de la méthode expérimentale.

PIERRE DE MONTREUIL. ♦ Maître d'œuvre français (Montreuil, v. 1200 – Paris, 1266). Il fut l'un des plus brillants architectes du règne de Saint Louis. Dès 1239, il devint architecte de l'*abbaye de Saint-Germain-des-Prés* et reconstruisit le réfectoire (dont on a retrouvé la façade) et, de 1245 à 1255, la *chapelle de la Vierge*. Des documents mentionnent qu'il travailla aussi à la *basilique de Saint-Denis*, où on lui a parfois attribué la partie haute du chœur. En 1265, il devint maître d'œuvre à Notre-Dame. Succédant à Jean* de Chelles, il y termina le transept Sud et édifia notamment la *porte Rouge*. Le réfectoire de *Saint-Martin-des-Champs* et la *Sainte-Chapelle* à Paris lui ont été attribués, probablement à tort. Il contribua avec Jean de Chelles à l'élaboration du « gothique rayonnant », caractérisé par l'évidement des murs au profit de claires-voies vitrées, l'allégement des sculptures où s'allient audace technique et finesse décorative.

PIERRE DE ROME (*église* SAINT-). ♦ **V.** SAINT-PIERRE DE ROME

Pierre le Laboureur ou **La Vision de William concernant Pierre le Laboureur** (*Liber de Petro Plowman* ou *The Vision of William*

concerning Piers the Plowman). ♦ Poème populaire attribué à William Langland (Ledbury, Herefordshire, v. 1322 – v. 1400) et publié à trois reprises v. 1362, v. 1377 et v. 1380. Dans la première partie, l'auteur, surnommé Wille le Long, rêve qu'il se trouve dans « un beau champ » situé entre la forteresse de la Vérité et la cellule où réside le Tracas, père de l'Illusion. La seconde partie est divisée en trois sections : *la vie de Do Well* (Bonne Vie) qui enseigne aux hommes le travail, *la vie de Do Bet* (Vie Meilleure) qui décrit la Passion et la Résurrection du Christ et *la vie de Do Best* (Vie Parfaite) où la Conscience s'en va à la recherche d'un nouveau Christ, Pierre le Laboureur, incarnation de l'Amour. De vieilles légendes saxonnes inspirent ce poème de huit mille vers écrit peu avant le soulèvement de 1381 (révolte paysanne contre un clergé abusif). Langland, de famille pauvre, peut-être fils illégitime de Eustache de La Rokayle, dépeignait l'aspect misérable de la société mieux que Chaucer*, son contemporain, qui appartenait à la caste des nobles normands.

PIERRE L'ERMITE. ♦ Religieux français (Amiens, 1050? – Neufmoustier, près de Huy, 1115). Il prêcha la première croisade* et fut l'un des chefs de la croisade populaire qui fut arrêtée par les Turcs en Asie Mineure. Après avoir assisté à la prise de Jérusalem, il fonda le monastère belge de Neufmoustier.

PIERRE LE VÉNÉRABLE. ♦ (Montboissier, Auvergne, v. 1092 – Cluny, 1156). Abbé de Cluny de 1122 à 1156, il redressa la discipline de son ordre qui déclinait, fut l'ami ou le correspondant des papes et des rois, recueillit Abélard* à Cluny, soutint des polémiques contre saint Bernard*. Auteur de lettres et d'un traité contre l'hérésie de Pierre de Bruys. **V. Cluny.**

PIERRE LOMBARD. ♦ Théologien italien (entre 1100 et 1110 – 1160). Il fréquenta l'école de Saint-Victor*, avant de devenir évêque de Paris (1159). Sa *Somme des sentences,* ensemble de textes des Pères de l'Église classés par matière, devint un manuel obligatoire des études théologiques au XIIIe s., dont la plupart des théologiens et philosophes de l'époque ont fait un commentaire (saint Bonaventure, saint Albert le Grand, saint Thomas* d'Aquin,...).

PIERRE (de *Pierre* Chouteau, qui parcourut la région comme commerçant en fourrures). ♦ V. des États-Unis, cap. du Dakota du Sud, située au centre de cet État, sur le Missouri. 10 088 hab. (1960). La ville, qui fut longtemps la plus petite capitale des États-Unis **(V. Carson City),** s'est développée depuis la construction du barrage de Oahe, sur le Missouri (1948). ♦ *Hist.* D'abord nommée Mahto (« ours » en sioux), la ville fut en 1880 le terminus du ch. de fer (Chicago et North Western). – Après avoir reçu son nom actuel, elle devint cap. temporaire (1889), puis permanente, du Dakota du Sud.

PIERRE-BÉNITE. ♦ Comm. du Rhône*, arr. de Lyon*. 8 030 hab. Barrage sur le Rhône, alimentant une centrale hydro-électrique. Métallurgie; indus. chimiques, textiles; matières plastiques; verre.

PIERRE-BUFFIÈRE. ♦ Ch.-l. de cant. de la Haute-Vienne*, arr. de Limoges. 1 237 hab. – Église des XIIe, XIVe et XVe siècles. – Patrie de Dupuytren*.

PIERREFITTE-NESTALAS. ♦ Comm. des Hautes-Pyrénées*, arr. d'Argelès*-Gazost, au confluent des gaves de Cauterets* et de Pau*. 2 054 hab. – Électrométallurgie; indus. chimiques.

PIERREFITTE-SUR-SEINE. ♦ Comm. de la Seine-Saint-Denis, arr. de Bobigny, au N. de Paris. 19 198 hab. *(Pierrefittois).* Chapelle moderne. Institut universitaire de technologie. – Appareillage électrique.

PIERREFONDS. ♦ Comm. de l'Oise* (arr. de Compiègne*), à la lisière E. de la forêt de Compiègne. 1 732 hab. *(Pétrifontains).* – Champignonnières. Poteries (grès flammés). Eaux thermales (ferrugineuses et sulfureuses). Église Saint-Sulpice (chœur des XIe-XIIIe s., construit sur une crypte romane, double nef des XVe-XVIe s.). Les ruines du château féodal, construit par Louis d'Orléans (XVe s.), furent rachetées par Napoléon Ier et Napoléon III en confia la restauration à Viollet*-le-Duc (1857), dont la savante reconstitution ne fut achevée qu'en 1884 par Ouradou et Lisch. – Patrie de l'amiral Lacaze*.

PIERRELATTE. ♦ Ch.-l. de cant. de la Drôme*, arr. de Nyons*, près du Rhône. 9 837 hab. *(Pierrelattins).* – Importante usine de séparation des isotopes de l'uranium, proche du barrage de Donzère*-Mondragon qui lui fournit l'énergie. L'uranium enrichi est utilisé à des fins militaires (bombes thermonucléaires, combustible pour les sous-marins à propulsion nucléaire).

PIERRELAYE [pjɛʀ(ə)lɛ]. ♦ Comm. du Val-d'Oise, arr. de Pontoise. 4 614 hab. Ancien château (XVIIe-XVIIIe siècles). Cultures maraîchères.

PIERRE-SAINT-MARTIN *(gouffre de la).* ♦ Le plus profond gouffre terrestre connu du monde (700 m) dans les Pyrénées-Atlantiques, à la frontière espagnole. Le spéléologue Marcel Loubens y trouva la mort en 1952. À proximité, station de sports d'hiver d'Arette-Pierre-Saint-Martin.

Pierrot. ♦ Personnage de la comédie italienne qui, sous le nom de *Pedrolino,* fit ses premières apparitions à Paris, au XVIe siècle. Il devait connaître le succès, au XVIIIe s., sur les théâtres de la Foire et à l'Opéra-Comique, avant de devenir personnage muet dans les pantomimes de Gaspard Deburau et de son fils Charles, au milieu du XIXe siècle. Il a reparu sous les traits de J.-L. Barrault dans une pantomime, *Baptiste,* et à l'écran, dans *Les Enfants du paradis,* film de Marcel Carné (1945).

Pierrot lunaire. ♦ Mélodrame lyrique pour une voix et petit orchestre, en vingt et une parties, d'A. Schoenberg*, sur des poèmes d'A. Giraud traduits en allemand par O.E. Hartleben (Berlin, 1912). Révolutionnaire et riche d'avenir, cette œuvre, l'une des plus célèbres de son auteur, se caractérise par l'emploi du *sprechtgesang,* ou chant parlé, qui laisse à la voix la liberté de s'infléchir entre les notes devenues simples points de repère. « Le procédé de Schönberg ajoute ainsi au chant un clair-obscur sonore qui en accuse le caractère expressif d'émotion et il introduit dans le système des demi-tons tempérés tout le scintillement des divisions infimes du ton » (A. Cœuroy). Œuvre d'une parfaite écriture contrapuntique, le *Pierrot lunaire* de Schoenberg fit longtemps scandale; il exerça une immense influence sur la musique du XXe siècle.

PIEŠT'ANY. ♦ V. de Tchécoslovaquie, en Slovaquie*-Occidentale, sur le Váh. 20 000 hab. environ. C'est la plus grande station thermale (traitement des rhumatismes) de Slovaquie.

Pietà, dite **d'Avignon.** ♦ Tableau de *pietà,* commandé par un chanoine v. 1455 et destiné à la chartreuse de Villeneuve-lès-Avignon. Le sens monumental de la composition, un esprit décoratif prononcé (fond d'or, lignes élégantes, formes des draperies), apparaissent comme des traits typiquement provençaux et l'apparentent au style d'E. Charonton*, à qui on l'a parfois attribuée. ♦ Le MAÎTRE DE LA PIETÀ D'AVIGNON, son auteur. Certains historiens supposent qu'il était d'origine catalane ou portugaise, en raison du caractère expressif de la figure du donateur, dont le modelé par méplats fait songer à Gonçalves*.

Pietà *(de l'église Saint-Pierre de Rome).* ♦ Œuvre de Michel* Ange.

PIETERMARITZBURG. ♦ V. d'Afrique* du Sud, ch.-l. du Natal*, reliée par voie ferrée à Durban* et à Johannesburg*. 128 598 hab. Extraction de bauxite. Métallurgie de l'aluminium.

PIÉTRI (Pierre Marie). ♦ Homme politique français (Sartène, Corse, 1809 – Paris, 1864). Député en 1848, il fut nommé préfet de police à la suite du coup d'État du 2 décembre 1851, mais dut donner sa démission après l'attentat d'Orsini (janv. 1858). ♦ JOSEPH-MARIE PIÉTRI, son frère. Homme politique français (Sartène, 1820 – *id.,* 1902). Avocat, il entra dans la carrière administrative et, nommé préfet de police (1866-1870), se signala par la rigueur avec laquelle il réprima les mouvements d'opposition au régime à la fin du Second Empire. Sénateur (1879-1885), il vota avec la droite contre les mesures républicaines.

PIEYRE DE MANDIARGUES (André). ♦ Écrivain français (Paris, 1909). Après des voyages en Europe et dans l'Orient méditerranéen (il s'intéressait alors à l'art et à la civilisation des Étrusques), Pieyre de Mandiargues composa des recueils de proses poétiques (*L'Âge de craie,* 1935; *Dans les années sordides,* 1943; *Hédéra ou la Persistance de l'amour pendant une rêverie,* 1945; *Astyanax,* 1957) regroupés dans les *Cahiers de poésie,* d'inspiration surréaliste, où l'on trouve déjà un art savant de maîtriser l'horreur. Dans *Soleil des loups* (1951) et *Le Musée noir* (1946), le grotesque se mêle au tragique pour créer le « triomphe du délire ». Amoureux de l'insolite qui réside au fond du quotidien, l'écrivain excelle à créer un climat fantastique où un érotisme cruel suscite des « images qui soient de délectation ou d'émoi » : ainsi *Marbre* (1953), peinture baroque d'une Italie païenne, ou *Le Lis de mer* (1956) dont l'héroïne, éprise de perfection formelle, organise théâtralement sa nuit de noces sur une plage de Sardaigne. Dans *La Motocyclette* (1963) et *La Marge* (1967), Mandiargues, s'il évoque toujours de superbes rêveries érotiques, adopte un ton neutre et une forme dépouillée pour présenter des histoires rigoureuses, où un lyrisme discret s'unit à la fantaisie.

PIGAFETTA (Antonio). ♦ Navigateur italien (v. 1491 – v. 1534). Il participa à l'expédition de Magellan*, dont il fit le compte rendu journalier. Son récit contient des observations précises sur la vie, les mœurs et coutumes, les langues des indigènes

Ph. Nimatallah/Ricciarini

Pietà dite d'Avignon.
(Musée du Louvre, Paris.)

Arch. Smeets

Le Christ devant **Pilate.** Peinture anonyme « sous-verre ». (Diözesan Museum, Cologne.)

du Brésil, de Patagonie et surtout des îles Mariannes et des Philippines; il contribua ainsi à la connaissance du monde océanique.

PIGALLE (Jean-Baptiste). ♦ Sculpteur français (Paris, 1714 – *id.*, 1785). Élève de Le* Lorrain puis des Lemoyne*, il échoua au prix de Rome et tint cependant à se rendre en Italie (1734-1739). Protégé par Mme de Pompadour, il reçut de nombreuses commandes (*L'Amour et l'Amitié,* 1758). Il termina le monument de Bouchardon* sur la place Royale, et réalisa le monument en l'honneur de Louis XV à Reims (la statue, détruite en 1792, fut ensuite remplacée par une réplique de Cartellier*). Dans les tombeaux du maréchal de Saxe (1753-1776) et du duc d'Harcourt (1774) il manifesta son goût pour les mises en scène et les effets théâtraux, révélant ainsi une profonde tendance au baroquisme. Mais dans ses portraits (*Diderot, Voltaire,* statue de *Voltaire nu*), il s'en tint à une observation plus directe de ses modèles.

PIGAULT [pigo-]-**LEBRUN (Guillaume Charles Antoine Pigault de l'Espinoy, dit).** ♦ Écrivain français (Calais, 1753 – La Celle-Saint-Cloud, 1835), auteur de comédies et de romans dont la gaieté licencieuse connut un grand succès, comme *L'Enfant du carnaval* (1792) et *Monsieur Botte* (1802).

PIGNEROL, en it. **Pinerolo.** ♦ V. de l'Italie du N., dans le Piémont (prov. de Turin). 30 000 hab. Talc, graphite. ♦ *Hist.* Cette ancienne ville forte fut française à plusieurs reprises entre le XVIe et le début du XIXe s. (jusqu'en 1814) et servit de prison d'État. Fouquet*, Lauzun*, le Masque* de Fer y furent incarcérés.

PIGOU (Arthur Cecil). ♦ Économiste britannique (Ryde, île de Wight, 1877 – Cambridge, 1959). Successeur d'A. Marshall à Cambridge, il fut un des derniers grands représentants de l'école néo-classique (marginalisme de C. Menger*, etc.). À l'économie de richesse, il opposa une « économie de bien-être » définie par l'accroissement maximal des utilités ou satisfactions individuelles; et, tout en restant attaché aux principes du libéralisme, il préconisa, pour parvenir au bien-être, certaines interventions des pouvoirs publics en matière économique et sociale, susceptibles de favoriser les entreprises à rendement croissant, de permettre une redistribution des revenus par l'impôt, de s'opposer à la rigidité des salaires qu'il considère comme la cause essentielle du chômage (thèse critiquée par Keynes*). *The Economics of Welfare,* 1920; *La Théorie du chômage,* 1930.

PIKE (Kenneth L.). ♦ Linguiste américain (Woodstock, 1912). Président du *Summer Institute of linguistics,* il décrivit de nombreuses langues peu étudiées (Nouvelle-Guinée, Philippines, etc.). Il a élaboré une théorie générale de la description linguistique, la *tagmémique,* qui s'insère dans une conception générale de l'activité linguistique, de nature behavioriste (*Language in Relation to a unified theory of the Structure of human Behavior,* 1954-1960; « Le langage en relation avec une théorie unifiée de la structure du comportement humain »).

PILAT *(mont). n. m.* ♦ Montagne du Massif central située entre le Rhône, la Cance et le Gier (point culminant : crêt de la Perdrix, 1 434 m).

PILATE (Ponce), en lat. **Pontius Pilatus.** ♦ (Ier siècle.) Procurateur romain ou plutôt, selon une inscription trouvée à Césarée, préfet de Judée (26-36 ?), connu surtout par le rôle que lui assignent les Évangiles dans le procès de Jésus : il l'abandonne aux juifs qui veulent sa mort en se lavant symboliquement les mains. Des traditions édifiantes veulent qu'il ait été puni par Tibère et exilé, ou exécuté; ou bien qu'il se soit converti et soit mort martyr.

PILATE *(mont),* en all. **Pilatus.** ♦ Massif montagneux de Suisse centrale (cant. d'Unterwald) dominant le lac des Quatre*-Cantons au S. de Lucerne*. Il culmine au Tomlishorn, 2 132 mètres.

PILAT-PLAGE. ♦ Station balnéaire de la Gironde (comm. de La Teste*), édifiée à partir de 1928 au N. de Pyla-sur-Mer, au pied de la grande dune de Pilat (105 m).

PILÂTRE DE ROZIER (François). ♦ Physicien et aéronaute français (Metz, 1756 – Wimereux, 1785). Auteur d'un mémoire sur les gaz, fondateur du « Musée de Paris », point de rencontre des savants de l'époque, il s'est beaucoup intéressé à l'aérostation. Il effectua, avec le marquis d'Arlandes*, le premier voyage en montgolfière entre le château de la Muette et la Butte-aux-Cailles (1783). **V. Montgolfier.** Il mourut, avec son aide, Romain, en tentant de traverser la Manche, son ballon ayant pris feu (1785).

PILCOMAYO *(río). n. m.* ♦ Riv. d'Amérique du Sud (2 500 km), affl. du Paraguay (r. d.) avec lequel il conflue à Asunción*. Il prend sa source dans les Andes de Bolivie, au S. de Sucre, traverse le Chaco* bolivien, et constitue la frontière entre l'Argentine et le Paraguay.

PILICA. *n. f.* ♦ Riv. de Pologne* (342 km), née dans le plateau de la Petite Pologne, elle arrose Tomaszów* Mazowiecki et se jette dans la Vistule* en amont de Varsovie. – Un des théâtres de la bataille des Quatre*-Rivières (1914).

Pillnitz *(déclaration de).* ♦ Rédigée par Léopold II et Frédéric-Guillaume II de Prusse au château de Pillnitz [Saxe] (27 août 1791), elle invitait les souverains d'Europe à se tenir prêts à soutenir la royauté française, après la fuite manquée de Louis XVI **(V. Varennes).** Favorablement accueillie par les émigrés, cette déclaration redoubla l'ardeur des patriotes.

PILLOT (Jean-Jacques). ♦ Écrivain socialiste et homme politique français (1809 – 1877). Organisateur de mouvements ouvriers à Paris, il publia plusieurs ouvrages où il exposa ses idées révolutionnaires dans un esprit prolétarien : *La Tribune du peuple* (1859), critique de l'Église catholique; *La communauté n'est pas une utopie* (1841), exposé des doctrines communistes de l'Antiquité au XIXe siècle. Après l'échec de la révolution de 1848, il émigra au Brésil. De retour en France, il fut élu membre de la Commune révolutionnaire de Paris (1871); condamné, il termina sa vie en prison.

PILNIAK (Boris, pseud. de **B. Andreievitch Vogau)** [*Pilnjak*]. ♦ Écrivain soviétique (Mojaïsk, 1894 – disparu après 1935). Très attaché au peuple russe, il décrivit la révolution comme une force destinée à libérer la Russie de l'Occident dans son roman *L'Année nue* (1922), puis il évoqua les problèmes de l'industrialisation dans *Machines et Loups* (1924) et *La Volga se jette dans la Caspienne* (1930). Il aurait été exécuté en 1940.

PILON (Germain). ♦ Sculpteur français (Paris, v. 1537 – *id.,* 1590). Il fut élève de son père et sans doute de P. Bontemps*. Il est considéré comme l'un des principaux sculpteurs de la Renaissance française et fut le sculpteur préféré de Catherine de Médicis. Il travailla le marbre, le bronze, le bois ou la terre cuite avec une égale maîtrise. La grâce raffinée du monument du *cœur de Henri II* (1561, Louvre) porte l'empreinte de l'esthétique de l'école de Fontainebleau. Mais dans les nombreux travaux qu'il réalisa pour la *rotonde des Valois,* des tendances diverses apparaissent : un réalisme mesuré issu à la fois de la tradition française et de l'idéal renaissant venu d'Italie *(gisants nus des souverains, priants de bronze, gisants en costume de sacre),* des réminiscences de Michel-Ange (*Christ ressuscité,* 1570, Louvre) et une tendance au pathétique annonciatrice du baroque italien (*Saint François en extase,* église Saint-Jean-François, Paris). Ses portraits (*statue priante du chancelier de Birague,* 1584-1585) attestent l'acuité de son observation et la vigueur de son modelé.

PILPAY ou **BIDPAY.** ♦ Auteur supposé, et sans doute fictif, du *Pañcatantra**. **V. Bidpai.**

PILSEN. ♦ Nom allemand de Plzeň* (Tchécoslovaquie).

PILSUDSKI (Józef). ♦ Maréchal et chef d'État polonais (Zulowo, Lituanie, 1867 – Varsovie, 1935). À l'université de Cracovie, il fut mêlé au mouvement socialiste et, bien qu'il n'eût pas pris part au complot contre le tsar Alexandre III, il fut banni et exilé en Sibérie en 1887. Gracié, il fonda le parti socialiste polonais, ce qui lui valut une nouvelle arrestation. Cependant, son mouvement prit de l'importance v. 1904, et Piłsudski se chargea de son organisation militaire. C'est ainsi que les Légions polonaises, constituées en 1914, combattirent aux côtés des empires centraux. À Varsovie, en 1918, le Conseil de régence l'investit de pouvoirs dictatoriaux. Maréchal en 1920, il combattit les bolcheviks, s'effaça lors de l'élection du premier président en 1922, mais revint au pouvoir à la suite du coup d'État de mai 1926. Refusant la présidence, il fut Premier ministre et ministre de la Guerre, poste qu'il conserva jusqu'à sa mort.

PILTDOWN. ♦ Localité du S. de l'Angleterre (Sussex) où l'on découvrit en 1912 un crâne, l'*Eoanthropus dawsoni* ou *Homme de Piltdown,* formé de fragments humains et simiens. Pendant longtemps, l'origine inconnue de ce crâne ne put faire l'unanimité des anthropologues. Pourtant, les derniers examens chimiques (1959) prouvèrent indubitablement qu'il s'agissait d'une habile reconstitution de fragments d'un âge récent (quelques millénaires tout au plus).

PINARD (Adolphe). ♦ Médecin français (Méry-sur-Seine, 1844 – 1934). Professeur de clinique obstétricale, il contribua au développement de la puériculture et de la législation familiale. Il fut élu député de Paris. (Acad. méd., 1892.)

PINAR DEL RÍO. ♦ Province de l'O. de Cuba. 588 800 hab. (1964). Tabac réputé. Forêts de pins. – *Cap.* Pinar del Río. 66 700 hab. (1964). Fondée v. 1775, la V. est un important centre commercial. Manufactures de tabac.

PIN-AU-HARAS (Le). ♦ Comm. de l'Orne*, arr. d'Argentan*. Haras fondé par Colbert*. Château bâti au XVIIIe s. d'après les plans de Mansart*.

PINAY (Antoine). ♦ Industriel et homme politique français (Saint-Symphorien-sur-Coise, Rhône, 1891). Maire de Saint-Chamond (1929), député (1936-1938), sénateur (1938-1940), il vota les pleins pouvoirs au maréchal Pétain, mais entra ensuite dans la Résistance. Membre de la 2e Assemblée consultative (1946), député à l'Assemblée nationale (groupe des indépendants, 1946-1958) et président d'honneur du *Centre national des indépendants et paysans* (depuis 1953), il fit partie de plusieurs cabinets sous la IVe République. Président du Conseil avec le portefeuille des Finances (début 1952), il se consacra avec succès au redressement du franc et fit face au malaise social par diverses mesures de stabilisation (affichage des prix, émission d'un emprunt à garantie-or, dit *emprunt Pinay,* création d'une échelle mobile des salaires). Son gouvernement fut marqué sur le plan extérieur par l'aggravation de la situation militaire en Indochine, la signature des accords de Bonn rendant sa souveraineté à l'Allemagne, et posant les bases de la Communauté européenne de défense. Il dut démissionner en décembre 1952 après avoir été abandonné par le M.R.P. et mis en minorité sur la question de la réforme de l'impôt foncier et de la Sécurité sociale. Ministre des Affaires étrangères (cabinet E. Faure, 1955-janv. 1956), A. Pinay participa à la conférence de Genève sur le désarmement, contribua à faire accorder l'autonomie à la Tunisie, à rétablir le sultan Muhammad V sur le trône du Maroc (signature des accords de La Celle-Saint-Cloud, nov. 1955). Favorable au rappel du général de Gaulle lors de la crise de mai 1958 à Alger, il fut chargé, comme ministre des Finances et des Affaires économiques (juin 1958-janv. 1959), de rétablir la situation financière (*plan Rueff-Pinay* de stabilisation). Il démissionna en 1960 en raison de l'opposition du général de Gaulle dans le domaine économique, ainsi que vis-à-vis de la Communauté européenne et de l'O.T.A.N. Le gouvernement lui confia les fonctions de médiateur (1973-1974).

PINCEVENT. ♦ Station préhistorique située au bord de la Seine, à l'O. de Montereau (Seine-et-Marne). Des ossements magdaléniens y ont été retrouvés.

Pin-chiang. ♦ V. HA-ÊRH-PIN.

PINDARE, en gr. **Pindaros.** ♦ Poète lyrique grec (Cynocéphales, près de Thèbes, ~518 – Argos, v. ~438). Issu d'une grande famille de descendance dorienne, il étudia l'art lyrique auprès de Corinne*, puis à Athènes. Son attitude pendant l'occupation perse lui valut des critiques de Simonide* et de Bacchylide*, mais après la défaite perse l'ardeur de ses dithyrambes patriotiques dépassa celle de ses rivaux. Il nous reste intacts ses quatre livres d'*Épinicies* (odes triomphales) dédiées aux vainqueurs des jeux et intitulées *Olympiques, Pythiques, Néméennes* et *Isthmiques.* En y faisant l'éloge des vainqueurs célèbres, presque tous des princes ou de grands propriétaires, il rattache à leur généalogie une légende pour en dégager une philosophie de modération et de vertu. Son œuvre, comprenant aussi des hymnes, thrènes, péans, dithyrambes, etc., atteint les sommets du lyrisme et son style brillant dément la réputation de lourdeur béotienne. À l'apogée de sa popularité après ~480, il fut l'hôte de plusieurs tyrans de Sicile* et mourut comblé d'honneurs.

PINDE. *n. m.,* en grec **Pindos.** ♦ Système montagneux de la Grèce formant l'ossature du relief de la péninsule. Séparant l'Épire et la Thessalie, le Pinde donne naissance aux princ. fleuves de la Grèce continentale : Achéloos, Aliacmon, Pénée, etc. Point culminant : Smolikas (2 632 m). – Dans l'Antiquité, le Pinde de Thessalie était consacré à Apollon et aux Muses.

PINDY (Louis). ♦ Révolutionnaire français (1840 – 1917). Ouvrier menuisier, affilié à la Ire Internationale, il fut membre du Comité central de la garde nationale et de la Commune de Paris. Après l'échec de celle-ci, il se réfugia en Suisse.

PINE BLUFF. ♦ V. de l'Arkansas* au S.-E. de Little* Rock. Près de 50 000 hab. (1960). – Nombreuses industries. Commerce du coton.

PINEL (Philippe). ♦ Médecin français (Saint-André d'Alayrac, Tarn, 1745 – Paris, 1826). Médecin à Bicêtre, puis à la Salpêtrière, il s'occupa surtout de l'étude des maladies mentales et eut le mérite d'abolir les méthodes thérapeutiques brutales auxquelles étaient soumis les aliénés. On lui doit notamment un *Traité médico-philosophique sur l'aliénation mentale ou la manie* (1801).

PINGET (Robert). ♦ Écrivain français d'origine suisse (Genève, 1919). Après des études de droit, il fait de la peinture puis débute dans la création littéraire avec des nouvelles, *Entre Fantoine et Agapa* (1951). Dès son premier roman, *Mahu et le matériau* (1952), qui contient sa propre genèse et sa propre autocritique, Pinget affirme que « tout ce qu'on peut dire ou signifier ne [l'] intéresse pas, mais la façon de dire ». Mettant en scène des personnages dérisoires qui n'existent qu'en paroles (*Baga,* 1958), dotés de caractéristiques présentes ou passées provisoires (*Autour de Martin,* 1965) et qui découvrent ou inventent un monde en perpétuelle transformation (*L'Inquisitoire,* 1962), l'écrivain souligne par des descriptions répétées, mais subtilement décalées, de la même scène, ce qui lui apparaît comme l'absurdité du monde (*Le Fiston,* 1959; *Quelqu'un;* prix Fémina, 1965). Dans ses œuvres théâtrales (*Lettre morte,* 1959; *La Manivelle,* 1960; *Ici ou ailleurs,* 1961), Pinget poursuit ses recherches sur le langage, évoquant Beckett*.

PINGTUNG. ♦ V. de l'île de Taiwan, ch.-l. de district dans le S.-O., à 25 km à l'E. de Kaohsiung. 170 000 hab. Centre agricole.

PIN-KIANG. ♦ V. HA-ÊRH-PIN.

Pinocchio. ♦ Roman italien pour la jeunesse de Carlo Collodi (pseudonyme de Carlo Lorenzini), d'abord publié en feuilleton (1878), puis en volume (1883) sous le titre *Les Aventures de Pinocchio - Histoire d'une marionnette (Le Avventure di Pinocchio - Storia di un burattino).* Cette œuvre eut un succès considérable et fut traduite dans toutes les langues. Personnage animé de bonnes intentions, mais impertinent et fantasque, Pinocchio connaît une extraordinaire succession de malheurs avant d'être transformé en enfant, quittant le rêve pour la réalité. Couronné par une morale conformiste (« On peut toujours attendre quelque chose des enfants qui ont bon cœur, même s'ils sont un peu fripons et accoutumés à mal faire. »), le récit manifeste cependant une fantaisie qui ne va pas sans cruauté.

PINOCHET (Augusto). ♦ Général et homme d'État chilien (Valparaiso, 1915). Président de la junte qui prit le pouvoir au Chili en septembre 1973, il devint président de la République en 1975.

PINS *(île des).* ♦ Île de la Mélanésie* (Océanie) située à 50 km env. au S.-E. de la Nouvelle*-Calédonie, dont elle dépend. 160 km². Les fougères géantes et les pins colonnaires font la beauté de l'île. ♦ *Hist.* L'île fut, de 1872 à 1879, l'un des lieux de déportation des condamnés de la Commune.

PINTER (Harold). ♦ Auteur dramatique anglais (Londres, 1930). Consacré à l'observation d'une réalité aux apparences banales, mais secrètement chargée d'insécurité et de violence, faisant usage d'un langage réaliste, elliptique et souvent incohérent, son théâtre exprime l'ambiguïté des rapports humains. L'emploi fréquent d'allégories aux multiples interprétations contribue à y créer avec force une impression d'indéfini et de mystère. Œuv. princ. : *L'Anniversaire* (*The Birthday Party,* 1958), *Le Gardien* (*The Caretaker,* 1961), *La Collection* (*The Collection,* 1961), *L'Amant* (*The Lover,* 1963), *Le Retour* (*The Homecoming,* 1964).

PINTO (Fernão MENDES). ♦ V. MENDES PINTO (Fernão).

PINTURICCHIO (Bernardino di Betto, dit **il** ou en fr. **le Pinturicchio** « le peinturlureur »). ♦ Peintre italien (Pérouse, v. 1454 – Sienne, 1513). Élève, à Pérouse, de Fiorenzo di Lorenzo, marqué dès sa jeunesse par Benozzo Gozzoli* et surtout par Bartolomeo Caporali, il collabora avec le Pérugin* et subit un moment son ascendant. Celui-ci l'emmena à Rome pour travailler à la décoration de la Sixtine* : on reconnaît sa main dans les fresques de *La Circoncision des fils de Moïse* et du *Baptême de Jésus* (1481-1483). Peu après, à la chapelle Bufalini (Santa Maria in Aracoeli, Rome), il peignit un cycle de fresques, *La Vie de saint Bernardin,* avec lequel il atteignit à la maturité. Son style orné et fastueux le mit en grande vogue auprès de l'aristocratie pontificale et il se vit confier de nombreux travaux de décoration. En 1492-1494, le pape Alexandre* VI lui fit décorer ses nouveaux appartements (« appartements Borgia » au Vatican), suite somptueuse où la rapidité d'exécution et l'aide de nombreux élèves ont compromis la qualité proprement picturale; mais avec ses stucs et ses marbres finement ciselés, avec ses dorures, avec le mélange des thèmes chrétiens et païens, l'ensemble fournit l'un des meilleurs exemples du faste de la Renaissance romaine; la main du maître est évidente dans le célèbre portrait d'Alexandre VI adorant le Christ ressuscité (salle des Mystères). En 1501, il peignit les fresques de la chapelle Baglioni (Santa Maria Maggiore, à Spello), non sans abuser désormais des grotesques et autres éléments d'un pittoresque facile. À partir de 1502, il travailla à la cathédrale de Sienne pour le cardinal Piccolomini, futur Pie III, peignant notamment *La Vie de Pie II,* oncle du cardinal, dans la bibliothèque Piccolomini. Enfin, il peignit à Sienne, au palais de Pandolfo Petrucci, l'*Histoire*

Arch. Rencontre

Pinturicchio : « Dispute de sainte Catherine d'Alexandrie avec les philosophes devant l'empereur Maximien ». (Vatican, appartement Borgia, Rome.)

d'Ulysse et de Pénélope. Parmi ses tableaux de chevalet, il faut citer une série de *Madones* et le *Portrait de jeune garçon* du musée de Dresde.

PINZÓN (Martín Alonso). ♦ Navigateur espagnol (Palos de Moguer, Huelva, 1440 – La Rábida, Huelva, 1493). Avec son frère FRANCISCO MARTÍN pour pilote, il commanda la caravelle *La Pinta* lors de la première expédition de Christophe Colomb* (1492-1493). Ayant devancé celui-ci sur le chemin du retour, il envoya un message aux souverains espagnols, cherchant, semble-t-il, à s'attribuer tout le mérite de la découverte du Nouveau Monde et mourut peu après. ♦ VINCENTE YÁÑEZ PINZON, son frère. Navigateur espagnol ([mort] après 1523). Commandant de la *Niña* lors de la première expédition de Christophe Colomb* (1492-1493), il explora ensuite la côte orientale de l'Amérique du Sud (1499); certains contestent toutefois qu'il ait découvert l'embouchure de l'Amazone et longé, avant Cabral, le Brésil jusqu'au río de La Plata. Il participa au voyage de Díaz* de Solís au Yucatán (1508-1509).

PIOMBINO. ♦ V. et port d'Italie, en Toscane (prov. de Livourne), le long de la mer Tyrrhénienne, au fond du *golfe de Piombino,* face à l'île d'Elbe. 36 000 hab. Centre sidérurgique traitant le fer de l'île d'Elbe. ♦ *Hist.* Cédée par Jean Galéas Visconti à la maison d'Appiano (1399-1604), elle passa aux Ludovisi (1634), aux Boncompagni (1706), puis à Napoléon (1801) qui la céda à sa sœur Élisa Bonaparte (1805). En 1815, elle fut donnée aux Boncompagni.

PIOMBO (Sebastiano *del*). ♦ **V.** SEBASTIANO DEL PIOMBO.

PIOTRKÓW TRYBUNALSKI. ♦ V. de Pologne* (voïévodie de Łódź), 55 000 hab. – Indus. textiles (combinat du coton) et métallurgiques. Matériel agricole. Verreries, scieries. ♦ *Hist.* Siège des diètes de la couronne, elle fut de 1578 à 1722 le siège de la Cour suprême.

P'i-p'a chi [*P'i-p'a ki, Pipa ji*] (« la guitare »). ♦ Célèbre pièce dramatique chinoise en 42 actes due à l'écrivain chinois Gao Ming (XIVe s.), sur le thème de la piété filiale; elle est considérée comme l'une des meilleures œuvres du théâtre méridional.

Pippal. *n. m.* ♦ Arbre sacré de l'Inde *(Ficus religiosa L.)* tant pour les hindous que pour les bouddhistes. Ce serait sous un pippal que Sâkyamuni Gautama se serait assis en méditation, à Boddh Gâyâ, au moment de devenir le Bouddha.

PIQUE. *n. f.* ♦ Torrent des Pyrénées (28 km) [Haute-Garonne*], affl. de la Garonne, qui arrose Bagnères*-de-Luchon et se jette dans la Garonne à Saint-Béat. Aménagement des lacs réservoirs (Oô, Portillon, Glacé). Centrales électriques. *Affl.* Lys, Neste d'Oô **(V. Oô).**

PIRANDELLO (Luigi). ♦ Écrivain italien (Agrigente, 1867 – Rome, 1936). Docteur de l'université de Bonn, puis professeur de littérature italienne à Rome, il commença très tôt une carrière d'écrivain en publiant des nouvelles, genre littéraire auquel il devait rester fidèle, sa vie durant, en dépit des succès qu'il connut au théâtre. Publié plus tard sous le titre général de *Nouvelles pour un an (Novelle per un anno),* cet ensemble monumental (quinze volumes) constitue l'accomplissement esthétique le plus sûr pour une connaissance approfondie du génie de Pirandello. Toutes les ressources du naturalisme s'y conjuguent avec une pitié et une tendresse émues pour les êtres, humbles paysans et petits bourgeois siciliens. – Inspirée parfois de sujets empruntés à certaines de ses nouvelles, faisant vivre à la scène des personnages déchirés par un tourment incessant, l'œuvre dramatique de Pirandello a pour thème dominant la tragique impossibilité du vivant à appréhender son moi véritable. De cet émiettement de la personnalité, décrit avec autant de méticuleuse rigueur que d'ironie sarcastique, naît, selon Pirandello, une angoisse dont le seul refuge est dans la dérision, la folie ou la mort. Révélé en France par Charles Dullin et Georges Pitoëff, le théâtre de Pirandello a exercé une forte influence sur des auteurs aussi différents que Jean Anouilh *(Le Voyageur sans bagages),* Jean-Paul Sartre *(Huis clos)* et Jean Genet *(Le Balcon).* – Œuv. princ. : *Chacun* sa vérité* (*Cosi è « se vi pare »,* 1916), *Six personnages en quête d'auteur* (*Sei Personaggi in cerca d'autore,* 1921), *Henri IV* (*Enrico IV,* 1922), *Ce soir, on improvise* (*Questa sera si recita a soggetto,* 1930), *Se trouver* (*Trovarsi,* 1932). [Prix Nobel de littérature, 1934.]

Arch. Smeets

Piranèse : « Prison imaginaire ». Gravure, 1745. (Bibliothèque nationale, Paris.)

PIRANÈSE (Giambattista PIRANESI, dit en fr.**).** ♦ Dessinateur, graveur et architecte italien (Mogliano di Mestre, 1720 – Rome, 1778). Il étudia l'architecture auprès de son oncle ingénieur. Vers 1740, il se rendit à Rome, fut vivement impressionné par les monuments antiques et étudia la gravure. Son activité en tant qu'architecte fut peu importante (reconstruction de *Santa Maria del Priorato* à Rome) mais il contribua fortement à développer le goût de l'antique en publiant de nombreux recueils (environ vingt-six) aux planches de grand format (*Vues de Rome; Antiquités romaines,* 1756; *Vues de Paestum,* 1777-1778). Il y proposait des reconstitutions de monuments et reproduisait des motifs d'ornements, des vases, statues et grotesques qui inspirèrent les tenants du néo-classicisme et du style Empire. Sa vision grandiose et personnelle de l'art antique et l'imagination qu'il déploya dans ses vues de prisons (*Invenzioni di Carceri,* 1750) révèlent un tempérament romantique par le caractère dramatique et lyrique des clairs-obscurs et des effets de perspective.

PIRATES *(côte des)* ou **côte de la Trêve,** en angl. **Trucial Coast** ou encore **Trucial States.** ♦ Nom donné à l'ensemble des émirats de la région de l'Oman*, à la frontière de l'Arabie Sa'ûdite, et qui s'échelonnent le long du golfe Persique entre le sultanat d'Oman* et la péninsule de Qatar*, en un arc de cercle de près de 700 km. Ces Émirats* arabes unis, au nombre de sept (Fujaïrah, Ras al-Kaïmah, Umm al-Qaïwain, Sarjah, Ajman, Dubaï, Abû Dhabî), occupent une superficie de 83 600 km² et sont peuplés d'env. 180 000 hab. *Cap.* Abû Dhabî. *Unité monétaire.* Ryal de Qatar et Dubaï. ♦ *Hist.* Les principautés se livraient à la piraterie aux dépens des navires de la Compagnie anglaise des Indes orientales. En 1853, une trêve *(truce)* fut conclue entre la Grande-Bretagne et les princ. chefs pirates, à la suite de quoi les émirats *(cheikhats)* furent placés sous protectorat britannique au même titre que les États de Bahrein* et de Qatar*. Les frontières entre les émirats restent imprécises. Ce furent les premières découvertes de pétrole dans l'île de Bahrein qui amenèrent la prospection de la côte des Pirates après celle de l'Arabie Sa'ûdite et du Kuweit. L'oasis frontalière de Buraymi contenant sans doute aussi du pétrole se trouve revendiquée à la fois par l'Arabie Sa'ûdite et le sultanat d'Oman (anc. Mascate-et-Oman).

PIRCKHEIMER ou **PIRKHEIMER (Willibad).** ♦ Humaniste allemand (Eichstätt, 1470 – Nuremberg, 1530). Helléniste de renom, en contact avec les grands humanistes de l'époque, il prit la défense de Reuchlin, adhéra à la Réforme, mais revint ensuite au catholicisme. Juriste, homme politique et homme de guerre, il fut le conseiller impérial de Maximilien Ier (1497), puis de Charles Quint (1526) et participa à la campagne contre la Suisse *(La Guerre suisse).* Une partie de ses écrits a été réunie sous le titre *Œuvres politiques, historiques, philologiques et épistolaires* et publiée en 1610.

PIRE (Dominique Georges). ♦ Religieux belge (Dinant, 1910 – Louvain, 1969). Entré chez les dominicains (1928), il enseigna la philosophie puis se consacra aux œuvres de charité (stations de plein air, entraide familiale, etc.). Aumônier de l'armée secrète pendant la Deuxième Guerre mondiale, il lança ensuite une campagne pour « l'Europe du cœur » et organisa l'aide aux réfugiés et personnes déplacées, créa le Centre international de jeunesse Mahatma-Gandhi [1960]. (Prix Nobel de la paix, 1958.)

PIRÉE (Le), en grec **Peiraieus.** ♦ V. de Grèce en Attique, port d'Athènes* sur le golfe Saronique, le premier du pays et l'un des plus importants de la Méditerranée. 187 460 hab. (avec la banlieue : 439 140 hab.). Grand entrepôt et escale du trafic maritime desservant le Proche-Orient, Le Pirée est aussi le princ. centre industriel de la Grèce : constructions navales; métallurgie; indus. alimentaires, textiles; cimenteries; produits chimiques; cigarettes; tanneries; savonneries, etc. – Le *nome du Pirée,* auquel sont rattachées les îles Égine, Hydra, Salamine et Spetsai, l'île de Cythère et l'éparchie de la Trézénie (Péloponnèse), a 498 800 hab. ♦ *Hist.* La création du Pirée au ~ Ve s. est liée au développement de la puissance maritime d'Athènes, qui éclipsa celles de Corinthe et d'Égine. Thémistocle* et ses continuateurs, Cimon et Périclès, firent du Pirée le port d'Athènes. La V. fut construite en damier, sur les plans d'Hippodamos de Milet, autour des trois ports (le Grand, Zéa et Munichie*), entourée d'une enceinte et reliée à Athènes par les Longs Murs (~ 461-~ 457). À l'issue de la guerre du Péloponnèse (~ 404), Lysandre fit détruire en partie les Longs Murs et l'enceinte, restaurés plus tard par Conon. La révolution de Thrasybule* pour la restauration de la démocratie athénienne fut déclenchée au Pirée (~ 403). Détruite en ~ 86 par Sylla, la V. ne reprit d'importance qu'en 1835 avec le transfert de la cap. grecque à Athènes, et surtout après l'ouverture du canal de Corinthe (1893). La V. moderne, construite sur les plans de l'anc. ville avec des rues rectilignes à angles droits, se développa avec la croissance industrielle (fin du XIXe s.) et l'afflux des réfugiés d'Asie Mineure en 1823.

PIRENNE (Henri). ♦ Historien belge (Verviers, 1862 – Uccle-lès-Bruxelles, 1935). Se fondant sur une analyse économique et sociale, il écrivit une importante *Histoire de la Belgique* (1899-1932), *Les Anciennes Démocraties des Pays-Bas* (1909), *Les Villes au Moyen Âge* (1927), *L'Histoire de l'Europe des invasions au XVI*e *siècle* (1936) et un autre ouvrage [posthume] *Mahomet et Charlemagne* (1936).

PIRIN. *n. m.* ♦ Massif montagneux de Bulgarie méridionale et de Macédoine grecque, entre la Struma et la Mesta, et correspondant à la partie occidentale du Rhodope*. Point culminant : Vihren (2 915 m).

PIRITHOOS, en gr. **Peirithoos.** ♦ Héros thessalien, roi des Lapithes*. Fils d'Ixion* et de Dia, il est le demi-frère des Centaures*. Lors de son mariage avec Hippodamie survient le démêlé et le fameux combat des Centaures et des Lapithes. Pirithoos est surtout associé à la légende de Thésée*. Ayant provoqué le héros athénien dont il enviait la réputation, Pirithoos est pris d'admiration pour son adversaire pendant leur lutte et se déclare son esclave. Thésée lui offre son amitié et ils partent à la conquête des filles de Zeus. À Thésée échoit Hélène, qu'ils enlèvent tous les deux de Sparte. Ils descendent ensuite aux Enfers pour enlever Perséphone*, mais seul Thésée en revient, délivré par Héraclès, tandis que Pirithoos est gardé au royaume des ombres, puni de son audace.

PIRMASENS. ♦ V. d'Allemagne occidentale (Rhénanie-Palatinat), à 10 km de la frontière française. 53 170 hab. Importantes fabriques de chaussures. ♦ *Hist.* La V. fut le siège du mouvement autonomiste palatin en 1924.

PIRNA. ♦ V. d'Allemagne orientale (Brandebourg, district de Dresde), sur la r. g. de l'Elbe, près de la frontière tchécoslovaque. 41 030 hab. (1962). Château et église du XVIe siècle. — Indus. chimiques (verreries, cellulose, soie artificielle). ♦ *Hist.* Frédéric II y remporta une victoire sur les Saxons (oct. 1756).

PIRON (Alexis). ♦ Poète et auteur dramatique français (Dijon, 1689 — Paris, 1773). Il s'illustra dans la carrière littéraire avec *Arlequin Deucalion* (1722), pétillant monologue en trois actes destiné à riposter à la Comédie-Française, qui interdisait les dialogues au théâtre de la Foire. Auteur de la comédie en vers *La Métromanie* (1738), satire des faux poètes de salon, et de *Poésies* spirituelles ou licencieuses, il fut surtout célèbre par son esprit caustique et excella dans des *Épigrammes,* souvent dirigées contre Voltaire* ou l'Académie.

PIROU (Gaétan). ♦ Économiste français (Le Mans, 1886 — Paris, 1946). Rédacteur en chef de la *Revue d'économie politique,* il a laissé plusieurs ouvrages d'économie parmi lesquels *Doctrine sociale et sciences économiques* (1929), *La Crise du capitalisme* (1934), un *Cours d'économie politique* (1945), *Économie libérale et économie dirigée* (1946), etc., des études sur la monnaie française au lendemain de la Première Guerre mondiale et sur le corporatisme.

PISANELLO (Antonio di Puccio di Cerreto ou **Antonio Pisano,** dit**).** ♦ Peintre et médailleur italien (Pise, v. 1395 — *id.,* v. 1455). Il étudia à Vérone, où fleurissait le gothique international de Stefano* da Zevio et Gentile* da Fabriano, qu'il surpassa en perfection dans son art courtois, à la fois réaliste et féerique (*Saint Georges délivrant la princesse de Trébizonde,* v. 1436, Vérone). Peintre et portraitiste (*Princesse d'Este,* Louvre), il se complut dans la sûreté aiguë de la ligne, le chatoiement des surfaces, la concrétude, dans un espace médiéval, d'éléments directement observés (*études* remarquables d'animaux et de costumes). Sa précision de trait est bien d'un médailleur, et c'est le spécialiste de cet art, qu'il enrichit par la technique du moulage, qu'on appela dans les cours italiennes de Ferrare, Mantoue, Milan, Rimini, Naples (médailles de Jean VIII Paléologue, Lionello d'Este, S.P. Malatesta, Alphonse d'Aragon).

PISANI (Edgard). ♦ Homme politique français (Tunis, 1918). Nommé préfet après avoir participé à la libération de Paris (août 1944), puis élu sénateur (1954), il fut chargé du portefeuille de l'Agriculture (1961-1966) et joua un rôle important dans l'élaboration de la politique agricole du Marché commun et des réformes pour la modernisation de l'agriculture française. Ministre de l'Équipement, puis de l'Équipement et du Logement (1966-1967), il fit adopter la loi d'orientation urbaine et foncière. Maire de Montreuil-Bellay, il fut élu député en 1967. Il démissionna en mai 1968, fonda le *Mouvement pour la réforme,* fut battu aux législatives de 1968. Sénateur [1974]. (*La Région, pour quoi faire?,* 1969.)

PISANO (Nicola ou **Niccolo).** ♦ Sculpteur et architecte italien (en Apulie ou près de Pise, v. 1220 — Pise, v. 1283). Il créa un type architectural original avec la chaire du baptistère de Pise (1260), accordant aux reliefs une échelle monumentale jusque-là inaccoutumée. Leur réalisme, leur modelé, inspirés de l'art romain classique (sarcophages), font place dans ceux de la chaire du dôme de Sienne (1266-1268) à un foisonnement gothique de figures. Nicola Pisano fut en effet le premier à assimiler l'influence française, dans un gothique proprement toscan, continué par deux de ses élèves et collaborateurs, son fils Giovanni et Arnolfo* di Cambio. Auteur du tombeau de saint Dominique à Bologne (1264-1267; remanié) et de *la fontana maggiore* de Pérouse (1278), il aurait été selon Vasari l'un des architectes de Santa Trinità à Florence. Les peintres autant que les sculpteurs apprécièrent son rôle novateur, Duccio* notamment et Giotto*, auquel on l'a comparé. ♦ GIOVANNI PISANO, son fils, sculpteur et architecte (Pise, v. 1248 — Sienne?, après 1314). Formé par son père, il travailla avec lui à la chaire du dôme de Sienne et à la fontaine de Pérouse. Il reprit plus tard le modèle paternel dans ses chaires de Sant'Andrea à Pistoia et du dôme de Pise, achevées en 1301 et 1310. Lui aussi joignit à l'étude de l'antique la connaissance approfondie du gothique et l'appliqua dans sa conception très originale de la façade du dôme de Sienne, toscane par la planitude et les incrustations (1284-1289) : libérées du mur, de grandes statues devaient imposer à l'édifice leur enchaînement rythmique. Mieux préservées que celles du baptistère de Pise (v. 1295) et celles du tombeau de Marguerite de Luxembourg à Gênes (1312), elles témoignent, avec les reliefs et les madones, d'une exploration diverse, puissante et hardie des possibilités expressives du langage sculptural.

Arch. Smeets

Pisanello : « Portrait d'une princesse de la maison d'Este ». (Musée du Louvre, Paris.)

PISANO (Giunta Capitini, dit**).** ♦ Peintre actif en Italie du Nord (v. 1229 — 1254). Il reprit des modèles byzantins sa vision pathétique du Christ en croix, accordée à la sensibilité franciscaine de son temps (Bologne, San Domenico).

PISANO (Andrea da Pontedera, dit **Andrea).** ♦ Orfèvre, sculpteur et architecte italien (Pontedera, v. 1290 — Orvieto ?, v. 1349). En lui commandant la première des trois portes de bronze du baptistère, les Florentins souhaitaient qu'il s'inspirât des portes pisanes de Bonnano*. Il exécuta de 1330 à 1336 la porte gothique qui, remplacée par la seconde porte de Ghiberti*, se trouve maintenant côté sud : une corniche sacome entoure vingt-huit cadres quadrilobés à la française. Andrea y donna, dans les scènes de la *Vie de saint Jean-Baptiste,* la première expression en relief du langage clair de Giotto*. Il collabora ensuite avec ce dernier aux travaux du Campanile, qu'il dirigea après la mort du peintre. En 1343, il quitta Florence (pour Pise?), puis devint en 1347 maître d'œuvre du dôme d'Orvieto. Son fils Nino lui succéda dans ces fonctions.

PISCATOR (Erwin). ♦ Metteur en scène et directeur de théâtre allemand (Ulm, 1893 — Berlin, 1966). Considérant le théâtre comme un moyen d'expression au service du mouvement révolutionnaire, il illustra ses théories en fondant à Berlin le théâtre prolétarien (*Proletarisches Theater,* 1920), puis le *Théâtre central* où furent créées des œuvres de Maxime Gorki, Romain Rolland et Ernst Toller. Directeur de la *Volksbühne* (Scène du peuple, 1924) qui deviendra la *Piscator Bühne* (1927), il y commença son œuvre réformatrice, caractérisée par l'usage des projections cinématographiques et d'une abondante documentation destinée à provoquer la réflexion du spectateur. La présentation de la pièce d'Ernst Toller. *Hop là nous vivons!* (*Hoppla, wir leben!,* 1927) et l'adaptation scénique du roman de Hašek *Les Aventures du brave soldat Švejk* (*Die Abenteuer des braven Soldaten Schweyck,* 1928) sont demeurées mémorables. Ayant quitté l'Allemagne (1933), il se fixa d'abord en U.R.S.S., puis à Paris, pour émigrer finalement aux États-Unis (1938), où il ouvrit une école. À son retour en Europe, il s'établit en Allemagne occidentale où il reprit une certaine activité artistique.

Ph. Mario Russo/Ricciarini

Pise : la tour.

PISE, en it. **Pisa**. ♦ V. d'Italie centrale, en Toscane*. Ch.-l. de prov., sur l'Arno*. 103 557 hab. *(Pisans)*. Archevêché ; université fondée en 1343. Pise est célèbre par ses nombreux monuments anciens, d'un style qui fit école dans toute la Toscane et en Sardaigne : cathédrale romane (XIe s.), « tour penchée » (XIIe s.), campo santo ; églises San Domenico (XIIe s.), Sant'Andrea (XIIe s.), San Paolo A Ripa d'Arno (XIIe-XIIIe s.), Santa Maria della Spina (XIVe s.) ; palais Galileo, Medicis et dei Cavalieri. — Indus. chimiques, verreries, porcelaine. — Patrie de Galilée*, de Nicola et Giovanni Pisano*. ♦ *Hist.* Cité étrusque puis colonie romaine (~ 180), elle devint municipe sous Auguste. Sa position lui permit de reprendre les relations maritimes avec l'Orient au Xe siècle. Au début du XIe s., Pise vainquit les Sarrasins et s'installa en Sardaigne ; elle prit la Corse* (1092), puis les Baléares* (1114). Elle fut vaincue à la Meloria (1284) par les Génois et ces derniers s'emparèrent de la Corse (1300) ; la Sardaigne passa à l'Aragon (1325). Ville gibeline, Pise passa aux Visconti de Milan (1395) et fut vendue à Florence à laquelle elle résista en vain (1405-1406). Annexée par la France de 1807 à 1814, elle fut ensuite rattachée au grand-duché de Toscane*, puis au nouveau royaume d'Italie en 1860. — *Concile de Pise* (25 mars-7 août 1409). Lors du grand schisme d'Occident, ce concile déposa Grégoire XII et Benoît XIII et élut un troisième pape, Alexandre* V.

PISIDIE. *n. f.* ♦ Anc. région de l'Asie Mineure limitée par la Phrygie* au N. et la Pamphylie* au sud. Elle fut annexée par Rome en ~ 103.

PISISTRATE, en grec **Peisistratos**. ♦ (Avant ~ 600 — ~ 528 ou ~ 527). Tyran d'Athènes, de la famille des Philaïdes, cousin de Solon*. Devenu chef du parti des *Diacriens* groupant bergers, paysans pauvres, mineurs, etc., il s'empara du pouvoir en ~ 561 par la ruse : après s'être blessé lui-même, il se présenta devant l'Assemblée comme victime d'un attentat monté par les Eupatrides et se fit accorder des gardes du corps ; ensuite, il occupa l'Acropole et imposa son autorité. Deux fois renversé et exilé (la seconde fois pendant onze ans), puis rétabli, il gouverna avec modération et poursuivit la politique de Solon ; il imposa durement les riches propriétaires des plaines, résolut le problème agraire, favorisa le commerce et l'industrie et établit les fondements d'un empire maritime. Son gouvernement fut encore marqué par le premier apogée culturel d'Athènes : grands travaux, édification de monuments dont l'*Olympieion* et l'*Hécatompédos*, sur l'Acropole, apparition de la céramique à figures rouges, création de la première bibliothèque publique, première édition des poèmes d'Homère*, concours de tragédie, rayonnement des fêtes civiques (Panathénées, Dionysies), etc. Ses fils Hipparque* et Hippias* (les *Pisistratides*) lui succédèrent.

PISON, en lat. **Piso**. ♦ Famille romaine de la gens *Calpurnia*. ♦ CAIUS CALPURNIUS PISO. Homme politique romain, consul en ~ 67 et proconsul de la Gaule narbonnaise. Accusé de concussion par César*, il fut défendu par Cicéron*. ♦ LUCIUS CALPURNIUS PISO CAESONINUS. Il s'entendit avec Clodius* pour faire exiler Cicéron*. Proconsul en Macédoine (~ 57), il fut condamné pour ses exactions et acquitté par son gendre César. ♦ LUCIUS CALPURNIUS PISO CAESONINUS. Fils du précédent. Consul en ~ 15 et préfet de Rome (~ 14) sous Auguste*. On pense que c'est à ses fils Cnéius et Lucius qu'Horace* dédia son *Épître aux Pisons* (ou *Art poétique*). ♦ CNEIUS CALPURNIUS PISO ([mort] 20). Gouverneur de Syrie sous Tibère*, il aurait empoisonné Germanicus* à l'instigation de l'empereur. Accusé par Agrippine*, il fut traduit devant le sénat et, se voyant abandonné par Tibère, il se donna la mort. ♦ CAIUS CALPURNIUS PISO ([mort] 65). Aristocrate romain banni par Caligula*. Consul sous Claude*, il organisa une conspiration contre Néron* (65) dans laquelle furent impliqués Lucain* et Sénèque*. Découvert, il se fit ouvrir les veines. ♦ LUCIUS CALPURNIUS PISO LICINIANUS ([mort] 69). Successeur désigné de Galba*, il fut massacré avec Galba par les prétoriens dirigés par Othon*.

PISSARRO (Camille). ♦ Peintre, dessinateur et lithographe français (Saint-Thomas, Antilles, 1830 — Paris, 1903). Ayant débuté dans une profession commerciale, il préféra bientôt se consacrer à la peinture. Il travailla avec Corot*, qui lui prodigua ses conseils, et subit aussi l'influence du réalisme de Courbet*. En 1857, à l'Académie suisse, il devint l'ami de Monet*, Renoir* et Cézanne* et fréquenta avec eux les réunions des futurs impressionnistes. En Angleterre (1870), il fut séduit par Constable* et Turner*. Sa peinture devint alors plus aérée et plus claire, proche du style de Monet*. Il peignit souvent à Louveciennes, puis à Pontoise, notamment avec Cézanne, de 1872 à 1874. Esprit généreux et ouvert, il fut un ardent polémiste et un actif animateur ; grâce à lui, Gauguin* puis Signac* et Seurat* purent exposer avec les impressionnistes. Il exécuta de nombreux paysages de campagne, quelques portraits et natures mortes ; avec une petite touche serrée, il sut créer une lumière à la fois dense et éclatante dissolvant peu les formes, eut le souci des compositions structurées (*Les Toits rouges*, 1877). Vers 1885, il adopta la technique divisionniste de Seurat, puis évolua vers une facture moins systématique. Après 1890, il réalisa de nombreuses vues plongeantes des rues de Paris et de Rouen, vigoureusement colorées.

PISSEMSKI (Alexis Teofilaktovitch) [*Pisemski*]. ♦ Romancier et dramaturge russe (Ramenie, gouvernement de Kostroma, 1821 — Moscou, 1881). D'humeur sombre, il différait des écrivains de son époque par son manque d'idéalisme. Son premier roman, *Les Droits des boyards* (1847), fut interdit par la censure. Il souhaitait peindre la vie objectivement, telle qu'il la voyait. Ainsi, dans *Le Mollasse*, il décrit des personnages médiocres et hypocrites, dans *Esquisses de la vie paysanne*, il décrit le paysan comme un être fort et rusé, et dans *Mille Âmes* (1858) il fait le portrait de Kalinovitch qui utilise tous les moyens pour « parvenir », et qui se fait ensuite le défenseur de l'honnêteté. Pissemski a aussi écrit une tragédie réaliste sur la vie des moujiks (*Amère Destinée*, 1859). Ses derniers récits, *La Mer démontée* (1863), *Les Petits Bourgeois* (1877), qui évoquent la vie campagnarde et provinciale, témoignent de son esprit conservateur.

PISTOIA. ♦ V. d'Italie centrale, en Toscane*. Ch.-l. de prov., au pied de l'Apennin. 90 000 hab. Elle possède de nombreux édifices du Moyen Âge : dôme roman (XIIe s.), baptistère dû à Giovanni Pisano* (1337). Nombreuses églises du XIIe au XVe siècle. Ospedale del Ceppo orné d'une frise en terre cuite de G. Della Robbia. — Indus. du cuir et de la dentelle. ♦ *Hist.* Cité romaine devant laquelle fut vaincu et tué Catilina (~ 62). Elle fut annexée par Florence* en 1401.

PISTON (Walter). ♦ Compositeur américain (Rockland, 1894). Professeur à l'université de Harvard, il fut l'élève de Nadia Boulanger. Néo-classique, la rigueur de son style, influencé par Stravinski et Hindemith, a nui à sa spontanéité. Auteur de huit symphonies (1937-1964), d'un *ballet*, de *concertos* et de *musique de chambre*, il a également publié des traités de contrepoint, d'harmonie et d'orchestration.

PITCAIRN *(île)*. ♦ Petite île volcanique du Pacifique méridional (Océanie), au S.-E. des Gambier* (Polynésie*). Elle fut découverte en 1767 par Ph. Carteret* et peuplée par les descendants des mutins du *Bounty* et leurs femmes tahitiennes (1790, **V. W. Bligh**). Elle appartient à la Grande-Bretagne. 85 hab. (1968). 5 km².

PITE ÄLV. *n. m.* ♦ Fl. de Suède septentrionale (370 km), prenant sa source dans le massif de Sulitjelman et tributaire du golfe de Botnie*. Il arrose la ville de Piteå.

PITEȘTI. ♦ V. de la Roumanie méridionale (Munténie), sur l'Argeș. Ch.-l. de la région administrative et économique de l'Argeș*. 80 854 hab. Vins renommés. Centre pétrolier. Indus. chimiques, textiles, travail du bois.

PITHIVIERS. ♦ Sous-préf. du Loiret, ch.-l. d'arr. (5 cant., 98 comm., 46 020 hab.) aux confins de la haute Beauce et du Gâtinais. 9 122 hab. *(Pithivériens)*. Église Saint-Salomon-Saint-Grégoire (XVIe-XVIIe s.). Château (XVIe s.). Vestiges de l'enceinte du XVe siècle. — Pâtés d'alouette et gâteaux réputés. Biscuiterie. Sucrerie. Malterie. — Patrie de Denis Poisson*.

PITHOU (Pierre). ♦ Jurisconsulte et écrivain français (Troyes, 1539 — Nogent-sur-Seine, 1596). Ayant abjuré le protestantisme, il fut du parti des « politiques » et rédigea le discours du tiers état, dans la *Satire* Ménippée* (1594), stigmatisant les excès de la Ligue. Disciple de Jacques Cujas*, il se fit le champion de l'Église gallicane (*Recueil des libertés de l'Église gallicane*, 1594).

PITOËFF (Georges). ♦ Acteur et animateur de théâtre français, d'origine russe (Tiflis, 1884 — Genève, 1939). Disciple de Stanislavski* et de Meyerhold*, il vint en France (1905), puis s'installa ensuite à Genève (1915-1919) avec une première troupe de comédiens. Appelé à Paris par Jacques Hébertot, il joua d'abord avec sa compagnie dans diverses salles, avant de se fixer au *théâtre des Mathurins* (1924-1939). Une activité marquée, durant vingt années, par la mise en scène et l'interprétation de plus de deux cents pièces, fait de lui le plus fécond des animateurs du Cartel des quatre. Avec des moyens modestes, il devait révéler au public français des auteurs dont l'importance apparut dès lors considérable (Tchekhov, Pirandello, Shaw, Gorki, O'Neill, Claudel, Anouilh), cependant qu'il arrachait au naturalisme, au symbolisme ou à l'expressionnisme, pour les replacer dans leur vraie lumière, Shakespeare, Ibsen, Tolstoï et Strindberg. ♦ Sa femme LUDMILLA (Tiflis, 1896 – Paris, 1951) fut, à ses côtés, avec une grâce fragile et quasi immatérielle, une des comédiennes les plus inspirées de l'entre-deux-guerres.

PITOT (Henri). ♦ Ingénieur et physicien français (Aramon, Languedoc, 1695 – *id.*, 1771). Ingénieur en chef des États du Languedoc (1740), il dirigea les travaux du canal du Languedoc, aujourd'hui canal du Midi. **V. Riquet.** Il étudia le rendement des machines hydrauliques, améliora la théorie des pompes. Il imagina le *tube de Pitot* qui mesure la vitesse d'écoulement d'un fluide. (Acad. sc., 1724.)

PITOU (Ange Louis). ♦ Chansonnier et journaliste français (Valainville, près Châteaudun, 1767 – Paris, 1846). Il quitta le séminaire pour entreprendre à Paris une carrière de journaliste dans les feuilles royalistes, au début de la Révolution. Il se consacra bientôt à la chanson, mais le caractère séditieux de ses œuvres lui valut de nombreux emprisonnements et une déportation à Cayenne (1797). Le retour des Bourbons ne modifia guère sa fortune, et il mourut dans la misère. Son œuvre est celle d'un satirique et d'un pamphlétaire d'une médiocre virulence. Il a été immortalisé par un opéra-comique de Charles Lecocq, *La Fille de Mme Angot*, et par un roman d'A. Dumas (père).

PITT (William, *1er comte de Chatham,* dit le **Premier Pitt** pour le distinguer de son fils). ♦ Homme politique anglais (Londres, 1708 – Hayes, 1778). Il était le petit-fils du gouverneur de Madras, Thomas Pitt. Sa santé l'ayant obligé à abandonner la carrière militaire, il entra aux Communes en 1735, s'intégra au groupe des « patriotes », fraction des whigs qui s'opposait au pacifisme de Walpole* et, grâce à son grand talent oratoire, se trouva bientôt à sa tête. Ayant la réputation d'être d'une grande indépendance d'esprit, d'une irréprochable intégrité, il était passionnément nationaliste, concevant la puissance britannique comme une puissance maritime et coloniale détournée des affaires continentales. Ces vues l'opposaient naturellement à Walpole, qu'il attaqua et fit tomber par volonté de voir l'Angleterre réduire l'emprise commerciale de l'Espagne en Amérique du Sud. Nommé vice-trésorier d'Irlande (1746), il passa au secrétariat d'État en 1756, mais fut démis par George* II dont il avait violemment attaqué la politique hanovrienne. Les désastres que l'Angleterre subit au début de la guerre de Sept Ans, et l'immense popularité de Pitt, amenèrent cependant son rappel, et il partagea dès lors le pouvoir avec Newcastle* et Fox*, lui-même dirigeant la conduite de la guerre. Son rôle fut capital et amena un redressement spectaculaire de la situation. Laissant sur le continent un soutien à la Prusse, il fit porter l'effort principal sur les colonies et, dès 1759, la France était battue sur ce terrain. Pourtant, quand il voulut déclarer la guerre à l'Espagne lors de la signature du pacte de Famille, il ne fut pas suivi et, s'étant heurté à George* III, démissionna. Le traité de Paris fut beaucoup plus doux qu'il ne l'aurait été sous son gouvernement et provoqua son indignation. Il revint encore au pouvoir en 1766, mais sa mauvaise santé entrava alors son activité et l'obligea à démissionner dès 1768. Il n'en continua pas moins à suivre les affaires et prit notamment position contre les mesures qui allaient déclencher les troubles américains. Il avait été l'un des hommes d'État les plus populaires de l'histoire d'Angleterre.

PITT (William, dit le **Second Pitt).** ♦ Homme politique anglais (Hayes, Kent, 1759 – Londres, 1806). Fils de William Pitt*, il entra aux Communes en 1781, après des études à Cambridge et des débuts d'avocat et fut nommé dès l'année suivante chancelier de l'Échiquier dans le cabinet Shelburne*. À la chute de ce ministère, il passa à l'opposition et fit tomber la coalition Fox*-North*. Revenu au ministère en 1783, il y resta jusqu'en 1801, malgré l'espoir qu'avait fait naître chez ses adversaires la folie de George* III. Ayant commencé sa carrière comme whig indépendant, il se rapprocha du torysme libéral, étant partisan d'un gouvernement tenant compte des vues de tous les partis. Il fut l'un des premiers hommes d'État britanniques à percevoir l'importance de l'économie. Inspiré par les théories libérales d'Adam Smith*, il conclut un traité de commerce avec la France (1786). Les exportations connurent alors un essor important, tandis que la dette publique était amortie. Conformément à ses idées libérales, il entreprit de lutter contre l'esclavage en réformant l'administration indienne (1784), contre la discrimination qui frappait les catholiques anglais, et contre la persistance des « bourgs pourris », sièges du Parlement sans électorat. Son attitude face à la Révolution française procéda d'abord d'une bienveillante neutralité, qui devait se changer en hostilité quand la France devint un péril économique en s'emparant d'Anvers et de l'embouchure de l'Escaut, et un péril social par sa volonté de propager ses idées. La guerre était déclarée dès 1793, et la réaction idéologique intérieure fut sévère : l'Habeas Corpus fut suspendu et les réunions séditieuses réprimées. La guerre, qui devait être très coûteuse, puisque « l'or de Pitt » ranima successivement les différentes coalitions qui étaient dissoutes par Napoléon, fut accompagnée de graves troubles intérieurs : mutineries de la marine en 1797, révolte d'Irlande arrêtée par l'Acte d'union en 1800. Celui-ci devait être complété par l'émancipation des catholiques irlandais. Impuissant à la faire accepter, Pitt démissionna. Il fut rappelé quand la guerre reprit après la paix d'Amiens signée par Addington. La victoire de Trafalgar* compensa en partie la défaite d'Austerlitz*, mais la France était toujours maîtresse de la moitié de l'Europe quand Pitt mourut, laissant une Angleterre isolée mais qui n'avait pas cédé.

PITTACOS [*Pittakos*]. ♦ (v. ~648 – v. ~569). Tyran de Mytilène (~589 – ~579). Il délivra Lesbos* de la tyrannie de Mélanchros, qui avait exilé Sappho* et Alcée*, et battit les Athéniens. Investi de l'autorité suprême par ses concitoyens, il gouverna avec sagesse et donna des lois à la cité, puis abdiqua. On lui a attribué des sentences et des poésies (ces dernières ne nous sont pas parvenues). Il fut mis au nombre des Sept Sages*.

PITTARD (Eugène). ♦ Anthropologue suisse (Genève, 1867 – château de Morigny, Seine-et-Oise, 1962). Il fit des travaux sur les modifications du crâne au cours de la croissance et étudia l'influence du milieu sur les races (*Les Races belligérantes,* 1916; *Les Races et l'Histoire,* 1924).

PITTI. ♦ Famille florentine qui fit construire le célèbre palais Pitti par Brunelleschi* (1440). Ce palais abrite la célèbre *galerie Pitti* (peintures du XVe au XVIIIe s.).

PITTSBURGH. ♦ V. des États-Unis, la deuxième de Pennsylvanie*, située au confluent des riv. Alleghany et Monongahela (**V. Ohio,** riv.). 520 117 hab. (1970; en diminution). La zone urbaine compte près de 2 400 000 hab. – V. indus., l'un des plus grands centres métallurgiques du monde (acier) et siège de grandes compagnies (*Westinghouse, Aluminium Company of America, Gulf Oil Corporation).* Port fluvial (le plus important du pays). Important aérodrome. Universités (trois) et collèges. – Patrie de Mary Cassatt*, Philip Hench*, Martha Graham*. – Un très vaste programme d'urbanisme et de lutte contre la pollution, depuis 1958, tente d'améliorer les conditions de vie.

PIURA. ♦ V. du Pérou septentrional, située sur la rivière du même nom *(le Piura),* dans une oasis importante, et traversée par la route panaméricaine. 106 400 hab. avec les faubourgs. *Ch.-l.* du *département de Piura* (ou *du Piura*), 33 067 km^2. 854 670 hab. – Coton dans la vallée. Gisements de pétrole autour de Talara*.

PIXÉRÉCOURT (René Charles GUILBERT *de***).** ♦ Auteur dramatique français (Nancy, 1773 – *id.*, 1844). Sa fécondité, dans un genre qui demeura longtemps populaire, le mélodrame, exerça sur l'évolution du théâtre une influence moins considérable que le rôle qu'il voulut assigner à la mise en scène, à la machinerie et au décor. *Œuv. princ. : Victor ou l'Enfant de la forêt* (1798), *Cœlina ou l'Enfant du mystère* (1800), *Les Ruines de Babylone* (1810), *Latude ou Trente-Cinq Ans de captivité* (1834).

PIXII (Hippolyte). ♦ Constructeur d'instruments de physique français (1808 – 1835). Il réalisa la première *magnéto* (1832) suivant le principe de l'induction électromagnétique découvert par Faraday*. **V.** *aussi* **Siemens, Pacinotti.**

PI Y MARGALL (Francisco). ♦ Homme politique espagnol d'origine catalane (Barcelone, 1829 – Madrid, 1901). Publiciste anticlérical, député de Barcelone en 1869, il s'afficha républicain fédéraliste, fut ministre de l'Intérieur, puis président de la République (1873). Vite dépassé par les mouvements carlistes*, il céda la place à Salmerón, cantonaliste. Il a laissé quelques œuvres, dont une *Étude philosophique sur le christianisme et le principe monarchique* (1872).

PIZARRO (Francisco), en fr. **PIZARRE.** ♦ Conquistador espagnol (Trujillo, Cáceres, v. 1475 – Lima, 1541). Après avoir participé à plusieurs expéditions (en particulier dans les mers du Sud avec Balboa), il entreprit avec ses frères (Hernando, Gonzalo et Juan) et avec Almagro* la conquête du Pérou* pour la couronne d'Espagne. Après plusieurs tentatives, il soumit l'empire des Incas (Cuzco, 1531-1532), faisant tuer par une suite de traîtrises le roi Atahualpa* (1533). Après la mise à mort d'Almagro, devenu son rival (1538), Pizarro fut lui-même tué par le fils de ce dernier,

Ph. Lauros-Giraudon

Le Second Pitt et les subsides de la coalition. Caricature, France 1800. (Bibliothèque nationale, Paris.)

Diego el Monzo. ♦ HERNANDO PIZARRO, son frère. Conquistador espagnol (Trujillo, Cáceres, v. 1508 – 1578). Gouverneur de Cuzco après la victoire sur les Incas, il fit mettre à mort D. de Almagro* (1538) et fut emprisonné plusieurs années en Espagne. ♦ GONZALO PIZARRO, leur frère. Conquistador espagnol (Trujillo, Cáceres, v. 1502 – près de Cuzco, 1548). Gouverneur de Quito (Équateur, 1539), puis du Pérou (1546-1548), il fut mis à mort comme rebelle par Pedro de La Gasca. ♦ JUAN PIZARRO, leur frère. Conquistador espagnol (Trujillo, Cáceres, v. 1505 – Cuzco, 1535). Gouverneur de Cuzco en 1535, il fut tué lors d'un siège de la ville.

PIZZETTI (Ildebrando). ♦ Compositeur italien (Parme, 1880 – *id.*, 1968). Directeur des conservatoires de Florence et de Milan, il succéda à Respighi comme professeur de composition à l'académie Sainte-Cécile de Rome (1936), dont il devint le président (1948). Avec A. Casella* et G.F. Malipiero*, il fut l'un des plus éminents représentants de la musique italienne du XXe s. par la qualité de son style, fait de clarté, d'équilibre et de distinction. Attaché au système tonal, il s'est voué à un renouveau du théâtre lyrique par l'emploi d'une déclamation qui trouve ses origines dans la métrique grecque et dans le plain-chant. Il est l'auteur d'une douzaine d'opéras, dont *Fedra* (1915), *Debora e Jaele* (1922), *Lo Straniero* (1930), *Assassinio nella cattedrale* (1958), *Clitennestra* (1964); de nombreuses musiques de scène, œuvres symphoniques, chorales et mélodies. Il a publié une édition des madrigaux à cinq voix de Gesualdo, et d'importants écrits sur la musique, en particulier sur l'esthétique du drame musical.

PLABENNEC. ♦ Ch.-l. de cant. du Finistère, arr. de Brest, dans le Léon. 4 570 hab. [2 334 aggl.] *(Plabennécois)*. Église du XVIIIe siècle.

Placards *(affaire des)*. ♦ Dans la nuit du 17 au 18 oct. 1534, des placards furent apposés à Paris et à Amboise, jusque sur la porte de la chambre royale, par le parti protestant. Ils avaient pour auteur Antoine Marcourt, pasteur français à Neuchâtel, et attaquaient à la fois la *transsubstantiation* catholique et la *consubstantiation* luthérienne **(V. Réforme)**. En réaction, François Ier confessa ouvertement sa foi catholique et déclencha la persécution. De nombreux protestants s'exilèrent, notamment Calvin.

PLACE (Francis). ♦ Homme politique anglais (Londres, 1771 – *id.*, 1854). L'un des chefs du parti radical, il obtint par son action l'abrogation de la loi de 1799 sur les coalitions (1824) et la réforme électorale de 1832. Il fut l'un des précurseurs du chartisme*.

PLACIDE *(saint)*. ♦ Moine bénédictin (VIe s.). Il est mentionné par Grégoire le Grand comme un disciple de saint Benoît qui l'aurait miraculeusement sauvé d'une noyade au mont Cassin. À la fin du XIe s., la *Vita Placidii* de Pierre Diacre l'identifia avec un martyr sicilien homonyme et, en 1588, la découverte d'ossements dans une église de Messine sembla confirmer cette illusion. Patron des noyés et des noviciats bénédictins. Son culte est en cours de révision. Fête le 5 octobre.

PLACIDIA. ♦ V. GALLA PLACIDIA.

PLAGNE (La). ♦ Station de sports d'hiver créée en 1961 (Haute-Savoie).

Plaideurs (Les). ♦ Comédie en trois actes, en vers, de Racine (1668) dont le sujet est emprunté aux *Guêpes*, d'Aristophane. Déguisé en homme de loi, Léandre, épris d'Isabelle, fille de Chicaneau, plaideur entêté, a fait signer à celui-ci un contrat de mariage au lieu d'un exploit. Satire du monde de la loi, la pièce propose une divertissante galerie de personnages extravagants : le juge Dandin, la comtesse de Pimbêche et son adversaire Chicaneau, ou burlesques : le portier Petit-Jean, le secrétaire l'Intimé.

Plaine (la) ou **le Marais.** ♦ Nom donné à la faction la plus modérée de la Convention*. Ses membres, parfois appelés par leurs adversaires les « crapauds du Marais », siégeaient en bas des gradins. Nombre d'entre eux, représentants de la bourgeoisie libérale et républicains authentiques, se rallièrent aux Montagnards dès le printemps 1793, comme Barère, Cambon, Carnot*, Lindet*.

PLAINES (GRANDES), en angl. **Great Plains.** ♦ Région de l'O. des États-Unis, qui constitue le piémont des Rocheuses*. C'est en réalité un plateau atteignant 2 000 m d'alt., qui forme la partie O. de la région de la plaine centrale **(V. États-Unis)** et qui correspond à la limite d'aridité, au delà de laquelle « la céréaliculture présente des dangers pour la conservation des sols et cède très largement la place à un élevage très extensif » (P. George).

PLAINFAING [plɛ̃fɛ̃]. ♦ Comm. des Vosges, arr. de Saint-Dié. 2 803 hab. Filatures et tissages.

PLAISANCE, en it. **Piacenza.** ♦ V. d'Italie continentale, en Émilie*. Ch.-l. de prov., sur la Via Emilia, au confluent de la Trébie et du Pô. 106 415 hab. Palais communal (XIIIe s.), palais Farnèse (XVIe s.) dû à Vignole*. – Centre commercial et industriel (sucreries). Des gisements de méthane et de gaz naturel sont exploités dans la région. ♦ *Hist.* Colonie romaine (~ 219), elle passa aux Visconti (1332) et tenta de se révolter contre Milan (1447). Elle fut annexée aux États pontificaux par Jules II (1512) et fut donnée au fils de Paul III, Pier Luigi Farnèse* (1545). Les Autrichiens y vainquirent les Français et les Espagnols (1746). Le titre de *duc de Plaisance* fut donné à Lebrun par Napoléon.

PLAN CARPIN (Jean *du*, en it. **Giovanni** *dal* **PIANO** *dei* **CARPINI).** ♦ Franciscain italien (Piano del Carpine, Ombrie, v. 1182 – Antivari, v. 1251). Disciple de saint François, provincial de Germanie (1228) puis d'Espagne (1230), il fut envoyé par le pape Innocent IV pour réaliser une entente avec le khân des Mongols (1243-1246) et gagna Batou puis Karakorum. Si sa mission politique ne fut pas un succès, il a rapporté néanmoins de précieux renseignements ethnographiques dans son *Histoire des Mongols appelés par nous Tartares.*

PLANCHE (Gustave). ♦ Critique littéraire français (Paris, 1808 – *id.*, 1857). Il vécut dans une bohème assez misérable jusqu'à ce que sa collaboration (1831) à la *Revue des Deux Mondes*, dirigée par F. Buloz*, lui assurât une certaine notoriété. Familier du cénacle romantique, il en jugea les productions avec sévérité, se faisant de nombreux ennemis (dont V. Hugo), mais gagnant l'amitié de George Sand, Alfred de Vigny et Balzac. Ses principaux articles ont été réunis dans *Portraits littéraires* (1836 et 1849) et *Nouveaux Portraits littéraires* (1854). En 1838, il se rendit en Italie pour y étudier les chefs-d'œuvre de l'art antique (son séjour dura huit ans) et se fit connaître comme critique d'art avec ses *Études sur les arts* (1855) et *sur l'École française* (1855).

PLANCHON (Roger). ♦ Metteur en scène, animateur et auteur dramatique français (Saint-Chamond, 1931). L'amour du cinéma, l'exemple de Jean Vilar* et la rencontre de Bertolt Brecht ont fortement déterminé sa conception du théâtre populaire. Animateur du théâtre de la Cité, de Villeurbanne (1957), il a renouvelé la mise en scène et l'interprétation de nombreuses œuvres classiques, dont *Henri IV*, de Shakespeare (1957), *George Dandin*, de Molière (1959), *Bérénice*, de Racine (1969), ainsi que des œuvres de B. Brecht, A. Adamov, R. Vitrac, A. Gatti.

PLANCK (Max). ♦ Physicien allemand (Kiel, 1858 – Göttingen, 1947). Auteur de travaux sur le corps noir **(V.** *aussi* **Rayleigh)**, il formula, en 1900, la *théorie des quanta*, base de la physique moderne; il généralisa le principe de Nernst*, affirmant que l'entropie d'un corps pur en équilibre au zéro absolu était nulle. (Prix Nobel de phys., 1918.) – *Constante de Planck :* constante universelle de la théorie des quanta.

PLANCOËT [plɑ̃kwɛt]. ♦ Ch.-l. de cant. des Côtes-du-Nord, arr. de Dinan. 2 454 hab. Source d'eau minérale. Carrières.

PLANIOL (Marcel). ♦ Juriste français (Nantes, 1853 – Paris, 1931). Professeur de droit dans diverses facultés (Grenoble, Rennes, Paris), il publia un *Traité élémentaire de droit civil* (1899-1901, en collaboration avec Ripert).

PLANQUETTE (Robert). ♦ Compositeur français (Paris, 1848 – *id.*, 1903). Élève du Conservatoire de Paris, il connut une longue popularité avec plusieurs opérettes, dont *Les Cloches de Corneville* (1877) et *Rip* (1884), œuvres d'une écriture musicale élégante et spirituelle.

PLANSON (André). ♦ Peintre français (La Ferté-sous-Jouarre, 1898). Auteur de paysages, surtout d'Île-de-France (*Printemps à La Ferté*, 1932; *La Marne grise*, 1935) et de figures féminines *(La Hollandaise)*, il a effectué les décorations murales du pavillon de l'Île-de-France pour l'Exposition internationale des arts et techniques. On lui doit des lithographies, des peintures murales (palais de Chaillot, institut français d'Athènes), des décors et des costumes. A. Planson a illustré de nombreux livres, dont *Notre Cœur*, de Maupassant, et *Le Capitaine Grant*, de Jules Verne. (Acad. des beaux-arts, 1960.)

PLANTAGENÊT (du surnom de **Geoffroy V**, *comte d'***Anjou**, qui portait une branche de genêt à son casque). ♦ Dynastie qui régna sur l'Angleterre de 1154 à 1485. **V. Henri II, Richard Ier Cœur de Lion, Jean sans Terre, Henri III, Édouard Ier, Édouard II,**

Ph. Giraudon

Platon enseignant la géométrie.
Mosaïque, art romain, ~ IIe- ~Ier s. (Naples.)

Édouard III, Richard II, Henri IV, Henri V, Henri VI, Édouard IV, Édouard V, Richard III.

PLANTAUREL. *n. m.*, ou **PETITES PYRÉNÉES.** ♦ Petite chaîne calcaire des avant-monts pyrénéens (Ariège* et Aude*), formée de plis parallèles coupés par des cluses. Point culminant, 973 m.

PLANTÉ (Gaston). ♦ Physicien français (Orthez, 1834 – Bellevue, Seine-et-Oise, 1889). Inventeur du premier accumulateur électrique (1859).

Plantes (Jardin des). ♦ Jardin botanique et parc zoologique de Paris. **V. Muséum national d'histoire naturelle.**

PLANTIN (Christophe). ♦ Imprimeur anversois d'origine française (Saint-Avertin, près de Tours, 1520 – Anvers, 1589). Il imprima des ouvrages classiques, savants ou religieux, notamment la *Biblia regia* ou *poliglotta* (8 vol., 1569-1572).

PLANUDE (Maximos), en gr. **Planoudês.** ♦ Moine et érudit byzantin (Nicomédie, v. 1260 – 1310). Il fut envoyé par Andronic* II comme ambassadeur à Venise. On lui doit la rédaction des *Fables* d'Ésope* qui est parvenue à l'Occident, une vie romancée du fabuliste et une précieuse *Anthologie* grecque*, tirée de celle de Céphalas*. Il laissa plusieurs traductions de latin en grec et un pamphlet dirigé contre l'Église latine.

PLASSEY. ♦ Village de l'Inde (Bengale-Occidental) où Clive remporta une victoire décisive sur le nabab du Bengale, plaçant sous la domination britannique le Bengale et le N.-E. de l'Inde.

PLASTIRAS (Nikolaos). ♦ Général et homme politique grec (Karditsa, Thessalie, 1883 – Athènes, 1953). Partisan de Venizélos, il prit la tête du coup d'État qui obligea Constantin* Ier à abdiquer (1922). Exilé en 1935 après l'échec d'un coup d'État antiroyaliste, il présida un gouvernement de coalition formé pendant l'affrontement de l'ELAS (armée nationale populaire de libération) et des Anglais à Athènes (1945), puis le gouvernement de 1950-1951.

PLATA (La). ♦ V. LA PLATA.

PLATÉES ou **PLATÉE**, en grec **Plataiai** ou **Plataia.** ♦ Anc. V. de Grèce en Béotie, sur le versant N. du Cithéron*. Elle est célèbre par la victoire des Grecs commandés par Pausanias* et Aristide* contre l'armée perse de Mardonios* (~ 479). Cette victoire a été remportée le même jour que la victoire navale de Mycale*. **V. Médiques** *(guerres)*. – Alliée d'Athènes*, détruite par les Spartiates en ~ 427, puis par les Thébains en ~ 373, elle fut rebâtie par Alexandre le Grand.

PLATEN-HALLERMÜNDE (Karl August *von***).** ♦ Poète et écrivain allemand (Ansbach, Bavière, 1796 – Syracuse, Sicile, 1835). Représentant du néo-classicisme et de son idéal de beauté, cet aristocrate, partisan de l'art pour l'art, jugea avec sévérité voire mépris les mouvements littéraires de son temps (romantisme, puis « Jeune-Allemagne »). Mais le lyrisme de ses poésies (*Ballades*, 1818-1833; *Ghazels*, 1821; *Sonnets de Venise, Odes*, 1828-1834, etc.) a quelque chose de figé et ses comédies et tragédies manquent souvent de naturel (*Romantischer Œdipus*, 1829; *Die Liga Von Cambrai*, 1832).

PLATON, en gr. **Platôn.** ♦ Philosophe grec (Athènes, ~ 428 – ~ 348). D'origine aristocratique, il reçut l'éducation complète des jeunes gens riches de son temps. Il fut l'élève de Cratyle (disciple d'Héraclite*), avant de rencontrer Socrate* dont il suivit l'enseignement de ~ 408 à ~ 399. Il se destinait aux affaires publiques, mais la dictature des Trente et la condamnation de Socrate par les démocrates l'en détournèrent. Dès cette époque apparaît son désir de repenser les problèmes politiques. Après la mort de Socrate, il voyagea, se rendit à Mégare auprès d'Euclide* le Socratique, peut-être en Égypte et en Cyrénaïque, en Italie du Sud où il aurait rencontré Archytas* de Tarente. Appelé par le tyran Denys* à la cour de Syracuse (Sicile), il y séjourna quelque temps, gagnant Dion* à ses théories avant d'être expulsé à la suite d'intrigues politiques. De retour à Athènes (~ 387), il y créa l'Académie* où il enseigna tout en rédigeant et en publiant ses dialogues. Il fit encore deux tentatives à Syracuse; la première (~ 367) à l'avènement de Denys le Jeune dont il tenta de faire l'éducation philosophique, la seconde (~ 361) pour plaider la cause de Dion alors en exil. Mais l'une et l'autre échouèrent. Platon mourut octogénaire, sans s'être marié, léguant sa fortune à Speusippe*. – Créant un genre philosophique vivant, le dialogue (on en compte vingt-huit authentiques), Platon a abordé les grands problèmes philosophiques et métaphysiques en alliant le discours rationnel au langage poétique (mythes platoniciens). Si les premiers dialogues, dits socratiques *(Ion, Hippias majeur et mineur, Lachès, Charmidès, Protagoras, Gorgias*, Cratyle*, Criton*, Apologie*)*, cherchent simplement à définir des notions (concepts), la méthode dialectique devient rapidement chez Platon le moyen par lequel l'âme s'élève par degrés des apparences multiples et changeantes aux *Idées* (essences), modèles immuables dont le monde sensible n'est que l'image, du devenir à l'Être, de l'opinion à la Science. Toute connaissance est donc réminiscence ou encore conversion par laquelle l'âme réoriente son regard vers les réalités véritables. Si la connaissance discursive (mathématique) joue à cet égard un rôle décisif, la forme supérieure du savoir est pour Platon une vision (en gr. *théôria*), une intuition intellectuelle des Essences qui ont pour principe premier l'idée du Bien [Dieu] **(V. Ménon, Phédon, Banquet, Phèdre, République, Théétète).** Platon ne s'est pas contenté d'opposer le sensible et l'intelligible. Cherchant à élucider leurs rapports, il réintroduit dans son ontologie les catégories de la multiplicité, de l'altérité, de l'infinité, dépassant la conception immobiliste de l'Être **(V. Parménide)** et le perpétuel devenir [**V. Héraclite**]. **(V. Sophiste, Politique.)** Ainsi, sans jamais abandonner la théorie des Idées, Platon aborda dans ses derniers dialogues **(V. Timée, Philèbe, Critias, Lois)** des problèmes plus concrets de cosmologie, d'éthique et de politique. Interprétée comme un rationalisme mathématique ou un idéalisme à tendance mystique, la philosophie platonicienne n'est peut-être que l'expression inversée (ou idéalisée) d'une réalité historique et politique.

Ph. Harlingue-Viollet

Plaute.

PLATTE. *n. f.* **(Platte River).** ♦ Riv. du centre des États-Unis, affl. (r. d.) du Missouri*. Formée par la réunion de deux riv., la *North Platte* (Platte du N.), 990 km, et la *South Platte* (Platte du S.), 685 km, issues des Rocheuses (respectivement dans le Wyoming et le Colorado) et qui confluent en aval de la ville de *North Platte* (Nebraska), elle traverse le Nebraska et se jette dans le Missouri au S. d'Omaha.

PLATTER (Thomas). ♦ Humaniste suisse (Grenchen, Valais, 1499 – Bâle, 1582). Disciple de Zwingli, il enseigna l'hébreu et le grec à Bâle où il fonda une librairie et une imprimerie. ♦ FÉLIX PLATTER, fils du précédent. Naturaliste suisse (Bâle, 1536 – 1614). Il étudia la médecine à Montpellier et l'exerça à Bâle.

PLATTSBURGH. ♦ Petite V. des États-Unis (New York), située sur le lac Champlain. ♦ *Hist.* Le premier combat de la guerre d'Indépendance américaine eut lieu non loin de là, à l'île Valcour (oct. 1776). – Lieu d'un combat entre Américains et Anglais en 1814.

PLAUEN. ♦ V. d'Allemagne orientale (Brandebourg, district de Karl-Marx-Stadt), sur l'Elster Blanche. 79 100 hab. Très ancien centre textile (coton, dentelle). Constructions mécaniques.

PLAUTE (Titus Maccius Plautus). ♦ Poète comique latin (Sarsina, v. ~ 254 – Rome, ~ 184). Sa vie aventureuse est mal connue. Passant tout à tour de l'opulence à la pauvreté, il ne se consacra au théâtre que vers ~ 215. Vingt d'entre ses comédies nous sont parvenues, dont les dates de composition demeurent inconnues. C'est sous la forme d'un classement par ordre alphabétique qu'elles nous ont été transmises. – Le meilleur du génie de Plaute tient à ce qu'il sut assimiler le répertoire des Grecs (Ménandre, Philémon et Diphile), leur technique théâtrale, et adapter ce répertoire au goût des Romains de son temps, celui de la République en plein essor. Ce public se montrait plus sensible au pittoresque de personnages bien typés, vieillards radoteurs, courtisanes cyniques, lâches proxénètes, soldats fanfarons, esclaves dénués de scrupules, qu'aux raffinements de la psychologie et à la vraisemblance de l'intrigue. Dans ce théâtre, l'allégresse du rythme, la libre fantaisie de l'invention verbale, le rôle dévolu à la virtuosité de l'acteur, l'intervention du chant emportaient aisément l'adhésion du spectateur. – Les plus remarquables comédies de Plaute sont : *Amphitryon (Amphitruo), L'Aululaire (Aulularia), Les Ménechmes (Menaechmi), Le Revenant (Mostellaria), Casina, Le Soldat fanfaron (Miles gloriosus), Le Carthaginois (Poenulus).* On peut mentionner aussi : *La Comédie de l'âne (Asinaria), Les Bacchides (Bacchides), Les Captifs (Captivi), La Comédie du coffret (Cistellaria), Le Charançon (Curculio), Le Marchand (Mercator), Le Trompeur (Pseudolus), Le Câble (Rudens).* – Successivement, la comédie de la Renaissance, la

Ph. Louis Monier

Pleumeur-Bodou.

commedia dell'arte et, à leur suite, Rotrou, Molière, Regnard, Goldoni, Labiche et nombre d'auteurs contemporains ont recueilli l'héritage de Plaute.

PLAYFAIR (John). ♦ Mathématicien et géologue britannique (Benvie, Forfarshire, 1748 – Édimbourg, 1819). En mathématiques, il publia une adaptation des *Éléments* d'Euclide* dans laquelle il donna l'énoncé du postulat devenu classique (1795). En géologie, il divulgua les idées de Hutton* (*Illustrations of the Huttonian theory,* 1802).

PLÉIADES. *n. f. pl.* ♦ Les sept filles d'Atlas* et de Pléioné. Zeus les changea en colombes pour les soustraire au géant Orion*, puis les plaça parmi les constellations. – Dans l'histoire littéraire, on a donné le nom de *Pléiade* à des groupes de sept poètes considérés comme une constellation poétique. Cette désignation est appliquée pour la première fois à sept poètes alexandrins de l'époque de Ptolémée Philadelphe (~ IIIe s.). Les historiens ne sont pas d'accord sur la composition de cette pléiade, mais on cite souvent les noms de Lycophron de Chalcis, Alexandre* l'Étolien et Homère* de Byzance. – En 1323, le terme fut appliqué à sept poètes et à sept poétesses de la région de Toulouse. Mais la plus connue demeure celle qui, au milieu du XVIe s., groupa, autour de Ronsard*, Joachim du Bellay*, Pontus* de Tyard, Jean Antoine de Baïf*, puis, à partir de 1553, Étienne Jodelle*, Jean Bastier de La Péruse, Rémi Belleau* et Jacques Peletier* du Mans (qui remplaça en 1555 Guillaume Des* Autels).

PLEIKU. ♦ V. PA LAY CU.

PLEKHANOV (Gheorghi Valentinovitch). ♦ Socialiste russe (Goudalovka, gouv. de Tambov, 1856 – Terijoki, Finlande, 1918). Après avoir été populiste **(V. Narodniki),** il devint le premier propagandiste du marxisme en Russie, traduisit plusieurs ouvrages de Marx et d'Engels en russe, fonda à Genève (en exil) le premier groupe marxiste pour la Russie « Libération du travail » [1883] **(V. Axelrod, Zassoulitch).** Il défendit contre les populistes et les révisionnistes et développa dans ses écrits les théories économiques et sociales de Marx (*Le Socialisme et la Lutte politique; Étude sur le développement de la conception moniste de l'histoire,* 1895; *Fondements du populisme,* 1896). Fondateur avec Lénine* et Martov* à Genève de *l'Iskra* (*L'Étincelle,* 1900), il rejoignit la fraction menchevik peu après le IIe congrès du Parti ouvrier social-démocrate russe (1903). Rentré en Russie lors de la révolution de février 1917, il s'opposa à la révolution socialiste et à la prise du pouvoir par les bolcheviks.

PLÉNEUF-VAL-ANDRÉ. ♦ Ch.-l. de cant. des Côtes-du-Nord, arr. de Saint-Brieuc. 3 797 hab. Station balnéaire au Val*-André.

PLÉRIN. ♦ Comm. des Côtes-du-Nord, arr. de Saint-Brieuc. 8 902 hab. *(Plérinais).* Petites industries.

PLESSIS-LEZ-TOURS. ♦ Écart de la comm. de La Riche* (arr. de Tours). Château construit par Louis XI sur l'emplacement d'un manoir qu'il avait acquis en 1463. Il y mourut en 1483.

PLESSIS-ROBINSON (Le). ♦ Ch.-l. de cant. des Hauts-de-Seine, arr. d'Antony, au S. de Paris. 22 825 hab. Église Sainte-Madeleine, moderne, avec des parties des XIIIe et XVIIIe siècles. V. résidentielle. Machines agricoles. – *Robinson* est traditionnellement un lieu de distractions, dont les guinguettes et les bals étaient très fréquentés.

PLESSIS-TRÉVISE (Le). ♦ Comm. du Val-de-Marne, arr. de Nogent-sur-Marne. 10 799 hab. Commune en rapide expansion.

PLESTIN-LES-GRÈVES. ♦ Ch.-l. de cant. des Côtes-du-Nord, arr. de Lannion, dans le Trégorrois. 3 153 hab. Église Saint-Efflam du XVIe siècle (tombeau de saint Efflam). – Station balnéaire à Saint-Efflam.

PLEUMEUR-BODOU. ♦ Comm. des Côtes-du-Nord, arr. de Lannion, dans le Trégorrois. 2 542 hab. Station de télécommunications spatiales où a eu lieu la première liaison de télévision intercontinentale par satellite le 11 juil. 1962. Elle comprend un *radôme* (coupole de plastique blanc abritant une antenne) et une antenne extérieure. Ces installations permettent les liaisons téléphoniques et de télévision entre l'Europe et l'Amérique par satellite.

PLEVEN [plevən] **(René).** ♦ Homme politique français (Rennes, 1901). Répondant dès juil. 1940 à l'appel du général de Gaulle à Londres, il contribua au ralliement de l'Afrique-Équatoriale française à la France libre. Membre du *Comité national français,* puis du *Comité français de libération nationale,* député depuis 1945 et fondateur de l'*Union démocratique et socialiste de la Résistance,* il fut successivement chargé du ministère de la France d'outre-mer (1944), des Finances et de l'Économie nationale (1945), de la Défense nationale (1949, 1952-1954), et fut deux fois appelé à la présidence du Conseil sous la Quatrième République (juil. 1950-févr. 1951, août 1951-janv. 1952). Il fut garde des Sceaux, ministre de la Justice dans les cabinets Chaban-Delmas et Messmer de 1969 à 1973.

PLEVEN, anc. **Plevna.** ♦ V. de Bulgarie septentrionale. Ch.-l. de district au N. du Grand Balkan. 89 815 hab. La ville est depuis longtemps un important marché agricole au débouché d'une région fertile. L'industrialisation en est récente : exploitation de gaz naturel, indus. mécaniques, textiles, produits alimentaires. Important nœud ferroviaire sur la ligne Sofia-Varna. ♦ *Hist.* Les troupes ottomanes d'Osman* pacha y soutinrent en 1877 un siège de 6 mois contre les Russes.

PLEYBEN [plɛbɛ̃]. ♦ Ch.-l. de cant. du Finistère, arr. de Châteaulin, dans le bassin de Châteaulin. 4 907 hab. *(Pleybennois).* Chapelle-ossuaire de style flamboyant; calvaire du XVIe siècle. Église du XVIe s. (restaurée); tour-clocher (XVIe-XVIIe s.).

PLEYEL (Ignaz). ♦ Compositeur autrichien (Ruppersthal, 1757 – Paris, 1831). Élève de J. Haydn, il fut maître de chapelle à Strasbourg avant de venir se fixer à Paris (1795) où il fonda une maison d'édition puis une fabrique de pianos (1807) qui allait rendre son nom célèbre dans le monde entier. Il a laissé une œuvre abondante *(symphonies, concertos, musique de chambre)* mais dépourvue d'originalité. ♦ Sa belle-fille, MARIE FÉLICITÉ PLEYEL (Paris, 1811 – près de Bruxelles, 1875), élève de Moscheles et de Kalkbrenner, pianiste virtuose réputée dans toute l'Europe à l'époque romantique, fut l'amie et l'inspiratrice de G. de Nerval.

PLIEVIER (Theodor). ♦ Romancier allemand (Berlin, 1897 – Avegno, Suisse, 1955). Dans son premier roman *Les Galériens de l'empereur* (*Des Kaisers Kulis,* 1929), il évoqua, non sans violence, la vie sur un navire de guerre pendant la Première Guerre mondiale, la bataille du Skagerrak et la mutinerie de Wilhelmshaven (1918) à laquelle il avait pris part. Socialiste, Plievier quitta l'Allemagne à l'avènement du nazisme et gagna l'U.R.S.S. où, à partir de 1941, il travailla à la radio russe de Tachkent et fut membre du comité de l'Allemagne libre. Après la bataille de Stalingrad, il publia les résultats de son enquête auprès des prisonniers allemands dans un camp; *Stalingrad* (1945), document historique plus encore que roman, tente de montrer à travers la simple succession des événements l'absurdité et l'horreur du massacre collectif et anonyme. Plievier, qui en 1947 revint en Europe occidentale, écrivit ensuite *Moscou* (1952) et *Berlin* (1954), qui constituent un témoignage sur l'affrontement entre l'Est et l'Ouest.

PLINE L'ANCIEN, en lat. **Caius Plinius Secundus.** ♦ Naturaliste romain (Côme, 23 - Stabies, 79). Officier de cavalerie en Germanie, procurateur de l'Espagne sous Vespasien, il était amiral de la flotte de Misène lorsque se produisit l'éruption du Vésuve, où il se rendit tout à la fois pour observer le phénomène et porter secours aux habitants, et où il trouva la mort. Auteur de nombreux traités (grammaire, art, etc.), il est surtout connu par son *Histoire naturelle,* vaste encyclopédie des connaissances de son temps.

PLINE LE JEUNE, en lat. **Caius Plinius Caecilius Secundus.** ♦ Écrivain latin (Côme, 61 – v. 114), neveu et fils adoptif de Pline* l'Ancien. Avocat vite célèbre, consul en 100 et légat de l'empereur en Bithynie (111-112), il fut considéré par ses contemporains comme un orateur de premier plan. Il ne reste de son œuvre oratoire que le *Panégyrique de Trajan* (100), où il abuse d'une rhétorique artificielle. Mais l'essentiel de son œuvre est formé de ses *Lettres* (dix livres publiés de 97 à 109). Elles nous donnent l'image d'un honnête homme, curieux des choses de l'esprit, mais plus en amateur qu'en véritable philosophe.

PLISNIER (Charles). ♦ Poète et romancier belge d'expression française (Ghlin, 1896 – Bruxelles, 1952). Bien qu'issu d'un milieu bourgeois, il fut mêlé très tôt aux divers mouvements révolutionnaires de son pays, soutenant les revendications wallonnes et militant pour le Parti communiste (dont il fut exclu en 1928 pour trotskisme), convictions qui n'empêcherent pas sa conversion en 1939. Artiste pour lequel « écrire n'est pas un jeu (... consciemment ou non, l'écrivain a pris en charge de rendre compte de lui et du monde) », Ch. Plisnier manifesta dans son œuvre lyrique et romanesque la même ardeur polémique que dans sa vie; groupés par ses amis sous le titre *Brûler vif* (posth., 1957), les recueils poétiques *Déluge* (1935), *Sel de la terre* (1936), *Sacre* (1938) et *Ave Genitrix,* « journal lyrique d'une conversion », en des rythmes souvent libres, offrent une langue violente et suggestive, comme les vastes fresques romanesques que sont *Mariages* (1936), *Meurtres* (1937-1941) et *Mères* (1946-1949), réquisitoires volontiers dogmatiques contre la bourgeoisie d'argent. Enfin, avec les nouvelles de *Faux Passeports* (1957), l'ancien militant révolutionnaire laissa une étude passionnée, mais impartiale, des drames intérieurs du mouvement communiste, dans son pays comme à l'étranger.

PLISSETSKAÏA (Maïa Mikhaïlovna). ♦ Danseuse soviétique (Moscou, 1925). Danseuse étoile du théâtre Bolchoï de Moscou, elle s'est imposée, dès ses débuts (1945), par sa beauté, la noblesse et la pureté de son style dans l'interprétation des grands ballets classiques *(Casse-Noisette, Le Lac des cygnes, La Belle au bois* *dormant)* et ensuite dans celle d'œuvres contemporaines. La poésie qui se dégage de ses attitudes l'a imposée comme l'une des plus grandes ballerines de son époque.

PŁOCK. ♦ V. de Pologne* (voïévodie de Varsovie) sur la r. d. de la Vistule*, 68 300 hab. – Évêché. Nombreux monuments historiques. Port fluvial ; raffineries de pétrole et vaste combinat pétrolochimique. Indus. métallurgiques et alimentaires. Machines agricoles, constructions fluviales.

PLOEMEUR [plømœʀ]. ♦ Comm. du Morbihan, arr. et aggl. de Lorient. 7 462 hab. [2 868 aggl.] *(Ploemeurois).* Restes d'une église du XVIIe s. qui a été incendiée. – Kaolin ; conserves de poisson. – Patrie de H. Dupuy de Lôme.

PLOËRMEL [plɔɛʀmɛl]. ♦ Ch.-l. de cant. du Morbihan, arr. de Vannes, près de la forêt de Paimpont. 6 843 hab. *(Ploërmelais).* – Église Saint-Armel de style gothique flamboyant et Renaissance ; tour du XVIIIe siècle. Maisons anciennes. – Ardoisières.

PLŒUC [plœk]**-SUR-LIÉ.** ♦ Ch.-l. de cant. des Côtes-du-Nord, arr. de Saint-Brieuc. 3 202 hab. *(Plœucois).*

PLOGASTEL-SAINT-GERMAIN. ♦ Ch.-l. de cant. du Finistère, arr. de Quimper, en Cornouaille. 1 567 hab. *(Plogastellois).* Église (XVIe-XVIIe s.).

PLOIESTI ou **PLOEŞTI.** ♦ V. de Roumanie méridionale (Munténie), sur le Teleajan. 146 930 hab. (1969). Située au cœur de la plus anc. zone pétrolifère du pays, la V. est équipée de nombreuses raffineries (Ploiesti Nord, Brazi, 9 mai), et fabrique de l'outillage pétrolier.

PLOMB DU CANTAL. *n. m.* ♦ Point culminant du massif du Cantal* (1 858 m).

PLOMBIÈRES-LES-BAINS. ♦ Ch.-l. de cant. des Vosges, arr. d'Épinal. 1 183 hab. *(Plombinois* ou *Plombiérinois).* Station thermale dont les eaux sont utilisées contre les maladies du tube digestif et contre les rhumatismes. – Ustensiles ménagers. ♦ *Hist.* Peu après l'attentat d'Orsini* (janv. 1858), l'entrevue de Plombières entre Napoléon* III et Cavour* permit de fixer les conditions du soutien de la France au royaume de Sardaigne dans sa lutte pour l'unité italienne contre l'Autriche. Suivie de la signature du traité d'alliance franco-sarde de Turin* (janv. 1859), cette entrevue décida de la campagne d'Italie* (juin 1859).

Plombs *(les).* ♦ Prison de Venise, située sous les toits du palais ducal de Saint-Marc et utilisée par les Vénitiens puis par les Autrichiens. Les prisonniers y souffraient particulièrement de la chaleur.

PLOTIN, en gr. **Plôtinos.** ♦ Philosophe grec néo-platonicien (Lycopolis ?, v. 205 – Campanie, 270). Il fut le disciple d'Ammonios* Saccas pendant une dizaine d'années. Il suivit l'empereur Gordien dans la lutte contre les Perses afin de prendre connaissance de la philosophie perse et indienne (243). Puis il s'installa à Rome (244) où il ouvrit une école philosophique fréquentée par l'empereur Gallien* et sa femme. Sa santé déficiente l'amena à quitter Rome pour la Campanie où il mourut peu après. Les œuvres de Plotin ont été publiées par son disciple Porphyre* sous le titre *Ennéades**. L'auteur y aborde tous les grands thèmes du néo*-platonisme. Il a tenté de préserver l'exigence de rationalité de la philosophie grecque (Aristote et Platon) tout en cherchant à la concilier avec des aspirations mystiques.

PLOUARET [-ʀɛt]. ♦ Ch.-l. de cant. des Côtes-du-Nord, arr. de Lannion, dans le Trégorrois*. 2 356 hab. *(Plouaretais).* Église de style gothique flamboyant (XVIe s.). Clocher Renaissance. Chapelle Sainte-Barbe (XVIe s.). – Conserveries ; tanneries.

PLOUAY. ♦ Ch.-l. de cant. du Morbihan, arr. de Lorient. 3 966 hab. Église (XIIe et XIIIe s.) restaurée. – Aux environs, châteaux de Kerdrého (XVIe s.) et de Ménéhouarn (XVIIe s.).

PLOUBALAY. ♦ Ch.-l. de cant. des Côtes-du-Nord, arr. de Dinan. 2 156 hab. Hippodrome.

PLOUDALMÉZEAU. ♦ Ch.-l. de cant. du Finistère, arr. de Brest, dans le Léon*. 4 387 hab. (1 850 aggl.). – Station balnéaire de Porstall-Kersaint.

PLOUDIRY. ♦ Ch.-l. de cant. du Finistère, arr. de Brest. 770 hab. Église du XVIIe s. – Élevage de chevaux.

PLOUESCAT [-ka ou -kat]. ♦ Ch.-l. de cant. du Finistère, arr. de Morlaix, dans le Léon*. 4 130 hab. [2 311 aggl.] *(Plouescatais).* Halles du XVIe s. ; chapelle du calvaire (XVIIIe s.). Aux environs, vestiges gallo-romains.

PLOUGASNOU. ♦ Comm. du Finistère, arr. de Morlaix, dans le Trégorrois. 3 435 hab. (636 aggl.). Église en partie du XVIe s. – Petite station balnéaire.

PLOUGASTEL-DAOULAS [-las]. ♦ Comm. du Finistère, arr. de Brest, sur une presqu'île de la rade de Brest. 7 148 hab. [2 815 aggl.] *(Plougastels).* Calvaire du XVIe s. (restauré). Primeurs réputés (fraises). Pêche (coquilles Saint-Jacques). – Patrie de F. Le* Dantec.

PLOUGUERNEAU. ♦ Comm. du Finistère (arr. de Brest). 5 750 hab. Cette V. de la côte de Léon se trouve probablement sur le site d'un port détruit par les Normands en 875. Aux env., *menhir,* église du XVIe s. – Station balnéaire ; école de voile.

PLOUHA. ♦ Ch.-l. de cant. des Côtes-du-Nord, arr. de Saint-Brieuc, dans le Trégorrois*. 4 592 hab. *(Plouhatins).* Aux environs, chapelle Kermaria-an-Isquit, bâtie au XIIIe s., agrandie plus tard ; à l'intérieur, peintures murales du XVe siècle. Station balnéaire (Le Palus).

PLOUHINEC. ♦ Comm. du Finistère (arr. de Quimper), à 2,5 km de la mer. 5 983 hab. Nombreux mégalithes. Aux env., calvaire sculpté.

PLOUMANAC'H [plumana ou -nak]. ♦ Section de la comm. de Perros*-Guirec, dans les Côtes-du-Nord, arr. de Lannion, dans le Trégorrois*. Oratoire de Saint-Guirec. Petit port de pêche ; station balnéaire remarquable par ses entassements de rochers roses.

PLOUTOS. *n. m.* (la Richesse). ♦ Divinité grecque. Primitivement fils de Déméter* et d'Iasion, Ploutos devient à l'époque classique une personnification de la richesse. Étant aveugle, il favorise indifféremment les bons et les méchants. Ploutos inspira Aristophane* pour une de ses comédies **(V. Plutus).**

PLOVDIV, anc. **Philippovi.** ♦ V. de Bulgarie méridionale, ch.-l. de district sur la Marica. 252 500 hab. Construite sur 7 collines, au cœur d'une riche région de cultures irriguées, c'est l'anc. cap. de Roumélie et la seconde ville de Bulgarie. Université. Centre agricole et commercial (foire internationale). L'industrialisation s'y est développée après la Deuxième Guerre mondiale (filature de coton, métallurgie et constructions mécaniques, manufacture de tabac, conserves de fruits et légumes). ♦ *Hist.* Fondée par les Thraces, *Eumolpias* fut restaurée et embellie par Philippe de Macédoine qui lui donna le nom de *Phillipolis.* Âprement disputée au Moyen Âge par les Bulgares, les Byzantins et les Turcs, elle échut finalement à ces derniers en 1363. Russe de 1878 à 1885, elle devint alors cap. du royaume de Roumélie orientale et fut rattachée à la Bulgarie.

PLÜCKER (Julius). ♦ Mathématicien et physicien allemand (Elberfeld, 1801 – Bonn, 1868). Principal artisan du renouveau de la géométrie analytique, il donna une signification très générale au concept de coordonnées, utilisant largement la notation abrégée, la méthode des multiplicateurs, les coordonnées triangulaires et tétraédriques et les coordonnées homogènes ; il put ainsi aboutir analytiquement au principe de dualité, généraliser les concepts d'équation, de coordonnées tangentielles et de classe d'une courbe ; dans une étude des courbes algébriques, il utilisa l'énumération des constantes reposant sur les célèbres formules de Plücker qui relient l'ordre, la classe et les nombres des différents types de singularités ordinaires (points doubles, points de rebroussements, tangentes d'inflexion, tangentes stationnaires) d'une courbe de genre donné. **V. Cayley, Salmon.** En physique, il découvrit la fluorescence des rayons cathodiques (1858) et leur déviation sous l'action d'un aimant. **V. Hittorf.**

PLUMÉLIAU. ♦ Comm. du Morbihan, arr. de Pontivy. 3 753 hab. Église du XVIIe s. à deux tribunes. Indus. alimentaires.

PLUTARQUE, en gr. **Ploutarkhos.** ♦ Biographe et moraliste grec (Chéronée, Béotie, v. 46/49 – v. 125). Il étudia la rhétorique et les mathématiques à Athènes, voyagea à Rome et en Égypte, fut élu archonte de sa ville natale et nommé prêtre d'Apollon à Delphes*. Ses nombreux écrits, évalués à environ deux cent cinquante et dont un tiers nous est parvenu, sont regroupés sous deux titres : *Vies* parallèles* et *Œuvres morales.* Ces dernières comprennent des traités de morale, de religion, de politique, de pédagogie, d'histoire et de littérature et prennent souvent la forme du dialogue platonicien. Se disant platonicien, l'auteur se montre en fait essentiellement éclectique. Il croit à l'immortalité de l'âme, à la divination, à la justice de la Providence. Dans la tradition de la pensée et de la religion grecque alors en déclin, il cherche tous les éléments propres à agir positivement dans la conscience. La morale pratique est son premier souci : piété, modération, bon sens y figurent comme les plus grandes vertus. La modestie de sa pensée, qui ne pèche pas par excès d'esprit critique et de profondeur, correspond à son style peu original, mais exempt de prétention. Sa plus grande qualité est peut-être celle de peintre de caractères, intéressé par la vérité historique aussi

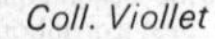

Coll. Viollet

C. Plisnier.

Ph. Giraudon

Pline l'Ancien.

Ph. Giraudon

Pluton, manuscrit français du XVe s.
« Libvre des Esches Amoureux. »
(Bibliothèque nationale, Paris.)

bien que par la vérité psychologique et sociale. – Remis à l'honneur à la Renaissance, Plutarque acquit une grande réputation et fut admiré par les esprits les plus différents, comme Machiavel, Érasme, Montaigne, Montesquieu, J.-J. Rousseau, Napoléon. Les traductions françaises de J. Amyot* (1559) contribuèrent à sa notoriété.

PLUTON, en gr. **Ploutôn** « le Donneur des richesses ». ♦ Surnom rituel du dieu grec des Enfers **(V. Hadès)**, devenu nom du dieu des morts dans la religion romaine. Assimilé à Dis Pater, divinité primitive du monde souterrain, il traduisait moins l'aspect effrayant d'Hadès que son aspect de divinité bienfaisante, protectrice du sol fécond.

PLUTON. ♦ Planète supérieure (ou jovienne) la plus éloignée du Soleil (distance moyenne : 5 900 millions de km) autour duquel elle tourne en 248 ans 157 jours. Elle n'a été découverte qu'en 1930 par Tombaugh (observatoire Lowell, Arizona), bien que son existence ait été prévue mathématiquement (méthode des perturbations sur Neptune) par Lowell et Pickering (1915). Les résultats des calculs relatifs à sa trajectoire sont encore incertains mais on estime le demi-grand axe de son orbite à quarante fois celui de la Terre, son excentricité à 0,25, et son inclinaison sur l'écliptique à 17°; la rotation de la planète sur elle-même serait de 6 j 9 h 17 mn et sa masse représenterait le dixième de celle de la Terre. Malgré son éclat faible et les difficultés d'observation (magnitude : 15), Kuiper a proposé une valeur de 5 800 km pour le diamètre équatorial. Sa « théorie » mécanique, à peine ébauchée, et ses caractéristiques physiques à peu près inconnues, en font la planète la plus énigmatique de notre système.

Plutus, en gr. **Ploutos**. ♦ Comédie d'Aristophane* (~ 388). Chrémyle se désole de sa condition misérable et constate avec regret que la fortune ne récompense jamais la vertu. L'oracle d'Apollon lui conseille d'emmener chez lui le premier individu qu'il rencontrera. C'est Plutus, dieu de la richesse, que Zeus a frappé de cécité pour l'empêcher de favoriser les hommes honnêtes. Conduit par Chrémyle au temple d'Asclépios, Plutus recouvre la vue. Soudain, l'injustice cesse sur la terre, et la richesse est équitablement répartie entre tous les hommes, à la grande indignation des dieux qui s'estiment lésés. Parabole morale, la pièce développe aussi des analyses de mœurs d'une étonnante vérité.

PLUVIGNER [-ɲe]. ♦ Ch.-l. de cant. du Morbihan, arr. de Lorient. 4 494 hab. *(Pluvignois).* Église (XVIe); chapelle Notre-Dame-des-Orties, romane et gothique; chapelle Saint-Fiacre (XVe-XVIIe s.). – Aux environs, châteaux de Kéronic (XVIe s.) et de Kerbois (XVIe s.).

PLYMOUTH. ♦ V. et port du S.-O. de l'Angleterre (Devon), à l'embouchure de la Plym (Cattewater) et du Tamar (Hamaoze), sur la rade profonde du *Plymouth Sound.* 248 500 hab. Évêché catholique. St. Andrew's Church (XVe s.) et les fortifications sont les principales curiosités architecturales. – C'est, avec ses satellites de Devonport* et de Stonehouse, une très importante base militaire, avec une garnison de 10 000 marins et un arsenal employant 20 000 personnes. Plymouth a récemment développé de nouvelles industries : conserves de poisson, distilleries, savonneries, constructions mécaniques et électriques, fabriques d'explosifs. – Patrie de John Hawkins*. ♦ Hist. *Sudtone* ou *Sutton Harbour,* mentionnée dans le *Domesday Book* (XIe s.), acquit au XIVe s. une place éminente dans l'histoire de la marine britannique, et, aux siècles suivants, fut le point de départ des expéditions de sir Walter Raleigh, Drake, Grenville et Hawkins. En 1941, la ville fut gravement endommagée par les raids aériens et fut presque totalement reconstruite de 1951 à 1963.

PLYMOUTH. ♦ Bourgade des États-Unis (Massachusetts) au S.-E. de Boston. 6 488 hab. – Centre touristique. ♦ *Hist.* C'est là que, le 21 déc. 1620, les « Pèlerins » du Mayflower fondèrent le premier établissement européen permanent en Nouvelle-Angleterre.

PLZEŇ, anc. en all. **Pilsen.** ♦ V. de Tchécoslovaquie, au confluent de quatre cours d'eau (Úslava, Úhlava, Radbuza, Mže) qui s'unissent pour former la Berounka. Ch.-l. de la Bohême*-Occidentale. 145 299 hab. (1968). Carrefour routier (routes vers Vienne et Leipzig). La ville conserve plusieurs constructions anciennes : église Saint-Barthélemy (1444), hôtel de ville (XVIe s.). Musées. – Plzeň est devenu un important centre indus. lors de l'établissement au XIXe s. des usines Skoda, spécialisées alors dans la production d'armes et de matériel ferroviaire. Rebaptisées usines Lénine après la Deuxième Guerre mondiale, elles fournissent maintenant du matériel électrique et mécanique. Indus. du bois (bois d'œuvre, papeteries), grâce à la proximité des forêts des Brdy. Brasseries réputées (Plzeň centralise près de 80 % de l'indus. nationale de la bière dite *Pilsen*). Porcelaines. – Patrie de J. Trnka*. ♦ *Hist.* Plzeň fut l'un des bastions du catholicisme durant les guerres hussites (1422-1431). – Pendant la Deuxième Guerre mondiale, les usines Skoda furent bombardées par les Alliés pour empêcher leur utilisation par les Allemands.

P.M.S.I. ♦ **V.** PEMSIENS, MOÏ.

PNOM PENH. ♦ **V.** PHNOM PENH.

PNYX. *n. f. (Pnux).* ♦ Hauteur de l'anc. Athènes, à l'O. de l'Acropole, lieu de réunion de l'Assemblée du peuple *(ecclésia)* depuis la fin du ~ VIe s. – Vestiges de la tribune et d'autres fondations taillées dans le rocher.

PÔ. *n. m.*, en it. **Po.** ♦ Fl. d'Italie du N., né dans les Alpes, au mont Viso*, à 2 022 m d'altitude. 652 km. Il coule selon une direction N.-O.-S.-E. Son régime, d'abord alpin pendant 35 km, se modifie dès son entrée en plaine, en amont de Turin, et devient subalpin. La plaine qu'il draine *(plaine padane)* couvre environ 46 000 km² et est la première région économique d'Italie. Celle-ci couvre d'O. en E. le Piémont*, la Lombardie*, l'Émilie* et la Vénétie*. Le Pô arrose les villes de Turin*, Verceil*, Plaisance* et Crémone et décrit de nombreux méandres. Ses principaux affl. sont : la Doire* Ripaire et la Doire* Baltée, la Sesia*, le Tessin*, l'Adda*, l'Oglio* et le Mincio* (r. g.); le Tanaro*, la Bormida*, la Trébie*, le Taro* et la Secchia* (r. d.). Le Pô forme à partir de Ferrare un grand delta sur 100 km avant de se jeter dans l'Adriatique*.

POBIEDY *(pic).* ♦ Point culminant du massif du T'ien* Shan à la frontière de la Chine et de l'U.R.S.S. (Kirghizistan). 7 439 m.

POBLET (Santa María de). ♦ Monastère cistercien d'Espagne, en Catalogne* (prov. de Tarragone). Fondé au XIe s. par le comte Raimond Bérenger IV de Barcelone, c'est l'un des plus beaux et des plus riches monastères d'Espagne. Les bâtiments (église, salle capitulaire) et les cloîtres (XIIe-XIIIe s.) constituent un des plus beaux exemples d'art cistercien roman et gothique (nombreuses adjonctions postérieures, jusqu'au baroque).

PO CHÜ-I [*Bo Juyi*]. ♦ Poète chinois (772 – 846) disciple de Tu* Fu, d'un style simple et populaire qui le fit admirer de son vivant en Chine et au Japon.

PODARECI (Lasgush). ♦ Poète et philosophe albanais (né en 1899). Son œuvre est empreinte de sentiments populaires et humanitaires.

PODĚBRADY (Georges *de*). ♦ **V.** GEORGES PODIÉBRAD OU DE PODĚBRADY.

PODGORIA. *n. f.* ♦ Nom donné à la région subcarpatique roumaine située à l'O. de l'Olt, correspondant au N. de la plaine de Valachie*. C'est une région de riches cultures fruitières et maraîchères. Gisements de pétrole.

PODGORNY (Nikolaï Viktorovitch). ♦ Homme d'État soviétique (Karlovka, Ukraine, 1903). Ouvrier, puis ingénieur, il adhéra au Parti communiste en 1930. Vice-commissaire du peuple pour l'industrie alimentaire en Ukraine (1939), il dirigea l'Institut technologique de Moscou pendant la Deuxième Guerre mondiale. Premier secrétaire du Parti communiste pour l'Ukraine en 1957, il fut chargé par Khrouchtchev d'améliorer la culture du maïs. Secrétaire du Comité central avec Brejnev* en 1964, président du Praesidium du Soviet suprême depuis 1966, en remplacement de Mikoian*, il a cessé d'appartenir au *Politburo* en mai 1977.

PODLACHIE, en polon. **Podlasie.** ♦ Région de Pologne* située aux confins de la frontière polono-soviétique (Biélorussie) autour des bassins du Bug* et du Narew*. – Peu industrialisée en dehors de Białystok*, la région, peu fertile (seigle, pomme de terre), possède autour de la forêt de Białowieża* des usines de transformation du bois.

PODOLIE. *n. f.*, en russe **Podolia.** ♦ Région de l'U.R.S.S. située au S.-O. de l'Ukraine*, entre le Dniestr et le Bug (Boug), au S. de la Volhynie. Elle forme avec cette dernière le plateau de Volhynie*-Podolie. ♦ *Hist.* Prise par les Mongols (XIIIe s.) après avoir fait partie de la Russie de Kiev, la Podolie, disputée entre la Lituanie et la Pologne, fut annexée par Casimir* III le Grand (1349) et passa sous suzeraineté polonaise. Conquise par les Turcs en 1672, elle fut restituée à la Pologne par le traité de Karlowitz* (1699), puis passa à la Russie au deuxième partage de la Pologne (1793).

Rendue à la Pologne en 1920, elle fut annexée par l'U.R.S.S. en 1939 et réunie à la république d'Ukraine en 1945.

PODOLSK. ♦ V. d'U.R.S.S. (R.S.F.S. de Russie), dans la région de Moscou, sur la Pakhra. 176 000 hab. Indus. mécaniques. Appareils électriques.

PODRAVINA. ♦ Plaine du N. de la Croatie, fertile et cultivée.

POE (Edgar Allan). ♦ Poète, conteur et critique américain (Boston, 1809 — Baltimore, 1849). Ayant perdu très jeune ses parents, un couple de comédiens tuberculeux, Edgar Poe fut violemment atteint par le décès de sa mère; et son œuvre, comme sa vie, resta marquée par l'idée de la mort. Edgar avait deux ans quand Frances Allen, femme d'un riche négociant venu d'Écosse, l'adopta; et c'est à Londres que, de 1816 à 1825, Poe fit ses études. De retour à Richmond, il écrivit ses premiers vers à quatorze ans pour son premier amour, Helen (*To Helen,* 1831), la mère d'un camarade, vouée elle aussi à une mort précoce. En 1826 il entama des études à l'université de Virginie, qu'il quitta en 1827 à la suite d'une querelle avec M. Allen, celui-ci l'accusant, à cause de sa vocation littéraire, à « manger le pain de la paresse ». Livré à lui-même, il publia (à compte d'auteur) *Tamerlan et autres poèmes* (Boston, 1827) où il représente l'empereur mongol comme un « proscrit ceint du diadème ». La même année, il s'engagea dans l'armée sous le nom d'Edgar A. Perry. Envoyé dans l'île Sullivan, il y composa *Le Scarabée d'or* (*The Gold Bug,* 1843), où il donne libre cours à son goût pour la cryptographie, ainsi que cette transposition stellaire de ses premières amours qu'est *Al Aaraaf* (1829). À la mort de sa mère adoptive (1829) — pour qui il écrivait : « Je n'ai pu aimer que là où la mort mêlait son souffle à celui de la beauté » —, Poe se réconcilia avec M. Allen, qui le fit entrer à West Point où le récit de ses voyages imaginaires en Europe et en Arabie lui valut un prestige byronien. Les poèmes qu'il y écrivit sont célèbres : *Irène, Un péan, La Cité condamnée (The Doomed City)* et *Israfel* (« Tout ce que nous voyons ou paraissons n'est-il qu'un rêve dans un rêve? ») inspiré du Coran. Après ce séjour à l'académie militaire, Poe s'installa à Baltimore chez sa tante, Maria Clemm, dont il épousa la très jeune fille (Virginia avait quatorze ans) en 1836. Ces années (1831-1833) correspondent à une période d'extrême dénuement, mais Poe n'en connut pas moins une sorte de frénésie créatrice : *Contes du Folio Club, Morella* (une mère qui revit dans le corps de sa fille), *Manque d'haleine (Loss of Breath), Le Roi Peste,* etc. Critique, éditorialiste, conteur et poète au *Southern Literary Messenger,* il fit monter rapidement le tirage de ce magazine. En 1837, pourtant, il fut congédié pour éthylisme. C'est à New York qu'il acheva *Les Aventures de Gordon Pym* (*The Narrative of Arthur Gordon Pym of Nantucket,* 1837), œuvre où le réalisme fantastique conduit à une rhétorique du rêve et dont s'inspireront Conrad et Jules Verne. À Philadelphie en 1839, le *Burton's Gentleman's Magazine* fit paraître *La Chute de la maison Usher,* où l'horreur est provoquée par l'atmosphère qui enveloppe les lieux, si bien que la maison semble se confondre avec le destin de ses habitants et disparaît avec eux. C'est en 1839 qu'il édita ses *Contes (Tales of the Grotesque and Arabesque)* et créa son propre magazine : *Penn.* Le *Graham's Magazine* (*Double Assassinat dans la rue Morgue,* modèle d'histoire policière) et le *New York Sun* se disputaient sa collaboration. C'est l'*Evening Mirror* qui imprima le poème *Le Corbeau (The Raven)* qui inspira Manet et Mallarmé* et dont Baudelaire reprendra le célèbre « jamais plus ». Bien qu'en 1845 il fût propriétaire du *Broadway Journal,* il ne bénéficia jamais d'une vie matérielle indépendante, à cause de son alcoolisme dont il disait : « Mes ennemis rapportèrent la Folie à la boisson plutôt que la boisson à la Folie.» La maladie de sa femme, phtisique, morte à vingt-cinq ans, lui inspira ses contes les plus cruels : *Le Masque de la mort rouge, Le Chat noir, Le Cœur révélateur (The Tell-tale Heart),* où un assassin avoue son crime en croyant entendre battre le cœur de la victime déjà ensevelie, *Le Puits et le Pendule,* description morbide des terreurs de l'Inquisition où le condamné, lié sur la margelle d'un puits, voit s'approcher suivant un mouvement de pendule la faux qui lui tranchera la gorge. Les dernières années de la vie de Poe sont marquées par la composition de ses plus beaux poèmes, *Ulalume, Les Cloches,* aux répétitions, aux allitérations hallucinantes, *Anabel Lee.* Son essai *Eureka* expose la conscience qu'il avait de son influence à venir : « Ce que j'ai exposé révolutionnera — avec le temps — le monde de la science physique et métaphysique » (1848). Baudelaire*, qui fit plus pour sa gloire que Poe lui-même, traduisit la plupart de ses contes et sa *Philosophy of Composition* (1845), sous le titre de *Genèse d'un poème.* Dans *Le Principe de la poésie* (1850), paru après sa mort (due au delirium tremens), E. Poe élabore une esthétique (« la poésie est la création rythmique de la beauté ») où l'inspiration ne joue pas le premier rôle bien que toute l'œuvre de cette « nature étrange, instable et hantée » (Marie Bonaparte) porte la trace d'une imagination féconde.

Poèmes antiques. ♦ Recueil de Leconte* de Lisle (1852-1874) qui retrace, à travers de grands mythes religieux, les rêves et les hantises de l'humanité. Admirateur de la beauté et de la sagesse grecques, Leconte de Lisle consacre de nombreuses pièces à la lumineuse civilisation de l'Hellade, qu'il évoque avec une précision érudite. Plus en accord avec le pessimisme intellectuel du poète, les sept *Poèmes hindous* liminaires qui restituent, au sein d'une nature érotique, des légendes étranges, sont chargés d'un sens philosophique amer *(Bhagavat).* Quant aux *Poésies diverses,* inspirées par le sentiment de la nature, elles présentent des paysages lumineux et calmes (Cf. *« Midi, roi des étés... »*) où l'homme ressent que tout est destiné au néant, que le monde n'est que « le rêve d'un rêve ».

Poèmes antiques et modernes. ♦ Recueil de Vigny* (1826), dont les trois parties *(Poèmes mystiques, Poèmes antiques, Poèmes modernes)* expriment les « tourments de l'âme forte et grave » du poète devant la création. Protestant violemment contre l'injustice divine *(La Fille de Jephté),* le penseur n'envisage qu'une seule solution pour sauver l'humanité, la pitié et l'amour *(Eloa ou la Sœur des anges).* D'autres pièces présentent des symboles empruntés à la Bible *(Moïse*; Le Déluge),* ou bien à l'Antiquité et aux légendes médiévales *(Le Cor);* mais l'expression puissante et lyrique assure toujours la primauté de la pensée sur l'image : « L'Idée est tout; le nom propre n'est rien que l'exemple et la preuve de l'idée. »

Poèmes barbares. ♦ Recueil poétique de Leconte* de Lisle (1862; augmenté et coiffé du titre définitif en 1872). Examinant les religions étrangères au monde gréco-latin, le poète brosse de sombres tableaux inspirés des légendes bibliques *(Qaïn)* ou des mythologies celtiques et scandinaves. Ces textes de facture parnassienne soulignent le contraste entre les religions païennes (qui « toutes ont été vraies à leur heure ») et le christianisme envers lequel le poète manifeste une nette hostilité. D'autres pièces mettent en œuvre toutes les ressources poétiques pour peindre la nature tropicale *(La Forêt vierge)* ou la faune sauvage *(Les Éléphants; Le Rêve du jaguar).* Plus pessimistes encore que les *Poèmes* antiques,* ces textes expriment le mépris de Leconte de Lisle pour son siècle *(Aux modernes)* et son aspiration à l'anéantissement hors « du temps, du nombre et de l'espace » *(Fiat nox).*

POEPPELMANN ou **PÖPPELMANN (Matthäus Daniel).** ♦ Architecte et décorateur allemand (Henford, 1662 — Dresde, 1736). Il fut directeur des bâtiments à la cour de Dresde à partir de 1686. Il voyagea à Vienne, Rome et Naples en 1710, puis en France en 1715. Il s'affirma comme l'un des architectes les plus inventifs du baroque allemand par sa création du *Zwinger* de Dresde* (1711-1722) : place de carrousel destinée aux fêtes de la cour et constituée de galeries à arcades reliant des pavillons bulbeux. Il créa un ensemble de perspectives variées, répandit avec profusion un décor plein de fantaisie et confia à Permoser* la réalisation des sculptures. Avec cette œuvre apparaît une tendance particulière au baroque saxon.

Poésie (ou **Fiction) et Vérité**, en all. **Dichtung und Wahrheit**. ♦ Œuvre autobiographique de Goethe* (1811-1814 — 1831). L'auteur ne prétend pas à une totale fidélité aux faits et reconnaît la part de fiction qui entre dans toute reconstitution de la vérité, toute mise en forme du passé et qui, peut-être, est nécessaire pour faire sentir la vie dans son devenir. Avec un certain détachement, qui l'oppose à Rousseau ou à Chateaubriand, il décrit sa propre évolution, les expériences, les influences affectives, intellectuelles, esthétiques et morales qui ont marqué les étapes de sa formation; il est ainsi amené à donner le tableau de la société allemande de la seconde moitié du XVIIIe s., société dont il contribua par ses œuvres à modifier la sensibilité.

Poétique (La), en gr. **Peri poiêtikês**. ♦ Traité d'Aristote* sur les genres poétiques en deux livres. Dans le premier, seul conservé, il traite de l'essence de la poésie, définie par lui comme une imitation (en gr. *mimêsis*) de la nature qui, par des représentations générales, tend à rendre les choses plus ou moins belles qu'elles ne sont. Il étudie ensuite l'origine des genres poétiques, distingue l'épopée de la tragédie (qui est pour lui le genre suprême). Celle-ci

Ph. U.S.I.S.

Edgar Allan Poe.

est une imitation de l'action propre à susciter chez le spectateur terreur et pitié pour le libérer de ses passions (théorie de la *catharsis* ou purification) tout en lui procurant une émotion agréable. En ce qui concerne les règles de la tragédie, Aristote insiste surtout sur l'unité d'action.

POGGE (Gian Francesco Poggio Bracciolini, connu en fr. sous le nom de **le)**. ♦ Écrivain italien (Terranuova, 1380 – Florence, 1459). Humaniste passionné par l'Antiquité gréco-romaine, il mit à profit sa charge de secrétaire de la curie romaine (il accompagna notamment Jean XXIII au concile de Constance, 1414-1418) pour rechercher des manuscrits dans les couvents français, suisses et allemands, puis anglais (1418) qu'il visita (découvrant des œuvres de Quintilien, du Stace, de Lucrèce, de Columelle, de Cicéron, ...). En plus d'une vaste correspondance, il est l'auteur d'une œuvre abondante, entièrement écrite en un latin souple et vivant : *Histoire de Florence (Historia florentina),* de 1350 à 1455, des *Descriptions des bains de Bade (I Bagni di Baden,* 1415), pleines de vivacité et fort réalistes, et, surtout, un recueil d'anecdotes divertissantes, voire licencieuses, les *Facéties (Liber Facetiarum,* 1438-1452), qui furent appréciées dans toute l'Europe.

POGGENDORFF (Johann Christian). ♦ Physicien allemand (Hambourg, 1796 – Berlin, 1877). Directeur des *Annalen der Physik und Chemie* à partir de 1824, il inventa la pile au bichromate (1842), mit au point une méthode de mesure des forces électromotrices (par opposition) et imagina un procédé très sensible de mesure de petits angles de rotation, utilisé notamment dans les galvanomètres, les magnétomètres et les balances.

POGODINE (Nicolas Fiodorovitch STOUKALOV, dit**)** [*Pogodin*]. ♦ Dramaturge soviétique (Gundorovskaïa, sur le Don, 1900 – 1962). Auteur fécond, il décrivit dans ses premières pièces la vie russe après 1917 : *Le Temps* (1929), *Le Poème de la hache* (1930), *Mon ami* (1932), *Les Aristocrates* (1934), puis il écrivit une célèbre trilogie dramatique sur Lénine : *L'Homme au fusil* (1937), *Le Carillon du Kremlin* (1941) et *La Troisième Pathétique* [1958]. (Prix Lénine, 1959.)

POGRADEC ou **POGRADECI**. ♦ V. d'Albanie*. Ch.-l. de district sur la rive S. du lac d'Ohrid. 8 000 hab. Gisements de chrome et de fer.

PO HAI [*Bo Hai, Balhae*]. ♦ Royaume coréen du N.-E. de la Chine (centre de la Manchourie), créé en 699 par des tribus tunguz et coréennes, et rebaptisé Chen Kuo en 713 par les Chinois. Il fut définitivement conquis en 727 par les Chinois de la dynastie des Liao* et se sinisa rapidement.

POHER [pɔɛʀ] **(Alain)**. ♦ Homme d'État français (Ablon-sur-Seine, 1909). Membre de plusieurs cabinets sous la Quatrième République, il siégea au Sénat (1946-1948, 1956-1968) comme représentant du M.R.P., puis de l'Union centriste des démocrates de progrès, et en fut élu président en remplacement de G. Monnerville (1968). Président de la Cinquième République par intérim après le départ du général de Gaulle (28 avr. 1969), il se présenta la même année aux élections présidentielles et obtint au second tour près de 42 % des suffrages contre 58 % à G. Pompidou*.

Poil de Carotte. ♦ Nouvelle de Jules Renard* (1894). Succession de croquis rapides (souvent terminés par une épigramme), ce portrait d'un petit garçon roux qui ne connaît qu'amertume et solitude est d'une cruelle vérité. Nature sensible qui ne peut s'extérioriser, Poil de Carotte, mal défendu par un père distrait et résigné, est en butte aux vexations de sa terrible mère, Madame Lepic, qui l'oblige à jouer la comédie de l'affection. Comme « tout le monde ne peut pas être orphelin », Poil de Carotte vit une existence rétrécie dans cette atmosphère suffocante, à la peinture de laquelle s'adapte parfaitement le style volontairement étriqué de l'écrivain, qui, à travers les souffrances de cette « âme grise », évoque certains souvenirs de son enfance. En 1900, Jules Renard tira de son ouvrage une comédie en un acte qui porte le même nom et connut un grand succès (adaptation cinématographique de J. Duvivier).

POINCARÉ (Henri). ♦ Mathématicien français (Nancy, 1854 – Paris, 1912). Auteur d'une thèse sur les propriétés des fonctions définies par des équations aux dérivées partielles (1878), il s'intéressa aux travaux d'Hermite* : il développa la théorie des formes et l'application de la géométrie non euclidienne à la théorie des formes quadratiques ; étudiant un mémoire de L. Fuchs*, il découvrit en 1881 les fonctions automorphes (fuchsiennes et kleinéiennes) qui lui permirent de compléter les résultats obtenus par Riemann* et Clebsch* **(V.** *aussi* **Klein)** ; dans une série de mémoires (1881-1886), il montra le rôle des considérations topologiques en géométrie différentielle. Par son œuvre, dont le mémoire *Sur le problème des trois corps et les équations de la dynamique* (1889), il fournit à la mécanique céleste théorique une nouvelle voie : étudiant la convergence des développements employés à la résolution des équations du problème des trois corps, il créa la théorie des solutions périodiques dont il découvrit l'existence de trois classes, il imagina la théorie des exposants caractéristiques, introduisant pour leur recherche la notion d'équation aux variations, il découvrit les solutions asymptotiques, élabora la théorie des invariants intégraux et ébaucha la théorie ergodique. **V. Maxwell.** Intéressé par tous les domaines mathématiques et physiques connus à son époque, il consacra ses derniers écrits à la philosophie des sciences : *La Science et l'Hypothèse* (1902), dans lequel il fit un examen critique des principes de la mécanique classique, *La Valeur de la science* (1906), *Science et Méthode* (1909) et *Dernières Pensées* [1913]. (Acad. sc., 1887 ; Acad. fr., 1908.)

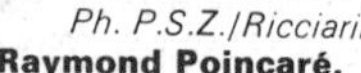
Ph. P.S.Z./Ricciarini
Raymond Poincaré.

Coll. Viollet
Henri Poincaré.

POINCARÉ (Raymond). ♦ Homme d'État français, cousin d'Henri Poincaré (Bar-le-Duc, 1860 – Paris, 1934). Avocat célèbre au barreau de Paris, député (1887-1903), sénateur (1903-1913), ministre de l'Instruction publique (1893-1894), des Finances (1894-1895, 1906), il s'abstint de prendre position dans l'affaire Dreyfus* et dans la lutte anticléricale que mena le pouvoir (1901-1906), faisant ainsi figure de modéré et évitant de s'aliéner les partis politiques opposés. Président du Conseil avec le portefeuille des Affaires étrangères (janv. 1912-janv. 1913), il adopta vis-à-vis de l'Allemagne une attitude ferme et chercha à resserrer les liens de la France avec la Grande-Bretagne et la Russie (où il se rendit une première fois en 1912). Élu à la présidence de la Troisième République (en remplacement de Fallières, 17 janv. 1913-1920), il soutint une politique extérieure qui était celle de la droite et contribua à faire voter en août 1913 la loi militaire des trois ans, dont l'impopularité contribua à la victoire législative de la gauche (1914). Après avoir fait appel au républicain socialiste Viviani* pour constituer un gouvernement, Poincaré entreprit avec lui un second voyage en Russie pour renforcer les alliances de la France (juil. 1914). Alors que l'Autriche-Hongrie adressait son ultimatum à la Serbie (30 juil.), il assurait le tsar du soutien de la France, contribuant ainsi à pousser la Russie à décréter la mobilisation générale. (Ce qui lui valut de la part de ses adversaires le surnom de « Poincaré-la-Guerre » à son retour en France.) Dès le début de la guerre, il se fit le champion de « l'Union sacrée ». Les difficultés militaires (surtout après l'échec de l'offensive de Nivelle, avr. 1917) et politiques (pacifisme ou défaitisme d'une partie de l'opinion) d'une guerre qui traînait en longueur, obligèrent Poincaré à donner le pouvoir à Clemenceau* (nov. 1917) pour redresser la situation. Réélu au Sénat à la fin de son septennat (1920), nommé président de la commission des Réparations (fév.-mai 1920), il fut rappelé à la présidence du Conseil (à la chute de Briand, janv. 1922-juin 1924), avec, une fois encore, le portefeuille des Affaires étrangères. Partisan de l'exécution intégrale du traité de Versailles, il fit occuper la Ruhr* (1923) en raison du retard apporté par l'Allemagne dans le paiement des réparations ; mais l'hostilité de la Grande-Bretagne ainsi que des difficultés financières l'amenèrent à se rallier au plan Dawes*. Après le triomphe du Cartel* des gauches aux élections de 1924, Poincaré donna sa démission ; mais la situation financière de plus en plus catastrophique le ramena au pouvoir en 1926. Il forma alors un cabinet d'Union nationale (avec les radicaux mais sans la participation des socialistes, et comprenant Barthou, Briand, Herriot, Marin, Painlevé, Tardieu) ; et, investi des pleins pouvoirs sur le plan financier, il gouverna par décrets-lois, pratiquant une politique d'économie, créant de nouveaux impôts, fondant la Caisse autonome d'amortissement, et parvint ainsi à une relative stabilisation du franc. Après le départ des radicaux du gouvernement (congrès d'Angers, 1928), il fut obligé de s'appuyer davantage sur le centre et la droite, et, peu après, malade, de donner sa démission (1929). Il a laissé ses mémoires sous le titre *Au service de la France* [1926-1933]. (Acad. fr., 1909.)

POINSOT (Louis). ♦ Mathématicien français (Paris, 1777 – *id.*, 1859). Il s'est particulièrement intéressé à la mécanique ; il établit une théorie des couples et, surtout, étudiant la rotation des corps, il élabora une solution élégante par représentation géométrique qui montre que tout solide suspendu par son centre de gravité doit conserver la rotation qu'on lui donne si celle-ci a lieu autour d'un axe privilégié [mouvement à la Poinsot]. (Acad. sc., 1813.)

POINTE-À-PITRE. ♦ V. de la Guadeloupe*, située sur la côte méridionale de l'île de Grande*-Terre, au bord du Petit Cul-de-Sac. 30 000 hab. env. Centre commercial et industriel (sucreries, distilleries de rhum, manufacture de tabac), Pointe-à-Pitre est le plus grand port de l'île, par où s'écoulent les exportations en direction de la France et de l'Amérique du Nord ou du Sud.

POINTE-AUX-TREMBLES. ♦ V. du Canada (Québec), dans la banlieue E. de Montréal. 29 900 hab. Raffinerie de pétrole.

POINTE-NOIRE. ♦ V. et port du Congo*-Brazzaville, sur l'Atlantique, au S. du pays. 150 000 hab. Tête de ligne du chemin de fer Congo*-Océan, dont une bretelle sert au transport du manganèse de Moanda* (Gabon). À proximité se situe le gisement de phosphate de Holle.

POINTIS (Jean Bernard Louis DESJEAN ou **de SAINT-JEAN).** ♦ Marin français (Loches, 1645 – Champigny-sur-Marne, 1707). Nommé capitaine de vaisseau (1685) après avoir participé sous les ordres de Duquesne* à l'expédition d'Alger (1682), il se distingua à Beachy Head (au large de Brighton) auprès de Tourville* qui battit les Anglais (1690), puis lors de la campagne de Méditerranée (1691). En 1697, il enleva aux Espagnols l'entrepôt de la *Nueva Cartagena* (Carthagène d'Amérique), et, avec un important butin, revint en France en échappant à la flotte anglaise; il publia la *Relation* de cette expédition en 1698. Au siège de Gibraltar (1704), il perdit plusieurs vaisseaux face à l'amiral Leake.

POIRÉ-SUR-VIE (Le). ♦ Ch.-l. de cant. de la Vendée, arr. de la Roche-sur-Yon. 3 551 hab. (1 154 aggl.).

POIRET (Paul). ♦ Couturier et décorateur français (Paris, 1879 – *id.*, 1944). Libérant la femme du traditionnel corset, il renouvela le costume féminin en l'épurant (plus de dentelles ni de postiches). Admirateur d'Isadora Duncan*, il l'invita à se produire au cours des fêtes somptueuses qu'il donnait pour présenter ses collections. Il employa des peintres et des décorateurs tels que Vlaminck, Iribe, Naudin, Fauconnet, R. Dufy. La Première Guerre mondiale et des ennuis financiers l'obligèrent à abandonner la haute couture.

POISEUILLE (Jean-Louis Marie). ♦ Médecin et physicien français (Paris, 1799 – *id.*, 1869). Auteur de mémoires sur le cœur et la circulation du sang, il introduisit l'instrumentation physique, participant ainsi à la création de la physiologie physique, et ses expériences lui permirent d'établir en 1844 les caractères essentiels de la loi régissant l'écoulement laminaire des fluides visqueux dans les tuyaux cylindriques (loi de Poiseuille). **V. Dutrochet, Navier.**

Poisons *(affaire des).* ♦ Série d'affaires d'empoisonnement qui, de 1670 à 1680, furent découvertes lors du procès de la Brinvilliers*. La Chambre ardente, instituée pour enquêter sur l'affaire, compromit tous les milieux, même ceux de la cour (deux des nièces de Mazarin, la comtesse de Gramont*, la vicomtesse de Polignac, le maréchal de Luxembourg*, Racine* et même Mme de Montespan*...), à tel point que l'enquête publique fut fermée. La principale accusée fut la Voisin*. Trente-quatre condamnations à mort furent prononcées et appliquées.

POISSON (Denis). ♦ Mathematicien français (Pithiviers, 1781 – Paris, 1840). Nommé pair de France en 1837, appelé la même année au Conseil royal de l'Université, il prit la direction de l'enseignement mathématique dans tous les collèges de France. Auteur de travaux sur la mécanique rationnelle, le calcul des probabilités [*loi de Poisson,* valable lorsque l'événement est rare] (**V. Bernoulli** [Jacques]) et principalement sur la physique mathématique, il établit, en électricité, l'équation qui porte son nom (1813) et posa les bases définitives du magnétisme [*Mémoire sur la théorie du magnétisme,* 1824]. (Acad. sc., 1812.)

Poisson austral. *n. m.*, en lat. **Piscis,** *-is* **Austrinus,** *-i.* ♦ Constellation australe. **V. Fomalhaut.**

POISSONS. ♦ Ch.-l. de cant. de la Haute-Marne, arr. de Saint-Dizier. 732 hab. Église de 1528. – Scieries.

Poissons. *n. m. pl.*, en lat. **Pisces,** *-ium.* ♦ Constellation zodiacale boréale. Douzième (dernier) signe du zodiaque (19 févr.-21 mars).

POISSY. ♦ Ch.-l. de cant. des Yvelines, arr. de Saint-Germain-en-Laye, sur la Seine. 33 934 hab. *(Pisciaçais).* Église Notre-Dame (XIIe, XIIIe, XVe, XVIe s.) restaurée au XIXe s. par Viollet-le-Duc. Villa Savoye, construite par Le Corbusier en 1928-1930. – Construction automobile; fonderies; liqueurs; imprimerie; indus. électrique. – Patrie de Louis* IX (Saint Louis) et de Philippe* III le Hardi. ♦ COLLOQUE DE POISSY. Assemblée réunie en 1561 par Catherine de Médicis et Michel de l'Hospital pour tenter une conciliation entre catholiques et calvinistes. L'intransigeance de Théodore de Bèze* à l'égard de la transsubstantiation et les réactions violentes des catholiques (cardinal de Tournon; J. Laínez, général des Jésuites) furent cause de l'échec. Néanmoins, à l'issue du colloque, un édit proclama la liberté de culte, sauf dans les villes closes, où les protestants ne pourraient célébrer leur culte qu'en privé (15 janv. 1562).

POITIERS (Diane *de*), *duchesse de* **Valentinois.** ♦ (1499 – Anet, 1560). Fille de Jean de Poitiers, seigneur de Saint-Vallier, elle épousa Louis de Brézé* dont elle fut veuve à trente-deux ans. Elle devint bientôt la maîtresse du futur Henri II qui avait dix-neuf ans de moins qu'elle et partagea d'abord son influence avec la duchesse d'Étampes, maîtresse de François Ier, jusqu'à la mort de celui-ci. Désormais toute-puissante, elle favorisa la répression du protestantisme. Elle encouragea les arts et Henri II fit construire pour elle le château d'Anet.

POITIERS. ♦ Préf. de la Vienne, anc. cap. du Poitou. Ch.-l. d'arr. (10 cant., 87 comm., 157 022 hab.) sur le Clain. 74 852 hab. [68 078 aggl.] *(Poitevins).* La ville ancienne est riche en monuments. La cathédrale Saint-Pierre (XIIe-XIIIe s.), de style gothique angevin, possède une précieuse collection de verrières (XIIe-XIIIe s.). L'église Notre-Dame-la-Grande, du XIIe s., offre une remarquable façade sculptée, typique de l'architecture romane poitevine. Église Saint-Hilaire-le-Grand (XIe s.), à septuple nef (disposition unique en France). Église Sainte-Radegonde (XIe-XIVe s.). Église Saint-Jean-de-Montierneuf, ancienne abbatiale du XIe s., remaniée au XIVe et au XVIIe siècle. Église Saint-Porchaire (XVIe s.). Clocher-porche (*fin* XIe s.). Anc. église Saint-Germain (XIIe-XVe s.). Baptistère Saint-Jean (IVe-VIIe s.). Hypogée des Dunes (VIIIe s.). Grande salle et donjon de l'ancien palais ducal (XIIIe-XIVe s.). Vestiges du château construit au XIVe s. par Jean de Berry. Restes des anciens remparts (XIIe-XVIe s.). Vestiges romains : fondations de l'enceinte, aqueduc, thermes. Hôtels et maisons anciennes (XVe-XVIe s.). Musées. – De vastes quartiers résidentiels se développent, formant une agglomération nouvelle. Université. – Métallurgie. Construction mécanique. Matériel électrique. Indus. chimique. Textiles. Meubles. Indus. du papier. Imprimerie. – Patrie de : saint Hilaire*, Antoine Thibaudeau*, Camille Guérin*, Louis Vierne*. ♦ *Hist.* L'antique *Limonum,* cap. des Celtes Pictones, fut à l'époque gallo-romaine, l'une des plus importantes cités de la province d'Aquitaine. Christianisée au cours du IIIe s., elle devint sous l'impulsion de son premier évêque, saint Hilaire, l'un des grands centres religieux de la Gaule en même temps qu'un des plus actifs foyers de lutte contre l'arianisme*. Les rois Wisigoths en firent une de leurs résidences jusqu'en 507, année où ils furent défaits par Clovis à Vouillé*. En 732, Charles* Martel y arrêta l'invasion musulmane. Après le mariage d'Aliénor d'Aquitaine avec Henri II Plantagenêt, en 1152, la ville passa sous l'influence anglaise. Elle revint à la couronne de France sous Philippe Auguste, en 1204. Pendant la guerre de Cent Ans, le plateau de Maupertuis, au N. de la ville, fut le théâtre de la *bataille* dite *de Poitiers* (19 sept. 1356), au cours de laquelle Jean le Bon fut fait prisonnier par le Prince Noir. L'une des conséquences immédiates de cette victoire anglaise fut le traité de Brétigny* (1360) par lequel Poitiers, avec d'autres territoires français, passait sous la domination des rois d'Angleterre. La ville fut reprise par Du Guesclin en 1372. Charles* VII en fit un des lieux de résidence habituels de la cour, y fonda un parlement (1418) et une université (1432) dont la renommée s'étendit rapidement hors des limites de la province. – À l'époque de la Réforme, Poitiers compta parmi ses habitants de nombreux calvinistes et fut le théâtre de sanglants combats entre catholiques et huguenots. Elle fut assiégée en vain en 1569 par l'armée protestante de Coligny. En 1577, Henri III y promulgua un édit qui, bien qu'il accordât certaines garanties aux protestants, se situait nettement en retrait de la paix de Beaulieu de 1576 quant à la liberté du culte et à la représentation au sein des chambres de justice. Siège de la Généralité (1542), puis de l'Intendance (1654) du Poitou, la ville perdit beaucoup de son importance administrative du fait de la Révolution, qui dévolut une partie de ses anciennes fonctions aux préfectures des nouveaux départements. Pendant la Deuxième Guerre mondiale, Poitiers fut occupée par les troupes allemandes jusqu'au 5 septembre 1944 et eut beaucoup à souffrir des bombardements aériens de 1940 et 1944, qui détruisirent presque entièrement le quartier de la gare, faisant de nombreuses victimes.

POITOU. *n. m.* ♦ Région de l'O. de la France, limitée par l'Anjou et la Touraine au N., le Berry et le Limousin à l'E., l'Angoumois et l'Aunis au S. et l'Atlantique à l'ouest. Elle recouvre les dép. des Deux-Sèvres*, de la Vienne* et de la Vendée*. *Cap.* Poitiers. Hab. *Poitevins.* Du point de vue géographique, le Poitou est constitué principalement par une plaine de terrains jurassiques qui, entre Massif armoricain et Massif central, met en communication

Arch. Smeets

Poitiers : façade de Notre-Dame-la-Grande.

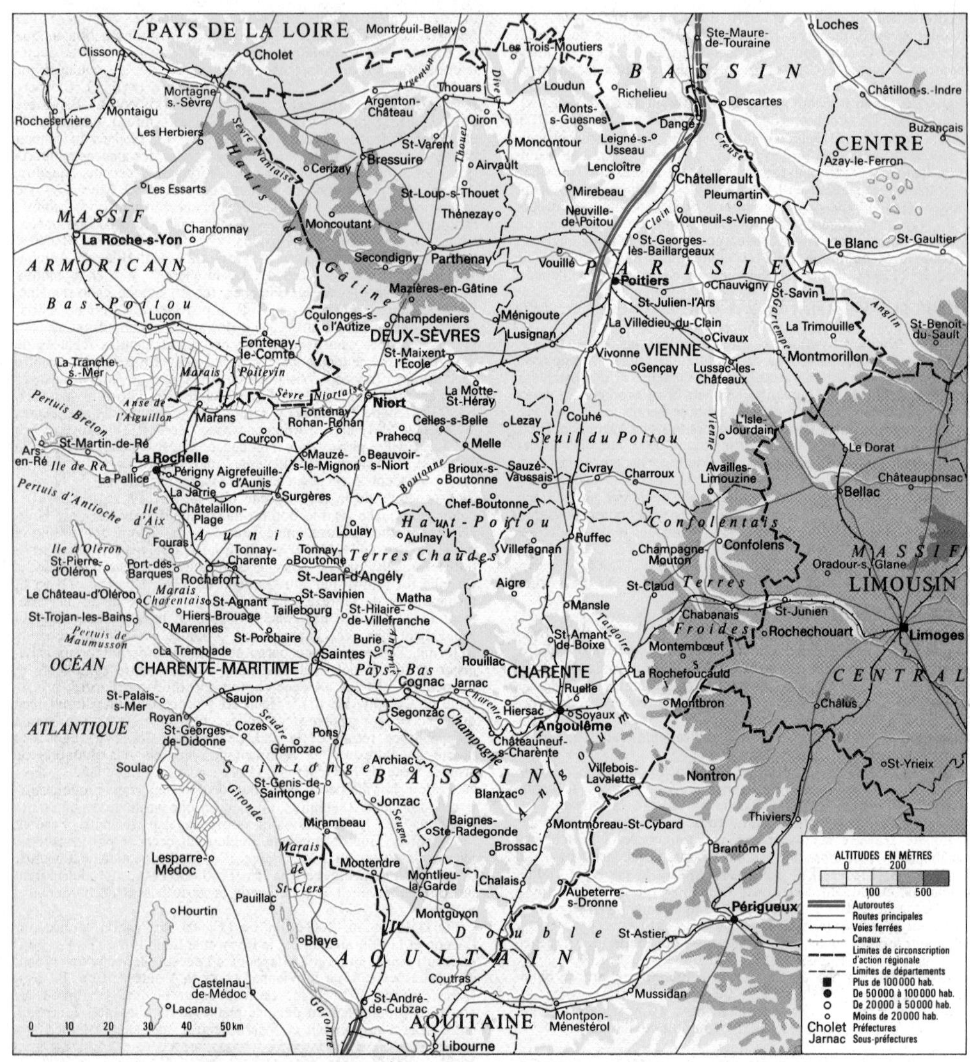

Poitou-Charentes.

le Bassin aquitain et le Bassin parisien : c'est le seuil du Poitou. S'y rattachent la bande littorale, avec les *marais breton* au N. et *poitevin* au S., ainsi que les terres bocagères de la Vendée et de la Gâtine de Parthenay. ♦ *Hist.* La province des Celtes Pictones fit partie sous la domination romaine de l'Aquitaine IIe. Conquise par les Wisigoths au ve s., puis par les Francs (507), elle fut incluse au VIIIe s. dans le duché d'Aquitaine. Le mariage d'Aliénor, héritière de Guillaume X d'Aquitaine, avec Henri II Plantagenêt (1152) la fit passer sous la domination anglaise, sous laquelle elle resta jusqu'à la confiscation par Philippe Auguste des fiefs français de Jean sans Terre (1202). Aliénée par Louis VIII en faveur de son cinquième fils Alphonse, puis rattachée à la couronne par Philippe III en 1271, elle passa encore à l'Angleterre par le traité de Brétigny (1360). Après sa reconquête par Du Guesclin, elle fut donnée en apanage à Jean, duc de Berry, et définitivement réunie à la couronne par Charles VII (1422).

POITOU-CHARENTES. ♦ Région (anc. C.A.R.) française du « Centre-Ouest » — 4 dép. : Charente, Charente-Maritime, Deux-Sèvres, Vienne — 25 790 km² (4,8 % du territoire, 15e r.) — 1 528 100 hab. (3 % de la pop. fr., 15e r.) — dens. au km² = 57 (15e r.). — Alliant le nom d'une province à celui des deux départements qui recouvrent l'Angoumois*, l'Aunis* et la Saintonge*, elle ressuscite — en partie, puisque amputée des deux tiers du bas Poitou — une très ancienne unité économique fondée sur la complémentarité de milieux différents et empiète sur quatre régions naturelles. Elle réunit les plaines jurassiques et crétacées du S.-O. du Bassin parisien et du N. de l'Aquitaine (larges de 70 à 80 km) aux flancs cristallins de la gâtine armoricaine et du Limousin qui l'encadrent. À l'exception de ces hautes terres froides (270 et 290 m), au modelé plus vigoureux, et des vallées, assez creusées, le relief est partout insignifiant : mêmes horizons d'*openfield* (terres chaudes du haut Poitou et des champagnes charentaises) et mêmes ondulations bocagères ou broussailleuses (« brandes » argilo-siliceuses) se succèdent des confins de la Touraine à la « frontière » des Doubles. Élargies au S., où disparaît le môle vendéen, ces plaines monotones s'inclinent vers la mer, de part et d'autre de l'ample et verdoyante vallée de la Charente*, trait d'union entre l'est et l'ouest. De la baie de l'Aiguillon à la Gironde alternent des marais (poitevins, charentais, de Saint-Ciers) et de modestes promontoires (La Rochelle, Fouras, La Tremblade) que prolongent les îles de Ré*, d'Aix* et d'Oléron*, celle-ci reliée au continent depuis 1967. — Avec un climat océanique, plus rude sur les massifs, nuancé au S. de caractères aquitains (Cognac, juil. : 20,2 °C), cet ensemble était voué à des productions agricoles variées — élevages de Vendée et du Limousin, céréales des plaines, vignes et fruits des Charentes, fourrages des brandes amendées au XIXe s. — qui, grâce à d'actives liaisons transversales et avec l'appoint de la pêche, favorisaient l'association et les échanges entre « pays » voisins, entre littoral et intérieur. — En 1881, on y comptait 1 527 000 hab. Mais les quelques industries d'Angoulême, Châtellerault et La Rochelle ne pouvaient canaliser l'exode essentiellement lié à la destruction par le phylloxera d'un vignoble de 280 000 ha et que la reconversion à l'économie laitière était, malgré son succès, incapable d'enrayer. Rien n'incitant au démarrage industriel et la centralisation parisienne imposant, au détriment de l'ancienne cohérence provinciale, la prééminence des liaisons méridiennes, voies ferrées et routes, à travers le seuil du Poitou, cet exode ne pouvait que se muer en une migration continue vers la capitale. Dès lors, le recul démographique devait se poursuivre pendant un demi-siècle (1 336 000 hab. en 1931, soit – 191 000 = – 12,4 %) et le Centre-Ouest allait rester en marge de la révolution industrielle. Avec 56 % de sa population à la campagne, c'est la plus rurale de nos régions. – L'agriculture y occupe encore 29,2 % des actifs. Novatrice en son temps (le mouvement coopératif, né à Surgères en 1888, sut faire des Charentes le grand pourvoyeur de Paris en beurre : 18 000 t/an), elle souffre aujourd'hui de l'inadaptation de ses structures, du vieillissement de ses exploitants et de la faiblesse de son encadrement technique. Les productions animales comptent pour près de 70 % mais les « campagnes » donnent 6 % du blé et de l'orge français, 8 % de l'avoine. Une ébauche de concentration se dessine avec les Groupements agricoles fonciers (G.A.F.) tandis que s'étendent les unions coopératives laitières. Mais l'organisation des productions, viande surtout, reste insuffisante, comme leur transformation et leur commercialisation : l'agriculture, outre le soutien dont elle est l'objet, a besoin du stimulant de l'industrialisation régionale. Brillante exception, le cognac, atout majeur des Charentes, fort appréciable dans notre balance. Fruit de l'expérience et d'une recherche toujours plus poussée en productivité et en qualité, sa production (+ de 100 millions de bouteilles par an) suffit à peine à satisfaire « une demande dont l'augmentation égale, depuis vingt-cinq ans, celle de l'électricité... » et qui appelle l'extension du vignoble (80 000 ha) : 80 % sont exportés (de Londres à Washington, Berlin et Pékin), pour un milliard de francs en devises... – Ce dynamisme tranche sur un fond de tranquillité paisible et d'évolution lente. Un bilan migratoire constamment négatif (– 5 000 jeunes par an) freine la croissance démographique (1 481 000 hab. en 1968) – dont la Charente-Maritime et la Vienne absorbent plus de 70 % – et diminue le poids de la région (2,97 % contre 3,26 en 1954). Avec ses 44 % de population urbaine, le Centre-Ouest, où manque l'attraction d'une métropole, dispose d'un réseau diffus d'agglomérations modestes qui favorise le secteur tertiaire (41,5 %) au détriment du secondaire (29,3 %). Mais cette déficience est compensée par un certain équilibre régional que valorise l'intérêt maintenant porté aux villes moyennes. – On peut cependant prévoir trois zones de développement où, près des implantations anciennes, a commencé à s'installer, depuis 1960, un ensemble d'industries décentralisées d'un volume encore insuffisant. – 1° Le « sillon Clain-Vienne » avec Poitiers* (80 000 hab., + 15 % de 1962 à 1968), cap. administrative, universitaire, ville d'art, vouée au tertiaire supérieur; Châtellerault* (35 000 hab. + 16,8 %), armurerie, coutellerie, mécanique, électricité, aéronautique. – 2° Le « sillon Charente » avec Saintes* (27 000 nab.), Cognac* (27 000 hab., verrerie), Angoulême*, aggl. de 100 000 hab., de vieille tradition industrielle et commerciale devenue cité pilote : papeterie, textiles et cuirs, forges de Ruelle, mécanique, électricité. – 3° La côte, 380 km, avec sa conchyliculture (40 000 t, 1re place), sa pêche (22 000 q), son tourisme (Royan*, aggl. de 26 000 hab.); La Rochelle* (88 000 hab., + 12 %), conserves, huileries, chimie, automobiles, dont Ré* est inséparable; Rochefort* (37 000 hab.). – Depuis Angoulême et Poitiers – par Niort* (56 000 hab., + 15 %), capitale des mutuelles – deux axes de peuplement convergent à La Rochelle-Rochefort qui, avec de meilleures infrastructures, appellent l'emploi industriel dont dépend l'avenir régional. On fonde des espoirs sur le port en eau profonde de La Rochelle-La Pallice pour la réalisation de la grande transversale Atlantique-Centre Europe.

POIVILLIERS (Georges). ♦ Ingénieur français (Draché, Indre-et-Loire, 1892 – 1968). Inventeur du principe de la photogrammétrie (1919) qui, utilisant un couple de vues aériennes associées et la vision stéréoscopique, permit de résoudre le problème de la restitution des photographies verticales, il créa de nombreux appareils de stéréophotogrammétrie aérienne auxquels son nom est resté attaché. (Acad. sc., 1946.) **V.** ***aussi*** **Lussedat.**

POIX. ♦ Ch.-l. de cant. de la Somme* (arr. d'Amiens*) sur la Poix. 1 663 hab. *(Poyais).* – Église XVIe s. en gothique flamboyant. Vestiges d'un donjon. Laiterie. ♦ *Hist.* Anc. principauté de Noailles.

POLA. ♦ V. PULA.

POLABÍ («plaine du Labe»). *n. m.* ♦ Plaine de Tchécoslovaquie, en Bohême* centrale, traversée par l'Elbe*. D'orientation N.-O. – S.-E., elle s'étend au N. de Prague entre Litoměřice et Pardubice. Couverte de limons, c'est la région la plus riche de Bohême : blé, betterave à sucre, plantes fourragères, houblon, tabac, arbres fruitiers, élevage (bovins, porcins, volailles). Les centres de peuplement, villages et petites villes, cumulent en général les activités liées à l'agriculture (indus. alimentaires, fabriques de matériel agricole) et des indus. de caractère plus récent (constructions mécaniques de précision, chimie, etc.). – *V. princ. :* Hradec* Králové, Kolín, Mladá* Boleslav, Pardubice*.

POLAIRE *(la)* ou **Étoile polaire.** ♦ Nom donné à l'étoile α Petite Ourse*; elle est utile pour l'orientation dans l'hémisphère Nord. Magnit. 2,1; type spectral F 8; distance 42,4 années-lumière.

POLAIRES *(régions). n. f. pl.* ♦ V. ARCTIQUE et ANTARCTIQUE.

POLE (Reginald). ♦ Prélat anglais (Stourton Castle, Staffordshire, 1500 – Londres, 1558). Lié avec Thomas More et Érasme

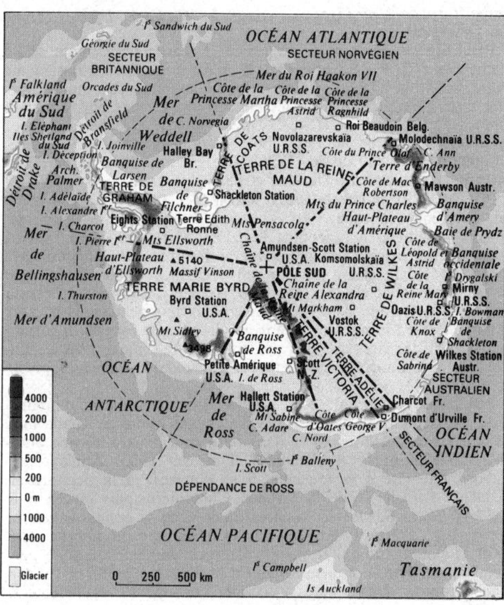

Régions **polaires** : Antarctique.

et attiré par l'humanisme, il refusa cependant d'accepter le schisme d'Henri VIII, son cousin, et s'exila à Rome. Il joua alors un rôle important dans la réforme de l'Église, présida le concile de Trente*, et fut sur le point de devenir pape à la mort de Paul III (1549). Il retourna en Angleterre sous Marie Tudor pour rétablir le catholicisme et devint archevêque de Canterbury.

POLEJAIEV (Alexandre Ivanovitch) [*Poležaev*]. ♦ Poète russe (Rouzaevka, gouvernement de Penza, 1804 – Moscou, 1838). Les sentiments libéraux de son poème *Sachka* (1826) lui valurent d'être envoyé comme simple soldat au Caucase. Ne supportant pas son sort, il se laissa aller à la boisson et au désespoir, qu'il a exprimé dans ses poèmes : *Le Chant du marin condamné au nau-*

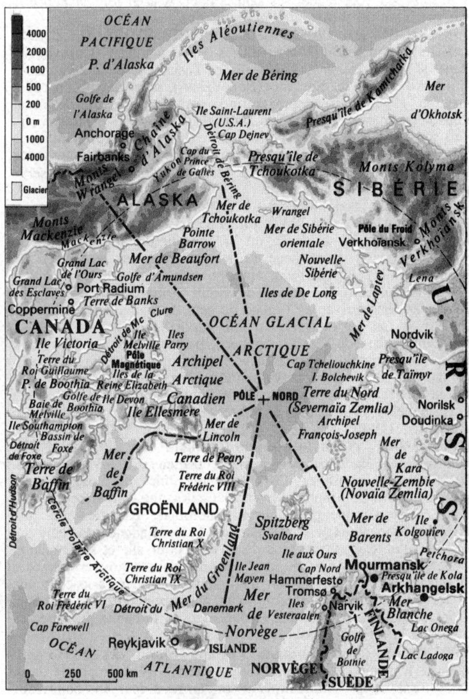

Régions **polaires** : Arctique.

frage, Le Chant de l'Iroquois captif, Le Cadavre vivant, L'Aigri, Le Désespéré.

POLÉSIE. *n. f.*, en russe **Poliessié**. ♦ Partie occidentale de la plaine russe (U.R.S.S.) couvrant la majeure partie du bassin du Pripet, affl. du Dniepr. Elle est formée d'immenses marais qui font d'elle l'une des régions les plus étranges et les plus difficiles d'accès de la Russie. ♦ *Hist.* Conquise au XIVe s. par la Lituanie, la Polésie fit partie de l'État polono-lituanien après 1569, puis fut annexée par la Russie (1795). Elle est actuellement partagée entre les Républiques d'Ukraine et de Biélorussie.

POLEVOÏ (Boris Nikolaievitch KAMPOV, dit) [*Polevoj*]. ♦ Écrivain soviétique (Moscou, 1908 –). Journaliste pendant la Deuxième Guerre mondiale, il rencontra le pilote Meressiev, héros soviétique, qui lui inspira son premier grand roman, *Un homme véritable* (1946). Il écrivit ensuite un recueil de nouvelles, *Nous autres Soviétiques* (1948), puis deux romans : *Dans les arrières,* qui décrit la vie difficile d'une famille d'ouvriers pendant la guerre, et *Sur la rive sauvage,* qui décrit un chantier de Sibérie. Il a toujours décrit des êtres qu'il a connus ou des faits qu'il a vécus. En 1962, il fut nommé rédacteur en chef de *Younost* (Jeunesse), revue populaire de la jeunesse soviétique.

POLIAKOFF (Serge). ♦ Peintre et graveur français d'origine russe (Moscou, 1906 – Paris, 1969). Ayant quitté la Russie lors de la Révolution, il séjourna dans différents pays d'Europe ainsi qu'à Constantinople et s'établit à Paris en 1923. Après s'être d'abord intéressé à la musique, il se consacra à la peinture et fréquenta l'académie de la Grande Chaumière, puis de 1935 à 1937 la *Slade School* de Londres. Il fit alors la connaissance de Kandinsky, d'Otto Freundlich et des Delaunay, et aborda vers 1937 la non-figuration. Il élabora dans ce domaine un style personnel en créant un espace fortement structuré à partir de formes planes, calmes, asymétriques, et comme découpées irrégulièrement, qui paraissent parfois se déployer à partir du centre de la toile. La richesse du chromatisme se fonde sur une mise en rapport savante de tons vifs et contrastés et de tons voisins, avec une prédilection pour les harmonies de tonalités chaudes et vibrantes (souvent des rouges). Cette orchestration colorée étant enrichie par le jeu des effets de matières plus ou moins lisses ou grumeleuses, transparentes ou opaques. Son œuvre, d'un lyrisme contenu, est apparue comme l'une des plus brillantes du courant de l'« abstraction française ».

Polichinelle. ♦ Personnage comique, figuré avec deux bosses et un nez rouge et crochu. Sa silhouette offre peu de similitude avec celle du *Pulcinella** italien. Avant de connaître la grande popularité aux parades de marionnettes du théâtre de la Foire (XVIIIe s.), il était déjà célèbre à Paris, au temps de la Fronde. Il apparaît dans des œuvres de Molière (ballet de *Psyché;* premier intermède du *Malade imaginaire*) et poursuivra longtemps sa carrière, jusque dans le cours du XIXe siècle. Son caractère, fait d'insolence et de vantardise, sa voix aiguë, ses saillies cocasses, en font la figure la plus originale du théâtre des marionnettes.

POLIDORO DA CARAVAGGIO ou **POLYDORE DE CARAVAGE (Polidoro CALDARA, dit).** ♦ Peintre italien (Caravaggio, après 1490 – Messine, 1543). Il fut l'assistant de Giovanni da Udine aux Loges du Vatican (selon Vasari), puis exécuta en collaboration avec Francesco Maturino, peintre florentin, de nombreuses fresques à Rome. Son habileté à suggérer le mouvement dans ses compositions, son utilisation de thèmes décoratifs antiques dans les paysages en font un bon représentant de la Renaissance romaine. Après 1527, il vécut à Messine, mais on ne conserve qu'une œuvre de cette période.

POLIGNAC (Melchior *de*). ♦ Cardinal et diplomate français (Le Puy, 1661 – Paris, 1742). Emmené à Rome par le cardinal de Bouillon (1689), il se révéla un brillant diplomate en évitant la rupture entre le Saint-Siège et le gouvernement français. En Pologne (1695), il contribua, après la mort de Jean III Sobieski (1696), à l'élection du prince de Conti comme roi de Pologne. Tombé en disgrâce après l'échec de cette intrigue, il dut attendre 1702 pour jouer à nouveau un rôle important, prit part en 1710 aux conférences de Gertruydemberg, puis au congrès d'Utrecht. Compromis sous la Régence, il ne fut nommé archevêque d'Auch qu'en 1726. Il laissa inachevé son *Anti-Lucretius...* (posth., 1745; traduit en français en 1813), poème latin de près de 10 000 vers dans lequel il s'attachait à réfuter Bayle* et le matérialisme. (Acad. fr., 1704.)

POLIGNAC (Yolande Martine Gabrielle de POLASTRON, *comtesse* puis *duchesse de*). ♦ Dame française (1749 – Vienne, 1793). Ayant épousé en 1767 le comte Jules de Polignac, elle parut à la cour de France et inspira aussitôt une vive affection à la reine Marie-Antoinette. Jalousée, calomniée, elle répondit aux intrigues dont elle était l'objet par une lettre d'adieu à la reine qui lui valut d'obtenir encore plus de faveurs pour elle et sa famille et de devenir l'amie intime de la souveraine puis la gouvernante des enfants de France. Elle et son mari devaient exercer à la cour une influence jugée néfaste, et contribuer à l'impopularité de la reine. Sitôt qu'éclata la Révolution, la duchesse de Polignac prit avec sa famille le chemin de l'exil.

POLIGNAC (Jules Auguste Armand Marie *de*). ♦ Homme politique français (Versailles, 1780 – Paris, 1847). Impliqué dans la conspiration de Cadoudal, il fut condamné à deux ans de prison, mais son incarcération fut prolongée. Avec son frère, il réussit à s'évader (1813) et revint en France avec le comte d'Artois (Charles X) en 1814, puis passa à Gand avec la famille royale pendant les Cent-Jours. Partisan d'une restauration intégrale de la monarchie et de l'Ancien Régime et hostile aux tendances libérales de la Charte de 1814, il devint pair de France, et, ardent défenseur du catholicisme, fut fait prince romain en 1820. Ambassadeur à Londres (1823-1829), il participa aux négociations qui aboutirent au traité de 1827 par lequel la France, la Grande-Bretagne et la Russie s'imposèrent comme médiateurs entre le sultan turc et la Grèce qui devenait indépendante. Après la chute du cabinet libéral Martignac*, il fut nommé, par Charles* X, ministre des Affaires étrangères (août 1829), puis président du Conseil (novembre 1829). Il se rendit rapidement impopulaire par des mesures politiques autoritaires et réactionnaires. Après avoir décidé l'expédition d'Alger* (juil. 1830), dont le succès ne résolut pas les problèmes de politique intérieure, Polignac et son ministère eurent la maladresse, face à la victoire de l'opposition libérale aux élections (début juil. 1830), de rédiger les quatre ordonnances de Saint-Cloud (**V. Charles X**) qui entraînèrent l'insurrection du peuple parisien (**V. Révolution de juillet 1830**) et la chute de Charles X. Arrêté à Granville alors qu'il tentait de passer en Angleterre, Polignac fut traduit devant la Chambre des pairs, condamné à la prison à vie, à la déchéance de ses titres, à la mort civile, mais il fut amnistié en 1836.

POLIGNAC. ♦ Comm. de la Haute-Loire*, arr. du Puy*. 1 407 hab. (347 aggl.). – Ce village est situé au pied d'un rocher qui porte les ruines d'un château des XIIIe et XIVe siècles. Dans le village, église des XIIe et XVe siècles.

POLIGNY. ♦ Ch.-l. de cant. du Jura, arr. de Lons-le-Saunier. 4 805 hab. Église Saint-Hippolyte (XVe s.). Hôtels Renaissance. Hôtel-Dieu (XVIIe s.). Hôtel de ville (XVIIe-XVIIIe s.). Chapelle de la congrégation des vignerons (XVIIIe s.). – Vignobles. Centre laitier. Indus. du bois. Pelleterie. Sel gemme.

POLIN (Pierre Paul MARSALÈS, dit). ♦ Chanteur comique français (Paris, 1863 – La Frette-sur-Seine, 1927). En culotte rouge à basane, avec une veste étriquée, un petit képi et un grand mouchoir à carreaux, il incarna, avec une feinte naïveté et beaucoup d'esprit, les comiques troupiers sur les scènes parisiennes de l'*Eden-Concert,* de la *Scala* et de l'*Alcazar d'été.* Plusieurs de ses chansons connurent la célébrité : *Mademoiselle Rose, La Petite Tonkinoise, L'Ami Bidasse, La Caissière du grand café.* Excellent comédien, il fut l'interprète de Feydeau *(Champignol malgré lui)* et parut au Palais-Royal et aux théâtres Michel et Édouard VII avec un grand succès.

POLITIEN (ou **Ange Politien),** en it. **Agnolo Ambrogini, il Poliziano.** ♦ Poète et humaniste italien (Montepulciano, 1454 – Florence, 1494). Ayant suivi les leçons de Marsile Ficin*, il fut protégé par Laurent de Médicis* qui lui confia l'éducation de ses enfants. Érudit, il traduisit *l'Iliade* en vers latins et publia des commentaires et des essais en latin, notamment les *Prolusioni* et les *Miscellanaea.* Son ouvrage historique *La Conjuration des Pazzi* (en lat., 1478) évoque le meurtre de Julien de Médicis* et l'attentat perpétré contre Laurent le Magnifique. Restaurateur de la strophe de huit vers, il composa en italien de nombreuses poésies lyriques empreintes d'une inspiration savante et gracieuse, comme les *Stances pour le tournoi* (*Stanze per la Giostra,* 1475 à 1478; publiées en 1494) où, célébrant la passion de Julien de Médicis pour Simonetta, le poète évoque harmonieusement la nature printanière et les tourments amoureux. Les *Chansons à danser (Canzoni a ballo)* mêlent les éléments populaires aux thèmes savants. Première représentation scénique d'un sujet profane, *La Fable d'Orphée* (*La Favola d'Orfeo,* 1480) propose également sous une forme littéraire moderne un thème pastoral et mythologique, qui inspirera nombre d'artistes, notamment Monteverdi* (*Orfeo,* 1607).

Politique (Le) ou **De la royauté.** ♦ Dialogue de Platon* qui offre un double intérêt : type de l'exercice dialectique qui était courant à l'Académie* – ici la définition du politique à l'aide de la méthode dichotomique et du paradigme –, il est aussi une transition entre la République* à laquelle il emprunte l'idée que la politique

Ph. C. Schaeffner

Serge Poliakoff : « Composition ».
(Collection privée, Paris.)

est une science, et les Lois* dont il annonce le caractère plus réaliste. C'est dans ce dialogue que Socrate développe le mythe de l'âge d'or.

Politique (La). ♦ Traité d'Aristote*. L'homme (animal social, politique) doit trouver dans la cité un moyen non seulement de vivre mais de bien vivre. La politique est à la fois fondement et prolongement de l'éthique. Étudiant les groupements et les types de rapports humains (famille; rapport de maître à esclave), Aristote est amené à l'analyse des formes de gouvernement (monarchie, aristocratie, démocratie), leur évolution et leur dégradation respective. Il tente d'indiquer, en tenant compte des circonstances réelles, le gouvernement le plus approprié pour réaliser l'intérêt commun.

Politique des Athéniens ou **Constitution d'Athènes (La).** ♦ Ouvrage d'Aristote, sans doute rédigé entre ~330 et ~325 et retrouvé en 1890 sur un papyrus. L'auteur qui, pour écrire sa *Politique,* avait analysé la Constitution de 158 cités, étudie dans cette œuvre les différentes Constitutions d'Athènes de Dracon et de Solon jusqu'au gouvernement des Trente et des Dix. Ce traité présente donc un intérêt historique de premier plan.

Politique positive (Système de), ou **Traité de sociologie instituant la religion de l'Humanité.** ♦ Œuvre d'Auguste Comte* (1852-1854). Encadrée par la biologie et la morale, la sociologie est l'étude des lois de l'harmonie du corps social, ou statique sociale, et celle des lois du développement de la société (loi des trois états), ou dynamique sociale. La dernière partie de l'œuvre présente le tableau synthétique de l'avenir humain.

Politiques ou **Malcontents.** *n. m. pl.* ♦ Nom donné sous le règne d'Henri* III à un parti formé de modérés, protestants et catholiques, désapprouvant les excès de la Ligue* et sa politique espagnole, et désirant rétablir l'unité nationale autour du roi. Ils reprirent en cela la pensée de Michel de L'Hospital*, et se groupèrent autour du duc d'Anjou*, du prince de Condé*, de François et Henri Ier de Montmorency*. La paix de Monsieur* fut leur œuvre et ils favorisèrent l'avènement d'Henri* IV. Leurs idées inspirèrent la *République* de Bodin* et la *Satire* Ménippée*

POLÍTIS (Nikolaos). ♦ Juriste et homme politique grec (Corfou, 1872 – Cannes, 1942). Il enseigna aux facultés de droit d'Aix-en-Provence, de Poitiers et de Paris. Ministre des Affaires étrangères de Grèce (1917-1920), ambassadeur à Paris (1924), président de la S.D.N. (1932) et de l'Institut de droit international (1937), il travailla pour l'élaboration d'un système de sécurité collective.

POLITZER (Georges). ♦ Philosophe français d'origine hongroise (Nagyvarad, 1903 – fusillé par les Allemands au mont Valérien, 1942). Philosophe marxiste, auteur d'un pamphlet dirigé contre le bergsonisme (*Le Bergsonisme, une mystification philosophique,* 1926), il collabora à la *Revue marxiste,* à *l'Humanité,* etc. Critiquant la psychologie subjective et son mythe de l'âme et la psychologie expérimentale (qui n'a fait qu'utiliser « le vieux stock de la psychologie subjective »), étudiant l'apport positif de la psychanalyse, tout en dénonçant l'hypothèse abstraite de l'inconscient, il a cherché à élaborer une psychologie concrète dont l'objet serait l'homme total dans sa relation avec son milieu physique et social (*Critique des fondements de la psychologie,* 1930, 1967).

POLK (James Knox). ♦ Homme politique et onzième président des États-Unis (Caroline du N., 1795 – Nashville, 1849). Avocat, il fut représentant démocrate du Tennessee de 1825 à 1839, et il présida la Chambre des représentants de 1835 à 1839. Il fut élu président des États-Unis en 1845. Expansionniste, il mena la guerre contre le Mexique (1846) qui accrut les États-Unis de nombreux territoires au S.-O. et dans l'O. (traité de Guadalupe* Hidalgo). Cependant, l'opposition des whigs et des démocrates du Nord l'amenèrent à ne pas se représenter en 1849.

POLLAIOLO ou **POLLAIUOLO (Antonio di Jacopo BENCI,** dit **Antonio del).** ♦ Orfèvre, sculpteur, peintre et graveur italien (Florence, v. 1431 – Rome, 1498). Après un apprentissage d'orfèvre, ayant ouvert sa propre *bottega,* il exécuta un *Crucifix* d'argent pour San Giovanni (1457-1459). Son cadet PIERO (Florence, v. 1443 – Rome, 1496) travailla avec lui à partir de 1460, mais sans montrer la « furor », la belle énergie de son frère, dont la préoccupation dominante fut la représentation du corps humain dans le mouvement ou dans l'effort. Elle apparaît constante dans les fresques de la villa la Gallina (1464), les *Travaux d'Hercule* (v. 1465, copies aux Offices), la statuette d'*Hercule et Antée* (Offices), et la célèbre *Bataille de nus* (burin, v. 1470). *Apollon et Daphné* (V. 1470, Londres), l'*Enlèvement de Déjanire* (Newhaven, États-Unis), *le Martyre de saint Sébastien* (1475, Londres) ajoutent à l'étude anatomique celle du paysage, influencée par les Flamands. Les deux frères réalisèrent à Rome les tombeaux de Sixte IV et d'Innocent VIII.

POLLENSA. ♦ V. et port de l'île espagnole de Majorque* (Baléares). 9 000 hab. Centre agricole et touristique.

POLLION. ♦ V. ASINIUS POLLION.

POLLOCK (Paul Jackson). ♦ Peintre et dessinateur américain (Cody, Wyoming, 1912 – East Hampton, 1956). Il étudia la peinture et la sculpture à la *Manual Art School* de Los Angeles à partir de 1925, mais son insubordination lui valut de s'en faire renvoyer en 1927. À New York en 1929, il suivit à l'*Art Student League* les cours du peintre naturaliste Thomas Benton. Ensuite, il parcourut à diverses reprises les États-Unis, et eut la révélation de la « peinture de sable » des Indiens; puis, participant au *Federal Art Project,* il s'intéressa à la peinture murale et fut fortement

Ph. Carlo Bevilacqua/Ricciarini

Antonio del Pollaiolo : « Retable des trois saints ». (Galerie des Offices, Florence.)

impressionné par l'art véhément des peintres mexicains : Orozco* Rivera* et Siqueiros*. Il développa alors un style de tendance expressionniste et traita de préférence des sujets totémiques et mythologiques. Subissant ensuite l'influence de Picasso, de Miró et Masson, il représenta des fragments anatomiques, des symboles élémentaires qui se mêlent à des formes confuses, très animées, chaque partie de la composition étant reliée par des éléments linéaires; les formes tendant ainsi à se distinguer difficilement du fond sur lequel elles s'inscrivent, et perdant autonomie et visibilité. Vers 1940-1941, l'arrivée à New York de Ernst, Matta, Masson, accéléra son évolution : empruntant à Max Ernst le procédé du « dripping » (peinture s'écoulant d'une boîte percée de trous), et sensible à la notion surréaliste d'automatisme, il évolua vers 1942 vers la non-figuration, pratiquant alors un art assez proche de Gorky, où apparaissent encore des motifs dérivant de Picasso et des surréalistes (*Mâle et Femelle,* 1942; *Pasiphaé,* 1943). Il trouva son style personnel vers 1943 en systématisant l'utilisation du *dripping* ou en employant pour peindre des bâtons, truelles, couteaux et larges brosses, laissant dégouliner la peinture ou l'éjectant avec une seringue et en se servant de matières industrielles (*Full Fathom Five,* 1947). Rebelle à la peinture traditionnelle et à ses instruments consacrés, il modifia surtout la pratique picturale en refusant de considérer cet art comme une « cosa mentale », et en lui substituant un acte auquel le corps entier participe et dont le résultat est fonction de l'ampleur, de la violence et de la rapidité du geste; l'œuvre se formant sans intention préméditée, en tirant parti des virtualités formelles offertes par le hasard. Poussant à ses ultimes conséquences picturales (non figuratives) le principe de l'automatisme, cette forme d'expression prit chez lui un caractère effréné. Il peignait sur la toile posée verticalement ou à même le sol, ce qui lui permettait d'être littéralement « dans la peinture » et couvrait des surfaces gigantesques (particulièrement dans les années 1946-1948). Il formait avec les coulées de pigment un réseau inextricable de lignes s'enroulant et se dévidant en mouvements serrés, semblant indiquer une direction verticale ou confluer vers quelques points nodaux, mais le plus souvent n'offrant aucun repère stable. Ces lignes en arabesques embrouillées suggèrent des rythmes continus, un mouvement en expansion au delà des limites de la toile. Créant ainsi un espace labyrinthique, d'un chromatisme riche et mêlé, la ligne, par accumulation, retour sur elle-même, s'épaissit et engendre un effet de taches plus ou moins enfouies dans une surface d'une épaisseur et d'une transparence variables – l'espace chaotique ainsi produit étant parfois confronté à une forme grattée *(Out of the Web)* ou structuré par une série d'éléments de couleurs et de textures différentes *(Blue Poles).* Vers 1950-1951, Pollock se limita aux contrastes de noir et blanc et réintroduisit certaines allusions figuratives, puis il adopta de nouveau la couleur et revint même à l'usage des pinceaux. Sa mort brutale dans un accident d'auto fut la conclusion tragique d'une certaine « rage de vivre » dont son œuvre est par ailleurs le reflet. Célèbre depuis 1945, il faisait alors figure de chef de file de la peinture gestuelle (intitulée *action painting* par le critique Rosenberg); créant une nouvelle modalité de la peinture, il avait affirmé l'autonomie de l'école américaine.

POLLUX. ♦ V. CASTOR ET POLLUX.

Pollux. ♦ Nom donné à l'étoile β Gémeaux*. Magnit. 1,2; type spectral K O; distance 32 années-lumière.

POLLUX Julius, en gr. **Ioulios Poludeukês.** ♦ Rhéteur et grammairien grec (Naucrátis, Égypte, ? – Athènes, IIe s.). Il ouvrit à

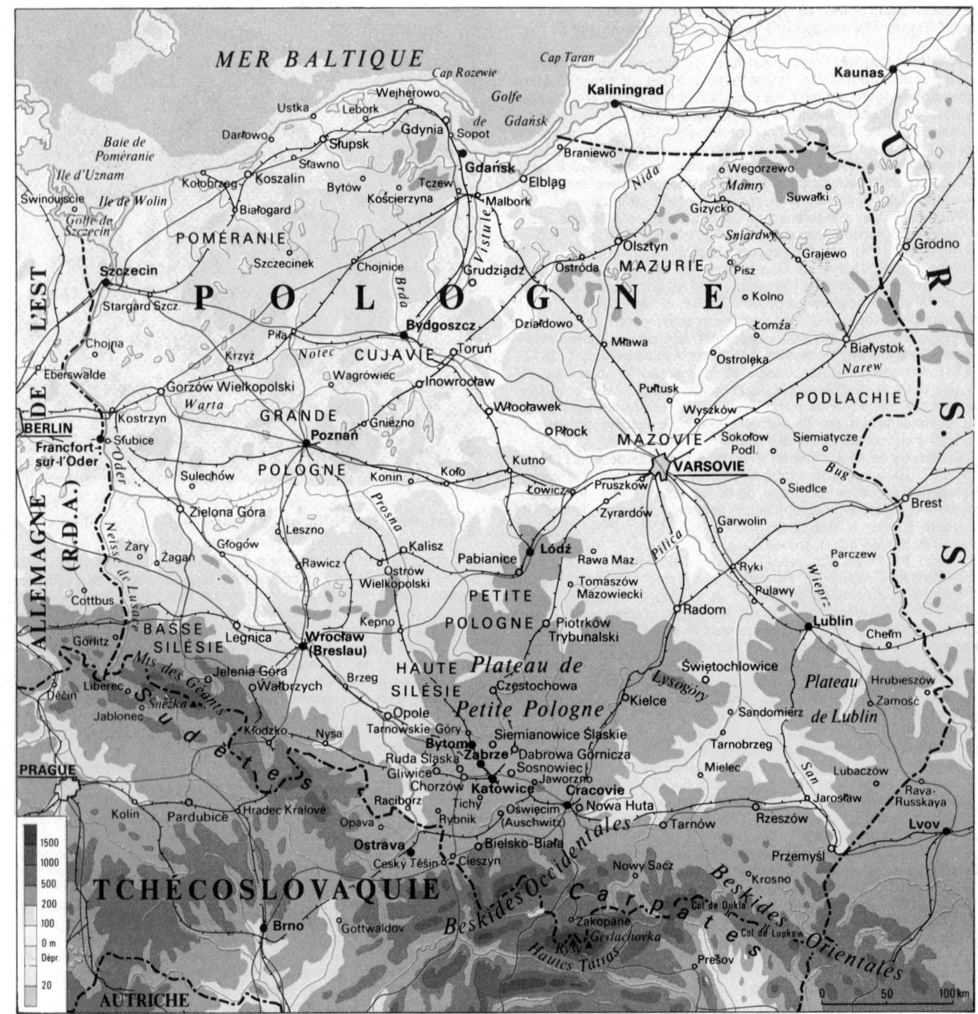

Pologne.

Rome une école de rhétorique où il fut le maître de Commode. Il lui dédia son *Onomasticon* ou *Lexique*, recueil de termes synonymes et de citations (de philosophes, d'orateurs). Il fut ensuite professeur d'éloquence à Athènes.

POLO (Marco). ♦ Voyageur italien (Venise, v. 1254 – 1324). Avec son père et son oncle, Niccolo et Matteo (Maffeo) Polo, commerçants vénitiens, il entreprit un voyage qui, à travers la Mongolie, les mena jusqu'en Chine (Cambaluc, auj. Pékin, 1275). Ils demeurèrent plusieurs années à la cour du grand khân Qûbilai (fils de Temüjin). Chargé des plus hautes fonctions, Marco Polo fut envoyé en mission en Annam, au Tonkin, en Inde, en Perse. Revenu à Venise par Sumatra (1295), il fut surnommé « Messire Millione » en raison de la profusion des richesses qu'il avait rapportées de ces pays. Accueilli avec un certain scepticisme par ses contemporains, le *Livre des merveilles du monde* (ou *Livre de Marco Polo*), qu'il dicta à son retour (1298), fut considéré depuis comme fournissant la première documentation précise, tant géographique qu'ethnographique, sur les pays et peuples de l'Orient. Il mourut à Venise et fut enterré à l'église San Lorenzo.

POLOGNE, en polon. **Polska.** ♦ République populaire de l'Europe centrale, située en bordure de la mer Baltique* entre la République démocratique allemande, dont elle est séparée par la ligne Oder*-Neisse à l'O., l'U.R.S.S. dont la frontière suit à l'E. une partie de l'anc. ligne Curzon* et le Bug*, et la Tchécoslovaquie au S. dont elle est séparée par les chaînes des Sudètes* et des Carpates*. – 312 520 km². Estim. en 1975, 34 020 000 hab. (98 % de Polonais, dens. moy. 108 hab. au km²). *Cap.* Varsovie*. *Langue :* polonais. *Religion :* catholicisme (en opposition à la philosophie du régime marxiste). *Unité monétaire :* zloty. *Divisions admin.* (voïévodies et ch.-l.). V. **Białystok, Bydgoszcz, Cracovie, Gdańsk, Katowice, Kielce, Koszalin, Łódź, Lublin, Olsztyn, Opole, Poznań, Rzeszów, Szczecin, Varsovie, Wrocław, Zielona Góra.** *Autres villes et localités princ.* V. **Bielsko-Biała, Bytom, Chorzów, Cieszyn, Częstochowa, Dąbrowa Górnicza, Elbląg, Gdynia, Gliwice, Gniezno, Gorzów Wielkopolski, Grudziądz, Inowrocław, Jaworzno, Jelenia Góra, Kalisz, Legnica, Nowa Huta, Ostrołęka, Ostrów Wielkopolski, Oświęcim, Pabianice, Piotrków Trybunalski, Płock, Pruszków, Przemyśl, Puławy, Racibórz, Radom, Ruda Śląska, Rybnik, Sandomierz, Siemianowice Śląskie, Słupsk, Sopot, Sosnowiec, Świętochłowice, Świnoujście, Szopienice, Tarnobrzeg, Tarnów, Tarnowskie Góry, Tomaszów Mazowiecki, Toruń, Tychy, Wałbrzych, Włocławek, Zabrze, Zakopane.** *Hydrogr.* (mer) **V. Baltique ;** (fl.) **V. Oder** (affl. Neisse* de Lusace, Warta*, [sous-affl. Noteć*], **Vistule** (affl. Brda*, Bug* [sous-affl. Narew*], Bzura*, Dunajec*, Nida*, Pilica*, San*, Wieprz*). *Orogr.* **V. Carpates** (Beskides, Tatras) et **Sudètes.** Le territoire polonais, qui s'étend en majeure partie sur la grande plaine nord-européenne, peut toutefois se diviser en trois grandes régions naturelles. Au N., *la façade baltique* (694 km de côtes) basse et sablonneuse, échancrée par les golfes de Szczecin* (qui abrite les îles de Wolin* et Uznam* à l'embouchure de l'Oder) et de Gdańsk* au débouché de la Vistule, précède la chaîne morainique frontale parsemée de lacs et séparée par la Vistule en deux régions, la Poméranie* à l'O. et la Mazurie à l'est. Au centre, *la grande plaine centrale* coupée par deux larges vallées et des chenaux proglaciaires généralement orientés d'E. en O., où l'on distingue la Posnanie (ou Grande Pologne*) et la Cujavie (drainées par la Warta* et l'Oder*), la Mazovie* (bassin de la Vistule*) ainsi que la Podlachie* (forêt de Białowieża). Au S., *la Pologne méridionale,* qui comprend la Silésie et la Petite Pologne est constituée par une zone montagneuse, formée au N. par l'avant-pays carpatique (plateau de Petite Pologne, Łysogóry* et plateau de Lublin), au S.-O. par le rebord oriental des Sudètes* et au S. par les Carpates* polonaises où l'on distingue les Beskides* occidentales et orientales dominées par les Hautes Tatras* (Rysy 2 499 m). – *Écon.* En dépit du retard hérité du passé et des dévastations provoquées par la Deuxième Guerre mondiale, la Pologne, qui était un pays essentiellement agricole et peu industrialisé, a profondément modifié sa structure économique grâce à une industrialisation intensive basée sur la nationalisation des branches essentielles de la vie économique, la réforme agraire et la planification socialiste. Malgré la remarquable expansion économique liée au développement prioritaire de l'industrie lourde (concentrée dans le bassin de Silésie), l'économie polonaise est encore déséquilibrée par l'insuffisance de la production agricole et la faiblesse des investissements dans le domaine des industries légères. Le niveau de vie de la population (urbaine à plus de 50 %) reste encore inférieur à celui des pays d'Europe occidentale bien qu'il progresse régulièrement. La production industrielle (57,4 % du revenu national) est largement fondée sur l'extraction houillère (quatrième rang de la production mondiale, plus de 171 millions de t en 1975) notamment en haute Silésie (95 % de la product. totale) et autour de Wałbrzych* en basse Silésie, la houille représentant avec le lignite (plus de 39 millions de t en 1975) l'essentiel des ressources énergétiques (97 milliards de kWh) et alimentant une importante indus. sidérurgique (Nowa Huta, Częstochowa, Katowice, Bytom, Gliwice) et chimique (représentée dans presque toutes les grandes villes). Outre la production d'acier (plus de 14,9 millions de t en 1975) et de fonte (plus de 7 millions de t) qui alimente une métallurgie de transformation très diversifiée (machines-outils, automobiles, ateliers ferroviaires, constructions navales), les riches gisements de cuivre (autour de Legnica), de plomb et de zinc (région de Katowice), de nickel, de chrome, et surtout de sel gemme (Wieliczka*) et de soufre (Tarnobrzeg*) compensent la rareté des minerais de fer, du gaz naturel et du pétrole (la raffinerie de Płock est surtout alimentée par le pétrole soviétique). L'indus. chimique, dont les principales productions sont la soude, les sous-produits de la distillation de la houille, l'acide sulfurique, les matières plastiques, les fibres synthétiques, les engrais azotés (Puławy), et les produits pharmaceutiques, est en pleine expansion ainsi que les industries du bâtiment (plus de 184 millions de t de ciment en 1975). Parmi les indus. légères, l'indus. textile (Łódź, Wrocław, Białystok, Częstochowa, Bielsko-Biała, Legnica, Zyrardow) occupe toujours une place importante tandis que les indus. de l'alimentation, du cuir, du bois, du verre, bien que très actives, restent insuffisantes. Dans le domaine agricole (15 % d'exploitations collectives, contre 90 % des indus. nationalisées) la Pologne, qui ne couvre pas ses besoins alimentaires, reste néanmoins un gros producteur de denrées agricoles (64 % du territoire cultivé, dont la moitié est consacrée aux céréales) en dépit de la médiocrité du sol et de la rudesse du climat. Outre la pomme de terre (1/4 de la product. européenne à l'exclusion de l'U.R.S.S.), la betterave à sucre (princ. product. européen après la France, U.R.S.S. non comprise), le seigle (2ᵉ prod. mondial, loin derrière l'U.R.S.S.), l'avoine, l'orge et le blé, la production de la fibre de lin, des huiles végétales (lin, colza), de chanvre, tabac et houblon est importante. L'élevage constitue également un secteur important de l'agriculture (chevaux, bovins, porcins, ovins) avec l'exploitation forestière (26 % du pays sont couverts de forêts) et la pêche qui connaît un développement rapide. ♦ *Hist.* Les tribus slaves occidentales (Polanes, Vislanes, Poméraniens, Mazoviens) qui s'établirent dès le vᵉ s. à l'E. de l'Oder, entre la Baltique et les Carpates, notamment sur la haute Vistule autour de Cracovie (Vislanes) et dans le bassin de la Warta autour de Gniezno (Polanes), et dont la civilisation dérivait de la culture lusacienne **(V. Biskupin),** furent à l'origine de la formation de la nation polonaise, sous l'hégémonie des Polanes et de leur dynastie princière, les Piast*. La naissance de l'État polonais est probablement antérieure (d'un siècle ou plus) aux débuts historiques de la Pologne sous Mieszko* Iᵉʳ (v. 960) qui hérita de ses prédécesseurs de vastes territoires unifiés qui englobaient la Grande Pologne, la Cujavie, la Mazovie, autour du centre de Gniezno*. Mieszko Iᵉʳ (v. 960-992) conquit la Silésie*, la Petite Pologne*, soumit la Poméranie* et plaça la Pologne sous la protection du Saint-Siège, afin d'écarter la suzeraineté allemande. Son fils et successeur Boleslas* Iᵉʳ (992-1025), premier roi de Pologne (1025), s'empara de la Lusace* et de la Bohême* à l'O., de la Moravie* et d'une partie de la Slovaquie* au S., et envahit à l'E. la Russie kiévienne où il s'assura d'un territoire situé sur le haut Bug jusqu'à Brest*, et le haut San avec Przemyśl*. La majorité de ses conquêtes furent perdues sous le règne de son fils Mieszko* II (1025-1034) qui reconnut la suzeraineté germanique. La crise monarchique qui suivit sa mort, aggravée par les insurrections populaires durant l'interrègne (1034-1039), prit fin sous les règnes de Casimir* Iᵉʳ (1039-1058) et Boleslas* II (1058-1079), mais les réactions nobiliaires ramenèrent l'anarchie avec Ladislas* Iᵉʳ Herman (1079-1102). L'unité de la Pologne, provisoirement rétablie par Boleslas III (1102-1138) qui réannexa la Poméranie, fut à nouveau compromise par le partage du royaume ducal en principautés régionales en faveur de ses fils **(V. Ladislas II,** 1139-1146; **Boleslas IV,** 1146-1173; **Mieszko III,** 1173-1177; **Casimir II,** 1177-1194), dont les descendants, à leur tour, morcelèrent le pays en vingt-quatre duchés, provoquant ainsi une désorganisation politique (1139-1305) qui favorisa les ambitions des pays voisins. Les incursions prussiennes et lituaniennes, la pénétration du Brandebourg* et de l'ordre Teutonique*, suivies de l'invasion des Mongols battus à Legnica* par Henri* II le Pieux (1241), ainsi que le morcellement de la Silésie* affaiblirent considérablement la Pologne en dépit de son essor économique favorisé par les infiltrations germaniques, notamment en Silésie et en Poméranie occidentale. La première tentative d'unification de l'État, amorcée par l'élection au trône de Pologne de Wenceslas* II, roi de Bohême (1278-1305), puis de Wenceslas* III (1305-1306), aboutit à la restauration de la monarchie des Piast avec Ladislas* Iᵉʳ Łokietek qui parvint à se faire couronner en 1320 et rassembla les principaux duchés, hormis la Silésie, la Poméranie et la Mazovie. Son fils Casimir* III le Grand fut le véritable restaurateur de la Pologne (1333-1370). Il assura son essor commercial, économique et culturel (université de Cracovie*) et ses assises territoriales en annexant la Galicie*, la Volhynie*, la Podolie* et la Mazovie*, mais fut contraint d'abandonner la Silésie à la Bohême et la Poméranie à l'ordre Teutonique. Dernier descendant direct des Piast, il désigna pour héritier son neveu Louis* Iᵉʳ de Hongrie (1370-1382) dont la fille, Hedwige*, fut élue reine de Pologne en 1384, après un interrègne de deux ans. Le mariage d'Hedwige avec Ladislas* II Jagellon, grand-prince de Lituanie*, élu conjointement en 1386, fut à l'origine de l'union polono-lituanienne et de la dynastie des Jagellons*. La menace de l'ordre Teutonique combattu par Ladislas II, victorieux à Grunwald-Tannenberg* (1410), fut écartée sous Casimir* IV (1447-1492), successeur de Ladislas* III (1434-1444), à l'issue d'une guerre de treize ans (1454-1466), par la paix de Thorn **(V. Toruń)** qui restitua à la Pologne la Poméranie* orientale et Dantzig*. Sous le règne des fils de Casimir IV **(V. Jean* Iᵉʳ Albert** [1492-1501], **Alexandre Iᵉʳ** [1501-1506], **Sigismond Iᵉʳ** [1506-1548]**),** les luttes intestines entre la noblesse et l'aristocratie aboutirent à l'affaiblissement du pouvoir monarchique et à l'établissement d'une monarchie constitutionnelle (1505). Néanmoins, le droit de suzeraineté sur la Prusse* orientale (1525), l'annexion de la Mazovie (1526) et, surtout, l'épanouissement de la Renaissance et le développement économique et culturel des villes polonaises (Cracovie, Varsovie, Dantzig, Poznań, ...) sous Sigismond Iᵉʳ, portèrent la Pologne à l'apogée de sa grandeur. La vie intellectuelle intensifiée sous la poussée de l'humanisme (Copernic*, Frycz*-Modrzewski, Janicki, ...), prit son essor avec la prose et la poésie polonaises qui supplantèrent la langue latine (Rej*, Kochanowski*, ...) sous Sigismond* II (1548-1572) dont la tolérance religieuse et politique favorisa, outre la constitution des églises réformées, l'annexion de la Livonie* avec la Lettonie* en 1561, la suzeraineté sur la Courlande* et la fusion définitive de la Pologne et de la Lituanie, consacrée par l'union de Lublin* (1569). Le long interrègne qui suivit l'extinction de la dynastie jagellone à la mort de Sigismond II inaugura l'ère de la monarchie élective (diète de Varsovie, 1573) avec Henri de Valois (1573-1574), futur roi de France (Henri* III), puis Étienne* Bathory (1576-1586) qui, par ses succès sur Ivan* le Terrible, s'assura la possession incontestée de la Livonie. De 1587 à 1688, la Pologne fut gouvernée par une branche catholique de la dynastie suédoise des Vasa*. L'instabilité monarchique et le succès de la Contre-Réforme propagée par les Jésuites dès 1578 s'amplifièrent sous le règne de Sigismond* III Vasa (1587-1632), qui transféra la capitale de Cracovie* à Varsovie*, tandis qu'à l'extérieur ses revendications au trône de Suède*, ses ambitions orientées vers la Russie et la Baltique provoquaient un cycle de conflits (Suède, Russie, Turquie) qui entraînèrent, en dépit de l'attitude neutraliste de Ladislas* IV (1632-1648) après l'insurrection des Cosaques de Khmelnitski en Ukraine* (1648-1651) l'intervention des Russes en Pologne (1654) et la première guerre du Nord (1655-1660) sous Casimir V (1648-1668). Le pays, amputé de la Livonie (paix d'Oliwa*, 1660) et de l'Ukraine à l'E. du Dniepr (traité d'Androussovo*, 1667), affaibli par les pertes humaines et économiques, ne put retrouver sa puissance, malgré le prestige passager retiré des succès militaires contre les Turcs à Khotine* (1673), Zurawno* (1676), Kahlenberg (1683) par Jean* III Sobieski (1674-1696), successeur de Michel* Wiśnowiecki (1669-1673), et de la restitution de la Podolie et d'une partie de l'Ukraine (traité de Karlowitz*, 1699). Devenue l'enjeu des puissances étrangères, la Pologne fut contrainte d'accepter l'élection d'Auguste* II (1697-1733), électeur de Saxe, soutenu par l'Autriche et la Russie. au détriment de François-Louis de Conti* élu en 1697, puis de Stanislas* Leszczyński, imposé par la Suède (1704-1709) durant la deuxième guerre du Nord (1700-1721), et chassé par Auguste II après la victoire de Poltava* (1709). La guerre de Succession* de Pologne (1733-1738) provoquée par la double élection de Stanislas* Leszczyński (1733-1736) élu par la diète de Varsovie avec l'appui de la France, et d'Auguste* III de Saxe (1733-1763), candidat austro-russe, se termina par la victoire de ce dernier (traité de Vienne*, 1738), la consécration de la tutelle russe sur la Pologne étant confirmée à nouveau par l'élection de Stanislas* II Poniatowski (1764-1795). L'échec de l'insurrection des patriotes polonais contre l'ingérence de la Russie (Confédération de Bar*, 1768) précipita la dissolution

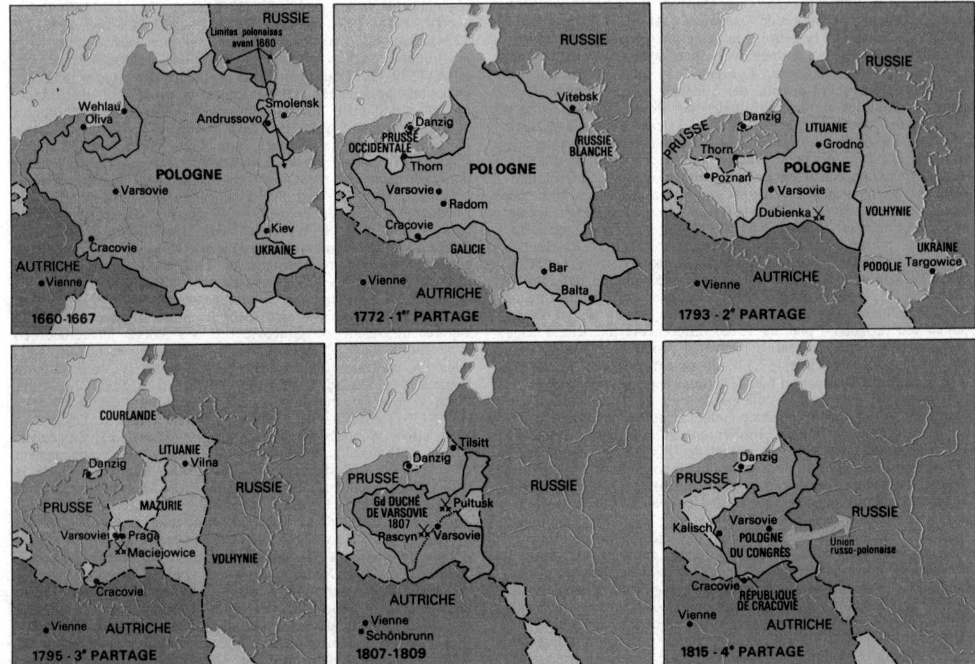

Partages de la **Pologne**

de l'État, sur l'initiative de Frédéric* II le Grand qui rallia Catherine* II et Marie*-Thérèse pour procéder au *premier partage de la Pologne* (1772). La Prusse s'empara de la Prusse occidentale à l'exception de Dantzig* et Thorn (36 000 km²), la Russie de la Lituanie* à l'E. du Dniepr supérieur et au N. de la Duna (92 000 km²) et l'Autriche* de la Galicie* moins Cracovie* (83 000 km²). Sous protectorat politique de la Russie, la Pologne (520 000 km²) réorganisa son enseignement par la création du premier ministère de l'Instruction publique (1773) et réussit à faire adopter par la diète de quatre ans (1788-1792) la Constitution du 3 mai 1791, qui instaurait la monarchie héréditaire et une série de projets de réforme. La Confédération de Targowica* (1792) et l'intervention militaire de la Russie, opposée aux réformes, furent suivies du *deuxième partage de la Pologne* (traité de Grodno*, 1793) entre la Russie qui s'empara de l'Ukraine*, de la Podolie* et d'une partie de la Volhynie* et de la Lituanie (250 000 km²) et la Prusse qui gagna Dantzig*, Thorn (Toruń*) et la Grande Pologne avec Poznań* (57 000 km²). La réaction patriotique se manifesta par une insurrection nationale, militairement dirigée par Kosciuszko*. Mais sa défaite à Maciejowice*, conjuguée à la capitulation de Varsovie* après le massacre de Praga* (oct. 1794; **V. Souvorov**) aboutit l'année suivante au *troisième partage de la Pologne* (1795). La Prusse obtint Varsovie et les territoires à l'O. du Bug et du Niemen, la Russie le reste de la Volhynie, de la Lituanie et la Courlande, tandis que l'Autriche s'emparait du reste du territoire compris entre la Pilica et le Bug avec Cracovie*. Après la disparition de l'État, de nombreux patriotes polonais dispersés à travers l'Europe constituèrent à l'appel de Dąbrowski* les « légions polonaises » qui jouèrent un grand rôle dans l'épopée napoléonienne, notamment lors de la création du grand-duché de Varsovie (1807-1814) formé par Napoléon Ier au profit de Frédéric*-Auguste Ier de Saxe, avec des provinces enlevées à la Prusse au traité de Tilsit* (Mazovie, Gujavie, Posnanie) et durant les campagnes d'Autriche (annexion de la Galicie* occidentale, Cracovie*, Lublin*) et de Russie (**V. Poniatowski**). À la chute de l'Empire, le congrès de Vienne* (1815) procéda à un *quatrième partage de la Pologne*. Le grand-duché, amputé des territoires restitués à la Prusse (Prusse occidentale, Posnanie, Dantzig, Thorn) et à l'Autriche (Galicie, Lodomérie) passa sous l'autorité du tsar Alexandre* Ier (à l'exception de Cracovie*, érigée en république semi-autonome) sous le nom de *« royaume de Pologne »*, uni à l'empire russe par le lien d'une Constitution propre. La lutte contre l'oppression tsariste, illustrée par une première insurrection (1830-1831, **V. Czartoryski** [Adam Jerzy]), et violemment réprimée par Paskievitch* après les défaites d'Ostrołęka* et Varsovie*, fut exaltée par la littérature romantique polonaise (Mickiewicz*, Krasiński*, Słowacki*) dont les représentants s'étaient réfugiés en France lors de l'émigration massive de 1831 et la création de centres patriotiques à l'étranger; elle se solda après l'échec de l'insurrection de 1863 par une politique de répression et de russification. Parallèlement, les insurrections de Cracovie (1846), aussitôt annexée par l'Autriche, et de Poznań [1848] **(V. Mierolawski)** provoquèrent en Pologne prussienne une germanisation intensive, tandis que la Pologne autrichienne parvenait à se faire accorder un statut d'autonomie (1861) qui favorisa, par une résistance légale, la résurrection du pays, à la veille de la Première Guerre mondiale. Les transformations sociales qui suivirent la progression économique de la Pologne occupée (industries du charbon, de l'acier, des textiles) entraînèrent de nouveaux courants politiques (mouvement socialiste, paysan, nationaliste) dont les tendances révolutionnaires et patriotiques se manifestèrent sous forme de revendications nationales. Dès 1908, Pilsudski*, réfugié en Galicie après l'échec de l'insurrection de Varsovie (1905), organisa une forte armée, qui combattit, sous le nom de *Légion polonaise*, aux côtés des Austro-Hongrois contre les Russes en 1914. Durant la Première Guerre* mondiale, la Pologne fut conquise par les Austro-Allemands (1915) et partagée en deux zones d'occupation (allemande avec Varsovie*; autrichienne autour de Lublin*), puis réunie en 1916 avec la promesse de créer un royaume de Pologne indépendant doté dès janv. 1917 d'un conseil d'État provisoire, puis d'un conseil de régence (sept. 1917). Cependant, le Comité national polonais installé à Paris (1917) et présidé par Dmowski et Paderewski*, reconnu par les gouvernements alliés, recrutait une armée de volontaires qui combattirent les Allemands sous la direction de Haller*. La défaite successive de toutes les puissances qui s'étaient partagé la Pologne permit la proclamation du premier gouvernement indépendant (1918) dont Piłsudski fut élu chef d'État et Paderewski président du Conseil (janv. 1919). Ses frontières occidentales (approximativement celles de 1772) furent fixées au traité de Versailles* (1919) tandis qu'à l'E. la ligne Curzon*, provisoirement définie, était repoussée d'env. 150 à 200 km à l'E. du Bug, après la guerre polono-soviétique et la victoire de Piłsudski (aidé de Sikorski*, Weygand*) par le traité de Riga*. Ces acquisitions furent encore complétées par la restitution de toute la Galicie* et d'une partie de la haute Silésie* (avec Katowice). À l'intérieur, la Constitution de 1921 établit un régime démocratique et parlementaire mais, devant l'instabilité gouvernementale, Piłsudski (retiré depuis 1922) s'empara du pouvoir par un coup d'État militaire (1926), fit élire Mościcki président de la République (en remplacement de Wojciechowski) et exerça jusqu'en 1935 une véritable dictature, qui fut maintenue après sa mort par Rydz*-Śmigły (1935-1939). Durant la Deuxième Guerre* mondiale (1939-1945), dont la cause immédiate fut la revendication d'Hitler* sur le couloir de Dantzig*, la Pologne, envahie par les troupes allemandes sans déclaration de guerre (1er sept.) puis par l'armée soviétique dans sa partie orientale (17 sept.) fut submergée en moins d'un mois (capitulation de Varsovie*, 27 sept.) et partagée entre l'Allemagne (Pologne occidentale avec Varsovie,

Cracovie) et l'U.R.S.S. (Ukraine, Biélorussie). Tandis que les membres du gouvernement polonais réfugiés en France (1939), puis à Londres (1940) reconstituaient un gouvernement et une armée nationale sous le commandement du général Sikorski, la nation polonaise, déjà persécutée dans la zone soviétique (déportations en Sibérie, massacre de Katyn*), fut réduite, dans la zone d'occupation nazie, à un système d'oppression et de destruction sans précédent. Outre la déportation de deux millions et demi de Polonais condamnés au travail forcé en Allemagne, plus de six millions de Polonais dont nombre de juifs, furent exterminés dans les camps **(V. Auschwitz, Bełzec, Birkenau, Chełmno nad Nerem, Majdanek, Sobibor, Treblinka)** [et Rogoźnica, etc.] et les ghettos (Varsovie, Łódz, Lublin, ...). La résistance polonaise, divisée en deux tendances, l'une anti-allemande et antisoviétique soutenue par Londres et anéantie par les Allemands, sans que les Russes aient cherché à intervenir, lors de l'insurrection de Varsovie (1er août-2 oct. 1944), l'autre procommuniste, constituée à Lublin* avec l'aide de l'Union soviétique et transférée à Varsovie (après sa libération par les troupes polono-soviétiques) sous le nom de gouvernement provisoire (17 janv. 1945). Au lendemain de la libération, la Pologne, dont les frontières furent fixées par les conférences de Téhéran, de Yalta* (févr. 1945) et de Potsdam* (août 1945) à la ligne Curzon* à l'E. et à la ligne Oder*-Neisse à l'O. (définitivement reconnue en 1970 par la République fédérale allemande), renonça à l'Ukraine* et à la Biélorussie*, mais retrouva, en revanche, ses droits sur la Silésie*, la Poméranie* et la Mazurie*. Au gouvernement d'Union nationale formé en juin 1945 succéda en 1947 un « bloc démocratique » dirigé par le parti ouvrier et le parti socialiste **(V. Gomułka, Cyrankiewicz)** qui fusionnèrent en un parti ouvrier unifié dont le secrétariat général fut assumé par le président Bierut* (1948). Le caractère politique du nouvel État, sous l'influence étroite de l'U.R.S.S., fut confirmé par la nomination du maréchal soviétique Rokossovski* (nov. 1949) au poste de ministre de la Défense, et précisé par la Constitution de la *République populaire de Pologne* (1952) qui remplaça la présidence de la République par un Conseil d'État. Cependant, le mécontentement croissant de la majorité catholique après l'arrestation de Wyszyński*, et de la classe ouvrière et paysanne contre la soviétisation, malgré les nationalisations effectuées, aboutirent à la suite des émeutes de Poznań (juin 1956) à la réélection de Gomułka (exclu du parti en 1949) et à de larges réformes libérales, bien que la politique extérieure de la Pologne restât fondée sur l'alliance avec l'U.R.S.S. Les violentes manifestations étudiantes qui suivirent la répression du mouvement de libération tchécoslovaque (1968) poussèrent Gomułka à s'appuyer sur l'U.R.S.S., mais la crise économique et sociale qui provoqua en 1970 les émeutes ouvrières de Gdańsk*, Sopot, Gdynia,... le contraignit à démissionner. Gierek* le remplaça.

POLOGNE (Grande), en polon. **Wielkopolska**. ♦ Région géographique de la *Pologne**, située à l'E. de l'Oder*, entre la Poméranie* au N. et la Silésie* au S. Baignée par la Warta* et ses affl. (Noteć*, Obra*, Prosna*), elle est principalement constituée par les anc. régions de Posnanie* et de Cujavie*. *V. princ.* Poznań*.

POLOGNE (Petite), en polon. **Małopolska**. ♦ Région géographique de la *Pologne*, située à l'intérieur de la courbe formée par la Vistule* entre Cracovie et Varsovie, et composée par un ensemble de plateaux boisés comprenant le massif hercynien des Łysogóry*. La Pilica*, la Warta* et la Prosna* y prennent leurs sources. — *V. princ.* Łódz*. Gisements de minerai de fer autour de Kielce*.

POLONCEAU (Antoine Rémy). ♦ Ingénieur français (Reims, 1778 — Roche, Doubs, 1847). Constructeur des routes du Simplon (1801), du Lautaret (1808), il aménagea la route du pas des Échelles et acheva celle du Mont-Cenis. Père de Barthélemy Polonceau.

POLONCEAU (Barthélémy Camille). ♦ Ingénieur français (Chambéry, 1813 — Viry-Châtillon, 1859), fils d'Antoine Rémy Polonceau. Il conçut, pour les halles rectangulaires, le système de combles avec arbalétriers en bois ou en fer et tirants en fer (procédé Polonceau).

POLONNÂRUWA. ♦ Anc. cité du N. de l'île de Ceylan*, cap. d'un royaume bouddhiste du VIIIe au XIIIe siècle. Les nombreux monuments qu'elle renferme en ont fait un site archéologique de grande importance aussi bien qu'un lieu fréquenté de pèlerinage pour les bouddhistes. Tourisme.

POLOTSKI (Siméon *de*) [*Polocki*]. ♦ Poète russe (Russie blanche, 1629 — Moscou, 1680). Il introduisit en Russie le vers syllabique régulier (*Le Jardin multicolore*, 1678) et donna naissance au théâtre russe *(Nabuchodonosor, L'Enfant prodigue)*.

POLTAVA. ♦ V. d'U.R.S.S. (Ukraine), ch.-l. de la région du même nom (28 800 km^2, 1 700 000 hab.), située à l'O. de Kharkov sur la Vorskla (affl. g. du Dniepr). 239 000 hab. Important nœud ferroviaire et marché agricole. Indus. alimentaires. Travail du bois. Production de diamants synthétiques. — Patrie de Paskievitch*, Petlioura*, Lounatcharski* et Zochtchenko*. Dans la région est né Skovoroda. ♦ *Hist.* Charles XII, roi de Suède, qui assiégeait la place depuis trois mois y fut vaincu par Pierre* le Grand (juil. 1709). La défaite mit fin à l'hégémonie suédoise dans la Baltique. Auguste* II, électeur de Saxe, chassa Stanislas* Leszczynski et remonta sur le trône de Pologne*, tandis que Charles XII, après avoir demandé l'asile au sultan ottoman Ahmet* III, se réfugia à Bendery avec Mazeppa* son allié.

POLTROT (Jean de, *sieur de* MÉRÉ). ♦ Gentilhomme français (château de Méré, près de Bouex, Angoumois, v. 1533 — Paris, 1563). Rallié à la Réforme, il semble avoir formé très tôt le projet de tuer le duc de Guise*, chef de l'armée catholique, et réussit à le blesser mortellement lors du siège d'Orléans (1563). Arrêté, Poltrot fut mis à la question. Il déclara avoir agi avec des complices et à l'instigation de Coligny* ; mais rien ne confirma ses allégations, et, condamné à mort, Poltrot fut écartelé.

POLYBE, en gr. **Polubios**. ♦ Historien grec (Mégalopolis, Arcadie, v. ~ 202 — v. ~ 120). Officier de la ligue Achéenne*, il fut livré en otage à Rome où il resta seize ans. Son amitié avec Scipion Émilien lui permit de connaître des hommes politiques et d'avoir accès aux archives. Il voyagea en Italie, en Espagne, en Gaule et accompagna son protecteur dans ses campagnes contre Carthage et Numance. Admirateur inconditionnel de Rome, il essaya d'empêcher la révolte des villes grecques et entretint une polémique contre leurs chefs, mais il exerça son influence pour adoucir le sort des vaincus. Ses ouvrages *Vie de Philopœmen, Guerre de Numance* et *Traité de tactique* sont perdus. Ses *Histoires* en quarante livres, dont il nous reste les cinq premiers et d'importants fragments des suivants, embrassent la période de ~ 220 à ~ 146 après un aperçu des époques antérieures. L'hégémonie romaine y paraît le fait de facteurs concrets et moraux, notamment de la supériorité de la constitution romaine. Polybe rejette l'histoire comme variété de l'éloquence, de l'érudition ou de la poésie. Il établit que l'histoire doit être universelle et pragmatique, fondée sur une vaste expérience politique et militaire, appuyée sur la géographie et éclairée par la philosophie. Au delà des causes immédiates il fait prévaloir les causes déterminantes telles que les religions, les institutions, l'organisation militaire et la puissance économique, tout en admettant le rôle de la personnalité et du hasard *(tukhê)*. Il s'apparente à Thucydide* par la lucidité, la précision et le sens politique de ses analyses, sans en avoir l'envergure de pensée et l'originalité. Sa prose est plate et lassante.

POLYCARPE *(saint)*. ♦ (IIe s.). Père apostolique (il aurait connu saint Jean), évêque de Smyrne où il mourut martyr en 155 ou 177. Fête le 26 janvier.

POLYCLÈTE, en gr. **Polukleitos**. ♦ Sculpteur grec (~ Ve s.), originaire de Sicyone*. Il n'est pas certain qu'il fût un élève d'Agéladas*, mais il sortit de l'école d'Argos*, sa patrie adoptive, et fut le plus célèbre bronzier de ce centre artistique. Il travailla aussi à Athènes* en même temps que Myron* et Phidias* à qui il fut parfois comparé. Traduisant dans la plastique le courant rationnel et peut-être même les recherches mathématiques des pythagoriciens, Polyclète est le sculpteur de l'harmonie du corps humain dont il codifia les proportions dans son fameux *canon* (la règle) basé sur le nombre et le module (*par ex.* sept têtes dans la hauteur du corps). Le parfait équilibre du corps viril au repos, son thème habituel, est dû en grande partie, mais pas uniquement, à cette perfection quasi doctrinale. On a conservé des copies fidèles de ses athlètes en bronze, dont le *Diadumène** et le *Doryphore**. Sa statue chryséléphantine d'Héra (~ 420) a disparu.

POLYCRATE, en grec **Polukratês**. ♦ Tyran de Samos (~ 535 — ~ 522). Sous son gouvernement, l'île connut son apogée et domina dans la mer Égée. Polycrate défit les Lesbiens et leurs alliés Milésiens, s'allia aux Égyptiens, puis les abandonna pour l'alliance avec les Perses, tout en complotant pour enlever à ceux-ci l'Ionie. Attiré dans un guet-apens par le satrape de Sardes, il fut fait prisonnier et périt crucifié. Célèbre pour ses pirateries et ses cruautés, Polycrate protégea pourtant les sciences et les arts. Il accueillit Anacréon* et embellit Samos.

POLYEUCTE *(saint)*. ♦ Officier romain, martyr à Mélitène en Arménie v. 250. La notice que lui consacre Siméon Métaphraste, hagiographe du Xe s., fournit à P. Corneille le point de départ de sa tragédie, *Polyeucte**.

Polyeucte. ♦ Tragédie de P. Corneille, en cinq actes, en vers (1641), dont le sujet est emprunté à un récit de Siméon Métaphraste. Seigneur arménien, Polyeucte a épousé Pauline, fille de Félix, gouverneur romain d'Arménie, qui a reçu de l'empereur Décius la mission de poursuivre les chrétiens. Tandis qu'entraîné par son ami Néarque, Polyeucte va recevoir le baptême, apparaît Sévère, chevalier romain, que Pauline a aimé autrefois, mais à qui Félix a refusé la main de sa fille. Devenu favori de l'empereur, Sévère

Ph. Prato/Ricciarini

Polonnâruwa.

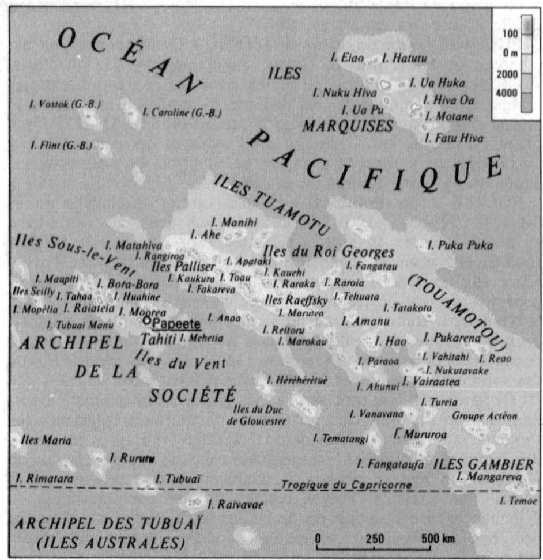

Polynésie française.

inquiète Félix qui redoute maintenant son ressentiment. À la requête de son père, Pauline le rencontre et lui laisse entendre qu'elle n'a point cessé de l'aimer, mais qu'elle demeurera fidèle à Polyeucte. On apprend alors qu'animé d'une sainte fureur celui-ci vient de détruire les idoles païennes. Emprisonné, invité à renoncer à sa foi, il ne se laisse fléchir ni par les menaces de Félix ni par les larmes de Pauline. Résolu au martyre, il confie Pauline à Sévère. Le rayonnement de la grâce chrétienne opère alors un prodige. Pauline et Félix se convertissent, tandis que Sévère s'engage à défendre la cause des chrétiens auprès de Décius.

POLYGNOTE [pɔlignɔt], en gr. **Polugnôtos**. ♦ Peintre grec (Thasos, v. ~ 500 – v. ~ 440), le plus illustre de son siècle. Il travailla surtout à Athènes, sa patrie adoptive, où il décora notamment la *Stoa Poikilé* (« Portique peint »), à Delphes (la *Lesché des Cnidiens*), à Platées, etc. Les thèmes de ses vastes peintures murales étaient tirés de la tradition légendaire (la prise de Troie, l'évocation des morts par Ulysse ou *Nekyia*, etc.). Sa principale innovation consistait dans la distinction des plans superposés par la répartition des figures sur un terrain conventionnellement accidenté. Il remplaçait ainsi l'alignement en frise, introduisant en quelque sorte une notion de perspective et de paysage. Brisant la rigidité archaïque, il arrêtait sur les physionomies l'expression psychologique et le caractère moral des personnages. Ses fresques ne nous sont connues que par des descriptions et par des transpositions dans le décor céramique. Le cratère d'Orvieto (musée du Louvre), décoré par le peintre des Niobides, traduit typiquement le style de Polygnote dans la céramique.

POLYMNIE ou **POLHYMNIE**, en gr. **Polumnia**. ♦ Une des Muses*, dont les attributions varient selon les auteurs. Elle préside à l'hymne, à la pantomime ou à la poésie lyrique, mais on lui attribue aussi l'invention de l'harmonie, de l'orchestique et parfois de la géométrie.

POLYNÉSIE. *n. f.* (« îles nombreuses » du gr. *polus* « nombreux » et *nêsos* « île »). ♦ Ensemble d'îles du Pacifique (Océanie) qui s'étend à l'E. de l'Australie*, de la Mélanésie* et de la Micronésie*. Elle est constituée d'îles et d'archipels, situés à l'intérieur d'un triangle formé par l'État de Hawaï* (États-Unis) au N., la Nouvelle*-Zélande au S.-O. et un groupe d'îles à l'E. (îles de la Ligne*, Ellice, Phoenix, les Samoa* occidentales et orientales, les îles Cook*, les Tonga*, Wallis*-et-Futuna, les îles de la Polynésie* française et l'île de Pâques*, isolée dans le Sud-Est. 26 500 km² environ). On y distingue des atolls, des îles volcaniques et des îles entourées d'un lagon. – *N. B.* Se reporter aux différentes îles et archipels.

POLYNÉSIE FRANÇAISE. ♦ Partie de la Polynésie* (Océanie) qui regroupe 130 îles, îlots et atolls (4 000 km²) dans l'océan Pacifique Sud. **(V.** *aussi* **Clipperton).** Elle est formée de cinq archipels : îles Marquises*, îles Tuamotu*, îles Gambier*, îles de la Société* et îles Tubuaï* ou Australes. 110 000 hab. env. *(Polynésiens*). Cap.* **V. Papeete.** On distingue généralement les « îles basses » et les « îles hautes »; ces dernières (Tahiti*, Bora* Bora, les Marquises*) sont des formations volcaniques, avec des pics et des chaînes entaillées par des vallées que drainent des rivières courtes et droites; elles possèdent d'étroites plaines côtières. Les îles basses sont des atolls coralliens ou calcaires. Îles basses et hautes en général sont entourées de vastes lagons protégés par des récifs, barrières de corail. Le climat est tropical. – L'*économie* de subsistance (tubercules) est suffisante, la pêche joue un rôle important; élevage de porcs et volaille, parfois de bétail, chèvres et chevaux. Le commerce de détail est souvent le fait de Chinois. Les exportations principales sont le coprah, la vanille, la nacre. L'installation du *Centre d'expérimentation du Pacifique* (C.E.P.) à partir de 1964 a entraîné l'arrivée de plusieurs milliers d'Européens, modifié l'équilibre économique et entraîné une prospérité liée à la politique militaire française. Le tourisme se développe. ♦ *Hist.* La découverte par les Européens des îles de la Polynésie française s'est faite progressivement (voir aux différents archipels). D'abord établissements français d'Océanie* (1885-1946), les îles devinrent un territoire d'outre-mer (T.O.M.) dans le cadre de l'Union* française, et conservèrent ce statut en 1958.

POLYNÉSIENS. *n. m. pl.* ♦ Population très mélangée de la Polynésie*, à la peau plus claire que les Mélanésiens* et Micronésiens*, aux cheveux lisses, au nez large et plat. Env. 1 000 000. Leurs langues appartiennent au groupe malayo-polynésien.

POLYNICE, en gr. **Poluneikês**. ♦ L'un des fils nés de l'union incestueuse d'Œdipe* et de Jocaste. Après le refus d'Étéocle* de lui rendre le trône de Thèbes* à l'expiration de son mandat annuel, il se rend auprès d'Adraste*, roi d'Argos, et prépare l'expédition des Sept* Chefs **(V. Sept contre Thèbes,** tragédie d'Eschyle). Les deux frères se tuent dans un combat singulier et Créon*, le nouveau tyran, interdit toute sépulture à Polynice. **V. Antigone, Ismène.**

POLYPHÈME, en gr. **Poluphêmos**. ♦ L'un des Cyclopes*, fils de Poséidon* et héros d'un célèbre épisode de l'*Odyssée**. Il capture Ulysse* et ses compagnons dans son antre, en Sicile, et dévore deux d'entre eux à chaque repas. Le soir, Ulysse lui offre du vin et, quand le Cyclope ivre s'endort, il aiguise un énorme pieu, le fait rougir au feu et, aidé par ses compagnons survivants, l'enfonce dans l'œil unique du Cyclope. Polyphème appelle en vain à l'aide ses frères qui le croient fou parce qu'il injurie « Personne », nom sous lequel Ulysse s'était astucieusement présenté. Le matin, les Grecs réussissent à sortir accrochés sous le ventre des brebis qui sortent pour aller au pâturage, malgré la vigilance du Cyclope aveuglé qui tâte le dos de chaque bête devant le seuil. Ayant regagné leur navire, les rescapés prennent la mer. Le héros alors lui crie que c'est lui, Ulysse, qui l'a aveuglé et le Cyclope lance en direction de la voix des rochers qui soulèvent de fortes vagues. L'acte d'Ulysse lui coûte la haine de Poséidon. – Héros d'un drame satyrique d'Euripide *(Le Cyclope)*, Polyphème est, dans une idylle de Théocrite, l'amoureux de la Néréide Galatée*. Celle-ci lui préfère le jeune berger Acis*, et Polyphème se venge en écrasant son rival sous un énorme rocher.

POLYXÈNE, en gr. **Poluxenê**. ♦ Princesse troyenne, fille de Priam* et d'Hécube*. Selon une tradition post-homérique, elle est aimée par Achille, qui est prêt à trahir les Grecs pour son amour. Elle est sacrifiée, après la prise de Troie, par le fils d'Achille, Pyrrhos*.

POMARÉ. ♦ Nom d'une dynastie qui régna à Tahiti de 1762 à 1880. ♦ POMARÉ Ier (v. 1743 – 1803). Roi de Tahiti depuis 1762, il accueillit le capitaine Cook*. Il eut à combattre plusieurs insurrections. Ce ne fut qu'à l'époque de son abdication en faveur de son fils qu'il prit le nom de Pomaré. ♦ POMARÉ II (1780 – 1821). Fils du précédent. Il résolut de convertir ses sujets au christianisme après s'être converti lui-même. Il en résulta une insurrection dont il triompha après de sanglants combats qui décimèrent la population. Il laissa alors son trône à son fils Teriltaria qui lui succéda sous le nom de POMARÉ III. Celui-ci mourut en bas âge et fut remplacé par sa sœur *Aimata* (1813 – 1877), qui régna sous le nom de POMARÉ IV. Elle dut accepter en 1843 le protectorat français. Renversée en 1852, puis rétablie par la France, elle abdiqua en faveur de son fils. Celui-ci, POMARÉ V, abdiqua à son tour en 1880 après avoir cédé les îles Marquises à la France.

POMBAL (Sebastião Jose de Carvalho e Melo, *marquis de***)**. ♦ Homme politique portugais (Lisbonne, 1699 – Pombal, 1782). Ambassadeur à Londres, puis à Vienne, ministre des Affaires étrangères, il devint Premier ministre en 1755 et resta le maître tout-puissant du Portugal jusqu'en 1777. Très cultivé, travailleur acharné et homme politique ambitieux, il établit un régime de despotisme éclairé, encouragea le commerce, l'industrie et l'agriculture. Aux colonies, il fonda les compagnies de Pernambouc, Para et Maranhão. C'est lui qui brisa la révolte de la noblesse (1755) et fit expulser les Jésuites du royaume et des colonies portugaises (1759). Sa politique anticléricale et ses méthodes tyranniques lui valurent d'être renvoyé par Marie* Ire, à la mort de Joseph* Ier (1777).

POMÉRANIE. *n. f.*, en all. **Pommern**, en polon. **Pomorze**. ♦ Région située sur la Baltique, et qui était comprise entre le Mecklembourg, la Prusse et le Brandebourg (ses limites ont varié). Les Slaves y succédèrent aux tribus germaniques (Ve-VIe s.) et pendant tout le Xe s. elle fut en butte à des tentatives de conquête et de conversion de la part de la Pologne. L'évangélisation en fut effectivement entreprise au XIIe s. par Othon* de Bamberg, tandis qu'elle se séparait en deux principautés : la *Pomérélie*, ou *Poméranie ultérieure*, dont la possession passa de la Pologne à l'ordre teutonique (XIVe s.) puis de nouveau à la Pologne (XVe s.), à la Prusse en 1772 (premier partage de la Pologne), et enfin, pour la plus grande partie, à la Pologne en 1919, Dantzig* étant une ville libre; la *Poméranie* proprement dite, duché d'Empire dès le XIIe s., divisée aux XIVe-XVe s. et de nouveau réunie en 1478, qui fut disputée par la Suède et le Brandebourg au XVIIe s. Le traité de Westphalie* donna les territoires de l'O. de l'Oder à la Suède et ceux de l'E. au Brandebourg. La Prusse agrandit ses possessions après les guerres du Nord et réunit tout le pays en 1814. Depuis 1945, la partie située à l'E. de l'Oder est placée sous l'administration polonaise, les Allemands en ayant été expulsés.

POMÉRÉLIE. *n. f.* ♦ V. POMÉRANIE (ultérieure).

POMEROL. ♦ Comm. de la Gironde*, arr. de Libourne* 1 116 hab. (113 aggl.). — Vins célèbres.

POMMARD. ♦ Comm. de la Côte-d'Or (arr. de Beaune), au pied de la côte de Beaune, sur l'Avant-Dheune. 840 hab. Celliers voûtés du château de Commaraine (XIVe s.). Crus célèbres de bourgognes rouges. **V. Bourgogne.**

POMONE. ♦ Nymphe protectrice des fruits *(pomum)* dans la religion romaine. Les poètes lui attribuent de nombreuses aventures amoureuses avec Silvain, Picus et Vertumne, dont Ovide en fait la femme. Le retour des saisons et de la maturation des fruits serait l'image de leur éternelle fidélité.

POMOTUS ou **PAUMOTUS.** ♦ Nom donné aux habitants de l'archipel Tuamotu*.

POMPADOUR (Jeanne Antoinette POISSON, *marquise de***).** ♦ Favorite de Louis XV (Paris, 1721 — Versailles, 1764). Fille d'un financier, elle épousa un fermier général, Le Normant d'Étioles, et brilla dans les salons (elle fréquentait celui de Mme de Tencin*, de Mme Geoffrin* et était liée à Fontenelle, Voltaire, Crébillon...). Devenue la maîtresse du roi (1745), elle sut conserver son amitié jusqu'à sa mort, par son art de le distraire. Favorite officielle, elle était plus ou moins tolérée de la famille royale et détestée de la cour, elle se trouva en butte à de multiples cabales. Elle protégea les artistes et les fit travailler plus qu'elle ne les influença, faisant aménager ses nombreuses résidences (l'hôtel d'Évreux, futur Élysée, La Celle, Bellevue, Champs). Sa seule influence réelle fut d'intéresser Louis XV à la manufacture de Sèvres et de placer son frère Abel Poisson, marquis de Marigny, à la direction des bâtiments où il se montra un bon administrateur et un adversaire du style rocaille, pourtant appelé style Pompadour. Elle resta l'amie des écrivains et des philosophes, réconciliant Voltaire avec le roi, et protégea l'Encyclopédie. Son influence politique fut probablement limitée au soutien qu'elle accorda à ses amis personnels, soutien heureux dans le cas de Bernis* ou de Choiseul*, plus discutable dans celui de Soubise*. Elle mourut d'une congestion pulmonaire, à l'âge de quarante-trois ans.

POMPÉE, en lat. **Cneius Pompeius Magnus.** ♦ Général et homme politique romain (~ 106 — Péluse, ~ 48). Lieutenant de Sylla*, il battit les partisans de Marius* en Sicile et en Afrique; il y gagna le titre de « Grand ». Sans grandes qualités militaires, il eut la chance d'être servi à plusieurs reprises par les circonstances : il vainquit Lépide* (~ 77), pacifia l'Espagne grâce à l'assassinat de Sertorius* par Perpenna* (~ 72) et mit fin à la révolte de Spartacus* déjà vaincu par Crassus* (~ 71). De retour à Rome (~ 70), le général vainqueur fut élu consul, avec Crassus, avant d'avoir atteint l'âge légal. Avec l'appui des chevaliers et du parti populaire il se fit donner des pouvoirs extraordinaires *(lex Gabinia)* pour combattre les pirates qui ravageaient la Méditerranée (~ 67); en trois mois il les soumit. Il se vit alors conférer le droit de décider absolument de la paix et de la guerre *(lex Manilia)* pour régler les affaires d'Orient (~ 66); il vainquit Mithridate* déjà affaibli par Lucullus* et soumit Tigrane* d'Arménie. Le Pont, la Bithynie et la Syrie devinrent provinces romaines. Après une tournée triomphale à travers les villes grecques, il débarqua en Italie à la tête de ses légions (~ 61). Il pensait que ses mérites exceptionnels le désignaient comme le maître de Rome encore troublée par la conjuration de Catilina*; voulant que le sénat lui conférât légalement le pouvoir, il licencia ses troupes. Mais il avait surestimé son prestige. Il forma alors avec Crassus et César le premier triumvirat (~ 60) et, avec le renouvellement du triumvirat (accord de Lucques), reçut l'Afrique, l'Espagne et Rome (~ 56). Crassus ayant été tué par les Parthes, Pompée et César restaient face à face. César était en Gaule, et Rome, terrorisée par Clodius* et Milon*, sombrait dans l'anarchie; débordé, le sénat donna les pleins pouvoirs à Pompée (fév. ~ 52) qui somma César d'abandonner son armée (~ 50). Ce fut le déclenchement de la guerre civile. César franchit le Rubicon (~ 50); Pompée s'enfuit en Grèce, se mesura à César devant Dyrrachium et fit retraite vers la Thessalie. Vaincu à Pharsale* (~ 48), il tenta de se réfugier en Égypte où il fut assassiné par les hommes de Ptolémée* XIII. ♦ SEXTUS POMPEIUS MAGNUS. Fils du précédent ([mort] Milet, ~ 35). Il rejoignit le parti du sénat après la mort de César et reçut la préfecture de la flotte. Proscrit par le second triumvirat, il se rendit maître de la Méditerranée et affama Rome. Vaincu par Agrippa* à Nauloque (~ 36), il s'enfuit à Milet où un lieutenant d'Antoine* le tua.

POMPÉI, en lat. **Pompeii,** en it. **Pompei.** ♦ V. d'Italie en Campanie (province de Naples) au pied du Vésuve*. 19 000 hab. ♦ *Hist.* Après avoir été occupée par les Osques* dès le ~ VIe s., elle subit l'influence des Grecs de Cumes, des Étrusques* et des Samnites* (fin ~ Ve s.). Devenue colonie romaine vers ~ 80 sous le nom de *Colonia Cornelia Veneria Pompeianorum* (« du culte de Vénus Pompeiana »), elle servit de lieu de résidence d'été aux Romains. En partie détruite par un tremblement de terre en 63, elle n'était pas encore entièrement reconstruite quand elle fut ensevelie sous une pluie de cendres et de pierres (lapilli) lors de l'éruption du Vésuve le 24 août 79. Pline* le Jeune a laissé le récit de la catastrophe (*Lettres* VI. 16 et 20). Des 20 000 hab. que comptait alors la ville, 2 000 périrent sous les cendres. Les fouilles, entreprises de 1748 à 1763 par un ingénieur du roi de Naples, ne furent menées systématiquement qu'à partir de 1860. Elles ont mis au jour une cité remarquablement conservée qui constitue un document exceptionnel sur la vie romaine au Ier s. avec son enceinte, ses portes, ses rues, ses boutiques, ses monuments publics (basilique, grand théâtre, odéon, forum, thermes), ses maisons, les plus anc. décorées de stuc et de mosaïque, comme la maison du Faune (mosaïque de la bataille d'Issos), la maison du Labyrinthe, la maison de Salluste, et celles de l'époque romaine ornées de riches peintures murales, comme la maison des Vettii, la maison des Noces d'argent, la maison des Amours dorés et la villa des Mystères. Mosaïques, peintures, sculptures et objets au *musée national* de Naples.

POMPEY [pɔ̃pɛ]. ♦ Comm. de Meurthe-et-Moselle, arr. de Nancy, sur la Moselle. 6 369 hab. Église (XIVe s.). Aciéries, hauts fourneaux.

POMPIDOU (Georges). ♦ Homme d'État français (Montboudif, Cantal, 1911 — Paris, 1974). Fils de Léon Pompidou, professeur d'espagnol, et de Marie-Louise Chavagnac, institutrice. Élève de l'École normale supérieure et agrégé des lettres, il enseigna à Marseille, puis à Paris. Chargé de mission dans le cabinet du général de Gaulle (1945-1946), maître des requêtes au Conseil d'État (1946), il entra à la Banque Rothschild dont il devint directeur général (1956-1962). Directeur du cabinet du général de Gaulle de juin 1958 à janvier 1959, puis membre du Conseil constitutionnel (1959-1962), il fut nommé Premier ministre en remplacement de M. Debré* le 14 avril 1962. Il remit la démission de son gouvernement en octobre 1962 après le vote d'une motion de censure par l'Assemblée nationale; celle-ci fut dissoute par le général de Gaulle. À la suite de la victoire de l'U.N.R.-U.D.T. aux élections législatives, il fut maintenu dans ses fonctions de Premier ministre. Il continua de les assumer après la réélection du général de Gaulle* à la présidence de la Cinquième République (1965) et après 1967, en dépit d'une baisse de la majorité aux élections législatives. Lors de la crise de mai* 1968, son cabinet signa avec les principales centrales syndicales les accords de Grenelle (fin mai). Après l'écrasante victoire de la majorité U.D.R. aux législatives de juin 1968, qui suivirent la dissolution de l'Assemblée — victoire à laquelle il avait puissamment contribué comme Premier ministre —, et placé, selon l'expression du général de Gaulle, « en réserve de la République », il fut remplacé à l'hôtel Matignon par M. Couve* de Murville (juill. 1968). À la suite du départ du général de Gaulle, au lendemain de l'échec du référendum sur la régionalisation et la réforme du Sénat, G. Pompidou — qui avait été élu député du Cantal et qui n'avait pas caché son intention de se présenter à la présidence de la République si les circonstances en éloignaient le général de Gaulle — se présenta et fut élu au 2e tour, le 15 juin 1969, avec 11 064 371 voix contre 7 943 118 voix à Alain Poher. Il gouverna avec successivement J. Chaban*-Delmas (1969-1972) et P. Messmer* comme Premiers ministres. Les premières années du septennat de G. Pompidou furent marquées par le succès au référendum pour la ratification du traité relatif à l'entrée de la Grande-Bretagne dans la Communauté économique européenne (avr. 1972), et par une nette remontée des forces de gauche (union de la gauche [socialistes-communistes]) aux élections législatives de mars 1973, après lesquelles le président a proposé une réforme de la Constitution concernant la durée du mandat présidentiel. — Il a notamment publié : *Anthologie de la poésie française* (1961), *Le Nœud gordien* (1974).

POMPIGNAN (Jean-Jacques LEFRANC, *marquis de***).** ♦ Poète français (Montauban, 1709 — Pompignan, Gard, 1784). D'abord magistrat, il se consacra aux lettres, traduisit le théâtre d'Eschyle* et composa des *Odes* (*... sur la mort de J.-B. Rousseau**) ainsi que des *Poèmes sacrés* (1734 et 1763), méditations lyriques qui ne manquent pas de majesté. Il fut raillé par les philosophes qu'il avait attaqués à l'Académie* française (1759), mais passa, de son temps, pour un écrivain d'une pureté exemplaire.

POMPIGNAN (Jean-Georges LEFRANC *de***).** ♦ Ecclésiastique

Ph. Louis Monier

Georges Pompidou.

et écrivain français (Montauban, 1715 – Paris, 1790). Évêque du Puy (1743), archevêque de Vienne (Dauphiné) en 1774, il prit violemment position contre les idées des philosophes, en particulier Voltaire, dans ses *Questions sur l'incrédulité* (1753-1757). Député du clergé aux États généraux (1789), il fut cependant un des premiers de son ordre à se réunir au Tiers État. Ministre de la Feuille des bénéfices après la nuit du 4 août 1789, il prit position contre la Constitution civile du clergé.

POMPON (François). ♦ Sculpteur et dessinateur français (Saulieu, 1855 – Paris, 1933). Fils d'un ébéniste, il fréquenta l'École des beaux-arts de Dijon, puis exécuta à Paris des travaux de décoration. Il devint successivement le praticien de Mercié, Falguière et Rodin (1890-1895). Après des œuvres réalistes aux accents pittoresques et familiers, il tendit à abandonner le rendu du détail et le modelé accidenté au profit d'une simplification des masses et d'une schématisation des lignes. Devenu surtout un sculpteur animalier, il sut ranimer ce genre et plaire au public avec de grandes compositions monumentales (*Bison,* 1907; *L'Ours blanc,* 1929; *Le Cerf,* 1929; *Le Taureau,* 1933), et des statuettes aux volumes lisses, aux masses équilibrées, aux plans réduits. Il chercha à transmettre avec des moyens volontairement sobres l'intérêt et l'attachement qu'il portait aux animaux domestiques et sauvages.

POMPONAZZI (Pietro), en fr. **Pomponace.** ♦ Philosophe italien (Mantoue, 1462 – Bologne, 1525). Néo-aristotélicien de l'école de Padoue, il y enseigna la philosophie ainsi qu'à Ferrare et Bologne. Il fut un de ceux qui ont séparé nettement la réflexion philosophique des dogmes de la foi, revenant ainsi à la doctrine de la « double vérité » attribuée à Averroès*. Auteur d'un *Tractatus de immortalitate animae* où il mit en question l'immortalité de l'âme et qui fut condamné par Rome, d'un *De fato* et *De incantionibus* (où il soutient, entre autres, que les miracles sont un produit de l'imagination humaine).

POMPONIUS (Lucius). ♦ Auteur comique latin (Bologne, ~ Iᵉʳ s.). Une quarantaine de titres et divers fragments subsistent de son œuvre, formée d'*attelanes,* comédies satiriques d'inspiration populaire. Avec son contemporain Novius*, il a contribué à donner au genre une qualité littéraire.

POMPONIUS (Sextus). ♦ Jurisconsulte romain de l'école sabinienne (IIᵉ siècle). Auteur d'un traité de droit civil *(Liber ad Sabinum),* il est souvent cité dans les ouvrages juridiques romains ultérieurs.

POMPONIUS MELA. ♦ Écrivain latin originaire d'Espagne (Iᵉʳ s.), auteur d'une *Géographie (De situ orbis* ou *De chorographia)* en trois livres.

POMPONNE (Simon ARNAULD, *marquis de***).** ♦ Homme politique français (Paris, 1618 – Fontainebleau, 1699). Fils d'Arnauld d'Andilly et neveu du grand Arnauld*, il fut ambassadeur en Suède, en Hollande, puis secrétaire d'État aux Affaires étrangères pendant la guerre de Hollande et conclut la paix de Nimègue* (1679).

PONAPE. ♦ V. CAROLINES (îles).

PONCE (Anibal). ♦ Penseur argentin (1898 – 1938). Promoteur du marxisme en Amérique latine, il a opposé *Humanisme bourgeois et Humanisme prolétarien* (1935), et affirmé que seule la prise du pouvoir par le prolétariat permettrait l'avènement de l'homme nouveau et total.

PONCE. ♦ V. de l'île de Porto* Rico, proche de la côte méridionale. 162 900 hab. (1971). Évêché. Centre commercial. Industries textiles et alimentaires (sucreries, distilleries de rhum, conserveries de fruits tropicaux). Sidérurgie (laminoirs).

PONCE DE LEÓN (Juan). ♦ Capitaine et navigateur espagnol (San Servas, prov. de Campos, Valladolid, v. 1460 – Cuba, 1521). Compagnon du gouverneur de Saint-Domingue, il reçut l'autorisation de coloniser Porto* Rico dont il fut nommé gouverneur (1509). Parti ensuite en expédition, il atteignit la Floride, après avoir traversé l'archipel des Bahamas (1513). Blessé lors d'une expédition contre les Caraïbes de la Guadeloupe, il mourut à Cuba des suites de ses blessures.

PONCELET (Jean Victor). ♦ Général et mathématicien français (Metz, 1788 – Paris, 1867). Sorti de l'École polytechnique dans l'arme du génie, fait prisonnier (1812) durant la campagne de Russie et interné à Saratov, il se consacra, sans l'aide d'aucun livre, à des études mathématiques et prépara une profonde réforme de la géométrie. Il publia en 1822 son *Traité des propriétés projectives des figures,* qui marque la création de la géométrie projective, basée sur l'emploi de la perspective et des sections planes, l'étude de diverses transformations géométriques et l'introduction systématique des éléments à l'infini et des éléments imaginaires. **V. Chasles, Steiner.** Il publia également un traité de mécanique concernant la propagation des mouvements. **V. Francis.** Général en 1848, il dirigea l'École polytechnique (1848-1850), fut élu à l'Assemblée constituante et, ayant refusé de servir le Second Empire, fut mis à la retraite [1852]. (Acad. sc., 1834.)

PONCHIELLI (Amilcare). ♦ Compositeur italien (Crémone, 1834 – Milan, 1886). Organiste, puis maître de chapelle, il fut professeur au conservatoire de Milan où il compta parmi ses élèves G. Puccini et P. Mascagni. Il a laissé de nombreux ouvrages lyriques, dont *La Gioconda* (1876).

PONCIN. ♦ Ch.-l. de cant. de l'Ain*, arr. de Nantua*. 1 333 hab. *(Poncinois).* Château (XIVᵉ, XVIᵉ, XVIIᵉ s.), maisons anciennes.

Ph. Lipnitzki-Viollet
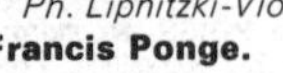
Francis Ponge.

Ph. Harlingue-Viollet
Ponson du Terrail.

PONDICHERRY ou **PONDICHÉRY.** ♦ Territoire autonome de l'Union indienne, situé sur la côte de Coromandel*. 480 km². 471 350 hab. Le territoire comprend, outre celui de Pondicherry, ceux des anc. comptoirs français de l'Inde, Karikal*, Mahé* et Yanaon*. La ville elle-même, anc. capitale des établissements français de l'Inde, est un port de cabotage et un centre commercial actif. Env. 50 000 hab. Petit artisanat (cotonnades). ♦ *Hist.* Fondé en 1674 par les Français, le territoire est devenu autonome et a été rattaché à l'Inde en 1954.

PONFERRADA. ♦ V. d'Espagne du N.-O., dans le León* (prov. de León), sur le Sil. 27 000 hab. Gisement de fer. Centrale thermique.

PONGE (Francis). ♦ Poète français (Montpellier, 1899). Reconnaissant aux choses une primauté ontologique, percevant d'abord l'autonomie de leur existence, il s'est appliqué à les décrire dans des poèmes en prose, brefs comptes rendus caractérisés par une volonté de dépouillement qui n'exclut ni la tendresse ni l'admiration. En élaborant ces descriptions minutieuses et objectives du coquillage, de la bougie, de l'orange, de l'escargot ou du papillon, ce « Buffon du relativement petit » (P. de Boisdeffre) leur restitue leur dignité originelle et ouvre les plus grandes perspectives à une réflexion sur le langage. Considéré par J.-P. Sartre comme le poète de l'existentialisme, Ponge a pu être tenu pour l'un des précurseurs du nouveau roman avant d'être le porte-parole sollicité d'une philosophie matérialiste du langage. Il a publié : *Le Parti pris des choses* (1942), *Proêmes* (1948), *Le Savon* (1967).

PONIATOWSKI (Józef Antoni, *prince***).** ♦ Officier polonais (Vienne, 1763 – Leipzig, 1813). Général en chef de l'armée du Midi opposée aux Russes en 1792, contraint à l'exil après Targowica*, il rejoignit Kościuszko* en 1794, défendit Varsovie* et s'exila à nouveau à l'issue de la reddition de la capitale. Nommé ministre de la Guerre du grand-duché de Varsovie par Napoléon (1807), il organisa l'armée polonaise qu'il commanda contre les Autrichiens en 1809, participa à la campagne de Russie (1812) et fut fait maréchal de France pour s'être distingué à Leipzig* (1813). Chargé de couvrir la retraite de l'empereur, il se noya en traversant l'Elster*. ♦ L'un de ses descendants, le prince MICHEL PONIATOWSKI (Paris, 1922), député républicain indépendant, devint ministre d'État et ministre de l'Intérieur dans le cabinet de J. Chirac*, puis dans le 1ᵉʳ cabinet de R. Barre*.

PONNYA (U). ♦ Auteur dramatique et poète birman (actif v. 1855-1866) de la cour du roi Mindon Min, considéré comme le meilleur dramaturge de Birmanie. Ses lettres sont célèbres. Accusé à tort d'un complot, il mourut en prison.

PONS (Lily). ♦ Soprano américain d'origine française (Cannes, 1904 – Dallas, 1976). Soprano « coloratura », elle débuta au *Metropolitan Opera* de New York (1931). Elle fit ensuite une brillante carrière internationale dans les grands rôles du répertoire de l'opéra italien du XIXᵉ siècle.

PONS [pɔ̃]. ♦ Ch.-l. de cant. de Charente-Maritime, arr. de Saintes. 5 240 hab. [3 880 aggl.]. *(Pontois).* Église Saint-Vivien, en partie du XIᵉ siècle. Vestiges de l'ancien château, donjon du XIIᵉ siècle. Hôtel de ville des XVᵉ-XVIIᵉ siècles. Vestiges des anciens remparts. – Indus. alimentaires : distilleries; importantes minoteries; biscuiteries, confiseries. Aliments pour le bétail. Construction mécanique. Matériaux de construction. Confection. – Patrie d'Agrippa d'Aubigné*.

PONSARD (François). ♦ Poète dramatique français (Vienne, 1814 – Paris, 1867). Le triomphe de sa *Lucrèce*,* qui ranimait l'esprit de la tragédie classique représentée après l'échec des *Burgraves* de Victor Hugo (1843), fit de lui, un peu à son corps défendant, le chef de file de la réaction antiromantique au théâtre. Il connut aussi le succès avec une comédie, *L'Honneur et l'Argent* (1853), et un drame, *Le Lion amoureux* [1866]. (Acad. fr., 1855.)

PONSON DU TERRAIL (Pierre Alexis, *vicomte***).** ♦ Romancier français (Montmaur, près de Grenoble, 1829 – Bordeaux, 1871). Il se tourna vers les lettres en 1850, acquit la notoriété avec *Les Coulisses du monde* (1853) et devint un fournisseur extrêmement fécond de romans feuilletons, dont il menait avec brio les intrigues échevelées et extravagantes. Sa série romanesque, *Les Drames de Paris* (publ. en 1884), connut un succès prodigieux ; peu soucieux de vraisemblance et de psychologie, Ponson du Terrail y campait un type d'aventurier qui devint très populaire, le mystérieux Rocambole*.

PONT. *n. m.* ♦ Région d'Asie Mineure sur le Pont-Euxin. Primitivement, ce nom fut donné à la partie N. de la Cappadoce* *(Cappadoce pontique)* entre le Caucase et l'Arménie à l'E. et la Paphlagonie* à l'ouest. Des colons milésiens et phocéens fondèrent sur la côte de la mer Noire Amisos (Samsun*) et Sinope* qui, à son tour, fonda Trapezos (Trébizonde*), Cérasonte* et d'autres villes. Soumise aux Perses (~ 520), la région fut une satrapie semi-indépendante. Le satrape Mithridate* Ctistès, révolté contre l'autorité perse et placé au service d'Alexandre le Grand, fonda, autour d'Amasya*, le *royaume du Pont,* au moment du démembrement de l'empire macédonien (bataille d'Ipsos*, ~ 301). Revendiquant pour leur État le titre de royaume hellénistique, ses successeurs étendirent leur domaine tout en pratiquant une politique d'hellénisation superficielle. **V. Pharnace Ier, Ariobarzane III.** A son apogée pendant le règne de Mithridate* VI Eupator (~ 111-~ 63), ce royaume englobait la Paphlagonie, la Cappadoce (partagée avec le roi de l'Arménie Tigrane*), la Crimée et une partie de la Bithynie et de la Colchide*. Ruiné au bout d'une longue guerre contre les Romains **(V. Sylla, Pompée)**, le Pont fut partagé (~ 62) entre les provinces romaines de la *Bithynie-et-Pont* (partie O.) et de la Galatie* (partie E.). Un petit royaume-protectorat romain *(Pont Polémoniaque),* avec Néo*-Césarée comme cap., subsista de ~ 40 à 64, date à laquelle il fut annexé à l'empire.

PONT-À-CELLES. ♦ Comm. de Belgique (Hainaut, arr. de Charleroi), sur le canal de Charleroi à Bruxelles. 5 100 hab. Houille. Aciéries.

PONTA DELGADA. ♦ Port et cap. de l'archipel portugais des Açores*, sur la côte S. de l'île de São* Miguel. 22 300 habitants.

PONT-À-MARCQ. ♦ Ch.-l. de cant. du Nord*, arr. de Lille*, dans la Pévèle. 1 486 hab. Pellicules photographiques, confection.

PONT-À-MOUSSON. ♦ Ch.-l. de cant. de Meurthe-et-Moselle, arr. de Nancy, sur la Moselle. 13 628 hab. *(Mussipontains).* Église Saint-Laurent en partie des XVe et XVIe siècles. Église Saint-Martin (XIVe, XVe s.). — Centre sidérurgique ; fabrication de tuyaux de fonte ; malterie, distillerie. — Patrie du général Duroc*, du général Fabvier*, de Marguerite* d'Anjou. ♦ *Hist.* Un pont qui franchissait la Moselle au IXe s. a donné son nom à la ville qui fut le siège d'une université de 1572 à 1768. Les deux guerres mondiales endommagèrent de nombreuses maisons.

PONTANO (Giovanni ou **Gioviano).** ♦ Homme politique et écrivain italien, écrivant en latin (Ombrie, 1426 — Naples, 1503). Il remplit de nombreuses fonctions diplomatiques et administratives, et fut Premier ministre à la cour de Naples. Il fonda une académie (qui devint très célèbre en Italie) et en rédigea les statuts. Grammairien et rhétoricien de valeur (*De sermone,* 1502-1503), il fit aussi œuvre de savant avec des traités d'astronomie, dont *Uranie* (1476-1479), remarquable poème didactique. Moraliste également, il brossa un très vivant tableau de la société de son temps avec le dialogue nommé *Charon* (1467). Dans son œuvre poétique, il sut habilement intégrer les souvenirs classiques aux émotions vécues, et composa des élégies charmantes dans les *Amorum libri* et le *De amore conjugali.* — Héritier des élégiaques latins, qu'il sut renouveler par ses accents personnels, Pontano influença à son tour les poètes français de la Pléiade*, notamment Ronsard*.

PONTARLIER. ♦ Sous-préf. du dép. du Doubs, ch.-l. d'arr. (5 cant., 89 comm., 57 505 hab.), sur le Doubs. 16 250 hab. *(Pontissaliens).* Instruments de précision. Indus. textiles et alimentaires. Tanneries. Centre d'excursion et de sports d'hiver. ♦ *Hist.* Anc. *Ariolica* romaine, la ville forma à partir du XIIIe s. une petite république indépendante qui se maintint jusqu'au XVIIe siècle. Elle fut détruite par un incendie en 1736.

PONT-AUDEMER. ♦ Ch.-l. de cant. de l'Eure*, arr. de Bernay*, sur la Risle*. 9 248 hab. *(Pontaudemériens).* — Église Saint-Ouen (chœur du XIe s., nef et façade fin XVe s., vitraux du XVIe s.), maisons anciennes. — Indus. alimentaires, du cuir, papeterie. — Patrie de G. Costeley*.

PONTAULT-COMBAULT [pɔ̃tokɔ̃bo]. ♦ Comm. de Seine-et-Marne, arr. de Melun, dans la Brie. 12 737 hab. Église (XIIIe, XIVe siècle).

PONT-AUX-DAMES. ♦ Village de la commune de Couilly-Pont-aux-Dames, en Seine-et-Marne. Maison de retraite des comédiens, fondée en 1902 par Coquelin aîné.

PONT-AVEN [pɔ̃tavɛn]. ♦ Ch.-l. de cant. du Finistère, arr. de Quimper, en Cornouaille, sur la rivière de Pont-Aven. 3 792 hab. *(Pontavenistes).* Conserves alimentaires, biscuiteries. — L'école de Pont-Aven regroupa à la fin du XIXe s. de nombreux peintres, dont Émile Bernard*, Paul Sérusier*, autour de Gauguin* qui séjourna dans la localité notamment en 1886 (en 1888, il demeurait à la pension Gloannec). **V.** *aussi* **Pouldu (Le).**

PONTCHARRA. ♦ Comm. de l'Isère*, arr. de Grenoble*, près du confluent de l'Isère* et de la Bréda*. 4 240 hab. Papeteries, textiles artificiels ; indus. du bois. Importante centrale électrique (utilisant les eaux de la Bréda) du type « au fil de l'eau ».

PONTCHARTRAIN (Louis PHÉLYPEAUX, *comte de***).** ♦ Homme politique français (Paris, 1643 — Jouars-Pontchartrain, 1727). Très intègre pour lui-même, comme contrôleur général des Finances, il multiplia les expédients douteux (vente de titres de noblesse et d'offices, création d'une capitation basée rigoureusement sur le rang social...).

PONTCHÂTEAU. ♦ Ch.-l. de cant. de la Loire-Atlantique, arr. de Saint-Nazaire. 6 073 hab. [3 072 aggl.]. *(Pontchâtelais).* Calvaire. Pèlerinage. Menhir. — Marché. Matériaux de construction.

PONT-CROIX. ♦ Ch.-l. de cant. du Finistère, arr. de Quimper, en Cornouaille, sur le Goyen. 2 399 hab. Église Notre-Dame de Roscudon (XIIIe-XVe siècle). — Conserves de poissons.

PONT-D'AIN. ♦ Ch.-l. de cant. de l'Ain*, arr. de Bourg*-en-Bresse, au confluent de l'Ain* et du Suran. 1 972 hab. Ruines d'un château du XVe s. où naquit Louise* de Savoie, mère de François Ier. Maisons du XVe siècle. Fabrique de jouets en matière plastique ; constructions métalliques.

PONT-DE-BEAUVOISIN (Le). ♦ Ch.-l. de cant. de l'Isère*, arr. de La Tour*-du-Pin, séparé par le Guiers* de Pont*-de-Beauvoisin (Savoie). 3 266 hab. *(Pontois).* Manufacture de tabac, meubles.

PONT-DE-BEAUVOISIN (Le). ♦ Ch.-l. de cant. de la Savoie*, arr. de Chambéry*, sur le Guiers*. 1 412 hab. Soierie, chapellerie.

PONT-DE-BUIS-LÈS-QUIMERCH [-kimɛʀ]. ♦ Comm. du Finistère, arr. de Châteaulin. 4 262 hab. Importante poudrerie. Applications industrielles de la pyrotechnie. Moulage de matières plastiques.

PONT-DE-CHÉRUY. ♦ Ch.-l. de cant. de l'Isère*, arr. de Vienne*, sur la Bourbre*. 3 561 hab. *(Pontinois).* Tréfileries, indus. du caoutchouc, indus. textile.

PONT-DE-CLAIX (Le). ♦ Comm. de l'Isère, dans l'arr. et la banlieue S. de Grenoble*. 10 084 hab. Constructions métallurgiques. Indus. chimique. Centrale hydro-électrique sur le Drac.

PONT-DE-L'ARCHE. ♦ Ch.-l. de cant. de l'Eure*, arr. des Andelys*, en bordure de la forêt de Bord, sur la Seine*. 2 737 hab. — Église du XVIe s., maisons anciennes. Aux environs, ancienne *abbaye de Bon-Port* de l'ordre de Cîteaux*, fondée en 1190 par Richard Cœur de Lion. — Fabrique de chaussures. ♦ *Hist.* La ville fut fondée en 854 par Charles* le Chauve ; elle eut une grande importance pendant la guerre de Cent Ans et fut reprise aux Anglais en 1445.

PONT-DE-ROIDE. ♦ Ch.-l. de cant. du Doubs, arr. de Montbéliard, sur les deux rives du Doubs. 4 424 hab. *(Rudipontains).* Fonderies. Outillage. Petite métallurgie. Indus. automobile.

PONT-DE-VAUX. ♦ Ch.-l. de cant. de l'Ain*, arr. de Bourg*-en-Bresse, dans la Bresse*. 2 163 hab. *(Pontevallois).* Chaudronnerie ; confection. — Patrie de B. Joubert*, de A. Chintreuil (musée).

PONT-DU-CHÂTEAU. ♦ Ch.-l. de cant. du Puy*-de-Dôme, arr. de Clermont*-Ferrand, sur l'Allier*. 4 653 hab. — Église des XIIe et XIIIe siècles. Chapelle du XVe s. ; maisons anciennes. Vestiges d'enceinte. — Fabrique d'asphalte.

Pont du Gard. ♦ **V.** GARD, n. m.

PONTE (Maurice). ♦ Physicien et industriel français (Voiron, 1902). Auteur de recherches sur le magnétron, qu'il perfectionna **(V. Hull),** il installa en 1936, sur le paquebot français *Normandie,* un détecteur d'obstacles équipé d'un magnétron à « cage d'écureuil », précurseur du magnétron à cavités utilisé dans les radars modernes. **V. Watson-Watt.** (Acad. sc., 1963.)

PONTECORVO. ♦ V. d'Italie méridionale, en Campanie (prov. de Frosinone). 14 000 hab. ♦ *Hist.* Érigée en principauté pour Bernadotte de 1806 à 1810, elle fut rendue au Saint-Siège puis intégrée au Piémont en 1860.

PONT-EN-ROYANS [pɔ̃tɑ̃ʀwajɑ̃]. ♦ Ch.-l. de cant. de l'Isère*, arr. de Grenoble*, sur la Bourne. 1 244 hab. *(Pontois).* Bourg pittoresque. Centrale hydro-électrique sur la Bourne ; appareillage électrique.

Ph. Giraudon

Les environs de **Pont-Aven,** par Gauguin. (Collection Ishibashi, Tokyo.)

Ph. Louis Monier

Le **Pont-Neuf.**

PONT-EUXIN. *n. m.*, en gr. **Euxeinos Pontos** (« mer hospitalière »). ♦ Nom donné par antiphrase dans l'Antiquité à l'actuelle mer Noire*, sur laquelle le brouillard rendait la navigation particulièrement difficile.

PONTEVEDRA. ♦ V. d'Espagne septentrionale, en Galice*. Ch.-l. de prov. au fond d'une *ría* pittoresque. 52 000 hab. Conserveries.

PONTGIBAUD. ♦ Ch.-l. de cant. du Puy*-de-Dôme, sur la Sioule*, arr. de Riom*. 1 058 hab. (*Gibaldipontins* ou *Pontgibaudois*). – Château des XIIIe et XVe s. restauré.

PONTHIEU. *n. m.* ♦ Région de Picardie* (entre l'Authie et la Somme) qui comprenait anciennement le Vimeu. Son sol humide convient aux prairies et on y élève des bovins. Petites indus. (robinetterie et serrurerie). ♦ *Hist.* Le comté appartint successivement à l'Angleterre et à la Bourgogne, et fut rattaché à la couronne de France en 1477.

PONTIAC. ♦ Chef indien ottawa (Ohio, v. 1720 – Cahokia, Saint Louis, 1769). Allié de la France, il tenta de chasser les Anglais, à la tête d'une coalition des tribus indiennes depuis le lac Supérieur jusqu'au Mississippi inférieur (1762). Il ne put s'emparer de Detroit, malgré son habileté et son énergie, et dut finalement se soumettre (1766). Il fut assassiné peu après.

PONTIANAK. ♦ Ch.-l. de la province indonésienne de Kalimantan* (Bornéo) sur la côte O. de cette île. Env. 200 000 hab. La ville, important port exportateur de caoutchouc, de coprah et de bois, est en partie élevée sur pilotis.

PONTIEN *(saint)*. ♦ ([mort] 236). 18e pape (230-235). Romain, martyr (persécution de Maximin). Condamné aux mines de Sardaigne, il abdiqua et mourut d'épuisement, après avoir réconcilié Hippolyte* avec l'Église. Fête le 13 août.

PONTIGNY. ♦ Comm. de l'Yonne (arr. d'Auxerre), sur le Serein. 731 hab. Abbaye cistercienne fondée en 1114 par Thibaud de Champagne; elle accueillit trois archevêques de Canterbury : saint Thomas* Becket, Étienne Langton* et saint Edmond* Rich. Il subsiste un édifice à deux étages de salles voûtées et l'église du XIIe s. Tombeau de Hugues de Mâcon, premier abbé de Pontigny. Châsse de 1749, renfermant le corps de saint Edmond Rich, objet d'un pèlerinage. Depuis 1954, le siège de la Mission de France est à Pontigny.

PONTINE *(plaine)*, anc. **marais Pontins.** ♦ Plaine italienne, dans le Latium* (prov. de Latina*), s'étendant le long de la mer Tyrrhénienne au S.-E. de Rome, jusqu'à Terracina. Elle couvre environ 750 km^2. Fertile et bien cultivée sous la République romaine, elle fut négligée dès le Haut-Empire et devint le domaine des marécages et de la malaria. À partir de 1928, sous le régime fasciste, les marais furent drainés, irrigués et lotis. On y cultive le blé, la betterave à sucre et les plantes fourragères de manière intensive. De nouvelles villes ont été construites (Latina*, Sabaudia, Pontimia, Aprilia), qui sont surtout de gros marchés agricoles.

Pontiques (Les) *(Epistulae ex Ponto)*. ♦ Recueil d'élégies sous forme de lettres en quatre livres écrites par Ovide* à ses amis durant son exil à Tomes*.

PONTIVY. ♦ Sous-préf. du Morbihan, ch.-l. d'arr. (10 cant., 80 comm., 126 931 hab.) sur le Blavet. 13 098 hab. *(Pontiviens)*. Au N., se trouve la vieille ville, au S. la ville créée par Napoléon. Église Notre-Dame de-la-Joie (XVIe s.), de style gothique flamboyant. Chapelle Saint-Ivy (XIIIe s.). Château des Rohan (*fin* XVe s.). La place du Martray est entourée de maisons anciennes. – Centre commercial. ♦ *Hist.* La ville doit son origine à un monastère fondé au VIIe s. par saint Ivy. Elle fut la capitale des Rohan, qui firent bâtir le château. Pontivy fut très favorable à la Révolution. Napoléon Ier créa une nouvelle ville au S. et Pontivy s'appela *Napoléonville* de 1805 à 1814 et de 1848 à 1871.

PONT-L'ABBÉ. ♦ Ch.-l. de cant. du Finistère, arr. de Quimper, en Cornouaille, au fond de l'estuaire de la rivière de Pont-l'Abbé. 7 561 hab. *(Pont-l'Abbistes)*. Église Notre-Dame-des-Carmes (XIVe-XVe-XVIIe s.); ruines de l'ancienne église de Lambour (XIIIe-XVe s.). L'ancien château des barons du Pont (XVe-XVIIIe s.) abrite le musée bigouden. – Artisanats traditionnels en partie industrialisés : broderies, dentelles, bonneterie, meubles bretons, poupées folkloriques. Cultures maraîchères; conserves alimentaires. – Le costume traditionnel des habitants de la ville est très original; de nombreuses femmes portent encore la haute coiffe rigide appelée « bigouden ».

PONT-L'ÉVÊQUE. ♦ Ch.-l. de cant. du Calvados*, arr. de Lisieux*, au confluent de la Touques* et de la Calonne. 3 592 hab. *(Pontépiscopiens)*. – Église Saint-Michel des XVe et XVIe s., maisons anciennes. Célèbres fromages. – Patrie de R. de Flers* et de F. Hamelin*. – La ville fut très endommagée en 1944.

Pont-Neuf *(le)*. ♦ Pont de Paris, franchissant la Seine à la pointe O. de l'île de la Cité* par douze arches en plein cintre. Entrepris par Henri III (1578) sur des plans de Baptiste Androuet* Du Cerceau, achevé sous Henri IV (1604), il portait la statue équestre en bronze de ce dernier, due à Giambologna* (refaite en 1818). Conçu, pour la première fois à Paris, sans immeubles, pourvu de trottoirs et élargi par des demi-lunes, il fut longtemps une promenade très animée.

PONTOISE. ♦ Préf. du Val-d'Oise, ch.-l. d'arr. (12 cant., 117 comm., 233 558 hab.), au confluent de l'Oise et de la Viosne, en face de Saint-Ouen-l'Aumône. 21 049 hab. *(Pontoisiens)*. Le bâtiment de la préf. se trouve dans la ville nouvelle de Cergy*-Pontoise. Église Saint-Maclou, cathédrale depuis 1966 (XIIe-XVIe s.), avec une façade flamboyante du XVe s. et un portail Renaissance. Église Notre-Dame (XVIe s.), porche du XVIIIe siècle. Musée dans un hôtel du XVe siècle. – Évêché. – Imprimerie, outillage, matériel électrique. – Patrie de P.F.L. Fontaine*, du général C. Leclerc*, de J. Lemercier*, de É. Martel*, de Philippe* II le Hardi. ♦ *Hist. Briva Isara* des Romains, la ville fut l'une des places fortes du Vexin français. Philippe Auguste l'érigea en commune en 1188; Pontoise fut un lieu de résidence pour les rois capétiens. Elle fut prise plusieurs fois pendant le guerre de Cent Ans. Elle donna asile à Louis XIV pendant la Fronde et le parlement y fut exilé en 1720 et 1753.

PONTOPPIDAN (Henrik). ♦ Romancier danois (Fredericia, Jutland, 1857 – Copenhague, 1943). Dès ses premiers recueils de nouvelles, il évoque les injustices sociales. Sa trilogie *La Terre promise* (1891-1895) et son roman *Pierre le Chanceux* (1898-1904) sont des tableaux en grisaille de la vie danoise à la campagne et dans la capitale. *Le Royaume des morts* (1912-1916) a pour thème l'échec des individus. Dans *Le Paradis de l'homme* (*Mands Himmerig*, 1927), Pontoppidan se prononçait contre le radicalisme politique. Prix Nobel 1917 (avec Gjellerup*).

PONTORMO (Jacopo CARRUCCI, dit **il** ou **le).** ♦ Peintre italien (Pontormo, près d'Empoli, 1494 – Florence, 1557). Élève d'Andrea Del* Sarto (1512), il se brouilla avec son maître et entra en rivalité avec lui. Son tempérament inquiet le poussa vers un art moins classique où la sinuosité du dessin, la recherche des attitudes, le goût du coloris rare montrent l'influence de Léonard* de Vinci et de Piero* di Cosimo. Après la *Visitation* peinte à l'Annunziata (Florence), il s'affirma avec l'*Histoire de Joseph* sur un *cassone* réalisé à l'occasion des noces de Pier Francesco Borgherini et de Margherita Acciaiuoli (1515). Puis il décora pour les Médicis la grande salle de la villa de Poggio a Caiano, dirigeant les travaux et exécutant notamment une pastorale curieuse et charmante sur une des lunettes latérales (*Vertumne et Pomone*, 1520-1521). En 1522-1525, il peignit le cycle de la Passion au cloître de la chartreuse de Galluzzo et, en 1526, il donna une de ses œuvres les plus significatives avec la *Déposition de croix* à l'église de la Santa Felicita, à Florence : la composition décentrée, les formes onduleuses, les tons légers et froids (roses, mauves, verts) en font une œuvre typique de ce qu'on appela plus tard le maniérisme italien du XVIe siècle. Dans sa *Visitation* de l'église de Carmignano (v. 1530), il groupa quatre figures drapées, dans des verts et rouges décolorés. Mais les fresques de San Lorenzo, à Florence, auxquelles il travailla pendant dix ans (v. 1546-1556), aboutirent à un échec : les dessins qui permettent de s'en faire une idée – car elles ont été effacées – montrent un enchevêtrement tumultueux de corps qui n'ont de Michel-Ange que le gigantisme, mais non la solidité monumentale. La partie la plus attachante de son œuvre demeure sans doute ses portraits : *Graveur de pierre fine* (Louvre), *Alexandre de Médicis* (Lucques), *Ugolino Martelli* (Washington). Une extrême attention à l'individualité des modèles, une expression quelque peu ambiguë, la mise en valeur des attitudes et des mains, tout y révèle l'artiste subtil et tourmenté de la Renaissance finissante. La même impression se dégage du *Journal* des dernières années de sa vie.

PONTORSON. ♦ Ch.-l. de cant. de la Manche*, arr. d'Avranches*. 3 690 hab. – Église gothique avec parties romanes. Fabrique de chaussures, de vêtements. – C'est le point d'accès du Mont*-Saint-Michel.

PONTOS. ♦ Personnification de la mer, son élément mâle, dans les mythes théogoniques grecs. Selon Hésiode, il est fils de Gaia* (la Terre). Uni à sa mère, il engendre Nérée* et d'autres divinités marines.

PONTRESINA, en romanche **Puntraschigna.** ♦ Localité de Suisse (cant. des Grisons) en haute Engadine*, dans le massif de la Bernina*, près de Saint-Moritz. 1 100 hab. Chapelle Santa Maria (XIe-XIIe s.). Station d'été et de sports d'hiver très fréquentée (alpinisme). Alt. 1 803 mètres.

PONTRIEUX. ♦ Ch.-l. de cant. des Côtes-du-Nord, arr. de Guingamp dans le Trégorrois*, sur le Trieux. 1 640 hab. *(Pontriviens)*. Port sur le Trieux. Fontaine en granit du XVIIIe siècle. Exploitation du maërl (sable d'estuaire) pour les engrais.

PONT-SAINTE-MAXENCE. ♦ Ch.-l. de cant. de l'Oise* (arr. de Senlis*). 8 716 hab. *(Pontois* ou *Maxipontains)*. — Port fluvial sur les rives de l'Oise*. Église Sainte-Maxence de style flamboyant (XVe-XVIe s.) avec une tour Renaissance. Indus. variées (brosserie, carrelages céramiques, chaudronnerie, papeterie); centrale thermique.

PONT-SAINT-ESPRIT. ♦ Ch.-l. de cant. du Gard (arr. de Nîmes), sur le Rhône. 7 019 hab. *(Spiripontains)*.Pont sur le Rhône, des XIIIe-XIVe s. (endommagé en 1944); une citadelle du XVIIe s., à l'entrée du pont, renferme les vestiges d'un hôpital du XIVe s. Église Renaissance. Maisons anc. — Indus. du verre; carrelages.

PONTS-DE-CÉ (Les). ♦ Ch.-l. du Maine-et-Loire, aggl. et arr. d'Angers, sur la Loire et l'Authion. 7 361 hab. Église Saint-Aubin (XIIe-XVe s.). Donjon (XVe s.). ♦ *Hist.* L'importance stratégique de la ville en fit une place forte très disputée : elle vit la victoire des troupes royales sur celles de Marie de Médicis (1620), la victoire de d'Hocquincourt sur les frondeurs (1651), fut le théâtre de violents combats pendant la guerre de Vendée, et, en 1944, lors de la retraite des troupes allemandes.

PONT-SUR-YONNE. ♦ Ch.-l. de cant. de l'Yonne (arr. de Sens), sur l'Yonne. 2 400 hab. *(Pontois)*. Église (XIIe-XVe s.). Vestiges de remparts. — Indus. du verre.

PONTUS DE TYARD ou **DE THIARD.** ♦ Poète français (Mâconnais, 1521 — *id.*, 1605), consacré évêque de Chalon-sur-Saône en 1578. Ami de M. Scève*, il fut d'abord disciple de l'école lyonnaise, avec son recueil des *Erreurs amoureuses* (1549). Puis, rattaché à la Pléiade par Ronsard*, il écrivit le *Livre des vers lyriques* (1555), avant de se consacrer à des ouvrages religieux et philosophiques.

PONTYPOOL. ♦ V. du S.-E. du pays de Galles (Monmouthshire), à 16 km au N. de Newport. 42 700 hab. Forges, aciéries, verreries, textiles artificiels.

PONTYPRIDD. ♦ Cité minière et centre métallurgique du S. du pays de Galles (Glamorganshire), sur la Taff. 40 000 habitants.

POOLE. ♦ V. du S.-E. de l'Angleterre (Dorset), à 12 km de Bournemouth. 106 700 hab. Port et station balnéaire sur la baie de Poole. Hôtel de ville du XIVe siècle. Constructions navales et mécaniques, poterie.

POONA. ♦ **V.** PŪNA.

POOPÓ *(lac de)*. *n. m.* ♦ Lac de Bolivie de 2 800 km² à 3 691 m d'alt. entre la Cordillère occidentale et la Cordillère centrale, dans l'Altiplano du dép. d'Oruro*. Il est relié au lac Titicaca* par le rio Desaguadero* (300 km).

POPARD (Irène). ♦ Pédagogue et danseuse française (Paris, 1894 — 1950). Créatrice de la méthode de danse rythmique qui porte son nom.

Ph. Nimatallah/Ricciarini

Le Pontormo : « Les Onze Mille Martyres », détail. (Galerie Palatine, Florence.)

POPAYÁN. ♦ V. du S. de la Colombie, ch.-l. du dép. du Cauca*, située à 1 800 m d'alt. dans la vallée du río Cauca. 65 000 hab. env. — Archevêché. Université. Vestiges de l'époque coloniale.

POPE (Alexander). ♦ Poète et essayiste anglais (Londres, 1688 — Twickenham, 1744). Enfant d'une famille de commerçants aisés, de santé précaire, il fréquenta les écoles catholiques de Winchester et de Londres. Il avait douze ans quand il écrivit son *Ode à la solitude*. Ses disgrâces physiques — il était petit et bossu — l'amenèrent à renoncer aux joies sentimentales : il ne composa que deux poèmes d'inspiration amoureuse, des *Vers en souvenir d'une femme malheureuse* destinés à Martha Blount et à lady Montagu, et l'*Épître d'Héloïse à Abélard* (*Eloïsa to Abelard*, 1717) — dans le style des *Héroïdes* d'Ovide — où Pope développe les thèmes de l'amour libre et de la solitude. *La Boucle dérobée* (*The Rape of the Lock*, 1712), qui reprend le thème parodique du *Lutrin* de Boileau, est inspirée de Voiture et de l'abbé de Villars. Pope avait appris seul le français, l'italien, le grec et le latin. Sa traduction en vers de l'*Iliade* (1720) fut considérée comme un chef-d'œuvre et son succès (la querelle des Anciens et des Modernes faisait rage) procura à Pope l'indépendance matérielle nécessaire à son intégrité de critique. Son *Essai sur la critique* (*Essay on Criticism*, 1711) a joué en Angleterre le rôle de l'*Art poétique* de Boileau en France. Les règles qui doivent présider à une saine critique y sont codifiées. Poète satirique, Pope donna libre cours à son ressentiment contre les écrivains médiocres dans *La Dunciade* (1728) et *La Nouvelle Dunciade* (1742), dérivé du terme péjoratif *dunce*, « gourde ». Il affirme la bonté et la dignité naturelle de l'homme dans son *Essai sur l'homme* (1734), formé de quatre épîtres adressées à lord Bolingbroke. C'est encore sous forme épistolaire qu'il fit paraître ses *Essais moraux* (1735) où il analyse les caractères masculin et féminin et l'influence de l'argent sur les mœurs. Son ironie légère voudrait être bienveillante, mais « l'indignation vertueuse est chez lui en mainte occasion grossie ou remplacée par la souffrance d'une personnalité à vif » (Legouis).

POPERINGHE, en néerl. **Poperinge.** ♦ V. de Belgique (Flandre-Occidentale, arr. d'Ypres), à 12 km de la frontière. 12 500 hab. Église Notre-Dame (1400). Église Saint-Jean (1290). Église Saint-Bertin (XIIIe s.). — Houblon. Indus. alimentaires et textiles. Faïenceries.

POPOCATÉPETL. *n. m.* ♦ Le plus grand des volcans du Mexique avec l'Orizaba*. 5 452 m. Soufrières. Situé à 60 km de Mexico dans la *Meseta Central*, au S.-E. de l'Anáhuac*, il est couronné de neiges éternelles. La ville de Puebla* s'étend à ses pieds.

Popol Vuh. ♦ Poème symbolique et ésotérique écrit en quiché peu après la conquête espagnole (1550?), retraçant l'origine du monde et les traditions religieuses du peuple maya.

POPOV (Aleksandr Stepanovitch). ♦ Ingénieur russe (Tourinskii Roudnik, près de Perm', 1859 — Saint-Pétersbourg, 1906). Il eut l'idée d'utiliser les ondes électromagnétiques découvertes par Hertz* pour transmettre des signaux. Il inventa l'antenne en combinant l'éclateur de Hertz et le cohéreur de Branly*, remarquant que leurs sensibilités respectives augmentaient si on les reliait à un fil conducteur formant un condensateur avec la terre. Il construisit le premier récepteur d'ondes électromagnétiques (1895) et réussit à transmettre à 250 m le premier message sans fil en morse (1896). **V. Marconi.**

POPOVIĆ (Jovan STERIJA). ♦ Auteur dramatique serbe (Vršac, 1806 — *id.*, 1856). Fondateur du *Théâtre national de Belgrade*, il donna naissance au théâtre moderne serbe. Il écrivit dans la tradition de Molière* des comédies satiriques sur la bourgeoisie : *La cruche qui fait l'amphore* (1838), *Les Patriotes* (1849), *Belgrade jadis et aujourd'hui* (1853).

POPPÉE. ♦ Femme romaine ([mort] 65), célèbre par sa beauté et ses mœurs dissolues. Femme de Rufus Crispinus, préfet du prétoire, puis d'Othon*, elle devint la maîtresse (58), puis la femme (62) de Néron*, après que l'empereur eut répudié Octavie*. Elle contribua à la mort d'Agrippine* et fut elle-même tuée par Néron d'un coup de pied dans le ventre alors qu'elle était enceinte.

Populaire (le). ♦ Journal des « intérêts politiques, matériels et moraux du peuple », fondé par Cabet. Il parut de 1833 à 1835, puis de 1841 à 1850 (sous le titre *le Populaire de 1841*). Divers journaux parurent ultérieurement sous ce titre, dont l'organe officiel de la S.F.I.O. (à partir de 1921).

Populistes russes. ♦ **V.** NARODNIKI.

POQUELIN. ♦ Nom de famille de Molière.

PORBUS. ♦ **V.** POURBUS.

PORCHEVILLE. ♦ Comm. des Yvelines, arr. de Mantes-la-Jolie, sur la Seine. 1 955 hab. Centrale thermique; cultures d'asperges, de petits pois.

PORCIA. ♦ ([mort] ~42). Fille de Caton* d'Utique et femme de Brutus*, meurtrier de César*. Type de la femme républicaine et stoïcienne, elle se donna la mort en apprenant que son époux s'était tué après la défaite de Philippes*.

PORCIEN. *n. m.* ♦ Région argileuse du Bassin parisien (N.-E.), entre la vallée de l'Aisne et la dépression subardennaise. ♦ *Hist.* Comté carolingien, le Porcien passa au XIIIe s. à la couronne de France; puis il devint une principauté aux XVIe et XVIIe siècles. Sa cap. était Novion-Porcien (act. ch.-l. de cant. du dép. des Ardennes).

Ph. Roger-Viollet
Île de **Porquerolles.**

PORDENONE (Giovanni Antonio de SACCHIS, dit **le).** ♦ Peintre italien (Pordenone, v. 1484 – Ferrare, 1539). Formé dans le Frioul, il subit l'influence de Giorgione, avant de séjourner à Rome. Il décora la chapelle Malchiostro à Trévise (1520) et peignit la *Passion* à la cathédrale de Crémone (1521); le style monumental et dramatique trahit les influences romaines. À Venise, après 1528, il décora le chœur de San Rocco et le cloître de San Stefano. Son style va de la monumentalité à l'élégance (*Saint Gothard entre saint Roch et saint Sébastien,* Pordenone).

PORDENONE. ♦ V. d'Italie, en Vénétie* (prov. d'Udine). 35 000 hab. Indus. mécaniques, chimiques, céramiques. Patrie du Pordenone*.

PORI. ♦ V. et port de Finlande méridionale, à l'embouchure du Korkenäenjoki dans le golfe de Botnie*. 73 415 hab. (1970). Aéroport (lignes intérieures). Musée. – Centre indus. : indus. du bois (scieries, papeteries, cellulose, allumettes), constructions mécaniques, indus. textiles, chantiers navals. – Commerce important. (Pori possède un port fluvial et deux ports maritimes.)

PORNIC. ♦ Ch.-l. de cant. de la Loire-Atlantique, arr. de Saint-Nazaire. 2 839 hab. *(Pornicais).* Station balnéaire, port de pêche et de plaisance, dans la baie de Bourgneuf. Château (XIIIe-XIVe s.). Faïences.

PORNICHET. ♦ Comm. de la Loire-Atlantique, arr. de Saint-Nazaire. Station balnéaire. 5 452 hab. hors saison. *(Pornichétins).*

Pornocratie *(la).* ♦ Période (904-964) où Rome et la papauté subirent la domination de femmes débauchées (Théodora, épouse du *vestiarius* Théophylacte, et ses filles Théodora la Jeune et Marozie) et de leurs descendants. Albéric II, fils de Marozie, enferma sa mère (932); il fut un « patrice » énergique. Mais il plaça sur le trône pontifical son fils Octavien (Jean XII) dont les désordres amenèrent l'intervention d'Othon le Grand. Entre les mains de cette « dynastie », les papes ne furent que des instruments, indignes ou insignifiants, encore que d'une parfaite orthodoxie dans leurs actes religieux : **V. Serge III, Anastase III, Landon, Jean X, Léon VI, Étienne VII, Jean XI, Étienne VIII, Marin II, Agapet II, Jean XII.**

PÔROS ou **PAURAVA.** ♦ Roi indien du Pañjâb* qui, en ~ 326, s'opposa à la traversée de l'Indus par Alexandre* le Grand. Battu par ce dernier et remis sur son trône, il s'allia au conquérant grec.

POROS. ♦ Île grecque du golfe Saronique. **V. Calaurie.**

PORPHYRE, en gr. **Porphurios.** ♦ Philosophe néo-platonicien d'origine syrienne (Tyr, 234 – Rome, 305). Après avoir été le disciple de Longin* et étudié à Athènes, il séjourna à Rome auprès de Plotin* dont il publia les traités **(V. Ennéades).** Il écrivit une *Vie de Pythagore* et une *Vie de Plotin,* l'*Isagoge* (ou introduction aux *Catégories** d'Aristote) ainsi que des commentaires sur les œuvres de Platon et d'Aristote. Nous possédons aussi quelques fragments de ses traités : *Sur le retour de l'âme à Dieu; Sur les oracles.*

PORPORA (Nicola). ♦ Compositeur italien (Naples, 1686 – *id.,* 1768). D'abord maître de chapelle à Naples, puis à Venise (1726), il fit représenter ses opéras dans les principales villes de l'Italie du Nord. Il partit ensuite pour Londres (1736) où il fut rival de Haendel*, dans les domaines de l'opéra et de la musique de chambre. On le retrouve ensuite maître de chant à Venise, à Dresde, puis à Vienne, au service de l'ambassadeur de Venise, où il eut pour accompagnateur et intendant le jeune J. Haydn (1753). Sa renommée ayant décliné, il devait finir dans la plus grande misère. Auteur de nombreux *opéras* d'une remarquable élégance d'écriture, il a laissé également des *oratorios, cantates, œuvres instrumentales* et *vocales,* dans le style napolitain.

PORQUEROLLES *(île de).* ♦ Une des îles d'Hyères* dans la Méditerranée, au large de la presqu'île de Giens*. Superficie : 1 254 ha. L'île est dominée par un fort du XVIe siècle. Centre touristique. Centre de télégraphes et de radars et de la Marine.

PORRENTRUY, en all. **Pruntrut.** ♦ V. de Suisse (cant. de Berne) dans le Jura. 7 100 hab. Le château (XVe-XVIIIe s.) fut la résidence des princes-évêques de Bâle. – Horlogerie, fromageries, chaussures.

PORSENNA. ♦ Roi de Clusium (auj. Chiusi*) en Étrurie (~ VIe s.). Deux ans après la chute des Tarquins (~ 509), il tenta de rétablir la domination étrusque à Rome, mais fut repoussé par Horatius* Cocles et Mucius* Scaevola.

PORT (Le). ♦ Comm. de la Réunion*, sur la côte N.-O. de l'île. 19 768 hab. Port entièrement artificiel.

PORTA. ♦ **V.** DELLA PORTA.

PORTA (La). ♦ Ch.-l. de cant. de la Corse*, arr. de Bastia*. 534 hab. – L'église possède un très beau clocher de style baroque (1720). – Patrie du maréchal Sébastiani*.

PORT-ADÉLAÏDE. ♦ **V.** ADÉLAÏDE (Australie-Méridionale).

PORTADOWN. ♦ V. d'Irlande du Nord (comté d'Armagh), au S. du lough Neagh, sur le Bann*. 18 610 hab. Nœud de communications et centre industriel (textiles, conserveries).

PORTAL (Antoine, *baron***).** ♦ Médecin français (Gaillac, 1742 – Paris, 1832). Professeur au Collège de France (1769), il enseigna ensuite l'anatomie au Jardin des plantes (1777). Nommé médecin de Louis XVIII lors de la Restauration, il fonda l'Académie royale de médecine en 1820.(Acad. sc., 1769.)

PORTALIS [-lis] **(Jean Étienne Marie).** ♦ Homme politique et juriste français (Le Beausset, Var, 1746 – Paris, 1807). Avocat au parlement d'Aix (1765), il fut arrêté sous la Terreur. Membre du Conseil des Anciens*, il en fut le président en 1796. Il participa à la rédaction du Code* civil; directeur des Cultes en 1801, il négocia le Concordat*, rédigeant les articles organiques d'inspiration gallicane. Il fut ministre des Cultes de 1804 à 1807. (Acad. fr., 1803.)

PORTALIS (Joseph Marie, *comte***).** ♦ Homme politique français (Aix, 1778 – Passy, 1858), fils de Jean Étienne Portalis. Secrétaire général des Cultes (1805) puis directeur général de l'imprimerie et de la librairie sous l'Empire, conseiller à la Cour de cassation et pair sous la Restauration, il fit partie du ministère libéral de Martignac comme garde des Sceaux, puis ministre des Affaires étrangères (1828-1829). Il fut mis à la retraite par Napoléon III, qui le fit néanmoins sénateur.

PORT-ARTHUR. ♦ **V.** LÜ-SHUN.

PORT ARTHUR. ♦ V. et port des États-Unis (Texas). 66 676 hab. (la zone urbaine de Beaumont-Port Arthur comptait 306 016 hab. en 1960). – Raffineries de pétrole et pétrolochimie. L'un des principaux ports pétroliers de la région.

PORT-AU-PRINCE. ♦ Capitale de l'île d'Haïti*, située au pied du massif de la Selle, dans une rade de la côte occidentale (baie de Port-au-Prince) au fond du golfe de Gonaïves*. 340 000 hab. (500 000 avec les faubourgs). Archevêché. Université. C'est le plus important centre commercial et industriel (sucreries, distilleries de rhum), ainsi que le plus grand port exportateur du pays. Fondée en 1749, la ville fut souvent victime de tremblements de terre.

PORT-AUX-FRANÇAIS. ♦ Importante base scientifique des îles Kerguelen*.

PORT BLAIR. ♦ Cap. des territoires d'Andaman* et Nicobar, au large du golfe de Bengale, dans l'île Andaman du Sud. 14 100 habitants.

PORT-BOU. ♦ Port et station balnéaire d'Espagne, sur la côte de Catalogne (prov. de Gérone). 25 000 habitants.

PORT-CAMARGUE. ♦ Localité du Gard, au S. du Grau*-du-Roi. Future station conçue par l'architecte et urbaniste Jean Balladur, Port-Camargue sera essentiellement orienté vers la navigation de plaisance.

PORT-CARTIER. ♦ V. et port du Canada (Québec) sur la rive N. de l'estuaire du Saint-Laurent. 3 458 hab. (1961). Terminus de la ligne de chemin de fer desservant les mines de fer de Gagnon.

PORT-CROS [-KRO] *(île de).* ♦ Une des îles d'Hyères* dans la Méditerranée au large du cap Bénat. L'île, d'une superficie de 640 ha, est très accidentée et boisée. Ancien fort du Moulin (XVIe-XVIIe s.). L'île est classée parc national.

PORT-DE-BOUC. ♦ Comm. des Bouches*-du-Rhône, arr. d'Aix*-en-Provence, au débouché du canal de Caronte*, 14 080 hab. – Fort du XVIIe s., tour du XIIIe siècle. – Port de pêche; constructions navales, indus. chimiques; conserves. Commerce des minerais et des ciments.

PORT-DES-BARQUES. ♦ Comm. de Charente-Maritime, arr. de Rochefort. 1 181 hab. Port de pêche sur la r. g. de l'embouchure de la Charente. Important centre ostréicole.

Porte, Sublime Porte ou **Porte Ottomane.** *n. f.* ♦ Nom donné autrefois au gouvernement du sultan des Turcs.

Porte-Glaive *(chevaliers).* ♦ Ordre religieux et militaire, créé en 1202 par Albert* de Buxhövden, évêque de Livonie, et approuvé par le pape Innocent III. L'ordre, qui portait aussi les noms de *chevaliers des Deux Épées,* et *frères de l'Épée* (en all. *Schwerbrüderorden*), avait pour objet la défense des chrétiens contre les païens des régions voisines. Ayant fait la conquête de la Livonie* (d'où le nom *chevaliers de Livonie*), et de la Courlande* sous leur premier grand maître Winno de Rohrbach, ils furent vaincus sous le second, Foulques Schenk de Winterfeld, et durent fusionner avec l'ordre Teutonique* (1237), dont ils adoptèrent alors la règle et le vêtement. La branche livonienne de l'ordre reprit son autonomie en 1525. Son dernier grand maître Gotthard Kettler, battu par le tsar Ivan IV, céda la Livonie à Sigismond II, roi de Pologne, et devint duc de Courlande.

PORTEL (Le). ♦ Comm. du Pas*-de-Calais, arr. de Boulogne*-sur-Mer. 11 503 hab. Port de pêche, station balnéaire.

PORT ELIZABETH. ♦ V. et port d'Afrique* du Sud (province du Cap) relié par voie ferrée au Cap* et à Pretoria*. 386 580 hab. Indus. mécaniques et textiles (mohair). Cuirs. Indus. alimentaires.

PORT-EMPÉDOCLE, en it. **Porto Empedocle,** nommée en l'honneur d'Empédocle* d'Agrigente. ♦ V. d'Italie méridionale, sur la côte sud de la Sicile (prov. d'Agrigente). 17 000 hab. Raffineries de soufre et gros complexe chimique (engrais, firme Montecatini).

PORT-EN-BESSIN. ♦ Comm. du Calvados*, arr. de Bayeux*. 1 891 hab. – Port de pêche et petite station balnéaire sur la Manche.

PORTER (Edwin Stratton). ♦ Réalisateur américain de cinéma (Connellsville, Pennsylvanie, 1870 – New York, 1941). Pionnier du cinéma américain, il a réalisé, entre 1902 et 1910, plus de six cents films dont : « La Vie d'un pompier américain » (*The Life of an American Fireman,* 1902) et « Le Vol du rapide » (*The Great Train Robbery,* 1903), le premier western. Inventeur fécond (essais de cinéma en relief, 1915, et de cinéma parlant, 1921), il fut aussi le metteur en scène et le producteur de nombreux films qui introduisirent au cinéma la tradition populaire du mélodrame : « Le Nid d'aigle » (*Rescued from an Eagle's Nest,* 1907, avec D.W. Griffith) et *Tess of the Storm Country* (1914), avec Mary Pickford.

PORTER (George). ♦ Chimiste britannique (Stainforth, 1920). On lui doit la mise au point, avec R. Norrish*, d'une méthode fine d'étude des réactions chimiques ultra-rapides. (Prix Nobel de chimie, 1967.)

Portes de fer. *n. f. pl.* ♦ Nom donné aux gorges du Djerdap, défilé du Danube séparant les Balkans* (Serbie* orientale) des Alpes de Transylvanie* (Roumanie). Importante centrale hydro-électrique, sur le Danube*.

PORTES-LÈS-VALENCE. ♦ Comm. de la Drôme, arr. de Valence. 6 152 hab. Textiles synthétiques.

PORTET D'ASPET *(col de).* ♦ Col des Pyrénées (Haute-Garonne*) qui offre un beau panorama à 1 069 m d'alt. (col non routier).

PORT-ÉTIENNE. ♦ Anc. nom de Nouadhibou*.

PORTEVIN (Albert). ♦ Métallurgiste français (Paris, 1880 – Abano Terme, Italie, 1962). Il fit des recherches sur la trempe des aciers, sur le traitement thermique des alliages légers, sur la résistance chimique des aciers inoxydables, etc. (Acad. sc., 1942.)

PORT-GENTIL. ♦ Port du Gabon*, à l'embouchure de l'Ogooué*. 20 700 hab. Industries alimentaires, chimiques et du bois. Port exportateur d'okoumé. Gisement de pétrole et gaz naturel à proximité. **(V. Ozouri.)**

PORT GLASGOW. ♦ V. et port d'Écosse occidentale (Renfrewshire), sur la r. g. de l'estuaire de la Clyde. 22 560 hab. Constructions navales et mécaniques.

PORT-GRIMAUD. ♦ Bourgade du Var* créée en 1966 dans le style provençal. Station résidentielle et port de plaisance.

PORT HARCOURT. ♦ V. et port du Nigeria* **(V. Biafra),** cap. de l'État des Rivières, sur une branche du delta du Niger* dont l'avant-port pétrolier est Bonny. Tête de ligne de voies ferrées **(V. Enugu).** 179 565 hab. – Centre économique et industriel, exutoire de l'E. et du Moyen-Ouest, zones de gisements de pétrole et de gaz naturel. Raffinerie. Centrale thermique. Indus. du caoutchouc. Cimenterie ; huileries.

Porthos. ♦ Personnage de roman d'Alexandre Dumas*, l'un des *Trois* Mousquetaires.*

PORTICI. ♦ V. et port d'Italie méridionale (Campanie), dans la banlieue napolitaine, au pied du Vésuve. 61 500 hab. Usines chimiques.

PORTIER (Paul). ♦ Physiologiste français (Bar-sur-Seine, 1866 – Bourg-la-Reine, 1962). Il découvrit l'anaphylaxie avec A. Richet* et fit d'importants travaux sur la physiologie des animaux marins. (Acad. sc., 1936.)

PORTILLO. ♦ Station de ski dans les Andes du Chili central, à 140 km de Santiago*, et à 2 840 m d'altitude.

PORTILLON *(lac du).* ♦ Lac des Pyrénées (Haute-Garonne*) situé à 2 650 m d'alt. Ses eaux ainsi que celles de cinq autres lacs (Oô, lac Glacé) alimentent la centrale hydro-électrique du Portillon, dans la vallée de la Lys (réservoir d'une capacité de 18 950 000 000 de m³) qui produit 74 000 000 de kWh par an.

PORTIMÃO. ♦ V. du Portugal méridional, sur la côte de l'Algarve (district de Faro). 22 000 hab. Important port de pêche au thon. Conserveries.

PORTINARI (Cândido). ♦ Peintre brésilien (dans l'État de São Paulo, 1903 – Rio, 1962). Formé à Rio, puis à Paris, il réalisa des fresques (*Le Travail de la terre brésilienne; Les Quatre Éléments,* 1936-1945). Ses tendances expressionnistes et son graphisme tourmenté s'exprimèrent dans des sujets religieux (*Chemin de croix,* cathédrale de Belo Horizonte) et sociaux (tableaux évoquant la misère ; panneaux de *La Guerre et la Paix* pour le siège de l'O.N.U.).

Portique (le). ♦ Nom de l'école philosophique fondée v. ~ 300 à Athènes par Zénon* (de Citium). Il enseignait sous le Portique (en gr. *Stoa*) Poecile, d'où le nom de stoïcisme* ou philosophie du Portique. On distingue généralement trois périodes dans l'évolution de la philosophie stoïcienne : l'*Ancien Stoïcisme* (Zénon* de Citium, Cléanthe*, Chrysippe*) période de formation du système philosophique (logique, physique, éthique) ; le *Moyen Stoïcisme* (Diogène le Babylonien, Cratès de Mallos, Ariston* de Chio, Antipater de Tarse, Panetius*, Posidonius*), l'école y reçoit l'influence de la nouvelle Académie*, le système stoïcien perd sa rigueur et se latinise ; enfin, le *Stoïcisme de l'époque impériale,* essentiellement romain (Sénèque*, Musonius Rufus, Épictète*, Arrien*, Marc* Aurèle), qui se réduit à une morale.

PORT JACKSON. ♦ Port de Sydney (Australie). **V. Sydney.**

PORT-JÉRÔME. ♦ Section de la comm. Notre*-Dame-de-Gravenchon. – Raffinerie de pétrole : passage de l'oléoduc, **V. Havre** (Le). Usine de caoutchouc synthétique.

PORT-JINNAH. ♦ **V.** CHALNA.

PORT-JOINVILLE. ♦ Hameau, principale agglomération de l'île d'Yeu*, dans le dép. de la Vendée (arr. des Sables-d'Olonne). Ruines d'un château du XIe s., remanié au XIVe et au XVe siècle. – Port de pêche et station balnéaire. – Philippe Pétain*, incarcéré dans l'île, au fort de la Pierre-Levée, de 1946 à 1951, y fut inhumé.

PORT KEMBLA. ♦ V. et port de Nouvelle*-Galles du Sud (Australie*) qui fait partie de la conurbation de Wollongong*. Important centre industriel, depuis l'établissement d'un complexe sidérurgique. Fonderie et affinage du cuivre et de l'étain. Fils métalliques et câbles. Indus. chimiques. Importante centrale électrique **(V. Bulli).** – Un nouveau port a été construit en 1960. Exportation des produits sidérurgiques.

PORTLAND. ♦ **V.** BENTINCK.

PORTLAND *(presqu'île de),* en angl. **Bill of Portland.** ♦ Péninsule de l'Angleterre méridionale (Dorsetshire) au S. de Weymouth. Nombreuses carrières (pierres, calcaire).

PORTLAND. ♦ V. et port du N.-E. des États-Unis, la plus grande V. du Maine*, à 177 km au N.-E. de Boston. 72 600 hab. – Centre commercial et portuaire (pétrole : terminus du pipe-line Montréal-Portland). Pêche. Indus. (papier, textiles, conserveries, bois). – Patrie de H.W. Longfellow*.

PORTLAND. ♦ V. des États-Unis au N.-O. de l'Oregon*, la plus importante ville de cet État. 384 000 hab. ; la zone urbaine compte près de 1 000 000 d'habitants. – La ville regroupe les principales activités indus., commerciales et culturelles de l'Oregon. – Patrie de Linus Pauling*.

PORT-LA-NOUVELLE. ♦ Comm. de l'Aude (arr. de Narbonne), sur le cordon littoral séparant l'étang de Bages et de Sigean de la mer (reste de l'antique golfe marin de Narbonne). 4 036 hab. *(Nouvellois).* Pêche. Salines. Raffineries de pétrole. Indus. chimiques. – Aux env., station balnéaire et préventorium.

PORT-LOUIS. ♦ Ch.-l. de cant. du Morbihan, arr. de Lorient, à l'entrée de la rade de Lorient, 3 921 hab. *(Portlouisiens).* Ancienne place forte, remparts (XVIIe s.) ; citadelle (XVIe-XVIIe s.). – Station balnéaire, port de pêche. ♦ *Hist.* D'abord appelé Blavet, la place forte fut nommée *Port-Louis* en l'honneur de Louis XIII. Le développement de Lorient a provoqué le déclin de Port-Louis. La ville a beaucoup souffert de la Deuxième guerre mondiale.

PORT LOUIS. ♦ Cap. de l'île Maurice*, sur la côte N.-O. de l'île. 142 300 hab. Exportation de sucre de canne. Sucreries. Minoterie. – Patrie de Brown*-Séquard.

PORT-LYAUTEY. ♦ **V.** KENITRA.

PORT MORESBY. ♦ V. et port du territoire de Papua (Nouvelle*-Guinée du S.-E., dépendance de l'Australie*) au S.-E. de l'île, sur la mer de Corail*, dans une région de petites plaines côtières marécageuses. 66 245 hab. (1971). Centre administratif, doté d'un parlement en 1962 et d'une université en 1965. Seul port du territoire. Exportation de cuivre, or, argent, caoutchouc, café. Indus. alimentaires ; boissons. ♦ *Hist.* En 1942, les Japonais firent de l'importante base de Port Moresby un de leurs objectifs principaux, mais ils durent y renoncer après leur défaite dans la bataille de la mer de Corail* (mai 1942).

PORT-NAVALO. ♦ Section de la comm. d'Arzon à l'entrée du golfe du Morbihan, dans la presqu'île de Rhuys. Petite station balnéaire, port de pêche.

Ph. Nino Cirani/Ricciarini

Port Elizabeth : la bibliothèque.

Ph. Prato Ricciarini

Le fleuve Douro à **Porto** (Portugal).

PORTO. ♦ Station balnéaire de Corse*, sur la côte O. de l'île, dans un très beau site, au fond du *golfe de Porto.*

PORTO ou **OPORTO** (« le port »). ♦ V. et port du Portugal*, sur la r. d. de l'estuaire du Douro*. 325 400 hab. Évêché. Université. Seconde ville du Portugal et ch.-l. de district, elle est célèbre par son commerce des vins de la vallée du Douro, les *portos* (Cf. Robert), entreposés à *Vila Nova de Gaia,* exportés par le port de Leixões et redistribués dans toute l'Europe occidentale. Les exportations s'élèvent environ à 250 000 hl par an. Les autres activités indus. (fonderies, textiles, artisanat) s'étendent vers les agglomérations voisines (Guimarães, Matosinhos). Principaux monuments : cathédrale romane (XIIe-XIIIe s., remaniée aux XVIIe et XVIIIe s.), églises des XVIIe et XVIIIe s., *tôrre dos Clérigos* (XVIIIe s.), le plus haut clocher du Portugal. — Patrie d'Henri* le Navigateur. ♦ *Hist.* Appelée dans l'Antiquité *Portus Calle,* elle donna son nom au *Portugal.* Fondée par les Romains en ~ 138, elle fut peu de temps occupée par les Arabes, puis passa aux mains de la maison de Bourgogne. Elle resta la capitale du Portugal jusqu'en 1174. Traditionnelle rivale de Lisbonne, elle fut le siège de nombreuses insurrections. Occupée par les Français en 1808, la ville fut délivrée par Wellington* en 1809. Porto fut la place d'armes de Pierre* Ier à son retour du Brésil (1832-1833).

PÔRTO ALEGRE. ♦ V. et port du Brésil, cap. de l'État du Rio* Grande do Sul, sur la Guaiba, tributaire du Lagoa* dos Patos, à l'embouchure du rio Jacui. 932 800 hab. (avec l'aggl.). — Archevêché. Centre universitaire, métropole économique et princ. centre indus. du Brésil méridional. Indus. textiles, alimentaires, constructions navales, raffineries de pétrole, indus. du caoutchouc.

PORTOCARRERO (Luis Manuel Fernández *de*). ♦ Cardinal et homme politique espagnol (1635 — 1709). Archevêque de Tolède (1678), il prit parti pour la candidature du duc d'Anjou (le futur Philippe* V) à la mort de Charles* II et fut membre de la junte de régence.

PORTOFERRAIO. ♦ V. d'Italie, en Toscane (prov. de Livourne). Ch.-l. de l'île d'Elbe*, sur la côte nord. 11 000 hab. Exportation du fer. — Napoléon Ier y séjourna de mai 1814 à février 1815.

PORT OF SPAIN (« port d'Espagne »). ♦ Capitale de l'île de la Trinité*, située sur le golfe de Paria, face à la péninsule vénézuélienne de Paria. Plus de 100 000 hab. Archevêché. Principal centre commercial du pays et son plus grand port exportateur (sucre, cacao,...).

PORTO MARGHERA. ♦ Faubourg industriel situé à la périphérie de Venise. Installations portuaires, sidérurgie, raffinage du pétrole.

PORTO-NOVO. ♦ Cap. du Dahomey* sur la côte E. du pays, reliée par voie ferrée à Cotonou*. Cette ligne littorale se prolonge au N.-E. parallèlement à la frontière du Nigeria. 85 000 hab. — Centre administratif et commercial. Centrale thermique. ♦ *Hist.* Anc. royaume du *Dahomey** fondé au début du XVIIIe s., menacé par le royaume d'Abomey*, il fit appel à la France.

PORTO-RICHE (Georges *de*). ♦ Auteur dramatique français (Bordeaux, 1849 — Paris, 1930). La passion sensuelle, avec les obsessions, les épreuves et les déchéances qu'elle entraîne pour ses victimes, constitue le thème dominant de ce théâtre. *Œuvr. princ. Amoureuse* (1891), *Le Passé* (1897), *Le Vieil Homme* (1911). [Acad. fr., 1923.]

PORTO RICO ou **PUERTO RICO** (le « port riche »). ♦ Île des Grandes Antilles* ; État libre associé aux États-Unis. L'île fait suite aux îles du Vent ; sa côte N. borde l'Atlantique et sa côte S., la mer des Caraïbes. Elle est séparée de la république Dominicaine par le détroit de Mona, et des îles Vierges par le détroit de Culebra. 8 891 km^2 (8 971 km^2 avec ses dépendances : îles de Vieques, Culebra, Mona). 2 775 000 hab. [1971] *(Portoricains).* Capitale : San* Juan. Autres villes : **V. Mayagüez, Ponce.** Langues : espagnol (officielle), anglais (env. 400 000 bilingues). Unité monétaire : le dollar. — *Orogr.* L'île est montagneuse, avec des plaines côtières qui occupent le tiers du pays. Le climat, tropical et très humide, favorise une végétation luxuriante (forêts de palmiers, ébène, bambous...). Économie : les terres arables s'étendent sur près de la moitié de l'île. Plantations de canne à sucre, tabac, bananes, ananas, café. Agrumes, céréales. Un effort d'industrialisation due aux capitaux des États-Unis, stimulé par la présence de main-d'œuvre (forte densité de population), a développé les sucreries, distilleries de rhum, fabriques de jus de fruits, conserveries de viande, tanneries, fabriques de vêtements et de chaussures. L'industrie lourde est représentée par des raffineries de pétrole, les aciéries (San Juan), les chantiers navals (Mayagüez), les laminoirs de Ponce, des cimenteries. Centrale atomique (1963). Les exportations se font essentiellement en direction des États-Unis qui assurent, par ailleurs, l'essentiel du tourisme. Le surpeuplement entraîne une forte émigration de Portoricains vers les États-Unis, en particulier à New York. ♦ *Hist.* L'île, découverte par Colomb en 1493, était alors habitée par les Indiens Arawaks*. Le nom de Porto Rico fut donné à la baie où San Juan fut fondé en 1511. Tour à tour occupée par les Anglais, les Hollandais et les Espagnols, la colonie fut mise en difficulté par le problème de l'esclavage et les révoltes des Noirs. L'île fut cédée par l'Espagne aux États-Unis (traité de Paris, 1898). En 1917, les Portoricains reçurent la nationalité américaine. La constitution de 1952 accorda à l'île un statut d'État libre associé aux États-Unis ; en fait, Porto Rico dépend entièrement de son associé. Le gouverneur de l'île y a les pouvoirs d'un chef d'État.

PORTO-VECCHIO. ♦ Ch.-l. de cant. de la Corse*, arr. de Sartène*, sur la côte S.-E. de l'île, au fond du *golfe de Porto-Vecchio.* 6 000 hab. (3 220 aggl.). — Restes de fortifications. Port ; indus. du liège. Salines.

PÔRTO VELHO. ♦ V. du Brésil, cap. du territoire de Rondônia*, située sur le Madeira*. 74 000 habitants.

PORT PIRIE. ♦ V. et port de l'État d'Australie* méridionale, sur la côte E., au N. du golfe de Spencer, reliée à Adélaïde et à Broken Hill (Nouvelle-Galles du Sud) par voie ferrée. 15 566 hab. Port exportateur des minerais de Broken* Hill, dont la plupart sont fondus à Port Pirie ; la production principale est le plomb (grande fonderie). Indus. métallurgiques et chimiques (acide sulfurique). Indus. légères.

PORT RADIUM. ♦ Loc. du Canada (territoire du Nord*-Ouest), sur la côte E. du grand lac de l'Ours*. Station de météorologie et de radio. Centre minier : pechblende (uranium).

PORT-ROYAL de Paris. ♦ Anc. couvent, situé à Paris sur le boulevard de ce nom (quartier de Montparnasse*). Acquise en 1625 par la mère Angélique (Jacqueline Arnauld*) comme annexe du monastère de Port*-Royal des Champs **(V. Jansénisme),** la maison de Paris se sépara en 1669 de ce dernier, puis fut supprimée en 1790. *Prison de Port-Libre* sous la Révolution, puis *maison de l'Allaitement* (1795), le couvent est devenu l'*hôpital de la Maternité* (1814). Des bâtiments austères subsistent le cloître, la salle capitulaire et la chapelle (élevée par Lepautre*, de 1646 à 1648) où Pascal* écouta les sermons de Singlin*.

PORT-ROYAL des Champs. ♦ Abbaye féminine de la vallée de Chevreuse (Yvelines), fondée en 1204, cistercienne en 1225. Elle fut restaurée par les Arnauld* à la fin du XVIe siècle. Angélique Arnauld en devint abbesse en 1602 et en entreprit la réforme en 1609. De 1625 à 1648, les religieuses se transférèrent à Paris, tandis que sous la direction de Saint-Cyran* puis de Singlin*, et sous l'influence d'Antoine Arnauld*, leur maison devenait un foyer du jansénisme ; malgré leur ignorance théologique, les religieuses furent mêlées aux controverses **(V. Jansénisme).** En 1661, pensionnaires et novices furent expulsées. Le refus de signer sans l'amender le formulaire exigé par Louis XIV amena, en 1664, la déportation de douze religieuses dans d'autres maisons, la mise sous surveillance du monastère, l'interdit jeté sur les religieuses. Celles-ci finirent par accepter la « paix clémentine » (1669, **V. Clément IX)** et pendant dix ans Port-Royal devint un centre intellectuel brillant, mais aussi un foyer d'opposition : en 1679, la persécution reprit et il fut interdit de recevoir des novices. En 1669 la maison de Paris avait rompu avec celle des Champs ; elle ne fut pas étrangère aux ultimes hostilités : en 1709, les dernières religieuses, refusant un nouveau formulaire, furent chassées. Les bâtiments furent rasés en 1711. — *Principales religieuses :* la mère Angélique, la mère Agnès et la mère Angélique de Saint-Jean **(V. Arnauld)** et Jacqueline Pascal*. — *Solitaires de Port-Royal,* se dit des hommes (les « messieurs ») qui vécurent dans l'austérité auprès du monastère de Paris (1637) puis des Champs ; ils furent plusieurs fois dispersés, et définitivement en 1679. Ce furent d'abord Antoine Lemaistre* et ses frères, de Séricourt et de Saci ; **V.** *aussi* **Arnauld** (A.), **Arnauld d'Andilly, Fontaine, Hamon, Lancelot, Nicole, Singlin, Tillemont.** — *Petites Écoles de Port-Royal :* fondées à partir de 1638, fermées par suite de l'hostilité des Jésuites en 1656 (les Granges, près de Port-Royal des Champs) et 1660 (Le Chesnay). Nicole, Lancelot y enseignèrent ; Racine*, Tillemont* y furent élèves. — *Œuvres :* De Port-Royal sortirent de nombreux ouvrages, souvent en collaboration. Ils furent polémiques : *Les Provinciales,* 1656-1657, rédigées par Pascal à la demande d'Arnauld ; pédagogiques : *Jardin des racines grecques,* 1657, par Lancelot et Lemaistre de

Saci; *Grammaire générale et raisonnée,* 1660, par Arnauld et Lancelot, application de la doctrine cartésienne à l'analyse du langage; *Logique* de Port-Royal,* 1662, par Arnauld et Nicole; apologétiques : *La Perpétuité de la foi de l'Église catholique touchant l'eucharistie,* 1669; scripturaires : *Nouveau Testament de Mons,* 1667, traduit par Saci, Nicole, Arnauld et condamné par Clément IX (1668); la Bible, traduite d'après la Vulgate par Saci, de 1672 à sa mort.

Port-Royal. ♦ Œuvre de Sainte*-Beuve (1840 – 1859). À partir d'un cours sur Port*-Royal, fait à Lausanne (1837-1838), l'auteur se proposait de montrer avant tout l'influence d'un mouvement de pensée sur les grands écrivains classiques, comme Racine*, Boileau*, Mme de Sévigné* et surtout Pascal*. Ces six volumes constituent une vaste fresque de la vie intellectuelle française au XVIIe siècle.

PORT-SAÏD, en ar. **Bûr Sa'îd.** ♦ V. et port d'Égypte nord-orientale, sur la Méditerranée, à l'extrémité nord du canal de Suez. 313 000 hab. L'activité portuaire (escale, transit, approvisionnement, pêche) conditionne l'industrialisation (raffinerie de pétrole, extraction de sel marin). Sur la rive orientale se trouve Port-Fu'âd. ♦ *Hist.* Fondée en 1859 par la Compagnie du canal de Suez, « la Cayenne du désert » a toujours vu son sort étroitement lié à celui du canal. En 1956, les forces franco-anglaises s'emparèrent de Port-Saïd, qui fut confié l'année suivante à l'administration de forces de police internationales. Étroitement lié au canal de Suez, Port-Saïd perdit l'essentiel de ses activités après la fermeture du canal à la suite de la guerre éclair entre l'Égypte et Israël (juin 1967).

PORT-SAINTE-MARIE. ♦ Ch.-l. de cant. du Lot*-et-Garonne, arr. d'Agen*, sur la Garonne*. 1 876 hab. *(Portais).* – Église du XVIe s.; maisons anc. À proximité église romane de Clermont-Dessous; château et église de Bazens. – Biscuiterie, vins.

PORT-SAINT-LOUIS-DU-RHÔNE. ♦ Ch.-l. de cant. des Bouches*-du-Rhône, arr. d'Arles*, près de l'embouchure du Rhône, relié par canal au golfe de Fos*, 8 285 hab. – Port très actif. Indus. chimiques. Vastes entrepôts de blé. Salines. Station de pompage des eaux.

PORTSMOUTH. ♦ V. du S. de l'Angleterre (Hampshire), dans l'île de Portsea, sur le chenal de Spithead, face à l'île de Wight. 196 375 hab. Principal port de guerre britannique formé de quatre agglomérations : à l'O. Portsea (chantiers navals, arsenaux et docks, musées : le *Victory,* navire de Nelson conservé dans le *Royal Dock*), suivi de Old Portsmouth au S., la station balnéaire de Southsea, au S.-E., et le quartier de Landport au nord-est. Les constructions navales et mécaniques et la chimie sont les princ. activités industrielles. – Patrie de Ch. Dickens*, G. Meredith* et Isambard Brunel*. ♦ *Hist.* Fondée à l'époque normande, Portsmouth fut longtemps moins importante que Portchester. C'est Henri VIII, à la fin du XVe s., qui en fit le premier port de guerre de la côte sud. Pendant la Deuxième Guerre mondiale, le port souffrit beaucoup des bombardements et rassembla une bonne part de la flotte du débarquement de Normandie en 1944.

PORTSMOUTH. ♦ V. et port du N.-E. des États-Unis (Nouvelle-Angleterre) sur la côte du New Hampshire. 25 833 hab. en 1960. – Base navale et aérienne. ♦ *Hist.* Ce fut la capitale de l'État avant la guerre d'Indépendance. Le traité qui céda au Japon la moitié de Sakhaline, Port-Arthur et la voie ferrée sud-mandchourienne, mettant ainsi fin à la guerre russo-japonaise, y fut signé en 1905.

PORTSMOUTH. ♦ V. et port des États-Unis. 110 365 hab. Au S. de la Virginie*, sur un des estuaires de Hampton* Roads, en face de Norfolk*. – Le port de Portsmouth est inclus dans la zone portuaire de Hampton Roads.

PORT-SOUDAN, en ar. **Sûdân.** ♦ V. et port principal du Soudan*, sur la mer Rouge*, relié par voies ferrées à l'intérieur du pays. 61 000 habitants.

PORT-SUR-SAÔNE. ♦ Ch.-l. de cant. de la Haute-Saône, arr. de Vesoul. 2 056 hab. Appareils de précision.

PORT TALBOT (Margam). ♦ V. et port du S. du pays de Galles (Glamorganshire) sur la *baie de Swansea.* 52 000 hab. Important port charbonnier exportant la houille de la vallée de Rhondda, et relié administrativement au grand centre sidérurgique de Margam.

PORTUGAL. *n. m.* ♦ État de l'Europe du S.-O., occupant les trois quarts de la façade occidentale de la péninsule Ibérique, limité au N. et à l'E. par l'Espagne et baigné au S. et à l'O. par l'Atlantique. La République portugaise comprend le Portugal continental, les Açores* et l'île de Madère*. 92 000 km². 8 760 000 hab. *(Portugais). Cap.* **V. Lisbonne.** *Langue :* portugais. *Religion :* catholique. *Possessions d'outre-mer :* en Asie (Macao* et Timor*) et anc. en Afrique (Angola*, Cabinda*, Mozambique*, Guinée* [Bissau], Cap*-Vert, São* Tomé et Prince [île du]). *Les princ. divisions admin.* sont, du N. au S. : le Minho* (Braga), le Trás*-Os-Montes (Bragance) et le Haut-Douro (Vila Real), le Douro* Litoral (Porto), la Beira* Alta (Guarda, Viseu), la Beira Baixa (Castelo Branco), la Beira Litoral (Aveiro, Coimbra et Leiria), l'Estrémadure* (Lisbonne, Setúbal), le Ribatejo* (Santarém), l'Alto Alentejo* (Evora) et le Baixo Alentejo (Beja), l'Algarve* (Faro), Madère (Funchal), les Açores (Angra do Heroismo, Horta et Ponta Delgada). – *Orogr.* La forme générale du relief correspond au rebord occidental de la Meseta ibérique. Le sillon du Tage délimite deux zones de relief. Au N., s'élèvent de hauts blocs granitiques (Minho, Douro) orientés N.-E. - S.-O. (serras de Gerez, de Padrela, de Marão et de Montemuro), dont l'altitude moyenne varie entre 1 200 et 1 500 mètres. Vers l'E., s'étendent les hauts plateaux du Trás-Os-Montes (1 000 m). Montagnes et plateaux sont profondément entaillés par les vallées du Minho, Tamega et Mondego. La vallée du Douro est une suite de riantes collines et de terrasses peu élevées. Au S. du Douro, s'élève la *serra da Estrela* (1 991 m), point culminant du Portugal, qui se continue vers le S.-O. par la dorsale d'Estrémadure. Au S. du Tage, le relief s'abaisse très nettement : ce sont les plaines du Ribatejo et de l'Alentejo, orientées N.-E.–S.-O. Au S. (Algarve), s'élèvent quelques petites serras (Monchique, Caldeirao). Les côtes sont généralement basses et sableuses (estuaires du Douro et du Tage, lagune d'Aveiro), sauf dans la partie S. de l'Estrémadure (cap da Roca) et en Algarve (cap Saint-Vincent). – *Hydrogr.* Minho*, Douro* (affl. Tamega), Mondego*, Tage* (affl. Zézere*, Sorraia), Sado* et Guadiana*. Le *climat* est très varié : de tendance océanique sur la côte N. (Minho), continentale sur les hauts plateaux de l'intérieur, il devient progressivement chaud vers le S. et même franchement subtropical en Algarve. – *Écon.* Le Portugal est l'un des pays européens les moins développés, et le niveau de vie y est bas. Le secteur agricole ne représente plus que 17 % du produit intérieur brut (33 % en 1950); 65 % des terres sont mises en culture et exploitées par 40 % de la population. La main-d'œuvre est insuffisante par suite de l'émigration dans les villes et à l'étranger (France, Allemagne...). Le N. est une zone de petites propriétés; dans le S., en revanche, dominent les grands domaines. Les céréales : blé (Alentejo, Estrémadure), maïs (Beira Alta, Estrémadure), seigle (Beira Baixa, Trás-Os-Montes) sont largement cultivées, mais les rendements sont faibles. Les cultures les plus importantes sont l'olivier (Estrémadure, Ribatejo,

Portugal.

Ph. C. de Bellefonds
Portugal : château d'Almourol, au bord du Tage.

Alentejo; 32 000 t d'huile) et la vigne : vins de table d'Estrémadure, *vinho verde* de la vallée du Douro, portos et madères, surtout destinés à l'exportation. Les cultures de fruits et légumes sont d'un bon rapport. Le troupeau ovin est important, mais celui des bovins est insuffisant. La *forêt* est une ressource essentielle (3 200 000 ha de chênes-lièges et de pins) et fait du Portugal le 1er producteur mondial de liège. La *pêche* a une importance considérable, puisqu'elle sert aussi bien à la consommation intérieure qu'à l'exportation. Les sardines (13 700 t) sont pêchées à Matosinhos*, Setúbal*, Portimão*, le thon dans les ports de l'Algarve, la morue dans la région d'Aveiro. La pêche de la baleine est pratiquée aux Açores. Les principales ressources minières sont le cuivre (Aljustrel), l'étain (Beira), le tungstène et le fer. La production de charbon étant pratiquement nulle, l'énergie est essentiellement d'origine hydro-électrique (barrages sur le Cavado, le Ponsul, le Zézere, le Douro et le Sado). Depuis 1967, une centrale thermique devant produire 500 000 kWh a été mise en chantier près de Lisbonne, à Carregado. Jusqu'en 1940, les secteurs industriels les plus développés étaient le textile : laine (Covilhà) et coton (Porto), les indus. alimentaires : conserves de poisson (Setúbal) et exportation des vins de Porto et l'artisanat (céramique, dentelle). Mais depuis 1940, l'implantation de capitaux étrangers a favorisé le développement des industries de base dans la région de Lisbonne : sidérurgie (Paio Pires, Seixal), chimie (raffinerie de Porto Ruivo, production de ciment et de phosphates à Alhandra et Barreiro). L'ensemble des indus. représente 45 % du produit intérieur brut. Le *commerce* se fait surtout avec la Grande-Bretagne, la France et l'Allemagne (R.F.A.). *Communications :* le réseau ferré compte 3 600 km, le réseau routier 30 000 km. La flotte marchande jauge 870 000 tonneaux. Les principaux ports sont Lisbonne et Porto. Le *tourisme,* activité traditionnelle, connaît un essor croissant. ♦ *Hist.* Occupée dans l'Antiquité par des tribus ibères (les Lusitaniens), la région fut constituée en province romaine au ~ Ier s., puis envahie par les Vandales, les Suèves, les Wisigoths (ve au VIIIe s.) et enfin les Arabes (VIIIe s.). C'est vers le xe s. que le pays compris entre le Douro* et le Minho* fut appelé ***Terra Portucallis,*** de ***Portus Calle,*** nom romain de la ville de Porto*. Grâce à Henri* de Bourgogne, le Portugal devint un royaume indépendant dès 1143. Ses frontières devaient être progressivement repoussées avec la lutte contre les Maures *(Reconquista),* commencée par Alphonse* le Conquérant et poursuivie par ses successeurs **(V. Sanche Ier).** Avec la monarchie de Bourgogne (1279-1383) et les rois Denis* Ier, Alphonse* IV, Pierre* le Justicier et Ferdinand* Ier, le Portugal connut un remarquable développement économique. Avec la dynastie d'Aviz*, commencèrent les grandes expéditions maritimes dues à la politique d'Henri* le Navigateur : découverte de Madère, des Açores, des îles du Cap-Vert (1460), de la côte orientale de l'Afrique (1497). B. Dias* doubla le cap de Bonne-Espérance, et Vasco de Gama* atteignit l'océan Indien où Albuquerque* fonda des bases solides (Goa, Malaka, les Moluques, v. 1513). En 1500, Cabral, découvrit le Brésil **(V. Brésil).** Le traité de Tordesillas* (1494) avait fixé la limite des possessions portugaises et espagnoles; cependant le Portugal ne sut pas créer, comme l'Espagne, un véritable empire colonial. Si, au XVIe s., le roi Manuel* Ier pouvait s'intituler « Seigneur de la conquête, navigation et commerce d'Inde, d'Éthiopie, d'Arabie et de Perse », le Portugal n'en demeurait pas moins un pays trop exigu pour son empire, où les richesses coloniales, mal distribuées, étaient la proie de la concurrence hollandaise. De plus, les cadres de la monarchie se sclérosaient; les juifs furent expulsés en 1497, privant le pays de son élite de commerçants et de financiers. Le fanatisme religieux et l'Inquisition se répandirent (1536). L'échec du roi Sébastien* contre les Maures (1578) et l'irrésolution d'Henri* le Cardinal, qui lui succéda, sonnèrent le glas de la dynastie d'Aviz. Philippe II, roi d'Espagne, chargea alors le duc d'Albe* d'occuper le Portugal : toute la haute administration passa aux mains des Espagnols (1580), les possessions portugaises étant menacées par les Hollandais. En 1640, grâce à Richelieu, les Espagnols furent chassés et Jean* IV inaugura la dynastie de Bragance*. Le Portugal retrouva son indépendance en 1668 (traité de Lisbonne*) mais l'ancienne splendeur était passée; le Portugal dut s'allier avec l'Angleterre (1703); cette alliance devait demeurer jusqu'au XXe siècle. Sous le règne de Joseph* Ier (1750-1777), le ministre Pombal* gouverna en despote éclairé et réalisa de grandes réformes. Lié aux Anglais, le Portugal fut entraîné au XIXe s. dans les guerres contre Napoléon. La dynastie de Bragance se réfugia au Brésil tandis que Wellington* s'efforçait avec succès de chasser les Français (1811). Le Brésil se déclara indépendant en 1822 et Marie* II monta sur le trône du Portugal en 1834. Elle se trouva aux prises avec l'opposition des « septembristes » (radicaux). La vie politique fut désormais marquée par une extrême instabilité et par la dégradation du pouvoir royal (opposition du maréchal Saldanha*). En 1910, la république fut proclamée, mais les difficultés financières et l'agitation sociale devaient entraîner une réaction conservatrice. En 1926, le maréchal Carmona* fut porté au pouvoir et appela Salazar* pour réorganiser les finances. Ce dernier, président du Conseil à partir de 1932, eut recours au vieux mythe portugais de la ***Regeneração.*** En 1933, il promulgua une constitution fondant l'*Estado Novo* sur la base d'un régime autoritaire et corporatif. Le parti unique, l'*União Nacional,* fut complété par une Légion portugaise et par un mouvement de jeunesse. L'Église, ainsi que l'armée et la police, y avaient une position privilégiée. L'opposition intérieure fut sévèrement réprimée, tandis que Salazar s'opposait à toute décolonisation outre-mer. Durant la Deuxième Guerre mondiale, Salazar permit aux alliés de s'établir à Timor et aux Açores. En 1949, il fut l'un des fondateurs de l'O.T.A.N. Son successeur, Marcello Caetano, poursuivit sa politique, mais fut renversé le 25 avril 1974 par une junte de militaires anticolonialistes, dirigée par le général Antonio Spinola* devint président de la République. Un gouvernement comprenant des communistes, des socialistes et des libéraux reconnut l'indépendance de la Guinée-Bissau, négocia celle du Mozambique et de l'Angola. A Spinola démissionna en sept. 1974 et Francisco da Costa Gomes lui succéda. Après le putsch manqué de Spinola (mars 1975), une crise s'ouvrit au sein de la gauche. Les élections législatives d'avril 1976 confirmèrent les progrès du Parti socialiste qui triompha en juin 1976 avec l'élection à la présidence du général Ramalho Eanes. Celui-ci nomma alors Mario Soares Premier ministre.

PORT-VENDRES. ♦ Comm. des Pyrénées-Orientales, arr. de Céret. 5 860 hab. [aggl. Collioure, 8 549 hab.] *(Portvendrais).* Port de pêche et de commerce. Tourisme. ♦ Hist. *Portus Veneris* (« Port de Vénus »), V. romaine, tomba en décadence au Moyen Âge. Le port, envasé au XVIIe s., fut amélioré par Vauban.

PORT-VILA. ♦ **V.** VILA.

PORTZMOGUER (Hervé *de***).** ♦ Marin breton (Plouarzel, v. 1470 – 1512). Combattant sur son navire, *La Cordelière,* il fit sauter le navire adverse en même temps que le sien. Son nom fut francisé en PRIMAUGUET par le chroniqueur Alain Bouchard.

PORZ AM RHEIN. ♦ V. d'Allemagne occidentale (Rhénanie-du-Nord-Westphalie), au S.-E. de Cologne. 61 900 hab. Centre industriel.

POSADAS. ♦ V. d'Argentine, *ch.-l.* de la prov. des Misiones*, sur la r. g. du Paraná* face à Encarnación* (Paraguay). 80 000 hab. – Évêché. Port fluvial. Indus. alimentaires.

POSAVINA. ♦ Plaine du N. de la Croatie*.

POSÉIDON. ♦ Dieu grec des Mers et de l'élément liquide en général, identifié avec le ***Neptune*** des Romains. Fils de Cronos* et de Rhéa* **(V. Théogonie),** il est un des trois maîtres de l'Univers, avec ses frères Zeus* et Hadès*. Avec son trident, don des Cyclopes*, il commande aux flots, suscite ou apaise les tempêtes et les orages, provoque les tremblements de terre et fait jaillir des sources. Il est aussi le « maître des chevaux ». Son palais est au fond de la mer. Il en sort sur son char attelé de deux chevaux à la crinière d'or. Il a une épouse légitime, Amphitrite*, qui lui donne Triton*, mais on lui attribue plus de quatre-vingts amantes, immortelles ou mortelles et même des monstres. De Déméter*, il a le coursier Aréion et une fille dont il est interdit de prononcer le nom. De Phénice, il a le dieu marin Protée*. Sa progéniture se compose aussi de héros comme Bellérophon*, Agénor* et Pélias*, et surtout de créatures redoutables **(V. Busiris),** de géants malfaisants comme les Aloades*, Polyphème* et le brigand Antée* (qu'il eut de Gaia*). Uni à la Gorgone Méduse*, il engendre le cheval ailé Pégase* et le monstre Chrysaor. Intéressé aux affaires des mortels, il se venge souvent en envoyant contre ses ennemis des monstres marins et d'autres calamités **(V. Laomédon, Minos).** Sa vengeance inassouvie le conduit à aider les Grecs contre Troie*, dont il avait construit les murs sans recevoir la récompense promise. Revendiquant la protection de la ville d'Athènes*, il fait jaillir une source d'eau salée sur l'Acropole, mais il est vaincu par Athéna* **(V. Cécrops).** Parmi les temples consacrés à son culte, les plus connus sont à Paestum (en grec, Poséidonia), à Athènes (l'Érechthéion*), à l'île de Calaurie* et au cap Sounion*.

POSIDONIUS, en gr. **Poseidônios.** ♦ Philosophe grec de l'école stoïcienne (Apamée, ~ 135 – Rome, ~51). Élève de Panetius*, il fonda une école à Rhodes, et voyagea à Rome, en Afrique du Nord, en Espagne, en Gaule. Comptant parmi ses auditeurs Pompée* et Cicéron*, il fut un de ceux par qui le stoïcisme se latinisa. D'une grande érudition, il s'intéressait aux sciences les plus diverses. Il aurait écrit plusieurs traités *Sur l'âme, Sur les dieux,* des traités de physique et de météorologie.

POSNANIE ou **POZNANIE**. *n. f.* ♦ Anc. prov. de Prusse, issue du deuxième partage de la Pologne* (1793), à qui elle fut restituée dans sa totalité en 1945. *Cap.* Posen, en polon. Poznań. Elle constitue, avec la Cujavie, la Grande-Pologne*. ♦ *Hist.* **V. Poznań.**

Possédés (Les). ♦ Roman de F. Dostoïevski* (1871). Dans ce roman sombre et complexe, Dostoïevski pose des problèmes politiques et religieux. Après avoir défendu la thèse des occidentalistes*, l'auteur voit en elle la perte de la Russie orthodoxe. Ses héros, fils de libéraux idéalistes, sont des nihilistes dans les domaines intellectuel ou politique.

Possibiliste *(parti)* ou **Fédération des travailleurs socialistes.** ♦ Parti fondé par Brousse* et Allemane (qui s'en sépara par la suite) en 1882. **V. Socialiste français** *(parti).*

POST (Emil Léon). ♦ Mathématicien et logicien américain (1897 – 1954). Auteur d'une analyse (métamathématique) des *Principia mathematica* de Russell et Whitehead, dont il a montré la cohérence et la complétude, il est surtout connu pour avoir construit, en même temps que Łukasiewicz*, un système logique trivalent ouvrant ainsi la voie aux logiques polyvalentes, *Introduction à une théorie générale des propositions élémentaires,* 1921.

POSTEL (Guillaume). ♦ Écrivain et orientaliste français (Barenton, Normandie, 1510 – Paris, 1581). Il participa à une mission diplomatique à Constantinople. Revenu à Paris, il enseigna le grec, l'hébreu et l'arabe au Collège royal. Ordonné prêtre, il appartint quelque temps à l'ordre des Jésuites. Après un nouveau séjour au Moyen-Orient et en Italie, il fut suspecté par l'Inquisition et emprisonné. Illuminé et pacifiste, il prêcha la réconciliation des musulmans et des chrétiens dans son *De orbis terrae concordia.*

POSTOLI (Foqion P.). ♦ Romancier albanais (Korçë, 1889 – *id.*, 1927). Auteur d'un roman historique et psychologique : *La Fleur du souvenir* (1924).

POSTUMUS, en lat. **Marcus Cassianus Latinus Postumus.** ♦ Usurpateur romain ([mort] Mayence, 267). L'un des Trente* Tyrans sous Gallien*, il fonda un empire des Gaules (258) qui groupait la Gaule, la Germanie, l'Espagne et la Bretagne et prit le titre de *Germanicus Maximus.*

POT (Philippe). ♦ Homme politique bourguignon, puis français (La Rochepot, 1428 – 1494). D'abord au service de Philippe III de Bourgogne puis de Charles le Téméraire, il passa au service de Louis* XI qui le nomma grand sénéchal de Bourgogne (1477). Il représenta la noblesse de Bourgogne aux états généraux de Tours (1484). Son tombeau, parfois attribué à Le* Moiturier, se trouve au Louvre.

POTAIN (Pierre Carl Édouard). ♦ Médecin français (Paris, 1825 – *id.*, 1901). Il fut un des premiers à mesurer la tension artérielle, à compter les globules du sang, etc. On lui doit également un appareil (dit de Potain) servant à aspirer le liquide pleural. (Acad. méd., 1882 ; Acad. sc., 1893.)

POTALA. *n. m.* ♦ Colline de la ville de Lhassa*, au Tibet, sur laquelle fut construit, de 1643 à 1645, sur le site d'un anc. monastère-forteresse fondé selon la tradition au VIIe s., le palais des dalaï-lamas, incarnations d'Avalokiteśvara*. Le Potala est en effet le nom du séjour céleste de ce Bodhisattva*.

POTEMKINE (Grigori Alexandrovitch). ♦ Feld-maréchal et homme politique russe (Tchiskhovo, Biélorussie, 1739 – Skaliany, Bessarabie, 1791). Fils d'un gentilhomme d'origine polonaise (la famille s'appelait autrefois *Potemski*), il étudia la théologie à l'université de Moscou, mais en fut exclu et s'engagea dans la garde à cheval (1755). Après avoir participé à la révolution de palais qui donna la couronne à Catherine* II (1762), il fut nommé chambellan (déc. 1762). Il se distingua ensuite dans la première guerre russo-turque (1768-1774), et devint en mars 1774 le cinquième favori en titre de l'impératrice. Deux ans après, il fut remplacé par Zavadovski, mais conserva son influence politique sur Catherine jusqu'en 1791. Nommé gouverneur général de la « Nouvelle Russie » (Ukraine) en 1776, puis feld-maréchal (1784), il entreprit la colonisation des steppes ukrainiennes et fit construire l'arsenal de Kherson (1778), les ports de Sébastopol (1784) et Nikolaïev (1789), ainsi qu'une flotte de guerre dans la mer Noire. Ayant conçu un vaste « projet grec » (recréer l'empire byzantin sous l'un des petits-fils de l'impératrice), Potemkine, afin de rallier Catherine à ses vues, organisa pour elle le voyage à travers la « Nouvelle Russie », auquel participèrent l'empereur d'Autriche Joseph II et le roi de Pologne Stanislas Poniatowski. Au cours de ce voyage le long du Dniepr qui lui valut le titre de prince de Tauride, Potemkine déguisa tous les points faibles de son administration, d'où l'anecdote des villages qu'il aurait fait construire à la hâte sur les rives du fleuve et des figurants qu'il aurait fait recruter pour tenir le rôle des « moujiks endimanchés ». Nommé commandant en chef de l'armée russe, il prit Otchakov (déc. 1788) et Bender (1789) pendant la seconde guerre russo-turque, puis dirigea les opérations militaires sur le Dniestr, enleva la Bessarabie et s'installa à Iaşi (1790). En 1791, il se rendit à Saint-Pétersbourg où il tenta, avec son ami Besborodko, de supplanter le nouveau favori, Zoubov. Il fut renvoyé par Catherine à Iaşi pour diriger les négociations de paix. Il mourut entre Nikolaïev et Iaşi le 16 oct. 1791.

Potemkine *(le).* ♦ Cuirassé de la flotte impériale russe de la mer Noire, à bord duquel éclata une mutinerie en juin 1905. Cette révolte fut célébrée par un film d'Eisenstein*, *Le Cuirassé « Potemkine »* (1925).

POTENZA, anc. **Potentia.** ♦ V. d'Italie méridionale, dans le Basilicate. Ch.-l. de prov. 50 100 hab. Église Saint-Michel (XIIe s.). Centre administratif et commercial.

POTEZ (Henry). ♦ Ingénieur français (Méaulte, Somme, 1891). Constructeur d'avions.

POTHIER (Robert Joseph). ♦ Jurisconsulte français (Orléans, 1699 – 1772). Professeur de droit romain et conseiller du présidial d'Orléans, il publia de 1748 à 1752 une édition des *Pandectes de Justinien mises dans un nouvel ordre,* fruit d'un travail d'une grande rigueur scientifique. Auteur de nombreux ouvrages juridiques, il apparaît comme un des précurseurs du Code civil avec son *Traité des obligations* (1761).

POTHIER (Dom Joseph). ♦ Bénédictin français (Bouzemont, 1835 – Conques, Sainte-Cécile, Belgique, 1923). Moine à l'abbaye de Solesmes, puis abbé de l'abbaye de Saint-Wandrille (1898), il fut disciple et collaborateur de Dom Guéranger*. Auteur d'études sur le chant grégorien (*Les Mélodies grégoriennes d'après la tradition,* 1880), directeur de la *Revue du chant grégorien* (1892-1914), il fut chargé par Pie X de la restauration du chant liturgique. Son *Liber gradualis* servit de base au *Graduel Vatican* qui parut en 1908.

POTHIN *(saint),* en gr. **Potheinos.** ♦ Premier évêque de Lyon (en Asie Mineure ? v. 87 – Lyon, v. 177). Son martyre, avec quarante-sept autres chrétiens de Lyon et de Vienne, dont Blandine*, est le premier fait connu sur le christianisme en Gaule. Fête le 2 juin.

POTIDÉE, en gr. **Potidaia.** ♦ Anc. V. de Macédoine (Chalcidique), sur l'isthme de la presqu'île de Cassandra. Colonie corinthienne, elle passa après les guerres Médiques dans l'orbite d'Athènes*. Sa révolte contre les Athéniens, soutenue par Corinthe (~ 432), fut l'une des causes de la guerre du Péloponnèse*. Prise par les Athéniens (~ 429), puis par les Spartiates, elle fut détruite par Philippe* II de Macédoine (~ 356). Rebâtie par Cassandre et nommée alors *Cassandreia,* elle fut très prospère au ~ IIIe siècle.

POTOCKI. ♦ Famille polonaise dont plusieurs membres jouèrent un grand rôle politique dans l'histoire de la Pologne*, notamment aux XVIIIe et XIXe s.

POTOCKI (Wacław). ♦ Poète polonais (Woła Łuzenska, 1625 – 1696). Célèbre pour l'abondance de sa production (env. 300 000 vers), il écrivit plusieurs nouvelles et romans en vers sur la société et les luttes religieuses de son temps. Son épopée sur la guerre polono-turque de 1621, *La guerre de Chocim (Wojna Chocimska),* publiée en 1850, est considérée comme l'une des œuvres polonaises les plus importantes du XVIIe siècle.

POTOCKI (Jan). ♦ Écrivain polonais (Pików [Podolie], 1761 – Uładówka, 1815). Voyageur et ethnologue, il écrivit en français *Recherche des antiquités slaves* (1795) et *Manuscrit trouvé à Saragosse* (1804), étrange récit inspiré par les contes orientaux, où le fantastique est mêlé à l'érotisme et à l'horreur.

POTOMAC. *n. m.* ♦ Fl. du N.-E. des États-Unis (640 km). Issu des Appalaches, formé par la réunion de deux branches, il franchit des gorges, coule en formant des rapides entre la Virginie et le Maryland, arrose Washington*, et se jette dans la baie de Chesapeake. Son cours inférieur est aménagé et navigable.

POTOSÍ. ♦ V. de Bolivie andine, située sur les pentes du *Cerro de Potosí,* à près de 4 000 m d'alt. dans la Cordillère centrale, au S. de Sucre. 70 000 hab. – La ville, fondée en 1546, dut sa renommée à ses mines d'argent auj. épuisées, et dont Arica* (Chili) était le débouché. – Ch.-l. du *dép. de Potosí,* situé au S.-O. de la Bolivie. 118 218 km². 642 000 hab. – Salar de Uyuni* au N.-O. – Mines (argent, cuivre, étain).

POTSDAM. ♦ V. d'Allemagne orientale (Brandebourg) et ch.-l. de district sur la Havel qui s'y divise en lacs, au S.-O. de Berlin. 110 950 hab. (1969). Anc. résidence d'été des Hohenzollern, la ville, surnommée « le Versailles prussien », a conservé un bel ensemble architectural du XVIIIe s. : parc et palais de Sans-Souci (1745-1757) élevé par Frédéric II dans le style de Versailles, Nouveau Palais (1763-1769), palais de la Résidence (ou *Stadtschloss*), palais de Marbre (1787-1790), château de Babelsberg,

Ph. Giraudon

Philippe Pot : détail de son tombeau. (Musée du Louvre, Paris.)

église de la Garnison abritant le tombeau de Frédéric II. – Centre industriel, Potsdam compte des indus. mécaniques, chimiques et pharmaceutiques, textiles, alimentaires et cinématographiques. – Patrie de Frédéric* III, Frédéric*-Guillaume III, Frédéric*-Guillaume (le Kronprinz), Guillaume* II, E. Haeckel*, H. von Helmholtz*, W. von Humboldt*. ♦ *Hist.* Mentionnée à partir du xe s., la ville dut son premier essor à l'établissement d'une importante garnison (1640) par le Grand Électeur Frédéric-Guillaume qui y signa *l'édit de Potsdam* (1685), invitant les protestants français à s'établir au Brandebourg. Choisie comme cap. de fait de l'État prussien, elle connut son apogée sous le règne de Frédéric II qui y réunit une cour brillante. ♦ *Conférence de Potsdam.* (17 juillet-2 août 1945) entre Staline, Truman et Churchill (remplacé, le 28 juillet, par Attlee, nouveau Premier ministre). Elle précisa les dipositions prises à Yalta quant à l'occupation de l'Allemagne par les Alliés, constata l'extension de fait de la Pologne jusqu'à la Neisse occidentale, et adressa un ultimatum au Japon. Un comité des ministres des Affaires étrangères alliés fut chargé d'élaborer un traité de paix qui fixerait le sort de l'Allemagne et de ses satellites : celui-ci ne fut jamais réalisé. **V.** *aussi* **Guerre mondiale** *(Deuxième).*

POTT (Percival). ♦ Chirurgien anglais (Londres, 1714 – 1788). Il a donné une description extrêmement précise de la tuberculose des vertèbres ou *mal de Pott.*

POTTER (Paulus). ♦ Peintre et graveur hollandais (Enkhuizen, 1625 – Amsterdam, 1654). Élève de son père Pieter Potter (v. 1597 – 1652), inscrit à la gilde de Delft en 1646, il travailla aussi à La Haye (à partir de 1649), puis à Amsterdam, et devint le peintre animalier le plus célèbre de son temps. Il observait scrupuleusement les animaux domestiques, particulièrement le bétail, qu'il représente dans des paysages de polder, qu'il animait parfois par quelques personnages. Dans ses meilleures œuvres, il rend l'atmosphère humide, les effets de soleil se reflétant dans l'eau *(Bétail dans un paysage d'orage; La vache qui se mire).*

POTTER (Louis *de*). ♦ Homme politique belge (Bruges, 1786 – 1859). Instigateur de la révolution belge (1830), il fit partie du gouvernement provisoire qui formula le décret d'indépendance (1831); mais il se retira, n'ayant pu faire prévaloir les idées républicaines. Dans son *Catéchisme social* (1850), il apparaît comme un disciple de Colins* et de son socialisme rationnel.

POTTIER (Eugène). ♦ Homme politique et poète français (Paris, 1816 – 1887). Du côté des insurgés en 1848, il affirma ensuite son opposition à l'Empire. En 1867, il fonda la Chambre syndicale des ateliers de dessin qu'il affilia à l'Association internationale des travailleurs (Ire Internationale). Membre du Comité central républicain des vingt arrondissements de Paris, il prit une part active à la Commune, et, après la Semaine sanglante (22-28 mai 1871), se réfugia en Angleterre, puis aux États-Unis jusqu'à l'amnistie (1880). À son retour en France, il collabora au *Socialiste* de J. Guesde et P. Lafargue, dont il soutint les efforts pour la formation du Parti ouvrier français. Poète révolutionnaire, il a chanté la Commune et la lutte du prolétariat (*La Terreur blanche,* juin 1871, *L'Internationale,* juin 1871, *Le Monument des fédérés,* mai 1883, *L'Insurgé,* 1884, etc.).

POUANCÉ. ♦ Ch.-l. de cant. du Maine-et-Loire, arr. de Segré. 3 144 hab. [2 140 aggl.] *(Pouancéens).* Vestiges du château (XIIIe-XVe s.) et des remparts. Porte de l'horloge, XIVe siècle. Maisons anciennes.

POUBELLE (Eugène René). ♦ Cf. *poubelle,* n. f., *in* Robert.

POUCHET (Archimède). ♦ Biologiste français (1800 – 1872). Sa théorie de la génération spontanée, qu'il pensait avoir prouvée expérimentalement, fut vivement critiquée par Pasteur*.

POUCHKINE (Alexandre Sergueievitch) [*Puškin*]. ♦ Poète, dramaturge et romancier russe (Moscou, 1799 – Saint-Pétersbourg, 1837). Arrière-petit-fils du filleul éthiopien de Pierre le Grand, Hannibal, Pouchkine était fier de son sang. Après avoir reçu une éducation française et passé quelques années au lycée impérial de Tsarskoïe Selo, il était déjà célèbre par ses poèmes : *Souvenirs à Tsarskoïe Selo* (1814), *La Liberté* (1817), *Rouslan et Ludmilla* (1820). Il mena alors pendant trois ans une vie brillante et dissipée à Saint-Pétersbourg où il fraya avec les décabristes, et fut exilé au Caucase puis à Kichinev* et à Odessa* pour quelques poèmes séditieux. Il y resta quatre ans, menant une vie assez libre. Dans les poèmes qu'il écrivit à cette époque, on sent l'influence de Byron* : *Le Prisonnier du Caucase* (1821) qui comprend une belle description des coutumes guerrières des Circassiens, *La Fontaine de Bakhtchisaraï* (1822) avec la description de l'atmosphère du harem et des évocations de la Crimée, et enfin *Les Tziganes* (1824). Seule *La Gabrieliade* (*Gavriliada,* 1821), poème blasphématoire, marque l'influence française. Un nouvel exil l'envoya à Mikhaïlovskoïe avec, pour seule compagnie, sa vieille nourrice, qui lui racontait les anciennes légendes russes. C'est là qu'il finit *Eugène* Onéguine* (1823-1830), et écrivit sa grande tragédie *Boris* Godounov* (1824-1825). Pendant cette période, il composa, en outre, quelques « contes en vers » ironiques et réalistes tels que *Le Comte Nouline* (1825) et *La Petite Maison à Kolomna* (1830). Nicolas* Ier, qui voulait dorénavant être son protecteur et censeur, lui permit de revenir à Moscou où il reçut un accueil triomphal. De cette époque date *Poltava* (1828), poème lyrique et épique chantant la gloire de Pierre le Grand. Il se lança à nouveau dans une vie brillante et mondaine et épousa la belle Natalia Gontcharova.

Ph. A.P.N. *Coll. Rui Nogueira*

A. S. Pouchkine. **V. Poudovkine.**

Après quelques poèmes lyriques : *La Tempête* (1827), *Le Matin d'hiver* (1829), *L'Avalanche* (1829), et des ballades : *Le Fiancé* (1825), *Le Noyé* (1828), il revint à la prose en écrivant *Les Récits de Bielkine* (1830) qui sont de brèves scènes saisissantes de la vie russe, comprenant : *Le Coup de pistolet, La Tempête de neige, Le Marchand de cercueils, Le Maître de poste* et *La Demoiselle paysanne.* Puis il écrivit *La Dame* de pique* (1833), récit à la fois fantastique et réaliste, et enfin son roman historique *La Fille du capitaine* (1836), où il retrace la révolte de Pougatchev*. De cette dernière période datent encore les « petites tragédies » : *Mozart et Salieri* (1830), *Le Festin pendant la peste* (1830), *Le Chevalier avare* (1836), *Le Convive de pierre,* qui reprend le thème éternel de Don Juan (1836), et enfin le célèbre poème du *Cavalier de bronze* (1833). Un duel contre un Français, le baron d'Anthès, qui faisait la cour à sa femme, mit fin à ses jours à l'âge de trente-huit ans (Lermontov écrivit alors *La Mort du poète*). Il est impossible de définir l'œuvre si variée du plus grand auteur russe. Chaque étape de sa vie marque une nouvelle évolution. Bielinski* disait de lui que « ses vers étaient profondément différents quant au fond et quant à la forme d'une année sur l'autre ». Son génie fut reconnu très tôt. En 1815 Joukovski* écrivit : « Notre jeune et prodigieux Pouchkine est l'espoir de notre littérature ». Pouchkine voulait « dire simplement des choses simples ». Il y a réussi à la perfection. Avec clarté, sobriété, grâce, harmonie, élégance, il a su exprimer l'âme et raconter la vie russe.

POUCHKINE ou **PUSHKIN** (anc. **Tsarskoïe Selo**, de 1920 à 1937 **Detskoïe Selo**). ♦ V. d'U.R.S.S. (R.S.F.S. de Russie), dans la région de Leningrad. 45 500 hab. (1959). Anc. résidence impériale du XVIIIe siècle. Grand palais de Catherine, rebâti par V.V. Rastrelli en 1752-1757. Palais Alexandre (architecte G. Quarenghi*, 1792-1796). Parc de 600 ha, nombreux pavillons. – Une grande partie de la résidence fut détruite par les Allemands en 1941-1944 et reconstruite après la guerre.

POUDOVKINE (Vsevolod) [*Pudovkin*]. ♦ Réalisateur soviétique de cinéma (Penza, 1893 – Riga, 1953). Gagné au cinéma par l'exemple de Griffith, il abandonna une carrière de chimiste et reçut l'enseignement de Koulechov* (1923); il subit aussi l'influence du *Ciné-œil* de Dziga Vertov*. La leçon de ce maître allait s'avérer féconde, tout au long de sa carrière qui fut celle d'un théoricien et d'un pédagogue autant que d'un réalisateur, l'un des plus grands du cinéma soviétique. Il débuta par un documentaire, *La Mécanique du cerveau* (1926), puis élabora sa grande trilogie : « La Mère » (*Mat,* 1926), « La Fin de Saint-Pétersbourg » (*Konietz Sankt-Petersbourga,* 1927), et « Tempête sur l'Asie » (*Potomok Tchilgiz Khana,* 1929), œuvres destinées à illustrer le thème révolutionnaire de la prise de conscience, et remarquables par la valeur expressive du montage, la qualité de la direction d'acteurs et le lyrisme souvent métaphorique des images. Après l'avènement du cinéma parlant, Poudovkine devait tenter l'application de sa théorie du contrepoint audio-visuel : « Un simple cas » (*Prostoi Slutchai,* 1932) et réaliser encore de nombreux films, dont : « La Moisson » (*Vozrachtchenie Vassili Bronikov,* 1953).

Poudres *(Conspiration des).* ♦ **V.** CONSPIRATION DES POUDRES.

POUGATCHEV ou **POUGATCHIOV** [*Pugatšev*] **(Iémélian Ivanovitch).** ♦ Chef cosaque (Zimoveïskaïa Stanitsa, sur le Don, v. 1742 – Moscou, 1775). Fils d'un cosaque propriétaire terrien, Pougatchev prit part à la guerre de Sept Ans contre la Prusse, et à la guerre russo-turque (1768-1774). Emprisonné à Kazan comme déserteur, il s'évada en 1773 et apparut dans les steppes à l'E. de la Volga, se proclamant tsar sous le nom de Pierre III, et promettant aux paysans l'abolition du servage. Les forts de Iassik et Tatichtchev furent pris d'assaut par ses troupes et en oct. 1773 les rebelles de Pougatchev assiégèrent la ville d'Orenbourg*. Les cosaques de l'Oural, les serfs et les ouvriers en Bachkirie*, Mordovie*, Oudmourtie*, à Touva*, ainsi que les Tatars* et les Mariis*, se rallièrent à son mouvement. En févr. 1774, ayant réuni plus de 30 000 hommes, Pougatchev occupa Tcheliabinsk. Son plan était de s'emparer d'Orenbourg et marcher vers Saint-Pétersbourg par Kazan et Moscou, mais Orenbourg résista et Pougatchev fit l'erreur stratégique d'y concentrer ses forces. En avr. 1774, après une série de défaites, l'armée insurrectionnelle fut obligée d'abandonner Tcheliabinsk, Kourgan et Orenbourg et de se retirer dans l'Oural. En juil. 1774, Pougatchev s'empara de Kazan* dont seul le kremlin résistait. Battu par le général Mikhelson, il passa sur la rive droite de la Volga et, soulevant les cosaques* du Don*, y déclencha une nouvelle jacquerie pendant laquelle les villes de Kourmych, Alatyz, Saransk, Penza, Petrovsk et Saratov furent prises d'assaut. Catherine* II renforça l'armée de Mikhelson et mit à prix la tête de Pougatchev, qui abandonna le siège de Tsaritsyne (sept. 1774) et se réfugia dans la steppe. Livré par ses cosaques au général Souvorov*, il fut transporté dans une cage de fer à Moscou et décapité le 10 janv. 1775.

POUGET (Émile). ♦ Syndicaliste révolutionnaire français (près de Rodez, Aveyron, 1860 – 1931). Il participa à la création du premier syndicat d'employés à Paris (1879). Emprisonné à la suite d'une manifestation syndicale (1883), il fonda, après sa libération, *le Père Peinard* (1889), où il manifesta ses talents de pamphlétaire, puis *la Sociale* (1895). Secrétaire adjoint de la C.G.T., il contribua à la parution de *la Voix du Peuple* (1900).

POUGNY (Jean). ♦ Peintre français (Konokkala, Finlande, 1894 – Paris, 1956). Issu d'une famille de musiciens, il fit ses études à Saint-Pétersbourg et séjourna deux fois à Paris (1910 et 1913-1914) avant d'organiser avec Tatlin et Malévitch (mars 1915) la turbulente exposition *Tramway*. Pougny participa alors à toutes les recherches d'avant-garde. Ses constructions en bois, carton et tôles découpées (v. 1915) se distinguent de celles de Malévitch* par le rendu des volumes. À cette époque, on a voulu voir dans *La Boule blanche* (1915), isolée dans une boîte verte et noire, une œuvre dadaïste avant la lettre. Il fut influencé par le cubisme (*Chaise, Palette et Violon,* 1917), puis exécuta des compositions en deux dimensions qui évoquent Matisse (*Le Violon rouge,* 1919). Il employa alors volontiers la gouache sur papier collé. Installé définitivement à Paris en 1923, Pougny abandonna ses recherches d'avant-garde pour se consacrer à une œuvre figurative, rupture si complète que certains ont cru à l'existence de deux peintres. Ces nouvelles œuvres, travaillées dans une pâte très nuancée et composées d'une manière volontairement archaïque, évoluent entre la figuration et une tendance à l'abstraction. (*Atelier,* 1956.)

POUGUES-LES-EAUX. ♦ Ch.-l. de canton de la Nièvre, arr. de Nevers. 1 803 hab. *(Pougeois)*. Église des XIe et XIIe s. (restaurée). Maison de J.-J. Rousseau. – Station thermale, dont les eaux (traitant le diabète, la pierre, les gastralgies) étaient connues des Romains et furent mises en honneur par Henri II et Catherine de Médicis. – Bonneterie.

POUILLES. *n. f. pl.,* ou **POUILLE** *n. f.,* en it. **Puglia** (anc. **Apulie***). ♦ Région de l'Italie péninsulaire comprise entre l'Apennin et l'Adriatique, s'étendant du Fortore au N., à la péninsule du Salento au S., et formée des prov. de Bari, Brindisi, Foggia, Lecce et Tarente. 19 347 km². 3 700 000 hab. *Cap.* Bari. – *Orogr.*

Arch. Smeets

Jean Pougny : « Le Violon rouge ». (Musée national d'Art moderne, Paris.)

Ensemble de plateaux entaillés par des vallées. On distingue : le promontoire calcaire du monte Gargano* au N. près duquel s'étendent les lagunes de Lesina et Verano. Le Tavoliere, entre le Fortore et l'Ofanto, est suivi des collines des Murge (500 à 700 m) et des bas plateaux de la Terre de Bari, le long de l'Adriatique. Au S., la presqu'île de Salento présente une alternance d'éminences calcaires et de dépressions argileuses. – *Hydrogr.* Fortore, Ofanto*. *V. princ.* Altamura, Andria*, Bari*, Barletta*, Brindisi*, Corato, Foggia*, Lecce*, Manfredonia*, Molfetta*, Monopoli*, Otrante*, Ruvo* di Puglia, Tarente*. – *Écon.* L'agriculture est assez florissante. Les Pouilles sont la première région agricole du sud italien. On y cultive des céréales (prov. de Foggia), la vigne, l'olivier, le tabac (prov. de Lecce), le blé (Tavoliere), le raisin de table (prov. de Bari). La « coltura promiscua » est représentée autour de Bari et Tarente. Les structures agraires tendent à se modifier. Les anciens grands domaines, ou *latifundia,* ont cédé la place aux micropropriétés. L'habitat se caractérise par de gros villages sans véritables fonctions urbaines et la surpopulation est intense. L'industrie est en cours de développement. La production de bauxite représente 80 % de la production nationale. Des raffineries ont été installées à Bari*, Tarente* est un centre de métallurgie primaire. L'ind. mécanique est représentée à Brindisi* et à Tarente, les constructions navales à Tarente. La pêche constitue un appoint non négligeable. ♦ *Hist.* Conquises par les Normands en 1141, les Pouilles furent annexées au royaume de Naples* par Roger II (XIIe s.).

POUILLET (Claude). ♦ Physicien français (Cusance, Doubs, 1790 – Paris, 1868). Il retrouva expérimentalement la loi d'Ohm* (1834) et, à cette occasion, inventa la boussole des tangentes ; on lui doit également la première mesure de la constante solaire [1837] **(V. Violle)**, et des recherches sur la compressibilité des gaz. (Acad. sc., 1837.)

POUILLON. ♦ Ch.-l. de cant. des Landes*, arr. de Dax*. 2 450 hab. [810 aggl.] *(Pouillonnais)*. – Eaux chlorosodiques.

POUILLY-EN-AUXOIS. ♦ Ch.-l. de cant. de la Côte-d'Or (arr. de Beaune), au débouché de la portion souterraine du canal de Bourgogne qui relie le bassin de la Seine à celui du Rhône. 1 155 hab. Église (XIVe-XVe s.).

POUILLY-SUR-LOIRE. ♦ Ch.-l. de cant. de la Nièvre, arr. de Cosne-sur-Loire. 1 850 hab. Château du XIXe s. – Vins blancs secs réputés.

POUJADE (Pierre). ♦ Homme politique français (Saint-Céré, Lot, 1920). Libraire-papetier, il fonda en 1953 l'Union de défense des commerçants et artisans de France (U.D.C.A., dit *mouvement Poujade* ou *poujadiste*), mouvement qui prit position contre les contrôles économiques et fiscaux, les impôts, et pour l'Algérie française. Après une assez nette victoire aux élections législatives de janvier 1956, son mouvement, dont les députés élus formèrent le groupe *Union et fraternité françaises* à l'Assemblée nationale, fut sujet à de nombreuses dissensions internes, et P. Poujade lui-même échouait aux élections partielles de 1957. Le mouvement poujadiste, exprimant les craintes des petits et moyens commerçants et artisans menacés par les modifications de structures économiques et caractérisé par une tendance spontanée et souvent anarchique à la réaction politique, dut son succès momentané aux contradictions entraînées par la mutation de la France (décolonisation, développement du grand commerce capitaliste, etc.).

POULBOT (Francisque). ♦ Dessinateur français (Saint-Denis, Seine, 1879 – Paris, 1946). Il conquit la célébrité en créant le type du gosse montmartrois, gavroche moderne, facétieux, frondeur, mais aussi misérable et profondément sensible. Son œuvre fut si populaire que le terme de « petits poulbots » est resté un moment attaché aux enfants déshérités de Paris. Sa production fut immense. Il fut également affichiste et illustrateur, et il laissa aussi des peintures et des aquarelles.

POULDU (Le). ♦ Écart de la comm. de Clohars-Carnoët, arr. de Quimper, Finistère, marquant l'extrémité E. de la Cornouaille*. Station balnéaire. – Gauguin y séjourna de 1889 à 1894 avec quelques artistes de l'école de Pont*-Aven. Maison du philosophe Alain*.

POULENC [pulɛ̃k] **(Francis).** ♦ Compositeur français (Paris, 1899 – *id.,* 1963). Il fut l'élève de R. Viñes pour le piano et de Ch. Kœchlin pour la composition, mais sa formation première fut celle d'un autodidacte. Déjà lié d'amitié avec G. Auric*, il fit la connaissance de D. Milhaud* et forma avec eux et A. Honegger*, G. Tailleferre* et L. Durey*, le « groupe des Six ». À sa première manière, élégante et spirituelle, d'une ligne néo-classique déliée, aux arabesques subtiles, appartiennent les *Trois Mouvements perpétuels* pour piano (1918), *Le Bestiaire* pour voix et piano, d'après Apollinaire (1919), le ballet *Les Biches* (1923), les quatre *concertos* pour piano et clavecin (dont le *Concert champêtre,* 1928), la cantate *Le Bal masqué* (1932), les *Impromptus, Promenades, Toccatas, Improvisations* et *Villageoises,* pour le piano, d'un style aisé, fluide et toujours très personnel, ainsi qu'un grand nombre de mélodies. Sans renoncer tout à fait à la veine heureuse de ses débuts, le musicien s'orienta, après 1935, vers des sources d'inspiration plus hautes, élargissant son style dans des œuvres plus amples où prédominent, sous les influences de Lassus, de Monteverdi et de Moussorgski, l'émotion religieuse la plus vibrante et un pathétique né de la révélation de la douleur humaine. À cette période appartiennent les *Litanies à la Vierge noire de Rocamadour,* pour chœur de femmes ou d'enfants et orgue (1936), la *Messe en sol majeur,* pour chœur mixte *a cappella* (1937), le *Concerto pour orgue et orchestre à cordes avec timbales* (1938), les *Quatre Motets pour un temps de pénitence* (1939), la cantate *Figure humaine* pour double chœur mixte *a cappella,* d'après Éluard (1943), les quatre *Petites Prières de saint François d'Assise* (1948), le *Stabat mater,* composé à la mémoire de Chr. Bérard (1950), le *Gloria* pour soprano solo, chœur et orchestre (1959), les sept *Répons de ténèbres* pour voix d'enfant solo, chœur d'enfants et orchestre (1961), ainsi que les opéras *Dialogue des carmélites,* d'après G. Bernanos et *La Voix humaine,* d'après J. Cocteau (1958). Il convient de détacher encore de cette œuvre abondante et diverse, un ballet, *Les Animaux modèles,* d'après La Fontaine (1941), et un opéra bouffe, *Les Mamelles de Tirésias,* d'après Apollinaire (1944). Poulenc fut le musicien qui incarna le plus parfaitement les tendances classiques du « groupe des Six ». Détaché de tout système, il ne se préoccupa guère d'innovations formelles. Son écriture, bien que très construite, garde un caractère simple et spontané. Il n'y a du reste qu'une apparente contradiction entre ses deux manières. Il disait : « Je tiens autant aux *Mamelles* qu'au *Stabat.* Si le public et les critiques avaient une oreille moins distraite et s'ils attachaient moins d'importance au sujet, ils s'apercevraient que, techniquement, les chœurs des *Mamelles* sont composés comme ceux du *Stabat.* Si on traduisait le texte d'Apollinaire en latin, on le ferait prendre aisément pour de la musique religieuse. »

POULIGUEN (Le) [puligɛ̃]. ♦ Comm. de la Loire-Atlantique, aggl. et arr. de Saint-Nazaire. Station balnéaire. 3 788 hab., hors saison. *(Pouliguennais).* Chapelle Sainte-Anne-Saint-Julien, XVIe siècle. — Port de pêche et de plaisance.

POULKOVO ou **PULKOVO** *(mont).* ♦ Colline de l'U.R.S.S. au S. de Leningrad*, sur laquelle se trouve le plus grand observatoire astronomique du pays. Fondé en 1839, il fut complètement détruit pendant la Deuxième Guerre mondiale, puis reconstruit et mis en service en 1954.

POULO CONDOR. ♦ V. CÔN DAO.

POUND (Ezra Loomis). ♦ Poète et critique américain (Hailey, Idaho, 1885 — Venise, 1972). Après ses études à l'université de Pennsylvanie et à Clinton (N. Y.), il s'intéressa aux cultures médiévales, il enseigna à Crawfordsville (Indiana) et partit pour l'Europe, où il vécut (Londres où il découvrit John Donne : 1908-1920; Paris où il étudia les poètes provençaux et les symbolistes français : 1920-1924; l'Italie, qui l'attira par le fascisme [1924-1945], et où il revint s'établir en 1959). Ami de Gertrude Stein, il conseilla les imagistes, encouragea T.S. Eliot, James Joyce, D.H. Lawrence, et les initia aux littératures anciennes. Son premier volume de vers (*A Lume Spento,* 1908) avait rapidement joué un rôle éminent dans les mouvements d'avant-garde littéraire; mais Pound avait surtout le don de la traduction, ou plutôt de la transposition poétique (*Provença,* 1910; *Sonnets et Ballades de Guido Cavalcanti,* 1912; *Cathay,* 1915). Poète savant, il atteint une grande intensité lyrique et musicale malgré un ton proche de la conversation : *Personae* (1909), *Exultations* (1909), *Canzoni* (1911), *Ripostes* (1912), *Lustra* (1916), *Umbra* (1920). De 1919 à 1957, il entreprit une vaste fresque en plusieurs chants *(cantos)* qui serait la *Divine Comédie* du XXe s., évoquant l'échec des civilisations. *Quia pauper amavi* est le premier de ces cantos. Parmi ses écrits en prose, on peut citer *L'Esprit des littératures romanes* (1910), *Nô, ou l'Accomplissement* (1916), *Culture* (1938), « autobiographie intellectuelle », et *L'A.B.C. de la lecture* (1934), essai divisé en deux parties dont la seconde est une sorte d'anthologie poétique commentée, alors que la première reprend de façon quelque peu ironique les thèmes essentiels de la critique poundienne — l'importance donnée à la « melopoeia » : sonorités, rythmes. Cet essai, complémentaire de *Comment lire* (1931), est dirigé contre l'enseignement littéraire anglo-saxon. « Intellectuel anarchiste et superbe, inquiet d'expériences et d'innovations — inquiet aussi de jouer un rôle, partout et toujours » (John Brown), Ezra Pound a été le grand animateur de la poésie des « expatriés » de la « génération perdue ».

Poupe. *n. f.,* en lat. **Puppis.** ♦ Constellation appartenant au groupe de Navire Argo*, dans l'hémisphère austral.

POURBUS [purbys]. ♦ Famille de peintres flamands dont les principaux représentants furent : PIETER [ou Pierre] (Gouda, v. 1523 — Bruges, 1584). Inscrit à la gilde de Bruges en 1543, il fut cartographe et peignit quelques œuvres religieuses, des scènes de genre qui reflètent l'influence du maniérisme de Nicolo Dell'* Abate *(Assemblée dans un parc)* et surtout des portraits où s'affirme un parti pris de rigueur et de sobriété d'où résulte parfois une certaine raideur *(Portrait d'une jeune femme).* ♦ FRANZ, dit *l'Aîné,* peintre flamand (Bruges, 1545 — Anvers, 1581). Fils du précédent, il subit surtout l'influence de son maître F. Floris* et est l'auteur de compositions religieuses et surtout de portraits. ♦ FRANZ II ou *François* (Anvers, 1569 — Paris, 1622). Il entra au service des régents des Pays-Bas, Albert d'Autriche et l'infante Isabelle (1596-1600), travailla ensuite pour les Gonzague à Mantoue puis devint, à partir de 1609, peintre de la cour de Marie de Médicis (*Portrait de Marie de Médicis,* v. 1609, de *Henri IV,* 1610). Il peignit des sujets religieux mais fut surtout célèbre pour ses portraits de cour qui se rattachent au style international qu'avait développé Sánchez* Coello. Ils se caractérisent par leur aspect solennel et hiératique et sont révélateurs d'un esprit allant à contre-courant du baroque alors en pleine extension et constituent un témoignage d'une des tendances du goût français au début du XVIIe siècle.

Pourceaugnac (Monsieur de). ♦ V. MONSIEUR DE POURCEAUGNAC.

POURTALET *(col du).* ♦ Col des Pyrénées*-Atlantiques, 1 792 m, à la frontière espagnole, en amont de la vallée d'Ossau*.

POUSSEUR (Henri). ♦ Compositeur belge (Malmédy, 1929). Élève des conservatoires de Liège et de Bruxelles, il s'initia aux techniques du dodécaphonisme et subit l'influence de Webern*, Boulez* et Stockhausen*. Princ. œuvres : *Quintette à la mémoire de Webern* (1955), *Symphonie à 15 solistes* (1955), *Mobile,* pour deux pianos (1958), *Rimes,* pour différentes sources sonores (1959) et deux opéras : *Électre* et *Votre Faust* (argument de M. Butor), qui ressortit au domaine de la musique aléatoire.

POUSSIN (Nicolas). ♦ Peintre et dessinateur français (Villers, près des Andelys, 1594 — Rome, 1665). Il fut probablement à Rouen l'élève de Quentin Varin et de Noël Jouvenet, puis à Paris de Georges Lallemand. Il étudia les maîtres italiens de la collection royale, particulièrement les gravures de Raphaël, et s'intéressa à la sculpture antique. Il mena à Paris une vie difficile et fit diverses tentatives pour se rendre à Rome. Vers 1622-1623, il travailla à la galerie du Luxembourg et entra probablement en relations avec Philippe de Champaigne. Il se lia avec le poète Marino qui l'incita à élargir sa culture littéraire et le poussa à se rendre à Rome; il illustra pour lui les *Métamorphoses* d'Ovide, œuvre où se révèle l'emprise de l'école de Fontainebleau, particulièrement du Primatice. Poussin se rendit finalement en Italie, étudiant à Venise les œuvres de Titien et parvint à Rome en 1624. Il fréquenta l'atelier de Vouet, suivit et interpréta un moment la mode du caravagisme (*Mort de Germanicus,* 1627, commandée par le cardinal Aldobrandini; *Martyre de saint Érasme* pour Saint-Pierre, 1628-1629; *Peste d'Asdod,* 1630). Il obtint la protection du cardinal Francesco Barberini, puis celle des mécènes Carlo Antonio et Cassiano del Pozzo, et chercha à éviter progressivement les grandes décorations officielles. Il devint en 1631 membre de l'académie de Saint-Luc et fut surtout apprécié par les amateurs italiens et espagnols. Vers 1634-1635, il fréquenta probablement le Dominiquin et fit son éloge en public. Il entreprit vers 1638-1639 une première série des *Sacrements* et reçut de Richelieu la commande de *Quatre Bacchanales* et d'un *Triomphe de Neptune.* Sa réputation devint telle qu'il fut appelé à Paris. Malgré ses réticences, il finit par accepter et revint en France en 1640; il y fut chargé d'honneurs, mais en butte aux rivalités de ses confrères et chargé de toutes sortes de travaux décoratifs qui ne l'intéressaient guère. Le projet de décorer la *Grande Galerie* du Louvre avançant peu, il fit tout pour hâter son retour à Rome (1642). Comme nul autre, il avait été sensible aux courants variés, parfois contradictoires, qui caractérisaient le milieu romain, et son art révèle une rare capacité d'assimilation; mais cette réceptivité à la leçon offerte par Raphaël, les Bolonais (surtout les Carrache et le Dominiquin), mais aussi Pierre de Cortone, ne l'étouffait pas dans la recherche d'une direction personnelle, dont il a lui-même défini la constante : « Mon naturel me contraint à chercher et aimer les choses bien ordonnées, fuyant la confusion qui m'est aussi contraire et ennemie comme est la lumière des obscures ténèbres. » (1642). Aussi à la recherche d'un « idéal » pictural et intellectuel, il s'appuya sur l'observation de la « nature », puisa son inspiration dans l'Antiquité (types d'accessoires de costumes, motifs d'architecture, ordonnance en largeur, en frise à l'exemple des bas-reliefs), tout en étant fasciné par la luminosité et la sensualité des Vénitiens, particulièrement de Titien. Il poursuivit sa méditation sur le rapport entre forme, dessin, couleur et lumière, établissant des relations et des gradations subtiles, des effets chromatiques et plastiques. La variation des solutions adoptées donne parfois l'impression d'un manque de continuité, mais celle-ci s'explique à la fois par son manque de dogmatisme (« Je ne suis

Arch. Smeets

Nicolas Poussin : « L'Enfance de Bacchus ». (Musée du Louvre, Paris.)

point de ceux qui en chantant prennent toujours le même ton.»), et surtout par le caractère même de son projet, qui se fondait sur la séparation des genres, sur la distinction des modes (le riant, le touchant, le grave et le terrible), déterminant un changement de registre, donc des moyens picturaux. Ainsi, ses compositions « historiques » et bibliques possèdent un caractère épique, l'expression des « passions » étant empreinte d'une certaine emphase rhétorique *(L'Enlèvement des Sabines)*, tandis que des œuvres de sujet littéraire, mythologique et allégorique offrent des accents lyriques plus tendres et une harmonie colorée plus suave et vibrante (*L'Inspiration du poète*, entre 1620 et 1630; *Écho et Narcisse; Les Bergers d'Arcadie; L'Empire de Flore*). La série d'œuvres sur les *Sacrements* atteint une sobriété expressive, une monumentalité et une rigueur formelle en accord avec le thème. Progressivement, l'intérêt de Poussin pour le paysage s'accrut; il multiplia les études sur le vif dans la campagne romaine, évitant l'effet de décor; il chercha l'accord harmonieux entre l'atmosphère, l'agencement des lieux et le sujet traité (*Moïse sauvé des eaux*, 1638; *Paysage avec saint Matthieu*, vers 1643; *Les Cendres de Phocion; Orphée et Eurydice*). Sa sensibilité devint plus frémissante (*Paysage avec Polyphème; Orion aveugle à la recherche du soleil*). À la fin de sa vie, il parvint à en diversifier avec finesse les aspects (série des *Quatre Saisons*, de 1660 à 1664) et à imposer une vision « idéale » et poétique. Le sens de la fable et l'harmonie sereine qui se dégagent d'une grande partie de son œuvre l'ont imposé comme la figure majeure du classicisme français.

POUTNIK ou **PUTNIK (Radomir)**. ♦ Général serbe (Kragujevac, 1847 – Nice, 1917). Plusieurs fois ministre de la Guerre (1904-1905, 1906-1908, 1912), il fut à l'origine de la nouvelle armée serbe qu'il commanda pendant les deux guerres balkaniques. Il battit les Turcs à Koumanovo et à Monastir (1912). Lors de la Première Guerre mondiale, il battit les Autrichiens et dirigea la retraite en Albanie.

POUYER-QUERTIER [pujekɛʀtje] **(Auguste)**. ♦ Homme politique français (Étoutteville, Seine-Maritime, 1820 – Rouen, 1891). Propriétaire d'une importante entreprise de textiles, il fut élu membre du Corps législatif (1857, 1863), où il critiqua les traités commerciaux de libre-échange. Député à l'Assemblée nationale (1871), choisi par Thiers comme ministre des Finances, il fut chargé de négocier les clauses financières du traité de Francfort (10 mai 1871). Contraint de donner sa démission pour avoir couvert les malversations d'un préfet (1872), il contribua à la chute de Thiers (24 mai 1873). Sénateur (1876-1891), il soutint le boulangisme.

P'OU-YI. ♦ V. HSÜN-TI.

POUZAUGES. ♦ Ch.-l. de cant. de la Vendée, arr. de Fontenay-le-Comte. 4 887 hab. [3 526 aggl.]. *(Pouzaugeais)*. Église Saint-Jacques (XIIe-XVe s.). Vestiges de l'ancien château (XIIIe s.). – Élevage. Marché de bétail. Importante conserverie de viande. Indus. chimique. Chaussures.

POUZZOLES. ♦ V. POZZUOLI.

POWELL (John Wesley). ♦ Géologue et ethnographe américain (Mount Morris, État de New York, 1834 – Haven, Maine, 1902). Il explora le Colorado, l'Arizona, l'Utah, et en donna des études géologiques et ethnographiques. En ethnographie, il fut le premier à poser le problème des contacts entre civilisations et à introduire le concept d'acculturation (1880).

POWELL (Cecil Frank). ♦ Physicien anglais (Tonbridge, Kent, 1903 – 1969). Il a découvert l'emploi de la méthode photographique pour l'étude des rayons cosmiques. **V. Leprince-Ringuet, Yukawa.** (Prix Nobel de phys., 1950.)

POYET (Guillaume). ♦ Homme politique français (Les Granges, Saint-Rémy-la-Varenne, près d'Angers, v. 1474 – Paris, 1548). Avocat au parlement de Paris, il fut chargé en 1521 par Louise de Savoie (mère de François Ier) de plaider contre le connétable de Bourbon. Président à mortier en 1534, chancelier de France en 1538, il collabora à l'ordonnance de Villers-Cotterêts (1539). Par calcul, il soutint le connétable de Montmorency contre l'amiral Chabot, mais fut entraîné dans la disgrâce du connétable. Accusé de malversations, il fut arrêté (1542) et dépouillé de toutes ses charges (1545).

POŽAREVAC, anc. en all. **Passarowitz**. ♦ V. de Yougoslavie (Serbie*, à l'E. de Belgrade). 20 000 hab. ♦ *Hist.* **V. Passarowitz.**

POZA RICA. ♦ V. du Mexique (Veracruz), située entre Tampico et Veracruz, non loin de la mer. 121 341 hab. Extraction et raffineries de pétrole.

POZNAŃ, en all. **Posen**. ♦ V. de l'O. de la Pologne*, ch.-l. de voïévodie, ayant elle-même rang de voïévodie, située sur la Warta* au centre de la plaine de Grande-Pologne. 473 000 hab. – Université, archevêché. Important centre culturel et scientifique, la ville compte de nombreux monuments (cathédrale, XVe-XVIIIe s., hôtel de ville, XVIe s., ...) en grande partie restaurés après la Deuxième Guerre mondiale. Important nœud ferroviaire et fluvial. Centre commercial actif et métropole industrielle, siège d'une grande foire internationale depuis 1925. Industries chimiques, métallurgiques, textiles et alimentaires. Constructions mécaniques, pneumatiques. – Patrie de H. von Kluge* et d'Hindenburg*. – La *voïévodie de Poznań*, qui s'étend sur la majeure partie de l'anc. Posnanie*, constitue l'essentiel de la Grande-Pologne et compte 2 125 000 hab. ♦ *Hist.* Une des plus anc. villes de Pologne (mentionnée par Tacite au Ier s. sous le nom de *Stragoria*), elle fut le

Ph. Lauros-Giraudon

Poznań : l'hôtel de ville.

siège du premier évêché polonais, fondé par Mieszko* Ier (968) qui y établit sa capitale. Ville hanséatique dès 1253, elle devint du XVe au XVIIe s. un des plus grands centres commerciaux d'Europe, mais fut en partie détruite et perdit sa prospérité à la suite des guerres polono-suédoises (1655, 1703-1709). Annexée à la Prusse, lors du deuxième partage de la Pologne (1793), elle devint le ch.-l. de la prov. de Prusse méridionale, fut rattachée en 1807 au grand-duché de Varsovie, puis revint sous domination prussienne en 1815. Restituée à la Pologne en 1919 avec toute la Posnanie*, elle fut à nouveau rattachée au Reich de 1939 à 1945. – La grève massive des ouvriers de *Poznań* (juin 1956) tendant à affranchir la Pologne de la tutelle soviétique (oct. 1956) fut sévèrement réprimée par l'armée (50 morts et 300 blessés).

POZZO (Andrea). ♦ Peintre, décorateur, mathématicien et théoricien italien (Trente, 1642 – Vienne, 1709). Il entra dans l'ordre des Jésuites en 1665, travailla à Trente, Côme, Milan et fut appelé à Rome en 1681 : s'affirmant comme l'un des maîtres de la grande décoration baroque, il exécuta son œuvre la plus célèbre, le *plafond de San Ignazio* (1685-1694). Jouant avec une exceptionnelle virtuosité des trompe-l'œil, notamment des effets de perspective plafonnante, il dilate l'espace en représentant d'imposantes architectures feintes et crée un mouvement de giration ascendante dans lequel semblent entraînées ses multiples figures. Dans toutes ses œuvres, il fit preuve d'un goût marqué pour le grandiose et les effets théâtraux. Son traité *Perspectiva pictorum et architectorum* (1693) obtint un succès considérable et influença les grands décorateurs italiens (Solimena*, Tiepolo*) comme les Allemands et les Autrichiens : il travailla en effet à Vienne vers 1707 *(église des Jésuites)*.

POZZO DI BORGO (Charles André, *comte*). ♦ Diplomate français (Alata, près d'Ajaccio, 1764 – Paris, 1842). Député de la Corse à l'Assemblée législative (1791), il revint dans son île natale et soutint Paoli*, dont il partageait la volonté d'indépendance nationale vis-à-vis de la France. Pour atteindre cet objectif, ils livrèrent la Corse aux Anglais; Pozzo di Borgo devint alors président du Conseil d'État et administrateur de l'île. Après le retour des Français (1796), il s'enfuit en Angleterre, puis se rendit en Russie (1803) où il devint conseiller privé du tsar Alexandre, travaillant à renforcer la coalition contre la France. Écarté des fonctions officielles après l'entrevue de Tilsit (1807) sur la demande de Napoléon Ier, il revint en Angleterre et partit en mission auprès de Bernadotte, en vue d'un rapprochement. Rappelé par Alexandre de Russie en 1812, il fut nommé général. Représentant du tsar auprès de Louis XVIII, il poussa le souverain à accepter la Charte. Il participa au congrès de Vienne, devint ambassadeur de Russie à Paris (1815-1834), conseilla souvent les Bourbons auprès de qui il mena une politique de rapprochement avec la Russie. Il fut ambassadeur de Russie à Londres (1834-1839) et se retira ensuite de la vie politique.

POZZUOLI, en fr. **Pouzzoles**, anc., en lat. **Puteoli**. ♦ V. et port d'Italie du S., en Campanie (prov. de Naples), sur le golfe de Naples. 60 800 hab. Sidérurgie, indus. mécaniques (Olivetti). Exportation de *pouzzolanes* (voir ce mot *in* Robert). Le port était déjà très actif sous l'Empire romain. De cette époque, il reste de nombreux vestiges : marché, dit « Temple de Sérapis », temple du temps de Vespasien, villas dont celles d'Auguste. – Solfatares aux environs. ♦ *Hist.* Elle fut fondée au ~ VIe s. par des Grecs de Samos et devint colonie romaine (~ 194).

PRACHADHIPOK. ♦ Roi du Siam sous le nom de Rama VII (1893 – 1935) qui régna de 1925 à 1935, succédant à Rama VI. L'armée le força, en 1932, lors d'un coup d'État, à accepter une constitution provisoire et l'obligea à abdiquer en 1935, au profit de son neveu Ananda Mahidol. Il se retira en Angleterre où il mourut.

PRADES (Jean Martin, *abbé de*). ♦ Écrivain et ecclésiastique français (Castelsarrasin, v. 1720 – Głogow, Pologne, 1782). Après avoir collaboré à l'*Encyclopédie**, il dut s'exiler en Prusse pour avoir soutenu une thèse (1752) qui énonçait des doutes sur la

Ph. A. Rey

Prague : le pont Charles.

divinité de Jésus*-Christ et qui lui valut l'hostilité du pape et du Parlement, malgré l'*Apologie* prononcée par Diderot*.

PRADES. ♦ Sous-préf. des Pyrénées-Orientales, ch.-l. d'arr. (6 cant., 102 comm., 38 798 hab.), située au pied du Canigou. 6 398 hab. (l'agglomération compte 7 707 hab.) [*Pradéens*]. Église romane reconstruite au XVIIe s. Résidence de Pablo Casals, autour de qui s'est organisé un festival musical annuel. — À proximité, métallurgie; scieries de marbre.

PRADIER (Jean-Jacques, dit James). ♦ Sculpteur français (Genève, 1792 — Bougival, 1852). Élève de Lemot, il subit surtout l'influence de Canova*. Il fut avec David* d'Angers le sculpteur le plus apprécié de Louis-Philippe. Il produisit des sculptures monumentales d'un sobre classicisme (statues de *Lille* et *Strasbourg*, place de la Concorde, les douze *Victoires* du tombeau de Napoléon, les *Renommées* de l'Arc de triomphe). Mais il exécuta surtout des statues et statuettes galantes diffusées par la manufacture de Sèvres et dont la grâce sensuelle semble un héritage du XVIIIe siècle.

PRADINES (Maurice). ♦ Philosophe et psychologue français (Glovelier, Suisse, 1874 — Paris, 1958). Influencé par la philosophie de Bergson (en particulier son vitalisme), il a formulé une théorie de l'action comme moyen de connaissance (*Critique des conditions de l'action; Principes de toute philosophie de l'action,* 1909). En psychologie, il a développé l'idée que les fonctions supérieures sont implicitement contenues dans les fonctions inférieures (*Traité de psychologie générale,* 1943-1950).

Prado *(Musée national de peinture et de sculpture* ou *Musée du).* ♦ Musée situé à Madrid*, installé dans un édifice commencé en 1785, sous Charles III et terminé sous Ferdinand VII (1819 à 1830); des remaniements récents l'ont transformé et des galeries nouvelles ont été construites sur la façade E. C'est l'un des plus riches musées d'Europe; il possède plus de 2 500 tableaux parmi lesquels une foule d'œuvres de premier ordre. Il est surtout célèbre par ses collections de peinture des écoles espagnole (qui occupent la plus large place : Vélasquez, Goya, Greco), flamande et italienne : Rubens, Van Dyck, Raphaël, Titien, Tiepolo.

PRADON (Jacques). ♦ Poète dramatique français (Rouen, 1644 — Paris, 1698). Soutenu à ses débuts par l'amitié de Corneille, son compatriote, il fit représenter *Pyrame et Thisbé* (1674) et *Tamerlan* (1675). Auteur d'une *Phèdre* destinée à faire échec à celle de Racine (1677), il n'obtint du public, pour cette œuvre médiocre, qu'un succès éphémère; à aucun moment il ne fut, pour le grand poète tragique, le rival redoutable que la légende a imposé.

PRAETORIUS (Michael). ♦ Compositeur et théoricien allemand de la musique (Kreuzburg, 1571 — Wolfenbüttel, 1621). Fils d'un pasteur luthérien, il fut maître de chapelle à Gröningen, puis à la cour de Wolfenbüttel, exerçant aussi, à titre extraordinaire, à Dresde et à Halle. Dans l'esprit de la réforme luthérienne, il a composé une œuvre importante (*Motets, hymnes, cantiques spirituels, pièces de danse,* en 20 vol.) où se conjuguent curieusement les influences de la polyphonie du nord et du style vénitien. Son ouvrage théorique, *Syntagma musicum* (3 vol., 1615-1619), est une source précieuse pour l'histoire de la musique ancienne et ecclésiastique.

PRAGA. ♦ Anc., V. de Pologne*, auj. quartier résidentiel de Varsovie*, sur la r. d. de la Vistule. — Durant l'insurrection polonaise de 1794, sa population fut exterminée par les Russes de Souvorov*.

Pragmatique sanction de Bourges. ♦ Règlements édictés par le roi Charles VII en 1438, et lui permettant, ainsi qu'aux grands feudataires, d'intervenir par recommandation dans l'élection des abbés et des évêques. Première manifestation du gallicanisme, elle fut remplacée par le concordat* de Bologne en 1516.

Pragmatique sanction. ♦ Acte par lequel Charles* VI, empereur d'Allemagne, assurait sa succession à sa fille Marie*-Thérèse (1713). Le trône devait aller au descendant en ligne directe du souverain précédent, indépendamment de son sexe. (La pragmatique sanction fut contestée immédiatement après la mort de Charles VI, provoquant la guerre de Succession d'Autriche.)

PRAGNÈRES. ♦ Hameau de la comm. de Gèdre, arr. d'Argelès-Gazost, dans les Hautes-Pyrénées. Centrale hydro-électrique sur le gave de Pau, alimentée par le barrage de Cap-de-Long.

PRAGUE, en tchèque **Praha.** ♦ Capitale de la Tchécoslovaquie, située au cœur de la Bohême, sur la Vltava*, en amont de son confluent avec l'Elbe. Ch.-l. de la Bohême centrale, Prague constitue également une division administrative autonome. 1 103 000 hab. (1970). Aéroport international (Prague-Ruzyne). Carrefour ferroviaire et routier (axes Berlin-Vienne, Nuremberg-Cracovie). Archevêché. Université Charles. — Prague est célèbre pour ses monuments gothiques et baroques. Le Hradčany, anc. résidence royale dominant la ville, comprend, à l'intérieur d'une enceinte, le palais (fondé au IXe s., reconstruit aux XVIe-XVIIe s.; salle gothique Vladislav, salle espagnole, de style baroque), la cathédrale Saint-Guy (1344, achevée en 1929), la basilique romane Saint-Georges (Xe s.), le belvédère royal, de style Renaissance (*milieu* XVIe s.). Sous la colline du Hradčany, la *Mala Strana* (le « Petit Côté ») est un quartier de rues étroites, où abondent les palais et églises baroques (cathédrale Saint-Nicolas [1703], palais Cernin [1669-1720]). Elle est reliée au *Staré Město,* vieille ville commerçante sur la r. d. de la Vltava*, par le pont Charles (1357) auquel ont été ajoutées de nombreuses statues baroques. Au centre de ce quartier se trouve la place de la Vieille Ville avec l'hôtel de ville (horloge mécanique) et l'église gothique Notre-Dame de Týn. Autour de ces quartiers historiques se sont développées des zones résidentielles et industrielles, d'abord vers l'E. et le S., puis plus au nord. Les musées sont nombreux : Musée national, Musée ethnographique, musée d'Art moderne, Galerie nationale, etc. Bibliothèque universitaire. — Prague forme avec sa banlieue le plus gros centre indus. du pays. La moitié de la production est fournie par l'indus. lourde et les constructions mécaniques (automobiles, avions, machines-outils, matériel de forage, équipement électrique, etc.). Indus. alimentaires (brasseries), textiles, chimiques. Fabriques de chaussures. — Le rôle commercial de la ville est important (centre de transit). Foire annuelle. — *Patrie* de V. Adler*. Charles* IV de Luxembourg, Carl Ferdinand Cori*, J. Hašek*, Jérôme* de Prague, F. Kafka*, K. Kautsky*, J. Masaryk*, A. Reicha*, R.M. Rilke*, R. Rupert*, A. Senefelder*, F. Werfel*, M. Wertheimer*, E. Zatopek*. ♦ *Hist.* Résidence des Prémyslides dès le Xe s., Prague bénéficia ensuite de la faveur de l'empereur Charles* IV, roi de Bohême (1346-1378), qui fit ériger l'évêché en archevêché, créa l'université et dota la ville de beaux monuments (cathédrale Saint-Guy, pont Charles) et de nouveaux quartiers. Lors de l'agitation hussite, les conflits entre Tchèques et Allemands s'exacerbèrent, provoquant la première *défenestration de Prague* (30 juillet 1419) et l'émigration de nombreux marchands germaniques vers Leipzig. La ville perdit de son importance sous les Habsbourg : la politique de germanisation conduisit à la seconde *défenestration de Prague* (1618), marquant le début de la guerre de Trente Ans. Les Tchèques furent vaincus lors de la bataille de la Montagne Blanche (1620) aux environs de Prague qui fut alors l'objet d'une sévère répression : plusieurs milliers de familles protestantes tchèques émigrèrent, des Allemands s'y installèrent. Au XIXe s., Prague devint le centre du mouvement nationaliste tchèque, qui aboutit à l'insurrection ratée de juin 1848. En 1918, la ville fut choisie comme capitale de la Tchécoslovaquie indépendante. Elle fut occupée par les Allemands le 14 mars 1939 et libérée en mai 1945 par les troupes soviétiques. Le *coup de Prague* (février 1948) marqua l'installation du régime communiste. Le *printemps de Prague* (1968), essai de libéralisation du régime, provoqua l'entrée en Tchécoslovaquie des troupes du pacte de Varsovie.

Praguerie. *n. f.* ♦ Révolte des seigneurs contre les réformes militaires de Charles* VII, nommée ainsi en souvenir du soulèvement hussite à Prague (1440). Les chefs en furent Jean II, duc d'Alençon, Louis de Bourbon, La* Trémoille, Dunois* et même le dauphin (le futur Louis XI). La révolte échoua et le dauphin fut exilé en Dauphiné.

PRAIA. ♦ Cap. de l'archipel du Cap*-Vert, au S.-E., de l'île de São Tiago. 35 000 hab. Port de pêche.

Prairial an III (journées des 1er, 2 et 3). ♦ Insurrection jacobine et populaire (20-22 mai 1795) contre la Convention thermidorienne présidée par Boissy* d'Anglas. Consécutive à l'échec des journées des 12 et 13 Germinal* et surtout à la disette qui sévit alors, l'agitation se développa dans les sections populaires de la capitale (faubourgs Saint-Antoine et Saint-Marceau) qui adoptèrent comme mots d'ordre « du pain! La Constitution de 1793! » Le 1er Prairial, les insurgés envahirent la Convention et massacrèrent le député Féraud*. Leur manque d'organisation permit toutefois aux Comités du gouvernement de contre-attaquer, en laissant d'abord agir les députés montagnards (tels que Duroy* et Romme*) qui, le soir même, après la dispersion des insurgés, étaient décrétés d'arrestation. Le lendemain, les manifestants assiégèrent à nouveau la Convention, mais après avoir hésité à ouvrir le feu sur l'Assemblée, se laissèrent convaincre par des conventionnels envoyés par les Comités du gouvernement. Le 3 Prairial, l'armée, sous les ordres de Menou*, rétablissait l'ordre dans les faubourgs populaires. Cet échec donna lieu à une violente réaction contre les terroristes révolutionnaires.

Prairial an VII (journée du 30 —, 18 juin 1799). ♦ « Journée parlementaire plus que coup d'État » (A. Soboul), le 30 Prairial constitua une offensive du Corps législatif, Conseils des Anciens et des Cinq-Cents, menée, à l'instigation de Sieyès* soutenu par Barras, contre les directeurs modérés, et marqua une victoire des républicains. Merlin de Douai et La Révellière-Lépeaux, considérés comme responsables de l'élimination des jacobins (**V. Floréal* an VI**), furent contraints de démissionner et remplacés par Roger Ducos et le général Moulin. Le gouvernement fut également remanié (Bernadotte à la Guerre, Cambacérès à la Justice, Fouché à la Police et Lindet aux Finances).

PRAIRIE. *n. f.* ♦ Nom donné à la région des plaines du S. du Canada, située entre la région des Grands Lacs et les Rocheuses; elle est bordée au N. par la zone de forêts correspondant à la bordure du Bouclier* canadien. **V. Alberta, Manitoba, Saskatchewan.** C'est une des plus vastes zones céréalières du monde.

Prakritî. *n. f.* ♦ Dans la philosophie hindoue, concept de la nature féminine, de la matière (principe matériel transcendant). Il représente l'énergie de la śakti, la volonté créatrice des divinités.

PRALOGNAN-LA-VANOISE. ♦ Comm. de la Savoie*, arr. d'Albertville*, dans le massif de la Vanoise*. 566 hab. Station de sports d'hiver et centre d'alpinisme. — Installation hydro-électrique sur le *Doron de Pralognan.*

PRAMPOLINI (Enrico). ♦ Peintre, dessinateur et essayiste italien (Modène, 1894 — Turin, 1956). Il étudia à Lucques, à Turin et à l'académie des beaux-arts de Rome; il en fut expulsé en 1913, et rédigea alors un manifeste : *Bombardons les académies* (publié en 1918). Il entra en contact avec les futuristes; subissant l'influence de Ballà*, de Boccioni* et des cubistes, il chercha à suggérer des rythmes rapides en établissant des formes schématiques intriquées (*Composition futuriste : dynamisme de forme,* 1914). Il signa de nombreux manifestes (*Chromophonie; Atmosphero; Structure; L'Esthétique de la machine*). À partir de 1917, il collabora activement à la revue futuriste *Noï* qui établissait des liens avec les dadaïstes. Esprit curieux et inventif, il multiplia les expériences plastiques, utilisant dès 1914 le procédé du collage dans un esprit fantaisiste et poétique (*Béguinage,* 1914). Il développa ensuite ses recherches sur les possibilités expressives des matériaux hétéroclites d'utilisation quotidienne (*Polimaterici*) tout en poursuivant ses investigations dans le domaine de l'art non figuratif. Il agença des formes planes angulaires (*Architecture spatiale chromatique,* 1920) ou plus souples. Vers 1928, son « idéalisme cosmique » annonce le développement de la seconde phase du futurisme et reflète en même temps l'influence indirecte du surréalisme (*Organisme humain,* 1929; *Maternité cosmique,* 1930). Il s'intéressa aussi à la scénographie et en 1930 adhéra à *Cercle et Carré,* puis à l'*Abstraction-Création.* Après avoir subi l'influence momentanée de Picasso (*Cassandra al Mare,* 1945), il revint à la non-figuration dans un style élégant, d'une géométrie souple, d'une matière légère qui offre des affinités avec l'art de Magnelli*.

PRANDTAUER (Jacob). ♦ Architecte et sculpteur autrichien (Stanz, près de Landeck, Tyrol, 1660 — Sankt-Pölten, Basse-Autriche, 1726). Les édifices religieux (couvents, églises) qu'il construisit sont caractéristiques de la tendance au faste et au grandiose que développa le clergé catholique bavarois et autrichien à la suite du triomphe de la Contre-Réforme, après la guerre de Trente Ans et surtout à partir de 1783 (siège de Vienne). Son chef-d'œuvre, *l'abbaye de Melk,* sur le Danube (1701-1726), est l'un des édifices religieux les plus imposants du baroque autrichien. Exploitant avec art le site, il rechercha les effets théâtraux dans l'agencement des masses comme dans la manière d'intégrer le décor luxuriant à l'ensemble.

PRANDTL (Ludwig). ♦ Savant allemand (Freising, Bavière, 1875 — Göttingen, 1953). Spécialiste de mécanique des fluides, il est l'auteur de nombreux travaux relatifs à l'écoulement d'un fluide autour d'un obstacle, à la théorie de l'aile portante (1919-1920), à la détermination des écoulements supersoniques, plans, stationnaires et non tourbillonnaires (1929). — *Sonde de Prandtl :* appareil qui sert à mesurer la vitesse de l'air, particulièrement utilisé sur les avions pour évaluer la vitesse relative du vent.

PRASLIN [pʀalɛ̃] **(Gabriel de Choiseul-Chevigny,** *duc de***).** ♦ Officier et diplomate français (Paris, 1712 — 1785). Il collabora avec son cousin le duc de Choiseul*, lui succédant aux Affaires étrangères (paix de Paris, 1763), puis réorganisant la marine et engageant des entreprises telles que l'agrandissement du port de Brest ou les voyages de Bougainville.

PRATO. ♦ V. d'Italie centrale, en Toscane* (prov. de Florence), sur un affl. de l'Arno. 143 715 hab. Indus. lainière réputée. Cathédrale romano-gothique décorée par A. della Robbia, Donatello, Fra Filippo Lippi. Palais Pretorio (XIIIe-XIVe s.). — La ville fut annexée par Florence* en 1358.

PRATOLINI (Vasco). ♦ Écrivain italien (Florence, 1913). Il s'est attaché à évoquer la vie quotidienne du petit peuple de Florence dans des romans au réalisme vigoureux, où bien des pages ont une résonance autobiographique : *Le Quartier* (*Il Quartiere,* 1944), *Chronique familiale* (*Cronaca familiare,* 1947) et *Chronique des pauvres amants* (*Cronaca di poveri amanti,* 1947). Dans *Un héros de notre temps* (*Un eroe del nostro tempo,* 1949), l'écrivain analyse le comportement d'un jeune homme que son expérience du fascisme conduira au crime; depuis 1955, élargissant sa vision, il a donné, sous forme de triptyque, avec *Métello* (1955), *Le Gâchis* (*Lo Scialo,* 1960) et *La Constance de la raison* (*La Costanza della ragione,* 1963), une fresque à la fois historique et sentimentale de la société italienne au XXe siècle.

PRATS-DE-MOLLO [pʀad (ə) mɔlɔ]**-LA-PRESTE.** ♦ Ch.-l. de cant. des Pyrénées-Orientales (arr. de Céret), à 5 km de la frontière espagnole. 1 370 hab. (*Pratéens*). Remparts de 1683. Mairie du XVIIe s. Église des Saintes-Juste-et-Rufine, fondée au Xe s., remaniée au XVIe s. — Indus. textile. Marbre. Station thermale (colibacillose).

PRATTELN. ♦ V. de Suisse (cant. de Bâle-Campagne) au N.-E. de Bâle*, dans la plaine du Rhin. 10 900 hab. Pneumatiques.

PRAVAZ (Charles Gabriel). ♦ Médecin orthopédiste français (Le Pont-de-Beauvoisin, 1791 — Lyon, 1853). On lui doit l'invention de la seringue qui porte son nom.

PRAVDINSK, anc. **Friedland*.** ♦ V. d'U.R.S.S. (R.S.F.S. de Russie), située dans la région de Kaliningrad, près de la frontière polonaise. Env. 17 000 hab. Indus. du papier.

PRAXAGORAS DE COS. ♦ Médecin grec de la famille des Asclépiades* (~ IVe s.). Il fut le maître d'Hérophile*.

PRAXITÈLE, en gr. **Praxitelês.** ♦ Sculpteur athénien (v. ~ 390), l'un des plus illustres du ~ IVe s. Dans un climat intellectuel de lassitude où les valeurs sentimentales prenaient le dessus aux dépens de la sérénité, Praxitèle est le sculpteur de la volupté calme et de la grâce juvénile. Sa manière raffinée, marquée par le goût de la sensualité qu'il rapporte de son contact avec l'art oriental, s'épanouit à la représentation du corps féminin aux formes pleines, dans des poses alanguies, mais aussi du corps viril empreint d'une grâce presque androgyne. Contemporain de Scopas* et de Lysippe*, il participa à la décoration sculpturale de l'Artémision d'Éphèse et sculpta pour la ville de Cnide* la fameuse *Aphrodite**, son chef-d'œuvre, en la façonnant sur le modèle de sa maîtresse Phryné*, ce qui fit scandale à l'époque (répliques romaines aux musées du Louvre, de Munich, de Florence, du Vatican et des thermes à Rome). De ses statues antérieures les répliques les plus connues sont la *Vénus d'Arles* (Aphrodite de Thespies) et l'*Éros de Thespies* (Louvre), le *Satyre versant à boire* (Dresde), le *Satyre au repos* (Louvre, Capitole de Rome), et l'*Apollon* sauroctone* (Louvre, Vatican). De ses œuvres ultérieures, on a des répliques d'*Artémis Brauronia* (~ 346), connue comme *Diane de Gabies* (Louvre), et d'*Hermès portant Dionysos enfant* (~ 343) qui, trouvé à Olympie* lors des fouilles en 1877, fut longtemps considéré comme l'œuvre originale. Hautement estimé au ~ IVe s., l'art de Praxitèle exerça une grande influence sur la statuaire attique et inspira les charmantes figurines en terre cuite de Tanagra.

PRAYÂGA. ♦ Anc. nom de la ville d'Allâhâbâd (Uttar Pradesh, Inde) et lieu sacré à la jonction du Gange*, de la Yamunâ* et de la rivière mythique Sarasvatî, où, tous les douze ans, a lieu un immense pèlerinage qui rassemble plusieurs millions de fidèles. Un pèlerinage annuel y est aussi fait au début du printemps.

PRAZ-SUR-ARLY. ♦ Comm. de Haute-Savoie*, arr. de Bonneville*. 709 hab. Station d'été et de sports d'hiver.

PRÉALPES. *n. f. pl.* ♦ Zone située en bordure des Alpes*, constituée par des formations calcaires. Dans les Alpes françaises, *les Préalpes du Nord* comprennent les massifs du Chablais, du Giffre, des Bornes, des Bauges, de la Grande-Chartreuse et du Vercors; les *Préalpes du Sud* correspondent au Diois, aux Baronnies, au Gapençais, à la haute Provence et aux Alpes maritimes. Les *Préalpes des Alpes suisses* comprennent les Alpes bernoises et les Alpes de Glaris (**V. Suisse**); celles des *Alpes d'Autriche* (**V. Autriche**) et d'*Allemagne* (**V. Allemagne**) comprennent l'Allgaü, les *Préalpes de Bavière* et d'*Autriche.* Les Préalpes se caractérisent

Arch. Smeets

Hermès, copie grecque d'une statue de **Praxitèle** vers ∼ 340. (Musée d'Olympie.)

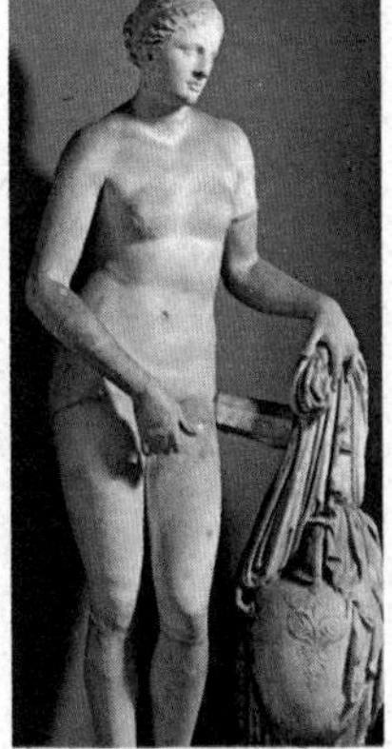

Arch. Smeets

Aphrodite de Cnide. Copie romaine d'une statue de **Praxitèle,** vers ∼ 360. (Musée du Vatican.)

Arch. Smeets
Auguste Préault : « La Tuerie ». Bronze. (Musée des Beaux-Arts, Chartres.)

par des altitudes inférieures à celles des Alpes centrales (moins de 3 000 m), par une plus grande humidité et un ensoleillement moindre. Les grandes vallées alpines franchissent les Préalpes par des cluses, qui sont autant de voies de passage. Un large sillon sépare généralement les Préalpes des grandes Alpes : sillon alpin dans les Alpes françaises du N., vallée de l'Inn, de la Salzach en Autriche.

PRÉAULT (Antoine Augustin, dit Auguste). ♦ Sculpteur français (Paris, 1809 – *id.*, 1879). Élève de David* d'Angers et d'A. Moine, il manifesta un tempérament profondément romantique dans *La Famine, Les Parias, La Tuerie*, 1834, qui trahissent des préoccupations socialistes et pacifistes, ou dans *Le Christ crucifié*, 1840. Il nourrit des rêves de sculpture colossale (transformer l'un des puys d'Auvergne en un monument à la Gaule). Mais la force expressive et les qualités plastiques de ses œuvres se muent souvent en anecdote ou en emphase dans des sujets d'inspiration littéraire et historique.

Précieuses ridicules (Les). ♦ Comédie en un acte, en prose, de Molière* (1659). Gorgibus, bon bourgeois parisien, voudrait donner en mariage sa fille Magdelon et sa nièce Cathos à deux honnêtes gentilshommes, La Grange et Du Croisy. Mais les jeunes filles, fraîchement arrivées de leur province et dont l'esprit a été gâté par la lecture des romans précieux, ont réservé aux jeunes gens un accueil si dédaigneux que ceux-ci décident d'en tirer vengeance. Ils donnent instruction à leurs valets, Mascarille et Jodelet, rusés compères avertis des extravagances de la mode, de se présenter chez les précieuses en se faisant passer pour un marquis et un vicomte. Les valets s'exécutent et les jeunes filles se laissent séduire par les lourdes galanteries débitées par leurs visiteurs. C'est au moment où commence le bal que les maîtres surviennent et mettent fin à la cruelle plaisanterie en rossant leurs valets et en les contraignant à se déshabiller. Première bataille menée par Molière au nom du naturel, la pièce connut un succès considérable.

PRÉ-EN-PAIL. ♦ Ch.-l. de cant. de la Mayenne, arr. de Mayenne. 2 389 hab. (1 482 aggl.). – Marché agricole. Engrais. Confection.

PREGL (Fritz). ♦ Chimiste autrichien (Laibach [auj. Ljubljana], 1869 – Graz, 1930). Inventeur (1910) de la méthode de microanalyse des substances organiques. (Prix Nobel de chimie, 1923.)

Prélude à l'après-midi d'un faune. ♦ Poème symphonique de Cl. Debussy*, d'après le poème de Mallarmé (1894). Par la liberté de la forme, l'audace des modulations, la nouveauté de l'écriture orchestrale, cet ouvrage marque la rupture définitive de Debussy avec l'esthétique de Franck, d'Indy, Massenet, et l'avènement de la musique moderne. Une chorégraphie de V. Nijinski, *L'Après-Midi d'un faune* (Paris, 1912), composée par la compagnie des Ballets russes sur la musique de Debussy, fit scandale, recueillant néanmoins le suffrage enthousiaste de Rodin. Abandonné à la rêverie érotique où l'a plongé la vision des nymphes se baignant dans la rivière, un jeune faune cède à un sommeil peuplé d'images voluptueuses. À la suite de Nijinski, S. Lifar (Opéra de Paris, 1935) et J. Robbins (New York City Ballet, 1953) ont composé des chorégraphies nouvelles sur le thème proposé initialement par Mallarmé et illustré par Debussy.

PREMCHAND. ♦ Écrivain indien (près de Vârânasi, 1880 – Vârânasi, 1936). Il écrivit en urdû puis en hindi de nombreux romans à trame sociale et souvent politique influencés par Marx et Tolstoï, parmi lesquels *Godân* (« La Vache », 1936), *Manasarovar* (nouvelles).

PREMEAUX. ♦ Comm. de la Côte-d'Or, arr. de Beaune. 313 hab. Église du XIIIe s. Carrières de pierre rose. Vignobles. – Aux env., source d'eaux sulfatées et carbonatées calciques déjà utilisées par les Romains.

PRÉMERY. ♦ Ch.-l. de cant. de la Nièvre, arr. de Cosne-sur-Loire. 3 056 hab. [2 292 aggl.] *(Prémerycois)*. Anc. siège d'un collège de chanoines fondé en 1196, dont l'église subsiste (XIIIe-XIVe s.). Anc. château des évêques de Nevers (XIVe au XVIIe s.). Vestiges de l'enceinte du Moyen Âge. – Usine de distillation du bois, indus. chimique et pharmaceutique.

PREMINGER (Otto). ♦ Réalisateur américain de cinéma, d'origine autrichienne (Vienne, 1906). Assistant de Max Reinhardt (1923-1935), il fut longtemps acteur, metteur en scène et même directeur de théâtre, avant de débuter au cinéma en qualité de réalisateur. Sa première œuvre marquante, *Laura* (1944), est un film policier. Mais, qu'il aborde le genre historique (« Ambre », *For ever Amber*, 1947), la comédie de boulevard (« La lune était bleue », *The Moon is Blue*, 1953), la comédie musicale (*Carmen Jones*, 1954; *Porgy and Bess*, 1959), l'adaptation littéraire (*Bonjour tristesse*, 1957, d'après Françoise Sagan) ou les problèmes de la drogue (« L'Homme au bras d'or », *The Man with the Golden Arm*, 1955), de la recherche de la vérité (« Tempête à Washington », *Advise and Consent*, 1962), de la justice (« Autopsie d'un meurtre ». *Anatomy of a Murder*, 1959) ou de la guerre (« Première Victoire », *In Harm's Way*, 1964), il offre toujours au spectateur une œuvre au caractère théâtral, où le dialogue joue le rôle essentiel, où la froideur apparente de la réalisation correspond à un souci constant d'honnêteté.

PRÉMONTRÉ. ♦ Comm. de l'Aisne* (arr. de Laon*). 1 677 hab. – Elle doit son origine à la célèbre *abbaye de Prémontré*, fondée en 1120 par saint Norbert. Reconstruite au XVIIIe s., transformée en verrerie au XIXe s., puis orphelinat agricole, actuellement hôpital psychiatrique (depuis 1867).

Prémontrés. *n. m. pl.* ♦ Ordre des chanoines réguliers de Prémontré fondé par saint Norbert*. Il existe une branche féminine *(Prémontrées)*.

PRÉNESTE, en lat. **Praeneste**, auj. **Palestrina.** ♦ Anc. V. d'Italie (Latium) à l'E. de Rome. Ruines du temple de la Fortune dont on vint consulter l'oracle jusqu'au IVe siècle. Patrie de Palestrina*. ♦ *Hist.* Cité très anc., elle devint l'alliée de Rome en ~ 338. Marius* s'y réfugia et s'y donna la mort (~ 82) et Sylla* la mit à sac. Sous la République et à l'époque impériale, elle fut le lieu de résidence des riches Romains : Horace*, Auguste*, Tibère*, Hadrien*, Antonin*. Disputée au Moyen Âge entre les papes et les Colonna*, elle passa aux Barberini* en 1630. Victoire de Garibaldi* (1849).

PRENZLAU. ♦ V. d'Allemagne orientale (Mecklembourg, district de Neubrandenburg), sur l'Ucker. 27 000 hab. Métallurgie, indus. textile.

PREOBRAJENSKA (Olga). ♦ Danseuse russe, naturalisée française (Saint-Pétersbourg, 1871 – Saint-Mandé, 1962). Danseuse étoile du *Théâtre Marie* de Saint-Pétersbourg, elle fut l'interprète de tout le répertoire classique, notamment des princ. chorégraphies de M. Petipa*. Elle commença une carrière de professeur à Petrograd (1917), entreprenant en même temps de triomphales tournées dans le monde. Fixée en France (1924), elle y ouvrit une école et forma de nombreux élèves (T. Toumanova, R. Hightower, G. Skibine, S. Golovine et N. Vyroubova) dans le respect des grandes traditions chorégraphiques.

PŘEROV. ♦ V. de Tchécoslovaquie, en Moravie*-Septentrionale, au S.-E. d'Olomouc*. 39 000 hab. Carrefour ferroviaire. Château (XVIe s.). – Indus. métallurgiques, mécaniques (machines agricoles) et chimiques.

PRÉ-SAINT-GERVAIS (Le). ♦ Ch.-l. de cant. de la Seine-Saint-Denis, arr. de Bobigny, au N.-E. de Paris. 15 136 hab. Métallurgie, fonderies; indus. alimentaires.

PRESBOURG (en all. **Pressburg**). ♦ Nom allemand de Bratislava* (Tchécoslovaquie). ♦ *Hist. Traité de Presbourg*, signé le 26 déc. 1805 au lendemain de la victoire française d'Austerlitz* avec François* II. Ce dernier cédait à la France la Vénétie, à la Bavière le Tyrol, le Vorarlberg, le Trentin. La Bavière et le Wurtemberg devenaient des royaumes. Le traité sanctionnait la disparition du Saint Empire romain germanique.

PREŠEREN (France). ♦ Poète slovène (Vrba, Carniole, 1800 – Kranj, 1849). Ce fut un poète romantique, influencé par Byron* et les romantiques allemands. Écrite dans le dialecte de son pays natal, sa poésie, au style pur et mélodieux, révèle une ardente et inquiète sensibilité : *Couronne de sonnets* (1832), *Le Baptême dans la Savica* (1836). Par lui, le dialecte carniolais est devenu la langue littéraire slovène tout en adoptant l'orthographe de Gaj*.

PREŠOV. ♦ V. de Tchécoslovaquie, en Slovaquie*-Orientale, sur la Torysa. 41 000 hab. (1970). Évêché. Aéroport (lignes intérieures). La place du marché, de forme ovale, date du Moyen Âge. Prešov est un centre culturel traditionnel pour les Slovaques. – Les indus. sont récentes : machines électriques, indus. textiles et alimentaires.

PRÉSPA, PRESPAN ou **PRES** *(lac)*. ♦ Lac de la péninsule balkanique (285 km^2), situé à 853 m d'altitude, partagé entre la Yougoslavie, l'Albanie et la Grèce.

Presse (la). ♦ Quotidien fondé à Paris par É. de Girardin* (1836). L'utilisation de la publicité et la publication à grand tirage, permettant la vente du quotidien à un prix modique, l'introduction du roman-feuilleton, firent de *la Presse* un des premiers journaux modernes.

PRESTEIGNE. ♦ V. du centre du pays de Galles, ch.-l. du Radnorshire, 1 200 hab. (1961).

PRESTON. ♦ V. du centre de l'Angleterre. Ch.-l. du Lancashire. près de l'estuaire du Ribble, à 34 km au S.-E. de Lancaster.

97 365 hab. Important centre administratif, commercial et industriel (travail du coton, matériel ferroviaire, machines-outils). – Patrie de sir Richard Arkwright et sir J.B. Glubb. ♦ *Hist.* Les Écossais y furent vaincus par Cromwell* (1648).

Prêt-bail *(loi),* trad. de l'angl. **Lend-Lease Act.** ♦ Loi autorisant le président des États-Unis **(V. Roosevelt** [F. D.]**)** à vendre, louer ou prêter tout moyen de défense militaire aux pays dont la sécurité serait jugée indispensable pour les intérêts des États-Unis. Elle fut appliquée par traités (avec la Grande-Bretagne, févr. 1942; l'U.R.S.S., juin 1942) et permit à Roosevelt d'aider les ennemis du nazisme sans entrer en guerre.

PRÉTEXTAT *(saint).* ♦ (? – Rouen, 586). Évêque de Rouen en 544. Ayant béni le mariage de Brunehaut et Mérovée, il fut jugé, sur ordre de Chilpéric, par un concile parisien [577] **(V. Grégoire de Tours)** et exilé à Jersey. Rétabli en 584, il fut assassiné par un sbire de Frédégonde. Fête le 24 février.

PRETORIA. ♦ V. d'Afrique* du Sud, ch.-l. du Transvaal*, siège du gouvernement et de l'administration centrale de la République. Centre ferroviaire relié aux grandes villes du pays et à Lourenço* Marques (Mozambique). 571 540 hab. Archevêché. Université. Centre métallurgique. Diamant. ♦ *Hist.* La ville fut fondée en 1855 et devint capitale en 1863. *Paix* ou *convention de Pretoria,* par laquelle le gouvernement britannique (Gladstone) accordait au Transvaal, après la première guerre des Boers, une autonomie sous la suzeraineté britannique (la convention de Londres, 1884, supprima cette clause).

PRETORIUS (Andries Wilhelmus Jacobus). ♦ Homme politique sud-africain (Graaff Reinet, Le Cap, 1798 – Potchefstroom Transvaal, 1853). Il vint au Natal (1829) où il proclama la république après l'écrasement des Zoulous. Après l'annexion de ce pays par les Anglais (1844), il gagna l'État d'Orange puis la région N. du Vaal, et contribua à la fondation du Transvaal* (1852) dont la capitale, en son honneur, fut appelée Pretoria* (1855). ♦ MARTHINUS WESSEL PRETORIUS, son fils (Graaff Reinet, Le Cap, 1819 – Potchefstroom, Transvaal, 1901). Après l'annexion du Transvaal par le Natal, alors colonie anglaise (1877), il fut, avec P.J. Joubert* et P. Kruger*, un des principaux artisans de sa reconquête et de la proclamation de la république (1881).

PRÊTRE-JEAN. ♦ **V.** JEAN (le prêtre).

PREUILLY-SUR-CLAISE. ♦ Ch.-l. de cant. d'Indre-et-Loire, arr. de Loches (1 579 hab.). Abbatiale Saint-Pierre (XIIe-XVe s.). Vestiges du château (XIIe-XVe s.) et de la collégiale Sainte-Mélanie (XIIe s.). Maisons anciennes.

PRÉVERT (Jacques). ♦ Poète français (Neuilly-sur-Seine, 1900 – dans la Manche, 1977), a appliqué la leçon corrosive du surréalisme à une entreprise de démantèlement du langage, qui fait éclater le caractère conventionnel et dérisoire du discours bourgeois. Fidèle à la tradition anarchisante du début du siècle, son non-conformisme exhale une permanente révolte du cœur bien plus qu'il ne se montre disposé à célébrer l'espoir, jugé illusoire, de la révolution. Hostile à toutes les forces d'oppression sociale, capable d'ironie et de violence mais aussi de grâce et de tendresse, sa poésie célèbre, à l'usage d'un très large public, les thèmes de la liberté, de la justice et du bonheur. Elle a porté à son plus haut point d'efficacité burlesque la technique de l'énumération et de l'inventaire. On la retrouve dans les scénarios et dialogues que Prévert a composés pour quelques-uns des plus grands films de Marcel Carné : *Drôle de drame* (1937), *Quai des brumes* (1938), *Le jour se lève* (1939), *Les Visiteurs du soir* (1942), *Les Enfants du paradis* (1945), *Les Portes de la nuit* (1946). Princ. recueils : *Paroles* (1946), *Histoires* (en collab. avec André Verdet, 1946), *Spectacle* (1951), *La Pluie et le beau temps* (1955), *Fatras* (1965).

PREVÉZA. ♦ V. et port de Grèce (Épire), à l'entrée N. du golfe d'Árta, ch.-l. du *nome de Prévéza :* 1 096 km²; 56 585 hab. Centre commercial. 12 970 hab. – Fort vénitien; ruines de l'ancien Actium sur la rive opposée de l'entrée du golfe.

PRÉVOST (Louis Constant). ♦ Géologue français (Paris, 1787 – *id.,* 1856). Auteur d'une *Histoire des terrains tertiaires* et d'un *Traité de géographie physique* (1836), il a tenté d'expliquer la formation des chaînes montagneuses par la rétraction lente de l'écorce terrestre et non par des cataclysmes violents. (Acad. sc., 1848.)

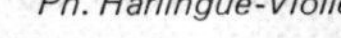

Ph. Harlingue-Viollet

Marcel Prévost.

Coll. Viollet

Prévost d'Exiles.

PRÉVOST [pʀevo] **(Jean-Louis).** ♦ Physiologiste suisse (1790 – 1850). Il refit avec J.B. Dumas* les expériences de Spallanzani* sur la fécondation des œufs de batraciens, mettant en évidence le rôle du spermatozoïde, observant la segmentation de l'œuf (formation des blastomères). Il découvrit avec Dumas les ovules dans les vésicules ovariennes de la chienne **(V.** *von* **Baer).**

PRÉVOST (Marcel). ♦ Romancier français (Paris, 1862 – Vianne, 1941). Il exerça le métier d'ingénieur jusqu'en 1890, pour se consacrer à la littérature après le succès de ses premiers ouvrages, dont *La Confession d'un amant* (1891). Réagissant contre le naturalisme, il s'adonna à des études psychologiques, particulièrement consacrées à l'âme féminine, en des livres au style gracieux et allusif, habiles à peindre l'immoralité d'un monde galant et sentimental d'où la passion vraie semble absente : *Lettres de femmes* (1892-1897), *Les Demi-Vierges* (1894, porté au théâtre en 1895). Après s'être fait l'écho de la question du féminisme avec *Les Vierges folles* (1900), M. Prévost s'attacha à donner des conseils aux jeunes filles en passe de devenir des femmes dans un ouvrage qui eut un grand succès, *Les Lettres à Françoise* [1902 et 1924]. (Acad. fr.)

PRÉVOST D'EXILES *(abbé* **Antoine François,** dit **l'abbé Prévost).** ♦ Romancier et polygraphe français (Hesdin, 1697 – Courteuil, 1763). Après avoir hésité entre l'église et l'armée, il fut un prédicateur mondain réputé, puis s'exila en Angleterre et en Hollande avant de s'installer de nouveau à Paris. Au cours de sa vie mouvementée il traduisit les auteurs anglais (dont Richardson*) et composa de nombreux romans de mœurs et d'aventures. Ses *Mémoires et aventures d'un homme de qualité* (1728-1731), long roman plein de péripéties, renferment *La Véritable Histoire du chevalier Des Grieux et de Manon* Lescaut* (1731), restée fameuse.

PRÉVOST-PARADOL (Lucien Anatole). ♦ Journaliste et homme politique français (Paris, 1829 – Washington, 1870). Condisciple de Taine à l'École normale, il fut couronné par l'Académie pour son *Éloge de Bernardin de Saint-Pierre* (1851), puis nommé professeur à Aix après ses thèses (sur *Elizabeth et Henri IV,* et sur *Swift*). Collaborateur au *Journal des débats* et au *Courrier du dimanche,* il y prit position contre le régime du Second Empire. Libéral et partisan de la décentralisation régionale et communale, il semble avoir été favorable à un régime politique de type anglais plus qu'à une république (*la France nouvelle,* 1868). Rallié néanmoins à l'Empire, il se présenta aux élections pour le Corps législatif mais échoua (1869) et fut nommé ambassadeur aux États-Unis (1870). La nouvelle de la déclaration de la guerre à la Prusse le désespéra, et il se suicida (juil. 1870). Auteur d'*Essais de politique et de littérature* (1859-1863), d'études sur les moralistes français. (Acad. fr., 1865.)

PREYER (Wilhelm Thierry). ♦ Physiologiste et psychologue allemand (Moss Side, près de Manchester, 1841 – Wiesbaden, 1897). Outre des travaux de physiologie (en optique et acoustique), on lui doit une étude sur le développement psychologique de l'enfant durant les trois premières années de sa vie (*L'Âme de l'enfant,* 1881).

PRIAM, en gr. **Priamos.** ♦ Roi de Troie*, fils de Laomédon*. Appelé d'abord Podarcès (« l'homme aux pieds agiles »), il prend le nom de *Priam* (« celui qui a été vendu ») quand sa sœur Hésione* rachète sa vie à Héraclès qui se vengeait du parjure de Laomédon. Selon la tradition, il a cinquante fils et plusieurs filles, dont dix-neuf de sa seconde femme, Hécube*. **V. Hector, Pâris, Hélénos, Cassandre, Créüse, Polyxène.** Très âgé à l'époque de la guerre de Troie, il a un rôle secondaire dans *L'Iliade**. Son affliction, quand il va réclamer le cadavre de son fils Hector, fait céder Achille*. Il est tué par Pyrrhos*, le fils de ce dernier.

PRIAPE, en gr. **Priapos.** ♦ Dieu de la fécondité, préposé surtout à la garde des vignobles et des vergers. Fils de Dionysos* et d'Aphrodite*, né avec un membre viril démesuré, il est abandonné par sa mère près de Lampsaque*, où son culte devait être localisé. Dieu asiatique, il vient en Grèce dans le cortège de Dionysos. On le représentait comme un personnage ithyphallique, souvent en compagnie d'un âne.

PRIBILOF *(îles).* ♦ Archipel de la mer de Béring, à 290 km à l'O. des côtes de l'Alaska, comprenant les îles Saint-Paul et Saint-George. 200 km² env. Importante réserve de phoques.

PRICHARD (James Cowles). ♦ Médecin aliéniste, anthropologue et linguiste anglais (Ross, 1786 – Londres, 1848). Dans son principal ouvrage *De hominum varietatibus* (1808), dont l'édition augmentée parut sous le titre *Researches into the Physical History of Mankind* (1812-1813), il a étudié les différences de mentalité, de mœurs, de langue entre les races, qu'il expliqua, comme les différences physiques, par l'influence du milieu.

PRIDI PHANOMYONG. ♦ Homme d'État thaïlandais (1901 –). Devenu en 1941 régent de la couronne, il s'opposa aux Japonais, mais fut obligé de s'expatrier. Il devint Premier ministre en 1946 mais dut démissionner et, après un coup d'État avorté, s'enfuir à nouveau.

PRIE (Jeanne Agnès Berthelot de Pléneuf, *marquise de***).** ♦ Dame française (Paris, 1698 – Courbépine, Normandie, 1727). Fille d'un riche traitant, elle épousa le marquis de Prie, ambassa-

Ph. Carlo Bevilacqua/Ricciarini
Priène.

deur à Turin. Maîtresse de Louis* Henri de Bourbon-Condé, elle gouverna la France par son entremise tant qu'il fut Premier ministre. Elle favorisa les frères Pâris* et fit épouser Marie* Leszczyńska à Louis XV. Exilée, elle se suicida.

PRIÈNE, en gr. **Priênê**. ♦ Anc. V. d'Asie Mineure (Ionie), près de l'embouchure du Méandre*. Fondée peut-être par les Cariens, elle fut colonisée au ~ XIe s. par des Ioniens d'Attique ou par des Béotiens. Comprenant dans son territoire la ville de *Panionion* avec son célèbre sanctuaire de Poséidon Héliconios, elle devint le centre religieux et l'une des plus riches cités de l'Ionie. Soumise aux Lydiens, puis aux Perses (~ 546), elle partagea le sort de l'Ionie grecque. Elle fut ravagée par les Gaulois en ~ 277. – Patrie du sage Bias*. – Ruines à l'actuel village *Samsun Kalesi* : théâtre, temple d'Athéna (~ IVe s.), bouleutérion, etc.

Prière de Manassé. ♦ Apocryphe biblique, figurant dans certains manuscrits des Septante*. C'est une brève composition (15 versets) en grec, d'époque hellénistique, inspirée par *II Chroniques*, XXXIII, 13.

PRIESTLEY (Joseph). ♦ Chimiste et théologien anglais (Fieldhead, près de Leeds, 1733 – Northumberland, Pennsylvanie, 1804). Dans son étude sur l'électricité (*The History and Present State of Electricity*, 1767), il donna les premières mesures de conductibilités relatives et observa que l'électrisation des conducteurs est superficielle. S'intéressant ensuite à la chimie, il étudia le gaz carbonique et découvrit (1771) que la respiration et la combustion étaient impossibles dans un air vicié. Recueillant des gaz sur la cuve à mercure, il put isoler l'acide chlorhydrique et le bioxyde d'azote (1772), le protoxyde d'azote (1773) qu'il reconnut comme comburant; en 1774, il réalisa la première production d'oxygène en chauffant de l'oxyde de mercure et fut le premier (1775) à reconnaître le rôle de l'oxygène dans la respiration des végétaux. **V. Cavendish, Lavoisier, Scheele.**

PRIESTLEY (John Boynton). ♦ Critique, essayiste et dramaturge anglais (Bradford, Yorkshire, 1894). Fils d'un instituteur socialiste, Priestley resta toujours fidèle au libéralisme généreux de son père. Le cadre de ses romans, sauf pour *Là-bas* (1932), est anglais. Londres forme le décor de *Ruelle de l'ange* (1930), *Ils vont par la ville* (1936); *Samedi au soleil* (1943) évoque une usine d'aviation. « Jeune rebelle » en 1912 et « aimable anarchiste » en 1954, Priestley fait avec humour la critique du monde qui l'entoure. Il attaque la presse dans *Le Héros merveilleux* (1953), la radio dans *Notes graves dans les hautes sphères* (1954), le mariage dans *La Gueule du dragon* (1952), pièce écrite en collaboration avec sa femme, Jacquetta Hawkes. Il est l'auteur de réflexions sur le théâtre (*Perspectives théâtrales*, 1947, *L'Art du dramaturge*, 1956) et d'écrits politiques (*Issu du peuple*, 1941, *Les Arts en régime socialiste*, 1947).

PRIEUR DE LA CÔTE-D'OR (Claude Antoine PRIEUR-DU-VERNOIS, dit). ♦ Homme politique français (Auxonne, 1763 – Dijon, 1832). Officier du génie avant la Révolution, à laquelle il se rallia, il fut élu à l'Assemblée législative (1791), puis siégea comme député montagnard à la Convention. Envoyé en mission en Normandie pour réprimer l'insurrection dirigée par les chefs girondins, il y fut arrêté par les insurgés fédéralistes. Entré au Comité* de salut public (4 août 1793-oct. 1794) il y fut chargé de la fabrication de l'armement. Il ne fut pas inquiété sous la Convention thermidorienne, en grande partie en raison de ses travaux scientifiques : il contribua à fonder l'École polytechnique, le Conservatoire des arts et métiers, le Bureau des longitudes, etc., et à instituer le système métrique (*L'Art du militaire*, 1793, *Nouvelle Instruction sur les poids et mesures et sur le calcul décimal*, 1795, etc.).

PRIEUR DE LA MARNE (Pierre Louis PRIEUR, dit). ♦ Homme politique français (Sommesous, Champagne, 1756 – Bruxelles, 1827). Avocat, député du Tiers État, aux États généraux (1789) et membre du Club des jacobins, il siégea à l'extrême gauche à l'Assemblée constituante où sa violence lui valut le surnom de *Crieur de la Marne*. Réélu à la Convention (1792), il contribua à faire adopter le décret sur la levée de 300 000 hommes (24 févr. 1793), il fut membre du Comité de défense générale (mars 1793), puis du Comité* de salut public (juil. 1793), où, avec Jean* Bon Saint-André, il s'occupa de l'organisation de la marine militaire. Après la chute de Robespierre (9 Thermidor, 27 juil. 1794), il fut impliqué dans les insurrections montagnardes de l'an III et réussit à se cacher jusqu'à la loi d'amnistie de l'an IV. Avocat à Paris, puis commissaire des hospices civils, il fut proscrit comme régicide en 1816.

PRIMATICE (Francesco PRIMATICCIO, dit *le*). ♦ Peintre et décorateur italien (Bologne, 1504 – Paris, 1570). Formé par Jules Romain avec qui il collabora six ans au palais du Té, à Mantoue, il subit aussi l'influence du Parmesan et de ses formes allongées et gracieuses. En 1531, il fut appelé en France par François Ier pour travailler au château de Fontainebleau. Après la mort de Rosso (1540), il assuma la direction des travaux, fournissant des dessins tant d'architectures que de sculptures, de stucs et d'émaux, ou de décors éphémères pour les fêtes royales. Peu de choses subsistent des grandes fresques qu'il réalisa après 1552, avec la collaboration de Nicolo Dell'*Abate : galerie d'Ulysse (1541-1570, détruite); salle de bal (1551-1556, très restaurée). Son génie raffiné apparaît mieux dans les stucs de la chambre de Madame d'Étampes, à Fontainebleau, et surtout dans ses dessins (*La Danse des heures*, Francfort; *La Mascarade de Persépolis*, Louvre). Nommé surintendant des Bâtiments royaux par François II (1559), il exerça sur l'évolution de l'art français une influence décisive.

PRIMAUGUET. ♦ **V.** PORTZMOGUER (Hervé de).

PRIMEL-TRÉGASTEL. ♦ Station balnéaire du Finistère, dépendant de Plougasnou, arr. de Morlaix, dans le Trégorrois, près de la pointe de Primel (chaos de rochers roses).

PRIMO DE RIVERA (Miguel PRIMO DE RIVERA Y ORBANEJA). ♦ Général et homme politique espagnol (Cadix, 1870 – Paris, 1930). Sorti de l'Académie militaire générale de Madrid, il servit au Maroc, à Cuba et aux Philippines. Il fut nommé capitaine général de Catalogne (1922) alors que l'Espagne connaissait les pires difficultés : instabilité ministérielle, agitation régionaliste, défaite d'Anoual au Maroc. En 1923, il se rebella contre le gouvernement de Madrid, proclama la suspension de la Constitution et la création d'un directoire militaire que le roi Alphonse* XIII accepta. Sans rencontrer d'opposition, Primo de Rivera imposa aux provinces des gouverneurs militaires, soumit la presse à la censure et reprit la situation en main au Maroc (débarquement d'Alhucemas, 1925). Sa politique de redressement économique et de financement de grands travaux publics lui valut un notable prestige. En 1927, s'inspirant du fascisme italien, il créa un parti, l'*Union patriotique* et une *Assemblée nationale suprême* au rôle purement consultatif. Dans le domaine social et administratif, il n'obtint que de médiocres succès qui lui valurent bientôt l'opposition des hommes d'affaires et des industriels, alors que des intellectuels et une partie de l'armée lui étaient hostiles pour d'autres raisons. Plusieurs tentatives de coups d'État échouèrent tandis que la crise mondiale (1929) entraînait la chute de la peseta. Devant l'échec de la révolution nationale de Primo de Rivera, le roi décida de renvoyer le dictateur (1930), qui mourut peu après à Paris.

PRIMO DE RIVERA (José Antonio). ♦ Homme politique espagnol, fils de Miguel Primo* de Rivera (Madrid, 1903 – Alicante, 1936). Avocat, député aux Cortes, il fut le fondateur de la Phalange* (1933). Arrêté sur l'ordre du gouvernement du Front populaire, il fut jugé sommairement et fusillé. Les franquistes le célèbrent comme un martyr de sa cause.

PRIM Y PRATS (Juan). ♦ Général et homme politique espagnol (Reus, 1814 – Madrid, 1870). Après avoir combattu contre les carlistes (1833-1839), il contribua à l'éviction d'Espartero* et s'illustra durant la guerre du Maroc (1860). Il commanda le corps expéditionnaire au Mexique et soutint l'indépendance mexicaine (1862). Progressiste, il organisa plusieurs complots et réussit à chasser la reine Isabelle* (1868). Il prit, avec Serrano, la tête du gouvernement, fit écarter la république par la Constitution de 1869 et chercha un candidat au trône. Après le refus de Léopold de Hohenzollern Sigmaringen, il obtint l'acceptation d'Amédée* de Savoie, mais fut assassiné quelques jours avant l'arrivée du roi.

Prince (Le), en it. **Il Principe.** ♦ Traité de philosophie politique de Machiavel* (1513). Il y analyse la manière d'acquérir et de conserver le pouvoir, ce qui suppose chez le Prince deux qualités essentielles : la « ruse du renard » et la « force du lion », ainsi qu'une parfaite connaissance de la psychologie humaine qui lui permet de donner de lui une image capable de séduire les foules (ainsi doit-il « paraître » avoir toutes les qualités). Si le réalisme politique (machiavélisme) de l'ouvrage put choquer, il ne faut pas oublier qu'en l'écrivant Machiavel avait pour préoccupation la réalisation de l'unité nationale de l'Italie.

PRINCE (*île du*), en port. **Ilha do Principe.** ♦ Île du golfe de Guinée. 128 km². 7 000 hab. Agriculture tropicale (cacao, café). – Anc. prov. d'outre-mer portugaise avec São* Tomé (indépendance le 12 juil. 1975).

PRINCE ALBERT. ♦ V. du Canada au centre de la Saskatchewan, et en aval de laquelle confluent les deux riv. Saskatchewan. 26 269 hab. (1966). Indus. du bois et du pétrole.

Prince de Galles. ♦ Titre porté par le fils aîné des souverains d'Angleterre depuis qu'Édouard* Ier en investit son fils (1301) afin de se concilier les Gallois. **V. Galles.**

PRINCE-DE-GALLES (*île du*), en angl. **Prince of Waldes Island.**

♦ Île de l'Arctique canadien, située entre l'île Victoria* (détroit de McClintok) et l'île Somerset, qui prolonge la presqu'île de Boothia* (détroit de Franklin). Le pôle magnétique se trouve à l'E. de l'île.

Prince de Hombourg [Le] *(Prinz von Homburg).* ♦ Drame en cinq actes de H. von Kleist (1810). À la veille de la bataille de Fehrbellin, Hombourg, chef de la cavalerie brandebourgeoise, rêve de gloire dans les jardins du château. Il part pour la bataille dans un état d'exaltation qui touche à la folie. Contre la volonté de l'Électeur, il charge les Suédois et les anéantit. Mais sa désobéissance lui vaut d'être traduit devant une cour martiale qui le condamne à mort. Il sombre alors dans le désespoir, puis, invité par l'Électeur à se juger lui-même, il accepte la mort et réclame le châtiment de sa faute. L'Électeur annule la condamnation et lui accorde, avec la couronne triomphale, la main de la princesse Nathalie d'Orange, sa fille adoptive.

PRINCE-ÉDOUARD *(île du),* en angl. **Prince Edward Island.** ♦ Île située sur la côte E. du Canada, au N. du Nouveau-Brunswick et de la Nouvelle-Écosse dont elle est séparée par le détroit de Northumberland (moins de 40 km); prov. du Canada depuis 1873 (la plus petite). 5 657 km². 108 535 hab. (1966). *Cap. et princ. ville* **V. Charlottetown.** — L'île est plate ou couverte de basses collines (relief glaciaire); sa côte est très découpée. Le climat est, en un peu plus doux, celui des autres provinces maritimes. — L'économie est basée sur l'agriculture (pommes de terre; élevage), la pêche et les industries qui en dépendent.

PRINCE-ÉDOUARD *(îles du).* ♦ Anc. *Îles Froides,* 46°36' S; 37°57' E., en angl. *Prince Edward Islands.* L'île du Prince-Édouard, située au S. de l'océan Indien (terres Australes*), de forme circulaire (10 km de diamètre), culmine à 722 m. L'île Marion, de 22 km de long sur 12 km de large env., culmine à 1 280 m (pic Jan-Smuts). Le climat, la flore et la faune de ces îles ressemblent à ceux des archipels Crozet et Kerguelen. Découvertes par Marion-Dufresne, elles furent longtemps considérées comme françaises; cédées par la Troisième République à l'Angleterre, elles devinrent une dépendance de l'Union sud-africaine (1947) qui, en 1949, y installa une station météorologique.

PRINCE GEORGE. ♦ V. du Canada, au centre de la prov. de Colombie britannique, située sur le Fraser. 24 471 hab. Carrefour ferroviaire, où passent le *Canadian National* (des Rocheuses à Prince Rupert), une ligne allant à Vancouver et une ligne vers le N. (fort St. John).

Prince Igor (Le). ♦ Opéra en un prologue et quatre actes de Borodine*, inspiré du *Dit de la bataille d'Igor,* poème du XIIe s. (représenté en 1890). L'œuvre, laissée inachevée, fut terminée par Glazounov, Rimski-Korsakov, les deux Blumenfeld, Dutsch et Sokolov. Les thèmes de l'opéra sont russes, mais sa forme est traditionnelle, avec ses airs et duos distincts. Les « danses polovtsiennes » (arrivée d'Igor à *Poltava*), grâce à leur brillante orchestration et à leurs rythmes, ont connu un grand succès.

Prince Noir (le). ♦ Surnom d'Édouard*, fils du roi d'Angleterre Édouard* III.

PRINCE RUPERT. ♦ V. et port du Canada, sur la côte du Pacifique, en Colombie britannique et non loin de la frontière de l'Alaska. 14 677 hab. Terminus du *Canadian National Railways.* Pêcheries.

Princesse de Clèves (La). ♦ Œuvre de Mme de La* Fayette (1678), considérée souvent comme le modèle du roman d'analyse. L'intrigue romanesque, colorée parfois de préciosité, présente dans un cadre historique précis (la cour de Henri II) des personnages spécifiques de l'idéal classique : le souci de leur gloire les incite à analyser leurs passions, avec pudeur mais lucidité. Cette peinture subtile et précise des sentiments passionnés recourt à une prose sobre, d'une simplicité raffinée.

PRINCETON. ♦ Localité des États-Unis (New Jersey) au N.-E. de Trenton, où est située l'université qui porte ce nom (ainsi que plusieurs collèges et séminaires). Env. 12 000 hab. (1960). — *Princeton University,* université privée, l'une des plus importantes des États-Unis. ♦ *Hist.* Washington y battit les Anglais en 1777. La ville fut le siège du congrès continental américain en 1783. L'université (collège du New Jersey, fondé en 1746 par des presbytériens) y fut transférée par une décision de 1752 (le plus ancien bâtiment date de 1754). W. Wilson* en fut le président (1902-1910).

PRINCIP (Gavrilo). ♦ Terroriste serbe (Grahovo, Bosnie, 1894 — Theresienstadt, Bohême, 1918). Assassin de François-Ferdinand à Sarajevo (28 juin 1914).

PRIOR (Arthur). ♦ Logicien et épistémologue anglais (1914). Il a tenté de construire des systèmes propositionnels qui introduisent la notion de temps comme modalité (*Time and Modality,* 1957; *Past, Present and Future,* 1967).

PRIPET ou **PRIPIAT'.** *n. m.* ♦ Affl. (r. d.) du Dniepr. 775 km. Il arrose Pinsk et Turov.

PRISCILLIEN. ♦ Hérésiarque chrétien (Mérida, Estrémadure, *déb.* IVe s. — Trèves, 385). Il fut condamné par les conciles de Saragosse (380) et de Bordeaux (384) et fut le premier hérétique exécuté par le pouvoir séculier. Sa doctrine *(priscillianisme)* était sans doute un néo-gnosticisme très ascétique; quoique condamnée par le concile de Tolède (400), elle subsista en Espagne du Nord (Compostelle).

PRISSE D'AVENNES (Émile). ♦ Égyptologue français (Avesnes-sur-Helpe, 1807 — Paris, 1879). Après avoir combattu en Grèce en faveur de l'indépendance (1826), il visita les Indes, la Palestine, l'Égypte où il fut quelque temps ingénieur civil du vice-roi et gouverneur des enfants d'Ibrahim Pacha. Dès 1836, il se consacra à l'archéologie, fit de nombreuses fouilles en Égypte (Karnak), Nubie, Éthiopie. Il a publié *Les Monuments égyptiens,* une *Histoire de l'art égyptien* et découvrit des papyrus égyptiens en caractères hiératiques archaïques des IVe et Ve dynasties (Bibliothèque nationale).

PRIŠTINA. ♦ V. de Yougoslavie. Cap. du territoire autonome du Kosovo*-Metohija. 44 000 hab. Artisanat, tourisme. ♦ *Hist.* Cap. de Serbie au XIVe s., turque jusqu'en 1912, à nouveau serbe jusqu'en 1915, puis bulgare jusqu'en 1918.

PRITCHARD (George). ♦ Missionnaire britannique (Birmingham, 1796 — îles de Samoa, 1883). Missionnaire à Tahiti (1824), il eut une grande influence sur la reine Pomaré* IV, parvint à interdire l'accès de l'île à des missionnaires catholiques français (1836), et joua un rôle non négligeable dans la révolte qui suivit l'établissement du protectorat français sur Tahiti (1843). Arrêté par le capitaine d'Aubigny, libéré aussitôt, il rendit compte des agissements des Français à son égard auprès du gouvernement britannique. Ce dernier exigea du gouvernement de Louis-Philippe une indemnité en guise de réparation. Cet incident, qui tendit les relations entre la France et la Grande-Bretagne, suscita également une opposition au régime de la monarchie de Juillet.

PRIVAS [pʀiva]. ♦ Préf. de l'Ardèche*, ch.-l. d'arr. (10 cant., 111 comm., 105 004 hab.), sur l'Ouvèze. 10 660 hab. *(Privadois).* Maisons anc. — Moulinage de la soie, confiserie (marrons glacés). ♦ *Hist.* La ville, place forte du protestantisme, fut assiégée par Louis XIII en 1629 et la population y fut massacrée.

PRIZREN. ♦ V. de Yougoslavie (Kosovo-Metohija). 30 000 hab. Nombreuses mosquées. Filatures de coton. Tourisme.

PRJEVALSKI (Nicolaï Mikhaïlovitch). ♦ Officier et explorateur russe (Kimborovo, gouv. de Smolensk, 1839 — Karakol, auj. Prjevalsk, 1888). Après avoir étudié le territoire de l'Ossouri (1867-1869), il explora l'Asie centrale (Mongolie orientale et méridionale, désert de Gobi, Turkestan, Tibet) au cours de quatre expéditions (1871-1884) dont il publia les résultats scientifiques (géographie, botanique, etc.).

PROBUS, en lat. **Marcus Aurelius Valerius Probus.** ♦ (Sirmium, 232 — *id.,* 282). Empereur romain (276-282). Excellent soldat, courageux et honnête (d'où son surnom de *Probus*), il commandait l'armée d'Orient quand ses soldats le proclamèrent empereur à la mort de Tacite*. Il repoussa les invasions barbares (Francs, Alamans, Vandales, Sarmates) et soumit l'armée à une rude discipline, l'employant à divers travaux et notamment à l'édification des remparts : l'enceinte de Rome fut achevée. Ses soldats irrités de ces contraintes se soulevèrent à la veille d'une campagne contre les Perses et le tuèrent.

PROCAS. ♦ Roi légendaire d'Albe, père d'Amulius et de Numitor*.

PROCHE-ORIENT ou **MOYEN-ORIENT** (désignation contestée, trad. de l'anglais *Middle-East*). *n. m.* ♦ Nom qui désigne une région (également connue sous le nom de LEVANT) de plus de 5 000 000 de km², située à la charnière des continents africain et asiatique, et qui s'étend des rives orientales de la Méditerranée aux rives N. occidentales de l'océan Indien. Cette région, qui a pour centre le *Croissant* fertile* et qui a vu l'essor des anciennes civilisations chaldéenne et égyptienne, se caractérise par la coexistence

Ph. Nimatallah/Ricciarini

Probus. (Musée du Capitole, Rome.)

Coll. Cauboue
Sergueï S. Prokofiev, par Amiguet. (Bibl. nationale, Paris.)

de populations islamiques et judaïques, dont l'opposition historique est à l'origine de douloureux conflits. Les pays qui la composent sont en majorité arabes **(V. Égypte, Liban, Syrie, Iraq, Arabie Sa'udite, Jordanie, Yémen).** Les pays non arabes sont : la Turquie*, Israël* et l'Iran*. On comprend parfois dans le Moyen-Orient la Libye et le Soudan. – *Écon.* Le Moyen-Orient est la deuxième région productrice de pétrole après l'Amérique du Nord. Les gisements exploités en vue de l'exportation ont donné lieu à la construction d'un important réseau d'oléoducs qui acheminent le pétrole brut ou raffiné jusqu'aux divers ports pétroliers d'embarquement (les principaux sont Saïda* et Tripoli [**V. Mina**], sur la Méditerranée).

PROCIDA (Giovanni da). ♦ Gentilhomme italien (Salerne, v. 1225 – ?, 1302). Il fut banni de Naples par Charles d'Anjou et fomenta le complot des Vêpres* siciliennes (1282). Il fut chancelier de la reine Constance, femme de Pierre III (1283-1297).

PROCIDA, anc. **Prochyta.** ♦ Petite île italienne d'origine volcanique du golfe de Naples, entre Ischia et le cap Misène. 11 000 hab. Pêche, cultures méditerranéennes.

PROCLUS, en gr. **Proklos.** ♦ Philosophe grec néo-platonicien (Constantinople, 412 – Athènes, 485). Il fut l'élève de Syrianos avant d'enseigner lui-même la philosophie à Athènes. Nous possédons les *Commentaires* qu'il fit de plusieurs dialogues platoniciens, entre autres du *Timée,* du *Parménide,* de *La République,* ainsi que des éléments de théologie.

PROCOPE, en gr. **Prokopios.** ♦ Historien byzantin (Césarée, Palestine, fin du ve s. – Constantinople, v. 562). Secrétaire de Bélisaire et historien de Justinien, il a décrit la vie matérielle, sociale et culturelle dans son *Livre des guerres* (v. 545-554) et son *Traité des édifices* (v. 560). L'authenticité des *Anecdota,* ou *Histoire secrète,* qu'on lui a attribuées, est discutée.

PROCRIS. ♦ V. CÉPHALE.

PROCRUSTE ou **PROCUSTE,** en gr. **Prokroustês.** ♦ Brigand fabuleux, appelé aussi Damastès ou Polypémon. Installé sur la route près de Mégare, il arrêtait les voyageurs et les soumettait à un supplice. Il les forçait à s'allonger sur un de ses deux lits de dimensions différentes : les grands sur le petit, les petits sur le grand; il coupait les pieds des grands et il tirait les membres des petits pour les mettre aux dimensions du lit. Thésée* lui fit subir le même supplice.

PROCYON. ♦ Nom donné à l'étoile double α Petit Chien*. Magnit. 0,5; type spectral F 5; distance 11 années-lumière.

Profession de foi du vicaire savoyard. ♦ V. VICAIRE SAVOYARD (Profession de foi du).

PROKHOROV (Aleksandr Mikhaïlovitch). ♦ Physicien soviétique (Atherton, Australie, 1916). Inventeur du maser avec son compatriote Bassov*, en même temps que l'Américain Townes* (1952), il proposa avec son collègue, en 1955, le milieu actif étant choisi à l'état solide, d'amplifier des hyperfréquences à l'aide d'un maser à trois niveaux, le pompage étant aussi réalisé en hyperfréquences. (Prix Nobel de phys., 1964.)

PROKLETIJE. *n. m.* ♦ Région montagneuse de l'Albanie* septentrionale, formant le prolongement du système dinarique yougoslave et présentant un relief karstifié.

PROKOFIEV (Sergueï Serguéïevitch). ♦ Compositeur russe (Sontsovka, 1891 – Moscou, 1953). Enfant prodige, il fut initié au piano par sa mère et à la composition par R.M. Glière*. Il reçut au conservatoire de Saint-Pétersbourg l'enseignement de Liadov, de Rimski-Korsakov et de Tchérépnine. Résolument antiromantiques et anti-impressionnistes, ses premières œuvres, d'un coloris orchestral éclatant, d'une grande originalité d'écriture, scandalisèrent par leurs audaces rythmiques et la stridence de leurs harmonies (*Suggestion diabolique,* 1910; deux premiers *concertos pour piano et orchestre,* 1912-1913; premier *concerto pour violon,* 1913; *Suite scythe,* 1914). Par ces ouvrages, le jeune musicien s'affirmait déjà comme un maître. La rencontre de S. de Diaghilev, à Londres (1914), fut déterminante pour lui. L'encouragement qu'il en reçut, avec la commande d'un ballet, le déterminèrent à persévérer sur une voie où il n'était suivi que d'une très faible partie du public. La guerre venue, Prokofiev rentra dans son pays, composant notamment un opéra, *Le Joueur,* d'après Dostoïevski (1917), deux recueils de pièces pour piano, *Sarcasmes, Visions fugitives* (1917) et sa célèbre *Symphonie classique* (1917). Il quitta ensuite la Russie pour le Japon et les États-Unis où il fit des tournées de concert. Cependant il achevait une *Ouverture sur des thèmes juifs,* un nouvel opéra, *L'Amour des trois oranges,* d'après Gozzi (1919) et en entreprenait un autre, *L'Ange de feu* (1922-1925). Revenu à Paris, il composa pour Diaghilev trois ballets, *Chout ou le Bouffon* (1920). *Le Pas d'acier* (1925), *Le Fils prodigue* (1930). Devenu conscient de l'importance des événements qui s'étaient déroulés dans son pays, il décida de rejoindre l'Union soviétique (1932) où il ne devait se fixer définitivement qu'un peu plus tard (1935). Durant cette première période, extrêmement féconde, il avait produit quelques-unes de ses œuvres les plus marquantes et les plus audacieuses, dont les *2e, 3e et 4e Symphonies* (1924-1928-1930), les *3e, 4e, 5e Concertos pour piano* (1909-1923), ainsi qu'un grand nombre de petites pièces pour le même instrument, dont *Les Choses en soi* (1928), d'une extrême subtilité d'écriture. Résolu désormais à dédier son œuvre au peuple russe et aux conquêtes de la révolution socialiste, il élabora, dans un style néo-classique dont, à vrai dire, il ne s'était jamais complètement détaché, une suite de compositions dont l'importance et la qualité ne le cèdent généralement en rien à ce qui avait fait la valeur de sa période occidentale. On le vit alors recourir au langage tonal et emprunter ses thèmes mélodiques au folklore slave qu'il sut enrichir des apports de son propre génie créateur, tour à tour dans des opéras : *Siméon Kotko* (1939), *Les Fiançailles au monastère* (1940), *La Guerre et la Paix,* d'après Tolstoï (1942), *Histoire d'un homme authentique* (1948); des ballets : *Roméo et Juliette* (1935), *Cendrillon* (1944), *Fleur de pierre* (1950); de la musique de film : *Lieutenant Kijé* (1934), *Alexandre Nevsky* (1939), *Ivan le Terrible* (1945); des cantates : *Zdravista* (1939), *Bataille de Stalingrad* (1943), *Ode à la fin de la guerre* (1945), *La Garde de la Paix* (1950) et dans un charmant conte musical éducatif, *Pierre et le Loup* (1936). Des compositions de musique pure virent encore le jour durant cette dernière période : *Concerto pour violon* (1935), deux *Concertos pour violoncelle* (1938); *5e, 6e et 7e Symphonies* (1944, 1946, 1952); *6e à 9e Sonates pour piano* (1940, 1947). – L'œuvre de Prokofiev n'a pas encore été révélée dans sa totalité (138 n^os^ d'opus) à l'Occident. Si le musicien a affirmé très tôt son indifférence aux recherches de nature syntaxique qui ont révolutionné la musique contemporaine, il demeure cependant par sa verve inventive et la générosité de son lyrisme, par l'équilibre rythmique, le souffle mélodique et la richesse harmonique, l'une des figures les plus vivantes et les plus inspirées de son temps.

PROKOP (Andreas, dit **le Grand).** ♦ Homme de guerre tchèque (v. 1380 – Lipany, 1434). Un des chefs des hussites taborites, il pilla la Lusace, la Silésie, la Saxe et la Franconie (1429-1430). Les hussites modérés se séparèrent de lui après le concile de Bâle (1433) et il fut vaincu et tué en les combattant.

PROKOPIEVSK. ♦ V. d'U.R.S.S. (R.S.F.S. de Russie), en Sibérie occidentale, dans la région de Kemerovo. 275 000 hab. Centre houiller du Kouzbass*. Indus. métallurgiques et textiles. Équipement minier.

PROKOPOVITCH (Théophane) [*Prokovič*]. ♦ Essayiste russe (Kiev, 1681 – Saint-Pétersbourg, 1736). Archevêque de Novgorod, il fut le dernier grand écrivain religieux russe *(Le Règlement ecclésiastique,* 1720).

Proletkult. *n. m.* (abrév., signifiant « culture prolétarienne »). ♦ Mouvement littéraire russe qui apparut en 1917 et qui se donna pour but de créer un art prolétarien, accessible au peuple et qui soutînt la Révolution. Le Proletkult, qui n'acceptait pas la direction du parti dans le domaine littéraire, fut critiqué par Lénine, et placé sous la surveillance du commissariat à l'Éducation (décret du 1er déc. 1920). Les principaux représentants en furent les poètes Guerassimov et Alexandrovski; son principal théoricien fut Bogdanov.

PROMÉTHÉE, en gr. **Promêtheus.** ♦ Titan*, fils de Japet* et de Clyméné*, frère d'Atlas* et d'Épiméthée*. Bienfaisant envers les hommes, il déroba aux dieux le feu pour le leur apporter, caché dans un bâton creux. Cette action audacieuse lui valut d'être enchaîné au sommet du Caucase, un aigle lui rongeant le foie qui repoussait sans cesse. Prométhée fut délivré par Héraclès* qui tua l'aigle. Selon une tradition, Prométhée créa les mortels, les façonnant avec de la terre glaise; selon une autre, son fils Deucalion* perpétua la race humaine après le déluge. Héros très populaire en Attique, il passait pour avoir enseigné aux hommes l'ensemble du savoir qui fonde une civilisation : art de bâtir des maisons, de dompter les animaux, de travailler les métaux, de guérir les maladies, d'écrire, de lire dans l'avenir. – De nombreuses œuvres d'art évoquent la figure de Prométhée. En littérature, elle apparaît dans Hésiode *(La Théogonie; Les Travaux* et les Jours),* Eschyle *(Prométhée enchaîné),* A.W. Schlegel (*Prométhée,* 1797), Byron (*Prométhée,* 1816), Shelley (*Prométhée délivré,* 1820) qui fait du Titan le symbole de la révolte humaine contre la tyrannie de la matière et de ses aspirations à la vérité et à l'idéal; André Gide (*Le Prométhée mal enchaîné,* 1899) qui voit dans l'aigle l'image des passions qui s'alimentent de la substance même de l'homme. — *Prométhée enchaîné,* en gr. *Promêtheus desmôtês.* Tragédie d'Eschyle* (après ~ 467). Zeus* vient de dérober la royauté du monde à son père Cronos. Irrité par la révolte de Prométhée, il a chargé Héphaïstos*, assisté de la Force et de la Violence, de clouer le rebelle sur son rocher. Aux gémissements de la victime et à ses appels répondent les Océanides, puis Océanos, puis Io, elle-même objet de la fureur d'Héra. En le réconfortant, tous lui conseillent de se soumettre. Mais Prométhée est détenteur d'un secret, celui de l'amour malheureux de Zeus pour la nymphe Thétis qui lui préféra le mortel Pélée. Aussi, on le voit éconduire Hermès, envoyé de Zeus, venu pour le menacer. Cependant, il périra, écrasé par les rochers qui s'écroulent sur lui, ferme dans son orgueilleux refus et sûr d'être un jour délivré. — Les deux autres pièces de la trilogie, *Prométhée délivré* et *Prométhée porte-feu,* aujourd'hui perdues, montraient la réconciliation du dieu et du Titan. Acquis à la sagesse par un long exercice du pouvoir, Zeus instituait le règne de la justice et faisait grâce à Prométhée. Ainsi se trouvait légitimée la révolte du héros, qui n'apparaissait plus attentatoire à l'autorité des dieux.

PRONIS (Jacques). ♦ Colonisateur français (La Rochelle, ? — Madagascar, 1655). Il contribua à la colonisation de Madagascar dont il fut gouverneur de 1642 à 1648 et où il fonda Fort-Dauphin.

PRONY (Marie RICHE, *baron de***).** ♦ Ingénieur français (Chamelet, Lyonnais, 1755 — Asnières, Seine, 1839). Ayant à établir le cadastre général de la France, il fit calculer des tables de logarithmes à dix-neuf décimales. De 1805 à 1812, son travail le conduisit à améliorer les canaux, à modifier les ports. Il inventa le flotteur à niveau constant et le frein dynamométrique qui porte son nom [1821]. (Acad. sc., 1795.)

Propagande. *n. f.* ♦ Congrégation catholique établie à Rome et chargée d'envoyer partout des missionnaires. Elle fut organisée par Grégoire XV (constitution *Inscrutabili,* 1622).

PROPERCE (Sextius Aurelius Propertius). ♦ Poète latin (Ombrie, v. ~ 47-~ 15), protégé par Mécène*. Auteur de quatre livres d'*Élégies* inspirées par son amour pour Cynthie. Imitateur des Alexandrins, il y fait une grande place à la mythologie. Poussé par Mécène, il composa des élégies nationales. Mais il est avant tout le poète de l'amour romantique, à l'imagination inquiète et sombre, à la langue parfois hermétique. Son inspiration vigoureuse et sincère fait de lui le plus personnel des élégiaques de l'époque augustéenne.

Prophète. ♦ Inspiré parlant au nom d'un dieu (Cf. Robert). — *Bible.* Les trois grands prophètes : **V. Isaïe, Jérémie, Ezéchiel** (les bibles chrétiennes ajoutent **Daniel**). Les douze petits prophètes : **V. Osée, Joël, Amos, Abdias, Jonas, Michée, Nahum, Habacuc, Sophonie, Aggée, Zacharie, Malachie.** « Grand » ou « petit » s'entend de la longueur des livres qui portent leur nom. Autres prophètes bibliques : **V. Déborah, Élie, Élisée, Miriam, Moïse, Nathan, Samuel.** — *Nouveau Testament.* **V. Jean-Baptiste.** — *Islâm.* Le Prophète : **V. Mahomet.**

Prophètes *(Livres des),* en hébr. **Nebi'îm.** ♦ Seconde partie de la Bible* hébraïque, comprenant les « prophètes antérieurs » qui sont des livres historiques : *Josué*, Juges*, I* et *II Samuel*, I* et *II Rois**; et les « prophètes postérieurs » qui sont les trois grands et les douze petits prophètes (voir article ci-dessus).

PROPONTIDE. *n. f.,* en gr. **Propontis.** ♦ Anc. nom de la mer de Marmara* qui est située en avant *(pro)* du Pont-Euxin. Elle baignait les anc. régions de Bithynie* et de Mysie*.

Propos (d'Alain). ♦ **V.** ALAIN.

PROPRIANO. ♦ Comm. de la Corse*, arr. de Sartène*, au fond du golfe de Valinco*. 2 102 hab. — Port de pêche, de commerce et de plaisance. Station balnéaire.

Propriété (Qu'est-ce que la)? ou **Recherches sur le principe du droit et du gouvernement** de Proudhon* (1840). ♦ « La propriété c'est le vol » : dénonçant cette institution et ses abus, l'auteur tenta de montrer qu'elle est injustifiable et conclut qu'elle est « impossible » dans la mesure où elle nie le principe d'égalité.

Propylées. *n. m. pl.,* en gr. **Propulaia.** ♦ Entrée monumentale de l'Acropole* d'Athènes, construite par l'architecte Mnésiclès* en marbre pentélique (~ 437-~ 431). Ils sont composés d'un corps central (vestibule à deux portiques d'où partait la Voie sacrée) et de deux ailes dont celle du N. était une galerie de peintures *(pinacothèque).* — Transformé en poudrière par les Turcs, le monument subit de graves dommages lors d'une explosion provoquée par la foudre en 1640.

PROSERPINE. ♦ Divinité des Enfers dans la religion romaine. Proserpine était sans doute à l'origine une déesse agraire, protectrice de la germination des plantes, mais elle fut très vite assimilée à la Perséphone grecque. **V. Perséphone.**

PROSNA. *n. f.* ♦ Riv. de Pologne* née au N.-O. du plateau de Petite Pologne, elle traverse le S. de la Grande-Pologne, arrose Kalisz* et se jette dans la Warta* (r. g.) après une course de 226 km.

PROSPER D'AQUITAINE *(saint).* ♦ Théologien, sans doute moine (près de Bordeaux, v. 390 — v. 455-463). À Marseille, il prit le parti de saint Augustin contre les pélagiens (428-434), puis s'installa à Rome auprès de Léon le Grand. Auteur de *Sur la vocation des gentils,* d'une *Chronique.* Fête le 25 juin.

PROTAGORAS. ♦ Sophiste grec (Abdère, ~ 485-~ 411). Brillant rhéteur, il enseigna l'art du discours. Sensualiste et relativiste, il est généralement connu par la formule (critiquée par Platon dans le *Théétète**) « L'homme est la mesure de toutes choses » qui oppose à l'idée d'une vérité absolue une multiplicité de points de vue.

Protagoras (Le). ♦ Dialogue de Platon* qui oppose Socrate* et les sophistes Protagoras, Prodicos et Hippias sur ce problème : la vertu peut-elle s'enseigner?

PROTAIS *(saint).* ♦ **V.** GERVAIS et PROTAIS *(saints).*

PROTÉE, en gr. **Prôteus.** ♦ Dieu grec, l'un des « vieillards de la mer ». Fils de Poséidon* et de Phénice ou d'Océan* et de Téthys*, il garde les troupeaux de monstres marins appartenant à son père. Il a le don de divination, mais il se refuse à donner sa prédiction à moins qu'il n'y soit forcé : il suffit de le surprendre pendant sa sieste et de l'enchaîner; il rend à la fin sa prophétie après avoir essayé de s'échapper, prenant des formes effrayantes ou insaisissables, comme celle de l'eau ou du feu. Dans une tradition posthomérique, Protée est un roi d'Égypte qui garde Hélène* à sa cour et renvoie Pâris à Troie avec une nuée (selon Euripide) à la place de la femme enlevée. Mais il accepte de la rendre à Ménélas* quand celui-ci vient la réclamer.

Protestantisme. *n. m.* ♦ Terme désignant globalement les doctrines et les communautés chrétiennes issues, directement ou non, de la Réforme. Principales dénominations, sectes, tendances protestantes : anabaptistes*, Église anglicane **(V. Anglicanisme),** baptistes, Science* chrétienne, Frères moraves **(V. Zinzendorf),** Églises luthériennes **(V. Luthéranisme),** mennonites **(V. Simonsz),** méthodistes **(V. Wesley),** non-conformistes, mormons **(V. Smith),** presbytériens **(V. Knox),** puritains, quakers **(V. Fox),** réformés **(V. Calvinisme).** ♦ *Hist.* Sur les origines, **V. Réforme.** Les débuts du protestantisme furent marqués par des guerres : de Religion* en France, des gueux* amenant l'indépendance des Provinces-Unies, de Trente* Ans aboutissant aux traités de Westphalie* (1648). En France, le protestantisme fut toléré par l'édit de Nantes* (1598), persécuté après la révocation de celui-ci (1685) : dragonnades*, guerre des camisards*; toléré à nouveau par l'édit de 1787. Face à la fixation des orthodoxies, se développèrent aux XVIIe-XVIIIe s. des mouvements de piété populaire (piétisme) dont les plus notables conséquences apparurent avec les communautés non conformistes en Angleterre, les quakers, les Frères moraves et même le méthodisme (malgré son désir de ne pas rompre avec l'Église établie). À ces mouvements est liée l'expansion du protestantisme en Amérique (baptistes, quakers). Le XIXe s. fut celui du « Réveil » (de la théologie, et de la piété), de l'expansion missionnaire et des regroupements de communautés, qui se continuèrent au XXe s. : Fédération des Églises anglicanes (conférence de Lambeth, 1867), Conférence méthodiste œcuménique (1881), Union des Églises congrégationalistes (1891), Alliance baptiste mondiale (1905), Alliance réformée mondiale (1921), Fédération luthérienne mondiale (1947). Dans le même mouvement se constituèrent des groupements entre Églises différentes, notamment le Conseil* œcuménique des Églises (officiel en 1948).

PROTOGÉNÈS. ♦ Peintre grec (seconde moitié du ~ IVe s.) originaire de Carie, qui travailla à Rhodes* et à Athènes*. Il connut la célébrité à un âge avancé, étant devenu le rival et l'ami d'Apelle. Très scrupuleux, il achevait ses compositions avec une minutie qui suscitait l'admiration; il mit sept ans pour peindre l'*Ialysos,* un tableau représentant le héros rhodien. Il excellait dans l'art de la luminosité des couleurs et à la technique des dégradés. Parmi les titres de ses œuvres perdues, on cite le *Satyre au repos,* la *Mère d'Aristote,* le *Pan et Alexandre.* À Athènes, il décora les propylées et la salle du Conseil des Cinq-Cents (le *Collège des thesmothètes*).

Ph. Giraudon

Protestantisme :
réunion des méthodistes nord-américains en 1819.
D'après J. Milbert, gravé par M. Dubourg.
(Bibl. nat., Paris.)

PROUDHON (Pierre Joseph). ♦ Socialiste français (Besançon, 1809 – Paris, 1865). Issu de la classe ouvrière, il fut successivement typographe, petit imprimeur et journaliste. « L'audace provocante avec laquelle il porte la main sur le sanctuaire économique » (Marx), sur le droit de propriété dans *Qu'est-ce que la propriété ?** (1840), suscita de vives réactions dans la bourgeoisie. Il poursuivit ses critiques dans *De la création de l'ordre dans l'humanité* (1843) où il fait du travail le seul capital réel. Mais très vite, il nuança ses attaques, cherchant moins, dès lors, à supprimer la propriété privée qu'à en atténuer les abus, moins à anéantir le système capitaliste qu'à le réformer et à concilier la bourgeoisie et le prolétariat, s'en prenant vivement aux théories communistes dans *La Philosophie* de la misère* (*Système des contradictions économiques,* 1846) qui s'attira une sévère critique de Marx* dans *Misère* de la philosophie* (1847). Représentant du peuple à l'Assemblée nationale (1848) et rédacteur de plusieurs journaux, Proudhon fut condamné à la prison (1849-1852) pour son opposition à Louis Napoléon Bonaparte. Mais, après *L'Idée générale de la révolution au XIXe siècle* (1851), où il expose les principes de l'anarchisme, il parut croire en la possibilité d'un rapprochement entre Napoléon III et la cause de la réforme sociale (*Révolution sociale démontrée par le coup d'État du 2 décembre 1852).* La publication de son ouvrage *De la justice dans la révolution et dans l'Église* (1858) l'obligea à se réfugier à Bruxelles. C'est à son retour en France que parut *Du principe fédératif et de la nécessité de reconstituer le parti de la révolution* (1863), et après sa mort *De la capacité politique de la classe ouvrière.* Père de l'anarchisme (à qui Bakounine* doit beaucoup), fondateur du système mutualiste, du syndicalisme ouvrier et du fédéralisme, il apparaît à la fois comme un révolutionnaire et, selon Marx, comme un conservateur « petit bourgeois constamment ballotté entre le Travail et le Capital, entre l'économie politique et le communisme ». Ses partisans s'opposèrent aux représentants du socialisme marxiste lors de la Ire Internationale.

PROUSA. ♦ V. PRUSA.

PROUSIAS. ♦ V. PRUSIAS.

PROUST (Joseph Louis). ♦ Pharmacien et chimiste français (Angers, 1754 – *id.,* 1826). Il accompagna Pilâtre* de Rozier dans une ascension en montgolfière (1784). Pendant son séjour à Madrid, où il dirigea le laboratoire du roi Charles IV*, il parvint à isoler un sucre de raisin. Au cours du Blocus continental, alors qu'il était revenu en France, il refusa l'aide de Napoléon Ier qui voulait faire exploiter sa méthode. Il fut l'un des fondateurs de l'analyse chimique. Ayant démontré la constance de la composition de l'eau, il énonça la *loi des proportions définies,* qui porte son nom [1806]. (Acad. sc., 1816.)

PROUST (Marcel). ♦ Écrivain français (Paris, 1871 – *id.,* 1922). Issu d'une famille de la bourgeoisie qui manifestait une extrême curiosité intellectuelle, Proust se lia vite avec des jeunes gens férus de littérature (R. de Montesquiou, R. de Flers, D. Halévy, ...) et publia divers essais dans des revues, insérant ses poésies dans *Les Plaisirs et les Jours* (1896, préface d'Anatole France*). Il entama un roman autobiographique, *Jean Santeuil* (publié en 1952), et traduisit les œuvres de Ruskin* dont il médita les études lors d'un séjour à Venise (1900). Adoptant la vision de l'univers de l'esthéticien anglais, Proust s'efforcera désormais d'échapper à la loi du temps pour tenter, par l'art, de saisir l'essence d'une réalité enfouie dans l'inconscient et « recréée par notre pensée ». S'isolant de plus en plus dans sa chambre de malade (il était sujet à des crises d'asthme depuis l'âge de neuf ans), éprouvé par la mort de son père (1903), puis celle de sa mère qu'il adorait (1905), il se fit « le lieu où s'accomplit son œuvre », **V. À* la recherche du temps perdu.** Celle-ci représente un renouvellement de l'expérience littéraire, une tentative métaphysique, et constitue avec les œuvres de H. James* et de J. Joyce* une étape essentielle dans la genèse de la prose contemporaine. Proust avait écrit par ailleurs des *Chroniques* (1927), un recueil d'essais intitulé *Contre Sainte-Beuve* (1954) et une vaste *Correspondance* [encore incomplète] (1930-1936) qui furent publiés à titre posthume.

PROUST (William). ♦ Chimiste et médecin anglais (Horton, 1785 – Londres, 1850). Il émit l'hypothèse selon laquelle les masses atomiques des éléments chimiques représenteraient des multiples entiers de celui de l'hydrogène (1815). Il établit également la présence d'acide chlorhydrique dans le suc gastrique.

PROUT. *n. m.* ♦ V. PRUT.

PROVENCE. *n. f.* ♦ Ancienne province française. La Provence proprement dite s'étend de l'E. du Rhône au Var (fl.) ; s'y ajoutent le comtat Venaissin et le comté de Nice. La région recouvre ainsi les départements actuels des Bouches-du-Rhône, du Vaucluse, des Alpes-de-Haute-Provence, du Var, des Alpes-Maritimes (région [anciennement C.A.R.] Provence*-Côte d'Azur, qui inclut également le dép. des Hautes-Alpes). ♦ *Hist.* Occupée par les Ligures depuis le premier millénaire, cette région connut dès le ~ VIIe s. la colonisation grecque (fondation de Massilia, future Marseille). Mettant à profit les divisions intervenues entre les populations ligures et celtes et les Massaliotes, les Romains envahirent le pays des Alpes au Rhône, dès ~ 125, et en firent la *Provincia Romana* (origine de son nom actuel). Elle eut successivement pour capitale Aix et Narbonne, connut une grande prospérité, et devait garder l'empreinte de l'occupation romaine. Réunie en 27 à la Gaule narbonnaise, à l'exception des Alpes maritimes, elle fut scindée lors des premières invasions germaniques, l'E. du Rhône devenant la *Viennoise* (IIIe s.). Le christianisme et le monachisme y connurent alors un développement précoce (Saint-Victor; Lérins). Les invasions barbares, cependant, se poursuivirent : les limites de l'actuelle Provence furent dessinées par le partage entre Burgondes au N. et Wisigoths au S. (Ve s.), auxquels se substituèrent les Ostrogoths, et enfin les Francs (536). Mérovingiens* et Carolingiens* y multiplièrent les partages et réunirent la Provence à la Bourgogne **(V. Bourgogne,** ***Hist.*****).** Leur autorité devait rester le plus souvent théorique, comme devait l'être celle du Saint Empire, auquel la Provence fut rattachée en 1032. Les invasions sarrasines (IXe-Xe s.) eurent pour effet d'orienter le pays vers le N. et le couloir rhodanien, le détournant de la mer, et favorisèrent le développement de la féodalité locale et de l'autorité des *comtes de Provence :* au XIIe s., le comté de Provence put assurer son indépendance et passa à la dynastie catalane (1113-1245). Celle-ci dut lutter contre les comtes de Toulouse, les seigneurs des Baux (guerres « baussenques », 1142-1162), et les comtes de Forcalquier. L'essor de la vie économique favorisa le développement du mouvement communal (établissement des « consulats ») et d'une civilisation très brillante qui rayonna sur toute l'Europe de l'époque (art roman provençal, poésie des troubadours). Préservée de la croisade des albigeois* par Raimond* Bérenger V, qui en fit un État puissant, remarquablement organisé, elle devait pourtant passer de l'influence lointaine de l'Empire à celle des Capétiens (milieu du XIVe s.). En 1246, Charles* d'Anjou devint par mariage comte de Provence. Tournés vers l'Italie (royaume de Naples*), les princes d'Anjou s'intéressèrent parfois d'assez loin à la province, mais ils y jouirent cependant d'une grande popularité (notamment la reine Jeanne* et le roi René*). D'autre part, les contacts avec l'Italie, la présence du pape établi en Avignon (1309) profitèrent au pays. À la mort de Charles III (1481), Louis XI devint comte de Provence. La politique centralisatrice des rois de France devait réduire progressivement l'indépendance de la province, dont la dernière manifestation fut le fédéralisme girondin. Au XIXe s., Mistral et le félibrige tentèrent de donner une nouvelle vie à sa langue et à sa littérature. – Le 15 août 1944, l'opération *Anvil* consista à débarquer à Cavalaire, Pampelonne, Sainte-Maxime, Fréjus et au Drammont, la VIIe armée américaine **(V. Patch)** et la Ire armée française **(V. Lattre de Tassigny** ***[de]*****)** soit 500 000 hommes appuyés par 1 500 avions. Dès le 19 août, les Allemands battaient en retraite. Toulon et Marseille furent libérées les 27 et 28 août. Mais déjà les Américains avaient atteint Grenoble (22 août), Valence (23 août) et Briançon (26 août). Lyon fut prise par de Lattre le 3 septembre. Les combats de Bourgogne (3-13 sept.) permirent à une partie des forces allemandes du S.-O. d'assurer leur retraite. Mais dès les 11-12 sept., à Nod, à Montbard, les forces alliées avaient fait leur jonction avec celles qui avaient débarqué en Normandie*.

PROVENCE – CÔTE D'AZUR. *n. f.* ♦ Région (anciennement C.A.R.) française. Six départements : **V. Alpes-de-Haute-Provence, Alpes (Hautes-), Alpes-Maritimes, Bouches-du-Rhône, Var, Vaucluse.** 40 500 km² (7,3 % du territoire national, 4e rang). 3 675 700 hab. (6 % de la population française ; 4e rang). Dens. 105 (5e rang). – Coïncidant avec la Provence, le Dauphiné oriental, le comtat Venaissin et le comté de Nice, elle recouvre, outre le S.-E. du sillon rhodanien, la quasi-totalité de nos Alpes du S., du Lautaret à la Méditerranée. Dans le couloir affaissé du bas Rhône se succèdent les nappes alluviales du Vaucluse, limitées au S. par l'avancée des Alpilles (490 m), la steppe caillouteuse de la Crau, cône de déjections de la Durance, et la plaine deltaïque de Camargue, enserrée entre les bras du fleuve et la mer, autour de la cuvette du Vaccarès, et dont le sud a conservé ses aspects et sa faune traditionnels. – Les Préalpes calcaires du jurassique et du crétacé, soit les 2/3 des Alpes méridionales, témoignent de l'interférence des plis d'origine pyrénéenne (ouest-est) et alpine (nord-sud). Le relief y est enchevêtré, alternance confuse de barres puissantes (Ventoux, 1 912 m ; Lure, 1 827 m), de chaînons abrupts (Luberon, 1 125 m ; Sainte-Victoire, 1 101 m ; Sainte-Baume, 1 150 m), de dômes (autour de Gap et Digne) et de collines où vallées étroites et bassins souvent exigus concentrent la vie. Au delà des Plans, hauts plateaux désertiques (800 m), aux gorges grandioses (Verdon), les Alpes maritimes, d'orientation méridienne, creusées de vallées profondes (Var, Tinée, Vésubie,...) retombent en abrupt sur le littoral, lui offrant un arrière-pays sans égal (ski au-dessus de Nice). – La haute montagne (du Pelvoux [4 103 m aux Écrins] et du Briançonnais [3 300 m] au Queyras [Saint-Véran, 2 040 m] et au Mercantour [3 000 m], dernier massif hercynien) est ici rejetée à la périphérie. Pas de « sillon » comme dans les Alpes du Nord : seule, la vallée de la Durance remonte vers les sommets, à travers les bassins de Sisteron et d'Embrun, mais elle reste sans issue (projet de liaison Marseille-Turin). Les Alpes du Sud sont de pénétration difficile : de là, le séculaire attrait de l'artère « Arc-Argens » (240 m) qui relie le bassin d'Aix à la dépression permienne de l'Aille et au golfe de Fréjus, encadré par les schistes des Maures (779 m) et les porphyres de l'Esterel (616 m), vestiges massifs de la Tyrrhénide effondrée. – Contrastant avec celle du golfe du Lion, la côte reflète, dans la variété de ses formes et de ses couleurs, les articulations de la montagne et la diversité de ses roches. Comme à tous les paysages du Midi **(V. Languedoc-Roussillon)** et jusqu'en Briançonnais, c'est la lumière (insolation

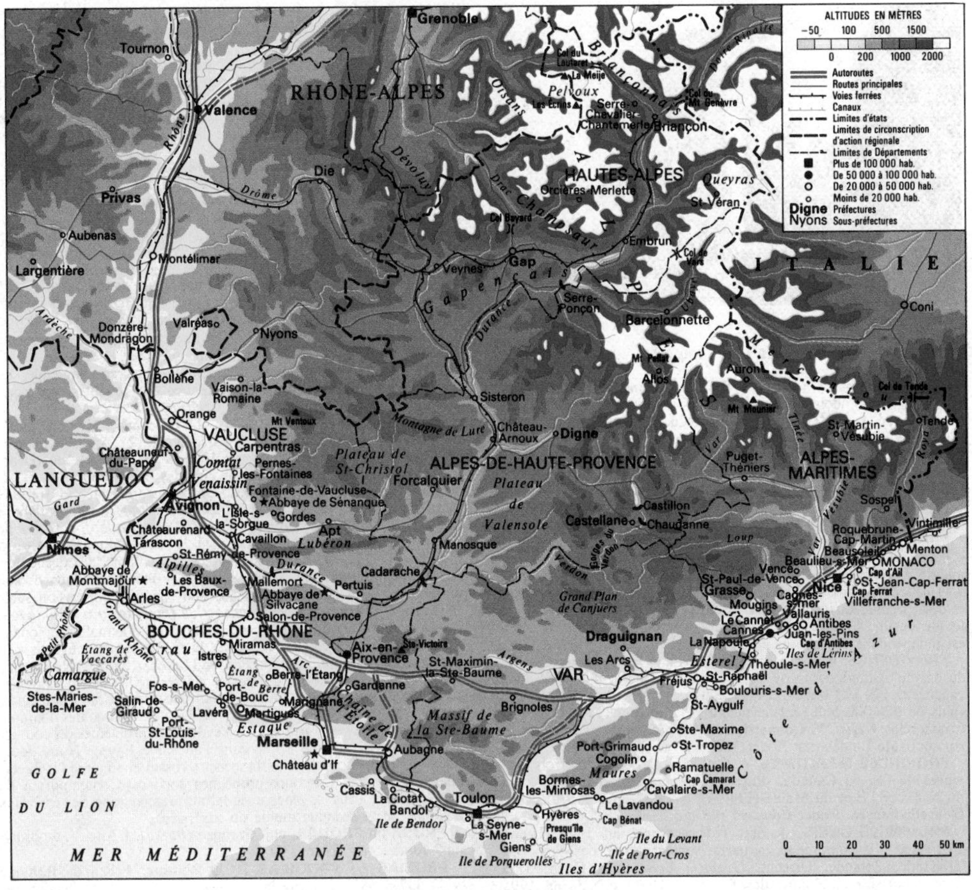

Provence-Côte d'Azur.

double de celle de la France du Nord) qui lui confère éclat et séduction, dans sa partie orientale surtout, protégée du mistral par les reliefs provençaux (tiédeur de l'hiver : 8,3 °C à Nice, 9,5 °C à Monaco en janv., contre 6,1 °C à Marseille). Mais par suite du vent, de la chaleur (juil. 22,5 °C), de la perméabilité du sol, de la brièveté des pluies cependant assez fortes (500-600 mm en Vaucluse, 862 à Nice, 1 000 à l'intérieur), la sécheresse est le redoutable corollaire de cette luminosité. La maîtrise de l'eau est donc la préoccupation majeure : de l'irrigation spontanée, améliorée de siècle en siècle, dans les plaines du bas Rhône, aux grands aménagements du réservoir alpin, destinés à la fois aux progrès agricoles et à la satisfaction des besoins urbains et industriels de la région (Rhône, depuis 1921; Durance, depuis 1951 [Serre-Ponçon, 1 200 000 000 de m³ en 1960]; Verdon, depuis 1964 [Sainte-Croix, 867 000 000 de m³ en 1974]). — Achevant de glisser des hauteurs vers les plaines irriguées (disparition de la polyculture sèche : blé, olivier, ...), l'*agriculture* moderne s'y développe, spécialisée et intensive : de 15 à 59 %, selon les produits, des fruits et légumes français (marchés de Cavaillon*, Châteaurenard*) ou transformés (conserveries); cultures florales (parfums : Grasse*). La vigne, de coteaux et de plaines (140 000 ha), fournit 6 000 000 d'hl (Châteauneuf*-du-Pape, côtes du Rhône, de Provence). La riziculture de Camargue* suffit à notre consommation (382 700 q) et la récente économie herbagère et laitière de la Crau* s'ajoute à celle des hautes vallées (103 000 bovins); le troupeau ovin (1 270 000 têtes) est le premier de France. Dans son ensemble, l'agriculture n'occupe plus que 9,7 % des actifs. — *Pop. :* ce glissement a dépeuplé la montagne (— 30 % dans les Hautes-Alpes, — 45 % dans les Alpes-de-Haute-Provence, de 1876 à 1946) au bénéfice des plaines et du littoral (Bouches-du-Rhône + 190 %; Alpes-Maritimes + 150 %, Var + 40 %). L'immigration a compensé les départs et la faible fécondité de la population régionale, passée de 1 800 000 à 2 600 000 entre 1861 et 1936. Elle lui vaut, depuis vingt ans, une très forte croissance — de 2 400 000 en 1954 à 2 800 000 en 1962 (+ 16 %), 3 300 000 en 1968 (+ 17 %, France + 7,1 %, région parisienne + 9 %), et 3 450 000 en 1972 — et un taux élevé d'urbanisation (88 %, France 70 %) : cinq villes de plus de 100 000 hab. : Marseille*, Nice*, Toulon*, Cannes*-Antibes*, Avignon*. — L'ampleur du secteur *tertiaire* (55,9 % des actifs, France 46,2 %) tient d'abord au tourisme (hivernal, puis estival) étendu de la Côte d'Azur, lancée à la fin du XIXᵉ s., à tout le littoral, de la villégiature aristocratique aux vacances de masse (17 % de la fréquentation touristique française); puissance d'attraction (liaisons ferroviaires, autoroutières, aériennes : deux aéroports internationaux). Mais la spéculation immobilière compromet l'équilibre naturel et l'attrait de la région. Importance également des transports (6 % des actifs), du commerce intérieur (foires) et extérieur (3ᵉ rang des importations françaises), de la banque, de l'enseignement (universités Aix-Marseille, Nice; grandes écoles; écoles techniques), de la recherche (fondamentale, appliquée; Sophia-Antipolis). — L'*industrialisation* reste, par contre, très insuffisante (34,4 % des actifs). Productions de base : 80 % de la bauxite française (2 148 259 t); charbon (1 545 000 t); sel (680 000 t; soude de Port-Saint-Louis); fluorine (30 000 t). Aux indus. alimentaires et aux constructions navales (La Ciotat, La Seyne) se sont ajoutés indus. mécaniques, constructions aérospatiales, électricité, électronique, et le puissant complexe pétrolochimique de l'étang de Berre : six raffineries traitant 43 000 000 de t de pétrole (le quart de la capacité française). L'« aire Marseille-Fos » résulte précisément de la rencontre d'une exigence d'expansion fondée sur la conversion du commerce à l'industrie, et d'un site exceptionnel : plate-forme ouverte, au débouché du Rhône, sur un golfe abrité et profond; abondance d'eau, d'énergie hydraulique (22 milliards de kWh) et thermique, de pétrole (pipe-line sud-européen), de gaz naturel; liaisons fluviales en cours d'aménagement (trafic Lyon-mer passé de 760 000 t en 1950 à 3 400 000 t en 1970). Zone industrielle et portuaire de 7 200 ha (20 000 possibles) : foyer d'activités de base (sidérurgie : 7 000 000 de t d'acier en 1980, mécanique, chimie) conçu comme le pôle d'un développement régional intégré, le moteur de l'industrialisation du Sud-Est, dans le cadre du Grand Delta : sur 380 000 emplois nouveaux d'ici à 1985, 220 000 seront créés en dehors de l'aire métropolitaine, laquelle passera de 1 500 000 hab. en 1970 à 2 300 000 en 1985 et 3 200 000 en 2000, dans une région de 6 000 000 d'ha, tandis que

Ph. Louis Monier

Provins : les remparts.

le port de Marseille (1er port français et méditerranéen avec 95 000 000 de t) atteignait, avec celui de Fos (tankers de 300 000 à 1 000 000 de t), 130 000 000 de t dès 1976, et devrait approcher de 170 000 000 de t en 1985.

Proverbes *(Livre des).* ♦ Un des livres poétiques de la Bible (31 chapitres), groupant, après un prologue (I-IX), des maximes placées sous divers patronages, notamment celui de Salomon. Rédigé au début du ~ ve s. à partir d'éléments dont certains peuvent remonter au roi Ézéchias (~ 716-~ 688).

Providence (De la). ♦ Traité de Sénèque* dont le vrai titre est : « Pourquoi les hommes de bien ne sont pas exempts de malheurs, malgré l'existence de la Providence. » Sénèque tente d'indiquer quel usage l'homme de bien doit faire des maux qui lui adviennent et des épreuves auxquelles il est soumis et qui sont conformes à la loi du destin; le sage, lui, échappe aux maux véritables puisqu'il est indépendant des choses extérieures.

PROVIDENCE. ♦ V. des États-Unis, cap. et V. la plus importante du Rhode* Island, sur la riv. Providence, au fond de la baie de Narragansett. 179 115 hab. – La zone urbaine Providence-Pawtucket (plus de 900 000 hab.) forme un important complexe industriel et commercial. ♦ *Hist.* **V. Connecticut.** – La *plantation de Providence,* communauté fondée par Roger Williams au xviie siècle.

PROVINCES MARITIMES. *n. f. pl.* ♦ Nom donné aux trois provinces de l'E. du Canada, situées à l'extrême S.-E. du Québec et au N.-E. de l'État du Maine (États-Unis). **V. Nouveau-Brunswick, Nouvelle-Écosse, Prince-Édouard** (île du).

PROVINCES-UNIES. ♦ État fédéral formé en 1579 (Union d'Utrecht*). Il comprenait la partie septentrionale des Pays-Bas (Hollande, Zélande, Utrecht, Gueldre, Frise, puis Overijsel et Groningue). La république des Provinces-Unies prit fin en 1795 **(V. Pays-Bas).**

Provinciales (Les). ♦ Titre traditionnel du recueil des dix-huit *Lettres* écrites par Pascal* à la demande d'Arnauld* et qui parurent anonymement (1656-1657) avant d'être réunies (1657) sous le titre de *Lettres écrites... à un provincial de ses amis...* Pascal, prenant parti pour la rigueur janséniste, s'efforce de discréditer les jésuites en abordant successivement le débat théologique sur la Grâce (Lettres I à IV; XVII et XVIII) et les problèmes moraux nés des abus de la casuistique (Lettres V à XVI). Cette œuvre polémique où l'éloquence passionnée succède progressivement à l'ironie connut un éclatant succès.

PROVINS [pʀɔvɛ̃]. ♦ Sous-préf. de la Seine-et-Marne, ch.-l. d'arr. [7 cant., 131 comm., 90 960 hab.], sur la Voulzie. 11 869 hab. *(Provinois).* C'est une ville très riche en monuments. La Ville-Haute est entourée de remparts des xiie et xiiie s., porte Saint-Jean, tour aux Engins; à l'intérieur de ces murailles : église Saint-Quiriace (xiie, xiiie s.), le donjon ou tour César (xiie s.), haut de 44 m, sert de clocher à l'église; hôtel-Dieu (xiie s.), remanié; lycée dans l'anc. palais des comtes de Champagne et de Brie (xiie, xiiie s.); croix des Changeurs (xve s.); la Grange-aux-Dîmes (xiie s.) renferme un musée archéologique; maisons anciennes. Dans la Ville-Basse, église Saint-Ayoul (xie s.) reconstruite aux xiie et xiiie s., remaniée aux xive et xvie s.; église Sainte-Croix, reconstruite au xvie s. après un incendie; hôpital général dans un ancien monastère du xiiie s.; maisons et hôtels anciens. – Provins est un centre de tourisme et un important marché agricole. Carrières de terres réfractaires; produits céramiques; machines agricoles; indus. du bois; culture de roses. – Patrie de A. François*-Poncet. ♦ *Hist.* Anc. *Pruvinum,* Provins appartint aux comtes de Vermandois (xe s.), puis aux comtes de Champagne (xie s.) qui y résidèrent fréquemment et aidèrent à son développement. Des foires importantes se tenaient dans la ville en mai et en septembre jusqu'à la fin du xiiie siècle.

PRUDENCE, en lat. **Aurelius Prudentius Clemens.** ♦ Poète latin chrétien (Calahorra ou Saragosse, 348 – v. 415). Auteur de deux livres *Contre Symmaque,* du *Cathemerinon* (12 hymnes « sur les heures de chaque jour »), du *Peristephanon* ou *Livre des couronnes* (14 hymnes sur des martyrs), de l'*Apotheosis,* de l'*Hamartigeneia* (« poème sur l'origine du péché »), de la *Psychomachia,* combat allégorique des vices et des vertus. Son œuvre fut écrite entre 398 et 405.

Prudhomme (Joseph). ♦ Personnage créé par Henri Monnier* (et interprété par lui au théâtre) pour caricaturer le bourgeois français, désireux de suivre l'évolution de son siècle et persuadé qu'il possède des lumières en toutes choses. Mais dans ses diverses entreprises Joseph Prudhomme (souvent dit *Monsieur Prudhomme*) reste niais, conformiste et sentencieux.

PRUD'HON ou **PRUDHON (Pierre,** dit **Pierre-Paul).** ♦ Peintre français (Cluny, 1758 – Paris, 1823). Après des études à Paris et à Dijon, il séjourna de 1785 à 1788 à Rome; il y découvrit l'art alexandrin et pompéien et y admira particulièrement Léonard de Vinci et le Corrège. De retour à Paris, il peignit de nombreux portraits (*Mme Anthony et ses enfants,* 1794) et des panneaux décoratifs pour l'hôtel de Lanois. Après sa rencontre avec Constance Meyer (1802) son art s'épanouit (*L'Impératrice Joséphine à la Malmaison,* 1805) et il traita surtout des thèmes allégoriques et mythologiques (*La Justice et la Vengeance divine poursuivant le Crime,* 1808 – *Vénus et Adonis,* 1812). Si sa grâce élégiaque semble un héritage du xviiie s., la sensualité mélancolique et rêveuse de ses personnages, son goût pour les compositions en diagonale, les contours estompés, les éclairages lunaires aux tonalités argentines annoncent le romantisme *(Christ expirant sur la croix).*

PRUS (Aleksander GŁOWACKI, dit **Bolesław).** Écrivain polonais (Pulaw, Volhynie, 1847 – Varsovie, 1912). Après avoir pris part à l'insurrection polonaise de 1863, il se consacra au journalisme, puis à la littérature, et fut l'un des plus importants représentants du positivisme polonais. Chroniqueur sagace et spirituel de la vie varsovienne *(Chroniques hebdomadaires),* il écrivit d'abord une série de nouvelles : *Anielka, Le Gilet (Kamizelka), L'Orgue de Barbarie (Katarynka)* où il traite sur le mode humoristique (à la manière de Dickens) de la psychologie des enfants, des deshérités, du pathétique quotidien. Troublé par les problèmes sociaux de son époque, il publia encore une longue nouvelle sur l'oppression subie par les travailleurs : *La vague qui reflue (Powracająca fala),* avant de se consacrer au roman de mœurs et d'actualité polonais. *L'Avant-Poste* (*Placówka,* 1886) sur la résistance des paysans à la colonisation germanique; *La Poupée* (*Lalka,* 1890), vaste fresque sur la vie à Varsovie des différentes classes de la société polonaise paralysées par un capitalisme tout-puissant; *Les Émancipées* (*Emancypantki,* 1894), qui traite de l'émancipation des femmes. Enfin, *Le Pharaon* (*Faraon,* 1897) évoque les problèmes du pouvoir et de l'organisation de l'État dans l'ancienne Égypte (sans doute pour égarer les soupçons de la censure russe) et suggère l'inéluctabilité du progrès face aux problèmes sociaux. Contemporain de Sienkiewicz*, Prus se place avec lui au premier rang des écrivains polonais de la seconde moitié du xixe siècle.

PRUSA ou **PROUSA,** auj. **Brousse** *(Bursa).* ♦ Anc. V. de Bithynie* fondée par Prusias* Ier.

PRUSIAS ou **PROUSIAS Ier le Boiteux.** ♦ Roi de Bithynie (v. ~ 237-~ 183). Il mena la guerre contre Byzance et Pergame et donna asile à Hannibal* en lutte contre Rome; mais il ne put sauver son royaume qu'en livrant son hôte, qui s'empoisonna (~ 183).

PRUSIAS II le Chasseur. ♦ Roi de Bithynie (~ 183-~ 149). Après la défaite de son beau-frère Persée* à Pydna* (~ 168) il se rendit à Rome pour se mettre au service des Romains et se déshonora par sa bassesse. Rentré dans ses États, il reprit la guerre contre Attale* II qui le fit assassiner par son fils Nicomède* II.

PRUSSE. *n. f.* ♦ L'État prussien, qui devait au xviiie s. constituer un royaume, après son rattachement au Brandebourg, eut pour noyau l'ancienne Prusse teutonique, située entre la Vistule et le Niémen. Successivement occupée par les Aestii (ier s.), par les Goths (iie, iiie s.) et par une population balte, les *Borusses* ou *Prussiens,* elle résista aux tentatives de christianisation du xe et du xiiie s. : l'échec des cisterciens (Christian d'Oliva) et celui des Polonais entraînèrent l'intervention de l'ordre Teutonique qui devait en un demi-siècle conquérir le pays **(V. Teutoniques** [chevaliers]**).** Les populations autochtones furent décimées et les chevaliers Teutoniques durent faire appel à une colonisation allemande et polonaise, tandis que la Hanse assurait la vie économique de la région qui atteignit au déb. du xve s. une grande prospérité (épanouissement de villes comme Königsberg, Dantzig, Kulm) et une remarquable organisation politique. Cependant, l'isolement politique de l'ordre, en marge de l'Empire, et les frictions qui se produisirent avec les populations allemandes eurent pour conséquence les victoires des Polonais et des Lituaniens à Grunwald (Tannenberg, 1410), et la décadence définitive de l'ordre Teutonique, qui dut reconnaître la suzeraineté polonaise. Sécularisée au xvie s. par Albert de Brandebourg, grand maître ayant adhéré à la Réforme, la Prusse entra ainsi dans les possessions des Hohenzollern et passa en 1618 à Jean Sigismond, électeur de Brandebourg, avec lequel elle se trouva réunie **(V. Brandebourg,** *Hist.***).** Particulièrement éprouvée par la guerre de Trente* Ans, elle parvint pourtant à obtenir la Poméranie orientale au traité de Westphalie* (1648). Le xviie s. vit l'essor de sa puissance grâce à l'effort d'organisation et de développement du grand électeur Frédéric-Guillaume **(V. Frédéric-Guillaume).** Frédéric* III put ainsi obtenir la couronne royale. L'armée qui devint véritablement, avec le Roi-Sergent Frédéric*-Guillaume Ier, le pilier de l'État, allait permettre à Frédéric II de porter la Prusse à son apogée en entreprenant la lutte avec les Habsbourg (**V. Allemagne,** *Hist.*; **Frédéric II; Succession d'Autriche** [*guerre de*], **Sept Ans** [*guerre de*]). Malgré les apports territoriaux dus aux partages de la Pologne (entre 1740 et 1786, la Prusse passa de 120 000 à 200 000 km²), la médiocrité des successeurs de Frédéric II (Frédéric*-Guillaume II, Frédéric*-Guillaume III), entraîna la chute de la Prusse lors des bouleversements qui accompagnèrent la Révolution française et l'empire napoléonien (traité de Tilsit*, 1806). La Prusse devait cependant sortir grandie de cette crise : d'une part le congrès de Vienne lui rendit son importance territoriale en lui donnant la plus grande partie de la Westphalie et de la Rhénanie et en l'orientant ainsi vers l'O. et les régions les plus riches d'Allemagne; d'autre part, la défaite avait fait naître un puissant sentiment national qui la porta à la tête du mouvement de libération (Stein, Hardenberg, Scharnhorst) et en fit le champion de l'unité allemande, ce que symbolisa la création du Zollverein* en 1828. Frédéric*-Guillaume IV poursuivit néanmoins une politique conservatrice, conforme à celle de Metternich*, tint en échec la tentative de libéralisation de 1848 et refusa, toujours par antilibéralisme, de prendre la tête de la « Petite Allemagne » comme le lui offrait la diète de Francfort (**V. Allemagne,** *Hist.*). Il dut en outre, devant l'opposition autrichienne, abandonner ses projets d'« Union restreinte », fondée sur l'union des princes (reculade d'Olmütz*, 1850). Guillaume* Ier et Bismarck (**V. Bismarck**) reprirent la conception de la « Petite Allemagne » et continuèrent la lutte contre l'Autriche en s'appuyant sur une armée réorganisée par Roon*, et dont la puissance devint manifeste lors de la guerre des Duchés* et surtout de la guerre austro-prussienne (victoire de Sadowa*). La guerre de 1870 devait achever l'unité allemande et désormais l'histoire de la Prusse se confondit avec celle de l'Allemagne, à laquelle elle légua le militarisme et l'esprit de discipline qui l'avaient toujours caractérisée. Cet état d'esprit traditionnel fut utilisé par les nazis. Après avoir connu une constitution démocratique lors de la république de Weimar, la Prusse devint l'un des éléments essentiels du IIIe Reich. Symboliquement dissoute en 1947, la Prusse avait été amputée dès 1945 de tous ses territoires situés à l'E. de l'Oder.

PRUSSE-ORIENTALE. *n. f.*, en all. **Ostpreussen.** ♦ Prov. de l'anc. Prusse. *Cap.* Königsberg*. D'abord *Prusse ducale,* elle reçut son nom en 1818. Elle fut partagée entre l'U.R.S.S. et la Pologne en 1945 (conférence de Potsdam*). **V. Prusse.**

PRUSSE RHÉNANE. *n. f.* ♦ **V.** Rhénanie.

PRUSZKÓW. ♦ V. de Pologne* (voïévodie de Varsovie) 37 000 hab. — Indus. chimiques et métallurgiques (machines-outils).

PRUT ou **PROUT.** *n. m.* ♦ Riv. d'Europe centrale (935 km), affl. du Danube* (r. g.). Issue des Carpates ukrainiennes, elle marque la frontière entre la Roumanie (Moldavie) et l'U.R.S.S. (Bessarabie). Elle reçoit du côté moldave la Jijia et le Bahlui (arrosant Iaşi) et de nombreux petits cours d'eau du côté bessarabien. Elle arrose Tchernovtsy* et rejoint le Danube en aval de Galaţi.

PRYTANÉE. *n. m.*, en gr. **Prutaneion.** ♦ Dans l'anc. Athènes, siège de la *prytanie* (commission exécutive de la boulê). C'est là qu'on recevait les hôtes publics, qu'on nourrissait les pensionnaires de l'État et qu'on entretenait le feu de l'Hestia. Cf. *Prytane, Prytanée* in Robert.

PRZEMYŚL. ♦ V. du S.-E. de la Pologne* (voïévodie de Rzeszow), située sur le San* à proximité de la frontière ukrainienne. 50 000 hab. — Évêché, nombreux monuments (cathédrale XIVe-XVIe s., château XIVe-XVIIe s. auj. en ruine). Indus. métallurgiques, chimiques et textiles. — ♦ *Hist.* Anc. place forte de la Galicie* occidentale, attribuée à l'Autriche en 1792, elle fut disputée entre Russes et Autrichiens, durant la Première Guerre mondiale.

PRZYBOŚ (Julian). ♦ Poète polonais (Gwozno, 1901 — 1970). D'une famille paysanne, lié au groupe des peintres abstraits géométriques polonais, il exerça comme critique d'art une grande influence sur l'évolution picturale. Chef de file de l'avant-garde poétique, il publia *Les Vis* (*Sruby,* 1925) et *Avec les deux mains* (*Oburącz,* 1926), puis aborda des sujets sociaux et confirma la rigueur de son style (« le moins de mots possible ») : *L'Équation du cœur* (*Równanie serca,* 1938), *Tant que nous vivrons* (1944), *Le Lancé vertical* (1952). Il est également l'auteur d'un essai, *En lisant Mickiewicz.*

PRZYBYSZEWSKI (Stanisław). ♦ Écrivain polonais (Łojewo, près d'Inowrocław, 1868 — Jaronty, 1927). Il passa plusieurs années à Berlin, puis s'installa à Cracovie où il dirigea le journal de la jeune Pologne littéraire, *la Vie (Zycie),* qui exerça une grande influence sur plusieurs écrivains polonais, russes, tchèques. Auteur d'études sur Chopin, Nietzsche, Hansson marquées par les conceptions esthétiques de Taine, Przybyszewski fut avant tout un des maîtres de la littérature satanique. Attiré très tôt par des auteurs comme Huysmans, Barbey d'Aurevilly et plus encore Strindberg, il a exprimé dans ses récits, ses romans et ses drames (écrits en allemand et traduits par lui-même en polonais) les désirs, les rêves et les angoisses des profondeurs de l'inconscient, cherchant à créer un univers fantastique peuplé de démons, de vampires (*Messe des morts,* 1893; *Vigiles,* 1895; *Homo sapiens,* 1895-1897; *De profundis,* 1896; *Enfants de Satan,* 1897).

P. S. ♦ Sigle du Parti socialiste* français.

PSAMMÉTIQUE ou **PSAMMÉTIK.** ♦ Nom de trois pharaons de la XXVIe dynastie saïte. ♦ Psammétique Ier, prince de Saïs*, fondateur de la XXVIe dynastie (v. ~ 663-~ 609). Il réunifia l'Égypte et refit de Memphis la capitale de l'empire. Il rejeta le protectorat assyrien et chassa définitivement les Éthiopiens de Haute-Égypte. Son règne vit le début de l'hellénisation du pays avec la fondation de la colonie grecque de Naucratis*. ♦ Psammétique II, troisième pharaon de la XXVIe dynastie (v. ~ 594-~ 558), fils et successeur de Néchao* II. Il fit campagne en Nubie et en Éthiopie. ♦ Psammétique III, sixième et dernier pharaon de la XXVIe dynastie, fils d'Amasis* (v. ~ 525). Il fut vaincu et mis à mort par Cambyse* après six mois de règne, et l'Égypte passa sous la domination des Perses.

PSAMMOUTHIS. ♦ Deuxième pharaon de la XXIXe dynastie mendésienne (v. ~ 391), successeur de Néphéritès* Ier.

Psaumes *(Livre des).* ♦ Recueil biblique de cent cinquante poèmes composés du ~ XIe au ~ IIe s., dont soixante-treize sont dits « de David ». Ils sont répartis en cinq livres par analogie avec le Pentateuque* [divergences de numérotation entre le texte hébraïque et les versions grecque et latine]. La fonction des psaumes était liturgique; ils font encore partie du rituel de la synagogue et du culte familial juif. Plusieurs ont été adoptés par la liturgie chrétienne (LI, *Miserere;* CXXX, *De profundis,* etc.).

PSELLOS (Michel). ♦ Écrivain et homme d'État byzantin (Nicomédie, 1018 — après 1078). Politicien ambitieux et intrigant, il eut les faveurs de plusieurs empereurs et suivit à sa chute Michel* VII Doukas. Il fut le plus grand rénovateur de la culture byzantine. À l'encontre de l'aristotélisme et du mysticisme dominant la pensée chrétienne, il restaura la philosophie platonicienne et le néo-platonisme. Son enseignement à l'école de Constantinople et ses traités philosophiques tentèrent de rationaliser le christianisme et de l'associer à la pensée hellénique. Son goût des lettres grecques contribua à la renaissance littéraire sous les Comnènes. La diversité de ses intérêts est étonnante : philosophie, théologie, histoire, rhétorique, polémique, littérature, sciences. Parmi ses nombreux ouvrages, citons la *Chronographie,* chronique de 976 à 1077, d'un grand intérêt historique, les *Oraisons funèbres,* l'*Enseignement varié* et sa *Correspondance.*

PSEUDO-DENYS. ♦ Nom donné par les modernes à un écrivain grec anonyme (Ve-VIe s.) dont les ouvrages ont longtemps été attribués, à tort, à Denys l'Aréopagite. Il s'agit de synthèses chrétiennes d'inspiration néo-platonicienne : *Hiérarchie céleste, Hiérarchie ecclésiastique, Noms divins, Théologie mystique.*

PSICHARI (Jean), en gr. **Psykharis.** ♦ Linguiste et écrivain français d'origine grecque (Odessa, 1854 — Paris, 1929). Avec un récit, *Mon voyage* (1888), et des travaux scientifiques, il fut le promoteur et le premier polémiste du mouvement vulgariste de la prose néo-grecque. Il prouva la richesse de la langue démotique et sa légitimité historique, en tant que développement ininterrompu du grec ancien, régi par des lois phonétiques et morphologiques. *Mon voyage* (1888), *À l'ombre du platane* (1911). Sa femme était la fille d'E. Renan.

PSICHARI (Ernest). ♦ Officier et écrivain français (Paris, 1883 — Saint-Vincent-Rossignol, près de Virton, Belgique, 1914). Fils de Jean Psichari (voir ci-dessus) et petit-fils de Renan, il se lia d'amitié avec Ch. Péguy. Engagé dans l'artillerie (1903), il servit au Congo, puis en Mauritanie. Converti au catholicisme, il fut tué au début de la Première Guerre mondiale (alors qu'il avait décidé d'entrer dans l'ordre des Dominicains). *L'Appel des armes* (contre l'humanitarisme pacifiste, 1913), *Le Voyage du centurion* (récit de son évolution spirituelle, publ. 1916).

PSKOV. ♦ V. d'U.R.S.S. (R.S.F.S. de Russie), ch.-l. de la région du même nom (55 300 km². 863 000 hab.), sur la Vélikaïa (406 km), près de son embouchure dans le lac Tchoudsk. 127 000 hab. Monuments historiques (remparts des XIIIe-XIVe s., cathédrale des XIIe-XIIIe s.). — Centre d'une région de culture de lin. Indus. métallurgiques et mécaniques. Matériaux de construction. Nœud ferroviaire. ♦ *Hist.* L'une des plus anc. et des plus importantes cités de la Russie, d'abord principauté indépendante rivale de Novgorod, elle fut annexée en 1510 à l'État moscovite par Vassili* III.

PSOUSENNÈS Ier. ♦ Pharaon de la XXIe dynastie tanite, successeur de Smendès*. Il régna sur le Delta (v. ~ 1054-~ 1009).

Ph. Lauros-Giraudon

Évacuation complète du territoire français par les **Prussiens,** le 16 septembre 1873. Image d'Épinal. (Bibliothèque nationale, Paris.)

Arch. Rencontre

Le système de Ptolémée.
Atlas céleste d'Andrea Celarius, 1708.

Il a été mis à l'honneur par la découverte que fit P. Montet de sa tombe (dont la richesse est comparable à celle de Toutânkhamon), à Tanis*, en 1940; outre la sépulture de Psousennès, elle renfermait celle de trois autres personnages : un des généraux du pharaon, Aménophtis (XXIe dynastie) et un Chéchonq*.

P.S.U. ♦ Sigle du Parti socialiste* unifié.

PSYCHÉ [psiʃe], [*Psukhê*] (l'Âme). ♦ Personnification de l'âme et héroïne du célèbre conte d'Apulée dans les *Métamorphoses (l'Âne d'or)*. Persécutée par Aphrodite, jalouse de sa beauté, elle est aimée par l'Amour **(V. Éros)**. Mais ayant péché par curiosité et doute, elle perd son amant divin et devient esclave d'Aphrodite qui la soumet à de dures épreuves. Enlevée enfin par l'Amour, elle devient immortelle et vit dans l'éternelle félicité de l'amour. Symbole de l'âme à la recherche de son idéal, ou de la purification de l'âme déçue et sauvée par l'amour, le personnage de Psyché a inspiré longtemps la littérature et l'art.

Psyché. ♦ Tragédie-ballet en cinq actes et en vers libres de Molière, P. Corneille et Quinault sur une musique de Lully (1671). Quinault écrivit les parties chantées, Molière le plan, le prologue et le premier acte, et Corneille le reste. La pièce fut créée pour une fête de Versailles.

PTAH. ♦ Dieu égyptien représenté sous forme humaine, la tête rasée, et serré dans une gaine comme une momie. À l'origine, divinité locale de Memphis* (~ IIIe millénaire), il y était adoré comme le créateur du monde qui avait donné naissance par son Verbe à huit dieux (l'Ogdoade) dont Atoum*, sa pensée, et Thot*, sa langue. Patron des artisans, il fut identifié par les Grecs à Héphaïstos*. Ayant plus tard absorbé la personnalité d'Osiris*, il constitua avec la déesse Sekhmet* et le dieu Néfertoum une triade familiale.

PTOLÉMAÏS. ♦ Nom de plusieurs villes anc. fondées ou embellies par les Ptolémées **(V. Ptolémée)**. Les plus importantes étaient : PTOLÉMAÏS DE PHÉNICIE (auj. *Acre*), PTOLÉMAÏS HERMIU (auj. *Menchiyèh*), ville d'Égypte sur le Nil, fondée par Ptolémée Ier, qui fut un important foyer d'hellénisme en Haute-Égypte, PTOLÉMAÏS THÉRÔN (auj. *Ras al-Dabir*), port sur la mer Rouge, et PTOLÉMAÏS (auj. *Tolmeita*), sur la côte O. de Cyrénaïque.

PTOLÉMÉE, en gr. **Ptolemaios.** ♦ Nom de quinze souverains macédoniens qui régnèrent en Égypte de ~ 323 à ~ 30. C'est pendant cette période que furent agrandis ou mis en chantier les grands temples d'Edfou*, Philae*, Dendérah*, Esna* et Kôm* Ombo. ♦ PTOLÉMÉE Ier SÔTER [« le Sauveur »] (~ 367-~ 283). Roi d'Égypte (~ 323-~ 285). Fils de Lagos **(V. Lagides)**, il fut un des principaux généraux d'Alexandre* le Grand et reçut l'Égypte en partage à la mort de ce dernier (~ 323). Entré en rivalité avec les successeurs d'Alexandre, il s'allia à Séleucos* Ier contre Antigonos* Monophthalmos et battit le fils de celui-ci, Démétrios* Poliorcète, à Gaza (~ 313). La bataille d'Ipsos* (~ 301) lui permit d'établir sa domination sur la Palestine, la Cœlésyrie et Chypre. À l'intérieur, il organisa administrativement le pays, y introduisit le culte de Sérapis* et fonda en Haute-Égypte la ville de Ptolémaïs* qui supplanta Memphis*. Il établit sa capitale à Alexandrie* et donna à la ville un essor intellectuel et commercial considérable; il y fit construire le Musée et la Bibliothèque **(V. Démétrios de Phalère)**. ♦ PTOLÉMÉE II PHILADELPHE [« qui aime sa sœur »] (~ 308-~ 246). Fils et successeur du précédent (~ 285-~ 246). Il mena victorieusement deux guerres contre Antiochos* Ier et maria sa fille Bérénice* à Antiochos* II. Il défendit la liberté des Hellènes contre les Macédoniens **(V. Antigonos Gonatas)**. Marié d'abord à Arsinoé* Ire, fille de Lysimaque*, il la répudia pour épouser sa propre sœur Arsinoé* II, veuve de Lysimaque. Le frère et la sœur furent déifiés en tant que *theoi adelphoi* (« les frère et sœur divins »). C'est sous son règne que les Septante* auraient traduit l'Ancien Testament en grec. ♦ PTOLÉMÉE III ÉVERGÈTE Ier (« le Bienfaiteur »). Fils et successeur du précédent (v. ~ 246-~ 221). Il réunit la Cyrénaïque à l'Égypte par son mariage avec Bérénice*, fille du roi de Cyrène, puis soutint contre Séleucos* II la guerre de Syrie ou guerre de Laodice (~ 246-~ 241), qui le rendit maître de toute une partie de l'Asie occidentale jusqu'à Babylone et porta le royaume ptolémaïque à l'apogée de sa puissance. ♦ PTOLÉMÉE IV PHILOPATOR [« qui aime son père »] (~ 238-~ 205). Fils et successeur du précédent (~ 221-~ 205). Faible et débauché, il fit massacrer toute sa famille et laissa la responsabilité du pouvoir à son ministre Sosibios. Il remporta cependant une importante victoire sur Antiochos* III en Palestine, à Raphia (~ 217), mais n'en laissa pas moins décliner la puissance lagide. ♦ PTOLÉMÉE V ÉPIPHANE [« l'Illustre »] (v. ~ 210-~ 181). Fils de Ptolémée IV, il succéda à son père à l'âge de cinq ans (v. ~ 205-~ 181) et sa tutelle fut confiée au sénat romain. Il laissa Antiochos* III attaquer l'Égypte et, par la victoire du Panion (~ 200), s'emparer de la Syrie et de la Palestine. L'empire lagide indépendant s'effondrait et passait sous la domination de Rome. ♦ PTOLÉMÉE VI PHILOMÉTOR [« qui aime sa mère »] (v. ~ 186-~ 145). Fils et successeur du précédent (~ 181-~ 145), il gouverna longtemps sous la régence de sa mère Cléopâtre. Fait prisonnier en ~ 170 par Antiochos* IV, qui avait envahi l'Égypte, il fut remplacé sur le trône par son frère Ptolémée VII Évergète II, puis rétabli par le sénat romain (~ 164). Désormais les deux frères ne cessèrent de se disputer le pouvoir. ♦ PTOLÉMÉE VII ÉVERGÈTE II, frère de Ptolémée VI auquel il succéda (~ 170-~ 163 et ~ 145-~ 116). Il monta sur le trône en ~ 170 quand son frère fut fait prisonnier par Antiochos IV, partagea le pouvoir avec lui à son retour pendant quelques années et finit par le chasser. Ptolémée VI fit alors appel à Rome qui décida que Ptolémée VIII régnerait sur la Cyrénaïque constituée en royaume indépendant (~ 163). À la mort de son frère, Ptolémée VII remonta sur le trône d'Égypte après avoir fait assassiner son neveu Ptolémée VIII. Après sa mort, l'empire lagide perdit pour toujours son unité. ♦ PTOLÉMÉE VIII NÉOS EUPATOR (« né d'un père illustre »), fils de Ptolémée VI. Il partagea le pouvoir avec son père (~ 145) et fut assassiné par son oncle Ptolémée VII. ♦ PTOLÉMÉE APION (« le Maigre »), fils de Ptolémée VII, roi de Cyrénaïque (~ 116-~ 96). ♦ PTOLÉMÉE IX SÔTER II (v. ~ 142 – ~ 80) et PTOLÉMÉE X ALEXANDRE Ier (? – ~ 88). Fils de Ptolémée VII, ils se succédèrent sur le trône d'Égypte de ~ 116 à ~ 80. Ptolémée IX régna d'abord avec sa mère Cléopâtre III en Égypte de ~ 116 à ~ 107, alors que Ptolémée X gouvernait Chypre. En ~ 107, Cléopâtre chassa Ptolémée Sôter et Alexandre régna seul en Égypte jusqu'en ~ 89. Sôter revint au pouvoir après la fuite de son frère (~ 88) et gouverna les royaumes de Chypre et d'Égypte réunis. ♦ PTOLÉMÉE XI ALEXANDRE II, fils de Ptolémée X Alexandre Ier. Il fut imposé comme roi d'Égypte par Sylla* à la mort de Ptolémée IX (~ 80) et assassiné par les Alexandrins après vingt jours de règne. Il fut le dernier de la lignée authentique. ♦ PTOLÉMÉE XII PHILOPATOR PHILADELPHE NÉOS DIONYSOS, dit *Aulète* (« le joueur de flûte »). Roi d'Égypte (~ 80-~ 58 et ~ 55-~ 51). Fils naturel de Ptolémée IX, il monta sur le trône à la mort de Ptolémée XI, mais ne fut pas reconnu par Rome. Il laissa les Romains s'emparer de Chypre, ce qui lui valut la haine des Égyptiens et l'exil (~ 58-~ 55). Il se réfugia auprès des Romains qui le rétablirent au pouvoir. Il mourut trois ans plus tard laissant le trône à son fils Ptolémée XIII âgé de dix ans et à sa fille Cléopâtre* VII âgée de dix-sept ans. ♦ PTOLÉMÉE XIII PHILOPATOR, fils et successeur du précédent (~ 51-~ 47). Il épousa sa sœur Cléopâtre VII qu'il chassa d'Alexandrie et fit assassiner Pompée* (~ 48) pour se concilier les faveurs de César*. Mais ce dernier lui imposa le retour au pouvoir de la reine qui était devenue sa maîtresse. Ptolémée s'enfuit et mourut en combattant César*. ♦ PTOLÉMÉE XIV PHILOPATOR, fils de Ptolémée XII et frère de Ptolémée XIII auquel il succéda à l'âge de onze ans (~ 47-~ 44). Il épousa sa sœur Cléopâtre VII qui le fit tuer trois ans plus tard. ♦ PTOLÉMÉE XV PHILOPATOR CAESAR, dit *Césarion* (~ 47 – ~ 30). Fils de César et de Cléopâtre VII avec laquelle il gouverna (~ 44-~ 30). Il fut assassiné sur l'ordre d'Octave (Auguste*).

PTOLÉMÉE Kéraunos, « la foudre ». ♦ Roi de Macédoine (~ 281-~ 279). Dépossédé par son père Ptolémée* Ier au profit de son demi-frère, Ptolémée* II, il quitta l'Égypte pour se réfugier auprès de Lysimaque* puis de Séleucos* Ier qu'il poussa à s'emparer des possessions de Lysimaque. Après la défaite et la mort de ce dernier, Kéraunos assassina Séleucos Ier, épousa Arsinoé* II et se fit proclamer roi de Macédoine. Il fut tué au cours d'une campagne contre les Celtes.

PTOLÉMÉE (Claude), en gr. **Ptolemaios.** ♦ Astronome, mathématicien et géographe grec (probablement Ptolémaïs Hermiu, v. 90 – Canope, v. 168). Il fit ses observations à Alexandrie de 127 à 141 et son activité nous est connue uniquement par ses œuvres dont il faut surtout retenir : la *Composition mathématique* (ou *Almageste*), exposé complet du système du monde géocentrique, dit *système de Ptolémée* **(V. *aussi* Aristarque)**, dans lequel il résume toutes les théories acquises, notamment celles d'Hipparque*, les complète et les modifie, son apport personnel étant considérable, particulièrement en ce qui concerne la théorie lunaire, et qui contient un traité complet de trigonométrie rectiligne et sphérique; les *Hypothèses des planètes*, exposé abrégé et corrigé; les *Phases des étoiles fixes*, calendrier des levers et couchers astraux; la *Tétrabible*, canon de l'astrologie hellénistique

que Ptolémée différenciait nettement de l'astronomie; le *Guide géographique* dans lequel il décrit quatre procédés de projection beaucoup plus scientifiques que celui de Marin* de Tyr; un traité d'*Optique* dans lequel il expose les lois de la réflexion et étudie systématiquement la réfraction, et un traité d'acoustique, les *Harmoniques*, qui contient les diverses théories musicales, critiquées et développées. Ptolémée a également construit des instruments d'astronomie, dont l'astrolabe qui porte son nom, et des globes célestes. L'œuvre de Ptolémée, dernier astronome de l'Antiquité, domina le Moyen Âge et la Renaissance. **V. Adélard de Bath, Jordanus Nemorarius, Regiomontanus.**

PUBLICOLA, en lat. **Publius Valerius Publicola**. ♦ Homme politique romain ([mort] v. ~ 503), un des fondateurs de la république, selon la tradition. Ami du peuple, il abandonna la riche maison qu'il possédait sur le Palatin, fit distribuer les biens des Tarquins et donna à tous les citoyens le droit d'en appeler au peuple des sentences des consuls *(lex Valeria)*.

PUBLILIUS PHILO, en lat. **Quintus Publilius Philo**. ♦ Homme politique romain ([mort] après ~ 315). Premier préteur plébéien (~ 337), il fut nommé consul en ~ 339 et fit voter les *leges publiliae* qui accordaient de nombreux avantages à la plèbe.

PUCCINI (Giacomo). ♦ Compositeur italien (Lucques, 1858 – Bruxelles, 1924). Issu d'une famille de musiciens, il fut d'abord organiste. Devenu l'élève de Ponchielli, il se consacra à l'opéra et connut son premier succès avec *Manon Lescaut* (1893). Doué d'un sens très vif du théâtre lyrique, capable de trouvailles harmoniques audacieuses, il fit représenter ensuite trois ouvrages qui devaient connaître une extraordinaire popularité : *La Bohème* (1896), *La Tosca* (1900), *Madame Butterfly* (1904), chefs-d'œuvre du vérisme. Il composa encore *La Fanciulla del West* (1910), *Gianni Schicchi*, opéra bouffe (1918) et *Turandot*, opéra achevé par F. Alfano (1926). Ces œuvres ont suscité l'admiration de Schoenberg et de R. Leibowitz pour la qualité expressive de leur écriture vocale et la richesse de leur orchestration. Puccini est aussi l'auteur de pièces de *musique religieuse, symphonique* et *de chambre*, ainsi que de *mélodies*.

PUCELLE (Jean). ♦ Enlumineur français (actif au XIVe s., à Paris). Des documents attestent sa présence à Paris de 1319 à 1327. Il semble y avoir dirigé un célèbre et fertile atelier d'enluminures pendant une trentaine d'années. Ses œuvres les plus originales sont le *Bréviaire de Belleville* (1323-1326?) et un *Livre d'heures* probablement enluminé pour la reine Jeanne d'Évreux entre 1325 et 1328. Son œuvre contribua à la renommée de la miniature parisienne au XIVe siècle. Son graphisme d'une élégance raffinée et son sens narratif, plein de verve et de fantaisie, s'inscrivent dans la tradition de l'enluminure gothique. Mais les innovations iconographiques, l'attention portée au modelé, l'introduction des nouvelles découvertes toscanes d'ordre spatial en font l'un des artistes français les plus importants de son époque et l'un des principaux initiateurs du gothique international.

PUCHEU (Pierre). ♦ Homme politique français (Beaumont-sur-Oise, 1899 – Hussein-Dey, près d'Alger, 1944). Membre du *Parti populaire français* de Doriot*, il fut appelé par Darlan comme secrétaire d'État à la Production industrielle, puis à l'Intérieur (1941) dans le gouvernement de Vichy. Il y prit une lourde responsabilité dans les exécutions d'otages par la Wehrmacht, otages qu'il choisit essentiellement parmi les militants communistes. Ayant quitté le gouvernement après le retour de Laval (1942), il fut quelque temps ambassadeur à Berne, puis se rendit en Afrique du Nord après le débarquement allié, le général Giraud s'étant déclaré prêt à l'accueillir et à lui donner une place dans une unité combattante. Arrêté en 1943 par les autorités gaullistes (vraisemblablement à l'instigation des communistes), il fut fusillé. Ses souvenirs furent publiés (*Ma vie*, 1948).

PUEBLA. ♦ V. du Mexique central, située au pied du Popocatepetl*, au S. de Mexico. Cap de l'État. 521 885 hab. (1970). – Archevêché. Somptueuses églises et palais de l'époque coloniale. cathédrale (XVIe-XVIIe s.). Université. – Centre commercial et l'un des plus grands centres industriels du pays (indus. textiles [coton et laine], métallurgiques, chimiques, automobiles, ...). Non loin, la ville et le site de Cholula*. ♦ *Hist.* La ville fut fondée en 1531. Elle fut le théâtre de nombreux combats : le 5 mai 1862, le corps expéditionnaire français de Lorencez y fut écrasé par les Mexicains. L'anniversaire de cette victoire est devenu fête nationale au Mexique. La ville fut occupée en mai 1863 par les troupes françaises de Forey*. **V. Mexique** *(guerre du)*. – *L'État de Puebla* s'étend sur les hautes terres montagneuses **(V. Mixteca)** entre les sierras Madre. 33 919 km². 2 438 000 hab. (1967); forte densité. Cultures de canne à sucre, café, coton; céréales. Le río de Las Balsas* y prend sa source. Ressources minières : zinc; gaz naturel.

Pueblo. ♦ Civilisation du S.-O. de l'Amérique du N., ayant succédé à celle dite « des Vanniers », v. le VIIIe siècle. Elle se caractérise par l'architecture en adobe, souvent à étages, par des sanctuaires souterrains. Certains villages étaient abrités à flanc de falaise (Mesa Verde). Les Pueblos étaient des potiers et pratiquaient le tissage. Inquiétés au XIVe siècle par les nomades, puis par les Espagnols (XVIe s.), les Pueblos ont laissé leur culture aux Indiens actuels de l'Arizona et du Nouveau-Mexique, etc. (Zuñi, Hopi, etc.).

PUEBLO. ♦ V. des États-Unis, dans la moitié S. du Colorado, sur l'Arkansas, à plus de 1 400 m d'alt. 96 746 hab. – Centre agricole, dans une région irriguée, et centre indus. à proximité de mines de charbon.

PUERS, en néerl. **Puurs**. ♦ V. de Belgique (Anvers, arr. de Malines), à 49 km de Gand. 6 500 hab. Église gothique (tour de 1689). – Culture du lin. Marché agricole. Brasserie.

PUERTO BARRIOS. ♦ Port du Guatemala, situé au fond du golfe de Honduras (mer des Antilles), et qui assure, avec Livingstone*, l'essentiel du commerce extérieur sur la côte atlantique (exportations de bananes et de cafe). 30 900 hab. (1971). – Raffinerie de pétrole. Tête de ligne du chemin de fer interocéanique.

PUERTO CABELLO. ♦ V. et port du Venezuela (État de Carabobo) situé au pied de la cordillère Caraïbe* sur la mer des Antilles. Env. 52 000 hab. – Indus. alimentaires. Exportation de café et de cacao. Une voie ferrée relie la ville à Barquisimeto*.

PUERTO CORTÉS. ♦ Port du Honduras, situé sur le golfe du Honduras (mer des Antilles). Port d'exportation de San* Pedro Sula (bananes, café).

PUERTO DE SANTA MARÍA ou **EL PUERTO**. ♦ V. d'Espagne méridionale, en Andalousie (prov. de Cadix), sur la r. g. du Guadalete. 35 500 hab. – Station balnéaire. Église gothique Mayor Prioral (XIIe s.), Castillo de San Marcos.

PUERTO LA CRUZ. ♦ V. et port du Venezuela, sur la mer des Antilles, à l'E. de Barcelona* (État d'Anzoátegui). Env. 60 000 hab. – Raffineries de pétrole.

PUERTO LIMÓN ou **LIMÓN**. ♦ V. et port du Costa Rica (Amérique centrale). Ch.-l. de prov. situé sur la mer des Antilles. 50 000 hab. env. – Raffinerie de pétrole. C'est de Puerto Limón que part la voie ferrée interocéanique à destination de Puntaneras*, via San* José. Le port est exportateur de bananes, de café et de cacao. La province est surtout habitée par des Indiens.

PUERTOLLANO. ♦ V. d'Espagne, en Nouvelle-Castille* (prov. de Ciudad Real). 53 200 hab. – Important bassin houiller sur lequel s'est développée une indus. chimique florissante (schistes bitumineux).

PUERTO MONTT. ♦ V. et port du Chili, ch.-l. de la prov. de Llanquihue*, à l'extrémité S. de la *vallée centrale*, sur la baie du même nom. 65 000 hab. – C'est là que commence la Patagonie* chilienne et que se termine le réseau routier nord-sud. Des chenaux relient le port à Punta* Arenas au sud. Centre touristique.

PUERTO MORAZÁN. ♦ Petite ville du Nicaragua située sur la côte du Pacifique et d'où part la ligne de chemin de fer qui dessert la capitale, Managua, et aboutit à Granada*.

PUERTONUEVO DEL TERRIBLE. ♦ **V.** PEÑARROYA-PUEBLONUEVO.

PUERTO ORDAZ. ♦ **V.** CIUDAD GUAYANA.

PUERTO RICO. ♦ **V.** PORTO RICO.

PUERTO VALLARTA. ♦ V. et station balnéaire du Mexique (Jalisco), sur la côte Pacifique. Station à la mode, en rapide développement.

PUFENDORF (Samuel, *baron von***)**. ♦ Historien, juriste et philosophe allemand (Chemnitz, Saxe, 1632 – Berlin, 1694). À la suite de son ouvrage *Éléments de jurisprudence universelle*, il enseigna le droit à l'université de Heidelberg, puis à celle de Lund (Suède) en raison du scandale que ses critiques contre l'Empire provoquèrent (*Situation de l'Empire germanique*, 1667). Son traité le plus connu, *Du droit de la nature et des gens* (1672), fait du contrat social la base rationnelle de l'État.

PUGET (Pierre). ♦ Sculpteur, peintre, dessinateur et architecte français (Marseille, 1620 – *id.*, 1694). Fils d'un maître maçon, il se forma dans un atelier de construction de galères, puis se rendit en Italie où il devint l'aide de Pierre de Cortone*, collaborant notamment à la décoration peinte du *palais Barberini* à Rome et du *palais Pitti* à Florence. Sa première œuvre sculptée importante fut les *Atlantes* du portail de l'hôtel de ville de Toulon (1656-1657) où, par-delà les influences de Michel*-Ange et du Bernin* s'affirme un tempérament original. Un *Hercule*, réalisé pour le marquis de Bernardin, lui valut une commande de Fouquet : *(Hercule gaulois au repos)*. La disgrâce de Fouquet l'incita à demeurer à Gênes où il travaillait alors; il y exécuta de nombreu-

Ph. Giraudon

Prise du fort San-Javier à **Puebla**, en mars 1863, par les troupes françaises de Forey, Image d'Epinal. (Bibliothèque nationale, Paris.)

ses œuvres religieuses *(Saint Sébastien)* qui font de lui l'un des plus puissants sculpteurs baroques après le Bernin. Il aimait les compositions ouvertes, les ruptures d'équilibre, insistait sur le rendu anatomique et recherchait le mouvement expressif. Revenu en France en 1667, il dirigea les ateliers de décoration navale à Toulon, réalisa de nombreuses figures de poupe, donna aussi des projets architecturaux et entreprit les groupes de *Milon de Crotone* (1672-1679) et de *Persée et Andromède* (1684). Malgré leur violence expressive peu en accord avec l'esthétique classique prônée par l'Académie, ces œuvres furent placées dans le parc de Versailles. Pourtant, tempérament indépendant et ombrageux, Puget ne sut conserver la faveur de la cour; il fut en butte à des rivalités et vit ses ambitieux projets refusés (place Royale à Marseille). Ses deux dernières œuvres importantes, les reliefs *Alexandre et Diogène* (1671-1693) et *Charles Borromée priant* s'inscrivent dans la même veine pathétique et mouvementée. Peu compris en France par ses contemporains, il fut reconnu par les romantiques, dont il peut paraître à bien des égards le précurseur.

PUGET SOUND. *n. m.* ♦ Détroit et profond golfe (fjord) sur la côte américaine du Pacifique (État de Washington). Sur 560 km du N. au S., il sépare l'île de Vancouver du Canada (80 km de large) et, après le détroit de San Juan de Fuca sur lequel il s'ouvre à l'O., s'enfonce en se rétrécissant entre la chaîne des Cascades* à l'E. et les monts Olympus à l'ouest. Il possède 3 800 km de côtes. Les villes d'Everett, Seattle*, Tacoma* sont situées sur ses bords et son importance économique est considérable. **V. Washington** (État de).

PUGET-THÉNIERS. ♦ Ch.-l. de cant. des Alpes*-Maritimes, arr. de Nice*, 1 488 hab. *(Pugétois).* — Église romane. — Patrie d'Auguste Blanqui* (monument « L'Action enchaînée » par Maillol*).

PUGNO (Raoul). ♦ Pianiste français (Montrouge, 1852 — Moscou, 1914). Élève de l'école Niedermeyer, puis du Conservatoire, où il fut par la suite professeur, il fit une carrière de pianiste virtuose, en partie avec E. Ysaye. Compositeur, il a laissé des *pièces pour piano*, un *oratorio*, un *ballet* et une douzaine *d'opérettes*.

PUIGCERDÁ ou **PUYCERDA.** ♦ V. d'Espagne du N.-E., en Catalogne* (prov. de Gérone), proche de la frontière française (4 500 hab.). Cap. de la Cerdagne* espagnole, c'est une station estivale animée.

PUIGMAL. *n. m.* ♦ Sommet des Pyrénées-Orientales, au S. de Montlouis*. 2 913 mètres.

PUISAYE [pɥizɛ] **(Joseph,** *comte de***).** ♦ Officier français (Mortagne, 1755 — Hammersmith, 1827). Député de la noblesse aux États généraux (1789), il se rallia d'abord à la Révolution. Après la proscription des Girondins (2 juin 1793), il participa à l'insurrection fédéraliste de l'Eure et, vaincu à Pacy-sur-Eure (juillet 1793), émigra en Angleterre, d'où il prit la tête du débarquement des émigrés royalistes à Quiberon* (juin-juil. 1795). Alors que la plupart des émigrés furent fusillés, il réussit à regagner l'escadre anglaise. Il a laissé des *Mémoires pour servir à l'histoire du parti royaliste* (1808).

PUISAYE [pyizɛ]. *n. f.* ♦ Région du S. du Bassin parisien, limitée par le Gâtinais au N., la vallée de l'Yonne à l'E., les collines du Nivernais au S., et la vallée de la Loire à l'ouest. C'est une région humide, aux sols de marnes et de sables, où domine le bocage. L'activité rurale est surtout tournée vers l'élevage. **V. Saint-Amand-en-Puisaye.**

PUISEAUX. ♦ Ch.-l. de cant. du Loiret, arr. de Pithiviers. 2 094 hab. *(Puisatins).* Église Notre-Dame (XIIIe-XVe s.). — Matériel électrique.

PUISEUX (Victor). ♦ Astronome et mathématicien français (Argenteuil, 1820 — Frontenay, Jura, 1883). Il s'est intéressé à la mécanique céleste et, en 1850, appliqua les idées fondamentales de Cauchy* à la création de la théorie des fonctions algébriques de la variable complexe. **V.** *aussi* **Sturm.**

PUISSANT (Louis). ♦ Officier et géodésien français (La Castellerie, près de Châtelet-en-Brie, 1769 — Paris, 1843). Auteur d'ouvrages de mathématiques, de trigonométrie, de géodésie, de travaux sur la formation et l'utilisation des tables de projection, il est surtout connu par sa carte de France au 1/80 000, dite *carte d'état-major.* (Acad. sc., 1828.)

Ph. Carlo Bevilacqua/Ricciarini
Art **punique** : vases.
(Musée archéologique, Tarente.)

PUJMANOVA (Marie). ♦ Romancière et poétesse tchèque (Prague, 1893 — *id.*, 1958). Elle décrivit dans une trilogie romanesque la société tchèque, entre 1920 et 1945, luttant contre le fascisme jusqu'à l'arrivée de l'armée soviétique : *À la croisée des chemins* (1937), *Le Jeu avec le feu* (1947), *La Vie contre la mort* (1952). Puis, dans une œuvre poétique souvent politisée, elle chanta avec lyrisme des thèmes comme la lutte pour la paix : *Millions de colombes* (1950).

PULA, en it. **Pola.** ♦ V. et port de Yougoslavie (Croatie), au S.-O. de la péninsule d'Istrie*. 47 415 hab. Centre industriel (chantiers navals, indus. métallurgiques, verreries), culturel et touristique (arènes romaines, festival).

PUŁAWY. ♦ V. de Pologne* (voïévodie de Lublin) sur la r. d. de la Vistule*. 33 100 hab. — Indus. chimiques; important complexe de l'azote.

PULCHÉRIE *(sainte),* en lat. **Aelia Pulcheria.** ♦ (Constantinople, 399 — 453). Impératrice d'Orient (450-453). Fille d'Arcadius* et sœur aînée de Théodose* II, elle fut proclamée *augusta* en 414 et gouverna à la place de son frère. Elle mena une vie ascétique et défendit l'Église contre les monophysites. À la mort de Théodose II, elle prit le pouvoir en Orient et, pour se donner un appui, épousa Marcien* qu'elle fit proclamer empereur. — Fête le 10 septembre.

PULCI (Luigi). ♦ Poète italien (Florence, 1432 — Padoue, 1484). Il vécut auprès de Laurent de Médicis*, qui le chargea de missions de confiance, puis se mit au service de Robert Sanseverino. Il évoqua de façon spirituelle le monde de l'épopée dans son *Morgant le Géant* (*Il Morgante Maggiore,* écrit v. 1461; publié, 1483), long poème chevaleresque en octosyllabes, où le bouffon s'allie au sérieux. À côté des principaux héros du cycle carolingien (Charlemagne, Ganelon, Roland, ...) apparaissent deux créations originales, Morgant et Margutte (demi-géant), qui incarnent le peuple pacifique admirant ou raillant les exploits des paladins.

Pulcinella. ♦ Nom italien de Polichinelle*. Il a le nez crochu, mais n'est pas bossu comme le Polichinelle connu en France. Il est habillé de blanc avec un masque noir.

PULIGNY-MONTRACHET. ♦ Comm. de la Côte-d'Or (arr. de Beaune), sur la côte de Beaune. 597 hab. Vins blancs réputés (montrachets). **V. Chassagne-Montrachet.**

PULITZER (Joseph). ♦ Journaliste américain d'origine hongroise (Mako, Hongrie, 1847 — Charleston, Caroline du Sud, 1911). Il combattit dans les rangs nordistes pendant la guerre de Sécession. Il fonda un journal à Saint-Louis en 1878, acheta le *World* de New York (1883) et lança l'*Evening World* (1887). Il laissa à l'université de Columbia une fondation permettant de créer une école de journalisme et le prix littéraire et journalistique qui porte son nom *(Pulitzer Prize),* attribué depuis 1917 à des écrivains, des journalistes et, depuis 1943, à des musiciens.

PULLY. ♦ V. de Suisse (cant. de Vaud) dans la banlieue E. de Lausanne*. 15 000 hab. Vins blancs. Indus. métallurgique.

PULOG. *n. m.* ♦ Sommet le plus élevé de l'archipel des Philippines, dans le N. de l'île de Luçon. 2 928 mètres.

Puna. *n. f.* ♦ Ensemble des plateaux élevés des Andes *(Altiplano),* situés entre 3 000 et 5 000 m, au Pérou, en Bolivie, Argentine et Chili, et qui s'élèvent notamment au-dessus des plaines du Chaco*. De climat aride, la puna est recouverte d'une steppe herbeuse où se pratique un élevage extensif (ovins, bovins). C'est le domaine des Indiens pasteurs (plus de 40 000 dans la puna argentine). Cultures des céréales, p. de terre, haricots. Arequipa* draine la production agricole de l'*Altiplano* péruano-bolivien compris entre les Cordillères occidentale et orientale. Cultures subtropicales en Argentine (canne à sucre).

PÛNA ou **POONA.** ♦ V. de l'Inde (Mahârâștra), située à env. 200 km au S.-E. de Bombay. Centre commercial et artisanal. Env. 900 000 hab. (zone urbaine). Université. Centre administratif et militaire de Mahârâștra. Barrage de Khadakvasla à proximité. Indus. textiles, papier, mécanique. Carrefour de communications. ♦ *Hist.* Ce fut la capitale des Maratha au XVIIIe siècle. Les Britanniques en firent une cap. d'été et lui donnèrent un grand développement, à tel point qu'elle symbolisa pour les Indiens la puissance coloniale britannique. Gândhi* y fut emprisonné en 1942.

Punch (The). ♦ Hebdomadaire satirique illustré anglais, fondé en 1841 sur une idée d'Ebenezer Landells et sur le modèle du *Charivari* français. Un humoriste de l'époque, Henry Mayhew, fut à l'origine du développement de ce journal qui compta parmi ses collaborateurs George du Maurier, Bernard Partridge, John Tenniel, Thackeray. Le premier éditeur en fut Mark Lemon (1841-1870).

PUNIQUES *(guerres),* du lat. **Punicus,** de **Poeni** (carthaginois). ♦ Nom donné au long conflit qui opposa les Carthaginois aux Romains. Il eut pour enjeu l'hégémonie en Méditerranée occidentale et éclata au moment où Rome*, ayant terminé la conquête de l'Italie méridionale, se heurta à Carthage* en Sicile. — *La première guerre Punique* (~ 264-~ 241) eut pour prétexte l'intervention de Carthage à Messine (~ 269). Les Carthaginois, d'abord vaincus à Agrigente (~ 262), à Myles (~ 260), au cap Ecnome* (~ 256), durent parer ensuite au débarquement de Regulus* en

Afrique (~ 256-~ 255). À nouveau vaincus en Sicile en ~ 251 **(V. Palerme)**, ils remportèrent peu après la victoire de Drepanum et résistèrent sous le commandement d'Hamilcar* Barca **(V. Lilybée, Trapani)**. Après la défaite des îles Égates*, Carthage demanda la paix et dut accepter la perte de la Sicile et le paiement d'une forte indemnité de guerre. Trois ans plus tard, lors de la révolte des mercenaires, elle dut même acheter la non-intervention romaine par l'abandon de la Corse et de la Sardaigne, perte bientôt compensée par les conquêtes d'Hamilcar Barca en Espagne. Rome, inquiète, imposa à son successeur Hasdrubal* le Beau le traité de l'Èbre, et, après la prise de son alliée Sagunto* par Hannibal*, déclara *la deuxième guerre Punique* (~ 218-~ 201). Laissant la garde de l'Espagne à son frère Hasdrubal* Barca, Hannibal passa les Alpes, renforçant au passage son armée avec les Gaulois cisalpins révoltés contre Rome, et remporta sur les Romains de brillantes victoires en Italie **(V. Tessin, Trébie** ~ 218, **Trasimène** ~ 217, **Cannes** ~ 216). Les défections se multipliant parmi ses alliés **(V. Capoue, Syracuse, Philippe* V de Macédoine)**, Rome reprit alors la guerre d'usure inaugurée en ~ 217 par Fabius* Maximus Cunctator et étendit le conflit à tout le pourtour de la Méditerranée occidentale. Claudius Marcellus*, le vainqueur d'Hannibal à Nole* (~ 216 et ~ 215), fut envoyé mener la guerre en Sicile et Scipion* l'Africain chargé de poursuivre la conquête de l'Espagne (~ 211). Dès ~ 212, Rome alla de succès en succès, s'emparant de Syracuse, repoussant un raid d'Hannibal sur Rome, reconquérant une à une les villes de l'Italie du Sud **(V. Capoue, Tarente)**, détruisant les armées de secours carthaginoises commandées par Hasdrubal Barca et Magon* **(V. Métaure)**. Elle attaqua alors en Afrique, où Scipion l'Africain, débarqué grâce à l'alliance numide **(V. Masinissa)**, conclut la guerre par la victoire de Zama* sur Hannibal (~ 202). À la paix de Tunis (~ 201), Carthage dut abandonner l'Espagne et le contrôle de sa diplomatie à Rome, payer une forte indemnité de guerre et livrer sa flotte et ses éléphants. Malgré ces dures conditions, elle prospéra de nouveau sous l'impulsion d'Hannibal, de sorte que les Romains, inquiets **(V. Caton* l'Ancien)**, saisirent le prétexte d'une guerre de Carthage contre Masinissa pour déclencher *la troisième guerre Punique* (~ 149-~ 146), au cours de laquelle Scipion* l'Émilien prit la ville et la fit détruire. – *N.-B. Les guerres Puniques* et leurs principaux acteurs ont été l'objet de l'intérêt des historiens anciens. **V. Cornelius Nepos, Plutarque, Polybe, Tite-Live.** Elles ont également inspiré à Naevius* l'épopée *Poenicum Bellum.*

PUNO. ♦ V. de l'*Altiplano* péruvien, située sur les bords du lac Titicaca*, à proximité de la Bolivie. Anc. centre inca. Env. 30 000 hab. – Évêché. Université. La ligne ferroviaire Mollendo*-Arequipa*-Puno-Cuzco* traverse les Andes à plus de 4 000 m. – Le *département de Puno* (72 382 km². 687 100 hab. env.), en bordure de la Bolivie, avec laquelle il partage le lac Titicaca*, se prête à l'élevage (ovins, bovins) et se trouve concerné par la réforme agraire.

PUNTA ARENAS. ♦ V. et port du Chili, ch.-l. de la prov. des Magellanes, sur les rives N.-O. du détroit de Magellan*. 67 600 hab. (1969). – Le port, relié à Puerto* Montt, était une escale importante avant l'ouverture du canal de Panamá. Centre d'expédition de la laine et de la viande congelée. Conserves de poisson.

PUNTA CASTILLA. ♦ Port du Honduras, situé face à l'archipel de la Bahia* dans la mer des Antilles. Exportation de bananes.

PUNTA DEL ESTE. ♦ V. de l'Uruguay, sur l'Atlantique. Centre balnéaire et touristique renommé, situé à l'entrée du río de La* Plata. 25 000 hab. – En 1961, la conférence de l'Organisation des États américains (O.E.A.) s'y tint. Festival annuel du cinéma.

PUNTARENAS. ♦ V. portuaire du Costa Rica (Amérique centrale), ch.-l. de prov. sur le golfe de Nicoya* (Pacifique). 46 900 hab. (1972). – Traversée par la route panaméricaine, c'est le terminus de la ligne de chemin de fer interocéanique qui part de Puerto* Limón (Atlantique) et franchit le plateau central. Centre touristique. Exportation de café et de cacao.

PUPIEN, en lat. **Marcus Clodius Pupienus Maximus.** ♦ ([mort] 238). Empereur romain (238), il partagea le pouvoir avec Balbin*.

PUPIN (Michael). ♦ Physicien américain d'origine serbe (Idvor, Banat, 1858 – New York, 1935). Il a amélioré le téléphone **(V. Bell)** en inventant, en 1899, un système qui consiste à intercaler, à intervalles déterminés, des bobines d'auto-induction qui renforcent les signaux pour les transmissions à grande distance *(pupinisation).*

Purâna. *n. m. pl.* (« anciens »). ♦ Textes sanskrits traditionnels, au nombre de 18 grands et de nombreux autres « mineurs », traitant de la création du monde, d'histoire et de mythologie à l'usage des castes qui n'avaient pas le droit (ni la possibilité) de lire les *Veda**. Ils furent composés entre le Iᵉʳ et le vᵉ s. et rédigés parfois très tardivement.

PURBANDAR ou **PORBANDAR.** ♦ V. de l'Inde (Gujarât), sur la péninsule du Kathiâvâr. 80 000 hab. Port actif sur la mer d'Oman. Patrie de Gandhi*.

PURCELL (Henry). ♦ Compositeur anglais (Londres, 1659 – *id.*, 1695). Issu d'une famille de musiciens, il reçut une première éducation de choriste sous la direction de H. Cooke, puis il fut l'élève de P. Humphrey et de J. Blow pour la composition. Nommé compositeur des violons du roi (1677), il remplaça Blow à l'orgue de Westminster (1679). Celui-ci devait reprendre son poste à la mort de son élève. Il remplit la charge de compositeur de la cour (1682) sous les règnes de Charles II, Jacques II et de la reine Marie. Sa mort prématurée fut saluée par l'Angleterre comme celle du plus grand génie musical que ce pays ait vu naître. Il fut inhumé à l'abbaye de Westminster. – Créateur d'un style choral très personnel, admirablement adapté aux inflexions de la langue anglaise, Purcell n'a pu réaliser son idéal dramatique que dans un seul ouvrage, *Dido and Aeneas* (1689), qui est aussi son chef-d'œuvre. Imposée par le goût du temps, la structure de ses autres opéras, dont *Dioclesian* (1690), *King Arthur* (1691), *The Fairy Queen* (1692), *The Indian Queen* (1695), *The Tempest* (1695), se caractérise par une contribution plus réduite de la musique au bénéfice du poème dramatique, mais renferme d'extraordinaires inventions mélodiques et rythmiques. Outre une cinquantaine de partitions de musique de scène, Purcell est l'auteur de musique religieuse (60 *anthems*, des *services, hymnes*, dont le *Hail Bright Cecilia*, des *psaumes, canons, cantiques*) profane (25 *odes de circonstance*, des *cantates* et *« catches »*, 150 *chansons* à une ou deux voix et basse continue), instrumentale (15 *fantaisies* pour violes, 22 *sonates* pour deux violons et basses, ainsi que de nombreuses pièces pour clavecin et orgue). – Purcell a laissé une œuvre abondante qui illustre tous les genres et utilise tous les styles. Marqué d'abord par la tradition anglaise (*Fantaisies polyphoniques* pour violes de gambe), puis par l'opéra français (Lully), son style subit aussi l'influence de la sonate italienne et de la technique de la basse continue. Vigoureuse et franche, son inspiration mélodique atteint parfois à une profondeur et à une puissance tragique qu'on ne retrouva plus tard que chez J.S. Bach et surtout Haendel sur qui il a exercé une indéniable influence; elle y joint une expressivité lyrique qui lui est propre. Ses audaces harmoniques, dissonances et modulations qui naissent de l'emploi simultané des échelles tonale et modale, du passage imprévu du majeur au mineur, font de lui un grand précurseur de l'évolution musicale ultérieure.

PURCELL (Edward Mills). ♦ Physicien américain (Taylorville, Illinois, 1912). Il améliora les méthodes de mesures de précision du magnétisme nucléaire : ayant notamment remplacé le mode de détection de Rabi* dans sa méthode de résonance par une détection plus directe, il découvrit, avec R.V. Pound, la résonance magnétique nucléaire (1946). **V. F. Bloch.** (Prix Nobel de phys., 1952.)

PURI. ♦ V. de l'Inde (Orissâ), sur la côte du golfe du Bengale, et cité sacrée pour les fidèles de Krisna*. 70 000 hab. Immense temple dédié à Jagannâth ou « seigneur de l'univers » (XIIᵉ s.) où ont lieu des processions annuelles de chars sculptés.

PURKINJE ou **PURKYNĚ (Jan Evangelista).** ♦ Physiologiste et anatomiste tchèque (Libochovice, Bohême, 1787 – Prague, 1869). Il dirigea le premier institut allemand de physiologie à Breslau (1839) et enseigna à Prague. Outre sa thèse sur les mécanismes optiques et la physiologie de la vision, il fit d'importants travaux en cytologie, histologie et physiologie (on appelle cellules de Purkinje les cellules nerveuses volumineuses de l'écorce grise du cervelet). **V. Valentin.**

PURUS. *n. m.* ♦ Riv. du Brésil (3 200 km), affl. de l'Amazone (r. d.). Il descend de la *Montaña* péruvienne, traverse le territoire de l'Acre* dans son cours supérieur, et la prov. d'Amazonas* dans son cours moyen et inférieur.

Purusa. *n. m.* ♦ Dans la philosophie hindoue, esprit humain global, principe vital mâle, complémentaire de la Prakriti*, tout en lui étant opposé. C'est l'aspect mâle, inactif, de la divinité.

PUSAN. ♦ V. BUSAN.

PUSEY (Edward BOUVERIE, dit). ♦ Théologien anglican (Pusey, près d'Oxford, 1800 – Ascot Priory, 1882). D'une famille huguenote d'origine flamande, il étudia la théologie à Eton, puis à Oxford où il devait enseigner l'hébreu. Après avoir subi l'influence du protestantisme libéral allemand et de son rationalisme, il en fit la critique dans son ouvrage *Historical Enquiry* (1828) et fut, avec Newman* auquel il était lié, l'un des instigateurs du *Mouvement d'Oxford* (mouvement ritualiste ou puseyisme) qui chercha à introduire dans l'Église d'Angleterre les doctrines et rites catholiques d'avant la Réforme et une vie religieuse plus authentique. Mais, tandis que Newman se convertissait au catholicisme, Pusey resta attaché à l'anglicanisme, quoique sur bien des points ses positions théologiques aient été proches des dogmes catholiques (en particulier sa conception de l'eucharistie).

P'U SUNG-LING [*P'ou Song-ling, Pu Songling*]. ♦ Romancier chinois Shandong, 1640 – 1715), auteur de contes célèbres (Liao* Chai Chih-i [« Contes fantastiques du studio Liao »]), dans lesquels le fantastique et le merveilleux tiennent une large part.

PUTEAUX. ♦ Ch.-l. de cant. des Hauts-de-Seine, arr. de Nanterre, sur la Seine, à l'O. de Paris. 38 014 hab. *(Putéoliens).* Centre indus. et résidentiel. Les constructions modernes se multiplient au N. de la ville, dans le prolongement de la Défense* et sur le front de Seine. – Produits chimiques, encres d'imprimerie, matières plastiques; produits pharmaceutiques; indus. automobile et aéronautique; fonderies; appareillage électrique; électroménager; imprimerie.

PUTIPHAR. ♦ Personnage biblique (*Genèse*, XXXIX), officier égyptien, maître de Joseph* dont il fait son intendant. Sa femme tente de séduire Joseph qui s'enfuit en laissant son habit; elle l'accuse alors et Putiphar l'emprisonne.

PUTNIK (Radomir). ♦ Maréchal serbe (Kragujevac, 1847 – Nice, 1917). Général (1903), ministre de la Guerre (1906), il

Ph. Nimatallah/Ricciarini

Puvis de Chavannes : « Le Pauvre Pêcheur ». (Musée du Louvre, Paris.)

commanda l'armée serbe pendant la guerre des Balkans (1912-1913) et la Première Guerre mondiale. Vainqueur des Autrichiens sur la Drina, il fut battu par Mackensen (1915).

PUTTE. ♦ Comm. de Belgique (Anvers, arr. de Malines) à la frontière des Pays-Bas. 6 800 hab. Pépinières et roseraies. Malterie. ♦ *Hist.* Le traité de Munster l'unit à la Hollande en 1648.

PUVIS [pɥvi] **DE CHAVANNES (Pierre Cécil)**. ♦ Peintre et dessinateur français (Lyon, 1824 – Paris, 1898). Élève d'Ary Scheffer*, il travailla ensuite dans l'atelier de Couture* puis brièvement dans celui de Delacroix*. Il admirait Ingres, Chassériau, les fresquistes de la Renaissance et défendit des conceptions idéalistes, se montrant en cela héritier des nazaréens. Il exposa à partir de 1850 mais fut écarté du Salon jusqu'en 1858. Il réalisa ensuite une série de grandes compositions murales à sujets allégoriques pour les musées d'Amiens (1867; 1865; 1879), Lyon (1884), Rouen, pour le Panthéon (*Sainte Geneviève veillant sur Paris,* 1876-1880) et la Sorbonne (*Le Bois sacré,* 1880-1889). Il recherchа les rythmes linéaires, dans des compositions aux couleurs pâles étalées par aplats dans un espace sans profondeur. Le caractère noble et hiératique de ses personnages, la volontaire austérité de sa facture n'excluent pas pour autant le sentimentalisme (*Pauvre Pêcheur,* 1881). Son œuvre qui, par bien des aspects, se rattache à la tradition académique, fut cependant très admirée par Gauguin; sensible à ses conceptions symboliques, il tira la leçon de certains de ses partis pris stylistiques (linéarisme et synthétisme des compositions).

PUY (Jean). ♦ Peintre et dessinateur français (Roanne, 1876 – *id.,* 1960). Après avoir étudié l'architecture à Lyon, il fréquenta à Paris l'académie Jullian et, à partir de 1899, l'académie Carrière où il rencontra notamment Derain et Matisse, nouant avec ce dernier une fidèle amitié. Dès 1902-1903, il adopta une facture large, un dessin aux simplifications audacieuses et une gamme de tons vifs. Il participa aux expositions des Fauves, notamment en 1905 et 1906, sans pour autant se complaire aux accords de tons violents. Il réalisa de nombreux nus, des figures féminines, des natures mortes et des paysages (Bretagne, Midi, Forez), mais ni l'expérience fauve, ni l'influence de Cézanne ne l'incitèrent à poursuivre des spéculations d'ordre plastique. Fidèle au principe du rendu des apparences, il renoua avec la tradition en recherchant les compositions équilibrées et harmonieuses, en restant attaché aux effets de clair-obscur. S'il assourdit parfois sa palette, il manifesta toujours un goût sensuel des couleurs et un besoin d'exprimer d'une façon directe et ample le sentiment éprouvé en face de la nature.

PUY (Le). ♦ Préf. de la Haute-Loire*, ch.-l. d'arr. (14 cant., 116 comm., 104 395 hab.), sur la Borne. 29 549 hab. *(Podots, Ponots* ou *Aniciens).* La ville est édifiée au cœur du bassin du Puy dans un site pittoresque, dominé par le rocher Corneille, d'origine volcanique, qui porte la statue Notre-Dame-de-France (XIXe s.). La cathédrale Notre-Dame-du-Puy est un très bel édifice roman à influence orientale : six coupoles couvrent la nef; la façade est en appareil polychrome. La cathédrale renferme la célèbre statue de Notre-Dame-du-Puy, objet d'un pèlerinage, et de très belles peintures murales dont une fresque de saint Michel (fin XIe s.-déb. XIIe s.). La sacristie renferme la Bible de Théodulphe, manuscrit carolingien. Dans le cloître, chef-d'œuvre de l'architecture romane, la chapelle des Reliques contient la célèbre « fresque des arts libéraux » (XVe s.). L'église Saint-Laurent, XIVe s., faisait partie d'un couvent de dominicains. Nombreuses maisons anciennes. Évêché. – Centre de la dentelle, autrefois fabriquée à la main dans les campagnes du Velay, auj. dentelle mécanique. Tannerie; centre commercial. Indus. alimentaires, bonneterie. Cultures de lentilles aux environs. – Patrie de A. Chantemesse*, E. Fayolle*, R.B. Mouton*-Duvernet, cardinal Melchior de Polignac*, J. Vallès*. ♦ *Hist. Anicium,* cap. des Celtes Vellaves, devint le siège d'un évêché important au VIe siècle. Elle fut au Moyen Âge la cap. du Velay*.

PUY-DE-DÔME. *n. m.* [63]. ♦ Dép. du Massif* central, région (anciennement C.A.R.) d'Auvergne*. 7 955 km². – *Orogr.* À l'O., les collines et plateaux cristallins de la Combraille auvergnate, entaillés par les gorges de la Sioule et de la Dordogne; à l'E., un ensemble cristallin faillé; au centre, les reliefs volcaniques de la chaîne des Puys, aux formes arrondies (puy de Dôme, 1 465 m). Au S., les monts Dore culminent à 1 886 m (puy de Sancy), dominant vers l'E. un fossé d'effondrement drainé par l'Allier : la Limagne*.

♦ (50 cant., 473 comm., 565 783 hab.). *Préf.* Clermont*-Ferrand; *sous-préf.* Ambert*, Issoire*, Riom*, Thiers*. *Ch.-l. de cant.* Aigueperse*, Ardes*, Arlanc*, Besse*-en-Chandesse, Billom*, Bourg*-Lastic, Champeix (1 120 hab.), Chateldon*, Combronde (1 950 hab.), Courpierre*, Cunlhat (1 505 hab.), Ennezat 939 hab.), Herment (363 hab.), Jumeaux (947 hab.), Lezoux*, Manzat (1 481 hab.), Maringues*, Menat*, Montaigut (1 681 hab.), Olliergues*, Pionsat (1 176 hab.), Pont*-du-Château, Pontaumur (813 hab.), Pontgibaud*, Randan (1 278 hab.), Rochefort-Montagne (1 272 hab.), Saint-Amant-Roche-Savine (724 hab.), Saint-Amant-Tallende (1 331 hab.), Saint-Anthème (1 402 hab.), Saint-Dier-d'Auvergne (735 hab.), Saint-Germain-l'Herm (1 054 hab.), Saint-Germain-Lembron (1 730 hab.), Saint-Gervais*-d'Auvergne, Saint-Rémy*-sur-Durolle, Sauxillanges (1 193 hab.), Tauves (1 393 hab.), Tour-d'Auvergne (La) [1 118 hab.], Vertaizon*, Veyre-Monton (1 227 hab.), Vic*-le-Comte, Viverols (539 hab.), *Autres comm.* **V. Bourboule (La), Chamalières, Châteauneuf-les-Bains, Châtelguyon, Mont-Dore (Le), Mozac, Orcival, Royat, Saint-Nectaire, Volvic.**

P'U YI [*P'ou-yi, Puyi*]. ♦ V. HSÜN-TI des CH'ING.

PUYLAURENS [pɥiloʀɛ̃s]. ♦ Ch.-l. de cant. du Tarn*, arr. de Castres*. 2 946 hab. [1 321 aggl.] *(Puylaurentais).* Ruines d'un château du XIIIe siècle. Église XIVe-XVIIe siècle. Indus. textiles. ♦ *Hist.* Puylaurens était au XVIe s. le siège d'une académie protestante.

PUY-L'ÉVÊQUE. ♦ Ch.-l. de cant. du Lot*, arr. de Cahors*, sur le Lot*. 2 476 hab. (1 543 aggl.). – Château des évêques de Cahors (donjon XIIIe s.). Maisons XIIIe siècle. Église XIVe-XVe siècle. Fabriques de porcelaines.

PUYMORENS [pɥimɔʀɛ̃s] *(col de).* ♦ Seuil des Pyrénées orientales, à 1 931 m d'alt., séparant les eaux de l'Ariège au N. des eaux du Sègre au S. Centre de sports d'hiver.

PUYS *(chaîne des).* ♦ V. DÔME (monts).

PYAT (Félix). ♦ Écrivain, journaliste et homme politique français (Vierzon, 1810 – Saint-Gratien, Seine-et-Oise, 1889). Avocat, puis journaliste, créateur de la Société des gens de lettres, il publia des drames qui connurent à l'époque un certain succès (*Le Chiffonnier de Paris,* 1847). Considéré comme un des chefs du socialisme français, il fut commissaire du gouvernement provisoire de la Seconde République, élu à la Constituante et à la Législative (1848-1849) et s'enfuit en Angleterre après le 13 juin 1849. De retour en France, il fonda *le Combat* (1870) et fut membre de la première Commission exécutive et du premier Comité de salut public de la Commune de Paris. Exilé après l'échec de l'insurrection, il fut député de gauche à Marseille en 1888 et s'opposa alors à Boulanger.

PYDNA. ♦ Anc. V. de Macédoine sur le golfe Thermaïque. Colonie des Eubéens (~ VIIe s.), elle passa aux rois de Macédoine et fut fortifiée par Philippe* V. Lieu de la victoire de Paul* Émile sur Persée* (~ 168).

PYEONG YANG ou **PYONG YANG**. ♦ Cap. de la République démocratique de Corée (Nord), située sur le fl. Daedong. Env. 1 000 000 d'hab. Détruite pendant la guerre de 1950-1953, elle fut entièrement rebâtie. Importante université. Centre de communications de la Corée du Nord. Indus. légères (textiles, alimentaires, électriques, ...). Énergie hydro-électrique (centrales sur le Yalu et ses affl.) et thermique. Indus. lourdes aux environs (sidérurgie à Kyomip'o; cimenteries, indus. chimiques). ♦ *Hist.* Ce fut du Ier au XIVe s. la cap. de l'État de Goguryeo (ou Koguryeo), sous le règne de cette dynastie jusqu'au VIIe siècle. – Pyeong Yang fut occupée par les Japonais de 1910 à 1945. La ville fut dévastée par les bombardements durant la guerre de Corée* (1950); prise par les Américains, elle fut reprise quand les forces chinoises entrèrent en guerre.

PYGMALION [*Pugmaliôn*]. ♦ Roi ou sculpteur légendaire de Chypre. Il prie Aphrodite* de lui accorder une femme à l'image d'une statue dont il est amoureux. La déesse anime la statue et Pygmalion épouse Galatée* (nom de la femme ainsi créée) qui lui donne un fils, Paphos*, fondateur de la ville chypriote du même nom. – La légende inspira plusieurs œuvres, dont une pièce de G. B. Shaw.

PYGMÉES. *n. m. pl.,* en gr. **Pugmaioi**. ♦ Peuple fabuleux de nains, vivant dans la région des sources du Nil, ou au bord de l'Océan. Une légende explique leur haine traditionnelle contre les grues. Une femme pygmée, irrespectueuse envers Héra et changée en cigogne par la déesse, essayait d'enlever son enfant. Les Pygmées alarmés s'efforçaient de l'éloigner à grands cris. Une autre légende, rattachée à celle d'Héraclès*, symbolise l'ambition vaine et ridicule de l'homme sans mérite. Les Pygmées attaquent le héros endormi, après sa lutte contre Antée. Héraclès, réveillé, les enferme dans sa peau de lion et les emmène à Eurysthée. Cf. Pygmée, *in* Robert.

PYGMÉES ou **NÉGRILLES**. *n. m. pl.* ♦ Peuple de la forêt équatoriale africaine, de petite taille (1,20 à 1,50 m), vivant en contact étroit avec leurs voisins noirs. On les répartit généralement en 3 groupes : *Pygmées de l'Est* ou Bambuti « hommes de la forêt », *Pygmées du Centre* (Zaïre), *Pygmées de l'Ouest* (Cameroun et Gabon). Ils vivent de chasse et de cueillette. Leur nombre atteindrait 120 000.

PYLADE, en gr. **Puladês**. ♦ Cousin germain et ami d'Oreste*. Les deux héros sont élevés ensemble à la cour de Strophios, roi de Phocide et père de Pylade. Ce dernier aide Oreste à venger son père, épouse sa sœur Électre, puis l'accompagne en Tauride où ils retrouvent Iphigénie. L'amitié des deux héros, qui devint proverbiale, est évoquée dans *L'Orestie* d'Eschyle, *Oreste* et *Iphigénie en Tauride* d'Euripide, ainsi que dans l'*Andromaque* de Racine.

PYLA-SUR-MER. ♦ Station balnéaire de la Gironde, au S. d'Arcachon (comm. de La Teste*), auprès de laquelle a été édifiée Pilat*-Plage.

PYLOS [*Pulos*]. ♦ Anc. V. de Grèce, dans le S.-O. du Péloponnèse (Messénie), près de l'actuelle Pylos ou Navarin*. L'un des plus importants centres de la civilisation mycénienne (**V. Mycènes, Achéens**), où régnait Nestor* à l'époque de la guerre de Troie; Pylos fut détruite par les Doriens v. ~ 1200. – Les fouilles ont mis au jour les vestiges du *palais de Nestor*, d'un autre plus ancien et plus petit, et de nombreuses tombes à coupole. On a également exhumé un riche mobilier funéraire, des fragments d'une fresque, différents objets et des tablettes gravées avec l'écriture linéaire B.

PYM (John). ♦ Homme politique anglais (Brymore, 1583 – Londres, 1643). Puritain fervent, il fut l'âme de l'opposition à Charles* Ier et eut un rôle important dans la Pétition* des droits (1628), la condamnation de Strafford*, et la Grande Remontrance* adressée à Charles Ier en 1641. Son influence au Court et au Long Parlement* fut grande et il fut un des cinq députés arrêtés par Charles Ier à la veille de la guerre civile.

PYONGYANG. ♦ V. PYEONG YANG.

PYPINE (Alexandre Nikolaievitch) [*Pypin*]. ♦ Historien russe (Saratov, 1833 – Saint-Pétersbourg, 1904). Son œuvre est principalement consacrée à l'histoire des littératures : *Histoire des littératures slaves* (1874-1881), *Histoire de la littérature russe* (1894). Il écrivit aussi une *Histoire de l'ethnographie russe* (1890-1891).

PYRAME, en gr. **Puramos**. ♦ Héros d'une légende babylonienne contée par Ovide* dans les *Métamorphoses*. Pyrame et Thisbé, deux jeunes Babyloniens, s'aiment, mais, leurs parents s'opposant à leur union, ils ne peuvent se voir que secrètement par une fissure du mur qui sépare leurs maisons. Ils décident un jour de fuir ensemble et se donnent rendez-vous au pied d'un mûrier, en dehors de la ville. Thisbé arrive la première, mais, effrayée par une lionne, elle s'enfuit en abandonnant son écharpe qui est mise en pièces par l'animal. À son arrivée, Pyrame croit que son amie a été dévorée par la lionne et se poignarde de désespoir. Thisbé, revenue sur le lieu de rendez-vous, trouve Pyrame mort et se poignarde à son tour. La légende affirme que c'est pour cette raison que les fruits du mûrier, qui jusqu'alors étaient blancs, devinrent rouge sombre de tant de sang versé. – L'anecdote était célèbre à la Renaissance, comme l'atteste la pièce jouée par les artisans du *Songe d'une nuit d'été*, de Shakespeare.

Pyramides (en égypt. **mer**; le mot **pyramide** vient du gr. **puramis**, hellénisation, selon certains, de l'égypt. **pr-m-us**, terme géométrique désignant la hauteur de la pyramide; en gr. **puramis** signifiait « gâteau de farine »). ♦ Édifices servant de sépulture aux pharaons et parfois aux reines dans l'ancienne Égypte. Les pyramides furent construites essentiellement entre la IIIe (v. ~ 2800) et la XVIIe (v. ~ 1600) dynastie. L'origine du tombeau pyramidal remonte sans doute au *mastaba*, tertre rectangulaire relativement bas aux parois légèrement inclinées contenant une chapelle et un caveau aménagé au fond d'un puits. La première pyramide est celle de Saqqarah, élevée pour le pharaon Djoser* (~ 2800), édifice à degrés, d'environ 60 m de hauteur, résultant de l'agrandissement progressif du mastaba qui devait constituer initialement le tombeau du pharaon. Les pyramides étaient accompagnées d'un ensemble de constructions destinées au culte funéraire et comprises dans une enceinte. Une nouvelle évolution se fit à la IVe dynastie avec la construction des pyramides de Snéfrou* à Meidoum (pyramide à degrés recouverte d'un parement lisse) et à Dahshour (pyramide dite « rhomboïdale », formée de deux tronçons à faces lisses dont le plus haut est à pente réduite). Ce sont les successeurs de Snéfrou : Khéops*, Khéphren* et Mykérinos*, qui donnèrent sa forme définitive à l'édifice en faisant construire les célèbres pyramides de Gizèh dont les dimensions gigantesques et la perfection technique ne furent plus jamais atteintes. **V. Gizèh.** Jusqu'à la fin de la Ve dynastie, aucune pyramide ne comportait de décoration intérieure. C'est dans la pyramide d'Ounas (V^e^ dynastie) qu'apparaissent pour la première fois les *Textes de Pyramides*, formules rituelles à caractère magique gravées sur les parois des deux salles centrales. Par la suite, d'autres monuments pyramidaux furent construits à Abou Roache, Abousir, Licht, Deir el-Bahari (monument funéraire de Mentouhotep), Abydos, Napata, Méroë. – Le nom de *pyramide* a été donné par analogie à certains édifices d'Amérique centrale érigés par les civilisations maya et aztèque (du IVe au XVIe s.). Leur forme et leur destination diffèrent de celles des pyramides égyptiennes. Il s'agit d'édifices en gradins comportant plusieurs escaliers et servant essentiellement de soubassement aux sanctuaires édifiés à leur sommet (**V. Téotihuacán, Chichén Itzá**). On n'a trouvé jusqu'à présent qu'un seul exemple de pyramide précolombienne à crypte funéraire : la pyramide dite des Inscriptions, à Palenque*.

Pyramides *(bataille des)*. ♦ Bataille remportée par Bonaparte pendant la campagne d'Égypte* sur les Mamelouks, le 21 juillet 1798. Le 23 juillet, Bonaparte entrait au Caire. Cf. pyramide *in* Robert.

PYRÉNÉES. *n. f. pl.* ♦ Chaîne montagneuse séparant la France de l'Espagne, s'étendant d'O. en E. sur 430 km, de l'Atlantique (golfe de Gascogne) à la Méditerranée, et du N. au S. sur 60 à 140 km entre la Gascogne et le bassin de l'Èbre. On peut distinguer trois zones orographiques correspondant aux Pyrénées *occidentales, centrales* et *orientales*. Les *Pyrénées occidentales* s'étendent de la côte basque au col du Somport. Assez peu élevées, elles s'abaissent graduellement vers l'O. (côte basque) et sont coupées de cols (Roncevaux* [1 057 m], Somport* [1 632 m]). Les points culminants sont le pic d'Anie* (2 504 m) et celui d'Orhy* (2 017 m). La partie *centrale*, la plus large et la plus élevée, s'étend vers l'E. jusqu'au col de la Perche et est hérissée de pics élevés : pic du Midi* d'Ossau (2 885 m), Vignemale* (3 298 m), Mont Perdu* (3 355 m), pic Posets (3 371 m), pic d'Aneto*, point culminant de la chaîne, dans le massif espagnol de la Maladetta* (3 404 m). Cette zone centrale est trouée de brèches (ports) qui en permettent la traversée : Pourtalet* (1 792 m), Tourmalet* (2 114 m), col de la Bonaigua (2 072 m), col d'Envalira* (2 407 m), dans le val d'Andorre*, cols de Puymorens* (1 931 m) et de la Perche* (1 577 m). La zone *orientale* est dominée par le pic Carlitte* (2 921 m), le Puigmal* (2 913 m) et le mont Canigou* (2 786 m) et se prolonge au-dessus de la Méditerranée par le massif des Albères*. Les Pyrénées orientales sont largement échancrées de vallées (**V. Capcir, Cerdagne, Conflent, Vallespir**) et sont traversées du côté français par les affl. de la Garonne, de l'Ariège et de l'Adour (gaves) et du côté espagnol par les affl. de l'Èbre. – Les Pyrénées résultent d'un mouvement de surrection (ère tertiaire), puis de fracturation du noyau rocheux rigide de la zone axiale, constituée de roches primaires granitisées et métamorphisées. De part et d'autre de cette zone axiale, les couches sédimentaires posthercyniennes (Prépyrénées) ont été plissées. La glaciation quaternaire, auj. assez réduite, a accru le cloisonnement de la chaîne, a sculpté des cirques (Gavarnie, Troumouse) et creusé des lacs. – La région pyrénéenne correspond à quatre zones climatiques bien différenciées : le versant nord-atlantique, doux et abondamment arrosé (+ de 1 500 mm/an), la haute montagne au climat rude et nettement continental et où l'orientation des versants a une influence déterminante; les versants aragonais et catalans, ouverts aux influences méditerranéennes, moins arrosés; enfin, la zone méditerranéenne, aux précipitations peu abondantes. – *Géogr. humaine.* Le cloisonnement et l'isolement des vallées ont accentué les particularismes locaux. Les groupes ethniques pyrénéens sont en effet bien diversifiés (Basques à l'O., Béarnais, Bigourdans et Aragonais au centre, Catalans à l'E.) et ont permis la mise en place jusqu'au déb. du XXe s. de structures économiques spécifiques (communautés pastorales étendues à plusieurs villages). L'élevage laitier (bovin, ovin) associé à la polyculture (maïs à l'O., blé au centre, olivier, vigne, fleurs à l'E.) fournit encore l'essentiel des revenus des pays pyrénéens. L'indus. ne se développe que lentement. Pourtant, les ressources énergétiques ne sont pas négligeables. L'aménagement hydro-électrique est totalement réalisé (barrages de l'Hospitalet* et de Pragnères*, lacs-réservoirs et utilisation des eaux de la Noguera, en Espagne). Le gaz naturel de Lacq* et Saint*-Marcet alimente la centrale thermique d'Artix*. Mais ces ressources énergétiques ne sont pas exploitées sur place. Les Pyrénées recèlent en outre de la bauxite et du talc. L'électrométallurgie (aluminium), qui fournit la moitié de la production française, est très disséminée. Seule la province basque espagnole de Guipúzcoa* a atteint un véritable développement industriel. Les activités traditionnelles (laine, coton, chaussures) ont du mal à survivre. Le tourisme, assez

Ph. Gilbert Martin

Département du **Puy-de-Dôme** : le puy de Sancy.

actif, souffre du sous-équipement, surtout du côté espagnol. Le tourisme balnéaire concerne surtout les deux extrémités de la chaîne (côtes basque et méditerranéenne). Les stations de sports d'hiver (Saint*-Lary, La Mongie*, Superbagnères*, la Molina) connaissent une activité croissante, ainsi que le thermalisme (Luchon*, Cauterets*, Ax*-les-Thermes).

PYRÉNÉES *(traité des)*. ♦ Traité qui mettait fin aux hostilités franco-espagnoles. Il fut signé dans l'île des Faisans, sur la Bidassoa, par Mazarin et don Luis de Haro (1659). L'Espagne, vaincue aux Dunes* (1658), cédait divers territoires; mais surtout une des clauses du traité concernant le mariage de Louis XIV et de Marie-Thérèse exigeait contre sa renonciation au trône d'Espagne une dot de 500 000 écus et préparait ainsi la future politique étrangère de Louis XIV.

PYRÉNÉES-ATLANTIQUES. *n. f. pl.* [**64**]. ♦ (anc. Basses-Pyrénes). Dép. du S.-O. de la France, région (anciennement C.A.R.) d'Aquitaine*. 7 712 km². – *Orogr.* Le dép. s'étend sur la partie occidentale des Pyrénées. Le relief se caractérise par de hautes montagnes entaillées par des vallées, des gorges étroites et de larges bassins creusés dans les schistes. À l'E., les Pyrénées béarnaises aux sommets élevés : pic d'Anie* (2 504 m), pic du Midi* d'Ossau (2 885 m). À l'O., les Pyrénées basques culminent au pic d'Orhy* (2 017 m). Le bas Pays basque est formé de collines ouvertes par des vallées.

♦ (41 cant., 559 comm., 527 358 hab.). *Préf.* Pau*; *sous-préf.* Bayonne*, Oloron*-Sainte-Marie. *Ch.-l. de cant.* : Accous (443 hab.), Aramits (600 hab.), Arthez-de-Béarn (1 399 hab.), Arudy*, Arzacq-Arraziguet (917 hab.), Biarritz*, Bidache*, Espelette*, Garlin (1 058 hab.), Hasparren*, Iholdy (522 hab.), Labastide-Clairence (821 hab.), Lagor (1 511 hab.), Laruns*, Lasseube (1 365 hab.), Lembeye (874 hab.), Lescar*, Mauléon*-Licharre, Monein*, Montaner (391 hab.), Morlaas*, Navarrenx*, Nay*, Orthez*, Pontacq (2 402 hab.), Saint*-Étienne-de-Baïgorry, Saint*-Jean-de-Luz, Saint*-Jean-Pied-de-Port, Saint-Palais (2 293 hab.), Salies*-de-Béarn, Sauveterre*-de-Béarn, Tardets*-Sorholus*, Thèze (345 hab.), Ustaritz*. *Autres comm. et sites.* **V. Anglet, Artix, Bidart, Bétharram, Boucau (Le), Cambo-les-Bains, Ciboure, Eaux-Bonnes, Eaux-Chaudes, Gélos, Guéthary, Hendaye, Jurançon, Lacq, Lestelle-Bétharram, Mourenx, Noguères, Pardies, Pierre-Saint-Martin** *(gouffre de la)*, **Sare, Socoa.**

PYRÉNÉES (HAUTES-). *n. f. pl.* [**65**]. ♦ Dép. du S. de la France, région (anciennement C.A.R.) de Midi*-Pyrénées. 4 534 km². – *Orogr.* Au S. du dép. se dressent les Pyrénées cristallines et schisteuses (Balaïtous*, 3 146 m, Vignemale*, 3 298 m). À l'O., le Lavedan* occupe les hautes vallées du gave de Pau* et de ses affl. Au centre et à l'E. s'étendent la haute vallée de l'Adour* et le bassin supérieur de la Neste*. La plaine de l'Adour*, où s'étagent plusieurs terrasses, occupe le N.-O. du dép. Le plateau désolé de Lannemezan* est situé au N.-E. *Lacs* Cap*-de-Long, Gaube*, Lourdes, Orédon.

♦ (26 cant., 481 comm., 234 434 hab.) *Préf.* Tarbes*; *sous-préf.* Argelès*-Gazost, Bagnères*-de-Bigorre. *Ch.-l. de cant.* Arreau (936 hab.), Aucun (190 hab.), Barthe-de-la-Neste [La] (1 336 hab.), Bordères-Louron (134 hab.), Campan*, Castelnau-Magnoac (1 027 hab.), Castelnau-Rivière-Basse (740 hab.), Galan (947 hab.), Lannemezan*, Lourdes*, Luz*-Saint-Sauveur, Maubourguet*, Mauléon*-Barousse, Ossun*, Pouyastruc (348 hab.), Rabastens-de-Bigorre (1 091 hab.), Saint-Laurent-de-Neste (813 hab.), Saint*-Pé-de-Bigorre, Tournay*, Trie-sur-Baïse (1 175 hab.), Vielle-Aure (1 196 hab.). *Autres comm.* **V. Cauterets, Gavarnie, Mongie (La), Pierrefitte-Nestalas, Pragnères, Saint-Lary-Soulan, Saint-Savin, Sarrancolin, Soulom.**

PYRÉNÉES-ORIENTALES. *n. f. pl.* [**66**]. ♦ Département du S. de la France (région [anciennement C.A.R.] du Languedoc*-Roussillon), limité au S. par l'Espagne et à l'E. par la Méditerranée. 4 143 km². – *Orogr.* À l'O., le pic Carlitte* (2 921 m) et le Madrès (2 471 m) dominent le Capcir*, tandis que les hautes plaines de la Cerdagne* s'étendent de part et d'autre de la frontière espagnole. Au N., la dépression du Fenouillède* est surplombée par l'extrémité des Corbières*. Au S., le Vallespir*, haute vallée du Tech*, est séparée du Conflent* par le massif du Canigou* (2 786 m). À l'E., les Aspres* jouxtent les plaines du Roussillon*. La chaîne des Pyrénées*, qui s'achève au S.-E. aux monts Albères*, forme les falaises et les baies de la Côte* Vermeille.

♦ (18 cant., 227 comm., 288 694 hab.). 4 143 km². *Préf.* Perpignan*. *Sous-préf.* Céret*, Prades*. *Ch.-l. de cant.* Argelès*-sur-Mer, Arles*-sur-Tech, Latour*-de-France, Millas*, Mont*-Louis, Olette*, Prats*-de-Mollo-La-Preste, Rivesaltes*, Saillagouse (789 hab.), Saint*-Laurent-de-la-Salanque, Saint*-Paul-de-Fenouillet (2 635 hab.), Sournia (339 hab.), Thuir*, Vinça (1 622 hab.). *Autres comm. et sites.* **V. Amélie-les-Bains-Palalda, Angles (Les), Baixas, Banyuls-sur-Mer, Barcarès (Le), Boulou (Le), Bourg-Madame, Canet, Cerbère, Collioure, Elne, Enveitg, Estagel, Font-Romeu-Odeillo, Formiguères, Ille-sur-Têt, Latour-de-Carol, Maury, Molitg-les-Bains, Port-Vendres, Salses, Saint-Cyprien, Saint-Laurent-de-Cerdans, Saint-Martin-du-Canigou, Saint-Michel-de-Cuxa, Vernet-les-Bains.**

PYRRHA [*Purrha*]. ♦ Fille d'Épiméthée* et de Pandore*. Épouse de Deucalion*, elle repeuple avec lui le monde après le déluge. **V. Hellen.**

PYRRHON, en gr. **Purrhôn**. ♦ Philosophe grec sceptique (Élis, v. ~ 365 – ~ 275). Il fut disciple d'Anaxarque, suivit la campagne d'Alexandre en Asie où il aurait connu les gymnosophistes. Considéré comme le fondateur du scepticisme (ou *pyrrhonisme*), il nie la possibilité pour l'homme d'atteindre la vérité et préconise le doute; ses principaux arguments sont les illusions des sens, les contradictions entre les jugements sur une même question, l'impossibilité de prouver la vérité d'une proposition de façon catégorique, puisqu'il faudrait d'abord prouver la vérité des prémisses et ainsi de suite (ou régression à l'infini). Le seul but que le philosophe peut viser est le bonheur négatif, l'absence de trouble (ou ataraxie).

PYRRHOS ou **NÉOPTOLÈME** [*Purrhos*]. ♦ Héros grec, fils d'Achille* et de Déidamie*. Après la mort de son père, appelé par les chefs grecs, il contribue à la victoire achéenne. Il tue alors Priam* et immole Polyxène* sur la tombe d'Achille. Puis il épouse Hermione*, la fille d'Hélène, mais son mariage est stérile, tandis que de son union avec Andromaque*, sa captive, il a trois fils. Il règne en Phthiotide ou en Épire et, avant sa mort, confie Andromaque à son esclave et conseiller Hélénos*. Dans l'*Andromaque* de Racine, Pyrrhus épouse la veuve d'Hector et délaisse Hermione qui se venge en le faisant tuer par Oreste, son premier fiancé.

PYRRHUS [piʀys], en gr. **Purrhos II**. ♦ (v. ~ 319 – Argos ~ 272). Roi d'Épire (~ 295-~ 272). Fils d'Eacide, roi d'Épire et parent éloigné d'Alexandre* le Grand, il combattit aux côtés de Démétrios* Poliorcète à Ipsos* (~ 301). Rétabli en Épire par Ptolémée* Ier (~ 295), il partagea le pouvoir avec son oncle Néoptolème qu'il empoisonna. Il fut le meilleur général grec de son temps mais, homme politique médiocre, il hésita toujours entre les conquêtes italiennes et l'extension de son Empire vers l'Orient. En ~ 288, il envahit la Macédoine qu'il partagea avec Lysimaque*, mais celui-ci l'en chassa (~ 285). Il se tourna alors vers l'Italie : il vint à l'aide de Tarente et remporta sur les Romains les victoires d'Héraclée* (~ 280) et d'Ausculum (~ 279), victoires très sanglantes (d'où l'expression *victoire à la Pyrrhus)* sur les légionnaires effrayés par les éléphants. Puis il passa en Sicile* d'où il chassa les Carthaginois (~ 277) qui s'unirent à Rome pour le repousser (~ 276). Revenu en Italie, il fut battu à Bénévent par Curius Dentatus (~ 275) et rentra en Épire. Il se tourna alors vers l'Orient, soumit la Macédoine (~ 274) et entreprit la conquête du Péloponnèse. Mais il mourut à Argos dans un combat de rues.

PYTHAGORE, en gr. **Puthagoras**. ♦ Philosophe et mathématicien grec du ~ VIe s. dont la vie et l'œuvre sont très mal connues. Il serait né à Samos, mais aurait vécu à Crotone en Italie où il fonda des communautés philosophiques et politiques dont les adeptes acceptaient une morale ascétique. L'enseignement qui y était donné avait un caractère initiatique et serait d'inspiration orphique par certaines de ses croyances *(métempsycose)*. Il ne reste aucun écrit de Pythagore; les découvertes qu'on lui attribue sont certainement dues à l'ensemble de l'école pythagoricienne. Les théorèmes établis furent mis en ordre par Euclide* au ~ IIIe siècle. Les découvertes principales sont la table de multiplication (ou *table de Pythagore*), le système décimal, le théorème du carré de l'hypothénuse *(théorème de Pythagore)*. Un de ses disciples, Philolaos*, établit une théorie astronomique. Toutes ces découvertes mathématiques sont sans doute à l'origine de la philosophie pythagoricienne qui voit dans les nombres les principes de toutes choses, la loi de l'univers.

Pythagorisme. *n. m.* ♦ Doctrine de Pythagore et de ses disciples **(V. Pythagore, Timée** [de Locres], **Archytas** [de Tarente], **Philolaos).**

PYTHÉAS, en gr. **Putheas**, dit **le Massaliote**. ♦ Navigateur, astronome et géographe grec du ~ IVe s., né à Marseille. Parti de Marseille, il franchit le détroit de Gibraltar, navigua plusieurs mois sur l'Atlantique, atteignit la Grande-Bretagne, l'île de Thulé (Islande, Shetland?) et pénétra sans doute dans la Baltique. Sa relation de voyage, *Description de l'Océan,* nous est connue par des citations de Polybe, Strabon. Bon observateur, il a décrit les mœurs et coutumes des habitants de l'île d'Albion (Angleterre), des Goths de la Vistule, etc. Mathématicien et astronome, il a déterminé la latitude de Marseille et connaissait les relations entre les marées et les mouvements de la Lune.

PYTHIE. *n. f.*, en grec **Puthia**. ♦ Prêtresse d'Apollon* Pythien à Delphes*, chargée de transmettre les oracles du dieu. Assise sur un trépied au-dessus d'une crevasse d'où s'échappaient des vapeurs, le front ceint de lauriers, la pythie entrait en transe et proférait des paroles incohérentes ou des cris recueillis et interprétés par les prêtres du temple comme la réponse du dieu.

PYTHON [*Puthôn*]. ♦ Serpent fabuleux qui est tué par Apollon* au pied du Parnasse* **(V. Delphes)**, quand le dieu s'y rend pour fonder un oracle. Selon une tradition, Python, né de Gaia* (la Terre) à la demande d'Héra, était chargé de persécuter Léto*. Apollon venge sa mère en tuant le serpent, puis il fonde en son honneur les *Jeux Pythiques* et prend lui-même le surnom de *pythien*. La victoire d'Apollon serait une allégorie de la suprématie de son oracle sur celui de la Terre, parce que Python, comme d'autres enfants de la Terre, rendait des oracles.

PYÛ. *n. m. pl.* ♦ Peuplade tibéto-birmane qui s'établit, du IIIe au IXe s., dans le bas Irawady et y développa une civilisation importante, où les éléments hindous et bouddhiques prédominent. Les Pyû avaient leur cap. non loin de Prome, à Hmawza. Les Chinois les nommaient *P'iao*. Ils furent probablement exterminés par les raids des souverains de Pagan* et absorbés.

Ph. J. Hureau/Atlas-Photo

Qazvin : l'entrée de la ville. *(Voir page 1510.)*

Qadarites. *n. m. pl.* ♦ Nom donné aux adeptes des théologiens musulmans qui rejettent la théorie de la prédestination et qui considèrent que l'homme dispose d'un pouvoir particulier *(qadar)* pour décider de ses actes. Les premiers qadarites apparurent à Basra à la fin du VIIe siècle. Les mu'tazilites* furent des qadarites.

QÂDISIYYA (al-). ♦ Localité de l'anc. Iraq, à 30 km au S.-O. de la future Kûfa. Les Arabes musulmans y remportèrent leur victoire décisive contre les Perses (636 ou 637) après une bataille de trois jours.

QÂDJARS ou **KADJARS.** *n. m. pl.* ♦ Dynastie fondée par le chef d'une tribu türkmène, Agha* Muhammad, et qui régna sur la Perse de 1794 jusqu'en 1925. Les principaux souverains qâdjars furent, outre Agha Muhammad, Fath' Ali Shâh (1797-1834), Muhammad Shâh (1834-1838), Nâsir* ed-din (1848-1896), Muzaffar ed-din (1896-1907). Les Qâdjars furent remplacés par les Pahlavi. **V. Perse** *(Hist.),* **Iran** *(Hist.).*

QÂ'ITBÂY (Al-Mâlik al-Ashraf Abû al-Nasr). ♦ Sultan mamelouk* d'Égypte, de la dynastie des Burjites (1468-1495). Il défit les troupes ottomanes et accueillit en Égypte Djam, frère et rival du sultan ottoman* Bâyazîd* II. Le mausolée qu'il construisit est un des plus beaux monuments musulmans du Caire.

QALÂ'ÛN (Malik Mansûr Sayf al-Dîn). ♦ (Kiptchak, *déb.* XIIIe s. – Le Caire, 1290). Sultan mamelouk* bahrite d'Égypte (1277-1290). Il accéda au pouvoir en détrônant le fils de Baybars* Ier. Grand bâtisseur, il construisit une mosquée funéraire et un grand hôpital au Caire.

QALQILIYA. ♦ V. de Cisjordanie, proche de Tel-Aviv et où se déroulèrent de durs combats durant la *guerre des six jours.*

QANDAHÂR. ♦ **V.** KANDAHÂR.

QANSÛH (Al-Mâlik al-Ashraf Sayf al-Dîn al-Ghûrî). ♦ (v. 1440 – 1516). Sultan de la dynastie des mamelouks* Burjites (1501-1516). À la suite de la découverte de la route du Cap par les Portugais, l'Égypte perdait l'exclusivité du marché des produits indiens transitant vers l'Europe. Qansûh envoya contre les Portugais, vers l'Inde, une flotte qui, après une première victoire, fut détruite. Il s'allia à la Perse contre les Ottomans*; mais il fut vaincu par le sultan Selim* Ier et mourut près d'Alep. – Il fit construire au Caire la mosquée qui porte son nom et restaura l'aqueduc de Saladin*.

QANTARA (Al). ♦ **V.** KANTARA (El).

QARAKALPAK. ♦ **V.** KARAKALPAK.

QARAQORAM. ♦ **V.** KARAKORAM.

QARAQORUM. ♦ Anc. cap. de l'Empire mongol, créée en 1235 par Ögödei* sur la r. d. du fl. Orkhon, actuellement près de Erdeninbu, en Mongolie. Il n'en reste plus guère que des ruines. Elle fut abandonnée par Qubilai* Khân au profit de Khânbalik (Peking).

QARAQUM. ♦ **V.** KARAKOUM.

Qarmates. *n. m. pl.* ♦ Membres d'une branche de la secte ismaïlienne*. Fondé par Hamdân Quarmat, paysan d'Iraq, ce groupe – qui prêchait l'égalitarisme social et recrutait ses membres parmi les ouvriers, artisans et paysans – faillit renverser le califat 'abbâsside* (Xe s.). Dirigés par Abû Saïd al-Jannabi, ils s'emparèrent de Bahrayn (Bahreïn), rançonnèrent Damas et massacrèrent la population de Baalbek (903-906). Le fils et successeur de Abû Saïd, Abû Tahû Sulaymân, occupa Basra (923) et Kûfa (934). Il organisa la mise à sac de La Mecque (930) où il prit la fameuse pierre noire qui ne fut restituée que vingt ans plus tard contre une forte somme. Les qarmates déclinèrent au XIe siècle.

Qasîda. *n. f.* (mot arabe « le but à atteindre »). ♦ Ode classique de la poésie arabe. Comptant une centaine de vers monorimes, composés de manière à présenter en eux-mêmes un sens indépendant, le poème, monomètre, suit en principe une structure rigide qui commence par un thème nostalgique suivi d'une partie érotique; et avant d'entamer l'éloge final ou la satire destinés au personnage à qui sont dédiés les vers, le poète décrit ses peines, ses voyages et affirme son droit d'espérer (d'après Ibn* Qutaybah).

QASIM. *n. m.* ♦ Contrée de la province de Nedjd* en Arabie Sa'ûdite, traversée par le Wadi al-Rumma* qui y arrose Anaiza* et Burayda*. Dattes et coton dans la vallée. Cette région jouissait d'une grande prospérité au Moyen Âge.

QATAR ou **KATAR.** ♦ Émirat de la péninsule arabique occupant une presqu'île sur le golfe Persique au S. de l'archipel de Bahreïn* et à la frontière de la côte des Pirates (S.) et de l'Arabie Sa'ûdite (O.). 10 360 km². (22 000 km² env. avec les territoires revendiqués d'Abû* Dhabî) 160 000 hab. en 1971 (Arabes, en majorité musulmans sunnites; réfugiés palestiniens). *Cap.* Doha*. *Autres villes :* **V. Dukhan, Umm Saïd.** *Langue off.* arabe. *Unité monétaire.* Rial de Qatar Dubaï (en accord avec l'émirat de Dubaï), qui a remplacé la roupie indienne. – Le pays présente l'aspect d'un désert de pierres au littoral marécageux. Les deux ressources princ. sont la pêche (notamment celle des perles) et surtout le pétrole. Les litiges qui s'étaient élevés entre le Qatar et l'Arabie Sa'ûdite au sujet des zones de pêche ont été réglés par un accord sur la délimitation des eaux territoriales. Quant au pétrole, dont l'exploitation remonte à 1949, la production s'est sensiblement accrue depuis la découverte des gisements sous-marins de Maïdan-Mahzan. Du gisement de Dukhan sur la côte N.-O., le pétrole est acheminé jusqu'au port d'embarquement d'Umm Saïd. Les revenus pétroliers sont en constant accroissement; s'y ajoutent les revenus des capitaux placés à l'étranger. Le Qatar, gouverné par un cheikh, est sous protectorat britannique.

QATÎF (Al). ♦ V. et port d'Arabie Sa'ûdite (province du Hassa*),

Ph. G. Boutin/A.A.A. photo

Qom : la basilique.

à proximité du golfe Persique, au N. de Damman*. Oasis (palmiers dattiers, arbres fruitiers). Exportation de dattes. – Gisement pétrolier exploité par l'*Aramco*.

QATRÂN. ♦ Poète persan (mort en 1072). Ses panégyriques et ses compositions lyriques sont remarquables par les artifices de style et la préciosité des formules poétiques.

QAYS IBN AL-MULAWWAH. ♦ Poète arabe du VIIe s. auquel on attribue un diwân et à propos de qui la tradition a élaboré un roman dont l'existence est attestée dès le Xe siècle. Ne pouvant épouser Laïla, la femme qu'il aime et dont il est aimé, il se réfugie dans le désert; après son veuvage, Laïla le rejoint et ils meurent l'un après l'autre. Plusieurs critiques considèrent que cette biographie est une légende forgée sous les 'Umayyades*.

QAZVÎN ou **KAZVIN.** ♦ V. d'Iran septentrional (Ire prov.), au pied de l'Elburz*. 85 000 hab. environ. La ville conserve plusieurs mosquées de l'époque Saljûqide (*déb.* XIIe s.). – Marché agricole important (vins, céréales, fruits). ♦ *Hist.* Fondée au IIIe s. par le roi sassanide Shâhpuhr Ier, Qazvîn fut pillée au XIIIe s. par les Mongols. Elle connut son apogée sous le règne du safavide Shâh Tahmasp qui en fit la cap. de la Perse (XVIe s.).

QAZWÎNI (Zakariyâ ibn Muhammad ibn Mahmûd al-). ♦ Savant musulman (Qazvîn, Perse septentrionale, v. 1203 – Hilla, bas Iraq, 1283). Il est l'auteur d'un dictionnaire géographique et surtout d'un ouvrage de cosmographie *Merveilles des êtres* ('Ajâ'ib al makhlûqât), synthèse des connaissances astronomiques et géographiques de son époque.

QESHM. ♦ La plus grande île du golfe Persique, près du détroit d'Hormuz*, appartenant à l'Iran. De forme allongée (110 km de long sur 15 de large), elle est couverte de collines peu élevées et entourée de côtes rocheuses ou parfois sablonneuses. Mines de sel (dans le S.-E.). La population (env. 25 000 hab.) vit essentiellement de la pêche et de l'élevage (chameaux, moutons). Culture de céréales, légumes, melons, palmiers.

QNAITRA. ♦ V. du S. de la Syrie, située dans la zone des cultures, à l'E. du Jourdain et à proximité du lac de Tibériade. 30 000 hab. (1967). Oliviers, vigne. Élevage d'ovins dans la région.

QOM ou **QUM.** ♦ V. d'Iran occidental (IIe prov.), au S. de Téhéran, sur la rivière Rud-e-Qom. 134 300 hab. (1966). Carrefour routier. Le sanctuaire de Fatima (XVIe s.), sœur de l'imam Reza, en a fait une ville sainte, important lieu de pèlerinage. Beaux mausolées du XIVe s. – Indus. textiles. Confection de chaussures. Verrerie. Poterie.

QUADES [kwad]. *n. m. pl.* ♦ Peuple germanique établi au Ier s. dans l'actuelle Moravie et le N. de la Hongrie. Alliés aux Marcomans*, ils attaquèrent l'Empire romain sous Marc-Aurèle* et Commode*. Ils se joignirent à l'invasion des Vandales au Ve siècle.

Quadrilatère lombard. ♦ Région historique de l'Italie, limitée par les quatre places fortes de Peschiera*, Vérone*, Mantoue* et Legnago*. Au XIXe s., il assura la défense autrichienne durant les campagnes de 1848 et de 1859.

QUADROS (Janio). ♦ Homme politique brésilien (Matto Grosso, 1917). Il fit une carrière rapide à São Paulo où il devint gouverneur de l'État en 1955. Il fut élu président de la République après J. Kubitschek* en oct. 1960 et sa politique conservatrice s'avéra très vite inadaptée aux problèmes sociaux du pays, en dépit de l'appui des milieux d'affaires. Sa démission, en août 1961, ouvrait une crise à laquelle dut faire face J. Goulart*, son successeur.

Quadruple Alliance. ♦ **V.** ALLIANCE.

Quakers. ♦ **V.** Fox (George).

Quanta cura. ♦ Encyclique de Pie IX (8 déc. 1864) stigmatisant le libéralisme religieux et la méconnaissance du pouvoir suprême de l'Église (gallicanisme). Elle était accompagnée du *Syllabus**.

QUANTZ (Johann Joachim). ♦ Compositeur allemand (Oberscheden, 1697 – Potsdam, 1773). D'abord hautboïste à la chapelle de la cour de Dresde, il travailla la technique de la flûte avec le Français P.G. Buffardin, puis étudia le contrepoint à Rome et fréquenta à Naples le cercle des Scarlatti, Hasse et Leo. À l'issue d'un voyage en Europe, il joua devant le prince héritier de Prusse, le futur Frédéric le Grand, qui fit de lui son professeur de flûte (1728). Nommé plus tard musicien de la chambre et compositeur de la cour (1741), il devait se fixer à Berlin. Il a joué un rôle important dans la vie musicale de son temps, laissant 300 concertos pour une ou deux flûtes, près de deux cents pièces de musique de chambre et un *Essai de méthode pour jouer de la flûte traversière* (1752), précieux pour la connaissance de l'esthétique musicale du XVIIIe siècle.

QUAREGNON [kaʁ(ɛ)ɲɔ̃]. ♦ Comm. de Belgique (Hainaut, arr. de Mons), sur la Haine et le canal de Mons à Condé, dans le Borinage*. 18 300 hab. Ruines du château du Diable. – Houillères. Centrale thermique. Cokeries.

QUARENGHI (Giacomo). ♦ Architecte italien (Bergame, 1744 – Saint-Pétersbourg, 1817). Élève de Palladio, il fut chargé par Catherine II d'élever plusieurs palais à Saint-Pétersbourg, dont le *palais anglais* de Peterhof [Petrodvorets*] (1781) et le *palais Alexandre* de Tsarskoïe-Selo [Pouchkine*] (1791-1796).

QUARNERO. ♦ **V.** KVARNER.

QUARRÉ-LES-TOMBES. ♦ Ch.-l. de cant. de l'Yonne (arr. d'Avallon), sur l'étroit plateau qui sépare les vallées de la Cure* et du Cousin*, dans le N.-O. du Morvan. 984 hab. Église à trois nefs (XVe s.) entourée de cent tombes ou sarcophages en pierre, dont l'origine est incertaine.

Quartier latin. ♦ Quartier de Paris, l'un des plus anc. après la Cité*. Élevé autour du quartier des *thermes de Lutèce* et devenu le berceau de l'Université (quand Abélard* vint s'établir en 1215 sur la *montagne Sainte-Geneviève*) qui lui donna son nom, il couvre actuellement la quasi-totalité des 5e et 6e arrondissements. Quartier universitaire depuis le XIIIe s. **(V. Sorbonne)** il renferme toujours des facultés (des lettres et sciences humaines [Paris I, Paris III], des sciences, de droit, de médecine et de pharmacie), le *Collège* de France* et l'*Institut**; de grandes écoles (Beaux-Arts, Normale supérieure, Polytechnique...) y sont établies, ainsi que de nombreux lycées. Bibliothèques (Mazarine*, Sainte-Geneviève...), musées (de Cluny*) et muséum (Jardin des plantes), maisons d'édition et librairies accentuent l'aspect « intellectuel » du Quartier latin, en expansion vers le S. et le sud-est. Doté de vieilles rues,

Ph. Stella

Quartier latin : la rue Mouffetard.

naguère quasi provinciales, auprès des églises (Saint-Julien-le-Pauvre, Saint-Séverin, Saint-Étienne-du-Mont, le Val*-de-Grâce, Saint*-Sulpice le Panthéon*), de jardin (le Luxembourg*) et de théâtre (l'Odéon*), le Quartier latin recèle aussi des rues populeuses (la rue Mouffetard) ou gagnées d'une animation nocturne (place de la Contrescarpe); le boulevard Saint-Michel (le *Boul' Mich*), avec ses cafés, ses cinémas, etc., reste de jour comme de nuit une artère très vivante. Il est en outre le théâtre des manifestations d'étudiants **(V. Mai 1968)**.

QUARTODECIMANS. *n. m. pl.* ♦ Anc. chrétiens (surtout IIe s.) qui célébraient la pâque le 14 nisan, comme les juifs, et non le dimanche suivant. Cette tradition fut celle des communautés judéo-chrétiennes de Palestine et des Églises d'Asie Mineure; elle finit par être considérée comme hérétique et disparut aux IVe-Ve siècles.

Quasimodo [ka-]. ♦ Personnage du roman de V. Hugo*, *Notre*-Dame de Paris* (1831), monstre « plus difforme qu'un caillou », élevé par le prêtre Frollo et devenu l'âme de la cathédrale.

QUASIMODO (Salvatore). ♦ Poète italien (Syracuse, 1901 — Naples, 1968). Ayant dû, en raison de la pauvreté de sa famille, interrompre assez tôt ses études, il apprit seul, à Rome (1921), le latin et le grec, puis devint professeur de littérature italienne et critique de théâtre, à Milan (1935). — Ses recueils lyriques manifestent les trois influences successives qui le conduisirent à l'hermétisme. D'abord sensible à un courant antique, représenté en particulier par Anacréon*, Alcée* et Sapho* (qu'il traduisit), le poète fut ensuite influencé par les symbolistes français (notamment Mallarmé*), avant de tenter, à la suite de Valéry*, d'exprimer en un style très dense le tourment intellectuel de l'homme face à l'univers. Dans les principaux recueils lyriques de Quasimodo, *Eaux et Terres* (*Acque e terre*, 1930), *Et tout à coup, c'est le soir* (*Ed è subito sera*, 1942), *La vie n'est pas un songe* (*La vita non è sogno*, 1949) et *La Terre incomparable* (*La Terra impareggiabile*, 1958), on retrouve l'expression mélancolique de la solitude, traduite en une langue subtile et savante qui transfigure la réalité en mythe. (Prix Nobel, 1959.)

QUATRE-BRAS (Les). ♦ Lieu-dit de Belgique (Brabant, commune de Baisy*-Thy) au carrefour Charleroi-Bruxelles et Nivelles-Namur. ♦ *Hist.* L'avant-veille de la bataille de Waterloo*, les Anglais y furent battus par le maréchal Ney.

QUATRE-CANTONS *(lac des)*, en all. **Vierwaldstättersee** (« lac des quatre cantons forestiers »), ou **lac de Lucerne**. ♦ Lac de Suisse, situé entre les cantons de Schwyz*, Uri*, Unterwalden*, et Lucerne*, à 435 m d'alt. Longueur 37 km. 114 km². Il est alimenté par la Reuss* et dominé par de hautes montagnes comme le Rigi* au N.-E., le Pilate* à l'O. et le Bürgenstock au sud. De forme très irrégulière, il est composé de plusieurs baies appelées lac de Küssnacht au N., lac de Lucerne à l'O., lac d'Alpnach au S.-O., lac de Weggis et lac de Buochs au centre, lac d'Uri au sud-est. Il baigne les villes de Brunnen*, Küssnacht*, Lucerne*, Weggis*.

QUATRE-CENTS *(Conseil des)*. ♦ Nom donné à la *boulê* (sénat) d'Athènes, composée à l'origine (~ 594) de quatre cents représentants des dix tribus. Le nombre des représentants fut porté à cinq cents par les réformes de Clisthène (~ 508). ♦ Conseil oligarchique d'Athènes installé au pouvoir par un coup d'État en ~ 411, pendant la guerre du Péloponnèse*. Renversé au bout de quatre mois, il fut remplacé par l'assemblée des Cinq-Mille. **V. Alcibiade, Antiphon, Théramène.**

QUATREFAGES DE BRÉAU (Jean Louis Armand *de*). ♦ Naturaliste et anthropologue français (Berthezène, près de Valleraugue, 1810 — Paris, 1892). Il s'occupa de zoologie (thèse *Sur les caractères zoologiques des rongeurs,* 1840; travaux sur les invertébrés), avant d'obtenir la chaire d'anthropologie et d'ethnographie du Muséum (1855). Ses travaux d'anthropologie préhistorique, particulièrement de craniologie ethnique (*Crania ethnica,* avec Hamy*, 1882) contribuèrent au développement de cette discipline. Formé à l'école du Cuvier et profondément spiritualiste, il combattit les théories transformistes et affirma l'unité de l'espèce humaine. (*Unité de l'espèce humaine,* 1861; *Histoire de l'homme,* 1867; *Théories transformistes,* 1892, etc.). [Acad. sc. 1852.]

Quatre Fils Aymon (Les). ♦ Nom donné parfois à la chanson de geste *Renaud* de Montauban* (XIIe s.), ainsi qu'au roman de chevalerie tiré de la même œuvre, et traitant le même sujet : c'est l'opposition des quatre fils du duc Aymes, fils de Doon* de Mayence, à Charlemagne* **(V. Alard).**

QUATREMÈRE (Étienne Marc). ♦ Orientaliste français (Paris, 1782 — *id.*, 1857). Il suivit le cours d'arabe de Silvestre de Sacy, fut conservateur à la Bibliothèque nationale, puis successivement professeur d'hébreu, de syriaque et de chaldéen au Collège de France, et de persan à l'École des langues orientales. Il fut le premier à mettre en évidence l'identité du copte et de l'ancien égyptien, préparant les recherches de Champollion* dont il ne devait point cependant reconnaître les découvertes sur le déchiffrement des hiéroglyphes. *Recherches critiques sur la langue et la littérature de l'Égypte* (1808), *Mémoire sur les Nabathéens* (1835), traductions de l'*Histoire des Mongols de la Perse* de Rachîd al-Dîn (1836), de l'*Histoire des Ayyûbides et des sultans mamelouks* de Maqrîzî (1837-1845).

QUATREMÈRE DE QUINÇY (Antoine Chrysostome, dit). ♦ Archéologue et homme politique français (Paris, 1755 — 1849). Député à l'Assemblée législative (1791), il siégea avec les royalistes constitutionnels et prit la défense de La Fayette (1792).

Ph. Gino Begotti/Ricciarini

Salvatore Quasimodo, par Bellandi.
(Collection privée, Milan.)

Emprisonné sous la Terreur pour son opposition aux jacobins, il fut membre du Conseil des Cinq-Cents et proscrit après le coup d'État du 18 Fructidor (1797) comme royaliste. Intendant des Arts et Monuments publics sous la Restauration (1816), il rédigea un *Dictionnaire de l'architecture* (1795-1825) pour l'*Encyclopédie méthodique* de Panckoucke, et publia notamment un *Essai sur l'idéal* (1805), une étude sur Michel-Ange. Il fut député de 1820 à 1822.

Quatre-Nations *(collège des)*. ♦ Institué par le testament de Mazarin*, ce collège était destiné à recevoir 60 élèves des « quatre nations » réunies depuis peu à la France (Pays-Bas, Alsace, Roussillon, Pignerol). Fermé lors de la Révolution, il fut donné en 1806 à l'Institut de France.

Quatre-Rivières *(bataille des)*. ♦ Nom donné aux combats menés en 1914, autour des rivières polonaises : Bzura*, Rawka*, Pilica* et Nida*, entre les Allemands de Hindenburg* et les Russes.

QU'AYTI (AL-). ♦ Sultanat du Yémen du Sud, situé en bordure du golfe d'Aden dans l'Hadramaout*. *Cap.* Mukalla*.

QÛBILAI KHÂN ou **KUBLAI KHÂN.** ♦ Chef mongol (1215 — 1294), frère et successeur de Möngke* sur le trône de Chine en 1259. Il acheva la conquête de la Chine en abattant la puissance des derniers souverains chinois de la dynastie des Sung* et se proclama empereur en 1280, faisant de Khânbalik sa capitale et y créant ce que l'on a appelé depuis la « ville tartare » **(V. Peking)**. Il tenta par deux fois (1274 et 1281), mais sans succès, d'envahir le Japon, et échoua également au Tonkin. Souverain tolérant, il admit à sa cour de nombreux étrangers, des prêtres nestoriens et des lamas tibétains. Marco Polo* devint un fonctionnaire important à son service.

QUDÂMA (Abû l-Faraj Qudâma ibn Ja'far). ♦ Savant arabe des IXe-Xe s. (mort en Iraq après 932). Auteur d'ouvrages de philosophie, d'histoire, de philologie. Il ne reste de son œuvre que quelques parties d'une encyclopédie, *Traité de l'art du secrétaire* (Kitâb sinâ'at al-Kitâba), contenant des études géographiques.

QUÉBEC. *n. m.* ♦ Prov. de l'E. du Canada, la plus grande du pays, limitée à l'O. par l'Ontario et la baie d'Hudson*, au N. par le détroit d'Hudson (qui le sépare de la terre de Baffin) et la baie d'Ungava, au N.-E. par le Labrador, à l'E. par le golfe du Saint-Laurent et le Nouveau-Brunswick, au S. par les États-Unis. 1 535 843 km². 6 703 105 hab. (1972) [*Québécois*]. — *Langues :* français (80 %) et anglais. *Cap.* Québec. V. *princ.* (plus de 30 000 hab.) **V. Chicoutimi, Granby, Hull, Jacques-Cartier, Lachine, Lasalle, Laval** (ville de), **Montréal, Outremont, Sainte-Foy, Saint-Laurent, Saint-Michel, Sherbrooke, Trois-Rivières, Verdun.** *Autres V. et sites.* **V. Arvida, Asbestos, Baie-Comeau, Chibougamau, Dorval, Gaspé, Joliette, Jonquière, Knob Lake, Noranda, Pointe-aux-Trembles, Rimouski, Rouyn, Sainte-Anne-de-Beaupré, Sainte-Thérèse, Saint-Jean, Sept-Îles, Shawinigan, Sorel, Thetford Mines, Valleyfield.** — On peut diviser la prov. en trois régions naturelles; la zone de basses terres du Saint-Laurent, où se trouve la plaine de Montréal et qui concentre presque toute la pop. et l'activité économique; les plateaux de la région appalachienne, dominés par des collines (cantons de l'Est, Gaspésie) et l'immense zone du bouclier canadien (Laurentides*, Nouveau-Québec, **V. Labrador**), à relief ondulé, parsemée de lacs et en partie couverte de forêts. — *Climat* à grandes variations, rude l'hiver (moy. de janvier autour de — 10 °C dans le S.); étés chauds (moy. août env. 20 °C). Précipitations abondantes. — *Écon.* L'agriculture ne concerne qu'un dixième env. de la superficie; elle est différenciée, moins moderne et moins concentrée que dans l'Ontario, elle suit la même évolution vers les grandes unités mécanisées. À part les zones de monoculture : tabac (Joliette), cultures

Québec.

maraîchères (autour de Montréal), fruits (île d'Orléans), la polyculture (céréales, fourrage, légumes, fruits) et l'élevage (élevage laitier, moutons, porcs) dominent. La prod. de lait, beurre est très importante. La forêt couvre 979 000 km², dont plus de 500 000 km² considérés comme productifs, et la prod. du bois représente 30 % de celle du Canada. La pêche est active, notamment en Gaspésie (homards, morues). La prod. de fourrures (chasse et élevage) atteint une valeur supérieure à 40 millions de dollars (renard argenté, vison), soit les deux tiers du Canada. – Ses indus. classent le Québec immédiatement après l'Ontario (30 % du pays). Les richesses minières sont considérables : cuivre (Noranda, Chibougameau, Gaspésie), zinc (Noranda), or (24 % du Canada), fer au Labrador* (lac Jeannine, ville minière de Gagnon, env. 3 000 hab.), amiante (1er prod. mondial : cantons de l'Est : Asbestos, Thetford Mines), titane. Les réserves du Grand Nord (bouclier canadien) feront sans doute du Québec une des plus riches régions minières du monde. La prod. d'énergie hydro-électrique est la 1re du Canada (plus de 10 000 000 de kWh, 47 % du pays : Saint-Laurent; centrale de Beauharnois; Outaouais : Carillon; Manicouagan...). Usine atomique à Gentilly. Parmi les indus. principales, la métallurgie de l'aluminium (Arvida, Baie-Comeau), l'électrochimie (Shawinigan), la chimie du pétrole (Montréal). D'autres indus. diversifiées sont concentrées autour de Montréal* (tabac, textiles, mécanique). – Le tourisme est très actif (ville de Québec, Laurentides, Gaspésie). – Les transports reposent sur plus de 8 000 km de voies ferrées, près de 30 000 km de routes revêtues. La voie maritime du Saint-Laurent*, qui relie le Québec aux Grands Lacs et à l'Atlantique, joue un rôle essentiel dans le développement économique. Les transports aériens sont très actifs (aérodrome international de Montréal). – Outre les univ. de Montréal*, Québec*, Sherbrooke*, le Québec compte une univ. d'État. ♦ *Hist.* **V. Canada.** – En 1763, la région était la plus peuplée des colonies anglaises du Canada. L'acte constitutionnel de 1791 séparant le Canada en deux, elle forma le Bas-Canada. Au début du XIXe s., les 120 000 Français, pour la plupart agriculteurs, y disposaient d'une imposante majorité à l'Assemblée législative du Bas-Canada, mais les conseils (législatif et exécutif) assistant le gouverneur britannique, étaient l'émanation des 10 000 Britanniques, protestants, qui tenaient le commerce et les finances. L'opposition française **(V. Papineau)** réclamait le droit d'élire les conseils et le gouvernement lui-même. Devant le refus britannique, les Français, poussés par le mécontentement dû à la crise agricole de 1830, se révoltèrent. Leur mouvement fut écrasé. Le gouverneur Durham* fit proclamer l'Acte d'Union (1840) donnant au Haut-Canada, entièrement anglais et moins peuplé, le même nombre de députés qu'au Bas-Canada. Le français cessa d'être langue officielle jusqu'en 1867, lorsque le Québec retrouva un statut de province au sein de la Confédération canadienne; il fut proclamé langue officielle du Québec par une nouvelle loi en 1974. Le Québec fut gouverné par l'Union nationale de 1944 à 1960 (Maurice Duplessis*) et de 1966 à 1970 (Daniel Johnson*, Bertrand), par les libéraux (Jean Lesage*, 1960-1966; Robert Bourassa*, 1970-1976), et depuis 1976 par un nouveau parti, indépendantiste, le Parti Québecois (René Lévesque*).

QUÉBEC. ♦ V. du Canada, cap. de la prov. de Québec, située sur le Saint-Laurent, au confluent de la riv. Saint-Charles et à 290 km à l'E. de Montréal. 186 090 hab. (1971) [480 000 aggl.] (1971). – C'est la ville la plus ancienne du Canada, dont le noyau (la haute ville), enclos d'un mur d'enceinte (1823-1832), conserve l'aspect d'une ville française de l'ouest. Nombreuses maisons du XVIIIe s., mais les principaux monuments furent construits ou rebâtis au XIXe s. (citadelle, 1820-1850; cathédrale anglicane de style classique anglais, 1804; archevêché [catholique], 1844, par Thomas Baillairgé*; hôtel du gouvernement, de style Henri II, 1877; château Frontenac, immense hôtel de style gothico-Renaissance, 1892). Dans la basse ville, église Notre-Dame-des-Victoires, rebâtie en 1765. Les rues pittoresques de la haute ville et la promenade dominant le Saint-Laurent attirent de nombreux touristes des États-Unis. – Centre commercial du Québec oriental, la ville de Québec conserve un port actif (expédition de grain, charbon, amiante et minerais de l'arrière-pays, bois et papier). Pont sur le Saint-Laurent. Indus. : constructions navales, papier, cuir et chaussures, textiles, indus. alimentaires. – L'université Laval se trouve depuis 1952 sur un vaste campus dans la banlieue de Sainte-Foy.

Quechua ou **Quichua.** *n. m.* ♦ Langue de civilisation en Amérique du Sud à l'époque précolombienne. Elle était parlée par le peuple *quechua,* dont la classe dirigeante était les Incas*. Les missionnaires en firent leur langue d'évangélisation, ce qui étendit son aire d'influence.

QUEDLINBURG. ♦ V. d'Allemagne orientale (district de Halle), sur la Bode, au N. du *Harz.* 30 820 hab. (1964). Château médiéval; basilique romane. Maisons anciennes. – Indus. textiles, chimiques et mécaniques. – Patrie de F.G. Klopstock* et de K. Ritter*. ♦ *Hist.* Probablement fondée au Ve s. par saint Quitilo, la ville fut durant tout le Moyen Âge un grand foyer religieux, développé autour d'une abbaye de femmes créée par l'impératrice Mathilde, femme d'Henri Ier, avant d'adhérer à la Réforme au XVIe siècle. Elle passa au Brandebourg en 1698.

QUEENS. ♦ L'un des cinq districts de New* York City situé sur Long Island, au N. de Brooklyn. 1 809 578 hab. [1960] (un peu plus que Manhattan). Le quartier d'Idlewild abrite l'aéroport international de New York.

QUEENSLAND. *n. m.* (« terre de la Reine »). ♦ État du N.-E. de l'Australie*, bordé à l'O. par le golfe de Carpentarie*, séparé de la Nouvelle*-Guinée par le détroit de Torres* **(V. York** [péninsule d']), à l'E. par la mer de Corail* **(V. Barrière** [Grande]) et l'océan Pacifique; il est limité au S. par la Nouvelle*-Galles du Sud, au S.-O. par l'Australie* méridionale, et à l'O. par le Territoire* du Nord. 1 727 522 km². 1 823 360 hab. *Cap.* Brisbane. *V. princ.* **V. Cairns, Ipswich, Mount Isa, Toowoomba, Townsville.** – Le Queensland, comme la Nouvelle*-Galles du Sud, comprend trois régions très distinctes : les plaines littorales, la Cordillère* australienne, et les plaines de l'O. qui occupent plus de la moitié de l'État, avec une région montagneuse à l'est. – *Climat* tropical (l'État est traversé en son centre par le tropique du Capricorne), plus arrosé sur la côte E. et les pentes des montagnes de l'O., plus aride vers l'intérieur. – *Écon.* L'agriculture et l'élevage dépendent des chutes de pluie et des puits artésiens dans la zone du grand bassin artésien, au S.-O. de l'État, où les fleuves parviennent rarement jusqu'au lac Eyre*. Les années sèches peuvent causer des pertes considérables aux troupeaux. Le Queensland est le premier

Ph. Nino Cirani/Ricciarini

Province de **Québec :** la baie d'Hudson.

prod. de bœufs d'Australie (env. 45 % de la prod. nationale); le mouton (mérinos) est élevé surtout au S.-O., tandis que l'élevage du porc est souvent associé à celui des bovins, au sud. Au point de vue agricole, la canne à sucre (plaines littorales) est la prod. principale (96 % de la prod. australienne); elle est exportée sous forme de sucre brut vers les autres États de la fédération et outre-mer. Fruits tropicaux (ananas) et légumes. Sur les plateaux, maïs et arachides, blé, luzerne, sorgho. Les productions minières sont importantes : or, cuivre, plomb, argent, zinc **(V. Mount* Isa)**, bauxite **(V. York** [cap]**)** et charbon. Indus. métallurgiques, matériel ferroviaire, des indus. alimentaires (sucre, conserves et jus de fruits) dans les villes de la côte. ♦ *Hist.* D'abord lieu de détention pénitentiaire, le Queensland, rattaché à la Nouvelle*-Galles du Sud, devint colonie en 1859, puis État du Commonwealth australien en 1901.

QUEIPO DE LLANO Y SIERRA (Gonzalo). ♦ Général espagnol (Tordesillas, 1875 — Séville, 1951). Après avoir tenté un soulèvement contre Primo* de Rivera (1928), il se réfugia à Paris. De retour en Espagne (1931), il devint un des principaux lieutenants de Franco. Il s'empara de Séville par un coup de force (1936) et en 1937 fut le vainqueur de la bataille de Málaga.

QUEIRÓS (Pedro Fernandes *de***).** ♦ Navigateur portugais (Evora, v. 1560 — Panamá, 1614). Entré au service de l'Espagne, il participa à la seconde expédition d'A. de Mendaña* de Neyra dans l'océan Pacifique (1595-1596). En 1605, parti de Callao (Pérou), il atteignit les îles de la Société, aborda ensuite à Tahiti* (qu'il nomma Sagittaria), découvrit probablement la plus grande des Nouvelles*-Hébrides. À la suite d'une révolte de son équipage, il revint prisonnier au Mexique.

QUEIRÓS (José Maria EÇA *de***).** ♦ Écrivain portugais (Póvoa de Varzim, 1845 — Paris, 1900). Diplomate de profession, il se fit connaître par ses romans réalistes, *Le Crime du père Amaro* (1875) et ses analyses de la vie bourgeoise, *Le Cousin Basile* (1878), *Les Maias* (1888).

QUELEN (Hyacinthe Louis *de***).** ♦ Prélat français (Paris, 1778 — *id.*, 1839). Archevêque de Paris (1821), il se montra hostile au mouvement du catholicisme libéral et, partisan déclaré de la réaction politique et religieuse, suscita une violente manifestation peu après la révolution de juillet 1830 à l'occasion du service à la mémoire du duc de Berry (sac de l'évêché, 1831). Il se signala par sa charité lors de l'épidémie de choléra (1832). *Oraisons funèbres de Louis XVI* (1814), *du duc de Berry* [1820]. (Acad. fr., 1829.)

QUELPART *(île)*. ♦ **V.** JEJU-DO.

QUÉLUS ou **CAYLUS** [kelys] **(Jacques de LÉVIS**, *comte de***).** ♦ Gentilhomme français (v. 1554 — Paris, 1578). Mignon d'Henri III, il provoqua en duel Charles d'Entragues à la suite d'une insulte. Mortellement blessé, il mourut dans les bras du roi quelques jours plus tard. Henri III fit graver sur son mausolée (détruit par la foule en 1589) l'épitaphe suivante : *Non injuriam, sed mortem patienter tulit* (« Il supporta avec patience la mort mais non l'insulte »).

QUEMOY. [kemɔj]. ♦ Groupe d'îles chinoises, face au port continental de Hsia-men, sur la côte du Fu-chien, sous administration de Taïwan (Formose), 50 000 hab., et plus de 60 000 soldats de l'armée nationaliste. L'activité économique essentielle est la pêche.

QUENEAU (Raymond). ♦ Écrivain français (Le Havre, 1903 — Paris, 1976). Licencié de philosophie (1925), il collabora, de 1924 à 1929, à la *Révolution surréaliste,* se livra à des recherches sur les sciences religieuses avec G. Bataille et s'intéressa à la psychanalyse. Alliance de poésie et d'humour, l'œuvre en prose de Queneau évoque des personnages insolites (il s'est d'ailleurs, avec *Les Enfants du limon* [1938], intéressé aux « fous littéraires ») évoluant dans un univers subtilement fantomatique (banlieue, champ de foire, ...), monde dérisoire dont elle dénonce l'absurdité (*Le Chiendent,* 1933; *Pierrot mon ami,* 1942; *Loin de Rueil,* 1944; *Zazie dans le métro,* 1959). — Cette mise en cause du monde et de la condition humaine se double d'une dénonciation poursuivie du langage, pour lequel l'écrivain revendique la liberté. Même s'il n'a « pas une confiance absolue dans le langage, [même s'il] ne pense pas [...] que la vérité soit dans le langage », Queneau milite pour un nouveau français dont les structures seraient renouvelées par la langue parlée, voire argotique; les recherches systématiques et burlesques des *Exercices de style* (1947 et 1963), la création d'un *Ouvroir de littérature potentielle* ou les écrits théoriques (*Bâtons, Chiffres et Lettres,* 1950 et 1965) trouvent leur conclusion dans les *Entretiens* (radiodiffusés et publiés en 1962) où l'écrivain explique notamment la technique de ses œuvres poétiques. *Chêne et Chien* (roman autobiographique en vers, 1937), *Les Ziaux* (1943), *L'Instant fatal* (1948) et *Petite Cosmogonie portative* (1950) sont bâtis parfois sur des combinaisons savantes de chiffres, et s'appuient sur les jeux de langage, les transcriptions phonétiques des mots, mais elles n'utilisent pas les procédés de la rhétorique classique. (Acad. Goncourt, 1951.)

QUENTAL (Antero *de***).** ♦ Écrivain portugais (Açores, 1842 — *id.*, 1891). Lancé très tôt dans les revendications sociales, il voulut, sous l'influence de la France, insuffler un esprit novateur dans son pays. Il est l'auteur d'un essai sur les *Causes de la décadence des peuples péninsulaires* (1871). Mais c'est avant tout un poète. Ses recueils : *Rayons d'une lumière éteinte, Odes modernes, Printemps romantique* et surtout ses *Sonnets* révèlent son désespoir et sont d'une très grande pureté formelle. Il se suicida en 1891.

Ph. Louis Monier

Raymond Queneau.

QUÉRARD (Joseph Marie). ♦ Bibliographe français (Rennes, 1797 — Paris, 1865). Il publia *La France littéraire* (1827-1842), ouvrage bibliographique sur les écrivains de langue française du XVIIIe et XIXe s., et sa continuation, *La Littérature française contemporaine* (1842-1857).

QUERCY. *n. m.* ♦ Région de la France, dans le Bassin aquitain*. Le *haut Quercy,* couvrant les dép. du Lot* et du Tarn*-et-Garonne, est formé de plateaux calcaires s'élevant jusqu'à 600 m, séparés par de profondes vallées; le *bas Quercy* est une région de collines de la moyenne Garonne*.

QUERÉTARO. ♦ V. du Mexique située au N.-O. de Mexico, cap. de l'État. 140 379 hab. Évêché. Le centre conserve un aspect colonial *(Plaza Independencia).* Église *Santa Clara* (intérieur baroque remarquable). Cathédrale (XVIIIe-XIXe siècle). Centre commercial et industriel (indus. métallurgiques, chimiques, textiles). ♦ *Hist.* C'est là que l'empereur Maximilien* fut fusillé en 1867 et que se réunit la convention qui prépara la constitution de 1917. — ÉTAT DE QUERÉTARO. 11 769 km^2. 485 525 hab. Il s'étend sur des régions montagneuses assez fertiles. Canne à sucre, céréales. Ressources minérales importantes (argent, or, plomb, zinc, cuivre, ...).

QUESADA (Gonzalo JIMÉNEZ *de***).** ♦ Conquistador espagnol (Grenade?, v. 1500 — Mariquita, Colombie, 1579). Il participa à une expédition en Colombie où il fonda Santa Fe de Bogotá (1538), cap. de la Nouvelle-Grenade. **V. Bogotá.**

QUESNAY [kenɛ] **(François).** ♦ Médecin et économiste français (Méré, Île-de-France, 1694 — Versailles, 1774). Chirurgien de l'hôtel-Dieu de Mantes, il fut le fondateur de l'école des physiocrates et exposa sa doctrine dans deux articles de l'*Encyclopédie* (*Fermier,* 1756; *Grains,* 1757) et dans son *Tableau économique* (1758) où est ébauchée l'idée de lois économiques naturelles. Affirmant que seule l'agriculture est source de la richesse qui se répartit à travers le corps social, il encouragea son développement tout en prônant le libre-échange et en particulier la libre circulation des grains.

QUESNAY DE BEAUREPAIRE (Jules). ♦ Magistrat et écrivain français (Saumur, 1838 — Vitrai-sous-l'Aigle, Orne, 1923). Procureur général à la cour d'appel de Paris, il rédigea l'acte d'accusation contre le général Boulanger (1889), et engagea les poursuites contre les dirigeants de l'affaire de Panamá (1892). En 1899, il démissionna de ses fonctions à la Cour de cassation pour protester contre la révision du procès de Dreyfus. Il a publié plusieurs romans, *Le Forestier* (1880), *Le Marinier, La Famille Bourgeois* (1883), *Croquis de femmes* (1884), sous le pseudonyme de Jules de Glouvet, et *Marie Fougère* (1889) sous celui de Lucie Herpin.

QUESNEL [kenɛl] **(Pasquier).** ♦ Théologien français (Paris, 1634 — Amsterdam, 1719). Oratorien, il devint janséniste, quitta l'Oratoire (1681) et rejoignit Arnauld* à Bruxelles (1685). Il fut après lui le chef et l'organisateur du parti janséniste, fut emprisonné à Malines (1703), s'évada et s'installa à Liège puis Utrecht. Ses *Réflexions morales sur le Nouveau Testament* (éd. de 1699) furent condamnées par la bulle *Unigenitus** (1713), ce qui détermina son « appel » à un concile général. **V. Jansénisme.**

QUESNEL (Joseph). ♦ Poète canadien (Saint-Malo, 1749 — 1809). Auteur de poésies champêtres et créateur de jeux scéniques au Canada.

QUESNOY [kenwa] **(Le).** ♦ Ch.-l. de cant. du Nord*, arr. d'Avesnes*-sur-Helpe. 5 383 hab. *(Quercitains).* Fortifications (XVIe-XVIIe s.); hôtel de ville du XVIe s. (restauré). — Indus. textile, indus. chimique; emballages.

QUESNOY-SUR-DEÛLE. ♦ Ch.-l. de cant. du Nord*, arr. de Lille*. 4 604 hab. *(Quercitains).* Filature; huilerie; culture de fruits.

QUESTEMBERT [kɛstɑ̃bɛʀ]. ♦ Ch.-l. de cant. du Morbihan, arr. de Vannes. 4 501 hab. [1 696 aggl.]. Maisons anciennes; halles (XVIIe s.).

Ph. D. Fauchon/Galliphot

Quiberon : la côte sauvage.

QUÉTELET (Adolphe). ♦ Astronome, mathématicien et statisticien belge (Gand, 1796 – Bruxelles, 1874). Fondateur de l'observatoire de Bruxelles, il organisa les premiers congrès internationaux et eut l'idée d'appliquer la théorie des probabilités et les méthodes statistiques aux sciences morales et politiques (statistique sociale) et en anthropométrie (biométrie).

QUETTA. ♦ V. du Pâkistân et ch.-l. de la prov. du Baluchistân*, détruite en 1935 et 1955 par de catastrophiques tremblements de terre. Située au cœur d'une région aride, elle constitue une oasis de 150 000 hab. (vergers, pâturages, indus. d'armements).

QUETZALCÓATL (« serpent-oiseau »). ♦ Divinité précolombienne du Mexique, successivement vénérée par les Indiens de Teotinvacán*, les Toltèques* et les Aztèques*. Roi-prêtre de Tula, dieu civilisateur, Quetzalcóatl était représenté tantôt comme un vieillard masqué, tantôt comme un serpent à plumes. Le déclin de la civilisation toltèque et sa migration vers le sud (où elle causa la renaissance maya : **V. Maya**) sont interprétés mythiquement comme un départ du dieu. Toute leur histoire étant considérée dans cette optique symbolique, les Aztèques, lorsque les soldats espagnols débarquèrent au Mexique, crurent au retour de Quetzalcóatl, ce qui explique en partie l'attitude de Moctezuma et la paralysie devant les envahisseurs.

QUEUILLE (Henri). ♦ Homme politique français (Neuvic-d'Ussel, Corrèze, 1884 – Paris, 1970). Médecin, il fut élu député (1914-1935) puis sénateur (1935-1940) radical-socialiste. Plusieurs fois ministre sous la Troisième République (Agriculture, Santé publique, P.T.T., Travaux publics), il rejoignit le général de Gaulle à Londres (1943) et fut membre de l'Assemblée consultative provisoire (1944). Réélu député radical-socialiste (1946-1958), il fut plusieurs fois ministre, et fut appelé à la présidence du Conseil (sept. 1948-oct. 1949); il dut, avec son gouvernement, faire face à un important mouvement de grève déclenché par les syndicats et le Parti communiste (oct.-nov. 1948). Il signa le pacte Atlantique. Il fut vice-président du Conseil dans les cabinets Pinay, R. Mayer, Laniel (1952-1954).

QUEVEDO Y VILLEGAS (Francisco GÓMEZ *de*). ♦ Écrivain espagnol (Madrid, 1580 – province de Ciudad Real, 1645). Élève des jésuites, poète et érudit, il composa des œuvres politiques et philosophiques qui font de lui l'humoriste le plus impitoyable de son temps. Connu à ses débuts pour ses poèmes d'amour, Quevedo fut considéré comme un représentant du baroque européen et plus précisément de ce qu'on a appelé le « conceptisme », théorie qui l'opposa violemment à Góngora*. Comme lui, il excella dans la satire burlesque et les pamphlets *(Letrillas)* dirigés contre des types humains contemporains : (« Puissant est monsieur l'Argent... »). Ce fut grâce au ***Buscón*** (*Le Filou*, 1626) et aux *Songes* (1627) que sa renommée franchit les frontières. *L'Histoire de la vie du filou don Pablo, exemple des vagabonds et miroir des fourbes* est le plus cynique des romans picaresques. Dans les *Songes*, on assiste à une ronde infernale ou nobles et roturiers, politiciens et marchands sont malmenés avec une verve baroque. Toute l'œuvre de Quevedo révèle un sombre pessimisme qui débouche sur la mort.

QUEYRAS [kɛʀas]. *n. m.* ♦ Région des Alpes françaises parcourue par le Guil* et ses affluents. C'est un pays pittoresque et sauvage où est situé Saint-Véran*, le plus haut village d'Europe.

QUEZALTENANGO. ♦ V. du Guatemala, ch.-l. du dép. du même nom, située sur les hauts plateaux volcaniques, au N.-O. du lac d'Atitlán*. Plus de 60 000 hab. Évêché. Centre commercial et industriel (indus. textiles et alimentaires). Une voie ferrée relie la ville, qui fut complètement détruite par un séisme en 1902, à Champerico* sur le Pacifique.

QUEZÓN (Manuel). ♦ Homme politique philippin (Baler, 1878 – État de New York, 1944). Député (1907), il fonda le Parti nationaliste. Président des Philippines indépendantes (1935), et réélu en 1941, il dut s'enfuir quand son pays fut occupé par les Japonais. Il forma aux États-Unis un gouvernement en exil.

QUEZÓN, en angl. **Quezon City.** ♦ Cap. officielle de la république des Philippines* et faubourg à 16 km au N.-E. de l'anc. cap., Manille* (Manila), nommée d'après le premier président, Quezón y Molina (1878-1944). Env. 800 000 hab. Ville administrative surtout, elle comporte cependant quelques industries (textile, métallurgie de l'aluminium).

QUIBDÓ. ♦ V. de Colombie, ch.-l. du dép. du Chocó (47 460 km². 152350 hab.) au pied de la Cordillère occidentale. 41 400 habitants.

QUIBERON. ♦ Ch.-l. de cant. du Morbihan, arr. de Lorient, au S. de la *presqu'île de Quiberon* **(V. *aussi* Saint-Pierre-Quiberon),** ancienne île rattachée à la terre par un isthme de 6 km. 4 595 hab. *(Quiberonnais).* Port de pêche, station balnéaire; conserves de sardines; institut de thalassothérapie. ♦ *Hist.* Sous la Convention thermidorienne (juin 1795), les royalistes émigrés, sous le commandement de d'Hervilly, Puisaye* et Sombreuil* y débarquèrent, grâce à l'appui des Anglais. Faisant suite à la répression par la Convention des insurrections jacobines de germinal et de prairial an III, cette tentative, liée au regain du mouvement royaliste en France **(V. Terreur blanche, Chouannerie),** fut rapidement réprimée. Les royalistes furent battus par les troupes de Hoche*. Plus de sept cents émigrés en uniforme britannique furent arrêtés et fusillés sur les ordres du Comité de salut public.

QUICHERAT (Louis). ♦ Philologue et lexicographe français (Paris, 1799 – *id.*, 1884). Conservateur à la bibliothèque Sainte-Geneviève (1864), il publia de nombreuses éditions annotées d'Horace, Virgile, Quinte-Curce, ainsi que d'importants ouvrages sur la langue et la poésie latines (*Traité de versification latine*, 1826; ***Thesaurus poeticus linguae latinae***, 1836; *Dictionnaire latin-français*, 1844, en collaboration avec Daveluy). ♦ JULES QUICHERAT, son frère. Archéologue français (Paris, 1814 – *id.*, 1882). Il fut nommé directeur de l'École des chartes (1847) dont il contribua à fonder la bibliothèque. Outre de nombreux articles consacrés à l'archéologie, il a publié des études sur Jeanne d'Arc (*Procès de condamnation et de réhabilitation de Jeanne d'Arc*, 1841-1849), sur *La Formation française des anciens noms de lieu* (1868), sur l'*Histoire du costume en France* (1874). Il est considéré comme l'un des promoteurs de l'archéologie scientifique en France.

QUICHÉS. *n. m. pl.* ♦ Tribu maya* du Guatemala. Originaires du Mexique, les Quichés fondèrent dès le XIIIe s. au Guatemala un empire peu étendu mais prospère qui devait être conquis en 1524 par don Pedro de Alvarado*. Les vestiges qui en restent témoignent d'une riche civilisation. ♦ QUICHÉ : V. du Guatemala, dans une plaine fertile, anc. cap. du royaume des Quichés, où l'on parle le *quiché*, l'une des langues mayas guatémaltèques.

Quichotte (Don). ♦ **V.** DON QUICHOTTE.

QUI-CHOU [*Kouei-Tcheou, Kweichow*]. ♦ **V.** K'UEI-CHOU.

Quichua. ♦ **V.** QUECHUA.

Quiétisme. *n. m.* ♦ **V.** MOLINOS. La doctrine du « pur amour »

Ph. Nino Cirani/Ricciarini

Paysage autour de **Quezaltenango**.

fut, pour les besoins de la polémique, taxée de quiétisme. **V. Guyon** (Mme), **Fénelon.**

QUIÉVRAIN. ♦ Comm. de Belgique (Hainaut, arr. de Mons) à la frontière française. 5 700 hab. Indus. alimentaires. Constructions électriques. Mobilier.

QUILLAN. ♦ Ch.-l. de cant. de l'Aude (arr. de Limoux), sur la r. g. de l'Aude*, 5 230 hab. *(Quillanais).* Église (fondée au XIe s.). Vestiges d'un château fort. Mairie (XVIIIe s.). – Indus. traditionnelle de la chapellerie. Matières plastiques. Fabriques de meubles.

QUILLEBEUF-SUR-SEINE. ♦ Ch.-l. de cant. de l'Eure*, arr. de Bernay*, près de l'estuaire de la Seine. 1 245 hab. *(Quillebois).* – Église Notre-Dame-de-Bon-Port du XIIe s., maisons anciennes. – Petit port. Anc. cap. du Roumois*.

QUILMES. ♦ V. d'Argentine (prov. et banlieue S.-E. de Buenos* Aires). 318 000 hab. Centre industriel. Importante brasserie.

QUIMPER. ♦ Préf. du Finistère, ch.-l. d'arr. (14 cant., 83 comm., 279 712 hab.), sur l'Odet*, à 16 km de l'Océan. 57 678 hab. *(Quimpérois).* Cathédrale Saint-Corentin (du XIIIe au XVe s.) de style gothique. Église romane Notre-Dame-de-Locmaria. Musées, maisons anc. Évêché. Centre touristique. Faïenceries, grès d'art; meubles; broderies. Indus. alimentaires et textiles; fabrication de boîtes de conserve; importante laiterie; constructions mécaniques; robinetterie, machines agricoles; matières plastiques; gisements d'antimoine. – Patrie de E. Fréron*, Max Jacob* (maison natale), Y.-J. Kerguélen* de Trémarec, R. Laennec*, P. Ronarc'h. ♦ *Hist.* La ville, fondée à l'époque gallo-romaine, s'est longtemps appelée Quimper-Corentin, en souvenir de l'évêque Corentin. Pendant la Révolution elle fut appelée *Montagne-sur-Odet.*

QUIMPERLÉ. ♦ Ch.-l. de cant. du Finistère, arr. de Quimper en Cornouaille, au confluent de l'Isole et de l'Ellé, dont la réunion forme la Laïta. 11 518 hab. *(Quimperlois).* Dans la ville basse : église Sainte-Croix construite au XIIe s., reconstruite au XIXe s.; Abbaye blanche, ancien couvent des Dominicains, fondé en 1254, reconstruit au XVIIe siècle. Dans la ville haute : église Notre-Dame-et-Saint-Michel, de style gothique. – Papier à cigarettes; conserves alimentaires; fabrique de boîtes métalliques; robinetterie; machines agricoles.

QUINAULT (Philippe). ♦ Poète dramatique français (Paris, 1635 – *id.,* 1688). Inspirées tour à tour de Rotrou (*Les Rivales,* 1653), de Calderon (*Le Fantôme amoureux,* 1659) et de Thomas Corneille (*Astrate,* 1655), ses tragédies et ses comédies (*La Mère coquette,* 1665) témoignent d'une réelle habileté tout en demeurant médiocres de style et d'invention romanesque. Les livrets qu'il composa pour les opéras de Lully* (*Thésée,* 1675; *Persée,* 1682; *Roland,* 1685) sont riches d'une authentique poésie. (Acad. fr., 1670.)

Quincampoix *(rue).* ♦ Cette rue de Paris située non loin des anciennes Halles, fut le siège de la banque de Law* en 1716.

QUINCEY (Thomas *de*). ♦ V. DE QUINCEY (Thomas).

QUINCKE (Heinrich). ♦ Médecin allemand (Francfort-sur-l'Oder, 1842 – Francfort-sur-le-Main, 1922). Il a notamment donné la description d'une variété d'œdème (maladie de Quincke, 1883) et réalisé la première ponction lombaire (1891).

QUINCY (Josiah). ♦ Patriote et publiciste américain (1744 – 1775). Il défendit dans ses écrits les droits des colons américains contre les Anglais. ♦ JOSIAH QUINCY, son fils (Boston, 1772 – dans le Massachusetts, 1864), fut le chef des fédéralistes au Congrès, après 1805. Il s'opposa à l'achat de la Louisiane, puis à la guerre contre l'Angleterre (1812). Il fut président de Harvard (1829-1845).

QUINCY. ♦ V. des États-Unis (Illinois) sur la r. g. du Mississippi, ch.-l. du comté d'Adams. 50 000 hab. env. Centre industriel et commercial en relation avec Saint* Louis par un service de bateaux. Riche bibliothèque.

QUINCY. ♦ V. des États-Unis (Massachusetts), au sud de Boston, sur la *baie de Quincy.* 90 000 hab. env. Centre industriel (constructions mécaniques).

QUINE (Willard van Orman). ♦ Philosophe et logicien américain (1908). Représentant du néo-positivisme américain, il a critiqué le néo-réalisme (ou « platonisme ») de certains philosophes et logiciens (Frege, A. Church*), s'orientant lui-même vers un nominalisme linguistique. Tout en ayant été influencé par les thèses du cercle de Vienne*, il a refusé l'opposition tranchée entre les propositions empiriques (synthétiques) et les énoncés logiques (tautologiques ou analytiques), ainsi que le parallélisme entre l'être et le savoir. Parmi les philosophes du langage, il est l'un des plus proches de l'étude systématique du langage naturel, telle que la conçoit la linguistique (*From a Logical Point of View,* 1953; *Mathematical Logic,* 1955; *The Ways of Paradox,* 1966; *Ontological Relativity,* 1969).

QUINET (Edgar). ♦ Historien français (Bourg-en-Bresse, 1803 – Paris, 1875). Traducteur de l'*Idée sur la philosophie de l'histoire de l'humanité* de Herder (1825), il participa à l'expédition de Morée (1828), après laquelle il publia son ouvrage *De la Grèce moderne et de ses rapports avec l'Antiquité* (1830), puis, sous l'influence des œuvres de Mme de Staël*, se consacra à l'histoire de l'Allemagne (*Système politique de l'Allemagne,* 1831). Il fut, avec Michelet, un des plus ardents adversaires du cléricalisme. Les thèmes de ses cours au Collège de France (contre les jésuites, 1843; l'ultramontanisme, 1844; le christianisme et la Révolution française, 1845) amenèrent sa suspension en 1846. Élu député en 1848, il se prononça pour la séparation radicale de l'Église et de l'État, et contre l'expédition de Rome de 1849 **(V. Oudinot).** Proscrit après le coup d'État du 2 décembre 1851, il vécut en exil en Belgique puis en Suisse, poursuivant ses travaux historiques sur *Les Révolutions d'Italie* (1852), *La Révolution* (1865), *La Création* (1870). Rentré en France (1870), il fut élu député en 1871 à l'Assemblée nationale.

Ph. Hétier

Quimper : fête annuelle des Cornouailles.

QUINETTE (Nicolas Marie, *baron de* Rochemont). ♦ Homme politique français (Soissons, 1762 – Bruxelles, 1821). Député à l'Assemblée législative (1792), puis à la Convention (1792), où il se prononça pour la mort du roi, membre du premier Comité de salut public (mars 1793), il fut chargé d'enquêter sur la conduite de Dumouriez*. Celui-ci le livra, avec ses collègues, aux Autrichiens qui, en 1795, l'échangèrent contre Marie-Thérèse, fille de Louis XVI (Madame Royale). Membre du Conseil des Cinq-Cents, ministre de l'Intérieur (1799), il se rallia à Bonaparte. Successivement préfet, conseiller d'État, directeur général au ministère des Finances sous l'Empire, fait baron en 1810 et pair de France pendant les Cent-Jours, il fut banni comme régicide en 1816. ♦ THÉODORE MARTIN, *baron* QUINETTE DE ROCHEMONT, son fils. Homme politique français (Amiens, 1802 – Paris, 1881). Il vécut en exil avec son père et, de retour en France, participa à la révolution de juillet 1830. Député en 1835, il siégea dans l'opposition libérale au régime de la monarchie de Juillet et, après la révolution de 1848, fut élu à l'Assemblée constituante comme républicain modéré, puis nommé ministre plénipotentiaire en Belgique. Opposé au coup d'État du 2 décembre 1851, après lequel il perdit son poste en Belgique, il se rallia ultérieurement à Napoléon III.

QUINGEY. ♦ Ch.-l. de cant. du Doubs, arr. de Besançon, sur la r. d. de la Loue. 854 hab. Vestiges d'un château féodal.

QUI-NHON. ♦ Petite ville et port du Viêt-nam, au S. de Huê*, non loin de Binh* Dinh. 30 000 hab. Petites indus., pêche.

QUINQUET (Antoine). ♦ Cf. quinquet *in* Robert.

QUINTANA (Manuel José). ♦ Poète et homme politique espagnol (Madrid, 1772 – *id.,* 1857). Avocat, Quintana, qui s'était consacré très tôt à la littérature, publia divers recueils de poésies lyriques (notamment des odes) qui le firent remarquer *(À la mer, Au combat de Trafalgar, Au panthéon de l'Escurial),* des pièces de théâtre, des essais critiques, des biographies de personnages célèbres (*Vidas de los Españoles celebres,* 1807-1834). Connu pour ses opinions libérales, il fut emprisonné après le retour de Ferdinand* VII en Espagne (1814-1820). La révolution de 1820 le fit directeur général des Études, et il contribua à la fondation de l'université centrale de Madrid (1822). Rentré en grâce après l'avènement du nouveau roi, il recouvra tous les postes dont il avait été à nouveau dépouillé lors de la chute du système constitutionnel de 1823. Chargé vers la fin de sa vie de l'éducation des enfants royaux, il mourut comblé d'honneurs.

QUINTANA ROO. *n. m.* ♦ Territoire du Mexique oriental, situé dans la presqu'île du Yucatán*, dont la face N. borde le golfe du Mexique et la face E. la mer des Antilles. 42 030 km². 88 150 hab. (1970). *Cap.* Chetumal. Région aride, couverte de savane.

QUINTE-CURCE, en lat. **Quintus Curtius Rufus.** ♦ Historien latin (Ier s.). Auteur d'une *Histoire d'Alexandre* en dix livres (les deux premiers sont perdus), vie romancée, attachante par son style rapide et objectif et le pittoresque du récit.

QUINTILIEN, en lat. **Marcus Fabius Quintilianus.** ♦ Rhéteur latin (Calagurris [Calahorra] v. 30 – v. 100). Maître de rhétorique sous Vespasien*, il était considéré comme le représentant officiel de l'éloquence. En 90, Domitien* lui confia l'éducation de ses

Ph. Nino Cirani/Ricciarini

Quito.

neveux. Il est l'auteur de l'*Institution oratoire (De institutione oratoria),* ouvrage en douze livres sur la formation de l'orateur. Il y combattait les nouvelles tendances représentées par Sénèque et recommandait les théories de Cicéron*.

QUINTILIUS VARUS. ♦ **V.** VARUS.

QUINTIN. ♦ Ch.-l. de cant. des Côtes-du-Nord, arr. de Saint-Brieuc. 3 515 hab. *(Quintinais).* Vestiges de remparts (porte Neuve, XVe s.). Basilique Notre-Dame (XIXe s.). Château des ducs de Lorges (XVIIe s.), dont il subsiste un pavillon. – Fonderie.

QUINTON (René). ♦ Physiologiste français (Chaumes-en-Brie, 1867 – Paris, 1925). Dans son principal ouvrage, *L'Eau de mer, milieu organique* (1904), il a montré l'analogie entre le milieu intérieur de l'organisme (plasma) et l'eau de mer, milieu dans lequel la vie a pris naissance, et en a tiré des applications thérapeutiques. ♦ PLASMA DE QUINTON, eau de mer stérilisée et diluée avec de l'eau distillée afin d'obtenir une concentration équivalente à celle du plasma humain.

Ph. Viltard/Asie-Photo

Qutb ud-Din :
minaret « Qutb Minâr » à Delhi.

Quinze-Vingts *(les).* ♦ Hospice fondé à Paris par Saint-Louis en 1254 et destiné à accueillir les aveugles.

QUIRINAL [kyirinal]. n. m. *(mont).* ♦ Colline fermant le site de Rome au nord, et tenant son nom du dieu sabin Quirinus*. Vestiges du forum de Trajan, des thermes de Constantin. – Le *palais du Quirinal,* construit au XVIe s., fut la résidence d'été des papes puis, à partir de 1870, la demeure des rois d'Italie. C'est actuellement le palais de la présidence de la République (portail du Bernin, statues de saint Pierre par Maderno et de saint Paul par Berthelot).

QUIRINO (Elpidio). ♦ Président de la république des Philippines qui succéda à Roxas* en 1948. Il fut réélu en 1950. Magsaysay* lui succéda en 1953.

QUIRINUS. ♦ Une des plus anc. divinités du panthéon romain, à laquelle était consacrée la colline du *Quirinal.* Sa nature originelle était oubliée à l'époque classique et on l'assimilait à Mars*. Il semble qu'il ait été en réalité le protecteur des agriculteurs. Une légende faisait de *Quirinus* le nom de Romulus* divinisé.

QUISLING (Vidkun). ♦ Homme politique norvégien (Fryrerdal, Telemark, 1887 – Oslo, 1945). Ayant été attaché militaire à Petrograd (1918-1919) puis à Moscou (1927-1929), il montra quelque sympathie pour le régime soviétique, dont il se détourna dès 1933 pour fonder le Rassemblement national *(Nasjonal Samling)* pronazi. Après l'occupation de la Norvège par les troupes allemandes, il devint chef du gouvernement (fév. 1942). Condamné à mort et exécuté à la Libération, son nom est devenu synonyme de traître.

QUISSAC [kisak]. ♦ Ch.-l. de cant. du Gard (arr. du Vigan), sur la r. g. de la Vidourle. 1 716 hab. Bonneterie. À proximité, château de Florian*.

QUITO. ♦ Cap. de l'Équateur, ch.-l. de la prov. de Pichincha (19 543 km². 587 800 hab.), située à 2 850 m sur les pentes du volcan Pichincha (4 785 m). 496 410 hab. Université. Archevêché; nombreux édifices religieux de style colonial espagnol (XVIe, XVIIe et XVIIIe s.). Centre administratif, intellectuel, commercial et industriel (indus. textiles et alimentaires). La région, située entre les deux cordillères andines, occidentale et royale, est riche en cultures tempérées (céréales, pommes de terre, luzerne...). Élevage de bovins et d'ovins.

QUM. ♦ **V.** QOM.

QUMRÂN (Qirbet). ♦ Site de Palestine, sur la r. N.-O. de la mer Morte. Un monastère essénien (ou apparenté) y fut construit v. la fin du ~ IIe s. **(V. Esséniens).** En 1947 on retrouva, dans des grottes avoisinantes, les restes de sa bibliothèque *(manuscrits* dits *de la mer Morte)* cachés là avant sa destruction par les Romains (68). L'intérêt exceptionnel de ces manuscrits tient à leur nombre (plus d'une centaine, dont beaucoup ne sont plus que des fragments) et à leur ancienneté. Ils donnent l'état du texte de certains livres bibliques aux abords de l'ère chrétienne et font connaître, de première main, un aspect original du judaïsme à cette époque. Parmi ces manuscrits : un *Manuel de discipline,* règle de vie de la communauté; un commentaire (pesher) d'*Habacuc;* des copies des livres de *Tobit,* des *Jubilés,* d'*Henoch,* etc.

Qu'o'c-Ngü'. *n. m.* (« langue nationale »). ♦ Nom donné à la romanisation de la langue vietnamienne, établie en 1657 par le père Alexandre de Rhodes et utilisée de façon courante depuis 1919 pour noter les sons et les tons du vietnamien.

Quotidienne (la). ♦ Journal publié en France de 1792 à 1847, avec quelques interruptions sous l'Empire. Sous la Restauration et la monarchie de Juillet, il fut un des organes des ultras*.

Quo Vadis? ♦ Roman de l'écrivain polonais H. Sienkiewicz* (1895-1896), qui obtint dès sa parution une renommée mondiale (bien que controversée). Il décrit d'une manière convenue, conforme aux thèses de l'Église du XIXe s., le conflit entre le christianisme naissant et l'État romain sous Néron.

QURAYSHITES. *n. m. pl.* ♦ Membres d'une fameuse tribu arabe des environs de La Mecque. D'origine obscure, ils doivent leur nom à Qussayy, chef ancestral qui fit réunir les groupes épars de sa tribu à La Mecque où ils s'installèrent et s'approprièrent le sanctuaire de la Ka'ba*. Ils se réservèrent la suprématie politique de la cité (*fin* Ve s.) et exercèrent un commerce très actif. Les Hachémites (clan de Mahomet*) étaient Qurayshites. Les 'Umayyades*, les 'Abbâssides*, les 'Alides* et beaucoup de dirigeants militaires et politiques du monde musulman étaient issus de cette tribu. Un noyau de Qurayshites est resté à La Mecque auprès de la Ka'ba.

QUTB ud-DÎN (ou al-DÎN) AÎBAK. ♦ Gouverneur türk musulman de Delhi*, lieutenant de Muhammad* Ghorî. En 1192, il envahit l'Inde, conquit Delhi et la vallée du Gange. Devenu sultan de Delhi à la mort de son maître, il fit construire une grande mosquée et un célèbre minaret (Qutb Minâr) à Delhi en 1194. Il mourut accidentellement en 1210 et son lieutenant Îltutmish* lui succéda.

QUTUQTU. ♦ Titre de « Bouddha vivant » porté par tous les chefs de l'Église lamaïque de Mongolie (région d'Urga) de 1602 à 1920. Ils étaient honorés à l'égal du dalaï* lama du Tibet, dont ils dépendaient spirituellement.

QYET STALIN ou **QYETI STALIN** (« ville de Staline »), anc. **Kucova.** ♦ V. d'Albanie* sud-orientale. Centre d'extraction et de raffinage du pétrole.

Ph. Nino Cirani/Ricciarini

Rabat.

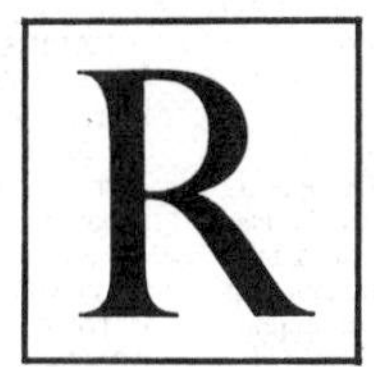

RÂ. ♦ V. RÊ.

RAAB. ♦ Nom allemand de Györ*.

RAABE (Wilhelm, connu parfois sous le pseudonyme de **Jakob CORVINUS)**. ♦ Écrivain allemand (Eschershausen, Brunswick, 1831 – Brunswick, 1910). Après le succès (inattendu) de son premier ouvrage *La Chronique de la rue aux moineaux* (*Die Chronik der Sperlingsgasse*, 1856), il se consacra à sa carrière littéraire. C'est à la vie des gens simples qu'il emprunta les thèmes de la plupart de ses romans dont les plus connus forment la trilogie, *Le Pasteur de la faim* (*Der Hungerpastor*, 1864), *Abu Telfan ou le retour de la montagne de la Lune* (*Abu Telfan oder die Heimkehr von Mondgebirge*, 1867), *Schüderrump* (1870). L'atmosphère y est sombre et l'humour pessimiste; dans un monde où triomphe le mal, la faim d'idéal, d'absolu des personnages, ressemble trop à une fuite devant le réel, à une résignation amère et ascétique qui n'est pas sans rapport avec la philosophie nihiliste de Schopenhauer.

RAB, en it. **Arbe**. ♦ Île yougoslave de l'Adriatique, située dans le golfe de Kvarner* (Dalmatie septentrionale). 7 200 hab. Pêche, tourisme, cultures méditerranéennes.

RABAN MAUR. ♦ Savant bénédictin et prélat allemand (Mayence, v. 780 – 856). Élève d'Alcuin et de saint Martin (de Tours), maître et organisateur de l'abbaye de Fulda, puis archevêque de Mayence, il mérita le titre de *praeceptor Germaniae*. Il est l'auteur de plusieurs traités, *De universo* ou *De rerum naturis* (encyclopédie où il reprend des thèmes des *Étymologies* d'Isidore* de Séville), un *De institutione clericorum* (pédagogie pour les moines).

RABASTENS [Rabastɛ̃s]. ♦ Ch.-l. de cant. du Tarn*, arr. d'Albi* sur le Tarn*. 4 337 hab. *(Rabastinois)*. Église Notre-Dame du Bourg (XIIIe et XIVe s.); château des XVIe et XVIIe siècles. Bonneterie; meubles.

RABAT. ♦ Cap. du Maroc, ch.-l. de prov. (1 156 000 hab.) et préf. urbaine, port situé sur l'Atlantique, sur la r. g. de l'embouchure du Bou* Regreg qui la sépare de Salé*. 641 175 hab. Siège du gouvernement. Archevêché. Université. Monuments du XIIe au XVIIe siècle. Remparts (muraille des Andalous), casbah des Oudaïa, tour Hassan, Chella (ancien site romain). Mausolée Muhammad V. Au S. de Rabat se situe le palais de Skhirat. Indus. textiles. Patrie de Hasan* II. ♦ *Hist.* Fondée au XIIe s. par 'Abd al-Mûmin elle fut une des bases de départ des expéditions militaires almohades en Andalousie et s'augmenta au XVIIe s. des Morisques chassés d'Espagne. Après 1912, Lyautey en fit la capitale administrative du protectorat français au Maroc et le siège du résident général, et fit édifier à cette fin une ville nouvelle au sud de la Médina.

RABAUD (Henri). ♦ Compositeur français (Paris, 1873 – *id.*, 1949). Élève de Massenet, il fut chef d'orchestre à l'Opéra de Paris et directeur du Conservatoire national, succédant à G. Fauré (1920-1941). Il a laissé six opéras (dont *Mârouf, savetier du Caire*, 1914), un poème symphonique, *La Procession nocturne*, inspiré du *Faust* de Lenau, deux symphonies, de la musique de chambre, de scène, de film, et des mélodies.

RABAUL. ♦ V. et port principal de l'archipel Bismarck*, sur la côte septentrionale de l'île de la Nouvelle*-Bretagne. 8 000 hab. environ. Principal port exportateur (noix de coco, café, cacao). ♦ *Hist.* Anc. centre administratif, la ville fut éprouvée par une éruption volcanique en 1937 et en partie détruite pendant la Deuxième Guerre mondiale. Occupée par les Japonais en 1942, elle devint une puissante base aéronavale qui fut détruite par les forces aériennes des États-Unis. Elle fut remplacée administrativement par Port* Moresby **(V. Nouvelle-Guinée)**.

RABAUT SAINT-ÉTIENNE (Jean-Paul). ♦ Homme politique français (Nîmes, 1743 – Paris, 1793). Fils du pasteur Paul Rabaut, il fut ministre protestant à Nîmes (1785). Député du Tiers État aux États généraux (1789), il prit position contre le clergé; réélu à la Convention (1792), il se rallia aux Girondins, vota pour l'appel au peuple et le sursis lors du procès de Louis XVI et fut membre de la commission des Douze. Il fut proscrit et condamné à mort avec les Girondins.

RABELAIS (François). ♦ Écrivain français (Chinon, v. 1494 – Paris, 1553). Successivement moine lettré, médecin fameux et professeur d'anatomie, puis curé de Meudon, il est l'auteur du *Pantagruel** (1532), du *Gargantua** (1534), romans qui se poursuivent dans le *Tiers Livre* (1546), le *Quart Livre* (1548) et le *Cinquième Livre* (partiellement apocryphe, publié en 1564). Dans ces récits héroï-comiques, le thème des géants (symbole de l'homme sans limite, véritable roi de l'univers) précède le thème du voyage (Livres III à V), périple burlesque de veine satirique accompli par Panurge* à travers la société et les institutions. – Reflétant dans son œuvre l'enthousiasme des humanistes pour la philosophie, la morale et les connaissances de l'Antiquité (dont ils admirent la sagesse), Rabelais partage également leurs aspirations en politique comme en éducation : défenseur des thèses évangéliques (de nombreux passages concernent le problème de la paix et de la guerre), il préconise un bonheur selon la nature, équilibre entre le corps et l'esprit (Cf. l'Abbaye de Thélème*) obtenu par une pédagogie renouvelée. Écrivain puissamment original, Rabelais sait allier un réalisme très truculent (qui va parfois jusqu'à la caricature) au symbolisme (Cf. Picrochole, le conquérant ambitieux et entêté), ou la science la plus érudite au comique le plus débridé. Son œuvre reste avant tout une véritable épopée du langage : l'invention verbale et la richesse du vocabulaire (malgré la célèbre tentative

Ph. Giraudon

François Rabelais, portrait du XVIIe s. (Château de Versailles.)

Ph. Giraudon

Portrait de **Mlle Rachel,** par A. Dévéria. (Comédie-Française, Paris.)

de reconstitution effectuée par Johann Fischart*, en 1575) semblent inégalées.

RABI (Isaac Isidor). ♦ Physicien américain (Rymanów, Galicie, 1898). Il mit au point la méthode de résonance magnétique des jets atomiques (1939) pour étudier les dipôles électriques et magnétiques nucléaires. (Prix Nobel de phys., 1944.) **V. Stern,** et **Gerlach, Alvarez, Purcell.**

RABIN (Ytzhak). ♦ Général et homme politique (travailliste) israélien (Jérusalem, 1922). Chef d'état-major général, il fut l'artisan de la victoire de 1967. Il succéda à Mme Golda Meir* à la tête du gouvernement (mai 1974 - avril 1977).

RACAN (Honorat de Bueil, ***marquis de*****).** ♦ Poète français, académicien et soldat (Aubigné, 1589 — Paris, 1670). Disciple de Malherbe*, il célébra de façon élégiaque la nature, avec les *Stances sur la retraite* (1618), et la pastorale dramatique, *Les Bergeries* (1619), poèmes à la forme rigoureuse mais animés d'une émotion sincère, car ils transposent un amour malheureux de leur auteur. L'inspiration de Racan fut également chrétienne avec les *Odes sacrées* et les *Psaumes* (1651-1660).

RACHEL. ♦ Personnage biblique (*Genèse,* XXIX-XXXV), fille de Laban*, épouse préférée de Jacob* à qui elle n'est accordée, par ruse, qu'après Léa*. Mère de Joseph* et de Benjamin*; mère adoptive de Dan* et Nephtali*.

RACHEL (Élisabeth Rachel FÉLIX, dite **Mlle).** ♦ Tragédienne française (Mumpf, Suisse, 1821 — Le Cannet, 1858). Engagée à dix-sept ans à la Comédie-Française, elle y fut, dès ses débuts et pendant près de vingt ans, l'interprète admirée des héroïnes de Corneille et des princesses de Racine.

RACH GIA. ♦ V. et port du Viêt-nam du Sud, sur la baie du même nom, dans le golfe du Siam. 40 000 hab. environ.

RACHÎD. ♦ **V.** Rashîd.

RACHMANINOV (Sergheï Vassilievitch). ♦ Compositeur et pianiste russe (Oneg, Novgorod, 1873 — Beverly Hills, Californie, 1943). Élève du conservatoire de Moscou, il commença tôt une carrière de virtuose, se consacrant en même temps à la composition, sous l'influence de Tchaïkovski* à laquelle il devait rester fidèle sa vie durant. Indifférent à l'évolution musicale de son temps, il a laissé une œuvre empreinte d'un lyrisme généreux et riche d'invention mélodique qui lui a assuré une très large popularité, mais dont on peut regretter le caractère conventionnel.

RACIBÓRZ, en all. **Ratibor.** ♦ V. de Pologne* (voïévodie d'Opole) sur la r. g. de l'Oder* qui y devient navigable, en Haute-Silésie*. 35 000 hab. — Industries métallurgiques, chimiques et alimentaires.

RACINE (Jean). ♦ Poète dramatique français (La Ferté-Milon, 1639 — Paris, 1699). Orphelin, il fut élevé par les religieuses des Petites Écoles du monastère de Port-Royal, chez qui sa tante Agnès avait elle-même fait profession. Envoyé au collège de Beauvais, foyer de jansénisme, il en revint pour recevoir, aux Granges de Port-Royal, l'enseignement d'Antoine Lemaistre, et poursuivre de très sérieuses études de grec (1655-1658). Il entra en classe de philosophie au collège d'Harcourt. Parti pour Uzès à la recherche d'un bénéfice ecclésiastique (1661) qu'il n'obtint pas, il rentra à Paris (1663) où il fit représenter sa première pièce, *La Thébaïde** (1664), puis *Alexandre* (1665). La période qui commence alors, et qui dura dix ans, fut la plus féconde de sa carrière, avec *Andromaque** (1667), que suivirent *Les Plaideurs** (1668), *Britannicus** (1669), *Bérénice** (1670), *Bajazet** (1672), *Mithridate** (1673), *Iphigénie** (1674) et *Phèdre** (1677), dont l'échec détermina le poète à renoncer pour longtemps au théâtre. Définitivement vainqueur, dès le triomphe d'*Andromaque,* de son rival, le vieux Corneille, il était assuré de la faveur du jeune roi et de la cour, car il répondait, par son théâtre, à leurs aspirations profondes, toutes tendues vers l'amour et la gloire. Homme de cour, il eut des liaisons célèbres (les comédiennes Thérèse Du Parc et Champmeslé) et la passion jalouse qui le consuma alors est à l'image de celle des héros que son génie a mis à la mode. Ombrageux, tourmenté, irritable, il poursuivait de traits cruels ceux qu'il tenait pour ses ennemis, fussent-ils ses anciens maîtres de Port-Royal (polémique de 1666), envers qui sa dette était pourtant considérable. — On a pu parler à juste titre (P. Brisson) des deux visages de Racine. Devenu historiographe du roi, résolu à ne plus écrire pour le théâtre (1677), il épousa, la même année, la petite-fille d'un notaire parisien, Catherine de Romanet, prépara sa réconciliation avec les solitaires de Port-Royal, et s'engagea dans la voie d'une existence bourgeoise, désormais vouée à l'éducation de ses nombreux enfants et à la piété la plus austère. C'est à la demande de Mme de Maintenon, pour les jeunes filles de Saint-Cyr, qu'il devait écrire ses deux derniers ouvrages dramatiques, *Esther** (1689) et *Athalie** (1691), d'inspiration purement religieuse. Obtenue par le parti dévot, l'interdiction de représenter *Athalie* le détermina à renoncer définitivement au théâtre. Réconcilié avec Port-Royal, il devait encore composer les admirables *Cantiques spirituels* (1694) et un *Abrégé de l'histoire de Port-Royal* qui ne devait être publié qu'en 1767. Cette fidélité marquée envers ses premiers maîtres lui valut la demi-disgrâce qui précéda de peu sa mort (21 avril 1699). — S'inscrivant contre la « galanterie » et le « romanesque », préférant aux intrigues complexes de Corneille la progression d'une évolution dramatique conduite par la logique des caractères, celle même de leur discours, substituant à l'« admiration » suscitée par le héros, vainqueur des dieux et de lui-même, la piété et l'horreur engendrées par son destin misérable, Racine a restitué à la scène tragique sa véritable dimension, celle que lui avaient conférée les Grecs. En concevant la passion amoureuse comme une fatalité infernale, génératrice de haine et de destruction, en la présentant comme l'instinct le plus possessif et le plus égoïste de l'âme humaine, sans, toutefois, que ses misérables victimes n'entretiennent en elles-mêmes la nostalgie douloureuse d'une innocence perdue, Racine apparaît non seulement comme le meilleur disciple de Port-Royal, mais encore comme le véritable créateur de la tragédie française.

RACINE (Louis). ♦ Écrivain français, dernier fils de Jean Racine* (Paris, 1692 — *id.,* 1763). Avocat, il renonça au barreau pour se retirer chez les pères de l'Oratoire où il écrivit un poème religieux, *De la Grâce* (1720). Ruiné par le système de Law*, il fit alors carrière dans l'administration des finances et fut successivement inspecteur général, puis directeur des gabelles. Érudit, il fut à 26 ans membre de l'Académie des inscriptions; mais son jansénisme constitua un obstacle à son élection à l'Académie française. Il écrivit de nombreux ouvrages, dont de précieux *Mémoires sur la vie de Jean Racine,* et plusieurs études sur l'œuvre de son père. Il doit sa notoriété à deux poèmes religieux, le poème sur *La Grâce* et un poème sur *La Religion.*

RACINE (du nom de la riv. sur laquelle la ville se trouve, en angl. **Root river).** ♦ V. des États-Unis (Wisconsin) sur la rive O. du lac Michigan, entre Milwaukee et Chicago. 94 720 hab. (zone urbaine 171 000). Indus. : tracteurs, machines agricoles, accessoires d'automobiles, outils, fonderies, électricité.

Racine et Shakespeare. ♦ Œuvre de Stendhal*, comprenant deux opuscules (1823 et 1825), qui exprime la nécessité en littérature d'une révolution romantique, liée à la société moderne (il faut « présenter aux peuples les œuvres littéraires qui, dans l'état actuel de leurs habitudes et de leurs croyances, sont susceptibles de leur donner le plus de plaisir possible »). Quant à la tragédie, elle doit être en prose, libérée des règles et traitant de sujets historiques et nationaux, imitant Shakespeare* uniquement dans « la manière d'étudier le monde au milieu duquel nous vivons ».

RACOVITĂ (Emil). ♦ Biologiste roumain (Iaşi, 1868 — Bucarest, 1947). Il fit d'abord des recherches sur la faune marine (à Banyuls-sur-Mer), puis se consacra à l'étude des cavernicoles, de leur mode de vie, d'évolution, et fonda le premier institut de spéléologie roumain à Cluj (1920).

RADBERT (***saint*** **Paschase).** ♦ (Près de Soissons, v. 786 — Corbie, 865). Abbé de Corbie de 844 à 851, retiré ensuite à Saint-Riquier. Son traité *De sacramento corporis et sanguinis Christi* déclencha une controverse sur la nature de la présence divine (réelle, disait-il) dans l'Eucharistie. **V. Ratramne.** Fête le 26 avril.

RADCLIFFE (Ann WARD, ***épouse*****).** ♦ Romancière anglaise (Londres, 1764 — *id.,* 1823). De famille bourgeoise et protestante, Ann Radcliffe partage avec M.G. Lewis* le privilège d'avoir inventé le roman* noir *(tale of terror).* Cependant on a dit d'elle qu'en rationalisant et en expliquant l'étrangeté, elle avait détruit le fantastique. *L'Italien* (*The Italian or the Confessional of the Black Penitents,* 1797) met en scène un type satanique que Byron* reprendra *(le Giaour).* Elle publia anonymement *Le Sicilien,* 1790; *Le Roman de la forêt,* 1791, et surtout *Les Mystères d'Udolphe,* 1794, l'un des chefs-d'œuvre du genre. Elle écrivit aussi des récits de voyages où elle manifeste une grande sensibilité aux paysages : « Les poètes lakistes n'ont pas senti ni peint mieux qu'elle les aspects de la campagne anglaise. » (Cazamian.) Ses *Poèmes* (écrits en 1815) furent publiés après sa mort.

RADCLIFFE-BROWN (Alfred Reginald). ♦ Anthropologue et ethnologue britannique (Birmingham, 1881 — Londres, 1955). Ses recherches ethnographiques portèrent sur des tribus des îles Andaman de l'océan Indien (*The Andaman Islanders,* 1906-1908), de Polynésie, d'Australie (*Social Organization of Australian Tribes,* 1931) et d'Afrique. Il tenta ensuite d'analyser les notions fondamentales capables de rendre compte de l'organisation sociale et de son fonctionnement et put être considéré comme un représentant du fonctionnalisme (**V. B. Malinowski**) en même temps qu'un précurseur du structuralisme (*Structure and Function in primitive Society*, 1952; *A Natural Science of Society*, 1957, etc.).

RADEGONDE *(sainte)*. ♦ Reine franque (en Thuringe, v. 520 – Poitiers, 587), épouse de Clotaire Ier. Après la révolte de la Thuringe et l'exécution de son frère par Clotaire (555), elle se fit consacrer diaconesse par saint Médard* puis fonda l'abbaye de Sainte-Croix, près de Poitiers, où elle introduisit la règle de Césaire* d'Arles. Fortunat* écrivit sa vie. Fête le 13 août.

RADEK (Karl Sobelsohn, dit Karl). ♦ Homme politique et journaliste soviétique (Łwów, 1885 – 1939). Il participa au mouvement social-démocrate de Galicie, de Pologne et d'Allemagne et adhéra en 1917 au Parti bolchevik. Membre du Comité central du Parti et du praesidium du Komintern (IIIe Internationale), il fit partie dès 1923 de l'opposition trotskiste et fut définitivement exclu du Parti en 1936.

RADETZKY (Joseph, *comte von* **Radetz).** ♦ Feld-maréchal autrichien (Třebnice, Bohême, 1766 – Milan, 1858). Commandant en chef des troupes autrichiennes en Lombardie, il fut chassé de Milan par la révolution de 1848. Les deux victoires importantes qu'il remporta par la suite sur l'armée « italienne » du roi Charles-Albert (Custozza, 25 juil. 1848 et Novare, 23 mars 1849) replacèrent la Lombardie sous la tutelle de l'Autriche. Il resta gouverneur militaire de cette région jusqu'en 1857.

RÂDHÂKRISHNAN (Sarvapalli). ♦ Philosophe et homme d'État indien (Tirutani, 1888 – Madras, 1975). Après avoir été ambassadeur, il devint vice-président de l'Inde puis fut élu président de 1962 à 1967. Il fut professeur de religions orientales à Oxford* (G.-B.) de 1936 à 1952. Il traduisit en anglais de nombreux ouvrages religieux hindous anciens et écrivit en anglais plusieurs ouvrages imprégnés de philosophie gandhienne.

RÂDHÎ (Fakhr al-Dîn). ♦ Polygraphe d'expression arabe (? – 1209). Né à Ray, il s'installa à Harât après avoir parcouru le Khârezm et la Transoxiane. Il écrivit une quarantaine d'ouvrages historiques, juridiques, théologiques, philosophiques et scientifiques. Il essaya d'établir une synthèse tenant compte des grands courants de la pensée arabo-musulmane (Farabi*, Avicenne*, Ghazali*, al-Ash'ari*, Shâfi'i*).

Radical et radical-socialiste *(Parti)*. ♦ Premier parti politique français fondé sous la Troisième République* (1901) sous le nom de *Parti républicain radical et radical-socialiste*. Bien avant cette date toutefois, le radicalisme désigna sous la monarchie de Juillet le mouvement d'opposition (avec Ledru-Rollin), favorable à une démocratisation du régime (pour le suffrage universel) et même à des réformes sociales. Après l'échec de la révolution de 1848 et de la Deuxième République, il se confondit généralement avec l'opposition républicaine au Second Empire et regroupa des hommes politiques (Clemenceau, Gambetta, Pelletan) et des universitaires (Buisson, Renouvier, J. Simon, Vacherot). Le premier programme démocratique radical fut formulé par L. Gambetta* lors des élections de 1869 (**V. Belleville** [programme de]). Avec sa philosophie rationaliste teintée de positivisme, sa morale laïque anticléricale, son individualisme soucieux de défendre la propriété privée (mais n'excluant pas la nécessité de réformes sociales) et la liberté du citoyen (« le citoyen contre les pouvoirs » [Alain]), le mouvement, puis le parti radical, eut une influence prépondérante sur le destin de la Troisième République. Après s'être regroupés à l'occasion de l'affaire Dreyfus, les divers groupes radicaux, qui se séparèrent des socialistes (lorsque ceux-ci s'unifièrent pour former la S.F.I.O., 1905), devaient bientôt constituer un parti de notables assez représentatif de l'état d'esprit et des aspirations du « Français moyen », selon le mot d'Herriot* qui, avec Daladier*, en assura longtemps la direction. Tour à tour allié aux républicains modérés (voire franchement conservateurs : gouvernement d'Union nationale de Poincaré*, 1926) ou aux socialistes (gouvernement de Front populaire, 1936), le parti radical ne cessa d'être à la tête du gouvernement ou du moins d'y occuper des postes clés jusqu'en 1940. Divisé dans son attitude à l'égard du gouvernement de Vichy, il subit un cuisant échec au lendemain de la Libération (élections de 1945 et 1946). Ses tentatives de réorganisation se soldèrent par l'exclusion de plusieurs militants et dirigeants (E. Faure, A. Morice, Queuille, et Mendès France qui en abandonna la présidence avant d'en être exclu, 1957). En 1965, sous la présidence de R. Billères*, le parti radical adhéra à la Fédération de la gauche démocratique et socialiste (F.G.D.S.). En 1972 il s'est scindé, à l'occasion de la préparation des élections législatives de 1973, en partisans d'une union de la gauche (Robert Fabre) et participants du mouvement réformateur (J.-J. Servan-Schreiber).

RADIČEVIĆ (Branko). ♦ Poète serbe (Brod, 1824 – Vienne, 1853). Discipline de Karadžić, il adopta la langue populaire dans son œuvre poétique inspirée de Byron* : *L'Adieu aux études, La Route, Kolo.*

RADICHTCHEV (Alexandre Nikolaievitch) [*Radiščev*]. ♦ Écrivain russe (près de Moscou, 1749 – Saint-Pétersbourg, 1802). Il lança le romantisme politique avec un pamphlet contre l'ordre établi : *Voyage de Pétersbourg à Moscou* (1790), pour lequel il fut condamné à mort, puis par grâce, déporté en Sibérie sur l'ordre de Catherine II. Il en revint en 1796.

RADIGUET (Raymond). ♦ Écrivain français (Saint-Maur-des-Fossés, 1903 – Paris, 1923). Auteur à quinze ans de poèmes (que J. Cocteau* réunira en 1925), Radiguet fut encouragé par A. Salmon. Après divers travaux journalistiques, il fut adressé par Max Jacob* à Jean Cocteau qui l'introduisit dans le milieu littéraire et artistique. Le succès considérable que connut son premier roman, *Le Diable au corps* (1923), l'incita à « faire de l'ordre » dans sa vie (« Je flambais, je me hâtais comme les gens qui doivent mourir jeunes et qui mettent les bouchées doubles. »). À peine avait-il composé son second roman, *Le Bal du comte d'Orgel* (posth., 1924), qu'il fut emporté par la fièvre typhoïde. Admirateur des romanciers moralistes, comme Mme de La* Fayette, Stendhal* et Proust*, Radiguet s'interdit l'effusion éloquente et s'illustra par la maîtrise du récit et la mesure. Si *Le Diable au corps* (d'abord intitulé *Cœur vert*) dépeint avec un certain frémissement un adolescent engagé dans un trop grand amour, *Le Bal du comte d'Orgel* se veut un roman de pure analyse qui, au sein de rites mondains, évoque, avec une sécheresse élégante, un drame tout intérieur.

RADISSON (Pierre). ♦ Explorateur français (Paris, v. 1636 – v. 1710). Il parcourut les régions d'Amérique du Nord des rives du Mississippi jusqu'à la baie d'Hudson et fut le fondateur de la Compagnie de la baie d'Hudson.

RADJPOUTANA. ♦ **V.** RÂJPUTÂNA.

RADNORSHIRE, en gallois **Sir Faesyfed.** ♦ Comté du centre du pays de Galles. 1 219 km². 18 260 hab. (1961). *Ch.-l.* **V. Presteigne.** *V. princ.* Llandrindod* Wells. Le comté s'étend autour de la *forêt de Radnor* et sur la basse vallée de la Wye. La vie économique repose sur l'élevage ovin et le tourisme.

RADOM. ♦ V. de Pologne* (voïévodie de Kielce) située dans les Łysogóry, en Petite Pologne. 161 000 hab. Églises gothiques. – Centre industriel en expansion. Industries métallurgiques, chimiques et textiles. Constructions mécaniques. Tanneries, papeteries.

RADOWITZ (Joseph Maria *von*). ♦ Général et homme politique prussien d'origine hongroise (Blankenburg am Harz, 1797 – Berlin, 1853). Entré au service de la Prusse en 1823, il fut le membre le plus influent de la « camarilla », personnel politique conservateur qui entourait Frédéric*-Guillaume IV. Il inspira la politique conservatrice et fut l'artisan de celle de la « petite Allemagne » : projet d'une unité allemande excluant l'Autriche, accomplie non par les peuples, mais par les princes (union restreinte d'Erfurt, 1850). Cette politique devait momentanément échouer et la reculade d'Olmütz* (1850) entraîna la démission de Radowitz.

RADZIWIŁŁ. ♦ Famille lituano-polonaise, qui remonte au XIIIe s., et acquit la dignité de prince du Saint Empire au XVIe siècle. Elle s'allia aux Jagellon, fut mêlée de près aux affaires de la Pologne, et lutta contre la Russie lors de l'annexion du pays au XIXe siècle.

RAE BARELI ou **BAREILLY.** ♦ V. de l'Inde (Uttar Pradesh), à 70 km au S. de Lucknow. 326 130 hab. Ville industrielle et commerciale (grains, canne à sucre, tapis, meubles). Elle fut fondée en 1537.

Ph. Lauros-Giraudon

R. Radiguet, par J.-E. Blanche. (Musée des Beaux-Arts, Rouen.)

RAEBURN (*sir* **Henry**). ♦ Portraitiste écossais (Stockbridge, Édimbourg, 1756 – *id.*, 1823). D'abord apprenti chez un orfèvre joaillier, il fut un autodidacte. En 1785, il rencontra Reynolds* à Londres, puis se rendit en Italie. De retour à Édimbourg en 1787, il devint un portraitiste réputé. Il plaça d'abord ses personnages sur un fond de paysage et recourut à des tonalités riches et éclatantes ; puis il s'attacha à produire des effets contrastés de lumière, d'un caractère plus dramatique (*Sir John Sinclair,* 1794-1795 ; *Les Mac Nab,* 1803-1813). Il peignait souvent sans dessin préliminaire, directement à la brosse, avec une touche très libre, souvent apparente. Il eut le goût des compositions simples, présentant d'une manière directe ses figures qui se caractérisent par le naturel des poses, la spontanéité de l'expression, la vigueur et l'ampleur de la facture (*Mrs. James Campbell,* v. 1805-1812).

RAEDER (Erich). ♦ Amiral allemand (Wandsbeck, près de Hambourg, 1876 – Kiel, 1960). Commandant en chef de la marine (1935), il fut nommé par Hitler « grand amiral du Grand-Reich ». En 1940, il se déclara hors d'état d'organiser le débarquement projeté en Angleterre, puis, la stratégie navale de Hitler favorisant de plus en plus la guerre sous-marine, il fut écarté au profit de Dönitz (1943). Condamné à la réclusion perpétuelle à Nuremberg (1946), il fut cependant libéré en 1955.

R.A.F. (abrév. de **Royal Air Force,** « Force aérienne royale »). ♦ Nom donné le 1er avril 1918 à la fusion des aviations de l'armée et de la marine anglaises en une arme autonome qui fut l'une des armes essentielles de la puissance britannique dès la fin de la guerre de 1914, et durant la Deuxième Guerre mondiale. Dès les premiers jours de l'offensive allemande de 1940, elle sauva le pays de l'invasion en faisant victorieusement face aux bombardiers et aux chasseurs de la Luftwaffe* très supérieurs en nombre. À partir de 1943, elle reconquérait avec l'aide américaine la maîtrise de l'air et se spécialisait dans les bombardements de nuit sur l'Allemagne et la destruction des centres industriels, protégée par ses chasseurs à long rayon d'action. Démobilisée en 1946, elle conserve auj. des effectifs importants.

RAFAH, anc. **Raphia.** ♦ V. de la « bande de Gaza », située dans le N. de la péninsule du Sinaï à proximité de la mer. Elle est occupée par Israël depuis la *guerre des six jours.* 49 800 hab. (1969).

RAFFET (Denis Auguste Marie). ♦ Peintre, graveur et dessinateur français (Paris, 1804 – *id.,* 1860). Élève de Gros* et de Charlet*, il se consacra surtout à la lithographie et s'attacha particulièrement à glorifier les soldats de la République et de l'Empire, ce qui lui valut un succès populaire (*La Grande Revue,* 1848 ; *Le Réveil*). D'un long séjour dans les Balkans, il ramena une série de dessins illustrant le récit des voyages du prince Demidov (1833-1849). Il se rendit aussi en Algérie, en Belgique et en Italie, décrivant des scènes de la vie militaire et se faisant une spécialité des dessins de bataille où, d'un trait alerte, il saisit le mouvement ou le détail pittoresque.

RAFFLES (*sir* **Thomas Stamford Bingley**). ♦ Administrateur colonial britannique (au large de Port Morant, Jamaïque, 1781 – Highwood, près de Barnet, Londres, 1826). Il entra dès 1795 à la Compagnie des Indes orientales, se rendit à Calcutta en juin 1810. En octobre 1810, la Grande-Bretagne étant en guerre contre la France, il fut chargé de préparer la voie aux Britanniques pour l'invasion de Java, dont il fut nommé gouverneur (1811-1816) avant d'être gouverneur de Sumatra (1817-1818). En 1819, il planta le drapeau britannique sur l'île de Singapour*, et en organisa l'administration. Il conféra à la ville le statut de port libre, ce qui entraîna une importante immigration chinoise (il n'y avait que 150 hab. sur l'île avant l'arrivée de Raffles). Linguiste et naturaliste, il avait réuni d'importantes collections; avant sa mort, il contribua à la fondation de la Société zoologique de Londres *(London Zoological Society)* dont il fut le premier président.

Râga. *n. m.* ♦ Mot sanskrit (« attraction, couleur, passion ») désignant, dans la musique indienne plus particulièrement, l'atmosphère émotionnelle d'une mélodie. À l'origine (v. le xe s.) au nombre de six, ils se diversifièrent et sont maintenant très nombreux. Dans la peinture indienne, ils expriment un sentiment souvent en rapport avec la saison ou un moment de la journée.

RAGAZ-LES-BAINS. ♦ **V.** BAD RAGAZ (Suisse).

RAGLAN (Fitzroy James Henry Somerset, *1er baron*). ♦ Homme de guerre anglais (Badminton, Gloucestershire, 1788 – Sébastopol, 1855). Aide de camp de Wellington, il combattit sous ses ordres en Espagne et prit part à la bataille de Waterloo, au cours de laquelle il perdit un bras. Il lui succéda comme maître général de l'artillerie (1852) et commanda les troupes envoyées en Crimée (1854). Il voulut éviter le siège de Sébastopol, au cours duquel il mourut, après s'être particulièrement distingué à la bataille d'Inkermann*.

Ragnarök *(le)* [en vieux scandinave « destin fatal des dieux », expression devenue vers le XIIe s. *Ragnarokkr,* « crépuscule des dieux »]. ♦ Mythologie germanique. Combat final où les dieux seront tués par les géants (Odin* avalé par Fenris*, Freyr* tué par Surt, Thor* empoisonné après sa lutte avec le serpent du Midgard). Après une catastrophe générale, le monde renaîtra, promis à un âge d'or auquel présidera le dieu Balder* ressuscité.

RAGUSE. ♦ Ancienne colonie grecque d'Épidaure (VIIe s.), elle fit partie de l'Illyricum lors de la période romaine. À partir du XIIIe s., elle forma une petite république aristocratique et se donna à Venise (1205). Elle reconnut l'autorité du roi de Hongrie en 1358, mais garda son indépendance, il en fut de même sous la suzeraineté turque (1526). Raguse fut presque entièrement détruite par le tremblement de terre de 1667. En 1806, elle fut occupée par les troupes de Napoléon Ier et fut incorporée aux Provinces Illyriennes en 1810. Marmont reçut le titre de duc de Raguse. En 1814, Raguse fut donnée à l'Autriche, puis en 1919 intégrée sous son nom slave de Dubrovnik à la Yougoslavie. **V. Dubrovnik.**

RAGUSE, en it. **Ragusa.** ♦ V. d'Italie insulaire, en Sicile*. Ch.-l. de prov. 60 000 hab. Palais, cathédrale et églises du XVIIIe siècle. Extraction et raffinage du pétrole.

RAHÎMYÂR KHÂN. ♦ V. du Pâkistân, à 200 km au N.-E. de Sukkur, dans la vallée de l'Indus. 104 000 hab. Centre agricole.

RAIBOLINI (Francesco). ♦ **V.** FRANCIA.

RAIMOND III. ♦ (mort à Tripoli, Syrie, 1187). Comte de Tripoli (1152-1187). Deux fois régent du royaume de Jérusalem, durant la minorité de Baudouin IV et à sa mort (1185). Opposé à Guy de Lusignan, il participa néanmoins à la bataille de Tibériade contre Saladin.

RAIMOND BÉRENGER Ier, en esp. **Ramón Berenguer** (III à Barcelone). ♦ (v. 1082 – 1131). Comte de Barcelone (1096-1131) et par mariage comte de Provence (1113-1131). Il prit Majorque (1116) et la Cerdagne (1117). ♦ RAIMOND BÉRENGER II *le Vieux* [IV à Barcelone] (v. 1115 – Borgo San Dalmazzo, Piémont, 1162). Comte de Barcelone (1131-1162), prince d'Aragon par mariage (1137-1162) et commendataire de Provence (1144-1162). Il gouverna la Provence comme tuteur de son neveu Raimond Bérenger III. ♦ RAIMOND BÉRENGER III ([mort] Nice, 1166). Comte de Provence (1144-1166). Fils de Raimond Bérenger Ier. Sous son règne furent réunis pour la première fois les Trois-États de Provence. ♦ RAIMOND BÉRENGER IV ([mort] près de Montpellier, 1181). Fils de Raimond Bérenger II, il gouverna la Provence pour le compte de son frère Alphonse* II, comte de Barcelone et roi d'Aragon. ♦ RAIMOND BÉRENGER V (1198 – Aix-en-Provence, 1245). Comte de Provence (1209-1245), fils d'Alphonse II d'Aragon. Il se prononça contre les Albigeois et participa avec le roi de France Louis VIII à la prise d'Avignon (1226). Sous son règne, les *bailes* devinrent les véritables représentants du pouvoir comtal. Il maria ses filles avec le roi de France Louis IX, le roi d'Angleterre Henri III et Richard de Cornouailles, futur roi des Romains. Sa fille Béatrice, qui hérita du comté, épousa Charles d'Anjou, le frère de Louis IX (1246).

RAIMOND DE GUYENNE ou **DE POITIERS.** ♦ (v. 1100 – Fons Murez, 1149). Prince d'Antioche (1136-1149). Fils de Guillaume IX, duc d'Aquitaine, il devint prince d'Antioche par mariage. Il tenta de convaincre le roi de France Louis VII de l'aider à reprendre Alep, lors de la seconde croisade. Ce dernier refusa à cause de l'intrigue qu'il entretenait avec sa femme Aliénor d'Aquitaine. Il fut vaincu et tué par Nûr* al-Dîn.

RAIMOND ou **RAYMOND DE PEÑAFORT** *(saint).* ♦ Religieux espagnol (château de Peñafort, Barcelone, 1175 – *id.,* 1275). Après avoir étudié la théologie et la philosophie en Espagne et à Bologne, il fut nommé chanoine puis archidiacre à Barcelone. Entré chez les Dominicains (1222), général de l'ordre (1238), il prêcha la croisade contre les Maures et contribua à la fondation de l'ordre religieux de *La Merced* (Notre-Dame-de-la-Merci). Spécialisé de droit canon, auteur d'un *Corpus juris canonici* et d'une *Somme* sur la pénitence et le mariage, il fut chargé par Grégoire IX, dont il fut le confesseur, d'établir la collection des *Décrétales.* (Canonisé en 1601 par le pape Clément VIII ; fête le 23 janvier.)

RAIMONDI (Marcantonio). ♦ Graveur italien (v. 1480 – Bologne, 1534). Après avoir reçu une formation d'orfèvre (travail à la nielle), il se consacra à la gravure et interpréta Dürer, puis Michel-Ange. Remarqué à Rome par Raphaël (v. 1510), il reproduisit plusieurs dessins faits par le maître d'après ses propres tableaux *(Le Jugement de Pâris, Le Massacre des Innocents).* Il contribua ainsi à la diffusion des œuvres de la Renaissance.

RAIMU (Jules MURAIRE, dit). ♦ Comédien français (Toulon,

Coll. Rui Nogueira

Raimu et Michèle Morgan dans « Gribouille ».

1883 – Neuilly-sur-Seine, 1946). Ses débuts se firent au café-concert avant 1914. Il ne devait connaître la notoriété qu'après sa célèbre création du personnage de César, dans le *Marius* de Marcel Pagnol* (1929). La sûreté de son instinct a caractérisé ses nombreuses créations où alternaient, avec la même force de conviction, le comique et le tragique. Il interpréta de nombreux rôles au cinéma : *Gribouille* (1937), *La Femme du boulanger* (1939), etc.

RAINALDI (Girolamo). ♦ Architecte italien (Rome, 1570 – *id.*, 1655). Issu d'une famille de peintres et d'architectes, il fut l'élève de D. Fontana* et devint architecte du pape Innocent X en 1644. Il acheva le *palais du Capitole,* élevé par G. Della* Porta et édifia notamment la façade du *palais Pamphili* à partir de 1648. ♦ CARLO RAINALDI (Rome 1611 – *id.*, 1691). Son fils. Il collabora avec son père à des travaux piazza Navona, commençant notamment *Sainte-Agnès* en 1645 (terminée par Borromini). Il se montra un suiveur du Bernin en réalisant l'abside de *Sainte-Marie-Majeure* (1670-1673). Dans *Santa Maria in Campiteli* (v. 1657-1667), il anima vigoureusement la façade par un jeu d'éléments en saillie et en retrait. Sa réalisation la plus spectaculaire fut la création de deux églises symétriques (*Santa Maria in Monte Santo* et *Santa Maria dei Miracoli,* v. 1657-1667) qui, par le souci d'aménager les perspectives extérieures (piazza del Popolo et Corso), révèle une conception scénographique de l'urbanisme propre à l'esprit baroque.

RAINCY (Le). ♦ Sous-préf. de la Seine-Saint-Denis, ch.-l. d'arr. (11 cant., 16 comm., 359 536 hab.), au N.-E. de Paris. 14 505 hab. Église Notre-Dame, construite en béton armé par A. Perret* en 1922-1923, avec un clocher haut de 43 m ; vitraux de Maurice Denis* ; l'œuvre fit date dans l'histoire de l'architecture moderne. – Métallurgie ; isolants ; indus. alimentaires. – Patrie de J. Tréfouël*.

RAINIER III. ♦ (Monaco, 1923). Prince de Monaco (1950). Fils du prince Pierre de Polignac et de Charlotte, duchesse de Valentinois, il succéda à son grand-père Louis II. En 1956, il épousa l'actrice américaine Grace Kelly.

RAINIER *(mont).* ♦ Anc. cône volcanique, au N. de la *chaîne des Cascades** dans l'État de Washington* (États-Unis), connu aussi sous le nom indien de *Tacoma.* 4 391 m. Le mont est entouré de profonds canyons d'origine glaciaire, sur ses versants s'étendent des forêts de conifères et des prairies. Il est situé au centre d'un parc national très pittoresque comprenant de nombreux glaciers. *(Mount Rainier National Park.)*

RAÏNIS (Janis, pseudonyme de **Pliekšans).** ♦ Poète letton (Tadenava, Courlande, 1865 – Riga, 1929). En 1891, il fonda le journal *la Feuille quotidienne.* En 1897, il fut déporté pour ses idées socialistes. De retour dans son pays en 1903, il publia un recueil de poèmes : *Résonances lointaines du soir bleu,* qui le consacrèrent poète national. En 1913, il donna un second recueil de vers : *Commencement et Fin,* et successivement deux drames symbolistes : *Le Cheval d'or* (1910) et *Le Feu et la Nuit* (1911). Son roman, *Joseph et ses frères,* parut en 1919. Toutes ses œuvres, d'une grande richesse poétique et philosophique, révèlent la profonde influence de Nietzsche*.

RAIPUR. ♦ V. de l'Inde (Madhya Pradesh) à 250 km à l'E. de Nagpur. 220 000 hab. (aggl. avec Durg). Centre du commerce du bois, constructions mécaniques (tracteurs).

RAIS ou **RETZ** [ʀɛ] **(Gilles** *de***).** ♦ Maréchal de France (Champtocé, Anjou, 1404 – Nantes, 1440). Il prit parti pour Charles VII en 1427 et fut le compagnon de Jeanne d'Arc. Il abandonna la cour en 1435 pour se retirer sur ses terres, notamment à Tiffauges (Vendée), et dépensa son immense fortune. S'entourant de sorciers, il chercha des ressources dans l'alchimie et la magie noire. Il sacrifia des centaines d'enfants qu'il faisait enlever, d'abord pour les faire disparaître après avoir assouvi ses perversions, puis par sadisme et enfin par satanisme. Malgré les soupçons, il ne fut pas inquiété, avant de commettre l'imprudence de profaner une église. Le duc de Bretagne fut alors mis en demeure par le roi de le livrer à la justice civile et religieuse. Gilles de Rais fut condamné et exécuté, après s'être repenti. Identifié par la tradition populaire à des personnages sanguinaires de contes (notamment Barbe-Bleue), il fut évoqué sur le mode « noir » par Huysmans *(Là-bas)* et étudié par Georges Bataille, qui y voit un représentant dévoyé de la grande noblesse féodale en train de perdre sa puissance réelle, mais conservant une autorité sans contrôle.

RAISMES [ʀɛm]. ♦ Comm. du Nord*, arr. de Valenciennes*. 18 357 hab. *(Raismois).* – Houille ; métallurgie, constructions mécaniques ; matériel pour chemin de fer ; chaudronnerie, fonderies.

RAISON (André). ♦ Organiste et compositeur français (? – Paris, 1719). Organiste à l'abbaye Sainte-Geneviève de Paris, il fut l'un des plus grands virtuoses de son temps. Il a laissé deux *Livres d'orgue,* comprenant cinq messes, des magnificat, benedictus, une ouverture, une allemande et des noëls variés.

Raison *(culte de la).* ♦ Culte révolutionnaire institué à la fin de l'année 1793. Mené par les ultra-révolutionnaires hébertistes*, le mouvement de déchristianisation et de « déprêtrisation » **(V. Gobel)** qui débuta dès septembre 1793, aboutit à l'adoption du calendrier républicain, le 5 octobre 1793 **(V. Fabre d'Églantine),** et au culte de la Raison, qui, sur l'initiative de Chaumette*, fut célébré le 20 brumaire an II (10 nov. 1793) à Notre-Dame de Paris. Après la condamnation des hébertistes (mars 1794), Robespierre, qui s'était montré violemment hostile aux tendances athées du mouvement de déchristianisation, supprima le culte de la Raison qui fut remplacé en mai 1794 par le culte de l'Être* suprême.

Ph. A. Rey

Râjasthân.

RÂJÂGOPÂLÂCHÂRYA (Chakravarti). ♦ Homme politique et écrivain indien (né au Tamilnadu, 1879). Premier ministre de l'État de Madras et gouverneur de l'Inde, il fut un des compagnons de Gandhi. Surnommé le *Mahâtma tamil,* il écrivit en anglais et en tamil de nombreux ouvrages philosophico-religieux et adapta pour les enfants les grands poèmes épiques de l'Inde.

RÂJAHMUNDRY. ♦ V. de l'Inde, dans l'Andhra Pradesh, sur le delta de la rivière Godavari. 186 840 hab. Indus. du bois et de l'aluminium.

RÂJARÂJA Ier CÔLA (ou Chola). ♦ Roi indien qui régna au sud-est du pays (985-1014). Il conquit tout le S. du subcontinent, une partie de Ceylan, créa une flotte importante, s'appropria les îles Maldives et Laccadive et entretint des relations commerciales avec les souverains malais et javanais. Il fit élever le grand temple de Tanjore. Râjendra* Côla Ier lui succéda.

RÂJASANAGARA. ♦ **V.** HAYAM WURUK.

RÂJASTHÂN. *n. m.* ♦ État du N.-O. de l'Inde, formant frontière (désert de Thar) avec le Pâkistân et rassemblant dix-neuf anciens États princiers. 342 000 km². 26 000 000 d'hab. *Cap.* Jaipur*. Le Râjasthân, désertique dans sa partie occidentale, est plus fertile vers l'E. (cultures du coton, maïs et millet). Élevage de moutons, chèvres, chameaux. Indus. textiles. **V. Râjputâna.**

RÂJENDRA Ier CÔLA. ♦ Roi indien qui régna sur le S. de l'Inde de 1014 à 1045, succédant à son père Râjarâja* Ier Côla. Il continua les conquêtes de celui-ci et mena une guerre maritime contre la péninsule malaise. Il occupa la Birmanie, la Malaisie, les côtes de Sumatra, les îles Nicobar et Andaman et affermit son emprise sur Ceylan. Il fut un des plus grands conquérants indiens.

RAJK (Lászlo). ♦ Homme politique hongrois (Székélyndvarhely, 1909 – Budapest, 1949). Militant communiste depuis sa jeunesse, il participa à la guerre en Espagne dans les brigades internationales. Il fut interné dans un camp de concentration en Allemagne de 1941 à 1945. En 1946, il fut ministre de l'Intérieur dans le gouvernement Nagy*. Il chercha alors à éliminer du parlement les dirigeants du Parti des petits propriétaires (non marxistes). Puis il devint ministre des Affaires étrangères (1948) et secrétaire général adjoint du Parti des travailleurs. Rival possible pour Rákosi*, il fut accusé de titisme avec d'autres dirigeants communistes. Au cours de son procès (16-24 sept. 1949), il s'avoua coupable ; il fut condamné et exécuté, mais fut réhabilité en 1956.

RÂJKOT. ♦ V. de l'Inde occidentale (Gujarât) dans la presqu'île du Kâthiawar et ancien État princier. 300 150 hab. Indus. métallurgiques et chimiques, marché agricole.

RÂJPUT. *n. m. pl.* ♦ Clans de l'Inde occidentale (Râjputana*, Râjasthân*), d'origine indéterminée (peut-être des restes des tribus des Huns* hephtalites qui, au Ve s., envahirent l'Inde du Nord), de mœurs guerrières et qui formèrent l'aristocratie des peuples de l'O. de l'Inde ancienne.

RÂJPUTÂNA. *n. m.* ♦ Région de l'O. de l'Inde, actuellement incluse dans l'État du Râjasthân* et souvent confondue avec celui-ci. Elle fut sous protectorat anglais à partir de 1817.

RAKAPOSHI. *n. m.* ♦ Sommet de l'Himâlaya occidental, dans le massif du Karakoram (7 790 m). Il fut vaincu par une équipe anglo-pâkistanaise en 1958.

RAKIĆ (Milan). ♦ Poète serbe (Belgrade, 1876 – Zagreb, 1938). Disciple des parnassiens français, il est l'auteur d'une œuvre peu abondante, mais d'une rare perfection. Ses poèmes, souvent imprégnés d'un pessimisme délicat, chantent le combat de son peuple pour la liberté.

RÁKÓCZI ou **RÁKÓCZY.** ♦ Famille hongroise, illustrée principalement par : ♦ GEORGES Ier, en hongr. GYÖRGY (1593 – Sarospatak, 1648). Prince de Transylvanie* (1630-1648) qui succéda à Bethlen* et reprit sa politique protestante d'opposition à l'empereur (la paix de Linz assura en 1645 la liberté religieuse aux Hongrois). ♦ GEORGES II (Sarospatak, 1621 – Nagyvarad, 1660). Prince de Transylvanie, il ne put s'emparer du trône de Pologne et fut déposé sur ordre du sultan. ♦ François II, en hongr. Ferenc (Borsi, 1676 – Rodosto, 1735). Il poursuivit la lutte contre l'Autriche et fut considéré en Hongrie comme un héros national.

RÁKOSI (Jenö). ♦ Journaliste et écrivain hongrois (Acsád, 1842 – Budapest, 1929). Il fonda le journal conservateur *Budapesti Hirlap* (1881). Il écrivit des pièces de théâtre et une étude esthétique sur la tragédie (1886).

RÁKOSI (Mátyás). ♦ Homme politique hongrois (Ada, 1892 – Gorki, 1971). Il adhéra très jeune au Parti social démocrate. Durant la Première Guerre mondiale, il fut prisonnier en Russie. Il devint alors membre du Parti communiste. Il participa au gouvernement de Bela Kun* (1919) comme vice-commissaire de l'Économie, puis après son échec, passa de nombreuses années en prison. Il gagna l'U.R.S.S. pendant la Deuxième Guerre mondiale, et revint avec les troupes soviétiques en 1945. Il fut vice-président du Conseil dans le cabinet de Tildy en 1945, et secrétaire général du Parti des travailleurs (communiste). Il domina la vie politique du pays de 1949 à 1953, suivant strictement la ligne stalinienne. Ce fut l'un des instigateurs des grands procès de communistes accusés de titisme (**V. Rajk**) et des épurations à l'intérieur du Parti des travailleurs. Il devint président du Conseil en 1952, et fit appliquer le 1er plan quinquennal (1950-1954) destiné à industrialiser le pays et à collectiviser l'agriculture. La mort de Staline* (1953) diminua la toute-puissance de Rákosi, en permettant la mise en place d'une direction collégiale du Parti, puis amena sa démission du poste de chef du gouvernement (1953); Imre Nagy* lui succéda. Il garda cependant de l'influence, malgré les critiques. Au moment des événements de Pologne, en 1956, il abandonna son poste au Comité central et, au moment de la révolution hongroise (oct. 1956), se réfugia en U.R.S.S. – Il fut exclu du Parti en 1962.

RAKOVSKI (Georgi). ♦ Écrivain et patriote bulgare (Kotel, 1821 – près de Bucarest, 1867). Il lutta pour la liberté politique de son pays en publiant plusieurs journaux dont *le Cygne du Danube.* Il obtint la célébrité par son poème *Le Voyageur dans la forêt* (1857) qui exaltait le romantisme patriotique des haïdouks, défenseurs de l'indépendance bulgare contre les Turcs.

RALEIGH (*sir* Walter). ♦ Courtisan, navigateur et écrivain anglais (Hayes, v. 1552 – Londres, 1618). Favori de la reine Elizabeth Ire (dont il obtint d'importants domaines en Angleterre et en Irlande), il tenta sans grand succès d'établir une colonie en Virginie (1585), puis explora la région des Guyanes (1595). Disgracié et condamné à l'avènement de Jacques Ier (1603), il fut détenu à la tour de Londres jusqu'en 1616. Il fut libéré pour mener une expédition dans l'Orénoque au cours de laquelle il entra en conflit avec les Espagnols. Arrêté à son retour en Angleterre, il fut décapité, sans doute à l'instigation de l'ambassadeur d'Espagne. Outre le récit de ses voyages, il a laissé des poèmes et une *Histoire du monde* (inachevée).

RALEIGH. ♦ V. des États-Unis, cap. de la Caroline* du Nord. 117 676 hab. Centre indus. et surtout commercial. Nombreux collèges et universités (aux environs).

Ralliement (Le). ♦ Nom donné à l'orientation d'une partie des catholiques français, qui, à l'instigation du pape Léon* XIII, reconnurent la république comme « le gouvernement actuel de leur Nation ». Le premier signe officiel de ce Ralliement fut le « toast » du cardinal Lavigerie* à Alger (1890).

RÂMA. ♦ Personnage célèbre des légendes et poèmes épiques de l'Inde, considéré comme étant le 7e avatâra de Viṣnu*. Dans le *Râmâyana**, il est le roi d'Ayodhya et l'époux de Sîtâ. Celle-ci ayant été enlevée par le roi-démon à dix têtes Râvana et emmenée à Ceylan (Lankâ), il se lance dans une terrible guerre contre cette île, aidé par des singes commandés par leur général Hanuman* et par tous les animaux. Il représente la Loi cosmique.

RÂMA. ♦ Nom de règne pris par tous les souverains siamois depuis 1782 (**V. Chakri**). Le roi actuel de Thaïlande, Bhumipol* Adulyadej, a pour nom de règne Râma IX.

RÂMADHIBODHI. ♦ Roi siamois d'U-Thong, fondateur, en 1347, de la capitale du Siam, Ayuthyâ*, sur les rives du Menam. Il agrandit ses États aux dépens des principautés du N. du pays et conquit l'empire khmer. Les lois qu'il établit demeurent célèbres. Il abdiqua en 1369 en faveur de son fils Ramesuen.

RAMADIER (Paul). ♦ Homme politique français (La Rochelle, 1888 – Rodez, 1961). Maire de Decazeville (1919), député (socialiste républicain, 1928), ministre du Travail dans les cabinets Chautemps (janv.-mars 1938), puis Daladier (avril-août 1938), il vota contre les pleins pouvoirs à Pétain (juill. 1940) et passa à la Résistance. Réélu député et maire socialiste après la Libération, il fut nommé ministre du Ravitaillement dans le premier cabinet De Gaulle (1944-1945), puis garde des Sceaux dans le gouvernement Léon Blum (déc. 1946-janv. 1947). Appelé à la présidence du Conseil (janv. 1947), il exclut les ministres communistes du gouvernement (mai 1947), adhéra au plan Marshall, et fit voter le statut de l'Algérie (août 1947). Face à l'agitation sociale, qui lui valut les critiques de son propre parti, P. Ramadier donna sa démission (nov. 1947), mais fut encore chargé des portefeuilles de la Défense nationale (cabinet Queuille, sept. 1948-oct. 1949) et des Affaires économiques (cabinet G. Mollet, févr. 1956-mai 1957).

RÂMA KAMHÈNG. ♦ Chef thai de Sukhôtai (1277 – 1317), véritable fondateur de l'État du Siam. Il créa l'écriture siamoise encore utilisée aujourd'hui.

RÂMAKRIṢNA. ♦ Mystique hindou (Calcutta, 1834 – *id.,*

Ph. Louis Monier
Le château de **Rambouillet.**

1886), promoteur du védântisme, qui eut une énorme influence en son temps. Ses idées furent propagées en Inde et à l'étranger par son disciple Vivekânanda*. Il fonda en 1897 à Belûr près de Calcutta un ordre de religieux hindous portant son nom et qui comprend maintenant des branches dans tous les pays du monde. Bien qu'il n'ait rien écrit lui-même, ses propos furent recueillis par ses fidèles et publiés après sa mort. Râmana* Maharisi continua sa tradition mystique.

RAMALLAH. ♦ V. de Jordanie, située au N. de Jérusalem, en Cisjordanie du Sud, et incluse dans les territoires occupés par Israël. Env. 20 000 hab. Région fertile (arbres fruitiers : oliviers, figuiers; vignobles).

RAMAN (*sir* Chandrasekhara Venkata). ♦ Physicien indien (Trichinopoly [Tiruchirapalli], 1888 – Bangalore, 1970). Il a découvert l'*effet Raman,* concernant les radiations diffusées par un corps pur éclairé par de la lumière monochromatique, contribuant ainsi à résoudre les problèmes de structure atomique. (Prix Nobel de physique, 1930.)

RÂMANA MAHÂRIṢI. ♦ Philosophe religieux hindou (1879 – 1951) qui continua, dans le S. de l'Inde, la tradition mystique de Râmakrisna*. Il n'écrivit rien et refusa d'avoir des disciples.

RÂMÂNUJA. ♦ Philosophe religieux hindou (Kâñcî, Tamilnadu, v. 1050 – v. 1137) d'obédience visnouite. Il dirigea le temple de Śrî Rangam (près de Trichinopoly). Il écrivit de nombreux commentaires et traités sur le Vedânta*, s'opposant aux vues de Śankarâchârya* et créa la philosophie dite du « non-dualisme qualifié ».

RAMAT GAN. ♦ V. d'Israël, dans les faubourgs de Tel*-Aviv. 112 600 hab. (1970). Indus. diverses : alimentaires, textiles; appareils électriques, produits pharmaceutiques. – Centre touristique.

RAMATUELLE. ♦ Comm. du Var*, arr. de Draguignan*. 1 253 hab. Village fortifié. Église du XVIIe siècle.

Râmâyana. *n. m.* ♦ Long poème épique sanskrit en sept parties et 48 000 vers, racontant les aventures héroïques de Râma* à la recherche de son épouse Sîtâ enlevée par le démon Râvana. Il fut rédigé vraisemblablement vers le Ve s. de notre ère sur des textes remontant peut-être au ~ IVe siècle. Trois parties lui furent ajoutées tardivement qui lui donnent un contenu religieux et dévotionnel visnouite.

RAMBERT (Myriam RAMBERG, dite Marie). ♦ Danseuse et chorégraphe anglaise d'origine polonaise (Varsovie, 1888). Élève de Jaques-Dalcroze à Dresde, puis de E. Cecchetti à Saint-Pétersbourg, elle fut un temps la collaboratrice de Diaghilev (1912) puis se fixa à Londres où elle ouvrit une école de danse (1920). Fondatrice du *Ballet Club* (1930) qui devint par la suite le ballet qui porte son nom, elle fit appel à d'éminents professeurs dont T. Karsavina. Douée elle-même d'un remarquable talent pédagogique, elle a formé plusieurs générations de danseurs et de chorégraphes (F. Ashton, A. Markova, M. Fonteyn, A. Tudor, H. Turner).

RAMBERVILLERS [ʀɑ̃bɛʀvilɛʀ] ou [-vile]. ♦ Ch.-l. de cant. des Vosges, arr. d'Épinal, sur la Mortagne. 7 419 hab. *(Rambuvetais).* Église gothique (XVe, XVIe s.); hôtel de ville en grès rouge (XVIe s.). Papeterie, cartonnerie, imprimerie; tonnellerie mécanique; constructions métalliques; fabrique d'orgues. Grès.

RAMBOUILLET. ♦ Sous-préf. des Yvelines, ch.-l. d'arr. (4 cant., 84 comm., 79 433 hab.), dans la forêt de Rambouillet. 15 918 hab. *(Rambolitains).* Le château fut édifié en 1375 sur des fondations plus anciennes. Le comte de Toulouse, fils de Louis XIV et de Mme de Montespan, en modifia la structure : deux ailes furent construites, dont une disparut sous Napoléon Ier. Louis XIV érigea la terre en duché-pairie. Louis XVI acheta le château en 1783 et fit construire la ferme (aujourd'hui Ferme nationale) et la laiterie de la Reine. Le jardin anglais fut achevé suivant les plans d'Hubert Robert*. Le château appartient à l'État depuis 1870, et est une résidence d'été des présidents de la République depuis Félix Faure. Lieu de villégiature. Centre d'enseignement zootechnique. – Parfums; constructions mécaniques; matières plastiques; indus. électronique. – Patrie du duc de Penthièvre*. François* Ier y est mort en 1547.

Rambouillet *(hôtel de)*. ♦ Hôtel construit rue Saint-Thomas-du-Louvre (Paris) par Catherine de Vivonne (« L'incomparable Arthénice »), marquise de Rambouillet (1588 – 1655), qui en dessina l'ordonnance (la « Chambre bleue ») et y reçut des gens du monde et des lettres, de 1620 à sa mort. Préparant ainsi l'idéal de l'« honnête homme » et la littérature classique, on s'y livrait, avec bienséance et sans pédantisme, à des divertissements littéraires et des débats de casuistique amoureuse menés en une langue nuancée et pure. **V. Cotin, Saint-Amant, Sarasin, Voiture, Sablé** (marquise de).

RAMBUTEAU (Claude Philibert BARTHELOT, *comte de***).** ♦ Administrateur français (Mâcon, 1781 – 1869). Chambellan de Napoléon Ier après une mission en Westphalie, préfet (1811) maintenu dans ses fonctions lors de la Première Restauration (1814), député pendant les Cent-Jours, il lutta contre les insurrections royalistes et fut contraint de se retirer de la vie politique au moment de la Seconde Restauration (1815). Député de l'opposition en 1827, il signa l'« adresse* des 221 » (1830). Sous la monarchie de Juillet, il fut nommé préfet de la Seine (1833-1848) et réalisa de nombreux travaux d'embellissement et d'assainissement de la capitale (notamment le percement de la rue qui porte aujourd'hui son nom, achèvement de l'Arc de Triomphe, éclairage au gaz).

RAMEAU (Jean Philippe). ♦ Compositeur français (Dijon, 1683 – Paris, 1764). Il fut sans doute l'élève de son père, organiste à Dijon, et fit de médiocres humanités chez les Jésuites. Il entreprit un bref voyage en Italie, et n'ayant pas dépassé Milan, revint en France. On l'y retrouve organiste à Avignon, Clermont-Ferrand et Paris (1705) où son *Premier Livre de pièces de clavecin* passa inaperçu. De retour à Dijon, il succéda à son père à la tribune de l'orgue de Notre-Dame (1709), séjourna un temps à Lyon, puis revint à la cathédrale de Clermont (1715) où, dans la retraite, il composa son principal ouvrage théorique, *Traité de l'harmonie réduite à ses principes naturels,* qu'il fit paraître à Paris (1722) et qui précédait un autre écrit théorique, la *Génération harmonique* (1737). À sa rentrée dans la capitale, il fut tenu bientôt pour un pédagogue éminent, sinon pour un compositeur de qualité, malgré la publication de son *deuxième livre de clavecin* (1724). La parution de son *Nouveau Système de musique théorique* (1726) relança les discussions que suscitait une pensée audacieuse dont on ne soupçonnait guère qu'elle définissait les principes sur lesquels allait reposer toute l'harmonie moderne. La rencontre du fermier général Riche de la Pouplinière qui fit de lui son maître de musique (v. 1730) décida de son destin. Grand amateur de théâtre, le financier lui fit connaître Voltaire (qui devait lui fournir deux livrets) et lui ouvrit les portes de l'Opéra (*Hippolyte et Aricie,* 1733). À cinquante ans, Rameau avait enfin trouvé sa voie. Elle fut novatrice et souvent triomphale, avec trente-deux opéras (tragédies lyriques, comédies-ballets, opéras-comiques) dont *Les Indes galantes* (1735), *Castor et Pollux* (1737), *Les Fêtes d'Hébé* (1739), *Dardanus* (1739), *Platée* (1745), *Zoroastre* (1749). Il convient d'y ajouter les admirables *Pièces de clavecin en concert* (1741) qui annonçent, par le rôle dévolu à l'instrument soliste, les œuvres de Haydn et de Mozart. Nommé « compositeur de la chambre du roi » (1745), Rameau devait encore, dans une période féconde qui va jusqu'à 1757, produire une comédie-ballet, *La Princesse de Navarre* (livret de Voltaire), pour le mariage du dauphin, et se trouver engagé dans la fameuse querelle des Bouffons (1752-1754) où, contre Rousseau, Grimm et les encyclopédistes, partisans de la musique italienne, il eut à défendre, par de nombreux écrits théoriques, avec un talent et une science que ne posséda jamais aucun de ses adversaires, le style d'opéra qu'il avait, après Lully*, porté à la perfection. Ses dernières années marquèrent son déclin. L'acharnement de ses ennemis et la désaffection du public pour un genre dont il jugeait la pompe démodée eurent pour effet la rapide disparition du répertoire de tous ses ouvrages lyriques. – Nature austère, peu disposée à l'épanchement, mais douée d'une franchise redoutable, Rameau fut d'abord un homme de pensée qui a poursuivi sur son art la réflexion la plus savante et la plus approfondie. Théoricien de la musique, il a formulé une définition claire de l'harmonie, selon lui antérieure à la mélodie, chaque succession d'accords ayant son expression particulière et se révélant apte à traduire musicalement tous les sentiments. Illustrant cette conception que l'on peut dire purement rationaliste, Rameau possède la vigueur et la grâce de Lully et y joint une profonde mélancolie que son prédécesseur Lully n'a jamais exprimées. Symphoniste plus encore qu'homme de théâtre, il s'en distingue aussi par l'invention mélodique, la couleur orchestrale, la recherche de timbres nouveaux.

RAMEL (Jean-Pierre). ♦ Général français (Cahors, 1768 – Toulouse, 1815). Chef de bataillon en 1792, puis de la garde du Corps législatif en 1797, il fut déporté en Guyane après le coup d'État du 18 fructidor an V (4 septembre 1797). Amnistié après le coup d'État du 18 Brumaire, il prit part aux campagnes de l'Empire et fut nommé maréchal de camp. Chargé de réprimer la Terreur* blanche, il fut tué par les bandes royalistes (Verdets) à Toulouse.

RAMEL DE NOGARET (Jacques). ♦ Homme politique français (Carcassonne, 1760 – Bruxelles, 1829). Avocat, élu député aux États généraux (1789), il s'y montra partisan des idées nouvelles. Réélu à la Convention, il adopta une attitude relativement modérée, fut envoyé en mission en Hollande. Membre du Conseil des Cinq-Cents, puis ministre des Finances (1796-1799) sous le Directoire, il se tint à l'écart de la vie politique sous le Consulat et l'Empire. Préfet lors des Cent-Jours, il fut exilé comme régicide en 1816.

Ramesseum [-seɔm]. ♦ Appellation donnée au siècle dernier au temple funéraire de Ramsès* II (que Diodore de Sicile décrivait sous le nom de « tombe d'*Osymandias* », forme grecque d'*Ousimarê*, prénom de Ramsès II), situé au S.-E. de la colline de Cheik Abd al-Gournah, dans la partie occidentale de l'ancienne Thèbes*. L'édifice, aujourd'hui très détérioré, présente encore quelques aspects remarquables : le torse et les débris d'une statue colossale de Ramsès II, les bas-reliefs du premier pylône représentant la bataille de Qadesh et le magasin du temple dont les voûtes de brique sont très bien conservées.

RAMILLIES [-miji]. ♦ Localité de Belgique (Brabant), près de Louvain. Victoire de Marlborough* sur Villeroi* (1706).

RAMIRE. ♦ Nom de cinq rois d'Aragon*, de León* et des Asturies*. ♦ RAMIRE Ier (v. 1000 – 1063). Premier roi d'Aragon (1035-1063). Il agrandit son royaume et prit part aux luttes contre les Maures, au cours desquelles il mourut. ♦ RAMIRE II, dit *le Moine* (v. 1094 – Huesca, 1154). Roi d'Aragon (1134-1137). Petit-fils de Ramire Ier d'Aragon, il maria sa fille à Raimond* Bérenger IV, comte de Barcelone. Cette union rapprocha le royaume et le comté et orienta désormais l'Aragon vers la Méditerranée. ♦ RAMIRE Ier (v. 791, Oviedo – 850). Roi des Asturies (842-850). Il combattit contre les Maures (prise de León, 846). ♦ RAMIRE II ([mort] León, 951). Roi de León (931-951). Il succéda à Alphonse* IV qui avait abdiqué. Ce dernier se révolta, mais Ramire le vainquit et lui fit crever les yeux. Il fut le grand vainqueur d'Abd* al Rahman III à Simancas, après avoir pris Madrid (932). ♦ RAMIRE III (v. 962 – v. 984). Roi de León (965-984). Fils et successeur de Sanche* Ier de León, il fut battu par les Maures et son vainqueur prit le titre de Al Mansûr*. Devant la révolte de ses sujets, il se retira à Astorga.

RAMLAH ou **RAMLEH.** ♦ V. d'Israël, située au S.-E. de Tel*-Aviv, entre la Cisjordanie et la mer. Ch.-l. du district du centre. Env. 25 000 hab. Indus. mécaniques. Nœud de communications (chemin de fer et route Tel-Aviv-Jérusalem, route reliant le Nord et le Néguev).

RAMOLINO (Marie Letizia). ♦ V. BONAPARTE.

RAMON (Gaston Léon). ♦ Bactériologiste français (Bellechaume, Yonne, 1886 – Garches, 1963). Ses recherches sur les propriétés et les applications des anatoxines diphtérique et tétanique sont à la base de la vaccination associée. (Acad. méd., 1934; Acad. sc., 1943.)

RAMOND de CARBONNIÈRES (Louis, *baron***).** ♦ Homme politique, géologue et botaniste français (Strasbourg, 1755 – Paris, 1827). Conseiller du cardinal de Rohan, député du parti royaliste constitutionnel à l'Assemblée législative, il dut abandonner son siège (août 1789). Il fut ensuite préfet du Puy-de-Dôme (1806) sous l'Empire et conseiller d'État sous Louis XVIII. Comme géographe, il est connu par ses travaux sur les Pyrénées (*Observations sur les Hautes-Pyrénées,* 1789; *Voyage au mont Perdu,* 1801).

RAMÓN Y CAJAL (Santiago). ♦ **V.** CAJAL (Santiago RAMÓN Y).

RAMPUR. ♦ V. de l'Inde (Uttar Pradesh), située sur le Gange, à 180 km à l'E. de Delhi*. 161 800 hab. Indus. chimique, textile (coton), artisanat de sabres damasquinés et de poteries.

RAMSAY (*sir* **William).** ♦ Chimiste anglais (Glasgow, 1852 – High Wycombe, Bucks, 1916). Il interpréta le mouvement brownien **(V. Brown)**, découvrit les gaz rares de l'air : l'hélium (1894),

Arch. Rencontre

Jean-Philippe Rameau, par Carmontelle. (Musée de Chantilly.)

l'argon (1895), le néon, le krypton, le xénon, etc. (1898), et détermina, avec Debierne*, la masse atomique du radium. (Prix Nobel de chimie, 1904.)

RAMSDEN (Jesse). ♦ Mécanicien anglais (Salterhebble, Yorkshire, 1735 – Brighton, 1800). Afin d'établir des règles géodésiques, il a inventé une machine électrostatique, le théodolite, et étudié la dilatation des métaux.

RAMSÈS [ʀamsɛs]. ♦ Nom de plusieurs pharaons des XIXe et XXe dynasties dites « ramessides » (Nouvel Empire). ♦ RAMSÈS Ier, premier pharaon de la XIXe dynastie (v. ~ 1314 – ~ 1312), successeur d'Horemheb*. Très âgé, il associa son fils Séthi **(V. Séthi Ier)** au gouvernement et lui laissa la réalité du pouvoir. ♦ RAMSÈS II, fils et successeur de Séthi Ier (v. ~ 1300 – ~ 1235). Brillant homme de guerre et grand bâtisseur, ce pharaon, à la descendance considérable, est une des plus importantes figures de l'histoire égyptienne. Contre les Hittites*, il remporta l'indécise victoire de Qadesh qui aboutit au traité de ~ 1278 et au partage de la Syrie entre Hittites et Égyptiens. L'Empire y gagna quarante ans de paix pendant lesquels Ramsès II donna au pays une parure monumentale. Il fit restaurer tous les temples et entreprit de célèbres travaux : salle hypostyle de Karnak*, temple funéraire d'Abou*-Simbel, avant-cour du temple de Louxor* auquel un grand pylône avec deux colosses et deux obélisques en granit (l'un d'eux se trouve sur la place de la Concorde à Paris) servait de façade, colosses et temples d'Abydos*, Tanis*, Memphis*, Héliopolis*. Il bâtit à Thèbes le Ramesseum* et fonda sa capitale *Pi-Ramsès*, la future Tanis, dans le delta, près de l'ancienne forteresse des Hyksos. Malgré son goût du grandiose et d'un certain baroque qui entraîna peut-être une dégradation des arts, il laissa un style caractéristique **(V. Égypte)**. ♦ RAMSÈS III, deuxième pharaon de la XXe dynastie (v. ~ 1198 – ~ 1168), fils et successeur de Sethnakt. Il eut à défendre l'Empire menacé par les invasions indo-européennes. Il défit les Lybiens à l'O. et arrêta à l'E. la vague dévastatrice des peuples* de la Mer, laissant aux Philistins* le littoral palestinien. Dernier des grands pharaons, il poursuivit l'œuvre monumentale de Ramsès II et fit construire à Thèbes le temple de Médinet*-Habou et à Karnak* le temple de Khonsou*. ♦ De RAMSÈS IV à RAMSÈS XI (v. ~ 1168 – ~ 1085). Le règne de ces huit pharaons, successeurs de Ramsès II, vit la décomposition morale et matérielle de l'Égypte : aggravation de la misère, révoltes dans le delta, pillage des tombes royales, ruine de *Pi-Ramsès* et influence croissante du clergé d'Amon qui mena à la crise définitive; Hérihor*, général devenu grand-prêtre d'Amon, usurpa le pouvoir et régna sur la Haute-Égypte tandis que Smendès*, établi à Tanis*, reprenait le titre de pharaon et gouvernait la Basse-Égypte.

RAMSGATE. ♦ V. et port du S.-E. de l'Angleterre (Kent) et importante station balnéaire sur la côte de la mer du Nord, au S. du *North Foreland*. 36 900 hab. Yachting.

RAMUS [ʀamys] **(Pierre de LA RAMÉE**, plus connu sous le nom latin **de)**. ♦ Humaniste, mathématicien et philosophe français (Cuts, Vermandois, 1515 – Paris, 1572). Hostile à la tradition scolastique, il écrivit deux ouvrages contre Aristote*, ce qui lui valut l'opposition de la Sorbonne. Il devint néanmoins le premier professeur de mathématiques du Collège royal (Collège de France). Embrassant la Réforme, il dut abandonner sa chaire et la reprit après la paix d'Amboise, de 1563 à 1567. Il publia une *Arithmetica* (1555) et divers travaux regroupés en un ouvrage (*Scholarum mathematicorum libri unus et triginta*, 1569), dans lequel son traitement du nombre négatif (« deux négations équivalent à une position ») mérite d'être mentionné. Il mourut assassiné à la Saint-Barthélemy.

RAMUSIO (Giovanni Battista). ♦ Géographe, érudit et homme politique italien (Trévise, 1485 – Padoue, 1557). Secrétaire du Sénat à Venise (1515) et au Conseil des Dix (1533), il fut envoyé comme ambassadeur de nombreux pays. Son ouvrage *Delle navigazioni e viaggi* (comportant entre autres le récit du voyage de Marco Polo et la description de l'Afrique de Léon l'Africain) fut publié de 1550 à 1559.

RAMUZ [ʀamy] **(Charles Ferdinand).** ♦ Écrivain suisse d'expression française (Cully, Lausanne, 1878 – *id.*, 1947). Venu préparer son doctorat ès lettres à Paris, il y resta onze ans, de 1902 à 1913 (Cf. *Paris, notes d'un Vaudois*, 1938). Après une crise morale, dont on retrouve l'écho dans *Aimé Pache, peintre vaudois* (1910), Ramuz revint s'installer définitivement dans le canton de Vaud, liant désormais son inspiration à son terroir. – Dans ses essais (*Taille de l'homme*, 1933; *Question*, 1936; *Besoin de grandeur*, 1937), Ramuz, moraliste, célèbre une sagesse terrienne et spiritualiste; dès la *Vie de Samuel Belet* (1913) et *La Guérison des maladies* (1917), l'écrivain s'attache à évoquer les forces latentes de l'homme, qui dépassent les phénomènes naturels. Tableaux d'un visionnaire qui guette *Les Signes parmi nous* (1919), les romans de Ramuz reposent sur le contraste entre un cadre rassurant et des événements dramatiques, voire surnaturels (Cf. *Joie dans le ciel*, 1925), qui y naissent brusquement : lyriques quand triomphent les forces vives de l'existence (*La Fête des vignerons*, 1929; *Si le soleil ne revenait pas*, 1937), ces récits évoluent volontiers vers un naturalisme tragique pour dépeindre des forces obscures et malfaisantes, face auxquelles les hommes doivent se regrouper (*La Grande Peur dans la montagne*, 1927; *Derborence*, 1934). Une de ces forces est la beauté qui s'incarne, parfois dramatiquement, dans la nature, lui apportant un élément d'immortalité (*Le Garçon savoyard*, 1936; *La Beauté sur la terre*, 1927). – En accord avec son objet (« retour à l'élémentaire, parce que retour à l'essentiel »), Ramuz procède par images réalistes (toujours liées aux mœurs du pays romand), suivant une technique expressionniste qui suscite une poésie puissante; sa langue, savamment naïve, se veut accordée au rythme du terroir vaudois.

Ph. Giraudon

Jean Ranc : « Ferdinand VI enfant. » (Musée du Prado, Madrid.)

RANAVALONA III. ♦ (1862 – Alger, 1917). Reine de Madagascar (1883-1897). Cousine de Ranavalona II, elle épousa le Premier ministre Rainilaiarivony, veuf des deux reines précédentes. Elle tenta de résister aux Français, mais dut signer le traité de Tamatave (1885) qui établissait un début de protectorat, la diplomatie étant confiée à un résident français à Tananarive. Une expédition française eut lieu en 1895, permettant la prise de Tananarive (1895) et l'établissement du protectorat français (1896). Gallieni transforma le protectorat en annexion (sept. 1896) et, rendant la reine coupable d'une insurrection, il la déposa en févr. 1897, et la fit déporter à la Réunion, puis en Algérie.

RANC (Jean). ♦ Peintre et dessinateur français (Montpellier, 1674 – Madrid, 1735). Neveu de Rigaud*, il travailla principalement en Espagne et pour Jean V de Portugal. Portraitiste de cour, il continua la tradition du portrait d'apparat *(Philippe V à cheval et la victoire)*, mais fut plus sensible et plus libre dans ses portraits d'infants *(Don Fernando)*.

RANC (Arthur). ♦ Homme politique français (Poitiers, 1831 – Paris, 1908). Républicain déporté à Lambessa (1853), pour sa participation à plusieurs complots contre le Second Empire, il parvint à s'évader et revint en France lors de l'amnistie de 1859. Nommé directeur de la Sûreté générale par Gambetta (1870), il fit partie de la Commune de Paris, et, condamné à mort par contumace, resta en Belgique jusqu'en 1879. À son retour en France, il siégea à la Chambre des députés (1881-1885), puis au Sénat (1891-1900, 1903-1908) et fut un des principaux animateurs de la presse radicale.

RANCAGUA. ♦ V. du Chili central, ch.-l. de la prov. d'O'Higgins. 60 000 hab. Centre commercial. Mines de cuivre dans la région. – Haute cordillère du Chili central, qui relie les Andes au Pacifique, avec la ville d'El* Teniente aux abords des Andes.

RANCE. *n. f.* ♦ Fl. de Bretagne (100 km), qui se jette dans la Manche en un long estuaire sur lequel se trouvent Saint*-Servan et Saint*-Malo; il arrose Dinan*. – Une usine marémotrice (la première au monde) construite de 1961 à 1966 ferme l'estuaire de la Rance, constituant ainsi un bassin de retenue et permettant l'utilisation des marées pour la production d'énergie électrique.

RANCÉ (Armand Jean LE BOUTHILLIER *de*). ♦ Religieux français (Paris, 1625-1626 – Soligny, 1700). Ecclésiastique brillant et mondain, il renonça aux dignités après la mort de la duchesse de Montbazon (1657) et celle de Gaston d'Orléans (1660) pour entrer chez les Cisterciens (1663), devint abbé de Notre-Dame-de-la-Trappe à Soligny près de Mortagne (1664), réforma son abbaye dans le sens d'une stricte austérité **(V. Trappe)**. Au sujet des études monastiques, qu'il proscrivait, il eut une polémique avec Mabillon*, mais tous deux se réconcilièrent. Auteur de *La Sainteté* *et les devoirs de la vie monastique* (1683). – *La Vie de Rancé,* œuvre de Chateaubriand* (1844).

RÂNCHI. ♦ V. de l'Inde (Bihâr), située dans les monts du Chhota Nagpur. 200 000 hab. Grand centre commercial (huiles, coton, maïs) et artisanal (laque, soie). Université.

RAND. *n. m.* ♦ **V.** WITWATERSRAND.

RANDENS. ♦ Comm. de la Savoie, arr. de Saint-Jean-de-Maurienne. 606 hab. Usine hydro-électrique sur une dérivation de l'Isère.

RANDERS. ♦ V. du Danemark, au N.-E. du Jutland*, sur le Guden Å. Ch.-l. du département homonyme. 42 800 hab. Église Saint-Martin (XVe s.), couvent du Saint-Esprit (1436), hôtel de ville (1768). – Capitale commerciale de la région. Matériel ferroviaire et agricole, textiles, cuir.

RANDFONTEIN. ♦ V. d'Afrique* du Sud (Transvaal) dans le Witwatersrand*. 40 000 hab. Or.

RANDON (Jacques Louis César Alexandre). ♦ Maréchal de France (Grenoble, 1795 – Genève, 1871). Après avoir participé avec Bugeaud* à la conquête de l'Algérie sous la monarchie de Juillet, il fut nommé ministre de la Guerre (janvier 1851) sous la IIe République, mais remplacé dès octobre 1851 par Saint-Arnaud. Gouverneur de l'Algérie (1852-1858), promu maréchal (1856), il reprit ses fonctions au ministère de la Guerre (1859-1867), mais fut remplacé par Niel* après l'échec de l'expédition du Mexique. Ses *Mémoires* furent publiés de 1875 à 1877.

RANDSTAD. *n. f.* ♦ Ensemble urbain des Pays-Bas occidentaux **(V. Pays-Bas)** constitué par des villes dont les fonctions sont interdépendantes : fonctions gouvernementales à La Haye*, portuaire et commerciale (commerce de gros) à Rotterdam*, financière (tertiaire supérieur et commerce de détail) à Amsterdam*. L'expansion urbaine est contrôlée grâce à la législation : depuis 1901, les villes de plus de 10 000 hab. doivent avoir un plan d'aménagement, ce qui permet d'incorporer urbanisme et architecture aux éléments caractéristiques du paysage, et de résoudre les problèmes régionaux (eau, trafic).

RANGOON, en birman **Yangon** ou **Yan Kon** « la fin ». ♦ Capitale de la Birmanie et principal port du pays, sur la riv. Rangoon, affl. de l'Irawady* à 34 km de la mer. Env. 2 000 000 d'hab. Le centre de la ville est construit sur un plan rectangulaire, dessiné v. 1850. Elle est dominée par l'immense pagode dorée de Shwe Dagon, de 112 m de hauteur. Importante université (fondée en 1920). Indus. alimentaires (riz) et du bois (teck). Indus. légères. Artisanat (soie, laque), constructions navales en face, à Syriam. Centre commercial et bancaire. Le port exporte du riz, du bois, des minerais (plomb, zinc), du coton, du tabac. ♦ *Hist.* De fondation très anc., Rangoon ne devint une ville importante qu'en 1755, et la cap. de la Birmanie en 1886, après la chute de Mandalay*. La main-d'œuvre y était surtout indienne et les commerçants chinois (en 1931, 280 000 hab. sur 400 000 étaient non Birmans). L'afflux de réfugiés, après 1950, modifia l'équilibre démographique.

RANJIT SINGH. ♦ Chef sikh du Pañjâb* (1780 – 1839). Après avoir réorganisé son armée, il agrandit son territoire, fondant ainsi le premier État Sikh, puis s'allia aux Anglais contre les Afghâns. Il conquit le Kaśmîr (Cachemire*) en 1823.

RANK (Otto ROSENFELD, dit). ♦ Psychiatre autrichien (Vienne, 1884 – New York, 1939). Disciple de S. Freud* dès 1906, il a étudié dans une perspective psychanalytique *Le Mythe de la naissance du héros* (1909), manifestation du conflit psychologique de l'enfant avec le père. Dans *Le Traumatisme de la naissance* (1924), première expérience vécue de l'angoisse, il a analysé les expressions psychologiques de la séparation de la mère. Après la publication de cet ouvrage très controversé, O. Rank poursuivit ses travaux dans une voie originale, tant sur le plan thérapeutique, où il montra l'importance de la relation psychanalyste-patient lors de la cure (*Technique psychanalytique* [...]), que théorique, avec la publication d'une étude importante sur *L'Art et l'Artiste* (1932).

RANKE (Leopold *von*). ♦ Historien allemand (Wiche, 1795 – Berlin, 1886). Après des études de théologie et de philologie, il se consacra à l'histoire dont il fut un des premiers en Allemagne à faire une discipline objective. Ayant pu consulter les archives de Vienne, Venise, Florence et Rome, il recueillit des renseignements qui servirent de base à plusieurs de ses ouvrages. Nommé professeur d'histoire à l'université de Berlin (1825-1871) après la publication de son *Histoire des peuples romans et germains de 1494 à 1535* (1824), il a laissé une œuvre abondante dont plusieurs écrits sur l'histoire de l'Europe aux XVIe et XVIIe s. ainsi qu'une histoire du monde (*Weltgeschichte,* 1881-1888 ; inachevée).

RANKINE (William). ♦ Ingénieur et physicien écossais (Édimbourg, 1820 – Glasgow, 1872). Il différencia les énergies mécaniques potentielle et cinétique, fondant ainsi l'énergétique. **V. Ostwald.** Il participa également au progrès de la machine à vapeur. **V. Watt.**

RANSART. ♦ Comm. de Belgique (Hainaut, arr. de Charleroi). 10 500 hab. Houillères. Indus. chimiques et métallurgiques.

RANSON (Paul). ♦ Peintre, dessinateur, graveur et écrivain français (Limoges, 1864 – Paris, 1909). Il fut élève de l'académie Julian, évolua dans les milieux symbolistes et, à partir de 1889, réunit dans son atelier les peintres nabis. Il exécuta des lithographies en couleurs pour la *Revue blanche,* des cartons de tapisseries et des tableaux de caractère décoratif, aux lignes ondoyantes, aux tons chauds parfois sourds et d'où la troisième dimension est exclue. L'académie qu'il fonda en 1908 obtint un succès notable.

RANTZAU (Jean, *comte de*). ♦(1492 – 1565). Gentilhomme du Holstein. Il contribua à l'avènement de Frédéric* Ier contre Christian* II et devint gouverneur du Holstein et du Schleswig. ♦ JOSIAS, *comte de* RANTZAU (Bothkamp, Holstein, 1609 – Paris, 1650). Maréchal de France. Il servit successivement la Hollande, la Suède, l'Autriche et la France, pour laquelle il s'illustra en Flandre. Il fut arrêté pendant la Fronde*.

RANVIER (Gabriel). ♦ Homme politique français (Bougy, Cher, 1828 – Paris, 1879). Ouvrier peintre-décorateur, disciple de Blanqui, il appartint au Comité central de la Garde nationale et au 3e Comité de salut public de la Commune de Paris et se réfugia en Angleterre après la Semaine sanglante (22-28 mai 1871).

RANVIER (Louis Antoine). ♦ Histologiste français (Lyon, 1835 – Vendranges, Loire, 1922). Formé à l'école de C. Bernard*, il devint directeur du laboratoire d'histologie et enseigna au Collège de France. Il fut un habile technicien et expérimentateur en histologie et physiologie. (Acad. sc., 1887.)

RAON-L'ÉTAPE [ʀɑ̃] et [ʀaɔ̃]. ♦ Ch.-l. de cant. des Vosges, arr. de Saint-Dié, sur la Meurthe. 7 779 hab. *(Raonnais).* Papeteries; fonderies; textiles; indus. du bois.

RAOUL ou **RODOLPHE de Bourgogne.** ♦ ([mort] Auxerre, 936). Roi de France (923-936). Fils de Richard, duc de Bourgogne et gendre de Robert* Ier, roi de France, il fut élu roi à la mort de ce dernier. Il combattit avec succès les Hongrois et les Normands. – Il eut pour successeur Louis* IV.

Raoul de Cambrai. ♦ Chanson de geste qui fait partie du cycle de *Doon* de Mayence* (XIIe s.). – C'est le récit de la guerre privée qui oppose les comtes de Vermandois à Raoul de Cambrai. Ce personnage, poursuivant férocement ses ennemis **(V. Hugo** [Victor] : *L'Aigle du casque*) montre une âme révoltée et cependant pieuse, incarnant en cela les complexités du héros épique.

RAOUL GLABER (« le chauve » ou « l'imberbe »). ♦ Moine et chroniqueur bourguignon (av. 985 – av. 1050), auteur d'une *Histoire de France et de Bourgogne* (quatre livres) sur l'époque de l'an mille, et d'une vie de Guillaume de Volpiano.

RAOULT [ʀaul] **(François Marie).** ♦ Chimiste et physicien français (Fournes-en-Veppes, Nord, 1830 – Grenoble, 1901). Auteur de recherches sur les propriétés physiques des solutions, il énonça les lois qui portent son nom sur l'abaissement du point de congélation d'un liquide contenant un corps dissous (1882-1883), puis étendit ces lois aux phénomènes de tension de vapeur et d'ébullition (1886-1890), fondant ainsi la cryométrie, la tonométrie et l'ébulliométrie.

RAPA. ♦ Île du S.-E. de l'archipel des Tubuaï* (Polynésie française) en forme de croissant. Son principal centre de peuplement est *Ahurei,* port abrité. L'île est fertile, avec un climat tempéré humide.

RAPALLO. ♦ V. d'Italie, en Ligurie (prov. de Gênes), au S.-E. de Gênes, sur la Riviera di Levante. 24 700 hab. Port et station balnéaire fréquentée. ♦ *Hist.* Deux traités y furent signés. Le *premier,* le 12 nov. 1920, entre l'Italie et la Yougoslavie, donnait à l'Italie Zara et quelques îles dalmates laissant le reste de l'archipel à la Yougoslavie et faisant de Fiume* une ville libre. Le *second traité de Rapallo* fut signé en avril 1922 entre l'Allemagne et la Russie (huit mois avant l'apparition de l'U.R.S.S.). Les deux pays renonçaient à toute réparation de guerre et renouaient des relations diplomatiques et économiques. Une clause secrète autorisait

Ph. Prato/Ricciarini

Rangoon : pagode dorée de Shwe Dagon.

Arch. Smeets
Raphaël : « Les Trois Grâces. »
(Musée Condé, Chantilly.)

l'initiation en Russie d'officiers allemands aux armes interdites par le traité de Versailles.

RAPHAËL *(saint)*. ♦ Archange, personnage biblique du Livre de Tobit* où il apparaît comme le « bon ange » de Tobie*. Il est dans la Bible (*Tobit*, XII, 15) « l'un des sept anges qui se tiennent devant Dieu », plus spécialement guérisseur (son nom signifie en hébreu « Dieu guérit »). Fête le 29 septembre.

RAPHAËL (Raffaello SANZIO, dit**)**. ♦ Peintre italien (Urbin, 1483 – Rome, 1520). Il fit son apprentissage en Ombrie et dans les Marches au moment où la manière douce du Pérugin* supplanta le style tendu de Melozzo*. D'ailleurs, sa première œuvre datée, *Le Mariage de la Vierge* (1504, Milan, Brera) développe un motif qu'utilisa le Pérugin dans sa *Remise des clés* (chapelle Sixtine, Vatican) : les personnages participant à la cérémonie sont concentrés au premier plan tandis que le décor architectural, relégué au fond du tableau à la suite d'un grand espace vide donnant une judicieuse respiration à la composition, se limite à un temple sur plan centré traversé par des effets lumineux; derrière, les collines lointaines sont traitées selon la couverture ombrienne. Lors de son séjour florentin, Raphaël assimila aussi bien les découvertes de Léonard* que la manière massive, dessinée et sculpturale de Michel*-Ange. Il adopta le *sfumato* dans la *Madone du grand-duc* (Florence, Pitti), la composition pyramidale dans *La Belle Jardinière* (1507, Louvre) et dans la *Madone du Belvédère* (1506, Vienne), le rapport adoucissant entre le paysage et les personnages dans la *Madone au chardonneret* (1506, Florence, Offices) comme dans la *Maddalena Doni* (1505, Pitti). Toutes ces œuvres proposent une sorte d'expression parfaite de la beauté féminine qui débarrassa de toute trace de mièvrerie les visages doux et ovales du Pérugin. Par ailleurs, dès la *Mise au tombeau* (1507, Rome, Galleria Borghese), l'organisation serrée des personnages fortement taillés annonce l'influence de Michel-Ange, encore plus apparente dans certains de ses travaux romains (*Isaïe, Sant'Agostino; Les Sibylles*, 1514, Santa Maria della Pace). Appelé à Rome en 1508 à la suite des recommandations de son concitoyen Bramante*, il y devint le peintre officiel de la papauté sous les pontificats de Jules* II (1503-1513) et de Léon* X (1513-1521). La décoration des trois *Stanze* du Vatican (salles de l'appartement de Jules II) reste son œuvre majeure : la *Chambre* dite *de la Signature* (1509-1511) offre quatre scènes (la *Dispute du saint sacrement; l'École d'Athènes;* le *Parnasse* et les *Décrétales*) illustrant les quatre volets d'une doctrine néo-platonicienne et chrétienne « reconnaissant le Vrai sous ses deux aspects : révélé et naturel, le Beau et le Bien » (Chastel). La variété rythmique y est soumise à une composition en partie dégagée organisant l'ensemble des lignes dans un équilibre tout classique. La *Chambre d'Héliodore* (1511-1514), où sont peintes les épreuves historiques du pontificat *(Héliodore chassé du Temple, Messe de Bolsena, Saint Pierre délivré par l'Ange, Léon Ier arrêtant Attila aux portes de Rome)*, annonce un tournant dans la technique chromatique et formelle de Raphaël; aussi *La Messe de Bolsena* révèle-t-elle l'influence de Titien* découvert à Rome par l'intermédiaire de Sebastiano* del Piombo tandis que la *Délivrance de saint Pierre* associe subtilement trois effets lumineux de diverses origines : si la cellule est inondée par la lumière céleste et irréelle émanant de l'ange, si les escaliers et le paysage sont éclairés par les nuances bleues de la lune, les armures des soldats sont prétextes à un jeu de reflets émanant de la flamme que dégage le flambeau. Dans la *Chambre* dite *de l'Incendie du bourg* (1514-1517), les scènes historiques sont enrichies par des significations contemporaines *(L'Incendie du bourg*, la *Bataille d'Ostie*, le *Couronnement de Charlemagne*, le *Serment de Léon III);* seuls les dessins de ces fresques sont de Raphaël. La dernière salle (*Chambre de Constantin*, 1517-1525) comme les *loges* du Vatican furent décorées par des élèves. Simultanément, Raphaël peignit pour Agostino Chigi, mécène et banquier siennois, le *Triomphe de Galatée* (1514, Rome, Farnésine) et dessina *L'Histoire de Psyché* (1518, *id.*) colorée par des tonalités rougeâtres par ses élèves Jules* Romain et Penni. Il peignit aussi une série de Vierges dont la plus célèbre est la *Madone à la chaise* (1514-1515, Pitti) montrant une parfaite composition circulaire où le corps de la Vierge suit la courbe du *tondo*. À partir de 1515, Raphaël exécuta les cartons pour tapisserie glorifiant les *Actes des Apôtres* (Victoria and Albert Museum, Londres) dans un dessin vigoureusement michélangelesque, des coloris richement vénitiens et un espace classiquement ample. Raphaël excella aussi dans le portrait en alliant la pénétration psychologique à la luminosité et à la douceur des gammes (portraits de : *Agnolo Doni*, Pitti; *Maddalena Doni*, Pitti; *Castiglione*, 1516, Louvre; *Navagero*, 1516, Galleria Doria, Rome, etc.). L'activité architecturale du maître est fort controversée. Cependant, outre la direction du chantier de Saint-Pierre qu'il assuma à partir de 1514, seule la *chapelle Chigi* (Rome, Santa Maria del Popolo), petit édifice sur plan central coiffé d'une coupole où figurent les astres et les anges qui les dirigent, peut lui être attribuée avec certitude. Par sa manière de s'effacer et d'assimiler les nouveautés proposées par divers courants, par son esprit de synthèse qui sut intégrer des recherches paraissant irréconciliables dans des compositions monumentales soumises à l'emprunt de l'équilibre classique, par l'impact narratif de sa peinture d'histoire, par sa participation affable au milieu officiel, Raphaël, tout particulier qu'il fut dans le rendu d'une expression juste et nuancée des caractères comme dans l'harmonieuse fusion du dessin et de la couleur, donna des arguments irréfutables à l'académisme pour qui il fut la référence suprême.

RAPHAEL (Gunter). ♦ Compositeur allemand (Berlin, 1903 – Herford, 1960). Après des études à Berlin, il enseigna au conservatoire de Leipzig de 1926 à 1934, puis cessa toute activité publique jusqu'en 1945. Il fut ensuite professeur de composition à Duisburg, à Mayence, puis à Cologne. Il participa comme compositeur à la rénovation du chant choral et au renouveau liturgique des églises protestantes.

RAPHSON (Joseph). ♦ Mathématicien anglais (1648 – 1715). **V. Newton.**

RAPID CITY. ♦ V. des États-Unis, située dans l'O. du Dakota du Sud, au pied des *Black Hills*, sur le *Rapid Creek* (« ruisseau des rapides »). 43 835 hab. (1970). – Centre d'une région minière (or, argent, béryllium, uranium) et agricole (élevage), la ville possède quelques indus. (bois, etc.). Centre touristique important **(V. Rushmore** [mont]**)**.

RAPIN (Nicolas). ♦ Magistrat français (Fontenay-le-Comte, 1535 – Poitiers, 1608), l'un des auteurs de la *Satire* Ménippée* (1594), qu'il agrémenta de poèmes.

RAPIN (*le Père* **René)**. ♦ Théologien et écrivain français (Tours, 1621 – Paris, 1687). Jésuite, professeur d'humanités, il se signala par son opposition au mouvement janséniste. Outre une *Histoire du jansénisme* (publ. 1860), et des *Mémoires sur l'Église, la société* [...] (1644-1669, publ. en 1865), il avait écrit des poésies sacrées, des *Observations sur Horace et Virgile* (1669), des *Réflexions sur l'éloquence* (1672), des *Réflexions sur la Poétique d'Aristote* (1674).

RAPP (Jean, *comte***)**. ♦ Général français (Colmar, 1771 – Rheinweiler, 1821). Aide de camp du Premier Consul, après avoir participé à la campagne d'Égypte et à la bataille de Marengo, il fut nommé ambassadeur extraordinaire en Suisse (1802), puis gouverneur de Dantzig (1807-1809). Il se distingua ensuite lors de la campagne de Russie et lors du siège de Dantzig (1813-1814). Commandant de l'armée du Rhin, chargé de la défense de Strasbourg pendant les Cent-Jours, il se retira lors de la Seconde Restauration, mais fut néanmoins élevé à la pairie en 1817, après s'être rallié aux Bourbons.

RAPPERSWIL. ♦ V. de Suisse (cant. de Saint-Gall) sur la r. N. du lac de Zurich. 7 600 hab. Hôtel de ville (XVe s.), château (XIIIe-XIVe s.). Centre de villégiature. – Indus. textile et chimique.

RARAY. ♦ Comm. de l'Oise* (arr. de Senlis*). 176 hab. – Le château (XVIIe-XVIIIe s.) servit de décor au film de J. Cocteau « La Belle et la Bête » (1946).

RAROTONGA. ♦ Île méridionale de l'archipel Cook*, une des plus importantes et des plus grandes, où se situe le centre administratif d'Avarua*. 67 km². 10 000 hab. environ.

RAS AL-KAÏMAH. ♦ Petite principauté de la côte des Pirates (principautés d'Arabie), située au N. de la principauté d'Umm* al-Qaïwain. 25 000 hab. env. – C'est un territoire relativement bien arrosé, moins aride que les autres principautés. Fruits et légumes. Élevage. Sondages pétroliers.

RASHI (Salomon ben Isaac, dit **Rashi** par vocalisation des initiales hébraïques de *Rabbi Shelomo Yizhaki***)**. ♦ Docteur juif français (Troyes, 1040 – 1105). Il fonda à Troyes v. 1070 une école rabbinique dont l'influence s'étendit en Allemagne, en Provence, en Espagne. Ses commentaires, souvent littéraux voire philologiques, sur la Bible et le Talmud de Babylone furent développés par l'école des tosafistes (de *tosafoth*, « additions »).

RASHÎD-ED-DÎN. ♦ Médecin et historien persan (1247? – 1318). Devenu Premier ministre du khan mongol Abâqâ, il put recueillir divers renseignements et composa sa *Somme des chroniques,* englobant l'histoire des peuples hébreu, perse, arabe, turc, mongol, hindou, franc, chinois. Il écrivit aussi en arabe divers traités théologiques et philosophiques.

RASHID YÂSEMI. ♦ Écrivain iranien (Kermânshâh, Kurdistan iranien, 1896 – 1951). Universitaire, il écrivit des études de philologie et d'histoire et traduisit des œuvres françaises. En poésie, il lutta pour rénover la prosodie classique sans rompre avec la tradition. D'inspiration moderne, sa poésie est influencée par une solide culture française.

RASHT ou **RESHT.** ♦ V. d'Iran septentrional (Ire province), près de la mer Caspienne*. Ch.-l. de la province de Gilan. 143 600 hab. (1967). Centre commercial régional (riz, thé, arachides). Indus. du verre et de la soie. Manufacture de jute. Indus. alimentaires.

RASK (Rasmus [*Érasme*] **Kristian).** ♦ Linguiste danois (près d'Odense, 1787 – Copenhague, 1832). Il publia en 1811 la première grammaire scientifique de l'islandais suivie d'un mémoire paru en 1818 (écrit en 1814) prouvant la parenté de cette langue avec le slave, le balte, le grec et le latin *(Recherches sur l'origine de l'ancienne langue nordique ou islandaise).* Malgré son goût pour l'étude sédentaire et son manque d'intérêt pour l'orientalisme, il se laissa imposer un long voyage en Orient (1816-1823), dont il rapporta une abondante documentation et des manuscrits. Il publia après son retour des grammaires (espagnol, frison, italien) et un mémoire sur le Zend. Il finit sa vie dans l'incompréhension de ses contemporains. – Rask fut cependant « un de ceux qui ont reconnu et établi dans ses grandes lignes la famille (linguistique) indo-européenne » et reste « le fondateur de la philologie nordique » (L. Hjelinslev). Son œuvre, inachevée, portant sur de très nombreuses langues, laisse voir en lui le précurseur de la linguistique générale moderne; en effet, héritier du XVIIIe s. par son intérêt pour la description et la typologie, il dépasse (comme Fr. Bopp) les limites du comparatisme historique qu'il a contribué à instaurer.

RASMUSSEN (Knud). ♦ Explorateur danois (Jakobshaven, 1879 – Copenhague, 1933). Il accompagna puis dirigea plusieurs expéditions au Groenland et dans les régions septentrionales de l'Amérique du Nord au cours desquelles il étudia la vie, les mœurs et coutumes des Esquimaux (*Du Groenland au Pacifique...,* 1929).

RASPAIL (François-Vincent). ♦ Biologiste, chimiste et homme politique français (Carpentras, 1794 – Arcueil, 1878). Venu à Paris, il y publia plusieurs mémoires sur les tissus végétaux et animaux (1824-1828) où il apparaît comme un précurseur de la théorie cellulaire, de l'histochimie et de la cytochimie. Il participa à la révolution de 1830, adhéra à plusieurs clubs républicains, fonda le journal *le Républicain* (1834-1835), tout en poursuivant ses travaux scientifiques. En 1848, il fut un des premiers à proclamer la république. Candidat des socialistes à la présidence de la République, il ne fut pas élu. Condamné à la prison (1849), puis exilé, il resta en Belgique jusqu'en 1863; à son retour en France, il fut député en 1869, puis de 1876 à 1878 dans les Bouches-du-Rhône.

RASPOUTINE (Grigori Iefimovitch NOVYKH, dit) [*Rasputin*]. ♦ Aventurier russe (Pokrovskoïe, en Sibérie occidentale, v. 1872 – Saint-Pétersbourg, 1916). Paysan illettré, moine, il acquit une réputation de thaumaturge en prétendant pouvoir guérir et purifier par le contact physique de sa personne, ce qui lui permettait d'assouvir des appétits sexuels demeurés légendaires (d'où son surnom, du mot russe *raspoutnyi,* « débauché »). Étant arrivé en 1903 à Saint-Pétersbourg, il fut présenté à l'impératrice en 1905, lors d'une crise d'hémophilie de l'héritier du trône Alexis. Par son pouvoir de suggestion, il réussit à soulager le tsarévitch et devint le favori du couple impérial. Entouré d'individus sans scrupules, il joua dans les affaires de l'Église et de l'État un rôle dont le gouvernement de Berlin et les germanophiles russes profitèrent. Ses débauches et son influence néfaste sur la tsarine Alexandra* Fédorovna furent discutées publiquement à la Douma (1915). Le 30 décembre 1916, il fut assassiné par le prince Ioussoupov, le grand-duc Dimitri Pavlovitch et le député d'extrême droite Pourichkevitch.

Rassemblement démocratique africain (R.D.A.). ♦ Parti dont Houphouët*-Boigny fut un des principaux inspirateurs, fondé en 1946 en Afrique* occidentale et d'abord apparenté au P.C.F. Après 1950, il devint véritablement africain et interterritorial et se prononça en 1957 pour le maintien de l'Afrique noire dans la Communauté. Son unité fut rompue du fait de la position de la Guinée* (1958).

Rassemblement du peuple français (R.P.F.). ♦ Mouvement politique français fondé en avril 1947 par le général de Gaulle* qui se proposa « de promouvoir et de faire triompher, par-dessus nos divisions, l'union de notre peuple dans l'effort de rénovation et de réforme de l'État » **(V. République** [*IVe*]**).** Ce mouvement, animé par R. Capitant, A. Malraux, G. Palewski, L. Terrenoire, regroupa d'anciens membres des F.F.L., des réseaux de Résistance, mais aussi des hommes unis dans l'opposition au communisme et souhaitant, sur le plan économique et social, l'union du capital et du travail. Après une assez nette victoire aux élections municipales en 1947, le R.P.F. ne remporta que quelques sièges en 1951. Peu après l'arrivée de Pinay à la présidence du Conseil (1952), des dissensions contribuèrent à l'éclatement du groupe. Dès 1953, le général de Gaulle rendait leur liberté aux parlementaires du R.P.F. qui constituèrent les ***Républicains sociaux*** et l'*Union des républicains d'action sociale.* Les élections législatives de 1956 marquèrent l'effondrement provisoire du mouvement gaulliste.

RAS SHAMRA. ♦ **V.** OUGARIT.

RASTADT ou **RASTATT.** ♦ V. d'Allemagne occidentale (Bade-Wurtemberg), sur la Murg. ♦ *Hist.* Un traité y fut signé en 1714; il mettait fin à la guerre de la Succession* d'Espagne, marquant pour l'Autriche un agrandissement de ses États héréditaires au détriment de sa puissance impériale. ♦ CONGRÈS DE RASTADT. Congrès prévu par le traité de Campoformio pour fixer le sort de la rive gauche du Rhin, et qui réunit les représentants de l'Autriche, de la Prusse et de la France (1797-1799). Il s'ouvrit le 16 novembre 1797. Alors que la diète germanique acceptait théoriquement l'annexion par la France de toute la rive gauche du Rhin, avec la région de Cologne, le plénipotentiaire autrichien (Cobenzl), qui exigea des compensations en Italie, se heurta à un refus de l'envoyé français. Les négociations, qui avaient débuté le 9 décembre 1797, se poursuivirent au début de la seconde coalition*, mais s'achevèrent sans résultat le 23 avril 1799. Alors que les représentants français s'apprêtaient à quitter la ville, ils furent attaqués par des hussards autrichiens; Roberjot et Bonnier furent tués, Debry grièvement blessé (28 avril 1799). Cet attentat « souligna le caractère implacable de la guerre qui recommençait : celle de l'Europe aristocratique contre la nation révolutionnaire » (A. Soboul).

RAS TANOURA ou **RÂS TANÛRA.** ♦ Port d'Arabie Sa'ûdite, sur le golfe Persique, au N. de Qatif dans la région du Hassa*. Raffinerie des pétroles en provenance de Safaniya et des pétroles de Qatif, Dharan et Abqayq. Port artificiel traitant 20 % env. de la production en pétrole du pays.

Rastignac (Eugène *de*). ♦ Personnage de *La Comédie* humaine* de Balzac*. Présent dans de nombreux romans des *Scènes parisiennes,* c'est dans *Le Père* Goriot* (où il apparaît pour la première fois) que son caractère est le mieux analysé : courageux et idéaliste mais avide de gloire et de puissance, il est d'abord révolté par le cynisme de la société parisienne et repousse les propositions de Vautrin*. Puis il connaît la tentation du succès mondain et, au terme d'une lente évolution, lance un défi à Paris; désormais il assurera avec succès sa carrière politique.

RÂṢTRAKÛTA. ♦ Dynastie indienne de l'O. du Dekkan*, du IVe au Xe siècle. Elle est célèbre pour avoir fait exécuter les temples creusés d'Ellorâ* et d'Elephantâ*.

RASTRELLI (Bartolomeo Francesco). ♦ Architecte et décorateur italien (Paris, 1700 – Saint-Pétersbourg, 1771). Fils du sculpteur *Bartolomeo Carlo Rastrelli* (Florence, vers 1675 – Saint-Pétersbourg, 1744), il fit comme son père carrière en Russie après avoir étudié à Paris chez R. de Cotte* et Boffrand*. Dans ses grandioses constructions, il utilisa les éléments du baroque européen et les infléchit vers un esprit plus rococo tout en les mêlant à des éléments stylistiques typiquement russes : ordonnances majestueuses et façades polychromes (*palais d'Hiver,* 1754-1762; *palais de Tsarskoïe Selo,* 1752 et *couvent Smolnyï,* 1748-1755), adoption des cinq coupoles rituelles et des bulbes dans ses édifices religieux (*Saint-André de Kiev,* 1749-1756).

RATEAU (Auguste). ♦ Ingénieur français (Royan, 1863 – Neuilly-sur-Seine, 1930). Il étudia les fluides en tant que forces motrices, les machines dans lesquelles ces fluides pouvaient être utilisés *(turbomachines).* Il établit une théorie du profil des tuyères permettant la détente totale de la vapeur (1900). Il inventa un type de turbine à action, la multicellulaire (1901). **V. De Laval.** Il mit également au point un type de turbocompresseur à roues étagées, des pompes centrifuges, des ventilateurs pour les mines. Il imagina également de faire actionner un turbocompresseur par les gaz

Ph. Roger-Viollet

Raspoutine.

Ph. Giraudon

F. V. Raspail.

d'échappement d'un moteur, qui peut ainsi être suralimenté en air [technique utilisée dans l'aviation et pour d'autres moteurs à combustion interne]. (Acad. sc., 1918.)

RATHENAU (Walther). ♦ Homme politique allemand (Berlin, 1867 – *id.*, 1922). Il fut président du trust de l'électricité A.E.G. et, à partir de 1915, s'occupa de l'organisation de l'économie de guerre allemande. D'origine juive, c'était un technicien de l'économie, d'une intelligence et d'une culture remarquables, qui voulait régler les problèmes politiques et diplomatiques selon le modèle des accords entre grandes firmes économiques. En 1922, il devint ministre des Affaires étrangères et signa le traité de Rapallo*. Il fut assassiné peu après par deux militants nationalistes.

RATHENOW. ♦ V. d'Allemagne orientale (Brandebourg, district de Potsdam), sur la Havel. 29 220 hab. (1962). Matériel optique (verres, lentilles).

RATHKE (Martin Heinrich). ♦ Anatomiste et physiologiste allemand (Dantzig, 1793 – Königsberg, 1860). Ses travaux d'embryologie sur les mammifères et les oiseaux apportèrent une confirmation à la loi biogénétique formulée par von Baer (et reprise par Haeckel).

RATIBOR. ♦ **V.** RACIBÓRZ.

RÄTIKON. *n. m.* ♦ Massif des Alpes situé entre la Suisse (cant. de Saint-Gall), le Liechtenstein et l'Autriche (Vorarlberg). Il culmine au mont Scesaplana à 2 969 m d'altitude.

RATISBONNE, en all. **Regensburg.** ♦ V. d'Allemagne sud-orientale (Bavière), cap. du Haut-Palatinat et de la Basse-Bavière, sur le Danube, près de son confluent avec la Regen. 130 890 hab. Évêché. Ratisbonne, ville ancienne (voir ci-dessous *Hist.*), a conservé de son passé d'intéressants monuments : cathédrale Saint-Pierre, avec de beaux vitraux du XIVe s.; église gothique Saint-Emmeram (XIIIe s.), décorée en style baroque; couvent des Dominicains (XIIIe-XIVe s.); pont de pierre sur le Danube (XIIe s.). – Indus. électriques, chimiques et alimentaires. – Patrie de G. Aichinger*. A. Altdorfer*, don Juan* d'Autriche. ♦ *Hist.* L'anc. *Radaspona* celtique devint le camp romain de *Castra Regina* et la ville fut en 530 la capitale des ducs de Bavière. Évangélisée au VIIe s. par saint Emmeram, elle devint le siège d'un évêché en 739. Ville libre en 1245, elle connut, de par sa situation sur le Danube, une grande prospérité et fut le siège de foires réputées, particulièrement au XIVe s., époque où elle fut cependant éprouvée par les guerres hussites*. Lors de la Réforme, une diète s'y tint (1541) [**V.** *ci-dessous*]. Une autre diète (1630) fut un échec pour l'empereur Ferdinand* II, qui voulait réunir l'Allemagne pour s'opposer à la France et à la Suède et faire élire son fils roi des Romains. Grâce au père Joseph*, la France y obtint Mantoue pour le duc de Nevers. À partir de 1663, Ratisbonne devint le siège de la Diète impériale. Donnée en 1803 à l'archevêque de Mayence, Dalberg, elle passa à la Bavière en 1810.

Ratisbonne *(diète de)*. ♦ Diète réunie en 1541 par Charles Quint, en présence d'un légat du pape, pour restaurer l'unité entre catholiques et protestants dans l'Empire. Les théologiens catholiques furent Eck*, Gropper, J. von Pflug, les protestants Melanchthon* et Bucer*. S'appuyant sur les résultats du colloque de Worms qui avait précédé, l'entente faillit se faire; elle échoua pourtant et, après une ultime tentative cinq ans plus tard (colloque de Ratisbonne), Charles Quint s'engagea dans la guerre contre les protestants tandis que la papauté entrait activement dans la Contre*-Réforme. **V.** ***aussi*** **Réforme.**

RATRAMNE. ♦ (? – 868). Moine de Corbie, il fut un des partisans de Gottschalk* dans la querelle sur la prédestination *(De praedestinatione)* et l'adversaire de Paschase Radbert* à propos de la présence divine (spirituelle et non réelle, disait-il) dans l'Eucharistie *(De corpore et sanguine Domini)*.

Ph. R. Petit/Atlas-Photo

Le Danube aux environs de **Ratisbonne.**

RATTIGAN (Terence). ♦ Auteur dramatique anglais (Londres, 1911 –). Son théâtre se propose comme une peinture des milieux et des caractères, avec un goût marqué pour la sentimentalité et les jeux conventionnels d'une mécanique théâtrale au fonctionnement éprouvé. Princ. œuvres : *Qui est Sylvia ? (Who is Sylvia ?,* 1950) et *Tables séparées (Separate Tables,* 1954).

RATZEL (Friedrich). ♦ Géographe allemand (Karlsruhe, 1844 – Ammerland, 1904). Son *Anthropogéographie* (1882-1891) et sa *Géographie politique* (1897), où il formule les bases d'une conception déterministe des rapports entre les peuples, les états et le milieu naturel, font de lui un des fondateurs de la géographie humaine politique.

R.A.U. ♦ Sigle français de la *République* arabe unie.*

RAUCOURT-ET-FLABA. ♦ Ch.-l. de cant. des Ardennes (arr. de Sedan). 1 196 hab. Église du XVIIe siècle. ♦ *Hist.* L'industrie des boucles et agrafes, dite *bouclerie de Sedan,* y a été importée vers 1560 par les réfugiés calvinistes.

RAUH (Frédéric). ♦ Philosophe moraliste français (Saint-Martin-le-Vinoux, Isère, 1861 – Paris, 1909). Il est surtout connu par son ouvrage sur *L'Expérience morale* (1903); rapprochant la certitude morale de la vérité scientifique, il y affirme la possibilité d'une morale positive (caractérisée par une attitude objective, impersonnelle, ouverte à la diversité et à la nouveauté des expériences et situations tant individuelles que sociales).

RAUSCHENBERG (Robert). ♦ Peintre américain (Port Arthur, Texas, 1925). Il s'est surtout formé aux États-Unis (Kansas City, New York). Vers 1953, il réalisa des combinaisons de peinture et d'objets hétéroclites *(Combine-Paintings)* d'un humour violent. Entre 1955 et 1960, l'emploi de déchets de la civilisation urbaine donne à son œuvre une valeur critique. Se référant uniquement à la réalité américaine dans cet aspect de son œuvre, il est considéré comme l'initiateur du *Pop Art.* Il a réalisé de nombreuses illustrations et de remarquables sérigraphies.

RAVACHOL (François Claudius Koenigstein, dit). ♦ Anarchiste français (Saint-Chamond, 1859 – Montbrison, 1892). Auteur de crimes de droit commun et de plusieurs attentats, il fut condamné à mort. Sa célébrité fut immense.

RAVAILLAC (François). ♦ (Touvre, près d'Angoulême, 1578 – Paris, 1610). Successivement valet de chambre, maître d'école, convers chez les feuillants qui le chassèrent, il subit certainement l'influence de la campagne de réaction à la politique d'Henri* IV, qui justifiait le régicide, et pensait sauver à la fois le pays et la religion en assassinant le roi. Il parvint à ses fins le 14 mai 1610, rue de la Ferronnerie. Il affirma toujours avoir agi seul, mais il est possible qu'il ait été inconsciemment poussé à son acte par une conspiration née dans l'entourage de la reine et favorable à l'Espagne. Il fut condamné à être écartelé après avoir été torturé.

RAVAISSON (Félix LACHER). ♦ Philosophe français (Namur, 1813 – Paris, 1900). Dans son *Essai sur la métaphysique d'Aristote* (1837-1846) et surtout sa thèse sur *L'Habitude* (1839), il a voulu montrer l'unité et la continuité de l'esprit (la liberté) et de la nature (la nécessité). Il a donné son essor à une métaphysique nouvelle qu'il qualifia de « réalisme ou positivisme spiritualiste ».

RÂVANA. ♦ **V.** RÂMA, RÂMÂYANA.

RAVA-RUSSKAJA, ancienne **Rawa Ruska.** ♦ V. de l'U.R.S.S. (Ukraine), près de la frontière polonaise. 11 000 hab. env. ♦ *Hist.* La V. appartint à la Pologne de 1919 à 1949. Durant la Deuxième Guerre mondiale, ce fut un camp de représailles établi par les Allemands pour les prisonniers de guerre.

RAVEL (Maurice). ♦ Compositeur français (Ciboure, 1875 – Paris, 1937). D'un père ingénieur d'origine suisse et d'une mère basque, qui avaient tous deux l'amour de la musique, il reçut ses premiers encouragements. Entré au Conservatoire (1889), il y fut l'élève de Bériot pour le piano, de Gédalge pour le contrepoint et de Fauré pour la composition. Il n'obtint qu'un second Prix de Rome (1900) et deux échecs successifs, bientôt suivis de son élimination du concours (1905), provoquèrent son amertume. Mais ses amis R. Viñes, É. Satie, L.P. Fargue, M. Delage, Roland-Manuel, Inghelbrecht, Déodat de Séverac, M. de Falla, Fl. Schmitt, V. Larbaud, Stravinski et Diaghilev avaient déjà reconnu en lui la personnalité musicale la plus affirmée du début du siècle, avec Cl. Debussy. En effet, il avait déjà composé la *Habanera* pour deux pianos (1895), l'ouverture de *Schéhérazade,* la *Pavane pour une infante défunte,* pour piano (1899), *Jeux d'eau,* pour piano (1901), le *Quatuor en fa* (1902), les mélodies de *Schéhérazade,* d'après Tr. Klingsor (1904). Le trait le plus marquant de ces premières œuvres est que Ravel y atteignait dès l'abord à une maîtrise du style telle qu'elle n'autoriserait guère dans l'avenir à parler à son sujet d'une évolution ou d'un renouvellement, sinon dans le sens d'une volonté de dépouillement. Avec les *Miroirs,* pour piano, et la *Sonatine* (1905), les *Histoires naturelles,* cycle de mélodies sur des paroles de J. Renard, les *Chansons grecques* et *L'Heure espagnole,* comédie lyrique (1907), la *Rhapsodie espagnole,* pour orchestre, le cycle de *Ma mère l'Oye* (1908), celui de *Gaspard de la nuit,* d'après A. Bertrand (1908), il affirmait les qualités qui allaient caractériser toute son œuvre à venir : subtilité de la ligne mélodique, pudeur, maîtrise de soi, goût pour l'exotisme, la féerie et le fantastique, équilibre harmonieux. Ses maîtres, il les recon-

Ph. Giraudon

Maurice Ravel, par G. D'Espagnat. (Musée de l'Opéra, Paris.)

naissait en Fauré pour le charme vaporeux, en Chabrier pour la truculence, en Satie, pour l'humour et le non-conformisme, en Moussorgski, Rimski-Korsakov et Borodine pour la couleur orchestrale, en Chopin, Liszt et Debussy enfin pour la tendresse, la virtuosité et la poésie du piano. Néanmoins, il s'inscrivait déjà dans la lignée de Couperin et de Rameau, celle d'un classicisme français dont il allait être au XXe siècle le dernier représentant, sans cesser jamais de trouver aux problèmes du rythme, de l'harmonie et de l'orchestration les solutions les plus raffinées et les plus hardies. Sa vie privée est pauvre en événements marquants. Engagé volontaire, malgré sa santé précaire (1916), puis réformé (1917), il se fixa à Montfort-l'Amaury (1920), séjourna souvent à Ciboure et à Saint-Jean-de-Luz, entreprit plusieurs tournées à l'étranger (Angleterre, Canada, États-Unis, 1922-1928), parcourut l'Europe (1932) pour y diriger notamment son *Concerto en sol* (M. Long, soliste), puis entreprit en Espagne et au Maroc un ultime voyage (1935) où son ami L. Leyritz l'entraîna, dans l'attente d'une improbable guérison (troubles du langage et de la motricité consécutifs, selon toute vraisemblance, à un traumatisme crânien). Il devait s'éteindre après quatre années d'atroces souffrances, au lendemain d'une opération qui fut tentée contre tout espoir. — Outre les œuvres déjà citées, la production de Ravel est considérable dans tous les domaines, à l'exception de la musique religieuse. Pour la voix, il convient de retenir les trois *Poèmes* de Mallarmé (1913), les *Mélodies hébraïques* (1914), les *Chansons madécasses*, sur des poèmes de Parny (1925-1926). *Rêves*, sur des textes de L.P. Fargue (1927) et *Don Quichotte à Dulcinée*, paroles de P. Morand (1932). Pour le piano, *Menuet sur le nom de Haydn* (1909), *Valses nobles et sentimentales* (1911), le *Tombeau de Couperin* (1919). La musique de chambre comprend *Introduction et allegro* pour harpe (1906), *Trio en la mineur*, pour piano, violon et violoncelle (1914), *Sonate* pour violon et violoncelle, à la mémoire de Debussy (1920), *Berceuse sur le nom de Fauré* (1922), *Sonate* pour piano et violon (1923-1927). L'œuvre symphonique comporte de nombreuses orchestrations : *Valses nobles et sentimentales* (1911), orchestrées pour le ballet sous le titre : *Adélaïde ou le langage des fleurs* (1912), *Ma mère l'Oye* (1912), de Ravel lui-même, et celles de la *Khovanchtchina*, de Moussorgski, avec Stravinski (1913), du *Carnaval*, de Schumann (1914), du *Menuet pompeux*, de Chabrier (1918), des *Tableaux d'une exposition*, de Moussorgski (1922), de *Sarabande et Danse*, de Debussy, et de *Nocturne*, *Étude* et *Valse*, de Chopin (1923). On y trouve aussi *La Valse*, poème chorégraphique (1919), *Tzigane*, pour violon et orchestre (1924), et les trois œuvres qui ont le plus concouru à la célébrité mondiale du musicien : *Boléro**, composé d'abord pour le ballet (1928), le *Concerto en sol* et celui dit *pour la main gauche* (1931). Au théâtre enfin, Ravel a donné notamment *Daphnis et Chloé*, ballet, puis suite pour orchestre (1912). *L'Enfant et les sortilèges*, sur un poème féerique de Colette (1925). Caractérisé par la franchise rythmique, l'enchantement des harmonies, l'éclat de l'orchestration, l'art de Ravel évoque les jeux les plus subtils de l'intelligence et traduit les épanchements les plus secrets du cœur. Naissant de contraintes extrêmes et les sollicitant, il justifie ce jugement de V. Jankélévitch : « Ravel a reculé à l'infini les limites de l'impossible. » Son art subtil échappe aux tentations de la décadence par la solidité du langage, la rigueur de l'architecture et la profondeur de sa résonance humaine. Conçu pour une délectation raffinée au sein d'un monde toujours menacé par la barbarie, il naît des privilèges qui ne sont impartis qu'aux grands poètes : le don d'émerveillement et la vertu d'innocence.

RAVEL. ♦ Comm. du Puy*-de-Dôme, arr. de Clermont*-Ferrand. 446 hab. — Église du XIIIe s., château des XVIIe et XVIIIe s. avec une tour du XIIIe siècle.

RAVELLO. ♦ V. d'Italie du Sud, en Campanie (prov. de Salerne), dominant le golfe de Salerne. 2 600 hab. — Monuments normano-arabes : dôme et campanile, palais Rufolo (XIIIe s.).

RAVENNE, en it. **Ravenna.** ♦ V. d'Italie, en Émilie*. Ch.-l. de prov. proche de l'Adriatique. 132 010 hab. Archevêché. La ville compte de nombreux édifices romains (amphithéâtre, porta Aurea, aqueduc de Trajan), paléochrétiens et byzantins (San Vitale, Sant'Apollinare Nuovo, Sant'Apollinare in Classe, mausolées de Galla* Placidia et de Théodoric), palais de la Commune (XVe s.), tombeau de Dante*, cathédrale (XVIIIe s.), bibliothèque Classense. Tourisme actif. — Ravenne est un centre industriel relié à la mer *(Marina di Ravenna)* par un canal de 12 km : raffineries de pétrole, ind. chimiques (caoutchouc synthétique, engrais), ind. textile (jute), ind. alimentaires (sucreries). Un gisement de gaz naturel est exploité dans la région. ♦ *Hist.* Romaine depuis ~ 234, elle devint capitale sous Honorius (404), puis fut celle d'Odoacre et de Théodoric. En 540, elle fut conquise par les Byzantins et devint la capitale d'un exarchat, résidence des préfets byzantins en Italie (568). Conquise par Aistolf, roi des Lombards (752), elle fut prise par Pépin le Bref (756) qui la céda au pape. Ville gibeline sous les Polenta (1297-1441), elle perdit son indépendance au profit de Venise (1449), notamment à la suite de l'ensablement du port. Elle fut conquise à nouveau par la papauté sous Jules II (1509), devint capitale de la Romagne, fut occupée par la France (1797-1815) avant de rejoindre le royaume d'Italie (1860). Elle fut libérée par les Anglais le 5 déc. 1944. — *Bataille de Ravenne* (11 avr. 1512). Les Français, conduits par Gaston de Foix, vainquirent les Espagnols et les troupes pontificales de Jules II.

RAVENSBRÜCK. ♦ Village d'Allemagne orientale (district de Potsdam). Camp de concentration nazi, créé dès 1934 et principalement réservé aux femmes. Des milliers de déportées (notamment des Polonaises) y périrent durant la Seconde Guerre mondiale.

RAVENSBURG. ♦ V. d'Allemagne occidentale (Bade-Wurtemberg), au N. du lac de Constance, sur la Schusser. 31 270 hab. (1961). Église du XIVe siècle. Vestiges de fortifications, anc. résidence des Guelfes où naquit Henri le Lion. — Métallurgie et indus. alimentaires.

RÂVI. *n. f.* ♦ Fl. de l'Inde du N.-O. (725 km), une des « cinq rivières » du Pañjâb*, affl. de la Chenâb*. C'est l'antique Hydraotes des Grecs. Ses eaux captées servent surtout à l'irrigation.

RAWALPINDI (« village des Rawals », tribus de yogis). ♦ V. du Pâkistân, anc. capitale fédérale de cet État (maintenant à Islâmâbâd*), à l'O. de l'Indus*, à 250 km au N.-O. de Lahore*. 500 000 hab. Centre indus. et commercial important (textiles : soie ; huiles, grains, produits chimiques ; contre-plaqué). Arsenal, constructions mécaniques et électriques. Ateliers ferroviaires (locomotives). — Important cantonnement militaire. Plusieurs villes satellites sont en expansion. — Le *district de Rawalpindi* a 5 237 km² et 1 137 085 hab. Il correspond à une partie de l'ancien Gandhara* (site archéologique de Taxila). *V. princ.* Islâmâbâd, Rawalpindi. Développement indus. près de Taxila, complexe hydroélectrique. Barrage de Rawal à 14 km de Rawalpindi ; barrages en construction sur le Soan (irrigation).

RAWKA. *n. f.* ♦ Rivière de Pologne*, affl. de la Bzura*. — Aux alentours eut lieu la bataille des Quatre*-Rivières (1914).

RAWLINSON (*sir* **Henry Creswicke**). ♦ Orientaliste anglais (Chadlington, Oxfordshire, 1810 — Londres, 1895). Officier en Perse puis à Bagdad, il releva de nombreux monuments épigraphiques (notamment l'inscription de Béhistûn*) et fut un des principaux déchiffreurs des caractères cunéiformes.

RAWSON. ♦ V. d'Argentine, ch.-l. de la province de Chubut* sur le río Chubut à proximité de la côte Atlantique. 17 100 habitants.

RAY ou **WRAY (John).** ♦ Naturaliste anglais (Black-Notley, Essex, 1627 — 1705). Il est considéré comme un des fondateurs en Angleterre de la classification naturelle, tant en botanique qu'en zoologie (où il s'occupa plus particulièrement d'ornithologie et d'ichtiologie) [*Methodus plantarum nova*, 1682].

RAY (Man) ou **MAN RAY.** ♦ Peintre, dessinateur et photographe américain (Philadelphie, 1890 — Paris, 1976). Il étudia l'architecture et le dessin industriel, puis se consacra à la peinture. L'exposition à New York de l'*Armory Show* lui révéla les divers courants novateurs de la peinture européenne ; il subit alors l'influence du fauvisme, de Cézanne et du cubisme, puis, fréquentant les artistes d'avant-garde réunis autour de Stieglitz et du collectionneur Arensberg, il se lia bientôt avec Duchamp et subit son ascendant. Il commença à pratiquer la photographie et déploya une activité multiforme qui tendait à nier les valeurs traditionnellement attachées à l'art et à la technique picturale. Abandonnant progressivement les préoccupations d'ordre plastique (*The Rope Dancer accompanies herself with her shadow*, 1916), il aborda la technique du collage (*Revolving doors*, 1917), utilisa la technique de la peinture au pistolet en prenant souvent comme pochoir des objets usuels et créant un effet photographique (*Aérographes*, 1917). Il créa aussi des objets insolites (« ready-made aidés » comme *Gift* [1921], fer à repasser dont la plaque est hérissée de clous). Arrivé à Paris en 1921, il participa activement au mouvement dada, inventant notamment le procédé des *rayographes* ou photographies sans appareil (impression d'objets posés directement sur la surface sensible (*Les Champs délicieux*, 1923). Il adhéra ensuite au surréalisme. S'étant consacré à la photographie, il acquit rapidement une grande notoriété dans ce domaine (portraits d'écrivains et d'artistes); il réalisa aussi quelques brefs films qui révèlent l'anticonformisme de sa démarche (*Le Retour à la raison*, 1923; *Emak Bakia*, 1926; *L'Étoile de mer*, 1928; *Les Mystères du château de Dé*, 1929). Outre des photos d'esprit surréaliste, il réalisa des peintures et des dessins : images irrationnelles d'un style plus illusionniste (*À l'heure de l'observatoire les Amoureux*, 1932-1934; *Portrait du marquis de Sade*, 1939) et des assemblages de matériaux et d'objets qui font une large place au hasard et à l'absurde. Ces œuvres, d'une signification souvent humoristique, concrétisent une idée par une manipulation ingénieuse. La démythification de la peinture allant chez lui de pair avec une notion ludique de l'activité artistique (« plaisir et [...] chasse à la liberté »), Man Ray s'est affirmé comme l'un des pionniers de l'avant-garde américaine.

RAY (Raymond Nicholas Kienzle, dit Nicholas). ♦ Réalisateur américain de cinéma (La Crosse, Wisconsin, 1911). Le meilleur de son œuvre illustre, sur un mode lyrique, la révolte de la pureté et l'impossibilité de s'accorder avec le monde chez des êtres jeunes ou des adultes dont l'exigence n'a pas failli, les uns comme les autres ayant la violence pour ultime recours. Réal. princ. : *Johnny Guitare* (1954); *La Fureur de vivre* (*Rebel without a cause*, 1955), avec James Dean; *Le Brigand bien aimé* (*The True Story of Jesse James*, 1956); *Traquenard* (*Party Girl*, 1958).

RAY (Satyajit). ♦ Réalisateur indien de cinéma (Calcutta, 1921). Scénariste, musicien et photographe de ses films, il a dénoncé la superstition religieuse et la résignation : *Pather Panchali.* (« La Complainte du sentier », 1955), *Devi* (« La Déesse », 1960), *Tagore* (1961), *Pratiwandi* (1970).

RAY, RAYY, REY, REYY ou **RAI**, anc. **Rhages.** ♦ Site archéologique d'Iran au S.-E. de Téhéran. Des fouilles dirigées par les musées de Boston et de Pennsylvanie y ont mis au jour un gisement préhistorique remontant au ~ IIIe millénaire. La poterie découverte dans les strates inférieures présente des similitudes avec celle des plus anciennes couches de Tépé Sialk*. Importante cité sous les Achéménides, Ray devint un des grands centres du nestorianisme au ve siècle. Elle fut détruite par les Arabes en 461. Passée sous la domination des Saljûqides au début du XIe s., elle compta jusqu'au XIIIe s. pour une des plus puissantes cités de Perse, rivale de Damas et de Baghdâd sur les plans commercial, politique et artistique. Elle était célèbre pour ses constructions de brique et ses ornementations de faïence bleue. Elle fut entièrement rasée par les Mongols en 1220 et ses habitants se réfugièrent à Téhéran. Il ne reste actuellement que les vestiges de deux tours datant de la période saljûqide (tour de Toghril et tour de Naqqara-Khana). La petite ville de Shah'Abdul'Azim, important centre de pèlerinage des Shi'ites, située à proximité, a été rebaptisée Ray. – Patrie de Hârûn* al-Rashîd.

RAYLEIGH (John William STRUTT, *3e baron***).** ♦ Physicien anglais (Langford Grove, 1842 – Witham, Essex, 1919). Il détermina les dimensions de certaines molécules en étudiant des couches minces monomoléculaires. Il participa à la découverte des gaz inertes. Ses travaux sur la diffusion de la lumière lui permirent d'expliquer le bleu du ciel (1871) et de donner une première valeur du nombre d'Avogadro* (1892). Appliquant les raisonnements de mécanique statistique à l'étude du rayonnement du corps noir (**V. Planck**), il obtint la loi de répartition spectrale dite *loi de Rayleigh-Jeans**. (Prix Nobel de phys., 1904.)

Ph. Hétier

La pointe du **Raz.**

RAYMOND. ♦ Nom de sept comtes de Toulouse. ♦ RAYMOND IV, dit *Raymond de Saint-Gilles* (Toulouse, 1042 – Tripoli, Syrie, 1105). Comte en 1093. L'un des chefs de la première croisade, il participa aux batailles de Nicée, d'Antioche et de Jérusalem. Il refusa deux fois la couronne de Jérusalem. ♦ RAYMOND V (1134 – Nîmes, 1194). Comte en 1148. Petit-fils du précédent. Il lutta victorieusement contre le roi d'Angleterre Henri II et le roi d'Aragon Alphonse II. Il accorda le consulat à la bourgeoisie de Toulouse (1175) et réunit la ville de Nîmes à ses États. ♦ RAYMOND VI (Toulouse, 1156 – *id.*, 1222). Comte en 1194. Fils et successeur du précédent. Prince tolérant, il ne fit rien contre l'hérésie albigeoise. Excommunié après l'assassinat du légat pontifical Pierre de Castelnau, et le pape Innocent III ayant déclenché contre lui la croisade des albigeois (1208), Raymond VI se rangea du côté de la papauté. Cependant, dès 1209, il changea de camp, mais, battu à Muret avec son allié Pierre II d'Aragon (1213) et Toulouse ayant été conquise par Simon de Montfort (1215), il implora le pardon du pape. Dès 1217 il avait reconquis Toulouse, et à sa mort, la majeure partie de ses États. ♦ RAYMOND VII (Beaucaire, 1197 – Millau, 1249). Comte en 1222. Fils et successeur du précédent, il reprit Carcassonne à Amaury de Montfort (1224) mais ne put s'opposer à la croisade du roi de France Louis VIII (1226-1228). En 1229 il dut céder ses domaines au roi de France, marier sa fille Jeanne à Alphonse II de France, frère de Louis IX, et accepter la fondation de l'université de Toulouse destinée à lutter contre l'hérésie albigeoise. À sa mort, le comté de Toulouse fut réuni au domaine royal.

RAYNAL (*abbé* **Guillaume).** ♦ Historien et philosophe français (Saint-Geniez-d'Olt, 1713 – Paris, 1796). Il abandonna le sacerdoce pour se consacrer à la philosophie, fréquenta les salons d'Holbach et d'Helvétius. Il est surtout connu par son *Histoire philosophique et politique des établissements et du commerce des Européens dans les deux Indes*, ouvrage anticolonialiste et anticlérical qui fut publié clandestinement en 1770 et contraignit son auteur à l'exil auprès de Frédéric II puis de Catherine II.

RAYNOUARD (François). ♦ Poète tragique et écrivain français (Brignoles, 1761 – Passy, 1836). Élu député à l'Assemblée législative, il s'engagea aux côtés des Girondins et échappa à la mort le 9 Thermidor. Auteur de tragédies : *Caton d'Utique* (1794) et *Les Templiers* (1805), il consacra la fin de sa vie à des travaux d'érudition qui ont préparé la renaissance occitane. (Acad. fr., 1807.)

RAYOL [ʀajɔl]**-CANADEL-SUR-MER.** ♦ Comm. du Var*, arr. de Draguignan*. 613 hab. Station balnéaire.

Rayons et les Ombres (Les). ♦ Recueil de poésies lyriques (1840) où Victor Hugo* manifeste la plénitude de son génie en laissant, « comme tous les poètes qui méditent et qui superposent constamment leur esprit à l'univers, [...] rayonner à travers toutes ses créations [...] la splendeur de la création de Dieu » *(Préface)*. Si l'enfance et l'amour sont présents dans ce recueil, la nature y est particulièrement célébrée, tantôt en harmonie avec les pensées du poète *(Oceano Nox)*, tantôt comme le milieu indifférent du bonheur humain *(Tristesse d'Olympio*)*. Enfin, l'auteur s'investit d'une mission sociale *(Fiat voluntas)* et s'oriente vers la méditation philosophique *(Puits de l'Inde)* qui l'amène à une « bienveillance universelle et douce » *(Sagesse)*.

RAYS (Gilles *de***).** ♦ **V.** RAIS *(Gilles de)*.

RAZ [ʀa] *(pointe du)*. ♦ Cap de Bretagne à l'extrémité occidentale du dép. du Finistère, au N. de la Cornouaille et en face de l'île de Sein. Entre la terre et l'île s'étend le raz de Sein. Le site, imposant et sauvage (la mer, souvent grosse, se brise et déferle sur les rochers), a été aménagé pour le tourisme, mais il demeure dangereux et est parfois submergé par des lames de fond.

RAZADARIT. ♦ Chef shan de Birmanie qui régna à Pegu de 1385 à 1423. Il s'opposa aux Birmans et affermit son royaume. Il laissa un célèbre récit de sa vie, chronique connue sous le nom de *Razadarit Ayedawpon.*

RAZDAN ou **ZANGA.** *n. m.* ♦ Riv. d'U.R.S.S. (Arménie). Émissaire du lac Sevan*, elle arrose Erevan* avant de se jeter dans l'Araxe*. Son cours alimente plusieurs centrales hydro-électriques.

RAZELM *(lac de)*. ♦ Lagune de Roumanie (Dobroudja) bordant la côte de la mer Noire, au S. du delta du Danube. Pêcheries.

RAZILLY (François *de***).** ♦ Général français (1578 – Montpellier, 1622). Parti au Brésil avec La Ravardière (1612), il y explora la côte jusqu'à l'estuaire de l'Amazone et fonda Saint-Louis do Maranhão; il revint en France après la prise de celle-ci par les Portugais (1615). ♦ ISAAC DE RAZILLY, son frère. Colonisateur français (près de Chinon, 1587 – La Hève, Acadie, 1635). Il fut nommé gouverneur de l'Acadie (Canada) après sa restitution par le traité de Saint-Germain-en-Laye (1632), contribua à la fondation de la Compagnie de la Nouvelle-France, à la création du port de La Hève et développa la colonisation jusqu'au Saint-Laurent.

RAZINE (Stepan Timofeïevitch, dit Stenka). ♦ Chef cosaque (Zimoveïskaïa, v. 1630 – Moscou, 1671). Il prit la tête de la révolte de 1667-1670. L'expédition de cosaques qu'il mena d'abord prit rapidement le caractère d'une guerre paysanne, en raison des difficultés sociales qui régnaient alors dans la région du Don, à la suite de l'arrivée de paysans fuyant le servage. Après une première campagne de pillage sur la Volga et la mer Caspienne, il obtint le pardon du tsar; son prestige était alors immense. Cependant, il fut entraîné par l'accroissement de son armée à reprendre la lutte, s'empara de Tsaritzyne, d'Astrakhan, de Saratov, les paysans massacrant les propriétaires. Il fut battu à Simbirsk, alors qu'il menaçait la région de Moscou, et livré par l'aristocratie cosaque. Son souvenir est resté très populaire.

RAZOUMOVSKI (Andreï Cyrillovitch, ***prince*****).** ♦ Diplomate et mécène russe (Saint-Pétersbourg, 1752 — Vienne, 1836). Amiral, puis ambassadeur, il fut en poste dans plusieurs capitales européennes, dont Vienne où il connut Mozart, Haydn et Beethoven. Second violon d'un quatuor qu'il avait fondé dans son palais (1808-1815), il fut le dédicataire des trois quatuors (op. 59) de Beethoven.

R.D.A. ♦ Sigle français de la République démocratique allemande (en all. D.D.R.). **V. Allemagne** (République démocratique allemande).

RÊ. ♦ Divinité égyptienne représentée avec un corps d'homme, à visage humain surmonté du disque solaire, ou à tête de faucon, quand elle est assimilée à Horus*. Dieu du soleil, sa capitale était Héliopolis* où, créateur du monde, il avait donné naissance aux neuf dieux primordiaux (l'ennéade). Selon la mythologie héliopolitaine, il montait chaque matin dans la barque du jour pour accomplir son voyage diurne au ciel d'Égypte en luttant contre le serpent Apopis*, puis passait dans la barque de la nuit où il se faisait haler dans le monde inférieur. Il était Khépri* à son lever, Rê à midi et Atoum* le soir. La légende lui donnait pour fille Hathor*-Tefnout, qu'il avait envoyée pour détruire l'humanité qui voulait le détrôner. À partir de la IIe dynastie, les pharaons s'intitulèrent *fils de Rê* et à la Ve dynastie ils étaient tous considérés comme fils et incarnation du Soleil, témoin la construction des pyramides, monuments essentiellement solaires. Par la suite, tous les dieux qui, selon les hégémonies locales, aspirèrent à l'universalité reçurent un aspect solaire : Amon* *(Amon-Rê)*, Khnoum* *(Khnoum-Rê)*, Horus* *(Horus-Rê)*. La synthèse la plus importante fut celle de Rê et d'Osiris* au Nouvel Empire; Osiris, soleil nocturne, et Rê, soleil diurne, représentèrent deux aspects complémentaires d'une même grande « âme », divinité figurée par une momie à tête de bélier et dont l'unité était ainsi définie : « C'est Osiris qui repose en Rê et Rê qui repose en Osiris. »

RÉ ***(île de)*****.** ♦ Île du littoral atlantique, dans le département de la Charente-Maritime (arr. de La Rochelle). 9 967 hab. *(Rhétais)*. Ses deux agglomérations principales sont les chefs-lieux de canton Ars*-en-Ré et Saint-Martin*-de-Ré. Viticulture. Ostréiculture. Marais salants. Pêche.

READ (***sir*** **Herbert Edward).** ♦ Écrivain et critique anglais (1893 — 1968). Poète hermétique, Read ne fut admiré que d'une élite, mais son œuvre en prose exerça une influence importante. Comme Murry et Graves, il prôna l'idéal romantique dans le domaine de la critique. Ses préoccupations sociales et artistiques le conduisirent à se situer par rapport aux mouvements de pensée contemporains — marxisme, surréalisme, existentialisme. Princ. œuvres : *Retraite* (*In Retreat*, 1925), *La Fin d'une guerre* (1933), *Trente-Cinq Poèmes* (1940) et *La Forme de la poésie moderne* (1932). Herbert Read fut, avec E. Sitwell, parmi les premiers à reconnaître la poésie de Dylan Thomas*.

READE (Charles). ♦ Auteur dramatique et romancier anglais (Ipsden House, Oxfordshire, 1814 — Londres, 1884). Après des études à Oxford, il fut attiré par le théâtre, pour lequel il écrivit *Bataille de dames* (1851) et surtout *Masques et Visages* (qui lui assura le succès), qu'il reprit pour en faire un roman, *Peg Woffington* (1853). Comme W. Scott et G. Eliot, il s'illustra dans le roman historique : *Le Cloître et le Foyer* (*The Cloister and the Hearth*, 1861) met en scène Érasme à Rotterdam. Comme Dickens, Ch. Reade s'intéressait aux problèmes sociaux et *Argent comptant* (*Hard Cash*, 1863) montre les défauts du système des asiles privés; le système pénitentiaire anglais est fustigé dans *Jamais trop tard pour bien faire* (*It is never too late to mend*, 1856), description réaliste de la fièvre de l'or en Australie. Attaché au détail authentique, Reade fut surnommé le « Zola anglais » *(La Boisson*, 1879, est une adaptation de *L'Assommoir)*.

READING. ♦ V. du S. de l'Angleterre. Ch.-l. du Berkshire, au confl. de la Tamise et du Kennet. 132 025 hab. Université. Ruines d'une abbaye bénédictine (XIIe s.). — Indus. alimentaires (brasseries, malteries, biscuiteries) et mécaniques. — Patrie de William Laud. La prison de Reading a été immortalisée par Oscar Wilde.

READING. ♦ V. des États-Unis, au S. de la Pennsylvanie, au N.-O. de Philadelphie. 87 645 hab.; zone urbaine, près de 300 000 hab. Centre commercial dans une riche région agricole, la ville est surtout le siège d'importantes indus. (matériel ferroviaire, fonderie, vêtements,...). ♦ *Hist.* Reading fut au XIXe s. un grand centre métallurgique et de constructions mécaniques (bicyclettes, automobiles).

RÉAL (Pierre François, ***comte*****).** ♦ Homme politique français (Chatou, 1757 — Paris, 1834). Procureur au Châtelet (1784), premier substitut de la Commune* insurrectionnelle de Paris et accusateur public au tribunal criminel extraordinaire après la journée révolutionnaire du 10 août 1792, il contribua à faire adopter à la Convention le décret sur la levée en masse (23 août 1793). Ami de Danton, il fut incarcéré en 1794. Historiographe de la République après le 9 Thermidor (*Journal des patriotes de 1789*, 1795-1796), il fut commissaire du Directoire (1799), approuva le coup d'État du 18 brumaire an VIII (9 novembre 1799), fut nommé conseiller d'État. Adjoint de Fouché* à la Police, il déjoua la conspiration de Cadoudal*. Préfet de police pendant les Cent-Jours, exilé comme régicide en 1816, il fut amnistié en 1818.

Ph. Giraudon

Stèle de la dame Tent-Chénat adorant **Rê.** Bois peint. (Musée du Louvre, Paris.)

RÉALMONT. ♦ Ch.-l. de cant. du Tarn*, arr. d'Albi*. 2 577 hab. *(Réalmontois)*. Bastide fondée en 1270; église du XVe siècle. — Tuilerie.

RÉAUMUR (René Antoine FERCHAULT ***de*****).** ♦ Physicien et naturaliste français (La Rochelle, 1683 — Saint-Julien-du-Terroux, 1757). Il montra que la fonte pouvait être transformée en acier par addition de fer métallique, étudia la cémentation et la trempe de l'acier (1722), mais il est surtout connu pour le thermomètre à alcool qu'il réalisa vers 1730 avec une échelle 0-80. **V. Celsius.** En sciences naturelles, il s'est intéressé à l'étude des invertébrés. (Acad. sc., 1708.)

REBAIS. ♦ Ch.-l. de cant. de la Seine-et-Marne, arr. de Meaux. 1 324 hab. Église romane (XIIe s.) remaniée, ayant appartenu à une abbaye. Vannerie; fabrique de papier.

RÉBECCA. ♦ Personnage biblique (*Genèse*, XXIV-XXVII), épouse d'Isaac*, mère d'Ésaü* et Jacob*.

REBECQUI ou **REBECQUY (François Trophime).** ♦ Homme politique français (Marseille, 1760 — 1794). Administrateur des Bouches-du-Rhône (1790), chargé de l'organisation du district d'Avignon, il fut élu député à la Convention où il se lia avec les Girondins. Après l'élimination des chefs de la Gironde (2 juin 1793), il tenta un soulèvement fédéraliste en Provence, mais fut vite supplanté par les royalistes et se suicida.

REBMANN (Johannes). ♦ Missionnaire et linguiste allemand (1820 — 1876). Avec J.L. Krapf*, il découvrit le mont Kenya (1849) et étudia les dialectes bantous (en particulier le swaheli ou souahéli) dans cette partie de l'Afrique.

REBOUL (Jean, dit **Le Boulanger de Nîmes).** ♦ Poète français (Nîmes, 1796 — *id.*, 1864). Fils d'un serrurier, il fut mis en apprentissage dans une étude d'avoué jusqu'à la mort de son père. Il se fit alors boulanger. Il composa des chansons satiriques, puis, en disciple de Lamartine, des poésies mélancoliques (*L'Ange et l'Enfant*, 1828). Lamartine lui dédia en 1830 *Le Génie dans l'obscurité* (les *Harmonies*). En 1836, Reboul publia son premier recueil *(Poésies)*. Bien accueilli à Paris, il acquit sous le surnom de *poète boulanger* une véritable popularité. Il écrivit également des poèmes en langue d'oc (publiés en 1865) et encouragea Mistral. Ses *Poésies inédites* furent publiées en 1924.

REBREANU (Liviu). ♦ Romancier roumain (Târlişină, Transylvanie, 1885 — Piteşti, 1944). Peintre réaliste du milieu rural avec *Ion* (1920) et *Răscolă* (*La Révolte*, 1932), il étudia aussi la psychologie de l'intellectuel transylvain pris dans la Première Guerre mondiale : *Pădurea spînzuratilor* (La Forêt des pendus, 1922).

RÉCAMIER (Jeanne Françoise Julie Adélaïde Bernard, ***dame*****).** ♦ Dame française (Lyon, 1777 — Paris, 1849). Elle ouvrit un salon où se réunissaient les opposants de Bonaparte*, puis reçut à l'Abbaye*-aux-Bois, sous la Restauration, une société très brillante. « Amoureuse de l'amitié », elle se lia notamment avec Ampère*, B. Constant*, puis Chateaubriand*, que lui avait fait connaître Mme de Staël*. — Célèbre portrait par Gérard.

RECARÈDE Ier. ♦ Roi des Wisigoths [586-601] ([mort] Tolède,

Ph. Nino Cirani/Ricciarini

Recife.

601). Fils de Léovigild. Il se convertit au catholicisme, abandonnant l'arianisme de son père, sous l'influence de saint Léandre* (concile de Tolède, 589). L'Église devint le ferment de l'unification du royaume.

RECESWINTHE. ♦ (? – Valladolid, 672). Roi des Wisigoths (653-672). Il promulgua un code pour tous ses sujets, le *Forum judicium*, inspiré du droit romain (653).

Recherche de l'absolu (La). ♦ Roman philosophique de Balzac* (1834) qui illustre les ravages que peuvent causer les plus nobles sentiments, ici le désir de connaissance, quand ils envahissent un caractère. Plein de bon sens jusqu'à la cinquantaine, bon époux et bon père, Balthazar Claës va dilapider sa fortune en dix ans, voir sa femme mourir de chagrin et se désintéresser totalement des siens, tout habité qu'il est de la passion de l'alchimie. Personnage faustien, il poursuit en fait, à travers la transmutation des métaux, l'énigme de l'univers, et Balzac en fait un véritable « Icare de l'esprit » (Stefan Zweig).

Recherche de la vérité (De la). ♦ Traité philosophique de Malebranche* dont le premier volume parut en 1674 et le second en 1675. Il fut suivi des *Éclaircissements*. Après avoir analysé les sources de nos erreurs (sens, imagination, mémoire, défaut d'attention, de l'entendement, etc.), qui se ramènent, comme chez Descartes*, à un mauvais usage de notre volonté, Malebranche propose une méthode (en huit règles) pour atteindre la vérité.

Recherche scientifique *(Centre national de la).* ♦ **V.** C.N.R.S.

Recherches de la France. ♦ Ouvrage d'Étienne Pasquier*, publié en 1560. Cette œuvre (dont l'édition posthume de 1621 comportait 10 vol.) retrace le passé historique et littéraire de la France et témoigne d'une grande érudition pour l'époque médiévale. Elle contient des remarques philologiques.

RECHETNIKOV (Fiodor Mikhaïlovitch) [*Rešetnikov*]. ♦ Romancier russe (district de Perm, 1841 – Saint-Pétersbourg, 1871). Son roman *Les Habitants de Podlipnoie* (1864) décrit avec un réalisme privé de toute sentimentalité l'état sauvage dans lequel vivaient les paysans du Nord.

RECIFE (anc. **Pernambuco**, en franç. **Pernambouc**). ♦ V. et port du Brésil, cap. de l'État de Pernambouc* sur l'Atlantique. Plus de 1 100 000 hab. avec l'aggl. Universités. Archevêché. Aéroport. Port actif (export. de sucre, coton,...). Industries alimentaires, textiles et chimiques. Pêche. ♦ *Hist.* Fondée par les Portugais en 1535, prise par les Hollandais de 1630 à 1654, elle fut au XVIIIe s. la deuxième ville du Brésil et un grand port commercial grâce aux exportations de sucre.

Récits d'un chasseur (Les). ♦ Recueil de récits réalistes de I. Tourgueniev* (1847-1852). Un chasseur parcourt les campagnes russes en rencontrant toutes sortes de paysans. « C'est un acte d'accusation contre le servage dressé par un poète », a dit Herzen. Tourgueniev y représente le serf comme un être supérieur en humanité à ses maîtres. Ce livre produisit une forte impression sur Alexandre* II qui abolit le servage en 1861.

RECKLINGHAUSEN. ♦ V. d'Allemagne occidentale (Rhénanie-Westphalie), dans la Ruhr*, au N.-E. de Gelsenkirchen. 129 000 hab. (1969). Port sur le canal Rhin-Herne, centre charbonnier, métallurgique et chimique. ♦ *Hist.* Recklinghausen adhéra à la Hanse à partir de 1316.

RECLUS (Élisée). ♦ Géographe et théoricien français de l'anarchisme (Sainte-Foy-la-Grande, 1830 – Thourout, près de Bruges, 1905). Ayant dû quitter la France en raison de son opposition au coup d'État du 2 décembre 1851, il voyagea en Europe et en Amérique. À son retour (1857), il entreprit ses travaux géographiques, visita l'Italie, la Sicile, l'Espagne, etc., collabora aux *Guides Joanne* et publia *La Terre, description des phénomènes de la vie du globe* (1867-1868). Affilié à la Ire Internationale, il participa à la publication du *Cri du peuple* (1869). En 1871, il fut condamné à la déportation en Nouvelle-Calédonie comme membre de la Commune de Paris, mais sa peine fut commuée en dix années de bannissement. Installé en Suisse, Reclus, tout en collaborant à la revue *le Révolté* (**V. Kropotkine**) et en dirigeant le journal *l'Étendard révolutionnaire* (1882), travailla à la rédaction de sa *Géographie universelle* (1875-1894) qui lui valut un poste à l'université libre de Bruxelles. Infatigable, il ne cessa de voyager et publia encore son ouvrage sur l'anarchisme *L'Évolution, la Révolution et l'Idéal anarchiste* (1898) et, en collaboration avec son frère Onésime (voir ci-dessous) des études géographiques sur *L'Afrique australe* (1901) et la Chine (*L'Empire du Milieu*, 1902). ♦ ÉLIE RECLUS, son frère. Écrivain français (Sainte-Foy-la-Grande, 1827 – Bruxelles, 1904). Comme son frère Élisée, il fut banni en 1851 puis en 1871. On lui doit un ouvrage sur *Les Primitifs, études d'ethnologie comparée* (1885). ♦ ONÉSIME RECLUS, leur frère. Géographe français (Orthez, 1837 – Paris, 1916). Il explora l'Europe, l'Afrique, publia *La France et ses colonies* (1886-1889) et collabora avec Elisée à la rédaction de *L'Afrique australe* (1901) et de *L'Empire du Milieu* (1902). ♦ ARMAND RECLUS, leur frère (Orthez, 1843 – Sainte-Foy-la-Grande, 1927), visita principalement l'Amérique centrale. ♦ PAUL RECLUS, leur frère. Médecin français (Orthez, 1847 – Paris, 1914). Ses recherches portèrent sur l'utilisation de la cocaïne comme anesthésique local, sur les affections tuberculeuses et syphilitiques des testicules. – *Maladie de Reclus*, maladie kystique de la mamelle. (Acad. méd., 1895.)

Reconquista. *n. f.* ♦ Terme espagnol désignant la reconquête menée en Espagne par les chrétiens contre les musulmans (Mores) au Moyen Âge. (**V. Espagne,** *Hist.*)

REDCAR. ♦ V. du N.-E. de l'Angleterre (Teeside, Yorkshire, North Riding), à 13 km au N.-E. de Middlesbrough. 31 460 hab. (1961). Port sur l'estuaire de la Tees. Indus. chimiques.

REDDITCH. ♦ V. d'Angleterre (Worcestershire), à 31 km au N.-E. de Worcester. 31150 hab. (1961). Créée en 1960, la ville possède des indus. mécaniques (aiguilles, ressorts, cycles).

Redempteur. *n. m.* ♦ (Cf. *in* Robert). *Religion chrétienne :* un des titres du Christ* qui, par sa mort, a rédimé, a racheté le genre humain (*Eph.* I, 7).

Rédemptoristes [*n. m. pl.*] ou **congrégation du Très-Saint-Rédempteur.** ♦ Congrégation religieuse fondée à Scala, près de Naples, en 1732, par saint Alphonse-Marie de Liguori, pour l'évangélisation des campagnes (approuvée en 1749). La règle est inspirée de celle de saint Augustin*. Les religieux sont des prêtres et des frères; ils se consacrent aux missions paroissiales, mais aussi régionales et étrangères. La congrégation possède une branche féminine *(rédemptoristines)* groupant des moniales à vœux solennels dont l'activité est l'office divin et l'oraison.

REDI (Francesco). ♦ Naturaliste italien (Arezzo, 1626 – Pise, 1697 ou 1698). Ses *Expériences sur la génération des insectes* (1668) furent une mise en question de la théorie de la génération spontanée. Il est également le fondateur de la parasitologie (son ouvrage sur les parasites des animaux décrit plusieurs espèces d'acariens, d'helminthes, etc.).

REDON (Odilon). ♦ Dessinateur, graveur, pastelliste, aquarelliste et peintre français (Bordeaux, 1840 – Paris, 1916). À quinze ans, il reçut du peintre S. Gorin des leçons de dessin. Son amitié pour le botaniste Clavaud l'amena ensuite à s'intéresser à la botanique et au monde animal. Il se lia aussi avec le graveur Bresdin* et subit fortement son influence. À Paris, il travailla de 1863 à 1865 dans l'atelier de Gérome, mais apprécia peu son enseignement. Il se consacra d'abord au dessin (mine de plomb ou fusain), faisant preuve dans ce domaine d'un talent comparable à celui de Seurat*. Il s'adonna à la gravure (lithographie ou eau-forte), réalisant des albums (*Dans le rêve*, 1879) et des illustrations (*L'Apocalypse de saint Jean*, 1883; *La Tentation de saint Antoine*, 1888-1896; *Les Fleurs du mal*, 1890). Contrairement aux naturalistes et aux impressionnistes, il ne se limitait pas au monde sensible et affirmait qu'en art « tout se fait par la soumission à la venue de l'insconscient ». Il s'appliqua à transcrire par l'image le caractère spirituel des choses, manifestant par là des tendances symbolistes; il fut l'ami de Mallarmé, H. James, Valéry. Il fit preuve d'une imagination fantastique et visionnaire, créant un univers mystérieux peuplé parfois de monstres et d'hybrides décrits avec une précision naturaliste mais laissant place à l'ambiguïté. À partir de 1890, il abandonna la période dite des « noirs » et se consacra progressivement au pastel, à la peinture à l'huile, fit des recherches de mélange de matières et représenta des bouquets de fleurs aux tons rares et iridescents, des portraits idéalisés, des figures mythiques (*Le Cyclope*, 1895-1900) et de grandes décorations murales (*Le Jour et la Nuit* pour l'abbaye de Fontfroide, 1910-1911). Cet indépendant, attentif à découvrir les moyens plastiques propres à concrétiser ses fantasmes, influença les nabis et fut considéré comme un précurseur par les surréalistes.

REDON. ♦ Sous-préf. d'Ille-et-Vilaine, ch.-l. d'arr. (7 cant., 54 comm., 68 731 hab.) sur la Vilaine et le canal de Nantes à Brest. 10 780 hab. *(Redonnais).* – Clocher gothique séparé de l'église Saint-Sauveur (XIIIe-XVe s.) par un incendie. Hôpital du XVIIIe siècle. Maisons anciennes. – Port fluvial et maritime. – Marché agricole. Usine de briquets; appareils d'optique. Mécanique de précision; machines agricoles; fonderie; matières plastiques.

RED RIVER. *n. f.* (« rivière rouge »). ♦ Fl. du S. des États-Unis. Env. 2 000 km. Il prend sa source au Texas (Llano* Estacado), serpente dans des marais, puis traverse la Louisiane et se divise en deux branches : l'une se jette dans le golfe du Mexique, l'autre rejoint le Mississipi (r. d.). Elle arrose Shreveport. *Affl. :* Ouachita.

REE *(lough).* ♦ Lac de la plaine centrale irlandaise (Eire). 165 km².

Réforme ou **Réformation.** *n. f.* ♦ (E.G. Léonard appelle Réformation l'événement du XVIe s. pour le distinguer de la Réforme « qui en continue et en reprend les expériences à travers les siècles ».) Schisme survenu au XVIe s. dans le christianisme, et qui donna naissance au protestantisme. **V.** *aussi* **Luthéranisme, Calvinisme.** – *Antécédents et causes :* dès le Moyen Âge, les compromissions de l'Église avec le « siècle » avaient été ressenties comme des abus; l'emprise de la papauté, de son administration, de sa fiscalité, l'exemple de son immoralité avaient été dénoncés. Certaines réformes s'étaient faites dans l'orthodoxie, **V. Grégoire VII,** *saint* **Bernard,** *saint* **François;** d'autres avaient abouti à l'hérésie, **V. Vaudès, Cathares, Fraticelles, Wyclif, Hus, Savonarole.** Toutes, sous des formes diverses, traduisaient un même besoin de régénération religieuse, quitte à exalter l'Esprit aux dépens de la hiérarchie. La Renaissance portait les éléments capables de transformer cette exigence en une révolution religieuse, la plus vaste qu'ait connue le christianisme. Parmi ceux-ci : l'humanisme, entraînant une libération des esprits et la redécouverte de l'Écriture dans son texte original **(V. Érasme, Lefèvre d'Étaples, Reuchlin),** l'imprimerie qui, répandant à des millions d'exemplaires les écrits réformateurs, donna une assise européenne à ce qui aurait pu n'être qu'un schisme local; le rôle même de Rome à la tête des intérêts italiens et les mœurs de la Renaissance rendit la papauté incapable de se réformer elle-même, **V. Latran** *(Ve concile du).* – *L'action de Luther :* la cause motrice de la Réforme fut l'expérience religieuse d'un moine, Luther*, qui dès 1512 avait découvert dans l'Épître aux Romains la doctrine du salut par la foi et développait cet enseignement à l'université de Wittenberg (électorat de Saxe). En 1517, la vente des indulgences pour financer la reconstruction de Saint-Pierre de Rome **(V. Tetzel, Léon X)** provoqua sa réaction indignée, l'affichage de ses quatre-vingt-quinze thèses, ses controverses avec les représentants de la papauté **(V. Cajetan, Eck),** la rédaction de ses grands ouvrages doctrinaux, sa condamnation et sa rupture avec l'Église (1520), sa comparution devant la diète de Worms et sa mise au ban de l'Empire (1521). Cependant, le succès de ses idées, la protection de Frédéric le Sage, électeur de Saxe, les initiatives prises par Karlstadt* (Andreas Bodenstein) et Thomas Münzer* pendant sa retraite à la Wartburg (1521-1522) incitèrent Luther à organiser personnellement la Réforme, tant dans la pratique religieuse (réduction de la messe et des sacrements, suppression des vœux monastiques et du célibat des prêtres, élection des prédicateurs) que dans la vie civile (institution d'écoles, contrôle des églises par des « visiteurs » représentant les princes). Il eut encore à lutter contre les déviations extrémistes (Karlstadt, Münzer, les anabaptistes*), à soutenir sa doctrine contre les autres réformateurs (échec, à propos des espèces de la Cène, du colloque de Marbourg* entre Luther et Zwingli, 1529), à assumer la direction du mouvement : dans l'impossibilité de se rendre à la diète d'Augsbourg* (1530 : banni, il risquait d'être arrêté), il s'y fit représenter par Melanchthon*, qui rédigea à cette occasion la *Confession d'Augsbourg**; mais ce fut Luther qui, refusant davantage de concessions, prit l'initiative d'une nouvelle rupture avec l'empereur; en 1536, Zwingli étant mort, il réalisa avec les zwingliens ou « sacramentaires » la concorde de Wittenberg. – *Aspects politiques :* dès l'édit de Worms* (1521), Charles* Quint avait pris position contre Luther. Celui-ci fut soutenu par quelques princes (les électeurs de Saxe, le landgrave Philippe de Hesse), qui, outre leurs convictions, trouvaient avantage dans la confiscation des biens ecclésiastiques et manifestaient leur indépendance vis-à-vis de l'Empire. Les nécessités politiques (hostilités avec la France, l'Empire ottoman, la papauté) contraignirent Charles Quint à une certaine souplesse à l'égard des princes. En 1526, il leur accorda la liberté d'imposer la religion de leur choix dans leurs domaines (principe *cujus regio, ejus religio*). Puis il voulut revenir à l'édit de Worms. À la diète de Spire* (1529), six princes et quatorze villes « protestèrent » contre cette prétention (d'où le terme de *protestants*); à celle d'Augsbourg (1530), même résistance des protestants qui formèrent la ligue de Schmalkalden* (1531). Après une période de ménagements et de tentatives de conciliation qui échouèrent sur les questions théologiques (colloques de Haguenau, de Worms; diète de Ratisbonne*, 1541), l'empereur, libéré de l'hostilité française en 1544, passa à l'offensive (guerre de Schmalkalden, 1546). Vainqueur à Mühlberg, il entra à Wittenberg (1547), promulgua l'*Intérim d'Augsbourg**, mais la lutte reprit en 1552 et, par la paix d'Augsbourg (1555), il dut reconnaître l'existence des deux religions : les deux tiers du Saint Empire étaient protestants. – D'un autre côté, l'émancipation luthérienne avait été interprétée en terme d'émancipation sociale et politique. En 1522-1523, la révolte des chevaliers (Sickingen*, Ulrich von Hutten*) fut écrasée par l'archevêque de Trèves : en 1524-1525, celle des paysans* **(V. Münzer)** le fut avec l'appui de Luther; en 1535, le « royaume de Sion » baptiste, à Münster, par l'évêque de Münster et Philippe de Hesse coalisés **(V. Jean de Leyde).** – *Propagation de la Réforme :* en Suisse, la Réforme fut l'œuvre de Zwingli* à Zurich (à partir de 1521) et d'Œcolampade* à Bâle (à partir de 1524); Berne adopta la réforme zwinglienne à partir de 1528. Le mouvement se répandit en Allemagne du Sud et en Alsace où, comme en Suisse, ce fut le gouvernement des villes qui décida et contrôla la Réforme (Strasbourg toutefois fut luthérienne avec Capiton et Bucer*). En 1531, les cantons restés catholiques, groupés en une *Union chrétienne,* remportèrent les victoires de Kappel, où Zwingli fut tué, et du Zugerberg : la seconde paix de Kappel garantit à chaque canton sa religion. À Genève, la Réforme fut introduite par Guillaume Farel* qui y appela Calvin* (1536). Après 1541, celui-ci créa un gouvernement théocratique rigoureux (exécutions d'opposants ou d'« hérétiques », dont Michel Servet* qui contestait la Trinité, 1553). Genève devint alors le principal centre d'enseignement, avec Théodore de Bèze*, et de diffusion de la Réforme, surtout vers la France et les Pays-Bas. – Vers le Nord se répandit la réforme luthérienne : en Prusse (1525), en Suède grâce à Gustave Vasa (1529), au Danemark avec Hans Tausen (1535) et de là en Norvège (1537). – Aux Pays-Bas se répandirent d'abord le luthéranisme (à Anvers notamment) et l'anabaptisme (modéré ensuite en *mennonisme,* de Menno Simonsz*). Mais la persécution (à partir de 1521) en arrêta l'essor. C'est le calvinisme qui, plus tard, s'implanta, surtout dans les provinces du Nord; il renforça le sentiment national et anima la résistance aux Espagnols. **V. Albe** *(duc d'),* **Gueux** *(guerre des),* **Guillaume d'Orange, Trente Ans** *(guerre de).* – Pour l'Angleterre, **V. Anglicanisme.** – Pour l'Écosse. **V. Knox** *(John).* – En France, l'évangélisme de Lefèvre d'Étaples et du cercle de Meaux (Guillaume Briçonnet*, évêque de Meaux; Vatable; Farel en ses débuts) avait précédé la Réforme. François Ier, malgré son amitié pour les humanistes, malgré sa sœur, Marguerite* de Navarre, accueillante à l'évangélisme, restait indécis. Il laissa la Sorbonne et le Parlement poursuivre les luthériens (exécution de l'humaniste Berquin, 1529) et après l'affaire des Placards* (1534) il décida la persécution. À son tour Henri II prit une série de mesures : création de la Chambre ardente (1547), édits de Châteaubriant, interdisant toute fonction municipale ou judiciaire aux suspects (1551), de Compiègne, punissant de mort toute profession de foi hérétique (1557), d'Écouen, décidant « d'extirper l'hérésie » (1559). Néanmoins le calvinisme s'était répandu : en 1558, quatre mille « huguenots » conduits par le roi de Navarre avaient chanté des psaumes au Pré-aux-Clercs; quelques jours avant l'édit d'Écouen s'était tenu le premier synode national des calvinistes, à Paris. Catherine de Médicis, conseillée par Michel de L'Hospital, inclina à la tolérance (édit de Romorantin, 1560), et après le colloque de Poissy* (1561), accorda la liberté de culte (culte privé seulement, dans les villes closes). Ce furent les violences des deux partis qui déclenchèrent les guerres de Religion* commencées avec le massacre de Wassy* (1562). – Pour la réaction de l'Église face à la Réforme, **V. Contre-Réforme.** – *Doctrines et textes :* au fond de la doctrine de Luther se trouve le sentiment de la grandeur de Dieu face à l'homme pécheur et à la relativité des institutions, ecclésiastiques notamment. Dieu, pourtant, accorde à l'homme sa Grâce (par le don gratuit de la foi) et sa Parole (dans la Bible). Il importe donc de vivre la foi et de recevoir la Parole dans l'intimité de la conscience, et non plus selon l'autorité et l'enseignement de l'Église (Luther, pourtant, reviendra à l'idée d'une orthodoxie nécessaire). L'Église elle-même est constituée par l'assemblée des « rachetés de Christ » (qui appellent et destituent eux-mêmes leur prédicateur), et non par la hiérarchie romaine; le pape apparaît comme l'Antéchrist. Le culte est simplifié, les sacrements réduits (en nombre et en signification); le culte des saints, des reliques, des images, les pèlerinages, les indulgences, la croyance au purgatoire sont relégués au rang des superstitions. Pour les zwingliens ou « sacramentaires », les sacrements ne sont que des symboles sans efficacité par eux-mêmes; les espèces de la Cène sont administrées *en mémoire* du geste de Jésus mais ne sont aucunement transformées en sa chair et son sang. Les calvinistes

Arch. Rencontre

Réforme : cérémonie religieuse dans un temple de Lyon. (Bibliothèque publique et universitaire, Genève.)

se distinguent par un théocentrisme absolu d'où découle la prédestination ; avec le sacrement de l'autel, les élus reçoivent spirituellement, mais réellement, le corps du Christ, tandis que les réprouvés ne reçoivent que l'apparence sensible des espèces. — Outre les ouvrages proprement dits des réformateurs, les doctrines s'affirmèrent dans des proclamations solennelles qui servirent, et souvent servent encore, de règles de foi : quatre-vingt-quinze thèses de Luther (1517), soixante-sept thèses de Zwingli (1523), *Confessio augustana* ou Confession d'Augsbourg (Melanchthon, 1530). *C. tetrapolitana* (de Strasbourg, Constance, Lindau, Memmingen ; Bucer, 1530), *C. gallicana* ou Confession de La Rochelle* (1559), *C. scotica* (Knox, 1560), *C. belgica* (Guy de Brès, 1561), *C. helvetica posterior* (Bullinger, 1562).

Régale *(affaire de la)*. ♦ Crise politico-religieuse (1673-1693) qui opposa Louis XIV et le clergé français (gallican) au pape. Le droit de régale, antérieur au XIIe s., permettait au roi d'encaisser les bénéfices afférents à certains évêchés en cas de vacance (régale temporelle) et de nommer, en place de l'évêque, aux bénéfices ne comportant pas charge d'âmes (régale spirituelle). La régale temporelle était pratiquement abandonnée, mais Louis XIV décida (1673) d'étendre la régale spirituelle à tous les évêchés français. Le clergé s'inclina, sauf les évêques Pavillon, d'Alet, et Caulet, de Pamiers, qui firent appel à Rome. D'énergiques interventions d'Innocent XI restèrent sans effet ; au contraire, une Assemblée générale extraordinaire du clergé se réunit (oct. 1681-mars 1682) qui affirma sa fidélité au roi et signa la *Déclaration* du clergé de France*, rédigée par Bossuet et aussitôt érigée en loi. La crise s'aggrava, Louis XIV choisissant ses nouveaux évêques parmi les signataires de la *Déclaration* et le pape leur refusant l'institution canonique, si bien qu'en 1688 trente-cinq évêchés étaient vacants. Néanmoins le schisme fut évité, grâce à la prudence d'Innocent* XI et d'Alexandre* VIII qui retardèrent la condamnation de la *Déclaration* jusqu'en 1691, à l'évolution religieuse de Louis XIV et à la nécessité, pour la France, d'obtenir l'appui du Saint-Siège : en 1693, Louis XIV suspendit l'application de la *Déclaration* ; Innocent* XII cédait sur l'extension de la régale spirituelle et donnait l'investiture à seize signataires qui avaient formulé leurs excuses.

Régence. *n. f.* ♦ Terme désignant en France la minorité de Louis XV (1715-1723), au cours de laquelle le gouvernement fut exercé par Philippe d'Orléans*. Cf. *in* Robert.

REGENSBURG. ♦ Nom allemand de Ratisbonne*.

Régent. ♦ V. ORLÉANS (Philippe, duc d').

Régents. *n. m. pl.* ♦ Terme désignant aux Pays-Bas les directeurs de certaines fondations charitables (Cf. les tableaux de Frans Hals*), ou les magistrats qui exerçaient l'autorité dans les villes néerlandaises. Au XVIIe et au XVIIIe s., les régents, toujours choisis dans les mêmes familles exercèrent un rôle prépondérant dans la république des Provinces*-Unies.

REGER (Max). ♦ Compositeur allemand (Brand, Bavière, 1873 — Leipzig, 1916). Élève de Riemann, il fut professeur de composition à Leipzig (1907), chef de l'orchestre de Meiningen (1911) puis, atteint par la maladie, il se retira à Iéna. Néo-classique attaché à la tradition léguée par Brahms, il voulut, en réaction contre Wagner et ses épigones Strauss et Mahler, opérer un retour à la musique pure et à la tradition polyphonique allemande incarnée par J.-S. Bach. De tempérament romantique, il se trouva contraint à donner un cadre sévère à sa sensibilité. Il a laissé une œuvre abondante, notamment dans les domaines de la musique de chambre *(quatuors à cordes, sextuor, sonates, suites)*, pour orgue *(fantaisies et fugues sur le nom de Bach)*, pour piano (*variations sur des thèmes de Mozart*, pour deux pianos), pour orchestre *(variations sur des thèmes de Mozart et de Hiller)* ainsi que des concertos pour piano et violon, un *Requiem* et un *Psaume*, des poèmes symphoniques et env. 280 lieder. Par le procédé des « harmonies complémentaires », générateur d'un panchromatisme véritablement révolutionnaire, Reger a concouru au renouveau de la musique allemande, préparant notamment la voie à Hindemith*. Son influence pédagogique ne fut pas moins importante que celle de son œuvre de compositeur.

Ph. Ostuni-Diamante/Ricciarini

Reggio di Calabria.

REGGANE ou **REGGAN.** ♦ Poste du Sahara algérien (dép. de la Saoura) dans le S. du Touat*. Palmeraies. Gisement de pétrole. Avant 1967, Reggane fut un centre d'essais d'engins téléguidés et d'armes nucléaires français où fut expérimentée la première bombe atomique française (1960).

REGGIO DI CALABRIA, en fr. **Reggio de Calabre.** ♦ V. d'Italie du Sud, à l'extrémité occidentale de la botte italienne, en Calabre*. *Ch.-l.* de prov. sur le détroit de Messine. 161 420 hab. Indus. chimiques, mécaniques et textiles. — Patrie du poète lyrique grec Ibycos*. ♦ *Hist.* Une des premières colonies chalcidiennes de la Grande*-Grèce (en gr. *Rhêgion*), elle reçut aussi les colons messéniens en ~ 723. Occupée par les Syracusains (~ 387-~ 351), elle s'allia ensuite à Rome et reçut une garnison qui massacra sa population en ~ 271. Elle fut très prospère à l'époque impériale (alors appelée *Regium Julium*) et l'un des derniers centres de la civilisation byzantine en Italie. Passée des Arabes aux Normands (X^e-XIe s.), ravagée par les pirates au XVIe s., elle fut très éprouvée par des séismes en 1783 et en 1908. Après 1970, dans les années qui suivirent l'institution des régions en Italie, Reggio, qui s'était vu préférer Catanzaro comme capitale de la Calabre, fut le théâtre de nombreux troubles.

REGGIO NELL'EMILIA, en fr. **Reggio d'Émilie**, anc., en lat., **Regium Lepidi.** ♦ V. d'Italie continentale, en Émilie*. *Ch.-l.* de prov. sur la voie Émilienne. 188 740 hab. Marché agricole. Important nœud de communications. Constructions ferroviaires. ♦ *Hist.* Colonie romaine puis République lombarde, elle passa aux Este en 1290 et suivit l'avenir du duché de Modène. *Ch.-l.* du dép. du Crostolo (1797-1814), elle fut rendue à Modène en 1815 et rejoignit le nouveau royaume d'Italie (1860). Napoléon fit Oudinot *duc de Reggio*.

REGINA. ♦ V. du Canada, cap. et première ville de la Saskatchewan, au S. de cette province. 140 735 hab. (1971). Centre commercial agricole, situé au point de convergence de cinq grandes routes. Raffinerie de pétrole, sidérurgie, indus. alimentaires.

REGIOMONTANUS (Johannes MÜLLER, dit). ♦ Astronome et mathématicien allemand (près de Königsberg, 1436 — Rome, 1476). En astronomie, il observa notamment la comète de 1472 et, considérant les comètes comme des astres et non comme des météores, fut l'un des fondateurs de la comètographie scientifique. En mathématiques, il écrivit un traité de trigonométrie plane et sphérique (*De triangulis omnimodis*, 1533), dans lequel il utilisa les tangentes et introduisit le terme *sinus*. On lui doit encore des traductions (Ptolémée*, Théon*, Archimède*, Apollonios*). Très intéressé par la réforme du calendrier, il se rendit à Rome (1475) où le pape Sixte IV l'avait convié à s'y consacrer ; il y mourut de la peste l'année suivante.

RÉGIS (*saint* **François**). ♦ V. JEAN-FRANÇOIS RÉGIS *(saint)*.

RÉGIS ou **LEROY (Pierre Sylvain).** ♦ Philosophe français (Salvetat, Agenais, 1632 — Paris, 1707). Il vulgarisa la philosophie de Descartes (*Cours entier de philosophie ou Système général selon les principes de Descartes*, 1690).

RÉGIS (Emmanuel). ♦ Médecin français (Auterive, 1855 — Bordeaux, 1918). Auteur d'un *Précis de médecine mentale*, il publia en collaboration avec Hesnard* *La Psychanalyse des névroses et des psychoses* (1912), ouvrage qui contribua à faire connaître en France la théorie et la méthode de Freud.

Règles pour la direction de l'esprit (Les), en lat. **Regulae ad directionem ingenii.** ♦ Premier des grands écrits de Descartes*. Rédigé en latin (1628), il resta inachevé et ne fut imprimé qu'en 1701. L'auteur y expose les principes fondamentaux de sa méthode, la « mathesis universalis », science de « l'ordre et de la mesure » et y affirme l'unité et le lien de toutes les sciences qui ne sont que « les parties de la mathématique ».

REGNARD (Jean-François). ♦ Écrivain et auteur dramatique français (Paris, 1655 — château de Grillon près de Dourdan, 1709). Sa jeunesse fut aventureuse. Enlevé par des corsaires et emmené en captivité à Alger, il entreprit, sitôt libéré, un voyage dans l'Europe du Nord qui le mena jusqu'en Laponie. La relation de ce voyage demeure un de ses meilleurs écrits. Vouant ensuite son activité au théâtre, il composa de nombreuses pièces pour le Théâtre-Français et pour le Théâtre-Italien où il consacra le succès d'Arlequin, dans des comédies où l'influence de Molière* est sensible, où s'annonce déjà l'esprit de Marivaux : *Le Joueur** (1696), *Le Distrait* (1697), *Le Retour imprévu* (1700), *Les Folies amoureuses* (1704), *Les Ménechmes* (1705), *Le Légataire* universel* (1708).

REGNAULT (Jean-Baptiste, *baron***).** ♦ Peintre français (Paris, 1754 — Paris, 1829). Élève de Vien*, prix de Rome en 1776, académicien en 1783 et professeur à l'Académie des beaux-arts, il fut un fervent admirateur de Raphaël*. Il critiqua la froideur et l'intransigeance de David* et voulut se poser comme son rival. S'inspirant de l'Antiquité, il exécuta des œuvres aux sujets mythologiques, souvent dénuées de caractère expressif et d'une facture lisse et froide.

REGNAULT (Henri Victor). ♦ Physicien français (Aix-la-Chapelle, 1810 – Paris, 1878). Il se consacra essentiellement à l'expérimentation, effectuant des mesures avec une très grande rigueur. Il fit, avec Reiset, des mesures de quotient respiratoire (*Recherches chimiques sur la respiration des animaux*, 1849), mais ses travaux concernent surtout les changements d'états (compressibilité, dilatation, ébullition, chaleur spécifique, densité); pour le système liquide-vapeur notamment, il rassembla ses résultats, obtenus de 1854 à 1860, en une formule logarithmique. **V.** *aussi* **Andrews, Gay-Lussac.** (Acad. sc., 1840.)

REGNAULT (ou **REGNAUD) DE SAINT-JEAN-D'ANGÉLY (Michel,** *comte*). ♦ Homme politique français (Saint-Fargeau, 1761 – Paris, 1819). Député aux États généraux (1789), il siégea avec les monarchiens à l'Assemblée nationale constituante (1789-1791), où il s'opposa à Mirabeau et contribua à faire adopter les mesures nécessaires après la fuite de Louis XVI à Varennes (juin 1791). Il collabora ensuite à des journaux modérés. Arrêté sous la Terreur (1793), il parvint à s'évader et revint en France après Thermidor. Rallié au coup d'État du 18 Brumaire (1799), il devint membre du Conseil d'État, dont il présida la section de l'Intérieur. Procureur général de la Haute Cour, secrétaire d'État de la famille impériale, il était très apprécié par Napoléon Ier qui le fit comte (1808). Député, ministre d'État pendant les Cent-Jours, il convainquit l'empereur d'abdiquer après la défaite de Waterloo (1815) et vécut en exil en Amérique puis en Belgique. (Acad. fr., 1803; exclu en 1816.) ♦ AUGUSTE ÉTIENNE REGNAULT ou REGNAUD *de* SAINT-JEAN *d'*ANGÉLY, son fils. Maréchal de France (Paris, 1794 – Nice, 1870). Après avoir pris part aux dernières campagnes de l'Empire, il fut aide de camp de Napoléon Ier pendant les Cent-Jours. Exclu des cadres de l'armée lors de la Seconde Restauration (1815), il participa à la guerre d'Indépendance de la Grèce (1825), puis fut réintégré dans ses fonctions en 1829. Député de droite à l'Assemblée constituante, puis à l'Assemblée législative (1848, 1849), membre de l'expédition de Rome (1849), il s'était rallié à la politique du prince-président, Louis Napoléon Bonaparte, qui le choisit quelque temps comme ministre de la Guerre (1851). Sénateur (1852), il devint maréchal de France après s'être distingué à la bataille de Marengo (1859).

RÉGNIER (Mathurin). ♦ Poète français (Chartres, 1573 – Rouen, 1613). Déçu dans ses ambitions matérielles, ce neveu de Desportes* mena la vie d'un libertin, après des voyages à Rome où il avait pris connaissance des burlesques italiens. Indépendant et attaché à « la bonne loi naturelle », il attaqua les mœurs de son temps dans des *Satires** en vers, inspirées d'Horace* et de Juvénal*, extrêmement variées dans leur verve réaliste. Il aborda aussi la satire littéraire en invoquant contre Malherbe* les droits du naturel et de l'inspiration. Plus qu'à ses poésies diverses, c'est bien aux croquis vigoureux et à la fougue de ses *Satires* que Régnier doit sa célébrité.

RÉGNIER (Henri *de*). ♦ Écrivain français (Honfleur, 1864 – Paris, 1936). Influencée par l'esthétique du Parnasse et par celle du symbolisme dont il fut l'un des représentants les plus éminents, son œuvre poétique, empreinte de pudeur et de mélancolie, est marquée par de remarquables réussites du vers libre (*Les Jeux rustiques et divins*, 1897), puis par un retour à la prosodie classique (*Les Médailles d'argile*, 1900; *La Cité des eaux*, 1902; *La Sandale ailée*, 1906; *Le Miroir des heures*, 1910; *Flamma Tenax*, 1922-1928). Romancier, Henri de Régnier a su exprimer, dans un style élégant et volontiers archaïque, sa nostalgie d'un passé aristocratique et libertin et son amour des fastes évanouis de Versailles et de Venise dans des œuvres d'une psychologie délicate, *La Double Maîtresse* (1900), *Le Bon Plaisir* (1902), *Les Rencontres de M. de Bréot* (1904), *La Pécheresse* (1920). [Acad. fr., 1911.]

RÉGNIER-DESMARAIS (François). ♦ Littérateur et grammairien français (Paris, 1632 – *id.*, 1713). Entré dans les ordres (1668), il fit œuvre d'historien, de traducteur, de grammairien. Membre de l'Académie française (1670), il en devint secrétaire perpétuel en 1684. Il fut l'un des principaux rédacteurs du *Dictionnaire de l'Académie* dont il publia la première édition (1694) et se fit le porte-parole de la Compagnie dans la querelle qui opposa l'Académie à Furetière.

REGNITZ. *n. f.* ♦ Riv. d'Allemagne occidentale et affl. r. g. du Main (210 km). Formée par la réunion de la *Rezat de Souabe* et de la *Rezat de Franconie*, elle porte, jusqu'à son confluent avec la *Pegnitz* (au niveau de Fürth), le nom de *Rednitz*. Elle arrose Fürth, Erlangen, Bamberg et Nuremberg. Le *Ludwigskanal*, branché sur l'Altmühl (affl. du Danube), utilise ses eaux jusqu'à Bamberg.

Regrets (Les). ♦ Recueil de sonnets en alexandrins, publié par Joachim du Bellay* à son retour de Rome (1558). Obéissant à une double inspiration, élégiaque et satirique, le poète exprime sa nostalgie de la patrie (« France, mère des arts ») ou stigmatise les vices de la vie romaine. L'émotion de ces confidences, qui s'appuie sur une grande maîtrise de la versification, fait de Du Bellay « le plus personnel [...] de tous les poètes du XVIe s. » (É. Faguet).

REGUEIBAT, REGUIBAT ou **R'GIBAT.** *n. m. pl.* ♦ Tribu maure* du Sahara occidental, d'origine berbère. Selon une tradition légendaire (XIIe-XIIIe s.), leur berceau serait la région de Marrakech. Vers cette époque, ils se seraient installés dans la région de l'oued Draa. « Leur expansion, leurs qualités guerrières (bien qu'à l'origine ils soient marabouts) ont pesé lourd sur l'histoire de la Mauritanie contemporaine » (Mme Désiré-Vuillemin).

Arch. Smeets

J.-B. Regnault : « La Mort de Cléopâtre. » (Kunstmuseum, Dusseldorf.)

REGULUS, en lat. **Marcus Atilius Regulus.** ♦ Homme politique et général romain ([mort] à Carthage, v. ~ 250). Consul en ~ 267, il prit Brindes (Brindisi) puis, à nouveau consul en ~ 256 lors de la première guerre Punique*, remporta la victoire d'Ecnome* et dirigea la campagne d'Afrique. Fait prisonnier en ~ 255, il fut envoyé à Rome, sur parole, en ~ 250 pour négocier un échange de prisonniers, mais, ayant dissuadé le Sénat romain d'accepter les conditions de Carthage, il fut supplicié par les Carthaginois à son retour.

RÉHON. ♦ Comm. de Meurthe-et-Moselle, arr. de Briey. 5 174 hab. *(Rehonnais).* Église XIIe s. Forges, fonderies, laminoirs, hauts fourneaux.

REHOVOT. ♦ V. d'Israël, située au S. de Tel*-Aviv dans la plaine de Judée. Env. 35 000 hab. Indus. alimentaires (traitement des agrumes de la région).

REICH (Wilhelm). ♦ Psychiatre et psychanalyste américain, d'origine autrichienne (Galicie, 1897 – États-Unis, 1957). Marxiste, il voulut orienter la psychanalyse dans un sens révolutionnaire et il lutta pour une révision radicale de la morale sexuelle. Il fonda en Allemagne la ligue pour une politique sexuelle prolétarienne *(Sexpol).* Ses divergences avec Freud sur la pulsion de mort et son orientation politique le firent exclure de l'Association psychanalytique internationale, alors que, dans la même période, sa position sur la sexualité et ses critiques de la politique stalinienne lui valaient d'être exclu du parti communiste. Ces deux exclusions, de graves ennuis de santé (épisode tuberculeux) et la dissolution de son ménage semblent avoir déterminé chez Reich une évolution extrêmement bizarre. Réfugié en Scandinavie après la victoire des nazis, subissant diverses tracasseries, il alla s'installer aux États-Unis et y récrivit son œuvre en élaborant un système religieux avec cosmogonie et affirma avoir trouvé l'énergie biologique et le moyen de guérir toutes les maladies. Poursuivi pour exercice illégal de la médecine, il se vit interdire la vente des « accumulateurs à orgone » qu'il avait mis sur le marché. Ayant passé outre, il fut condamné pour outrage à magistrat à deux ans de prison. Incarcéré au pénitencier de Lewisbourgh (Pennsylvanie), il y mourut d'une embolie au bout de quelques mois. Wilhelm Reich a développé l'analyse caractérielle et la théorie de l'orgasme. Disciple et ami de Malinowski, il a brillamment combattu la thèse de l'universalité du complexe d'Œdipe. Un des points centraux de sa théorie est le rôle politique conservateur de la famille coercitive et de la répression de la sexualité infantile et juvénile. Période « freudo-marxiste » : *Matérialisme dialectique et psychanalyse* (1929); *La Fonction de l'orgasme* (1927); *Le Combat sexuel de la jeunesse* (1932); *L'Intrusion de la morale sexuelle* (1932); *L'Analyse caractérielle* (1933); *La Sexualité dans le combat culturel* (1932-1933); *La Psychologie de masse du fascisme* (1933); *Qu'est-ce que la conscience de classe* (1934). Période américaine : refonte des œuvres précédentes; *Écoute petit homme* (1951-1952); *Le Meurtre du Christ* (1952-1953).

Reich. ♦ Mot all. signifiant *empire.* Le *Ier Reich* correspond au Saint Empire germanique (962-1806). Le *IIe Reich* est l'empire fondé par Bismarck* (1871-1918). L'Allemagne nationale-socialiste de Hitler* (1933-1945) s'intitula *IIIe Reich.*

REICHA (Anton). ♦ Compositeur et théoricien français de la musique, d'origine tchèque (Prague, 1770 – Paris, 1836). Flûtiste à la cour de Bonn où il devint l'ami de Beethoven, il fut à Vienne l'élève de Haydn et finit par se fixer à Paris où il enseigna la composition au Conservatoire (1818). Pédagogue de grand mérite, il compta parmi ses élèves Berlioz, Liszt, Franck et Gounod. Il a laissé des opéras, de la musique symphonique, de la musique de chambre (dont 26 *quintettes à vent*), de nombreuses pièces pour

Arch. Smeets

Cathédrale de **Reims** : groupe de la visitation, façade occidentale.

piano et orgue, et surtout des ouvrages théoriques qui demeurent appréciés (*Cours de composition musicale,* 1818; *Traité de haute composition musicale,* 2 vol., 1824-1826).

REICHARDT (Johann Friedrich). ♦ Compositeur et musicographe allemand (Königsberg, 1752 – Giebichenstein, près de Halle, 1814). Maître de chapelle de Frédéric le Grand (1775), il fut un remarquable animateur de la vie musicale berlinoise, présidant notamment à la création d'un Concert spirituel, sur le modèle parisien. Tombé en disgrâce pour ses sympathies affirmées à la cause de la Révolution française, il fut le maître de chapelle de Joseph Bonaparte, roi de Westphalie (1808). Il a laissé de nombreux opéras, des symphonies, des cantates, de la musique de chambre, et surtout 128 lieder, odes et ballades sur des poésies de Goethe dont il fut l'ami. Son rôle est important dans l'histoire du *singspiel* et du *lied* allemands.

REICHENBACH (Hans). ♦ Philosophe et logicien allemand (Hambourg, 1891 – Los Angeles, 1953). Membre du cercle de Vienne*, il adopta des positions originales sur les problèmes de logique et de théorie de la connaissance. Il établit les bases d'« une logique à un nombre infini de valeurs, capable d'absorber le calcul des probabilités » (L. Rougier) et construisit un système logique à trois valeurs (vrai, faux, indéterminé) pour l'interprétation de la mécanique quantique **(V. Planck).** Sa conception de la vérifiabilité et du sens d'un énoncé, déterminé par son degré de probabilité, dérive de ses travaux logiques. *Axiomatique des buts et des voies de la philosophie contemporaine de la nature,* 1931; *Logique de la probabilité,* 1932; *Théorie de la probabilité, Wahrscheinlichkeitslehre,* 1935.

REICHENBACH. ♦ V. d'Allemagne orientale (district de Halle), dans le *Vogtland.* 31 400 hab. Indus. textiles (laine) et mécaniques.

REICHSHOFFEN. ♦ Comm. du Bas-Rhin, arr. de Haguenau. 4 283 hab. Restes d'une enceinte fortifiée. Église du XVIIIe siècle. – Indus. du bois. ♦ *Hist.* Courageuse charge des cuirassiers français le 6 août 1870, lors de la défaite de Mac-Mahon (en fait, à Morsbronn-les-Bains). La division Bonnemain, composée des 1er, 2e, 3e et 4e cuirassiers, se fit anéantir sous le feu de 48 canons et d'une infanterie adverse bien abritée. Un obélisque a été érigé à leur mémoire.

Reichsrat. *n. m.* ♦ Nom allemand du Conseil d'Empire (1848-1861), puis du Parlement autrichien (1861-1918). Ce dernier comprenait la *Chambre des seigneurs (Herrenhaus),* héréditaires ou nommés par l'empereur, et la *Chambre des représentants (Abgeordnetenhaus),* élus par les diètes des Provinces.

REICHSTADT, en tch. **Zákupy.** ♦ Village de Bohême. Cette seigneurie fut érigée en duché pour le fils de Napoléon Ier, Napoléon* II.

Reichstag. *n. m.* ♦ Nom d'une des deux assemblées législatives de la Confédération* de l'Allemagne du Nord (1866-1871), de l'Empire allemand (1871-1918) et de la république de Weimar* (1919-1933). Élue au suffrage universel, elle représentait les intérêts de la nation allemande. – *Incendie du Reichstag.* Incendie allumé par un jeune exalté un peu simple d'esprit, Van der Lubbe, très probablement à l'instigation des nazis et avec leur aide, et qui détruisit le Reichstag le 25 févr. 1933. Hitler accusa les communistes, ce qui lui permit de les mettre hors la loi et d'effectuer des milliers d'arrestations, après avoir établi dès le 28 février un régime d'exception.

REICHSTEIN (Tadeus). ♦ Biochimiste suisse d'origine polonaise (Włocławek, 1897). Il participa à la réalisation de la synthèse de l'acide ascorbique (1933). **V. Haworth, Hirst, Karrer, Szent-Györgyi.** Auteur de travaux sur les hormones du cortex surrénal, il isola la corticostérone (1936) ainsi que l'adrénostérone (1937); il réalisa la synthèse partielle de la désoxycorticostérone qu'il tira ensuite de la surrénale (1938); il montra l'influence de cette hormone sur le métabolisme de l'eau et du sel et son action thérapeutique dans la maladie d'Addison*. **V. Hench, Kendall.** (Prix Nobel de physiologie et de méd., 1950.)

Reichswehr. *n. f.* (de l'all. « défense de l'Empire »). ♦ Nom donné de 1919 à 1935 à l'armée allemande, telle qu'elle avait été autorisée par le traité de Versailles (100 000 hommes pour l'armée de terre et 25 000 hommes pour la marine). En 1935, Hitler rétablit le service militaire obligatoire, et la nouvelle armée prit le nom de *Wehrmacht.*

REID (Thomas). ♦ Philosophe écossais (Strachan, 1710 – Glasgow, 1796). D'abord pasteur, il devint professeur de philosophie à Aberdeen puis Glasgow. Contre l'idéalisme de Berkeley* et le scepticisme de Hume*, il réhabilita la perception immédiate des objets extérieurs et les vérités du sens commun **(V. Buffier)** dans ses traités (notamment : *Recherche sur l'entendement humain d'après les principes du sens commun,* 1764).

REID (Thomas MAYNE, dit le *capitaine* **Mayne Reid).** ♦ Romancier anglais (Ballyroney, County Down, Irlande, 1818 – près de Ross, Herefordshire, 1883). Fils d'un pasteur presbytérien, il était destiné à la religion, mais, en quête d'aventures, il quitta son pays. Journaliste à Philadelphie en 1843, il prit part à la guerre contre le Mexique en 1846, expérience qu'il utilisa dans ses romans qui, le plus souvent, ont des Indiens pour héros : *Les Francs-Tireurs forestiers* (*The Rifle Rangers,* 1850), *Les Chasseurs de chevelures* (*Scalp Hunters,* 1851), *La Piste de guerre* (*The War Trail,* 1857), *Le Cavalier sans tête* (*The Headless Horseman,* 1866).

REIGATE. ♦ V. d'Angleterre (Surrey), au pied des North Downs, à 35 km au S.-O. de Londres. 53 750 habitants.

REIL (Johann Christian). ♦ Médecin allemand (Rauden, 1759 – Halle, 1813). Auteur d'importants travaux sur l'anatomie du système nerveux, il prôna des réformes dans le traitement des malades mentaux (méthode d'intimidation dans les cas de délire, théâtre thérapeutique, etc.) et l'organisation des asiles d'aliénés.

REILLE [ʀɛj] **(Honoré Charles,** *comte***).** ♦ Maréchal de France (Antibes, 1775 – Paris, 1860). Volontaire en 1792, il fut promu général en 1803 et devint aide de camp de Napoléon Ier (1807). Il prit part à l'occupation de Florence et de la Toscane (1807). Fait comte d'Empire (1808), il se distingua à Wagram (1809) et à Anvers (1809). Il fut placé à la tête de l'armée du Portugal (1812), puis sous les ordres du maréchal Soult organisa la retraite de l'armée française après la défaite de Vitoria (juin 1813). Après avoir pris part à la bataille de Waterloo (1815), il se rallia aux Bourbons, devint pair (1819) puis gentilhomme de la cour du roi en 1820. Promu maréchal de France par Louis-Philipppe (1847), il devint sénateur (1852). ♦ RENÉ CHARLES *baron* REILLE, son fils. Homme politique français (Paris, 1835 – *id.,* 1898). Il abandonna la carrière militaire pour la politique et fut élu député (1869). Après avoir participé à la défense de Paris en 1871, il fut réélu à l'Assemblée nationale (1876-1878, 1879-1898).

REIMARUS (Hermann Samuel). ♦ Erudit allemand (Hambourg, 1694 – 1765). Recteur à Wismar, puis professeur d'hébreu à Hambourg, il est l'auteur d'une critique historique des Évangiles où, mettant en question la révélation, la divinité du Christ, la Trinité, il développe une conception rationaliste de la religion (*Apologie oder Schutzschrift für die vernünftigen Verehrer Gottes,* rédigée en 1744). Le manuscrit de cette œuvre que, par prudence, Reimarus n'avait pas publiée, fut remis à Lessing* par les héritiers de l'auteur (1768); celui-ci en fit paraître, anonymement, plusieurs fragments (1774-1778).

REIMS [ʀɛ̃s]. ♦ Sous-préf. et ch.-l. d'arr. de la Marne (11 cant., 179 comm., 215 087 hab.), sur la Vesle, en Champagne. 158 634 hab. *(Rémois).* Place Royale, ensemble architectural du XVIIIe siècle. Hôtel de ville de style Louis XIII. Église Saint-Jacques (XIIe s., reconstruite aux XIVe et XVe s.). Abbatiale Saint-Remi (« charnière de l'art carolingien et de l'art roman »). Basilique Sainte-Clotilde (1898). – La cathédrale Notre-Dame (commencée en 1211, terminée au XIIIe s.) est l'un des exemples les plus parfaits du gothique. Le chœur et le transept furent construits par Jean d'Orbais et Jean Le Loup (1211-1231), la nef par Bernard de Soissons et Robert de Coucy (1253-1311); les tours sont du XIVe et du XVe s. Statuaire remarquable (comprenant le célèbre « Ange au sourire »). Bibliothèque Carnegie (possédant de nombreuses caricatures de Daumier). Musée des Beaux-Arts. Archevêché. Université. – Tuileries. Briqueteries. Engrais. Produits pour le traitement de la vigne. Matériel viticole et vinicole. Produits chimiques, parfumerie, caoutchouc. Fonderie. Chaudronnerie. Tôlerie.

Tréfileries. Constructions mécaniques. Matériel ferroviaire. Machines agricoles. Construction aéronautique. Électronique. Matériel de précision. Indus. du verre. Bonneterie, confection. Indus. alimentaires (vins de Champagne; brasseries, minoteries, biscuiteries; laiteries, fromageries; confiserie; charcuterie). Indus. du bois, du liège. Papier. Jouets. — Patrie de Chaix d'Est-Ange, Colbert*, Drouet* d'Erlon, Forain*, Paul Fort*, Landouzy*, Jean*-Baptiste de La Salle, Linguet*, R. Nanteuil*. ♦ *Hist.* Métropole des Rèmes, la ville eut d'abord pour nom *Durocortorum* (« forteresse ronde ») et fut la métropole de la Gaule Belgique en 17. Clovis s'y fit baptiser par saint Remi en 496 et les rois de France s'y firent sacrer. La fortification de la ville par Philippe le Bel date de 1295, l'institution de l'université de 1547. — La cathédrale fut bombardée par les Allemands au cours de la Première Guerre mondiale, et restaurée grâce à l'aide des Américains (elle est aujourd'hui menacée par l'effritement de la pierre). C'est à Reims que fut signé l'acte de capitulation allemande de 1945.

REINACH [ʀɛnak] **(Jacques,** ***baron de*****).** ♦ Financier français d'origine juive allemande (Francfort-sur-le-Main, 1840 — Paris, 1892). Venu à Paris (1863), où il fréquenta les milieux républicains (particulièrement gambettistes) et où il obtint la nationalité française (1871), il fut directement impliqué dans le scandale de l'affaire de Panamá*; accusé d'avoir corrompu des parlementaires et inculpé, il fut retrouvé mort à son domicile (sans qu'on ait pu savoir s'il s'était agi d'un suicide ou d'un assassinat). ♦ JOSEPH REINACH, son neveu et gendre. Homme politique français (Paris, 1856 — *id.*, 1921). Chef de cabinet de Gambetta, rédacteur en chef de *la République française*, il siégeait comme député (1889-1898) à l'époque de l'affaire Dreyfus*. Il prit la défense de ce dernier, dénonçant en particulier le faux rédigé par le colonel Henry. Il fut réélu en 1906 et 1910. *Histoire de l'affaire Dreyfus* (1901-1911).

REINACH [ʀɛnak] **(Salomon).** ♦ Philologue et archéologue français (Saint-Germain-en-Laye, 1858 — Boulogne-sur-Seine, 1932). Auteur d'un *Manuel de philologie classique* (1880), d'un *Traité d'épigraphie grecque* (1885), d'ouvrages sur la sculpture et la peinture grecque et romaine, les peintures du Moyen Âge et de la Renaissance, il dirigea le musée des Antiquités nationales de Saint-Germain-en-Laye (1902). ♦ THÉODORE REINACH, son frère. Numismate et historien français (Saint-Germain-en-Laye, 1860 — Paris, 1928). Auteur d'une *Histoire des israélites* (1885), d'un ouvrage sur *L'Histoire par les monnaies* (1902), d'un *Recueil général des monnaies d'Asie Mineure* (1904), il enseigna la numismatique au Collège de France (1924).

REINE-CHARLOTTE *(îles de la)*, en angl. **Queen Charlotte Islands.** ♦ Archipel canadien d'env. 150 îles, dans l'océan Pacifique, près des côtes de la Colombie britannique (détroit d'Hécate), au N.-O. de l'île de Vancouver. — Les principales sont les îles Graham et Moresby. Au N. de Graham, le détroit de Dixon *(Dixon Entrance)* les sépare de l'archipel Alexander (Alaska). ♦ *Hist.* Elles furent découvertes par Juan Pérez (1774) et visitées par Cook peu après.

Reine des Fées (La), en angl. **The Faerie Queene.** ♦ Poème en six livres d'Edmund Spenser* (1596). Sans rompre avec la tradition chevaleresque et chrétienne, l'auteur émaille son récit d'allégories païennes, propres à l'esprit de la Renaissance. Le Chevalier à la Croix rouge *(The Red Cross knight)* est le héros du premier livre, sir Guyen, le Chevalier de la Tempérance, celui du second; le troisième livre conte la légende de Belphébé, symbole de la Chasteté. Les autres livres mettent en scène le Chevalier de l'Amitié, le Chevalier de la Justice (Artegal), sir Calidore qui personnifie la courtoisie. On a retrouvé des fragments d'un septième livre où sont développées les idées d'Immuabilité et de Mutabilité. Cette œuvre musicale et richement imagée eut une immense influence (Thomson*, Keats*, Shelley*, Byron*) et valut à Spenser le titre de « Poète des Poètes ».

REINE-ÉLISABETH *(îles de la)*, en angl. **Queen Elizabeth Islands** (nom donné en 1953 en l'honneur de la reine Élisabeth II). ♦ Ensemble d'îles de l'Arctique canadien formant un triangle limité au S. par une suite de détroits (de McClure, de Melville, de Barrow et de Lancaster) les séparant de la terre de Banks, des îles Victoria et du Prince de Galles, de l'île Somerset et de la terre de Baffin et limité à l'E. par le détroit de Smith qui les sépare du Groenland. Princ. îles, d'O. en E. : île Melville, Bathurst et Devon*, île Axel Heiberg et île Ellesmere*. On y a recensé 310 hab. en 1961.

Reine morte (La). ♦ Drame en trois actes, de Henry de Montherlant* (1942). Épris l'un de l'autre, Inès de Castro et l'infant don Pedro de Portugal se sont mariés secrètement. Mais le roi Ferrante, implacable et hautain, qui a conçu d'autres projets plus propices aux intérêts de la couronne, fait emprisonner son fils et assassiner Inès. Le crime était inutile puisque Ferrante mourra et que don Pedro, libéré, couronnera une reine morte.

REINHARDT (Max GOLDMANN, dit **Max).** ♦ Metteur en scène et directeur de théâtre autrichien (Baden, près de Vienne, 1873 — New York, 1943). D'abord acteur dans la troupe du *Deutsches Theater,* dirigée par Otto Brahm, il se détourna du naturalisme pour se consacrer à l'avant-garde. L'immense succès de sa mise en scène du *Songe d'une nuit d'été,* son accession à la direction du Deutsches Theater (1905), la constitution d'un groupe fidèle d'acteurs et de décorateurs sont les événements marquants des débuts de sa carrière. Il devait ensuite administrer de nombreuses scènes en Autriche et en Allemagne (direction du *Berliner Theater,* 1928), avant d'émigrer aux États-Unis (1933). Manifestant un goût très vif pour le faste et la décoration, pour les œuvres à grande figuration (*Œdipe Roi, L'Orestie, Jules César*), il conçut le drame populaire comme une vaste action collective. Au cinéma, il illustra la tendance réaliste, puis expressionniste (*L'Île des bienheureux,* 1912; *La Nuit de Venise,* 1912; *Le Songe d'une nuit d'été,* avec W. Dieterle, 1935).

REINHARDT [ʀɛnaʀt] **(Jean-Baptiste,** dit **Django).** ♦ Guitariste, compositeur et chef d'orchestre de jazz français, d'origine gitane (Liberchies, Belgique, 1910 — Fontainebleau, 1953). Avec le quintette à cordes du Hot Club de France, créé en 1934, il produisit le seul jazz original qui ne fût pas d'origine negro-américaine. La sûreté de son sens harmonique, l'invention mélodique et l'équilibre de la phrase font de lui l'un des plus grands jazzmen de son époque. Princ. enregistrements : *Dinah* (1934), *Minor Swing* (1937), *Montmartre* (avec Rex Stewart, 1939), *Nuages* (1940).

REINHOLD (Karl Leonhard). ♦ Philosophe allemand (Vienne, 1758 — Kiel, 1823). Jésuite converti au protestantisme, il enseigna la philosophie à Iéna. D'abord kantien (*Essai d'une nouvelle théorie des facultés représentatives,* 1789) [**V. Kantisme**], il subit l'influence de Jacobi et de Bardili. — Son fils, *Ernst Reinhold,* fut un historien de la philosophie.

REINMAR l'Ancien ou **REINMAR de Haguenau.** ♦ Minnesänger allemand originaire de Haguenau en Alsace (v. 1160 — v. 1210). Celui que Gottfried de Strasbourg qualifia de « chef des rossignols » vécut à la cour de Léopold VI d'Autriche où il fut le maître de Walther* von der Vogelweide, qui devait d'ailleurs se brouiller avec lui.

REINMAR le Jeune ou **REINMAR de Zweter.** ♦ Poète allemand originaire de Rhénanie (? — v. 1260). Il vécut à la cour de Vienne, puis à celle du roi Wenceslas Ier de Bohême avant de revenir en Rhénanie. Auteur de poésies gnomiques à thèmes moraux, religieux et politiques, il a exalté l'idéal courtois, les valeurs chevaleresques.

Reisebilder. ♦ Œuvre de Heinrich Heine* **(V. Tableaux* de voyages).**

REJ ou **REY (Mikołaj).** ♦ Écrivain polonais (Żurawno, 1505 — 1569). Moraliste et polémiste religieux, il est considéré comme le père de la littérature polonaise, pour s'être le premier exprimé exclusivement dans la langue nationale. Converti au protestantisme en 1540, il publia en 1543 une satire anticléricale : *Bref Entretien entre trois personnages...* dans laquelle le noble, le bourgeois et l'ecclésiastique font assaut de critiques, aucun ne sortant victorieux. Dans son œuvre en vers et en prose, il exposa ses idées humanistes et fit une peinture des mœurs de la noblesse polonaise : *Portrait véridique de la vie d'un homme vertueux* (*Wizerunek własny żywota człowieka poczciwego,* 1558) repris et développé dans le *Miroir* (*Zwierciadło,* 1568).

RÉJANE (Gabrielle Réju, dite). ♦ Actrice française (Paris, 1856 — *id.*, 1920). Spirituelle et spontanée, elle fut, avec le même bonheur, l'interprète du drame *(Germinie Lacerteux, Amoureuse, Sapho, La Robe rouge)* et de la comédie *(Madame Sans-Gêne).*

RELECQ-KERHUON (Le). ♦ Comm. du Finistère, arr. de Brest. 7 001 habitants.

Religion *(guerres de)*. ♦ Longue guerre civile, coupée de traités, qui se déroula en France de 1562 à 1598. Le succès de la Réforme* calviniste et sa propagation rapide dans tous les milieux créa peu à peu un climat de tension, longtemps contenue par les tentatives de conciliation de Catherine* de Médicis et de son ministre Michel de L'Hospital* (colloque de Poissy*). Le massacre de Wassy* (1562), ordonné par les Guise*, en réaction contre l'ordonnance d'Orléans* ouvrit le conflit qui allait mettre aux prises « papistes »

Ph. Lipnitzki/Viollet

Django Reinhardt en 1952.

et « huguenots », les uns et les autres désireux d'assurer le triomphe de la vraie foi, et de l'assurer par la force. Ce conflit se doubla bientôt d'un aspect politique : les grands seigneurs profitèrent de la situation pour prendre leur autonomie dans les provinces et, à l'échelle nationale, les Guise et les Montmorency* rivalisèrent avec les Bourbons* et les Coligny* pour tenter de s'emparer du gouvernement au détriment du pouvoir royal, alors faible puisqu'il était exercé par la régente Catherine de Médicis. Les deux partis firent appel à l'étranger, les uns à l'Angleterre, les autres à l'Espagne, livrant le pays au pillage de bandes qui multipliaient, entre les batailles rangées, massacres, tortures et assassinats. Une première guerre fut interrompue par la paix d'Amboise* (1563) et reprit bientôt. Malgré les victoires catholiques de Jarnac* et de Moncontour* (1569), la paix de Saint*-Germain (1570) fut très favorable aux protestants. Aussi provoqua-t-elle une réaction des catholiques : le massacre de la Saint*-Barthélemy (1572) déclencha une nouvelle période de guerres, close par la paix de Monsieur* (1576). Cette paix, obtenue par le parti des Politiques **(V. Politiques)**, fut encore jugée trop modérée. La Ligue **(V. Ligue)** reprit le combat, dictant ses volontés au roi **(V. Henri III)**, et l'histoire des guerres de Religion se confond alors avec la sienne. Les épisodes les plus marquants en furent la journée des Barricades* (1588), l'assassinat du duc de Guise, puis l'assassinat d'Henri III. Henri* IV dut encore lutter pour établir son autorité, et n'y parvint qu'en regroupant autour de lui le parti modéré des Politiques, qui allait croissant. La paix était déjà rétablie et les Espagnols chassés par le traité de Vervins*, quand fut signé l'édit de Nantes* (1598), qui mettait un terme définitif aux guerres de Religion. Le pays avait été ravagé, le pouvoir royal, si fort sous les premiers Valois, avait été ébranlé et mis en question (Hotman*, Duplessis*-Mornay) ou le régicide prôné. Enfin, le mécontentement des deux extrêmes ne désarmait pas, entretenant un climat qui explique l'attentat de Ravaillac* ou les résistances protestantes au pouvoir royal qui troublèrent les règnes suivants.

RELIZANE. ♦ Nom anc. de Ighil* Izane, en Algérie.

REMAK (Robert). ♦ Médecin et embryologiste allemand (Posen, 1815 – Kissingen, 1865). Il étudia les cellules animales en voie de division, poursuivant les travaux de von Baer* sur les feuillets germinatifs auxquels il donna le nom d'ectoderme, de mésoderme et d'endoderme (1845). Il fut un des premiers à utiliser le courant électrique dans le traitement des maladies nerveuses (*fibres de Remak :* fibres nerveuses sans myéline).

REMARQUE (Erich-Maria KRAMER, dit Erich Maria). ♦ Romancier allemand naturalisé américain (Osnabrück, 1898 – Locarno, 1970). Surtout connu pour son roman d'inspiration pacifiste *À l'ouest rien de nouveau* (1928; film de L. Milestone, 1930), il s'exila aux États-Unis lors de l'avènement d'Hitler et y obtint la nationalité en 1947. Parmi les romans qu'il publia encore (*Après* [*Der Weg zurück*], 1931; *Trois Camarades,* 1937), seul eut un certain succès *Arc de triomphe* (1946), récit de l'émigration allemande dans le Paris de la dernière avant-guerre.

REMBRANDT (Harmenszoon van RIJN). ♦ Peintre, dessinateur et graveur hollandais (Leyde, 1606 – Amsterdam, 1669). Fils d'un meunier aisé, il fréquenta l'école latine de Leyde à partir de 1613, puis en 1620 devint pendant quelques mois étudiant en lettres à l'université de Leyde. Il fit ensuite son apprentissage auprès du peintre Jacob Van Swanenburg et, en 1624, travailla six mois à Amsterdam dans l'atelier d'un peintre d'histoire renommé, Pieter Lastman. Ce dernier avait eu connaissance en Italie de l'art du Caravage et fit connaître Elsheimer à Rembrandt. À Leyde en 1624, il ouvrit un atelier qu'il partagea bientôt avec un autre élève de Lastman, Jean Lievens. Installé en 1631 à Amsterdam et marié en 1634 avec Saskia Van Uylenburgh, il connut rapidement la notoriété comme portraitiste, peintre d'histoire et graveur, obtenant de nombreuses commandes et enseignant à plusieurs élèves. Si certaines de ses grandes compositions « d'histoire » dénotent des italianismes, ainsi que la connaissance de Rubens, elles indiquent certaines tendances baroques : compositions mouvementées, couleurs éclatantes, sens du pathos et représentation du moment dramatique de l'action (*Le Festin de Balthazar,* 1635; *Le Sacrifice d'Abraham,* 1635; *Samson aveuglé par les Philistins,* 1636). Il semble que Rembrandt ait été très tôt conscient de sa propre force (il n'effectua pas le traditionnel voyage en Italie) et qu'il ait voulu confronter ses réalisations à celles de l'art italien en imposant une vision très personnelle. Dès 1630, il obtint l'admiration de Constantin Huyghens, juriste, poète et secrétaire du stathouder des Pays-Bas Frédéric-Henri, qui lui commanda vers 1634 trois scènes de la Passion *(La Mise au tombeau, La Résurrection* et *L'Ascension)* auxquelles furent ajoutées l'*Érection de la croix* et la *Descente de croix.* Dans ces œuvres, ainsi que dans *Ecce Homo, Les Pèlerins d'Emmaüs* (1628), la série de *Philosophes en méditation,* les premiers *Autoportraits, Portraits de vieillards* et certaines scènes bibliques (*Jérémie pleurant sur la destruction de Jérusalem,* 1630), une interprétation très personnelle du clair-obscur s'affirme : évitant les abrupts contrastes du clair-obscur caravagesque, Rembrandt présente ses personnages dans la pénombre; faisant se fondre, grâce à de subtils passages, l'ombre et la lumière, il unifie et approfondit l'espace en éclairant ou faisant rayonner les parties sur lesquelles l'intérêt est concentré. La force suggestive de ce procédé, l'intensité expressive qui en résulte concourent à traduire une spiritualité nouvelle retenue et fervente

Arch. Smeets

Rembrandt : « Autoportrait », 1628. (Staatliche Kunstammlungen, Kassel.)

qui prendra des accents émouvants mais sobres dans les compositions denses, d'esprit classique, qu'il réalisa ultérieurement (*Les Pèlerins d'Emmaüs,* 1648; *Les Ouvriers de la onzième heure,* 1637; *Le Christ et la femme adultère;* l'*Adoration des bergers,* 1646). Cet art de traduire plastiquement l'intériorité des sentiments et les plus fines nuances expressives se manifeste aussi dans les multiples portraits qu'il réalisa à Amsterdam. Suivant la tradition de rigueur et d'austérité du portrait hollandais, il évita les poses et les gestes ostentatoires, limita sa palette et scruta de façon aiguë les visages (*Portrait de jeune fille au collier d'or,* 1632; *Amalia van Solm,* 1632; *Jan Uytenbogaert; Jan Six*), l'éclairage mettant en relief le modelé du visage, l'intensité du regard et certaines parties des vêtements, bijoux ou accessoires, qui sont traités avec une finesse et un soin particuliers. Ce souci d'investigation psychologique se retrouve même dans ses grandes compositions, le plus souvent tirées d'épisodes bibliques. Ces œuvres mêmes témoignent de l'originalité de son approche et de sa profonde indépendance. Il s'attacha en effet non seulement à revivifier les thèmes iconographiques traditionnels, mais multiplia les innovations, présentant sous un jour nouveau les scènes ou renouvelant le choix des sujets, abandonnant les repères conventionnels et les détails anecdotiques de la narration, cherchant surtout à rendre sensible une relation psychologique particulière en même temps qu'il la charge d'une portée plus générale, expliquant le caractère condensé de ses mises en scène (*Le Mariage de Samson,* 1638; *La Réconciliation de David et d'Absalon,* 1642; *Suzanne et les vieillards,* 1647; *Bethsabée,* 1654; *Jacob bénissant les fils de Joseph,* 1656; *Joseph accusé par la femme de Putiphar,* 1655; *David jouant de la harpe devant Saül; La Conjuration de Claudius Civilus*). Le cadre architectural, en général sobre et monumental ou le fond indifférencié, les costumes démodés, exotiques (le plus souvent orientaux), les accessoires de théâtre concourent à la création d'un climat mystérieux, onirique, et donne une dimension imaginaire à des œuvres qu'il est souvent difficile de classer dans un genre : figuration historique, étude de type ou portrait mythologique; l'identification traditionnelle est souvent hypothétique (*Saskia en Flore; Danaé; L'Homme au casque d'or,* 1650; *Le Cavalier polonais; La Fiancée juive*). Et lorsqu'il eut à traiter une commande s'inscrivant dans un genre précis, tel le portrait collectif de la *Compagnie du capitaine Franz Banning Cock,* dite *La Ronde de nuit* (1642), Rembrandt parvint à esquiver les contraintes de la commande et à innover en présentant les personnages en action, introduisant maint détail mystérieux. Vers cette époque, qui correspond à la mort de sa femme et au début de graves difficultés financières, sa renommée était toujours grande, mais les commandes se faisaient plus rares. Sa facture devint alors de plus en plus audacieuse et libre : larges empâtements comme étalés au couteau, jeux de texture vigoureux, tonalités brunes et dorées, tandis que la charge émotionnelle de ses figurations et leur qualité spirituelle s'approfondissaient (*Por-*

trait de l'artiste par lui-même, 1665). — Il fut célèbre à son époque, mais on lui reprocha son mépris des règles et des conventions artistiques, la liberté de sa facture et son « prosaïsme ». Il analysa en effet la réalité sans faire de concession à une esthétique fondée sur l'idéalisation (*Bœuf écorché,* 1665; *Leçon d'anatomie du docteur Tulp,* 1631; *Leçon d'anatomie du docteur Joan Deyman,* 1656). Fécond dessinateur, il laissa plus de quinze cents dessins à la plume, aquarelles, sanguines et fusains. Il est considéré comme le plus grand graveur de son époque, pratiquant une technique très particulière : eau-forte avec adjonctions à la pointe sèche, puis adoptant la manière noire, les effets pathétiques faisant progressivement place à une expression plus intérieure, la direction et l'épaisseur de ses hachures engendrant des effets de lumière d'une grande virtuosité (*Joseph racontant ses songes,* 1638; *Les Trois Arbres,* 1643; *Le Christ guérissant les malades,* dite *La Pièce aux cent florins,* v. 1642-1643; *Docteur Faustus,* v. 1652-1653; *Les Trois Croix,* 1660-1661; *Nu à la flèche,* 1661; *La Présentation au temple,* v. 1657-1658).

RÈMES. *n. m. pl.,* en lat. **Remi.** ♦ Peuple de la Gaule belgique établi en Champagne et dont la cap. était *Durocortorum* (Reims). Les Rèmes se soumirent librement à César* et furent compris dans la Belgique IIᵉ.

REMI *(saint).* ♦ Évêque de Reims (Laon, v. 437 — Reims, v. 530). Son influence amena la conversion de Clovis* qu'il baptisa v. 500 (traditionnellement le 25 déc. 496, à la suite de la victoire de Tolbiac; il aurait alors dit à Clovis : « Courbe-toi, fier Sicambre, adore ce que tu as brûlé, brûle ce que tu as adoré. »). Il organisa l'évangélisation de l'est de la France. Fête le 1ᵉʳ octobre.

REMICH. ♦ Ch.-l. de cant. du grand-duché du Luxembourg, sur la Moselle. 2 000 hab. Vins réputés. ♦ *Hist.* C'est par cette localité qu'en 1914, puis en 1940, les Allemands entrèrent dans le grand-duché.

REMINGTON (Philo). ♦ Industriel américain (Lichtfield, New York, 1816 — Silver Springs, Floride, 1889). Constructeur d'armes, de matériel agricole et de machines à coudre, il s'intéressa à la machine à écrire de Sholes*, Glidden* et Soule, qu'il fit construire en série (1873) et améliora considérablement.

REMIREMONT. ♦ Ch.-l. de cant. des Vosges, arr. d'Épinal, sur la Moselle. 10 313 hab. (*Romarimontains*). Église Saint-Pierre (XIVᵉ, XVIᵉ, XVIIIᵉ s.); anc. palais abbatial (XVIIIᵉ s.); maisons anciennes. Filatures, tissages, lingerie, constructions mécaniques. — Patrie de J. Méline*. ♦ *Hist.* Une abbaye d'hommes fut fondée au VIIᵉ s. et une abbaye de femmes au Xᵉ s.; l'abbesse porta le titre de princesse d'empire jusqu'en 1560. Au XVᵉ s., les ducs de Lorraine furent comtes de Remiremont. La ville fut réunie à la France en 1766.

REMIZOV (Alexeï Mikhaïlovitch) [*Remizov*]. ♦ Romancier et conteur russe (Moscou, 1877 — Paris, 1957). Il reçut une éducation classique bien qu'il fut d'une origine modeste, mais il resta profondément marqué par son enfance passée dans la banlieue pauvre de Moscou. Ses romans, *La Mare* (1905) et *Sœurs en croix* (1910), sont imprégnés de souffrance et de compassion. Exilé à Vologda pour une vétille, il y redécouvrit les vieilles légendes du folklore russe qui forment la base de ses romans où se mêlent le fantastique et l'humour : *La Pendule* (1904), *Stratilatov* (1909), *La Cinquième Peste* (1912). Il ne prit aucune part à la politique, mais il a exprimé sa sensibilité à la vie de la nation pendant les dures années de 1914-1921 dans *Mara* (1917), *La Chronique de 1917, Lamentations sur la ruine de la Russie* (1917) et *Les Bruits de la ville* (1921). Après 1921, date à laquelle il émigra à Berlin, puis à Paris (1923), Remizov écrivit surtout des contes et des légendes dans lesquels il pouvait laisser libre cours à son goût de la fantaisie et du rêve : *La Jeune Herbe* (1923), *Ennui et Badinage* (1923), *Le Démon dansant* (1949), *Rêves* (1954). Bibliophile passionné, linguiste et écrivain laborieux, il chercha à délatiniser la langue russe en revenant aux sources de la vieille Russie, et à créer une forme de langue écrite plus proche de la langue parlée.

RÉMOIS. *n. m.* ♦ Partie de l'anc. Champagne, au N.-O. du dép. de la Marne, dans la région de *Reims** et d'Épernay.

Remontrance *(la Grande).* ♦ Terme désignant la liste des actes illégaux reprochés par la Chambre des communes à Charles* Iᵉʳ (1641). Le durcissement des positions qu'elle provoqua déclencha la guerre civile.

REMOULINS. ♦ Ch.-l. de cant. du Gard (arr. de Nîmes), sur la r. g. du Gard, près du *pont du Gard.* 1 794 hab. *(Remoulins).* Anc. église romane (mairie). Porte fortifiée et restes de l'enceinte médiévale. — Fruits (cerises) et primeurs.

REMSCHEID. ♦ V. d'Allemagne occidentale (Rhénanie-Westphalie), au cœur du *pays de Berg.* 136 820 hab. Métallurgie lourde, chimie. — Patrie de W. Röntgen*.

REMUS. ♦ (mort v. ~ 753?). Frère de Romulus*, d'après les récits légendaires de Rome.

RÉMUSAT (Jean Pierre Abel). ♦ Sinologue français (Paris, 1788 — 1832). Il s'était destiné à la médecine, mais la découverte des langues tartares en fit très tôt un philologue passionné. Il publia dès 1811 un *Essai sur la langue et la littérature chinoises.* Nommé à la première chaire de chinois du Collège de France en 1814 il devenait en 1815 membre de l'Académie des inscriptions, puis conservateur des manuscrits orientaux de la Bibliothèque royale en 1824. Il fonda la *Société asiatique* avec Klaproth, Saint-Martin et Sylvestre de Sacy (1822). Il devait mourir victime du choléra de 1832. *Recherches sur les langues tartares* (1820), *Éléments de grammaire chinoise* (1822), *Histoire du bouddhisme* (1836).

RÉMUSAT (Charles François Marie, *comte de***).** ♦ Homme politique français (Paris, 1797 — *id.,* 1875), fils d'Auguste de Rémusat et de la comtesse, née Claire Élisabeth Gravier de Vergennes. Collaborateur de plusieurs journaux *(le Courrier français, le Globe),* il siégea comme député libéral (1830-1847), fut ministre de l'Intérieur dans le cabinet de Thiers* auquel il se lia (1840), se rallia à la République (1848), fut proscrit après le coup d'État du 2 décembre 1851 et amnistié en 1859. Nommé ministre des Affaires étrangères (1871-1873), député, il participa à la rédaction des lois constitutionnelles (1875). Outre des ouvrages d'histoire et de philosophie, il a laissé ses *Mémoires.* (Acad. fr., 1846.)

RÉMY (Gilbert RENAULT, dit *le colonel***).** ♦ Résistant français (Vannes, 1904). Fondateur du réseau de renseignements, la Confrérie de Notre-Dame, il publia après la Deuxième Guerre mondiale ses souvenirs sous le titre *Mémoires d'un agent secret de la France libre,* ouvrage qui fournit des indications précieuses sur l'histoire de la Résistance française.

Renaissance. *n. f.* ♦ Nom donné au vaste mouvement culturel qui, au XVᵉ s. et pendant une partie du XVIᵉ s., abandonna explicitement les valeurs médiévales, liées à la féodalité, et eut, parmi d'autres caractéristiques, celle de faire *renaître* les valeurs de l'Antiquité dans la civilisation européenne (voir *in* Robert).

Renaissance américaine. ♦ On nomme ainsi, depuis F.O. Mathiessen (1941), la période qui va de 1840 à la guerre civile (guerre de Sécession) et qui est illustrée par Emerson*, Hawthorne*, Melville* et Whitman*.

RENAIX, en néerl. **Ronse.** ♦ V. de Belgique (Flandre-Orientale, arr. d'Audenarde) à 57 km de Bruxelles, au centre des Ardennes flamandes. 25 400 hab. Église Saint-Hermès, gothique (XIIIᵉ et XIVᵉ s., crypte romane). — Indus. alimentaires (brasseries), textiles (coton, laine, soie artificielle), métallurgiques. — *Monts de Renaix.* À proximité d'Audenarde*, ces monts (alt. 150 m) correspondent à la frontière linguistique. — Leurs bois épars sont considérés comme des lambeaux de la « forêt charbonnière » qui aurait arrêté la marche des Saxons et des Francs au temps des invasions.

RENAN (Ernest). ♦ Écrivain français (Tréguier, 1823 — Paris, 1892). Destiné dès l'enfance à la prêtrise, il poursuivit ses études au petit séminaire de Saint-Nicolas-du-Chardonnet, que dirigeait Mgr Dupanloup; puis au séminaire d'Issy, où l'étude de Hegel détermina en lui, à 22 ans, une grave crise religieuse (évoquée dans ses *Souvenirs d'enfance et de jeunesse,* 1883). De sa recherche d'une certitude, et de son amitié intellectuelle avec Marcelin Berthelot*, allait sortir *L'Avenir* de la science* (1848; publié en 1890) où il affirmait que la religion doit être remplacée par la poésie supérieure de la réalité et que le temps était venu d'une science de l'humanité : la philologie. Philologue consacré, notamment dans le domaine des études sémitiques, il fut envoyé en mission au Liban et visita la Palestine (1860-1861) qui lui inspira l'*Histoire des origines du christianisme* (1863-1883) destinée à fonder « le christianisme rationnel et critique ». Le premier volume, la *Vie de Jésus* (publ. en 1863), s'il fit perdre à Renan sa chaire d'hébreu au Collège de France, eut une répercussion considérable en Europe, tant par son style poétique et « la vérité de la couleur » que par l'interprétation, déférente mais rationaliste de Jésus, « cet homme incomparable ». S'il rejetait les dogmes du catholicisme, Renan continuait à admirer l'histoire judéo-chrétienne (*Histoire du peuple d'Israël,* 1887-1893) et il s'attacha à concilier « le sentiment religieux et l'analyse scientifique » (M. Barrès). Après 1870, devenu personnage officiel, jouissant d'un grand prestige auprès de jeunes disciples (Maurras*, Bourget*, Barrès*), il manifesta néanmoins un scepticisme grandissant vis-à-vis de la démocratie (*La Réforme intellectuelle et morale,* 1871) et des poncifs officiels (*Le Prêtre de Némi,* 1885). Conscient d'être un « tissu de contradictions », il célébra la Grèce antique qui lui semblait avoir réalisé

Ph. P.S.Z./Ricciarini

Ernest Renan.

Ph. Louis Monier

Le colonel **Rémy.**

Ph. Carlo Bevilacqua/Ricciarini

« **Renaud** abandonne Armide suppliante », par G. Tiepolo. (Villa Valmarana, Vicence.)

une harmonie parfaite entre la beauté, la raison et le sens du divin *(La Prière sur l'Acropole)*; considéré en son temps comme un maître du style, Renan utilise une prose rythmée, procédant par d'amples méditations lyriques ou de fines notations successives.

RENARD (Charles). ♦ Officier et ingénieur militaire français (Damblain, Vosges, 1847 – Meudon, 1905). Il construisit un ballon dirigeable, *La France,* premier appareil à accomplir un parcours en circuit fermé (7 km environ, en 1884). **V.** *aussi* **Tissandier.** Très intéressé par l'aviation, il publia de nombreux travaux concernant l'aérodynamique, le vol vertical, les moteurs d'avion, les dirigeables. Il imagina également une série de nombres constituant une base de la normalisation, encore très utilisée dans l'industrie (série de Renard).

RENARD (Jules). ♦ Écrivain français (Châlons-sur-Mayenne, 1864 – Paris, 1910). Élevé dans le Morvan, il y retourna assez vite, devenant maire de son village. On trouve cette présence de la campagne dans les *Histoires naturelles* (1894) où ce « chasseur d'images » manifeste l'acuité de son regard vis-à-vis du monde animal dont il donne des interprétations poétiques, parfois précieuses, parfois épigrammatiques. Cinq *Histoires naturelles* furent mises en musique par Ravel* (1907). Jules Renard est aussi l'auteur de récits, réalistes par leur sujet, comme *Poil* de carotte* (1894 – adapté au théâtre, 1900) ou *L'Écornifleur* (1892), qui offrent des croquis rapides et mordants où l'ironie se teinte de tendresse. Attiré par le théâtre, il donna de courtes comédies, notamment *Le Plaisir de rompre* (1897) et *Le Pain de ménage* (1898), où se retrouve son art de la litote au service de l'analyse psychologique. La même sécheresse lucide marque le *Journal* (tenu de 1887 à 1910), succession de réflexions cruelles ou plaisantes sur les artistes et les écrivains de son époque; on y voit surtout apparaître les scrupules d'écrivain de celui qui disait : « Mon style m'étrangle. »

RENART (Jean). ♦ Trouvère français (*fin* XIIe s. – *déb.* XIIIe s.), auteur de romans en vers, dont le récit d'aventures chevaleresques *Guillaume* de Dole*, et du poème nommé *Le Lai de l'ombre* (1220), modèle de discussion courtoise et de stratégie amoureuse.

Renart (Roman de). ♦ V. ROMAN DE RENART.

Renaud. ♦ L'un des héros de la *Jérusalem délivrée* du Tasse*. Tandis qu'il est retenu loin des combats par Armide*, les chrétiens se font massacrer sous les murs de Jérusalem par les armées de Soliman. Il reprend place à la tête de ses soldats; rien ne peut empêcher la prise de la ville par les croisés. Le nom de Renaud reste synonyme de guerrier invincible auquel rien ne résiste quand il n'est pas soumis au pouvoir de l'amour et de la volupté.

RENAUD (Madeleine). ♦ Actrice française (Paris, 1900). Sociétaire de la Comédie-Française (1928), elle fut sur cette scène, jusqu'à 1945, la poétique et brillante interprète des ingénues, puis des coquettes du répertoire. Cofondatrice, avec son mari J.-L. Barrault*, de la compagnie qui porte leur nom (1946), elle y a interprété les œuvres de Marivaux, Molière, Feydeau, Anouilh, Claudel, Giraudoux, Tchekhov, Beckett.

RENAUD DE CHÂTILLON. ♦ (mort à Hattin, Syrie, 1187). Prince d'Antioche (1153-1160) et seigneur d'Outre-Jourdain (1177-1187). Il devint prince d'Antioche par son mariage avec Constance, héritière de la principauté. Il guerroya contre les Arméniens de Cilicie, les Byzantins et les musulmans. Capturé par les musulmans, il resta prisonnier de 1160 à 1177. Il devint seigneur d'Outre-Jourdain en épousant Stéphanie, héritière de cette seigneurie. Il effectua des entreprises de pillage contre les caravanes musulmanes mais, fait prisonnier à la bataille de Tibériade, il fut exécuté sur l'ordre de Saladin.

Renaud de Montauban. ♦ Poème épique anonyme (*fin* du XIIe s.), parfois nommé *Les Quatre* Fils Aymon,* et appartenant à la geste de *Doon* de Mayence.* – Le héros, bâti sur le modèle historique de saint Renaud, cherche à faire sa paix avec Charlemagne* qui l'a insulté. – Il est soutenu par Maugis* l'enchanteur, et servi par le cheval merveilleux Bayard. – Il met fin saintement à sa vie de violence, à Cologne, en bâtissant l'église Saint-Pierre.

RENAU D'ELIÇAGARAY ou **ELISSAGARAY (Bernard).** ♦ Marin et ingénieur militaire français (Armendarits, Pyr.-Atl., 1652 – Pougues, 1719). Inventeur des galiotes à bombes.

RENAUDEL (Pierre). ♦ Homme politique français (Morgny, Seine-Maritime, 1871 – Palma de Majorque, 1935). Rédacteur (1904), puis directeur de *l'Humanité* (1915-1918), député socialiste (1914-1919, 1924-1935), il fut exclu de la S.F.I.O. comme partisan de la participation ministérielle (1933) et fonda l'Union Jean-Jaurès qui devint le Parti socialiste de France.

RENAUDOT (Théophraste). ♦ Médecin et journaliste français (Loudun, Vienne, 1586 – Paris, 1653). Médecin et secrétaire du roi, commissaire général des pauvres du royaume, il créa *la Gazette de France* (1631) et prit la direction du *Mercure de France. Le prix Renaudot,* fondé en 1925, est décerné chaque année (en même temps que le *Goncourt*) à un auteur de romans ou de nouvelles.

RENAULT [ʀəno] **(Louis).** ♦ Industriel français (Paris, 1877 – *id.,* 1944). Après avoir construit sa première voiture, il fonda, avec ses frères MARCEL (Paris, 1882 – Bourg-de-Vay Vienne, lors de la course automobile Paris-Madrid, 1903) puis FERNAND (1865 – 1901), l'usine Renault Frères à Billancourt (1899). Celle-ci, d'abord spécialisée dans la construction de voitures de course, ne cessa de s'agrandir. Après la Première Guerre mondiale, au cours de laquelle l'usine Renault produisit un modèle de tank léger et des moteurs d'avion, elle prit progressivement la première place dans le marché français de l'automobile. Les usines Renault ayant travaillé pour le compte de la Wehrmacht lors de la Deuxième Guerre mondiale. L. Renault fut inculpé et ses usines furent nationalisées (1945), devenant la *Régie nationale des usines Renault.*

RENAZÉ. ♦ Comm. de la Mayenne, arr. de Château-Gontier. 3 007 hab. *(Renazéens).* Ardoisières. Confection.

RENDSBURG. ♦ V. d'Allemagne nord-occidentale (Schleswig-Holstein), sur l'Eider et le canal de Kiel. 35 000 hab. Église du XIIIe s. et hôtel de ville du XVIe siècle. – Métallurgie, textiles, indus. mécaniques.

RENÉ Ier le Bon. ♦ (Angers, 1409 – Aix-en-Provence, 1480). Duc de Bar (1430-1480), duc de Lorraine (1431-1453) par son mariage avec Isabelle de Lorraine, duc d'Anjou et comte de Provence (1434-1480), roi titulaire de Naples. Fils de Louis* II d'Anjou, il hérita en 1435 du royaume de Naples à la mort de Jeanne II, mais ne put le conquérir sur Alphonse* V d'Aragon (1438-1442). Il apporta son soutien à Charles VII de France contre les Anglais, lors de la guerre de Cent Ans. Il créa de nouveaux impôts, centralisa l'administration dans ses États et protégea le commerce; cette action, jointe à son amour des arts, le fit passer à la postérité sous le nom de *bon roi René.* Mécène, poète, il entretint une vie artistique et littéraire active dans ses diverses possessions, protégeant notamment Nicolas Froment* **(V. Buisson ardent).** Il légua la Provence à son neveu Charles du Maine qui mourut sans enfants, de sorte que Louis* XI put réunir la Provence à la France. – Père de Marguerite* d'Anjou.

RENÉ II. ♦ (1451 – Fains, 1508). Duc de Lorraine (1473-1508) et duc de Bar (1480-1508). Petit-fils de René* Ier. Il fut dépossédé de ses États par Charles le Téméraire (1475) mais réussit à le battre et à le tuer au siège de Nancy (1477). Il ne put faire valoir ses droits sur la Provence.

René. ♦ Récit de Chateaubriand*. À l'origine épisode détaché (comme *Atala**) des *Natchez**, il fut englobé en 1802 dans le *Génie* du christianisme* pour illustrer le « vague des passions », puis publié à part en 1805. Dans cette fiction romanesque teintée d'autobiographie, au ton alternativement solennel ou plaintif, au style constamment lyrique, Chateaubriand veut condamner cette « coupable mélancolie qui s'engendre au milieu des passions lorsque les passions, sans objet, se consument d'elles-mêmes dans un cœur solitaire », proposant comme remèdes la vie chrétienne et les vertus sociales. Cette première figure du héros romantique aura, par sa séduction même, une influence considérable : opposant sans cesse l'infini de ses aspirations à une réalité décevante, René aspire aux espaces spirituels (« Levez-vous vite, orages désirés... ») ou connaît la tentation du suicide. Pourtant il éprouve une amère jouissance à analyser son désespoir : « On jouit de ce qui n'est pas commun, même quand cette chose est un malheur. »

RENÉE DE FRANCE. ♦ (Blois, 1510 – Montargis, 1575). Duchesse de Ferrare (1534-1559). Seconde fille de Louis* XII et d'Anne* de Bretagne, elle épousa Hercule II d'Este* et tint à Ferrare une cour brillante. Disciple de Lefèvre* d'Étaples, elle fut gagnée à la Réforme, accueillit des protestants (Marot*, Calvin*), et fut même emprisonnée par son mari. Après la mort de celui-ci, elle se retira à Montargis dont elle fit un des foyers du protestantisme.

RENÉ GOUPIL *(saint).* ♦ V. CANADA *(martyrs du).*

RENFREW ou **RENFREWSHIRE.** *n. m.* ♦ Comté d'Ecosse, à l'O. de Glasgow et au S. de l'estuaire de la Clyde, limité par le Lanarkshire à l'O., l'Ayrshire au S. et à l'O., le comté de Dumbarton au N.-E. 582 km². 125 590 hab. *Ch.-l.* Paisley*. *V. princ.* **V. Greenock, Port Glasgow.** C'est le plus industriel des comtés écossais (employant plus de 50 % de la main-d'œuvre locale dans l'industrie). La construction navale, l'indus. mécanique (machines-outils, moteurs marins), et textile (tapis, cordes) sont les principales activités.

Renga. *n. m.* ♦ Genre poétique japonais qui connut une grande vogue à partir du XIIe s., consistant en « waka » enchaînés. Il fut supplanté au déb. du XVIIe par la mode des haikai.

RENI (Guido, dit en fr. **Le GUIDE).** ♦ Peintre, décorateur, dessinateur et graveur italien (Bologne, 1575 – *id.*, 1642). Il étudia auprès du maniériste flamand Calvaert*, puis à l'académie des Carrache*. Séjournant à Rome de 1600 à 1603, il subit l'attraction du Caravage (*Crucifixion de saint Pierre, La Charité,* 1604), puis s'engagea dans une voie plus personnelle tout en se référant davantage aux œuvres du Corrège, à l'antique et, surtout, à Raphaël. Protégé par le pape Paul V et le cardinal Scipione Borghèse, il travailla notamment aux fresques de la chapelle du *palais Quirinal* (1610) et à *Sainte-Marie-Majeure.* De 1613 à 1614, il peignit la célèbre fresque de *l'Aurore* au *casino Rospigliosi,* puis se fixa à Bologne v. 1614 *(Apothéose de saint Dominique).* Dans ses multiples œuvres religieuses, apparaît une tendance au sentimentalisme, à la suavité, révélatrice de l'un des aspects de la piété nouvelle. Le culte qu'il portait au corps humain, à une beauté idéale, s'exprima particulièrement dans ses peintures mythologiques aux figures élégantes, nerveuses et d'une grâce sensuelle *(Travaux d'Hercule).* Coloriste raffiné évoluant vers une gamme de tons plus argentée, il donna à sa facture un aspect souple et moelleux et ordonna souvent ses compositions suivant des rythmes complexes (*Atalante et Hippomène,* 1625). Jouissant d'une immense renommée en Europe, il fut le plus brillant représentant de l'école bolonaise et le répertoire de ses gestes et figures d'expression fut longtemps imité dans les académies.

RENN (Adolf Friedrich VIETH von GOLSSENAU, dit **Ludwig).** ♦ Écrivain allemand (Dresde, 1889 –). Officier lors de la Première Guerre mondiale, il affirma des positions antimilitaristes et révolutionnaires dans deux ouvrages qui, par leur style, sont proches de la chronique objective (*Guerre,* 1928; *Après-guerre,* 1939). Combattant auprès des troupes républicaines en Espagne (1936), il devait choisir l'Europe communiste, et donna après la guerre un récit sur *La Décadence de la noblesse allemande* (*Adel in Untergang,* 1946).

RENNELL (James). ♦ Géographe et cartographe anglais (Chudleigh, Devonshire, 1742 – Londres, 1830). Capitaine de génie de la Compagnie des Indes, il a donné une *Description historique et géographique de l'Indoustan* (1782). Il publia également des travaux géographiques sur l'Afrique, l'Asie occidentale, et des *Recherches sur les courants de l'océan Atlantique* (1832).

RENNEQUIN (René Sualem, dit**).** ♦ Mécanicien liégeois (Jemeppe-sur-Meuse, 1645 – Bougival, 1708). À la demande de Louis XIV, afin d'alimenter en eau le château de Versailles, il construisit la « machine hydraulique de Marly » qui servait à élever les eaux de la Seine (1676-1682).

RENNER (Karl). ♦ Homme politique autrichien (Untertannowitz, Moravie, 1870 – Vienne, 1950). Leader réformiste du Parti social-démocrate autrichien, il représenta son pays aux négociations de Saint-Germain (10 sept. 1919). Président du Conseil national (1931-1933), il vécut dans la clandestinité sous l'occupation allemande, et devint chancelier puis président de la République autrichienne (1945).

RENNES. ♦ Préf. d'Ille-et-Vilaine, ch.-l. d'arr. (21 cant., 185 comm., 397 354 hab.) au confluent de l'Ille* et de la Vilaine*, dans le *bassin de Rennes.* 188 515 hab. *(Rennais).* – En 1720, un immense incendie détruisit en grande partie la ville, qui fut reconstruite d'après les plans de l'architecte Gabriel*. Cathédrale Saint-Pierre (XVIIIe-XIXe s.) à façade classique; basilique Saint-Sauveur (XVIIIe s.); église Notre-Dame ou Saint-Melaine (XIVe s.) à côté du jardin du Thabor; ancienne abbaye de Saint-Georges reconstruite au XVIIe siècle; église Saint-Germain (XVe-XVIe s.) de style gothique flamboyant et restaurée. Palais de justice. Parlement de Bretagne, élevé au XVIIe s. d'après les plans de Salomon de Brosse*. Hôtel de ville de style Louis XV. Palais des musées, réunissant le musée des Beaux-Arts et le musée de Bretagne. Maisons et hôtels anciens. – Un programme d'urbanisation transforme la ville : rénovation de quartiers, réalisations nouvelles (maison de la radio, 1960; maison de la culture, 1966-1968). – Archevêché. Ville universitaire (université de haute Bretagne, *université de Rennes*; nombreuses écoles supérieures), Rennes est une capitale administrative, le siège d'une région militaire, un carrefour de routes et un nœud ferroviaire. Centre de distribution pour l'O. de la France; centre commercial et agricole. Abattoirs industriels, frigorifiques; indus. alimentaires, brasserie. Importantes entreprises de bâtiment et de travaux publics. Indus. automobiles (deux usines Citroën); constructions mécaniques; machines agricoles; fonderie. Imprimeries; siège d'un important journal régional. Meubles; confection; chaussures. Briqueteries, carrelages. Indus. électronique. Indus. des cuirs, tanneries, mégisseries. Raffinerie de pétrole à Vern. Centre national des redevances de l'O.R.T.F. – Patrie de F. Bigot* de Préameneu, du général Boulanger*, de Mgr Dupont* des Loges, de Ch. A. Amaury Duval, d'A. Duval*, de P. Féval*, de L. R. de La* Chalotais, La* Motte-Picquet, de Y. D. Lanjuinais*, de I. Le* Chapelier, de M. Noguès*, de R. J. de Tournemine*. ♦ *Hist.* À l'époque celtique, *Condate* fut le centre des *Redones.* Au IXe s. fut créée la dynastie des *comtes de Rennes* qui firent ensuite l'unité de la Bretagne et devinrent ducs de Bretagne. Du Guesclin repoussa les Anglais de la ville pendant la guerre de la Succession de Bretagne (1357). Le parlement de Bretagne, fondé en 1551, s'installa à Rennes en 1561; il se montra très indépendant et fut exilé à Vannes de 1675 à 1689, après la révolte dite « du papier timbré ». La ville fut incendiée en 1720 (voir *ci-dessus*). – Elle a été bombardée au cours de la dernière guerre.

RENNES-LES-BAINS. ♦ Comm. de l'Aude (arr. de Limoux), bâtie sur les hauteurs de la r. g. de l'Aude, dans les Corbières*. 192 hab. Église romane. Pierres tombales carolingiennes. – Au S. du village s'étendait l'antique *Rhedae,* capitale wisigothique du Razès. – Station thermale.

RENO. *n. m.* ♦ Fl. d'Italie du Nord (180 km). Né dans l'Apennin toscan, il coule en Émilie* et arrose Bologne*. Il se jette dans l'Adriatique au S. de la lagune de Comacchio.

RENO. ♦ V. des États-Unis, à l'O. du Nevada. 72 860 hab. Zone urbaine avec Sparks, env. 120 000 hab. D'abord centre commercial, la ville dut sa richesse et sa célébrité à une législation libérale facilitant les mariages ultra-rapides et les divorces (20 000 mariages et 4 500 divorces annuels, v. 1960). – Centre touristique, à proximité de la sierra Nevada (ski, chasse, pêche). Casinos et spectacles. – La ville de Sparks, adjacente, présente les mêmes activités.

RENOIR (Pierre Auguste). ♦ Peintre, aquarelliste, pastelliste et dessinateur français (Limoges, 1841 – Cagnes, 1919). Fils de tailleur, il débuta à treize ans comme peintre sur porcelaine, puis travailla comme graveur sur médailles et peignit aussi des éventails et des stores. Au Louvre, il copia les maîtres du XVIIIe siècle. En 1863, il étudia dans l'atelier de Gleyre, rencontra Monet*, Sisley* et Bazille*, alla peindre avec eux dans la forêt de Fontainebleau. Après avoir essuyé quatre refus au Salon, il fut accepté en 1868 avec *Lise à l'ombrelle,* qui dénote surtout les influences conjuguées de Courbet* et de Manet*. En 1869, à Croissy, près de Bougival, il aborda les mêmes thèmes que son ami Monet (*Les Canotiers,* 1868; *La Grenouillère,* 1869); dans ces paysages à la touche plus nettement séparée, aux coloris clairs, il s'attacha à rendre les effets éphémères de lumière, les reflets dans l'eau contribuant ainsi à la formation de l'impressionnisme. Il rencontra Durand-Ruel, qui allait devenir son marchand, et Caillebotte*, exposa chez Nadar* en 1874 à la première exposition des impressionnistes et produisit ensuite notamment : *La Loge,* 1874; *Chemin montant dans les hautes herbes,* 1875; *Le Moulin de la Galette,* 1876; *Mme Charpentier et ses enfants,* 1878. Tout en recherchant la luminosité de l'atmosphère, il employait alors une facture fondue plutôt qu'une touche divisée. Il s'éloigna progressivement des impressionnistes, notamment après un voyage en Italie (1881) où il fut particulièrement frappé par Raphaël; il utilisa des couleurs plus acides, un dessin appuyé jusqu'à la sécheresse, subordonnant comme le voulait la tradition classique la couleur à une composition structurée (*Les Grandes Baigneuses,* 1884-1887; *Les Parapluies,* 1882-1884). Vers 1888, cette période dite « aigre » prit fin; il séjourna quelque temps dans le Midi chez Cézanne* et peignit de nombreux nus de jeunes filles en plein air, des paysages et des

Arch. Smeets

Pierre Auguste Renoir :
« La baigneuse s'essuyant la jambe », 1905.
(Museu de Arte Moderna, São Paulo.)

scènes d'intimité (*Jeunes Filles au piano,* 1892) d'une facture très souple et fondue avec des coloris nacrés. Vers 1894, sa gouvernante Gabrielle devint son modèle favori, il modela alors ses formes plantureuses dans des tonalités à dominante ocre et rouge. Atteint de rhumatismes articulaires, il résida le plus souvent dans le Midi, commença à donner des directives à un jeune sculpteur *(Vénus accroupie)* et continua malgré tout à peindre de nombreux portraits, des paysages et des nus (*Baigneuse s'essuyant la jambe,* 1905). Ne cessant d'exprimer avec lyrisme son amour sensuel de la vie, il ne put éviter dans ses dernières œuvres la répétition et perdit peu à peu son exceptionnelle maîtrise technique. Il ne se voulait pas révolutionnaire, mais avait le désir de rivaliser avec les maîtres qu'il admirait. Il avait le souci de la plasticité des formes, s'intéressant surtout à la figure humaine et parvint avec aisance à l'accord coloré entre les objets et leur milieu. En libérant la couleur de sa dépendance avec le dessin, il imposa son univers personnel où dominent la joie et la sensualité.

RENOIR (Jean). ♦ Réalisateur français de cinéma (Paris, 1894). Fils d'Auguste Renoir, il a gardé de ses débuts dans l'art de la céramique l'exigence de l'artisan, son sens du réel, sa patience et son goût de la liberté. Maître d'un naturalisme poétique où se reconnaissent les influences des peintres impressionnistes, de Zola et de Maupassant (*Nana,* 1926; *La Chienne,* 1932; *Boudu sauvé des eaux,* 1932; *Une partie de campagne,* 1936, inachevé), il a ouvert les voies du néo-réalisme (*Toni,* 1935), célébré le Front populaire *(Le Crime de Monsieur Lange)* et ses sources historiques (*La Marseillaise,* 1936) avant de réaliser trois chefs-d'œuvre : *La Grande Illusion* (1937), *La Bête humaine* (1938), et surtout *La Règle du jeu* (1939), admirables réussites par la saisissante vérité des caractères, la puissance de la peinture des mœurs et de la satire sociale, la nouveauté et la hardiesse du style qui donnent à l'appréhension de l'espace et à la continuité temporelle un rôle inaccoutumé. Trop audacieuses pour leur temps, ces œuvres furent généralement accueillies par l'incompréhension du public et l'hostilité d'une partie de la critique. Contraint à s'exiler à Hollywood (1940-1948), Jean Renoir devait plus tard réaliser encore des œuvres d'une inspiration très variée, où l'on retrouve son amour de la vie et des hommes, son lyrisme et sa générosité : *Le Fleuve* (*The River,* 1951), *Le Carrosse d'or* (1952) d'après la nouvelle de Mérimée, *French Cancan* (1955), *Héléna et les hommes,* etc. Son influence s'est exercée sur de nombreux cinéastes **(V.,** *par ex.,* **Visconti** [Luchino]).

RENOMMÉE *(la),* en grec **Phêmê,** en lat. **Fama.** ♦ Divinité allégorique chez les Grecs, puis chez les Romains. Monstre ailé à cent yeux, cent oreilles et cent bouches, la Renommée est enfantée par Gaia (la Terre) pour surprendre les secrets coupables des dieux et des mortels et les proclamer à l'Univers. Elle est aussi messagère de Zeus.

RENOUVIER (Charles). ♦ Philosophe français (Montpellier, 1815 – Prades, 1903). Fondateur de *l'Année philosophique* (1868) et promoteur en France du retour au criticisme kantien **(V. Néo-kantisme),** il a formulé un relativisme (ou phénoménisme) idéaliste et fait de la liberté le fondement de la vie intellectuelle et morale de la personne, notion centrale de son système qui renoue ainsi avec le monadisme de Leibniz [*Essais de critique générale,* 1851-1864; *La Science de la morale,* 1869] **(V. Brochard).**

RENWEZ [rɑ̃ve]. ♦ Ch.-l. de cant. des Ardennes (arr. de Charleville-Mézières). 1 261 hab. Église du XVe siècle. – Fonderies. – Michelet y séjourna.

REOCÍN. ♦ Village d'Espagne du N., en Vieille-Castille* (prov. de Santander). 5 100 hab. Reocín produit les deux tiers du zinc espagnol

RÉOLE (La). ♦ Ch.-l. de cant. de la Gironde*, arr. de Langon*, sur la Garonne*. 5 109 hab. *(Réolais).* Église St-Pierre, anc. abbatiale (XIIIe, XIVe, XVe s.), bâtiments conventuels. Anc. hôtel de ville du XIIe s., ruines d'un château du Moyen Âge; aux env. moulin fortifié de Bagas (XVe s.). – Marché agricole, manufacture de tabac, vins, eaux-de-vie. – Patrie de César et Constantin Faucher*.

RÉPINE (Ilia Iagimovitch) [*Repin*]. ♦ Peintre russe (Tchougouiev [Chuguyev], 1844 – Kuokkala, Finlande, 1930). Il étudia à Saint-Pétersbourg et voyagea en Italie et en France. Il fit partie du groupe des ambulants qui voulaient répandre l'art russe dans le peuple et pratiqua un art réaliste de caractère souvent anecdotique, parfois dramatique, chargé d'intentions sociales (*Les Haleurs de la Volga,* 1873). Il exécuta de nombreuses peintures d'histoire *(Ivan le Terrible étreignant le cadavre de son fils)* et des portraits expressifs d'une facture solide (Moussorgsky, Borodine, Tolstoï).

Républicain *(parti),* en angl. **Republican Party.** ♦ Nom de l'un des deux grands partis politiques des États-Unis d'Amérique. Fondé en 1854 à Jackson (Michigan), le Parti républicain reprenait le nom de l'ancien parti de Jefferson* pour souligner l'importance de la nation par rapport aux droits de chacun des États. Recrutés exclusivement dans le Nord, les républicains s'opposèrent à l'établissement de l'esclavage dans tout nouvel État, et, défendant les intérêts des industriels, ils se firent les champions du protectionnisme. Vainqueurs du Sud après la guerre de Sécession*, les républicains, dont le chef A. Lincoln* a été assassiné, détinrent la présidence des États-Unis de 1865 à 1913. Devenu le parti du *big business,* protectionniste et impérialiste à la fin du XIXe s. **(V. McKinley; Th. Roosevelt** [politique du *«big stick»*]), les républicains, trop confiants dans la « prospérité » américaine après la Première Guerre mondiale **(V. Hoover),** ne purent résoudre la crise* économique de 1929 et abandonnèrent la présidence au démocrate F. D. Roosevelt*. Le républicain R. Nixon*, qui échoua devant J. F. Kennedy*, profita de l'impopularité de l'administration Johnson* aux élections de 1968; les républicains ont gardé la présidence jusqu'en 1976.

République (La), en gr. **Hê Politeia ê peri tês dikês.** ♦ Dialogue en dix livres de Platon*. À la recherche d'une définition de la justice. Socrate est amené à décrire la cité modèle. Comme l'âme, qui est à la fois désir sensuel, cœur (vouloir) et raison, celle-ci se divise en trois « classes », artisans et paysans, guerriers, magistrats. La justice est l'ordre et l'équilibre hiérarchiques régnant dans l'âme comme dans la cité. Seuls les hommes s'étant élevés par la dialectique à la connaissance du vrai et du bien, les « philosophes-rois » sont capables de la gouverner justement. L'aristocratie est donc pour Platon le meilleur gouvernement, mais il en décrit aussi les dégradations successives : timocratie, oligarchie, démocratie, tyrannie. S'achevant sur des considérations éthiques et eschatologiques, cette œuvre fut considérée comme le modèle de l'utopie politique **(V. More [Thomas], Campanella)** et par certains comme la meilleure peinture de l'homme social (Alain, Léon Robin).

République (De la) [*De Republica*]. ♦ Traité politique et philosophique de Cicéron*, en six livres, écrit sous forme de dialogues (~54-~52), inspiré de Platon* **(V.** *ci-dessus***).** Le gouvernement idéal est un compromis entre la monarchie, l'aristocratie et la démocratie. La justice doit être à la base de la vie sociale et l'immortalité de l'âme est promise aux bienfaiteurs de l'État (*Le Songe de Scipion,* liv. VI).

République (La). ♦ Traité de philosophie politique de Jean Bodin*, paru en 1576. L'auteur y étudie les principes de la vie en société, en s'appuyant sur des considérations historiques et géographiques, pratiquant une sorte de sociologie comparée (et annonçant ainsi Montesquieu*). L'analyse politique l'amène à noter le rôle de la famille dans la société et surtout à soutenir la thèse du pouvoir absolu du monarque, tempéré seulement par le respect des lois fondamentales du royaume et les conseils du parlement et des états généraux.

République (Première). ♦ Régime sous lequel vécut la France* de septembre 1792 à mai 1804. Au cours de la journée révolutionnaire du 10 août* 1792, Louis* XVI fut déchu de ses fonctions par l'Assemblée* législative **(V. Révolution française; Septembre 1792** [massacres de]**).** Sur proposition de Collot d'Herbois, la Convention* nationale proclama la république le 21 septembre 1792, au lendemain de la victoire de Valmy*. Le 22 sept., tous les décrets furent datés de l'an I de la République et, le 23 sept., la République française était déclarée « une et indivisible ». Son avènement fut marqué sur le plan politique par l'octroi du suffrage universel, sur le plan social par plusieurs réformes en faveur des masses populaires **(V. Saint-Just),** sur le plan militaire par des victoires et la formation de plusieurs « républiques-sœurs », malgré la coa-

DECRET N.° 272.

DE LA

CONVENTION NATIONALE,

Du 24 Décembre 1792, l'an 1.er de la République Françoiſe,

Relatif aux Inſtances qui ſeroient indéciſes aux Tribunaux criminels proviſoires de Paris.

La Convention Nationale, ouï le rapport de ſon comité de légiſlation, concernant les inſtances qui ſeroient indéciſes aux tribunaux criminels proviſoires de Paris, comme y étant portées ſur le bureau lors de la ſuppreſſion de ces mêmes tribunaux, & commencées à plaider ou rapporter;

Décrète que toutes leſdites affaires ſont reſpectivement renvoyées; ſavoir, celles en première inſtance, aux tribunaux d'arrondiſſement de Paris, ou aux tribunaux de diſtrict qui euſſent été compétens ſi elles fuſſent nées depuis l'inſtallation de ces derniers tribunaux; & les cauſes d'appel, devant les mêmes tribunaux; mais en ce dernier cas, pour y être procédé dans les formes ordinaires, au choix d'un des ſept tribunaux d'appel, qui jugera définitivement.

Au nom de la République, le Conſeil exécutif proviſoire mande & ordonne à tous les Corps adminiſtratifs & Tribunaux, que la préſente loi ils faſſent conſigner dans leurs regiſtres, lire, publier & afficher, & exécuter dans leurs départemens & reſſorts reſpectifs; en foi de quoi nous y avons appoſé notre ſignature & le ſceau de la république. A Paris, le vingt-cinquième jour du mois de décembre mil ſept cent quatre-vingt-douze, l'an premier de la république Françoiſe. *Signé* Roland. *Contreſigné* Garat. Et ſcellée du ſceau de la république.

Ph. Lauros-Giraudon

Première République :
décret de la Convention nationale du 24 décembre 1792.
(Bibliothèque nationale, Paris.)

lition de l'Europe de l'Ancien Régime contre la France. La chute de Robespierre* et de ses alliés **(V. Thermidor)** permit à la Convention thermidorienne, puis au Directoire* de rendre au régime républicain un caractère plus conservateur. Le coup d'État du 18 Brumaire* (1799), instaurant en France le Consulat*, orienta la république, maintenue en droit, vers une dictature césarienne: par le sénatus-consulte de 1802, Napoléon Bonaparte devenait consul à vie. Celui de 1804 confiait « le gouvernement de la France » à un empereur héréditaire **(V. Napoléon Ier)**. Le nom de « République française » subsista encore quelque temps à côté de celui de « Napoléon Empereur ». Dès 1806, toutefois, le calendrier républicain était aboli; en 1808 l'inscription « République française » inscrite sur les monnaies fut remplacée par celle d' « Empire* français ».

République (Deuxième). ♦ Proclamée le 25 février 1848, après la révolution* française des 22, 23 et 24 février 1848 et l'abdication de Louis*-Philippe, elle succéda à la monarchie* de Juillet. Le gouvernement provisoire formé d'une majorité de républicains modérés (voire conservateurs) et de quelques socialistes, imposés par les forces révolutionnaires (L. Blanc, Albert), adopta des mesures d'urgence : dissolution de la Chambre des députés et convocation des Français pour l'élection, au suffrage universel rétabli, d'une Assemblée* constituante (avril 1848). Celle-ci, en novembre 1848, vota la Constitution qui servit de base à la IIe République, proclamant le droit au travail (création de la commission* du Luxembourg et des Ateliers* nationaux), rétablissant les libertés de presse et de réunion, abolissant la peine de mort pour motif politique et l'esclavage dans les colonies. Aggravée par la révolution, la crise économique provoqua une importante agitation politique révolutionnaire (avril, 15 mai* 1848), finalement réprimée après les émeutes du 23 au 26 juin* 1848 par Cavaignac*, auquel la Commission exécutive avait remis les pleins pouvoirs. Face au « péril rouge », les modérés et conservateurs se regroupèrent dans le parti de l'Ordre*, qui, après avoir assuré la victoire de Louis Napoléon Bonaparte **(V. Napoléon III)** aux élections présidentielles du 10 décembre 1848, obtint une large majorité aux législatives de mai 1849. L'Assemblée* législative mena une politique réactionnaire tant sur le plan intérieur (loi Falloux*, suppression du suffrage universel, mai 1850) qu'extérieur (expédition de Rome*, **V. Oudinot)**. L'opposition entre le président et l'Assemblée, qui refusa finalement la révision de la Constitution nécessaire à la réélection de Louis Napoléon Bonaparte à la présidence en 1852, aboutit au coup d'État du 2 décembre* 1851, suivi d'une répression de tous les mouvements d'opposition de droite comme de gauche et de l'instauration de la Constitution de janvier, renforçant l'exécutif au détriment du législatif **(V. Conseil d'État, Corps législatif et Sénat)**. La IIe République ne survécut pas au coup d'État. Un sénatus-consulte plébiscité les 21-22 novembre 1852, après une intense propagande, rétablissait l'Empire* proclamé le 2 décembre 1852 au profit de Napoléon III. **V. Empire** *(Second)*.

République (Troisième). ♦ Gouvernement de la France de 1870 à 1940. Succédant au Second Empire*, après la capitulation de Sedan* et la journée révolutionnaire du 4 septembre* 1870, lors de laquelle fut constitué un gouvernement de la Défense* nationale, la Troisième République en prolongea l'essor industriel, marqué par d'importants progrès scientifiques et techniques (radio, automobile, aviation). Époque de croissance économique (la production de houille passa de 13 à 41 millions de tonnes, celle d'acier de 1 à 5 millions de tonnes de 1869 à 1913), elle se caractérisa pourtant par un faible développement démographique (aggravé par les pertes humaines de la Première Guerre mondiale et contrastant avec l'essor démographique de la plupart des autres pays européens) et par l'archaïsme des structures sociales (le pays restant encore à dominante agraire). Au lendemain de la défaite dans la guerre franco*-allemande (1870-1871) et de la guerre civile qui opposa le gouvernement de Versailles* **(V. Thiers** et **Assemblée nationale)** et la Commune* (insurrectionnelle) de Paris, durement réprimée (fin mai 1871), Thiers (et son cabinet) s'attacha à la reconstruction économique, financière et militaire du pays qui restait profondément divisé politiquement (bonapartistes, monarchistes, républicains modérés ou radicaux). Après son renversement par la droite conservatrice de l'Assemblée nationale (24 mai* 1873) et l'échec de la tentative de restauration de la monarchie (au profit du comte de Chambord*), Mac*-Mahon fut appelé au pouvoir (1873). En 1873, l'Assemblée adoptait l'amendement Wallon* et la Constitution qui servit de base institutionnelle à la Troisième République. Le progrès des Républicains finit par faire échouer les tentatives de gouvernement d'Ordre* moral (malgré la crise du 16 mai* 1877). Après la démission de Mac-Mahon (déb. 1879) fut instaurée une république laïque, démocratique et parlementaire **(V. J. Grévy, J. Ferry)** qui s'attacha surtout à une œuvre de réforme de l'instruction publique, et fut marquée en politique extérieure par une volonté d'expansion coloniale (Extrême-Orient, Afrique du Nord et Afrique Noire). Alors que les forces politiques de gauche et les mouvements syndicaux commençaient à s'organiser, le régime connut ses premiers scandales (affaire du trafic des décorations. **V. D. Wilson)** et une crise politique liée au développement du nationalisme antiparlementaire et revanchard qui se cristallisa dans le boulangisme* **(V. G. Boulanger**, 1885-1889); à celle-ci fit suite la scandaleuse affaire de Panamá*

Ph. Giraudon

Proclamation de la **Deuxième République**, par J.J. Champin. (Musée Carnavalet, Paris.)

(1889-1892). Toutefois, le régime républicain, auquel la plupart des catholiques s'étaient alors ralliés **(V. Ralliement**, 1890-1892), ne fut pas vraiment ébranlé. Tout en poursuivant une politique coloniale (entre autres à Madagascar*, 1895), le gouvernement chercha à sortir la France de son isolement diplomatique (« entente cordiale » avec la Grande-Bretagne, alliance avec la Russie), alors que le pays se trouvait profondément divisé par la crise politique et idéologique de l'affaire Dreyfus* (1896-1899) qui suscita un regroupement des forces de droite **(V. Patriotes** [ligue des], **Action française)** et de gauche. Ces dernières, progressivement unifiées (formation du Parti radical*, 1901, du Parti socialiste*, S.F.I.O., 1905), menèrent, après la révision du procès, une politique de laïcisation radicale de l'État (loi sur la séparation de l'Église et de l'État, 1905); mais leur politique économique et sociale n'aboutit qu'à des réformes minimes. Les difficultés extérieures (tension entre la France et l'Allemagne sur la question marocaine, discours de Tanger*, conférence d'Algésiras*, incident d'Agadir*) dans un climat international qui ne cessa de se tendre (de 1905 à 1913) se doublèrent d'une importante agitation sociale. Malgré la victoire de la gauche (1914) et les campagnes pacifistes des socialistes **(V. J. Jaurès)**, la guerre ne put être évitée **(V. Poincaré,** *puis* **Clemenceau)**. De cette Première Guerre* mondiale (1914-1918), la France sortit victorieuse (traité de Versailles qui lui rendit l'Alsace et la Lorraine) mais épuisée et divisée politiquement. La crainte suscitée dans le monde capitaliste par la révolution russe (février-octobre 1917) et l'arrivée au pouvoir des bolcheviks eut en France pour conséquence la victoire des conservateurs du Bloc* national (1919), mais également une scission au sein de la S.F.I.O., dont se sépara la majorité pour constituer la S.F.I.C. **V. Communiste français** (Parti) [Congrès de Tours, 1920], puis de la Confédération* générale du travail (1922). Le Cartel* des gauches, victorieux en 1924, ne put se maintenir face à la crise financière, et, à l'instigation de Poincaré, fut formé un gouvernement d'Union nationale (1926-1929), qui parvint à redonner un relatif essor à l'économie française et une stabilité au franc. Toutefois, la crise économique et financière internationale (1929) devait également atteindre la France (1930). Dans ce contexte, marqué par la montée du fascisme, la dégradation du régime de la Troisième République s'accompagna de nouveaux scandales financiers (affaire Stavisky*, *fin* 1933-*déb.* 1934), qui provoqua une agitation politique et sociale, opposant ligues d'extrême droite (Action française, Croix*-de-Feu qui organisèrent la manifestation du 6 février 1934) aux forces de gauche qui se regroupèrent pour former un Front* populaire (1935), victorieux aux élections de 1936. Malgré d'importantes mesures économiques et sociales (accords Matignon*), le gouvernement de Front populaire (L. Blum*, puis Chautemps*, 1936-1938) essuya un relatif échec et fut remplacé par le cabinet du radical Daladier* (1938-1940) dans une situation internationale de plus en plus inquiétante. Après la signature des accords de Munich* (sept. 1938) le gouvernement Daladier (avec Reynaud* aux Finances) imposa un certain nombre de décrets-lois pour assurer la production et la défense du pays, décrets-lois frappant particulièrement le monde ouvrier et entraînant d'importants mouvements sociaux. Les agressions des États totalitaires se multiplièrent (déb. 1939, signature du pacte d'acier, mai 1939, entre l'Allemagne et l'Italie), la signature du pacte de non-agression germano-soviétique (août 1939) entraîna une violente répression à l'égard des communistes français, et la France entra en guerre. Mal préparée, l'armée fut, après huit mois d'inaction, rapidement vaincue par les forces ennemies et c'est dans le plus total désarroi (politique et social) que fut signé l'armistice (Rethondes*, 22 juin 1940) et que l'Assemblée nationale (Chambre et Sénat réunis) vota les pleins pouvoirs à Pétain* (11 juill. 1940), mettant ainsi fin à la Troisième République **(V. Guerre mondiale** [*Deuxième*] et **Vichy** [gouvernement de]).

Ph. Lauros-Giraudon

Quatrième République : affiche de Villemot pour l'emprunt de 1945. (Bibliothèque nationale, Paris.)

République (Quatrième). ♦ Régime sous lequel vécut la France de juin 1944 à octobre 1958. Bien que non officiellement proclamée, elle fut instaurée par le décret du général de Gaulle qui, mettant fin à l'État français **(V. Pétain, Vichy** [gouvernement de]**)**, donnait au Comité* français de libération nationale le nom de *gouvernement* provisoire de la République française* (pour la période de juin 1944 à janv. 1947. **V. Gouvernement provisoire; Assemblées constituantes de 1945** et **1946)**. Après l'adoption de la Constitution de la IVe République, accordant au pouvoir législatif (Conseil de la République et surtout Assemblée* nationale) une place prépondérante par rapport à l'exécutif, et après l'élection du premier président de la IVe République, Vincent Auriol*, fut formé un conseil des ministres sous la présidence de Paul Ramadier*. L'expérience d'un gouvernement tripartite (Parti communiste*, Parti socialiste* et Mouvement* républicain populaire) échoua sur le problème du blocage des salaires. Les ministres communistes, ayant été mis en minorité, durent démissionner. L'échec du tripartisme, qui s'expliquait également par la situation internationale, s'accompagna en France d'un important mouvement de grève (1947-1948). Entre l'opposition gaulliste **(V. Rassemblement du peuple français)** et celle du Parti communiste français, le gouvernement tentait de constituer une « troisième force » centriste (M.R.P., socialistes, libéraux) qui survécut jusqu'en 1951. Tandis que la rupture entre l'Est et l'Ouest entraînait la signature du Pacte atlantique (1949) et l'autorisation du réarmement de l'Allemagne, le redressement économique de la France s'accélérait grâce au plan Monnet*, avec l'aide du plan Marshall* américain : les premières bases de la Communauté européenne étaient posées. Toutefois, les gouvernements successifs de la « IIIe Force » ne parvinrent pas à résoudre la crise financière ni les difficultés suscitées par la guerre d'Indochine. Ces problèmes contribuèrent à aggraver l'instabilité ministérielle chronique qui fut l'une des caractéristiques essentielles du régime. Peu après la constitution du cabinet Pleven*, les socialistes, hostiles à la loi Barangé sur l'aide à l'enseignement privé, passaient dans l'opposition jusqu'en 1956 : le gouvernement s'orientait vers une majorité de centre droit. Si le gouvernement Pinay (1952) parvint à organiser plus efficacement la lutte contre l'inflation, les dissensions politiques qui se cristallisèrent peu à peu autour de la question coloniale (Tunisie, Maroc) ne firent que s'aggraver. Après la défaite de Diên* Biên Phu (mai 1954) le gouvernement Mendès* France mettait fin à la guerre d'Indochine (accords de Genève, juill. 1954) puis accordait son autonomie à la Tunisie, alors que commençait la guerre d'Algérie. À la suite de la démission de Mendès France, le cabinet E. Faure, qui rétablit sur le trône marocain le sultan Muhammad V et rendit son indépendance au Maroc (accords de La Celle-Saint-Cloud), dut à son tour se retirer, après des élections caractérisées par un succès relatif du Front républicain (radicaux, socialistes), du P.C.F. mais aussi un net progrès de forces de droite (nationalistes, mouvement Poujade*), et un effondrement du mouvement gaulliste. L'absence d'une majorité réelle (1956-1958) accentua l'instabilité gouvernementale en même temps que s'aggravait la crise algérienne. Le gouvernement G. Mollet* (1956-1957) subit un grave échec avec l'expédition de Suez* (oct.-déc. 1956); après avoir encore ratifié le traité de Rome* (mars 1957), il dut démissionner, quand il eut été mis en minorité sur la question économique et financière. La décomposition du régime (cabinets Bourgès*-Maunoury, F. Gaillard*) ne fit alors que s'accélérer. L'émeute de Mai* 1958 à Alger sonna le glas de la IVe République. Dans un climat de tensions et de chantage à la guerre civile, l'éphémère cabinet P. Pflimlin* démissionna, tandis que le président de la République, R. Coty*, faisait appel au général de Gaulle* pour « redresser la situation ». Ce dernier constitua un cabinet (1er juin) qui, dès oct. 1958, faisait adopter la Constitution de la Ve République*.

République (Cinquième). ♦ Régime sous lequel vit la France* depuis octobre 1958 **(V. République** [IVe]**)**. Appelé au pouvoir par le président R. Coty*, le général de Gaulle* forma, en dépit de l'opposition de la gauche française, un gouvernement qui, en octobre 1958, faisait adopter la Constitution de la nouvelle République; celui-ci renforçait le pouvoir exécutif et orientait la France vers un régime de type présidentiel. Élu président, le général de Gaulle, disposant d'une large majorité (U.N.R. **V. U.D.R.**) gouverna successivement avec M. Debré* (1959-1962), G. Pompidou* (1962-1968) et M. Couve de Murville (1968-1969). Non sans difficultés (semaine des barricades, 1960; putsch d'Alger, 1961), il s'employa à mettre fin à la guerre d'Algérie (signature des accords d'Évian*, mars 1962) abandonnant peu à peu les tenants de l'Algérie française, qui l'avaient salué comme un sauveur. Sur le plan extérieur, le général de Gaulle mena une politique de prestige cherchant à rendre à la France son indépendance diplomatique et militaire (de 1959 à 1966, la France quitta l'O.T.A.N., créa une force atomique dite « de dissuasion ») et à promouvoir une « Europe des États » s'étendant de l'Atlantique à l'Oural **(V. Gaulle** [*de*]**)**. Sur le plan économique et social ni les mesures du plan Pinay-Rueff (1958-1959) ni le plan de stabilisation de V. Giscard* d'Estaing ne réussirent à enrayer l'inflation. Après un relatif progrès de l'opposition de gauche (élections présidentielles de 1965; législatives de 1967), le malaise économique, social et culturel aboutit à la grave crise de Mai*-Juin 1968, qui ne suffit pas toutefois à ébranler le régime. L'U.D.R. retrouva une très forte majorité aux législatives de juin 1968. Après l'échec du référendum sur la régionalisation et la réforme du Sénat (avr. 1969), le général de Gaulle se retira, et fut remplacé à la présidence de la Ve République par G. Pompidou*. La « continuité dans l'ouverture » caractérisa la politique du nouveau chef de l'État et de ses gouvernements (J. Chaban*-Delmas, 1969-1972; puis Messmer*), qui poursuivirent ou modifièrent, en particulier en politique extérieure, celle du général de Gaulle, suscitant les critiques de « gaullistes » orthodoxes. G. Pompidou mourut le 2 avril 1974, et V. Giscard* d'Estaing, candidat du centre et des modérés, fut élu président de la République avec 50,70 % des voix devant F. Mitterrand*, candidat de la gauche unie pour un « programme commun », avec 49,30 %. Des réformes (dont l'abaissement à 18 ans de l'âge électoral, l'avortement licite, etc.) correspondaient à une volonté de progrès social, cependant que la crise du pétrole contribuait à la récession économique.

République arabe unie (R.A.U.). ♦ État formé en fév. 1958 par l'union de l'Égypte* et de la Syrie* qui fut proclamée par le président Nasser* et Choukri Kouattli. *L'État arabe uni* fut formé en mars 1958 par l'union de l'Égypte, de la Syrie et du royaume du Yémen*. Cette union fut rompue à la suite du coup d'État militaire syrien de sept. 1961; cependant l'Égypte a officiellement conservé la dénomination de *R.A.U.* jusqu'en 1971.

REQUESÉNS Y ZÚÑIGA (Luis *de*). ♦ (Barcelone, 1528 — Bruxelles, 1576). Diplomate et homme politique espagnol. Lieutenant général de la mer, il se distingua à Lépante* (1571) sous les ordres de don Juan* d'Autriche. Il fut gouverneur du Milanais (1573), puis des Pays-Bas, où il succéda au duc d'Albe*. Beaucoup plus modéré que lui, il reprit cependant la guerre devant les exigences de Guillaume* d'Orange. Il lutta sur mer contre les gueux*, et, sur terre, après une victoire sur les mercenaires allemands près de Nimègue, au cours de laquelle Louis de Nassau fut tué, il échoua en Zélande à cause des mutineries de son armée.

Requiem. ♦ Messe de Mozart (1791). Cette œuvre demeurée inachevée fut terminée sur les indications de Mozart par son disciple Süssmayer. Parmi les douze morceaux, seuls le « Requiem » et le « Kyrie » sont entièrement dus à Mozart. La construction est symétrique, avec des demandes et des réponses entre les quatre voix (soprano, contralto, ténor et basse) et le chœur. Le *Requiem,* qui exprime la contemplation de la mort, le détachement et une résignation sereine, est l'un des sommets de la dernière période du musicien. **V. Mozart.**

RESHT. ♦ V. Rasht.

Résistance *(parti de la)*. ♦ Nom donné sous la monarchie* de Juillet au parti dynastique (orléaniste) qui, favorable à la « monarchie bourgeoise », se montra hostile à toutes concessions démocratiques et mena sur le plan extérieur une politique prudente. Dirigé par Guizot*, Molé* et Casimir Perier*, le parti de la Résistance fut au pouvoir dès 1832, et y resta jusqu'à la chute de la monarchie de Juillet. On a pu dire que l'orléanisme s'était finalement confondu

« avec le parti de la Résistance au point de lui emprunter sa couleur, son esprit, son programme » (R. Rémond).

Résistance. ♦ Nom donné à l'ensemble des actions menées au cours de la Deuxième Guerre mondiale dans les différents pays d'Europe contre l'occupation allemande et les régimes nazi et fascistes. **V. Guerre mondiale** *(Deuxième).* ♦ RÉSISTANCE FRANÇAISE. La *Résistance extérieure* s'organisa après l'appel à la poursuite de la guerre lancé de Londres le 18 juin 1940 par le général de Gaulle*, avec la constitution d'un Bureau central de renseignements et d'action (Londres), des Forces* françaises libres, qui luttèrent aux côtés des armées alliées (principalement dans les territoires d'outre-mer), et du Comité* français de Libération nationale, créé à Alger en 1943 et devenu le Gouvernement* provisoire de la République française (Paris, juin 1944). La *Résistance intérieure* se forma dès la fin de 1940 avec la création de réseaux dans la zone nord occupée par les Allemands et dans la zone sud (Combat*, Libération, Mouvements* unis de Résistance). L'action des divers réseaux fut coordonnée avec la constitution du *Conseil* national de la Résistance* (présidé par J. Moulin*, puis par G. Bidault*, 1943) qui permit en même temps une liaison entre la Résistance intérieure et extérieure. Alors que débutaient les opérations de libération*, les organisations militaires de la Résistance (Armée secrète, Organisation de résistance de l'armée, Francs*-Tireurs et Partisans français dépendant du Front* national de tendance communiste) étaient regroupées dans les Forces* françaises de l'intérieur (sous le commandement du général Kœnig) qui, avec les F.F.L., participèrent aux côtés des Alliés aux opérations militaires de la Libération.

RESISTENCIA. ♦ V. d'Argentine, ch.-l. de la province du Chaco*. 94 000 hab. Ville pionnière, elle fait face à Corrientes* et doit son développement (bois, bétail) à l'immigration italienne. Centre industriel. Fabriques de produits tannants aux alentours de la ville.

RESITA. ♦ V. de Roumanie occidentale (Banat*). 69 600 hab. C'est l'un des centres industriels les plus actifs du pays : puissant complexe sidérurgique sur d'importants gisements de fer et de houille.

RESNAIS [ʀenɛ] **(Alain).** ♦ Réalisateur français de cinéma (Vannes, 1922). Des courts métrages, d'une rare qualité esthétique, ont marqué ses débuts : *Van Gogh* (1948), *Guernica* (1950), consacré à l'œuvre de Picasso, et le terrible *Nuit et Brouillard* (1956), évocation inoubliable des camps d'extermination. Mais c'est par des œuvres où la hardiesse de forme renouvelle la réthorique cinématographique qu'il s'est affirmé comme le créateur le plus original de la jeune école française des années 1960 : *Hiroshima mon amour* (1959), *L'Année dernière à Marienbad* (1961), *Muriel ou le Temps d'un retour* (1963), *La Guerre est finie* (1966), œuvres qui développent aussi la plus fervente des méditations sur les thèmes de l'amour, du temps et des grands problèmes qui tourmentent la conscience contemporaine.

RESPIGHI (Ottorino). ♦ Compositeur italien (Bologne, 1879 – Rome, 1936). Élève de Rimski*-Korsakov à Saint-Pétersbourg et, un temps, de Max Bruch à Berlin, il fut professeur au conservatoire de Rome (1913) dont il devint le directeur (1923). Son œuvre, notamment instrumentale, s'inscrit en réaction contre le vérisme. Elle se caractérise souvent par un impressionnisme chatoyant (*Fontaines de Rome,* 1917; *Pins de Rome,* 1924; *Vitraux d'église,* 1927; *Triptyque botticellien,* 1927; *Fêtes romaines,* 1928), ou par le recours aux vieux modes du plain-chant (*Concerto grégorien* pour violon, 1921). Outre de contestables adaptations d'œuvres anciennes, on lui doit encore des opéras, de la musique de chambre et des mélodies.

Restauration. *n. f.* ♦ Nom donné à la période de l'histoire française au cours de laquelle, après l'abdication de Napoléon* Ier (traité de Fontainebleau*, avril 1814), la monarchie fut rétablie en faveur de la branche aînée des Bourbons : règne de Louis* XVIII (1814-1815, 1815-1824), puis de Charles* X (1824-1830). Assez favorablement accueillie par le peuple qui aspirait à la paix, souhaitée par la noblesse, dont une grande partie espérait un retour à l'Ancien Régime, et par la bourgeoisie d'affaires qui y voyait la possibilité d'un nouvel essor économique, la Première Restauration fut interrompue par le retour de l'Empereur de l'île d'Elbe **(V. Cent-Jours).** Cet épisode, dont les puissances alliées rendirent responsable le gouvernement de Louis XVIII, s'acheva par la défaite de Waterloo, la seconde abdication de Napoléon, et accrut considérablement les difficultés du nouveau régime, tant à l'intérieur avec le développement du mouvement royaliste extrémiste **(V. Terreur blanche)** qu'en politique extérieure (second traité de Paris*, 1815, congrès d'Aix*-la-Chapelle, 1818). La charte* de 1814 avait instauré en France une monarchie constitutionnelle non démocratique (suffrage censitaire); si elle eut ses partisans **(V. Constitutionnels, Doctrinaires),** elle suscita aussi de vives oppositions chez les ultra-royalistes **(V. Ultra)** et, à partir de 1817, chez les libéraux **(V. Indépendants).** En dépit de quelques tentatives de gouvernement de conciliation relativement libéral **(V. Decazes** [1818-1820], **Martignac** [1828-1829]), la Restauration fut marquée par un renforcement progressif du régime autoritaire **(V. Richelieu, Villèle, Polignac)** et, en politique extérieure, par l'expédition d'Espagne* (1823), l'expédition de Morée* (1828) et le début de la conquête de l'Algérie (expédition d'Alger*, 4 juillet 1830). Période de réaction politique et idéologique, qui, par contre-coup, devait susciter le développement des idées libérales et des premières théories sociales (Saint-Simon, Fourier), la Restauration permit à ses débuts un net redressement financier **(V. Corvetto, Louis)**; mais, en dépit de l'essor de quelques industries **(V. Koechlin, Schneider, Ternaux, de Wendel),** la croissance économique restait lente. Dès 1826-1827, la situation financière, économique et sociale se détériora; aussi la crise politique **(V. Adresse** [Droit d']) aboutit à la révolution* de juillet 1830. Après l'abdication de Charles X (août 1830), le duc d'Orléans, Louis*-Philippe, fut appelé au pouvoir **(V. Monarchie de Juillet).**

RESTEFOND. *n. m.* ♦ Col des Basses-Alpes, près de Barcelonnette. Il est utilisé par une route qui relie la vallée de l'Ubaye à celle de la Tinée.

RESTIF [ʀetif] **(ou RÉTIF) de LA BRETONNE (Nicolas Restif, dit).** ♦ Écrivain français (Sacy, Yonne, 1734 – Paris, 1806) dont les écrits multiples traduisent une double inspiration : homme à bonnes fortunes et observateur pénétrant, il présenta dans *Le Paysan perverti ou les Dangers de la ville* (1775) de « nombreux tableaux caractéristiques qui peignent d'une manière... vivante les mœurs et les allures des Français de la classe populaire » (Schiller), puis évoqua particulièrement la condition sociale du paysan sous l'Ancien Régime, dans *La Vie de mon père* (1779), autobiographie romancée. Parallèlement, il prônait des réformes sociales, inspirées de Rousseau* et devançant celles de Fourier*, dans *Les Idées singulières* (1794-1797), qui lui assurèrent une grande réputation. Enfin, son autobiographie, *Monsieur Nicolas ou le Cœur humain dévoilé* (1794-1797), offre de pénétrantes analyses psychologiques *(Épisode de Sara)* et rappelle des souvenirs qui, pour être amoraux, n'en sont pas moins d'une franchise et d'une variété intéressantes.

RESTOU ou **RETOUT** *(Jean II).* ♦ Peintre et dessinateur français (Rouen, 1692 – Paris, 1768). Fils de Jean Ier Restou, il fut l'élève de son oncle Jouvenet* et imita sa manière. Il peignit quelques tableaux mythologiques (*Triomphe de Bacchus* pour Frédéric II), mais surtout des œuvres religieuses (*La Mort de sainte Scholastique,* 1730; *Le Christ guérissant le paralytique*) aux compositions habiles et mouvementées, aux tonalités souvent sombres. Il décora aussi la coupole de la *bibliothèque de l'abbaye de Sainte-Geneviève* (aujourd'hui lycée Henri-IV). Son œuvre s'inscrit dans la tradition de la peinture baroque.

RETHEL (Alfred). ♦ Peintre fresquiste, dessinateur et graveur allemand (Aix-la-Chapelle, 1816 – Düsseldorf, 1859). Élève de Wilhem von Schadow, il exécuta des grandes décorations à sujet historique : portraits d'hommes célèbres pour le palais impérial de Römer (1836) et épisodes de la vie de Charlemagne pour l'hôtel de ville d'Aix-la-Chapelle (1846) qui témoignent de son sens de la composition monumentale. Le mysticisme tragique de ses gravures au graphisme acéré renoue d'une façon originale avec l'art des graveurs allemands de la fin du Moyen Âge (*La Danse des morts,* 1849).

RETHEL. ♦ Sous-préf. des Ardennes, ch.-l. d'arr. (6 cant., 110 comm., 36 772 hab.). 8 342 hab. *(Rethélois).* Église Saint-Nicolas, gothique (XIIIe et XIVe s.). — Indus. textiles et mécaniques.

Coll. Viollet

Jean Moulin, premier président du Conseil national de la **Résistance.**

Papeterie. Cartonnerie. — Patrie de Louis Hachette. ♦ *Hist.* Rethel fut donnée par saint Arnoul, évêque de Metz, à l'abbaye Saint-Remi de Reims. Les avoués de l'abbaye en usurpèrent la propriété et prirent le titre de comtes. La ville passa à la maison des Gonzague en 1565 et fut érigée en duché en 1582. Vendue en 1663 à l'époux d'Hortense Mancini, nièce du cardinal Mazarin, Rethel fut érigée en duché-pairie (1663), mais le nom de Mazarin qu'on voulut lui substituer ne prévalut pas. La ville resta dans la famille de Mazarin jusqu'en 1738. Les Espagnols s'en emparèrent pendant la Fronde (1650); Turenne la reprit en 1653. — Incendiée en 1914, Rethel fut de nouveau atteinte en 1940.

RETHONDES. ♦ Comm. de l'Oise, arr. de Compiègne. 451 hab. Église du XIIe siècle. ♦ Hist. *L'armistice du 11 novembre 1918* fut signé près de la gare de Rethondes, dans un wagon-salon, entre l'Allemagne (Erzberger) et les Alliés (Foch). Il imposait à l'Allemagne l'évacuation des territoires envahis, de la rive gauche du Rhin ainsi que d'une zone de 10 km sur la rive droite, où les Alliés établiraient des têtes de pont; la livraison d'une quantité de matériel (canons, mitrailleuses, parc ferroviaire, sous-marins, navires de guerre) telle qu'elle serait incapable de reprendre les hostilités; la restitution immédiate des prisonniers de guerre; la renonciation aux traités de Brest*-Litovsk et de Bucarest*. Signé pour trente-six jours, il fut progressivement reconduit jusqu'à la signature du traité de Versailles*. **V. Guerre mondiale** *(Première).* ♦ *L'armistice du 22 juin 1940* fut signé symboliquement au même endroit, dans le même wagon, par la France (Huntziger) devant la délégation allemande (Keitel, Jodl). La France était divisée en une zone occupée (Nord, Ouest, Sud-Ouest) et une zone libre administrée par le gouvernement du maréchal Pétain* **(V.** *aussi* **État français).** Elle devait payer, « pour l'entretien des troupes d'occupation », la somme, disproportionnée, de 400 000 000 de francs par jour (portée à 500 000 000 de francs en 1942). Elle devait démobiliser, ne conservant qu'une armée de 100 000 hommes destinée à maintenir l'ordre en zone libre, mais conservait sa flotte de guerre, dont les bâtiments devaient s'immobiliser dans leurs ports d'attache. Elle conservait également son empire colonial, dont Hitler n'aurait d'ailleurs pas pu s'assurer. La convention d'armistice fut violée en août 1940 lorsque le Reich annexa l'Alsace-Lorraine, et en nov. 1942 lorsque les troupes allemandes occupèrent la zone libre. **V. Guerre mondiale** *(Deuxième).*

RETIE. ♦ V. de Belgique (Anvers, arr. de Turnhout) près de la Petite Nèthe, dans la Campine. 6 200 hab. Église Saint-Martin (tour du XVe s.). Mobilier. Minoterie.

RETIERS [ʀətjɛ]. ♦ Ch.-l. de cant. d'Ille-et-Vilaine, arr. de Rennes. 3 169 hab. *(Restériens).* Carrières de schiste. Laiterie, beurrerie, fromagerie. — Aux environs, allée couverte dite *La Roche-aux-Fées;* bâtie en schiste pourpré, c'est l'un des plus beaux monuments mégalithiques de Bretagne.

RETOURNAC. ♦ Ch.-l. de cant. de la Haute-Loire*, arr. d'Yssingeaux*. 2 677 hab. *(Retournacois).* Église romane. — Moulinage de la soie.

RETOURNEMER *(lac de).* ♦ Lac des Vosges, au pied du Hohneck.

RETOUT (Jean II). ♦ V. Restou.

RETZ (Gilles *de***).** ♦ V. Rais *(Gilles de).*

RETZ (Paul de Gondi, *cardinal de***).** ♦ Homme politique et écrivain français (Montmirail, 1613 — Paris, 1679). Ecclésiastique sans vocation, il manifesta son ambition politique comme chef de parti durant la Fronde* parisienne. Cette opposition ayant entraîné son emprisonnement, sa fuite, puis le pardon réticent de Louis* XIV, le cardinal de Retz renonça à son archevêché de Paris (1654 à 1662) et se retira à l'abbaye de Saint-Denis qui lui fut attribuée. Dès lors, il utilisa littérairement son expérience des hommes et des affaires publiques, déjà sensible dans *La Conjuration de Fiesque* (1631), en rédigeant ses *Mémoires** (1671 à 1675), précieuse évocation de ces temps troublés.

RETZ *(pays de).* ♦ Région de la Bretagne méridionale située entre l'embouchure de la Loire et le marais breton. C'est l'anc. *Pagus Ratiatensis* (pays de Rezé); érigé en duché-pairie en 1581 en faveur d'Albert de Gondi, il passa en 1676 dans la maison de Villeroy.

REUBELL (Jean-François). ♦ V. Rewbell *(Jean-François).*

REUCHLIN (Johannes). ♦ Humaniste et exégète allemand (Pforzheim, 1455 — Bad-Liebenzell, 1522). Il étudia le grec et l'hébreu, s'initia à la Kabbale. Il fut nommé juge de la Ligue souabe par Frédéric III qui l'avait anobli et il enseigna à Tübingen. Il écrivit *l'Augenspiel* pour défendre la Kabbale et le Talmud contre les attaques des dominicains, un *De rudimentis hebraïcis,* contribuant ainsi au développement de l'orientalisme à la Renaissance **(V.** von **Hutten).**

RÉUNION *(île de la),* anc. **île Bourbon.** ♦ Île de l'océan Indien, à l'E. de Madagascar, la plus occidentale des Mascareignes*. 2 512 km^2. 500 000 hab. *(Réunionnais). Langue :* français (off.). *Ch.-l.* Saint-Denis. *V. princ.* **V. Port (Le), Saint-André, Saint-Benoît, Sainte-Suzanne, Saint-Joseph, Saint-Leu, Saint-Louis, Saint-Paul, Saint-Pierre, Salazie, Tampon (Le).** — Île volcanique **(V. Neiges** [piton des]) au relief tourmenté, elle présente un massif montagneux qui la divise en deux parties orientées N.-O.–S.-E., et d'où descendent de courtes rivières torrentielles : la côte S.-E. « au vent » qui reçoit des pluies apportées par l'alizé N.-E. et la côte N.-O., « sous le vent ». L'île a un *climat* tropical chaud sur les

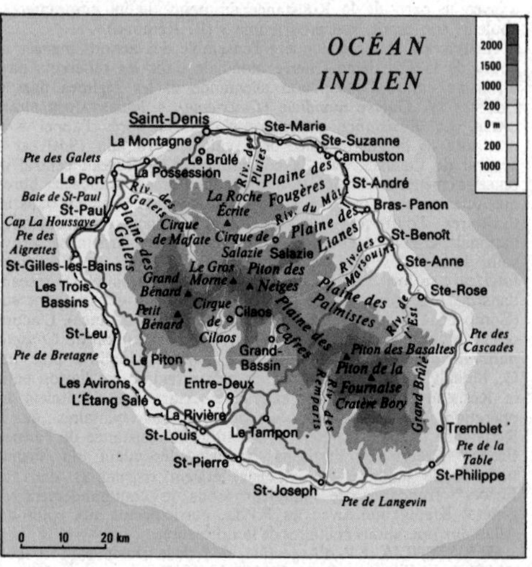

Île de la **Réunion.**

côtes, plus sec à l'intérieur. Son *économie,* essentiellement agricole, est dominée par la monoculture de la canne à sucre. On cultive également des plantes à parfum (géranium), du tabac, du thé, de la vanille. — La Réunion se heurte à un problème très grave, celui de la poussée démographique, résolu en partie par l'émigration. ♦ *Hist.* Découverte par les Portugais au début du XVIe s., l'île fut occupée par les Français, qui la nommèrent l'île Bourbon, en 1663, sous la régie de la Compagnie des Indes. La* Bourdonnais en fut gouverneur général de 1735 à 1746. Elle fut rachetée par la France à la Compagnie en 1764 et prit son nom actuel en 1793. Elle est département français d'outre-mer (D.O.M.) depuis 1946.

REUS. ♦ V. d'Espagne, en Catalogne* (prov. de Tarragone). 52 700 hab. Centre d'ind. textiles. — Patrie du peintre Fortuny*, du général Prim* y Prats et de l'architecte Gaudí* y Cornet.

REUSS. *n. f.* ♦ Riv. de Suisse (cant. d'Uri*, Schwyz*, Zoug*, Argovie*), affl. de l'Aar (r. d.) en aval de Brugg. 160 km. Elle prend sa source dans le massif du Saint-Gothard, forme la vallée d'Andermatt*, et traverse le lac des Quatre-Cantons d'où elle ressort à Lucerne*. Centrale hydro-électrique d'Amsteg.

REUSS. ♦ Anc. principauté d'Allemagne (Thuringe). Elle se subdivisa à plusieurs reprises, en même temps que la maison de Reuss qui remonte au XIIe siècle. La branche aînée, Plauen, régna un moment sur la Misnie*. Au XVIIIe s., les deux principales branches étaient celle de *Reuss-Greiz* et celle de *Reuss-Schleiz* ou Gera. Elles entrèrent toutes deux dans la Confédération* du Rhin, dans la Confédération* germanique, dans celle de l'Allemagne du Nord, et enfin dans l'Empire allemand. La Reuss passa en 1920 à l'État de Thuringe.

REUTER (Christian). ♦ Écrivain allemand (Kütten, près de Halle, 1665 — Berlin, v. 1710). S'inspirant des *Précieuses ridicules* de Molière, il composa une comédie où, sous les traits de Frau Schlampampe, *L'Honnête Dame de Plissine* (1695), il visait Mme Müller, sa logeuse, et le milieu des nouveaux riches de Leipzig. Cette pièce. aux allusions un peu trop claires, valut à son auteur plusieurs semaines de prison, ce qui d'ailleurs ne l'empêcha pas de poursuivre sa satire dans une nouvelle comédie *Maladie et mort de l'honnête Dame Schlampampe* (1696), et dans un roman *Schelmuffsky* (1696-1697).

REUTER (Fritz). ♦ Romancier et poète allemand (Stavenhagen, Mecklembourg, 1810 — Eisenach, 1874). Accusé à tort d'avoir participé à des troubles révolutionnaires, il fut condamné à mort; cette peine fut commuée en trente ans de prison et Reuter fut gracié après sept années de détention. Tour à tour agronome, précepteur, portraitiste, journaliste, il se mit à écrire : un recueil de vers (*Drôleries et Rimailleries, Laüschen und Rimels,* 1853), des comédies et des récits en vers (*Sans maison, Kein Hüsung,* 1857, évocation du servage en Allemagne du Nord, où l'auteur affirme ses positions libérales), et surtout des nouvelles à caractère autobiographique (*Quand j'étais en prison, Ut mine Festungstid,* 1862; *Lorsque j'étais régisseur, Ut mine Stromtid,* 1864). Dans toutes ses œuvres, généralement écrites en bas allemand (Plattdeutsch), Reuter se révèle un conteur plein d'humour et de fantaisie.

Reuters Ltd. en fr. **Agence Reuter.** ♦ Agence de presse britannique créée en 1851 par Julius Reuter (1816 — 1899). L'agence appartient, depuis 1941, à l'ensemble de la presse britannique.

REUTHER (Walter). ♦ Syndicaliste américain (en Virginie, 1908 — dans le Michigan, 1970). Descendant d'émigrants allemands, ouvrier à Detroit dès 1924, il organisa un syndicat de l'automobile dont il devint président. Il contraignit Henry Ford à négocier avec son syndicat. Président du C.I.O. en 1952, il fut vice-président de la confédération A.F.L.-C.I.O. en 1955. Malgré son anticommunisme, il s'opposa à W. Meany*, partisan d'un syndicalisme apolitique et purement professionnel. Reuther restait partisan de l'action de grève, et d'une relative politisation.

REUTLINGEN. ♦ V. d'Allemagne occidentale (Bade-Wurtemberg), au pied du Jura souabe. 72 100 hab. Église gothique (1272-1343), remparts et maisons anciennes. – Indus. textiles.

REUTTER (Hermann). ♦ Compositeur allemand (Stuttgart, 1900). D'abord fidèle à la tradition néo-romantique héritée de Pfitzner, son œuvre a été marquée par les influences de Hindemith et de Honegger, dans les domaines de l'oratorio (*Der Gross Kalender,* 1933) et de la musique de chambre. Son esthétique devait subir ensuite, non sans dommage, l'empreinte du national-socialisme. On lui doit encore des *opéras,* des *concertos,* de la *musique instrumentale* et de nombreux *lieder.*

REVAL. ♦ V. TALLIN.

Rêve de d'Alembert (Le). ♦ Essai (1769; publ., 1830) où Diderot* manifeste l'audace de ses vues scientifiques et la puissance de son imagination philosophique. Succédant à l'*Entretien entre d'Alembert et Diderot* et précédant la *Suite de l'entretien,* cet opuscule expose les idées matérialistes de l'auteur sur la constitution de l'univers : le monde n'est que matière en mouvement ; la matière est universellement douée de sensibilité, latente ou vive ; elle s'organise elle-même, par les générations spontanées et les mutations (« Naître, vivre et passer, c'est changer de formes »). Quant à l'homme, il n'est qu'un maillon de la chaîne des espèces (« Tout est un flux perpétuel »).

REVEL. ♦ Ch.-l. de cant. de la Haute-Garonne*, arr. de Toulouse*. 6 957 hab. [5 283 aggl.] *(Revélois).* Anc. halle, beffroi. Ébénisterie, bonneterie, liqueurs. ♦ *Hist.* Anc. bastide fondée au XIVᵉ siècle.

REVERDIN (Jacques Louis). ♦ Chirurgien suisse (Genève, 1842 – 1928). Il fut le promoteur de la greffe épidermique (1869) et l'inventeur de l'aiguille à suture *(aiguille de Reverdin),* perfectionnée par AUGUSTE REVERDIN, son cousin (Genève, 1848 – 1908).

REVERDY (Pierre). ♦ Poète français (Narbonne, 1889 – Solesmes, 1960). Précurseur du surréalisme par la publication de la revue *Nord-Sud* (1917), il s'est bientôt acheminé sur les voies d'une recherche solitaire et vouée à une méditation de nature métaphysique. Sa retraite, près de l'abbaye de Solesmes (1926), fut le signe de la soif de pureté, de la volonté de détachement qu'exprime sa poésie. Au delà de l'emprise illusoire des sens et d'un réel vulgaire, elle aspire à un absolu qui est l'unique réalité. Indifférente au prestige des mots et des images, elle est l'expression pudique et voilée du mystère d'une blessure secrète dont la grâce du langage peut seule, par l'insertion dans l'éternel, assurer la guérison. Princ. recueils : *La Lucarne ovale* (1916), *La Guitare endormie* (1919), *Étoiles peintes* (1921), *Épaves du ciel* (1924), *Sources du vent* (1929), *Ferraille* (1937), *Plupart du temps* (1945), *Chant des morts* (1948), *Main-d'œuvre* (1949). Ses essais *(Le Gant de crin,* 1927 ; *Le Livre de mon bord,* 1948) sont des autobiographies spirituelles et littéraires.

Rêveries du promeneur solitaire (Les). ♦ Œuvre autobiographique de J.-J. Rousseau*, composée de dix *« Promenades »,* rédigées de 1776 à 1778 pour son plaisir comme pour son amélioration morale (posth., 1782). Détaché désormais de « toutes les affections terrestres », l'auteur se livre à son « goût de la solitude et de la contemplation » en herborisant ou en rêvant au sein de la nature qu'il évoque avec fraîcheur et dont il souligne l'harmonie avec ses sentiments. Ce bonheur, il l'a connu aussi par la bienfaisance *(Les Oubliés, IXᵉ Promenade)* ou dans la rêverie au bord du *lac de Bienne* (Vᵉ Promenade), « état simple et permanent (...) dont la durée accroît le charme au point d'y trouver enfin la suprême félicité ». La plénitude ressentie à vivre le présent à l'état pur est prétexte à de pénétrantes analyses psychologiques *(L'Accident de Ménilmontant, IIᵉ Promenade).* D'une sincérité indubitable, ces poèmes en prose, à la composition souple et au rythme admirablement musical, eurent une influence déterminante sur les poètes et les prosateurs du XIXᵉ s. (tel Nerval*).

REVERMONT. *n. m.* ♦ Rebord occidental du Jura* français entre l'Ain et la Seille, formé de plateaux calcaires et de chaînons d'altitude peu élevée (750 m).

REVIGNY-SUR-ORNAIN. ♦ Ch.-l. de cant. de la Meuse, arr. de Bar-le-Duc. 3 988 hab. Tuilerie, briqueterie, aciérie.

RÉVILLE (Albert). ♦ Pasteur protestant français (Dieppe, 1826 – Paris, 1906). Chef de file du protestantisme libéral, il fut le premier titulaire de la chaire d'histoire des religions au Collège de France (1880) et le fondateur de la *Revue de l'histoire des religions* (1880). Auteur des *Prolégomènes de l'histoire des religions* (1881) et d'une *Histoire des religions* (1883-1889).

REVIN. ♦ Comm. des Ardennes (arr. de Charleville-Mézières), dans deux presqu'îles formées par la Meuse, au S. de Fumay. 12 156 hab. Église du XVIIᵉ siècle. Maison espagnole (XVIᵉ s.). Fonderies (appareils sanitaires). Tôlerie. ♦ *Hist.* Vieille ville espagnole, Revin fut une république indépendante jusqu'en 1679.

REVIVIM. ♦ Important kibboutz israélien, situé au S.-O. de Beersheba dans le N. du Néguev. Il fut fondé en 1943.

Revizor (Le) ou **L'Inspecteur général.** ♦ Comédie de Gogol* (1836). Dans une petite ville de la province russe où l'on attend le « revizor », un petit employé de ministère, Khlestakov, réussit à se faire passer pour le haut personnage dont on redoute la venue. Successivement, le maire, sa famille, les fonctionnaires locaux dont l'indignité et la bassesse méritent les plus graves sanctions, croient s'assurer l'impunité en corrompant Khlestakov, qui ne fait rien pour dissiper l'équivoque. Trahi par une lettre qu'un fonctionnaire de la poste a interceptée, il parvient à s'enfuir avant d'être démasqué, tandis que l'on annonce la venue du véritable inspecteur qui les confondra tous. Représentée non sans scandale devant le tsar Nicolas Iᵉʳ, la pièce est riche de résonances révolutionnaires.

Révolution d'Angleterre *(première),* en angl. **Civil War** ou **Puritan Revolution.** ♦ (1642-1649.) Elle renversa la royauté (exécution de Charles* Iᵉʳ) et la remplaça par une république bientôt dirigée par Cromwell*.

Révolution d'Angleterre *(deuxième),* en angl. **Glorious Revolution.** ♦ (1688-1689). Elle consista dans la chute de Jacques* II Stuart et l'avènement de Guillaume* III d'Orange et de Marie* II Stuart.

Révolution française. ♦ Ensemble des événements qui, de 1788-1789 au coup d'État du 18 brumaire* an VIII (9 novembre 1799), bouleversèrent les structures sociales, politiques, juridiques et religieuses de la France*, mettant fin à l'Ancien Régime. Située dans un contexte international de crise, de troubles économiques, sociaux et politiques **(V. Angleterre, Belgique, Genève, Hollande, Irlande** [*hist.*], **Indépendance américaine** [guerre d'**])**, la Révolution française, si elle ne fut pas un événement isolé, constitua du moins le modèle de la Révolution nationale bourgeoise. Ses causes profondes furent en effet la contradiction entre la structure sociale féodale du royaume – division de la France en trois ordres (noblesse, clergé et tiers état) séparés par les barrières de privilèges séculaires, mais qui ne constituaient pas des classes sociales homogènes (au sens moderne du terme) – et le développement des forces productives et intellectuelles. Bien que la France restât encore un pays agraire, à production relativement faible, l'essor du commerce (surtout après les grandes découvertes des XVᵉ-XVIᵉ s.), des finances et de la production manufacturière (*déb.* XVIIIᵉ s.) favorisa la formation d'une classe bourgeoise qui, au XVIIIᵉ s., fournissait à la monarchie ses cadres administratifs et ses principales ressources, alors que le rôle politique et économique de l'aristocratie, qui conservait le premier rang dans la hiérarchie sociale, n'avait cessé de décroître. Préparée idéologiquement par le développement des idées philosophiques **(V. Voltaire, Rousseau, Encyclopédie)** et des théories économiques **(V. Physiocrates),** la Révolution fut donc essentiellement l'œuvre de la bourgeoisie qui, s'appuyant sur une fraction minoritaire de la noblesse libérale et sur les masses populaires (paysannerie, artisans, etc.), chercha à établir de nouvelles lois et institutions, fondées sur la liberté et l'égalité civile, et capables de contribuer à la croissance de l'économie capitaliste, alors freinée par les cadres féodaux (organisation traditionnelle et réglementaire de la propriété, de la production et de l'échange). Ces causes générales ne permettent pas d'expliquer le moment du déclenchement du mouvement révolutionnaire, sa violence et ses caractéristiques propres. Celles-ci furent déterminées par : – *1)* les fluctuations économiques et la crise de 1788, qui fit suite à la phase d'expansion du début du siècle, la poussée démographique et l'urbanisation ; – *2)* la situation financière désastreuse sur laquelle se greffa une crise politique et un mouvement réformiste, « révolte nobiliaire » (A. Mathiez), « révolution aristocratique » (G. Lefebvre) ou « Pré-Révolution » (J. Egret), dirigé contre l'absolutisme royal (assemblée des notables* de 1787-1788). Cette crise aboutit à la convocation des États* généraux. – Les patriotes de 1789 tentèrent d'abord de réaliser un compromis entre les privilèges du clergé et de l'aristocratie foncière (nuit du 4 août* 1789) et les intérêts de la bourgeoisie, qu'exprima la Déclaration des droits* de l'homme et du citoyen de 1789, dans le cadre d'une monarchie constitutionnelle **(V. Assemblée nationale constituante** [9 juil. 1789-30 sept. 1791], **Assemblée législative** [1ᵉʳ oct. 1791-20 sept. 1792]**).** Toutefois, la fuite de Louis* XVI **(V. Varennes)** en juin 1791 et l'affaire du Champ*-de-Mars mirent en évidence la fragilité de la tentative de conciliation entre le roi et la révolution. Après la déclaration de guerre à l'Autriche (avril 1792), la menace d'un complot aristocratique **(V. Brunswick** [*manifeste de*]**),** en aiguisant

Ph. Simion/Ricciarini

Révolution française : journée du 5 octobre 1789, les femmes marchent sur Versailles. (Musée Carnavalet, Paris.)

l'ardeur révolutionnaire des masses, précipita la chute de la royauté (**V. Juin** [20], **Août** [10], **Septembre** [*massacres de*] 1792), et la proclamation de la république par la Convention* nationale (2 septembre 1792). Avec l'extension de la guerre (**V. Coalition** [*1re*]) qui suivit le procès et l'exécution de Louis XVI et les progrès de la contre-révolution (**V. Vendée, Chouannerie, Fédéralistes** [*insurrections*]), la révolution dépassa ses limites bourgeoises sous la pression des revendications des masses populaires, surtout urbaines (**V. Sans-Culottes**). Après la proscription des Girondins*, les Montagnards* tentèrent d'instaurer une démocratie sociale, véritable dictature révolutionnaire (**V. Convention** [*montagnarde*], **Terreur**). Mais la chute de Robespierre* et de ses partisans, après celle des factions de gauche et de droite (**V. Hébertistes, Indulgents**), marqua le retour à la République bourgeoise. modérée et libérale (**V. Convention** [*thermidorienne*], **Directoire**). L'instabilité politique, oscillation entre la gauche jacobine, révolutionnaire (**V. Germinal, Prairial** [*an III*], **Babeuf, Buonarroti**) et la droite royaliste (**V. Terreur blanche, Vendémiaire**), la crise financière et sociale, et la politique militaire (**V. Italie, Égypte** [*campagnes de*], **Coalition** [*2e*]) devaient aboutir au coup d'État du 18 Brumaire*, qui renforça le pouvoir exécutif dans le sens dictatorial, tout en essayant de préserver les acquis bourgeois de la Révolution : liberté, égalité civile (mais non économique et sociale), souveraineté nationale, abolition de la féodalité (**V. Consulat, Empire**).

Révolution française de 1830. ♦ Insurrection des 27, 28, 29 juillet* 1830 (les « Trois Glorieuses »*) qui mit fin au règne de Charles* X et ouvrit la voie à la monarchie bourgeoise de Louis-Philippe (**V. monarchie de Juillet**). Après un redressement économique et financier au début de la Restauration, la situation s'était à nouveau détériorée en 1826-1827 en même temps que s'aggravait la crise politique. Le remplacement du ministère Martignac*, relativement libéral, par le cabinet conservateur et autoritaire de Polignac* renforça l'opposition libérale au régime. Après le discours du trône, l'adresse* des 221 au roi (mars 1830) mettait en évidence le divorce entre celui-ci et les représentants de la nation. Lors des élections du 3 juillet 1830, qui suivirent la dissolution de la Chambre des députés des départements, la majorité libérale se trouva encore renforcée. Face à cette opposition, que le succès de l'expédition d'Alger (4 juillet) ne suffit pas à enrayer, Charles X et son gouvernement rédigèrent les quatre ordonnances de Saint-Cloud (25 juillet) : annulation des élections et convocation des électeurs pour de nouvelles élections, modification de la loi électorale (diminuant le nombre d'électeurs), suppression totale de la liberté de presse. Dès le 26 juillet, des journalistes d'opposition, en particulier Carrel, Mignet et Thiers dans *le National**, dénoncèrent l'illégalité des ordonnances et affirmaient que le règne de la force était commencé. Le 27 juillet, les journaux interdits parurent, mais furent saisis. L'insurrection éclata aussitôt parmi les ouvriers typographes réduits au chômage et les étudiants, et s'étendit rapidement. Les troupes gouvernementales, sous le commandement de Marmont*, furent vite dépassées par les forces insurrectionnelles qui, des faubourgs nord-est de la capitale, en particulier le faubourg Saint-Antoine, se dirigèrent vers l'Hôtel de Ville, le Louvre et les Tuileries. Le 29 juillet, les insurgés parisiens victorieux réclamaient la République. Les députés, d'abord hésitants, avaient finalement fait cause commune avec le peuple. Mais la crainte d'une victoire populaire aboutissant à l'instauration d'une République démocratique amena la plupart des députés d'opposition, représentants de la bourgeoisie libérale d'affaires, à opter pour la solution de l'ordre et de l'appel à la branche d'Orléans. Après avoir retiré les quatre ordonnances, Charles X abdiqua en faveur de son petit-fils, le comte de Chambord, tout en acceptant la nomination du duc d'Orléans (**V. Louis-Philippe**) comme lieutenant général et régent du royaume. Ce dernier fut accueilli à l'Hôtel de Ville par La* Fayette.

Ph. de Gregorio/Ricciarini

Révolution française de février 1848 :
incendie du Château-d'Eau le 24 février, par Hagnauer. (Musée Carnavalet, Paris.)

Révolution française de février 1848. ♦ Journées insurrectionnelles des 22, 23 et 24 février 1848 qui mirent fin à la monarchie* de Juillet (règne de Louis*-Philippe), remplacée par la IIe République*. Elle fut préparée dès 1846 par une crise économique et financière ainsi que par le développement de l'opposition à la politique autoritaire et conservatrice de Guizot*. Cette opposition culmina avec la campagne des banquets* (1847-1848) en faveur de la réforme électorale et parlementaire, en même temps que se dessinait déjà un mouvement pour une république démocratique et sociale. Un banquet prévu pour le 22 février à Paris fut interdit par Guizot ; cette interdiction suscita immédiatement une manifestation et l'organisation du mouvement révolutionnaire que n'arrêta point le renvoi du ministre (23 février). Le 24 février, après avoir trop tard fait appel à Thiers pour constituer un nouveau cabinet, Louis-Philippe abdiqua en faveur de son petit-fils, le comte de Paris. Mais, après l'invasion du Palais-Bourbon, fut constitué un gouvernement provisoire (Arago*, L. Blanc, Dupont de l'Eure, Crémieux, Flocon*, Garnier*-Pagès, Lamartine, Ledru*-Rollin, Marie*, Marrast*) qui proclama la république (25 février) et prit les premières mesures politiques : élection d'une Assemblée constituante au suffrage universel, formation de la commission du Luxembourg et création des Ateliers* nationaux pour résoudre le problème du chômage. Après les journées de Février, l'agitation politique, à caractère socialiste (16 avril, 15 mai 1848), persista jusqu'à la répression brutale des journées insurrectionnelles du 23 au 26 juin 1848. Loin de constituer un événement isolé en Europe, la révolution française de 1848 (comme celle de 1830) fut suivie de nombreux mouvements révolutionnaires en Allemagne, Autriche, Italie (Mazzini), Hongrie (Kossuth), Pologne : « printemps des peuples » auquel succéda un été de réaction politique et de répression.

Révolution de 1905. ♦ Première révolution « démocratique bourgeoise » russe, qui éclata en 1905 et dura jusqu'en 1907. Ses événements furent en fonction directe des défaites de la guerre russo-japonaise, bien que dans l'ensemble ils eussent des causes économiques et sociales plus profondes. La chute de Port-Arthur (20 déc. 1904) fut suivie du « Dimanche rouge » (9 janv. 1905) : une procession de 150 000 ouvriers de Saint-Pétersbourg (*auj.* Leningrad*), accompagnés de leurs femmes et de leurs enfants, conduits par le pope Gapone et portant des bannières, des icônes et des portraits de la famille impériale, se présenta au palais d'Hiver pour remettre une pétition au « père le tsar ». Les soldats de garde, tirant sur les manifestants, tuèrent quelques centaines de personnes. Ce carnage provoqua une grève générale à Moscou, Tiflis et Varsovie (Rosa Luxemburg* qui y militait devait y être arrêtée en 1906). En janvier-mars 1905, 810 000 ouvriers étaient en grève. Dans les campagnes, les paysans ukrainiens, géorgiens, polonais et lituaniens pillèrent et incendièrent les manoirs seigneuriaux. En été 1905, les 70 000 grévistes du centre textile d'Ivanovo-Voznessensk élurent le premier *soviet* (conseil) ouvrier. Les points culminants de ces événements furent la mutinerie des marins du cuirassé *Potemkine** (14-24 juin 1905) et l'insurrection à Łódź (Pologne) qui s'accompagna de violents combats de barricades (22-24 juin 1905). Le 6 août 1905, un manifeste annonça la création d'une douma consultative. Pour Lénine*, qui tenta de transformer la révolution « démocratique bourgeoise » en « révolution socialiste », cette douma ne fut qu'une « caricature de représentation populaire ». Du 7 au 12 octobre 1905, une grève politique, décrétée par les bolcheviks de Moscou, prit très vite un caractère général (2 000 000 de participants) et paralysa le pays. Les mutineries sporadiques dans l'armée, les révoltes paysannes, ainsi que les mouvements nationaux de libération en Pologne, Finlande, Ukraine, Biélorussie et Transcaucasie obligèrent Nicolas* II à demander conseil à Witte*, qui lui rédigea un manifeste dans lequel le tsar promettait de « faire don » des libertés civiques et de convoquer cette fois une douma législative (17 oct. 1905). Des soviets ouvriers furent créés dans plusieurs grandes villes (oct.-déc. 1905). À Saint-Pétersbourg, le soviet fut dirigé par Trotski*. Les mutineries de matelots et de soldats à Kronstadt* (oct. 1905), Vladivostok et sur la mer Noire (*fin* oct.-*déb.* nov. 1905) furent suivies par une grève politique et une insurrection armée à Moscou* (7-10 déc. 1905). Elle fut écrasée par les troupes tsaristes, ainsi que celles qui eurent lieu le même mois à Krasnoïarsk, Motovilikh, Novorossisk, Sormov, Kharkov, et dans le bassin du Donets. Les grèves se renouvelèrent (1 000 000 de participants en 1906 et 740 000 en 1907); une deuxième mutinerie de marins éclata à Kronstadt en juillet 1906, ainsi qu'à Sveaborg (Suomenlinna, Finlande) et à Reval (Tallin*). Stolypine*, en instaurant des tribunaux militaires ambulants, réprima les nouvelles révoltes paysannes. Le 3 juin 1907, la IIe douma fut dissoute et le régime redevint une autocratie pure et simple. Par-delà l'échec, la révolution de 1905 fut, selon Lénine, la « répétition générale » de la révolution* d'octobre 1917.

Révolution de février 1917. ♦ Seconde révolution « démocratique bourgeoise » russe. Les pertes énormes de la Russie pendant la Première Guerre mondiale (6 à 8 000 000 de morts, de blessés et de prisonniers), la désorganisation économique et la famine provoquèrent le mécontentement général. La douma, malgré son conservatisme, critiqua vivement l'inefficacité du gouvernement, ainsi que l'influence néfaste de Raspoutine* sur le tsar Nicolas* II et sur la tsarine. Le 9 janv. (22 janv. selon le calendrier grégorien), des grèves et des manifestations se déclenchèrent à Petrograd (auj.

Leningrad), à Moscou, à Bakou et à Nijni-Novgorod (*auj.* Gorki). Le 18 févr. (3 mars), la grande usine métallurgique de Poutilov, à Petrograd, se mit en grève. Le 24 févr. (9 mars), le nombre des grévistes dépassa 200 000. La grève devint politique et générale le 25 février (10 mars); les ouvriers manifestèrent au cri de *khlieba !* (« du pain »!) et « À bas le tsar! À bas la guerre! ». Le gouverneur de Petrograd disposa des mitrailleuses sur les toits pour parer aux émeutes. Le soulèvement non armé et spontané des masses populaires (les leaders révolutionnaires se trouvaient en exil ou en prison) pouvait être écrasé facilement, mais les bases de l'édifice tsariste étaient déjà sapées : le 27 févr. (12 mars), la garnison de Petrograd se déclara contre le tsar (le même soir, plus de 66 000 soldats fraternisèrent avec les manifestants). Les ouvriers et les soldats arrêtèrent quelques ministres et généraux et s'emparèrent de la capitale (la symbolique forteresse Saint-Pierre-et-Saint-Paul tomba facilement aux mains des insurgés). Par un oukase daté du 27 févr. (12 mars), le tsar ordonna la dissolution de la douma, mais les chefs des différents partis décidèrent que l'assemblée continuerait à siéger. Le gouvernement démissionna. Le régime tsariste étant renversé à Moscou, puis dans tout le pays, un gouvernement provisoire sous la présidence du prince Lvov fut formé par le Comité provisoire de la douma le 2 (15) mars, en accord avec les socialistes-révolutionnaires et les mencheviks du soviet de Petrograd (les bolcheviks, en désaccord, y étaient minoritaires). Il est vrai que le Comité exécutif du soviet se contenta d'être représenté au gouvernement provisoire par un de ses membres les plus modérés, le socialiste Kerenski*, qui devint ministre de la Justice, mais cette participation créa une situation ambiguë, une *dualité des pouvoirs.* Dans la nuit du 2 (15 mars), Nicolas II abdiqua en faveur de son frère, le grand-duc Michel, qui refusa de régner. Parmi les mesures prises par le gouvernement provisoire, on peut noter : le 19 mars (1er avr.), une amnistie générale et l'autonomie de la Finlande; l'arrestation des souverains le 20 mars (2 avr.); le 24 mars (6 avr.) la journée de huit heures et l'abolition de la peine de mort; le 29 mars (11 avr.) l'indépendance de la Pologne.

Révolution d'octobre 1917. ♦ Première « révolution socialiste » de l'histoire, qui, précédée par la révolution* de février 1917, renversa le régime bourgeois et instaura la « dictature du prolétariat » en Russie. Au début d'avr. 1917, l'Allemagne permit le passage des bolcheviks émigrés à travers son territoire dans ce qu'on a appelé le « wagon plombé » (en fait, il s'agissait d'un compartiment de train séparé des autres par un simple trait de craie). Lénine* voyagea avec Zinoviev*, Radek* et Sokolnikov. Dès son arrivée à Petrograd le 3 (16) avr., il lança les mots d'ordre : « Aucun appui au gouvernement provisoire des capitalistes! À bas la guerre impérialiste! Vive la révolution sociale! » Estimant que la révolution de février, ayant créé la *dualité des pouvoirs,* avait dépassé le cadre de la révolution démocratique bourgeoise, il réclama dans ses *Thèses d'avril* la paix immédiate, la terre aux paysans, tout le pouvoir aux soviets. Ces thèses furent qualifiées de « délire » par les socialistes-révolutionnaires, les mencheviks et même par la majorité des bolcheviks. Le 2 (15) mai, le ministre des Affaires étrangères, Milioukov*, dut démissionner sous la pression du soviet. Le 3 (16) et le 4 (17) juillet, des milliers de soldats et de matelots armés manifestèrent contre le gouvernement provisoire, mais Lénine jugea qu'une tentative de prise du pouvoir serait inopportune, parce que le soviet n'était pas encore dominé par les bolcheviks. Ceux-ci intervinrent alors pour empêcher la manifestation de dégénérer en émeute. La répression fut vigoureuse. Kerenski*, qui devint Premier ministre le 13 (26) juillet, en profita pour publier des « documents » tendant à convaincre Lénine d'intelligence avec l'ennemi. Lénine et Zinoviev durent se cacher en Finlande; Trotski et Lounatcharski* furent emprisonnés. Le 26 août (9 sept.) éclata le putsch de Kornilov*, ancien commandant militaire de Petrograd. Kerenski fut obligé d'appeler à son aide le soviet de la ville. Kornilov fut arrêté. Le 31 août (13 sept.), les motions bolcheviks obtinrent pour la première fois la majorité à Petrograd. Le 1er (14) septembre, Kerenski proclama la république. Le 25 sept. (8 oct.), Trotski, sorti de prison « sous caution », fut élu président du soviet de la capitale. Le 3 (16) oct., Lénine rentra clandestinement en Russie. Le 8 (21) oct., il adressa au Congrès régional des soviets du Nord une lettre qui se terminait par ces mots : « La temporisation, c'est la mort. » Le 10 (23) oct., le Comité central bolchevik, où furent présents Lénine, Zinoviev, Kamenev, Staline*, Trotski, Sverdlov, Ouritski, Dzerjinski, Alexandra Kollontaï, Boubnov, Sokolnikov et Lomov, vota par dix voix contre deux (Zinoviev et Kamenev) la préparation immédiate de l'insurrection armée. Sa préparation technique fut confiée à un comité militaire révolutionnaire, dirigé par Trotski. La garnison de la capitale fut secrètement acquise aux bolcheviks et aux socialistes-révolutionnaires de gauche, de même que les matelots de Kronstadt*. À l'aube du 24 oct. (6 nov), le central télégraphique, les imprimeries, les ponts, les gares et autres points névralgiques furent occupés par la « Garde rouge », formée d'ouvriers armés. Le lendemain, soldats, matelots et ouvriers donnèrent l'assaut au palais d'Hiver, siège du gouvernement provisoire. Canonné par la forteresse Pierre-et-Paul et le croiseur *Aurora,* il se rendit à 2 h 10 mn du matin. Treize ministres furent arrêtés, tandis que Kerenski réussit à s'enfuir. Le IIe congrès panrusse des soviets ratifia le 25 oct. (7 nov.) les décrets présentés par Lénine concernant la paix sans annexions, et l'expropriation immédiate et sans indemnités des propriétaires fonciers. Après dix jours de combats, les bolcheviks s'emparèrent du pouvoir à Moscou* le 3 (16) novembre.

Ph. A.P.N.

Révolution d'octobre 1917 :
Lénine à Smolny, par V. Serov.

Révolutions de France et de Brabant (les). ♦ Journal hebdomadaire fondé et publié à partir du 28 novembre 1789 par Camille Desmoulins*, qui, le 20 mai 1790, y faisait une retentissante profession de foi républicaine. Le journal dut cesser de paraître en juillet 1791, après l'affaire du Champ-de-Mars.

Revue des Deux Mondes (la). ♦ Périodique français fondé en 1829. F. Buloz* y fut rédacteur en chef de 1831 à 1877 (son fils Charles lui succéda). La revue devint bimensuelle en 1832. Revue d'art, de littérature, d'histoire, de philosophie, elle reçut, grâce à Buloz, la collaboration des plus grands écrivains romantiques. En 1893, elle passa sous la direction de F. Brunetière* et prit une tendance catholique et conservatrice. Publiée en zone sud de 1940 à 1944, elle modifia son titre à la Libération.

REWBELL ou **REUBELL (Jean-François).** ♦ Homme politique français (Colmar, 1747 – 1807). Député (1789), puis procureur-syndic du Haut-Rhin (1791), il fut élu à la Convention (1792), où il siégea avec la Montagne. Représentant en mission, il participa à la défense de Mayence (1793), puis à la lutte contre les insurgés vendéens. Après la chute de Robespierre et de ses partisans, il contribua à la réaction thermidorienne contre les anciens jacobins, tout en s'occupant de diplomatie (signature du traité de La Haye*). Membre du Conseil des Cinq-Cents, puis du Directoire* qu'il présida de 1796 à 1799, il s'opposa aux royalistes avec Barras et La Révellière-Lépeaux, par le coup d'État du 18 fructidor an V (4 septembre 1797). Remplacé par Sieyès en mai 1799, il siégea au Conseil des Anciens jusqu'au 18 Brumaire.

Rexisme *(le). n. m.* ♦ Mouvement politique créé en 1935 par L. Degrelle. Religieux à l'origine **(V. Degrelle)**, le mouvement prit un tour de plus en plus politisé à partir de 1935, dirigé notamment contre les catholiques modérés. Antiparlementaire et nationaliste, après un succès aux élections de 1936, il s'orienta ouvertement vers le fascisme. À la défaite de juin 1940, le rexisme prôna la collaboration avec l'Allemagne. Le mouvement fut interdit à la fin de la guerre.

REY (Jean). ♦ Chimiste et médecin français (Le Bugue, 1583 – 1645). Abordant le problème de la pesanteur de l'air par la voie de la chimie, il remarqua que le plomb et l'étain augmentent de poids quand on les calcine et attribua cet effet à l'air. (*Essays,* 1630.) **V. Lavoisier.**

REY (Abel). ♦ Philosophe français (Chalon-sur-Saône, 1873 – Paris, 1940). Spécialiste d'épistémologie, il a consacré ses premiers ouvrages à une étude sur la théorie physique où il défend les principes du mécanisme, en raison de leur intelligibilité, contre l'énergétisme **(V. P. Duhem** et **Ostwald).** Dans une perspective réaliste, il affirma la dépendance de la conscience et de la connaissance à l'égard des fonctions biologiques, de la nature, et mit en évidence les origines mythiques, puis techniques de la pensée scientifique (*La Science orientale avant les Grecs,* 1929, et le début d'une série d'ouvrages sur *L'Histoire des sciences et de la pensée scientifique*).

REYBAUD (Marie Roch Louis). ♦ Économiste et homme politique français (Marseille, 1799 – Paris, 1879). Journaliste libéral, auteur d'*Études sur les réformateurs ou socialistes modernes* (1840-1843), il publia en 1843 un roman satirique qui, visant le régime de la monarchie de Juillet, connut un assez grand succès *(Jérôme Paturot à la recherche d'une position sociale).* Député libéral en 1846, il passa dans les rangs de la réaction après la révolution de février 1848, siégea avec la droite aux Assemblées constituante et législative (1848, 1849) et publia une critique du nouveau régime dans son roman *Jérôme Paturot à la recherche de la meilleure république* (1848). Il se retira après le coup d'État du 2 décembre 1851 et écrivit encore quelques ouvrages d'économie (*L'Industrie en Europe,* 1856; *Le Régime des manufactures,* 1859).

REYER (Ernest REY, dit). ♦ Compositeur et critique français (Marseille, 1827 – Le Lavandou, 1909). Autodidacte, admirateur

Arch. Smeets

Joshua Reynolds, « L'Âge de l'innocence ». (Tate Gallery, Londres.)

de Wagner, il connut la notoriété avec un opéra, *Sigurd* (1884), dont la conception, antérieure à celle de la Tétralogie, emprunte ses thèmes à la mythologie germanique (légende des *Nibelungen*). Reyer y exploite plusieurs des procédés wagnériens, dont le *leitmotiv*. Critique pertinent et promoteur d'un art désintéressé, Reyer a préparé le public français à l'audition des drames de Wagner (*Notes de musique*, 1875). On lui doit six *opéras* (dont *Salammbô*, 1901), de la *musique religieuse* et des *mélodies*.

REYES (Alfonso). ♦ Écrivain mexicain (Monterrey, 1889 – Mexico, 1959). Son œuvre abondante, romanesque, critique, poétique et historique, tend à faire renaître les traditions esthétiques nationales; de là l'importance de son influence intellectuelle au Mexique. *Vision d'Anahuac* (1917), *Homélie pour la culture, L'Expérience littéraire.*

REYKJAVIK (« la baie des fumées »). ♦ V. principale et capitale de l'Islande*, sur la baie de Faxa, au S.-O. de l'île. 82 900 hab. (1971). Deux évêchés (catholique et luthérien). Université, école de navigation. Aéroport (lignes intérieures). À 50 km, se trouve l'aéroport international de Keflavik*. Musée Einar Jónsson (sculptures). — Port de pêche (morue, hareng). — Centre indus. (conserveries, chantiers navals, indus. textile et mécanique) et commercial. ♦ *Hist.* Fondée en 875 par le Viking Ingolfur Arnarson, la ville ne comptait que 2 600 hab. en 1880. Elle devint capitale de l'Islande en 1918.

REYMONT (Władysław Stanisław). ♦ Romancier polonais (Kobiele-Wielkie, près de Radom, 1868 – Varsovie, 1925). Après avoir débuté comme nouvelliste *(Rencontres, Spotkania)* il écrivit une série de romans. *La Comédienne* (*Komediantka,* 1896), *Les Ferments* (*Fermenty,* 1897) sur le monde du théâtre; *La Terre promise* (*Ziemia obiecana,* 1898) sur l'industrialisation de Łódz, *L'Année 1794* (*Rok 1794,* 1911-1918), trilogie historique où il fit revivre l'époque de Kościuszko, et *Derrière le front* (*Za fronten,* 1919). En 1924, il obtint le prix Nobel pour son chef-d'œuvre, *Les Paysans* (*Chłopi,* 1904-1909), grand roman poétique en 4 vol., dont chacun se rattache à l'une des quatre saisons et dépeint un village de Mazovie avec ses habitants rudes et simples.

REYNAUD (Émile). ♦ Inventeur et dessinateur français (Montreuil, 1844 – Ivry-sur-Seine, 1918). Inventeur du praxinoscope (Cf. Robert) [1876], appareil conçu pour la projection de bandes dessinées dont il était l'auteur, il ouvrit au musée Grévin son « Théâtre optique ». Il y donna plusieurs milliers de représentations (1892-1900). Véritable créateur du dessin animé, il mourut dans la misère.

REYNAUD (Paul). ♦ Homme politique français (Barcelonnette, 1878 – Paris, 1966). Élu à la Chambre des députés avec le Bloc national (1919, puis de 1928 à 1940), nommé successivement ministre des Finances, des Colonies, de la Justice (1930-1932), il proposa en vain plusieurs réformes (préconisant dès 1934 la dévaluation du franc pour remédier à la crise financière, soutenant les vues du général de Gaulle sur le rôle des forces blindées, 1935). Républicain de droite, il se montra aussi hostile au gouvernement de Front populaire qu'à la montée des dictatures fascistes. Entré dans le cabinet Daladier (avril 1938) comme garde des Sceaux, puis ministre des Finances, il fit adopter la dévaluation du franc, la diminution des dépenses de l'État, l'augmentation des impôts pour faire face aux dépenses militaires. Appelé à la présidence du Conseil (mars 1940), il décida (avec Churchill) d'envoyer une expédition en Norvège pour couper aux Allemands la route du fer suédois, remplaça Gamelin par Weygand à la tête de l'armée française, prit lui-même le ministère de la Défense nationale et appela le maréchal Pétain à la vice-présidence du Conseil. D'abord favorable à la poursuite de la guerre, mais ayant dans son entourage immédiat des personnes qui y étaient violemment hostiles, il fut mis en minorité par les partisans de l'armistice et démissionna (16 juin 1940), laissant la place au maréchal Pétain. Interné par le gouvernement de Vichy, il comparut au procès de Riom, puis fut déporté en Allemagne (1942-1945). Après la Libération, il fut réélu député (1946-1962), fit partie de la Commission des finances à l'Assemblée nationale (1951-1962), fut délégué et président de la Commission des affaires économiques au Conseil de l'Europe. Après avoir siégé au Comité consultatif constitutionnel (août 1958), il critiqua la politique de désengagement vis-à-vis de l'Europe et de l'Alliance atlantique du général de Gaulle. (*Le Problème militaire français,* 1937; *La France a sauvé l'Europe,* 1947; *Au cœur de la mêlée,* 1951; *Mémoires,* 1960-1963.)

REYNOLDS (*sir* Joshua). ♦ Peintre anglais (Plympton, Devonshire, 1723 – Londres, 1792). Fils de pasteur, il s'intéressa à la peinture à la suite de la lecture de *La Théorie de la peinture* de Richardson. De 1740 à 1744, il étudia à Londres dans l'atelier de T. Hudson, devint ensuite portraitiste et entreprit en 1749 un voyage qui le mena à Rome; il y resta deux ans, compléta sa formation classique et revint par Florence, Parme, Bologne et Venise, admirant particulièrement les grands Vénitiens, ainsi que Raphaël et Corrège. Son intention d'imposer à la peinture anglaise la notion de « grand style » s'y trouva renforcée. Fixé à Londres en 1755, il devint célèbre avec le portrait de *Keppel* (1753) : type du portrait « héroïque » où la composition, la pose, l'expression et le cadre dans lequel le personnage est posé concourent à indiquer le rôle historique et la fonction sociale du modèle. Ambitieux et tenace, Reynolds s'attacha à donner un statut officiel à sa profession et contribua notamment à la fondation de l'*Académie royale des arts* (1768), dont il fut le premier président. Théoricien et critique, il prôna l'étude de la nature et de l'Antiquité et fut considéré comme le chef de file de l'école anglaise. Son art révèle la multiplicité de ses sources d'inspiration. Comme la majorité des portraitistes anglais, il admirait Van Dyck*. Il fut d'abord influencé surtout par la peinture vénitienne (*Giorgiana, comtesse Spencer et sa fille,* 1761), se sentit ensuite attiré par la tradition bolonaise et mit alors l'accent sur la fermeté de la composition et s'adonna à la peinture d'histoire (*La Famille du duc de Marlborough,* 1778; *Ugolin, La Mort de Didon,* 1781). En 1781, à la suite d'un voyage en Hollande, où il étudia surtout Rubens, il eut tendance à donner un caractère plus réaliste et intime à ses portraits de femmes et d'enfants *(Lady Bockburn et ses trois enfants)*, employa des coloris riches et chauds et multiplia les glacis. Adaptant son style à la nature de ses sujets, il rechercha souvent la grâce et l'élégance (*Mrs. Siddons en muse de la Tragédie,* 1784; *Francis George Hare enfant,* 1788), parfois avec affectation (*Lady Blampfylde,* 1776).

REYNOSA. ♦ V. du N. du Mexique (Tamaulipas) à la frontière des États-Unis (Texas), sur le río Bravo. 143 514 hab. (1970). Centre agricole (coton). Raffineries de pétrole.

REZAIYEH *(lac de)*. ♦ Le plus grand lac d'Iran (Azerbaïdjan). 4 000 à 6 000 km² selon la saison. Ses eaux, peu profondes, sont surchargées de sel. Tabriz* est située non loin du lac.

REZAIYEH, anc. **Ourmia.** ♦ V. du N.-O. de l'Iran (IVe prov.), près du lac du même nom (voir *ci-dessus*). Ch.-l. de la province d'Azerbaïdjan occidental. 110 800 hab. (1966). Mosquée du XIIIe siècle. — Marché agricole (fruits, tabac). ♦ *Hist.* Selon certaines traditions, Ourmia serait le lieu de naissance de Zarathoustra*. Rizâh* Shâh lui donna le nom de *Rezaiyeh* en 1930.

REZÉ. ♦ Ch.-l. de cant. de la Loire-Atlantique, aggl. et arr. de Nantes, faubourg industriel de Nantes. 33 943 hab. (31 113 aggl.). — Cité construite sur les plans de Le Corbusier. — Indus. chimique. Forges. Construction navale.

ŘEZEK (Antonín). ♦ Historien tchèque (Jindřichuv Hradec, 1853 – Prague, 1909). Fondateur de la première revue historique tchèque (*Sborník Historický,* 1883), il publia plusieurs ouvrages consacrés à l'histoire de la Bohême (*Histoire du mouvement national religieux en Bohême,* 1887; *Histoire moderne de la Bohême et de la Moravie,* 1888-1893).

REZONVILLE. ♦ Comm. de la Moselle, arr. de Metz-Campagne. 230 hab. ♦ *Hist.* Au cours de la guerre franco-allemande (1870-1871), un violent engagement s'y produisit entre la IIe armée allemande du prince royal Frédéric-Charles et l'armée de Bazaine, le 16 août 1870 **(V. Gravelotte, Metz).**

R.F.A. ♦ Sigle français de *République fédérale d'Allemagne**.

RHADAMANTE ou **RHADAMANTHE,** en gr. **Rhadamanthus.** ♦ Héros crétois, fils de Zeus* et d'Europe*, frère de Minos* et de Sarpédon*. Renommé pour sa sagesse, il devient, après sa mort, l'un des trois juges des Enfers, avec son frère Minos et Éaque*. On lui attribuait la rédaction du Code crétois.

RHADAMÈS. ♦ **V.** GHADAMÈS.

RHARB. ♦ **V.** GHARB.

RHAZES (Abû Bakr Muhammad ibn Zakariyyâ al-) ou **RÂZÎ**. ♦ Médecin et philosophe arabo-islamique, d'origine iranienne (Ray, Khurâsân, v. 860 – v. 923). Il a donné une des premières descriptions de la variole *(Traité sur la petite vérole)*. Opposée à l'interprétation ésotérique de la nature **(V. Jâbir)**, ainsi qu'au prophétisme, sa philosophie, connue par quelques fragments, semble d'inspiration manichéenne ou gnostique.

RHAZNÉVIDES. *n. m. pl.* ♦ **V.** GHAZNAVIDES.

RHÉA. ♦ L'une des Titanides*, filles d'Ouranos et de Gaia, dans la *Théogonie** hésiodique. De son union avec son frère Cronos* naissent les Olympiens de la première génération **(V. Hestia, Déméter, Héra, Hadès, Poséidon, Zeus)**. Comme Cronos dévorait ses enfants dès leur naissance, Rhéa dissimule le dernier, Zeus, et donne à son époux à avaler une pierre entourée de langes. À l'époque romaine, Rhéa fut assimilée à Cybèle*, la Grande Mère.

RHEA SILVIA. ♦ Selon la tradition romaine, fille de Numitor*, roi d'Albe. Elle est contrainte par son oncle Amulius de se faire vestale. Elle enfante pourtant Romulus* et Remus* et déclare que Mars est leur père. Amulius la fait mettre à mort.

RHEE. ♦ **V.** SYNGMAN RHEE.

RHEINE. ♦ V. d'Allemagne occidentale (Rhénanie du Nord-Westphalie), sur l'Ems. 47 900 hab. Église du XVe siècle. – Carrefour ferroviaire et centre industriel (travail du coton, bonneterie, indus. mécaniques).

RHEINFELDEN. ♦ V. de Suisse (Argovie), sur la r. g. du Rhin, en face de la ville allemande homonyme. 5 200 hab. Hôtel de ville (XVIe-XVIIe s.). Station climatique et thermale. Centrale hydro-électrique. ♦ *Hist.* Ancienne ville libre, Rheinfelden passa sous la domination autrichienne au XIVe siècle Bernard* de Saxe-Weimar y vainquit les Impériaux (1638). Elle entra dans le canton d'Argovie en 1803.

RHEINGAU. *n. m.* ♦ Région d'Allemagne occidentale (Hesse), située le long de la vallée rhénane, entre Bingen et Wiesbaden, dans le prolongement du Taunus, et s'étendant sur env. 45 km de long et 8 de large. La r. d. est plantée de riches vignobles.

RHEINHAUSEN. ♦ V. et port d'Allemagne occidentale (Rhénanie du Nord-Westphalie), sur la r. g. du Rhin, près de Duisbourg*. 71 800 hab. Centre sidérurgique (usines Krupp).

RHÉNAN *(Massif schisteux)*. ♦ Ensemble de plateaux primaires d'Allemagne occidentale, s'étendant de l'Ardenne au couloir de Hesse, de part et d'autre du Rhin. De forme trapézoïdale et orienté du S.-O. au N.-E., il a une altitude moyenne comprise entre 400 et 800 mètres. Il est partagé en six blocs par le réseau croisé des affl. du Rhin et de la Moselle. On distingue, à l'O. de la vallée rhénane, l'*Eifel**, au N., entre l'Ahr et la Moselle, l'*Hunsrück** au S. entre la Moselle et la Nahe. À l'E. du Rhin s'étendent du N. au S. le *Sauerland**, le *Siegerland**, le long de la vallée de la Sieg, le *Westerwald**, entre la Sieg et la Lahn, enfin, le *Taunus**, entre la Lahn et le Main. Tous ces blocs présentent un paysage désolé de hautes landes, souvent recouvertes d'épaisses forêts (Hunsrück, Taunus). L'Eifel a subi une forte empreinte volcanique (lacs de cratères ou *maare*). – Le *climat* est dans l'ensemble assez rigoureux. – *Écon.* Le sol, presque partout aride, ne porte que de maigres cultures vivrières (seigle, pomme de terre). Toutefois, les vallées du Rhin et de la Moselle portent de riches vignobles. Le Sauerland et le Siegerland recèlent un peu de fer. Le Massif schisteux rhénan est une région touristique (stations thermales du Taunus, Haut-Eifel).

RHÉNANIE, *n. f.*, en all. **Rheinland.** ♦ Région historique d'Allemagne située de part et d'autre du Rhin. Appelée au XIXe s. *Rheinprovinz,* elle recouvrait les landers actuels de Nord-Westphalie, de Rhénanie-Palatinat et de Sarre. Elle était occupée par des peuples celto-germaniques (Éburons, Trévires) lors de la conquête de César (~ 57). Séparée en Germanie inférieure, Germanie supérieure et Belgique, elle devint sous Auguste la frontière officielle et arbitraire de l'empire (~ 9), et le Rhin fut relié au Danube par une ligne de fortifications *(limes)* couvrant les champs Décumates*. Les invasions germaniques commencèrent cependant dès le IIIe s. et au Ve s., les Francs* Ripuaires, après la chute de Trèves (v. 460), y établirent leur royaume. Comprise dans le royaume de Clovis*, elle fit ensuite partie de l'Austrasie*, puis se trouva au centre de l'empire carolingien. Le partage de Verdun* (843), la réunit à la Lotharingie* et elle entra, comme la Lorraine, dans le Saint Empire (925). Les villes épiscopales (Trèves, Cologne) comme la féodalité (Limbourg, Brabant...) y jouirent d'une précoce indépendance, que devait encore renforcer sa prospérité du XIIIe et surtout du XIVe s., quand la guerre de Cent Ans fit du Rhin la principale voie de passage entre Nord et Sud. Sa puissance économique **(V. Hanse)** fut accompagnée par un essor intellectuel, artistique et spirituel, reflété par le développement des universités comme celles de Heidelberg ou Mayence, ou l'épanouissement de l'école mystique dominicaine (Eckhart, Tauler, Suso). Lors de la Réforme, la Rhénanie resta en majorité catholique, mais le duché de Clèves fut un ardent foyer luthérien. Sa succession devait être à l'origine de l'affaire de Clèves qui faillit entraîner l'intervention armée d'Henri* IV en 1609. Ce fut la guerre de Trente* Ans qui permit à la France d'étendre son influence sur la Rhénanie. Si la politique de « réunions » de Louis XIV échoua (traité de Ryswick*), la pénétration de la culture française au XVIIIe s. permit à la théorie des frontières naturelles de trouver sa réalisation à l'issue des guerres révolutionnaires (formation des départements de la Sarre, du Mont-Tonnerre, du Rhin-et-Moselle). Une centralisation maladroite rendit la domination française impopulaire, et le traité de Vienne (1815) fit de la Rhénanie un État prussien. La région connut au XIXe s. un essor industriel qui en fit la plus prospère d'Allemagne. De nouvelles tentatives françaises échouèrent avec la politique des « pourboires » de Napoléon III, et, en 1918, un essai d'annexion fut rejeté au traité de Versailles*, tandis que le pays était démilitarisé. Le retard des paiements des réparations entraîna l'occupation de la Ruhr (1923), mais l'échec des mouvements séparatistes, celui de la République rhénane et celui du Palatinat (massacre de Pirmasens, 1924), ajouté à l'opposition des Alliés, obligea la France à évacuer progressivement la région à partir de 1925 (Locarno*, plan Young). En 1935, la Sarre passait par plébiscite au IIIe Reich, et en 1936, Hitler prenant le prétexte du pacte franco-soviétique (2 mai 1935) dénonça le pacte de Locarno*, décida de violer le traité de Versailles et fit entrer ses troupes le 7 mars 1936 dans la zone démilitarisée. La France, alors en période électorale, n'opposa que des protestations verbales. Hitler fit ensuite construire la ligne de fortifications dite *ligne Siegfried** pour protéger cette région, qui fut reconquise par les Alliés en 1945.

RHÉNANIE-PALATINAT [*n. f.*], en all. **Rheinland-Pfalz.** ♦ *Land* de la R.F.A., constitué en 1946 par la réunion de territoires ayant appartenu à la Prusse (Prusse-Rhénane, Hesse-Nassau), à la Hesse et à la Bavière (Palatinat rhénan). Il est limité au N. par la Westphalie, à l'E. par le pays de Bade, la Bavière et la Hesse, à l'O. par la Belgique et le Luxembourg, et au S. par la France. Le Land s'étend en grande partie sur la r. g. du Rhin, sur le Massif schisteux rhénan, la Hardt et les monts du Palatinat. 19 832 km². 3 678 500 hab. *Cap.* **V. Mayence** (Mainz). *V. princ.* **V. Bad Kreuznach, Birkenfeld, Coblence** (Koblenz), **Deux-Ponts** (Zweibrücken), **Kaiserslautern, Landau, Ludwigshafen, Neuwied, Pirmasens, Spire** (Speyer), **Trèves** (Trier), **Worms.** – *Orogr.* L'ensemble schisteux constitué par les plateaux rhénans **(V. Rhénan** [Massif schisteux]**)**, découpé en grands blocs **(V. Eifel, Hunsrück, Westerwald, Taunus)** par le Rhin, la Moselle et leurs affl., occupe la majeure partie du territoire. Au S.-O., la Hardt* et les monts du Palatinat constituent un second ensemble de hauteurs. La vallée rhénane, au centre, est un long ruban d'env. 80 km de long sur 10 à 20 de large. **(V. Rhin).** – *Hydrogr.* Moselle* et ses affl. (Kyll, Sarre*); Rhin et ses affl. (Nahe, Glan, Lauter [r. g.], Ahr, Lahn et Sieg [r. d.]). – *Écon.* La forêt (hêtres, conifères) couvre une bonne partie de l'Hunsrück, de l'Eifel et de la Hardt, le reste du massif rhénan ne porte que de médiocres cultures de céréales et de pomme de terre. En revanche, l'agriculture occupe une place importante dans les vallées et le long du Rhin, où se succèdent de riches cultures maraîchères, de betteraves à sucre, de houblon, des vergers et des vignobles réputés le long de la *Weinstrasse* (route du vin), le long du Rhin et de la Moselle. L'activité industrielle, assez diffuse, est diversifiée : constructions mécaniques (Trèves*, Spire*, Worms*), batellerie et ateliers de chemins de fer à Mayence*, machines à coudre (Kaiserslautern), papeteries, travail du cuir (Pirmasens), taille de pierres précieuses (Idar* Oberstein). Ludwigshafen*, seule ville du Land qui ait une fonction exclusivement industrielle, est le plus grand centre chimique de la R.F.A. La Rhénanie-Palatinat est une grande région touristique. ♦ *Hist.* **V. Rhénanie** et **Palatinat.**

RHÉNANIE-WESTPHALIE. *n. f.*, en all. **Nordrhein-Westfalen.** ♦ État fédéré de la République fédérale allemande **(V. Allemagne)**, fondé en 1946 par la réunion des anc. territoires de Westphalie, de Prusse-Rhénane et de Lippe-Detmold. La région est limitée au N. par la Basse-Saxe, à l'O. par les Pays-Bas et la Belgique, au S. par les *Länder* de Rhénanie-Palatinat et de Hesse et à l'E. par la Weser. Sans être le plus grand (34 039 km²) des onze Länder de la R.F.A., il est le plus peuplé (17 137 752 hab.). *Cap.* **V. Düsseldorf.** *V. princ.* **V. Aix-la-Chapelle** (Aachen), **Bad Godesberg, Bielefeld, Bochum, Bonn, Bottrop, Castrop-Rauxel, Clèves, Cologne** (Köln), **Detmold, Duisbourg** (Duisburg), **Dortmund, Duren, Eschweiler, Essen, Gelsenkirchen, Gladbeck, Hamm,**

Ph. Diamante-Ostuni/Ricciarini

Rhénanie-Palatinat : Mayence.

Ph. Ostuni-Diamante/Ricciarini

Le château de Pfalz sur l'île au milieu du **Rhin;** sur le rivage, le château de Gutenfels.

Herford, Herten, Juliers (Jülich), **Krefeld, Leverkusen, Lüdenscheid, Lünen, Marl, Minden, Moers, Mönchengladbach, Mülheim an der Ruhr, Münster, Neuss, Oberhausen, Paderborn, Porz am Rhein, Recklinghausen, Remscheid, Rheine, Rheinhausen, Rheydt, Siegen, Soest, Solingen, Velbert, Walsum, Wanne-Eickel, Wattenscheid, Witten et Wuppertal.** – *Orogr.* La limite méridionale de la région est constituée par le rebord N. du massif schisteux rhénan, prolongé au N.-E. par le Sauerland*. Plus à l'E., s'alignent les hauteurs de la Weser (Teutoburger* Wald, Erzgebirge et collines volcaniques du Rothaargebirge) qui se prolongent jusqu'à la Porte de Westphalie, au S. de Minden, où commence la grande plaine du Nord. La plaine westphalienne s'étend largement autour du bassin de Münster et se prolonge vers le S., entre le Rhin et la Meuse, jusqu'au bassin d'Aix-la-Chapelle, et transversalement entre la Ruhr et la Lippe. La vallée rhénane est un long fossé d'effondrement coupé de *horsts* s'allongeant parallèlement au Rhin. À l'extrémité S.-O. s'étendent les landes tourbeuses des Hautes Fagnes* (Hohe Venn). – *Hydrogr.* **V. Ems, Niers, Rhin** (et ses affl. Lenne, Lippe, Möhne, Ruhr, Sieg). – *Écon.* La Rhénanie-Westphalie est l'une des plus riches régions agricoles de la R.F.A. La plaine westphalienne et les hauteurs de la Weser sont grandes productrices de betterave sucrière, de céréales et de pomme de terre. Les *Börde* (autour de Soest), riches en loess, permettent la culture intensive du blé. Une ceinture fruitière et maraîchère entoure les villes rhénanes et les grandes villes de la Ruhr. Au N. du bassin de Münster, de grasses prairies permettent l'élevage bovin et porcin. Toutefois, l'industrie demeure l'activité essentielle, pièce maîtresse de l'économie de la R.F.A. dont le cœur est l'énorme agglomération de la Ruhr. **V. Ruhr.** D'immenses réserves de houille (bassin d'Aix-la-Chapelle, 5 millions de t/an; Ruhr, 100 millions de t/an) et de lignite (bassin de Cologne, 100 millions de t/an) sont la base d'une puissante activité industrielle. La Ruhr produit plus de 60 % de l'acier de la R.F.A. et est spécialisée dans l'indus. mécanique, bien représentée aussi à Aix-la-Chapelle et Cologne. La zone textile s'étend autour de Krefeld, Rheydt, Mönchengladbach et Münster, et la chimie est surtout représentée à Wuppertal et Leverkusen. La région rhéno-westphalienne, zone de passage, a un réseau de communications particulièrement serré. Duisbourg, sur le Rhin, est le 1er port fluvial d'Europe. Le Rhin est relié par canaux à l'Herne et à l'Ems. Des liaisons ferroviaires et routières rayonnent à partir de Düsseldorf, Cologne et des grandes villes de la Ruhr. ♦ *Hist.* **V. Rhénanie et Westphalie.**

RHETICUS, RHÄTICUS ou **RHAETICUS (Georg Joachim von LAUCHEN,** en lat.**).** ♦ Astronome allemand (Feldkirch, Vorarlberg, 1514 – Košice, 1576). Par un bref résumé de l'œuvre de Copernic* qu'il publia en 1540 *(Narratio prima),* il convainquit celui-ci de publier ses découvertes. On lui doit également une table des sinus de 10" en 10", à quinze décimales (réalisée avec une équipe de calculateurs) et la notion de cosinus (1551).

RHÉTIE ou **RÉTIE.** *n. f.,* en lat. **Rhaetia** ou **Raetia.** ♦ Anc. région des Alpes centrales correspondant à l'E. de la Suisse* *(Grisons*),* au Tyrol* autrichien et au N. de la Lombardie*. Habitée par des peuples en partie celtes, les Rhètes, cette région fut soumise par Drusus* et Tibère* en ~15 et abandonnée aux Germains en 450, pour faire partie de la Souabe*.

RHÉTIQUES *(Alpes). n. f.* ♦ Partie des Alpes centrales s'étendant aux frontières de l'Italie, de la Suisse et de l'Autriche. Elle englobe les Grisons et les régions italiennes limitrophes.

Rhétorique (La). ♦ Traité d'Aristote*. La rhétorique, art de parler de manière à convaincre son auditoire, a certes pour base le raisonnement; mais, contrairement à la logique, elle a aussi pour rôle de toucher et d'émouvoir. Aristote ramène à trois les différents types de discours : délibératif, d'apparat et judiciaire; et il en analyse les règles.

RHEYDT. ♦ V. d'Allemagne occidentale (Rhénanie du Nord-Westphalie), au S. du bassin de la Ruhr*, à 22 km de Mönchengladbach. 100 550 hab. (1970). Château Renaissance (XVIe s.). – Centre textile (tissages et filatures de laine, coton et soie), mécanique lourde et matériel électrique. – Patrie de Goebbels* et de Hugo Junkers*.

RHIGAS ou **RIGAS (Constantin),** dit **Vélestinlis.** ♦ Patriote et poète grec (Velestino, Thessalie, 1757 – Belgrade, 1798). Apôtre de la révolution des Grecs et des autres peuples balkaniques contre les Turcs, il fut arrêté et mis à mort tandis qu'il était en route pour solliciter l'appui de Bonaparte. Il composa des chants patriotiques qui devinrent très populaires, des opuscules inspirés des idées de la Révolution française et traduisit en grec Boccace et des écrivains français.

RHIN. *n. m.,* en all. **Rhein,** en néerl. **Rijn.** ♦ Fl. d'Europe occidentale, tributaire de la mer du Nord. 1 320 km. Né dans les Alpes suisses, de la réunion du Rhin antérieur *(Vorderrhein),* émissaire du lac Toma (2 341 m), et du Rhin postérieur *(Hinterrhein)* né dans le massif de l'Adula, à 2 216 m, il se dirige d'abord vers le N., traverse le lac de Constance où il marque la frontière entre la Suisse et l'Autriche et s'enrichit de la Reuss, de la Limmat et de l'Aar. Il prend ensuite la direction de l'O. jusqu'à Bâle et sert de frontière entre la Suisse et l'Allemagne. En aval de Bâle, il contourne les pentes méridionales de la Forêt-Noire, puis coule jusqu'à Mayence dans un fossé d'effondrement bordé à l'O. par les Vosges, la Hardt et les monts du Palatinat, à l'E. par la Forêt-Noire, la Kraichgau et l'Odenwald. Il reçoit successivement la Kinzig, la Murg, l'Ill et la Lauter (r. g.) et arrose Strasbourg, Mannheim-Ludwigshafen. Entre Mayence et Bingen, il décrit un coude vers l'O. **(V. Rheingau),** puis s'encaisse profondément en traversant l'ensemble schisteux rhénan : c'est la *Trouée héroïque,* bordée d'escarpements spectaculaires (rocher de la Lorelei, 200 m) surplombés de châteaux en ruine. Il passe à Coblence, Neuwied, Bonn, Cologne, reçoit la Nahe, la Moselle, l'Ahr (r. g.), le Main, la Lahn, la Sieg (r. d.). Le Rhin pénètre ensuite dans la grande plaine du Nord (Rhin inférieur) en sortant du bassin de Cologne, reçoit la Ruhr et la Lippe (r. d.) et arrose quelques grandes villes de la Ruhr (Düsseldorf, Rheinhausen, Duisbourg, Walsum, Wesel), puis s'oriente vers l'O. en direction de la frontière néerlandaise et devient alors large et puissant. En Hollande, le fleuve se subdivise en quatre bras : l'*IJsel* (qui alimente l'IJselmeer ou ancien Zuiderzee), le *Vieux Rhin,* le *Waal* (qui se dirige vers la Meuse) et le *Lek* qui rejoint Rotterdam. – *Régime.* Le Rhin supérieur a un régime alpin caractérisé par de hautes eaux d'été (520 m³/s) et de basses eaux d'hiver (70 m³/s). Son cours se régularise au passage du lac de Constance, bien que la pente demeure encore forte jusqu'à Bâle. Le régime du Rhin, en aval de Bâle, se trouve modifié par l'apport d'importants affl. (Neckar, Main, Moselle) et, enrichi par les précipitations hivernales de la Souabe, de la Franconie et de la Hesse méridionale, devient nettement fluvio-nival (crues réparties de juin à octobre et des étiages compris entre décembre et avril). Le fleuve est soumis à des crues parfois catastrophiques (débit de 10 000 à 15 000 m³/s). – *Importance économique.* Le Rhin ne fut d'abord navigable que sur son cours inférieur, en aval de Coblence. Au milieu du XIXe s., il acquit dans le transport charbonnier (houille de la Ruhr) une importance croissante. Son aménagement fut entrepris sous l'égide de la « Commission centrale pour la navigation du Rhin » : constructions de digues insubmersibles sur le Lek et le Waal, correction de méandres, dragage des zones marécageuses et surtout canalisation (canal d'Alsace de Bâle à Strasbourg, canal de la Marne au Rhin, canal Albert de la Meuse au Rhin, du Rhône au Rhin, canal Rhin-Lippe, etc.). Le Rhin devint alors voie d'eau internationale, utilisable par des bateaux de 3 000 t. Après celui de la houille, le fleuve assura, à l'échelle européenne, le transport d'autres matières premières et de produits semi-ouvrés avec les pays riverains : R.F.A. et Pays-Bas (40 % du trafic total annuel), Belgique (12 %), France (6 %), Suisse (3 %) sur un total annuel de 250 millions de t (1970). Les princ. ports rhénans sont : Duisbourg-Ruhrort (1er port fluvial du monde), Bâle, Karlsruhe, Mannheim-Ludwigshafen, Mayence, Coblence et Cologne. Par ailleurs, les eaux du Rhin sont abondamment utilisées pour la production hydro-électrique (25 milliards de kWh). D'importantes centrales ont été établies sur le fleuve (Birsfelden, Rheinau, Laufenburg, Reckingen, Ryburg-Schwörstadt) et sur le canal d'Alsace (Kembs, Fessenheim, Vogelgrun, Marckolsheim, Rhinau, Gerstheim). En outre, de puissants complexes industriels établis dans les villes riveraines (Ludwigshafen-Mannheim, Cologne, Düsseldorf, Duisbourg) mettent la voie rhénane au nombre des premiers pôles économiques d'Europe occidentale.

Rhin (ligue du). ♦ Alliance comprenant les princes du Rhin et la France, conclue par Mazarin* (1658), pour faire respecter les clauses du traité de Westphalie*. Elle cessa en 1667, à la suite de la politique d'intervention de Louis XIV.

RHIN (BAS-). [**67**]. ♦ Dép. de l'E. de la France en Alsace* septentrionale (région [anciennement C.A.R.] d'Alsace). Le Rhin le sépare de l'Allemagne. 4 786 km². 840 513 hab. – *Orogr.* Trois régions naturelles : le plateau lorrain, les Vosges prolongées par des collines au N., la plaine de la basse Alsace.

♦ 561 comm., 39 cant. 840 513 hab. *Préf.* Strasbourg. *Sous-préf.* Erstein*, Haguenau*, Molsheim*, Saverne*, Sélestat*, Wissembourg*. *Ch.-l. de cant.* Barr*; Benfeld*; Bischwiller*; Bouxwiller*; Brumath*; Drulingen, 980 hab.; Geipolsheim, 3 758 hab.; Hochfelden, 2 895 hab.; Lauterbourg*; Marckolsheim*; Marmoutier*; Niederbronn*-les-Bains; Obernai*; Petite-Pierre (la), 637 hab.; Rosheim*; Saales*; Sarre*-Union; Schiltigheim*; Schirmeck*; Seltz*; Soultz-sous-Forêts, 1 877 hab.; Truchtersheim, 745 hab.; Villé, 1 422 hab.; Wasselonne*; Woerth, 1 497 hab. *Autres comm.* **V. Andlau, Froeschwiller, Gerstheim, Herrlisheim, Illkirch-Graffenstaden, Lingolsheim, Mutzig, Pechelbronn, Reichshoffen, Rhinau, Sainte-Odile, Soufflenheim, Struthof.**

RHIN (HAUT-). [68]. ♦ Dép. de l'E. de la France, en Alsace* méridionale (région [anciennement C.A.R.] d'Alsace). À l'E., le Rhin* le sépare de l'Allemagne. 3 508 km². 596 633 hab. *Préf.* Colmar*. — *Orogr.* Région de collines et de montagnes dominant la plaine d'Alsace **(V. Vosges)**; points culminants : ballon de Guebwiller* (1 424 m), ballon d'Alsace* (1 250 m). Au S., collines du Sundgau*.

♦ 384 comm., 30 cant. 596 633 hab. *Préf.* Colmar*. *Sous-préf.* Altkirch*, Guebwiller*, Mulhouse*, Ribeauvillé*, Thann*. *Ch.-l. de cant.* Andolsheim, 871 hab.; Cernay*; Dannemarie, 1 702 hab.; Ensisheim*; Ferrette, 789 hab.; Habsheim, 2 207 hab.; Hirsingue, 1 565 hab.; Huningue*; Kaysersberg*; Lapoutroie, 1 712 hab.; Masevaux*; Munster*; Neuf*-Brisach; Rouffach*; Saint-Amarin, 2 013 hab.; Sainte-Marie*-aux-Mines; Sierentz, 1 633 hab.; Soultz-Haut-Rhin, 4 910 hab.; Wintzenheim*; Wittenheim*. *Autres comm.* **V. Fessenheim, Illzach, Issenheim, Kembs, Lutterbach, Orbey, Ottmarsheim, Riquewihr, Saint-Louis, Turckheim, Vogelgrun, Wittelsheim.**

RHINAU. ♦ Comm. du Bas-Rhin* (arr. d'Erstein), sur le Rhin. Centrale hydro-électrique, production annuelle de 880 000 000 de kWh.

RHODANIEN *(Sillon* ou *Couloir).* ♦ Région déprimée entre le Massif central et les Alpes, drainée à partir de Lyon par le Rhône* vers la Méditerranée; le Sillon rhodanien fait suite aux plaines de la Saône.

RHODE ISLAND. *n. m.* ♦ État du N.-E. des États-Unis (Nouvelle-Angleterre), limité au N. et à l'E. par le Massachusetts, au S. par l'Atlantique (extrémité du détroit de Long Island), à l'O. par le Connecticut, 3 233 km² (le plus petit État de l'Union). 949 725 hab. (1970). *Cap.* Providence. *Autres villes,* **V. Newport, Pawtucket, Warwick.** — *Orogr.* Les collines du N. s'abaissent vers la plaine côtière. La côte est profondément entaillée vers l'E. par la baie de Narragansett. — *Écon.* Indus. textiles, mécanique, bijouterie, etc. La pêche à la baleine n'est plus qu'un souvenir, mais les pêcheries de poissons restent importantes. Le commerce et l'activité bancaire sont très actifs. Université. ♦ *Hist.* La colonie fut fondée par des puritains dissidents du Massachusetts (Roger Williams* qui fonda Providence, W. Coddington, etc.). L'indépendance fut proclamée en mai 1776. Vainqueurs sur mer à Quaker Hill, les Anglais furent à nouveau chassés en 1779. L'État, soucieux de son indépendance, ne ratifia la Constitution qu'en 1790. La Constitution de l'État, peu démocratique, fut amendée en 1843, puis en 1928.

RHODES *(le Père* **Alexandre** *de).* ♦ Missionnaire français (Avignon, 1591 — Ispahan, 1660). Entré dans l'ordre des Jésuites (1612), il fut envoyé comme missionnaire au Viêt-nam (1624-1645), donna sur l'Indochine de précieux renseignements (*Sommaires de divers voyages et missions apostoliques,* 1653) et créa le Qu'o'c*-Ngü'. En 1655, il se rendit en Perse.

RHODES (Cecil John). ♦ Homme d'affaires et homme d'État britannique d'Afrique du Sud (dans le Hertfordshire, 1853 — Muizenberg, Le Cap, 1902). Après avoir fait fortune très jeune dans la prospection du diamant en Afrique du Sud (1870-1873), il fut étudiant à Oxford (jusqu'en 1881). Il y forma son idéal impérialiste, visant à l'établissement d'une fédération anglo-américaine régissant un empire mondial. De retour en Afrique australe, où il rêvait d'une colonie britannique dominant tout le pays, il développa l'économie par ses propres affaires, monopolisant la production du diamant (Kimberley), créant deux compagnies qui régnaient sur les mines d'or et de diamant *(Gold Fields of South Africa; De Beers)* et enfin fondant la *British South Africa Company* qui obtint une charte royale en 1889. Il s'était fait élire député au Cap (1881) et mena avec l'appui de Londres, mais en dépassant fréquemment les intentions britanniques, sa politique d'expansion. Ainsi, c'est lui qui incita le gouvernement anglais à établir son protectorat sur le Bechuanaland, c'est lui qui, au moyen de sa *Chartered Company,* colonisa les territoires situés au N. du Transvaal **(V. Rhodésie),** l'influence portugaise ayant été écartée par les Anglais vers 1890 et les Noirs (Matabélé...) ayant été battus. Rhodes devint Premier ministre du Cap en 1890 : le principal obstacle à son rêve de domination britannique en Afrique du Sud était l'autonomie des États boers, Orange* et surtout Transvaal*. Après avoir essuyé le refus de Kruger* quant à un projet de fédération, et avoir échoué à le renverser, Rhodes organisa (déc. 1895) l'expédition de Jameson*, qui fut un échec complet. Désavoué par Londres, Rhodes démissionna de son poste de Premier ministre (janv. 1896). Dès lors, il s'occupa du développement économique des Rhodésies, notamment de la construction des lignes de chemin de fer (amorce du projet de la ligne du Caire au Cap). En 1899-1900, il dirigea personnellement la résistance de Kimberley contre les attaques des Boers du Transvaal. Malgré ses revers politiques, cet homme d'une extraordinaire énergie, qui incarne l'impérialisme colonialiste à son apogée, put voir avant sa mort son premier objectif réalisé : du Tanganyika au Cap, de l'Atlantique au Pacifique, l'Afrique était (momentanément) britannique.

RHODES, en grec **Rodos.** ♦ Île grecque de la mer Égée, la plus importante du Dodécanèse*. 1 398 km²; 66 610 hab. Essentiellement formée par une chaîne montagneuse peu élevée, avec un sol calcaire assez pauvre (oliviers, vignes, arbres fruitiers), cette île est réputée pour la douceur de son climat et ses beautés naturelles. — Ch.-l. de l'île et du nome du Dodécanèse : RHODES, port sur l'extrémité N. de l'île, centre de tourisme hivernal et estival. 33 100 hab. La vieille ville contient le palais des grands maîtres de l'ordre des Chevaliers de Rhodes, l'hôpital des Chevaliers, la cathédrale Sainte-Marie, les célèbres « auberges » (résidences des représentants de chaque langue de l'ordre). Églises byzantines, remparts. Ruines de la ville antique. — Ruines de Lindos (côte E.), Camiros (côte N.-O.) et Ialysos (mont Philérimos); vallée dite des Papillons. ♦ *Hist.* Habitée par des Crétois, puis par des Achéens, Rhodes participa à la civilisation égéenne **(V. Crète, Mycènes).** Les Doriens* conquirent l'île v. ~1100 et fondèrent Lindos, Camiros et Ialysos qui formèrent avec Cos, Cnide et Halicarnasse l'*hexapole* dorienne. Habiles navigateurs et commerçants, les Rhodiens créèrent de nombreuses colonies dans la Méditerranée, dont Gela*. Gouvernée au ~VIe s. par des tyrans, dont le plus célèbre est celui de Lindos, Cléobule*, l'île fut soumise aux Perses, puis participa à la confédération maritime d'Athènes (~471 — ~411). La ville de Rhodes, fondée en ~408 sur les plans d'Hippodamos de Milet, domina dès lors l'île. Prise par Alexandre le Grand, indépendante après la mort de celui-ci, Rhodes devint au ~IIIe s. une grande puissance maritime et un centre de la civilisation hellénistique où florissaient la rhétorique **(V. Apollonios)** et les arts **(V. Charès, Protogénès).** Alliée à Rome (~IIe s.), Rhodes fut dévastée en ~43 par Cassius. Rattachée à l'empire d'Orient, elle subit les invasions arabes. Gouvernée de 1309 à 1522 par l'ordre des Hospitaliers* de Saint-Jean de Jérusalem *(Chevaliers de Rhodes)* qui favorisèrent le commerce, elle fut prise par les Turcs (1522) qui la gardèrent jusqu'en 1912. Occupée alors par l'Italie, Rhodes fut restituée à la Grèce en 1947. **V. Dodécanèse.**

RHODES *(colosse de).* ♦ Gigantesque statue d'Hélios (le Soleil) en bronze, œuvre de Charès*, érigée en ~280 à l'entrée ou au fond du port de Rhodes en souvenir d'une victoire contre Démétrios Poliorcète. Considérée comme l'une des Sept Merveilles du monde, la statue fut endommagée par un tremblement de terre en ~224, et définitivement détruite en 672.

RHODE-SAINT-GENÈSE, en néerl. **Sint-Genesius-Rode.** ♦ Comm. de Belgique (Brabant, arr. de Bruxelles-Communes périphériques). 12 600 hab. Indus. textiles (coton). Indus. de bois (papier, meubles). Indus. alimentaires (brasseries).

RHODÉSIE. *n. f.* ♦ Région de l'Afrique centrale et orientale couvrant une partie du bassin du Zambèze auj. divisée en trois États : **V. Zambie, Malawi** et **Rhodésie** *(ci-dessous).* La formation du *Nyasaland African Congress* (N.A.C.) s'opposa vivement à la création de la Fédération de Rhodésie et Nyasaland à partir de 1953 (**V.** *Hist.*, aux différents États).

RHODÉSIE. *n. f.,* en angl. **Rhodesia,** du nom de Cecil *Rhodes.* ♦ État de l'Afrique centrale, limité à l'O. par le Botswana*, au N. par la Zambie* (le Zambèze* formant la frontière), au N.E. et à l'E. par le Mozambique*, au S. par la république d'Afrique* du Sud. 390 000 km². 5 780 000 hab. *Cap.* Salisbury. *Langues :* anglais (off.), dialectes bantous. *Pop.* **V. Bantous.** *V. et sites princ.* **V. Bulawayo, Umtali, Zimbabwe.** — *Orogr.* et *climat.* Le pays est formé par une série de plateaux cristallins qui descendent vers la vallée du Zambèze, répartis en fonction de l'altitude en *Haut, Moyen,* et *Bas Veld.* Le climat tropical est tempéré par l'altitude. — *Écon.* La culture vivrière principale est le maïs, les cultures commerciales sont le tabac, la canne à sucre et le coton. Les ressources minières sont importantes : amiante, cuivre et fer (ayant conduit

Ph. Hétier

Rhodes.

à la création d'un complexe sidérurgique près de Que-Que). L'énergie est fournie par le charbon dans le N.-O. du pays et par l'hydroélectricité (barrage de Kariba*, sur le Zambèze). Indus. à Salisbury, Bulawayo, Umtali. [*Carte*. **V. Afrique du Sud**]. ♦ *Hist.* C'est à Cecil Rhodes* que l'on doit l'installation des premiers colons (1890) et la pacification de la Rhodésie du Sud qui devint colonie de l'Empire britannique en 1923. La création de la ***Fédération de Rhodésie et de Nyasaland,*** créée en 1953, fut supprimée en 1963. La *Rhodésie du Nord* (**V. Zambie**) et le Nyasaland (**V. Malawi**) devinrent alors complètement indépendants. La Rhodésie du Sud dirigée par les colons pratiquant l'apartheid proclama unilatéralement l'indépendance de la colonie contre la volonté de la Grande-Bretagne (1965) **V. Smith** *(Ian)*. La Rhodésie, appuyée par la république d'Afrique du Sud et les colonies portugaises, demeure l'un des derniers bastions du colonialisme traditionnel et de la séparation officielle des communautés raciales *(apartheid)*. Elle est sortie du Commonwealth en 1966.

RHODES-INTÉRIEURES, en all. **Inner Rhoden**, et **RHODES-EXTÉRIEURES**, en all. **Ausser Rhoden**. ♦ Nom des deux subdivisions du canton d'Appenzell* (Suisse).

RHODOPE ou **RODOPE**. *n. m.*, en bulg. **Rodopi**. ♦ Massif montagneux de la péninsule des Balkans s'étendant en Bulgarie méridionale et en Grèce (plaine thrace, Macédoine). L'altitude moyenne est d'environ 2 000 mètres. La partie occidentale, entre la Struma et la Mesta, est la plus élevée : massifs du Rila* (2 925 m au Muss-Alla) et du Pirin* (Vihren, 2 915 m). Plus à l'E., le Rhodope proprement dit, nettement moins élevé, s'étend jusqu'à la mer Égée. La région vit de la culture des fruits et du tabac et exploite les métaux non ferreux (plomb, chrome).

RHODOPE. ♦ Nome (département) de la Grèce en Thrace. **V. Comotini.**

RHÖN. *n. f.* ♦ Massif volcanique de l'Allemagne moyenne s'étendant du S.-O. au N.-E., en Hesse et en Bavière et dont l'extrémité E. se prolonge en R.D.A. (Thuringe). Formée de buttes basaltiques et de plates-formes tourbeuses, la région culmine à 950 m au *Wasserkuppe*. Peu favorisée, la Rhön se consacre à l'élevage sur les hauts plateaux et les landes. L'émigration y est très forte.

RHONDDA, en gallois **Ystradyfodwg**. ♦ V. du S. du pays de Galles (Glamorganshire). 88 925 hab. Les vallées avoisinantes (*Rhondda Fawr* et *Rhondda Fach*) sont grandes productrices de houille.

RHÔNE. *n. m.* ♦ Fl. de France et de Suisse. 812 km (290 km en Suisse, dont 72 km à travers le lac Léman); le plus puissant des fleuves français et le plus important des fleuves européens tributaires de la Méditerranée (son delta délimite le golfe du Lion* à l'O.). Il naît du *glacier du Rhône*, à 1 850 m d'alt. env., à l'extrémité E. du canton du Valais*, près du col de la Furka*. Il coule entre les massifs du Saint*-Gothard et de l'Aar*, prend une direction S.-O. jusqu'à Martigny* où il reçoit la Drance* (r. g.), après être passé à Brigue* et à Sion* où il a déjà été alimenté par de nombreux torrents de montagne; puis il s'oriente vers le N.-E. jusqu'au lac Léman*, après avoir arrosé Saint*-Maurice. Depuis sa source jusqu'au lac Léman, le Rhône est une rivière alpine; sa vallée forme une artère que suivent les réseaux routier et ferré (**V. Lötschberg**, tunnel reliant la vallée du Rhône à celle de l'Aar). À sa sortie du lac, le fleuve arrose Genève*; après avoir reçu l'Arve* (r. g.) venue des glaciers de la chaîne du Mont-Blanc, il entre en France à env. 19 km de Genève. Entre le lac et sa confluence avec l'Ain*, le Rhône franchit transversalement les plissements du Jura méridional par une série de méandres formant des gorges étroites ou

Ph. Hétier

Le **Rhône** à sa source au glacier du Rhône.

cluses; à Bellegarde*, il reçoit la Valserine* (r. d.), puis s'oriente vers le S.; à Génissiat*, le barrage forme un lac étroit; en aval de Seyssel*, le Rhône reçoit le Fier* (r. g.); il est relié aux eaux du lac du Bourget* par le court canal de Savières. Le fleuve continue à couler vers le S. jusqu'à sa confluence avec le Guiers* (r. g.) venu des montagnes de la Grande-Chartreuse; de là, il suit l'éperon S. du Jura en direction du N.-O. (**V. Bugey**) puis forme une courbe, peu avant sa confluence avec l'Ain (r. d.) et la Bourbre (r. g.), et s'oriente vers l'O. jusqu'à Lyon*, où il reçoit son princ. affl. la Saône* (r. d.). Celle-ci est la véritable continuation du haut Rhône, à la fois d'un point de vue géographique et économique; c'est par le moyen de canaux sur son cours que le Rhône communique avec les bassins de la Loire, de la Seine, du Rhin et de la Moselle. — À partir de Lyon, le fl. s'oriente vers le S., passant entre le Massif central et les Préalpes françaises (**V. Rhodanien** [*Sillon*]). Le fleuve coule alternativement à travers des gorges étroites et des bassins ouverts. Il reçoit le Gien (r. d.), arrose Vienne*, Tain*-l'Hermitage et Tournon*, reçoit l'Isère* (r. g.), passe à Valence* et reçoit la Drôme* (r. g.), coule à Montélimar*; un canal parallèle de 27 km, de Donzère, en aval de Viviers*, au S. de la plaine de Montélimar, jusqu'à Mondragon*, près de Pont*-Saint-Esprit, facilite la navigation (station hydro-électrique près de Bollène*); le Rhône a reçu l'Ardèche* (r. d.), puis la Cèze* (**V. Marcoule**) avant de pénétrer dans le comtat* Venaissin; il arrose Avignon* après avoir reçu la Sorgue* (r. g.); puis il reçoit la Durance* (r. g.) et le Gard* (r. d.), passe à Tarascon* et à Beaucaire* (d'où part le canal du Rhône à Sète). C'est à Arles* que débute le delta; le fl. se divise alors en deux bras : le *Grand Rhône,* qui coule entre la Camargue à l'O. et la Crau* à l'E., en direction du S.-E., se jette dans la Méditerranée à Port*-Saint-Louis-du-Rhône; le *Petit Rhône,* qui coule en direction du S.-O., s'y jette aux Saintes*-Maries-de-la-Mer. La Camargue*, entre les deux bras du Rhône, forme à proprement parler le delta du Rhône. Plusieurs canaux, construits au voisinage d'Arles, joignaient le Rhône à Marseille et à Port-de-Bouc. La Compagnie d'aménagement de la région du *Bas-Rhône-Languedoc* a construit un réseau de canaux d'irrigation permettant la distribution d'eau à la Costière et aux plaines languedociennes (**V. Languedoc-Roussillon, Fourques**). L'alluvionnement du delta progresse surtout le long de la branche E., mais est réduit par les travaux de régularisation du fleuve. Les ouvrages essentiels ont été réalisés par la ***Compagnie nationale du Rhône*** (production électrique et mise en valeur par irrigation) sur le tronçon moyen du fleuve, entre Lyon et Avignon. — Le Rhône a un régime complexe et contrasté; son cours supérieur est de type nivo-glaciaire; la Saône vient renforcer son débit en hiver et le soutient en été, tandis que les affl. alpins, dont l'Isère, renouvellent l'influence nivo-glaciaire; puis le fleuve accueille les torrents méditerranéens qui modifient son régime (**V. Ardèche, Gard, Durance**); à Beaucaire le débit moyen est de 1 820 m³/s. (max. de mai : 2 185 m³/s.); les crues peuvent être considérables. ♦ *Les* CÔTES DU RHÔNE sont formées par les coteaux de la vallée du Rhône au S. de Lyon, et portent un vignoble produisant des vins rouges, rosés et blancs, chauds et généreux, dont l'appellation d'origine contrôlée est *côtes du Rhône*. **V. Côte-Rôtie, Condrieu, Tain-l'Hermitage, Saint-Péray, Châteauneuf-du-Pape, Tavel.** (L'appellation « côtes du Rhône » peut être suivie du nom d'une commune, telle que *Gigondas*.)

RHÔNE. [**69**]. *n. m.* ♦ Dép. du centre-est de la France, région (anciennement C.A.R.) Rhône*-Alpes. — *Orogr.* Le dép. s'étend à l'E. du Massif central sur une partie du Mâconnais*, sur le Beaujolais* et le Lyonnais*, séparés par les vallées de l'Azergues* et de la Brévenne.

♦ 39 cant., 298 comm., 1 348 568 hab. *Préf.* Lyon*; *sous-préf.* Villefranche*-sur-Saône. *Ch.-l. de cant.* Amplepuis*, Anse*, Arbresle* (l'), Beaujeu*, Belleville*, Bois-d'Oingt (le) [1 122 hab.], Bron*, Condrieu*, Givors*, Lamure*-sur-Azergues, Limonest*, Meyzieux*, Monsols (764 hab.), Mornant (2 426 hab.), Neuville*-sur-Saône, Rillieux*, Saint-Genis*-Laval, Saint-Laurent-de-Chamousset (1 313 hab.), Saint-Symphorien*-sur-Coise, Saint-Symphorien*-d'Ozon, Tarare*, Thizy*, Vaugneray (2 556 hab.), Villeurbanne*. *Autres comm.* **V. Charbonnières-les-Bains, Chiroubles, Décines-Charpieu, Écully, Feysin, Fleurie, Grigny, Juliénas, Oullins, Pierre-Bénite, Saint-Fons, Saint-Priest, Sainte-Foy-lès-Lyon, Tassin-la-Demi-Lune, Vaulx-en-Velin, Vénissieux.**

RHÔNE-ALPES. ♦ Région (anciennement C.A.R.) française. 8 départements : **V. Ain, Ardèche, Drôme, Isère, Loire, Rhône, Savoie, Savoie (Haute-).** 43 700 km² (12,8 % du territoire national, 2ᵉ rang). 4 423 000 hab. [1968]; 4 780 700 hab. [1975] (9% de la population française, 2ᵉ rang). d = 106. — Associant à la Savoie et au Lyonnais des fractions de la Bourgogne, du Dauphiné, du Languedoc et de la Provence, cette région est à cheval sur la partie orientale du Massif central, le Jura méridional et les Alpes du Nord. Heureusement quadrillée par un réseau de dépressions longitudinales (plaines de la Loire, Sillon rhodanien, Grésivaudan, combe de Savoie) et transversales (cluses alpines, Tarentaise, Maurienne, Champsaur) qui la pénètrent en profondeur, la montagne en occupe la majeure partie, avec une grande diversité d'altitudes et de formes. De part et d'autre de l'ancienne ria méditerranéenne qu'est le couloir central (169 m à Lyon), tour à tour très ouvert (Bresse, bas Dauphiné) ou très encaissé (défilés de Tournon, Donzère), s'opposent, à l'O., le socle cristallin dissymétrique, disloqué par la poussée alpine, bordé de coteaux abrités, du Beau-

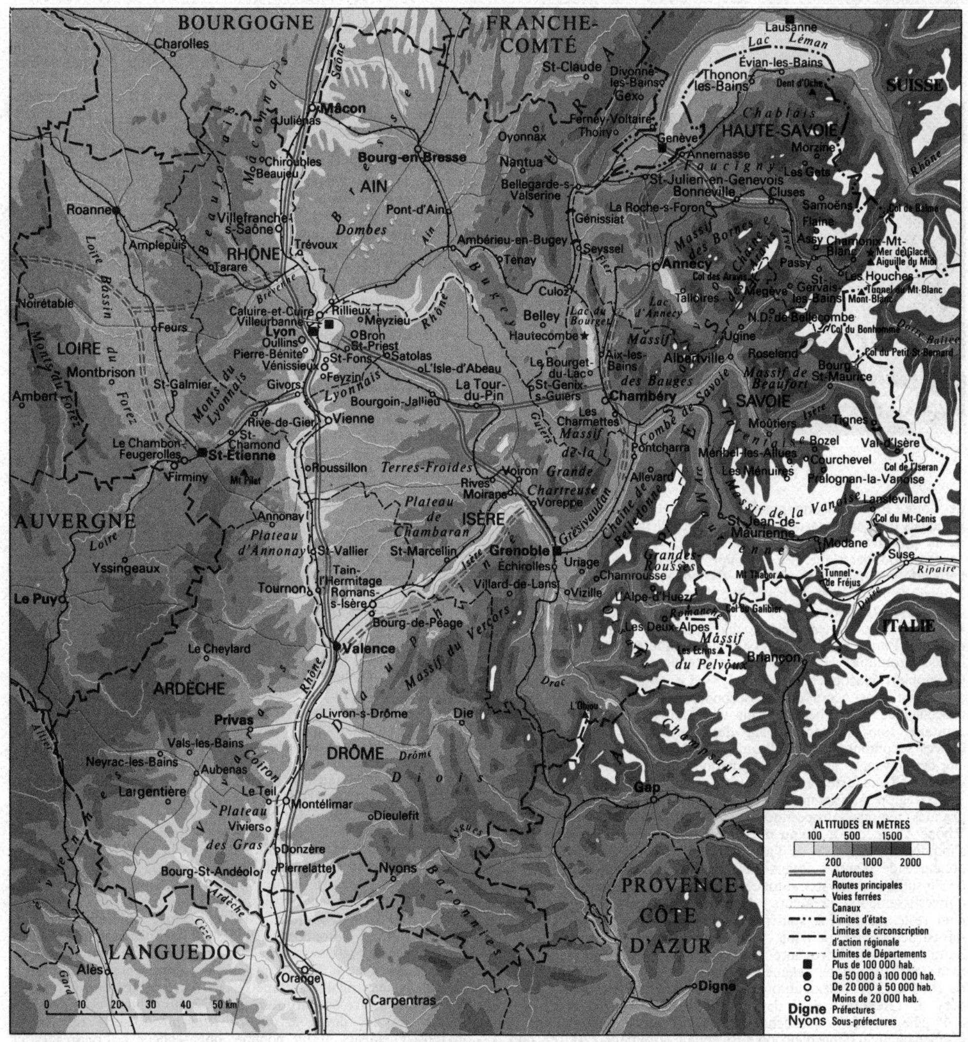

Rhône-Alpes.

jolais (1 000 m) au Lyonnais (que limite la dépression du Gier) et au Vivarais (1 400 m), et à l'E. les hautes falaises calcaires des Préalpes plissées dont les petits massifs se succèdent, bien individualisés, du Léman à la Drôme : Chablais, Bornes, Bauges, Chartreuse (2 087 m) où viennent se fondre les extrémités du croissant jurassien, et Vercors (2 341 m) que séparent l'Arve, les lacs d'Annecy, du Bourget, l'Isère, voies de passage du Rhône au sillon alpin, long de 200 km du carrefour grenoblois (210 m) à Saint-Gervais. Au delà, la haute montagne (celle de la masse cristalline et celle des nappes de charriage aux roches plus variées mais souvent très dures) projette ses dômes et ses aiguilles du massif du Mont-Blanc (4 807 m) dont l'arête est ponctuée, sur 50 km, de sept sommets supérieurs à 4 000 m, aux Grandes Rousses (3 468 m), au Pelvoux (4 103 m aux Écrins) et à la Vanoise (3 852 m); mais la multiplication des vallées et bassins liée aux effets conjugués de l'érosion et de la glaciation quaternaire la rendent aisément pénétrable. – Plus chaud et plus ensoleillé, le *climat* y favorise d'ailleurs vie et cultures sur les adrets (Saint-Véran, 2 040 m), les pluies étant interceptées par l'écran des Préalpes au somptueux manteau forestier (54 % de la superficie en Chartreuse). Froid en Massif central, l'hiver est de type polaire dans les Alpes. L'été peut y être très chaud dans les fonds (+ 30 °C à Grenoble en juil.). Le régime pluviométrique est de plus en plus méditerranéen vers le S. : dès Valence, le paysage prend une teinte méridionale. – L'*agriculture* reflète ces données physiques. Herbe et productions animales l'emportent (60 % du produit) : 1 150 000 bovins, 18 500 000 hl de lait (Ain, Alpes, Rhône), 90 000 t de viande; 700 000 porcins : 500 000 ovins (Ardèche, Drôme); aviculture (Bresse, Drôme). Les céréales intéressent l'Ain et la r. g. du fl.; les vignobles sont estimables (Beaujolais*; Côtes du Rhône); les cultures fruitières progressent en Ardèche et Drôme (pêches : 810 000 t en 1966, 2 000 000 de t en 1970). Freinée par la faiblesse des structures (moy. 12 ha) et le vieillissement des exploitants (12,7 % de la population active), sa mutation devrait bénéficier des mesures d'aide aux agriculteurs de montagne. – *Population* et *indus.* C'est le carrefour *(Lugdunum, Caput Galliarum)* qui a favorisé l'essor de la région : à partir du XVe s., autour des activités commerciales, financières, puis industrielles de Lyon (116 000 hab. en 1762) d'où le travail de la soie fut largement diffusé en campagne; de Saint-Étienne ensuite (ch. de fer en 1827) d'où métallurgie et textiles essaimèrent également; de Grenoble enfin, cap. de la houille blanche (Bergès, 1886), richesse nouvelle des Alpes. Trois pôles principaux qui assurent l'équilibre et expliquent poids démographique et puissance économique. Stable dans le passé (3 386 000 hab. en 1861; 3 657 000 en 1931; 3 402 000 en 1946), le peuplement progresse maintenant rapidement (4 018 000 en 1962; 4 423 000 en 1968; + 1,2 % l'an de 1954 à 1962, + 1,6 % l'an de 1962 à 1968) [4 660 000 en 1972], du fait de la natalité et surtout de l'immigration (forte proportion d'actifs : 43,2 % de la population totale; France : 41,3 %). Occupant 865 000 personnes (47,2 % de la pop. active), reposant sur les capitaux, l'esprit d'entreprise, la qualification des cadres et de la main-d'œuvre, le secteur *industriel* – qui bénéficie, à côté du charbon déclinant de Loire et du Dauphiné, d'une abondante production d'électricité (1/5 de la product. française) d'origine hydraulique pour 90 % (équipement du potentiel alpin et réalisation de la Compagnie nationale du Rhône) – est à la fois très diversifié et solidement interdépendant. Aux indus. de base (aciéries de la Loire; électrométallurgie alpine, 80 % du potentiel français; aluminium, 140 000 t) s'ajoute un éventail considérable d'indus. de transformation : indus. mécaniques

Ph. Hétier

Le **Rhône** à Avignon.

de Loire, Rhône, Isère (machines-outils, construction métallique, véhicules industriels, armes et cycles); décolletage de Savoie (65 % de la product. française); instruments de précision de Valence; construction électrique, liée aux énormes besoins régionaux (1/4 de l'effectif national); indus. textile, dispersée (rubans et soieries du Rhône, de l'Ardèche, de la Drôme, laine de Vienne); textiles artificiels et synthétiques (50 % de la product. française); indus. chimique, 2e foyer français (électrochimie alpine — chimie de synthèse de Saint-Fons, Feyzin —, pharmacie, photographie, colorants); indus. atomique (Pierrelatte*); maroquinerie (Lyon); ganterie (Grenoble); plastiques (Oyonnax). — Le *tertiaire* (40,4 %) s'est cependant plus accru que le secondaire depuis 1962 : banques, enseignement et recherche (trois villes universitaires), équipement sanitaire, tourisme (au 2e rang des séjours de vacances et résidences secondaires; villes d'eaux : Aix-les-Bains; beauté et diversité des paysages alpins — Parc national de la Vanoise — et ardéchois). — Zone forte du Grand Delta, en mesure de faire contrepoids à la Région parisienne et de soutenir la comparaison avec les grandes régions européennes (excellente situation géographique), Rhône-Alpes, qui a connu une phase d'euphorie de 1964 à 1970, s'inquiète des retards de l'axe mer du Nord-Méditerranée, de la concurrence d'autres foyers sidérurgiques et pétrolochimiques et de l'insuffisance de son autonomie financière qui freine sa capacité d'investissements créateurs d'emplois. L'expansion industrielle n'en reste pas moins soutenue et la mise en place des grandes infrastructures se poursuit : aérienne (aéroport international de Satolas, 1974), ferroviaire (turbotrain vers Bordeaux, Nantes, Strasbourg), routières (élément essentiel de la cohésion régionale : de 1974 à 1979, réseau autoroutier de Saint-Étienne à Lyon, Chambéry et Grenoble; de Valence à Grenoble, Annecy et Genève « 4e pôle » : 13 % des achats, 17 % des ventes avec la Suisse). L'aménagement d'une métropole tricéphale groupant 2 300 000 hab. (Lyon*, Saint-Étienne*, Grenoble*), 4 400 000 en l'an 2000 (centre d'affaires de La Part-Dieu, villes nouvelles de l'Isle d'Abeau, de l'Ain, d'Échirolles), est le gage de développement équilibré [Valence, Annecy, Roanne, Saint-Chamond, Chambéry] autour de « l'empire lyonnais ».

RHÔNE AU RHIN *(canal du)*. ♦ Canal de 320 km qui fait communiquer les deux fleuves. Il commence à Saint-Symphorien, rejoint le Doubs*, traverse alors Dole, Besançon, Montbéliard, atteint l'Ill* qu'il abandonne à Mulhouse pour arroser la terrasse située entre l'Ill et le Rhin; il se termine à Strasbourg*. Coupé de nombreuses écluses, trop petit pour la navigation moderne, il est peu utilisé.

RHUMEL *(oued)*. ♦ V. RUMMEL.

RHUNE (La). ♦ Massif des Pyrénées*-Atlantiques dans le pays basque à la frontière espagnole, 900 mètres.

RHUYS [ʀɥis]. ♦ Presqu'île fermant presque entièrement au S. le golfe du Morbihan*. **V. Arzon, Port-Navalo, Sarzeau, Saint-Gildas-de-Rhuys.**

RHYL. ♦ V. du N.-O. du pays de Galles (Flintshire). 21 830 hab. Station balnéaire sur la mer d'Irlande, à l'embouchure de la Clwyd.

R. I. ♦ Sigle abrégé de la Fédération* nationale des républicains indépendants.

RIAD. ♦ V. RIYÂD.

Rialto *(pont du)*. ♦ Pont de Venise sur le *Grand Canal*. Construit au XVIe s., il est formé d'une seule arche en marbre qui réunit deux des îles qui composent la ville.

RIANTEC. ♦ Comm. du Morbihan, arr. de Lorient, sur la « petite mer » de Gâvres. 4126 hab. *(Riantécois)*. Chapelle de la Trinité (XVIe s.). — Station balnéaire.

RIARIO (Pietro). ♦ Prélat italien ([mort] 1474). Neveu de Sixte IV, il fut archevêque de Florence. Il acheta la ville d'Imola qu'il donna à son frère. ♦ GIROLAMO RIARIO, son frère (Savone, v. 1443 — Forli, 1488). Il fut un des instigateurs de la conjuration des Pazzi* (1478). Il prit Forli à Hercule Ier, duc de Ferrare (1480). Il mourut assassiné.

RIAZAN. ♦ V. d'U.R.S.S. (R.S.F.S. de Russie), ch.-l. de la région du même nom (39 600 km²; 1 422 000 hab.), sur l'Oka*. 378 000 hab. Centre culturel. Monuments historiques (cathédrale du XVIIe s.). Indus. mécaniques (machines agricoles, machines-outils), chimiques et alimentaires. Fabrication de chaussures. Traitement du bois. Nœud ferroviaire. — Patrie de Pavlov*. Dans la région est né Essenine*. ♦ *Hist.* Fondée vers 1100 par le prince Iaroslav Sviatoslavitch, la ville *(Pereslav)* devint le centre d'une principauté indépendante. En 1237, elle fut détruite par les Tatars. Aujourd'hui, sur le site de Pereslav se trouve le village de *Staraïa Riazan* (« Riazan le vieux »). Au XIVe s., fut créée une place forte, puis une nouvelle ville, à une cinquantaine de kilomètres nommée *Pereslav Riazanski.* Siège d'une principauté, elle fut annexée par l'État moscovite en 1521.

RIBALTA (Francisco). ♦ Peintre espagnol (Solsona, 1565 — Valence, 1628). Sa formation est mal connue; il travailla à Madrid de 1582 à 1597 et l'on suppose qu'il voyagea en Italie. Il travailla ensuite à Valence où il fut protégé par l'archevêque Juan de Ribera. Peintre religieux, il peignit plusieurs œuvres pour l'église du *collège du Patriarca,* les quarante-deux tableaux du *retable d'Algemesi* (1603-1610), décora en 1620 le *couvent des Capucins* à Valence *(Vision de saint François d'Assise)* et de 1622 à 1627 la *chartreuse de Portacoeli (saint Bruno).* Il subit diverses influences d'origine italienne et exploita dans un sens personnel un clair-obscur où jouent de violents contrastes d'ombres et de lumière, issu de Sebastiano* del Piombo plus que du Caravage*. La nature grave et mystique de son inspiration, l'ampleur des formes, les volumes en fort relief, la force expressive des visages et l'observation réaliste dans son œuvre ont influencé la peinture religieuse ibérique du XVIIe siècle.

RIBATEJO. *n. m.* ♦ Région du Portugal* central, sur le cours inférieur du Tage, entre Abrantès* et Vila* Franca de Xira, limitée à l'O. par l'Estrémadure, à l'E. par la Beira Baixa et le Haut-Alentejo. 2 807 km². 479 000 hab. *Ch.-l.* Santarém*. — *Orogr.* Le relief est formé d'une succession de basses plaines et de terrasses. — *Écon.* Au N. du Tage, on pratique sur de petites surfaces, comme en Estrémadure, une polyculture (blé-maïs) jointe à une arboriculture très soignée (oliviers, figuiers). Le S., au contraire, est une zone de grandes propriétés céréalières. La plaine inondable est vouée aux céréales et à la vigne (au N.) et à l'élevage de taureaux de combat (au S.). La seule ville importante est Santarém.

RIBAULT ou **RIBAUT (Jean)**. ♦ Navigateur et colonisateur français (Dieppe, v. 1520 — Caroline, Floride, 1565). Chargé par l'amiral de Coligny de fonder sur la côte orientale de l'Amérique du Nord une colonie pour les protestants, il gagna la Floride en 1562. De retour en France en 1563, il repartit en 1565 et rejoignit R. de Laudonnière*; mais il fut tué lors de l'attaque des Espagnols, commandés par Menéndez Avilés. Il fut vengé par D. de Gourgues*.

RIBBENTROP (Joachim *von***)**. ♦ Homme politique allemand (Wesel, 1893 — Nuremberg, 1946). Officier pendant la Première Guerre mondiale, il devint négociant en vin après la démobilisation; son mariage avec la fille du propriétaire du célèbre vin mousseux Henkell lui assura une fortune et des relations, ce qui, après son inscription tardive au parti nazi en 1932, lui valut la considération d'Hitler. Ayant dirigé le *bureau Ribbentrop,* sorte de service de renseignements, il fut nommé ambassadeur à Londres (août 1936); son attitude intransigeante lui valut l'hostilité des Britanniques. Il conserva la même attitude lorsqu'il remplaça von Neurath aux Affaires étrangères (1938-1945). Jouant un rôle important dans l'expansion de l'Allemagne, il se fit le champion d'une politique de vexation au cours de l'été 1939, persuadant Hitler que les Anglais n'entreraient pas en conflit : il fut ainsi l'un des responsables du déclenchement de la Deuxième Guerre mondiale. C'est lui qui obtint la signature du pacte germano-soviétique (23 août 1939). Il fut condamné à mort par le tribunal de Nuremberg et exécuté.

RIBBLE. *n. f.* ♦ Riv. d'Angleterre (Yorkshire-Lancashire). Elle arrose Preston et se jette dans la mer d'Irlande en formant un estuaire.

RIBEAUVILLÉ [-vile]. ♦ Sous-préf. du Haut-Rhin*, ch.-l. d'arr. (4 cant., 32 comm. 47 486 hab.), sur le Strengbach. 4 485 hab. [3 968 aggl.] *(Ribeauvilléens).* Nombreuses maisons anciennes, trois châteaux ruinés. Vins célèbres, indus. textiles, imprimerie.

RIBÉCOURT. ♦ Ch.-l. de cant. de l'Oise*, arr. de Compiègne*. 2 260 hab. Indus. chimique, céramique, produits alimentaires.

RIBEIRÃO PRÊTO. ♦ V. du Brésil dans le N. de l'État de São* Paulo. 170 000 hab. Archevêché. Centre commercial (coton, café). Industries textiles, métallurgiques et alimentaires.

RIBEIRO (Bernardim). ♦ Poète bucolique portugais (1500 — 1552). Il est l'auteur d'églogues et d'un roman pastoral remarquable : *Menina e moça* (« fillette et toute petite »), et sa poésie, nostalgique et mystérieuse, exprime la « saudade » portugaise.

RIBEMONT-DESSAIGNES (Georges). ♦ Écrivain français (Montpellier, 1884 — Saint-Jeannet, 1974). Dramaturge (*L'Empereur de Chine, Le Bourreau du Pérou,* 1928), romancier (*L'Autruche aux yeux clos,* 1924; *Céleste Ugolin,* 1928; *Frontières humaines,* 1929; *Smeterling,* 1945; *Le Temps des catastrophes,* 1947) et poète (*Ombres,* 1942; *Ecce Homo,* 1945; *La Nuit, La Faim,* 1960), il a élaboré une œuvre qui, dans chaque domaine, est une négation par l'absurde de la réalité du monde. De sa participation aux mouvements dada et surréaliste, Ribemont-Dessaignes a conservé le sens du sarcasme et d'une interrogation pathétique sur le mystère indéchiffrable de l'univers.

RIBERA (Jusepe ou José de). ♦ Peintre, dessinateur et graveur espagnol (Játiva, 1591 – Naples, 1652). Probablement élève de Ribalta* à Valence, il poursuivit sa formation à Rome (entre 1613 et 1616) et fut surtout impressionné par les œuvres du Caravage et de ses disciples. Il se rendit ensuite à Naples, alors possession espagnole, fut protégé notamment par le duc d'Osuna et devint la figure majeure du milieu artistique napolitain. Peignant d'abord dans une gamme de coloris sombres et denses, avec une touche épaisse, il établit souvent ses compositions suivant une ample diagonale et en détachant puissamment les volumes sur les fonds sombres. Il représenta des scènes de martyres d'une veine réaliste et cruelle, ainsi que des figures isolées de saints, d'anachorètes ou de philosophes, en prenant comme modèles des gens frustes et misérables (*Ésope; Archimède,* 1630; *Retable de la collégiale d'Osuna,* 1616-1620; *Le Martyre de saint Barthélemy,* 1630). Vers 1635-1639, il évolua vers une manière plus claire et vive, où dominent les tonalités chaudes, et il adopta une touche plus fluide et plus transparente *(Immaculée Conception).* Peut-être sous l'influence des Bolonais, notamment de Guido Reni, il réalisa des compositions plus souples et apaisées, tout en restant attaché à une expression mystique et dramatique et en conservant son goût pour les détails vrais, sa curiosité envers le monstrueux ou le grotesque *(Femme à barbe des Abruzzes).* Son œuvre attesta ensuite des recherches de directions variées; ainsi, il accorda au paysage une place plus importante, recourant parfois à des tons plus amortis et vibrants. À la fin de sa vie, il donna souvent des compositions d'une ampleur monumentale (*Le Songe de Jacob,* 1639; *L'Adoration des mages; La Communion des Apôtres,* 1651). S'il traita surtout des thèmes religieux, il exécuta aussi des œuvres mythologiques *(Vénus et Adonis),* des portraits et des types populaires (*Le Pied-Bot,* 1652) qui exercèrent une notable influence sur les artistes espagnols. De son vivant, il jouit d'une réputation européenne. Il fut de nouveau très admiré à l'époque romantique, où on vit volontiers en lui un peintre maudit.

RIBERA (Pedro *de*). ♦ Architecte, décorateur et dessinateur espagnol (Madrid, 1683 – *id.,* 1742). Il fut à Madrid le principal représentant de l'art churrigueresque **(V. Churriguera)**, tendance spécifiquement espagnole du style baroque. Passant d'abord par une phase exubérante, il fit des modèles de catafalques *(túmulos)* construits en bois, toile et carton, où la profusion ornementale semble dissoudre la structure (*Túmulos de Louis XIV,* 1716; de *Louis Ier d'Espagne,* 1724). Ce goût du décor plein de fantaisie et en fort relief se retrouve dans plusieurs portails d'édifices et contraste avec la nudité des murs (*hospice San Fernando,* 1722-1726; *palais Miraflorès*). Il est aussi l'auteur de l'élégant *ermita de la Virgen del puerto,* 1718, du *pont de Tolède,* 1719-1735, de la *fontaine* de la *puerta del sol.* Bien que maestro mayor de Madrid depuis 1726, le roi et la reine lui préférèrent Juvara pour la reconstruction du palais royal.

RIBÉRAC. ♦ Ch.-l. de cant. de la Dordogne*, arr. de Périgueux*. 4 110 hab. *(Ribéracois).* Église romane.

RIBOT (Théodule). ♦ Philosophe et psychologue français (Guingamp, 1839 – Paris, 1916). Il fut un des premiers à vouloir faire de la psychologie une science indépendante de la métaphysique, objective, expérimentale et fondée sur la biologie. Reprenant la conception hiérarchique neurophysiologique de J.H. Jackson*, il en fit la base d'une théorie psychophysiologique de la personnalité. Il montra que la dissolution des fonctions psychiques va du supérieur (complexe) à l'inférieur (simple), permettant ainsi de mettre en évidence leur structure hiérarchique normale (*Les Maladies de la mémoire,* 1881; *Les Maladies de la volonté,* 1883; *Les Maladies de la personnalité,* 1885; *Psychologie de l'attention,* 1888). Il fut directeur de la *Revue philosophique.*

RIBOT (Alexandre Félix Joseph). ♦ Homme politique français (Saint-Omer, 1842 – Paris, 1923). Avocat, directeur des affaires criminelles au ministère de la Justice (1875), il fut élu à la Chambre des députés comme républicain modéré (centre gauche, 1878-1885). Il prépara l'alliance franco-russe comme ministre des Affaires étrangères (1890-1893). Président du Conseil (déc. 1892-mars 1893), il dut se retirer avec son cabinet à l'occasion du scandale de l'affaire de Panamá*. Rappelé à la tête du gouvernement (avec le portefeuille des Finances, janv.-déc. 1895), il contribua (avec Hanotaux, ministre des Affaires étrangères) à faire de Madagascar un protectorat français et à poser les bases d'un rapprochement avec l'Allemagne. Sénateur (1909), ministre des Finances (1914-1917), il fut nommé à la présidence du Conseil à une période particulièrement critique de la Première Guerre mondiale (mars-sept. 1917), fit remplacer Nivelle par Pétain, s'opposa à la rencontre de Briand avec des représentants allemands en Suisse, mais dut démissionner avec son cabinet après les accusations de défaitisme portées contre le ministre de l'Intérieur, Malvy. Il abandonna la politique après avoir assumé le portefeuille des Affaires étrangères dans le cabinet Painlevé [sept.-nov. 1917]. (Acad. fr., 1906.)

RICAMARIE (La). ♦ Comm. de la Loire*, arr. de Saint-Étienne*, sur l'Ondaine. 11 539 hab. Houille; métallurgie; rubans.

RICARDO (David). ♦ Financier et économiste anglais (Londres, 1772 – Gatcomb Park, Gloucestershire, 1823). Théoricien du capitalisme libéral, il sut en dégager les principes plus systématiquement qu'A. Smith* dont il ne partageait pas l'optimisme. À partir des travaux de Malthus*, il établit la loi de la rente foncière différentielle (excédent de profit sur le profit moyen réalisé dans les exploitations où les conditions de production sont les plus favorables), née de l'accroissement de la population, qui entraîne un renchérissement du prix des subsistances et provoque une augmentation du revenu des propriétaires fonciers et un appauvrissement des autres catégories de la population. À cette loi (qui prépare la théorie de la plus-value de Marx) se rattache la théorie de la « valeur-travail » (détermination de la valeur des marchandises à partir du coût de leur production) et du « salaire naturel » (minimum nécessaire pour assurer la survie de l'ouvrier et de sa famille). Partisan du libéralisme économique, Ricardo considère que le libre-échange permet aux différents pays de profiter des avantages d'une « division internationale du travail ». Ses travaux sur l'impôt furent à la base de nombreuses tentatives de réformes fiscales. Son influence fut importante, tant sur les théoriciens du néo-libéralisme que sur ceux du socialisme scientifique (*Principes d'économie politique,* 1817).

Riccardi *(palais),* anc. **palais des Médicis.** ♦ Il fut édifié à Florence en 1430 par Michelozzo* pour Cosme l'Ancien et fut habité par sa lignée, notamment par Laurent le Magnifique. En 1659, le marquis de Riccardi en ayant fait l'acquisition l'agrandit et l'embellit. La première cour est ornée de médaillons renfermant les armes des Médicis ainsi que de bas-reliefs attribués à Donatello*. Dans la deuxième cour se trouve une fontaine surmontée d'une statue d'Alexandre de Médicis. Le mur de la chapelle est tapissé de fresques de B. Gozzoli* : *Le Cortège des rois mages.* Importante bibliothèque.

RICCI (Sebastiano). ♦ Peintre, dessinateur et décorateur italien (Belluno, 1659 – Venise, 1734). Il voyagea beaucoup à travers l'Italie et travailla aussi à Londres (1712), en Autriche au château de Schönbrunn et fut nommé membre de l'Académie royale de peinture à Paris (1716). En 1717, il se fixa définitivement à Venise. Auteur de paysages, de retables, il fut surtout un habile décorateur dont l'art éclectique reflète diverses influences : Véronèse*, les Carrache*, G. Reni*, les grands baroques (P. de Cortone*, Baciccia*) et Magnasco*. À la fin de sa vie, ses œuvres portent la marque de l'esprit rococo et annoncent Tiepolo* par l'éclat des couleurs claires, la nervosité des formes, le faste et le mouvement des mises en scène *(Saint Grégoire libérant les âmes).*

RICCI (Lorenzo). ♦ Jésuite italien (Florence, 1703 – Rome, 1775). Il fut général de son ordre de 1758 à 1773, date à laquelle l'ordre fut supprimé **(V. Jésus** [*Compagnie de*]**)**. Il resta ensuite emprisonné au château Saint-Ange, à la demande de l'Espagne, et y mourut.

RICCI-CURBASTRO (Gregorio). ♦ Mathématicien italien (Lugo, 1853 – Bologne, 1925). Il créa, aidé de son disciple Levi* Civita, le calcul différentiel absolu (calcul tensoriel) en 1884. Einstein* et les physiciens relativistes, y trouvant l'outil mathématique le mieux adapté à leurs travaux, lui donnèrent son véritable essor.

RICCIOLI *(le Père)* [Giovanni Battista]. ♦ Astronome et géographe italien (Ferrare, 1598 – Bologne, 1671). Auteur, avec Grimaldi*, d'une carte de la Lune (1650).

RICCOBONI (Luigi). ♦ Acteur et auteur italien (Modène, v. 1675 – Paris, 1753). Chargé par le régent de reconstituer la

Ph. Carlo Bevilacqua/Ricciarini

J. Ribera, « Le Martyre de saint Barthélemy ». (Musée du Prado, Madrid.)

Ph. Simion/Ricciarini

Gisant du tombeau de **Richard Ier Cœur de Lion,** abbaye de Fontevraud.

Comédie-Italienne, il s'installa avec sa compagnie au Palais-Royal, puis à l'hôtel de Bourgogne. Renonçant progressivement aux scénarios traditionnels comme à l'improvisation, il fit représenter de nombreuses comédies italiennes et françaises et exerça une influence sensible sur la formation du génie de Marivaux*. Animateur d'une troupe brillante, avec sa femme Virginia Baletti *(Flaminia)* et Rosa Benozzi *(Silvia),* devenu lui-même fameux sous le nom de *Lelio,* il a publié une *Histoire du théâtre italien depuis la décadence de la comédie latine* (1728-1731). Rénovateur de la comédie italienne en France, il parvint à faire de sa troupe, durant une trentaine d'années, la véritable Comédie-Française.

RICEYS (Les) [ʀisɛ]. ♦ Ch.-l. de cant. de l'Aube, arr. de Troyes, formé de trois aggl. (Riceys-Bas, Ricey-Haute-Rive, Ricey-Haut). 1 567 hab. *(Ricetons).* Trois églises du XVIe siècle. Château d'Anne de Laval (1550). — Vignobles. Bonneterie. Ferronnerie d'art.

RICHARD Ier Cœur de Lion. ♦ (Oxford ou Woodstock, 1157 — Châlus, Limousin, 1199). Roi d'Angleterre (1189-1199). Mari de Bérangère de Navarre (1191). Il se révolta contre son père Henri* II (1173-1183), s'allia contre lui en 1189 avec le roi de France Philippe Auguste avec qui il participa, devenu roi, à la troisième croisade. Après avoir pris Chypre et contribué à la prise de Saint-Jean-d'Acre (1191), il ne put s'emparer de Jérusalem. Inquiet de la politique conquérante de Philippe Auguste rentré en France, il quitta la Palestine après avoir conclu une trêve avec le sultan Saladin (1192). Sur le chemin du retour, il fut capturé en Autriche par le duc Léopold, livré à l'empereur Henri VI (1193) qui, malgré le souhait de Philippe Auguste, le libéra contre rançon et prestation de l'hommage (1194). Il pardonna à son frère Jean* sans Terre qui avait tenté de s'emparer du trône et confia le royaume à un régent pour pouvoir mener la lutte contre Philippe Auguste. Il remporta sur lui les victoires de Fréteval* (1194) et de Courcelles, près de Beauvais (1198), fortifia la Normandie **(V. Château-Gaillard),** mais mourut dans une guerre contre le vicomte de Limoges au siège du château de Châlus (1199). Chevalier accompli, poète, il s'occupa fort peu de son royaume où il séjourna rarement. Jean sans Terre lui succéda au détriment de son neveu Arthur* de Bretagne.

RICHARD II. ♦ (Bordeaux, 1367 — Pontefract Castle, Yorkshire, 1400). Roi d'Angleterre (1377-1399). Fils d'Édouard*, le Prince Noir, il succéda à son grand-père Édouard III. Son oncle, Jean* de Gand, s'appuyant sur la noblesse, assura le pouvoir pendant sa minorité. La multiplication des impôts provoqua la révolte de Wat Tyler* (1381). Le mécontentement subsista sous forme religieuse, manifesté par l'agitation des Lollards*, disciples de Wyclif. Il lutta contre la noblesse et le Parlement et tenta d'instaurer l'absolutisme. Son rapprochement avec la France et son autoritarisme eurent pour conséquence la révolte d'Henri de Lancastre qui le renversa **(V. Henri IV).** — Shakespeare l'évoqua dans son *Richard II (ci-dessous).*

Richard II. ♦ Drame en cinq actes de W. Shakespeare (v. 1595), inspiré par la chronique d'Holinshed. Égaré par des favoris indignes et des ministres malhonnêtes, le roi Richard II s'est résolu à exiler son cousin Bolingbroke, petit-fils d'Édouard III. Il gouverne alors à sa guise, sans se préoccuper de la révolte qui gronde. Irrésolu, velléitaire, il hésite à réprimer la rébellion qui s'est déclarée au retour d'exil de Bolingbroke. Abandonné par les siens, il se voit contraint à l'abdication en faveur de son cousin. Abattu, misérable, il ne retrouve son énergie et sa dignité qu'au moment où, entouré d'assassins, il se résout à la mort.

RICHARD III. ♦ (Fotheringhay Castle, Northamptonshire, 1452 — Bosworth, 1485). Roi d'Angleterre (1483-1485). Fils de Richard d'York. À la mort de son frère Édouard* IV, il se proclama régent et tuteur de son neveu Édouard* V qu'il fit assassiner ainsi que son frère (1483). Le meurtre des enfants d'Édouard le rendit très impopulaire, si bien qu'Henri Tudor **(V. Henri VII)** s'empara facilement du pouvoir en le battant et en le tuant à Bosworth. Il inspira à Shakespeare son *Richard III (ci-dessous).*

Richard III. ♦ Drame en cinq actes de W. Shakespeare (1592). Disgracié autant qu'ambitieux, Richard d'York, devenu régent du royaume à la mort de ses frères aînés, ne pourra accéder au trône qu'au prix de l'exécution de son propre frère Clarence et des enfants du roi Édouard IV, ses propres neveux. Monstre de duplicité, il parvient à séduire Lady Anne, la veuve du prince Édouard, son frère, qu'il a assassiné de ses propres mains. Devenu roi sous le nom de Richard III, il règne par la terreur, multipliant les infamies et les crimes jusqu'au moment où une révolte éclate. Hanté par les spectres de ses victimes, vaincu et dépossédé par Richmond, le futur Henri VII, il trouvera la mort dans la bataille de Bosworth, au cours de laquelle, réduit à combattre à pied, il lancera son exclamation célèbre : *« Un cheval ! Mon royaume pour un cheval ! ».*

RICHARD Ier sans Peur. ♦ Duc de Normandie (942-996). Fils de Guillaume Longue-Épée et petit-fils de Rollon. Il aida Hugues Capet à accéder au trône. ♦ RICHARD II *le Bon,* fils de Richard Ier. Duc de Normandie (996-1027). Il fit face à une révolte paysanne et protégea l'Église. ♦ RICHARD III, fils de Richard II. Duc en 1027, il fut détrôné et peut-être assassiné par son frère Robert* Ier le Magnifique.

RICHARD de Cornouailles. ♦ (Winchester, 1209 — Berkhamstead, 1272). Roi des Romains (1257-1272). Fils du roi d'Angleterre Jean sans Terre, il s'opposa à Alphonse* X roi de Castille pour l'Empire allemand, mais s'occupa plus de soutenir son frère Henri III contre les barons révoltés que de s'imposer en Allemagne.

RICHARD (François, dit **RICHARD-LENOIR).** ♦ Industriel français (Épinay-sur-Odon, Normandie, 1765 — Paris, 1839). **V. Lenoir-Dufresne.**

RICHARDS (Theodore William). ♦ Chimiste américain (Germantown, Pennsylvanie, 1868 — Cambridge, Massachusetts, 1928). Auteur de déterminations précises de nombreuses masses atomiques, il montra que les échantillons de plomb issus de divers minerais radioactifs possèdent des masses différentes de celui du plomb ordinaire. **V.** *aussi* **Aston.** Inventeur du calorimètre adiabatique (1905), on lui doit également des travaux de thermodynamique chimique. (Prix Nobel de chimie, 1914.)

RICHARDS (Jr. W. Dickinson). ♦ Cardiologue américain (Orange, New Jersey, 1895). Il obtint avec A. F. Cournand* et W. Forssmann* le prix Nobel de méd. (1956) pour ses recherches sur le cathétérisme du cœur.

RICHARDSON (Samuel). ♦ Romancier anglais (Derbyshire, 1689 — Londres, 1761). Fils de menuisier, après un apprentissage chez l'imprimeur Wilde dont il épousa la fille, il devint lui-même imprimeur (1719). Il écrivit son premier roman (au succès immédiat) à la demande d'amis désirant des modèles de lettres pour les diverses circonstances de la vie. *Paméla ou la Vertu récompensée* (1740) utilisait donc une forme épistolaire. Ce fut le premier roman de mœurs bourgeoises, dont s'inspira Goldoni *(Pamela Nubile)* et qu'Henry Fielding* parodia (*Justification de la vie de Mrs. Shamela Andrews,* 1741). *Clarissa Harlowe* (1748) est aussi un roman épistolaire — quelque peu prolixe (sept volumes) — où la douleur est idéalisée, le sacrifice accepté, et dont « le pathétique est le mérite éminent » (Legouis). Richardson, analyste de l'âme féminine, voulut aussi « incarner l'idéal masculin du roman, à la fois réaliste, pédagogique et sentimental » (Legouis) dans *L'Histoire de sir Charles Grandison* (1754). Ces deux dernières œuvres furent traduites par l'abbé Prévost. *Clarissa Harlowe,* notamment, exerça une immense influence sur la sensibilité littéraire (en France : Diderot, Rousseau) et *La Nouvelle Héloïse* (Rousseau) comme *Werther* (Goethe) figurent dans la postérité spirituelle de Richardson.

RICHARDSON (*sir* **Owen Williams).** ♦ Physicien anglais (Dewsbury, Yorkshire, 1879 — Alton, Hampshire, 1959). Il énonça, en 1912, la loi régissant l'émission thermo-ionique **(V. Edison, J.A. Fleming, Wehnelt)** et étudia le spectre moléculaire de l'hydrogène. (Prix Nobel de phys., 1928.)

RICHE (La). ♦ Comm. d'Indre-et-Loire (arr. de Tours), sur le territoire de laquelle est situé le château de Plessis*-lès-Tours. 6 360 hab. (5 716 aggl.).

RICHELET (César Pierre). ♦ Lexicographe français (Cheminon, v. 1631 — Paris, 1698). Il est l'auteur d'un *Dictionnaire français* (1680), témoignage précieux sur la langue du XVIIe s., notamment sur la langue familière, et d'une *Versification française* (1671).

RICHELIEU (Armand Jean du Plessis, *cardinal, duc de***).** ♦ Prélat et homme politique français (Paris, 1585 — *id.,* 1642). D'abord destiné à la carrière des armes, il devint évêque de Luçon, à la suite de la renonciation de son frère (1607). Il administra avec zèle son diocèse, y encourageant des missions et fut nommé délégué du clergé aux états généraux de 1614. Il ne tarda pas à s'y faire remarquer de la reine mère et de Concini*, devint secrétaire d'État (1616), ce qui lui valut de suivre Marie* de Médicis en exil après la chute de Concini, d'abord à Blois, puis dans son prieuré de Coussay (c'est là qu'il écrivit une *Défense des principaux points de la foi catholique* et une *Instruction pour les chrétiens*). Son rôle dans la réconciliation de Louis* XIII et de sa mère lui permit d'entrer au conseil du roi (1624). Il devait rester ministre jusqu'à sa mort, poursuivant un double but : la restauration de l'autorité royale et l'établissement de la prépondérance française en Europe. À l'intérieur, il fut donc amené à lutter contre les grands qui avaient déjà pris les armes avec Marie de Médicis et ne cessèrent de fomenter des conspirations contre le ministre, sans hésiter éventuellement à faire appel à l'Espagne ; ils s'appuyaient d'ailleurs sur un mécontentement assez général. Chalais*, Montmorency*, Cinq*-Mars, furent décapités, Soissons tué ; la journée des Dupes **(V. Dupes)**, qui vit presque la victoire des opposants, provoqua l'exil de la reine mère et l'exécution du maréchal de Marillac*. Parallèlement, se poursuivit la lutte, déjà entreprise par Luynes*, contre la puissance protestante : La Rochelle*, assiégée, dut se rendre malgré le soutien de l'Angleterre (1628), et la paix d'Alès (1629), laissant aux protestants la liberté de culte, leur ôta leurs privilèges militaires. L'installation de l'autorité royale passa enfin par une centralisation et une réorganisation générale. La législation et le conseil royal furent réformés, on institua des intendants pour s'opposer aux pouvoirs des parlements. L'État se mêla même des affaires religieuses et combattit le jansénisme* naissant (arrestation de Saint-Cyran), tandis qu'il entrait en conflit avec le Saint-Siège pour l'imposition d'un impôt foncier au clergé. La fiscalité devint écrasante et provoqua des soulèvements sévèrement réprimés (croquants, 1637 ; va-nu-pieds, 1639). Richelieu encouragea la création d'une marine, le développement du commerce et celui d'un empire colonial. Il intervint dans le domaine des lettres par la fondation de l'Académie française (1635), agrandit la Sorbonne, bâtit le Palais-Cardinal, futur Palais-Royal... Sa politique étrangère reposa sur l'alliance avec les puissances protestantes contre les Habsbourg. Tandis qu'une alliance franco-anglaise était conclue en 1625 par le mariage d'Henriette* de France avec Charles* Ier, la France envahissait la Valteline*, coupant toute communication entre l'Autriche, l'Italie et l'Espagne. Une seconde expédition, en Italie (1629-1630) et l'invasion du duché de Savoie aboutirent à l'acquisition de Pignerol par la France et du duché de Mantoue par la maison de Nevers que soutenait la France. Après avoir soutenu et poussé Gustave*-Adolphe de Suède et les princes protestants, la France entra elle-même directement dans la guerre de Trente* Ans (1635). Les débuts, malgré l'armée de Bernard* de Saxe-Weimar, furent désastreux : Corbie et Saint-Jean-de-Luz furent occupés par l'Espagne, et la Bourgogne par les Impériaux ; mais un redressement se dessina bientôt grâce à l'énergie du roi et du cardinal ; il devait s'achever sous la conduite de Mazarin*, après la mort de Richelieu, survenue en 1642. (Il laissait des mémoires et un *Testament politique ;* un recueil de ses lettres fut édité.)

RICHELIEU (Louis François Armand de Vignerot du Plessis, *duc de***).** ♦ Maréchal de France (Paris, 1696 – 1788). Petit-neveu du cardinal de Richelieu*, il fut d'abord appelé *duc de Fronsac*. Marié à quinze ans à une fille du marquis de Noailles, Anne-Catherine, plus âgée que lui, il multiplia les aventures et fut embastillé pour ses assiduités auprès de la duchesse de Bourgogne (1711), puis pour un duel (1716), et enfin pour sa participation au complot de Cellamare* (1719). Ambassadeur à Vienne (1725-1728), grâce à la faveur de Mme de Prie*, il travailla au rapprochement de l'Autriche et de la France. Après avoir pris part aux guerres de Succession* de Pologne et d'Autriche (il se distingua à Dettingen et à Fontenoy*, et délivra Gênes en 1747), il dirigea l'occupation de Minorque (1756) pendant la guerre de Sept* Ans, s'empara de Port-Mahon (1756), envahit le Brunswick et le Hanovre, et imposa la capitulation de Kloster*-Zeven (1757). Mais il fut rappelé à cause de ses pillages et de ses exactions. Il reprit alors son existence de grand seigneur spirituel, libertin et élégant, très représentatif de son siècle. Il était membre de l'Académie française et avait été le correspondant et le protecteur de Voltaire*.

Ph. Carlo Bevilacqua/Ricciarini

Armand Jean du Plessis, cardinal, duc de **Richelieu,** portrait anonyme. (Musée des Offices, Florence.)

RICHELIEU (Armand Emmanuel du Plessis de Chinon, *duc de* **Fronsac,** puis *duc de***).** ♦ Homme politique français (Paris, 1766 – *id.*, 1822). Petit-fils du maréchal de Richelieu, il émigra en 1790, servit dans l'armée russe contre les Turcs, et, grâce à l'appui d'Alexandre Ier, obtint le gouvernement de la province d'Odessa (1803-1814). Rentré en France lors de la Restauration, il remplaça Talleyrand comme ministre des Affaires étrangères et Premier ministre, signa le second traité de Paris (novembre 1815), légalisa le régime de la Terreur blanche sous la pression des ultras, et, après avoir obtenu des puissances de la Sainte-Alliance le retrait des forces alliées du territoire français, fut invité à participer au congrès d'Aix*-la-Chapelle (1818). Remplacé en 1818 par le ministère plus libéral de Decazes, Richelieu revint au pouvoir après l'assassinat du duc de Berry* (1820), et, face à l'opposition libérale, tenta d'adopter des mesures de réaction modérée ; mais sa politique fut jugée insuffisante par les ultras, en particulier par Villèle, et trop autoritaire par les libéraux. Cette double opposition provoqua la démission du cabinet Richelieu (1821).

RICHELIEU. *n. m.* ♦ Riv. du Canada (Québec), affl. du Saint-Laurent (r. d.), 130 km. Né au lac Champlain* (Vermont, États-Unis), le Richelieu coule vers le N. et aboutit en amont du lac Saint-Pierre. Liaison navigable entre le Saint-Laurent et l'Hudson.

RICHELIEU. ♦ Ch.-l. de cant. d'Indre-et-Loire, arr. de Chinon. 2 267 hab. Ville bâtie pour le cardinal de Richelieu au début du XVIIe s. sur un plan régulier tracé par Jacques Lemercier*. – Confection.

RICHEMONT. ♦ Comm. de la Moselle, arr. de Thionville-Ouest, sur l'Orne. 3 099 hab. Centrale électrique à proximité.

RICHEPIN (Jean). ♦ Écrivain français (Médéa, Algérie, 1849 – Paris, 1926). Normalien lettré, il préféra, après la guerre de 1870 (durant laquelle il s'était engagé), mener une vie errante et faire divers métiers ; il fréquenta la « bohème » littéraire, y cultivant son personnage de révolté qui célèbre l'instinct. Il exalta ceux qui vivent en marge de la société dans les éloquentes poésies de *La Chanson des gueux* (1876), qui lui valurent la célébrité en même temps qu'un procès et une condamnation ; puis il composa *Le Chemineau* (1897), drame en vers qui vante avec fougue la vie aventureuse, et écrivit des romans, très populaires, comme *La Glu* (1881) et *Miarka, la fille à l'ours* (1883) où se manifestent également la violence et le romantisme de son style ainsi qu'une grande truculence verbale. (Acad. fr.)

RICHER. ♦ Chroniqueur français (*fin* Xe s.). Moine de Saint-Remi de Reims, il écrivit des *Histoires* couvrant les années 882-995, dates marquant la fin des Carolingiens.

Richesse des nations (Recherche sur la nature et les causes de la). ♦ Œuvre maîtresse d'A. Smith*, publiée en 1776. Faisant du travail la source de toutes richesses, contrairement à la doctrine des physiocrates, l'auteur a posé dans cet ouvrage les grands principes du capitalisme libéral et fondé l'économie politique en Angleterre. **(V. Ricardo.)**

Richesses (Réflexions sur la formation et la distribution des). ♦ Œuvre de Turgot* publiée dans les *Éphémérides* (1766), revue des physiocrates dont il partageait la doctrine.

RICHET (Alfred). ♦ Chirurgien français (Dijon, 1816 – Hyères, 1891). Il est l'auteur d'un *Traité pratique d'anatomie médico-chirurgicale* [1855-1857]. (Acad. sc., 1883) ♦ CHARLES RICHET, son fils. Physiologiste français (Paris, 1850 – 1935). Ses principaux travaux portent sur la physiologie du système nerveux et la chaleur animale. Il découvrit avec Portier* l'anaphylaxie (1904-1911). Il s'intéressa par ailleurs à l'étude des phénomènes occultes et supranormaux [métapsychiques]. (Acad. sc., 1914 ; prix Nobel de méd., 1913.)

RICHIER (Ligier ou **Léger).** ♦ Sculpteur français (Dagonville, v. 1500 – Genève, 1567). Il séjourna en Italie vers 1515, travailla ensuite en Lorraine et dut finalement s'exiler en Suisse en raison de son protestantisme. Le type de sculpture qu'il réalisa comme la nature de son inspiration, à la fois tragique et profondément religieuse, le relient à l'esprit du gothique finissant. Son naturalisme macabre qui vise au pathétique apparaît dans la *Pietà* d'Étain (1528), comme dans la *Gisante de Philippa de Gueldre* (1548), et s'épanouit dans le célèbre *Transi* de René de Chalon figuré sous l'aspect d'un squelette aux chairs pendantes, offrant son cœur à Dieu (1544-1547). Mais dans le *Sépulcre* de Saint-Mihiel (1533-1564) la volonté d'émouvoir semble quelque peu tempérée par l'influence de l'idéalisme formel italien.

RICHIER (Germaine). ♦ Sculpteur français (Grans, Bouches-du-Rhône, 1904 – Montpellier, 1959). Après des études aux Beaux-Arts de Montpellier, de 1922 à 1925, elle devint à Paris l'élève de Bourdelle (jusqu'en 1929). Elle réalisa d'abord des bustes

Ph. A.P.N.

Sviatoslav Richter.

et des figures debout, d'esprit assez classique, mais qui se distinguent déjà par leur force expressive. À partir de 1944, travaillant avec prédilection le bronze, elle aborda des thèmes animaliers peu courants, figurant des animaux considérés comme maléfiques ou repoussants : chauve-souris, crapaud, insectes, araignées (*La Mante religieuse,* 1946; *La Fourmi,* 1953). S'étant affranchie des conventions figuratives traditionnelles, elle fit preuve d'une imagination de caractère fantastique en créant des figures allégoriques, des êtres étranges qui semblent conjuguer en eux l'humain, l'animal, le végétal et le minéral, formes tératologiques qui paraissent incarner des forces obscures et hostiles (*La Forêt,* 1946; *L'Orage,* 1948; *L'Ouragan,* 1948; *L'Ogre,* 1951; *Le Griffu,* 1952; *Cheval à six têtes,* 1953). Son inspiration, ainsi que le répertoire imaginaire qu'elle mit à jour, révèlent des affinités avec le surréalisme (*Tauromachie,* 1953; série des *Hommes-Oiseaux,* 1953; *La Montagne,* 1956). Mêlant formes inventées et éléments traités avec un réalisme féroce, elle fit subir à l'anatomie d'étranges métamorphoses : terminaisons filiformes, éléments anguleux, mutilations, volumes boursouflés ou dont la surface présente des déchirures, des fêlures prenant un aspect déchiqueté ou dégoulinant, comme si ces figures avaient subi une altération violente ou bien étaient figées en pleine décomposition (*L'Aigle,* 1948; *La Feuille,* 1948). Ses œuvres évoquent un monde d'angoisse, de violence et d'agression où grotesque et tragique se mêlent souvent, dénotant un tempérament puissamment expressionniste. Cependant, certaines de ses sculptures se situent dans un registre tout autre, élégant et apaisé, se caractérisent par les mélanges de matériaux (plomb, verres) et révèlent une investigation plastique de tendance non figurative (plâtre polychrome, 1957-1958).

RICHLAND. ♦ V. des États-Unis (État de Washington) située à proximité de la confluence des rivières Yakima et Columbia. 26 290 hab. (1970). Industrie atomique.

RICHMOND ou **RICHMOND UPON THAMES.** ♦ V. résidentielle d'Angleterre (Surrey), sur la r. d. de la Tamise, dans l'aggl. londonienne, bordée par le parc de Richmond (900 ha). 172 560 hab. Ruines d'un château royal du XIVe siècle. – Patrie d'Édouard* VIII.

RICHMOND. ♦ V. des États-Unis, cap. de la Virginie*, à env. 150 km au S. de Washington. 248 074 hab. – V. historique, contenant de nombreux monuments. Le Capitole a été dessiné par Th. Jefferson* d'après la Maison carrée de Nîmes. – Centre commercial. Indus. : tabac, produits chimiques et alimentaires, papier. – Yorktown* se trouve près de Richmond.

RICHTER (Franz Xaver). ♦ Compositeur morave (Holešov, 1709 – Strasbourg, 1789). Compositeur de la chambre à la cour de Mannheim (1747), il fut maître de chapelle à la cathédrale de Strasbourg (1769). Par sa musique instrumentale (70 *symphonies,* 66 *concertos de clavier, quatuors, sonates, trios*) et sa musique d'église (28 *messes, passions, motets, psaumes, cantates*), il fut l'un des plus éminents représentants de l'école de Mannheim et, à ce titre, l'un des principaux précurseurs de Haydn et de Mozart.

RICHTER (Jeremias Benjamin). ♦ Chimiste allemand (Hirschberg, Silésie, 1762 – Berlin, 1807). Étudiant les affinités par l'intermédiaire des précipités, il généralisa la notion de proportions définies qui régit l'union des bases et des acides, établit deux échelles de proportionnalité, la première concernant les bases s'unissant à un même acide, la seconde les acides s'unissant à une même base, et exposa une théorie dont ressort le principe des proportions multiples.

RICHTER (Johann Paul Friedrich dit **Jean-Paul).** ♦ Romancier allemand (Wunsiedel, 1763 – Bayreuth, 1825). Lyrisme, musicalité et humour caractérisent l'œuvre de ce « romantique du roman » (qui fut influencé par Rousseau), dont l'idéalisme nous conduit dans « la patrie de l'imagination », l'univers du rêve, et tente de nous arracher à la terre pour nous ouvrir les portes de l'infini et de l'éternité. [« Ce qu'il y a d'idéal dans la poésie n'est autre chose que la représentation de l'infini. »] (*Maria Wuz,* 1790; *Quintus Fixlein; La Loge invisible,* 1793; *Le Titan,* roman éducatif, 1800-1803; *Hesperus,* 1795.)

RICHTER (Hans). ♦ Chef d'orchestre allemand, d'origine hongroise (Raab, Hongrie, 1843 – Bayreuth, 1916). Profondément attaché à l'esthétique de Wagner*, son ami, il fut successivement à Munich, Bruxelles, Vienne, Londres et aux festivals de Birmingham et de Manchester, l'interprète inlassable et fervent de l'œuvre wagnérienne qu'il révéla au public européen. Il inaugura le théâtre de Bayreuth en dirigeant *L'Anneau du Niebelung* (1876). Chef d'orchestre romantique par excellence, il présenta en Hongrie l'oratorio *Christus* de Liszt (1873) et créa en Angleterre des œuvres de ses compatriotes Donanhyi *(Symphonie en ré mineur)* et Bartók *(Kossuth).*

RICHTER (Hans). ♦ Peintre et cinéaste américain d'orig. all. (Berlin, 1888 – Locarno, 1976). L'influence du cubisme fut pour lui moins importante que celle du *Blaue Reiter.* L'année de sa première exposition à Munich (1916), il se joignit au groupe dada de Zurich. Parallèlement à ses compositions lyriques, très colorées, il commença à peindre, sur rouleau, des rythmes abstraits qui s'animent (*Preludium,* 1919; *Fugue 20,* 1920). Ses recherches le conduisirent à la réalisation d'un film abstrait *(Rythmus 21)* suivi de plusieurs autres. En 1941, il se rendit aux États-Unis où il se consacra à l'enseignement et au cinéma. Son film, *Dreams that money can buy (Rêves à vendre),* élaboré de 1944 à 1947, auquel Marcel Duchamp, Max Ernst, Man Ray collaborèrent, est l'un des classiques du cinéma surréaliste. En 1956-1957, il tourna *8 × 8,* film-collage, construit sur des poèmes dadaïstes des années 1916-1917. Continuant son œuvre picturale, il composa des toiles lyriques, très colorées; il évolua ensuite vers une abstraction plus géométrique, dominée par un graphisme dépouillé, mais rythmé (*Piccolo Castello,* 1961). Richter, précurseur dès 1917 de la tendance lyrique de l'abstraction, est l'une des figures les plus importantes du cinéma d'avant-garde.

RICHTER (Sviatoslav). ♦ Pianiste soviétique (né en 1915). Issu d'une famille de musiciens, il se préparait à la direction d'orchestre quand la rencontre de H. Neyghaus, professeur au conservatoire de Moscou (1937), lui permit de révéler des dons exceptionnels pour le piano. Servi par une technique éblouissante, une vive sensibilité et un sens aigu de l'architecture musicale, il devait entreprendre, dans son pays, comme musicien de chambre (avec M. Rostropovitch, le plus souvent) et comme soliste, une éclatante carrière, en particulier comme interprète de la musique romantique (Schumann).

RICHTHOFEN (Ferdinand, *baron von***).** ♦ Géologue et géographe allemand (Karlsruhe, haute Silésie, 1833 – Berlin, 1905). Il visita Ceylan, le Japon, les Philippines, Java. Il donna la première synthèse scientifique sur la géologie, la géographie, l'économie de la Chine, où il résida de 1868 à 1872, et expliqua en particulier la formation des lœss sous l'action du vent.

RICIMER. ♦ Général romain, d'origine suève ([mort] 472). Devenu un moment maître de l'Empire, il renversa successivement les empereurs Avitus* (456), Majorien* (461), Sévère* (465), puis accepta comme empereur d'Occident Anthemius* (467) qu'il fit tuer quelques années plus tard et remplaça par Olybrius* (472).

RICKERT (Heinrich). ♦ Philosophe allemand (Dantzig, 1863 – Heidelberg, 1936). Élève de Windelband*, il fut un des principaux représentants de l'école de Bade **(V. Néo-kantisme).** La tâche de la philosophie consiste, selon lui, à étudier les rapports entre le règne des valeurs (absolu et idéal) et la réalité, c.-à-d., à expliciter le sens des objets et des événements en fonction d'une valeur déterminée [domaine de la culture] (*L'Objet de la connaissance,* 1892; *Science de la Culture et Science de la Nature,* 1899; etc.).

RICŒUR (Paul). ♦ Philosophe français (Valence, 1913). Marqué par l'existentialisme de K. Jaspers* et par la phénoménologie de Husserl* qu'il contribua à faire connaître en France, il a analysé les problèmes psychologiques, éthiques et métaphysiques de la volonté. Penseur chrétien (de confession réformée), il fut amené à élucider la signification des mythes prébibliques et bibliques de la chute, du mal. Au delà du langage rationnel, il chercha à saisir les conditions et les caractéristiques du discours symbolique, fondant une philosophie de l'interprétation (ou herméneutique) renouvelée par la psychanalyse (*Le Volontaire et l'Involontaire,* 1950; *L'Homme faillible; La Symbolique du mal; De l'interprétation : Essai sur Freud,* 1965).

RICORD (Philippe). ♦ Médecin français (Baltimore, 1800 – Paris, 1889). Élève de Dupuytren, il se consacra surtout à l'étude des maladies vénériennes, en particulier de la syphilis. *Traité des maladies vénériennes,* 1838.

RICTUS (Gabriel Randon de Saint-Amand dit **Jehan).** ♦ Poète français (Boulogne-sur-Mer, 1867 – Paris, 1933). Ami de Paul Gauguin, il a traduit dans une langue colorée, qui emprunte à l'argot populaire le meilleur de sa sève et de ses trouvailles, les souffrances et les espoirs des déshérités. Aussi savante qu'instinctive, sa manière, tendre et gouailleuse, le rattache à l'image traditionnelle de Rutebeuf et de Villon. Princ. recueils : *Les Soliloques du* *pauvre* (1897), *Les Doléances* (1900), *Les Cantilènes du malheur* (1902), *Le Cœur populaire* (1914).

RIDGWAY (Matthew Bunker). ♦ Général américain (en Virginie, 1895). Commandant d'une division aéroportée en 1942-1944, il prit part au débarquement en Normandie. Commandant de la VIIIe armée en Corée*, il fut choisi par Truman pour remplacer MacArthur* (qui souhaitait étendre le conflit à la Chine) à la tête de toutes les troupes des Nations unies (1951-1953). Les pays communistes l'accusèrent d'avoir utilisé des armes bactériologiques. Chef d'état-major de l'armée des États-Unis de 1953 à 1955, année où il prit sa retraite.

RIDHA (Rashid). ♦ Penseur égyptien (mort en 1935). Disciple de 'Abduh*, il continua le combat de son maître et défendit le retour à la pureté originelle de la doctrine islamique (en ar. *salafiya*).

RIEC-SUR-BELON. ♦ Comm. du Finistère, arr. de Quimper. 4 308 hab. Ostréiculture, exploitation de grès et de kaolin.

RIEGO Y NÚÑEZ (Rafael *del*). ♦ Général et homme politique espagnol (Santa Maria de Tuña, Asturies, 1785 — Madrid, 1823). Il lutta contre Napoléon Ier, fut fait prisonnier (1808) et fut gagné aux idées libérales. Colonel, il fut l'un des dirigeants de la révolte de Cadix (1820). Devenu capitaine général de l'Aragon, il s'opposa aux Bourbons et fut destitué en 1821. Il prit la tête des « exaltés » et fut élu député l'année suivante. Il lutta contre l'expédition française de 1823 mais fut livré par les paysans et pendu. — Son nom a été donné à un hymne révolutionnaire composé par son chef d'état-major San Miguel (musique de Huerta), qui fut l'hymne officiel de la République espagnole de 1931 à 1939.

RIEHEN. ♦ V. de Suisse (cant. de Bâle-Ville) dans la banlieue N.-E. de Bâle*. 18 100 habitants.

RIEL (Louis). Révolutionnaire canadien (Saint-Boniface, Manitoba, 1844 — Regina, 1885). Métis lui-même, il organisa la résistance métisse au lotissement des territoires de la Compagnie de la baie d'Hudson dans la région de la rivière Rouge (1869). Cependant, ses violences (exécution de Thomas Scott) amenèrent l'intervention des troupes fédérales et il dut se réfugier aux États-Unis. Revenu au Canada pour prendre la tête de la révolte de Saskatchewan (1884-1885), il forma un nouveau gouvernement, échoua et fut pendu.

RIEMANN (Bernhard). ♦ Mathématicien allemand (Breselenz. Hanovre, 1826 — Selasca, lac Majeur, 1866). Élève de Gauss*. puis de Jacobi* et de Dirichlet*, il enseigna à l'université de Göttingen (1857) et, gravement malade, dut abandonner sa chaire en 1862. Il soutint en 1851 une thèse fondamentale pour la théorie des fonctions *(Grundlagen für eine allgemeine Theorie des Funktionen einer veränderlichen komplexen Grösse)* dans laquelle il s'inspira de la physique mathématique et de la géométrie, et appliqua la fameuse méthode du « principe de Dirichlet » à la résolution du problème du même nom. Le caractère topologique des méthodes de Riemann est plus net encore dans son mémoire de 1857, *Theorie der abelschen Funktionen,* dans lequel il fonda véritablement la théorie des fonctions algébriques et où apparaît la conception des *surfaces de Riemann,* grâce auxquelles il introduisit des considérations topologiques dans toute l'analyse. En 1854, il publia une théorie de l'intégrale définie, « intégrale de Riemann », qui permit une extension à des cas de discontinuité. La même année, il présenta une thèse qui, publiée seulement en 1868, fut le point de départ de la révision de la géométrie classique *(Ueber die Hypothesen, welche der Geometrie zu Grunde liegen);* il y évoquait le second type de géométrie non euclidienne (géométrie elliptique), dans laquelle on ne peut mener une parallèle à une droite par un point extérieur et on abandonne la conception de l'infinitude de la droite. **V. *aussi* Gauss, Bolyai, Lobatchevski.** Il y présentait notamment le concept de *variété différentielle à n dimensions,* extension de la notion d'espace et base de la géométrie différentielle moderne, ainsi qu'une autre idée révolutionnaire : la possibilité d'une interaction entre l'espace et les corps qui y sont plongés. L'influence des travaux de Riemann sur l'essor des mathématiques modernes fut considérable, particulièrement en ce qui concerne le développement des géométries non euclidiennes.

RIEMANN (Hugo). ♦ Musicologue allemand (Grossmehlra, 1849 — Leipzig, 1919). Professeur à Hambourg, à Wiesbaden puis à Leipzig, il fut directeur de l'Institut de musicologie de cette dernière ville. Auteur d'un *Dictionnaire de musique* réputé (1882), plusieurs fois réédité, et analyste subtil des formes et des styles, il a appliqué ses théories, dans un esprit de système souvent excessif, à l'œuvre de J.-S. Bach*. De ses nombreuses publications, on retiendra un *Traité d'harmonie* (1887) où il développe la théorie des fonctions tonales et un *Manuel d'histoire de la musique* (1901-1913).

RIEMENSCHNEIDER (Tilman). ♦ Sculpteur allemand (Osterode, v. 1460 — Würzburg, 1531). Il travailla surtout à Würzburg où il dirigea un célèbre atelier d'où sortirent de nombreux retables. Il reçut aussi la charge de bourgmestre (1520-1521) mais fut exclu du Conseil et emprisonné après avoir soutenu les insurgés lors de la guerre des Paysans. Dans les statues de pierre d'*Adam* et *Ève,* aux formes arrondies et au modelé délicat, s'affirme une volonté de mesure, d'apaisement, rare dans la sculpture allemande de l'époque. Le *Tombeau de l'évêque Rudolf von Scherenberg* (1496-1499) est d'un modelé plus aigu et un insistant souci d'expressivité s'y manifeste. Ses retables, plus anecdotiques et tourmentés, avec leurs draperies aux plis cassés, s'inscrivent dans la tradition du gothique tardif germanique (*Retable de Rothenburg,* 1499-1505).

RIENZO ou **Rienzi (Cola *di*).** ♦ Homme politique italien (Rome, v. 1313 — *id.,* 1354). Après avoir étudié avec enthousiasme les écrivains latins de l'Antiquité romaine, il eut l'ambition de rétablir la république à Rome. Envoyé en ambassade en 1343 auprès du nouveau pape Clément* VI à Avignon, il y connut Pétrarque et fut nommé par le pape secrétaire de la *Camera capitolina,* en 1344. De retour à Rome, il prépara la révolution contre l'aristocratie représentée par les familles Orsini* et Colonna*. Le 21 mai 1347 il monta au Capitole et se fit proclamer tribun par le peuple, établit des lois et une nouvelle constitution. Jouissant de pouvoirs dictatoriaux, il rétablit l'ordre, chassa les nobles de Rome et obtint en août la soumission à la République de nombreuses villes d'Italie. Cependant, enivré par son pouvoir, il ne sut pas retenir la faveur du pape puis du peuple, qu'il grevait d'impôts pour pourvoir à ses fêtes et à l'entretien de ses troupes. Après avoir eu raison d'une première révolte des nobles, il fut contraint de s'enfuir (15 déc. 1347). Il se rendit à Prague en 1350 pour engager l'empereur germanique Charles* IV à le soutenir, mais fut fait prisonnier par ce dernier et livré à Clément VI en 1352. Soutenu par Pétrarque, il fut libéré et Innocent* VI l'envoya à Rome avec le cardinal Albornoz*. Nommé à nouveau tribun, il fut élu sénateur et entra dans la ville (août 1354). Ayant fait preuve de trop de despotisme, il eut affaire à un nouveau soulèvement des nobles conduits par les Colonna et les Savelli, et fut exécuté par la hache. — Son histoire a inspiré un opéra à Wagner.

RIES (Ferdinand). ♦ Compositeur et pianiste allemand (Bonn, 1784 — Francfort-sur-le-Main, 1838). Élève d'Albrechtsberger et protégé de Beethoven dont son père avait été le maître, il fit une carrière de virtuose puis s'établit à Francfort où il dirigea le Festival rhénan (1826). Il a laissé des *opéras, oratorios, symphonies, concertos,* de la *musique de chambre* et des *lieder* sur des textes de Goethe. Il a publié, avec Wegeler, d'intéressantes *Notes biographiques sur Beethoven* (1838).

RIESA. ♦ V. d'Allemagne orientale (district de Dresde) sur la r. g. de l'Elbe. 38 235 hab. (1962). Centre industriel (sidérurgie, pneumatiques, textiles).

RIESENER [riznɛr] **(Jean-Henri).** ♦ Ébéniste français d'origine allemande (Gladbeck, près d'Essen, 1734 — Paris, 1806). À la mort de son maître Œben, il prit la direction de son atelier et exécuta de 1774 à 1784 de nombreuses commandes royales. Il termina le célèbre bureau de Louis XV entrepris par Œben et devint l'un des plus féconds et inventifs créateurs du style Louis XVI.

RIESENGEBIRGE. ♦ V. KRKONOŠE.

RIESMAN (David). ♦ Sociologue américain (Philadelphie, 1909). Associant une sociologie descriptive à une conception globale de l'histoire, des étapes de l'évolution des mentalités, il a donné, entre autres, une analyse de la culture américaine à l'ère de la production et de la consommation (*The Lonely Crowd, La Foule solitaire,* 1950; ***Individualism reconsidered,*** 1954, etc.).

Ph. Lauros-Giraudon

Détail du bureau de Louis XV exécuté par Œben et **Jean-Henri Riesener.** (Château de Versailles.)

Ph. Nino Cirani/Ricciarini

Riga, au bord de la Daugava.

RIETI, anc. **Reate**. ♦ V. d'Italie, dans le Latium*. *Ch.-l.* de prov. sur le Velino. 36 000 hab. Cathédrale des XIIe-XIIIe siècles. – Centre commercial et industriel : raffineries de sucre, indus. chimiques et textiles. – Patrie de Vespasien*.

RIEUPEYROUX [ʀjøpeʀu]. ♦ Ch.-l. de cant. de l'Aveyron*, arr. de Villefranche*-de-Rouergue. 2 767 hab. *(Rieupeyrousins)*. Église XVe-XVIe siècle. Tombeaux gallo-romains. – Centre de villégiature.

RIEUX (Pierre *de*), dit **le maréchal de Rochefort**. ♦ Homme de guerre français (Ancenis, 1389 – Compiègne, 1438). Compagnon de Jeanne d'Arc, il combattit les Anglais sous le règne de Charles* VII, défendit Saint-Denis (1435) et prit Dieppe (1437).

RIEZ [ʀje]. ♦ Ch.-l. de cant. des Alpes*-de-Haute-Provence, arr. de Digne*, sur le plateau de Valensole, 1 379 hab. *(Riézois)*. Ancienne ville gallo-romaine. Chapelle en partie romane; portes fortifiées, maisons anciennes; restes d'un temple romain, baptistère du VIe ou VIIe siècle. Culture de la lavande. ♦ *Hist.* D'abord cité gauloise, puis colonie romaine et ensuite évêché, elle a tenu une place importante dans la région.

RIF. *n. m.* ♦ Chaîne plissée du Maroc septentrional, arc montagneux bordant la Méditerranée du détroit de Gibraltar* à l'O. à l'embouchure de la Moulouya* à l'E. dominant au S.-O. et au S. la plaine du Gharb* et au S.-E. le couloir de Taza* **(V. Atlas tellien)**. *V. prin. :* **V. Tanger, Ceuta** (Esp.), **Tétouan, Hoceima** (Al-), **Melilla** (Esp.), **Nador** sur le versant N., **Ksar el-Kébir, Ouezzane, Taza** sur le versant S. ♦ *Hist.* Sa population essentiellement composée de Berbères (Rifains) mena une opposition farouche à la pénétration européenne au début du XXe siècle **(V. Fès** [convention de]**)**. Après la défaite espagnole d'Anoual* (1921), l'offensive coordonnée des forces françaises et espagnoles à laquelle participèrent le général Noguès* et Franco* Bahamonde contraignit Abd* al-Karîm à se rendre (1926).

RIGA. ♦ V. et port d'U.R.S.S., cap. de la Lettonie*, à l'embouchure de la Daugava (Dvina* occidentale), sur le golfe de Riga. 755 000 hab. Le plus grand centre culturel de la région baltique. Nœud ferroviaire. Les deux tiers de l'indus. lettone y sont concentrés (machines et appareils électriques, wagons, indus. textiles, chimiques et alimentaires). Centrale thermique. – Patrie de Krüdener*, W. Ostwald*, Schweinfurth*, Eisenstein*. ♦ *Hist.* Fondée en 1201 par l'évêque de Livonie*, Albert* de Buxhövden (fondateur de l'ordre des chevaliers Porte*-Glaive), elle entra dans l'union hanséatique en 1282. Riga se convertit au luthéranisme au XVIe s. et passa sous la domination polonaise en 1561. Prise par les Suédois (1621), elle fut annexée à la Russie en 1710. Conquise par les Allemands et les bolcheviks (1917-1919), elle devint capitale de la Lettonie indépendante en 1920. Occupée par les Russes (1940), puis par les Allemands (1941), elle fut réannexée à l'U.R.S.S. en 1944.

RIGAUD (Hyacinthe Rigau y Ros, dit). ♦ Peintre français (Perpignan, 1659 – Paris, 1743). Fixé à Paris en 1681, il se consacra au portrait sur le conseil de Le* Brun et obtint dès 1681 un succès sans égal dans ce domaine. Portraitiste attitré de Louis XIV, il le représenta en 1694 puis dans le costume du sacre en 1701 et donna ainsi une image convaincante de la majesté royale. Il eut le sens du faste, des attitudes nobles et sut symboliser par l'expression, la pose et le luxe du costume, la fonction sociale de ses modèles. Les cours européennes, l'aristocratie et la grande bourgeoisie se le disputèrent. Plusieurs aides collaborèrent à ses tableaux. Maître du portrait d'apparat, il eut aussi le souci du vrai *(Bossuet, Le Brun)* et fit peu de portraits féminins, craignant de flatter ou de déplaire. Il témoigna de son sens de la grâce dans le portrait du *Jeune Louis XV* et parvint à un sobre dépouillement dans le *Portrait de sa mère* (1695), destiné à servir de modèle au sculpteur Coysevox*.

RIGAULT (Raoul). ♦ Journaliste et homme politique français (Paris, 1846 – 1871). Disciple d'A. Blanqui, journaliste au *Démocrate* et à la *Marseillaise*, il fut arrêté en 1866 et en 1870 (après la publication de son pamphlet *Le Grand Complot*). Membre de la 2e Commission exécutive de la Commune de Paris, il fut tué par les versaillais lors de la Semaine sanglante (24 mai 1871).

RIGAULT DE GENOUILLY (Charles). ♦ Amiral et homme politique français (Rochefort, 1807 – Paris, 1873). Sorti de Polytechnique, il commanda une division navale en Indochine, prit Canton (1857) et occupa Saigon en 1859 **(V. Cochinchine)**. Amiral en 1864, il commanda l'escadre de la Méditerranée (1862-1867) puis fut nommé ministre de la Marine dans les dernières années du Second Empire (1867-1870).

Rigel. ♦ Nom donné à l'étoile β Orion*. Sa luminosité intrinsèque correspond à un éclat égal à 15 000 fois celui du Soleil*. Magnit. 0,3 ; type spectral B 8.

RIGHI (Augusto). ♦ Physicien italien (Bologne, 1850 – *id.*, 1920). Ayant notamment étudié la polarisation de la lumière, la réflexion des ondes électromagnétiques sur les surfaces métalliques [1893] **(V.** *aussi* **H. Hertz)**, il publia en 1897 le premier traité d'optique des hyperfréquences.

RIGI ou **RIGHI**. *n. m.* ♦ Massif montagneux de Suisse centrale (cant. de Lucerne et Schwyz) entre le lac des Quatre* Cantons et le lac de Zoug*, dominant Weggis*; il culmine au Kulm (ou Rigi Kulm) : 1 797 m.

RIGNY (Henri GAUTHIER, *comte de*). ♦ Amiral français (Toul, 1782 – Paris, 1835). Commandant les bâtiments français de l'escadre internationale qui détruisit la flotte d'Ibrahîm pacha à Navarin (Grèce). Ministre de la Marine (1831-1834), il proposa la formation d'assemblées coloniales élues au suffrage censitaire, mais son projet ne fut pas retenu. Il fut ministre des Affaires étrangères (1834-1835).

RIGNY-USSÉ. ♦ Comm. d'Indre-et-Loire, arr. de Chinon, sur l'Indre (580 hab.). Château des XVe-XVIe siècles. Chapelle gothique et Renaissance.

Rig-Veda. *n. m.* (« Veda des Hymnes »). ♦ L'un des quatre Veda* de l'Inde antique, le plus ancien, recueil de plus de 1 000 hymnes religieux concernant principalement les prescriptions rituelles du culte védique. Il aurait été composé au cours du IIe millénaire avant notre ère et rédigé peu avant celle-ci. Il fit l'objet d'innombrables commentaires.

RIJEKA, anc. en it. **Fiume**. ♦ V. et port de Yougoslavie septentrionale (Croatie*), situé au fond du détroit de Kvarner*, à l'E. de la presqu'île d'Istrie. 132 935 hab. Principal port de Yougoslavie. Grand centre commercial dont les exportations de bois et les importations de céréales, charbon, pétrole, textiles ont déterminé le développement industriel (chantiers navals, papeteries, conserveries, indus. textiles, raffineries de pétrole). ♦ *Hist.* Le port libre de Fiume fut fondé au début du XVIIIe siècle. Possession hongroise jusqu'à la Première Guerre mondiale, il revint à l'Italie en 1920 (traité de Rapallo). Appartient à la Yougoslavie depuis 1947. Détruit lors de la Deuxième Guerre mondiale, le port a retrouvé sa prospérité. La ville, lieu de passage vers toute la côte dalmate, est un centre touristique (musées, églises, arc romain).

RIJKEVORSEL. ♦ V. de Belgique (Anvers, arr. de Turnhout) sur le canal de la Campine. 7 800 hab. Vestiges d'une église du XVIe siècle. Tour du XVIe siècle. Tabac. Briqueteries.

Rikkoku-Shi. *n. f. pl.* ♦ Nom générique donné aux « Six histoires nationales du Japon », lesquelles furent écrites en chinois et compilées sur ordre impérial. Elles couvrent la période allant des origines à 889.

RILA. *n. m.* ♦ Massif montagneux de Bulgarie méridionale formant la partie occidentale du Rhodope*. L'altitude y dépasse 2 500 m (2 925 m au Muss-Alla). Un célèbre monastère orthodoxe y fut élevé au XIIIe s. en l'honneur du saint bulgare Jean de Rila.

RILKE (Rainer Maria). ♦ Écrivain autrichien (Prague, 1875 – sanatorium de Val-Mont, Suisse, 1926). Sa vie et son œuvre nous livrent l'image d'un être d'une sensibilité exacerbée, d'une instabilité maladive, partagé entre « une aspiration ardente à la lumière » et une angoisse sourde face à la misère, à la souffrance et à la mort. Après une enfance gâchée, dont il garda le sentiment d'avoir été « frustré de la part la plus innocente de sa force », il mena une existence errante (Allemagne, Russie, 1899-1900, Paris à plusieurs reprises, Italie, Scandinavie, Meudon chez Rodin, 1905-1906, Afrique du Nord, Égypte, Espagne, Suisse), toujours solitaire, en dépit de la gloire qu'il connut et de l'amour de femmes qui marquèrent profondément sa vocation poétique (Lou Andréas-Salomé, 1897; Clara Westhoff, élève de Rodin, qu'il épousa en 1901). Aux premiers recueils poétiques, d'inspiration néo-romantique (*Couronné de rêve, Avent*, 1896-1898) et de valeur inégale, succède *Le Livre d'heures (Das Stundenbuch)*, dont les deux premières parties (*Le Livre de la vie monastique*, 1899, *Le Livre du pèlerinage*, 1901) sont dominées par le pressentiment d'un Dieu encore à venir, qui recueillera en lui le sens de nos vies éparses, et par une sensibilité à la recherche de sa musicalité propre; plus tardif, *Le Livre de la pauvreté et de la mort* (1902), qui clôt ce cycle de poèmes, est centré sur l'expérience pathétique et violente de la souffrance et de la misère, que Rilke fit à Paris (1902). De cette époque datent également *Les Histoires du Bon Dieu* (1899), *Les Récits pragois* (1899), le fameux *Chant de l'amour et de la mort du cornette Christophe Rilke*, 1899 **(V. Lilliencron)**. Sous l'influence de Rodin et de l'œuvre de Cézanne, Rilke tenta de métamorphoser par le travail de la création l'angoisse en « objet d'art [...] sorti du temps et confié à l'espace [...] devenu durable et apte à l'Éternité ». *Les Nouveaux Poèmes* (1906-1908) sont le fruit de cet effort pour transfigurer le monde, en révéler le sens à l'aide d'images précises, raffinées, parfois violentes et souvent plus plastiques que musicales. Dans *Les Cahiers de Malte Laurids Brigge* (1904-1910), Rilke livra un combat avec lui-même, avec les aspirations et les angoisses de son enfance, combat qu'il ressentit un peu comme un échec et après lequel il traversa une crise physique et mentale, entrant dans une « longue période de sécheresse ». De 1910 à 1921, il ne composa que quelques œuvres, parmi lesquelles les quatre premières *Élégies* à Duino* (1912, 1913, 1915). C'est au château de Muzot (Valais, 1921) que lui revint vraiment la voix de son inspiration; en quelques jours, il écrivit les *Sonnets à Orphée* (1922) et acheva les *Élégies*. Dans ses dernières années, il donna encore des traductions allemandes de P. Valéry, des poèmes en français (*Vergers, Quatrains valaisans*, 1925). – Dominée par le sentiment aigu d'une existence fugitive, aliénée, de la difficulté de vivre en raison de l'angoisse d'une mort vécue comme rupture, l'œuvre de Rilke se veut pourtant, au delà de cette expérience négative, porteuse de la promesse d'un salut existentiel, non chrétien : affirmation de la possibilité d'être homme sur terre, conquête de « l'ouvert » *(Das Offene)*, du « monde vu non de l'homme mais dans l'ange », dont la figure terrible et sereine domine les *Élégies*, certitude que le courant qui emporte toute vie est un mouvement de totalisation des contraires. Cessant dès lors d'être une rupture scandaleuse, la mort devient le couronnement d'une vie où l'homme « trouva l'amour, un sens et sa détresse ». Encore peut-on s'interroger sur la légitimité d'un tel retournement, la valeur d'une telle promesse qui prétend s'accomplir par et dans un langage poétique qui atteint parfois chez Rilke une parfaite maîtrise dans l'utilisation des ressources phoniques, rythmiques, syntaxiques et métaphoriques de la langue. Outre ses œuvres poétiques, Rilke laissa de nombreux ouvrages en prose, dont une monographie sur *A. Rodin* (1902-1907) et une abondante correspondance dont les célèbres *Lettres à un jeune poète* (1903).

RILLE. *n. f.* ♦ V. RISLE.

RILLIEUX. ♦ Ch.-l. de cant. du Rhône* (autrefois dans l'Ain), arr. de Lyon. 10 991 hab. Fabrication de feux d'artifice.

RIMAILHO (Émile). ♦ Officier et ingénieur français (Paris, 1864 – Pont-Erambourg, Orne, 1954). Dirigé par le général Charles Sainte-Claire Deville, il mit au point le frein du canon de 75 **(V. Deport).** Il conçut également quelques projets de matériels d'artillerie lourde à tir rapide. Ayant quitté l'armée, il s'intéressa à l'organisation du travail et à la structure sociale des entreprises.

RIMBAUD (Arthur). ♦ Poète français (Charleville, 1854 – Marseille, 1891). Dès le collège, où il se montra à la fois brillant et révolté, Rimbaud sentit s'éveiller sa vocation poétique. Ses premiers poèmes, s'ils révèlent encore manifestement l'influence de V. Hugo et des parnassiens, montrent l'adolescent décidé à « monter sur tout comme sur un cheval », à « déporter les honnêtetés tyranniques » qu'ils stigmatisent avec une extrême violence (Cf. *À la musique*, 1870; *Les Assis*, 1871). D'autres poèmes, d'un rythme personnel, célèbrent le bonheur sensuel goûté dans la nature (*Sensation, Ma bohème*, 1870). Bouleversé par la déclaration de la guerre, puis par l'échec de la Commune et « pressentant violemment » qu'il y trouvera la liberté, Rimbaud tente différentes fugues vers Paris. Ce ne sont alors que cris de révolte, contre la guerre (*Le Dormeur du val*, 1870, *Les Corbeaux*, 1872), contre la religion chrétienne (*Les Premières Communions*, 1871), contre « la vie effroyable ». Ainsi se confondent poésie et soif de révolution sociale ou morale. Écrit en septembre 1871, *Le Bateau ivre* se présente comme une allégorie superbe des aspirations du poète aux « nuits sans fond » de l'inconnu, dangereux voyage intérieur dont il attend les « aubes navrantes ». Dès la *Lettre* dite *du voyant* (mai 1871), Rimbaud avait affirmé son ambition de vivre, mieux que Baudelaire, une expérience prométhéenne de « voleur de feu »; il écrit alors : « la première étude de l'homme qui veut être poète est sa propre connaissance entière »; or « Je est un autre » et c'est au prix d'un « long, immense et raisonné dérèglement de tous les sens » qu'on peut, au delà de la conscience individuelle, rejoindre le moi profond et l'unité cosmique. À Paris, à Londres et en Belgique (au cours de sa liaison orageuse avec Verlaine*), Rimbaud tente, par « l'alchimie du vers », d' « acquérir des pouvoirs surnaturels ». Les vers et les poèmes en prose des *Illuminations* (1872-1873; publiées 1886) sont l'exploration d'un univers imaginaire par un « verbe poétique accessible [...] à tous les sens, (qui soit) de l'âme pour l'âme, résumant tout, parfums, sons, couleurs, de la pensée accrochant la pensée; et tirant ». Ainsi *Larme, La Rivière de Cassis, Marine* (en vers libres) ou *Barbare, Fleurs, Phrases*, s'appliquent-ils à « fixer des vertiges » par des images éblouissantes, des refrains obsessionnels, des raccourcis métaphoriques qui déplacent les sensations. À cet « opéra fabuleux » répond *Une saison en enfer*, autobiographie en prose poétique (achevée après la rupture dramatique avec Verlaine; août 1873). Rimbaud y analyse son expérience « révolutionnaire » de poésie en acte (« J'ai brassé mon sang, mon devoir m'est remis »); rejetant abruptement la poésie dont il dénonce l'impuissance à « changer la vie », à rendre l'homme « à son état primitif de fils du Soleil », il va, durant dix-huit ans de silence, connaître « la réalité rugueuse à étreindre », voyager en Europe, puis se faire explorateur et trafiquant d'armes en Abyssinie (au Harar*), avant de mourir, après une amputation à l'hôpital de Marseille, soigné et sans doute converti au catholicisme par sa sœur. – Conclue par un silence qui a suscité d'innombrables interprétations, expérience fulgurante pour réinventer l'amour *(Délires I)* et la poésie *(Délires II)*, violent combat spirituel d'une conscience « absolument moderne », l'œuvre brève de Rimbaud a fécondé le symbolisme avant d'être saluée, par les surréalistes, comme l'élément précurseur de leur « révolution » permanente de l'esprit. Bien que le personnage de Rimbaud ait été fréquemment sollicité et mythifié (Cf. Étiemble, *Le Mythe de Rimbaud*), son œuvre demeure l'une des sources majeures de la mutation poétique moderne.

RIMINI (Francesca *da***).** ♦ Grande dame italienne née à Ravenne vers le mil. du XIIIe s. Mariée par son père au frère de celui qu'elle aimait, elle aurait succombé à sa passion, entraînant la fureur de son mari, Lanciotto, qui aurait alors assassiné les deux amants. Francesca da Rimini a été rendue célèbre par la place qu'elle occupe dans l'*Enfer* (chap. V) de la *Divine Comédie* de Dante, où, emportée dans un tourbillon de vent avec son amant, elle fait au poète le récit de ses malheurs. Ce drame a, par ailleurs, été porté à la scène, notamment par Silvio Pellico* et D'Annunzio*.

RIMINI, anc. **Ariminum.** ♦ V. d'Italie continentale, en Émilie* (prov. de Forli), sur l'Adriatique. 119 845 hab. Archevêché. Pont et arc de triomphe antiques. Temple de Malatesta (XVe s.). Station balnéaire fréquentée. ♦ *Hist.* Anc. *Ariminum*, elle fut colonie romaine (~ 268). Elle passa des Goths aux Byzantins puis aux Lombards et fut donnée au pape par Pépin le Bref (754). Elle appartint aux Malatesta de 1295 à 1528. **V. Malatesta.**

RIMOUSKI. ♦ V. du Canada (Québec), située sur la rive S. du Saint-Laurent, au début de la Gaspésie. 17 700 hab. Archevêché. – Scieries.

RIMSKI (ou **RIMSKY)-KORSAKOV (Nicolaï Andréïévitch).** ♦ Compositeur russe (Tikhvin, Novgorod, 1844 – Lioubensk, près de Saint-Pétersbourg, 1908). Issu d'une famille de la noblesse rurale qui possédait une excellente culture musicale, il fut envoyé à l'École des cadets de la marine (1856-1862), sans cesser cependant d'étudier le piano et le violoncelle. Présenté à Balakirev* (1861), il se joignit au groupe de ses jeunes disciples (Moussorgski, Borodine, Cui) qui allaient bientôt constituer avec leur maître un cénacle fameux dans l'histoire de la musique russe, le groupe des Cinq. Contraint de s'embarquer pour trois années dans un voyage autour du monde (1862-1865), il dut interrompre ses premiers travaux de composition. Il les reprit dès son retour, décidant de se vouer à la musique. Nommé, malgré son jeune âge et son inexpérience, professeur de composition au conservatoire de Saint-Pétersbourg, il s'imposa de refaire ses études musicales, sous la direction notamment de Tchaïkovski*. Il allait devenir, par un labeur acharné, le musicien le plus savant de sa génération et former, avec une autorité et une science indiscutées, de nombreux élèves, parmi lesquels Liadov, Gretchaninov, Glazounov, Respighi et Stravinski. Nommé inspecteur des musiques de la Flotte (1873), directeur des Concerts du Conservatoire libre (1874), puis directeur des Concerts symphoniques russes à Saint-Pétersbourg (1886-1900), il poursuivit aussi une carrière de chef d'orchestre à l'étranger (Paris, 1889). Contraint par les autorités, lors de la crise de 1905, de se démettre de ses fonctions au Conservatoire, il y fut réintégré, Glazounov en étant devenu le directeur. Il revint à Paris (1907) pour y diriger les cinq concerts historiques russes organisés par Diaghilev. Il devait mourir peu après son retour en Russie. Son œuvre comporte quinze opéras, dont *La Pskovitaine* (1868-1872), *Snegourotchka* (1881-1882), *Sadko* (1896-1897), *La Fiancée du tsar* (1898-1899), *La Légende de la ville invisible de Kitège* (1904-1907), *Le Coq d'or* (1907-1909); des œuvres symphoniques : *Antar* (1868), *Capriccio espagnol* (1887), *Schéhérazade* (1888), *La Grande Pâque russe* (1888); deux *symphonies*, un concerto *pour piano*, de la *musique de chambre*, une centaine de *mélodies* et l'harmonisation de 150 chansons populaires russes. Éditeur des œuvres complètes de Glinka*, Rimski-Korsakov a procédé aussi à un travail de « polissage » et d'orchestration sur des œuvres de

Ph. A.P.N.

Rimski-Korsakov, par V. Serov.
(Galerie Tretiakov, Moscou.)

Ph. Nino Cirani/Ricciarini

Le **Rio Grande** au Nouveau-Mexique près de Taos.

Dargomyjski, Borodine *(Le Prince Igor)* et de Moussorgski* (*Boris Godounov* et la *Khovanchtchina,* qu'il termina). Prodigieux orchestrateur, manieur de timbres éclatants, Rimski possédait aussi une invention mélodique sans cesse renouvelée. Son généreux lyrisme a trouvé sa meilleure expression dans ses opéras où il apparaît comme le créateur d'un style national par l'exploitation qu'il y fait des légendes populaires, le rôle dévolu aux foules, la somptuosité des parties vocales et le chatoiement orchestral. S'il a parfaitement assimilé la leçon des grands romantiques, de Weber à Wagner, il a su s'imprégner aussi de l'exemple de ses contemporains, français et russes notamment, et pratiquer la fusion recommandée par Glinka des « chants populaires russes et de la fugue venue d'Occident ». Enfin, l'inspiration philosophique de ses ouvrages est généralement celle d'un humaniste épris de liberté. Son influence a été considérable. Outre Ravel, en France, et Respighi, en Italie, toute la jeune école musicale russe, de Prokofiev à Chostakovitch, est tributaire de son enseignement qui fut celui d'un prophète et d'un initiateur.

RINUCCINI (Ottavio). ♦ Poète italien (Florence, v. 1565 – *id.,* 1621). Poète officiel de la cour de Florence, il suivit Marie de Médicis en France lorsqu'elle épousa Henri IV. Il a transposé le langage parlé en langage musical *(stile recitativo).* Il a composé les livrets de plusieurs œuvres musicales : *Daphné* (1594, musique de Corsi, Peri et Caccini), *Eurydice* (1600, musique de Peri). *Ariane à Naxos* (1608, musique de Monteverdi), le *Bal des ingrates* (1608, musique de Monteverdi). Il a également écrit des poésies sacrées et profanes.

RÍOBAMBA. ♦ V. de l'Équateur, ch.-l. de la prov. de Chimborazo (5 556 km² – 282 500 hab.), située au centre du pays entre les Cordillères occidentale et orientale. 61 400 hab. env. – Évêché. Indus. textiles.

RIO BRANCO. ♦ V. du Brésil, cap. de l'État d'Acre*, située à la lisière de la forêt amazonienne. Une route relie Brasília* à Rio Branco à travers le Mato Grosso.

RIO DE JANEIRO *(État de).* ♦ État côtier de l'E. brésilien qui s'étend entre les États de Espirito* Santo au N., São* Paulo au S. 42 912 km². 4 678 000 hab. en 1969. *Cap.* Niterói*. Il est adossé à la serra da Mantiqueira* qui le sépare à l'O. du Minas* Gerais et surplombe la vallée de la Paraiba* do Sul. Terre de grands propriétaires fonciers, où les cultures de canne à sucre, dans la plaine, cèdent la place aux fruits tropicaux (bananiers, orangers). Longtemps en tête de la production pour le café (cultivé dès 1761), il dut céder la première place à São Paulo en 1906. *V. princ.* Campos*, Petropolis*, Nova* Iguaçu, São* João de Meriti, Volta* Redonda. – L'État de Guanabara* forme, au S. de la baie du même nom, une enclave dans l'État de Rio, avec Rio de Janeiro pour capitale.

RIO DE JANEIRO ou **RIO.** ♦ V. et port du Brésil, capitale de l'État de Guanabara*, située sur la rive occidentale de la baie de Guanabara (dite *baie de Rio*) et sur l'océan Atlantique. 4 315 750 hab. avec l'aggl. [1970] *(Cariocas).* La ville, cernée par les reliefs granitiques de la serra Carioca qui culmine au Corcovado (704 m), s'étend au milieu d'une végétation tropicale, au delà du Pain* de Sucre (395 m) le long des plages dont la plus célèbre est Copacabana*. – Archevêché. Université. Jardins botanique et zoologique renommés. Centre culturel et touristique (célèbre carnaval), foyer d'architecture moderne (célèbre faculté d'architecture Oscar Niemeyer, bâtiments inspirés des conceptions de Le* Corbusier) qui forme un contraste frappant avec les bidonvilles (favelas) du quartier noir. Second centre industriel et commercial du Brésil (après São* Paulo) relié à Belo Horizonte par un oléoduc. Industries alimentaires, textiles, chimiques et métallurgiques, etc. Le port (le 2e du pays après Santos*) draine les produits du S.-E. (en particulier le café de l'État du Minas Gerais), grâce à un important réseau ferroviaire et routier. Aérodromes internationaux (Galeão; Santos Dumont). – Patrie de L. Caxias, B.L. Machado, Machado de Assis, Marie II de Bragance, O. Niemeyer, Pierre II (empereur du Brésil), H. Villa-Lobos, A. Wehnelt. ♦ *Hist.* La baie de Rio fut découverte en 1502 par un membre de l'expédition de Vespucci. C'est au milieu du XVIe s. qu'un groupe de huguenots français créa le premier noyau de population, mais il fut chassé par les Portugais qui édifièrent la ville vers 1567. Prise par les Français de Duguay*-Trouin en 1711, avant de redevenir portugaise, elle remplaça Bahia* comme capitale du Brésil de 1763 à 1960 (avant Brasília). Résidence de la dynastie de Bragance*, elle devint dès le XVIIIe s., époque de l'exploitation de l'or, un centre commercial important et un port d'exportation du métal précieux.

RÍO DE ORO. ♦ Partie S. de la prov. du Sahara* espagnol, anc. protectorat espagnol. 184 000 km². 5 300 hab. *V. princ.* **V. Villa Cisneros.**

RIO GRANDE. *n. m.* ♦ Fl. d'Amérique du N. [États-Unis et frontière du Mexique] (2 896 km). Il prend sa source dans les monts San Juan (S.-O. du Colorado), traverse le Nouveau-Mexique, arrose Albuquerque* et forme frontière entre le Mexique et les États-Unis (Texas) avant de se jeter dans le golfe du Mexique. – Son bassin est une importante zone d'irrigation. Princ. affl., le Pecos.

RIO GRANDE. ♦ V. et port du Brésil situé à l'entrée de la Lagoa* dos Patos, dans l'État de Rio* Grande do Sul. 117 500 hab. (avec l'aggl.). Centre commercial. Industries textiles et alimentaires. Raffinage de pétrole.

RIO GRANDE DO NORTE. *n. m.* ♦ État côtier du N.-E. brésilien, limité par les États de Ceará à l'O. et de Paraíba au S. et bordé au N. et à l'E. par l'Atlantique. 53 015 km². 1 611 610 hab. *Cap.* Natal*. Marais salants (60 % de la production de sel du Brésil). Culture du coton et de la canne à sucre.

RIO GRANDE DO SUL. *n. m.* ♦ État côtier du Brésil méridional situé au S. de l'État de Santa* Catarina, dont il est séparé par le rio Uruguay* qui délimite également sa frontière O. avec l'Argentine; il confine au S. avec l'Uruguay. 282 184 km². Env. 6 775 460 hab. *Cap.* Pôrto* Alegre. – Sur la partie N. de l'État s'étend la serra Geral*, tandis que la région côtière est jalonnée de lagunes dont la plus importante est la Lagoa* dos Patos (lac des Canards). – Outre l'exploitation forestière et l'élevage bovin et ovin, l'économie de l'État est assurée par une forte production agricole favorisée par le climat subtropical (blé, pommes de terre, maïs, soja, riz, tabac, vigne). Industries de transformation. Charbon. *V. princ.* **V. Pelotas, Rio Grande, Caxias do Sul.**

RIOJA (La). ♦ V. LA RIOJA.

RIOM [ʀjɔ̃]. ♦ Sous-préf. du Puy*-de-Dôme, ch.-l. d'arr. (13 cant., 138 comm., 105 580 hab.), au pied des monts Dôme. 16 562 hab. *(Riomois).* Église Saint-Amable (romane, chœur gothique). Église Notre-Dame-du-Marthuret, XIVe et XVe s., renfermant la célèbre « Vierge à l'Oiseau » du XVe siècle. Dans le palais de justice, la Sainte Chapelle du XIVe siècle. Fontaine d'Adam et d'Ève du XVIIe siècle. Maison anc. – Ville de magistrature. Quelques indus. : articles ménagers; matériel électrique, manufacture de tabac. – Patrie de P. de Barante*, A. Du* Bourg, Ch. Romme*, E. Rouher*, le père J. Sirmont*. ♦ *Hist.* Riom est l'anc. cap. du duché d'Auvergne. – Le *procès de Riom* débuta en février 1942 afin de juger des hommes politiques : Blum*, Daladier*, G. La Chambre, et des militaires : Gamelin* et Jacomet, accusés d'être responsables de la guerre de 1939 et de la défaite de 1940; ils avaient préalablement été condamnés par Pétain*. Les débats, qui tournaient à la confusion du régime de Vichy, furent suspendus en avril 1942 sans conclusion. Les accusés furent maintenus en prison et, pour la plupart, livrés aux Allemands.

RIOM-ÈS-MONTAGNES. ♦ Ch.-l. de cant. du Cantal*, arr. de Mauriac*. 3 875 hab. *(Riomois).* Produits chimiques, fromages.

RÍO MUNI. *n. m.* ♦ Enclave continentale de la Guinée* équatoriale, entre le Cameroun* au N. et le Gabon* à l'E. et au sud. 26 000 km². 190 000 hab. *Ch.-l.* Bata*. Agriculture essentiellement vivrière. – Appelé auj. MBINI.

RION, *n. m.,* anc. **Phase*.** ♦ Rivière de la R.S.F.S. de Géorgie*, née dans le versant S. du Caucase*. Elle arrose Koutaïssi* et se jette dans la mer Noire, à Poti. 314 km.

RIOPELLE (Jean Paul). ♦ Peintre et sculpteur canadien (Montréal, 1923). Il fit ses études à l'École polytechnique de Montréal puis se consacra à la peinture. Luttant contre la stagnation qui caractérisait l'art canadien, il fonda avec Borduas le groupe *Automatisme.* Les théories surréalistes jouèrent pour lui un rôle libérateur en l'incitant à se fonder sur la spontanéité et l'impulsivité de l'acte créateur. Installé à Paris en 1946, il abandonna le rendu réaliste, admira Kandinsky, Miró et développa un style non figuratif dont l'inspiration initiale est souvent l'émotion ressentie devant la nature. Dans ses vastes toiles, la succession de touches colorées, épaisses, étalées souvent à la spatule ou au couteau, semble conserver la forme de l'instrument qui les a produites (aspect quadrangulaire, effet de relief) et enregistrer le caractère violent et la direction du geste de la main, engendrant des rythmes à la fois amples et saccadés. Par la véhémence de son style, il s'inscrit dans le courant de l'abstraction lyrique, tout en manifestant la volonté de structurer solidement l'espace par la forme et la texture de son coup de pinceau.

RÍO TINTO. ♦ V. MINAS DE RÍO TINTO.

RIOURIK. ♦ Prince varègue ([mort] 879) qui fonda la principauté de Novgorod*, embryon de l'État russe (v. 860).

RIOUW ou **RIAU.** ♦ Archipel du détroit de Singapour, au S. de cette ville. Env. 300 000 hab. L'activité principale est la pêche. L'île principale, Bintan, possède des mines de bauxite. Un camp de prisonniers de guerre japonais y avait été établi en 1945. Ces îles appartiennent maintenant à l'Indonésie.

RIOZ. ♦ Ch.-l. de cant. de la Haute-Saône, arr. de Vesoul. 644 hab. *(Riozais).* Faïencerie.

RIPPERDA (Jan Willem, *duc de***).** ♦ Homme politique espagnol d'origine hollandaise (Groningen, 1680 – Tétouan, 1737). Il prit la succession d'Alberoni* à la tête de la politique espagnole, qu'il orienta vers l'alliance avec l'Autriche. Disgracié en 1726, il finit par se réfugier au Maroc où il se convertit à l'islâm et entraîna le sultan dans une guerre contre l'Espagne. Il fut vaincu à Ceuta.

RIQUET (Pierre Paul *de***).** ♦ Ingénieur français (Béziers, 1604 – Toulouse, 1680). Il construisit le canal du Midi (1666-1681) qui relie la Méditerranée à l'Atlantique et pour lequel, les crédits alloués étant insuffisants, il fit don de toute sa fortune.

Riquet à la houppe. ♦ Conte (1697) où Charles Perrault* veut prouver que « quiconque est aimé est aimable ». Laid mais spirituel, le prince Riquet épouse une princesse aussi stupide que belle à laquelle l'amour donnera de l'esprit et qui comprendra « qu'en fait d'attachement il vaut toujours mieux s'en rapporter à son cœur qu'à ses yeux ».

RIQUEWIHR [ʀik(ə)viʀ]. ♦ Comm. du Haut-Rhin, arr. de Ribeauvillé. 1 322 hab. Maisons et château du XVIe siècle. Double enceinte conservée. Vignobles (riesling). ♦ *Hist.* La ville fut fortifiée au XIIIe s. par les comtes de Horbourg. – Patrie de Samuel Rodolph.

RISCLE [ʀiskl]. ♦ Ch.-l. de cant. du Gers*, arr. de Mirande*, sur l'Adour*. 1 845 hab. [1 453 aggl.]. Église du XIVe siècle. – Tuilerie, briqueterie, céramique.

RISHON-LE-ZION. ♦ V. d'Israël, située au S. de Tel*-Aviv, dans la plaine côtière. 42 000 hab. (1969). Édifiée au milieu d'orangeraies et de vignobles réputés, la ville s'est industrialisée (indus. alimentaires, brasseries, indus. du bâtiment). Centre culturel.

Risi. *n. m. pl.* (mot sanskrit, « Sages »). ♦ « Sages » plus ou moins mystiques de l'Inde védique, à qui la tradition attribue les hymnes et la rédaction des quatre grands *Veda**. Un certain nombre d'entre eux auraient fondé des écoles philosophiques.

RISLE ou **RILLE.** *n. f.* ♦ Riv. de Normandie* (140 km), affl. de la Seine*. Elle prend sa source dans le Perche*, elle arrose L'Aigle*, Rugles*, Beaumont*-le-Roger, Brionne, Montfort*-sur-Risle, Pont*-Audemer et se jette dans l'estuaire de la Seine.

RISLER (Édouard). ♦ Pianiste français d'origine allemande (Baden-Baden, 1873 – Paris, 1929). Pianiste de réputation internationale, il interpréta en première audition de nombreuses œuvres de Dukas, Fauré et Enesco. Répétiteur au théâtre de Bayreuth (1896) et spécialiste réputé de la musique romantique allemande, il fut aussi professeur au conservatoire de Paris (1923).

RIS-ORANGIS [ʀisɔʀɑ̃ʒis]. ♦ Ch.-l. de cant. de l'Essonne (arr. d'Évry), sur la Seine. 23 750 hab. Église du XIIe siècle. Hôtel de ville dans l'ancien château de Fromont (XVIIe s.). Maison de retraite des artistes lyriques dans le château de Ris (XIXe s.). – Machines agricoles ; remorques.

Risorgimento. *n. m.* ♦ Terme italien signifiant « renaissance » ou « résurrection ». Il fut employé pour désigner le réveil de la culture italienne, dès le XVIIIe s., puis le mouvement littéraire et politique qui devait aboutir à l'unité du pays. Il est traditionnellement appliqué à la période de l'histoire italienne située entre 1815 et 1870.

RIST (Johannes). ♦ Pasteur et poète allemand de l'époque baroque (Ottensee, Altona, 1607 – 1667). Disciple de M. Opitz, il composa en latin et en allemand des poèmes d'un style parfois surchargé ; certaines de ses poésies d'inspiration religieuse devinrent très populaires (comme *O Ewigkeit, du Donnerwort*).

RIST (Charles). ♦ Économiste et administrateur français (Lausanne, 1874 – Versailles, 1955). Sous-gouverneur de la Banque de France (1926-1929), conseiller financier des Banques nationales de Roumanie et d'Autriche, il fut un des derniers représentants du libéralisme auquel il donna « son suprême visage : celui de l'orthodoxie monétaire » (A. Piettre). *Histoire des doctrines économiques depuis les physiocrates jusqu'à nos jours* (avec Ch. Gide*, 1909) ; *Essais sur quelques problèmes économiques et monétaires,* 1933 ; *Défense de l'or,* 1955.

RISTIĆ (Marko). ♦ Poète et essayiste yougoslave de Serbie (1902 –). Il fut le chef du groupe des surréalistes serbes, cherchant une voie entre le réalisme soviétique et le modernisme occidental. Il exprima ses idées à ce sujet dans *La Politique littéraire* (1952). Il publia en outre plusieurs recueils de vers, dont *Du bouleau et du rêve* (1925), *La Turpitude* (1938).

RISTITCH (Jovan). ♦ Homme politique serbe (Kragujevac, 1831 – Belgrade, 1899). Plusieurs fois Premier ministre et ministre des Affaires étrangères, il fit reconnaître au congrès de Berlin l'indépendance de la Serbie (1878). Il fut membre du conseil de régence pendant la minorité d'Alexandre* Ier Obrénovitch (1889-1893).

RISUT. ♦ V. côtière du sultanat d'Oman* dans le Dhofar*. Un port chargé d'exporter les ressources agricoles de la plaine (dattes, noix de coco) y est prévu.

RITSOS (Yannis). ♦ Poète grec (Malvoisie, Péloponnèse, 1909). Partant du futurisme de Maïakovski (*Tracteur,* 1934), il cherche sa propre expression à travers une poétique où les problèmes humains et les expériences nationales se traduisent par une faculté plastique peu commune : *Le Chant de ma sœur* (1937), *Épreuve* (1943), *La Sonate au clair de lune* (1956), *Oreste* (1963).

RITTER (Johann Wilhelm). ♦ Physicien allemand (Samitz, Silésie, 1776 – Munich, 1810). Il fut le premier à observer que les métaux se classent dans le même ordre si l'on considère leur facilité d'oxydation ou leurs propriétés électriques [1798] **(V.** *aussi* **Berzelius)** et découvrit la polarisation des électrodes dans une pile (1803) ; en spectroscopie, il découvrit le rayonnement ultraviolet en observant le noircissement sur une plaque couverte de nitrate d'argent.

RITTER (Karl). ♦ Géographe allemand (Quedlinburg, Prusse, 1779 – Berlin, 1859). Il fut, avec A. von Humboldt*, un des fondateurs de la géographie moderne. Plus historien que Humboldt, il s'efforça d'étudier les rapports entre l'homme et le milieu physique, l'influence du milieu naturel sur le développement des sociétés, faisant ainsi une place prépondérante à la géographie humaine. Son œuvre principale, une géographie universelle (*Die Erdkunde im Verhältnis zur Natur und Geschichte des Menschen,* 1817-1859), est restée inachevée.

RIVA-BELLA. ♦ V. OUISTREHAM.

RIVADAVIA (Bernardino). ♦ Homme politique argentin (Buenos Aires, 1780 – Cadix, 1845). Il fut envoyé par les révolutionnaires argentins plaider en Europe la cause de l'indépendance **(V. Argentine).** Ministre des Affaires étrangères de 1811 à 1824, il fut élu président de la République en 1826, mais, partisan de la centralisation et en butte à l'opposition des provinces, dut démissionner un an après. Il dut s'exiler en Espagne (1834).

RIVAROL (Antoine, dit *le comte de***).** ♦ Écrivain français (Bagnols, Gard, 1753 – Berlin, 1801). Auteur d'un *Discours sur l'universalité de la langue française* (1784), réputé pour son esprit et sa conversation, il montra sa causticité envers les beaux esprits de son temps avec *Le Petit Almanach des grands hommes* (1788), avant de se révéler grand écrivain politique dans sa défense de la monarchie, attitude politique qui le contraignit à l'exil.

RIVAS (Angel de Saavedra, *duc de***).** ♦ Homme politique et écrivain espagnol (Cordoue, 1791 – Madrid, 1865). Après avoir pris une part active à la guerre de l'Indépendance, il dut s'exiler sous le règne de Ferdinand VII, puis rentra en Espagne (1834). Ambassadeur en France (1857), président du Conseil d'État (1862), il fut aussi auteur dramatique (*Don Alvaro ou la Force du destin,* 1835) et poète, d'inspiration romantique (*Le Bâtard maure,* 1833 ; *Romances historiques,* 1841).

RIVE-DE-GIER [ʒjɛ]. ♦ Ch.-l. de cant. de la Loire*, arr. de Saint*-Étienne. 16 992 hab. *(Ripagériens).* La ville est reliée au Rhône par le canal de Givors. Elle fait partie de la région industrielle de Saint-Étienne : mines de houille, hauts fourneaux ; indus. métallurgiques et mécaniques (matériel ferroviaire). Verrerie, produits réfractaires. Indus. textiles. – Patrie de J.-B. Berlier*.

RIVERA (Diego). ♦ Peintre, dessinateur et graveur mexicain (Guanajuato, 1886 – Mexico, 1957). Il étudia à l'Académie de San Carlos à Mexico à partir de 1898, puis se rendit en Europe en 1906, travaillant à Madrid et à Paris, où il fréquenta Picasso, Matisse, Modigliani et subit l'influence du cubisme. Après avoir

Ph. Hétier

Une rue à **Riquewihr.**

Ph. Harlingue-Viollet

Ph. Giraudon

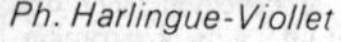

Jacques Rivière. **Paul Rivet.**

séjourné à Munich, en Italie et en Russie, il revint au Mexique et participa activement à la révolution. Soucieux de créer une peinture nationale qui parle aux masses, il chercha à s'appuyer sur l'acquis culturel de son pays (souvenirs des formes aztèques et mayas, prise en considération de l'art populaire) et évoqua l'histoire ancienne, comme les princ. événements de la révolution, ou des scènes de la vie populaire. Recevant de multiples commandes officielles, il devint le plus éminent des « muralistes » mexicains, décorant notamment : *l'École préparatoire* (1921-1922), *l'amphithéâtre Bolivar à l'université* (1922), *le ministère de l'Éducation* (1923, 1928) à Mexico; *l'École nationale d'agriculture* à Chapingo (1927), le *Palais national* (1929-1934) à Mexico; le *palais des Cortès* à Cuernavaca (1930); le *palais des Beaux-Arts* à Mexico (1934). Entre-temps, il avait suscité de violentes polémiques aux États-Unis, en exprimant dans de vastes décorations à Los Angeles, Detroit et New York ses options politiques marxistes. Revenu au Mexique, il exécuta des tableaux (portraits, paysages, scènes populaires) où se manifeste un sens décoratif qui lui est personnel (*Les Arums*). Il entreprit aussi de nouvelles décorations murales à Mexico (*Institut national de cardiologie; Palais national,* 1949-1950; relief de pierres colorées au *stade de la cité universitaire,* 1952; *hôpital de la sécurité sociale*). Dans ses œuvres, qui constituent une sorte de discours politique rendu en images pathétiques et parfois emphatiques, d'un réalisme souvent schématique, vigoureux et monumental, les événements relatés prennent une valeur fortement symbolique. Si l'invention plastique est inégale, le souffle lyrique et épique qui les anime rend convaincantes ces habiles compositions amples et grouillantes, aux coloris violents et aux formes sculpturales. Rivera est souvent considéré comme le chef de file de l'école mexicaine **(V. Orozco, Siqueiros).**

RIVERS (William Halse). ♦ Médecin, psychophysiologue et ethnologue anglais (Luton, Bedfordshire, 1864 – 1922). Ses recherches ethnographiques portèrent sur des tribus d'Océanie. D'abord partisan de l'évolutionnisme de L.H. Morgan*, il s'orienta peu à peu vers des positions diffusionnistes [**V. Graebner, W. Schmidt**] (*The Todas,* 1906; *The History of Melanesian Society,* 1914; *Kinship and social Organization,* 1914, et une synthèse d'histoire culturelle *The Growth of Civilization,* 1924, etc.).

RIVES. ♦ Ch.-l. de cant. de l'Isère*, arr. de Grenoble*, sur la Fure. 4 589 hab. *(Rivois).* Indus. métallurgiques, constructions mécaniques; papeteries.

RIVESALTES. ♦ Ch.-l. de cant. des Pyrénées-Orientales (arr. de Perpignan), sur l'Agly. 6 737 hab. *(Rivesaltais).* Important centre viticole (muscat, vins liquoreux) et agricole (cultures maraîchères).

RIVES-DE-L'ÉTANG-DE-BERRE. ♦ Ville nouvelle des Bouches-du-Rhône, située sur l'étang de Berre, au N.-O. de Marseille.

RIVET (Paul). ♦ Médecin, anthropologue et ethnologue français (Wasigny, Ardennes, 1876 – Paris, 1958). Directeur du musée d'Ethnographie (1928), avec L. Lévy-Bruhl et M. Mauss* et fondateur du musée de l'Homme (1937), il fut conseiller général de la Seine (1935) et député socialiste de 1946 à 1951. (*Ethnographie ancienne de l'Équateur,* 1912, avec Verneau; *Les Données de l'anthropologie* qui parurent dans le *Traité de psychologie* de Dumas, 1930; *Les Origines de l'homme américain,* où Rivet soutient la thèse du peuplement de l'Amérique par les Océaniens.)

RIVIER (Jean). ♦ Compositeur français (Villemomble, 1896). Maître d'un métier solide, esprit cultivé, il a donné au conservatoire de Paris (1945-1966) un enseignement marqué par l'éclectisme le plus ouvert. Son œuvre, abondante, est marquée par la clarté et l'élégance d'un style néo-classique qui sait assimiler les acquisitions nouvelles. Elle comprend des pages lumineuses et tendres (*Le Voyage d'Urien,* 1931; *Vénitienne,* opéra-comique, 1936; *Rhapsodie provençale,* 1949), âpres et vigoureuses (*sept symphonies,* 1932-1961) ou pathétiques et graves (*Requiem,* 1953; *Christus Rex,* 1967), des *concertos,* des *pièces de musique de chambre,* ainsi que des *mélodies.* Il a participé à la fondation du groupe musical Le Triton.

RIVIERA (mot italien « littoral »). *n. f.* ♦ Nom donné *(Riviera italienne)* au littoral italien qui s'étend le long du golfe de Gênes, de San Remo à La Spezia. On oppose la *Riviera di Ponente,* à l'O. de Gênes, à la *Riviera di Levante,* à l'E. La beauté des paysages jointe à la douceur du climat font de cette région un haut lieu du tourisme international, jalonné de stations balnéaires telles que Bordighera*, San Remo*, Imperia*, Albenga, Santa Margherita, Rapallo*, Sestri Levante. Au centre, Gênes est le plus gros centre industriel. **V. Ligurie** et **Gênes.** – On a appelé *Riviera* la Côte d'Azur française.

RIVIÈRE (Henri). ♦ Navigateur français (Paris, 1827 – Hanoi, 1883). Après avoir organisé la répression de la révolte des Canaques en Nouvelle-Calédonie (1880), il fut envoyé (à sa demande) en Indochine (1882) et fut tué à Hanoi qu'il tentait d'enlever aux Annamites et aux Chinois.

RIVIÈRE (Émile). ♦ Paléontologue français (1835 – 1922). Il découvrit les grottes de Grimaldi à la frontière franco-italienne et y organisa les premières fouilles (1872-1875) qui permirent d'y découvrir un homme fossile du type de Cro-Magnon.

RIVIÈRE (Jacques). ♦ Écrivain français (Bordeaux, 1886 – Paris, 1925). Animateur de la N.R.F., dont il fut l'un des fondateurs (1910), il la dirigea de 1919 à sa mort. Camarade d'études et beau-frère d'Alain*-Fournier, il entretint avec ce dernier une importante *Correspondance* (janv. 1905-juil. 1914) ainsi qu'avec Claudel et Gide. J. Rivière est l'auteur d'*Études* (1912) sur les écrivains de son temps (Gide, Claudel, Jammes), d'un recueil de souvenirs de sa captivité pendant la Première Guerre mondiale, *L'Allemand* (1918), et d'un roman, *Aimée* (1922). Revenu au catholicisme en 1913, il a laissé des notes regroupées par sa femme : *À la trace de Dieu* (1925). Des essais ont été publiés après sa mort : *Rimbaud* (1930), *Moralisme et Littérature* (1933), *De la foi* (1928). On lui doit également un roman inachevé : *Florence.*

RIVIÈRE-PILOTE. ♦ Ch.-l. de cant. S. de la Martinique, arr. de Fort-de-France. 12 048 hab. Canne à sucre. Distilleries.

RIVIÈRES DU SUD *(pays des).* ♦ Région côtière formant la plaine de la basse Guinée qui possède les meilleures terres du pays et reçoit le plus de précipitations (4 300 mm). Elle est arrosée entre autres riv. par le Konkouré*. – Bananeraies. Riz. – *V. et localités princ.* **V. Conakry, Boké, Fria** et **Kindia.**

RIVOLI. ♦ Localité d'Italie, sur l'Adige, près de Vérone. ♦ *Hist.* La victoire que Bonaparte y remporta sur les Autrichiens le 14 janvier 1797 entraîna la chute de Mantoue*.

RIXENSART. ♦ Comm. de Belgique (Brabant, arr. de Nivelles) sur la Lasne. 8 879 hab. Église (chapelle du XVIIe s., reconstruite en 1937). Château des princes de Mérode (1631-1662) entouré de jardins dessinés par Le Nôtre. – Centre agricole et d'élevage : pépinières, légumes; produits laitiers, aviculture.

RIYAD. ♦ Cap. de l'Arabie Sa'ûdite, située au pied du djebel Toweiq* à 590 m d'alt. dans le Nedjd*, au centre d'une oasis que favorise une forte pluviosité. Plus de 400 000 hab. (1970), alors qu'elle n'en comptait que 60 000 en 1946. Résidence royale. À la vieille ville, située au milieu des palmeraies et des plantations d'arbres fruitiers, s'est ajoutée une ville moderne, capitale politique et administrative et important centre commercial. L'essor de Riyad vient de ce qu'elle fut au XIXe s. le centre du mouvement wahhabite. Le sultan Ibn Sa'ûd en fit la capitale du pays, après avoir unifié la plus grande partie de la péninsule arabique. Centre de communication : point de départ de l'unique voie ferrée Riyad-Damman* via Dharan, route reliant la mer Rouge au golfe Persique à partir de Djeddah*.

RIZÂH [RIZÂ ou RÉZA] SHÂH. ♦ (Alacht, Mazandéran, 1878 – Johannesburg, 1944). Shâh d'Iran (1925-1941). Élevé dans la carrière des armes, Rizâ Khân fut le premier Persan à commander la brigade des cosaques créée par les Qâdjars avec un encadrement russe. Convaincu de la démission du gouvernement persan devant les intérêts étrangers **(V. Iran,** ***Hist.*)**, il s'allia à un politicien libéral, Sayyed Ziya ed-din et marcha sur Téhéran (fév. 1921). Il devint ministre de la Guerre et, trois mois plus tard, chef du gouvernement. Après avoir souhaité établir la république, il y renonça devant l'opposition du clergé shi'ite et se fit couronner en 1925. Il modernisa l'armée, réduisit les révoltes et tenta de restaurer l'indépendance de son pays. Signant un traité de neutralité avec la Russie en 1921, il put se consacrer à lutter contre l'ingérence économique anglaise, tandis qu'à l'intérieur il s'attachait à faire de la Perse, devenue l'Iran en 1935, un pays moderne. **V. Iran,** *Hist.* Il dut abdiquer en 1941, par suite de ses sympathies pour l'Allemagne et les dictatures, et pour avoir refusé de laisser des convois russes et anglais traverser l'Iran. Il fut déporté à l'île Maurice, puis en Afrique du Sud. – Rizâh Shâh avait été un réformateur autocrate; comme Mustafa Kémal en Turquie, il s'attacha à la modernisation de l'économie et des mœurs (introduction du système judiciaire français; fondation de l'université de Téhéran, dévoilement des femmes, etc.). Mais il favorisa aussi le retour aux traditions nationalistes iraniennes. Son fils Muhammad* Rizâh, lui succéda.

RIZAL. ♦ V. des Philippines (île de Luçon) et ch.-l. de province, sur la baie de Manille. Ancienne Pasay.

RIZAL Y ALONZO (José). ♦ Héros national philippin (Calamba, 1861 – Manille, 1896). Il fit ses études en Espagne puis tenta, par ses écrits et son activité politique, d'obtenir des réformes. Arrêté et déporté, il revint à Manille* en 1896, mais fut de nouveau arrêté par les autorités espagnoles et fusillé. Ses écrits *(Noli me tangere, El Flibusterismo)* demeurent célèbres.

RIZE. ♦ V. de Turquie orientale, au pied de la chaîne Pontique, sur la mer Noire*. Ch.-l. de province. 22 181 hab. (1960). C'est le centre de l'industrie du thé.

RIZZIO ou **RICCIO (David).** ♦ (Pancalieri, Piémont, v. 1535 – Édimbourg, 1566). Secrétaire de l'ambassadeur du duc de Savoie en Écosse (1561), il s'installa dans ce pays où il devint le conseiller de Marie* Stuart (1564) puis son favori. L'entourage de la reine, envieux et craignant que l'influence de Rizzio ne s'exerçât contre le protestantisme, décida de le supprimer et persuada l'époux de la reine, Henry Darnley, que Rizzio était l'amant de Marie Stuart. Rizzio fut assassiné au château d'Holyrood sous les yeux de la reine.

rLUNG-rTA. *n. m. pl.* (mots tibétains, « Chevaux du vent »). ♦ Nom donné au Tibet aux petits oriflammes portant des formules magiques ou des prières et dressés sur tous les lieux consacrés et parfois sur les maisons, afin que le vent puisse emporter ces prières à leurs destinataires. Ces rLung-rTa sont caractéristiques des paysages tibétains.

rNying-ma-pa. ♦ Secte bouddhique tibétaine, dite « des anciens », fondée v. la fin du VIIIe s. par Padmasambhava*. Ses fidèles sont adeptes des doctrines tantriques : on les nomme souvent « Bonnets rouges ».

ROANNE. ♦ Sous-préf. de la Loire*, ch.-l. d'arr. (10 cant., 116 comm., 159 833 hab.), sur la Loire. 54 748 hab. *(Roannais).* Important centre textile; tissage et filature du coton; textiles artificiels (la moitié de la production française de fibranne); confection, bonneterie; impressions sur étoffes. Métallurgie, constructions mécaniques, tanneries, chaussures, papeterie. — Patrie de J. Déchelette (musée), de R. Leriche*, de J. Puy*. ♦ Hist. *Rodumna* sous l'Empire romain, capitale des Ségusiens. la ville était un important centre de communication. – Elle fut érigée en duché en 1566 et revint à la couronne de France en 1725.

ROBBE-GRILLET (Alain). ♦ Écrivain français (Brest, 1922). Après une formation d'ingénieur agronome, il s'est, depuis 1950, entièrement consacré à la carrière littéraire, comme romancier et scénariste. Pour Robbe-Grillet, l'auteur doit désormais « voir le monde qui l'entoure avec des yeux libres », pour constater que les objets sont là, « durs, inaltérables, présents pour toujours et se moquant de leur propre sens ». (*Pour un nouveau roman,* 1964.) Dès *Les Gommes* (1953), intrigue policière où la psychologie est bannie au profit du comportement, le rapport du regard à l'objet est privilégié. Pourtant l'écrivain se défend d'avoir voulu créer une « littérature de l'objet »; et la minutie systématique de la description infiniment reprise dans une structure circulaire recouvre et doit révéler une réalité énigmatique et troublante (*Le Voyeur,* 1955). Parfois, la recherche de l'objectivité se dissout dans le sujet et le personnage n'est plus un pur regard (*La Jalousie,* au titre équivoque, 1957); le temps désormais aboli, l'inventaire objectif percute le souvenir et le rêve, jusqu'à l'hallucination (*Dans le labyrinthe,* 1959). – Intéressé par le cinéma, Robbe-Grillet y utilise aussi un « langage [qui] repose sur un mécanisme de fascination d'un raffinement très précis » (P. de Boisdeffre). Comme dans le roman *La Maison de rendez-vous* (1965), les films *L'Année dernière à Marienbad* (tourné par Resnais, 1961) et l'*Immortelle* (1963) reposent sur le va-et-vient constant de la mémoire et de l'action ou trahissent les obsessions de l'auteur (Cf. *Trans-Europ-Express,* 1967; *L'Éden et après*).

ROBBIA. ♦ V. DELLA ROBBIA.

ROBBINS (Frederick Chapman). ♦ Médecin américain (Auburn, Alabama, 1916). Ses travaux sur la culture du virus de la poliomyélite dans différents types de tissus lui valurent, ainsi qu'à J.F. Enders* et T.H. Weller*, le prix Nobel de méd. (1954).

ROBBINS (Jérôme). ♦ Chorégraphe américain (New York, 1918). Une formation éclectique conjugua chez lui les influences classique et moderne, celles de l'Espagne et de l'Orient, à sa culture musicale et à sa connaissance des techniques de l'art dramatique. Élève de A. Tudor, il a appartenu à la troupe du *Ballet Theatre* (1940) avant de devenir le directeur artistique du *New York City Ballet,* de G. Balanchine (1949), puis le fondateur de sa propre compagnie, le *Ballet U.S.A.* (1958). La vigueur colorée de son style de chorégraphe s'est affirmée dans de nombreux ballets et dans deux comédies musicales, dont *West Side Story* (1957). Dans une tonalité plus austère, il convient de retenir encore l'*Ère de l'angoisse* (*Age of Anxiety,* 1950) et l'*Après-midi d'un faune* (*Afternoon of a Faun,* 1953), version moderne de la chorégraphie de Nijinski.

ROBERJOT (Claude). ♦ Homme politique français (Mâcon, 1752 – Rastatt, 1799). Prêtre constitutionnel, il abjura, fut élu député à la Convention (1792), où il se montra partisan de la politique des frontières naturelles de la France et de l'annexion de la Belgique. Membre du Conseil des Cinq-Cents, ambassadeur en Hollande (1797), il fut envoyé comme ministre plénipotentiaire au congrès de Rastadt* (1797-1799) où il fut assassiné par des hussards autrichiens.

ROBERT. ♦ Prénom porté par de nombreux souverains (*Anjou, Artois, Écosse, Flandre, France,* empire *latin* de Constantinople, *Normandie, Palatinat*). Les noms complexes (saints, etc.) sont traités à l'ordre alphabétique.

ROBERT D'ANJOU le Sage. ♦ (v. 1275 – Naples, 1343). Duc d'Anjou, comte de Provence et roi de Naples (1309-1343). Fils de Charles* II le Boiteux, il défendit la papauté contre les empereurs allemands et fut le chef du parti guelfe en Italie. Il accueillit à sa cour Boccace et Pétrarque. Grand-père de Jeanne* Ire qui lui succéda.

ROBERT Ier le Vaillant. ♦ Comte d'Artois (1237-1250). Frère de Louis IX, il mourut à la bataille de la Mansourah (septième croisade). ♦ ROBERT II, comte d'Artois (1250-1302), son fils. Il combattit les Flamands et mourut à la bataille de Courtrai. ♦ ROBERT III ([mort] 1342), petit-fils de Robert Ier, se vit enlever son comté par sa tante Mathilde*. N'ayant pu obtenir réparation de son beau-frère Philippe VI de Valois, il passa au service de l'Angleterre.

ROBERT Ier BRUCE. ♦ (1274 – château de Cardross, sur le Firth of Clyde, 1329). Roi d'Écosse (1306-1329). Petit-fils d'un ancien prétendant au trône d'Écosse, Robert Bruce, qui avait été évincé par Édouard Ier d'Angleterre, il parvint à se faire couronner en 1306, au milieu des troubles qui divisaient l'Écosse. **V. Écosse,** *Hist.* D'abord battu et exilé, il se révolta à la mort d'Édouard Ier d'Angleterre (1307) et battit Édouard II à Bannockburn* (1314). Il fut reconnu comme roi d'Écosse en 1328 après avoir relevé le pays de ses ruines. Père de David* II. ♦ ROBERT II STUART (1316 – château de Dundonald, Ayrshire, 1390). Roi d'Écosse (1371-1390), il succédait à son oncle David II Bruce. Il repoussa les Anglais (1384, 1385 et 1388). ♦ ROBERT III STUART, fils de Robert II (v. 1337 – château de Rothesay, 1406). Roi d'Ecosse (1390-1406). Sous son règne, Henri IV d'Angleterre envahit l'Écosse (1400). Père de Jacques* Ier.

ROBERT Ier le Frison. ♦ (v. 1030 – près de Torhout, 1093). Comte de Flandre (1071-1093). Fils de Baudouin V, il vainquit son neveu Arnoul III à Cassel (1071). Il fit régner la paix et protégea la bourgeoisie. ♦ ROBERT II DE JÉRUSALEM (v. 1065 – près de Meaux, 1111). Fils de Robert Ier, comte de Flandre (1093-1111). Il participa à la première croisade, notamment au siège d'Antioche. ♦ ROBERT III DE BÉTHUNE (v. 1246 – Ypres, 1322). Comte de Flandre (1305-1322). Fils de Gui* de Dampierre, il lutta contre le roi de France, Philippe IV le Bel. Son petit-fils, Louis* de Nevers, lui succéda.

ROBERT le Fort. ♦ Ancêtre des Capétiens (Brissarthe, près d'Angers, 866). Il défendit la région entre Loire et Seine contre les Normands. Père d'Eudes* et de Robert* Ier.

ROBERT Ier. ♦ (v. 865 – Soissons, 923). Roi de France (922-923). Fils de Robert* le Fort, il fut élu roi contre Charles le Simple. Père d'Hugues* le Grand. Il eut pour successeur Raoul*.

ROBERT II le Pieux. ♦ (Orléans, v. 970 – Melun, 1031). Roi de France (996-1031). Fils d'Hugues* Capet. Malgré sa piété, il brava l'excommunication papale pour avoir répudié sa première femme Rosala, fille de Bérenger roi d'Italie et épousé sa cousine Berthe* de Bourgogne. Il finit par céder, répudia Berthe et épousa Constance* de Provence. Il dut faire face à l'opposition des féodaux et annexa la Bourgogne au domaine royal. Père d'Henri* Ier.

ROBERT DE COURTENAY. ♦ (mort en Morée, 1228). Empereur latin de Constantinople (1221-1228). Fils de Pierre II de Courtenay, il ne régna guère que sur Constantinople et ses environs.

ROBERT Ier le Magnifique. ♦ (mort à Nicée, 1035). Duc de Normandie (1027-1035). Il aida le roi de France Henri* Ier contre

Ph. Louis Monier

Alain Robbe-Grillet.

Ph. Louis Monier

Paul Robert.

ses vassaux révoltés (1031). Père de Guillaume* le Conquérant. Il fut identifié au légendaire *Robert le Diable.*

ROBERT II Courteheuse ou **Courtecuisse.** ♦ (v. 1054 – Cardiff, 1134). Duc de Normandie (1087-1106). Fils de Guillaume* le Conquérant, il se révolta contre lui (1078). Il participa à la première croisade, fut spolié du trône d'Angleterre par son frère Henri* Ier Beauclerc (1100) qui le vainquit et le dépouilla de la Normandie (1106).

ROBERT DU PALATINAT. ♦ (Amberg, 1352 – château de Landskron, près d'Oppenheim, 1410). Électeur palatin (1398-1410) et roi des Romains (1400-1410). Il fut élu roi des Romains après la déposition de Wenceslas*, mais ne fut pas reconnu dans tout l'empire. Il eut pour successeur Sigismond*.

ROBERT (Hubert). ♦ Peintre, graveur, dessinateur, décorateur et paysagiste français (Paris, 1733 – *id.*, 1808). Il se forma dans l'atelier de M.A. Slodtz*, puis accompagna à Rome le futur duc de Choiseul. Les peintures de ruines de Pannini* et la mode antiquisante exercèrent sur lui une influence déterminante. En 1756, il se lia avec Fragonard* et l'abbé de Saint-Non, visita avec eux l'Italie (1759) et exécuta une multitude de croquis, de sites, monuments romains et scènes pittoresques. Rentré en France, il mit à la mode la peinture de ruines, représenta les monuments antiques de Provence *(Le Pont du Gard)* et les transformations de Paris *(Démolition du pont Notre-Dame).* Ne cherchant pas à faire de la reconstitution archéologique, il agence ses motifs avec fantaisie, mais avec un sens raffiné de l'organisation; il aime les lumières diffuses et charge ses vues d'un sentiment mélancolique, caractéristique d'une sensibilité préromantique.

ROBERT (Pierre François Joseph). ♦ Homme politique français (Gimnée, près de Ginet, 1763 – Bruxelles, 1826). Rallié à la Révolution, il collabora au *Mercure national* et aux *Révolutions de Paris* et, dès 1790, se prononçait en faveur de l'abolition de la monarchie dans *le Républicanisme adapté à la France.* Membre du Club des cordeliers, député montagnard à la Convention, il se lança dans le commerce des denrées coloniales et s'enrichit, ce qui, en dépit de ses positions républicaines, lui valut d'être considéré comme accapareur lors de l'insurrection de prairial an III (mai 1795).

ROBERT (Louis Léopold). ♦ Peintre et graveur suisse (Les Éplatures, près de La-Chaux-de-Fonds, 1794 – Venise, 1835). Il arriva à Paris en 1810. Girodet l'accueillit dans son atelier et lui fit travailler la gravure. En 1811, il entra dans celui de David. Après l'exil de ce dernier, il revint en Suisse et fit de fréquents voyages en Italie. Rongé d'amour pour la princesse Charlotte Bonaparte, il se suicida à Venise en 1835. Excellent observateur, c'est dans la campagne italienne que Louis Léopold Robert a trouvé ses sources d'inspiration : *Scène de brigandage; Paysanne assise sur les rochers de Capri; Funérailles dans la campagne romaine.* Ses portraits et ses petites compositions, d'une technique léchée et d'un aspect souvent glacé, évoquent Liotard (*Paysanne dans la campagne romaine,* 1824). Ses deux toiles les plus connues : *Le Retour du pèlerinage à la Madone de l'Arc* (1827) et *L'Arrivée des moissonneurs dans les marais pontins* (1831), symbolisent les saisons et les régions d'Italie. Sa technique minutieuse est au service d'un goût de l'anecdote extraordinaire et d'une recherche de rythme parfois heureuse. Célèbre en son temps, puis tombé dans l'oubli, L. L. Robert retient de nouveau l'attention de la critique.

ROBERT (Paul Charles Jules). ♦ Lexicographe et éditeur français (Orléansville, Algérie, 1910). Originaire du Dauphiné et d'Auvergne par son père (Joseph Robert, industriel, président des assemblées algériennes de 1919 à 1945), d'Anjou et d'Acadie, du Béarn et de Lorraine par sa mère, il fit ses études de droit à Alger (où il fut avocat et président de l'A.G. des étudiants), puis à Paris. Il reçut la médaille d'or de l'Académie d'agriculture pour sa thèse d'économie politique *(Les Agrumes dans le monde),* publiée en 1947. Dès 1945, il s'orienta vers la lexicographie et entama seul l'élaboration de son *Dictionnaire alphabétique et analogique de la langue française,* couronné par l'Académie française sur présentation d'un premier fascicule (1950). Il fonda avec quelques amis sa propre maison d'édition en 1951 et s'adjoignit à partir de 1952 une équipe de collaborateurs (A. Rey, secrétaire général depuis 1959, J. Rey-Debove, H. Cottez, ...), qui l'aida à rédiger et à achever l'œuvre (1964). Depuis, avec le concours des mêmes collaborateurs, il a publié *Le Petit Robert* (1967), le *Supplément au « Grand Robert »* (1970) et le *Micro Robert* (1971). Paul Robert est également l'auteur d'une anthologie dialoguée (*Divertissement sur l'amour,* 1949) et d'une autobiographie (*Aventures et mésaventures d'un dictionnaire,* 1966).

ROBERT (Le). ♦ Ch.-l. de cant. de la Martinique (arr. de La Trinité) sur la côte E. de l'île. 13 934 hab. Canne à sucre. Rhum.

ROBERT BELLARMIN *(saint),* en it. **Roberto Bellarmino.** ♦ Théologien italien, docteur de l'Église (Montepulciano, Toscane, 1542 – Rome, 1621). Entré dans la Compagnie de Jésus (1560), il enseigna la théologie en Italie puis à Louvain (1570), devint le théologien du cardinal Cajetan* (1589), puis du pape Clément VIII qui le fit cardinal (1599) et archevêque de Capoue (1602; il démissionna en 1605 pour travailler à la Curie). C'est à son initiative que la Vulgate* sixtine avait été révisée (1592). Ses *Controverses* réfutent point par point les différentes professions de foi protestantes. Fête le 17 décembre.

ROBERT D'ARBRISSEL *(bienheureux).* ♦ Moine breton (Arbrissel, *auj.* Arbresec, près de Rennes, v. 1045 – Orsan, Berry, 1116). Docteur en théologie à Paris, il se fit des ennemis en aidant son évêque à réformer l'église de Rennes et devint ermite en forêt de Craon. Nommé prédicateur apostolique par Urbain II, il prêcha la croisade en Anjou. Il exhorta ceux qui ne pouvaient partir à mener la vie monastique et fonda ainsi l'abbaye de Fontevraud (Fontevrault) [1099]. Celle-ci, comportant des maisons d'hommes et de femmes, fut, en l'honneur de la Vierge, dirigée par une abbesse à laquelle lui-même se soumit. Quoique considéré comme le fondateur des *fontévristes,* il ne fut jamais canonisé.

ROBERT DE BORON (ou **Borron**). ♦ Trouvère normand (XIIe-XIIIe s.) qui collabora à la rédaction du roman en vers, *L'Histoire du Graal**, qu'il relia, par son roman en prose *Merlin**, au *cycle breton.*

ROBERT DE CLARY. ♦ Chroniqueur picard (v. 1170 – après 1216). Simple combattant de la quatrième croisade, son témoignage complète celui de Villehardouin*. Son récit familier et pittoresque, *L'histoire de ceux qui conquirent Constantinople,* évoque les sentiments admiratifs et cupides des soldats devant les richesses de l'Orient.

ROBERT DE COURÇON. ♦ Théologien d'origine anglaise (Kedleston, Derbyshire, v. 1160 – Damiette, 1219). Professeur à Paris avant 1200, il soutint Foulques* de Neuilly dans sa prédication de la quatrième croisade. En 1214, délégué en France par Innocent III, il prépara le IVe concile de Latran*. Il est l'auteur d'une *Somme* inédite, contenant des indications sur la discipline ecclésiastique au XIIe siècle. Légat du pape, il donna ses statuts à l'université de Paris en 1215; il appréciait l'œuvre d'Aristote et de ses disciples.

ROBERT DE LA CHAISE-DIEU *(saint).* ♦ Religieux français (mort en 1067). Chanoine de Saint-Julien, à Brioude, il fonda l'abbaye de la Chaise-Dieu, sous la règle bénédictine. Fête le 17 avril.

ROBERT DE LUZARCHES. ♦ Maître d'œuvre français (début du XIIIe s.). Son nom figure sur le labyrinthe du pavement de la cathédrale d'Amiens. Il établit en effet les plans de la nouvelle cathédrale à la suite de l'incendie de 1218 et en entreprit l'édification en 1220. Thomas et Regnault de Cormont continuèrent son œuvre dans le même esprit, mais en accentuant la finesse, la légèreté et l'élégance de la structure (triforium ajouré).

ROBERT DE MOLESME *(saint).* ♦ (en Champagne, v. 1029 – Molesme, Bourgogne, 1111). Moine et réformateur bénédictin, fondateur des abbayes de Molesme (1075) et de Cîteaux* (1098). Fête le 29 avril.

ROBERT GUISCARD (« l'Avisé »). ♦ (v. 1015 – Céphalonie, 1085). Comte d'Apulie (1057-1059), duc de Pouille, de Calabre et de Sicile (1059-1085). Fils de Tancrède de Hauteville*, il rejoignit ses frères en Italie v. 1047, écrasa l'armée pontificale (1053) puis, après s'être réconcilié avec le pape (1059), termina ses conquêtes avec son accord, prit Bari (1071), envahit les Balkans (1081-1083), mais fut contraint de se rembarquer. Père de Bohémond* Ier.

ROBERT-HOUDIN (Jean Eugène). ♦ Prestidigitateur français (Blois, 1805 – Saint-Gervais-la-Forêt, 1871). Fils d'un horloger, il fit des études de notariat, mais continuant de s'intéresser à la mécanique, notamment aux techniques d'escamotage et à l'électricité appliquée à la mécanique. Ses automates lui acquirent une grande renommée. En 1845, il créa le théâtre des *Soirées-Fantastiques* où il présentait ses tours sans mise en scène. Son œuvre écrite constitue une initiation aux techniques de la prestidigitation (*Comment on devient sorcier, Magie et physique amusantes, Les Secrets de la prestidigitation,* 1868). Envoyé en Algérie (1856) pour détruire la crédulité des Arabes envers leurs magiciens, il s'y fit une réputation de marabout; en France même, son personnage s'entoura d'une légende.

ROBERTI (Ercole de', dit *aussi* **ERCOLE DA FERRARA).**

♦ Peintre italien (Ferrare, v. 1450 — *id.*, 1496). Il commença sa carrière à Ferrare, où il fut l'élève de Tura et où il collabora avec F. del Cossa (cycle des *Mois* du palais Schifanoia). À Bologne, il peignit la prédelle et les pilastres du *Polyptyque Griffoni* de Cossa (*Miracles de saint Vincent Ferrier*, v. 1473). Dans cette première période, il assimile la synthèse ferraraise, faite de l'héritage gothique, de la monumentalité renaissante, de l'expression graphique dramatique venue des Flandres et incarnée avec une violence tourmentée par ses prédécesseurs (**V. Tura** [Cosme]). L'invention iconographique, l'habileté souple des compositions, une élégance graphique raffinée et inquiétante, le sens des contrastes (*Saint Jean-Baptiste*, musée de Berlin) témoignent déjà chez lui d'une créativité puissamment personnelle. Avec un retable peint à Ravenne (*La Vierge et l'Enfant entourés de quatre saints*, 1480, *auj.* à la Brera), ses qualités ferraraises sont intégrées dans un projet de synthèse et d'harmonie, les éléments plastiques, parfois traités avec une rigueur extrême, étant animés de l'intérieur par un dessin toujours nerveux et retenu. Les portraits des époux *Bentivoglio*, d'une sérénité crispée, sont de la même époque et témoignent du même effort de synthèse. Après 1486, Ercole de' Roberti devint à Ferrare le peintre officiel des Este. Il ne reste de ses dernières œuvres que quelques panneaux, notamment une *Prière au jardin des Oliviers* et *Le Chemin du calvaire*, où la violence expressive est contenue et mise en valeur par un chromatisme automnal. Il sut joindre à la violence expressionniste de Tura et à la vitalité symbolique de Cossa un équilibre plastique et chronique qui l'égale à ses plus grands contemporains.

ROBERTS (Frederick SLEIGH, *lord*). ♦ Maréchal britannique (Cawnpore, Inde, 1832 — Saint-Omer, France, 1914). Il se distingua pour la première fois lors de la révolte des Cipayes (1857-1858). Durant la seconde guerre afghane (1878-1880), il occupa victorieusement Kâbul (oct. 1879), où un nouvel émir fut installé (juil. 1880), mais la garnison britannique de Kandahâr fut prise par l'armée afghane, Roberts accomplit sa célèbre marche de Kâbul à Kandahâr et dégagea la garnison assiégée (août 1880). La plus grande partie de sa carrière s'accomplit dans l'armée des Indes. Il fut nommé baron *Roberts de Kandahâr* en 1892, et maréchal en 1895. Il prit alors le commandement des forces en Irlande. Les revers de l'armée britannique en Afrique du Sud (1899-1902) l'amenèrent à lutter contre les Boers (**V. Afrique du Sud**). Après l'occupation de Pretoria, il se mit sous le commandement de lord Kitchener*, puis rentra en Angleterre en 1901. Il fut nommé commandant en chef de l'armée anglaise jusqu'en 1904. En 1914, il se rendit en France pour inspecter les divisions indiennes, et mourut d'une pneumonie.

ROBERTSON (*sir* William Robert). ♦ Maréchal britannique (Welbourn, Lincolnshire, 1860 — Londres, 1933). Il servit d'abord aux Indes, puis en Afrique du Sud. Il fut chef de l'état-major de French en 1915, puis de l'état-major impérial en 1916, et commanda les forces britanniques jusqu'au début de 1918. Il commanda les troupes anglaises d'occupation en Allemagne en 1919-1920.

ROBERVAL (Jean-François de La ROQUE *de*). ♦ Colonisateur français (Carcassonne, 1500 — Paris, 1561). Nommé lieutenant général au Canada (1541), il gagna Terre-Neuve, où il rencontra Cartier, puis débarqua au Havre-Sainte-Croix (Québec). Mais l'hostilité des Indiens fit échouer son entreprise et le contraignit à revenir en France, où il fut assassiné.

ROBERVAL (Gilles PERSONNE ou PERSONIER *de*). ♦ Mathématicien et physicien français (Roberval, Beauvaisis, 1602 — Paris, 1675). Il mit au point la « méthode des indivisibles » qu'il utilisa pour étudier la quadrature de diverses courbes et calculer les volumes engendrés par rotation des courbes. **V. *aussi* Cavalieri.** Ayant réussi notamment la quadrature d'une arche de la cycloïde (1637), il inventa la sinusoïde et, pour trouver la tangente, inventa sa méthode cinématique (procédé général très simple pour le tracé des tangentes à une courbe). **V. Torricelli.** Reliant la détermination des tangentes au calcul des aires, il découvrit les *quadratrices* (1645) qui furent un puissant outil d'intégration avant les inventions de Newton* et Leibniz*. **V. Gregory.** Il réalisa l'expérience décisive, preuve de l'existence de la pression et de la pesanteur de l'air (1647). **V. Pascal.** Il démontra la règle de composition des forces et mit au point une balance à plateaux découverts et à fléaux composés (*balance de Roberval*, 1670).

ROBESPIERRE (Maximilien Marie Isidore *de*). ♦ Homme politique français (Arras, 1758 — Paris, 1794). Issu de la bourgeoisie de robe du côté paternel et de la bourgeoisie marchande par sa mère, fils aîné d'un avocat d'Arras et orphelin de bonne heure, il commença ses études au collège des oratoriens de sa ville natale et les poursuivit, grâce à une bourse, au lycée Louis-le-Grand à Paris (1770), où il eut C. Desmoulins* pour condisciple. Élève renfermé, d'un caractère précocement mûri, il étudia avec enthousiasme les philosophies du XVIIIe s., Mably et surtout Rousseau, auquel il rendit visite à Ermenonville et dont le *Contrat social*, avec sa théorie de la volonté générale, devait déterminer ses positions politiques. Robespierre fut en effet l'homme d'« une seule idée : la nation est souveraine », idée qu'il devait suivre « sans défaillance, sans restriction, jusqu'en ses conséquences extrêmes » (J. Jaurès). Il fut admis comme avocat au conseil d'Artois (nov. 1781), puis comme juge au tribunal épiscopal (1782). Il mena à Arras la vie mondaine provinciale, adhéra au Club philosophique des Rosati, peut-être affilié à la franc-maçonnerie. L'annonce de la réunion des états généraux lui ouvrit le champ de l'action politique. Après avoir publié un *Appel à la nation artésienne sur la nécessité de réformer les états d'Artois* (1788) et participé à la rédaction des cahiers de doléances, il fut élu député du Tiers (1789). Ses débuts à l'Assemblée nationale constituante furent loin d'être brillants. Ce jeune avocat laborieux et timide, qu'un journal de l'époque surnomma plaisamment la « chandelle d'Arras », l'opposant à Mirabeau, la « torche de Provence », s'affirma monarchiste constitutionnel. Toutefois ses prises de position devant l'Assemblée, et plus encore au Club des jacobins*, exprimèrent dès cette époque son programme de démocratie intégrale (liberté de pensée et d'expression, critique du droit de veto royal, du suffrage censitaire, instruction gratuite et obligatoire). Après la fuite du roi (Varennes, juin 1791) et l'affaire du Champ-de-Mars, Robespierre, légaliste aux principes rigides, proposa le remplacement du roi par des moyens constitutionnels et se fit, un peu tardivement, le *défenseur de la Constitution* dans son journal dont le premier numéro parut en mai 1792. Il y attaqua La* Fayette, qu'il soupçonnait de vouloir instaurer une dictature militaire, et le bellicisme des Girondins. Ce n'est qu'après la journée révolutionnaire du 20 juin 1792 qu'il devint républicain et réclama la déchéance de Louis XVI. Membre de la Commune insurrectionnelle de Paris (10 août 1792), il proposa et fit adopter la réunion d'une Convention* nationale, élue au suffrage universel, et où il siégea avec les Montagnards*. Attaqué avec Danton et Marat (sept.-oct. 1792) par les Girondins, qui accusèrent le « triumvirat » de vouloir établir une dictature, Robespierre prit violemment position contre ses adversaires, lors du procès du roi, pour lequel il vota la mort sans appel au peuple ni sursis. Après la trahison de Dumouriez, il contribua à pousser les sections parisiennes à l'insurrection qui aboutit à la proscription des chefs girondins (31 mai-2 juin 1793). Entré au Comité* de salut public (27 juillet 1793), il y joua, avec Couthon* et Saint*-Just, un rôle grandissant et devint rapidement l'âme de la « dictature jacobine ». Hostile à la « démagogie » des ultra-révolutionnaires hébertistes* et au modérantisme des indulgents* (ses anciens amis Danton* et C. Desmoulins), il porta en grande partie la responsabilité de leur condamnation et de leur exécution (mars et avril 1794). Après l'élimination des factions, qu'il jugeait nuisibles à la Révolution, il tenta d'instaurer son idéal de démocratie éthique, expression et dictature de la volonté générale, avec un gouvernement populaire fondé sur la vertu et, en temps de crise révolutionnaire, sur la Terreur (« la vertu sans laquelle la terreur est funeste, la terreur sans laquelle la vertu est impuissante »). Il lui donna son couronnement spirituel avec l'institution du culte de l'Être* suprême (mai 1794). Mais l'hostilité à l'égard de « l'Incorruptible défenseur du peuple » ne cessa de croître chez les modérés, mais aussi chez les principaux représentants du Comité* de sûreté générale, qui, après l'adoption de la loi du 22 prairial an II (**V. Terreur**), devaient discréditer Robespierre, en multipliant arrestations et exécutions. La crise aboutit, le 9 thermidor* an II (27 juillet 1794), à la chute de Robespierre et de ses partisans, qui, en dépit d'une tentative d'insurrection de la commune de Paris, furent exécutés le 10 thermidor. Robespierre avait tenté de se suicider, mais s'était seulement brisé la mâchoire d'un coup de pistolet. D'« Incorruptible », Robespierre fut transformé par la propagande thermidorienne en dictateur sanguinaire. « D'infâmes scélérats l'ont couvert de leurs propres crimes, la calomnie en fait un monstre, un demi-siècle d'exécration pèse sur sa tombe » (Proudhon). On doit en partie à A. Mathiez d'avoir, par une étude objective, réhabilité l'œuvre politique du révolutionnaire qui eut ses détracteurs et ses admirateurs, « ceux qui haïssent le monstre, et ceux qui révèrent le martyr » (A. Mathiez). ♦ AUGUSTIN BON JOSEPH DE ROBESPIERRE, son frère, homme politique français (Arras, 1764 — Paris, 1794). Administrateur du Pas-de-Calais, procureur de la commune d'Arras (1792), il fut élu à la Convention (1792), où il siégea avec les députés de la Montagne. Représentant en mission à l'armée du Midi, il prit part

Ph. Giraudon

Robespierre, par Boilly.
(Musée des Beaux-Arts, Lille.)

au siège de Toulon (1793) et se lia avec Bonaparte, qu'il fit nommer à la tête de l'armée d'Italie. Le 9 thermidor* an II, il demanda à être décrété d'accusation avec son frère, car « ayant partagé ses vertus, il voulait partager son sort ».

Robin des Bois *(Robin Hood)*. ♦ Héros légendaire saxon basé sur un personnage historique (v. 1160 – v. 1247). Le cycle des ballades sur Robin des Bois est un des plus fertiles de la Renaissance. Dès le XIVe s., il existait des « rimes » populaires sur cet archer proscrit par les Normands, obligé de vivre dans la forêt de Sherwood avec sa belle amie Maid Marian. Ses aventures inspirèrent Langland*, Wyntoun : *Chronique d'Écosse* (v. 1420); Martin Parker : *Histoire vraie* (1632), *La Guirlande de Robin des Bois* (1670); Ben Johnson : *Le Triste Berger* (c'est la version de ce dernier qui fut adaptée au cinéma), et enfin Walter Scott*.

ROBINET (Jean-Baptiste). ♦ Grammairien et philosophe français (Rennes, 1735 – 1820). Il est l'auteur d'une *Grammaire française* (1768) et surtout d'un ouvrage de philosophie de la nature où il expose un matérialisme sensualiste et hylozoïste [contre le mécanisme] (*Considérations philosophiques de la gradation naturelle des formes de l'être, ou les essais de la nature qui apprend à faire l'homme* [1768]).

ROBINSON (*sir* **Robert).** ♦ Chimiste anglais (Chesterfield. 1886 – Londres, 1975). Ayant étudié les alcaloïdes et les colorants des fleurs, il réalisa la synthèse de la chlorophylle **(V. H. Fischer, Willstätter)**, d'hormones sexuelles et de la pénicilline **(V. Fleming, Chain, Florey)**. Il étudia, avec Ingold*, le rôle des électrons dans les réactions organiques. Il contribua par ses recherches de physiologie à la compréhension de la biligenèse. (Prix Nobel de chimie, 1947.)

ROBINSON (Joan). ♦ Économiste britannique contemporain. Auteur d'un ouvrage sur *L'Économique de la concurrence imparfaite*, qui met en question la théorie de l'équilibre général de L. Walras (1933), elle a subi l'influence des travaux de Keynes et de la théorie économique de Marx, en particulier dans son étude sur la croissance économique et la répartition du revenu national. (*Un essai sur l'économie politique marxienne*, 1942; *L'Accumulation du capital*, 1956; *Essais sur la théorie de la croissance*, 1962.)

ROBINSON (Walker SMITH, dit Ray Sugar). ♦ Boxeur américain (Detroit, 1920). Sa carrière débuta en 1940, et très vite il se fit remarquer par l'efficacité de sa frappe. Champion du monde des welters en 1946, champion du monde des poids moyens en 1951, il délaissa la boxe pour le music-hall, mais reconquit son titre de champion du monde des poids moyens en 1955.

ROBINSON. ♦ V. PLESSIS-ROBINSON (Le).

Robinson Crusoé (The Life and Strange Surprising Adventures of Robinson Crusoe of York, Mariner). ♦ Roman de Daniel De Foe (1719) inspiré par l'aventure du marin écossais Alexander Selkirk*. Robinson raconte sa vie solitaire sur l'île où un naufrage l'a jeté : comment il réussit à se vêtir, à se nourrir, à se loger, son « invincible patience dans la pire misère, l'application infatigable et l'indomptable résolution dans les circonstances les plus décourageantes qui soient » (De Foe) ont fait de Robinson le symbole du salut par le travail. Symbole de la lutte de l'individu humain contre la solitude. (Malraux l'a comparé sur ce plan à Don Quichotte et à l'Idiot.) Robinson est aussi une épopée, « celle de l'homme blanc dont elle exalte les valeurs économiques, morales et religieuses. La grande entreprise coloniale des XVIIIe et XIXe s. y trouve ses justifications » (Nordon). La rencontre du sauvage *Vendredi*, esclave et double de Robinson, pose cruellement le problème de l'inégalité dans les relations humaines. C'est Rousseau qui fit la réputation littéraire de *Robinson*, « le plus heureux traité d'éducation naturelle ».

ROBINSON-CRUSOÉ *(île)*. ♦ Île de l'archipel chilien Juan* Fernández (du nom de l'explorateur, **V. Fernández** [Juan]), la plus proche des côtes chiliennes. Appelée jusqu'en 1966 *Mas-a-Tierra*, elle fut rebaptisée en hommage à Alexander Selkirk, qui y vécut après son naufrage et servit de modèle à De Foe pour son *Robinson Crusoé* (ci-dessus). C'est une île volcanique, véritable forteresse rocheuse dressée dans l'océan (point culminant, le mont Yunkee, 1 002 m). 650 hab. Pêche à la langouste. – Aéroport.

Robinson suisse (Le). ♦ Roman de Johann David Wyss, publié en 1812. Histoire d'une famille suisse naufragée sur une île déserte, ce roman remporta un grand succès et devint un classique de la littérature enfantine.

ROBIQUET (Pierre Jean). ♦ Chimiste et pharmacien français (Rennes, 1780 – Paris, 1840). Il étudia les colorants d'origine végétale et découvrit la narcotine et la codéine. (Acad. sc., 1833.)

ROBLÈS [ʀɔblɛs] **(Emmanuel).** ♦ Dramaturge, romancier et essayiste français (Oran, 1914). Très attaché à l'Afrique du Nord et respectueux du monde musulman, comme Albert Camus* dont il était l'ami, il dirige la collection « Méditerranée » qui édite les œuvres des principaux romanciers musulmans d'expression française. Dans ses romans (*L'Action*, 1937; *Travail d'homme*, 1943; *Les Hauteurs de la ville*, 1948; *Cela s'appelle l'aurore*, 1952) comme dans son œuvre théâtrale (*Montserrat*, 1948; *Porfirio*, 1953), E. Roblès développe le thème de la nécessité dramatique du choix, dans une atmosphère tendue au milieu de situations violentes, le sentiment de la proximité de la mort étant renforcé par un langage volontairement dépouillé. Il est l'auteur d'un essai sur *Federico García Lorca* et de traductions de romans espagnols.

ROBOAM. ♦ Premier roi de Juda* (v. ~931-~915), fils de Salomon*. Sa dureté déclencha le schisme des dix tribus du Nord **(V. Israël, Jéroboam)**. Son royaume fut ravagé par les Égyptiens. Récits bibliques : *I Rois*, XII, XIV; *II Chroniques*, X-XII.

ROB ROY (Robert MacGREGOR CAMPBELL, dit « Robert le Rouge »). ♦ Montagnard écossais célèbre par ses brigandages et sa vie aventureuse (Buchanan, 1671 – Balquhidder, 1734). Accoutumé très tôt aux coups de feu des montagnards, il prit part aux déprédations qui furent cause de la mise hors la loi du clan des MacGregor (1712). Il devint alors chef de bande, pilla des villes, se battit contre l'armée régulière. Se soumit en 1722. Emprisonné, il fut gracié en 1727. Walter Scott* en a fait le héros de l'un de ses romans.

ROCAMADOUR. ♦ Comm. du Lot*, arr. de Gourdon*. 750 hab. (144 aggl.). Château XIVe s., chapelles gothiques, églises romanes. Depuis le XIe s., pèlerinage à la statue de la « Vierge noire ». Centre touristique très fréquenté en été, dans un site exceptionnellement pittoresque.

Rocambole. ♦ Personnage qui joue un rôle considérable dans l'œuvre féconde de Ponson* du Terrail (notamment dans *Les Drames de Paris* qui groupent une trentaine d'ouvrages, 1859 à 1884). Héros pittoresque qui connaît des aventures compliquées et extravagantes (d'où l'adj. *rocambolesque*) dans le Paris du Second Empire, Rocambole est un « maître mystérieux (qui) asservit les hommes aussi bien que les femmes », mais que sa « nature ... porte toujours à (se) ranger du côté du faible contre le fort ». Il est à l'origine de plusieurs héros du roman-feuilleton (*Fantomas*, etc.).

ROCARD (Michel). ♦ Homme politique français (Courbevoie, 1930). Inspecteur des Finances (1958), membre du service des études économiques et financières (1962), il devint secrétaire général du Parti socialiste* unifié (P.S.U.) en 1967. Il fut candidat à la présidence de la République en 1969. Élu député en 1969, il ne fut pas réélu en 1973. Il a publié *Le P.S.U. et l'avenir socialiste de la France* (1969), *Questions à l'État socialiste* (1972). Mis en minorité au Conseil national du P.S.U. (oct. 1974), il a adhéré au Parti socialiste.

ROCH [ʀɔk] *(saint)*. ♦ Saint connu par deux légendes de la fin du XVe siècle. Né à Montpellier v. 1300-1350, il guérit des pestiférés au cours d'un pèlerinage à Rome. Atteint à son tour, il s'isole dans une forêt. Un ange le soigne, un chien du voisinage lui porte du pain et il guérit. Plus tard, il meurt en prison, non reconnu des siens et pris pour un espion, à Montpellier ou à Angera (Lombardie). Son culte se développa au XVe s., suscitant de nombreuses *confréries de saint Roch* et des œuvres théâtrales (*Mystère de monseigneur saint Roch*, 1493); il déclina en même temps que se raréfiait la peste, dont le saint était censé préserver. Fête le 16 août.

ROCHAMBEAU (Jean-Baptiste Donatien de Vimeur, *comte de***).** ♦ Maréchal de France (Vendôme, 1725 – Thoré, Orléanais, 1807). Officier dès 1742, nommé lieutenant général, il commanda un corps de 6 000 hommes envoyés au secours des Américains lors de la guerre d'Indépendance, réussit à faire la jonction avec Washington sur l'Hudson, et contribua à la prise de Yorktown (1781). Gouverneur de Picardie et d'Artois, maréchal de France en 1791, il fut nommé à la tête de l'armée du Nord en 1792, mais remplacé peu après par Luckner*. Emprisonné sous la Terreur, il échappa à la guillotine grâce à la chute de Robespierre (9 Thermidor). ♦ DONATIEN MARIE JOSEPH DE VIMEUR, *vicomte* DE ROCHAMBEAU, son fils. Général français (Rochambeau, près de Vendôme, 1750 – Leipzig, 1813). Après avoir participé, avec son père, à la guerre d'Indépendance américaine, il fut envoyé à Saint-Domingue, puis à la Martinique qu'il reprit aux Anglais (1793), mais reperdit (1794). Revenu à Saint-Domingue en 1802, après avoir participé à la campagne d'Italie, il dut se rendre aux Anglais en 1803 et fut emprisonné jusqu'en 1811. Il fut tué à Leipzig, au cours de la campagne d'Allemagne.

ROCHDALE. ♦ V. d'Angleterre centrale (Lancashire), en bordure des Pennines, sur le canal de Rochdale. 86 600 hab. Indus. textile et sidérurgie. – Berceau du mouvement coopératif anglais fondé en 1844 sous le nom de *Société des équitables pionniers de Rochdale*. – Patrie de John Bright.

Ph. Louis Monier

Rocamadour.

ROCHE-AUX-MOINES (La). ♦ Ancien château fort situé près de Savenières au S.-O. d'Angers. Près de ce château, Jean* sans Terre, roi d'Angleterre, s'enfuit devant le fils du roi de France, Philippe Auguste, Louis* (VIII) en 1214.

ROCHE-BERNARD (La). ♦ Ch.-l. de cant. du Morbihan, arr. de Vannes, sur la Vilaine. 1 031 hab. Maisons anciennes. Pont suspendu sur la Vilaine. – Port de plaisance.

ROCHECHOUART. ♦ Sous-préf. de la Haute-Vienne*, ch.-l. d'arr. (5 cant., 31 comm., 39 901 hab.), 4 059 hab. [2 478 aggl.] *(Rochechouartais).* Château des XIIIe et XVe s. abritant la mairie. – Chaussures, gants, meubles.

ROCHE-DERRIEN (La). ♦ Ch.-l. de cant. des Côtes-du-Nord, arr. de Lannion, dans le Trégorrois*. 946 hab. Église Sainte-Catherine, gothique (XIIIe-XIVe s.). Ruines d'un château du XIe s. fondé par le comte Derrien.

ROCHEFORT (Henri, *marquis de* **Rochefort-Luçay,** dit **Henri).** ♦ Journaliste, homme politique et écrivain français (Paris, 1831 – Aix-les-Bains, 1913). Il se lança très tôt dans le journalisme politique et afficha des positions républicaines, hostiles à l'Empire. Contraint de quitter *le Figaro,* il fonda *la Lanterne* (1868) et, après un bref exil à Bruxelles, de *la Marseillaise* (1869), il prit position en faveur de la Commune de Paris (1871) et fut condamné à l'exil en Nouvelle-Calédonie (1872). Il s'en évada en 1874 (avec Grousset et Jourde) et s'installa à Genève jusqu'à l'amnistie (1880). De retour en France, il créa *l'Intransigeant.* Député (1885), devenu nationaliste et partisan du général Boulanger, il suivit celui-ci à Bruxelles avant de gagner Londres. (*Les Français de la décadence,* 1866, *Les Dépravés,* 1875, *L'Évadé,* 1880, *L'Aventure de ma vie,* 1895-1896.)

ROCHEFORT. ♦ Sous-préf. de la Charente-Maritime, ch.-l. d'arr. (11 cant., 81 comm., 148 028 hab.), port de commerce sur la r. d. de la Charente, à 15 km à l'intérieur des terres. 34 780 hab. [28 213 aggl.] *(Rochefortais).* Anc. église romane, dite la Vieille Paroisse, auj. Bourse du travail. Hôpital de la Marine, XVIIIe siècle. Hôtels anc. des XVIIe et XVIIIe siècles. Vestiges des remparts de Vauban. – Constructions mécaniques. Matériel aéronautique. Charpente métallique. Indus. du bois. Indus. chimiques (matières plastiques, caoutchouc, bitume). Chaussures. – Patrie de Pierre Loti*. ♦ *Hist.* Un château fort construit sur les rives de la Charente pour en interdire l'accès aux incursions normandes est à l'origine de la ville. En 1666, Colbert* décida de créer à cet emplacement un port de guerre dont il confia les fortifications à Vauban. Le port connut un essor considérable jusque dans les premières décennies du XIXe s. : son arsenal était l'un des plus importants de France, avec ceux de Toulon et de Brest ; mais l'augmentation du tonnage des navires, liée à l'apparition de la vapeur, amorça son déclin. Pendant la Deuxième Guerre mondiale, Rochefort fut occupé par les troupes allemandes jusqu'à la signature de l'armistice général, le 8 mai 1945.

ROCHEFORT-EN-TERRE. ♦ Ch.-l. de cant. du Morbihan, arr. de Vannes. 670 hab. – Ville ancienne. Chapelle Saint-Michel (XVIe s.) ; église Notre-Dame-de-la-Tronchaye (XIIe-XVe-XVIIe s.), calvaire (XVIIe s.). Porte fortifiée, vestiges d'un ancien château.

ROCHEFOUCAULD (La). ♦ Ch.-l. de cant. de Charente, arr. d'Angoulême. 3 832 hab. *(Rupificaldiens).* Église Saint-Cybard, XIIIe s. ; anc. église Saint-Florent, XIe s. ; anc. couvent des Carmes, XVe s. ; hôpital du XVIIe s. ; château Renaissance avec donjon du XIIe siècle. Matériaux de construction. Textile, confection.

ROCHE-GUYON [-gyijɔ̃] **(La).** ♦ Comm. du Val-d'Oise (arr. de Pontoise), sur la Seine. 631 hab. Église des XVe-XVIe siècles. Château (XIIe-XVIIIe s.) avec un donjon des Xe-XIIe siècles; La* Rochefoucauld y séjourna et y composa une partie de son œuvre. En 1944 Rommel y avait établi son quartier général ; le château, endommagé par des bombardements, a été restauré. – Patrie de La* Rochefoucauld-Liancourt.

ROCHE-LA-MOLIÈRE. ♦ Comm. de la Loire*, arr. de Saint*-Étienne. 10 614 hab. Houille ; indus. chimiques.

ROCHELLE (La). ♦ Préf. de la Charente-Maritime, anc. cap. de l'Aunis, ch.-l. d'arr. (7 cant., 57 comm., 137 609 hab.). Port de pêche (2e de France pour le poisson frais) et de commerce sur le littoral atlantique. 75 497 hab. [72 061 aggl.] *(Rochelais).* De l'enceinte médiévale, rasée sur l'ordre de Richelieu après le siège de 1627-1628, subsistent la porte de la Grosse-Horloge, du XIIIe s. (remaniée au XVIIIe s.), qui constituait l'entrée de la ville du côté du port, ainsi que la tour de la Chaîne et la tour Saint-Nicolas, de part et d'autre du chenal, toutes deux du XIVe siècle. La tour de la Lanterne, plus tardive (XVe s.), domine les vestiges d'anc. courtines du Moyen Âge. Cathédrale Saint-Louis, de style classique, construite de 1774 à 1784 par Jacques V Gabriel et son fils Ange-Jacques. Église Saint-Sauveur, XVIIe-XVIIIe s., avec un clocher du XVe siècle. Anc. église Saint-Nicolas (XVIIe s.). Hôtel de ville de style Renaissance, très restauré au XIXe siècle. Hôtels et maisons anciennes. Musées. – Conserves de poisson. Distilleries d'eaux-de-vie. Métallurgie. Chaudronnerie, charpente métallique. Construction navale. Matériel aéronautique. Matériel ferroviaire. Indus. chimique. Textile, confection. – Patrie de : Jean Guiton*, Jean-Théophile Désaguliers*, Tallemant* des Réaux, Réaumur*, Billaud*-Varenne, Aimé Goujaud, dit Bonpland*, Victor Guy, baron Duperré*, Eugène Fromentin*, William Bouguereau*, Paul Ramadier*. ♦ *Hist.* La première mention faite de la ville ne remonte qu'à 1023. Le mariage d'Aliénor d'Aquitaine avec Henri II Plantagenêt,

Ph. Giraudon

Henri Rochefort, par A. Baud-Bovy.
(Musée Carnavalet, Paris.)

en 1152, la fit passer à l'Angleterre, mais elle revint à la couronne française après que Louis VIII l'eut prise, en 1226. En 1360, le traité de Brétigny fit de nouveau de La Rochelle une possession anglaise, jusqu'à la conquête de la Saintonge et de l'Aunis par Du Guesclin (1372). Du XIVe au XVIIe s., La Rochelle fut l'un des plus grands ports français, et l'un des premiers à tirer profit de la découverte du Nouveau Monde : de nombreux colons rochelais s'installèrent en effet en Amérique du Nord et permirent l'instauration d'importants échanges commerciaux entre leur pays d'adoption et leur ville d'origine. Tôt convertie aux idées de la Réforme, La Rochelle devint, dès la première moitié du XVIe s., un centre calviniste actif. En 1571 s'y tint un important synode qui rédigea, à l'instigation de Théodore de Bèze*, le *Symbole de La Rochelle.* En 1573, Henri III, alors duc d'Anjou, l'assiégea vainement pendant plus de six mois. La Rochelle devint la plus forte des places de sûreté accordées aux huguenots par l'édit de Nantes (1598). En 1627, Richelieu. prit prétexte du pacte entre les Rochelais et l'Angleterre, qui venait de déclarer la guerre à la France, pour détruire la puissance protestante. Le cardinal conduisit personnellement les travaux du siège qui comportaient, sur la terre ferme, l'établissement d'une ligne continue de fortifications de douze kilomètres de longueur et, vers le large, la construction d'une digue destinée à empêcher le ravitaillement des assiégés par la flotte anglaise. Ceux-ci, sous la conduite de l'ancien amiral Jean Guiton*, maire de la ville, résistèrent pendant près de quinze mois. Ils furent acculés à la reddition (28 oct. 1628) par la famine. Les fortifications furent rasées et les franchises municipales supprimées. La ville accusa alors un déclin sensible, aggravé successivement par la révocation de l'édit de Nantes, la cession du Canada à l'Angleterre, et la politique impériale du blocus continental. – Pendant la Deuxième Guerre mondiale, La Rochelle fut occupée par les troupes allemandes jusqu'à l'armistice du 8 mai 1945.

Rochelle (confession de La), en lat. **Confessio gallicana.** ♦ Confession de foi de l'Église réformée de France. Le texte en fut envoyé par Calvin au premier « synode général » des calvinistes français (Paris, 26-29 mai 1559) qui le remania.

ROCHEMAURE. ♦ Ch.-l. de cant. de l'Ardèche*, arr. de Privas*. 970 hab. – Église romane, maisons anciennes ; ruines d'un château médiéval.

ROCHE-POSAY (La). ♦ Comm. de la Vienne (arr. de Châtellerault), bâtie sur un éperon rocheux dominant la vallée de la Creuse. 1 323 hab. Église des XIe-XVIe siècles. Donjon du XIIe siècle. Remparts des XIIe et XIVe siècles. Station thermale.

ROCHEPOT (La). ♦ Comm. de la Côte-d'Or, arr. de Beaune. 275 hab. Église romane (XIIe s.) avec clocher Renaissance. Château féodal (XIe-XVe s., restauré) dominant le village. C'est là que naquit Philippe Pot*.

ROCHER-NOIR. ♦ Loc. d'Algérie. Nom anc. de Boumerdes*.

ROCHESTER. ♦ V. d'Angleterre (Kent) sur la r. d. de la Medway. 55 810 hab. (1964). Château normand (1120-1139), cathédrale (XIIe-XIVe s.). Centre industriel (constructions mécaniques et électriques, cimenteries). Les villes de Rochester, Chatham, Gillingham, forment une vaste zone industrielle d'env.

Ph. Hétier

Les **Rocheuses** au parc national de Banff (Alberta, Canada.)

200 000 hab., souvent désignée par le nom de *villes de la Medway.* – Patrie de S. Clair. ♦ *Hist.* Anc. V. romaine *(Dubrovicae)* située sur la route reliant les ports du Kent à Londres, Rochester devint en 604 le siège d'un évêché rattaché à celui de Canterbury.

ROCHESTER. ♦ V. des États-Unis, au N.-O. de l'État de New* York. 293 695 hab.; la zone urbaine compte plus de 850 000 hab. Indus. photographiques, optiques; instruments de précision. Centre agricole (fruits, etc.). Une partie de la prospérité de la ville provient de l'action de G. Eastman*. – Patrie de W. S. Burroughs.

ROCHE-SUR-FORON (La). ♦ Ch.-l. de cant. de la Haute-Savoie*, arr. de Bonneville*. 5 695 hab. *(Rochois).* Restes d'enceintes et d'un château du XIe siècle. École nationale d'indus. laitière; fromagerie. Confections.

ROCHE-SUR-YON (La). ♦ Préfecture de la Vendée. Ch.-l. d'arr. (10 cant., 97 comm., 174 199 hab.). 38 749 hab. (32 227). – Conserves alimentaires. Constructions mécaniques. Appareils ménagers. Indus. chimiques et pharmaceutiques. Confection. – Patrie d'Émile Faguet* et du dessinateur Benjamin Rabier (1869-1939). ♦ *Hist.* La Roche-sur-Yon fut au Moyen Âge le siège d'une principauté. Incendiée lors de la guerre de Vendée par les troupes républicaines, elle n'était qu'une bourgade ruinée lorsqu'en 1804 Napoléon décida d'en faire une ville de garnison au centre du Bocage encore mal soumis, et le chef-lieu du département. La ville fut construite par l'ingénieur Duvivier sur un plan régulier, et prit le nom de Napoléon-Vendée, auquel la Restauration et la monarchie de Juillet substituèrent celui de Bourbon-Vendée. Son nom primitif lui fut restitué en 1871. La ville doit l'essentiel de son développement ultérieur à sa situation à l'intersection des lignes de chemin de fer Nantes-Bordeaux et Tours-Les Sables-d'Olonne.

ROCHET (Waldeck, dit **Waldeck-Rochet).** ♦ Homme politique français (Sainte-Croix, Saône-et-Loire, 1905). Ouvrier maraîcher, il adhéra à la S.F.I.C. (Parti communiste français, 1923). Député communiste (1936-1939), il représenta le Parti communiste français auprès du général de Gaulle à Londres. Réélu après la Libération, il présida le groupe parlementaire communiste (1958-1959, 1962-1964). Membre du Bureau politique du P.C.F. (1950), secrétaire général adjoint (1961), il succéda à Thorez* comme secrétaire général (1964) et en 1965 contribua à apporter le soutien du P.C.F. à la candidature de F. Mitterrand.

ROCHETTE (La). ♦ Ch.-l. de la Savoie*, arr. de Chambéry* dans la Combe* de Savoie. 3 021 hab. Importantes cartonneries; indus. alimentaires.

ROCHEUSES *(montagnes),* en angl. **Rocky Mountains** ou **The Rockies.** ♦ – *Au sens étroit,* chaîne de montagnes de l'O. de l'Amérique du N. qui s'étend au Canada, du N.-O. au S.-E., puis aux États-Unis, selon un arc de cercle grossièrement orienté N.-S. Elle comprend des sommets de plus de 4 000 m, est formée d'un socle soulevé et flanqué de plissements primaires et crétacés. Les *Rocheuses méridionales* (de la frontière du Mexique au N. de Denver) constituent un ensemble de chaînes parallèles orientées N.-S. (*Black Range,* monts *San Andres*; puis chaîne *Sangre* de Cristo*); le bassin du Wyoming les sépare des *Rocheuses septentrionales* et *moyennes,* ensemble de très hauts plateaux et de chaînes (du S. au N. *Wind River, Absaroka, Big Belt Mountains, Lewis,* plus à l'O. *Bitterroot,* etc., aux États-Unis; *Selkirk mountains, Cariboo mountains, Sitkine mountains,* chaîne *Pelly* et *Ogilvie* [Yukon], au Canada). – *Au sens large,* on entend par MONTAGNES ROCHEUSES l'ensemble formé par les Rocheuses proprement dites *(ci-dessus)* et les formations qui les séparent du Pacifique et parfois même la zone de Piedmont située à l'E. **(V. Plaines** [Grandes]**).** L'ensemble des *Grands Plateaux,* aux États-Unis, correspond à une zone de cuvettes intérieures ou de couches sédimentaires d'environ 600 km de large au N. **(V. Columbia** [plateaux de la]**),** de près de 1 000 km à la hauteur du Lac Salé **(V. Bassin** [Grand]) et de 800 km au S. **(V. Colorado** [plateaux du]; **Mojave** [désert]). Ces unités sont séparées les unes des autres par des accidents **(V. Wasatch** [monts]**).** Les *chaînes montagneuses du Pacifique* forment en gros trois bandes : *1)* Une zone de hautes montagnes (sommets de 3 000 à 4 400 m) formées d'anciennes roches cristallines et métamorphiques, soulevées, basculées et traitées par les glaciers (chaîne côtière, *Coast Mountain* du Canada, *chaîne des Cascades** [*Cascade Range*] de Washington et de l'Oregon, *sierra Nevada* en Californie). *2)* Une dépression qui, aux États-Unis, correspond aux Puget* Sound et à la vallée de la Willamette*, que des formations volcaniques (monts Klamath) séparent de la Grande Vallée californienne **(V. Californie),** prolongée par le *golfe de Californie,* au S. des monts de San Bernardino. *3)* Enfin, à l'extrême O. des États-Unis, des chaînes côtières (entre 1 500 à 2 500 m) ou *Coast Range,* interrompues par le détroit de Juan de Fuca et la baie de San Francisco **(V. Californie).**

ROCKEFELLER (John Davison). ♦ Industriel et financier américain (Richford, New York, 1839 – Ormond Beach, Floride, 1937). Descendant d'une famille allemande installée en Amérique depuis 1733, les *Steinhauer,* il acquit une raffinerie de pétrole en 1865, réussit à contrôler ou à éliminer ses concurrents et à faire de la *Standard Oil Company* (1870 –) un immense trust. Condamné à la dissoudre par la loi antitrust de 1887, il ne fut contraint à s'exécuter qu'en 1911. D'une extrême dureté en affaires, Rockefeller, devenu le symbole de la réussite capitaliste, employa une partie de son immense fortune à des activités philanthropiques (université de Chicago; *fondation Rockefeller,* 1913).

ROCKEFELLER (Nelson Aldrich). ♦ Homme d'État américain (Bar Harbor, Maine, 1908). Vice-président des États-Unis (1974-1976), ancien gouverneur républicain de l'État de New York. Petit-fils de John D. Rockefeller*.

ROCKFORD. ♦ V. des États-Unis (Illinois), au centre d'une importante zone agricole et indus. 272 000 habitants.

ROCQUENCOURT. ♦ Comm. des Yvelines, arr. de Versailles. 886 hab. – Ruines du château de Rocquencourt (XVIIIe s.). Ancien quartier général du S.H.A.P.E. (état-major interallié des forces européennes). – Indus. électronique.

ROCROI. ♦ Anc. sous-préf. des Ardennes (arr. de Charleville-Mézières), sur le plateau ardennais (alt. 377 m), entre la Sormonne et l'Eau-Noire, à 2,5 km de la frontière belge. 2 997 hab. [3 540 hab. avec Gué-d'Hossus] *(Rocroyens).* Fortifications commencées en 1555 et achevées par Vauban en 1691. – Fonderies. ♦ *Hist.* Rocroi (*Rau-Croix,* d'abord *Croix-de-Rau*) prit de l'importance à la fin du XVe s. et fut fortifiée par François Ier. Débaptisée pendant la Révolution, son nom étant interprété en *Roc-Roi,* la ville devint *Roc-Libre.* Les calvinistes, partis de Sedan, la pillèrent en 1586. C'est le 19 mai 1643 qu'eut lieu la bataille de Rocroi où s'illustra le duc d'Enghien, futur Condé, alors âgé de vingt et un ans. La ville était investie par les Espagnols (guerre de Trente Ans) dans les rangs desquels combattait (en 1658) le même Condé qui la reprit. Mais le traité des Pyrénées rendit Rocroi à la France (1659).

ROD (Édouard). ♦ Écrivain suisse d'expression française (Nyon, 1857 – Grasse, 1910). Il évolua du roman naturaliste au roman psychologique, puis au roman à thèse sociale. Princ. œuv. : *La Légende d'Œdipe à travers les âges* (1879), *La Course à la mort* (1885), *Études sur le XIXe s.* (1888), *Le Sens de la vie* (1889), *Les Trois Cœurs* (1890), *La Vie privée de Michel Teissier* (1893), *La Seconde Vie de Michel Teissier* (1894), *Au milieu du chemin* (1900), *L'Indocile* (1905) et *L'Affaire Jean-Jacques Rousseau* (1906).

RODANGE. ♦ V. du grand-duché de Luxembourg, cant. d'Esch-sur-Alzette, à la frontière française. 4 000 hab. Métallurgie.

RODBERTUS (Johann Karl). ♦ Homme politique et économiste allemand (Greifswald, 1805 – Jagetzow, 1875). Député, chef du centre gauche et ministre de l'Instruction en Prusse (1848-1850), il a exposé dans ses ouvrages (*Sur la connaissance de nos conditions économiques,* 1842; *Lettres sociales,* 1850-1851; *La Journée normale du travail,* 1871) des positions socialistes; se prononçant en faveur de la propriété collective des moyens de production, il estimait que le socialisme ne pouvait être que le résultat d'une longue évolution.

RODCHENKO (Alexandre). ♦ Peintre, sculpteur et décorateur russe (Saint-Pétersbourg [Leningrad], 1891 – 1957). Il fit ses études à l'académie d'Odessa où il exécuta des dessins pour le théâtre. À Moscou (1914), il commença des compositions à la plume et au compas, dessins assez secs qui devinrent presque aussitôt abstraits. En 1915, il fonda le mouvement non objectiviste, peu différent de celui de Malevitch*, avec qui il entra en contact l'année suivante. Malgré leurs oppositions, il lui est redevable de l'organisation dynamique de ses compositions, dans lesquelles le cercle reste l'élément dominant. À Tatlin, il emprunta un certain goût pour les matières hétérogènes. En 1917, il décora avec ce dernier et Yakulov *Le Café pittoresque,* décor surprenant qui détruit l'espace architectural en coupant tous les plans au moyen de formes ou de surfaces, en bois, en métal et en carton, qui brisent la lumière. À des compositions dominées par le cercle

(*Composition abstraite,* 1918) succédèrent des œuvres hésitantes et plus calmes. Rodchenko essaya de saisir l'espace à l'intérieur de constructions massives (*Construction de distance,* 1920) ou aériennes (*Construction suspendue,* 1920). Communiste convaincu, il donna de plus en plus au constructivisme une orientation utilitaire (au pavillon soviétique de l'exposition des Arts décoratifs, Paris, 1925) et se consacra presque exclusivement aux arts appliqués après 1922. Pionnier avec El Litssitzky dans l'art de la typographie, il fut le premier à utiliser des photomontages (*couverture de la revue Lef,* 1923).

RODENBACH (Georges). ♦ Poète belge d'expression française (Tournai, 1855 – Paris, 1898). Reçu docteur en droit à l'université de Gand en 1878, il exerça pendant deux ans la profession d'avocat à Bruxelles, où il participa avec son ami Verhaeren* à la fondation de la revue *la Jeune Belgique.* Pendant cette période, il séjourna fréquemment à Paris, où il s'installa définitivement en 1887, et s'y lia intimement avec E. de Goncourt et Mallarmé. Il y publia trois volumes de vers, assez ternes, qu'il renia par la suite. En 1886 parut sa première œuvre notable, *La Jeunesse blanche,* recueil de vers où se révèle dans toute sa singularité une personnalité à l'écoute de sa musique intérieure, tout entière livrée à des rêveries qu'alimentent les souvenirs languissants de la brumeuse Belgique. Cette prédilection pour les tonalités étouffées, les demi-teintes, les sonorités voilées, s'affirma dans ses recueils ultérieurs aux titres significatifs : *Le Règne du silence* (1891), *Vies encloses* (1896), *Le Miroir du ciel natal* (1898). C'est encore le plat pays de Flandre, avec ses cités endormies sous le ciel bas, que l'écrivain évoque dans deux romans où il apparaît en pleine possession de son art : *Bruges-la-Morte* (1892) et *Le Carillonneur* (1897). G. Rodenbach a également donné une pièce en vers, *Le Voile* (1894).

RODÉRIC. ♦ V. RODRIGUE.

RODEZ. ♦ Préf. de l'Aveyron*, ch.-l. d'arr. (21 cant., 140 comm., 136 620 hab.). 26 398 hab. [23 041 aggl.] *(Ruthénois).* Ruines romaines (arènes, aqueduc). Évêché. La cathédrale Notre-Dame fut élevée au XVe s., dans le style gothique du Nord, et terminée au XVIe siècle. Hôtels anc. (hôtel d'Armagnac XVIe s.), maison des Anglais, XIVe siècle. Musée des beaux-arts, musée Fenaille. – Centre commercial (foires) et industriel (porcelaines, matières plastiques). Station de radiodiffusion. ♦ *Hist.* La cité gauloise de *Segodunum* devint cap. du Rouergue* sous les Romains. Au Moyen Âge, les comtes et les évêques se partagèrent la ville. Avec l'avènement de Henri IV, le comté de Rodez fut rattaché à la couronne (1589) : les évêques devinrent eux-mêmes *comtes de Rodez.* Pendant la Restauration, Rodez fut le théâtre de l'assassinat de Fualdès*, affaire de caractère national.

RODIN (Auguste). ♦ Sculpteur, dessinateur et aquarelliste français (Paris, 1840 – Meudon, 1917). À l'École de dessin et de mathématiques, il eut Carpeaux* comme correcteur; il échoua ensuite au concours d'entrée aux Beaux-Arts et fut rejeté du Salon en 1864, avec *L'Homme au nez cassé.* Pour vivre, il exécuta des travaux d'ornementation et devint à Sèvres l'assistant du sculpteur Carrier-Belleuse; à ce titre, il travailla à Bruxelles à partir de 1871. Lors d'un séjour à Rome et à Florence, il eut la révélation de Donatello et de Michel-Ange. Au Salon de 1874, son envoi *L'Âge d'airain* fut très remarqué : le modelé parut traité avec une telle précision qu'on l'accusa d'avoir utilisé des moulages sur nature. Mais en 1879, avec *Saint Jean-Baptiste,* son talent s'imposa à l'unanimité. Ayant reçu la commande d'une porte monumentale pour le musée des Arts décoratifs, il tira de Dante le thème de la *Porte d'Enfer* et s'inspira plastiquement des maîtres de la Renaissance italienne. Il parvint difficilement à intégrer ses sculptures au cadre architectural imposé et laissa finalement l'œuvre inachevée (1880 à 1885), puis il traita à part plusieurs de ses motifs : *Les Océanides, Le Penseur, Fugit Amor, Le Baiser, Paolo et Francesca,* etc. En 1884, il entreprit le groupe monumental des *Bourgeois de Calais.* Outre la série des grandes commandes officielles : *Monuments à Claude Lorrain* (1889), *à Victor Hugo* (1890) et *à Balzac,* il réalisa de nombreux bustes (*Dalou**, 1883; *Clemenceau,* 1911), et travailla à des groupes ou figures isolées ayant pour sujet des thèmes mythologiques ou allégoriques. La recherche du mouvement, le souci d'expressivité, le désir de capter la vie dans son frémissement même l'amenèrent à s'éloigner du naturalisme, et il se montra à bien des égards l'héritier d'une vision romantique. Il possédait une connaissance approfondie de l'anatomie humaine et scruta avec une particulière acuité la réalité sensible : il la transposa en fonction de ses visées expressives, le corps humain devenant chez lui porteur d'une passion, d'une énergie et d'une sensualité véhémentes. Conservant l'équilibre des masses, il chercha à suggérer le mouvement par de puissantes lignes de force, créant un effet de tension et d'élan par la direction du geste, représentant simultanément les moments successifs du mouvement sans que les formes perdent de leur vraisemblance (Cf. ses *Propos sur l'art,* recueillis par Paul Gsell). Il recourut parfois à certaines déformations anatomiques et chercha des mouvements audacieux, des poses inédites. La liberté de sa facture apparaît dans sa manière de traiter le modelé : il multipliait les plans, les accidents de la surface, produisait des effets de « non-finito », sur lesquels joue la lumière. Dans le marbre, il préféra souvent donner un aspect lisse, poli à la surface, créant une impression de souplesse, de fluidité par un mouvement d'ensemble fondu et en arabesques. Le caractère de son inspiration comme les partis pris plastiques qu'il adopta ont parfois été mis en rapport avec divers courants artistiques : romantisme (culte de l'expression énergique, pathétique), naturalisme (souci de vérité et précision anatomique), symbolisme (choix des titres), Art nouveau (sinuosité et fluidité des pieds-droits de la *Porte de l'Enfer*) ou même impressionnisme (vibration de la lumière sur la surface). Ces rapprochements ne font que mettre en évidence l'impossibilité d'inscrire l'œuvre de Rodin dans un courant défini. Figure fortement indépendante, il a fait preuve du plus fort tempérament plastique et lyrique du XIXe s. Il n'eut pas d'héritier, car ses plus brillants élèves cherchèrent à réagir contre son style, mais il a annoncé dans une certaine mesure l'expressionnisme, en donnant un caractère puissant et synthétique à la masse en procédant à des déformations subjectives, et en exploitant librement les ressources d'un modelé heurté et bosselé.

RODÓ (José Enrique). ♦ Essayiste urugayen (Montevideo, 1872 – Palerme, 1917). Influencé par le positivisme puis par Bergson, Boutroux, Renouvier, il n'a point développé de philosophie vraiment originale, mais peut être considéré par contre comme l'un des grands représentants de la littérature hispano-américaine, défendant les valeurs de la culture gréco-latine face aux valeurs de l'Amérique du Nord (*Ariel,* 1900; *Motifs de Protée,* 1909; *Le Belvédère de Propero,* 1913).

RODOGUNE. ♦ Fille du roi des Parthes Mithridate Ier (~ IIe s.). Elle épousa le roi de Syrie, alors prisonnier des Parthes, Démétrios* II Nikator, déjà marié avec Cléopâtre Théa, fille du roi d'Égypte Ptolémée. Cléopâtre, furieuse, fit assassiner Démétrios.

Rodogune. ♦ Tragédie de Pierre Corneille*, en cinq actes, en vers (1644). Par jalousie envers la jeune princesse Rodogune, la reine de Syrie, Cléopâtre, a tué son mari Nicator. Devenue régente, elle doit transmettre le pouvoir à l'un de ses deux fils, Antiochus et Séleucus. Elle annonce qu'elle choisira pour roi celui qui tuera Rodogune. Horrifiés, les deux jeunes gens font connaître la nouvelle à la princesse qui déclare qu'elle épousera celui d'entre eux qui tuera Cléopâtre. Séleucus renonce à agir, mais Antiochus tente de fléchir sa mère. Celle-ci, faussement attendrie, lui promet la couronne et la main de Rodogune. À la vérité, elle espère susciter la jalousie de Séleucus et semer la discorde entre les deux frères. Secrètement elle fait assassiner Séleucus. Cependant la cérémonie du mariage commence, et Antiochus s'apprête, en compagnie de Rodogune, à boire à la coupe que leur tend Cléopâtre quand il apprend que son frère est tombé sous les coups d'une main qui leur fut chère. Cette main criminelle est-elle celle de Cléopâtre ou celle de Rodogune ? Les deux femmes s'accusent mutuellement. Par peur de voir sa victime lui échapper, Cléopâtre boit à la coupe empoisonnée et la tend à son fils qui va y tremper ses lèvres quand il voit soudain sa mère chanceler et périr sous ses yeux.

RODOLPHE Ier. ♦ Roi de Bourgogne transjurane (888-912). Il fit reconnaître l'indépendance de la Suisse occidentale par Arnoul, roi de Germanie. ♦ RODOLPHE II, fils de Rodolphe Ier. Roi de Bourgogne (912-937), roi d'Italie (922). Compétiteur de Bérenger* Ier qu'il battit en 923, il dut faire face à un compéti-

Ph. Stella

Auguste Rodin, « Balzac ». (Bd Raspail, Paris.)

teur, Hugues* d'Arles, avec lequel il s'entendit en 934 : il renonçait à l'Italie, mais héritait des droits de son rival sur le royaume de Provence, si bien qu'à la mort d'Hugues (947) la Bourgogne et la Provence furent réunies. ♦ RODOLPHE III *le Pieux* ou *le Fainéant.* Roi de Bourgogne-Provence ou d'Arles (993-1032). Petit-fils de Rodolphe II, il légua son royaume à l'empereur germanique Conrad II le Salique.

RODOLPHE de Souabe ou **de Rheinfelden.** ♦ (mort à Grunebach, 1080). Beau-frère d'Henri IV d'Allemagne, il fut élu roi de Germanie en concurrence avec lui en 1077, mais il fut vaincu et tué en 1080.

RODOLPHE Ier de Habsbourg. ♦ (Limburg, 1218 – Spire, 1291). Seigneur de Suisse alémanique, devenu empereur germanique (1273-1291). Son élection à l'Empire mit fin au Grand Interrègne*. Désireux de se créer en Allemagne une forte puissance territoriale et d'y rétablir l'ordre, il lutta contre les grands féodaux. Ses premiers efforts furent dirigés contre Ottokar* II de Bohême qui dut lui céder ses possessions autrichiennes (Autriche, Styrie, Carinthie, Carniole) en 1276 et fut vaincu et tué au Marchfeld, près de Vienne (1278). En inféodant l'Autriche, la Styrie et la Carniole à son fils Albert*, il grossit considérablement la fortune patrimoniale des Habsbourg. Il eut pour successeur Adolphe* de Nassau.

RODOLPHE IV de Habsbourg. ♦ (1339 – Milan, 1365). Duc d'Autriche (1358-1365). Il hérita le Tyrol (1363) et fonda l'université de Vienne (1365).

RODOLPHE II de Habsbourg. ♦ (Vienne, 1552 – Prague, 1612). Empereur allemand (1576-1612), fils de Maximilien* II. Il protégea la réforme catholique, mais assura aussi aux protestants de Bohême la liberté de culte (lettre de majesté, 1609). Plus attiré par les arts et les sciences que par la politique (il protégea Tycho* Brahé et Kepler*), il fut supplanté par son frère Mathias* II.

RODOLPHE de Habsbourg. ♦ (Laxenburg, 1858 – Mayerling, 1889). Fils unique de l'empereur François*-Joseph et de l'impératrice Élisabeth*, il s'opposa à la politique intérieure et extérieure de son père, en raison de ses idées libérales et francophiles. Marié à Stéphanie de Belgique, il n'en eut pas d'héritier. Il se suicida avec sa maîtresse Marie Vetsera dans le pavillon de chasse de Mayerling*, et le mystère qui accompagna l'enquête officielle entraîna de nombreuses hypothèses romanesques. Sa mort fit de l'archiduc François-Ferdinand l'héritier de la couronne impériale.

RODOLPHE *(lac).* ♦ Vaste dépression de 8 600 km² au N. du Kenya*. Eau salée.

Rodomont. Personnage du *Roland* furieux* de l'Arioste. Chevalier de caractère bravache et insolent.

RODRIGUE ou **RODÉRIC.** ♦ Dernier roi des Wisigoths (mort à Xeres de la Frontera, 711). Il fut battu près de Cadix, puis près de Salamanque, par Târaq* à la tête des musulmans qui devinrent alors maîtres de l'Espagne.

RODRIGUE, en esp. **Rodrigo Díaz de Bivar.** ♦ V. CID CAMPEADOR.

ROEDERER (Pierre Louis, *comte***).** ♦ Homme politique français (Metz, 1754 – Bois-Roussel, 1835). Conseiller au parlement de Metz en 1780, il fut élu député du Tiers État aux États généraux (1789). Membre du Club des jacobins et procureur-syndic du département de la Seine (1791), il se rapprocha de la cour à partir du 20 juin 1792 et conseilla au roi de se réfugier à l'Assemblée lors de la journée du 10 août 1792. Retiré de la vie politique sous la Convention, il enseigna l'économie politique sous le Directoire, fondant le *Journal d'économie publique, de morale et de législation* (1796). Ayant approuvé le coup d'État du 18 Brumaire, il fut successivement conseiller d'État, sénateur (1802), ministre des Finances du royaume de Naples (1806), ministre secrétaire d'État du grand-duché de Berg (1810) et commissaire à Strasbourg (1814). Auteur d'ouvrages d'économie politique, et d'histoire (*Louis XII,* 1820; *François Ier,* 1825; *Chronique du 20 juin au 10 août 1792,* 1832). [Acad. fr.]

ROENTGEN (David). ♦ Ébéniste allemand (Herrenhag, 1743 – Wiesbaden, 1807). Il poursuivit l'œuvre de son père, ABRAHAM ROENTGEN, établi à Neuwied, près de Coblence, et lui succéda en 1772, étendant sa réputation à toute l'Europe : il eut pour clients Frédéric le Grand et Catherine II, et la protection de Marie-Antoinette lui permit d'avoir un dépôt à Paris, où il fut reçu maître ébéniste, mais où il ne s'établit jamais. Remarquable par la perfection des marqueteries, aux décors inspirés de motifs floraux, de scènes mythologiques, de chinoiseries, qui évoluèrent vers une plus grande sobriété, sa production est caractérisée par l'emploi des inventions mécaniques, avec l'aide de l'horloger Kinzing (meubles à secret et à transformations). La Révolution française, qui détruisit ses ateliers de Neuwied, arrêta sa carrière.

ROENTGEN (Wilhelm Conrad). ♦ V. RÖNTGEN.

ROERMOND ou **RUREMONDE.** ♦ V. des Pays-Bas (Limbourg) au confluent de la Meuse et de la Roer. 37 000 hab. Cathédrale gothique (XVe s.). Culture de roses. Constructions électriques. Émetteur de télévision.

ROGER Ier. ♦ (en Normandie, 1031 – Mileto, Calabre, 1101.) Comte de Sicile (1062-1101). Fils de Tancrède de Hauteville* et frère de Robert Guiscard, il conquit la Sicile sur les Arabes de 1058 à 1091. Le pape Urbain II lui conféra ainsi qu'à ses successeurs la charge de légat apostolique (1098). ♦ ROGER II (v. 1095 – Palerme, 1154), fils de Roger Ier. Comte (1101-1130) puis roi de Sicile (1130-1154). Il devint duc de Pouille et de Calabre (1127) à la mort de son cousin Guillaume, fils de Robert Guiscard. Il conquit Capoue (1136), le duché de Naples et les Abruzzes (1140), lutta contre les Byzantins et, en Afrique, contre les Arabes. La Sicile atteignit sous son règne un haut degré de prospérité économique. Palerme et Amalfi devinrent les rivales commerciales de Venise et de Pise. Prince tolérant, Roger II laissa les Arabes exercer leur religion. Une école de médecine célèbre s'établit à Palerme. Père de Guillaume* Ier qui lui succéda et grand-père de Tancrède* de Lecce.

ROGER-BONTEMPS. ♦ V. COLLERYE (Roger de).

ROGERS (Carl). ♦ Psychologue américain (Chicago, 1902 –) Auteur de travaux de psychopédagogie, de recherches sur la thérapeutique de la schizophrénie et d'une méthode de psychothérapie (*The Clinical Treatment of the Problem Child,* 1939; *Psychotherapy and Personnality Change,* 1954, etc.).

ROGGEVEEN (Jacob). ♦ Navigateur hollandais (Middelburg, 1659 – 1729). Il fut un des premiers à atteindre l'île de Pâques (1722) et à y découvrir les statues géantes; poursuivant son voyage, il parvint aux îles de Tuamotu et de Samoa.

ROGLIANO. ♦ Ch.-l. de cant. de la Corse*, arr. de Bastia*, au N. du cap Corse*. 560 hab. Église Saint-Agnel (XVIe-XVIIIe s.). ruines des châteaux des da Mare et des Negroni; ruines du couvent des Franciscains.

ROHAN (Henri, *duc de***).** ♦ Général français (Blain, 1579 – 1638). Chef du parti protestant, il soutint trois guerres contre Louis XIII. Rallié, il combattit à la Valteline*, puis servit sous Bernard* de Saxe-Weimar. ♦ LOUIS, prince de ROHAN, dit *le chevalier de Rohan.* Grand veneur, puis colonel des gardes de Louis XIV (1635 – 1674). Il se rendit célèbre par ses aventures amoureuses, enleva Hortense Mancini et courtisa Mme de Montespan*. Il conspira contre Louis XIV avec les Hollandais et fut exécuté. ♦ LOUIS RENÉ ÉDOUARD, prince de ROHAN-GUÉMÉNÉ, dit *le cardinal de Rohan* (Paris, 1734 – Ettenheim, Bade, 1803). Coadjuteur de son oncle, l'évêque de Strasbourg, il fut envoyé à Vienne en ambassade auprès de Marie*-Thérèse et fut rappelé en raison de son incapacité diplomatique et de sa vie scandaleuse. Il fut cependant nommé grand aumônier (1777), cardinal (1778) et reçut l'évêché de Strasbourg (1779). Dans ses tentatives pour gagner la faveur de la reine, il devint la dupe de Cagliostro* et de la comtesse de La* Motte **(V. Collier).** Plus naïf que coupable, il bénéficia lors de son procès de l'impopularité de la reine et fit figure de victime quand il fut chassé de la cour et exilé à La Chaise-Dieu. Il émigra pendant la Révolution.

Rohan *(hôtel de).* ♦ Hôtel de Paris, dans le Marais*. Construit par Delamair de 1705 à 1708 et décoré par Germain Boffrand* (1712-1745), l'hôtel a conservé un remarquable relief de Robert Le* Lorrain *(Les Chevaux du soleil)* et les délicats panneaux de J.-B. Huet* qui décorent le *Cabinet des singes* (1749-1752). Depuis 1927, il est occupé par les *Archives* nationales,* déjà établies à l'hôtel de Soubise*.

ROHAN. ♦ Ch.-l. de cant. du Morbihan, arr. de Pontivy, sur l'Oust. 562 hab. *(Rohannais).* Ancien vicomté élevé en duché-pairie en 1603.

ROHEIM (Geza). ♦ Anthropologue américain d'origine hongroise (Budapest, 1891 – aux États-Unis, 1953). Passionné très jeune par l'ethnologie qu'il découvrit à travers Tylor, Frazer, Lang, etc., il vint ensuite à la psychanalyse et fut formé par Ferenczi. Dès cette époque, il vit dans les processus inconscients « la clé des données anthropologiques ». Après avoir donné des analyses sur le folklore hongrois et certaines croyances finno-ougriennes (*L'Ours et les Jumeaux,* 1914), il étudia le *Totémisme australien* (1925). Parti en 1928 en Australie, puis en Nouvelle-Guinée, il y recueillit une abondante documentation ethnographique (coutumes, mythes, rêves, etc.), et, contre Malinowski* qui avait mis en question

Ph. Luigi Ciminagni/Ricciarini.

Le Roi Lear interprété par le Piccolo Teatro di Milano.

l'existence du complexe d'Œdipe dans les sociétés matrilinéaires de Mélanésie, il s'attacha à en montrer l'universalité et l'unité du psychisme humain. D'origine israélite, il dut émigrer aux États-Unis en 1938 et y pratiqua la psychanalyse, fondant une revue pour en étendre l'utilisation dans les sciences sociales *Psychoanalysis and the Social Sciences* (1947). Il a donné plusieurs ouvrages *The Origin and Function of Culture* (1943), *The Eternal Ones of the Dream* (1945), *Psychoanalysis and Anthropology* (1950), trad. fr., 1967, *Magie et Schizophrénie* (1955).

ROHLFS (Gerhard). ♦ Explorateur allemand (Vegesack, près de Brême, 1831 – Rüngsdorf, près de Godesberg, 1896). Après avoir exploré l'Afrique du Nord et traversé le Sahara d'O. en E. (1862-1865), il partit de Tripoli (1865) et, par le Bornou, le Sokoto, le Baguirmi et la Bénoué, parvint à Lagos (1867). Il fit ensuite plusieurs voyages (Cyrénaïque, 1868; désert de Libye, 1875-1876; oasis de Koufra, 1878; Éthiopie, 1880-1881) et fut consul d'Allemagne à Zanzibar.

RÖHM (Ernst). ♦ Homme politique allemand (Munich, 1887 – *id.*, 1934). Officier de carrière, blessé pendant la guerre de 1914-1918, il refusait le régime républicain installé en Allemagne après la défaite. L'un des premiers membres du Parti ouvrier allemand **(V. Nazisme),** il recruta et organisa les corps francs qui devinrent sous son autorité les S.A.* (1921), avec lesquels il participa au putsch manqué de Munich* (1923). Mais en désaccord avec Hitler qui voulait garder les « chemises brunes » dans la dépendance du parti, il quitta leur direction et s'exila en Bolivie (1925). Hitler le rappela en 1930 pour réorganiser les S.A. dont il avait du mal à contenir les ambitions et l'agitation. Lorsque Hitler devint chancelier, Röhm, à la tête de ses 2 500 000 hommes, voulait continuer la révolution (ce qu'il appelait la « seconde révolution ») et constituer avec ceux-ci les fondements d'une armée du peuple dans laquelle l'armée traditionnelle serait intégrée. Hitler, opposé à ses projets, le fit assassiner au cours de « la Nuit des longs couteaux », le 30 juin 1934.

ROHRAU. ♦ Village autrichien, situé en Basse-Autriche. Village natal de Haydn*. On peut visiter sa maison, transformée en musée.

ROHRBACH-LÈS-BITCHE. ♦ Ch.-l. de cant. de la Moselle, arr. de Sarreguemines. 1 636 hab. Plâtrières.

ROHTAK. ♦ V. de l'Inde (Pañjâb), à 70 km à l'O. de Delhi. Indus. textiles (coton). 110 000 habitants.

Roi des Romains. ♦ Titre porté dans le Saint Empire romain germanique par le successeur désigné de l'empereur régnant ou par l'empereur non encore couronné par le pape.

ROI GUILLAUME *(terre du),* en angl. **King William Island** (nommée en l'honneur de Guillaume IV d'Angleterre). ♦ Île de l'Arctique canadien, située entre le continent et la presqu'île de Boothia. Amundsen* y séjourna.

Roi Lear (Le) *(King Lear).* ♦ Drame en cinq actes de W. Shakespeare (v. 1606). Le vieux roi Lear a partagé ses États entre ses deux filles Goneril et Régane, qui l'ont assuré de leur affection. Il a déshérité la cadette, Cordelia, qui a refusé de lui prodiguer les paroles de tendresse qu'il tentait d'obtenir d'elle. Bientôt cependant, chassant Lear de son palais, Goneril et Régane vont révéler leur infâme nature. Dépossédé, le roi ne trouve asile que chez la pure Cordelia, mais il perd la raison sous le poids de tant d'infortune. Les troupes que sa fille a levées pour se porter à son secours sont battues et tous deux faits prisonniers. Tandis que Cordelia vient de tomber sous les coups du bâtard Edmond, Lear expire, tenant dans ses bras le corps de sa fille.

Rois *(Livres des).* ♦ Deux des livres historiques de la Bible, qui n'étaient originellement qu'un seul ouvrage. Ils forment la suite des livres de Samuel, c'est pourquoi les Septante les nomment *III* et *IV Règnes,* la Vulgate *III* et *IV Rois.* Notre dénomination correspond à la Bible hébraïque. Le rédacteur (école deutéronomienne) amalgame aux traditions relatives aux prophètes Élie et Élisée des *archives* royales et sacerdotales. *I Rois* (vingt-deux chapitres) narre la fin du règne de David, celui de Salomon et le schisme entre les royaumes d'Israël et de Juda, jusqu'au règne d'Ochozias; *II Rois* (vingt-cinq chapitres) achève le règne d'Ochozias et mène jusqu'à la ruine de Jérusalem par Nabuchodonosor.

ROISSY-EN-FRANCE. ♦ Comm. du Val-d'Oise, arr. de Montmorency. 1 359 hab. Aéroport Charles-de-Gaulle d'une superficie de 3 000 ha (mise en service en 1974).

ROJAS (Fernando *de***).** ♦ Écrivain espagnol (Puebla de Montalbán, v. 1465 – Talavera, v. 1541). Il fut gouverneur de Salamanque et passe pour être l'auteur de la tragi-comédie de Calixte et de Mélibée *(Tragicomedia de Calisto y Melibea),* appelée plus tard *La Célestine** (*Celestina,* 1499). Ce roman en forme de dialogue, dont l'adaptation scénique ne fut réalisée qu'au XXe s., peinture magistrale des mœurs du temps, fut connu de Machiavel et de Shakespeare et exerça une influence considérable sur le théâtre européen.

ROJAS Y ZORRILLA (Francisco *de***).** ♦ Poète dramatique espagnol (Tolède, 1607 – Madrid, 1648). Attaché à la cour de Philippe IV, il connut en son temps une célébrité qui devait lui valoir d'être imité, sinon pillé, par de nombreux auteurs français du XVIIe s. (Th. Corneille, Scarron, Rotrou, Lesage). Son théâtre, qui compte vingt-quatre pièces, comporte des drames : *Hormis le roi, personne (Del rey abajo, ninguno),* et des comédies : *Ce que sont les femmes (Lo que son mujeres).*

ROJDESTVENSKI (Robert Ivanovitch) [*Roždestvenski*].

Ph. Louis Monier

L'aéroport de **Roissy-en-France.**

♦ Poète soviétique (né en 1932). Tel Evtouchenko*, il a voulu par ses vers être le porte-parole de la jeune génération. Il a écrit divers recueils de vers dont *L'Épreuve* (1956), *L'Avenue en dérive* (1959), *L'Île déserte* (1962), *À l'homme de mon âge* (1962).

ROKITANSKÝ ou **ROKYTANSKÝ (Karl** ou **Karel).** ♦ Médecin d'origine tchèque (Hradec Králové, 1804 – Vienne, Autriche, 1878). Professeur d'anatomie pathologique à Vienne jusqu'en 1875, il décrivit une variété d'ictère grave (maladie de Rokitanský-Frerichs).

ROKOSSOVSKI (Konstantin Konstantinovitch). ♦ Maréchal soviétique (Varsovie, 1896 – Moscou, 1968). Lieutenant de l'armée impériale, membre du Parti bolchevik dès 1919, il prit part à la guerre civile en Extrême-Orient. Pendant la Deuxième Guerre mondiale, il fut commandant de la XVIe armée, puis du premier et du deuxième front de la Biélorussie; il se distingua à la bataille de Stalingrad, reprit Minsk et pénétra en Prusse-Orientale (1945). Maréchal de l'U.R.S.S. (1944), il fut nommé président adjoint du Conseil des ministres, puis ministre polonais à la Défense. Après l'arrivée au pouvoir de Gomulka (1956), il rentra en U.R.S.S. et devint inspecteur général du ministère de la Défense de l'U.R.S.S. En 1961, il fut élu membre suppléant du Comité central du Parti communiste.

ROLAND. ♦ Personnage important du cycle légendaire de Charlemagne*. – Comte de la marche de Bretagne, neveu de Charlemagne et ami inséparable d'Olivier*, dont la sœur, la belle Aude*, est sa fiancée, il oppose une héroïque résistance aux Sarrasins attaquant en 778 l'arrière-garde de l'armée, à Roncevaux* dans les Pyrénées. Le comte palatin refuse alors de sonner l'olifant pour avertir l'empereur et rappeler le gros de l'armée. Il affronte l'ennemi, armé de sa fidèle épée Durendal*. Mortellement blessé, il donne le signal. Sa mort, très pieuse, parachève son personnage de guerrier luttant pour sa foi. Charlemagne le venge en écrasant les Sarrasins.

Roland (La Chanson de). ♦ Œuvre épique française faisant partie de la *Geste du roi,* biographie légendaire de Charlemagne **(V. Carolingien).** – C'est la plus ancienne de nos chansons de geste, écrite vers la fin du Xe s. et publiée pour la première fois par Francisque Michel, en 1837. Œuvre homogène, conçue et rédigée en dialecte anglo-normand par un écrivain unique qui signe Turold, *La Chanson de Roland* est divisée en quatre parties (la trahison; la bataille; le châtiment des ennemis païens; la punition du traître) et composée de décasyllabes assonancés. – Les faits historiques **(V. Charlemagne)** sont l'occasion d'exalter le sentiment patriotique et religieux. – Œuvre exemplaire, *La Chanson de Roland* est aussi une évocation des caractères grâce aux paroles et aux gestes des personnages, qui incarnent différentes manières de « servir Dieu », propres à la féodalité chrétienne.

Roland amoureux, en it. **Orlando innamorato.** ♦ Épopée romanesque de Boiardo* (1476 à 1494; inachevée) dont les soixante-neuf chants développent des thèmes héroïques ou sentimentaux : reprenant en effet les personnages du cycle carolingien*, Boiardo les dote de caractères et d'aventures conformes à ceux du cycle breton **(V. Table* ronde)** et crée le scénario original des amours de Roland et d'Angélique. Désormais seule unité d'un long poème dont l'action est confuse, l'amour tantôt insuffle aux héros un courage surhumain, tantôt déclenche des guerres féroces, prétexte à des tableaux d'une grandeur épique. – Écrite en une langue inégale, mais colorée et vivante, parfois teintée d'une discrète ironie, cette création très originale fut reprise par Berni* (v. 1530) qui mit « un vêtement toscan au chef-d'œuvre lombard », avant d'inspirer à l'Arioste* son *Roland* furieux* (1532).

ROLAND DE LA PLATIÈRE (Jean-Marie). ♦ Homme politique français (Thizy, près de Villefranche, Rhône, 1734 – Bourg-Beaudouin, près de Fleury-sur-Andelle, 1793). Acquis aux idées nouvelles, il siégea comme notable du conseil de la commune de Lyon (1790) et fonda le Club des jacobins de cette ville. Venu à Paris en 1791, il s'y lia avec Brissot et devint un des chefs du mou-

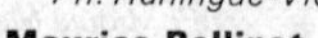
Ph. Harlingue-Viollet

Maurice Rollinat.

Ph. Lipnitzki/Viollet

Romain Rolland.

vement girondin* (ou brissotin) avec sa femme, Mme Roland. Sous l'Assemblée législative, il fut nommé ministre de l'Intérieur dans le cabinet girondin formé en mars 1792. Ayant pris position contre les massacres de septembre 1792 et surtout voté contre la mort du roi, il vit sa popularité baisser et, le 22 janvier 1793, donna sa démission qui fut acceptée par l'Assemblée. Lors de l'élimination des Girondins (31 mai-2 juin 1793), un mandat d'amener fut lancé contre lui; il réussit à se cacher, mais se suicida après avoir appris la condamnation à mort et l'exécution de sa femme.

ROLAND DE LA PLATIÈRE (Jeanne-Marie ou **Manon Phlipon** connue sous le nom de **Mme ROLAND).** ♦ Femme politique française (Paris, 1754 – *id.*, 1793), épouse du précédent. Fille d'un graveur, elle reçut une éducation supérieure à celle de la plupart des jeunes filles de son temps, lut avec passion les œuvres de Plutarque, étudia les mathématiques. Dès 1789, elle adhéra avec enthousiasme aux idées révolutionnaires, rédigeant même des articles pour le *Courrier de Lyon.* Installée à Paris avec son mari (1791), elle fut, plus que lui, la conseillère et l'âme du mouvement girondin*, dont les membres, tels Barbaroux, Buzot* (qui fut son ami), Brissot, Condorcet, Pétion de Villeneuve, se réunissaient dans son salon. Son influence et son rôle furent considérables lors du ministère girondin (mars-juin 1792). Enfermée successivement à la prison de l'Abbaye, à Sainte-Pélagie et à la Conciergerie, après la chute de la Gironde (31 mai-2 juin 1793), elle rédigea ses *Mémoires.* Condamnée à mort par le Tribunal révolutionnaire (8 novembre 1793), elle fut guillotinée.

Roland furieux *(Orlando furioso* « fou *»).* ♦ Poème héroïcomique de l'Arioste* (1516-1532). Composé de quarante puis de quarante-six chants, ce long poème a l'ambition de « continuer l'invention de Boiardo* » **(V. Roland amoureux)** en combinant les aventures des paladins de Charlemagne avec la glorification de la famille d'Este. Trois intrigues principales sont enchevêtrées suivant une « polyphonie » habile : la guerre entre mécréants (les rois Agramant et Rodomont) et chrétiens (Charlemagne et Roland); la passion déçue de Roland pour Angélique*, puis sa folie; les amours du Sarrasin Roger pour Bradamante et sa conversion, origine de la famille d'Este. En fait, la folie de Roland qui, sur les traces de la femme aimée, va d'aventure en aventure, est prétexte à une savoureuse synthèse de la tragédie et de la farce, des aventures les plus héroïques, d'où le merveilleux n'est pas exclu, et des intrigues amoureuses variées,, développées suivant le code courtois. À l'élan des romans d'aventures se mêle donc la précision de l'analyse psychologique, et la liberté de conduite dans le récit permet les rapides changements de thèmes et de ton créant le sentiment du « suspense ». Sous cette trame d'une grande richesse d'invention (« femmes, chevaliers, tournois, amours et audacieux exploits ») apparaît la finesse narquoise de l'auteur, qui lance quelques pointes satiriques (contre le clergé, les guerres des princes et les courtisans) et exalte la puissance des poètes. – Très goûtée des milieux cultivés (notamment pour l'élégance de sa strophe de huit vers) comme des publics populaires (tradition conservée dans le théâtre de marionnettes, surtout en Sicile), cette œuvre de l'Arioste reste parfaitement représentative de la Renaissance.

ROLAND-MANUEL (Roland Alexis Manuel LÉVY, dit**).** ♦ Compositeur et musicologue français (Paris, 1892 – *id.*, 1966). Élève de Roussel et de Ravel dont il fut le disciple et l'ami, il anima à la radio l'émission hebdomadaire « Plaisir de la musique ». Par son éclectisme, l'étendue de son érudition, il y obtint une audience considérable. Il fut aussi professeur d'esthétique au conservatoire de Paris. Compositeur, il a laissé deux *opéras bouffes,* trois *ballets,* un *oratorio,* un *concerto pour piano,* de la *musique de chambre, de scène, de film* et des *mélodies.*

ROLANDO (Luigi). ♦ Anatomiste italien (Turin, 1773 – 1831). Ses travaux portèrent sur l'anatomie du cerveau et du système nerveux. La *scissure de Rolando,* située sur la face extérieure de l'hémisphère cérébral, sépare le lobe frontal et le lobe pariétal.

ROLLAND (Romain). ♦ Écrivain français (Clamecy, 1866 – Vézelay, 1944). Il passa par l'École normale supérieure où il opta pour l'histoire et, durant son séjour à l'École française de Rome (1889-1891), rencontra Malwida de Meysenbug qui l'orienta vers la culture germanique. Enseignant l'histoire de l'art et passionné de musique, il publia des *Vies des hommes illustres,* et notamment une *Vie de Beethoven* (1903) où apparaît sa conception d'un héroïsme humanitaire. Partagé en effet entre la pensée de Nietzsche* et celle de Tolstoï*, Romain Rolland rêva d'un héros non violent qui cherchât à « tout comprendre pour tout aimer ». Déjà, le débat intérieur qui se livre en lui entre son internationalisme et son attachement à la patrie apparaît dans *Au-dessus de la mêlée* (1915), série d'articles écrits en Suisse qui valurent à leur auteur le prix Nobel (1916), mais aussi de nombreuses inimitiés. D'abord tourné vers le théâtre, R. Rolland illustra son idéologie généreuse dans les *Tragédies de la foi* et son *Théâtre de la Révolution* (*Danton,* 1900; *Le Quatorze-Juillet,* 1902); puis il confia son message de vie énergique et d'amour universel aux héros de ses deux vastes cycles romanesques, *Jean-Christophe* (1903 à 1912), et *L'Âme enchantée* (1922-1934) où il exalte « l'instinct puissant de la vie ». Parallèlement, « l'hérédité... rieuse, frondeuse, gauloise... est venue réclamer sa part », et c'est le récit gaillard de *Colas Breugnon* (1919), qui célèbre la Bourgogne. En correspondance avec le monde entier, rencontrant Gandhi*, puis Gorki*, Rolland s'efforça de « concilier la pensée de l'Inde et celle de Moscou », se ralliant (1927) au communisme, mais avec la volonté de conserver « l'indépendance de l'esprit ». Durant ses dernières années, l'écrivain réunit ses souvenirs sur *Péguy* (1944) et composa *Le Voyage intérieur* (1942), autobiographie poétique qui révèle la générosité de ses aspirations humanitaires portées par le lyrisme de l'expression.

ROLLE (Michel). ♦ Mathématicien français (Ambert, 1652 – Paris, 1719). Il participa au progrès de la théorie des équations en abordant le problème de la séparation des racines dans son *Traité d'algèbre* (1690) qui contient sa « méthode des cascades » permettant d'encadrer les racines réelles de certains types d'équations et en énonçant le théorème, qui porte son nom (1691), selon lequel « une fonction ne peut s'annuler plus d'une fois dans l'intervalle séparant deux racines réelles consécutives de sa fonction dérivée ». (Acad. sc., 1699.)

ROLLIN (Charles). ♦ Écrivain français (Paris, 1661 – *id.*, 1741). Professeur de rhétorique au Collège de France (1688), puis recteur de l'université de Paris (1694), il se fit remarquer par des réformes de l'enseignement et par la publication de divers ouvrages dont le *Traité des études* (1726), classique de la pédagogie, et une *Histoire ancienne* (1730-1738) qui eut alors un très vif succès. Le futur Frédéric II de Prusse entretint avec lui une correspondance suivie. Membre de l'Académie des inscriptions dès 1701, il ne put rentrer à l'Académie française en raison de sa dévotion au jansénisme.

ROLLINAT (Maurice). ♦ Poète français (Châteauroux, 1846 – Ivry, 1903). Filleul de George Sand*, il passa son adolescence dans le Berry, puis, venu à Paris, se lia avec Maupassant, Bourget et Charles Cros. Il évoqua les paysages berrichons ou ceux d'Île-de-France dans ses recueils poétiques, délicats et musicaux, *Dans les brandes* (1877) et *La Nature* (1892), renouvelant le genre de la ballade par l'emploi de l'alexandrin assoupli. Sensible aux aspects macabres et sataniques de l'œuvre de Baudelaire* ou d'Edgar Poe*, il écrivit *Les Névroses* (1883), poésies dont l'inspiration dominante est le morbide, et qui manifestent, malgré leurs outrances voulues, l'habileté de leur auteur. Fondateur, avec É. Goudeau, du journal *l'Hydropathe,* Rollinat fut au cabaret du Chat-Noir l'interprète de ses propres chansons, dont les thèmes s'inspirent de son Berry natal ou relèvent d'une veine le plus souvent macabre.

ROLLON ou **ROBERT.** ♦ Chef scandinave (v. 860 – v. 933). Premier duc de Normandie (911-933). Après avoir fait des incursions en Angleterre et en Frise, il s'installa dans la région de Rouen et se fit céder un territoire (la future Normandie) par le roi Charles* le Simple au traité de Saint*-Clair-sur-Epte.

ROMAGNE. *n. f.,* en it. **Romagna,** anc., en lat., **Romagnola.** ♦ Ancienne prov. italienne, située à l'extrémité orientale de l'Émilie*, avec laquelle elle ne forme qu'une seule unité administrative. Elle s'étend sur les prov. de Bologne, Ferrare, Forli et Ravenne. ♦ *Hist.* Elle connut d'abord la domination romaine, byzantine (VIe-VIIIe s.), puis lombarde. Elle fit partie des États pontificaux de 1201 à 1859, puis rejoignit le nouveau royaume d'Italie en 1860.

ROMAGNOSI (Gian Domenico). ♦ Philosophe et jurisconsulte italien (Salsomaggiore, 1761 – Milan, 1835). Il fit connaître en Italie les thèses des idéologues*. Il est surtout connu comme spécialiste du droit pénal et criminel.

ROMAIN. ♦ ([mort] 897). 114e pape (août-novembre 897), de Gallese (Rome).

ROMAIN Ier Lécapène. ♦ (mort en 948). Empereur byzantin (920-944). Amant de Zoé, veuve de Léon VI, il devint grand amiral. Tuteur du jeune empereur Constantin VII, il lui fit épouser sa fille Hélène, puis l'évinça et régna à sa place. Il limita la puissance des grands propriétaires et des monastères, lutta avec succès contre les Bulgares, puis fit la paix avec eux (927) et soutint la guerre contre les Russes dont la flotte fut anéantie devant Constantinople en 941. Il fut renversé par ses fils et relégué dans un monastère.

♦ ROMAIN II *le Jeune* (939 – 963). Empereur byzantin (959-963), fils de Constantin VII. Il laissa gouverner sa femme Théophano et mourut empoisonné, peut-être par celle-ci.
♦ ROMAIN III *Argyre* (v. 968 – 1034). Empereur byzantin (1028-1034). Grand propriétaire, il épousa Zoé, fille de l'empereur Constantin VIII, et succéda à celui-ci. Incapable de diriger la défense de l'Empire menacé par les musulmans, il fut assassiné par Zoé.
♦ ROMAIN IV *Diogène* (mort en 1071). Empereur byzantin (1068-1071). Général cappadocien, il épousa Eudoxie, veuve de Constantin X. Battu et tombé aux mains des Saljûqides, il fut relâché contre la promesse d'une rançon, mais son beau-fils Michel VII, qui s'était emparé du trône, lui fit crever les yeux et le relégua dans un couvent.

ROMAIN (Jules), en it. **Giulio Romano**. ♦ V. JULES ROMAIN.

ROMAINS (Louis FARIGOULE, dit Jules). ♦ Écrivain français (Saint-Julien-Chapteuil, 1885 – Paris, 1972). Normalien, agrégé de philosophie (1909), il enseigna jusqu'en 1919, puis se consacra à sa carrière littéraire, qui avait débuté avec la parution de recueils poétiques dont *La Vie unanime* (1908); associé, en effet, au groupe de *l'Abbaye**, Jules Romains a mis toute son œuvre sous le signe de l'unanimisme, sa production romanesque comme ses œuvres dramatiques. Servies par un humour parfois inquiétant, critique du charlatanisme qui joue de l'appât du gain, ces satires de la crédulité humaine (*Knock** *ou le Triomphe de la médecine*, 1923) et de l'imposture (*Monsieur le Trouhadec saisi par la débauche*, 1923; *Le Mariage de Monsieur le Trouhadec*, 1925; *Donogoo Tonka*, 1929) illustrent le thème de l'emprise d'un esprit sur une collectivité. Une cocasserie identique se manifeste dans un roman « canularesque » *Les Copains* (1913), où les individualités des héros se sont fondues en une seule. L'œuvre maîtresse de Jules Romains, *Les Hommes de bonne volonté* (27 vol.; 1932 à 1947), le montre soucieux de peindre, comme Hugo et Balzac, la société de son temps, suivant la doctrine unanimiste. C'est une vaste épopée « en prose, qui [ambitionne d'exprimer] dans le mouvement et la multiplicité, dans le détail et le devenir [sa] vision du monde moderne, [...] avec une diversité de destinées individuelles qui y cheminent chacune pour leur compte en s'ignorant la plupart du temps ». Cette fiction, qui s'insère dans l'histoire de la France entre 1908 et 1933, souligne la difficulté pour la « bonne volonté » d'influer sur le cours des événements (*Comparutions;* tome XXIV); face aux désordres et aux désastres (dont le point culminant est représenté ici par *Verdun*; tome XVI), il subsiste cependant une raison d'exister dans la camaraderie humaine (Jallez et Jerphanion incarnent cette amitié) et le partage d'un même idéal (*Le 7 Octobre;* tome XXVII). Avec ses multiples qualités (richesse d'information dans tous les domaines, justesse de l'observation linguistique, variété des personnages, générosité) et ses faiblesses (conception traditionnelle du romancier omniscient, longueur de certains épisodes), l'œuvre constitue une date dans l'histoire de la technique romanesque. L'œuvre extraordinairement abondante et variée de Jules Romains, du traité de la *Vision extrarétinienne* (1920) au *Petit Traité de versification* (1923; avec J. Chennevières), de la trilogie romanesque *Psyché*, consacrée à l'érotisme, à l'œuvre politico-morale du journaliste et de l'essayiste (après 1960), reflète une vaste curiosité, une conception humaniste et libérale du monde. [Acad. fr., 1946.]

ROMAINVILLE. ♦ Ch.-l. de cant. de la Seine-Saint-Denis (arr. de Bobigny), à l'E. de Paris. 24 139 hab. Église Saint-Germain-l'Auxerrois (XVIIIe, restaurée). – Indus. chimique; produits pharmaceutiques; constructions mécaniques, chaudronnerie.

ROMAN (Johan Helmich). ♦ Compositeur suédois (Stockholm, 1694 – Haraldsmala, 1758). Précocement doué, il alla compléter son éducation musicale à Londres où il fut l'élève de Pepusch, rencontra Haendel et Geminiani. Entré au service du duc de Newcastle (1717-1720), il fut rappelé en Suède; il y remplit les fonctions de maître de chapelle à la cour de Stockholm, exerçant par son action d'animateur et son œuvre de compositeur une influence considérable sur l'évolution de la musique dans son pays. Organisateur de concerts et pédagogue réputé, il traduisit aussi en suédois plusieurs ouvrages théoriques, que ses nombreux voyages en Europe et sa parfaite connaissance des langues étrangères lui permirent d'introduire en Suède. Il a laissé un grand nombre de *pièces de musique religieuse*, vingt et une *symphonies*, onze *ouvertures et suites*, des *concertos pour violon* et de la *musique de chambre*.

ROMAN. ♦ V. de Roumanie (Moldavie) au confl. de la Moldava et du Siret. 35 000 hab. Centre industriel (sucrerie, fabrique de tubes métalliques). Laminoirs-fonderies.

Roman bourgeois (Le). ♦ Œuvre réaliste et satirique de Furetière* (1666), amusante peinture morale et littéraire de la bourgeoisie de robe ou des gens de lettres. Dans une série de tableaux et de portraits, l'auteur raille la vanité des hommes de loi parisiens et les excès de la littérature romanesque dont est victime l'héroïne, Javotte.

Romancero. *n. m.* ♦ Dans la littérature espagnole, terme désignant un ensemble de *romances* ou récits versifiés du Moyen Âge ou des époques suivantes, primitivement conservés par la tradition orale et populaire. Ces romances reprennent les histoires héroïques et chevaleresques de l'Espagne, sous une forme plus romanesque et légendaire (par ex., celle du Cid). L'un des plus séduisants est le *Romancero mauresque.* Certains poètes modernes ont écrit des romances **(V. García Lorca)**. L'influence du genre a été particulièrement sensible en France et en Allemagne à l'époque du préromantisme et du romantisme.

ROMANCHE. *n. f.* ♦ Riv. des Alpes, affl. du Drac*, 78 km. Elle prend sa source dans le massif du Pelvoux*, arrose Bourg*-d'Oisans et conflue en aval de Vizille*. Nombreuses centrales hydro-électriques sur son cours.

ROMANCHES. *n. m. pl.* ♦ Groupe linguistique de Suisse (Grisons) parlant le *romanche* (Cf. le Robert).

Roman comique (Le). ♦ (Le titre signifie « Roman des comédiens »). Récit satirique et réaliste de P. Scarron* (1651 et 1657, inachevé) qui conte la vie aventureuse de comédiens ambulants aux prises avec les provinciaux du Mans. Une intrigue romanesque est prétexte à une série d'incidents burlesques où apparaissent des personnages pittoresques (Ragotin) dotés d'une vie intense. Cette œuvre picaresque, au style précis et rapide, connut un grand succès et reste un document précieux pour l'histoire du théâtre.

Roman de Brut. ♦ Poème en vers octosyllabiques écrit en 1155 par le poète normand R. Wace* (v. 1110 – 1180) sur un sujet breton. On y mentionne pour la première fois « La Table* ronde » autour de laquelle Artus* et ses chevaliers sont assis.

Roman de Fauvel (Le). ♦ Roman satirique (1310-1314), en vers, de Gervais du Bus. Réquisitoire dressé contre la société corrompue du temps de Philippe le Bel et qui en dénonce les vices : Flatterie, Avarice, Vanité, Vilenie, Envie, Lâcheté. La première lettre de chacun de ces noms a permis à l'auteur de composer celui de *Fauvel*, désignant l'animal symbolique qui incarne tous ces défauts. De nombreuses compositions musicales anonymes, dont certaines d'une rare qualité mélodique et rythmique (24 *doubles motets*, 10 *motets* à une voix avec accompagnement instrumental, 32 *proses* et *lais*, 14 *rondeaux*, *ballades* et *chansons*, 52 *alleluias*, *répons*, *hymnes* et *versets*) enrichissent cet ouvrage qui marque le début de l' « Ars nova ».

Roman de la Rose. ♦ Poème didactique français (XIIIe s.), en octosyllabes, composé de deux parties qui constituent deux œuvres absolument distinctes. Dans la première (v. 1236), Guillaume* de Lorris s'inspire d'Ovide* pour présenter un « art d'aimer » courtois. Son récit d'une conquête amoureuse utilise systématiquement le symbole (la rose : l'amante) et l'allégorie (doux parler, etc.). Dans la seconde (1275-1280), la fin du récit est prétexte pour Jean* de Meung à présenter la somme du savoir scientifique et philosophique médiéval. Le ton en devient antiféministe, car « raison » et « nature » s'opposent à « amour ». – Œuvre significative du Moyen Âge par ses deux courants de pensée, l'un courtois et raffiné, l'autre rationaliste et satirique, le *Roman de la Rose*, qui connut un immense succès, fut loué au XIVe s. par Pétrarque* et traduit par l'Anglais Chaucer*, puis réécrit en français moderne par Clément Marot* (1527).

Roman d'Énéas. ♦ Poème anonyme, écrit en octosyllabes v. 1160, qui introduit dans la littérature française l'*Énéide** de Virgile* **(V. Romans antiques)**. – Faisant d'Énée un chevalier courtois, l'auteur manifeste un goût de la psychologie amoureuse dû peut-être à l'influence d'Ovide*.

Roman de Renart. ♦ Œuvre héroï-comique (*fin* XIIe-*déb.* XIIIe s.), composée de vingt-sept récits (ou « branches ») en octosyllabes et

Ph. Cauboue

Roman de la Rose de Guillaume de Lorris. Manuscrit du XIVe s. (Bibliothèque nationale, Paris.)

écrite par des clercs anonymes, s'inspirant d'Ésope* et de l'œuvre en latin du clerc flamand Nivard (XIIe s.), *Ysengrimus*. Elle conte la guerre privée soutenue par *Renart*, le fourbe goupil, contre Isengrin, le loup, et dépeint, à travers les animaux, la société médiévale. Destinée d'abord à divertir, cette parodie narquoise devient vite une virulente satire sociale qui s'attaque aux institutions féodales et aux mœurs aristocratiques, glorifiées par la littérature épique. – Le nom propre germanique *(Reinhart, Reginhart)* donné au goupil (lat. *Vulpes*) devint le nom français de l'animal, attestant l'immense succès de l'œuvre qui inspira W. Goethe* (*Renart le Goupil*, 1793) et, de nos jours, M. Genevoix* (Cf. *Roman de Renard*, 1958).

Roman de Thèbes. ♦ Poème français, écrit v. 1150, en octosyllabes. – C'est le premier à avoir pour source un texte littéraire latin, la *Thébaïde* de Stace* **(V. Romans antiques)**. – Les malheurs d'Œdipe* et de ses descendants y sont contés; mais les héros sont déjà dotés d'un langage et d'attitudes très courtois

Roman de Troie. ♦ Long poème, en dialecte tourangeau, de Benoît* de Sainte-Maure, écrit en octosyllabes v. 1165 **(V. Romans antiques)**. – Le roman, qui connut un grand succès, raconte l'histoire fabuleuse de Troie non selon Homère, mais du point de vue des Troyens. Il donne un grand développement aux épisodes amoureux.

ROMANÈCHE-THORINS. ♦ Comm. de la Saône-et-Loire, arr. de Mâcon. 1 915 hab. Crus réputés (vins rouges de Moulin-à-Vent, de Thorins; vins blancs mousseux).

ROMANÉE. *n. m.* ♦ Grand cru de Bourgogne. **V. Vosne-Romanée.**

ROMANES (Georg John). ♦ Naturaliste anglais (Kingston, Canada, 1848 – Oxford, 1894). Défenseur du transformisme de Darwin, il interpréta la notion d'adaptation dans un sens nettement finaliste. Il fit des recherches sur la sélection et l'hérédité.

Roman noir. ♦ Genre littéraire anglais mettant en œuvre les sentiments de peur et d'angoisse, qui vit le jour avec le préromantisme. Walpole, H. Mackenzie, C. Reeve, S. et H. Lee, A. Radcliffe*, C. Smith, J. White, M. Godwin, M.G. Lewis*, C.B. Brown, Maturin* et W. Scott sont les principaux représentants de cette école. Le roman noir anglais utilise volontiers l'évocation médiévale (roman « gothique » comme *Le Château d'Otrante* de Walpole, 1764) et oscille entre le genre fantastique et le terrifiant (*Frankenstein** de Mary Godwin).

ROMANOS le Mélode *(saint)*. ♦ (Émèse, v. 490 – 555-565). Diacre à Béryte (Beyrouth), il vécut à Constantinople et composa des cantiques liturgiques *(Kontakia)*, qui sont en même temps de somptueuses homélies. Fête le 1er octobre.

ROMANOV. ♦ Famille qui régna sur la Russie de 1613 à 1917. Originaire de Lituanie, elle se réfugia en Russie au milieu du XIVe s. Elle doit son nom à *Roman* Iourévitch [Iurevič] dont la fille Anastasia épousa Ivan* le Terrible. Les Romanov luttèrent contre Boris Godounov, puis contre Vassili Chouiski, et *Michel Romanov* fut choisi comme tsar par l'assemblée nationale, fondant ainsi la dynastie. **V. Russie,** *Hist.*, **Michel III, Alexis, Fedor III, Ivan V, Pierre Ier le Grand** (dont la femme régna sous le nom de Catherine* Ire), **Pierre II, Anna Ivanovna, Ivan VI, Élisabeth Ire.** Avec Pierre II, petit-fils de Pierre Ier par sa mère, et qui eut Catherine II pour femme, commença la dynastie des *Holstein-Gottorp-Romanov* : **V. Pierre III, Paul Ier, Alexandre Ier, Nicolas Ier, Alexandre II, Alexandre III, Nicolas II.**

Romans antiques. ♦ Poèmes écrits en langue romane (XIIe s.) qui s'inspirent de légendes grecques, latines ou byzantines. – Ils manifestent un souci de l'érudition, mais surtout donnent un élan à la littérature courtoise, avec leur goût du magique (place de l'Orient), l'importance accordée aux thèmes amoureux et aux analyses psychologiques (ex. Roman d'Énéas, de Thèbes, de Troie [*ci-dessus*]).

ROMANSHORN. ♦ V. et port de Suisse (Thurgovie) sur le lac de Constance*. 7 800 hab. Indus. textile et alimentaire. Chantiers navals.

ROMANS-SUR-ISÈRE. ♦ Ch.-l. de cant. de la Drôme*, arr. de Valence*, au confluent de l'Isère* et de la Savasse. 32 812 hab. *(Romanais)*. Anc. abbatiale Saint-Barnard (XIIe, XIIIe, XIVe s.). Maisons anc. – Très important centre de la fabrication de chaussures (musée international de la chaussure); tanneries, mégisseries. Textiles artificiels. Constructions mécaniques. Indus. chimiques. Combustibles pour piles et réacteurs atomiques. – Patrie du comte de Lally*. ♦ *Hist.* L'abbaye fut fondée en 873 par saint Barnard, archevêque de Vienne.

ROMBAS [ʀɔ̃bɑ]. ♦ Ch.-l. de cant. de la Moselle, arr. de Metz-Campagne, sur l'Orne. 12 412 hab. *(Rombasiens)*. Sidérurgie. Matériaux de construction.

ROMBLON. ♦ Groupe de petites îles de l'archipel des Philippines*, situé au N. de l'île de Panay*, et comprenant env. trente îlots. 1 356 km². 170 000 hab. L'activité principale de la population est la pêche.

ROME, en lat. **Roma.** ♦ Nom d'une des plus grandes puissances de l'Antiquité, d'abord constituée par la ville de Rome, et qui s'étendit ensuite à l'Italie puis à tout le bassin méditerranéen. ♦ LES ORIGINES DE ROME. La légende des origines de Rome a été imposée huit siècles après la fondation de la ville par les récits d'historiens et de poètes comme Tite-Live et Virgile, désireux de célébrer l'essence divine de l'empire augustéen. Les Anciens

Rome et ses environs, et le Vatican.

rapportaient la naissance de Rome au cycle troyen d'Énée*. Échappant à la ruine de Troie, le héros vient chercher refuge sur les côtes du Latium où il épouse Lavinia, fille du roi Latinus*, et fonde Lavinium*. Son fils Ascagne* (ou Iule) fonde Albe*. D'Albe sort une dynastie de douze rois dont le dernier est Numitor*. La fille de ce dernier, Rhea* Silvia, s'unit avec le dieu Mars et de cette union naissent des jumeaux, Romulus et Remus*. Romulus fonde Rome en ~ 753. **V. Romulus.** La figure de Romulus, incarnation idéale de Rome dont il porte le nom, domine toute l'histoire de la Ville. Il représente le fondateur heureux, investi de la grâce des dieux, image du futur *imperator* qui, parce qu'il possède par lui-même un pouvoir divin et qu'il est seul capable de détourner la menace des dieux, pèsera sans cesse sur la mentalité romaine. À Romulus succèdent deux rois sabins et un roi latin de ~ 715 à ~ 616 **(V. Numa Pompilius, Tullus Hostilius, Ancus Martius)** puis trois rois étrusques de ~ 616 à ~ 509. **V. Tarquin l'Ancien, Servius Tullius, Tarquin le Superbe.** Le règne tyrannique de Tarquin le Superbe prend fin avec la révolte des nobles dirigée par Brutus*, et la république est proclamée en ~ 509. Longtemps acceptée, puis violemment contestée, cette tradition sur les origines de Rome est en général confirmée par les découvertes archéologiques. Et si l'on distingue une période de peuplement pré-urbain remontant au début du ~ Xe s., on peut admettre qu'eut lieu au déb. du ~ VIIIe s. une première fondation de Rome à la suite de laquelle les sept collines se regroupèrent en une ligue latine *(septimontium)* sans doute dominée par les Sabins. Mais il faut replacer l'histoire de la naissance de Rome et du peuple latin dans le cadre de l'Italie tout entière. À partir du ~ IIe millénaire, deux vagues successives d'envahisseurs indo-européens **(V. Terramares et Villanova)** vinrent se mêler aux éléments méditerranéens indigènes **(V. Ligures)** pour donner naissance à des peuples d'une très grande diversité technique, culturelle et linguistique **(V. Iapygie, Vénètes, Samnites, Osques, Latins, Sabins, Marses, Èques, Volsques, Ombrie)**. Si les Phéniciens et les Grecs eurent également un rôle civilisateur considérable, les premiers à tenter l'unification politique et culturelle de la péninsule italienne furent les Étrusques, établis au N. du Latium **(V. Étrusques.)** Ils annexèrent Rome au déb. du ~ VIe s. et furent chassés définitivement du Latium après la défaite de Cumes (~ 474). Cette période étrusque fut décisive pour la civilisation romaine. Les Étrusques avaient été les véritables fondateurs de Rome (construction du premier mur d'enceinte, répartition des habitants en quatre quartiers, organisation de l'armée). Par l'intermédiaire de l'Étrurie, la ville s'était ouverte à l'influence hellénique. C'est à cette période que furent construits les premiers grands monuments : le temple de Jupiter capitolin, le temple de Vesta sur le Forum, le Grand Cirque. L'essentiel de la religion était constitué et Rome était devenue la plus puissante cité du Latium. Le départ des Étrusques doit être considéré comme une revanche de l'aristocratie romaine contre un pouvoir tyrannique qui avait trop favorisé les plébéiens. ♦ LES DÉBUTS DE LA RÉPUBLIQUE ET LA CONQUÊTE DE L'ITALIE (~ 509-~ 272). La royauté abolie, les patriciens s'emparèrent du pouvoir et dominèrent la vie romaine pendant des dizaines d'années. Ils s'attribuèrent toutes les prérogatives religieuses, politiques et judiciaires attachées aux rois. Ils étaient organisés en *gentes*, groupement de grandes familles de l'aristocratie terrienne, appuyées sur des *clients*. Le Sénat comme les magistrats – préteurs puis consuls – étaient patriciens. Les débuts de la République furent marqués par la lutte entre plébéiens et patriciens. La ville même de Rome reflétait cette juxtaposition des deux classes : le Palatin* était le domaine du patriciat qui avait seul accès au culte capitolin, les plébéiens se regroupaient sur l'Aventin* autour du sanctuaire de Cérès. Peu à peu, la plèbe réussit à peser sur la politique romaine en raison de l'importance de son rôle militaire. En ~ 471, à la suite de la sécession de la plèbe sur l'Aventin **(V. Menenius Agrippa)** furent créés les tribuns de la plèbe. Vers ~ 450, les principes du droit furent rédigés **(V. Douze Tables** [*loi des*]), et dans les dernières années du ~ ve s., les plébéiens obtinrent l'accès aux magistratures. Mais l'aristocratie gardait l'essentiel du pouvoir. Le gouvernement républicain reposait sur l'équilibre des pouvoirs, obtenu par le contrôle mutuel des différentes classes politiques : Sénat, magistrats et peuple. Les magistrats (consuls, préteurs, édiles, questeurs) élus par le peuple (comices centuriates et comices tributes) exerçaient le pouvoir exécutif sous la tutelle du Sénat qui représentait l'autorité permanente. À l'extérieur, Rome dut lutter contre les Étrusques **(V. Porsenna, Horatius Coclès, Mucius Scaevola, Camille)**, les Latins qu'elle vainquit au lac Régille (~ 497), les Volsques **(V. Coriolan)**, les Eques **(V. Cincinnatus)** et les Gaulois **(V. Manlius Capitolinus)**. La plus difficile de ses conquêtes fut celle du pays samnite **(V. Samnites)**. Le Samnium annexé, la péninsule italienne était presque entièrement conquise, à l'exception des villes grecques de l'Italie méridionale. La guerre contre Tarente*, qui avait fait appel à Pyrrhus*, se termina par la victoire de Curius Dentatus à Bénévent (~ 275) et la prise de Tarente (~ 272). À l'aube du ~ IIIe s., Rome était maîtresse de l'Italie, de la plaine du Pô à la mer Ionienne. ♦ LA CONQUÊTE DU BASSIN MÉDITERRANÉEN. (~ 264-~ 118). En ~ 264, les Romains passèrent en Sicile. Le prétexte était de sauver Messine de l'emprise carthaginoise. La quasi-totalité de l'île était occupée par les Puniques, et la faiblesse des villes grecques de la côte orientale laissait présager l'achèvement de la conquête carthaginoise après le départ de Pyrrhus. Une Sicile punique représentait un danger pour l'Italie et, en entreprenant la *première guerre Punique* Rome se décidait à un impérialisme défensif. La guerre contre Carthage se fit en plusieurs étapes. **(V. Puniques** [*guerres*].) Deux ans après la victoire de Zama* (~ 202) qui mettait fin à la *deuxième guerre Punique*, Rome déclara la guerre à Philippe* V de Macédoine et à Antiochos* III de Syrie et remporta les brillantes victoires de Cynoscéphales (~ 197), des Thermopyles (~ 191) et de Magnésie du Sipyle (~ 189) qui anéantirent la puissance de la Macédoine et celle des Séleucides. Persée* tenta de secouer le protectorat romain, mais il fut vaincu à Pydna* (~ 168) par Paul* Émile. Vingt ans plus tard un nouveau soulèvement de la Macédoine et de la Grèce aboutit à la destruction de Corinthe (~ 146). La *Grèce* et la *Macédoine* devinrent provinces romaines. La même année prit fin la *troisième guerre Punique*. Carthage fut rasée et ses possessions formèrent la *province* romaine *d'Afrique*. En ~ 133 Attale* III, roi de Pergame, léguait à Rome son royaume qui devint *province d'Asie* (~ 129). Mais l'*Espagne*, conquise par Scipion* l'Africain, rejeta l'autorité romaine. Pendant vingt ans des campagnes meurtrières furent menées par Rome, qui ne mit fin à la révolte des Lusitaniens et des Celtibères que par l'assassinat de Viriathe* (~ 139) et la prise de Numance* (~ 133). Entre l'Italie et l'Espagne fut constituée la province de *Narbonnaise* (~ 118). En moins de quarante ans Rome avait acquis six nouvelles provinces : la Macédoine, l'Asie, l'Afrique, l'Espagne ultérieure et citérieure et la Narbonnaise. Cette extrême extension ne pouvait manquer de transformer les conditions matérielles et morales de la vie romaine. Les contacts multipliés avec l'Orient hellénique modifièrent l'ancien idéal de vie des Romains, que Caton* tentait encore de préserver. À l'aristocratie terrienne, préoccupée par les affaires de la cité et dont l'autorité était garantie par ses possessions, se substitua un nouveau type d'homme politique, épris de gloire personnelle et sensibilisé à la vie intellectuelle. L'influence de la doctrine stoïcienne avait donné naissance à une culture humaniste qui fut définie par le cercle de Scipion Émilien **(V. Scipion Émilien)**. L'évolution des mœurs se fit ressentir dès le ~ IIe siècle. Le divorce fut autorisé et devint très fréquent vers la fin de la République. La femme put disposer de ses biens, la famille perdit en autorité et l'aristocratie donna l'exemple d'une limitation des naissances. On vit alors apparaître le type de la Romaine cultivée, intéressée à la vie publique, telle Cornélie*, mère des Gracques. Mais les grandes conquêtes avaient perturbé l'équilibre économique du pays et Rome allait vers une grave crise sociale qui devait causer la chute de la république. ♦ LES GUERRES CIVILES ET LA FIN DE LA RÉPUBLIQUE (~ 133-~ 27). La classe rurale, éloignée du bénéfice des conquêtes, s'était énormément appauvrie. De graves révoltes serviles avaient éclaté dans les provinces, et l'oligarchie sénatoriale n'était pas en mesure de proposer les réformes nécessaires. Aux nobles, les *optimates*, s'opposa alors un nouveau groupement politique, celui des *populares*, partisans des réformes sociales, avec à sa tête Tiberius et Caius Gracchus. **V. Gracchus.** Mais les Gracques se heurtérent à l'opposition sénatoriale et leurs lois agraire et frumentaire furent abrogées. À l'occasion de la guerre contre Jugurtha* **(V. Numidie)** s'illustra un homme nouveau, Marius, que les *populares* imposèrent comme consul en ~ 107. Contre lui se dressa Sylla, défenseur de l'oligarchie sénatoriale à qui ses succès dans la guerre sociale* valurent le consulat en ~ 88. Après plusieurs années pendant lesquelles les deux candidats se livrèrent à de sanglantes proscriptions **(V. Marius; Sylla)**, Sylla finit par l'emporter (~ 82). Il abdiqua en ~ 79, laissant l'oligarchie reprendre le pouvoir. À l'extérieur, Rome n'avait pas cessé de se battre. La révolte de Sertorius* en Espagne (~ 80-~ 72) et celle des esclaves dirigés par Spartacus* en Italie (~ 73-~ 71) contribuèrent à mettre en avant Crassus* et Pompée. **V. Pompée.** Élus consuls en ~ 70, les deux généraux victorieux rendirent aux chevaliers et aux *populares* tous les pouvoirs dont Sylla les avait dépouillés. Tandis que Pompée, muni d'un *imperium* de trois ans, était parti combattre les pirates en Méditerranée et mettre fin à la guerre contre Mithridate* VI, les troubles intérieurs (conspiration de Catilina*) avaient permis à César de se rendre populaire. Rentré d'Orient, Pompée n'osa pas tenter le coup d'État qui lui aurait assuré la dictature, et il forma avec Crassus et César le *premier triumvirat* (~ 60). César pouvait désormais entreprendre la conquête du pouvoir. **V. César.** Consul en ~ 59, il obtint le commandement de la guerre des Gaules. **V. Gaule.** En son absence, le triumvirat fut dissous par la mort de Crassus (~ 53) et Pompée, profitant des heurts entre Clodius* et Milon*, se fit nommer par le Sénat consul sans collègue avec pleins pouvoirs (~ 52). Puis il exigea le rappel de César, toujours en Gaule, et le licenciement de ses troupes. Mais celui-ci entra en armes en Italie du Nord, franchit le Rubicon avec ses légions (~ 49) et se rendit maître de tout le pays. Pompée s'enfuit en Grèce. Nommé dictateur en ~ 49, César battit Pompée à Pharsale* (~48), soumit l'Égypte où il installa comme reine Cléopâtre* et élimina le reste des partisans de Pompée à Thapsus* et à Munda*. De nouveau dictateur en ~ 45, puis dictateur à vie en ~ 44, il aurait probablement instauré à Rome une monarchie de type hellénistique s'il n'avait été assassiné la même année par Brutus* et Cassius*. À la mort de César, deux hommes se disputèrent le pouvoir : Antoine, son principal lieutenant, et Octave, son fils adoptif. D'abord ennemis (guerre de Modène, mars ~ 43), ils se rapprochèrent pour former avec Lépide le *second triumvirat* (nov. ~ 43). Les proscriptions reprirent, visant à éliminer totalement l'opposition républicaine (assassinat de Cicéron*, élimination de Brutus et Cassius à Philippes*, guerre contre Sextus Pompée*). À la paix de Brindes (~ 40), les triumvirs se partagèrent le monde romain : l'Occident allait à Octave, l'Orient à Antoine et l'Afrique à Lépide. En ~ 36 Lépide fut déposé. **V. Lépide.** En ~ 31, Octave vainquit Antoine à Actium **(V. Antoine)** et annexa l'Égypte, qui devint province romaine (~ 30). Désormais il régnait seul. ♦ AUGUSTE ET L'ÉTABLISSEMENT DE L'EMPIRE (~ 27-14). Pour la première fois, toutes les terres bordant la Méditerranée appartenaient à un même ensemble politique. Octave, à qui le Sénat avait reconnu une autorité souveraine *(auctoritas)* en lui décernant le titre d'*auguste*, allait tenter d'en faire un État unifié et d'y instaurer un ordre nouveau. **V. Auguste.** Il commença par garantir les frontières et organiser l'administration des provinces. La longueur de son règne lui permit d'édifier lentement la nouvelle civilisation impériale qui tentait de concilier la satisfaction des besoins nouveaux et le respect de l'ancien patrimoine culturel romain : piété, sens du devoir civique, dévouement à la collectivité. Les bienfaits de la *pax romana* ne furent pas négligeables. L'empire ne connut plus qu'exceptionnellement les guerres civiles, et les guerres étrangères ne furent plus menées qu'à la périphérie de l'empire. Mais cette tentative d'uniformisation juridique et morale se heurta très vite aux singularités des différentes civilisations. L'empire maintint les paysans dans un état de demi-servage et la prospérité des villes ne contribua que fort peu au bien-être des campagnes. Le « siècle d'Auguste » vit le triomphe de la littérature latine classique **(V. Horace, Virgile, Tibulle, Properce, Ovide, Tite-Live)**. C'est à cette époque que se définit l'art romain. La politique monumentale d'Auguste répondait aux mêmes exigences que ses réformes religieuses et morales. Il suscita un art officiel qui était une synthèse entre les traditions réalistes de l'art italien et un souci d'idéalisation qui visait à sa propre glorification, allant jusqu'à la création d'un type dans les portraits. Héritier des traditions esthétiques de la Grèce, l'art romain eut à résoudre des problèmes spécifiques à la nouvelle civilisation latine et c'est en partie de cela qu'il tire son originalité. L'architecture traduisit avant tout un fait économique et social :

Arch. Rencontre

Rome : Art étrusque, sarcophage des Époux. Terre cuite. Cerveteri, ~ VIe s. (Musée du Louvre, Paris.)

Ph. Nimatallah/Ricciarini

Rome : Auguste. (Musée du Capitole, Rome.)

la concentration urbaine exceptionnelle entraîna la construction d'édifices gigantesques, thermes, amphithéâtres, aqueducs, et le souci de frapper l'imagination l'emporta souvent sur celui d'équilibrer les formes. Pendant cette période augustéenne apparut un art du portrait grave, équilibré et plein d'humanité ; on vit également se développer la peinture, et le paysage devint un sujet très fréquent (fresques de la maison de Livie sur le Palatin, décoration des maisons pompéiennes). Cette peinture de paysage, de tradition hellénistique, exprimait à Rome un besoin d'évasion. C'est pour la même raison que l'on vit se multiplier la construction des jardins, des fontaines, des villas de plaisance. C'est au cours des Ier et IIe s. que furent édifiés la plupart des monuments de Rome (autel de la Paix, temple d'Apollon, aménagement du Palatin), en Gaule **(V. Glanum, Arles, Orange, Maison Carrée)** et dans le reste de l'empire. ♦ L'EMPIRE AU Ier ET AU IIe S. : JULIO-CLAUDIENS, FLAVIENS ET ANTONINS. À Auguste succédèrent les souverains de la dynastie julio*-claudienne. **V. Tibère, Caligula, Claude, Néron.** Si sanglants qu'aient été ces règnes, ils n'en furent pas moins les témoins de la paix romaine. Les révoltes furent vite réprimées (victoire de Germanicus* sur les Germains, 14-16 ; conquête de la Bretagne, 43-47 ; soumission de Boadicée* ; guerre victorieuse contre Vologèse*, roi des Parthes, 58-66). Les travaux de construction se multiplièrent (aménagement du port d'Ostie*, fondation de Cologne). Et l'extension de la citoyenneté romaine à la plupart des citoyens romains provinciaux mena à une progressive égalisation des conditions politiques. Après une période de crise pendant laquelle l'armée d'Espagne, la garde prétorienne et l'armée de Germanie allaient successivement porter leurs généraux à l'empire **(V. Galba, Othon, Vitellius)**, Vespasien rétablit l'ordre en fondant la dynastie des Flaviens (69-96). **V. Vespasien, Titus, Domitien.** Après la tyrannie de Domitien sous le règne duquel l'autorité impériale s'était démesurément accrue, les premiers Antonins (96-192) instaurèrent un régime libéral où les empereurs s'efforcèrent de faire servir leur puissance au bien public dans le respect et de la vie et de l'honneur de leurs sujets. **V. Nerva, Trajan, Hadrien, Antonin, Marc Aurèle.** Leur règne marqua l'apogée de l'empire. Le monde romain atteignit sa plus grande extension (conquête de la Dacie, annexion de la Mésopotamie, de l'Arménie, de l'Arabie Pétrée). Mais le renforcement des fortifications aux frontières (construction du mur d'Hadrien, du mur d'Antonin et du *limes* du Rhin), la multiplication des garnisons et des camps n'empêchèrent pas les Barbares, notamment Parthes et Germains, de menacer l'empire. Avec Commode*, Rome retrouva l'atmosphère de terreur des règnes tyranniques. L'organisation d'une bureaucratie centralisatrice et l'accroissement démesuré de la richesse des souverains au cours du Ier et du IIe s. contribuèrent au renforcement de la puissance impériale et l'on vit s'imposer un idéal de vie oisive *(otium)* où empereurs et aristocrates rivalisèrent pour étaler les manifestations de leur bienveillance envers le peuple. Cet idéal proposé aux classes inférieures est ainsi défini par Juvénal : « Depuis qu'il n'a plus de suffrages à vendre, lui qui, jadis, distribuait le pouvoir, les faisceaux, les légions, tout enfin, le peuple déchu ne souhaite plus avec une anxieuse convoitise que deux choses au monde : du pain et des jeux *(panem et circenses).* » Malgré une certaine stabilité politique et administrative, des influences contradictoires commencèrent à se manifester dans l'empire. L'insuffisance notoire d'un idéal paternaliste, destiné en fait à perpétuer une profonde inégalité sociale, l'abus de jouissances matérielles, la diffusion des philosophies orientales (pythagorisme), du stoïcisme, du christianisme, la sclérose de la religion officielle, les crises économiques (crise agricole, insuffisance des débouchés commerciaux) aboutirent à l'affaiblissement du pouvoir central et à une influence croissante de l'armée, reflétant l'hétérogénéité de l'empire et le mélange ethnique qu'elle impliquait. Sous cet empire totalitaire et fragile s'épanouissait une littérature satirique et historique, tournée vers la critique ou vers le passé **(V. Tacite, Pline le Jeune, Quintilien, Martial)** tandis qu'une philosophie de tendance stoïcienne, luttant contre la crise religieuse **(V. Perse, Lucain, Sénèque)**, représentait le dernier apogée d'une culture en péril. En revanche, à l'art augustéen avait succédé un art académique, d'un classicisme froid et guindé. Les copies d'un même type (Antinoüs, par exemple) se multipliaient dans tout l'empire. L'originalité subsistait pourtant à travers le réalisme du portrait italien et des œuvres sorties des ateliers de sculpture gaulois. ♦ LA CRISE DU IIIe S. : L'ANARCHIE MILITAIRE ET LA TENTATIVE DE REDRESSEMENT DES EMPEREURS ILLYRIENS. (193-305). L'assassinat de Commode rendit évident le déséquilibre entre le pouvoir politique et la puissance militaire et ouvrit une période de chaos pendant laquelle les légions se disputèrent le pouvoir. Pertinax* fut assassiné après trois mois de règne (193) et l'empire fut racheté par Didius Julianus. Ce dernier fut vite éliminé par l'Africain Septime Sévère (193-211) qui fonda la dynastie des Sévères (193-235). **V. Septime Sévère, Géta, Caracalla, Élagabal, Sévère Alexandre.** Septime Sévère instaura un ordre politique qui enlevait tout pouvoir au Sénat et assurait la puissance absolue à l'armée : « Enrichissez les soldats et moquez-vous du reste. » À la mort de Sévère Alexandre, la crise atteignit soudain son paroxysme. Les besoins de la défense militaire de l'empire devant la pression accrue des Barbares (Francs et Alamans sur le Rhin, Alamans et Goths sur le Danube, Perses sur l'Euphrate) suscitèrent le recours aux meilleurs généraux, désignés comme empereurs, puis rapidement écartés. Maximin* Ier, Gordien* Ier, II et III, Philippe* l'Arabe, Dèce*, Valérien*, Gallien*, menèrent successivement la lutte aux frontières, mais aucun pouvoir stable ne put s'instaurer, et l'on vit même se former des empires provinciaux (celui de Postumus en Gaule, de Zénobie en Orient). L'unité de l'empire fut rétablie par les empereurs illyriens (268-283). **V. Claude II le Gothique, Aurélien, Probus, Carus.** L'armée et l'appareil bureaucratique furent renforcés et l'énergie morale mobilisée par une foi commune dans la religion solaire. L'affaiblissement momentané des Barbares permit à un autre Illyrien, Dioclétien (284-305), d'achever la restauration impériale en instituant la tétrarchie. **V. Dioclétien, Maximien, Constance Chlore, Galère, Sévère, Maximin Daia.** ♦ L'EMPIRE CHRÉTIEN : DE CONSTANTIN À LA MORT DE THÉODORE (305-395). À partir de Dioclétien, l'institution impériale s'apparenta de plus en plus à une monarchie orientale. Constantin la christianisa. Tout l'empire fut désormais soumis à la plus implacable autorité et sa conversion au christianisme fut pour le monarque l'occasion de prétendre au gouvernement moral et spirituel de ses sujets. La société s'organisa en castes, accroissant l'autorité des puissants sur les pauvres. Les structures sociales se figèrent, et le pouvoir économique des grands aristocrates s'accrut grâce au *colonat* qui attachait le paysan à la terre et au *patronage* par lequel le petit propriétaire se plaçait sous la dépendance personnelle d'un seigneur. L'État, qui avait encouragé cette concentration pour des raisons fiscales, se trouvait devant une caste dangereusement puissante. La tentative de restauration païenne entreprise par Julien l'Apostat **(V. Julien l'Apostat)** échoua et l'avènement de Théodose **(V. Théodose)** consacra la victoire définitive du christianisme. ♦ LA DISLOCATION DE L'EMPIRE (395-476). À sa mort, Théodose partagea l'empire entre ses deux fils : il donnait l'Orient à Arcadius* et l'Occident à Honorius*. L'unité de l'empire était définitivement brisée. Dès la fin du IVe s., les armées chargées d'en défendre les restes étaient le plus souvent commandées par des Barbares (Goths, Vandales). Des chefs militaires, tels Stilicon* et Ricimer*, purent même exercer le pouvoir politique. Quant aux Barbares extérieurs aux frontières, leurs attaques atteignirent bientôt le centre même de l'empire. Rome fut pillée en 410 par les Wisigoths d'Alaric*, en 455 par Genséric*, et, en 476, Odoacre* déposait Romulus* Augustule, dernier empereur romain d'Occident. Cette date correspond à la fin de l'empire d'Occident **(V. Italie).** *L'empire romain d'Orient* devait survivre jusqu'en 1453. **V. Byzance.**

ROME, en it. **Roma.** ♦ Capitale de la République italienne, située en Italie centrale, dans la prov. du Latium*, à environ 25 km du rivage de la mer Tyrrhénienne. 2 800 440 hab. *(Romains)* [1969 ; 1re V. d'Italie]. Contrairement à ce qui se produit pour la plupart des capitales modernes, le territoire de la commune, vaste de 1 508 km², est loin d'être entièrement occupé par l'agglomération urbaine. Ce territoire comprend vingt-deux *rioni* correspondant au centre historique de la ville ; trente-cinq *quartieri* (dont trois *quartieri marini* en bord de mer, à Ostie et Castel Fusano) créés par l'accroissement moderne de la ville ; six *suburbi*, banlieues en voie d'urbanisation, et l'*Agro romano*, « campagne romaine » autrefois insalubre (marais pontins) et assainie depuis Mussolini. Il faut ajouter les enclaves non italiennes formées par

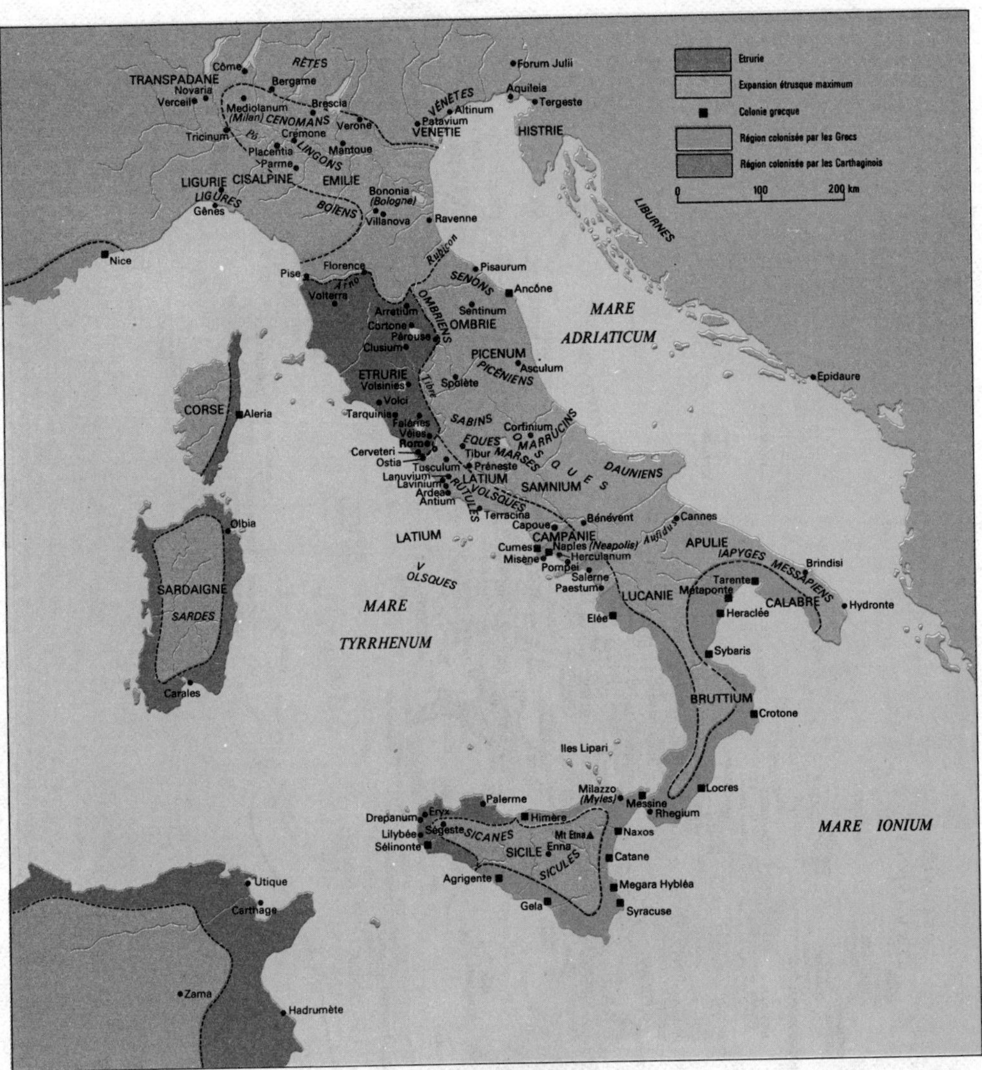

Rome : Italie antique.

la Cité du Vatican et ses possessions **(V. Vatican).** Le municipe romain est administré par un conseil communal de 80 membres élus, qui nomme son maire et un conseil municipal de 18 assesseurs; le quartier de l'E.U.R. (voir plus loin) jouit, dans ce cadre, d'une personnalité administrative particulière. — Rome s'est développée sur le site défensif constitué par ses célèbres collines (les sept collines primitives : **V. Aventin, Cœlius, Capitole, Esquilin, Palatin, Quirinal, Viminal;** la ville s'est étendue depuis sur le Pincio, et le Janicule*). Ce site s'appuyait à l'O. sur le cours du Tibre, mais si la situation de Rome comme ville-pont fut déterminante pour son expansion économique et politique, elle n'influença guère la topographie urbaine, nettement centrée sur la rive gauche du fleuve. — La zone archéologique, avec les forums, le Colisée, le parc de Trajan, la Maison d'or, le théâtre de Marcellus, les monuments du Palatin, le *Circus maximus,* les thermes de Caracalla, s'étend au S. et au S.-E. du Capitole. Celui-ci demeure le siège de la municipalité, mais l'admirable place du Capitole *(piazza del Campidoglio),* dessinée par Michel-Ange, est écrasée, depuis la fin du XIXe s., par la masse du monument à Victor*-Emmanuel II. Face à celui-ci, au N., la *piazza Venezia* est, depuis les aménagements mussoliniens, le point de convergence des principales artères romaines. À l'O., dans la boucle du Tibre, l'ancien Champ de Mars, qui fut aussi le centre de la Rome renaissante, est un quartier dense, voué au petit commerce, qu'irrigue malaisément le *corso Vittorio Emanuele;* là se trouvent les temples républicains, le Panthéon*, le palais Farnèse*, le palais Médicis ou palais Madame (Sénat), la *piazza Navona,* l'église du Gesú*. Au N., ayant pour axe la *via del Corso* aboutissant à la *piazza del Popolo,* les quartiers développés après la Renaissance (églises et palais baroques, maisons bourgeoises des XVIIIe et XIXe s.) sont aujourd'hui le quartier des banques et des grands journaux; le palais de Montecitorio est occupé par la Chambre des députés. Plus au N.-E., sur l'ancien fief des Barberini, la fin du XIXe s. a vu s'organiser la vie luxueuse (grands hôtels de la *via Vittorio-Veneto,* magasins de la *via del Tritone*). À l'E., la *via Nazionale* et ses parallèles forment les lignes directrices du quartier urbanisé vers 1860 par Mgr de Mérode et devenu quartier administratif (palais présidentiel du Quirinal, présidence du Conseil et ministères); elles aboutissent à la *piazza Esedra,* aux thermes de Dioclétien (Sainte*-Marie-des-Anges), à la gare centrale (*Stazione Termini,* une des meilleures réussites de l'architecture contemporaine, inaugurée en 1950), à la basilique Sainte*-Marie-Majeure. Plus excentriques, quoique encore compris dans l'enceinte d'Aurélien, sont, au S.-E., le beau quartier du Latran* autour de la cathédrale de Rome, Saint-Jean-de-Latran, et au S., vers le Tibre, le quartier du « mont » Testaccio et des Abattoirs, naguère misérable et aujourd'hui en voie d'équipement. De l'autre côté du Tibre, se trouve le Transtévère *(Trastevere),* au Moyen Âge quartier des juifs et des étrangers, aujourd'hui quartier populaire dont le pittoresque attire touristes et noctambules; plus au N., l'ancien *Borgo* a été percé par la *via della Conciliazione,* achevée après 1945 et ouvrant largement l'accès à Saint*-Pierre-de-Rome et au Vatican, depuis le Tibre et le château Saint*-Ange; plus au N. encore, le quartier des *Prati* bâti au début du siècle forme un ensemble résidentiel de haut

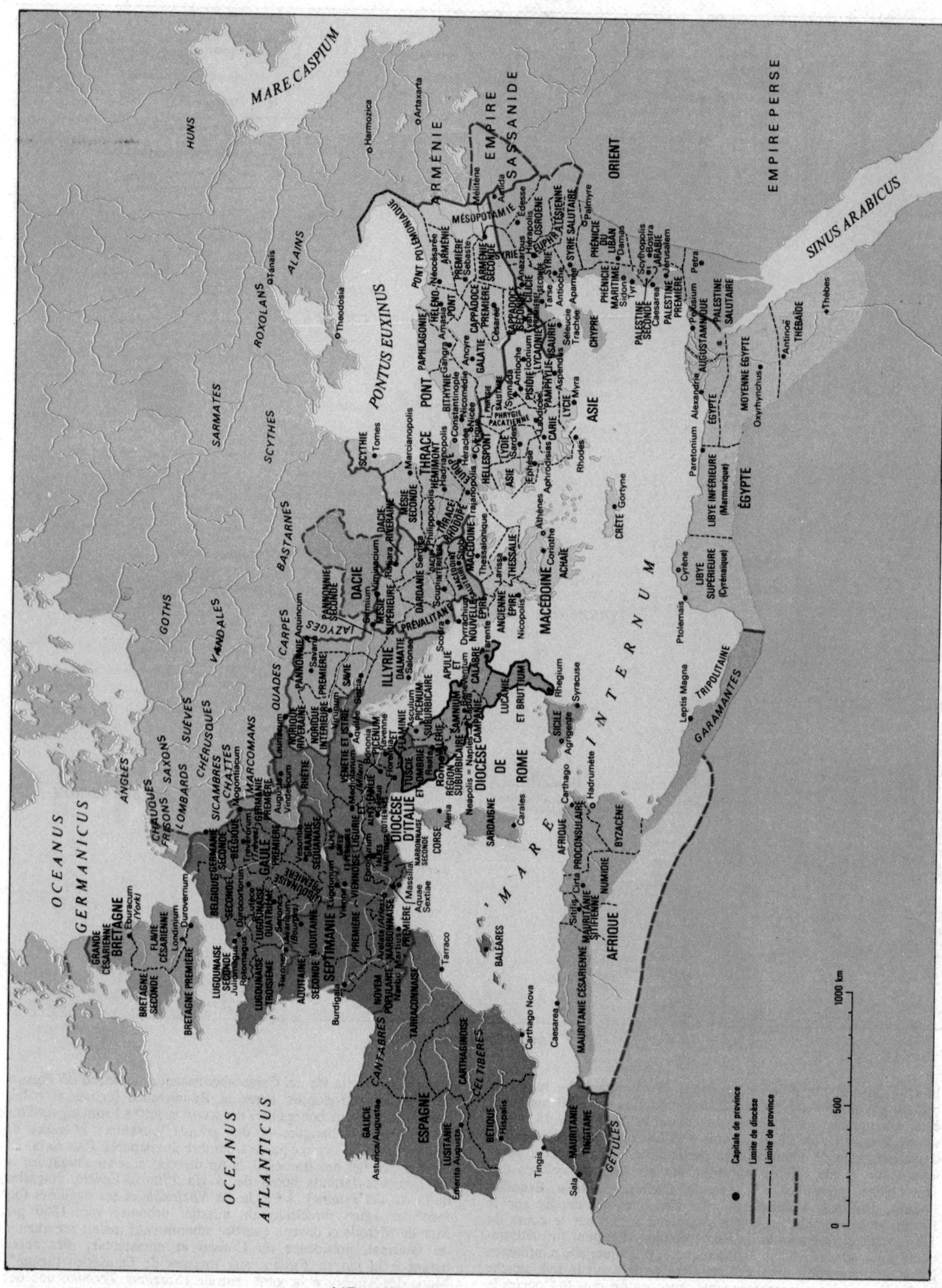

L'**Empire romain** à la fin du IVe s.

niveau. Toute cette zone, sauf les *Prati,* constitue la Rome historique qui tenait aisément, jusqu'en 1870, dans l'enceinte d'Aurélien. Celle-ci, qui subsiste en grande partie, est percée de portes, points de départ des routes modernes qui ont conservé le tracé et le nom des anciennes voies rayonnant autour de Rome. C'est au départ de ces voies que se trouvent les entrées des catacombes, cimetières des premiers temps chrétiens (catacombes de Sainte-Priscille, *via Salaria;* de Sainte-Agnès, *via Nomentana;* de Saint-Calixte, *via Appia antica).* Ce centre historique de Rome (les *rioni)* subit actuellement le même phénomène de dépopulation que les centres d'affaires d'autres capitales. – Au contraire, les faubourgs récents *(quartieri)* étendus circulairement autour de ce noyau, voient leur population augmenter très rapidement (plus de 2 000 000 d'hab.) tant par le déplacement de l'habitat dans Rome même que par l'immigration de province (surtout d'Italie du Sud). C'est là que se trouvent aussi les grands espaces verts : villa Borghèse, villa Savoia (ancienne villa Ada), monte Mario, installations sportives du *Campo della Farnesina,* jardins du Janicule, villa Doria-Pamphili. Le plus remarquable de ces « quartiers » est, au S., celui de l'E.U.R. *(Esposizione Universale di Roma),* commencé en 1938 en vue d'une exposition universelle qui, en 1942, ne put avoir lieu : doté par Mussolini d'une grande autonomie administrative et juridique, qu'il conserva, il fut achevé après guerre et forma un ensemble à la fois administratif, résidentiel, culturel (musée de la Civilisation romaine), commercial (Foire de Rome), industriel et sportif, après qu'y eurent été bâtis un palais des sports et les installations necessaires aux Jeux Olympiques de 1960. Ce quartier est relié à la *Stazione Termini* par la seule ligne de métro existant actuellement (les travaux pour étendre le réseau se heurtent à de graves difficultés en rapport avec la richesse archéologique du sous-sol). À l'E., les quartiers de Pietralata et de Centocelle sont destinés à prendre la relève des centres administratifs actuels, tandis qu'une autoroute, l'*Asse attrezzato*, permettra d'éviter le centre historique. Les communications sont assurées par les grandes routes que doublent plusieurs autostrades ; par le réseau ferré (ligne Nord-Sud, ligne Rome-Milan, et transversales) qui dessert la *Stazione Termini* et une demi-douzaine de gares secondaires ; par le port de Fiumicino et, hors de la commune, les ports de Civitavecchia et d'Anzio ; par l'aéroport international « Léonard de Vinci » à Fiumicino et l'aéroport de Ciampino. – Ancienne capitale du monde antique puis capitale spirituelle de la chrétienté, Rome tira longtemps sa subsistance d'apports extérieurs. Lorsqu'elle devint capitale du royaume d'Italie en 1870, elle n'avait de tradition industrielle que l'imprimerie. Actuellement encore, sur une population active d'environ 1 000 000 de personnes, 2 % sont employées dans l'agriculture, 32 % seulement dans l'industrie (contre 62 % à Turin et 40 % sur l'ensemble de l'Italie) et 66 % dans le secteur tertiaire (administrations, services, commerce, banques, assurances). L'agriculture, à laquelle les travaux de bonification menés depuis Mussolini ont procuré des terres très fertiles, concerne principalement les cultures maraîchères, les produits laitiers, la viande (bovins et porcins). Le plan d'aménagement urbain de 1962 a créé des zones industrielles, surtout dans les « quartiers » Est, et le Consortium pour l'industrialisation de la région Rome-Latina, créé en 1965, fait bénéficier la ville d'un cadre plus large que celui de la commune et entrant en partie dans le ressort de la Caisse du Mezzogiorno* ; la région romaine commence ainsi à sortir de l'isolement économique qui avait été le sien, entre le Nord industrialisé et le Sud assisté. Principales indus. : bâtiment, mécanique et électromécanique, papeterie et imprimerie, textile et vêtement, indus. alimentaires, travail du bois (encore artisanal), indus. chimiques et pétrolières, d'implantation récente (raffineries de Pantano de Grano, de Fiumicino). L'industrie cinématographique est très importante : les studios et laboratoires de *Cinecittà*, de la *via Pontina* et du Latium-Sud représentent la quasi-totalité des installations italiennes. Une autre activité d'importance considérable est le tourisme : le charme de la ville, qui vit avec naturel dans un cadre prestigieux, la profusion de ses richesses archéologiques et artistiques, son rôle comme capitale italienne, la présence de la papauté, lui attirent près de 3 000 000 de visiteurs par an, tant Italiens qu'étrangers. Rome, ville-musée et capitale, continue de jouer un rôle culturel important. Outre ses monuments, elle possède des musées dont les collections restent parmi les premières du monde, en dépit des pillages (sous Napoléon Bonaparte notamment) : musées du Vatican **(V. Vatican)**, villa Borghèse*, Galerie nationale (palais Barberini, renfermant *La Fornarina* de Raphaël, le *Portrait de Philippe II* de Titien, le *Baptême du Christ* du Greco, le *Portrait d'Henri VIII* d'Holbein le Jeune), galerie Doria-Pamphili (au palais Doria, avec le *Portrait d'Innocent X* de Vélasquez, et des œuvres de Raphaël, Titien, Caravage, Poussin, Rubens), galerie nationale d'Art moderne (œuvres italiennes des XIXe-XXe s.), Musée national romain (aux thermes de Dioclétien, art grec, romain et chrétien), musée de la villa Giulia (archéologie italienne), musées du Capitole **(V. Capitole)**. La Bibliothèque nationale et la Vaticane* sont d'une importance comparable aux plus riches bibliothèques de Londres ou de Paris. L'université de Rome comporte quatorze facultés et reçoit plus de 60 000 étudiants ; il faut y ajouter les universités catholiques : université grégorienne **(V. Grégoire XIII)**, Athénée du Latran, *Angelicum* dominicain, ainsi que des institutions étrangères telles que l'École française (palais Farnèse) ou l'Académie de France (villa Médicis*). ♦ *Hist.* (Pour l'histoire de l'État romain antique : **V.** *ci-dessus* ; pour l'histoire de l'État pontifical : **V. Église** [*États de l'*]). Traditionnellement fondée le 21 avril ~ 753 par Romulus* et effectivement occupée – les cabanes du Palatin le montrent – à partir de la moitié du ~ VIIIe s., Rome dut son développement à la solidité de son site défensif (les sept collines, appuyées sur le Tibre) et surtout à sa situation : ville carrefour, elle se trouvait à la fois sur la route des caravanes de sel remontant de la mer vers l'Apennin (ce que rappellent le tracé et le nom de la *via Salaria*) et sur la longitudinale d'Étrurie en Campanie, à l'endroit où le Tibre est le plus aisé à franchir, sinon à gué comme certains l'ont cru, du moins par l'établissement d'un pont sur des berges plus fermes que celles des plaines marécageuses au N. et au S. (le plus ancien pont est le pont Sublicius) ; jusqu'au XXe s. il n'y eut d'ailleurs pas de pont en aval de Rome et celle-ci monopolisa en quelque sorte le passage. L'organisation réelle de la ville eut lieu sous la domination des Étrusques (2e moitié du ~ VIe s.). C'est à eux que la tradition, confirmée par l'archéologie, attribue la construction de la *Cloaca* maxima*, celle du temple de la Triade capitoline **(V. Capitole)** et celle du Mur servien (de Servius* Tullius), puissante enceinte entourant déjà les sept collines (encore loin d'être complètement habitées) et qui fut en partie refaite après la prise de Rome par les Celtes v. ~ 390. Après la chute des Tarquins (~ 509), le luxe étrusque disparut ; l'austérité, rendue nécessaire par la récession du ~ Ve s., devint la vertu républicaine par excellence, affectée aussi bien dans le genre de vie des citoyens que dans les constructions (en tuf volcanique des environs ou en bois), même lorsque, aux ~ IIIe-IIe s., Rome fut maîtresse de l'Italie et du monde méditerranéen. Le centre de la cité était le Capitole et la citadelle *(arx)*, au pied desquels le Forum voyait se dérouler la vie publique et religieuse. Ses boutiques (à partir du ~ IIe s., ses basiliques) ainsi que le *Forum Boarium* (« marché aux bœufs ») et le *Forum Holitorium* (« marché aux légumes ») servaient aux activités commerciales. Les demeures patriciennes étaient installées sur le Palatin tandis que l'Aventin, concédé à la plèbe en ~ 456, formait un quartier populaire aux bâtisses exiguës. Les divertissements avaient lieu au *Circus maximus* ou dans des théâtres en bois éphémères. Hors du Mur servien, le *Champ* de Mars* servait aux rassemblements militaires, aux recensements, aux élections ; des temples y étaient bâtis. À la fin de la République, même si les projets de César* ne furent pas tous réalisés, l'aspect de la ville fut profondément modifié. Pompée* avait bâti le premier théâtre en pierre (~ 52) ; le Forum de César fournit le modèle des forums impériaux ; sous Auguste*, Agrippa*, prenant en main l'édilité (~ 33), renouvela l'adduction des eaux, multiplia les fontaines, créa les premiers thermes et un bassin de natation *(Stagnum Agrippae)*, érigea le Panthéon*, primitivement sur plan rectangulaire ; la restauration religieuse fut marquée par l'édification d'un magnifique temple d'Apollon sur le Palatin et par la réfection de nombreux autres ; sur le Champ de Mars, l'autel de la Paix *(Ara pacis augustae)* et le mausolée d'Auguste consacrèrent la grandeur du règne ; théâtre (dédié à Marcellus), bibliothèque, portique, rien de ce qui pouvait améliorer la vie des citoyens ne fut négligé ; les agréments de l'hellénisme furent adaptés à l'usage romain ; Auguste put se vanter d'avoir laissé de marbre une ville qu'il avait trouvée de pierre. Ses successeurs continuèrent à effectuer de grands travaux : palais impériaux de Tibère*, de Caligula*, de Néron* (ou Maison* dorée), de Domitien (significativement tourné vers les provinces d'Orient et qui reste celui des empereurs suivants) ; aménagements du Forum, monuments de victoire (arcs de Titus*, de Septime* Sévère, colonne trajane) ; nouveau Panthéon qui, sous Hadrien*, semble avoir été le premier édifice romain à coupole ; mausolée d'Hadrien (devenu le château Saint*-Ange). Les monuments les plus caractéristiques de la Rome impériale furent les amphithéâtres où se donnaient les jeux et les combats de gladiateurs et dont le plus célèbre est le Colisée*, et les thermes (de Néron, de Trajan, de Caracalla, de Dioclétien, de Constantin), vastes établissements de bain et de loisirs dont la gratuité, comme d'ailleurs celle des jeux, permettait aux empereurs de se concilier le peuple. À Rome, désormais capitale du monde occidental et méditerranéen, affluaient des populations cosmopolites ; dès l'époque d'Auguste, le Transtévère *(Transtiberinus)* était habité ; sous Hadrien, la ville compta près d'un million d'habitants ; v. 270, lorsque la menace des Barbares obligea à élever de nouvelles fortifications, la muraille d'Aurélien* ceignit une zone environ trois fois plus étendue que celle que contenait le Mur servien. Cette

Ph. L'Esperto/Ricciarini

Maquette de la **Rome** antique.

Ph. L'Esperto/Ricciarini

Rome : le château Saint-Ange.

énorme agglomération, divisée en 14 régions, était administrée par des magistrats spéciaux (préfets de la ville, de l'annone, des vigiles) et surveillée par les prétoriens casernés sur l'Esquilin; elle était ravitaillée par les ports d'Ostie* et de Portus (travaux de Claude et de Trajan) et, à Rome même, par un vaste marché-entrepôt *(emporium)* dont les détritus ont formé le « mont » Testaccio. — Le christianisme pénétra à Rome de bonne heure : le Nouveau Testament conserve une *Épître** de saint Paul à une communauté romaine, et la tradition veut que saint Pierre*, premier évêque de la ville, et saint Paul* y aient subi le martyre. À partir du IIe s., les chrétiens eurent leurs propres cimetières (catacombes). Malgré les persécutions (sous Néron*, Dèce*, Valérien*, Maximien*), le christianisme se développa dans le même mouvement qui avait importé de nombreux cultes orientaux et, lorsqu'il devint religion licite sous Constantin* (313), Rome possédait, dans des maisons particulières, une vingtaine de chapelles ou « titres » *(tituli)* dont les noms survivent dans ceux de plusieurs églises actuelles (Sainte-*Praxède,* Saint-Laurent in *Lucina*, etc.). Mais, si Constantin fit de Rome une ville chrétienne dotée d'une résidence épiscopale **(V. Latran)** et de grandes basiliques (Saint-Jean-de-Latran, Saint-Pierre, peut-être Saint-Paul et Saint-Laurent-hors-les-murs), il rendit aussi sa décadence inévitable en la privant du rôle de capitale au profit de Constantinople (324). Prise par Alaric* (410), menacée mais épargnée par Attila* (452), pillée par Genséric* (455) et par Ricimer* (472), livrée aux Ostrogoths lors de la chute de l'empire d'Occident* (476), disputée entre ceux-ci et les Byzantins **(V. Bélisaire)** à partir de 536 et complètement désertée lors de son sac par Totila* (546), Rome semblait anéantie lorsqu'elle fut reconquise par Byzance (553, **V. Narsès).** En fait, une transformation s'était amorcée, qui allait se poursuivre et façonner la Rome du Moyen Âge : la population était tombée à 100 000 hab. au Ve s. et les zones d'habitation s'étaient déplacées vers le Champ de Mars et l'autre rive du Tibre, Transtévère et Vatican; les édifices antiques étaient abandonnés ou parfois réutilisés pour des constructions nouvelles, de nouvelles basiliques avaient été bâties (Saint*-Pierre-aux-Liens, Sainte*-Marie-Majeure) et surtout l'autorité religieuse et civile des papes s'accroissait. Le concile de Chalcédoine* (451) avait consacré la prééminence de l'évêque de Rome sur les quatre autres patriarches. Grégoire* le Grand (590-604), grand homme d'Église, fut aussi un homme d'État et déjà le plus vaste propriétaire terrien d'Italie. Aussi la dépendance de Rome vis-à-vis de l'Empire byzantin devint-elle une fiction administrative, démentie par les tâches réelles de gouvernement assumées par les papes. Après la chute de l'exarchat de Ravenne*, c'est tout naturellement que Rome, ayant fait appel aux Francs contre la menace des Lombards, fut par eux mise à la tête des nouveaux États de l'Église* (756). En 774, Charlemagne* confirma la Donation* de Pépin et, en 800, restaurant l'empire à son profit, il se fit couronner à Rome. La ville fut dès lors le terrain où s'affrontèrent trois puissances : la papauté, forte de son autorité spirituelle, de ses richesses foncières et de ses finances (impôts sur les bénéfices ecclésiastiques); les empereurs, qui vinrent à Rome, non sans violence parfois, pour se faire couronner, imposer « l'élection » d'un pape ou rétablir l'ordre; les Romains eux-mêmes, d'où émergèrent des potentats successifs (patrices de la « pornocratie* », familles des Crescentii, des comtes de Tusculum, des Frangipani, Savelli, Pierleoni, Gaetani, Conti) et qui rétablirent au Capitole un « Sénat » romain (1144, **V. Arnaud de Brescia).** Aux luttes de ces puissances s'ajoutèrent les assauts du dehors : irruption des Sarrasins qui saccagèrent Saint-Paul-hors-les-murs et le Vatican en 846 (à la suite de quoi Léon* IV bâtit une muraille autour du *Borgo* ou Cité léonine, 852), pillage de Rome (1084) par les Normands de Robert Guiscard, pourtant allié du pape au cours de la querelle des Investitures*. Néanmoins, l'action de grands politiques, comme les papes Innocent* III ou Boniface* VIII, rendait à Rome prestige et prospérité, lorsque l'installation de la cour pontificale en Avignon (1309, **V. Clément V**), les extravagances de Cola di Rienzo* (1343 et 1354) puis le Grand Schisme* (1378-1417) la ruinèrent à nouveau : lorsque Martin* V rentra solennellement à Rome en 1420, à peine 35 000 habitants y vivaient parmi les ruines, minés par la malaria. Le XVe s. fut celui du redressement. Nicolas* V confia à Bernardo Rossellino* un vaste plan de rénovation, incluant Saint-Pierre; Sixte* IV, surnommé *Restaurator urbis*, bâtit la chapelle Sixtine* et appela à Rome les meilleurs artistes italiens. Le palais du Vatican fut aménagé. Les papes brisèrent les « barons » **(V. Colonna, Orsini)** et, avec Alexandre* VI et surtout Jules* II, Rome, redevenue la principale puissance d'Italie, prit la relève de Florence à la tête de la Renaissance. Avec Raphaël*, Michel-Ange* et leurs émules, le triomphe du grand style permet de parler d'une « école romaine », quoique peu de ses membres fussent originaires de la ville. Pendant plus d'un siècle — le temps même qui fut nécessaire à la construction du nouveau Saint*-Pierre — la ville fut livrée aux architectes : Bramante*, Peruzzi*, Michel*-Ange, les Sangallo* y exprimèrent la Renaissance classique, celle qui bâtit le palais Farnèse*, la villa Borghèse*, la Farnésine*, la place du Capitole*; G. Della* Porta, Vignole*, Fontana*, Maderna*, Borromini*, le Bernin* édifièrent la Rome baroque, celle du *Gesù** et des grandes églises, toutes remaniées alors, celle de la *piazza Navone* et de la place Saint-Pierre, celle de la fontaine du *Tritone* et de la fontaine de Trevi, celle des palais Barberini, Chigi, Madame, de Montecitorio et du Quirinal. Le sac de la ville par les Impériaux (1527) permit finalement d'améliorer l'urbanisme en perçant de grandes rues *(via Giulia, via del Babuino, Corso)* et, sous Sixte* Quint, Rome reçut une structure qui ne devait guère varier jusqu'à l'époque moderne. Aux XVIIe et XVIIIe s., capitale de la chrétienté nouvelle sortie de la Contre*-Réforme, Rome était la ville classique de la musique et de l'art. Elle comptait alors 100 000 habitants. La Révolution française ouvrit une nouvelle période de crise, dont l'absolutisme pontifical ne se releva, au XIXe s., que superficiellement. L'entrée des troupes françaises en Italie déclencha la création d'une éphémère République romaine (1798-1799) et l'exil de Pie* VI. Pie* VII à son tour se heurta à Napoléon; Rome, occupée en 1808, reçut un statut spécial et le titre de seconde capitale de l'Empire (1809); le préfet Tournon et son architecte, Valadier, élaborèrent alors un important projet d'aménagement urbain, dont seuls la place du Peuple et le Pincio furent réalisés, mais qui influença toute la suite de l'urbanisme romain. Le XIXe s. vit la lutte entre le pouvoir pontifical, désormais anachronique, et les forces du libéralisme et du nationalisme. Une constitution accordée en 1848 n'empêcha pas Rome de proclamer une nouvelle et brève république (1849, **V. Mazzini, Pie IX)** jusqu'à ce que le pouvoir temporel du pape fût rétabli par les troupes françaises. L'unité italienne qui se réalisait peu à peu posait une « question romaine », rendue insoluble par la politique de Napoléon III. La chute de celui-ci amena immédiatement l'entrée des troupes italiennes dans Rome, au moment même où le concile du Vatican* venait de porter l'autorité religieuse du pape à son plus haut degré en proclamant son infaillibilité doctrinale (1870). Rome comptait alors 200 000 hab.; elle n'avait guère été modernisée et n'était pas prête à remplir son nouveau rôle de capitale italienne. Pendant vingt ans elle fut en proie à la « fièvre de la construction », les différents plans adoptés par les pouvoirs publics se révélant incapables de canaliser les initiatives des spéculateurs. Cette fièvre reprit d'ailleurs après 1918 et n'a guère cessé depuis, étant donné l'afflux constant de population. L'avènement de Mussolini à l'issue de la « marche sur Rome » (1922) marqua une nouvelle époque. Le Duce mit fin à la sécession du pape et des catholiques par les accords du Latran*, réglant la question romaine et créant l'État de la Cité du Vatican* (1929). Il fit administrer la ville par un gouverneur nommé (de 1925 à 1944) et entreprit de grands travaux : dégagement des forums et percée de grandes artères, assainissement de l'*Agro romano,* mise en chantier de la *Stazione Termini,* de l'E.U.R. et de nombreux ensembles périphériques *(borgate)* destinés à loger les immigrés de province. La Deuxième Guerre mondiale précipita l'afflux de population à Rome, que la présence de la papauté semblait protéger. Elle fut pourtant occupée par les Allemands dès la signature de l'armistice italien (sept. 1943); quoique déclarée ville ouverte, elle subit des bombardements de la part des Alliés; ceux-ci n'y pénétrèrent qu'en juin 1944 **(V. Clarke, Juin).** L'après-guerre fut marquée par un effort de construction et de modernisation, semble-t-il, mieux dirigé. Le choix de Rome pour y signer le traité instituant le Marché commun (1957) ou même son choix comme ville olympique en 1960 ont témoigné de son rôle international, tandis que le concile de Vatican* II (1962-1965) a montré qu'elle restait la plus grande métropole religieuse du monde.

ROMÉ DE L'ISLE (Jean-Baptiste). ♦ Minéralogiste français (Gray, 1736 — Paris, 1790). Il découvrit la loi de constance de l'ouverture des angles dièdres des cristaux d'une même espèce, et la méthode des troncatures (1783). **V.** *aussi* **Haüy.**

Roméo et Juliette. ♦ Drame en cinq actes de W. Shakespeare (1594) dont le sujet est emprunté à une nouvelle de Bandello* (1554). Dans la Vérone de la Renaissance, deux puissantes familles, les Montaigu et les Capulet*, nourrissent l'une pour l'autre une haine mortelle. Mais Roméo, un Montaigu, et Juliette, une Capulet, bravant leurs préjugés, s'aiment de toute l'ardeur de leur jeunesse. Un franciscain, frère Laurent, les marie en secret. Roméo, ayant tué en duel un cousin de Juliette, se voit exiler par le prince de Vérone. Contrainte d'épouser un homme qu'elle déteste, Juliette absorbe un narcotique préparé par le frère Laurent et est ensevelie. Lorsque Roméo accourt, il croit sa bien-aimée morte et s'empoisonne avant que le frère Laurent n'ait pu le détromper. À son réveil, Juliette se poignarde sur le cadavre de Roméo.

RÖMER (Olaüs ou Ole). ♦ Astronome danois (Aarhus, 1644 – Copenhague, 1710). Il détermina la vitesse de la lumière (1675) grâce à l'interprétation qu'il fit du retard ou de l'avance des éclipses des satellites de Jupiter suivant que celui-ci est en conjonction ou en opposition (mouvement successif de la lumière). On lui doit également le premier instrument méridien des passages (1690) et le premier cercle méridien [1704]. (Acad. sc., 1672.) – *Roue de Römer :* roue conçue par Römer pour reproduire matériellement le mouvement des corps planétaires autour du soleil.

ROMFORD. ♦ V. de Grande-Bretagne (comté d'Essex), dans la banlieue N.-E. de Londres. 114 600 hab. « Ville-dortoir ». – Église du XVe siècle. Brasseries, appareils de radio.

ROMILLY-SUR-SEINE. ♦ Ch.-l. de cant. de l'Aube, arr. de Nogent-sur-Seine, près du confluent de la Seine et de l'Aube. 17 423 hab. *(Romillons)* [19 377 avec Maizières-la-Grande-Paroisse]. Aux environs, château de Sellières construit au XIXe s. sur l'emplacement d'une abbaye où Voltaire fut inhumé jusqu'en 1791. – Ateliers de chemin de fer. Bonneterie. Appareillage électroménager (réfrigérateurs).

ROMME (Charles Gilbert). ♦ Homme politique français (Riom, 1750 – Paris, 1795). Professeur de mathématiques, puis précepteur du comte Stroganov (1771) avant la Révolution, il fut élu à l'Assemblée législative (1791) puis à la Convention (1792), où, après avoir siégé avec les députés de la Plaine, il rejoignit les Montagnards. Représentant en mission à Cherbourg, il fut emprisonné quelque temps par les insurgés fédéralistes de Caen (juin-juill. 1793). Il contribua ensuite à l'élaboration du calendrier républicain avec Fabre* d'Églantine. Impliqué dans l'insurrection jacobine et populaire du 1er prairial* an III (20 mai 1795) contre la Convention thermidorienne, il fut condamné à mort et se suicida.

ROMMEL (Erwin). ♦ Maréchal allemand (Heidenheim, 1891 – Ulm, 1944). Engagé dans l'armée en 1910, il quitta celle-ci en 1918 et y rentra en 1933. Il fut chargé des rapports avec les jeunesses nazies, pour lesquelles il écrivit *L'Infanterie attaque* (*Infanterie greift an*, 1937). Il commanda une division blindée en France (1940) puis l'*Afrikakorps** en Libye : à peine arrivé, il reconquit le terrain perdu par Graziani* (mars-avril 1941), ne s'arrêtant qu'à Marsa Matrukh ; à la fin de l'année, l'offensive d'Auchinlek le fit reculer (nov.-déc.). Réapprovisionné, il se rétablit en 1942, et poussa jusqu'à El-Alamein* (janv.-sept.) ; c'est là que l'offensive de Montgomery* (24 oct.) emporta ses positions ; il dut battre en retraite jusqu'en Tunisie. Il infligea aux Américains un revers à Kasserine (févr. 1943) puis fut rappelé en Europe (mars) pour inspecter les défenses contre un débarquement des Alliés. Il y acquit la conviction que le Reich perdrait la guerre à l'ouest. Effectivement, nommé commandant d'un groupe d'armées en France, il ne put résister au débarquement en Normandie* (juin 1944), fut blessé et mis au repos. Lors du complot du 20 juillet 1944 **(V. Beck, Canaris, Stauffenberg),** il laissa deviner son assentiment et, devenu suspect à Hitler, il reçut l'ordre de se suicider. Toutefois, Hitler lui fit faire des funérailles nationales. **V.** *aussi* **Guerre mondiale** *(Deuxième).* Il est l'auteur de *La Guerre sans haine* (publ. 1952).

ROMNEY (George). ♦ Peintre et dessinateur anglais (Dalton in Furness, 1734 – Kendal, 1802). Il fut d'abord peintre d'histoire, puis alla en France en 1764, et en 1773 à Rome, où il rencontra Füssli* dont il subit l'influence. À Londres, en 1775, il devint, comme Gainsborough et Reynolds, un portraitiste très apprécié par l'aristocratie. Il exécuta des œuvres élégantes d'une composition simple *(Portrait de William Beckford).* À la fin de sa vie, le choix de ses thèmes comme le style de ses dessins à la plume présentent des caractères déjà romantiques.

RØMØ. ♦ Île du Danemark, appartenant à l'archipel Frison septentrional, dans la mer du Nord*, à l'O. du Jutland*. 100 km². 700 hab. Elle est reliée au continent par une digue.

ROMORANTIN-LANTHENAY. ♦ Sous-préf. du Loir-et-Cher, ch.-l. d'arr. (6 cant., 48 comm., 61 224 hab.) sur les deux rives de la Sauldre. 4 305 hab. *(Romorantinais).* Vestiges du château royal où séjournèrent François Ier et François II. Maisons et hôtels anciens. – Conserves alimentaires. Mécanique. Confection. Meubles. Plastiques. Imprimerie. – Patrie de Claude* de France. – Édit de Romorantin (1560). **V. L'Hospital** (Michel de).

ROMUALD *(saint).* ♦ Ermite italien (Ravenne, 952 – Camaldoli, 1027). Il vécut à l'abbaye Saint-Apollinaire, à Ravenne, puis fonda plusieurs communautés monastiques et finalement celle des *camaldules* (Camaldoli, 1010). Sa vie a été écrite par Pierre Damien. Fête le 19 juin.

ROMULUS. ♦ Fondateur et premier roi légendaire de Rome (selon la légende, ~ 753 – ~ 715). Descendant d'Énée* et fils de Mars et de Rhea* Silvia, il est jeté dans le Tibre avec son frère jumeau Remus*. Recueillis par une louve et élevés par le berger Faustulus*, les deux frères rétablissent sur le trône d'Albe leur grand-père Numitor* et décident de fonder une ville sur le Palatin. Désigné comme roi par le sort, Romulus trace à la charrue un sillon qui marque la future enceinte *(Roma quadrata),* et Rome est ainsi fondée (~ 753). Par dérision, Remus franchit le sillon et son frère le tue. Romulus ouvre alors un lieu d'asile à tous les sans-abri du Latium entre les deux sommets du Capitole et fait enlever les Sabines pour procurer des femmes à ses compagnons. **V. Sabins.** Puis il entreprend l'organisation de la Ville en créant un conseil de sénateurs, les *patres* – futurs patriciens – et une assemblée du peuple. Il disparaît au cours d'un orage (v. ~ 715). Il fut divinisé sous le nom de Quirinus*.

ROMULUS AUGUSTULE. ♦ (v. 461-462 – Campanie, apr. 476). Fils d'Oreste* et dernier empereur romain d'Occident (475-476). Il fut déposé par Odoacre*.

RONARC'H [ʀɔnaʀk] **(Pierre Alexis).** ♦ Amiral français (Quimper, 1865 – Paris, 1940). À la tête des fusiliers marins (1914), il se distingua dans les opérations de la « course à la mer », et plus particulièrement lors de la défense de Dixmude. Directeur de la défense contre les sous-marins, puis commandant des Forces navales (jusqu'en 1916), il fut ensuite nommé vice-amiral et chef d'état-major général de la Marine (en 1919).

RONCALLI. ♦ **V.** JEAN XXIII.

RONCEVAUX, en esp. **Roncesvalles.** ♦ Bourg d'Espagne, en Navarre* (prov. de Pampelune). 100 hab. Église collégiale du XIIe siècle. À proximité, se trouve le *col de Roncevaux* (ou *d'Ibañeta*, 1 057 m). C'est en le franchissant le 15 août 778 que l'arrière-garde de l'armée de Charlemagne* fut massacrée par les Vascons (Basques) et que Roland*, le neveu de l'empereur, trouva la mort. Cet épisode est à l'origine de *La Chanson de Roland*, les Vascons étant remplacés par les Sarrasins.

RONCHAMP. ♦ Comm. de la Haute-Saône, arr. de Lure. 3 058 hab. Chapelle de Notre-Dame-du-Haut (1955) construite sur une butte par Le* Corbusier. – Fonderie. Constructions mécaniques. Indus. textiles (confection) et du bois (fabrique d'agglomérés).

RONCHIN. ♦ Comm. du Nord*, arr. de Lille*. 14 301 hab. Métallurgie.

RONCQ. ♦ Comm. du Nord*, arr. de Lille*. 7 840 hab. Indus. textiles.

RONDA. ♦ V. d'Espagne méridionale, en Andalousie (prov. de Málaga), au centre d'un vaste cirque montagneux, la *Serrania.* 40 000 hab. D'origine romaine *(Arunda),* c'est l'une des plus anciennes villes d'Espagne. Ancienne mosquée transformée en cathédrale, pont du XVIIe siècle.

RONDELET (Jean-Baptiste). ♦ Architecte français (Lyon, 1743 – Paris, 1829). Élève de Blondel*, collaborateur et successeur de Soufflot*, il dirigea les travaux de consolidation de *Sainte-Geneviève* à Paris, en éleva le dôme et, à partir de 1791, sous la direction de Quatremère* de Quincy, s'occupa de sa transformation en *Panthéon.* Professeur à l'École polytechnique, il défendit l'architecture rationaliste (*Traité théorique et pratique de l'art de bâtir*, 1802-1817).

RONDON (Cândido Mariano da SILVA). ♦ Maréchal brésilien (dans le Mato Grosso, 1865 – Rio de Janeiro, 1958). En vue de l'établissement de la première ligne télégraphique reliant les côtes orientales et la frontière occidentale du Brésil, il fut chargé par le gouvernement brésilien d'explorer les régions entre le Mato Grosso et le rio Madeira. Marqué par le positivisme d'A. Comte, il tenta d'établir des contacts avec les Indiens et de les adapter à la vie moderne (tout en cherchant à préserver leurs mœurs et coutumes). Vaste répertoire géographique, ethnographique et linguistique, la *Rondônia* fut publiée avec le concours du Musée de Rio de Janeiro.

Ph. Hétier

Ronda.

Ph. de Gregorio/Ricciarini

Pierre de Ronsard. Anonyme, école française début XVIIe s. (Musée de Blois.)

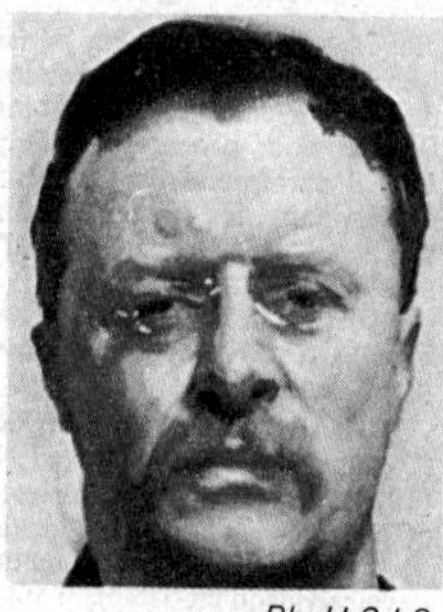

Ph. U.S.I.S.

Théodore Roosevelt, par John S. Sargent. (White House Historical Association.)

RONDÔNIA. *n. m.* ♦ Territoire fédéral du centre-ouest brésilien, situé aux confins de la Bolivie, entre les États d'Amazonas à l'O. et du Mato Grosso à l'E. 243 044 km². 110 000 hab. (densité infime). *Cap.* Porto* Velho sur le Madeira*, qui traverse l'État en bordure de la forêt amazonienne. Minerais d'étain. Caoutchouc. Or (pépites).

Rônin. *n. m.* (« Samurai sans maître »). ♦ Au Japon, guerrier qui louait ses services aux seigneurs de guerre qui en avaient besoin. On appelait également ainsi ceux qui, pour une raison ou pour une autre, perdaient leur emploi. Ils furent rendus célèbres par le drame (1701) connu sous le nom de « Vengeance des 47 samurais » et qui, mis plusieurs fois à la scène, illustre les qualités de dévouement et de courage de ces hommes.

RØNNE. ♦ V. et port du Danemark, sur la côte O. de l'île de Bornholm*. Ch.-l. et principal port de l'île. 13 300 hab. (1965). — Carrière de kaolin.

RONSARD (Pierre *de*). ♦ Poète français (Vendômois, 1524 — Saint-Cosme-lez-Tours, 1585). Gentilhomme d'abord destiné à une carrière militaire et diplomatique, mais atteint d'une surdité subite (1542), il devint humaniste et poète, élève de Dorat*. Devenu chef de la Pléiade, il fut fidèle aux doctrines prônées par la *Défense* et illustration de la langue française* en imitant Pindare* et Horace* dans ses *Odes** (1550-1556) qui lui assurèrent la faveur d'Henri* II. Aux sonnets pétrarquistes des *Amours* de Cassandre* (1552) succédèrent alors les *Amours* de Marie* (1555), poèmes d'inspiration personnelle. Puis ce furent les *Hymnes** (1555-1556) au ton épique, et surtout les *Discours** (1560-1563) où se déploya son génie oratoire et satirique en faveur de Charles* IX et de la foi catholique. — Laissant inachevée son épopée savante de *La Franciade** (1574) et évincé par Desportes*, il se retira dans son prieuré de Saint-Cosme où il composa les *Amours* d'Hélène* (1578), puis des sonnets émouvants sur ses souffrances physiques et sa confiance de chrétien devant la mort. Célébré de son vivant et proclamé le « prince des poètes », il dut aux critiques de Malherbe* de connaître une éclipse de deux siècles ; mais les romantiques et Sainte*-Beuve lui rendirent justice comme chef d'école et surtout comme poète lyrique exprimant un tempérament tour à tour d'une gravité émouvante et d'une grâce épicurienne, « comme tendrement exalté par la certitude de la fragilité de toute chose » (Thierry Maulnier).

RONSIN (Charles Philippe). ♦ Écrivain et général français (Soissons, 1752 — Paris, 1794). Auteur de pièces patriotiques qui connurent un certain succès sous la Révolution, il était membre du Club des cordeliers*. Commissaire des guerres (1792), adjoint de Bouchotte en 1793, il fut chargé de mission en Belgique, puis nommé général en Vendée. Il fut arrêté, condamné à mort et guillotiné avec les hébertistes* (24 mars 1794).

RÖNTGEN (Wilhelm Conrad). ♦ Physicien allemand (Lennep, Rhénanie, 1845 — Munich, 1923). Étudiant les rayons cathodiques **(V. Crookes, Villard),** il découvrit en 1895 des rayons invisibles de nature inconnue, qu'il appela *rayons X.* Il remarqua que ces rayons provoquent la luminescence d'un écran fluorescent, impressionnent la plaque photographique et ionisent l'air qui les entoure, mais surtout il observa leur pénétration à travers des épaisseurs relativement importantes, et nota que l'absorption dépend du poids atomique de l'élément, ce qui lui permit de réaliser les premières radiographies des os à l'intérieur d'un être vivant. La découverte de Röntgen, qui ouvrait la voie à la radiologie **(V. Béclère),** eut également une très grande importance quant au développement ultérieur de toute la physique. **V. Bragg, Coolidge, Laue, Moseley, Siegbahn.**

ROODEPOORT-MARAISBURG. ♦ V. d'Afrique* du Sud (Transvaal) dans le Witwatersrand*. 139 810 hab. Or.

ROON (Albrecht Theodor Emil, *comte von*). ♦ Feld-maréchal et homme politique prussien (près de Kolberg, 1803 — Berlin, 1879). Élève, puis professeur (1835) à l'école de guerre de Berlin, auteur d'une *Géographie militaire de l'Europe* (1837), il fut nommé ministre de la Guerre, puis de la Marine et, en dépit des difficultés financières et de l'opposition de la Chambre, parvint à imposer ses projets de réorganisation de l'armée prussienne (service militaire de trois ans, création d'une réserve territoriale ou *Landwehr,* etc.). Ces réformes contribuèrent en grande partie aux victoires prussiennes contre l'Autriche (Sadowa* 1866) et contre la France (guerre de 1870-1871). Après avoir été le collaborateur direct de Bismarck*, Roon lui succéda comme président du ministère d'État (1873).

ROOSENDAAL. ♦ V. des Pays-Bas (Brabant-Septentrional). 45 498 hab. Centre ferroviaire. Indus. alimentaires.

ROOSEVELT (Theodore). ♦ Homme d'État et président des États-Unis (New York, 1858 — Sagamore Hill, New York, 1919). Issu d'une famille d'origine hollandaise installée en Amérique depuis le XVIIe s., il eut une jeunesse active (études à Harvard, activités sportives et politiques) malgré sa mauvaise santé. Secrétaire adjoint à la Marine sous l'administration de McKinley (1897), il prépara la guerre avec l'Espagne, à laquelle il participa à Cuba (1898). Sa popularité le fit élire gouverneur de New York (1898-1900). Vice-président de McKinley en 1900, il lui succéda l'année suivante quand le président fut assassiné **(V. McKinley).** Il fut réélu en 1904. Il chercha à concilier la libre entreprise capitaliste et les intérêts matériels des travailleurs, encourageant les *muckrackers**, limitant la liberté d'action de certains trusts et refusant l'appui des troupes fédérales au patronat, lors des conflits sociaux **(V. Morgan [Pierpont]).** Il chercha aussi à réglementer l'utilisation des ressources naturelles et à contrôler les industries alimentaires et chimiques (pharmacies). Sa politique extérieure fut autoritaire et violente (politique du « gros bâton ») : en 1903, il protégea la sécession du Panamá* de la Colombie*, pour pouvoir faire percer le canal. Interventionniste en Amérique latine, sa politique, à la différence de la doctrine de Monroe*, toucha le monde entier (médiation entre la Russie et le Japon, 1904-1905 ; soutien du tribunal international de La Haye, qui lui valut le prix Nobel de la paix en 1906 ; représentation à la conférence d'Algésiras, 1906 ; voyage autour du monde en 1908-1910). En 1908, il soutint la candidature de W. Taft, qu'il fit élire à la présidence, mais dont les positions s'écartèrent des siennes. En 1912, le congrès républicain lui préféra Taft, plus conservateur, comme candidat, et Th. Roosevelt provoqua une scission dans le parti, où il représentait les progressistes ; ce fut le démocrate Wilson* qui en profita et fut élu. Roosevelt, partisan de l'intervention militaire aux côtés des Alliés, combattit la politique de neutralité de Wilson (1914-1917).

ROOSEVELT (Franklin Delano). ♦ Homme d'État et 32e président des États-Unis (Hyde Park, New York, 1882 — Warm Springs, Georgie, 1945). Cousin de Théodore Roosevelt, il fit ses études à Harvard, devint avocat et fut élu dès 1910 sénateur démocrate de l'État de New York. Il fut nommé secrétaire adjoint à la Marine par Wilson (1913-1920). Une attaque de poliomyélite (août 1921) interrompit alors sa vie politique. Il fut élu gouverneur de New York en 1929. La crise de 1929 ayant pris de court le président Hoover*, le congrès démocrate lui opposa F.D. Roosevelt, qui fut élu le 8 nov. 1932, remportant un succès absolu (plus de 57 % des voix, contre moins de 40 %). Entre cette date et son entrée en fonction (4 mars 1933), Roosevelt prépara un programme économique et social contre la crise, le *New Deal* (« nouvelle donne »), s'entourant d'un *Brain Trust* (« trust des cerveaux ») d'économistes. Dès mars 1933, Roosevelt fit voter par le Congrès une série de lois qui éloignèrent les États-Unis de leur conception purement libérale de l'économie, et les firent entrer dans l'interventionnisme étatique. Les premières mesures d'urgence furent d'ordre bancaire (moratoire ; réformes de mai-juin 1933), financier (dévaluation d'avril ; abandon de l'étalon-or) et économique : lutte contre la surproduction agricole par un jeu d'indemnités (*Agricultural Adjustment Act :* A.A.A.), contrôle de la concurrence et des conditions d'emploi dans l'industrie (*National Industrial Recovery Act :* N.I.R.A.). À la même époque, Roosevelt reconnut le gouvernement soviétique. Pour lutter contre le chômage, des mesures sociales (secours financiers) et économiques furent prises. Parmi ces dernières figure le programme d'aménagement de la vallée du Tennessee par la *Tennessee Valley Authority.* La reprise étant lente et insuffisante, Roosevelt pratiqua une politique de déficit budgétaire, augmentant les dépenses de l'État. Les critiques contre le *New Deal* vinrent surtout du capitalisme et de ses appuis politiques ; la Cour suprême déclara inconstitutionnels l'A.A.A. (janv. 1936) et le N.I.R.A. (dès mai 1935). Mais le soutien populaire à Roosevelt, entretenu par un usage des *mass media* (causeries à la radio, propagande économique) et justifié par la remontée de l'indice de production en 1935-1936, donna au président une majorité renforcée aux élections de nov. 1936 (près de 61 % des suffrages). Désireux de lutter contre les pays totalitaires européens, Roosevelt eut à surmonter le réflexe traditionnel de neutralité. En oct. 1939, il fit amender l'acte de neutralité de 1935 qui empêchait la livraison de matériel de guerre à tout belligérant, par la clause *cash and carry* (paiement comptant) qui permettait à l'Angleterre et à la France des achats de matériel militaire. Réélu en nov. 1940, mais avec une majorité plus faible (54 %), Roosevelt parvint à faire voter en mars 1941 la loi prêt-bail. L'effort de guerre des États-Unis commença, Roosevelt rencontra Churchill* en août 1941, mais la loi sur le service militaire national ne fut votée qu'à une voix de majorité. L'attaque de Pearl* Harbour (déc. 1941) souleva l'opinion publique américaine, et les États-Unis firent face au conflit. Roosevelt participa à toutes les grandes conférences entre les Alliés (Casablanca, Québec, Le Caire, Téhéran). À Yalta*, il consentit à Staline*, malgré l'opposition de Churchill, des positions importantes en Europe et en Extrême-Orient. Il fut encore réélu en nov. 1944 (53,4 % des voix) et mourut le 12 avril 1945 d'une crise cardiaque. Le vice-président Truman* lui succéda.

ROPARTZ [ʀɔpaʀts] **(Guy).** ♦ Compositeur français (Guingamp, 1864 – Lanloup, 1955). Marqué par l'influence de Franck, il fut l'ami d'A. Magnard dont il devait réinstrumenter de mémoire deux actes de l'opéra *Guercœur*, après la disparition tragique du compositeur. Après avoir dirigé les conservatoires de Nancy (1894-1919) et de Strasbourg (1919-1929), il se retira dans sa Bretagne natale dont son œuvre se trouve fréquemment imprégnée. On lui doit cinq *symphonies* (1894-1944), six *quatuors à cordes*, trois *sonates* pour piano et violon, de nombreuses *pièces de musique religieuse (Requiem)*, de la *musique de scène, de ballet*, des *mélodies*, et un drame musical, *Le Pays* (1913).

ROPS (Félicien). ♦ Peintre, dessinateur et graveur belge (Namur, 1833 – Corbeil, 1898). Plusieurs de ses premiers dessins satiriques parurent dans le journal qu'il fonda : *Uylenspiegel*, 1854 ; ils rappellent l'art de Gavarni*, Daumier*, Guys*. En 1862, à Paris, il étudia la technique de l'eau-forte chez Jacquemard et Braquemond. Il vint ensuite souvent en France, où il se lia avec Baudelaire. Esprit indépendant, son approche naturaliste annonce Toulouse-Lautrec* (*Buveuse d'absinthe*, 1865) auquel le lient d'autres affinités, notamment son attirance pour le monde de la prostitution qu'il considéra avec une ironie amère *(Cythères parisiennes)*. Dans ses illustrations d'un graphisme mordant il déploya une imagination fantastique, souvent morbide et érotique, en accord avec certaines tendances démoniaques développées par le symbolisme littéraire. (*Les Sataniques*, 1874 - *Les Diaboliques*, de Barbey d'Aurevilly.)

ROQUEBILLIÈRE. ♦ Ch.-l. de cant. des Alpes*-Maritimes, arr. de Nice*. 1 640 hab. Église gothique. Ce bourg fut en partie détruit en 1929 par un glissement de terrain.

ROQUEBRUNE-CAP-MARTIN. ♦ Comm. des Alpes*-Maritimes, arr. de Nice*. 8 617 hab. Station touristique d'hiver et d'été.

ROQUECOURBE. ♦ Ch.-l. de cant. du Tarn*, arr. de Castres*, sur l'Agout*. 2 012 hab. *(Roquecourbins)*. Bonneterie.

ROQUEFAVOUR. ♦ Localité des Bouches-du-Rhône, près d'Aix-en-Provence. L'*aqueduc de Roquefavour* a été construit de 1842 à 1847.

ROQUEFORT. ♦ Ch.-l. de cant. des Landes*, arr. de Mont-de-Marsan*. 2 170 hab. *(Roquefortois)*. Papeterie.

ROQUEFORT-SUR-SOULZON. ♦ Comm. de l'Aveyron*, arr. de Millau*. 1 349 hab. *(Roquefortais)*. C'est dans les caves aménagées dans les grottes calcaires du causse qu'a lieu l'affinage du fameux fromage de brebis qui porte le nom de la commune : le roquefort (exportation dans les pays du Marché commun et en Amérique du Nord).

ROQUELAURE. ♦ Famille française originaire de l'Armagnac. ANTOINE, *baron de* ROQUELAURE (1543 – Lectoure, 1625). Il combattit aux côtés d'Henri IV à Moncontour, Coutras, Arques, Ivry. Maître de la garde-robe, il était dans le carrosse de Henri IV lors du crime de Ravaillac. Il fut fait maréchal de France en 1614. ♦ JEAN-BAPTISTE GASTON, *marquis* puis *duc de* ROQUELAURE, son fils (v. 1617 – Paris, 1683). Il servit comme capitaine à partir de 1635 et devint maréchal de camp après le siège de Courtrai (1646). Il fut gouverneur de Guyenne (1676). ♦ ANTOINE GASTON, *duc de* ROQUELAURE, fils de Jean-Baptiste (1656 – Paris, 1738). Gouverneur du Languedoc, il combattit les camisards et fut fait maréchal de France (1724).

ROQUEMAURE. ♦ Ch.-l. de cant. du Gard (arr. de Nîmes), sur la r. d. d'un petit bras du Rhône, en amont d'Avignon. 3 411 hab. *(Roquemaurois)*. Église (XIIIe s.). Maison gothique, vestiges de deux châteaux. – Vins. Primeurs.

ROQUEPERTUSE. ♦ Site archéologique des Bouches-du-Rhône, dans la vallée de l'Arc, où fut découvert un sanctuaire celto-ligure datant de la période de la Tène* I (~ IIIe-~ IIe s.) : portique dont les piédroits étaient creusés d'alvéoles destinés à recevoir des crânes humains, statues accroupies, Hermès bicéphale exécuté dans la tradition des statues-menhirs (musée Borély, Marseille).

Roquette (la). ♦ Nom de deux prisons, situées à Paris, près du Père*-Lachaise. La *Grande-Roquette* (1830), administrativement dépôt des condamnés, fut supprimée en 1899. – La *Petite-Roquette* (1832) devint, après la suppression de Saint*-Lazare, la maison d'arrêt des femmes.

ROQUEVAIRE. ♦ Ch.-l. de cant. des Bouches*-du-Rhône, arr. de Marseille, sur l'Huveaune, 3 856 hab. *(Roquevairois)*. Aqueduc. – Conserves de fruits.

RORAIMA. *n. m.* (anc. **Rio Branco**). ♦ Territoire quasi inhabité du Nord brésilien. 230 104 km². Env. 43 000 hab. *Cap.* Boa Vista. La forêt amazonienne recouvre l'État aux deux tiers. – Caoutchouc. À l'extrême N., aux confins du Venezuela, de la Guyane et du Brésil, on trouve le *massif du Roraima* (2 810 m) qui donne son nom à l'État. Le río Caroní* y prend sa source.

RORE (Cyprien *de*). ♦ Compositeur flamand (?, 1516 – Parme, 1565). Il quitta très tôt la Flandre pour l'Italie où devait s'écouler la majeure partie de sa vie. Maître de chapelle aux cours princières de Ferrare (1547-1559), puis de Parme (1560-1565), il succéda à Willaert dont il fut l'élève durant une année, à Saint-Marc de Venise (1563). C'est dans le domaine du *madrigal italien* à quatre et cinq voix qu'il peut être considéré comme un novateur, par l'usage d'harmonies plus libres et plus variées, et le précurseur de Lassus, Monte et Monteverdi. Son autorité fut reconnue par tous ses contemporains. Il composa aussi des *passions, motets* et une *messe.*

RORSCHACH (Hermann). ♦ Psychiatre et neurologue suisse (Zurich, 1884 – Herisau, 1922). Il est l'auteur d'un test projectif couramment utilisé en psychologie. Celui-ci se compose de dix planches représentant des taches d'encre symétriques. Selon l'importance que le sujet testé accorde à la forme (à l'ensemble ou aux détails), au mouvement, à la couleur des taches, il est possible de déceler, grâce à une méthode d'interprétation précise, les tendances profondes de sa personnalité. S'inspirant de la typologie de C.G. Jung*, Rorschach a distingué quatre types psychologiques : introversif (ou introverti), extratensif (ou extraverti), coarté (caractérisé par la faiblesse des énergies instinctuelles et de la résonance affective), et ambiéqual (alternance des tendances introversives et extratensives). (*Psychodiagnostic*, 1921.)

RORSCHACH. ♦ V. et port de Suisse (Saint-Gall) sur le lac de Constance*. 13 400 hab. Indus. textile et métallurgique (aluminium).

ROSA (Salvator). ♦ Peintre, dessinateur, graveur, poète et musicien italien (Arenella, près de Naples, 1615 – Rome, 1673). Issu d'une famille d'artistes, il dut sa formation à son beau-frère et au peintre de genre Aniello Falcone, mais il subit surtout l'influence des milieux caravagesques, notamment de Ribera*. Il s'inspira aussi du peintre de batailles et de bambochades, Cerquozzi. En 1635, il séjourna à Rome puis à Viterbe, revint à Rome en 1639, travailla ensuite de 1640 à 1649 au service des Médicis à Florence, puis se fixa définitivement à Rome. Tempérament violent et sarcastique, il fut l'une des personnalités les plus en vue du milieu romain. Il réalisa quelques sujets religieux et peintures d'histoire, mais obtint surtout un vif succès avec des scènes de bataille tumultueuses peintes d'une touche nerveuse et épaisse et des scènes de genre souvent brutales et mystérieuses, représentées dans des paysages orageux et nocturnes. Il joua un rôle important dans le développement du paysage, insufflant au paysage classique un accent plus réaliste dans les détails et faisant preuve d'une imagination fantastique *(Scènes de sorcellerie)*. Il est considéré comme un précurseur du paysage romantique. Ses *satires* furent publiées en 1710.

ROSALIE *(sainte)*. ♦ Recluse qui aurait vécu dans une grotte au mont Pellegrino, près de Palerme (XIIe s. ?). Elle est connue par des légendes douteuses (fin XVIe s.) et son culte ne se développa qu'au XVIIe s. après l'invention de ce qu'on crut être ses reliques (1624). Elle protégeait de la peste. Patronne de Palerme, de Naples et de Nice. Fête le 4 septembre.

ROSARIO. ♦ Deuxième ville de l'Argentine (prov. de Santa* Fe) sur la r. d. du Paraná*. 750 000 hab. Évêché. Port fluvial actif. Nœud ferroviaire. Important centre industriel et commercial, bénéficiant de la proximité de la Pampa* (exportation de maïs). Indus. alimentaires. Usines frigorifiques. Centrale thermoélectrique. Complexe sidérurgique au S. de la ville.

ROSAS (Juan Manuel *de*). ♦ Homme politique argentin (Buenos Aires, 1793 – Hampshire, 1877). D'origine noble, il vécut parmi les gauchos, devint grand propriétaire et leva une armée. Chef des fédéralistes depuis 1828, il se fit donner les pleins pouvoirs et exerça de 1835 à 1852 une dictature sanglante. Son centralisme autoritaire favorisa cependant les progrès de l'économie. Comme

Ph. U.S.I.S.

Franklin Delano Roosevelt, par Frank O. Salisbury, 1947. (Maison-Blanche, Washington.)

Ph. Nino Cirani/Ricciarini

Le mont **Rose** : le sommet du Lyskamm (4 538 m).

des opposants avaient fui en Uruguay, il mit le siège devant Montevideo, ce qui entraîna l'intervention des Français et des Britanniques (1843). Il fut renversé par une coalition de l'Entre Ríos, du Brésil et du Paraguay qu'il avait rêvé d'unifier. Vaincu par Urquiza* en 1852, il s'exila en Angleterre. B. Mitre* avait contribué à sa chute.

Rosati *(Les)* [anagramme d'*Artois*]. ♦ Société littéraire qui fut fondée en 1778 près d'Arras par J. Le Guay et compta parmi ses membres L. Carnot et M. Robespierre*. Dispersée au moment de la Révolution, elle fut reconstituée à plusieurs reprises (en particulier en 1892).

ROSCELIN. ♦ Philosophe scolastique né à Compiègne (XIe s.). Il enseigna dans plusieurs villes de France et fut le maître de Guillaume* de Champeaux et d'Abélard*. Fondateur du nominalisme, il fut amené à soutenir puis à abjurer (concile de Soissons, 1092) une doctrine sur la Trinité proche d'un trithéisme.

ROSCHER (Wilhelm). ♦ Économiste allemand (Hanovre, 1817 – Leipzig, 1894). Représentant de l'école historique allemande, qui voulait fonder une science économique sur une analyse des faits historiques, il a publié le *Précis d'un cours d'économie politique d'après la méthode historique* (1843), un ouvrage sur *La Théorie des crises* (1849), où, critiquant la loi des débouchés de J.-B. Say, il étudie le problème de la surproduction **(V. Hildebrand, Knies, Schmoller).** ♦ WILHELM ROSCHER, son fils. Historien et mythologue allemand (Göttingen, 1845 – Dresde, 1923). Auteur d'un *Lexique détaillé de mythologie* (achevé par Ziegler), il a donné également des études sur la symbolique des nombres.

ROSCOFF. ♦ Comm. du Finistère, arr. de Morlaix, sur la côte du Léon, face à l'île de Batz. 3 838 hab. *(Roscovites).* Église Notre-Dame-de-Kroaz-Baz, de style gothique flamboyant (clocher Renaissance); ossuaires du XVIIe siècle. Maisons anciennes. – Institut biologique rattaché à l'université de Paris et au C.N.R.S.; Institut marin. – Port de pêche (homard, langouste) et port d'exportation de primeurs vers l'Angleterre. Station balnéaire; centre de thalassothérapie (rhumatismes). Centre d'une région de primeurs de qualité et de cultures maraîchères; bonneterie.

ROSCOMMON, en irl. **Ros Comáin.** ♦ V. de la république d'Irlande et ch.-l. de comté (prov. de Connacht*), entre le Suck et le *lough* Ree. 1 600 hab. Château normand (XIIIe s.). ♦ Le *comté de Roscommon* (2 463 km², 56 230 hab. en 1966) s'étend sur la plaine centrale, entre le Suck et la Boyle à l'O. et le Shannon à l'est.

ROSE *(mont),* en it. *monte* **Rosa.** ♦ Massif des Alpes Pennines (ou Alpes du Valais) partagé entre la Suisse et l'Italie. Beaucoup de ses sommets dépassent 4 000 m : Cervin* (ou Matterhorn) [4 478 m], Lyskamm (4 538 m), Breithorn (4 171 m). Le mont Rose proprement dit est formé de neuf sommets dont le plus haut est la *pointe Dufour* (4 638 m). On y pratique l'alpinisme et les sports d'hiver (Zermatt*).

ROSEBERY (Archibald Philip Primrose, *5e comte de***).** ♦ Homme politique anglais (Londres, 1847 – Epsom, 1929). Grand seigneur richissime (il avait épousé Hannah Rothschild), il joua un rôle important dans le Parti libéral. Ministre des Affaires étrangères dans le cabinet Gladstone*, il assura la domination anglaise en Égypte. Il s'opposa ensuite à Gladstone, et, avec l'appui de la reine Victoria, devint Premier ministre (1894-1895). Il mena ensuite une active opposition à Lloyd* George, notamment à propos de la guerre des Boers* et de la réforme assurant aux Communes la prépondérance sur la Chambre des lords.

Rose-Croix. *n.f.* ♦ Société secrète d'illuminés qui a pour emblème une rose rouge (symbole d'ascétisme) fixée au centre d'une croix, qui symboliserait la connaissance parfaite selon une interprétation. La fraternité de la Rose-Croix semble s'être constituée vers la fin du XVe s., se réclamant de sources égyptiennes antiques (écoles de mystères et pharaons considérés comme les premiers fondateurs de la tradition, en particulier Touthmôsis III et Aménophis IV). Le secret le plus absolu semble avoir été gardé sur cette congrégation jusqu'en 1614, date où elle se fit connaître, notamment par l'œuvre du pasteur luthérien J.V. Andreä, de Tübingen, parue à Cassel, et qui fait état des aventures extraordinaires d'un personnage mythique, le chevalier Christian ROSENKREUTZ, qui aurait été initié par les sages d'Orient et aurait fondé une société secrète se proposant la connaissance des mystères de la nature. L'auteur de cette œuvre y proclame que la rédemption ne se fait pas du dehors, mais de l'intérieur. Dès 1616, Andreä se désolidarisa du petit groupe (le cénacle de Tübingen) qui était à l'origine du mouvement, mais une fois le mythe lancé, des illuminés s'en emparèrent et les rose-croix se répandirent dans toute l'Europe, exerçant une forte influence sur la franc-maçonnerie, qui leur permit de propager leur enseignement. De nombreuses sociétés fleurirent alors, s'écartant dans diverses directions des tendances du cénacle de Tübingen. Un goût commun pour l'alchimie, la recherche de la pierre philosophale ne sont que des aspects de la doctrine exposée par le médecin théosophe londonien Robert Fludd dans son *Traité apologétique* (1617). Descartes, Leibniz et Bacon montrèrent de l'intérêt pour les Rose-Croix. Jacob Böhme* aurait été fortement influencé par ce brassage d'idées théosophiques. La secte disparut à la fin du XVIIIe s., mais aurait été reconstituée un siècle plus tard. Les associations existantes de Rose-Croix n'ont avec l'association d'origine aucun lien de filiation historique; elles puisent au fonds commun de l'ésotérisme en mettant l'accent sur l'ascèse et la connaissance de soi. L'*Ancien et Mystique Ordre Rosae Crucis* (A.M.O.R.C.) réunirait près de six millions d'adeptes dans le monde.

ROSE DE LIMA *(sainte)* **[Isabel Flores].** ♦ Tertiaire dominicaine (Lima, Pérou, 1586 – *id.*, 1617). Elle vécut dans une extrême ascèse, portant cilice et couronne d'épines. Patronne du Nouveau Monde, dont elle fut la première sainte (canonisée en 1671). Fête le 23 août.

ROSEGGER (Peter). ♦ Romancier autrichien (Alpl, près de Krieglach, Styrie, 1843 – Krieglach, 1917). Fils de paysans, il s'est attaché à décrire la vie et les mœurs des habitants de son pays dans des récits qui font ainsi partie de la littérature de type « régionaliste » (*Récits du maître d'école de la forêt* [*Schriften des Waldschulmeisters*], 1875; *La Forêt natale* [*Waldheimat*], 1877, où il critique le modernisme; *Au temps de ma jeunesse* [*Als ich noch jung war*], 1895). Dans le domaine religieux auquel il consacra également plusieurs ouvrages (*À la recherche de Dieu* [*Der Gottsucher*], 1883), il s'orienta progressivement d'une foi teintée de naturalisme vers un christianisme humanitaire.

ROSELEND. ♦ Localité de Savoie*, arr. d'Albertville*. Barrage à contreforts sur le *Doron de Roselend* qui forme une retenue de 320 ha. Il alimente l'usine souterraine de la Bathie, puissante centrale électrique.

ROSEMONDE. ♦ Princesse gépide (VIe s.). Capturée par le roi lombard Alboïn* qui l'obligea à l'épouser (567); plus tard, elle l'assassina (573).

ROSENBERG (Alfred). ♦ Théoricien et homme politique allemand (Reval, Estonie, 1893 – Nuremberg, 1946). Il adhéra dès 1919 au national-socialisme dont il devait devenir le principal théoricien, cherchant à lui donner des « bases philosophiques et culturelles » et développant, après Gobineau, H.S. Chamberlain, le mythe du racisme (*Le Mythe du XXe siècle,* 1930; *Sang et Honneur,* 1935-1936). Rédacteur en chef du *Völkischer Beobachter* (1921), il fut député en 1930, chef du service des Affaires étrangères du Parti nazi en 1933 et ministre du Reich pour les territoires occupés de l'Est (1941). Il fut condamné à mort par le tribunal de Nuremberg et pendu le 16 octobre 1946.

ROSENBERG (Hilding). ♦ Compositeur suédois (Bosjökloster, 1898). Animateur de la vie musicale dans son pays, il doit à une vaste culture puisée aux sources de la musique européenne autant qu'au passé suédois (J.H. Roman*) le rayonnement qu'il a exercé sur plusieurs générations de jeunes compositeurs. Marquée d'abord par l'influence de Schönberg et de Hindemith, son œuvre a évolué de façon originale, se caractérisant par un emploi combiné des techniques dodécaphoniques et du plain-chant. Il est l'auteur de compositions aux vastes dimensions qui établissent la synthèse de l'opéra et de l'oratorio (*Joseph et ses frères,* tétralogie, d'après Th. Mann, 1945-1948), de plusieurs symphonies où la musique vocale tient un rôle de premier plan (3e symph., dite *Les Quatre Âges de la vie,* d'après *Jean-Christophe,* de Romain Rolland; 4e symph., dite l'*Apocalypse de saint Jean;* 5e symph., *Hortulanus,* d'après le Cantique des Cantiques), des *concertos* pour divers instruments, huit *quatuors* à cordes, de la *musique de chambre* et de nombreuses *mélodies.*

ROSENBERG (Julius). ♦ Citoyen américain (New York, 1916 – 1953) condamné à mort aux États-Unis ainsi que sa femme Ethel Rosenberg (New York, 1918 – 1953) pour avoir livré des documents atomiques secrets aux Soviétiques. Bien que les faits aient eu lieu pendant la guerre et qu'ils n'aient jamais pu être prouvés, et malgré une campagne d'opinion internationale entretenue par les partis communistes, le dénouement de l'*affaire Rosenberg* fut la condamnation (1951) et l'exécution des deux condamnés (1953).

ROSENDAËL. ♦ Comm. du Nord*, arr. de Dunkerque*, dans la banlieue de Dunkerque. 19 591 hab. *(Rosendaëliens).* Station balnéaire; indus. diverses.

ROSENHEIM. ♦ V. d'Allemagne méridionale (Bavière), au confluent de la Mangfall et de l'Inn. 37 000 hab. Salines, eaux chlorurées sodiques. Travail du bois.

ROSENMÜLLER (Johann). ♦ Compositeur allemand (Ölsnitz, v. 1619 – Wolfenbüttel, 1684). Il étudia à l'université de Leipzig et devint adjoint au cantor de Saint-Thomas, puis organiste de Saint-Nicolas (1651). Emprisonné pour affaire de mœurs en 1655, il dut quitter la ville et s'installa à Hambourg puis à Venise. Il fut ensuite nommé maître de chapelle de la cour de Wolfenbüttel par le duc de Brunswick. Son œuvre est avec celles de Buxtehude* et de Pachelbel* l'une des plus riches de la fin du XVIIe siècle. Ses suites de danses et ses sonates allient à l'intimisme de la musique allemande le sensualisme sonore des Italiens. Sa musique religieuse, outre les *Kernsprüchen,* publiés en 1648, comprend près de 200 pièces manuscrites : fragments de messes, cantates, motets.

ROSENZWEIG (Saul). ♦ Psychologue américain (Boston, Massachusetts, 1907 –). Il élabora une théorie de la frustration (1934), ainsi qu'un test de frustration (*Picture Frustration Study,* 1935).

Roses (*guerre des* **Deux-**). ♦ Guerre civile en Angleterre, qui eut pour cause la lutte pour le pouvoir entre la maison d'York (dont l'emblème était la rose blanche) et la maison de Lancastre (avec pour emblème la rose rouge) de 1455 à 1485. Les défaites de la guerre de Cent Ans et l'incapacité du roi Henri VI (de Lancastre) la déclenchèrent. Richard d'York, aidé par Warwick, se révolta. Battu à Saint Albans (1455), puis à Northampton (1460) et à Towton (1461), Henri VI fut détrôné et remplacé par Édouard IV, fils de Richard d'York. Cependant, Warwick se brouilla avec Édouard et restaura Henri VI (1470). Après la victoire de Tewkesbury, Édouard IV remonta sur le trône en 1471, son fils Édouard V lui succéda (1483) mais fut tué par son oncle Richard III (1483). Henri Tudor, descendant des Lancastre, prit le pouvoir (1485) sous le nom d'Henri VII et mit fin à la lutte en épousant Élisabeth d'York, fille d'Édouard IV. Cette guerre avait ruiné la féodalité anglaise.

ROSETTE, en ar. **Rachid.** ♦ V. de la Basse-Égypte (gouvernorat de Béhéra), à l'extrémité de la branche occidentale du Nil. 33 000 hab. Le port, jadis actif, est maintenant supplanté par celui d'Alexandrie. Entrepôts de riz. – *La pierre de Rosette :* stèle portant un décret de Ptolémée* V Épiphane (~ 196), écrit en deux langues et en trois écritures (hiéroglyphes, démotique et grec). Elle fut découverte en 1799 par un officier du génie français, Bouchard, au cours de travaux de terrassement au fort Saint-Julien près de Rosette et passa aux mains des Anglais en 1801. Les inscriptions bilingues permirent à Thomas Young*, partiellement (1814), puis à Champollion* (1821-1822) définitivement, d'établir les bases du déchiffrement des hiéroglyphes. La pierre est actuellement au British Museum, à Londres.

ROSHEIM [ʀɔsɛm]. ♦ Ch.-l. de cant. du Bas-Rhin* (arr. de Molsheim*) sur le Rosenmeer. 3 291 hab. Remparts médiévaux, maison romane du XIIe s., église romane, avec un clocher octogonal du XIVe siècle. – Tissage du coton, vins.

ROSI (Francesco). ♦ Réalisateur italien de cinéma (Naples, 1922). Héritier du néo-réalisme, dont il conteste pourtant le pessimisme et le romanesque, il conçoit le cinéma comme une arme au service de la vérité. Homme du Sud, témoin lucide d'une réalité sociale dégradante à force d'être injuste, il définit sa dramaturgie comme une enquête historique qui a pour sujet les forces d'oppression (*Salvatore Giuliano,* 1961 ; « Main basse sur la ville », *Le Mani sulla città,* 1963 ; « L'Affaire Mattei », *Il Caso Mattei,* 1971).

ROSIÈRES-EN-SANTERRE. ♦ Ch.-l. de cant. de la Somme* (arr. de Montdidier*). 2 605 hab. *(Rosiérois).* Bonneterie. Matériel de camping. Appareillage hydraulique.

ROSING (Boris). ♦ Physicien russe. Auteur de recherches sur la télévision électronique, il imagina d'utiliser le tube cathodique pour transformer à la réception le signal électrique en image (1907). **V. Zworykin.**

ROSKILDE. ♦ V. et port du Danemark, dans l'île de Sjaelland*, au fond du *fjord de Roskilde,* à 30 km de Copenhague*. 36 200 hab. Évêché. – Anc. cap. du Danemark (jusqu'au XVe s.), elle possède une remarquable cathédrale mi-romane, mi-gothique (*fin* XIIe s.), où se trouvent les tombeaux de trente-sept souverains danois. – Tanneries, distilleries, salaisons de porc.

ROSLIN (Alexander). ♦ Portraitiste suédois (Malmö, 1718 – Paris, 1793). Établi à Paris après un voyage en Italie (1747), il y remporta un rapide succès. Portraitiste de la ville et de la cour, il fut élu à l'Académie de peinture (1753), prit part aux salons, où il s'attira les critiques de Diderot. Comme celui de ses contemporains La Tour ou Van Loo, son art se caractérise par l'intérêt porté à la psychologie du modèle, le plus souvent des figures féminines dont il aime rendre l'élégance, avec une touche vive et une grande habileté de coloriste. Il a pu être comparé à Greuze par les thèmes sentimentaux qu'il aborda ensuite dans certains de ses portraits (*La Femme à l'éventail,* 1768 [portrait de sa femme]). Il fit aussi des portraits de personnages célèbres (*Choiseul,* 1762 ; *C. Vernet,* 1767 ; *L'abbé Terray ; Vien*), empreints des mêmes qualités, qui ne vont pas sans une certaine froideur.

ROSMINI SERBATI (Antonio). ♦ Prêtre et philosophe italien (Rovereto, 1797 – Stresa ou Milan, 1855). Préoccupé du renouveau intellectuel et politique de l'Italie, il tenta de lui donner une philosophie propre. Dans son ouvrage principal *Nouvel Essai sur l'origine des idées* (1830), il critique tour à tour le sensualisme de Locke et la philosophie de Kant, et affirme, d'une façon qui rappelle le platonisme ou la philosophie de Malebranche, l'éternité des idées dans la pensée de Dieu. Son influence fut importante sur des écrivains et patriotes tels Manzoni, Tommaseo et Gioberti.

ROSNY [ʀɔni] **(Joseph Henri** et son frère **Séraphin Justin BOEX,** dits **J.H. Rosny,** puis **Rosny aîné** et **Rosny jeune).** ♦ Écrivains français (JOSEPH HENRI, Bruxelles, 1856 – Paris, 1940 ; SÉRAPHIN JUSTIN, Bruxelles, 1859 – Ploubazlanec, 1948). Ils collaborèrent de 1887 à 1908, produisant une œuvre romanesque abondante. Ils illustrèrent d'abord la tendance naturaliste, puis abordèrent à peu près tous les genres (du roman social au récit fantastique) : *Les Xipéhuz* (1887), *Le Termite* (1890), *Vamireh* (1892). Leurs œuvres ultérieures, quand leur collaboration eut cessé (1908), manifestent le même éclectisme ; Rosny jeune, persuadé que « l'art digne de ce nom exige une compréhension profonde et juste de tout l'univers », tenta notamment de synthétiser sa pensée dans *Le Destin de Marin Lafaille* (1946) ; quant à Rosny l'aîné, chez qui « la science [était] une passion poétique », il donna avec *La Guerre du feu* (1911) un « roman des âges farouches » de la préhistoire qui manifestait une grande puissance imaginative. – L'amitié des Goncourt* valut aux deux frères de figurer parmi les dix premiers membres de l'*Académie Goncourt* (1896).

ROSNY [ʀɔni]**-SOUS-BOIS.** ♦ Ch.-l. de cant. de la Seine-Saint-Denis (arr. de Bobigny), à l'E. de Paris. 30 727 hab. *(Rosnéens).* Centre national d'information routière, dans le fort de Rosny. Zone industrielle.

ROSNY [ʀɔni]**-SUR-SEINE.** ♦ Comm. des Yvelines (arr. de Mantes-la-Jolie), sur la Seine. 2 843 hab. – Château bâti par Sully (XVIe-XVIIe s.). École d'agriculture.

ROSPORDEN. ♦ Ch.-l. de cant. du Finistère, arr. de Quimper, en Cornouaille. 3 527 hab. *(Rospordinois).* Église (XIVe-XVe-XVIIe s.). Conserves alimentaires. Produits d'entretien ; chaussures.

ROSS (*sir* **John).** ♦ Navigateur et explorateur britannique (Balsarroch, Wigtownshire, 1777 – Londres, 1856). Il entreprit plusieurs expéditions dans les régions arctiques au cours desquelles il atteignit la terre de Baffin en recherchant un passage maritime au N.-O. (1826), situa la position du pôle magnétique (île de Somerset), explora la presqu'île de Boothia et l'île du Roi-Guillaume (1829-1833), et partit à la recherche de sir J. Franklin (1850). ♦ *Sir* JAMES CLARKE ROSS, son neveu. Navigateur et explorateur anglais (Londres, 1800 – Aylesbury, 1862). Après avoir accompagné son oncle et Parry à la recherche d'un passage maritime N.-O. dans l'Arctique, il dirigea lui-même plusieurs expéditions dans l'Antarctique où il étudia le magnétisme terrestre (1839) et découvrit la terre Victoria* (en particulier les monts volcaniques Erebus et Terror, 1841). En 1848, il partit à la recherche de sir J. Franklin dans l'Arctique. (*Voyage of Discovery and Research in the Southern and Antarctic Regions,* 1847.)

ROSS (*sir* **Ronald).** ♦ Médecin anglais (Almora, Inde, 1857 – Putney, Londres, 1932). Il a montré que la malaria se transmet par certains moustiques (anophèles femelles), découverte qui

Arch. Rencontre

La pierre de **Rosette.**
(British Museum, Londres.)

Coll. Rui Nogueira

Roberto Rossellini.

permit la prophylaxie de cette maladie. (Prix Nobel de méd., 1902.)

ROSS (Edward Alsworth). ♦ Sociologue américain (Virden, 1866 – Madison, 1951). D'abord influencé par la sociologie psychologique de G. Tarde puis par la théorie des instincts de McDougall, il a adopté ensuite le point de vue «formaliste» selon lequel la société est un ensemble de relations, de mécanismes d'interaction entre les personnes (*Social Control,* 1901 ; *Foundations of Sociology,* 1905 ; *Social Psychology,* 1908, etc.).

ROSS *(île de).* ♦ Île bordière du continent Antarctique*, dominée par le volcan Erebus. Elle est située dans la *mer de Ross,* presque entièrement recouverte d'une plate-forme de glace flottante qui s'achève du côté de l'Océan par une importante falaise, la *grande barrière de Ross.*

ROSSBACH. ♦ Village d'Allemagne orientale (Saxe). Victoire de Frédéric II sur les Français commandés par Soubise* (1757).

ROSSEL (Louis). ♦ Officier et homme politique français (Saint-Brieuc, 1844 – Sartory, 1871). Après les défaites successives infligées à l'armée française par les Allemands et la capitulation de Paris, il prit parti pour la Commune de Paris. Il remplaça Cluseret comme délégué à la Guerre le 1er mai, mais démissionna le 10 mai. Il fut fusillé par les Versaillais après l'échec de la Commune.

ROSSELANGE. ♦ Comm. de la Moselle, arr. de Thionville-Ouest. 4 485 hab. Sidérurgie.

ROSSELLI (Cosimo). ♦ Peintre florentin (Florence, 1439 – *id.,* 1507). En 1481, il participa à la décoration de la chapelle de Sixte IV, où il composa l'*Adoration du veau d'or,* le *Sermon sur la montagne,* la *Dernière Cène.* Revenu à Florence, il exécuta des fresques et des peintures du *Miracle du Saint Sacrement* à Sant' Ambrogio. C'est chez lui que se formèrent Fra Bartolomeo* et Piero* di Cosimo.

ROSSELLINI (Roberto). ♦ Cinéaste italien (Rome, 1906 – *id.,* 1977). Réalisée dans des conditions difficiles, au lendemain de la libération de la cap. italienne, l'œuvre qui le fit connaître, « Rome, ville ouverte » (*Roma città aperta,* 1945), première manifestation du néo-réalisme, exprimait au monde la volonté de résurrection de l'Italie et frayait les voies à toute une génération de cinéastes. D'une carrière qui demeure marquée par la gravité de la pensée et l'importance accordée aux problèmes spirituels, il convient de retenir : *Païsa* (1946), *Allemagne année zéro* (1948), *Onze Fioretti de saint François d'Assise* (*Francesco giullare di Dio,* 1949), *Europe 51* (1952), *Voyage en Italie* (1953), *India* (1958), *Le Général Della Rovere, La Prise du pouvoir par Louis XIV* (1966, pour la télévision). Il fut l'époux d'Ingrid Bergman.

ROSSELLINO (Bernardo). ♦ Architecte et sculpteur italien (Settignano, 1409 – Florence, 1464). Il travailla à Arezzo (façade de l'église de la Miséricorde) et à Florence, réalisant le tombeau de Leonardo Bruni. Là, il devint l'assistant d'Alberti*, et édifia, sur les plans du maître, le *palais Rucellai* (1446-1451). On lui attribue la construction du *palais de Venise,* à Rome (1455). Le pape Pie II lui confia la création d'un ensemble urbain à Pienza, son village natal : cathédrale, palais Piccolomini, palais épiscopal (1460-1463).

ROSSELLINO (Antonio). ♦ Sculpteur italien (Settignano, 1427 – Florence, 1479), frère de Bernardo Rossellino* dont il fut le collaborateur favori. Il travailla avec ses frères Bernardo et Giovanni à la châsse du bienheureux Marcolino da Forli (1458, Forli) et au tombeau de Neri Caponi (Florence). Son œuvre principale est le tombeau du cardinal de Portugal à San Miniato (Florence), chef-d'œuvre de la préciosité florentine où des revêtements d'albâtre et de faïence agrémentent de leurs effets polychromes une architecture classiquement albertienne. Il est également l'auteur de nombreux bustes (dont celui de Matteo Palmieri, 1468, Florence), du *Saint Sébastien* de la Collegiata d'Empoli, des reliefs de la chaire de la cathédrale de Prato (1473).

ROSS ET CROMARTHY *(comté de).* ♦ Comté du N. de l'Écosse, s'étendant dans les Highlands du Nord et l'île de Lewis (Hébrides) au N. du Sutherland, entre la mer du Nord et l'Atlantique (détroit de Minch). 8 002 km². 58 770 hab. (1971). *Ch.-l.* Dingwall (3 780 hab.). – Le relief a été fortement modelé par l'érosion glaciaire **(V. Highlands** [*du Nord*]**).** La côte est échancrée de *lochs* et de nombreuses îles.

ROSSETTI (Dante Gabriel). ♦ Peintre, aquarelliste, pastelliste, dessinateur et graveur anglais (Londres, 1828 – Birchington on Sea, Kent, 1882), fils aîné d'un poète italien, qui enseigna à Londres. À partir de 1845, il étudia à l'Académie royale et débuta comme illustrateur. En 1848, il travailla quelque temps auprès de F.M. Brown* et fut l'un des fondateurs de la confrérie des préraphaélites. Il publia en 1847 ses premiers poèmes, *The Blessed Damozel,* et imita dans ses tableaux les maîtres de la Renaissance italienne et nazaréens *(Ecce Ancilla Domini,* 1850). Jusqu'en 1858, il produisit surtout des dessins et aquarelles, en tirant son inspiration de Dante, Shakespeare, Browning et à partir de 1856 du cycle médiéval du roi Arthur (*Le Mariage de saint Georges et de la princesse Sabra,* 1858). Surtout lié avec Ruskin* et Morris*, il se détacha progressivement des idéaux didactiques des préraphaélites et s'attacha surtout à évoquer la fatalité de la passion amoureuse. À partir de 1859, il peignit à l'huile une série de bustes féminins chargés de détails symboliques et empreints d'un caractère sensuel et langoureux. Dans les années soixante, il fréquenta Swinburne et Whistler* et s'opposa aux conceptions moralisantes de l'art. Il publia plusieurs recueils de poésies (*Poems,* 1870; *Ballads and Sonnets,* 1881). Il exerça une profonde influence sur les poètes et les peintres de la fin du siècle, mais ne sut pas trouver de nouvelles solutions plastiques bien qu'il ait rompu très tôt avec les schèmes académiques.

ROSSI (Luigi) dit aussi **Aloysius de Rubeis.** ♦ Compositeur italien (Torremaggiore, 1598 – Rome, 1653). Après avoir été à Naples l'élève de J. de Macque, maître de la chapelle royale espagnole, il s'établit à Rome comme chanteur, guitariste et claveciniste au service de Marc-Antoine Borghèse (1620) puis à celui du cardinal Barberini (1641) comme « virtuoso da camera ». C'est au théâtre Barberini qu'il fit représenter en 1642 sa première œuvre dramatique, *Il Palazzo incantato d'Atlante.* À l'avènement d'Innocent X, il suivit à Paris les Barberini venus se mettre sous la protection de Mazarin (1644). Son opéra *Orfeo,* joué au Palais-Royal en 1647, obtint un vif succès. Mais, persécuté par la Fronde, le cardinal Barberini dut se retirer en Provence. Rossi l'y rejoignit avant de retourner à Rome, où il passa ses dernières années. Le génie de Rossi est avant tout lyrique, la richesse mélodique de ses *arie* et l'originalité de ses harmonies le placent aux côtés de Frescobaldi* et Monteverdi*. Il est l'un des créateurs de l'*aria da capo.* Outre ses opéras, il composa quelques oratorios et près de 400 « cantate », « arie », « canzoni » et « serenate ».

ROSSI (Pellegrino, *comte***).** ♦ Homme politique italien (Carrare, 1787 – Rome, 1848). Professeur de droit à Milan, il prit part au mouvement par lequel, en 1815, Murat tenta de soulever les Italiens du Nord, et il fut contraint à l'exil. Lors de son séjour en Suisse, il se fit rapidement connaître, devint député du Grand Conseil et proposa un projet de réforme de la Constitution suisse. Paris l'accueillit ensuite, et, naturalisé français, il fut successivement professeur au Collège de France et ambassadeur à Rome; il y contribua à l'élection de Pie IX qu'il tenta d'orienter vers le libéralisme. Redevenu Italien à la suite de la révolution de 1848, il devint le chef du gouvernement constitutionnel pontifical et fut assassiné par des révolutionnaires. Il désirait établir une fédération italienne sous la présidence du pape.

ROSSI (G.B. De). ♦ V. De Rossi *(Gian Battista).*

ROSSI (Pasquale). ♦ Sociologue italien (Cosenza, 1866 – mort en 1905). Représentant de la « sociologie psychologique », il tenta de distinguer la foule, « produit psychocollectif statique » et objet de la psychologie collective, des sociétés permanentes (famille, nation, etc.), « produits psychocollectifs dynamiques » et objet de la psychologie sociale. Rossi faisait de la sociologie elle-même la synthèse des différentes sciences sociales (*Psychologie collective,* 1900; *Sociologie et Psychologie collective,* 1904).

ROSSI (Bruno). ♦ Physicien américain d'origine italienne (né en 1905). Utilisant la technique des coïncidences en électronique nucléaire, il étudia le développement des gerbes-cascades (1932). **V. Blackett, Bethe** et **Heitler.**

ROSSI (Constantin, dit **Tino).** ♦ Chanteur français (Ajaccio, 1907). Commencée à l'Alcazar de Marseille (1927), sa carrière se poursuivit à Paris (1930) où, grâce au disque et à la radio, il devint bientôt le favori d'un très large public, en grande partie féminin, conquis par le charme de sa voix de ténor léger. Le tour de chant, le film et l'opérette ont popularisé son répertoire qui compte des centaines de chansons à succès, de *Marinella* au *Parrain.*

ROSSIDHI (Ajip). ♦ Poète et écrivain indonésien (Java, 1938). Ses œuvres ont une grande influence sur la littérature contemporaine indonésienne.

ROSSIGNOL (Jean Antoine). ♦ Général français (Paris, 1759 –

île d'Anjouan, 1802). Rallié à la Révolution dès 1789, nommé général en 1793, il participa à la lutte contre l'insurrection vendéenne sous les ordres de Biron, qu'il remplaça. Décrété d'accusation par la Convention thermidorienne et destitué (1795), il fut impliqué dans la conjuration des Égaux de Babeuf (1796), mais acquitté. Impliqué (à tort) dans l'attentat de la rue Saint-Nicaise, il fut déporté aux Seychelles par Bonaparte (1801).

ROSSINI (Gioacchino). ♦ Compositeur italien (Pesaro, 1792 – Paris, 1868). Ses parents exerçaient leurs talents dans des troupes d'opéra forain; il reçut une hâtive formation musicale à Bologne, de Tesei pour le chant et le piano, du P. Mattei pour la composition (1807). Ses premiers ouvrages, des opéras bouffes, furent représentés à Venise avec un grand succès, et son opera seria, *Tancredi* (1813), recueillit un triomphe. Chargé de la direction musicale du théâtre San Carlo à Naples, il continua à produire pour les théâtres de Venise, Milan et Rome où son *Barbier de Séville* (1816), d'abord victime d'une cabale montée par les fidèles de Paisiello, connut bientôt un succès éclatant, faisant brusquement de Rossini le compositeur le plus populaire de l'époque. Déçu par l'échec de sa *Sémiramis*, à Venise (1823), il se rendit d'abord à Vienne, où il rencontra Beethoven, puis à Londres, enfin à Paris où, devenu directeur du Théâtre-Italien (1824), il fut ensuite nommé « compositeur du roi » et inspecteur général du chant en France. Le succès de *Moïse* (1827), et celui, plus contesté, de *Guillaume Tell* (1829), son chef-d'œuvre dans le genre sérieux, ne compensèrent pas le fâcheux effet que la révolution de 1830 entraîna pour lui : la perte de sa situation officielle. Il décida de renoncer à la composition, ayant d'ailleurs pressenti que la gloire de Meyerbeer* allait effacer la sienne. Il revint en Italie (1836-1855) et composa encore quelques pièces d'inspiration religieuse, dont son admirable *Stabat Mater* (1832-1841), puis il retourna à Paris où il se fixa. Une gaieté ensoleillée, un style alerte et spirituel, un sens infaillible du théâtre caractérisent ses meilleurs ouvrages où, se plagiant souvent lui-même, il multiplia de l'un à l'autre les emprunts les plus flagrants pour satisfaire au goût du public. Il fut finalement la première victime de sa déconcertante facilité. Outre les ouvrages cités plus haut, Rossini a composé trente-quatre *opéras* dont l'*Échelle de soie* (1812), *L'Italienne à Alger* (1813), *La Pie voleuse* (1817); de la *musique religieuse*, des *hymnes* et *cantates* de circonstance, des *pièces symphoniques*, de la *musique de chambre*, pour piano.

ROSSO (Medardo). ♦ Sculpteur italien (Turin, 1858 – Milan, 1928). Il étudia à Milan, puis à Paris (1884-1886) où il fut apprécié par Rodin, Degas et Zola. Il se brouilla avec Rodin après 1898. Son œuvre, aboutissement de la sculpture du XIXe s., s'ouvre pourtant sur l'avenir par sa recherche « impressionniste » des effets de surface, modifiant les rapports entre formes et lumière. (*La Rieuse*, 1890; *Yvette Guilbert*, 1894; *Ecce Puer*, 1910.)

ROSSO FIORENTINO (Giovanni Battista di Jacopo, dit). ♦ Peintre et décorateur italien (Florence, 1494 – Paris, 1540). Formé dans divers ateliers florentins, chargé d'achever l'*Assomption de la Vierge* (1517) commencée par Andrea Del* Sarto, Rosso manifesta dès ses premières toiles une opposition aux finesses colorées pour leur substituer des coloris stridents animant de grands drapés et évoquant une sorte de rythme « diabolique » et fougueux (*Madone entre quatre saints*, 1518, Florence; *Madone entre deux saints*, 1521, Villamagna; *Déposition*, 1521, Volterra; *Mariage de la Vierge*, 1523, Florence). À Rome, il fut vivement impressionné par les fresques de la chapelle Sixtine. Son trouble fut tel qu'il produisit des fresques médiocres où la hantise et la fascination du modèle michelangélesque le paralysent (*Création d'Ève; Péché originel*, 1524, chapelle Cesi, Santa Maria della Pace). Fuyant Rome en 1527, il réalisa en Italie centrale nombre de peintures où l'on reconnaît l'étonnante assimilation de la leçon romaine, associée à une inspiration pathétique originelle (*Déposition*, 1527-1528, Borgo San Sepolcro). Rosso fut ensuite invité par François* Ier en France, où il eut à élaborer son œuvre majeure en décorant la galerie reliant l'ancien et le nouveau château de Fontainebleau* (1533-1537). Entraîné par son goût du bizarre et de l'érudition, il y conçut un « système » décoratif original en combinant la peinture à fresque et le relief en stuc; par sa manière de bousculer les genres, il put fondre les effets des deux techniques. Les stucs, encadrant les peintures des panneaux centraux et intervenant éventuellement dans les volets latéraux, complètent le sens des fresques. Chacune de celles-ci est surmontée d'un cartouche abritant une salamandre en stuc, animal emblématique de François Ier. La répétition de ce motif relie les scènes mythologiques de cet ensemble lisible en fonction du procédé de l'allusion indirecte (Panofsky, 1958) : le mythe devient une allégorie associée aux faits et actes du prince. Plus qu'un ensemble narratif, cette série de fresques (brillamment restaurées entre 1960 et 1963 : décapées, débarrassées des interventions abusives du XVIIIe et du XIXe s.) trouve son originalité dans la dimension symbolique. La galerie de François Ier « ne comporte ni la mise en scène des événements historiques, ni la figuration abstraite de principes, mais leur projection dans la fiction de la *storia* ou de l'emblème... » (A. Chastel, 1972). Chef-d'œuvre de la première école de Fontainebleau, cet ensemble, dégageant une forte charge émotionnelle – due aussi bien à la bizarrerie des sujets et à la réussite de l'interprétation du modèle michelangélesque qu'à l'organisation décorative et à la pluralité de niveaux de lecture –, influença l'évolution du style ornemental princier dans le nord de l'Europe.

ROSSOLIMO (Grégoire). ♦ Neurologue et psychologue russe (1860 – 1928). Il mit au point la méthode du profil psychologique, qui donne, sous forme graphique, la synthèse des résultats d'un individu à plusieurs épreuves psychologiques (tests – **V. Meili**).

ROSTAND (Edmond). ♦ Poète et auteur dramatique français (Marseille, 1868 – Paris, 1918). La maîtrise du métier dramatique, la virtuosité verbale, le sens du panache, caractérisent son théâtre, résurgence du romantisme dont la réussite se fit d'abord en réaction contre le naturalisme et le symbolisme qui triomphaient à l'époque. À des pièces d'une inspiration fantaisiste (*Les Romanesques*, 1894) ou religieuses (*La Samaritaine*, 1897) succédèrent bientôt *Cyrano* de Bergerac*, comédie héroïque en cinq actes (1897) et *L'Aiglon**, drame dont le héros est le duc de Reichstadt (1900) [rôle créé par Sarah Bernhardt*], deux œuvres dont le succès populaire, immédiat et considérable, devait se poursuivre jusqu'à nos jours. Après l'échec de *Chantecler* (1910), où le jeu verbal atteint un curieux paroxysme, l'écrivain, gravement malade, s'éloigna de la scène, laissant un drame posthume, *La Dernière Nuit de Don Juan* [1921]. (Acad. fr., 1901.)

ROSTAND (Jean). ♦ Biologiste et écrivain français, fils d'Edmond Rostand (Paris, 1894). Connu par ses travaux sur la parthénogénèse et la tératogénèse expérimentales (en particulier chez les batraciens), il a publié des ouvrages de vulgarisation scientifique et philosophique qui lui valurent le prix Kalinga (prix international de vulgarisation) [*Idées nouvelles de la génétique*, 1941; *La Parthénogénèse animale*, 1950; *La Biologie et l'Avenir humain*, 1950; *Ce que je crois*, 1953; *Atlas de génétique humaine*, 1956, avec A. Tétry]. (Acad. fr., 1959.)

ROSTOCK. ♦ V. et premier complexe portuaire d'Allemagne orientale (Mecklembourg), près de la Baltique et de la r. g. de l'estuaire de la Warnow. – Ch.-l. de district. 201 305 hab. (1971). Université (1419). Important port de pêche et de voyageurs relié au Danemark par la station balnéaire de Warnemünde. Centre industriel actif (conserveries, chantiers navals, moteurs Diesel, indus. chimiques). – Patrie d'Aepinus*, G.L. Blücher*, A. Kossel*. ♦ *Hist.* Fondée sur le site d'un ancien établissement wende, la ville fut au XIIIe s. l'un des comptoirs les plus actifs de la Hanse.

ROSTOPCHINE (Fédor Vassilievitch) [*Rostopšin*]. ♦ Comte, général et homme politique russe (Livny, gouv. d'Orel, 1765 – Moscou, 1826). Issu d'une famille de la noblesse tatare, favori et aide de camp du tsar Paul* Ier (1796), il fut nommé ministre des Affaires étrangères (1798). Peu avant l'assassinat de Paul Ier, il déconseilla au tsar de signer l'alliance avec la France; disgracié en mars 1801, il se retira dans son domaine à Voronovo, près de Moscou. Nommé par Alexandre Ier gouverneur militaire de Moscou (1812), il fut considéré comme l'instigateur de l'incendie qui éclata à l'entrée des troupes françaises (14 sept. 1812). Rostopchine se défendit en publiant *La Vérité sur l'incendie de Moscou* (Paris, 1823), mais plus tard reconnut qu'il avait incendié sa propre maison. Il accompagna Alexandre Ier au congrès de Vienne (1814-1815), mais fut de nouveau disgracié. Après un long séjour à Paris, il rentra en Russie en 1825. Ses *Mémoires écrits en dix minutes* furent publiés à Saint-Pétersbourg (1853) et ses *Œuvres inédites* à Paris (1894). Il fut le père de la comtesse de Ségur*.

ROSTOV ou ROSTOV IAROSLAVSKI. ♦ V. d'U.R.S.S. (R.S.F.S. de Russie), dans la région de Iaroslavl*, au N.-E. de Moscou, sur le lac Nero. 29 200 hab. (1959). Indus. alimentaires et textiles (lin).

Ph. Louis Monier

Jean Rostand.

Coll. Viollet

Meyer Amschel Rothschild.

Ph. Martinie-Viollet

Maurice de Rothschild.

– La ville, fondée au IXe s., est l'une des plus anc. cités de la Russie. Elle fut la capitale d'une puissante principauté avant d'être annexée par la Moscovie en 1474.

ROSTOV-SUR-LE-DON. ♦ V. d'U.R.S.S. (R.S.F.S. de Russie), ch.-l. de la région de Rostov (100 800 km². 3 849 000 hab.) et grand port fluvial sur le Don*, à 46 km de son embouchure dans la mer d'Azov*. 823 000 hab. Centre culturel. Université. – Indus. mécaniques (machines agricoles) et chimiques. Chantiers navals. Indus. alimentaires et du tabac. Chaussures. – Nœud ferroviaire. Important aéroport. – Patrie de V. Panova*. Dans la région est né Cholokhov*. ♦ *Hist.* Fondée en 1761, la ville devint rapidement un centre commercial actif au contact du Caucase, de la région centrale et de l'Ukraine. Très éprouvée durant les deux guerres mondiales, elle fut en grande partie reconstruite et prit un nouvel essor après la construction du canal Volga*-Don (1952) reliant la mer d'Azov à la mer Caspienne.

ROSTOW (Walt Whitman). ♦ Économiste et homme politique américain (New York, 1916). Conseiller du président Kennedy, il entra au département d'État (1961) et fut nommé conseiller spécial à la Maison-Blanche pour les Affaires étrangères (1966); il contribua à développer la politique de désarmement et de coexistence pacifique avec l'U.R.S.S. Auteur d'une étude sur *L'Économie britannique au XIXe siècle* (1948), il est surtout connu pour ses analyses sur *Le Processus de la croissance économique* (1953) et sa classification des stades de l'évolution des sociétés, de la société traditionnelle à la société de consommation (*Les Étapes de la croissance économique,* 1960). Cette distinction devenue classique tend, selon les critiques, à nier la complémentarité historique entre le développement économique inégal des nations et la politique impérialiste (recherche de débouchés extérieurs) de celles qui se développent le plus.

ROSTRENEN [ʀɔstʀənɛ̃]. ♦ Ch.-l. de cant. des Côtes-du-Nord, arr. de Guingamp. 2 927 hab. *(Rostrenois).* Église Notre-Dame-du-Roncier (XIIIe s.), surmontée d'une tour du XVIIe siècle. Fontaine du XVIIe siècle. Hippodrome. Abattoirs industriels. Aux environs église de Kergrist-Moëlou, de style gothique flamboyant (début XVIe s.).

ROSTWOROWSKI (Karol Hubert). ♦ Dramaturge polonais (Cracovie, 1877 – *id.,* 1938). Après s'être révélé avec un drame historique et psychologique en vers *Judas l'Iscariote* (*Judasz z Kariotku,* 1913), il écrivit *Caius Caesar Caligula* (1917), autre étude psychologique, puis *La Miséricorde* (*Milosierdzie,* 1920), mystère métaphysique, et s'orienta vers le réalisme avec des drames à sujets sociaux. Il publia une trilogie dont la première pièce, *La Surprise* (*Niespodzianka,* 1929), considérée comme son chef-d'œuvre, est basée sur le fait divers tragique, qu'utilisa plus tard Camus dans *Le Malentendu* (1942).

ROTA *(île).* ♦ V. MARIANNES (îles).

ROTGANG *(saint).* ♦ V. CHRODEGANG *(saint).*

ROTHARIS. ♦ Roi des Lombards (636-652). Il conquit Gênes et la Ligurie sur les Byzantins. Il publia le code lombard, dit *Lois de Rotharis* (643).

ROTHE (Johann). ♦ Poète et chroniqueur allemand (*fin* du XIVe s., *déb.* du XVe s.). Son poème *Ritterspiegel* (« Miroir des chevaliers », v. 1415), se rattachant à la littérature morale, pose le problème de l'adaptation des valeurs chevaleresques aux nouvelles conditions de vie de l'époque. Il est également l'auteur d'une *Chronique de Thuringe* (1421), écrite en prose et dédiée à la princesse Anne de Thuringe.

ROTHÉNEUF. ♦ Station balnéaire d'Ille-et-Vilaine, arr. de Saint-Malo; falaise. Le *havre de Rothéneuf* est une anse abritée.

ROTHERHAM. ♦ V. du N. de l'Angleterre (Yorkshire, West Riding) au confluent de la Don et du Rother, sur le versant E. des Pennines. 86 800 hab. Houille. Sidérurgie, métallurgie (fer, cuivre). Indus. mécaniques et alimentaires.

ROTHESAY. ♦ V. d'Écosse occidentale, *ch.-l.* du Buteshire, sur la côte est de l'*île de Bute**. 6 650 hab. (1966). Château ruiné (XIe-XIVe s.). – Tourisme balnéaire.

ROTHKO (Mark). ♦ Peintre américain d'origine russe (Dvinsk, 1903 – New York, 1970). Après une période réaliste et une période surréaliste (1942-1947), Rothko élabore un style abstrait dépouillé : le tableau, de grande dimension, est organisé en surfaces horizontales de couleurs simples, différenciées entre elles et du fond. De tonalité assombrie, ses dernières œuvres cherchent toujours plus à « exprimer l'idée complexe en formes simples » et à « détruire l'illusion [en révélant] la vérité ».

ROTHSCHILD. ♦ Famille de banquiers d'origine juive allemande (leur nom proviendrait de l'enseigne de la maison de Francfort *Zum rothen Schild,* « Au bouclier rouge »). ♦ MEYER AMSCHEL ROTHSCHILD (Francfort-sur-le-Main, 1743 – *id.,* 1812). Destiné au rabbinat, il se lança très tôt dans les affaires, entra chez un banquier à Hanovre, puis installa sa propre maison à Francfort et fut chargé de la gestion de la fortune de l'électeur de Hesse. Ses cinq fils formèrent une maison de banque. Outre la maison mère de Francfort, dirigée par AMSCHEL MEYER ROTHSCHILD (1773 – 1855) et qui disparut en 1901, cette banque compta quatre succursales. ♦ SALOMON ROTHSCHILD (1774 – 1855) fonda la branche de Vienne, qui disparut en 1931. ♦ NATHAN ROTHSCHILD (1777 – 1836) s'établit en Angleterre (Manchester, puis Londres, 1798) où il réussit à établir la fortune de la branche anglaise. ♦ CHARLES ROTHSCHILD (1788 – 1855) créa la maison de Naples en 1820. ♦ JACOB ou JAMES ROTHSCHILD (1792 – 1868) fondait en 1817 la branche de Paris, et, consul d'Autriche, fut successivement banquier de Louis XVIII, Charles X et Louis-Philippe. – Les cinq frères Rothschild furent anoblis (1816) et faits barons (1822) par l'empereur d'Autriche. – La branche anglaise connut un essor considérable. ♦ LIONEL NATHAN ROTHSCHILD (1803 – 1879), premier membre israélite du Parlement anglais. Élu en 1847, il ne put siéger qu'en 1858. ♦ NATHAN MAYER ROTHSCHILD (1840 – 1915), fils de Lionel Nathan, premier israélite anglais élevé à la pairie (1885). ♦ LIONEL WALTER ROTHSCHILD (1868 – 1937), fils de Nathan Mayer, destinataire de la déclaration Balfour (novembre 1917) par laquelle le gouvernement britannique s'engageait à reconnaître l'établissement d'un foyer national juif en Palestine. – Branche française. ♦ ALPHONSE DE ROTHSCHILD (1827 – 1905), fils de James ou Jacob, fit de la maison de Paris le centre des affaires. Régent de la Banque de France (1855), il accrut considérablement la fortune de la famille. ♦ GUSTAVE DE ROTHSCHILD (1829 – 1911), frère d'Alphonse et d'Edmond, associé à l'affaire familiale, fut consul d'Autriche-Hongrie à Paris. ♦ EDMOND DE ROTHSCHILD (1845 – 1934), frère d'Alphonse, tout en étant associé à la direction de la banque Rothschild, fut administrateur du Chemin de fer de l'Est. ♦ ÉDOUARD DE ROTHSCHILD (1868 – 1949), fils d'Alphonse et chef de la branche française à la mort de son père, apporta une aide importante aux débuts du mouvement sioniste. ♦ MAURICE DE ROTHSCHILD (1881 – 1957), fils d'Edmond, fut sénateur de 1929 à 1945. ♦ ROBERT DE ROTHSCHILD (1880 – 1946), fils de Gustave. – En 1973, la banque Rothschild (branche française) est dirigée par GUY DE ROTHSCHILD (1909 –), ALAIN (1910 –) et ÉLIE (1917 –) DE ROTHSCHILD, fils de Robert. Elle compte parmi les grandes banques d'affaires privées. Elle eut G. Pompidou* pour directeur général de 1956 à 1962.

ROTONDO *(monte).* ♦ Sommet du centre de la Corse* (2 625 m).

ROTROU (Jean). ♦ Poète dramatique français (Dreux, 1609 – *id.,* 1650). Libéré du contrat qui le liait aux comédiens de l'hôtel de Bourgogne, devenu lieutenant particulier au bailliage de Dreux, il dut à la protection de Richelieu de pouvoir se consacrer avec un meilleur profit à son œuvre d'auteur dramatique. Une trentaine de ses pièces nous sont parvenues, parmi lesquelles se détachent des comédies d'intrigue (*Les Sosies,* 1637), des tragi-comédies (*Venceslas,* 1647) et des tragédies (*Antigone,* 1637; *Iphigénie,* 1639; *Bélisaire,* 1643; *Saint Genest**, 1646; *Cosroès,* 1648). Partagés entre une mission qui les accable et une passion tout humaine qui est la cause de leur faiblesse, les personnages de Rotrou semblent davantage voués, par leur résignation ou leur passivité, à témoigner de la puissance et de l'ironie du destin qu'à affirmer leur liberté.

ROTTERDAM (« digue [*dam*] sur la Rotte »). ♦ V. et port des Pays-Bas (Hollande-Méridionale), le plus grand port du monde (273 185 000 t en 1975), dans le double delta du Rhin et de la Meuse, relié à la mer du Nord par la Nieuwe Waterweg (30 km). 729 800 hab. *(Rotterdamois)*; l'agglomération dépasse 1 000 000 d'hab. Reconstruite après le bombardement allemand de 1940 qui n'épargna que quelques quartiers, la ville présente un caractère moderne. Sculpture de Zadkine. Musée maritime et musée Boymans (J. Bosch, Rembrandt, Rubens, Picasso). Zoo. À l'E. de Rotterdam, ville satellite de 175 000 hab. (Prins Alexanderpolder). – Prolongement de Rotterdam vers la mer, Europoort, s'étend sur 2 000 hectares. Rotterdam fut d'abord un port d'importation de produits pondéreux : charbon, céréales, minerais, phosphates, puis (1938) un port pétrolier. Il fut doté d'un complexe sidérurgique. Pétrolochimie (**V. Pernis**). Construction et réparation navales. Appareillage électrique. Indus. alimentaires. Banque importante (Amro Bank). – Patrie d'Érasme* (Geert Geertsz) et de Pieter de Hooch*. P. Bayle* y écrivit son *Dictionnaire.* ♦ *Hist.* C'est en 1340 que Rotterdam bénéficia de ses privilèges. Maximilien d'Autriche s'en empara en 1489. Elle fut pillée en 1572 par les Espagnols. La lutte avec l'Espagne amena la fermeture de l'Escaut. Après 1600, Rotterdam était la seconde ville commerçante de la Hollande. La politique commerciale napoléonienne, ajoutée à l'ensablement naturel du chenal, fut défavorable au développement de la ville (occupée en 1795). La Nieuwe Waterweg, creusée vers 1870, accès direct à la mer, procura un nouvel essor à Rotterdam qui devint alors un port mondial.

ROTUMA *(île)*. ♦ V. FIDJI (îles).

ROTY (Louis Oscar). ♦ Sculpteur et graveur en médailles français (Paris, 1846 — *id.*, 1911). Il a gravé de nombreuses médailles, médaillons et pierres parmi lesquelles : médailles commémoratives du *percement de l'isthme de Panamá, centenaire de Chevreul,* du *soixante-dixième anniversaire de Pasteur* (1892). On doit encore à Roty un grand nombre de médaillons-portraits et surtout l'effigie de *La Semeuse* des pièces de monnaie françaises, mises en circulation à partir de 1898, qui a achevé de rendre populaire la renommée de l'artiste.

ROUAD *(île)*, en ar. **'Arwad**. ♦ Île de la côte syrienne (Méditerranée orientale) à 3 km env. du rivage; elle forme un banc rocheux de 800 m de long et 400 m de large. Port antique, auj. ensablé. Château du XIIIe siècle. ♦ *Hist.* C'est l'anc. Arvad des Phéniciens (vestiges). Ce fut en 1914 le premier point de la côte de Syrie occupé par les Français.

ROUANDA-OUROUNDI. ♦ V. RUANDA-URUNDI.

ROUAULT [ʀuo] **(Georges).** ♦ Peintre, dessinateur et graveur français (Paris, 1871 — *id.*, 1958). Fils d'un ébéniste, il fut initié à la peinture par son grand-père Champdavoine, qui était amateur de Courbet, Manet et Daumier. En 1885, il devint apprenti chez un maître verrier et restaurateur, et, après avoir suivi des cours du soir des Arts décoratifs, il entra aux Beaux-Arts dans l'atelier d'Ély Delaunay, puis (1892-1895) de Gustave Moreau qui l'appréciait beaucoup. Ses premières œuvres, paysages, scènes bibliques et mythologiques, dénotent un tempérament romantique de tendance spiritualiste. Ces œuvres, assez tragiques d'esprit, révèlent à la fois son admiration pour Rembrandt et une certaine emprise du dessin et des types humains procédant de son maître, G. Moreau. Il subit alors l'ascendant de Daumier et de Toulouse-Lautrec, se préoccupa de plus en plus de problèmes religieux, fréquenta Huysmans (à partir de 1901), Bloy, Suarès, puis Maritain. De 1903 à 1914, il réalisa de nombreuses aquarelles et gouaches sur papier, d'un trait nerveux, interrompu, complexe, où dominent les harmonies de bleus sombres et où éclatent les plages de couleurs claires et légères. Ces œuvres, qui traitent les thèmes des clowns, acrobates, prostituées, bourgeois infatués, révèlent un sens du grotesque mêlé au tragique, et apparaissent comme les symboles d'une humanité misérable, déchue physiquement et moralement (*L'Ivrognesse*, 1905; *L'Entremetteuse; Forains; Cabotins; Pitres*, 1905; *Au miroir*, 1906; *Les Juges*, 1908). Certaines œuvres expriment cependant la compassion pour les pauvres gens (*Les Fugitifs*, 1911; *Faubourg des longues peines*). S'il participa aux expositions des fauves, il s'éloignait d'eux par la technique. Utilisant une facture ample, un dessin sommaire, il préférait des tonalités sombres et mêlées à l'exaltation sensuelle des couleurs pures. Il s'éloignait surtout des fauves par l'inspiration : en effet, esprit profondément chrétien, il cherchait à traduire picturalement sa vision religieuse et tragique du monde et, s'il refusa toujours de se considérer comme un expressionniste, c'est pourtant avec ce mouvement que son art présente le plus d'affinités. Son style évolua progressivement et acquit une sérénité grandissante. Il eut tendance à cerner les formes et à les cloisonner d'un trait épais et souple, qui fait songer aux réseaux des plombs d'un vitrail; il employa des empâtements de plus en plus insistants, sa matière travaillée et dense acquérant parfois un aspect d'émail. Il réalisa une série de *Pierrots* (1937-1938), mais multiplia surtout les thèmes évangéliques et bibliques (*Le Vieux Roi*, 1937; *La Sainte Face*, 1933; *Nocturne chrétien*). L'aspect hiératique, frontal et plan de ses compositions semble renouer avec l'art des imagiers du Moyen Âge (icônes, mosaïques, fresques). Remarquable graveur, il réalisa un monumental *Miserere* (1917-1927, paru en 1948), une *Passion* (1939) et les illustrations des *Réincarnations du père Ubu*, d'Ambroise Vollard. On exécuta d'après ses projets des décors de théâtre, des céramiques, des vitraux *(église d'Assy)* et des tapisseries. La figuration simplifiée, chargée d'un contenu émotionnel, qu'il a instaurée, non sans quelques procédés efficaces, l'a fait considérer comme le plus important des peintres religieux du XXe siècle.

ROUBAIX. ♦ Ch.-l. de cant. du Nord*, arr. de Lille* en Flandre, sur le canal de Roubaix. 114 774 hab. *(Roubaisiens)*. Roubaix, qui forme une conurbation avec Lille* et Tourcoing*, est le plus grand centre lainier de France avec Tourcoing : filature, tissage, peignage de la laine; travail du coton; confection, bonneterie. La ville abrite l'École nationale des arts et industries textiles. Autres indus. : tanneries; constructions métalliques; indus. chimiques. ♦ *Hist.* Depuis le Moyen Âge, Roubaix est un centre de travail de la laine. La ville connut une grande expansion avec la révolution industrielle du XIXe siècle.

ROUBLEV (Andreï) [*Rubljev*]. ♦ Peintre et moine russe (v. 1360-1370 — entre 1427 et 1430). Il fut l'assistant du peintre d'origine grecque Théophanes et devint moine au couvent de la Trinité-Saint-Serge de Radonège à Zagorsk. On sait qu'il travailla à la décoration murale de la cathédrale de l'Annonciation à Moscou en 1405 et, en 1408, à la cathédrale de la Dormition à Vladimir, puis à la nouvelle église du couvent de Zagorsk. Il est l'auteur d'une des plus célèbres icônes russes, dite la *Trinité* (v. 1411). On lui a aussi attribué une série d'icônes provenant de Zvenigorod. Son style, souple et élégant, perpétue la tradition byzantine tout en l'infléchissant vers une expression plus douce et gracieuse. Sa renommée fut telle que ses œuvres furent proposées en modèle par le concile de Moscou dit des « cent chapitres » (1511).

ROUBTSOVSK ou **RUBTSOVSK.** ♦ V. d'U.R.S.S. (R.S.F.S. de Russie), en Sibérie occidentale, dans le territoire de l'Altaï, sur l'Aleï (765 km). 154 000 hab. Indus. mécaniques (tracteurs, machines agricoles).

ROUCH (Jean). ♦ Ethnologue et réalisateur français de cinéma (Paris, 1917). Explorateur, il a mené l'ensemble de ses recherches à travers l'Afrique avec une attention passionnée pour l'homme et sa vérité profonde. Il étudia notamment les Soughaï [Sourhaï] du Soudan. À la recherche de l'authenticité (cinéma-vérité), il a souvent révélé la poésie des situations concrètes. Réal. princ. : *Les Maîtres fous* (1955), *Moi, un Noir* (1959), *Chronique d'un été* (1961), *La Punition, Rose et Landry* (1963).

ROUCHÉ (Jacques). ♦ Metteur en scène et administrateur français (Lunel, 1862 — Paris, 1957). Il étudia la scénographie en Allemagne et en Russie, puis, influencé notamment par Diaghilev*, monta divers spectacles lyriques à Paris (dont *Le Festin de l'araignée*, de Roussel, *Ma mère l'oye*, de Ravel). Directeur de l'Opéra de Paris (1914), il mit en scène de nombreuses œuvres. Il est l'auteur de *L'Art théâtral moderne* (1910).

ROUELLE (Guillaume François, dit **Rouelle l'Aîné).** ♦ Apothicaire et chimiste français (Mathieu, près de Caen, 1703 — Paris, 1770). Il démontra que les acides, par réaction sur les alcalis ou sur les oxydes métalliques, produisent des sels, étudia les constituants des plantes et les embaumements des anciens Égyptiens.

ROUELLE (Hilaire Marin, dit **Rouelle le Cadet.** ♦ (Mathieu, près de Caen, 1718 — Paris, 1799). Frère du précédent. Il découvrit et isola l'urée dans l'urine (1773).

ROUEN [ʀuɑ̃] ou [ʀwɑ̃]. ♦ Préf. de la Seine*-Maritime, ch.-l. d'arr. (20 cant., 221 comm., 538 792 hab.) sur la Seine*. 124 577 hab. *(Rouennais)*. Rouen est une ville d'art. La cathédrale Notre-Dame (très éprouvée par les bombardements et fidèlement restaurée) est un des plus beaux monuments gothiques de France (XIIIe au XVIe s.) : la façade, très ajourée, hérissée de clochetons, est encadrée par la tour Saint-Romain et la tour de Beurre. L'église *Saint-Maclou* (XVe-XVIe s.) est très représentative du gothique flamboyant. L'église *Saint-Ouen* (XIVe-XVe s.) est de style gothique classique. *Le palais de justice*, chef-d'œuvre de l'architecture gothique du XVIe s., remanié au XIXe s., a été très endommagé en 1940. Le Gros-Horloge, pavillon de la Renaissance, possède une horloge du XVe siècle. Cloître dit « aître de Saint-Maclou », ossuaire à galeries des XVIe et XVIIe siècles. Tour Jeanne-d'Arc (XIIIe s.). Le Musée des beaux-arts est l'un des plus importants de France; musée Le Secq des Tournelles (ferronnerie d'art). Archevêché. — Rouen est le quatrième port de France, il bénéficie de la proximité de Paris; ses installations portuaires ont été reconstruites après la

Ph. Nimatallah/Ricciarini

Georges Rouault, « Le Clown tragique ».
(Collection particulière, Genève.)

Arch. Rencontre

La place **Rouge** à Moscou, un jour de fête.

Libération. Importation (6 985 000 t en 1975) de houille, d'hydrocarbures, de pâte de bois, mais surtout de primeurs, d'agrumes, de phosphates. – Centre industriel important : indus. textile ancienne (coton); indus. métallurgiques, mécaniques, électriques, chantiers navals, indus. chimique et pharmaceutique; papeterie; indus. alimentaires, travail du cuir. – Rouen étend son influence économique dans les agglomérations avoisinantes et joue un rôle de capitale régionale. – Université. – Patrie de François d'Agincourt*, d'Adrien Auzout*, J. Basnage*, F.A. Boieldieu*, P. de Boisguillebert*, d'A. Carrel*, de Marie Desmares (la Champmeslé*), de Pierre et Thomas Corneille* (musée Corneille), P.L. Dulong*, M. Dupré*, G. Flaubert*, Fontenelle*, Th. Géricault*, J. Goujon*, J. Jouvenet*, G. de La* Brosse, N. Lémery*, J.M. Leprince* de Beaumont, F.N. de Mollien*, Ch. Nicolle*, J. Pradon*, J. Restout*, A. Salacrou*. ♦ *Hist.* La V., à l'époque romaine s'appelait *Rotomagus.* Elle fut la capitale des Véliocasses. La fabrication des draps, le commerce avec l'Angleterre se développèrent au Xᵉ siècle. La Normandie fut longuement et âprement disputée entre les rois de France et d'Angleterre. En 1204, Philippe* Auguste s'empara de Rouen. En 1419, la ville tomba aux mains des Anglais : le 30 mai 1431, Jeanne* d'Arc y fut brûlée vive. Les Anglais furent chassés de la ville en 1449. Rouen a beaucoup souffert des guerres de Religion. À l'époque contemporaine, elle a été très atteinte par les bombardements, lors de la Deuxième Guerre mondiale.

ROUERGUE. *n. m.* ♦ Région du midi de la France (Midi*-Pyrénées) correspondant au département de l'Aveyron* qui présente une grande variété de paysages : massifs et plateaux cristallins séparés par de grandes vallées (Lot* et Tarn*), plateaux calcaires (Grands Causses*), massif volcanique (Aubrac*). ♦ *Hist.* Anc. pays des *Ruteni,* faisant partie de l'Aquitaine* Iʳᵉ romaine, il forma un comté dépendant des comtes de Toulouse (1066). Le comté de Rodez, sa cap., formant une partie du Rouergue, fut vendu par Alphonse Iᵉʳ au comte de Carlat et de Lodève (1147), fondant la maison des comtes de Rodez*.

ROUËRIE [ʀuəʀi] **(Armand Taffin,** *marquis de la***).** ♦ Gentilhomme français (près de Rennes, 1756 – près de Lamballe, 1793). Après avoir participé à la guerre d'Indépendance américaine sous le nom de *comte Armand,* il tenta de soulever la Bretagne, l'Anjou et le Poitou contre les forces révolutionnaires dès 1789, prit contact avec les frères de Louis XVI à Coblence (1791). Menacé d'arrestation par l'Assemblée législative, il se cacha au château de la Guyomarais où il mourut, ayant en grande partie contribué à la formation et au développement de la chouannerie*.

ROUFFACH [-fak]. ♦ Ch.-l. de cant. du Haut-Rhin*, arr. de Guebwiller*, sur la Lauch. 5 364 hab. [3 606 aggl.] *(Rouffachois).* Église Notre-Dame du XIIIᵉ siècle. Église des Franciscains (XIVᵉ-XVᵉ s.). Ancien hôtel de ville de la Renaissance. Tour des Sorcières, XIᵉ siècle. Ruines du château d'Isenbourg. – Tuilerie. – Patrie du maréchal Lefebvre* et de la maréchale (« Madame Sans-Gêne »). ♦ *Hist.* La V., fortifiée au XIVᵉ s., fut prise par Turenne* en 1675.

ROUGE *(fleuve).* ♦ V. SÔNG KÔI.

ROUGE *(mer),* dite anc. **golfe Arabique.** ♦ Mer du Proche-Orient qui sépare les côtes égyptiennes et africaines des côtes d'Arabie et dont le fond borde la péninsule du Sinaï. Elle communique avec la Méditerranée par le canal de Suez*, et avec le golfe d'Aden et l'océan Indien du Sud par le détroit de Bâb* al-Mandab. Princ. ports. **V. Suez, Port-Soudan, Massaoua** [r. occidentale]; **'Aqaba, Elath** (Israël), **Djeddah** [r. orientale] (Arabie Sa'ûdite). Le port d'Hodeïda double le port d'Aden*. La mer Rouge, de plus de 2 000 km de long, doit son origine à un effondrement tectonique qui sépare le plateau africain de l'Arabie; elle atteint plus de 300 km de largeur et une profondeur de près de 3 000 m. Les eaux du golfe, où ne se déversent que de maigres cours d'eau, ont un fort degré de salinité et sont parmi les plus chaudes du globe; elles sont parfois colorées par des fleurs rouges *(Oscillatoria erythroea),* d'où le nom de *mer Rouge.*

ROUGE *(rivière).* ♦ **V.** RED RIVER.

Rouge *(place).* ♦ Place principale de Moscou*. Elle forme avec le Kremlin* le noyau central de la ville. Nommée pour la première fois au XVIIᵉ s. *Krasnaïa* (qui signifiait « belle », le mot signifiant aussi en russe moderne « rouge »), elle est entourée par les murailles et les tours du Kremlin, l'église de Saint-Basile-le-Bienheureux (1555-1560), les statues de Minine et de Pojarski (1818), le Musée historique (1875-1881) et le Magasin universel d'État (en abrév. russe GUM, 1889-1893). Sur la place Rouge, où se trouve le mausolée de Lénine*, se déroulent les parades militaires et les manifestations des ouvriers.

ROUGÉ. ♦ Ch.-l. de cant. de la Loire-Atlantique, arr. de Châteaubriant. 1 995 hab. [433 aggl.] *(Rougéens).* Exploitation de minerai de fer.

Rouge et le Noir (Le), *chronique du XIXᵉ siècle.* ♦ Roman de Stendhal* (1830) qui montre la lutte dissimulée mais violente menée par le héros, Julien Sorel*, contre l'ordre social. Fils de paysan, « révolté contre la bassesse de sa fortune », Julien, dont la nature passionnée s'était exaltée pour l'épopée napoléonienne (le « Rouge »), comprend que, dans la société de la Restauration, il ne peut parvenir à affirmer sa dignité que par l'hypocrisie et le calcul. S'efforçant dès lors de dissimuler son caractère sensible et ombrageux, il adopte l'état ecclésiastique (le « Noir »). Précepteur des enfants de la tendre Mme de Rênal, il devient son amant, mais doit la quitter. Quand, pourtant, une lettre de cette dernière empêchera son mariage avec Mathilde de La Mole, qu'il a conquise par son énergie, il reviendra à Verrières et blessera sa première maîtresse de deux coups de pistolet. Dans sa prison, avant de mourir, et grâce à Mme de Rênal qui l'assiste, il laissera la passion l'emporter sur l'ambition et sera pour la première fois totalement heureux. Si l'intrigue de ce roman fut fournie à Stendhal par un fait divers et si le décor social et politique est également réaliste, l'œuvre est puissamment originale; les personnages principaux sont des créations complexes, « héros de l'énergie » capables de goûter les « passions vives qui créent des intérêts nouveaux et singuliers ». Leurs états mentaux, les monologues où ils s'exhortent à la lucidité ou à l'action s'expriment en un « style [...] haché », extrêmement vigoureux.

ROUGEMONT (Denis *de***).** ♦ Écrivain suisse d'expression française (Neuchâtel, 1906). Fondateur, avec E. Mounier*, de la revue du personnalisme, *Esprit,* il publia dès 1937 le *Journal d'un intellectuel au chômage,* puis en 1939 une importante étude psychologique, historique et éthique, *L'Amour et l'Occident.* Après avoir vécu plusieurs années aux États-Unis (1940-1947), époque pendant laquelle il fit paraître *La Part du diable* (1944), analyse de la crise de la conscience européenne, il fonda à Genève le Centre européen de la culture (1950) et écrivit encore *Fédéralisme et Nationalisme* (1954), *L'Aventure occidentale de l'homme* (1957), *Vingt-huit Siècles d'Europe* (1961), *Les Chances de l'Europe* (1962) qui lui paraissent être l'union dans le fédéralisme.

ROUGEMONT. ♦ Ch.-l. de cant. du Doubs, arr. de Besançon. 1 108 hab. Ruines d'un château des XIIIᵉ et XVᵉ siècles.

ROUGEMONT-LE-CHÂTEAU. ♦ Ch.-l. de cant. du Territoire de Belfort. 1 436 habitants.

ROUGET DE L'ISLE (Claude Joseph). ♦ Compositeur et officier français (Lons-le-Saunier, 1760 – Choisy-le-Roi, 1836). Officier du génie en garnison à Strasbourg, il composa le *Chant de guerre pour l'armée du Rhin* (1792) qui devint *La Marseillaise.* Incarcéré sous la Terreur, il écrivit, après sa libération, un *Hymne dithyrambique sur la conjuration de Robespierre* (1794), un *Chant des vengeances* (1798), un *Chant des combats,* pour l'armée d'Égypte (1800), la mélodie de cinquante *chants français,* des *romances* et des *livrets d'opéra.*

ROUGIER (Gilbert). ♦ Astronome français contemporain. Il utilisa vers 1922 une cellule photo-électrique pour comparer la luminosité d'une étoile avec celle des astres de la séquence et, plus tard, pour réaliser une étude très précise de la loi de phase de la Lune (1933).

ROUGIER (Louis). ♦ Philosophe et logicien français (né en 1889). Il fut un des seuls représentants du néo-positivisme (ou positivisme logique) en France et publia plusieurs ouvrages sur la logique et la théorie de la connaissance. *La Structure des théories déductives,* 1921; *Traité de la connaissance,* 1950; ainsi que sur l'économie et la politique (*La Mystique démocratique,* 1929; *Les Mystiques politiques,* 1935; *Les Mystiques économiques,* 1950).

Rougon-Macquart (Les), *Histoire naturelle et sociale d'une famille sous le Second Empire.* ♦ Œuvre (1871-1893) d'Émile Zola*. Se proposant d'étudier « les tempéraments et les modifications profondes de l'organisme sous la pression des milieux et des circonstances », Zola, à l'instar de Balzac* avec *La Comédie* humaine,* bâtit un vaste cycle romanesque qui prétend étudier scientifiquement les tares héréditaires déterminant cinq générations successives. Treize volumes paraîtront successivement (notamment *Le Ventre de Paris,* 1873; *La Faute de l'abbé Mouret,* 1875; *L'Assommoir**, 1877; *Nana**, 1879; *Germinal**, 1885; *La Terre,* 1887, et *La Bête humaine,* 1890), développant avec un réalisme cru et pessimiste le destin d'une famille, composée d'« individus qui paraissent [...] profondément dissemblables, mais que l'analyse montre intimement liés les uns aux autres ». Insufflant à sa doctrine une grandeur et une puissance souvent saisissantes par son imagination de visionnaire, Zola donne à la description naturaliste une dimension lyrique et sensuelle, en conférant parfois aux choses une valeur de mythe.

ROUHER [ʀuɛʀ] **(Eugène).** ♦ Homme politique français (Riom

1814 – Paris, 1884). Avocat à Riom (1838-1848), il vint à la politique lors de la révolution de février 1848. Après s'être présenté aux élections à l'Assemblée constituante (avril 1848) comme républicain avancé, il se rallia au parti de l'Ordre, fut réélu à l'Assemblée législative (mai 1849) et nommé deux fois ministre de la Justice entre 1849 et 1851. Rappelé à ce ministère après le coup d'État du 2 décembre* 1851, il démissionna en janvier 1852 en signe d'opposition au décret sur la confiscation des biens de la famille d'Orléans (comme Morny*). Sous le Second Empire*, Rouher fut d'abord conseiller d'État (1852-1855); puis, nommé ministre du Commerce, de l'Agriculture et des Travaux publics (1855-1863), il contribua à faire adopter plusieurs mesures importantes (développement du chemin de fer, de la navigation, aménagement de la région des Landes, signature du traité de libre-échange avec l'Angleterre). Ministre d'État (1863), il ne cessa de s'opposer à toutes les tentatives de libéralisation du régime et, en politique extérieure, soutint la malheureuse expédition du Mexique. Après les élections de 1869 qui assurèrent la victoire d'une majorité hostile au pouvoir personnel, Rouher fut contraint de démissionner. Président du Sénat (1870), il se réfugia à Londres après l'abdication de Napoléon III avant de devenir, sous la Troisième République, un des chefs du parti bonapartiste à l'Assemblée nationale où il siégea de 1872 à 1879.

ROUÏBA. ♦ Comm. d'Algérie (dép. d'Alger), dans la Mitidja*. 16 700 hab. Cultures maraîchères. Constructions mécaniques (usines de véhicules industriels de la Sonacome, anc. usine Berliet). Pompes hydrauliques. Tanneries.

ROULANS. ♦ Ch.-l. de cant. du Doubs, arr. de Besançon. 504 hab. Ruines d'un château du XIIIe siècle.

ROULEAU (Raymond). ♦ Comédien et metteur en scène français (Bruxelles, 1904). Il commença sa carrière au théâtre du Marais de Bruxelles, puis travailla à l'*Atelier*, à Paris, avant de diriger le théâtre de l'Œuvre (1944-1951). Il est l'auteur de nombreuses mises en scène de théâtre, d'opéra *(Carmen)*, de télévision, où il s'attache à exprimer les structures dynamiques du spectacle sans renoncer à traduire avec minutie les atmosphères (par un réalisme stylisé, partiellement hérité de la tradition brechtienne) ni à créer des valeurs plastiques. Au cinéma, où il s'était fait connaître du public par des créations de personnages désinvoltes et fantaisistes, il réalisa notamment *Les Sorcières de Salem* (1956).

ROULERS, en néerl. **Roeselare.** ♦ V. de Belgique (ch.-l. d'arr. de la Flandre-Occidentale), à 33 km de Bruges sur la Mandel. 40 258 hab. Cloître des Sœurs Grises (XVIe s.). Eglise Saint-Michel (XVe et XVIe s.). – Indus. métallurgiques, chimiques et textiles. Papeterie. Matériaux de construction. Miroiterie. Mobilier. Brasseries. Huileries. ♦ *Hist.* L'armée française, commandée par Pichegru et Macdonald, y battit les Autrichiens le 13 juillet 1794.

ROUMANIE [*n.f.*], en roum. **Rômania**, offic. **République socialiste de Roumanie** (R.S.R.). ♦ État de l'Europe du S.-E., limité au N. et à l'E. par l'U.R.S.S., au S. par la Bulgarie, à l'O. par la Yougoslavie et la Hongrie et baigné à l'E. par la mer Noire, 237 500 km². 21 180 000 hab. *(Roumains)*. Langue : roumain (off.), hongrois (Transylvanie, Mureş). *Cap.* Bucarest*. *V. princ.* Arad*, Braïla*, Braşov*, Cluj*, Constanţa*, Craiova*, Galaţi*, Iaşi*, Oradea*, Ploiesti*, Sibiu*, Timişoara*. – *Orogr.* L'arc des Carpates* forme l'ossature du pays. Au N., les monts de Bucovine* et de Maramureş*, prolongés vers le S.-E. par les Carpates orientales ou moldaves (Pietros, 2 305 m) et par les Alpes de Transylvanie ou Carpates méridionales au sud. Ces dernières sont formées de massifs dépassant 2 500 m (Moldoveanul, 2 543 m). À l'O. des Carpates se trouve le plateau transylvain dominant à l'O. le massif du Bihor*. Les principales plaines sont : à l'O., la portion roumaine de la plaine hongroise et le Banat*. Au S. s'étend la grande plaine de Valachie* comprenant d'O. en E. l'Olténie*, la Munténie* et la steppe de Bărăgan*, suivie par la plaine de Moldavie*, à l'E., entre le Siret et le Prut. Entre le Danube et la mer Noire s'étendent les marécages de la Dobroudja* et le delta du Danube. – *Hydrogr.* **V. Arges, Bistriţa, Criş, Danube, Ialomita, Jiu, Mures, Olt, Prut, Siret, Timiş.** Le *climat* est de type continental. – *Écon.* Jusqu'en 1945, la Roumanie était économiquement peu développée (secteur primaire fournissant un pourcentage écrasant du revenu national, mis à part les pétroles). En 1949, la nouvelle démocratie populaire a collectivisé les terres de plus de 50 ha et le système de fermes d'État et de coopératives a succédé au règne de la grande propriété. L'industrie a été nationalisée et des plans quinquennaux ont été élaborés pour accélérer son développement. Le taux de croissance est le plus élevé des pays d'Europe de l'Est. – *Agriculture.* La surface arable représente 41 % du territoire. La mécanisation et l'emploi d'engrais ont été généralisés. Le blé (5 000 000 t en 1975) et le maïs (7 000 000 t) dominent dans les plaines (Valachie, Moldavie, Transylvanie, Dobroudja); les fruits et légumes viennent en bonne place (Podgoria*, bassins transylvains). La vigne connaît un fort développement ainsi que les cultures industrielles : tournesol (premier producteur européen après l'U.R.S.S.), betterave à sucre, pomme de terre, tabac. L'élevage, autrefois transhumant, s'est sédentarisé et le cheptel s'est accru, atteignant en 1975 plus de 14 000 000 d'ovins, 8 600 000 porcs, 5 900 000 bovins. Les *forêts* couvrent 27 % du pays (Carpates); un grand effort de reboisement a été entrepris depuis 1948. – La *pêche* est pratiquée dans le delta du Danube (30 à 40 000 t de poisson par an). La Roumanie est le deuxième producteur européen de caviar après l'U.R.S.S.

– Les *ressources* du sous-sol sont nombreuses et variées : pétrole (bassin de Ploiesti*, Moldavie, bassins subcarpatiques de l'Argeş, de l'Olt), dont l'extraction dépasse 14 590 000 t par an, gaz naturel (bassin transylvain), charbon (Banat et vallée supérieure du Jiu, Petroşani*). Le lignite (19 000 000 de t en 1975) est brûlé dans les centrales thermiques. La production de fer (Hunedoara*, Reşiţa*) et de métaux non ferreux (plomb, cuivre, zinc, bauxite, manganèse) est importante. Les collines subcarpatiques sont riches en sel gemme. Le potentiel hydro-électrique (barrages sur le Danube [Portes de Fer], sur l'Argeş et la Bistriţa) a atteint 53,7 milliards de kWh en 1975. L'*industrie* roumaine a connu un essor sans précédent. La sidérurgie s'est implantée sur les bassins de fer, dans les combinats de Hunedoara, Reşiţa et Galaţi (9 540 000 t d'acier en 1975 et 6 500 000 de fonte). Elle sert de base aux industries d'équipement : matériel de forage (Ploiesti, Tîrgoviste), tracteurs (Brasov), matériel ferroviaire (Craiova). L'industrie chimique est en pleine expansion : pétrolochimie (Valea Coelugareasca), soude, acide sulfurique, engrais (Craiova, Tîrgu* Mureş), produits pharmaceutiques, enfin, fabrication de cellulose et de pâte à papier. L'industrie textile (nord de la Moldavie, Iaşi, Arad, Timişoara) et les industries alimentaires (meuneries, sucreries) sont prospères. – *Communications et commerce.* Le réseau ferré compte 11 000 km et le réseau routier 11 517 km de routes nationales. Le trafic fluvial se fait sur le cours inférieur du Danube, de Galaţi à Braïla. Constanţa, sur la mer Noire, est le principal port roumain (23 000 000 de t par an de trafic). Bucarest possède un aéroport international. La Roumanie est membre du *Comecon* et a noué des relations commerciales non seulement avec l'U.R.S.S. et les pays du bloc socialiste mais aussi avec l'Europe occidentale et les États-Unis. – Le *tourisme*, qui apporte des devises fortes, s'est développé, notamment sur la côte de la mer Noire (Mamaia*, Mangalia*, Agigea, Eforie). ♦ *Hist.* La Roumanie est l'ancienne Dacie* érigée en province romaine par Trajan au IIe siècle. Dès le IIIe s., elle fut envahie par des flots successifs des Goths, des Huns, des Gépides, des Avars, des Slaves... Les paysans de Dacie, romains ou romanisés, survécurent et se réfugièrent dans les montagnes des Carpates, conservant leurs traditions et la langue latine. Du Xe au XIIIe s., des principautés de religion orthodoxe et de langue latine se constituèrent. Au XIIIe s., les Hongrois conquirent la Transylvanie*, faisant refluer les populations vers les plaines danubiennes, la Moldavie* et la Valachie. Ainsi, dès le XIVe s., les trois grandes provinces de la Roumanie contemporaine prenaient leur visage historique. La Moldavie et la Valachie connurent à cette époque un exceptionnel développement culturel et économique avec à leur tête un voïevode (ou hospodar). Elles furent conquises par les Turcs et vécurent sous leur joug jusqu'à la fin du XVIIe s. malgré la résistance héroïque d'Étienne le Grand et de Michel le Brave; dans le même temps se forgeait le sentiment national, d'ailleurs fortement entretenu par l'Église orthodoxe. Au XVIIe s. la Transylvanie fut annexée par l'Autriche. Au XVIIIe, la Moldavie et la Valachie furent gouvernées au nom de la Porte par les Grecs phanariotes, ce qui entraîna des conséquences économiques désastreuses, mais permit la pénétration de la culture occidentale (surtout française). Peu à peu, le slavon fut abandonné au profit du roumain. Les Autrichiens et les Russes conquirent sur les Turcs la Bucovine* (1775) et la Bessarabie* (1845). La Moldavie et la Valachie obtinrent alors d'être gouvernées par des princes indigènes. Mais en 1848 éclata dans les deux provinces un mouvement national et libéral qui fut réprimé par les Russes et les Turcs. Grâce à l'intervention de Napoléon III (traité de Paris, 1856), la Moldavie et la Valachie choisirent un même prince roumain, Alexandre Cuza* (1859), et obtinrent la reconnaissance de leur union en un État unique, la Roumanie. Il établit la capitale à Bucarest, mais dut abdiquer en 1866; il fut remplacé par Carol de Hohenzollern-Sigmaringen, qui pratiqua une politique de rap-

Ph. Nino Cirani/Ricciarini

Roumanie : mariage à Meircurea-Ciuc.

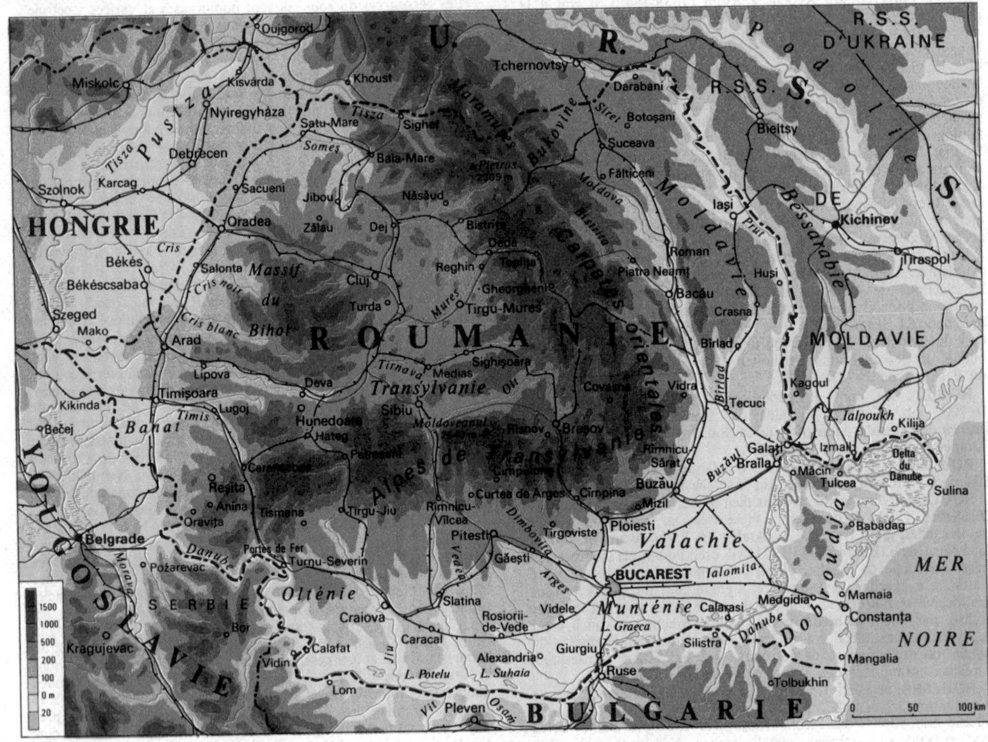

Roumanie.

prochement avec les Empires centraux et fit largement appel aux investissements allemands; le mécontentement des ouvriers grandit et une révolte paysanne fut matée dans le sang (1907). Officiellement indépendante depuis 1878 (congrès de Berlin), la Roumanie signa avec l'Autriche-Hongrie et l'Allemagne un traité d'alliance défensive contre la Russie auquel l'Italie adhéra en 1888. Cette alliance était déjà fortement ébranlée (crise orientale en 1912) lorsque éclata la guerre de 1914. Le roi Ferdinand, successeur de Charles, entra en guerre aux côtés des Alliés. L'Allemagne réagit avec force en occupant Bucarest, mais la victoire des Alliés permit à la Roumanie de réunir enfin la Transylvanie, le Banat, la Bucovine et la Bessarabie. La Roumanie devint un État centralisé et une démocratie parlementaire qui développa de bons rapports avec la France et signa des accords avec ses voisins (Pologne, Tchécoslovaquie, Yougoslavie [1921] Grèce et Turquie), mais les difficultés économiques, la crise de 1929, les désordres provoqués par le nouveau parti fasciste « la Garde de Fer » firent passer de nouveau la Roumanie dans l'orbite de l'Allemagne. Le roi Carol* II (1930-1940) ne put maintenir le régime parlementaire et institua une dictature (1938). L'arrivée d'Hitler aggrava la situation; la Roumanie se trouva de nouveau occupée, amputée de la Transylvanie du Nord et entraînée dans la guerre contre l'U.R.S.S. par le dictateur Antonescu*. Après Stalingrad, le roi Michel opéra un renversement des alliances et entreprit la lutte contre l'Allemagne. Dans le même temps, Antonescu était renversé et un gouvernement d'Union nationale accueillait socialistes et communistes. Après les conférences de Yalta et de Potsdam, la Roumanie fut orientée par l'influence soviétique vers la démocratie populaire. En décembre 1947, le roi Michel abdiqua et, au début de 1948 la République populaire de Roumanie fut proclamée. Depuis cette époque, le pays s'est aligné sur l'U.R.S.S. (nationalisations, collectivisations, etc.) et s'intégra aux traités d'assistance mutuelle au sein du monde socialiste. Après sept années d'une exceptionnelle rigueur, le pays connut un nouveau développement industriel et culturel. Depuis 1960, la politique roumaine est moins soumise à l'influence soviétique. La Roumanie est dirigée depuis 1965 par Nicolae Ceaucescu et a fait preuve de liberté de décision dans le conflit sino-soviétique et dans les rapports Est-Ouest. Depuis 1965, par une nouvelle constitution, elle s'est proclamée officiellement république socialiste et semble rester fidèle à un marxisme orthodoxe.

ROUMANILLE (Joseph). ♦ Écrivain français d'expression occitane (Saint-Rémy-de-Provence, 1818 – Avignon, 1891). Répétiteur à Avignon, il fit partager au jeune Mistral* sa passion pour un renouveau de la littérature provençale, prenant lui-même une influence considérable sur cette renaissance avec son recueil en vers, d'inspiration intime, *Les Pâquerettes* (*Li Margarideto,* 1847), puis avec son conte dialogué, en vers octosyllabiques, *Les Songeuses* (*Li Sounjarello,* 1851). Les poèmes furent réunis dans *Les Œuvrettes en vers (Lis Oubreto en vers),* en 1860. Prosateur vigoureux, Roumanille avait composé, depuis la révolution de 1848, des pamphlets légitimistes qui furent groupés dans *Les Œuvrettes en prose* (*Lis Oubreto en prose,* 1859). S'attachant parallèlement à rassembler les littérateurs de langue d'oc, il fit paraître le recueil collectif *Les Provençales* (*Li Prouvençalo,* 1851), organisa les congrès d'Arles (1852) et d'Aix (1853), fonda le mouvement félibre en 1854 (en 1884, il succéda à Mistral comme « capoulié ») et se fit l'imprimeur de l'*Almanach provençal (Armana prouvençau),* organe de la restauration linguistique, où parurent après 1855 *Les Contes provençaux* (*Li Conte prouvençau,* recueil constitué en 1883) au réalisme malicieux ou savamment naïf, qui font de Roumanille le créateur de la prose provençale moderne.

ROUMÉLIE, *n. f.,* en turc **Roum Ili** (« Pays des Romains »). ♦ Nom donné par les Turcs à la partie européenne de l'empire ottoman correspondant aux régions de Macédoine* et de Thrace* dans l'Antiquité. – La *Roumélie orientale,* comprenant la partie de la Roumélie située au S. de la chaîne montagneuse du Balkan, fut une province autonome de l'empire turc, créée par le traité de Berlin (1878) qui démembra la « grande Bulgarie ». Rattachée à la principauté de la Bulgarie par le coup d'État de Philippopoli en 1885, elle fut réunie à la Bulgarie en 1908.

ROUMOIS. *n. m.* ♦ Pays de Normandie* qui s'étend sur les dép. de l'Eure* et de la Seine*-Maritime entre la Risle* et la Seine* (ancienne cap. Quillebeuf-sur-Seine). Plateaux recouverts de riches cultures et d'herbages.

ROURKELA. ♦ V. de l'Inde (État d'Orissâ). 90 000 hab. env. Centre sidérurgique.

ROUS (Francis Peyton). ♦ Biologiste américain (Baltimore, 1879 – 1970). Ses recherches expérimentales sur la transmission du sarcome chez la poule l'amenèrent à soutenir une théorie virale du cancer. (Prix Nobel de méd. avec C.B. Huggins*, 1966.)

ROUSIES. ♦ Comm. du Nord, arr. d'Avesnes-sur-Helpe. 5 002 hab. Centre industriel (briques; air liquide).

ROUSSEAU (Jean-Baptiste). ♦ Poète français (Paris, 1671 – Bruxelles, 1741). Célébré de son temps comme le continuateur de Malherbe* et de Boileau*, il mourut cependant en exil (exhalant sa rancœur dans des *Épigrammes*); il s'adonna au lyrisme impersonnel dans des *Cantates (Circé),* des paraphrases de *Psaumes* et, surtout, des *Odes,* sacrées et profanes, dont ses contemporains goûtaient les allusions mythologiques, mais dont l'éloquence parut plus tard compassée.

ROUSSEAU (Jean-Jacques). ♦ Écrivain et philosophe suisse de langue française (Genève, 1712 – Ermenonville, 1778). D'une famille d'origine française, élevé dans la tradition protestante, il fut tôt privé de sa mère et, soumis à l'éducation fantasque de son père, acquit le goût des ouvrages romanesques aussi bien que des œuvres de Plutarque*. Après de dures années d'apprentissage, puis, à la suite de la rencontre décisive de Mme de Warens, d'un vagabondage qui lui laissera des souvenirs charmants, il rejoignit sa protectrice à Chambéry, enfin aux Charmettes (1732-1741) où il se livra avec passion aux études musicales et à la lecture. À Paris (1742-1749), où il connut des déceptions mondaines, il se lia avec Diderot* et collabora à l'*Encyclopédie**. La célébrité littéraire lui vint avec la thèse paradoxale soutenue dans le *Discours* sur les sciences et les arts* (1750); quant au *Discours* sur l'origine de l'inégalité* (1755), il aura une influence considérable sur la pensée politique moderne. Obéissant à la logique de son système, Rousseau réfuta les raffinements de la civilisation en condamnant le théâtre, école de mauvaises mœurs, dans la *Lettre* à d'Alembert sur les spectacles* (1758), qui lui aliéna les philosophes, déjà hostiles après sa brouille avec Diderot et Mme d'Épinay*. Recueilli par M. et Mme de Luxembourg, il acheva *Julie ou La Nouvelle* Héloïse* (1761), roman épistolaire qui exaltait les bienfaits d'un retour à la vie naturelle et qui connut un immense succès. Puis, toujours désireux de préciser son idéal politique lié à ses conceptions de l'éducation, il publia *Le Contrat* social* parallèlement à l'*Émile** (1762), ouvrage pédagogique dont les idées religieuses furent condamnées, ce qui l'obligea à des années d'errance. Mais cette revendication de la liberté et de l'égalité inspirera profondément les assemblées révolutionnaires. Vivant dès lors dans la hantise d'un complot dirigé contre lui et voulant, par l'aveu même de ses fautes, se justifier devant la postérité, il rédigea (1765 à 1770) *Les Confessions** (posthumes, 1782 et 1789) et évoqua ses souvenirs heureux dans *Les Rêveries* du promeneur solitaire,* composées de 1776 à sa mort. Ces récits autobiographiques révèlent la personnalité complexe de Rousseau dont les « passions vives, impétueuses » se heurtèrent sans cesse au réel et aux contraintes de la société (« On dirait que mon cœur et mon esprit n'appartiennent pas au même individu. »). Dès lors, pour concilier le bonheur individuel et les exigences de la collectivité, appliqua-t-il toute sa logique passionnée à édifier un système politique et pédagogique, également moral et religieux, qui découle de cette « maxime incontestable que les premiers mouvements de la nature sont toujours droits »; aussi, pour préserver l'ingénuité de la sensation et laisser s'exprimer l'« immortelle et céleste » voix de la conscience, Rousseau prescrit-il de vivre autant que possible à la campagne, où la sensibilité peut le mieux s'épanouir et connaître, par la nature, une véritable extase religieuse. Hostile en effet à la « foi dogmatique », Rousseau aimait à « contempler [Dieu] dans ses œuvres » (Cf. *Profession de foi du vicaire savoyard*). Il en résulte, chez lui, un amour de la nature auquel participent également les sens et le cœur : sensible au charme du printemps ou au pittoresque des sites tourmentés, il prolonge sa vision en rêveries où l'imagination est libre de s'« élancer à l'infini », préfigurant en cela bien des thèmes romantiques. Soucieux d'adapter son style au caractère de son inspiration, Rousseau sut être alternativement rigoureux ou véhément quand il s'agissait de convaincre ou de combattre, admirablement précis pour « rendre [son] âme transparente aux yeux du lecteur », ou bien lyrique lorsqu'il épanchait son cœur en de véritables poèmes en prose.

ROUSSEAU (Théodore). ♦ Peintre et dessinateur français (Paris, 1812 — Barbizon, 1867). Il étudia chez le peintre académique Lethière et chez le paysagiste Remond. En 1830, il entreprit un tour de France, fit de nombreux croquis sur le motif et chercha à interpréter le plus fidèlement possible la nature. Admirateur des paysagistes hollandais, Ruysdael, Van Goyen, Hobbema, il subit aussi l'influence de P. Huet. À partir de 1833, il travailla souvent dans la forêt de Fontainebleau. Peu apprécié par la critique et refusé plusieurs fois au Salon, il s'installa à Barbizon vers 1848 et y fut rejoint par Millet*, Diaz*, Dupré*, Daubigny*, Chintreuil, formant avec eux le groupe dit de l'« école de Barbizon ». Il se voulut un observateur fidèle et naïf de la nature, analysant à la fois avec passion et rigueur ses différents aspects, mais il ne put complètement se dégager de la conception pathétique et lyrique, chère à la sensibilité romantique. Il eut une prédilection pour le thème des arbres vigoureux, des eaux dormantes éclairées par le soleil couchant et, s'il chercha la luminosité, les effets d'atmosphère, il insista souvent sur les détails, recourant à une gamme où dominent les harmonies foncées et à une pâte épaisse et brillante (*Sortie de forêt à Fontainebleau au soleil couchant,* 1848-1850; *Le Paysage après la pluie,* 1852; *Coucher de soleil sur la forêt,* 1866).

ROUSSEAU (Henri, dit le DOUANIER). ♦ Peintre, dessinateur et écrivain français (Laval, 1844 — Paris, 1910). Fils d'un ferblantier, il devint vers 1863 employé dans l'étude d'un avoué. À la suite d'une petite fraude, il s'engagea pour sept ans dans l'armée et fit croire plus tard qu'il avait participé à l'expédition du Mexique. Dégagé de ses obligations en 1868, il devint clerc de notaire à Paris, puis employé municipal en 1871; il était employé à l'Octroi (et non à la Douane, contrairement à ce qu'indique son surnom). Totalement autodidacte, il commença sans doute à peindre à cette époque et obtint en 1884 une carte de copiste au Louvre, probablement grâce à son voisin le peintre académique R.A. Clément. Il admirait Bouguereau, Bonnat et surtout Gérôme, à qui il alla demander des conseils. Par sa position sociale et son manque de formation artistique, il se situait en dehors du système socio-culturel; il parvint cependant à s'insérer dans le circuit artistique, grâce au Salon des indépendants, où il exposa régulièrement à partir de 1886. Quelques traits de sa biographie révèlent une certaine malice et une tendance à la mythomanie qui lui permettait de surmonter son état de déclassé. Il était très sensible aux récompenses officielles et avide de consécration. L'Exposition de 1889 suscita son admiration et probablement la reconstitution de paysages exotiques impressionna-t-elle fortement son imagination (il écrivit une pièce : *Une visite à l'Exposition de 1889,* qu'il tenta sans succès de faire jouer au Châtelet). Les œuvres qu'il exposait alors se situaient en dehors de tous les courants : son manque de formation artistique lui permit d'échapper aux conventions de l'art académique (il ignorait la technique du clair-obscur, du modelé, de l'anatomie et de la perspective linéaire), mais l'éloignait tout autant de la recherche d'un système d'avant-garde. Cette méconnaissance de la règle, le conflit qui apparaît entre les solutions qu'il propose et son effort vers une plus grande maîtrise entraînèrent chez Rousseau la création d'un nouveau mode de figuration ou abondent de singulières et savoureuses inventions plastiques. Son œuvre, qui déjouait les critères habituels du jugement esthétique, provoqua le plus souvent la moquerie (Courteline acheta deux de ses œuvres pour les placer dans son musée des Horreurs). Cependant Jarry, comme lui originaire de Laval, le remarqua vers 1893 ou 1894 et le présenta à Remy de Gourmont, qui publia dans l'*Ymagier* une lithographie de *La Guerre.* En 1899, Rousseau écrivit un drame, *La Vengeance d'une orpheline russe;* il donna pour subsister des leçons de musique et de peinture aux habitants de son quartier et, vers 1906-1907, fit la connaissance d'Apollinaire et de plusieurs peintres (notamment Delaunay et Picasso). Il commença alors à vendre des toiles à des collectionneurs. Son œuvre comprend de nombreux paysages, sites de Paris et de la banlieue (*Scieries aux environs de Paris; L'Octroi,* vers 1890; *La Carrière,* vers 1897; *Vue du parc Montsouris,* vers 1898), des scènes de la vie quotidienne (*Une noce à la campagne,* 1905; *La Carriole du père Juniet,* 1908), des portraits (*Portrait de femme,* vers 1897; *Jarry,* 1895; *Pierre Loti; Moi-même : portrait-paysage,* 1890; *L'Enfant aux rochers; Pour fêter bébé,* 1903; *La Muse inspirant le poète : Apollinaire et Marie Laurencin,* 1909), des fleurs et natures mortes et des compositions qu'il appelait lui-même des « créations ». Celles-ci avaient des sujets romanesques (*Rendez-vous dans la forêt,* vers 1890), patriotiques ou « modernes » (*Centenaire de l'Indépendance,* 1892; *Les Joueurs de football,* 1908), allégoriques (*La Guerre,* 1894) ou exotiques (*La Bohémienne endormie,* 1897, et une série de « jungles » : *Le Lion ayant faim,* 1905; *Joyeux farceurs,* 1906; *La Charmeuse de serpents; Les Flamants,* 1907). Si son trait est souvent dur et son dessin maladroit, Rousseau possédait un sens très poussé de la composition et de rares dons de coloriste (tons éclatants, accords originaux, nuances délicates). Chez lui, l'observation pleine de ferveur de la réalité quotidienne et l'imagination sont étroitement liées, d'où la qualité poétique, la force suggestive et la portée mythique de ses figurations, et particulièrement de ses « jungles » (« inaliénable propriété du subconscient ») dans lesquelles il transpose sur un mode visionnaire et fantastique la végétation observée dans les serres du Jardin des plantes. S'il a été l'initiateur de toute une catégorie de peinture,

Ph. C.F.L. Giraudon

Jean-Jacques Rousseau herborisant à Ermenonville. Aquarelle du XVIIIe s. (Musée Carnavalet, Paris.)

dite « naïve », il a surtout contribué à ouvrir de nouvelles voies plastiques et expressives, dont Picasso et Léger retiendront la leçon, et à imposer la singularité de sa vision : « D'intérêt dérisoire au point de vue réaliste, ses œuvres sont bel et bien du ressort surréaliste avant la lettre » (A. Breton).

ROUSSEL (Ker Xavier). ♦ Peintre et dessinateur français (Lorry-lès-Metz, 1867 – L'Étang-la-Ville, 1944). Camarade de Vuillard* au lycée Condorcet, il devint plus tard son beau-frère et comme lui alla suivre des cours à l'académie Julian, rencontra Sérusier*, Bonnard* et adhéra au mouvement nabi. Sous l'influence de ses amis, il peignit des natures mortes, scènes familières, portraits ou paysages, avec des tons plus vifs et accentua le caractère décoratif de ses compositions. Il exécuta ensuite des figures mythologiques évoluant dans des paysages lumineux (*Vénus et l'Amour au bord de la mer,* 1908) et des grandes décorations (*Rideau de la comédie des Champs-Élysées,* 1913) qui révèlent un talent plus éclectique et moins novateur que celui de ses amis, Vuillard et Bonnard.

ROUSSEL (Albert). ♦ Compositeur français (Tourcoing, 1869 – Royan, 1937). Reçu à l'École navale dans un rang brillant, il entreprit de longues croisières à travers le monde, tout en poursuivant sa formation musicale. De retour en France, il donna sa démission d'officier (1894) et décida de se consacrer à la musique. Il travailla avec Gigout, puis Vincent d'Indy, à la *Schola Cantorum* où il devait, un peu plus tard, occuper la chaire de contrepoint (1902-1914) et former de nombreux élèves, dont Satie, Varèse, Le Flem, Roland-Manuel et Martinů. Ses premières compositions manifestent son attachement pour une architecture solide, héritée de Franck et de V. d'Indy, tout en révélant, par leurs audaces harmoniques, l'influence de Debussy et de l'impressionnisme (*Poème de la forêt,* pour orchestre, 1909). D'un long voyage en Extrême-Orient (1909-1911), il rapporta une partition orchestrale d'une couleur intense, *Évocations* (1912), que suivit un ballet aux harmonies subtiles, *Le Festin de l'araignée* (1912). La guerre venue, il s'engagea, bien que réformé, et entreprit la composition d'un opéra ballet dans le style du XVIIIe s., *Padmavâti* (1914-1918), où la hardiesse des enchaînements harmoniques, l'emploi des modes orientaux, la somptuosité du relief sonore se conjuguent, formant un des ouvrages les plus achevés de la scène lyrique française. C'est après la guerre que, définitivement affranchi des influences qui l'avaient marqué d'abord, Roussel s'achemina vers une forme classique, par les voies les plus personnelles. Il y parvint en accordant la prédominance à l'architecture rythmique, en employant dans le cadre tonal tantôt l'écriture harmonique, tantôt une écriture contrapunctique qui rappelle l'ancienne polyphonie. De cette période de maturité datent des œuvres que caractérisent la spontanéité de l'inspiration, l'intensité rythmique et, avec un prodigieux dynamisme, une plénitude admirable : *Concerto pour piano* (1927), *Suite en fa* (1927), *Psaume LXXX* (1929), *3e et 4e symphonies* (1930-1934), les ballets *Bacchus et Ariane* (1931) et *Aeneas* (1935). Il convient encore d'y ajouter le *Quatuor à cordes* (1932), la *Rhapsodie flamande pour orchestre* (1936), le *Concertino de violoncelle* (1937), le *Trio pour alto, violon et violoncelle* (1937), toutes œuvres marquées par une force contenue et une exemplaire concision. La grandeur de Roussel tient en son refus du pittoresque et de tous les éléments qui portent atteinte à la musique pure. Homme d'une haute conscience morale, il témoigna dans son art du même souci d'exigence et de rigueur. Il a dit : « Qu'aucune préoccupation étrangère à la conduite harmonieuse des lignes sonores n'ait hanté l'esprit du compositeur, cela seul permet à la musique de livrer dans toute sa pureté, à ceux qui l'aiment pour elle-même, le secret de sa beauté et l'étendue de son pouvoir ».

ROUSSEL (Raymond). ♦ Écrivain français (Paris, 1877 – Palerme, 1933). Né dans une famille de la riche bourgeoisie, il passa une enfance « d'un bonheur parfait ». Il étudia la musique au Conservatoire, où il entra à treize ans, et obtint un premier accessit de piano. À dix-sept ans, se sentant appelé par la vocation poétique, il entreprit une grande œuvre en alexandrins, *La Doublure,* minutieuse évocation du carnaval de Nice. L'écriture le mit dans un état d'exaltation délirante, et l'insuccès absolu (1897) d'une œuvre qu'il croyait destinée à éblouir les foules l'accabla. Son état mental, de maniaque, tourna à la dépression; il se remit cependant peu à peu au travail, à la recherche de cette « sensation de soleil moral » qu'il avait éprouvée (son cas fut étudié par Paul Janet). Il composa des pièces en alexandrins (*La Vue,* 1902; *Le Concert; La Source*) avant d'entreprendre les *Impressions d'Afrique* (publ. 1910), l'un de ses textes essentiels, description imaginaire, évocation de mécanismes compliqués et étranges, fruit d'un minutieux effort. La pièce qu'il en tira (encouragé, dit-on, par Edmond Rostand) fit l'objet d'un scandale de dérision. *Locus Solus* (1914), puis deux pièces, *L'Étoile au front* (1924) et *La Poussière de soleils* (1926), précédèrent les *Nouvelles Impressions d'Afrique,* autre ouvrage essentiel composé de 1915 à 1928 (publ. 1932). Une analyse de ses procédés d'écriture parut après sa mort, en 1935 *(Comment j'ai écrit certains de mes livres).* En 1920-1921, il avait voyagé autour du monde, affirmant l'inutilité absolue de ce voyage pour son œuvre. Il cessa d'ailleurs d'écrire en 1932, se révélant rapidement un maître du jeu d'échecs, ce qui n'a pas manqué d'orienter la critique dans l'interprétation de son œuvre. Il mourut empoisonné par les barbituriques, dans un palace sicilien. – L'œuvre de Roussel, revendiquée par les surréalistes (« Roussel est, avec Lautréamont, le plus grand magnétiseur des temps modernes », écrivit Breton), procède d'un travail systématique sur les signes de la langue. Michel Foucault (*Raymond Roussel,* 1963) a montré comment le jeu des glissements de forme et de sens, celui des rapprochements forcés, présidait à l'élaboration d'un mécanisme producteur de discours poétique (en vers ou en prose). C'est ce mécanisme même que certaines œuvres, comme les *Impressions d'Afrique,* décrivent. Au contraire des surréalistes, qui voyaient surtout en lui un explorateur de l'imaginaire, les auteurs influencés par le structuralisme et le nouveau roman (Butor, Robbe-Grillet) privilégient donc chez Roussel la saturation, l'évidence immédiate, la méthode et la rigueur, chaque mot – et même les noms propres – concourant à exercer une fonction qu'il désigne secrètement (par à peu près, calembour, etc.). Objets dociles d'un décryptage intégral (remarquablement mené par Jean Ferry), les textes de Roussel, qui évoquent explicitement les charmes surannés et les rêves de son temps (participant de l'optimisme de Jules Verne), constituent à la fois l'inventaire brisé et dérisoire de la Belle Époque (à la manière du Pop Art utilisant les débris de notre civilisation urbaine) et le passage à la conscience d'une productivité poétique inépuisable et indépendante du sujet, celle que Roussel admirait tant chez Hugo. Faite de « lieux communs quintessenciés » (M. Leiris), l'œuvre de Roussel est l'une des premières à inventorier, comme sur un échiquier, l'usage des espaces, en effet fort communs, où s'élabore et se manifeste la « productivité dite texte » (J. Kristeva).

ROUSSELOT (Jean-Pierre). ♦ Phonéticien français (Saint-Cloud, 1846 – Paris, 1924). Ordonné prêtre en 1870, il fut professeur au petit séminaire d'Angoulême de 1869 à 1871. Ayant suivi les recherches du physiologiste É.J. Marey*, il mit au point des appareils enregistreurs. Professeur de phonétique expérimentale à l'Institut catholique (1889), puis au Collège de France, fondateur de la Société des parlers de France (1893), il fut en France le pionnier de la phonétique scientifique et l'un des initiateurs de la dialectologie. *Principes de phonétique expérimentale* (1897-1909); *Précis de prononciation* (1902).

ROUSSES (Grandes). ♦ Massif des Alpes françaises situé à l'E. de la chaîne de Belledonne, entre l'Arc et la Romanche, et culminant à 3 468 m.

ROUSSES (Les). ♦ Comm. du Jura (arr. de Saint-Claude), au pied de la chaîne du Jura. 1 914 hab. Lunetterie. Scierie. Fromagerie. Station de sports d'hiver. (1 118 m).

ROUSSILLON. ♦ Région historique de France, dont les limites correspondent à peu près à celles du département des Pyrénées*-Orientales. **V. Languedoc-Roussillon.** ♦ *Hist.* Cette ancienne province tire son nom de *Ruscino,* sa cap. antique. Les Romains s'y établirent dès ~121 et l'intégrèrent à la Narbonnaise Ire. Elle subit diverses invasions germaniques, fut occupée par les Wisigoths*, puis par les Arabes (719), et reprise par les Carolingiens, qui en firent une marche. Ses comtes héréditaires la cédèrent en 1172 à l'Aragon, auquel elle revint après un passage sous la domination française (1462-1492). Ses villes connurent alors un essor économique (Perpignan), et elle conserva une grande importance stratégique. Le traité des Pyrénées (1659) en donna la possession à la France dont elle devint un « grand gouvernement ».

ROUSSILLON. ♦ Ch.-l. de cant. de l'Isère*, arr. de Vienne*, près du Rhône*. 7 410 hab. *(Roussillonnais).* – Machines agricoles; indus. chimiques. ♦ *Hist.* C'est dans son château du XVIe s. que Charles IX signa en 1564 l'édit de Roussillon qui fixait le début de l'année au 1er janvier.

ROUSSIN (André). ♦ Auteur dramatique français (Marseille, 1911). Fondateur, avec Louis Ducreux, de la compagnie du Rideau gris, de Marseille (1942), il a connu ensuite, à Paris, quelques-uns des plus grands succès du théâtre de boulevard, avec *La Petite Hutte* (1947), *Les Œufs de l'autruche* (1948), *Nina* (1949), *Bobosse* (1950), *Lorsque l'enfant paraît* (1951), *La Mamma* (1957), *La Voyante* (1963). [Acad. fr., 1973.]

ROUSSY (Gustave). ♦ Médecin et savant français (Vevey, 1874 – Paris, 1948). Il posa le problème des relations entre l'hypo-

Ph. Harlingue-Viollet

Maurice Rouvier.

Ph. Roger-Viollet

André Roussin.

thalamus et l'hypophyse *(Physiopathologie de l'hypothalamus)*. Médecin-chef de l'hôpital Paul-Brousse (1913), il devint, en 1938, recteur de l'université de Paris. Il fonda l'Institut du cancer de Villejuif et publia un *Traité du cancer*, ainsi que plusieurs ouvrages sur les tumeurs.

ROUSTAVI ou **RUSTAVI**. ♦ V. de l'U.R.S.S. (Géorgie*) sur la Koura. 102 000 hab. Métallurgie (acier, fonte, laminés). Indus. chimiques (engrais azotés) et textiles.

ROUSTCHOUK ou **RUŠCUK**. ♦ V. RUSE.

ROUVIER (Maurice). ♦ Homme politique français (Aix-en-Provence, 1842 — Neuilly, 1911). Journaliste républicain (collaborateur à *la République française* de L. Gambetta), député (1871-1903), sénateur (1903-1911), il fut d'abord ministre du Commerce (1881-1882, 1884-1885), puis se spécialisa dans les questions financières. Président du Conseil (mai-déc. 1887), il prit position contre le boulangisme et, lors du scandale du trafic des décorations **(V. D. Wilson)**, se retira pour forcer J. Grévy à démissionner. Ministre des Finances (fév. 1889-déc. 1892), il dut donner sa démission lors de l'affaire de Panamá*. Rappelé au ministère des Finances dans le cabinet Combes (1902-juin 1905), il succéda à ce dernier comme président du Conseil (janv. 1905-mars 1906), fit voter la loi de séparation de l'Église et de l'État (1905) et, après le discours de Tanger (mars 1905), il se chargea, à la suite de la démission de Delcassé*, du portefeuille des Affaires étrangères (juin 1905-mars 1906) et prépara la conférence d'Algésiras.

ROUX (Jacques). ♦ Révolutionnaire français (Pransac, Charente, 1752 — Bicêtre, près de Paris, 1794). Il fit des études au séminaire d'Angoulême, où il enseigna ensuite la philosophie et la physique, avant d'être ordonné prêtre et nommé vicaire. Peu après la prise de la Bastille (14 juillet 1789), il faisait son premier prêche civique pour saluer la fin du « despotisme le plus flétrissant ». Dès 1790, il semble s'être orienté vers des positions socialistes et, prêchant « que les terres appartenaient à tous également », eut sans doute une responsabilité dans le soulèvement des paysans de Saint-Thomas-de-Conac (Charente). Révoqué, il quitta la région et vint à Paris où il s'inscrivit au Club des cordeliers (on l'y surnomma le « petit Marat »). Ayant prêté serment à la Constitution civile du clergé, il fut nommé vicaire de Saint-Nicolas-des-Champs (Paris), devint rapidement le « prêtre des sans-culottes », animateur de la section parisienne des Gravilliers et chef du mouvement des enragés*. Après avoir participé à la journée révolutionnaire du 10 août 1792, il ne fut élu ni au Tribunal révolutionnaire, ni à la Convention et mena dès lors la lutte révolutionnaire en dehors du parlementarisme, cherchant à « dresser le pays réel contre le pays légal ». Ses grandes options s'inscrivent dans la ligne du socialisme et influencèrent directement G. Babeuf*. Au delà des luttes politiques, il engagea la bataille sur le terrain économique et social, ne se contentant pas de dénoncer les accapareurs, mais prônant un véritable « terrorisme économique » (M. Dommanget). Conduisant (avec Varlet et Leclerc d'Oze) les sections de sans-culottes des Gravilliers et de Bonne-Nouvelle, il fit le 25 juin 1793 devant la Convention la lecture d'un manifeste qui, évoquant la situation dramatique du peuple, menacé par les envahisseurs et affamé par les agioteurs, critiquait la mollesse des pouvoirs publics et exigeait des mesures rapides et sévères contre l'agiotage et les accapareurs. Le manifeste suscita de violentes réactions de la part des députés montagnards; l'offensive contre les enragés était déclenchée; J. Roux fut le premier visé. Attaqué par les jacobins et les cordeliers (Hébert et ses partisans qui pourtant reprendront son programme), il fut également critiqué par son ami Marat *(Portrait de J. Roux)*. Après l'assassinat de Marat (13 juillet 1793), J. Roux, en dépit des accusations qu'on lança contre lui, fit paraître dès le 19 juillet une suite à *l'Ami du peuple (le Publiciste de la République française, par l'ombre de Marat)* et, le 22, prononçait son oraison funèbre à Saint-Nicolas-des-Champs. Arrêté une première fois par ordre de la Commune le 22 août 1793, relâché le 27, J. Roux fut emprisonné le 5 septembre. Il se poignarda à Bicêtre en apprenant sa condamnation par le Tribunal révolutionnaire. J. Roux avait entrepris la lutte contre les riches, contre « le commerce et le droit de propriété [...] quand ils consistent à faire mourir de misère et d'inanition ses semblables », mais aussi contre l'Église, contre le fanatisme qui bientôt « n'existera que dans l'histoire qui retrace ses forfaits ».

ROUX (Wilhelm). ♦ Biologiste allemand (Iéna, 1850 — Halle, 1924). Élève de Haeckel*, il fut un des fondateurs de l'embryologie expérimentale. Il put affirmer que les diverses parties de l'œuf après la fécondation sont destinées à former des organes définis dans l'embryon (théorie de la mosaïque).

ROUX (Émile). ♦ Bactériologiste français (Confolens, 1853 — Paris, 1933). Collaborateur de Pasteur, il participa à ses travaux sur le choléra des poules, la rage, la vaccination préventive des maladies infectieuses. Il fit lui-même des recherches sur les toxines et mit au point le premier sérum antidiphtérique (1894). Il organisa le cours de microbiologie à l'Institut Pasteur dont il prit la direction (1904), après Émile Duclaux.

ROUX (Ambroise). ♦ Ingénieur français (Piscop, 1921). Anc. élève de l'École polytechnique, il dirige depuis 1955 la Compagnie générale d'électricité à laquelle il a assuré un essor rapide et important.

ROUX. ♦ V. de Belgique (Hainaut, arr. de Charleroi), sur le canal de Bruxelles à Charleroi. 10 700 hab. Houillères. Indus. métallurgiques et chimiques. Verrerie.

Arch. Smeets

Thomas Rowlandson
« Les Jardins de Vauxhall », 1784.
(Victoria and Albert Museum, Londres.)

ROUX-SPITZ (Michel). ♦ Architecte français (Lyon, 1888 — Dinard, 1957). Élève de Tony Garnier, prix de Rome en 1920, il concilia l'emploi de matériaux nouveaux et l'adaptation des édifices à des fonctions nouvelles, avec le maintien de conceptions prudemment traditionnelles. Il réalisa plusieurs immeubles à Paris, dans le style de celui qu'il avait édifié rue Guynemer en 1925, mais il est surtout l'auteur d'édifices publics où il fit preuve d'une aisance certaine : le *centre des chèques postaux* à Paris (1932), l'immeuble des *postes* à Lyon (1933), l'*annexe de la Bibliothèque nationale* à Versailles (1933). Il dirigea la reconstruction de Nantes en 1945 (centre hospitalier) et construisit l'*hôtel de ville* de Saint-Nazaire.

ROUYN. ♦ V. du Canada (Québec), située à côté des mines de Noranda. 18 700 habitants.

ROVANIEMI. ♦ V. de Finlande septentrionale, au confluent du Kemijoki* et de l'Ounasjoki. Ch.-l. du comté de Lappi (Laponie* finlandaise). 28 499 hab. (1971). Aéroport (lignes intérieures). Foires commerciales et agricoles bisannuelles. Centre administratif. — Station touristique pour la visite de la Laponie. — La ville fut détruite par les Allemands et reconstruite sur les plans d'A. Aalto*.

ROVE (Le). ♦ Comm. des Bouches-du-Rhône. 1 709 hab. Le canal du Rove, souterrain, long de 7 km et large de 22 m, relie Marseille* à l'étang de Berre*.

ROVERE (Della). ♦ Famille italienne originaire de Savone. Parmi ses membres, elle comprit deux papes **(V. Sixte IV et Jules II)**, plusieurs cardinaux et les ducs d'Urbino* qui régnèrent sur la ville de 1508 à 1631. ♦ GIOVANNI (1457 — 1501) avait épousé la fille du duc d'Urbino. ♦ FRANCESCO MARIA Ier, leur fils (1490 — 1538), hérita le duché, servit malheureusement Jules* II contre Venise, mais prit la Romagne et Ferrare (1512). Disgracié par Léon* X, puis rentré en grâce, il ne put arrêter les Impériaux, à la tête des Vénitiens (1526-1527). ♦ GUIDOBALDO II (1514 — 1574), contraint par son faste à augmenter les impôts, réprima cruellement la révolte qu'ils avaient provoquée à Rome, dont il était préfet (1573). Après son fils FRANCESCO MARIA II (1549 — 1631), Urbino devint une possession pontificale.

ROVETTA (Giovanni Battista). ♦ Compositeur italien (?, — Venise, 1668). Maître de chapelle à Saint-Marc de Venise où il succéda à Monteverdi dont il fut l'élève, il a composé deux *opéras* et de nombreuses pièces de *musique sacrée (psaumes, messes, motets, cantates, madrigaux)*.

ROVIGO. ♦ V. d'Italie du N., en Vénétie*. *Ch.-l.* de prov. sur l'Adige*. 49 000 hab. Important marché agricole sur la route de Bologne à Venise. — Église de la Vierge-du-Secours (XVe s.).

ROVNO. ♦ V. d'U.R.S.S. (Ukraine), ch.-l. de la région du même nom (20 100 km^2. 1 045 000 hab.) en Volhynie*. 116 000 hab. Constructions mécaniques. Indus. textiles (tissus de lin) et alimentaires.

ROWLAND (Henry Augustus). ♦ Physicien américain (Honesdale, Pennsylvanie, 1848 — Baltimore, 1901). Il vérifia que les *courants de convection* (charges électrostatiques en mouvement de translation) créaient un champ magnétique *(effet Rowland)*, établissant ainsi l'identité des électricités statique et dynamique. Son expérience consistait à mesurer le champ produit par un disque portant des charges d'un seul signe et en rotation rapide. S'intéressant également à l'étude du spectre solaire, il réalisa des réseaux de diffraction [1882] **(V. Fraunhofer)** et créa notamment le *réseau objectif*, gravé directement sur un petit objectif de télescope, ce qui lui permit de donner les longueurs d'ondes de 20 000 raies du spectre solaire (1895-1897).

ROWLANDSON (Thomas). ♦ Dessinateur anglais (Londres, 1756 — *id.*, 1827). Après des études à la Royal Academy, il voyagea en Europe, et son séjour à Paris devait avoir une influence déterminante sur son style. Il s'orienta en effet dès 1781 vers la caricature, abandonnant la peinture de portraits. Il rencontra ses plus grands succès avec une suite d'illustrations de textes de W. Combe, édités par Ackermann : *Voyages du docteur Syntax*

Ph. Giraudon

Royaumont, la cour du cloître (XIIIe).

(1812-1820), la *Danse de mort,* la *Danse de vie,* mais ses dessins parurent également dans l'*English Spy* et l'*Humourist.* La qualité de son travail souffrit de la rapidité et de l'abondance de sa production, et son art ne connut aucune évolution.

ROWLEY (William). ♦ Auteur dramatique anglais (v. 1585 – v. 1642). Collaborateur de Dekker*, Heywood, Ford*, Middleton* *(The Changeling).* Il a illustré le genre de la « tragédie sanglante » avec *Tout est perdu par la luxure* (*All's Lost by Lust,* 1633).

ROWLEY REGIS. ♦ V. d'Angleterre (Staffordshire, county borough de Warley*), dans la banlieue O. de Birmingham. 49 400 hab. Métallurgie lourde, fabrique de chaînes et clous, briqueteries.

ROXANE. ♦ (mort à Amphipolis, ~ 311). Fille du satrape perse de Bactriane Oxyarte, prisonnière des Macédoniens en ~ 327, elle devint l'épouse d'Alexandre* le Grand et lui donna un fils posthume, Alexandre* Aigos (~ 323). Elle fut mise à mort avec son fils sur l'ordre de Cassandre*.

Roxane. ♦ Héroïne de *Bajazet**, tragédie de Racine (1672). Type de l'amante passionnée prête à tuer par jalousie. – Héroïne de la pièce d'Edmond Rostand, *Cyrano* de Bergerac* (1897), type de l'amoureuse romantique.

ROXAS. ♦ Homme politique philippin (1892 – 1948). Il fut élu président de la république des Philippines en 1946. Quirino* lui succéda.

ROXBURGSHIRE ou **ROXBURGH.** *n. m.* ♦ Comté du S.-E. de l'Écosse, au N. des Cheviot, s'étendant le long de la frontière anglo-écossaise, sur le bassin de la Teviot, affl. de la Tweed. 1 724 km^2. 43 170 hab. *Ch.-l.* Jedburgh* (bureaux du comté à Newtown St. Boswells). *Autres V.* Hawick*, Kelso*. Les princ. activités sont la céréaliculture, l'élevage et l'industrie lainière.

ROXELANE. ♦ Sultane turque (v. 1505 – v. 1559). Épouse de Soliman (Süleyman*) le Magnifique, elle était la mère du prince Sélim et tenta d'assurer le trône à son fils. Elle fit tuer deux grands vizirs, Ibrahim pacha et Ahmet pacha. Elle réussit à faire nommer son gendre, Rostam pacha, grand vizir (1544). Elle dénonça Mustafa, le fils aîné de Soliman, comme entretenant des rapports avec le roi de Perse. Soliman fit étrangler son fils, et Sélim put régner sous le nom de Sélim* II.

ROXOLANS. *n. m. pl.* ♦ Anc. peuple sarmate établi autour du *Palus Maeotis* (mer d'Azov). Ils furent combattus par Mithridate* VI Eupator et par les Romains sous Hadrien* et exterminés par les Goths*.

ROY (Gabrielle). ♦ Écrivain canadien d'expression française (Saint-Boniface, Manitoba, 1909). Elle enseigna huit ans au Manitoba, puis, après un voyage en Europe (notamment en Angleterre et en France) de 1937 à 1939, revint s'établir à Montréal. Ses romans, de résonance balzacienne, sont la peinture d'existences modestes dans des milieux urbains ou ruraux; dans *Bonheur d'occasion* (1945), les personnages se meuvent au sein d'un quartier ouvrier de Montréal, tandis que *La Petite Poule d'eau* (1950) évoque la vie des pionniers dans l'Ouest canadien. En fait, quel que soit leur milieu, les personnages de G. Roy sont des êtres humbles et tourmentés de « désirs [...] vastes et multiples » que la réalité ne leur permet pas de satisfaire. Ainsi pour *Alexandre Chênevert* (1954), modeste caissier qu'habite un obscur rêve de fraternité et qui se débat pour donner un sens à sa vie. Les paysages de plaine du Manitoba et les grands espaces de l'Ouest canadien évoqués dans *La Petite Poule d'eau* et dans *Rue Deschambault* (1955) acquièrent une dimension mythique dans *La Montagne secrète* (1961) et *La Route d'Altamont* (1966).

ROY (Claude ORLAND, dit **Claude).** ♦ Écrivain français (Paris, 1915). Son œuvre reflète les espoirs et les désenchantements d'un esprit qui se veut solidaire du destin des hommes. Multiple dans ses aspects, elle demeure avant tout celle d'un poète qui reste fidèle aux valeurs de la liberté et d'un humanisme sans frontières, à l'écart de toute orthodoxie, pour qui la joie d'écrire se conjugue de façon permanente avec le don de s'émerveiller. Cet enthousiasme et cette curiosité se retrouvent aussi bien dans ses chroniques de journaliste et dans ses récits de voyageur (*Clefs pour l'Amérique,* 1947; *Clefs pour la Chine,* 1953; *Le Soleil sur la terre,* 1956; *Le Journal des voyages,* 1960) que dans ses essais critiques (*Descriptions critiques,* 1949-1958; *La Main heureuse,* 1958; *L'Amour du théâtre,* 1965; *Le Verbe aimer,* 1968). Son œuvre poétique, malgré la légèreté voulue du ton, n'élude pas les thèmes de la nuit, de l'angoisse et de la mort (*Le Poète mineur,* 1949; *Un seul poème,* 1954), non plus que ses romans (*Le Malheur d'aimer,* 1958; *Léone et les siens,* 1963; *La Dérobée,* 1968). Mémorialiste, Claude Roy a publié deux essais autobiographiques, *Moi Je* (1969), *Nous* (1972).

ROYA. *n. f.* ♦ Riv. des Alpes (60 km), tributaire de la Méditerranée. Née au pied du col de Tende, elle coule en France (Alpes-Maritimes) et en Italie.

ROYAN [ʀwajɑ̃]. ♦ Ch.-l. de cant. de la Charente-Maritime, arr. de Rochefort, sur la r. d. de l'embouchure de la Gironde. 18 041 hab. (hors saison). Royan est l'une des grandes stations balnéaires de la côte atlantique, célèbre par sa plage de sable fin et son front de mer commerçant et résidentiel. Presque entièrement rasée par les bombardements de 1945, la ville a été rebâtie dans le style régional selon des conceptions architecturales modernes. Église Notre-Dame, œuvre de Guillaume Gillet (1959). – Port de pêche (sardines dites « royans ») et de plaisance. ♦ *Hist.* Une partie des troupes allemandes occupant le S.-O. de la France se regroupa à Royan et dans sa région lors de la débâcle d'août 1944, interdisant aux Alliés l'accès du port de Bordeaux. La reddition de la *poche de Royan* ne fut obtenue qu'après les intenses bombardements des 14 et 15 avril 1945, trois semaines avant la capitulation générale.

ROYAT [ʀwaja]. ♦ Comm. du Puy*-de-Dôme, arr. de Clermont*-Ferrand. 4 441 hab. *(Royatais* ou *Royadères).* Église romane fortifiée; anc. prieuré, XIIe et XVe siècle. – Taillerie de pierres fines, chocolaterie. Station thermale (soins des rhumatismes, de l'artériosclérose, des maladies de cœur).

ROYAUME-UNI [*n. m.*], en angl. **United Kingdom of Great Britain and Northern Ireland** (abrév. anglaise **U.K.**). ♦ Ensemble formé par la Grande-Bretagne et l'Irlande du Nord (1927). – Antérieurement (Acte d'union de 1800), le Royaume-Uni s'appelait *Royaume-Uni de Grande-Bretagne et d'Irlande.* ♦ *Hist.* **V. Angleterre, Galles** (pays de), **Écosse, Irlande** (jusqu'en 1927), **Irlande du Nord.**

ROYAUMONT. ♦ Localité dépendant de la comm. d'Asnières*-sur-Oise (Val-d'Oise). Ancienne abbaye fondée en 1228 par Saint Louis et appartenant à l'ordre de Cîteaux. L'église a été en partie démolie pendant la Révolution, mais le palais abbatial, le cloître, le réfectoire et les anciennes cuisines subsistent. L'abbaye abrite la *fondation de Royaumont* qui organise des activités culturelles (congrès, colloques, concerts,...); elle est également un lieu de séjour pour les artistes.

ROYCE (Josiah). ♦ Philosophe américain (Grass Valley, 1855 – Cambridge, Massachusetts, 1916). Influencée par l'idéalisme hégélien **(V. Hégélianisme),** sa philosophie tente de concilier les exigences de la pensée théorique et celles de la vie pratique, d'affirmer l'Absolu sans nier les individus dans leur réalité concrète et leur diversité. (*L'Esprit de la philosophie moderne,* 1896; *Le Monde et l'Individu,* 1900-1902.)

ROYDS (Thomas). ♦ Physicien anglais (né en 1884). **V. Rutherford.**

ROYE [ʀwa]. ♦ Ch.-l. de cant. de la Somme*. 5 369 hab. *(Royens).* Vestiges antiques. Église à chœur gothique reconstruit après la Première Guerre mondiale. Métallurgie. Conserves. Centrale thermique. ♦ *Hist.* La ville fut occupée par les Allemands en septembre 1914 et reprise en mars 1917; un an après, les Allemands la reconquirent et elle fut libérée le 27 août.

ROYER-COLLARD (Pierre Paul). ♦ Homme politique et philosophe français (Sompuis, Champagne, 1763 – Châteauvieux, Loir-et-Cher, 1845). Membre de la Commune de Paris (jusqu'au 10 août 1792), puis député au Conseil des Cinq-Cents, il fit partie de 1797 à 1803 du conseil secret royaliste, partisan dès cette époque d'une monarchie constitutionnelle. À la Chambre des députés, il fut, à partir de 1816, le chef du parti des « doctrinaires ». Adversaire des idéologues, il développa une philosophie spiritualiste qui influença V. Cousin* (Acad. fr.). — ANTOINE ATHANASE ROYER-COLLARD, frère du précédent (Sompuis, 1768 — Paris, 1825). Fonda la bibliothèque médicale et dirigea l'asile d'aliénés de Charenton.

ROYOU [rwaju] **(Thomas-Marie).** ♦ Prêtre et journaliste français (Quimper, 1741 — Paris? 1792). Après la mort de son beau-frère, Fréron, il poursuivit quelque temps la publication de *l'Année littéraire*. Il fit paraître dès 1790 une feuille royaliste *L'Ami* du Roi, du Français, de l'ordre et surtout de la vérité*. Décrété d'accusation, il parvint à se cacher, mais mourut peu après.

ROZANOV (Vassili Vassilievitch). ♦ Philosophe et critique russe (Vétlouga, 1856 — près de Moscou, 1919). Après une série d'études faites sur Dostoïevski et sur Gogol dans *La Légende du grand inquisiteur* (1890), c'est avec des livres comme *Le Problème familial en Russie* (1903), *Les Hommes du clair de lune* (1903), *L'Église russe* (1906), *La Face sombre* (1906), qu'il attaqua le christianisme qui condamnait le plaisir de la chair et s'opposait selon lui à la religion naturaliste de l'Ancien Testament et du judaïsme. Puis il écrivit de courts articles, rassemblés dans des recueils tels que *Pensées solitaires* (1912) et *Feuilles mortes* (1913-1915). Enfin, successivement enthousiasmé, puis anxieux, devant la révolution de 1917, il écrivit *L'Apocalypse de notre temps* (1918). Toute son œuvre, rédigée dans un style d'une perfection très personnelle, respire l'amour qu'il portait à la personnalité humaine et le culte qu'il avait pour le naturel.

ROZAY-EN-BRIE. ♦ Ch.-l. de cant. de Seine-et-Marne, arr. de Melun. 1 548 hab. Église en majeure partie du XIIIe siècle. Aux env., château de la Grange-Bléneau (XIVe s.) dans lequel vécut La Fayette.

ROZEBEKE. ♦ Comm. de Belgique, près d'Audenarde (Flandre-Orient.). 391 hab. ♦ *Hist.* P. Van* Artevelde y fut vaincu en 1382 par Charles* VI venu au secours du comte de Flandre, Louis de Male.

RÓŻEWICZ (Tadeusz). ♦ Poète, dramaturge et nouvelliste polonais (Radomsko, 1921). Auteur de nombreux recueils de poèmes d'un lyrisme dépouillé, remarquables par l'intensité de l'émotion et la densité du langage, il évoqua surtout les drames de l'Occupation : *L'Inquiétude* (*Niepokój*, 1947), *Le Gant rouge* (*Czerwona rękawiczka*, 1948), *Dialogue avec un prince* (*Rozmowa z księciem*, 1960), *Le Visage* (*Twarz*, 1964). Dans son œuvre théâtrale, *La Cartothèque* (*Kartoteki*, 1961), *Les Témoins ou notre petite stabilisation* (*Świadkowie albo nasza mala stabilizacja*, 1962), il traite des conséquences psychologiques de la guerre et exprime son désespoir devant les êtres chez qui les besoins matériels effacent les exigences spirituelles.

ROZIER. ♦ **V.** PILÂTRE DE ROZIER.

R.P.F. ♦ **V.** RASSEMBLEMENT DU PEUPLE FRANÇAIS.

R.P.R. ♦ **V.** U.D.R.

R.S.F.S.R. ♦ Sigle de la République soviétique fédérative socialiste de Russie*.

RUANDA, RWANDA ou **ROUANDA.** *n. m.* ♦ État d'Afrique orientale, limité par l'Ouganda* au N., la Tanzanie* à l'E. **(V. Kagera)**, le Burundi* au S. et le Zaïre* à l'O. **(V. Kivu** [lac]). 26 400 km². 5 500 000 hab. *Cap.* Kigali. *Langues :* français (off.), langues africaines. — Le Ruanda est formé de hauts plateaux continentaux relevés à l'O. et au Nord. Son climat subéquatorial est tempéré par l'altitude. L'économie est essentiellement vivrière (agriculture et élevage), les cultures d'exportation étant le café, le coton, le tabac et le pyrèthre. ♦ *Hist.* Après avoir fait partie du Ruanda*-Urundi, il se constitua en république en 1961 et obtint sa pleine indépendance en 1962.

RUANDA-URUNDI. *n. m.* ♦ Anc. État africain comprenant les royaumes du Ruanda* (au N.) et de l'Urundi* (au S.). Ces royaumes furent incorporés en 1898 dans l'Afrique* orientale allemande. Confiés à la Belgique en mandat par la S.D.N. (1923), puis en tutelle par l'O.N.U. (1946), il furent rattachés au Zaïre* (ex- Congo belge), puis séparés lors de l'indépendance du Congo (1960). En 1961, à la suite d'un référendum, le Ruanda se sépara de l'Urundi **(V. Burundi)** et, en 1962, la république de Ruanda* et le royaume du Burundi* furent proclamés indépendants.

RUB'AL-KHALI. *n. m.* (« le quartier vide », à cause de sa ressemblance avec un quartier de la Lune). ♦ Désert d'Arabie Sa'ûdite qui occupe une vaste cuvette s'étendant entre le djebel Toweiq* au nord, le Yémen du Sud, le sultanat d'Oman à l'est et débouche sur le golfe Persique par la côte des Pirates* 300 000 km² env. C'est un désert aride, formé de collines de sable parsemées d'épineux. Quelques tribus nomades y pratiquent l'élevage des chameaux et la chasse.

RUBEN. ♦ Personnage biblique (*Genèse,* XXIX-XLII), fils aîné de Jacob*. Ancêtre éponyme d'une tribu d'Israël, dont le territoire était situé à l'E. de la mer Morte, au N. de Moab.

RUBÉN DARÍO. ♦ **V.** DARÍO (RUBÉN).

RUBENS (Pierre Paul). ♦ Peintre et dessinateur flamand (Siegen, 1577 — Anvers, 1640). Fils d'un échevin d'Anvers exilé à Cologne, il revint avec sa mère s'établir à Anvers en 1589. Il fréquenta alors l'école latine et devint probablement page chez la comtesse Marguerite de Ligne-Arenberg; puis il fut placé en apprentissage chez un peintre et travailla ensuite auprès d'Adam van Noort et d'Octave van Veen. Inscrit comme maître à la corporation des artistes d'Anvers en 1598, il se rendit deux ans plus tard en Italie et resta au service du duc de Mantoue de 1600 à 1608. Durant cette période, il élargit considérablement sa connaissance des maîtres italiens et fut particulièrement sensible à l'art des Carrache, de Véronèse, du Tintoret et de Titien. Il réalisa des portraits de la famille du duc, fit divers séjours à Rome et fut envoyé en 1603 en ambassade auprès du roi d'Espagne. En 1601, il avait reçu la commande de trois tableaux d'église pour *Sainte-Croix-de-Jérusalem* à Rome et, dès 1604-1605, il affirmait son talent avec la *Sainte Trinité adorée par Vincent de Gonzague et sa famille,* la *Transfiguration* et le *Baptême du Christ,* réalisés pour l'église des Jésuites à Mantoue. Il séjourna aussi à Gênes vers 1605-1606, exécutant une série de portraits pour l'aristocratie (*Brigitte Spinola,* 1606). Il revint ensuite à Anvers, obtint rapidement la protection de l'échevin et bourgmestre Nicolas Rockox et devint peintre de l'archiduc Albert, gouverneur des Pays-Bas. Marié en 1609 avec Isabelle Brandt et ayant acheté en 1611 une maison qui abritait un vaste atelier, il acquit une brillante situation sociale et obtint de multiples commandes. Abandonnant progressivement les tonalités froides et la facture minutieuse de ses premiers portraits (*Portrait de l'artiste et de sa femme,* 1609) ainsi que les violents contrastes du clair-obscur caravagesque, il adopta dans ses premières grandes compositions anversoises des tonalités encore sombres, mais une facture plus souple et fondue (*Adoration des mages,* 1609; *Descente de Croix,* 1610; *Érection de la Croix,* 1611). Puis, ne craignant pas de se mesurer avec l'illustre réalisation de Michel-Ange, il exécuta un véhément *Jugement dernier* (1611-1614). Durant cette période, il élabora le style qui allait faire sa gloire et qui s'épanouit avec force dans de grandes compositions religieuses : se pliant aux exigences décoratives issues de formats immenses et de l'emplacement de ces tableaux d'autel, il accorda son expression aux visées de la Contre-Réforme. Déployant un rare sens de la mise en scène, il multiplia les grands effets de caractère dramatique et surtout triomphal. Ce style se fondait sur une exaltation systématique de l'énergie, le culte passionné du mouvement; à la recherche d'effets dynamiques, il adoptait des compositions en diagonale ou en spirale, créait des mouvements ascensionnels, tourbillonnants; préférant les poses instables et donnant aux visages une expression animée, il évitait l'analyse détaillée de chacun des éléments formels au profit de l'élan d'ensemble. Il réalisa ainsi des compositions de caractère héroïque et fastueux pour les églises d'Anvers, Gand, Malines, Lille, Cambrai, etc., traitant de préférence des thèmes comme le triomphe de l'eucharistie, l'Assomption, des martyres, des vocations (*Vocation de saint Bavon,* 1612; *Martyre de sainte Ursule,* 1617; *Miracle de saint Ignace,* v. 1620; grand cycle de *Saint Charles Borromée* à Anvers, 1629, dont il ne subsiste que les esquisses peintes; *Martyre de saint Liévin,* 1635; *Montée au Calvaire,* 1636). Ce goût de la pompe et de la rhétorique se retrouve dans les vastes séries de cycles apologétiques commandés par les cours européennes : vingt-sept œuvres pour la *Galerie de Marie de Médicis,* décorant l'une des ailes du palais du Luxembourg (maintenant au Louvre) suivie par le projet de la *Galerie d'Henri IV* (1627-1630) qui ne fut pas achevé et dont subsistent la *Bataille d'Ivry* et l'*Entrée triomphale d'Henri IV à Paris.* Rubens conçut ensuite la *Glorification de Jacques Ier,* destinée au *Banqueting Hall* du palais de Westminster à Londres (1630-1634), puis pour le roi d'Espagne, la décoration du pavillon de chasse de la *Torre de la Parada,* près de Madrid (1637-1638), ainsi que la décoration de la ville d'Anvers à l'occasion de l'entrée triomphale de l'archiduc des Pays-Bas Ferdinand d'Autriche en 1635. Il donna plusieurs cycles de cartons de tapisseries (*Histoire de l'empereur Constantin,* destinée au jeune

Ph. Nino Cirani/Ricciarini

Ruanda, marché indigène.

Arch. Smeets

Pierre Paul Rubens, « Enlèvement des filles de Leucippe ». (Pinacothèque de Munich.)

Louis XIII, 1621-1622; *Triomphe de l'Eucharistie,* pour l'archiduchesse Isabelle). Si l'on sait que Rubens faisait travailler de nombreux peintres vers les années 1611-1614, il ne semble pas qu'une grande partie de sa production ultérieure soit redevable à son atelier, comme on a pu le croire. En effet, il utilisait certains peintres spécialisés pour exécuter les détails, attributs et accessoires (fleurs, animaux, natures mortes); pour la réalisation de ses grands cycles, il concevait l'ensemble de l'ordonnance et fournissait des esquisses peintes (dont plusieurs sont conservées), commandant ensuite à divers peintres la réalisation de certains tableaux. Son extrême fécondité, sa puissance de travail et la rapidité de son exécution expliquent pour une grande part l'abondance de sa production. Le lyrisme, l'éloquence et la sensualité dont témoigne toute son œuvre apparaissent notamment dans ses compositions mythologiques aux accents souvent truculents (*Suzanne et les vieillards,* 1614-1616; *Enlèvement des filles de Leucippe,* v. 1618; *Silène ivre; Les Trois Grâces*). Mais, s'il conserva jusqu'à la fin de sa vie un goût pour les formes opulentes et les nus plantureux, cette vitalité et ce panthéisme prirent souvent, à partir des années 1630-1635, des accents plus intimes, parfois élégiaques, comme en témoignent les portraits de sa jeune femme *Hélène Fourment,* les scènes familiales d'une sensibilité frémissante (*Hélène et son fils François,* 1635; *La Petite Pelisse,* 1638; *Le Jardin d'amour* ou la *Conversation à la mode* v. 1633). À la même époque, ses paysages lumineux, dans une gamme dorée et brune, révèlent une interprétation très subjective de la nature. Rubens avait dès ses débuts fait preuve d'une grande virtuosité technique; il tendit progressivement vers un chromatisme clair et vif; maniant avec rapidité son pinceau, souvent chargé de peu de matière, il donna à certaines parties du tableau un aspect d'ébauche, laissant des touches apparentes et accentuant certains traits. Il recourut à une gamme de tonalités chaudes, carminées, dorées, nacrées ou argentées, étala une pâte de plus en plus fluide et onctueuse par de larges frottis, créant des ombres transparentes, des reflets et des chatoiements, évitant les contours nets et suggérant avec brio le modelé et l'atmosphère. Créateur du baroque nordique, il fut l'un des grands maîtres de la peinture décorative et sut traduire plastiquement un état affectif nouveau, non dénué d'ostentation. Une grande partie de ses contemporains fut fascinée par cette « grande manière », si l'on en juge par le succès qu'obtinrent ses formules dans le domaine de la peinture religieuse et par l'ascendant qu'exerça son art sur de nombreux peintres de talent (Van* Dyck, Jordaens* et tous les « rubénistes » français).

RUBICON [*n. m.*], en lat. **Rubico,** *auj.* **Pisciatello** ou **Fiumicino.** ♦ Fl. côtier de l'Italie anc., tributaire de l'Adriatique. Il formait la limite entre la Gaule* cisalpine et l'Italie propre et il était interdit à tout général romain de franchir en armes cette frontière sans ordre du Sénat. En ~50 César*, transgressant cet ordre, passa le Rubicon et marcha sur Rome à la tête de son armée, donnant ainsi le signal de la guerre civile qui l'opposa à Pompée*. C'est en franchissant le fleuve qu'il prononça la célèbre phrase : *alea jacta est* (« le sort en est jeté »). De là vient l'expression *franchir le Rubicon* (V. Franchir, *in* Robert).

RUBINSTEIN (Anton Grigorievitch). ♦ Pianiste russe (Vykhatinets, 1829 — Peterhof, Saint-Pétersbourg, 1894). Pianiste de réputation mondiale, le plus illustre de son temps avec Liszt, il exerça une influence considérable sur la vie musicale russe, fondant notamment, avec l'appui de la grande-duchesse Hélène, les conservatoires de Saint-Pétersbourg (1862) et de Moscou (1867). Son œuvre de compositeur, abondante, est justement tombée dans l'oubli.

RUBINSTEIN (Ida). ♦ Danseuse et mécène russe de la danse (Saint-Pétersbourg, 1880 — Vence, 1960). Élève de Fokine, elle parut dans la troupe de Diaghilev *(Cléopâtre, Schéhérazade),* puis à l'Opéra où elle créa le *Martyre de saint Sébastien,* de Debussy (1911). Ayant fondé sa propre compagnie, elle commanda de nombreux ouvrages à quelques-uns des plus grands artistes du temps, musiciens comme Honegger, Stravinski, Ravel, Milhaud, Ibert, Sauguet; écrivains comme Valéry, Claudel et Gide, s'assurant la collaboration de décorateurs (A. Benois) et de chorégraphes (B. Nijinska, L. Massine, M. Fokine). Son talent relevait plus de la déclamation et de l'art du mime que de la danse. Elle a créé notamment les ballets *La Valse* (1920) et *Boléro* (1928), de Ravel; *Amphion,* d'Honegger (1931), *Perséphone,* de Stravinski (1934).

RUBINSTEIN (Arthur). ♦ Pianiste polonais (Łódź, 1886). Enfant prodige, il fit ses études à Berlin et les compléta sous la direction de Paderevski. Au cours d'une glorieuse carrière, il s'est affirmé comme l'un des grands virtuoses de son temps, notamment dans l'interprétation de l'œuvre de Chopin.

RUBRUQUIS, RUBROEK, RUBROUCK ou **RUYSBROECK (Wilhelm** ou **Guillaume** *van***).** ♦ Missionnaire flamand (Rubroek, près de Cassel, v. 1220 — après 1293). Il prit part à la septième croisade et fut envoyé par Saint Louis auprès du grand khân de Mongolie (Möngke) en 1252-1254. Dans le rapport détaillé de son voyage, il a décrit les mœurs, coutumes et croyances des peuples d'Orient. Il se retira ensuite au Mont-Athos.

RUCHARD *(camp du).* ♦ Camp militaire situé sur le territoire de la comm. de l'Île*-Bouchard, en Indre-et-Loire.

RÜCKERT (Friedrich Johann Michael). ♦ Poète et orientaliste allemand (Schweinfurt, Bavière, 1788 — Neuses, près de Cobourg, 1866). Comme à tant d'autres écrivains allemands, la guerre de libération contre les armées de Napoléon Ier lui inspira des chants patriotiques (réunis sous le titre *Poésies allemandes,* 1814). Élève de l'orientaliste Hammer-Purgstall (traducteur du *Divan* de Hâfiz) à Vienne, il a lui-même donné des traductions d'auteurs persans et abonda dans le genre « oriental » : *Roses orientales* (*Östliche Rosen,* dédiées à Goethe, 1822), *Sagesse des brahmanes* (*Weisheit des Brahmanen,* 1836-1839), etc. Quelques-unes de ses œuvres échappent toutefois à cette poésie conventionnelle « professorale, où la richesse de la forme dissimule mal la médiocrité et le didactisme de l'inspiration » (H. Plard), ainsi *Printemps d'amour* (*Liebesfrühling,* 1823 — dédié à sa fiancée) et les *Chants des enfants morts* (*Kindertotenlieder* — publiés en 1872 et mis en musique par G. Mahler* en 1902).

RÛDAKÎ (Abû Abdallah Ja'far ibn Muhammad). ♦ Poète persan (près de Rudak, région de Samarkand, v. 859 — *id.,* 941). Il fut le poète officiel de l'émir sâmânide* Nasr ibn Ahmad (913-943) à Boukhara. Rûdakî est considéré comme le premier grand poète de la littérature persane. Les fragments qui subsistent de l'œuvre monumentale que lui attribue la tradition attestent un caractère optimiste qui contraste avec les tendances pessimistes de la plupart de ses successeurs. Il élabora aussi la première version persane en vers du recueil de fables d'origine indienne, *Kalila et Dimna.*

RUDA ŚLĄSKA. ♦ V. de Pologne* (voïévodie de Katowice) en haute Silésie*. 143 000 hab. Centre sidérurgique et métallurgique. Exploitations houillères.

RUDBECK (Olav). ♦ Biologiste suédois (Västeras, 1630 — Uppsala, 1702). Étudiant à Uppsala*, il découvrit dès 1653 les vaisseaux lymphatiques et en publia une description. Devenu professeur d'anatomie à Uppsala, il établit dans cette ville un jardin botanique (1657) et y professa la botanique. Esprit assoiffé de connaissances, il s'attacha à toutes sortes de recherches et fonda dans la ville une sorte d'école polytechnique.

RUDE (François). ♦ Sculpteur français (Dijon, 1784 — Paris, 1855). Il fut à Paris l'élève de Cartellier*. Exilé à Bruxelles, il exécuta en 1826 un buste de *L. David.* Il présenta au Salon de 1827 à Paris un *Mercure rattachant sa talonnière* de style classique, puis en 1833 un petit *Pêcheur napolitain* d'une facture plus vivante et personnelle. Chargé par Thiers de la décoration de l'un des piédroits de l'*Arc de triomphe,* il réalisa *Le Départ des volontaires,* connu sous le nom de *La Marseillaise* (1835-1836). Bien que l'œuvre révélât un attachement évident à la tradition académique, elle fut violemment critiquée par les défenseurs du goût officiel en raison de la violence expressive de la figure centrale, du caractère mouvementé de la composition et du réalisme de l'observation. Rude manifesta mieux son tempérament romantique dans des œuvres comme *Jeanne d'Arc écoutant ses voix* (1845-1852) ou *Napoléon s'éveillant à l'immortalité* (1847). Il avait le sens de l'expression, le goût du mouvement, des masses animées, sans pour autant se départir d'une certaine sobriété dans l'observation précise (*Gaspard Monge,* 1848; *Le Maréchal Ney,* 1852-1853).

RUDNICKI (Adolf). ♦ Écrivain polonais (Varsovie, 1912). Lié au milieu juif par ses origines et son enfance passée dans le ghetto d'une petite ville, il débuta avec *Les Rats* (*Szczury,* 1932), récit stylisé influencé par la psychanalyse freudienne. En 1933, il publia un roman antimilitariste *Les Soldats (Zołnierze).* Dans plusieurs recueils de nouvelles (*Shakespeare,* 1948; *La fuite de Ias-*

naïa Poliana, 1949), *La Mer morte et vivante* (*Zywe i martwe morze,* 1952), *Les Fenêtres d'or* (*Złote okna,* 1955), *La Vache* (*Krowa,* 1959), il évoqua la tragédie vécue pendant l'Occupation par la population juive de Pologne. Son cycle *Les Feuillets bleus* (*Niebieskie kartki,* 1957) est une série de réflexions sur l'attitude de l'artiste à l'égard de la société. Dans ses notes, *Voyages en Occident* (1958), il évoque son séjour à Vienne et à Paris.

RUDOLSTADT. ♦ V. d'Allemagne orientale (Thuringe, district de Gera), sur la Saale. 30 100 hab. (1964). Château des princes de *Schwarzburg-Rudolstadt* (1735). — Porcelaines, indus. chimiques, mécaniques et électriques, textiles artificiels.

RUDRA. ♦ Anc. divinité de l'Inde védique, prototype de Śiva*. Il personnifierait le soleil en tant que feu dévorant, destructeur. Il est le maître des animaux, le dieu de la mort et de la fécondité.

RUE. ♦ Ch.-l. de cant. de la Somme*, situé sur la Noye, au N. de l'estuaire de la Somme*. 3 077 hab. Chapelle flamboyante. Restes d'une église des XIIIe et XIVe siècles. Beffroi XVIe siècle. — Sucrerie. Conserves.

RUEDA (Lope *de*). ♦ Auteur dramatique espagnol et comédien (Séville, v. 1500 — Cordoue, 1565). Anc. batteur d'or devenu acteur, il fonda une compagnie de comédiens ambulants, à l'instar des troupes italiennes qui sillonnaient l'Espagne. Avec lui, le théâtre espagnol cessa d'être le domaine exclusif des littérateurs pour devenir une institution nationale et populaire. Empruntant leurs sujets aux auteurs italiens, ses comédies : *Eufemia, Armelina, La Medora, Los Engañados (Les Trompés),* ou ses bergeries *(Coloquios pastorales)* demeurent fidèles à la tradition italienne. Fortement imprégnés de réalisme, ses *pasos* (intermèdes), ressuscitant le comique des farces médiévales, recueillirent l'adhésion spontanée du public populaire. Il nous en est parvenu dix, parmi lesquels *Les Olives (Las Aceitunas).*

RUEFF (Jacques Léon). ♦ Économiste et financier français (Paris, 1896). Chargé de nombreuses missions financières depuis 1923, il compte parmi les représentants du néo-libéralisme, affirmant la nécessité d'une organisation de la concurrence et surtout la nécessité du rétablissement de l'étalon-or et la réévaluation de l'or pour remédier aux difficultés monétaires internationales (*L'Assurance-Chômage, cause du chômage permanent,* 1925; *Théorie des phénomènes monétaires,* 1927; *L'Ordre social,* 1945; *Les Dieux et les Rois,* 1967). [Acad. fr., 1964.]

RUEIL-MALMAISON. ♦ Ch.-l. de cant. des Hauts-de-Seine (arr. de Nanterre), à l'O. de Paris. 62 933 hab. *(Ruellois).* Église Saint-Pierre-et-Saint-Paul, reconstruite au XIXe s. sur le modèle de l'anc. église bâtie au XVIe s. (tombe de l'impératrice Joséphine). — *Château* ou *musée national de Malmaison* (du lat. *mala mansio*). Le corps principal du château fut construit au XVIIe siècle. Joséphine Bonaparte l'acheta en 1799 et fit exécuter des transformations par Percier* et Fontaine*, les ailes et la véranda furent ajoutées à cette époque; le parc était immense. Bonaparte, Premier consul, y séjourna fréquemment. Joséphine vécut à Malmaison après son divorce (1809) et y demeura jusqu'à sa mort (mai 1814). Napoléon Ier vint s'y réfugier après les Cent-Jours, avant de s'embarquer pour Sainte-Hélène. Le château, qui avait été vendu, fut racheté par Napoléon III qui le fit restaurer; vendu à nouveau, il fut acquis par un banquier qui en fit don à l'État (1904), et le musée napoléonien fut ouvert en 1906. Depuis 1945, le château est en cours de restauration. — Matériel photographique; métallurgie; fonderie; produits chimiques. Siège de l'Institut français du pétrole. ♦ *Hist.* La cour se réfugia à Rueil lors de la Fronde* parlementaire et on y signa une paix qui mettait fin aux hostilités (1649).

RUELLE-SUR-TOUVRE. ♦ Comm. de Charente, arr. et aggl. d'Angoulême. 6635 hab. Fonderie de canons de la Marine nationale.

RUFFEC. ♦ Ch.-l. de cant. de la Charente, arr. d'Angoulême. 4 449 hab. *(Ruffécois).* Église (XIIe-XVe s.). Maisons anciennes. Vestiges de l'anc. enceinte. — Fromages de chèvre réputés. Construction métallique. Chaussures.

RUFIN D'AQUILÉE, en lat. **Tyrannius Rufinus.** ♦ (près d'Aquilée, v. 340 — Messine, 410). Moine, ami de saint Jérôme avec qui il se brouilla à propos d'Origène, auteur d'une suite à l'*Histoire ecclésiastique* d'Eusèbe et de traductions latines (d'Origène, d'une *Histoire des moines d'Égypte*).

RUFISQUE. ♦ V. du Sénégal située sur l'Atlantique à l'E. de Dakar. 50 000 hab. Port exportateur d'arachides. Industries alimentaires et textiles. Tanneries. Cimenterie (calcaires marneux).

RUGBY. ♦ V. du S. de l'Angleterre (Warwickshire), sur l'Avon. 51 700 hab. Indus. diverses. Célèbre collège fondé en 1567, l'un des plus cotés d'Angleterre et où aurait été inventé le *rugby.*

RUGE (Arnold). ♦ Homme politique et penseur allemand (Berge, île de Rügen, 1802 — Brighton, 1880). Fondateur des *Annales de Halle* (1837), organe de la gauche hégélienne **(V. Hégélianisme),** réfugié en France, il y édita avec K. Marx* les *Annales franco-allemandes* (1843-1844). Exilé en Angleterre après avoir été député au parlement de Francfort, il devint partisan de la politique de Bismarck (*Souvenirs du temps passé,* 1862-1867).

RÜGEN. ♦ Île de la mer Baltique, à 2 km des côtes de Poméranie (R.D.A., district de Rostock) auxquelles elle est reliée par un pont. 926 km². *Ch.-l.* Bergen. — Pêche (hareng, sole), tourisme balnéaire (Sassnitz).

RUGGIERI (Cosimo). ♦ Astrologue florentin de la fin du XVIe s. ([mort] Paris, 1615). Amené en France par Catherine de Médicis qui avait recours à ses prédictions et lui fit élever un observatoire sur l'emplacement de l'actuelle Bourse de commerce, il prit part aux intrigues de la cour et fut impliqué dans divers procès. Condamné aux galères pour avoir conspiré contre Charles IX avec La Mole et Coconnat* (1574), il devait être gracié par Henri IV, puis de nouveau arrêté (1598). De 1604 à 1615, il publia des almanachs annuels très réputés. Il insulta le curé de Saint-Médard venu le confesser à son lit de mort (1615), et le peuple, ameuté, supplicia son corps.

RUGGIERI. ♦ Famille d'artificiers du XVIIIe s. originaires de Bologne. Les cinq frères (FRANCESCO, PIETRO, ANTONIO, PETRONIO, GAETANO), venus à Paris, émerveillèrent les spectateurs de la Comédie-Italienne par leurs feux d'artifice. Gaetano devait, en 1740, devenir artificier du roi George II d'Angleterre. Seul des cinq, Petronio eut des descendants qui furent artificiers de père en fils.

RUGLES. ♦ Ch.-l. de cant. de l'Eure*, arr. d'Évreux*, dans le pays d'Ouche*, sur la Risle*. 2 767 hab. *(Ruglois).* — Métallurgie des métaux non ferreux.

RUHMKORFF (Heinrich Daniel). ♦ Mécanicien et électricien allemand (Hanovre, 1803 — Paris, 1877). Établi à Paris, il conçut des appareils électromagnétiques et la bobine d'induction qui porte son nom [1851] **(V. Faraday).**

RUHR. *n. f.* ♦ Riv. d'Allemagne occidentale, affl. r. d. du Rhin (235 km). Née dans le Sauerland, elle a donné son nom au plus grand bassin houiller d'Allemagne. *Princ. affl.* la Möhne et la Lenne. — Le *bassin de la Ruhr* (Ruhrgebiet), au cœur de la Rhénanie-Westphalie, s'étend d'O. en E. sur env. 100 km, de Wesel à Hamm et sur 40 km de large. D'abord extraite sur les versants méridionaux du Massif schisteux rhénan, la houille est maintenant exploitée de part et d'autre du Rhin, entre la Ruhr et la Lippe, et même au N. du quadrilatère, en direction de Münster. La production annuelle est d'env. 100 millions de tonnes (80 % de la production de la R.F.A.; le double de la production française); les réserves sont évaluées à 50 milliards de tonnes. Tous les types de houille sont représentés : les moins riches sont transformés en gaz ou alimentent les centrales thermiques, les autres sont cokéfiés et servent à fabriquer de l'acier (60 % de la production de la R.F.A.). La Ruhr, l'une des plus fortes concentrations humaines et industrielles du monde, a 9 millions d'hab. répartis sur 4 000 km² (avec une densité variant de 500 à 2 000 hab./km²); elle emploie 340 000 mineurs, 250 000 « métallos », 700 000 personnes dans l'indus. mécanique, 300 000 dans les textiles et 213 000 dans la chimie. — On y distingue trois types de paysage : au S., dans la vallée et au S. de la Ruhr, se trouve une zone d'extraction (la première exploitée) pratiquement épuisée et de moyenne concentration industrielle, où sont surtout localisées des indus. mécaniques, textiles (le long de la Wupper) et chimiques (usines Bayer à Leverkusen*, Wuppertal*). Au centre, le long du Rhin, entre la Ruhr et l'Emscher, s'étend la zone des indus. lourdes autour des conurbations de Duisbourg* (1er port fluvial du monde), Oberhausen*, Essen*, Bochum*, Gelsenkirchen*, Dortmund*. Au N. se situe la zone des réserves, le « front pionnier ». Dorsten, Marl*, Datteln en sont les principales agglomérations. À travers le bassin houiller, le réseau de communications est particulièrement dense : une voie ferrée le traverse de part en part, des canaux (Rhin-Herne) et des aéroports (Düsseldorf) assurent les liaisons maritimes et aériennes. Düsseldorf* est la capitale bancaire et le centre administratif de la région. Depuis 1945, la Ruhr connaît certaines

Ph. Hétier

La **Ruhr** à Duisbourg.

Ph. Keystone
Gerd von Rundstedt.

Ph. Roger-Viollet
John Ruskin.

difficultés qu'elle résout peu à peu avec l'aide du gouvernement de la R.F.A. Les grands konzerns qui avaient fait sa force du XIXe au milieu du XXe s. (groupes Krupp, Thyssen, Stinnes, Mannesmann) ont été démantelés après 1945, mais se sont reconstitués et gardent la mainmise sur toutes les branches de l'industrie. La fermeture de soixante-trois puits entre 1958 et 1968 et le remplacement progressif du charbon par le pétrole comme source d'énergie ont été à l'origine du plan d'aménagement de 1966 : le gouvernement de la R.F.A. a créé, depuis 1969, 100 000 emplois nouveaux dans l'indus. mécanique, électrique et électronique et s'est attaché à perfectionner le réseau de communications pour permettre une plus grande mobilité de la main-d'œuvre.

RUHR *(occupation de la)*. ♦ Mesure de répression décidée par R. Poincaré* pour contraindre les Allemands à honorer les clauses sur les réparations prévues par le traité de Versailles : trois divisions furent envoyées dans les principaux centres miniers de la Ruhr le 11 janvier 1923. Les ouvriers, à la demande du gouvernement allemand, organisèrent alors la résistance passive, ce qui déclencha des heurts extrêmement violents avec les militaires français, au cours desquels 13 ouvriers trouvèrent la mort. Après l'aménagement des réparations décidé par le plan Dawes*, les troupes françaises évacuèrent la Ruhr.

RUHRORT. ♦ Anc. aggl. minière de la Ruhr (R.F.A., Rhénanie-Westphalie), rattachée depuis 1905 à la ville de Duisbourg*, et où sont concentrées toutes les installations portuaires.

RUISBROEK. ♦ Comm. de Belgique (Brabant, arr. de Bruxelles) sur le canal de Charleroi à Bruxelles. 5 600 hab. Indus. chimiques. Caoutchouc. Verrerie. Moteurs électriques.

RUISDAEL (Jacob *van***).** ♦ V. RUYSDAEL.

RUIZ (Juan). ♦ Poète espagnol (1290 ? – 1350 ?). Archiprêtre de Hita, il est l'auteur du *Livre du bon amour* dont l'influence fut considérable sur la littérature castillane. C'est un long poème lyrique en vers qui reprend un des thèmes essentiels du Moyen Âge : l'opposition entre amour humain et amour divin, et s'inspire à la fois de l'islamisme et du néo-platonisme.

RUIZ DE ALARCÓN Y MENDOZA (Juan). ♦ V. ALARCÓN *(Juan Ruiz de Alarcón y Mendoza)*.

RUKMINÎ. ♦ Épouse préférée du dieu hindou Krisna* et incarnation de celle de Visnu*, Laksmî*. Elle se fit brûler sur le bûcher de Kriṣna.

RUMBEKE. ♦ Comm. de Belgique (Flandre-Occidentale, arr. de Roulers), à 17 km de Courtrai, sur la Mandel. 9 400 hab. Château du XVIe s. construit par Baudouin Bras-de-Fer (chapelle ogivale avec vitraux du XVe s.). Église gothique. – Indus. textiles. Tabac (culture et commerce).

RUMELANGE. ♦ V. du grand-duché de Luxembourg, cant. d'Esch-sur-Alzette. 4 000 hab. Indus. alimentaire et métallurgique. Produits chimiques.

RUMFORD (Benjamin THOMPSON, *comte***).** ♦ Physicien américain (Woburn, Massachusetts, 1753 – Auteuil, 1814). Il perfectionna le calorimètre **(V.** *aussi* **Berthelot)** et détermina la température du maximum de densité de l'eau. En 1798, utilisant la théorie mécaniste pour interpréter la production de chaleur remarquée au cours du forage des canons et réalisant des expériences précises, il établit la correspondance entre chaleur et travail mécanique, détruisant la théorie du calorique. **V. Mayer** (Julius Robert *von*).

RÛMÎ (Djalâl al-Dîn al-). ♦ V. DJALÂL AL-DÎN AL-RÛMÎ.

RUMIGNY. ♦ Ch.-l. de cant. des Ardennes (arr. de Charleville-Mézières), au-dessus de la r. d. de l'Aube. 522 hab. Église des XIVe, XVe, XVIIe siècles. Château de la Cour-des-Prés (XVIe s.) – Patrie de l'abbé de La* Caille.

RUMILLY [-ji]. ♦ Ch.-l. de cant. de la Haute-Savoie*, arr. d'Annecy*, sur le Chéran. 6 807 hab. *(Rumilliens)*. Maisons anciennes, pont du XVIe siècle. Confection, tanneries, culture du tabac, laiterie.

RUMMA (Wâdi al-). ♦ Riv. d'Arabie Sa'ûdite située dans le Qasim*. 480 km. Elle prend sa source au N. de La Mecque, traverse le djebel Toweiq* et se perd dans les sables du désert aux confins du Kuweit. Dattes et coton dans la vallée.

RUMMEL ou **RHUMEL** *(oued)*. ♦ Fl. d'Algérie qui draine les plaines constantinoises, traverse les monts de Constantine* par une série de gorges, puis s'oriente vers la Méditerranée où il se jette sur la côte de Kabylie sous le nom d'oued El-Kebir.

RUMOR (Mariano). ♦ Homme politique italien (Vicence, 1915). Député depuis 1948, il devint secrétaire du Parti démocrate-chrétien en 1964. Il occupa plusieurs postes ministériels (Agriculture, 1959-1963 ; Intérieur, 1963) avant de devenir président du Conseil en novembre 1968. De 1968 à 1970, en butte aux difficultés économiques, à l'agitation sociale et à l'opposition d'une partie des socialistes, il constitua trois gouvernements successifs dont le dernier dut se retirer le 6 juillet 1970. De nouveau président du Conseil en 1973, il démissionna le 3 octobre 1974, laissant la place à un cabinet Moro* où il reçut le portefeuille des Affaires étrangères. **V. Italie.**

RUMST. ♦ Comm. de Belgique (prov. et arr. d'Anvers) sur le Rupel. 5 800 hab. Chantiers navals. Matériaux de construction.

RUNDSTEDT (Gerd *von***).** ♦ Maréchal allemand (Aschersleben, 1875 – Hanovre, 1953). Après avoir servi longtemps au grand quartier général et s'être consacré à la renaissance de la Reichswehr, il prit sa retraite en 1938 pour garder ses distances avec le régime nazi. Il fut néanmoins rappelé par Hitler, commanda un groupe d'armées en Pologne (1939), puis en France où il dirigea, à l'échelon supérieur, la percée des Ardennes* (1940) et en Russie où il conquit l'Ukraine (1941). Estimant néfaste la poursuite de l'offensive, il donna sa démission (nov. 1941). Rappelé (janv. 1942), il reçut le commandement du front de l'Ouest, en France. En juillet 1944, n'ayant pu résister au débarquement allié en Normandie*, il fut remplacé par Kluge*. Cependant, ayant accepté la présidence du tribunal qui jugea les conjurés du 20 juillet 1944, il regagna la faveur de Hitler, reprit son commandement et dirigea la contre-offensive des Ardennes (déc. 1944, **V.** *aussi* **Model).** Les succès alliés amenèrent son remplacement par Kesselring* (fév. 1945). Prisonnier des Anglais après la défaite, il fut libéré en 1949. **V.** *aussi* **Guerre mondiale** *(Deuxième)*.

RUNEBERG (Johan Ludvig). ♦ Poète finlandais de langue suédoise (Pietarsaari [en suédois, Jakobstad], 1804 – Porvoo [en suédois, Borga], 1877). Professeur de lycée, il opposa un « réalisme poétique » au romantisme artificiel de la poésie suédoise de l'époque dans ses *Poèmes* (I, 1830, II, 1833, III, 1843), son poème épique rustique *Les Chasseurs d'élan* (1832) et son récit en vers *Hanna* (1836). Reconnu comme le plus grand poète suédois de son temps, il fut lauréat de l'Académie Royale de Suède en 1839. Il s'inspira de l'Antiquité dans la tragédie en vers *Les Rois de Salamine* (1863), des poèmes ossianiques et nordiques dans le poème *Le Roi Fjalar* (1844), de contes populaires russes dans *Nadeschda* (1841). Ses poèmes sur la guerre de 1808-1809, qui amena l'annexion de la Finlande par la Russie, *Les Récits de l'enseigne Stål* (I, 1848, II, 1860), contenant le futur hymne national finlandais, contribuèrent à l'éveil de l'esprit national.

RUNGE (Philipp Otto). ♦ Peintre et poète allemand (Walgast, 1777 – Hambourg, 1810). Il fréquenta les écrivains : Tieck, Kleist et Goethe. Convaincu du caractère religieux de l'art, il accorda à la couleur une valeur symbolique. Il exécuta des figures allégoriques (*Le Matin*, 1809, pour la suite des *Heures de la journée*) aux tons froids et pâles. Ses portraits, d'une facture plus vigoureuse, sont d'une grande acuité d'observation.

RUNGIS [ʀœ̃ʒis]. ♦ Comm. du Val-de-Marne, arr. de Créteil. 2 686 hab. Elle abrite le très important *marché d'intérêt national de Paris*, mis en service en 1969 et remplaçant les Halles centrales de Paris pour le ravitaillement de la région parisienne*. Gare routière et ferroviaire.

RUOLZ [ʀɥɔls] **(***comte* **Henri** *de***).** ♦ Inventeur français (Paris, 1811 – Neuilly-sur-Seine, 1887). Il découvrit, avec l'Anglais Elkington, un procédé d'argenture.

RUPA GOSWÂMIN. ♦ Dramaturge indien ([mort] 1591) et musicologue, élève de Chaitanya*. Il écrivit en sanskrit des œuvres religieuses où se mêlent les mystiques islamique et krisnaïte.

RUPEL. *n. m.* ♦ Rivière de Belgique (12 km), affl. r. d. de l'Escaut, formé par la réunion de la Dyle*, de la Nèthe* et du Démer. Canalisé, relié au canal Albert* et à Bruxelles par le canal de Willebroek*, il est accessible aux gabarits de 2 000 tonnes. Trafic annuel : plus de 7 000 000 de tonnes. Indus. lourde sur la rive nord. Il traverse Boem*, Bornhem*, Niel*, Rumst*, Willebroek*.

RUPERT (Robert de Bavière, dit *le prince***).** ♦ Général et amiral anglais (Prague, 1619 – Londres, 1682). Fils de l'électeur palatin Frédéric* V et petit-fils de Jacques* Ier par sa mère. Il combattit au cours de la guerre de Trente* Ans avant de servir son oncle Charles* Ier. Après plusieurs succès, il essuya les défaites de Marston Moor (1644) et de Naseby* (1645). Obligé de s'exiler, il revint avec Charles* II et devint amiral.

RUPERT. *n. m.* ♦ Riv. du Canada (Québec) [env. 600 km] qui sort du lac Mistassini et se jette dans la baie de James, à Fort Rupert.

RUPT [ʀy]**-SUR-MOSELLE.** ♦ Comm. des Vosges, arr. d'Épinal. 3 970 hab. – Indus. textile (coton).

RURIK. ♦ V. RIOURIK.

RUSE ou **ROUSSÉ**, anc. **Rušcuk** ou **Roustchouk**. ♦ V. de Bulgarie du N.-E., ch.-l. de district et premier port fluvial bulgare sur la r. d. du Danube. 153 600 hab. Elle est reliée à la ville roumaine de Giurgiu* par un gigantesque pont métallique, le pont de l'Amitié. Important centre industriel : raffinage du pétrole, constructions navales et mécaniques, indus. textiles et alimentaires.

RUSHMORE *(mont)*. ♦ Site des États-Unis, dans l'O. du Dakota du Sud *(Black Hills)*, près de Rapid* City. Les visages de Washington, Jefferson, Lincoln, Theodore Roosevelt, atteignant 18 m de hauteur, y sont sculptés sur un versant granitique (par Gutzon Borghum). C'est l'un des grands centres touristiques des États-Unis, ouvert au public en 1942.

RUSK (David Dean). ♦ Homme politique américain (Cherokee County, Georgie, 1909). Juriste de formation, il fut secrétaire d'État des présidents J.F. Kennedy* et Johnson* pour lesquels il défendit dans le monde la politique américaine au Viêt-nam tout en s'efforçant d'apaiser la « guerre froide ».

RUSKA (Ernst August Friedrich). ♦ Physicien allemand (Heidelberg, 1906). **V. Knoll.**

RUSKIN (John). ♦ Critique d'art et sociologue anglais (Londres, 1819 — Brantwood, Cumberland, 1900). Fils d'un négociant d'origine écossaise, Ruskin reçut une éducation puritaine. Il fut initié très tôt à l'art et à la littérature (la Bible, Shakespeare, Pope, Cervantès) et fit des études irrégulières au *King's College* de Londres et au *Christ Church College* d'Oxford (1837). Admirateur de Turner*, il conçut le premier volume des *Peintres modernes* (*Modern Painters*, 1843), publié sans nom d'auteur, en hommage à ce peintre. L'édition complète (six vol.), publiée en 1888, constitue un traité d'esthétique fondé sur l'interdépendance du domaine de l'art et des autres domaines de l'activité humaine, l'histoire des sociétés donnant la clef de celle des arts. *Les Sept Lampes de l'architecture* (*The Seven Lamps of Architecture*, 1849) évoque les sept principes auxquels l'artiste doit se soumettre et qui doivent l' « éclairer ». *Sésame et les Lys* (*Sesame and Lilies*, 1868) est une étude sur la lecture. *Les Pierres de Venise* (*The Stones of Venice*, 1851-1853), *Conférences sur l'architecture et la peinture* (1853), *Le Préraphaélisme* (1851) sont de la même veine. Dans *L'Économie politique de l'art* (*The Political Economy of Art*, 1857), la pensée de Ruskin aborde les problèmes d'ordre social, évoqués franchement avec *Unto this last* (1862). G. B. Shaw le compara même à Marx ; et Proust, qui traduisit certaines de ses œuvres et s'en inspira dans *À la Recherche du temps perdu*, vit en lui le directeur de conscience de son époque. Partisan des préraphaélites, il participa à la rédaction de leur revue *le Germe* (1850). Il utilisa la fortune héritée de son père à des fins philanthropiques et culturelles (bibliothèques et musées) et fut vénéré de toute l'Europe. « Je ne connais personne, écrivait-il, à qui je ressemble plus entièrement que Jean-Jacques Rousseau. » On lui doit une autobiographie inachevée, *Praeterita* (1885-1900).

RUSSELL. ♦ Famille anglaise connue depuis le XIIIe s., qui acquit au XVIe s. le titre de duc de Bedford. ♦ WILLIAM RUSSEL, dit *lord Russell* (1639 — Londres, 1683). Adversaire acharné du gouvernement de la Cabale*, il s'allia à Shaftesbury*, fut un partisan sincère de Titus Oates* et intrigua pour l'exclusion du duc d'York de la succession. Injustement accusé d'un complot contre Charles* II, il fut condamné à mort. ♦ EDWARD RUSSELL, *comte d'Orford* (1651 — 1727). Il participa à la révolution de 1688 et prit la tête de la flotte opposée aux jacobites. Il vainquit Tourville* à La Hougue* (1692), puis au large de la Catalogne et délivra Barcelone (1694). Il fut disgracié sous la reine Anne. ♦ JOHN RUSSEL, *1er comte*. Homme politique anglais (Londres, 1792 — Pembroke, Lodge, Richmond Park, 1878). Entré aux Communes dès 1813 comme député whig, il lutta bientôt en faveur de la réforme parlementaire, dont il fut l'un des auteurs en 1832, et de l'émancipation des catholiques. Chef du Parti libéral, d'une grande intégrité, il poursuivit les réformes dans le domaine municipal et judiciaire, en tant que secrétaire à l'Intérieur dans le gouvernement Melbourne*, mais se montra hostile à toute autonomie quand il fut secrétaire aux Colonies. Devenu Premier ministre à la chute de Peel* (1846), il poursuivit sa politique libre-échangiste, mais dut faire face à la famine d'Irlande et au chartisme. La rivalité de Palmerston* provoqua sa chute (1852). Peu après, il entra dans le gouvernement Aberdeen* (1852-1855). Les difficultés de l'expédition de Crimée, qu'il avait préconisée, l'obligèrent à se retirer. Ministre des Affaires étrangères dans le second cabinet Palmerston, il pratiqua une politique de non-intervention (affaires des Duchés, guerre de Sécession), tout en encourageant l'unité italienne. Il redevint Premier ministre à la mort de Palmerston (1865-1866).

RUSSELL (Bertrand Arthur William, *3e comte* **Russell** [1931]**)**. ♦ Mathématicien, logicien et philosophe britannique (Trellek, pays de Galles, 1872 — Pendhyndreuraeth, North Wales, 1970). Étudiant à Cambridge (1890-1894), il montra un très vif intérêt pour la philosophie des mathématiques ainsi qu'en témoigne sa dissertation sur *Les Fondements de la géométrie* (1894). Ni l'empirisme de Stuart Mill, ni la philosophie transcendantale de Kant, ni le néo-hégélianisme anglais de l'époque (Mac Taggart, Bradley) ne l'avaient satisfait ; il leur opposa sa théorie de « l'atomisme logique », consistant à pratiquer la méthode de « l'analyse » pour atteindre des « atomes logiques » « monde des universaux ». Russell, en néo-réaliste, devait d'abord leur attribuer une réalité indépendante de l'existence empirique (objets physiques, sensations) et de l'esprit connaissant. À la connaissance empirique, il opposa une connaissance *a priori* ayant trait exclusivement « aux rapports entre les universaux ». La découverte des travaux logico-mathématiques de G. Frege* et surtout de Peano* (en 1900) donna une impulsion décisive à ses propres recherches, dont les résultats furent exposés dans divers ouvrages et articles avant d'être repris systématiquement dans les *Principia Mathematica* (1910-1913), rédigés en collaboration avec A.N. Whitehead*. Cet ouvrage tentait de faire de la logique la base des notions et propositions mathématiques, l'instrument d'analyse de leurs principes. Les *Principia* développent notamment une théorie de la déduction (calcul des propositions et des fonctions propositionnelles), tout en établissant les principes d'une logique extensionnelle (d'après laquelle la vérité des propositions complexes ne dépend que de celle des propositions élémentaires qu'elles combinent). La notion de fonction servit de base à la construction de la théorie des classes et des relations. Si le logicisme de Russell fit l'objet de discussions critiques, il n'en reste pas moins que les *Principia* ont apporté à tous les travaux de logique mathématique ultérieurs une méthode d'analyse et une langue symbolique rigoureuse, grâce à laquelle pouvaient être évitées les ambiguïtés du langage courant et mise en évidence l'existence d'énoncés dépourvus de sens (notion que devait par la suite exploiter le cercle de Vienne*). Telle est la portée de la théorie des descriptions, ébauchée dès 1905 *(On Denoting)*. En faisant des descriptions (expressions complexes servant à définir et caractériser un individu) des « symboles incomplets », Russell affirmait qu'elles ne pouvaient être utilisées sans équivoque comme sujets grammaticaux de propositions. Les recherches logiques, linguistiques, psychologiques de Russell, ses travaux sur les théories physiques modernes (théorie des quanta de Planck*, de la relativité d'Einstein*) l'amenèrent progressivement à abandonner son « platonisme » pour aboutir finalement à une théorie assez proche de celle des néo-positivistes. — Russell n'a pas seulement dominé la philosophie anglaise durant de longues années, il s'est également imposé, au risque de faire scandale, par ses prises de position antireligieuses, éthiques, sociales et politiques. La Première Guerre mondiale lui donna l'occasion d'affirmer son antimilitarisme et son pacifisme : il perdit son poste à Cambridge (1916) et fut condamné à six mois de prison (1918). Démocrate, individualiste et libéral, il partageait les vues des socialistes anglais, mais devait critiquer le bolchevisme après un voyage en Russie (1920). Ni les problèmes de l'éducation ni les questions de morale conjugale (il dénonça les tabous sexuels et se prononça en faveur de l'union libre) ne pouvaient laisser indifférent ce moraliste épris de liberté, ce « puritain émancipé » (P. Devaux). Jusqu'à la fin de sa vie, il ne cessa de lutter pour la paix dans le monde, militant contre l'utilisation militaire de l'arme nucléaire, contre les dangers du nationalisme et créant un tribunal révolutionnaire (*Tribunal Russell*, 1961) pour juger les activités de guerre des États-Unis au Viêt-nam. « Avec son radicalisme politique et antireligieux... il apparaît comme une espèce de Voltaire moderne [...], un agnostique éclairé. » (I.M. Bochenski.) Princ. œuvres : *Problèmes de philosophie* (1912) ; *Notre connaissance du monde extérieur* (1914) ; *Introduction à la philosophie des mathématiques* (1919) ; *L'Analyse de l'esprit* (1921) ; *L'Analyse de la matière* (1927) ; *Recherche sur la signification et la vérité* (1940) ; *Histoire de la philosophie occidentale* (1946) ; *Leçons sur la social-démocratie allemande* (1896) ; *Vers la liberté : le socialisme, l'anarchie et le syndicalisme* (1918) ; *La Théorie et la Pratique du bolchevisme* (1920) ; *Le Mariage et la Morale* (1927) ; *La Conquête du bonheur* (1930) ; *Éducation et Ordre social* (1932). Il écrivit aussi une autobiographie intellectuelle : *Mon développement philosophique* (1959) et un roman : *Satan in the Suburbs* (1953). [Prix Nobel de littérature, 1950.]

RUSSELL (Henry Norris). ♦ Astronome américain (Oyster Bay, New York, 1877 — Princeton, New Jersey, 1957). Il développa la théorie photométrique des étoiles doubles à éclipses [1911-

Arch. Rencontre
Henry Norris Russell.

Ph. Harlingue-Viollet
Bertrand Russell.

Ph. Nino Cirani/Ricciarini

Russie : séminaire orthodoxe d'Odessa.

1912]. **(V. Shapley.)** Plaçant sur un diagramme plusieurs centaines d'étoiles (magnitude absolue en fonction du type spectral), il confirma en 1913 la découverte de Hertzsprung* de deux types d'étoiles, les « géantes », se plaçant sur une ligne sensiblement horizontale, et les « naines », de la série principale, sur une diagonale. Ce diagramme de Hertzsprung-Russell (noté H-R), complété, perfectionné, est toujours utilisé. Il montra notamment que ces deux catégories d'étoiles diffèrent surtout non par leurs masses mais par leurs volumes et par leurs densités. Étudiant la structure interne des étoiles, il énonça un théorème (1926-1927) selon lequel la masse et la composition chimique suffisent à déterminer la structure d'une étoile. Il montra également que les hypothèses « catastrophiques » concernant l'origine des planètes ne satisfaisaient pas aux lois de conservation (1935), ouvrant la voie au développement moderne des théories nébulaires. **V. Laplace, Jeans.**

RÜSSELSHEIM. ♦ V. d'Allemagne occidentale (Hesse), sur le Main, près de Francfort. Automobiles (usines Opel).

RUSSIE, *n. f.* (« pays des *Russes* »; voir *ci-dessous*). ♦ Région historique et géographique de l'Europe orientale, correspondant à une partie du territoire européen de l'U.R.S.S. actuelle (partie européenne de l'actuelle république de Russie, une partie de l'Ukraine et de la Biélorussie). Son histoire est celle de la formation d'un vaste empire, qui s'est étendu du xe au xxe s. des plaines de l'Europe orientale aux rives du Pacifique, aux frontières de la Mongolie et aux montagnes d'Asie centrale. L'Empire russe dans sa plus grande extension correspondait à l'U.R.S.S. actuelle et à la Finlande. ♦ *Hist.* DES ORIGINES AU XVIIe SIÈCLE. Durant la période historique primitive, la Russie méridionale (territoires actuels du S. de la Russie et de l'Ukraine) subit successivement l'hégémonie de divers peuples nomades, dont certains fondèrent de puissants empires. Les Cimmériens* dominèrent de v. ~ 1000 à ~ 700. Les Scythes* (v. ~ 700-~ 300), dès la fin du ~ VIIe s., vendaient leur blé aux colonies grecques de la mer Noire (Chersonèse Taurique [auj. Crimée]) et de la mer d'Azov (Panticapée, auj. Kertch); leur civilisation est attestée par de nombreux vestiges. Les Sarmates* (v. ~ 300-v. 200), dont la domination s'étendit du Don au Danube, furent submergés à partir du IIe s. par les invasions germaniques. Au cours du IIIe s., les Goths* formèrent à leur tour un empire florissant qui fut détruit par les Huns* (375) auxquels succédèrent les Avars* (v. 560), puis les Khazars* (v. 600) qui occupèrent peu à peu la plus grande partie du territoire, tandis que les régions forestières du Centre et du Nord, habitées à l'origine par des tribus finnoises et probablement proto-slaves, furent colonisées par les Slaves orientaux (qui constituent auj. l'ethnie dominante de l'U.R.S.S.). Les Slaves, organisés en fédérations de clans assez souples, ne formèrent pas d'État. Pour résister aux Khazars et aux Bulgares, ils engagèrent les services militaires des Scandinaves, commerçants armés qui parcouraient la Russie, de la Baltique vers le Sud. Ces Varègues*, apparentés aux Normands, furent appelés *Russes* (sans doute d'un mot finnois désignant les Scandinaves du S. de la Baltique). Les Varègues s'établirent à Novgorod, levant tribut sur les Finnois et les Slaves, qui durent s'en accommoder. Riourik* devint prince *(kniaz)* de Novgorod, tandis que d'autres Varègues se fixaient à Kiev, qui allait devenir en 882 la cap. de l'État russe naissant **(V. Kiev,** *hist.***)**. L'action protectrice et unificatrice des Varègues qui, moyennant tribut, laissaient les Slaves libres de gérer à leur guise leurs affaires, puis l'entrée des Slaves dans l'assemblée des chefs scandinaves *(drovjna)* et les mariages interethniques (par un processus voisin de celui que connurent les îles britanniques) aboutirent à l'apparition d'un véritable État. Les chefs varègues Helgi (Oleg* le Sage), Helga (Olga*), Sviatoslav* (premier prince de Kiev à porter un nom slave) repoussèrent les Petchenègues*, attaquèrent les Bulgares et l'empire byzantin, agrandissant la zone d'influence russe et véhiculant les influences culturelles de Byzance. Olga avait été baptisée v. 955. Vladimir* Ier le Grand épousa la sœur de Basile II et Constantin VIII, baptisé en 988, répandit le christianisme. Celui-ci s'implanta sous la forme grecque, mais les Russes prirent rapidement aux côtés des Grecs une place importante dans leur Église. Le XIe s. vit la construction de monastères et de cathédrales (Kiev, Novgorod). Par ailleurs, les relations du premier État russe avec la Scandinavie (Norvège) subsistaient. Après la mort de Vladimir, ses fils divisèrent l'État et luttèrent entre eux; Iaroslav*, aidé par des troupes de Scandinavie, l'emporta (1019, Kiev; puis 1036). Le XIe s. vit l'apogée de la Russie kiévienne **(V. Kiev; Ukraine,** *Hist.***)**, mais après la mort de Vladimir* II Monomaque, l' « empire kiévien » déclina et fut morcelé avant d'être envahi par les Mongols. — Cependant, à l'O., en Galicie*, se développait une économie de grande propriété foncière et une société féodale prospère; au N., Novgorod* connut un développement commercial comparable à celui des villes hanséatiques et un pouvoir municipal s'y organisait (assemblée populaire élisant administrateurs et chefs militaires, sous le contrôle d'une oligarchie). À l'E., la principauté de Souzdal, puis de Vladimir, formait le troisième centre de développement de la Russie. **V. Souzdal.** — Le XIIIe s. vit les invasions des Mongols (ou Tatars), en 1223, puis en 1236 avec le petit-fils de Temüjin (Gengis qân), Bâtû qân. Les hordes ravagèrent et brûlèrent Moscou en 1237, envahirent Souzdal, prirent Kiev (1240), dévastant de vastes territoires, mais se heurtèrent à une très vive résistance. Les Mongols annexèrent le sud et l'est de la Russie, formant la Horde* d'or, où les principautés russes étaient vassalisées. Mongols et Russes ne se mêlèrent pas et la religion et la culture slaves purent subsister. Cependant, à l'ouest, les Suédois, puis les Porte*-Glaive, tentèrent d'envahir la principauté de Novgorod; ils furent arrêtés par Alexandre* Iaroslavitch sur la Néva (1240; d'où le surnom d'Alexandre Nevski) et au lac Peïpous. Aux XIIIe et XIVe s., attaqués de toutes parts, isolés, réduits à une soumission prudente vis-à-vis des Mongols, les États russes forgèrent un sentiment national appuyé sur le sentiment d'une appartenance religieuse commune. La petite principauté de Moscou, dont les souverains se lièrent aux Mongols, accrut son pouvoir; en 1326, Moscou devint le centre religieux de la Russie **(V. Moscou,** *hist.***)**. Sous Dimitri Donskoï, les Russes parvinrent à battre les Mongols à Koulikovo (1380), mais Togtamich (ou Toktamich), général de Timûr-I Lang, mena une expédition punitive jusqu'à Moscou, qu'il brûla; Dimitri dut payer aux Mongols un lourd tribut. Son successeur Vassili Ier eut à combattre aussi les Lituaniens (qui avaient depuis longtemps pris Kiev et venaient de s'emparer de Smolensk; **V. Lituanie**) et les Mongols qui effectuèrent un nouveau raid sur Moscou (1408). Au XVe s. cependant, l'affaiblissement de la Horde d'or, puis la prise de Constantinople par les Turcs (1453), donnèrent à Moscou une plus grande importance religieuse et politique. Le grand-prince Vassili II réduisit le pouvoir des féodaux et Moscou domina un territoire accru. À partir d'Ivan III, les annexions se multiplièrent : Iaroslav (1463), Rostov (1474), Novgorod* (1471-1478), Tver, Pskov, Riazan (1521). Décourageant les entreprises mongoles et, avec Vassili III, s'opposant au danger lituanien (prise de Smolensk par Vassili III, 1522), les grands-princes affermissaient leur puissance, s'imposant comme les héritiers du basileus de Byzance sur le plan religieux (Ivan III). Enfin, Ivan* IV le Terrible prit en 1547 le titre de *tsar (Caesar)* et lutta contre les boyards dans un climat violent, affermissant l'autocratie, notamment grâce au servage, qui bénéficia à la petite noblesse acquise au tsar. Khazan (1552) et Astrakhan (1556) furent soumis et la Russie put entrer en relations directes avec la Turquie et préparer son expansion vers l'est. La lutte contre les Polono-Lituaniens fut un échec (guerre de Livonie, 1558-1583), mais Grégoire XIII imposa la paix aux Polonais. À Boris* Godounov, qui continua la politique d'Ivan le Terrible, succéda le faux Dimitri* (1605) qui s'appuya à la fois sur les boyards et sur le peuple. Vassili* Chouïski, nommé par les boyards, fut en butte à un second faux Dimitri, et ces luttes internes déclenchèrent l'intervention des Suédois (appuyant Chouïski), puis des Polonais, qui prirent Moscou. Ladislas, fils du roi de Pologne Sigismond III, fut proclamé tsar; mais des soulèvements, menés notamment par Minine et Pojarski, chassèrent les Polonais de Moscou (1612). Michel Romanov, fut élu tsar. — LES ROMA-

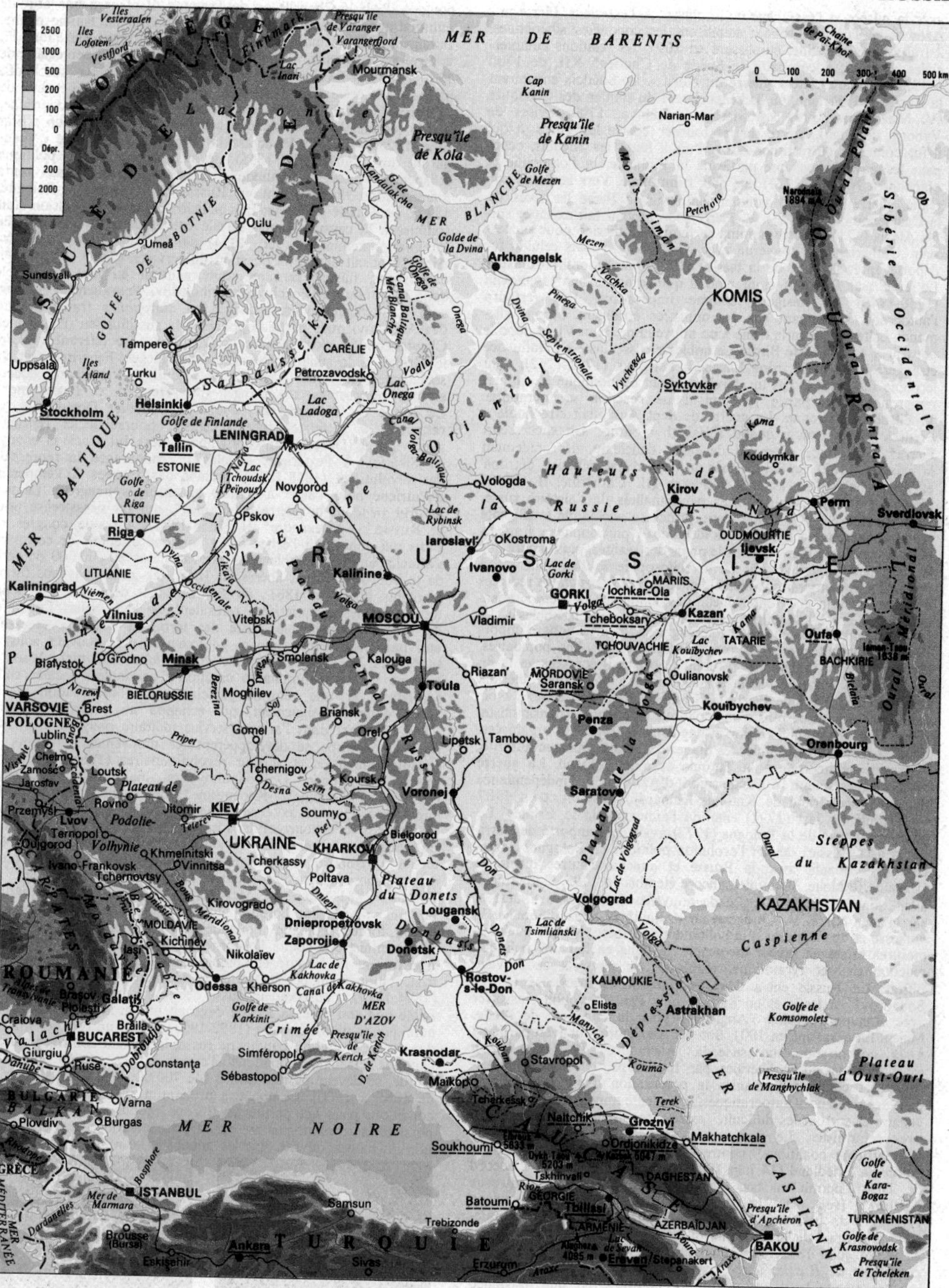

Parties européennes de la **Russie** et de l'U.R.S.S.

NOV. Michel Romanov (1613-1645), moyennant des abandons territoriaux, fit la paix avec la Pologne et la Suède. Sous Alexis Ier (1645-1676), grâce aux Cosaques soulevés contre les Polonais, la Russie acquit Smolensk et Kiev (paix d'Androussovo, 1667), tandis que des troubles sociaux (révoltes urbaines ; Stenka Razine*) et religieux agitaient le pays. Ni ces troubles, ni la guerre avec la Turquie, sous Fédor III (1676-1682), n'empêchèrent le développement économique, l'apparition des manufactures et le recul du pouvoir économique des boyards. Mais le pouvoir autocratique du tsar ne pouvait s'appliquer pleinement sans de profondes réformes. – Après la crise dynastique causée par la mort de Fédor III, les *streltsy** imposèrent deux souverains, fils d'Alexis, Ivan V et Pierre Ier, sous la régence de leur sœur Sophie ; celle-ci rétablit un pouvoir fort à son bénéfice, avant d'être renversée par Pierre. – Pierre Ier s'attacha à moderniser son pays, l'ouvrant aux influences occidentales, développant le système scolaire, l'armée, la flotte, réorganisant l'administration et la vie politique, éliminant les boyards au profit d'une nouvelle noblesse de fonctionnaires. Il gouverna tyranniquement, s'appuyant sur une police secrète d'État. Le développement rapide des manufactures, d'immenses travaux publics (dont la construction de Saint-Pétersbourg, à partir de 1703) ne furent possibles qu'au prix de l'écrasement du peuple (oukase de 1721 sur la vente des paysans) ; l'occidentalisation et l'enrichissement des élites allèrent de pair avec la misère et l'esclavage de la masse. À l'extérieur, Pierre prit Azov à la Turquie (1696); stabilisant les conquêtes sibériennes, il traita avec la Chine, établissant en 1697 des relations commerciales. Surtout, il combattit la Suède de Charles* XII, de 1700 à 1721. Pendant cette « guerre du Nord », les Suédois envahirent la Russie et l'Ukraine, où ils bénéficièrent du soutien des Cosaques **(V. Mazeppa).** Après ses victoires (Poltava, 1709; prises de Vyborg, de Riga), Pierre dut se tourner contre les Turcs, à qui il fut contraint de restituer Azov. Puis il battit les Suédois, occupant les pays baltes, une partie de la Finlande, la Poméranie et obtenant à Nystad (1721) une paix triomphale. Vers la fin de son règne, Pierre le Grand conquit enfin sur la Perse les rives de la Caspienne (1722-1723). **V. Pierre Ier.** — Ayant fait exécuter son fils Alexis (1718), Pierre nomma sa femme Catherine pour successeur. Catherine* Ire gouverna avec Menchikov*; mais celui-ci fut déporté après la mort de la tsarine (1727) par les antiréformistes. Le jeune tsar Pierre II étant mort à quinze ans, Anna* Ivanovna (1730-1740) fut désignée comme impératrice. Elle restaura l'autocratie, s'appuyant sur des ministres étrangers, barons allemands baltes et laissa le trône à un nouveau-né, Ivan VI, et donc le pouvoir à son ministre Biron. La noblesse russe, lasse de l'influence étrangère, mit sur le trône Élisabeth Petrovna (1741-1762), dont le règne fut marqué par un développement économique et culturel remarquable, en partie fonction d'une réaction aristocratique. **V. Élisabeth Petrovna.** La guerre de Sept Ans allait être fatale à Frédéric II de Prusse quand Élisabeth mourut; son successeur, Pierre* III, prince allemand de santé déficiente, fit rapidement la paix (en 1762). Sa femme, par un coup d'état militaire, détrôna et fit probablement assassiner Pierre III. Catherine II (1762-1796) fut l'une des plus fortes personnalités de l'histoire russe. Réformatrice par conviction, cette princesse allemande intelligente et autodidacte tenta d'utiliser les idées des « philosophes » français pour le bien de la Russie. Mais le poids des réalités, plus encore que le caractère superficiel de sa « philosophie », l'entraînèrent à une politique autocratique bien éloignée de ses *Instructions* rédigées d'après Beccaria et Montesquieu. Les tentatives de démocratisation aboutirent à l'adoption complète des thèses de la noblesse. Le renforcement et l'extension du servage, les exonérations d'impôts bénéficièrent entièrement à cette classe. Les révoltes populaires, comme celle de Pougatchev*, furent férocement écrasées, et la fin du règne fut marquée par la persécution des intellectuels libéraux (Radichtchev). Comme Pierre le Grand, Catherine II semble avoir été dirigée par les besoins d'une politique extérieure expansionniste, nécessitant une administration et une fiscalité fortement organisées. En effet, voulant rassembler les Slaves orientaux sous son autorité, la tsarine se heurtait à la Turquie et à la Pologne. La guerre russo-turque aboutit à l'acquisition d'Azov et à l'indépendance de la Crimée (traité de Kutchuk-Kaïnardji); elle reprit en 1787 et le traité de Iaşi (1791) entérina l'annexion de la Crimée. Le premier partage de la Pologne (1772) avait déjà apporté des territoires à la Russie; devant l'évolution politique en Pologne, Catherine II s'entendit avec la Prusse et annexa d'autres territoires (Ukraine, Podolie, Volhynie), encore étendus en 1795. Catherine II avait donné à l'empire russe de nouvelles frontières à l'ouest et sur la mer Noire. **V. Catherine II.** — Paul* Ier tenta d'humilier la noblesse et de s'opposer à la politique de sa mère. Malgré quelques mesures prises en faveur du peuple, il mena en fait une politique réactionnaire et tyrannique, réduisant les paysans au servage d'État. La Russie entra dans la coalition antifrançaise (1799: Souvorov* en Italie et en Suisse), puis Paul Ier voulut s'associer avec Bonaparte contre l'Angleterre pour la conquête de l'Inde. Mais il fut assassiné en 1801. Son fils Alexandre, qui avait participé à la conspiration, lui succéda. Alexandre* Ier (1801-1825), élevé dans les idées libérales par La Harpe, réforma l'administration et confia à Speranski la préparation d'une constitution; mais ses tendances autocratiques, la violente opposition des conservateurs et surtout les difficultés extérieures firent avorter les tentatives réformistes. Le tsar, après avoir participé aux troisième et quatrième coalitions* contre Napoléon, ses armées ayant été battues à Friedland (14 juin 1807), demanda l'armistice. L'accord de Tilsit* permit au tsar d'annexer la Finlande; à l'entrevue d'Erfurt* (sept.-oct. 1808), Alexandre exigea de Napoléon l'abandon de la Prusse. Leurs relations se détériorèrent, notamment à propos de la Pologne, que Napoléon voulait reconstituer, et, le 24 juin 1812, la Grande Armée attaqua la Russie. La *campagne de Russie*, après la rapide avance des Français et la victoire de Smolensk (18 août), fut marquée par une résistance par harcèlement. Les pertes subies à la Moskova (Borodino, 7 sept. 1812) affaiblirent la Grande Armée, qui occupa Moscou le 14 sept. (la ville fut incendiée le lendemain). La réaction patriotique des Russes, l'habileté de Koutouzov*, les difficultés dues aux distances amenèrent Napoléon à ordonner la retraite, qui fut terrible et meurtrière **(V. Berezina).** Alexandre, se croyant désigné par Dieu pour mener une croisade antinapoléonienne, traversa l'Allemagne avec son armée en 1814 et occupa Paris, favorisant la restauration des Bourbons. Influencé par Mme de Krüdener*, le tsar fit conclure en sept. 1815 le pacte mystique de la Sainte-Alliance. Son paternalisme à l'égard des mouvements libéraux des Balkans disparut quand les Grecs commencèrent à se soulever. La modération qu'il conseillait aux autres souverains lors des congrès d'Aix-la-Chapelle ou de Troppau fit place à une attitude autocratique et réactionnaire devant l'agitation en Russie même. Indulgent pour le mouvement libéral dans l'armée, Alexandre Ier, appuyé sur Arakcheiev, fit régner un despotisme fort peu éclairé de 1820 à 1825. — La politique intérieure russe au XIXe siècle. La menace de crise provoquée par la renonciation au trône de l'héritier, Constantin, avant que Nicolas ne puisse être couronné, décida les membres des sociétés secrètes à tenter un coup d'État (déc. 1825). Nicolas* Ier écrasa la révolte « décembriste », inaugurant un règne (1825-1855) de complète réaction politique et sociale. Autocrate, orthodoxe et nationaliste, il écrasa toute manifestation libérale, tant en Russie qu'à l'étranger (Pologne, 1831). La Russie devint un État policier, où toute expression était soumise à la censure, tandis qu'elle entrait dans l'ère industrielle (premiers chemins de fer, 1834) sans main-d'œuvre adaptée. Ainsi se posait encore la question du servage, que le tsar refusait d'envisager, faisant censurer toute allusion au sort du peuple dans la littérature (Pouchkine, Griboiedov, Tourgueniev, Nekrassov). L'intelligentsia était divisée en *slavophiles* traditionalistes (les Aksakov) mais parfois opposés à la russification (l'Ukrainien Chevtchenko*), alors que les *occidentalistes*, se référant à Pierre le Grand, à la philosophie allemande (Hegel, Feuerbach) et au socialisme utopique (Saint-Simon, Fourier, Proudhon), étaient surtout représentés à l'étranger (par Herzen* et Bakounine*). Le cercle de Petrachevsky, auquel appartenait Dostoïevski, se rattachait à cette tendance socialiste, poursuivie et réprimée avec vigueur (Dostoïevski, condamné à mort, fut gracié et envoyé en Sibérie). À l'extérieur, Nicolas Ier encouragea la répression des révolutions (1848-1849), prêtant des troupes à l'empereur d'Autriche pour l'aider à écraser les insurgés hongrois. Le tsar mourut pendant la guerre de Crimée*, qui fut désastreuse pour la Russie. — Alexandre* II (1855-1881), après le congrès de Paris qui consacrait l'échec de la politique orientale de son père, s'attacha enfin au problème du servage. Les 20 000 000 de serfs de la couronne furent libérés en 1858; les autres paysans furent reconnus libres en 1861; ils se trouvaient dépossédés de leurs terres que les propriétaires refusaient de leur céder. Le statut de 1861 attribuait une partie des terres, à des prix excessifs, aux paysans libérés. Ceux-ci passèrent le plus souvent sous la tutelle de la commune rurale *(obchtchina* ou *mir).* Mais la réforme foncière entraîna la création d'assemblées locales élues *(zemstvos)* et une réforme judiciaire. La libéralisation se fit sentir dans l'enseignement, qui échappa au contrôle religieux (1864-1865), et dans l'armée (service militaire obligatoire, 1874). En même temps se développèrent les mouvements libéraux et constitutionnalistes et surtout révolutionnaires (Tchernychevski*, envoyé en Sibérie, Dobrolioubov) ou nihilistes. Les émigrés Herzen*, Bakounine*, Kropotkine* obtenaient une audience importante. Quant aux « populistes » comme Lavrov* (disciples de Herzen), ils échouèrent dans leur tentative de croisade éducative du peuple et la tendance à l'action terroriste (Bakounine, Netchaïev*) l'emporta : de nombreux attentats furent commis contre des policiers (Véra Zassoulitch*), contre le tsar; celui du 13 mars 1881 réussit. — Alexandre* III (1881-1894) se signala par un autocratisme borné et une slavophilie tendant à la russification forcée (Pologne, Finlande). Son conseiller Pobiédonotsev et son ministre le comte Tolstoï renforcèrent le pouvoir des nobles, aggravèrent la censure et l'inquisition policière. Les juifs furent systématiquement persécutés. Sous Alexandre et sous Nicolas* II (1894-1917), conservateur aussi déterminé, mais caractère plus faible que son père, la Russie devenait une grande puissance économique, le ministre Witte (1892-1903) jouant un rôle déterminant dans cette évolution. L'industrie russe, largement contrôlée par des capitaux étrangers (politique d'emprunts) et surtout l'industrie lourde, se développa rapidement (de 700 000 à 2 300 000 ouvriers de 1865 à 1900). Le nouveau prolétariat russe, vivant dans des conditions pires que partout en Europe, modifiait profondément les possibilités révolutionnaires, par la prise de conscience et l'éducation du monde ouvrier, que les populistes se refusaient à dissocier

Ph. A.P.N.

Russie : A.D. Menchikov. Anonyme XVIIIe s. (Musée de l'Ermitage, Leningrad.)

Ph. A.P.N.

Russie : Pougatchev. Anonyme XVIIIe s. (Musée de l'Histoire, Moscou.)

de l'action inefficace sur les paysans. Au contraire, les sociaux-démocrates Plekhanov*, Lénine et Martov*, appliquant les théories marxistes, mettaient leurs espoirs dans le prolétariat qui, « tel le géant des contes de fées, grandit et se fortifie d'heure en heure » (Plekhanov). En 1895, Lénine fonda à Saint-Pétersbourg l'*Union de lutte pour la libération de la classe ouvrière*; le *Parti ouvrier social-démocrate* fut créé à Minsk (1898); le congrès de Londres (1903) vit la division en majoritaires ou *bolcheviks* (Lénine) et *mencheviks* (Martov, Axelrod). **V. Lénine, bolcheviks.** Quant aux populistes, ils s'unirent en 1902 dans le *Parti socialiste-révolutionnaire*, préconisant le terrorisme; en 1903, la *Fédération de la libération*, démocrate, devint le parti constitutionnel-démocrate (K.D.). Ces diverses tendances, de plus en plus fortes et organisées, réunissaient les conditions d'une action politique déterminante. — LA POLITIQUE EXTÉRIEURE RUSSE AU XIXe SIÈCLE. Sous Nicolas Ier, la Russie s'employa essentiellement à réprimer toute libéralisation en Europe centrale (Autriche-Hongrie, Pologne). Avec lui et Alexandre II, l'expansionnisme asiatique se poursuivit : victoire sur la Perse (1828), soumission des montagnards du Caucase (1830-1864), soumission du Turkestan (1853-1876), assorties d'une politique colonisatrice de mise en valeur. En Extrême-Orient, la région du fl. Amour et de la côte Pacifique fut acquise sur la Chine (1858-1860), le N. de Sakhaline sur le Japon. Mais c'est la lutte contre la Turquie et la rivalité avec l'Angleterre, désireuse de maintenir l'équilibre existant à son profit, qui dominèrent la période. Nicolas Ier obtint divers avantages lors de la guerre d'indépendance grecque (1828-1829 : traité d'Andrinople) et notamment l'ouverture des Détroits à ses navires. Puis il défendit les Ottomans, suffisamment affaiblis, contre l'Égypte (occupation du Bosphore). Le traité d'Unkiar-Skelessi (1833) fermait les Détroits à tous les navires de guerre, sauf aux russes; mais la convention de 1841 détruisit ce privilège. En 1853, la Russie tenta d'exercer seule le protectorat des lieux saints : Napoléon III et les Anglais encouragèrent les Turcs à résister et la Russie déclara la guerre à la Turquie (1853), ce qui décida de l'expédition de Crimée*. Battus, les Russes perdirent toute influence sur les Détroits et la mer Noire (traité de Paris, 1856). La défaite française de 1870 permit à Gortchakov*, chef tout-puissant de la diplomatie russe, d'obtenir la révision du traité (conférence de Londres, 1871). S'inspirant en fait du panslavisme, la Russie s'attacha à défendre les chrétiens des Balkans. Alexandre II força les Occidentaux à réclamer aux Ottomans l'autonomie des Bosniaques et des Bulgares (1876); sur le refus des Turcs, la Russie déclara la guerre à la Turquie (avril 1877). Malgré une forte résistance, les troupes russes atteignirent Constantinople et la paix de San* Stefano (3 mars 1878), négociée par Ignatiev, définissait aux dépens de l'empire turc une Grande Bulgarie, agrandissait le Monténégro et la Serbie, rendait la Roumanie indépendante. Inquiètes, la Grande-Bretagne et l'Autriche réunirent un congrès à Berlin (juin-juillet 1878) pour réviser ces clauses. Le projet de Grande Bulgarie fut abandonné et la Russie dut renoncer à la plupart des avantages du traité de San Stefano. Bismarck ayant imposé à Guillaume Ier l'alliance avec l'Autriche (1879), la Russie, malgré l'entente des trois empereurs (1881), complétée par l'adhésion de l'Italie (1882), se trouva relativement isolée. Une tendance au rapprochement avec la France se fit sentir et se concrétisa en 1891, un an après la retraite de Bismarck, son successeur Caprivi n'ayant pas renouvelé le traité « de réassurance » de 1887 par lequel l'Allemagne appuyait la Russie en Bulgarie et dans les Détroits. Une alliance défensive fut conclue avec la France (1892), Nicolas II se rendit à Paris (1896) et Félix Faure à Saint-Pétersbourg (1897). De même, la Russie s'entendait avec l'Autriche de François-Joseph et se consacrait à sa politique extrême-orientale. Enfin, la Russie s'opposa au Japon au sujet de Port-Arthur. Ce pays avait obtenu la presqu'île de Liao-Tung après avoir vaincu la Chine (traité de Shimonoseki, 1895). La Russie s'appropria Port-Arthur, occupa la Manchourie (1900), mais le Japon, ayant obtenu l'alliance anglaise, put attaquer la Russie (1904) et la battre. Le traité de Portsmouth (1905) entérinait cet échec, qui manifestait la faiblesse du régime tsariste. — DE 1905 À 1917. Le 2 janv. 1905, à l'annonce de la capitulation de Port-Arthur, le pope Gapone (probablement un agent provocateur) réunit 200 000 ouvriers en grève pour un défilé pacifique de revendication. Sans avertissement, la garde tira sur les manifestants et ce « dimanche rouge » déclencha une période de troubles et de revendications, accrus par l'annonce des défaites en Extrême-Orient. En juillet, l'équipage du *Potemkine* se rebella, menaça Odessa de ses canons avant de se rendre aux Roumains. Le 6 août 1905, Nicolas II dut accepter une assemblée consultative *(Douma)*, et le Manifeste du 30 oct., préparé par Witte, promit des libertés. Les libéraux constitutionnalistes, momentanément satisfaits, prirent le nom d'*octobristes*. Cependant, les avantages consentis par le pouvoir furent rapidement réduits. Ni les nombreux mouvements de grève, ni les mutineries, ni les décisions des conseils ouvriers *(soviets)* ne parvinrent à déboucher sur un mouvement d'ensemble assez puissant pour inquiéter le régime. Les petits paysans, la majorité de l'armée, formée elle aussi de paysans, étaient restés fidèles au tsar; la bourgeoisie, même libérale, s'inquiétait de la politique extrémiste des soviets **(V. Révolution de 1905)**. Relativement rassuré, le gouvernement tenta, apparemment avec succès, de réduire l'opposition légale : la première

Ph. Bulloz

Campagne de **Russie** : « L'Incendie de Moscou le 15 septembre 1812 », par J. Rugendas. (Musée de l'armée, Paris.)

Douma (mai 1906), pourtant assez inoffensive, fut dissoute en juillet; la seconde (1907), qui comportait les éléments d'une véritable opposition socialiste, fut elle aussi dissoute et remplacée par une assemblée docile (déc. 1907-sept. 1912) qui approuva la politique réformiste de Stolypine*. Ce dernier tenta de s'appuyer sur la paysannerie aisée et d'en augmenter l'importance, en consentant des prêts et surtout en permettant aux paysans de sortir des communautés rurales (voir *ci-dessus*). Mais la moitié des bénéficiaires revendit sa part aux riches *koulaks* et les structures sociales changèrent fort peu. Pourtant, l'essor économique fut grand dans cette période : l'industrie et le commerce bénéficièrent de l'augmentation du marché (l'industrie lourde produisit 75 % de plus en 1913 qu'en 1909, alimentant la rapide croissance du prolétariat, principal appui des révolutionnaires). Stolypine assassiné (1911), l'expert des finances Kokovtsev continua sa politique intérieure, sans être gêné par une quatrième douma (nov. 1912-févr. 1917) aussi docile que la troisième. Dans le domaine des affaires étrangères, mené par Isvolski, la Russie, par l'entremise de son alliée la France, se rapprocha de la Grande-Bretagne (convention de Saint-Pétersbourg, 1907), réglant son contentieux en Orient (Perse, Afghânistân, Tibet). Dans les Balkans, la Russie fut contrainte d'accepter l'annexion par l'Autriche de la Bosnie-Herzégovine (1909), mais en 1912 elle appuya l'entente entre Serbie, Bulgarie et Grèce, qui marquait la fin de la Turquie en Europe. — Le gouvernement tsariste ne craignait pas un grand conflit qui, pensait-il, lui aurait permis de mater une action révolutionnaire (sensible en 1911-1912) et de contraindre les puissances européennes, inquiètes de l'expansionnisme slave, à admettre ses intérêts. Dès l'invasion de la Serbie* (après Sarajevo*), le gouvernement russe procéda à la mobilisation générale (30 juil.), entraînant immédiatement celles de l'Autriche, de l'Allemagne, puis de la France. Mais la masse énorme de l'armée russe, mal organisée, mal commandée, mal équipée, fut battue par Hindenburg dès août 1914 (Tannenberg). La Turquie entra en guerre en nov., privant la Russie de ses débouchés maritimes. Les offensives de 1915-1916 chassèrent les Russes de Pologne; la contre-offensive russe de 1916, tout en affaiblissant l'Allemagne, fut un échec **(V. Guerre mondiale** [*Première*]**)**. — En 1917, la Russie avait perdu 2 500 000 hommes; elle était appauvrie. Dans une atmosphère de disette, de crise morale et de scandale autour de la famille impériale (Raspoutine*, assassiné le 30 déc. 1916), la douma elle-même pouvait accuser la cour de trahison (Milioukov, en nov. 1916). Au début de mars 1917, la première révolution démocratique-bourgeoise, dite *révolution de février* (23 février du calendrier orthodoxe : 8 mars), éclata. **V. Révolution de février 1917.** — DE LA RÉVOLUTION À L'U.R.S.S. Le mouvement de grève s'étendit progressivement à partir du 23 février (8 mars); des manifestations éclatèrent et tournèrent rapidement à l'émeute. Le 26 février (11 mars), le Bureau du Comité central du parti bolchevik lançait un appel pour la formation d'un gouvernement provisoire révolutionnaire; le 27 février (12 mars), la plus grande partie de la garnison de Pétrograd se joignait aux masses populaires avec lesquelles elle occupa les principaux bâtiments publics; ministres et généraux furent arrêtés, tandis que deux pouvoirs de fait étaient alors constitués : d'une part « le gouvernement provisoire de la bourgeoisie » (le Comité exécutif de la Douma, formé essentiellement de libéraux conservateurs — Choulguine, Milioukov* aux Affaires étrangères, d'un socialiste libéral Kerenski* à la Justice et présidé par le prince Lvov*), d'autre part « un gouvernement faible encore, embryonnaire, mais existant indéniablement dans la réalité et qui grandit : le Soviet des députés ouvriers et soldats » (Lénine). Après l'abdication du tsar Nicolas II (2 [15] mars) en faveur de son frère le grand-duc Michel, qui refusa de régner, la « dualité des pouvoirs » caractérisa la vie politique de la Russie de mars à octobre (novembre) 1917. Le gouvernement provisoire adopta plusieurs mesures importantes (amnistie générale, garantie de l'indépendance à la Finlande, journée de travail réduite à huit

Arch. Rencontre

L'alliance franco-**russe** : premier voyage officiel en France de Nicolas II en octobre 1896. (Bibliothèque nationale, Paris.)

heures, abolition de la peine de mort) sous la pression du Soviet auquel il devait par contre violemment s'opposer sur la question de la guerre (les ministres se montrant favorables à la poursuite de la guerre tandis que le Soviet prônait la paix sans annexions ni indemnités) et de la terre (le gouvernement se prononçant contre l'occupation de la terre par les paysans). Rentré en Russie (3 [16] avril) avec d'autres révolutionnaires (Radek, Sokolnikov, Zinoviev), Lénine* y soutint ses fameuses *Thèses d'Avril*, affirmant la nécessité du passage de la « révolution démocratique-bourgeoise » à la « révolution socialiste » et à la dictature du prolétariat. Ses thèses, d'un radicalisme étudié et destiné à agir sur les masses (« Tout le pouvoir aux Soviets! Paix immédiate! La terre aux paysans! »), furent critiquées non seulement par les mencheviks et les socialistes-révolutionnaires, mais aussi par une partie des bolcheviks eux-mêmes. Le climat révolutionnaire ne cessa pourtant de s'intensifier. Après la démission de Milioukov (imposé par le Soviet), le prince Lvov remania le gouvernement (mai 1917) où entrèrent des mencheviks et des socialistes-révolutionnaires. Ministre de la Guerre, Kerenski tenta de rétablir la discipline au sein de l'armée. Après l'échec de l'offensive russe en Galicie (juil. 1917) qui suscita une véritable hantise de la trahison et de nombreuses accusations contre les chefs bolcheviks, particulièrement Lénine, une insurrection populaire (3-4 [16-17] juil.) fut vivement réprimée. Le prince Lvov démissionna et Kerenski prit la tête d'un nouveau gouvernement provisoire à majorité socialiste, tandis qu'accusé d'être un agent de l'Allemagne Lénine gagnait la Finlande (avec Zinoviev) et que Trotski* et Lounatcharski* étaient emprisonnés. Cherchant un soutien populaire, Kerenski convoqua une Conférence d'État à Moscou pour le 25 août; c'est alors que l'ancien commandant militaire de Pétrograd, Kornilov*, réclama la suppression des soviets et tenta de former un bloc contre-révolutionnaire. Après avoir négocié avec les représentants des Alliés, puis avec le gouvernement de Kerenski, il lança un ultimatum (7 sept.; pour la proclamation de la loi martiale à Pétrograd, pour la formation d'un nouveau gouvernement sous sa direction) qui provoqua la rupture entre lui et Kerenski. Grâce à l'intervention du Soviet de la capitale, la tentative de putsch de Kornilov échoua (9 sept.). En dépit du remaniement ministériel et de la proclamation officielle de la République (14 sept.), l'autorité du gouvernement Kerenski était devenue encore plus précaire : il s'était en effet coupé de la gauche en négociant avec Kornilov, de la droite en l'abandonnant et en réprimant le putsch, tandis que les bolcheviks (qui refusèrent de siéger au Conseil de la République élu par la Convention démocratique) gagnaient du terrain. Rentré clandestinement en Russie (3 [16] octobre), Lénine s'y prononça immédiatement contre « la temporisation » et, le 10 (23) octobre, le Comité central bolchevik votait à une forte majorité la préparation de l'insurrection armée qui fut confiée au Comité militaire révolutionnaire commandé par Trotski. Le 24 octobre (6 nov.) éclatait l'insurrection : treize ministres du gouvernement provisoire furent arrêtés, Kerenski s'enfuit à l'étranger. Le lendemain (25 oct. [7 nov.]), le IIe Congrès des soviets de Russie ratifia les décrets de Lénine sur la paix et la distribution de la terre aux paysans; celui-ci prenait la présidence du Conseil des commissaires du peuple (avec Rykov à l'Intérieur, Milioutine à l'Agriculture, Trotski aux Affaires étrangères, Lounatcharski à l'Instruction publique, Staline* aux Nationalités). La révolution s'étendit rapidement à toute la Russie et, après dix jours de combat, les bolcheviks se rendaient maîtres de Moscou (3 [16] nov.) qui devint la capitale de la Russie (mars 1918); celle-ci devint une République socialiste fédérative en juillet; [**V. Révolution d'Octobre 1917; Russie** (République soviétique de)]. Si l'Union des républiques socialistes soviétiques ne fut proclamée officiellement que le 30 décembre 1922, la prise du pouvoir par les bolcheviks marqua un tournant radical dans l'histoire de la Russie et l'histoire mondiale : pour la première fois était instauré un régime socialiste, et s'affirmait la « dictature du prolétariat ». **V. U.R.S.S.**, *Hist.*

RUSSIE *n. f.* (*République soviétique fédérative socialiste de Russie*, en russe **Rosiiskaja Sovétskaja Federativnaja Sotsialistitcheskaja Respublika**). ♦ L'une des quinze républiques fédérées soviétiques formant l'U.R.S.S. Elle occupe la plus grande partie de la Russie européenne et toute la Sibérie* et s'étend de la mer Baltique à l'océan Pacifique et de l'océan Arctique à la mer Caspienne. 17 075 400 km². 128 526 000 hab. Centre administratif : Moscou*. Elle englobe auj. seize républiques soviétiques socialistes autonomes. **V. Bachkirie** (cap. Oufa), **Bouriatie** (cap. Oulan-Oude), **Carélie** (cap. Petrozavodsk), **Daghestan** (cap. Makhatchkala), **Iakutie** (cap. Iakutsk), **Kabardino-Balkarie** (cap. Naltchik), **Kalmoukie** (cap. Elista), **Komis** (*Rép. des*; cap. Syktyvkar), **Mariis** (*Rép. des*; cap. Iochkar Ola), **Mordovie** (cap. Saransk), **Ossétie du Nord** (cap. Ordjonikidze), **Oudmourtie** (cap. Ijevsk), **Tatars** (*Rép. des*; cap. Kazan') **Tchétcheno-Ingouchie** (cap. Groznï), **Tchouvachie** (cap. Tcheboksary), **Touva** (cap. Kyzyl). La Russie comprend quarante-neuf régions (régions et ch.-l.) : Arkhangelsk*, Astrakhan*, Bielgorod*, Briansk*, Gorki*, Irkoutsk*, Iaroslavl*, Ivanovo*, Kalinine*, Kaliningrad*, Kalouga*, Kemerovo*, Kirov*, Kostroma*, Kouïbychev*, Kourgan*, Koursk*, Leningrad*, Lipetsk*, Magadan*, Moscou*, Mourmansk*, Novgorod*, Novossibirsk*, Omsk*, Orel*, Orenbourg*, Oulianovsk*, Penza*, Perm*, Pskov*, Riazan*, Rostov*-sur-le-Don, Saratov*, Smolensk*, Sverdlovsk*, Tambov*, Tcheliabinsk*, Tchita*, Tioumen*, Tomsk*, Toula*, Vladimir*, Volgograd*, Vologda*, Voronej*, Amour (ch.-l. Blagovechtchensk*), Kamchatka (ch.-l. Petropavlovsk*-Kamchatski), Sakhaline (ch.-l. Iujno*-Sakhalinsk) et six territoires (Khabarovsk*, Krasnodar*, Krasnoïarsk*, Stavropol*, Altaï*, Littoral, ch.-l. Vladivostok*). Elle englobe en outre dix arrondissements nationaux (des Nénetz dans la région d'Arkhangelsk [176 700 km², 37 000 hab., ch.-l. Narian Mar], Bouriatski Oust-Ordynski, dans la région d'Irkoutsk [21 600 km², 150 000 hab., ch.-l. Oust-Ordinski], des Koriaks dans la région du Kamchatka [301 500 km², 35 000 hab., ch.-l. Palana], de Tchoukokta dans la région de Magadan [737 700 km², 104 000 hab., ch.-l. Anadyr], des Komis-Permiaks dans la région de Perm [32 900 km², 208 000 hab., ch.-l. Koudymkar], Bouriatski Aguinski dans la région de Tchita [20 600 km², 64 000 hab., ch.-l. Aguinskoïé], des Khanty-Mansis dans la région de Tioumen [523 100 km², 289 000 hab., ch.-l. Khanty-Mansiisk], des Iamalo-Nénetz dans la région de Tioumen [750 300 km², 76 000 hab., ch.-l. Salékhard], de Taïmyr dans le territoire de Krasnoïarsk [879 300 km², 39 000 hab., ch.-l. Doudinka], des Evenks dans le territoire de Krasnoïarsk [767 600 km², 13 000 hab., ch.-l. Toura]) et cinq régions autonomes (de Gorno-Altaïsk dans le territoire de l'Altaï [92 600 km², 169 000 hab., ch.-l. Gorno*-Altaïsk], des Juifs, dans le territoire de Khabarovsk [ch.-l. Birobidjan*], des Adyghéens* dans le territoire de Krasnodar [ch.-l. Maïkop*], des Khakases dans le territoire de Krasnoïarsk [ch.-l. Abakan*], de Karatchevo-Tcherkessk dans le territoire de Stavropol [14 100 km², 338 000 hab., ch.-l. Tcherkessk*]). ♦ *Géogr. et écon.* **V. U.R.S.S.**
♦ *Hist.* V. *ci-dessus* **Russie** (région historique). — Après la révolution* d'Octobre 1917 et l'instauration du régime soviétique, la Russie fut proclamée République socialiste fédérative soviétique par le IIIe Congrès panrusse des soviets en janvier 1918. Le 10 juillet 1918, le Ve Congres des soviets vota la première constitution de la R.S.F.S. de Russie. En 1918-1920, elle subit les attaques des armées contre-révolutionnaires de Koltchak*, Dénikine*, Ioudenitch et Wrangel*, ainsi que l'intervention armée de la Pologne, de l'Angleterre, du Japon, de la France et des États-Unis. Après leur défaite, les États interventionnistes durent lever le blocus économique et normaliser avec la R.S.F.S. de Russie leurs relations, d'abord commerciales et ensuite diplomatiques. Pendant et après la guerre civile, furent créées dans les limites de la R.S.F.S. de Russie les Républiques Autonomes de Turkestan (30 avr. 1918), de Bachkirie (23 mars 1919), de Tatarie (27 mai 1920), de Carélie (25 juil. 1923; du 8 juin 1920 au 25 juillet 1923, cette république porta le nom de Commune des travailleurs de Carélie), de Kirghizie (26 août 1920, plus tard rebaptisée Kazakhie ou Kazakhstan), des Montagnes et de Daghestan (20 janv. 1921) et de Iakoutie (27 avr. 1922). En même temps, furent créées les Régions Autonomes de Tchouvachie (24 juin 1920), d'Oudmourtie et des Mariis (4 nov. 1920), des Komis (20 août 1921), de Kabardinie (1er sept. 1921), de Bouriatie-Mongolie (9 janv. 1922; elle devint R.S.S. Autonome le 30 mai 1923), de Tcherkerssk (27 juil. 1922). Le 30 déc. 1922, le Ier Congrès des soviets de l'Union des R.S.S. décida de créer

l'U.R.S.S. et la R.S.F.S. de Russie devint alors une de ses quatre républiques fédérées (avec l'Ukraine, la Biélorussie et la Transcaucasie). Créées en 1924, les R.S.S. de Turkménistan et d'Ouzbékistan furent détachées de la R.S.F.S. de Russie et rattachées à l'U.R.S.S. La R.S.S. autonome des Montagnes fut réorganisée et cessa d'exister en juillet 1924. Le 21 avr. 1925, la Région Autonome de Tchouvachie devint R.S.S. Autonome. En 1925, outre les gouvernements, la R.S.F.S. de Russie englobait dix R.S.S. Autonomes et treize Régions Autonomes. En 1924-1926, la R.S.F.S. de Russie rendit à la R.S.S. de Biélorussie des territoires d'une superficie importante, habités en majorité par des Biélorusses. Le 11 mai 1925, le XIIe Congrès panrusse des soviets vota la deuxième constitution de la R.S.F.S. de Russie, adaptée à la constitution de l'U.R.S.S. votée en 1924. En 1928-1929, une nouvelle division administrative de la R.S.F.S. de Russie fut effectuée : au lieu des gouvernements *(gubernii),* des districts *(ouézdy)* et des cantons *(volosti),* furent créés des régions *(oblasti),* des territoires *(kraïa)* et des arrondissements *(okrughi).* Le 1er fév. 1926, la Région Autonome de Kirghizie devint R.S.S. Autonome. Les Régions Autonomes de Karakalpakie, de Mordovie (créée en 1930) et d'Oudmourtie devinrent R.S.S. Autonomes respectivement le 20 mars 1932, le 20 déc. 1934 et le 24 déc. 1934. En décembre 1936 furent créées les R.S.S. Autonomes des Komis, des Mariis, d'Ossétie du Nord et de Kabardino-Balkarie ; d'autre part, les R.S.S. Autonomes de Kazakhstan et de Kirghizistan, qui appartenaient à la R.S.F.S. de Russie, furent rattachées à l'U.R.S.S. (la R.S.S. Autonome de Karakalpakie fit partie de la R.S.S. d'Ouzbékistan). Le 21 janv. 1937, le XVIIe Congrès des soviets vota la troisième constitution de la R.S.F.S. de Russie, adaptée à la deuxième constitution de l'U.R.S.S., votée le 5 déc. 1936 (la R.S.F.S. de Russie englobait à l'époque dix-sept R.S.S. Autonomes et six Régions Autonomes). Par le traité signé après la guerre russo-finlandaise, l'isthme de Carélie et la ville de Vyborg furent annexés par la R.S.S. Autonome de Carélie, qui prit en mars 1940 le nom de R.S.S. de Carélo-Finlande et fut rattachée à l'U.R.S.S. La R.S.S. Autonome de la Volga*, créée le 19 déc. 1923, fut supprimée le 28 août 1941. Après la Deuxième Guerre mondiale, la Petchenga (Petsamo*), l'île Sakhaline* du Sud, les îles Kouriles et la région de Königsberg (*auj.* Kaliningrad*) furent rattachées à la R.S.F.S. de Russie. En oct. 1944, la République populaire de Touva devint Région Autonome de la R.S.F.S. de Russie. Le 19 fév. 1954, la région de Crimée, qui appartenait à la R.S.F.S. de Russie, fut rattachée à la R.S.S. d'Ukraine. En juil. 1956, la R.S.S. de Carélo-Finlande redevint R.S.S. Autonome de Carélie, rattachée à la R.S.F.S. de Russie. En 1958, la R.S.S. Autonome de Bouriatie-Mongolie fut rebaptisée R.S.S. Autonome de Bouriatie. La Région Autonome de Touva devint une R.S.S. Autonome en 1961 – **V.** *aussi* **U.R.S.S.**

RUSSIE BLANCHE. ♦ **V.** BIÉLORUSSIE.

Russo-Japonaise *(guerre).* ♦ Conflit (1904-1905) entre le Japon et la Russie, résultant de la lutte pour le partage de la Manchourie et de la Corée. Elle éclata le 9 fév. 1904, date à laquelle la flotte japonaise torpilla, sans déclaration de guerre, sept bâtiments russes à Port-Arthur. En avril 1904, les Japonais lancèrent une offensive en Mandchourie du Sud et assiégèrent en juil. Port-Arthur, qui se rendit le 2 janv. 1905. Les Russes, battus sur le Yalou (1er mai), à Liao-yang (24 août-5 sept.), sur le Cha-ho (5-18 oct.) et à la bataille de Moukden [Mukden] (21 fév.-10 mars 1905), médiocrement dirigés par le général Kouropatkine*, furent obligés de se replier vers le nord de la Mandchourie. La flotte de la Baltique, ayant fait le tour de l'Europe, de l'Afrique et de l'Asie, fut écrasée à la bataille de Tsushima (27-28 mai 1905). Face aux défaites militaires, qui accélérèrent le déclenchement de la révolution* de 1905-1907 en Russie, le gouvernement tsariste de Nicolas* II dut accepter la médiation offerte aux deux adversaires par le président américain Theodore Roosevelt, et la paix fut signée à Portsmouth (U.S.A.) le 5 sept. 1905 : la Russie céda au Japon Port-Arthur (Lü*-shun), la presqu'île de Liao-tung et la partie méridionale de Sakhaline* ; elle abandonna en outre toute velléité d'influence en Corée et en Mandchourie du Sud.

RUSTAM EFFENDI. ♦ Poète et homme politique indonésien, (Sumatra, 1903 –). Ses œuvres, rompant avec le style traditionnel, sont à l'origine de l'expression moderne indonésienne. Il écrivit quelques œuvres politiques et des livrets pour le théâtre lyrique.

RUSTENBURG. ♦ V. d'Afrique* du Sud (Transvaal). Important gisement de platine et de chrome.

RUSTUMIDES. *n. m. pl.* ♦ Dynastie qui régna dans l'Ouarsenis algérien (VIIIe-IXe s.). Fondée par *Ibn Rustum,* gouverneur perse de Kairouan (761), la dynastie dirigea le royaume de Tâhert (Tiaret) qui fut le foyer du Khârijisme. Tahert, transformée en ville sainte, devint un important centre intellectuel. Les montagnards shi'ites* Qutama mirent fin à la dynastie (908) et le Fâtimide* 'Ubaydullah* al-Mahdî détruisit la ville de Tahert (909).

RUTEBEUF. ♦ Trouvère parisien (XIIIe s.) qui connut la misère des jongleurs. Il est l'auteur de *Chansons de croisade,* d'un poème dramatique *(Le Miracle* de Théophile),* de fabliaux, de dits *(Le Dit de l'Erberie* ; v. 1260), d'un roman *(Renart le Bestourné)* et de poésies personnelles *(La Povretei Rutebuef)* aux accents graves et sincères.

RUTÈNES. *n. m. pl.,* en lat. **Ruteni.** ♦ Peuple de la Gaule dont la cap. était *Segodunum* (Rodez*).

RUTH. ♦ Personnage biblique, fictif. Veuve originaire du pays de Moab, elle s'expatrie pour suivre sa belle-mère Noémi, puis revient avec elle à Bethléem où elle épouse Booz. Leur fils, Obed, sera l'aïeul de David.

Ruth *(livre de).* ♦ Livre de la Bible, un des cinq rouleaux. C'est une courte nouvelle (quatre chapitres), d'époque indéterminée, postérieure à l'exil. On le lit à la fête juive des Semaines.

RUTHÉNIE. *n. f.* ♦ Région d'Ukraine (Ukraine subcarpatique) ayant appartenu à la Hongrie, à la Tchécoslovaquie (1919), de nouveau à la Hongrie (1938) et enfin à l'U.R.S.S. (1945). Sa population, au contraire des autres Ukrainiens, s'était rattachée religieusement à Rome en 1596. Le nom de *Ruthéniens,* qui désignait à l'origine l'ensemble des Ukrainiens, fut attaché au XIXe s. aux habitants de cette région.

RUTHERFORD (Ernest, *lord* **RUTHERFORD OF NELSON).** ♦ Physicien anglais (Nelson, Nouvelle-Zélande, 1871 – Cambridge, 1937). Il étudia principalement la constitution de la matière, la radioactivité et les transmutations, l'ionisation des gaz. En 1899, il montra l'existence des rayonnements α (peu pénétrants) et β (plus pénétrants) émis par l'uranium et démontra avec Royds*, en 1909, que les rayons α sont des noyaux d'hélium. En 1900, il découvrit le gaz radioactif produit par le thorium et réussit, avec Soddy*, à le liquéfier. Avec Soddy également, il traça (1902) la courbe de désintégration de substances radioactives, dégageant les notions de constante radioactive et de vie moyenne et présenta (1903) la théorie des transformations radioactives. En 1911, à la suite d'expériences de diffraction des particules par la matière qui l'avaient conduit à rejeter le modèle atomique statique de J.J. Thomson*, il imagina un modèle dynamique analogue au système solaire et put déterminer l'ordre de grandeur des noyaux. **V. Bohr.** Il mit au point, avec Geiger*, un dispositif de numération électrique de particules individuelles (1913). En 1919, en bombardant de l'azote avec les rayons α du radium, il obtint de l'oxygène, réalisant la première transmutation artificielle. Dès 1920, il émit l'hypothèse de l'existence du neutron. (Prix Nobel de chimie, 1908.)

RUTHERGLEN. ♦ V. du centre de l'Écosse (Lanarkshire), sur la r. g. de la Clyde, au S.-E. de Glasgow. 25 070 hab. (1961). Anc. centre minier reconverti dans l'indus. chimique, les papeteries et diverses indus. légères.

RUTHVEN (William, *4e lord de* **Ruthven** et *1er comte de* **Gowrie).** ♦ (v. 1541 – 1584). Gentilhomme écossais. Après avoir contribué à l'abdication de Marie* Stuart, il conspira pour s'emparer du jeune Jacques* VI. L'échec du *raid de Ruthven* provoqua sa condamnation à mort.

RUTILIUS NAMATIANUS (Claudius). ♦ Poète latin païen (Ve s.), né en Gaule. Préfet de Rome en 414 et auteur de *l'Itinéraire (De reditu suo),* poème en deux chants sur son retour dans sa patrie.

RUTLAND, offic. **Rutlandshire.** ♦ Le plus petit comté d'Angleterre (394 km²), dans l'E. des Midlands, limité au N. et à l'O. par le Leicestershire, au N.-E. et à l'E. par le Lincolnshire et au S. par le Northamptonshire. 27 463 hab. *Ch.-l.* Oakham.

RÜTLI ou **GRÜTLI.** *n. m.* ♦ Prairie de Suisse (Uri) à l'extrémité N. de la r. O. du lac d'Uri (partie S.-E. du lac des Quatre*-Cantons). Selon la tradition, c'est là que, le 1er août 1291, W. Stauffacher (de Schwyz), W. Fürst* (d'Uri), A. de Melchtal* (d'Unterwald) et peut-être Guillaume* Tell jurèrent de délivrer leur pays du joug des Habsbourg*. Ce *serment du Rütli* est considéré comme l'acte de fondation de la Confédération helvétique et la date du 1er août a été adoptée comme fête nationale suisse.

RUTULES [*n. m. pl.*], en lat. **Rutuli.** ♦ Peuple de l'Italie anc., peut-être d'origine étrusque, établi dans le Latium* et dont la cap. était Ardea*. Ils furent soumis par Rome au ~ Ve siècle. **(V. Turnus.)**

RUVO DI PUGLIA. ♦ V. d'Italie méridionale, dans les Pouilles* (prov. de Bari), dans les Murge **(V. Pouilles).** 24 000 hab. Cathédrale romane (XIIIe s.), nécropole antique. ♦ *Hist.* Elle appartint du XVIe au XVIIIe s. aux Carafa.

RUWENZORI ou **ROUOUENZORI.** ♦ Ensemble montagneux d'Afrique centrale, situé entre le Zaïre (ex-Congo-Kinshasa) et l'Ouganda, le lac Albert* et le lac Édouard*. Le point culminant (au Zaïre) atteint 5 119 m et est couvert de neiges éternelles.

Ruy Blas. ♦ Drame en cinq actes, en vers, de Victor Hugo* (1838). L'action se passe à la cour d'Espagne, au début du XVIIe siècle. Grand seigneur frappé de disgrâce, don Salluste veut tirer vengeance de la reine, Marie de Neubourg. Comme il n'a pu décider son cousin, don César de Bazan, à servir ses ténébreux desseins, il va engager Ruy Blas, son valet, dans cette entreprise infâme. Ayant appris que Ruy Blas est amoureux de la reine, il substitue le jeune homme à don César, qu'il fait arrêter et proscrire, et le présente à la cour comme son cousin. Devenu Premier ministre, Ruy Blas, dont la noblesse d'âme égale la droiture, apostrophe durement les ministres prévaricateurs. Sensible à tant de grandeur et de pureté, la jeune reine, que délaisse son époux, s'éprend de Ruy Blas et lui fait l'aveu de son amour. C'est alors que reparaît don Salluste qui, attirant la reine dans sa maison privée, lui révèle la véritable identité de celui qu'elle aime. Le retour imprévu du vrai don César, personnage fantasque et truculent, vient enrichir l'intrigue de nouveaux rebondissements. Ayant tué don Salluste, Ruy Blas s'empoisonnera, après avoir reçu le pardon de la reine.

Avec une remarquable peinture de la monarchie espagnole décadente, ce drame romantique, le plus achevé de son auteur, propose une apologie du génie populaire, riche de sève généreuse et de vertus méconnues.

RUYER [ʀɥijɛʀ] **(Raymond).** ♦ Philosophe français (Plainfaing, Vosges, 1902). Parti d'une analyse de la notion de structure spatio-temporelle du réel (*Esquisse d'une philosophie de la structure,* 1930), il a surtout approfondi l'étude des êtres vivants, de leur organisation et de leur développement. Tout en affirmant l'identité de la vie et du psychisme, il distingua la conscience primaire propre à tout organisme, base de la conduite finalisée, et la conscience secondaire propre à l'homme [pensée et fonction symboliques] (*Éléments de psycho-biologie,* 1946). Sa réflexion s'étendit aussi au problème de la finalité (*Le Néo-finalisme,* 1952) des valeurs (*Le Monde des valeurs,* 1948; *La Philosophie des valeurs,* 1952), et aux questions posées par le développement de *La Cybernétique et l'origine de l'information* (1954).

RUYSBROECK (Guillaume *de***).** ♦ **V.** Rubruquis *(Wilhelm van).*

RUYSBROEK *(van)* ou **RUUSBROEC** ou **RUSBROCK** (*le bienheureux* **Jan).** ♦ Théologien et mystique brabançon (Ruisbroek, Brabant, 1293 – 1381). Il fut prieur de l'abbaye de Groenendaal (Brabant). Surnommé *l'Admirable,* il est l'auteur des premières grandes œuvres écrites en néerlandais *(Le Joyau des noces spirituelles; Le Royaume des amants de Dieu; Les Sept Degrés de l'échelle de l'amour spirituel).* Il y développe une pensée mystique qui fut à l'origine d'un mouvement spirituel : la *Devotio Moderna.* Celui-ci s'est exprimé dans des œuvres comme l'*Imitation de Jésus-Christ,* les sermons de Gerson*, et a influencé Luther* et Ignace* de Loyola. Elle met l'accent sur le rôle de la méditation personnelle. (Fête le 2 décembre, à Malines.)

RUYSCH (Frederik). ♦ Anatomiste hollandais (La Haye, 1638 – 1731). Professeur d'anatomie à Amsterdam. il observa et décrivit les valvules des vaisseaux lymphatiques. Il a donné son nom à une des membranes de l'œil.

RUYSDAEL ou **RUISDAEL (Salomon** *van***).** ♦ Peintre et dessinateur hollandais (Naarden, 1600 – Haarlem, 1670). Établi à Haarlem vers 1616 et inscrit à la gilde à partir de 1623, il se consacra au paysage, subit d'abord l'influence d'Esaias Van* de Velde, puis s'inspira de la manière presque monochrome de Van Goyen*. Il évolua ensuite vers une facture plus claire et transparente. Il se montra soucieux d'enregistrer avec précision la diversité des aspects de la campagne hollandaise, notamment des bords de rivière animés par des personnages et des bestiaux. Il représenta aussi des scènes de patinage. Élaborant souvent ses compositions suivant les discrètes diagonales que forment la direction des nuages ou des cours d'eau, l'inclinaison d'un arbre, il aimait à les scander par la verticale d'une voile ou d'un clocher (*Vue d'une rivière,* 1646). Il sut traduire avec finesse la lumière filtrant des nuages, l'atmosphère brumeuse, et influença notablement son neveu Jacob van Ruysdael *(ci-dessous).*

RUYSDAEL ou **RUISDAEL (Jacob** *van***).** ♦ Peintre, dessinateur et graveur hollandais (Haarlem, v. 1628 – Haarlem?, 1682). Il fit son apprentissage auprès de Vroom, de van Everdingen et peut-être auprès de son oncle Salomon van Ruysdael *(ci-dessus).* Inscrit à la guilde de Haarlem en 1648, il voyagea probablement dans son pays et en Allemagne v. 1650; des documents mentionnent qu'il fut promu docteur en médecine à l'université de Caen en 1676. Il était établi à Amsterdam en 1656, mais il semble qu'il ait surtout travaillé dans sa ville natale. Il débuta par des eaux-fortes représentant sans doute des paysages de Norvège inspirés par les dessins de van Everdingen. Après avoir peint des paysages qui dénotent une observation attentive et précise de la nature (*Chaumières sous les arbres,* 1646), il évolua vers une interprétation plus libre. Cette vision subjective s'exprima, dans quelques paysages d'une atmosphère assez sereine (*Le Moulin de Wijk,* v. 1670), mais surtout dans des paysages boisés, des vues de dunes, de bords de mer ou de rivière en hiver, où dominent les formes mouvementées, arbres tordus dénudés, pliés par le vent, sites à l'aspect désolé où sont parfois figurés des ruines ou un cimetière. Il eut une prédilection pour les effets de tempête, les ciels orageux, les violents coups de lumière perçant les nuages, créant ainsi un sentiment oppressant, mélancolique ou pathétique (*Le Buisson,* v. 1647; *La Tempête; Paysage avec ruines,* v. 1670). Il utilisa souvent une palette sourde, aux tonalités ocres, brunes, vertes et des gris très nuancés. Il ne fut pas particulièrement célèbre de son vivant, mais il suscita l'intérêt de Goethe qui écrivit un essai sur le *Cimetière juif,* et les romantiques virent en lui un précurseur.

RUYTER (Michael Adriaanszoon *de***).** ♦ Amiral néerlandais (Flessingue, 1607 – Syracuse, 1676). D'une famille pauvre, il commença sa carrière comme mousse. Il se distingua particulièrement en combattant Monk* près de Dunkerque (1666), en arrêtant la flotte franco-anglaise en Zélande (1671). Il fut vaincu par Duquesne* en Méditerranée et mortellement blessé (1676).

RUŽIČKA (Leopold). ♦ Chimiste suisse d'origine tchèque (Vukovar, Croatie, 1887 –). Auteur de travaux sur les polyméthylènes, les terpènes et les hormones, il réalisa notamment les synthèses de l'androstérone et, avec Wettstein*, de la testostérone. **V. Butenandt.** (Prix Nobel de chimie, 1939.)

RUZZANTE (Angelo Beolco, dit**).** ♦ Acteur et auteur dramatique italien (Padoue, 1502 – *id.,* 1542). Directeur d'une troupe d'acteurs où il incarnait lui-même un personnage de tranche-montagne (Ruzzante), il représenta ses comédies, qui mettent en scène la vie misérable des paysans, chez les nobles de Venise, de Ferrare et de Padoue. Avec lui, le genre comique acquit une profondeur tragique inusitée. Les deux pôles de son inspiration se caractérisent par des comédies imitées de Plaute *(La Piovana, La Vaccaria, L'Anconitana)* et par des pièces populaires en dialecte padouan *(Betia, Il Parlamento di Ruzzante, Menego, La Moschetta, Fiorina).* Libres transpositions de la comédie antique ou truculentes farces nées de l'observation d'une réalité sociale en pleine évolution, les œuvres dramatiques de Ruzzante marquent, avant l'apparition de la commedia dell'arte, une étape importante dans l'histoire de la scène comique italienne au XVIᵉ siècle.

RWANDA. ♦ **V.** Ruanda.

RYBINSK (de 1946 à 1957 **Chtcherbakov).** ♦ V. d'U.R.S.S. (R.S.F.S. de Russie), dans la région de Iaroslavl, sur la Volga*, près du réservoir d'eau de Rybinsk. 224 000 hab. Chantiers navals. Indus. mécaniques. Meuneries. Corderies. Matériel d'imprimerie. Usine d'allumettes. Aux environs, centrale hydro-électrique sur la Volga.

RYBNIK. ♦ V. de Pologne* (voïévodie de Katowice) au S. du bassin houiller de haute Silésie*. 36 000 hab. Industries sidérurgiques, mécaniques et alimentaires. Houillères.

RYDBERG (Johannes Robert). ♦ Physicien suédois (Halmstad, 1854 – Lund, 1919). À partir de données empiriques, il énonça, en 1890, la loi mathématique qui fournit les raies caractéristiques du spectre de l'hydrogène **(V. Balmer)** et, étudiant les spectres de divers éléments chimiques, découvrit l'importance d'une constante universelle *(constante de Rydberg).*

RYDZ-ŚMIGŁY (Edward). ♦ Maréchal polonais (Lvov, 1886 – en Pologne? entre 1940 et 1944). Partisan de Józef Piłsudski*, il commanda la première brigade de la légion polonaise durant la Première Guerre mondiale et prit part ensuite à la guerre contre les bolcheviks. Considéré comme l'héritier spirituel de Piłsudski, il fut nommé inspecteur général de l'armée (1935), maréchal (1936), et devint le premier personnage de l'Etat après le président de la République. Commandant des forces polonaises en 1939, réfugié en Roumanie après la défaite, il serait rentré clandestinement en Pologne en 1940 et y aurait trouvé la mort.

RYKOV (Alexeï Ivanovitch). ♦ Homme politique russe (Saratov, 1881 – Moscou, 1938). Il prit une part active à la révolution socialiste d'octobre 1917 et fut nommé commissaire du peuple et membre du Comité central du Parti après la prise du pouvoir par les bolcheviks. Successeur de Lénine comme président des commissaires du peuple (1924), il représenta l'aile droite modérée du Parti, par lequel il fut désavoué en 1929. Il fut condamné au procès de Moscou (1935-1937) comme opposant au régime.

RYLSKI (Maxime Fadeieritch). ♦ Poète ukrainien (Kiev, 1895 – mort en 1965). Auteur d'une œuvre abondante, il chanta dans ses premiers recueils de vers la beauté de la nature ukrainienne et de son folklore : *Sous les aurores d'automne, À travers la tempête de neige* (1925). Puis il consacra sa poésie au thème de la responsabilité de l'artiste face au monde et il devint un poète philosophe et humaniste : *Dans l'ombre de l'alouette* [1961]. (Prix Lénine 1960.)

Ryôbu-shintô. ♦ Doctrine japonaise syncrétique élaborée au VIIIᵉ s. et tendant à considérer les Kami* du shintô comme des incarnations temporaires des divinités bouddhiques. Cette doctrine permit de populariser le bouddhisme au Japon.

RYSSELBERGHE (Théo *van***).** ♦ Peintre, dessinateur, affichiste et décorateur belge (Gand, 1862 – Saint-Clair-en-Provence, 1926). Il voyagea en Espagne et au Maroc en 1884 et fut parmi les fondateurs du « groupe des XX » (vingt) dont l'intention était de défendre l'art moderne. À Paris, il rencontra Seurat* et adopta la technique néo-impressionniste pour peindre paysages, portraits ou bouquets de fleurs. Vers 1895, sous l'impulsion d'Henry van de Velde*, il s'intéressa à l'art décoratif et créa des affiches, des meubles et des bijoux. Vers 1898, il se fixa à Paris et se lia avec des écrivains symbolistes (*La Lecture,* 1903). Il se retira ensuite en Provence. Abandonnant alors la stricte technique pointilliste, il se servit de couleurs plus violentes et d'une touche large posée plus librement.

RYSWICK (auj. **Rijswijk).** ♦ V. des Pays-Bas (prov. de Hollande-Méridionale). 51 240 hab. ♦ *Hist.* Un traité y fut signé en 1697 : il mettait fin à la guerre de la ligue d'Augsbourg*, Louis XIV devait rendre ses acquisitions postérieures a la paix de Nimègue*. En fait, il conserva l'essentiel de ses conquêtes, mais un coup d'arrêt était porté à son impérialisme.

RYÛ-KYÛ. *n. m. pl.* (ou *îles Ryû-Kyû).* ♦ Archipel japonais situé au S.-O. de l'île de Kyûshû, entre cette île et celle de Taiwan, et s'étirant en chaîne sur plus de 700 km. Plus de 2 000 km². Env. 1 000 000 d'hab. Les activités économiques principales sont la pêche, l'agriculture (cultures tropicales : canne à sucre, patates douces) et le commerce. Ces îles, qui étaient sous domination chinoise depuis le XIVᵉ s., furent conquises par le Japon au début du XVIIᵉ siècle. La plus grande **(V. Okinawa)** fut occupée par les États-Unis jusqu'en 1972.

RZESZÓW. ♦ V. du S.-E. de la Pologne*, ch.-l. de voïévodie. 70 000 hab. Nœud ferroviaire et routier. Important centre industriel et administratif. Raffineries de pétrole. Industries textiles et métallurgiques. – La *voïévodie de Rzeszów,* qui s'étend sur une partie de l'anc. Galicie*, compte 1 692 500 habitants.

Ph. Locatelli/A.A.A. photo

Région de **Saadâ**.

S.A. *n. m.* et *n. f.* (abrév. de *Sturm Abteilung*, en fr. « section d'assaut »). ♦ Formation paramilitaire du Parti national-socialiste allemand. Recrutées et organisées en 1920 par Röhm* puis par Goering (1922), les S.A. formaient des escouades en «chemises brunes », indisciplinées et brutales, mais efficaces pour maintenir l'ordre dans les réunions nazies et saboter celles des autres partis. Reprises en main par Röhm en 1930, composées de plusieurs centaines de milliers d'hommes, elles jouèrent par l'intimidation et la terreur un rôle important dans la prise du pouvoir par Hitler. Mais leurs chefs, dont l'ambition était de supplanter l'armée traditionnelle, furent éliminés pendant la « Nuit des longs couteaux » (30 juin 1934); dès lors, le rôle politique des S. A. s'effaça au profit de celui des S. S.*.

SAADÂ. ♦ V. du Yémen située sur les hauts plateaux. Ch.-l. de la province du même nom (province du N., composée de 4 districts). 35 000 hab. environ. Berceau du zaïdisme (forme de shi'isme*).

SAADI. ♦ V. SA'DI.

SAADIA (Sa'adyâh ibn Yûsuf al-Fayyûm). ♦ Théologien, grammairien et penseur juif (Fayoum, v. 885 — Sûrâ, Babylonie, 942). Il est l'auteur d'un *Dictionnaire hébreu* et d'un *Livre de la langue;* d'une traduction de la Bible en arabe et d'un *Commentaire du Sêfer Yesîrâh (Livre de la création),* et de *Croyances et Convictions* (en arabe *Kitâb al-Amânât*) où il expose les principes et les dogmes de la religion juive.

SAALE. *n. f.* ♦ Riv. d'Allemagne orientale (427 km) et affl. r. g. de l'Elbe. Issue du *Fichtelgebirge,* elle irrigue la Thuringe et la Saxe, passe à Hof, Saalfeld, Rudolstadt, Iéna, Naumburg, Weissenfels, Merseburg, Halle, Bernburg et Calbe. L'Illm, l'Unstrutt (r. g.) et l'Elster Blanche (r. d.) sont ses princ. affluents. Son cours supérieur est jalonné de barrages. — La *glaciation de la Saale* est la 2e glaciation quaternaire d'Allemagne septentrionale, précédant celle de la Vistule et suivant celle de l'Elster.

SAALES [sal]. ♦ Ch.-l. de cant. du Bas-Rhin* (arr. de Molsheim*), dans les Vosges, à l'entrée du col de Saales (556 m). 1 116 hab. Aux environs, sanatorium de Tannenberg.

SAALFELD. ♦ V. d'Allemagne orientale (Thuringe, district de Gera), sur la Saale, au N.-E. du *Thüringer Wald.* 27 000 hab. Église gothique (XIIIe s.). — Industries chimiques (colorants), métallurgiques et mécaniques. Gisements d'uranium à proximité. ♦ *Hist.* Victoire de Lannes sur Louis-Ferdinand de Prusse (oct. 1806).

SAAR (Ferdinand von). ♦ Écrivain autrichien (Vienne, 1833 — 1906). Auteur de récits et de nouvelles d'une mélancolie marquée par la philosophie pessimiste de Schopenhauer et exprimant un amour nostalgique du passé (*Nouvelles d'Autriche,* 1876-1896; *Destinées,* 1889).

SAARINEN (Eero). ♦ Architecte et dessinateur de meubles, américain d'origine finlandaise (Kirkkonummi, Finlande, 1910 — Birmingham, Michigan, 1961). Fils de l'architecte et urbaniste ELIEL SAARINEN, auteur à Helsinki de la gare centrale (1910-1914) et qui, émigré aux États-Unis, joua un rôle important comme urbaniste et architecte. Il étudia à la Yale University (1930-1934), puis travailla avec son père (*First Christian Church* de Colombus; *Grow Island School* de Winnetka). La réalisation du centre technique de la *General Motors* (1950-1955) à Warren dans le Michigan le rendit célèbre : la rigueur formelle de l'ensemble de vingt-cinq bâtiments à structure métallique et façade de verre et briques rappelait Mies* Van der Rohe, tandis que les nombreux détails luxueux et pittoresques témoignaient d'une certaine fantaisie imaginative. Ses bâtiments ultérieurs révélèrent des partis formels très variés, une tendance à multiplier les formes sinueuses, à faire contraster les matériaux, à rechercher les effets plastiques spectaculaires et les prouesses techniques (*salle de conférences* et *chapelle* pour le *Massachusetts Institute of Technology* à Cambridge, 1955; *patinoire* de la *Yale University,* 1958; siège de la *T.W.A.* à New York, 1956-1962; *aéroport international* de Washington D.C., 1962). S'opposant à la rigueur, à la monotonie et au systématisme du style international, et prônant la liberté formelle, il chercha, en s'appuyant sur une analyse fonctionnelle du programme, à trouver une solution spécifique à chaque projet, en individualisant formellement ses bâtiments. Avec Charles Eames (depuis 1941), il créa des meubles en aluminium et plastique moulé à piètement central qui ont obtenu ultérieurement un succès considérable.

SAARLAUTERN. ♦ Nom porté par la ville allemande de Sarrelouis* de 1936 à 1945.

SAAS FEE. ♦ Localité de Suisse (Valais), dans la vallée de la Viège*, au pied du glacier de Fee. 700 hab. — Importante station d'été et de sports d'hiver, à 1 800-2 870 m d'altitude.

SAAVEDRA LAMAS (Carlos). ♦ Homme politique argentin (Buenos Aires, 1878 — *id.,* 1959). Ministre des Affaires étrangères (1932-1938), il négocia avec la plupart des États sud-américains le pacte contre la guerre (Rio de Janeiro, oct. 1933). En 1935, il arbitra le conflit du Chaco entre la Bolivie et le Paraguay. — Prix Nobel de la paix, 1936.

SABA (Umberto). ♦ Poète italien (Trieste, 1883 — Gorizia, 1957). Libraire à Trieste (1918), il collabora à divers journaux et revues avant d'aller vivre à Florence en 1941 en raison de ses opinions antifascistes, ne retournant à Trieste qu'à la Libération. — Composé depuis 1900, son recueil de poèmes, *Il Canzoniere,* s'est enrichi de *Prélude et Fugue* (*Preludio e Fughe,* 1928) et d'*Avertissement et autres poésies* (*Ammonizione e altre poesie,* 1933), tandis

Arch. Smeets

« La Reine de **Saba** et sa suite », par Piero Della Francesca. (Église Saint-François, Arezzo.)

que paraissaient, en 1948, *Oiseaux* et, en 1953-1954, *Six Poèmes de la vieillesse.* Dans un document qu'il publia parallèlement, *Histoire et Chronique historique de mon Canzoniere* (1948), Saba a défini ce que fut, chez lui, le processus de la création artistique; dans un effort continu de simplification, visant à l'expression limpide de sentiments essentiels, le poète a évoqué les moments importants de sa vie (notamment les souvenirs d'enfance) en les dotant d'une signification plus générale et profondément humaine.

SABA. ♦ Royaume de l'Antiquité, au S.-O. de l'Arabie (Yémen). Il dura du ~ VIIIe s. jusqu'au VIe s. où il tomba sous domination persane puis musulmane. Des travaux d'irrigation et le commerce caravanier contribuèrent à sa prospérité. Il établit sa domination en Éthiopie. Les habitants (Sabéens) pratiquaient des cultes astraux jusqu'à l'introduction du judaïsme (IVe s.), puis du christianisme. *Cap. :* Marib, puis Zufar. — *La reine de Saba.* Dans la Bible (*I Rois,* X), une reine de ce pays rend visite à Salomon, est éblouie par son faste et s'en retourne en lui laissant de somptueux présents. Le Coran la nomme Balkis; la légende éthiopienne Makeda; et Ménélik serait le fils qu'elle aurait eu de Salomon.

SABADELL. ♦ V. d'Espagne orientale, en Catalogne* (prov. de Barcelone). 153 410 hab. Important centre textile (draps, filatures) connu depuis le XIIIe siècle.

SABAH, anc. **British North Borneo.** ♦ État de Malaysia (env. 80 000 km². 655 295 hab.), *cap.* Kota* Kinabalu. *Autres V.* Sandakan*. L'État comprend les îles côtières, dont celle de Labuan. Pays montagneux, culminant au Kinabalu*, le plus haut sommet de Bornéo. Climat tropical, chaud et humide, avec de très fortes précipitations. — *Indus. princ. :* exploitations de bois, plantations d'hévéas, un peu de pétrole.

SABAS *(saint).* ♦ (en Cappadoce, 439 — près de Jérusalem, 532). Ermite en Palestine, fondateur de la Grande Laure (473; auj. monastère Saint-Sabas) dans le désert de Juda, et de la Nouvelle Laure (507). Il résista au monophysisme. Fête le 5 décembre.

SABATIER (Auguste). ♦ Théologien protestant français (Vallon-Pont-d'Arc, 1839 — Paris, 1901). Il fut l'un des fondateurs de la faculté de théologie protestante de Paris (1877) et répandit en France la philosophie religieuse de Schleiermacher*.

SABATIER (Paul). ♦ Chimiste français (Carcassonne, 1854 — Toulouse, 1941). Ayant découvert, avec Senderens*, l'effet catalytique du nickel réduit dans les réactions d'hydrogénation, il put obtenir la synthèse de nombreux hydrocarbures. (Acad. sc., 1913; prix Nobel de chimie, 1912.)

SABBATINI (Niccolo). ♦ Architecte et théoricien italien du théâtre (Pesaro, v. 1574 — *id.,* 1654). Constructeur du *Teatro del Sole,* à Pesaro (1637), il a publié une *Pratique du théâtre* (*Pratica di fabbrica, scene e machine de teatri,* 1637) comprenant tous les « trucs » de la scène, dont la plupart sont encore en usage.

SABELLIENS, *n. m. pl.,* en lat. **Sabelli.** ♦ Nom des peuples de l'Apennin central durant la période romaine (Lucaniens, Picentins, Sabins*, Samnites*). Les Latins les soumirent au ~ IIIe s.

SABELLIUS. ♦ Hérésiarque chrétien, originaire de Cyrénaïque (*déb.* IIIe s.). À Rome, il adopta le monarchianisme ou modalisme (le Père, le Fils et le Saint-Esprit ne sont pas distincts, ne sont que trois *modes* de Dieu) et fut excommunié par Calixte Ier v. 217. Des Sabelliens furent encore condamnés au concile de Constantinople (381).

SABINE. *n. f.,* en lat. **Sabina.** ♦ Anc. région de l'Italie centrale entre le Picenum* au N., l'Étrurie* à l'O., le Latium* au S. et le Samnium* à l'E., habitée par les Sabins* et dont les villes princ. étaient : Amiterne*, Fidènes* et Gabies.

SABINIEN. ♦ 65e pape (604-606 [mort]), Toscan.

SABINS, *n. m. pl.,* en lat. **Sabini.** ♦ Anc. peuple de l'Italie centrale appartenant au groupe des Sabelliens*. Établis en Sabine*, ils entrèrent en guerre contre Rome, selon la légende, à la suite de l'enlèvement des Sabines par Romulus*. Après la fondation de Rome en ~ 753, Romulus, voulant procurer des femmes à ses compagnons, aurait organisé des jeux dans la ville pour attirer les familles des cités voisines. Au cours de la fête, les Romains auraient enlevé les jeunes filles, pour la plupart d'origine sabine. Ce rapt provoqua entre Romains et Sabins une guerre qui se termina par un traité d'alliance. Les Sabines, bien traitées par leurs époux, auraient elles-mêmes ramené la concorde. À la suite de ce traité, Romains et Sabins ne firent plus qu'un peuple. Titus Tatius* partagea le pouvoir avec Romulus. Après Romulus, deux rois sabins gouvernèrent Rome. **V. Numa Pompilius** et **Ancus Martius.**

SABINS *(monts),* en it. **Sabini.** ♦ Massif montagneux italien d'origine calcaire, dans le Latium*, formant l'un des premiers contreforts de l'Apennin central.

SABINUS, en lat. **Julius Sabinus.** ♦ Officier romain d'origine gauloise ([mort] Rome, 78), du pays des Lingons (Champagne). Il profita de la révolte de Civilis* pour soulever la Gaule contre Rome (69). Vaincu, il vécut pendant neuf ans enfermé dans un souterrain où sa femme Éponine* lui apportait sa nourriture. Finalement découverts, ils furent envoyés à Rome et exécutés.

SABLE *(île du,* en angl. **Sable Island.** ♦ Île canadienne de l'Atlantique, à l'E. de la Nouvelle-Écosse. Réserves de pétrole dans l'île et sur les fonds marins avoisinants.

SABLE *(Grand Désert de),* en angl. **Great Sandy Desert.** ♦ Désert du N. de l'Australie* occidentale.

SABLÉ (Madeleine de Souvré, ***marquise de*****).** ♦ Femme de lettres française (Touraine, v. 1598 — Port-Royal, 1678). Assidue à l'hôtel de Rambouillet*, elle reçut aussi dans son salon La Rochefoucauld et Mme de La* Fayette et fut l'auteur de *Maximes* (1678), genre dont elle contribua à développer le goût.

SABLES-D'OLONNE (Les). ♦ Sous-préf. de la Vendée, ch.-l. d'arr. (11 cant., 85 comm., 139 760 hab.). Station balnéaire. 19 077 hab. [17 853 aggl.], hors saison. Église Notre-Dame-de-Bon-Port (XVIIe s.), pastichant le style gothique. Célèbre boulevard de mer, long de 2 km (« le Remblai »). — Port de pêche et de commerce. Conserverie de poissons. ♦ *Hist.* Fondé vers le Xe s. par des pêcheurs basques, le port des Sables, dépendant de la ville d'Olonne, joua jusqu'au début du XVIIIe s. un rôle économique non négligeable. Mais l'ensablement du rivage, les troubles de l'insurrection vendéenne, les guerres de l'Empire, entravèrent considérablement le développement de la ville. Celle-ci ne recouvra son ancienne prospérité que grâce à l'aménagement du port et à la construction de la voie ferrée (1866), qui favorisa l'essor du tourisme.

SABLES-D'OR-LES-PINS. ♦ Station balnéaire des Côtes-du-Nord, comm. de Pléhérel, arr. de Dinan; elle a été créée en 1924.

SABLÉ-SUR-SARTHE. ♦ Ch.-l. de cant. de la Sarthe, arr. de La Flèche, 10 050 hab. [8 194 aggl.] *(Saboliens).* Château du XVIIIe siècle. Vestiges de l'ancienne enceinte. Maisons anciennes. — Métallurgie. Polissage du marbre. — Patrie de dom Guéranger, restaurateur de l'ordre bénédictin. **(V. Solesmes.)** ♦ *Hist.* Charles VIII de France y signa avec François II de Bretagne le traité par lequel le duc s'engageait à ne marier ses filles qu'avec le consentement du roi de France (1488).

SABOLY (Nicolas). ♦ Compositeur provençal (près de Carpentras, 1614 — Avignon, 1675). Élevé au collège des jésuites de Carpentras, il fut ordonné prêtre en 1635. Maître de chapelle à la cathédrale de Carpentras (1640-1643), puis à Saint-Trophime d'Arles (1643-1646), il devint maître de musique à Avignon. Il écrivit des *noëls,* paroles et musiques (recueil publié en 1671), deux motets et deux messes en plain-chant.

SABUNDE (Raimundo). ♦ **V.** SEBONDE (Raymond).

SACAVÉM. ♦ V. du Portugal (Estrémadure). Céramiques réputées.

SACCHETTI (Franco). ♦ Écrivain italien (Raguse, v. 1330 — San Miniato, v. 1400). Marchand et homme politique, il composa vers 1352 un poème héroï-comique *La Bataille des vieilles et des jeunes (La Battaglia di vecchie e di giovani),* puis réunit ses poésies lyriques dans son *Livre de vers (Libro delle rime).* Écrites durant les dernières années de sa vie, les *Trois Cents Nouvelles (Trecento Novelle)* sont des historiettes plaisantes, voire licencieuses, au style savamment simple; apologie d'une sagesse pratique, elles offrent en outre un tableau vivant de la société populaire et bourgeoise du XIVe siècle

SACCHINI (Antonio). ♦ Compositeur italien (Florence, 1730 — Paris, 1786). Auteur de nombreux opéras qui connurent en Italie un grand succès, il fut « maître extraordinaire du chant », à Naples, puis directeur de l'Ospedaletto, à Venise (1770). Il triompha en Allemagne, en Angleterre, séjourna à Paris où il bénéficia de la protection de Marie-Antoinette au moment de la fameuse querelle des gluckistes et des piccinnistes (querelle des bouffons). Il y connut le succès, avec *Dardanus* (1785) et *Œdipe à Colone* (1786). Dans ses quarante-cinq *opéras,* sa musique religieuse *(messes, psaumes, oratorios, cantates),* orchestrale *(deux symphonies),* il sut témoigner d'une fertile invention mélodique et de belles qualités d'écriture dans l'harmonie et l'orchestration. On lui doit aussi de la *musique de chambre (trios, quatuors, sonates).*

Sacco et Vanzetti *(affaire).* ♦ Affaire judiciaire américaine qui prit rapidement des dimensions sociales et politiques et dont l'injustice souleva de vives protestations tant aux États-Unis que dans le monde. En 1920, deux immigrés italiens, Nicola Sacco (né en 1898) et Bartolomeo Vanzetti (né en 1888), l'un et l'autre militants anarchistes, furent arrêtés comme auteurs présumés du meurtre du trésorier et du gardien d'une usine à Braintree. Condamnés à mort par la Cour supérieure du Massachusetts (1921), ils furent exécutés (1927) malgré les déclarations d'un autre prisonnier affirmant leur innocence et malgré tous les mouvements qui se formèrent en leur faveur, réclamant leur libération. Cette affaire a été portée à l'écran par Giuliano Montaldo, en 1971.

Sacerdoce et de l'Empire *(querelle du)*. ♦ Lutte qui opposa entre 1154 et 1250 le Sacerdoce (la papauté) et l'Empire (l'empereur germanique). **V. Investitures, Frédéric Ier Barberousse, Frédéric II, Innocent III, Grégoire IX.**

SACHER (Paul). ♦ Chef d'orchestre et mécène suisse (Bâle, 1906). Élève de Weingartner, fondateur d'ensembles vocaux et instrumentaux qui interprétèrent sous sa direction des œuvres dont il fit la commande à quelques-uns des plus grands musiciens contemporains (Bartók, Hindemith, Honegger, Ibert, Křenek, F. Martin, Martinů, Stravinski), il demeure l'un des plus féconds animateurs de la vie musicale de notre temps.

SACHER-MASOCH [-zɔk] **(Leopold,** ***chevalier von*****).** ♦ Écrivain autrichien (Lemberg, 1836 — Lindheim, Hesse, 1895). Né en Galicie, province polonaise rattachée à l'Empire autrichien, il fut témoin dans sa jeunesse des mouvements révolutionnaires qui bouleversèrent l'Autriche, des déchirements politiques et religieux de sa province natale qu'évoqueront avec réalisme et pessimisme certains de ses récits (*Histoires galiciennes, Galizische Geschichten,* 1876; *Histoires juives polonaises, Polnische Judengeschichten,* 1886). Étudiant en droit puis en histoire à Graz, il publia en 1856 une étude sur *L'Insurrection de Gand sous Charles Quint.* Ayant abandonné l'enseignement pour se consacrer entièrement à la littérature, il fut rédacteur aux *Cahiers des belles-lettres* (qui parurent à Budapest de 1881 à 1891), dirigea et édita à Leipzig la revue *Sur les hauteurs* (*Auf der Höhe,* 1881-1884). Si son œuvre évoque les problèmes essentiels de l'existence, de l'histoire humaines (propriété, État, guerre, travail, mort) elle est avant tout dominée par la lutte implacable et cruelle qui oppose les sexes. Au souvenir nostalgique de la Grèce, rêve utopique d'un renouveau impossible où l'amour serait « joie parfaite et sérénité divine », où la femme redeviendrait la compagne, l'associée et l'égale de l'homme, fait place le fantasme de l'idéal opposé : la femme à la fourrure et au fouet qui fait de l'homme un esclave, totalement livré à elle dans la passion; le « conte bleu du bonheur » se transformera dans cette « jouissance supra-sensuelle » que l'homme trouve dans son propre tourment, sa propre souffrance [« Je trouve un attrait étrange à la douleur, et rien ne peut plus attiser ma passion que la tyrannie, la cruauté et surtout l'infidélité d'une belle femme ».]. Telle fut bien, semble-t-il, la nature des relations qui unirent Sacher-Masoch aux femmes qu'il connut dans sa vie : Mme de Hottowitz, Fanny Pistor et surtout Aurora Rümelin qu'il épousa en 1873, dont il se sépara en 1882 (leur divorce fut prononcé en 1886) et qui avait pris le nom de Wanda de Dunajew, héroïne du roman *La Vénus à la fourrure* (1870). C'est à cette forme à la fois cruelle et perverse de l'amour, cruauté qui apparaît dans l'œuvre de Sacher-Masoch comme la loi, la règle de l'histoire, que Krafft-Ebing devait donner le nom de *masochisme* dans sa *Psychopathia sexualis* (1886). Outre les ouvrages déjà cités, Sacher-Masoch avait écrit : *Le Legs de Caïn* (dont fait partie *La Vénus à la fourrure*), *La Fausse Hermine* (*Falscher Hermelin,* 1873), *Les Messalines de Vienne* (1874), deux romans noirs décrivant la vie des sectes mystiques *(La Pêcheuse d'âmes, La Mère de Dieu),* des ouvrages de critique sociale *(La République des ennemis des femmes, Les Idéaux de notre temps).*

SACHS (Hans). ♦ Poète allemand (Nuremberg, Bavière, 1494 — 1576). À la fin de son apprentissage de savetier, il entreprit le traditionnel tour d'Allemagne au cours duquel il décida de devenir maître chanteur (1513). Formé par Nunnenbeck*, il partagea dès lors son temps entre son métier de cordonnier et son activité de poète. Humaniste, acquis très tôt à la Réforme, il a laissé une œuvre importante : poèmes lyriques, narrations en vers, pièces de théâtre. Ses pièces religieuses et historiques, ses tragédies (il introduisit le terme dans la littérature et la langue allemande en 1527) connurent moins de succès que ses comédies, ses *Fastnachtspiele,* farces allégoriques jouées lors du Carnaval (*L'Écolier vagabond,* 1551; *Rêve du pays de Cocagne,* etc.). En en faisant le héros de son opéra *Les Maîtres* chanteurs* (1862-1867), R. Wagner contribua à immortaliser son nom.

Ph. Tani Capacchione/Ricciarini

La basilique du **Sacré-Cœur.**

SACHS (Léonie, dite **Nelly).** ♦ Écrivain suédois d'origine allemande (Berlin, 1891 — Stockholm, 1970). Issue d'une famille juive aisée, Nelly Sachs vécut cruellement les persécutions nazies (son mari et ses enfants furent assassinés). *Dans les demeures de la mort* (*In den Wohnungen des Todes,* 1946), son premier recueil, a pour thème l'exil, le souvenir, la nuit, *L'Obscurcissement des étoiles* (*Sternverdunkelung,* 1949) évoque la lutte contre le silence, l'« adieu » que l'on répète jusqu'à ce que la mort dise « tais-toi! ». *Fuite et Transformation* (*Flucht und Verwandlung,* 1959) constitue une ouverture vers un au-delà accessible grâce à la parole, au verbe qui ouvre aux « fils de la nostalgie » les « trajectoires nocturnes des astres ». Cette idée de délivrance apparaît aussi dans *La mort exalte encore la vie* (*Noch feiert Tod das Leben,* 1961) et dans *Fuite vers le pur* (*Fahrt ins Staublose,* 1961) titre sous lequel furent groupés ses autres recueils de poèmes. (Prix Nobel, 1966, avec S. Agnon.)

SACI ou **SACY.** ♦ **V.** Lemaistre de Saci (Isaac).

SACKVILLE (Thomas, ***baron de*** **Buckhurst** ***et premier comte de*** **Dorset).** ♦ Poète dramatique anglais (Buckhurst, v. 1530 — Londres, 1608). Magistrat, diplomate, grand trésorier de la Couronne, il fut l'auteur, en collaboration avec Thomas Norton, de *Gorboduc ou Ferrex et Porex* (v. 1560), la première tragédie anglaise.

SACLAY. ♦ Comm. de l'Essonne, arr. de Palaiseau. 1 991 hab. — Centre d'études nucléaires.

SACRAMENTO. *n. m.* ♦ Riv. des États-Unis (620 km), en Californie* du Nord. Le Sacramento prend naissance dans les monts Klamath et se jette dans la baie de San Francisco où il rejoint le San* Joaquin. Sa vallée est une riche région agricole. **(V. Grande Vallée.)**

SACRAMENTO. ♦ V. des États-Unis, cap. de l'État de Californie*, sur le Sacramento. 257 860 hab.; zone urbaine, plus de 800 000 habitants. Centre commercial, situé à un nœud de communications important (notamment ferroviaire). Indus. alimentaires, etc. Un des campus de l'université de Californie (Davis) est situé près de la ville.

SACRÉ *(mont),* en lat. **Mons Sacer.** ♦ Petite colline située au N. de Rome (37 m). La légende y place une sécession de l'armée romaine, tandis que le peuple, décidé à fonder une nouvelle ville, se retirait sur l'Aventin* (494).

Sacre (Le). ♦ Tableau de Jacques Louis David* (1805-1807) représentant Napoléon Ier, venant d'être sacré empereur, couronnant Joséphine. Cette œuvre immense (6,10 m × 9,31 m), d'une composition grandiose et équilibrée, est l'un des chefs-d'œuvre du tableau d'histoire. Malgré ses dimensions et sa pompe, elle reste vivante et expressive dans ses détails, révélant le talent de portraitiste de son auteur.

Sacre du printemps (Le). ♦ Ballet en deux parties, de Stravinski, composé pour les « Ballets russes », de S. de Diaghilev, chorégraphie de V. Nijinski, chef d'orchestre P. Monteux (Paris, 1913). L'œuvre traduit la lutte entre les forces de la nature et l'homme primitif, dans une Russie de préhistoire. Elle célèbre le sacrifice de la vierge élue qui expire, épuisée, en proie au délire d'une danse dionysiaque. Les hardiesses rythmiques et harmoniques, la prodigieuse richesse orchestrale de la partition, les audaces de la chorégraphie de Nijinski scandalisèrent le public de la création, et la soirée s'acheva dans le tumulte. De ces « Tableaux de la Russie païenne », Stravinski devait tirer une suite pour le concert (1914) dont le succès fut immédiat. Après Nijinski, d'autres chorégraphes ont été inspirés par le chef-d'œuvre musical de Stravinski : L. Massine (1920), M. Graham (1930), K. Macmillan (1962) et surtout M. Béjart (Bruxelles, 1959; Paris, 1965) qui en a fait le support d'une célébration cosmique de l'amour et de la sensualité.

Sacré-Cœur *(basilique du)*. ♦ Église de Paris, située sur la butte Montmartre*. Sa construction (1876-1910) fut votée par une loi de 1873, financée par souscription nationale et confiée à Paul Abadie*, auquel succéda Lucien Magne. Inspirée (librement) du style romano-byzantin de *Saint-Front* de Périgueux, la basilique dresse de nombreuses coupoles blanches, un dôme et un campanile (80 m) qui renferme la *Savoyarde,* une des plus grosses cloches connues (1895). Intérieur richement décoré de mosaïques. L'édifice, esthétiquement contesté, est l'un des plus célèbres de Paris.

Sacrées *(guerres)*. ♦ Nom donné dans l'antiquité grecque aux guerres provoquées par la rivalité de la Phocide* et de Thèbes* pour le contrôle du sanctuaire de Delphes*. La *première* guerre (v. ~ 590) se termina par la défaite des Phocidiens, qui dépouillaient les pèlerins se rendant à Delphes. Pendant la *deuxième* (~ 448-~ 447), Sparte, chargée par le conseil des amphictyons **(V. Amphictyonies)** de châtier les Phocidiens, emporta sur Athènes, alliée de la Phocide, la victoire de Coronée et restitua l'oligarchie à Thèbes. *Troisième guerre sacrée* (~ 357-~ 346). À la suite d'une nouvelle condamnation, les Phocidiens pillèrent les trésors du sanctuaire et, formant une armée de mercenaires, occupèrent une partie de la Béotie. Leur intervention en Thessalie en faveur des tyrans de Phères provoqua l'immixtion de Philippe* II de Macédoine qui écrasa la Phocide et prit sa place au conseil amphictyonique. *Quatrième guerre* (~ 339-~ 338). Philippe II, chargé par l'amphictyonie de châtier les Locriens d'Amphissa, en profita pour occuper Élatée, ce qui lui ouvrit les portes de la Grèce du Sud.

SACROBOSCO (J. de HALIFAX ou **de HOLYWOOD,** dit **Jean** *de*). ♦ Mathématicien et astronome anglais (1190 – 1250). Traducteur de l'arabe, auteur de divers manuels, il est surtout connu pour la *Sphaera mundi* (publ. 1472).

SADATE (Anouar al-). ♦ Homme politique égyptien (Mit Abûl Kom, prov. de Menugièh, 1918). Il succéda à Nasser* à la mort de celui-ci (1970). Il mena une politique de développement économique plus libérale, favorisant l'enrichissement de la bourgeoisie d'affaires et une politique intérieure caractérisée par le retour à une certaine forme de parlementarisme. En politique extérieure, il fut d'abord partisan d'un rapprochement avec les États-Unis. Après certains différends (accord de Benghazi en avril 1971 entre l'Égypte, la Libye, la Syrie), Sadate parvint à éliminer ses adversaires politiques (destitution d'All Sabri de la vice-présidence de la République); le 13 mai, les chefs de la gauche démissionnaient. Sadate, soutenu par l'armée, les faisait arrêter, assumant le commandement suprême des armées. Après la visite de N. Podgorny au Caire (mai 1971), l'Égypte signa un traité d'amitié et de coopération avec l'U.R.S.S.; dès lors, l'aide économique et militaire soviétique se renforça. Le 16 janvier 1972, Aziz Sedki, de tendance conservatrice et pro-américaine, était nommé à la tête du gouvernement. Sa nomination provoqua une grève des étudiants et des manifestations. Au début de l'année 1973, les troubles reprirent, une grande partie de l'opinion souhaitant un effort militaire pour reprendre les territoires occupés par Israël. Le 6 oct. 1973, l'offensive contre Israël* fut déclenchée. **V. Égypte; israélo-arabe.**

SADD-EL-ALI ou **haut barrage d'Assouan**, en ar. **Al-Sûd-al-'Ali.** ♦ Construit de 1947 à 1970 avec l'aide soviétique, à 6,5 km en amont du premier barrage d'Assouan, ce gigantesque ouvrage, haut de 111 m et long de 3 600 m, retient un grand lac artificiel, le *lac Nasser*, d'une capacité de 157 milliards de m^3, la seconde du monde après celle du lac Kariba*, sur le Zambèze (Rhodésie). Ce barrage permettra l'irrigation pérenne de plus de 300 000 ha de terres, une augmentation considérable du potentiel hydro-électrique du pays (de 5 475 millions de kWh en 1965 à 16 500), et la régularisation de la navigation sur le Nil. La protection des sites archéologiques nubiens (Abou-Simbel) a été prise en charge par l'Unesco.

Saddharmapundarîka Sûtra (« sûtra du lotus de la bonne loi »). ♦ Célèbre texte bouddhique des doctrines du mahâyâna*, en prose et en vers, composé vers le IIIe siècle. Il forme la base textuelle de nombreuses sectes bouddhiques, surtout en Chine et au Japon.

Sadducéens. *n. m. pl.* ♦ Membres d'un des principaux partis du judaïsme ancien (jusqu'à la destruction du second Temple, en 70), le parti des prêtres et des grands, très conservateur, attaché à toute la rigueur de la torah. Les sadducéens niaient la vie future, l'angélologie, la prédestination et, refusant la tradition orale, se trouvaient en opposition avec les pharisiens*.

SADE (Donatien Alphonse François, *marquis de*). ♦ Écrivain français (Paris, 1740 – 1814). De solides études, une carrière dans l'armée, un certain rôle durant la Révolution, mais surtout trente années d'emprisonnements successifs ou de poursuites pour « débauche outrée » et pour cruauté constituent la vie du marquis de Sade, qui finit ses jours à l'hospice de Charenton où il avait été arbitrairement interné. Son œuvre énorme, dont une partie fut détruite par la police du Consulat et de l'Empire, comprend notamment *La Philosophie dans le boudoir* (1795), énumération et description de toutes les formes de l'érotisme (conçu comme la juste revendication de l'individu face à la société et à Dieu) et *Justine* ou les Malheurs de la vertu* (1797), peinture cruelle du mal, soutenue par de vastes dissertations morales et métaphysiques. Sade s'y montre un matérialiste et un athée convaincu, proclamant inlassablement que « la Nature n'a créé les hommes que pour qu'ils s'amusent de tout sur la terre [...]. Tant pis pour les victimes, il en faut ». La recherche de la jouissance entraîne en effet une érotisation de la douleur, prétexte à des scènes dont l'outrance confine parfois à la poésie et, surtout, à des analyses profondes qui ouvrent la voie à la psychopathologie moderne.

SÁ DE MIRANDA (Francisco *de*). ♦ Humaniste portugais (Coimbra, v. 1485 – 1558). Représentant éminent de la littérature de son pays à l'époque de la Renaissance, il a fait œuvre d'auteur dramatique (*Les Étrangers*, 1527) et de poète (*Les Épîtres*).

Sâdhu. *n. m.* ♦ Terme sanskrit signifiant « pieux », utilisé pour désigner les ascètes errants *(sannyasin)* ou de saints hommes.

SA'DI ou **SAADI (Muslah-al-Dîn).** ♦ Un des plus grands poètes persans (Chirâz, v. 1200 – env. de Chirâz, v. 1291). Issu d'une famille de théologiens, il étudia à Baghdâd à l'université fondée par le célèbre ministre saljûqide* Nizâm al-Mulk. Il voyagea ensuite en Iraq, en Syrie et au Hedjaz où il entreprit plusieurs pèlerinages à La Mecque. Vers le milieu du siècle, il s'installa à Chirâz où il acheva la rédaction de ses deux recueils de réflexions et d'anecdotes morales : le *Bustân* (le « Verger ») est écrit entièrement en vers d'un mètre habituellement réservé à l'épopée (1257); le *Gulistân* (la « Roseraie ») mêle la prose aux vers (1258). Il renouvela le genre du *ghazal* (poèmes d'amour) en exprimant maintes subtilités dans un style simple. Moraliste indulgent, excellant dans tous les genres poétiques, il reste l'un des poètes les plus populaires en Orient. Son *Gulistân*, traduit en français dès 1634, fut l'œuvre qui initia l'Occident à la poésie persane.

Ph. Prato/Ricciarini

Sâdhu adorant Visnu.

SA'DIENS. *n. m. pl.* ♦ Dynastie de chérifs hassanides originaires du Sous qui régna au Maroc (1554-1659). Fondée par Muhammad al-Chaykh, cette dynastie – bien qu'elle eût donné quelques souverains brillants – ne sut résoudre aucun des problèmes du Maroc. Isolés à l'intérieur du royaume, les Sa'diens eurent le souci d'éviter tout contact avec les puissances chrétiennes.

SADO. *n. m.* ♦ Fl. du Portugal (150 km). Tributaire de l'Atlantique, il arrose Setúbal* et irrigue la plaine d'Estrémadure. Rizières.

SADOC. ♦ Grand prêtre de Jérusalem, peut-être d'origine cananéenne, sous David et Salomon (~ xe s.). Fondateur de la lignée des grands-prêtres sadocides qui dura jusqu'aux Macchabées. Cf. *I Rois*, I-II.

SADOLET (Jacques), en it. **Iacopo Sadoleto.** ♦ Prélat et humaniste italien (Modène, 1477 – Rome, 1547). Secrétaire apostolique sous Léon X et Clément VII, il fut évêque de Carpentras (1517) et cardinal (1536). Son action s'accomplit dans le sens du libéralisme à l'égard des protestants et de la conciliation : il s'efforça d'écarter Clément VII de la ligue contre Charles Quint, ce qui aurait évité le sac de Rome en 1527, puis contribua à la trêve de Nice entre Charles Quint et François Ier (1542). Ami de Bembo*, il fut célèbre comme écrivain latin, auteur de poésies et, en belle prose cicéronienne, du *De liberis recte instituendis* (1533) et du *Phaedrus, sive de laudibus philosophiae* (1538).

SADOVEANU (Mihail). ♦ Romancier roumain (Paşcani, Moldavie, 1880 – 1961). Son œuvre comporte plus de cent volumes, exprimant avec lyrisme les réalités moldaves : *Bordeenii* (*Le Hachereau*, 1930), *Fraţii Jderi* (*Les Frères Jderi*, 1935-1942).

SADOWA, en tchèque **Sadová.** ♦ Village de Tchécoslovaquie, en Bohême, près de Königgrätz (Hradec Králové). Victoire remportée le 3 juil. 1866 par les Prussiens, conduits par le roi Guillaume et Moltke, sur les Autrichiens, conduits par Benedek. Cette victoire eut un grand retentissement en Europe, principalement en France; elle marqua le début de la puissance prussienne en Allemagne et révéla l'efficacité de son armement.

SÂ'EB-Ê-TABRIZI. ♦ Poète persan (Ispahan, 1607 – *id.*, 1670). Il fut le poète officiel du Grand Moghol Shâh Jahân avant de se mettre au service du shâh 'Abbâs II, qui lui décerna le titre de Prince des poètes. Peu apprécié en Iran, il eut une grande réputation en Inde et en Turquie. Il reste un des grands poètes persans de la littérature postclassique.

SAENREDAM (Pieter Jansz). ♦ Peintre et dessinateur (Assendelft, 1597 – Haarlem, 1665). Dessinateur d'architecture, aide de l'architecte et peintre Jacob Van Campen, il se consacra à la peinture d'édifices urbains (l'ancien hôtel de ville d'Amsterdam, 1657) et d'intérieurs d'églises (église Sainte-Marie d'Utrecht). Ses œuvres exécutées d'après des croquis sont d'une grande précision architecturale et conservent le caractère graphique des épures. L'importance accordée aux espaces vides, la réduction de l'échelle des personnages, le jeu abstrait des effets de perspective, l'utilisation de couleurs pâles à dominante froide et la finesse de la facture dénotent une sensibilité discrète et concourent à créer un climat serein d'une austère ferveur.

SAFANIYA. ♦ V. d'Arabie Sa'ûdite, sur le golfe Persique, dans la province du Hassa*. Gisement de pétrole sous-marin.

ŠAFAŘIK (Pavel Josef). ♦ Philologue slovaque de langue tchèque (Kobeliarovo, Slovaquie, 1795 – Prague, 1861). D'une grande érudition, il consacra sa vie à l'étude de la culture slave. Il publia entre autres une histoire de la civilisation slave jusqu'en 988, *Les Antiquités slaves* (1837), et une *Histoire de la littérature des Slaves du Sud* (1864).

SAFAVIDES ou **SÉFÉVIDES.** *n. m. pl.* ♦ Famille d'origine arabe, fondée par Safi ed-din, ascète musulman mort en 1334. De religion shi'ite (chiite), ils régnèrent en Azerbaïdjan, s'opposant aux sunnites et propageant leur croyance en Perse et en Asie Mineure. Après 1488, Ismaïl, leur chef, réunissant des tribus türk qui s'opposaient aux Ottomans, put vaincre les hordes de Perse occidentale et prendre (1501) le titre de shâh, fondant une dynastie. **V. Ismâ'îl.** Les Safavides régnèrent sur la Perse de 1501 à 1736, atteignant leur apogée avec 'Abbâs* Ier le Grand (1587-1628) et donnant à leur pays un prestige remarquable (sensible en Europe occidentale, aux XVIIe et XVIIIe s., comme en Inde où l'influence persane domina l'art et la culture mogols). **V. Perse,** *Hist.*

SAFDAR JANG. ♦ Nabab d'Oudh en Inde du Nord, et grand vizir des Grands Moghols Muhammad shâh et Ahmad shâh de 1717 à 1753. — Le monument qui lui fut élevé à sa mort à Delhi* ressemble au Taj Mahâl d'Âgra*. C'est le dernier monument moghol de l'Inde.

SAFED. ♦ V. de Palestine située au N.-O. du lac de Tibériade dans la région montagneuse de Haute-Galilée. La présence juive s'y est maintenue à travers les siècles et c'est l'un des berceaux du christianisme. 10 000 hab. environ. Indus. textiles. Synagogues du XVIe siècle. Station estivale.

SAFFÂRIDES. *n. m. pl.* ♦ Dynastie perse fondée par Ya'qûb ibn Layth al-Saffâr (863-902). 'Amr ibn al-Layth (879 — v. 903), frère et successeur de Ya'qûb, domina le Khurâsân, le Fârs, le Sidjstân et le Sind. Voulant conquérir la Transoxiane, il fut emprisonné et envoyé au calife qui le fit exécuter.

SAFI, en ar. **Asfi.** ♦ V. et port du Maroc (prov. de Marrakech) sur l'Atlantique. 100 000 hab. Pêcheries. Conserveries. Exportation des phosphates de Youssoufia*. Complexe chimique. Artisanat (poteries).

SAGA. ♦ V. du Japon (Kyûshû*), ch.-l. de préfecture. 150 000 hab. Mines de charbon, indus. métallurgiques et textiles ; port de pêche.

SAGAING. ♦ V. de Birmanie centrale, sur le cours moyen de l'Irawady*, près de Mandalay (à l'O.). 20 000 hab. Ruines de quelques monuments bouddhiques. Petit artisanat (albâtre, céramique). — C'est une anc. capitale, fondée en 1322.

SAGAMIHARA. ♦ V. du Japon (préf. de Kanagawa) au N. de Yokohama. 250 000 hab. Centre agricole.

SAGAN (Françoise QUOIREZ, dite **Françoise).** ♦ Écrivain français (Cajarc, Lot, 1935). Elle fit ses débuts en littérature avec *Bonjour tristesse* (1954), œuvre à la fois amère et tendre, innocente et perverse, dans laquelle on voit une jeune fille causer indirectement, encore que volontairement, la mort de la maîtresse de son père, dont elle est jalouse. Ce récit du douloureux passage d'une adolescente à l'âge adulte se poursuivit dans *Un certain sourire* (1957). L'écriture quelque peu immature du jeune auteur se fit plus ferme dans les œuvres qui suivirent : *Dans un mois, dans un an* (1957) et surtout *Aimez-vous Brahms ?* (1959), où la « musique si particulière de F. Sagan, sa chanson désenchantée, maigre, un peu crispée [prirent] de l'ampleur » (Maurice Nadeau). Au théâtre, elle a donné *Un château en Suède* (1960), *Les Violons parfois* (1961), *La Robe mauve de Valentine* (1963), *Bonheur, impair et passe* (1964), *Le Cheval évanoui* (1966).

SÂGAR. ♦ V. de l'Inde (Madhya Pradesh), à 160 km au N. de Jabalpur. 120 000 hab. Ateliers de chemins de fer. Université fondée en 1946.

SAGASTA (Práxedes Mateo). ♦ Homme politique espagnol. (Torrecilla en Cameros, prov. de Logroño, 1828 — Madrid, 1903). Il entra dans la junte révolutionnaire de Zamora en 1854 et fonda le journal *La Iberia*. Exilé, condamné à mort par contumace (1866), il fut ministre de l'Intérieur après la révolution de 1868. Il fut président du conseil en 1872 et 1874 et se rallia à Alphonse XII en 1875. Il fut par la suite plusieurs fois Premier ministre (1881-1883, 1885-1890, 1892-1895, 1897-1899, 1901-1902) et ne réussit pas à empêcher la guerre de 1898 avec les États-Unis.

SAGE (Balthazar Georges). ♦ Chimiste et minéralogiste français (Paris, 1740 — 1824). Premier directeur de l'*École des mines*, fondée en 1783, il a publié de nombreux travaux de chimie, de minéralogie, de géologie, et diffusa les théories de Romé* de L'Isle.

Sages (*les* Sept). ♦ Nom donné par les Grecs à des philosophes et des tyrans du ~ VIe s. à qui on attribuait des maximes devenues très populaires à l'époque hellénistique. La liste des Sept Sages varie selon les historiens, mais inclut le plus souvent les noms de Thalès* de Milet, Pittacos* de Mytilène, Bias* de Priène, Cléobule* de Lindos, Périandre* de Corinthe, Chilon* de Lacédémone et Solon* d'Athènes. On admettait parfois au nombre des Sept Sages Épiménide, Phérécyde, le Scythe Anacharsis et d'autres encore.

Sagesse de Jésus, fils de Sirach, ou **Sagesse de Sirach** *(Livre de la).* ♦ **V.** ECCLÉSIASTIQUE (L').

Sagesse de Salomon *(livre de la).* ♦ Livre deutérocanonique* de l'Ancien Testament*, attribué à Salomon par les Septante*, en réalité écrit en grec, à Alexandrie, au ~ Ier siècle. Dix-neuf chapitres présentent la Sagesse *(Sophia)* comme « l'esprit du Seigneur » agissant dans le monde.

SAGINAW. ♦ V. des États-Unis (Michigan) sur la riv. homonyme, tributaire du lac Michigan. 90 603 hab. Gisement de charbon à proximité. Indus. variées (métallurgie).

SAGITTAIRE. *n. m.*, en lat. **Sagittarius.** ♦ La plus australe des constellations zodiacales ; une moitié se trouve englobée dans la Voie* lactée. Neuvième signe du zodiaque (22 nov.-22 déc.).

SAGONE. ♦ Port de Corse* (comm. de Vico*, arr. d'Ajaccio*) sur le golfe de Sagone, à l'embouchure de la riv. Sagone. Station balnéaire.

SAGRES. ♦ Village du Portugal méridional (Algarve), près du *cabo Sagres* (« cap sacré »). — Henri le Navigateur y prépara des expéditions maritimes et y mourut en 1460.

SAGUENAY. *n. m.* ♦ Riv. du Canada (Québec), affl. du Saint-Laurent (r. g.), 200 km. Elle sort du lac Saint-Jean, est alimentée par plusieurs riv. et forme un fjord pittoresque ; elle arrose Jonquière*, Arvida*, Chicoutimi*. Aménagements hydro-électriques fournissant l'énergie aux usines de la région.

SAGUIA (ou SEGUIET) el-HAMRA, SEKIA el-HEMRA. ♦ Partie N. de la prov. du Sahara* espagnol. 82 000 km². 18 500 hab. *V. princ. et ch.-l. de prov. :* **V. Aiun (El-).**

SAGUNTO, en fr. **Sagonte,** en lat. **Saguntum.** ♦ V. d'Espagne orientale, dans le Levant, au N. de Valence. 41 000 hab. Hauts fourneaux. ♦ *Hist.* Très ancienne cité ibère, alliée de Rome et florissante par son commerce, elle fut assiégée et ravagée par les Carthaginois en ~ 219. Ce fut l'origine de la deuxième guerre Punique*.

SAHA (Meghnad). ♦ Astrophysicien indien (Sevratali, Bengale, 1893 — au Bengale, 1956). On lui doit l'élaboration de la théorie de l'ionisation des atomes (1920-1921) et des lois de l'équilibre entre les états ioniques dans une atmosphère. Il appliqua ces lois à la couronne solaire et aux atmosphères stellaires et put ainsi établir la relation entre le type spectral et la température de l'atmosphère et justifier la méthode des parallaxes spectroscopiques en montrant que la pression dans l'atmosphère intervient sur l'intensité des raies.

SAHÂB (Mîrza Seyyed Muhammad). ♦ Poète persan ([mort] 1807). Fils du poète Hâtef*, il eut la faveur de Fath Ali shâh, roi de la dynastie des Qâdjars. Il imita les poètes du XIIe s. dans ses *qasidâs* et les poètes du XIIIe et du XIVe s. dans ses *ghazals.*

SAHAGUN (Bernardino *de*). ♦ Chroniqueur de langue espagnole (1500 — 1590), auteur de l'*Histoire générale des choses de la Nouvelle Espagne* décrivant les rites et coutumes des Indiens d'Amérique centrale, ouvrage très précieux pour les ethnologues et archéologues.

SAHAR. ♦ Port du sultanat d'Oman*, sur le golfe d'Oman. Exportation des dattes de la Batinah*.

SAHARA. ♦ Région de l'Afrique* septentrionale, le plus vaste désert du monde, qui s'étend d'O. en E. des côtes de l'Atlantique à la mer Rouge et du N. au S., de part et d'autre du tropique du Cancer, depuis les montagnes de l'Atlas* et la Méditerranée orientale jusqu'au 14° ou 15° de lat. nord. La zone sahélienne constitue sa limite S. **(V. Sahel.)** Il couvre env. 8 000 000 de km².

Ph. A. Rey

Le **Sahara** en Tunisie.

partagés entre le Maroc*, l'Algérie*, la Tunisie*, la Libye* et l'Égypte* au N., le Sahara* espagnol et la Mauritanie* à l'O., et une partie du Mali*, du Niger*, du Tchad* et du Soudan* au sud. Zone d'aridité, nettement plus prononcée dans le Sahara oriental (désert libyque*), caractérisée par la rareté et l'extrême irrégularité des précipitations (– de 100 mm), elle comprend deux centres de minimums, le Tanezrouft* et le Fezzan* (– de 20 mm annuels). L'évaporation y est encore amplifiée par les vents, tandis que l'amplitude thermique (diurne et annuelle) est fort importante (jusqu'à 66° à In-Salah). Ces brusques variations de température entraînent en plus de l'érosion éolienne une désagrégation mécanique des roches. – Le relief du Sahara, socle massif très anciennement consolidé, recouvert de terrains sédimentaires, est constitué de cuvettes (**V. Tafilalet**), de plateaux (**V. Ennedi, Tademaït** et **Tassili**) ou hamadas (**V. Ténéré**), d'amoncellements de pierres ou regs (**V. Tanezrouft**), d'amoncellements de sable ou ergs ainsi que de massifs cristallins (**V. Adrar** et **Iforas**) et volcaniques tertiaires, plus humides (**V. Aïr, Hoggar** et **Tibesti**) au centre et au sud. Milieu hostile à l'homme, le Sahara est une terre de contact entre la race blanche (Arabes et Berbères) et la race noire. Les Sahariens (**V. Maures, Touaregs** et **Toubous. V.** aussi **Mzab**) se répartissent en deux groupes, les nomades pasteurs et les agriculteurs sédentaires dans les oasis. L'existence de celles-ci est liée à la présence de l'eau, des nappes phréatiques (puits artésiens), des écoulements souterrains (foggaras...) et à l'utilisation des crues des oueds (barrages d'épandages). La culture essentielle est le palmier-dattier qui protège les cultures vivrières (légumes, fruits et céréales). Aux ressources traditionnelles des oasis (très localisées) et des exploitations de sel (**V. Taoudenni**) se sont ajoutées celles du secteur minier et des hydrocarbures, transformant des portions de désert. *Principaux gisements :* pétrole : **V. Edjelé, Hassi-Messaoud** et **Zelten**; gaz naturel : **V. Hassi-R'mel**; uranium : **V. Aïr** et **Arlit**; minerai de fer : **V. Djebilet (Gara)** et **Idjil (Kedia d')**; minerai de cuivre : **V. Akjoujt**; charbon : **V. Kenadsa.** – *Explorations au Sahara au XIX*[e] *s. et début du XX*[e] *siècle :* **V. Barth** *(Heinrich)*, **Caillié, Clapperton, Duveyrier, Flatters, Foucauld** *(Charles de)*, **Foureau, Lamy** et **Nachtigal.** – N.B. Se reporter aux articles consacrés aux différents pays qui se partagent la zone saharienne. Pour l'Algérie, voir en particulier les deux dép. sahariens : Saoura et Oasis.

SAHARA OCCIDENTAL. ♦ Anc. prov. espagnole d'Afrique occidentale créée en 1958, formée par la réunion de l'ancien territoire de la Saguia* el-Hamra au N. et du Rio* de Oro au sud. Bordée par l'Atlantique (**V. Bojador** [*cap*]), elle est limitée au N. par le Maroc*, à l'E. par une parcelle de l'Algérie* et la Mauritanie* qui la limite également au sud. 266 000 km². 23 800 hab. *Ch.-l.* Aiun* (El-). Autre localité : **V. Villa Cisneros.** – En bordure du Sahara, cette région aride a pour ressources essentielles la pêche côtière et l'élevage (ovins et chameaux) pratiqué par les populations maures. Phosphates. [*carte.* **V. Mauritanie**]. ♦ *Hist.* La zone septentrionale autrefois rattachée à la province du « Maroc espagnol méridional » (**V. Tarfaya**) a été remise au Maroc en 1958. Dès lors, le Maroc, la Mauritanie et l'Algérie réclamèrent la décolonisation de ce territoire sur lequel l'Espagne exerçait sa souveraineté. En oct.-nov. 1975, Hasan II, roi du Maroc, y organisa une «marche verte» populaire et pacifique. Un accord entre l'Espagne, le Maroc et la Mauritanie (nov. 1975) stipula la fin de la présence espagnole pour févr. 1976 et le partage du territoire entre le Maroc et la Mauritanie. L'Algérie s'y opposa, soutenant le Front Polisario de libération qui proclamait, le 28 févr. 1976, au milieu des combats opposant Algériens et Marocains, la «République arabe sahraouie démocratique».

SAHÂRANPUR. ♦ V. de l'Inde (Uttar Pradesh), au N. de Delhi. 230 000 hab. Centre ferroviaire important. Indus. textiles.

SAHEL. *n. m.* ♦ Mot arabe signifiant « bordure, littoral ». En Afrique du Nord, il désigne les collines littorales en bordure des plaines intérieures. – Le *Sahel d'Alger* domine la plaine de la Mitidja*, l'isolant de la mer. Il est traversé par les oueds Mazafran et El-Harrach*. Région de cultures maraîchères, arboriculture et vignes. *V. et localités princ.* **V. Aïn-Beniam, Koléa, Sidi-Ferruch** et **Staouéli.** – Les *Sahels de Sousse** et *de Sfax** en Tunisie s'étendent sur des collines qui isolent les basses steppes de la côte et sont couvertes de plantations d'oliviers malgré la faible pluviométrie, compensée par l'humidité atmosphérique. – En Afrique tropicale, semi-aride ou sahélienne, cette zone longe le Sahara et forme transition entre l'Afrique humide (**V. Soudan**) et l'Afrique désertique. Il y a deux régions de climat sahélien; la plus importante se trouve dans l'hémisphère Nord, du massif éthiopien à la côte sénégalaise; la seconde se situe dans la zone S.-O. du continent ou littoral atlantique (Angola) aux plateaux du Transvaal.

Ph. Mirella Prato/Ricciarini

Sahara : femme touareg.

SÂHIWÂL. ♦ V. du Pâkistân, à 120 km au N.-E. de Multân, et centre agricole. 104 000 hab. Anc. Montgomery.

SAÏAN ou **SAYAN.** ♦ Montagnes situées à la frontière de l'U.R.S.S. et de la République populaire de Mongolie (**V. Mongolie** [région]) et qui dominent la rive occidentale du lac Baïkal. Elles s'étendent sur 500 km, du S.-E. au N.-O., et culminent au Mounkou Sardyck (3 491 m). L'Ienisseï* y prend sa source.

SAICHÔ. ♦ **V.** DENGYÔ DAISHI.

SAÏDA. ♦ V. d'Algérie, ch.-l. du dép. et de l'arr. du même nom, en contact avec les hauts plateaux, au pied S.-O. des *monts de Saïda,* plateaux calcaires appartenant à l'ensemble de l'Atlas* tellien, situés à l'E. de l'Ouarsenis. 25 200 hab. Centre céréalier. Marché de moutons. *Le dép. de Saïda* (203 000 hab.) s'étend en majeure partie sur les hautes plaines steppiques de l'Algérie occidentale. *V. et localités princ.* **V. Aïn-Sefra** et **Bayad (El-).**

SAÏDA. ♦ V. portuaire du Liban, située sur la Méditerranée au S. de Beyrouth, sur le site de l'anc. Sidon. 50 000 hab. env. Archevêché. Raffinerie de pétrole traitant le pétrole acheminé par oléoduc d'Arabie Sa'ûdite et des îles Bahrein*. ♦ *Hist.* **V. Sidon.**

SA'ÎD PACHA (Muhammad). ♦ (Le Caire, 1822 – Alexandrie, 1863). Vice-roi d'Égypte (1854-1863). Fils de Muhammad*-Ali, il succéda à son neveu Abbas* Ier. Reprenant la politique moderniste de son père, il étendit le réseau ferroviaire du pays et allégea la condition des paysans. Il soutint la création du canal de Suez; le port qui se trouve à son débouché porte son nom (Port*-Sa'îd).

SAIGON auj. **VILLE-HÔ CHI MINH.** ♦ V. de la rép. du Viêt*-nam, située à 80 km de la mer, sur un bras du delta du Mékong (appelé *Rivière de Saigon).* Env. 2 000 000 d'hab. Port important doublé d'une ville chinoise (Cholon) fondée au XVIIIe s. et constituant une zone très peuplée et commerçante. ♦ *Hist.* La ville fut fondée au XVIe siècle. Prise en 1859 par les Français, elle fut reconstruite à l'européenne à partir de 1880. Elle était la cap. du Sud Viêt-nam. À la fin de la guerre du Viêt-nam (mai 1975), elle prit le nom de Ville-Hô Chi Minh.

SAIGÔ TAKAMORI. ♦ Général des armées japonaises (Kagoshima, v. 1826 – *id.,* 1877). Partisan de la restauration de l'empereur, il combattit en 1868 les troupes shôgunales, puis se révolta en 1877 à Kagoshima*, refusant l'intrusion occidentale. Vaincu, il se suicida. C'est l'un des rares hommes qui aient leur statue au Japon.

SAIH AL-MALIH. ♦ Port pétrolier du sultanat d'Oman*, sur le golfe d'Oman. Terminus de l'oléoduc qui dessert les gisements de Yibai, Fahud* et Natih. **V. Mînâ al-Fahal.**

SAIKAKU (Ihara). ♦ **V.** IHARA SAIKAKU.

ŚAILENDRA. *n. m. pl.* ♦ Dynastie javanaise bouddhique fondée dans le centre de l'île de Java* au début du VIIIe siècle. Ses rois firent élever le grand temple du Barabudur*.

SAILER (Toni). ♦ Skieur autrichien (Kitzbühel, 1935). Spécialiste de la descente, il fut champion olympique avec trois médailles d'or (slalom géant, slalom spécial et descente) aux Jeux Olympiques d'hiver de Cortina d'Ampezzo (1956) et renouvela l'exploit en 1958, aux championnats du monde de Badgastein, où il remporta le slalom géant, la descente et le combiné.

SAIMAA. ♦ Lac de Finlande méridionale, tributaire du lac Ladoga* par le Vuoksi et relié à Vyborg par un canal. 4 400 km². Il forme, avec les lacs plus septentrionaux, un vaste système lacustre permettant la navigation de Lappeenranta* à Kuopio*.

SAINS [sɛ̃]**-EN-GOHELLE.** ♦ Comm. du Pas-de-Calais, arr. de Lens. 5 340 hab. Extraction de charbon.

SAINT-AFFRIQUE. ♦ Ch.-l. de cant. de l'Aveyron*, arr. de Millau*, sur la Sorgue*. 8 887 hab. *(Saint-Affricains).* Pont gothique, maisons anciennes. Gants, confection, travail de la laine. Patrie de É. Borel*, du général de Castelnau*.

SAINT-AGRÈVE. ♦ Ch.-l. de cant. de l'Ardèche*, arr. de Tournon*. 2 434 hab. *(Saint-Agrèvois).* Station d'été.

SAINT-AIGNAN [-ɛɲɑ̃] ou [aɲɑ̃]. ♦ Ch.-l. de cant. du Loir-et-Cher, arr. de Blois, sur le Cher. 3 067 hab. *(Saint-Aignanais).* – Collégiale du XIIe s., restaurée. Château Renaissance. Maisons anciennes. – Confection.

SAINT ALBANS. ♦ V. d'Angleterre (Hertfordshire). 50 300 hab. – Centre industriel. La cathédrale, en briques, est l'anc. église abbatiale, œuvre de Pierre de Caen. Elle date en partie du XIe s., mais fut de nombreuses fois remaniée entre 1200 et 1540. Dans l'église St. Michael se trouve le tombeau du chancelier Francis Bacon*. – Imprimerie; indus. du vêtement. ♦ *Hist.* C'est l'anc. ville romaine de *Verulamium* où saint Alban* aurait été martyrisé au IVe siècle. Un monastère bénédictin y fut élevé en 793 par Offa* II, roi de Mercie. Lors de la guerre des Deux-Roses, la ville fut le lieu de deux importantes batailles : la première, en 1455, donna l'avantage aux York, la seconde, en 1461, aux Lancastre.

SAINT-ALBAN-SUR-LIMAGNOLE. ♦ Ch.-l. de cant. de la Lozère (arr. de Mende), dans un site pittoresque (1 019 m d'alt.). 2 368 hab. Château gothique.

Saint-Alexis (Vie de). ♦ Poème français, écrit vers 1040 et précédé de rédactions latines, en prose et en vers. Il connut un grand succès. — Narration de la vie ascétique d'un noble romain du IVe s., en décasyllabes groupés en strophes de 5 vers assonancés. Ce sujet a été repris par Henri Ghéon* dans son « miracle dramatique » : *Le Pauvre sous l'escalier* (1921).

SAINT-AMAND-EN-PUISAYE [pyizɛ]. ♦ Ch.-l. de cant. de la Nièvre (arr. de Cosne-sur-Loire), sur la r. g. de la Vrille. 1 427 hab. *(Saint-Amandois).* Église gothique (XIIIe et XIVe s.). Château Renaissance, bâti de 1530 à 1540. — Fabriques de grès. Scierie.

SAINT-AMAND-LES-EAUX. ♦ Ch.-l. de cant. du Nord*, arr. de Valenciennes*, sur la Scarpe*. 17 530 hab. *(Amandinois).* Abbaye fondée au VIIe s., dont il reste deux pavillons du XVIIe siècle. Station thermale dont les eaux sulfatées calciques sont efficaces contre les rhumatismes. Centre d'une région d'élevage de bovins (viande). Métallurgie ; indus. textile ; tanneries ; céramiques, faïenceries.

SAINT-AMAND-MONT-ROND. ♦ Sous-préf. du Cher, ch.-l. d'arr. (11 cant., 116 comm., 77 986 hab.) sur le Cher. 12 013 hab. *(Saint-Amandois).* — Église romane (XIIe s.). Aux environs, ancienne abbaye de Noirlac, remarquable spécimen de l'architecture cistercienne du XIIe siècle. — Distilleries. Confection. Chaussures. Imprimerie, cartonnerie. Matériel agricole. Réparation de matériel ferroviaire.

SAINT-AMANS. ♦ Ch.-l. de cant. de la Lozère (arr. de Mende), sur le plateau du Gévaudan*. 227 hab. À proximité, se situe le *signal de Saint-Amans* (1 143 m). Église romane.

SAINT-AMANT (Marc-Antoine Girard, ***sieur de*****).** ♦ Poète français (près de Rouen, v. 1594 — Paris, 1661), auteur d'une épopée biblique *Moïse sauvé* (1653), et de poèmes (publiés dès 1627) d'inspiration lyrique ou bouffonne. Ayant beaucoup voyagé (de l'Amérique à l'Italie), habitué des cabarets comme de l'hôtel de Rambouillet*, et prônant la liberté dans l'art, il illustra les genres les plus divers : à la satire *(Albion)* et à la scène de genre *(Les Goinfres)* succèdent des descriptions lyriques exaltant la nature *(Les Saisons; La Solitude)* ou des tableaux fantastiques *(Les Visions).* Profondément original par son sens du mystère nocturne *(Le Contemplateur)* et son goût préromantique des ruines, Saint-Amant est un écrivain au « style très pittoresque [...]. Son trait est fin et brusque, à la manière de Callot, avec quelque chose d'excessif et d'étrange » (Th. Gautier).

SAINT-AMBROIX. ♦ Ch.-l. de cant. du Gard (arr. d'Alès), construit sur une éminence rocheuse, sur la r. d. de la Cèze. 4 164 hab. Tour de l'Horloge. Vieux pont. — Usines d'agglomérés. Distilleries. Carrelages.

SAINT-AMOUR (Guillaume ***de*****).** ♦ V. GUILLAUME DE SAINT-AMOUR.

SAINT-AMOUR. ♦ Ch.-l. de cant. du Jura, arr. de Lons-le-Saunier. 2 856 hab. Vins. Fromagerie. Carrières et scieries de marbre. Chaudronnerie. Tôlerie.

SAINT-ANDRÉ (Jacques d'Albon, ***seigneur de*****).** ♦ (Albon, Dauphiné, v. 1505 — Dreux, 1562.) Maréchal de France. Il fut un des principaux chefs catholiques des guerres de Religion. Il s'allia au connétable de Montmorency* et au duc de Guise* pour former un triumvirat dirigé contre les calvinistes (1561) et fut tué l'année suivante à la bataille de Dreux.

SAINT-ANDRÉ ***(ordre de).*** ♦ Ordre de chevalerie russe, créé par Pierre le Grand (1698) et supprimé en 1917.

SAINT-ANDRÉ, en néerl. **Sint-Andries.** ♦ Comm. de Belgique (Flandre-Occidentale, arr. de Bruges) à 7 km de Bruges. — Abbaye (Zevenkerken) fondée en 1098 par Robert de Jérusalem. — Indus. chimiques. Produits pharmaceutiques. Matériaux de construction. Indus. textile. Meuble.

SAINT-ANDRÉ. ♦ Comm. du Nord, dans l'arr. et la banlieue N. de Lille*. 11 757 hab. — Indus. textile, alimentaire, électrique.

SAINT-ANDRÉ. ♦ Comm. de la Réunion*, au N.-E. de l'île. 22 094 hab. Sucreries.

SAINT-ANDRÉ-DE-CUBZAC. ♦ Ch.-l. de cant. de la Gironde*, près de la Dordogne*, arr. de Bordeaux*. 4 597 hab. — Église romane. — Vins. — Patrie de Lanessan*.

SAINT-ANDRÉ-DE-L'EURE. ♦ Ch.-l. de cant. de l'Eure*, arr. d'Évreux*, dans la plaine Saint-André. 2 024 hab. — Église du XVIe siècle.

SAINT-ANDRÉ-LES-ALPES. ♦ Ch.-l. de cant. des Alpes*-de-Haute-Provence, arr. de Castellane* sur le Verdon*. 1 022 hab. *(Saint-Andréens).* Station d'été. Champs de lavande, arbres fruitiers. — Aux environs, barrage de Castillon*.

SAINT-ANDRÉ-LES-VERGERS. ♦ Comm. de l'Aube, arr. de Troyes, à 3 km de Troyes. 7 666 hab. Église Saint-André (XVIe s.). — Bonneterie.

SAINT ANDREWS. ♦ V. d'Écosse orientale (Fifeshire) et station balnéaire sur la baie de Saint Andrews, ouverte sur la mer du Nord. 10 520 hab. (1966). Évêché de l'église épiscopale, fondé en 908, qui fut au XIIe s. le siège des primats d'Écosse. Cathédrale (1160-1318) et palais épiscopal (1200). L'université, fondée en 1412, est la plus ancienne d'Écosse.

Saint-Ange ***(château),*** en it. **castel Sant'Angelo.** ♦ Ancien

Arch. Smeets

Gabriel de Saint-Aubin, « Promenade à Longchamp ». (Musée Rigaud, Perpignan.)

mausolée d'Hadrien, construit par celui-ci à Rome, sur la r. d. du Tibre, à partir de 135, pour être la sépulture des empereurs (jusqu'à Septime Sévère, 211). Il devint une forteresse aux mains des potentats romains, puis des papes. Bramante et Sangallo le Jeune y aménagèrent des appartements. Auj. musée. Son nom commémore l'apparition, à Grégoire le Grand, d'un ange annonçant la fin de la peste de Rome (590).

SAINT-ANTON. ♦ **V.** SANKT ANTON.

SAINT-APOLLINAIRE. ♦ Comm. de la Côte-d'Or, arr. de Dijon. 2 403 hab. Faubourg indus. (électronique) de Dijon*.

SAINT-ARNAUD (Armand Jacques ARNAUD, dit **Achille Leroy** ***de*****).** ♦ Maréchal de France (Paris, v. 1800 — en mer Noire, 1854). Garde du corps de Louis XVIII, il dut quitter l'armée après s'être couvert de dettes et se rendit quelque temps en Grèce (1827). Réintégré en 1831, il fut nommé officier d'ordonnance de Bugeaud, se distingua lors de la conquête de l'Algérie et fut promu général en 1847. Nommé ministre de la Guerre par Louis Napoléon Bonaparte (octobre 1851), il contribua activement à la préparation et à la réalisation du coup d'État du 2 décembre* 1851, ce qui lui valut le bâton de maréchal (1852). Grand écuyer et sénateur, il prit le commandement des forces françaises en Crimée (1854), remporta avec lord Raglan la victoire de l'Alma* (septembre 1854). Remplacé par Canrobert* pour raison de santé, il mourut sur le navire qui le ramenait en France.

SAINT-ARNAUD. ♦ V. d'Algérie. Nom anc. d'El-Eulma*.

SAINT-ARNOULT-EN-YVELINES. ♦ Ch.-l. de cant. des Yvelines, arr. de Rambouillet. 1 584 hab. Église (XIIe-XVIe s.).

SAINT-ASTIER. ♦ Ch.-l. de cant. de la Dordogne*, arr. de Périgueux*, sur l'Isle*. 4 250 hab. (2 166 aggl.). Église du XVe s., maisons Renaissance. — Cimenteries.

SAINT-AUBAN. ♦ Localité des Alpes*-de-Haute-Provence, comm. de Château-Arnoux, sur la Durance*. Usine d'alumine, produits chimiques.

SAINT-AUBIN (Gabriel ***de*****).** ♦ Dessinateur, graveur et peintre français (Paris, 1724 — *id.,* 1780). Il étudia auprès de Boucher* et abandonna pratiquement la peinture après son échec au premier prix de Rome. Il laissa cependant des gouaches et aquarelles représentant le plus souvent des paysages. Il se fit l'historiographe des mœurs parisiennes aristocratiques ou populaires, laissant plusieurs milliers de dessins (à la sanguine, sépia, encre de Chine, etc.), des illustrations de livres (Sedaine) et une cinquantaine d'eaux-fortes où il apparaît comme un observateur attentif et spirituel au graphisme rapide et délicat.

SAINT-AUBIN (Augustin ***de*****).** ♦ Dessinateur, graveur, pastelliste et aquarelliste français (Paris, 1736 — *id.,* 1807). Il étudia auprès de son frère Gabriel. Ses multiples scènes de mœurs témoignent de son esprit et de son sens de l'observation. Il fut surtout un remarquable ornemaniste et vignettiste. Il obtint en 1777 la charge de graveur de la Bibliothèque du roi (devenue Bibliothèque nationale) et laissa plusieurs séries de gravures au trait fin et preste *(Portraits à la mode).*

Ph. Hétier

Saint-Bertrand-de-Comminges : le cloître.

SAINT-AUBIN-DU-CORMIER. ♦ Ch.-l. de cant. d'Ille-et-Vilaine, arr. de Fougères. 2 894 hab. *(Saint-Aubinais).* – Vestiges d'un château du XIIIe s. démantelé par Charles VIII. ♦ *Hist.* En juillet 1488, La Trémoille y remporta une victoire sur le duc François II à la tête de l'armée bretonne et sur le duc d'Orléans.

SAINT-AUBIN-SUR-MER. ♦ Comm. du Calvados*, arr. de Caen*, sur la Manche*. 1 438 hab. *(Saint-Aubinais).* Port de pêche et station balnéaire. Lieu de débarquement de la 3e division britannique, le 6 juin 1944.

SAINT AUGUSTINE. ♦ V. des États-Unis, au N.-E. de la Floride. 14 734 hab. (1960). Elle garde des témoignages de son passé espagnol (Castillo de San Marcos, v. 1672, maisons anciennes). Tourisme. Pêche. ♦ *Hist.* Fondée en 1565 par P. Menéndez de Avilés qui venait de détruire un fort français fondé un an auparavant, c'est la ville la plus ancienne des États-Unis.

SAINT-AULAYE [sɛ̃tolɛ]. ♦ Ch.-l. de cant. de la Dordogne*, arr. de Périgueux*, sur la Dronne*. 1 379 hab. Bastide rebâtie en 1288, église du XIIe siècle.

SAINT AUSTELL. ♦ V. du S.-O. de l'Angleterre (Cornouailles). 25 075 hab. – Mines de kaolin. Baptistère gothique de style perpendiculaire.

SAINT-AVOLD [sɛ̃tavɔl] ; *régional* [sɛ̃tavo]. ♦ Ch.-l. de cant. de la Moselle, arr. de Forbach. 17 293 hab. (26 057 aggl.). Houillères. Indus. chimiques. Constructions métalliques et mécaniques. Cimetière américain de Lorraine (16 000 tombes).

SAINT-AYGULF. ♦ Station balnéaire du Var*, près de Fréjus*.

Saint-Barthélemy *(la).* ♦ Massacre des protestants qui eut lieu à Paris, dans la nuit du 23 au 24 août 1572, et continua en province jusqu'en octobre. La paix de Saint*-Germain (1570), favorable aux protestants, et la politique de réconciliation qui en découla (influence prépondérante de Coligny*, renversement des alliances étrangères en faveur des Pays-Bas et de l'Angleterre contre l'Espagne, entrée d'Henri* de Navarre dans la famille royale) entraînèrent un mécontentement du parti catholique qui risquait d'ébranler le pouvoir royal au profit des Guise*. Voyant le danger, Catherine de Médicis se rapprocha du duc de Guise et prit la direction de la réaction : après une tentative d'assassinat de Coligny, qui échoua (22 août 1572), elle arracha au roi Charles* IX l'ordre du massacre. La populace parisienne, avertie par le tocsin de Saint-Germain-l'Auxerrois, fut ameutée. Il y eut plus de 3 000 morts, dont Coligny, parmi les protestants attirés à Paris par le mariage d'Henri de Navarre avec Marguerite* de Valois. Un grand nombre de chefs calvinistes fut exterminé, mais la résistance se poursuivit et se renforça dans l'Ouest et dans le Midi.

SAINT-BARTHÉLEMY. ♦ Petite île des Antilles* françaises (Îles-au-Vent*), située au N. de la Guadeloupe* dont elle dépend. 25 km². 3 000 hab. env. *Ch.-l.* Gustavia. – Colonisée par la France en 1648, elle fut suédoise de 1784 à 1876.

SAINT-BÉAT. ♦ Ch.-l. de cant. de la Haute-Garonne*, arr. de Saint*-Gaudens, sur la Garonne*. 755 hab. *(Saint-Béatais).* Carrières de marbre. Fabriques de chaux. Scieries. Patrie de Gallieni*. ♦ *Hist.* La situation stratégique de Saint-Béat lui valut le surnom de « Clef de France ».

SAINT-BENOÎT. ♦ Comm. de la Réunion*, sur la côte N.-E. de l'île. 19 492 hab. Sucreries. Conserves alimentaires.

SAINT-BENOÎT-DU-SAULT [-so]. ♦ Ch.-l. de cant. de l'Indre, arr. de Le Blanc, 822 hab. *(Bénédictins).* – Ancien prieuré (XVe-XVIIe s.). Vestiges des remparts. Maisons anciennes. – Articles ménagers. – Patrie de Hervé Faye*.

SAINT-BENOÎT-SUR-LOIRE. ♦ Comm. du Loiret, arr. d'Orléans (1 597 hab.). – L'abbaye, fondée vers 650 (elle s'appelait alors Fleury), reçut vers 675 les reliques de saint Benoît*, transférées du Mont-Cassin par un de ses moines. Elle compta dès lors parmi les grands pèlerinages de la chrétienté : les écoles dépendant de l'abbaye furent fréquentées sous Charlemagne par près de 5 000 élèves. L'église abbatiale, de style roman, est l'une des plus remarquables de France, avec son chœur du XIe s., sa nef des XIIe-XIIIe s., et son clocher-porche du XIe siècle. Les bâtiments conventuels, détruits sous la Révolution, sont en cours de reconstruction.

SAINT-BERNARD (Grand-). ♦ Col des Alpes* Pennines, à la frontière italo-suisse, à 2 473 m d'altitude, reliant le Valais suisse à la vallée d'Aoste. Une route reliant Martigny* à Aoste emprunte le col, et un tunnel long de 5 826 m, situé à 1 915 m d'altitude, a été creusé un peu à l'E. du col. ♦ *Hist.* Saint Bernard* de Menthon y fonda au Xe s. un hospice et un couvent où des chiens étaient dressés à retrouver les voyageurs égarés dans la montagne. En 1800, le col fut franchi par Bonaparte.

SAINT-BERNARD (Petit-). ♦ Col des Alpes françaises (Savoie), faisant communiquer la vallée de l'Isère avec celle de la Doire Baltée (Italie), à 2 188 m d'altitude. Une route mène de la Tarentaise (France) à la vallée d'Aoste (Italie). Bernard* de Menthon y fonda un hospice au Xe siècle. C'est probablement ce col qu'emprunta Hannibal en ~218.

SAINT-BERTRAND-DE-COMMINGES. ♦ Comm. de Haute-Garonne*, arr. de Saint*-Gaudens. 317 hab. Vestiges gallo-romains (citadelle, forum, thermes, temple, basilique). Anc. cathédrale Notre-Dame (XIIe, XIVe siècle). Cloître roman. Jubé, clôture de chœur et stalles du XVIe siècle. Tombeau des évêques Hugues de Châtillon et Bertrand de Miramont; trésor (châsse de saint Bertrand). Le vieux bourg, avec ses maisons des XVe et XVIe s., attire de nombreux touristes. ♦ *Hist.* Saint-Bertrand fut un évêché jusqu'en 1790.

SAINT-BONIFACE. ♦ V. du Canada (Manitoba), toute proche de Winnipeg. 46 660 hab. (1972). Centre ferroviaire et commercial dans une riche région agricole (blé : meuneries; bétail : indus. de la viande). Raffineries de pétrole, indus. chimiques. – Centre de la culture franco-canadienne dans l'Ouest. Basilique catholique. ♦ *Hist.* Ville fondée par des missionnaires français (1818). Une grave inondation l'endommagea en 1950.

SAINT-BONNET-LE-CHÂTEAU. ♦ Ch.-l. de cant. de la Loire*, arr. de Montbrison*. 2 582 hab. Anc. ville fortifiée. Église des XVe et XVIe s. Maisons gothiques et Renaissance. – Fabrication de dentelles. Pièces détachées pour cycles.

SAINT-BRÉVIN-LES-PINS. ♦ Comm. de la Loire-Atlantique, arr. de Saint-Nazaire, sur la r. g. de l'estuaire de la Loire. Station balnéaire. 8 113 hab. hors saison *(Brévinois).* Dolmen, menhir.

SAINT-BRIAC-SUR-MER. ♦ Comm. d'Ille-et-Vilaine (arr. de Saint-Malo), près de Dinard. 1 290 hab. – Station balnéaire; port de pêche et de plaisance.

SAINT-BRICE-EN-COGLÈS. ♦ Ch.-l. de cant. d'Ille-et-Vilaine, arr. de Fougères. 2 054 hab. *(Briçois).* – Châteaux de la Motte (XVIIe s.) et du Rocher-Portal (XVIIe s.). – Carrières de granit.

SAINT-BRICE-SOUS-FORÊT. ♦ Comm. du Val-d'Oise, arr. de Montmorency, en bordure de la forêt de Montmorency. 6 610 hab. – Pavillon Colombe (XVIIIe s.). – Vergers; briqueteries, plâtrières.

SAINT-BRIEUC [-bʀiø]. ♦ Préf. des Côtes-du-Nord, ch.-l. d'arr. (17 cant., 126 comm., 229 233 hab.), près de la baie de Saint-Brieuc, à 3 km de la mer, 54 763 hab. *(Briochins).* – Cathédrale Saint-Étienne, d'allure massive (XIVe-XVe s.), remaniée au XVIIIe siècle. Maisons et hôtels anciens. Évêché. – Le port de Saint-Brieuc est Le Légué, sur l'estuaire du Gouët. La ville est à proximité de plages telles que Les Rosaires, Binic*, Étables*, Saint-Quay*-Portrieux. Entrepôts frigorifiques pour la viande et les primeurs. Indus. alimentaires; brasserie. Fabrique de chauffe-eau, d'appareils de chauffage, indus. métallurgiques et textile. Machines agricoles; spécialité de brosserie; indus. du bois; cimenteries; engrais marins; construction de bateaux. – Patrie de Villiers* de L'Isle-Adam. ♦ *Hist.* L'origine de la ville remonte à un monastère fondé au VIe s. par saint Brieuc, moine gallois. La construction de la cathédrale commença au XIIIe siècle. Les états de Bretagne siégèrent souvent dans la ville (1602-1768).

SAINT-BRIS-LE-VINEUX. ♦ Comm. de l'Yonne, arr. d'Auxerre. 902 hab. Anc. maison des Templiers (XIIe s.). Église (XIIIe s. et Renaissance). Maisons anc. Château (XVIIe s.). – Viticulture (vins blancs).

SAINT-CALAIS. ♦ Ch.-l. de cant. de la Sarthe, arr. du Mans. 4 591 hab. *(Calaisiens).* Ancienne abbatiale Notre-Dame, des XVe et XVIe s., de styles gothique flamboyant et Renaissance. Anc. abbaye du XVIe s., aujourd'hui hôtel de ville, théâtre et musée.

SAINT-CAST. ♦ Comm. des Côtes-du-Nord (arr. de Dinan*), située sur la pointe de Saint-Cast. 2 275 hab. *(Castins).* – Station balnéaire très fréquentée, formée de trois agglomérations : le Bourg, l'Isle et la Garde; plage des Mielles et plage de Pen-Guen. Construction de petits bateaux. ♦ *Hist.* En 1758, le duc d'Aiguillon y repoussa un corps de débarquement anglais.

SAINT CATHARINES. ♦ V. du Canada (Ontario), sur la rive S. du lac Ontario, à l'E. d'Hamilton, près de Niagara Falls et des États-Unis. 97 101 hab. (1966). Port actif (docks). Production de vin; conserves de fruits. Papeteries. Indus. mécaniques (automobiles).

SAINT-CÉRÉ. ♦ Ch.-l. de cant. du Lot*, arr. de Figeac*. 4 177 hab. *(Saint-Céréens).* Églises XIIe-XIIIe s., XVIIe siècle. Indus. : machines agricoles, confections. Patrie de F.C. de Canrobert*.

SAINT-CERNIN. ♦ Ch.-l. de cant. du Cantal*, arr. d'Aurillac*. 1 533 hab. Église romane remaniée au XVe s. avec boiseries du XVe siècle. — Patrie de H. Mondor*.

SAINT-CHAMAS. ♦ Comm. des Bouches-du-Rhône, arr. d'Aix-en-Provence. 5 157 hab. — Usine hydro-électrique sur la Durance.

SAINT-CHAMOND. ♦ Ch.-l. de cant. de la Loire*, arr. de Saint*-Étienne, sur le Gier*. 38 406 hab. *(Saint-Chamonais* ou *Couramiauds).* Église du XVIIe s. Extraction de houille; métallurgie, forges et aciéries de la marine. Manufacture de tresses. Teintureries. — Patrie de Ravachol*.

SAINT-CHÉLY-D'APCHER [-dapʃe]. ♦ Ch.-l. de cant. de la Lozère (arr. de Mende), sur le plateau du Gévaudan*. 5 416 hab. Vieille tour carrée servant de beffroi. Électrométallurgie.

SAINT-CHÉRON. ♦ Ch.-l. de cant. de l'Essonne, arr. d'Étampes. 2 457 hab. — Carrières de grès.

SAINT-CHINIAN. ♦ Ch.-l. de cant. de l'Hérault, arr. de Béziers. 2 005 hab. *(Saint-Chinianais).* Petit centre industriel.

SAINT-CIRQ-LAPOPIE. ♦ Comm. du Lot, arr. de Cahors. 191 hab. — Village escarpé dominant la vallée du Lot. Château sur un rocher. Maisons anc. Restes de fortifications.

SAINT-CLAIR *(lac).* ♦ Lac situé à la frontière des États-Unis (Michigan) et du Canada (Ontario), entre le lac Huron* au N. et le lac Érié au sud. Il est relié à l'un par la *rivière Saint-Clair* et à l'autre par la rivière de Detroit **(V. Detroit),** constituant une importante voie de passage au centre des Grands Lacs.

SAINT-CLAIR-SUR-EPTE. ♦ Comm. du Val-d'Oise, arr. de Pontoise. 495 hab. — Église (XIIe-XVe s.). ♦ *Hist.* Le traité par lequel Charles* le Simple céda la Normandie à l'O. de l'Epte, à Rollon* (911), y fut signé.

SAINT-CLAUDE. ♦ Ch.-l. de cant. de la Guadeloupe, au S.-O. et à l'intérieur de Basse-Terre. 10 303 hab. Caféiers; cacaoyers.

SAINT-CLAUDE. ♦ Sous-préf. du Jura, ch.-l. d'arr. (5 cant., 79 comm., 45 253 hab.), sur la Bienne. 13 117 hab. *(Sanclaudiens).* Évêché. Cathédrale Saint-Pierre (XIVe-XVIIIe s.). — Centre de fabrication des pipes. Articles de *Saint-Claude* (corne, os, ivoire, écaille). Matières plastiques. Fonderies. Machines-outils. Tailleries de diamant et de pierres fines. Centre de tourisme.

SAINT-CLOUD. ♦ Ch.-l. de cant. des Hauts-de-Seine (arr. de Nanterre), sur la Seine, au N. du parc de Saint-Cloud, à l'O. de Paris. 28 560 hab. *(Clodoaldiens).* Ville résidentielle et centre d'affaires. Bureau international des Poids et Mesures dans le pavillon de Breteuil (XVIIIe s.). Hippodrome. École normale supérieure de Saint-Cloud. Parc (voir *ci-dessous*). Les porcelaines de Saint-Cloud (XVIIe-XVIIIe s.) sont très appréciées. — Indus. aéronautique; fabrique de pompes, de bougies. — Patrie de Philippe duc d'Orléans*, de L.-Ph. J. duc d'Orléans* (dit Philippe Égalité), de J.-C. Killy. ♦ Hist. *Clodoald* ou *Cloud,* petit-fils de Clovis, fonda un monastère au VIe s.; son tombeau fut un lieu de pèlerinage. Au XVIe s., Pierre de Gondi y fit construire un château où fut assassiné Henri III en 1589. Le domaine revint au frère de Louis XIV, Philippe d'Orléans, qui y fit édifier un château par Hardouin-Mansart et Mignard. Les jardins furent dessinés par Le Nôtre. Marie-Antoinette acheta le château de Saint-Cloud en 1785. C'est dans la salle de l'Orangerie où avait été transféré le Conseil des Cinq-Cents que Bonaparte exécuta le coup d'État du 18 Brumaire*. Saint-Cloud fut la résidence favorite de Napoléon; il y épousa Marie-Louise. Charles X signa les ordonnances de juillet 1830 dans ce château. Saint-Cloud fut résidence impériale sous le Second Empire; c'est là que Napoléon III déclara la guerre à la Prusse en juillet 1870. Incendié par les Prussiens pendant le siège de Paris en 1871, le château fut rasé en 1891. Le parc d'environ 400 ha, œuvre de Le Nôtre, est actuellement un lieu de promenade très fréquenté.

SAINT-CUCUFA *(bois de).* ♦ Bois de 200 ha à l'O. de Paris, comm. de Rueil*-Malmaison (Hauts-de-Seine). Petits chalets construits au bord de l'étang sous le Second Empire.

SAINT-CYPRIEN. ♦ Ch.-l. de cant. de la Dordogne*, arr. de Sarlat*. 1 649 hab. — Église du XIIe s., remaniée à l'époque gothique. Aux env. château de Fages (XVe s.). — Chaux et ciment, manufacture de tabac.

SAINT-CYPRIEN ou **SAINT-CYPRIEN-PLAGE.** ♦ Comm. des Pyrénées-Orientales (arr. et aggl. de Perpignan), sur la Méditerranée. 2 869 hab. Important port de plaisance.

SAINT-CYRAN (Jean Duvergier de Hauranne, *abbé de***).** ♦ Théologien français (Bayonne, 1581 — Paris, 1643). Après des études à Paris et à Louvain, il fit la connaissance de Jansénius à Paris (1609) et se retira avec lui dans sa propriété de Camp-de-Prats, près de Bayonne (1611-1616), où tous deux accumulèrent une vaste érudition patristique et formèrent des projets de réforme de l'Église **(V. Jansénius).** Abbé de Saint-Cyran en 1620, il se lia avec Bérulle* et Arnauld* d'Andilly, dirigea la formation d'Antoine Arnauld* et devint le confesseur et le directeur des religieuses de Port-Royal* (1636). Ses doctrines intransigeantes sur l'attribution, le salut, la grâce; son inimitié pour les jésuites; ses liens politiques avec les parlementaires et sa position comme chef du parti dévot depuis la mort de Bérulle, lui attirèrent l'hostilité de Richelieu qui le fit enfermer à Vincennes (1638). Il continua son œuvre de directeur de conscience, mais sa santé se ruina et il ne quitta la prison, à la mort de Richelieu, que pour mourir. Il fit figure de martyr du jansénisme*.

SAINT-CYR-L'ÉCOLE. ♦ Ch.-l. de cant. des Yvelines, arr. de Versailles. 17 037 hab. *(Saint-Cyriens).* Maison d'éducation créée par Mme de Maintenon en 1686, et transformée en 1808 en école spéciale militaire par Napoléon Ier. L'école fut détruite en 1944 et transférée à Coëtquidan*. Un prytanée militaire et un lycée ont été construits à la place de l'ancienne école.

SAINT DAVID'S, en gallois **Tyddewi.** ♦ Localité du S.-O. du pays de Galles (Pembrokeshire), à l'extrémité de la pointe Saint David's. 1 690 hab. Ancienne étape vers Saint-Jacques-de-Compostelle où saint David*, patron du pays de Galles, fonda un évêché au milieu du VIe siècle. La cathédrale, joyau de l'architecture galloise, fut édifiée à partir de 1180 en style roman (nef) et continuée en gothique primitif (transepts et chœur). Palais épiscopal (1280-1350).

SAINT-DENIS. ♦ Ch.-l. de la Réunion*, sur la côte N. de l'île. 85 992 hab. Évêché. Centre administratif et commercial. Manufacture de tabac. Sucreries et distillerie. — Patrie de L. Dierx*, R. Garros* et F. Guyon*.

SAINT-DENIS. ♦ Ch.-l. de cant. de la Seine-Saint-Denis (arr. de Bobigny), au N. de Paris, sur le canal de Saint-Denis. 100 060 hab. *(Dyonisiens).* — Centre indus. important, la vieille ville, en cours de rénovation, est entourée de quartiers modernes. L'édifice le plus célèbre de Saint-Denis est sa basilique (voir ci-dessous, *Hist.).* Évêché. Centre universitaire. Théâtre Gérard-Philipe. Musée d'art et d'histoire. Saint-Denis est longé par l'autoroute Paris-Lille (échangeurs). — Activités indus. multiples : usine à gaz, centrale thermique; fonderie; indus. mécanique et chimique; indus. alimentaires; électronique; orfèvrerie. — Patrie de P. Éluard*, M.C. Gaudin*, F. Poulbot*, Suger*, J. Védrines*. ♦ *Hist.* L'église abbatiale, devenue basilique, fut élevée, selon la tradition, par sainte Geneviève à la fin du Ve s., à l'emplacement où avaient été ensevelis (273) saint Denis et ses compagnons Rustique et Éleuthère **(V. Montmartre).** Dagobert (v. 630) fit rebâtir l'église qui devint la nécropole du roi et de la plupart de ses successeurs (comme d'un certain nombre de grands capitaines, tels Du Guesclin). Commencée sous Pépin le Bref en 754, la troisième église fut consacrée par Charlemagne en 775. Témoins de la remarquable prospérité de l'abbaye à cette époque, de nombreux sarcophages mérovingiens et carolingiens, renfermant des bijoux d'or, ont été exhumés. À partir de 1122, grâce à l'abbé Suger*, une importante rénovation architecturale fut entreprise, formant le premier exemple de cette ampleur du style gothique auquel il donna une impulsion décisive. Le chœur à déambulatoire voûté d'ogives fut orné de superbes verrières (dont quelques-unes subsistent) provenant des

Ph. De Gregorio/Ricciarini

La basilique **Saint-Denis.**

célèbres ateliers de peintures sur verre. Favorisée par Saint Louis, agrandie de 1231 à 1281 sur les plans de Pierre* de Montreuil, puis au XIVe s. (chapelles) et au XVIe s. (nécropole des Valois), la basilique fut mutilée pendant la Fronde, puis, plus gravement, sous la Révolution. Commencée par les Bourbons (caveau de Louis XVI et de sa famille), confiée en 1813 à Debret, la restauration des bâtiments fut menée à bien par Viollet-le-Duc de 1858 à sa mort. Ce dernier rétablit l'édifice dans son état actuel (trois portails; des parapets crénelés; une tour de style roman à double étage, à droite), et replaça les mausolées, chefs-d'œuvre de la sculpture funéraire : tombeau de Dagobert, édifié sous Saint Louis; de Louis XII et d'Anne de Bretagne, par les Juste*; d'Henri II et de Catherine de Médicis, par P. Lescot* et Germain Pilon*; de François Ier et de Claude de France, par Philibert Delorme* et P. Bontemps*. Mais les dépouilles des rois avaient été enlevées pendant la Révolution. Les bâtiments de l'abbaye, restaurés au XVIIIe s., par Robert de Cotte*, puis par Gabriel*, renferment depuis 1809 la Maison d'éducation de la Légion d'honneur. — La basilique a été élevée au rang de cathédrale en 1966.

SAINT-DENIS-D'OLÉRON. ♦ Comm. de la Charente-Maritime, arr. de Rochefort. 984 hab. Station balnéaire sur la côte septentrionale de l'île d'Oléron. Église des XIIe et XVIIe siècles.

SAINT-DENIS-DU-SIG. ♦ **V.** Sig.

SAINT-DENYS GARNEAU (Hector *de*). ♦ Écrivain canadien d'expression française (Montréal, 1912 — Sainte-Catherine, 1943). Dès sa vingtième année, il eut une intense activité intellectuelle et artistique; frappé par une maladie de cœur (1934), il traversa alors une grave crise intérieure dont son *Journal* (tenu depuis 1935; édité en 1954) se fait l'écho. Après un court séjour en Europe, il revint au Canada pour s'y enfermer dans une solitude volontaire, mourant dans des circonstances étranges. Ses ***Poésies complètes*** (posth., 1949) comprennent ***Regards et jeux dans l'espace*** (poèmes publiés en 1937) ainsi que *Les Solitudes;* « enfant en voyage tout seul », Saint-Denys Garneau conçoit la poésie comme une voie de connaissance dans sa quête morale et spirituelle. Au sentiment angoissé d'être dépossédé, de marcher « à côté d'une joie [...] qui n'est pas à lui », aux regrets de quitter « vingt ans de fleurs sur fond de ciel » succédera l'épreuve de la solitude, nécessaire pour approfondir sa foi. Témoignage fidèle d'une expérience spirituelle émouvante, l'œuvre poétique de Saint-Denys Garneau porte, dans sa forme, l'influence manifeste du symbolisme dont l'auteur adopta le vers-librisme.

SAINT-DIDIER-EN-VELAY. ♦ Ch.-l. de cant. de la Haute-Loire* (arr. d'Yssingeaux*), dans le Velay*. 2 949 hab. Cartonnerie, manufacture de rubans; foulards; confection.

SAINT-DIÉ. ♦ Sous-préf. des Vosges, ch.-l. d'arr. (8 cant., 522 comm., 400 178 hab.), sur la Meurthe. 26 430 hab. *(Déodatiens).* La ville a été reconstruite après 1944; la cathédrale est en cours de restauration. Église Notre-Dame (dite « Petite-Église ») en grès rouge (XIIe s.). Évêché. — Métallurgie, fonderies. Indus. textiles, bonneterie. Matières plastiques. Papeterie. Confiseries. — Patrie de F. Brunot*, J. Ferry*. ♦ *Hist.* Saint-Dié a pour origine un monastère bénédictin fondé au VIIe s. par Dieudonné *(Dié).* La ville, incendiée à plusieurs reprises, fut partiellement détruite en 1757. Au XVe s., l'une des premières imprimeries s'installa à Saint-Dié.

SAINT-DIZIER (altér. de *Saint-Didier*). ♦ Sous-préf. de la Haute-Marne, ch.-l. d'arr. (8 cant., 144 comm., 82 911 hab.) entre la Marne et le canal de la Marne à la Saône. 39 034 hab. Église Saint-Martin de la Nene, du XIIIe s. (remaniée et restaurée). Église Saint-Martin de Gigny (XVe et XVIe s.). Musée. — Indus. alimentaires (crèmes glacées). Indus. textiles (bonneterie), chimiques (gaz comprimé) et métallurgiques (fonderie, appareils de levage et de manutention, matériel agricole, quincaillerie, mécanique générale). Mobilier. Imprimerie. ♦ *Hist.* Saint-Dizier résista à Charles Quint en 1544. Napoléon y livra deux combats victorieux en 1814.

SAINT-DOMINGUE. ♦ Anc. nom de la république d'Haïti*, d'abord nommée Hispaniola*.

SAINT-DOMINGUE, en esp. **Santo Domingo.** ♦ Cap. de la république Dominicaine*, située au bord de la mer des Caraïbes. 654 757 hab. (1969). Archevêché. Églises du XVIe s. Centre commercial et industriel (sucreries, distilleries de rhum, brasseries...). Port très actif qui assure les deux tiers du commerce extérieur du pays. ♦ *Hist.* Fondée en 1496, la ville fut appelée, de 1936 à 1961, Ciudad Trujillo.

SAINT-DONAT-SUR-L'HERBASSE. ♦ Ch.-l. de cant. de la Drôme*, arr. de Valence*. 2 268 hab. *(Donatiens).* — Moulinage de la soie; chaussures.

SAINT-DOULCHARD. ♦ Comm. du Cher, arr. de Bourges. 5 274 hab. Indus. chimique.

SAINTE-... ♦ Voir ci-dessous, après les noms en Saint-.

SAINT-EFFLAM. ♦ Station balnéaire des Côtes-du-Nord dépendant de Plestin*-les-Grèves, arr. de Lannion.

SAINT-ÉGRÈVE. ♦ Comm. de l'Isère, dans l'arr. et la banlieue N. de Grenoble*. 11 544 hab. — Indus. textile et chimique. Indus. électroniques. Centrale hydro-électrique sur l'Isère. — L'anc. prieuré de Saint-Robert (XVIe s.) a été transformé en orphelinat et en hôpital psychiatrique.

SAINT-ÉLIE, en angl. **Saint Elias.** ♦ Massif des montagnes Rocheuses, situé aux confins du Canada (**V. Logan** [*mont*]) et de

Arch. Rencontre

Le jubé de l'église
Saint-Étienne-du-Mont.

l'Alaska, où il culmine à 5 489 m au *mont Saint Elias.* La chaîne est couverte de neige et de glace et possède de nombreux glaciers (le *glacier de Malaspina,* sur le versant S.). Sa face S. est presque perpendiculaire au sol.

SAINT-ÉMILION. ♦ Comm. de la Gironde*, arr. de Libourne*. 3 403 hab. (943 aggl.). Remparts du XIIIe s.; église collégiale des XIIe, XIIIe et XIVe s.; église monolithe creusée dans le rocher (XIe-XIIe s.), chapelle de la Trinité (XIIIe s.), château du roi (XIIIe s.). Anc. cloître des cordeliers. — Vins rouges réputés. Spécialités de macarons.

Saint Empire romain germanique ou **Saint Empire,** en all. **Heiliges Römisches Reich Deutscher Nation,** en lat. **Sacrum Imperium Nationis Germanicae.** ♦ Empire fondé par Othon* Ier le Grand en 962 et détruit par Napoléon* Ier en 1806. **V. Othon II, Othon III, Henri II, Conrad II le Salique, Henri III le Noir, Henri IV, Henri V, Lothaire III, Conrad III, Frédéric Ier, Henri VI, Philippe Ier, Othon IV, Frédéric II, Conrad IV, Rodolphe Ier, Adolphe de Nassau, Albert Ier, Henri VII, Louis IV, Charles IV, Wenceslas IV, Robert Ier, Sigismond de Luxembourg, Albert II, Frédéric III, Maximilien Ier, Charles Quint, Ferdinand Ier, Maximilien II, Rodolphe II, Mathias II, Ferdinand II, Ferdinand III, Léopold Ier, Joseph Ier, Charles VI, Charles VII Albert de Bavière, François Ier de Lorraine, Joseph II, Léopold II, François II.**

SAINT-ÉNOGAT. ♦ Quartier de Dinard, Ille-et-Vilaine, station balnéaire.

Saint-Esprit *(ordre du).* ♦ Ordre de chevalerie institué en 1578 par Henri III. Il fut aboli en 1789 et rétabli de 1814 à 1830.

SAINT-ESTÈPHE. ♦ Comm. de la Gironde, arr. de Lesparre-Médoc. 2 171 hab. — Grand cru du Médoc.

SAINT-ÉTIENNE. ♦ Préf. de la Loire*, ch.-l. d'arr. (12 cant., 75 comm., 451 467 hab.), située au centre d'une dépression drainée par le Gier* et par le Furens*. 225 091 hab. *(Stéphanois).* Église Saint-Étienne du XIVe s. — Le bassin houiller de Saint-Étienne occupe toute la dépression, il est exploité depuis le XVIe siècle. En 1516, François Ier y créa une manufacture royale d'arquebuses; en 1885 est fondée la Manufacture française d'armes et cycles de Saint-Étienne, qui fut le centre du développement économique de la ville. Aujourd'hui, outre l'extraction de la houille, l'économie est basée sur la métallurgie, les indus. mécaniques (matériel de chemin de fer, armes, cycles, machines), l'indus. textile (soie, rayonne, coton, rubans, tissus, bonneterie) et les indus. chimiques. — Patrie de J.-L. Dutreuil* de Rhins, D. Fourneyron*, A. Galle*, F. Garnier*, J. Guitton*, J. Janin*, J. Massenet*.

SAINT-ÉTIENNE-DE-BAIGORRY [-baigɔʀi]. ♦ Ch.-l. de cant. des Pyrénées*-Atlantiques, arr. de Bayonne*. 2 022 hab. (868 aggl.). Château d'Etchau (XVIe s.). Centre de pêche et d'excursions.

SAINT-ÉTIENNE-DE-MONTLUC. ♦ Ch.-l. de cant. de la Loire-Atlantique, arr. de Saint-Nazaire. 3 759 hab. [1 840 aggl.] *(Stéphanois).* — Matériaux de construction.

SAINT-ÉTIENNE-DE-SAINT-GEOIRS [-ʒwaʀ]. ♦ Ch.-l. de cant. de l'Isère*, arr. de Grenoble*. 1 209 hab. *(Stéphanois).* Indus. alimentaires; travail du bois. — Patrie de L. Mandrin*, de J. Vinoy*.

SAINT-ÉTIENNE-DE-TINÉE. ♦ Ch.-l. de cant. des Alpes*-Maritimes, arr. de Nice*, sur la Tinée*, à 1 141 m d'altitude. 1 721 hab. *(Stéphanois).* Église des XVIe et XVIIe s. avec clocher roman. Centre d'ascensions et de sports d'hiver.

Saint-Étienne-du-Mont. ♦ Église de Paris, située place Sainte-Geneviève. Sanctuaire fondé en 1220, réédifié de 1492 à 1622, l'église présente une façade Renaissance à trois frontons superposés sous un clocher du XVe siècle. La nef, dont les hauts piliers sont coupés d'une coursière à balustrade ajourée, conserve un *jubé,* le seul resté intact à Paris (entre 1525 et 1535); d'architecture gothique, flanqué de deux escaliers en spirale, ajourés d'entrelacs, il porte une ravissante décoration d'inspiration Renaissance. Riche de peintures sur verre des XVIe et XVIIe s., l'église renferme également l'anc. tombeau et la châsse de sainte Geneviève, ainsi que les pierres tombales de Pascal et de Racine.

SAINT-ÉTIENNE-DU-ROUVRAY. ♦ Comm. de la Seine-Maritime, arr. et aggl. de Rouen. 34 731 hab. Ville industrielle. **V. Rouen.**

SAINT-ÉTIENNE-EN-DÉVOLUY. ♦ Ch.-l. de cant. des Hautes-Alpes* (arr. de Gap*), sur la Souloise, 417 hab. Centre d'excursions. À 4 km, se trouve la station de sports d'hiver récente de *Super-Dévoluy.*

SAINT-ÉTIENNE-LÈS-REMIREMONT. ♦ Comm. des Vosges, arr. d'Épinal. 3 741 hab. Indus. du coton.

Saint-Eustache. ♦ Église de Paris, située près de l'emplacement des anc. Halles*. Sanctuaire du XIIIe s., réédifié de 1532 à 1637, l'édifice présente un plan gothique, inspiré de celui de Notre*-Dame de Paris; des voûtes flamboyantes et des bas-côtés très élevés contrastent avec une décoration Renaissance. L'église renferme le tombeau de Colbert (sculptures par Coysevox* et Tubi*) et une *Vierge* en marbre par Pigalle*.

SAINT-ÉVREMOND (Charles de Marguetel de Saint-Denis *de*). ♦ Moraliste et critique français (Coutances, v. 1615 – Londres, 1703). Après une belle carrière militaire, déjà connu par sa *Comédie des académistes* (anonyme, v. 1650), il dut, en raison d'écrits frondeurs contre Mazarin*, s'exiler à Londres où il vécut désormais, refusant de profiter de la grâce octroyée par Louis XIV, fréquentant les salons, notamment celui d'Hortense Mancini*. Ses écrits, circulant en France comme en Angleterre, manifestent, sur des sujets très différents, son esprit libertin. – En histoire, ses *Réflexions sur les divers génies du peuple romain* (1663) annoncent les théories de Montesquieu* tandis que la *Conversation du maréchal d'Hocquincourt avec le P. Canaye* défend une morale naturelle reposant sur un épicurisme mesuré. En littérature, enfin, ses nombreux écrits (surtout sur le théâtre) et sa volumineuse correspondance révèlent son indépendance d'esprit et ses vues pénétrantes sur la nécessaire évolution des arts (Cf. *Sur les poèmes des Anciens,* 1685).

SAINT-EXUPÉRY (Antoine *de*). ♦ Écrivain et aviateur français (Lyon, 1900 – disparu en mission de guerre, 1944). Pilote de ligne sur le parcours Toulouse-Casablanca, il mit en service les lignes de Patagonie, puis accomplit des missions importantes comme pilote d'essai et comme pilote militaire. Cette vie d'homme d'action nourrit et éclaire les réflexions d'un humaniste soucieux de trouver une signification morale et spirituelle à l'activité humaine; dès *Courrier-Sud* (1927) et *Vol de nuit* (1931), Saint-Exupéry cherche dans son expérience personnelle un sens universel, trouvant dans la solitude dangereuse de l'avion ou dans celle du désert un terrain propice à la méditation. Dans un texte de facture très classique, *Terre des hommes* (1939), l'écrivain insiste sur la nécessaire rigueur de l'individu vis-à-vis de lui-même, pour devenir un homme et cultiver le « seul luxe, celui des relations humaines ». Des ouvrages comme *Pilote de guerre* et *Lettre à un otage* (1942) soulignent la nécessité de lier le courage individuel au sacrifice à la communauté humaine et exaltent « l'amour de la maison [la Terre] » qui « est déjà la vie de l'esprit » (Cf. la *Lettre au général X,* 1944). Préférant les vertus de l'amour (qui peut conduire à la foi : « Aimer ce n'est point nous regarder l'un l'autre, mais regarder ensemble dans la même direction. ») à celles de l'intelligence, Saint-Exupéry a habillé de symboles naïfs sa nostalgie de l'amitié dans *Le Petit Prince* (1943) et exprimé à nouveau sa morale du devoir lié au désir d'une vie spirituelle dans *Citadelle* (posth.. 1948).

SAINT-FARGEAU. ♦ Ch.-l. de cant. de l'Yonne (arr. d'Auxerre), sur le Loing*, en Puisaye*. 1 681 hab. Château (XIIIe s., souvent remanié) ayant appartenu à Mlle de Montpensier. Tour de l'Horloge (XVe s.). ♦ *Hist.* Le fief de Saint-Fargeau, qui appartint au XVe s. à Jacques Cœur, fut érigé en duché en 1575 en faveur du dauphin d'Auvergne, François de Bourbon.

SAINT-FERRÉOL. ♦ Comm. de la Haute-Garonne, arr. de Saint-Gaudens. 85 hab. – Tourisme : ermitage et chapelle du XIIIe siècle.

SAINT-FLORENT. ♦ Ch.-l. de cant. de la Corse* (arr. de Bastia*), au fond du golfe de Saint-Florent. 805 hab. Citadelle génoise; aux environs, anc. cathédrale de Nebbio (XIIIe s.). Centre touristique et balnéaire.

SAINT-FLORENTIN. ♦ Ch.-l. de cant. de l'Yonne (arr. d'Auxerre), situé sur une colline dominant le confluent de l'Armance et de l'Armançon*, au-dessus du canal de Bourgogne*. 6 020 hab. *(Florentinois).* Anc. remparts. Église (XIVe-XVIIe s.). Tour du XVIe s. – Indus. alimentaires (confiserie). Indus. de l'amiante. Garnitures de freins.

SAINT-FLORENT-LE-VIEIL. ♦ Ch.-l. de cant. du Maine-et-Loire, arr. de Cholet. 2 203 hab. [1 321 aggl.]. – Conserves alimentaires. Construction métallique. – Combats entre l'armée royaliste et les troupes révolutionnaires en mars 1793.

SAINT-FLORENT-SUR-CHER. ♦ Comm. du Cher, arr. de Bourges. 6 408 hab. Château des XVe-XVIe siècles.

SAINT-FLOUR. ♦ Sous-préf. du Cantal*, ch.-l. d'arr. (9 cant., 110 comm., 54 824 hab.), au bord de la planèze de Saint-Flour. 7 396 hab. *(Sanflorains).* Cathédrale en basalte, déb. XVe siècle. Anc. église Notre-Dame (XIVe-XVe s.). Maisons anc. – Ganterie. – Patrie de Belloy*, de l'abbé Migne*.

SAINT-FOIX (Georges POULLAIN, *comte de*). ♦ Musicologue français (Paris, 1874 – Aix-en-Provence, 1954). Élève de V. d'Indy, il fut le cofondateur et le président de la Société française de musicologie. De l'ensemble des travaux qu'il a consacrés aux compositeurs classiques, il convient de retenir sa monumentale monographie, *Mozart, sa vie musicale et son œuvre* (5 vol., 1911-1946), conçue en collaboration avec Th. de Wizewa, et dont il écrivit seul les trois derniers volumes.

SAINT-FONS [sɛ̃fɔ̃]. ♦ Comm. du Rhône*, dans l'arr. et la banlieue de Lyon. 15 096 hab. *(Saint-Foniards).* Indus. chimiques; métallurgie.

SAINT-FRANÇOIS. *n. m.* ♦ Riv. du Canada (Québec), affl. du Saint-Laurent (r. d.) au lac Saint-Pierre. 260 km. Aménagements hydro-électriques.

SAINT-FULGENT. ♦ Ch.-l. de cant. de la Vendée, arr. de La Roche-sur-Yon. 2 258 hab. [1 194 aggl.] *(Saint-Fulgentais).* – Aliments pour le bétail. Confection, chaussures.

SAINT-GALL, en all. **Sankt Gallen.** ♦ V. du N.-E. de la Suisse, à 12 km au S. du lac de Constance, ch.-l. du cant. de Saint-Gall. 81 200 hab. – Évêché. Université commerciale. La ville est construite autour de la cathédrale, reconstruite au XVIIIe s. sur l'emplacement de l'anc. abbaye; c'est un des chefs-d'œuvre de l'architecture baroque en Suisse (1755-1767). Bibliothèque abbatiale (1758-1767). ♦ Canton de Saint-Gall. 2 015,8 km². 378 000 hab. en majorité de langue allemande et de religion catholique (3/4). – *Ch.-l.* Saint-Gall. *V. princ.* **V. Altstätten, Bad Ragaz, Rapperswil, Rorschach, Wil.** – Le canton est drainé par le Rhin* et la Thur*, dont la haute vallée forme la région du Toggenburg. L'économie agricole est essentiellement tournée vers l'élevage laitier et la culture de la vigne et des arbres fruitiers (vallée du Rhin). Saint-Gall est un des principaux centres commerciaux et industriels de la Suisse; ses industries de broderie et de dentelle, toujours réputées, ont peu à peu laissé la place à la confection, aux filatures et aux manufactures de textile (soie artificielle). Le tourisme tient une place importante dans l'économie du pays (sports d'hiver, stations thermales). – Patrie de Zwingli* (Wildhaus). ♦ *Hist.* Saint-Gall tire son origine de l'abbaye bénédictine fondée vers 720 sur l'emplacement d'un ermitage bâti en 612 par le missionnaire irlandais Gallus (saint Gall), compagnon de saint Colomban. Elle devint dès le IXe s. un important foyer de littérature et d'art (recherches musicales, scriptorium). La ville de Saint-Gall s'édifia peu à peu autour de l'abbaye. Elle était gouvernée par les abbés devenus princes du Saint Empire depuis 1206. En 1453, l'abbaye puis la ville entrèrent dans la Confédération helvétique. Avec l'introduction de la Réforme au XVIe s., les moines furent chassés de l'abbaye, mais revinrent après la victoire de Kappel*. Ils durent l'abandonner définitivement lorsque l'Acte de médiation de 1803 constitua le canton de Saint-Gall.

SAINT-GALMIER. ♦ Ch.-l. de cant. de la Loire*, arr. de Montbrison*. 3 061 hab. *(Baldoniériens).* Église des XIVe, XVe, XVIe s. Maisons anc. Eaux minérales (source Badoit).

SAINT-GAUDENS [sɛ̃godɛ̃s]. ♦ Sous-préf. de la Haute-Garonne*, ch.-l. d'arr. (11 cant., 240 comm., 83 150 hab.), sur la r. g. de la Garonne*. 12 636 hab. *(Saint-Gaudinois).* Église des XIe-XIIe s. restaurée au XIXe siècle. Cloître du XIIIe siècle. – Usine de pâte à papier, fabrique d'appareils frigorifiques. Gisements de gaz naturel et de pétrole. Marché agricole. Patrie de A. Marrast* et de R.T. Troplong*. ♦ *Hist.* Cap. du Nébouzan*, au Moyen Âge.

SAINT-GAULTIER [-gotje]. ♦ Ch.-l. de cant. de l'Indre, arr. de Le Blanc. 2 333 hab. *(Saint-Gaultiens).* Église romane (XIe-XIIe s.). Vestiges des remparts du XVe siècle. – Confection.

SAINT-GELAIS (Mellin *de*). ♦ Écrivain français (Angoulême, 1491 – Paris, 1558). Prélat mondain et disciple de Marot*, il est l'auteur de poésies de cour et d'épigrammes contre Ronsard* et Du Bellay*.

SAINT-GENEST-MALIFAUX. ♦ Ch.-l. de cant. de la Loire*, arr. de Saint*-Étienne. 2 103 hab. *(Genésiens).* Moulinage de la soie; rubans.

SAINT-GENGOUX [ʒɑ̃gu]**-LE-NATIONAL.** ♦ Ch.-l. de cant.

Ph. Stella

Saint-Flour.

Ph. Louis Monier

Le château de **Saint-Germain-en-Laye.**

de la Saône-et-Loire, arr. de Mâcon. 1 070 hab. Église (XIIe-XVe s.), hôtels anc. Vins.

SAINT-GENIEZ-D'OLT [sɛ̃ʒənjedɔlt]. ♦ Ch.-l. de cant. de l'Aveyron* (arr. de Rodez*), sur le Lot*. 2 419 hab. Église des Pères (XIVe s.), église du XVIIIe s., pont du XVIIIe siècle. Maisons anc. – Importantes cultures de fraises. Patrie de F. Chabot*, de l'abbé Raynal*.

SAINT-GENIS-LAVAL. ♦ Ch.-l. de cant. du Rhône*, dans l'arr. et la banlieue de Lyon. 7 516 hab. Fabrication de bougies d'allumage. Confection.

SAINT-GENIX-SUR-GUIERS [sɛ̃ʒənisyʀgjɛʀ]. ♦ Ch.-l. de cant. de la Savoie* (arr. de Chambéry*), sur le Guiers* près de son confluent avec le Rhône*. 1 541 hab. Soieries, fabrication d'appareils orthopédiques.

SAINT GEORGE *(canal)*. ♦ Détroit séparant la Grande-Bretagne (pays de Galles) de l'Irlande* et faisant communiquer la mer d'Irlande et la Manche.

Saint-Georges *(ordre de)*. ♦ Ordre militaire créé par Catherine II en 1769. Il fut supprimé en 1917.

SAINT-GEORGES, en néerl. **Sint-Joris.** ♦ Comm. de Belgique (Liège, arr. de Waremme). 6 000 hab. – Cultures maraîchères. Minoteries.

SAINT-GEORGES-DE-DIDONNE. ♦ Comm. de Charente-Maritime, arr. de Saintes. 3 680 hab. hors saison *(Saint-Georgeais)*. Station balnéaire sur la r. d. de l'embouchure de la Gironde. Forêt.

SAINT-GEORGES-D'OLÉRON. ♦ Comm. de la Charente-Maritime, arr. de Rochefort, dans l'île d'Oléron. 2 664 hab. (1 079 aggl.). Église romane du XIIe siècle.

SAINT-GEORGES-SUR-LOIRE. ♦ Ch.-l. de cant. du Maine-et-Loire, arr. d'Angers. 2 001 hab. [950 aggl.] *(Saint-Georgeois)*. Anc. abbaye du XVIIe siècle. Viticulture. – Aux environs, château de Serrant (XVIe-XVIIIe s.) et prieuré de l'Épinay (XVe-XVIIe s.).

SAINT-GERMAIN (Claude Louis Robert, *comte de***).** ♦ Général et homme politique français (près de Lons-le-Saunier, 1707 – Paris, 1778). Après avoir successivement combattu pour l'électeur de Bavière, le roi de Prusse, celui de France et celui de Danemark, il fut chargé par Turgot* du secrétariat à la Guerre et fit d'heureuses réformes.

SAINT-GERMAIN *(comte de)*. ♦ Aventurier du XVIIIe s. qui fut célèbre en France entre 1750 et 1760. Il étonna les salons et la cour par sa prodigieuse mémoire, ses talents de conteur et ses pratiques de spiritisme. Il prétendait vivre depuis le temps de Jésus-Christ.

SAINT-GERMAIN-DES-FOSSÉS. ♦ Comm. de l'Allier, arr. de Vichy. 3 529 hab. – Nœud ferroviaire. Indus. électriques.

Saint-Germain-des-Prés *(abbaye de)*. ♦ Anc. abbaye de Paris. Fondée par Childebert (v. 550) sur la r. g. de la Seine, elle prit ensuite le nom de saint Germain, évêque de Paris, dont elle avait reçu la sépulture en 576, et fut rattachée au VIIe s. à la règle de saint Benoît. Ruiné par les Normands au IXe s., réédifié au déb. du XIe s., puis uni à la congrégation de Saint-Maur (1631 à 1790), le monastère prospéra et fut le centre de remarquables travaux d'érudition **(V. Mabillon, Montfaucon)**. Sous la Révolution, l'église fut fermée et une partie des bâtiments convertie en prison. **V. Abbaye** (prison de l'). L'incendie (1794) détruisit le *réfectoire* de Pierre* de Montreuil (1239). Sur l'enclos de l'abbaye ne subsistent que le palais abbatial (édifié en 1586) et l'église (en partie romane), une des plus anciennes de Paris.

Saint-Germain-des-Prés *(église de)*. ♦ Église de Paris. Édifiée de 990 à 1014 **(V. Saint-Germain-des-Prés** [abbaye de]) elle conserve un des plus anc. clochers de Paris, une nef et un transept romans, ainsi que de beaux chapiteaux (au musée de Cluny*). Le chœur (1163) et l'abside appartiennent au début du gothique, tandis que les massifs arcs-boutants qui épaulent le chevet sont parmi les premiers conçus (fin du XIIe s.). Très remanié au XVIIe s. et gravement endommagé à la Révolution, l'édifice fut restauré au XIXe s., et décoré de fresques par Hippolyte Flandrin*. Il renferme les dalles funéraires de Descartes, Boileau, Mabillon et Montfaucon.

SAINT-GERMAIN-EN-LAYE [-ɑ̃lɛ]. ♦ Sous-préf. des Yvelines, ch.-l. d'arr. (14 cant., 45 comm., 412 008 hab.), sur un plateau dominant la Seine au S. de la forêt domaniale de Saint-Germain. 41 190 hab. *(Saint-Germanois)*. Le *château,* reconstruit sous François Ier par Pierre Chambiges*, conserve le donjon de Charles V et la sainte chapelle de Saint Louis. Louis XIV et sa cour séjournèrent à Saint-Germain jusqu'en 1682 ; le roi fit agrandir le château par Mansart* ; Le Nôtre dessina le parterre et la célèbre terrasse. Napoléon III entreprit la restauration du château, qui abrite depuis 1867 le *musée des Antiquités nationales* (collections gallo-romaines). Du *château Neuf,* construit pour Henri II sur les plans de Philibert Delorme*, il ne reste aujourd'hui que le pavillon Henri-IV et le pavillon de Sully ; Louis XIV est né dans ce château. – Dans la ville, l'église néo-classique Saint-Louis (XVIIIe-XIXe s.) renferme le mausolée de Jacques II d'Angleterre. Hôtels anciens. Cité résidentielle. Indus. électrique. – Patrie de J. Alain*, É. Bourdet*, Charles* IX, Cl. Debussy* (maison natale), Henri* II, Jeanne* III d'Albret, reine de Navarre, Louis* XIV, Marguerite* de France, Marguerite* de Valois, Philippe duc d'Orléans*, S. et Th. Reinach*. ♦ Hist. *La paix de Saint-Germain,* signée le 8 août 1570 par Catherine de Médicis, mit fin à la troisième guerre de Religion. Les protestants étaient amnistiés, on leur accordait la liberté de conscience, de culte ; ils étaient admis à tous les emplois publics ; on leur attribuait des places de sûreté : La Rochelle, Montauban, Cognac, La Charité. Cette paix n'aboutit pas, mais ses clauses furent reprises dans l'édit de Nantes*. – Par l'*édit de Saint-Germain,* signé le 21 févr. 1641, Richelieu limitait strictement les attributions du Parlement au droit de remontrance. – En 1837 fut inaugurée la première ligne de chemin de fer partant de Paris vers la banlieue : elle s'arrêtait au Pecq et fut prolongée jusqu'à Saint-Germain en 1847. – Le *traité de Saint-Germain,* signé le 10 sept. 1919 entre l'Autriche et les Alliés après la Première Guerre mondiale, imposait de nouvelles frontières à l'Autriche* et restreignait ses forces militaires. L'Anschluss, union de l'Allemagne et de l'Autriche, était interdit sans le consentement de la Société des Nations. L'Autriche devait payer des réparations de guerre. **V. Guerre mondiale** *(Première)*; **Paris** *(conférence de)*.

Saint-Germain-l'Auxerrois *(église)*. ♦ Anc. paroisse des rois de France, située à Paris, vis-à-vis de la colonnade du Louvre*. Édifiée au VIIe s., ravagée par les Normands au IXe s., reconstruite au XIIe s., l'église conserve un clocher roman, un chœur et une abside gothiques (*déb.* XIIIe s.) tandis que le porche (1435-1439), la nef et le transept sont de pure facture flamboyante. Profondément remanié au XVIe s., l'édifice reçut un jubé dû à Pierre Lescot* (1539-1544) dont ne subsistent que des bas-reliefs de J. Goujon* (au Louvre). La tour-beffroi de style gothique, reliant l'église à la mairie du 1er arrondissement, date du XIXe siècle. – Le signal de la Saint*-Barthélemy aurait été donné par la cloche de cette église.

SAINT-GERMAIN-LAVAL. ♦ Ch.-l. de cant. de la Loire*, arr. de Roanne*. 1 721 hab. *(Germanois)*. Maisons anc. Indus. textiles ; confection.

SAINT-GERMER-DE-FLY. ♦ Comm. de l'Oise*, arr. de Beauvais*. 1 327 hab. Église abbatiale (premier gothique XIIe s.) ; *Sainte-Chapelle,* chef-d'œuvre d'architecture gothique (XIIIe s.), construite sur le modèle de celle de Paris. – Briqueterie, céramique, verrerie.

SAINT-GERVAIS-D'AUVERGNE. ♦ Ch.-l. de cant. du Puy*-de-Dôme, arr. de Riom*. 2 093 hab. *(Gervaisiens)*. Église gothique avec parties romanes.

SAINT-GERVAIS-LES-BAINS. ♦ Ch.-l. de cant. de la Haute-Savoie* (arr. de Bonneville*), sur le Bonnant. 5 100 hab. Église du XVIIe s. ; château du XVIe siècle. Station climatique, d'alpinisme et de sports d'hiver.

SAINT-GILDAS [ʒilda] *(pointe de)*. ♦ Cap. de la côte atlantique, au S. de Saint-Nazaire, dans le dép. de la Loire-Atlantique.

SAINT-GILDAS-DE-RHUYS [sɛ̃ʒildadəʀɥis]. ♦ Comm. du Morbihan, arr. de Vannes, dans la presqu'île de Rhuys. 945 hab. *(Gildasiens)*. – Anc. abbaye ; église, anc. abbatiale (XIe-XVIe-XVIIe s.), chœur et transept romans. – Petite station balnéaire. ♦ *Hist.* Le monastère fondé au VIe s. par saint Gildas compta Abélard* parmi ses abbés. Menacé par les moines, il dut s'en enfuir (1140).

SAINT-GILDAS-DES-BOIS. ♦ Ch.-l. de cant. de la Loire-Atlantique, arr. de Saint-Nazaire. 2 951 hab. [1 483 aggl.]. Ancienne abbaye fondée au XIIIe siècle. Abbatiale des XIIe et XIIIe siècles. Bâtiments conventuels du XVIIIe siècle. – Matériaux de construction.

SAINT-GILLES, en néerl. **Sint-Gillis.** ♦ Comm. de Belgique (Brabant, arr. de Bruxelles-Capitale). 57 100 hab. – Indus. alimentaires, textiles (confection), chimiques et métallurgiques. Cuir. Ébénisterie. Céramique.

SAINT-GILLES ou **SAINT-GILLES-DU-GARD.** ♦ Ch.-l. de cant. du Gard (arr. de Nîmes), sur le front de la *Costière de Saint-Gilles* au pied de laquelle passe le canal du Rhône à Sète. 9 247 hab. *(Saint-Gillois)*. Église Saint-Gilles **(V. Gilles** [saint]), anc. abbatiale (XIe s.) remaniée jusqu'au XVIIe siècle. Musée archéologique dans une maison dû XIIe siècle. Maison du XVIe siècle. Hôtel de ville néo-gothique. – Vins ; conserves ; riziculture. – Patrie du pape Clément* IV.

SAINT-GILLES-CROIX-DE-VIE. ♦ Ch.-l. de cant. de Vendée, arr. des Sables-d'Olonne. 6 239 hab. hors saison. Église des XVe-XVIe siècles. Station balnéaire et port de pêche. Conserveries de poissons. Marais salants.

SAINT-GILLES-LEZ-TERMONDE, en néerl. **Sint-Gillis-bij-Dendermonde.** ♦ V. de Belgique (Flandre-Orientale, arr. de Termonde). 10 500 hab. – Indus. alimentaires (brasseries) et textiles.

SAINT-GILLES-WAAS, en néerl. **Sint-Gillis-Waas.** ♦ V. de Belgique (Flandre-Orientale, arr. de Saint-Nicolas) à la frontière des Pays-Bas. 5 800 hab. – Indus. textiles.

SAINT-GIRONS [-ʒirɔ̃]. ♦ Sous-préf. de l'Ariège*, sur le Salat*. Ch.-l. d'arr. (6 cant., 84 comm., 32 421 hab.). 8 737 hab. *(Saint-Gironnais).* Papeterie, fromageries, indus. chimiques. Centrale hydro-électrique. ♦ *Hist.* La V. de Saint-Girons est composée de deux anc. faubourgs : Bourg-sur-Vic, cap. du Couserans*, fondée au Xe s. ; Villefranche, anc. bastide du XIIIe siècle.

SAINT-GOBAIN. ♦ Comm. de l'Aisne* (arr. de Laon*) dans la *forêt de Saint-Gobain.* 3 119 hab. Important sanatorium. Siège de la *Manufacture royale de glaces de France* fondée en 1685 et réunie en 1695 à la *Manufacture des glaces du faubourg Saint-Antoine.* Transformée en société anonyme en 1830 *(Compagnie de Saint-Gobain),* accrue de diverses usines, la compagnie est devenue une des plus grandes entreprises de produits chimiques d'Europe.

SAINT-GOND *(marais de).* ♦ Traversés par le Petit Morin (près de Sézanne) sur une longueur de 18 km et une largeur de 4 km, ces marais furent le théâtre d'une victoire décisive remportée par Foch en 1914 lors de la bataille de la Marne.

SAINT-GOTHARD ou **GOTHARD**, en all. **Sankt Gotthard.** *n. m.* ♦ Massif des Alpes suisses situé entre les cant. du Valais, de Berne, de Glaris et du Tessin. Il culmine au Pizzo-Rotondo à 3 197 m d'altitude. – Le *col du Saint-Gothard* relie la haute vallée de la Reuss (bassin d'Andermatt) à celle du Tessin à 2 112 m d'altitude. – Un tunnel ferroviaire de 14,9 km, emprunté par la ligne Bâle-Milan, complète ce passage du Saint-Gothard qui constitue la principale voie commerciale et touristique reliant le nord et le centre de la Suisse au Tessin et à l'Italie. – Un tunnel routier est actuellement en construction.

SAINT-GOTTHARD, en hongr. **Szentgotthárd.** ♦ Localité de Hongrie occidentale sur la Raba. Victoire éclatante remportée en 1664 par Montecuccoli*, à la tête de l'armée impériale, sur les Turcs.

SAINT-GRATIEN [-gʀasjɛ̃]. ♦ Comm. du Val-d'Oise (arr. de Montmorency), située au bord du lac d'Enghien. 15 955 hab. – Château où mourut Catinat*. La princesse Mathilde, cousine de Napoléon III, y résida, réunissant fréquemment écrivains et artistes. – Fonderies ; constructions mécaniques.

Saint-Grégoire-le-Grand *(ordre de).* ♦ Ordre pontifical créé en 1831 par Grégoire XVI.

SAINT-GUÉNOLÉ. ♦ Station balnéaire, comm. de Penmarch*, Finistère, arr. de Quimper, au N. de la pointe de Penmarch. Port de pêche (thon, sardines, langoustines) ; conserves. Site pittoresque (côte rocheuse sur laquelle la mer déferle violemment).

SAINT-GUILHEM [gilɛm-] **-LE-DÉSERT.** ♦ Comm. de l'Hérault (arr. de Montpellier), dans la gorge du Verdus (affl. r. d. de l'Hérault). Site pittoresque. 229 hab. Le village doit son origine à une abbaye bénédictine, fondée en 804 par Guillaume de Guilhem ; elle fut dévastée pendant les guerres de Religion. Maisons romanes. Restes de l'enceinte. Église abbatiale (XIe-XIIe s., surmontée d'une tour du XVe s.). Sur les hauteurs, ruines du château de don Juan dit aussi *château du Géant.*

SAINT-HÉAND. ♦ Ch.-l. de cant. de la Loire*, arr. de Saint-Étienne*. 2 549 hab. *(Héandais).* Optique.

SAINT HELENS. ♦ V. d'Angleterre centrale (Lancashire), entre Liverpool et Manchester. 104 173 hab. – C'est l'un des plus grands centres mondiaux de la verrerie (vitres, bouteilles, etc.) ; produits chimiques, briqueteries.

SAINT-HÉLIER. ♦ V. et port de l'archipel britannique des anglo-normandes. Ch.-l. de l'île de Jersey, au S.-O. de l'île, sur la baie de Saint-Aubin. 28 000 hab. – Station balnéaire fréquentée. Château Elizabeth (*fin* XVIe-*déb.* XVIIe s.), château Mont-Orgueil (*déb.* XIIIe s.).

SAINT-HERBLAIN. ♦ Comm. de la Loire-Atlantique, arr. de Nantes, 18 760 hab. [2 875 aggl.] *(Herblinois).*

SAINT-HILAIRE. ♦ **V.** GEOFFROY SAINT-HILAIRE (Étienne).

SAINT-HILAIRE. ♦ Ch.-l. de cant. de l'Aude, arr. de Limoux. 751 hab. *(Saint-Hilairois).* Ancien siège d'une abbaye bénédictine. Église romane provençale (XIe s. ; sarcophage de saint Hilaire) avec deux absidioles de la fin du XIIe s., la nef (XIIIe s.) est couverte de voûtes d'ogives. Cloître du XIVe s. – Vignobles fournissant « la blanquette de Limoux* ».

SAINT-HILAIRE-DU-HARCOUËT. ♦ Ch.-l. de cant. de la Manche*, arr. d'Avranches*. 5 305 hab. *(Saint-Hilairiens).* Petite métallurgie, laiterie.

SAINT-HIPPOLYTE. ♦ Ch.-l. de cant. du Doubs, arr. de Montbéliard, au confl. du Doubs et du Dessoubre. 1 256 hab. Petite métallurgie. Tanneries. – Centre estival. – Patrie de J. Courtois*.

SAINT-HIPPOLYTE-DU-FORT. ♦ Ch.-l. de cant. du Gard (arr. de Le Vigan), au confl. du Vidourle et de l'Argentesse. 3 602 hab. Restes de murailles (porte de la Tour ; tour Saint-Louis). Maisons (XVIIe-XVIIIe s.). Aux env., grottes et avens. – Indus. textile.

SAINT-HONORAT *(île).* ♦ Île du groupe des îles de Lérins* (Alpes-Maritimes), où se trouve un monastère fondé par saint Honorat (*fin* du IVe s.). Bâtiments du XIVe au XVIIe s. (anc. monastère fortifié) encadrés par des constructions du XIXe siècle.

SAINT-HONORÉ ou **SAINT-HONORÉ-LES-BAINS.** ♦ Comm. de la Nièvre (arr. de Château-Chinon), à la lisière S.-O. du Morvan. 977 hab. Station thermale sur l'emplacement de l'antique *Aquae Nisinaei* (eaux sulfurées, arsenicales et radioactives employées surtout pour les maladies de la gorge et des bronches). Centre d'excursions. Château de la Montagne (XVIIIe s.).

SAINT-HUBERT. ♦ V. de Belgique (Luxembourg, arr. de Neufchâteau) en Ardenne*. 3 200 hab. – Basilique Saint-Hubert (fondée sur l'emplacement d'une abbaye bénédictine remontant à 687) reconstruite en gothique flamboyant (1526-1564). Église Saint-Gilles (1064, restaurée en 1950). Tourisme. Élevage porcin.

SAINT-IMIER. ♦ V. de Suisse (cant. de Berne) sur la r. g. de la Sure. 6 700 hab. – Horlogerie.

SAINT-JACQUES-DE-COMPOSTELLE, en esp. **Santiago de Compostela.** ♦ V. d'Espagne du N.-O., en Galice* (prov. de La Corogne). 70 900 hab. Siège d'un important évêché et métropole religieuse de l'Espagne. Université fondée en 1532. Vaste cathédrale romane (XIIe s.) richement sculptée, l'un des plus intéressants monuments de la péninsule Ibérique. Palais archiépiscopal (XIIe s.), *Hospital Real* fondé par les Rois Catholiques (XVIe s.), nombreuses églises et couvents. ♦ *Hist.* Selon la légende, saint Jacques* le Majeur y aurait été miraculeusement déposé. Un tombeau lui fut édifié, auprès duquel une ville se fonda. Au Moyen Âge, Saint-Jacques devint un centre de pèlerinage très fréquenté. Les princ. itinéraires étaient la route de Paris (Aix-la-Chapelle, Paris, Bordeaux), de Bourgogne (Vézelay, Limoges, Bazas), d'Auvergne (Clermont, Moissac) empruntant le col de Roncevaux, tandis que la route du Midi (Arles, Saint-Gilles, Toulouse) passait par le Somport. Ces routes étaient jalonnées de monastères.

SAINT-JACQUES-DE-LA-LANDE. ♦ Comm. d'Ille-et-Vilaine, arr. et aggl. de Rennes*. 6 865 hab. Aérodrome civil et militaire de Rennes.

SAINT-JACUT-DE-LA-MER. ♦ Comm. des Côtes-du-Nord, arr. de Dinan, sur une étroite presqu'île. 1 045 hab. Station balnéaire.

SAINT JAMES. ♦ V. du Canada (Manitoba), proche de Winnipeg*. Env. 36 000 hab. (1966).

SAINT-JAMES. ♦ Ch.-l. de cant. de la Manche*, arr. d'Avranches*. 2 577 hab. *(Saint-Jamais).* Carrières de granite. Confections.

SAINT-JEAN *(lac).* ♦ Lac du Canada (Québec), qui se déverse par le Saguenay* dans le Saint-Laurent. 1 060 km².

SAINT-JEAN. ♦ V. du Canada (Québec) au S.-E. de Montréal. 27 000 hab. Centre indus. (métallurgie ; indus. textiles).

Arch. Smeets

Prophètes et autres personnages. Portail de la Gloire. Cathédrale de **Saint-Jacques-de-Compostelle.**

SAINT-JEAN. ♦ Nom français de Saint* John's (cap. de Terre-Neuve) et de Saint* John (Nouveau-Brunswick).

SAINT-JEAN-CAP-FERRAT. ♦ Comm. des Alpes*-Maritimes, arr. de Nice*, sur la péninsule du cap Ferrat. 2 356 hab. *(Saint-Jeannois).* Station balnéaire.

SAINT-JEAN-D'ACRE. ♦ Forteresse des croisés, elle avait été prise par Baudouin Ier en 1104. Reconquise par Saladin en 1187, elle fut reprise par les croisés en 1191 qui la gardèrent jusqu'en 1291, date de sa prise par les mamelouks. **V. Acre.**

SAINT-JEAN-D'ANGÉLY. ♦ Sous-préf. de la Charente-Maritime (7 cant., 119 comm. 57 109 aggl.), sur la Boutonne. 10 430 hab. [8 883 aggl.] *(Augériens).* Façade classique d'une église abbatiale inachevée. Vestiges de l'anc. abbatiale du XIVe siècle. Anc. abbaye des XVIIe-XVIIIe s. auj. collège. Tour de l'Horloge, anc. beffroi du XVe siècle. Maisons anciennes. — Marché agricole. Centre de commercialisation d'eaux-de-vie. Indus. alimentaires : distilleries, laiterie, minoterie, biscuiterie. Constructions mécaniques. Indus. du bois (contre-plaqué). Chaussures. ♦ *Hist.* La ville a son origine dans une abbaye bénédictine fondée au IXe s. et qui fut durant tout le Moyen Âge l'objet d'un important pèlerinage : elle passait en effet pour détenir les reliques du chef de saint Jean-Baptiste, qui a donné son nom à la ville. Saint-Jean-d'Angély fut au XVIe s. un centre calviniste actif. Assiégée, puis prise en 1569 par Charles IX, la ville vit ses fortifications rasées par Louis XIII après un soulèvement (1621).

SAINT-JEAN-DE-BOURNAY. ♦ Ch.-l. de cant. de l'Isère*, arr. de Vienne*. 3 337 hab. *(Saint-Jeannais).* Passementerie ; laiterie, papeterie.

SAINT-JEAN-DE-LA-RUELLE. ♦ Comm. du Loiret, arr. et aggl. d'Orléans*. 12 973 hab.

SAINT-JEAN-DE-LOSNE [-lon]. ♦ Ch.-l. de cant. de la Côte-d'Or (arr. de Beaune), sur la r. g. de la Saône*, en aval du confluent de l'Ouche*, à l'origine du canal de Bourgogne* et en aval du point de départ du canal du Rhône au Rhin. 1 623 hab. *(Losnais).* [L'aggl. compte 3 751 hab.] Église des XVe-XVIe s. — Port fluvial actif. Aciéries. Fabrique d'agglomérés. ♦ *Hist.* Anc. place forte, Saint-Jean-de-Losne soutint en 1636 un siège contre les Impériaux de Gallas* alors que la Saône servait de frontière entre la France et l'Empire. Cette héroïque résistance lui valut le surnom de *Belle-Défense.*

SAINT-JEAN-DE-LUZ [-lyz]. ♦ Ch.-l. de cant. des Pyrénées*-Atlantiques (arr. de Bayonne*), sur la Nivelle. 11 035 hab. *(Luziens).* Église ancienne de style basque (galeries de bois) dans laquelle fut célébré le 9 juin 1660 le mariage de Louis XIV et de Marie-Thérèse. — Station balnéaire réputée. Premier port thonier de France ; conserves de poissons.

SAINT-JEAN-DE-MAURIENNE. ♦ Sous-préf. de la Savoie*, ch.-l. d'arr. (6 cant., 66 comm., 47 593 hab.) au confluent de l'Arc* et de l'Arvon. 9 317 hab. Cathédrale Saint-Jean dont la nef date du XIIe s. ; le chœur (XVe s.) contient plusieurs œuvres d'art gothiques (sculptures sur bois, etc.) ; cloître gothique flamboyant du XVe s. Maisons anc. — Grand centre français de fabrication de l'aluminium ; ateliers électromécaniques, plâtrerie, chaudronnerie, scierie. Centrale électrique sur l'Arc*. ♦ *Hist.* Ce fut autrefois la capitale de la Maurienne*.

SAINT-JEAN-DE-MONTS. ♦ Ch.-l. de cant. de la Vendée, arr. des Sables-d'Olonne. Importante station balnéaire de développement récent. 5 273 hab. [2 909 aggl.], hors saison *(Montois).* Église du XVe siècle.

Ph. Harlingue-Viollet

Saint-John Perse.

SAINT-JEAN-DU-GARD. ♦ Ch.-l. de cant. du Gard (arr. d'Alès), dans les Cévennes, sur le Gardon de Saint-Jean. 2 667 hab. Tour de l'horloge romane, pont (XVIIe s.). Station estivale.

SAINT-JEAN-EN-ROYANS. ♦ Ch.-l. de cant. de la Drôme* (arr. de Valence*), dans le Vercors*. 2 902 hab. Dans l'église, boiseries du XVIIe siècle. — Tissage de la soie ; indus. du bois.

SAINT-JEAN-PIED-DE-PORT. ♦ Ch.-l. de cant. des Pyrénées*-Atlantiques, arr. de Bayonne*, sur la Nive*. 1 852 hab. *(Saint-Jeannais).* Le nom rappelle que la ville est située au pied du fameux col ou *port* de Roncevaux*. Murailles du XVe s. et enceinte du XVIIe siècle. Église du XVIIIe siècle. Maisons anc. Vieux pont. — Pêche. — Patrie de Ch. Floquet*.

SAINT-JEOIRE [-ʒwar]. ♦ Ch.-l. de cant. de la Haute-Savoie*, arr. de Bonneville*, dans le Faucigny*. 1 913 hab. Station estivale. Patrie de G. Sommeiller.

SAINT JOHN. *n. m.,* en fr. **Saint-Jean.** ♦ Fl. des États-Unis (Maine) et du Canada (Nouveau-Brunswick) qui se jette dans la baie de Fundy, après des chutes. 720 km.

SAINT JOHN. ♦ V. du Canada, la plus importante du Nouveau-Brunswick, située à l'embouchure du fleuve Saint John sur la baie de Fundy. 101 000 hab. (aggl.) en 1969. Port actif, notamment en hiver, les eaux restant libres. Indus. : bois, raffineries de pétrole. Aéroport.

SAINT-JOHN PERSE (Alexis SAINT-LÉGER LÉGER dit). ♦Diplomate et poète français (Pointe-à-Pitre, 1887 — Giens, 1975). Descendant de colons français établis aux Antilles depuis la fin du XVIIe s., il fit ses études à Pointe-à-Pitre, puis à Pau et à Bordeaux. Déjà s'affirmait chez lui une curiosité intellectuelle qui va l'attacher, sa vie durant, à tous les aspects du savoir. La rencontre de Paul Claudel, chez Francis Jammes, à Orthez (1905), encouragea ses premiers essais poétiques et l'orienta bientôt vers la carrière diplomatique. Cependant il s'était lié d'amitié avec le groupe des écrivains de la N.R.F., Larbaud, Fargue, Valéry et Gide qui fit éditer, par les soins de Gaston Gallimard, un recueil de ses premières œuvres, *Éloges* (1911). Entré aux Affaires étrangères (1914), il est successivement secrétaire d'ambassade à Pékin (1916-1921), directeur du cabinet diplomatique d'Aristide Briand (1925-1932), puis secrétaire général du ministère des Affaires étrangères (1933-1940). Demeuré fidèle à une conception de la sécurité collective qui excluait toute compromission avec le nazisme, il quitta la France pour les États-Unis (1940) ; le gouvernement de Vichy prononça sa déchéance de la nationalité française. Nommé conseiller à la bibliothèque du Congrès de Washington (1941), il reprit son nom littéraire de Saint-John Perse. Durant les années de son exil, il s'attacha à servir la cause de la Résistance française à l'étranger, se consacrant à nouveau au voyage, à l'étude et à la poursuite de son œuvre d'écrivain. Philosophe et historien, mais aussi géologue, naturaliste et ethnologue, esprit curieux de musique autant que d'archéologie, Saint-John Perse a édifié, à l'écart des milieux littéraires, une œuvre poétique monumentale par la noblesse de son ambition et la splendeur de son langage. Indifférente à toute transcendance, elle exprime pourtant, à travers le foisonnement de ses images, l'ampleur de ses visions et la grandeur de ses mythes, une persistante nostalgie du sacré. Véritable inventaire du monde, elle en traduit la beauté luxuriante dans une langue riche en vocables rares et en métaphores étranges et précieuses. Dans la forme du verset claudélien et de la litanie, elle s'élève spontanément au ton de l'épopée, célébrant tout à tour les joies d'une enfance heureuse et l'appel du large (*Éloges,* 1911), la gloire de la terre et des pouvoirs de l'homme (*Anabase,* 1924), après le dénuement et la solitude, la reconquête de l'être et l'espoir (*Exil,* 1942), la pérennité du poème et la grandeur de l'action (*Pluies, Neiges,* 1944 ; *Vents,* 1946), les fabuleuses richesses de la mer et de l'amour (*Amers,* 1957), l'éternité radieuse de la terre et de l'homme, vainqueur du temps (*Chronique,* 1960). Rétabli dans la dignité d'ambassadeur de France, il reçut le prix Nobel de littérature en 1960.

SAINT JOHN'S, en fr. **Saint-Jean.** ♦ V. et port du Canada, cap. de la prov. de Terre-Neuve, située sur la côte E. de l'île de Terre-Neuve (péninsule d'Avalon*). 79 884 hab. (1966) ; l'aggl. dépasse 110 000 hab. (1969). La ville possède un port bien protégé ; elle est entourée de collines et ses environs forment une des rares zones agricoles de l'île. Son rôle économique est essentiel à Terre-Neuve (transports aériens, ferroviaires, routiers et surtout maritimes ; centre commercial). ♦ *Hist.* Le port était déjà utilisé en 1527 par les bateaux de pêche anglais, français et portugais ; un établissement permanent y fut créé au déb. du XVIIe siècle.

SAINT-JOSEPH. ♦ Comm. de la Réunion* au S.-E. de l'île. 22 440 hab. Vanille. Sucrerie.

SAINT-JOSSE-TEN-NOODE, en néerl. **Sint-Joost-ten-Node.** ♦ V. de Belgique (Brabant, arr. de Bruxelles-Capitale). 24 000 hab. — Indus. métallurgiques et textiles.

SAINT-JUÉRY. ♦ Comm. du Tarn* (arr. d'Albi*), sur le Tarn*. 5 017 hab. Centre métallurgique (aciéries).

SAINT-JULIEN-CHAPTEUIL. ♦ Ch.-l. de cant. de la Haute-Loire*, arr. du Puy*, dans le Velay*. 1 738 hab. *(Saint-Juliens).* Dentelles, chaussures. — Patrie de J. Romains*.

SAINT-JULIEN-DU-SAULT [-so]. ♦ Ch.-l. de cant. de l'Yonne (arr. de Sens), sur la r. g. de l'Yonne*. 1 889 hab. Église (XIIIe-XIVe s., remaniée au XVIe s.). – À proximité, château de Vauguillain. – Acier, rasoirs.

SAINT-JULIEN-EN-GENEVOIS. ♦ Sous-préf. de la Haute-Savoie*, ch.-l. d'arr. (6 cant., 76 comm., 75 356 hab.), à la frontière suisse. 4 336 hab. *(Juliénois).* Fromagerie, bijouterie; cartonnages.

SAINT-JUNIEN. ♦ Ch.-l. de cant. de la Haute-Vienne*, arr. de Rochechouart*. 11 674 hab. [8 624 aggl.] *(Saint-Juniauds).* Très belle église romane de style limousin, tombeau de saint Junien du XIIe s., orné de remarquables sculptures. Chapelle N.-D.-du-Pont, XVe s., pont du XIIIe s. sur la Vienne. Maisons du XIVe siècle. – Indus. ancienne et importante de la ganterie; tanneries, mégisseries; papeteries. – Patrie de Jérôme et Jean Tharaud*.

SAINT-JUST [-ʒyst] **(Louis Antoine** *de***).** ♦ Homme politique français (Decize, Nièvre, 1767 – Paris, 1794). D'origine roturière collège des Oratoriens de Soissons puis à Reims et, dès 1789, se rallia avec enthousiasme à la Révolution, faisant paraître un poème satirique, *Organt* (1789), et un ouvrage intitulé *Esprit de la Révolution et de la Constitution de France* (1791). Ce dernier texte, qui connut un certain succès, fit de lui un des plus jeunes théoriciens de la Révolution française. Député de l'Aisne à la Convention (1792), il siégea avec la Montagne et se fit remarquer par ses positions violentes, réclamant la mort du roi sans appel au peuple ni sursis, s'opposant à la politique des Girondins et à leur projet de Constitution fédéraliste présenté par Condorcet (avr. 1793). Membre du Comité* de salut public, où, avec Robespierre* et Couthon* (le triumvirat), il s'occupa de politique intérieure, il fit preuve de qualités d'organisateur dans ses missions aux armées du Nord et du Rhin, adoptant des mesures énergiques contre les officiers coupables et les déserteurs. Président de la Convention* en février 1794, il contribua au renforcement du pouvoir révolutionnaire dictatorial, tentant de lui donner une base économique et sociale (décrets des 8 et 13 ventôse an II [26 févr., 3 mars 1794] sur la confiscation des biens des émigrés et leur redistribution aux indigents) et luttant avec Robespierre contre « les factions » (rédaction des décrets d'accusation contre les ultra-révolutionnaires, hébertistes, et contre les indulgents, dantonistes). Il fut arrêté avec Robespierre et guillotiné comme lui le lendemain (9 et 10 thermidor [27-28 juillet 1794]). Son ouvrage sur les *Institutions républicaines* ne fut publié qu'après sa mort. Ses œuvres oratoires, où le style très pur, la concision et la violence animent une rhétorique commune aux tribuns révolutionnaires, ont fait de lui une figure exemplaire de la Révolution. Certaines de ses formules, comme « Le bonheur est une idée neuve en Europe », ont souvent été reprises.

SAINT-JUST-EN-CHAUSSÉE. ♦ Ch.-l. de cant. de l'Oise* (arr. de Clermont*). 3 722 hab. *(Saint-Justois).* Indus. sucrière, véhicules agricoles. Patrie de René et Valentin Haüy*.

SAINT-JUST-EN-CHEVALET. ♦ Ch.-l. de cant. de la Loire*, arr. de Roanne*. 2 189 hab. (1 462 aggl.). Église du XVe s.; ruines d'un château du XVe s. – Tissage de la soie et du coton.

SAINT KITTS ou **SAINT CHRISTOPHER.** ♦ Île britannique des Petites Antilles* du Nord (Leeward Islands), associée à Anguilla et à Nevis. 50 000 hab. env. Canne à sucre, coton.

SAINT-LAMBERT (Jean François *de***).** ♦ Écrivain français (Nancy, 1716 – Paris, 1803). Ami de Mme du Châtelet*, puis de Mme d'Houdetot, il refléta les conceptions encyclopédistes dans ses *Principes des mœurs* [...] *ou Catéchisme universel* (1798), après s'être essayé à la poésie descriptive avec *Les Saisons* [1764]. (Acad. fr., 1770.)

SAINT-LARY-SOULAN. ♦ Comm. des Hautes-Pyrénées*, arr. de Bagnères*-de-Bigorre. 687 hab. Station de sports d'hiver. Centrale hydro-électrique.

SAINT-LAURENT (Louis Stephen). ♦ Homme politique canadien (Compton, 1882 – Québec, 1973). Ministre de la Justice (1941-1946), secrétaire d'État aux Affaires étrangères (1946-1948), il devint le chef du parti libéral. Premier ministre de 1948 à 1957, il fut l'un des fondateurs de l'OTAN et assura une plus grande autonomie au Canada au sein du Commonwealth*.

SAINT-LAURENT (Cecil). ♦ V. LAURENT (Jacques).

SAINT-LAURENT, en angl. **St. Lawrence River.** ♦ Fl. d'Amérique du Nord, le plus important de ceux qui se jettent dans l'Atlantique. Il se forme dans les Grands Lacs, et son aire de drainage commence à l'O. du lac Supérieur; à la sortie du lac Ontario, il coule vers le N.-E., aboutissant à un vaste estuaire et au golfe du Saint-Laurent; du lac Ontario à l'extrémité de la péninsule de Gaspé, 1 167 km (seulement 958 km, si l'on admet que les précédentes limites correspondent déjà au golfe). Le fleuve forme frontière entre les États-Unis (New York) et le Canada (Ontario) pendant 183 km, baignant Kingston* à la sortie du lac Ontario, où se trouve l'archipel de Mille*-Îles, puis il entre au Canada; après le lac (artificiel) Saint-Laurent, il s'élargit pour former les lacs Saint-François et Saint-Louis, où il reçoit une partie de l'Ottawa*, dont les autres branches séparent les îles de Montréal. **(V. Montréal.)** Après Montréal, le Saint-Laurent reçoit le Richelieu*, s'élargit pour former le lac Saint-Pierre (où il reçoit le Saint-François), arrose Trois*-Rivières, se rétrécit jusqu'à Québec* et l'île d'Orléans, où commence son estuaire. Sur ses rives se trouvent Baie-Comeau, Port-Cartier, Sept-Îles (au N.); Rivière-du-Loup, Rimouski et la côte de Gaspésie (au S.). Le fleuve reçoit encore le

Ph. Nino Cirani/Ricciarini

Le fleuve **Saint-Laurent** à Québec.

Saguenay*, le Manicouagan* (r. g.); l'île d'Anticosti* se trouve à son embouchure. – Aménagé pour la navigation sur tout son cours, le fleuve forme la VOIE MARITIME DU SAINT-LAURENT (en angl. ST. LAWRENCE SEAWAY) qui donne aux Grands Lacs un débouché maritime. L'aménagement, réalisé par les États-Unis et le Canada (1954-1959), comporte le nouveau canal Welland, contournant les chutes du Niagara (8 écluses) et la canalisation du Saint-Laurent jusqu'à Montréal. Celui-ci possède un chenal de 8 m de profondeur avec 7 écluses (24 m de dénivellation au total), capables de recevoir des navires de 220 m de long et 23 m de large. Transport de blé vers l'aval, du minerai de fer du Labrador vers l'amont. Le transbordement sur les navires de mer se fait à Montréal, Baie-Comeau. Cette réalisation s'est accompagnée de plusieurs barrages et de deux grandes centrales hydro-électriques : Beauharnois (Québec) et le barrage international de l'île Barnhardt (Ontario-État de New York).

SAINT-LAURENT *(golfe du).* ♦ Golfe de l'Atlantique, sur les côtes E. du Canada, entre l'estuaire du Saint-Laurent à l'O., Terre-Neuve à l'E. et les Provinces Maritimes au sud. – *Îles.* **V. Anticosti, Madeleine** (îles de la), **Prince-Édouard** (île du). Il communique avec l'Atlantique par le détroit de Belle*-Isle au N. et le détroit de Cabot au sud.

SAINT-LAURENT. ♦ V. du Canada (Québec), dans la banlieue de Montréal, au N.-O. du centre. Env. 60 000 habitants.

SAINT-LAURENT-DE-CERDANS. ♦ Comm. des Pyrénées-Orientales (arr. de Céret), dans le haut Vallespir. 1 992 hab. *(Laurentins).* Indus. textiles (jute). Fabrication de sandales (espadrilles).

SAINT-LAURENT-DE-LA-SALANQUE. ♦ Ch.-l. de cant. des Pyrénées-Orientales (arr. de Perpignan), dans le Roussillon, au S. de l'étang de Leucate*. 3 679 hab. (l'aggl. compte 5 270 hab. avec Torreilles). Vins. Primeurs. Salines.

SAINT-LAURENT-DES-EAUX. ♦ Comm. du Loir-et-Cher, arr. de Blois. 2 329 hab. (705 aggl.). Église avec clocher-porche du XIe s. Centrale nucléaire.

SAINT-LAURENT-DU-MARONI. ♦ Ch.-l. d'arr. de la Guyane française, situé près de l'embouchure du Maroni*. 4 620 hab. Ancien lieu de déportation pour les condamnés aux travaux forcés. L'anc. arr. de l'Inini forme auj. l'arr. de Saint-Laurent-du-Maroni qui couvre la plus grande partie du département. 7 856 habitants.

SAINT-LAURENT-DU-PONT. ♦ Ch.-l. de cant. de l'Isère*, arr. de Grenoble*, sur le Guiers*-Mort, au pied de la Grande-Chartreuse. 3 761 hab. Centre de tourisme. Métallurgie; distillerie; cimenterie.

SAINT-LAURENT-DU-VAR. ♦ Comm. des Alpes-Maritimes, arr. de Grasse, située sur la r. d. du Var, près de son embouchure. 10 189 hab. – Les quartiers neufs, en développement rapide, forment un quartier résidentiel proche de Nice*.

SAINT-LAURENT-EN-GRANDVAUX, anc. **Saint-Laurent-du-Jura.** ♦ Ch.-l. de cant. du Jura, arr. de Saint-Claude. 1 736 hab. Fromageries.

SAINT-LAURENT-ET-BENON ou **SAINT-LAURENT-DU-MÉDOC.** ♦ Ch.-l. de cant. de la Gironde*, arr. de Lesparre*-Médoc. 2 034 hab. Église avec un clocher-porche gothique. – Vins rouges.

SAINT-LAURENT-LE-MINIER. ♦ Comm. du Gard (arr. de Le Vigan). 610 hab. Mines de zinc.

SAINT LAWRENCE et **St. Lawrence Seaway.** ♦ **V.** SAINT-LAURENT.

Saint-Lazare *(enclos et prison de).* ♦ Léproserie fondée à Paris au déb. du XIIe s. et dotée rapidement de terrains considérables; en 1632, elle fut cédée aux prêtres de la Mission, sous le vocable de *congrégation de Saint-Lazare* (saint Vincent* de Paul y prêcha et y mourut). Prison sous la Terreur (André Chénier* y attendit la mort), Saint-Lazare vit ses terrains lotis après la Révolution et devint prison de femmes. Elle a été démolie en 1940.

Ph. Hétier

Saint-Malo.

SAINT-LÉON (Arthur Michel). ♦ Danseur et chorégraphe français (Paris, 1821 – *id.,* 1870). Fils d'un maître de ballet au Théâtre ducal de Stuttgart, il fut aussi excellent violoniste que brillant chorégraphe, composant même à l'occasion la musique de certains de ses ballets. Ayant épousé la danseuse F. Cerrito*, il conçut pour elle son premier ballet, *La Vivandière* (1844). Il fit de nombreux séjours à Saint-Pétersbourg (1859-1869) et devint maître de ballet à l'Opéra de Paris (1863-1870). Plusieurs de ses chorégraphies sont demeurées fameuses : *La Fille de marbre* (1847), *Le Violon du diable* (1848), *Le Petit Cheval bossu* (1864), *La Source* (1866) et surtout *Coppélia* (1870). Il participa aussi à la reprise des grands ballets romantiques. Il a inventé un système de notation de la danse, connu sous le nom de *sténochorégraphie* (1852).

SAINT-LÉONARD-DE-NOBLAT. ♦ Ch.-l. de cant. de la Haute-Vienne*, arr. de Limoges*, sur une colline dominant la Vienne. 5 944 hab. – Église Saint-Léonard, bel édifice roman (restauré fin XIXe s.) à clocher limousin typique. Pont de Noblat du XVIIIe siècle. Fabriques de porcelaines, de chaussures; tanneries, indus. des matières plastiques et du bois. – Patrie de Gay*-Lussac.

SAINT-LEU. ♦ Comm. de la Réunion* sur la côte O. de l'île. 16 870 hab. Café.

SAINT-LEU-D'ESSERENT. ♦ Comm. de l'Oise* (arr. de Senlis*), sur l'Oise*. 3 587 hab. Belle église (XIIe-XIIIe s.), type très pur des débuts de l'art gothique.

SAINT-LEU-LA-FORÊT. ♦ Ch.-l. de cant. du Val-d'Oise (arr. de Pontoise), en bordure S. de la forêt de Montmorency. 10 012 hab. – Lieu de villégiature. Église bâtie sous Napoléon III, abritant un monument à la mémoire de son père Louis Bonaparte*.

SAINT-LIZIER. ♦ Ch.-l. de cant. de l'Ariège*, arr. de Saint*-Girons, sur le Salat*. 1 725 hab. Fragments d'une enceinte romaine. Cathédrale (*fin* XIe s.). Cloître à deux étages romano-gothique. Anc. palais épiscopal du XVIIe siècle. Papeteries. Indus. chimique et textile. ♦ *Hist.* Anc. cité romaine, Saint-Lizier devint la cap. religieuse du Couserans. Elle appartint à son évêque jusqu'à la Révolution.

SAINT-LÔ. ♦ Préf. de la Manche*, ch.-l. d'arr. (10 cant., 125 comm., 91 678 hab.), sur la Vire*. 19 613 hab. *(Saint-Lois* ou *Laudiens).* Cathédrale Notre-Dame des XVe et XVIe s. très endommagée en 1944. – Confection, entreprises de bâtiment. Marché agricole, produits laitiers. – Patrie de O. Feuillet*, U. Le* Verrier. ♦ *Hist.* La ville fut presque complètement détruite en 1944.

Saint-Louis *(ordre royal et militaire de).* ♦ Ordre français institué par Louis XIV en 1693. Il fut supprimé en 1792, rétabli par les Bourbons en 1814 et disparut avec eux en 1830. Le ruban de l'ordre était rouge.

Saint-Louis *(île).* ♦ Quartier de Paris, sur la Seine, en amont de la Cité*. Formée de deux îlots réunis en 1627 pour être lotis, elle présente un bel ensemble architectural du XVIIe s. **(V. Lambert** [*hôtel de*] et **Lauzun** [*hôtel de*].**)** Desservis par cinq ponts, ses quais offrent des promenades et des points de vue charmants.

SAINT LOUIS. ♦ V. des États-Unis, à l'E. du Missouri, au confluent du Missouri et du Mississippi. 622 235 hab. (en recul; 41 % de Noirs); zone métropolitaine : 2 331 000 hab. La ville contient quelques témoignages de son passé (cathédrale Saint-Louis-de-France, 1831-1834) et une vaste arche d'acier dessinée par Eero Saarinen*, qui symbolise la porte de l'Ouest. – Centre indus. : automobiles, chaussures, brasseries, raffineries de pétrole, électricité, conditionnement de la viande, produits chimiques, fonderies, etc. – Quatre universités. – Patrie de T.S. Eliot*. ♦ *Hist.* Fondé par des trappeurs français en 1764, le poste fut nommé d'après Saint Louis (Louis IX). Relevant du domaine espagnol, la ville resta sous l'influence française (Laclède, Pierre Chouteau), puis devint américaine en 1803 **(V. Missouri).** La ville se développa après 1820 (78 000 hab. en 1850).

SAINT-LOUIS. ♦ V. et port du N.-O. du Sénégal, située dans une île du fl. Sénégal*, à proximité de son embouchure. 62 500 hab. Patrie du général Dodds*. ♦ *Hist.* Premier établissement français du pays (v. 1638), elle fut occupée à différentes reprises par les Anglais. Faidherbe la transforma. D'abord cap. de la colonie, elle fut supplantée par Dakar*.

SAINT-LOUIS. ♦ Comm. de la Réunion sur la côte S. de l'île. 26 740 hab. Sucrerie. Confitures.

SAINT-LOUIS. ♦ Comm. du Haut-Rhin, arr. de Mulhouse, à la frontière allemande. 14 935 hab. – Indus. textile, chimique, électrique. Distillerie. Armement (centre de recherches).

SAINT-LOUIS-LÈS-BITCHE. ♦ Comm. de la Moselle, arr. de Sarreguemines. 708 hab. Cristalleries.

SAINT-LOUP *(pic).* ♦ Point culminant des Garrigues* (633 m), dans le dép. de l'Hérault. Magnifique panorama.

SAINT-LOUP-SUR-SEMOUSE. ♦ Ch.-l. de cant. de la Haute-Saône, arr. de Lure. 3 468 hab. *(Lupéens).* Église du XVIIIe siècle. – Machines agricoles. Chaudronnerie. Indus. du bois (fabrique d'agglomérés et de meubles), textiles (confection) et alimentaires.

SAINT-LUNAIRE. ♦ Comm. d'Ille-et-Vilaine (arr. de Saint-Malo), près de Dinard. 1 578 hab. *(Lunairiens).* – L'église renferme le tombeau de saint Lunaire (XIVe s.). Station balnéaire.

SAINT-MACAIRE. ♦ Ch.-l. de cant. de la Gironde*, arr. de Langon*, sur la Garonne. 1 767 hab. Bastide du XIIIe s.; église Saint-Sauveur, romane; nombreuses maisons anciennes.

SAINT-MAIXENT [mɛksɑ̃]**-L'ÉCOLE.** ♦ Ch.-l. de cant. des Deux-Sèvres, arr. de Niort, sur la r. d. de la Sèvre Niortaise. 9 150 hab. [7 572 aggl.] *(Saint-Maixentais).* Anc. abbatiale Saint-Maixent, auj. église paroissiale, du XIe s., remaniée au XVIIe s. dans le style flamboyant. Bâtiments conventuels du XVIIe s., auj. caserne. Cloître. Chapelle Notre-Dame-des-Grâces, XVe s.; beffroi du XVe s.; porte Chalon, XVIIIe siècle. Maisons et hôtels anciens. – École militaire d'infanterie. – Patrie de Denfert*-Rochereau.

SAINT-MALO. ♦ Sous-préf. d'Ille-et-Vilaine, ch.-l. d'arr. (9 cant., 63 comm., 124 773 hab.) sur l'estuaire de la Rance*. 43 722 hab. *(Malouins).* La ville est entourée de remparts datant du XIIe au XIVe s., restaurés au XVIIe s. et reconstruits au XVIIIe siècle. Le château (XVe s.), flanqué de quatre tours, abrite actuellement l'hôtel de ville, la bibliothèque, le musée. Fort national construit par Vauban (XVIIe s.). L'îlot du Grand-Bé porte le tombeau de Chateaubriand. La ville close, très endommagée en 1944, a été fidèlement reconstituée (moins les lambris) avec les matériaux d'origine. Cathédrale Saint-Vincent (XIIe-XVe-XVIe-XVIIIe s.). Hôtels anciens. École nationale de la marine marchande. – Port de commerce et port d'armement pour la pêche. Important centre de tourisme avec les stations balnéaires de Paramé* et Saint*-Servan. Constructions navales. Tissages, corderie. Sécheries de morue. – Patrie de F. Broussais*, de J. Cartier*, de F.R. de Chateaubriand*, de R. Duguay*-Trouin, V. de Gournay*, B.F. Mahé de La* Bourdonnais, A. Ferron de La* Ferronnays, F.R. de Lamennais*, J.O. de La* Mettrie, de Maupertuis* et de R. Surcouf*. ♦ *Hist.* La ville doit son nom au moine Maclou* ou Malo, fondateur d'un monastère au VIe s., à Alet* (Saint-Servan). Au XIe s., l'évêché passa à Saint-Malo, et les évêques firent un peu plus tard bâtir la cathédrale. Les évêques de Saint-Malo s'opposèrent souvent aux ducs de Bretagne. La ville devint française en 1491. Au XVIe s., les Malouins jouèrent un rôle important dans les découvertes maritimes; Jacques Cartier* en partit en 1534 pour explorer le bassin du Saint-Laurent. De nombreux corsaires (Duguay-Trouin, Surcouf) sont originaires de la ville. Après un certain déclin, Saint-Malo connut un nouvel essor sous l'Empire en tant que port de guerre. Le XIXe s. est l'époque de la grande pêche à Terre-Neuve. En 1944, l'armée américaine atteignit la ville, que les Allemands incendièrent alors avant de se replier.

SAINT-MANDÉ. ♦ Ch.-l. de cant. du Val-de-Marne (arr. de Nogent-sur-Marne), situé à côté de Vincennes. 23 312 hab. – Église Saint-Louis de Vincennes (fresques de Maurice Denis). Institut départemental des aveugles. Parc zoologique. Institut géographique national.

SAINT-MANDRIER-SUR-MER. ♦ Ch.-l. de cant. du Var, arr. de Toulon. 5 274 hab. – Port de pêche. Anc. lazaret. Base aéronavale.

SAINT-MARCELLIN. ♦ Ch.-l. de cant. de l'Isère*, arr. de Grenoble*. 6 555 hab. *(Saint-Marcellinois).* Église du XVe s., à clocher roman. Ruines d'enceinte et d'un château du XIIIe s. Fromages réputés; appareillage électrique; articles en caoutchouc; chaussures.

SAINT-MARCET. ♦ Comm. de la Haute-Garonne*, arr. de Saint-Gaudens*. 401 hab. Importants gisements de gaz naturel distribué par pipe-lines dans le S.-O. de la France, après épuration à Boussens*.

SAINT-MARC [-maʀ] **GIRARDIN (François Auguste Marc GIRARDIN,** dit**).** ♦ Critique français (Paris, 1801 – Morsang-sur-Seine, 1873). Il fut nommé professeur de rhétorique au lycée Louis-le-Grand l'année même (1826) où il entrait à la rédaction du *Journal des Débats.* Dès lors, il allait poursuivre une active carrière de journaliste (*Souvenirs et Réflexions d'un journaliste,* 1859) parallèlement à son œuvre de pédagogue. Ses opinions libérales lui valurent, après la révolution de Juillet, d'être maître des requêtes au Conseil d'État, puis député de 1834 à 1848. Revenu à la politique en 1871 et siégeant au centre droit, il contribua au renversement de Thiers. Successeur de Guizot à la Sorbonne, il y professa, durant la monarchie de Juillet et le Second Empire, un cours de littérature française qui fut très suivi et où il se montrait un adversaire spirituel des romantiques. Son œuvre principale reste son *Cours de littérature dramatique ou De l'usage des passions dans le drame* (5 vol., 1843-1863). [Acad. fr., 1844.]

SAINT-MARIN, en it. **San Marino**. ♦ Petite république encastrée dans le territoire italien, au S. de Rimini. C'est l'un des plus petits (61 km^2) et des plus anciens États de l'Europe. 17 000 hab. *Cap.* Saint-Marin (1 500 hab.). L'activité économique est réduite à l'agriculture (céréales, vigne), à laquelle s'adjoignent la taille de pierre et surtout le tourisme. [*Carte.* **V. Italie.**] ♦ *Hist.* Fondée au IVe s. par l'ermite saint Marin, elle acquit au IXe s. une autonomie implicite et prit le nom de république au XIIIe siècle. Du XIVe au XVIe s., elle lutta pour préserver son indépendance en s'opposant aux Malatesta et aux Borgia. Elle connut aux XVIIe et XVIIIe s. une période de déclin relatif. Respectée par Bonaparte et reconnue par le congrès de Vienne (1815), elle se plaça en 1862 sous la protection de l'Italie. Depuis le XVe s., l'État de Saint-Marin est gouverné par un Grand Conseil élu tous les quatre ans au suffrage universel et présidé par deux capitaines-régents.

SAINT-MARTIN (Louis Claude *de*). ♦ Philosophe français, dit « le Philosophe inconnu » (Amboise, 1743 – Aulnay, près de Paris, 1803). Après des études de droit et une carrière d'officier, il devint franc-maçon et contribua à répandre en France le mysticisme et l'illuminisme de Swedenborg* (*Des erreurs et de la vérité,* 1775; *L'Homme de désir,* 1790).

SAINT-MARTIN. ♦ Île des Petites Antilles* (Îles-au-Vent*), située à l'E. des îles Vierges et partagée, depuis 1648, entre la France (partie septentrionale) et les Pays-Bas. La région française a 52 km^2 (*ch.-l.* : Le Marigot). La région hollandaise, 34 km^2 (*ch.-l.* : Philipsburg); elle jouit d'un régime douanier spécial et draine toute l'activité économique de l'île (tourisme). Canne à sucre. Salines.

Saint-Martin *(canal)*. ♦ Canal de la région E. de Paris, commencé en 1802 et achevé en 1825. Alimenté par le canal de l'Ourcq*, il sort du bassin de la Villette* et coule à l'air libre jusqu'aux abords de la place de la République. Souterrain (depuis les travaux d'Haussmann, 1860), il ressort au S. de la place de la Bastille* et forme le bassin de l'Arsenal avant de rejoindre la r. d. de la Seine, après 4 553 m de parcours (neuf écluses).

SAINT-MARTIN-BOULOGNE. ♦ Comm. du Pas-de-Calais, dans l'arr. et la banlieue S. de Boulogne*-sur-Mer. 12 623 hab. – Matériel de bureau.

SAINT-MARTIN-DE-BOSSENAY. ♦ Comm. de l'Aube, arr. de Nogent-sur-Seine. 309 hab. Gisement de pétrole.

SAINT-MARTIN-DE-RÉ. ♦ Ch.-l. de cant. de la Charente-Maritime, arr. de Rochefort. 2 142 hab. [1 681 aggl.] hors saison *(Martinais)*. Station balnéaire et port de pêche sur la côte septentrionale de l'île de Ré*. Église Saint-Martin, du XVe s., restaurée au XVIIIe siècle. Hôtel de Clerjotte, de styles flamboyant et Renaissance. Hospice du XVIIe siècle. Fortifications construites par Vauban. Maisons et hôtels anciens. Pénitencier. – Construction navale (pêche et plaisance).

SAINT-MARTIN-D'HÈRES. ♦ Comm. de l'Isère, dans l'arr. et la banlieue N.-E. de Grenoble*. 33 605 hab. – Indus. alimentaire. Confection.

Saint-Martin-du-Canigou. ♦ Abbaye située à plus de 1 000 m d'alt., au pied des arêtes du Canigou, près de Vernet-les-Bains (Pyrénées-Orientales). L'église fut fondée en 1007 et restaurée à partir de 1902. Chapiteaux romans : tombes du XIe et du XVIe siècle.

SAINT-MARTIN-VÉSUBIE. ♦ Ch.-l. de cant. des Alpes*-Maritimes, arr. de Nice*, sur la Vésubie*. 1 047 hab. *(Saint-Martinois)*. Église du XVIIe siècle. Station d'été et base d'alpinisme.

SAINT-MARTORY. ♦ Ch.-l. de cant. de la Haute-Garonne* (arr. de Saint-Gaudens*), sur la Garonne*. 1 101 hab. Château restauré XIIe siècle. Vestiges gaulois et ruines (abbaye de Bonnefont XIIe s., château XVe s., etc.). Papeterie, ébénisterie. Le *canal de Saint-Martory* sert à l'irrigation.

SAINT-MATHIEU *(pointe de)*. ♦ Promontoire rocheux, haut de 30 m, à l'extrémité occidentale du plateau de Léon (Finistère). Ruines d'une église abbatiale. Phare.

SAINT-MAUR-DES-FOSSÉS. ♦ Ch.-l. de cant. du Val-de-Marne, arr. de Créteil, dans un méandre de la Marne. 77 569 hab. *(Saint-Mauriens)*. Commune résidentielle (nombreuses villas). L'église Saint-Nicolas (XIIe-XIIIe-XIVe s.) renferme une statue de Notre-Dame-des-Miracles, ancien but de pèlerinage. Ruines d'une ancienne abbaye, tour de Rabelais. Château (XVIe s.) où Catherine de Médicis installa sa cour (détruit pendant la Révolution). Centre universitaire. – Produits chimiques; métallurgie; indus. électrique et électronique; éditions.

SAINT-MAURICE. *n. m.* ♦ Riv. du Canada (Québec), affl. du Saint-Laurent (r. g.). 520 km. Issu d'un lac, il coule vers le S.-E., puis (à La Tuque) vers le S.; ses chutes **(V. Shawinigan)** sont aménagées pour la production d'hydro-électricité; le Saint-Maurice conflue à Trois-Rivières.

SAINT-MAURICE. ♦ Comm. du Val-de-Marne, arr. de Créteil. 11 206 hab. *(Mauriciens)*. – Maison nationale de santé de Saint-Maurice (ancien *asile de Charenton*). Asile national des convalescents. – Studios de cinéma. Métallurgie.

SAINT-MAURICE. ♦ V. de Suisse (Valais), à la limite du canton de Vaud*, sur la r. g. du Rhône. Alt. 422 mètres. 3 200 hab. – Abbaye bénédictine d'Agaune, fondée au VIe s. (important trésor ecclésiastique). Grotte aux Fées.

SAINT-MAX [sɛ̃ma] ou [sɛ̃maks]. ♦ Comm. de Meurthe-et-Moselle, arr. et banlieue de Nancy. 12 489 hab. Confection; indus. chimiques.

SAINT-MAXIMIN-LA-SAINTE-BAUME. ♦ Ch.-l. de cant. du Var*, arr. de Brignoles. 3 209 hab. L'ancienne abbatiale du couvent des Dominicains, église construite du XIIIe au XVIe s., est le plus important édifice gothique de Provence et contient de nombreuses richesses artistiques. Bâtiments conventuels du XVIe s., cloître du XVe siècle.

SAINT-MÉDARD-EN-JALLES. ♦ Comm. de la Gironde, arr. de Bordeaux. 10 765 hab. (4 390 aggl.). – Vestiges d'un camp antique. Château du XVe siècle. – Cru du Médoc. Cultures maraîchères. Centre industriel (poudrerie, menuiserie). – Camp militaire.

SAINT-MÉEN [-meɛ-]**-LE-GRAND.** ♦ Ch.-l. de cant. d'Ille-et-Vilaine, arr. de Rennes. 3 202 hab. – Anc. abbatiale (XIIe-XVIIIe s.). Maisons anciennes. – Briqueterie.

SAINT-MICHEL, en néerl. **Sint-Michiels.** ♦ V. de Belgique (Flandre-Occidentale) dans les faubourgs de Bruges, sur le canal de Bruges à Gand. 11 200 hab. Cultures maraîchères. Indus. métallurgiques (matériel de chemin de fer). Huileries. – Patrie de Kervyn de Lettenhove.

SAINT-MICHEL. ♦ V. du Canada (Québec) dans l'aggl. de Montréal. 71 000 habitants.

SAINT-MICHEL. ♦ Comm. de l'Aisne* (arr. de Vervins*), au S. de la *forêt domaniale de Saint-Michel*. 4 366 hab. Église du premier gothique (XIIe-XIIIe s.), avec façade du XVIIIe siècle. Importante fonderie de Sougland (appareils de chauffage); indus. textile et alimentaire; produits chimiques.

SAINT-MICHEL-CHEF-CHEF. ♦ Comm. de la Loire-Atlantique, arr. de Saint-Nazaire. Station balnéaire. 2 242 hab. [1 532 aggl.], hors saison.

Saint-Michel-de-Cuxa *(abbaye)*. ♦ Abbaye située près de Vernet-les-Bains (Pyrénées-Orientales). Fondée en 878, elle est occupée auj. par les Bénédictins dépendant de Montserrat. Église romane (fin du Xe s.), avec crypte annulaire. Le cloître, en marbre rose, possède deux galeries (XIe-XIIe s.), dont les chapiteaux sont typiques du roman catalan.

SAINT-MICHEL-DE-MAURIENNE. ♦ Ch.-l. de cant. de la Savoie*, arr. de Saint*-Jean-de-Maurienne, sur l'Arc*. 3 847 hab. Électrométallurgie, électrochimie. Patrie de G. Ferrié*.

SAINT-MICHEL-DE-PROVENCE. ♦ Comm. des Alpes-de-Haute-Provence, arr. de Forcalquier. 443 hab. – L'observatoire de Saint-Michel possède le plus grand télescope en service en France. Astrophysique.

SAINT-MICHEL-SUR-ORGE. ♦ Ch.-l. de cant. de l'Essonne (arr. de Palaiseau). 15 268 habitants.

SAINT-MIHIEL. ♦ Ch.-l. de cant. de la Meuse (arr. de Commercy), sur la Meuse, 5 382 hab. *(Sammiellois)*. Église Saint-Michel, ancienne abbatiale reconstruite fin XVIIe s. (porte romane; sculptures de L. Richier*). L'ancienne abbaye (XVIIe, XVIIIe s.) est contiguë à l'église; elle abrite le palais de justice, le lycée Ligier-Richier, la bibliothèque et un musée. Église Saint-Étienne, gothique, renfermant le *Saint-Sépulcre* de Ligier Richier, composé de treize statues. Maisons et hôtels anciens. – Indus. du bois (meubles); fonderie de cuivre; instruments de précision et d'optique. – Patrie de J. Berain*, de N. Lebel*, de L. Richier*. ♦ *Hist.* Saint-Mihiel ou Saint-Michel s'est développée autour d'une abbaye bénédictine fondée en 709. Elle devint capitale du duché de Bar en 1301. Au XVIe s., les drapiers et les orfèvres firent la prospérité de la ville et les ateliers de sculpture (celui de Ligier Richier est le plus célèbre) contribuèrent à sa renommée. La ville fut prise par Louis XIII après un pénible siège (1635). – Elle fut occupée par les

Ph. Stella

Le canal **Saint-Martin** à Paris.

Ph. Hétier

Saint-Moritz.

Allemands dès sept. 1914, formant pour le commandement français « la hernie de Saint-Mihiel ». La ville fut reprise par les Américains en sept. 1918; en se retirant, l'occupant endommagea gravement la ville. ♦ Aux environs, site des falaises de Saint-Mihiel.

SAINT-MORITZ, en all. **Sankt Moritz**, en romanche **San Murezzan.** ♦ V. de Suisse (Grisons) dans la Haute-Engadine* sur les rives N. et O. du lac de Saint-Moritz. 3 800 hab. L'agglomération se divise en *Sankt Moritz Dorf* (1 856 m) et *Sankt Moritz Bad* (1 175 m) qui possède une station thermale. C'est l'une des plus importantes stations d'été et de sports d'hiver de Suisse (alt. 1 856-3 303 m).

SAINT-NAZAIRE. ♦ Sous-préf. de la Loire-Atlantique, ch.-l. d'arr. (13 cant., 72 comm., 254 863 hab.). Avant-port de Nantes, sur la r. d. de l'estuaire de la Loire. 64 003 hab. [60 658 aggl.] *(Nazairiens)*. Le *grand Saint-Nazaire* compte 112 009 hab. — Port de commerce et de pêche. Conserveries de poisson. — Aciéries. Matériel aéronautique. Usine de traitement des phosphates. Confection. Les chantiers de construction navale de Saint-Nazaire sont les plus importants de France. Allongés sur près de deux kilomètres entre le fleuve et les bassins du port, sur une étendue de 70 ha, ils possèdent deux formes de construction. L'une d'elles permet la construction des pétroliers de 500 000 tonnes. Les installations portuaires relèvent du port autonome de Nantes-Saint-Nazaire **(V. Nantes).** ♦ *Hist.* La découverte d'importantes ruines gallo-romaines lors des travaux du port laisse supposer que Saint-Nazaire n'est autre que l'antique Corbilo, l'une des grandes villes gauloises de la côte Atlantique. C'est au VIe s. que, christianisée par l'évêque de Nantes, saint Félix, elle prit son nom actuel. Au milieu du XIXe s., elle n'était qu'une bourgade de pêcheurs. Mais l'augmentation du tonnage des vapeurs et l'ensablement de l'estuaire de la Loire nécessitèrent la création d'un avant-port de Nantes : en 1856, le bassin à flot de Saint-Nazaire était ouvert aux navires. Celui de Penhoët vint s'y ajouter en 1873. En 1861, s'ouvrirent les premiers chantiers navals. Pendant la Deuxième Guerre mondiale, les Allemands installèrent à Saint-Nazaire une de leurs principales bases de sous-marins. Le raid d'une flottille anglaise, les 27 et 28 mars 1942, en détruisit une grande partie et l'agglomération nazairienne subit d'importants dégâts du fait des bombardements alliés. Les troupes allemandes occupèrent la ville et sa région jusqu'à la signature de l'armistice, le 8 mai 1945.

SAINT-NECTAIRE. ♦ Comm. du Puy-de-Dôme, arr. d'Issoire. 783 hab. — Station thermale (urologie), dont les eaux sont employées depuis la plus haute antiquité (restes d'une cité néolithique; vestiges gallo-romains). Petite église romane, de style auvergnat très pur, renfermant un trésor (retable du XVe s. de Pierre de Brassac). Grottes du Mont-Cornadore. Dolmen. — L'un des fromages les plus réputés d'Auvergne porte ce nom.

SAINT-NICOLAS, en néerl. **Sint-Niklaas.** ♦ V. de Belgique (ch.-l. d'arr. de Flandre-Orientale) dans le pays de Waas*. 49 295 hab. — Grand-place, la plus vaste de Belgique, bordée de maisons anciennes. Église Saint-Nicolas (XIIIe, XVIIIe s.). Musée. — Centre de la bonneterie. Mobilier. Imprimerie. Matériaux de construction. Indus. alimentaires.

SAINT-NICOLAS, en néerl. **Sint-Niklaas.** ♦ Comm. de Belgique, dans la banlieue industrielle de Liège. 9 900 hab. — Anc. houillères. Matériaux de construction.

SAINT-NICOLAS-DE-PORT. ♦ Ch.-l. de cant. de la Meurthe-et-Moselle, arr. de Nancy, sur la Meurthe. 7 345 hab. *(Portois)*. Basilique Saint-Nicolas (XVe, XVIe s.) de style gothique flamboyant, restaurée après 1940; lieu de pèlerinage. Brasserie; sel gemme.

SAINT-NICOLAS-DU-PÉLEM. ♦ Ch.-l. de cant. des Côtes-du-Nord, arr. de Guingamp. 2 438 hab. — Église du XVIe s. ; manoir du Pélem (XVIe s.); chapelle du XVIIe siècle. Aux environs, à Bothoa, église des XIVe et XVIe siècles.

SAINT-NOM-LA-BRETÈCHE. ♦ Ch.-l. de cant. des Yvelines, arr. de Saint-Germain-en-Laye, 1 087 hab. Église du XIIIe siècle.

Saint-Office *(congrégation du)*. ♦ Nom porté de 1908 à 1965 par l'ancienne congrégation de la Suprême Inquisition, transformée aujourd'hui en congrégation pour la Doctrine de la foi. **V. Inquisition.**

Saint-Office *(tribunal du)*. ♦ Tribunal inquisitorial établi en Espagne par Sixte IV (1478) à la demande des Rois Catholiques, étendu à l'Aragon en 1484; organisé par Torquemada*. Il sévit contre les marranes relaps puis (1492) contre tous les juifs, les morisques, les *alumbrados*, les protestants et devint un instrument du pouvoir royal. Il fut étendu à toutes les possessions espagnoles, notamment à l'Amérique (1569). Joseph Bonaparte le supprima en 1808, l'Espagne libre en 1813. Ferdinand VII le rétablit contre les libéraux, mais il fut aboli en 1834. **V. Inquisition.**

SAINT-OMER. ♦ Sous-préf. du Pas*-de-Calais, ch.-l. d'arr. (7 cant., 117 comm., 125 278 hab.), sur l'Aa*. 19 597 hab. *(Audomarois)*. Le centre de la ville est très pittoresque : anc. remparts du XVIIe s.; basilique Notre-Dame, anc. cathédrale (XIIIe, XVe s.) renfermant des œuvres d'art; église Saint-Denis (XIIIe, XVe, XVIIIe s.); hôtel de ville (XIXe s.); musées. — Travail du jute; confection; métallurgie, fonderie, chaudronnerie. — Patrie de H. Carnot*, de R. Castex*, de J.-B. Caventou*, de J. Liouville*, de A. Ribot*, de J. Titelouze*. ♦ *Hist.* En 645, saint Omer* fonda l'abbaye de Sithin qui appartint à l'ordre de Cluny* de 1106 à 1139. La ville devint un centre textile important au XIe s.; elle reçut une charte en 1127, fut définitivement annexée à la France en 1677. Elle fut bombardée pendant les deux dernières guerres.

SAINT-OUEN [sɛ̃(t)wɛ̃]. ♦ Ch.-l. de cant. de la Seine-Saint-Denis (arr. de Bobigny), dans la banl. N. de Paris. 48 886 hab. *(Audoniens)*. Château de Saint-Ouen (XIXe s., restauré). Important centre sportif. Marché aux puces. — Centrale thermique; importante usine d'incinération d'ordures ménagères. Électronique; indus. mécanique; indus. alimentaire. ♦ *Hist.* Avant d'entrer à Paris, Louis* XVIII y signa le 2 mai 1814 une proclamation (rédigée par Blacas d'Aulps et Vitrolles) qui servit de base à la Charte* constitutionnelle de juin 1814.

SAINT-OUEN-L'AUMÔNE. ♦ Ch.-l. de cant. du Val-d'Oise (arr. de Pontoise), sur l'Oise, en face de Pontoise*. 10 245 hab. — Église (XIIe s., restaurée au XIXe s.). Ruines de l'abbaye cistercienne de Maubuisson fondée en 1236 par Blanche de Castille qui entra alors dans les ordres. En 1793, le couvent et l'église ont été détruits.

SAINT-PAIR-SUR-MER. ♦ Comm. de la Manche, arr. d'Avranches. 1 840 hab. — Station balnéaire. Église romane (chœur du XIVe siècle). Restes d'un château du XIIe siècle.

SAINT-PALAIS-SUR-MER. ♦ Comm. de la Charente-Maritime, arr. de Rochefort. 2 282 hab. [925 aggl.] hors saison. Station balnéaire au N.-O. de Royan. — Patrie d'Eugène Pelletan*.

SAINT-PAPOUL. ♦ Comm. de l'Aude (arr. de Carcassonne), au S. de la Montagne Noire. 617 hab. Le village doit son origine à une abbaye bénédictine, fondée par Charlemagne, sur le tombeau de saint Papoul, et siège d'un évêché de 1317 à 1790. Anc. cathédrale; cloître (XIVe siècle). — À proximité, ruines du château de Ferrals (XIIIe siècle).

SAINT-PARIZE-LE-CHÂTEL. ♦ Comm. de la Nièvre (arr. de Nevers), dans le val du Nivernais*. 1 123 hab. Église du XIIe s. (crypte romane). Source thermale, dite les *Fonts-Bouillants*. À proximité, château de Chasseigne (1865), près des restes d'un château des XIIIe et XIVe s.: château de Langes (XIVe et XVIe siècles).

SAINT-PAUL *(île)*. ♦ Île volcanique située au S. de l'océan Indien (Terres australes*). Le cratère de son volcan a été envahi par la mer et forme une baie de 1 000 m de diamètre environ. Située au S. de la Nouvelle*-Amsterdam, l'île Saint-Paul possède un climat, une flore et une faune à peu près analogues; elle fait partie des Terres australes* et antarctiques françaises.

Saint-Paul *(cathédrale)*, en angl. **Saint Paul's cathedral.** ♦ Chef-d'œuvre de l'architecte Christopher Wren*, la cathédrale Saint-Paul fut édifiée de 1675 à 1702 en style néo-classique, au cœur de la Cité de Londres, sur l'emplacement d'une anc. église détruite par le « Grand Incendie » de 1666. La coupole rappelle celle du Panthéon de Paris dont les plans furent établis par Soufflot*. Au centre d'une zone dévastée, elle a échappé à la destruction par les bombardements de la Deuxième Guerre mondiale.

SAINT-PAUL. ♦ Comm. de la Réunion* sur la côte O. de l'île. 43 186 hab. Sucrerie. Distillerie. — Patrie de Leconte* de Lisle et de Parny*. ♦ *Hist.* Ce fut le premier établissement des colons français en 1663.

SAINT PAUL. ♦ V. des États-Unis, cap. du Minnesota, à l'E. de cet État, sur le Mississippi, et contiguë à Minneapolis*. 309 980 hab. Centre commercial (bétail) et bancaire. *Indus. :* imprimeries, automobiles, électronique, etc. Raffineries de pétrole, aciérie et indus. chimique au S. de la ville. — Nombreuses activités culturelles (dont un festival des Nations, depuis 1932). — Patrie de F.S. Fitzgerald*.

SAINT-PAUL-DE-FENOUILLET. ♦ Ch.-l. de cant. des Pyrénées-Orientales (arr. de Perpignan), sur l'Agly*, dans les *Fenouillèdes*. 2 635 hab. *(Saint-Paulais)*. Église (XIVe siècle). À proximité, gorges de Galamus et cluse de la Fou. — Centre viticole. Décolletage.

SAINT-PAUL-DE-VENCE ou **SAINT-PAUL.** ♦ Comm. des Alpes*-Maritimes, située près de Vençe*, arr. de Grasse*. 1 611 hab., bourg ancien très pittoresque. Église du XIIIe s., enceinte du XVIe siècle. Lieu de séjour et centre artistique. Tout près du bourg se trouve la fondation Maeght, consacrée à l'art contemporain.

Saint-Paul-hors-les-Murs, en it. **S. Paolo fuori le Mura.** ♦ Basilique de Rome, sur la voie d'Ostie, possession de l'État du Vatican, fondée, selon la tradition, par Constantin sur le tombeau de saint Paul, plus sûrement par Valentinien II et Théodose (388). Elle fut reconstruite après un incendie (1823) qui épargna pourtant le ciborium d'Arnolfo di Cambio (XIIIe s.) et le cloître des bénédictins (Vassaletto ? *fin* XIIe-*déb.* XIIIe siècle).

SAINT-PAULIEN. ♦ Ch.-l. de cant. de la Haute-Loire* (arr. du Puy*), dans le Velay*. 1 750 hab. Église romane remaniée. — Bonneterie. ♦ *Hist.* Saint-Paulien fut jusqu'au IVe s. le siège d'un évêché qui fut transféré au Puy*.

SAINT-PAUL-LÈS-DAX. ♦ Comm. des Landes, arr. de Dax. 5 795 hab. — Vestiges d'une voie et d'un aqueduc romains. Église romane du XIIe s. transformée au XVe siècle. — Indus. alimentaire et électrique. Poterie. Exploitation des ressources forestières.

SAINT-PAUL-TROIS-CHÂTEAUX. ♦ Ch.-l. de cant. de la Drôme* (arr. de Nyons*), dans le Tricastin*. 4 350 hab. Anc. cathédrale romane de style provençal (fin du XIIe siècle). Patrie de M. Sibour*.

SAINT-PÉ-DE-BIGORRE. ♦ Ch.-l. de cant. des Hautes-Pyrénées* (arr. d'Argelès*-Gazost), sur le gave de Pau*. 1 949 hab. (1 203 aggl.). Église du XVIIe siècle. Ruines de monuments du Moyen Âge. Indus. textiles.

SAINT-PÉRAY. ♦ Ch.-l. de cant. de l'Ardèche*, arr. de Tournon*, près du Rhône*. 3 615 hab. *(Saint-Pérollais).* Aux environs, ruines du château de Crussol (XIIe siècle). Établissement thermal. Vins mousseux.

SAINT-PÈRE. ♦ Comm. de l'Yonne (arr. d'Avallon), au pied de la colline de Vézelay*, sur les bords de la Cure*. 402 hab. Église Notre-Dame (XIIIe-XIVe s., porche du XIVe siècle). Musée archéologique régional (objets des fouilles des Fontaines*-Salées).

SAINT PETER PORT ou **SAINT-PIERRE-PORT.** ♦ Cap. de l'île anglo-normande de Guernesey. 17 000 hab. — Tourisme balnéaire. Église paroissiale et château du XIIIe siècle. À proximité, *Hauteville House*, où résida Victor Hugo de 1855 à 1870.

SAINT-PÉTERSBOURG. ♦ Anc. nom de Leningrad*.

SAINT PETERSBURG. ♦ V. des États-Unis, sur la côte O. de la Floride, près de Tampa*. 213 189 hab. (1970). Station résidentielle et balnéaire. Port de plaisance.

SAINT-PHILBERT-DE-GRAND-LIEU. ♦ Ch.-l. de cant. de la Loire-Atlantique, arr. de Nantes. 3 363 hab. [1 325 aggl.]. Église en partie du IXe s., remaniée au XIXe siècle. Viticulture.

SAINT-PIERRE (Eustache *de*). ♦ V. EUSTACHE DE SAINT-PIERRE.

SAINT-PIERRE (Charles Irénée Castel, *abbé de*). ♦ Écrivain français (Saint-Pierre-Église, 1658 — Paris, 1743), auteur d'un *Projet de paix perpétuelle* (1713) où il prônait l'organisation d'une ligue de souverains dotée d'un tribunal et d'un congrès permanent.

SAINT-PIERRE *(lac)*. ♦ Lac formé par le Saint-Laurent (Canada; Québec) en aval de Trois-Rivières. 340 km^2. Le Saint-François s'y jette.

SAINT-PIERRE. ♦ Comm. de la Martinique, située sur la côte occidentale au S. de la montagne Pelée*. Saint-Pierre était à la fin du XIXe s. la ville la plus peuplée de l'île, mais une éruption de la montagne Pelée la détruisit complètement en 1902.

SAINT-PIERRE. ♦ Comm. de la Réunion* sur la côte S. de l'île. 40 364 hab. Centre administratif et commercial. Sucreries. Distilleries. Conserveries.

SAINT-PIERRE. ♦ Cap. de l'archipel de Saint*-Pierre-et-Miquelon, sur la côte E. de l'*île Saint-Pierre*. 4 500 hab. environ. Port de pêche. Préparation de la morue.

Saint-Pierre-aux-Liens, en it. **S. Pietro in Vincoli.** ♦ Église de Rome, dite aussi basilique Eudoxienne, car elle fut fondée au Ve s. par Eudoxie, femme de Valentinien III, pour conserver des chaînes « de saint Pierre », auj. encore vénérées comme reliques. Tombeau de Jules II, par Michel-Ange, avec le *Moïse**.

SAINT-PIERRE-D'ALBIGNY. ♦ Ch.-l. de cant. de la Savoie*, arr. de Chambéry*, au pied des Bauges*. 2 545 hab. *(Saint-Pierrains).* Ville pittoresque. Aux environs, château de Miolans (X^e-XIVe siècle). Vignobles.

Saint-Pierre de Rome ou **basilique Vaticane.** ♦ Basilique pontificale, la plus vaste de la chrétienté (119 m sous la coupole), située sur la r. d. du Tibre, au Vatican. L'ancienne basilique, bâtie à l'époque de Constantin, selon la tradition, que des fouilles ont appuyée, sur le tombeau de saint Pierre, fut démolie sous Nicolas V qui adopta le plan de Rossellino (v. 1450). Toutefois, la reconstruction ne commença que sous Jules II, selon le plan en croix grecque de Bramante* (1506). Raphaël (1514), Antonio da Sangallo* le Jeune (1520), Michel*-Ange (1546) qui jeta les plans de la coupole, achevée seulement en 1590 par Della* Porta, Maderna* (1605) qui allongea la nef en croix latine et fit la façade, dirigèrent ensuite les travaux. Le Bernin* (1624) travailla à la décoration, éleva l'autel à baldaquin au-dessus de la *Confession de saint Pierre* (crypte); en avant de la basilique, il bâtit la place Saint-Pierre, avec sa double colonnade semi-elliptique.

SAINT-PIERRE-DES-CORPS. ♦ Comm. de la banlieue et du district urbain de Tours* (Indre-et-Loire). Grand centre ferroviaire.

Ph. Hétier

Saint-Paul-de-Vence.

SAINT-PIERRE-D'OLÉRON. ♦ Ch.-l. de cant. de Charente-Maritime (arr. de Rochefort), dans l'île d'Oléron*. 4 258 hab. [1 647 aggl.]. Lanterne des morts (XIIIe siècle). Ostréiculture. Viticulture.

SAINT-PIERRE-ÉGLISE. ♦ Ch.-l. de cant. de la Manche*, arr. de Cherbourg*. 1 557 hab. Église des XIIe et XVIIe s.; château du XVIIIe siècle.

SAINT-PIERRE-ET-MIQUELON. ♦ Archipel de la côte méridionale de Terre-Neuve (océan Atlantique), le seul département d'outre-mer français en Amérique du Nord. 242 km^2; 6 000 hab. environ. L'archipel comprend les îles Miquelon* et l'île Saint-Pierre (26 km^2) qui possède les sept huitièmes de la population (5 000 hab. env.) et où se situe le centre administratif et commercial, ainsi que divers îlots (île aux Marins, Grand-Colombier, île aux Vainqueurs, île aux Pigeons). *Cap.* Saint-Pierre. *Langue :* français. *Orogr.* Les îles sont formées de terrains anciens bas et érodés, d'origine glaciaire; elles présentent des côtes échancrées que baignent les eaux froides du Labrador. Le *climat* est rude et humide (1 500 mm); l'hiver long et enneigé. Présentant des espaces boisés, les îles sont surtout couvertes d'une végétation rabougrie (les tourbières sont nombreuses). — L'*économie* est fondée essentiellement sur la pêche à la morue industrialisée (poisson congelé, fabrication de farine de poisson). ♦ *Hist.* Fréquentées par des pêcheurs français dès le XVIe s., les îles furent colonisées par la France au XVIIe siècle et reçurent de nombreux réfugiés Acadiens après le traité de Paris (1763). Elles passèrent plusieurs fois sous la domination anglaise et furent rendues définitivement à la France en 1814 (traité de Paris). En 1940, elles dépendaient du gouvernement des Antilles. Elles furent occupées en 1941 sur l'ordre du général de Gaulle qui y organisa un plébiscite qui lui fut favorable. « Ce fut une des raisons de l'animosité durable du président Roosevelt à l'égard du général de Gaulle. » (M. Mourre). L'archipel devint territoire d'outre-mer (T.O.M.) en 1946 et a obtenu le statut de département en 1976.

SAINT-PIERRE-LE-MOÛTIER. ♦ Ch.-l. de cant. de la Nièvre (arr. de Nevers), à la lisière O. de la Sologne bourbonnaise. 2 227 hab. *(Saint-Pierrois).* Église Saint-Pierre, anc. église du prieuré de Cluny (XIIe s. avec adjonctions de chapelles latérales aux XVe et XVIe siècles). Maisons Renaissance. Hôpital (cloître du XVIIe siècle). — Dernière victoire de Jeanne* d'Arc (nov. 1429), peu avant Compiègne.

SAINT-PIERRE-PORT. ♦ V. SAINT PETER PORT.

SAINT-PIERRE-QUIBERON. ♦ Comm. du Morbihan, arr. de Lorient, dans la presqu'île de Quiberon. 2 128 hab. — Nombreux menhirs. Petit port, station balnéaire.

SAINT-PIERRE-SUR-DIVES. ♦ Ch.-l. de cant. du Calvados* (arr. de Lisieux*), sur la Dives*. Ancienne abbaye dont il reste une église des XIIe, XIIIe, XIVe s., halles des XIIIe-XVe siècles. Fabrication de boîtes de fromage, indus. du bois; marché agricole.

SAINT-POINT. ♦ Comm. de la Saône-et-Loire, arr. de Mâcon. 282 hab. Église romane; château (remanié au XIXe s.) dans lequel Lamartine* séjourna; le poète est enterré dans le village.

SAINT-POL *(comtes de)*. ♦ VALERAN III DE LUXEMBOURG-LIGNY, *comte de* SAINT-POL (château de Saint-Pol, 1355 — château d'Ivoy, 1415). Il prit le parti des Bourguignons et fut gouverneur de Paris (1410) et connétable (1412). Plusieurs fois vainqueur des Armagnacs, il dut se retirer de Paris avec les Bourguignons (1413). ♦ JEAN DE LUXEMBOURG-LIGNY, *comte de* SAINT-POL, son neveu (v. 1391 — Guise, 1441). Lors de la guerre de Cent Ans, il gouverna Paris pour le compte des Anglais (1418-1420). Il captura Jeanne d'Arc et la vendit aux Anglais (1430). ♦ LOUIS DE LUXEMBOURG-LIGNY, *comte de* SAINT-POL, neveu du précédent (1418-1475). Il participa à la reconquête de la Normandie sur les Anglais. Nommé connétable par Louis XI, il aurait eu des intelligences avec Charles le Téméraire, si bien que Louis XI le fit décapiter.

SAINT-POL-DE-LÉON. ♦ Ch.-l. de cant. du Finistère (arr. de Morlaix), dans le Léon, au S. de Roscoff. 8 805 hab. *(Saint-Politains).* Ancienne cathédrale (XIIIe-XVIe s.) de style gothique nor-

Ph. D. Bragaglia/Galliphot

Saint-Quentin (Aisne) : l'hôtel de ville.

mand; la façade est dominée par deux tours hautes de 50 mètres. Chapelle du Kreisker (XIVe-XVe s.), très beau clocher (XVe s.) haut de 77 m; chapelle Saint-Pierre (XVe s.); maisons anciennes. — Importantes cultures de légumes et de primeurs. ♦ *Hist.* Le moine Paul-Aurélien (VIe s.) donna son nom à la ville. Au XIVe s., Du Guesclin fit occuper Saint-Pol par une garnison qui fut décimée par le duc de Bretagne Jean IV en 1374. En 1590, la ville fut favorable à la Ligue. En 1793, le général Canclaux réprima dans le sang une insurrection.

SAINT-POL ROUX (Paul Pierre ROUX, dit). ♦ Poète français (Saint-Henry, près Marseille, 1861 – Brest, 1940). Fidèle au culte de la beauté célébré par Mallarmé* dont il fut le disciple, il se distingua au sein du groupe symboliste par une tendance à l'excès et à la profusion qui caractérise tout art baroque (*Manifeste du magnificisme,* 1895). Il se voulut dramaturge autant que poète (*La Dame à la faulx,* 1899), mais aucune de ses œuvres ne fut jamais représentée. C'est surtout par l'importance qu'il reconnaît au pouvoir libérateur de l'image et à son autonomie, en dehors de tout contrôle de la raison, qu'il apparaît comme un précurseur (*De la colombe au corbeau par le paon,* 1885-1904; *Les Féeries intérieures,* 1907). Reconnu pour tel par les surréalistes (1925), il devait accéder à une gloire tardive. Il eut une fin tragique, aux premiers jours de l'occupation allemande, dans son manoir de Coecilian (presqu'île de Camaret) où il vivait retiré depuis 1905.

SAINT-POL-SUR-MER. ♦ Comm. du Nord, dans l'arr. et la banlieue O. de Dunkerque. 19 123 hab. — Station balnéaire. Indus. textile.

SAINT-POL-SUR-TERNOISE. ♦ Ch.-l. de cant. du Pas*-de-Calais, arr. d'Arras*, dans l'Artois*. 6 014 hab. (*Saint-Polais* ou *Paulopolitains*). La ville, détruite par les bombardements, a été reconstruite après 1945.

SAINT-PONS [-pɔ̃s] ou [-pɔ̃] ou **SAINT-PONS-DE-THOMIÈRES.** ♦ Ch.-l. de cant. de l'Hérault (arr. de Béziers), dans la haute vallée du Jaur. 3 716 hab. *(Saint-Ponais).* Anc. abbatiale (puis cathédrale) Saint-Pons (XIIe s.), remaniée au XVIIIe s. (façade primitive, avec portail roman à l'O.). Tour crénelée de la Gascagne (XVIe s.). Grotte du Jaur (fontaine). — Marbres. Indus. textiles. Tannerie.

SAINT-POURÇAIN-SUR-SIOULE. ♦ Ch.-l. de cant. de l'Allier*, arr. de Moulins*. 5 360 hab. *(Saint-Pourcinois* ou *Saupourcinois).* Église Sainte-Croix (anc. abbatiale plusieurs fois remaniée : XIe-XIXe siècle). Vignobles renommés.

SAINT-PRIEST [sɛ̃pʀi]. ♦ Comm. du Rhône*, arr. et banlieue de Lyon. 20 677 hab. Tissage; indus. des plastiques; chaudronnerie.

SAINT-PRIEST-LA-PRUGNE. ♦ Comm. de la Loire, arr. de Roanne. 880 hab. — Église romane et gothique. Gisement d'uranium.

SAINT-PRIVAT-LA-MONTAGNE. ♦ Comm. de la Moselle, arr. de Metz-Campagne. 1 122 hab. ♦ *Hist.* Les 1re et IIe armées prussiennes y battirent le 18 août 1870 l'armée de Bazaine, qui dut se replier dans Metz*.

SAINT-QUAY-PORTRIEUX. ♦ Comm. des Côtes-du-Nord (arr. de Saint-Brieuc) sur la baie de Saint-Brieuc. 3 607 hab. — Station balnéaire fréquentée. Port de pêche à Portrieux (crustacés).

SAINT-QUENTIN. ♦ Sous-préf. de l'Aisne*, ch.-l. d'arr. (7 cant., 127 comm., 138 106 hab.) sur la Somme*. 66 161 hab. [63 932 aggl.] *(Saint-Quentinois);* première V. du dép. par sa population. Collégiale gothique (XIIIe-XVe s.), hôtel de ville de style gothique flamboyant (XIVe-XVIe siècle). Musée Antoine-Lécuyer (pastels de La* Tour). Important nœud ferroviaire et routier. Centre industriel actif (filatures, tissages de coton, textiles artificiels, confection...). Indus. métallurgiques (fonderies; constructions métalliques; machines agricoles; cycles, etc.) et électriques. Patrie de Dom L. d'Achery*, de Maurice Quentin de La* Tour, de Gracchus Babeuf*. ♦ *Hist. Augusta Viromanduorum* sous l'Empire romain, évangélisée par Caius Quintius (saint Quentin), elle en prit plus tard le nom. Dès 1080, la cité obtint une charte communale, complétée en 1103. Après la défaite de l'armée du connétable de Montmorency en 1557, l'armée espagnole s'empara de la ville, qui ne reprit sa véritable prospérité qu'au XVIIIe s., grâce à l'indus. cotonnière. Prise par les Allemands en 1914, occupée plus de quatre ans, servant à l'ennemi de centre de regroupement, elle fut libérée en octobre 1918 après de durs combats.

Saint-Quentin *(canal de).* ♦ Canal du nord de la France (92 km) assurant la jonction entre l'Oise*, la Somme* et l'Escaut*, le plus important de France par son trafic. Il se compose de deux sections : le *canal Crozat* (de l'Oise à la Somme) et le *canal de Saint-Quentin* (de la Somme à l'Escaut), et assure une communication continue entre le Bassin parisien et la Flandre.

SAINT-QUENTIN-EN-YVELINES. ♦ V. nouvelle de la région parisienne, située au S.-O. de Versailles, dans le dép. des Yvelines; on prévoit 330 000 hab. pour 1985. Une université y sera construite.

SAINT-RAMBERT-D'ALBON. ♦ Comm. de la Drôme, arr. de Valence. 3 822 hab. — Nœud ferroviaire. Indus. textile. Construction de machines agricoles. Cultures fruitières.

SAINT-RAMBERT-EN-BUGEY. ♦ Ch.-l. de cant. de l'Ain* (arr. de Belley*), dans le Bugey*, sur l'Albarine. 2 857 hab. Filature de schappe; cartonnerie.

SAINT-RAMBERT-SUR-LOIRE. ♦ Ch.-l. de cant. de la Loire*, arr. de Montbrison*. 4 563 hab. Indus. textiles; tissus élastiques.

SAINT-RAPHAËL. ♦ Ch.-l. de cant. du Var* (arr. de Draguignan*), à l'extrémité O. de l'Esterel*. 18 339 hab. Petite église romane provençale. Importante station balnéaire. ♦ *Hist.* En août 1944, ce fut l'une des principales bases de débarquement des troupes franco-américaines.

SAINT-RÉMY-DE-PROVENCE. ♦ Ch.-l. de cant. des Bouches*-du-Rhône (arr. d'Arles), au pied des Alpilles. 8 101 hab. [4 905 aggl.] *(Saint-Rémois).* Église du XIXe s., clocher du XIVe siècle. Musée de folklore provençal. Centre agricole et touristique. — Patrie de Nostradamus*, de J. Roumanille*. — Aux environs, ancien prieuré Saint-Pol-de-Mausole (église et cloître romans). *Plateau des Antiques* **(V. Glanum).**

SAINT-RÉMY-LÈS-CHEVREUSE. ♦ Comm. des Yvelines (arr. de Rambouillet), sur l'Yvette. 3 569 hab. Château de Coubertin, en partie du XVIIe siècle. Lieu de villégiature.

SAINT-RÉMY-SUR-DUROLLE. ♦ Ch.-l. de cant. du Puy*-de-Dôme, arr. de Thiers*. 2 046 hab. Coutellerie.

SAINT-RENAN. ♦ Ch.-l. de cant. du Finistère (arr. de Brest), dans le Léon*. 3 627 hab. *(Renanais).* — Église avec tour du XVIIIe s.; maisons anciennes. — Mines d'étain.

SAINT-RIQUIER. ♦ Comm. de la Somme* (arr. d'Abbeville*), sur le Scardon. 1 176 hab. Beffroi (XIIIe-XVIe s.); église abbatiale en gothique flamboyant (XVe-XVIe siècle). Patrie de saint Riquier*. ♦ Hist. *Centule,* cap. du Ponthieu, prit son nom actuel après la mort de saint Riquier, dont le tombeau devint un lieu de pèlerinage; un monastère y fut fondé et devint une puissante abbaye, autour de laquelle la cité se développa. Elle obtint sa charte communale au XIIe siècle.

Saint-Sacrement *(Compagnie du).* ♦ Société religieuse organisée selon le projet de Henri de Lévis, duc de Ventadour, par Condren* et le jésuite Suffren, à partir de 1629. Elle se proposait, outre la dévotion au saint sacrement, une action sociale : œuvres, missions, lutte contre l'impiété, l'immoralité, le protestantisme. Elle accueillait laïques et religieux et devait rester secrète, à l'image de Jésus-Christ caché. Vincent* de Paul, Olier*, Jean Eudes, Bossuet et de grands commis de l'État tels que Voyer d'Argenson et Lamoignon firent partie de la compagnie. Son activité dans toute la France, sa puissance, le secret et aussi certaines méthodes abusives (dénonciations), lui attirèrent de nombreuses hostilités à partir de 1660. Elle fut dissoute en 1665. — On pense généralement que c'est elle, ou du moins ses excès, que Molière visait dans son *Tartuffe* et que son influence fit interdire la pièce, ainsi que le *Dom Juan.* L'idée d'une « cabale des dévots » naquit chez les ennemis de la compagnie.

SAINT-SAËNS [sɛ̃sɑ̃s] **(Camille).** ♦ Compositeur français (Paris, 1835 — Alger, 1921). Doué d'une exceptionnelle précocité musicale, pianiste virtuose dès l'enfance, il fut au Conservatoire l'élève de Benoist, pour l'orgue, et de Halévy, puis Gounod, pour la composition. Organiste à Saint-Merri (1853), à la Madeleine (1857-1877) où il acquit la réputation d'un remarquable improvisateur, il fut ensuite professeur à l'école Niedermeyer (1861-1865) où il eut Fauré et Messager pour élèves. Encouragé par Liszt qu'il avait rencontré en 1853 (et dont la bienveillance devait permettre plus tard la représentation de son opéra, *Samson et Dalila,* à Weimar, 1877), il poursuivit une carrière de compositeur qu'il mena parallèlement à celle de virtuose et de chef d'orchestre, entreprenant à travers le monde, et jusqu'à un âge avancé, des tournées de concerts, ainsi que de nombreux voyages, notamment en Afrique du Nord. — Cofondateur avec Franck, Lalo, Massenet, Bizet, Duparc et Fauré, de la *Société nationale de musique* (1871), il s'y affirma comme le plus fougueux adversaire de Wagner, dont il avait été l'admirateur et l'interprète dans sa jeunesse. L'éclectisme de sa curiosité, étonnant en de nombreux domaines (poésie, peinture, théâtre, philosophie, astronomie), put ainsi s'accommoder d'une étroitesse volontaire du jugement et du goût dont les effets ne furent pas tous négatifs. Attaché à la perfection formelle et hostile aux débordements de l'éloquence, il prépara les voies d'un retour à la rigueur classique dont bénéficièrent l'art d'un Debussy et celui d'un Ravel. Chez lui, le refus de l'épanchement, né d'un pessimisme fondamental, se conjugue avec un souci fanatique de la forme qui rapproche son art de celui d'un Flaubert ou des poètes parnassiens. Aquarelliste plus que coloriste, il possède aussi le sens des vastes architectures et des grands sujets, mais la virulence des partis pris du polémiste a nui à la réputation du compositeur. Son œuvre comprend douze *opéras,* de la *musique de scène,* des *compositions religieuses* (dont une *Messe solennelle,* 1856, et un *Requiem,* 1878), de nombreuses *compositions chorales,* des *poèmes symphoniques* (*Le Rouet d'Omphale,* 1871; *Phaéton,* 1873; *La Danse macabre,* 1875; *Suite algérienne,* 1879), trois *symphonies* (la 3e avec orgue, 1886), des *concertos* pour piano, violon, violoncelle, de la *musique de chambre,* des *pièces pittoresques* (*Le Carnaval des Animaux,* 1886) pour piano et une centaine de *mélodies.*

SAINT-SAUVEUR-EN-PUISAYE [-pyize]. ♦ Ch.-l. de cant. de l'Yonne, arr. d'Auxerre. 1 226 hab. Église (XIIe et XVIe s.); château du XVIIe siècle. — Patrie de Colette* (maison natale).

SAINT-SAUVEUR-LE-VICOMTE. ♦ Ch.-l. de cant. de la Manche*, arr. de Coutances*. 2 329 hab. *(Saint-Sauveurais).* Église des XVe-XVIe siècles. Ancienne abbaye bénédictine. Château en partie du XIIIe siècle. — Patrie de Barbey* d'Aurevilly (maison natale).

SAINT-SAVIN. ♦ Ch.-l. de cant. de la Gironde*, arr. de Blaye*, 1 640 hab. *(Saint-Saviniens).* Vins blancs.

SAINT-SAVIN. ♦ Ch.-l. de cant. de la Vienne (arr. de Montmorillon), sur la r. g. de la Gartempe. 1 349 hab. *(Saint-Savinois).* Anc. abbatiale des XIe-XIIe s., de style poitevin, possédant un remarquable ensemble de fresques du XIe au XIIIe s., chefs-d'œuvre de la peinture romane. Logis abbatial du XVe s.; pont gothique du XIIIe siècle.

SAINT-SAVIN. ♦ Comm. des Hautes-Pyrénées, arr. d'Argelès-Gazost. 377 hab. — Station touristique dominant la vallée du gave de Pau. Église du XIe s. (tombeau de saint Savin). ♦ *Hist.* Charlemagne y fonda une abbaye bénédictine qui fut brûlée lors des invasions normandes. Grand centre religieux du Lavedan pendant tout le Moyen Âge.

SAINT-SAVINIEN. ♦ Ch.-l. de cant. de Charente-Maritime, arr. de Saint-Jean-d'Angély, sur la r. d. de la Charente. 2 201 hab. [1 168 aggl.]. Église romane et gothique. Vestiges du couvent des Augustins (chapelle du XVe siècle). — Eaux-de-vie. Chaussures.

SAINT-SÉBASTIEN, en esp. **San Sebastián,** en basque **Donostia.** ♦ V. d'Espagne septentrionale, sur la côte cantabrique, au fond d'une très belle baie *(la Conque).* Ch.-l. de la prov. basque de Guipúzcoa*. 165 830 hab. Station balnéaire réputée. Résidence d'été du gouvernement.

SAINT-SÉBASTIEN-SUR-LOIRE. ♦ Comm. de la Loire-Atlantique, aggl. et arr. de Nantes, sur la r. g. de la Loire. 14 639 hab. Église du XVe siècle.

SAINT-SEINE-L'ABBAYE. ♦ Ch.-l. de cant. de la Côte-d'Or, arr. de Dijon. 358 hab. Église abbatiale (début XIIIe s.) d'une remarquable unité de facture, premier exemple du style gothique bourguignon. Restes de l'abbaye bénédictine fondée par saint Seine *(Sequanus)* au VIe s. (palais abbatial du XVIIIe siècle). — Sources de la Seine à 10 km au N.-O.

Saint-Sépulcre. ♦ Nom donné aux diverses constructions élevées à Jérusalem sur le tombeau du Christ et sur le Calvaire. **V. Jérusalem.**

Saint-Sépulcre *(ordre du).* ♦ Ordre de chevalerie que certains ont fait remonter aux rois de Jérusalem Godefroi de Bouillon ou Baudouin Ier. Ceci est dû sans doute à une confusion avec les *chanoines du Saint-Sépulcre* (régularisés en 1114). En fait, c'est v. 1496 que le pape Alexandre VI institua l'ordre militaire du Saint-Sépulcre pour honorer les nobles se rendant en pèlerinage aux Lieux saints. L'histoire en est obscure. Sans avoir été aboli, il renaquit au XIXe s. et, en 1868, passa sous l'autorité du patriarche latin de Jérusalem. Il fut reconnu par le gouvernement français en 1928.

SAINT-SERVAIS. ♦ Comm. de Belgique, dans la banlieue O. de Namur*. 9 100 hab. — Indus. du bois (papeteries). Métallurgie. Matériaux de construction.

SAINT-SERVAN-SUR-MER. ♦ Anc. ch.-l. de cant. d'Ille-et-Vilaine rattachée à Saint-Malo, sur l'estuaire de la Rance. — Tour Solidor (XIVe s.). Fort de la Cité (XVIIIe s.), endommagé en 1944. Station balnéaire. — Patrie de Mgr Duchesne*. — Saint-Servan est le site de l'anc. ville d'Alet*, dont l'évêché aurait été fondé par saint Maclou* ou Malo **(V. Saint-Malo).**

SAINT-SEVER [sɛ̃s(ə)vɛʀ] ou **SAINT-SEVER-SUR-L'ADOUR.** ♦ Ch.-l. de cant. des Landes*, arr. de Mont*-de-Marsan, au-dessus de l'Adour. 4 360 hab. [2 806 aggl.] *(Saint-Severins).* Remarquable église du XIIIe s., anc. abbatiale bénédictine. Le manuscrit à peintures « Apocalypse de Beatus », dit *Apocalypse de saint Sever,* fut exécuté dans l'abbaye au XIe s. (Bibl. nat.). Cloître du XVIIe siècle. — Patrie du général Lamarque.

SAINT-SIÈGE *(États du).* ♦ **V.** Église *(États de l').*

SAINT-SIMON (Louis de Rouvroy, *duc de***).** ♦ Mémorialiste français (Paris, 1675 — *id.,* 1755). Imbu de son titre de pair de France et désireux de jouer un grand rôle politique, il fut déçu dans ses espérances à la mort du duc de Bourgogne (1712), puis auprès du Régent, Philippe d'Orléans, et se consacra à de nombreux écrits (inédits) ainsi qu'à ses *Mémoires** (composés de 1694 à sa mort) qui évoquent la fin du règne de Louis XIV en une succession de tableaux et de portraits d'un grand relief, tracés dans « une langue à la vigueur de ses aversions et de ses amours » (Lamartine), qui fait de lui l'un des plus grands prosateurs français.

SAINT-SIMON (Claude Henri de Rouvroy, *comte de***).** ♦ Philosophe et économiste français (Paris, 1760 — *id.,* 1825). Arrière-cousin du duc de Saint-Simon. Ses premiers travaux font de lui un précurseur de la philosophie positiviste et de la science sociale (*Lettres d'un habitant de Genève à ses concitoyens,* 1803; *Introduction aux travaux scientifiques du XIXe s.,* 1807). Avec la création de la revue *l'Industrie* (1816), la publication de *l'Organisateur* avec A. Comte* (1819-1820) et du *Système industriel* (1820-1822), s'affirment les thèses de son industrialisme optimiste : effondrement de l'Ancien Régime, avènement de la société industrielle gérée par les industriels (c.-à-d. les producteurs), où s'harmoniseront spontanément les intérêts des chefs d'entreprise et des ouvriers. *Le Nouveau Christianisme* (publié à titre posthume) formule la morale de cette nouvelle société tout en développant des thèmes présocialistes, qui seront la base de l'école socialiste saint-simonienne fondée par les disciples de Saint-Simon (Enfantin*, Bazard*, Leroux*).

Saint-Sulpice *(Compagnie des prêtres de)* ou **Sulpiciens.** ♦ Société de prêtres séculiers vivant en communauté, qui ne prononcent pas de vœux et forment les séminaristes. J.-J. Olier fonda en 1641 à Vaugirard un séminaire qu'il transporta en 1642 à Saint-Sulpice et qui se transforma bientôt en une *Société de Saint-Sulpice* approuvée par le pape en 1664. Il y a actuellement env. soixante-dix séminaires qui forment les prêtres, non seulement en France mais aussi en Amérique.

Saint-Sulpice. ♦ Église de Paris, située entre l'église de Saint*-Germain-des-Prés et le palais du Luxembourg*. Elle domine la place Saint-Sulpice (commencée par Servandoni*; 1754) qu'orne une fontaine de Visconti* (1844). Reconstruite plusieurs fois depuis le XIIe s., l'église fut agrandie, notamment par Gittard (1670-1678), puis par Oppenordt* (1719-1736) qui en firent un édifice de style jésuite, aux proportions imposantes. La façade à l'antique fut édifiée par Servandoni (1733-1745) dont le projet fut modifié par Maclaurin* (tour sud, 1749) puis par Chalgrin* (tour nord, 1777). L'intérieur offre des statues de Bouchardon*, des œuvres de Pigalle* et d'admirables peintures murales de Delacroix* *(chapelle des Saints-Anges).* Belles orgues, reconstruites par Cavaillé*-Coll (1860-1862).

SAINT-SULPICE-LAURIÈRE. ♦ Comm. de la Haute-Vienne, arr. de Limoges. 1 459 hab. — Important nœud ferroviaire. Église des XIIe-XIIIe s. Donjon du XIe s. Oppidum.

SAINT-SYMPHORIEN-DE-LAY [-lɛ]. ♦ Ch.-l. de cant. de la Loire*, arr. de Roanne*. 1 604 hab. Église du XVe siècle. — Indus. textiles; bonneterie.

SAINT-SYMPHORIEN-D'OZON. ♦ Ch.-l. de cant. du Rhône*, arr. de Lyon*. 3 029 hab. Chaussures; produits chimiques.

SAINT-SYMPHORIEN-SUR-COISE. ♦ Ch.-l. de cant. du Rhône* (arr. de Lyon*), dans le Lyonnais*. 3 079 hab. Tannerie, chaussures; conserves; meubles; chapeaux.

SAINT-THÉGONNEC. ♦ Ch.-l. de cant. du Finistère, arr. de Morlaix, dans le Léon*. 2 127 hab. — Église plusieurs fois reconstruite (XVIe-XVIIe-XVIIIe s.), tour-clocher de la Renaissance; chapelle-ossuaire et calvaire du XVIIe siècle.

SAINT-THIBAULT. ♦ Comm. de la Côte-d'Or, arr. de Montbard. 181 hab. Église d'un ancien prieuré (fin XIIIe s.), dont le chœur (début XIVe s.) compte parmi les plus belles constructions bourguignonnes de cette époque, superbe portail (XIIIe s.). La nef et le transept ont été refaits au XVIIIe siècle.

SAINT-THOMAS *(île).* ♦ L'une des îles Vierges* américaines d'origine volcanique. C'est l'île économiquement la plus importante de l'archipel, où se situe la cap. **(V. Charlotte Amalie).** 16 201 hab. (1960). Tourisme. Station d'agriculture expérimentale. Industrie artisanale. Distilleries (rhum).

Ph. J. Willemin

Saint-Savin sur Gartempe : fresque de la crypte de l'abbatiale.

Arch. Smeets

« La Jetée de **Sainte-Adresse** », par Dufy. (Musée des Beaux-Arts, Reims.)

SAINT-TROJAN-LES-BAINS. ♦ Comm. de Charente-Maritime, arr. de Rochefort. 2 171 hab. [782 aggl.] hors saison. Station balnéaire et médicale sur la côte E. de l'île d'Oléron. Église du XVIIe siècle. Forêt.

SAINT-TROND, en néerl. **Sint-Truiden.** ♦ V. de Belgique (Limbourg, arr. de Hasselt) en Campine. 21 352 hab. — Porte de Brustem (vestiges des fortifications, rasées par Louis XIV). Hôtel de ville du XVIIIe siècle. Beffroi du XVIIe siècle. Collégiale Notre-Dame (XIVe-XVe s.). Église Saint-Pierre, de style roman mosan. Église du Béguinage, de style flamand (XIIIe-XIVe s.). — Indus. alimentaires (fruits; cerises réputées). Tabac. Métallurgie. Matériaux de construction. ♦ *Hist.* C'est en 664 que saint Trudon y fonda une abbaye. L'armée liégeoise fut battue par les Bourguignons en 1467 à 3 km de Saint-Trond.

SAINT-TROPEZ [sɛ̃tʀope]. ♦ Ch.-l. de cant. du Var* (arr. de Draguignan*), sur le golfe de Saint-Tropez. 6 151 hab. *(Tropéziens).* Citadelle des XVIe-XVIIe siècles. C'est une vieille ville provençale, devenue une station d'été très en vogue (dénommée familièrement *Saint-Trop'*).

SAINT-VAAST[-va-]-**LA-HOUGUE.** ♦ Comm. de la Manche*, arr. de Cherbourg*. 2 391 hab. Port et station balnéaire sur une presqu'île. Fort de la Hougue, construit par Vauban au XVIIe siècle. ♦ *Hist.* Le 29 mai 1692, la flotte anglo-hollandaise y détruisit l'escadre de Tourville*.

SAINT-VALÉRY-EN-CAUX. ♦ Ch.-l. de cant. de la Seine*-Maritime (arr. de Dieppe*), sur la Manche*, 3 174 hab. *(Valériquais).* Maison Renaissance dite de Henri IV (1540). — Petit port de pêche et de cabotage. — Station balnéaire très fréquentée. — La ville a été gravement endommagée pendant la dernière guerre.

SAINT-VALÉRY-SUR-SOMME. ♦ Ch.-l. de cant. de la Somme*, sur l'estuaire de la Somme*. 3 262 hab. *(Valéricains)*; station balnéaire possédant un petit port. Église XIIIe et XVIe siècles. Hôtel de ville XVIe siècle. Anc. abbaye XIIIe et XIVe siècles.

SAINT-VALLIER. ♦ Ch.-l. de cant. de la Drôme*, arr. de Valence*, sur le Rhône*. 5 351 hab. Céramiques, papeteries, soieries.

SAINT-VÉRAN. ♦ Comm. des Hautes-Alpes (arr. de Briançon*), dans le Queyras*. 220 hab. C'est la commune la plus élevée d'Europe (entre 1 990 m et 2 049 m). Église du XVIIe siècle. Maisons à galeries et greniers de bois. — Station de sports d'hiver. Aux environs, chapelle de Clausis, lieu de pèlerinage à 2 390 mètres.

SAINT-VICTOR (Paul BINS, *comte de***).** ♦ Essayiste et critique français (Paris, 1827 — *id.,* 1881). En collaboration avec Théophile Gautier et Arsène Houssaye, il a publié *Les Dieux et les demi-dieux de la peinture* (1864). Demeuré fidèle au romantisme, il a consacré d'importantes études au théâtre : *Les Deux Masques* (1880-1883) et *Le Théâtre contemporain* (1889).

Saint-Victor de Paris *(école de).* ♦ Fondée par Guillaume de Champeaux, elle fut une de celles où on tenta d'accorder la vie spirituelle et mystique et la culture « mondaine ». Quoique raillée par Rabelais, sa bibliothèque était assez importante pour l'époque. On y enseignait les arts libéraux, la théologie et l'exégèse biblique. Ses représentants principaux furent Richard, André, Hugues, Godefroy de Saint-Victor.

SAINT-VINCENT. ♦ Île britannique des Petites Antilles* (Windwards Islands) de caractère volcanique. 389 km². 90 000 hab. *Ch.-l.* Kingstown (ne pas confondre avec la capitale de la Jamaïque). Canne à sucre, coton, coprah. Une partie des Grenadines **(V. Grenade)** dépend de Saint-Vincent.

SAINT-VINCENT *(cap),* en port. **São Vicente.** ♦ Cap du Portugal (Algarve), à l'extrémité sud-occidentale de la péninsule Ibérique.

SAINT-VINCENT. ♦ Station thermale des Alpes occidentales (Italie, val d'Aoste), dans la vallée de la Doire Baltée.

Saint-Vincent-de-Paul *(sœurs de)* ou **Filles de la Charité.** ♦ Congrégation fondée en 1633 par saint Vincent* de Paul et confirmée par le pape en 1668. Les sœurs ne prononcent pas de vœux. Leur maison mère se trouve à Paris, rue du Bac.

Saint-Vincent-de-Paul *(société de).* ♦ Société religieuse de laïcs se consacrant à l'assistance aux pauvres. Elle fut fondée par F. Ozanam à Paris, en 1833. La société compte actuellement env. 400 000 membres.

SAINT-VINCENT-DE-TYROSSE. ♦ Ch.-l. de cant. des Landes*, arr. de Dax*. 3 249 hab. *(Tyrossais).* Bas, chaussures, exploitation de la forêt.

SAINT-VIVIEN-DE-MÉDOC. ♦ Ch.-l. de cant. de la Gironde*, arr. de Lesparre*-Médoc. 1 018 hab. Église moderne conservant une abside romane. — Vins.

SAINT-VULBAS [-ba]. ♦ Comm. de l'Ain (arr. de Belley), sur le Rhône. Une centrale nucléaire est construite à proximité de ce village de 151 hab. (1972); la comm. compte 402 habitants.

SAINT-WANDRILLE-RANÇON. ♦ Comm. de la Seine-Maritime, arr. de Rouen. 1 106 hab. — Abbaye de Fontenelle fondée par saint Wandrille au VIIe s., qui prit le nom de son fondateur au Xe siècle. Restes de l'église abbatiale gothique. Cloître des XIVe et XVe siècles. — L'abbaye est de nouveau occupée par des religieux depuis 1931.

SAINT-YORRE. ♦ Comm. de l'Allier*, arr. de Vichy*, sur l'Allier*. 3 042 hab. Sources minérales. Verrerie, produits pharmaceutiques.

SAINT-YRIEIX[sɛ̃tiʀje-]-**LA-PERCHE.** ♦ Ch.-l. de cant. de la Haute-Vienne*, arr. de Limoges*. 7 622 hab. [4 655 aggl.]. *(Arédiens).* Église des XIIe et XIIIe siècles. Tour du Plot XIIIe s.; maisons anciennes. Ses carrières de kaolin sont exploitées depuis le XVIIIe s. et ont permis la fabrication de la porcelaine limousine. Manufactures de porcelaine, indus. alimentaires, chaussures.

SAINTE-ADRESSE. ♦ Comm. de la Seine*-Maritime, arr. du Havre*, sur la Manche*, près du Havre. 8 523 hab. — Station balnéaire. Sainte-Adresse fut le siège du gouvernement belge pendant la Première Guerre mondiale et durant toute l'occupation de la Belgique par l'armée allemande.

SAINTE-ANNE. ♦ Port de la Guadeloupe (arr. de Pointe-à-Pitre), sur la côte S.-E. de la Grande-Terre. 13 435 hab. Plages de plaisance. Sucreries. Rhum.

SAINTE-ANNE-D'AURAY. ♦ Comm. du Morbihan (arr. de Lorient), près d'Auray. 1 717 hab. — Basilique (XIXe s.); ancien couvent des Carmes avec cloître du XVIIe siècle. Pèlerinage appelé « pardon », le 26 juillet.

SAINTE-ANNE-DE-BEAUPRÉ. ♦ Localité du Canada (Québec), sur le Saint-Laurent, près de Québec, dont la basilique est le siège d'un important pèlerinage. 1 900 hab. — L'église, construite en 1658, a été détruite en 1929 et remplacée par une vaste basilique.

SAINTE-ASSISE. ♦ Écart de la comm. de Seine-Port, en Seine-et-Marne. Château occupé par un centre de télécommunications.

SAINTE-BAUME *(massif de la).* ♦ Chaîne calcaire de Provence, située à l'E. de Marseille, et culminant à 1 147 mètres.

SAINTE-BEUVE (Charles Augustin). ♦ Écrivain français (Boulogne-sur-Mer, 1804 — Paris, 1869). Journaliste au *Globe* à vingt ans et déjà critique littéraire, il gagne l'amitié de Victor Hugo* et pénètre dans le *Cénacle**. Dans son *Tableau historique et critique de la poésie française au XVIe s.* (où il redécouvre notamment Ronsard*), il fait du romantisme le continuateur d'une tradition nationale, celle de la Renaissance. Lui-même publie un ouvrage mêlé de prose et de vers, *Vie, poésies et pensées de Joseph Delorme* (1829), suivi du recueil poétique *Les Consolations* (1830); il y fait preuve d'un lyrisme intimiste où les « paysages d'âme » et l'intuition des correspondances *(Les Rayons jaunes)* annoncent Baudelaire* et Verlaine*. Déçu par l'insuccès de ces ouvrages et de son roman *Volupté* (1834), autobiographie lyrique et désenchantée, il se tourne vers des études d'histoire littéraire et fait paraître *Port*-Royal* (1840 à 1859), puis *Chateaubriand et son groupe littéraire* (1861), avant de réunir ses articles dans la série des *Critiques et portraits* *(littéraires, de femmes,...* 1836 à 1846), dans *Les Causeries* du lundi* (1851 à 1862), suivies des *Nouveaux Lundis* (1863 à 1869). À sa mort, il laisse une importante correspondance et des cahiers intimes, *Mes poisons* (publiés en 1926). Pour cerner toutes les particularités morales et intellectuelles de « l'individu-talent », qu'il cherche à classer dans des « familles naturelles d'esprit », Sainte-Beuve instaure une critique biographique et historique en s'appuyant sur une documentation très solide. Conscient cependant que le scientisme d'un Taine* ne peut atteindre la « dernière citadelle irréductible » qu'est le génie individuel, il recourt aussi à une méthode intuitive, jusqu'au moment où « l'analyse disparaît dans la création ». Ainsi, malgré des erreurs de jugement concernant ses contemporains, erreurs dues parfois à une partialité envieuse, Sainte-Beuve a réussi par ses articles, où son style souple introduit « une sorte de charme », à illustrer et à renouveler la critique littéraire.

Sainte-Chapelle du Palais *(la).* ♦ Église de Paris située dans l'enceinte actuelle du Palais de Justice. Entreprise par Saint Louis en 1246 pour abriter les reliques de la Passion, elle fut consacrée en 1248. La Sainte-Chapelle a été restaurée par Duban*, Lassus et Viollet*-le-Duc. De proportions gracieuses sous sa haute flèche (75 m), elle est divisée en deux parties : la *chapelle basse* et la *chapelle haute* dont la nef, voûtée d'ogive, offre notamment un remarquable ensemble de verrières (XIIIe s.), évidant au maximum les parois et substituant le verre à la pierre suivant une conception nouvelle d'une grande hardiesse.

SAINTE-CLAIRE DEVILLE (Charles). ♦ Géologue français (île Saint-Thomas, Antilles, 1814 – Paris, 1876), frère de Henri Sainte-Claire Deville. Il participa à plusieurs expéditions scientifiques (Antilles, Ténériffe) au cours desquelles il se consacra surtout à l'étude des phénomènes météorologiques et volcaniques; il fonda de nombreux observatoires et stations météorologiques, dont l'observatoire du parc Montsouris. (Acad. sc., 1857.)

SAINTE-CLAIRE DEVILLE (Henri). ♦ Chimiste français (île Saint-Thomas, Antilles, 1818 – Boulogne-sur-Seine, 1881). Auteur du premier procédé de préparation industrielle de l'aluminium [1854] **(V. Wöhler, Hall, Héroult)**, il réalisa la fusion du platine à l'aide du chalumeau oxhydrique et découvrit les phénomènes de dissociation thermique (1864), notamment pour la vapeur d'eau, le gaz chlorhydrique et le gaz sulfureux. (Acad. sc., 1861.)

SAINTE-CROIX. ♦ La plus grande des îles Vierges* américaines. 213 km². Canne à sucre. Élevage.

SAINTE-CROIX, en néerl. **Sint-Kruis.** ♦ V. de Belgique (Flandre-Occidentale), faub. de Bruges. 12 400 hab. – Indus. textiles et matériaux de construction.

SAINTE-CROIX. ♦ V. de Suisse (Vaud) dans le massif du Chasseron, à 1 069 m d'altitude. 6 600 hab. *(Saintcris).* – Mécanique de précision (boîtes à musique), indus. électriques (radio, électrophones). – À quelques kilomètres de Sainte-Croix se trouve la station de sports d'hiver des *Rasses* (alt. 1 183 m).

SAINTE-ÉNIMIE. ♦ Ch.-l. de cant. de la Lozère (arr. de Florac), étagé au-dessus du Tarn*. 625 hab. Église romane. Musée folklorique. Pont du XVIIe siècle. – Selon la légende, la localité doit son existence à la princesse mérovingienne Énimie, sans doute fille de Clotaire II qui, atteinte par la lèpre, fut guérie par les eaux de la *fontaine de Burde* et fonda dans ces montagnes un monastère (VIe-VIIe siècle).

Sainte Eulalie *(Séquence de).* ♦ **V.** EULALIE *(Séquence* ou *poème de sainte).*

SAINTE-FOY. ♦ V. du Canada, dans l'aggl. de Québec. Siège de l'université Laval.

SAINTE-FOY-LA-GRANDE. ♦ Ch.-l. de cant. de la Gironde* (arr. de Libourne*), sur la Dordogne*. 3 512 hab. *(Foyens).* Bastide du XIIIe s., maisons anc. – Vins. – Patrie de P. Broca*, J.-L. Faure*, E. Reclus*.

SAINTE-FOY-LÈS-LYON. ♦ Comm. du Rhône, arr. de Lyon. 18 196 hab. – Restes d'aqueducs romains. – Patrie d'Alexis Carrel*.

SAINTE-GENEVIÈVE-DES-BOIS. ♦ Ch.-l. de cant. de l'Essonne (arr. de Palaiseau). 23 684 hab. *(Génovéfains).* Fontaine et grotte Sainte-Geneviève, ancien lieu de pèlerinage. Ruines d'un anc. château du XIVe s., dont il reste un donjon modifié au XVIIe siècle.

SAINTE-HÉLÈNE *(île)*, en angl. **Saint Helena Island.** ♦ Île volcanique de l'Atlantique Sud située dans la zone tropicale à l'O. des côtes d'Afrique (1 851 km) au S.-E. de l'île Ascension*. 122 km². 4 600 hab. *Ch.-l.* Jamestown. ♦ *Hist.* Elle fut découverte par les Portugais le 21 mai 1502, jour de la Sainte-Hélène, et longtemps occupée par les Hollandais (1645-1651). La Compagnie anglaise des Indes orientales y créa un établissement en 1659 et en obtint la propriété exclusive en 1673. Napoléon* Ier y fut déporté par les Anglais à partir du 15 oct. 1815, d'abord aux Briars puis à Longwood où il mourut le 5 mai 1821. L'île eut une importance stratégique pendant la Deuxième Guerre mondiale.

SAINTE ou **SANTA-HERMANDAD.** ♦ **V.** HERMANDAD.

SAINTE-HERMINE. ♦ Ch.-l. de cant. de la Vendée, arr. de Fontenay-le-Comte. 2 227 hab. [1 048 aggl.]. Château du XVIIe siècle.

SAINTE-LIVRADE-SUR-LOT. ♦ Ch.-l. de cant. du Lot*-et-Garonne, arr. de Villeneuve*-sur-Lot, sur le Lot*. 6 227 hab. [2 801 aggl.] *(Saint-Livradais).* Église du XIIe siècle. Conserveries, scieries.

SAINTE-LUCIE, en angl. **Saint Lucia.** ♦ Île volcanique des Petites Antilles* britanniques (Îles-au-Vent*), située au S. de la Martinique. 616 km². Plus de 100 000 hab. *Ch.-l.* Castries. *Économie agricole :* canne à sucre, bananes, café, cacao. ♦ *Hist.* Anc. possession française devenue britannique, l'île est, depuis 1967, un État associé à la Grande-Bretagne dans le cadre du Commonwealth*.

SAINTE-MARIE *(rivière).* ♦ Cours d'eau par lequel le lac Supérieur* se déverse dans le lac Huron*, entre le Canada (Ontario) et les États-Unis (Michigan). Un important canal contourne la partie non navigable de la riv. Sainte-Marie. **V. Sault-Sainte-Marie.**

SAINTE-MARIE. ♦ Ch.-l. de cant. de la Martinique (arr. de La Trinité), sur la côte N.-E. de l'île. 19 536 hab. Conserveries d'ananas. Sucrerie. Rhum.

SAINTE-MARIE-AUX-MINES. ♦ Ch.-l. de cant. du Haut-Rhin* (arr. de Ribeauvillé*) sur la Liepvrette, près du col de Sainte-Marie. 7 510 hab. Tunnel transvogien. Temple calviniste de 1634 de style gothique. – Indus. textile. – Patrie du général Bourgeois*. ♦ *Hist.* La ville doit son nom aux mines d'argent et de plomb dont l'exploitation a été abandonnée au XVIIIe s. et reprise au début du XXe siècle.

Sainte-Marie-des-Anges, en it. **Santa Maria degli Angeli.** ♦ Église de Rome et cloître de chartreux bâtis par Michel-Ange* dans le tepidarium des thermes de Dioclétien (1561), remaniés en 1749 par Vanvitelli.

Sainte-Marie-Majeure, en it. **Santa Maria Maggiore.** ♦ Basilique de Rome, possession de l'État du Vatican, appelée aussi basilique Libérienne (fondée par le pape Libère, 352) ou, anciennement, Sainte-Marie *ad Praesepem* (à la Crèche, à cause des reliques qui y sont conservées). Les remaniements des XVIIe-XVIIIe s. ont préservé le pavement des Cosmates* (XIIe s.), le campanile roman (1377), le plafond à caissons (G. da Sangallo*? *déb.* XVIe s.).

SAINTE-MARTHE *(famille de)*, en lat. **Sammarthanus.** ♦ Famille érudite de la noblesse française, illustrée notamment par CHARLES de SAINTE-MARTHE (Fontevrault, 1512 – Alençon, 1555), poète ami de Marot; GAUCHER II, dit SCEVOLE de SAINTE-MARTHE (Loudun, 1536 – *id.*, 1623), poète qui fut admiré de Ronsard; GAUCHER III, dit SCEVOLE II de SAINTE-MARTHE (Loudun, 1571 – Paris, 1650) et LOUIS II de SAINTE-MARTHE (Loudun, 1571 – Paris, 1656), qui furent les premiers éditeurs des *Épîtres* de Rabelais et publièrent la *Gallia Christiana;* ABEL-LOUIS de SAINTE-MARTHE (Paris, 1620 – Saint-Paul-aux-Bois, 1697), théologien accusé de jansénisme; DENIS de SAINTE-MARTHE (Paris, 1650 – *id.*, 1725), historien et théologien, qui devint supérieur général des bénédictins en 1720.

SAINTE-MAURE *(plateau de).* ♦ Plateau situé entre les vallées de l'Indre, de la Creuse et de la Vienne, dans le département de l'Indre*-et-Loire. Il est constitué d'un soubassement crayeux, recouvert d'argile et d'altération. Les falunières, dépôts de coquilles calcaires marines, y abondent. On les utilise encore parfois pour amender les terres.

SAINTE-MAURE-DE-TOURAINE. ♦ Ch.-l. de cant. d'Indre-et-Loire, arr. de Chinon. 3 581 hab. (3 034 aggl.). – Église romaine (XIIe s.). Vestiges d'un château (XIVe-XVe s.).

SAINTE-MAXIME (anc. **Sainte-Maxime-sur-Mer).** ♦ Comm. du Var*, arr. de Draguignan*, 5 346 hab. Port de pêche et station balnéaire sur le golfe de Saint-Tropez*. ♦ *Hist.* Les Américains et les forces françaises du général de Lattre* de Tassigny y débarquèrent le 15 août 1944.

SAINTE-MENEHOULD [-mənul] ou [-mənu]. ♦ Sous-préf. de la Marne et ch.-l. d'arr. (3 cant., 73 comm., 16 892 hab.), sur l'Aisne. 5 583 hab. *(Menehildiens* ou *Menehouldiens).* Église gothique (1289-1350). Cimetière militaire. – Indus. des matières plastiques. Instruments de précision. ♦ *Hist.* Avant de porter (au XIIe s.) son nom actuel, la ville s'appelait Castrum Conthense. Elle capitula devant Condé pendant la Fronde (1652). C'est à Sainte-Menehould que Louis XVI en fuite fut reconnu (1791; fuite de Varennes).

SAINTE-MÈRE-ÉGLISE. ♦ Ch.-l. de cant. de la Manche*, arr. de Cherbourg*. 1 389 hab. Église du XIIIe siècle. ♦ *Hist.* Dans la nuit du 5 au 6 juin 1944, 14 000 hommes de la 82e division aéroportée américaine atterrirent aux abords de la localité.

Sainte-Odile. ♦ Abbaye d'Alsace, construite sur le mont Sainte-Odile, comm. d'Ottrot (Bas-Rhin). Lieu de pèlerinage. Église reconstruite au XVIIe s., plusieurs chapelles (XIe, XIIe s.).

SAINTE-PALAYE [-palɛ] **(Jean-Baptiste de LA CURNE** *de***).** ♦ Lexicographe français (Auxerre, 1697 – Paris, 1781). Il fut l'un des fondateurs des études médiévales en France. Son principal ouvrage est un *Dictionnaire historique de l'ancien langage français* ou *Glossaire de la langue française depuis son origine jusqu'au siècle de Louis XIV;* il fut publié par Favre et Pajot de 1875 à 1882. (Acad. fr. 1758.)

Sainte-Pélagie. ♦ Anc. prison de Paris. D'abord fondation pour les « filles repenties » (1662), qui fut établie en 1665 rue du Puits-de-l'Ermite (5e arr.), Sainte-Pélagie devint maison d'arrêt en 1790, puis prison départementale en 1811; elle fut démolie en 1895.

SAINTE-ROSE. ♦ Comm. de la Guadeloupe (arr. de Basse-Terre) sur la côte N. de la presqu'île. 11 624 hab. Sucreries. Distilleries.

Ph. Hubert Josse

Vue de l'île de **Sainte-Hélène**, peinte d'après nature par un officier du Génie. (Bibliothèque nationale, Paris.)

Ph. A. Rey

Îles des **Saintes.**

SAINTES *(îles des).* ♦ Petit archipel des Antilles* françaises (Îles-au-Vent*), qui dépend de la Guadeloupe* et se trouve situé au S. de Basse*-Terre. Pêche.

SAINTES. ♦ Sous-préf. de Charente-Maritime, ch.-l. d'arr. (8 cant., 108 comm., 98 545 hab.), sur la Charente. 28 138 hab. [24 594 aggl.] *(Saintais).* Église Saint-Pierre, anc. cathédrale reconstruite au XVIe s. sur l'emplacement d'un édifice antérieur dont elle conserve les croisillons du XIIe s. et la façade occidentale de la fin du XVe s., surmontée d'un clocher de la même époque; elle est flanquée d'un cloître du XIIIe s., dont subsistent deux galeries et des vestiges romans. Église Saint-Eutrope, du XIIe s., très remaniée au XVe siècle. Église Sainte-Marie-des-Dames, anc. abbatiale des XIe-XIIe s., comportant une remarquable façade du XIIe s., de style roman saintongeais. Bâtiments conventuels du XVIIe s.; église Saint-Palais, XIIe-XIIIe siècle. Importants vestiges romains : amphithéâtre, arc de triomphe dit de Germanicus, thermes dits de Saint-Saloine. Hôtel de ville, XVIe-XVIIIe s.; nombreux hôtels anc., XVIIe-XVIIIe siècle. – Important marché agricole. Eaux-de-vie. Constructions mécaniques. Confection, chaussures. Matériaux de construction. – Patrie de Joseph Guillotin. ♦ *Hist.* La cap. des Celtes Santones, *Mediolanum Santonum,* était déjà une cité florissante lors de sa conquête par les Romains, qui y construisirent de nombreux monuments. Capitale de la Saintonge au Moyen Âge, elle passa à l'Angleterre par le traité de Brétigny et fut reconquise par Du Guesclin en 1371. Centre calviniste actif à l'époque de la Réforme, elle fut durement éprouvée par les guerres de Religion, qui amorcèrent son déclin en tant que métropole provinciale. La Révolution supprima l'évêché de Saintes en 1790, et l'Empire transféra la préfecture de la Charente-Inférieure (*auj.* Charente-Maritime) de Saintes à La Rochelle en 1810. Occupée par les troupes allemandes de juin 1940 à septembre 1944, la ville eut beaucoup à souffrir des bombardements qui précédèrent sa libération.

SAINTE-SAVINE. ♦ Comm. de l'Aube, faub. de Troyes. 11 750 hab. Église Sainte-Savine (XVIe s.). Bonneterie.

SAINTE-SÉVÈRE-SUR-INDRE. ♦ Ch.-l. de cant. de l'Indre, arr. de La Châtre, sur la r. g. de l'Indre. 1 056 hab. – Château (XVIIIe s.). Halles (XVIIe s.).

SAINTES-MARIES-DE-LA-MER. ♦ Ch.-l. de cant. des Bouches*-du-Rhône, arr. d'Arles*, sur la côte méditerranéenne en Camargue*. 2 244 hab. [904 aggl.] *(Saintois).* Église romane. Station balnéaire, petit port de pêche. ♦ *Hist.* Chassées de Judée, Marie-Jacobé, sœur de la Sainte Vierge, Marie-Salomé et leur servante noire Sara se seraient réfugiées à cet endroit. Deux grands pèlerinages annuels en mai et en octobre attirent une foule nombreuse et principalement des Gitans.

Sainte-Sophie *(église).* ♦ Anc. basilique de Constantinople érigée par l'empereur byzantin Justinien* Ier sur les fondations de la basilique de Constantin Ier (IVe s.) incendiée en 582 lors de la sédition de Nika. Bâtie de 532 à 537 sur les plans d'Anthémios* de Tralles et d'Isidore de Milet, elle fut dédiée à la « Sagesse divine » *(Hagia Sophia,* en grec). Le monument, l'un des plus représentatifs de l'art byzantin, fut plusieurs fois restauré (562, 975, 1354) avant d'être transformé en mosquée par les Turcs (1453) et flanqué de quatre minarets. Des contreforts et des constructions adossés aux murs de l'église ont masqué son aspect architectural, qu'on peut admirer aujourd'hui de l'intérieur. Musée depuis 1935 : mosaïques byzantines (VIe-XIe s.).

SAINTE-SUZANNE. ♦ Ch.-l. de cant. de la Mayenne, arr. de Laval, 888 hab. Église des XIe et XIIIe s.; château du XVIIe s.; donjon du XIe s.; remparts des XIVe et XVe siècles. Manoir de la Butte-Verte, en partie des XIIIe et XIVe siècles. Maisons anciennes. Traces d'un camp retranché normand. – Pèlerinage.

SAINTE-SUZANNE. ♦ Comm. de La Réunion* sur la côte N. de l'île. 11 151 habitants.

SAINTE-THÉRÈSE-DE-BLAINVILLE. ♦ V. du Canada (Québec), au N.-O. de Montréal, sur l'autoroute des Laurentides. 11 800 hab. Indus. diverses. Usine d'automobiles.

SAINTE-VEHME. ♦ **V.** VEHME.

SAINTE-VICTOIRE. *n. f.* ♦ Massif calcaire à l'E. d'Aix*-en-Provence (1 011 m). Ce fut l'un des sujets favoris de Cézanne*.

SAINTONGE. *n. f.* ♦ Région de l'O. de la France, pays de Saintes. La Saintonge est comprise entre l'Aunis et le Poitou au N., l'Angoumois à l'E., la Guyenne au S. et l'Atlantique à l'ouest. Elle s'étend sur une grande partie du dép. de la Charente-Maritime et empiète sur celui de la Charente. C'est une zone de relief modéré, où l'altitude ne dépasse 150 m que dans les terrains crétacés du S. et jurassiques du N. (172 m au S. d'Aulnay). Son économie repose principalement sur l'agriculture : élevage, culture des céréales et surtout de la vigne (Cognac). L'ostréiculture est active sur le littoral (Marennes). ♦ *Hist.* L'antique province des Santones fut incluse au VIIIe s. dans le duché d'Aquitaine. Elle passa à l'Angleterre par le mariage d'Aliénor, héritière de Guillaume X d'Aquitaine, avec Henri II Plantagenet (1152). Reconquise par Du Guesclin (1371), elle fit définitivement retour à la couronne sous Charles V. Elle fut à l'époque de la Réforme l'un des bastions du protestantisme.

SAIPAN *(île).* **V.** MARIANNES (îles).

SAÏS, forme gr. de l'égypt. **Sai,** auj. **Sâ al-Haggar.** ♦ V. anc. d'Égypte, dans le Delta, sur la branche canopique du Nil, à 144 km au S.-E. d'Alexandrie. Ville très ancienne, consacrée à la déesse Neith, elle n'acquit de l'importance qu'à la XXIVe dynastie. Elle connut son apogée à la XXVIe dynastie (~ 663-~ 525) quand Psammétique* Ier, prince de Saïs, eut chassé les envahisseurs Assyriens et Éthiopiens et réunifié l'Empire. Sous l'influence de la politique philhellène des pharaons saïtes **(V. Néchao II, Psammétique II** et **III, Apriès, Amasis),** l'Égypte connut une période de renaissance intellectuelle et artistique (période saïte) à laquelle l'invasion perse mit fin.

Saisons *(société des).* ♦ Société secrète révolutionnaire fondée en 1836 par Barbès, A. Blanqui et Martin-Bernard. Elle fut le centre organisateur de l'insurrection du 12 mai 1839 et disparut en 1848.

SAISSAC. ♦ Ch.-l. de cant. de l'Aude (arr. de Carcassonne), au pied méridional de la Montagne Noire, dans un site pittoresque. 705 hab. Ruines d'un château fort du XIVe s. (remparts et donjon). – Patrie du général Espinasse*.

SAISSET (Bernard). ♦ Prélat français (v. 1232 – v. 1311). Évêque de Pamiers (1295), partisan des idées théocratiques du pape Boniface VIII contre Philippe* IV le Bel, il fut arrêté pour trahison (1301) puis relâché.

ŚAKA. *n. m. pl.* ♦ Dynastie de Scythes qui régna sur l'Afghânistân oriental et le N. de l'actuel Pâkistân du début du ~ Ier s. jusqu'à la moitié du Ier s. après J.-C. Ses souverains avaient le titre grec de basileus et gouvernaient par l'intermédiaire de satrapes. Ils furent remplacés par la dynastie d'Asie centrale des Kuśâna*.

SAKAI. ♦ V. et port du Japon, à l'entrée de la mer intérieure (Seto* naikai), au S. d'Ôsaka*. 594 000 hab. Nombreuses indus. textiles, métallurgiques et chimiques. ♦ *Hist.* Très florissant jusqu'au XVIIe s., le port fut progressivement remplacé par Ôsaka*.

SAKALAVES. *n. m. pl.* ♦ Population de Madagascar*, établie dans l'O. du pays, d'origine bantoue.

SAKANOUE no TAMURAMARO. ♦ Général japonais (758 – 811) célèbre pour ses expéditions dans le nord de l'île de Honshû* contre les Aïnu*, ses poèmes et ses fondations pieuses.

SAKARYA. *n. m.* ♦ Fl. de Turquie (650 km) prenant sa source en Anatolie intérieure. De cours très sinueux, il traverse les chaînes Pontiques et se jette dans la mer Noire* au N. d'Adapazari*. Barrage hydro-électrique à Sariyar (360 millions de kWh).

SAKATA. ♦ V. du Japon (Honshû) sur la mer du Japon, à l'embouchure de la riv. Mogami. 60 000 hab. – Port exportateur de bois. Petites indus. métallurgiques et de la laque.

SAKHALINE ou **SAKHALIN.** ♦ Grande île (76 400 km²) de la côte orientale de Sibérie, longue de plus de 1 200 km, séparée de la Manchourie soviétique par le goulet du détroit de Tartarie (gelé pendant six mois de l'année) et de l'île de Hokkaidô* (Japon) par le détroit de La Pérouse. Elle est parcourue dans le sens de sa longueur par deux chaînes de montagnes parallèles culminant à 1 990 m. La partie S. de l'île appartint au Japon (sous le nom de Karafuto) jusqu'en 1945 et revint à l'U.R.S.S. après cette date. Climat froid et brumeux. – Forêts, pâturages. Mines de charbon. *V. princ.* Aleksandrovsk*-Sakhalinski (sur la côte occidentale) et Iujno*-Sakhalinsk (au S., au fond du golfe d'Aniva).

ŞAKKARA. ♦ **V.** SAQQARAH.

Śakti. *n. f.* ♦ Énergie active des divinités du panthéon hindou, inséparable de leur aspect passif. Elle est considérée comme la divinité supérieure par certaines sectes qui l'identifient à la Nature. Elle prend une infinité de noms différents selon la divinité à laquelle elle est associée ou les fonctions qu'on lui attribue.

Sakuntalâ *(L'Anneau de).* ♦ Pièce de théâtre indien, en sept actes, contant l'histoire d'une nymphe, par Kâlidâsa*, dont le thème fut maintes fois repris par la littérature et le théâtre.

ŚÂKYA. *n. m. pl.* ♦ Tribu indo-européenne du N. de l'Inde, établie à la frontière népalaise v. le ~ VIe s., et à laquelle Bouddha appartenait, d'où le surnom qui lui fut par la suite donné de *Śâkyamuni.* « le Sage des Śâkya ».

ŚÂKYAMUNI. ♦ **V.** ŚÂKYA, BOUDDHA.

SALAALAH. ♦ V. et port du sultanat d'Oman*. La V. est située dans le Dhofar*, à proximité de Risut* sur la mer d'Oman. 10 000 hab. environ. Principale agglomération de la province du Dhofar, située dans le croissant fertile côtier : noix de coco, dattes. Exportation de myrrhe et d'encens.

SALACROU (Armand). ♦ Auteur dramatique français (Rouen,

Ph. G. Feinstein

Saintonge : environs de Saint-Jean-d'Angély.

1899). En dépit de la confiance que lui témoignèrent Lugné-Poe (*Tour à terre,* 1925) et surtout Charles Dullin (*Patchouli,* 1930), il eut des débuts difficiles et ne connut son premier succès qu'avec *Une femme libre* (1934). C'est par *L'Inconnue d'Arras* (1935) qu'il apparut comme l'un des créateurs les plus originaux du théâtre d'avant-garde. Du surréalisme à la comédie bourgeoise, du pirandellisme à la pièce engagée, son théâtre illustre tous les genres : *Un homme comme les autres* (1926), *La Terre est ronde* (1938), *Histoire de rire* (1939), *Les Fiancés du Havre* (1944), *Les Nuits de la colère* (1946), *L'Archipel Lenoir* (1947), *Dieu le savait* (1950), *Boulevard Durand* (1961). Considérant l'œuvre dramatique comme « une méditation sur la condition humaine », Salacrou y exprime la souffrance et l'angoisse du vivant engagé dans une aventure dont la signification lui échappe. (Acad. Goncourt, 1949.)

SALADIN (Salâh al-Dîn al-Ayyûbî). ♦ Sultan ayyûbide* d'Égypte (1171-1193) et de Syrie (1174-1193) [Takrit, Mésopotamie, 1138 – Damas, 1193]. Issu d'une grande famille kurde émigrée en Syrie, il servit avec son père Ayyûb et son oncle Chîrkûh l'atabek d'Alep, Nûr* al-Dîn. Celui-ci chargea Chîrkûh, accompagné de son neveu, de rétablir l'ordre en Égypte, afin d'empêcher une invasion possible par les croisés. À la mort de son oncle, Saladin devint vizir du calife fâtimide* du Caire (1169) qu'il déposa et remplaça (1171) en s'attribuant le titre de sultan et en instaurant la suzeraineté nominale des califes 'abbâssides sur l'Égypte. Profitant de la mort de Nûr al-Dîn (1174), il élimina tous ses rivaux en Syrie, unifia le pays et le rattacha à l'Égypte avec une partie de l'Irak et de l'Arabie. Il reprit ensuite la guerre sainte de Nûr al-Dîn contre les Francs. Il s'empara de Jérusalem (1187) et occupa une grande partie des territoires francs (1188). Ces événements provoquèrent la troisième croisade*. Philippe Auguste, roi de France, et Richard Cœur de Lion, roi d'Angleterre, concentrèrent leurs efforts sur le siège d'Acre. Saladin tenta vainement de dégager la ville. Finalement, Acre succomba (1191). Un traité de paix fut signé, laissant à Saladin la Syrie et la Palestine intérieures et aux Francs la quasi-totalité du littoral (1192). La personnalité de Saladin impressionna, tant en Orient qu'en Occident. Sunnite* convaincu, il essaya de redresser le monde musulman en lui insufflant de nouvelles forces morales et matérielles. Il traita ses prisonniers francs avec un honneur tel qu'il fut considéré dans le monde chrétien comme un modèle des valeurs chevaleresques.

SALADO (río Salado del sul). ♦ Riv. pampéenne d'Argentine (2 000 km), formant un chapelet de mares saumâtres en dehors de la période des pluies où elle s'écoule jusqu'au río Colorado.

SALAFIYA. *n. f.* ♦ Mouvement réformiste arabo-musulman qui prêcha, à la fin du XIXe s., le retour à la doctrine originelle *(salafiya :* « retour à l'antécédent ») et la réconciliation de la science et de la foi. Afghâni, 'Abduh* et Rashid Ridhâ* furent successivement les plus éminents représentants de ce courant d'idée associé à la renaissance *(Nahdha)* culturelle du monde arabe.

SALAMANCA. ♦ V. du Mexique (Guanajuato). 103 740 hab. (1970). Églises baroques.

SALAMANQUE, en esp. **Salamanca**. ♦ V. d'Espagne centrale, dans le León*. Ch.-l. de prov. sur la r. d. du Tormes. 125 220 hab. Évêché, université fameuse au Moyen Âge et au XVIe siècle. La ville est d'une grande richesse en monuments du Moyen Âge, de la Renaissance, des époques classique et baroque : Catedral Vieja (XIIe s.) de style roman, Catedral Nueva (XVIe-XVIIIe s.), mêlant les styles gothique, Renaissance et baroque, église dominicaine San Esteban (XVe-XVIe s.). Escuelas Mayores et Menores de l'université (XVIe s.), nombreuses églises et maisons du XVIe au XVIIIe s., Plaza Mayor (XVIIIe s.). Centre touristique. ♦ *Hist.* L'antique *Salmantica* fut prise par les Carthaginois. Elle fut successivement occupée par les Romains, les Wisigoths, puis par les Arabes (VIIIe s.). Reprise par Alphonse* VI, elle fut le siège d'un évêché, puis d'une fameuse université (fondée au XIIIe s.) qui devint une des premières d'Europe. Salamanque fut au centre des opérations des troupes napoléoniennes de 1808 à 1812. Dès le début de la guerre civile, elle passa aux nationalistes (1936).

SALAMINE, en gr. **Salamis** (gr. moderne **Salamina**). ♦ Île de Grèce, dans le golfe Saronique, séparée de la côte attique par un détroit large de 1 800 m. Elle fait partie du nome du Pirée*. 95 km^2. 23 065 hab. *Ch.-l.* Salamine ou Koulouri. 18 255 hab. – Patrie d'Euripide*. ♦ *Hist.* Royaume de Télamon* à l'époque homérique, Salamine est représentée dans la guerre de Troie par les fils de celui-ci, Ajax* et Teucer*. Ce dernier est le fondateur légendaire de Salamine de Chypre. Sous la domination d'Égine, puis indépendante v. ~ 620 et disputée entre Athènes* et Mégare*, l'île fut conquise et colonisée par les Athéniens v. ~ 612 **(V. Solon).** Le 27 ou 28 sept. ~ 480, la flotte grecque, commandée par le Spartiate Eurybiade* et l'Athénien Thémistocle* secondé par Aristide*, remporta sur la flotte perse une victoire décisive. Xerxès suivit la bataille du haut d'une colline d'Attique où il avait fait placer son trône. Les Grecs, simulant la retraite, entraînèrent les forces bien supérieures des Perses dans le passage étroit entre l'île et le continent, leur enlevant ainsi l'avantage numérique, et purent détruire les trois quarts de leurs navires. **V. Médiques** *(guerres).* Eschyle*, faisant le récit de la bataille de Salamine dans sa tragédie *Les Perses,* a rendu hommage au patriotisme des Grecs.

SALAMINE, en gr. **Salamis**. ♦ Anc. V. de la côte E. de Chypre, au N.-O. de Famagouste*. Son fondateur légendaire, Teucer*, lui donna ce nom en l'honneur de son île natale. Indépendante sous la suzeraineté des Perses, elle devint le foyer de la libération de l'île sous Évagoras* (début du ~ IVe s.) et fut sa capitale jusqu'à la conquête romaine. – La colonie juive de la ville, révoltée contre les Romains en 116-117, massacra la population grecque. – Les fouilles y ont mis au jour d'importantes ruines hellénistiques et romaines.

Salammbô. ♦ Roman de Gustave Flaubert* (1862) qui, à partir de quelques lignes de l'historien grec Polybe*, tente de faire revivre la civilisation féroce et raffinée de Carthage. La révolte des mercenaires carthaginois et leur mort affreuse, l'amour sans espoir du Libyen Mâtho pour la fille d'Hamilcar Barca, Salammbô, la mort de Mâtho, coupable de sacrilège, articulent l'intrigue. Fruit d'une documentation minutieuse, d'un voyage à Carthage (1858) et de longs mois de labeur, ce récit connut un succès considérable auprès du public ; certains critiques (dont Sainte*-Beuve) reprochèrent à Flaubert un excès d'érudition (d'ailleurs contestée) ; certaines scènes d'une rigoureuse construction (*Le Festin des mercenaires* ou *La Bataille du Macar*) sont animées d'un souffle puissant.

SALAMON (Louis Sifrein Joseph Foncrosé *de***).** ♦ Ecclésiastique français (Carpentras, 1759 – Saint-Flour, 1829). Internonce du pape auprès de Louis XVI (1790-1792), il fut chargé de transmettre au clergé français les brefs pontificaux contre la Constitution civile du clergé. Décrété d'accusation, il réussit à se cacher sous la Terreur. Lors de la Restauration, il fut nommé évêque de Belley (1817) puis de Saint-Flour (1823).

SALANDRA (Antonio). ♦ Homme politique italien (Troia, Foggia, 1853 – Rome, 1931). Député libéral, plusieurs fois ministre, il prépara l'entrée en guerre de l'Italie aux côtés des Alliés (1915). Il démissionna en 1916 devant les succès militaires autrichiens. En 1922, il conseilla au roi Victor*-Emmanuel III d'appeler Mussolini* au pouvoir.

SALAR JANG. ♦ Nom porté par trois célèbres vizirs des Nizâm de Haidarâbâd* (Inde) depuis 1853. Le dernier est mort en 1949. Ils amassèrent aux dépens du peuple des fortunes considérables.

SALAT. *n. m.* ♦ Riv. de France (75 km), affl. de la Garonne*, dans le Couserans (Ariège*). Né dans les Pyrénées, il arrose Saint*-Girons, Salies*-du-Salat. Il se jette dans la Garonne*, près de Boussens. *Affl.* Le Lez, qui conflue à Saint-Girons.

SALAVAT. ♦ V. d'U.R.S.S. (R.S.S. autonome de Bachkirie), sur la Biélaïa*. 114 000 hab. – Indus. mécaniques et pétrolières. Matériaux de construction.

SALAZAR (Antonio de OLIVEIRA). ♦ Homme d'État portugais (Santa Comba Dão, près de Lisbonne, 1899 – Lisbonne, 1970). Fils de paysans pauvres, il renonça au séminaire pour faire son droit. Devenu professeur d'économie politique à l'université de Coimbra, il fut élu député en 1921, mais démissionna par aversion pour le parlementarisme. À la suite du putsch militaire de 1926, le général Carmona* l'appela au ministère des Finances où il réussit à stabiliser la monnaie et à équilibrer le budget. Président du Conseil en 1932, il établit une dictature de fait, stimulant l'économie par une politique de grands travaux publics et réorganisant l'armée et la marine. Par la Constitution de 1933, Salazar fonda un « nouvel État » *(Estado Novo)* sur la base d'un régime autoritaire et corporatif à parti unique, l'*União Naçional* **(V. Portugal,** ***Hist.*****).** Sans faire du catholicisme une religion d'État, ce chrétien intransigeant et ascétique donnait à l'Église une situation privilégiée. En 1936, il apporta son soutien moral à Franco* ; durant la Deuxième Guerre mondiale, il voulut rester neutre, mais laissa les Alliés installer des bases aux Açores (1943). Jusqu'à sa mort, en 1970, il maintint une politique d'oppression à l'intérieur et de répression aux colonies que son successeur M. Caetano devait poursuivre, mais qui s'effondra, après 48 ans d'autoritarisme, lors du coup d'État d'avril 1974 **(V. Portugal,** ***Hist.*****).**

SALAZIE. ♦ Comm. de la Réunion* au pied du Piton des Neiges*. 7 105 hab. Centre touristique. Station thermale et climatique.

SALBRIS [-bʀi]. ♦ Ch.-l. de cant. du Loir-et-Cher, arr. de Romorantin-Lanthenay, sur la r. g. de la Sauldre. 5 919 hab. *(Salbrisiens).* – Église Saint-Georges (XIIe-XVIe s.). – Armement. Poudrerie. Panneaux en aggloméré. Confection.

ŠALDA (František Xaver). ♦ Critique littéraire tchèque (Liberec, 1867 – Prague, 1937). Après avoir rédigé une *Littérature tchèque moderne* (1909), il fit le portrait de grands écrivains romantiques dans *L'Âme et l'Œuvre* (1913), puis il écrivit de nombreux articles sur la littérature dans *Le Carnet de Šalda* (1928-1937). Il définit la littérature comme un art devant « servir la vie » et non l'État et devint le guide de la jeunesse.

SALDANHA (João d'OLIVEIRA DAUN, *duc de***).** ♦ Homme politique portugais (Lisbonne, 1790 – Londres, 1876). Petit-fils de Pombal*, il servit au Brésil de 1817 à 1822, puis prit une part décisive dans la lutte contre Michel* Ier, qu'il contraignit à quitter le Portugal (1834). Nommé maréchal, il dirigea le gouvernement en 1835, mais dut s'exiler en Angleterre (1835-1846). Revenu dans son pays, il fut plusieurs fois Premier ministre et prit des mesures libérales dont celle qui élargit le corps électoral par l'abaissement du cens. Il fut ambassadeur à Rome, puis à Londres où il passa ses dernières années (1871-1876).

SALDJÛQ. ♦ V. SALJÛQ.

SALÉ. ♦ V. du Maroc (prov. de Rabat) sur l'Atlantique, située sur la r. d. de l'embouchure du Bou* Regreg, face à Rabat*. Remparts, portes monumentales. 75 800 hab. Artisanat. Commerces. ♦ *Hist.* Au Moyen Âge, port marchand le plus important de la côte atlantique marocaine, importante ville de corsaires au XVIIe s., elle forma avec la casbah des Oudaïas de Rabat (alors nommée Salé-le-Neuf) un État indépendant « la république du Bou Regreg ».

SALEM. ♦ V. des États-Unis, sur la côte atlantique (Massachusetts). 39 211 hab. (1960). Maisons anciennes (notamment la « maison aux sept pignons » immortalisée par Hawthorne*). Indus. diverses. – Patrie de N. Hawthorne qui y écrivit une partie de *The Scarlet Letter.* ♦ *Hist.* Fondée en 1626, la ville fut le siège, à la fin du XVIIe s., de la « chasse aux sorcières » par laquelle une société puritaine cherchait à résoudre ses névroses dans la cruauté hystérique. L'épisode a donné lieu à des évocations littéraires (A. Miller*, *Les Sorcières de Salem).*

SALEM. ♦ V. des États-Unis, cap. de l'Oregon*, au centre de la vallée de la Willamette. 68 309 hab.; zone urbaine 182 000 hab. Centre agricole et indus. (conserves, indus. du bois...).

SALEM. ♦ V. de l'Inde (Tamilnadu), au S. de Madras. 308 300 hab. – Grandes usines textiles, papeteries. Exploitations de chrome, de fer, de corindon et de magnésium.

SALENGRO (Roger). ♦ Homme politique français (Dunkerque, 1890 – Lille, 1936). Député socialiste (1928-1936) et maire de Lille, il fit partie comme ministre de l'Intérieur du gouvernement de Front populaire de L. Blum* (1936). Des journaux d'extrême droite lancèrent une campagne de presse (été 1936) invoquant contre lui une condamnation pour désertion (1916). Bien que reconnu non coupable, Salengro, profondément affecté, se suicida.

SALERNE, en it. **Salerno.** ♦ V. d'Italie du Sud, en Campanie*. Ch.-l. de prov. au S.-E. de Naples, sur le golfe de Salerne. 154 720 hab. Cathédrale du XIe s. contenant dans sa crypte les corps de saint Matthieu et de Grégoire VII. École de médecine réputée au Moyen Âge. L'industrie est en grand essor (indus. alimentaires, textiles, mécaniques). ♦ *Hist.* Anc. *Salernum,* elle fut colonie romaine (~ 193) puis principauté lombarde indépendante (847). Elle fut conquise par Robert* Guiscard en 1076. Son école de médecine (XIe-XIIe s.), grâce aux penseurs arabes et juifs transmettant la science grecque, lui valut la célébrité en Europe. – Au cours de la Deuxième Guerre mondiale, les Alliés y débarquèrent le 9 septembre 1943 et contraignirent les Allemands à la retraite (18 sept.).

SALERNES. ♦ Ch.-l. de cant. du Var*, arr. de Draguignan*, 2 416 hab. *(Salernois).* Église romane, ruines d'un château du XIIIe siècle. Poteries, carrelages.

SALERS [salɛʀ]. ♦ Ch.-l. de cant. du Cantal* (arr. de Mauriac*), sur la *planèze de Salers.* 585 hab. *(Salerçois).* Église du XVIe siècle. Restes d'une enceinte du XVe siècle. Nombreuses maisons anc. – Foire, vente des bovins (race de Salers).

SALES *(saint* **FRANÇOIS** *de).* ♦ V. FRANÇOIS DE SALES *(saint).*

Ph. M. Pedone/Ricciarini

Salerne : la plage et le port.

SALETTE-FALLAVAUX (La). ♦ Comm. de l'Isère, arr. de Grenoble. 107 hab. Basilique Notre-Dame-de-la-Salette (XIXe s.), située à 1 770 m d'alt. La localité devint un lieu de pèlerinage après une apparition de la Vierge à deux jeunes bergers en 1846.

SALÈVE *(mont).* ♦ Montagne des Préalpes (Haute-Savoie), culminant à 1 380 m, et située à 6 km de Genève.

SALFORD. ♦ V. d'Angleterre centrale (Lancashire), dans la banlieue O. de Manchester. 130 640 hab. – Importantes manufactures de coton (filatures, blanchiment, tissage), métallurgie (machines-outils et locomotives), caoutchouc synthétique. – Patrie de Joule*.

SALGÓTARJÁN. ♦ V. de Hongrie, ch.-l. du comitat de Nógrád près de la frontière tchécoslovaque. 30 000 hab. Centre touristique. Lignite. Indus. métallurgique, verrerie, manufacture de tabac.

SALIBA (Antonello *da***).** ♦ Peintre italien (Messine, v. 1465 – mort v. 1535). Son œuvre, peu connue, évoque parfois le style d'Antonello de Messine, son oncle (*Madone à l'Enfant,* Catane).

SALICETI ou **SALICETTI (Antoine Christophe).** ♦ Avocat et homme politique français (Saliceto, Corse, 1757 – Naples, 1809). Député de la Corse à la Constituante et à la Convention, il fit confier la direction des opérations au jeune Bonaparte sous le commandement de Dugommier* au siège de Toulon (1793). Il fut membre du conseil des Cinq*-Cents (1797), puis ministre de la Police et de la Guerre sous Joseph Bonaparte* à Naples.

SALICETTI (Guillaume). ♦ Chirurgien italien (1201 – 1277). Il exerça essentiellement à Florence, où il fut un des premiers à s'opposer à l'influence des médecins arabes, et remplaça le cautère par le bistouri.

SALIENS, en lat. **Salii** « les danseurs ». ♦ Confrérie de prêtres qui célébraient à Rome le culte de Mars* (19 mars et 19 octobre). Au nombre de douze, porteur chacun d'un bouclier en forme de huit *(ancile)* et d'une lance, ils accomplissaient une procession à travers la cité pour « réveiller les consciences à la nécessité saisonnière de la guerre ». Ils s'arrêtaient pour la nuit dans des lieux consacrés *(mansiones)* où ils banquetaient. Conduits par leur *magister,* entraînés par un premier danseur *(praesul)* et un chantre inspiré *(vates),* ils sautaient sur un rythme ternaire en frappant leur bouclier de leur lance et en psalmodiant le chant des saliens *(carmen saliare)* déjà devenu inintelligible pour les Romains de l'époque classique.

SALIERI (Antonio). ♦ Compositeur italien (Legnago, 1750 – Vienne, 1825). Élève de Gassmann, maître de chapelle à la cour de Vienne, il bénéficia dès ses débuts, avec l'opéra *Le Donne letterate* (1770), de la protection de Gluck et de Calzabigi. Nommé compositeur et maître de chapelle de la cour (1778), puis directeur de l'Opéra (1790), il fut l'un des fondateurs du conservatoire de Vienne (1817). Il obtint de nombreux succès avec ses opéras, notamment à Paris (*Les Danaïdes,* 1784; *La Grotta di Trofonio,* 1785; *Tarare,* 1787). Il fut l'ami de Haydn et le maître de Beethoven, Liszt et Schubert, mais prit ombrage de la gloire de Mozart. Son œuvre, abondante et marquée par le goût du temps, comprend une quarantaine d'*opéras,* des *oratorios* (dont *Le Jugement dernier,* 1786), de la *musique religieuse (messes, psaumes, motets, requiem), symphonique, de chambre* et *chorale.*

SALIES [salis] ou [sali]**-DE-BÉARN.** ♦ Ch.-l. de cant. des Pyrénées*-Atlantiques, arr. de Pau*. 2 293 hab. *(Salisiens).* Église du XVe s., maisons anciennes. Station thermale réputée, eaux chlorurées, sodiques (maladies des enfants et des femmes). Fabrique de chaussures.

SALIES-DU-SALAT. ♦ Ch.-l. de cant. de la Haute-Garonne* (arr. de Saint-Gaudens*), situé sur le Salat. 2 140 hab. [1 720 aggl.] *(Salisiens).* Donjon, ruines d'une chapelle (XIIe-XVe s.). Station thermale (eaux sulfurées contre les maladies de la nutrition). Carrières. Raffinage du sel.

SALIGNAC-EYVIGNES. ♦ Ch.-l. de cant. de la Dordogne*, arr. de Sarlat*. 625 hab. – Château bâti du XIIe au XVIIe siècle.

SALINAS (Pedro). ♦ Écrivain espagnol (Madrid, 1892 – Boston, 1951). Professeur à l'université de Séville, puis de Madrid, lecteur à la Sorbonne et à Cambridge, il quitta l'Espagne en 1936 pour gagner l'Amérique. Ami de Jorge Guillén*, il a composé lui-même une œuvre lyrique à la technique très élaborée (mètres courts assonancés), toute consacrée à chanter l'amour, considéré comme l'instrument privilégié de la connaissance, et à évoquer les mouvements secrets de l'âme; cette poésie intimiste, minutieuse et délicate, est illustrée par les recueils *Présages* (*Presagios,* 1923), *Fable et Chanson* (*Fábula y signo,* 1931), *Raison d'amour* (*Razón de amor,* 1936), *La Voix qui t'est due* (*La Voz a ti debida,* 1933). Auteur de nouvelles en prose – *Vêpres de la joie* (*Vispera del gozo,* 1926), *La Bombe incroyable (La Bomba increíble), Le Nu impeccable* (*El Desnudo impecable,* 1951) – Salinas a donné également de pénétrantes études littéraires avec sa *Littérature espagnole du XXe siècle* (*La Literatura española del siglo XX,* 1941), puis *La Réalité et le poète dans la poésie espagnole* (*Reality and the Poet in Spanish Poetry,* 1940). Un volume de pièces de théâtre a paru en 1952.

SALINAS GRANDES. ♦ Vaste cuvette saline des sierras pré-andines, qui s'étend d'O. en E. sur les provinces de Córdoba, Catamarca, Santiago del Estero et La Rioja en Argentine, env. 20 000 km².

SALIN-DE-GIRAUD. ♦ Écart de la comm. d'Arles* (Bouches*-du-Rhône) sur le Grand Rhône. Grand centre de fabrication de produits chimiques (soude et dérivés). C'est également l'un des plus importants salins d'Europe.

SALINDRES. ♦ Comm. du Gard (arr. et aggl. d'Alès). 3 845 hab. Ruines et donjon d'un château du XIIIe siècle. Métallurgie de l'aluminium (Pechiney), produits chimiques.

SALINGER (Jérôme David). ♦ Romancier américain (New York, 1919 –). Il fit la guerre de 1942 à 1945 et commença à se faire connaître en 1948 avec deux nouvelles parues dans le *New Yorker* : *Un jour rêvé pour le poisson-banane (A Perfect Day for Bananafish)* et *L'Oncle Wiggly du Connecticut.* Son roman *L'Attrape-Cœur* (*The Catcher in the Rye,* 1951) raconte à la première personne l'histoire de Holden Caulfield, New-Yorkais de dix-sept ans, qui cherche en vain à communiquer avec les « phonies » (êtres faux ou dépourvus d'authenticité) de la grande ville. *Franny et Zooey* (1961) et *Seymour : une introduction* (*Raise High the Roof Beam, Carpenters; and Seymour : an Introduction,* 1963) sont des duos de nouvelles plutôt que des romans. Parmi les nouvelles publiées sous le titre de *Neuf Histoires* (1953), *Teddy* est la plus marquante : son héros, un petit garçon hyperréceptif, a la prescience de sa propre mort. J.D. Salinger a peint le mal de vivre moderne : le mélange de romantisme, de tendresse et d'humour, de gravité, de pudeur et de vulnérabilité qui caractérise ses héros, est foncièrement américain.

SALINS-LES-BAINS. ♦ Ch.-l. de cant. du Jura, arr. de Lons-le-Saunier. 4 567 hab. *(Salinois).* – Église en partie du XIIIe siècle. Anc. fortifications (XVe s.). Hôtel-Dieu (XVIIe s.). – Station thermale. Salines. Manufacture de faïence. Indus. du bois. Matériel d'éclairage. Centre touristique.

Salique *(loi).* ♦ Recueil de coutumes des Francs Saliens publié sous Clovis (508). Il s'agit d'un titre de procédure et d'un code pénal. La *loi salique* comporte un titre dit *de alodis,* qui exclut les femmes de la succession à la *terra salica,* domaine des ancêtres.

SALISBURY (Jean *de*). ♦ V. JEAN DE SALISBURY.

SALISBURY (Thomas de Montagu, *4e comte de*). ♦ Homme de guerre anglais (1388 – Meung-sur-Loire, 1428). Il combattit en France sous les ordres du duc de Bedford. Il conquit la Champagne et en fut nommé gouverneur (1428).

SALISBURY (Robert Arthur Talbot GASCOYNE CECIL, *3e marquis de*). ♦ Homme politique anglais (Hatfield, 1830 – *id.,* 1903). Issu de la grande famille des Cecil* qui avait donné deux ministres à Élisabeth Ire, il commença tôt sa carrière politique et fut élu aux Communes comme député conservateur en 1853. Secrétaire pour l'Irlande dans les cabinets Derby*, puis Disraeli*, il devint l'un des plus actifs adversaires de Gladstone*, dont l'idéalisme s'opposait à son tempérament, et le chef des conservateurs à la Chambre des lords. La conférence de Constantinople (1877), où il représenta l'Angleterre, ouvrit sa carrière diplomatique. Il fut en effet appelé au ministère des Affaires étrangères quand les Russes vainquirent la Turquie. Son attitude très ferme (*Salisbury Circular* par laquelle il avertissait Saint-Pétersbourg que Londres ne tolérerait pas la présence russe à Constantinople) aboutit au congrès de Berlin (1878) où il seconda Disraeli. Celui-ci en fit son successeur à la tête du Parti conservateur, et il fut Premier ministre de 1885 à 1902, avec une courte interruption (1892-1895). Sa politique fut caractérisée par une grande habileté, mais aussi par un certain immobilisme, tant dans les affaires intérieures, où il lutta contre le nationalisme irlandais et les troubles sociaux sans leur apporter de solution définitive, que dans les affaires extérieures, auxquelles il accorda pourtant la première place. Restant fidèle à l'impérialisme, jusqu'en 1902, au « splendide isolement » qui avaient caractérisé l'ère victorienne, il sut toutefois accomplir des rapprochements en Europe (avec la Triple-Alliance, 1887) tout en menant une politique coloniale très active (annexion de la Birmanie, première conférence de Londres, acquisition de la Rhodésie...), particulièrement en Égypte, où l'incident de Fachoda* (1898) fut pour lui un triomphe. Il ne put éviter la guerre des Boers* et la mena avec énergie, attendant sa fin pour se retirer. En 1902, il conclut le traité anglo-japonais. Il fut le dernier homme d'État anglais à gouverner depuis la Chambre des lords.

SALISBURY, anc. **New Sarum.** ♦ V. du S.-O. de l'Angleterre (ch.-l. du Wiltshire), au confl. de l'Avon et du Wylve, à l'O. de Winchester. 35 500 hab. – Monuments médiévaux : *St. Nicholas Hospital* (XIIIe s.), *St. Edmund's Church* (XIIIe-XVe s.), *Church House* (XVIe s.), halle de John Halle (XVe s.). Le monument le plus célèbre est la cathédrale érigée de 1220 à 1258 en gothique primitif. – Patrie de Jean* de Salisbury, de Philip Masinger* et du comte de Salisbury*. – Stonehenge se trouve dans les environs immédiats.

SALISBURY. ♦ Cap. de la Rhodésie* au N. du pays, reliée par voie ferrée à Beira* (Mozambique) et à Bulawayo*. 390 000 hab. Collège universitaire. Industries agricoles et chimiques (usine d'acide sulfurique). Cimenterie. Métallurgie.

SALJÛQ ou **SALDJÛQ.** ♦ Khân Türk Oguz établi sur le cours de l'Amu-Daria (Amou*-Daria), et qui fonda dans le Khurâsân* au Xe s. la dynastie türk des Saljûqides*, dont le plus grand souverain, Toghrul-Beg (1038-1063) conquit l'Iran et alla se fixer à Baghdâd en 1055.

SALJÛQIDES, SELJUKIDES ou **SELDJOUKIDES** (adaptation fr.). *n. m. pl.* ♦ Dynastie turque issue de la famille d'Oghuz (Xe-XIIIe s.). Les Saljûqides constituèrent un grand empire qui se divisa en trois parties : Iran, Syrie, Asie Mineure. Ils représentent la première époque de l'histoire des Turcs au Proche et au Moyen-Orient.

Ph. Cauboue

Le sultan **saljûqide** Sanjar écoute la requête d'une femme. Miniature persane du XVIe s. « Trésor des Mystères » de Nezâmi. (Bibliothèque nationale, Paris.)

Au cours du Xe s., les Saljûqides s'installèrent sur le Syr-Daria, puis en Transoxiane et dans la région de Boukhara (v. 985). Le véritable fondateur de la dynastie, Toghrul-Beg (1038-1063), soumit toute la Perse actuelle et libéra le calife 'abbâsside* de Baghdâd de la tutelle des Buyides*, réinstaura le sunnisme* et s'imposa comme vicaire temporel du calife, avec le titre de « sultan » (1055). Son neveu et successeur, Alp-Arslan (1063-1072), eut des difficultés à renforcer l'État centralisé et hiérarchisé qu'il fonda, malgré la puissance de son armée, composée essentiellement de Turcs, et l'efficacité de son administration comprenant des Arabes et des Iraniens. L'époque des grands Saljûqides ne dura qu'un demi-siècle (1040-1090). Alp-Arslan s'empara de l'Arménie (1064), vassalisa Alep (1070) et ouvrit l'empire byzantin aux Turcs en gagnant la bataille de Manzikert (1071) contre l'empereur romain Diogène. Son fils et successeur Mâlik-Shah (1072-1092) conquit la plus grande partie de l'Asie Mineure et domina un empire qui s'étendait de la mer Égée au Turkestan. Malgré les nombreuses révoltes et les troubles causés par les Assassins*, Mâlik-Shah put renforcer son régime et son vizir Nidam al-Mulk lutta contre les Shi'ites* en fondant les *madersas* (en ar. *madrasa,* pl. *madrasat*), écoles enseignant l'orthodoxie du sunnisme*. À la mort de Mâlik-Shah, l'empire se divisa. Sanjar (1096-1157) en obtenant le Khurâsân soumit toute la Perse ; mais après sa mort le sultanat saljûqide de Perse déclina et disparut en 1194. La principauté saljûqide de Syrie disparut à Damas (1104) et à Alep (1117) sous les effets d'une rapide arabisation. Mais le sultanat d'Asie Mineure (*sultanat de Rûm,* déformation arabe de *romaios*), occupant les anc. pays byzantins, est le plus important pour l'histoire des Turcs. Après la défaite byzantine de Manzikert (1071), le peuplement turc se développa dans cette région. Les Saljûqides étaient confrontés aux Byzantins, aux croisés et aux Turcs Danishmendites installés sur le plateau anatolien. Avec l'avance des croisés, les Saljûqides furent relégués dans le centre de l'Asie Mineure. Mais, en 1101, ils se redressèrent et la traversée de l'Anatolie fut interdite aux croisés. Mas'ûd (1116-1155) installa sa cap. à Konya. Son successeur Kilij Arslan II (1155-1192) soumit définitivement les Danishmendites et devint l'unique chef turc en face des Byzantins et des croisés. Au cours du XIIIe s., les Saljûqides, victorieux des Grecs de Trébizonde et des Arméniens, gagnèrent de nouveaux territoires. Sous Kaykobad Ier (1219-1237), le sultanat du Rûm s'étendit sur presque toute l'Anatolie, pratiquant un commerce actif entre l'Orient et l'Occident. Mais à sa mort, le sultanat,

Ph. Nimatallah/Ricciarini

« Le Jugement de **Salomon** », par Giorgione, détail. (Musée des Offices, Florence.)

secoué par une grave révolte turkmène (1241), dut subir les assauts des Mongols. L'armée saljûqide fut écrasée à Kensé Dagh (1243). Malgré la tentative d'indépendance du gouverneur de Sinope, Mu'in al-Dîn Sulaymân (1277), le sultanat fut irrémédiablement condamné au protectorat des Mongols, qui nommèrent un vice-roi à Konya (1307). Le reste de l'Anatolie s'émietta en petites principautés turques; l'une d'elles, celle des Ottomans*, reprit plus efficacement le projet saljûqide. Malgré leur profonde iranisation, les Saljûqides entreprirent une œuvre historique essentielle en « déshellénisant » le plateau d'Anatolie (Grousset) pour en faire la Turquie.

SALLANCHES. ♦ Ch.-l. de cant. de la Haute-Savoie* (arr. de Bonneville*), sur la Sallanche, dans la plaine de l'Arve*. 5 501 hab. *(Sallanchards* ou *Sallanchois).* Station estivale d'où la vue sur le mont Blanc est admirable. La ville, détruite par un incendie en 1840, a été reconstruite. Usines de décolletage; indus. de la laine; horlogerie.

SALLAUMINES. ♦ Comm. du Pas-de-Calais, arr. de Lens. 14 768 hab. — Centre houiller. Matériel de chauffage.

SALLÉ (Marie). ♦ Danseuse et chorégraphe française (? 1702 — Paris, 1756). Elle recueillit ses premiers succès sur les théâtres de la Foire, puis engagée à l'Opéra (1727), elle parut dans des opéras-ballets de Lully et de Montéclair, et, devant la cour, dans les divertissements de plusieurs comédies de Molière. Elle trouva en la Camargo* une redoutable rivale, dont la virtuosité s'opposait à ses propres conceptions, fondées sur la justesse du sentiment et la simplicité. Elle parut à Londres au cours de trois saisons et y créa le ballet-pantomime *Pygmalion* (1734), où elle parut dans le rôle de Galatée, ayant abandonné la lourde robe à paniers, la perruque et les colifichets, revêtue d'une simple tunique drapée à l'antique. Elle imposa cette réforme du costume dans les ballets *Bacchus et Ariane, Terpsichore* (mus. de Haendel). Revenue à Paris (1737), elle fit sa rentrée dans *Les Indes galantes* et créa le *Castor et Pollux,* de Rameau. Amie de Voltaire, de Garrick et de Noverre qui saluèrent en elle une novatrice, elle a joué un rôle important dans l'évolution du ballet classique vers sa forme nouvelle, le ballet d'action.

SALLES-DU-GARDON (Les). ♦ Comm. du Gard, arr. d'Alès. 4 548 hab. Industries.

SALLUSTE (Caius Sallustius Crispus). ♦ Historien latin (Amiterne, Sabine, v. ~ 86 — ~ 35). Exclu du Sénat en ~ 50 pour immoralité, il y revint en ~ 49 par l'intermédiaire de César*. Devenu gouverneur de l'Africa Nova (Numidie) en ~ 46, il s'y enrichit sans scrupules. Sans avenir politique après la mort du dictateur (~ 44), il se consacra à l'histoire. En écrivant la *Conjuration de Catilina,* la *Guerre de Jugurtha* et les *Histoires* (dont il ne reste que des fragments), il voulait montrer la ruine progressive du régime aristocratique instauré après la défaite des Gracques*. Proche du style narratif des Grecs (Thucydide), la langue de Salluste est volontairement archaïsante, rythmée d'infinitifs de narration et asymétrique par ses raccourcis rapides.

SALM. ♦ Anciens comtés du Saint Empire fondés au XIIe s. et appartenant à deux branches de la maison de Luxembourg : le *Haut-Salm* jouxtant l'Alsace et la Lorraine et le *Bas-Salm* dans les Ardennes belges (ch.-l. Salm).

SALMANASAR III. ♦ Roi d'Assyrie* de ~ 859 à ~ 824. Il continua la politique d'incursions et de prélèvement de tributs dans les États voisins et jusqu'en Chaldée, mais échoua contre le royaume d'Aram. Son fils Assur-dân-apal déclencha, avec la petite noblesse, une guerre civile contre lui (~ 827-~ 822) **V.** *aussi* **Shamshi-Adad V.**

SALMANASAR V. ♦ Roi d'Assyrie* de ~ 727 à ~ 721, roi de Babylone sous le nom d'*Ululaï.* Il annexa sans doute la Cilicie, guerroya en Phénicie et en Palestine, mais fut détrôné par son frère Sargon* II.

SALMON (George). ♦ Mathématicien et théologien irlandais (Dublin, 1819 — *id.,* 1904). Il participa à la réorganisation de l'Église anglicane en Irlande (1869). En mathématiques, il contribua par ses nombreux traités à la diffusion des théories nouvelles d'algèbre linéaire et de leurs applications géométriques (*Conic Sections,* 1848; *Higher Plane Curves,* 1852; *Modern Higher Algebra,* 1859; *Analytic Geometry of Three Dimensions,* 1862). Avec Cayley*, il généralisa les formules de Plücker* aux courbes algébriques de l'espace et aux surfaces algébriques.

SALMON (André). ♦ Écrivain français (Paris, 1881 — Sanary, 1969). Ami de Guillaume Apollinaire et de Max Jacob, il publia ses premiers poèmes dans la revue de Paul Fort, *Vers et Prose,* avant de s'engager dans l'aventure de l'art moderne, avec Picasso, Braque, Derain et Vlaminck, entraînant la littérature et la poésie sur les voies d'un fantastique suscité par le contact avec la réalité quotidienne. Il a publié des poèmes (*Prikaz,* 1919; *Le Manuscrit trouvé dans un chapeau,* 1920; *L'Âge de l'humanité,* 1922; *Odeur de poésie,* 1944; *Les Étoiles dans l'encrier,* 1952); des romans (*Monstres choisis, L'Entrepreneur d'illuminations, La Négresse du Sacré-Cœur,* 1920; *Un ogre à Saint-Pétersbourg,* 1923); des études d'art sur *Cézanne* (1923), *Modigliani* (1939) ainsi que de savoureux mémoires (*Souvenirs sans fin,* 1955-1961).

SALOMÉ. ♦ Princesse juive (morte v. 72). C'est la « fille d'Hérodiade » de l'Évangile (*Matth.,* XIV, 6; *Marc,* VI, 22). Fille d'Hérodiade* et d'Hérode Philippe, elle aurait dansé devant Hérode Antipas, son oncle, et, conseillée par sa mère, aurait demandé en récompense la tête de Jean*-Baptiste sur un plat d'argent. Elle épousa Hérode Philippe le Tétrarque. — Son personnage a inspiré les écrivains (*Salomé,* pièce en un acte d'Oscar Wilde, en français) et les musiciens (Antoine Mariotte, R. Strauss, qui s'inspirèrent du texte de Wilde, Florent Schmitt, dans *La Tragédie de Salomé* [1907-1911], d'un texte de R. d'Humières). — *Icon.* Salomé est représentée sur les chapiteaux des Augustins (Toulouse), sur les tympans de Rouen, d'Avallon, sur les bas-reliefs de Donatello (baptistère de Sienne), sur les fresques de Giotto, d'Andrea del Sarto, dans les peintures de Luini et Terbrugghen, de Lucas Cranach, de Titien, de Guido Reni, de Gustave Moreau.

SALOMON. ♦ Roi d'Israël (~ 972 — ~ 932), fils de David* et de Bethsabée*. Il obtint la succession contre son frère Adonias. Son règne marque l'apogée de la puissance d'Israël* : mariage avec la fille du pharaon, alliance avec Hiram Ier de Tyr, construction d'une flotte, du Temple, d'un palais royal, de places fortes, entretien d'une armée avec cavalerie et chars, d'un harem, d'une administration (12 préfets collecteurs d'impôts). Ce luxe n'alla pas sans pressuration du peuple, et c'est pour secouer ce joug que les tribus du Nord firent schisme à sa mort **(V. Jéroboam, Roboam).** Récit biblique : *I Rois,* I-XI. — La tradition insiste sur sa sagesse — qui aurait attiré la reine de Saba* —, lui attribue le *Cantique* des Cantiques, l'Ecclésiaste*,* les *Proverbes*,* la *Sagesse*,* ainsi que des *Psaumes* et des *Odes* apocryphes et fait même de lui un magicien (dans les légendes islamiques : Soliman, prince des djinns). — *Jugement de Salomon :* en *I Rois,* III, 16 sqq., deux femmes se prétendent la mère d'un enfant; il ordonne de le partager en deux; la vraie mère est celle qui préfère y renoncer. Type du jugement perspicace et équitable. — *Sceau de Salomon,* **V. David** (bouclier de).

SALOMON Ier. ♦ (1051 — 1087). Roi de Hongrie (1063-1074). Fils d'André* Ier, il ne put occuper le trône qu'à la mort de son oncle Béla Ier. Il dut lutter contre les prétentions au trône de Géza, fils de Béla* Ier, qui finalement le vainquit en 1074 et le força à s'enfuir en Istrie, où il finit sa vie comme ermite.

SALOMON (Ernst *von*). ♦ Écrivain allemand (Kiel, 1902 — Stoeckte, Basse-Saxe, 1972). Aventurier qui se considérait comme le dernier survivant des hobereaux prussiens, il a conté avec talent, humour et cynisme, ses souvenirs des années de la Première Guerre mondiale qu'il passa dans les écoles de cadets de Potsdam (*Les Cadets,* 1933), sa vie dans les corps francs et sa participation à l'assassinat du ministre W. Rathenau* (1922), pour laquelle il passa cinq ans en prison (*Les Réprouvés,* 1930), la révolte paysanne des années 1928-1929, où il eut un rôle d'agitateur (*La Ville,* 1932). Interné dans un camp américain (1945) puis relâché, E. von Salomon publia en 1951 *Le Questionnaire;* témoignage historique d'une grande importance, cette œuvre est « une confession haletante, génialement mensongère, où une fois de plus l'Allemagne apparaît persécutée parmi les nations » (P.-J. Franceschini), écrite par un nationaliste qui affiche avec ostentation son mépris pour la démagogie hitlérienne comme pour tous les démocrates. Sur le problème des relations de l'individu et de la justice politique, E. von Salomon donna encore *Le Destin de A.D.* (1960).

SALOMON *(îles),* en angl. **Solomon Islands.** ♦ Chaîne d'îles de la Mélanésie* (Océanie) dans l'océan Pacifique du S.-O. qui s'étend dans la direction N.-O. - S.-E. et continue l'arc volcanique de l'archipel Bismarck*. Le groupe comprend les îles de Santa* Cruz **(V. Vanikoro),** à l'E. de la plus méridionale des Salomon. Les îles les plus septentrionales (**V. Buka** et **Bougainville**) sont administrées par l'Australie* **(V. Nouvelle-Guinée,** *New Guinea Trust Territory*). La *mer des Salomon,* à l'O. de l'archipel du même nom, est limitée par la Nouvelle*-Guinée à l'O., l'archipel Bismarck au nord. Au S. de l'île de Bougainville, les îles sont disposées en deux chaînes parallèles : l'O. comprend les îles principales de Vella, Kolombangara, la Nouvelle-Géorgie, Guadalcanal*; l'E. comprend les îles principales de Choiseul, Santa Isabel, Malaita; les deux chaînes convergent dans l'île, la plus méridionale, San Cristobal. 29 785 km². 165 000 hab. (1975), pour le protectorat britannique. (Les îles sont peuplées de Mélanésiens*, mais il existe de nombreux mélanges raciaux et une grande variété de types physiques et de groupes linguistiques [env. quarante dialectes différents]; quelques Polynésiens vivent dans les atolls.) *Cap. admin.* **V. Honiara** (sur la côte N.-E. de Guadalcanal*). – Le groupe comprend un certain nombre d'atolls coralliens, mais la plupart des îles sont accidentées et volcaniques. Le *climat* est équatorial, avec une chaleur constante, une haute humidité; il n'y a pas de saison sèche. Les chutes de pluie dépassent 2 500 mm dans la plupart des îles. La végétation est la forêt dense. – *Écon.* Elle est dominée par le coprah, produit à la fois par les indigènes et les Européens. Les plantations de cocotiers ont subi de grands dommages pendant la Deuxième Guerre mondiale; après 1960, seulement deux tiers de la production d'avant-guerre avaient été reconstitués. L'administration s'est efforcée d'introduire le cacao pour diversifier les récoltes : le cacao est cultivé par quelques planteurs indigènes à Molaita (île la plus peuplée. 54 000 hab. [1959]) et des Européens dans les Salomon occidentales. Les exploitations de bois (Guadalcanal) fournissent une légère contribution aux exportations; cependant les quatre cinquièmes de celles-ci restent représentés par le coprah. ♦ *Hist.* Les îles furent découvertes en 1568 par l'Espagnol Mendaña* de Neira qui tenta d'y établir une colonie. Mais ce ne fut que vers la fin du XVIIIe s., après les voyages, entre autres, de Ph. Carteret*, L.A. de Bougainville* et d'Entrecasteaux*, que les connaissances européennes sur le groupe des îles furent complétées. Le protectorat britannique fut établi sur les îles méridionales en 1893. Un protectorat germanique sur les Salomon septentrionales fut déclaré aux env. de 1885, mais le traité de 1899 fit passer toutes les îles, sauf Buka et Bougainville, à la Grande-Bretagne en reconnaissance des revendications allemandes sur les Samoa* occidentales. Les îles allemandes furent occupées en 1914 par les troupes australiennes et passèrent sous mandat australien en 1920 **(V. Buka, Bougainville).** Durant le second conflit mondial, les Japonais occupèrent les îles septentrionales des Salomon (janv. 1942) et débarquèrent en juillet 1942 à Guadalcanal* d'où les Américains les expulsèrent en février 1943 **(V. Santa Cruz)**; ils luttèrent jusqu'à la fin de la guerre pour la reconquête des îles du Nord.

SALON-DE-PROVENCE. ♦ Ch.-l. de cant. des Bouches*-du-Rhône, arr. d'Aix*-en-Provence. 31 732 hab. *(Salonnais).* Église Saint-Laurent, XIVe s., contenant le tombeau de Nostradamus*. Église romane Saint-Michel. Beffroi du XVIIe siècle. Ancien château des archevêques d'Arles (XIIIe et XVIe s.). Centre aéronautique important (École de l'air). Commerce d'huiles et de savons. – Patrie d'A. de Craponne*.

SALONE, en lat. **Salona,** auj. **Solin.** ♦ Localité de Yougoslavie (Croatie) située sur la côte dalmate dans la banlieue de Split*. Cap. de l'anc. Dalmatie, elle abrite les ruines d'une ville romaine construite sous Dioclétien* qui naquit dans les environs (amphithéâtre, nécropole, théâtre...).

SALONIQUE. ♦ V. de Grèce (Macédoine). **V. Thessalonique.**

SALOUEN. ♦ V. SALUEN.

SALOUM. *n. m.* ♦ Oued côtier du Sénégal, « le fleuve de l'arachide », né dans la région du Ferlo* (intermittent dans son cours supérieur), il passe à Kaolack* avant de former un delta avec son affl. de droite le Siné. *La région du Siné-Saloum* au N. de l'enclave de la Gambie* fournit la moitié de la récolte d'arachides du Sénégal.

Salpêtrière (la). ♦ Hôpital parisien, situé sur l'emplacement d'une fabrique de poudre (d'où son nom). Conçue par Louis XIV comme un « hôpital général des pauvres de Paris » (1656), augmentée d'une « maison de force » pour femmes (prostituées et condamnées) en 1694, la Salpêtrière fut affectée, en 1796, au traitement des maladies nerveuses et mentales **(V. Pinel, Esquirol, Charcot)** avant de devenir (1823) un « hospice pour la vieillesse » (femmes) auquel a été adjoint un hôpital chirurgical. Derrière une façade majestueuse, les vastes bâtiments construits par Le* Vau et Le* Muet (1660) s'organisent autour de cours intérieures d'une grandeur austère et de jardins à la française; la chapelle centrale, due à Libéral Bruant* (1670-1677), en croix grecque et à huit nefs, est couronnée d'un dôme octogonal.

SALSES ou **SALCES.** ♦ Comm. des Pyrénées-Orientales (arr. de Perpignan), à l'O. de l'étang de Leucate*. 2 020 hab. *(Salséens).* Église (XVIe s.), château fort (*fin* XVe s.). Vins blancs.

Arch. Rencontre

Salses : la cour du château.

SALSIGNE. ♦ Comm. de l'Aude (arr. de Carcassonne), dans la Montagne Noire. 689 hab. Mines (or, cuivre, bismuth, arsenic).

SALSO (le « Salé »), anc., en gr., **Himera.** ♦ Fl. de Sicile* (111 km). Né dans le N. de l'île, dans les monts Madoni, il coule vers le S. et se jette dans la Méditerranée, près de Licata.

SALSOMAGGIORE TERME. ♦ V. d'Italie, en Émilie (prov. de Parme). 18 000 hab. Station thermale.

SALT (Al-). ♦ V. de Jordanie, ch.-l. du district d'Al-Balqa*, située dans le djebel Ajlûn, au N.-O. d'Amman. 20 000 hab. environ. Carrières de kaolin.

SALTA. ♦ V. du N.-O. de l'Argentine, située dans les Andes, à 1 187 m d'alt., ch.-l. de la province du même nom. 130 000 hab. Archevêché. Centre industriel et commercial. – La *province de Salta* s'étend à l'E. du Chili dont elle est séparée par la cordillère des Andes* et au S. de la prov. de Jujuy* et confine au N. avec la Bolivie et le Paraguay. 154 775 km². 468 000 hab. env. (densité infime). Cultures subtropicales : canne à sucre, coton, maté, tabac dans la vallée de Lerma où l'on pratiquait l'élevage. Pétrole, gaz naturel (pipe-line entre Campo Durán et Buenos Aires).

SALTILLO. ♦ V. du Mexique septentrional, cap. de l'État de Coahuila*. 191 879 hab. Évêché. – Indus. textiles et métallurgiques. Centre minier.

SALT LAKE CITY (« ville du Lac Salé »). ♦ V. des États-Unis, la cap. et la princ. V. de l'Utah. 175 885 hab.; zone urbaine, 557 635 hab. (1970). C'est la plus grande ville entre Denver et la côte du Pacifique, dans la vallée de Salt Lake, avec un cadre de montagnes grandioses. Son temple mormon est une construction en granit d'une architecture pompeuse et sèche (1853-1893). – Indus. alimentaires, imprimeries, raffinage de pétrole, métallurgie (cuivre, argent, plomb), électronique et textiles. – Université de l'Utah. Célèbres chœurs *(Tabernacle Choirs).* ♦ *Hist.* La ville fut fondée en 1847 par Brigham Young, comme capitale des Mormons. **V. Utah; Smith** (Joseph).

SALTO. ♦ V. de l'Uruguay, située face à Concordia*, sur la r. g. de l'Uruguay*. 60 000 hab. Évêché. Important port fluvial. Centre industriel (conserves de viande, produits chimiques; constructions navales).

SALTO DEL ÁNGEL. *n. m.* (« saut de l'ange »). ♦ Nom de la plus haute cascade du monde (978 m) située dans la *Guyane* vénézuélienne.

SALTYKOV-CHTCHEDRINE (Mikhaïl Evgrafovitch) [*Saltykov-Ščedrin*]. ♦ Écrivain russe (Spas-Ougol, gouvernement de Tver, 1826 – Saint-Pétersbourg, 1889). Romancier et journaliste satirique, il fit paraître ses premiers écrits dans le journal de Nekrassov*, *le Contemporain* (*Esquisses d'une préfecture, Messieurs et Mesdames Pompadour,* 1863-1873), et connut aussitôt une grande popularité. Il continua avec de plus longs récits satiriques comme *Histoire d'une ville* (1869-1870), *Ces Messieurs de Tachkent* (1869-1872). Ces satires, dirigées pour la plupart contre la noblesse provinciale et les notabilités « éclairées », sont aujourd'hui difficilement compréhensibles, car, citant des personnalités en vue, Saltykov-Chtchedrine utilise des noms symboliques à cause de la censure. Il n'écrivit qu'un seul vrai roman, *La Famille Golovliev,* satire sociale qui met en scène une famille de nobles campagnards bornés et brutaux.

SALUCES, en it. **Saluzzo.** ♦ V. d'Italie septentrionale, dans le Piémont (prov. de Cuneo), sur le Pô. 17 000 hab. Marché agricole (châtaignes) et centre industriel (indus. alimentaires). ♦ *Hist.* Ch.-l. d'un marquisat fondé en 1142. Vassal de l'Empire, puis des ducs de Savoie, il fut annexé par le roi de France Henri II, puis repris par la Savoie à laquelle il fut cédé par Henri IV (traité de Lyon, 1601), moyennant la Bresse, le Bugey et le pays de Gex.

SALUEN ou **SALOUEN** (en chinois, **Nu Chiang** ou **Lu Chiang**; thaï, **Mae** [*Moe, Mé*] **Nam Khong**, angl., **Salween).** *n. m.* ou *f.* ♦ Fl. d'Asie. 2 414 km. Né sur le plateau tibétain, il coule vers l'E., puis vers le S., traversant le Yunnan; il pénètre ensuite en Birmanie, forme la frontière entre Birmanie et Thaïlande et se jette dans l'océan Indien, par un delta où se trouve Mulmein. Son cours, sauf dans les 100 derniers kilomètres, est encaissé dans des gorges, rendant la navigation très difficile. Régime de moussons (crues de printemps; fortes crues d'été).

SALUT *(îles du).* ♦ Groupe de trois petites îles côtières de la Guyane française, au N. de Cayenne (Royale, Saint-Joseph, du Diable). Anc. établissement pénitentiaire où fut incarcéré notamment Dreyfus*.

Salut (Armée du), en angl. **Salvation Army.** ♦ Mouvement chrétien (protestant), charitable et religieux, organisé sur le modèle militaire. Il est établi dans près de soixante-dix pays et territoires; son centre est à Londres. Il fut créé en 1865 par William Booth* et se développa rapidement notamment par l'action de la fille de W. Booth, Evangeline. Ses « soldats » et « officiers », hommes et femmes, vêtus d'un uniforme, pratiquent la prédication en plein air et recueillent des fonds pour les œuvres sociales de l'Armée (centres d'accueil, soupes populaires, œuvres pour le « relèvement » des prostituées, etc.).

SALVADOR (le), *n. m.,* en esp. **El Salvador.** ♦ République d'Amérique centrale, bordée par l'océan Pacifique au S.-O., limitée par le Guatemala à l'O. et le Honduras au N. et au nord-est. 21 393 km². 3 685 000 hab. *(Salvadoriens).* C'est le plus petit État d'Amérique centrale, mais celui où la population est la plus dense. *Langue :* espagnol. *Unité monétaire :* le colon. *Cap.* San* Salvador. *Princ.*

Ph. Nino Cirani/Ricciarini

Scène de rue à **Salvador,** Brésil.

villes : **V. San Miguel** et **Santa Ana.** *Caractères généraux :* la plaine côtière qui borde le Pacifique est basse et lagunaire (baie de Jiquilesco). À l'intérieur, un plateau fertile est dominé par une cordillère volcanique qui prolonge la cordillère guatémaltèque **(V. Izalco),** elle-même suivie d'autres chaînes volcaniques en direction du Honduras. Nombreux lacs de montagne. Un seul fleuve important, le Lempa*. – Le *climat,* chaud sur le littoral, est tempéré sur les reliefs et dans la vallée du Lempa. *Pop. et écon. :* la population, fortement métissée, est en majorité rurale et se trouve concentrée sur le plateau de l'intérieur, alors que les zones côtières sont désertées. L'agriculture emploie 60 % de la main-d'œuvre dans des haciendas où s'étendent les plantations de canne à sucre, et surtout de café; celles-ci occupent le tiers des terres arables (114 000 t [1966], 7e rang dans le monde). Le coton est cultivé dans les plaines côtières (35 000 t). Les cultures vivrières (maïs, riz, haricots, légumes, fruits) ne suffisent pas aux besoins de la population. Production de henequen (fibre pour cordages). L'industrie s'est développée depuis la Deuxième Guerre mondiale : indus. alimentaires (sucre, produits laitiers), textiles, tissus de coton, fabriques d'insecticides, colorants. Cimenteries, aciéries (première fonderie d'Amérique centrale). Barrage hydro-électrique sur le Lempa. Les exportations se font essentiellement vers les États-Unis (café, sucre). Le réseau de communications comprend la route panaméricaine qui dessert San Salvador, Santa Ana et San Miguel, les trois grands centres. Les voies ferrées servent essentiellement à l'acheminement des marchandises. Tourisme actif. Le pays comprend 14 départements [*Carte.* **V. Amérique centrale**]. ♦ *Hist.* Ce fut Pedro de Alvarado* qui en 1523 entreprit la soumission des Indiens et fonda les villes de San Salvador (1528) et Sonsonate. D'abord intégré dans la capitainerie générale du Guatemala, le pays acquit son indépendance en 1821; celle-ci ne fut effective qu'en 1841 avec la proclamation de la république du Salvador. L'époque qui suivit fut marquée par l'instabilité politique et les dictatures militaires dont celle de Hernandez Martinez (1931-1944). L'instabilité est constante dans ce pays où toute la vie économique est traditionnellement tributaire de la monoculture du café.

SALVADOR (anc. **Bahia**). ♦ V. et port du Brésil, cap. de l'État de Bahia* située sur une colline escarpée à l'entrée de la Bahia de Todos* os Santos (baie de Tous-les-Saints). 1 070 090 hab. Université. Archevêché. Ses nombreux édifices religieux, son musée d'Art sacré en font un grand centre touristique. Important centre industriel (raffinage de pétrole, indus. métallurgiques, chimiques, textiles et alimentaires) et commercial (export. de cacao, tabac, sucre, cuir, pétrole...). ♦ *Hist.* Fondée en 1549 par le premier gouverneur général du Brésil*, Tomé de Souza, la ville fut la capitale du Brésil jusqu'en 1763.

SALVANDY (**Narcisse Achille,** *comte de*). ♦ Homme politique français (Condom, Gers, 1795 – château de Graveron, Eure, 1856). Officier de Napoléon Ier, il prit position contre l'occupation de la France par les Alliés en 1816, puis combattit le ministère ultra de Villèle*. Conseiller d'État (1828), député (1830), il fut nommé ministre de l'Instruction publique (1837-1839, 1845-1848), contribuant à fonder l'École française d'archéologie d'Athènes, et fut également ambassadeur (1841, 1843) sous la monarchie de Juillet. Retiré de la vie politique officielle après le coup d'État du 2 décembre 1851, il travailla à l'unité des monarchistes légitimistes et orléanistes. Auteur d'ouvrages historiques [*La Révolution et les Révolutions,* 1830]. (Acad. fr., 1835.)

SALVATORE ROSA. ♦ V. Rosa *(Salvator).*

SALVI (Niccolò). ♦ Architecte italien (Rome, 1697 – *id.,* 1751). En 1732, son projet pour la fontaine de Trevi fut retenu. Il passa la majeure partie de sa vie à réaliser ce projet, l'une des dernières réussites du baroque romain. La fontaine fut achevée après sa mort en 1762. Le monument se déploie en accord avec la façade du palais Poli; une niche, en son centre, abrite la statue de Neptune, sous laquelle tritons et chevaux marins s'agitent parmi les eaux et les rochers baroques.

SALVIATI (Francesco de'ROSSI, dit **Cecco).** ♦ Peintre italien (Florence, 1510 – Rome, 1563). Élève d'Andrea del Sarto, il fut protégé par le cardinal Salviati (1531). En 1541, après un voyage à Bologne, il décora l'église Santa Maria dell'Anima (Rome), puis en 1544, la salle des audiences du Palazzo Vecchio (Florence). En France (1544-1545), il travailla à Fontainebleau, au château de Dampierre, avant de retourner à Rome (1555). Il subit fortement l'influence des maniéristes et de Michel-Ange qui le domina entièrement à la fin de sa carrière.

SALVIEN, en lat. **Salvianus.** ♦ Historien et apologiste chrétien (Trèves?, v. 390 – Marseille, v. 484). Prêtre à Marseille (428), il est l'auteur de *Sur le gouvernement de Dieu* (439-451), en huit livres.

SALWÎN. ♦ V. Saluen.

SALYENS. *n. m. pl.,* en lat. **Salvi** ou **Salluvii.** ♦ Peuple de la Gaule, sans doute originaire de Ligurie*, établi en Provence dans la région d'*Arelate* (Arles*) et d'*Aquae Sextiae* [Aix*]. **(V. Entremont).** Ils furent soumis par Sextius* Calvinus (~ 123).

SALZACH. *n. f.* ♦ Riv. d'Autriche*, affl. de l'Inn* (r. d.). Elle prend naissance dans le massif des Hohe Tauern* dont les glaciers l'alimentent. Elle arrose Salzbourg* et forme la frontière entre l'Autriche et l'Allemagne jusqu'à sa confluence avec l'Inn* en amont de Braunau. – Les installations hydro-électriques sur la rivière et ses affluents (Kaprun) donnent une grande importance économique à la Salzach.

SALZBACH. ♦ V. Sasbach.

SALZBOURG, en all. **Salzburg.** ♦ V. d'Autriche, située sur la Salzach*, à l'O. de l'Autriche. Cap. de la prov. homonyme. 128 845 hab. Ville universitaire. L'ensemble de la V., construite dans un site agréable, surtout dans les styles Renaissance italienne et baroque, possède une unité et un charme qui lui ont valu le nom de « Rome des Alpes ». La plupart des monuments s'ordonnent autour de places, sur la rive gauche de la Salzach. Sur la *Domplatz,* ornée par la colonne de la Vierge (Mariensäule, 1771), se trouve la cathédrale (1614-1628) de style baroque, renfermant des orgues célèbres. La *Kapitelplatz* est ornée par la *Kapitelschwemme* (« abreuvoir aux chevaux ») fontaine monumentale du XVIIIe s., par le prieuré (XVIe s.), et l'archevêché (XIXe s.). La *Residenzplatz* est bordée par le *Neugebäude* (fin XVIe et XVIIe s.) que domine une tour abritant le célèbre *Glockenspiel* (carillon de 35 cloches jouant une mélodie de *La Flûte enchantée* de Mozart) et par la *Residenz,* anc. résidence des princes-archevêques de Salzbourg (1596-1619: une aile du XVIIIe s.). L'*Alter Markt* est entouré de maisons de style baroque. Sur la r. g., se trouvent encore la *Stiftskirche St. Peter,* basilique romane du XIIe s. transformée aux XVIIe-XVIIIe s., et le cimetière St. Peter, avec de petites chapelles de style baroque; le *Stift Nonnberg,* le plus vieux couvent autrichien, fondé v. 700, reconstruit en gothique au XVe s. (fresques du XIIe s.); le *Hohensalzburg,* anc. château fort des princes-archevêques; sans cesse agrandi et transformé depuis sa construction en 1077 jusqu'au XVIIe s., il abrite un musée historique et un musée d'art médiéval. Sur la r. d., se trouve la *Mirabellplatz,* avec le palais Lodron (1631) et le château Mirabell, anc. résidence d'été des princes-archevêques (1606; reconstruit en 1721), devant lequel s'étendent des jardins dessinés au XVIIIe siècle. – *Indus. diverses :* verrerie, petite métallurgie, brasserie, indus. textiles. Indus. du bois; fabrique d'instruments de musique. – Patrie de Mozart*. ♦ *Hist.* À l'emplacement de Salzbourg, se trouvait à l'époque romaine une colonie *(colonia Hadriana)* qui fut détruite par les invasions. L'évêque Rupert de Worms fonda un couvent sur le Mönchsberg, et sa nièce un autre couvent à Nonnberg; une ville se développa autour des deux couvents. Elle reçut le nom de *Salzburg,* évoquant la proximité de mines de sel. Au IXe siècle, Salzbourg fut érigé en archevêché, et au XIIIe s., les archevêques reçurent le titre de princes du Saint-Empire. Plusieurs furent de véritables princes de la Renaissance qui, grâce aux revenus abondants tirés des salines du Salzkammergut*, embellirent et transformèrent la cité. À l'époque napoléonienne, l'archevêché, sécularisé en 1802, fut enlevé à l'Autriche (paix de Lunéville), puis lui fut rendu (paix de Presbourg, 1805); remis à la Bavière en 1810, il fut enfin rattaché définitivement à l'Autriche en 1814 *(paix de Paris).* La V. connut un rapide essor à la fin du XIXe siècle. Endommagée par les bombardements de la Deuxième Guerre mondiale, elle fut reconstruite ou restaurée avec soin. ♦ *Festival de Salzbourg.* Créé en 1922, il a lieu tous les ans au mois d'août. Opéras, concerts symphoniques, musique de chambre, représentations lyriques et dramatiques s'y succèdent au Palais du festival, au *Mozarteum,* dans la Résidence ou sur la place de la cathédrale. Les œuvres de Mozart tiennent une place éminente durant le festival, qui attire les plus grands interprètes.

SALZGITTER. ♦ V. d'Allemagne occidentale (Basse-Saxe), formée en 1942 par la réunion de dix-huit communes, au N. du Harz, sur de riches gisements de potasse et de fer (évalués à 2 milliards de t). 119 030 hab. (1970). Sidérurgie, cokeries, matériel ferroviaire, produits pharmaceutiques, textiles.

SALZILLO y ALCARAZ (Francisco). ♦ Sculpteur espagnol (Murcie, 1707 – *id.*, 1783). Fils d'un sculpteur napolitain, il prit à la mort de celui-ci la direction de l'atelier et, aidé de ses trois frères et de sa sœur, produisit de nombreuses scènes religieuses, notamment les grandes figures en bois polychromes destinées aux processions *(passos)* et des crèches monumentales *(presipios)* aux multiples personnages, dans la tradition napolitaine. Ces œuvres en bois polychrome d'un réalisme brutal et pittoresque expriment une foi exaltée, tragique et sentimentale et sont marquées stylistiquement par la tradition du baroque italien. Le pathos de ces figures était en accord avec le goût populaire et fait de Salzillo l'un des derniers grands représentants de la sculpture polychrome espagnole (*La Scène,* vers 1780).

SALZKAMMERGUT, *n. m.* (« saline de la couronne »). ♦ Région montagneuse (Préalpes autrichiennes) de Haute-Autriche*, de Styrie* et de la prov. de Salzbourg* au N.-O. de l'Autriche; la région s'étend autour du Schalberg, le long de la rivière *Traun* avec ses lacs (Attersee, Traunsee) et autour de Salzbourg. Elle présente une grande unité géologique et touristique; le paysage est formé de dépressions dominées par des massifs calcaires ou des escarpements abrupts (entre 1 500 et 1 800 m). *V. princ.* **V. Graz, Linz, Salzbourg.** – Tourisme. Usines hydro-électriques. Salines.

SAMADEN. ♦ Nom allemand de Samedan*.

Samâdhi. *n. m.* ♦ Dans la philosophie bouddhique, extase totale procurant la vision de la « Seule Réalité ». Dans les philosophies hindoues, son interprétation varie quelque peu selon les sectes. Cependant, il est toujours considéré comme un arrêt de la pensée et l'union avec le Principe supérieur.

SAMAIN (Albert). ♦ Poète français (Lille, 1858 – Magny-les-Hameaux, 1900). Il mena une existence obscure, accueillant modestement la célébrité qui lui vint avec son premier recueil lyrique, *Au jardin de l'infante* (1893); il s'y montrait, par son amour des nuances musicales, attaché au mouvement symboliste et ardent admirateur de Baudelaire* comme de Verlaine*. Romantique par sa mélancolie désenchantée, Samain fut également sensible au culte des belles formes cher aux parnassiens. Les poèmes du recueil *Aux flancs du vase* (1898) exaltent un paganisme harmonieux et lumineux. *Le Chariot d'or* (posth., 1901) manifeste mieux encore la distinction langoureuse qui caractérise Albert Samain. Sa sensualité un peu trouble s'exprime aussi dans les *Contes* (posth., 1902) et le drame lyrique de *Polyphème* (mis en musique en 1922 par Jean Cras).

SÂMÂNIDES ou **SÂMÂNI.** *n. m. pl.* ♦ Dynastie iranienne qui régna en Perse et en Transoxiane (874-999). Fondée par Sâmân Khudât, seigneur de Sâmân, elle étendit son pouvoir sous Nasr ibn Ahmad (913-942) sur la Transoxiane, le Khurâsân, le Séistân, le Tabaristân et eut Boukhara* pour capitale. Les Sâmânides encouragèrent les arts et les sciences et engagèrent la littérature persane vers son premier essor.

SAMAR. ♦ Grande île de l'E. de l'archipel des Philippines*. Plus de 13 000 km². Env. 1 000 000 d'hab. Montagneuse, elle est divisée en trois régions administratives. On y exploite des bois précieux et quelques mines de minerai de fer. L'abaca y est cultivé.

SAMARA. ♦ Anc. nom de Kouïbychev* (U.R.S.S.).

SAMARIE. ♦ Cap. du royaume d'Israël*, fondée par Omri* v. ~ 880, prise par Sargon II d'Assyrie en ~ 721. Ses habitants furent alors déportés et remplacés par des colons babyloniens et araméens qui donnèrent naissance au peuple des *Samaritains,* méprisé des juifs en raison de ses origines étrangères et de sa pratique particulière du iahvisme (n'admettant dans l'Écriture que le Pentateuque*). Elle donna son nom à la province centrale de Palestine, entre la Galilée et la Judée. Appelée Sébastè sous Hérode le Grand, elle est aujourd'hui le village de Sébastiyé, près de Naplouse.

SAMARIE. *n. f.* ♦ Anc. région et province jordanienne de la Palestine **(V. Cisjordanie),** située entre la Galilée et la Judée et bordée à l'E. par le Jourdain*, elle fait partie des territoires administrés par Israël. Ressources minérales aux alentours de la mer Morte (potasse, brome). – La *province de Samarie* compte avec la province de Judée près de 600 000 habitants.

Ph. Nino Cirani/Ricciarini

Samarkand : école religieuse de Ser Dor.

SAMARIE *(monts de).* ♦ Reliefs de l'arête montagneuse centrale d'Israël, qui s'étend sur 360 km du Liban (N.) au Sinaï (S.). Ils font suite aux monts de la basse Galilée, dont ils sont séparés par la plaine de Jezréel*, et culminent au mont Carmel*.

Samaritain *(le Bon).* ♦ Personnage d'une parabole évangélique (*Luc,* X, 29-37), qui secourt charitablement un homme attaqué par des brigands et laissé pour mort, qu'un prêtre et un lévite avaient refusé d'aider. Les Samaritains étaient méprisés par les juifs.

SAMARKAND. ♦ V. d'U.R.S.S. (Ouzbékistân), ch.-l. de la région du même nom (29 200 km². 1 435 000 hab.), dans la vallée de la riv. Zeravchan (781 km). 278 000 hab. Monuments historiques. Mosquée de Bibi-Khanym (1404), mausolées de Gour-Emir, Chakh-Zind, Ichrat-Khan (XIVᵉ-XVᵉ s.). Centre culturel : université fondée en 1933. – Constructions mécaniques, soieries, traitement du cuir. Indus. textiles et alimentaires. – Kech, près de Samarkand, patrie de Timur*-I Lang, dit Tamerlan. ♦ *Hist.* Connue sous le nom de Maracanda, elle fut la cap. de Sogdiane*. Conquise par Alexandre* le Grand (~ 329), puis par les Arabes (712), dévastée par Gengis Qân (1220), elle retrouva sa splendeur sous Tamerlan, qui en fit sa capitale (XIVᵉ s.). Prise par les Ouzbeks de Boukhara (1500), puis par les Russes (1868), elle fut capitale de l'Ouzbékistân soviétique en 1924-1930.

SAMÂRRÂ. ♦ V. d'Iraq, située sur la r. g. du Tigre, au N.-O. de Baghdâd*. Env. 20 000 hab. Un barrage y a été construit pour permettre aux eaux de crues du fleuve d'être dérivées vers une dépression capable de les absorber, et de mettre ainsi la ville et les terres cultivables à l'abri des inondations. – Existence d'un sanctuaire shi'ite et de ruines de monuments datant des califes 'abbassides (mosquées, palais).

SAMATAN. ♦ Ch.-l. de cant. du Gers* (arr. d'Auch*), sur la Save*. 2 133 hab. *(Samatanais).* Marché agricole.

Sâma-Veda. *n. m.* ♦ Troisième des quatre grands *Veda** de la littérature ancienne de l'Inde, constitué par un manuel liturgique et un recueil d'hymnes. Il emprunte beaucoup au *Rig*-Veda.*

SAMAZEUILH (Gustave). ♦ Compositeur français (Bordeaux, 1877 – Paris, 1967). Élève de Chausson, de V. d'Indy et de Dukas, il a laissé une œuvre marquée par une fine élégance d'écriture *(Quatuor* à cordes, 1899; *Sonate* pour piano et violon, 1904; *Naïades au soir,* 1926; *Nuit,* 1925, pour orchestre; *Chant de la mer,* pour piano, 1920). Il est l'auteur de 125 transcriptions pianistiques d'œuvres orchestrales contemporaines, par lesquelles il a contribué à la diffusion de la musique nouvelle, à son époque. Il fut aussi un critique réputé.

SAMBRE. *n. f.* ♦ Riv. du N. de la France (190 km), affl. r. g. de la Meuse. Elle prend sa source en Thiérache*, arrose Maubeuge* en France, puis entre en Belgique, passe à Charleroi* et Namur* où elle conflue avec la Meuse.

SAMEDAN, nom romanche de **Samaden.** ♦ V. de Suisse (Grisons), sur l'Inn*, princ. aggl. de la haute Engadine*. 2 200 hab. – Maisons anciennes. Station d'été et de sports d'hiver à 1 728 m d'altitude.

SAMER. ♦ Ch.-l. de cant. du Pas*-de-Calais, arr. de Boulogne*-sur-Mer. 2 675 hab. *(Samériens).* Église du XVᵉ siècle.

SAMHAN *(djebel). n. m.* ♦ Chaîne montagneuse du Dhofar*, dans le sultanat d'Oman* (Arabie). Elle sépare la plaine côtière fertile de l'intérieur.

Samhitâ (« Recueil »). ♦ Nom généralement donné en Inde aux quatre principaux livres des *Veda* :* le *Rig-Veda,* l'*Atharva-Veda,* le *Sâma-Veda* et le *Yajur-Veda.* Ce nom est parfois également appliqué à des recueils divers d'œuvres religieuses hindoues.

Sâmkhya. *n. f.* ♦ Nom de l'une des six principales disciplines philosophiques « orthodoxes » de l'hindouisme. Elle présente un point de vue dualiste opposant matière et esprit.

SAMMARTINI (Giovanni Battista). ♦ Compositeur italien (Milan, 1698 – *id.*, 1775). Organiste et maître de chapelle à Sainte-Marie-Madeleine de Milan (1730-1770) et, à ce titre, animateur de la vie musicale milanaise, il connut une réputation européenne avec près de trois mille compositions de musique instrumentale *(symphonies, opéras, oratorios, pièces de musique religieuse* et *de chambre).* Son influence fut considérable dans le domaine de la symphonie, dont il a contribué à fixer la forme moderne. Il fut le maître de Gluck (1736-1741) et exerça son influence sur de nombreux musiciens, dont le jeune Mozart (1770).

SAMMURAMAT. ♦ Régente d'Assyrie qui semble à l'origine du personnage légendaire de Sémiramis*.

SAMNITES. *n. m. pl.* ♦ Anc. peuple sabellien de l'Italie centrale, établi dans le Samnium* au ~ Vᵉ siècle. D'abord alliés des Romains, ils opposèrent à partir de ~ 343 une farouche résistance à la conquête romaine et ne furent définitivement soumis qu'après trois guerres successives – *1ʳᵉ guerre samnite* (~ 343-~ 341) : siège de Capoue par les Samnites, victoire romaine. – *2ᵉ guerre samnite* (~ 327-~ 302) : défaite romaine aux Fourches Caudines **(V. Caudium).** – *3ᵉ guerre samnite* (~ 299-~ 290) : victoire des Romains à *Sentinum* (~ 295). Rome occupa alors le Samnium, le Picenum* et la Sabine*.

SAMNIUM. *n. m.* ♦ Région montagneuse de l'Italie anc., dans les Apennins*, entre le Latium* à l'O. et la Campanie* au sud. Elle était habitée par les Samnites* et ses villes princ. étaient *Bovianum* (Boiano), *Caudium** (Montesarchio) et *Maleventum* (Bénévent*).

Samnyâsi ou **Samnyâsin.** *n. m.* ♦ Nom donné en Inde aux

Ph. Gino Begotti/Ricciarini

Île de **Samos.**

ascètes errants hindous qui ont renoncé à l'action et aux possessions.

SAMOA *(îles)*. ♦ Archipel volcanique de Polynésie* (Océanie), divisé en deux groupes : les *Samoa occidentales* et les *Samoa orientales*. 173 795 hab. [1970] *(Samoans)*. Les *Samoa occidentales* sont formées de 9 îles dont les principales sont Savaii et Upolu*, où se situe la capitale. **V. Apia.** 2 841 km². 146 635 hab. (1971). Coprah, cacao. Les *Samoa orientales* ou *Samoa américaines* sont formées de 6 îles, dont la principale est Tutuila* où se situe le centre administratif. **V. Pago Pago.** 197 km². 27 159 hab. (1970). ♦ *Hist.* Découvertes par le Hollandais Roggeveen en 1722, les îles furent visitées par Bougainville en 1768 et sans doute par Kotzebue* en 1824. À partir de la fin du XIXe s., les Samoa furent l'enjeu d'une rivalité entre l'Allemagne, la Grande-Bretagne et les États-Unis. Par le traité de Berlin (déc. 1899), les Samoa furent divisées entre les États-Unis qui reçurent la partie orientale, et l'Allemagne qui contrôlait la partie occidentale, la Grande-Bretagne se retirant en échange de droits sur les îles Tonga et Salomon. Les *Samoa occidentales* restèrent sous contrôle de l'Allemagne jusqu'à la Première Guerre mondiale. Elles furent occupées par les troupes néo-zélandaises en août 1914 et placées sous mandat de la Nouvelle-Zélande par la S.D.N. en 1920 (puis sous tutelle par l'O.N.U. en 1947). Elles devinrent indépendantes en 1962. Elles sont membres du Commonwealth et de l'O.N.U.

SAMOËNS [samɔɛ̃s]. ♦ Ch.-l. de cant. de la Haute-Savoie* (arr. de Bonneville*), dans le Faucigny*, sur le Giffre*. 1 707 hab. *(Samoënsiens)*. Église du XVIe s., fontaine du XVIIIe siècle. — Station d'été, centre de sports d'hiver. À proximité, Flaine, nouvelle station de sports d'hiver à 1 650 m.

SAMORY TOURÉ. ♦ Chef soudanais d'origine mandingue (près de Sanankoro, v. 1837 — N'Dojé [Gabon], 1900). En 1868, il se déclara lui-même chef religieux (« almany ») et étendit sa domination sur toute la partie orientale de la Guinée actuelle. À partir de 1883, il lutta contre les Français qui avaient occupé récemment Bamako. En 1891, la guerre éclata à nouveau entre lui et la France; chassé il s'établit alors dans la haute Côte-d'Ivoire et détruisit la cité commerciale de Kong (1895). Il fut poursuivi par les colonnes françaises commandées par Gouraud*; capturé, il fut déporté au Gabon.

SAMOS [samos]. ♦ Île grecque de la mer Égée, la plus rapprochée de l'Asie Mineure (2 km du cap Mycale), formant avec l'île d'Icarie le *nome de Samos :* 778 km², 114 802 hab. *Ch.-l.* Vathy* (sur la côte N.). L'île (476 km²; 32 670 hab. [*Samiens* ou *Samiotes*]) est très montagneuse, avec de petites plaines sur la côte méridionale. Vignes : vins de Malvoisie. À 20 km de Vathy, sur la côte S., se situait l'*Héraion*, sanctuaire d'Héra samienne (vestiges importants : temple de Rhoikos, ~ VIe s.). — Patrie de Sémonide d'Amorgos, Pythagore* et Asclépiade (le poète). ♦ *Hist.* Habitée par les Pélasges et les Cariens, puis par les Ioniens (~ XIe s.), Samos fut l'une des princ. cités de l'Ionie*, et participa au mouvement de colonisation dans la Propontide et la mer Égée (Amorgos, Samothrace*, etc.). Ses bronziers, orfèvres et architectes, dont Rhoikos, étaient renommés à l'époque archaïque. Très prospère sous le tyran Polycrate*, elle domina en mer Égée. Prise par les Perses, Samos se libéra à l'issue de la deuxième guerre Médique (~ 479) et fit partie de la ligue de Délos. Mais, ayant refusé l'arbitrage athénien dans un conflit avec Milet, elle fut soumise en ~ 439 par Périclès qui y rétablit la démocratie. Alcibiade* mena de Samos la révolte contre le régime oligarchique des Quatre-Cents. Partagée entre l'occupation perse, l'influence de Sparte et celle d'Athènes, disputée ensuite par les royaumes hellénistiques, Samos devint romaine en ~ 129. Rattachée à l'empire d'Orient, elle fut conquise et dévastée par les Turcs (1453), qui y établirent des Albanais; deux siècles plus tard, les Grecs s'y installèrent de nouveau. Révoltée en 1821, Samos devint une principauté autonome sous la suzeraineté turque (1832), puis fut occupée par la Grèce en 1912.

SAMOSATE, en grec et en lat. **Samosata.** ♦ Anc. V. de la Syrie sur l'Euphrate. Habitée dès l'époque hittite, elle fut la capitale du royaume de Commagène*, et prospérait encore à l'époque byzantine. — Patrie de Lucien*. C'est l'actuel village de *Samsat* (Turquie).

SAMOTHRACE, en grec **Samothrakê.** ♦ Île grecque de la mer Égée, près de la côte thrace (nome d'Évros). 178 km². 3 010 hab. *Ch.-l.* Samothrace, sur la côte N.-E. — Vestiges importants du sanctuaire des *Grands Dieux* (~ VIIe-~ Ier s.). — Patrie d'Aristarque*. ♦ *Hist.* Point avancé de l'Égéide vers la Thrace et l'Hellespont, Samothrace fut un terrain de syncrétisme religieux où se mêlèrent des croyances préhelléniques et celles des Grecs. Dardanos*, le fondateur mythique de Troie, serait né dans l'île. Les Thraces, venus après les Pélasges et les Cariens, auraient introduit le culte à mystères des *Cabires* ou *Grands Dieux* qui prit une importance panhellénique à l'époque hellénistique. Ayant reçu une colonie de Samiens (fin du ~ VIIIe s.), l'île prit le nom de *Samos de Thrace* ou *Samothrace*. — La *Victoire de Samothrace* (musée du Louvre), statue représentant une Victoire ailée posée sur une proue de galère, fut trouvée lors des fouilles de 1863 dans le site du sanctuaire. Œuvre d'un artiste rhodien du ~ IIIe ou du ~ IIe s., ce trophée commémorait une victoire navale de Démétrios Poliorcète ou une victoire des Rhodiens.

SAMOYÈDES. *n. m. pl.* ♦ Peuplades d'origine mongole et de langues finno-ougriennes, établies dans la toundra sibérienne, entre le cours inférieur de l'Ob* jusqu'à l'Iénisséi et, au N.-E., sur la presqu'île de Taïmyr*. Ils vivent de l'élevage des rennes et de la pêche. Leur culture a été fortement marquée par les pratiques du shamanisme.

SAMPIERO CORSO ou **SAMPIERO D'ORNANO.** ♦ **V.** ORNANO.

Samsâra. *n. m.* ♦ Cycle infini des naissances et des renaissances qui conditionnent l'être selon les philosophies hindoues et bouddhiques.

SAMSØ. ♦ Île du Danemark, au N. de la Fionie*, dans le Kattegat*. 114 km². 7 100 hab. — Culture de céréales. Élevage.

SAMSON [sɑ̃sɔ̃], hébr. **Shimshon,** « Celui de Shamash, du Soleil ». ♦ Pers. biblique, juge d'Israël (*Juges*, XIII-XVI). Consacré à Dieu *(nazir)*, il porte intacte sa chevelure, siège de sa force. Il lutte contre les Philistins, en tue mille avec une mâchoire d'âne, mais est trahi par Dalila* qui le rase et le livre. Prisonnier, il retrouve sa force et renverse le temple de Dagon sur lui-même et sur les Philistins. — Ce récit a inspiré écrivains et musiciens.

Samson et Dalila. ♦ Drame lyrique en trois actes et quatre tableaux de Camille Saint-Saëns*, sur un livret de F. Lemaire (1877). L'action se passe à Gaza. Samson promet aux Hébreux de les délivrer et tue le satrape Abimélech et sa suite. Dalila invite Samson à la suivre chez elle, et lui arrache le secret de sa force qui réside dans sa chevelure. Elle lui fait couper les cheveux, et le livre enchaîné aux Philistins. Samson, à qui l'on a crevé les yeux, est conduit au temple où il invoque le Dieu d'Israël, lui demandant de lui rendre sa force. Il est exaucé, secoue les deux colonnes qui soutiennent le temple, et meurt écrasé avec les Philistins. — Les plus beaux airs de cet opéra déjà moderne sont ceux de Dalila (fin du premier acte) et le duo entre Samson et Dalila (deuxième acte).

SAMSONOV (Alexandre Vassilievitch). ♦ Général russe (Iekaterinoslav, 1859 — près de Willenberg, 1914). En 1904-1905, il participa à la guerre russo-japonaise. Promu général au début de la Première Guerre mondiale, il fut nommé commandant de la IIe armée russe. Ayant pénétré en Prusse-Orientale sans rencontrer de résistance, il fut vaincu à Tannenberg* et se suicida (août 1914).

SAMSU-ILUNA. ♦ Roi de Babylone v. ~ 1687, fils et successeur de Hammurabi*. Son règne de quarante ans marque la continuation de l'œuvre paternelle et l'apogée de l'ancien empire babylonien **(V. Babylone).** Il dut toutefois repousser une invasion des Kassites* et lutter contre les révoltes du pays de Sumer*.

SAMSUN, anc. **Amisos.** ♦ V. et port de Turquie, en Asie Mineure, sur la mer Noire. Ch.-l. de province et principal port d'exportation des produits d'Anatolie (tabac, céréales, textiles, etc.). 134 272 hab. — *Province (il) de Samsun :* 9 579 km². 822 318 hab. ♦ *Hist.* L'anc. *Amisos*, colonie de Milet* et de Phocée*, fondée v. le ~ VIIe s.; elle fit partie, après le démembrement de l'empire d'Alexandre, du royaume du Pont*. Déjà florissante, elle garda sa prospérité sous les Romains, les Byzantins et les Turcs, jusqu'au XVe siècle.

SAMUEL. ♦ Personnage biblique, prophète et juge d'Israël. **(V. Juges.)** Il lutte victorieusement contre les Philistins, instaure la royauté en nommant Saül, puis, lorsque celui-ci devient indésirable, oint secrètement David*. Il aurait vécu au ~ XIe siècle.

Samuel *(livres de)*. ♦ Deux des livres historiques de la Bible, qui ne formaient, à l'origine, qu'un seul ouvrage. Auteur inconnu entremêlant des sources populaires, des traditions sacerdotales et des morceaux d'inspiration deutéronomienne (fin ~ VIIe s.). *I Samuel* (31 chapitres) raconte l'histoire d'Israël de la naissance de Samuel à la mort de Saül, *II Samuel* (24 chapitres) de la mort de Saül à la vieillesse de David. Les Septante les nomment *I* et *II Règnes*, la Vulgate *I* et *II Rois* (ne pas confondre avec les deux livres actuellement nommés ainsi).

SAMUELSON (Paul Anthony). ♦ Économiste américain (Gary, Indiana, 1915). Venu à l'économie après des études de physique, il enseigna à l'institut de technologie du Massachusetts (1940). Spécialiste d'économétrie rationnelle, il appliqua les techniques mathématiques modernes à l'analyse des théories économiques et à l'étude des différentes branches de l'économie, et donna en particulier un modèle mathématique pour l'explication des fluctuations économiques (« oscillateur » de Samuelson). Représentant du libéralisme et conseiller de plusieurs présidents démocrates, dont John Kennedy, il a affirmé la nécessité d'un recours aux dépenses budgétaires dans la lutte contre le sous-emploi et préconisa une dévaluation du dollar (1968) et un retour à l'étalon-or pour remédier aux difficultés monétaires internationales. [*L'Économique,* 1948, trad. fr. en 1953 ; *Linear Programming and Economic Analysis,* 1958.] (Prix Nobel de sciences économiques, 1970.)

Samurai ou **Samouraï**. *n. m. pl.* ♦ Classe de guerriers japonais qui se développa à partir du XIIe s. et qui, au cours des âges, élabora un code précis de l'honneur, lequel reçut au XVIIe s. le nom de Bushidô (« Voie des guerriers »). Leurs exploits sont célèbres dans l'histoire et la littérature du Japon. Ils furent supprimés en tant que classe vers 1878. Ils se distinguaient des guerriers ordinaires par le port d'une coiffure particulière et de deux sabres.

SAN. ♦ Rivière de Pologne* (444 km) [Galicie] qui prend sa source dans le N.-E. des Carpates, à la frontière ukrainienne, arrose Przemyśl* et se jette dans la Vistule* en aval de Sandomierz.

SANAA. ♦ Cap. du Yémen*, située à 2 500 m d'altitude env., sur les hauts plateaux du centre. 120 000 hab. (1970). Ville pittoresque, aux hautes constructions d'une architecture harmonieuse. Centre commercial et artisanal (filature de coton). La ville doit à son passé biblique d'être un centre d'études coraniques. Nombreuses mosquées. Les trois quartiers de la ville (arabe, juif, turc) sont séparés par des murailles. — La *province de Sanaa* est divisée en 28 districts.

SANAGA. *n. f.* ♦ Fl. le plus important du Cameroun*, tributaire du golfe de Guinée. Elle recueille les eaux des rivières descendues de l'Adamaoua ; coupée de nombreuses chutes, elle passe à Édéa* (aménagements hydro-électriques).

SANÂ'Î. ♦ Poète persan (XIe s.). Il commença par exercer la fonction de poète officiel à la cour des Ghaznavides* avant de se fixer au Khurâsân où il suivit l'enseignement de divers maîtres sûfis. Il fut le premier poète mystique de la littérature persane et écrivit plusieurs masnavis d'une haute qualité spirituelle.

SANANDAJ. ♦ V. d'Iran occidental. Ch.-l. de la prov. du Kurdistan*. Env. 55 000 hab. — Travail de la laine.

SAN ANTONIO. ♦ V. des États-Unis, dans le S. du Texas, située entre Houston et la frontière mexicaine. 864 014 hab. (40 % d'origine mexicaine). Une partie de la ville est de caractère mexicain et l'espagnol y est parlé. San Antonio et ses environs présentent des monuments de style colonial espagnol (palais du gouverneur, missions, petite ville coloniale de La Villita, près du site historique d'Alamo [**V. Texas**]). — Centre administratif militaire, entouré par quatre importantes bases aériennes. Indus. aéronautiques. — Universités confessionnelles.

SANARY-SUR-MER. ♦ Comm. du Var*, arr. de Toulon*, sur la baie de Sanary. 9 011 hab. *(Sanaryens).* Tour du Moyen Âge. Station balnéaire, port de pêche.

SANAWBARI. ♦ Poète arabe (mort v. 945), né à Antioche, il fut le premier poète appelé à la cour de Sayf* al-Dawla. Il est surtout célèbre pour ses poèmes chantant les jardins de Damas et décrivant minutieusement les fleurs.

SAN BERNARDINO *(col de).* ♦ Col des Alpes suisses (Grisons) reliant la haute vallée du Rhin à celle de la Moesa, affl. du Tessin. Alt. 2 065 mètres. Tunnel routier.

SAN BERNARDINO. ♦ V. des États-Unis (Californie* du S.), à l'E. de Los Angeles. 106 676 hab. Centre d'une très riche région agricole. Indus. (fusées, etc.). — La zone urbaine de San Bernardino-Riverside-Ontario compte plus de 1 120 000 habitants.

SAN BLAS *(cordillère de).* ♦ Chaîne montagneuse de la république de Panamá, surplombant la mer des Antilles (Atlantique) et le *golfe de San Blas.* Moins de 1 000 m.

SAN CARLOS. ♦ V des Philippines (île de Negros, prov. de Negros occidentale) sur la côte est. 84 333 hab. — Port de pêche et centre administratif.

SAN CARLOS BORROMEO. ♦ V. du Guatemala qui possède la quatrième université fondée sur le continent américain, après Lima, Mexico et Harvard.

SANCERGUES. ♦ Ch.-l. de cant. du Cher, arr. de Bourges. 863 hab. — Église romane.

SANCERRE. ♦ Ch.-l. de cant. du Cher, arr. de Bourges. 2 579 hab. *(Sancerrois).* — Vestiges du château des comtes de Sancerre (XVe s.). Beffroi (XVIe s.). — Vins blancs réputés. — Patrie de Samuel Bernard*. ♦ *Hist.* La position stratégique de Sancerre, sur une colline dominant la Loire, lui valut de jouer un rôle important pendant les périodes troublées de la guerre de Cent* Ans et de la Réforme*. Charles* VII y avait rassemblé une armée de vingt mille hommes. La ville embrassa le calvinisme dès 1534. Elle repoussa une première fois les armées royales en 1569, mais dut rendre les armes en 1573. Ses remparts furent rasés sur l'ordre de Condé en 1621.

SANCERROIS. *n. m.* ♦ Région de collines du Berry*, à l'O. de Sancerre. C'est une zone d'élevage, de polyculture et surtout de vignobles. Les vins blancs du Sancerrois sont très renommés.

SANCHE Ier Ramírez. ♦ (1043 — Huesca, 1094). Roi d'Aragon (1063-1094). Il usurpa le royaume de Navarre où il régna après l'assassinat de Sanche IV (**V. Sanche** [de Navarre]), sous le nom de Sanche V (1076-1094) et dirigea pendant vingt-cinq ans la Reconquête.

SANCHE II le Fort. ♦ (v. 1038 — 1072). Roi de Castille et de León (1065-1072). Fils de Ferdinand* Ier, qui lui légua la Castille, il lutta contre ses frères pour reconstituer le royaume paternel. Il mourut assassiné. C'est à son service que le Cid* accomplit ses premiers exploits.

SANCHE IV le Brave. ♦ (1257 — Tolède, 1295). Roi de Castille et de León (1284-1295). Fils cadet d'Alphonse* X, il fit déposer son père, obtint la régence en 1282, puis il lui succéda (1284). Il combattit contre les Maures et enleva Tarifa (1292).

SANCHE. ♦ Nom de sept rois de Navarre. ♦ SANCHE Ier *García* (? — v. 925). Roi de Navarre (905-925). Il fonda la seconde maison de Navarre et vainquit les Maures à Pampelune (907) et à la Rioja (921). ♦ SANCHE II *García* (? — 1000). Roi de Navarre (970-994). Petit-fils du précédent, il se battit contre les Maures avec des fortunes diverses. ♦ SANCHE III *Garcia le Grand* (? — 1035). Roi de Navarre (v. 1000-1035) et comte de Castille (1028-1029). Il prépara l'union de la Castille et de la Navarre, qui eut lieu en 1037. À la fin de son règne, ses États englobaient presque toute l'Espagne chrétienne (Navarre, Castille, Aragon, Sobrarbe et Ribagorza), mais ils furent partagés entre ses quatre fils. ♦ SANCHE IV (v. 1038 — 1075). Roi de Navarre (1054-1076). Petit-fils du précédent, il lutta contre le roi de Castille et périt assassiné ; son royaume passa au roi d'Aragon Sanche* Ier Ramírez. ♦ SANCHE V (**V. Sanche Ier Ramírez,** roi d'Aragon). ♦ SANCHE VI *le Sage* (? — 1194). Roi de Navarre (1150-1194). Il accepta la suzeraineté d'Alphonse* VII de Castille et rétablit la paix entre l'Aragon et la Castille. Il fit œuvre de législateur et protégea les arts. ♦ SANCHE VII *le Fort* (? — Tudela, 1234). Roi de Navarre (1194-1234). Il participa à la victoire de Las Navas* de Tolosa sur les Maures (1212). À sa mort, la couronne de Navarre échut par sa sœur à Thibaud IV de Champagne (qui devint Thibaud Ier de Navarre).

SANCHE Ier, dit **le Colonisateur** *(o Povoador).* ♦ (Coimbra, 1154 — *id.,* 1211). Roi de Portugal (1185-1211). Il succéda à son père Alphonse* Ier et poursuivit la reconquête contre les Maures. Ses efforts pour la mise en valeur agricole du pays, par l'appel d'immigrés anglais et allemands, lui valurent le surnom de « Povoador ». Ses conflits avec l'évêque de Porto le firent excommunier mais, avant de mourir, il se réconcilia avec l'Église.

SÁNCHEZ (Tomás). ♦ Jésuite espagnol (Cordoue, 1550 — Grenade, 1610). Professeur de théologie morale et de droit canonique, notamment à Cordoue, il fut un casuiste des plus réputés. Auteur d'un traité sur le mariage : *De sancto matrimonii sacramento* (1602).

SÁNCHEZ COELLO (Alonso). ♦ Peintre espagnol (Benifayo, v. 1531 — Madrid, 1588). Il étudia à Lisbonne puis devint en Flandres l'élève d'Antonio Moro*. Peintre de la cour du Portugal jusqu'en 1557, il travailla ensuite pour Philippe II d'Espagne. Auteur de nombreuses scènes religieuses, il s'affirma surtout comme portraitiste ; fidèle au type de portrait de cour élaboré par son maître, il utilisa une gamme chromatique délicate, fut un observateur plein de finesse et s'attacha à souligner l'élégance froide et distinguée de ses modèles (*Le Prince Don Carlos, L'Infante Isabelle Claire,* 1579).

SANCHEZ COTÁN (*Fr.* **Juan).** ♦ Peintre espagnol (Orgaz, 1561 — Grenade, 1627). Auteur de nombreux tableaux d'église, il devint chartreux en 1603 et fournit alors de nombreuses œuvres religieuses destinées à la chartreuse de Paular (disparues), puis

Ph. Blondel/A.A.A. photo

Sanaa.

Ph. Bulloz

George Sand, par Charpentier. (Musée Carnavalet, Paris.)

à celle de Grenade. Il conserva quelques traits archaïsants (sécheresse de la facture, raideur des formes) puis devint un précoce adepte du ténébrisme. Il a surtout laissé des natures mortes d'un caractère dépouillé : légumes posés sur le bord d'une fenêtre ou suspendus, ordonnés avec une grande rigueur géométrique et dont les volumes nets tranchent sur un fond sombre. Ces œuvres font de lui l'un des meilleurs représentants d'un genre en vogue sous le règne de Philippe III *(Nature morte au chou).*

SÂNCHÎ. ♦ Site antique de l'Inde centrale (Madhya Pradesh) et centre bouddhique d'où partirent, aux environs de notre ère, de nombreux missionnaires. De très beaux stûpa datant du Iᵉʳ s. (mais fondés à l'époque d'Aśoka*) demeurent, témoignant de l'activité religieuse à cette époque.

San Chiao (« Trois philosophies »). ♦ Nom sous lequel sont désignées, en Chine, les trois grandes religions : taoïsme, confucianisme et bouddhisme. — Culte syncrétique chinois vénérant Lao* Tzu, K'ung* Tzu et le Bouddha*.

Sancho Pança. ♦ Écuyer de Don* Quichotte, héros du roman de Cervantes. Son sens commun s'oppose à l'idéalisme de son maître.

SANCOINS. ♦ Ch.-l. de cant. du Cher, arr. de Saint-Amand-Mont-Rond, sur l'Aubois. 3 542 hab. — Vestiges d'un château du XIVᵉ siècle. — Indus. des matières plastiques.

SAN CRISTÓBAL. ♦ V. du S.-O. du Venezuela, ch.-l. de l'État de Táchira (11 100 km². Env. 495 000 hab.), aux frontières de la Colombie. Env. 140 000 hab. Évêché. Ville andine située au pied de la cordillère de Mérida*, elle constitue un important centre commercial au débouché d'une riche région agricole (café, cacao...). Cimenteries.

SANCY (Nicolas Harlay *de*). ♦ Homme politique français (1546 — Paris, 1629). Conseiller au Parlement, puis maître des requêtes au Conseil d'État, il se rendit en Suisse et en Allemagne afin d'y lever des mercenaires pour Henri IV. Le célèbre diamant qui porte son nom fut mis en gage à Metz pour aider Henri IV qui le fit surintendant des Finances (1594-1597). S'étant définitivement converti au catholicisme après être retourné plusieurs fois à son ancienne religion, le protestantisme, il fut violemment attaqué par d'Aubigné dans une satire la *Confession catholique de Sancy.* — Son fils ACHILLE HARLAY DE SANCY (1581 — 1646) fut ambassadeur à Constantinople (1610-1619), puis oratorien et évêque de Saint-Malo (1631). Sa collection de manuscrits orientaux donnés à la bibliothèque de l'Oratoire fait auj. partie des collections de la *Bibliothèque nationale* de Paris.

SANCY *(puy de).* ♦ Point culminant du Mont*-Dore et du Massif* central (1 886 m). Téléphérique.

SAND [sɑ̃d] **(Aurore DUPIN, baronne DUDEVANT,** dite **George).** ♦ Romancière française (Paris, 1804 — Nohant, 1876). Ayant connu une enfance assez libre à Nohant (Berry), elle mena, après s'être séparée de son mari, une vie indépendante, devint la maîtresse de Jules Sandeau* (d'où le nom qu'elle prit pour pseudonyme). Elle revendiquait pour les femmes les droits de la passion, force sacrée justifiée par sa sincérité même. Dans ses premières œuvres, autobiographies transposées, elle assimile la quête du bonheur personnel à une régénération morale : « Nous voulons inaugurer et sanctifier l'amour, perdu et profané dans le monde. » Ainsi *Indiana* (qu'elle signe pour la première fois du pseudonyme de *George Sand,* 1832) et *Lélia* (1833) sont des œuvres romanesques et lyriques où l'amour se heurte aux conventions mondaines et aux préjugés sociaux, comme s'y heurta George Sand lors de ses passions successives, notamment pour Musset* et pour Chopin*. Dès 1836, sous l'influence de Pierre Leroux*, puis de Barbès* et d'Arago*, elle se fait l'apôtre d'une régénération sociale dans des récits d'inspiration humanitaire où elle reprend les thèses de Rousseau : *Le Compagnon du tour de France* (1840) et *Consuelo* (1842-1843) sont des actes d'accusation contre la société, mêlés désormais au thème romantique de l'amour souverain. Se détournant de la politique et déçue par l'échec de la révolution de 1848, elle cherche à « se distraire l'imagination en se reportant vers un idéal de calme, d'innocence et de rêverie ». Celle qu'on a appelé, depuis 1845, « la bonne dame de Nohant » se livre à une abondante *correspondance* (notamment avec Flaubert*) et publie des « romans champêtres » où s'exprime son optimisme sentimental ; *La Mare* au diable* (1846), *François* le Champi* (1847-1848), *La Petite Fadette* (1849) et *Les Maîtres* sonneurs* (1853), sont de fraîches illustrations des théories de l'auteur : « L'art n'est pas une étude de la réalité positive ; c'est une recherche de la vérité idéale » ou encore, « ... Le roman d'aujourd'hui devrait remplacer la parabole et l'apologue des temps naïfs ». Cette production romanesque (et dramatique) considérable (George Sand ne cessa pas d'écrire jusqu'à sa mort, rédigeant notamment une longue autobiographie, *Histoire de ma vie,* 1854) dont les effusions lyriques et les déclamations humanitaires sont un peu décriées de nos jours, frappe cependant par la générosité qui l'anime et la sûreté de la narration ; conteuse remarquable, George Sand connut de son vivant un succès immense.

SANDAKAN. ♦ V. de Malaysia (État de Sabah), anc. cap. du British North Bornéo jusqu'en 1947 et remplacée dans cette fonction par le port de Kota*-Kinabalu. 42 000 hab. Port important (exportation de bois et caoutchouc, pêche).

SANDBURG (Carl). ♦ Poète américain (Galesburg, 1878 — Flat Rock, 1967). Fils d'immigrants suédois, il mena une vie difficile, décrite dans *Toujours les jeunes étrangers* (*Always the young Strangers,* 1953), avant de connaître le succès avec ses *Poèmes de Chicago* (*Chicago Poems,* 1916) et de devenir le chef de l'école de Chicago, qui se réclamait de Whitman*. Après *Éplucheurs de maïs* (*Cornhuskers,* 1918), *Fumée et Acier* (*Smoke and Steel,* 1920) et *L'Ouest brûlé par le soleil* (*Slabs of the sunburnt West,* 1922), son œuvre prit une orientation plus nettement sociale avec *Le Peuple, oui* (*The People, yes,* 1936). Il écrivit en outre un recueil de ballades folkloriques, des livres pour enfants, une biographie d'Abraham Lincoln (1926-1939) et un roman historique, *Roc du souvenir* (*Remembrance Rock,* 1948). Il reçut le prix Pulitzer en 1950. Ses poèmes complets furent publiés en 1951. Par la force du rythme, la simplicité des thèmes et la générosité de l'inspiration, Sandburg incarne après Whitman une poésie spécifiquement américaine.

SANDEAU (Julien, dit **Jules).** ♦ Écrivain français (Aubusson, 1811 — Paris, 1883). Il abandonna ses études de droit pour la littérature et écrivit, en collaboration avec la baronne Dudevant, devenue alors George Sand*, le roman *Rose et Blanche* (1831). À la rupture de leur liaison (1833), il mena désormais une vie très effacée. On lui doit *Sacs et Parchemins* (1851), et *Mademoiselle de La Seiglière* (1848), roman idéaliste qui connut un grand succès pendant plus d'un demi-siècle (et qu'il adapta au théâtre). Son œuvre théâtrale, écrite en collaboration avec Augier*, comporte notamment *Le Gendre de M. Poirier* [1854]. (Acad. fr., 1859.)

SANDEL (Cora, pseud. de **Sara Cecilie Margareta Fabricius).** ♦ Romancière norvégienne (Christiania [Oslo] 1880). Elle décrivit avec une grande finesse la misère d'une femme à la recherche du bonheur dans une trilogie à demi autobiographique : *Alberte* (1926-1939). Puis elle fit la satire d'une petite ville de province dans *La Pâtisserie de Krane* (1945). Elle écrivit enfin de nombreux recueils de nouvelles dont *Le Divan bleu* (1927), *Notre vie difficile* (1960).

SANDEMOSE (Aksel). ♦ Romancier dano-norvégien (Nykøbing, 1899 — Copenhague, 1965). D'origine modeste, il débuta par des œuvres de langue danoise sur l'existence primitive dominée par les instincts : *Les Récits du Labrador* (1923). En 1931, il devint écrivain norvégien avec son roman *Un marin revient à terre* et sa suite *Un fuyard croise sa trace* (1933). Il y décrit des natures primitives et violentes. Il écrivit encore de nombreux romans dans le même esprit reprenant surtout les thèmes du meurtre et de l'amour comme dans *Le passé est un rêve* (1944).

SANDHURST *(école militaire de).* ♦ École militaire interarmes de Grande-Bretagne, établie depuis 1947 à Camberley (Berkshire). Elle provient de la fusion de l'anc. collège royal militaire de Sandhurst (infanterie, cavalerie) fondé en 1799, et de l'Académie militaire de Woolwich (artillerie, génie).

SAN DIEGO. ♦ V. et port des États-Unis (Californie* du S.), sur l'océan Pacifique, près de la frontière mexicaine. 675 790 hab. ; zone urbaine, plus de 1 300 000 hab. Base navale. Indus. aéronautique et fusées. Centre agricole. Le climat ensoleillé en fait une des villes les plus touristiques de Californie (plages et ports de plaisance : Ocean Beach, Pacific Beach, La Jolla).

SANDOMIERZ, en franç. **Sandomir.** ♦ V. de Pologne* (voïévodie de Kielce) sur la r. g. de la Vistule, en petite Pologne. 14 000 hab. Évêché. Nombreux monuments historiques (château fort, cathédrale XIVᵉ-XVIIᵉ s., porte Opatów...).

SANDRACOTTOS. ♦ V. CHANDRAGUPTA MAURYA.

SANDRINGHAM. ♦ Village du comté de Norfolk. Château de la famille royale britannique.

SANDWICH (Edward Montagu, *1ᵉʳ comte de***).** ♦ Amiral anglais (1625 — en mer, 1672). Après avoir combattu dans les armées du

Parlement et servi le Commonwealth, il contribua à la restauration des Stuarts qui lui confièrent à nouveau le commandement de la flotte, pendant les guerres contre la Hollande. ♦ JOHN MONTAGU, *4e comte de* SANDWICH (1718 – Londres, 1792). Premier lord de l'Amirauté par deux fois, il fit preuve de qualités d'administrateur, mais scandalisa l'opinion par sa corruption et son comportement politique. Il donna son nom aux îles qui furent baptisées en son honneur, et est à l'origine du mot *sandwich* (Cf. Robert).

SANDWICH *(îles)*. ♦ Anc. nom des îles Hawaï*.

SANDWICH du Sud *(îles)*, en angl. **South Sandwich Islands**. ♦ Archipel britannique, dépendance des Falkland*, situé à l'extrême sud de l'océan Atlantique (Terres australes*, section orientale de l'arc de la Scotia). De nature volcanique, il est formé de onze îles et quelques îlots, d'une superficie totale de 420 km^2, bordé à l'E. par une fosse marine d'une profondeur de plus de 8 000 m. ♦ *Hist.* Sans y aborder, Cook reconnut les îles méridionales du groupe (1775) et Bellingshausen découvrit celles du Nord (1819).

SANEM. ♦ V. du grand-duché de Luxembourg (cant. d'Esch-sur-Alzette). 7 000 hab. – Métallurgie.

SAN FERNANDO. ♦ V. du Chili* central, ch.-l. de la petite prov. de Colchagua. 40 000 habitants.

SAN FERNANDO. ♦ V. et port d'Espagne méridionale, en Andalousie* (prov. de Cadix). 60 187 hab. Arsenal militaire.

SAN FERNANDO. ♦ V. et port de l'île de la Trinité*, sur le golfe de Paria*. 50 000 hab. Sucreries. Pétrole.

SAN FRANCISCO. ♦ V. des États-Unis (Californie*) sur la côte Pacifique *(baie de San Francisco)*, à 560 km au N.-O. de Los Angeles. 742 855 hab.; la zone urbaine (cinq comtés) a plus de 3 000 000 d'hab. (1970). L'urbanisation, autour de la baie et vers l'intérieur, tend à former une énorme conurbation (San Francisco, San Mateo, Palo* Alto; Richmond, Berkeley*, Oakland*, Alameda sur la rive E., etc.). Centre commercial et financier. Les activités portuaires de la baie en font le 8e port du pays. Nombreuses industries. La ville est renommée aux États-Unis pour son agrément (climat doux et frais), son pittoresque (site du Golden Gate à l'entrée de la baie, avec son célèbre pont; quartiers bâtis sur des collines) et ses activités culturelles d'avant-garde. Deux grandes universités en sont proches **(V. Berkeley, Palo Alto** [Stanford]). – Patrie de D. David-Weill, J. Erlanger, Robert Frost, W.R. Hearst, Jack London. ♦ *Hist.* La mission *San Francisco de Asis* fut fondée en 1776 par les Espagnols. La ville ne se développa qu'après être devenue américaine et avec la ruée vers l'or (1849). En 1906, un violent tremblement de terre suivi d'un incendie ravagea San Francisco.

San Francisco *(conférences de)*. ♦ *25 avr.-26 juin 1945* : conférence internationale qui, en vertu des décisions de Dumbarton Oaks et de Yalta*, élabora la *charte des Nations unies*. **V. Organisation des Nations unies.** ♦ *4-8 sept. 1951* : conférence internationale qui aboutit à la signature du *traité de San Francisco* avec le Japon (8 sept. 1951). Les États-Unis recevaient la tutelle des îles Bonin et Ryû-kyû et des anciens mandats japonais; le Japon renonçait à la Corée, à Formose, au sud de Sakhaline, aux Kouriles, aux Pescadores, aux Spratly. L'U.R.S.S., la Pologne, la Tchécoslovaquie refusèrent leur signature. **V. Guerre mondiale** *(Deuxième)*.

SANGALLO *(Da)*. ♦ Famille d'architectes italiens de la Renaissance (G. et A. Giamberti furent anoblis sous ce nom par Pierre de Médicis). ♦ GIULIANO GIAMBERTI, dit DA SANGALLO (Florence, 1445 – *id.*, 1516). Archéologue, humaniste, il représenta auprès de Laurent de Médicis le modernisme florentin. Il édifia à Prato *Santa Maria delle Carceri*, église à plan central, en croix grecque à bras peu saillants, dont les surfaces rythmées évoquent Brunelleschi* et dont l'intérieur crée une remarquable impression d'unité spatiale; l'édifice est surmonté d'une coupole enfermée dans un cylindre et surmontée d'un lanternon. La *villa Médicis*, construite à Poggio a Caiano, est bâtie sur un soubassement rectangulaire à arcades, formant terrasse; les deux étages de la façade sont précédés d'une colonnade ionique à fronton triangulaire (thème antique qui devait être développé par Palladio). Sangallo est aussi l'auteur de forteresses, de la cour du palais Gondi (1490-1494), du cloître de Santa Maria dei Pazzi. En 1514, il succéda à Bramante* comme architecte de Saint-Pierre de Rome. Remarquable dessinateur, technicien habile, Giuliano da Sangallo fut l'un des grands créateurs de la fin du Quattrocento. ♦ ANTONIO GIAMBERTI DA SANGALLO, dit *l'Ancien* (Florence, 1455 – *id.* v. 1535). Il fut d'abord architecte militaire, puis construisit l'église de *l'Annunziata* à Arezzo. C'est après la mort de son frère Giuliano qu'il donna toute sa mesure, notamment à Monte San Savino (palais du Municipe, loge des Marchands) et à Montepulciano (nombreux palais et, surtout, *église San Biagio* [1518-1528], édifice en croix grecque à clocher légèrement détaché, à coupole surmontée d'un lanternon, qui, par ses masses harmonieuses et sa sobre décoration, réalise l'idéal renaissant élaboré notamment par Bramante). ♦ ANTONIO CORDIANI DA SANGALLO, dit *le Jeune* (il Giovane), neveu des précédents (Florence, 1483 – Terni, 1546). Il travailla à Rome avec Bramante et construisit *Santa Maria di Loreto*, édifice octogonal qui rappelle le style de son oncle Giuliano. Le cardinal Farnèse (futur Paul III) lui confia le palais qui devait être achevé par Michel-Ange. Sangallo, abandonnant la superposition des ordres, conçut pour le *palais Farnèse* une façade à deux étages, aux fenêtres à frontons alternativement triangulaires et courbes au premier étage, triangulaires au second; l'allégement des formes vers le haut, les oppositions de matières (brique et travertin), l'axe formé par le portail aux lourds claveaux soutenant la loggia centrale, l'importance de la corniche qui couronne l'édifice définissaient la structure adoptée par les palais romains pendant trois siècles. Grand architecte militaire (Civitavecchia, Parme, Ancône, Pérouse, Rome), il fut nommé architecte en chef de Saint-Pierre en 1536, mais son projet, assez chargé (maquette au Vatican), ne fut pas réalisé; ses travaux (fondations, renforcement des piliers centraux) permirent ensuite à Michel-Ange de réaliser la coupole. Sangallo édifia encore des édifices à Pérouse, Rome, au Vatican (chapelle Pauline), ainsi que la ville de Castro (Ombrie) édifiée par les Farnèse et qu'Innocent X fit raser.

SANGATTE. ♦ Comm. du Pas-de-Calais, arr. de Calais. 3 340 hab. – Station balnéaire. Théâtre de combats pendant la Deuxième Guerre mondiale.

SANGER (Frederick). ♦ Biochimiste britannique (Rendcomb, Gloucestershire, 1918 –). Auteur de recherches sur la structure des protéines, il parvint à reconstituer la distribution des aminoacides dans la molécule d'insuline (1953). [Prix Nobel de chimie, 1958.]

SANGHA. *n. f.* ♦ Riv. d'Afrique équatoriale (1 700 km), affl. du Congo* (r. d.) qui prend sa source dans le massif de l'Adamaoua* (Cameroun), sous le nom de Mambéré. Palmiers à huile sur ses rives.

SAN GIMIGNANO. ♦ V. d'Italie centrale, en Toscane (prov. de Sienne). 10 000 hab. Cette vieille cité a conservé d'une façon étonnante son caractère médiéval avec son enceinte, sa cathédrale du XIIe s. et l'église Sant'Agostino décorées de fresques de Gozzoli, ses 13 tours carrées, les palais du Peuple et du Podestat (XIIIe s.).

Sangkum reast nigum. *n. m.* (« Communauté socialiste populaire »). ♦ Mouvement de réformes sociales créé au Cambodge en 1955 par Norodom* Sihanuk, et qui gouverna les destinées du pays jusqu'en 1970.

SANGLI. ♦ V. de l'Inde (Mahârâṣtra) au S. de Bombay sur la Kistnâ, anc. cap. de l'État princier du même nom. 160 000 hab. – Centre agricole et commercial.

SANGNIER (Marc). ♦ Journaliste et homme politique français (Paris, 1873 – *id.*, 1950). Fondateur du mouvement le « Sillon »*, il milita pour un christianisme social, fut condamné par Pie* X (1910) et se soumit. Il fonda alors le mouvement la « Jeune République » (1912), dirigea plusieurs journaux *(la Démocratie, l'Éveil des peuples)*, lutta pour la paix et contre le racisme. Député de 1919 à 1924 et en 1946 (la « Jeune République » étant intégrée au M.R.P.).

SANGRE DE CRISTO (« Sang du Christ »). ♦ Chaîne de montagnes de l'O. des États-Unis, appartenant aux Rocheuses*, qui s'étend du N. au S. (Colorado, N. du Nouveau-Mexique).

SANGUINAIRES *(îles)*. ♦ Îles granitiques de la Corse*, à l'entrée du golfe d'Ajaccio*.

SANHADJA ou **SANHAJA**. ♦ **V.** BERBÈRES.

Sanhédrin. *n. m.* (mot araméen, du gr. *synedrion*, « assemblée, conseil »). ♦ Haute cour de justice pour toute la Palestine antique. Institué au ~ IIIe s., le sanhédrin comprenait soixante-dix membres et un président (*nasi*, « prince ») choisis parmi les chefs de la noblesse sacerdotale et civile **(V. Sadducéens)** comme parmi les docteurs pharisiens*. Sa puissance fut considérable sous les Romains face auxquels il représentait les affaires juives; seule, parmi les sentences prononcées par ce tribunal, la peine de mort devait être ratifiée par le procurateur romain **(V. Jésus)**. Il siégea dans l'enceinte du Temple, jusqu'à l'incendie de ce dernier (70).

SAN ISIDRO. ♦ V. d'Argentine (prov. et banlieue N. de Buenos* Aires), au bord du río de La Plata. 196 000 hab. Évêché. Centre industriel et commercial.

SAN JOAQUIN. *n. m.* ♦ Fl. des États-Unis (510 km) [Californie*]. Il prend sa source dans la sierra Nevada, coule vers l'O.

Ph. Carlo Bevilacqua/Ricciarini

San Gimignano, piazza della Cisterna.

Ph. Nino Cirani/Ricciarini

San Juan, île de Porto Rico.

puis vers le N. et se jette dans la baie de San Francisco. Sa vallée constitue la partie S. de la Grande* Vallée californienne et est au centre d'une riche région agricole.

SAN JOSÉ. ♦ Cap. du Costa-Rica (Amérique centrale), située sur les hauts plateaux volcaniques du centre, au N. de la cordillère de Talamanca*. Surplombée par l'Irazú*, la ville est environnée de plantations de café et traversée par la voie ferrée interocéanique Puerto* Limón-Puntarenas, ainsi que par l'autoroute panaméricaine. 203 148 hab. (1969). Archevêché. Université. Grand centre commercial (café, cacao,...). Indus. textiles et alimentaires. Aéroport.

SAN JOSE. ♦ V. des États-Unis (Californie), située à une dizaine de km au S. de la baie de San Francisco. 436 975 hab. (1970); zone urbaine, plus de 1 000 000 d'hab. Centre agricole (fruits) et industriel.

SAN JOSÉ. ♦ Port du S. du Guatemala, situé sur la côte du Pacifique, et par lequel se fait une grande partie du commerce extérieur **(V. *aussi* Champerico, Ocos).** L'un des terminus de la ligne de chemin de fer interocéanique.

SAN JOSÉ DE CÚCUTA. ♦ **V.** CÚCUTA.

SAN JUAN *(río). n. m.* ♦ Fl. du Nicaragua (Amérique centrale) qui déverse dans la mer des Antilles (Atlantique) les eaux du lac Nicaragua*. Env. 230 km. Il traverse des régions accidentées, mais est navigable sur tout son cours. Il donne son nom à un département et forme une partie de la frontière entre le Nicaragua et le Costa-Rica.

SAN JUAN. ♦ V. d'Argentine, ch.-l. de la province du même nom, au pied des Andes. 106 000 hab. Archevêché. Centre commercial et industriel (indus. alimentaires). Pétrole. — La *province de San Juan* dans l'anc. Cuyo*, adossée aux Andes, confine au Chili à l'O. et aux prov. de La* Rioja au N. et à l'E., à Mendoza au S. et San Luis au sud-est. 86 137 km². 399 000 hab. environ. Agriculture irriguée. Vignobles et fruits.

SAN JUAN. ♦ Cap. de l'île de Porto*-Rico, située sur la côte N. de l'île au bord de l'Atlantique. 472 300 hab. (1971). L'aggl. compte plus de 700 000 hab. Archevêché. La ville est dans une région de culture de la canne à sucre et des fruits tropicaux (ananas, bananes). Centre commercial et industriel (sucreries, aciéries, manufacture de tabac). Le port exporte du sucre, du café et du tabac. Fondée en 1511 par Juan Ponce de León, la ville conserve des monuments du XVIe siècle. Centre touristique.

SAN JUAN DE PASTO. ♦ V. PASTO.

SANJURJO SACANELL (José). ♦ Général espagnol (Pampelune, 1872 — Lisbonne, 1936). Il fut haut-commissaire au Maroc (1926). En 1932, il tenta, sans succès, de soulever la garnison de Séville contre le gouvernement Azaña*. En 1936, il devait prendre le commandement du soulèvement militaire déclenché par Franco, mais son avion s'écrasa alors qu'il quittait Lisbonne pour rejoindre l'Espagne.

ŚANKARĀCHĀRYA. ♦ Philosophe indien (Kerala, v. 788 — *id.*, v. 820) qui exposa les doctrines hindoues du Vedânta* moniste et fonda des sectes śivaïtes. On lui attribue de nombreux ouvrages philosophiques, encore très lus.

SANKT ANTON ou **SANKT ANTON AM ARLBERG.** ♦ V. autrichienne, située dans le Tyrol*, à 1 304 m d'altitude. Station d'été et de sports d'hiver. 1 800 hab. — C'est sur les pentes de Sankt Anton que Hannes Schneider adapta aux terrains accidentés le ski venu des pays scandinaves. Dès 1907, il donna aux touristes les premières leçons suivant la méthode dite *de l'Arlberg* qu'il créa.

SANKT INGBERT. ♦ V. d'Allemagne occidentale (Sarre), à 13 km au N.-E. de Sarrebruck, sur le Rohrbach. 28 400 hab. — Centre industriel (aciéries, verreries, indus. mécaniques et alimentaires).

SANKT PÖLTEN. ♦ V. autrichienne (Basse-Autriche). 41 000 hab. — Maisons et églises baroques *(Franziskanerkirche, Karmeliterinnenkirche, Domkirche).* Indus. mécaniques; textiles. Papeteries.

San Kuo Chih [*San Kouo Tche, San Guo Zhi*] (« Histoire des trois royaumes »). ♦ Célèbre œuvre historique chinoise composée au IIIe s. par Ch'en Shou et décrivant les luttes des trois royaumes de Wei, Wu et Shu. Cet ouvrage, l'un des plus célèbres de la Chine, fut plusieurs fois réécrit et augmenté.

SANLÚCAR ou **SANLÚCAR DE BARRAMEDA.** ♦ V. d'Espagne méridionale, en Andalousie* (prov. de Cadix), à l'embouchure du Guadalquivir. 40 300 hab. Arsenal, port d'exportation de vins (manzanilla). Station balnéaire. — C'est de là que Christophe Colomb* s'embarqua pour son 3e voyage vers le Nouveau Monde et Magellan* pour son premier tour du monde (1519).

SAN LUIS. ♦ V. d'Argentine, ch.-l. de la province du même nom, au pied de la sierra de San Luis (2 150 m). 50 000 hab. Évêché. Centre commercial. — La *province de San Luis* s'étend dans l'anc. Cuyo* entre la prov. de Mendoza* dont elle est séparée par le rio Salado, et les prov. de Córdoba* à l'E. et de la Pampa* au S.-E. et au sud. 76 748 km². 193 000 hab. en 1965 (densité infime). Région aride de la Pampa* sèche, la brousse y fait place à une forêt clairsemée sur le piémont de la sierra. Maigre élevage. Mines d'or et de cuivre.

SAN LUIS POTOSÍ. ♦ V. du Mexique septentrional située dans la *Meseta central.* Cap. de l'État. 274 320 hab. Évêché. Fondée par les Espagnols, la ville est célèbre depuis l'époque coloniale par ses gisements de métaux précieux (argent). Le centre garde un aspect colonial : cathédrale baroque (XVIIe s.), églises San Francisco et del Carmen (XVIIIe s.), plaza de Armas, plaza Juárez, néo-classique (1806). Centre commercial et industriel. Métallurgie du plomb, cuivre, manganèse. Indus. textile. Manufacture de tabac. ♦ *L'État de* SAN LUIS POTOSÍ, délimite, avec le S. du Zacatecas*, la région des hautes terres, et s'appuie, à l'E. aux chaînes de la sierra Madre* orientale. Les eaux du Pánuco* qui y prend sa source arrosent les terres. Cultures tropicales (canne à sucre, café, tabac...). Grandes richesses minières.

SAN MARTÍN (José *de*). ♦ Général et homme politique argentin (Corrientes, 1778 — Boulogne-sur-Mer, 1850). Fils d'un colonel espagnol, il servit comme officier en Espagne, puis rentra à Buenos-Aires, où il fonda en 1812 la loge maçonnique du Lautaro. Il battit les Espagnols avec Belgrano* (1816), après une guerre sanglante qui assura l'indépendance de l'Argentine*. Puis, organisant à l'européenne l'armée des insurgés, il partit libérer le Chili avec O'Higgins* (victoires de Chacabuco et de Maipo, 1818). Il proclama enfin l'indépendance du Pérou (1821), dont il fut élu « protecteur ». Il rencontra Bolívar* et s'effaça devant lui. Ayant renoncé à tout pouvoir (1822), il se retira aux Pays-Bas puis en France. Biographie par le président argentin B. Mitre*.

SAN MARTÍN *(lac).* ♦ Lac des Andes de Patagonie*, d'origine glaciaire, à cheval sur le Chili et l'Argentine (prov. de Santa* Cruz et Magellanes*) et dominé par le Fitzroy. Centre touristique.

SAN-MARTINO-DI-LOTA. ♦ Ch.-l. de cant. de la Corse*, arr. de Bastia*. 1 506 hab. Vignobles.

SANMICHELI (Michele). ♦ Architecte italien (Vérone, 1484 — *id.*, 1559). Il travailla à Rome, Montefiascone et Orvieto et seconda Antonio da Sangallo le Jeune dans des constructions militaires. Après le sac de Rome (1527), il fit carrière en Vénétie, où il s'affirma comme le plus grand ingénieur militaire (Vérone, Zadar en Dalmatie, etc.). Son style, basé sur l'ordre dorique (porte Palio, à Vérone), évolua vers une recherche de pittoresque sensible dans ses édifices civils : palais Bevilacqua (v. 1530), Canosso, Pompei (1530) à Vérone; palais Grimani à Venise; palais Roncale (1555) à Rovigo. Ces palais manifestent une liberté décorative qui les écarte du classicisme romain et préparent l'esthétique baroque. Sanmicheli créa aussi plusieurs églises à plan central (Montefiascone, Orvieto, Vérone).

SAN MIGUEL. ♦ V. du Salvador central. Ch.-l. de département. 110 966 hab. Évêché. Églises de l'époque coloniale. Centre commercial et industriel. La ville est traversée par la route panaméricaine et la voie ferrée en provenance de San* Salvador.

SAN MIGUEL DE ALLENDE. ♦ V. du Mexique central, au N.-O. de Mexico, près de Guanajuato. Env. 15 000 hab. Petite ville coloniale, séjour de nombreux artistes. Artisanat. Nombreux monuments : église San Francisco (*fin* XVIIIe s.), churrigueresque, église de La Salud (*mil.* XVIIIe s.), oratoire San Felipe de Neri (*déb.* XVIIIe).

SAN MINIATO. ♦ V. d'Italie, située en Toscane (province de Pise), sur une colline dominant la vallée de l'Arno. 22 000 hab. Palais épiscopal; cathédrale *(Duomo)* du XIIe s. Ruines de la *Rocca* (XIIIe s.), résidence de Frédéric Barberousse. Le *palazzo Comunale* et l'église *San Domenico* datent du XIVe siècle. — Important centre agricole.

San Miniato al Monte. ♦ Église située sur la *viale dei Colli* (« promenade des Collines »), au S. de Florence*, sur les coteaux qui dominent l'Arno. Remarquable spécimen d'architecture romane florentine du XIe s., l'église présente une façade du XIIe s. (décoration alternée de marbres blancs et verts). À l'intérieur, pavement et mosaïque (à l'abside) du XIIIe s. *Chapelle de Saint-Jacques,* dite *du cardinal de Portugal,* de style Renaissance, dont la voûte est ornée de médaillons par Luca Della* Robbia; sépulcre par A. Rossellino*.

SANNAZZARO (Iacopo). ♦ Poète et humaniste italien (Naples, v. 1456 — 1530) qui fut lié avec Pontano* et Bembo*. Après avoir été au service du roi d'Aragon à Naples, il se consacra à la composition de vers latins et italiens. Le *De partu Virginis* (*De l'enfantement de la Vierge,* 1526), en hexamètres latins, est l'œuvre d'un humaniste délicat, dont on retrouve l'admiration pour Virgile*, Ovide* et Théocrite* dans le poème pastoral en italien, *L'Arcadie* (écrit entre 1480 et 1485; publié, 1504). Transcription poétique de la passion de l'auteur pour Cassandra Marchese, c'est l'évocation (en vers et en prose) de la vie sereine des pasteurs arcadiens, en une suite de scènes et de descriptions qui baignent dans un climat irréel. — Ce rêve de paix intérieure au sein de paysages idylliques, transcrit sous une forme harmonieuse, fut le début d'une tradition féconde au XVIe et au XVIIe siècle.

SAN NICOLÁS ou **SAN NICOLÁS de LOS ARROYOS.** ♦ V. d'Argentine, sur le Paraná* (prov. de Buenos* Aires) au S. de Rosario*. 60 000 hab. Évêché. Puissante centrale thermique. Aciéries.

SANNOIS. ♦ Ch.-l. de cant. du Val-d'Oise, arr. d'Argenteuil, au pied de la butte de Sannois. 19 301 hab. *(Sannoisiens).* — Église dans laquelle fut enterré Cyrano de Bergerac. Moulin de Sannois à 162 m d'altitude. — Plâtrières; imprimerie.

SAN PEDRO SULA. ♦ V. du N.-O. du Honduras. Ch.-l. de département et deuxième ville du pays. 102 516 hab. (1970). Évêché. C'est le plus grand centre d'exportation du pays en produits agricoles (bananes) par son port Puerto* Cortés. Manufacture de tabac.

SAN RAFAEL. ♦ V. d'Argentine (prov. de Mendoza*) sur le rio Diamante, à la lisière des Andes. 70 000 hab. Évêché. Indus. alimentaires.

SAN REMO ou **SANREMO.** ♦ V. d'Italie, en Ligurie* (prov. d'Imperia), au point de départ de la Riviera* di Ponente. 63 100 hab. Cathédrale San Siro (XIIIe s.). Importante station balnéaire. ♦ *Hist.* La conférence de San Remo réunit du 26 au 28 avr. 1920 les chefs des gouvernements français (Millerand), anglais (Lloyd George) et italien (Nitti) qui discutèrent de l'exécution du traité de Versailles* et préparèrent le traité de Sèvres*.

SAN SALVADOR. ♦ Cap. du Salvador (Amérique centrale), située à 682 m d'alt. au pied du volcan du même nom, et à moins de 50 km du Pacifique. 400 000 hab. Archevêché. Université. C'est le plus important centre intellectuel et économique du pays. Indus. textiles et alimentaires, manufactures de tabac. Fondée en 1528, la ville eut à diverses reprises à souffrir de tremblements de terre.

SANSANDING. ♦ Localité du Mali* sur la r. g. du Niger*, au N.-E. de Segou*. Important pont-barrage dit de *Sansanding,* construit à Markala et permettant l'irrigation des terres du « delta intérieur » **(V. Macina).**

Sans-culottes. *n. m. pl.* ♦ Nom donné sous la Convention (1792) aux révolutionnaires qui, considérant la culotte (à jambes étroites et faisant paraître les bas) comme une marque de l'Ancien Régime, portèrent le pantalon de bure à rayures, ainsi que la carmagnole et le bonnet rouge. Constitués par les sections parisiennes, les sans-culottes, dirigés par les enragés* (J. Roux*) puis par les hébertistes*, furent à l'origine des journées révolutionnaires des 31 mai et 2 juin 1793, qui amenèrent la chute des Girondins, puis des 4 et 5 septembre* 1793. De façon générale, c'est sous leur pression que le gouvernement révolutionnaire (Convention montagnarde) fut amené à prendre différentes mesures politiques (la Terreur), économiques et sociales.

Sans-culottides. *n. f. pl.* ♦ Nom donné aux cinq jours qui terminaient l'année dans le calendrier* républicain et aux cours desquels étaient célébrées les fêtes républicaines (de la Vertu, du Génie, du Travail, de l'Opinion et des Récompenses).

SANSEPOLCRO ou **BORGO SANSEPOLCRO.** ♦ V. d'Italie centrale (Toscane, prov. d'Arezzo). 14 600 hab. Évêché. Cathédrale du XIIe s. remaniée au XIVe siècle. — Patrie de Piero* della Francesca.

SAN SEVERO. ♦ V. d'Italie dans les Pouilles (prov. de Foggia), à l'O. du Mont Gargano. 52 200 hab. (1972). Évêché. Restes de la cité médiévale (murs, portes). Centre commercial (marché agricole) et industriel de la région. — En 1627 la ville fut gravement endommagée par un tremblement de terre.

SANSON (Charles Henri). ♦ Bourreau, exécuteur de Louis XVI (Paris, 1740 — 1793). Issu d'une famille florentine qui vint en France avec Marie de Médicis et dont les représentants assumèrent la charge de bourreau à Paris de 1688 à 1847. Après l'exécution de Louis XVI, Ch.H. Sanson se démit de ses fonctions au profit de son fils HENRI (Paris, 1767 — *id.,* 1840), exécuteur de la Terreur [il exécuta entre autres la reine Marie-Antoinette, Madame Élisabeth, et le duc d'Orléans], auquel il légua une somme importante pour faire célébrer chaque année en l'église Saint-Laurent une messe expiatoire le 21 janvier. Le frère de ce dernier, LOUIS SANSON, renonça à la fonction familiale en 1847.

SANS-SOUCI *(château de).* ♦ Petit palais situé à 2 km de Potsdam*. Imitation rococo du château de Versailles, il fut édifié par Knobelsdorff pour Frédéric II (1745). François Gaspard d'Adam décora de sculptures les appartements.

SANSOVINO (Andrea CONTUCCI, dit *il*). ♦ Sculpteur et architecte italien (Monte San Savino, près d'Arezzo, v. 1467 — *id.,* 1529). Peut-être élève de Pallaiolo, il fut envoyé au Portugal par Laurent de Médicis de 1491 à 1500. En Italie, il sculpta les fonts baptismaux de Volterra, un *Baptême du Christ* à Florence (baptistère, 1502-1505). À Rome (1505 à 1509), il réalisa un nouveau type de tombeau, où la tradition florentine s'enrichit d'une architectonique romaine (niches, arcatures). De 1513 jusqu'à sa mort, il sculpta à la Santa Casa de Lorette des bas-reliefs d'un style dynamique et plus dépouillé, évoquant la vie de la Vierge. L'évolution de sa composition, des sculptures du baptistère de Florence à ces bas-reliefs, illustre le passage de l'art du Quattrocento, encore médiéval, à celui de la première Renaissance.

SANSOVINO (Iacopo TATTI, dit *il*). ♦ Sculpteur et architecte italien (Florence, 1486 — Venise, 1570). Disciple d'Andrea Sansovino qui l'adopta, il fut à Rome un sculpteur apprécié de Léon X, puis de Clément VII *(Bacchus, Tombeau du cardinal Giovanni Michiel et de l'évêque Orso).* Après 1527 (sac de Rome), il devint un architecte renommé à Venise, où il construisit le palais Corner, d'ordonnance majestueuse et un peu froide, ainsi que l'église San Francesco della Vigna (conçue avec Francesco Giorgi, 1534). En 1536, il fut chargé d'édifier la Libreria Vecchia (bibliothèque San Marco) où il superposa le dorique et l'ionique, mariant les recherches d'ordonnance (qui seront reprises par Palladio) et les effets décoratifs par la sculpture (intrados ciselé, cariatides, figures de écoinçons). Il reprit ce parti à la loggetta du campanile de San Marco, aux nombreux bas-reliefs et statues. Régnant sur l'architecture vénitienne, malgré des erreurs techniques qui lui valurent d'être emprisonné (effondrement des voûtes de la *Libreria Vecchia*), il édifia encore la Zecca (hôtel de la monnaie), le palais Dolfin (1562), une église et dota Venise de monuments somptueux et animés. Comme sculpteur, il réalisa de nombreux marbres et bronzes, à San Marco, au palais des Doges (*Mars, Neptune,* 1554), à l'Arsenal (*Madone à l'Enfant,* 1554), dans un style gracieux, mais d'un équilibre michelangelesque.

SAN STEFANO, auj. **Yeşilköy.** ♦ Faubourg d'Istanbul (Turquie). ♦ TRAITÉ DE SAN STEFANO. Ce traité signé par la Russie et la Turquie, mit fin à la guerre des Balkans (1878). Il démembrait la Turquie et établissait l'influence russe sur les Balkans : la Turquie perdait la Roumanie, la Serbie, le Monténégro, la Bosnie et l'Herzégovine, et la partie septentrionale de l'Arménie donnée à la Russie, qui prenait en outre la Bessarabie à la Roumanie. La formation d'une Grande Bulgarie indépendante regroupait tous les États slaves. La réaction des puissances occidentales aboutit à la réunion du congrès de Berlin*.

SANTA ANA. ♦ V. des États-Unis (Californie*) au S.-E. de Los Angeles. 100 350 hab. Centre agricole.

Arch. Smeets

Iacopo Sansovino :
« Bacchus ». (Museo Nazionale, Florence.)

SANTA ANA. ♦ V. du Salvador (Amérique centrale), au pied du volcan du même nom. Ch.-l. de département. 172 300 hab. Évêché. Important centre commercial au milieu d'une riche zone agricole. Industries textiles.

SANTA ANNA (Antonio López *de*). ♦ Homme politique mexicain (Jalapa, 1794 – Mexico, 1876). Ce militaire ambitieux porta au pouvoir divers présidents qu'il renversa avant de se faire élire président de la république du Mexique en 1833. Sa politique centralisatrice violente amena à la sécession du Texas*, où il combattit et fut fait prisonnier. Les États-Unis utilisèrent son impopularité pour s'implanter au Texas. Sa vie fut une suite de complots, d'exils et de courtes périodes de dictatures suivies de renversements. Il mourut oublié à Mexico.

SANTA BARBARA. ♦ V. des États-Unis (Californie), sur la côte Pacifique, à 150 km env. au N.-E. de Los Angeles. 69 631 hab.; zone urbaine 260 000 hab. V. résidentielle. Mission espagnole du XVIIIᵉ siècle. Campus de l'université de Californie.

SANTA CATARINA. ♦ Petit État côtier du S. brésilien, situé entre les États de Paraná* au N., de Rio* Grande do Sul au S., et limité à l'O. par la frontière argentine (prov. de Misiones). 95 985 km². 2 930 411 hab. (faible densité). *Cap.* Florianópolis*. De relief morcelé, la serra do Mar* borde la zone côtière boisée de climat chaud et humide, tandis que le S. de l'État est drainé par le rio Uruguay* qui forme frontière. Cultures tempérées et tropicales (blé, riz, maïs, haricots, pommes de terre, fruits; tabac). Exploitation forestière. *V. princ.* Blumenau (textiles), Joinville*. Le coke de la région alimente l'État de Rio pour le développement des industries.

SANTA CLARA. ♦ V. de l'île de Cuba* sur la côte nord. 142 176 hab. (1966). Centre industriel (sucreries, conserveries de viande, manufactures de tabac). Nœud routier et ferroviaire.

SANTA CRUZ (Alonso *de*). ♦ Géographe, cosmographe espagnol (Séville, fin du XVᵉ s. – 1573). Professeur de cosmographie de Charles Quint (1539), il est l'auteur d'un système de projection qui fait de lui un précurseur de Mercator (*Livre des longitudes,* etc.).

SANTA CRUZ *(îles)*. ♦ Archipel britannique du Pacifique du S.-O., en Mélanésie* (Océanie), dépendance des îles Salomon*, au N. des Nouvelles*-Hébrides. Les principales îles sont celles de Santa Cruz et Vanikoro*. 938 km². Env. 6 000 hab. *(Mélanésiens, Polynésiens).* ♦ *Hist.* Les Américains y remportèrent en octobre 1942 une victoire aéronavale qui fit échouer l'attaque japonaise contre l'aérodrome de Guadalcanal*.

SANTA CRUZ. ♦ Province d'Argentine (Patagonie* méridionale) située en bordure de l'Atlantique entre la prov. de Chubut* au N., le Chili méridional au S. (prov. des Magellanes) et la cordillère des Andes à l'ouest. 243 943 km². 84 000 hab. en 1970 (densité infime). *ch.-l.* Rio Gallegos*. Sa frontière andine est jalonnée de lacs (Argentino, Buenos Aires, Viedma), reliés à l'Atlantique par des rios, dont le Deseado au S. du golfe San Jorge, et le Santa Cruz. Le climat aride ne permet qu'un maigre élevage d'ovins sur le plateau de nature steppique. Seule richesse : le pétrole, ainsi que le charbon du Rio Turbio dans le sud andin, à la frontière chilienne. La petite ville côtière de *Santa Cruz* est un débouché de l'arrière-pays.

SANTA CRUZ ou **SANTA CRUZ DE LA SIERRA.** ♦ V. de Bolivie située dans les plaines *(llanos)* de l'E. au pied de la Cordillère orientale. 450 m alt. 124 900 hab. Évêché. Carrefour ferroviaire et routier. – Ch.-l. du *dép. de Santa Cruz* situé à l'E. du pays. 370 621 km². 479 800 hab. Plaines fertiles irriguées par les affl. et sous-affl. du Mamoré (Guaporé*, Paraguay*). Cultures tropicales (canne à sucre, riz, coton). Pétrole de Camiri*. Gisement d'uranium.

SANTA CRUZ DE TENERIFE ou **SANTA CRUZ DE SANTIAGO.** ♦ Cap. de l'île de Tenerife*, dans l'archipel espagnol des Canaries. 145 000 hab. Importante raffinerie (Cie espagnole des pétroles) traitant 1 700 000 t par an. Ch.-l. de la prov. occidentale des Canaries (590 514 hab.).

Ph. Nino Cirani/Ricciarini

Province de **Santa Cruz** : le mont Fitzroy, Argentine.

SANTA FE. ♦ V. d'Argentine, ch.-l. de la province du même nom, située sur le Salado del Norte, face à Paraná*. 26 000 hab. Archevêché. Université. Port fluvial. Centre commercial et industriel. La ville reçoit les oléagineux de la Pampa*, pour les acheminer vers Buenos* Aires et Mar* del Plata. – La *province de Santa Fe,* située entre les prov. de Chaco* au N. et de Buenos Aires au S. est séparée par le rio Paraná des prov. de Corrientes* et d'Entre*-Rios à l'E. et confine à l'O. avec les prov. de Córdoba* et Santiago* del Estero. 133 007 km². 2 077 000 hab. Elle constitue avec les prov. de Buenos* Aires et de Córdoba* le noyau de la population de l'Argentine. Élevage. Céréales (luzerne), pommes de terre, légumes, fruits; lin.

SANTA FE. ♦ V. des États-Unis, cap. du Nouveau-Mexique, située au centre N. de l'État, sur la riv. Santa Fe, affl. du rio Grande. 41 167 hab. en 1970. – La ville a conservé intacte son atmosphère coloniale espagnole; 50 % de la pop. y parle espagnol et l'on y voit de nombreux Indiens Pueblos. Plusieurs monuments notables; palais du gouverneur (1610), chapelle San Miguel (*déb.* XVIIIᵉ siècle). Des bâtiments modernes sont construits en style hispano-indien (adobe). – Centre administratif, religieux (archevêché catholique), littéraire et artistique, touristique. ♦ *Hist.* Fondée en 1610 par Don Pedro de Peralta, comme capitale du royaume du Nouveau-Mexique, *Villa Real de la Santa Fe de San Francisco de Asis* (« la ville royale de la sainte foi de saint François d'Assise ») fut occupée par les Indiens révoltés à la fin du XVIIᵉ s., et reconquise par Diego de Vargas (1692). Elle fut occupée par les Américains en 1842 **(V. Nouveau-Mexique).**

SANTA FE de BOGOTÁ. ♦ Ancien nom de Bogotá*.

SANTA ISABEL. ♦ Île de la chaîne orientale de l'archipel des Salomon*.

SANTA ISABEL, anc. **Port Clarence.** ♦ Cap. de la Guinée équatoriale, port situé au N. de l'île de Macias Nguema (Fernando* Póo). 40 000 hab. Exportation de café et de cacao. La V. a pris le nom de MALABO en 1973.

SANTÂLÎ. *n. m. pl.* ♦ Groupe de peuples aborigènes de l'Inde, de langue munda, vivant sur un territoire de l'O. du Bengale. Ce sont des chasseurs, pêcheurs et cultivateurs, de religion animiste.

SANTA MARÍA. ♦ Volcan du Guatemala, situé dans la cordillère centrale et encore en activité. 3 700 mètres.

SANTA MARTA. V. et port de Colombie, ch.-l. du dép. de Magdalena* sur la mer des Caraïbes*, au pied de la *sierra Nevada de Santa Marta* (5 775 m au pic Cristóbal Colón). 165 500 hab. Évêché. Centre touristique. L'un des plus grands ports bananiers du monde.

SANTA MONICA. ♦ V. des États-Unis (Californie*), sur le Pacifique, dans l'agglomération de Los* Angeles. Indus. légères. Ville résidentielle; plage.

SANTANDER. ♦ V. et port du N. de l'Espagne, capitale provinciale, sur le golfe de Biscaye (149 704 hab.), siège épiscopal, cathédrale du XIVᵉ s. avec crypte du XIIᵉ. Palais royal d'été de la Magdalena. Centre universitaire récent. Port de pêche (sardines, thons) et de commerce; station balnéaire sur la baie (plages du Sardinero) et port de plaisance. Centre commercial et industriel (constructions navales, métallurgie de transformation, indus. chimiques, textiles, faïences). Ville natale de l'humaniste Menéndez* y Pelayo. – *Province de Santander* («la Montaña»), 5 290 km² (480 000 hab.). Bordée au N. par l'Atlantique, au S. par les monts Cantabriques. Unique débouché maritime de la Vieille-Castille* (ports de Laredo, Castro-Urdiales). Élevage de bovins et indus. alimentaires (produits laitiers, conserveries, pêches) dans les plaines du littoral. Mines de zinc, de plomb, d'argent et de manganèse. Métallurgie et grosses indus. chimiques (Torrelavega). – Grottes préhistoriques d'Altamira* près du village médiéval de Santillana del Mar.

SANTARÉM. ♦ V. du Brésil située dans l'État de Pará*, sur l'Amazone*, en aval de son confluent avec le Tapajós*. Port fluvial. 111 700 hab. (avec l'aggl.). Caoutchouc, cacao.

SANTARÉM. ♦ V. du Portugal central, cap. du Ribatejo*, ch.-l. de district sur le Tage. 25 000 hab. Centre agricole et commercial (vins). Artisanat (céramique). Intéressants monuments gothiques.

SANTA ROSA. ♦ V. d'Argentine, ch.-l. de la prov. de la Pampa*. Env. 30 000 hab. Évêché. Centre agricole (marché de grains et de bétail).

SANTA ROSA DE COPÁN. ♦ Gros bourg du Honduras, proche de la frontière du Guatemala, ch.-l. du département du même nom, peuplé surtout d'Indiens. Évêché. Centre commercial. Mines d'antimoine.

SANTAYANA (George). ♦ Philosophe américain d'origine espagnole (Madrid, 1863 – Rome, 1952). À mi-chemin du naturalisme et de l'idéalisme, sa philosophie voit dans le matérialisme mécaniste la seule explication rationnelle des choses, tout en admettant que la conscience est créatrice de valeurs (œuvres philosophiques : *La Vie de la Raison,* 1903-1906; *Le Domaine de l'Être,* 1927; *Le Domaine de l'Esprit,* 1940; œuvres littéraires : *Poèmes,* 1921; romans, *Le Dernier Puritain,* 1935).

SANT'ELIA (Antonio). ♦ Architecte et urbaniste italien (Côme, 1888 – près de Montefalcone, 1916). Il présenta son projet de ville nouvelle *(Cittá nuova)* en 1914 à Milan, et son étude devint, avec la collaboration de Marinetti, un *Manifeste de l'architecture futu-*

riste. De nombreux et remarquables dessins soulignent l'importance des communications verticales et horizontales dans l'urbanisme prospectif de Sant'Elia, qui, tué pendant la Première Guerre mondiale, ne put réaliser aucun de ses projets.

SANTERRE (Antoine Joseph). ♦ Homme politique français (Paris, 1752 – *id.,* 1809). Brasseur au faubourg Saint-Antoine (1772), surnommé le Père du faubourg en raison de sa générosité, il participa dès 1789 à toutes les grandes journées révolutionnaires et prit en particulier, avec Legendre et Fournier, la tête de celle du 20 juin* 1792. Nommé chef de la Garde nationale de Paris par la Commune insurrectionnelle après le 10 août 1792, il fut chargé de la garde du Temple où était emprisonnée la famille royale et conduisit Louis XVI à l'échafaud. Général de division en Vendée en 1793, il fut battu et, suspecté, fut emprisonné aux Carmes. Libéré après le 9 Thermidor (27 juillet 1794), il se retira de la vie politique.

SANTERRE. *n. m.* ♦ Région de Picardie, au S. d'Amiens*, comprise entre le cours inférieur de la Somme* et la vallée de l'Avre*. Pays de grandes cultures (céréales et betteraves).

SANTIAGO. ♦ Cap. du Chili et ch.-l. de prov., à l'extrémité septentrionale de la *Grande Vallée* ou *Vallée centrale,* au pied des Andes. 1 759 087 hab. (aggl. 3 700 000) [1972]. Centre culturel (université) et politique, métropole économique. La proximité du port de Valparaiso* en fait la première puissance industrielle du pays, avec 54 % des indus. de transformation (bois, cuir, indus. textiles, chimiques, mécaniques, conservation des viandes). ♦ *Hist.* C'est en 1541 que la ville fut fondée sur le Mapocho, affl. du Maipo, par P. de Valdivia* qui lui donna le nom de *Santiago del Nuevo Estremo.* – Dans la *prov. de Santiago* (17 422 km²), la cordillère de la côte s'élève à 2 000 m au-dessus de la capitale, et les Andes* atteignent plus de 5 000 m d'altitude. Le climat sec, l'irrigation provenant des Andes et la température clémente en font une région fertile.

SANTIAGO ou **SANTIAGO DE CUBA.** ♦ V. portuaire du S.-E. de Cuba*. 249 000 hab. (1966). Archevêché. Université. Centre commercial et industriel important (sucreries, distilleries de rhum, conserveries de viande, manufactures de tabac,...). Port actif. Fondée par les Espagnols en 1512, la ville conserve de nombreux monuments de l'époque coloniale.

SANTIAGO ou **SANTIAGO DE LOS CABALLEROS.** ♦ V. de la république Dominicaine*, dans la vallée du rio Yaque del Norte, au pied de la cordillère Christi. 351 656 hab. (1969). Évêché. Centre important de l'industrie du tabac.

SANTIAGO DE COMPOSTELA. ♦ V. SAINT-JACQUES DE COMPOSTELLE.

SANTIAGO DEL ESTERO. ♦ V. d'Argentine, ch.-l. de la province du même nom, située sur le río Dulce. Env. 100 000 hab. Évêché. Centre commercial. – La *province de Santiago del Estero,* s'étend au S. des prov. de Salta* et Chaco* entre les prov. de Catamarca et Tucumán à l'O., Chaco et Santa* Fe à l'E., et Córdoba* au sud. 135 254 km². Env. 495 000 hab. (faible densité). La région est fertilisée par les crues du río Dulce et du Salado del Norte, et les barrages du Sali permettent d'irriguer plus de 100 000 ha au N. de Santiago. Élevage (caprins, porcins). Cultures subtropicales (canne à sucre, coton, tabac, maté); céréales (blé).

ŠANTIĆ (Aleksa). ♦ Poète serbe (Mostar, 1868 – *id.,* 1924). Très attaché à son pays natal, l'Herzégovine, il l'a chanté dans des vers devenus très populaires *(Ne partez pas...).*

SANTILLANE (Iñigo López de Mendoza, *marquis de***).** ♦ Homme de guerre et poète espagnol (province de León, 1398 – Guadalajara, 1458). Il participa aux guerres civiles du règne de Jean* II et contribua à la chute du favori Alvaro de Luna*. Il combattit aussi contre les Maures et obtint le titre de marquis de Santillane. Poète, il fut le premier à composer des sonnets à l'italienne et écrivit de nombreux poèmes allégoriques, philosophiques ou didactiques. *Œuvres princ. : Le Doctrinal des favoris, Les Proverbes de la glorieuse doctrine,* et les *Serranillas.*

Śāntiniketan. *n. m.* ♦ Établissement culturel et d'enseignement « Université de la paix », fondé au N. de Calcutta en 1921 par Rabindranâth Tagore* et officialisé en 1951. Le grand poète y mourut en 1941.

SÄNTIS. *n. m.* ♦ Sommet des Alpes suisses à la limite des cantons d'Appenzell* et de Saint*-Gall, point culminant du massif de l'Alpstein à 2 502 m d'altitude. Observatoire météorologique.

SANTO ANDRÉ. ♦ V. du Brésil, dans la banlieue S.-E. de São Paulo (État de São Paulo). 289 400 hab. (avec l'aggl.). Évêché. Centre industriel (industries métallurgiques, mécaniques).

SANTO DOMINGO, en fr. **Saint-Domingue.** ♦ Premier nom donné à l'île d'Hispaniola* ou île d'Haïti réunissant les États d'Haïti et de Saint-Domingue.

SANTÔ KYÔDEN. ♦ Écrivain japonais (1761-1816), auteur de nombreux romans populaires aux intrigues compliquées.

SANTONS. *n. m. pl.,* en lat. **Santones.** ♦ Peuple de la Gaule établi autour de *Mediolanum Santonum* (Saintes*). Son territoire fut compris dans l'Aquitaine* IIᵉ.

SANTORIN ou **THÉRA.** ♦ Île grecque de la mer Égée, la plus méridionale des Cyclades*. 75 km². 6 490 hab. *Ch.-l.* Théra ou Phira, près de la côte E. – Célèbre pour son activité volcanique, elle forme avec les îlots avoisinants un archipel composé des débris d'une île unique démantelée par l'action volcanique. Les îlots d'Aspronisi et de Thérasia sont les témoins des effondrements survenus v. ~ 1500 et en ~ 236; la mer envahit alors l'immense cratère (le bassin actuel), donnant à l'île principale la forme d'un croissant. Les trois îles Kaïméni (« les Brûlées ») et l'Afroessa surgirent de la mer à la suite des éruptions en ~ 197, 1573, 1709 et 1866. L'île, appelée dans la haute antiquité Callisté (« la Très Belle ») et Strongylé (« la Ronde »), reçut au IIIᵉ s. le nom de *Sainte-Irène,* d'où provient par déformation son nom moderne de Santorin. – Vestiges de l'anc. Théra, surtout de la cité hellénistique. – Cultures de vigne et de légumes; vins renommés. Tourisme.

Ph. Giraudon

A. Santos-Dumont, par Gastambide. (Collection particulière.)

SANTORIO, dit **Sanctorius.** ♦ Médecin italien (Capo d'Istria, 1561 – Venise, 1636). Il enseigna la méd. à Padoue et à Venise. Il est connu par ses expériences minutieuses sur les variations de poids de l'organisme et la mesure de la température du corps. (*Traité de médecine statique,* 1614.)

SANTOS. ♦ V. et port du Brésil, au S. de São* Paulo, dans l'État du même nom. 313 700 hab. (avec l'aggl.). Premier port mondial d'exportation du café, et premier port du Brésil. Sidérurgie.

SANTOS-DUMONT (Alberto). ♦ Ingénieur et aéronaute brésilien (Palmyra, auj. Santos Dumont, 1873 – São Paulo, 1932). Il participa activement à l'essor de l'aérostation et de l'aviation en France où il était venu vivre très jeune. Après avoir effectué un vol de 60 m à Bagatelle, près de Paris, (23 oct. 1906), il détint, le 12 novembre de la même année, le premier record du monde avec un vol de 220 m d'une durée de vingt et une secondes.

SANUDO (Marco). ♦ Homme de guerre vénitien (1153 – v. 1220). Il participa à la quatrième croisade et prit pour le compte de Venise certaines îles des Sporades et des Cyclades, dont Naxos qu'il réussit à conserver. Ses descendants y régnèrent jusqu'en 1383.

SANUTO (Livio). ♦ Géographe italien (Venise, 1532 – v. 1587). Il est l'auteur d'une description du monde avec cartes dont une partie fut publiée en 1588 par Saraceni sous le titre *Géographie de Livio Sanuto partagée en douze livres.*

SANVIGNES-LES-MINES. ♦ Comm. de la Saône-et-Loire, (arr. de Charolles), dans la communauté urbaine du Creusot*. 6 784 hab.

SANZ (Ricardo). ♦ Anarchiste espagnol (né en 1900). Ouvrier du bâtiment, il fut avec Durruti l'un des organisateurs du groupe anarchiste « Los Solidarios » (1922-1923). Réfugié en France peu après, il conspira, à son retour en Espagne (1926), contre la dictature de Primo de Rivera. Lors de la guerre civile (1936), il fut membre du Comité de guerre du Comité central des milices et remplaça Durruti à la mort de ce dernier.

SÃO CAETANO DO SUL. ♦ V. du Brésil dans l'État de São* Paulo. 135 000 hab. (avec l'aggl.). Sidérurgie. Industries chimiques.

SÃO CARLOS. ♦ V. du Brésil, dans l'État de São* Paulo. 50 000 hab. Évêché. Industries alimentaires.

SÃO FRANCISCO *(rio).* ♦ Fl. du Brésil (3 161 km), issu de la serra da Canastra dans le S.-O. de l'État du Minas* Gerais qu'il traverse du S. au N. avant de pénétrer dans l'État de Bahia*, où il s'oriente d'O. en E. et forme frontière avec les États de Pernambouc* et d'Alagoas* qu'il sépare encore de l'État de Sergipe* avant de se jeter dans l'Atlantique. Son bassin encadre la région la plus élevée du plateau brésilien, avec le bassin du Paraná et celui des affl. de l'Amazone. Il est la voie de passage entre le Nordeste, les hautes terres du Minas, et l'État de São Paulo au sud. Culture du coton dans la vallée, équipée pour la production hydroélectrique avec les deux barrages de Trés Marias (au S.) et de Paulo Afonso (au N.).

SÃO JOÃO DE MERITI. ♦ V. du Brésil dans l'État de Rio* de Janeiro. 255 000 hab. (avec l'aggl.). Centre commercial.

SÃO JOSÉ DO RIO PRÊTO (anc. **Rio Prêto**). ♦ V. du Brésil, dans l'État de São* Paulo sur le rio Prêto, sous-affl. du rio Grande. 70 000 hab. Centre commercial. Café.

SÃO LUÍS: ♦ V. et port du Brésil, cap. de l'État de Maranhão*, situé dans l'île de São Luís sur la baie de São Martos. 218 800 hab. (avec l'aggl.). Archevêché. Ville industrielle où se trouvent concentrés plus des deux tiers de la production régionale. Indus. alimentaires et textiles.

SÃO MIGUEL (« Saint Michel »). ♦ Île portugaise, la plus importante de l'archipel des Açores*, à l'E. de cet archipel, et où se trouve la capitale Ponta* Delgada. 747 km². 184 000 habitants.

SAÔNE [son], *n. f.* ♦ Riv. de l'E. de la France, le plus important affl. du Rhône* (r. d.). 480 km. Née dans le seuil de Lorraine (dép. des Vosges) à 400 m d'alt. au S.-O. d'Épinal, elle arrose le dép. de la Haute-Saône, la partie orientale de la Côte-d'Or, la Saône-et-Loire et délimite une partie des dép. de l'Ain et du Rhône. Elle coule vers le S., à l'E. de la large dépression du plateau de Langres*, puis entre le Massif* central et le Jura*. Elle arrose Port*-sur-Saône et Gray*, avant de recevoir l'Ognon* (r. g.), passe à Auxonne*, reçoit l'Ouche* (r. d.) en aval de Saint*-Jean-de-Losne, puis le Doubs*, son affl. principal venu de la trouée de Belfort* qui la dépasse en longueur au confluent. Elle arrose Chalon* et Tournus*, reçoit la Seille (r. g.), arrose Mâcon*, longe les vignobles de Bourgogne (à l'O.), tandis qu'à l'E., elle borde la plaine fertile de la Bresse*, qui s'étend au pied du Jura. Elle passe ensuite à Villefranche*, Trévoux*, et traverse la région des Dombes* à l'E. avant sa confluence avec le Rhône au S. de Lyon*. La Saône est reliée par canaux avec le Rhin (par le Doubs), avec la Marne et la Seine (canal de Bourgogne*) et avec la Loire (canal du Centre*). C'est une riv. calme, abondante; elle soutient le débit du Rhône en hiver. Le barrage de Pierre*-Bénite sur le Rhône améliore considérablement les relations entre ce fleuve et la Saône en particulier sur le plan de la navigation fluviale par surélévation du plan d'eau.

SAÔNE (HAUTE-). *n. f.* [**70**]. ♦ Dép. de l'E. de la France, région (anciennement C.A.R.) de Franche*-Comté. 5 344 km². Le dép. comprend la plupart des plaines du bassin de la haute Saône et de son affl. l'Ognon*. Il s'étend à l'E. vers la trouée de Belfort, au N. aux confins des plateaux de Langres, des Vosges (**V. Vôge**) et de la Lorraine. Bien que le climat des hautes terres qui l'entourent soit humide avec des hivers durs, la vallée de la Saône a des étés chauds. Les sols sont généralement fertiles et bien cultivés (blé, betterave sucrière, fourrage). Forêt. Les arbres fruitiers sont répandus et la région est réputée pour son kirsch. — Métallurgie, indus. mécaniques et textiles sont présentes dans tout le dép. et en particulier au N.-E. vers Belfort.
♦ [28 cant., 580 comm., 221 833 hab.] *Préf.* Vesoul*. *Sous-préf.* Lure*. *Ch.-l. de cant. :* Amance (768 hab.) Autrey-lès-Gray (509 hab.), Champagney*, Champlitte*-et-le-Prélot, Combeaufontaine (379 hab.), Dampierre*-sur-Salon, Faucogney*-et-la-Mer, Fresnes*-Saint-Mamès, Gray*, Gy*, Héricourt*, Jussey*, Luxeuil*-les-Bains, Marnay*, Mélisey*, Montbozon*, Noroy-le-Bourg (553 hab.), Pesmes*, Port*-sur-Saône, Rioz*, Saint*-Loup-sur-Semouse, Saulx (514 hab.), Scey*-sur-Saône-et-Saint-Albin, Vauvillers*, Villersexel*, Vitrey-sur-Mance (446 hab.). — *Autres comm.* **V. Fougerolles, Ronchamp.**

SAÔNE-ET-LOIRE. *n. f.* [**71**]. ♦ Dép. du Centre-Est de la France, région (anciennement C.A.R.) de Bourgogne*. 8 627 km². — *Orogr.* L'O. du dép. appartient au Massif* central : la vallée de l'Arroux* est encadrée par les plateaux cristallins du Morvan* au N.-O. et les monts boisés de l'Autunois* au S.-E. Au S., les monts cristallins et calcaires du Charolais* sont prolongés à l'E. par ceux du Mâconnais*. L'E. est constitué des collines argileuses de la Bresse*.
♦ (51 cant., 578 comm. 560 729 hab.). *Préf.* Mâcon*. *Sous-préf.* Autun*, Chalon*-sur-Saône, Charolles*, Louhans*. *Ch.-l. de cant.* Beaurepaire-en-Bresse (537 hab.), Bourbon*-Lancy, Buxy (1 716 hab.), Chagny*, Chapelle*-de-Guinchay (La), Chauffailles*, Clayette* (La), Cluny*, Couches*, Creusot* (Le), Cuiseaux*, Cuisery*, Digoin*, Épinac*, Givry*, Geugnon*, Guiche (La) (1 000 hab.), Issy*-l'Évêque, Lucenay*-l'Évêque, Lugny (916 hab.), Marcigny*, Matour*, Mesvres (854 hab.), Montceau*-les-Mines, Montcenis*, Montchanin*, Montpont-en-Bresse (1 217 hab.), Montret (717 hab.), Mont*-Saint-Vincent, Palinges*, Paray*-le-Monial, Pierre-de-Bresse (1 766 hab.), Saint-Bonnet-de-Joux (1 032 hab.), Saint-Gengoux*-le-National, Saint-Germain-du-Bois (2 023 hab.), Saint-Germain-du-Plain (1 174 hab.), Saint-Léger-sous-Beuvray (740 hab.), Saint-Martin-en-Bresse (1 163 hab.), Semur-en-Brionnais (858 hab.), Sennecey-le-Grand (2 118 hab.), Toulon-sur-Arroux (1 953 hab.), Tournus*, Tramayes (849 hab.), Verdun-sur-le-Doubs (1 235 hab.). *Autres comm. et sites :* **V. Blanzy, Chasselas, Génelard, Mercurey, Romanèche-Thorins, Saint-Point, Solutré-Pouilly, Taizé.**

SÃO PAULO (*État de*). ♦ État côtier du Brésil méridional, qui s'étend entre les États de Minas* Gerais dont il est en partie séparé par le rio Grande* au N., et de Rio* de Janeiro au N.-E.; il est limité par le Paraná* au S., et le Mato Grosso à l'O. dont il est séparé par le rio Paraná*. 247 898 km². 17 958 693 hab. (la plus forte densité de pop. du Brésil). *Cap.* São Paulo. — La plaine littorale surplombée au S. par les derniers contreforts de la serra do Mar*, est dominée, au delà du fossé de la vallée de la Paraíba* do Sul par les chaînes de la serra da Mantiqueira*. Les hautes terres de l'O. sont occupées par les plantations de café dont l'essor fut considérable v. 1880 (boom qui détermina un grand afflux d'immigrants venus d'Europe). Après la crise de 1930 (**V. Brésil**, ***Hist.***) la culture du coton et de la canne à sucre (35 % de la prod. totale), sur les terres abandonnées par le café (qui fournit néanmoins env. le tiers de la prod. totale) a amené le développement de l'industrie textile et sucrière, tandis que l'élevage bovin a entraîné la création d'importants établissements frigorifiques. Bananeraies sur les hauteurs. Agrumes. Riz. L'essor de l'industrie a suivi celui de l'agriculture (indus. chimique, métallurgique, mécanique, caoutchouc, papier, cimenterie), grâce à un réseau de communications très dense, notamment en direction du plateau brésilien. Importants complexes pétrochimiques à Capuava et Cubatao. *V. princ.* **V. Baurú, Campinas, Ribeirão Prêto, Santo André, Santos, São Caetana do Sul, São Carlos, São José do Rio Preto, Sorocaba.**

SÃO PAULO. ♦ Première V. du Brésil, capitale de l'État du même nom, située à 800 m d'alt. sur le Tieté* (affl. du Paraná). 5 901 500 hab. (*Paulistes*) en 1970, pour l'aggl., sur quatre fois la superficie de Paris. Universités. Centre culturel, scientifique et artistique. Métropole économique, commerciale (café exporté par le port de Santos*) et industrielle du pays, dont elle est également le principal nœud ferroviaire et aérien. Sidérurgie. Industries métallurgiques, mécaniques, chimiques et électriques. Montage d'automobiles. Produits textiles et alimentaires. ♦ *Hist.* Fondée par les jésuites en 1554, la ville resta longtemps le point de départ d'explorateurs et chercheurs d'or (*bandeirantes*) qui se dirigeaient vers l'intérieur. En 1822 l'indépendance du Brésil y fut proclamée, mais c'est vers la fin du XIXᵉ s., qu'elle connut un essor rapide lié à la culture du café dont elle fut la capitale.

SÃO PAULO (en franç. **SAINT-PAUL**) **DE LUANDA**. ♦ V. LUANDA.

SÃO TOMÉ. ♦ Île du golfe de Guinée. Anc. prov. portugaise d'outre-mer (avec l'île du Prince*), elle a accédé à l'indépendance le 12 juil. 1975. 836 km². 56 000 hab. *Ch.-l.* São Tomé.

SAOURA (*dép. de la*) ou *dép. de* **Béchar**. ♦ Dép. d'Algérie qui couvre la partie occidentale du Sahara algérien longeant les frontières du Maroc, du Sahara espagnol, de la Mauritanie et du Mali. *Ch.-l.* Béchar. *Autres V. ou localités princ.* **V. Adrar, Hammaguir, Kenadsa, Reggane, Tindouf.** *Princ. groupes d'oasis :* **V. Gourara** et **Touat.** D'autres oasis sont dispersées le long de la vallée de l'*oued Saoura*, qui borde en direction du S. la face O. du Grand Erg occidental. Cette région possède également des ressources minières dont celles du gara Djebilet*.

SAPIR (Edward). ♦ Linguiste et anthropologue américain d'origine allemande (Lauenburg, 1884 — New Haven, 1939). Après des études de philologie classique et germanique, il fut dirigé par F. Boas* vers l'étude des langues et des cultures amérindiennes. Enseignant au Canada (1910-1925), puis à Chicago, il ne cessa d'étudier sur le terrain les langues indiennes, tant sur le plan formel (ce qui le conduisit notamment à donner dès 1925 une définition du phonème, indépendamment des travaux de l'École de Prague) que fonctionnel. Donnant toute leur importance aux considérations sémantiques, il a élaboré une typologie des langues d'après l'analyse conceptuelle opérée par le langage (idée développée dans l'analyse linguistique par B.L. Whorf*). En syntaxe, Sapir laissa pressentir les théories transformationnelles (**V. Harris, Chomsky**) par la prise en considération d'une phrase-noyau modifiable. Son influence sur la linguistique américaine fut considérable. Son ouvrage de synthèse *Language* (1921; trad. fr. 1953) fut l'un des premiers à proposer une linguistique synchronique, fonctionnelle (comme Bloomfield), mais tenant compte du fait anthropologique global et soulignant l'importance du lexique et de la sémantique.

SAPOR. ♦ V. SHÂHPUHR.

Ph. De Gregorio-Ricciarini

Saragosse : église Notre-Dame del Pilar.

SAPPHO ou **SAPHO** [safo], en gr. **Sapphô** ou **Psappha**. ♦ Poétesse grecque (Mytilène, Lesbos, ~ VIIe – ~ VIe s.). Contemporaine d'Alcée* et aristocrate comme lui, elle fut exilée en Sicile* v. ~ 593 **(V. Pittacos),** puis, revenue à Mytilène, elle anima une confrérie de jeunes filles nobles placée sous l'invocation d'Aphrodite et des muses, où on étudiait la poésie, la musique et la danse. Mariée et mère d'une fille, d'après les uns, elle aurait refusé l'amour d'Alcée, d'après les autres. Rien n'est confirmé des événements de sa vie ou de son aspect physique. La fable de son amour désespéré pour Phaon et de son suicide à Leucade* paraît sans fondement. Par contre, ses affinités pour certaines de ses élèves sont évidentes dans ses vers et firent scandale dès l'Antiquité. Explicables et tolérées dans le contexte de l'émancipation de la femme éolienne, ces affinités furent tournées en dérision par les comiques attiques désireux d'enrayer le mouvement féministe des Athéniennes (d'où le nom de *lesbienne* pour désigner la femme homosexuelle). – Élaborant la *lyrique monodique,* Sappho composa des odes, épithalames et hymnes. La célèbre *Ode à Aphrodite* est le seul de ses poèmes qui soit conservé entier parmi les 650 vers que nous possédons d'elle. Le thème de l'amour, la célébration de la beauté et de la grâce féminine y trouvent des tons admirablement tendres et ardents. Créatrice du lyrisme érotique, Sappho enrichit le lyrisme de tous les temps. Elle inventa la strophe dite *sapphique.* La peinture de vases du ~ Ve s. témoigne de sa popularité. Platon la nomma la *Dixième Muse.* Plutarque fit son éloge. Ovide* la plaça dans sa galerie des grandes amoureuses *(Héroïdes),* Catulle* et Horace* traduisirent et imitèrent ses vers. Enfin, elle inspira la littérature et l'art moderne **(V. Leopardi, Foscolo, Daudet).**

SAPPORO. ♦ V. du Japon et ch.-l. de la préf. de l'île de Hokkaidô*, fondée à la fin du XIXe siècle. 1 000 000 d'hab. – Petites indus. alimentaires et centre administratif important. Elle fut le siège des Jeux Olympiques d'hiver, en 1972.

SAQQARAH ou **SAKKARA.** ♦ Site archéologique d'Égypte à 35 km au S.-O. du Caire, nécropole principale de l'anc. Memphis*. Sur 7 km s'étendent des sépultures de diverses époques, de l'Ancien Empire à la période romaine. Le monument le plus remarquable est la pyramide à degrés de Djoser* (IIIe dynastie), composée de six gradins, œuvre de l'architecte Imhotep*. Elle s'élève au centre d'une vaste enceinte rectangulaire qui contient une série de salles et de cours. Au S. du tombeau de Djoser se trouve la pyramide d'Ounas (V^e^ dynastie), célèbre par les textes funéraires qui sont gravés sur ses parois. Autour des pyramides s'élèvent de nombreux mastabas des IVe, V^e^ et VIe dynasties, dans lesquels étaient enterrés les nobles de l'Ancien Empire, tels ceux de Ti et de Méra dont les très beaux bas-reliefs évoquent divers aspects de la vie quotidienne. Au N.-O. de l'édifice de Djoser a été découvert le Sérapeum **(V. Sérapeum).**

SARA ou **SARAH.** ♦ Personnage biblique (*Genèse,* XI-XXIII), femme d'Abraham*, miraculeusement mère d'Isaac* à l'âge de quatre-vingt-dix ans.

SARADJOGLOU ou **SARACOĞLU (Şükrü).** ♦ Homme politique turc (Odemis, près de Smyrne, 1887 – Istanbul, 1953). Il se rallia à Mustafa Kemal dès 1919, fut ministre des Finances dans le cabinet Ismet pacha (1927-1930), fonda la Banque centrale de l'État et stabilisa la monnaie. Il fut ministre de la Justice (1933) puis des Affaires étrangères (1938-1942) et conserva la neutralité lors de la Seconde Guerre mondiale. Président du Conseil (1942-1946), il déclara la guerre à l'Allemagne et au Japon (févr. 1945).

SARAGAT (Giuseppe). ♦ Homme d'État italien (Turin, 1898). Jeune socialiste, il s'exila pendant toute la période fasciste. Ambassadeur à Paris (1945-1946), puis président de l'Assemblée constituante (1946-1947), il fonda le Parti social démocrate italien en 1947 pour se désolidariser des socialistes au sujet des rapports avec les communistes. Vice-président du Conseil et plusieurs fois ministre, il fut élu président de la République (1964-1971).

SARAGOSSE, en esp. **Zaragoza.** ♦ V. d'Espagne, anc. cap. du royaume d'Aragon*. Ch.-l. de prov. sur l'Èbre. 479 845 hab. Archevêché, université. Siège de l'Académie militaire. Cathédrale *(la Seo)* des XIIe-XVIe siècles. Église Notre-Dame del Pilar, d'après les plans de Herrera* (XVIIe s.), nombreuses églises de style mudéjar. L'industrialisation est en grand essor (constructions mécaniques, indus. alimentaires). ♦ *Hist.* Ancienne colonie phénicienne, elle devint sous les Romains (~ Ier s.) *Caesaraugusta,* nom que les Arabes, qui la prirent en 712, adaptèrent en *Sarakusta.* Au XIe s., Saragosse devint la capitale d'un royaume maure, mais fut reprise au siècle suivant par Alphonse* Ier d'Aragon. Elle devint la capitale de l'Aragon et le siège d'un archevêché au XIVe s. Elle obtint alors des privilèges *(fueros)* importants qu'elle perdit peu à peu, et fut toujours en opposition avec le régime centralisateur de Madrid. Au cours des guerres napoléoniennes, elle soutint deux sièges héroïques (1808-1809). Dès le début de la guerre civile, Saragosse passa aux mains des nationalistes (1936).

SARAJEVO. ♦ V. de Yougoslavie, cap. de la Bosnie*-Herzégovine, sur la Miljacka. 292 241 hab. Archevêché catholique et orthodoxe. Université. L'anc. Bosna-Saray fut fondée par les Turcs au XVe siècle. Les trois villes dont elle est formée retracent les étapes de son histoire. La ville anc., très orientale avec ses mosquées et ses marchés turcs, est encore un centre d'artisanat (tapis, travail du cuivre, filigranes). La nouvelle ville, construite sous la domination autrichienne (à partir de 1878), le long de la Miljacka, est le centre administratif et commercial. La troisième ville marque l'ère industrielle (indus. lourde, mécanique et alimentaire) et s'étend vers Ilidža. Lieu de passage, au croisement des routes de Bosnie, d'Herzégovine vers la Save, c'est un centre touristique fréquenté (ville anc., citadelle). ♦ *Hist.* L'assassinat de l'archiduc François-Ferdinand d'Autriche (28 juin 1914), fut l'incident qui déclencha la Première Guerre mondiale.

Arch. Smeets

Le scribe accroupi, provenant de **Saqqarah.** Calcaire peint. ~ 2700-2500. (Musée du Louvre.)

SARAKOLLÉS, SARAKOLÉS ou **SONINKÉS.** *n. m. pl.* ♦ Peuple de l'Afrique* occidentale vivant principalement au Sénégal* et en Mauritanie*.

SARANSK. ♦ V. d'U.R.S.S. (R.S.F.S. de Russie), cap. de la Mordovie*. 190 000 hab. – Université (fondée en 1963). Indus. métallurgiques, mécaniques et alimentaires. Centrale thermique.

SARAPIS. ♦ **V.** Sérapis.

SARAPOUL ou **SARAPUL.** ♦ V. d'U.R.S.S. (R.S.F.S. de Russie), en Oudmourtie*, sur la Kama*. 78 000 hab. (1962). – Indus. mécaniques. Traitement du cuir.

SARASATE Y NAVASCUÉS (Pablo). ♦ Violoniste et compositeur espagnol (Pampelune, 1844 – Biarritz, 1908). Enfant prodige, il compléta ses études au Conservatoire de Paris et entreprit ensuite une carrière de virtuose exceptionnellement brillante. De nombreux musiciens, dont Lalo et Saint-Saëns, lui ont dédié leurs œuvres. Il composa lui-même pour son instrument des pièces inspirées du folklore espagnol (*Romances, fantaisies, danses* et *airs*).

SARASIN (Jean-François). ♦ Poète français (Caen, 1614 – Pézenas, 1654). Fréquentant l'hôtel de Rambouillet*, il y fut le rival de Voiture*. Ses œuvres, spirituelles et habiles, furent réunies et publiées par Ménage* (1655 et 1674).

SARASVATÎ. ♦ Divinité féminine des Arts, de la Connaissance et de la Parole, dans les religions hindoues. Elle est l'épouse de Brahmâ*. On la représente jouant de la vînâ, un instrument de musique à cordes.

SARATOGA SPRINGS ou **SARATOGA.** ♦ V. des États-Unis (New York). 16 600 hab. ♦ *Hist.* Importante victoire des forces américaines sur les Anglais, commandés par Burgoyne* (1777) au cours de la guerre d'Indépendance*.

SARATOV. ♦ V. d'U.R.S.S. (R.S.F.S. de Russie). 790 000 hab. Ch.-l. de la région du même nom (100 200 km^2. 2 433 000 hab.), l'un des plus grands ports fluviaux sur le cours inférieur de la Volga*. Centre culturel. Université fondée en 1909. – Indus. mécaniques (machines agricoles, machines-outils), textiles et alimentaires. Traitement du pétrole et du bois. Gaz naturel, gazoduc Saratov-Moscou*. Nœud ferroviaire. – Patrie de Fédine*, Pypine*, Tchernychevski*. Dans la région est né Khlebnikov*. ♦ *Hist.* Fondée en 1590, la ville se rallia à la révolte de Stenka Razine* en 1670, et fut prise par Pougatchev* en 1774.

SARAWAK. ♦ État de Malaysia*, sur la côte N. de l'île de Bornéo*, et qui fut avant 1963 un dominion britannique. 125 000 km^2. Env. 1 000 000 d'hab. Il est couvert de forêts très denses. Culture de l'hévéa, exploitations minières (bauxite, fer, or, charbon, cuivre, pétrole). Cap. Kuching (70 000 hab.).

SARAZIN ou **SARRAZIN (Jacques).** ♦ Sculpteur français (Noyon, 1588 – Paris, 1660). Il travailla pendant dix-huit ans à Rome, pour le cardinal Aldobrandini, et décora les fontaines de sa villa à Frascati. De retour en France, il collabora avec Vouet* qu'il avait connu à Rome. Il travailla au *Nymphée* (1630-1632)

Ph. Prato/Ricciarini

Sardaigne : nuraghe à Macomer.

de Widewille, fit les modèles des cariatides du pavillon de l'Horloge (Louvre) et décora avec d'autres peintres le château de Maisons. Il réalisa en outre quatre bas-reliefs en bronze *(les Vertus)*, commandés par Henri de Bourbon, dont il sculpta le monument funéraire. Il est aussi l'auteur du tombeau du cardinal de Bérulle (Louvre).

SARCELLES. ♦ Ch.-l. de cant. du Val-d'Oise, arr. de Montmorency. 51 803 hab. *(Sarcellois)*. – Église en partie Renaissance dans l'anc. agglomération. L'un des premiers grands ensembles de la région parisienne, construit par Boileau et Labourdette (1958-1961), Sarcelles est devenu le symbole contesté de la cité dortoir.

SARCEY (Francisque). ♦ Critique dramatique français (Dourdan, 1827 – Paris, 1899). Condisciple de Taine à l'École normale supérieure (1848), il abandonna une carrière de professeur pour se consacrer à la littérature. Devenu critique dramatique du *Temps* (1867), il y acquit la faveur de la moyenne bourgeoisie par son robuste bon sens et son respect des valeurs du passé. Ses meilleurs articles ont été réunis sous le titre : *Quarante Ans de théâtre* (1900-1902).

SARDAIGNE. *n. f.* ♦ Île italienne de la mer Tyrrhénienne, au S. de la Corse. 24 084 km². 1 468 737 hab. *(Sardes)*. *Cap.* Cagliari. Quatre provinces : Cagliari, Nuoro, Oristano et Sassari. L'île appartient géologiquement à l'Italie du Nord, économiquement au Mezzogiorno. – *Orogr.* La montagne présente un vieux socle hercynien aux nombreuses entailles, d'une altitude moyenne de 1 000 mètres. Du N. au S., on distingue : la Gallura au N. (1 362 m au Limbara) et les collines de l'Anglona, séparées par la dépression du Logudoro, entre Olbia et Sassari. Un massif volcanique, parallèle à l'ensemble Gallura-Anglona s'étend entre les monts Nieddu et Mannu et est suivi par le grand massif central occupant l'E. de l'île (monte Gennargentu, 1 834 m). Au S.-O. du Campidano, l'Iglesiente occupe la partie méridionale. Les deux grands fossés d'effondrement sont, au N.-O., la plaine marécageuse de la Nurra, et au S.-E. le Campidano*. Les côtes, rectilignes à l'E., sont découpées et bordées d'îles à l'ouest. – *Hydrogr.* Coghinas, Flumendosa, Tirso. *V. princ.* Alghero*, Cagliari*, Carbonia*, Nuoro, Olbia, Porto-Torrès, Sassari*. – *Écon.* La montagne vit de l'élevage ovin transhumant (1er troupeau ovin d'Italie), les vallées de cultures à faible rendement. C'est dans la montagne que l'émigration, aggravée par l'isolement, est la plus forte. La Nurra, jadis insalubre, a été drainée et assainie. On y cultive maintenant des céréales. Sur les collines poussent l'olivier et des légumes (fèves, artichauts). Le Campidano vit de cultures maraîchères et de vergers, auxquels s'ajoutent les céréales et la vigne. Les ressources minières sont constituées par le charbon (Sulcis), le plomb, le zinc (Iglesiente). Des centrales hydro-électriques ont été établies sur le cours des fleuves (Flumendosa). L'industrie s'implante peu à peu : fonderies de plomb (Iglesiente, Campidano), pétrolochimie (Cagliari, Porto-Torrès), indus. du liège à Sassari. Les princ. ports sont Cagliari, Olbia et Porto-Torrès. Le tourisme est en grand essor, surtout dans le nord (Costa Smeralda). ♦ *Hist.* Possession de Gênes, elle la quitta en 1221, mais fut de nouveau annexée par elle (1251). Elle fut prise par le Piémont en 1746, puis annexée par la France en 1805 et devint le chef-lieu du département de Montenotte. Résidence du pape Pie* VII de 1809 à 1812. Elle fut rendue au Piémont en 1815.

SARDANAPALE, en gr. **Sardanapallos.** ♦ Roi légendaire d'Assyrie, mentionné par les auteurs grecs qui en font un tyran efféminé et le dernier roi d'Assyrie : assiégé par Arbakès, il se suicide en incendiant Ninive. On a rapproché son nom d'Assurbanipal et sa mort de celle de Shamash-shum-ukîn, frère de ce dernier **(V. Assurbanipal).**

Sardâr. *n. m.* ♦ Titre indien de général souvent donné par politesse aux adeptes de la secte militaire des sikhs*.

SARDES, en grec **Sardeis.** ♦ Anc. V. d'Asie Mineure (Lydie) sur le Pactole* (vallée de Gediz). Cap. du royaume de Lydie, d'une richesse proverbiale **(V. Crésus)**, point de croisement des civilisations ionienne et asiatique, elle fut prise par les Cimmériens v. ~ 652, puis par Cyrus* le Grand (~ 546) qui en fit la cap. d'une satrapie perse. Les Ioniens révoltés et les Athéniens la ravagèrent en ~ 499, puis elle fut prise par Alexandre* le Grand (~ 334), disputée par les diadoques, sous les Séleucides jusqu'en ~ 190, annexée ensuite par Pergame, elle devint enfin romaine en ~ 133. Détruite par un tremblement de terre en 17, elle fut relevée par Tibère* et embellie par Hadrien*. Elle fut cédée aux Saljûqides en 1306 et définitivement ruinée par Timûr-I Lang (Tamerlan) en 1402. – Ruines du fameux temple hellénistique d'Artémis, à l'actuel village de *Sart*.

SARDOU (Victorien). ♦ Auteur dramatique français (Paris, 1831 – *id.*, 1908). Continuateur de Scribe et de Dumas fils, il se consacra d'abord au drame bourgeois (*La Famille Benoîton,* 1865), mais ce furent surtout ses pièces historiques, prétextes à de fastueuses mises en scène, conçues au mépris de toute vraisemblance, qui assurèrent sa réputation [*Patrie,* 1869; *La Tosca,* 1887; *Madame Sans-Gêne,* 1893]. (Acad. fr., 1877.)

SARE. ♦ Comm. des Pyrénées*-Atlantiques, arr. de Bayonne*. 1 921 hab. (606 aggl.). Village typiquement basque que P. Loti a décrit dans « Ramuntcho » sous le nom d'Etchezar.

SAREMA ou **SAAREMA,** en suéd. **Ösel.** ♦ Île d'Estonie* (U.R.S.S.) dans le golfe de Riga. Env. 2 700 km². Relief morainique. Pâturages.

SARETT (Lewis Hastings). ♦ Chimiste américain (Champaign, Illinois, 1917). Il réalisa la synthèse de la cortisone (1946). **V. Kendall, Woodward.**

SARGASSES *(mer des)*. ♦ Zone de l'Atlantique située entre les Antilles et les côtes de Floride, s'étendant sur env. 4 millions de km², entre 20° et 35° N., 30° à 70° ouest. Formée d'amas isolés d'algues brunes du type *sargasse* (phéophycées) arrachées aux côtes les plus proches par les courants marins, la mer des Sargasses abrite une faune très caractéristique, formée de mollusques, de crustacés et de larves variées.

SARGENT (John Singer). ♦ Peintre américain (Florence, 1856 – Londres, 1925). Élève de Carolus*-Duran à partir de 1874, il travailla la plupart du temps en Europe. Son succès comme portraitiste mondain débuta par un scandale : *Portrait de Mme Gautreau* (1883). Il fit preuve d'une virtuosité technique consommée et rechercha particulièrement les effets chatoyants de couleurs. Il réalisa aussi de grandes décorations murales d'un style éclectique et conventionnel (*bibliothèque de Boston,* 1890-1910, et *musée de Boston)*. Vers 1910, il abandonna les portraits et exécuta surtout des paysages à l'huile et à l'aquarelle aux notations rapides et brillantes.

SARGODHA. ♦ V. du Pâkistân, à 100 km au N.-O. de Lyallpur. 194 000 hab. – Centre agricole.

SARGON l'Ancien, dit **Sargon d'Agadé** (ou **d'Akkad).** ♦ Premier roi d'Akkad*, dont il fonda la puissance. Il régna 50 ans v. ~ 2450.

SARGON Ier. ♦ Roi d'Assyrie (~ 2048-~ 2030?). Son règne marqua le début de l'établissement de colonies marchandes assyriennes en Asie Mineure, ainsi à Kanèsh (Kültepe) en Cappadoce.

SARGON II. ♦ Roi d'Assyrie de ~ 721 à ~ 705. Son règne marque la plus grande extension de l'empire assyrien **(V. Assyrie).** Frère de Salmanasar* V, il usurpa la royauté. Il acheva l'annexion d'Israël* (prise de Samarie*, ~ 721) et déporta la population, vainquit et poursuivit les Égyptiens (Qarqar puis Raphia, ~ 720), annexa de nouvelles contrées (Karkémish, Tabal, la Commagène), ravagea l'Urartu (~ 714), fit reconnaître sa suprématie jusqu'en Phrygie **(V. Midas)**, à Chypre et aux îles Bahreïn. La Babylonie avait repris son indépendance sous l'égide de l'Élam : après un échec à Dêr (~ 720), il la soumit et s'y fit couronner en ~ 709, sous son nom. Il voulut matérialiser l'éclat de son règne par une nouvelle capitale (Dur-Sharrukîn, **V. Khorsabad)**, inaugurée en ~ 707, mais qui fut abandonnée après sa mort. Une renaissance artistique et littéraire accompagna cet apogée.

SARINE. *n. f.*, en all. **Saane.** ♦ Riv. de Suisse (cant. de Fribourg), affl. de l'Aar* (r. g.). 120 km. Elle prend sa source dans le massif des Diablerets*, traverse le lac de la Gruyère, reçoit la Sense (r. d.) et la Glane (r. g.), passe à Fribourg* et se jette dans l'Aar. Centrale hydro-électrique de Hauterive.

SARIT THANARAT. ♦ Homme d'État thaïlandais (Bangkok, 1908 – *id.*, 1963), qui fut Premier ministre de 1958 à 1963. Le maréchal Thanom Kittikachôn* lui succéda à ce poste.

SARJAH. ♦ Principauté de la Côte des Pirates (principautés d'Arabie), située entre Dubaï et Ajman*, sur le golfe Persique. Les principales activités en sont la pêche **(V. Khor-Fakkan)**, la construction de bateaux et le commerce de dattes et de céréales (ce commerce est en déclin depuis l'ensablement de la crique de Sarjah). Minerai de fer. La fédération, en 1952, de l'émirat de Sarjah et de celui de Kalba, n'a en rien modifié la situation économique qu'aucune découverte de gisement pétrolier n'est venue améliorer. L'aide financière d'Abu* Dhabi pour la prospection de la région d'Al-Zaïd permet à la principauté de survivre. Importante base aérienne britannique.

SARKIA (Kaarlo Teodor). ♦ Poète finnois (Kiikka, 1902 – Sysmä, 1945). Fils naturel d'une servante, orphelin à quatorze ans, il réussit à étudier et subit l'influence de Koskenniemi*. Parfois critiqué pour un excès de virtuosité formelle, il exprima dans une langue simple son amour de la beauté et sa nostalgie de la mort et du rêve dans *Le Puits du rêve* (1936). Retournant à la réalité dans *La Balance du destin* (1943), il protesta contre les horreurs de la guerre et affirma son désir de rétablir des contacts humains. Il mourut tuberculeux après avoir édité un recueil de ses *Poèmes* (1944). Rendu célèbre par sa traduction du *Bateau ivre* de Rimbaud (1934), il en donna d'autres de Villon, Leopardi, Carducci, Baudelaire.

SARLAT ou **SARLAT-LA-CANÉDA.** ♦ Sous-préf. de la Dordogne*, ch.-l. d'arr. (10 cant., 126 comm., 65 696 hab.). 9 534 hab. [6 775 aggl.] *(Sarladais).* C'est une des villes les plus pittoresques du Périgord. Église Saint-Sacerdos fondée au VIIIe s. puis rattachée à Cluny, et refaite aux XVIe et XVIIe s.; anc. église Sainte-Marie (XIVe s.). Anc. évêché (XIVe s., façade Renaissance). Lanterne des morts du XIIe siècle. Hôtel de Maleville, de style Renaissance. – Indus. alimentaires, tanneries. – Patrie de La* Boétie (sa maison natale est intacte), de La* Calprenède, de J.-B. Sirey*.

SARMATES. *n. m. pl.* ♦ Peuple nomade de race indo-iranienne venu d'Asie centrale, qui envahit au ~ IIIe s. la région occupée par les Scythes* entre le Don et la Caspienne. Il comprenait plusieurs tribus, dont les Alains*, les Roxolans* et les Iazyges*. Il fut submergé au IIe s. par les envahisseurs germaniques, Goths, Huns et Vandales.

SARMATIE. *n. f.* ♦ Contrée occupée par les Sarmates*, située au N. du Pont-Euxin, de la Baltique à la mer Caspienne. La *Sarmatie occidentale* occupait la Russie et la Pologne actuelle. La *Sarmatie orientale* s'étendait du Tanaïs au delà de la Caspienne.

SARMIENTO (Domingo Faustino). ♦ Écrivain argentin (1811 – 1888), adversaire passionné du dictateur Rosas. Son œuvre principale est une épopée, *Facundo* (1845); en même temps qu'une biographie du caudillo local, Facundo Quiroga, c'est une description magistrale de l'Argentine et de ses problèmes.

SARNÂTH. ♦ Site archéologique indien, au N. de Vârânasi, où le Bouddha* prêcha pour la première fois. Nombreuses ruines de stûpas et de monastères.

SARNEN. ♦ V. de Suisse, ch.-l. du cant. d'Obwald* (Unterwald) à l'extrémité N. du lac de Sarnen. 6 600 hab. Station estivale. Indus. textile.

SARNENA GORA. ♦ **V.** BALKAN.

SARNIA. ♦ V. du Canada (Ontario), située au N.-E. de Detroit, à l'extrémité S. du lac Huron. 57 644 hab. (1971). Port important. Raffineries de pétrole; pétrolochimie (caoutchouc synthétique).

SARON ou **SHARON.** *n. m.* ♦ Plaine côtière centrale d'Israël, qui s'étend du S. de Haïfa à Tel-Aviv où commence la plaine de Judée. C'est un vaste verger (agrumes, arbres fruitiers, vignobles, fleurs cultivées pour l'exportation [glaïeuls]). – *Rose de Saron :* épithète de la bien-aimée du Cantique des Cantiques, II, 1.

SAROYAN (William). ♦ Romancier et auteur dramatique américain (Fresno, Californie, 1908). De parents arméniens, il exerça plusieurs métiers dont celui de télégraphiste (Cf. *Marionnettes humaines, Human Comedy,* 1942) avant de se faire connaître par une courte nouvelle *L'Audacieux Jeune Homme au trapèze volant* (1934). Les Américains sont dépeints comme « les enfants merveilleux et insensés d'un monde merveilleux et insensé », tout comme l'auteur lui-même, dans *Quand même un Américain* (*My Name is Aram,* 1940). Parmi ses nouvelles et ses romans les plus célèbres, on compte *L'Ennui avec les tigres* (*The Trouble with Tigers,* 1938), *Matière à rire* (*The Laughing Matter,* 1955), *Papa, tu es fou* (*Papa, you're crazy,* 1957), *Amour, je te tire mon chapeau (Love here is my Hat).* On apprécia ses pièces de théâtre : *Mon cœur est sur les monts d'Écosse* (1939), *Ça s'appelle vivre* (*The Time of our Life,* 1940). Romantique et anarchiste par tempérament, mais foncièrement optimiste, il se comparait aux beatnicks* dont il disait : « Ces jeunes gens écrivent pour que quelque chose change et ils ont raison. Moi aussi, j'ai écrit pour changer l'ordre des choses. Mais l'Amérique est bien [...] la forme la plus neuve du vieux rêve de l'humanité. »

SARPÉDON. ♦ Héros crétois, né de l'union de Zeus* avec Europe*, frère de Minos* et de Rhadamante*. Il s'établit en Lycie dont il devient le roi. On l'a identifié avec le héros homérique Sarpédon, roi de Xanthos* (Lycie) et allié de Priam pendant la guerre de Troie*.

SARPI (Pietro, dit **Fra Paolo).** ♦ Moine et historien vénitien (Venise, 1552 – *id.,* 1623). Fils d'un négociant ruiné, Pietro Sarpi dut la poursuite de ses études à son entrée dans l'ordre religieux des Servites (1565). Il reçut la prêtrise en 1574. Docteur en théologie en 1575, il s'intéressa à la science et aurait découvert la circulation du sang dès 1580. À Rome et à Naples, il se lia avec Bellarmin, Navarro, Galilée. Membre du Conseil des Dix, il s'opposa (avec succès) au pape lors du conflit qui s'éleva entre Venise et le Saint-Siège, sous Paul V. Qualifié de « protestant déguisé » par Bossuet, il dut se soustraire à ses ennemis (il avait de justesse échappé à plusieurs attentats) en s'enfermant dans son couvent, où il écrivit une *Histoire du concile de Trente* (1619). Ses *Œuvres complètes* furent publiées en 1750.

SARPSBORG. ♦ V. de Norvège, au S.-E. d'Oslo*, sur le fl. Glâma*. 28 600 hab. Ville industrielle : traitement du bois, indus. chimique. Centrale hydro-électrique.

SARRAIL (Maurice). ♦ Général français (Carcassonne, 1856 – Paris, 1929). Commandant la IIIe armée en 1914, il fit de Verdun un môle de résistance à l'avance allemande et un point d'appui de la manœuvre de la Marne*. En 1915, il devint commandant en chef de l'armée franco-anglaise d'Orient et organisa le camp retranché de Salonique; il prit Monastir sur les Bulgares (19 nov. 1916), imposa le contrôle allié à Athènes (déc.), puis contraignit le roi Constantin*, germanophile, à l'abdication (juin 1917). Il fut ensuite remplacé par Guillaumat*, puis par Franchet* d'Esperey. **V. Guerre mondiale** (Première). En 1924, il succéda à Weygand* comme haut-commissaire en Syrie mais fut rappelé à la suite de la révolte des Druses (1925-1926).

SARRALBE. ♦ Ch.-l. de cant. de la Moselle (arr. de Forbach), sur la Sarre et le canal des Houillères. 4 748 hab. Indus. chimiques. Salines à proximité.

SARRANCOLIN. ♦ Comm. des Hautes-Pyrénées, arr. de Bagnères-de-Bigorre. 1 008 hab. – Maisons anc.; église romane (châsse de saint Ebons du XIIe s.). Carrières de marbre (le marbre de Sarrancolin a été utilisé pour l'escalier d'honneur de l'opéra de Paris).

SARRASINS. *n. m. pl.* ♦ Nom donné, au Moyen Âge, par les Occidentaux aux musulmans.

SARRAUT (Maurice). ♦ Homme politique français (Toulouse, 1869 – *id.,* 1943). Sénateur radical-socialiste (1913-1932), propriétaire et directeur de *la Dépêche de Toulouse,* il fut assassiné par la Milice* française. ♦ ALBERT SARRAUT, son frère. Homme politique français (Bordeaux, 1872 – Paris, 1962). Député radical-socialiste (1902-1924), sénateur (1926-1940), il fut nommé gouverneur général de l'Indochine (1911-1914, 1916-1919) et plusieurs fois ministre, avec successivement les portefeuilles de l'Instruction publique (1914-1915), des Colonies (1920-1924, 1932-1933), de l'Intérieur (dans le cabinet d'Union nationale de Poincaré, 1926-1928, puis de 1934 à 1935) et de la Marine militaire (1930). Président du Conseil (oct.-nov. 1933), il fut rappelé à la tête du gouvernement (janv. 1936); mais les difficultés sociales (grèves) et politiques (occupation militaire de la Rhénanie par Hitler) l'obligèrent à se retirer devant le gouvernement de Front populaire (L. Blum, juin 1936). Ministre d'État (1937-1938), de l'Intérieur (1938-1940), de l'Éducation nationale (mars-juin 1940), déporté en Allemagne (1944-1945), il présida l'Assemblée de l'Union française (1951).

SARRAUTE (Nathalie). ♦ Écrivain français (Ivanovo, Russie, 1902). Vivant à Paris depuis l'âge de huit ans, N. Sarraute, après des études de droit, quitta le barreau en 1941 pour se consacrer à la création romanesque. Dans un important essai, *L'Ère du soupçon* (1956), elle récuse les conventions du roman traditionnel pour souhaiter des personnages qui seraient, comme chez Dostoïevski*, « des porteurs d'états parfois encore inexpliqués que nous retrouvons en nous-mêmes ». – Admiratrice de Proust* et de V. Woolf*, elle s'attache à la description minutieuse d'états psychologiques fugaces, comme dans *Tropisme* (1939) et *Portrait d'un inconnu* (1948), restituant dans ses mouvements feutrés, de faible amplitude, la « répulsion mêlée d'attrait, [la] coexistence chez le même individu, à l'égard du même objet, de haine et d'amour » (*Le Planétarium,* 1959). Individualisant de moins en moins ses personnages *(ils* ou *elles),* N. Sarraute veut atteindre « une matière anonyme comme le sang, un magma sans nom » (*Martereau,* 1953). Elle excelle aussi à détecter les « innombrables petits crimes » que provoquent les paroles, sous la carapace des lieux communs (*Les Fruits d'or;* Prix international de littérature).

SARRE. *n. f.,* en all. **Saar.** ♦ Riv. de France et d'Allemagne

Arch. Rencontre

Bracelets **sarmates,** en or. (Musée historique de Moscou.)

Ph. Lauros/Atlas-Photo

Paysage industriel de la **Sarre** entre Völklingen et Sarrelouis.

occidentale (240 km), et affl. r. d. de la Moselle. Née dans le massif du Donon, elle traverse la Lorraine, arrose Sarrebourg* et Sarreguemines*, pénètre en Allemagne, arrose Sarrebruck* et Sarrelouis*, et rejoint la Moselle en amont de Trèves. Elle a donné son nom au bassin houiller et à la région administrative (*Land* de Sarre*). Elle a pour princ. affl. la Blies. Le *canal des Houillères* rejoint celui de la Marne au Rhin.

SARRE. *n. f.*, en all. **Saarland.** ♦ Région d'Allemagne occidentale et (depuis 1957) *Land* de la R.F.A. formé avec d'anc. territoires de la Prusse-Rhénane et du Palatinat, confinant à l'O. au Luxembourg, au S. et à l'O. à la France (Lorraine) et au N. à la Rhénanie-Palatinat (massif de l'Hunsrück). 2 567 km². 1 121 990 hab. *Cap.* **V. Sarrebruck.** *V. princ.* **V. Dudweiler, Neunkirchen, Sankt Ingbert, Sarrelouis, Sulzback, Völklingen.** — *Orogr.* La région sarroise, en contact avec le plateau lorrain et le Massif schisteux rhénan, constitue un ensemble de plateaux gréseux, souvent recouverts de calcaire *(Muschelkalk).* Vers le N.-O., à proximité de l'Hunsrück, le relief se relève et la Sarre coule dans une vallée encaissée. La région est au tiers recouverte par d'épaisses forêts de hêtres (forêt de la Warndt*). — *Hydrogr.* La Sarre* et ses affl. — *Écon.* Le sous-sol sarrois contient d'importantes réserves de houille (sur env. 1 160 km²) et la région constitue l'un des plus riches bassins d'Europe, prolongeant celui de Lorraine, avec une production annuelle de 16 000 000 de t. L'indus. extractive emploie plus de 60 000 mineurs. L'abondance de la houille a permis l'essor d'une puissante sidérurgie, développée avec le fer de Lorraine. La production de coke est évaluée à 4 000 000 de t/an, celle d'acier à 4 500 000. Cependant, l'indus. chimique (verreries, céramique), les constructions métallurgiques et mécaniques, l'indus. textile et la confection, viennent en bonne place. ♦ *Hist.* Comprise dans la Rhénanie*, divisée au Moyen Âge en diverses seigneuries, la Sarre fut cédée, pour sa partie méridionale, à la France, en 1661, et subit les « réunions » de Louis XIV (Sarrebourg, Sarrelouis, Sarrebruck), avant d'être annexée par la France révolutionnaire dont elle devint un département. Rendue à la Rhénanie en 1815, elle connut, à partir de 1870, un remarquable développement industriel, lié à la présence des mines de charbon. Le rôle historique de la Sarre commença avec le traité de Versailles*, en raison de son intérêt à la fois stratégique et économique. Clemenceau*, qui réclama son annexion en 1918, se heurta à l'opposition des Alliés, particulièrement à celle de Wilson*, et n'obtint que la propriété des mines, à titre de dommages de guerre, tandis que le pays était administré par la S.D.N. pour une durée de quinze ans. À l'expiration de ce délai, en 1935, un plébiscite décida du rattachement de la Sarre au Reich, qui racheta les mines à la France. Occupée par cette dernière en 1945, elle devint indépendante de l'Allemagne en 1947, jouissant d'un gouvernement particulier dirigé par J. Hoffmann ; sa politique étrangère et sa défense furent assurées par la France, à laquelle elle se trouva rattachée économiquement : une union douanière fut conclue en 1948, les mines cédées à bail en 1950. Cependant, la question sarroise devait constituer un motif de difficultés dans les rapports franco-allemands et européens, malgré les solutions de compromis entre les exigences françaises et allemandes (accords de 1953, accords Mendès France-Adenauer en 1954). Ces solutions furent refusées par les Sarrois à une très forte majorité (référendum de 1955). Ceux-ci demandèrent le rattachement à l'Allemagne (accords Mollet-Adenauer, 1956) ; en échange, la canalisation de la Moselle et la livraison de 90 000 000 de t de charbon en quinze ans furent accordées à la France. L'intégration politique de la Sarre eut lieu en 1957, et son intégration économique était achevée en 1959. Elle forme depuis 1960 un land de la République fédérale allemande.

SARREBOURG. ♦ Sous-préf., ch.-l. d'arr. de la Moselle [5 cant., 102 comm., 61 898 hab.], sur la r. d. de la Sarre. 12 750 hab. Anc. chapelle des Cordeliers (XIIIe s.), auj. musée régional. — Matériel d'horlogerie. Verreries. Brasseries.

SARREBRUCK, en all. **Saarbrücken.** ♦ V. d'Allemagne occidentale et cap. du *Land* de Sarre, dans la vallée de la Sarre. 131 500 hab. *(Sarrebruckois).* Université sur un campus hors de la ville (1948). — Église gothique Saint-Arnual (XIVe-XVe s.) ; bel ensemble de monuments baroques, disposés autour de la *Ludwigplatz* (restaurés après la guerre) ; château du XVIIIe siècle. — Développée sur l'important bassin houiller sarrois, Sarrebruck est un important centre sidérurgique et métallurgique, auquel se sont ajoutées plus récemment des indus. chimiques (savonneries), des faïenceries, des indus. alimentaires (sucreries, brasseries, etc.). C'est par ailleurs un grand nœud routier et ferroviaire. — Patrie de Max Ophüls*. ♦ *Hist.* Anc. possession des évêques de Metz, puis des comtes de Nassau-Sarrebruck (1381), la ville fut à partir du XVIIe s. l'enjeu constant des luttes entre la France et l'Empire. Louis XIV l'annexa de 1680 à 1697. Sarrebruck fut sous l'Empire (de 1794 à 1814) le chef-lieu du département français de la Sarre, avant d'être cédée à la Prusse, en 1815.

SARREGUEMINES. ♦ Sous-préf., ch.-l. d'arr. de la Moselle [4 cant., 69 comm., 82 433 hab.], à proximité de la frontière allemande, au confluent de la Sarre et de la Blies. 25 461 hab. *(Sarregueminois).* Céramiques (faïences, porcelaines et poteries). Constructions métalliques et mécaniques. Appareils de manutention. Chaudronnerie. Serrurerie. Meubles.

SARRELOUIS, en all. **Saarlouis,** anc. **Saarlautern.** ♦ V. d'Allemagne occidentale (Sarre), sur la Sarre, au N. de Völklingen. 36 500 hab. — Centre administratif et industriel sur le bord du bassin houiller sarrois (sidérurgie, métallurgie). — Patrie du maréchal Ney*. ♦ *Hist.* Anc. forteresse construite par Vauban en 1681, Sarrelouis resta française jusqu'en 1815, date à laquelle elle passa à la Prusse. De 1936 à 1945, elle porta le nom de *Saarlautern.*

SARRETTE (Bernard). ♦ Capitaine de la garde nationale française (Bordeaux, 1765 — Paris, 1858). En 1789, il fonda une école de musique qui devint le « Conservatoire de musique » (1795) et dont il assuma la direction de 1796 à 1814.

SARRE-UNION. ♦ Ch.-l. de cant. du Bas-Rhin*, arr. de Saverne*, sur la Sarre*. 2 965 hab. Église du XVe s., fontaine Renaissance, hôtel de ville de 1648. Indus. électrique, cloisons métalliques.

SARRIEN (Jean-Marie Ferdinand). ♦ Homme politique français (Bourbon-Lancy, 1840 — Paris, 1915). Député de la gauche radicale (1876), sénateur (1908), il fut plusieurs fois ministre (Postes, Intérieur, Justice, de 1885 à 1898) et présida le Conseil (mars-oct. 1906) ; son ministère fut marqué sur le plan intérieur par le vote de la loi sur le repos hebdomadaire, la tentative d'apaisement des catholiques après la loi de séparation de l'Église et de l'État (en particulier à propos de la question des inventaires des objets cultuels), l'annulation de la condamnation de Dreyfus (1906) et, sur le plan extérieur, par la conférence d'Algésiras.

SARS (Michael). ♦ Zoologiste norvégien (Bergen, 1805 — Christiana, 1869). Il étudia la faune littorale de Norvège (échinodermes, cœlentérés) et découvrit l'alternance de générations (sexuées et asexuées) des méduses.

SARTÈNE. ♦ Sous-préf. de la Corse*, ch.-l. d'arr. (8 cant. 45 comm. 43 379 hab.) 6 000 hab. *(Sartenais).* Ville anc. d'aspect moyenâgeux. Vins.

SARTHE. *n. f.* ♦ Riv. de l'O. de la France (285 km). Elle prend sa source dans l'Orne, traverse la Sarthe, puis le Maine-et-Loire où elle conflue avec la Mayenne à quelques kilomètres en amont d'Angers pour former la Maine. Elle arrose Alençon*, Fresnay*, Beaumont*, Le Mans*, La Suze*, Malicorne*, Sablé*, Châteauneuf*.

SARTHE. *n. f.* **[72].** ♦ Dép. de l'O. du Bassin parisien, région (anciennement C.A.R.) des pays de la Loire*. Situé aux confins du Bassin parisien et des bocages de l'O., ce département au relief modéré offre une grande diversité d'aspects. Ses hauteurs les plus notables se trouvent au N. (point culminant à 340 m, en forêt de Perseigne), au N.-O. (contreforts boisés du massif des Coëvrons) et au N.-E. (premières croupes du Perche). Au centre et au S., apparaissent les terres pauvres et sableuses du jurassique et du crétacé, contrastant avec les argiles fertiles du Bélinois parcouru par la vallée de la Sarthe, au S. du Mans. Les landes et les forêts poussées sur les argiles à silex du S.-E. laissent place, sur la marge méridionale du département, aux Vaux du Loir. ♦ 36 cant., 376 comm., 457 170 hab. *Préf.* Mans* (Le), *Sous-préf.* Flèche* (La), Mamers*. *Ch.-l. de cant.* Ballon (1 184 hab., 745 aggl.), Beaumont*-sur-Sarthe, Bonnétable*, Bouloire (1 595 hab., 825 aggl.), Brûlon*, Chartre*-sur-le-Loir, Château*-du-Loir, Conlie (1 479 hab., 1 125 aggl.), Écommoy*, Ferté*-Bernard (La), Fresnay*-sur-Sarthe, Fresnaye-sur-Chédouet (La) (764 hab., 227 aggl.), Grand-Lucé* (Le), Loué*, Lude* (Le), Malicorne*-sur-Sarthe, Marolles-les-Braults (1 916 hab., 1 041 aggl.), Mayet*, Montfort-le-Rotrou (921 hab., 558 aggl.), Montmirail (519 hab., 341 aggl.), Sablé*-sur-Sarthe, Saint-Calais*, Saint-Paterne (717 hab., 538 aggl.), Sillé*-le-Guillaume, Suze*-sur-Sarthe (La), Tuffé (1461 hab., 835 aggl.), Vibraye*. *Autres comm.* **V. Auvours, Champagné, Solesmes.**

SARTINE (Antoine Gabriel de SARTINE, *comte d'***ALBY).** ♦ Homme politique français (Barcelone, 1729 — Tarragone, 1801). Lieutenant général de la police (1759-1774), il prit d'heureuses mesures (assainissement de Paris, éclairage des rues, construction de la halle aux blés). Il devint ensuite ministre de la Marine qu'il réforma profondément, et émigra lors de la Révolution.

SARTO (Andrea *del*). ♦ **V.** DEL SARTO.

SARTRE (Jean-Paul). ♦ Philosophe, écrivain et critique français (Paris, 1905). Issu d'une famille de la bourgeoisie libérale, élevé entre sa mère et son grand-père, parent du docteur Schweitzer, le jeune Sartre découvrit très tôt le sentiment de ce qu'il a appelé sa « bâtardise » (le sentiment d'être de trop), l'expérience de la mauvaise foi, ayant conscience de jouer les attitudes de l'adulte, et sa « vocation » d'écrivain (Cf. *Les Mots,* 1964). Entré à l'École normale supérieure, il devait y critiquer, avec plusieurs de ses condisciples (tel P. Nizan*), les valeurs et les traditions de sa classe sociale, cette bourgeoisie qu'il jugea trop sûre d'elle-même, de sa sécurité, de ses devoirs et plus encore de ses droits. J.-P. Sartre enseigna quelque temps au lycée du Havre, puis, pensionnaire à l'Institut français de Berlin (1933-1934), y poursuivit sa formation philosophique. Au delà de la pensée de Hegel* (dont la terminologie absconse allait hanter la première grande œuvre philosophique de Sartre, *L'Être et le Néant*), s'affirmait en Allemagne le courant phénoménologique de Husserl* et de Heidegger*, que Sartre contribua à faire connaître en France et dont il développa la méthode (description réflexive) et les principes essentiels (intentionnalité de la conscience : « toute conscience est conscience de quelque chose », est en situation). Dès ses premiers textes philosophiques (*L'Imagination,* 1936 ; *Esquisse d'une théorie des émotions,* 1939 ; *L'Imaginaire,* 1940) apparaît le double refus du réalisme naturaliste et mécaniste qui prétend expliquer la conscience par autre chose qu'elle-même (critique de la psychologie objective, mais également de la psychanalyse et de sa notion d'inconscient) et de l'idéalisme, qualifié de « philosophie douillette de l'immanence ». De ce double refus procède l'existentialisme sartrien, dont les thèses sont développées dans *L'Être* et le Néant, Essai d'ontologie phénoménologique* (1943). Sartre y affirme l'opposition de « l'en-soi », l'être plein, massif et opaque des choses, et du « pour-soi », la conscience comme pouvoir de néantisation et comme sujet et liberté. Cette dernière, pour Sartre, est impossible à définir comme nature dotée de caractères déjà donnés, d'une essence (selon la formule devenue célèbre : « L'existence précède l'essence »). En situation dans un monde « toujours déjà là », la conscience dont Sartre analyse les structures (facticité et contingence, transcendance, temporalité), y rencontre le « regard de l'autre » (c'est l'expérience du « pour-autrui »), rencontre qui s'effectue sur le mode du conflit, du choc de deux libertés qui tentent de se détruire en tant que libertés (analyses du désir, de l'amour, de la haine, du sadisme et du masochisme, qui ont pu faire dire à Sartre dans une œuvre théâtrale que « l'enfer, c'est les autres » *(Huis clos,* 1945). L'homme, pour Sartre, se révèle comme « projet d'être » dont les conduites sont de vaines tentatives pour réaliser l'impossible synthèse de l'en-soi et du pour-soi, tentatives contradictoires que la psychanalyse existentielle (dont Sartre donnera de brillantes applications dans ses études sur Baudelaire, Jean Genet, Flaubert) cherchera à mettre en évidence en dévoilant le choix fondamental et libre fait par l'individu. Au delà des analyses et du vocabulaire souvent complexes de Sartre se dégagent les grandes thèses de l'existentialisme athée (thèses exposées plus simplement dans *L'existentialisme est un humanisme,* 1946) : la liberté absolue à laquelle l'homme sartrien est condamné sans recours (« Il n'y a rien au ciel, ni Bien, ni Mal, ni personne pour me donner des ordres »), cette liberté qui l'oblige à inventer lui-même son chemin sans que rien ne le justifie, cette liberté qui est le « fondement sans fondement de toutes les valeurs » et rend l'homme responsable de ses choix devant lui-même et devant les autres. L'être humain peut sans doute être tenté de se mentir à lui-même, de se dissimuler à soi-même et aux autres en jouant sa vie, en passant son temps à s'hypnotiser sur ses tâches, à se laisser « hanter par autrui qui nous souffle nos attitudes », mais cette démission est précisément la mauvaise foi d'une liberté qui croit pouvoir se soustraire à ses exigences : choisir et s'engager. Plus peut-être que par ses écrits philosophiques souvent abstraits, prolixes et difficiles, Sartre s'est fait connaître du grand public par ses récits, nouvelles et romans (*La Nausée**, 1938 ; *Le Mur,* 1939 ; *Les Chemins de la liberté,* (1943-1949), ses ouvrages de critique littéraire et politique (*Réflexions sur la question juive,* 1946 ; *Baudelaire,* 1947 ; *Saint Genet, comédien et martyr,* 1952 **(V. Genet** [Jean]) ; *Situations,* recueil d'articles, 1947-1965 ; *L'Idiot de la famille* (sur Flaubert, 1972). Son théâtre (et les adaptations qu'il suscita) eut un plus vaste public encore : *Les Mouches,* 1943 ; *Huis clos,* 1945 ; *Morts sans sépulture ; La Putain respectueuse,* 1946 ; *Les Mains sales,* 1948 ; *Le Diable et le Bon Dieu,* 1951 ; *Kean,* 1954 ; *Nékrassov,* 1956 ; *Les Séquestrés d'Altona,* 1960 ; une adaptation des *Troyennes* d'Euripide, 1965. La scène lui a en effet offert la forme la plus efficace qui lui permît de montrer « un caractère en train de se faire, le moment du choix, de la libre décision qui engage une morale et toute une vie » et d'exposer les thèmes généraux de son existentialisme, philosophie de l'action constituant une matière éminemment dramatique et engendrant des situations fortes et des dialogues vigoureux (notamment dans *Le Diable et le Bon Dieu,* qui évoque la figure de Goetz von Berlichingen). Parce qu'il est aussi artifice et simulacre, le théâtre apparaît à Sartre comme le lieu privilégié d'une réflexion sur la réalité de l'être et sur l'imposture de cette « bâtardise » qui constitue le péché originel d'un de ses personnages les plus significatifs, l'acteur Kean*. Déterminé à écrire pour le public de son temps, Sartre a voulu aborder les problèmes « de la fin et des moyens, de la légitimité de la violence, des conséquences de l'action : des rapports de la personne et de la collectivité, de l'entreprise individuelle avec les constantes historiques ». Sans parvenir toujours à dominer les tentations de la rhétorique et du didactisme, faisant souvent appel aux moyens classiques du drame bourgeois, à l'expressionnisme des décors ou au réalisme, ce théâtre se veut avant tout théâtre de la liberté conduisant tour à tour le héros vers une solitude aristocratique, la dérision, ou vers l'évidence de l'absurde. Il exprime une contradiction majeure : la vaine tentative pour concilier les exigences de l'action, notamment de l'action révolutionnaire, avec un pessimisme qui est la négation même de cette action. Telle est sans doute une des contradictions qui a nourri l'attitude politique de Sartre, plus particulièrement ses rapports avec le Parti communiste français. Elle devait aboutir à l'essai audacieux, mais qui fut contesté, de la *Critique* de la raison dialectique* (1960). Cette œuvre se présente en effet comme une tentative pour repenser le marxisme, « seule anthropologie possible qui doive être à la fois historique et structurelle (...) la seule en même temps qui prenne l'homme dans sa totalité, c'est-à-dire à partir de la matérialité de sa condition » et pour le concilier avec les affirmations fondamentales de l'existentialisme. Tout en définissant une méthode réflexive capable de décrire et de conceptualiser les relations complexes de l'homme et de l'histoire, cette tentative veut aussi être un moyen « de dégager les conditions théoriques de possibilité d'une pratique du monde humain qui soit propre à en assurer l'humanisation progressive, en l'arrachant de mieux en mieux à la dimension d'inertie d'une histoire où ne cessent de se réifier et de s'aliéner (en tant que praxis individuelles et simultanées, mais séparées) les libertés mêmes dont elle est le produit » (F. Jeanson). Le maître français de l'existentialisme athée a profondément marqué de son influence la jeunesse intellectuelle d'après-guerre. Il n'a cessé par ses prises de position (participation au tribunal Bertrand Russell*, refus du prix Nobel de littérature en 1964, activité comme directeur de *la Cause du peuple,* puis de *Libération* [jusqu'en 1974]) de mettre en question le monde contemporain au nom de l'homme et de sa liberté.

SARTROUVILLE. ♦ Ch.-l. de cant. des Yvelines (arr. de Saint-Germain-en-Laye), sur la Seine. 40 277 hab. Indus. électronique.

SARZEAU. ♦ Ch.-l. de cant. du Morbihan, arr. de Vannes, dans la presqu'île de Rhuys*. 3 724 hab. *(Sarzeautins).* — Maisons anciennes. Aux environs, château de Truscat et ruines du château de Suscinio (en cours de restauration), anc. résidence des ducs de Bretagne (XIIIe-XIVe s.). — Patrie de A. Lesage.

SASBACH. ♦ V. d'Allemagne occidentale (Bade-Wurtemberg). Turenne* fut tué non loin, au cours d'une bataille contre Montecuccoli* (1675).

SASEBO. ♦ V. du Japon (Kyûshû, près de Nagasaki) et importante base navale militaire créée en 1886 (300 000 hab.).

SASKATCHEWAN. *n. f.* ♦ Nom de deux rivières du Canada, nées dans les Rocheuses (Alberta) et réunies dans le centre de la prov. de Saskatchewan avant de se jeter dans le lac Winnipeg* (Manitoba). La *North Saskatchewan* arrose Edmonton et passe au N. de Saskatoon ; la *South Saskatchewan* parcourt le S. de l'Alberta, arrose Medicine* Hat, puis Saskatoon ; les deux branches confluent près de Prince Albert.

SASKATCHEWAN. *n. f.* ♦ Prov. du Canada, dans la Prairie*. 651 903 km². 962 242 hab. (1971). *Cap.* Regina. *V. princ.* **V. Saskatoon, Moose Jaw, Prince Albert.** — *Orogr.* Le tiers N. de la prov. fait partie du Bouclier canadien ; c'est une zone de roches anciennes, érodées et modelées par les glaciers (lacs, marécages) ; le S. et le centre forment une partie de la plaine continentale (Prairie). Cette région est drainée par la Saskatchewan (voir ci-dessous). — *Climat* continental, très froid l'hiver (moyenne de janvier — 18 à — 20 °C). — *Écon.* Prov. agricole (40 % du revenu) : céréales, notamment blé. L'élevage s'est développé plus récemment. Les forêts constituent une importante source de revenus. La pêche dans les lacs du N. produit plus de 1 600 000 dollars de revenus et le commerce des fourrures plus de 2 000 000. — Ressources minières : métaux (à l'E. ; région de Flin Flon), lignite, pétrole et

Ph. Marc Garanger

Jean-Paul Sartre.

gaz naturel, potasse, uranium (exploité depuis 1954). L'énergie hydro-électrique provient notamment du barrage Gardiner (South Saskatchewan). — Le S. de la prov. est bien desservi par les chemins de fer et les routes. Aérodromes importants à Regina et Saskatoon. — Université à Saskatoon. — Patrie de J.B. Watson. ♦ *Hist.* Exploré par Henry Kelsey pour la Compagnie de la baie d'Hudson (1690-1692) puis par les La Vérendrye (1750), le territoire connut son premier établissement en 1774; il fut transféré au Canada en 1869 (**V. Hudson** [Compagnie de la baie d']). Compris dans les Territoires du Nord-Ouest, la Saskatchewan devint une province en 1905.

SASKATOON. ♦ V. du Canada, la seconde de la province de Saskatchewan. 126 442 hab. (1971). Centre commercial d'une riche région céréalière (blé), et d'élevage. L'industrie (indus. alimentaires, raffinerie de pétrole, chimie, ...) est liée aux mines de potasse et au barrage Gardiner. — Université.

SASSANIDES. *n. m. pl.* ♦ Dynastie perse, originaire du Fars, qui renversa celle des Parthes arsacides et constitua un vaste empire étendu depuis le Khurâsân jusqu'à la Mésopotamie (226-651). Principaux représentants : **V. Ardachêr Ier, Bahrâm** (I à VI), **Khosrô Ier, Ormizd** (I à V), **Pérôz, Shâhpuhr Ier, Shâhpuhr II, Shâhpuhr III, Yazdgard** (I à III), **V.** *aussi* **Perse.**

SASSARI. ♦ V. d'Italie, au N.-O. de la Sardaigne. Ch.-l. de prov. 107 294 hab. Archevêché, université. Centre commercial et industriel. Mines de plomb et de zinc à proximité. ♦ *Hist.* Première colonie romaine au delà de l'Apennin (~ 283). Hasdrubal y fut vaincu en ~ 207. Partie de la Pentapole, elle fut donnée à Giovanni Della Rovere par son oncle le pape Sixte IV.

SASSENAGE. ♦ Ch.-l. de cant. de l'Isère* (arr. de Grenoble*), sur le Furon. 4 318 hab. *(Sassenageois).* Château du XVIIIe siècle. Fromage bleu réputé (appelé sassenage); cimenterie. Pittoresques grottes, dites *cuves de Sassenage.*

SASSETA (Stefano di Giovanni, dit **il).** ♦ Peintre toscan (Sienne, v. 1392 — *id.,* v. 1450). Représentant de la tradition siennoise, il en a prolongé dans ses polyptyques la sensibilité gracieuse et colorée. Sans négliger le nouvel apport florentin (*Madonna delle Nevi,* 1430-1432, Florence), il resta fidèle au merveilleux gothique, poétique et religieux, et usa de solutions originales dans le rendu de l'espace (*Retable de saint François,* 1437-1444, dispersé).

SASSOON (Siegfried Lorraine). ♦ Poète et romancier anglais (né en 1886). Israélite d'origine espagnole, il fit ses études à Cambridge et fut affecté pendant la Première Guerre mondiale en France et en Palestine, puis collabora quelques années au *Daily Herald.* Il publia de nombreux recueils poétiques où s'exprime une personnalité idéaliste et rêveuse (*Douze Sonnets,* 1911; *Mélodies,* 1913; *Contre-attaque,* 1918; *Veillées,* 1935). Ses *Souvenirs complets de George Sherston* (1937), trilogie romanesque, remportèrent un vif succès. Sassoon publia aussi une biographie de G. Meredith* et de nombreuses œuvres autobiographiques dont la plus appréciée fut *Aspects de la jeunesse* (1942).

SATAN, *en hébr.* **ha-schâtân** « l'adversaire en justice, l'accusateur », en gr. **diabolos** « accusateur, calomniateur » d'où **diable.** ♦ Le chef des démons, dans les traditions juive et chrétienne *(Zacharie,* III, 1; *Job,* I et II; *Apocalypse,* II, *passim).* — Allusions : « Va-t'en, Satan! » réponse de Jésus au diable qui le tente (*Matthieu,* IV, 10); également réponse de Jésus à saint Pierre qui cherche à le dissuader de monter à Jérusalem (*Matthieu,* XVI, 23).

SATIE (Alfred Erik LESLIE-SATIE, dit **Erik).** ♦ Compositeur français (Honfleur, 1866 — Paris, 1925). D'une mère d'origine écossaise, qu'il perdit très jeune, il tenait sans doute le sens de la fantaisie et d'un humour mystificateur qui rendirent sa personnalité si attirante pour ceux qui l'ont approché. Venu à Paris (1879), il suivit les cours du Conservatoire, mais, rebelle aux disciplines scolastiques du lieu, il y échappa en s'engageant dans l'armée. Déçu par la vie militaire, il s'en libéra rapidement. Il commença alors une carrière de pianiste dans les cabarets de Montmartre *(Le Chat noir, Le Clou)* où il fit la rencontre de Debussy avec qui il resta lié durant quelques années. De cette période marquée par le mysticisme (il avait fait la rencontre de Péladan et entreprit de dénoncer la décadence esthétique et morale de son époque) datent ses premières compositions : *Trois Sarabandes* (1887), *Trois Gymnopédies* (1888), *Trois Gnossiennes* (1890), *Trois Préludes pour le fils des étoiles* (1891), *Pièces froides* (1897), pour piano et la *Messe des pauvres* (1895), pour orgue, dont l'étrange pouvoir de séduction harmonique s'apparente à celui du chant liturgique et de la musique orientale. À cette époque, il alla s'installer dans une humble maison de la banlieue parisienne, à Arcueil (1898), qu'il ne devait plus quitter. Las de la réputation d'amateur qui lui était faite, il décida de suivre les cours de la *Schola cantorum* où sous la direction de Séryeix et de Roussel, il recommença ses études musicales (1903-1908). Les titres qu'il donna alors aux courtes pièces qu'il composait sont autant de défis ironiques à l'impressionnisme debussyste *(Aperçus désagréables, En habit de cheval pour quatre mains, Véritables préludes flasques pour un chien, Affolements granitiques, Descriptions automatiques, Embryons desséchés, Airs à faire fuir, Morceaux en forme de poire);* ils n'en révèlent pas moins une sensibilité qui se dissimule sous le sarcasme et une vive originalité d'écriture, marquée par un extrême dépouillement mélodique et contrapuntique. Dans les années qui précédèrent la guerre, Satie se lia avec Picasso, Diaghilev, Cocteau et, par Milhaud, avec les musiciens du futur groupe des Six. — La célébrité lui vint avec le ballet *Parade,* argument de Cocteau, chorégraphie de Massine, costumes et décors de Picasso* (1917), premier spectacle « cubiste » qui provoqua un scandale et attira à lui une jeunesse passionnée et désireuse de se mettre à son école, action militante qui était son moindre souci. Le groupe des Six et, un peu plus tard, l'école d'Arcueil*, allaient naître de cette ferveur. Cependant, Satie produisait son chef-d'œuvre, *Socrate,* « drame symphonique » pour voix et petit orchestre, sur des textes de Platon traduits par V. Cousin (1918), où la simplicité et la fraîcheur de l'invention mélodique atteignent souvent au sublime. À cette dernière période appartiennent encore les *Trois Nocturnes,* pour piano, *Les Ludions,* mélodies sur des poèmes de L.-P. Fargue, et deux ballets, *Mercure* et *Relâche.* Personnalité secrète et déconcertante, Satie a opéré une libération du langage et des formes, en réaction contre Wagner, Franck et, plus tard, contre Debussy et Fauré. En exaltant les vertus de la simplicité, en annexant à la musique les domaines du music-hall et des parades de la foire, il a exercé une influence indéniable sur son temps, notamment sur Ravel et Stravinski.

Ph. Nimatallah/Ricciarini

Il Sasseta, prédelle du polyptyque de la cathédrale de Sansepolcro. (Musée du Louvre, Paris.)

SATILLIEU. ♦ Ch.-l. de cant. de l'Ardèche*, arr. de Tournon*. 2 154 hab. Tissage de la soie.

Satire Ménippée (La, ou **Satyre Ménippée).** ♦ Ouvrage politique collectif (1594) qui représente l'opinion modérée des « Politiques », hostiles à la Ligue et favorables à Henri* de Navarre, roi légitime et français. Baptisée ainsi pour faire référence au philosophe cynique Ménippe*, connu pour son style satirique, cette relation pleine de verve des états généraux de 1593 fut rédigée par des juristes (Pierre Pithou*, Nicolas Rapin*...) et des érudits humanistes (comme Jean Passerat*), ce qui confère à ce pamphlet une valeur double, historique et littéraire.

Satires (Les). ♦ Dix-huit pièces écrites par Horace*, sur le modèle de Lucilius* et réparties en deux livres (v. ~ 35-v. ~ 30). Rédigées sur le ton de la conversation, elles sont consacrées à l'observation, d'abord amusée puis de plus en plus amère et dramatique, des travers et des vices de la société de son temps.

Satires. ♦ Œuvre en vers de Juvénal*, composée de seize pièces réparties en cinq livres écrits entre 100 et 130. Évitant la confidence, transposant dans la poésie écrite les procédés oraux du rhéteur qu'il maîtrisait parfaitement, et utilisant les ressources d'un riche vocabulaire, Juvénal y exprime avec force l'indignation de la classe moyenne devant la corruption de la Rome impériale. **V. Rome** *(Hist.).*

Satires (Les). ♦ Recueil des seize poèmes (1608 et 1612), inspirés des satiriques latins, où Mathurin Régnier* attaque les vices et les travers de son temps (satire III : *La Vie de cour;* XIII : *Macette, la fausse dévote*) avant de critiquer les règles édictées par Malherbe* (IX : *À Rapin*). — Ces œuvres, vigoureuses et souvent truculentes, manifestent bien l'amour de la vérité et de la liberté qui anime Régnier.

Satires. ♦ Recueil des douze satires de Boileau* (1660-1668; 1692-1705), tour à tour peinture réaliste des mœurs, réflexion morale et critique littéraire. D'abord critique plein de verve des mœurs bourgeoises (Satires I, X et VI, dite *Les Embarras de Paris*) et des mauvais écrivains (III ou *Le Repas ridicule*), Boileau aborde l'apologie morale (IV, VIII, XI et V ou *Que la vraie noblesse est celle du cœur*) avant de définir avec vigueur le but et les moyens de l'art. Établissant une rigoureuse hiérarchie des valeurs, il affirme la primauté de l'inspiration, puis prône une discipline stricte pour trouver l'expression la plus juste d'une idée vraie, c'est-à-dire « qui a dû venir à tout le monde ». Il faut donc imiter les Anciens*, modèles reconnus dans la peinture de la nature humaine, et se plier aux règles, contraintes « fondées en raison ». Cette œuvre polémique, dont l'auteur s'est justifié (VII et IX), s'attaque avec fougue aux excès des précieux et des burlesques et se met au service du « naturel », c'est-à-dire de la vérité dans l'art.

Satiricon (Le). ♦ Écrit par Pétrone* dans un mélange de vers et de prose, ce roman (dont il ne reste que des fragments) doit beaucoup aux *Fables milésiennes* de Cornelius* Sisenna et s'apparente aux *Satires Ménippées.* Formé d'épisodes qui se greffent les uns sur les autres comme dans le roman picaresque, il raconte les vagabondages d'un jeune dévoyé Encolpe et de ses deux amis Ascylte et Giton. Œuvre licencieuse, réaliste et comique par la surabondance des détails, elle dénonce le ridicule de toute activité humaine (vanité de la rhétorique et de la philosophie, grotesque des parvenus, misère du peuple, préciosité de la cour). Ses épisodes les plus célèbres sont l'histoire de la « Matrone d'Éphèse » (**V. La Fontaine**) et le « Festin de Trimalcion », repas ridicule chez un affranchi parvenu. — L'ouvrage a inspiré Fellini*.

SATLEJ ou **SUTLEJ**. *n. m.* ♦ Riv. du Pañjâb* (Inde et Pâkistân). 1 600 km. Née dans le Tibet, elle traverse la chaîne de l'Himâlaya occidental et conflue avec l'Indus près de Sukkur. C'est une des « 5 rivières » du Pañjâb.

SATO EISAKU. ♦ Homme politique japonais (1901 — Tôkyô, 1975). Après avoir été plusieurs fois ministre, il devint en 1957 le chef du Parti libéral. En novembre 1964, il succéda comme Premier ministre à Ikeda Hayato et fut réélu en 1971. Il démissionna en juin 1972. (Prix Nobel de la paix, 1974.)

SATORNIL. ♦ Prédicateur gnostique en activité à Antioche v. 100-130. Le premier, il professa le dualisme séparant Dieu et la Création, œuvre des sept anges dont Yahweh est le chef.

SATORY. ♦ Plateau situé au S. de Versailles (Yvelines) et sur lequel se trouve un camp militaire.

SATPURA *(monts)*. ♦ Hautes collines volcaniques de l'Inde septentrionale, situées entre la Narbadâ et la Taptî, et formant la limite septentrionale du Dekkan.

Sattasâi. ♦ Célèbre recueil de poèmes indiens écrits en langue mahârâṣṭrî par le roi Śâtakarnî Hâla (I-IIIe s. ?) et souvent remanié. D'inspiration śivaïte, il traite principalement des joies simples des villageois et du labeur des paysans.

SATU-MARE. ♦ V. de Roumanie septentrionale, près de la frontière hongroise, sur la r. d. du Someş, dans la région des Maramureş. 81 235 hab. — Centre commercial et industriel (métallurgie, textiles). Nœud ferroviaire en liaison avec la Hongrie et l'U.R.S.S. (Ukraine).

SATURNE, en lat. **Saturnus**. ♦ Dieu italique et romain identifié au Cronos grec. **V. Cronos.** Divinité des semailles *(satus)* et de la culture de la vigne, il est souvent représenté avec une faucille ou une serpe. La tradition romaine voulait que, chassé de l'Olympe par Jupiter (**V. Zeus**), il se soit réfugié en Italie auprès de Janus*, et attribuait à son règne sur le Latium les caractéristiques de l'âge d'or. On célébrait en son honneur les *saturnales* (Cf. Robert) à la fin du mois de décembre.

SATURNE. ♦ Planète supérieure ou jovienne du système solaire, la sixième dans l'ordre croissant des distances au Soleil. Connu depuis les Chaldéens qui lui prêtaient une influence fatale, *Saturne* apparaît à la lunette comme une belle planète de couleur jaune « plombé », remarquable par ses anneaux concentriques. Très éloigné de la Terre, il tourne autour du Soleil en 29 ans 167 jours, à une distance moyenne de 1 430 millions de km, sur une orbite d'excentricité 0,056, légèrement inclinée sur l'écliptique (2° 29'); son axe de rotation forme un angle de 27° sur la perpendiculaire au plan de l'orbite. Ses dimensions sont importantes : diamètre équatorial, 119 700 km; diamètre polaire : 107 200 km, ce qui implique un aplatissement aux pôles (1/9,5) dû à une rotation sur lui-même rapide (10 h 14 mn à l'équateur). Le volume représente 744 fois celui de la Terre, mais sa masse, de $5{,}679 \cdot 10^{29}$, n'est que 95 fois supérieure, soit une densité par rapport à l'eau de 0,7. Des mesures radiométriques montrent que la température au sol est très basse : — 150 °C, ce qui, joint à la faible densité de la planète, laisse supposer qu'il s'agit plutôt d'une énorme masse de gaz, en grande partie liquéfiée et composée de méthane, d'ammoniac, d'hélium et surtout d'hydrogène (env. 65 %), ce qui l'apparente à Jupiter. En 1610, les anneaux furent observés pour la première fois par Galilée*. Ceux-ci, concentriques et peu épais (une vingtaine de kilomètres), comportent trois parties distinctes : un anneau extérieur assez sombre, séparé de l'anneau médian très lumineux par l'obscure « division de Cassini », l'anneau intérieur, gris et transparent (anneau de « crêpe »). Ce sont des fragments de diverses tailles en rotation, formés surtout de glace (Kuiper, 1949), hypothèse déjà émise par Cassini* et confirmée par C. Maxwell (1857) et Keeler (1895). Le plus gros des satellites de *Saturne, Titan* (4 950 km de diamètre) fut découvert par Huygens* (1655); *Téthys, Dioné, Rhéa, Japet* furent observés par Cassini, *Mimas* et *Encelade* par Herschel*, *Hypérion* par Bond* et Lassell, *Phœbé* par Pickering, et très récemment (1966) *Janus* par Dollfus*.

SATURNIN ou **SERNIN** *(saint)*. ♦ (mort à Toulouse, v. 250). Premier évêque de Toulouse, il aurait été massacré par la foule. — Fête le 29 novembre.

Satyagrapha (« Force d'âme »). ♦ Nom souvent utilisé en Inde pour décrire l'état d'esprit des partisans de la non-violence résolus à obtenir pacifiquement quelque chose (sur le plan politique et religieux), fût-ce au péril de leur vie.

Satyres. *n. m. pl.*, en gr. **Saturoi**. ♦ Démons champêtres et forestiers dans les mythes grecs, identifiés avec les *faunes* par les Romains. Comme Pan*, ils étaient représentés avec le haut du corps d'un homme barbu et cornu, le bas d'un cheval ou d'un bouc. Dans les représentations ultérieures, la bestialité s'atténue, mais il reste toujours la queue de bête et le membre viril surhumain. Ils parcourent la campagne, jouant de la flûte et dansant, poursuivant les

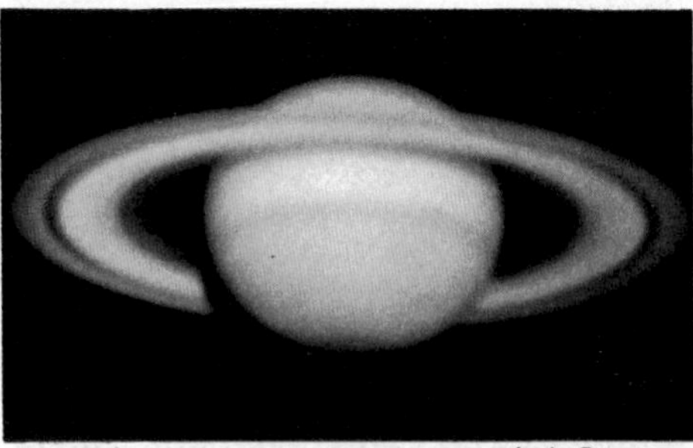

Arch. Rencontre

La planète **Saturne**, vue de l'observatoire du mont Wilson (Californie).

nymphes et les mortelles. Ils font partie du cortège de Dionysos*. Les vieux Satyres s'appellent aussi Silènes. Cf. Satyre *in* Robert.

SA'ŪD (Sa'ūd ibn 'Abd al-'Azîz IV, dit en Occident, comme son père, **Ibn Séoud)**. ♦ (Kuweit, 1902 — Athènes, 1969). Roi d'Arabie Sa'ûdite (1953-1964), fils et successeur de 'Abd* al-Azîz III. Il procéda à quelques réformes dans le domaine de l'éducation et de la santé. En politique étrangère, il continua l'action de son père, fondée sur l'alliance avec les États-Unis et la suspicion envers le monde communiste. Il délégua ses pouvoirs à son frère Faysâl qui lui succéda en 1964. Il vécut de 1965 à sa mort en exil à Athènes.

SAUERLAND. *n. m.* ♦ Massif montagneux d'Allemagne occidentale, appartenant à l'ensemble schisteux rhénan dont il forme la partie septentrionale. Il culmine à 481 m *(Kahler Asten)* dans le Rothaargebirge. Les versants N., les moins touchés par l'industrialisation, sont couverts de forêts de conifères. En revanche, les versants S., où l'on exploite un peu de fer et de la houille, constituent le « front pionnier » de la région de la Ruhr*. La Ruhr, la Möhne et la Sieg prennent leur source dans le Sauerland.

SAUGOR. ♦ **V.** SÂGAR.

SAUGUES. ♦ Ch.-l. de cant. de la Haute-Loire*, arr. du Puy*. 2 750 hab. *(Saugains)*. Église gothique. Donjon ruiné, dit « la tour des Anglais ». — Important marché.

SAUGUET (Henri POUPARD, dit **Henri)**. ♦ Compositeur français (Bordeaux, 1901). Il fut le disciple de Satie et l'un des membres de l'école d'Arcueil. Introduit dans les milieux musicaux parisiens par D. Milhaud, il connut le succès avec ses premiers ouvrages, opéras bouffes et ballets composés à l'intention des spectacles montés par S. de Diaghilev, le comte de Beaumont, I. Rubinstein et S. Lifar. Fondée sur des bases traditionnelles, sa technique musicale marque la synthèse de divers courants, les uns issus de la musique française des XVIIe et XVIIIe s., les autres du romantisme allemand, de ceux enfin qui ont traversé la musique depuis le début du siècle, de Debussy aux contemporains les plus avancés, sans aller toutefois jusqu'à l'atonalité. Caractérisée d'abord par une fantaisie capricieuse et allègre, sa musique a progressivement gagné en gravité et atteint dans ses dernières compositions à une intensité d'émotion et à un pathétique qui sont l'expression d'un chant profond. — L'œuvre de Sauguet comprend des *opéras bouffes* (*Le Plumet du colonel*, 1924; *La Contrebasse*, 1930), des *opéras* et *opéras-comiques* (*La Chartreuse de Parme*, 1936; *Les Caprices de Marianne*, 1954; *La Gageure imprévue*, 1942), des *ballets* (*La Chatte*, 1927; *La Nuit*, 1929; *Mirages*, 1943; *Les Forains*, 1945; *La Dame aux camélias*, 1957; *Paris*, 1964), de la *musique symphonique* (*Symphonie expiatoire*, à la mémoire des victimes innocentes de la guerre, 1947; deux *concertos* de piano; une *Mélodie concertante* pour violoncelle et orchestre), de la *musique de chambre* (*Quatuor à cordes* pour deux violons, alto et violoncelle, à la mémoire de sa mère, 1948), de la musique de scène et de film, ainsi que de nombreuses mélodies.

SAUJON. ♦ Ch.-l. de cant. de la Charente-Maritime, arr. de Saintes, sur la Seudre. 3 801 hab. *(Saujonnais)*. Station médicale. — Patrie d'Armand Dufaure* et d'Émile Gaboriau*.

SAÜL. ♦ Premier roi des Israélites (~ 1020-~ 1000), connu par la Bible (*I Samuel*, IX-XXXI). Originaire de Guibéa, de la tribu de Benjamin. Vainqueur des Philistins (grâce à son fils Jonathan*) et des Ammonites assiégeant Jabès, il est proclamé par Samuel*. Il instaure une royauté militaire, bat les Philistins et les Amalécites. Vieilli, il appelle David* pour le distraire de sa neurasthénie par sa musique, permet son amitié avec Jonathan, lui donne sa fille Michol en mariage. Mais il devient jaloux de ses succès, le persécute, le laisse passer à l'ennemi et, vaincu par les Philistins à Gelboé*, il se donne ou se laisse donner la mort. — Le personnage de Saül a inspiré des peintres (Rembrandt) et des compositeurs (Händel).

SAUL ou **SAÜL**. ♦ Nom juif de saint Paul*.

SAULDRE. *n. f.* ♦ Riv. de Sologne, dans les départements du Cher et du Loir-et-Cher. La Grande Sauldre (166 km) prend naissance dans les collines du Sancerrois et draine le S. de la Sologne. Elle traverse Argent*-sur-Sauldre, Salbris* et Romorantin*-Lanthenay, avant de se jeter dans le Cher* en aval de Selles*-sur-

Ph. Hétier

La Loire à **Saumur.**

Cher. Elle est reliée au Beuvron et à la Loire par le canal de la Sauldre. Elle reçoit la Petite Sauldre, son principal tributaire (56 km) sur sa r. g., à quelques kilomètres en amont de Salbris.

SAULIEU. ♦ Ch.-l. de cant. de la Côte-d'Or, arr. de Montbard. 3 549 hab. *(Sédélociens).* Basilique Saint-Andoche, de style roman bourguignon (XIIe s.), chapiteaux remarquables à l'intérieur, sarcophage de saint Andoche en marbre blanc (IVe s.); musée régional dans le presbytère. Église Saint-Saturnin (XVe s.); hôtel de ville (XVIIIe s.). Station estivale. – Patrie de F. Pompon* (maison natale).

SAULT [so]. ♦ Ch.-l. de cant. du Vaucluse*, arr. de Carpentras*. 1 345 hab. *(Saltésiens).* Église du XIIe s., ruines d'un château du XVIe siècle. Station estivale. Culture de lavande.

SAULT [so]**-SAINTE-MARIE.** ♦ Nom de deux villes situées de part et d'autre de la riv. Sainte-Marie *(Saint Mary's river),* entre le lac Supérieur et le lac Huron. – Ville du Canada (Ontario), sur la rive nord. 74 594 hab. (1966). Le canal et ses écluses ont un trafic de 3 000 000 de t annuelles, très inférieur à celui du côté sud. Indus. lourde : sidérurgie. – Ville des États-Unis (Michigan), sur la rive sud. Env. 20 000 hab. La navigation sur le canal et les quatre écluses parallèles est limitée à huit mois. Indus. du bois.

SAULXURES [sosyʀ]**-SUR-MOSELOTTE.** ♦ Ch.-l. de cant. des Vosges, arr. d'Épinal, sur la Moselotte. 3 928 hab. Exploitation de granit. Indus. du coton.

SAUMAISE (Claude, en lat. **Claudius SALMASIUS).** ♦ Philologue et érudit français (Semur-en-Auxois, 1588 – Spa, 1653). Outre des études de droit, de théologie, de médecine et d'histoire, il avait acquis une bonne connaissance du latin, du grec, de l'arabe, de l'hébreu et du persan. Passé à la Réforme, il s'établit à Leyde où il enseigna la philologie. Esprit encyclopédique, il a laissé des ouvrages d'érudition, de controverses juridiques et théologiques (notamment des travaux montrant la compatibilité de l'usure avec les préceptes du christianisme).

SAUMUR. ♦ Sous-préfecture du Maine-et-Loire, ch.-l. d'arr. (10 cant., 120 comm., 128 589 hab.), 23 175 hab. [21 342 aggl.] *(Saumurois).* Église Notre-Dame-de-Nantilly, du XIIe s., remaniée au XIVe s. et au XVe s., restaurée au XIXe s.; église Saint-Pierre, XIIe et XIIIe s., avec façade du XVIIe s.; église Notre-Dame-des-Ardilliers, XVIIe s.; église Saint-Nicolas, XIIIe et XVe siècles. Château construit à la fin du XIVe s. par Louis Ier, duc d'Anjou, remanié au XVe et au XVIe s., aujourd'hui musée. Hôtel de ville du début du XVIe siècle. – Célèbre école militaire de cavalerie, fondée en 1764, aujourd'hui École d'application de l'armée blindée et de la cavalerie. Les officiers et sous-officiers chargés de l'enseignement de l'équitation constituent le Cadre noir (Voir ci-dessous *Hist.*). Viticulture. Distilleries. Conserves. – Construction mécanique, chaudronnerie, ferronnerie industrielle. Industrie chimique. Confection. Matériaux de construction. Indus. du bois. Bijouterie. – Patrie de Louis Dupetit*-Thouars, Paul Leroy*-Baulieu. ♦ *Hist.* Une abbaye fondée en 848 à l'instigation de Charles le Chauve est à l'origine de la ville, qui entra sous Philippe Auguste dans le domaine royal. Tôt convertie aux idées de la Réforme, elle fut au XVIe et au XVIIe s. l'un des bastions du protestantisme. En 1599, Duplessis*-Mornay y fonda l'Académie de théologie protestante. La révocation de l'édit de Nantes entraîna l'émigration d'une grande partie de la population et le déclin de la ville, qui ne reprit un certain essor qu'avec la fondation de l'École de cavalerie [1764]. (Balzac évoqua dans *Eugénie* Grandet* la léthargie de la vie saumuroise au début du XIXe s.). Du 19 au 21 juin 1940, les élèves de l'École, ou cadets de Saumur, défendirent le passage de la Loire sur 20 km entre Montsoreau et Gennes contre l'avance des armées allemandes.

SAURĀṢTRA. *n. m.* ♦ Anc. État indien de la péninsule du Kâthiâwâr* (cap. Râjkot), inclus depuis 1960 dans l'État du Gujarât*.

SAURIA (Charles). ♦ Inventeur français (Poligny, 1812 – date et lieu de sa mort inconnus). Le premier à trouver, par hasard, le principe des *allumettes à friction* (1831), considéré de ce fait comme l'inventeur des allumettes chimiques, il mourut, oublié, dans la plus grande misère. **V. Lundström.**

SAUSSURE (Nicolas *de***).** ♦ Agronome suisse (Genève, 1709 – 1790). Il est l'auteur de plusieurs traités d'agriculture (en particulier sur la culture de la vigne). ♦ HORACE BENEDICT DE SAUSSURE, son fils. Géologue et physicien suisse (Conches, près de Genève, 1740 – 1799). De nombreux voyages d'études dans divers pays d'Europe, particulièrement dans les massifs du Jura, des Vosges, des Alpes, lui permirent de faire d'importantes observations dans le domaine de la minéralogie, en géologie et en météorologie. Il inventa plusieurs instruments tels l'hygromètre à cheveu, un diaphanomètre (pour étudier la couleur et la transparence du ciel à différentes altitudes), un cyanomètre (*Voyages dans les Alpes,* 1779; *Sur l'hygrométrie,* 1783).

SAUSSURE (Nicolas Théodore *de***).** ♦ Chimiste et naturaliste suisse, fils d'Horace Benedict de Saussure (Genève, 1767 – 1845). Professeur de géologie et de minéralogie, il s'occupa beaucoup de physiologie végétale et de chimie (*Recherches chimiques sur la végétation,* 1804).

SAUSSURE (Henri *de***).** ♦ Naturaliste suisse, petit-fils d'Horace Benedict de Saussure (Genève, 1829 – 1905). Envoyé en mission en Amérique centrale, il y poursuivit des travaux d'entomologie (sur les orthoptères et les hyménoptères).

SAUSSURE (Ferdinand *de***).** ♦ Linguiste suisse (Genève, 1857 – château de Vufflens, cant. de Vaud, 1913). Fils d'Henri de Saussure, il fit à Genève de brillantes études classiques, s'initia à Leipzig à la linguistique (sanskrit, vieux slave, iranien ancien) et présenta à Paris, où il devait se fixer (1880-1891), son *Mémoire sur le système primitif des voyelles dans les langues indo-européennes* (1879). Enseignant à l'école des Hautes Études (il eut A. Meillet* pour élève), il publia des travaux de linguistique historique qui fondaient une méthodologie nouvelle. Ne désirant pas acquérir la nationalité française, il dut revenir à Genève, où il fut professeur de sanskrit, de grammaire comparée, puis (1907) de linguistique générale. Son *Cours,* reconstitué en 1916 par ses élèves (dont Ch. Bailly*), pose les conditions d'une linguistique pure, détachée de la philologie, et les bases d'une science structurale du sens. On y trouve les grandes distinctions qui ont informé la linguistique du XXe s. : *langue* (système abstrait, fait social) et *parole* (réalité observable, individuelle); *synchronie* (domaine du fonctionnement) distinguée méthodologiquement de la *diachronie* (domaine des évolutions). La langue y est considérée comme un système (structure) de différences, et la théorie du signe (signifiant-signifié) interprétée dans une perspective psychosociologique, alimente le projet d'une science générale du signe ou sémiologie **(V.** *aussi* **Peirce** [Ch. S.]**).** Le *Cours de linguistique générale* exerça une influence croissante sur la linguistique et la sémiologie, d'abord en Europe (notamment chez Hjelmslev*, Benveniste*), puis dans le monde, et bien au delà de la linguistique (Lévi-Strauss, Merleau-Ponty, J. Lacan). Des exégètes ont cherché à reconstituer la pensée vivante de Saussure, quelque peu simplifiée dans le *Cours* (R. Godel, T. de Mauro). Les derniers travaux de Saussure, connus longtemps après sa mort *(Anagrammes),* témoignent d'une conception originale du langage poétique comme code autonome, et du texte littéraire comme réseau de relations manifestées au niveau des signifiants.

SAUTERNES. ♦ Comm. de la Gironde*, arr. de Langon*. 582 hab. *(Sauternais).* Sauternes est célèbre pour ses vins blancs très fruités et doux.

SAUTUOLA (*don* **Marcelino** *de***).** ♦ (mort en 1888). Il découvrit les fresques de la grotte d'Altamira [1875] (*Breves apuntes sobre algunos objetos prehistóricos de la provincia de Santander,* 1880).

SAUVAGE (Frédéric). ♦ Savant français (Boulogne-sur-Mer, 1786 – Paris, 1857). Inventeur d'un type d'hélice, vis à spirale entière, conçu pour la propulsion des navires à vapeur **(V. Smith).** Il fut entraîné à la ruine. Devenu fou, il mourut interné.

SAUVE. ♦ Ch.-l. de cant. du Gard (arr. de Le Vigan), au-dessus de la r. d. du Vidourle (pont du Moyen Âge). 1 328 hab. Restes de fortifications. – Indus. traditionnelle d'outillage. Bonneterie.

SAUVETERRE *(causse de). n. m.* ♦ Formation calcaire située dans les Grands Causses* entre le Lot et le Tarn, au N. du causse Méjean*, en Lozère*. Le Tarn, pénétrant dans les causses, suit une série de failles qu'il a approfondies en forme de canyons; il est alimenté uniquement par des résurgences. Tourisme **(V. Tarn).** Élevage : ovins.

SAUVETERRE-DE-BÉARN. ♦ Ch.-l. de cant. des Pyrénées*-Atlantiques, arr. d'Oloron*-Sainte-Marie, sur le gave d'Oloron*. 5 892 hab. Église fin XIIe s., donjon des XIIe et XIIIe s. – Conserves.

SAUVETERRE-DE-GUYENNE. ♦ Ch.-l. de cant. de la Gironde*, arr. de Langon*. 1 681 hab. Bastide créée en 1281.

SAUVEUR (Joseph). ♦ Mathématicien et physicien français (La Flèche, 1653 – Paris, 1716). Créateur de l'acoustique musicale, il établit, en 1700, une théorie des cordes vibrantes et des tuyaux sonores, dans laquelle il détermina les positions des nœuds et des ventres, imagina la notion d'ondes stationnaires et utilisa le phénomène des battements et de la résonance. Il découvrit les rapports simples de vibrations existant à côté de la note fondamentale dans une corde vibrante (harmoniques supérieurs). Il semble être le premier à avoir étudié les limites d'audition de l'oreille humaine. **V. Helmholtz, Mersenne.**

SAUVY (Alfred). ♦ Sociologue et démographe français (Villeneuve-de-la-Raho, Pyrénées-Orientales, 1898). Directeur de l'Institut national démographique (1945-1962) et représentant de la France à la Commission de la population à l'O.N.U., il est l'auteur d'importantes études économiques et démographiques (*Théorie générale de la population,* 1952-1954 ; *La Nature sociale,* 1957 ; etc.).

SAVA *(saint).* ♦ Métropolite de Serbie (v. 1174 – Tirnovo, 1235). Il obtint la reconnaissance de l'autocéphalie de l'Église serbe en 1219. Il écrivit une biographie de son père, qui est considérée comme la première œuvre littéraire serbe.

SAVAII. ♦ La plus grande des îles des *Samoa* occidentales* (1 715 km²), à l'O. d'Upolu*.

SAVANNAH. *n. f.* ♦ Riv. du S.-E. des États-Unis (505 km). Elle prend naissance au N.-O. de la Caroline du Sud, dans les Appalaches, sert de frontière entre cet État et la Géorgie et coule vers le S.-E. jusqu'à l'Atlantique. Elle arrose Augusta* et Savannah*. Nombreux barrages, hydro-électricité, usine atomique près d'Augusta.

SAVANNAH. ♦ V. des États-Unis, princ. port de la Géorgie*, située à l'embouchure de la Savannah sur la côte atlantique. 118 349 hab. Port le plus actif entre Baltimore et La Nouvelle-Orléans. Indus. diverses (pâte à papier, raffineries de sucre, etc.); constructions navales. ♦ *Hist.* Premier établissement anglais en Géorgie (1733), Savannah fut la cap. de la colonie, puis de l'État, jusqu'en 1785. De Savannah partit le premier vapeur qui ait traversé l'Atlantique (1819). Pendant la guerre de Sécession, la ville fut prise par Sherman en 1864.

SAVANNAKHET. ♦ V. du Laos, sur la r. g. du Mékong*, à la hauteur du 17ᵉ parallèle. 36 000 hab. Anc. base militaire française et port fluvial important.

SAVARD (Félix Antoine). ♦ Prélat et écrivain canadien, d'expression française (Québec, 1896). Missionnaire au Saguenay, professeur de français, il a été doyen de la faculté des lettres de Laval (1950 à 1956). Qu'il s'agisse de ses romans lyriques (*Menaud, maître draveur,* 1937 et 1943; *La Minuit,* 1948) ou des recueils de souvenirs et de portraits (*L'Abatis,* 1943; *Le Barachois,* 1959), F.A. Savard fait alterner passages descriptifs et méditations lyriques, recourant à un vocabulaire à la fois poétique et réaliste. Ses poèmes en prose affirment son don du symbole, et *La Dalle-des-morts* (drame poétique, 1965) son inspiration épique.

SAVART (Félix). ♦ Physicien français (Mézières, 1791 – Paris, 1841). **V. Biot.**

SAVARY (Anne Jean Marie René). ♦ Général et homme politique français (Marcq, Ardennes, 1774 – Paris, 1833). Engagé en 1789, il devint aide de camp de Desaix (campagne d'Égypte, Italie), puis de Bonaparte (1800), colonel de la gendarmerie d'élite consulaire (1801), poste où il fit la police secrète du Premier consul. Il fut chargé de l'exécution du duc d'Enghien (1804). Nommé général de division en 1805, il se distingua à la victoire d'Ostrołęka (1807). Il fut fait duc de Rovigo en 1808. Envoyé en Espagne, il réussit à convaincre Charles IV et Ferdinand VII de se rendre à l'entrevue de Bayonne* (1808). Il succéda à Fouché comme ministre de la Police (1810-1814). Restant fidèle à Napoléon, il voulut le suivre en exil mais fut arrêté. Il fut commandant en chef en Algérie (1831-1833). Il a laissé des *Mémoires pour servir à l'histoire de Napoléon,* d'un grand intérêt historique.

SAVARY (Félix). ♦ Mathématicien et astronome français (Paris, 1797 – Estagel, 1841). Auteur d'un théorème sur la courbure de la trajectoire d'un point lié à une courbe mobile roulant sur une courbe fixe, il résolut le problème du calcul des éléments orbitaux réels à partir de ceux de l'orbite apparente (1827); il observa également que la décharge d'un condensateur « consiste en une série d'oscillations ». (Acad. sc., 1832.)

SAVASORDA (Abraham Bar Hiyya). ♦ Astronome et mathématicien. Juif de Barcelone ([mort] v. 1136). Auteur d'une œuvre très importante en hébreu (traités sur *La Forme de la Terre* et sur les *Fondements de l'astronomie,* des tables astronomiques originales, *Le Traité des mensurations et des fractions* et *Les Fondements de la raison, de l'intelligence et la tour de la foi*), il collabora avec Platon de Tivoli qui traduisit en latin le *Liber embadorum,* traité d'arpentage consacré au calcul des surfaces composé en hébreu par Savasorda; premier ouvrage en latin traitant des équations du second degré, on y trouve la formule de Héron* donnant l'aire d'un triangle en fonction des trois côtés et du demi-périmètre, ainsi que des valeurs approchées intéressantes. **V. Léonard de Pise.**

SAVE. *n. f.* ♦ Riv. du bassin aquitain (150 km), affl. de la Garonne*, qui prend sa source au plateau de Lannemezan* et qui se jette dans la Garonne* près de Grenade. Elle arrose L'Isle-en-Dodon, Lombez, Samatan* et L'Isle*-Jourdain.

SAVE. *n. f.* ♦ Riv. de Yougoslavie, affl. de la r. d. du Danube (940 km), navigable sur 593 km. Née dans les Alpes* slovènes, elle arrose, en une large vallée alluviale, le bassin pannonien*, passe près de Ljubljana et Zagreb et se jette dans le Danube. à Belgrade*. *Princ. affl. :* Bosna, Drina*.

SAVENAY. ♦ Ch.-l. de cant. de la Loire-Atlantique, arr. de Saint-Nazaire. 4 528 hab. [3 259 aggl.]. *(Savenaisiens).* Les 22 et 23 décembre 1793, les troupes républicaines, commandées par Kléber et Westermann, y battirent l'armée vendéenne.

SAVERDUN. ♦ Ch.-l. de cant. de l'Ariège*, arr. de Pamiers*, sur l'Ariège*. 4 134 hab. *(Saverdunois).* Indus. textiles. Patrie de Benoît* XII. ♦ *Hist.* Ce fut la plus grande place forte protestante du pays de Foix*, au XVIᵉ siècle.

SAVERNE *(col de).* ♦ Col des Vosges, à 410 m d'alt., entre le plateau lorrain et la plaine d'Alsace*. Grand axe de circulation : voie ferrée, canal de la Marne au Rhin.

SAVERNE. ♦ Sous-préf. du Bas-Rhin*, ch.-l. d'arr. (6 cant., 134 comm., 82 191 hab.), sur la Zorn et sur le canal de la Marne au Rhin, à l'entrée du col entre le plateau lorrain et la basse Alsace. 10 065 hab. *(Savernois).* Église des XIVᵉ et XVᵉ s., avec clocher du XIIᵉ siècle. Château bâti à la fin du XVIIIᵉ s. par le cardinal de Rohan, évêque de Strasbourg, et contenant un musée. Maisons anciennes. – Indus. métallurgiques et électriques, horlogerie, brasserie, imprimerie. Vignobles, fabrication de kirsch. Grand axe de circulation : tunnel pour la voie ferrée de Strasbourg* à Nancy* et canal de la Marne au Rhin. ♦ *Hist.* Longtemps fief des évêques de Metz, puis, du XIIIᵉ au XVIIIᵉ s., fief des évêques de Strasbourg. En 1913, un incident entre Alsaciens loyalistes et un lieutenant allemand eut lieu à Saverne. Le lieutenant, s'adressant à ses soldats, avait traité les Alsaciens-Lorrains de « wackes » (voyous) et insulté le drapeau français. Il y eut des protestations qui provoquèrent des arrestations parmi les Savernois. Finalement, le Statthalter dut se retirer, le chancelier Bethmann-Hollweg ayant été blâmé au Reichstag pour l'attitude de l'armée.

SAVERY (Thomas). ♦ Mécanicien anglais (Shilston, Devon, v. 1650 – Westminster, 1715). Il fit breveter en 1698 la première machine utilisant la tension de la vapeur d'eau comme force motrice mais qui, employée pour le pompage de l'eau dans les mines de charbon, risquait d'exploser en raison des très grandes pressions; il s'associa alors à T. Newcomen* et ils mirent au point la première machine atmosphérique pratiquement utilisable (1705). **V. Papin, Watt.**

SAVIGNY (Friedrich Karl *von***).** ♦ Juriste et homme politique allemand (Francfort-sur-le-Main, 1779 – Berlin, 1861). Ministre de Prusse en 1842, il fut chargé de la révision du code. Fondateur de l'école historique allemande, il publia entre autres une *Histoire du droit romain au Moyen Âge* (1815-1831), un *Traité de droit romain* (1840-1849).

SAVIGNY-SUR-BRAYE [bʀɛ]. ♦ Ch.-l. de cant. du Loir-et-Cher, arr. de Vendôme. 2 349 hab. *(Saviniens).* – Église (du XIIᵉ au XVIIᵉ s.). Manoir du XVIᵉ siècle. – Matériel radio-électrique.

SAVIGNY-SUR-ORGE. ♦ Ch.-l. de cant. de l'Essonne, arr. de Palaiseau. 32 135 hab. *(Saviniens).* – Château du XVᵉ s., en partie incendié en 1940. – Fabrique de chaussures.

SAVINES-LE-LAC. ♦ Ch.-l. de cant. des Hautes-Alpes*, arr. de Gap*, près du lac artificiel du barrage de Serre*-Ponçon. 642 hab. *(Savinois).* Ce nouveau village a été construit pour remplacer l'ancien, submergé par le lac.

SAVOIE *(maison de).* ♦ Famille qui régna sur la Savoie et le Piémont à partir du XIᵉ s., sur la Sicile puis sur la Sardaigne à partir du XVIIIᵉ s., et sur l'Italie (1861-1946). Son origine reste incertaine, mais il est possible qu'elle soit issue d'une famille locale gallo-romaine, ou plus vraisemblablement qu'elle soit venue de Cham-

Ph. Giraudon

Philibert II le Beau, duc de Savoie.
Vitrail de l'église de Brou.

Ph. Hétier

Département de la **Savoie** : environs de Chambéry.

pagne et de Bourgogne. Son premier membre connu est Humbert aux Blanches Mains. Ses principaux membres furent Amédée* VI, le Comte vert, Amédée* VIII, premier duc de Savoie, Philibert* II le Beau, Charles* III, Emmanuel*-Philibert, Charles*-Emmanuel Ier, Victor*-Amédée Ier, Charles*-Emmanuel II, Victor*-Amédée II, premier roi de Sardaigne (1720), Charles*-Emmanuel III, Victor*-Amédée III, Charles-Emmanuel IV, Victor*-Emmanuel Ier, Charles*-Félix. Avec Charles*-Albert, la branche de SAVOIE-CARIGNAN, issue au XVIIe s. de Charles-Emmanuel Ier, à laquelle appartint le prince Eugène*, accéda au trône de Sardaigne et acquit celui d'Italie, dont elle réalisa l'unité avec Victor*-Emmanuel II. Il eut pour successeurs Humbert* Ier, Victor*-Emmanuel III et Humbert* II. – La branche d'AOSTE, descendante de Victor-Emmanuel II, monta sur le trône d'Espagne avec Amédée*.

SAVOIE. *n. f.* ♦ Région historique du S.-E. de la France, correspondant aux départements de la Savoie*, et de la Haute-Savoie*. ♦ *Hist.* Occupée par les Allobroges* dès les ~ VIIe-~ Ve s., la future Savoie fut conquise par les Romains en ~ 121, puis pacifiée sous Auguste et partagée entre la Narbonnaise, la Viennoise et les Alpes Grées (Ier-IIIe s.). C'est au IVe s. qu'apparut le terme de Sapaudia, d'où provient son nom actuel. Soumise à la domination burgonde* (Ve s.) puis à celle des Francs* (VIe s.), elle subit les partages mérovingiens* et carolingiens* et passa du royaume de Provence* de Boson à celui de Bourgogne* transjurane, et au second royaume de Bourgogne, avant d'être rattachée au Saint Empire (1032). La même époque vit la montée de la féodalité et l'avènement de la future maison de Savoie* avec Humbert Ier, en rivalité avec les comtes de Genève. En attendant que les visées des rois de France sur la partie O. des « monts » les rejettent peu à peu vers l'E., les comtes de Savoie bénéficièrent, dans leur lent travail d'unification, de leur maîtrise sur les cols et la route d'Italie; ils ne cessèrent de la monnayer au cours de leur histoire, jouant les uns contre les autres de leurs puissants voisins : la France, l'Italie et l'Empire. Ce procédé fit leur fortune aussi bien lors des conflits entre l'empereur et la papauté (querelle des Investitures*, lutte des Guelfes* et des Gibelins*) que lors des guerres entre la France et la maison d'Autriche. Leurs tentatives contre le Dauphiné*, Genève et l'Italie trouvèrent leur aboutissement au XIVe s. avec Amédée* VIII : premier duc de Savoie, il annexa définitivement le Piémont, acquit Genève et domina le Montferrat. Son prestige lui valut même une éphémère papauté (Félix V). La Réforme* et les guerres d'Italie* firent connaître à la Savoie une période de décadence (1434-1553), en même temps qu'elle s'orientait vers l'Italie; ayant perdu Genève, passée à la Réforme, et la Savoie proprement dite, occupée par la France, la maison de Savoie devait fixer sa capitale à Turin, alors même qu'Emmanuel*-Philibert aurait retrouvé tous ses États au traité de Cateau*-Cambrésis (1559). Charles*-Emmanuel Ier fut le dernier souverain de Savoie à lutter pour reprendre Genève (nuit de l'Escalade, 1602) et dut céder à la France une grande partie de son territoire (Gex, Valromey, Bresse, Bugey). Tandis que la France leur imposait autant que possible sa domination, les ducs affermirent peu à peu leur position en Italie, grâce à leurs changements de camp dans les guerres du XVIIe et du XVIIIe siècle. Victor*-Amédée Ier reprit les terres savoyardes perdues lors des expéditions de Louis XIII contre la Valteline et Mantoue-Montferrat, perdit Pignerol, mais acquit une partie du Montferrat, confirmée à Victor*-Amédée II, ainsi qu'une partie du Milanais et la Sicile, puis la Sardaigne (Utrecht, 1713). Celui-ci se désintéressa du sort de la Savoie proprement dite, et elle eut à subir une occupation espagnole pendant la guerre de la Succession* d'Autriche, qui fit cependant progresser Victor-Amédée en Lombardie. Annexée une première fois par la France révolutionnaire et impériale (1796-1814), la Savoie revint un moment au roi de Sardaigne avant d'être définitivement cédée à la France en même temps que Nice, après un plébiscite (traité de Turin, 1860), en échange du soutien apporté à l'unité italienne. **(V. Italie.)**

SAVOIE. *n. f.* **[73]** ♦ Dép. des Alpes françaises, région (anciennement C.A.R.) Rhône*-Alpes, à la frontière italienne. 6 188 km². – *Orogr.* La Savoie est un dép. de montagnes. Le centre en est la vallée de l'Isère* (qui s'appelle d'O. en E. : Combe* de Savoie et Tarentaise*), encadrée par la chaîne de Belledonne* (2 981 m), les Grandes Rousses* (3 468 m), le massif de Beaufort, le massif de la Vanoise* (3 852 m), point culminant du dép. entre la Maurienne* et la Tarentaise*. Chaînes et massifs sont séparés par des vallées qui sont autant de voies naturelles : Tarentaise*, Maurienne*, Combe* de Savoie, val d'Arly*; les cols, élevés, permettent néanmoins la communication avec les vallées italiennes : col du Mont-Cenis*, col de l'Iseran*, col du Petit-Saint*-Bernard. La cluse de Chambéry*, occupée par le lac du Bourget*, constitue une voie de passage entre l'Isère et le Rhône.
♦ 29 cant., 323 comm., 298 493 hab. *Préf.* Chambéry* ; *sous-préf.* Albertville*, Saint*-Jean-de-Maurienne. *Ch.-l. de cant.* Aiguebelle*, Aime*, Aix*-les-Bains, Albens (1 548 hab.), Beaufort*, Bourg*-Saint-Maurice, Bozel*, Chambre* (La), Chamoux-sur-Gelon (585 hab.), Châtelard (Le) (530 hab.), Échelles* (Les), Grésy-sur-Isère (611 hab.), Lanslebourg*, Modane*, Montmélian*, Moûtiers*, Motte*-Servolex (La), Pont*-de-Beauvoisin (Le), Rochette* (La), Ruffieux (429 hab.), Saint*-Genix-sur-Guiers, Saint*-Michel-de-Maurienne, Saint*-Pierre-d'Albigny, Ugine*, Yenne*. *Autres comm. et localités.* **V. Aiguebelette-le-Lac, Bessans, Bonneval-sur-Arc, Bourget-du-Lac (Le), Charmettes (Les), Courchevel, Hautecombe, Lanslevillard, Léchère (La), Malgovert, Méribel-les-Allues, Notre-Dame-de-Bellecombe, Pralognan-la-Vanoise, Randens, Roselend, Séez, Tignes, Val-d'Isère, Valloire.**

SAVOIE (HAUTE-). *n. f.* **[74]**. ♦ Dép. des Alpes, région (anciennement C.A.R.) Rhône*-Alpes, limité au N. par le lac Léman et à l'E. par la frontière suisse. 4 598 km². – *Orogr.* Le dép. s'étend au S. du lac Léman. Le massif des Bauges*, au S. du lac d'Annecy*, le massif des Bornes*, entre le Fier* et l'Arve*, le massif du Chablais au S. du lac Léman font partie des Préalpes. Au S.-E. se trouve le mont Blanc* (4 807 m), que l'Arve sépare du massif des Aiguilles*-Rouges. Les vallées (Dranse, Arve, cluse d'Annecy) pénètrent profondément la montagne.
♦ 28 cant., 307 comm., 393 363 hab. *Préf.* Annecy*. *Sous-préf.* Bonneville*, Saint*-Julien-en-Genevois, Thonon*-les-Bains. *Ch.-l. de cant.* Abondance*, Alby-sur-Chéran (782 hab.), Annemasse*, Biot [Le] (253 hab.), Boëge (843 hab.), Chamonix*-Mont-Blanc, Cluses*, Cruseilles (1 789 hab.), Douvaine (1 576 hab.), Évian*-les-Bains, Faverges*, Frangy (1 014 hab.), Reignier (2 299 hab.), Roche*-sur-Foron (La), Rumilly*, Saint*-Gervais-les-Bains, Saint*-Jeoire, Sallanches*, Samoëns*, Seyssel*, Taninges*, Thônes*, Thorens-Glières (1 151 hab.). *Autres comm.* **V. Argentière, Assy, Châtel, Clusaz (La), Combloux, Contamines-Montjoie (Les), Cran-Gevrier, Duingt, Fayet (Le), Flaine, Gets (Les), Grand-Bornand (Le), Houches (Les), Megève, Menthon-Saint-Bernard, Montriond, Morzine, Passy, Plagne (La), Praz-sur-Arly, Sixt, Talloires.**

SAVONAROLE (Jérôme), en it. **Girolamo Savonarola**. ♦ Prédicateur italien (Ferrare, 1452 – Florence, 1498). Entré chez les dominicains de Bologne, il commença par prêcher sans grand succès dans plusieurs villes d'Italie, avant de devenir prieur du couvent San Marco de Florence (1491). Ses sermons furent écoutés par des milliers de Florentins qu'il exhortait à la repentance et auxquels il prophétisa la venue d'un Cyrus des temps modernes. Après l'invasion de l'Italie par Charles* VIII, il s'imposa rapidement comme chef politique, instaurant à Florence un régime à la fois théocratique et démocratique, remaniant la constitution, la justice et les finances, réformant les mœurs (abandon des fêtes profanes, « bûchers de vanité »). Son austérité et son intransigeance finirent par diviser les Florentins en *arrabbiati* (« enragés » qui lui étaient hostiles) et *piagnoni* (« pleureurs », ses partisans). Ses attaques contre le pape Alexandre* VI (Borgia) lui valurent d'être convoqué à Rome (il ne s'y rendit point), puis excommunié. Les *arrabbiati* attaquèrent le couvent San Marco; Savonarole fut condamné à mort, pendu, puis brûlé avec deux de ses partisans.

SAVONE, en it. **Savona**. ♦ V. et port d'Italie, en Ligurie*, à l'O. de Gênes. Ch.-l. de prov. sur la Riviera di Ponente. 77 000 hab. Important complexe sidérurgique (Falck, FIAT) et indus. chimique. Important nœud de communications (vers Turin), au centre d'une grande région touristique.

Savonnerie *(la)*. ♦ Première manufacture royale de tapis fondée en France. Elle fut installée dans la grande galerie du Louvre sur l'ordre d'Henri IV en 1604, avant d'être transférée en 1631 dans une ancienne maison de savonnerie à Chaillot (d'où son nom). Il s'agissait alors de la fabrication de tapis veloutés auxquels on adjoignit par la suite des tapis copiés de l'Orient. En 1712, Louis XIV accorda à la Savonnerie les mêmes privilèges qu'à la manufacture des Gobelins*, à laquelle elle devait être réunie en 1826.

SAVORGNAN DE BRAZZA (Pierre). ♦ **V.** BRAZZA (Pierre SAVORGNAN *de*).

SAWANKHALÔK. ♦ V. du N.-O. de la Thaïlande et anc. cap. d'un royaume thaï, fondée par Râma Khamheng à la fin du XIIIe siècle. Elle est célèbre pour ses anciens monuments (datant pour la plupart des XVe et XVIe s.) et ses anciens fours à poteries qui produisirent à cette même époque de nombreux céladons destinés à l'exportation.

SAX (Antoine Joseph, dit **Adolphe).** ♦ Flûtiste français (Dinant, 1814 – Paris, 1894). Il déposa en 1845 un brevet pour un nouvel instrument qui fut nommé, d'après son nom, *saxophone*.

SAXE (Maurice, *comte de* **Saxe**, dit **le maréchal de Saxe).** ♦ Maréchal de France (Goslar, 1696 – Chambord, 1750). Fils de l'électeur de Saxe Auguste II, futur roi de Pologne, et d'Aurora de Königsmarck, il servit successivement le prince Eugène*, Pierre* le Grand, puis son père, qui l'avait reconnu en 1711, et enfin le roi de France. Élu duc de Courlande, il ne put prendre possession de son duché et revint en France. Il révéla ses qualités exceptionnelles de stratège lors de la guerre de la Succession* d'Autriche (prise de Prague, d'Eger, victoire de Fontenoy*, de Lawfeld*). Il mourut à Chambord où il s'était retiré. Il avait été le dernier des condottieri par ses talents militaires mais aussi par l'agitation de sa vie privée.

SAXE. *n. f.*, en all. **Sachsen.** ♦ Région historique d'Allemagne qui doit son nom aux Saxons* – Le DUCHÉ DE SAXE (843-1180). Le premier duché de Saxe fit partie du royaume de Germanie, dont Henri* Ier l'Oiseleur fut roi au Xe siècle. La maison de Saxe accéda à l'Empire avec le fils d'Henri Ier, Othon* le Grand, mais celui-ci confia l'administration de la Saxe aux Billung, puis aux Supplinburg. Lothaire de Supplinburg, étant lui-même devenu empereur (Lothaire* III) laissa la Saxe aux Guelfes*, héritiers des Billung. Henri* le Superbe se trouva donc à la tête d'un immense territoire qui recouvrait toute l'Allemagne du Nord. Son fils, Henri* le Lion, entra en conflit avec Frédéric* Barberousse et, vaincu, vit ses possessions démantelées. Le titre de duc de Saxe, donné à un fils d'Albert* l'Ours, était désormais attaché à une région formée du Wittenberg et du Lauenburg, et ce nouveau duché fut partagé en 1260 entre les deux héritiers qui se disputèrent l'électorat. – La SAXE ÉLECTORALE (1356-1806). Ce titre fut donné finalement par l'empereur Sigismond* à la maison de Wettin qui régnait sur la Misnie*. Ses possessions furent divisées à partir de 1485 entre ligne Albertine* et ligne Ernestine*. La ligne Albertine **(V. Maurice* de Saxe)** joua de la Réforme et de l'opposition à Charles* Quint pour s'emparer des biens de la ligne Ernestine **(V. Jean*-Frédéric de Saxe,** l'un des chefs de la ligue de Schmalkalden*). Le même procédé devait par contre aboutir au XVIIe s. à un désastre pour la Saxe, qui fut particulièrement éprouvée par la guerre de Trente* Ans. Désormais le Brandebourg prenait la tête des puissances protestantes en Allemagne, et la Saxe dut tourner ses ambitions vers la Pologne, au début du XVIIIe siècle. Frédéric-Auguste Ier, devenu roi de Pologne sous le nom d'Auguste* II, donna à son électorat un nouvel essor, faisant de Dresde* un actif foyer artistique et encourageant l'industrie de la porcelaine (Meissen), mais l'entraîna dans une guerre malheureuse contre Charles* XII. La région eut encore à souffrir de la guerre de Sept* Ans, sous Frédéric-Auguste II **(V. Auguste* III de Pologne)**, allié à l'Autriche. La situation fut redressée par Frédéric*-Auguste III, devenu *roi de Saxe* sous le nom de Frédéric-Auguste Ier. Cependant, son alliance avec Napoléon lui fit perdre une grande partie de ses territoires en 1815. – Le ROYAUME DE SAXE (1815-1918). Considérablement réduite, la Saxe oscilla pendant tout le XIXe s. entre les réformes et la réaction. Les troubles de 1830 amenèrent une libéralisation de ses institutions, mais ceux de 1848 furent écrasés par les troupes prussiennes et furent le prétexte d'une réaction renforcée. L'adhésion du royaume au Zollverein* (1833) avait favorisé son développement économique. Favorable à l'Autriche, la Saxe fut annexée par l'Empire allemand et connut une agitation politique constante jusqu'en 1918. Elle devint en 1945 un land de la République démocratique allemande, avant d'être divisée en circonscriptions (1952). – La branche Ernestine de Saxe avait donné naissance à plusieurs maisons dont les principales sont celles de la principauté de *Saxe-Cobourg-et-Gotha* (1826-1920), du duché de *Saxe-Meiningen* (1826-1920), du duché, puis grand-duché de *Saxe-Weimar-Eisenach* (1741-1918), qui fut le plus important, et connut son apogée sous Charles*-Auguste.

SAXE. *n. f.*, en all. **Sachsen.** ♦ Pays d'Allemagne orientale correspondant aux anc. régions historiques du royaume de Saxe (au S.) et de Saxe-Anhalt (à l'O.). Elle est formée des districts de Dresde, Halle, Leipzig, Karl-Marx-Stadt et Magdebourg. *Cap.* **V. Dresde.** *V. princ.* **V. Dessau, Görlitz, Halle, Karl-Marx-Stadt, Leipzig, Magdebourg, Meissen, Plauen, Zwickau, Wittenberg.** 20 297 km². Env. 4 000 000 d'hab. – *Orogr.* Le *Bergland saxon* ou zone des hauts reliefs est principalement constitué par le versant oriental du *Harz** et des pentes N.-O. de l'*Erzgebirge**. La zone moyenne *(Mittelgebirge)* comprend au S. les collines du *Vogtland,* de la Suisse saxonne (autour de Dresde) et de Haute-Lusace* à l'est. Au N. s'étend un ensemble de reliefs déprimés correspondant au bassin moyen de l'Elbe, à la plaine de Leipzig et à la Basse-Lusace*, traversé par la Saale et l'Elster qui l'ont marqué de leurs glaciations. – *Hydrogr.* **V. Elbe, Elster, Mulde, Saale.** – *Écon.* L'agriculture est assez prospère (pomme de terre, céréales, betterave à sucre), surtout sur les terres des *Börde,* riches en lœss. Mais la Saxe est avant tout la grande région industrielle de la R.D.A. D'importants gisements de lignite (Görlitz, Leipzig), de potasse, de houille (Zwickau), de sel gemme et de métaux non ferreux (Harz, Erzgebirge) ont favorisé son développement. La métallurgie et la chimie sont localisées dans les grands centres urbains, complétées par l'indus. du cuir, de la céramique (porcelaines de Meissen*) et l'indus. alimentaire (sucreries). L'indus. textile, traditionnelle, est située à l'intérieur du triangle Plauen-Leipzig-Zittau.

SAXE (BASSE-), en all. **Niedersachsen.** ♦ *Land* d'Allemagne occidentale (R.F.A.), formé en 1946 par la réunion des anc. territoires de Hanovre*, de Brunswick*, d'Oldenbourg et de Schaumburg-Lippe, s'étendant d'O. en E. des Pays-Bas à l'Allemagne orientale, limité au N. par la mer du Nord et au S. par la Rhénanie-du-Nord-Westphalie et la Hesse. 18 295 km². 7 180 500 hab. *Cap.* **V. Hanovre.** *V. princ.* **V. Bremerhaven, Brunswick, Celle, Cuxhaven, Delmenhorst, Emden, Goslar, Göttingen, Hameln, Harburg, Helmstedt, Hildesheim, Holzminden, Leer, Lingen, Lunebourg, Oldenbourg, Osnabrück, Peine, Salzgitter, Stade, Verden, Wilhelmshaven, Wolfsburg.** – *Orogr.* La Basse-Saxe, géographiquement, appartient à la fois à la grande plaine du N., à la zone des *Börde* et à l'Allemagne moyenne (hercynienne). Le N., domaine de la grande plaine germanique, très fortement modelée par l'érosion glaciaire, juxtapose plusieurs types de paysage. La côte de Frise* orientale, le long de la mer du Nord, est formée de polders, les *Marschen,* issus de la transgression flandrienne et gagnés sur la mer ; elle est bordée d'un chapelet d'îles sableuses. L'intérieur offre une succession monotone de plaines sableuses et de collines morainiques correspondant au pays de *Geest* et interrompues par les grandes étendues tourbeuses des *Moore* (marais de Boutrange à l'E. de l'Ems, Teufelmoor et landes de Lunebourg* entre Weser et Elbe). La zone intermédiaire, de Hanovre à Brunswick, est constituée par l'étroite bande lœssique des *Börde,* séparant la plaine du N. de l'Allemagne hercynienne, au sud. Cette dernière est constituée par une série de massifs : extrémité N.-O. du *Teutoburger Wald, Wiehengebirge, monts de la Weser* et extrémité O. du *Harz.* – *Hydrogr.* Elbe, Ems, Hunte, Aller et leurs affluents – *Écon.* Les terres du N., au sol ingrat, portent de maigres cultures de seigle et de pomme de terre associées à l'élevage. En revanche, les terres des *Börde,* couvertes de lœss, sont favorables à la culture du blé, de la betterave sucrière et aux primeurs (aux abords des grandes villes). Le N.-O., domaine des *Moore,* est grand producteur de tourbe. Les ressources du sous-sol sont abondantes et variées : riches gisements de fer de Salzgitter et des confins du Harz (1/3 de la production de la R.F.A.), lignite (Harz, région d'Helmstedt), pétrole (Celle, Peine, bassin de l'Ems), potasse (Hanovre) et métaux non ferreux (cuivre, plomb, zinc) du Harz. L'activité industrielle est en outre favorisée par la présence du Mittellandkanal et de l'autoroute Brunswick-Ruhr, et par l'afflux (depuis 1945) de deux millions d'immigrés venant d'Allemagne orientale. L'éventail des activités : sidérurgie (Brunswick, Hanovre, Peine, Salzgitter), constructions mécaniques (Brunswick, Hanovre, Wolfsburg : automobiles) et navales (Bremerhaven, Cuxhaven, Emden, Wilhelmshaven), électro-mécanique (Brunswick, Hanovre), chimie minérale et pétrolochimie (Emden, Hanovre, Peine, Wilhelmshaven), textiles (Delmenhorst, Osnabrück), placent la Basse-Saxe au rang des grandes régions industrielles d'Allemagne.

SAXE-COBOURG (Frédéric Josias, *duc de***).** ♦ Général autrichien (Cobourg, 1737 – *id.,* 1815). Il servit l'Autriche dès la guerre de Sept* Ans et commanda l'armée des coalisés aux Pays-Bas à partir de 1792 (victoire de Neerwinden en 1793, de Fleurus en 1794). L'expression « Pitt et Cobourg » symbolisa les forces alliées pour les Conventionnels.

SAXE-WEIMAR (Bernard, *duc de***).** ♦ **V.** BERNARD DE SAXE-WEIMAR.

Ph. Robert Petit/Atlas-Photo

Basse-Saxe : Goslar.

Ph. Prato/Ricciarini

Sbeïtla : porte d'Antonin.

SAXO GRAMMATICUS. ♦ Historien danois (v. 1150 – Roskilde, 1206 ou 1216). Il fut chargé par l'archevêque de Roskilde, Absalon, de rédiger une chronique du Danemark en latin. Utilisant les traditions orales et les légendes, la *Gesta Danorum* de Saxo Grammaticus, qui manque parfois de sens critique, constitue un texte essentiel tant par son importance historique que par sa langue. Elle fut publiée pour la première fois à Paris par Christiern Pedersen* (1514) et souvent traduite par la suite. **V. Hamlet.**

SAXONS. *n. m. pl.* ♦ Peuple germanique établi au IIe s. au N. de l'Elbe, sur les côtes de la mer du Nord puis dans toute l'Allemagne du Nord-Ouest à la fin du IIIe siècle. Pirates, ils ravagèrent les côtes de la Gaule et de la Grande-Bretagne. Vers 450, certains Saxons allèrent s'établir en Angleterre avant les Angles*. Les Saxons qui étaient restés en Germanie gagnèrent le Harz et l'Eichsfeld, s'établissant ainsi aux frontières du monde franc. La conquête de la Saxe fut entreprise par Charles Martel, continuée par Pépin le Bref et achevée par Charlemagne*, qui mena de pair soumission et évangélisation de 772 à 804. Widukind* souleva les Saxons (778), mais il se soumit et consentit à recevoir le baptême en 785. La pacification ne fut achevée qu'en 804. Des évêchés furent fondés, notamment à Osnabrück, Brême, Paderborn, Münster, Hambourg. La dernière révolte fut réprimée par Louis le Germanique (841-842). **V. Saxe.**

SAY [sɛ] **(Jean-Baptiste).** ♦ Économiste et industriel français (Lyon, 1767 – Paris, 1832). Influencé par les théories d'A. Smith*. il publia son *Simple Exposé de la manière dont se forment, se distribuent et se consomment les richesses,* 1803. Gérant d'une usine de filature de coton dans le Pas-de-Calais (1807-1813), il enseigna, après la Restauration, l'économie politique (*Catéchisme d'économie politique,* 1815; traduction de l'œuvre principale de Ricardo, 1819; *Lettre à Malthus,* 1820; *Cours complet d'économie politique pratique,* 1828-1830). Il mit en évidence le rôle de l'industrie, faisant l'apologie du machinisme, celui de l'entrepreneur, et la loi des débouchés. Contrairement aux doctrines pessimistes de Malthus et de Ricardo, son libéralisme économique est profondément optimiste.

SAY (Louis Auguste). ♦ Économiste français (Lyon, 1774 – Paris, 1840). Frère de Jean-Baptiste Say, il dirigea une raffinerie de sucre à Nantes. Opposé aux idées économiques de son frère, il affirma dans son ouvrage *Études sur la richesse des nations* que les forces productives sont la source effective des richesses.

SAY (Horace Émile). ♦ Économiste français, fils de Jean-Baptiste Say (Noisy-le-Sec, 1794 – Paris, 1860). Président de la Chambre de commerce de Paris, il entreprit une enquête sur l'industrie parisienne. Il fonda la Société d'économie politique, *le Journal des économistes* et *le Journal du commerce.*

SAY (Léon). ♦ Homme politique et économiste français, fils d'Horace Émile Say (Paris, 1826 – 1896). Préfet de la Seine (1871), ministre des Finances (1872-1873 et 1875-1879), il se montra hostile au socialisme et partisan du libre-échange. (Acad. fr., 1886.)

SAYAN *(monts).* ♦ **V.** SAÏAN.

SAYCE (Archibald Henry). ♦ Orientaliste et philologue anglais (pres de Bristol, 1845 – Bath, 1933). Il fut l'un des fondateurs de l'assyriologie moderne.

SAYDÂ. ♦ **V.** SAÏDA (Liban).

SAYF AL-DAWLA. ♦ Prince arabe de la dynastie hamdânide ([mort] en 967). **V. Hamdânides.**

SAYYID MURTADHA AL-ZABÎDÎ. ♦ Écrivain arabe (? – 1791). Venu de l'Inde, il se fixa au Caire et écrivit un commentaire de l'*Ihyâ* de Ghazalî* ainsi qu'un autre commentaire érudit du *Qâmûs* de Fîrûzâbâdî* intitulé *Tâj al-'Arûs* (« Le Diadème de la mariée »).

SBEÏTLA. ♦ Localité de Tunisie située sur le rebord méridional du Haut Tell. Importants vestiges de la ville romaine de *Sufetula.* Un aqueduc de 166 km transporte les eaux captées de la région jusqu'à Sfax.

SCAËR. ♦ Ch.-l. de cant. du Finistère, arr, de Quimper. 7 297 hab. – Aux environs, grande papeterie; conserves alimentaires.

SCAEVOLA (Caius Mucius). ♦ **V.** MUCIUS SCAEVOLA.

SCAFELL PIKE. *n. m.* ♦ Point culminant du massif anglais du Cumberland* (983 m).

Scala. *n. f.* ♦ Théâtre qui, construit à Milan à l'initiative de Marie-Thérèse, sur l'emplacement de l'anc. église de *Santa Maria alla Scala* (Sainte-Marie-à-l'Échelle) par G. Piermarini (1778), se substitua à l'anc. théâtre ducal détruit par un incendie. Inauguré avec *L'Europa riconosciuta,* de Salieri (1778), il devint à l'époque du Risorgimento le foyer principal des manifestations d'indépendance patriotique de l'Italie en lutte contre la puissance autrichienne. Les plus illustres compositeurs du XIXe s. (Rossini, Donizetti, Verdi) y firent représenter leurs opéras. Les plus grands chefs d'orchestre, dont Toscanini, qui en fut le directeur, et les chanteurs les plus célèbres en ont fait la réputation jusqu'à nos jours. Rénové en 1867, en grande partie détruit en 1943, le théâtre fut reconstruit grâce à A. Toscanini et à l'aide d'Américains. Il rouvrit ses portes en 1949. D'une capacité de 3 200 places, il s'est agrandi (1955) d'une nouvelle salle, plus petite (500 places), située derrière la scène, qui est destinée aux opéras de chambre et aux récitals.

SCALIGER [skaliʒɛʀ] **(Jules César),** en it. **Giulio Cesare Scaligero.** ♦ Médecin et humaniste italien (Riva del Garda, 1484 – Agen, 1558). D'un caractère entier, il s'opposa à maints savants et humanistes de l'époque (Cardan, Érasme). Il est l'auteur de travaux scientifiques sur Hippocrate, Aristote et Théophraste et d'ouvrages littéraires, en particulier sa *Poétique* qui annonce le classicisme. ♦ JOSEPH JUSTE SCALIGER, en it. GIUSEPPE GIUSTO SCALIGERO. Fils du précédent. Humaniste (Agen, 1540 – Leyde, 1609). Converti au protestantisme (1562), il se réfugia à Genève après la Saint-Barthélemy, puis devint professeur à Leyde. (*Opus novum de emendatione temporum,* 1583 ; *Poemata omnia,* 1615.)

SCAMANDRE. *n. m.,* en grec **Skamandros.** ♦ Fl. côtier du N.-O. de l'Asie Mineure (Troade). Prenant sa source au mont Ida*, il passait près de Troie*, puis il recevait les eaux du Simoïs avant de déboucher dans l'Hellespont. Il est identifié avec l'actuel *Küçük Menderes.* – Le dieu-fleuve *Scamandre* ou *Xanthe (Xanthos),* ancêtre de la famille royale de Troie, lutta contre les Grecs pendant le siège de la ville.

SCAMOZZI (Vincenzo). ♦ Architecte italien (Vicence, 1552 – Venise, 1616). Il fut, après Palladio et Sansovino* dont il continua l'œuvre, l'un des derniers grands constructeurs de la Renaissance italienne. Il édifia l'église San Gaetano à Padoue et le palais Contarini (1609) à Venise, et surtout les Nouvelles Procuraties qui achevaient la place Saint-Marc de Venise, avec une élévation en trois étages bien équilibrés mais assez froids (le second ordre fut modifié par Longhena). Il réalisa de nombreuses villas dans la région vénitienne, dont la villa Nani-Mocenigo (Conda, 1580-1584). Le théâtre de Sabbioneta (prov. de Mantoue, 1588-1589) est fortement inspiré du théâtre Olympique de Vicence **(V. Palladio)** que Scamozzi avait achevé. Après avoir dessiné les plans de la place forte de Palmanova, près d'Udine, et tracé des plans pour une cathédrale à Salzbourg, il se rendit dans l'est de la France. Il écrivit un important traité d'architecture (*Idea dell'architettura universale,* 1615). Ses grandes connaissances techniques lui permirent de continuer dignement l'œuvre de ses prédécesseurs, mais une tendance à l'académisme donne à ses œuvres un caractère moins libre et plus froid.

SCANDERBEG (Georges Castriota). ♦ **V.** SKANDERGEG.

SCANDINAVIE. *n. f.* ♦ Région de l'Europe du Nord, comprenant les deux États de la péninsule scandinave (Norvège et Suède) et le Danemark. On y inclut parfois la Finlande (critère géologique, mais les critères culturels, linguistiques et historiques conduisent à l'en séparer) et l'Islande (critère linguistique). 817 800 km². **V. Norvège, Suède, Danemark.**

SCANIE. *n. f.,* en suéd. **Skåne.** ♦ Prov. de l'extrême S. de la Suède, entre l'Øresund* et la mer Baltique*. *V. princ.* Malmö*. Reliée par voie aérienne à Copenhague*, Oslo* et l'île de Gotland*. Région de plaines fertiles et de forêts, au climat assez doux, la Scanie a une agriculture développée : céréales, pommes de terre, betteraves à sucre, arbres fruitiers. Élevage de bovins et de porcins. – Indus. importantes : constructions mécaniques, indus. du bois, textiles. ♦ *Hist.* La Scanie appartint au Danemark dès la fin du VIIIe siècle. Elle fut cédée à la Suède par le traité de Roskilde (1658).

SCAPA FLOW. ♦ Vaste baie du S. des îles Orcades*, au N. de l'Écosse, limitée à l'O. par l'île Hoy, au N. par l'île Mainland et à l'E. par l'île South Ronadsay (24 km de long du N. au S. ; 13 km dans sa largeur principale). ♦ *Hist.* Principale base de la flotte britannique pendant le premier conflit mondial, elle servit après l'armistice (1918) de lieu de rassemblement de la flotte allemande prisonnière. Le traité de Versailles, qui ordonnait la livraison de la flotte aux Alliés, fut à l'origine du sabordement de la totalité des bâtiments (juin 1919) par le contre-amiral von Reuter. — Au début du second conflit mondial, la baie servit à nouveau de base aéronavale; mais à la suite du torpillage du cuirassé *Royal Oak* par le capitaine allemand Günter Prien (oct. 1939), l'insuffisance des défenses fut évidente. En mars 1957, Scapa Flow a cessé d'être une base de la Royal Navy.

Scapin. ♦ Personnage de la comédie italienne, valet d'intrigue, fourbe et rusé. Sous les traits de Francesco Gabrieli, il apparut en France, pour la première fois, à la cour de Louis XIII. Molière l'a introduit sur la scène française (*Les Fourberies de Scapin,* 1671).

Scaramouche. ♦ L'un des plus anciens personnages du théâtre italien. Subtil et hâbleur, tout de noir vêtu, il s'incarna en Tiberio Fiorelli qui, devenu à Paris « le prince des comédiens et le comédien des princes », devait exercer, par son exemple, une influence certaine sur la vocation du jeune Molière.

SCARBOROUGH. ♦ V. du N.-E. de l'Angleterre (Yorkshire, North Riding). 42 600 hab. — Station balnéaire sur la mer du Nord parmi les plus anciennes et les plus fréquentées d'Angleterre. Château du XIIe s. et maisons anciennes (*King Richard III House,* XIVe s.).

SCARLATTI (Alessandro). ♦ Compositeur italien (Palerme, 1660 — Naples, 1725). Aîné de sept enfants, dont plusieurs devinrent musiciens, il reçut probablement sa première éducation musicale de Carissimi. Le succès de son premier opéra lui valut la protection de la reine Christine de Suède, en exil à Rome. Devenu maître de chapelle (1679) du vice-roi de Naples, il se fixa dans cette ville (1684) et connut rapidement, par ses ouvrages lyriques, religieux et profanes, une célébrité qui s'étendit à toute l'Italie. De cette période extrêmement féconde datent de nombreuses cantates de chambre, pièces de circonstances et opéras d'une valeur inégale. Avec son fils Domenico (V. *ci-dessous*), il quitta Naples pour Florence puis Rome (1703) où, devenu assistant maître de chapelle à Sainte-Marie-Majeure, il fut le protégé du cardinal Ottoboni, dont il devint le maître de chapelle. Après un séjour à Venise où triomphèrent ses opéras *Mitridate Eupatore* et *Il Triónfo della libertà* (1707), il fut rappelé à Naples (1708) où, réintégré dans ses fonctions, il connut la période la plus glorieuse de sa vie, entreprenant encore un voyage à Rome (1719) et multipliant ses compositions dans tous les genres. Cependant le goût du public avait évolué et sa musique, réputée austère, avait cessé de plaire. Une dernière fois, il revint à Naples (1723) où J.A. Hasse vint recueillir ses conseils. Il mourut dans la solitude et l'oubli. — Bien qu'il soit considéré à tort comme le fondateur de l'opéra napolitain, A. Scarlatti a exercé une indéniable influence sur ses contemporains (Purcell, et surtout Haendel) et, s'il peut être tenu pour le précurseur de Mozart, il fut effectivement le maître de son fils Domenico. S'il s'est abandonné trop souvent à la facilité, dans le domaine de l'opéra notamment, il n'en demeure pas moins un maître de la mélodie et un parfait styliste, dont la rigueur d'écriture sait éviter les surcharges ornementales dont le baroque n'est point exempt. Il a fixé la forme de l'opéra napolitain où la musique domine l'action (emploi de l'*aria da capo*), donné à l'ouverture dite italienne sa forme classique, perfectionné le genre de la cantate de chambre et, en assignant trois mouvements à la symphonie, il s'est affirmé comme le précurseur de la symphonie classique. — Son œuvre, extrêmement abondante, comprend cent quinze opéras, presque tous sérieux (dont *Tigrane,* 1715; *Canbise,* 1719; *Griselda,* 1721; *Il Triónfo dell'onore,* 1718), une trentaine d'*oratorios,* soixante *motets,* un nombre important de *messes,* plus de six cents *cantates de chambre* à 1 ou 2 voix, avec basse continue, et soixante et une avec accompagnement d'instruments, des *symphonies, sonates, suites, préludes* et *fugues.*

SCARLATTI (Domenico). ♦ Compositeur italien (Naples, 1685 — Madrid, 1757). Élève de son père, Alessandro Scarlatti *(ci-dessus),* et de B. Pasquini, il fit ses débuts de compositeur d'opéra à la cour de Naples où il était organiste (1703). Il suivit son père à Florence, Rome, puis à Venise, où il rencontra Haendel* (1705). C'était le début d'une longue amitié, fondée sur une admiration réciproque, entre les deux musiciens. Il revint à Rome où, attaché au service de la reine Marie Casimire de Pologne, il composa plusieurs opéras (1709-1714). Nommé ensuite maître de chapelle à Saint-Pierre-de-Rome (1715), il écrivit à cette occasion quelques œuvres religieuses (*Miserere, Stabat Mater* à 10 voix, *Messe* à 4 voix, *Salve Regina*). Tirant prétexte d'un voyage en Angleterre (1719), qu'il ne fit sans doute pas, il quitta son poste au Vatican pour Lisbonne où, sollicité par l'ambassadeur du Portugal à Rome, il accepta les fonctions de maître de musique de l'infante Maria Barbara. Au cours d'un dernier voyage en Italie, il séjourna quelques années à Naples où il remporta de vifs succès comme claveciniste, puis revint à Lisbonne. À peine établi dans ses nouvelles fonctions, il dut suivre la cour à Madrid, l'infante ayant épousé le prince des Asturies, héritier du trône d'Espagne (1729). C'est à Madrid que devait s'écouler le reste de ses jours, consacrés à la composition de son œuvre pour clavecin dont l'ensemble, monumental, n'a été publié qu'au XXe s. (catalogues Longo, puis Kirkpatrick). Utilisant d'une manière toute personnelle les possibilités de cet instrument, D. Scarlatti apparaît, dans la riche diversité de sa production, comme le véritable créateur d'un style, d'une forme et d'une technique qui ont révolutionné l'écriture de la musique de clavier. Ni sonates, ni préludes, ni extraits de suite, ses *Essercizi per gravicembalo* défient l'harmonie traditionnelle par la hardiesse de leurs accords et se caractérisent par la vivacité du rythme, la grâce et l'esprit de l'invention mélodique, le lyrisme d'une poésie toute méditerranéenne, qui trouve fréquemment ses sources d'inspiration dans l'art populaire espagnol. Par leur coupe, généralement binaire, ils se distinguent de la forme que fixèrent plus tard C. Ph. Em. Bach*, Haydn* et Mozart*. Pour l'Italie, D. Scarlatti est, au XVIIIe s., avec Bach et Haendel en Allemagne, Couperin en France, le plus éminent représentant de l'école nouvelle du clavecin. Son œuvre comprend env. cinq cent soixante « sonates », douze *opéras,* des *oratorios, sérénades, cantates de circonstances* et *cantates de chambre,* ainsi que des *pièces de musique sacrée.*

SCARPA (Antonio). ♦ Anatomiste italien (Motta di Livenza, Frioul, 1747 ou 1752 — Pavie, 1832). On lui doit des travaux d'anatomie : description du système nerveux, de l'oreille *(ganglion de Scarpa)* et d'anatomo-pathologie : description des lésions de l'artérite et des hernies.

SCARPE. *n. f.* ♦ Riv. du N. de la France, affl. de l'Escaut*. 100 km. Elle prend sa source dans l'Artois*, traverse Arras*, Douai*, Marchiennes*, Saint*-Amand-les-Eaux et conflue près de la frontière belge.

SCARPETTA (Eduardo). ♦ Auteur dramatique italien (Naples, 1853 — *id.,* 1925). Rénovateur de la tradition léguée par la commedia dell'arte, il en a adapté le comique traditionnel, mi-satirique, mi-pathétique, dans de nombreuses pièces inspirées du génie populaire napolitain. Son œuvre la plus connue est *Misère et Noblesse* (*Miseria e Nobiltà,* 1888).

SCARRON (Paul). ♦ Écrivain français (Paris, 1610 — *id.,* 1660). Bohème, puis chanoine et attaché à l'évêque du Mans, devenu infirme mais continuant à fréquenter les salons littéraires, il avait épousé Françoise d'Aubigné, qui devait devenir Mme de Maintenon. Il est l'auteur de comédies qui furent très prisées pour leurs intrigues bouffonnes et leur comique verbal, *Jodelet ou Le Maître valet* et *Don Japhet d'Arménie.* On lui doit aussi la parodie burlesque, en octosyllabes, du *Virgile travesti* et, surtout, le *Roman* comique* (1651-1657).

SCEAUX. ♦ Ch.-l. de cant. des Hauts-de-Seine, arr. d'Antony, au S. de Paris. 20 342 hab. *(Scéens).* — Ville résidentielle. Église Saint-Jean-Baptiste (XVe, XVIe, XVIIIe s.). Le château (XVIIe s.) abrite la bibliothèque municipale. Anc. manufacture de céramique (XVIIIe s.). — Le *parc de Sceaux* (200 ha) est situé entre Sceaux et Antony. La seigneurie de Sceaux fut achetée en 1670 par Colbert, qui fit transformer l'ancien château par Perrault, Le Brun, Coysevox, Girardon. Le parc est l'œuvre de Le Nôtre. Le marquis de Seignelay, fils de Colbert, prit la succession de son père à Sceaux: puis le duc du Maine, fils de Louis XIV et de Mme de Montespan, reçut ce château en 1700. Sa femme, la duchesse du Maine, y tint une cour brillante (« les grandes nuits de Sceaux »). Le château fut vendu et détruit à la Révolution. Il en reste l'orangerie, attribuée à J. Hardouin-Mansart*, le pavillon de l'Aurore, attribué à Claude Perrault. Le pavillon de Hanovre, construit par Chevotet* en 1760 à Paris, fut transporté à Sceaux au XXe siècle. Le château actuel, édifié par le duc de Trévise sous le Second Empire, abrite depuis 1936 le *musée de l'Ile-de-France.* Festivals de musique.

Ph. Carlo Bevilacqua/Ricciarini

Scaramouche. Estampe du XVIIIe s. (Musée du Théâtre, Munich.)

SCELBA (Mario). ♦ Homme politique italien (Caltagirone, Sicile, 1901). Membre du Parti populaire catholique fondé par Luigi Sturzo* (1919), il se consacra à sa profession d'avocat durant la période du fascisme (1926). Militant de la démocratie chrétienne à partir de 1941 (**V. De Gasperi**), ministre des Postes (1945-1947), puis ministre de l'Intérieur (1947-1953), il réprima l'action communiste (1947); président du Conseil (mars 1954-juin 1955), il fut supplanté par A. Segni*, en raison de l'opposition de gauche.

Scènes de la vie de bohème. ♦ Roman d'Henri Murger* (1848). Recueil de récits dont les principaux personnages sont le musicien Schaunard, le poète Rodolphe, le peintre Marcel et le philosophe Colline. Réunis par hasard, ces quatre personnages décident de s'associer pour affronter ensemble leur vie de bohème. Parfois, ils semblent atteindre le succès, mais le plus souvent ils doivent faire face à leurs créanciers et parfois dormir à la belle étoile. Cependant, dès qu'ils ont un peu d'argent, ils le dépensent très vite. Quelques personnages féminins apparaissent telles Musette et Mimi, amie de Rodolphe, qui après l'avoir quitté pour un riche vicomte revient mourir dans ses bras. Le décor est simple : une mansarde ou un café de Montparnasse, les boulevards.

SCÈVE [sɛv] **(Maurice).** ♦ Érudit et poète français (Lyon, 1510 – *id.*, v. 1564), rattaché à l'école lyonnaise, comme Pontus* de Tyard et Sébillet*. Son poème *Délie, objet de plus haute vertu* (1544), fait de dizains en décasyllabes, est un composé de confidences lyriques sur la femme aimée et de symboles mystiques (Délie est l'anagramme de « l'Idée »). Dans *Microcosme* (1562), épopée biblique construite selon une architecture savante, Scève fait de l'homme un condensé de l'univers. – Ce disciple de Pétrarque*, auquel les symbolistes du XXe s. ont rendu hommage, « exprime sous une forme très condensée, très personnelle et très choisie, des pensées très longuement méditées » (Valery Larbaud).

SCEY[sɛ-]**-SUR-SAÔNE-ET-SAINT-ALBIN.** ♦ Ch.-l. de cant. de la Haute-Saône, arr. de Vesoul. 1 490 hab. – Fonderie. Indus. textiles (laine).

SCHAAFFHAUSEN (Hermann). ♦ Anthropologue allemand (1816 – 1896). Il étudia en particulier la calotte crânienne de l'homme de Neandertal.

SCHACHT (Horace Greely Hjalmar). ♦ Financier et homme politique allemand (Tingleff, Schleswig, 1877 – Munich, 1970). Son père ayant émigré aux États-Unis, il y passa une partie de son enfance, puis fit ses études dans les universités allemandes et à Paris. Il fut employé à la *Dresdner Bank* de 1903 à 1916, puis dirigea la banque de Darmstadt. Lors de la crise de 1923, il fut nommé commissaire à la Monnaie, puis président de la *Reichsbank.* Il stabilisa le mark, mais démissionna en 1930 à cause du paiement des réparations aux Alliés. Bien que n'appartenant pas au parti nazi, il apporta à Hitler l'appui de certains milieux industriels et financiers et, en 1933, reprit la présidence de la *Reichsbank.* Il fut également ministre de l'Économie (juill. 1934-nov. 1937). Mais il s'opposa à Goering et aux dépenses d'armement et démissionna de la présidence de la *Reichsbank* en 1938, conservant cependant le titre de ministre sans portefeuille jusqu'en 1943. Lié à la résistance allemande et en particulier aux conjurés du 20 juil. 1944, il fut envoyé au camp de Dachau, libéré par les Américains, puis arrêté à nouveau comme ancien ministre du Reich. Il fut acquitté à Nuremberg en 1946 et, après 1950, les gouvernements de Syrie, d'Indonésie, d'Iran, d'Égypte, etc. l'appelèrent comme conseiller financier. – Auteur de *Seul contre Hitler* (1950) et de *Mémoires d'un magicien* (1954).

SCHAEFFER [ʃɛfɛʀ] **(Pierre).** ♦ Ingénieur et compositeur français (Nancy, 1910). Ancien élève de l'École polytechnique, ingénieur du son à la R.T.F., il fut le fondateur du *Studio d'essai* et, avec P. Henry*, l'un des inventeurs de la « musique concrète », nouvelle technique de composition constituée à partir de matériaux sonores bruts enregistrés, éventuellement déformés et déplacés dans l'espace. Ces manipulations électro-acoustiques sont à l'origine de plusieurs réalisations, dont *Études de bruits* (1948), *Suite pour 14 instruments, Variations sur une flûte mexicaine* (1949), et en collaboration avec P. Henry : *Symphonie pour un homme seul, Bidule en* ut (1950), *Orphée,* premier opéra de musique concrète (1953). Théoricien, P. Schaeffer a publié *Traité des objets musicaux* (1966), *Musique concrète* (1967). Directeur du Groupe de recherches de l'O.R.T.F., professeur au Conservatoire de Paris, il est aussi un penseur dont la réflexion s'applique aux problemes de la culture de masse et de la communication en général.

SCHAEFFLE (Albert). ♦ Économiste et sociologue allemand (1831 – 1903). Parti d'une conception organiciste de la société, il s'est peu à peu orienté vers des positions plus idéalistes, mettant davantage l'accent sur les relations des consciences individuelles. (*Structure et vie du corps social,* 1875-1878 ; *Esquisse d'une sociologie,* 1906).

SCHAEFFNER [ʃɛfnɛʀ] **(André).** ♦ Musicologue et ethnologue français (Paris, 1895). Outre des travaux sur Igor Stravinski (*Igor Stravinsky,* 1931), Debussy, il s'est consacré à l'ethnomusicologie. Membre de l'expédition Dakar-Djibouti de Marcel Griaule, il a particulièrement étudié la musique africaine.

SCHAERBEEK, en néerl. **Schaarbeek.** ♦ Comm. de Belgique (Brabant, arr. de Bruxelles-Capitale). 122 400 hab. – Parc Josaphat. Métallurgie. Indus. alimentaires, textiles, chimiques. Indus. du cuir. Papeteries. Instruments de précision.

SCHÄFER (Wilhelm). ♦ Romancier allemand (Ottrau, Hesse, 1868 – Überlingen, 1952). Auteur de biographies romancées sur Zwingli, Pestalozzi, il fonda à Düsseldorf la revue *Die Rheinlande.* Auteur d'une épopée en prose *Les Treize Livres de l'âme allemande* (1922), il fut un des représentants les plus caractéristiques de la littérature « régionaliste » *(Heimatkunst)* et fut un auteur populaire sous l'Allemagne hitlérienne.

SCHAFFHOUSE, en all. **Schaffhausen.** ♦ V. de Suisse sur la r. d. du Rhin, ch.-l. du cant. de Schaffhouse. 38 000 hab. – La cité a gardé son caractère médiéval : tours, maisons anciennes, cathédrale romane. Musee *zu Allerheiligen* (de Tous-les-Saints). – Indus. métallurgique (fonderie), indus. textile (filatures de laine), mécanique de précision. – Patrie de J. von Müller*. ♦ *Hist.* Schaffhouse se développa autour d'une abbaye bénédictine fondée en 1050. Devenue ville impériale libre en 1190, elle passa en 1330 sous la domination des Habsbourg* dont elle se libéra en 1501 pour entrer dans la Confédération helvétique. Elle adhéra à la Réforme en 1529. – *Le canton de Schaffhouse,* situé en partie sur la r. d. du Rhin, est limité au N., à l'E. et à l'O., par l'Allemagne. 298,4 km². 73 200 hab. en majorité de langue allemande et de religion protestante. *Ch.-l.* Schaffhouse. *V. princ.* **V. Neuhausen, Stein am Rhein.** Le canton occupe le plateau de Randen. Les ressources agricoles sont peu importantes (vignobles, forêts). L'industrie est centralisée autour de Schaffhouse. Centrale hydro-électrique.

SCHALL VON BELL (Johann Adam). ♦ Missionnaire allemand (Cologne, 1592 – Pékin, 1666). Père jésuite envoyé en Chine (1638-1661), il y contribua à l'essor du catholicisme et à l'introduction de la science moderne ; on lui doit notamment des ouvrages de mathématiques et d'astronomie en langue chinoise dont une grande encyclopédie (*Traité de l'astronomie et du calendrier selon les méthodes nouvelles de l'Occident,* 1645). **V. Verbiest.**

SCHARNHORST (Gerhard Johann David *von***).** ♦ Général prussien (Bordenau, Hanovre, 1755 – Prague, 1813). Officier du Hanovre, il servit la Prusse à partir de 1801. Blessé à Auerstedt*, il réorganisa ensuite avec Gneisenau* l'armée prussienne de Frédéric-Guillaume III. Il fut blessé mortellement à Lützen.

SCHAUDINN (Fritz Richard). ♦ Microbiologiste allemand (Röseningken, 1871 – Hambourg, 1906). Il étudia les microbes de la malaria, de la dysenterie et découvrit le tréponème de la syphilis (treponema pallidum ou *microbe de Schaudinn*).

SCHAUMBURG ou **SCHAUENBURG** *(comté de).* n. m. ♦ Anc. État d'Allemagne situé sur la Weser, à l'O. du Hanovre. Il fut fondé au XIe siècle. La branche aînée de la maison de Schaumburg, qui avait reçu le comté de Holstein en 1110, s'éteignit en 1459, et la branche cadette, qui avait conservé le Schaumburg, en 1640. Celui-ci fut alors divisé entre le Hanovre*, la Hesse*-Kassel et le Schaumburg-Lippe, passé à la maison de Lippe*. Cette dernière principauté entra dans la Confédération* du Rhin (1807) et est actuellement comprise dans le land de Basse-Saxe*.

SCHAWLOW (Arthur Leonard). ♦ Physicien américain (Mt.Vernon, New York, 1921). Inventeur du laser (1958), avec Townes*.

SCHEEL (Walter). ♦ Homme d'État allemand (Solingen, 1919). Membre du parti libéral F.D.P. Élu président de la République fédérale d'Allemagne le 1er juillet 1974.

SCHEELE (Carl Wilhelm). ♦ Chimiste suédois (Stralsund, 1742 – Köping, 1786). Pharmacien, il disposa de moyens réduits, mais expérimentateur remarquable, il fit de nombreuses découvertes de 1767 à sa mort. Il isola l'hydrogène (1768) puis de nombreux composés organiques : les acides tartrique (1769), formique (1774), urique (1776), lactique et mucique (1780), citrique, oxalique (1784), malique (1785), gallique (1786) et la glycérine (1783). Il dévouvrit l'acide benzoïque (1782) et imagina un procédé de préparation de l'éther acétique. Il prépara, avant 1773, un gaz qui fut reconnu plus tard comme étant l'oxygène **(V. Cavendish, Lavoisier, Priestley),** qu'il prépara ainsi que le chlore à partir de l'oxyde de manganèse (1774) et découvrit également les acides fluorhydrique (1771), molybdique (1778), tungstique (1781), cyanhydrique (1782) et la baryte (1774). Il observa en outre le noircissement du chlorure d'argent à la lumière et l'adsorption des gaz par le charbon de bois.

SCHEFFEL (Joseph Viktor *von***).** ♦ Poète et romancier allemand

Ph. Louis Monier

André Schaeffner.

Ph. Nino Cirani/Ricciarini

Schaffhouse :
la forteresse du Munot.

(Karlsruhe, 1828 – 1886). Un récit en vers *Le Trompette de Säckingen* (*Der Trompeter von Säckingen,* 1854) et une histoire à thème médiéval, achevant la tradition romantique (*Ekkehard,* 1855) firent sa réputation. Mais il a plutôt survécu par son recueil de chansons à boire *« Gaudeamus »* (1865), encore populaires chez les étudiants allemands.

SCHEFFER (Arie, dit **Ary).** ♦ Peintre et graveur français d'origine néerlandaise (Dordrecht, 1795 – Argenteuil, 1858). Élève de Guérin*, il devint en 1830 peintre de Louis-Philippe et exécuta de vastes compositions historiques, des portraits (notamment pour la galerie historique de Versailles) et des œuvres d'inspiration littéraire (*Faust et Marguerite,* 1831). Plus académique que romantique malgré le choix de ses thèmes, il subit ensuite l'influence des nazaréens et produisit des œuvres religieuses d'une tonalité assourdie, dont le sentimentalisme sut toucher le public (*Saint Augustin et sainte Monique,* 1846).

SCHEFFERVILLE. ♦ V. minière du Nord canadien, à la limite du Labrador et du Québec (prov. de Terre-Neuve), desservie par chemin de fer jusqu'à l'embourchure du Saint-Laurent (Sept*-Îles). **V. Knob Lake.** Env. 3 000 habitants.

SCHÉHADÉ (Georges). ♦ Écrivain et auteur dramatique libanais de langue française (Alexandrie, 1910 –). Poète d'inspiration surréaliste, il s'est affirmé, dans son théâtre, comme l'artisan de l'alchimie verbale la plus subtile. – Œuvr. princ. : *Monsieur Bob'le* (1951), *La Soirée des proverbes* (1954), *Histoire de Vasco* (1959), *L'Émigré de Brisbane* (1967).

Schéhérazade, en ar. **Shahrâzâd.** ♦ Conteuse des *Mille* et Une Nuits.* Le roi perse Shâhriyâr, convaincu de l'infidélité de son épouse, décide de la faire étrangler et d'épouser chaque nuit une nouvelle femme qui serait mise à mort le lendemain. Shahrâzâd s'offre d'elle-même à cette union et, au milieu de la nuit, elle commence à narrer ses histoires qui captivent le roi. Celui-ci décide de ne livrer sa femme au bourreau que le lendemain afin d'entendre la fin du conte. La même scène se passe les jours suivants jusqu'à la mille et unième nuit où Shâhriyâr, ravi du savoir de Shahrâzâd, renonce à son projet.

SCHEIDEMANN (Philipp). ♦ Homme politique allemand (Kassel, 1865 – Copenhague, 1939). Membre de l'aile droite du Parti social-démocrate allemand, député au Reichstag, il contribua à la répression du spartakisme **(V. K. Liebknecht** et **R. Luxemburg)** et devint Premier ministre de la République allemande (1919). **V. Ebert.**

SCHEIDT (Samuel). ♦ Compositeur et organiste allemand (Halle, 1587 – *id.,* 1654). Organiste, puis maître de chapelle du margrave de Brandebourg, il fut l'élève de Sweelinck, à Amsterdam. Son œuvre pour orgue marque la synthèse des styles néerlandais, anglais et italien. Elle comprend des *Cantiones sacrae* à 8 voix (1620), des *Ludi musici* (1621), un recueil d'arrangements de chorals sacrés et profanes, *Tabulatura nova* (1624), et soixante-dix *symphonies « auff Concerten manir »* (1645).

SCHEIN (Johann Hermann). ♦ Compositeur allemand (Grünhain, Saxe, 1585 – Leipzig, 1630). Maître de chapelle à la cour de Weimar, puis cantor à Saint-Thomas de Leipzig (1616), il fut avec Schütz*, Praetorius* et Scheidt* le plus fécond animateur de la vie musicale allemande au XVIIe siècle. Marqué par l'influence de l'Italie, il a composé de la musique instrumentale et surtout vocale qui fait de lui le plus important prédécesseur de J.-S. Bach. On lui doit plus de deux cents *chorals* à 4, 5, 6 voix *(Cantional),* trente *motets* de 5 à 12 voix *(Cymbalum Sionium),* vingt-cinq *lieder* à 5 voix *(Venus Kräntzlein),* quinze *madrigaux (Diletti pastorali),* vingt *suites* à 5 instruments *(Banquetto musicale).*

SCHEINER (Christoph). ♦ Astronome et mathématicien allemand (Wald, Souabe, 1575 – Neisse, Silésie, 1650). Père jésuite dès 1595, il enseigna les mathématiques. Premier réalisateur d'une lunette astronomique avec oculaire et objectif convexes, constructeur d'un pantographe (1603), il est surtout connu pour ses observations des taches solaires en 1611 à Ingolstadt (ignorant alors les découvertes de Galilée*) qu'il étudia à travers un écran coloré; il expliqua la déformation apparente du Soleil à son coucher et, plus tard, montra que le Soleil est soumis à des changements et tourne sur lui-même (*Rosa Ursina,* 1630); cette découverte opposée au fixisme d'Aristote*, constituait le point de départ de l'astrophysique. Intéressé également par les problèmes de l'optique, il montra sur un œil de bœuf la formation de l'image rétinienne et le rôle du cristallin dans l'accommodation.

SCHEINER (Julius). ♦ Astrophysicien allemand (Cologne, 1858 – Potsdam, 1913). Auteur d'une échelle sensitométrique pour les émulsions photographiques en *degrés Scheiner.*

SCHÉLANDRE (Jean *de***).** ♦ Poète dramatique français (? 1584 – Soumazannes, 1635). Auteur d'une tragédie irrégulière. *Tyr et Sidon ou les funestes amours de Belcar et de Méliane* (1603), il la transforma en tragi-comédie (1628). L'œuvre ainsi remaniée fut préfacée par le prieur Ogier. Cette préface contenait une véritable déclaration de guerre aux règles traditionnelles de la tragédie, en présentant le mélange du comique et du tragique comme le seul moyen de restituer sur le théâtre les divers aspects de la vie.

SCHELER (Max). ♦ Philosophe allemand (Munich, 1874 – Francfort-sur-le-Main, 1928). Plusieurs courants de pensée influencèrent son évolution intellectuelle et spirituelle (l'historisme de Dilthey, le spiritualisme d'Eucken*, les philosophies de Nietzsche et Bergson). Disciple de Husserl*, il a développé une phénoménologie du « cœur » *(Fühlen),* de l'intentionnalité émotionnelle dont les objets sont les « a priori éthiques », valeurs objectives, immuables et hiérarchisées, substituant ainsi une éthique matérielle des valeurs à l'éthique formelle du devoir de Kant. Si Dieu (personne suprême) fut d'abord la clé de voûte du système schélérien, c'est à la personne humaine et à sa vocation qu'il devait finalement accorder la place prépondérante (*Le Formalisme en éthique et l'éthique matérielle des valeurs,* 1913-1916; *Le Sens de la souffrance,* 1916; *Nature et formes de la sympathie,* 1923; *La Situation de l'homme dans le monde,* 1928, etc.).

SCHELLE. ♦ Comm. de Belgique (prov. et arr. d'Anvers) sur l'Escaut, à 40 km de Bruxelles. 5 700 hab. – Château Laarhof. – Indus. métallurgiques et chimiques. Matériel électrique.

SCHELLING (Friedrich Wilhelm Joseph *von***).** ♦ Philosophe allemand (Leonberg, 1775 – Bad Ragaz, 1854). Professeur à Iéna, puis Würzburg (1803), il fut secrétaire de l'Académie des beaux-arts de Munich (1806-1820) avant de revenir à l'enseignement (en particulier à Berlin [1841]. à la demande de Frédéric-Guillaume IV). – Sous l'influence de la pensée dialectique de Fichte*, il développa d'abord une philosophie de la nature (*Idées pour une philosophie de la nature,* 1797; *L'Âme du monde,* 1798) ainsi qu'une philosophie de l'esprit, déjà marquée par le romantisme (*Système de l'idéalisme transcendantal,* 1800). Formulée dans l'*Exposition de ma philosophie* (1801), sa conception de l'identité absolue (de l'esprit et de la nature), connue par intuition intellectuelle (que critiqua Hegel*), renouait avec le panthéisme de G. Bruno et de Spinoza et fit de lui le philosophe de l'école romantique. Il se consacra ensuite à des travaux d'esthétique (*Philosophie de l'art,* 1803, influencée par les théories des frères Schlegel*) et de philosophie des religions, présentant l'histoire de l'humanité comme un retour à l'absolu dont l'être fini s'est séparé (chute, désir individuel d'être pour-soi). [*Philosophie et religion,* 1804; *Les Recherches philosophiques sur l'essence de la liberté humaine,* 1809; *Les Âges du monde,* 1815.]

SCHENECTADY. ♦ V. des États-Unis (État de New York) à 25 km au N.-O. d'Albany, sur la Mohawk. 77 859 hab. (1970). Indus. électriques et électroniques (siège de la *General Electric Company*); énergie atomique.

SCHERCHEN (Hermann). ♦ Chef d'orchestre allemand (Berlin, 1891 – Florence, 1966). Une inlassable activité, une curiosité toujours en éveil ont caractérisé l'œuvre de ce pionnier, l'un de ceux à qui la musique moderne doit la plus grande part de son rayonnement en Europe et dans le monde. Fondateur de la *Neue Musik Gesellschaft* (1919) et de la revue *Melos* (1920), il a animé des centres musicaux qui devinrent des foyers de diffusion pour la musique d'avant-garde (Bruxelles, Gravesano, Darmstadt, Donaueschingen), dispensé son enseignement à de nombreux compositeurs contemporains (Maderna, Nono, Xenakis). Chef d'orchestre, il a créé quelques-unes des œuvres les plus marquantes de son temps, du *Pierrot lunaire* de Schoenberg (1913) aux ouvrages majeurs de Berg, Webern, Křenek, Busoni, Mahler, Bartók, Hindemith, Tcherepnine, Roussel, Milhaud, Stravinski. On mentionnera encore qu'il a dirigé les premiers concerts du « Domaine musical » et publié dans la maison d'édition *Ars Viva* qu'il ouvrit à Zurich (1950) ses *Gravesaner Blätter,* revue qui traite des problèmes de l'électro-acoustique et des rapports nouveaux du son et de l'image, nés de la télévision. Il fut aussi un grand interprète de la musique classique.

SCHERER (Barthélemy Louis Joseph). ♦ Général français (Delle, 1747 – Chauny, 1804). Officier autrichien, passé au service de l'armée française en 1791, il fut nommé général en 1791, et, commandant de l'armée de Sambre-et-Meuse, reprit Valenciennes* (août 1794). A la tête de l'armée d'Italie (1795), il remporta la victoire de Loano (novembre 1795), mais fut remplacé peu après par Bonaparte. Il donna sa démission après plusieurs défaites.

Arch. Smeets

A. Schiavone : « Diane et Callisto ». (Musée de Picardie, Amiens.)

SCHÉRER (Edmond). ♦ Journaliste et critique littéraire français (Paris, 1815 – Versailles, 1889). D'origine protestante, directeur à Strasbourg de la *Revue de théologie et de philosophie chrétienne* (1850-1860), député (1871), puis sénateur (1875), il fut un de ceux qui, dans une période de bouleversements intellectuels et moraux, comprirent l'importance de la philosophie hégélienne et suscitèrent les critiques de Gratry*. On lui doit par ailleurs des *Études critiques sur la littérature contemporaine* (1865-1895).

SCHERRER (Paul). ♦ Physicien suisse (Saint-Gall, 1890 – Zurich, 1969). Il mit au point, avec Debye*, une méthode d'investigation des microstructures par diffraction des rayons X.

SCHEURER-KESTNER (Auguste). ♦ Industriel et homme politique français (Mulhouse, 1833 – Bagnères-de-Luchon, 1899). Libéral, opposé au Second Empire, il siégea comme député de l'Union républicaine à l'Assemblée nationale (1871); sénateur inamovible et directeur de *la République française* (1879-1884), il fut un de ceux qui, persuadés de l'innocence de Dreyfus*, luttèrent pour la révision de son procès.

SCHEVENINGEN, en fr. **Scheveningue.** ♦ V. et port des Pays-Bas (Hollande-Méridionale) près de La Haye. 44 200 hab. – Église gothique. – Pêche. Tourisme. Station balnéaire. Scheveningen inspira les peintres de l'école de La Haye. – Festival annuel de musique.

SCHIAPARELLI (Giovanni). ♦ Astronome italien (Savigliano, Piémont, 1835 – Milan, 1910). Il établit l'identité des trajets de certains essaims de météores et d'anciennes comètes (1866). Ses observations, en 1877, des « canaux » de la planète Mars (**V. Secchi**) en firent un sujet de controverse donnant lieu aux hypothèses les plus fantaisistes. (Acad. sc., 1902.)

SCHIAVONE (Giorgio Chiulinovič, dit). ♦ Peintre dalmate (Scardona, v. 1434 – mort v. 1505). Il travailla à Padoue avec Squarcione*, dont la manière complexe et la ligne tourmentée se retrouvent dans plusieurs versions de *La Vierge et l'Enfant* (Turin, Londres, Amsterdam) d'un charme ambigu. Il revint en Dalmatie après 1462.

SCHIAVONE (Andrea MELDOLLA, dit **A. Schiavone,** ou, en fr. **L'ESCLAVON).** ♦ Peintre et graveur italien (Zara [Zadar], déb. XVIe s. – Venise, 1563). Il fut influencé par Titien, par Giorgione, dont il grava les œuvres, et par le Parmesan*. Ses œuvres sont marquées par une souplesse et une vivacité maniéristes *(Adoration des Mages; Saint Jean-Baptiste).*

SCHICKARD (Wilhelm). ♦ Savant allemand (Herrenberg, Wurtemberg, 1592 – Tübingen, 1635). Ayant le premier entrevu les possibilités des logarithmes, il chercha une méthode de calcul différente de celle de Napier*. Il inventa (Tübingen, 1623) une machine à calculer à roues dentées, avec transfert des dizaines, qu'il nomma « horloge à calculer ». **V. Pascal.**

SCHICKELÉ (René). ♦ Écrivain alsacien de langue allemande (Oberehnheim, Alsace, 1883 – Vence, 1940). Le destin de l'Alsace, partagée entre la France et l'Allemagne, et dont il voulait faire, comme E. Stadler*, le lieu de rencontre et de conciliation des cultures française et allemande, est au centre de ses principaux romans *Jean dans le trou aux moustiques* (*Hans im Schnakenloch,* 1916) et *L'Héritage du Rhin* (1925-1931). C'est à la Provence, où il termina sa vie, qu'il emprunta le cadre de ses derniers romans (*La Veuve Bosca,* 1933).

SCHIEDAM. ♦ V. et port des Pays-Bas (Hollande-Méridionale) à 5 km de Rotterdam, sur la Meuse. 83 172 hab. – Moulins (Walvisch). Église gothique. – Chantiers navals. Distilleries de genièvre. Huysmans a évoqué *Sainte Lydwine de Schiedam*. **(V. Lidwine** [*sainte*].)

SCHIFFLANGE. ♦ V. du grand-duché de Luxembourg. 6 200 hab. Métallurgie.

SCHIKANEDER (Emmanuel). ♦ Chanteur, auteur et directeur allemand de théâtre (Ratisbonne, 1751 – Vienne, 1812). Il exerça tous les métiers du théâtre, se produisant à travers l'Allemagne avec une troupe d'acteurs ambulants, dans un répertoire qui comportait, outre des pièces à mise en scène spectaculaires, des chefs-d'œuvre comme l'*Hamlet* de Shakespeare. Établi à Vienne (1789) et devenu le codirecteur du théâtre « Auf der Wieden », il composa pour Mozart le livret de *La Flûte enchantée,* opéra où il créa le rôle de Papageno. Atteint d'une maladie mentale, il mourut dans le dénuement.

SCHILDE. ♦ V. de Belgique (prov. et arr. d'Anvers) à 11 km d'Anvers. 7 900 hab. – Cultures maraîchères.

SCHILDT (Ernst Runar). ♦ Nouvelliste et dramaturge finlandais de langue suédoise (Helsinki, 1888 – *id.,* 1925). Il débuta par des nouvelles légèrement frivoles dans le goût des « flâneurs » contemporains (*Éros le victorieux,* 1912), étudia des personnages que leur sensibilité ou la faiblesse rend incapables de succès dans le monde dans les nouvelles *L'Arc-en-ciel* (1916), les situant dans les conflits contemporains avec *Perdita* (1918) et *Le Retour au foyer* (1919). Dans les récits *La Fiancée du sorbier* et *Le Jour de l'épreuve* (1917), il introduit des éléments mystiques et symboliques, qui réapparaissent dans le drame *L'Homme de la potence* (1923).

SCHILLER (Friedrich *von***).** ♦ Poète et dramaturge allemand (Marbach, 1759 – Weimar, 1805). Issu d'une famille de tradition militaire, on le destinait à la carrière des armes, mais il se trouva vite attiré par d'autres intérêts, le droit, la médecine, et surtout la littérature. Enthousiaste de J.-J. Rousseau, il découvrit alors avec le même émerveillement Homère, Virgile, Shakespeare et les poètes du *Sturm* und Drang.* Sous l'influence de ce mouvement poétique, il devait composer quatre drames, d'une inspiration polémique impétueuse, et où se trouvent dénoncés les abus; ceux de la tyrannie : *Les Brigands** (*Die Räuber,* 1781) et *La Conjuration de Fiesque* (*Die Verschwörung des Fiesko zu Genua,* 1783); de l'inégalité sociale et des préjugés de caste : *Intrigue et Amour* (*Kabale und Liebe,* 1784); enfin, l'oppression des consciences : *Don* Carlos* (1787). Si cette ardeur militante lui valut d'être menacé de prison par le duc de Wurtemberg et contraint de s'exiler à Stuttgart, il reçut de l'Assemblée législative l'honneur d'être nommé citoyen français (1792). – Nommé professeur d'histoire à l'université d'Iéna (1789), il se lia dans cette ville avec Herder et Wieland. Durant près de dix années, il allait se consacrer à l'étude de l'histoire, publiant une *Histoire de la guerre de Trante Ans* (*Geschichte des Dreissigjährigen Krieges,* 1791-1793), à la philosophie (Kant) et à l'esthétique, avec des essais : *Sur l'art tragique* (*Über die tragische Kunst,* 1792), *Lettres sur l'éducation esthétique de l'homme* (*Briefe über die ästhetische Erziehung des Menschen,* 1793-1795). Il avait commencé de correspondre avec Goethe et se trouvait désormais convaincu que seul l'effort individuel vers le beau et le bien peut acheminer l'humanité sur la voie du progrès plus efficacement que l'action politique et sociale, irréalisable en Allemagne et déjà décevante en France. – Installé à Weimar, il resserra les liens d'amitié qui l'unissaient à Goethe* et reçut de lui cette influence qui allait acheminer son œuvre poétique vers un classicisme contemplatif, tout imprégné d'isolement aristocratique et de hautaine résignation. Il publia alors quelques-uns de ses chefs-d'œuvre lyriques : *Les Ballades* (1797) et le *Chant de la cloche* (*Das Lied von der Glocke,* 1800). Cependant il reprenait son œuvre de dramaturge, entraîné par Goethe vers un lyrisme moins personnel, un art plus proche du réel et plus concret, transposant dans ses drames le problème politique et social sur le seul plan moral. De cette dernière période datent la trilogie de *Wallenstein** (1794-1799), *Marie* Stuart* (1800), *La Pucelle d'Orléans* (*Die Jungfrau von Orleans,* 1801), *La Fiancée* de Messine* (*Die Braut von Messina,* 1803), et *Guillaume* Tell* (*Wilhelm Tell,* 1804), drame populaire qui n'a rien perdu de sa force généreuse, exaltation enfiévrée de la liberté de l'individu et de l'indépendance nationale. Réformateur du théâtre, ayant nourri la noble ambition de devenir le Shakespeare de l'Allemagne, Schiller devait laisser à sa mort une vingtaine de pièces inachevées ou en projet.

SCHILLER (Ferdinand Canning Scott). ♦ Philosophe anglais (Ottensen, près d'Altona, 1864 – Los Angeles, 1937). Sa philosophie, qu'il qualifia d'*humanisme,* est proche du relativisme de Protagoras (« L'homme est la mesure de toutes choses. » – **V. Théétète** de Platon) et du pragmatisme de W. James*.

SCHILTIGHEIM [ʃiltigɛm]. ♦ Ch.-l. de cant. du Bas-Rhin* (arr. de Strasbourg-Campagne), sur l'Ill*, au N. de Strasbourg*. 29 251 hab. Centre industriel : brasseries (bière renommée), constructions de machines, indus. alimentaires, meubles.

SCHIMPER (Andreas Franz Wilhelm). ♦ Botaniste et géographe allemand (Strasbourg, 1856 – Bâle, 1901). Il a étudié la répartition des espèces végétales sur le globe. (*Géographie des plantes au point de vue physiologique,* 1898.)

SCHINDLER (Anton). ♦ Violoniste et chef d'orchestre autrichien (Meedl, Moravie, 1795 – Bockhenheim, 1864). Secrétaire et ami de Beethoven, dont il dirigea les neuf symphonies, il fut successivement chef d'orchestre à Vienne, Pest, Münster et Aix-la-Chapelle. Il a publié une importante biographie de Beethoven (1839), plusieurs fois rééditée.

SCHINER (Matthäus, dit **le Cardinal de Sion).** ♦ (Mühlebach, Valais, 1456 – Rome, 1522). Prélat suisse. Il défendit les intérêts du Saint-Siège en détachant la Suisse de l'orbite française et en l'amenant à conclure une alliance avec Jules* II (1510), après avoir soutenu Ludovic* Sforza. Il fut exilé quand la politique suisse fut renversée par la défaite de Marignan*.

SCHINKEL (Karl Friedrich). ♦ Architecte, peintre et écrivain allemand (Neuruppin, 1781 – Berlin, 1841). Il fut élève de Gilly et débuta comme peintre de décors. Fervent admirateur de l'architecture grecque, il contribua fortement à propager le style classique en Prusse. Nommé architecte en chef de Berlin, il édifia *la nouvelle garde* (1816-1818), *le théâtre* (1818-1821) et *l'ancien musée* (1824-1828), qui témoignent de sa profonde compréhension de l'architecture antique et de son sens de la grandeur. Dans plusieurs de ses projets, il se montra aussi intéressé par le style gothique.

SCHIO. ♦ V. d'Italie, en Vénétie* (prov. de Vicence), au pied des Préalpes vénitiennes. 28 300 hab. Important centre textile (laine).

SCHIRMECK. ♦ Ch.-l. de cant. du Bas-Rhin* (arr. de Molsheim*), sur la Bruche*, près du *col de Schirmeck.* 2 763 hab. (2 279 aggl.). Station d'été. Carrières, indus. textiles. ♦ *Hist.* Un camp de concentration y fut installé par les nazis lors de la 2e Guerre mondiale.

Schisme. *n. m.* ♦ « Rébellion disciplinaire », différente de l'hérésie, qui est une dissidence doctrinale. Principaux schismes intervenus dans l'Église chrétienne : *1) Donatisme* (**V. Donat**), de 312 au VIIe s. en Afrique du Nord. *2) Schisme d'Orient.* Les oppositions entre Rome et Constantinople apparurent dès le IVe s. lors de la crise arienne. Le schisme d'Acace* (484-519) [**V.** *aussi* **Félix III, Hormisdas**] et le schisme de Photios* (863-867) [**V.** *aussi* **Nicolas Ier**] précédèrent la rupture définitive : schisme de Michel Cérulaire* (1054) [**V.** *aussi* **Léon IX**]. Les autres patriarcats orientaux rompirent par la suite [**V. Orthodoxes** (Églises)]. Les réconciliations obtenues aux conciles de Lyon* (1274) et Ferrare-Florence (1439) [**V. Bâle** (concile de)] restèrent éphémères. Les anathèmes réciproques ont été levés au concile du Vatican* (1965). *3) Grand schisme d'Occident* (1378-1417). Après le retour de la papauté à Rome, Urbain VI se montra si violent que les cardinaux annulèrent son élection, comme obtenue sous la pression populaire, et désignèrent Clément VII qui retourna en Avignon. Les deux papes reçurent des successeurs, aucun parti ne voulut céder. Devant l'impatience générale, des cardinaux réunirent le concile de Pise* (1409) qui échoua, ne parvenant qu'à créer de troisièmes papes. Il fallut l'élection de Sigismond de Germanie et le concile de Constance* (1414-1418) qui se proclama supérieur au pape, pour obtenir l'élection de Martin V, rendue possible par la démission du pape de Rome, Grégoire XII, et la déposition des deux autres. — *Papes de Rome* (les seuls légitimes, du point de vue de l'Église) : **V. Urbain VI, Boniface IX, Innocent VII, Grégoire XII.** — *Papes d'Avignon :* **V. Clément VII, Benoît XIII, Clément VIII, Benoît XIV.** — *Papes de Pise :* **V. Alexandre V, Jean XXIII** (Baldassare Cossa, dont le cardinal Roncalli a explicité l'illégitimité en prenant le nom de Jean XXIII en 1958). *4)* **V. Réforme.** *5) Schisme anglican :* **V. Anglicanisme.**

SCHKOPAU. ♦ Important complexe chimique d'Allemagne orientale, au N. de Merseburg. Carbures, caoutchouc synthétique (Buna), colorants.

SCHLAF (Johannes). ♦ Écrivain allemand (Querfurt, près de Halle, 1862 — 1941). Représentant du naturalisme, il composa des œuvres « expérimentales » (*Papa Hamlet,* 1889; *La Famille Selicke,* 1890), avec A. Holz* dont il se sépara peu après. Il donna ensuite un drame en dialecte qui reste dans la lignée du naturalisme (*Maître Œlze,* 1892). Traducteur de W. Whitman, il exprima dans ses œuvres ultérieures un lyrisme mystique (mi-naturiste, mi-chrétien) [*Printemps,* 1894, poème en prose; *Le Troisième Règne,* 1900; *Au point mort,* 1909, récits à thème messianique].

SCHLAGINTWEIT. ♦ Nom de cinq frères, explorateurs et savants allemands. ♦ HERMANN (Munich, 1826 — 1882) et ADOLF (Munich, 1829 — Kachgar, 1857) explorèrent les Alpes dont ils étudièrent la géologie (1846-1853); puis, avec ROBERT (Munich, 1833 — Giessen, 1883), ils entreprirent une expédition scientifique aux Indes, au Tibet, au Turkestan, au cours de laquelle Adolf fut tué par des indigènes; ils transmirent leur rapport à la Compagnie des Indes. ♦ EDUARD (Munich, 1831 — tué à la bataille de Kissingen, 1866) participa à l'expédition du Maroc. ♦ EMIL (Munich, 1835 — Zweibrücken, 1904) publia des études sur *Le Bouddhisme au Tibet* (1863), *L'Inde en paroles et en images,* etc.

SCHLEGEL (Johann Elias). ♦ Poète et essayiste allemand (Meissen, 1719 — Sorø, Danemark, 1749). Précurseur de Lessing, spécialiste de l'histoire du théâtre, il a contribué à la connaissance de Shakespeare en Allemagne.

SCHLEGEL (August Wilhelm *von*). ♦ Critique littéraire allemand (Hanovre, 1767 — Bonn, 1845). Fondateur avec son frère Friedrich de la revue *Athenäeum,* il apparaît comme l'héritier de Herder et Lessing, se faisant le défenseur du romantisme contre le classicisme dans ses conférences sur *La Littérature et l'Art* (1801-1804). Il y développe ses idées sur le langage, la poésie et les mythes, créations inconscientes de l'imagination, et ses cours de *Littérature dramatique* (1808). Il séjourna plusieurs années auprès de Mme de Staël à qui il fit découvrir la littérature allemande. L'Allemagne lui doit des traductions d'œuvres de Shakespeare, Pétrarque, Camoens, Cervantès, Calderon.

SCHLEGEL (Friedrich *von*). ♦ Écrivain, philologue et critique littéraire allemand (Hanovre, 1772 — Dresde, 1829). Fondateur avec son frère August Wilhelm de la revue *Athenäeum* (1798-1800) et du cercle romantique d'Iéna (Tieck*, Novalis*, Wackenroder, Schelling), puis de la revue *Europa* à Paris (1803-1805), il fut le théoricien du premier romantisme. Sous l'influence de Fichte, il élabora une théorie de la création artistique qui voit dans l'ironie le gage de la liberté d'esprit du poète. Ainsi, dans son roman *Lucinde* (1799), où se mêlent les genres littéraires les plus divers, il prétend « se réserver le privilège d'une charmante confusion », tout en parcourant « tous les degrés de l'humanité, de la sensualité la plus exubérante à la spiritualité la plus spiritualisée ». En 1808, après un voyage d'études à Paris (1802-1804), il publia son ouvrage *Sur la langue et la sagesse des Indiens (Über die Sprache und die Weisheit der Inder).* Converti au catholicisme, il se fit le défenseur de la Sainte-Alliance; et, tout en assumant de hautes fonctions administratives à Vienne, il continua à donner des cours sur la littérature et sur la philosophie du langage (*Histoire de la littérature ancienne et moderne,* 1815).

SCHLEICHER (August). ♦ Linguiste allemand (Meiningen, 1821 — Iéna, 1868). Outre un manuel de la langue lituanienne (1856-1857), une grammaire historique de l'allemand (1860), il est l'auteur de *Recherches sur les langues de l'Europe* (1850). Dans son *Abrégé de la grammaire comparée des langues indo-germaniques* (*Compendium der vergleichenden Grammatik der indogermanischen Sprachen,* 1861-1862), il systématisa les connaissances du comparatisme et tenta de reconstruire l'indo-européen (donnant même un texte de fable dans cette langue hypothétique obtenue par déduction). En linguistique générale, il élabora une théorie des langues en tant qu'organismes, objets d'une véritable science naturelle (*Die darwinische Theorie und die Sprachwissenschaft,* 1865) et relevant de lois simples.

SCHLEIDEN (Mathias Jacob). ♦ Botaniste allemand (Hambourg, 1804 — Francfort-sur-le-Main, 1881). Il fut un des premiers à admettre la constitution cellulaire des végétaux, dans son mémoire sur le développement des végétaux (*Beiträge zur Phytogenesis,* 1838) qui influença les recherches de Schwann*.

SCHLEIERMACHER (Friedrich). ♦ Théologien protestant allemand (Breslau, 1768 — Berlin, 1834). Sous l'influence de la pensée de Spinoza et de celle de Fichte, il expose une mystique supranaturaliste, faisant du sentiment de notre dépendance à l'égard de l'infini l'essentiel du sentiment religieux (*Discours sur la religion,* 1799; *Monologues,* 1800; *Exposition de la foi chrétienne,* 1821).

SCHLEMMER (Oscar). ♦ Peintre et sculpteur allemand (Stuttgart, 1888 — Baden-Baden, 1943). Il fit ses études à Stuttgart; v. 1910, il subit l'influence de Cézanne et de Seurat. En 1921, Gropius* l'appela au Bauhaus où il enseigna la sculpture et la mise en scène, disciplines qui marquent profondément sa peinture. Il consacra une partie importante de son activité à l'enseignement (Breslau, Stuttgart et Berlin). Schlemmer distribua dans l'espace, très souvent organisé en diagonales, des personnages schématisés (*Unterweisung,* 1932) et manifesta une prédilection pour le thème de l'escalier et pour les espaces théâtraux, en perspective. Aux compositions décentrées et sans relief (*Le Passant,* 1924) succéda une période où Schlemmer développa l'aspect sculptural de « ses mannequins ». La recherche des espaces et des volumes se fit alors plus précise, l'organisation des compositions plus rigide (*L'Escalier,* 1932), la couleur restant un élément analytique dans son œuvre. Après son arrivée en Allemagne du Sud (1933), sa palette s'assombrit et le travail de la brosse devint très apparent, donnant à ses toiles un aspect plus pictural (*Le Groupe bleu,* 1935). Son style évolua alors lentement vers l'abstraction.

SCHLESWIG. ♦ V. d'Allemagne nord-occidentale (Schleswig-Holstein), au fond de l'étroite baie de la Schlei. 34 000 hab. Cathédrale du XIIIe s. abritant un retable du XVIe s. (de Hans Brüggemann). — Pêche, indus. alimentaires. — À proximité, château de Gottorp, berceau de la famille de Holstein-Gottorp.

SCHLESWIG-HOLSTEIN. *n. m.* ♦ Le plus septentrional des *Länder* d'Allemagne occidentale, occupant jusqu'à la frontière danoise la base de la presqu'île du Jylland (Jutland) et s'étendant d'O. en E., de Hambourg à la R.D.A. 15 658 km². 2 543 200 hab. *Cap.* **V. Kiel.** *V. princ.* **V. Eckernförde, Elmshorn, Flensburg, Heide, Husum, Itzehohe, Lubeck, Neumünster, Rendsburg, Schleswig, Travemünde.** — *Orogr.* Très marquée par l'érosion glaciaire quaternaire, la région juxtapose plusieurs types de paysage. À l'E., s'étendent des polders ou *Marschen,* gagnés en bordure de la mer du Nord, sur les vasières ou *Watten.* Ensuite, s'allonge une bar-

Arch. Smeets

Oscar Schlemmer : « Groupe de quatorze personnages dans une architecture imaginaire », 1930. (Wallraf-Richartz Museum, Cologne.)

Ph. Lauros-Giraudon

Heinrich Schliemann : « Fouilles de Troie ». (Bibliothèque nationale, Paris.)

rière de collines fluvio-glaciaires coupées de tourbières. L'E. est occupé par une zone de moraines et de lacs (Suisse du Holstein). Les côtes présentent de multiples indentations *(Föhrde)* : baies d'Helgoland (mer du Nord), de Lubeck, de Kiel, estuaire de la Trave (littoral balte). Les îles frisonnes du N. bordent la côte ouest (mer du Nord). – *Hydrogr.* Eider, Stör, Trave. – *Écon.* Le Schleswig est par tradition un pays rural. Les *Marschen* constituent de grasses prairies d'embouche (bovins) et de riches terroirs voués aux cultures céréalières. Les *Geest* (landes sableuses, moraines, tourbières) ne portent que de maigres cultures de seigle et de pomme de terre. La pêche est active sur le littoral (îles frisonnes, Flensburg, Eckernförde). L'industrialisation a connu, depuis 1950 surtout, un essor spectaculaire, favorisé par l'afflux de 1 200 000 immigrés d'Allemagne de l'Est. Les foyers industriels sont localisés à Kiel*, Lubeck* et Flensburg* (constructions navales et mécaniques, conserveries). L'indus. textile est disséminée dans les petits centres manufacturiers de l'intérieur (Neumünster, Rendsburg). ♦ *Hist.* Le Schleswig est un ancien duché, situé dans la péninsule du Jutland (Jylland), au N. de l'Eider. C'est de là que les Saxons* partirent pour conquérir la Grande-Bretagne au Ve siècle. Son histoire ne se différencia de celle du Holstein* que lors de l'invasion carolingienne qui s'arrêta au S. de l'Eider, tandis que les Danois conservaient le Nord. Le Schleswig, qui appartenait à la famille royale de Danemark au XIIe s., devint un fief danois de la maison de Schaumburg* qui régnait sur le Holstein. Le Schleswig et le Holstein, désormais réunis, restèrent très germanisés quand ils revinrent à Christian* Ier, roi de Danemark, qui dut s'engager à respecter leur autonomie. Une division fut de nouveau envisagée lors du partage entre la ligne royale de Danemark et la ligne de Holstein Gottorp. Le problème fut résolu quand le futur Paul Ier de Russie, chef des Holstein-Gottorp, renonça à ses droits sur le Schleswig, contre l'Oldenbourg (1773). Une nouvelle crise se produisit entre 1848 et 1852, lorsque le roi du Danemark voulut procéder à l'annexion du Schleswig et imposer au Holstein une succession contraire à ses lois. Les États des deux duchés firent alors appel à la Prusse pour défendre leurs droits : le protocole de Londres (1852) les rendait aux Danois, mais leur conservait leur autonomie. La dernière crise, qui éclata en 1864, se solda par la victoire de la Prusse et de l'Autriche sur le Danemark **(V. Duchés** [*guerre des*]**).** Malgré la convention de Gastein (1865) qui donna l'administration du Holstein à l'Autriche et celle du Schleswig à la Prusse, les deux puissances ne purent s'entendre. Le conflit austro-prussien aboutit à l'annexion des deux duchés par la Prusse. Soumise à une germanisation intense, la minorité danoise du Schleswig continua cependant sa résistance, et en 1920, le Schleswig du N. fut rattaché au Danemark à la suite d'un plébiscite, disposition qui fut reprise en 1945. Le reste du pays, ainsi que le Holstein et le Lauenbourg*, forme aujourd'hui le *Land* de Schleswig-Holstein, dans la République fédérale allemande.

SCHLICK (Moritz). ♦ Philosophe allemand (Berlin, 1882 – Vienne, 1936). Professeur de philosophie des sciences inductives à Vienne, il fonda le Cercle de Vienne*. Développant et nuançant les thèses du *Tractatus logico-philosophicus* (1921) de L. Wittgenstein*, il a exposé la théorie générale de la connaissance du positivisme logique (ou néo-positivisme), fondée sur la distinction des énoncés empiriques (synthétiques a posteriori) et des propositions logiques de la science (analytiques ou tautologiques), et dénonçant les pseudo-problèmes de la métaphysique. Il s'intéressa également aux questions d'esthétique et d'éthique. Il fut assassiné par un étudiant. – Œuv. princ. *Espace et temps dans la physique contemporaine,* 1917 ; *Théorie générale de la connaissance (Allgemeine Erkenntnislehre),* 1918, *Question d'éthique,* 1930.

SCHLIEFFEN (Alfred, *comte von***).** ♦ Maréchal allemand (Berlin, 1833 – *id.,* 1913). Après avoir été attaché militaire à Paris (1867-1869) et avoir servi à l'état-major du grand-duc de Mecklembourg en 1870-1871, il devint chef du Grand État-Major (1891-1906). Il élabora progressivement le plan de guerre dit *plan Schlieffen,* consistant à contenir une éventuelle poussée russe à l'E., et à chercher la décision en France par une manœuvre tournante, impliquant l'invasion de la Belgique pour éviter les forts français de l'Est ; les forces françaises devaient être poursuivies en direction du Jura et anéanties. Ce plan fut repris par Moltke* en 1914 et sembla réussir, jusqu'à la bataille de la Marne*. **V.** *aussi* **Guerre mondiale** *(Première).*

SCHLIEMANN (Heinrich). ♦ Archéologue allemand (Neubukow, Mecklembourg, 1822 – Naples, 1890). Ayant appris par lui-même les langues anciennes et orientales, et ayant fait fortune dans le commerce, il alla se fixer en Grèce (1868) afin d'y retrouver les sites décrits par Homère. Il entreprit ainsi des fouilles à Hissarlik, où il découvrit le site présumé de Troie (1870), à Mycènes (1874), à Orchomène (1880), à Tirynthe (1884) et à Ithaque. Malgré des erreurs d'interprétation, ses travaux ouvrirent la voie à l'archéologie grecque et en particulier aux recherches sur la civilisation mycénienne. (*Ithaque, le Péloponnèse et Troie,* 1869 ; *Troie et ses ruines,* 1878 ; *Mycènes,* 1878 ; *Tirynthe,* 1886 ; son *Autobiographie* fut publiée en 1892.)

SCHLŒSING (Jean-Jacques Théophile). ♦ Chimiste et agronome français (Marseille, 1824 – Paris, 1919). Il imagina la préparation du carbonate de sodium à l'ammoniac (1854) [**V. Solvay**] et étudia la fixation de l'azote par les végétaux. (Acad. sc., 1882.)

SCHLUCHT [ʃluxt] *(col de la).* ♦ Col des Vosges* à 1 139 m, faisant communiquer la vallée de la Meurthe avec celle de la Fecht (affl. de l'Ill*), aux limites des dép. des Vosges et du Haut-Rhin*. Passage très fréquenté.

SCHLUMBERGER (Jean). ♦ Écrivain français (Guebwiller, 1877 – Paris, 1968). Ami d'André Gide*, avec lequel il fonda et anima (1909 à 1914) *La Nouvelle Revue française,* et de Jacques Copeau*, Jean Schlumberger, élevé dans un milieu protestant, s'intéressa d'abord à l'histoire des religions, puis composa une œuvre qui le signale avant tout comme un moraliste désormais agnostique, attentif aux drames qui se jouent au sein d'une famille ou d'un groupe social quand le conflit des générations oppose les individus. *Le Lion devenu vieux* (1924), évocation des dernières semaines du cardinal de Retz et constat amer des échecs d'une vie, est une approche de cette tragédie du vieillissement, devenu le thème central de *Saint-Saturnin* (1931) ; livre de l'attachement à une maison, de la fidélité à une tradition, c'est aussi l'étude de cette trahison à soi-même que la vieillesse entraîne. Ce goût de l'analyse psychologique ainsi que de la réflexion rigoureuse se retrouve dans des nouvelles comme *Passion* (1956), dans des études critiques, telles *Plaisir à Corneille* (1936) ou *Madeleine et André Gide* (1956), et dans des traités.

SCHLÜSSELBURG, à partir de 1944 **PÉTROKRÉPOST.** ♦ V. d'U.R.S.S. (région de Leningrad) sur le lac Ladoga. Sa célèbre forteresse fut construite en 1323 par un prince de Novgorod. Disputée entre Russes et Suédois au XVIIe s., reconquise définitivement par Pierre* le Grand (1702), elle perdit son importance militaire et fut transformée en prison. Ivan* VI, D.M. Galitzine*, des décabristes*, des narodniki* et des bolcheviks y furent internés. Musée à partir de 1928, la forteresse fut détruite par les Allemands pendant la Deuxième Guerre mondiale.

SCHMALKALDEN. ♦ V. d'Allemagne orientale, au pied du Thüringerwald. 14 400 hab. ♦ Hist. *Ligue de Schmalkalden.* Les princes protestants allemands, sous l'autorité de Philippe de Hesse et de l'électeur de Saxe, y conclurent une ligue contre Charles Quint, quand celui-ci eut exigé l'application de l'édit de Worms et la restitution des biens ecclésiastiques. Ils furent vaincus (Charles Quint, aidé de Maurice* de Saxe, écrasa Jean*-Frédéric de Saxe à Mülhberg*), et durent signer l'intérim d'Augsbourg (1548). Une amnistie leur fut accordée par le traité de Passau* (1552).

SCHMERLING (Philippe Charles). ♦ Médecin et anthropologue belge (1791 – 1836). Dans ses *Recherches sur les ossements fossiles découverts dans les cavernes de la province de Liège* (1833), il affirma que l'homme existait au quaternaire ancien.

SCHMIDT (*le père* Wilhelm). ♦ Ethnologue et linguiste allemand (Hörde, Westphalie, 1868 – Fribourg, Suisse, 1954). Organisateur de l'École ethnologique de Vienne et collaborateur à la revue *Anthropos,* il contribua avec F. Graebner* au développement de la théorie historico-culturelle (diffusionniste) qui, à partir de l'étude comparative des techniques, coutumes et croyances des civilisations de tribus primitives, tente de reconstituer des « cycles culturels », d'en étudier la dispersion géographique et les migrations. Le père Schmidt a publié *Völker und Kulturen* (avec W. Koppers*, 1924) et une analyse sur les relations entre les structures des langues et les aires de civilisations (*Die Sprachfamilien und Sprachenkreise der Erde,* 1926). Il est également l'auteur d'un ouvrage sur *L'Origine de l'idée de Dieu* (1926-1955).

SCHMIDT (Bernhard). ♦ Opticien et astronome allemand (île de Naissaar, près de Reval, Estonie, 1879 – Bergedorf, 1935). Il conçut en 1931 un type de télescope aplanétique dans lequel une lame correctrice d'épaisseur variable crée une aberration exactement antagoniste de celle du miroir sphérique *(chambre de Schmidt).* **V. *aussi* Foucault, Lallemand.**

SCHMIDT ou **CHMIDT (Otto Ioulevitch).** ♦ Savant et explorateur russe (Moghilev, 1891 – 1956). Membre de l'expédition germano-soviétique dans le Pamir (1928), il explora l'Arctique, fonda et administra la voie maritime du Nord (1932-1939).

SCHMIDT (Arno). ♦ Nouvelliste et romancier allemand (Hambourg, 1914). Représentant de la jeune littérature allemande d'après-guerre, il a dénoncé avec violence et cynisme le conformisme religieux (chrétien), moral, intellectuel. Passant de la trivialité à la fantaisie et à la science-fiction, d'un bon sens paysan volontiers grossier à un étalage provocant d'érudition, ses œuvres (où certains virent une des dernières expressions du dadaïsme) sont d'une apparence chaotique recherchée. Elles lui valurent l'admiration de quelques-uns mais, bien plus souvent, « une réputation de fumiste salace » (H. Plard) [*Léviathan,* 1949 ; *Brand's Haide,* 1951 ; *Scènes de la vie d'un faune,* 1953 ; *République des savants,* 1957 ; *Kaff ou Mare Crisium,* 1960].

SCHMIDT (Helmut). ♦ Homme d'État allemand (Hambourg, 1918). Membre du parti social-démocrate S.P.D. Élu chancelier de la République fédérale d'Allemagne le 16 mai 1974.

SCHMIDTBONN (Wilhelm SCHMIDT, dit Wilhelm). ♦ Ecrivain allemand (Bonn, 1876 – Bad-Godesberg, 1902). D'abord marqué par la vogue du naturalisme, il composa ensuite des œuvres d'un lyrisme néo-romantique (*La Grand'Route notre mère, fin d'une jeunesse,* 1901) et s'orienta progressivement vers une littérature de type « régionaliste » (*La Place triangulaire,* 1935).

SCHMIDT-ROTTLUFF (Karl). ♦ Peintre allemand (Rottluff, 1884 – Berlin, 1976). Fondateur de *die Brücke* avec Kirchner et Heckel, il donna à l'expressionnisme une franchise de couleurs et une solidité de composition parfois sommaires. Simplifiant progressivement les formes, diminuant l'intensité des couleurs, il peignit des nus géométrisés (*Nus au grand air,* 1913).

SCHMITT (Florent). ♦ Compositeur français (Blamont, Ardennes, 1870 – Neuilly-sur-Seine, 1958). Élève de Massenet et de Fauré au conservatoire de Paris, grand prix de Rome (1900), il a affirmé une personnalité vigoureuse, soucieuse d'indépendance, prompte à se manifester par le sarcasme et l'ironie. Un de ses envois de Rome lui valut la célébrité, le *Psaume XLVII,* pour orchestre, chœur, orgue et soprano (1904), œuvre d'une parfaite architecture, remarquable par le caractère fougueux et comme torrentiel de son inspiration. Des voyages qu'il entreprit ensuite en Europe, en Méditerranée et jusqu'au Proche-Orient, il rapporta des impressions chatoyantes que l'on retrouve dans les *Feuillets de voyage* (1903-1913), les *Reflets d'Allemagne* (1905), et surtout une nostalgie de la couleur orientale qui, jointe à une véhémence romantique et à une étonnante complexité d'écriture caractérisent ses ouvrages majeurs. On en retiendra notamment des pièces pour orchestre : *Le Palais hanté* (1907), *Antoine et Cléopâtre,* six épisodes symphoniques, d'après Shakespeare (1920), *Mirages* (1921), *Salammbô,* six épisodes symphoniques d'après Flaubert (1925), *Danse d'Abisag* (1925) ; des ballets : *La Tragédie de Salomé* (1910), *Oriane et le Prince d'amour* (1938) ; une *Symphonie concertante* pour piano et orchestre (1928), une seconde *Symphonie* (1957), toutes œuvres marquées par la luxuriance de l'invention mélodique, la richesse orchestrale et, pour les dernières, la profondeur de la pensée. Cependant qu'il cultivait encore, dans le domaine de la musique de chambre, le goût du paroxysme (*Quintette* pour piano et cordes, 1908 ; *Trio* à cordes, 1944 ; *Quatuor* à cordes, 1947), il sut aussi y réserver leur place à l'effusion, à la tendresse et à la méditation. De l'œuvre aussi abondante (138 n^os^ d'opus) que riche en qualité de ce musicien, il faudrait encore citer de nombreuses pièces de musique vocale (*chansons* à 4 voix ; trois *chœurs a cappella,* six *chœurs pour voix de femmes,* une *messe De Profundis,* inédite) et de courtes pièces aux titres burlesques *(Çançunik, Suite en rocaille, Chaîne brisée, Suite sans esprit de suite, À tour d'anches, Clavecin obtempérant, Scènes de la vie moyenne, Chants alizés, Quatuor pour presque tous les temps),* dans lesquelles il libéra un humour que sa robustesse et son lyrisme dissimulaient dans ses œuvres les plus importantes.

SCHMOLLER (Gustav). ♦ Économiste allemand (Heilbronn, 1838 – Harzbourg, Basse-Saxe, 1917). Représentant, avec A. Wagner* des « socialistes de la chaire » qui rédigèrent le *Manifeste d'Eisenach* (1872), préconisant un socialisme réformiste d'État, il a vivement critiqué les théories des marginalistes autrichiens **(V. C. Menger)**, se rattachant, par ses positions, aux économistes de l'école historique allemande **(V. Hildebrand, Knies, Roscher).**

SCHNABEL (Arthur). ♦ Pianiste et compositeur autrichien (Lipnik, 1882 – Axenstein, Suisse, 1951). Professeur au conservatoire de Berlin, il quitta l'Europe pour les États-Unis, après la montée du nazisme (1939). Interprète incomparable des grands romantiques allemands, il fit une carrière internationale. Son œuvre de compositeur (*pièces symphoniques,* pour piano et *musique de chambre*) méconnue, s'inspire des techniques dodécaphoniques.

Schnæbelé *(affaire).* ♦ Incident à la frontière franco-allemande (1887). Invité à se rendre dans la partie de la Moselle occupée par les Allemands pour y discuter de questions de service, le commissaire de Pagny-sur-Moselle, Schnæbelé, y fut arrêté pour espionnage. Le ministre français de la Guerre, le général Boulanger*, voulut adresser un ultimatum au gouvernement allemand ; mais cette solution fut écartée par le cabinet français qui préféra la voie diplomatique. Cet incident apparemment insignifiant qui s'acheva par la libération de Schnæbelé contribua à susciter en France une vague de « nationalisme revanchard ».

SCHNEIDER [ʃnɛdʀ] ou plus souvent [ʃnɛdɛʀ]. ♦ Famille d'industriels français. ♦ EUGÈNE SCHNEIDER (Bidestroff, 1805 – Paris, 1875). Propriétaire des forges de Bazeilles (Ardennes), il remit en exploitation en 1836, avec son frère ADOLPHE (Nancy, 1802 – Le Creusot, 1845), celles du Creusot* (fondées en 1788 par I. de Wendel*) et créa la Société Schneider Frères et Cie, dont les ateliers de mécanique comptèrent parmi les plus modernes de l'époque (construction de la première locomotive à vapeur, 1838). Député libéral en 1845, ministre du Commerce et de l'Agriculture en 1851, membre du Corps législatif sous le Second Empire, E. Schneider réalisa de nombreuses œuvres sociales. ♦ HENRI SCHNEIDER, fils du précédent (Le Creusot, 1840 – Paris, 1898). Gérant de la Société Schneider Frères et Cie, il développa la fabrication des constructions mécaniques et des armements, tout en poursuivant les œuvres sociales de son père. ♦ EUGÈNE SCHNEIDER, fils du précédent (Le Creusot, 1868 – Paris, 1942), puis CHARLES SCHNEIDER, son fils (Paris, 1898 – Saint-Tropez, 1960), contribuèrent au développement et à la modernisation des usines du Creusot.

SCHNEIDER (Hortense). ♦ Chanteuse française (Bordeaux, 1833 – Paris, 1920). Interprète favorite d'Offenbach* qui la lança aux Bouffes-Parisiens en 1855 et composa pour elle la plupart de ses chefs-d'œuvres, elle créa aux Variétés *La Belle Hélène, Barbe-Bleue, La Périchole, La Diva.* Ce fut l'une des sopranos les plus célèbres de l'opérette de la belle époque.

SCHNITZLER (Arthur). ♦ Écrivain et auteur dramatique autrichien (Vienne, 1862 – *id.,* 1931). L'œuvre de ce médecin viennois venu très tôt à la littérature, propose, avec un charme et une ironie qui ne visent pas à la profondeur, la peinture aimable et tendre d'une société sur son déclin, celle de la Vienne fin de siècle. Complaisante à l'égoïsme inconscient de ses héros, l'analyse des caractères se fait parfois finement pathétique dans *Anatole* (1892), *« Amourette »* (*Liebelei,* 1895) et *La Ronde* (*Reigen,* 1900). Romancier, Schnitzler a publié *Mademoiselle Else* (1924) et *Thérèse* (1928). Son œuvre a inspiré le cinéma autrichien.

SCHOBERT (Johann). ♦ Claveciniste et compositeur allemand (Silésie, v. 1730 – Paris, 1767). Fixé à Paris, il fut au service du prince de Conti et connut la célébrité dans les salons parisiens pour son talent de virtuose et la qualité de sa musique de chambre. Son œuvre comprend des *concertos* pour clavecin et orchestre, *sonates* pour clavecin et violon, *trios* pour violon, basse et clavecin, *symphonies* pour clavecin, violon et cors. Précurseur du romantisme par la ferveur du sentiment, il eut sur Mozart une indéniable influence, lors du premier voyage de celui-ci à Paris (1763).

SCHOCKLEY. ♦ V. SCHROCKLEY.

SCHŒLCHER (Victor). ♦ Homme politique français (Paris, 1804 – Houilles, Seine-et-Oise, 1893). Sous-secrétaire d'État dans le gouvernement provisoire après la révolution de février 1848, il contribua à faire adopter le décret sur l'abolition de l'esclavage dans les colonies, abolition pour laquelle il avait lutté depuis 1840 (*Abolition de l'esclavage,* 1840). Député de la Guadeloupe et de la Martinique (1848-1851), il siégea avec la gauche et

Arch. Smeets

Nicolas Schöffer : « Chronos 5 ».
(Wallraf-Richartz Museum, Cologne.)

vécut exilé en Angleterre sous le Second Empire. Après l'abdication de Napoléon III (septembre 1870), il fut réélu député de la Martinique à l'Assemblée nationale (1871), puis devint sénateur inamovible (1873).

SCHOELCHER. ♦ Ch.-l. de cant. de la Martinique (arr. de Fort-de-France), au N.-O. du chef-lieu. 13 241 hab. Cannes à sucre. Distilleries.

SCHOENBERG ou **SCHÖNBERG (Arnold).** ♦ Compositeur autrichien, naturalisé américain (Vienne, 1874 – Los Angeles, 1951). Issu d'un milieu de petite bourgeoisie israélite, il étudia la musique en autodidacte. Ses premières œuvres, marquées par l'influence de Wagner, de Brahms et de Mahler, s'inscrivent dans le courant post-romantique, témoignant d'un ton personnel, lyrique et tendu : des *Lieder* (1897-1903), un sextuor à cordes *Verklärte Nacht* (1899), un poème lyrique d'amples dimensions, les *Gurrelieder* (1901, orchestré en 1911) et un poème symphonique, *Pelléas et Mélisande* (1902) inspiré de Maeterlinck. Toutes ces œuvres marquent encore l'attachement du musicien au système tonal. Fixé à Vienne où il rencontra G. Mahler* (1903), Schoenberg y révéla un des aspects dominants de sa personnalité, celui d'un pédagogue né, et ses premiers élèves furent A. Berg* et A. Webern*. Il devait poursuivre cette activité d'éducateur tout au long de sa vie, enseignant tour à tour à Berlin, Vienne où il fonda le *Verein für musikalische Privataufführungen* (« Association pour des exécutions musicales privées », 1917), à Amsterdam (1920), de nouveau à Berlin (1924) puis, lorsqu'il dut fuir les persécutions nazies, en Amérique (Boston, New York, enfin Los Angeles, 1936-1944). Antérieures à la publication de son *Traité d'harmonie* (1911, remanié et complété en 1921, puis 1948), quelques-unes de ses œuvres marquent déjà une transition du système tonal à l'atonalité : *Premier Quatuor à cordes* (1905), *Symphonie de chambre* (1906), *Deuxième Quatuor à cordes* (1908). Cette métamorphose s'observe avec une plus grande netteté dans les cinq *Pièces* pour piano (1908) et dans des œuvres pour voix et orchestre (*Erwartung*, monodrame, 1909 ; *Die glückliche Hand*, 1909-1913, *Herzgewächse*, pour chant et trois instruments, 1911, et surtout *Pierrot* lunaire*, pour récitant et cinq instruments, 1912). Il y fait usage d'un nouveau mode de déclamation lyrique, le *Sprechgesang*, où la mélodie ne se rattache plus à une gamme diatonique, ne se rapportant qu'à la gamme chromatique tonalement indéterminée des douze sons. Toute distinction désormais abolie entre des sons harmoniques différents, Schoenberg fonde sa méthode de composition sur le principe de la *série*, succession fondamentale de douze notes employées dans un ordre déterminé et maintenue, tant pour la mélodie que l'harmonie (d'où les adjectifs *sériel* et *dodécaphonique*). L'usage de cette méthode répondait chez le musicien à une nécessité interne, celle de l'expressionnisme. Elle supposait une complexité et une rigueur d'écriture dont allaient témoigner, après sept années de silence, les grandes œuvres de sa maturité : *Quintette à vents* (1924), *Troisième Quatuor à cordes* (1927), *Variations pour orchestre* (1928), un opéra bouffe, *Von Heute auf Morgen* (1929) et un drame religieux, d'une admirable force expressive, *Moïse et Aron* (1930 ; inachevé). Toutefois, Schoenberg continuait à y employer la rythmique, les timbres et les intensités selon la tradition classique. Reconverti au judaïsme (1933), qu'il avait abandonné une dizaine d'années auparavant, puis émigré en Amérique, il y connut l'épreuve d'un conformisme intellectuel dont il sut s'affranchir par de nombreux ouvrages qui marquent un approfondissement des techniques de l'atonalité (*Concerto pour violon*, 1936 ; *Quatrième Quatuor à cordes*, 1936 ; *Trio à cordes*, 1946, ainsi qu'un oratorio dramatique, *Un survivant de Varsovie*, 1947) ou un certain retour à la tonalité (*Deuxième Symphonie de chambre*, 1939 ; *Variations sur un récitatif*, pour orgue, 1941 ; *Variations pour orchestre*, *Ode à Napoléon*, poème de Byron, dénonciation de la dictature, *Concerto pour piano*, 1942). Il convient d'y ajouter encore des pièces d'inspiration religieuse, pour voix (*De Profundis*, 1950 ; *Psaumes modernes*, 1951, inachevés). Accueillie par le scandale, assimilée de nos jours comme un nouveau classicisme, l'œuvre de Schoenberg a bouleversé le langage musical traditionnel. Elle a de ce fait exercé une profonde influence sur l'évolution de la musique contemporaine. De Berg et Webern à R. Leibowitz* (qui l'a profondément commentée) et P. Boulez*, elle a inspiré de nombreux disciples.

SCHÖFFER (Peter). ♦ Imprimeur allemand (Gernsheim, Hesse, v. 1425 – Mayence, 1502). Il travailla d'abord avec Gutenberg, puis perfectionna l'imprimerie, notamment en y introduisant la couleur.

SCHÖFFER (Nicolas). ♦ Sculpteur français d'origine hongroise (Kalocsa, 1912). Il créa en 1948 la sculpture « spatiodynamique », formée d'une ossature géométrique en métal comprenant des plaques minces, puis des sculptures mobiles se déplaçant selon des impulsions sonores et lumineuses (*Cysp I*, 1956). Avec le « luminodynamisme » (*Lux I*, 1957), les sculptures de Schöffer, grâce à des réflecteurs et autres dispositifs optiques, produisent des effets lumineux mobiles. Les *Reliefs anamorphoses* (1961) produisent des anamorphoses par le mouvement d'éléments en plexiglas. Le *Mur-lumière* (1962) et le *Téléluminoscope* (1961) produisent des formes abstraites sous l'impulsion de cellules sensibles.

Schola cantorum. *n. f.* ♦ Appliquée à l'origine à tout groupement de jeunes gens étudiant la musique, l'appellation prit, aux premiers siècles de l'ère chrétienne, un sens spécifiquement religieux et fut appliquée exclusivement aux chapelles qui fournissaient des chantres aux basiliques romaines et à la chapelle papale. – École fondée en 1894 par Charles Bordes, Alexandre Guilmant et Vincent d'Indy* pour restaurer la musique religieuse selon la pure tradition grégorienne. Parallèlement, la *Schola cantorum* élargit son répertoire et s'attacha à retrouver des partitions oubliées ou inédites de grands musiciens comme Monteverdi, Schütz, Campra.

SCHOLASTIQUE *(sainte)*. ♦ (Nursie, v. 480 – Piumarola, près du mont Cassin, v. 547). Sœur de saint Benoît de Nursie, fondatrice de la branche féminine des bénédictins, à Piumarola. Fête le 10 février.

SCHOMBERG (Gaspard *de***).** ♦ Homme de guerre d'origine allemande (Meissen, 1540 – Paris, 1599). D'abord aux côtés des huguenots, il servit ensuite Henri* III et Henri* IV. ♦ HENRI, *comte de* NANTEUIL (Paris, 1574 – Bordeaux, 1632) et CHARLES, *duc d'*HALLUIN (Nanteuil, 1601 – Paris, 1656), fils et petit-fils du précédent, maréchaux de France.

SCHOMBERG ou **SCHONBERG (Frédéric-Armand,** *duc de***).** ♦ Maréchal de France, d'origine germanique (Heidelberg, 1615 – La Boyne, 1690). Au service du prince d'Orange puis de la France, il prit part à la bataille des Dunes* (1658) et remporta la victoire de Vila Viçosa (1658) au Portugal. Chassé par la révocation de l'édit de Nantes*, il devint un des conseillers de Guillaume* III d'Orange et fut tué à la bataille de La Boyne*.

SCHOMBURGK (*sir* **Robert Hermann).** ♦ Explorateur allemand (Freyburg an der Unstrut, 1804 – Schöneberg, près de Berlin, 1865). Il fut chargé par l'Angleterre de délimiter les Guyanes anglaise et brésilienne. ♦ RICHARD SCHOMBURGK, son frère. Explorateur et naturaliste allemand (Freyburg, 1811 – Adélaïde, Australie, 1891). Il explora la Guyane (1840), puis vint en Australie (1849) où il fut directeur du jardin botanique d'Adélaïde (*The Flora of South Australia*, 1875). On a donné le nom de *schomburgkia* à une variété d'orchidée.

SCHÖNBEIN (Christian Friedrich). ♦ Chimiste allemand (Metzingen, Wurtemberg, 1799 – Baden-Baden, 1868). Il découvrit l'ozone (1839) et inventa le coton-poudre et le collodion **V. Ménard.**

SCHÖNBERG (Arnold). ♦ **V.** SCHOENBERG.

Schönbrunn. ♦ Château situé non loin de Vienne*, il fut la résidence d'été des Habsbourg. Commencé sur les plans de J.B. Fischer von Erlach sous Léopold Ier, il fut achevé sous Marie-Thérèse en 1750. Napoléon Ier y séjourna entre 1805 et 1809 et y signa le traité de Schönbrunn ou de Vienne (14 oct. 1809). Son fils, le duc de Reichstadt y mourut en 1832.

SCHÖNEBECK. ♦ V. d'Allemagne orientale (district de Magdebourg), sur la r. g. de l'Elbe. 45 900 hab. Mines de sel. Indus. chimiques (peintures, cimenteries) et constructions mécaniques (cycles).

SCHÖNER (Johann). ♦ Astronome et géographe allemand (Karlstadt am Main, 1477 – Nuremberg, 1547). Ordonné prêtre, il adhéra à la Réforme. Il est l'auteur de six globes terrestres, d'ouvrages de géographie (*Opusculum geographicum*, 1533) et de mathématiques (*Opera mathematica*, 1551).

SCHÖNFLIES (Arthur Moritz). ♦ Mathématicien et minéralogiste allemand (1853 – 1928). Auteur de travaux sur la géométrie cinématique, il est surtout connu par ses recherches en minéralogie.

Précisant les découvertes de Bravais*, il fut amené à distinguer deux cent trente groupes de symétrie (1891); sa théorie sur la structure des cristaux permit de déterminer la disposition des atomes dans le motif cristallin.

SCHONGAUER (Martin). ♦ Peintre, graveur et dessinateur alsacien (Colmar, v. 1445 – Brisach, 1491). Fils d'un orfèvre actif à Augsbourg, il travailla à Colmar, sans doute à partir de 1469 et jusqu'en 1488 et vécut ensuite à Brisach. Il exécuta de nombreux retables, mais son œuvre peinte a en grande partie disparu; il peignit en 1473 : *La Vierge au buisson de roses.* Empreinte d'un sentiment grave et retenu, cette œuvre allie monumentalité et sens décoratif et dénote l'influence de R. Van* der Weyden. Graveur remarquable, Schongauer exécuta cent quinze planches au burin sur cuivre, d'une grande maîtrise technique. L'extrême raffinement de son graphisme anguleux et fouillé *(Tentation de saint Antoine)* s'infléchit souvent en arabesques élégantes et mesurées, sans perdre de sa vigueur expressive *(Portement de croix).* Les graveurs allemands, notamment Dürer*, puisèrent dans le répertoire de modèles qu'il créa. Il influença aussi les artistes vénitiens et fut admiré par Michel-Ange.

SCHÖNLEIN (Johann Lukas). ♦ Médecin allemand (1793 – 1864). Il a donné son nom à une variété de purpura se caractérisant par des arthralgies et des troubles intestinaux.

SCHOOLCRAFT (Henri Rowe). ♦ Explorateur et ethnographe américain (Watervliet, New York, 1793 – Washington, 1864). Il vécut plusieurs années parmi les Indiens du nord-ouest des États-Unis dont il a étudié les caractères ethniques, les idiomes (*Historical and Statistical Informations Respecting the History, Condition and Prospect of the Indian Tribes of the United States of America,* 1851-1857, résumé par Mondot : *Histoire des Indiens des États-Unis,* 1858).

SCHOPENHAUER (Arthur). ♦ Philosophe allemand (Dantzig, 1788 – Francfort, 1860). Resté à l'écart de l'idéalisme post-kantien (Fichte, Schelling, Hegel), il dépassa la philosophie critique de Kant dans le sens d'un phénoménisme radical, faisant du monde notre représentation (*La Quadruple Racine du principe de raison suffisante,* 1813). Toutefois, dans son œuvre principale (*Le Monde comme volonté et comme représentation,* 1818), il affirma que si l'univers est en apparence « le jeu sans but et par là incompréhensible d'une éternelle nécessité », il est en réalité, comme chose-en-soi, « volonté absolument libre » dont tous les phénomènes naturels sont les degrés progressifs d'objectivation (assimilés aux Idées platoniciennes). Dans ses formes individuelles, multiples et illusoires, le vouloir-vivre est la racine de tous les maux, nous menant, dans un cycle sans fin, du désir et de la douleur à l'ennui. Mais l'intelligence, qui lui est originairement liée, peut s'affranchir de cette servitude par l'Art – contemplation désintéressée de l'Idée ou expression immédiate de la volonté (dans la musique) –, par la pitié – qui, en nous faisant prendre conscience de l'identité du vouloir-vivre en nous et en autrui nous libère de l'illusion de l'égoïsme –, par l'ascétisme enfin, négation de tous désirs, telle qu'elle fut prêchée dans le bouddhisme sous la forme du nirvâna. Profondément pessimiste, la philosophie de Schopenhauer influença Nietzsche*.

SCHOTEN. ♦ Comm. de Belgique (prov. et arr. d'Anvers) sur le canal Albert et sur le canal d'Anvers à Turnhout, à 5 km d'Anvers. 27 800 hab. – Indus. alimentaires. Constructions navales. Métallurgie. Indus. chimiques.

SCHOTTKY (Friedrich). ♦ Mathématicien allemand (1851 – 1935). Auteur d'un théorème faisant partie du cycle de Picard* et concernant la famille normale de fonctions constituée par les fonctions à trois valeurs exceptionnelles.

SCHOTTKY (Walter). ♦ Physicien allemand (Zurich, 1886 – 1976). Il inventa le tube à quatre électrodes, ou *tétrode,* avec Hull* (1916) [V. *aussi* **Fleming, De Forest**] et expliqua l'origine du bruit de fond dans les amplificateurs electroniques (« bruit de grenaille » de Schottky, 1918). Il améliora également la théorie des semi-conducteurs.

SCHRIEFFER (John Robert). ♦ Physicien américain (né en 1931). Auteur de travaux sur le magnétisme et la supraconductivité dont il élabora la théorie avec J. Bardeen* et L.N. Cooper*. (Prix Nobel de phys., 1972.)

SCHROCKLEY (William). ♦ Physicien et technicien américain (Londres, 1910 –). Auteur de travaux de physique des solides, il donna la théorie des jonctions dans les semi-conducteurs (1949) et aboutit à l'invention du transistor à jonctions (1951). **V. Bardeen, Brattain.** (Prix Nobel de phys., 1956.)

SCHRÖDER (Rudolf Alexandre). ♦ Poète, essayiste et traducteur allemand (Brême, 1878 – Bad Wiessee, 1962). Tour à tour peintre, architecte, décorateur, il donna d'abord des recueils poétiques qui s'inscrivent dans la ligne de l'humanisme classique (*Empédocle, Elysium,* 1900), puis des traductions d'auteurs grecs (Homère), latins (Horace, Virgile), de Shakespeare et de Racine. Si la guerre de 1914-1918 lui dicta des poèmes patriotiques voire nationalistes, ses œuvres poétiques ultérieures (*Le Milieu de la vie,* 1930) d'inspiration religieuse, expriment le désir d'une réconciliation de l'humanisme antique et du christianisme. Écrite en 1937, *La Ballade du voyageur* marqua son détachement par rapport à l'Allemagne nazie.

SCHRÖDINGER (Erwin). ♦ Physicien autrichien (Vienne, 1887 – *id.,* 1961). Il développa la *mécanique ondulatoire,* établissant son formalisme sur des bases mathématiques rigoureuses et posant l'équation générale à laquelle satisfait l'onde de Broglie* (*équation de Schrödinger,* 1926), équation qui permet de calculer les fonctions d'onde de corpuscules conduisant, par voie déductive, aux conditions de quantification. Il montra également l'équivalence de la *mécanique des matrices* et de la *mécanique ondulatoire,* dès lors unies en une seule mécanique quantique. (Prix Nobel de phys., 1933.)

SCHUBART (Christian Friedrich). ♦ Organiste, compositeur et poète allemand (Obersontheim, Wurtemberg, 1739 – Stuttgart, 1791). Organiste à Ludwigsburg, il y mena une vie bohème et fut banni du duché de Wurtemberg en 1773 pour sa conduite. Fondateur à Ulm de la *Chronique allemande* (*Deutsche Chronik,* 1774), revue anticléricale et libérale, il fut condamné à la prison pour raisons politiques (1777-1787). Poète politique et authentiquement populaire du *Sturm* und Drang,* il a laissé des *Poésies* dont certaines furent mises en musique par Schubert *(La Truite).*

SCHUBERT (Franz). ♦ Compositeur autrichien (Lichtental, près de Vienne, 1797 – Vienne, 1828). Fils d'un maître d'école et d'une ancienne servante qui eurent treize enfants dont cinq seulement survécurent, il fit son apprentissage musical avec l'organiste de la paroisse de Lichtental. Devenu chanteur à la chapelle royale de Vienne, il reçut les leçons de Salieri (1809-1813) au *Stadtkonvikt* (collège municipal) où il fit de bonnes études. Son père le destinait à l'enseignement et il exerça effectivement durant quelques années les fonctions de maître auxiliaire dans l'école que celui-ci dirigeait, mais par le goût dont il témoigna très tôt pour la musique, sa véritable vocation s'affirma. Ses premières compositions, dès l'âge de treize ans, la constitution d'un quatuor familial où il tenait la partie d'alto, et son père, celle de violoncelle, sont des événements importants de son adolescence qui fut heureuse, malgré la mort prématurée de sa mère (1812). Dénué de toute ambition, quoiqu'il tentât à plusieurs reprises de conquérir Vienne avec ses œuvres de théâtre, plus attaché aux enchantements du rêve qu'à la réalité, il vécut pauvrement, mais conscient de son génie, admirant Mozart, Haydn et Beethoven, entouré de l'affection, souvent agissante, d'un petit cercle d'amis, F. Schober, le poète Mayrhofer, le peintre M. von Schwind, le chanteur M. Vogl. Amoureux timide et impécunieux, voué à une solitude farouche par un physique ingrat, il noua plusieurs idylles sans espoir, notamment avec Thérèse Grob et Caroline Esterhazy, dont il fut le professeur. Bohème longtemps insouciant, il vécut la majeure partie de sa courte existence à Vienne, ne quittant la ville que pour de joyeuses promenades dans la campagne viennoise, en compagnie de ses amis, ou pour quelques séjours plus

Arch. Smeets

Martin Schongauer : « Portrait d'une jeune femme ». (Collection particulière).

Coll. Viollet

Franz Schubert.

prolongés à Zelesz (Hongrie), chez le comte Johann Esterhazy (1818 et 1824) ou à Steyr (Haute Autriche, 1825) avec son ami Vogl. Atteint d'une maladie vénérienne (1822) incurable à l'époque, il en subit les effets avec constance, ayant cependant à endurer les plus douloureuses épreuves physiques dans ses dernières années (1826-1828). Attristées par la solitude, l'insuccès, celles-ci furent sombres et même tragiques. Elles coïncident néanmoins avec une période d'intense production et un approfondissement de sa pensée, propre désormais à traduire l'angoisse la plus pathétique autant qu'une ineffable sérénité. – L'œuvre de Schubert, dont le catalogue a été établi par O.E. Deutsch (1950) comprend plus de 900 n^{os} d'opus. Longtemps ignorée, elle n'a pu surgir de l'oubli que grâce aux initiatives de Schumann, de Mendelssohn, de Liszt, et de tous ceux qui, chefs d'orchestre, grands solistes ou philosophes esthéticiens comme Nietzsche en découvrirent les premiers l'incomparable richesse poétique et humaine. Elle comporte quinze *opéras* ou « Singspiele », dont *Rosamunde,* musique de scène pour le drame romantique de H. von Chézy (1823), six *messes* (dont les messes *en sol,* 1815; *en ut,* 1816; *en la bémol,* 1822, et *en mi bémol maj.,* 1828), d'autres œuvres religieuses (dont un *Stabat Mater,* 1816), chorales (*Gebet,* « Prière », 1824), avec orchestre (*Gesang der Geister über den Wassern,* « Chant des esprits au-dessus des eaux », 1821), avec piano ou a cappella. Plus de six cents lieder constituent l'apport le plus original de Schubert à la musique, et sont composés sur des poèmes de Goethe, Schiller, Haydn, Mayrhofer, Schober. Parmi les plus célèbres, on retiendra : *Gretchen am Spinnrade* (Marguerite au rouet, 1814), *Erlkönig* (Le Roi des aulnes, 1815), *An die Musik* (À la Musique), *Die Forelle* (La Truite), *Der Tod und das Mädchen* (La Jeune fille et la Mort, 1817), *Der Musensohn* (Le Fils des muses), *Prometheus, Die Götter Griechenlands* (Les Dieux de la Grèce, 1820), *Die junge Nonne* (La Jeune Religieuse, 1826) et les cycles de *Die schöne Müllerin* (La Belle Meunière, vingt lieder, 1823) et du *Winterreise* (Le Voyage d'hiver, vingt-quatre lieder, 1826), la célèbre *Sérénade,* sur un poème de Grillparzer (1827), *Der Schwanengesang* (Le Chant du cygne, 1828). Parmi les œuvres pour orchestre : neuf *symphonies* (dont les symphonies *en si b. maj.,* 1816; *en ut,* 1818; *en si min.,* dite *Inachevée,* 1822; et la grande symphonie *en ut maj.,* admirable chef-d'œuvre, 1828); de la *musique de chambre,* dont seize *quatuors,* parmi lesquels ceux en *sol maj.,* en *la min.,* (1824), en *ré min.,* dit *La Jeune Fille et la Mort* (1826), un *quintette en la maj.* dit *La Truite* (1819), un *quintette à cordes* en ut maj. (1828): des *sonates pour violon et piano, vingt-deux sonates pour piano* (dont les sonates *en la min.,* 1817, et *en sol,* 1824); des pièces pour piano, dont la *Wanderer Fantasie* (1822); huit *Impromptus,* six *Moments musicaux* et de nombreuses danses *(Ländler, valses, marches, menuets, allemandes, polonaises).* – Doué d'une exceptionnelle précocité, Schubert posséda aussi un véritable génie de l'improvisation, d'où sa réussite dans les genres du lied, pièce courte née d'une émotion fugitive qui suscite spontanément, par l'équilibre entre mélodie vocale et piano, l'atmosphère, le décor, l'inflexion qui sont propres au drame à évoquer. Plus encore que dans ses grandes compositions symphoniques ou dans ses œuvres pour le théâtre, plus impersonnelles, c'est dans le domaine de la musique de chambre qu'il atteint à la confidence la plus dépouillée et la plus poignante. Grand musicien classique par la forme, il est un novateur par les nuances chromatiques, harmoniques, et rythmiques qu'il introduisit dans ses dernières œuvres, où la liberté de l'invention mélodique le fait le précurseur de Schumann* et de H. Wolf*. Poète de la nature, il l'est aussi de l'invisible et du fantastique et, par là, l'un des plus grands parmi les génies du romantisme.

SCHULS. ♦ Nom allemand de Scuol (Suisse).

SCHULTZE (Max). ♦ Biologiste allemand (Fribourg-en-Brisgau, 1825 – Bonn, 1874). Successeur de Helmholtz à l'Institut anatomique de Bonn et fondateur des Archives pour l'anatomie microscopique (1865), il fut le premier à définir correctement la cellule comme « une petite masse de protoplasme renfermant un noyau »; il mit en évidence les analogies de structure et de fonctionnement des protoplasmes végétaux et animaux.

SCHULZ (Bruno). ♦ Écrivain polonais (1892 – 1942). Expérimentateur original dans le domaine du roman psychologique irrationnel, il écrivit *Les Magasins de cannelle* (*Sklepy cynamonowe,* 1934) et *Le Sanatorium sous la clepsydre* (*Sanatorium pod Klepsydrą,* 1937), récit autobiographique où il évoqua son enfance. La peur devant les lois incompréhensibles de l'existence et les symboles à interprétations multiples rapprochent Schultz de Kafka (il traduisit *Le Procès* en 1936). Il fut fusillé par les Allemands.

SCHULZE (Gottlob Ernst). ♦ Philosophe allemand (Heldrungen, Thuringe, 1761 – Göttingen, 1833). Il fut l'un des adversaires de Kant et adopta le scepticisme [*Aenesidemus,* 1792, titre de son œuvre qui fut aussi son surnom]. **(V. Kantisme.)**

SCHUMAN (Robert). ♦ Homme politique français (Luxembourg, 1886 – Scy-Chazelles, Moselle, 1963). Député démocrate-populaire de 1919 à 1940, il fut sous-secrétaire d'État aux réfugiés de mars à juillet 1940. Déporté, il parvint à s'évader. Député M.R.P. (1945-1962), ministre des Finances (juin 1946-nov. 1947), il succéda à Ramadier à la présidence du Conseil (nov. 1947-1948), puis fut chargé du portefeuille des Affaires étrangères (juil. 1948-janv. 1953). Son ministère vit l'adoption du plan Marshall* (1948) et un rapprochement avec l'Allemagne fédérale (abandon du contrôle de la Ruhr). R. Schuman fut surtout, avec J. Monnet*, un des promoteurs de la construction de l'Europe, posant des bases de la Communauté* européenne du charbon et de l'acier (C.E.C.A.) et de la Communauté européenne de défense [accord de Paris de 1952]. Face à l'opposition du R.P.F. et à celle des communistes, R. Schuman donna sa démission. Ministre de la Justice (fév. 1955-juin 1956), il se consacra surtout à l'élaboration des institutions européennes comme président du Mouvement européen (1955), puis de l'Assemblée parlementaire européenne à Strasbourg (1958) [*Pour l'Europe*].

SCHUMANN (Robert). ♦ Compositeur allemand (Zwickau, Saxe, 1810 – Endenich, près de Bonn, 1856). Son père, libraire, traducteur et éditeur de Byron et de W. Scott, eut à souffrir de troubles mentaux. Dernier né d'une famille de cinq enfants, il fut le préféré de sa mère, elle-même d'une sensibilité morbide. À l'issue d'un accès de folie, une de ses sœurs devait se donner la mort (1826). Cette hérédité a pesé lourdement sur lui, autant que les épreuves dont sa vie ne fut pas épargnée. Il eut une enfance solitaire et exaltée par la fréquentation des poètes, surtout Jean-Paul Richter. L'audition du pianiste Moscheles, lors d'un concert que celui-ci donna à Karlsbad (1819) détermina sa vocation. Il entreprit néanmoins des études secondaires au lycée de Zwickau et, un peu plus tard, s'inscrivit aux universités de Leipzig (1828) puis de Heidelberg (1829) pour y étudier le droit. Mais, tenté par la littérature et davantage encore par la musique, il décida de parfaire sa connaissance du piano avec un maître réputé, Friedrich Wieck (1830). Il prit aussi quelques leçons de contrepoint et d'harmonie à Leipzig, avec Dorn, directeur de l'Opéra. Une audition de Paganini et la révélation des lieder de Schubert le confirmèrent dans sa volonté d'entreprendre une carrière de compositeur, celle de virtuose le tentant également. Les leçons de F. Wieck furent pour lui de peu de profit, celui-ci se montrant surtout attentif aux progrès de sa propre fille, Clara, jeune pianiste d'une étonnante précocité. Il lui fallut compléter seul sa formation, notamment par l'étude de Bach. Ainsi allait-il demeurer un autodidacte. Une malencontreuse initiative, l'essai d'un appareil de son invention destiné à donner plus de vigueur au quatrième doigt de sa main droite, entraîna la paralysie de cette main (1832). Il dut dès lors renoncer à la carrière de virtuose. Une violente dépression nerveuse s'ensuivit (1833), premiers symptômes du mal qui devait plus tard emporter sa raison. Cependant, ses premières compositions pour le piano avaient vu le jour (*Variations Abegg, Papillons, Toccata, Caprices* d'après Paganini, *Intermezzi, Impromptus, Caprices symphoniques*). Il fonda une revue musicale, la *Neue Zeitchrift für Musik* (1834) où il s'instituait le défenseur de la bonne musique contre les « Philistins ». La déclaration d'amour qu'il fit à Clara Wieck, puis une demande en mariage (1835), accueillie par un refus farouche du père, marqua pour Schumann le début d'une période tourmentée où il produisit néanmoins quelques-uns de ses plus grands chefs d'œuvre : *Carnaval, Première Sonate, Fantaisie en ut maj., Davidsbündlertänze, Phantasiestücke, Kinderszenen, Kreisleriana, Novelettes, Seconde Sonate,* œuvres pour le piano que caractérisent la pureté du sentiment poétique et la profondeur de la pensée, souvent tendue jusqu'au désespoir. À l'issue d'une campagne de diffamation menée contre le musicien par l'intraitable Wieck, celui-ci fut enfin sommé par décision de justice de rendre la liberté à sa fille Clara. Le mariage eut lieu (1840) et les années qui suivirent apportèrent au jeune couple une plénitude de bonheur dont l'œuvre de Schumann forme l'éclatant témoignage : plus de deux cents *lieder* composés sur des textes de Goethe, Heine, Schiller, Chamisso, Rückert, Mörike; les cycles *L'Amour et la Vie d'une femme, Les Amours du poète; Liederkreis, Myrtes;* trois *quatuors à cordes,* dédiés à Mendelssohn, un *quintette,* un *quatuor avec piano,* la *Première Symphonie, Le Paradis et la Péri,* oratorio. — Virtuose de grande réputation, Clara entreprit souvent avec Schumann, durant ces années, de nombreuses tournées à travers l'Europe, allant même jusqu'en Russie (1844). Mais déjà le musicien traversait de nouvelles crises dépressives. Appelé par Mendelssohn, son ami depuis 1834, au conservatoire de Leipzig (1843), il s'y révéla un piètre pédagogue. Cet échec, le sentiment croissant de son indignité devant Clara, les tentatives malheureuses d'installation à Dresde, Vienne puis Berlin, la mort de Mendelssohn (1847) aggravèrent l'état mental de Schumann. Cependant, durant cette période, il concevait de très nombreuses œuvres où l'on trouve des pages admirables : *Concerto pour piano et orchestre, Deuxième Symphonie, Genoveva,* son unique opéra (1848), *Manfred,* oratorio; des *lieder,* des pièces chorales *(Cantique de l'Avent),* des cantates *(Requiem pour Mignon), Scènes du Premier Faust, Concertstück* et de nombreuses pièces pour cor, clarinette et hautbois. C'est alors qu'il accepta le poste de chef d'orchestre à Düsseldorf (1850). Commencée dans l'euphorie, cette ultime période de sa vie consciente fut marquée par une nouvelle éclosion d'œuvres : *Troisième Trio, Sonate pour violon, Concerto pour violoncelle, Troisième Symphonie,* dite *Rhénane, Le Pèlerinage de la Rose,* oratorio, des *lieder,* des *pièces symphoniques* et *de musique de chambre.* Mais bientôt, ses insuffisances à la direction de l'orchestre furent si évidentes qu'il entra en conflit avec les administrateurs de la Société musicale. Après une tentative de suicide (1854), il fut interné à l'asile d'Endenich où il mourut deux ans plus tard. L'amitié du jeune Brahms et l'inlassable dévouement de Clara avaient adouci ses derniers moments. — Maître du lieder où la partie pianistique est traitée en une polyphonie pleine de nuances, véritable commentaire du poème chanté, Schumann exprima aussi dans son œuvre pour piano tous les aspects de la sensibilité romantique, de la gaieté populaire à l'angoisse onirique. Il se montra moins à l'aise dans les moules classiques (sonates, symphonie, opéra) où il exprima cependant avec force ses douloureux fantasmes et son inépuisable aspiration au bonheur. Grand harmoniste et rythmicien, maître de la dissonance, il a su créer une sensibilité nouvelle. Son art est à l'image de sa mélodie : fragmentée, mais reprenant sans cesse son élan, à la fois tendre et tourmentée, il incarne avec la plus grande profondeur l'esthétique romantique.

SCHUMANN (Clara WIECK, épouse). ♦ **V.** SCHUMANN (Robert).

SCHUMANN (Elisabeth). ♦ Cantatrice américaine d'origine allemande (Mersebourg, 1885 — New York, 1952). Soprano d'une grande musicalité, elle débuta à l'opéra de Hambourg (1909), se produisit au *Metropolitan Opera* de New York (1914) et fit ensuite la majeure partie de sa carrière à l'opéra de Vienne (1919-1938). Remarquable interprète des opéras de Mozart, de R. Strauss et du lied romantique, elle se fixa aux États-Unis (1944).

SCHUMANN (Maurice). ♦ Homme politique français (Paris, 1911). Ayant rejoint le général de Gaulle à Londres (1940), il fut le porte-parole de la France libre à la B.B.C. Membre de l'Assemblée consultative [provisoire] (1944-1945), constamment élu depuis 1945, il contribua à la fondation du Mouvement* républicain populaire, dont il fut le président de 1945 à 1949. Secrétaire d'État aux Affaires étrangères (1951-1954), ministre chargé de l'Aménagement du Territoire (1962), il donna sa démission en même temps que les ministres du M.R.P. en 1962. Ministre d'État de 1967 à 1969, il fut ministre des Affaires étrangères dans les cabinets Chaban-Delmas (1969-1972) et P. Messmer. Il dut démissionner après avoir été battu aux élections législatives de 1973. Sénateur (1974). [Acad. fr. 1974.]

SCHUMPETER (Joseph Aloïs). ♦ Économiste autrichien (Triesch-Taconic, Moravie, 1883 — Connecticut, 1950). Élève de von Wieser et de Böhm-Bawerk, directeur avec Sombart et M. Weber*, des *Archiv für Sozialwissenschaft und Sozialpolitik,* il fut en Autriche ministre des Finances (1919), et émigra aux États-Unis en 1935. Expliquant la croissance économique par les « innovations » et insistant sur le rôle décisif de l'entrepreneur, il a donné une analyse théorique, historique et statistique de l'évolution oscillatoire de l'économie capitaliste. Analysant les transformations institutionnelles de l'économie de son époque, il affirme le caractère inévitable d'une forme de civilisation bureaucratique et socialiste (*La Théorie de l'évolution économique,* 1912, trad. fr. 1935; *Business Cycles,* 1939; *Capitalisme, socialisme et démocratie,* 1942).

SCHUPPANZIGH (Ignaz). ♦ Violoniste autrichien (Vienne, 1776 — *id.,* 1830). Premier violon dans le quatuor des princes Lichnowsky et Razoumovsky, il fut l'interprète et l'ami de Beethoven. Il dirigea durant quelques années l'opéra de Vienne.

SCHUSCHNIGG (Kurt *von***).** ♦ Homme politique autrichien (Riva, 1897 —). Il fut élu député chrétien-social en 1927 et devint en janvier 1932, ministre de la Justice de Dollfuss*. Après l'assassinat de celui-ci (1934), il devint chancelier. Schuschnigg lutta pour maintenir l'indépendance de l'Autriche, combattant à la fois les socialistes et les nazis et créant un *Front patriotique.* Il s'efforça de donner un nouvel essor économique à son pays. Afin de régulariser les relations avec l'Allemagne, il signa un accord avec Hitler (11 juil. 1936) par lequel celui-ci promettait de ne pas intervenir dans les affaires autrichiennes; en revanche, Schuschnigg dut accorder des postes dans le gouvernement à des personnalités favorables à l'Allemagne. Convoqué par Hitler à Berchtesgaden le 12 février 1938, il dut amnistier les nazis et donner le poste de ministre de l'Intérieur à Seyss*-Inquart. Ayant annoncé un plébiscite sur le maintien de l'indépendance de l'Autriche (9 mars 1939), il dut démissionner sur un ultimatum de Hitler. Les armées allemandes envahirent l'Autriche. Schuschnigg fut détenu par les Allemands jusqu'en 1945, puis émigra aux États-Unis.

SCHÜTZ (Heinrich). ♦ Compositeur allemand (Köstritz, Saxe, 1585 — Dresde, 1672). Il poursuivit successivement l'étude du droit à Marbourg, Francfort-sur-Oder, Iéna, et celle de la musique à Venise, où il reçut l'enseignement de G. Gabrieli* (1609-1612). Nommé organiste à la cour de Kassel (1613), puis maître de chapelle à Dresde (1617), il occupa ce dernier poste jusqu'à sa mort, non sans effectuer plusieurs séjours à l'étranger, notamment à Venise où il recueillit la leçon de Monteverdi (1629) et à Copenhague où il trouva refuge durant la guerre de Trente Ans (1633-1645). Fidèle à la polyphonie allemande de la Renaissance, son style a été fortement modifié par l'influence italienne. Ainsi, l'introduction du style monodique est sensible dans ses *madrigaux* (1611) et *cantiones sacrae* (1625) qui le rendirent célèbre dans toute l'Allemagne. De même que dans les *Psaumes de David,* composés sur des textes allemands (1619), il témoignait d'une remarquable assimilation du style concertant italien, il sut introduire dans l'*Histoire de la Résurrection* (1623) une grande liberté dans l'usage du récitatif. Un ample lyrisme, hérité de Monteverdi, est sensible dans une suite d'œuvres que le musicien composa après son séjour à Venise. Il s'agit des *Petits Concerts spirituels* (1636-1639), des *Symphoniae sacrae I* (1628), *II* (1647) et *III* (1650), ainsi que des *Sept Paroles du Christ,* oratorio (1645), ouvrages qui ne comportent qu'un nombre limité de voix, où la monodie se trouve intériorisée, et non dramatisée, comme dans le style italien. Des compositions monumentales où fusionnent les parties concertantes et les passages en forme de motet, on retiendra *Musikalische Exequien,* requiem allemand (1636), *Geistliche Chormusik* (*Grands Chœurs spirituels,* 1648), *Weihnachtshistorie* (*Oratorio de Noël,* 1664), œuvres marquées par la profusion des ressources vocales et orchestrales. C'est dans les dernières années de sa vie que Schütz revint à un art plus sévère, tout imprégné d'esprit luthérien, avec les trois *Passions* (*selon saint Jean,* 1664, *saint Matthieu,* 1666, *saint Luc,* 1668) où la musique, dépouillée de tout ornement, atteint à une austère grandeur qui annonce J.-S. Bach. Génie créateur dans les domaines de la cantate et de l'oratorio, Schütz est encore l'auteur du premier opéra allemand, *Dafne* (1627), dont le manuscrit fut perdu dans un incendie.

SCHUTZENBERGER (Paul). ♦ Chimiste français (Strasbourg, 1829 — Mézy, Seine-et-Oise, 1897). Il découvrit les hydrosulfites et les acétates de cellulose [1869]. (Acad. sc., 1888.)

Schveik. ♦ Personnage de J. Hašek*. **V.** **Švejk** *(Aventures du brave soldat).*

SCHWAB (Gustave). ♦ Écrivain allemand (Stuttgart, 1792 — 1850). Représentant de l'école souabe (Uhland, Kerner, Mörike), il est surtout connu pour ses ballades et chansons populaires, son *Recueil des légendes de l'Antiquité* (1838-1840) et sa traduction des *Méditations poétiques* de Lamartine (1826).

SCHWÄBISCH GMÜND. ♦ V. d'Allemagne occidentale, dans le Bade-Wurtemberg. 41 050 hab. Bijouterie, verrerie et orfèvrerie. Indus. chimiques.

Coll. Michel Hérubel

Robert Schumann (1810-1856).

Ph. PSZ/Ricciarini

Albert Schweitzer.

Ph. Roger Pic

É. Schwartzkopf.

SCHWANN (Theodor). ♦ Naturaliste allemand (Neuss am Rhein, 1810 – Cologne, 1882). Élève de J. Müller*, c'est en partie sous l'influence des travaux de Schleiden* qu'il élabora sa théorie cellulaire, décrivant la structure microscopique des plantes et des animaux et affirmant que la cellule est l'unité élémentaire de la vie (*Recherches microscopiques sur la concordance dans la structure et dans la croissance des animaux et des plantes,* 1839). Malgré les inexactitudes que comporte son explication de la formation des cellules, cette découverte révolutionna la biologie. On appelle *gaine* ou *membrane de Schwann* la membrane extérieure de la gaine protectrice des nerfs myéliniques et amyéliniques.

SCHWARTZKOPF (Élisabeth). ♦ Cantatrice germano-autrichienne (Jarrein, 1915). Élève du conservatoire de Berlin où elle reçut une solide formation musicale, elle excelle dans les grands rôles du répertoire mozartien sur les principales scènes du monde, notamment aux opéras de Berlin et de Vienne. Soprano lyrique, elle est aussi remarquable dans l'interprétation du lied allemand.

SCHWARZ (Berthold). ♦ Moine et inventeur allemand (Fribourg-en-Brisgau, v. 1310 – Venise, 1384). On lui a attribué à tort l'invention de la poudre à canon. En revanche, il mit au point une méthode pour la fonte des canons de bronze dans les ateliers installés à Venise (1377).

SCHWARZ (Solange). ♦ Danseuse française (Paris, 1910). Issue d'une famille de danseurs qui appartinrent à l'opéra de Paris, elle fut l'élève de C. Zambelli et d'A. Aveline. Danseuse étoile (1940), elle créa plusieurs ballets de S. Lifar avant de rejoindre la compagnie de Roland Petit, les Ballets des Champs-Élysées (1945). Elle parut ensuite à l'Opéra-Comique (1948-1951), puis en représentation dans plusieurs troupes de ballets, au cours de tournées internationales (Grand Ballet de Monte-Carlo, Ballet de l'Étoile, Grand Ballet du marquis de Cuevas). Elle fit ses adieux à la scène dans le rôle de *Coppélia* (opéra de Paris, 1957) où elle fut incomparable par la sûreté de sa technique et la grâce de son interprétation.

SCHWARZENBERG (Karl Philipp, *duc de* **Krumau).** ♦ Feld-maréchal autrichien (Vienne, 1771 – Leipzig, 1820). Il fit campagne contre les Turcs (1788-1789) puis dans les Pays-Bas, contre les Français (1794). Il fut battu à Hohenlinden* (1800) et à Ulm* (1805), mais couvrit habilement la retraite. Puis il fut ambassadeur à Saint-Pétersbourg (1805-1809), à Paris (1809-1812). Le bal qu'il donna pour le mariage de Napoléon avec Marie-Louise fut une catastrophe, un incendie s'étant déclaré (juil. 1810). Allié de Napoléon pendant la campagne de Russie (corps auxiliaire de la Grande Armée), il fut fait maréchal (1812). Mais, après des négociations infructueuses avec Napoléon, il fit la campagne de 1813 contre l'Empereur et, battu à Dresde, fut vainqueur à Leipzig*. Il commanda les armées qui envahirent la France en 1814.

SCHWARZWALD. ♦ **V.** Forêt-Noire.

SCHWEDT. ♦ V. d'Allemagne orientale (district de Francfort-sur-l'Oder). 6 000 hab. Raffinage du pétrole et pétrolochimie.

SCHWEIGGER (Johann Salomo Christoph). ♦ Physicien allemand (Erlangen, 1779 – Halle, 1857). Réalisateur d'un électromètre en 1808, il mit au point en 1820 un ***multiplicateur,*** appareil muni d'une aiguille aimantée placée à l'intérieur d'un cadre, d'une bobine plate parcourue par le courant, et qui constitue en fait le premier galvanomètre. **V. Deprez.**

SCHWEINFURT. ♦ V. d'Allemagne du S.-O. (Bavière, Basse-Franconie), sur la r. d. du Main. 58 300 hab. *Rathaus* du XVIe siècle. – Indus. mécaniques; principal centre allemand de roulements à billes. – Patrie de Fr. Rückert*.

SCHWEINFURTH (Georg). ♦ Explorateur et naturaliste allemand (Riga, 1836 – Berlin, 1925). Parti en Égypte en 1863, il gagna l'Éthiopie, puis se rendit à Khartoum. En 1868, il explora l'Afrique équatoriale et, de Khartoum, remonta le cours du Nil. Fondateur de l'Institut égyptien du Caire, il se consacra ensuite à l'étude de la géologie et de la botanique de l'Égypte et des régions voisines. (*Im Herzen von Afrika,* 1874; *Flora von Ägypten,* 1887.)

SCHWEITZER (Johann Baptist *von***).** ♦ Homme politique allemand (Francfort-sur-le-Main, 1833 – lac de Brienz, Suisse, 1875). À la tête de l'Association générale des travailleurs allemands (**V. Lassalle**), qu'il dirigea de manière autoritaire (1867-1871), il soutint la politique d'unification de l'Allemagne sous l'hégémonie prussienne de Bismarck et ne cessa de lutter contre le Parti ouvrier social-démocrate (Bebel, W. Liebknecht; Eisenach).

SCHWEITZER (Albert) [ʃvɛtzɛʀ] ou [ʃvajtzɛʀ]. ♦ Théologien, philosophe, musicien, musicologue et médecin missionnaire français (Kaysersberg, Haut-Rhin, 1875 – Lambaréné, 1965). Il étudia d'abord la théologie et la philosophie et devint pasteur à Strasbourg (église Saint-Nicolas). Il entreprit ensuite des études médicales et, dès 1913, se rendit à Lambaréné* au Gabon pour y créer un hôpital. Il y retourna définitivement après la Première Guerre mondiale (1924), ne se rendant en Europe et en Amérique que pour donner des concerts d'orgue. Théologien, il fit des travaux sur Jésus, saint Paul; philosophe, il est l'auteur d'ouvrages sur la *Philosophie de la culture, Culture et Éthique, Les Grands Penseurs de l'Inde,* etc. Comme musicologue, on lui doit des études sur *J.-S. Bach, le musicien poète* (1905). Il a donné le récit de sa vie dans *À l'orée de la forêt vierge, Ma vie et mes pensées* [1960]. (Prix Nobel de la paix, 1952.)

SCHWENCKFELD ou **SCHWENKFELD VON OSSIG (Kaspar).** ♦ Théologien allemand (Ossig, près de Liegnitz, 1489 - Ulm, 1561). D'abord partisan de Luther, il adopta ensuite une position personnelle qui permit parfois de voir en lui le précurseur du piétisme. La communauté qu'il fonda (les « Confesseurs de la gloire de Dieu ») fit des adeptes en Silésie puis, au XVIIIe s., à Philadelphie.

SCHWERIN. ♦ V. d'Allemagne orientale (Mecklembourg) et ch.-l. de district sur le *lac Schwerin* (63 km²). 94 800 hab. Indus. chimiques.

SCHWINGER (Julian Seymour). ♦ Physicien américain (New York, 1918 –). Reprenant les travaux de Tomonaga*, il participa à l'élaboration de la « théorie quantique des champs ». **V. Feynman.** (Prix Nobel de phys., 1965.)

SCHWITTERS (Kurt). ♦ Peintre, sculpteur et poète allemand (Hanovre, 1887 – Ambleside, Westmorland, 1948). Après des études à l'Académie des beaux-arts de Dresde (1909-1914), Schwitters retourna dans sa ville natale, Hanovre. Il exposa ses premières toiles abstraites en 1918, à Berlin. En 1919, il composa son premier tableau, *Merz,* assemblage de clous, de papiers collés, de bouts d'étoffe, de carton ondulé. « Merz » est la seconde syllabe du mot *Kommerz,* apparu tronqué par hasard sur son tableau. Dès lors, toutes ses œuvres, peintes, sculptées ou écrites, s'appelèrent « Merz », terme que l'auteur définit dans sa revue en 1924 : « ce qui par sa force, se développe, se forme et se meut ». Cette définition correspond tout à fait à son œuvre maîtresse, le *Merzbau,* qu'il commença à Hanovre en 1919 : véritable forêt vierge de plans et de volumes inquiétants, construite à partir d'une colonne. Lorsque l'espace de la première pièce fut totalement envahi, Schwitters perça le plafond pour continuer à développer cette construction tentaculaire, à laquelle il travailla jusqu'en 1933 (détruite pendant la Deuxième Guerre mondiale). Connu essentiellement comme dadaïste, Schwitters ne fut pas tout de suite accepté par le groupe et resta toujours un peu à l'écart, fondant d'ailleurs son propre mouvement « Merz » à Hanovre. Son premier recueil de poèmes, *Anna Blume* (1919), fut rejeté par dada. Ce n'est qu'en 1922 qu'il participa au grand congrès dada de Weimar. Lié d'amitié avec Théo van Doesburg, il l'accompagna dans une tournée dada en Hollande et collabora à sa revue, *Mécano.* En 1923, parut le premier numéro de *Merz,* consacré au mouvement dada en Hollande. Schwitters écrivit ensuite un poème, *Ursonate* (1925-1932), tentative de destruction du langage traditionnel. Membre de *Cercle et Carré* en 1930 et d'*Abstraction-Création* en 1932, il quitta l'Allemagne en 1933 pour la Norvège, puis l'Angleterre; ses œuvres laissent alors filtrer l'influence du « cubisme cézannien » (*Vision,* 1916-1917 [*Portrait d'Helma Schwitters*]) et du futurisme (*Z 57 Abstraktion,* 1918). Les toiles abstraites de 1918 sont dominées par des tonalités sombres, vertes et brunes. Schwitters commença alors ses collages et ses assemblages, qui constituent avec ses trois constructions-Merz, l'essentiel de son œuvre. Dans une certaine mesure, le *Merzbau* de Hanovre peut être rapproché du Café pittoresque, construit à Moscou en 1917 par les constructivistes Tatlin, Rotchenko et Yakulov; mais Schwitters, à la recherche de l'objet d'art total, avait une conception propre de l'aspect évolutif de l'œuvre, dans laquelle l'art et le non-art sont intimement liés. C'est à travers l'aspect usé et abandonné des objets qu'il trouva son langage. Il intégra dans ses premiers collages (1918-1919) des matériaux détériorés : papiers, plumes, tickets, copeaux de bois, etc. Ses compositions furent d'abord violentes, contrastées et vigoureusement construites (*Merz 31,* 1920). Au cours de la période 1923-1934, les plans se simplifient, les couleurs s'éclaircissent, deviennent moins terreuses et provoquent une impression de grande sérénité (*Merz 30/35,* 1930). Il réalisa de petites sculptures en galets, en plâtre ou fil de fer (*Composition en fil de fer,* 1940). Ses derniers collages sont constitués d'une multitude de petites bandes de papier découpées. Certaines de ses œuvres reprirent l'aspect agressif de ses travaux de jeunesse (*C 68, Wanteeside,* 1945). Ses collages, élaborés d'une manière quasi picturale, sont sans rapport avec les préoccupations cubistes, et n'ont pas dans l'ensemble le caractère polémique et destructeur de dada. Bien qu'il ait participé à des expositions importantes (Museum of Modern Art, New York, 1936; Tate Gallery, Londres, 1938), ce n'est qu'en 1956, lors de la première rétrospective qui lui fut consacrée à Hanovre, que l'on put évaluer son œuvre de pionnier.

SCHWYZ. ♦ V. de Suisse centrale à l'E. du lac des Quatre-Cantons, au pied du Grosser Mythen, ch.-l. du cant. de Schwyz. 11 700 hab. – Église baroque Saint-Martin (XVIIe s.), hôtel de ville (XVIIe s.). Station climatique. Indus. textile. – *Le canton de Schwyz* est limité par le lac de Zurich au N., le cant. de Glaris à l'E., le cant. d'Uri au S., le lac des Quatre*-Cantons et le lac de Zoug* à l'ouest. 908 km^2. 85 500 hab. en majorité de langue allemande et de religion catholique. *Ch.-l.* Schwyz. *V. princ.* **V. Arth, Brunnen, Einsiedeln, Küssnacht.** Il est drainé par la Muota et la Sihl et bordé à l'O. par le massif du Rigi*. L'économie du pays est essentiellement pastorale (élevage laitier). L'activité industrielle est secondaire (indus. textile à Schwyz et près du lac de Zurich). ♦ *Hist.* Après avoir lutté avec succès contre la domination des Habsbourg (Frédéric* II accorda aux habitants de Schwyz une lettre de franchise en 1240), le canton dut à nouveau subir le joug autrichien à l'avènement de Rodolphe* Ier de Habsbourg (1273). Il s'allia alors aux cantons d'Unterwald et d'Uri en 1291 **(V. Rütli),** alliance qui fut à l'origine de la Confédération helvétique (le nom de Suisse, en all. *Schweiz,* fut tiré du nom du canton), et vainquit définitivement les Autrichiens à Morgarten* (1315). Il repoussa la Réforme au XVIe siècle. Démembré lors de l'occupation française, il fut rétabli en 1803.

Science chrétienne, en angl. **Christian Science.** ♦ Secte fondée à Boston (États-Unis) par Mary Baker Eddy (1894). Elle prétend guérir par la foi plus que par la médecine.

SCILLY ou **SORLINGUES** *(îles).* ♦ Petit archipel britannique de la Manche, à env. 40 km de l'extrémité S.-O. des côtes d'Angleterre (Land's End), formé d'une centaine d'îlots sauvages et de cinq îles habitées : Tresco, St. Martin's, St. Mary's (*Ch.-l.* Hugh Town, 1 400 hab.), Bryher et St. Agnès. Les Scilly, qui passent pour les *Cassitérides* des Anciens, jouissent d'un climat clément, permettant la culture d'arbres et de fleurs exotiques.

SCIPION, en lat. **Scipio.** ♦ Surnom d'une famille de la Rome ancienne de la gens *Cornelia.* ♦ SCIPION *l'Africain* en lat. *Publius Cornelius Scipio Africanus.* Homme politique et général romain (v. ~ 235 – Liternum, ~ 183). Nommé proconsul en Espagne en ~ 211 lors de la seconde guerre Punique, il prit Cartagène*, battit Hasdrubal* Barca en ~ 209, puis, grâce à ses alliances avec les principaux chefs ibères, commença la conquête de l'Andalousie et réussit à chasser les Carthaginois d'Espagne (~ 206). Après s'être allié à Masinissa*, il fit adopter lors de son consulat de ~ 205, son projet de débarquement en Afrique malgré l'opposition des conservateurs **(V. Fabius* Maximus Cunctator).** Il assiégea Carthage (~ 204), remporta sur Hannibal* la victoire décisive de Zama* (~ 202), ce qui lui valut à son retour à Rome, le surnom d'*Africain* et les honneurs du triomphe. Déclinant le consulat à vie, il fut légat de son frère, *Lucius Cornelius Scipio* dit *l'Asiatique* **(V.** *ci-dessous***)** en Asie où il mena à bien la campagne contre Antiochos* III **(V. Magnésie* du Sipyle).** Accusé de concussion par les conservateurs menés par Caton* l'Ancien, il se retira, après la condamnation de son frère (~ 187), dans son domaine de Liternum où il se consacra aux arts et aux lettres, et notamment à la culture grecque qu'il avait contribué à introduire à Rome. ♦ SCIPION *l'Asiatique* en lat. *Lucius Cornelius Scipio Asiaticus* ([mort] après ~ 184). Frère de *Scipion l'Africain,* qu'il suivit en Espagne et en Afrique et à qui il dut toute sa carrière. ♦ SCIPION NASICA, en lat. *Publius Cornelius Scipio Nasica* (~ IIIe s. – ~ IIe s.). Cousin des deux précédents. Préteur en ~ 192, il vainquit les Lusitaniens*. Il était l'un des meilleurs jurisconsultes de son temps. ♦ SCIPION ÉMILIEN, dit le *Second Africain* ou le *Numantin,* en lat. *Publius Cornelius Scipio Aemilianus.* Homme politique et général romain (v. ~ 185 – ~ 129), fils de Paul* Émile le Macédonien et petit-fils adoptif de Scipion* l'Africain. Consul en ~ 147, il donna l'assaut décisif à Carthage et la fit raser. À nouveau consul en ~ 134, il s'empara de Numance* (~ 133) et pacifia l'Espagne (Marius* servit sous ses ordres). Adversaire des démocrates, il combattit les réformes des Gracques et se fit le défenseur du sénat conservateur : il fut le type même de l'aristocrate éclairé qui refusa pourtant de réaliser à temps les réformes nécessaires au maintien de la République et dont le prestige ne servit qu'à préserver l'ordre établi. Héritier de la bibliothèque de Persée que lui avait donnée Paul* Émile, il reçut une excellente éducation hellénique et aida à la définition d'une nouvelle culture, synthèse des traditions grecques et romaines. Autour de lui se forma le « cercle de Scipion » qui regroupait Laelius, son plus cher ami, Lucilius*, le premier poète satirique, Térence* et Polybe*.

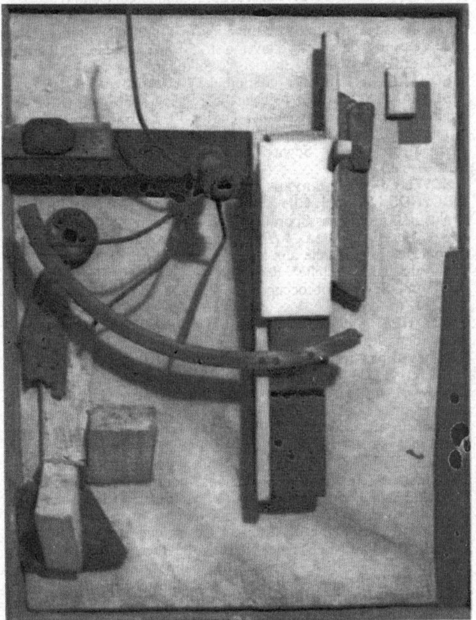

Arch. Smeets

Kurt Schwitters : « Petit Foyer de marin », 1926. (Lords Gallery, Londres.)

SCOPAS, en gr. **Skopas.** ♦ Sculpteur et architecte grec (Paros, fin du ~ Ve s.), l'un des plus illustres du ~ IVe s. avec Praxitèle* et Lysippe*. Il travailla à Sicyone*, dirigea la reconstruction du temple d'Athéna Aléa à Tégée dont il sculpta le décor des frontons, participa à la décoration du mausolée d'Halicarnasse (v. ~ 350) et à celle du temple d'Artémis à Éphèse. Maître de l'expression pathétique, Scopas choisit comme figures des personnages tourmentés, des héros élus par un destin tragique. On a des copies romaines de ses statues, dont celle de Méléagre et d'Héraclès (fragments du groupe de la *Chasse au sanglier de Calydon* qui ornait le fronton de façade du temple de Tégée). Un fragment de la frise du mausolée représentant un *combat de Grecs et d'Amazones* (British Museum) lui est attribué. Sa *Ménade* de Sicyone (réplique au musée de Dresde) porte les principaux traits de son art ; le corps de la bacchante tordu dans le délire dionysiaque, le visage tourné vers le ciel expriment toute la tension intérieure et les tourments d'une âme passionnée.

SCOREL (Jan Van). ♦ Peintre et dessinateur néerlandais (Schoorl, 1495 – Utrecht, 1562). Il se forma à Haarlem et Amsterdam, puis auprès de Gossart*. Parti vers 1520 pour Jérusalem, il séjourna en Italie et fut de 1522 à 1524 conservateur du Belvédère. Il subit surtout l'influence de la peinture romaine et vénitienne *(Marie-Madeleine).* Fervent romaniste, maître de Heemskerck et de Moro*, il contribua à propager l'influence italienne dans les Pays-Bas du Nord. Dans ses œuvres religieuses, mythologiques et allégoriques, l'allongement des formes, la torsion des gestes, les lignes serpentines des compositions, les contrastes d'éclairage, la vivacité des tons révèlent des tendances maniéristes *(Polyptyque de saint Étienne).* Dans ses sobres portraits aux volumes simplifiés, à l'éclairage tranchant, il manifeste une sensibilité plus personnelle (*Portrait d'un jeune garçon,* 1531).

SCORPION. *n. m.,* en lat. **Scorpius.** ♦ Constellation zodiacale australe comprenant deux amas ouverts M6 et M7 visibles à l'œil nu. Huitième signe du zodiaque (24 oct.-23 nov.). **V. Antarès.**

SCOT (John DUNS). ♦ V. DUNS SCOT *(John).*

SCOT ERIGÈNE (Jean). ♦ Philosophe et théologien (IXe s.). Originaire d'Écosse ou d'Irlande, il vint à la cour de Charles* le Chauve où il traduisit les œuvres du Pseudo*-Denys. Lors d'un débat sur la prédestination, il fut accusé d'hérésie. On peut citer de lui *De praedestinatione* (contre Gottschalk*), *De divisione naturae ; Commentaire de Boèce.* Sa philosophie, influencée par le néo-platonisme, a été considérée, peut-être à tort, comme contenant des thèmes panthéistes.

SCOTLAND. ♦ Nom anglais de l'Écosse*.

SCOTS. *n. m. pl.,* en lat. **Scotti.** ♦ Peuple irlandais de l'Antiquité qui pillait les côtes de la Grande-Bretagne et de la Gaule. Au Ve s., des Scots émigrèrent en Calédonie, fondant un royaume (Dalriada) et exerçant sur toute la région une forte influence religieuse et culturelle (saint Colomba). **V. Écosse,** *hist.* Au IXe s., ils s'imposèrent aux Pictes et donnèrent leur nom au pays conquis (Écosse, en angl. *Scotland*).

SCOTT (Walter). ♦ Poète et romancier écossais (Édimbourg, 1771 – Abbotsford, Roxburghshire, 1832). Malgré la claudication due à une poliomyélite contractée pendant son enfance, sa santé ne l'empêcha nullement de faire de longues promenades dans la région frontière de l'Écosse où il glana la matière première de ses trois recueils de poésies (*Chansons de la frontière écossaise,* 1802 et 1803) très admirés de son vivant. Comme son père, il se destinait à la magistrature, bien que sans enthousiasme ; shérif du Selkirkshire (1799) puis chancelier à la Cour d'Édimbourg (1806), il continua à écrire, évoquant la légende écossaise. C'est un autre poème (en six chants) de cette veine, *La Dame du lac,* 1810, qui inspira Rossini* (opéra du même nom). *Le Lord des îles,* 1815,

Ph. Lipnitzki-Viollet

Vincent Scotto.

suit également de près la tradition écossaise. Ce fut anonymement – la profession de romancier étant fort mal considérée – qu'il publia *Waverley*, 1814, peinture des coutumes et des gens de son pays lors des conflits entre les Hanovre et les Stuarts. Reconstruisant le passé à partir du présent, Scott situe de préférence ses récits entre la Réforme et les dernières luttes civiles du XVIIIe s., bien que *Quentin Durward* (1823) se situe au temps de Louis XI et qu'*Ivanhoé* (1819) mette en scène Richard Cœur de Lion et Robin Hood (Robin des Bois). Ces deux œuvres, qui eurent un immense et durable succès, furent à l'origine de la mode du roman historique en Europe (Hugo, etc.). L'intérêt du lecteur moderne se porte plus volontiers vers les tableaux de mœurs écossaises : *L'Antiquaire* (1816), dont le personnage central ressemble beaucoup à W. Scott lui-même, *Les Puritains d'Écosse* (*Old Mortality*, 1816) où le sectarisme des personnages provoque le caractère épique de nombreux épisodes. Ce dernier roman fut inséré dans les *Contes de mon hôte* (1771-1822), qui comprenaient aussi *Le Nain noir, La Prison d'Édimbourg, La Fiancée de Lamermoor, La Légende de Montrose, Le Château périlleux, Rob Roy*. Cette série fut suivie des *Chroniques de la Canongave*. L'activité littéraire intense de Walter Scott lui permit de mener une vie fastueuse et de régler les dettes de la maison d'édition dont il était actionnaire. Baronet en 1820, il s'attaqua à la *Vie de Napoléon* (1827), collabora à la *Quarterly Review* qu'il avait contribué à fonder en 1809. Son *journal* demeura impublié jusqu'en 1890. Maître à penser des historiens du XIXe s. (Carlyle et Macaulay), Walter Scott leur apprit que « l'histoire, non seulement peut être dramatiquement vivante, mais aussi que la vie des humbles est matière à recherche... au même titre que l'existence des souverains » (John Butt).

SCOTT (Robert Falcon). ♦ Explorateur anglais (Devonport, 1868 – Antarctique, 1912). Commandant le *Discovery*, il entreprit avec Shackleton* une première expédition dans l'Antarctique (terre du Roi-Édouard-VII, 1901-1904). Il repartit en 1910 à bord de la *Terra Nova*, mais fut devancé au pôle Sud par R. Amundsen et mourut lors de ce raid.

SCOTT DE MARTINVILLE (Édouard). ♦ Ouvrier typographe et inventeur français (1817 – 1879). Il imagina le *phonautographe*, appareil enregistrant des vibrations acoustiques (1857). **V. Cros, Edison, Berliner.**

SCOTTO (Vincent). ♦ Compositeur français (Marseille, 1876 – Paris, 1952). Auteur prolifique (plus de quatre mille mélodies), il avait débuté comme chanteur dans les banquets en s'accompagnant à la guitare. Ses œuvres (chansons et opérettes) furent popularisées par les plus célèbres interprètes de son époque, depuis Polin *(La Petite Tonkinoise)* jusqu'à Tino Rossi *(Le Plus Beau de tous les tangos du monde)*. Sa chanson *Sous les ponts de Paris* a fait le tour du monde.

SCRANTON. ♦ V. des États-Unis, au N.-E. de la Pennsylvanie*. 103 564 hab. (1970). Centre indus. fondé par les frères Scranton en 1840. La métallurgie du fer y fut remplacée par l'extraction de l'anthracite, puis la crise du charbon nécessita (v. 1950) une reconversion et une diversification industrielle. Centre commercial. – Le *bassin* d'anthracite *de Scranton* est l'une des deux grandes réserves houillères des Appalaches.

SCRIABINE (Alexandre Nicolaïevitch). ♦ Compositeur russe (Moscou, 1872 – *id.*, 1915). Pianiste virtuose, il entreprit de nombreuses tournées de concerts en Europe et en Amérique. Marquée d'abord par l'influence de Chopin, son œuvre subit ensuite celles de Strauss, Debussy et Ravel. Chercheur infatigable, il fut l'un des premiers à s'évader de la gamme traditionnelle et par là il apparaît, avec Mahler et Schoenberg, comme l'un des précurseurs de l'atonalité. Adepte de Wagner et de Nietzsche, il tenta d'élaborer un art universel auquel auraient contribué tous les autres arts, conférant au musicien le pouvoir d'entrer en communication avec le cosmos. Programme ambitieux qui se conjuguait avec des recherches philosophiques inspirées de la sagesse orientale dont Scriabine avait eu connaissance lors de plusieurs séjours qu'il fit aux Indes. Dans cet esprit, il a composé des œuvres symphoniques : *Le Poème divin* (1904), *Le Poème de l'extase* (1907) et *Prométhée ou le Poème du feu* (1910) pour orchestre, chœurs, orgue, piano, cloches et claviers « de lumière », ouvrage où la grandeur se perd parfois en grandiloquence. On lui doit encore de nombreuses compositions pour piano, dont un *concerto*, dix *sonates*, vingt-quatre *études*, des *impromptus* et des *préludes*. D'un grand « mystère cosmique » qu'il laissa inachevé, il a composé le prologue : *L'Acte préalable*.

SCRIBE (Eugène). ♦ Auteur dramatique français (Paris, 1791 – *id.*, 1861). D'abord médiocrement accueillies durant les premières années de la Restauration, ses comédies, où l'influence de Goldoni et de Diderot est sensible, plurent à la bourgeoisie pour le rôle qu'elles assignent à la réussite sociale et à l'argent. Dramaturge habile, grand inventeur d'effets comiques et de coups de théâtre, Scribe a fait représenter plus de 350 pièces, ensemble imposant d'où se détachent *Bertrand et Raton* (1833), *Le Verre d'eau* (1840), *Une chaîne* (1841), *Le Puff ou Mensonge et Vérité* (1849) et surtout *Bataille de dames* (1851). Seul ou en collaboration, il a publié de nombreux livrets d'opéras et d'opéras-comiques [*La Muette de Portici*, 1828; *La Juive*, 1835; *Les Huguenots*, 1836; *La Favorite*, 1840; *Le Prophète*, 1849]. (Acad. fr., 1834.)

Scriberus *(club)*. ♦ Club littéraire anglais ayant pour but la dénonciation des fausses valeurs. Arbuthnot, Swift, Gay et Pope en furent membres.

SCUDÉRY (Georges de). ♦ Auteur dramatique français (Le Havre, 1601 – Paris, 1667). Il composa un poème épique, des pièces de théâtre et attaqua Corneille* dans ses *Observations sur le Cid* (1637). Il collabora aussi aux romans écrits par sa sœur, Madeleine de Scudéry*.

SCUDÉRY (Madeleine *de*). ♦ Romancière française (Le Havre, 1607 – Paris, 1701), qui fut une habituée de l'hôtel de Rambouillet* avant d'ouvrir un salon littéraire fréquenté par la société précieuse. On lui doit des romans à clefs, galants et précieux, où les analyses morales succèdent aux dissertations amoureuses : *Le Grand* Cyrus* (dix vol., 1648 à 1653) et *Clélie*, histoire romaine* (dix vol., 1654 – 1661). Elle écrivit aussi des *Conversations morales* (1686 et 1688) et connut un succès considérable.

SCULTET (Johann SCHULTES, dit Jean). ♦ Chirurgien allemand (Ulm, 1595 – Stuttgart, 1645). Élève de Fabricius d'Acquapendente à Padoue, il acquit une grande renommée pour son habileté comme chirurgien et reste encore célèbre par les appareils qu'il mit au point pour le traitement des fractures. Un de ses ouvrages fut publié à Ulm après sa mort et traduit en français.

SCUNTHORPE. ♦ V. de l'E. de l'Angleterre (Lincolnshire, Lindsey) au N. de Lincoln. 67 330 hab. Sidérurgie. Centre industriel (sidérurgie, matériaux de construction, chimie, confection).

SCUOL, nom romanche de **Schuls.** ♦ V. de Suisse (Grisons), principale aggl. de la Basse-Engadine*. 1 600 hab. Station thermale et centre de sports d'hiver à 1 250 m d'altitude. **V. Tarasp.**

SCUTARI. ♦ Ville d'Albanie. **V. Shkodar.**

SCUTARI. ♦ Faubourg d'Istanbul. **V. Üsküdar.**

SCYLAX [*Skulax*]. ♦ Navigateur et géographe grec (~ VIe s.), originaire de Carie. Engagé par Darios Ier, il explora les côtes de la mer Érythrée. Le *Périple de la mer intérieure* (Méditerranée), ouvrage attribué à Scylax, est apocryphe, probablement du ~ IVe siècle.

SCYLLA. ♦ **V.** CHARYBDE ET SCYLLA.

SCYROS [*Skuros*]. ♦ Île grecque de la mer Égée (nome d'Eubée), la plus importante des Sporades* du N. 209 km². 2 350 hab. *Ch.-l.* Scyros, port de la côte E. ♦ *Hist.* Le nom du roi mythique de Scyros, Lycomède*, est associé aux légendes de la mort de Thésée* et du séjour du jeune Achille* dans l'île. Colonisée par les Athéniens en ~ 468, Scyros fut occupée par les Macédoniens de ~ 340 à ~ 192.

SCYTHES. *n. m. pl.*, en gr. **Skuthai.** ♦ Peuple d'origine iranienne, vivant dans les steppes au N. de la mer Noire (Scythie), et dont certaines tribus restèrent nomades (Scythes royaux). Il fut, entre ~ 700 et ~ 200 env., le principal représentant de « l'art des steppes ». Au ~ VIIe s., des Scythes franchirent le Caucase, participèrent aux luttes des Mèdes et des Assyriens, imposèrent leur suzeraineté aux Mèdes* (~ 653-~ 625), écrasèrent l'Urartu, ravagèrent l'Assyrie, allèrent jusqu'en Palestine; Psammétique Ier n'évita l'invasion de l'Égypte qu'en leur payant tribut. Par la suite, ils tentèrent encore des incursions contre les Achéménides **(V. Şaka)** puis contre les Parthes **(V. Mithridate II le Grand).** Au Ier s. une dynastie scythe s'établit en Inde.

SCYTHIE. *n. f.*, en gr. **Skuthia.** ♦ *Géogr. anc.* Pays des Scythes, steppes situées au N. de la mer Noire. **V. Scythes.**

S.D.N. ♦ Sigle de la Société* des nations.

SEABORG (Glenn Theodore). ♦ Chimiste américain (Ishpeming, Michigan, 1912 –). Il obtint artificiellement le plutonium avec McMillan* (1941) et mit au point la production de cet élément transuranien dans la pile à uranium. Ultérieurement, il prépara l'américium, le curium, le berkélium et le californium. (Prix Nobel de chimie, 1951.)

SEATTLE. ♦ V. et port du N.-O. des États-Unis, le plus grand centre urbain de l'État de Washington, sur le Puget* Sound. 557 087 hab. (zone urbaine, plus de 1 400 000 hab.). La V. est bâtie sur des collines dominant le Sound, dans un site naturel remarquable. Centre commercial, financier et industriel du N. de la côte du Pacifique, Seattle est en relations maritimes avec l'Alaska et le Canada. Le port exporte du charbon, des céréales, de la farine. Nombreuses indus. grâce à l'énergie électrique abondante. Indus. aéronautique *(Boeing)*. – Important aérodrome. – Siège de l'université du Washington.

SÉBASTE. ♦ V. SIVAS.

SEBASTIANI DE LA PORTA (Bastien Horace François, *comte***).** ♦ Maréchal de France (La Porta, Corse, 1772 – Paris, 1851). Favorable à Bonaparte, il appuya le coup d'État du 18 Brumaire. Envoyé en mission à Constantinople (1802), où il revint en 1806 comme ambassadeur, il fut promu général en 1805 et participa aux campagnes de l'Empire (Espagne, Russie, France). Placé en demi-solde par Louis XVIII, il siégea comme député de l'opposition. Ministre de la Marine, puis des Affaires étrangères au début de la monarchie de Juillet, il dut démissionner en 1832. Ambassadeur à Naples (1834), puis à Londres (1835-1840), il fut fait maréchal en 1840. Sa vieillesse fut assombrie par l'assassinat de sa fille par son gendre Choiseul*-Praslin (1847), l'un des principaux scandales de la fin de la monarchie de Juillet.

SEBASTIANO DEL PIOMBO (Sebastiano LUCIANI, dit d'abord **Sebastiano Veneziano** [le Vénitien], puis dit**).** ♦ Peintre italien (Venise, v. 1485 – Rome, 1547). Élève de Giorgione*, il fut marqué par le style de son maître et notamment par le traitement de la lumière, dérivé de Bellini *(La Mort d'Adonis)*, et par le sens de la construction, s'inspirant, pour les grandes figures de San Bartolomeo di Rialto, des fresques de Giorgione au Fondaco dei Tedeschi. Sebastiano s'écarta de cette grande tradition vénitienne en séjournant à Rome, où Agostino Chigi le fit venir en 1511. De son époque datent des portraits raphaélesques, mais qui conservent la marque du colorisme vénitien (*La Fornarina; Le Cardinal Carondelet, Tebaldeo, la Dorotea;* plus tard, *Andrea Doria, Clément VII*). Cependant, Sebastiano devint le confident de Michel*-Ange et fut fortement marqué par son influence écrasante; il peignit alors des sujets religieux, développant souvent des cartons et des projets du maître, non sans une certaine lourdeur (*Flagellation*; *Pietà* de Viterbe, v. 1517; *Résurrection de Lazare*, 1519; *Naissance de la Vierge*). Il reçut vers la fin de sa vie la charge lucrative de chancelier des Bulles (ou « du Plomb », *del Piombo*). Ses portraits, d'une composition rigoureuse et d'une tonalité sombre, conservent encore parfois l'esprit giorgionesque.

SÉBASTIEN *(saint)*. ♦ Martyr romain (IIIe s.). Selon les *Actes de saint Sébastien* (Ve s.), il aurait été capitaine de la garde prétorienne de Dioclétien et livré par ce dernier à ses archers comme chrétien. Sauvé par une chrétienne, il alla reprocher à Dioclétien de persécuter les chrétiens et fut bâtonné à mort.

SÉBASTIEN. ♦ (Lisbonne, 1554 – Ksar el-Kébir, 1578). Roi de Portugal (1557-1578). Petit-fils de Jean* III, il lui succéda sous la tutelle de son grand-oncle, Henri* le Cardinal, jusqu'en 1568. Il rêvait de constituer un grand domaine maghrébin; mais ses expéditions contre les Maures furent des échecs et il fut tué à la bataille de Ksar* el-Kébir (1578). Le peuple portugais ne voulut pas croire à sa mort et entretint longtemps la « légende du roi Sébastien ».

SÉBASTOPOL [*Sevastopol*]. ♦ V. d'U.R.S.S. (Ukraine) port et arsenal situé au S.-O. de la Crimée*, sur la mer Noire. 229 000 hab. – Constructions navales. Indus. mécaniques. Centrale électrique. – Patrie de Papanine*. ♦ *Hist.* Fondée par Potemkine* en 1783, sur l'emplacement d'un village tatar (près de l'antique Cherson), la ville devint le principal port de guerre de la mer Noire et fut remarquablement fortifiée sous Nicolas Ier. Siège principal de la guerre de Crimée (sept. 1854-sept. 1855), la place, défendue par Totleben*, fut prise d'assaut par les forces franco-britanniques, commandées par Pélissier*, après un an de siège. Durant ce siège, les Russes avaient été battus au Mamelon-Vert (1855), sur la Tchernaïa, et surtout à Malakoff*. Ce dernier revers entraîna la chute de Sébastopol. Les Russes incendièrent puis évacuèrent la ville qui fut occupée par les Alliés. Au cours de la révolution russe, Wrangel* y établit son quartier général et en fut chassé par l'armée rouge en novembre 1920. Lors de l'invasion allemande (nov. 1941), Sébastopol, assiégée par von Manstein*, fut le théâtre d'une résistance acharnée des Soviétiques. En grande partie détruite, la place tomba en juillet 1942 et fut reconquise par les troupes de Tolboukhine* après un mois de siège, en mai 1944. – Léon Tolstoï*, qui participa à la défense de la ville (1854-1855), a célébré dans les *Récits de Sébastopol* le courage du peuple russe.

SÉBENNYTOS. ♦ Nom grec de *Tjebnouti (Tjebnuti)*, anc. V. d'Égypte, dans le delta du Nil (« bouches sébennytiques »), et cap. de la XXXe dynastie.

SEBHA. ♦ Oasis de Libye*, dans le Fezzan. 7 200 habitants.

SÉBILLET (Thomas). ♦ Humaniste et traducteur français (probabl. Paris, 1512 – 1589). Auteur d'un *Art* poétique français* (1548) qui préconise déjà l'étude des Anciens, mais propose l'imitation des Modernes (Marot*, Scève*, etc.), il s'attira la riposte de Du Bellay* dans la *Défense* et Illustration de la langue française* (1549).

SEBINO. ♦ V. ISEO (lac d').

SEBONDE ou **SEBOND (Raimundo SABUNDE,** dit **Raymond).** ♦ Médecin et philosophe catalan, d'expression latine (Barcelone, fin du XIVe s. – Toulouse, 1436), qui prétendit élucider la religion par la philosophie dans sa *Théologie naturelle* (1487), traduite par Montaigne*. Ce dernier lui consacra, dans ses *Essais**, une *Apologie* qui réunit les arguments du scepticisme.

SEBOU *(oued)*. ♦ Fl. du Maroc septentrional (458 km) qui prend sa source dans le Moyen Atlas, coule vers le N. sous le nom d'oued Guigou (150 km), s'oriente vers l'O., traverse la plaine de Fès*, longe le versant S. du Rif, pénètre dans le Gharb*, passe à Kenitra* et se jette dans l'Atlantique.

SECCHI (Angelo). ♦ Astronome italien (Reggio d'Émilie, 1818 – Rome, 1878). Il appartenait à la Compagnie de Jésus. Il créa la spectroscopie stellaire : à la suite de nombreuses observations (1863-1868), il dégagea une répartition des spectres en quatre types, selon la présence ou l'intensité de certains groupes de raies. C'est lui qui donna le nom de « canaux » à certains tracés rectilignes perçus sur l'image de Mars (1859). **V. Schiaparelli.**

SECCHIA. *n. f.* ♦ Riv. d'Italie (172 km). Née dans l'Apennin toscan, c'est un affl. de la rive droite du Pô*.

Sécession *(guerre de)*, en angl. **Civil War** « guerre civile ». ♦ Conflit intérieur qui divisa les États-Unis de 1861 à 1865. La guerre eut pour cause essentielle le problème de l'esclavage des Noirs, qui se doublait d'un problème économique. Le Sud, où la monoculture du coton orientée vers l'exportation s'appuyait sur l'emploi de main-d'œuvre sous forme d'esclaves et sur le libre-échange, s'opposait au Nord, que son industrialisation alors en crise orientait vers le protectionnisme. Les différences culturelles ne pouvaient qu'aggraver la lutte, qui avait commencé dès 1832. Arrêtée alors par Jackson*, elle s'était poursuivie dans l'Ouest malgré divers compromis : Missouri 1820, 1850, 1857. L'élection à la présidence de l'anti-esclavagiste Lincoln* précipita les événements et, en 1860, la Caroline du Sud faisait sécession, suivie par le Mississippi, la Floride, l'Alabama, la Georgie, la Louisiane, le Texas, la Virginie, l'Arkansas, la Caroline du Nord et le Tennessee. La Confédération des onze États sudistes, sous la présidence de Jefferson Davis*, prenait pour capitale Richmond. En face, les nordistes, ou fédéraux, formaient l'*Union*. Les forces en présence étaient inégales (22 millions contre 9) et le Nord avait pour lui son développement industriel et ses moyens de communication. La chance du Sud résidait cependant dans une victoire rapide, qui n'était pas impossible en raison de sa supériorité tactique et de la valeur de ses troupes. Les sudistes remportèrent en effet une série de victoires (Beauregard à Bull Run, Lee* à Richmond contre McClellan*, à Fredericksburg, Chancellorsville), mais la marche de Lee sur Washington fut brisée à Gettysburg*, la bataille la plus importante de la guerre (1863). Dès lors, tandis que l'amiral Farragut* bloquait les côtes sud et s'emparait de la Nouvelle-Orléans, Grant* isolait l'Ouest et surveillait la vallée du Mississippi. Son lieutenant Sherman* continua dans l'Ouest, s'empara d'Atlanta, nœud des communications du Sud, puis marcha jusqu'à la mer à travers la Georgie, avant de remonter vers le Nord, prenant ainsi à revers les troupes sudistes, et empêchant la jonction de Johnston* et de Lee. Richmond tomba, et Lee dut se

Arch. Smeets

Sebastiano del Piombo : « La Dorotea ».
(Galerie de Dahlem, Berlin.)

Arch. Smeets

Lasar Segall : « Paysage brésilien ». (Collection particulière.)

rendre à Appomattox*, suivi de Johnston à Durham. La victoire du Nord entraîna sa prépondérance dans la direction de la Fédération (**V. États-Unis,** *Hist.*). On a pu considérer cette guerre comme la première guerre moderne par l'importance de ses effectifs, la mobilisation de toutes les ressources, l'utilisation des possibilités industrielles (les premiers cuirassés, mines, torpilles, y furent employés) et par les pertes considérables qu'elle avait entraînées (617 000 tués).

SECLIN. ♦ Ch.-l. de cant. du Nord*, arr. de Lille*. 9 394 hab. *(Seclinois).* Église du XIIIe s.; hôpital du XVIIe siècle. Indus. textile (lin), conserves, produits pharmaceutiques.

SECOND (Jean EVERAERTS, dit **Jean).** ♦ Humaniste flamand (La Haye, 1511 – Tournay, 1536). Élève d'Alciat* à Bourges, secrétaire de l'archevêque de Tolède, il accompagna Charles Quint lors de l'expédition de Tunis (1534), durant laquelle il contracta une maladie. Ses petits poèmes érotiques en latin *Basia (Baisers)* furent publiés en 1539 et souvent imités au XVIe siècle.

SECONDIGNY [səgɔ̃-]. ♦ Ch.-l. de cant. des Deux-Sèvres, arr. de Parthenay, sur le Thouet. 2 062 hab. [1 104 aggl.]. Église des XIe-XIIIe siècles.

SECRÉTAN (Charles). ♦ Philosophe suisse (Lausanne, 1815 – 1895). Opposé à la théologie rationaliste qui tend vers le panthéisme et aux doctrines fidéistes reposant sur la seule autorité, il a tenté de formuler une philosophie de la « raison chrétienne », où le problème de la liberté et de sa réalisation dans la morale occupe une place centrale (*Philosophie de la liberté,* 1848-1849).

Section française de l'Internationale ouvrière (S.F.I.O.). ♦ **V.** SOCIALISTE FRANÇAIS (Parti).

SEDAINE (Michel Jean). ♦ Auteur dramatique français (Paris, 1719 – *id.,* 1797). Ses essais, dans des genres divers, la chanson, le vaudeville, le drame historique, ne lui vaudraient qu'une médiocre réputation s'il n'était le créateur de livrets d'opéras-comiques (*Rose et Colas,* 1764; *Richard Cœur de Lion,* 1784) et surtout, en disciple fidèle de Diderot*, l'auteur le plus représentatif de la comédie sérieuse, avec un drame bourgeois, *Le Philosophe* sans le savoir* [1765]. (Acad. fr., 1786.)

SEDAN. ♦ Sous-préf. des Ardennes et ch.-l. d'arr. (5 cant., 83 comm., 63 789 hab.), sur la Meuse. 24 499 hab. *(Sedanais).* – Château fort du XVe siècle. Église Saint-Charles (1695) – Réputée depuis le XVIe s. (draps noirs dits « sedans »), l'indus. textile s'est diversifiée : filature, tissage, teinturerie, apprêt, fabrique de tapis. Indus. métallurgique (tôlerie, chaudronnerie, quincaillerie, tubes soudés). Appareillage médical et audio-visuel. Brasseries. Minoteries. Usines de salaison. – Patrie de Turenne. ♦ *Hist.* Au Xe s., Sedan appartenait aux moines de Mouzon. À la fin du XVe s., Robert de La Marck acquit le duché de Bouillon et ses successeurs prirent au XVIe s. le titre de *princes de Sedan.* En épousant Henri de La Tour d'Auvergne (1591), Charlotte de La Marck remit la principauté de Sedan à la maison de Turenne. L'âge d'or de Sedan se situe aux XVIe et XVIIe siècles. Une académie y fut créée, supprimée à cause de la révocation de l'édit de Nantes (1685). Le 2 septembre 1870, l'armée de Châlons, sous les ordres de Mac*-Mahon, auprès de laquelle se trouvait celle de Napoléon* III, fut battue devant Sedan par les Prussiens alors qu'elle avait été chargée de porter secours à l'armée de Bazaine repliée dans Metz*. Napoléon III, dans la place, fit hisser le drapeau blanc. La capitulation de l'armée française fut signée au château de Bellevue et l'empereur, fait prisonnier, fut interné près de Kassel. Cette défaite française fut l'une des plus lourdes de conséquence de la guerre franco-allemande; elle entraîna en effet la journée révolutionnaire du 4 septembre* 1870 (chute du Second Empire et proclamation de la Troisième République) et permit aux forces ennemies de marcher sur Paris* qui fut investi dès le 18 septembre.

SÉDÉCIAS. ♦ Nom royal de Mattaniah, dernier roi de Juda (~ 597-~ 587), fils de Josias*, successeur de Joachim* après la première prise de Jérusalem. La seconde prise de Jérusalem (~ 587) et la déportation à Babylone furent la conséquence de sa révolte contre Nabuchodonosor. Récit biblique : *II Rois,* XXIV-XXV.

SÉE (Camille). ♦ Homme politique français (Colmar, 1827 – Paris, 1919). Député de la gauche républicaine (1876-1881) et lié à J. Ferry*, il contribua à faire adopter les principales réformes concernant l'instruction publique : fondation des lycées de jeunes filles (loi Camille Sée, 1880) et de l'École normale supérieure de Sèvres (1881).

SEEBECK (Thomas Johann). ♦ Physicien allemand (Reval, *auj.* Tallin, 1770 – Berlin, 1831). Sa découverte de l'effet *thermoélectrique* (effet Seebeck, 1821) prouva que l'on peut transformer directement de l'énergie thermique en énergie électrique (**V.** *aussi* **Peltier**), permit la construction de « piles thermo-électriques » parfaitement constantes et fournit une méthode efficace et sensible de mesure des températures (couples thermo-électriques). **V.** *aussi* **Becquerel.**

SEECKT (Hans *von*). ♦ Général allemand (Schleswig, 1866 – Berlin, 1936). Chef de la Reichswehr de 1920 à 1926, il reconstitua une armée allemande offensive, en dépit des clauses du traité de Versailles, axant son action sur la formation des cadres. Député en 1930, puis en 1932, il soutint Hitler.

SEELAND. ♦ **V.** SJAELLAND.

SÉES. ♦ Ch.-l. de cant. de l'Orne*, arr. d'Alençon*, sur l'Orne*. 4 904 hab. *(Sagiens).* La cathédrale Notre-Dame des XIIIe-XIVe s., restaurée au XIXe s., est un beau spécimen de l'art gothique normand. – Patrie de Gaultier*-Garguille.

SÉEZ. ♦ Comm. de la Savoie* (arr. d'Albertville*), au pied du col du Petit-Saint*-Bernard. 1 134 hab. Station d'été et d'hiver.

SÉFÉRIS (Georges). ♦ Poète et diplomate grec (Smyrne, 1900 – Athènes, 1971). Influencé par le symbolisme français (*Stance,* 1931), puis par T. S. Eliot (*Roman,* 1935), il tenta surtout d'exprimer la conscience historique de la Grèce : *Poèmes* (1940), *Journal du bord* (1940, 1944). [Prix Nobel, 1963.]

Sefer Yetsirah, « Livre de la création ». ♦ Bref traité spéculatif juif, en hébreu, sans doute écrit dans la juiverie de Babylone, vers les IIIe-Ve siècles. Il explique la création par trente-deux « voies » qui sont les vingt-deux lettres de l'alphabet hébraïque (auxquelles s'attachent des sens symboliques) et dix *sephirot* (« nombres »? ou « rayonnements »?). Jusqu'au XVIIIe s., l'ésotérisme juif fut marqué par ce traité (**V. Kabbale**).

SÉFÉVIDES. *n. m. pl.* ♦ **V.** SAFAVIDES.

SÉGALA. *n. m.* ♦ Région humide du Massif* central, entre le Tarn* et l'Aveyron*. Elle est constituée de plateaux cristallins d'une altitude variant de 700 à 1 000 m environ.

SEGALEN (Victor). ♦ Écrivain français (Brest, 1878 – Huelgoat, 1919). Médecin de la marine (1900), il partit pour Tahiti (1903), y recueillant les dernières œuvres de Gauguin* *(Hommage à Gauguin)* et exaltant la douceur de la vie sensuelle dans un long roman d'allure poétique, *Les Immémoriaux* (1907). De retour en France, il composa un drame mystique, que Debussy* devait mettre en musique, *Orphée-Roi* (posth. 1921), puis s'embarqua à nouveau, gagna la Chine (1908) où il rencontra Claudel*, voyagea au Tibet, prit part à une mission archéologique (découvrant des monuments funéraires de la dynastie des Han), soigna la peste en Manchourie, avant d'être rappelé en France par la Première Guerre mondiale. Après une dernière mission à Nankin, il mourut de façon accidentelle (on suspecta un suicide). Poète influencé à la fois par Rimbaud* et Mallarmé*, Segalen a élaboré dans ses œuvres, imprégnées de mysticisme oriental, un itinéraire à la fois géographique et intérieur : à *Stèles* (1912) succédèrent *Peintures* (1916), puis *Équipée* (posth. 1929) qui traduisent, en un langage d'une haute tenue, l'ambition de « tout confondre, de l'Orient d'amour à l'Occident héroïque, du Midi face au Prince au Nord trop amical – pour atteindre l'autre, le cinquième, centre et milieu – qui est moi » *(Stèles).*

SEGALL (Lasar). ♦ Peintre et graveur brésilien (Vilna, Lituanie, 1885 – São Paulo, 1957). Il connut pendant ses études à Berlin et à Dresde, et par les voyages qu'il fit en Europe, l'expressionnisme et le cubisme dont devait s'inspirer son style à la fois construit, expressif et sobre (*Forêts,* 1950-1955). Il influença fortement l'école brésilienne dès une première exposition à São Paulo (1913), où il s'établit définitivement en 1923. Mais les sources d'inspiration trouvées dans son nouveau pays ne lui firent pas abandonner les thèmes de la persécution, de l'exil qui, puisés dans ses souvenirs de jeunesse, dominent son œuvre *(Pogrom, Le Bateau des émigrants).*

SEGANTINI (Giovanni). ♦ Peintre italien (Arco, Trentin, 1858 –

refuge du Schafberg, près de Majola, Suisse, 1899). Jeune berger, il marqua un tel goût pour le dessin qu'on l'envoya étudier à Milan. Ayant la nature pour sujet de prédilection, il séjourna dans la Brianza (1882-1886) avant de s'installer en Engadine. Il utilisa surtout, après 1886, la technique du divisionnisme, propre à rendre par des vibrations de tons clairs l'atmosphère des paysages alpins qui font l'essentiel de son œuvre (*Labours en Engadine*, pinacothèque de Munich).

SÉGESTE, en lat. **Segesta**. ♦ Anc. V. de Sicile* entre Palerme* et Trapani*. Elle aurait été fondée par les Troyens. Centre phénicien très prospère dès le ~ VIIe s., elle fut la rivale de Sélinonte*. Les Athéniens entreprirent pour l'aider la désastreuse expédition de Sicile (~ 415). Elle fit appel ensuite aux Carthaginois (~ 409) qui, sous ce prétexte, s'installèrent dans l'île. Détruite par les Syracusains en ~ 307 **(V. Agathocle)**, elle s'allia plus tard aux Romains. — Ruines importantes : théâtre du ~ IIIe s., murailles, maisons et notamment temple dorique inachevé de la fin du ~ Ve siècle.

SEGHERS (Netty RADVANYI, dite **Anna)**. ♦ Romancière allemande (Mayence, 1900). Engagée au service de la cause révolutionnaire, son œuvre est représentative du « réalisme socialiste » (*La Révolte des pêcheurs de Sainte-Barbara*, 1928; *La Septième Croix* [1942], histoire de l'évasion de sept détenus d'un camp de concentration nazi; *Les morts restent jeunes* [1949], tableau de l'Allemagne entre les deux guerres; *La Force des faibles*, 1965). Exilée au Mexique sous le régime nazi, A. Seghers vit en R.D.A. depuis la fin de la Deuxième Guerre mondiale.

SEGNI (Antonio). ♦ Homme politique italien (Sassari, 1891 — Rome, 1972). Juriste, député démocrate-chrétien, il fut plusieurs fois ministre et dirigea le gouvernement (1955-1957; 1959-1960). Élu président de la République (1962-1964).

SEGONZAC. ♦ Ch.-l. de cant. de la Charente, arr. de Cognac. 2 182 hab. [863 aggl.]. Église des XIIe-XIVe siècles. Eaux-de-vie réputées.

SÉGOU. ♦ V. du Mali*, sur la r. d. du Niger*. 30 000 hab. Station expérimentale d'agronomie. Complexe textile (coton). ♦ *Hist.* Centre historique du peuple Bambara* qui constitua vers le milieu du XVIIe s. les royaumes de Ségou et Kaarta, au détriment du royaume du Mali*. Le royaume de Ségou engloba le Macina*, puis s'étendit jusqu'à Tombouctou* et au Sénégal*. Les Bambaras restés païens se heurtèrent à partir de 1820 aux Peuls musulmans puis au chef toucouleur El Hadj-Omar qui leur déclara la guerre sainte dès 1850 et occupa Ségou en 1861 après avoir détruit le royaume. Mais les Bambaras continuèrent la guérilla jusqu'à la prise de Ségou par Archinard* et la colonisation française.

SEGOVIA (Andrés). ♦ Guitariste espagnol (Linares, Andalousie, 1894). Il redonna à la guitare tout son prestige en interprétant ou en transcrivant des pièces d'Albeniz, Paganini, Granados, Schumann, Chopin. De nombreux compositeurs contemporains comme Ponce, Turina, Castelnuovo-Tedesco, Villa-Lobos ont écrit pour lui.

SÉGOVIE, en esp. **Segovia**. ♦ V. d'Espagne centrale, en Vieille-Castille*. Ch.-l. de prov., au pied de la sierra de Guadarrama, à 1 000 m d'altitude. 35 000 hab. Évêché. Célèbre aqueduc romain, alcazar (XIe s.), cathédrale gothique (XVIe s.). Centre industriel. ♦ *Hist.* La ville fut successivement romaine, arabe, puis résidence de plusieurs rois d'Espagne (Alphonse* le Sage, Henri IV l'Impuissant). Isabelle* la Catholique y fut proclamée reine.

SEGRAIS (Jean Regnault *de*). ♦ Poète français (Caen, 1624 — *id.*, 1701), auteur d'un roman, *Bérénice* (1648 à 1651) et « prête-nom » pour les premières œuvres de Mme de La* Fayette. Certains de ses poèmes, dont *Églogues* et *Athys*, manifestent sa sensibilité devant la nature. (Acad. fr.)

SEGRE (Corrado). ♦ Mathématicien italien (1863 — 1924). Disciple de Cremona*, il étudia la géométrie de l'hyperespace.

SEGRÈ (Emilio). ♦ Physicien américain d'origine italienne (Tivoli, 1905). Il découvrit en 1947 le technétium (avec C. Perrier) et l'astate (avec D.C. Carson et K.R. Mackensie). Il mit en évidence expérimentalement, en 1955, l'antiproton (avec Chamberlain*). (Prix Nobel de phys., 1959.)

SEGRE. *n. m.* ou *f.* ♦ Riv. d'Espagne (260 km), affl. de la r. g. de l'Ebre*. Née en France dans le Puigmal (Cerdagne française), elle arrose Puigcerda, Seo* de Urgel et Lérida (Catalogne).

SEGRÉ. ♦ Sous-préf. du Maine-et-Loire, ch.-l. d'arr. (5 cant., 61 comm., 54 086 hab.) 6 471 hab. *(Segréens)*. Vestiges de l'ancien château. Maisons anciennes. — Exploitations de minerai de fer.

SEGRÉEN. *n. m.* ♦ Petite région de France, aux confins du Maine et de l'Anjou. Pays de Segré. On l'appelle aussi Craonnais **(V. Anjou)**.

SÉGUIER. ♦ Famille de magistrats français connue surtout par : ANTOINE, président à mortier au parlement de Paris (Paris, 1552 — *id.*, 1626). Il fut un adversaire de la Ligue*. ♦ PIERRE, neveu du précédent (Paris, 1588 — *id.*, 1672). Chancelier sous Louis XIII et Louis XIV, il instruisit le procès de Cinq*-Mars et présida au jugement de Fouquet* avec partialité. Il fut l'un des protecteurs de l'Académie française. ♦ ANTOINE-LOUIS, avocat général au parlement de Paris (Paris, 1726 — Tournai, 1792), lutta contre les Jésuites et les encyclopédistes. Il émigra dès le début de la Révolution. ♦ ANTOINE-MATHIEU, fils du précédent (Paris, 1768 — *id.*, 1848), fit une belle carrière sous l'Empire, se rallia à Louis XVIII, instruisit le procès de Ney* et servit ensuite Louis-Philippe.

SEGUIN (Armand). ♦ Chimiste et industriel français (Paris, 1767 — *id.*, 1835). Disciple de Lavoisier*, il effectua avec lui des recherches de chimie physiologique, notamment sur la respiration et la transpiration (1790). Il conçut également un procédé de tannage du cuir en trois semaines, grâce auquel il gagna une grande fortune comme fournisseur des armées pendant la Révolution. (Acad. sc., 1796.)

SEGUIN (Marc). ♦ Ingénieur français (Annonay, 1786 — *id.*, 1875). Avec son frère CAMILLE (mort à Toulon, 1852), ayant conçu le principe des ponts suspendus, il en réalisa un premier sur le Rhône en 1824, construisit le chemin de fer de Saint-Étienne à Lyon en 1826 et les premiers tunnels ferroviaires. Il est considéré comme le véritable inventeur de la chaudière tubulaire, qu'en fait il perfectionna considérablement et utilisa pour ses locomotives (1827). **V. Stephenson.**

SÉGUR (Henri Philippe, *marquis de*). ♦ Maréchal de France (Paris, 1724 — 1801). Secrétaire d'État à la Guerre sous Louis XVI, il améliora l'instruction des officiers et forma les corps d'artillerie légère et d'état-major, préparant ainsi les futurs succès de l'armée révolutionnaire. Il fut emprisonné pendant la Terreur et réhabilité par Bonaparte. Ses mémoires furent publiés.

SÉGUR (Philippe Paul, *comte de*). ♦ Général et historien français (Paris, 1780 — *id.*, 1873). Petit-fils de Henri Philippe, marquis de Ségur*, fils du comte Louis-Philippe de Ségur, il prit part aux campagnes de l'Empire (en particulier, les campagnes de Russie, d'Allemagne et de France). Il publia en 1824 une *Histoire de Napoléon et de la Grande Armée de 1812*, où il fut l'un des premiers à déduire et à analyser le désastre de la retraite de Russie. Cet ouvrage connut un grand succès, tout en suscitant de violentes polémiques, qui se terminèrent par un duel entre le comte de Ségur (qui fut blessé) et le général Gourgaud qui avait tenté de réfuter ses thèses (1825). [Acad. fr., 1830.]

SÉGUR (Sophie ROSTOPCHINE, *comtesse de*). ♦ Écrivain français (Saint-Pétersbourg, 1799 — Paris, 1874). Fille du comte Rostopchine, ministre du tsar Paul Ier et gouverneur de Moscou, Sofija Rostopchina quitta la Russie à la suite de son père, tombé en disgrâce, et s'installa (1817) en France où elle épousa le comte Eugène de Ségur (1819). Négligée par son mari, elle passa une grande partie de sa vie dans sa propriété des Nouettes (Orne) qui devait l'inspirer souvent pour le décor de ses récits, « compositions nigaudes », faites essentiellement pour ses petits-enfants et qui jouirent rapidement d'une grande renommée. Elle y créait un monde manichéen, dont la morale a vieilli, en des histoires qui opposent souvent des personnages au caractère simplifié à l'extrême et incarnant le caprice irréfléchi ou le « bon sens » et la bonté; ainsi, dans les *Mémoires d'un âne* (1860), la trilogie que constituent *Les Malheurs de Sophie* (1864), *Les Petites Filles modèles* (1858) et *Les Vacances* (1859), puis *Jean qui grogne et Jean qui rit* (1865) ainsi que *Le Général Dourakine* (1866). Essentiellement composés de dialogues au ton alerte, ces récits restent cependant très prisés des enfants, alors qu'une certaine critique, s'appuyant sur la psychanalyse, a cru y discerner des tendances sado-masochistes et en a dénié l'« innocence » au niveau de la peinture sociale.

SÉGUY (Georges). ♦ Syndicaliste français (Toulouse, 1927). Ouvrier imprimeur, inscrit au Parti communiste français (1942), responsable au sein du mouvement des francs-tireurs et partisans français, il fut déporté en 1944. Devenu ouvrier électricien à la S.N.C.F., il milita au sein du syndicat des cheminots de Toulouse, fut secrétaire (1949), puis secrétaire général (1961-1965) de la Fédération des cheminots C.G.T. Il remplaça Benoît Frachon comme secrétaire général de la Confédération générale du travail en 1967. Membre du Comité central (1954), et du Bureau

Ph. Mario Russo/Ricciarini

Ségovie : l'alcazar.

politique (1956) du P.C.F., il est l'auteur d'un ouvrage sur les événements de Mai 1968, intitulé *Le Mai de la C.G.T.* (1972).

SEICHES-SUR-LE-LOIR. ♦ Ch.-l. de cant. du Maine-et-Loire, arr. d'Angers. 2 199 hab. Église en partie du XIIIe siècle. — Aux environs, ruines du prieuré Sainte-Croix (XVe s.) et du château du Verger (XVe s.). Tanneries.

SEIDEL (Heinrich). ♦ Écrivain allemand (dans le Mecklembourg, 1842 — Lichterfelde, 1906). Il est surtout connu pour avoir décrit non sans humour le type même du petit-bourgeois qui a « le génie du bonheur et du confort paisible » (*Leberecht Hühnchen,* 1882).

SEIGNELAY (Jean-Baptiste Colbert, ***marquis de*****).** ♦ Fils du grand Colbert* (Paris, 1651 — Versailles, 1690). Secrétaire d'État à la Marine.

SEIGNELAY. ♦ Ch.-l. de cant. de l'Yonne (arr. d'Auxerre), sur une colline dominant le Serein*. 1 042 hab. Vestiges du château qui fut au Moyen Âge une importante seigneurie acquise par Colbert et érigée en marquisat en sa faveur. Église Saint-Martial (XVe-XVIe s.), avec des contreforts extérieurs romans.

SEIGNOBOS [seɲɔbos] **(Charles).** ♦ Historien français (Lamastre, 1854 — Ploubazlanec, 1942). Marqué par l'école historique allemande, il publia une *Histoire de la civilisation* (1884-1886), une *Introduction aux études historiques* (en collaboration avec Ch. Langlois*, 1897), une *Histoire politique de l'Europe contemporaine* (1897). Sa méthode « positiviste », sa conception « événementielle » de l'histoire furent mises en question.

SEILLE LORRAINE. *n. f.* ♦ Riv. de la Lorraine (130 km), affl. r. d. de la Moselle. Elle traverse l'étang de Lindre, passe à Vic*-sur-Seille et Nomeny*, et se jette dans la Moselle à Metz.

SEIN *(île de).* ♦ Île de l'Atlantique face à la pointe du Raz, elle forme une comm. du Finistère, arr. de Quimper. 835 hab. *(Sénans* ou *Iliens).* L'île a une superficie de 5,6 ha ; elle vit de la pêche (poissons, crustacés). ♦ *Hist.* En 1940, presque tous les hommes valides de l'île rejoignirent le général de Gaulle en Angleterre après son appel du 18 juin.

SEINE. *n. f.* ♦ Fl. de France, le second par sa longueur (776 km), le plus important économiquement. La Seine draine un bassin d'env. 78 000 km² qui correspond à la majeure partie du Bassin parisien* ; son cours est le plus souvent transversal à la structure géologique de ce bassin. Elle prend sa source au plateau de Langres à 471 m d'altitude (les sources de la Seine appartiennent à la Ville de Paris) et se jette dans la Manche par un large estuaire, qui baigne Le Havre* (r. d.) et Honfleur* (r. g.) et qui est fermé au N. par le cap de la Hève*. Son cours supérieur n'est pas permanent ; durant les étés secs, le fl. peut être tari jusqu'à Châtillon*-sur-Seine ; il entre alors dans une vallée boisée, puis reçoit l'Ource (r. d.) en amont de Bar*-sur-Seine. La Seine pénètre dans les larges terres basses de la *Champagne humide* avant de rencontrer l'escarpement de craie de Troyes*. Le *barrage-réservoir « Seine »,* en dérivation sur le fleuve, occupe en Champagne humide une vallée secondaire à 20 km à l'E. de Troyes ; il a été construit de façon à permettre la régularisation de la Seine et de ses affl. en amont de Paris ; mis en service au début de 1966, il est utilisé pour écrêtement des crues et renforcement des étiages, production hydro-électrique ; il sert en outre au nautisme, à la pêche et aux activités touristiques. La retenue s'étend sur 2 300 ha et a une capacité de 205 000 000 de m³. Les eaux sont restituées à la Seine au débit maximal de 35 m³/s avec un canal de fuite (canal de la Morge). Ensuite la Seine coule dans une large vallée à travers la zone crayeuse, franchit la *Champagne pouilleuse* jusqu'à ce qu'elle reçoive l'Aube* (r. d.). À partir de là, la Seine prend une direction S.-O., passe à Nogent*-sur-Seine, suit la côte de l'Île-de-France jusqu'à Montereau*-Faut-Yonne où elle reçoit l'Yonne* (r. g.), puis le Loing* (r. g.), arrose Melun*, passe à Corbeil*-Essonnes où elle reçoit l'Essonne (r. g.), reçoit l'Orge* (r. g.) et l'Yerres (r. d.) à Villeneuve*-Saint-Georges, arrose Choisy*-le-Roi,

Ph. Mario Russo/Ricciarini

La **Seine** à Paris.

reçoit la Marne* (r. d.) à Charenton*-le-Pont, avant de traverser Paris. Là, elle se divise en deux bras, en particulier autour de l'île Saint*-Louis et de l'île de la Cité*. Les nombreux ponts sont un sérieux handicap à la navigation fluviale ; le port commence à Nanterre* et les wharfs et appontements s'étendent sur 40 km env. **V. Paris, Gennevilliers.** En aval de Paris, débute une suite de vastes méandres. La Seine reçoit l'Oise* en aval de Conflans*-Sainte-Honorine ; puis elle arrose Poissy* et Mantes*-la-Jolie, reçoit l'Epte* (r. d.), passe à Vernon*, près de Gaillon* et des Andelys* ; elle traverse le Vexin* normand, reçoit l'Andelle* (r. d.) puis l'Eure* (r. g.), passe à Elbeuf*, Sotteville*-lès-Rouen, Rouen* et à Petit*-Quevilly ; en aval de Rouen, la vallée s'élargit et présente de vastes étendues d'alluvions. La Seine coule entre le Roumois* et le pays de Caux* avant de se jeter dans l'estuaire ; à Tancarville*, où elle est franchie par un pont suspendu, un canal la relie au Havre* pour permettre à la navigation d'éviter les courants. Ceux-ci se produisent dans l'estuaire et sont associés aux vagues de fond provenant de marées de grande amplitude. — La Seine transporte le plus fort tonnage de marchandises de tous les fleuves français. La section Le Havre-Rouen-Paris, la plus importante, met en rapport de grands complexes portuaires et industriels ; sur la *basse Seine* se trouve le premier centre de raffinage du pétrole en France (raffineries du Petit*-Couronne, Notre*-Dame-de-Gravenchon, Port*-Jérôme, Gonfreville*-l'Orcher) ; pétrolochimie. — La Seine est reliée par canaux à la Somme, l'Escaut, la Meuse, le Rhin, la Saône et la Loire. — Soumise à un régime pluvial, elle subit de hautes eaux d'hiver (janvier) et des étiages d'été ; alimentée surtout par des averses océaniques, elle a un débit moyen assez faible : 450 à 500 m³ à l'embouchure. Cependant, le gonflement de la Seine et de ses affl. pouvait avoir des conséquences catastrophiques ; on estime en effet à près de 2 400 m³/s le débit maximal lors de la crue de 1910, alors qu'en année très sèche, le débit naturel peut s'abaisser à 30 m³/s env. Parallèlement, le recours croissant aux eaux de surface pour l'alimentation en eau de l'aggl. parisienne a mis en évidence l'intérêt des barrages-réservoirs pour le renforcement des débits d'étiage. Outre le réservoir Seine *(ci-dessus),* **V. Crescent, Pannesière-Chaumard, Settons** *(lac des)* ; la mise en service du barrage « Marne » (1973) a doublé la capacité utile. L'augmentation continue des besoins en eau, qu'il s'agisse des réseaux de distribution dans l'aggl. de la région parisienne, du refroidissement des centrales thermiques ou du développement d'irrigations de complément, imposera la poursuite de l'effort d'équipement en barrages-réservoirs.

SEINE *(dép. de la). n. f.* ♦ Anc. dép. du Bassin parisien. 478 km². La loi du 10 juillet 1964 l'a fait éclater en quatre nouveaux dép. : Hauts*-de-Seine, Paris*, Seine*-Saint-Denis et Val*-de-Marne.

SEINE (HAUTS-DE-). ♦ **V.** HAUTS-DE-SEINE.

SEINE-ET-MARNE. *n. f.* **[77].** ♦ Dép. de la région parisienne, situé à l'E. de Paris ; région d'Île-de-France (**V. Parisienne** [région]). — *Orogr.* Le dép., situé au centre du Bassin parisien, s'étend sur la Brie riche en cultures (blé, maïs, betterave à sucre) et en élevage (produits laitiers dont le fromage de Brie), sur le Gâtinais au S., pays d'élevage. Les forêts occupent une place importante : forêt d'Armainvilliers, forêt de Fontainebleau.

♦ [30 cant., 526 comm., 618 013 hab.]. *Préf.* Melun* ; *sous-préf.* Meaux*, Provins*. *Ch.-l. de cant.* : Bray*-sur-Seine, Brie*-Comte-Robert, Chapelle-la-Reine (La) [797 hab.], Château*-Landon, Châtelet-en-Brie (Le) [1 292 hab.], Chelles*, Claye*-Souilly, Coulommiers*, Crécy*-en-Brie, Dammartin*-en-Goële, Donnemarie*-Dontilly, Ferté*-Gaucher (La), Ferté*-sous-Jouarre (La), Fontainebleau*, Lagny*-sur-Marne, Lizy*-sur-Ourcq, Lorrez*-le-Bocage, Montereau*-Faut-Yonne, Moret*-sur-Loing, Mormant*, Nangis*, Nemours*, Perthes-en-Gâtinais (937 hab.), Rebais*, Roissy-en-Brie (2 561 hab.), Rozay*-en-Brie, Savigny-le-Temple (828 hab.), Torcy (3 401 hab.), Tournan*-en-Brie, Vaires*-sur-Marne, Villiers*-Saint-Georges. *Autres comm. et localités.* **V. Avon, Barbizon, Bois-le-Roi, Champagne-sur-Seine, Champs-sur-Marne, Combs-la-Ville, Dammarie-les-Lys, Faremoutiers, Ferrières, Grandpuits, Gretz-Armainvilliers, Jouarre, Juilly, Melun-Sénart, Melun-Villaroche, Noisiel, Pontault-Combault, Pont-aux-Dames, Sainte-Assise, Souppes-sur-Loing, Vaux-le-Vicomte, Villeparisis.**

SEINE-ET-OISE. *n. f.* ♦ Anc. dép. du Bassin parisien. 5 931 km². La loi du 10 juillet 1964 l'a fait éclater en trois nouveaux dép. : Essonne*, Val*-d'Oise et Yvelines*. Quelques-unes de ses comm. ont été rattachées aux dép. des Hauts*-de-Seine, de la Seine*-Saint-Denis et du Val*-de-Marne.

SEINE-MARITIME. *n. f.* **[76]** (anc. *Seine-Inférieure).* ♦ Dép. du N.-O. de la France, région (anciennement C.A.R.) de la Haute-Normandie*. 6 341 km². — *Orogr.* Le pays de Caux*, plateau crayeux d'une hauteur d'env. 200 m, recouvert de limons fertiles, occupe la plus grande partie du dép. ; il domine la côte de ses hautes falaises blanches, il est interrompu au N.-E. par la « boutonnière » du pays de Bray*. La Seine a creusé dans la craie une large vallée.

♦ 56 cant., 753 comm., 1 129 686 hab. *Préf.* Rouen* ; *sous-préf.* Dieppe*, Le Havre*. *Ch.-l. de cant. :* Argueil, 389 hab. ; Aumale* ; Bacqueville-en-Caux, 1 766 hab. ; Bellencombre* ; Blangy*-sur-Bresle ; Bolbec* ; Boos, 767 hab. ; Buchy, 1 151 hab. ; Cany*-Barville ; Caudebec*-en-Caux ; Clères* ; Criquetot-l'Esneval, 1 254 hab. ; Darnétal* ; Doudeville, 1 993 hab. ; Duclair* ; Elbeuf* ; Envermeu, 1 376 hab. ; Eu* ; Fauville*-en-Caux, 1 404 hab. ; Fé-

Ph. Hétier

La déesse **Sekhmet,** trésor de Toutânkhamon. (Musée du Caire.)

camp* ; Fontaine-le-Dun, 607 hab. ; Forges*-les-Eaux ; Goderville, 1 579 hab. ; Gournay*-en-Bray ; Grand*-Couronne ; Lillebonne* ; Landinières, 1 221 hab. ; Longueville-sur-Scie, 801 hab. ; Maromme* ; Montivilliers* ; Neufchâtel*-en-Bray ; Offranville, 2 246 hab. ; Ourville-en-Caux, 693 hab. ; Pavilly* ; Saint-Romain-de Colbosc, 3 033 hab. ; Saint-Saëns, 2 470 hab. ; Saint*-Valéry-en-Caux ; Sotteville*-lès-Rouen ; Tôtes, 819 hab. ; Valmont* ; Yerville, 1 381 hab. ; Yvetot*. — *Autres comm.* **V. Arques-la-Bataille, Barentin, Bois-Guillaume, Canteleu, Caudebec-lès-Elbeuf, Déville-lès-Rouen, Dieppedalle, Étretat, Ferrières-en-Bray, Gonfreville-l'Orcher, Grand-Quevilly (Le), Harfleur, Houlme (Le), Jumièges, Mont-Saint-Aignan, Montville, Neuville-lès-Dieppe, Notre-Dame-de-Bondeville, Notre-Dame-de-Gravenchon, Oissel, Petit-Couronne (Le), Petit-Quevilly (Le), Port-Jérôme, Saint-Étienne-du-Rouvray, Saint-Wandrille-Rançon, Sainte-Adresse, Tancarville, Trait (Le), Tréport (Le), Varangeville-sur-Mer, Veules-les-Roses, Villequier, Yainville, Yport.**

SEINE-SAINT-DENIS. *n. f.* **[93].** ♦ Dép. de la région parisienne* créé en 1964 (région [anc. C.A.R.] d'Île-de-France). 236 km². Situé au N. et à l'E. de Paris, il recouvre le N.-E. de l'anc. dép. de la Seine et quelques comm. de l'anc. dép. de Seine-et-Oise. — *Orogr.* Le N. du dép. est formé par la plaine alluviale de Saint-Denis ; c'est une zone hautement industrialisée ; le S., qui comporte quelques hauteurs, est plutôt résidentiel. L'agriculture se pratique dans le N.-E. (région de Tremblay-lès-Gonesse). — *Hydrogr.* Marne*, Seine* ; canal de l'Ourcq* ; canal Saint-Denis.
♦ (34 cant., 40 comm., 1 256 884 hab.). *Préf.* Bobigny*, *sous-préf.* Raincy* (Le). *Ch.-l. de cant.* Aubervilliers*, Aulnay*-sous-Bois, Bagnolet*, Blanc*-Mesnil (Le), Bondy*, Bourget* (Le), Courneuve* (La), Drancy*, Épinay*-sur-Seine, Gagny*, Livry*-Gargan, Montfermeil*, Montreuil*, Neuilly*-Plaisance, Noisy*-le-Grand, Noisy*-le-Sec, Pantin*, Pavillons*-sous-Bois (Les), Pré*-Saint-Gervais (Le), Romainville*, Rosny*-sous-Bois, Saint-Denis*, Saint-Ouen*, Sevran*, Stains*, Tremblay*-lès-Gonesse, Villemomble*. — *Autres comm. et localités* **V. Clichy-sous-Bois, Dugny, Gournay-sur-Marne, Île-Saint-Denis, Lilas (Les), Neuilly-sur-Marne, Pierrefitte-sur-Seine, Vaujours, Villepinte, Villetaneuse.**

SEIPEL (Ignaz). ♦ Homme d'État et prélat autrichien (Vienne, 1876 — Pernitz, 1932). Prêtre catholique, professeur de théologie, il étudia dans divers ouvrages les problèmes constitutionnels. Il fut élu député chrétien-social en 1919, année où il avait été nommé protonotaire apostolique. Il devint chancelier en 1922 et exerça le pouvoir jusqu'en 1924, cherchant à restaurer l'ordre et l'équilibre économique dans une Autriche bouleversée par la défaite. Grâce à l'aide obtenue de la S.D.N., il assainit les finances et créa le schilling. Blessé lors d'un attentat en 1924, il se retira du pouvoir jusqu'en 1926. Après avoir mené une lutte énergique contre les socialistes (insurrection de 1927) et s'être appuyé sur les Heimwehren, monarchistes ou fascistes, il démissionna en 1929 pour raisons de santé, mais fut encore ministre des Affaires étrangères en 1930. Dollfuss* continua sa politique. — Il est l'auteur de plusieurs ouvrages politiques.

SEI SHÔNAGON. ♦ Poétesse et femme de lettres japonaise (*fin* xᵉ s.), dame d'honneur de l'impératrice Fujiwara Sadako. Elle écrivit des « Notes de chevet » *(Makura-no-Sôshi)* dans une langue très pure, avec un esprit plein d'humour.

SEISTÂN. *n. m.* ♦ Région du S.-O. de l'Afghânistân, correspondant à l'anc. prov. grecque de Drangiane. Elle est formée de déserts salés où viennent se perdre les fleuves afghans descendus du Fîrûz Kuh. Autrefois bien irriguée et cultivée, elle fut ravagée au XIVᵉ s. par les troupes de Tîmur-i Lang qui détruisirent les systèmes d'irrigation.

SEIXAL. ♦ V. et port du Portugal, dans la banlieue de Lisbonne*. Important complexe sidérurgique installé depuis 1961 à Païos Pires.

Seize *(les).* ♦ Comité formé par les Ligueurs à Paris, comprenant seize membres représentant les seize quartiers de la ville (v. 1585). Ils soutinrent les Guise*, organisèrent la journée des Barricades* (1588) et, après la mort du duc de Guise, prirent leur indépendance. Ils firent régner la terreur (assassinat de Brisson*), jusqu'à ce que Mayenne* les soumit par force (1591) et fit pendre quatre d'entre eux.

SÉJAN, en lat. **Lucius Aelius Sejanus.** ♦ Homme politique romain (Volsinies, auj. Bolsena, v. ~ 20 — Rome, 31). Préfet du prétoire en 14, il devint le favori de Tibère*. En 27, il poussa l'empereur à se retirer à Capri, restant ainsi le véritable maître de l'Empire. Pour mieux assurer sa marche vers le pouvoir, il exploita les complots formés contre Tibère ; il avait déjà fait empoisonner Drusus, le propre fils de l'empereur (23), il fit reléguer Agrippine et emprisonner ses deux fils (29). Tibère, alerté par Antonia, mère de Germanicus*, revint à Rome et fit justice de son ministre en le livrant au sénat. Séjan fut tué avec toute sa famille (31).

SÉJOURNÉ (Paul). ♦ Ingénieur français (Orléans, 1851 — Paris, 1939). Il fit progresser la technique des ponts en maçonnerie et en réalisa un grand nombre.

SEKHMET (« la Puissante »). ♦ Déesse égyptienne représentée sous la forme d'une femme à tête de lionne et honorée principalement à Memphis* où elle était considérée comme la femme de Ptah* et la mère de Néfertoum. Elle était la déesse redoutable qu'il fallait sans cesse apaiser, manifestation de l'œil de Rê* en fureur, chargée de détruire les ennemis du Soleil, la déesse de la chaleur et des épidémies.

SEKIGAHARA. ♦ Petite localité japonaise (Honshû, préf. de Gifu). ♦ *Hist.* C'est là qu'en 1600 eut lieu une grande bataille mettant aux prises les partisans du fils héritier de Hideyoshi* et ceux de Tokugawa* Ieyasu. Celui-ci remporta la victoire et put dès lors établir un bakufu (gouvernement militaire) qui devait régir les destinées du Japon jusqu'en 1868.

SEKONDI. ♦ Port du Ghâna*, à l'E. de Takoradi*.

SELANGOR. *n. m.* ♦ État de Malaysia*, sur la côte O. de la péninsule malaise, où se trouve la cap. fédérale de Malaysia, Kuala* Lumpur. 8 800 km². 1 600 000 hab. — Production de charbon, d'étain, de caoutchouc. ♦ *Hist.* Anc. sultanat devenu possession hollandaise en 1783 et colonie britannique en 1874.

SÉLASSIÉ. ♦ V. HAILÉ SÉLASSIÉ Iᵉʳ.

SELBORNE (Roundell Palmer, *1ᵉʳ comte de***).** ♦ Homme politique anglais (Mixbury Rectory, Oxfordshire, 1812 — Petersfield, Hampshire, 1895). Indépendant des partis mais proche de Gladstone* par sa ferveur anglicane, il fut chancelier de l'Échiquier dans son ministère et accomplit la réforme judiciaire de 1873. Il s'opposa à lui à propos du Home* Rule. ♦ WILLIAM WALDEGRAVE PALMER, *2ᵉ comte de Selborne,* son fils (Londres, 1859 — *id.,* 1942). Haut-commissaire en Afrique du Sud, il eut une politique libérale qui aboutit à la constitution du pays en dominion.

SELDJOUKIDES ou **SALDJÛQIDES.** *n. m. pl.* ♦ V. SALJÛQIDES.

SÉLÉNÉ. ♦ Personnification de la Lune (*Selênê* en grec) dans la mythologie grecque, sœur d'Hélios (le Soleil) et d'Éos (l'Aurore). Jeune femme très belle au visage d'une blancheur qui fait pâlir les étoiles, elle parcourt le ciel sur un char d'argent attelé de deux chevaux. Ses amours, surtout avec Pan* et Endymion*, sont célèbres.

SELENGA. *n. f.* ♦ Riv. de Mongolie et d'U.R.S.S. (république autonome de Bouriatie*). 1 028 km. Formée par la confluence de l'Ider (né dans les monts du Khangaï, 452 km) et du Muran, elle arrose la ville d'Oulan*-Oude [Ulan-Ude] et se jette dans le lac Baïkal*, à l'E. de celui-ci. Affl. princ. en Mongolie : l'Orkhon (1 124 km). Elle est navigable jusqu'à Sukhe-Bator (Mongolie), d'avril à novembre.

SÉLESTAT. ♦ Sous-préf. du Bas-Rhin*, ch.-l. d'arr. (4 cant., 64 comm., 65 992 hab.), sur l'Ill*. 14 904 hab. *(Sélestadiens).* Ville très pittoresque. Église Sainte-Foy, remarquable édifice roman du XIIᵉ s. ; église gothique Saint-Georges (XIIIᵉ-XVIᵉ s.). Beffroi du XIIIᵉ s. Ancien arsenal Sainte-Barbe, du XVIᵉ siècle. Maisons anciennes. — Toiles métalliques, indus. textiles, maroquinerie. — Patrie de Martin Bucer*. ♦ *Hist.* Ancienne villa carolingienne, ville impériale au Moyen Âge, Sélestat fut le siège d'une célèbre école d'humanistes germaniques aux XVᵉ et XVIᵉ siècles. Fortifiée par Vauban en 1674, la ville fut démantelée par les Allemands en 1872.

SÉLEUCIDES. *n. m. pl.,* en grec **Seleukidai.** ♦ Dynastie hellénistique qui régna sur la Syrie et sur une partie de l'Orient hellénistique de ~ 305 à ~ 64. **V. Séleucos, Antiochos, Alexandre** (de Syrie), **Démétrios.** Pendant le règne de son fondateur Séleucos Iᵉʳ Nikator, l'empire séleucide, avec comme capitale Séleucie, puis Antioche, s'étendit sur la Mésopotamie, l'Asie Mineure, la Bactriane*, la Sogdiane* et la Parthie **(V. Parthes).** Par suite de longues disputes avec les autres royaumes hellénistiques (~ IIIᵉ s.), les Séleucides perdirent la plus grande partie de l'Asie Mineure et les satrapies orientales. Reconstitué au début du ~ IIᵉ s., sous Antiochos III le Grand, le grand État séleucide fut ensuite déchiré par les luttes intestines. Réduit à la Syrie (~ 140), il fut annexé par les Romains en ~ 64. Les Séleucides soutinrent l'hellénisation de l'Asie antérieure et contribuèrent au développement de l'urba-

Ph. Giraudon

Couronnement du sultan **Sélim Ier**. Art ottoman du XVIe s. Tiré du manuscrit de Huner-Name. (Bibliothèque Topkapi, Istanbul.)

nisme hellénistique par la fondation de grandes villes dont les trois Séleucies **(V. Séleucie)**, Antioche*, Doura*-Europos, Apamée, Laodicée*, Édesse*.

SÉLEUCIE, en grec **Seleukeia**. ♦ Nom de plusieurs villes anciennes de Syrie et de Cilicie, fondées par Séleucos* Ier Nikator. — La *Séleucie du Tigre*, sur la r. d. du Tigre, fut la première capitale des Séleucides* (de ~ 307 à ~ 300), puis la résidence des rois parthes. Ville commerciale florissante, elle comptait à son apogée près de 500 000 hab., mais elle déclina après la fondation de Ctésiphon par les Parthes. — La *Séleucie de Piérie*, à l'embouchure de l'Oronte (Syrie), était le port d'Antioche. Elle subsista jusqu'au VIe s., ruinée à cause des invasions arabes. La *Séleucie Trachée* ou *du Calycadnos* en Cilicie (Asie Mineure) était florissante à l'époque romaine. Auj. *Silifke* (Turquie).

SÉLEUCOS [*Seleukos*]. ♦ Nom de six rois de la Syrie hellénistique. ♦ SÉLEUCOS Ier *Nikator* [« le Vainqueur »] (v. ~ 358 — ~ 280). Général macédonien, lieutenant d'Alexandre* le Grand, puis roi de la Syrie (~ 305-~ 280) et fondateur de la dynastie des Séleucides*. Ayant participé à la lutte des diadoques contre Perdiccas, il reçut la Babylonie au deuxième partage de l'empire d'Alexandre (~ 321). Il forma l'alliance des diadoques **(V. Cassandre, Lysimaque, Ptolémée Ier)** contre Antigonos* Monophthalmos et, après la victoire sur Démétrios* Poliorcète (~ 312), entreprit de reconstituer à son profit l'empire d'Alexandre, mais ne réussit pas à soumettre l'Inde. Proclamé roi en ~ 305, il se retourna vers l'Occident et, après la victoire des adversaires d'Antigonos à Ipsos* (~ 301), il transporta sa capitale de Séleucie* à Antioche* que, visant à la suprématie maritime, il fonda à proximité de la côte méditerranéenne; ce fut la cause d'un long différend avec l'Égypte des Ptolémées. Après s'être débarrassé de Démétrios Poliorcète et de Lysimaque, Séleucos devint maître de l'Asie Mineure et marcha contre la Macédoine, mais il fut assassiné par Ptolémée Kéraunos. Sa politique d'hellénisation de l'Orient était basée sur l'urbanisme. **V. Antioche, Séleucie.** ♦ SÉLEUCOS II *Kallinikos* [« le Grand Vainqueur »] (v. ~ 265 — ~ 226). Fils d'Antiochos II, il s'assura la succession (~ 246-~ 226) en écartant sa belle-mère Bérénice (sœur de Ptolémée* III) et le fils de celle-ci, qu'il assassina. Durant la troisième guerre de Syrie (~ 246-~ 241) qui s'ensuivit, Séleucos perdit une partie de la Syrie, les satrapies orientales passées aux Parthes et l'Asie Mineure, révoltée puis disputée par Pergame. ♦ SÉLEUCOS III *Sôter Kéraunos* [« le Sauveur », « la Foudre »] (mort en ~ 223). Fils de Séleucos II, il lui succéda (~ 226-~ 223). Il périt assassiné lors d'une campagne contre Pergame. ♦ SÉLEUCOS IV *Philopator* [« qui aime son père »] (mort en ~ 175). Fils et successeur d'Antiochos III (~ 187-~ 175), il tenta sans succès de faire obstacle aux progressions de Rome et de Pergame. Visant à la domination de la Palestine, il chargea son ministre Héliodore* de s'emparer du trésor du temple de Jérusalem. Héliodore, après son échec, assassina Séleucos et prit sa place. ♦ SÉLEUCOS V *Nikator* (mort en ~ 125). Fils et successeur de Démétrios II Nikator (~ 125), il fut assassiné après son avènement par son frère Antiochos VIII à l'instigation de leur mère Cléopâtre Théa. ♦ SÉLEUCOS VI *Épiphane* [« l'Illustre »] (mort en ~ 93). Fils et successeur d'Antiochos VIII (~ 96-~ 93), il dut reprendre la Coélésyrie à son oncle Antiochos IX et lutta contre son cousin Antiochos X. Prisonnier, il fut brûlé vif par les habitants de Mopsueste en Cilicie.

SÉLIM. ♦ Nom de plusieurs sultans ottomans. ♦ SÉLIM Ier (Amasya, 1467 — Istanbul, 1520). Sultan ottoman (1512-1520). Fils de Bâyazid* II, non désigné pour la succession, il acquit l'alliance des janissaires, se révolta et mit à mort ses frères et ses neveux. Restant en paix avec les États européens, il mena la guerre contre le shah de Perse Ismaïl Ier, massacra les shi'ites* et annexa les pays sunnites* (Kurdistân, Haute-Mésopotamie, Syrie, Égypte). Il entra au Caire en 1517 et, selon la tradition, le calife 'abbâsside lui aurait cédé son titre de calife (« successeur du Prophète »), titre porté par les sultans ottomans, surtout à partir du XVIIIe s., et aboli par Mustafa* Kemal en 1924. ♦ SÉLIM II (1524 — Istanbul, 1574). Sultan ottoman (1566-1574). Il délaissa, pour la débauche et le vin, les affaires de l'État qu'il confia à son grand vizir. Sous son règne, Chypre fut conquise (1570) et, malgré la destruction de la flotte turque à Lépante (1571), les Vénitiens ne purent rétablir leur autorité sur l'île. ♦ SÉLIM III (Istanbul, 1761 — *id.*, 1808). Sultan ottoman (1789-1807). Son règne fut catastrophique. Battu, il dut traiter avec l'Autriche et la Russie (1791-1792). L'invasion de l'Égypte par Bonaparte (1798) fut à l'origine d'une nouvelle guerre qui échoua. Les Serbes s'insurgèrent; les Wahhabites* prirent La Mecque. Sélim III tenta de procéder à des réformes, mais les janissaires se révoltèrent et le détrônèrent.

SÉLINONTE, en gr. **Selinous**. ♦ Anc. V. de Sicile*, sur la côte S.-O., fondée en ~ 651 ou en ~ 628 par des colons de Mégara* Hybléa et de Mégare*. Sa menace contre Ségeste* motiva l'expédition des Athéniens en Sicile (~ 415). Elle fut ravagée par les Carthaginois en ~ 409 et en ~ 250. — Ruines de sept temples doriques du ~ VIe s. dont celui d'Apollon, l'un des plus vastes monuments grecs (113 m × 54 m).

SELKIRK (Alexander SELCRAIG, dit**)**. ♦ Marin écossais (Largo, Fifeshire, 1676 — mort en mer, 1721). Après une querelle avec son capitaine, il fut débarqué dans une île déserte de l'archipel Juan Fernández, *auj.* appelée Robinson*-Crusoé. Il y vécut de 1704 à 1709. Ses aventures furent décrites par Woodes Rogers (1712), le capitaine qui l'avait découvert dans son île, puis par R. Steele, et surtout évoquées par Daniel De* Foe, à qui il servit de modèle pour son Robinson Crusoé. **V. Robinson Crusoé.**

SELKIRK *(monts)*. ♦ Chaîne de montagnes de l'O. du Canada (Colombie britannique), qui s'étend de la frontière des États-Unis vers la rivière Columbia. Elle culmine au mont Sir Sandford (près de 3 500 m).

SELKIRK. ♦ V. du S.-E. de l'Écosse, ch.-l. du Selkirkshire, sur l'Etterick Water, affl. de la Tweed. 5 635 hab. (1961). Cottages du XIIIe s., où sont conservés des souvenirs de l'explorateur Mungo Park, natif du comté.

SELKIRKSHIRE. *n. m.* ♦ Comté du S.-E. de l'Écosse. 693 km². 20 678 hab. *Ch.-l.* Selkirk. *V. princ.* Galashiels. L'économie est basée sur l'élevage ovin, la céréaliculture et le travail de la laine (tweed).

SELLES-SUR-CHER. ♦ Ch.-l. de cant. du Loir-et-Cher, arr. de Romorantin-Lanthenay. 4 143 hab. (3 206 aggl.). Château médiéval, remanié au début du XVIIe siècle. Église Notre-Dame-de-la-Blanche (XIIe-XIVe siècle). — Manufacture de porcelaine.

SELLIÈRES [seljɛʀ]. ♦ Ch.-l. de cant. du Jura, arr. de Lons-le-Saunier. 889 hab. — Confection. Indus. du bois. Tailleries du diamant.

SELOMMES. ♦ Ch.-l. de cant. du Loir-et-Cher, arr. de Vendôme. 714 hab. Église du XIe siècle. Ruines du château de Puitsfond (XVe siècle).

SELONCOURT. ♦ Comm. du Doubs, arr. et aggl. de Montbéliard*. 5 308 hab. — Fonderies.

SELONGEY. ♦ Ch.-l. de cant. de la Côte-d'Or (arr. de Dijon). 2 139 hab. Église (XIIIe-XVIe s.). — Appareils électroménagers.

SELTZ. ♦ Ch.-l. de cant. du Bas-Rhin*, arr. de Wissembourg*. 2 388 hab. Vestige de la *Saliso* romaine. L'église moderne conserve le chœur et les chapelles du XVe s. de l'église détruite en 1940. Tuilerie.

SELYE (Hans). ♦ Physiologiste canadien d'origine autrichienne (Vienne, 1907). Ses travaux portent sur l'endocrinologie. Il a particulièrement étudié les modifications psychophysiologiques consécutives à un choc violent (traumatique ou opératoire); elles se caractérisent par un état de tension aiguë *(stress)* de l'organisme obligé de mobiliser ses défenses face à l'agression (réaction d'alarme) [syndrome d'adaptation de Selye]. (*Stress*, 1950; *The Stress of Life*, 1956.)

SEM. ♦ Personnage biblique (*Genèse*, V-X), fils de Noé*. Ancêtre supposé des peuples sémitiques.

SEMAN, SEMEN ou **SEMENI**. *n. m.* ♦ Fl. d'Albanie* (252 km) tributaire de l'Adriatique, ayant pour affluent le Devoll* et le Shkumbi*.

SEMARANG. ♦ V. de la côte N. de l'île de Java et port important. 700 000 hab. — Exportation de tabac, sucre, coprah, manioc, kapok. Constructions navales, indus. mécaniques et textiles.

SEMBAT (Marcel). ♦ Homme politique français (1862 — 1922). Membre du Parti socialiste français, il fut réformiste et adopta une position nationaliste lors de la Première Guerre mondiale.

SEMBLANÇAY (Jacques de BEAUNE, *seigneur de***)**. ♦ (Tours,

1445 – Montfaucon, 1527). Homme politique français. Il fut l'un des principaux banquiers de Charles VIII, de Louis XII et de François Ier et fut surintendant des Finances à partir de 1518. Louise* de Savoie, après l'avoir accusé en vain de ses propres malversations, le fit condamner à mort, en l'absence du roi, sans parvenir à atteindre sa réputation.

SÉMÉLÉ [*Semelê*]. ♦ Fille de Cadmos* et d'Harmonie* et sœur d'Ino*. Aimée de Zeus*, elle est victime de la jalousie d'Héra*. Inspirée par celle-ci, Sémélé oblige son amant divin, lié par une promesse, à lui apparaître dans toute sa gloire et elle est foudroyée. Zeus arrache pourtant de son sein Dionysos* qu'elle avait conçu de lui. Plus tard, Dionysos descend aux Enfers, en soustrait sa mère et l'emmène au ciel.

SEMIONOV ou **SEMENOV (Nikolaï Nikolaïevitch).** ♦ Chimiste russe (Saratov, 1896). Auteur de travaux sur la cinétique chimique, il participa notamment à la mise au point de la théorie des réactions en chaîne. **V. Hinshelwood, Joliot-Curie.** (Prix Nobel de chimie, 1956.)

SEMIPALATINSK. ♦ V. d'U.R.S.S. (Kazakhstan), sur l'Irtysh*. 236 000 hab. Ch.-l. de la région du même nom (179 600 km², 692 000 hab.). Indus. alimentaires. Traitement du cuir. Cimenterie. Métallurgie de l'aluminium. ♦ *Hist.* Après sa détention au bagne d'Omsk, Dosteïevski* fut transféré à Semipalatinsk comme simple soldat (1854-1859).

SÉMIRAMIS. ♦ Reine légendaire d'Assyrie et de Babylonie, femme du gouverneur Omnès puis du roi Ninos. Veuve, elle aurait guerroyé jusqu'aux Indes et aurait élevé de somptueuses constructions à Babylone, dont les célèbres jardins suspendus. ♦ SAMMURAMAT, femme de Shamshi*-Adad V et régente d'Assyrie à sa mort (~ 810), semble à l'origine de cette légende.

SEMLER (Johann Salomon). ♦ Théologien protestant allemand (Saalfeld, 1725 – Halle, 1791). Professeur de théologie à Halle (1752-1791), il est surtout connu pour ses travaux sur l'histoire des premiers siècles du christianisme : *Neue Versuche, die Kirchenhistorie der ersten Jahrhunderte mehr aufzuklären* (1788). Sans aller jusqu'à mettre en question la valeur de la révélation et des sacrements (comme par ex. Reimarus), il contribua à préciser les bases d'une étude critique et historique de la Bible.

SEMMELWEIS (Ignác Fülöp). ♦ Médecin hongrois (Buda, 1818 – Vienne, 1865). Il affirma le caractère infectieux et transmissible de la fièvre puerpérale. Louis-Ferdinand Destouches (Céline*) lui consacra sa thèse de doctorat.

SEMMERING. *n. m.* ♦ Col des Alpes autrichiennes (992 m) qui unit les vallées de la Leitha et de la Mürz et qui marque la frontière entre la Basse-Autriche et la Styrie. – Le chemin de fer, terminé en 1854, fut la première grande ligne d'Europe construite en pleine montagne et a nécessité de nombreux ouvrages d'art. – Centre touristique et station de sports d'hiver, près du col (1 000 m) et à Spital (778 m).

SEMOIS ou **SEMOY.** *n. f.* ♦ Riv. de Belgique et de France (198 km); elle prend sa source dans le Luxembourg belge et arrose Arlon*. Affl. de la Meuse (r. d.).

SÉMONIDE ou **SIMONIDE d'Amorgos.** ♦ Poète grec (Samos, ~ VIIe s.) longtemps confondu avec Simonide de Céos. Il fonda à Amorgos une colonie de Samiotes. Auteur de satires en vers iambiques, dont une *Sur les femmes,* il est considéré comme le plus ancien représentant du pessimisme intégral.

SEMPACH. ♦ Localité de Suisse (cant. de Lucerne) sur la rive orientale du *lac de Sempach (Sempachersee).* 1 300 hab. ♦ *Hist.* Sempach est célèbre par la victoire qu'y remportèrent les confédérés des huit cantons **(V. Suisse)** sur Léopold* III de Habsbourg, duc d'Autriche (9 juillet 1386), qui y fut tué. C'est au cours de cette bataille que s'illustra et périt également Arnold de Winkelried*.

SEMPLE (Ellen Churchill). ♦ Géographe américaine (1863 – 1932). Influencée par les théories des géographes allemands Ritter et Ratzel, elle fut une des fondatrices de la géographie humaine aux États-Unis.

SEMPRONIUS, en lat. **Tiberius Sempronius Longus Tuditanus.** ♦ Homme politique romain, consul en ~ 218, lors de la deuxième guerre Punique, il fut battu à la Trébie*, puis remporta quelques succès sur les Carthaginois en Italie méridionale.

SEMUR-EN-AUXOIS [-oswa]. ♦ Ch.-l. de cant. de la Côte-d'Or (arr. de Montbard), sur un plateau granitique de la r. d. de l'Armançon. 4 779 hab. Église Notre-Dame fondée v. 1060, reconstruite au XIIIe s., restaurée par Viollet-le-Duc. *Hôtel de ville* dans un anc. prieuré bénédictin. Anc. couvent de Jacobines. Vestiges d'un château des XIIe et XVIIe s., et de remparts. Courses de chevaux depuis 1566. – Scieries. ♦ *Hist.* La forteresse gallo-romaine de *Sinemurum* fut remplacée au VIe s. par un château des ducs de Bourgogne. Cap. de l'Auxois*, qui fut incorporé à la Bourgogne au XIe s., Semur obtint une charte de commune en 1276. Elle fut prise par Louis XI en 1478. En 1602, Henri IV fit démanteler le château qui avait servi de refuge aux Ligueurs.

SEN (Keshab Chandra). ♦ Philosophe indien (Calcutta, 1838 – *id.,* 1884), membre du Brahmo-Samâj. Il quitta cette société pour fonder une nouvelle religion syncrétique se réclamant d'un dieu unique et rejetant le brahmanisme. Cette nouvelle religion se divisa à sa mort en de nombreuses sectes et disparut.

SEN (Nabîn Chandra). ♦ Écrivain indien (Calcutta, 1847 – *id.,* 1909), poète d'expression bengali. Il est l'auteur de poèmes et d'épopées historiques d'inspiration patriotique, ainsi que de quelques romans. On l'a surnommé le « Byron du Bengale ».

SÉNAC (Jean-Baptiste). ♦ Médecin français (près de Lombez, 1693 ou 1705 – Paris, 1770). Premier médecin de Louis XV, il est considéré comme l'un des précurseurs de la cardiologie, notamment pour avoir mis en évidence certains symptômes importants des affections cardiaques.

SÉNAC DE MEILHAN [-mɛjɑ̃] **(Gabriel).** ♦ Administrateur et écrivain français (Paris, 1736 – Vienne, Autriche, 1803). Intendant général, quelque temps collaborateur du comte de Saint-Germain au ministère de la Guerre (1776), il se fit connaître dans le monde des lettres en publiant des pseudo-*Mémoires d'Anne de Gonzague, princesse Palatine* (1786). Il écrivit ensuite les *Considérations sur le luxe et les richesses* et les *Considérations sur l'esprit et les mœurs* (1787), où il visait Necker. Émigré en 1791, il se lia d'amitié avec Catherine II, puis s'installa à Vienne. Outre un roman historique, *L'Émigré* (1797), il publia un ouvrage qui retrace la situation sociale et politique de la France avant la Révolution : *Du gouvernement, des mœurs et des conditions en France avant la Révolution* (1797).

SENANAYAKE (Dudley Shelton). ♦ Homme politique cinghalais (Colombo, 1911). Il devint Premier ministre (conservateur) de 1947 à 1956, puis de 1965 à 1970. Il fut remplacé à ce poste par Mme Bandaranaike* Sirimavo.

SENANCOUR (Étienne PIVERT *de*). ♦ Écrivain français (Paris, 1770 – Saint-Cloud, 1846). Menant une existence solitaire et errante, il trouva dans les théories de Rousseau*, puis dans les doctrines des illuministes l'aliment à un désenchantement et à un besoin d'absolu qu'il ne pouvait résoudre par le christianisme. Dans ses *Rêveries sur la nature primitive de l'homme* (1799) et, surtout, dans le roman autobiographique *Oberman* (1804) apparaît un malaise existentiel (« Je voudrais savoir ! ») qui se traduit par l'incurable tristesse du héros, goûtant la « volupté de la mélancolie ». Les quatre-vingt-neuf lettres qui composent ce journal intime offrent des confidences personnelles sur ses déceptions sentimentales et son inadaptation à la société. Elles manifestent aussi, avec sincérité, la soif d'éternité de Senancour qui, comme son personnage *Oberman* (« l'homme des hauteurs »), s'adonne à des recherches mystiques et exprime avant les romantiques le thème de l'étranger (« ... Étranger dans la nature réelle, ridicule au milieu des hommes, je n'aurai que des affections vaines »).

SÉNANQUE *(abbaye de).* ♦ **V.** GORDES.

SÉNARMONT (Henri HUREAU *de*). ♦ Minéralogiste français (Broué, Eure-et-Loir, 1808 – Paris, 1862). Auteur de travaux sur les cristaux, il montra que les conductibilités thermique (1847) et électrique (1849) dans les cristaux sont liées à la symétrie de la structure cristalline; il montra également que les propriétés optiques des cristaux mixtes dits « isomorphes » pouvaient être très différentes (1851) et réalisa les premières expériences sur le polychroïsme des cristaux colorés artificiellement (1854). Il s'intéressa également au problème de la genèse des minéraux. (Acad. sc., 1852.)

Sénart *(forêt de).* ♦ Forêt de 2 500 ha, située au S.-E. de Paris, entre les vallées de la Seine et de l'Yerres.

Sénat. *n. m.* (voir le Robert). ♦ *Hist.* (France). Un sénat (dit *Sénat conservateur*), ainsi nommé d'après le sénat romain **(V. Rome,** ***Hist.*****)**, fut institué par la Constitution de l'an VIII. Les sénateurs, âgés de plus de quarante ans, étaient nommés à vie; ils contrôlaient la constitutionnalité des lois votées par le Corps législatif. Nantis d'un pouvoir politique très important, le Sénat ne s'en servit guère et ne fit que renforcer le pouvoir personnel du Premier consul, puis Empereur **(V. Empire** [*Premier*]**; Napoléon).** Après 1804, ce dernier put nommer sénateur toute personnalité qu'il désirait récompenser; les sénateurs furent tous anoblis. Le Sénat impérial disparut en 1814. ♦ SECOND EMPIRE. Restauré par la Constitution du 14 janvier 1852, au lendemain du coup d'État du 2 décembre* 1851, il était composé de 72, puis de 150 membres, nommés à vie par le Prince-Président puis empereur (Napoléon* III) qui leur attribua d'importantes dotations. Le Sénat, qui contribua à faire adopter le principe du rétablissement de l'Em-

Arch. Smeets

Semur-en-Auxois : la mise au tombeau, fin XVe s. ; église Notre-Dame.

pire (novembre 1852), fut chargé de la garde de la Constitution ainsi que de la législation et de l'administration des colonies. Devenu une seconde chambre en 1869, il fut dissous après l'abdication de Napoléon III par le gouvernement de la Défense nationale. ♦ Troisième et Cinquième Républiques. Réorganisé par la Constitution de 1875, il était constitué sous la Troisième République de 75 sénateurs inamovibles et de 225 sénateurs élus et renouvelés, et partagea le pouvoir législatif avec la Chambre des députés (réuni avec elle en Assemblée nationale pour élire le président de la République). Remplacé sous la Quatrième République (1946) par le Conseil de la République qui n'eut qu'un rôle consultatif (élargi toutefois en 1954), le Sénat fut rétabli par la Constitution de 1958 (Cinquième République). Ses membres sont élus au suffrage indirect (par les députés, les conseillers généraux et les délégués des conseillers municipaux) pour neuf ans et renouvelables par tiers tous les trois ans. Le président du Sénat (élu pour trois ans) est le second personnage de la République et assure l'intérim en cas de vacance **(V. Poher)**. L'assemblée siège au palais du Luxembourg*.

SENDAI. ♦ V. du Japon (Honshû, préf. de Miyagi). Env. 520 000 hab. — Important centre administratif et culturel (université). Artisanat (céramique, bois, laque) et petites indus. (cuivre, textiles). — La ville fut fondée au VIIIe siècle.

SENDER (Ramón). ♦ Écrivain espagnol (province de Huesca, 1901). Collaborateur de journaux de la gauche socialiste, il prit part à la guerre civile dans les rangs républicains et dut s'exiler. Dans sa première œuvre, *Imán, Novela de la guerra de Marruecos* (1930), il dénonce le scandale de la guerre coloniale. Les œuvres qui suivent, *Sept Dimanches rouges* (1932), *Roman de la prérévolution espagnole* (1934), traitent de soulèvements anarchistes ou populaires et ont fait qualifier son style de « réalisme révolutionnaire ». Il est aussi l'auteur de deux romans allégoriques et poétiques *Le Roi et la Reine* (1947), *Les Cinq Livres d'Ariane* (1957) et surtout de *Requiem pour un paysan espagnol* (1960) qui décrit, dans un style linéaire, l'assassinat d'un paysan par la Phalange, au début de la guerre civile. Délibérément ignoré en Espagne, Sender incarne l'exilé à la recherche d'un nouvel humanisme.

SENDERENS (Jean-Baptiste). ♦ Chimiste français (Barbachen, près de Rabastens-de-Bigorre, 1856 — *id.*, 1937). Il étudia particulièrement la catalyse et, avec Sabatier*, réalisa de nombreuses hydrogénations en chimie organique avec du nickel réduit comme catalyseur.

SENEBIER (Jean). ♦ Bibliographe et naturaliste suisse (Genève, 1742 — 1809). Bibliothécaire de la ville de Genève, il publia une *Histoire littéraire de Genève* (1796). Naturaliste, il étudia les échanges gazeux chez la plante sous l'influence de la respiration et de la fonction chlorophyllienne.

SENEFELDER (Aloys). ♦ Inventeur allemand (Prague, 1771 — Munich, 1834). Il imagina la technique de la lithographie (1796) qu'il utilisa commercialement.

SENEFFE. ♦ Comm. de Belgique (Hainaut). 3 000 hab. Victoire de Condé* sur Guillaume* d'Orange.

SÉNÉGAL. *n. m.* ♦ Fl. d'Afrique* occidentale (1 700 km). Né de la réunion à Bafoulabé* du Bafing* et du Bakhoy*, il descend par une série de chutes jusqu'à Kayes* (Mali) et reçoit la Falémé* à son arrivée en territoire sénégalais. Après avoir franchi le Ferlo*, grâce à l'abondance des pluies sur son cours supérieur, en décrivant une large courbe où il abandonne une partie de ses eaux dans les marais et dans son delta intérieur (frontière entre la Mauritanie* et le Sénégal*), il se jette dans l'Atlantique en aval de Saint*-Louis. C'est un fleuve très irrégulier, avec un seul maximum solsticial dû aux pluies (5 000 m^3/s en août) à Saint-Louis ; 3 m^3/s en mai en aval de Bafoulabé (chute de Gouina).

SÉNÉGAL *(république du)*. ♦ État d'Afrique* occidentale, baigné par l'Atlantique*, séparé de la Mauritanie* par le fl. Sénégal (au N.), et du Mali* à l'E. par son affl. la Falémé*, de la Guinée* au S.-E. et de la Guinée*-Bissau au S.-O. par une frontière conventionnelle. L'enclave de la Gambie* isole la région méridionale de la Casamance*. 196 200 km^2. 4 140 000 hab. *(Sénégalais)*. *Cap.* Dakar*. *Langues :* français (off.), nombreux dialectes dont le ouolof. *Pop.* **V. Mandings (Bambaras), Maures, Ouolofs, Peuls, Sarakollés, Sérères et Toucouleurs.** *V. et loc. princ.* **V. Kaolack, Linguère, Rufisque, Saint-Louis, Taïba, Thiès, Yof** et **Ziguinchor.** — Pays de brousse et de savane, le Sénégal est constitué par une plaine sablonneuse (alt. moyenne inférieure à 200 m) limitée par la vallée alluviale du Sénégal* et de son affl. le Falémé*, légèrement vallonnée au S.-E. par les avancées lointaines du Fouta*-Djalon. Son climat tropical chaud comporte une seule saison des pluies dont la durée diminue au fur et à mesure que l'on s'élève en latitude (de juin à octobre en moyenne). On y distingue trois zones, sahélienne au N. et au centre **(V. Ferlo)**, soudanienne au S. et une zone côtière humide grâce au courant froid des Canaries*. Cette côte basse et sablonneuse n'est accidentée que par le léger volcanisme du cap Vert* et les profonds estuaires des fleuves côtiers **(V. Saloum, Casamance** et **Gambie** en Sénégambie**)** ; elle offre une pêche artisanale et industrielle active (thon). — À part les cultures vivrières insuffisantes, l'économie du Sénégal, pays agricole et pastoral, repose essentiellement sur l'arachide (90 % des exportations) dont la transformation partielle a fait naître une industrie moderne (huileries et raffineries) que complète celle des phosphates **(V. Thiès)**. Mais cette monoculture spéculative soumise aux fluctuations des cours internationaux a entraîné un épuisement des sols dans certaines régions. C'est pourquoi l'on tente de diversifier les productions en développant les cultures de la vallée du fleuve Sénégal* (maïs, manioc, patate, haricots) permettant en outre de pallier le déficit vivrier. ♦ *Hist.* Il semble que, dans la vallée du Sénégal, des éléments négroïdes et peuls se mêlèrent pour former le peuple toucouleur, noyau du *royaume de Tekrour* constitué au IXe s. et qui dominait aussi bien les Ouolofs* à l'O. que les Peuls du Sénégal central, islamisé au XIe s. par les Almoravides* (le « ribet » de Ibn Yacine, marabout de Kairouan, fondateur de la dynastie des Almoravides, v. 1048, se situait dans une île du Sénégal). Les royaumes des Sérères* et des Ouolofs* se détachèrent du Tekrour et, comme lui, ils furent un moment vassaux de l'empire du Mali* (XIVe) puis se partagèrent en plusieurs petits États (XVIe s.). Au XVIIIe s., le Tekrour soumis à une dynastie païenne se souleva et le pouvoir passa à une sorte de théocratie musulmane. — Dès le XVe s., l'embouchure du Sénégal fut explorée par des navigateurs portugais. Au début du XVIIe s., la Compagnie du Sénégal et de la Gambie fondée par des marchands dieppois et rouennais obtint le monopole de la traite et les postes de Saint*-Louis et de l'île de Gorée* furent établis. Les Anglais chassèrent les Français du Sénégal à deux reprises (1758-1779 et 1807-1817). À partir de 1854, un effort décisif fut donné par Faidherbe* et en 1904 Dakar* devint la cap. de l'Afrique-Occidentale française. — République autonome au sein de la Communauté (1958), le Sénégal entra avec la République soudanaise dans la fédération du Mali* (1959) et s'en retira en 1960. Après la tentative de coup d'État de Mamadou Dia (1962), la Constitution de 1963 a institué une république présidentielle sous la présidence de Léopold Sédar Senghor*. (Association avec la Gambie. **V. Sénégambie.)**

Sénégal.

SÉNÉGAMBIE. *n. f.* ♦ Région d'Afrique occidentale englobant le Sénégal* et la Gambie* (hab. : *Sénégambiens*). Le principe d'une union entre ces deux pays est posé depuis 1960 sous la forme d'une *Fédération Sénégambie*. Vivement souhaitée par le Sénégal, elle permettrait à cet État d'avoir un territoire d'un seul tenant intégrant la prov. sud-sénégalaise de la Casamance*.

SÉNÈQUE (Annaeus Seneca) dit **Sénèque le Père.** ♦ Écrivain latin (Cordoue, v. ~ 60 — v. 39). Venu jeune à Rome, il y suivit l'enseignement des rhéteurs. Auteur d'une *Histoire de Rome* (aujourd'hui perdue) et de *Controverses (Controversiae et suasoriae)*, document sur la formation des jeunes orateurs.

SÉNÈQUE, en lat. **Lucius Annaeus Seneca.** ♦ Homme politique, écrivain et philosophe romain (Cordoue, ~ 4 — Rome, 65). Venu très jeune à Rome, il y étudia la philosophie stoïcienne. Brillant rhéteur, il fut avocat puis questeur. Exilé en Corse de 41 à 49, il fut rappelé à Rome où il devint le précepteur de Néron*. En 65, celui-ci l'impliqua dans la conjuration de Pison et lui ordonna le suicide. L'œuvre de Sénèque comporte des tragédies *Médée, Les Troyennes, Phèdre, Agamemnon, Hercule furieux*, des traités de philosophie *De la clémence, Des bienfaits, De la constance du sage, De la tranquillité de l'âme, De la providence*, Lettres* à Lucilius* et un ouvrage scientifique *Quaestiones naturales*. Sa philosophie est exclusivement morale, il apparaît dans ses traités comme un directeur de conscience qui appelle à la maîtrise de soi. Si son suicide ne manqua pas de courage, on a souvent noté les contradictions entre ses positions stoïciennes et sa vie fastueuse.

SENEZ [sənez]. ♦ Ch.-l. de cant. des Alpes-de-Haute-Provence, arr. de Castellane. 174 hab. La localité est notable par son ancienne cathédrale (XIIIe s.).

SENGAI. ♦ Peintre japonais (1751 — 1837) et moine zen*, originaire de Kyûshû. Il est réputé pour ses peintures religieuses pleines d'humour et ses dessins satiriques à l'encre de Chine.

SENGHOR [sɑ̃gɔʀ] **(Léopold Sédar).** ♦ Homme d'État et poète sénégalais (Joal, Sénégal, 1906). Conjuguant les sortilèges de la poésie moderne et ceux de l'âme africaine éprise d'images et de rythmes, son œuvre exprime, dans une langue savante et pure, exaltée par le plus haut lyrisme, l'amour de sa terre natale, de ses traditions et des paysans qui la peuplent. Elle s'élève parfois jusqu'au ton de l'épopée pour célébrer la grandeur de la « négritude » et l'espoir d'une réconciliation universelle des races. Agrégé de grammaire, devenu président de la république du Sénégal, L.S. Senghor a publié : *Anthologie de la nouvelle poésie nègre et malgache de langue française* (préface de J.-P. Sartre), 1948 ; *Chants d'ombre*, 1945 ; *Hosties noires*, 1948 ; *Éthiopiques*, 1956 ; *Nocturnes*, 1961 ; *Lettres d'hivernage*, 1973 ; ainsi que plusieurs essais littéraires et politiques *(Liberté I* et *II)*. Il est membre de l'Institut de France (Acad. des sc. morales et pol., 1969).

SENIGALLIA. ♦ Petit port et station balnéaire d'Italie méridionale, dans les Marches* (prov. d'Ancône). 35 000 hab. – Patrie de Pie* IX.

SENLIS [sɑ̃lis]. ♦ Sous-préf. de l'Oise*, ch.-l. d'arr. (7 cant., 133 comm., 183 256 hab.), sur la Nonette. 11 169 hab. *(Senlisiens)*. Enceinte gallo-romaine; cathédrale Notre-Dame, avec son remarquable portail de la Vierge (gothique, XIIe-XIIIe s.); églises désaffectées (Saint-Frambourg, XIIe-XIIIe s.; Saint-Pierre, XIIIe-XIVe s.); hôtel de ville (fin XVe s.). Indus. (constructions mécaniques, etc.). Patrie de Thomas Couture*. ♦ *Hist. Traité de Senlis* (1493), par lequel Charles VIII céda l'Artois, la Franche-Comté et le Charolais à l'Autriche.

SENNACHÉRIB. ♦ Roi d'Assyrie* de ~ 705 à ~ 681 (mort dans un attentat). Fils de Sargon* II, il eut du mal à maintenir l'empire de son père, lutta contre des soulèvements provoqués par l'Égypte en Syrie-Palestine (siège de Jérusalem, ~ 701, **V. Ézéchias**) et par l'Élam en Babylonie. Vaincu par les Élamites à Haloulé (~ 690), il rasa Babylone l'année suivante **(V.** *aussi* **Assarhaddon)**.

SENNAR, en ar. **Sannâr**. ♦ V. du Soudan*, sur la r. g. du Nil* Bleu. 8 000 hab. Anc. cap. du royaume Fundji. Barrage hydroélectrique irriguant la Gézireh*.

SENNE. *n. f.* ♦ Riv. de Belgique (103 km), affl. de la Dyle. La Senne prend sa source dans le Hainaut et arrose Hal* et Bruxelles*. Elle est suivie par le canal de Charleroi à Bruxelles et forme un « couloir industriel » (papeterie, métallurgie, produits chimiques, textiles).

SENNETT (Michaël SINNOTT, dit **Mack)**. ♦ Réalisateur et producteur américain de cinéma (Richmond, Canada, 1884 – Hollywood, 1960). Plus qu'un réalisateur, il fut un incomparable animateur, accordant au scénario autant qu'au montage des quelque 500 films qu'il tourna (1912-1930) le meilleur de ses soins. À l'instar de Ince, il engagea des équipes de metteurs en scène qui, sous sa direction, tournèrent des séries burlesques d'une éblouissante drôlerie (les *Keystone Cops* [Flics de la Keystone] et les *Bathing Beauties* [Belles Baigneuses]). Il eut aussi le mérite de révéler au public une pléiade d'acteurs prestigieux : Charles Chaplin*, Buster Keaton*, Fatty Arbuckle, Gloria Swanson, Wallace Berry, Marie Dressler, Harry Langdon*, W.C. Fields, Bing Crosby. Créateur de génie par le rythme trépidant qu'il sut imprimer en virtuose au film comique, il fait figure, aux côtés de D.W. Griffith et de Th. H. Ince, de pionnier de l'art cinématographique.

SEN-NO-RIKYÛ. ♦ Homme de lettres japonais (Sakai, 1520 – *id.*, 1591) et grand maître dans l'art d'arranger les fleurs et dans celui de la cérémonie du thé qu'il codifia. Hideyoshi*, à qui il avait déplu, lui ordonna de se suicider.

ŠENOA (August). ♦ Romancier, poète et auteur dramatique croate (Zagreb, 1838 – *id.*, 1881). Auteur fécond, il marqua la transition du romantisme au réalisme. Il écrivit, entre autres, des romans historiques sur la Croatie du XIVe au XVIIIe s. : *Le Trésor de l'orfèvre* (1871), *La Révolte des paysans* (1877), *Diogène* (1878), et des romans sur la vie de son époque : *Le Mendiant Luka* (1879), *Branka* (1881).

SÉNONAIS. *n. m.* ♦ Région située sur la bordure méridionale de la Bourgogne entre le Gâtinais* à l'O., la Champagne* pouilleuse à l'E., la Brie* au N. et le pays d'Othe* au S., de part et d'autre de la vallée de l'Yonne. C'est un pays crayeux surmonté de quelques collines de sables tertiaires. Le Sénonais, plus riche que la Champagne pouilleuse, rappelle la Brie; sa principale ressource est l'agriculture, riche et variée grâce à la diversité des sols et à l'épaisseur des limons. Céréales, betteraves, arbres fruitiers, vigne.

SENONCHES. ♦ Ch.-l. de cant. d'Eure-et-Loir, arr. de Dreux, à la lisière du Perche. 3 050 hab. *(Senonchois)*. Église du XVIe siècle. Château des XVe et XVIIe s., avec donjon du XIIe siècle. – Machines agricoles.

SENONES. ♦ Ch.-l. de cant. des Vosges, arr. de Saint-Dié. 4 015 hab. *(Senonais)*. Anc. abbaye du VIIe s., reconstruite au XVIIIe siècle. Exploitation de granit; indus. du coton.

SÉNONS. *n. m. pl.*, en lat. **Senones**. ♦ Peuple de la Gaule qui occupait à peu près le Sénonais actuel et avait pour cap. le port fluvial d'*Agedincum* (Sens*). Les Sénons participèrent à la révolte de la Gaule sous Vercingétorix* réprimée par César* en ~ 51, et, dans l'organisation romaine de la Gaule, *Agedincum* devint la métropole de la Lyonnaise* IVe sous le nom de *Senones*. – Une population celte du même nom passa en Italie vers ~ 400 et s'établit sur l'Adriatique; coalisée contre Rome en ~ 312, elle fut vaincue et dut accepter l'hégémonie romaine. Les colonies de *Sena Gallica* et d'*Ariminium* (Rimini) furent fondées par eux en ~ 283 et ~ 268.

SENOUSIS, SENOUSSIS ou **SANÛSIS**. *n. m. pl.* ♦ Membres de la confrérie musulmane de la *Senoussiya*, du nom de son fondateur Muhammad ibn Ali es-Senousi (douar Torch, près de Mostaganem, v. 1792 – Djaraboud, 1859). Senousi demeura à La Mecque de 1830 à 1843. Il gagna ensuite la Cyrénaïque, où il fonda en 1843 la première « zaouïa » de son ordre. Opposée aux chrétiens, la confrérie s'établit en 1855 à Djaraboud, oasis et carrefour caravanier aux confins de la Tripolitaine et de l'Égypte, à 300 km au S. de Tobrouk, et son influence gagna tout le Sahara oriental. À la mort du fondateur, son fils Ahmed al-Mahdi, puis le neveu de ce dernier, Ahmed al-Sharif, lui succédèrent. Les Senousis résistèrent à l'occupation française du Kanem et du Tibesti. Lorsque les Italiens eurent occupé la côte de la Libye, ils les repoussèrent. En 1931, l'occupation de Koufra par l'Italie fasciste mit fin à leur puissance. En 1949, avec l'appui des Britanniques, la Cyrénaïque devint un royaume héréditaire au profit du chef des Senousis, Muhammad Idris es-Senousi, qui devint roi de Libye en 1951, mais fut déposé en 1969.

Ph. Louis Monier

Hôtel de Sens.

SÉNOUSRET. ♦ **V.** SÉSOSTRIS.

SENS [sɑ̃s]. ♦ Sous-préf. de l'Yonne [9 cant., 109 comm., 78 049 hab.], sur l'Yonne*, en aval de son confluent avec la Vanne*. 24 563 hab. *(Sénonais)*. L'aggl. compte 29 081 hab. avec Paron, Saint-Clément, Saint-Denis. Archevêché. Tour gallo-romaine. Cathédrale Saint-Étienne (l'une des plus anc. cathédrales gothiques, XIIe au XVIe s.). Palais synodal ou Officialité (XIIIe s.). Nombreuses églises : Saint-Maurice (XIIe et XVIe s.); Saint-Pierre-le-Rond (XIIIe-XVIe s.); abbatiale Saint-Jean (XIIe et XVIIe s.); Saint-Savinien (XIe-XIIIe s.). Maisons et hôtels anc. Musées. – Centre industriel : tanneries, fabriques de matériel électrique, de matières plastiques, scieries, fonderies, coutelleries. – Patrie de Bourrienne*. ♦ *Hist.* Anc. cap. des Sénons* sous le nom d'*Agedincum*, la V. devint la métropole de la Lyonnaise IVe sous le nom de *Senones*. Saccagée par les Normands, Sens fut prise par le duc de Bourgogne et devint cap. du Sénonais, qui revint à la couronne en 1055. En 1234, Saint Louis y fit célébrer son mariage avec Marguerite de Provence.

Sens *(hôtel de)*. ♦ Situé à Paris, dans le quartier du Marais*, c'est un des plus anciens monuments de l'architecture civile du Moyen Âge, avec l'hôtel de Cluny*. Construit de 1475 à 1507 pour servir de résidence aux archevêques de Sens (qui eurent les évêques de Paris pour suffragants jusqu'en 1622), c'est une demeure moitié civile et moitié militaire; la façade en pan coupé, flanquée de deux tourelles d'angle à toits en poivrière, offre une belle porte en tiers-point. Au delà du porche à la voûte flamboyante, à l'angle sud-ouest de la cour, se dresse une tour carrée. L'hôtel de Sens fut le lieu de rendez-vous des principaux ligueurs et abrita les intrigues galantes de Marguerite de Valois (1605). Il contient actuellement la bibliothèque Forney (1961; documents sur les arts décoratifs et la technique).

SENSÉE. *n. f.* ♦ Affl. (r. g.) de l'Escaut. 60 km. Née dans le Pas-de-Calais au N. de Bouchain*, la Sensée est réunie à la Scarpe* par le *canal de la Sensée*, long de 25 km.

SENTEIN-LES-BAINS. ♦ Comm. de l'Ariège*, arr. de Saint-Girons*, sur le Lez. 382 hab. Église romane à deux tours, clocher octogonal. Restes de l'enceinte fortifiée. – Extraction de minerai de plomb et de zinc.

SEO DE URGEL ou **URGEL**, en catalan **Seu d'Urgel**. ♦ V. d'Espagne, en Catalogne* (prov. de Lérida). 7 200 hab. Cathédrale *(la Seu)*. L'évêque d'Urgel partage avec le président de la République française la suzeraineté de la principauté d'Andorre*.

SÉOUD [*Sa'ûd*]. ♦ **V.** 'ABD AL-'AZÎZ IBN SA'ÛD; SA'ÛD IBN 'ABD AL-'AZÎZ.

SEOUL. ♦ Cap. de la Corée du Sud, située sur les rives du fl. Han, à 60 km de la mer de Chine. 5 509 993 hab. La ville moderne concentre plus de 15 % de la population de la Corée du Sud. Centre culturel et administratif (4 universités). Indus. alimentaires, textiles et de petite métallurgie. ♦ *Hist.* Fondée au XIe s., elle se nommait Gyeong Seong. Elle devint capitale en 1392. Pendant l'occupation japonaise (1910-1945), elle fut appelée Keijô. Elle souffrit beaucoup de la guerre de 1950-1951 et a été reconstruite sur un plan moderne.

Ph. Giraudon

Épisode de la guerre de **Sept Ans.** École française, deuxième moitié du XVIIIe s. (Musée Condé, Chantilly.)

Sept Ans *(guerre de)*. ♦ Guerre européenne (1756-1763), qui opposa la France, l'Autriche, la Russie, la Saxe, la Suède et l'Espagne à l'Angleterre alliée à la Prusse et au Hanovre. Elle eut pour cause à la fois la volonté autrichienne de reprendre la Silésie **(V. Succession d'Autriche)** et la rivalité coloniale franco-anglaise. L'Angleterre ayant ouvert les hostilités en saisissant trois cents navires de commerce français (1755), la Prusse s'allia à elle (traité de Westminster, 1756), et la France et l'Autriche se retrouvèrent dans le même camp. Ce renversement des alliances fut sanctionné par le traité de Versailles (1756). En Allemagne, Frédéric* II, qui avait envahi la Saxe et la Bohême (1756-1757), dut céder devant Daun* (1757) et évacuer la Bohême, tandis que les Anglo-Hanovriens étaient arrêtés par les Français (capitulation de Kloster* Zeven, 1757). La Prusse redressa sa situation par trois grandes victoires (Rossbach* sur les Français, Leuthen* sur les Autrichiens, Zorndorf sur les Russes), mais allait être vaincue par la Russie quand mourut la tzarine Élisabeth*. Pierre* III signa la paix, et Frédéric put concentrer ses efforts et reconquérir la Silésie. Parallèlement, la guerre se poursuivit aux colonies et sur mer. À une période de succès français (prise de Port-Mahon par le duc de Richelieu* en 1756) succéda une reprise anglaise, sous l'impulsion de Pitt*. La marine britannique, maîtresse des mers, bloqua les côtes des colonies françaises; celles-ci ne purent résister. Au Canada, après la mort de Montcalm*, Québec et Montréal se rendirent (1759-1760), et en Inde, Lally*-Tollendal capitula à Pondicherry (1761). Le pacte de Famille* (1761), signé à l'instigation de Choiseul*, arrêta cependant l'Angleterre. La guerre fut terminée par deux traités **(V. Hubertsburg et Paris).** Marie*-Thérèse abandonnait définitivement la Silésie, confirmant la puissance de la Prusse. La France cédait presque toutes ses possessions américaines et indiennes **(V. Canada, Inde)** et conservait les îles : l'Angleterre possédait désormais le premier empire colonial. Mais la portée de ces événements échappa totalement aux contemporains.

Septante *(version des)*. ♦ Traduction grecque de la Bible hébraïque, réalisée à Alexandrie aux ~ IIIe et ~ IIe s., ainsi appelée à la suite d'une légende qui en fait l'œuvre de 72 rabbins (6 de chaque tribu d'Israël) réunis par Ptolémée II Philadelphe : isolés 72 jours dans l'île de Pharos, ils auraient abouti à une traduction identique de la Loi.

Sept Chefs *(guerre des)*. ♦ Expédition légendaire organisée par Polynice* contre son frère Étéocle* qui refusait, malgré leur accord, de partager avec lui le trône de Thèbes*. Polynice réunit six autres chefs, dont Adraste*, le roi d'Argos et Tydée*, roi de Calydon et attaque Thèbes. Cette œuvre néfaste est contée dans la tragédie d'Eschyle *Sept contre Thèbes*. Dix ans plus tard, les Épigones* vengent leurs pères tombés à Thèbes.

Sept contre Thèbes, en gr. **Hepta epi Thêbas**. ♦ Tragédie d'Eschyle* (~ 467). Après la mort d'Œdipe*, Étéocle* a refusé, en dépit de ses promesses, de rendre à son frère Polynice* le trône de Thèbes qu'il occupait depuis un an. Dans les cités avoisinantes, Polynice a recruté six chefs de bande et assigné à chacun la mission d'assiéger une porte de Thèbes, tandis qu'il marche lui-même contre la septième. Le drame dépeint la fermeté d'Étéocle déterminé à défendre sa ville, l'effroi des femmes thébaines (qui constituent le chœur) et l'agitation des guerriers qui se pressent aux portes de la ville. Quand il apprend que Polynice commande l'une des armées, Étéocle, fou de rage, se précipite au combat. La dernière partie de la pièce comporte le récit de sa mort, les gémissements rituels des Thébains, et prépare l'ultime péripétie, l'intervention d'Antigone. Consacrant le triomphe d'une fatalité inéluctable qui a poursuivi la postérité de Laïos, cette tragédie constituait le dénouement d'une trilogie commencée avec deux œuvres qui retraçaient le destin des Labdacides *Laïos* et *Œdipe*, aujourd'hui perdues.

Sept Dormants *(les)*. ♦ Personnages d'une légende orientale d'après laquelle sept jeunes chrétiens, lors de la persécution de Dèce*, auraient été murés dans une caverne que l'on montre toujours à Éphèse. Miraculeusement endormis, ils se seraient réveillés deux siècles plus tard, sous Théodose II. Le plus ancien texte de cette légende est une version syriaque (v. 500). Elle figure dans le Coran (sourate 18). En Occident, la première mention est dans Grégoire de Tours (*De gloria martyrum*, 95).

Septembre 1792 *(massacres de)*. ♦ Exécutions sommaires qui se déroulèrent entre le 2 et le 6 septembre à Paris (à la prison de l'Abbaye*, aux Bernardins, à Bicêtre, aux Carmes, au Châtelet, à la Conciergerie, à la Salpêtrière) et dans plusieurs villes de province. Avec la suspension du roi, le 13 août 1792, la menace d'un complot aristocratique hanta à nouveau les patriotes en même temps que se précisait le danger d'invasion. Après la reddition de Longwy (25 août) puis de Verdun (2 septembre) aux Prussiens, la Commune insurrectionnelle lança une proclamation aux Parisiens, fit lever des volontaires et sonner le tocsin. C'est dans une atmosphère de surexcitation générale qu'explosa la colère populaire, que les autorités (en particulier Danton*) ne firent rien pour empêcher, et que certains chefs révolutionnaires, comme Marat*, contribuèrent sans doute à aviver en appelant le peuple à faire lui-même justice de ses ennemis. Plus de 1 200 détenus furent massacrés à Paris : des prêtres réfractaires, des nobles, mais aussi de simples prisonniers de droit commun. Les massacres de Septembre, qui marquèrent le début de la Terreur*, ternirent pour beaucoup la lutte pour la liberté. Ils s'expliquent en fonction d'un climat de peur nationale et sociale « peur pour la Révolution, peur de la contre-révolution » (A. Soboul).

Septembre 1793 *(journées des 4 et 5)*. ♦ Journées révolutionnaires parisiennes consécutives à la crise des subsistances (difficultés de ravitaillement) et à la reddition de Toulon aux Anglais (2 sept.). Après les rassemblements ouvriers (4 sept.), les sections populaires des sans*-culottes, dirigées par les hébertistes et les enragés, organisèrent une manifestation (5 sept.) dont les mots d'ordre étaient : « Guerre aux tyrans! Guerre aux aristocrates! Guerre aux accapareurs! » Devant la pression populaire, la Convention mit la Terreur à l'ordre du jour. Ce n'est toutefois que le 11 septembre qu'elle décréta le maximum national des grains et des farines, et le 29 septembre le maximum général.

Septembre *(lois de)*. ♦ Lois votées en 1835 sous le ministère de Broglie, après l'attentat de Fieschi*. La loi sur les cours d'assises donnait au ministre de la Justice le pouvoir de créer autant de cours d'assises qu'il lui paraîtrait nécessaire pour juger les prévenus coupables d'attentat contre la sûreté de l'État. La Cour pouvait juger en leur absence. La loi sur le jury établissait le secret du vote et réduisait de huit à sept le nombre des voix nécessaires pour la condamnation. La loi sur la presse rendait le cautionnement plus lourd et interdisait tout article attaquant le roi ou le gouvernement.

Septembre 1864 *(convention de)*. ♦ Signée entre la France et l'Italie pour régler la question romaine. Napoléon III s'engageait à faire évacuer Rome par les troupes françaises (dans les deux ans) à condition que le gouvernement italien reconnût l'intégrité des territoires pontificaux et transférât la capitale italienne de Turin à Florence. Cette convention souleva de vifs mécontentements de la part des partisans de Mazzini et Garibaldi, ainsi que du pape Pie IX qui y répondit par l'encyclique *Quanta cura* et le *Syllabus*.

Septembre 1870 *(journée révolutionnaire du 4)*. ♦ À la nouvelle de la capitulation de Sedan* (2 sept.), connue à Paris le 3 septembre, le Corps législatif décida d'assurer le pouvoir, tandis que les députés républicains réclamaient la déchéance de l'empereur et de sa dynastie. Le 4 septembre, une manifestation fut organisée à Paris par Blanqui, Delescluze, ... Les manifestants ayant envahi la tribune du Palais-Bourbon, L. Gambetta*, sous la pression des forces populaires révolutionnaires, proclama la déchéance de Napoléon* III, puis la République à l'Hôtel de Ville. Un gouvernement de la Défense* nationale fut constitué le même jour.

Septembre noir. ♦ Nom donné à une organisation secrète de résistance palestinienne, constituée après la guerre civile qui opposa la Légion du roi Husayn* de Jordanie* et les fedayin palestiniens en *septembre* 1970. L'organisation lutte contre le sionisme et l'impérialisme et entend « enseigner aux masses la nécessité de l'action clandestine » (G. Mury). Elle a revendiqué plusieurs actions terroristes [assassinat du Premier ministre jordanien, Wasfi Tall, détournement d'un avion de la Sabena sur l'aéroport israélien de Lod (8 mai 1972), destruction des installations pétrolières à Trieste (août 1972), etc].

SEPTÈMES-LES-VALLONS. ♦ Comm. des Bouches-du-Rhône, arr. d'Aix, près de Gardanne. 5 844 hab. Vestiges romains (aqueduc). Château du XVIIIe siècle. — Indus. (chimie; ciment).

SEPT-ÎLES. ♦ V. et port du Canada (Québec), sur la rive N. du Saint-Laurent, face à la Gaspésie. 18 950 hab. Exportation du minerai de fer du Nouveau-Québec **(V. Knob Lake)**; terminus du chemin de fer de Schefferville.

SEPTIMANIE ou **GOTHIE**. *n. f.*, du lat. **Septimani** (soldats de la VIIe légion ou sept villes, à cause des sept villes principales qui s'y trouvaient). ♦ Région de la Gaule méridionale située entre le Rhône, les Pyrénées et le Massif central, occupée par les Wisigoths*. Prise par les Arabes (719), elle fut reconquise par Pépin le Bref (759). Sous le nom de duché de Narbonne (xe s.), elle appartint aux comtes de Toulouse et fut réunie à la France en 1229.

SEPTIME SÉVÈRE, en lat. **Lucius Septimius Severus Aurelius Antoninus**. ♦ (Leptis Magna, Afrique, 146 — Eburacum, *auj.* York, 211). Empereur romain (193-211). Sémite d'Afrique, il commandait les légions d'Illyrie à la mort de Pertinax*. Proclamé empereur par ses soldats, il élimina successivement ses rivaux Didius* Julianus, Pescennius* Niger et Albinus*. Empereur autoritaire, d'une volonté inflexible et soucieux avant tout d'efficacité, il s'appuya sur l'armée, enlevant tout pouvoir au sénat et hâtant l'évolution vers un empire bureaucratique et centralisateur. Préoccupé de la sécurité de l'État, il fut presque continuellement en guerre, vainquit les Parthes à plusieurs reprises, prit Séleucie* et Ctésiphon* et constitua la province de Mésopotamie (199). Il mourut en Grande-Bretagne où il menait depuis trois ans des campagnes contre les Calédoniens (208-211), laissant l'empire à ses deux fils Caracalla* et Géta*.

Sept merveilles du monde *(les)*. ♦ Nom donné dans l'Antiquité à de célèbres monuments dont la liste, différente selon les auteurs, comprend le plus souvent les pyramides* d'Égypte, les jardins suspendus de Babylone*, la statue de Zeus Olympien de Phidias* à Olympie, le temple d'Artémis à Éphèse*, le tombeau de Mausole* (mausolée) à Halicarnasse, le phare d'Alexandrie **(V. Pharos)** et le colosse de Rhodes*, œuvre de Charès.

SEPTMONCEL [sɛmɔ̃sɛl]. ♦ Comm. du Jura, arr. de Saint-Claude. 726 hab. – Fromages. Lapidairerie. – Patrie de D. Dalloz*.

SEPT SAGES. ♦ **V.** SAGES (Sept).

SÉQUANAISE (Grande-). *n. f.*, en lat. **Maxima Sequanorum**. ♦ Province romaine constituée au IVᵉ s., correspondant au territoire occupé par les Séquanes* (ch.-l. *Vesontio :* Besançon*).

SÉQUANES, SÉQUANAIS ou **SÉQUANIENS.** *n. m. pl.*, en lat. **Sequani**. ♦ Peuple de la Gaule établi entre les sources de la Seine *(Sequana)* et le Jura et dont la cap. était *Vesontio* (Besançon*). Adversaires des Éduens*, ils appelèrent Arioviste* contre ces derniers, mais furent vaincus par César* en ~ 58. Dans l'organisation romaine de la Gaule au IVᵉ s., leur territoire forma la province de Grande-Séquanaise* *(Maxima Sequanorum)*.

SERAFIMOVITCH (Alexandre Serafimovitch POPOV, dit) [*Serafimovič*]. ♦ Conteur et romancier russe et soviétique (Nijne-Kourmoiarskaia, province du Don, 1863 – Moscou, 1949). Il a subi l'influence de son ami Gorki*. Dans ses premières nouvelles, il décrit la dure vie des hommes dans la nature arctique *(Sur la banquise,* 1889; *Dans la toundra)*, puis le sort des ouvriers dans sa nouvelle *La Marche funèbre* (1906) et dans son roman *La Ville dans la steppe* (1907). Dans *Le Torrent de fer* (1924) il dépeint le peuple russe en armes dans la guerre civile. Ce roman est devenu un classique soviétique.

SERAING [sərɛ̃]. ♦ Comm. de Belgique (prov. et arr. de Liège) sur la Meuse. 41 400 hab. Abbaye cistercienne du Val-Saint-Lambert reconstruite au XVIIIᵉ s. où l'on a transféré des cristalleries. Houillères. Sidérurgie. Constructions mécaniques. – C'est de Seraing que sortit en 1835 la première locomotive construite sur le continent européen.

SERAJEVO. ♦ **V.** SARAJEVO.

SÉRAM, anc. **Céram.** ♦ Île d'Indonésie (archipel des Maluku ou Moluques). Env. 100 000 hab. – Exploitations pétrolières sur la côte septentrionale. Pêche, coprah.

SERAPEUM. ♦ Nécropole des taureaux Apis à Saqqarah*, découverte par Mariette* en 1850. Elle est formée de larges galeries souterraines où l'on ensevelissait les sarcophages des taureaux momifiés à partir du Nouvel Empire. Lorsque le culte de Sérapis fut introduit en Égypte, les Grecs identifièrent Sérapis avec Apis, et le temple d'Apis mort devint sous le nom de *Sérapéion* (en lat. *Serapeum*), un lieu de pèlerinage commun aux Grecs et aux Égyptiens. **V. Sérapis.**

SÉRAPIS ou **SARAPIS.** ♦ Divinité introduite en Égypte par Ptolémée* Iᵉʳ, désireux d'instaurer un culte commun aux Égyptiens et aux Grecs. Son nom lui venait sans doute d'un sanctuaire de Memphis* réservé au culte des taureaux (Apis*) défunts (donc devenus Osiris*) qu'on appelait la Maison d'Osiris-Apis, ce que les Grecs transcrivirent par *Poserapis* **(V. Serapeum).** Ce dieu réunissait les attributs de différents dieux grecs – Hadès*, Asclépios*, Dionysos* et Poséidon* – comme le montre la statue de Bryaxis retrouvée à Alexandrie, et était à la fois dieu des morts, dieu guérisseur, dieu de la fertilité et protecteur des marins. On en fit bientôt un dieu suprême, « l'unique Zeus Sérapis » selon la formule rituelle, et son culte gagna la Grèce, Rome et l'Asie Mineure **(V. Canope).**

SERBIE. *n. f.*, en serbe **Srbija**. ♦ L'une des six Républiques fédératives de Yougoslavie. 55 968 km². 5 254 720 hab. *(Serbes). Cap.* Belgrade*. *Langue :* serbe. Située entre la Bulgarie à l'E. et la Bosnie*-Herzégovine à l'O., elle comprend au N.-E. la province autonome de Vojvodine* et au S. la région autonome de Kosovo*-Metohija. La Serbie est un pays de plaines et de massifs. Au N. s'étend le bassin pannonien*, d'O. en E., les bassins de la Morava* et du Timok, tandis que des montagnes assez élevées (2 000 à 2 500 m), appartenant aux massifs des Balkans* et du Rhodope*, occupent toute la partie méridionale. À l'E. se situe le défilé des Portes* de fer (gorges du Djerdap). – *Hydrogr.* Danube*, Save*, Tisza* (navigables); Drina*, Morava*. Lacs : Palić* et Ludesko Jerezo. *V. princ. :* Belgrade*, Niš*, Kragujevac*, Požarevac*, Subotica*. – *Écon.* La Serbie est dans l'ensemble une région agricole. L'opposition entre l'O. et l'E. est très marquée. La vallée de la Morava (Pomoravje) sépare la zone occidentale, fertile (maïs, blé, cultures fourragères) de la zone orientale, beaucoup moins développée, où, sauf dans la vallée du Timok (maïs, vigne), l'agriculture est pratiquement inexistante. Les sources d'énergie sont localisées dans la vallée de la Morava, où l'on exploite le cuivre (Bor et Majdanpek), l'or, le lignite, l'antimoine et la houille (Kostolac). Production d'électricité (Vlasina). Les industries se sont développées à proximité des sources d'énergie : aciéries (Smederovo), métallurgie (Smederevska Palanka et Požarevac); fonderies (Bor, Kostolac, Rtjanj, Sevojno); indus. chimiques (Prahovo) et fabriques de câbles de cuivre (Svetozarevo). La région de Belgrade* est, elle aussi, fortement industrialisée (fabriques de moteurs Diesel et de tracteurs, combinat alimentaire « Beograd », centre d'énergie nucléaire), mais elle souffre de l'éloignement des sources d'énergie. ♦ *Hist.* Le territoire actuel de la Serbie fit partie au ~ Iᵉʳ s. de la province romaine de Mésie*, qui fut envahie au VIIᵉ s. par les Serbes, peuple slave venu de la Galicie* orientale. Après avoir subi tour à tour la domination des empereurs byzantins, des Grecs et des Bulgares, les Serbes finirent par conquérir leur indépendance avec la dynastie des Nemanjides (1180) et eurent une Église autocéphale en 1221. La Serbie médiévale atteignit son apogée sous le règne d'Étienne* IX Douchan (1331-1355) et devint l'État le plus puissant des Balkans. Mais à la suite de la bataille de Kosovo (1389), elle fut totalement soumise par les Turcs qui y exercèrent leur tyrannie jusqu'au XIXᵉ siècle. En 1804, le soulèvement national serbe commença sous la direction de Karageorges* qui s'empara de Belgrade et se proclama prince de Serbie (1808-1813). Miloch Obrenovitch lui succéda en 1815 et fit de la Serbie une principauté autonome. Néanmoins, l'indépendance complète ne fut reconnue qu'en 1878, au congrès de Berlin. Entre-temps, la Serbie fut en proie aux rivalités qui opposèrent les Karageorgevitch aux Obrenovitch : ces derniers furent victimes d'une conspiration qui permit à Pierre* Iᵉʳ Karageorgevitch de monter sur le trône (1903). Dans les premières années du XXᵉ s., la Serbie se fit le champion de la libération des Slaves du Sud. Par ses victoires sur la Turquie (1912-1913) et sur la Bulgarie (1913), elle s'agrandit de la Macédoine. Mais le 28 juin 1914, un jeune terroriste serbe, Princip*, assassina l'archiduc héritier d'Autriche François*-Ferdinand à Sarajevo. Ce fut l'étincelle de la Première Guerre mondiale. Envahie par les armées autrichiennes, la Serbie résista d'abord avec succès, mais dut battre en retraite après l'entrée en guerre de la Bulgarie. À la suite de l'effondrement des puissances centrales, la Serbie réunit les Slaves du Sud dans un nouvel État qui prit d'abord le nom de *royaume des Serbes, des Croates et des Slovènes* (1918) puis celui de Yougoslavie (1931). En 1941, les Allemands démembrèrent la Yougoslavie et reconstituèrent un État serbe sous le gouvernement du général Néditch. Mais après la défaite hitlérienne, la Serbie devint une des républiques fédératives de la Yougoslavie*.

SERCAMBI (Giovanni). ♦ Écrivain italien (Lucques, 1347 – 1424). Auteur d'une *Chronique* de sa ville natale (de 1164 à 1424), il écrivit aussi un recueil de cent cinquante-cinq *Nouvelles (Novelle)* où il s'inspire de Boccace*.

SERCQ *(île de)*, en angl. **Sark**. ♦ L'une des plus petites (11 km²) îles anglo-normandes, à 11 km à l'E. de Guernesey. 584 hab. On distingue au N. le *Grand-Sercq,* ou partie nord de l'île, du *Petit-Sercq* au S., séparé par une chaussée naturelle : la Coupée (91 m de long). Élevage, pêche et tourisme. Sercq est depuis l'époque normande gouvernée par un « seigneur » ou une « dame » qui relève du bailliage de Guernesey.

SEREIN. *n. m.* ♦ Riv. de la Côte-d'Or et de l'Yonne, affl. r. d. de l'Yonne*, né dans le plateau de Saulieu. 186 km. Il arrose Chablis*.

SERÉMANGE-ERZANGE. ♦ Comm. de la Moselle, arr. et aggl. de Thionville-Ouest. 4 976 hab. Sidérurgie (trains de laminage). Constructions électriques.

SERENA (La). ♦ V. du Chili* septentrional, située à l'embouchure du rio Elqui, ch.-l. de la prov. de Coquimbo*. 60 000 hab. (en 1969). Marché du cuivre.

SERENGETI *(parc national de)*. ♦ Le plus grand des parcs nationaux de Tanzanie*, situé au N.-O. du pays. Tourisme.

SÉRENT (Armand Louis, *duc de***).** ♦ Officier français (1736 – 1822). Maréchal de camp (1780), il devint gouverneur des enfants du comte d'Artois et des ducs d'Angoulême et de Berry. Émigré peu après le début de la Révolution, il servit dans l'armée de Condé contre la France révolutionnaire, puis suivit le comte d'Artois en

Ph. Hétier

Serbie : monastère de Peć.

Ph. Lauros-Giraudon

Exécution des **quatre sergents de La Rochelle** le 21 septembre 1822. Illustration d'époque. (Bibliothèque nationale, Paris.)

Russie et en Angleterre. Rentré en France sous la Restauration, il fut nommé pair, lieutenant général et gouverneur du château de Rambouillet.

SÉRÈRES. *n. m. pl.* ♦ Peuple noir d'Afrique* occidentale vivant au Sénégal*. Ce sont des agriculteurs sédentaires établis principalement dans la région du Sine-Saloum*.

SERGE, en gr. **Sergios.** ♦ Patriarche de Constantinople de 610 à sa mort en 638, conseiller d'Héraclius. Il défendit Constantinople assiégée par les Perses, les Avars et les Slaves (626). Il inspira le monothélisme. **V. Monothélètes.**

SERGE ou **SERGIUS Ier** *(saint).* ♦ 84e pape (687-701 [mort]). Syrien né en Sicile. Il fut élu contre Théodore et Pascal, antipapes. Il modifia la liturgie de la messe et introduisit en Occident plusieurs solennités mariales : Nativité de la Vierge (8 sept.), Purification (2 fév.), Annonciation (25 mars), Assomption (15 août). En 692, il résista à Justinien II qui voulait le faire enlever. Fête le 8 septembre.

SERGE ou **SERGIUS II.** ♦ 102e pape (844-847 [mort]), Romain. Élu contre l'antipape Jean, il tomba sous la coupe de son frère Benoît, laissa la simonie s'installer. Rome subit l'invasion sarrasine sous son pontificat, en 846.

SERGE ou **SERGIUS III.** ♦ 119e pape (904-911 [mort]), Romain. Avec lui commence la période dite de la Pornocratie*. Selon le *Liber pontificalis,* un fils qu'il eut de Marozie devint le pape Jean* XI.

SERGE ou **SERGIUS IV.** ♦ 141e pape (1009-1012 [mort]). Romain.

SERGE DE RADONÈGE, en russe **Radonejski** *(saint).* ♦ Moine russe (près de Rostov, v. 1314 – Troitsa, 1392). Il se retira dans un ermitage en pleine forêt (1336), prit le nom de Serge et, rejoint par ses disciples, fit de sa retraite le monastère de la Trinité, qui devint le foyer d'un vaste mouvement monastique (les *pustinniki*). Il accepta des missions politiques (réconciliations entre princes), bénit Dimitri* IV Donskoï, éduqua les paysans. Patron de la Russie, fêté (dans l'Église orthodoxe) le 25 septembre.

SERGENT (Antoine François, dit **Sergent-Marceau).** ♦ Dessinateur. graveur et homme politique français (Chartres, 1751 – Nice, 1847). Rallié à la Révolution, membre du Club des jacobins, il fut officier municipal puis administrateur de la Police (1792) et participa aux grandes journées révolutionnaires (20 juin et 10 août 1792). Député montagnard à la Convention, il fit partie du comité des Arts et de l'Instruction et contribua à la création du Musée français et du Conservatoire. Décrété d'accusation après l'insurrection jacobine de Prairial an III, il se réfugia en Suisse. Revenu en France peu après, il fut nommé inspecteur général des hôpitaux militaires, mais émigra en Italie après le coup d'État du 18 Brumaire.

Sergents de La Rochelle *(les quatre).* ♦ En 1821, quatre sergents du 45e régiment d'infanterie alors en garnison à Paris, Bories, Goudin, Raoulx et Pommier, fondèrent une *vente* de carbonari **(V. Charbonnerie).** Le 45e régiment fut envoyé à La Rochelle et, à la suite de dénonciations, les quatre sergents furent découverts. Traduits devant les assises de la Seine avec une vingtaine de complices, ils refusèrent de parler, furent condamnés à mort et guillotinés (21 sept. 1822). Cependant, les quatre sergents n'avaient pris part à aucune rébellion et ils passèrent pour martyrs. L'opposition libérale se servit de cette affaire contre le gouvernement de la Restauration.

SERGIPE. *n. m.* ♦ Petit Etat côtier de l'E. brésilien situé au S. de l'État d'Alagoas* dont il est séparé par le rio São* Francisco. 21 994 km². 911 251 hab. en 1970. *Cap.* Aracajú*. Exploitation du pétrole en progrès. Cultures tropicales (canne à sucre, noix de coco, coton, etc.).

SÉRIGNAN. ♦ Comm. de l'Hérault (arr. de Béziers), sur la r. d. de l'Orb. 2 950 hab. Église (XIIIe s.).

SERLIO (Sebastiano). ♦ Architecte et théoricien italien (Bologne, 1475 – Fontainebleau, v. 1554). Il se forma à Bologne, à Rome (notamment avec B. Peruzzi), à Venise et composa un ample traité d'architecture en 8 livres (dont 7 furent composés) qui vulgarisait les connaissances sur l'art antique (*Quatrième Livre,* 1537 ; *Troisième Livre* sur l'usage des cinq ordres, 1540), et les doctrines architecturales de Vitruve (*Premier, Deuxième, Cinquième Livre :* géométrie, perspective, églises ; 1545-1547). Il se rendit en France à la fin de 1540 et François Ier l'employa à Fontainebleau. Il édifia notamment le château d'Ancy*-le-Franc (longtemps attribué au Primatice, responsable de la décoration intérieure et de remaniements) ; cet édifice combine avec bonheur le respect des traditions françaises et l'utilisation des éléments antiques (pilastres doriques et corinthiens).

SERMAIZE-LES-BAINS. ♦ Comm. de la Marne, arr. de Vitry-le-François. 2 741 hab. Église du XIIe siècle. À proximité, vestiges de l'abbaye des Trois-Fontaines, fille de Cîteaux, fondée en 1118. Station thermale (affections urinaires, anémies). – La ville a été endommagée au cours des deux guerres mondiales.

Serments de Strasbourg *(les).* ♦ Premier texte connu écrit en langue romane (langue d'oïl) en 842, dans lequel deux des petits-fils de Charlemagne*, Charles* le Chauve et Louis* le Germanique, font un serment d'assistance mutuelle contre leur frère Lothaire. – *Les Serments* ont été conservés par le chroniqueur Nithard*.

Sermons. ♦ Prêchés par Bossuet* essentiellement de 1659 à 1662 ; publiés à la fin du XVIIIe siècle. Usant d'une éloquence simple adaptée à son désir d'une prédication pratique et efficace, Bossuet y développe, suivant une organisation antithétique ou ternaire, le même enseignement que dans ses *Oraisons* funèbres :* appels à la charité et à la justice, humaine comme divine (*Sermon sur l'éminente dignité des pauvres* [...] 1659). Le thème le plus fréquent est celui (pascalien) de la misère et de la grandeur de l'homme, complexité dont seule la religion peut rendre compte, comme il est dit dans le vigoureux *Sermon sur la mort* (1662). **V.** *aussi* **Bourdaloue, Massillon.**

SERNIN *(saint).* ♦ **V.** SATURNIN (saint).

SEROV (Alexandre Nikolaïevitch). ♦ Compositeur russe (Saint-Pétersbourg, 1820 – *id.,* 1871). Fonctionnaire dans un ministère de Saint-Pétersbourg, autodidacte en musique, il fut fortement influencé par le drame wagnérien dont il tenta de donner un équivalent russe. Ses deux opéras *Judith* (1863) et *Rogneda* (1866) marquent une étape importante dans le développement de l'opéra russe après Glinka* et Dargomyjski*. Son chef-d'œuvre est incontestablement *La Puissance du mal* son dernier opéra, inachevé. Il écrivit un *Stabat Mater,* un *Ave Maria,* un *Cantique de Noël.*

SEROV (Valentin Alexandrovitch). ♦ Peintre russe (Saint-Pétersbourg, 1865 – Moscou, 1911). Élève de Répine, il fit partie du groupe *Mir Iskousstva.* D'un séjour à Paris, il conserva une empreinte profonde et l'influence de l'impressionnisme est très sensible dans un tableau comme *La Fillette aux pêches,* peinture claire où le traitement de la couleur aboutit à des effets de simplification rappelant ceux de Manet. Il fut l'un des meilleurs portraitistes russes *(la princesse Joussopova, Ida Rubinstein, la Pavlova).*

SEROV (jusqu'en 1939 **Nadejdinsk).** ♦ V. d'U.R.S.S. (R.S.F.S. de Russie) dans la région de Sverdlovsk, sur la Kakva. 100 000 hab. – L'un des centres miniers (bauxite, minerai de fer) et métallurgiques de l'Oural.

SEROWE. ♦ V. du Botswana* à l'E. du pays. 35 000 hab. Principal centre agricole et commercial.

SERPA PINTO (Alexandre Alberto da ROCHA). ♦ Explorateur portugais (Tendais, canton de Cinfães, 1846 – Lisbonne, 1900). Après une campagne dans le Mozambique (1868), il explora la région entre le Congo et le Zambèze (dont il étudia le cours et les affluents, 1877), traversa le désert du Kalahari, parvint à Pretoria puis Durban (1879). Nommé gouverneur général du Mozambique (1889), il tenta de l'unir à l'Angola ; mais, face à l'opposition de l'Angleterre, le Portugal fut contraint de retirer ses troupes du Zambèze (1890).

SERPENT. *n. m.,* en lat. **Serpens.** ♦ Constellation équatoriale comprenant deux zones dites la *Tête* et la *Queue.*

SERPOLLET (Léon). ♦ Ingénieur et industriel français (Culoz, 1858 – Paris, 1907). Inventeur de la chaudière à vaporisation instantanée (1881), il construisit également un tricycle à vapeur (1887). Devant la concurrence de la voiture à moteur à essence, il fut conduit à améliorer son moteur à vapeur, l'huile de paraffine constituant le combustible, au lieu de coke trop lourd. Ses voitures furent les premières à atteindre la vitesse de 120 km/h.

SERPOUKHOV ou **SERPUKHOV.** ♦ V. d'U.R.S.S. (R.S.F.S. de Russie), dans la région de Moscou, sur l'Oka*. 120 000 hab. – Important centre textile. Indus. métallurgiques et alimentaires. Matériaux de construction.

SERRA (Antonio). ♦ Économiste italien (né à Cosenza, v. 1550). Auteur d'un *Bref traité des causes qui font abonder l'or et l'argent dans un pays où il n'y a pas de mines* (1613), il fut, avec J. Botero, un des principaux représentants du mercantilisme en Italie.

SERRA-DI-SCOPAMÈNE. ♦ Ch.-l. de cant. de la Corse*, arr. de Sartène. 1 086 hab. Pâturages. Fromages.

SERRANIA DEL DARIEN. ♦ Chaîne montagneuse de la république de Panamá, qui fait suite à la cordillère de San* Blas jusqu'aux frontières de la Colombie, surplombant la côte Caraïbe et le golfe de Darién (Atlantique). Elle culmine à moins de 1 000 mètres.

SERRANO SUÑER (Ramón). ♦ Homme politique espagnol

(Saragosse, 1901 –). Avocat de formation, il devint député catholique. Beau-frère de Franco, il fut arrêté par les républicains en 1936, mais réussit à s'évader et rejoignit le gouvernement de Burgos. Secrétaire général de la Phalange* (1938), il devint une des principales personnalités politiques du régime franquiste. Malgré sa sympathie pour les régimes fascistes, il seconda la politique neutraliste de Franco. Il fut écarté définitivement du pouvoir en gage de réconciliation avec les Alliés (1945).

SERRANO Y DOMÍNGUEZ (Francisco, *duc de* **la Torre).** ♦ Général et homme politique espagnol (Arjonilla, 1810 – Madrid, 1885). Favori d'Isabelle* II qui lui confia le ministère de la Guerre (1843), il fut chassé par Narváez dont il devait rester l'un des principaux adversaires. En effet, devenu l'un des chefs du parti libéral, il participa au soulèvement de O'Donnell* (1854) auquel il devait succéder. Capitaine général de Cuba, puis de Grenade, il fut déporté aux Canaries (1868), puis prit avec Prim* y Prats la tête de l'insurrection de 1868, provoquant la chute de la reine Isabelle. Il constitua un gouvernement provisoire qui l'élut régent (1869-1871), et fut ensuite président du Conseil d'Amédée*. Il lutta contre les carlistes* et se réfugia en France au retour d'Alphonse* XII, avant d'être nommé par lui ambassadeur à Paris.

SERRE (Pierre, *comte de***).** ♦ Homme politique français (Pagny-sur-Moselle, 1776 – Castellamare di Stabia, 1824). Émigré dès les débuts de la Révolution, il servit dans l'armée contre-révolutionnaire du prince de Condé. De retour en France (1802), il fut président de la cour impériale de Hambourg (1811), puis de Colmar. Rallié aux Bourbons (1814), auquel il resta fidèle pendant les Cent-Jours, il siégea comme député, puis comme président, à la Chambre (1817-1818) parmi les constitutionnels *doctrinaires.* Ministre de la Justice dans le cabinet Decazes (1818), il contribua à faire adopter la loi libérale sur la presse, mais prit position contre la gauche en refusant la loi d'amnistie pour les régicides bannis. Après la chute du ministère Richelieu, dans lequel il avait conservé ses fonctions, il fut fait comte et devint ambassadeur à Naples. Au congrès de Vérone (1822), il soutint les intérêts de Ferdinand VII.

SERRE-CHEVALIER-CHANTEMERLE. ♦ Stations de sports d'hiver dans le Briançonnais*. Chantemerle est à 1 360 m, Serre-Chevalier, la plus importante à 2 480 m; les deux stations sont reliées par téléphérique.

SERRE-PONÇON. ♦ Barrage sur la Durance* en aval du confluent de l'Ubaye*. C'est une digue en terre compacte. La retenue formée couvre 3 000 ha, c'est la plus grande d'Europe. Ce barrage permet la régularisation du cours de la Durance, l'irrigation de la région et la production d'énergie électrique. La capacité du réservoir est de 1 200 millions de m^3; l'usine souterraine de Serre-Ponçon produit 700 millions de kWh par an. Les villages de Savines* et Ubaye ont été évacués, submergés par le lac, puis reconstruits sur ses rives.

SERRES (Olivier *de***).** ♦ Agronome français (Villeneuve-de-Berg, Ardèche, v. 1539 – Le Pradel, près de Villeneuve-de-Berg, 1619). De son domaine du Pradel, il fit une ferme modèle. Il y pratiqua l'assolement, cultiva la betterave, le maïs, le houblon, la garance et le riz. Appelé à Paris par Henri IV, il planta 20 000 mûriers blancs dans le jardin des Tuileries et écrivit à la demande du roi son *Traité de la cueillette de la soie par la nourriture des vers qui la font* (1599). En 1600, il produisit son œuvre majeure, le *Théâtre d'agriculture et mesnage des champs.* ♦ JEAN DE SERRES, son frère (1540 – 1598). Historien. Pasteur calviniste à Nîmes, il fut nommé historiographe de France par Henri IV qui le chargea également de négociations avec les protestants étrangers. Il écrivit *Recueil des choses mémorables advenues en France depuis Henri II jusqu'à Henri IV* et un *Inventaire de l'histoire de France* (1597).

SERRES. ♦ Ch.-l. de cant. des Hautes-Alpes* (arr. de Gap*), sur le Buech. 1 405 hab. Eglise romane du XIIe s. remaniée au XVIIe s., maisons anciennes.

SERRÈS, en grec **Serrai.** ♦ V. de Grèce (Macédoine), ch.-l. du *nome de Serrès :* 3 987 km². 202 900 hab. Centre commercial (céréales, tabac). 41 090 hab.

SERRET (Alfred). ♦ Mathématicien français (Paris, 1819 – *id.,* 1885). L'un des premiers diffuseurs en France de la théorie des groupes de Galois*, il découvrit également les formules sur la courbure et la torsion des courbes gauches [1851]. (Acad. sc., 1860.)

SERRUS (Charles). ♦ Philosophe et logicien français (1886 – 1946). Tout en reconnaissant l'apport décisif de la logique mathématique moderne, il a refusé les tentatives du logicisme pour réduire les mathématiques à la logique. *Traité de logique,* 1935; *Essai sur la signification de la logique,* 1939.

SERTORIUS, en lat. **Quintus Sertorius.** ♦ Général romain (Nursia, Sabine, v. ~ 123 – Espagne, ~ 72). Lieutenant de Marius* en Gaule (~ 102) et partisan de celui-ci durant les guerres civiles (~ 88), il passa en Espagne quand Sylla* fut resté le maître de l'Italie. Il y aida les Lusitaniens* (~ 80) révoltés contre Rome à combattre les partisans de Sylla et organisa en Espagne, à Osca (auj. Huesca*), un simulacre de république romaine. Combattu par Metellus* et Pompée*, il s'allia à Mithridate* (~ 75) mais fut assassiné par ses officiers à l'instigation de son lieutenant Perpenna* (~ 72).

SÉRURIER (Jean Matthieu Philibert, *comte***).** ♦ Maréchal de France (Laon, 1742 – Paris, 1819). Officier dans les armées royales, il fit la guerre de Sept Ans. Il se rallia à la Révolution, fut nommé général de division en 1795. Il se distingua pendant la première campagne d'Italie (1796), puis fut gouverneur de Venise. Il participa au 18 Brumaire*, fut nommé gouverneur des Invalides, puis maréchal (1804). Il vota pourtant la déchéance de l'Empereur. Louis XVIII le fit pair; mais Sérurier se rallia à Napoléon durant les Cent*-Jours et fut disgracié par la suite.

SÉRUSIER (Paul). ♦ Peintre, décorateur, dessinateur et écrivain d'art français (Paris, 1865 – Morlaix, 1927). En 1888, à Pont-Aven, il se lia avec Gauguin* et transmit à ses camarades de l'académie Julian son enthousiasme pour la peinture de couleurs pures étalée en aplats. Esprit idéaliste, adepte du néo-platonisme, il fréquenta les Rose-Croix et les poètes symbolistes. Il influença ses camarades nabis. À partir de 1890, il exécuta des décors pour le théâtre de l'Œuvre de Lugné-Poe. Il s'intéressa aux théories du nombre d'or et publia en 1905 *Esthétique de Beuron.* Professeur à l'académie Ranson, il écrivit *A.B.C. de la peinture* (1921). Dans ses œuvres (scènes bretonnes et scènes religieuses) des lignes souples cernent des formes schématisées peintes en aplats dans une gamme sourde.

SERVANCE *(ballon de).* ♦ Sommet des Vosges (1 216 m).

SERVAN DE GERBEY (Joseph). ♦ Général français (Romans, Dauphiné, 1741 – Paris, 1808). Collaborateur à l'*Encyclopédie* et auteur d'un *Projet de constitution pour l'armée française* (1790), il fut nommé ministre de la Guerre dans le cabinet girondin formé en mars 1792 sous la Législative, et proposa la formation d'un camp de 20 000 gardes nationaux sous Paris. Voté par l'Assemblée, ce décret ne fut pas sanctionné par le roi, qui fit renvoyer le ministère girondin (13 juin 1792). Membre de la commission exécutive provisoire, constituée après la journée révolutionnaire du 10 août 1792, Servan de Gerbey commanda l'armée des Pyrénées occidentales, puis fut interné à la prison de l'Abbaye comme Girondin sous la Terreur.

SERVANDONI (Jean Nicolas). ♦ Architecte, décorateur et peintre français d'origine italienne (Florence, 1695 – Paris, 1766). Élève du peintre Pannini à Rome, il se fixa à Paris vers 1724, fut nommé directeur des décorations de l'Opéra et réalisa une soixantaine de décors aux perspectives imposantes. Il peignit des vues d'architecture, des paysages et des allégories. Adepte du style rococo dans ses travaux de décorations intérieures exécutés à Paris, Londres, Dresde, au Portugal et en Espagne, il manifesta cependant son goût pour une architecture sévère et monumentale dans la façade de l'*église Saint-Sulpice,* à Paris, en superposant strictement une ordonnance dorique puis ionique (1732-1745).

SERVAN-SCHREIBER [-ʃʀɛbɛʀ] **(Jean-Jacques).** ♦ Journaliste et homme politique français (Paris, 1924). Ancien élève de l'École polytechnique devenu journaliste, il fut rédacteur de politique étrangère au *Monde* (1948-1953), avant de fonder, avec Françoise Giroud, l'hebdomadaire *l'Express* (1953), dont il dirigea la publication, et de devenir président-directeur général du groupe Express. Se lançant dans la vie politique, il devint secrétaire général du Parti radical*-socialiste (1969) abandonnant son poste, mais non sa participation financière ni sa collaboration à *l'Express (Bloc-Notes de J.-J. S.-S.).* Élu député de la Meurthe-et-Moselle (1re circonscription de Nancy) en 1970, battu la même année à Bordeaux par J. Chaban-Delmas contre lequel il s'était présenté, J.-J. Servan-Schreiber, devenu président du Parti radical (1971-1975) et fondateur avec J. Lecanuet du Mouvement réformateur (centriste), s'est signalé par ses prises de position pour l'instauration d'un pouvoir régional, pour une Europe supranationale et contre l'arme atomique et les essais nucléaires français. Il fut réélu aux élections législatives de 1973, et élu président du Conseil régional de Lorraine en 1976. Il est l'auteur d'ouvrages politiques : *Le Défi américain* (1967), *Le Réveil de la France* (1968), *Ciel et Terre* (manifeste du Parti radical en collaboration avec M. Albert, 1970), *Le Pouvoir régional* (1971), *Le Projet réformateur* (1973).

Servante maîtresse (La). ♦ Comédie de Jacopo Angelo Nelli, qui fut jouée en 1709 et publiée en 1731. La servante Pasquina dirige en tout la maison du vieil Arnolfo. Cléante, amoureux de Jacinta, fille d'Arnolfo, s'entend avec le fils et la belle-fille d'Arnolfo et grâce à Dragoncello réussit à surprendre Pasquina en

Arch. Smeets

Paul Sérusier : « Paysage ».
(Musée national d'Art moderne, Paris.)

Arch. Smeets

Victor Servrancx : « Opus 20 ». (Collection de l'artiste.)

train de voler l'argenterie de son maître. – Pergolèse*, sur un livret de Gennaro Maria Federico s'inspirant de cette comédie, a composé un opéra bouffe en deux actes (1733). Serpina, la servante d'Uberto, en piquant la jalousie du vieillard réussit à se faire épouser. Donnée à Paris en 1746 puis reprise à l'Opéra en 1752, *La Servante maîtresse* déclencha la « querelle des bouffons ». Grimm, J.-J. Rousseau, d'Holbach défendaient cet opéra et la musique italienne, les « antibouffons » (Cazotte, J. Ph. Rameau, l'abbé Fréron) défendaient la musique française. Rousseau voyait dans l'opéra bouffe un retour à la nature et pour étayer sa thèse, il écrivit *Le Devin du village*. L'œuvre de Pergolèse, d'une constante invention mélodique et d'une remarquable souplesse d'écriture, donnait aux tenants de l'opéra italien un solide argument.

SERVET (Michel). ♦ Théologien, philosophe et médecin espagnol (Villanueva, Aragon, vers 1509 – Genève, 1553). Il se passionna pour la théologie et le conflit qui opposait catholiques et protestants, voyagea en Italie, se rendit à Augsbourg, Bâle et Strasbourg. A Paris, il étudia la médecine et pressenti peut-être la circulation sanguine. Esprit indépendant et peu soucieux d'orthodoxie, il écrivit plusieurs ouvrages qui, par les thèses qu'il y soutient, lui valurent finalement d'être condamné à mort et brûlé vif à l'instigation de Calvin*, alors qu'il séjournait à Genève (*De Trinitatis erroribus; Apologetica disceptatio pro astrologia* et *Christianismi restitutio* où il met en question le dogme de la Trinité et semble adopter une position proche du panthéisme).

SERVIAN. ♦ Ch.-l. de cant. de l'Hérault (arr. de Béziers), dans le Biterrois*. 3 053 hab. Église (XIIIe s.). Vignobles.

Service distingué *(ordre et croix du).* ♦ **V.** DISTINGUISHED SERVICE ORDER et DISTINGUISHED SERVICE CROSS.

Service du travail obligatoire (S.T.O.). ♦ Service établi en France par le gouvernement de Vichy (févr. 1943), sous la pression des Allemands, pour fournir de la main-d'œuvre aux usines du Reich. Le sabotage des listes par des fonctionnaires patriotes, avec l'appui secret du gouvernement de Vichy, fit que, sur 700 000 travailleurs demandés par le gauleiter Sauckel, seuls 170 000 partirent en Allemagne. La plupart des autres ouvriers requis purent rejoindre le maquis. En oct. 1943, Laval obtint la suspension des listes, mais les Allemands prélevèrent les ouvriers par réquisitions et, de juin 1942 à juil. 1944, 641 500 travailleurs partirent pour l'Allemagne (le Reich en avait demandé 2 000 000). En outre, sur les deux millions de prisonniers français de 1940, un million fut réquisitionné pour travailler.

SERVIEN (Abel, *marquis de* **Sablé** et *de* **Boisdauphin).** ♦ Diplomate français (Grenoble, 1593 – Meudon, 1659). Il fut un des négociateurs du traité de Westphalie*. Il eut pour neveu Lionne*.

Servitude et Grandeur militaires. ♦ Ouvrage en prose de Vigny* (1835) qui rapporte directement les souvenirs de l'auteur et sa pensée sur la condition du soldat, « paria » de la société moderne. Vigny exalte en trois récits la seule religion encore possible, celle de l'honneur.

SERVIUS TULLIUS. ♦ Sixième roi de Rome (~ 578 – ~ 534). La légende lui attribua une série de réformes qui sont en réalité postérieures (~ IIIe s.?) : division de la cité en quartiers, du territoire en régions, répartition de la population en cinq classes selon la fortune *(constitution servienne)* et division de chaque classe en centuries pour faciliter l'organisation militaire. Il agrandit aussi la ville renfermant dans une nouvelle enceinte le Quirinal, le Viminal et l'Esquilin.

SERVRANCX (Victor). ♦ Peintre, sculpteur et théoricien belge. (Dieghem, 1897 – Vilvorde, 1965). Il rompit rapidement avec sa formation académique et, dès 1917, il exposa des œuvres abstraites (les premières en Belgique). Dans ses compositions ou il recherche le mouvement, les cercles sont l'élément dominant (*Opus 27,* 1926). Son travail le conduisit à organiser et simplifier la structure de ses toiles, d'une manière très sculpturale. Son style volontaire s'affirma v. 1923 *(Opus 47).* C'est l'époque où il créa ses premiers objets et projets d'architecture. En 1939, il exécuta pour le salon de la radio de Bruxelles une monumentale composition murale (550 m^2) à laquelle Léger rendit hommage. Sa période surréaliste est marquée par des toiles étranges, orageuses, parfois moralisantes ou érotiques. Après la guerre, il aborda l'abstraction d'une manière proche de Magnelli (*Opus 2,* 1953). Puis ses compositions devinrent de plus en plus sobres, géométriques et proches du néo-plasticisme (*Opus 5,* 1954).

SESIA. *n. f.* ♦ Riv. d'Italie (138 km), affl. r. d. du Pô*. Née dans le massif du mont Rose dont elle reçoit les eaux de fonte des neiges, elle sert à l'irrigation. De nombreuses usines jalonnent son cours.

SÉSOSTRIS. ♦ Nom grec de plusieurs pharaons de la XIIe dynastie (Moyen Empire) : *Sénousret.* ♦ SÉSOSTRIS Ier (règne : v. ~ 1970-~ 1928). Fils d'Amménémès* Ier, il annexa la Basse-Nubie* et entreprit une expédition en Canaan*. ♦ SÉSOSTRIS II (règne : v. ~ 1897-~ 1878). Petit-fils de Sésostris Ier. ♦ SÉSOSTRIS III (règne : v. ~ 1878-~ 1843). Fils de Sésostris II, il étendit l'influence de l'Égypte sur la mer Rouge, la Palestine, la Syrie et la Crète. Devenu le type idéal du conquérant égyptien, il fut divinisé au Nouvel Empire.

SESSHÛ. ♦ Peintre et moine japonais (Kyôto, 1420 – *id.,* 1506). Après un voyage en Chine (1467-1468), il s'attacha à la peinture de grands paysages, utilisant des coups de pinceau anguleux qui font ressembler ses œuvres à des gravures dans le style chinois de son époque. Il eut de très nombreux disciples. **V. Sesson.**

SESSON. ♦ Peintre japonais (1504 – 1589), disciple de Sesshû*. Il réussit cependant à se dégager de la manière de son maître et à adopter un style personnel, plus fluide.

SESTOS. ♦ Anc. V. de la Chersonèse de Thrace, sur l'Hellespont, en face d'Abydos*. Colonie éolienne, la V. devint au ~ Ve s. un comptoir athénien. Ruinée à l'époque byzantine, elle était évoquée dans l'élégie de Musée *Héro et Léandros* (V^e^-VIe s.), très populaire en Grèce au Moyen Âge.

SESTO SAN GIOVANNI. ♦ V. d'Italie du Nord, en Lombardie* (prov. de Milan). 83 000 hab. Ville industrielle, satellite de Milan : gros complexe sidérurgique (usines Falck).

SESTRIÈRES, en it. **Sestriere.** ♦ V. d'Italie du Nord, dans le Piémont* (prov. de Turin), au pied du col du Montgenèvre, au S. de Bardonnèche. 500 hab. (2 035-2 580 m). Station hivernale fréquentée.

SETCHENOV (Ivan Mikhaïlovitch). ♦ Physiologiste et naturaliste russe (Tioplyï Stan, *auj.* Setchenovo, 1829 – Moscou, 1905). Ses recherches sur *Les Actions réflexes du cerveau* (1863) dont il fait la base de la vie mentale (*Les Éléments de la pensée,* 1903) influencèrent les travaux de Pavlov. **V. Pavlov.**

SÈTE (jusqu'en 1927, **CETTE**). ♦ Ch.-l. de cant. et port de l'Hérault (arr. de Montpellier), bâti au pied d'une montagne isolée (mont Saint-Clair, 175 m), entre l'étang de Thau* et le golfe du Lion, rattachée au rivage par deux étroites langues de terre. La V. est découpée par de nombreux canaux (canal du Midi, canal de Sète vers le Rhône). 41 044 hab. *(Sétois).* L'aggl. compte 54 015 hab. avec Balaruc*-les-Bains et Frontignan*. La V. est incluse dans la zone d'extension de Montpellier*. École d'hydrographie. Station zoologique de l'université de Montpellier. Musée. Deuxième port français sur la Méditerranée : importations de vins, céréales, fruits, primeurs, pétrole (raffiné à Frontignan); exportations d'hydrocarbures, vins et alcools, bauxite, ciments, bitume, minerais, produits chimiques. Les rivages de l'étang de Thau sont bordés de salines; mytiliculture et ostréiculture. Port de pêche, de plaisance et station balnéaire pittoresque. – Patrie de Paul Valéry*, Jean Vilar*, Georges Brassens*. ♦ *Hist.* Anc. site romain connu sous le nom de *Setius Mons* (« hauteur voisine »). La création du port fut envisagée sous Henri IV et décidée par Louis XIV sous l'impulsion de Colbert en 1666; les travaux furent entrepris par P. Riquet* (le canal des Deux-Mers devait aboutir à Sète). Gravement endommagé pendant la Deuxième Guerre mondiale, le port a été remis rapidement en état.

SETH. ♦ Personnage biblique, né d'Adam et d'Ève après le meurtre d'Abel et la fuite de Caïn (*Genèse*, IV, 25).

SETH, nom grec de **Sutekh** ou **Set.** ♦ Dieu égyptien représenté sous la forme d'une créature composite au corps de lévrier, au museau effilé et busqué, aux oreilles pointues, aux yeux bridés, à la longue queue raide et fourchue. Dès les origines, Seth était connu comme le meurtrier de son frère Osiris*, et le rival d'Horus* à qui il avait arraché un œil (en retour, Horus l'avait émasculé). Il était le dieu du désordre et de la violence mais aussi celui qui « à la proue du vaisseau de Rê » transperçait Apopis* de sa lance, toujours en opposition dialectique avec l'ordre (Maat) et la force disciplinée; dieu de l'orage (le Baal* des Sémites occidentaux) et du désert, mais aussi des oasis, assassin d'Osiris, mais assassin bénéfique, puisque par cet acte seul le recommencement — qui est l'essence d'Osiris — pouvait se réaliser. Vers le ~ VIIIe s., quand le culte d'Osiris prit de l'importance, Seth ne fut plus considéré que comme le meurtrier de son frère, l'adversaire du droit patriarcal l'homosexuel aux actes stériles, le dieu des étrangers, la personnification du Mal. Il fut représenté pendant la période ptolémaïque sous forme d'hippopotame ou de crocodile. Les Grecs l'identifièrent à Typhon.

SÉTHI ou **SÉTI.** ♦ Nom de deux pharaons de la XIXe dynastie (Nouvel Empire). ♦ SÉTHI Ier, deuxième pharaon de la XIXe dynastie (v. ~ 1312-~ 1300), fils et successeur de Ramsès* Ier. Il reconquit le sud de la Palestine et battit les Hittites* (~ 1310) sans les vaincre définitivement. Il fit construire à Thèbes* le temple funéraire de Gourna et, à Abydos*, le célèbre *Memnonium*. Son tombeau, découvert en 1817 par Belzoni, est un des plus beaux de ceux de la Vallée* des Rois. L'obélisque qui se trouve aujourd'hui Piazza del Popolo, à Rome, avait été érigé par Séthi Ier pour le temple d'Héliopolis*. ♦ SÉTHI II, avant-dernier pharaon de la XIXe dynastie (v. ~ 1210-~ 1205). Il renversa l'usurpateur Méneptah-Siptah. Son fils Ramsès* III lui succéda.

SÉTIF. ♦ V. d'Algérie, ch.-l. de l'arr. et du dép. du même nom, située sur les hauts plateaux. Anc. *Sitifis*, cap. de la Mauritanie* sitifienne. 94 000 hab. *(Sitifiens)*. Marché agricole de la *plaine de Sétif*, région céréalière, comprise entre les Bibans au N. et le Hodna* au sud. Semouleries, usine de pâtes alimentaires. Meubles en matière plastique. — Le vaste *département de Sétif* s'étend de la Méditerranée jusqu'au S. du chott el-Hodna. 1 156 700 hab. *V. et localité princ.* **V. Bejaïa, Bordj-Bou-Arreridj, Eulma** (El-), **M'sila.**

SETO. ♦ V. du Japon (Honshû, préf. d'Aichi). 80 000 hab. — Elle est renommée pour ses porcelaines (plus de 500 fours) depuis sa création, au XIIIe siècle.

SETO NAIKAI. ♦ Mer intérieure du Japon, entre les îles de Honshû, Shikoku et Kyûshû, formée par un effondrement. De peu de profondeur, elle possède plus de trois mille îles inégalement réparties sur sa surface. Longue de 770 km, large de 60 km au maximum, elle s'ouvre à l'O. par le détroit de Shimonoseki, au S. par celui de Hôyo, et à l'E. par les deux chenaux déterminés par l'île Awaji, entre Honshû et Shikoku. Ses côtes très découpées fournissent d'excellents ports. Sur sa côte N., les installations portuaires et industrielles forment une ligne presque ininterrompue d'Ôsaka* à Shimonoseki*.

SETTONS *(lac des)*. ♦ Lac du Morvan* (dép. de la Nièvre), dans la vallée de la Cure*. Env. 400 ha. Un barrage-réservoir long de 277 m (1861) et une digue (1901) forment une retenue d'env. 21 000 000 de m^3 destinée à régulariser le débit de l'Yonne*. Le lac est entouré de bois de sapins et de mélèzes. Centre touristique (pêche, chasse).

SETÚBAL. ♦ V. et port du Portugal* (Estrémadure) sur la r. d. de l'estuaire du Sado*, au fond du golfe de Setúbal. Ch.-l. de district et troisième ville du Portugal. 44 435 hab. Important port de pêche (sardines) et premier centre de conserveries du pays. Ville industrielle en plein essor (fabriques de ciment et de phosphates). — Patrie du peintre João Vaz et du poète Bocage.

SEUDRE. *n. f.* ♦ Petit fl. côtier de la Saintonge (70 km) qui arrose Saujon* et se jette dans l'Atlantique au S. de Marennes. Son estuaire, long et large, est particulièrement propice à l'ostréiculture.

SEURAT (Georges Pierre). ♦ Peintre et dessinateur français (Paris, 1859 — *id.*, 1891). Il fut à partir de 1878 l'élève d'un disciple d'Ingres, Lehman. S'intéressant passionnément aux recherches chimiques sur les couleurs et aux théories de la vision, il étudia les travaux de Chevreul*, H.F. Helmoltz*, D. Sutter et C. Blanc. Durant une année de volontariat à Brest, il fit de nombreuses études de paysages et de figures. De retour à Paris en 1880, il se consacra presque exclusivement au dessin (1882-1883) et fit preuve dans cette technique d'une maîtrise exceptionnelle : éliminant la ligne au profit de la masse, au moyen de frottis sur papier granuleux, il créa des contrastes d'ombres et de lumière subtilement dosés, mais d'une grande force suggestive. Accepté au Salon de 1883 avec le *Portrait d'Aman-Jean*, il peignit, après de nombreuses études préparatoires, la *Baignade à Asnières* qui fut rejetée au Salon de 1884. Il fonda alors avec d'autres peintres refusés la *Société des artistes indépendants* et y exposa son tableau. Il se lia avec Signac* et fit partager ses préoccupations à plusieurs peintres : refusant en effet le caractère intuitif des recherches lumineuses de Monet* et des autres impressionnistes, il voulut radicaliser leur conception de la couleur et tenter de l'appuyer sur des bases scientifiques; il prôna non seulement la division de la touche mais celle des tons et l'application des lois du contraste simultané selon lesquelles les valeurs contraires s'exaltent mutuellement. Il parvint à convertir Pissarro* à la nouvelle technique et, grâce à lui, put présenter à la dernière exposition impressionniste : *Le Dimanche d'été à la Grande Jatte* (1884-1886, 38 peintures et 23 dessins préparatoires), qui apparut comme le manifeste de la nouvelle école néo-impressionniste que certains qualifièrent de *divisionniste* ou de *pointilliste* en raison de l'emploi de petites touches séparées de couleurs pures. Seurat s'attira l'hostilité de la critique, mais fut soutenu par Félix Fénéon* et fit des émules en Belgique lorsqu'il exposa en 1887 la *Grande Jatte* au groupe des XX. Il réalisa de 1887 à 1888 *Les Poseuses*, la *Parade du cirque*, qui témoignent de l'intérêt qu'il portait aussi aux contrastes des lignes et à leur valeur symbolique. Dans le *Chahut* (1889-1890) et le *Cirque* (1890-1891), il étudia le pouvoir expressif des éclairages artificiels et la décomposition du mouvement. Peu de temps avant de mourir, il énonça les principes sur lesquels était fondé son art, notamment sa conception des concordances entre les tons sombres et clairs, les teintes froides et chaudes, les lignes tombantes et ascendantes. Esprit de tendance classique, il voulut concilier le « fugitif » et l'« éternel », rétablir une composition fortement structurée et réorienter l'intérêt vers le volume tout en schématisant les formes. Il exerça une influence notable sur Gauguin*, Van* Gogh et Pissarro* mais aussi sur les fauves, les cubistes et les futuristes.

SEURRE. ♦ Ch.-l. de cant. de la Côte-d'Or (arr. de Beaune), sur la r. g. de la Saône. 2 683 hab. *(Seurrois)*. Église (XIVe s.), château (XVIIe-XVIIIe s.). — Fonderie, matériel électronique, fabrique de pantoufles.

SEU-TCHOUAN. ♦ V. SZU-CH'UAN.

SEVAGRÂM. ♦ V. de l'Inde (Madhya Pradesh), fondée par Gandhi* sur le site de l'anc. Segaon, et où il établit un ashram.

SEVAN *(lac)*. ♦ Lac d'U.R.S.S. (Arménie), situé à 1 900 m d'alt. (1 000 m au-dessus de la vallée de l'Araxe) au pied du massif volcanique de l'Alaghez*. 1 400 km^2. Il recèle de grandes ressources d'énergie hydraulique, exploitées notamment sur son émissaire le Razdan* (ou Zanga) par lequel il s'écoule dans l'Araxe*.

SÉVERAC (Joseph Marie Déodat *de*). ♦ Compositeur français (Saint-Félix-de-Caraman, 1873 — Céret, 1921). Élève de V. d'Indy* à la Schola cantorum de 1897 à 1907, il n'en subit pas moins l'influence de Debussy. Sa musique, imprégnée du folklore languedocien, évoque la nature avec une sincérité et une délicatesse de ton exceptionnelles. Il est l'auteur de mélodies parmi lesquelles *À l'aube dans la montagne* (1903), deux *Mélodies en langue d'oc* (1910), et de pièces pour piano qui comptent parmi ses plus belles œuvres : *En Languedoc* (1904), *Baigneuses au soleil* (1908), *Cerdaña* (1910).

SÉVERAC *(causse de)*. *n. m.* ♦ Formation calcaire située dans les Grands Causses* à l'O. du causse de Sauveterre*, entre le Lot et l'Aveyron.

SÉVERAC-LE-CHÂTEAU. ♦ Ch.-l. de cant. de l'Aveyron*, près de la source de l'Aveyron*. 3 116 hab. *(Séveraguais* ou *Séveragais)*. Ruines d'un château en partie du Moyen Âge, maisons anc. — Constructions mécaniques.

SÉVÈRE, en lat. **Flavius Valerius Severus.** ♦ (Mort en 307). Empereur romain (306-307). Nommé César par Dioclétien* en 305, puis Auguste par Galère*, il gouverna l'Afrique et l'Italie et fut vaincu par Maxence*.

SÉVÈRE, en lat. **Libius Severus.** ♦ ([mort] Rome, 465). Empereur romain d'Occident (461-465). Proclamé empereur avec l'appui de Ricimer*, il laissa ravager l'Italie par les Vandales.

SÉVÈRE ALEXANDRE, en lat. **Marcus Aurelius Severus Alexander.** ♦ (Phénicie, v. 208 — près de Mayence, 235). Empereur romain (222-235). Il succéda à l'âge de 13 ans à son cousin Élagabal*. Cultivé, débonnaire par mollesse, il laissa la responsabilité de l'Empire à sa grand-mère, Julie* Maesa, et à ses conseillers, les juristes Ulpien* et Paul*, qui tentèrent d'établir un régime stable en rendant son importance au Sénat. L'empereur dut mener en Orient une difficile campagne contre les Perses Sassanides (232) qu'il réussit cependant à refouler. Mais quand l'armée du Rhin le vit incapable de lutter contre les Germains, elle le massacra devant Mayence avec sa mère. Ce fut le début d'une longue période d'anarchie militaire.

SÉVÈRE D'ANTIOCHE. ♦ (Sozopolis, 465 — Xois, Égypte, 538). Moine en Palestine, puis archevêque monophysite d'Antioche (512), exilé en Égypte (518-528, puis 536-538 après un regain de faveur à Constantinople). Principal chef du parti monophysite*, il en fixa la théologie, rejetant aussi bien les excès d'Eutychès* que les formules du concile de Chalcédoine*.

SÉVÈRES. ♦ Nom donne aux empereurs romains de la dynastie fondée en 193 par Septime* Sévère (193-211), et représentée après lui par Geta* (211-212), Caracalla* (211-217), Élagabal* (218-222) et Sévère* Alexandre (222-235).

SEVERI (Francesco). ♦ Mathématicien italien (1879 — 1961). Auteur de travaux sur les fonctions de plusieurs variables complexes et sur l'étude géométrique des surfaces algébriques (**V.** *aussi* **Castelnuovo**), il s'est attaché au problème de l'uniformisation des fonctions algébriques.

SEVERIANINE (Igor, pseudonyme de **I. V. Lotariev** [*Sever-*

janin]). ♦ Poète russe (1887 – 1942). Ses poèmes, d'esprit futuriste et aux rimes riches étaient appréciés par Sologoub* et Brioussov*. *La Coupe d'écume bouillonnante* (1913), *Ananas et Champagne* (1915), *Les Médaillons* (1934). Émigré après la révolution d'Octobre, résidant en Estonie, il approuva l'annexion des pays baltes par l'U.R.S.S. en 1940.

SÉVERIN *(saint)*. ♦ Moine (mort en 482), évangélisateur du Norique (Autriche actuelle) où il organisa la défense contre les barbares. Ses reliques furent transportées à Naples où il est vénéré. Sa *Vie* a été écrite par son disciple Eugippius. Fête le 8 janvier.

SÉVERIN. ♦ 71ᵉ pape (28 mai-2 août 640 [mort]), Romain. Élu en 638, il attendit vingt mois la ratification impériale et condamna l'*Ecthèse*. **V. Monothélètes.**

SEVERINI (Gino). ♦ Peintre et mosaïste italien (Cortone, 1883 – Paris, 1966). Il vint en 1906 à Paris où il fit la connaissance de Modigliani et de plusieurs peintres de l'École de Paris. En 1909, Boccioni* l'invita à signer le premier manifeste futuriste. Trois ans plus tard, il peignit de nombreux paysages alors qu'il résidait à Civray. De retour à Paris, il réalisa une série de peintures dont le thème principal était la danse, source d'inspiration essentielle dans son œuvre. C'est pendant cette période qu'il entreprit sa grande composition *Pam Pam* (1909-1911) qui illustre les hésitations de sa recherche. Attiré par la stabilité et l'espace dense du cubisme, il essayait de les concilier avec le dynamisme du futurisme. En 1911, l'influence du divisionnisme impressionniste, qui marqua Severini toute sa vie, se fait plus sensible *(Le Chat noir)*. C'est l'époque où il fit la connaissance de Gleizes, de Gris et de Le Fauconnier. En 1912, il prit part à une exposition, avec d'autres futuristes, chez Bernheim. La même année, il commença une suite de danseuses (1912-1915 ; *Danseuse à Pigalle*, 1912). La recherche du rythme, la prédominance des formes circulaires, le travail de la matière « moutonnée », y faisaient disparaître presque complètement la réalité. De 1915 à 1918, il composa de très nombreuses natures mortes de facture cubiste, proches de celles de Gris*, avec lequel il partageait le goût de l'étude des proportions et des mathématiques (*Nature morte en gris*, 1918). Après la guerre sous l'influence du mouvement *Valori Plastici*, il revint vers un formalisme proche des recherches de Derain (*Les Deux Polichinelles*, 1922) et certaines de ses œuvres sont alors volontairement académiques (*Portrait de Ramuz*, 1934). Quelques années avant la Deuxième Guerre mondiale, il entreprit une œuvre de mosaïste et exécuta des décors de théâtre (*Pulcinella* de Stravinski). Après la guerre, Severini évolua vers l'abstraction géométrique, mais l'élément figuratif resta toujours sous-jacent (*Pas de deux*, 1950, *Le Violon, forme en mouvement*, 1959).

SEVERN. *n. f.* ♦ Riv. de Grande-Bretagne (338 km). Née au centre du pays de Galles, sur les pentes des monts Cambriens, elle pénètre en Angleterre, arrose les villes de Shrewsbury, Worcester et Gloucester, reçoit l'Avon (r. d.) et la Teme (r. g.) avant de se jeter dans le *canal de Bristol* par un long estuaire. Elle est reliée par canaux à la Tamise, à la Trent et à la Mersey. Un ferry et un tunnel traversent l'estuaire.

SEVERNAÏA ZEMLIA. *n. f.* (« Terre du Nord »). ♦ Archipel d'U.R.S.S., dans l'océan Arctique, au N. de la presqu'île sibérienne de Taïmyr*, entre la mer de Kara* et la mer de Laptev*. Il fait partie du territoire de Krasnoïarsk (R.S.F.S. de Russie). Superficie totale : 37 600 km². Îles princ. : *Bolchevik* (11 500 km²), *île de la Révolution-d'Octobre* (14 200 km²), *Komsomolets* (9 000 km²) et *Pionier* (1 550 km²). Presque toujours recouvert de glace, il est inhabité. Seules quelques stations météorologiques y sont installées. Il fut découvert en 1913 et exploré en 1930-1932.

Arch. Smeets

Gino Severini : « Hiéroglyphe dynamique du bal Tabarin ». 1912. (Museum of Modern Art, New York.)

SEVERODVINSK (de 1938 à 1957 **Molotovsk**). ♦ V. d'U.R.S.S. (R.S.F.S. de Russie), dans la région d'Arkhangelsk sur la mer Blanche, à l'embouchure de la Dvina du Nord. 145 000 hab. – Scieries. Matériaux de construction. Pêche.

SEVES (Octave Joseph *de*), dit **Soliman Pacha.** ♦ Général français (Lyon, 1788 – Alexandrie, 1860). Après avoir pris part aux dernières campagnes de l'Empire, il se rallia à Napoléon Iᵉʳ pendant les Cent-Jours et, licencié lors de la Seconde Restauration (1815), passa au service du pacha d'Égypte Muhammad-'Ali (1816), participa à la campagne de Syrie (1831-1833) après laquelle il fut nommé général et pacha.

SÉVIGNÉ (Marie de RABUTIN-CHANTAL, *marquise de*). ♦ Épistolière française (Paris, 1626 – Grignan, 1696). Très cultivée, enjouée et douée pour la vie mondaine, elle avait épousé en 1644 le marquis de Sévigné, qui fut tué en duel en 1652. Veuve à vingt-six ans, elle entrecoupa sa vie retirée aux *Rochers* (Bretagne) de séjours à Paris où elle fréquentait la Cour et des salons, comme celui de Mme de La* Fayette. On lui doit une vaste correspondance, adressée à ses amis de Paris et surtout à sa fille, Mme de Grignan, vivant en Provence et dont elle déplore l'absence. Ces *Lettres* (posthumes, 1726), dont l'apparente spontanéité est un effet de l'art, contiennent des évocations de la nature, rapides mais pleines de fraîcheur, et des anecdotes concernant des événements ou des personnages de la Cour. Tableau spirituel et précieux de la société du temps, elles valent aussi par une vivacité et une liberté de style exceptionnelles à l'époque classique.

SÉVILLE, en esp. **Sevilla.** ♦ V. d'Espagne méridionale, en Andalousie*. Ch.-l. de prov. sur la r. g. du Guadalquivir*. 548 072 hab. Archevêché, université créée en 1502. Principal port fluvial du pays (importation de pondéreux, exportation de pyrites, de vins, d'huile d'olive). Les activités industrielles (métallurgie, textiles) sont regroupées dans le faubourg de *Triana*. La ville est célèbre par ses monuments (cathédrale gothique, l'ancienne tour arabe de *la Giralda**, l'Alcazar), et par ses fêtes (procession de la Semaine sainte, célèbre *feria*). Centre touristique. ♦ *Hist.* Ville carthaginoise, Séville fut sous les Romains et les Wisigoths un grand centre d'humanisme chrétien. En 712, les Arabes l'occupèrent, et à la chute du califat de Cordoue* (xᵉ s.), elle devint la capitale florissante du royaume maure des 'Abbâdides*. La prise de Séville par Ferdinand* III en 1248 transforma la ville : la population maure fut remplacée par des Castillans, des Génois, des Catalans et des Juifs. Séville devint alors le port d'attache des navires partant à la conquête de l'Amérique et le plus important centre commercial du royaume : sise à la charnière des routes de la Méditerranée et de l'Atlantique, elle centralisait tout le commerce grâce à la *Casa de Contratación*; draps du Nord, épices d'Orient, métaux précieux de l'Amérique espagnole y transitaient, donnant à la ville une remarquable prospérité. Le déclin vint au XVIIIᵉ s. avec le transfert de la *Casa de Contratación* à Cadix* et la perte des colonies américaines. Durant la guerre civile (1936), Séville fut occupée par les nationalistes conduits par Queipo* de Llano.

SEVRAN. ♦ Ch.-l. de cant. de la Seine-Saint-Denis, arr. du Raincy. 20 266 hab. *(Sevranais)*. – Église (XVIᵉ s.). – Poudrerie nationale ; indus. mécanique ; matériel photographique. Usine de freins dans le quartier dit « Freinville ».

SÈVRE NANTAISE. *n. f.* ♦ Riv. de l'O. de la France (125 km), affl. de la Loire (r. g.). Elle naît dans les Deux-Sèvres, traverse la Vendée et la Loire-Atlantique où elle conflue à Nantes. Elle arrose Clisson*.

SÈVRE NIORTAISE. *n. f.* ♦ Fl. côtier du Poitou et de l'Aunis (150 km) qui arrose Saint-Maixent*-l'École, Niort*, Marans* et traverse le Marais poitevin avant de se jeter dans la baie de l'Aiguillon. Il reçoit la Vendée sur sa r. d. en amont de Marans*.

SÈVRES (DEUX-). *n. f. pl.* **[79].** ♦ Dép. de l'O. de la France, région (anciennement C.A.R.) de Poitou*-Charentes. Situé aux confins du Massif armoricain et du seuil du Poitou, le département présente, dans sa partie septentrionale située à l'O. du Thouet, un paysage de collines et de plateaux bocagers, les Hauts de Gâtine, consacrés à l'élevage des bovins pour la boucherie et la laiterie. Ils culminent à 272 m au S.-E. de Parthenay. À l'E. du Thouet, s'étendent les terres calcaires du Haut-Poitou, domaine du blé et de la vigne, qui se prolongent vers le S. par la plaine céréalière. À l'extrême S.-O., le département touche aux premières prairies du Marais poitevin.

♦ 31 cant., 348 comm., 333 091 hab. *Préf.* Niort*. *Sous-préf.* Bressuire*, Parthenay*. *Ch.-l. de cant.* Airvault*, Argenton*-Château, Beauvoir-sur-Niort (661 hab., 536 aggl.), Brioux-sur-Boutonne (1 492 hab., 1 010 aggl.), Celles*-sur-Belle, Cerizay*, Champdeniers (1 174 hab., 933 aggl.), Chef*-Boutonne, Coulonges*-sur-l'Autize, Frontenay-Rohan-Rohan (1 823 hab., 1 240 aggl.), Lezay (2 132 hab., 1 022 aggl.), Mauzé*-sur-le-Mignon, Mazières-en-Gâtine (902 hab., 410 aggl.), Melle*, Ménigoute (937 hab., 568 aggl.), Moncoutant*, Mothe*-Saint-Héray (La). Prahecq (939 hab., 704 aggl.), Saint-Loup-sur-Thouet (1028 hab., 682 aggl.), Saint-Maixent*-l'École, Saint-Varent (2 628 hab., 1 245 aggl.), Sauzé-Vaussais (1 688 hab., 1 206 aggl.), Secondigny*, Thénezay (1673 hab., 848 aggl.), Thouars*. *Autre comm.* **V. Oiron.**

SÈVRES. ♦ Ch.-l. de cant. des Hauts-de-Seine (arr. de Nanterre), sur la Seine, entre le parc de Saint-Cloud au N. et le bois de Meudon au sud. 20 228 hab. *(Sévriens).* – Église Saint-Romain (XIIe, XIIIe, XVIIe s.) ; hôtel de ville (XVIIIe s.). – Manufacture nationale de porcelaine (ateliers et magasin de vente). Créée à Vincennes, la manufacture fut transférée à Sèvres en 1756 sur l'initiative de Mme de Pompadour, et devint manufacture royale en 1760. Musée national de céramique ; École nationale supérieure de céramique. Centre international d'études pédagogiques. – Brasserie. – Patrie de C. Troyon*.

Sèvres *(traité de).* ♦ Traité signé le 10 août 1920 entre les puissances victorieuses, alliées et associées, et la Turquie. Il consacrait le démembrement de l'Empire ottoman qui perdait toutes ses possessions européennes, sauf la région de Constantinople, et toutes ses provinces du Proche-Orient (**V. Arabie, Arménie, Égypte, Iraq, Kurdistan, Palestine, Syrie** et aussi **Turquie**) ; en Turquie même, la région de Smyrne était cédée à la Grèce (au bout de cinq ans, un plébiscite devait fixer le sort des populations). Ce traité déclencha la révolte de Mustapha Kemal qui, après la guerre gréco-turque, en obtint le remplacement par celui de Lausanne* (1923).

SEXTIUS, en lat. **Caius Calvinus Sextius.** ♦ Homme politique et général romain (~ IIe s.). Il fonda *Aquae Sextiae* (Aix-en-Provence) en ~ 122, au pied de l'oppidum d'Entremont*.

SEXTUS EMPIRICUS, en gr. **Sextos o Empeirikos.** ♦ Philosophe, médecin et astronome grec (IIe-IIIe s.). Il serait né à Mytilène, mais aurait vécu à Alexandrie et Athènes. Il fut surnommé « l'Empirique » pour avoir, dit-on, introduit l'empirisme en médecine. En philosophie, ses œuvres sont la source la plus importante pour la connaissance du scepticisme et du stoïcisme antiques. Dans ses *Hypotyposes* (ou « esquisses ») *pyrrhoniennes* et son *Adversus Mathematicos,* il a su présenter la doctrine sceptique et indiquer tous les arguments contre le dogmatisme des philosophes et des savants.

SEYBOUSE *(oued).* ♦ Oued de l'Algérie orientale (225 km), tributaire de la Méditerranée, qui prend sa source dans les hauts plateaux, franchit le Tell, arrose le bassin de Guelma* et débouche dans la plaine d'Annaba* qu'il inonde fréquemment.

SEYCHELLES [sɛʃɛl]. *n. f. pl.* ♦ Archipel constitué de 86 îles situées dans l'océan Indien au N.-E. de Madagascar. La principale île est Mahé, où se situe la capitale Victoria. 376 km². 51 500 hab. *Langues :* anglais (off.), créole français. Les dépendances, Aldabra, Amirantes*, Chagos,... formaient le territoire britannique de l'océan Indien (450 km², 1 400 hab.). – Essentiellement agricoles, elles fournissent du coprah, de la cannelle, de la vanille, du patchouli et du guano. Les belles plages et le climat tropical peuvent susciter une indus. touristique prospère. ♦ *Hist.* Découvertes par les Portugais en 1505, elles furent occupées par les Français en 1742, puis par les Anglais en 1794. Dépendantes de l'île Maurice* en 1810, elles devinrent colonies en 1903. Indépendantes en 1976, elles sont entrées à l'O.N.U. Membre de l'O.C.A.M. (1977).

SEYDLITZ (Friedrich Wilhelm *von***).** ♦ Général prussien (Kalkar, près de Clèves, 1721 – Ohlau, Silésie, 1773). Commandant d'un régiment de dragons (1752), il combattit durant la guerre de Sept Ans. À Rossbach, il commandait la cavalerie prussienne, qui décida de la victoire sur les Français (1757). Il fut aussi l'artisan de la victoire de Zorndorf sur les Russes (1758). À Kunersdorf, où il fut grièvement blessé, il décida de la victoire de Freiberg (1762). Il fut nommé général de cavalerie en 1767.

SEYMOUR. ♦ Famille anglaise originaire de Saint-Maur en Normandie, illustrée notamment par ♦ JEANNE (**V. Jeanne Seymour**). ♦ EDWARD SEYMOUR (v. 1506 – 1552) dut sa fortune à sa sœur Jeanne. Lors de la minorité d'Édouard VI, il se fit nommer « protecteur » et s'empara du pouvoir jusqu'à ce que Dudley* le supplante et le fasse exécuter. Il avait orienté l'Angleterre vers le protestantisme et imposé avec Cranmer* le *Book of Common Prayer.*

SEYNE [sɛn] ou **SEYNE-LES-ALPES.** ♦ Ch.-l. de cant. des Alpes*-de-Haute-Provence, arr. de Digne*. 1 305 hab. Église romane avec portails gothiques ; citadelle du XVIIe siècle.

SEYNE-SUR-MER (La). ♦ Ch.-l. de cant. du Var*, arr. de Toulon*, sur la rade de Toulon*. 44 548 hab. *(Seynois).* Église du XVIIe siècle. Constructions navales, matériel ferroviaire.

SEYSSEL [sɛsɛl]. ♦ Ch.-l. de cant. de l'Ain* (arr. de Belley*), sur le Rhône*. 1 029 hab. *(Seysselans).* Pont suspendu sur le Rhône, reliant le bourg à Seyssel* (Haute-Savoie). Vins blancs célèbres. Mèches pour mines. – Important barrage et centrale électrique. Le barrage est destiné à régulariser les eaux du Rhône à la sortie du barrage de Génissiat*. – Patrie de Fr. de Bonivard*.

SEYSSEL. ♦ Ch.-l. de cant. de la Haute-Savoie*, arr. de Saint*-Julien-en-Genevois, sur le Rhône* et le Fier*. 1 717 hab. *(Seysselans).*

SEYSSINET-PARISET. ♦ Comm. de l'Isère, arr. de Grenoble. 10 863 hab. Outillage (scies).

SEYSS-INQUART (Arthur). ♦ Homme politique allemand (Stannern, 1892 – Nuremberg, 1946). Avocat en 1921, il était depuis sa jeunesse un partisan de l'*Anschluss.* Il entra en contact avec le gouvernement nazi et celui-ci l'imposa à Schuschnigg* comme ministre de l'Intérieur (1938). Après l'Anschluss, il devint *Reischstatthalter,* puis ministre sans portefeuille (1939). Il devint ensuite représentant à Cracovie du gouverneur nazi de la Pologne et, en 1940, commissaire du Reich aux Pays-Bas, où il présida aux persécutions et déportations (1940-1945). Traduit devant le tribunal de Nuremberg, il fut condamné à mort et exécuté en 1946.

Ph. Nino Cirani/Ricciarini

Sfax : enceinte.

SÉZANNE. ♦ Ch.-l. de cant. de la Marne (arr. d'Épernay) sur la riv. des Auges. 6 042 hab. *(Sézannais).* – Église Saint-Denis (XVIe s.). – Bonneterie. Produits réfractaires. Optique.

SÈZE (Romain *de***).** ♦ **V.** DESÈZE.

SFAX. ♦ V. et port de la Tunisie, ch.-l. de gouvernorat (424 000 hab.), véritable métropole économique du Sud tunisien, située sur la côte N. du golfe de Gabès*, face aux îles Kerkennah*, dans le *Sahel* de Sfax.* 250 000 hab. Anc. cité romaine de *Taparura,* elle connut un important développement à l'époque aghlabide (IXe s.). Enceinte (porte de Bab Diwan). Grande mosquée. Souks. – Riche région agricole : oliveraie de 7 000 000 d'arbres, céréales, arbres fruitiers. Huileries. Savonneries. Port exportateur d'alfa et des phosphates de la région de Gafsa*. Usine de superphosphates. Centre de pêche, conserveries.

S.F.I.O. (sigle de *Section française de l'Internationale ouvrière*). ♦ V. SOCIALISTE FRANÇAIS (parti).

SFORZA. ♦ Célèbre famille italienne fondée par le condottiere Jacopo Muzio (ci-dessous), qui régna à Milan de 1450 à 1535. ♦ JACOPO MUZIO ou GIACOMUZZO ATTENDOLO, dit SFORZA (« le Fort ») [Cotignola, Romagne, 1369 – près de Pescara, 1424]. Condottiere, il combattit pour Florence, pour le pape et pour Jeanne II de Naples. ♦ FRANCESCO Ier SFORZA, fils naturel de Jacopo (1401 – 1466). Il prit la marche d'Ancône au pape Eugène IV (1434). En 1441, le duc de Milan, Filippo Maria Visconti* lui donna sa fille Bianca Maria en mariage. À la mort de son beau-père, Francesco se fit reconnaître comme duc de Milan (1450). Allié de Cosme de Médicis et de Louis XI de France, il s'empara de toute la Lombardie. ♦ GALEAZZO MARIA SFORZA, fils de Francesco (1444 – Milan, 1476). Il fut duc de Milan de 1466 à 1476. Mécène, il protégea Bramante. Il mourut assassiné, mais le pouvoir passa à son fils Gian Galeazzo Sforza (voir *ci-dessous*) et sa fille Bianca Maria épousa l'empereur Maximilien Ier. ♦ CATERINA SFORZA, fille de Galeazzo Maria (v. 1463 – 1509). Elle épousa Girolamo Riario*. Son mari ayant été assassiné, elle fit respecter les droits de son fils Octavien. Elle soutint le siège dans Forli contre César Borgia qui lui prit ses États (1499). Mère du condottiere Giovanni della Bande Nera (**V. Médicis**). ♦ GIAN GALEAZZO SFORZA (1469 – 1494), fils et successeur de Galeazzo Maria. Sa mère, Bonne de Savoie, assura d'abord la régence, puis son oncle Ludovic le More lui enleva tout véritable pouvoir. Il fut le père de Bonne Sforza qui épousa le roi de Pologne Sigismond Ier. ♦ LUDOVICO SFORZA. **V. Ludovic Sforza.** ♦ MASSIMILIANO SFORZA, fils de Ludovico (1490 – 1530). Il se rétablit à Milan en 1512, mais fut chassé par la bataille de Marignan (1515). ♦ FRANCESCO II MARIA SFORZA, frère de Massimiliano (1492 – 1535). Il recouvra son duché en 1521 grâce à Charles Quint. Il mourut sans héritier.

Sganarelle. ♦ Personnage de comédie créé par Molière, qui apparaît dans cinq de ses œuvres, où il incarne des types très divers : *Sganarelle ou le Cocu imaginaire* (1660), *L'École* des maris* (1661), *Dom Juan* (1665), *L'Amour médecin* (1665), *Le Médecin* malgré lui* (1666).

'S-GRAVENHAGE. ♦ **V.** HAYE (La).

SHABA. ♦ Nom donné en 1972 au Katanga*.

SHACKLETON (*sir* **Ernest Henry).** ♦ Navigateur et explorateur britannique (Kilkee, Irlande, 1874 – Georgie du Sud, 1922). Après avoir participé au raid de Scott* dans l'Antarctique (1901-1904), il tenta à plusieurs reprises, mais sans succès, d'atteindre le pôle Sud (en 1908, 1914 à bord de l'*Endurance* qui, pris par les glaces, dut être abandonné) et mourut lors de l'expédition à bord du *Quest.* (*The Heart of the Antarctic,* 1909 ; *South in the Antarctic,* 1912.)

SHÂFI'Î (Abû 'Abd Allâh Muhammad al-). ♦ Théologien et juriste arabo-musulman (Gaza, 767 – Le Caire, 820). Élève de Mâlik* Ibn Anas, il fut le fondateur de l'une des quatre écoles juridiques de l'islâm orthodoxe. Conciliant les thèses de ses prédécesseurs, il définit rigoureusement les quatre sources du droit : le

Ph. Scala

Ben Shahn : « Albert Einstein avec d'autres immigrants ». (Collection privée, New Jersey U.S.A.)

Coran, la tradition *(Hadîth)*, l'usage (reconnu par l'ensemble de la communauté) et l'« analogie » *(al-Qiyâs)*.

SHÂFI'ÎTES. *n. m. pl.* ♦ Adeptes du théologien al-Shâfi'î* qui fonda une des quatre écoles juridiques de l'islâm orthodoxe.

SHAFTESBURY (Anthony Ashley COOPER, *1er comte de***).** ♦ Homme politique anglais (Wimborne, 1621 – Amsterdam, 1683). Il passa du camp des royalistes à celui des parlementaires, pour finalement contribuer à la restauration de Charles* II (1660). Modéré lors du procès des régicides, il soutint le Test* Act (1673) et perdit la faveur du roi. Passé dans l'opposition, il multiplia les intrigues contre les « papistes ». L'affaire de Titus Oates* lui permit d'accéder de nouveau au pouvoir, après un emprisonnement. Renvoyé pour n'avoir pu faire accepter par les lords le bill d'exclusion contre le duc d'York, arrêté (1681), compromis dans la conspiration de Monmouth*, il se réfugia en Hollande. On prononce Saftasbœri.

SHAFTESBURY (Anthony Ashley COOPER, *comte de***).** ♦ Philosophe anglais (Londres, 1671 – Naples, 1713). S'inspirant du platonisme de l'école de Cambridge **(V. Cudworth),** il développa une morale du sentiment basée sur l'idée optimiste d'un sens inné du beau et du bien en l'homme. [*Lettre sur l'enthousiasme,* 1708; *Characteristics of Men, Manners, Opinions and Times,* 1711] **(V. Hutcheson.)**

SHÂH ÂLAM II. ♦ (1728 – Delhi, 1806). Empereur moghol des Indes (1759-1806), fils et successeur d'Âlamgîr II. Il fut sous tutelle britannique à partir de 1765. En butte aux intrigues de sa cour et aux rébellions, il mena une vie errante et fut aveuglé en 1788 par un chef rajput qui l'avait vaincu. Il se mit en 1803 sous la protection des Anglais qui le pensionnèrent. Ce fut un poète de grand renom.

SHÂH-I ZENDEH [« Châh-vivant »], **(Qâsim ibn 'Abbâs,** dit). ♦ Cousin présumé du prophète Muhammad [Mahomet*] ([mort] près de Samarkand, 672). Venant en Iran prêcher l'islam*, il se serait installé dans une grotte près de Samarkand (Samarqand) et il y aurait disparu. Son tombeau reste très vénéré. Plusieurs grands personnages furent par la suite inhumés à côté de sa tombe. – Shâh-i Zendeh désigne un ensemble important de mausolées et de mosquées (colline d'Afrâsiyâb, Samarkand).

SHÂH JAHÂN. ♦ Empereur moghol des Indes (Lahore, 1582 – Âgra, 1666), troisième fils de Jahângîr*, qui régna de 1628 à 1658. Il se révolta contre son père, mais fut battu et se soumit. En 1628, il s'installa à Âgra où il fit élever à la mémoire de son épouse le célèbre Tâj* Mahâl. Il nomma son fils Aurangzeb* gouverneur du Dekkan, mais celui-ci se révolta en 1658, le déposa et le tint captif dans le fort d'Âgra jusqu'à sa mort. Aurangzeb lui succéda.

SHÂHJAHÂNPUR. ♦ V. de l'Inde (Uttar Pradesh), au N.-O. de Lakhnau*. 150 000 hab. – Indus. alimentaires et artisanat. ♦ *Hist.* Elle fut fondée par Shâh Jahân en 1647.

SHAHN (Ben). ♦ Peintre américain d'origine russe (Kovno, 1898). Émigré aux États-Unis en 1906, il travailla chez un lithographe et étudia le dessin à New York. Il se consacra à des thèmes réalistes et sociaux, traités *a tempera,* avec une grande netteté graphique, des couleurs claires, une précision extrême dans le traitement des détails qui évoque plus certains primitifs italiens que les naïfs (série de *Sacco et Vanzetti,* 1931-1932; *La Partie de hand-ball,* 1939).

Shâh-Nâme. *n. m.* (« le livre des rois »). ♦ Première grande épopée persane écrite par Firdûsî* (xe s.). Composée de 60 000 distiques, l'œuvre comprend quatre épisodes (légendaire, semi-légendaire, semi-historique, historique) et relate les fastes de l'empire perse. Inspiré des traditions épiques de l'Iran ancien, ce poème comporte des préceptes moraux et des énigmes. Firdûsî y décrit avec autant de talent les puissantes scènes guerrières et les gracieux épisodes amoureux. Le *Shâh-Nâme,* œuvre rigoureuse, marque le début de l'essor de la littérature persane.

SHÂHPUHR (ou CHAHPOUR) Ier, en latin **Sapor.** ♦ Roi sassanide de Perse (241-272 [mort]), fils d'Ardachêr* Ier. Il annexa le royaume de Kuśâna* (Kushân), [N.-O. de l'Inde et Afghânistân], puis lutta contre Rome et ses satellites. En 244, il traita avec Philippe* l'Arabe qui lui reconnut la possession de la Mésopotamie et de l'Arménie; en 253, il remplaça Tiridate II d'Arménie par un prince vassal; en 260, près d'Édesse il fit prisonnier l'empereur Valérien* (de nombreux bas-reliefs représentent celui-ci à genoux devant Shâhpuhr). Il envahit alors la Cilicie et la Cappadoce mais fut arrêté dans son avance par Ballista et Macrien le père, et attaqué par Odenat* de Palmyre (260); celui-ci lui reprit ensuite la Mésopotamie (262-264). Shâhpuhr fonda une capitale, Gundeshâpuhr, près de Suse, et bâtit sans doute le palais de Ctésiphon*. Il semble avoir encouragé la prédication de Mani*.

SHÂHPUHR II. ♦ Roi sassanide de Perse (310-379). Il restaura la situation, détériorée à la fin du IIIe siècle. Il lutta constamment contre Rome en Mésopotamie : il assiégea trois fois Nisibe (338, 346, 350), entreprit avec Constance* II des pourparlers qu'il rompit en 359, repoussa l'expédition de l'empereur Julien* qui y trouva la mort (363), conclut avec Jovien une paix assurant à la Perse les cinq satrapies transtigritanes, une partie de la Mésopotamie et la suzeraineté sur l'Arménie. Il repoussa les Huns dans le Caucase (377) et réaffirma sa domination sur les Kuśâna (378). À l'intérieur, il s'appuya sur le clergé mazdéen, fut à l'origine du synode qui fixa le texte de l'*Avesta* (325) et persécuta les chrétiens (à partir de 337).

SHÂHPUHR III. ♦ Roi sassanide de Perse (383-388). Il traita avec Théodose* Ier, empereur romain (partage de l'Arménie, 387).

SHAKESPEARE (William). ♦ Poète dramatique anglais (Stratford-upon-Avon, Warwickshire, 1564 – *id.,* 1616). Fils de John Shakespeare, commerçant aisé devenu propriétaire et qui accéda, dans sa ville, aux éminentes fonctions de bailli, et de Mary Arden, elle-même issue d'une vieille et riche famille catholique, c'est dans cette foi qu'il fut probablement élevé, avec ses frères Edmund et Gilbert et sa sœur Joan. Aucun document n'est là pour attester qu'il aurait fait ses études à l'école de la commune ni quels métiers il aurait exercés à la suite d'un revers de fortune éprouvé par son père. Cependant, le théâtre était peut-être venu jusqu'à lui sous l'aspect des troupes itinérantes autorisées depuis 1572 à se constituer en compagnies au service des dignitaires du royaume, et sous la forme, plus populaire, des groupements d'amateurs qui interprétaient, dans un esprit encore proche de celui du Moyen Âge, des mystères et des moralités. On ne sait donc rien de ces années d'apprentissage, sinon qu'à l'âge de dix-huit ans (1582), Shakespeare épousa Anne Hathaway, de huit ans son aînée, dont il eut trois enfants. – Déçu par un mariage qui s'avéra bientôt malheureux, il quitta sa ville natale quelques années plus tard pour Londres où, dès 1588, sa réputation commence à s'établir. Dans le même temps qu'il faisait ses débuts de comédien et de poète dramatique, il était devenu l'ami et le protégé du jeune comte de Southampton à qui il dédia son premier ouvrage, *Vénus et Adonis* (*Venus and Adonis,* 1593), bientôt suivi d'un autre long poème, *Le Viol de Lucrèce* (*The Rape of Lucrece,* 1594) et de l'admirable et énigmatique recueil des *Sonnets* qui ne devait être publié qu'en 1609. La peste qui sévissait dans les bas quartiers de Londres (1592) entraîna la dislocation des compagnies de comédiens. Après un bref séjour à Stratford, Shakespeare revint dans la capitale où commence alors pour lui, avec la période la plus fructueuse de sa production, celle d'une prospérité matérielle qui lui permettra de devenir l'un des plus riches propriétaires de Stratford et le coactionnaire de la compagnie des *Lord Chamberlain's Men,* dirigée par Richard Burbage. À la mort de la reine Élisabeth, cette compagnie deviendra celle des *King's Men* et sera placée sous la protection du roi Jacques Ier (1603), dont elle recevra d'insignes faveurs. Elle avait d'abord donné ses représentations au théâtre du Globe puis s'était ensuite installée dans la salle toute neuve de la *Fortune,* théâtre à ciel ouvert qu'elle quitta parfois pour la salle couverte des *Blackfriars,* ou pour la Cour, ou pour des tournées dans la province anglaise. – Parvenu à ce moment de sa réussite, et dans la plénitude de son génie, il semble que Shakespeare ait décidé de renoncer à la brillante carrière qu'il pouvait poursuivre dans une capitale qui lui faisait fête. On le voit peu à peu s'en éloigner, n'y faisant plus que de brèves incursions. L'incendie du théâtre du *Globe* (1613) le détermina peut-être à regagner définitivement Stratford. C'est là que s'écouleront ses dernières années et qu'il mourra dans la sérénité, le 23 avril 1616. – Des critiques et des historiens ont tenté d'accréditer la thèse selon laquelle Shakespeare n'aurait été que le prête-nom d'un auteur alors plus illustre, Francis Bacon ou Christopher Marlowe, ou de naissance aristocratique, Édouard de Vere, comte d'Oxford, ou William Stanley, sixième comte de Derby. Mais on peut voir dans ces hypothèses, parfois ingénieuses ou le plus souvent chimériques, la manifestation d'une incompréhension fondamentale à l'égard du génie dont la singularité est d'ignorer les préjugés de caste et les interdits qui en découlent. Shakespeare est bien le poète inspiré d'une œuvre immense qui fait toujours l'émerveillement d'un public innombrable. Aussi bien n'est-il point d'œuvre dont le catalogue soit plus difficile à établir que la sienne, seize pièces seulement sur les trente-sept qu'on lui attribue ayant été publiées de son vivant, et dans des conditions souvent suspectes. C'est en 1623 que deux de ses amis de la compagnie des *King's Men,* Heminge et Condell, publièrent un premier folio qui authentifiait l'œuvre shakespearienne dans son ensemble. Sacrifiant la chronologie à la logique, ils la répartissaient en comédies, drames historiques et tragédies. L'arbitraire d'une telle classification apparaît vite. Passant outre aux catégories qui nous sont devenues familières, Shakespeare a mené de front, sa vie durant, les trois genres, mêlant en toute spontanéité le rire et les pleurs, la grâce aérienne au réalisme le plus sordide, la noblesse et la générosité au vice le plus noir. — On peut distinguer trois grandes périodes dans la production shakespearienne. De 1590 à 1601, c'est le temps de la jeunesse, de la fantaisie, des grands drames historiques qui flattent l'orgueil national du public élisabéthain. De cette période datent, avec les trois parties de *Henri* VI* (1590-1592), *La Comédie des erreurs* (*Comedy of Errors,* 1592), *Richard* III* (1592-1593), *Titus Andronicus* (1593), *La Mégère* apprivoisée* (*The Taming of the Shrew,* 1593-1594), *Les Deux Gentilshommes de Vérone* (*The Two Gentlemen of Verona,* 1594), *Peines d'amour perdues* (*Love's Labour's Lost,* 1594), *Roméo* et Juliette* (*Romeo and Juliet,* 1594-1595), *Richard II* (1595), *Le Songe* d'une nuit d'été* (*A Midsummer Night's Dream,* 1595), *le Roi Jean* (*King John,* 1596), *Le Marchand* de Venise* (*The Merchant of Venice,* 1596), *Henri* IV* (1597), *Beaucoup* de bruit pour rien* (*Much Ado about Nothing,* 1598), *Henri* V* (1598), *Jules* César* (1599), *Les Joyeuses* Commères de Windsor* (*The Merry Wives of Windsor,* 1599), *Comme* il vous plaira* (*As you like it,* 1599) et *La Nuit* des rois* (*Twelfth Night,* 1600-1601). — De 1600 à 1608, c'est le temps d'un désenchantement qui correspond, pour l'Angleterre, à la fin du règne d'Élisabeth. Pour le poète, c'est celui d'une pensée devenue plus amère, plus désabusée. À cette période correspondent : *Hamlet** (1600), *Troïlus* et Cressida* (1601), *Tout est bien qui finit bien* (*All's Well that Ends Well,* 1602), *Othello** (1604), *Mesure* pour Mesure* (*Measure for Measure,* 1604), *Macbeth** (1605), *Le Roi* Lear* (*King Lear,* 1606), *Antoine* et Cléopâtre* (*Anthony and Cleopatra,* 1606), *Coriolan** (*Coriolanus,* 1607), *Timon* d'Athènes* (*Timon of Athens,* 1607). — Une dernière période s'ouvre alors. Le poète semble s'y abandonner plus volontiers à une fantaisie féerique, où le tragique se trouve transfiguré par l'intervention fréquente du surnaturel : *Périclès* (1608), *Cymbeline* (1609), *Le Conte d'Hiver* (*The Winter's Tale,* 1610), *La Tempête** (*The Tempest,* 1611) et *Henri VIII* (1612). — Composée à l'une des époques les plus glorieuses de l'histoire du théâtre universel, contemporaine et parfois même tributaire de celles de Thomas Kid, de Marlowe*, de John Lyly* et de Ben* Jonson, l'œuvre de Shakespeare se caractérise par une extraordinaire diversité. Mêlant tous les genres, la farce, la comédie, la féerie, le drame, la tragédie, elle s'adressait à un public composite, issu de toutes les classes sociales. Il convient ici de rappeler ce qui fit l'originalité de l'architecture du lieu théâtral élisabéthain. Dans une étroite salle de forme hexagonale ou octogonale, une galerie couverte entourait un parterre à ciel ouvert où le public populaire restait debout, alors que les privilégiés s'asseyaient aux balcons qui entouraient la cour de trois côtés. Réduite à une simple estrade et à un rideau, la scène possédait un important proscenium qui s'avançait dans la salle aux deux tiers du parterre, permettant ainsi l'établissement du contact le plus étroit entre les acteurs et le public. Public de grands seigneurs, de bourgeois et d'artisans qui, selon leurs goûts, leur degré de culture, attendaient du théâtre tous les plaisirs qu'il peut offrir, des plus faciles aux plus raffinés. Public turbulent et parfois naïf, mais passionné de poésie et d'une intense richesse d'imagination, qui acceptait spontanément toutes les conventions de la scène, l'absence de décor, les écriteaux indiquant les changements de lieux, les éphèbes interprétant les rôles féminins, la médiocrité de la figuration, pour la beauté d'un vers, la vigueur d'une image, la splendeur d'un verbe sans cesse renouvelée. — On a relevé les erreurs fréquentes de Shakespeare dans les domaines de l'histoire et de la géographie et l'on a dénoncé ses anachronismes, ses invraisemblances, ses obscurités, ses « fautes de goût ». Minces griefs, au regard de la puissance d'un génie créateur qui a fait du théâtre le miroir de l'univers et de chacun de ses grands personnages, *Hamlet, Macbeth, Richard III, Othello, Shylock*, Lear, Falstaff*, Ophélie, Desdémone, Viola, Rosalinde,* l'archétype d'une attitude de l'homme devant l'énigme du monde, ou d'une des passions qui le dévorent ou qui l'exaltent. Auteur, acteur, homme de théâtre jusqu'au plus profond de lui-même, Shakespeare a imposé la vision d'une humanité qui, au sein d'un monde où tout n'est qu'apparence et jeux de miroirs, mène inlassablement la quête d'une authenticité qui toujours la fuit. De l'histrion au roi, de la courtisane à la princesse, chacun y assume, de la naissance à la mort, et le visage toujours masqué, la totalité d'un rôle où le burlesque et le tragique vont naturellement de compagnie, où l'incohérence, la dérision et le néant sont finalement le prix de toute domination, de toute gloire et de tout bonheur.

Ingenio stat sine morte decus

POETA, PHILOSOPHVS, ACTOR,
Judicio Pylium, Genio Socratem, Arte Maronem,
Terra tegit, Populus Maret, Olympus habet.

Coll. Viollet

William Shakespeare, gravure de Wherborn. (Bibliothèque nationale, Paris.)

SHAMASH. ♦ Nom sémitique du dieu Soleil, dans les anciennes religions de l'Asie antérieure (Sumer et Akkad, Babylone, Assyrie, Élam, Mitanni). Il préside à la justice, dicte les lois au roi sur le code de Hammurabi*. Symbolisé par un disque ailé ou rayonnant. **V. Sin.**

SHAMMAI l'Ancien. ♦ Docteur juif pharisien (Jérusalem, v. ~ 50 — 30). Il donna naissance à une école dite *Bet Shammai* (« maison de Shammai ») dont la rigueur dans l'interprétation de la Loi s'opposa à celle de Hillel*, jusqu'à la fin du Ier siècle.

SHA-MO. ♦ V. GOBI.

SHAMSHI-ADAD Ier. ♦ Roi d'Assyrie v. ~ 1770. Son règne marque l'apogée du premier empire assyrien. Il conquit les vallées moyennes du Tigre et de l'Euphrate et le royaume de Mari* et étendit son influence jusqu'au Liban. Il semble avoir créé le premier État centralisé : administration, courrier, intendance militaire, recensements, organisation de la transhumance des nomades. **V. Assyrie.**

SHAMSHI-ADAD V. ♦ Roi d'Assyrie* de ~ 824 à ~ 810. Il mit fin à la révolte de son frère Assur-dân-apal contre leur père Salmanasar* III. Il plaça le dieu Marduk* (babylonien) immédiatement après le dieu national Assur* dans le panthéon assyrien. Sa femme Sammuramat ou Sémiramis* exerça la régence après sa mort sous la minorité de son fils Adad*-nirâri III.

SHANCHUNG. ♦ V. de l'île de Taiwan, faub. du N.-O. de Taipei*. 225 000 hab. — Centre industriel et commercial.

SHANFARA. ♦ Poète arabe antéislamique. Brigand et chasseur, son principal poème fut appelé « La Complainte de l'affamé ».

SHANG [*Chang*]. ♦ Anc. dynastie chinoise (~ XVIIIe s. — ~ XIe s.) qui régna dans l'actuelle prov. du Ho*-nan. Aussi appelée Shang-Yin. Elle fut la deuxième dynastie historique de Chine et aurait eu vingt-huit ou trente rois. La dynastie des Chou* la remplaça.

SHANGHAI [*Changhai*]. ♦ V. chinoise du Chiang-su, sur la côte E., premier port et premier centre industriel et commercial chinois établi sur le fl. Huang-p'u à 27 km de son confluent avec le Yang-tsê. 10 820 000 hab. Centre culturel (universités) et scientifique important. Indus. métallurgique, sidérurgique, constructions mécaniques, chantiers navals, indus. chimique, etc. Shanghai est entourée de villes satellites industrielles (Min-Hang, Wu-Sung, P'eng-p'u). ♦ *Hist.* Anc. village de pêcheurs, Shanghai prit son essor au milieu du XIXe s. avec l'installation d'une concession internationale, puis d'une concession française. Celle-ci exista jusqu'en 1946, en dépit des menaces et de la présence des Japonais. Shanghai était devenue le principal port de commerce européen en Chine.

SHAN-HSI [*Chen-si, Shânxi*]. n. m. ♦ Prov. chinoise du N.-O., séparée de la prov. du Shen-hsi par le cours du Huang*-ho. 157 000 km². Env. 20 000 000 d'hab. *Cap.* Hsi*-an. Montagneuse (alt. moyenne : 1 000 m) et de climat continental.

SHANNON (Claude Elwood). ♦ Mathématicien américain (Gaylord, Michigan, 1916). Il démontra que les circuits de commutation automatique obéissent à l'algèbre de Boole* (1937), créant ainsi le premier lien entre les recherches théoriques et tech-

Ph. Scala

Sharaku : « Portrait d'acteurs ».
(Musée Chiossone, Gênes.)

niques sur les machines à calculer. Il s'est attaché ensuite au développement de la théorie de l'information, en établissant les bases mathématiques avec Weaver* (*Théorie mathématique de la communication*, 1949). Il énonça un théorème fondamental concernant la transmissibilité d'un message, y définissant une vitesse mesurable *(vitesse d'information)*, et, ayant montré qu'il existe un maximum à la possibilité de transmission, donna la formule exprimant la « capacité » d'une ligne de communication comportant un bruit (1949). **V. Hartley.** Il a également imaginé une machine autoreproductrice dont l'analogie avec la vie peut permettre des progrès en génétique. **V.** *aussi* **Neumann, Wiener.**

SHANNON. *n. m.* ♦ Le plus long fleuve de la république d'Irlande (360 km env.). Né dans le comté de Cavan (Ulster), il coule vers le S., irriguant la plaine centrale, traverse successivement les *loughs* Allen*, Ree*, et Derg*, sert de frontière entre les provinces de Leinster et de Connacht et se jette dans la mer d'Irlande en aval de Limerick*, formant un estuaire long de 96 km. Le Shannon est relié à la Liffey par le Grand Canal et à Dublin par le Canal Royal. Son princ. affl. est le Suck. De nombreuses centrales hydro-électriques ont été établies sur son cours.

SHANNON. ♦ Aéroport international du S.-O. de la république d'Irlande, dans la banlieue de Limerick*, sur la rive sud du Shannon. Une zone industrielle (mécanique, chimie) s'est développée dans la région.

SHAN-T'OU [*Chan-t'eou, Shantou*] ou **SWATOW.** ♦ V. de Chine (Kuang-tung), sur l'embouchure de la Han. 280 000 hab. — Indus. métallurgiques.

SHAN-TUNG [*Chan-tong, Shandong*]. n. m. ♦ Prov. de la Chine orientale, au bord de la mer Jaune, au relief relativement montagneux et au climat tempéré. 153 000 km². 57 000 000 d'hab. *Cap.* Chi*-nan [Jinan]. — Elle était autrefois renommée pour ses tissus de soie (shantung). Prov. à vocation agricole.

SHAO-HSING [*Chao-hing, Shaoxing*]. ♦ V. de Chine (Che-Kiang), anc. cap. de l'État de Yue au ~ IIIᵉ siècle. Nombreux monuments anciens. 150 000 hab. Alcool de riz et commerce des textiles.

SHAO-YANG [*Chaoyang, Shaoyang*]. ♦ V. de Chine (Hu-nan) à 200 m d'alt. 120 000 hab. Gros bourg agricole.

SHAO YUNG [*Chao Yong, Shao Yong*]. ♦ Philosophe chinois (1011 — 1077) néo-confucéen, dont la pensée eut une forte influence sur les doctrines de Chu* Hsi. Mathématicien, astronome et poète, il laissa des œuvres importantes dans ces domaines.

S.H.A.P.E. ou **Shape** (sigle de l'angl. **Supreme Headquarters Allied Powers Europe,** « Grand quartier général des forces alliées en Europe »), *n. m.* ♦ Quartier général des forces alliées de l'Organisation du traité de l'Atlantique Nord en Europe, installé à Rocquencourt (Yvelines) en 1951 et transféré en Belgique en 1966. Il est commandé par un commandant suprême, dit le SACEUR (*Supreme Allied Commander Europe)*, qui fut en 1951 Eisenhower. La zone d'action du Shape s'étend du cap Nord à la Méditerranée et aux frontières orientales de la Turquie. Divisée en secteurs : Nord-Europe (Q.G. Oslo), Centre-Europe (Q.G. aux Pays-Bas), Sud-Europe (Q.G. Naples) et Méditerranée (Q.G. Naples).

SHAPLEY (Harlow). ♦ Astronome américain (Nashville, Missouri, 1885). Auteur de recherches photométriques et spectroscopiques, il développa avec Russell* la théorie photométrique des étoiles doubles à éclipses dans le cas où les disques sont assombris vers les bords (1912); il fut le premier, en 1917, à différencier les *novae* ordinaires des *supernovae* et, à l'aide des amas globulaires, il put préciser les données de Herschel* sur la structure de la Galaxie*, en en déterminant la position et la distance de son centre de gravité (les résultats principaux étant : distance du centre au Soleil, 30 000 al; diamètre de la Galaxie, 100 000 al). **V. Oort.**

SHARAKU. ♦ Peintre japonais (actif de 1794 à 1795) et acteur de théâtre. Il se spécialisa dans les portraits d'acteurs de Kabuki* qu'il traita en gravure de manière très originale. On ignore presque tout de sa vie. Il ne travailla que pendant une année.

SHARETT (Moshé SHERTOK, dit **Moshé).** ♦ Homme politique israélien (Kherson, 1894 — Jérusalem, 1965). Immigré en Palestine dès 1906, il étudia le droit à l'université d'Istanbul, puis les sciences économiques et politiques à Londres. Rédacteur en chef du journal *Davar* (1925), il fut nommé secrétaire (1931), puis directeur (1933) du département politique de l'Agence juive. Après avoir contribué à la création de la « brigade juive » qui lutta aux côtés des forces britanniques pendant la Deuxième Guerre mondiale, il fut délégué de l'Agence juive à l'O.N.U. (1947) et fut ensuite un des signataires de la proclamation de l'indépendance d'Israël (mai 1948). Député à la Knesset, ministre des Affaires étrangères (1948-1956), Premier ministre (1953-1955).

Sharī'a. *n. f.* (mot arabe qui est passé en français sous sa forme turque : « chériat »). ♦ Nom donné à la Loi par les musulmans sunnites*. Elle contient un ensemble de prescriptions juridico-religieuses, qui doit régir la communauté des croyants. Si le docteur Ibn* Hanbal réduit les sources de la Loi au Coran* et au hadîth*, al-Shâfi'î* ajoute à ces sources incontestées le « consensus de la communauté » *(al-ijimâ')* et la méthode analogique *(al-qiyas)* et Abû* Hanifa admet le point de vue personnel *(al-Ra'y)* découlant du raisonnement analogique tandis que les disciples du docteur Mâlik* ibn Anas tiennent compte du jugement au profit du bien commun *(masâlih al-marsalah)*.

SHARON *(plaine de)* . ♦ **V.** SARON.

SHÂTRÎ (Lâl Bahâdur). ♦ Homme d'État indien (Vârâsani, 1904 — Tachkent, 1966). Il succéda au pandit Nehru* comme Premier ministre du Congrès en 1964, mais mourut pendant une conférence internationale à Tachkent. Indira Gândhi* lui succéda.

SHAUMJAN (Sébastien Konstantinovitch) [*Šaumjan*]. ♦ Linguiste soviétique (né en 1916). Spécialiste de la phonologie (*Histoire du système des éléments différentiels dans la langue polonaise*, 1958; *Problèmes de phonologie théorique*, 1962), il a proposé un modèle général du langage (*La Linguistique structurale*, 1971). Inspiré de la logique combinatoire (travaux de H. Curry), ce modèle utilise le concept opératoire d'application et fait correspondre à un seul langage formé d'objets abstraits (langage génotype) des systèmes formels (langages phénotypes) correspondant éventuellement aux langues naturelles. Les universaux du langage y sont représentés par des formes mathématiques impliquant un système sémiotique (*Problèmes philosophiques de la linguistique théorique*, 1971).

SHAW (George Bernard). ♦ Écrivain et dramaturge irlandais de langue anglaise (Dublin, 1856 — Ayot Saint Lawrence, 1950). Ses premières publications révèlent chez lui un tempérament de pamphlétaire indigné par les injustices sociales et soucieux d'y porter remède par la dénonciation de l'hypocrisie. Membre actif de la Société Fabienne, groupement d'intellectuels socialistes, il en rédigea le manifeste (1884). Il devait aussi publier de nombreux ouvrages politiques et sociaux et faire, sans grand succès, œuvre de romancier. Critique musical et dramatique, il publia des études sur Wagner et sur Ibsen, dont l'influence allait être grande sur la genèse de son propre théâtre. C'est en effet comme dramaturge qu'il allait parvenir à donner la forme la plus expressive aux idées qu'il tenait à exprimer. Virulentes à l'égard des vices de la société victorienne, ses pièces conservent un éclat et témoignent d'une habileté qui fait encore leur charme, qu'il s'agisse de *L'argent n'a pas d'odeur* (*Widowers' Houses*, 1892), satire de l'usure; de *La Profession de Mme Warren* (*Mrs. Warren's Profession*, 1893), dénonciation du commerce de la prostitution; de *Le Héros et le Soldat* (*Arms and the Man*, 1894), dérision de l'héroïsme, ou encore de grandes fresques historiques comme *César et Cléopâtre* (*Caesar and Cleopatra*, 1901), ou d'*Androclès et le Lion* (*Androcles and the Lion*, 1912). Avec *Commandant Barbara* (*Major Barbara*, 1905), tableau parodique de la puissance des marchands de canons, et *Pygmalion* (1912), satire des préjugés de classe, il devait encore poursuivre avec bonheur son entreprise de mise en accusation du conformisme social britannique. Mais c'est dans *Sainte Jeanne* (*Saint Joan*, 1923), ouvrage où le sarcasme cède la place au lyrisme qu'il a sans doute voulu livrer l'essentiel de son message. Une adaptation théâtrale de la longue correspondance qu'il échangea avec une actrice célèbre, Miss Sarah Campbell, a été représentée sous le titre *Cher Menteur* (*Dear Liar,* 1957). Elle révèle certains aspects savoureux de la personnalité véritable de G.B. Shaw qui, de l'avis de la plupart des critiques, demeure, en tant qu'écrivain, un esprit d'une causticité puissante et libératrice. (Prix Nobel, 1925.)

SHAWINIGAN. ♦ V. du Canada (Québec), au N. de Trois-Rivières. 44 000 hab. (l'agglomération, formée par Shawinigan et la ville voisine de Grand'Mère, compte plus de 60 000 habitants). Ville industrielle dont les activités dépendent de l'hydro-électricité (chutes de la riv. Saint-Maurice, équipées en 1898). Indus. chimiques, acier, alliages; matières plastiques. Raffinerie d'aluminium. Papeterie. Filature de coton.

SHAWQI (Ahmad). ♦ Poète égyptien (Le Caire, 1868 — *id.,* 1932). Il fut proclamé en 1927 *Amîr al-Shu'arâ* (« prince des poètes »). Il introduisit des thèmes nouveaux dans sa poésie (qui imite scrupuleusement le style de la poésie antéislamique) imprégnée d'un lyrisme emprunté à Lamartine et à Victor Hugo. Il écrivit aussi des pièces dramatiques en vers dont la plus importante est *Masra' Kulyubatra (La Chute de Cléopâtre).*

SHEFFIELD. ♦ V. du N. de l'Angleterre (Yorkshire, West Riding), au pied des Pennines, au confl. du Don et de ses affl. 519 703 hab. Évêché anglican. Université. La ville a été très éprouvée par la Deuxième Guerre mondiale. Dès l'époque romaine, le fer des environs était exploité, mais c'est surtout à partir du XVIIIe s. que s'établit la réputation de Sheffield en matière de coutellerie et d'argenterie, réputation qui subsiste, malgré l'épuisement du bassin de fer local, remplacé par du minerai importé de Suède et d'Espagne. Au XIXe s., Sheffield devint le premier centre sidérurgique britannique spécialisé dans la production d'aciers spéciaux et d'acier électrique (70 % de la production nationale). La métallurgie lourde (matériel ferroviaire, machines-outils, moteurs pour automobiles), établie en direction de Rotherham*, complète ces activités.

SHELBURNE (William Fitzmaurice, *2e comte de* **Shelburne,** *1er marquis de* **Lansdowne).** ♦ Homme politique anglais (Dublin, 1737 — Londres, 1805). Il suivit le premier Pitt* dans sa retraite en 1768 et prit à sa suite la tête de l'opposition. Il rentra au gouvernement avec Fox*, conclut la paix de Versailles (1783) et dut quitter le pouvoir. Il favorisa l'ascension du jeune Pitt et prit position contre la Révolution française.

SHELDON (William Herbert). ♦ Médecin et psychologue américain (1899 —). Comparable à celle de Kretschmer*, sa typologie morpho-physio-psychologique repose sur une hypothèse embryologique; elle distingue en effet trois types fondamentaux d'après le degré de développement des tissus dérivés des trois feuillets germinatifs (ectoderme, mésoderme et endoderme) : le type ectomorphe (cérébrotonie), mésomorphe (somatotonie) et endomorphe (viscérotonie).

SHELLEY (Percy Bysshe). ♦ Poète anglais (Field Place, Horsham, Sussex, 1792 — au large de Viareggio, 1822). De vieille noblesse terrienne, Shelley ne voulut pas se conformer à des traditions dont il ne pouvait être que le bénéficiaire. À Oxford, sa *Nécessité de l'athéisme* qu'il refusa de désavouer le fit renvoyer. À dix-neuf ans, il épousa en Écosse Harriett Westbrock âgée de seize ans, amours précoces et tragiquement terminées (Harriett se suicida en 1816, après le départ de son mari qui convola aussitôt avec Mary Godwin*). Une décision légale lui ayant retiré la garde des enfants d'Harriett, il s'installa définitivement en Italie (1818) où furent écrites ses œuvres les plus importantes : *À une alouette* (1820) où la musique des strophes de cinq vers crée une harmonie imitative entre le chant de l'oiseau et celui du poète rempli de l'intuition du vrai; *La Sensitive* (1820) où Shelley exalte une petite plante sans parfum ni éclat mais aimante. L'intuition du poète rapproche le cycle de la nature éternellement ressuscitée du cycle humain, car « pour l'amour et la beauté et le délice — Il n'y a mort ni changement ». La même idée se retrouve dans *Le Nuage,* 1820. Goethe et Lamartine reprendront le thème de l'*Ode au vent d'ouest* (1820), où le poète supplie le vent de le faire vibrer comme une lyre. Transposition d'une vision philosophique dans le domaine lyrique, *Prométhée délivré* (1820), drame en vers, chante l'amour platonique (Shelley fut influencé par *Le Banquet*) et la nature, personnifiée par Asia, l'une des Océanides, qui s'unira à Prométhée. Platon inspira encore le poème *Epipsychidion,* 1821 (« une âme dans une âme »), célébration de la beauté immortelle. Ami de Keats*, Shelley fut profondément affecté par sa mort (*Adonaïs,* 1821). Admirateur de Godwin*, il fut marqué par son système doctrinal et convaincu de sa mission de mage. Sa révolte contre le conformisme le rapprocha de Byron* dès 1816. Bien qu'il parût condamné par la maladie (il était tuberculeux, comme Keats), c'est dans un orage, en pleine mer, que mourut ce chantre de l'eau et du feu. Ses cendres sont enterrées à Rome. Il convient encore de citer sa *Défense de la poésie,* 1821, dont les idées sur l'activité créatrice sont très en avance sur son temps et des œuvres de jeunesse telles que *La Reine Mab,* 1813, acte de foi en la destinée humaine, *Alastor* (*Alastor or the Spirit of Solitude,* 1816), évocation du contraste romantique entre l'idéal et la réalité, et *La Révolte de l'Islâm,* 1818, affirmation de la nature transitoire du mal.

SHEN CHOU [*Chen Tcheou, Shen Zhou*]. ♦ Peintre chinois (1427 — 1509), poète et calligraphe célèbre. Il peignit principalement des paysages, des fleurs et des oiseaux.

SHEN-HSI [*Chan-si, Shanxi*]. n. m. ♦ Prov. chinoise du N.-O., au S. de la Mongolie-Intérieure. 195 000 km². 21 000 000 d'hab. *Cap.* T'ai-Yüan. Montagneuse (alt. moyenne : 1 000 m), elle a un climat continental. Le Huang*-ho la sépare de la prov. du Shan-hsi qui se trouve à l'O. du fleuve.

SHEN KUA [*Chen Koua, Shen Gua*]. ♦ Astronome, mathématicien et encyclopédiste chinois (v. 1030 — v. 1096), également nommé Su Sung. Il proposa un calendrier solaire et inventa une sphère armillaire mue par un mouvement d'horlogerie. Il écrivit une somme des connaissances techniques de son époque, le *Wang Huai Lu* (v. 1086-1094), dans laquelle il établit des cartes célestes pour lesquelles il utilisa les projections polaires et la projection dite de Mercator*.

SHEN-YANG [*Chen-yang, Shenyang*]. ♦ Nom chinois de la V. de Mukden (prov. du Liao-ning), anc. cap. de la dynastie manchoue des Ch'ing* et cap. de l'empire projaponais du Man-chu-kuo. Env. 4 000 000 d'hab. Actuellement puissante cité industrielle, proche du combinat métallurgique d'Anshan.

SHERBROOKE. ♦ V. du Canada (Québec), à env. 160 km à l'E. de Montréal, sur le Saint-François. 75 690 hab. (1966). Centre de communications. Énergie hydro-électrique. Indus. textiles et du caoutchouc. Matériel de transport. Papier. — Évêché catholique. Université.

SHERIDAN (Richard Brinsley Butler). ♦ Auteur dramatique et homme politique anglais (Dublin, 1751 — Londres, 1816). Après le succès de sa première comédie, *Les Rivaux (The Rivals)* et d'un opéra-comique, *La Duègne (The Duenna),* représentés tous deux la même année (1775), il devint directeur du théâtre de Drury Lane. C'est là qu'il fit jouer ses deux chefs-d'œuvre, *L'École de la médisance* (*The School for Scandal,* 1777), dénonciation sévère de l'hypocrisie mondaine et *Le Critique ou la Tragédie en répétition* (*The Critic or a Tragedy Rehearsed,* 1779), impitoyable satire des gens de théâtre. Abandonnant la scène pour la politique, il devint membre du Conseil privé et trésorier de la Marine. Battu aux élections (1812), ruiné par le jeu, il termina ses jours dans la gêne. À la fin du siècle, il était revenu au théâtre avec deux adaptations de Kotzebue, *Pizarro* et *Misanthropie et Repentir.*

Sherlock Holmes. ♦ V. HOLMES *(Sherlock).*

SHERMAN (William Tecumseh). ♦ Général américain (Lancaster, Ohio, 1820 — New York, 1891). Sorti de West Point, il avait déjà servi en Floride, dans la lutte contre les Indiens Séminoles (1840), avant de prendre part à la guerre de Sécession* dans les rangs nordistes. Il remporta les victoires de Vicksburg et d'Atlanta, accomplit la célèbre marche vers la mer *(march to the sea)* à travers la Georgie jusqu'à Savannah, puis remonta vers le nord et prit à revers les troupes sudistes. Après les victoires de Petersburg et de Richmond*, il reçut la reddition de Johnston (1865). Il commanda encore l'armée de 1869 à 1884. Son nom fut donné à un char d'assaut américain de la Deuxième Guerre mondiale. ♦ JOHN SHERMAN, son frère (Lancaster, Ohio, 1823 — New York, 1900). Il fit adopter en 1890 la loi antitrust qui fut reprise par Clayton.

SHERPA. *n. m. pl.* ♦ Peuple de montagnards du Népal* oriental, de souche tibétaine. Habitués au rude climat himalayen et aux hautes altitudes, les hommes de ce peuple furent souvent guides et porteurs dans les expéditions himalayennes. L'un d'eux, Tensing Norkey, conquit la célébrité en vainquant l'Everest en 1953, au cours de l'expédition britannique dirigée par J. Hunt.

SHERRINGTON (*sir* **Charles Scott).** ♦ Physiologiste anglais (Londres, 1857 — Eastbourne, 1952). Fondateur avec Jackson* de l'école neurologique anglaise, il obtint le prix Nobel de méd. (1932) avec Adrian* pour ses travaux sur la physiologie du système nerveux qui portent en particulier sur la théorie des réflexes et de la coordination des mouvements, la distinction des types de sensibilité (attitudes et mouvements du corps, la sensibilité à la douleur). Ses recherches eurent une influence considérable sur la neurologie moderne.

SHER SHÂH SÛRÎ. ♦ ([mort] 1545). Sultan afghan du Bihâr

Ph. PSZ/Ricciarini

George Bernard Shaw.

Ph. Begotti/Ricciarini

Percy Bysshe Shelley.

(Inde). Il s'opposa à Bâbur* et établit sa cap. à Sasaram, puis il prit Delhi, y fit édifier une nouvelle ville et réorganisa les finances. Son fils Salîm Shâh lui succéda.

SHERWOOD *(forêt de)*. ♦ Forêt du centre de l'Angleterre (Nottinghamshire) s'étendant sur une longueur de 32 km et une surface de 5 059 ha de Nottingham à Worksop. – Ce fut, selon la légende, le refuge de Robin* des Bois.

SHESHONK, SHESHONQ ou **SHESHANQ**. ♦ **V.** CHÉCHONQ.

SHETLAND ou **ZETLAND** *(îles)*. ♦ Archipel britannique, au N. des Orcades* avec lesquelles elles forment un comté. 1 426 km². 17 815 hab. *Ch.-l.* Lerwick (5 900 hab.). Les Shetland sont formées d'une centaine d'îles (dont 20 env. sont habitées). Les principales sont Mainland, Bressay, Feltar, Unst, Whalsay et Yell. Le sol est schisteux et volcanique et le climat très humide. La céréaliculture, l'élevage (poneys à poils longs) et la pêche sont les principales ressources.

SHETLAND DU SUD *(îles)*. ♦ Îles situées au N. de la terre de Graham (péninsule Antarctique*). Dépendance des Falkland*, elles sont revendiquées par la Grande-Bretagne, mais également par l'Argentine et le Chili.

SHIGA KIYOSHI. ♦ Biologiste et médecin japonais (1870 – 1957) qui découvrit le microbe de la dysenterie.

SHIGA NAOYA. ♦ Écrivain japonais (Miyagi, 1883), auteur de courts romans qui connurent un grand succès. Il fonda avec d'autres écrivains une revue littéraire, *Shirakaba,* qui eut à partir de 1910 une grande influence sur le roman japonais moderne.

SHIGEMITSU MAMORU. ♦ Homme d'État et diplomate japonais (1887 – 1957). Il fut plusieurs fois ambassadeur et signa en 1945 l'acte de reddition du Japon.

SHIH-CHIA-CHUANG [*Che-kia-tchouang, Shijiazhuang*]. ♦ V. de Chine (Ho-pei). 300 000 hab. Carrefour ferroviaire important et grande indus. cotonnière.

SHIH CHING-T'ANG des HOU CHIN. ♦ **V.** KAO TSU.

SHIH-TÊ [*Che-Tö, Shide*]. ♦ Poète chinois (VIIIe – IXe s.) et ermite bouddhiste, célèbre pour ses poésies d'inspiration Ch'an (zen). On le compte en Chine comme l'un des seize sages bouddhiques les plus vénérés *(arhat)*. **V. Han Shan.**

Shi'isme ou Chi'isme. *n. m.* (de l'arabe *shi'at 'Ali,* « prendre le parti d''Ali »). ♦ Le plus grand schisme de l'islâm qui se heurta à la majorité sunnite* dès la fin du VIIe siècle. C'était un mouvement, au départ politique et arabe, qui contestait la légalité de la succession du prophète, après sa mort, au profit d'Abû* Bakr, 'Umar* et 'Uthmân*, au détriment de 'Ali* ibn Abû Tâlib, cousin, fils adoptif et beau-fils (marié à Fâtima*) de Mahomet*. Les shi'ites considéraient que le calife ne devait pas assumer le pouvoir temporel comme le préconisaient les sunnites ; il devait se limiter au rôle d'*imam* pourvu d'un pouvoir charismatique, strictement réservé à 'Ali et à sa famille. Les Perses adoptèrent le shi'isme afin d'agir contre la domination arabe des 'Umayyades*. De faction politique, le mouvement s'organisa progressivement en secte religieuse. Les shi'ites introduisirent plusieurs emprunts zoroastriens et chrétiens dans la religion islamique. Ils célébraient la passion pendant la commémoration de l'assassinat de Hussaïn (**V. Hassan**), fils de 'Ali, en jouant des pièces illustrant son martyre *(Ta'zia)*. Ils attribuèrent un caractère semi-divin à l'*imam.* La majorité des shi'ites attendaient le retour du dernier imam (Muhammad al-Muntadhar [mort] 878), qui s'était « caché » après sa mort. Ils pensaient que le Coran* avait été expurgé de tous les passages affirmant la légitimité d''Ali. Ils avaient leur propre collection canonique des « Traditions » *(Hadith*)* souvent proche de celle des sunnites. Ils apportèrent plusieurs modifications aux règles fondamentales de l'islâm ; le rituel de la purification *(Tahara)* prit un rôle essentiel ; le pèlerinage à La Mecque pouvait être remplacé par une visite aux tombes des saints shi'ites ('Ali à Najaf – Iraq –, Hussain à Karbala – Iraq –...). Les shi'ites s'étaient divisés en un grand nombre de sectes, les plus extrémistes étant les ismaïliens*. De nos jours, les shi'ites sont au nombre de 40 000 000, dont la majorité vit en Iran, en Iraq et au Pañjab, représentant près du dixième des musulmans.

Shi'ites. *n. m. pl.* ♦ V. SHI'ISME.

Ph. Andia/Atlas-Photo

L'île de **Shikoku.**

SHIKOKU (« quatre pays »). ♦ Île du Japon, la plus petite des quatre grandes îles de cet archipel. Montagneuse (point culminant à 1 950 m), elle est divisée en quatre préfectures, d'où son nom. 19 000 km². 6 000 000 d'hab. Son économie est surtout agricole et artisanale.

SHILLONG. ♦ V. de l'Inde (Assam) et cap. du Meghâlaya, sur un plateau à 1 500 m d'alt. 100 000 hab. – Centre agricole important (riz, sésame, arec, coton, agrumes, tabac).

SHIMABARA. ♦ Péninsule de l'île de Kyûshû (Japon) où, en 1637, plus de 20 000 chrétiens se révoltèrent. Ceux-ci, après une farouche résistance, furent exécutés.

SHIMAZAKI TÔSON. ♦ Écrivain japonais (Nagano, 1872 – *id.*, 1943) chrétien, auteur de romans sociaux ou inspirés par Shelley et les écrivains populistes français. Il vécut en France de 1913 à 1916. Parmi ses œuvres : *Hakai* (Forfaiture, 1906), *Shinsei* (Vie nouvelle).

SHIMIZU. ♦ V. et port du Japon (Honshû, préf. de Shizuoka). 240 000 hab. Exportation de thé. École de la marine marchande.

SHIMONOSEKI. ♦ V. du Japon, sur le détroit de Kanmon, à la pointe S.-O. de l'île de Honshû. 270 000 hab. – Port important (chantiers navals, conserveries), à l'entrée du tunnel sous-marin reliant Honshû à Kyûshû. ♦ *Hist.* En 1895 y fut signé le traité mettant fin à la guerre sino-japonaise, cédant au Japon l'île de Taiwan (Formose), celles des Pescadores, lui donnant la liberté de commerce dans les ports chinois et ouvrant la Corée à l'influence du Japon, tout en la déclarant indépendante.

SHINANO-GAWA. *n. m.* ♦ Fl. du Japon, le plus long (369 km) des îles japonaises. Il se jette dans la mer du Japon près de Niigata (Honshû).

Shingon. ♦ Secte bouddhique japonaise fondée en 816 sur le mont Kôya par Kûkai*, sur le modèle de la secte chinoise du Chen-Yen, et dont la doctrine est fondée sur deux grands mandala* aux figurations de divinités ésotériques, émanations du Bouddha unique Dainichi Nyorai.

SHINRAN. ♦ Religieux bouddhiste japonais (Kyôto, 1173 – *id.*, 1268), fondateur de la secte piétiste du Jôdo-Shinshû ou « Vraie secte de la Terre Pure », consacrée à l'adoration du Bouddha Amida.

SHIRLEY (James). ♦ Auteur dramatique anglais (Londres, 1596 – *id.*, 1666). Héritier du théâtre élisabéthain, il composa une œuvre abondante mais dépourvue d'originalité (*Le Cardinal,* 1641 ; *Masques ou Impromptus,* 1653-1659).

SHIZUOKA. ♦ V. du Japon et ch.-l. de préf. (Honshû), au centre d'une plaine agricole. 420 000 hab. – Indus. de la laque et du bambou, centre universitaire.

SHKODAR, SHKODËR ou **SHKODRA**, en it. **Scutari**. ♦ V. d'Albanie* septentrionale. Ch.-l. de district sur le Drin, à proximité du *lac de Shkodar* (370 km²), partagé entre l'Albanie et la Yougoslavie. 55 000 habitants. La ville était, avant la suppression des cultes, un centre religieux (catholique, orthodoxe, musulman). Marché agricole au débouché de la montagne, et centre industriel en plein essor (indus. textiles et alimentaires, manufacture de tabac). ♦ *Hist.* Anc. colonie illyrienne, *Scodra* qui fut tour à tour romaine, byzantine, bulgare et serbe (VIIe s.), devint au XVe s. capitale d'une principauté albanaise, avant de passer aux Vénitiens, puis aux Turcs. En 1913, les Monténégrins durent l'abandonner à l'Albanie.

SHKUMBI. *n. m.* ♦ Riv. d'Albanie* (146 km) tributaire de l'Adriatique, affl. du Seman. ♦ *Hist.* C'est par la vallée du Shkumbi que passait l'ancienne route romaine, la *Via Egnatia,* prolongement de la *Via Appia,* importante voie commerciale jusqu'au XVe s., qui traversait les Balkans, joignant Durrëse et Ohrid à Byzance par Thessalonique.

SHOCKLEY. ♦ **V.** SCHROCKLEY.

SHOLÂPUR. ♦ V. de l'Inde (Mahârâşhtra). 410 000 hab. – Indus. du coton et du cinéma.

SHOLES (Christopher Latham). ♦ Inventeur américain (Mooresburg, Pennsylvanie, 1819 – Milwaukee, Wisconsin, 1890). Après avoir réalisé, avec Soule et Glidden*, la première machine à écrire présentant un intérêt pratique (1867), il la mit au point pendant cinq ans et les Remington* en entreprirent la fabrication en série à partir de 1873.

SHÔSÔ-IN. ♦ Construction en bois de style particulier, élevée en 756 dans l'enceinte du temple Tôdai-ji à Nara (Japon, Honshû), pour abriter les collections de l'empereur Shômu-Tennô. C'est le plus ancien musée du monde, réunissant plus de 3 000 pièces provenant de toute l'Asie du VIIIe siècle.

SHQIPËRIA ou **SHQIPRIJA**. ♦ Nom Albanais de l'Albanie*.

SHREVEPORT. ♦ V. des États-Unis au N.-O. de la Louisiane, sur la *Red River.* 178 061 hab. Centre commercial, dans une région productrice de coton, de pétrole et de gaz naturel. Indus. du bois, indus. chimiques, alimentaires, mécaniques.

SHREWSBURY, anc. **Viroconium**. ♦ V. de l'Angleterre occidentale. Ch.-l. du Shropshire, sur la Severn. 53 900 hab. Évêché catholique. Maisons à colombage des XVe et XVIe siècles. *St. Mary's Church* (XIIIe-XVe s.) et *Abbey Church.* Marché agricole et centre industriel (produits alimentaires, mécanique). – Patrie de Darwin*.

SHROPSHIRE. *n. m.* ou *comté de* **SALOP**. ♦ Comté d'Angleterre, en bordure du pays de Galles, de chaque côté de la Severn. 3 488 km². 297 470 hab. (1961). *Ch.-l.* Shrewsbury*. Le paysage du Shropshire est accidenté (collines) à l'O. et plat au N. et à l'E.

Les activités agricoles (céréales) et pastorales (ovins, porcs, volailles) constituent l'essentiel de la vie économique.

SHÛBUN. ♦ Peintre japonais (*déb.* XVe s.) de Suiboku (lavis à l'encre de Chine) d'un style particulier, peut-être inspiré par celui des peintres coréens de son temps.

Shu Ching [*Chou King, Shu Jing*] (« livre des annales »). ♦ Un des « Quatre livres » confucéens chinois, œuvre la plus ancienne de la littérature chinoise. Il aurait été écrit par K'ung* Tzu lui-même (~ VIe s.), qui y aurait réuni des archives antérieures à son époque. Grâce à cet ouvrage, on a pu connaître l'histoire des premières dynasties de la Chine.

Shui-hu Chuan [*Chouei-hou Tchouan, Shuihu Zhuan*] (« le rivage »). ♦ Roman chinois attribué à Shih Nai-An (v. 1296 – v. 1370), racontant les aventures d'une sorte de Robin des Bois chinois en lutte contre les fonctionnaires malhonnêtes. Ce roman, plusieurs fois remanié, est célèbre en Chine.

SHUNMAN. ♦ Peintre japonais (1757 – 1820), graveur d'estampes ukiyo*-e à Edo, et poète célèbre.

SHUNSHÔ. ♦ Peintre japonais (1726 – 1792), auteur d'estampes ukiyo*-e à Edo. Il réalisa surtout des portraits d'acteurs et de femmes.

SHUTRUK-NAHHUNTÉ Ier. ♦ Roi d'Élam v. ~ 1200. Il prit Babylone en ~ 1163 et rapporta de nombreux trophées, dont le code de Hammurabi, à Suse où ils furent retrouvés. En ~ 1160, il déposa le dernier roi kassite de Babylone et, malgré une révolte, annexa le pays. **V. Élam.**

Shu'ubiyya. *n. f.* ♦ Nom donné à la réaction du milieu persan contre la domination arabe pendant le règne du calife 'abbasside* al-Ma'mûn* (IXe siècle). À l'époque où le mode de vie aulique s'inspirait de la tradition iranienne, où se constituait à Baghdâd une puissante bourgeoisie d'origine iranienne et où l'administration était dominée par les Iraniens, un conflit naquit entre les peuples vaincus, les races « mêlées » (*shu'ûb*, en ar., d'où le nom de *shu'ubiyya*) qui se considérèrent comme les éducateurs des vainqueurs par l'héritage des civilisations perse et grecque qu'ils leur avaient transmis, et les Arabes purs, affirmant la qualité transcendante de l'Islâm et la valeur de la poésie préislamique. Le promoteur de l'opposition anti-arabe fut Sahl ibn Hârûn, directeur de l'académie de la Sagesse.

SHWE-DAGON. *n. m.* ♦ Grande pagode qui marque le centre de la ville de Rangoon* (Birmanie). Elle s'élève à plus de 100 m et est entièrement recouverte de feuilles et plaques d'or. Elle se termine par une boule en or pur incrustée de plus de 2 500 pierres précieuses. Fondée à une date indéterminée, elle fut agrandie à la fin du XVIIIe s. et au milieu du XIXe siècle.

Shylock. ♦ Personnage du *Marchand de Venise* de Shakespeare* (v. 1596). Ce personnage de juif usurier reflète l'antisémitisme de l'époque élisabéthaine. Mais Shakespeare, qui en fait un personnage méchant et grotesque, l'humanise et lui prête des accents émouvants, lorsqu'il crie sa ressemblance avec ceux qui le rejettent. Personnage complexe, Shylock est à la fois désespéré que sa fille Jessica se soit enfuie avec un chrétien et outré qu'elle lui ait volé son argent. Il cherche à se venger et quand la loi se retourne contre lui, il se révolte et révèle au public des traits de cruauté et d'amertume. La dualité du personnage a conduit à deux interprétations, celle, traditionnelle, qui fait de lui un être vil, un usurier avare et méchant, et celle du romantisme qui y voit un être maudit, que sa souffrance pousse à bout.

SI... [chinois]. ♦ **V.** HSI...

SI... [japonais]. ♦ **V.** SHI...

SIALK (Tépé). ♦ Site près de Kâchân, au S. de Téhéran (Iran), où furent trouvés les vestiges d'une civilisation protohistorique (fouilles par R. Ghirshman, 1933-1937). On distingue trois périodes principales dans cette culture. *Sialk I* (~ V^e millénaire) : chasseurs connaissant aussi l'agriculture et l'élevage, céramique peinte, traces d'artisanat. *Sialk II* (*déb.* ~IVe millénaire), *Sialk III* (~ IVe millénaire) progrès dans la construction des maisons, four et tour de potier, fonte du cuivre, sceaux. Les habitants de Sialk ne semblent ni sémites ni indo-européens ; on les dit *asianiques.*

SIALKOT. ♦ V. du Pâkistân (région de Lahore*), sur la riv. Chenâb*. 200 000 hab. Métallurgie légère, artisanat textile et du cuir.

SIAM. *n. m.* ♦ Anc. nom de la Thaïlande, av. 1941. **V. Thaïlande.** – GOLFE DU SIAM, golfe de la mer de Chine méridionale, que bordent la Malaisie, la Thaïlande, le Cambodge et le Viêt-nam du Sud.

SIAN... [chinois]. ♦ **V.** HSIANG...

SIBAWAYH ('Amr ibn 'Uthmân ibn Qanbar al-Basrî, dit). ♦ Le plus célèbre grammairien arabe (district de Chirâz, Perse, 750 – Chirâz, 795). Client perse d'une tribu arabe, il fut élève de Khalîl* à Basra. Son *Al Kitâb fi al-nahwi* (« Traité de grammaire »), où il codifia systématiquement les problèmes grammaticaux, reste la synthèse la plus accomplie de la grammaire arabe. Ce livre définit trois parties du discours – le nom, le verbe et l'article – et explique les règles d'*al-'irab* (« la syntaxe ») appliquées au verbe et au nom. Comme son maître Khalîl, la langue qu'il étudie est l'arabe du désert à l'opposé de son rival, Kisaï ([mort] v. 805), représentant de l'école de Kûfa, qui réagit contre l'enseignement de Khalîl en cherchant à tenir compte davantage des réalités de la langue parlée dans les villes. Sibawayh accumula les exemples extraits du Coran* et de la poésie antéislamique afin d'en tirer des lois. À l'instar des juristes, il utilisa systématiquement le principe de l' « analogie » *(al-Qiyâs)* alors qu'à l'école de Kûfa, les grammairiens fondaient davantage leurs études sur l'usage et l' « anomalie ».

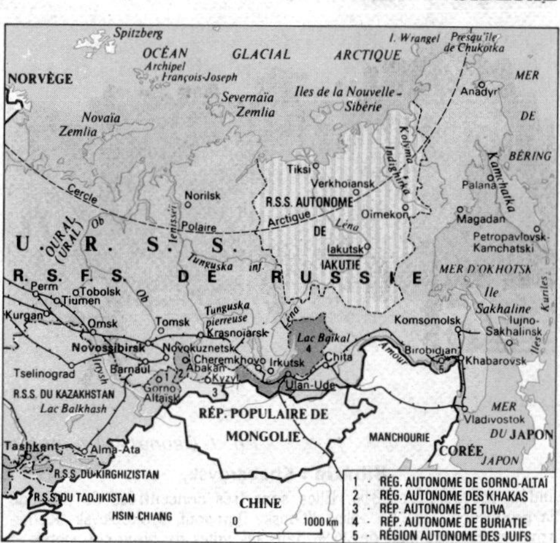

La Sibérie.

SIBELIUS (Jean). ♦ Compositeur finlandais (Hämeenlinna, 1865 – Järvenpäa, 1957). Il connut très tôt la célébrité dans son pays avec des œuvres inspirées du folklore finlandais (*Kullervo*, 1892). Professeur au conservatoire d'Helsinki, il se consacra exclusivement à la composition quand il eut reçu une pension d'État (1897). Il entreprit alors plusieurs tournées à l'étranger, notamment dans les pays anglo-saxons où son œuvre connut longtemps une grande faveur. Sans cesser de marquer sa fidélité aux thèmes traditionnels de la Finlande, elle porte aussi l'empreinte de Brahms et surtout de Tchaïkovski*. Elle comprend un opéra, *Junfruburen,* des *partitions de musique de scène* (dont celle de *Kuolema,* qui contient la célèbre *Valse triste*), onze *poèmes symphoniques* et quatre *légendes* (dont *Finlandia, Le Cygne de Tuonela*), sept *symphonies,* un *concerto pour violon,* de la *musique de chambre* (dont *Voces intimae,* quatuor à cordes), de nombreuses *compositions pour piano,* et une centaine de *mélodies.* Figure symbolique du patriotisme finnois aux heures tragiques de l'histoire, Sibelius a exalté dans son œuvre l'âme de sa patrie.

SIBÉRIE. *n. f.* ♦ Partie asiatique de l'U.R.S.S.*, qui s'étend sur tout le N. de l'Asie, depuis l'Oural à l'O. jusqu'au détroit de Béring à l'E. (env. 7 000 km), et de l'océan Arctique au N. jusqu'aux steppes du Kazakhstan et à la République populaire de Mongolie au S. (env. 3 500 km). 12 764 800 km². 25 354 000 hab. – *Climat.* Située à des latitudes élevées (entre le 60e et le 75e parallèle), la Sibérie détient le record mondial du froid (– 69,8 °C à Verkhoïansk* et – 78 °C à Oimekon*). Les températures moyennes en janvier sont de – 15 à – 30 °C en Sibérie occidentale, et de – 30 à – 40 °C en Sibérie centrale. – La *Sibérie occidentale* comprend les régions de Kourgan*, de Tioumen*, d'Omsk*, de Novossibirsk*, de Tomsk*, de Kemerovo* et le territoire de l'Altaï, avec la région autonome de Gorno*-Altaï ; la *Sibérie orientale* comprend le territoire de Krasnoïask*, les régions d'Irkutsk* et de Tchita*, les R.S.S. autonomes de Bouriatie* et de Touva* ; enfin la *Sibérie d'Extrême-Orient* correspond aux territoires de Khabarovsk* et du Littoral, aux régions de l'Amour, de Magadan*, de Kamtchatka et de Sakhaline, ainsi qu'à la République autonome de Iakoutie*, rattachée jusqu'en 1963 à la Sibérie orientale. ♦ SIBÉRIE OCCIDENTALE. Elle s'étend de l'Oural à la ligne de partage des eaux de l'Ob* et de l'Iénisseï*. Les monts Altaï*, qui occupent moins d'un dixième de sa superficie, s'élèvent au S.-E. ; le reste du pays est une vaste dépression qui se trouve presque entièrement dans le bassin de l'Ob. 2 427 000 km². 12 110 000 hab. *V. princ.* **V. Kourgan, Omsk, Tioumen, Tobolsk, Novossibirsk, Prokopievsk, Tomsk, Kemerovo, Novokouznetsk, Barnaoul, Leninsk-Kouznetski, Gorno-Altaïsk, Biisk, Roubtsovsk.** – *Écon.* Le sous-sol est riche en métaux non ferreux, en mercure et en or (Altaï), en gisements de minerais de fer (estimés à 950 000 000 t en 1957, surtout dans le Kouzbass*), de manganèse, d'aluminium (Alataou de Kouznetsk) et de titane-zircon. Les sources d'énergie sont la houille (905 milliards de t estimées, dont plus de 800 dans le Kouzbass), le pétrole et le gaz (région de Tomsk). L'activité *agricole* est surtout représentée par la culture des céréales (12 496 000 ha ensemencés en 1969). Il y a peu de cultures industrielles, principalement de betteraves sucrières dans l'Altaï, du lin (monts de Salair), ainsi que du tournesol. Élevage bovin (7 235 000 têtes en 1968, surtout dans le territoire de l'Altaï, les régions de Novossibirsk et d'Omsk), porcin (2 251 000 têtes) et ovin (6 141 000). Dans les régions du N., on pratique l'élevage du renne, la chasse et la pêche. Les indus. lourdes représentent 29,2 % de la production de la région et les

Ph. J. Daune/A.A.A. photo

Sibérie : Khabarovsk.

indus. mécaniques 28 %. Elles sont très concentrées (le tiers de la production dans les villes d'Omsk, Barnaoul, Prokopievsk, Kemerovo et Tomsk, plus de 25 % dans les villes de Novokouznetsk et Novossibirsk). En 1969, la production d'énergie électrique de la région était de 41 milliards de kWh par an, dont 95 % d'électricité thermique (centrale hydro-électrique à Kamen sur l'Ob, près de Novossibirsk). ♦ SIBÉRIE ORIENTALE. Elle est bordée au S.-O. et au S. par les montagnes de l'Alatau [Alataou], les chaînes de Khan-Gai et de Saïan, et au S.-E. par les monts qui enserrent le lac Baïkal. Dans sa partie méridionale, elle constitue un colossal château d'eau qui se déverse principalement dans l'Iénisseï et ses affluents, dont le principal est l'Angara*. Les plateaux et les chaînes de montagnes occupent plus des trois quarts du territoire. 4 122 800 km². 7 464 000 hab. *V. princ.* **V. Krasnoïarsk, Minoussinsk, Irkutsk, Oulan-Oudé, Norilsk, Tcheremkhovo.** — *Écon.* Le sous-sol est riche en charbon (réserves estimées à 3 960 milliards de t), en gaz naturel (4 880 milliards de m³), en minerai de fer (dans les bassins de l'Angara-Pit, de l'Angara-Ilym et de Khakass-Minoussinsk), de cuivre et de nickel (région de Norilsk), de plomb et de zinc (Krasnoïarsk), d'étain (région de Tchita) et d'aluminium (néphéline et bauxite en Bouriatie et dans la région d'Irkutsk). Les forêts couvrent plus de la moitié du territoire. Au rythme d'exploitation de 1962, il faudrait env. quatre siècles pour épuiser le fonds forestier. L'*agriculture* est moins développée qu'en Sibérie occidentale. On cultive les céréales (6 314 800 t en 1968), les pommes de terre (2 633 900 t) et les légumes (339 500 t), surtout dans la steppe méridionale. Au déb. de 1969, il y avait 3 351 000 têtes de gros bétail, 1 869 000 porcins et 9 091 000 ovins (surtout en Bouriatie et dans la région de Tchita). Les princ. *indus.* sont la construction des machines agricoles (à Krasnoïarsk et à Irkutsk), les indus. forestières (bois, papier), alimentaires et textiles. Traitement du cuir. Électricité : 65 milliards de kWh par an en 1959 (centrales thermiques, centrales hydro-électriques d'Irkutsk et de Bratsk*, sur l'Angara*). ♦ SIBÉRIE D'EXTRÊME-ORIENT. Elle est limitée à l'O. par la Sibérie orientale et au S. par la Mongolie extérieure et la Chine (frontière en partie formée par l'Amour). C'est la région économique de l'U.R.S.S. dont la façade maritime est la plus considérable : océan Arctique, mer de Béring, mer d'Okhotsk, mer du Japon. Elle est presque entièrement couverte de chaînes de montagnes parallèles à la côte (Verkhoïansk* au N., Sikhote*-Alin au S.). 6 215 000 km². 5 780 000 hab. *V. princ.* **V. Vladivostok, Khabarovsk, Komsomolsk, Birobidjan, Blagovechtchensk, Iakutsk, Magadan, Norilsk, Oussouriisk, Petropavlovsk-Kamtchatski, Iujno-Sakhalinsk.** — *Écon.* Le sous-sol est riche en minerai de fer (région de l'Amour et Iakoutie), en réserves d'étain (territoire du Littoral et Iakoutie), de plomb et de zinc (Littoral), de houille et de lignite (bassins de Boureïa, Toungouska et Kolyma-Indighirka), de pétrole (île Sakhaline), de diamants (Iakoutie), et en terrains aurifères (bassins de la Léna, Kolyma et Indighirka). Les forêts couvrent 37 % du territoire (réserves de bois évaluées à 12 065 000 m³). L'*agriculture*, rendue difficile par le climat très dur et le relief montagneux, ne dépasse pas les limites des plaines méridionales. Les *industries* principales sont la pêche, celles qui dérivent de la pêche (22 % de la production industrielle globale), la construction de machines (20 %), les indus. forestières et du bois (13 %), les indus. alimentaires (12,3 %) ; elles sont concentrées dans les territoires de Khabarovsk et du Littoral, ainsi que dans la région de l'Amour. La production d'énergie électrique était de 11 345 000 000 de kWh en 1968 (moins de 3 % de celle de la R.S.F.S. de Russie). ♦ *Hist.* Au début du XIIIᵉ s., une grande partie de la Sibérie fut occupée par les Mongols. À la fin du XVᵉ s., après la dissolution de la Horde* d'or, fut constitué le Qânat (Khanat) de Sibérie. En 1556, le qân Iedighêr se reconnut vassal du tsar Ivan le Terrible. Son successeur, le qân Koutchoun (Kuchun), refusa de payer le tribut aux Russes qui écrasèrent le qânat de Sibérie (expédition cosaque de Yermak, 1581-1584) et fondèrent de nombreuses places fortes : Tioumen* [Tiumen] (1586), Tobolsk* (1587), Tomsk* (1604). Au début du XVIIᵉ s., toute la Sibérie occidentale fut rattachée à la Russie, et vers 1645, les Russes atteignirent le Pacifique (Okhotsk). Dès le début de la conquête, la Sibérie servit de lieu de déportation (condamnés de droit commun, suspects politiques et dissidents religieux). Les premières grandes vagues d'immigration ont suivi la construction du Transsibérien* (1891-1904) et surtout les réformes de Stolypine* qui favorisèrent l'immigration (plus de trois millions entre 1905 et 1914). En févr. 1918, le régime soviétique fut instauré. Au printemps 1918, l'amiral Koltchak*, commandant les troupes tsaristes et des contingents tchèques formés de déserteurs ou de prisonniers de l'armée autrichienne, engagea la lutte contre les Soviets, s'empara du pouvoir (nov. 1918), mais fut battu et exécuté par les bolcheviks (1920). Les troupes japonaises furent chassées de l'Extrême-Orient en 1922. — La Sibérie mise en valeur sous le régime soviétique a connu, depuis la Deuxième Guerre mondiale, une expansion industrielle et économique considérable. Lieu de déportation sous le régime tsariste elle contient des camps de prisonniers politiques.

SIBÉRIE ORIENTALE *(mer de)* ; en russe **Vostotchno-Sibirskoïe more.** ♦ Mer bordière de l'U.R.S.S. (océan Arctique), entre les îles de Novossibirsk (O.) et l'île de Vrangel* (E.). 936 000 km². Profondeur moyenne 45 m. Couverte de glaces pendant la plus grande partie de l'année, elle reçoit les eaux des riv. Indighirka*, Kolyma* et Alazea. Pêche (morses, phoques). *Princ. port.* Pevek.

SIBILET (Thomas). ♦ **V.** SÉBILLET (Thomas).

SIBIU, en all. **Hermannstadt.** ♦ V. de Roumanie (Transylvanie), près de Braşov. 109 515 hab. Métropole orthodoxe. La ville conserve un caractère médiéval : église évangélique du XIVᵉ s., maisons du XVᵉ siècle. Musée Bruckenthal (*fin* XVIIᵉ s.), centre commercial et industriel : travail du cuir et du bois, constructions mécaniques et indus. textiles. ♦ *Hist.* Ancienne colonie romaine *(Cibinium)*, la ville devint au XIIᵉ s. une colonie allemande (Hermannstadt) avant d'être détruite par les Tatars (1241). Centre commercial très actif dès le XIVᵉ s., elle fut rattachée à l'empire des Habsbourg en 1699.

SIBOUR (Marie Dominique Auguste). ♦ Prélat français (Saint-Paul-Trois-Châteaux, Drôme, 1792 — Paris, 1857). Il fut évêque de Digne (1840) puis archevêque de Paris (1848). Il fut poignardé par un prêtre qu'il avait frappé d'interdit.

SIBYLLE. *n. f.*, en gr. **Sibulla.** ♦ Personnification de la divination et nom donné aux prophétesses à cause de la grande réputation d'une prêtresse d'Apollon et devineresse appelée Sibylle. La plus célèbre des sibylles fut celle de Cumes*. *Icon. :* Michel-Ange (chapelle *Sixtine*), Raphaël et de nombreux peintres italiens du XVIᵉ siècle.

SIBYLLE. ♦ (v. 1150 — 1190). Reine de Jérusalem (1186-1190). Fille d'Amaury Iᵉʳ de Jérusalem, elle épousa Guillaume de Montferrat* (dit Longuespée) puis Gui de Lusignan*.

SICAMBRES [*n. m. pl.*], en lat. **Sicambri** ou **Sugambri.** ♦ Peuple de Germanie établi au N. de la Lippe puis entre la Sieg et la Ruhr. Ils furent soumis par les Romains en ~ 12 et déportés en Gaule belgique. Ils se mêlèrent aux Francs* au IIIᵉ s., et le nom de Sicambre fut employé pour désigner les Francs (d'où l'apostrophe de saint Remi à Clovis : « Courbe-toi, fier Sicambre... »).

SICANES. *n. m. pl.* ♦ Peuple primitif de la Sicile*, vraisemblablement formé d'Ibères* venus d'Espagne, et qui s'établit dans l'île avant le ~ Iᵉʳ millénaire.

SICARD (Roch Ambroise CUCURRON, *dit***).** ♦ Pédagogue français (Le Fousseret, 1742 — Paris, 1822). Entré dans les ordres, il assuma la direction d'une école de sourds-muets à Bordeaux (1786) puis remplaça l'abbé de l'Épée* à la tête de celle de Paris. Emprisonné comme suspect sous la Terreur (1792), nommé professeur à l'École normale en 1794, et membre de l'Institut en 1795, il échappa de justesse à la déportation, après le 18 Fructidor, en raison de sa collaboration aux *Annales religieuses,* rencontra ensuite l'hostilité de Napoléon Iᵉʳ, et ne retrouva des charges importantes que sous la Restauration. Il est l'auteur de plusieurs ouvrages pour l'instruction des sourds-muets (*Mémoire sur l'art d'instruire les sourds-muets de naissance,* 1789 ; *Cours d'instruction d'un sourd-muet de naissance,* 1800 ; *Théorie des signes pour l'instruction des sourds-muets,* 1808).

SICHEM. ♦ Anc. ville de Canaan où l'on vénérait un chêne célèbre. Théâtre de la rupture entre les royaumes d'Israël* et de Juda* (~ 931), elle devint la capitale de Jéroboam. Relevée par Vespasien après la guerre juive (66-70), sous le nom de Flavia Neapolis. Auj. Naplouse*.

SICIÉ *(cap).* ♦ Cap de la côte provençale, à l'extrémité de la *presqu'île de Sicié,* entre Sanary et Toulon.

SICILE. *n. f.*, en it., **Sicilia.** ♦ Grande île de la Méditerranée, au S.-O. de la péninsule italienne, limitée au N. par la mer Tyrrhénienne, à l'E. par le détroit de Messine, qui la sépare de la Calabre (l'île de Malte est au S., et la Tunisie à l'O. de la Sicile). 25 708 km². 4 667 316 hab. *(Siciliens). Cap.* Palerme*. Elle comprend neuf prov. : Agrigente, Caltanissetta, Catane, Enna, Messine, Palerme, Raguse, Syracuse et Trapani. — *Orogr.* Le relief laisse apparaître quatre grandes régions : *1)* au N., une chaîne montagneuse de 250 km de long, d'une altitude de 1 000 à 2 000 m, comprenant d'E. en O. les monts Péloritains, les Nebrodi (1 847 m), les Madoni (1 977 m). Ces massifs sont entaillés par des vallées isolées de l'intérieur ; *2)* la *Conca d'Oro* ou arrière-pays de Palerme ; *3)* la Sicile intérieure et méridionale, selon la diagonale Trapani-Catane, présente un amas de collines associées à des bassins intérieurs et des plaines marécageuses (plaine de Gela); *4)* les monts Iblei et la masse volcanique de l'Etna* (3 295 m) dominent la plaine de Catane. Les côtes sont élevées et bordées de falaises au N., basses au sud. Au large, on distingue au N., l'archipel des Lipari* et à l'E., celui des Égades. Le climat est méditerranéen, à tendance subtropicale au sud. – *Hydrogr.* Salso*, Simeto*. – *V. princ.* Acireale*, Adrano*, Agrigente*, Augusta*, Caltagirone*, Caltanissetta*, Canicatti*, Catane*, Comiso*, Enna*, Gela*, Licata*, Marsala*, Messine*, Milazzo*, Modica, Palerme*, Port*-Empédocle, Raguse*, Termini* et Vittoria*. – *Écon.* La céréaliculture (blé, orge), de type extensif et à faible rendement, se localise dans l'intérieur, la vigne, sur la côte occidentale, entre Trapani (vins courants) et Marsala (vins fins). L'arboriculture (côtes N. et S.), est la ressource essentielle. La Sicile est le premier producteur d'Italie d'oranges, citrons et mandarines. Les cultures spécialisées : tomates (Milazzo, Vittoria), coton (Agrigente), sont souvent associées aux cultures maraîchères (aubergines, fenouil). La pêche, active surtout sur la côte O., fournit un appoint important : poissons, éponges, crustacés et corail. Les structures agraires sont archaïques. Les grands domaines *(latifundi)* subsistent encore malgré une réforme menée depuis 1950. Des terres ont été redistribuées et des bonifications effectuées (plaine de Gela), mais les rendements restent faibles. La misère et le banditisme entravent sérieusement le développement économique de la région. Pourtant, les richesses du sous-sol ont été valorisées : gisements de soufre dans le plateau central (Enna*, Caltanissetta*, Agrigente*), et surtout de pétrole (Raguse*, Gela*), et de méthane (Castelvetrano*). Le soufre est traité à Port-Empédocle, le pétrole sur place et dans les puissantes raffineries d'Augusta*-Syracuse et de Milazzo*. De gros complexes pétrochimiques et d'indus. chimiques différenciées y ont été associés. Les principaux ports d'exportation sont : Palerme, Catane et Messine. Ces grandes villes sont le refuge d'un excédent de population que la campagne ne peut faire vivre. ♦ *Hist.* Selon des historiens anciens, les premiers occupants de la Sicile seraient les Sicules (d'origine asiatique) qui donnèrent leur nom à l'île, les Sicanes (d'origine ibérique) et les Élymes ou Élymiens (d'origine troyenne). Ces derniers, ainsi que les Phéniciens venus ensuite, s'installèrent à l'extrémité N.-O., autour d'Éryx*, de Panormos (Palerme*) et de Ségeste*. Le début de la période historique de l'île coïncide avec la colonisation grecque qui suit de près la colonisation de l'Italie méridionale **(V. Grande Grèce).** Les Ioniens de Chalcis* et de Cumes* à partir de ~ 734 fondèrent sur la côte E. Naxos (Taormina*), qui à son tour colonisa Catane* et Leontium, puis Messine*. Cette dernière implanta Himère sur la côte Nord. La colonisation dorienne des côtes E. et S. commença presque en même temps (~ 733) : Syracuse* (de Corinthe*), Mégara* Hybléa (de Mégare*), Sélinonte* (de Mégara Hybléa), Gela* (Crétois et Rhodiens) et Agrigente* (de Gela). Très prospères jusqu'à l'époque romaine, les cités grecques devinrent de grands centres commerciaux et culturels et offrirent l'hospitalité à des poètes éminents de la Grèce **(V. Arion, Ibycos, Pindare, Sappho, Simonide de Céos).** Platon* y fut appelé pour organiser la république idéale. Mais cette prospérité, appuyée sur une aristocratie foncière, fut minée dès le ~ VIe s. par des crises sociales dues à la surpopulation et dont les tyrannies portées par des mouvements populaires ne furent que des solutions provisoires. L'antagonisme entre cités ioniennes et doriennes aboutit à la destruction de plusieurs d'entre elles, donnant successivement l'hégémonie à Agrigente, Gela, puis à Syracuse qui domina aux ~ Ve et ~ IVe siècles. **V. Denys l'Ancien.** Après avoir repoussé l'invasion carthaginoise en ~ 480 et l'expédition athénienne en ~ 415-413 **(V. Alcibiade, Nicias),** les cités grecques s'engagèrent dans une longue lutte contre Carthage* qui envahit vers la fin du ~ Ve s. la partie N.-O. de l'île, autour de Panorme, de Ségeste et de Trapani*. Pyrrhus* II enleva momentanément cette région aux Carthaginois (~ 277-~ 276). L'intervention de Rome* aboutit, à l'issue de la première guerre Punique*, à la réduction de la Sicile en première province romaine (~ 241). En ~ 212, Syracuse, révoltée contre les Romains, fut prise par Marcellus. La Sicile subit au ~ Ier s. les exactions de Verrès* (~ 73-~ 71). – Conquise par les Vandales, puis les Ostrogoths (491), elle passa aux Byzantins en 535. Les Arabes y prirent pied au IXe s. par la prise de Palerme (831) puis de Syracuse (878) et la Sicile connut une brillante civilisation par la floraison du commerce, de l'agriculture et des sciences. Les Arabes furent chassés de Sicile par les Normands. Roger* Ier, frère de Robert Guiscard, fit la conquête de l'île de 1061 à 1091 et son fils Roger II devint le premier *roi de Sicile.* Par le mariage de Constance avec l'empereur germanique Henri VI (1186), la Sicile passa à l'Allemagne (1194) et fut le séjour favori de Frédéric* II (1194-1250). Donnée par les papes à Charles* Ier d'Anjou (1265), la Sicile se révolta contre les Français **(V. Vêpres siciliennes,** 1282), mais passa aux Espagnols (Aragon). En 1442, Alphonse V d'Aragon réunifia le royaume de Naples en vainquant les Angevins du continent. **V. Naples** *(royaume de).* En 1713 (paix d'Utrecht), la Sicile passa à la Savoie mais fut cédée en 1718 à l'Autriche, en échange de la Sardaigne. En 1735, elle passa avec Naples aux Bourbons d'Espagne qui, lorsque Napoléon les chassa du continent, se réfugièrent en Sicile jusqu'en 1814. En 1816, ils unifièrent les deux royaumes, ce qui mécontenta les Siciliens qui se révoltèrent en vain et se donnèrent à Garibaldi en 1860 (débarquement de Marsala). La Sicile, qui fait partie de l'Italie depuis lors, est devenue autonome en 1948. – Elle fut libérée entre le 10 juillet et le 16 août 1943 par les Anglo-Américains.

SICILES (DEUX-). ♦ **V.** NAPLES (ROYAUME DE).

SICKINGEN (Franz *von***).** ♦ (Ebernburg, 1481 – Landstuhl, 1523). Homme de guerre allemand. Chef de mercenaires, il servit notamment Maximilien* Ier et appuya l'élection de Charles* Quint. Il embrassa le parti de la Réforme, poussé par Hutten*, protégea Luther* lors de la diète de Worms* et devint chef de la révolte contre Rome. Il attaqua l'archevêque de Trèves (guerre des chevaliers) et fut à son tour assiégé dans son château par le landgrave de Hesse.

SICULES. *n. m. pl.* ♦ Peuple primitif de la Sicile* que l'on trouve également en Italie centrale qui repoussa les Sicanes* et s'établit principalement dans l'E. de l'île (~ Ier millénaire) à laquelle il donna son nom. **V. Sicile.**

SICYONE, en grec **Sikuôn** [« la ville des courges »]. ♦ Anc. V. du Péloponnèse, près du golfe de Corinthe. Fondée par les Ioniens (~ IIe millénaire), elle fut prise par les Doriens (~ XIIe s.) et gouvernée par une aristocratie dorienne. À son apogée sous la dynastie des Orthagorides (~ 675-~ 570), Sicyone était un prestigieux centre d'art, et exportait les produits de ses ateliers de bronze et de céramique. Patrie de grands artistes, elle avait des écoles renommées de peinture et de sculpture **(V. Canachos, Polyclète, Lysippe, Scopas, Apelle).** La lutte incessante entre les démocrates et les oligarques épuisa la cité qui n'exerça plus une influence importante dans les affaires grecques. Détruite par Démétrios Poliorcète (~ 303), elle fut rebâtie sur une hauteur voisine. Patrie d'Aratos, elle prit la tête de la ligue Achéenne* en ~ 251. Les Romains pillèrent ses trésors artistiques. – Ruines d'un gymnase hellénistique et romain, d'un théâtre, etc.; musée archéologique, près de l'actuel Kiato.

SIDER (El-). ♦ Port pétrolier de Libye*, sur le golfe de la Grande Syrte* au débouché des oléoducs en provenance de Hofra* et des gisements situés au S.-E. de ce dernier (Ora, Samah...).

SIDGWICK (Nevil Vincent). ♦ Chimiste anglais (Oxford, 1873 – *id.*, 1952). Auteur de travaux sur la théorie de la liaison chimique, il contribua à la mise au point de la théorie de Lewis* **(V.** *aussi* **Kossel)** et étudia la nature des forces de cohésion dans les corps solides.

SIDI-BEL-ABBÈS. ♦ V. d'Algérie, ch.-l. d'arr. du dép. d'Ouahran, sur l'oued Sig* ou Mekerra, dans la plaine de *Sidi-bel-Abbès.* 101 000 hab. Important centre agricole. Vignobles. Céréales. Cultures maraîchères. Centre de la Légion étrangère française jusqu'en 1962.

SIDI-BOU-SAÏD. ♦ Comm. de Tunisie, village pittoresque sur le versant d'un éperon dominant le golfe de Tunis*. Séjour d'écrivains et d'artistes.

SIDI-BRAHIM. ♦ Localité d'Algérie, au N.-O. de Tlemcen, non loin de la frontière marocaine. ♦ *Hist.* De violents combats opposèrent du 23 au 25 sept. 1845 une colonne de chasseurs français sous le commandement de Montagnac à près de 3 000 cavaliers de l'émir Abd-al-Qâdir (Abd-El-Kader). En 1847, Abd-al-Qâdir s'y soumettait à Lamoricière.

SIDI-FERRUCH. ♦ Localité d'Algérie (dép. d'Alger), sur la côte occidentale du Sahel* d'Alger. Station balnéaire. ♦ *Hist.* L'armée française commandée par le maréchal Bourmont* y débarqua le 14 juin 1830.

SIDI-IFNI. ♦ V. du Maroc méridional (14 890 hab.) rattachée à la prov. de Tarfaya*, située sur l'Atlantique, au pied du versant occidental de l'Anti-Atlas. Port de pêche. ♦ *Hist.* Anc. cap. de l'enclave espagnole d'Ifni*, rétrocédée au Maroc en 1969.

SIDI-KACEM, anc. **Petitjean.** ♦ V. du Maroc septentrional (prov. de Rabat) située en bordure S.-E. de la plaine du Gharb*. 19 500 hab. Centre agricole et commercial (agrumes). Raffinerie de pétrole.

SIDNEY (*sir* **Philip).** ♦ Romancier, poète et essayiste anglais (Penshurst, Kent, 1554 – Arnhem, Pays-Bas, 1586). Descendant

Ph. A. Rey

Sicile : Palerme.

du célèbre comte de Leicester, favori d'Elizabeth, il fit ses études à Oxford et visita Paris – où il se trouvait lors du massacre de la Saint-Barthélemy –, Strasbourg, Vienne, Venise, Padoue, Florence et Gênes. De retour en Angleterre, il célébra Pénélope Devereux dans un recueil de sonnets *Astrophel et Stella* (publ. 1591), où il reprend une forme poétique rarement employée depuis Surrey* et qui lui valut l'épithète de « Pétrarque anglais »; mais ce thème de l'amour charnel l'apparente plutôt à Ronsard. Cette œuvre sera incluse dans *L'Arcadie* (*The Arcadia,* 1590), roman pastoral en prose mêlé de vers où abondent allusions personnelles, pensées morales et politiques. Cette prose précieuse décida du goût général pour le roman d'amour chevaleresque. *L'Apologie ou Défense de la poésie* (publ. 1595) est un examen méthodique de la poésie anglaise depuis Chaucer*, un exposé des principes qui devaient régir l'écriture dramatique et la prosodie. Première figure de la Renaissance anglaise, Sidney, malgré son naturel romanesque, prône l'attachement aux Anciens comme critère esthétique.

SIDOBRE. *n. m.* ♦ Région granitique du S.-O. du Massif central, entre l'Agout* et le Thoré* (en grande partie dans le dép. du Tarn). Il comporte d'énormes blocs granitiques perchés, d'apparence instable (phénomène d'érosion).

SIDOINE APOLLINAIRE *(saint),* en lat. **Caius Sollius Modestus Apollinaris Sidonius.** ♦ Poète latin chrétien (Lyon, v. 430 – Clermont, v. 486). Aristocrate, préfet de Rome (468), évêque de Clermont (471), il tenta de maintenir la culture latine face aux envahisseurs wisigoths. Auteur de poèmes (épîtres, panégyriques) et de *Lettres.* Fête le 23 août.

SIDON. ♦ Anc. cité phénicienne, possédant deux ports sur la Méditerranée. *Auj.* Saïda (Liban). Fouilles par Renan (1861), Hamdy bey (1887), Contenau (1914). ♦ *Hist.* Sidon fut le plus important port de la Méditerranée orientale avant sa dévastation probable par les peuples* de la Mer (v. ~ 1200) et l'hégémonie de Tyr. Elle fut tributaire de l'Assyrie à partir d'Assurnazirpal II et, révoltée, fut détruite par Assarhaddon (v. ~ 678). Princ. divinité : **V. Eshmoun.** Capitale de la satrapie de Phénicie sous les Achéménides, elle fut brûlée par Artaxerxès III Ochos contre qui elle s'était révoltée (~ 344). Elle s'ouvrit à Alexandre en ~ 332 et regagna une certaine prospérité à l'époque hellénistique et romaine. Elle tomba aux mains des Arabes en 637 et fut plus tard la *Sagette* ou *Sayette* des croisés, qui la disputèrent à Saladin. Elle se releva au XVIIe s. avec l'émir des Druses, Fakhreddin. – **V. Phénicie.**

SIEBENGEBIRGE. *n. m.* (« les sept montagnes »). ♦ Groupe de sept montagnes volcaniques de Rhénanie, entre la r. d. du Rhin et la vallée de la Sieg. Très pittoresques, elles sont couvertes de forêts et parfois de vignobles. Le *Drachenfels* (321 m), le *Petersberg* (331 m) et l'*Ollberg* sont les sommets les plus connus.

SIEBOLD (Carl Caspard *von***).** ♦ Chirurgien allemand (Nideck Juliers, 1736 – Würzburg, 1807). Il fut professeur d'anatomie et de chirurgie obstétricale. ♦ PHILIPP FRANZ VON SIEBOLD, son petit-fils. Naturaliste allemand (Würzburg, 1796 – Munich, 1866). Envoyé comme médecin au Japon (1823), il fonda un jardin botanique à Desima et enseigna la médecine et l'histoire naturelle. De retour en Allemagne, il publia de nombreux ouvrages dont une *Flora japonica* (1835-1853) et le *Thesaurus linguae japonicae* (1835-1841).

Siècle (le). ♦ Quotidien politique fondé en 1836 par M. Dutacq. D'abord monarchiste constitutionnel mais anticlérical, il devint républicain en 1848, puis s'opposa au Second Empire. Il se tempéra quand Jules Simon en prit la direction politique (1874), mais déclina et disparut en 1917.

Siècle de Louis XIV (Le). ♦ Ouvrage historique (1751) où Voltaire* se propose, en faisant le tableau des progrès de l'esprit humain au XVIIe s., de critiquer indirectement le règne de Louis* XV. Conçue dès 1732, cette œuvre s'appuie sur une documentation

Ph. Hétier

Fortifications de **Sidon.**

abondante et manifeste un esprit critique sérieux. Les événements militaires et diplomatiques y sont traités, mais plus encore le développement du commerce et le rayonnement des lettres et des arts, car Voltaire veut glorifier « tous ceux qui ont excellé dans l'utile ou dans l'agréable ». Le ton devient polémique quand l'auteur aborde les affaires religieuses qui entachèrent le règne de Louis XIV, ce « despote éclairé ». Soucieux de tirer la philosophie de l'histoire, Voltaire se veut également artiste. Adoptant une présentation dramatique, il recherche la variété et le pittoresque, mais choisit toujours les « détails signifiants » et manie une prose remarquable de concision et de clarté.

SIEDENTOPF (Heinrich Friedrich Wilhelm). ♦ Physicien allemand (Brême, 1872 – mort en 1940). **V. Zsigmondy.**

SIEGBAHN (Karl Manne). ♦ Physicien suédois (Örebro, 1886). Il développa considérablement les connaissances sur la spectroscopie des rayons X [1919] **(V.** *aussi* **Moseley)** et mit en évidence la réfraction de ces rayons [1925]. (Prix Nobel de chim., 1924.)

SIEGBURG. ♦ V. d'Allemagne occidentale (Rhénanie du Nord-Westphalie), à 11 km au N.-E. de Bonn*. 34 326 hab. (1969). Abbaye bénédictine du XIe s., église paroissiale abritant un riche trésor. – Indus. mécaniques, fibres synthétiques.

SIEGEL (Carl). ♦ Mathématicien allemand (né en 1896). Appartenant à la remarquable école d'algèbre et de théorie des nombres qui naquit en Allemagne après 1918, ses travaux concernent notamment les équations diophantiennes et les nombres algébriques (ou transcendants); il étudia également les formes quadratiques (théorèmes de Minkowski*-Siegel) et les fonctions de variables complexes dont, particulièrement, les fonctions automorphes.

SIEGEN. ♦ V. d'Allemagne occidentale (Rhénanie du Nord-Westphalie), sur la Sieg, au cœur du *Siegerland.* 57 790 hab. Église du XIIIe s., château des XVIIe-XVIIIe siècles. – Extraction de fer et métallurgie. – Rubens* naquit à Siegen en 1577.

SIEGERLAND. *n. m.* ♦ Région d'Allemagne occidentale correspondant à la vallée encaissée de la Sieg, dans la partie orientale du Massif schisteux rhénan. De petits gisements de fer y sont exploités depuis le Moyen Âge.

SIEGFRIED [sigfʀid] **(Jules).** ♦ Homme politique français (Mulhouse, 1837 – Paris, 1922). Député de l'Union républicaine (1885-1897), il fut ministre du Commerce dans le cabinet Ribot (1897), sénateur (1897-1900). Il avait pris position contre le boulangisme, travaillé à l'élaboration de lois d'affaires et d'économie sociale et publié un ouvrage sur *La Misère, son histoire, ses causes, ses remèdes* (Paris, 1877). ♦ ANDRÉ SIEGFRIED, son fils. Économiste et sociologue français (Le Havre, 1875 – Paris, 1959). Professeur à l'École des sciences politiques (1911), au Collège de France (1933), il a publié de nombreuses études consacrées à la situation économique, sociale et politique de nombreux pays, notamment de pays anglo-saxons (*L'Angleterre d'aujourd'hui,* 1924; *Les États-Unis d'aujourd'hui,* 1927; *Le Canada, puissance internationale,* 1937-1947). Ses études sur la vie politique française ont fait date (*Tableau politique de la France de l'Ouest sous la IIIe République,* 1914; *Tableau des partis en France,* 1930). [Acad. fr., 1944.]

Siegfried ou **Sigfried.** ♦ Héros de la mythologie allemande, correspondant au Sigurd scandinave. **V. Nibelungen** *(Chanson des).* – Opéra de R. Wagner*. **V. Tétralogie.**

Siegfried. ♦ Pièce en quatre actes de Jean Giraudoux* (1928). Relevé sur le champ de bataille avec une blessure qui a entraîné l'amnésie, Jacques Forestier, écrivain français, est devenu l'un des chefs de la république de Weimar, sous le nom de Heinrich von Kleist. Deux femmes, l'Allemande Eva et la Française Geneviève, se disputent cet être misérable à la recherche de lui-même. Siegfried rentrera avec Geneviève dans une France définitivement réconciliée avec l'Allemagne. Tirée par l'auteur de son roman, *Siegfried et le Limousin* (1924), la pièce marqua les débuts de Jean Giraudoux au théâtre et le renouvellement du théâtre français moderne.

Siegfried *(ligne).* ♦ Nom donné en 1917 à une bretelle de la position Hindenburg, de la Scarpe à l'E. d'Arras, jusqu'à l'Aisne au N.-O. de Reims. ♦ En 1936, Hitler décida la construction d'un système fortifié appelé également *ligne Siegfried,* allant du Luxembourg à la frontière suisse et achevé par l'organisation Todt en 1938. Les Français renoncèrent à l'attaquer en sept. 1939. Les Allemands s'y maintinrent de nov. 1944 à févr. 1945. La *ligne Siegfried* fut enlevée par les Américains en mars 1945.

SIE HO. ♦ Peintre chinois du Ve s. Il formula les *Six Principes* de l'esthétique picturale, selon lesquels le mouvement et l'harmonie des lignes, des couleurs, l'équilibre des masses doivent être subordonnés à l'expression essentielle du *k'i-yun,* âme des formes naturelles et vivantes.

SIEMENS (Werner *von***).** ♦ Ingénieur et industriel allemand (Lenthe, près de Hanovre, 1816 – Berlin, 1892). Fondateur, avec J. G. Halske*, d'une société qui réalisa la première grande ligne télégraphique européenne, reliant Berlin à Francfort (1848-1849) et les premières lignes russes (1850). Il imagina le principe de la dynamo (1866). **V. Gramme.** On lui doit également la première locomotive électrique (1879) et une ligne de tramway. – Frère de Wilhelm von Siemens *(ci-dessous).*

SIEMENS (Wilhelm *von,* devenu *sir* **William Siemens** en 1883). ♦ Ingénieur et industriel allemand, naturalisé anglais en 1859 (Lenthe, près de Hanovre, 1823 – Londres, 1883). Il perfectionna les procédés d'argenture et de dorure d'Elkington* et mit au point un procédé d'élaboration de l'acier avec un four de sa conception qui, amélioré par P. Martin*, deviendra le procédé Martin-Siemens. – Frère de Werner von Siemens *(ci-dessus)*.

SIEMIANOWICE ŚLĄSKIE, en all. **Siemianowitz**. ♦ V. de Pologne* (voïévodie de Katowice) en haute Silésie*. 65 800 hab. Indus. métallurgiques, houillères.

SIENKIEWICZ (Henryk). ♦ Romancier polonais (Wola Okrzejska, 1846 – Vevey, en Suisse, 1916). Issu d'une famille de noblesse terrienne, il collabora à la *Gazette polonaise (Gazeta Polska)*, puis visita les États-Unis où il écrivit les *Lettres de voyage (Listy z podróży*, 1876-1878), et une nouvelle, *Le Gardien du phare* (*Latarnik*, 1881). Son premier roman, *Esquisse au fusain* (*Szkice węglem*, 1877), est une satire de la bureaucratie villageoise. Dans ses romans historiques, *Par le fer et le feu* (*Ogniem i mieczem*, 1884), *Le Déluge* (*Potop*, 1886), *Messire Wolodyjowski* (1887-1888) tous trois réunis sous le titre de *Trilogie (Trylogja)* et *Les Chevaliers Teutoniques* (*Krzyżacy*, 1897-1900), il évoqua le passé héroïque et douloureux de la Pologne. Son roman *Quo* vadis ?* (1896), où il tenta de ressusciter, dans une optique chrétienne traditionaliste, la Rome au temps des premiers apôtres, lui valut un succès mondial et fut traduit dans de nombreuses langues. Il reçut le prix Nobel en 1905.

SIENNE, en it. **Siena**. ♦ V. d'Italie, en Toscane. Ch.-l. de prov. 65 000 hab. Archevêché. La ville a conservé de nombreux monuments de son riche passé artistique : Piazza del Campo, dominée par la tour del Mangia, baptistère Saint-Jean, œuvre de Donatello*, nombreux palais des XIIIe et XIVe s. (palais public, Chigi-Saracini, Piccolomini, Marsili), églises San Francesco et San Domenico, maison de sainte Catherine et pinacothèque renfermant une riche collection de primitifs siennois. – Patrie de sainte Catherine*, de Francesco* di Giorgio Martini, de Duccio* di Buoninsegna, de Simone Martini*, de Pietro et Ambrogio Lorenzetti*. ♦ *Hist.* Colonie romaine fondée par Auguste *(Sena Julia)*, elle devint une république gibeline libre au XIIe s. et battit Florence à Montaperto (1260); elle la combattit jusqu'au XVe siècle. Pandolfo Petrucci fut dictateur de 1487 à 1512 et, en 1524, les Siennois se donnèrent à Charles Quint. Révoltée, elle fut assiégée et prise par les Espagnols (1555) malgré la résistance héroïque des Siennois commandés par Monluc*. Elle rejoignit le duché de Toscane. – Sienne fut libérée par les Français le 3 juillet 1944. **V. Juin.**

SIERCK-LES-BAINS. ♦ Ch.-l. de cant. de la Moselle, arr. de Thionville-Est, sur la r. d. de la Moselle. 1 471 hab. Ruines de l'anc. château fort des ducs de Lorraine. Vestiges d'anc. fortifications. Église du XVe s. (restaurée).

SIERO. ♦ V. d'Espagne du Nord, dans les Asturies (prov. d'Oviedo). 35 000 hab. Houille, faïenceries.

SIERPIŃSKI (Wacław). ♦ Mathématicien polonais (Varsovie, 1882 – *idem*, 1969). Chef de l'école mathématique polonaise, il contribua par ses recherches au développement de la théorie des ensembles analytiques *(Fundamenta mathematicae)*, des fondements de la topologie et de l'analyse fonctionnelle moderne.

SIERRA LEONE [-leɔne] *(république de)*. ♦ État d'Afrique occidentale, membre du Commonwealth*, enclavé entre la Guinée* et le Libéria*, baigné à l'O. par l'Atlantique*. 71 740 km². 2 600 000 hab. *Cap.* Freetown. *Langues :* anglais (off.), dialectes soudanais, krio (par les créoles). *Pop.* Créoles (descendants d'esclaves libérés), Mendés (groupe Manding*), Mandingues, Peuls, Temnés... – Le pays est formé d'un plateau granitique aux vallées encaissées, et de montagnes au N. **(V. Dorsale guinéenne)** ; sa côte est basse et marécageuse. Climat tropical humide. Agriculture vivrière en équilibre (surtout riz); produits d'exportation : gingembre, kola, café, cacao. Activités minières en développement : diamant (60 % des exportations) **[V. Bo]** ; fer. Gisements de bauxite et de chrome. ♦ *Hist.* Le pays, sous la domination d'un royaume temné (XVIIe-XVIIIe s.), fut longtemps la proie des négriers. En 1787, la société anti-esclavagiste anglaise acheta le territoire côtier, des Noirs affranchis venus d'Amérique s'y installèrent **(V. Freetown)**. Colonie britannique (1808), membre indépendant du Commonwealth* (1961, **V. Monrovia**, groupe de); république depuis le putsch militaire d'avril 1971.

SIERRE, en all. **Siders**. ♦ V. de Suisse (cant. du Valais) dans la vallée du Rhône. 10 600 hab. Station de chemin de fer pour Crans, Montana, Vermala. Métallurgie de l'aluminium.

SIEYÈS (Emmanuel Joseph, dit **l'abbé Sieyès)**. ♦ Homme politique français (Fréjus, 1748 – Paris, 1836). Fervent lecteur des philosophes du XVIIIe s., il entra sans vocation dans les ordres et fut nommé en 1787 vicaire général de Chartres. Installé à Paris en 1788, il fit paraître peu après son *Essai sur les privilèges* (1788) et sa brochure *Qu'est-ce que le Tiers État ?* (1789), qui, défendant les idées nouvelles, connurent un grand retentissement. Député du Tiers État en 1789, il joua un rôle décisif dans la transformation des États généraux en Assemblée nationale (juin 1789), s'opposant, avec Mirabeau*, au coup de force contre cette dernière le 23 juin. Membre du Club des jacobins*, il contribua au sein de la Constituante à faire adopter la division administrative de la France en 83 départements et le maintien du suffrage censitaire dans la Constitution de 1791. Monarchiste constitutionnel, rallié aux feuillants, il fut élu à la Convention où il vota cependant la mort du roi. Il n'eut plus, apparemment, qu'un rôle effacé sous la Terreur, dont certains, pourtant, le considèrent comme un des principaux instigateurs. Membre du Comité de salut public après le 9 Thermidor, il s'occupa de diplomatie, et, partisan de la politique d'annexion, signa avec la Hollande le traité de La Haye* (1795). Élu directeur en 1795, il se démit en faveur de Carnot, et siégea au Conseil des Cinq*-Cents qu'il présida après le coup d'État du 18 fructidor an V (4 septembre 1797). Ministre plénipotentiaire à Berlin, il revint à Paris en mai 1799 pour occuper au sein du Directoire* la place de Reubell, fut un des instigateurs de la journée du 30 prairial* an VII et prépara le coup d'État du 18 brumaire* an VIII, qu'il réussit avec Bonaparte (après avoir d'abord songé à utiliser Joubert*) et grâce à l'aide de Fouché. Consul provisoire, il participa à la rédaction de la Constitution de l'an VIII, que Bonaparte modifia dans le sens de ses intérêts. Écarté des hautes fonctions politiques, Sieyès fut fait comte d'Empire en 1809, pair pendant les Cent-Jours. Réfugié à Bruxelles en 1815, et proscrit comme régicide en 1816, il ne revint en France qu'en 1830. (Acad. fr.)

SIG, anc. **Saint-Denis-du-Sig**. ♦ Comm. d'Algérie (dép. d'Ouahran) dans *la plaine du Sig*, région marécageuse située au pied du Tell et traversée par le cours inférieur de l'*oued Sig* ou *Mekerra*. 27 700 hab. Centre commercial d'une importante région agricole. Agrumes. Coton.

SIGEAN. ♦ Ch.-l. de cant. de l'Aude (arr. de Narbonne), à l'extrémité S. de l'étang du même nom. 3 033 hab. Salines. – *L'étang de Sigean* (dit aussi *étang de Bages*) forme une lagune (antique golfe marin de Narbonne) qui s'étend sur une longueur de 15 km entre Narbonne et Port-la-Nouvelle et sur une largeur de 1 200 à 5 500 m; il est séparé de l'étang de l'Ayrolle (à l'E.) par un isthme étroit où passe la voie de chemin de fer. Nombreuses salines sur ses bords.

SIGEBERT Ier. ♦ (mort à Vitry, Artois, 575.) Roi d'Austrasie (561-575). Fils de Clotaire* Ier, il épousa Brunehaut* (566). Après l'assassinat de Galswinthe*, femme de son frère Chilpéric* Ier et sœur de Brunehaut, il envahit la Neustrie. Il remporta de brillants succès mais fut assassiné sur l'ordre de Frédégonde*. Père de Childebert II.

SIGEBERT II. ♦ (mort en 656.) Roi d'Austrasie (639-656). Fils de Dagobert Ier, il régna sous la tutelle de maires du palais, dont Grimoald*. – Père de Dagobert II.

SIGEBERT DE GEMBLOUX. ♦ Chroniqueur belge (Brabant, v. 1030 – Gembloux, 1112). Auteur d'un *Chronicon* ou *Chronographia* (de 381 à 1110) qui fit longtemps autorité, et fut publié dans les *Monumenta Germaniae historica* de Pertz (éd. Bethmann). Il a laissé également des œuvres hagiographiques.

SIGER [siʒɛ] **DE BRABANT**. ♦ Philosophe, professeur de l'université de Paris (1235-1281). Adepte d'Averroès*, il affirma l'éternité du monde et l'unité de l'« âme intellectuelle » *(De anima intellectiva)*. Ses thèses furent critiquées par saint Thomas* d'Aquin.

Sigfried. ♦ **V.** SIEGFRIED.

SIGHELE (Scipio). ♦ Sociologue italien (Brescia, 1868 – Florence, 1913). Il fut un des fondateurs de la psychologie collective en Italie et s'est surtout consacré à des recherches sur *La Foule criminelle* (1891), posant le problème de la responsabilité collective.

SIGISMOND *(saint)*. ♦ (Mort à Coulmiers, près d'Orléans, 523.) Roi des Burgondes (516-523). Fils de Gondebaud*, il fut converti au catholicisme par saint Avit* et fonda le monastère de Saint*-

Sierra Leone.

Arch. Smeets

Paul Signac : « Vue de Saint-Tropez ». (Musée de l'Annonciade, Saint-Tropez.)

Maurice d'Agaune. Il fut tué par Clodomir, roi d'Orléans. Il eut pour successeur son frère Gondemar* II. – Il fut canonisé (fête le 1er mai).

SIGISMOND DE LUXEMBOURG. ♦ (Nuremberg, 1368 – Znaïm, 1437). Empereur germanique (1411-1437), fils de Charles* IV. Roi de Hongrie par mariage (1387), il combattit les Turcs mais fut vaincu par Bayazid* Ier à Nicopolis* (1396). Il protégea le pape Jean* XXII et lui fit convoquer le concile de Constance où il joua un grand rôle (1414-1418). Après avoir accordé un sauf-conduit à Jean Hus* pour qu'il vînt se défendre devant le concile, il le fit brûler quand les pères l'eurent condamné (1415), ce qui eut pour conséquence le soulèvement des hussites de Bohême et une véritable insurrection lorsqu'il succéda comme roi en Bohême à son frère Wenceslas* (1419). Il mena la croisade contre les hussites et ne put se faire reconnaître roi de Bohême qu'en 1436 après les *compacta* (accords) d'Iglau. Dernier de la branche aînée des Luxembourg, il laissa tous ses biens aux Habsbourg. Sa fille Élisabeth avait épousé le futur empereur germanique Albert* II de Habsbourg.

SIGISMOND Ier JAGELLON, dit **le Vieux** ou **le Grand.** ♦ (Kosienice, 1467 – Cracovie, 1548). Roi de Pologne (1506-1548). Fils de Casimir* IV, il succéda à son frère Alexandre* Ier Jagellon, comme grand-duc de Lituanie, puis comme roi de Pologne. Il combattit les Moscovites, qu'il réussit à contenir en dépit de la perte de Smolensk* (1514), imposa sa suzeraineté sur la Prusse* orientale (1525) et annexa la Mazovie* (1526). Protecteur des arts, marié à la princesse milanaise Bonne* Sforza, il fit de Cracovie* un foyer de la Renaissance. Père de Sigismond* II et d'Anne* Jagellon.

SIGISMOND II AUGUSTE JAGELLON. ♦ (Cracovie, 1520 – Knyszyn, 1572). Roi de Pologne (1548-1572). Fils du précédent, dernier des Jagellons*, il annexa la Livonie* (1561), proclama l'Union de Lublin* qui consacrait la fusion de la Lituanie* et de la Pologne (1569), et favorisa par sa tolérance religieuse l'implantation de la Réforme en Pologne.

SIGISMOND III VASA. ♦ (Stockholm, 1566 – Varsovie, 1632). Roi de Pologne* (1587-1632) et de Suède* (1592-1599). Fils de Jean* III Vasa de Suède et neveu du précédent par sa mère, il fut élu roi de Pologne à la mort d'Étienne* Bathory, grâce à l'influence de Jean Zamoyski*. Il transféra la capitale polonaise de Cracovie* à Varsovie* (1596) et tenta, avec l'aide polonaise, de reconquérir la couronne de Suède dont il fut dépossédé en 1599. Ses fils Ladislas* IV et Casimir* V lui succédèrent en Pologne.

SIGMARINGEN. ♦ V. d'Allemagne occidentale (Bade-Wurtemberg), dominée par son château, anc. résidence des ducs de Hohenzollern. ♦ *Hist.* En 1944-1945, le maréchal Pétain y séjourna et une « commission gouvernementale » française, prolongeant le gouvernement de Vichy, y siégea.

SIGNAC (Paul). ♦ Peintre, aquarelliste, dessinateur et critique français (Paris, 1863 – *id.*, 1935). En 1883, il étudia dans l'atelier du prix de Rome, Bin, mais il admirait surtout l'œuvre de Monet* et de ses amis dont on relève l'influence dans ses premiers tableaux. Appréciant peu l'esprit des salons officiels, il participa en 1884 à l'exposition du groupe des Artistes indépendants, devint l'ami de Seurat* et l'aida à élaborer les bases théoriques du néo-impressionnisme dont il allait devenir l'ardent défenseur (*De Delacroix au néo-impressionnisme,* 1899). Cherchant à obtenir la plus grande luminosité, il utilisait les couleurs du spectre posées par petites touches séparées. Il peignit des marines *(Port de Collioure)* mais aussi des intérieurs (*Le Petit Déjeuner,* 1886-1887; *Femme se peignant,* 1892), des portraits (*Félix Fénéon,* 1890) caractérisés par le hiératisme voulu des poses, la recherche de rythmes décoratifs où domine l'arabesque, révélant ainsi des tendances symbolistes. À partir de 1895, il élargit la dimension de ses touches et, passionné de navigation, ramena de ses nombreux voyages une multitude d'aquarelles représentant surtout des vues de ports, d'une facture très spontanée et nerveuse, aux coloris vibrants. À partir de ces études, il exécutait à l'atelier de grandes compositions longuement élaborées où il restait fidèle à la divison du ton et au contraste simultané de couleurs. À partir de 1908, il devint le président de la société des Indépendants.

SIGNORELLI (Luca). ♦ Peintre italien (Cortone, v. 1450 – *id.,* 1532). Dès ses œuvres de jeunesse (madones; fresques de Città del Castillo, 1474), il affirma sa personnalité par rapport à Piero* della Francesca. Entre 1476 et 1479, il travailla à Lorette et c'est avec des peintres florentins qu'il se rendit en 1481 à Rome, où il peignit les *Derniers Jours de Moïse* pour la chapelle Sixtine. Entre 1482 et 1493, il exécuta de nombreuses œuvres en Italie centrale (*Madone* et *Sainte Famille* des Offices; *Triomphe de Pan* de Berlin [détruit en 1944], les deux *Adorations des Mages* de Città del Castello [1482 et 1493], etc.). Après 1497, il peignit la *Vie de saint Benoît* au cloître de Monte Oliveto Maggiore et, à partir de 1499, la chapelle San Brizio à Orvieto. En 1508, il fit un séjour à Rome, mais Jules II ne retint pas sa collaboration aux Loges du Vatican, qu'il confia à Raphaël; puis il se rendit à Sienne (1508-1513). Après un bref séjour à Rome (1513), il se retira à Cortone. – Héritant de Piero le caractère monumental des figures et un dramatisme d'ailleurs moins retenu, Signorelli y joint un dynamisme graphique qui évoque parfois Pollaiolo, qu'il dut connaître à Florence. Son goût pour les contrastes appuyés dans la composition joint à une structuration affirmée de l'espace par les éclairages et les oppositions de couleurs le conduisirent à des œuvres puissamment simplifiées, derrière l'anecdote et malgré une tendance passagère au stéréotype (*La Flagellation,* 1475; fresques de la sacristie de la basilique de Lorette). L'importance accordée au corps humain, représenté nu (*Pan,* 1490; nombreux dessins), drapé ou vêtu d'étoffes plaquées (fresques de Monte Oliveto, d'Orvieto), constitue l'élément essentiel d'un langage plastique puissant, qui annonce Michel-Ange. Signorelli, en variant les perspectives, en faisant jouer les chairs et les étoffes qui soulignent les formes, en utilisant des poses provocantes (courbures, déhanchements), libère les valeurs corporelles et les intègre dans un style à la fois hardiment réaliste et puissamment symbolisant, où les costumes, loin d'être des ornements, prolongent les corps et les intègrent à un espace qu'ils définissent. Cet humanisme charnel et symbolique s'affirme dans le *Pan* de Berlin, à la composition statique et savamment décalée, et même ses portraits et ses madones ont une qualité charnelle. Les édifices des fonds de tableaux, évoquant un paganisme harmonieux, semblent répondre à un programme de vie arcadien. – Dans l'anecdote même (*Vie de saint Benoît* à Monte Oliveto), Signorelli utilise les données imposées pour faire triompher le mouvement et les contrastes plastiques et place toujours un hymne au corps humain (les guerriers de Totila). Les fresques de la chapelle San Brizio à Orvieto, continuant une œuvre commencée par Angelico, intègrent les thèmes signorelliens à un projet décoratif global (multiplication des motifs, arabesques et « grotesques ») qui ne craint ni le pittoresque ni le pathétique (*Histoire de l'Antéchrist*). La verticalité épanouie des corps de la *Résurrection,* les torsions destructrices du *Jugement dernier,* dans un éclairage dramatique, annoncent certes la puissance de Michel-Ange, mais témoignent avant tout du génie du dernier grand fresquiste toscan.

SIGNY-L'ABBAYE. ♦ Ch.-l. de cant. des Ardennes (arr. de Charleville-Mézières), dans la haute vallée de la Vaux. 1 711 hab. Abbaye cistercienne fondée en 1134. – Indus. du bois (skis, raquettes de tennis). Textile.

SIGNY-LE-PETIT. ♦ Ch.-l. de cant. des Ardennes, arr. de Charleville-Mézières. 1 592 hab. Église du XVIIe siècle. Château Louis XIII. – Fonderie.

SIGOGNE (Charles de Beauxoncles, ***sieur de*****).** ♦ Poète satirique français (v. 1560 – Dieppe, 1611), auteur d'œuvres (réunies en 1920) d'inspiration fantastique et burlesque, à la métrique vigoureuse.

SIGÜENZA. ♦ V. d'Espagne centrale, en Nouvelle-Castille (prov. de Guadalajara), sur le Henares. 4 500 hab. Évêché. Curieuse cathédrale (milieu XIIe-XIVe s.) de style roman poitevin avec des fragments cisterciens.

Sigurd. ♦ Héros des légendes scandinaves *(Edda)* et germaniques (*Nibelungen,* **V. Siegfried**).

SIGWART (Christoph ***von*****).** ♦ Philosophe et logicien allemand (Tübingen, 1830 – 1894). Sa conception de la logique comme étude des actes de la pensée est nettement psychologiste. (*Logique,* 1873-1878.)

SIHANOUKVILLE ou **KOMPONG SOM.** ♦ V. et port du Cambodge, sur le golfe du Siam, créé en 1960 et relié par la route à Phnom-Penh. Env. 15 000 hab. Le port exporte du riz, du caoutchouc, des épices, et importe des produits manufacturés.

SIHANUK ou **SIHANOUK (Norodom).** ♦ **V.** NORODOM SIHANUK.

SIKASSO. ♦ V. du S. du Mali*, proche de la frontière voltaïque. 14 000 hab. Égrenage du coton. Rizerie.

SIKÉLIANOS (Angelos). ♦ Poète grec (Leucade, 1884 – Athènes, 1951). Plus que ses vues sur l'hellénisme et ses recherches d'une synthèse universelle, ce sont l'abondance de sa veine lyrique, le goût de la langue et du rythme, le sens de la nature et la puissance de son imagination qui le font considérer comme l'un des plus grands poètes de la Grèce moderne. Autour des années 30, il tenta de créer à Delphes le centre d'un mouvement mondial d'unité intellectuelle. Ses plus belles œuvres poétiques sont : *Le Visionnaire* (1909), *Prologue à la vie* (1915-1917), *Mère de Dieu* (1917), *Le Discours delphique* (1927) et *Voie sacrée* (1935). Dans ses tragédies, il mit l'accent sur le rôle de la collectivité et de l'action des peuples : *Le Dithyrambe de la rose* (1932), *La Sibylle* (1940), *Le Christ à Rome* (1946), *La Mort de Digénis* (1947).

SIKHOTE-ALIN. ♦ Système montagneux d'U.R.S.S. (Sibérie* extrême-orientale), entre la vallée de l'Oussouri (N.), la vallée de l'Amour inférieur (O.) et la mer du Japon (S.-E.). Constitué par un haut plateau au N. et une série de chaînes montagneuses parallèles au centre et au S., il s'étend sur une longueur de 1 200 km et sur une largeur de 300 km. Altitude moyenne 800-1 000 m, max. 2 078 mètres. Gisements de houille et de métaux non ferreux.

Sikhs. *n. m. pl.* ♦ Secte religieuse et politique indienne, fondée au XVe s. par le guru Nânak* et qui, refusant les castes brahmaniques, prônait une fraternité universelle. Cette secte eut 10 *guru* successifs jusqu'en 1708. Elle fonde sa doctrine sur les enseignements du *Guru Granth,* livre sacré contenant des poèmes et des textes des premiers guru de la secte. S'opposant aux Moghols et aux musulmans, elle développa chez ses adhérents, pour la plupart des habitants du Pañjâb, une grande ardeur combattive. – Les sikhs, qui forment aujourd'hui une communauté active (commerce, professions techniques, etc.) dont les membres se retrouvent dans toute l'Inde, se reconnaissent à plusieurs signes distinctifs, dont le port du turban, de la barbe entière (soigneusement peignée et roulée), d'un bracelet d'acier et d'un couteau. La femme, chez les sikhs, a un statut égal à celui de l'homme. ♦ *Hist.* Un siècle après sa fondation **(V.** *ci-dessus***)** et grâce à la politique tolérante d'Akbar, les guru Râm Dâs (1547-1581) et Arjun* Dev firent construire le grand temple d'Amritsar; mais après la mort d'Akbar, la secte fut persécutée. C'est Govind* Singh, à la fin du XVIIe s., qui organisa les sikhs en une sorte de théocratie militaire, capable de résister à Aurangzeb. Ils réorganisèrent le Pañjâb et s'emparèrent de leur capitale religieuse Amritsar sous Ranjit* Singh (1802), annexèrent le Cachemire (Kaśmîr) et Peshawar. La puissance militaire de la secte inquiéta les Anglais qui durent mener deux campagnes très dures (1845-1846; 1848-1849) avant de réduire les sikhs. Ceux-ci furent intégrés à l'armée des Indes et devinrent une troupe d'élite, d'une absolue loyauté à l'égard des Britanniques. En 1947, les sikhs réclamèrent leur autonomie dans l'Inde et le Pâkistân nouvellement indépendants, États entre lesquels ils étaient partagés. Env. la moitié des sikhs du Pâkistân émigrèrent en Inde, cherchant à gagner le Pañjâb. Leur nombre serait d'env. 7 000 000.

SIKKIM. *n. m.* ♦ Petit État himalayen, situé entre le Népal et le Bhûtan d'une part, entre l'Inde et le Tibet de l'autre. 7 298 km². Env. 210 000 hab. Il est formé de montagnes abruptes surplombant les vallées de la Tîsta et de ses affluents. Ses habitants sont pour la plupart Lepcha (d'ascendance tibétaine) ou Népalais. *Cap.* Gangtok* – Écon. de subsistance et artisanat ♦ *Hist.* Fondé par les Tibétains en 1641 et devenu possession anglaise en 1861, le Sikkim était dirigé par des monarques héréditaires. Un traité d'assistance et de protection le lia à l'Inde dès 1960. En 1975, la population a voté le rattachement du pays à l'Inde et l'abolition de la monarchie.

SIKORSKI (Władysław). ♦ Général et homme politique polonais (Tuszów, Galicie, 1881 – Gibraltar, 1943). Après avoir combattu aux côtés de Piłsudski* dans les rangs de la légion polonaise durant la Première Guerre mondiale, et lors de la guerre polono-soviétique, il fut nommé chef d'État-Major général (1922), puis chef du gouvernement (1922-1923) et enfin ministre de la Guerre (1924-1925). Il cessa toute activité politique et militaire après le coup d'État de Piłsudski (1926), dont il était devenu l'ennemi. Retiré en France, il prit le commandement des forces polonaises (1939) et devint le chef du gouvernement polonais en exil en France, puis à Londres (1940). Quelques mois après la rupture diplomatique entre l'U.R.S.S. et le gouvernement polonais de Londres (provoquée par la découverte du massacre de Katyn*), il trouva la mort dans un accident d'avion (probablement dû à un sabotage).

SILAS ou **SILVAIN** *(saint).* ♦ Compagnon du deuxième voyage de saint Paul* (*Actes,* XV-XVII).

ŚILAVAMŚA. ♦ Poète birman (1453 – 1520), originaire d'Ava, auteur d'épîtres versifiées en pâli et d'une grande chronique mythologique, le *Yazawin Gyaw,* en prose.

SILÈNE, en gr. **Silênos.** ♦ Personnage de la légende de Dionysos*, considéré parfois comme fils de Pan* ou d'Hermès. Sage éducateur de Dionysos en Phrygie*, il est représenté sous les traits repoussants d'un vieillard jouisseur, au nez camus et au ventre proéminent. Il fait partie du cortège de Dionysos, monté sur un âne, toujours ivre, chantant et riant. Il intervient dans plusieurs contes plaisants comme celui du roi Midas*. Uni à une nymphe, il engendre le centaure Pholos*.

SILÈNES. *n. m. pl.* ♦ Nom générique des vieux satyres*.

SILÉSIE, en polon. **Śląsk,** en all. **Schlesien.** ♦ Région du S.-O. de la Pologne* située à l'E. de la Neisse de Lusace, en bordure des Sudètes* et des Beskides* occidentales et drainée par le cours supérieur de l'Oder*. On y distingue, au point de vue géographique et économique : la *basse Silésie** et la *haute Silésie**. ♦ *Hist.* Occupée par les Slaves dès le Ve s., la Silésie fit partie de la Moravie* avant d'être annexée au premier État polonais v. la fin du Xe siècle sous Mieszko* Ier. Divisée en duchés de Basse- et Haute-Silésie, au profit des membres de la famille des Piast* en 1163, elle fut morcelée en diverses principautés, qui furent peu à peu germanisées. Le partage de la *Basse-Silésie,* après la mort de Henri* II le Pieux qui arrêta l'invasion des Mongols à Legnica* (1241), et les dissensions des Piast aboutirent à la suzeraineté de la Bohême* sur presque toute la Silésie, sous Casimir III le Grand (1335). Rattachée à l'Autriche* avec la Bohême en 1526, elle fut revendiquée par la Prusse durant la guerre de la Succession* d'Autriche et conquise par Frédéric* II le Grand qui vainquit les Autrichiens à Mollwitz* (1741), mais à nouveau disputée par les Autrichiens durant la guerre de Sept* Ans, réoccupée par la Prusse après la victoire de Leuthen*, elle lui fut rendue par le traité de Hubertsburg* en 1763, à l'exception de la *Silésie* autrichienne. Devenue province prussienne, agrandie de la Haute-Lusace* en 1815, elle prit un essor économique considérable, grâce à l'exploitation du bassin houiller de Haute-Silésie. À la suite des insurrections silésiennes contre la domination allemande (1919-1920-1921) et du plébiscite de 1921, la Pologne obtint un partage de la Haute-Silésie (avec Katowice) qui fut à nouveau réannexée par le Reich en 1939. Conquise par l'armée soviétique en 1945, la *Silésie* fut incluse dans le territoire de la Pologne par la fixation de la ligne Oder*-Neisse.

SILÉSIE (basse), en polon. **Nizina Śląska.** ♦ Région géographique du S. de la Pologne* située à l'E. de la Neisse* de Lusace, en bordure des Sudètes et constituée par la vallée moyenne de l'Oder* et le versant oriental des Krkonoše*. Riche région agricole, la *basse Silésie* est également un centre industriel disposant de ressources minérales diverses, notamment du charbon autour de Wałbrzych*, de minerais de cuivre et de nickel, de lignite, etc. L'industrie métallurgique, chimique, énergétique et textile est dispersée à Wrocław*, Jelenia* Góra, Legnica*, Zielona* Góra, Turoszów*. Au S.-E., *la Silésie d'Opole** ou *Silésie centrale,* située entre la basse et la haute Silésie, est une région agricole peu fertile et moyennement industrialisée (textile, cimenterie).

SILÉSIE (haute), en polon. **Wyzyna Śląska** ou **Górny Śląsk.** ♦ Région géographique du S. de la Pologne*, située au débouché septentrional de la Porte de Moravie* sur la ligne de partage des eaux de la Vistule* et de l'Oder*, entre les Sudètes* au S.-O., les Beskides* occidentales à l'E. et la Petite Pologne au N. On y distingue au N. la *Silésie blanche* (en polon. *Biały Śląsk*), peu fertile, en partie couverte de forêts et très peu industrialisée en dehors de Tarnowskie* Góry; la *Silésie verte* (en polon. *Zielony Śląsk*) au S., qui s'étend au pied des Beskides occidentales autour de la vallée de la haute Vistule, région boisée agricole et touristique, en partie industrialisée à Rybnik* et Bielsko* Biala; la *Silésie noire* (en polon. *Czarny Śląsk*) au centre, qui constitue le bassin houiller proprement dit et la principale région industrialisée de Pologne, dont l'activité s'étend en dehors des limites géographiques de la *haute Silésie,* en direction des gisements de minerais de fer, vers le plateau de Petite Pologne et du complexe sidérurgique de Częstochowa* au N., et jusqu'aux portes de Cracovie vers le nouveau centre de Nowa* Huta à l'est. L'extraction de la houille, dont les gisements s'étendent sur 5 400 km² et représentent 95 % de la production polonaise (5 % en basse Silésie), soit env. 133 000 000 de t par an, est étroitement associée à la sidérurgie, la métallurgie lourde et la chimie et notamment concentrée autour de Bytom*, Chorzów*, Dąbrowa* Górnicza, Gliwice*, Katowice*, Racibórz*, Ruda* Sląska, Siemianowice* Śląskie, Sosnowiec*, Świętochlowice*, Szopienice*, Tychy*, Zabrze*, et forme une vaste agglomération à population très dense.

SILHOUETTE (Étienne *de***).** ♦ Homme politique français (Limoges, 1709 – Bry-sur-Marne, 1767). Grâce à l'appui de Mme de Pompadour, il devint contrôleur général des Finances (1759). Ses réformes efficaces furent d'abord approuvées, mais ses projets d'impôts sur les terres des nobles et de réduction des pensions lui aliénèrent la cour et il fut disgracié. Son impopularité survécut à sa chute et on continua à le ridiculiser (c'est de là que vient le mot *silhouette.* Cf. Robert).

Ph. J. Dupaquier/Atlas-Photo

Basse Silésie : Wrocław.

Ph. Giraudon

Israël Silvestre, carrousel de **1662** :
« Le Duc de Guise, roi américain ».
(Bibliothèque de Versailles.)

SILISTRA, en fr. **Silistrie.** ♦ V. de Bulgarie du N.-E., ch.-l. de district et port sur la r. d. du Danube (Dobroudja) à la frontière roumaine. 29 000 hab. (1963). Centre agricole et commercial. ♦ *Hist.* C'est l'anc. ville romaine de *Durostrum* qui fut l'une des cités les plus florissantes de la Mésie inférieure. Conquise en 967 par Sviatoslav*, prince de Kiev, elle fut prise en 971 par Jean Ier Tzimiskès, prince d'Orient, et fut une importante forteresse sous la domination turque. Elle fut plusieurs fois attaquée par les Russes au cours du XIXe s., devint bulgare en 1878, puis roumaine de 1913 à 1940.

SILIUS ITALICUS (Tiberius Catius). ♦ Poète latin (v. 25 – 101). Courtisan de Néron* connu comme délateur, puis proconsul d'Asie sous Vespasien, il se consacra à la poésie dans sa vieillesse. Il est l'auteur des *Guerres Puniques (Punica),* poème en 17 livres sur la lutte de Rome contre Hannibal*.

SILKEBORG (le « château de la soie »). ♦ V. du Danemark, dans le centre du Jutland* (*amt* de Skanderborg), sur la r. g. du Langsø. 24 400 hab. – Centre touristique entouré de lacs traversés par les eaux de la Gudenå. – Importante fabrique de papier.

SILLA ou **SINLA.** *n. m.* ♦ Royaume coréen fondé en ~ 57 et dont les souverains, appartenant à trois dynasties, régnèrent jusqu'en 918. Sa capitale fut, à partir de 668, installée à Gyeong-ju. Il engloba les deux autres royaumes coreens de Goguryeo et de Baegje, mais fut supplanté par celui de Goryeo.

SILLANPÄÄ (Frans Eemil). ♦ Romancier et nouvelliste finnois (Hämeenkyrö, 1888 – Helsinki, 1964). D'origine modeste, il décrivit à plusieurs reprises les difficultés d'un intellectuel pauvre. Adepte d'un mysticisme biologique, il affirma la suprématie des instincts dans le roman *La Vie et le Soleil* (1916, trad. fr. 1948) et la pureté fondamentale de tout être humain, mais il considéra avec lucidité les défauts des pauvres comme des riches dans *Sainte Misère* (1919, trad. fr. 1928), qui décrit la vie d'un pauvre métayer fusillé pendant la guerre civile. Il publia de nombreux recueils de nouvelles, *Près du sol* (1924, trad. fr. 1929), *La Cabane sur la colline* (1925), *La Confession* (1928). Il est surtout connu à l'étranger par le roman *Silja ou Une brève destinée* (1931, trad. fr. 1940), qui décrit la vie d'une jeune fille restée pure au milieu des humiliations. Les romans *Paavo* (1932, trad. fr. 1946) et *Des êtres humains dans la nuit d'été* (1934, trad. fr. 1948) sont plus optimistes. (Prix Nobel, 1939.)

SILLÉ-LE-GUILLAUME. ♦ Ch.-l. de cant. de la Sarthe, arr. du Mans. 2 665 hab. *(Silléens).* Château du XVe siècle. Anc. couvent des Minimes du XVIIe s., aujourd'hui hôpital. – Forêt.

SILLERY [sij(ə)ʀi] **(Nicolas Brulart *de*).** ♦ Homme politique français (Sillery, 1544 – *id.*, 1624). Conseiller au parlement de Paris, il fut chargé de plusieurs missions diplomatiques et négocia notamment le traité de Vervins et l'annulation du mariage d'Henri IV et de Marguerite de Valois. Il fut ensuite garde des Sceaux et chancelier. ♦ CHARLES ALEXIS PIERRE BRULART, *marquis de* SILLERY, *comte de* GENLIS (Paris, 1737 – *id.*, 1793). Il fut le mari de Mlle de Saint-Aubin, la célèbre comtesse de Genlis*. Il servit dans l'armée. Au moment de la Révolution, il s'attacha au duc d'Orléans* (futur Philippe-Égalité) et fut exécuté.

SILLERY. ♦ Comm. de la Marne (arr. de Reims), sur la Vesle. 861 hab. Cimetière militaire. Sucreries.

Sillon (le). ♦ Titre d'une revue fondée en 1894 par Paul Renaudin, fondue avec les *Bulletins de la Crypte* de Marc Sangnier* en 1899, passée sous la direction de celui-ci en 1902. Le terme fut étendu au mouvement dirigé par Sangnier, qui s'exprima dans l'hebdomadaire *L'Éveil démocratique* (1904). Le mouvement fut dissous après sa condamnation (1910, **V. Pie X**). Il avait cherché à regrouper les forces catholiques face à la politique anticléricale de la Troisième République et les avaient orientées dans un sens démocratique et social. C'est ce démocratisme qui fut condamné, ainsi qu'une certaine indépendance vis-à-vis de la hiérarchie ecclésiastique.

SILLON ALPIN. *n. m.* ♦ Large couloir de plaines, formant une unité géographique, encaissé entre les Préalpes* et les massifs centraux des Alpes* ; d'une altitude moyenne de 200 à 300 m, il correspond aux vallées de l'Arve, de l'Arly, de l'Isère, à la Combe* de Savoie, au Grésivaudan et à la vallée du Drac. C'est un riche pays rural et une importante zone industrielle, grâce à la houille blanche. La ville la plus importante est Grenoble*.

SILO. ♦ Principal sanctuaire d'Israël à l'époque des Juges*. Samuel* y passa sa jeunesse, dans le temple détruit ensuite par les Philistins (*I Samuel,* I-IV). *Auj.* Seiloûn.

Siloé. ♦ Piscine de Jérusalem où se baigne l'aveugle-né guéri par Jésus (*Jean,* IX, 7).

SILONE (Secondo Tranquilli, dit **Ignazio).** ♦ Écrivain italien (Pescina, Aquila, 1900 –). Ancien séminariste, il contribua à la fondation du Parti communiste italien (1921). Exilé en raison de ses opinions antifascistes, il vécut à Moscou, puis en Suisse. Il quitta le Parti communiste en 1930. Rentré en Italie (1945), il y exerça, principalement par ses écrits, une influence sur les partis de gauche. – Ses romans se présentent souvent comme une satire sociale âpre et véhémente servie par un réalisme violent et poétique. *Fontamara* (1930) puis *Pain et Vin* (1937), auquel succéda *Le Grain sous la neige* (*Il Seme sotto la neve,* 1940), contiennent une grande part autobiographique. L'aventure tragique que vit le héros, un jeune intellectuel italien contraint, pour fuir le fascisme, de vivre au milieu des paysans exploités du Fucin, permet à l'auteur d'évoquer avec indignation les difficultés de la vie rurale et les incertitudes politiques qu'il connaît lui-même. – Avec *Une poignée de mûres* (*Una manciata di more,* 1954) et *Le Secret de Luc* (*Il Segreto di Luca,* 1956), Silone a de nouveau dépeint les conflits qui agitent l'Italie méridionale et ses propres inquiétudes spirituelles.

SILS-MARIA. ♦ Localité de Suisse (cant. des Grisons) dans la haute Engadine* sur le *lac de Sils.* Important centre culturel avec la *biblioteca Engiadinaisa.* Station d'été et de sports d'hiver à 1 797 m d'altitude. – Nietzsche* séjourna dans le village de 1881 à 1888.

Silvacane *(abbaye de).* ♦ Abbaye située sur la r. d. de la Durance, à proximité de Cadenet*. Fondée en 1144, elle fut donnée à saint Bernard, fondateur de l'ordre de Cîteaux. À la suite d'un incendie (1357), l'abbaye déclina et, sous la Révolution, elle fut transformée en ferme. L'église, très simple, évoque la règle rigide cistercienne. Cloître du XIIIe siècle. Réfectoire reconstruit au XVe siècle.

SILVAIN, en lat. **Silvanus.** ♦ Divinité protectrice des bocages *(silvae).* Silvain ne possédait pas de mythe particulier et fut assimilé à Faunus* puis à Pan*.

SILVAPLANA. ♦ Localité de Suisse (cant. des Grisons) entre les *lacs de Chamfer et de Silvaplana,* dans la haute Engadine*. Station d'été et de sports d'hiver à 1 816 m d'altitude.

SILVÈRE *(saint).* ♦ 58e pape (536-537 [mort]), de Frosinone, martyr. Après l'entrée de Bélisaire dans Rome (10 déc. 536), il fut exilé en Lycie puis dans l'île de Palmaria (golfe de Gaète) où il mourut. **V.** *aussi* **Vigile.** Fête le 20 juin.

SILVES. ♦ V. du Portugal méridional, en Algarve (district de Faro). 10 200 hab. Ancienne capitale arabe *(Xelb)* de l'*Al-Faghar.* Château mauresque, cathédrale gothique (XIIe s.), croix dite du Portugal (XVIe s.).

SILVESTRE (papes). ♦ **V.** SYLVESTRE.

SILVESTRE (Israël). ♦ Dessinateur et graveur français (Nancy, 1621 – Paris, 1691). Il fut élevé à Paris par son oncle, Israël Henriet, ami et éditeur de Jacques Callot*, qui avait donné des leçons de dessin à Louis XIII. Il fit le commerce d'estampes et fut nommé, en 1662, dessinateur et graveur du roi. Son œuvre considérable comprend surtout des vues d'Italie et de France très intéressantes au point de vue historique. Il exécuta à la demande de Louis XIV des pièces solennelles et fastueuses, où le burin a une très large part (notamment les *Plaisirs de l'île enchantée* [1664]). Chargé de graver les bâtiments royaux, il donna à ses œuvres un sens de l'espace et de l'atmosphère qui les rapproche plus du paysage que du simple relevé topographique.

SILVESTRE DE SACY (Antoine Isaac). ♦ Orientaliste français (Paris, 1758 – *id.*, 1838). Professeur d'arabe à l'École des langues orientales dès 1795, puis de persan au Collège de France (1806) dont il fut nommé administrateur en 1823, il fut fait baron sous la Restauration, à laquelle il s'était rallié. Promoteur des études arabes en France, il a publié un *Mémoire sur l'histoire des Arabes avant Mahomet* (1785), une *Chrestomathie arabe* (1806) et surtout une importante *Grammaire arabe* (1820).

SIMANCAS. ♦ Bourgade d'Espagne centrale, en Vieille-Castille (prov. de Valladolid), sur la Pisuerga. 1 450 hab. Château mauresque (XIe s.) reconstruit au XIIIe. Riche collection d'archives (33 millions de documents) réunies sur l'ordre de Philippe II en 1563 sous le nom d'« archives générales du royaume » et concernant l'histoire des provinces (Castille, Aragon) et de certaines colonies espagnoles (Flandre, Italie).

SIMENON (Georges). ♦ Écrivain belge de langue française (Liège, 1903). G. Simenon a évoqué ses souvenirs d'enfance dans *Je me souviens* (1945) et éclairé les éléments de sa formation d'écrivain dans *Pedigree* (1948), qui fait ressortir l'importance de l'expérience vécue dans ses romans. Arrivé à Paris en 1922, il y publia des romans populaires sous des pseudonymes divers, avant d'aborder le genre policier avec *Pietr le Letton* (1930) qui inaugurait le cycle des « Maigret ». Dès lors (et malgré de nombreux voyages), durant son séjour en Amérique (1945 à 1955), puis dans sa résidence de Suisse (depuis 1957), l'écrivain allait donner une production considérable, à très grand tirage, traduite dans de nombreuses langues et portée très souvent au cinéma. Courtes et suggestives, ses intrigues policières s'organisent souvent autour de la personnalité attachante du commissaire Maigret, attentif à se « placer en condition » pour mieux saisir « ces rapports inattendus, indéfinissables, entre les gens et les choses »; évoqués par « petites touches », avec des moyens volontairement réduits, les décors (tristesse des villes, brumes des ports, rues sous la pluie,...) révèlent ceux qui les habitent; souvent médiocres, « ratés de l'aventure », pas toujours coupables, mais jamais innocents, les personnages opposent en vain, à la psychologie intuitive du commissaire, mensonges et réticences. Simenon a aussi donné des études proprement psychologiques; perversités à demi inconscientes (*Les Fiançailles de M. Hire,* 1933), « déséquilibre » dû à la solitude (*La Fenêtre des Rouet,* 1945; *Trois Chambres à Manhattan,* 1946), rapports complexes entre deux personnages (*L'Aîné des Ferchaux,* 1945), notamment ceux qui unissent — maladroitement — un père à ses enfants (*L'Horloger d'Éverton,* 1954; *Le Fils,* 1957). Plus ambitieux, les romans d'atmosphère élucident, avec une lenteur envoûtante, les nostalgies inavouées et les haines cachées sous les relations quotidiennes de la vie familiale (*Les Pitard,* 1935; *Le Testament Donadieu,* 1937; *Le Voyageur de la Toussaint,* 1941). — Peinture sans morale apparente, mais toujours humaine, l'œuvre de Simenon — depuis les personnages poussés « jusqu'au bout d'eux-mêmes » de *Lettre à mon juge* (1947) ou *La neige était sale* (1948) jusqu'aux *Anneaux de Bicêtre* (1963) — tend à montrer que « le métier d'homme est difficile ».

SIMÉON. ♦ Personnage biblique (*Genèse,* XXXIV), fils de Jacob* et Léa*, vengeur de sa sœur Dinah. Ancêtre éponyme d'une des tribus d'Israël, dont le territoire était à l'extrême sud, dominé en fait par Juda*.

SIMÉON *(saint).* ♦ Dans l'Évangile, vieillard juif qui tint dans ses bras l'enfant Jésus lors de la présentation au Temple et le reconnaît comme le Messie en chantant le cantique d'actions de grâce : *Nunc dimittis servum tuum Domine.*

SIMÉON le Stylite *(saint).* ♦ Ascète chrétien (Sisan, Syrie, v. 390 — Qala'at Sama'an, 459). Initiateur du stylitisme, il passa trente-sept ans sur une colonne. Fête le 5 janvier.

SIMÉON Ier le Grand ou **le Magnifique.** ♦ (Mort en 927). Tsar des Bulgares (893-927). Il rompit la paix avec les Byzantins dès son avènement, envahit les provinces européennes et parut devant Constantinople. Léon VI demanda la paix et paya un tribut (904). Il lui céda une partie de la Macédoine du Nord. Siméon s'empara d'Andrinople (922) et reparut devant Constantinople, ne se retirant qu'après avoir obtenu un nouveau tribut (924).

SIMÉON II. ♦ (Sofia, 1937). Tsar de Bulgarie (1943-1946), fils de Boris* III. Son jeune âge nécessita un conseil de régence présidé par le prince Cyrille, le président du Conseil Filov et le général Mihov. Ceux-ci pratiquèrent une politique germanophile, tout en n'attaquant pas l'U.R.S.S. Après l'occupation du pays par l'U.R.S.S., un référendum (8 sept. 1946) abolit la monarchie et Siméon II s'exila avec sa famille en Égypte.

SIMÉON le Superbe. ♦ (1316 — 1353). Grand-prince de Moscou (1340-1353). Il succéda à son père Ivan* Ier dont il continua l'œuvre. Son frère Ivan* II lui succéda.

SIMÉON BAR YOHAI. ♦ Docteur juif (*milieu* IIe s.), disciple d'Akiba*. Condamné à mort par les Romains, il se réfugia dans une grotte, vécut douze ans en ermite, puis tint une école à Tekoa (S.-E. de Jérusalem). La tradition lui attribue la rédaction du *Zohar**.

SIMETO. *n. m.* ♦ Fl. de Sicile*. Né dans les monts Nebrodi, il arrose la plaine de Catane et se jette dans la mer Ionienne (88 km).

SIMFÉROPOL, anc. **Ak-Metchet** (« Mosquée blanche »). ♦ V. d'U.R.S.S. (Ukraine), ch.-l. de la région de Crimée*, située au centre de la presqu'île. 262 000 hab. Carrefour ferroviaire et centre commercial d'une riche région agricole (vignobles, vergers, tabac). Indus. alimentaires (conserveries) et métallurgiques. Manufactures de tabac.

SIMIAND (François). ♦ Sociologue et économiste français (Gières, 1873 — Saint-Raphaël, 1935). Voyant dans la statistique la technique d'étude des sciences sociales (*La Méthode positive en sciences économiques,* 1912), il a publié des analyses sur *Le Salaire, l'évolution sociale et la monnaie* (1932), *Les Fluctuations économiques à longue période et la crise mondiale* (1933).

SIMLA. ♦ V. de l'Inde du Nord (Himachal Pradesh) et station d'altitude (2 200 m) au pied de l'Himâlaya, fondée en 1819. 20 000 habitants.

SIMMEL (Georg). ♦ Philosophe et sociologue allemand (Breslau, 1858 — Strasbourg, 1918). Représentant du néo*-kantisme relativiste, il voulut éviter l'écueil de l'abstraction, du formalisme de l'à priori kantien et celui de la dispersion dans la diversité des faits. Il tenta ainsi de dégager des types moraux (*Introduction à la science de la morale,* 1892), les sentiments, idées qui sont à la base de la reconstruction historique (*Problèmes de la philosophie de l'histoire,* 1892), des modèles d'association sociale (*Sociologie,* 1908). Relativiste, il admit cependant l'objectivité des normes logiques et des exigences morales.

SIMMENTAL. *n. m.* ♦ Vallée de Suisse (cant. de Berne), située dans les Alpes bernoises, et drainée par la Simme (53 km). Elle s'étend du Wildstrubel à Spiez*. Elle est le lieu d'origine de la principale race bovine suisse, dite *race du Simmental.*

SIMON. ♦ Nom originel de saint Pierre*.

SIMON *(saint),* dit **le Cananéen** ou **le Zélote.** ♦ Un des douze apôtres. Il aurait été crucifié en Perse. Fête le 28 octobre.

SIMON de Cyrène. ♦ Dans les Évangiles synoptiques, Juif réquisitionné pour porter la croix de Jésus.

SIMON le Magicien. ♦ Hérésiarque judéo-gnostique originaire de Samarie (Ier s.) dont la vie est entourée de légendes. Dans les Actes des Apôtres (VIII), il reçoit le baptême et tente d'acheter le pouvoir d'évoquer le Saint-Esprit *(simonie).*

SIMON, *comte de* **Leicester.** ♦ V. MONTFORT.

SIMON (Richard). ♦ Oratorien français (Dieppe, 1638 — 1722). Spécialiste des langues sémitiques, il est le fondateur de la critique biblique; il limita le rôle de Moïse et de l'inspiration divine dans la rédaction du Pentateuque. Son *Histoire critique du Vieux Testament* (1678), dirigée contre les protestants, lui valut aussi l'hostilité des catholiques et de Bossuet, sa mise à l'Index et son exclusion de l'Oratoire. Il publia encore : *Histoire critique du texte du Nouveau Testament* (1689), *Histoire critique des versions du Nouveau Testament* (1690).

SIMON (Antoine). ♦ Cordonnier, membre du conseil général de la Commune (Troyes, 1736 — Paris, 1794). Il fut le gardien du dauphin Louis XVII à la prison du Temple (1793). Il fut exécuté après Thermidor.

SIMON (Jules François Simon SUISSE, dit Jules). ♦ Homme politique et philosophe français (Lorient, 1814 — Paris, 1896). Professeur de philosophie, connu pour son *Histoire critique de l'école d'Alexandrie* (1846-1851), il fut suspendu pour avoir refusé de prêter serment à l'empire (1851). Député républicain (1863-1870), il publia plusieurs études sur la condition ouvrière (*L'Ouvrière,* 1863; *Le Travail,* 1866; etc.). À la chute de l'empire, il devint successivement ministre de l'Instruction publique (sept. 1870), sénateur, puis chef du gouvernement (1876). Il prit position contre la politique scolaire de Jules Ferry et contre le boulangisme. (Acad. fr.)

SIMON (Théodore). ♦ Psychologue français (1873 — 1961). Il mit au point et précisa, avec Binet*, une échelle métrique de l'intelligence (1904-1908-1911), afin d'étudier le niveau mental des enfants (en particulier d'âge scolaire). Cette échelle fut améliorée par l'Américain Terman*.

Ph. Nimatallah/Ricciarini

Saint **Simon,** par le Greco. (Maison du Greco, Tolède.)

SIMON (René). ♦ Professeur d'art dramatique (Sainte-Savine, Aube, 1898 – Paris, 1971). Pensionnaire de la Comédie-Française (1925), il acquit la célébrité par le cours d'art dramatique qu'il fonda à Paris la même année et qu'il dirigea jusqu'à sa mort. Il devait y former de nombreuses générations de comédiens dont un grand nombre illustra la scène et l'écran. Son enseignement, marqué par l'intransigeance et la générosité, fut justement réputé.

SIMON (Pierre-Henri). ♦ Écrivain français (Saint-Fort-sur-Gironde, 1903 – Paris, 1972). Il fut professeur à l'Institut catholique de Lille, puis à l'université de Fribourg. En 1961, quittant l'enseignement, il succéda à Émile Henriot comme critique littéraire du journal *le Monde*. Avouant se sentir « désaccordé avec les tendances les plus significatives de la littérature de [son] époque », P.-H. Simon continua à affirmer, dans sa chronique hebdomadaire comme dans ses ouvrages de critique (*L'Homme en procès*, 1949; *Procès du héros*, 1950; *Témoins de l'homme*, 1951; *Théâtre et Destin*, 1959), les valeurs d'un humanisme qui se teinte de morale chrétienne. Dans ses essais politiques (*Contre la torture*, 1957) comme dans son œuvre romanesque, l'écrivain s'efforça également de définir « une idée positive de la dignité de [l']essence et du sens de [la] vie » de l'homme, en faisant de ses personnages l'incarnation des systèmes de valeurs qui s'affrontent de façon féconde : *Les Raisins verts* (1950), *Les hommes ne veulent pas mourir* (1953), *Elsinfor* (1956), *Histoire d'un bonheur* (1965). [Acad. fr., 1966.]

SIMON (Claude). ♦ Écrivain français (Tananarive, Madagascar, 1913). Viticulteur à Salses (Pyrénées-Orientales), Claude Simon réside à Perpignan et à Paris. À partir de personnages peu individualisés, de sujets en apparence peu importants (*Le Vent*, 1957; *L'Herbe*, 1958) mais qui recoupent l'histoire générale des hommes (*La Route des Flandres*, 1961; *Le Palace*, 1962), l'écrivain tente de saisir une réalité dont « le propre [...] est de nous paraître irréelle, incohérente ». Il s'avoue en effet « hanté par deux choses : la discontinuité, l'aspect fragmentaire des émotions qui ne sont jamais reliées les unes aux autres, et en même temps leur continuité ». D'où l'effort pour substituer au temps classique « une durée vague, hachurée » où le passé et le présent coïncident. La phrase participe à cette recherche : longue, coupée de parenthèses qui introduisent des descriptions minutieuses ou des analyses psychologiques « fragmentaires » (rendues difficiles car « Je est d'autres »), elle parvient à suggérer les rapports complexes de la conscience et de la réalité (*Histoire*, 1967; *La Bataille de Pharsale*, 1969).

SIMONIDE de Céos, en gr. **Simônidês**. ♦ Poète lyrique grec (Iulis, Céos [Kéa], ~556 – Syracuse, ~467). Il séjourna en Thessalie, en Sicile* et à Athènes, où il l'emporta sur Eschyle dans un concours pour une élégie sur la victoire athénienne de Marathon. Ce poète professionnel, réputé cupide et opportuniste, fut le rival de Pindare* et le maître de Bacchylide*, son neveu. Il est considéré comme l'un des créateurs du thrène et de l'ode triomphale et le maître de l'épigramme (les plus célèbres immortalisent les Spartiates tombés aux Thermopyles).

SIMON MACCABÉE. ♦ V. MACCABÉE.

SIMONOV (Constantin Mikhaïlovitch) [*Simonov*]. ♦ Poète, romancier et auteur dramatique soviétique (Petrograd, 1915 –). La guerre lui apporta la célébrité avec les poésies qu'elle lui inspira : *Souviens-toi, Aliocha de Stalingrad, Attends-moi*, ainsi que le roman sur la défense de Stalingrad : *Les Jours et les Nuits* (1943-1944). Les nouvelles qu'il écrivit tout en participant activement à la guerre sont réunies dans quatre livres sous le titre de *De la mer Noire à la mer de Barentz* (1941-1945). Ses pièces de théâtre comme *Gens de Russie* (1942) ont aussi pour thème la guerre : *Compagnons d'armes* (1953), *Les Vivants et les Morts* (1959), et *On ne naît pas soldat*.

SIMONSZ (Menno). ♦ [Witmarsum, Frise, 1496 – Wüstenfeld, 1561]. Curé catholique de Pirsgjum (Frise), il rompit avec l'Église et devint le chef d'une secte anabaptiste modérée (1536). – Les *mennonites* se conforment strictement à la Bible (acceptent donc la divinité de Jésus-Christ, mais nient la Trinité), rejettent le baptême des enfants et l'autorité de toute Église, sont antimilitaristes et se distinguaient autrefois par de curieuses coutumes vestimentaires (interdiction des boutons, etc.). Tolérés après l'indépendance des Provinces-Unies (1581), ils se sont répandus, hors les Pays-Bas, en Allemagne, en Suisse, à Belfort et Montbéliard, et en Amérique du Nord.

SIMPLICE *(saint)*. ♦ 47ᵉ pape (468-483 [mort]), de Tibur (Tivoli). Il vit la chute de l'empire d'Occident (déposition de Romulus Augustule par Odoacre, 476) et tenta de résister aux monophysites* en Orient. Fête le 2 mars.

Simplicissimus. ♦ Personnage célèbre de l'écrivain allemand Grimmelshausen*.

SIMPLICIUS. ♦ Philosophe néo-platonicien (Cilicie, v. 500), élève d'Ammonios* et de Damascius. Parmi ses œuvres, on compte des commentaires sur les *Catégories** d'Aristote et sur le *Manuel** d'Épictète. Il a tenté de concilier les théories de Platon* et celles d'Aristote* tout en s'opposant au christianisme.

SIMPLON. ♦ Passage des Alpes Pennines, faisant communiquer le Valais (Suisse) avec le Piémont (Italie), à 2 009 m d'altitude. C'est l'une des principales voies de passage vers l'Europe du Nord-Ouest. Une route (69 km) a été ouverte par Napoléon Iᵉʳ en 1807. Le tunnel le plus long du monde (20 km) relie depuis 1906 Brigue* à Iselle, sur une double voie. Il est emprunté par deux voies ferrées internationales : la première (ligne Brigue-Domodossola) relie la Suisse à l'Italie, la seconde est utilisée par le Simplon-Express (Londres-Zagreb).

SIMPSON (Thomas). ♦ Mathématicien anglais (Market Bosworth, Leicestershire, 1710 – *id.*, 1761). Disciple de Newton*, il publia un manuel de calcul infinitésimal (*A New Treatise on fluxions*, 1737), énonça plusieurs formules de trigonométrie; son nom est lié à une méthode de calcul numérique des fonctions trigonométriques et à une expression approximative des aires planes.

SIMSON (Robert). ♦ Mathématicien écossais (Kirktonhall, Ayrshire, 1687 – Glasgow, 1768). On lui doit un *Traité des sections coniques* (1735) dans lequel sont exposées pour la première fois les théories de Desargues* et de Pascal*, ainsi qu'une traduction des *Éléments* d'Euclide (1756).

SIN... [chinois]. ♦ **V.** HSIN.

SIN. ♦ Nom sémitique du dieu Lune, dans les anciennes religions de la Mésopotamie et d'Arabie du Sud. Père de Shamash* et d'Ishtar*, avec qui il forme une triade. Il correspond au dieu sumérien Nanna et fut vénéré notamment à Ur*.

SINAÏ, *n. m.*, en ar. **Shibh Jazîrat Sînâ'**. ♦ Péninsule triangulaire, à l'extrémité nord-orientale du territoire égyptien, limitée au N. par la Méditerranée, à l'E. par Israël, au S.-O. par le golfe de Suez et au S.-E. par celui d''Aqaba. 60 088 km². 126 000 hab. (1960). *V. princ.* El-Arich*. *Orogr.* La presqu'île est géographiquement rattachée au désert d'Arabie. Le plateau de Tih (1 000 m) en occupe le centre et se poursuit par le Jabal (djebel) Egma (1 626 m). La partie inférieure de la péninsule est formée des sommets du mont Sinaï (en ar. *Jabal [djebel] Mûsa*, mont Moïse, 2 228 m), du Jabal Katharina (2 637 m) et Thabt (2 437 m). – *Écon.* Les richesses du sous-sol consistent en manganèse localisé à l'O. du mont Sinaï, exporté par le port d'Avou Zénima, et en pétrole. Les gisements sont localisés sur les bords de la mer Rouge (Hurghada, Ras-Gharib, Sudr et Asl) et à l'O. du Sinaï, à Ras-el-Materna). ♦ *Hist.* Le Sinaï fut occupé par les Égyptiens; des bas-reliefs rupestres rappellent leurs victoires sur les Bédouins (de la IVᵉ à la VIᵉ dynastie); les XIᵉ et XIIᵉ dynasties, puis la XVIIIᵉ et la XIXᵉ reprirent l'exploitation de la région et l'étendirent vers l'intérieur (le dernier pharaon mentionné par les inscriptions est Ramsès* XI). – L'exode des Israélites à travers la presqu'île du Sinaï, relaté par la Bible, paraît avoir un fondement historique; selon les Écritures, les Hébreux séjournèrent au Sinaï pendant quarante ans, avant de pénétrer dans la terre de Canaan; c'est dans le désert du Sinaï qu'eut lieu la promulgation du décalogue et de l'alliance de Yahwé avec le peuple d'Israël, au sommet du djebel Mûsa. Le Sinaï fut peuplé à partir du IVᵉ s. par des colonies monastiques chrétiennes. – Du 29 oct. au 4 nov. 1956, les troupes israéliennes du général Moshé Dayan occupèrent le Sinaï, mais l'O.N.U. rétablit la ligne d'armistice de 1949. En juin 1967, les Israéliens occupèrent de nouveau toute la péninsule du Sinaï, mais en oct. 1973, les troupes égyptiennes y pénétrèrent après de durs combats. **V. Israël** *(Hist.)*.

SINAÏ *(mont)*, en ar. **Al Tûr Sînâ'**. ♦ Ensemble montagneux de la péninsule du Sinaï dont les sommets les plus connus sont le mont Moïse (Jabal Mûsa, 2 228 m) et le mont Sainte-Catherine (Jabal Katharina, 2 637 m), point culminant du massif. – Montagne biblique, appelée aussi Horeb, où Moïse* voit le buisson ardent (*Exode*, III) et où il reçoit l'alliance de Iahvé avec Israël et les dix commandements (XIX-XX). Traditionnellement identifiée au djebel Mûsa.

SINALOA. *n. f.* ♦ État du Mexique septentrional qui s'étend le long du Pacifique, au pied de la sierra Madre* occidentale. 58 092 km². 1 266 528 hab. – *Cap.* Culiacán*. *Autre ville* **V. Mazatlán.** Région d'élevage (bovins, ovins, porcins), de cultures tropicales (canne à sucre, fruits, tabac). Importantes ressources

Ph. Prato/Ricciarini

Bergers nomades dans le **Sinaï**.

minières (argent, or, cuivre, plomb...). Indus. alimentaires (sucreries) et textiles.

SINAN (Mi'mar). ♦ Architecte turc (Kayseri ? 1489 – Istanbul, 1588). Le plus célèbre architecte ottoman, il fut enrôlé jeune dans le corps des janissaires et participa comme ingénieur militaire à diverses campagnes. Il fut nommé architecte en chef de l'empire ottoman (1539) et on lui attribue un très grand nombre d'édifices. Si l'on considère ses œuvres certaines (mosquée Selimiye, à Édirne ; mosquées des Princes, la Mihrimah, la Süleymaniye, à Istanbul), on y retrouve partout un sens précis de l'équilibre, original malgré la constante référence au modèle de Sainte-Sophie. Sinan rédigea une autobiographie importante pour la compréhension de l'architecture ottomane.

Sinanthrope. *n. m.* ♦ Fossile hominien découvert en 1921 par le Suédois J.G. Anderson, à Chou-k'ou-tien à 42 km au S.-O. de Peking. Jusqu'en 1960, env. quarante-cinq squelettes du même type furent retrouvés. Les fragments de molaires, de crânes et de fémurs ont approximativement été datés du pliocène. Le *Sinanthropus pekinensis* a une calotte crânienne surbaissée, une arcade sourcilière proéminente, le front fuyant et un menton sans saillie. Sa capacité crânienne est inférieure d'env. un tiers à celle de *l'homo sapiens.* Il possédait une station verticale bien établie. Des restes de cendres et des fragments d'outils de quartz prouvent que ces hominiens connaissaient le feu et pouvaient confectionner des outils. Dès 1932, l'accent a été mis par les anthropologues sur les ressemblances frappantes qui existent entre *Sinanthropes* et *Pithécanthropes,* qui constitueraient le groupe des *Archanthropes.*

SINCLAIR (*sir* John). ♦ Économiste anglais (Thurso Castle, Caithness, 1754 – Édimbourg, 1835). Il fut l'un des fondateurs du bureau d'agriculture (1793) qu'il présida et membre du Conseil privé (1810). Il a été l'un des créateurs de la *statistique.*

SINCLAIR (May). ♦ Poétesse et romancière anglaise (Rock Ferry, Cheshire, 1870 – Aylesbury, Buckinghamshire, 1946). Sa carrière littéraire débuta en 1904 avec *Le Feu divin (Divine Fire),* qui eut un grand succès en Amérique. Elle s'installa en Belgique pendant la guerre afin d'y travailler pour la Croix-Rouge, continuant d'écrire des romans très remarqués : *Mary Olivier* (1919), *Mr. Waddington de Wyck* (1921), etc. Sa technique poétique *(La Nuit sombre)* fut qualifiée de « flux de conscience ». Elle écrivit aussi une étude sur *Les Trois Brontë* (1912) et des essais : *La Défense de l'idéalisme* (1917) et *Le Nouvel Idéalisme* (1922).

SINCLAIR (Upton Beall). ♦ Polémiste et romancier américain (Baltimore, 1878 – Bound Brook, New Jersey, 1968). Descendant d'une vieille famille sudiste ruinée, Sinclair passa son enfance entre un père alcoolique et une mère farouchement puritaine. Chef de file des muckrakers*, il se donna pour but de démystifier la notion de « paradis américain ». Et le scandale provoqué par *La Jungle* (1906), où l'on voit comment le consommateur peut « dévorer avec son corned-beef quelque fragment d'ouvrier tombé dans les malaxeurs de la conserverie », fut tel qu'une enquête gouvernementale aboutit à des réformes substantielles. Grâce à la vente de ce roman, Sinclair s'installa à Helicon Hall, ferme utopique où les théories socialistes devaient être mises en pratique. Ce fut un échec. Mais il avait déjà créé le grand roman d'information et, grâce à lui, Sinclair poursuivit sa croisade contre le capitalisme : *La Métropole* (1908), *Le Roi Charbon* (1917), *Le Pétrole* (*Oil,* 1927), *La Fin d'un monde* (*World's End,* 1940) le premier de dix romans sur la Deuxième Guerre mondiale. Il lutta pour le pacifisme (*Jimmy Higgins,* 1919) et l'émancipation féminine (*Sylvia,* 1913-1914). Après Harriet Beecher* Stowe, Upton Sinclair prouve la prodigieuse emprise qu'ont pu exercer les romanciers en Amérique.

SIND. *n. m.* ♦ Nom ancien de l'Indus*.

SIND. *n. m.* ♦ Prov. S.-E. du Pâkistân, au bord du golfe d'Oman, constituée par des étendues désertiques, seulement irriguées par le cours inférieur de l'Indus. 200 000 km². 6 000 000 d'hab. *Cap.* Hyderâbâd. *V. princ.* Karachi*. De grands travaux hydrauliques ont permis de cultiver du coton, du blé et du riz. Gaz naturel de Sui.

Sindbâd le Marin. ♦ Personnage d'un conte des *Mille et Une Nuits* qui a accompli sept voyages riches en aventures merveilleuses.

SINDELFINGEN. ♦ V. d'Allemagne occidentale (Bade-Wurtemberg). 26 500 hab. Indus. mécaniques.

SIN-EUI-JU. ♦ V. de Corée du Nord, sur le fl. Yalu (Abnog). 130 000 hab. Elle fut la capitale de la Corée du Nord de 1950 à 1951. – Indus. du bois.

SINGAPOUR, en angl. **Singapore.** ♦ État de l'Asie du S.-E., formé d'une île principale *(île de Singapour* ou *Majulah Singapura)* en forme de losange et de plusieurs petites îles (approximativement 40, soit env. 39 km²). L'archipel est situé à l'extrémité S.-E. de la presqu'île de Malaka* dont il est séparé par un mince détroit (détroit de Johore) et à laquelle il est relié par voie ferrée et par route (digue de 1 200 m sur laquelle passe également le pipe-line en provenance de Johore*-Bahru qui fournit à l'État la moitié de ses réserves d'eau). 581 km² (44 km d'E. en O., 23 km du N. au S.). 2 074 507 hab. (1970). Langues : malais (langue nationale et officielle), anglais, chinois, tamoul (autres langues officielles). *Cap.* Singapour **(V. *ci-dessous*).** – *Orogr.* et *hydrogr.* L'île est formée d'une zone centrale granitique culminant à la colline de *Bukit Timah* ou colline d'étain ; cette zone est couverte de forêts denses. L'eau est fournie par le pipe-line de Johore-Bahru, par six petites rivières et trois réservoirs. À l'E. de la zone granitique

Ph. Pierre Testault

Singapour : barques sur la rivière Singapour.

s'étend une masse détritique atteignant une hauteur de 30 m. Les sols latéritiques rouges et jaunes couvrent la plupart des roches. La seule côte escarpée est celle de Pasir Panjang ; le chenal en eau profonde du port de Keppel est abrité au S. par des îles ; partout ailleurs, la côte, formée de dépôts de vase, est protégée par des bancs de sable et des récifs coralliens. À l'extrémité E. du détroit de Johore, un profond bras de mer permet aux gros bateaux d'accéder aux docks. – Le *climat* est équatorial, humide et chaud, plus ou moins constant (température aux env. de 27 °C) et les précipitations annuelles moyennes sont de 2 400 mm ; l'abondance des pluies contribue à la luxuriance de la végétation. – *Écon.* Les légumes sont cultivés de façon intensive. Noix de coco, fruits, manioc (tapioca), tabac et poivre sont pour la plupart cultivés en petites propriétés familiales. Les grandes propriétés sont en général des fermes mixtes, élevage de la volaille et des porcs aussi bien que production de légumes. Env. 950 000 porcs par an et 23 000 000 de volailles. Exportation de porc, volaille et œufs. – La pêche (en progression) fournit 60 000 t de poissons et de crustacés par an (pisciculture en aquarium) ; usine de conserves de thon et de crevettes dans la région de Jurong. – *L'industrie* est en plein essor. La réalisation principale est la construction, après 1965, du centre industriel de Jurong, au S.-O. de l'île : fabrication d'outillage, produits chimiques (matières plastiques), équipement industriel. Important chantier naval ; indus. du pétrole et du caoutchouc ; indus. légères : produits pharmaceutiques, articles en verre, piles sèches ; conserveries d'ananas, confiseries. Filature de coton. – Aménagements touristiques. ♦ *Hist.* En 1819, sir Thomas Raffles* acheta l'île au râjâh de Johore pour la Compagnie des Indes Orientales et fonda la ville de Singhapuri à l'embouchure d'une petite rivière. Ce territoire presque inhabité revêtait pour les Britanniques une grande importance stratégique, renforcée en 1869 par l'ouverture du canal de Suez. Singapour fut rattachée en 1828 à la colonie britannique des *Straits Settlements.* L'importance de Singapour ne cessa de grandir et, après 1921, les Anglais y installèrent une base stratégique, navale puis aérienne, qui fit nommer Singapour le « Gibraltar de l'Extrême-Orient ». Pendant la Deuxième Guerre mondiale, après la conquête de la Malaisie, les Japonais s'emparèrent de l'île et firent prisonniers les 70 000 hommes de l'armée britannique. La ville, qui reçut le nom de *Shonauko,* devint une base affectée à la défense des Philippines. Les Britanniques reprirent Singapour en sept. 1945. Colonie britannique jusqu'en 1958, l'archipel devint le 3 juin 1959 *l'État de Singapour,* membre du Commonwealth. En sept. 1963, Singapour entra dans la Fédération de Malaisie **(V. Malaysia),** mais s'en est retiré en août 1965 et a adopté une politique de non-alignement. C'est auj. une république indépendante, membre du Commonwealth (oct. 1965), présidée par Benjamin Sheares.

SINGAPOUR ou **SINGAPURA,** en angl. **Singapore.** ♦ Cap. et port princ. de l'État de Singapour [*ci-dessus*], à l'extrémité S. de l'île de Singapour, sur le détroit de Singapour entre l'océan Indien et la mer de Chine méridionale. La V. est reliée par voie ferrée à Jurong. 1 200 000 hab. (1966 ; la zone urbaine couvre env. 96 km²). Dans le vieux Singapour sont regroupés les princ. édifices gouvernementaux, de grandes artères rectilignes remplaçant les anciennes ruelles (le quartier « chinois » tend à disparaître). Université, musée et librairie, jardins botaniques. La V. possède 500 temples. Aéroport international (Paya Lebar). – Le port actuel (port franc) vient au quatrième rang dans le monde. Il comporte quatre grands bassins, une rade en eau profonde, plus de 5 km d'entrepôts et d'installations portuaires. Caoutchouc (1er port du monde pour ce produit). Grand centre pétrolier, commercial et touristique. L'important port de pêche de Jurong (créé en 1969), remarquablement équipé, sert de relais aux flottes de pêche internationales. ♦ *Hist.* Dès le XIVe s., sous le nom malais de Tumasik, Singapour servait d'entrepôt principal au courant

Arch. Rencontre

Vue d'ensemble de **Sion,** en Suisse romande.

d'échange et de commerce maritime entre l'Inde et la Chine. Sir Thomas Raffles* s'en empara en 1819. **V. Singapour** (État).

SINGER (Isaac Merrit). ♦ Inventeur américain (Pittstown, New York, 1811 – Torquay, Devon, 1875). Inventeur d'une perforatrice (1839), il perfectionna la machine à coudre **(V. Thimonnier),** imaginant une tablette pour recevoir le tissu, et fonda une entreprise pour en effectuer la fabrication à grande échelle.

SINGLIN (Antoine). ♦ Prêtre français (Paris, 1607 – 1664). Il fut après Saint-Cyran (1638) le directeur de conscience et le confesseur des religieuses de Port*-Royal et fut, un moment, supérieur du monastère. Poursuivi comme janséniste en 1661, il se retira sur les terres de la duchesse de Longueville.

SIN-LE-NOBLE. ♦ Comm. du Nord*, arr. de Douai*. 16 065 hab. *(Sinois).* Houille ; appareils de chauffage.

SINNAMARY. *n. m.* ♦ Fl. côtier de la Guyane française, tributaire de l'Atlantique. Le long de la bande côtière qui sépare son embouchure de celle du Kourou* fut installé, en 1966, un centre spatial français. – Le *ch.-l. de cant. de Sinnamary* (arr. de Cayenne) est situé à l'embouchure du fleuve. 1 885 hab. Lieu de déportation des condamnés politiques du 18 Fructidor.

Sinn Fein («nous seuls», en gaélique). ♦ Mouvement irlandais fondé par A. Griffith en 1902 pour lutter, d'abord par la résistance passive, contre la présence anglaise. Après le Home Rule (1912) et l'agitation de 1914, James Connolly, représentant une tendance plus extrémiste, remplaça Griffith à la tête du mouvement. Après la révolte de Pâques 1916, le parti, sous la direction de De Valera, combattit les troupes britanniques par les armes (1919-1920). En 1922, les partisans de la lutte armée fondèrent avec De Valera le *Fianna Fail,* tandis que Griffith et Cosgrave, plus modérés, organisèrent la « Ligue des Gaëls ». **V. Irlande,** *Hist.*

SINOPE, en grec **Sinôpê,** en turc **Sinop.** ♦ V. et port de Turquie en Asie Mineure (anc. Paphlagonie) sur la mer Noire, situé sur un isthme reliant la presqu'île de Boz Tepe au continent. Ch.-l. de province, centre commercial. 13 350 hab. Patrie de Diogène* le Cynique et de Diphile*. ♦ *Hist.* Cap. de la Paphlagonie*, colonisée par Milet*, v. la fin du ~ VIIe s., elle fonda à son tour Trébizonde* et fut très florissante grâce à la route des caravanes qui la reliait à la région de l'Euphrate. Devenue cap. du royaume du Pont* (~ 183), elle fut prise par Lucullus* après un long siège (~ 70). Elle passa des Byzantins aux Seldjoukides (1214), puis aux Ottomans (1458). Une flotte turque y fut détruite par les Russes en 1853.

Sinouhé *(histoire de).* ♦ Conte de l'Égypte anc., à base historique, rédigé au Moyen Empire. Biographie de Sinouhé, familier de la cour d'Amménémès* Ier. Ce texte est un des mieux conservés et des plus représentatifs de la littérature égyptienne ancienne.

SINT-AMANDSBERG. ♦ V. MONT-SAINT-AMAND.

SINT-ANDRIES. ♦ V. SAINT-ANDRÉ (Belgique).

SINT-PIETERS-LEEUW. ♦ V. LEEUW-SAINT-PIERRE.

SINTRA ou **CINTRA.** ♦ V. du Portugal (Estrémadure), à l'O. de Lisbonne, au pied de la *serra de Sintra.* 20 300 hab. Vins. Lieu de villégiature. Ancien palais royal, château de Pena construit sur l'emplacement d'un ancien couvent hiéronymite. ♦ *Hist.* En 1808, Junot y négocia avec les Anglo-Portugais l'évacuation du Portugal par les troupes françaises.

SINUIJU. ♦ V. SIN-EUI-JU.

SION (Jules). ♦ Géographe français (Masny, 1879 – Montpellier, 1940). Après une thèse sur les *Paysans de la Normandie orientale* (1909), il collabora à la *Géographie universelle* de Vidal* de La Blache par des travaux sur *L'Asie des moussons* (1928-1929), les péninsules méditerranéennes (Italie, Grèce, avec M. Sorre*), puis publia un ouvrage sur *La France méditerranéenne* (1934).

SION. ♦ Nom de l'ancienne citadelle de Jérusalem*, conquise par David*. Le nom s'étendit à la colline du Temple, à Jérusalem tout entière et même, chez les chrétiens, à la Jérusalem céleste.

SION. ♦ Section de la comm. de Saxon-Sion (Meurthe-et-Moselle), située sur une colline isolée qui culmine à 541 mètres. Maurice Barrès a évoqué ce lieu dans « La Colline inspirée ». Basilique Notre-Dame-de-Sion reconstruite au XVIIIe s., restaurée au XXe s., anc. pèlerinage.

SION, en all. **Sitten.** ♦ V. de Suisse, dans la vallée du Rhône, ch.-l. du canton du Valais. Alt. 512 mètres. 19 800 hab. Évêché catholique. – La ville occupe un site pittoresque au pied des pitons rocheux de Valère et du Tourbillon, qui portent un château féodal (château du Tourbillon, XIIIe s.) et une église fortifiée (Notre-Dame-de-Valère, XIIe-XVe s.). Cathédrale Notre-Dame-du-Glarier (XVe s.). – Métallurgie, manufacture de tabac, vins réputés (fendant). ♦ *Hist.* L'ancienne *Sedunum* romaine devint le siège de l'évêché de Martigny au VIe siècle. Gouvernée par ses évêques, elle fut longtemps en lutte contre la maison de Savoie. Annexée par Napoléon, la ville fut, de 1810 à 1814, le chef-lieu du département français du Simplon.

Sionisme. *n. m.* ♦ Mouvement national juif d'inspiration religieuse et politique dont le but fut le retour des Juifs en Palestine, considérée par eux comme leur terre (Eretz Israël), puis la création dans ce pays d'un foyer juif. Si le terme « sionisme » n'apparaît qu'à la fin du XIXe s., le thème du retour à Sion s'est exprimé dans la liturgie juive lors de la déportation des Juifs en Mésopotamie **(V. Diaspora)** après la perte de l'indépendance des royaumes hébraïques d'Israël (~ 721) et de Juda (~ 587). Cette aspiration religieuse, politique et territoriale, suscita le retour en Palestine d'un groupe d'exilés (~ VIe s.) et la reconstruction du Temple de Jérusalem. La nouvelle Diaspora, consécutive aux révoltes juives contre les Romains (70, 135), renforça « l' « utopie » d'une restauration eschatologique d'Israël en Palestine » (M. Rodinson). Les premières tentatives de réalisation de ce projet eurent lieu à l'occasion de l'expulsion des Juifs hors d'Espagne et du Portugal (XVIe s.), puis des massacres de Juifs en Europe orientale (XVIIe). On peut évoquer la tentative du rabbin espagnol Berab (1474 – 1546) pour rétablir en Palestine une autorité religieuse juive suprême, ou les droits seigneuriaux sur la ville de Tibériade obtenus du sultan par le banquier Joseph Nasi (v. 1565). Au XVIIe s., Shabbetaï Zevi se proclama en Turquie le messie et tenta d'entraîner les Juifs vers la Palestine ; mais, s'étant heurté à l'opposition des autorités ottomanes, il se convertit à l'islâm (sous le nom de Mehmet Effendi). À peu près à la même époque, Isaac de La Peyrère proposa la colonisation de la Palestine sous l'égide française, projet que devait reprendre Bonaparte en 1799. C'est au XIXe s. que le mouvement se précisa, quand des penseurs israélites reposèrent le problème en des termes nettement plus politiques (parfois areligieux – ainsi l'ancien socialiste M. Hess*). Les premières organisations juives apparurent comme une réponse aux pogroms en Russie tsariste : les « Amants de Sion » (*Hoveve Zion,* 1880), « Amour de Sion » *(Hibath Zion),* le groupe *Bilu* (sigle des mots hébreux signifiant : « O Maison de Jacob venez, vous, et laissez-nous partir »), fondé par des étudiants russes, dont certains créèrent les premières colonies agricoles juives de Palestine. Le sionisme vraiment politique s'affirma chez L. Pinsker (*Auto-émancipation ; Appel d'un Juif à ses frères,* 1822) et surtout chez T. Herzl*, qui en fut en fait le fondateur (*L'État juif,* 1896). Le premier congrès constitutif de l'*Organisation sioniste mondiale* se réunit à Bâle (août 1897) et se donna pour but « la création en Palestine d'un foyer pour le peuple juif, garanti par la loi publique ». « À Bâle, j'ai fondé l'État juif » (Herzl). Résultat de la relation réciproque entre l'affirmation du particularisme ethnique, national, culturel et religieux du judaïsme et l'antisémitisme (« le judaïsme et la haine du juif cheminent ensemble, indissolubles à travers l'histoire » affirmait L. Pinsker), le sionisme devenait une volonté de conquérir une identité politique et territoriale, la réaffirmation des « droits éternels » des Juifs sur la Palestine après vingt siècles d'exil. Il fut loin cependant de susciter une totale adhésion : outre l'opposition de nombreux rabbins et juifs orthodoxes dénonçant la réalisation humaine d'un État juif comme contraire à la tradition messianique (Cf. E. Levyne, *Judaïsme contre Sionisme,* 1969), il se heurta à la formation de mouvements socialistes juifs tels que le Bund*. En même temps, des sionistes socialistes formulaient leur propre idéologie (Ber Borochov : *Classe et Nation,* 1905) et constituaient leurs propres partis. Très rapidement, l'Organisation sioniste mondiale se structura pour parvenir à la colonisation juive de la Palestine, créant successivement la Banque nationale juive (*Jewish Colonial Trust,* Londres, 1899, qui devint Banque anglo-palestinienne, puis Banque nationale d'Israël), l'*Association juive pour la colonisation de la Palestine* (1900), le *Fonds national juif* (1901), et multipliant les contacts diplomatiques avec de grands financiers et hommes d'État. C'est avec l'appui de la Grande-Bretagne (déclaration Balfour*, 1917) que le sionisme parvint à officialiser son projet lors du démantèlement de l'empire ottoman et de l'établissement du mandat britannique sur la Palestine (San Remo, 1920 – S.D.N., 1922). En 1918, une commission; déléguée par l'Organisation sioniste mondiale et présidée par Chaïm Weizmann*, étudia les conditions d'implantation du Foyer national juif, et mit en place un organisme qui devint l'*Agence juive* (1929). Habilitée à « coopérer avec l'administration de la Palestine dans toutes les questions économiques, sociales et autres susceptibles d'affecter l'établissement du Foyer national juif », celle-ci organisa peu à peu les bases d'une administration autonome : assemblées élues, Conseil national *(Vaad Leumi),* organisations militaires et de commandos-partisans *(Haganah*, Irgoun*, Stern Palmach),* partis politiques *(Achdout Haadova, Mapaï*, Mapam*, Hachomer),* syndicat *(Histadrouth*).* Le nationalisme sioniste devait rapidement se heurter au nationalisme des Arabes de Palestine, situation qui contraignit la Grande-Bretagne, soucieuse de préserver la paix et ses intérêts au Moyen-Orient, à limiter progressivement l'immigration juive, à l'époque où le nazisme décidait l'extermination des Juifs. Aussi les sionistes (dont beaucoup luttèrent aux côtés des Britanniques) s'opposèrent-ils de plus en plus violemment à la puissance mandataire, en même temps que s'aggravait la tension entre Juifs et Arabes. Apparemment insoluble, le problème de la Palestine* fut porté devant l'Assemblée générale de l'O.N.U. (1947) qui décida le partage du pays en deux États (juif et arabe). Mais, alors que s'achevait le mandat britannique, Ben* Gourion proclamait l'indépendance de l'État d'Israël* (mai 1948), aboutissement logique de la politique nationaliste sioniste qui s'accompagna de l'exode de la majeure partie de la population arabe palestinienne. Quelques mouvements et partis politiques israéliens se sont désolidarisés de l'idéologie sioniste, dont ils dénoncent le nationalisme, l'expansionnisme et l'attitude antiarabe (mouvement Forces nouvelles [*Haolam-Hazeh*] d'Uri Avnery*, *Rakah* et surtout *Matzpen**).

SIOU(X) ou **DAKOTA(S)**. *n. m. pl.* ♦ Indiens d'Amérique du Nord, comprenant sept tribus établies dans la région des Grands Lacs, puis, à partir du XVIIe s., dans les plaines de l'Ouest. N'ayant pas reçu les annuités promises quand ils avaient cédé leurs terres (1837), acculés au désespoir et à la misère, ils massacrèrent les Blancs (1862) dans le Minnesota. Certains d'entre eux, réfugiés dans le Dakota du Nord, reprirent la lutte, vainquirent et tuèrent le général Custer en 1876, mais furent soumis en 1890-1891. — L'occupation par les Sioux d'un village de cette région (1973) sous la conduite de l'A.I.M. (Mouvement indien américain), faisant suite à une série d'incidents, a mis en évidence la persistance du problème indien aux États-Unis.

SIOUAH *(oasis de)*, en ar. **Siwâh**. ♦ Oasis d'Égypte, près de la frontière libyenne (gouvernorat du Désert-Occidental). 6 000 hab. Nombreux lacs et sources, dont certaines sont thermales. Culture d'arbres fruitiers. La *ville princ.* est Siouah. ♦ *Hist.* L'anc. *oasis d'Amon* possédait un temple célèbre consacré à Amon* où Alexandre* se serait fait introniser miraculeusement par le dieu. Il en reste quelques vestiges dans le village d'Aguermi à l'E. de Siouah.

SIOULE. *n. f.* ♦ Riv. d'Auvergne*, affl. de l'Allier* (150 km). Elle prend sa source près du Mont*-Dore et conflue en aval de Saint*-Pourçain. Centrales hydro-électriques.

SIOUX CITY. ♦ V. des États-Unis, au N.-O. de l'Iowa, sur le Missouri. 85 925 hab. V. commerçante et industrielle (viande, indus. alimentaires; vêtements, etc.) au centre d'une région agricole.

SIOUX FALLS. ♦ V. des États-Unis, dans le Dakota du Sud, au S.-E. de cet État. 72 488 hab. (1970); c'est la plus grande ville de l'État. Centre agricole et commercial. Indus. alimentaires (conditionnement de la viande, etc.). indus. du bois.

Sipahî. *n. m. pl.* (francisé en **Cipayes**). ♦ Nom donné en Inde aux soldats indigènes recrutés par les Britanniques et encadrés par des officiers européens. Ils se révoltèrent en 1857 et prirent Delhi et Allâhâbâd. Ce mouvement est généralement connu en Occident sous le nom de *révolte des cipayes*. Ils ne furent finalement vaincus qu'en mars 1858 par les troupes britanniques. Le nom est à l'origine du mot *spahi* (Cf. Robert).

ŠIPKA ou **CHIPKA** *(col* ou *passe de)*. ♦ Col du massif du Grand Balkan (1 334 m), en Bulgarie centrale.

SI PRAT. ♦ Poète siamois du XVIIe s., qui vécut à la cour du roi Phra Naray (1657-1688). Ses romans, d'inspiration bouddhique, et ses poèmes connurent un grand succès. Le gouverneur de la province où il avait été exilé le fit exécuter par jalousie.

SIQUEIROS (David Alfaro). ♦ Peintre et théoricien mexicain (Chihuahua, 1896 — Cuernavaca, 1974). Fils d'un avocat, il fut l'élève de l'école Santa Anita fondée par le peintre Alfredo Ramoz Martinez. Comme Orozco, il s'engagea à fond dans la lutte révolutionnaire et devint bientôt officier dans l'armée. Il se rendit ensuite en Europe, notamment à Paris où il rencontra Rivera. Revenu au Mexique en 1922, il affirma la nécessité de créer un art national exprimant les aspirations des masses et qui prît ses sources dans l'art précolombien. Il se montra le plus doctrinaire et le plus véhément des « muralistes » mexicains. Il travailla d'abord à la décoration de l'*École préparatoire* de Mexico (1922). Militant passionné, il fut plusieurs fois incarcéré. Il se rendit aussi en Argentine (1932-1933), aux États-Unis, fondant en 1935 un atelier où il poursuivait des expériences sur les matériaux et où travailla notamment Pollock. Durant la guerre d'Espagne, il s'engagea dans l'armée républicaine (1936-1939). Il réalisa ensuite des compositions murales au Chili *(Mort à l'envahisseur)*, ainsi qu'à Cuba (*Allégorie de l'égalité raciale*, 1943). Les principales œuvres qu'il réalisa au Mexique se trouvent au *Syndicat de l'électricité* (1939), au *palais des Beaux-Arts*, à l'*Institut polytechnique*, à l'*université*, à l'*hôpital de la Sécurité sociale*, au *musée du parc de Chapultepec* (1964). Le *Polyforium culturel* de Mexico (terminé en 1973) est sans doute la plus vaste surface peinte du monde (4 500 m^2) et a pour thème la *Marche de l'humanité*. S'il a défendu une peinture réaliste à l'encontre du « subjectivisme déliquescent » de la peinture bourgeoise, il ne s'en est pas pour autant tenu aux normes du « réalisme socialiste » soviétique. Il a exalté le caractère héroïque de l'histoire de la vie des prolétaires dans un style violent et lyrique, où se trouvent assimilés d'une façon personnelle divers traits de l'illusionnisme pictural et de l'expressionnisme, ainsi que certains procédés du surréalisme : volumes insistants, parfois schématisés, modifications des proportions, déformations anatomiques, simplifications symboliques, création de figures irrationnelles, formes viscérales, gammes de couleurs sombres ou rapprochements de couleurs crues concourant à la création d'un style dynamique et monumental, parfois grandiloquent mais chargé d'une indéniable force émotive.

Siracide (Le). ♦ V. ECCLÉSIASTIQUE (L').

SIRÂJ UD-DAULA. ♦ Nabâb du Bengale (1728 — 1757), successeur d'Alivardi Khân en 1756. Il combattit les Anglais, mais fut battu par lord Clive à Plassey et exécuté. Il fut le dernier des nabâbs du Bengale.

Sirènes, *n. f. pl.*, en gr. **Seirênes**. ♦ Démons marins de la légende grecque, représentés comme des femmes ailées ou comme des oiseaux à têtes de femmes. Leur nombre et leur généalogie diffèrent selon les auteurs, mais le plus souvent elles sont filles d'Achéloos* et d'une muse (Melpomène* ou Terpsichore*) au nombre de deux, trois ou quatre. Musiciennes remarquables demeurant sur une île de la côte S.-O. de l'Italie, elles passaient pour attirer par leurs mélodies les navigateurs sur les récifs et dévorer les naufragés. Les Argonautes* réussissent à passer sans succomber à leur charme, grâce à Orphée* qui vainc les sirènes avec sa lyre et détourne ses compagnons du danger. Dans l'*Odyssée**, Ulysse* bouche les oreilles de ses compagnons avec de la cire et lui-même se fait attacher au mât pour pouvoir satisfaire sa curiosité. Dépitées de cet échec, les sirènes se précipitent dans la mer et périssent.

SIRET. *n. m.* ♦ Riv. de Roumanie (Moldavie*) [726 km]. Née dans les Carpates moldaves, elle reçoit à droite la Bistrița* et la Moldova et rejoint le Danube (r. g.) en amont de Galați.

SIREY (Jean-Baptiste). ♦ Juriste français (Sarlat, 1762 — Limoges, 1845). Emprisonné sous la Terreur bien que s'étant rallié à la Révolution, il fut fonctionnaire au ministère de la Justice sous le Directoire, puis avocat à la Cour de cassation après le coup d'État du 18 Brumaire (1799). Célèbre pour son *Recueil général des lois et arrêts* publié mensuellement à partir de 1802, il a laissé également *Six Codes annotés* (1829).

SIRICE *(saint)*. ♦ 38e pape (384-399 [mort]), Romain. Il réaffirma la primauté de l'évêque de Rome (synode de Rome, 386). Ses « décrétales » sont les plus anciennes qui nous soient parvenues. Fête le 26 novembre.

SIRIUS. ♦ Nom donné à l'étoile α Grand Chien*. Étoile la plus brillante du ciel, elle est accompagnée d'une petite étoile de magnitude 10 qui gravite autour d'elle *(Compagnon de Sirius)*. Magnit. 1,6 ; type spectral A O ; distance 8,6 années-lumière.

SIRMIONE. ♦ V. d'Italie, en Lombardie (prov. de Brescia), à l'extrémité de la presqu'île du même nom, située dans la partie méridionale du lac de Garde*. 3 000 hab. env. Anc. *Sirmio* romaine (ruines importantes, villa). Musée. Château (XIIIe s.). — Pêche. Station thermale (eaux sulfureuses chaudes). Centre de villégiature.

Ph. Gisèle Freund

David Alfaro Siqueiros : « Mère paysanne ».
(Institut national des Beaux-Arts, Mexico.)

Ph. Nimatallah/Ricciarini

Alfred Sisley : « Inondations à Port-Marly », 1878. (Musée du Jeu de paume, Paris.)

SIROLLE (Henri). ♦ Syndicaliste français (né en 1886). Co-secrétaire de la Fédération des cheminots (1920), il participa à la délégation de syndicalistes révolutionnaires à Moscou (1921). Lors de la Deuxième Guerre mondiale, il fut à la tête du *Secours national* institué par le maréchal Pétain.

SIRVEN [sirvɛ̃] **(Pierre Paul).** ♦ Protestant français (Castres, 1709 – en Suisse, 1777). L'une de ses filles s'étant suicidée (1762), il fut accusé de l'avoir tuée et se réfugia en Suisse. Il fut alors condamné à mort par contumace, mais grâce à Voltaire fut réhabilité par le parlement de Toulouse (1771).

SISAVANG VONG. ♦ (Luang-Prabang, 1885 – *id.*, 1959). Roi de Luang-Prabang (1906-1947), et roi du Laos de 1947 à sa mort. Son fils Savang Vatthana lui succéda.

SISINNIUS. ♦ 87e pape (janv. et févr. 708 [mort]), Syrien.

SISLEY (Alfred). ♦ Peintre anglais de l'école impressionniste française (Paris, 1839 – Moret-sur-Loing, 1899). Comme Pissaro, il préféra les beaux-arts au commerce ; il travailla dans l'atelier de Gleyre et devint l'ami de Bazille*, Monet*, Renoir*. Fuyant l'enseignement académique, il alla travailler avec eux à Chailly, dans la forêt de Fontainebleau*. Ses premières œuvres sont influencées par le réalisme de Courbet, mais surtout par Corot* et Daubigny*. Refusé plusieurs fois au Salon, il évolua grâce à Monet* vers l'impressionnisme et y resta fidèle sa vie durant malgré la misère dans laquelle il vécut à partir de 1870. Il peignit presque exclusivement des paysages, que ce fût à Marly, Louveciennes, Bougival ou à Moret, qui devint sa résidence en 1879. Il séjourna aussi à Londres (1874), où il admira Constable* et Turner*, et en Normandie (1894). Particulièrement doué pour rendre les effets de brouillard, de pluie ou de neige, la transparence des reflets et la fluidité de l'eau avec une palette raffinée où domine souvent une gamme subtile de gris, il sut fixer d'une façon discrète et poétique la lumière fugitive en donnant avec une touche plus souvent fondue que nettement juxtaposée une grande unité plastique à ses compositions (*Inondations à Port-Marly,* 1878 ; *La Neige à Louveciennes,* 1878). Son œuvre ne fut reconnue qu'après sa mort.

SISMONDI (Jean Charles Léonard Simonde *de*). ♦ Historien et économiste suisse (Genève, 1773 – 1842). D'abord influencé par A. Smith*, il finit par critiquer le libéralisme économique, qui, loin d'assurer le bien-être de tous, accroît la misère des travailleurs. Face à cette situation, Sismondi formula un programme d'intervention de l'État, ayant pour but la protection de la classe ouvrière. Ses positions furent en partie critiquées par K. Marx, qui le considéra comme le chef du socialisme petit-bourgeois (*Nouveaux Principes d'économie politique,* 1819 ; *Études sur l'économie politique,* 1837). Historien, il est l'auteur d'une *Histoire des républiques italiennes* (1807) et d'une *Histoire des Français* (1821-1844).

SISOWATH. ♦ (Bangkok, 1840 – Phnom Penh, 1927). Roi du Cambodge (1904-1927), frère et successeur de Norodom* ang Vodey. Son fils Sisowath Monivong lui succéda.

SISOWATH MONIVONG. ♦ (Phnom Penh, 1875 – *id.*, 1941). Roi du Cambodge (1927-1941), fils et successeur de Sisowath. Son fils Norodom* Sihanuk lui succéda.

SISSONNE. ♦ Ch.-l. de cant. de l'Aisne* (arr. de Laon*). 3 560 hab. *(Sissonnais).* Vaste camp militaire. Patrie de G. Dupré.

SISTERON. ♦ Ch.-l. de cant. des Alpes*-de-Haute-Provence, arr. de Forcalquier, sur la Durance*. 6 534 hab. *(Sisteronais).* Ancienne cathédrale du XIIe siècle. Citadelle avec chapelle du XIVe s., très endommagée en 1944. – Indus. chimiques, scierie. – Patrie de P. Arène* et de J.-B. d'Ornano*.

SISYPHE, en gr. **Sisuphos.** ♦ Fondateur mythique de Corinthe*, fils d'Éole*, père lui-même de Glaucos*. Renommé pour sa ruse, il passe parfois pour le vrai père d'Ulysse*. Aux Enfers, il est condamné à rouler éternellement un rocher sur une pente ; parvenu au sommet, le rocher retombe et il doit recommencer sans fin. Sur les raisons de ce châtiment, il existe plusieurs versions. Sisyphe avait enchaîné Thanatos (la Mort) venu pour l'accompagner aux Enfers, ou il avait trompé Hadès et était revenu à la vie, ou encore il avait dénoncé Zeus dans une de ses aventures amoureuses.

SITTANG. *n. m.* ♦ Fl. de Birmanie (560 km) prenant naissance dans les plateaux Shan et se jetant dans le golfe de Martaban.

SITTER (Willem *de*). ♦ Astronome hollandais (Sneek, 1872 – Leyde, 1934). L'un des pionniers de la cosmologie dynamique, il appliqua la théorie de la relativité **(V. Einstein)** à l'astronomie et en étudia les conséquences, notamment l'expansion de l'Univers. **V. Lemaître, Slipher.**

SITWELL (Edith). ♦ Poétesse et critique littéraire anglaise (Scarborough, 1887 – Londres, 1964). Edith, comme ses frères, Sacheverell et Francis Osbert Sitwell, manifesta très tôt des dons artistiques. Ils firent paraître ensemble une anthologie, *Les Roues* (*Wheels,* 1916-1921), qui rivalisait avec celle d'Edward Marsh *(La Poésie georgienne).* Son érudition et son indépendance d'esprit permirent à Edith Sitwell de se dresser avec ses frères contre les traditions poétiques du début du siècle. En poésie, elle procède par l'association d'images, s'inspirant partiellement du symbolisme français. Princ. œuvres : *Maisons de clowns* (1918), *Poèmes anciens et nouveaux* (1940), *Poésie et Critique* (1925), *Pope* (1930).

SIU... [chinois]. ♦ **V.** HSÜ...

SIUAN... [chinois]. ♦ **V.** HSÜAN...

ŚIVA, SHIVA ou **ÇIVA.** ♦ Une des trois principales divinités du panthéon hindou, il est regardé à la fois comme le Destructeur et le Créateur qui, de sa danse cosmique, dirige le monde. Il peut à ce titre assumer un grand nombre d'aspects, soit terribles, soit bénins. On le vénère surtout sous la forme du Linga (emblème phallique) qui, associé à la Yoni (emblème vaginal), représente les forces génératrices. Son animal-support est un taureau blanc, Nandin. Sa śakti « épouse » et « énergie active » est la déesse Pârvatî (« celle de la montagne »). Sa demeure est le mont Kailaśa, au Tibet. Il combine parfois ses formes avec celle de Pârvatî* ou encore avec celle de Viṣnu*. Ses sectateurs sont nombreux et ont donné de grands philosophes et poètes religieux à l'Inde.

ŚIVAJÎ. ♦ Chef marathe révolté contre les Grands Moghols de l'Inde (Shivner, 1627 – Raigarh, 1680). Il mena tout d'abord la vie des brigands puis, après avoir battu des troupes mogholes, se lança à la conquête de son empire. En 1667, il se proclama râja du Mahârâṣtra, fondant l'empire marathi. Son fils Sambhâjî lui succéda à sa mort.

SIVALIK. *n. m.* ♦ Chaîne montagneuse du S. du Népal, piémonts himalayens au N. du Gange, de faible altitude (moyenne 1 000 m). Elle est couverte de forêts et peu peuplée.

SIVAS, anc. **Sébaste.** ♦ V. de Turquie, en Asie Mineure, à l'E. du plateau anatolien, sur le Kizil Irmak. (alt. 1 347 m). Ch.-l. de province, centre industriel et commercial (cimenterie, textile, etc.). 109 165 hab. Les *médersas* (collèges de théologie coranique) de Sivas, édifiés au XIIIe s., comptent parmi les plus beaux monuments de l'art musulman en Asie Mineure. Patrie de Mekhithar*. – *Province (il) de Sivas :* 28 487 km². 705 100 hab. Produits : céréales ; minerais de fer. ♦ *Hist.* Ville très anc., connue à l'époque romaine sous le nom grec de *Sebasteia* (Augusta), c'était un grand centre commercial. Christianisée au IIe s., elle devint cap. de la Petite Arménie (IIIe s.), puis elle passa des Byzantins aux rois arméniens et fut prise par les Seldjoukides en 1071.

Six *(groupe des).* ♦ Réunion de six jeunes compositeurs français, G. Auric*, L. Durey*, A. Honegger*, D. Milhaud*. F. Poulenc*, G. Tailleferre*, autour d'E. Satie* (1918) et dont le porte-parole fut J. Cocteau (*Le Coq et l'Arlequin,* 1918). Formé de personnalités très diverses dont l'évolution esthétique révéla par la suite la richesse de contrastes, le *groupe des Six*, né au hasard d'un programme de concert où figuraient quelques-unes de leurs œuvres, s'est d'abord caractérisé par un triple refus, celui de Wagner, de d'Indy et de Debussy. Favorables au retour de la « musique pure », les « Six » entendaient encore réagir contre l'emprise de la littérature et de la subjectivité romantique dans le domaine musical. Ils ont composé deux œuvres collectives, *Les Mariés de la tour Eiffel,* ballet (1921) et *l'Album des Six*, pour piano.

Six articles *(statut des)* en angl. **Act of Six Articles.** ♦ Ces articles, promulgués par Henri* VIII en 1539, visaient à maintenir l'orthodoxie de la foi anglicane. Ils furent très mal accueillis par les protestants.

SIX-FOURS-LA-PLAGE. ♦ Ch.-l. de cant. du Var, arr. de Toulon. 15 257 hab. [7 577 aggl.]. Fort. Église romane et gothique (polyptyque du XVIe s.).

Six Jours *(guerre des).* ♦ Nom donné au conflit israélo*-arabe de juin 1967.

SIXT. ♦ Comm. de la Haute-Savoie (arr. de Bonneville), à 761 m d'altitude. 619 hab. Église gothique de l'abbaye fondée en 1145. Station touristique. Fromages.

SIXTE ou **XYSTE Ier** *(saint).* ♦ 7e pape (115-125 ? [mort]), Romain, martyr (?). Son pontificat n'a pas laissé de traces. Fête le 3 avril.

SIXTE II *(saint).* ♦ 24e pape (257-258 [mort]). Grec, martyr (persécution de Valérien). Il renoua avec l'évêché de Carthage, après la querelle entre Étienne* Ier et saint Cyprien*. Fête le 5 août.

SIXTE III *(saint).* ♦ 44e pape (432-440 [mort]), Romain. Fête le 28 mars.

SIXTE IV *(Francesco Della Rovere).* ♦ (Près de Savone, 1414 – Rome, 1484), 210e pape (1471-1484), franciscain, ancien général de son ordre (1464-1469). Il lutta contre les Médicis* à qui il retira la gestion des biens pontificaux, laissa tramer contre eux la conjuration des Pazzi qui aboutit au meurtre de Julien (1478), excommunia Laurent le Magnifique qui déclencha une guerre contre lui. Il pratiqua le népotisme, favorisa l'humanisme païen, fit travailler Botticelli et le Pérugin, réalisa de grands travaux à Rome, notamment la chapelle Sixtine*.

SIXTE V, dit **Sixte Quint** *(Felice Peretti)*. ♦ [Grottammare, marche d'Ancône, 1520 – Rome, 1590]. 225ᵉ pape, de 1585 à 1590. Franciscain conventuel de très humble origine, général de son ordre et cardinal (1570), il fut élu à l'unanimité. Il réorganisa la Curie, fixa à 70 le nombre des cardinaux, confia les affaires de l'Église et l'administration des États pontificaux à quinze congrégations spécialisées; il vérifia, par des inspections, la discipline des évêques et des religieux; il fonda l'Imprimerie vaticane et travailla personnellement à l'édition de la Vulgate* dite « sixtine » qu'il imposa comme texte officiel de la Bible catholique (1590). En France, il appuya Henri* III et la Ligue* et excommunia Henri de Navarre (1585). **V. Henri IV, Religion** *(guerres de)*. Contre l'Angleterre, il finança l'expédition désastreuse de l'Invincible Armada* (1588).

Sixtine *(chapelle)*. ♦ Chapelle du Vatican, tirant son nom du pape Sixte IV qui la fit élever par Giovanni de Dolci en 1473 et décorer par Botticelli, Ghirlandajo, C. Rosselli, Signorelli, le Pérugin, le Pinturicchio (achevée en 1483). Jules II fit peindre la voûte par Michel*-Ange (1508-1512), puis Clément VII et Paul III le *Jugement dernier* sur le mur du fond, par le même (1536-1541). Elle sert spécialement aux cérémonies de la Semaine sainte. Lors des élections papales, elle est le siège du conclave.

SIZEWELL. ♦ Localité d'Angleterre (Suffolk), sur la côte de la mer du Nord. Importante centrale nucléaire.

SIZUN *(cap)*. ♦ Cap du Finistère, à l'E. de la pointe du Raz. Réserve naturelle rassemblant des milliers d'oiseaux.

SIZUN. ♦ Ch.-l. de cant. du Finistère, arr. de Morlaix. 2 165 hab. [886 aggl.]. *(Sizuniens* ou *Sizunrois)*. Porte monumentale du cimetière (XVIᵉ s.); chapelle-ossuaire du XVIᵉ s.; église des XVIᵉ-XVIIᵉ siècles.

S.J. *(Societas Jesu)*. ♦ **V.** JÉSUS (Compagnie de).

SJAELLAND. ♦ Île du Danemark, dans la Baltique*, entre la Suède et la Fionie*, baignée par le Sund à l'E. et le Grand-Belt* à l'ouest. 7 548 km². 2 103 356 hab. (1968). Elle est divisée en 5 départements. *V. princ.* Copenhague*, Elseneur*, Hillerød*, Holbaek*, Køge*, Korsør*, Naestved*, Roskilde*, Slagelse*, Vordingborg*. — Couverte d'épaisses moraines, elle offre un paysage de plaines et de lacs avec, au N.-E., des collines et des forêts. — *Écon.* L'agriculture y est riche (betterave à sucre et fourragère, arbres fruitiers à l'E., horticulture). Pêche. Mais l'activité est essentiellement industrielle [l'agglomération de Copenhague groupant près de la moitié de la population de l'île] **(V.** *aussi* **Copenhague)**. On écrit aussi *Själland* (all. *Seeland)*.

SJÖSTRÖM (Victor). ♦ Réalisateur et acteur suédois de cinéma (Silbodal, 1879 – Stockholm, 1960). Il débuta au théâtre et demeura acteur jusqu'à la fin de sa vie (*Les Fraises sauvages*, d'Ingmar Bergman, 1958). Venu à la mise en scène de cinéma (1912), il ne tarda pas à s'affirmer comme l'un des créateurs les plus féconds du 7ᵉ art, égalant souvent Griffith par l'efficacité d'une technique inédite (surimpressions, retours en arrière) et la richesse d'un lyrisme visionnaire. Poète panthéiste de l'image et de la lumière, acteur puissant, Sjöström apparaît, dans les brèves années de sa carrière de réalisateur, comme un précurseur qui sut frayer au cinéma les voies de l'intimisme, de l'expressionnisme et du fantastique. La meilleure partie de son œuvre s'inspire de la littérature scandinave et de ses légendes : *Ingeborg Holm* (1913), *Terje Vigen* (1916), Les Proscrits (*Berg Ejvind och hans hustru*, 1917), La Montre brisée (*Karin Ingmarsdotter*, 1919), La Charrette fantôme (*Körkarlen*, 1920). Engagé à Hollywood, Sjöström put encore y réaliser deux de ses œuvres maîtresses : *La Lettre rouge* (*The Scarlet Letter*, 1926) et *Le Vent* (*The Wind*, 1928).

Ph. Prato/Ricciarini

Sjaelland : le château d'Hillerød.

SKADAR. ♦ **V.** SHKODAR.

SKAGERRAK. *n. m.* ♦ Détroit unissant la mer du Nord au Kattegat*, entre la Norvège au N. et le Jylland danois (Jutland*) au sud.

SKALBE (Karlis). ♦ Conteur et poète letton (1897 – 1945). Son œuvre marqua le retour au lyrisme symboliste et impressionniste.

SKANDA. ♦ **V.** KÂRTTIKEYA.

SKANDERBEG ou **SCANDERBEG (Georges Castriota**, dit**)**. ♦ Homme de guerre albanais (en Albanie, v. 1403 – Alessio, 1468). Il fut élevé chez les Turcs et reçut le surnom d'*Iskander bey* (« prince Alexandre »). Il déserta lors de la défaite turque devant les Hongrois à Niš (1443). Il prit Kroya (Krujë) non loin de Durazzo et lutta désormais contre les Turcs. En 1444, il fut proclamé prince par les Albanais. Il mourut invaincu malgré les forces bien supérieures de Murat II et de Mehmet II. Après sa mort, l'Albanie fut annexée par la Turquie.

SKARGA (Piotr). ♦ Prédicateur polonais (Grójec, Mazovie, 1536 – Cracovie, 1612). Organisateur de l'ordre des Jésuites en Pologne, partisan de la Contre-Réforme, il fut le plus grand prédicateur polonais et le plus grand prosateur de la fin du XVIᵉ siècle. Il écrivit les *Vies des saints* (*Żywoty Świetych*, 1579); édité dix fois de son vivant, cet ouvrage religieux fut l'un des plus populaires de son temps. Dans ses *Sermons à la Diète* (*Kazania Sejmowe*, 1597), il préconisa le renforcement de la monarchie. Sa prose, imagée et riche en métaphores, exerça une profonde influence sur le développement de la langue littéraire polonaise.

SKELLEFTEÅ. ♦ V. du N. de la Suède, à proximité du golfe de Botnie*, sur la riv. Skellefte Älv. 61 979 hab. (1968). Église (XVIIᵉ s.). Musées. — La ville s'est développée grâce aux gisements de métaux non ferreux de la région (en particulier Boliden et Boden) : cuivre, or, argent, plomb, zinc, manganèse, nickel. Ces métaux sont traités à Rönnskär. La production de sulfures et d'arsenics est aussi très importante. Constructions mécaniques, scieries, usines de pâte à papier.

SKELTON (John). ♦ Poète, dramaturge et grammairien anglais (Diss, Norfolk, v. 1460 – Londres, 1529). Après des études à Oxford et à Cambridge, il devint prêtre en 1498 et fut le précepteur du futur Henri VIII. C'est pour la mère de ce dernier, la comtesse de Richmond, qu'il écrivit sa première œuvre, une adaptation du *Pèlerinage de la vie humaine* de Guillaume de Guilleville. Sa réputation de farceur lui valut un recueil posthume de *Joyeux Contes (The Merie Tales of Skelton)* parfois apocryphes. *La Bouche de cour* (*The Bowge of Court*, v. 1509), où Skelton utilise la stance chaucérienne, rappelle la *Nef des fous :* voguant au pays de Faveur, le poète voit son voyage troublé par les amis de Fortune (Flatterie, Soupçon, Dédain, Tromperie). *Colin Clout* (1522) est un nouveau Pierre* le Laboureur, démasquant les vices du clergé. Bien que satiriste, Skelton était capable de sentiment : *Philippe le Moineau (Philip Sparrow*, 1503, 1507), longue élégie burlesque et touchante, reprend le petit poème de Catulle. Érasme appréciait ce poète qui fut surnommé le Rabelais d'Angleterre.

SKHIRA (La) ou **La Skhirra**, anc. **La Cekhira.** ♦ Port pétrolier de la Tunisie (gouvernorat de Sfax) sur le golfe de Gabès*, où aboutit l'oléoduc d'Edjelé* (Algérie).

SKHIRAT. ♦ Localité du Maroc, située au S. de Rabat, à proximité de l'Atlantique, où se trouve l'un des palais royaux qui fut le théâtre en 1971 d'un complot et d'un attentat contre Hasan* II.

SKIEN. ♦ V. de Norvège, sur la riv. *Skien*, au S.-O. d'Oslo*. Ch.-l. du comté de Telemark. 45 934 hab. (1971). Centre indus. : papeteries, cellulose. — Patrie de H. Ibsen*.

SKIKDA, anc. **Philippeville.** ♦ V. et port d'Algérie, ch.-l. d'arr. du dép. de Constantine, située dans l'E. de la Kabylie* de Collo, sur la côte d'une plaine littorale. Vignobles. Primeurs. Oliviers. 87 900 hab. C'est le port de Constantine, relié par gazoduc à Hassi*-R'Mel et par oléoduc à Mesdar-Haoud el Hamra. Complexe pétrolochimique.

SKINNER (Burrhus Frédéric). ♦ Psychologue et psycholinguiste américain (Susquehanna, Pennsylvanie, 1904). Il découvrit expérimentalement une forme de conditionnement où n'intervient aucun élément du réflexe inconditionnel (ou inné), appelé conditionnement instrumental. Il appliqua également les principes du behaviorisme **(V. J.B. Watson)** à l'étude du « comportement verbal ».

SKIVE. ♦ V. du Danemark, au N.-O. du Jutland*, sur le Skive Å, à 1 km du *Skivefjord*. 15 400 hab. — Commerce. Quincaillerie. Indus. alimentaires.

SKOBELEV (Mikhaïl Dimitrievitch). ♦ Général russe (Saint-Pétersbourg, 1843 – Moscou, 1882). Après avoir participé aux expéditions contre les khanats de Khiva (1873) et de Kokand (1875-1876), il fut nommé général et gouverneur du Fergâna*. Commandant de la 16ᵉ division pendant la guerre russo-turque (1877-1878), il s'empara de Lovtcha et occupa Andrinople. De nouveau en Asie, il dirigea l'armée qui conquit le Turkestân (1881).

SKOPJE ou **SKOPLJE**, anc. en turc **Usküb**. ♦ V. de Yougoslavie, cap. de la Macédoine, sur le Vardar*. 312 000 hab. Elle fut l'une des plus importantes bases turques des Balkans. De nos jours, c'est une ville industrielle importante (combinat sidérurgique) et un centre culturel renommé (université). Les vestiges de son passé turc (quartiers, mosquées) étaient nombreux avant le séisme qui, en 1963, détruisit une grande partie de la ville.

SKOVORODA (Grégoire Savitch) [*Skovoroda*]. ♦ Philosophe et poète ukrainien (Tsernoukhi, gouvernement de Poltava, 1722 – Ivanovka, gouvernement de Kharkov, 1794). Dans une langue russe mêlée d'ukrainien, Skovoroda prêcha une doctrine humaniste. S'opposant à la puissance du clergé, son œuvre fut censurée jusqu'en 1836. Poète lyrique, il écrivit *Le Verger des chansons divines* (1753-1785).

SKRAM (Amalie, née **Alver)**. ♦ Auteur dramatique et romancière norvégienne (Bergen, 1847 – Copenhague, 1905). Un mariage malheureux lui inspira un roman naturaliste où elle se révéla disciple de Bjørnson*, *Constance Ring* (1885). Puis elle publia son œuvre principale, autre roman naturaliste en 4 volumes, *Ceux de Hellemyr* (1887-1898), qui illustre l'influence de l'hérédité et du milieu sur l'individu. Dans le même esprit elle écrivit encore un drame *Agnete* (1893) qui met en scène une femme malheureuse luttant pour son bonheur.

SKRIABINE. ♦ V. SCRIABINE.

SKYE *(île de)*. ♦ Île du N.-O. de l'Écosse (comté d'Inverness), appartenant au groupe des Hébrides intérieures *(Inner Hebrides)* et séparée de la côte par le *Sound of Sleat* et l'*Inner Sound*. 1 650 km². 8 000 hab. *Ch.-l.* Portree. Élevage, pêche, tourisme.

SLÁDEK (Josef Václav). ♦ Poète tchèque (Zbiroh, 1845 – *id.*, 1912). Traducteur de Shakespeare*, directeur de la revue littéraire *Lumir* (1873), il laissa de nombreux recueils de poésies : *Chansons paysannes* (1889), inspirées de la poésie populaire, *Les Chants tchèques* (1892), exaltant le sentiment national, *Au Soleil d'hiver* (1897), empreint de lyrisme intime.

SLÁDKOVIČ (Andrej, pseudonyme de **Braxatoris)**. ♦ Poète slovaque (Krupina, 1820 – Radvany, 1872). Il composa dans la langue littéraire slovaque fixée par Štúr* un poème romantique, *Marina* (1846), et une épopée, *Detvan* (1853).

SLAGELSE. ♦ V. du Danemark, dans la partie occidentale de l'île de Sjaelland*. 20 244 hab. – Construction de machines, indus. alimentaires. Commerce actif.

SLANEY. *n. f.* ♦ Fl. du S.-E. de l'Irlande (117 km). Né dans les monts Wicklow (au *Lugnaquilla*), il arrose Enniscorthy et se jette dans le canal Saint-Georges en formant un estuaire, le *Wexford Harbour*.

SLATER (John Clarke). ♦ Physicien et chimiste américain (né en 1900). Il élabora la théorie du magnétron à cavités multiples **(V. Brillouin)** et, en chimie, introduisit la mécanique quantique dans l'étude de la liaison chimique. **V. Born, Heitler, Pauling.**

SLAUERHOFF (Jan Jacob). ♦ Écrivain hollandais (Leeuwarden, 1898 – Hilversum, 1936). Après ses études, il s'embarqua comme médecin à bord d'un long-courrier, visita ainsi la Chine, l'Inde et l'Amérique du Sud. Exotisme et romantisme imprègnent l'œuvre de ce « poète maudit », partagé entre la révolte contre la condition de l'homme et la civilisation moderne et l'aspiration à une vie intense et à un bonheur inaccessible. Outre de nombreux recueils de poèmes (*Archipel*, 1923 ; *Clair-Obscur*, 1927 ; *Asie orientale ; Eldorado*, 1928 ; *Un honnête tombeau de marin*, 1936), Slauerhoff a publié des nouvelles (*Écume et Cendres; Île du printemps*, 1930) et quelques romans (*Le Royaume interdit* ou *L'Empire défendu* évoquant la vie du grand poète portugais Camoens, 1932 ; *La Vie sur Terre*, 1934 ; *La Révolte de Guadalajara*, 1937).

SLAVEJKOV (Petko). ♦ Poète bulgare (Tărnovo, 1827 – Sofia, 1895). En introduisant en Bulgarie la plupart des genres poétiques, il contribua à fixer les normes du bulgare littéraire moderne. Traducteur de la Bible, il fut aussi l'auteur d'un recueil de proverbes et dictons bulgares. Fervent patriote, il lutta pour une Église bulgare indépendante.

SLAVEJKOV (Penčo). ♦ Poète bulgare (Trjavna, 1866 – Brunate, près du lac de Côme, 1912). De ses études philosophiques en Allemagne, il garda une profonde admiration pour Heine* et Nietzsche*. Il se fit remarquer dès son premier recueil de vers, *Chants épiques* (1898), où se mêlent les thèmes folkloriques et les méditations intimes. Puis il publia successivement les recueils *Rêves de bonheur* (1907) empreint de mélancolie et de tendresse, et *Dans l'île des bienheureux* (1910). Enfin il immortalisa l'insurrection d'avril 1876 dans *L'Hymne sanglant* (1913). Il fut l'un des premiers poètes bulgares à insister sur la perfection formelle du vers et il joua un rôle important en tant que critique littéraire et directeur de la revue *La Pensée*.

SLAVE RIVER, GREAT SLAVE LAKE. ♦ V. ESCLAVES (riv. des, Grand Lac des).

SLAVES. *n. m. pl.* ♦ Le plus grand groupe de peuples en Europe centrale et orientale. D'origine aryenne ou indo-européenne, les Slaves, dont l'unité est plutôt linguistique qu'ethnique, se subdivisent en *Slaves orientaux* (Russes, Ukrainiens, Biélorusses), en *Slaves occidentaux* (Polonais, Tchèques, Slovaques) et en *Slaves du Sud* (Slovènes, Croates, Serbes, Bulgares). En 1960, il y avait environ 226 000 000 de Slaves sur le continent eurasiatique (dont 161 000 000 en U.R.S.S.) et 10 000 000 ailleurs (Amérique, Australie...). La plus grande partie des Slaves professe la religion orthodoxe (Russes, Ukrainiens, Serbes, Bulgares), mais une minorité importante est catholique (Polonais, Tchèques, Slovaques, Slovènes et Croates). ♦ *Hist.* **V. Russie, Ukraine, Pologne, Tchécoslovaquie, Slovénie, Croatie, Serbie, Bulgarie.**

SLAVIANSK. ♦ V. d'U.R.S.S. (Ukraine) dans le Donbass*. 124 000 hab. Exploitation des gisements de sel de la région. Indus. chimique (soude).

SLAVONIE [*n. f.*], en serbo-croate **Slavonija**, anc. **Esclavonie**. ♦ Région de Yougoslavie septentrionale, comprise entre la Slovénie à l'O. et la Vojvodine*, à l'est. Drainée par la Save*, la Drave* et le Danube, elle appartient dans sa majeure partie à la Croatie*. Géographiquement, elle constitue l'une des plaines pannoniennes et est formée de massifs anciens peu élevés, de marécages et de prairies (« lug »). **V. Pannonien** (Bassin).

Slavophiles. *n. m. pl.* ♦ Mouvement littéraire russe du début du XIXe s. dont les adeptes tels que Khomiakov*, Aksakov*... voulaient que la Russie suive sa propre évolution nationale. Ils s'opposaient aux occidentalistes*.

SLEAFORD. ♦ V. d'Angleterre (Lincolnshire, Kesteven). 8 000 hab. env. Église gothique (XVe s.).

SLEIDINGE. ♦ Comm. de Belgique (Flandre-Orientale, arr. de Gand). 6 100 hab. Indus. textiles.

SLESVIG. ♦ **V.** SCHLESWIG.

SLIGO, en irlandais **Sligeach**. ♦ V. du N.-O. de la république d'Irlande et *ch.-l.* de comté entre le lough Gill et la mer. 13 145 hab. Ruines d'une abbaye du XIIIe siècle. – Le *comté de Sligo (Contae Shligigh)* est compris entre la mer d'Irlande au N., le Leitrim à l'E., le Roscommon au S. et le Mayo à l'ouest. 1 795 km². 50 275 hab.

SLIPHER (Vesto Melvin). ♦ Astronome américain (Mulberry, Indiana, 1875 – Flagstaff, Arizona, 1969). Il effectua la première mesure de vitesse radiale d'une nébuleuse en 1912 puis, ayant ensuite mesuré quarante-deux vitesses radiales de galaxies (1912-1922), il découvrit qu'elles étaient pour la plupart largement positives (vitesses de fuite), phénomène à la base de la théorie de l'expansion de l'Univers. **V. Hubble, Sitter.**

SLIVEN. ♦ V. de Bulgarie nord-orientale, au pied du Petit Balkan, ch.-l. de district, à l'entrée de la *passe de Sliven* (ou Portes de fer). 77 458 hab. Indus. textile (laine). Matériel électrique et travail du bois.

SLOCHTEREN. ♦ Localité des Pays-Bas, prov. de Groningue. La *Nederlandse Aardolie Maatschappij* (Société néerlandaise des pétroles) y découvrit en 1959 un gisement de gaz naturel (production : 30 milliards de m³ en 1970) qui fut à l'origine du développement indus. de Delfzijl.

SLODTZ (René Michel, dit **Michel-Ange)**. ♦ Sculpteur français (Paris, 1705 – *id.*, 1764). Fils cadet du sculpteur d'origine flamande Sébastien Slodtz (1655 – 1726), il séjourna à Rome de 1728 à 1747, il y subit l'influence du Bernin*, admira et copia Michel-Ange (d'où son surnom). Il travailla avec ses deux frères : Sébastien Antoine (1695 – 1754) et Paul Ambroise (1702 – 1758) et fut un représentant caractéristique du baroquisme *(tombeau des archevêques* dans la cathédrale de Vienne [Isère]; *tombeau* polychrome *du curé Languet de Gergy* à *Saint-Sulpice*, 1753, et *statues monumentales du porche)*.

Śloka. *n. m.* ♦ Strophe classique d'un poème sanskrit, généralement composée de deux lignes, plus rarement de quatre.

SŁONIMSKI (Antoni). ♦ Poète et écrivain polonais (Varsovie, 1895 – *id.*, 1976). Membre de *Skamander*, il insuffla un nouveau dynamisme au lyrisme, en introduisant le langage quotidien dans la poésie. Après des *Sonnets* (1918), il écrivit *Printemps noir* (*Czarna wiosna*, 1919) qui fut saisi par la censure. Gardant la forme classique, il attaqua avec un vigoureux talent satirique l'impérialisme, la guerre et l'obscurantisme : *L'Heure de la poésie* (*Godzina poezji*, 1923), *Face à face* (*Oko w oko*, 1928). Émigré en Angleterre durant la Seconde Guerre mondiale, il publia à Londres *Alarme* (1940), *La Cendre et le Vent* (*Popiół i wiatr*, 1942), *Poèmes chinois* (*Wybór poezji*, 1944).

SLOUGH. ♦ V. d'Angleterre (Buckinghamshire), à l'O. de la Tamise, en face de Windsor, 86 757 hab. (1971). Métallurgie, indus. automobiles et alimentaires. – Patrie de John Herschel*.

SLOUTCHEVSKI (Constantin Constantinovitch) [*Slučevski*]. ♦ Poète russe (1837 – 1904). Partisan de la poésie pure, il a écrit des vers inspirés par la Russie du Nord et la côte de Mourmansk *(Tiré de la nature, Dans les neiges)*, ainsi que des poèmes philosophiques sur les problèmes du bien et du mal, de la vie et de la mort *(Méphistophélès)*.

SLOVAQUIE. *n. f.*, en tchèque **Slovensko**. ♦ Partie orientale de la Tchécoslovaquie, limitée au N. par la Pologne, à l'E. par l'U.R.S.S., au S. par la Hongrie, au S.-O. par l'Autriche. 49 009 km². 4 543 092 hab. (1968) [*Slovaques*]. La Slovaquie est divisée administrativement en trois régions : *Slovaquie-Occidentale, centrale* et *Orientale*. *V. princ.* **V. Banská Bystrica, Bratislava, Komárno, Košice, Nitra, Nové Zámky, Piešť Ány, Prešov, Trnava.** – *Orogr.* Les quatre cinquièmes de la superficie de la Slovaquie sont occupés par des montagnes correspondant à la partie occidentale des Carpates*. Au centre, les Tatras*, qui forment le principal massif, sont séparées en *Hautes Tatras* au N. (culminant à 2 663 m) et *Basses Tatras* au S. (culminant à 2 043 m) par un fossé où le Váh et le Hornád ont creusé leur vallée. Elles sont entourées à l'O. par les chaînes des Tatras, des Carpates

Blanches et des Petites Carpates, au S. par les monts Métallifères slovaques, et à l'E. par les Basses Beskydes et la chaîne de Prešov. Au S.-O. de la région, les vallées du Váh, de la Nitra et du Hron, séparées par des montagnes peu élevées, forment de larges bassins propices à l'agriculture. Les seules plaines sont celles de Bratislava et de Komárno, près du Danube, et de Michalovce, à l'extrême est. – *Écon.* **V. Tchécoslovaquie.** ♦ *Hist.* Peuplée à partir du ~ Ve s. par les Celtes, puis par les Sarmates et les Germains, la région resta occupée au VIIe s. par les Slovaques, peuple slave. Elle fut incluse dans le royaume de Grande-Moravie à sa fondation (fin du VIIIe s.), mais les envahisseurs magyars dirigés par Árpád* assujettirent les tribus slovaques en 905. La Slovaquie suivit alors le sort du royaume de Hongrie. Lors de l'invasion ottomane au XVIe s., les possessions habsbourgeoises en Hongrie furent réduites à une étroite bande à l'O. de l'ancien royaume et Bratislava* (alors Pressburg) devint capitale. Les insurrections se multiplièrent durant cette période (soulèvements de serfs slovaques entraînés par la noblesse magyare, insurrection des mineurs allemands et slovaques [1525-1526], etc.). La Slovaquie perdit à nouveau de son importance lorsque le royaume fut reconstitué (1699). La politique de germanisation pratiquée par les Habsbourg et les obstacles opposés à toute expansion industrielle provoquèrent une aggravation des conditions de vie, déjà misérables, des Slovaques (jacquerie de 1831). Le sentiment national se réveilla, soutenu par les partisans d'une union tchécoslovaque favorables à l'adoption de la langue tchèque et par les partisans d'une culture purement slovaque (ces derniers, dirigés par L. Štúr, réussirent à faire revivre un dialecte de Slovaquie centrale). Cependant le mouvement resta limité. En 1848, la revendication de l'autonomie slovaque, portée devant les Hongrois révoltés contre les Habsbourg, se solda par un échec. Les Slovaques prirent alors parti pour le gouvernement de Vienne contre les Hongrois, ce qui entraîna une sévère répression après le compromis austro-hongrois de 1867 et l'accentuation de la magyarisation. La misère poussa plus d'un demi-million de Slovaques à émigrer vers les États-Unis. En 1905 fut fondé le Parti populiste slovaque de l'abbé A. Hlinka (de tendance autonomiste). Un autre parti, favorable au rapprochement tchéco-slovaque, reprit les idées de Masaryk*. En octobre 1918, la Slovaquie, séparée de la Hongrie, et les pays tchèques furent unis en un seul État, la Tchécoslovaquie*. Mais la convention de Pittsburgh signée en mai 1918 par Masaryk et garantissant l'autonomie slovaque ne fut pas respectée. Le mécontentement crût devant la politique centralisatrice de Prague. Le successeur de l'abbé Hlinka à la tête du Parti populiste (devenu pro-nazi), J. Tiso, obtint, après les accords de Munich*, l'autonomie de la Slovaquie (7 octobre 1938). Destitué par Prague, il fut alors mandé par Hitler, proclama l'« indépendance » de la Slovaquie (14 mars 1939) et se plaça sous la protection allemande. Le régime fasciste de la Slovaquie, qui déclara la guerre à la Pologne, puis à l'U.R.S.S. (juin 1941), provoqua un mouvement de résistance (insurrection de Banská Bystrica) réprimé par l'armée allemande (oct. 1944). Lorsque la Tchécoslovaquie fut reconstituée en avril-mai 1945, l'égalité des peuples tchèque et slovaque fut théoriquement garantie. La Constitution d'octobre 1968 fit de la Slovaquie l'un des deux États de la Fédération tchécoslovaque.

SLOVÉNIE. *n. f.*, en serbo-croate **Slovénija.** ♦ L'une des six républiques fédératives de Yougoslavie, située à l'extrémité N.-O. aux confins des frontières de l'Italie à l'O. et de l'Autriche au nord. 20 251 km². 1 697 499 hab. *(Slovènes). Cap.* Ljubljana*. Elle comprend la Slovénie proprement dite, la Carniole*, le N. de l'Istrie* avec une partie de l'anc. territoire de Trieste* et le S. de la Styrie*. La masse montagneuse des *Alpes* slovènes* est découpée selon les trois axes des vallées de la Drave*, au N. de la Soča et de la Save*, principale voie de pénétration vers l'Italie. On rencontre des ensembles karstiques **(V. Karst)**; la Carniole blanche ou *Notrajsko* (« pays de l'intérieur ») et *Dolenjsko* (« pays bas »), tandis qu'au-dessus de Trieste se trouvent les remarquables grottes de Postojna; les collines et les plaines de la frange pannonienne (partie supérieure de la Podravina); enfin, le *Primorje* (littoral) comprenant la partie N. de l'Istrie. – *Hydrogr.* Save*, Drave*, Mur*, lac de Bled. *V. princ.* Ljubljana*, Maribor*, Kopar*. – *Écon.* Favorisée par sa position de passage vers l'Europe centrale et l'Italie, la Slovénie a bénéficié très tôt de capitaux étrangers. C'est la première région économique de la Fédération. La vie pastorale (élevage bovin et ovin) est florissante dans la montagne et dans le Karst. Dans les plaines, on cultive des céréales et de la vigne sur les collines de Pannonie. La production de pomme de terre représente 40 % de la production de la Fédération. Les ressources minières et énergétiques sont nombreuses : zinc, plomb (Mežica), mercure (Idrija), charbon (bassin de Trbovlje), pétrole (Lendava), centrales hydro-électriques (vallées de la Save et de la Soča). L'industrie est située à proximité des sources d'énergie et dans la vallée de la Save : sa puissante sidérurgie (Ljubljana, Maribor) fait de la Slovénie le 2e producteur de la Fédération. On doit encore citer la métallurgie d'alliage (Jesenice), le traitement de l'aluminium (Strnisče), les indus. textiles (Kranj, Celje). En Istrie, il existe deux ports de commerce : Piran et Kopar, et de nombreux ports de tourisme. Les Alpes slovènes ont été aménagées pour les sports d'hiver. ♦ *Hist.* C'est au VIe s. que les Slovènes, peuple slave, vinrent s'établir dans cette région et, incapables de former un État unique, acceptèrent la suzeraineté de la Bavière (745).

Arch. Smeets

Claus Sluter : « Le Puits de Moïse », détail. (Chartreuse de Champmol, Dijon.)

La région fut envahie par les Magyars (Xe-XIe s.) et, du XIIIe au XVe s., les principautés morcelées furent peu à peu réunies par les Habsbourg et fortement germanisées. Dans l'ancien empire d'Autriche-Hongrie, la majorité des Slovènes était répartie entre les provinces de Carniole*, de Styrie* et de Carinthie*. Gagnée par le mécontentement des Slaves du Sud, la Slovénie demanda son rattachement aux royaumes de Serbie* et du Monténégro* (1918) avant d'être englobée dans la future Yougoslavie*. Partagée en 1941 entre l'Allemagne et l'Italie, elle est devenue en 1945 une république fédérative de la Yougoslavie. Elle s'est agrandie d'une partie de la Vénétie* Julienne (1947) et d'une partie du territoire de Trieste* (1954).

SŁOWACKI (Juliusz). ♦ Poète et auteur dramatique polonais (Krzemieniec, 1809 – Paris, 1849). Contemporain de Mickiewicz*, il fut avec lui le plus grand représentant du romantisme polonais. Issu d'un milieu lettré, influencé dès son jeune âge par Byron, il écrivit son premier poème important, *L'Heure de la méditation* (*Godzina myśli,* 1833), remarquable témoignage sur la sensibilité et le mal romantique. Très éprouvé par l'échec de l'insurrection de Varsovie (1831), il s'exila à Paris, puis en Suisse et en Italie et publia deux volumes de poésies pessimistes. *Lambro, l'insurgé grec* (*Lambro, powstańca grecki,* 1832) et *Kordian* (1834), drame romantique sur le thème de l'insurrection, conçu comme réplique aux *Aïeux* de Mickiewicz. Ses voyages en Europe et en Orient (il se fixa à Paris en 1838) lui inspirèrent une élégie d'amour romantique, *En Suisse* (*W Szwajcarii,* 1839), et des tableaux dantesques du malheur humain : *Le Père des pestiférés* (*Ojciec zadrumionych,* 1839), *Le Voyage de Naples en Terre Sainte (Podróz do Ziemi świętej z Neapolu,* 1836-1837). En 1838, il publia à Paris *Anhelli,* poème dans une prose biblique où il évoque le martyre des Polonais déportés en Sibérie. L'œuvre dramatique de Słowacki, qui est considéré comme le créateur du théâtre tragique moderne en Pologne, est inspirée de Shakespeare et de Calderón : *Mindowe* (1829), *Marie Stuart* (1830), *Balladyna* (1834, publié en 1839), *Horsztyński* (1835), *Mazeppa* (1840), *Lilla Weneda* (1840), *Fantazy* (1841). La crise mystique qu'il traversa en 1842 sous l'influence du towianisme lui inspira *L'abbé Marc* (*Ksiądz Marek,* 1843), *Le Songe d'argent de Salomé* (*Sen srebrny Salomei,* 1843) avant qu'il n'évoluât vers des conceptions métaphysiques exposées dans la *Genèse par l'esprit* (*Genezis z Ducha,* 1844), puis dans la grande épopée lyrique inachevée *Le Roi Esprit* (*Król Duch,* 1847-1849). Inhumé à Paris, son corps fut transféré en 1927 à Cracovie au château du Wawel*, où il repose aux côtés de celui de Mickiewicz.

SŁUPSK, en all. **Stolp.** ♦ V. de Pologne septentrionale (voïévodie de Koszalin) sur la Słupia qui la relie à la mer Baltique (sur 18 km) en Poméranie. 60 000 hab. Industries métallurgiques et alimentaires. Travail du bois.

SLUTER (Claus). ♦ Sculpteur d'origine néerlandaise (Haarlem, v. 1350 – Dijon, 1406). Il se forma dans les Flandres et, en 1379, se trouvait inscrit comme membre de la corporation des tailleurs de pierre à Bruxelles. En 1385, il entra au service du duc de Bourgogne et travailla au chantier de la *chartreuse de Champmol* dont il dirigea l'atelier de sculpture à partir de 1389. Exécutant

Arch. Rencontre

« La Prise de la **Smala d'Abd el-Kader** », par Horace Vernet [1845]. (Musée de Versailles.)

les statues du portail de la chapelle *(Les Donateurs)*, du trumeau *La Vierge et l'Enfant* (v. 1397) et surtout un *Calvaire* dont il ne subsiste que le socle entouré des six statues de *Prophètes*, dit *le Puits de Moïse*. Ces figures tourmentées, puissamment expressives, visent au trompe-l'œil par la vérité des physionomies, le souci du détail réaliste et la polychromie des costumes. L'ampleur de la conception plastique, l'originalité du style se manifestent particulièrement dans le traitement des draperies lourdes et mouvementées. En 1404, il commença aussi le tombeau de Philippe II le Hardi que termina son neveu Claus de Werwe. Il fut le maître de la sculpture bourguignonne et son influence se répandit, notamment en Flandres et en Allemagne. Il fut aussi l'un des principaux initiateurs du courant « réaliste » qui se développa dans la sculpture et la peinture du XVe siècle.

Smala d'Abd*-al-Qâdir [Abd-el-Kader] *(prise de la)*. ♦ Elle eut lieu à Taquin le 16 mai 1843 par la cavalerie du duc d'Aumale. Après cet échec, l'émir passa au Maroc, pays auquel la France devait déclarer la guerre en août 1844.

SMÅLAND. *n. m.* ♦ Région de Suède méridionale, comprise entre le lac Vättern* et le Blekinge. *V. princ.* Kalmar*, Växjö*.

SMALKALDE. ♦ **V.** SCHMALKALDEN.

SMALL (Albion W.). ♦ Sociologue américain (1854 – 1926). Fondateur de l'*American Journal of Sociology* (1895), il fit des besoins et intérêts individuels les facteurs fondamentaux de la vie sociale, elle-même caractérisée comme l'ensemble des relations interindividuelles.

SMART (Christopher). ♦ Poète anglais (Shipbourne, Kent, 1722 – Londres, 1771). Étudiant à Cambridge, il connut Pembroke et se fit remarquer pour ses talents de satiriste. Il traduisit Horace en 1756 et écrivit sur les murs de la prison où il était enfermé pour dettes son *Hymne à David* (*Song to David*, 1763) dont l'inspiration le rattache à Young*. C'est « un chef-d'œuvre étrange, d'une intensité imaginative saisissante et quelque peu inquiétante, avec des moments d'ardeur extatique et de naïveté passionnée qui font songer à Blake » (Cazamian).

SMENDÈS. ♦ Premier pharaon de la XXIe dynastie tanite (v. ~ 1085-~ 1054). **V. Hérihor.**

SMERDIS. ♦ **V.** BARDIYA.

SMETANA (Bedřich). ♦ Compositeur tchèque (Litomyšl, 1824 – Prague, 1884). Génie précoce, il fut d'abord pianiste virtuose et n'eut à vrai dire qu'une formation d'autodidacte. Affecté par l'écrasement de la révolte tchèque en 1849, il bénéficia de l'appui de Liszt et de Clara Schumann pour fonder à Prague une école de musique (1849), mais quelques années plus tard, il s'exila en Suède pour échapper à l'oppression autrichienne (1856). Revenu en Bohême (1865), il participa à la formation de plusieurs sociétés musicales, dont le « Théâtre bohémien de Prague » où il exerça les fonctions de chef d'orchestre (1868-1874), avec l'esprit militant d'un patriote résolu à exprimer le génie de son peuple éprouvé. De cette période datent ses huit opéras nationaux, dont *Les Brandebourgeois en Bohême* (1866), *Dalibor* (1868), *Le Baiser* (1876), *Libuše* (1881), et surtout *La Fiancée vendue* (*Prodaná Nevěsta*, 1866), chef-d'œuvre d'une grande fraîcheur d'inspiration dont les trouvailles mélodiques et rythmiques assurent, de nos jours encore, la popularité. Frappé de surdité, puis de dépression nerveuse, Smetana devait achever ses jours dans un asile d'aliénés. Marquée d'abord par l'influence de Liszt*, son œuvre dépasse amplement le cadre folklorique et national. Outre les ouvrages lyriques cités plus haut, elle comprend des *poèmes symphoniques*, dont *Má Vlast* (*Ma Patrie*, 1874-1879), qui contient la célèbre *Vltava (La Moldau)*, des *pièces de musique de chambre*, dont le quatuor à cordes *Z mého Zivota* (*De ma vie*, 1876), pour piano *(Trio, polkas, danses tchèques)*, des *chœurs* et des *mélodies*.

SMETHWICK. ♦ V. d'Angleterre (Staffordshire, County borough de Warley*), dans la banlieue ouest de Birmingham. 68 400 hab. Indus. métallurgiques, chimiques et alimentaires.

SMITH (John). ♦ Navigateur et colonisateur anglais (Willoughby, Lincolnshire, v. 1579 – Londres, 1631). Membre puis président (1608) de la Compagnie de Virginie (créée en 1605), il fonda la colonie de Jamestown et explora la côte orientale de l'Amérique du Nord, en particulier la région à laquelle il donna le nom de Nouvelle-Angleterre.

SMITH (Adam). ♦ Philosophe et économiste écossais (Kirkcaldy, 1723 – Édimbourg, 1790). Sa *Théorie des sentiments moraux* (1759), influencée par celle d'Hutcheson, fait de la sympathie le mobile principal de nos actes et la base de nos jugements moraux. Après un séjour en France, où il fréquenta les économistes (Quesnay, Turgot), il publia ses *Recherches sur la nature et les causes de la richesse des nations* (1776), premier grand traité du capitalisme libéral. Voyant dans le travail la source de toute richesse et la mesure réelle de la valeur échangeable des biens, il affirme (contrairement aux physiocrates) que sa division et le développement de l'industrie favorisent l'accroissement de la production. Fondamentalement optimiste, il pense que le mécanisme des prix assure l'équilibre entre l'offre et la demande et croit en la convergence des intérêts individuels vers l'intérêt général. Libre-échange et concurrence sont pour lui les principes fondamentaux de la politique économique. Son œuvre influença toute l'école libérale **(V. Ricardo, J.-B. Say).**

SMITH (Joseph). ♦ Fondateur de la secte des mormons (Sharon, Vermont, États-Unis, 1805 – Carthage, Illinois, 1844). En 1828, une « révélation » lui apprit l'histoire biblique de l'Amérique (les Indiens descendent des tribus perdues d'Israël. .) : cette histoire était consignée dans le *Livre de Mormon*, livre sacré (que l'on considère en général comme l'œuvre d'un pasteur américain, S. Spalding). En 1830, il fonda une communauté dans l'État de New York, l'établit dans l'Ohio (1831) puis dans le Missouri (1838) et l'Illinois. Il fut lynché. – Les *mormons* (« Église de Jésus-Christ des saints du dernier jour ») s'installèrent ensuite dans l'Utah (1846-1847) où ils fondèrent Salt* Lake City. À l'imitation de la Bible, ils pratiquèrent la polygamie (de 1852 à 1890), ce qui déclencha une intervention de l'armée fédérale en 1857. L'Église repose sur une forte hiérarchie. Une Église dissidente s'est formée en 1860.

SMITH (*sir* Francis Pettit). ♦ Mécanicien anglais (Hythe, Kent, 1808 – South Kensington, 1874). Il inventa une hélice à un seul pas pour laquelle il prit un brevet en 1836 et qui, montée sur l'*Archimède* en 1839, fut adoptée par l'Amirauté britannique. **V. Ericsson, Sauvage.**

SMITH (William Robertson). ♦ Exégète et orientaliste britannique (Keig, Aberdeenshire, 1846 – Cambridge, 1894). Ses analyses sur les sociétés musulmanes l'ont amené à étudier les structures de la parenté et le problème du totémisme, dans lequel il vit l'origine du culte sacrificiel (*The Prophets of Israel*, 1882 ; *Kinship and Marriage in early Arabia*, 1885 ; *The Religion of Semites*, 1889).

SMITH (Bessie). ♦ Chanteuse de jazz noire américaine (Chattanooga, Tennessee, 1894 – Clarksdale, Mississippi, 1937). Elle commença sa carrière sous la direction de Ma Rainey, puis avec l'orchestre de Clarence Williams, connut le succès de 1923 à 1930, mais tomba dans l'oubli après la crise. Elle fut surnommée « l'impératrice du blues ». Princ. enregistrements : *Down hearted blues* (1923), *Saint Louis blues* (avec Armstrong*, 1925), *Nobody knows you when you're down and out* (1929), *Gimme a Pigfoot* (1933).

SMITH (Ian Douglas). ♦ Homme politique rhodésien (Selukwe, 1919). Premier ministre de la Rhodésie en 1964, il rompit les relations diplomatiques avec la Grande-Bretagne et proclama l'indépendance de son pays (11 nov. 1965), dont la politique de ségrégation raciale était critiquée par la plupart des États membres de l'O.N.U. – **V. Rhodésie,** *hist.*

Smith *(détroit de)*. ♦ Détroit de l'Arctique canadien, séparant le Groenland de l'île d'Ellesmere.

SMOLENSK. ♦ V. d'U.R.S.S. (R.S.F.S. de Russie), ch.-l. de la région du même nom (49 800 km². 1 090 000 hab.), sur le cours supérieur du Dniepr*. 225 000 hab. Monuments historiques (remparts du XIIe s.; cathédrale du XVIIe s.). Indus. métallurgiques et mécaniques (machines-outils). Indus. alimentaires. Nœud ferroviaire. – Dans la région sont nés Tvardovski*, Gagarine*. ♦ *Hist.* Fondée au IXe s., la ville, l'une des plus anc. de Russie, fut une importante place de commerce avant de devenir la capitale d'une principauté qui appartint à la Lituanie, à la Russie **(V. Vassili III)**, à la Pologne, puis de nouveau à la Russie **(V. Alexis Ier)** qui l'annexa au traité d'Androussovo* (1667). Durant la campagne de Russie (1812), Napoléon s'en empara à la suite d'un combat acharné contre les troupes russes de Bagration* et de Barclay* de Tolly. – Occupée par les Allemands en 1941, elle fut reconquise par les Soviétiques en 1943.

SMOLLETT (Tobias). ♦ Romancier écossais (Dalquhurn, Dumbartonshire, 1721 – Pise, 1771). Il avait dix-huit ans quand il vint à Londres avec *Le Régicide*, tragédie que tous les théâtres lui refusèrent. Dépité, il s'engagea comme chirurgien à bord du *Cumberland* à destination de la Jamaïque, où il épousa la fille d'un planteur. Ses aventures lui donnèrent l'idée des *Aventures de Roderick Random*, 1748, écrites d'un seul jet et publiées dès son retour à Londres. Profitant de son succès, Smollett composa alors *Les Aventures de Peregrine Pickle*, 1751, immédiatement traduites en français. En 1753 parut une œuvre qui annonce le « roman noir » (ou « gothique ») qu'allait illustrer Ann Radcliffe* : *Les Aventures de Ferdinand, comte Fatham.* Pour faire face à ses besoins financiers, Smollett s'intéressa à l'édition, à la traduction

(Voltaire, *Gil Blas, Don Quichotte*), au journalisme où il révéla ses dons d'ironiste. *L'Histoire d'un atome* est une féroce satire de l'Angleterre et la causticité imprègne encore la dernière œuvre de ce voyageur infatigable (*Voyages*, 1756), *Le Voyage de Humphry Clinker* de forme épistolaire, où l'auteur donne une leçon de tolérance.

SMOLUCHOWSKI (Marian). ♦ Physicien polonais (1872 – 1917). Auteur de nombreux travaux théoriques en calcul des probabilités, il proposa, indépendamment d'Einstein*, une théorie du mouvement brownien (1906) [**V. Brown**] et détermina les fluctuations en théorie cinétique des gaz (1909).

Smriti (« mémoire »). ♦ Nom générique donné aux littératures anciennes de l'Inde faisant partie de l'enseignement traditionnel et non d'une révélation.

SMUTS (Jan Christiaan). ♦ Maréchal et homme politique sud-africain (Bovenplaats, Le Cap, 1870 – Irene, près de Pretoria, 1950). Il combattit dans la guerre des Boers (1899-1902) avec le grade de général, puis participa aux côtés de Botha aux négociations de Vereeniging (1902). Il fut membre du gouvernement Botha et ministre de l'Intérieur (1910). Général en chef en 1914, il réprima la révolte de De Wet et dirigea la campagne contre le Sud-Ouest africain allemand. En 1917, Lloyd George l'appela à Londres et le fit entrer dans le cabinet de guerre. À la Conférence de la paix (1919) à laquelle il prit part avec Botha, il fut l'instigateur du système des mandats coloniaux et protesta contre le traité de Versailles qu'il jugeait trop lourd pour l'Allemagne. À la mort de Botha, il devint Premier ministre d'Afrique du Sud (1919-1924), mais il poursuivit la collaboration avec l'Angleterre, ce qui le fit remplacer par les nationalistes d'Hertzog. Il passa dans l'opposition et accepta cependant en 1933 de former un gouvernement avec Hertzog et de fondre son parti avec celui de ce dernier. Ministre de la Justice (1933-1939), il rompit avec Hertzog lors de la guerre contre l'Allemagne, devint Premier ministre (1939-1948) et dirigea la lutte aux côtés de l'Angleterre avec énergie. Il fut fait maréchal de l'empire en 1941 et prit part à la conférence du Caire en 1942. Il fut renversé par les nationalistes du Dr Malan* et mena l'opposition contre la politique de ségrégation. Smuts est aussi connu comme botaniste et comme philosophe.

SMYRNE, en gr. **Smurnê**, en turc **Izmir**. ♦ V. et port de Turquie, Asie Mineure, dans le golfe de Smyrne (mer Égée). Ch.-l. de province, centre industriel et commercial : cimenterie, textile, tapis ; exportation de tabac, coton, céréales, etc. 520 586 hab. *(Smyrniotes)*. Patrie de Coraïs*, Séféris*, Husayn* Ibn Al-Husayn ; saint Polycarpe* y fut martyrisé. Vestiges hellénistiques et romains ; musée archéologique. – *Province (il) d'Izmir* : 12 019 km². 1 230 515 hab. ♦ *Hist.* Habitée dès le ~ IIIe millénaire, Smyrne fut colonisée au ~ XIe s. par des Éoliens venus de Lesbos* et fit partie de l'Éolide*. Elle se vantait d'avoir donné le jour à Homère*. Peuplée par les Ioniens au ~ IXe s., elle prospéra vite et participa à la confédération de l'Ionie*, mais fut détruite v. ~ 600 par les Lydiens, puis se releva lentement et devint une des premières villes d'Anatolie à l'époque hellénistique. Disputée entre les Séleucides et les Attalides de Pergame, elle connut une nouvelle période de prospérité sous les Romains (~ 27) qui dura jusqu'aux invasions arabes. Passée des Byzantins aux Saljûqides (1076), puis aux Turcs (1330), aux chevaliers francs de Rhodes (1344) et à Timûr-i Lang (1402), elle fut rattachée à l'Empire ottoman en 1424. – La ville moderne fut occupée en 1919 par la Grèce à qui le traité de Sèvres (1920) confiait l'administration de la région, mais, après la défaite grecque en Anatolie, elle fut prise en 1922 par la Turquie, à qui le traité de Lausanne l'attribua.

SNAKE RIVER. *n. f.* (« rivière du serpent »). ♦ Riv. des États-Unis (1 450 km), affl. de la Columbia (r. g.). Elle prend sa source dans le parc de Yellowstone, traverse en arc de cercle l'Idaho, formant une large vallée, remonte vers le N. en s'enfonçant dans de profonds canyons (frontière de l'Idaho et de l'Oregon), et pénètre dans l'État de Washington où elle se jette dans la Columbia.

SNEEK. ♦ V. des Pays-Bas (Frise) au centre d'une région lacustre. 27 255 hab. Indus. alimentaires (produits laitiers). Cuir. Tourisme.

SNÉFROU. ♦ Premier pharaon de la IVe dynastie (v. ~ 2700). Il fit construire les pyramides de Meidoum et Dahshour.

SNELL VAN ROYEN (Willebrord), dit **Villebrordus Snellius**. ♦ Astronome et mathématicien hollandais (Leyde, 1580 ou 1581 – *id.*, 1626). Il mit au point la méthode de triangulation (dite de Snellius) pour la détermination de la longueur d'un arc de méridien ; il mesura ainsi l'arc compris entre Alkmar et Bergen-op-Zoom (1° 11', en 1615) [**V. J. Picard**]. Il découvrit également la loi de réfraction de la lumière (1620). **V. Descartes.**

SNOILSKY (Carl, comte). ♦ Poète suédois (Stockholm, 1841 – *id.*, 1903). Il est l'auteur d'œuvres lyriques : *Images italiennes* (1865), *Poèmes* (1869, 1883, 1887, 1897), *Sonnets* (1871) et *Nouveaux Poèmes* (1881). Son livre *Images suédoises* (1886) est composé de poèmes historiques.

SNORRI STURLUSON. ♦ Seigneur et poète islandais (Hvamm, v. 1179 – Reykjaholt, 1241). De la famille de Sturlung, il fut l'un des plus puissants chefs de l'Islande et devint en 1215 président de l'Althing (assemblée suprême). En 1218, il se rendit auprès d'Haakon* IV de Norvège, reconnut sa suzeraineté et s'engagea à la faire reconnaître aux Islandais. Il ne tint pas ses engagements, soutint des luttes civiles, se réfugia en Norvège (1237) et retourna en Islande où il fut tué. Il est l'auteur de l'*Edda* prosaïque* et de la *Heimskringla**, qui comptent parmi les principales œuvres de l'ancienne littérature scandinave.

SNOWDON. *n. m.*, en gallois **Y Wyddfa** (« le point de vue »). ♦ Massif du N.-O. du pays de Galles, dans le Carnarvonshire, culminant au *Moel-y-Wyddfa* (1 085 m), point le plus élevé du pays de Galles. C'est un parc national (2 189 km²) et un centre d'excursions très fréquenté. Un chemin de fer à crémaillère permet d'atteindre le sommet.

SNOWY. *n. f.* ♦ Riv. du S.-E. de l'Australie*, à l'E. des Alpes* australiennes. Elle se jette à l'E. du détroit de Bass. **V. Snowy Mountains.**

SNOWY MOUNTAINS, *n. m. pl.* (« montagnes neigeuses »). ♦ Nom donné à une chaîne des Alpes australiennes. – Grand projet d'aménagement des Alpes* australiennes qui reliera la riv. Snowy* au bassin du Murray*. L'équipement complet comportera 17 barrages qui emmagasineront plusieurs milliards de m³ d'eau, 9 centrales électriques et des centaines de canaux permettant l'irrigation de 240 000 ha supplémentaires.

SNYDERS (Frans). ♦ Peintre et dessinateur flamand (Anvers, 1579 – *id.*, 1657). Formé chez Pieter II Bruegel* (dit d'Enfer), il devint maître de la gilde en 1602 et se lia avec Jean Bruegel*. Après un séjour en Italie (1608), il revint à Anvers, collaborant probablement à des œuvres de Van* Dyck, Jordaens* et Rubens*. Il obtint grâce à ce dernier des commandes du roi d'Espagne. Peintre animalier et de natures mortes, il fut dans ces deux genres le plus brillant et fécond représentant du baroque flamand. Ses mises en place dérivent en partie de Bueckelaer*, mais son style porte surtout l'empreinte de Rubens. Doué d'un grand sens décoratif et usant d'un coloris vibrant et fluide, il donne à ses accumulations de victuailles et d'objets un aspect opulent ; dans ses tableaux d'animaux et scènes de chasse, il insiste parfois sur le pathétique *(Combat de coqs)*.

SÔAMI. ♦ Peintre japonais (1472 – 1525) et célèbre dessinateur de jardins. Il fut également poète, maître de la cérémonie du thé et de l'arrangement des fleurs. Ce fut l'un des esprits les plus accomplis de son temps.

SOANE (*sir* **John**). ♦ Architecte et écrivain anglais (Goring-on-Thames, 1753 – Londres, 1837). Dans son œuvre la plus célèbre, *la Banque d'Angleterre* (1788), il adapta d'une façon personnelle les motifs néo-classiques et, après 1806, rechercha les effets pittoresques en mélangeant les éléments pompéiens et gothiques (*galerie d'art de Dulwich*, 1811-1814). Il fut le fondateur du musée Soane (son ancienne *maison des Lincoln's Inn Fields*, 1812-1813).

SOBAT. *n. m.* ♦ Riv. d'Afrique orientale (740 km). Née sur les hauts plateaux d'Éthiopie, c'est un affl. du Bahr* el-Abiad ou Nil blanc.

SOBEK, en gr. **Soukhos**. ♦ Dieu crocodile de l'Égypte ancienne, adoré à Crocodilopolis (*auj.* Médinet* el-Fayoum) et à Kom* Ombo.

SOBIBOR. ♦ Anc. camp d'extermination créé par les Allemands en Pologne* (voïévodie de Lublin) entre 1942 et 1943 et où périrent env. 250 000 juifs.

SOBIESKI (Jean III). ♦ **V. Jean III Sobieski.**

SOBRARBE. *n. f.* ♦ Petit pays d'Espagne, dans l'actuelle prov. de Huesca*, au N.-E. de cette ville. Au IXe s. y fut fondé un petit comté chrétien pyrénéen autour de la ville de Jaca*, capitale du *royaume de Sobrarbe*, qui devint le berceau du royaume d'Aragon*.

SOCHAUX. ♦ Comm. du Doubs, arr. et aggl. de Montbéliard*. 6 116 hab. *(Sochaliens)*. Construction automobile (Peugeot). Brasseries. – L'équipe de football de Sochaux est notoire.

Sociale *(guerre)*. ♦ Nom donné dans l'histoire romaine à la guerre qui opposa les Italiens alliés de Rome au sénat qui leur refusait le droit de cité (~ 90-~ 88). Rome avait conclu avec la plupart des villes italiennes un traité qui faisait d'elles des *civitates foederatae*, des alliées *(socii)*. Depuis la fin du ~ IIe s., le sénat avait durci sa politique vis-à-vis des alliés qui se virent refuser le droit de cité romaine qu'ils obtenaient facilement auparavant en venant résider

Ph. Carlo Bevilacqua/Ricciarini

Smyrne : vue du port.

à Rome. Les lois agraires des Gracques prévirent le lotissement des terres publiques au bénéfice des citoyens romains. Or, ces terres étaient utilisées par les Italiens. En ~ 91, Livius Drusus* tenta de faire obtenir le droit de cité à tous les alliés, mais il fut assassiné. Les peuples d'Italie centrale formèrent alors deux confédérations, celle des Marses* et celle des Samnites*, avec pour cap. Corvinium, rebaptisée Italica. Ils tinrent Rome en échec pendant plusieurs mois. Mais, progressivement, le sénat accorda la citoyenneté romaine aux confédérés. Et, dès ~ 88, Rome l'emporta grâce aux victoires de Pompeius Strabo dans le N. et de Sylla* sur les Samnites. **V. Samnites.**

Socialiste français *(parti)* ou **Section française de l'Internationale ouvrière (S.F.I.O.).** ♦ Plusieurs organisations politiques socialistes se formèrent en France à partir de 1877 : le Parti ouvrier français de J. Guesde et P. Lafargue, qui, de tendance marxiste, prôna la conquête du pouvoir politique par le prolétariat ; la Fédération des travailleurs socialistes (ou Parti possibiliste), qui, créée par P. Brousse (1884), envisageait une réalisation progressive du socialisme par des mesures transitoires et dont se sépara le groupe d'Allemane* (1890) ou Parti ouvrier socialiste révolutionnaire (favorable à une subordination de l'action électorale et politique à l'action syndicale révolutionnaire). Dès 1901 s'opéra un premier regroupement : le Parti ouvrier français et le Parti socialiste révolutionnaire formèrent le Parti socialiste de France ; les socialistes indépendants, les broussistes, les allemanistes constituèrent le Parti socialiste français (J. Jaurès). Après le congrès socialiste international d'Amsterdam (1904) fut réalisée l'unité du socialisme français (congrès de Paris, 1905), formation de la S.F.I.O. (dirigée par J. Guesde, J. Jaurès, E. Vaillant) qui prit surtout position contre la politique coloniale (principalement au Maroc) et contre le nationalisme belliciste. Mais, dès la fin de la Première Guerre mondiale, l'unité fut rompue au congrès de Tours* (1919-1920) ; les socialistes majoritaires, favorables à la révolution russe et au bolchevisme, quittèrent la S.F.I.O. (dont le journal fut désormais *le Populaire*) pour constituer la Section française de l'Internationale communiste (S.F.I.C. ou Parti communiste* français, dont le journal fut désormais *l'Humanité*) ; cette scission politique se doubla d'une scission syndicale **(V. Confédération générale du travail).** Dirigée par L. Blum et P. Faure, la S.F.I.O. fut la principale instigatrice du regroupement des forces de gauche **(V. Cartel des gauches** victorieux en 1924) ; en 1933 furent exclus les partisans de la participation ministérielle (Déat, Marquet, Renaudel) qui créèrent le Parti socialiste de France, et, après une brève alliance avec les communistes (1934) et l'expérience du gouvernement de Front* populaire (1936), furent également exclus de la S.F.I.O. les partisans de M. Pivert qui formèrent le Parti socialiste ouvrier et paysan de tendance trotskiste (1938). Lors de la Deuxième Guerre mondiale, si certains socialistes se rallièrent au gouvernement de Vichy, la plupart d'entre eux militèrent au contraire dans les réseaux de la Résistance. Après la Libération, la S.F.I.O. (avec V. Auriol, L. Blum, D. Mayer, etc.), refusant toujours l'unité avec les communistes, joua un rôle important dans le gouvernement : communistes, socialistes, M.R.P. (1946-1947), M.R.P., socialistes, libéraux (après l'exclusion des communistes, 1947-1950). Entrés dans l'opposition, les socialistes revinrent au pouvoir en 1956 avec le cabinet G. Mollet renversé en mai 1957 (échec de l'affaire de Suez, difficultés financières et surtout guerre d'Algérie qui suscita de nouvelles scissions au sein de la S.F.I.O. : constitution de la gauche socialiste [U.G.S.], du Parti socialiste autonome qui devint le Parti socialiste unifié en 1960). Dans l'opposition depuis 1958-1959, les socialistes se regroupèrent (à l'instigation de F. Mitterrand) pour former la Fédération de la gauche démocrate et socialiste (1965). Au congrès d'Issy-les-Moulineaux (11-13 juil. 1969), la S.F.I.O. fut remplacée par le Parti socialiste (1er secrétaire F. Mitterrand), comptant 81 000 adhérents env. (1970). En 1972, les socialistes se sont alliés au Parti communiste français pour établir un programme commun de la gauche en vue des élections (1973 ; 1974).

Socialiste unifié *(parti).* **[P.S.U.].** ♦ Parti politique français fondé en avril 1960. Les événements de mai 1958 à Alger suscitèrent des réactions diverses au sein du Parti socialiste* (S.F.I.O.) que quittèrent alors certains militants pour former l'*Union de la Gauche socialiste* et le *Parti socialiste autonome.* Ces deux formations se regroupèrent pour constituer le P.S.U. (1960), sous la direction de Depreux, Verdier et avec l'adhésion d'hommes politiques ne venant pas du Parti socialiste, tel Mendès* France. Dirigé par Michel Rocard* de 1967 à 1974, le P.S.U., qui recrute essentiellement ses militants parmi les « intellectuels de gauche » en dépit d'efforts pour s'implanter dans la classe ouvrière, s'est signalé par ses prises de position critiques vis-à-vis des communistes lors des événements de Mai-Juin 1968. Toutefois, la plupart des « gauchistes » (maoïstes, trotskistes) furent éliminés du P.S.U. (1972). La préparation des élections législatives de 1973 fournit aux dirigeants du P.S.U. l'occasion de réaffirmer les grandes options de leur programme, centré essentiellement sur l'idée que « l'organisation de l'économie, comme celle de la vie politique, doit s'orienter vers l'*autogestion,* c'est-à-dire la participation de chacun aux décisions qui le concernent dans l'entreprise ». Le P.S.U. compte environ 15 000 adhérents ; il diffuse l'hebdomadaire *Tribune socialiste* et la revue bimestrielle *Critique socialiste.*

SOCIÉTÉ *(archipel de la).* ♦ Îles les plus peuplées de la Polynésie* française (Océanie), situées au S.-O. des Tuamotu*. On distingue à l'E. *les îles du Vent :* Tahiti* où se situe Papeete*, Moorea*, l'atoll de Tetiaroa et l'île de Mehetia, la plus orientale de l'archipel ; à l'O., *les îles Sous-le-Vent :* d'O. en E. Maupiti, Bora* Bora, Tahaa, Raiatea, Huahine, 1 747 km². 100 000 hab. environ. Ces îles sont en général montagneuses, formées de volcans éteints profondément disséqués par l'érosion. La population se concentre sur de petites plaines côtières, protégées des assauts de la mer par des récifs-barrières. — Cocotiers, vanilliers, bananiers. Pêche. ♦ *Hist.* L'archipel doit son nom à la *Société royale de Londres* qui subventionna l'expédition de J. Cook* (1769) ; son histoire se confond avec celle de Tahiti. **V. Tahiti.**

Ph. Roger-Viollet

Archipel de la **Société :** île de Moorea.

Société des Nations (S.D.N.). ♦ Organisation internationale créée en 1920 pour le maintien de la paix et le développement de la coopération entre les peuples. Née du traité de Versailles*, elle avait son siège à Genève. Bien que le président Wilson en eût été l'instigateur, les États-Unis n'en firent pas partie. Elle fut loin de répondre aux espoirs qu'elle avait suscités. Si elle fut à l'origine de la création du *Bureau international du travail,* elle se montra impuissante à résoudre les problèmes graves : réarmement allemand, guerre civile espagnole, Anschluss*, déclenchement de la Deuxième Guerre mondiale. Elle disparut officiellement en 1946 et fut remplacée par l'Organisation* des Nations unies.

SOCIN (Lelio Sozzini ou **Socini,** dit). ♦ Réformateur siennois (Sienne, 1525 — Zurich, 1562). Protestant, il fonda le *socinianisme,* doctrine qui nie la Trinité et la divinité du Christ. Elle fut développée par son neveu FAUSTO SOCIN (Sienne, 1539 — Cracovie, 1604). Ces thèses se retrouvent dans le protestantisme libéral.

SOCOA. ♦ Hameau de la comm. de Ciboure* (Pyrénées-Atlantiques). Petit port sur la *pointe de Socoa* (constructions navales), dominé par un anc. fort du XVIIe s. (remanié par Vauban). Phare. — Station balnéaire.

SOCOTRA *(île de), n. f.* ♦ Île de l'océan Indien située à 250 km au large des côtes de Somalie. 3 626 km². 15 000 hab. environ. Île montagneuse sur laquelle le Yémen du S. exerce sa souveraineté. La pêche est la principale activité (perles). Exportation de dattes et d'aromates.

SOCRATE, en gr. **Sôkratês.** ♦ Philosophe grec (Athènes, ~ 470 — ~ 399). Son père, Sophronisque, était, semble-t-il, sculpteur, et sa mère sage-femme ; il dira avoir hérité d'elle l'art d'accoucher (ou maïeutique) non pas les corps, mais les esprits. Il suivit l'enseignement d'Anaxagore* et celui des sophistes, les critiquant d'ailleurs. Peu d'événements marquent sa vie : il participa comme hoplite à quelques campagnes dont l'expédition de Potidée ; sous le gouvernement des Trente, il aurait refusé d'arrêter un démocrate, Léon de Salamine ; son mariage avec Xanthippe et sa vie familiale eurent sans doute à ses yeux moins d'importance que l'éducation philosophique des jeunes gens athéniens et que ses relations avec certains d'entre eux (Alcibiade*, Phédon*, Aristippe*). De fait, il passa la plus claire partie de son temps à discuter dans les rues, les gymnases et les banquets, s'attirant la sympathie de beaucoup, mais suscitant chez certains une hostilité très nette. En ~ 399, alors que la démocratie est rétablie à Athènes, Socrate est condamné par Anytos, Mélitos et Lycon à boire la ciguë pour impiété et corruption de la jeunesse. Dans *Les Nuées,* ~ 427, Aristophane* le présente comme le pire des sophistes et n'hésite pas à porter contre lui les accusations qui seront plus tard celles de ses juges. Mais dans *les Mémorables* et l'*Apologie de Socrate,* Xénophon*, qui fut son élève, tente de le disculper en le présentant comme un citoyen honnête et pieux. Mais ce sont surtout les dialogues platoniciens (l'*Apologie* de Socrate, Criton*, Phédon*, Le Banquet*, Théétète**) qui ont contribué à faire de Socrate le maître à penser, le père de la philosophie, capable d'éveiller les esprits à la réflexion grâce à son ironie et à sa maïeutique, à son art du dialogue et de la mise en question. L'essentiel de sa philosophie consiste dans sa foi en la raison humaine par laquelle l'homme peut atteindre à la connaissance de soi et au bonheur (« Connais-toi toi-même », « Nul n'est méchant volontairement »).

SODDY (*sir* Frederick). ♦ Chimiste et physicien anglais (Eastbourne, 1877 — Brighton, 1956). Étudiant avec Rutherford* l'évolution des substances radioactives, il traça des courbes de désintégration (1902) et présenta une théorie des transformations radioactives (1903). Il émit l'hypothèse du phénomène de l'*isotopie* (1913), conception qui fut confirmée par les travaux de Thomson* (1913) et Aston* (1919). [Prix Nobel de chim., 1921.]

SÖDERBLOM (Lars Olaf Jonathan, dit Nathan). ♦ Prélat luthérien suédois (Trönö, 1866 — Uppsala, 1931). Aumônier de la légation de Suède à Paris (1894-1901), il suivit les cours de Bergson et étudia l'histoire comparée des religions. Il devint archevêque d'Uppsala (1914) après avoir enseigné quelque temps à Uppsala et Leipzig. Représentant du protestantisme libéral, auteur d'ouvrages sur *La Vie future d'après le mazdéisme* (1900), sur *Le Devenir de la croyance en Dieu* (1914), il fut l'un des principaux instigateurs du mouvement œcuménique (1919 ; conférence de Stockholm, 1925) et obtint le prix Nobel de la paix (1930).

SÖDERGRAN (Edith Irene). ♦ Poétesse finlandaise de langue suédoise (Saint-Pétersbourg, 1892 — Raivola, 1923). Élevée à l'étranger, isolée de la vie littéraire finlandaise, elle écrivit des recueils, *Poèmes* (1916), *La Lyre de septembre* (1918), *L'Autel de roses* (1919), d'une forme nouvelle et libre et d'un esthétisme nietzschéen provoquant, reçus avec une incompréhension totale par la critique, quoique admirés par Gripenberg*. Sans fortune, tuberculeuse, elle penche vers un mysticisme religieux dans *L'Ombre du futur* (1920) ; l'admiration des jeunes comme Hagar Olsson* et Diktonius* n'allégea pas les souffrances de ses derniers jours. Elle fut reconnue (par la suite) l'un des plus grands poètes suédois de notre époque. Recueil posthume *Le pays qui n'est pas*, publié en 1925 par Hagar Olsson (choix de poèmes trad. en français : *Poèmes du pays qui n'est pas*, en 1954).

SÖDERTÄLJE. ♦ V. et port de Suède, au S.-O. de Stockholm*, sur le *Södertälje Kanal* reliant le lac Mälar* à la Baltique. 76 881 hab. Hôtel de ville (XVIIIe s.). Musée de plein air. — Centre d'indus. automobile, chimique, distilleries. — Södertälje fut au Moyen Âge un centre commercial actif, dont le port rivalisait avec celui de Stockholm.

SODOMA (Giovanni Antonio BAZZI, dit il). ♦ Peintre lombard (Verceil [Vercelli], 1477 — Sienne, 1549). Il subit l'influence de Raphaël, puis de Léonard de Vinci, avec qui il travailla avant 1500 à Milan. En 1501, il se rendit à Sienne et fut chargé (1503) de décorer le réfectoire d'un monastère près de Pienza, avant de continuer le cycle de saint Benoît commencé par Signorelli* (Monteolivetto Maggiore, 1503-1508), puis de décorer le palais Agostino Bardi (1512). À Rome, il peignit à la Farnésine l'*Histoire d'Alexandre et de Roxane*, sujet profane traité avec une grande beauté formelle. Ces œuvres témoignent d'une esthétique raffinée, où le sens des compositions larges, la répartition habile des groupes, un certain sens de l'anecdote réaliste (notamment à Monteolivetto), un traitement pictural de l'espace inspiré de Léonard et la poésie des paysages sont mis au service d'une sensualité alanguie ou morbide. Les thèmes du Christ martyrisé, de la Pietà, du Christ portant sa croix lui permettent, comme lui permettront les représentations de *Saint Sébastien* martyrisé (1526) et de *Sainte Catherine* stigmatisée, d'exprimer une tendresse douloureuse des visages, une souffrance empreinte d'un masochisme exalté, se plaisant à tourmenter des corps humains d'une beauté fragile, presque mièvre, comme pour mieux en dégager le charme. En 1526, Sodoma fut chargé de décorer la chapelle de Sainte-Catherine à San Domenico de Sienne. Il y fit preuve d'une grande fantaisie décorative, mais surtout y mit en œuvre toute son habileté dans la composition et le traitement de la lumière pour mieux évoquer des extases à la fois théâtrales et névrotiques. Avec une production très abondante, que son élégance affectée a pu faire sous-estimer, Sodoma fut l'un des peintres les plus poétiques et peut-être le plus inquiétant du XVIe s. italien.

SODOME. ♦ Cité biblique qu'on situe au S. de la mer Morte, détruite avec Gomorrhe* par le soufre et le feu à cause de sa dépravation (homosexualité), dans la Genèse, XIX. **V. Loth.**

SOEKARNO. ♦ **V.** SUKARNO.

SOERABAYA. ♦ **V.** SURABAYA.

SOERAKARTA. ♦ **V.** SURAKARTA.

SOEST. ♦ V. d'Allemagne occidentale (Rhénanie du Nord-Westphalie), au S. de la Lippe. 38 102 hab. (1972). Cette ancienne cité hanséatique a conservé de son passé d'intéressants monuments, dont une cathédrale (Xe-XIIIe s.), un très bel exemple d'église du type « halle » (XIVe-XVe s.), un hôtel de ville du XVIIIe s. abritant une riche bibliothèque (avec des lettres de Luther et Melanchthon). — Centre agricole et industriel (constructions électriques).

SOFIA. ♦ Cap. de la République populaire de Bulgarie, à l'E. du pays, dans une plaine fertile que domine le Vitoša (2 290 m), à 8 km de la riv. Isker. 885 700 hab. Université. Cathédrale Alexandre-Nevsky (1877-1878). Bien que Sofia ait été presque entièrement rebâtie après la Deuxième Guerre mondiale, il subsiste pourtant de l'ancienne ville quelques monuments notables, comme les églises Sainte-Sophie (VIe s.) et Saint-Georges. Centre administratif et culturel (grandes écoles, musées), Sofia est aussi le premier centre industriel du pays. Les secteurs les plus développés sont : la sidérurgie, la métallurgie et l'électrométallurgie, les constructions mécaniques (montage d'automobiles), la chimie (caoutchouc synthétique, produits pharmaceutiques), le textile et les indus. alimentaires. Important nœud de communications relié aux autres grandes villes des Balkans (Bucarest, Belgrade, Istanbul, Athènes). ♦ *Hist.* L'ancienne capitale des Serdes, *Serdica* (ou *Sardica*), fut sous l'Empire romain au cœur de la province de Dacie. Elle fut conquise en 809 par les Bulgares, puis en 1382 par les Turcs et fut alors la résidence ordinaire des gouverneurs de Roumélie. En 1878, Sofia fut choisie comme capitale de la Bulgarie.

SOGDIANE. *n. f.* ♦ Région historique d'Asie centrale, située sur le territoire de l'Ouzbékistan* actuel. Sa ville princ. fut Maracanda (*auj.* Samarkand*). Conquise par les Perses, puis par Alexandre* le Grand (~ 329-~ 328), la Sogdiane subit ensuite la domination des Séleucides*, des rois grecs de Bactriane*, des Parthes, des Arabes et des Turcs.

SOGNEFJORD. *n. m.* ♦ Le plus long fjord de Norvège (175 km), s'ouvrant sur la mer du Nord*, au N. de Bergen*. Largeur : 5 à 6 km.

SOHAG, en ar. **Sawhâj.** ♦ V. de la Haute-Égypte. Ch.-l. de gouvernorat sur le Nil. 62 000 habitants. Fabrication de cotonnades. Couvents coptes du IVe s. (*Deir el-Abiad :* le couvent blanc, et *Deir el-Ahmar :* le couvent rouge).

Soho. *n. m.* ♦ Quartier de Londres (cité de Westminster), bordé au N. par Oxford Street, à l'E. par Charing Cross, au S. par Coventry Street, à l'O. par Regent's Street et au S.-O. par Piccadilly Circus. Beaucoup d'émigrés français s'y réfugièrent lors de la révocation de l'édit de Nantes. Au XIXe s., Casanova, W. Blake et K. Marx y vécurent. Le Soho est devenu un quartier cosmopolite où les restaurants étrangers, surtout italiens, et les cabarets abondent. C'est en outre le quartier de l'industrie du cinéma et de l'édition musicale.

SOHRAWARDÎ (Shihâboddîn Yahyâ). ♦ Philosophe et mystique de l'islâm shi'ite (Sohraward, nord-ouest de l'Iran, 1155 — Alep, 1191). Il étudia à Ispahan où il découvrit la pensée d'Avicenne*, vécut quelques années dans le sud-est de l'Anatolie, avant de se rendre en Syrie où il fut jugé et condamné à mort par les théologiens orthodoxes, sous le règne de Salâh al-Dîn (Saladin*). Dans son œuvre principale, *Hikmat al-Ishrâq (Théosophie de l'Orient)*, il a voulu ressusciter la sagesse de l'ancienne Perse (sa doctrine sur les principes de la lumière et des ténèbres) souvent proche de la philosophie platonicienne et établir un lien entre la philosophie et le soufisme. Sa doctrine eut une influence considérable et fut à l'origine d'une école de « philosophie orientale ou illuminative » dont les représentants furent parfois appelés « platoniciens de Perse ».

Ph. de Gregorio/Ricciarini

Il Sodoma : « La Décapitation de Nicolo di Tuldo », détail. (Église San Domenico, chapelle Sainte-Catherine, Sienne.)

Ph. D.H. Tassaux

Soissons : façade de l'abbaye Saint-Jean-des-Vignes.

SOIGNES *(forêt de).* ♦ Forêt de Belgique, au S.-E. de Bruxelles (propriété de l'État depuis 1842). Ancien lambeau (4000 ha) de la forêt qui s'étendait de la Sambre* à l'Escaut*. Tervuren* est situé en bordure de la forêt. En néerl. Zoniënbos.

SOIGNIES, en néerl. **Zinnik**. ♦ V. de Belgique (ch.-l. d'arr. du Hainaut) sur la Senne*, à 38 km de Bruxelles. 11 792 hab. Halle aux draps (XVIe s.). Chapelles du XVIIe siècle. Chapelle des sœurs franciscaines (1762). Collégiale Saint-Vincent, romane (X^e, XIe et XVe s.). Carrières de pierre bleue (granite) exploitées depuis le XVe siècle. Tanneries. Verreries. Fours à chaux. Indus. métallurgiques et alimentaires. ♦ *Hist.* Vers 653, saint Vincent, époux de sainte Waudru **(V. Mons)**, y fonda un monastère où il se retira après la mort de ses enfants. C'est en son honneur que se déroule encore la procession dite « tour de Saint-Vincent ».

SOISSONNAIS. *n. m.* ♦ Région du Bassin parisien (Aisne*) autour de Soissons*, comprise entre la r. g. de l'Oise*, le Laonnois* et le Valois*, coupée d'E. en O. par l'Aisne*. Plateau calcaire convenant aux grandes cultures (céréales, betteraves), sillonné par les vallées de l'Aisne, de l'Ailette et de la Vesle, propices aux cultures maraîchères.

SOISSONS (Charles de BOURBON, *comte de***).** ♦ Fils du prince de Condé, Louis Ier (Nogent-le-Rotrou, 1566 – Blandy, 1612). Il se rallia à Henri IV, après avoir successivement soutenu et trahi tous les partis pendant les guerres de Religion. Durant la minorité de Louis XIII, il combattit Marie de Médicis avec Henri, prince de Condé, son neveu. ♦ LOUIS DE BOURBON, *comte de* SOISSONS, son fils (Paris, 1604 – La Marfée, 1641). Il conspira avec Gaston d'Orléans contre Richelieu. Il se rallia aux Espagnols et combattit les Français à La Marfée, où il fut tué.

SOISSONS (Eugène Maurice de SAVOIE-CARIGNAN, *comte de***).** ♦ Homme de guerre français (Chambéry, 1633 – en Champagne, 1673). Il épousa en 1657 Olympe Mancini, nièce du cardinal Mazarin, et fut le père du prince Eugène. Gouverneur de Champagne, il s'illustra à la bataille des Dunes, en Franche-Comté et en Hollande. Il devint général en 1672.

SOISSONS. ♦ Sous-préf. de l'Aisne*, ch.-l. d'arr. (6 cant., 164 comm., 90 931 hab.), sur l'Aisne*. 27 641 hab. [25 409 aggl.]. *(Soissonnais).* Évêché; tribunal de grande instance. Nombreux monuments : cathédrale Saint-Gervais-et-Saint-Protais, très beau spécimen du gothique français (XIIIe-XIVe s.), ruines des anc. abbayes Saint-Médard (crypte préromane) et Saint-Jean-des-Vignes (XIIIe-XVe s.) dont subsistent la façade et les deux clochers flamboyants. Église Saint-Léger (XIIIe-XIVe s.). Musée occupant les restes de l'anc. abbaye fondée en 1152. – Marché agricole et centre industriel (fonderies, chaudronnerie, constructions mécaniques et électroniques, pneumatiques, verreries, sucrerie). Gautier* de Coincy est né près de Soissons, en 1177. ♦ *Hist.* Ville de garnison gallo-romaine *(Augusta Suessionum)*, évêché dès le IIIe s., Soissons s'illustra en 486 par la victoire de Clovis* sur Syagrius*. Grégoire de Tours rapporte la célèbre anecdote du *vase de Soissons :* Clovis aurait fracassé la tête d'un guerrier franc qui avait préféré briser un vase plutôt que de l'attribuer dans un partage à Clovis désireux de le restituer à l'évêque de Reims. Soissons devint en 511 la cap. du royaume de Neustrie* (ou de Soissons). En 751, Childéric* III étant déposé, Pépin* le Bref y fut proclamé roi des Francs. La ville devint siège d'un comté à la suite de la défaite de Charles le Simple (923) et de sa prise par Hugues le Grand (948) et le resta jusqu'au XVIe s., où une partie de la ville passa à la couronne. Soissons souffrit des invasions allemandes en 1870, 1914-1918 et pendant la Deuxième Guerre mondiale.

SOISY [swazi-]**-SOUS-MONTMORENCY.** ♦ Ch.-l. de cant. du Val-d'Oise (arr. de Montmorency). 15 587 hab. *(Soiséens).*

SOJ. *n. f.* ♦ Riv. d'U.R.S.S. (Biélorussie et région de Smolensk de la R.S.F.S. de Russie), affl. (r. g.) du Dniepr*. 648 km. Elle arrose Gomel*.

SÔKA. ♦ V. du Japon, dans la banlieue N. de Tôkyô. 110 000 hab. Indus. diverses.

Sôka-Gakkai (« Société pour l'étude des valeurs créatives »). ♦ Secte japonaise moderne créée en 1938 et réorganisée en 1946, fondée sur les enseignements de Nichiren* pour l'entraide et la dévotion. Fortement structurée, elle gagna rapidement un très grand nombre d'adeptes, au point qu'un parti politique, le Komeito, a pu se réclamer d'elle. Elle préconise les conversions forcées et se montre assez intolérante.

SOKODÉ. ♦ V. du Togo*. 20 000 hab. Égrenage de kapok et coton.

SOKOLOVSKI (Vassili Danilovitch). ♦ Maréchal soviétique (Kozliki, près de Grodno, 1897). Sous-lieutenant de l'armée impériale (1917), membre du Parti bolchevik (1931), il commanda un front d'Ukraine pendant la Deuxième Guerre mondiale et reprit Smolensk (1943). Adjoint de Koniev*, il prit part à la conquête de la Pologne et de la Silésie. Promu maréchal (1946), il succéda à Joukov* comme commandant en chef des troupes d'occupation soviétique en Allemagne. Élu membre du Comité central du Parti communiste (1949), il fut nommé vice-ministre à la Défense (1949-1960) et après la mort de Staline (1953) chef d'état-major général.

SOKOTO. ♦ V. du Nigeria*, cap. de l'État du Nord-Ouest, sur la r. g. de la riv. du même nom, affl. du Niger*. 89 817 hab. Cimenterie, indus. du cuir. Arachides, tabac, coton. ♦ *Hist. L'empire peul de Sokoto* fut fondé au début du XIXe s. par Ousmane dan Fodio, originaire du Fouta Toro, « commandeur des croyants », responsable de l'islamisation du pays. Il annexa tous les royaumes haoussas* **(V. Kano)** et son fils installa sa cap. à Sokoto. L'empire, agglomérat d'émirats autonomes, s'étendit au S. au-delà de la vallée du Niger **(V. Ilorin)** et au S.-E. au delà de la Bénoué **(V. Adamaoua)**. En 1900, la Grande-Bretagne prit en charge les territoires peuls de la Nigeria* du Nord.

SOLARIO ou **SOLARI (Cristoforo).** ♦ Sculpteur et architecte italien (Angera, 1460 – Milan, 1527). En Lombardie, il exécuta le gisant en marbre de Ludovic le More (1497-1499) actuellement à la chartreuse de Pavie; l'œuvre se caractérise par une disposition monumentale, le fini de l'exécution et le sentiment de piété. On lui doit également les statues d'Adam et Ève de la cathédrale de Milan. Ses projets d'architecture témoignent de l'influence de Bramante. ♦ ANDREA SOLARIO, son frère. Peintre italien (Milan, 1470 – v. 1524). Il fut l'un des élèves les plus doués de Léonard de Vinci et possédait un sens incomparable de la couleur. Il reçut ses premiers travaux de son frère et l'accompagna probablement à Venise, où il semble avoir été influencé par Antonello* da Messina (*L'Homme à l'œillet*, v. 1492, Londres). Plus tard, à Venise, il exécuta *La Vierge entre saint Joseph et saint Jérôme* (1495). Il se rendit en France et travailla pendant plusieurs années aux fresques de la chapelle du château de Gaillon. De retour à Milan, il peignit *Le Repos pendant la fuite en Égypte* sur un fond de paysage très harmonieux et détaillé. On lui doit également la célèbre *Vierge au coussin vert* (Louvre), l'*Assomption* de la sacristie de la chartreuse de Pavie.

Soldat fanfaron (Le) [*Miles Gloriosus*]. ♦ Comédie de Plaute. Pyrgopolynice (le preneur de villes) prend par la violence une courtisane qui aime le jeune Pleusiclès et qui en est aimée. Mais Palestrion, esclave de Pleusiclès, passé à Pyrgopolynice à la suite d'une mésaventure de voyage, ourdit tant de ruses que non seulement la courtisane retourne à son vrai maître, mais que Pyrgopolynice se voit en outre accusé d'adultère, roué de coups et condamné à payer une amende d'une mine d'or. Comédie de caractère, la pièce offre une peinture divertissante de la vantardise et de l'avidité.

Soldat inconnu *(le).* ♦ Soldat français d'identité inconnue, mort pour la patrie au cours de la Première Guerre mondiale, et dont les restes furent transportés à l'Arc de triomphe de Paris, le 11 novembre 1920. La dalle sous laquelle repose le soldat porte l'inscription : « Ici repose un soldat français mort pour la patrie »; au-dessus d'elle brille une flamme. Plusieurs nations imitèrent cet exemple (Belgique, États-Unis, Italie) et, le 11 novembre 1920, le « guerrier inconnu » anglais fut inhumé dans l'abbaye de Westminster.

SOLEIL. *n. m.* ♦ Astre le plus brillant du ciel terrestre, autour duquel gravitent les planètes principales : Mercure*, Vénus*, la Terre*, Mars*, Jupiter*, Saturne*, Uranus*, Neptune* et Pluton*, ainsi qu'au moins un satellite artificiel : Lunik I (1959), cet ensemble formant le « système solaire ». Étoile naine jaune, appartenant à la galaxie de la Voie lactée, le Soleil pour un observateur terrestre, présente une magnitude de – 26,9 et un diamètre angulaire de 31' 59", sa distance moyenne à la Terre est de 150 000 millions de kilomètres (soit 8 mn 18,7 s. pour que sa lumière nous parvienne) et son diamètre réel d'environ 1 390 000 km. Sa masse évaluée à $1{,}989.10^{30}$ kg représente 333 432 fois celle de la Terre, soit une densité de 0,256 par rapport à la Terre. La constante solaire (quantité moyenne d'énergie reçue par la Terre) est de 2 cal/cm^2/mn, ce qui implique un flux total libéré de 4.10^{23} kW. L'observation de sa composition physique et de ses émissions (rayons X, γ, rayonnement ultra-violet et infrarouge) emprunte les méthodes les plus modernes de photométrie et de la spectroscopie (spectrohéliographes, coronographe de Lyot). On distingue quatre couches concentriques : le *noyau central*, la *photosphère*, la *chromosphère* et la *couronne*, mais seule la photosphère nous est visible directement. Le *noyau*, dont la température peut atteindre 15 millions de degrés, est le siège de réactions thermonucléaires transformant l'hydrogène en hélium.

La *photosphère* émet la quasi-totalité du spectre solaire et l'essentiel de l'énergie calorifique; sa brillance décroît du centre vers les bords. Des granules ou « grains de riz », éléments ovales de plusieurs centaines de kilomètres, contrastent par leur luminosité sur le fond solaire, mais leur existence n'excède pas quelques minutes. Les taches sombres, découvertes par Galilée*, sont des régions plus froides de plusieurs milliers de kilomètres. La *chromosphère* n'est observable que lors des éclipses ou avec un spectrohéliographe; c'est une couche à structure physique complexe, les mêmes niveaux n'étant ni isobares ni isothermes. La *couronne* a une température très élevée (1 million de degrés), et contient des traces de fer, de nickel, de calcium et d'argon fortement ionisés. Certaines de ces particules échappent à l'attraction solaire et forment un flux permanent, le vent solaire, qui atteint la Terre à la vitesse de 600 km/s, et est à l'origine des aurores polaires, de la lumière zodiacale et de l'orientation de la queue des comètes. L'activité solaire se manifeste par l'apparition de facules brillantes et étendues qui précèdent les taches de Galilée*, par des protubérances, jets gazeux issus de la chromosphère (100 000 km d'altitude), par des éruptions, qui lancent dans l'espace des particules très énergétiques, dont certaines, particulièrement intenses sont la cause, sur Terre, de l'extinction des ondes courtes, de l'augmentation des rayons cosmiques et des orages magnétiques (J.S. Hey, 1942). Un cycle moyen de 11 ans de ces maxima d'activité, mis en évidence par l'Allemand Schwabe (1851), a des incidences climatiques directes (pousse des végétaux). On admet que le Soleil, vieux peut-être de 5 milliards d'années, est au milieu de sa durée de vie; mais son activité augmenterait, et la température sur Terre pourrait atteindre une moyenne de 100 °C dans quelques centaines de millions d'années.

SOLENT. *n. m.* ♦ Chenal de la Manche, bordant les côtes méridionales de l'Angleterre. Long de 24 et large de 6 km, il sépare le littoral N.-O. de l'île de Wight* de la côte du Hampshire. Les eaux du Solent et du Spithead* pénètrent dans les terres pour former la *Southampton Water.* — Régates de voiliers.

SOLER Y RAMOS (*padre* **Antonio**, dit **le Padre Soler**). ♦ Compositeur et théoricien espagnol (Olot, 1729 — El Escorial, 1783). Il étudia la musique au monastère de Montserrat et, très jeune, fut nommé maître de chapelle à la cathédrale de Lérida. En 1752, il entra au monastère de l'Escurial (El Escorial), où il devint maître de chapelle et organiste. Il y fut l'élève de D. Scarlatti*. Outre une importante production de musique religieuse et instrumentale parmi laquelle de célèbres sonates pour piano, des concertos pour orgue, il laissa un traité : *Llave de la modulación* (1762).

SOLESMES [sɔlɛm]. ♦ Ch.-l. de cant. du Nord*, arr. de Cambrai*, dans le Cambrésis*. 6 300 hab. *(Solesmois).* Chaudronnerie; indus. textile, confection; sucrerie, brasserie.

SOLESMES [sɔlɛm]. ♦ Comm. de la Sarthe, arr. de La Flèche, 817 hab. Abbaye bénédictine. Église abbatiale du XIᵉ s., remaniée au XVᵉ et au XVIᵉ s., puis au XIXᵉ s. dans le style gothique tardif. Son transept renferme de remarquables sculptures des XVᵉ et XVIᵉ s., dites les « Saints de Solesmes ». Ancien prieuré du XVIIIᵉ siècle. ♦ *Hist.* L'abbaye Saint-Pierre de Solesmes fut fondée au début du XIᵉ s. par Geoffroy de Sablé. Dom Prosper Guéranger y restaura en 1833 la congrégation bénédictine de France, dispersée en 1790 par la Révolution. La communauté de Solesmes se consacre à la liturgie et au chant grégorien.

SOLEURE, en all. **Solothurn.** ♦ V. de Suisse au pied du Jura, sur l'Aar*. *Ch.-l.* du canton de Soleure. 18 600 hab. (de langue allemande). Sur la r. g. s'étend la vieille ville avec ses remparts, ses fontaines (XVIᵉ s.) et ses maisons anciennes; cathédrale Saint-Ours (XVIIIᵉ s.), chef-d'œuvre du baroque italien en Suisse, église des Jésuites (XVIIᵉ s.), tour de l'Horloge (XIIIᵉ s.), hôtel de ville (XVᵉ s.); arsenal du XVIIᵉ s. *(Altes Zeughaus)* qui abrite le musée d'armes et d'armures; musée de la ville. — Horlogerie, mécanique de précision. — Patrie de Urs Graf*. ♦ *Hist.* L'ancienne *Salodurum* ou *Castrum Salodurense* romaine, après avoir subi la domination des Zähringen*, au XIIᵉ s., devint ville libre impériale en 1218. Elle entra dans la Confédération en 1481. Peu atteinte par la Réforme, elle resta longtemps un important bastion du catholicisme. — CANTON DE SOLEURE, 791,2 km². 228 000 hab. de langue allemande dont trois cinquièmes de religion catholique et deux cinquièmes de religion protestante. *V. princ.* **V. Grenchen, Olten.** Constitué en majeure partie par le Jura, le canton est drainé par l'Aar* et l'Emme*. — Patrie de W. von Wartburg* (Riedholz).

SOLFERINO. ♦ Village d'Italie, en Lombardie, au S. du lac de Garde. 1 800 hab. ♦ *Hist.* Une bataille y fut livrée le 24 juin 1859 entre les armées franco-sarde et autrichienne (**V. Italie** [*campagne d'*]). Véritable carnage (près de 40 000 morts au total), qui devait inspirer à Henri Dunant* la fondation de la Croix-Rouge, cette bataille, qui ne fut pas vraiment décisive, fut suivie de l'armistice de Villafranca* (8 juil. 1859).

SOLIGNAC. ♦ Comm. de la Haute-Vienne*, arr. de Limoges*. 1 084 hab. Église abbatiale à coupoles du XIIᵉ s., de style roman périgourdin; bâtiments conventuels gothiques et classiques.

SOLIHULL. ♦ V. d'Angleterre (Warwickshire), à 13 km au S.-E. de Birmingham. 110 400 hab. Maisons anciennes (*Manor House* du XVᵉ s.), église des XIIᵉ-XIVᵉ siècles. Surtout résidentielle, la ville possède pourtant quelques petites industries mécaniques et électriques.

SOLIKAMSK. ♦ V. d'U.R.S.S. (R.S.F.S. de Russie), dans la région de Perm, sur la Kama*. 82 000 hab. (1962). Indus. chimiques (potassium et magnésium). Fabrication du papier. Centrale thermique.

SOLIMAN. ♦ Nom francisé de Süleyman*.

SOLIMENA (Francesco, dit **l'Abate Ciccio,** et en fr. **Solimène).** ♦ Peintre, décorateur et dessinateur italien (Canale, Serino, près de Naples, 1657 — Barra, 1747). Il subit l'influence de Lanfranco, P. de Cortone, des Bolonais, de L. Giordano* et fut l'un des derniers représentants du baroque napolitain. Il travailla aussi à Rome et en Espagne *(Le Repas d'Hérode).* Doué d'une grande virtuosité technique, il accumula les grandes décorations (*Héliodore chassé du Temple,* 1725), paysages, portraits et natures mortes. Il recherchait les effets grandiloquents et dramatiques (architectures imposantes, figures tournoyantes, gestes théâtraux, savants éclairages fortement contrastés). Il se montra inventif dans les détails et habile coloriste. Il eut de nombreux élèves et influença plusieurs peintres et décorateurs du XVIIIᵉ siècle.

SOLIMÕES *(río).* ♦ Nom donné à l'Amazone* dans l'État d'Amazonas* (Brésil) entre la confluence avec le Marañón* et l'Ucayali*, et Manaus où elle reçoit le río Negro*.

SOLINGEN. ♦ V. d'Allemagne occidentale (Rhénanie-Westphalie), au S. du bassin de la Ruhr*, près de la Wupper. 177 124 hab. (1970). Célèbre dès le Moyen Âge pour ses manufactures d'armes blanches, Solingen est aujourd'hui un important centre de coutellerie et de quincaillerie.

SOLÍS Y RIBADENEIRA ou **RIVADENEIRA (Antonio).** ♦ Historien et écrivain espagnol (Alcalá de Henares, 1610 — Madrid, 1686). Premier historiographe des Indes occidentales, il est l'auteur d'un ouvrage sur l'histoire de la conquête du Mexique par les Espagnols (1684). Il a publié également une œuvre dramatique.

SOLJENITSYNE (Alexandre Isaïevitch) [*Solženicyn*]. ♦ Écrivain soviétique (Kislovodsk, 1918 —). Ayant perdu son père avant sa naissance, il fut élevé pauvrement par sa mère à Rostov-sur-le-Don. Après de brillantes études de physique, mathématiques, histoire, littérature et philosophie, il entra en 1941 dans l'armée soviétique où il fut décoré à deux reprises, mais en 1945 il fut arrêté pour avoir critiqué Staline dans une lettre et fut condamné à huit ans de bagne. Libéré en 1953, il dut rester en exil jusqu'en 1957, date à laquelle il fut réhabilité. Après le long séjour qu'il passa au bagne, c'est durant son exil qu'il écrivit sa première œuvre, un drame, *Le Cerf et la Putain du bagne* (1954), puis sa célèbre nouvelle sur un camp stalinien, *Une journée d'Ivan Denissovitch,* dont Khrouchtchev autorisa la publication en 1962. Il publia ensuite successivement dans la revue *Novyi Mir* avec l'appui de Tvardovski *L'Inconnu de Kretchetovka* (1963), *La Maison de Matriona* (1963), *Pour le bien de la cause* (1963), nouvelles captivantes qui décrivent l'âme de la Russie. À partir de 1964, toutes ses œuvres furent interdites en Union soviétique et, parvenues à l'étranger par voies détournées, furent aussitôt traduites : *Le Premier Cercle* (1955-1964), roman sur le régime policier stalinien et la vie des prisonniers intellectuels à l'Institut de recherche scientifique; le récit se déroule en 4 jours de 1949; *Le Pavillon des cancéreux* (1963-1967), roman où chaque être humain, face à la maladie, apparaît dans toute sa vérité; des nouvelles saisissantes telles que : *La Main droite* (1964), *Zacharie l'Escarcelle* (1966), *La Procession pascale* (1969); le recueil de lettres sur *Les Droits de l'écrivain* (1969); et enfin *Août 14* (1969-1970), premier tome d'une vaste fresque historique à laquelle Soljenitsyne travaille depuis 1936. Lauréat du prix Nobel de littérature en 1970, il fut violemment attaqué par les autorités soviétiques après la publication à l'étranger de *L'Archipel*

Arch. Smeets

Abbaye de **Solesmes** : mise au tombeau.

Ph. U.S.I.S.

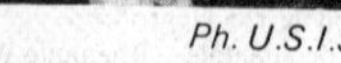

A.I. Soljenitsyne.

Ph. Louis Monier

Philippe Sollers.

du Goulag (1973), « réquisitoire impitoyable contre l'univers concentrationnaire soviétique » *(le Monde).* Arrêté en 1974 il fut, par décret du praesidium du Soviet suprême de l'U.R.S.S., déchu de la citoyenneté soviétique et expulsé. Il s'établit alors en Suisse.

SÓLLER. ♦ V. et port de l'île de Majorque* (Baléares). 9 500 hab. Centre touristique fréquenté.

SOLLERS (Philippe). ♦ Écrivain français (Bordeaux, 1936). Il fit ses études à Bordeaux, puis, à partir de 1953, à Paris. En 1957, il fit paraître une courte nouvelle dans la collection *Écrire,* dirigée par Jean Cayrol. Mauriac lui consacra un article, de même qu'Aragon, à propos de son premier roman, *Une curieuse solitude* (1959). D'écriture classique, ce récit psychologique se signalait par son élégance formelle. En 1960 fut fondée la revue *Tel quel,* à l'histoire de laquelle le nom de Sollers est désormais attaché. Il publia *Le Parc* (prix Médicis 1961), *L'Intermédiaire* (1963), *Drames* (1965), *Logiques* (1968), *Nombres* (1968), *Lois* (1972), *H* (1973), *Sur le matérialisme dialectique* (1974). Ces œuvres, dans leur développement, correspondent à un travail de fiction moderne et de théorie de la littérature, sur fond linguistique et psychanalytique, lié à une activité politique d'orientation marxiste. Depuis 1970, Sollers semble s'orienter, après des travaux plus expérimentaux, vers une sorte d'épopée romanesque dont *H* constitue le meilleur exemple. Ses activités se concentrent à la revue *Tel quel* et dans le mouvement littéraire d'avant-garde qui s'y regroupe, autour, notamment, de Julia Kristeva et de Marcelin Pleynet.

SOLLIÈS [sɔljɛs]**-PONT.** ♦ Ch.-l. de cant. du Var*, arr. de Toulon*, sur le Gapeau. 4 214 hab. *(Sollièspontois).* Fruits, primeurs, liège. La commune de *Solliès-Ville* est un village perché au-dessus de Solliès-Pont.

SOLLOGOUB (Vladimir Alexandrovitch) [*Sollogub*]. ♦ Diplomate et romancier russe (Saint-Pétersbourg, 1813 – Hambourg, 1882). Il fut l'auteur de *Nouvelles et Récits* (1842), où il allie le romantisme et le réalisme, et d'un célèbre roman *Tarantass* (1845), où il évoque les mœurs de province et se moque de la lutte entre les slavophiles* et les occidentalistes*.

SOLO. ♦ V. SURAKARTA.

SOLOGNE. *n. f.* ♦ Région du S. du Bassin parisien, limitée au N. par le Val de Loire, au S. par la vallée du Cher et à l'E. par les collines du Sancerrois. Elle couvre les régions du Loiret* et du Loir*-et-Cher, situées au S. de la Loire, et une petite partie du Cher*. Région de plaine au relief peu accentué, au sol imperméable mal drainé par des rivières au cours indécis, la Sologne est une terre de landes, de forêts et d'étangs. Les alluvions descendues du Massif central la recouvrent d'une couche parfois épaisse (plus de cinquante mètres entre la Sauldre et le Beuvron), mais elles sont peu fertiles et se prêtent mal à une mise en valeur agricole, qui, même de nos jours, reste difficile : bien que profondément transformée depuis le XIXe s., la Sologne demeure avant tout une région de chasse et de pêche exceptionnelle. *V. et localités princ.* **V. Chambord, Contres, Ferté-Saint-Aubin (La), Lamotte-Beuvron, Romorantin-Lanthenay.**

SOLOGOUB (Fiodor Kouzmitch TETERNIKOV, dit) [*Sologub*]. ♦ Poète, romancier et dramaturge russe (Saint-Pétersbourg, 1863 – Saint-Pétersbourg, 1927). Il a été l'un des premiers représentants du symbolisme russe. Son œuvre, profondément pessimiste, décrit un monde maléfique, que ce soit dans les poèmes *(Le Cercle enflammé,* 1908, *Inferno),* dans les pièces de théâtre *(Danses nocturnes, La Victoire de la mort)* ou dans les romans, dont le plus connu est *Le Démon mesquin* (1892-1902), qui n'est pas sans évoquer Gogol* et Dostoïevski*.

SOLOMOS (Dionysios). ♦ Poète grec (Zante, 1798 – Corfou, 1857). Ayant fait ses études en Italie, il débuta avec des poèmes écrits en italien, comme Calvos*. Mais la lutte pour l'indépendance, commencée en 1821, lui inspira sa première œuvre grecque, l'*Hymne à la liberté* (1823), qui devint l'hymne national de la Grèce. Les œuvres qui suivirent, bien qu'inachevées, montrèrent son talent : *Lambros, Le Crétois, Porphyras, Les Assiégés libres* (poèmes), *La Femme de Zante* (satire en prose), le *Dialogue* (polémique contre le purisme). La problématique de Solomos, d'ordre métaphysique, est orientée vers le présent et l'avenir de l'hellénisme. Il est considéré comme le premier grand poète de la Grèce moderne et le maître de l'école ionienne qui imposa la langue populaire à la poésie grecque.

SOLON [*Solôn*]. ♦ Législateur et poète athénien (v. ~ 640 – v. ~ 558). Issu d'une famille noble mais appauvrie, il fit sa fortune dans le négoce. Conscient de l'importance du contrôle des routes maritimes, il décida (par ses poésies, dit-on) les Athéniens à la conquête de Salamine* sur les Mégariens, peut-être même mena-t-il la campagne victorieuse (v. ~ 612). Très estimé de ses concitoyens pour son patriotisme et son honnêteté, il fut élu archonte avec des pouvoirs extraordinaires v. ~ 594, en temps de guerre civile imminente. Arbitre entre les Eupatrides* et les petits propriétaires dépossédés de leurs terres et menacés d'esclavage, Solon sut résoudre la crise sociale par l'exonération des dettes *(seisakhtheia),* l'abolition de la contrainte par corps et de l'hypothèque, l'amnistie politique, etc. On ne connaît pas l'étendue de son œuvre législative qui survenait peu après les premières lois écrites de Dracon*. Mais le nom de Solon est attaché à la vaste réforme sociale et politique qui détermina l'essor d'Athènes. Cette réforme favorisait le morcellement de la grande propriété par l'extension du droit de succession aux filles et aux enfants naturels, stimulait l'activité économique en encourageant les métiers et le commerce. La constitution attribuée à Solon remplaça notamment le privilège de naissance par celui de la fortune pour l'obtention d'une magistrature **(V. Archonte)** et accorda le droit de vote et l'égalité de toutes les classes dans l'Assemblée du peuple, dont les pouvoirs restèrent d'ailleurs limités jusqu'à la réforme de Clisthène. De nouvelles institutions démocratiques furent créées, dont la Boulè* et le tribunal de l'Héliée*. Ce fut le commencement de la démocratie athénienne, selon Aristote. La politique de Solon fut respectée et continuée par Pisistrate*. Les poésies de Solon, dont il nous reste des fragments, étaient composées à l'appui de sa philosophie morale et politique évoquant son programme de réformes. Placé au-dessus de tous les poètes par Platon, Solon a été rangé parmi les Sept Sages*. Sa rencontre avec Crésus* est sûrement légendaire.

SOLOOUKHINE (Vladimir Alexeievitch) [*Solouxin*]. ♦ Conteur et romancier soviétique (Olenino, près de Rjev 1924 –). Refusant la doctrine du réalisme socialiste, Soloukhine renoua avec la tradition chrétienne de la Russie, tout en demeurant un patriote convaincu ainsi qu'en témoignent ses recueils de nouvelles : *Entrevue à Viazniki* (1964), *Les Chemins de Vladimir* (1964), *Une journée d'hiver* (1969) : ses romans : *Une goutte de rosée* (1960), *La Mère marâtre* (1964), *La Troisième Chasse* (1967) ; son recueil de poèmes : *Vivre sur Terre* (1965) ; et son recueil : *Lettres du musée russe* (1966).

SOLOTHURN. ♦ **V.** SOLEURE.

SOLOVIEV (Vladimir Sergueievitch) [*Solovev*]. ♦ Philosophe et poète russe (Moscou, 1853 – Ouzkoie, près de Moscou, 1900). Issu d'une famille appartenant à la noblesse cultivée, il fut un érudit et un brillant orateur. Sa philosophie marqua profondément son époque. Dès 1875, il publia sa première œuvre, *La Crise de la philosophie occidentale.* Il voulut séparer l'orthodoxie de la doctrine slavophile. S'étant lié d'amitié avec Dostoïevski*, il écrivit entre 1881 et 1883 *In Memoriam,* étude sur la pensée religieuse de celui-ci, pour qui, à la différence de Soloviev, l'orthodoxie exprimait la pensée originale du peuple russe. En 1889, Soloviev écrivit en français *La Russie et l'Église universelle.* Il rêvait de l'union des Églises, et son orthodoxie, orientée vers Rome, était libre de tout sentiment nationaliste. En 1898, il publia un traité de théologie morale, *La Justification du bien,* qui marque l'évolution de sa philosophie. En 1900, il donna *Trois Entretiens sur la guerre, le progrès et la fin de l'histoire humaine,* et *Courte Relation sur l'Antéchrist,* où il pose principalement le problème du mal dans l'évolution du monde. Sous le sérieux de ses écrits perce souvent son goût pour l'humour. Fervent admirateur de la poésie, il y voyait une « anticipation magique immédiate procédant par l'expression de l'idée cachée dans les profondeurs de l'âme ». De ses poèmes, souvent mystiques, on peut retenir *Sophia, L'Éternel Féminin, La Vierge vêtue de soleil* et *Trois Rencontres* dans lesquels perce aussi son goût pour l'humour et l'absurde.

SOLRE-LE-CHÂTEAU. ♦ Ch.-l. de cant. du Nord*, arr. d'Avesnes*-sur-Helpe, dans le Hainaut*. 2 050 hab. *(Solréziens).* L'église (XVIe-XVIIe s.) possède un clocher bulbeux. Hôtel de ville du XVIe s., maisons anciennes. – Ferblanterie ; chaussures.

SOLUTRÉ-POUILLY. ♦ Comm. de Saône-et-Loire, arr. de Mâcon. 378 hab. Vins blancs (pouilly-fuissé). – Au pied de la *roche de Solutré,* au lieu-dit *le Cros-du-Charnier,* fut découvert en 1866, au-dessus d'un amas d'ossements de chevaux, un outillage lithique caractéristique qui fit donner le nom de *solutréen* à une période culturelle du paléolithique supérieur qui précède le *magdalénien* (entre ~ 18000 et ~ 15000).

SOLVAY (Ernest). ♦ Industriel et philanthrope belge (Rebecq-Rognon, 1838 – Bruxelles, 1922). Il mit au point le procédé inventé par Schloesing* concernant la préparation du carbonate de sodium à l'ammoniac (soude Solvay) et réussit à en réaliser la fabrication industrielle (1865), ce qui assura la suprématie de ce procédé au détriment de la méthode de Leblanc*.

Solvay et Cie. ♦ Société belge de produits chimiques créée par Ernest Solvay pour exploiter son procédé de fabrication de la soude (1863).

SOLWAY FIRTH. *n. m.*, en fr. *golfe* ou *fjord de* **Solway**. ♦ Vaste golfe de la côte N.-O. de Grande-Bretagne, profondément ouvert dans la mer d'Irlande, à la latitude de la frontière anglo-écossaise.

SOMAIN. ♦ Comm. du Nord, arr. de Douai. 15 261 hab. Confection; meubles. Centre ferroviaire.

SOMAIZE (Antoine Baudeau *de*). ♦ Écrivain français (seconde moitié du XVIIe s.), surtout connu par le *Dictionnaire des précieuses, ou la Clef de la langue des ruelles* (1660) et un *Grand Dictionnaire des précieuses* [...] (1661), ouvrages utiles pour comprendre l'esprit des femmes du monde cultivées et de la préciosité littéraire.

SOMALIE. *n. f. (République démocratique de).* ♦ État de l'Afrique du N.-E. limité à l'O. par le Territoire des Afars* et des Issas, l'Éthiopie* et le Kenya*. Il est baigné au N. par le golfe d'Aden et à l'O. par l'océan Indien. 637 657 km². 2 800 000 hab. *Cap.* Mogadishu. *Langues :* somali (off.), arabe, italien et anglais. *Pop.* Somalis. *V. princ.* **V. Berbera, Hargeisa** et **Merca.** — *Orogr.* et *climat.* La côte est, pour la majeure partie, basse et rectiligne, sauf à l'O. du cap Guardafui*. L'intérieur du pays est formé de plaines et de bas plateaux, plus élevés au N., où l'altitude atteint 2 000 mètres. Le climat est chaud avec de faibles écarts de température et de maigres précipitations. La steppe et la savane dominent, les seules régions fertiles se trouvent le long des cours d'eau venus d'Éthiopie. — *Écon.* Elle est essentiellement agro-pastorale. L'élevage (bovins, ovins, caprins, chameaux) est pratiqué par des pasteurs nomades. Les cultures vivrières (maïs, millet, haricots) sont à peine suffisantes; les cultures commerciales sont principalement la banane, la canne à sucre et le coton. Pêche. [*Carte.* **V. Éthiopie.**] ♦ *Hist.* Le peuple de Somalie, établi depuis le haut Moyen Âge, est d'origine hamitique. Cependant, dès le IXe s., les Arabes s'installèrent sur les côtes, imposant l'islâm aux populations. Au XVIe s., les Gallas du Sud envahirent une partie de l'Éthiopie*, où ils s'établirent (ils furent définitivement réduits par Ménélik, à la fin du XIXe s.). À partir du XIXe s. se développa la colonisation européenne. La Somalie indépendante est née en 1960 par la fusion de l'ex-Somalie italienne (depuis 1950 sous tutelle de l'O.N.U.) et de l'ex-Somalie britannique ou Somaliland (protectorat). En 1969, un putsch militaire a porté au pouvoir un Conseil suprême de la Révolution, après l'assassinat du président de la République. La Somalie a adhéré à la ligue arabe (1974).

SOMALILAND. *n. m.* ♦ Anc. Somalie britannique. **V. Somalie.**

SOMALIS *(Côte française des).* ♦ **V.** AFARS ET DES ISSAS (Territoire français des).

SOMBART (Werner). ♦ Économiste et sociologue allemand (Ermsleben, Harz, 1863 — Berlin, 1941). Fondateur avec Max Weber* et J. Schumpeter* des *Archiv für Sozialwissenschaft und Sozialpolitik,* promoteur des études sociales en Allemagne, il appartint à la jeune école historique d'économistes allemands. Dans ses études sur le socialisme (*Le Socialisme et le Mouvement social au XIXe siècle,* 1896) et sur le capitalisme, dont il rattache l'apparition au judaïsme (*Le Capitalisme moderne,* 1902-1928; *Les Juifs et la vie économique,* 1911), il refusa de séparer les faits économiques de leur contexte politique et culturel global. Dans sa critique du capitalisme libéral, il fut d'abord influencé par le marxisme, mais s'orienta peu à peu vers un socialisme de type nationaliste et spiritualiste et se rallia finalement au national-socialisme (*Le Socialisme allemand,* 1934).

SOMBREUIL (Charles VIROT ou VIREAUX *de*). ♦ Officier français (1769 — Vannes, 1795). Émigré en 1792, il servit dans l'armée prussienne, puis s'exila en Angleterre, d'où, en 1795, il prit la tête des émigrés qui tentèrent de débarquer à Quiberon (juin-juillet), mais furent repoussés par les armées républicaines sous le commandement de Hoche. Arrêté, Sombreuil fut fusillé à Vannes. ♦ MARIE VIROT OU VIREAUX DE SOMBREUIL, sa sœur (près de Limoges, 1774 — Avignon, 1823). Lors des massacres de Septembre 1792, elle réussit à empêcher l'exécution de son père, le marquis de Sombreuil, gouverneur des Invalides, qui lors de la journée du 10 août 1792, avait essayé de défendre les Tuileries (il fut cependant exécuté en 1794).

SOMERGEM, en néerl. **Zomergem.** ♦ V. de Belgique (Flandre-Orientale, arr. de Gand). 6 100 hab. Indus. textiles.

SOMERS ou **SOMMERS (John, *baron*).** ♦ Homme politique anglais (Worcester, 1651 — Londres, 1716). Appartenant à l'opposition sous Charles* II, il contribua à la révolution de 1688 et continua à jouer, par la suite, un rôle prépondérant dans le parti whig*.

SOMERSET. ♦ **V.** SEYMOUR (Edward).

SOMERSET *(île).* ♦ Île de l'Arctique canadien, qui prolonge au N. la péninsule de Boothia*; au N. les détroits de Barrow et de Lancaster la séparent de l'île Devon; à l'O., le détroit de Peel de l'île du Prince-de-Galles.

SOMERSET, off. **Somersetshire.** *n. m.* ♦ Comté du S.-O. de l'Angleterre, limité au N. par le canal de Bristol, l'Avon et le Gloucestershire, à l'E. par le Wiltshire et au S. et à l'O. par le Dorset et le Devon. 4 179 km². 681 974 hab. *Ch.-l.* Taunton. *V. princ.* **V. Bath, Bridgewater, Weston super Mare** et **Yeovil.** — La région est formée d'un bassin bordé sur trois côtés de collines (Mendip, Quentock, Brendon et Exmoor*). L'économie est surtout agricole et pastorale. C'est le premier comté laitier d'Angleterre. Le tourisme est développé sur la côte (Burnham on Sea, Minehead). — Patrie du poète A. Tennyson*, de Roger Bacon*, de William Dampier*, de sir John Fortescue*, de John Locke*, de John Pym* et de John H. Speke*.

SOMERVILLE. ♦ V. des États-Unis (Massachusetts) sur la Mystic River et le canal du Middlesex, dans la banlieue N. de Boston* (banlieue résidentielle). 88 779 hab. (1970). Anc. poudrerie *(Old Powder House).* Abattoir. Manufacture d'emballages. Vente en gros d'essence et d'huile.

SOMEŞ ou **SZAMOS.** *n. m.* ♦ Riv. d'Europe centrale (411 km) [Roumanie, Hongrie], affl. de la Tisza, formée des deux branches du *Petit Someş (Someş Mic),* né dans le massif du Bihor et arrosant Cluj, et du *Grand Someş (Someş Mare),* né dans le Maramureş et arrosant Satu* Mare.

SOMME. *n. f.* ♦ Fl. côtier de Picardie (245 km) qui prend sa source dans l'Aisne*, près de Fonsommes, et se jette dans la Manche par un large estuaire. Elle arrose Saint*-Quentin, Péronne*, Amiens*, Abbeville*.

Somme *(batailles de la).* ♦ *Bataille de 1916.* Prévue depuis janvier par Joffre* et par Haig*, maintenue malgré Verdun* (**V. Chantilly** [conférence de]), l'offensive franco-anglaise sur la Somme débuta le 1er juillet 1916 sous la direction de Foch*, commandant de corps d'armée. Si les premières lignes allemandes furent emportées, le front ne recula que de 5 à 10 km au N. et au S. de la rivière; l'offensive s'arrêta en octobre-novembre. Cette énorme bataille de matériel (artillerie, premiers combats de chars) coûta aux Allemands 267 000 morts dont 6 000 officiers, mais les attaquants s'épuisèrent dans les mêmes proportions et, sauf la diversion apportée à la bataille de Verdun, « la Somme » fut un échec. Joffre y perdit son commandement. **V. Guerre mondiale** *(Première).* ♦ *Bataille de 1940.* Bataille défensive livrée par Weygand* pour tenter de contenir l'avance allemande durant l'évacuation des troupes franco-britanniques à Dunkerque*. Du 5 au 8 juin, le front français fut percé par les blindés allemands. **V. Guerre mondiale** *(Deuxième).*

Somme *(canal de la).* ♦ Canal (156 km) unissant l'estuaire de la Somme*, qu'il longe sur 53 km, au canal de Saint-Quentin.

SOMME. *n. f.* [**80**]. ♦ Dép. du Bassin parisien, région (anciennement C.A.R.) de Picardie*. 6 277 km². — *Orogr.* Le plateau de Picardie, élevé de 100 à 150 m, est recouvert de limons, il occupe la majeure partie du département. À l'O., la plaine côtière des Bas-Champs, parfois cultivée en polders, se termine par une ligne de dunes. Les vallées sont humides.

♦ 41 cant. 818 comm. 522 320 hab. *Préf.* Amiens*. *Sous-préf.* Abbeville*, Montdidier*, Péronne*. *Ch.-l. de cant.* Acheux-en-Amiénois (498 hab.), Ailly-le-Haut-Clocher (757 hab.), Ailly-sur-Noye (2 008 hab.), Albert*, Ault*, Bernaville (794 hab.), Boves*, Bray-sur-Somme (1 226 hab.), Chaulnes (1 513 hab.), Combles (691 hab.), Conty*, Corbie*, Crécy-en-Ponthieu, Domart-en-Ponthieu (1 310 hab.), Doullens*, Gamaches*, Hallencourt (1 120 hab.), Ham*, Hornoy (771 hab.), Molliens-Vidame (566 hab.), Moreuil (3 647 hab.), Moyenneville (618 hab.), Nesle*, Nouvion (1 026 hab.), Oisemont*, Picquigny*, Poix*, Roisel (1 908 hab.), Rosières*-en-Santerre, Roye*, Rue*, Saint*-Valéry-sur-Somme, Villers-Bocage (750 hab.), Villers-Bretonneaux (3 474 hab.). *Autres comm.* **V. Cayeux-sur-Mer, Crotoy** (Le), **Fort-Mahon-Plage, Hourdel** (Le), **Longueau, Méaulte, Mers-les-Bains, Saint-Riquier, Tertry.**

SOMMERFELD (Arnold). ♦ Physicien allemand (Königsberg, 1868 — Munich, 1951). Appliquant à la partie dynamique de la théorie atomique de Bohr* les corrections de relativité et étendant

Ph. Cl. Naud/Afrique Photo

République démocratique de **Somalie** : Mogadishu.

Ph. M. D'Heilly/Galliphot

Vue de **Sommières.**

à l'espace les conditions de quantification, il établit une théorie (1916) permettant d'expliquer une partie des structures fines des raies spectrales, ainsi que les théories de l'effet Zeeman* et de l'effet Stark*. Il rassembla ses résultats, qui constituent « l'ancienne théorie quantique », dans *Atombau und Spektrallinien,* en 1919. Utilisant les lois de la mécanique ondulatoire et la statistique de Fermi*-Dirac*, il établit une théorie des électrons libres dans les métaux, plus satisfaisante que celle de Drude*-Lorentz*, en accord avec les lois de Dulong* et Petit*, De Nernst* et de Wiedmann* et Franz* (1930).

Somme théologique, en lat. **Summa theologiae.** ♦ Œuvre en latin de saint Thomas* d'Aquin, interrompue par la mort de l'auteur (1274). À la suite des croisades, qui firent pénétrer en Occident de nombreux monuments de la philosophie grecque et arabe, les universités, au milieu du XIIIe s., éprouvèrent le besoin de préciser et de réglementer leur enseignement philosophique et théologique. Aristote, admiré d'abord puis condamné, resta le maître le plus cité, et sa méthode, par sa précision scientifique et la profondeur de ses aperçus, imprégna l'effort mystique et intellectuel qui aboutit aux « Scolastiques », Alexandre de Halès, Albert le Grand, saint Bonaventure et Thomas d'Aquin. La *Somme* de saint Thomas est considérée comme l'ouvrage fondamental, phare du système de pensée théologico-philosophique de l'Église. Prenant appui sur les principes indémontrables de la Foi (Révélation et Tradition), elle se veut une « science » à la fois spéculative et pratique. Le Docteur dominicain y proclame clairement son intention : la connaissance de Dieu – en lui-même, mais aussi en tant que cause et but de toutes choses, spécialement de la créature raisonnable – est nécessaire au salut. L'œuvre se présente comme un triptyque : Dieu; des créatures vers Dieu; le Christ, sauveur et médiateur unique, de par ses deux natures, divine et humaine. Le principe de l' « analogie de l'être », par lequel Dieu peut révéler aux hommes sa vie propre et la donner à leur réflexion sans jamais pour autant en estomper le mystère, constitue l'assise de la théologie thomiste.

SOMMIÈRES. ♦ Ch.-l. de cant. du Gard (arr. de Nîmes), sur la r. d. du Vidourle. 3 541 hab. *(Sommiérois).* L'aggl. compte 4 048 hab. avec Villevieille. – Pont romain, plusieurs fois restauré. Ruines d'un château fort (VIIIe s.). Anc. citadelle protestante. – Indus. textile.

SOMOSIERRA *(col de).* ♦ Col d'Espagne, dans la sierra de Guadarrama, entre les bassins du Tage et du Douro, faisant communiquer les deux Castilles (1 450 m). ♦ *Hist.* Les troupes napoléoniennes y remportèrent sur les Espagnols une brillante victoire qui leur ouvrit la route de Madrid (1808).

SOMPORT *(col du).* ♦ Col des Pyrénées*-Atlantiques, 1 632 m, à la frontière espagnole. Il fait communiquer la vallée de l'Aspe* et celle de l'Aragon*.

SON. *n. m.* ♦ Riv. de l'Inde (760 km), affl. du Gange près de Patna. Née dans les monts Vindhya, ses eaux captées servent surtout à l'irrigation.

Sonate à Kreutzer (La). ♦ Roman de L. Tolstoï (1889). La femme de Pozdnychev le trompe avec un violoniste et Pozdnychev la tue. Cette histoire d'adultère permet à Tolstoï d'exposer ses idées d'alors sur le caractère, selon lui néfaste, de l'amour physique.

SONDE *(îles de la)* ou **SUNDA.** ♦ Îles formant l'Indonésie. Les *Grandes Sunda* sont composées de Java*, Sumatra*, Bornéo* et Sulawesi (ou Célèbes*); les *Petites Sunda* de Bali* et des îles situées à l'E. de celle-ci. – *Sunda* ou *plate-forme de la Sonde* : plate-forme immergée déterminant la mer de Chine méridionale. De 55 m de profondeur moyenne et d'une superficie de 1 850 000 km², c'est la plus vaste plate-forme continentale du monde.

SØNDERBORG. ♦ V. et port du Danemark, sur la côte O. de l'île d'Als*. Ch.-l. de département. 19 100 hab. Château du XIIIe siècle. – Indus. textiles et alimentaires. Port de commerce.

Sonderbund (« ligue séparée »). *n. m.* ♦ Ligue séparatiste formée en déc. 1845 par les cantons catholiques suisses de Lucerne, Uri, Schwyz, Zoug, Unterwald, Fribourg et du Valais, mécontents des mesures anticléricales prises par les radicaux (fermeture des couvents en Argovie en 1841). À cette décision, Lucerne avait répondu en faisant appel aux Jésuites pour leur confier l'enseignement secondaire (1845). Les radicaux tentèrent sans succès d'envahir le territoire de Lucerne (mars 1845). Le Sonderbund fut alors créé. Mais la Diète, où les radicaux étaient majoritaires, exigea la dissolution de la ligue (juil. 1847). Le général Dufour, à la tête de l'armée fédérale, arrêta la résistance en trois semaines (occupation de Fribourg puis de Lucerne). À la suite de cette guerre, les Jésuites furent expulsés et le pacte de 1815 remplacé par la constitution de 1848 **(V. Suisse).**

SONDRIO. ♦ V. d'Italie en Lombardie, ch.-l. de la prov. du même nom, située dans la Valteline*, sur l'Adda*. 22 449 hab. (1969). Église collégiale (XVIIIe s.). *Museo Valtellinese* (collections archéologiques d'art et d'histoire; peintures des XVIe-XIXe s.). Château Masegra *(auj.* casernes). – La ville est connue pour ses vins. Centre commercial et agricole. Indus. textile. Important nœud de communications vers l'Autriche, la Suisse et Milan.

SONG... [chinois]. ♦ **V.** SUNG...

SÔNG BO. *n. m.* ♦ Nom vietnamien de la « rivière Noire » du Tonkin, affl. le plus important du Sông Kôi (« rivière Rouge »). Née dans le Yunnan, elle suit un cours parallèle à cette dernière et se jette dans son delta après plus de 1 000 km, en amont de Hanoi.

SÔNG CÁI. ♦ **V.** SÔNG KÔI.

Songe (Le) en suéd. **Ett Drömspel.** ♦ Drame de Strindberg* (1902). Envoyée sur la terre par son père, le dieu Indra, Agnès, au cours d'un voyage qui a toute l'étrangeté et l'incohérence des rêves, reçoit la révélation du monde où s'agitent les hommes, monde misérable et cruel où règnent la haine entre les couples, le scandale de la richesse qui opprime les pauvres, la solitude des vivants et leur effroi devant la mort. Cette pièce, qui se propose comme une somme de la pensée pessimiste de l'auteur et de son expérience tragique, est aussi la plus représentative de son apport original.

Songe d'une nuit d'été (Le) [*A Midsummer Night's Dream*]. ♦ Féerie de W. Shakespeare (v. 1595). L'action se situe dans la campagne d'Athènes, au cœur d'une forêt de rêve, baignée d'une nuit vaporeuse et propice à tous les sortilèges. Tandis que des artisans jouent la tragédie de Pyrame et Thisbé, en l'honneur du mariage du prince Thésée, Puck, l'insouciant lutin, se fait le démiurge des aventures dans lesquelles vont être entraînés des couples d'amoureux, Lysandre et Hermia, Démétrius et Hélène, devenus les victimes de ses enchantements et condamnés pour un temps à trahir leur amour. Pour venger le roi des elfes Obéron de la coquetterie de Titania, la reine des fées, Puck rend celle-ci amoureuse du rustre Bottom, coiffé soudain par magie d'une tête d'âne. Ces intrigues entremêlées se concluront au mieux dans une atmosphère d'allégresse. Œuvre ravissante et amère comme les songes, pleine de poétique effervescence et de tendresse, mais aussi de cruelle ironie pour la vanité des amours humaines, la pièce est un des chefs-d'œuvre de Shakespeare.

Songe du vergier (Le). ♦ Œuvre anonyme sur les rapports entre les pouvoirs temporel et spirituel, peut-être écrite sur l'ordre de Charles V. Il s'agit d'une discussion entre un chevalier qui défend les privilèges et un clerc qui défend les droits du pape.

SONGHAÏ ou **SONRHAÏ.** ♦ Peuple de l'Afrique occidentale, probablement métissé de Peul et de Touareg, établi sur les rives du moyen Niger dans l'E. du Mali* et l'O. du Niger*. ♦ *Hist.* Au VIIe s., les Songhaïs établirent un royaume au S. de Gao, probablement fondé par un chef berbère de Libye fuyant l'invasion arabe. Au XIe s., la cap. fut transférée à Gao*, ville déjà convertie à l'islâm, et la dynastie devint musulmane. Ce royaume fluvial s'étendit de la région de Tombouctou* à celle de Niamey, mais son expansion fut arrêtée par l'empire du Mali*, qui soumit le Songhaï à la fin du XIIIe siècle. La décadence de l'empire du Mali au XVe s. permit la résurrection du royaume songhaï, qui connut un rapide essor sous Ali Ber (1464-1492), musulman peu convaincu. Le lieutenant d'Ali Ber, Mohamed Touré, fervent musulman qui fonda la dynastie des Askias après s'être emparé du pouvoir (1493), étendit considérablement le royaume jusqu'au Sénégal à l'O. et à l'Aïr à l'est. Mais cet empire militaire s'écroula sous les coups du sultan marocain Ahmad al-Mansûr en 1591.

SÔNG KÔI. *n. m.* ♦ Nom vietnamien de la « rivière Rouge » du Tonkin. Né dans le Yunnan chinois, où il est appelé Shih-Yang Ho, il se jette dans le golfe du Tonkin près de Hanoi en formant un vaste delta qui se confond avec celui du Sông* Bo (« rivière Noire »). Son cours, sujet à de fréquents débordements, doit être maintenu par des digues. Le Sông Kôi a plus de 1 200 km de longueur. C'est l'artère vitale du Viêt-nam du Nord. Le Sông Kôi est aussi appelé Hông-hà, Sông Cái.

SÔNG LÔ, *n. m.,* ou **rivière Claire.** ♦ Riv. du Viêt-nam du Nord. Elle prend sa source en Chine où elle arrose Wenshan, passe au Viêt-nam, arrose Ha-Giang et se jette dans le Sông* Kôi. Voie d'accès vers le Yunnan*.

SONIS (Louis Gaston *de***).** ♦ Général français (Pointe-à-Pitre, 1825 – Paris, 1887). Il servit en Afrique, participa à la campagne d'Italie de 1859, fut chargé de la répression du soulèvement marocain à Laghouat (1869). Général de division, il fut nommé commandant du 17ᵉ corps d'armée de la Loire par Gambetta lors de la guerre franco-allemande et se distingua à Loigny à la tête des zouaves pontificaux (2 déc. 1870). Il fut blessé et fait prisonnier.

SONNEBERG. ♦ V. d'Allemagne orientale (Thuringe, district de Suhl), dans la partie sud-orientale du *Thüringer Wald.* 29 810 hab. (1964). Fabrication de jouets, porcelaine, verreries, électrotechnique.

SONNERAT (Pierre). ♦ Voyageur et naturaliste français (Lyon, 1748 ou 1749 – Paris, 1814). Il explora les îles des mers de l'Inde et de la Chine et, de retour en France, publia le récit de ses voyages (*Voyage aux Indes orientales et à la Chine, de 1774 à 1781,* 1782-1806).

SONORA. *n. m.* ♦ État du Mexique septentrional qui s'étend entre la sierra Madre occidentale et le golfe de Californie. 184 934 km². 1 098 720 hab. *Cap.* Hermosillo*. De climat aride, c'est une étendue de savane herbeuse. Élevage extensif (les bêtes sont améliorées au Michoacán avant d'être envoyées dans la région de Mexico). Coton. Ressources minières : cuivre, or, manganèse. Indus. textiles. – Patrie de P. E. Calles*, de A. Obregón*.

SONTAG (Gertrud WALPURGIS, dite **Henriette).** ♦ Cantatrice allemande (Coblence, 1806 – Mexico, 1854). Grande rivale de la Malibran, elle se rendit célèbre dans l'Europe entière, notamment dans les opéras de Weber [*Euryanthe* (qu'elle créa en 1823) et le *Freischütz*], de Rossini et de Donizetti.

SÔN TÂY. ♦ V. du Viêt-nam du N., sur le Sông Kôi. 10 000 hab. Petites indus. de la soie et du coton. Elle fut prise en 1883 par l'amiral Courbet.

SOORTS-HOSSEGOR. ♦ Comm. des Landes*, arr. de Dax*. 2 071 hab. À proximité, station balnéaire d'Hossegor*.

SOPHIE *(sainte).* ♦ Personnage de la tradition chrétienne, portant le nom grec de « Sagesse ». Elle aurait vécu au IIᵉ s. et donné à ses filles, qui auraient subi le martyre, les prénoms de Foi, Espérance et Charité. – Fête le 30 septembre.

Sophie *(église* **Sainte-).** ♦ V. SAINTE-SOPHIE.

SOPHIE ALEXEÏEVNA. ♦ (Moscou, 1657 – Novodevitchi, 1704). Régente de Russie (1682-1689). Fille du tsar Alexis Iᵉʳ Mikhaïlovitch, elle s'empara du trône à la mort de Fédor* III, à la faveur d'une révolte des Streltsy*, et gouverna durant la minorité des cotsars Ivan* V et Pierre* Iᵉʳ avec l'aide de son favori Vassili Galitzine*. En 1689, elle fut renversée par Pierre* Iᵉʳ qui l'enferma dans un couvent.

Sophiste (Le). ♦ Dialogue platonicien. La recherche d'une définition de la sophistique conduit Socrate et ses interlocuteurs à faire une analyse critique de la conception éléatique de l'Être **(V. Parménide)**; dépassant une philosophie de l'immobilisme et de l'identité pure, il introduira dans la méthode dialectique les concepts d'altérité, de mouvement et de non-être dont il fait l'origine de nos erreurs.

SOPHOCLE, en gr. **Sophoklês.** ♦ Poète tragique grec (Colone, ~ 496 – Athènes, ~ 406). Né d'une famille aisée, il vécut la période la plus brillante de l'histoire athénienne. Il prit part à plusieurs expéditions militaires et exerça par deux fois les fonctions de stratège, entretenant des relations étroites avec Périclès*, Phidias* et Hérodote*. Esprit de large ouverture, il sut accueillir les idées morales, politiques et religieuses qui avaient cours dans l'Athènes de son temps, se réservant de les interpréter librement sans toutefois en contester les principes. – Bénéficiaire d'une technique dramatique qui atteignit avec lui son plus haut degré de perfection, il s'est vu attribuer cent vingt-six pièces dont soixante-douze au moins furent couronnées. Correspondant à un choix effectué par des grammairiens au IIᵉ s., il ne nous reste de son œuvre que sept tragédies : Ajax (*Aias,* v. ~ 450), Antigone* (*Antigonê,* v. ~ 442), Œdipe* roi (*Oidipous turannos,* v. ~ 430), Électre* (*Êlektra,* v. ~ 425), les Trachiniennes* (*Trakhiniai,* v. ~ 415), Philoctète* (*Philoctêtês,* v. ~ 409) et Œdipe à Colone (*Oidipous epi Kolônô,* ~ 401). – Contemporain d'un gouvernement démocratique qui assignait aux citoyens le plein exercice de leur responsabilité, Sophocle ne pouvait plus reconnaître aux dieux le rôle prépondérant qu'Eschyle leur conférait dans la conduite des affaires humaines. Plus que les lois inéluctables de la fatalité, les mobiles psychologiques, qui acheminent le héros vers sa perte ou sa gloire, lui apparaissaient désormais propres à déterminer son destin. De là le caractère plus véridique des rapports qui s'établissent entre les personnages; de là aussi les innovations que Sophocle introduisit dans la technique tragique : une action plus riche de péripéties et de retournements, le rôle accru des parties parlées au détriment du chœur, l'usage d'un vocabulaire plus quotidien, moins littéraire que celui d'Eschyle. – Devenue le spectacle de l'homme et de sa liberté naissante, de son bonheur toujours menacé, de la noblesse de ses épreuves et de la grandeur de sa volonté, la tragédie, selon Sophocle, ne perd cependant rien de sa traditionnelle majesté. Elle a traversé les âges, proposant encore aux Modernes les plus hautes leçons de beauté et de morale avec les figures exemplaires d'Œdipe trouvant dans son propre anéantissement le seul chemin vers la lumière, et d'Antigone, combattante inflexible de la justice.

Ph. Sandro Prato/Ricciarini

Îles de la **Sonde** (Bali) : prêtres bénissant les offrandes.

SOPHONIE. ♦ Prophète juif sous Josias, roi de Juda (v. ~ 640- ~ 609). – *Livre de Sophonie.* Livre biblique, l'un des douze petits prophètes (3 chapitres). Le premier chapitre remonterait au prophète. L'évocation du « jour de la colère de Iahvé » (I, 15-18) a inspiré le *Dies irae.*

SOPHONISBE. ♦ Reine de Numidie (Carthage, v. ~ 235 – ~ 203). Fille d'un général carthaginois, d'abord fiancée à Masinissa*, roi des Numides orientaux, elle épousa le roi des Numides occidentaux Syphax*, qu'elle attira dans l'alliance carthaginoise. Après la défaite de Syphax, Scipion* l'Africain exigea qu'elle lui soit livrée pour orner son triomphe, mais elle y échappa grâce au poison que Masinissa, son deuxième époux, lui avait envoyé. – Le personnage de *Sophonisbe* inspira de nombreuses tragédies.

Sophonisbe. ♦ Tragédie de Mairet* (1634). Devenue la captive des Romains, Sophonisbe, reine de Numidie, se voit menacée d'être livrée à Scipion. Son mari Masinissa lui envoie alors une coupe de poison. Première des tragédies françaises où se trouve appliquée la règle des trois unités, la *Sophonisbe* de Mairet devait être suivie de celles de P. Corneille (1663), Voltaire (1770) et Alfieri (1784).

SOPOT, en all. **Zoppot.** ♦ V. de Pologne* (voïévodie et conurbation de Gdańsk), grande station balnéaire et résidentielle, située sur le golfe de Gdańsk* entre Gdańsk et Gdynia. 45 000 hab. Centre scientifique et culturel.

SOPRON. ♦ V. de Hongrie, située dans le comitat de Györ-Sopron, au N.-O. du pays, près du lac Neusiedler, à la frontière autrichienne. 43 000 hab. Monuments médiévaux. Tour de la ville, remaniée au XVIIᵉ siècle. Église Saint-Michel, de style gothique; chapelle du XIIIᵉ siècle. Église Saint-Georges (XIVᵉ-XVᵉ s.). Place Beloïannisz (XVᵉ-XVIIᵉ s.). Synagogue de 1350. Palais et maisons de style rococo. Musée Liszt. – Centre climatique et touristique. – Indus. textiles, alimentaires. Usines de menuiserie. ♦ *Hist.* À l'emplacement de Sopron existait un établissement celte, étape sur la route de l'ambre. Sous la conquête romaine, l'établissement prit le nom de *Scarabantia.* Sopron fut élevée au rang de ville en 1277. En 1532 le commandant de la place, Miklos Jurisics, arrêta une armée turque, et la ville fut la seule en Hongrie à ne pas subir l'occupation turque. C'est à Sopron que Liszt* donna son premier concert, à l'âge de neuf ans. Lors du plébiscite de 1921 devant décider si Sopron deviendrait autrichienne ou hongroise, la ville vota pour la Hongrie; elle reçut le titre de « ville de la fidélité ».

SORABES ou **SORBES.** *n. m. pl.* ♦ Tribu slave de Lusace* que les Allemands appelaient Wendes. Soumis à la domination allemande (IXᵉ s.), ils furent réduits en esclavage et perdirent l'usage de leur langue. Leur situation s'améliora quand la Lusace fut rattachée à la Bohême (1368), et, quand elle fut partagée entre la Saxe et la Prusse (XVIIᵉ s.), ils obtinrent de pouvoir parler leur langue et retrouvèrent leurs traditions. Ce n'est qu'en 1949 qu'ils obtinrent de la République démocratique allemande des mesures favorables à leur culture et à leur épanouissement.

SORBON (Robert *de***).** ♦ Théologien français (Sorbon, près de Rethel, 1201 – Paris, 1274). Chanoine de Cambrai, puis chapelain de Saint Louis, il fonda pour les clercs séculiers, les étudiants en théologie, etc., le collège qui porte son nom **(V. Sorbonne)** [1253-1257], et dont il fut le premier proviseur. Théologien thomiste, il avait écrit plusieurs traités parmi lesquels *De consciencia, De confessione, De matrimonio.*

Sorbonne (la). ♦ Établissement public d'enseignement supérieur, à Paris, au Quartier* latin. La Sorbonne abrite essentiellement la faculté des lettres et des sciences humaines de l'Académie de Paris, la bibliothèque de l'université, l'École des chartes, ainsi que certains instituts comme l'École pratique des hautes études (quelques sections). ♦ *Hist.* Fondé par Robert de Sorbon* (1257) pour permettre aux écoliers pauvres d'accéder à l'enseignement, le collège de la Sorbonne devint le centre des études théologiques et, en tant que tribunal ecclésiastique, la plus haute autorité religieuse du monde chrétien après le pape. La Sorbonne s'opposa aux jésuites au XVIe s., aux jansénistes au XVIIe s., aux philosophes du XVIIIe s., avant d'être supprimée en 1790. Ses bâtiments furent donnés à l'Université en 1808. De 1626 à 1642, ils avaient été reconstruits par Lemercier*, sur l'ordre de Richelieu, dont le tombeau par Girardon* (1694) est placé dans la chapelle (1635-1653 ; peintures par Philippe de Champaigne*). De 1885 à 1901, Nenot reconstruisit ou remania considérablement les locaux tout en préservant la chapelle. Dans le grand amphithéâtre, *Le Bois sacré*, par Puvis de Chavannes.

SORBY (Henry Clifton). ♦ Naturaliste et minéralogiste anglais (1826 – 1908). Il fut un des premiers à utiliser le microscope polarisant pour l'étude de la structure des cristaux **(V. Zirkel).**

SORDELLO DE MANTOUE (ou Sordel). ♦ Troubadour italien (Goito, v. 1200 – v. 1270) qui écrivit en langue provençale de nombreuses poésies lyriques où sa conception de l'amour touche au mysticisme. Il est l'auteur d'un poème didactique, *L'Enseignement d'honneur.*

SORE. ♦ Ch.-l. de cant. des Landes*, arr. de Mont*-de-Marsan, sur la Petite Leyre*. 933 hab. *(Soriens).* Église du XIIIe s. restaurée, porte du XVe siècle.

SOREL (Agnès). ♦ Favorite de Charles* VII à qui elle donna quatre filles (Fromenteau, Touraine, v. 1422 – près de Jumièges, Normandie, 1450). Patriote, elle exerça une bonne influence politique sur le roi. Charles VII lui donna le château de Beauté*-sur-Marne qui lui valut le surnom de « Dame de Beauté ». – Jean Fouquet l'a représentée (*La Vierge à l'enfant,* Anvers).

SOREL (Charles, *sieur de* **Souvigny).** ♦ Romancier et polygraphe français (Paris, v. 1600 – *id.,* 1674). Il manifeste un jugement critique perspicace dans la *Bibliothèque française* (1664) et, surtout, une étonnante verve réaliste dans son roman picaresque, *La Vraye Histoire comique de Francion* (1633), qui compte douze livres, scènes burlesques et colorées de la société sous Louis XIII.

SOREL (Albert). ♦ Historien et écrivain français (Honfleur, 1842 – Paris, 1906). Entré au ministère des Affaires étrangères (1866), professeur d'histoire diplomatique à l'École des sciences politiques (1872), puis secrétaire général de la présidence du Sénat (1876-1902), il est l'auteur de quelques romans et surtout de nombreuses études historiques, dont les plus connues sont l'*Histoire diplomatique de la guerre franco-allemande* (1875), *La Question d'Orient au XVIIIe siècle* (1878) et un important ouvrage sur l'*Europe et la Révolution française* (1885-1906). [Acad. fr., 1874.]

SOREL (Georges). ♦ Publiciste français (Cherbourg, 1847 – Boulogne-sur-Seine, 1922). Ingénieur aux ponts et chaussées jusqu'en 1892, il collabora à plusieurs revues socialistes. Dénonçant la décadence économique, sociale et morale de la bourgeoisie capitaliste, il formula, sous l'influence de Proudhon et de Marx, mais aussi de Nietzsche, Bergson et W. James, un socialisme à caractère éthique. Au libéralisme et au réformisme démocratiques, il opposa des perspectives anarcho-syndicalistes, voyant dans la violence, en particulier la grève générale, la cristallisation de la lutte des classes et dans les doctrines sociales des « mythes » exprimant les aspirations du prolétariat. La pensée de Sorel influença le syndicalisme révolutionnaire, mais elle fut également utilisée par les mouvements les plus réactionnaires, en particulier le fascisme italien (*Introduction à l'économie moderne,* 1903; *Réflexions sur la violence,* 1908; *Matériaux pour une théorie du prolétariat,* 1919, etc.).

SOREL (Céline SEURRE, dite **Cécile).** ♦ Actrice française (Paris, 1873 – Hennequeville, Calvados, 1966). Elle parut sur diverses scènes parisiennes avant d'être engagée à l'Odéon (1898), puis à la Comédie-Française (1901) dont elle devint sociétaire (1904-1933). Son lyrisme et son panache lui valurent de grands succès dans l'interprétation du répertoire classique (*Le Misanthrope, Le Mariage de Figaro*), romantique *(Marion Delorme)* et moderne *(L'Aventurière, Le Demi-Monde, Sapho).* Elle parut encore au music-hall (Casino de Paris, 1933) où, avec abattage et esprit, elle sut imposer son personnage d'éternelle coquette pétulante et enfiévrée par la passion du théâtre.

Ph. Hétier
Sotchi.

Sorel (Julien). ♦ Personnage principal du roman de Stendhal*, *Le Rouge* et le Noir* (1830), véritable « enfant du siècle », exalté par la Révolution et les conquêtes de Napoléon, mais né trop tard et déçu par la médiocrité bourgeoise de la Restauration. Pauvre mais instruit, ambitieux et perpétuellement humilié, toujours tendu pour faire reconnaître sa valeur, il s'efforce de rester lucide dans l'action comme dans la passion.

SOREL. ♦ V. et port du Canada (Québec), sur la rive S. du Saint-Laurent, entre Montréal et Trois-Rivières. 17 150 habitants. Centrale thermique. Métallurgie, constructions navales, etc.

SØRENSEN (Søren Peter Lauritz). ♦ Chimiste danois (Havrebjerg, 1868 – 1939). Il introduisit, en 1909, le concept de pH, fonction de la concentration en ions hydrogène qui précise l'acidité ou l'alcalinité d'un milieu. Il montra la sensibilité des enzymes au pH.

SORGUE. *n.f.* ♦ Riv. du Vaucluse*, affl. du Rhône, 36 km. Elle sort de la Fontaine* de Vaucluse, se prépare en plusieurs branches, et conflue en amont d'Avignon*. Les eaux, qui faisaient tourner autrefois de nombreux moulins, sont utilisées aujourd'hui pour l'irrigation du Comtat*. **V. Isle-sur-la-Sorgue** *(L').*

SORGUES. ♦ Comm. du Vaucluse* (arr. d'Avignon*), sur l'Ouvèze. 13 661 hab. Poudrerie, indus. chimiques, moulinage de la soie, constructions mécaniques.

SORIA. ♦ V. d'Espagne centrale, en Vieille-Castille*. Ch.-l. de prov. sur la r. d. du Douro. 20 200 hab. Intéressants monuments romans : églises San Juan de Rabanera, Santo Domingo (XIIIe s.), collégiale San Pedro (XIIe-XIIIe s.).

SORLINGUES *(îles).* ♦ **V.** SCILLY (îles).

SOROCABA. ♦ V. du Brésil dans l'État de São* Paulo, au S. et à proximité de São Paulo. 142 800 hab. Évêché. – Industries textiles. Métallurgie (aluminium). Cimenteries.

SOROKIN (Pitirim). ♦ Sociologue américain d'origine russe (Touria, 1889 – Winchester, Massachusetts, 1968). Expulsé de Russie (1922), il se réfugia aux États-Unis où il enseigna à l'université de Minnesota (1924-1930), puis dirigea la section de sociologie à Harvard. D'abord partisan d'une sociologie du comportement **(V. J.B. Watson),** il affirma ensuite la spécificité des faits socio-culturels; utilisant la méthode comparative et statistique, il les étudia au point de vue de la structure (ou de l'interréaction des phénomènes) et de la dynamique. La thèse centrale de sa théorie sociologique est celle des « fluctuations » (cycles rythmiques) historiques entre trois types de société et de systèmes culturels : idéationnel (prédominance de la foi, de la spiritualité), sensualiste (caractérisé par des valeurs terrestres) et idéaliste (intermédiaire entre les deux précédents). (*Sociologie de la révolution,* 1925; *Théories sociologiques contemporaines,* 1938; *Société, Culture et Personnalité : leur structure et leur dynamique,* 1947.)

SORONG. ♦ V. et port de l'Irian* Barat (Nouvelle*-Guinée occidentale) sur la côte N.-O. de la péninsule du Vogelkop. Indus. pétrolières. Port pétrolier directement relié aux gisements de l'intérieur. Exportation de coprah.

SORRE (Maximilien). ♦ Géographe français (Rennes, 1880 – Messigny, Côte-d'Or, 1962). Il collabora à la *Géographie universelle* de Vidal* de La Blache par des travaux sur le Mexique, l'Amérique centrale, la Méditerranée et les péninsules méditerranéennes (avec J. Sion*). Il publia également un ouvrage sur *Les Migrations des peuples* (1955) et un traité sur *Les Fondements de la géographie humaine* (1943-1952).

SORRENTE, en it. **Sorrento.** ♦ V. d'Italie méridionale, en Campanie* (prov. de Naples), sur la *presqu'île de Sorrente.* 12 000 hab. Célèbre depuis l'Antiquité pour son site admirable, c'est un lieu de villégiature fréquenté en toute saison. – Patrie du Tasse*.

Sosie. ♦ Personnage de la comédie de Plaute, *Amphitryon* (v. ~214). Esclave d'Amphitryon, dont Jupiter a pris les traits pour lui ravir sa femme Alcmène, Sosie se trouve face à un autre Sosie, Mercure, qui lui défend sa porte et le roue de coups pour lui prouver qu'il n'est pas Sosie. Ce dernier en vient à douter de sa propre identité et à reconnaître pour maître le seul qui ne le batte pas, Jupiter déguisé en Amphitryon. – Dans son *Amphitryon* (1668), Molière a repris le personnage de Plaute enrichi par J. de Rotrou dans *Les Sosies* (1636). Esclave, Sosie se plaint de sa condition par plaisir de bavarder plus que par révolte profonde. Fanfaron, lâche, il s'accepte tel qu'il est.

SOSIGÈNE D'ALEXANDRIE, en gr. **Sôsigenês.** ♦ Astronome grec du ~Ier siècle. Il fournit à César les éléments de sa réforme du calendrier et remarqua les variations des diamètres apparents du Soleil et de la Lune.

SOSNOWIEC, en all. **Sosnowitz.** ♦ V. de Pologne (voïevodie de Katowice) en haute Silésie*. 145 000 hab. Industries chimique, sidérurgique et métallurgique. Exploitations houillères.

SOSPEL. ♦ Ch.-l. de cant. des Alpes*-Maritimes (arr. de Nice*), dans les Alpes niçoises. 2 582 hab. Pont du Moyen Âge; église du XVIIe siècle.

SOTCHI. ♦ V. et port d'U.R.S.S. (R.S.F.S. de Russie), dans le territoire du Krasnodar, sur la mer Noire. 224 000 hab. Indus.

Ph. J. Dupaquier/Atlas-Photo

Jura **souabe**, vu de la butte de Hohenstaufen.

alimentaires. La plus grande station balnéaire de l'U.R.S.S. — Nombreuses sources d'eaux minérales.

SO-TCH'Ö. ♦ V. YARKAND.

SÔTER *(saint)*. ♦ 12e pape (166-174 ? [mort]). Selon la tradition, originaire de Campanie et martyr. Fête le 22 avril.

SOTO (Hernando *de***).** ♦ Navigateur et explorateur espagnol (Barcarrota, Badajoz, 1500 — rives du Mississippi, 1542). Compagnon de F. Pizarro* lors de la conquête du Pérou, il entreprit ensuite une expédition vers la Floride, atteignit la Géorgie (1540), explora les régions de l'Alabama, du Mississippi.

SOTTEGEM, en néerl. **Zottegem**. ♦ V. de Belgique (Flandre-Orientale, arr. d'Alost) près de Gand. 6 800 hab. Château des comtes d'Egmont (rebâti au XIXe s.). — Indus. textiles.

SOTTEVILLE-LÈS-ROUEN. ♦ Ch.-l. de cant. de la Seine*-Maritime, arr. de Rouen*, sur la Seine. 35 433 hab. — La ville, détruite en 1944, a été reconstruite d'après les plans de M. Lods*. — Indus. textile, confection, constructions navales.

SOUABE. *n. f.* ♦ Région d'Allemagne méridionale, sur le haut Danube, entre le Wurtemberg et le plateau bavarois. À cheval sur le Danube, elle correspond au Jura souabe et franconien (au N.), au plateau souabo-bavarois (au S.) et est irriguée par les affl. du Rhin (Main, Neckar) et du Danube (dont le Lech*). Anc. duché d'Allemagne peuplé par les Souabes, elle forme aujourd'hui, dans le S.-O. de la Bavière, le *cercle de Souabe* avec pour cap. Augsbourg*. Région de cultures (fruits) et d'élevage. ♦ *Hist.* Peuplée de Celtes, puis de Suèves* (~ Ier s.), cette région subit la domination romaine et devint la province de Rhétie*. Une nouvelle invasion en fit le duché d'Alémanie*, du VIe au VIIIe s., époque à laquelle elle entra dans les possessions carolingiennes, avant de faire partie du royaume de Germanie (IXe s.). **V. Conrad Ier.** En 950, elle passa au fils d'Othon* le Grand et resta désormais dans la famille impériale (Frédéric* Barberousse était *duc de Souabe*). L'extinction de la maison de Hohenstaufen* fut suivie d'une période d'anarchie et de la formation de différentes ligues (1331, 1360, 1376), jusqu'à la ***grande ligue de Souabe*** (1488-1533) qui assura l'ordre et seconda l'autorité autrichienne : elle soutint Maximilien* Ier dans sa lutte contre la Suisse, puis écrasa Ulrich* de Wurtemberg, Franz von Sickingen* et les paysans*. Déchirée par la guerre de Trente* Ans, la Souabe fut définitivement démantelée lors du traité de Westphalie*.

SOUABE-FRANCONIE *(bassin de)*. ♦ Région naturelle d'Allemagne sud-occidentale, s'étendant d'O. en E. de la Forêt-Noire à la forêt de Bohême et du N. au S. de la vallée du Main à celle du Danube. Partagée entre les *Länder* de Bavière* (E)., Bade*-Wurtemberg (O.) et Hesse* (N.), elle fait suite au bassin de Lorraine. Ce n'est pas à proprement parler une dépression, mais une succession de plates-formes faiblement ondulées, traversées par des reliefs de côtes (*Jura souabe* et *Jura franconien*) et bien drainées par le Main*, le Neckar*, le Danube* et leur réseau d'affluents. Le sol présente des alternances de calcaires, de grès et de marnes, et la vie agricole diffère selon les terrains. Les vallées du Main et du Neckar, aux riches terroirs (limons calcaires), correspondent aux grandes régions céréalières *(gaue)* : *Kraichgau, Strögau* (pays de la paille), *Korngau* (pays du blé), *Bauland* (pays agraire), plateau de Hohenlohe. La vallée du Neckar (notamment autour de Würzburg) et celle du Main sont plantées de vignobles. Les plateaux gréseux sont le domaine de la forêt et les reliefs de côtes, plus pauvres, sont couverts de landes pierreuses. Le sous-sol recèle quelques richesses minières : sel et fer (Amberg). Les villes sont nombreuses. Stuttgart* et Nuremberg* sont les plus importantes.

SOUABE-FRANCONIEN *(plateau)*. ♦ Région d'Allemagne méridionale s'étendant en arc de cercle entre le Danube au N., les Alpes au S. jusqu'à l'Inn et la Salzbach à l'est. C'est un vaste glacis faiblement ondulé, incliné d'O. en E. et abondamment irrigué par les affluents r. d. du Danube (Iller, Inn, Isar, Lech). On peut distinguer trois zones, selon le degré de l'influence fluvio-glaciaire : au S. s'étend une zone de glacis formée de collines boisées, de marécages et de lacs (Ammersee, Chiemsee, Starnberger See); au centre, on distingue une alternance de moraines caillouteuses et de marais ou *Moos* (Dachauer Moos, au N. de Munich), où se pratiquent une maigre polyculture vivrière et l'élevage des bovins; au N., la vallée du Danube est formée de mollasse recouverte de lœss et de limons fertiles, propices aux cultures de céréales et de houblon.

Souaheli, swaheli, swahili ou **kiswahili.** *n. m.* ♦ Langue bantoue dont le lexique compte de nombreux mots arabes, voire européens, et qui est parlée par 30 millions de personnes, depuis les Comores jusqu'au Congo, à travers toute l'Afrique orientale. Langue officielle de la Tanzanie*.

SOUBIROUS (Bernadette). ♦ V. BERNADETTE SOUBIROUS (sainte).

SOUBISE (Benjamin de Rohan, *seigneur de***).** ♦ Homme de guerre français (La Rochelle, 1583 — Londres, 1642). Frère d'Henri de Rohan*, il fut avec lui un des chefs du parti protestant sous Louis* XIII. Lors du siège de La Rochelle*, il tenta de secourir la ville avec Buckingham*. Il mourut en Angleterre, n'ayant pas voulu profiter de la paix d'Alès*. ♦ CHARLES DE ROHAN, *prince de* SOUBISE, maréchal de France (Paris, 1715 — *id.*, 1787). Favori de Louis XV, il reçut le commandement d'une armée, et Frédéric II lui infligea une défaite honteuse à Rossbach* pendant la guerre de Sept Ans, mais il s'empara l'année suivante du landgraviat de Hesse.

Soubise *(hôtel de)*. ♦ Hôtel de Paris, dans le Marais*. Construit par Delamair* (1705-1709) pour François de Rohan, prince de Soubise, l'hôtel possède une vaste cour d'honneur en fer à cheval que limitent deux péristyles. De 1732 à 1740, Germain Boffrand* modifia les bâtiments et dirigea la belle décoration intérieure (Boucher*, Natoire*, C. Van* Loo). Napoléon Ier affecta (1808) l'hôtel aux ***Archives* nationales.***

SOUBRANY (Pierre Auguste *de***).** ♦ Homme politique français (Riom, 1750 — Paris, 1795). Maire de Riom au début de la Révolution, à laquelle il s'était rallié, il vota la mort du roi, et fut envoyé comme commissaire aux armées de Moselle et des Pyrénées orientales. Lors de la réaction thermidorienne, il prit position en faveur des insurgés du 1er prairial* an III (20 mai 1795); condamné à mort, il tenta de se suicider et fut exécuté.

SOUCHEZ. ♦ Comm. du Pas-de-Calais, arr. d'Arras. 1 800 hab. Des combats s'y déroulèrent en 1915.

SOUDAN. *n. m.* (ou **zone soudanaise**). ♦ Région climatique de l'Afrique, plus sensible dans la partie occidentale, formant transition entre le Sahel* et la zone humide; elle est caractérisée par le passage de la steppe à la savane (domaine des mammifères, élevage). C'est une zone basse sur laquelle souffle l'*harmatan*; la saison sèche se situe en hiver tandis que la saison des pluies (été) est prolongée; le total des précipitations est toujours supérieur à 600 mm avec des nuances entre le N. et le sud. L'alternance régulière des saisons est le trait dominant de la zone soudanaise. ♦ *Note hist.* Le mot Soudan a été employé par les explorateurs européens à partir du XVIIIe s. lors de leur pénétration dans le continent; il correspondait surtout à l'anc. Afrique-Occidentale française (A.-O.F.). « C'est une expression vague et élastique empruntée aux géographes arabes; ceux-ci appelaient *Blad-es-Soudan* « pays des Noirs » par opposition au *Blad-el-Beïdan*, « pays des Blancs » tout ce qui s'étend au sud du Sahara. » (P. Vidal de La Blache.)

SOUDAN. *n. m. (république du)*, en ar. **Bilâd as-Sûdân** (le « pays des Noirs »). ♦ Etat de l'Afrique* orientale, occupant la région du haut Nil*, ayant un débouché sur la mer Rouge*. Il est limité au N. par l'Égypte*, au N.-O. par la Libye*, à l'O. par le Tchad* et l'Empire Centrafricain*, au S. par le Congo*, l'Ouganda* et le Kenya* et à l'E. par l'Éthiopie*. 2 500 000 km². 15 000 000 d'hab. environ. *Cap.* Khartoum. *Langue :* arabe. *Pop.* Arabes et Berbères plus ou moins métissés au N. **(V. Hamites)**, Noirs au S. *V. princ.* **V. Kodok** (anc. Fachoda), **Obeïd (El-)**, **Omdourman, Port-Soudan** et **Sennar.** — *Orogr.* Plateaux. **V. Darfour** et **Kordofan.** Plaine. **V. Gezireh.** Déserts. **V. Libyque** et **Nubie.** — *Hydrogr.* Fleuves. **V. Nil** et **Atbara, Bahr el-Abiad** (ou Nil Blanc), **Bahr el-Azrak** (ou Nil Bleu), **Bahr el-Djebel** et **Bahr el-Ghazal.** Lac. **V. Nô.** — Le Soudan forme comme le Tchad une cuvette steppique (à l'exception d'une zone de savanes au S.), mais le Nil y concentre ses eaux. La modernisation de son économie est fondée sur les aménagements hydrauliques qui permettent le passage de la vie pastorale extensive à l'agriculture irriguée combinant les cultures vivrières et le coton (60 % de ses exportations complétées par la gomme arabique et l'arachide). ♦ *Hist.* Après le déclin de Méroé **(V. Nubie)**, plusieurs royaumes chrétiens se constituèrent vers le VIe s. et subsistèrent jusqu'aux XIVe-XVe siècles. Ils furent repris par des royaumes musulmans, comme celui des Noirs Foundji dont l'économie était fondée essentiellement sur le trafic des esclaves et qui avait pour cap. Sennar*. À l'O., le Darfour* indépendant enleva le Kordofan* au Foundji (XVIIIe s.). Le déclin de ces petits États locaux entraîna l'intervention en 1820 du khédive d'Égypte Muhammad*-'Ali. La conquête égyptienne s'étendit et unifia le pays pour la première fois de son histoire. Mais, à partir de 1881, le Soudan fut en proie à l'agitation déclenchée par le Mahdi*, prêchant contre les « Turcs infidèles », il s'empara de Khartoum* en 1885 malgré la résistance de Gordon*. La puissance mahdiste régna sur tout le Soudan jusqu'en 1898, date à laquelle Kitchener* remporta la victoire d'Omdourman* **(V. Mahdi)**. Un condominium anglo-égyptien fut établi par la convention du 19 janvier 1899. Au S., la tentative d'établissement de la France **(V. Marchand)** entraîna une grave tension franco-britannique **(V. Fachoda)**. En octobre 1951, Fârûq* abrogea unilatéralement les conventions passées avec l'Angleterre et se proclama roi du Soudan, qui devint une république indépendante en 1956. Après plusieurs coups d'État militaires (1958, 1964 et 1969), un régime de type socialiste (engagé dans l'alliance R.A.U.-Libye-Soudan) s'y est instauré, qui doit faire face à l'agitation du Sud où le Front de libération réclame son indépendance (les populations du S. animistes ou christianisées s'opposent à celles du N., arabophones islamisées).

SOUDAN FRANÇAIS. ♦ **V.** Mali.

SOUF. ♦ Région du Sahara algérien (dép. des Oasis), au S. de Biskra, entre Touggourt* et le chott Djérid (el-) en Tunisie. Les oasis du Souf sont dispersées dans des cuvettes où affleure la nappe phréatique, peu profonde. *V. princ.* **V. Oued (El-)** et **Touggourt.**

SOUFFLENHEIM. ♦ Comm. du Bas-Rhin, arr. de Haguenau. 4 027 hab. Ruines romaines. Indus. céramique : poteries depuis le XIIe siècle.

SOUFFLOT (Germain). ♦ Architecte français (Irancy, près d'Auxerre, 1713 – Paris, 1780). Il séjourna à Rome de 1735 à 1737 puis travailla à Lyon *(Façade de l'hôtel-Dieu,* 1748). En 1750, à la demande de Mme de Pompadour, il accompagna en Italie le frère de celle-ci : M. de Vandières, futur marquis de Marigny et directeur des bâtiments royaux. Il visita et dessina les ruines de Paestum* récemment découvertes. De retour en France, il obtint de nombreuses charges officielles, et Louis XV lui confia l'édification de l'église *Sainte-Geneviève* de Paris (1756-1780) devenue le Panthéon. Il s'inspira de la façade des temples romains, mais par souci d'élégance et de luminosité évida le tambour de la coupole et fit porter son poids sur quatre groupes de colonnes, ce qui nécessita des travaux de consolidation **(V. Rondelet).** Il exerça une profonde influence sur tout le mouvement néo-classique en architecture et annonça par son goût du colossal une tendance développée par Boullée* et Ledoux*.

Soufisme ou **sûfisme.** *n. m.,* en ar. **Tassawwuf.** ♦ Nom par lequel fut connu le mysticisme musulman au VIIIe siècle. Les *sûfis* (porteurs de laine) étaient appelés aussi *fuqara* (« pauvres [d'esprit] »). D'après Massignon, ils s'étaient organisés dès le VIIe-VIIIe s. à Kûfa, puis à Basra; Baghdâd devint le centre du mouvement dès la seconde moitié du IXe siècle. Les sûfis se fondaient sur plusieurs passages du Coran*, surtout des versets eschatologiques, pour justifier leur attitude. Ils préconisèrent une interprétation allégorique du Coran* et rejetèrent la raison au profit de l'intuition. Ils vénéraient 'Ali* et voyaient en lui le chef de la tradition mystique. Dans leurs doctrine et pratiques, plusieurs traces d'influences chrétiennes, zoroastriennes et hindoues (notion de *nirvâna*) se manifestaient. À la fin du IXe s., ils adoptèrent plusieurs concepts néo-platoniciens qui leur permirent d'enrichir leur vocabulaire technique ainsi que la doctrine plotinienne de l'*émanation*; le monde, miroir reflétant l'être divin, n'est qu'apparence; pour y

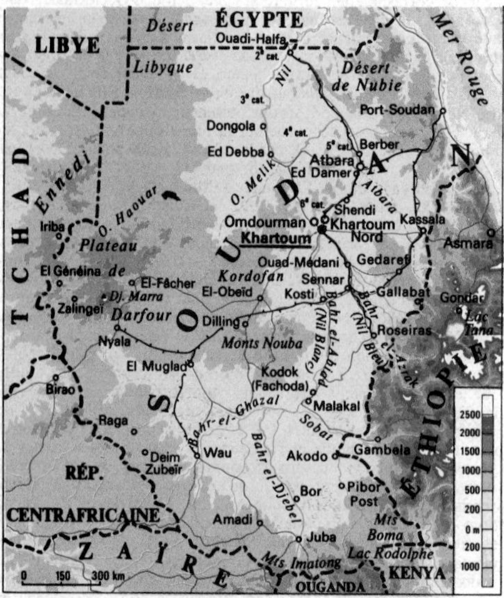

Soudan.

échapper, il faut parvenir ainsi à l'anéantissement *(al-fanâ)* de sa personnalité propre dans l'être divin, seule réalité *(al-Haqq)* et s'absorber en lui. Ce monisme fut théorisé par Ibn* 'Arabi : tout émane de l'essence divine et y retourne. Un *masnavi* (poème didactique) de Jalal* al-Dîn al-Rûmi illustre cette doctrine. L'orthodoxie sunnite* toléra le sûfisme modéré et réprima ses manifestations extrêmes; Hallâj* fut supplicié à Baghdâd en 922. Ghazali* ([mort] 1111), un des plus grands penseurs de l'Islâm, tenta de concilier le traditionalisme, le rationalisme et le mysticisme en rejetant la casuistique, Kalam* et Fiqh, et en opérant une synthèse entre l'intuition des sûfis et la spéculation des théologiens. Dès le VIIIe s., les sûfis se regroupèrent dans des couvents *(Zawiya)* où les novices suivaient l'enseignement d'un directeur spirituel. À partir du XIIe s., plusieurs ordres furent constitués *(tariqa,* pl. *turuq)* : Qâdiria, Rifâiya, Mawlawiya (derviches tourneurs), Shadiliya (Afrique du Nord), Badawiya (Égypte). La règle variait, mais le rite était commun : des litanies d'Allah étaient répétées à satiété *(thikr)*. Chaque ordre était dirigé par un maître *(shaïkh)*, porteur d'un immense pouvoir spirituel *(baraka)*; il était considéré comme saint. Le culte des saints se propagea surtout en Afrique du Nord.

SOUFRIÈRE (la). ♦ Volcan peu actif de la Guadeloupe*, situé dans le sud de l'île de Basse*-Terre. 1 484 mètres.

SOUILLAC. ♦ Ch.-l. de cant. du Lot* (arr. de Gourdon*), sur la Dordogne*. 3 918 hab. *(Souillaquais* ou *Souillagais)*. Église abbatiale à coupoles (XIIe s.) contenant le célèbre bas-relief roman dit *le Prophète* (Isaïe). Indus. textiles, bois, matières plastiques.

SOUILLY. ♦ Ch.-l. de cant. de la Meuse, arr. de Verdun. 352 hab. ♦ *Hist.* Le général Pétain y installa son quartier général (fév. 1916) pour mener les opérations de la bataille de Verdun.

SOUK-AHRAS. ♦ V. d'Algérie, ch.-l. d'arr. du dép. d'Annaba, dans la vallée de l'oued Medjerda*. 35 300 hab. Centre commercial entouré de petits centres miniers. Cultures. – Vestiges de l'anc. cité romaine de Thagaste, patrie de saint Augustin*.

SOUK EL-ARBA. ♦ **V.** Jendouba.

SOUKHOUMI ou **SUKHUMI.** ♦ V. de l'U.R.S.S. (Géorgie), cap. de la République autonome d'Abkhazie*, et port sur la mer Noire. 107 000 hab. Station balnéaire. Indus. alimentaires. Centrale électrique. ♦ *Hist.* Fondée par les Milésiens vers le ~ VIIe s. sur les ruines de l'antique *Dioscurias* (qui devait son nom aux Dioscures* et où auraient débarqué les Argonautes*), la ville fut prise par les Turcs au XVe s. et fut rattachée à la Russie en 1810.

SOUKHOVO-KOBYLINE (Alexandre Vassilievitch) [*Suxovo-Kobylin*]. ♦ Auteur dramatique russe (Moscou, 1817 – Beaulieu-sur-Mer, 1903). Ses démêlés avec la justice de son pays lui ont inspiré trois comédies où il dénonce, sur un mode à la fois bouffon et tragique, l'hypocrisie des institutions et la férocité de leur fonctionnement : *La Noce de Kretchinski* (1855), *L'Affaire* (1861) et *La Mort de Tarelkine* (1868). Ces comédies ont été rassemblées sous le titre *Tableaux du passé,* imposé par la censure.

SOULAC-SUR-MER. ♦ Comm. de la Gironde*, arr. de Lesparre*-Médoc. 2 213 hab. Basilique Notre-Dame-de-la-Fin-des-Terres (XIIe-XIVe s.). Station balnéaire sur l'Atlantique.

SOULAGES (Pierre). ♦ Peintre français (Rodez, 1919). Après des paysages dépouillés et tragiques (1938-1946), Soulages élabora un style abstrait puissant et équilibré. Il peignit, dès lors, de fortes architectures où dominent les formes rectangulaires noires, construites sur le jeu des horizontales et des verticales, souvent animées par la lumière et par de rares éclats de couleur.

SOULE (Samuel W.). ♦ Inventeur américain. **V. Sholes** et **Glidden.**

SOULE *(pays de)*. ♦ Anc. province du Pays Basque qui s'étendait dans la région de la vallée de la Saison (affl. du gave d'Oloron). La capitale était Mauléon*-Licharre. La Soule fut rattachée à la couronne de France au XVe siècle.

SOULI. ♦ Village historique de la Grèce (Épire) sur un plateau dominant la vallée de Mauropotamos (Achéron). Ses habitants (les *Souliotes*), chrétiens d'Albanie qui s'installèrent dans la région, fuyant la répression turque, se distinguèrent par leur lutte héroïque contre 'Ali Pacha de Tebelen (1790-1803) et pendant la guerre de l'indépendance grecque (1821). – Patrie de Markos Botzaris*.

SOULIÉ (Frédéric). ♦ Romancier et auteur dramatique français (Foix, 1800 – Bièvres, 1847). Il connut au théâtre un certain nombre de succès, depuis *Roméo et Juliette* (1828) jusqu'à *La Closerie des genêts* (1846). Auteur déjà de romans illustrant l'histoire du Languedoc, F. Soulié acquit une notoriété considérable avec *Les Mémoires du diable* (8 vol., 1837-1838), inspirés du *Diable* boiteux* de Lesage*. Un des premiers romans-feuilletons, cette œuvre, où foisonnent les récits effroyables ou pathétiques, évoquait de façon mélodramatique la « dévorante atmosphère » de Paris.

Soulier de satin (Le). ♦ Action espagnole en quatre journées, de Paul Claudel* (1924). L'œuvre retrace la vaste épopée de la conquête, par la monarchie espagnole, du nouveau monde que découvrit Christophe Colomb. Le nœud de l'action est l'impossible amour qui unit don Rodrigue à doña Prouhèze, femme du vieux Pelage. Consumés d'une passion aussi ardente que celle qui dévore les héros du *Partage* de midi,* Rodrigue et Prouhèze s'acheminent douloureusement sur la voie d'un renoncement qui répond aux desseins de la Providence. En perdant toutes ses dignités, en sacrifiant sa liberté même, Rodrigue, le conquistador victorieux, se délivre en même temps, pour l'amour de Prouhèze, de sa pesan-

Ph. C. Schaeffner

Pierre Soulages : « Composition ».
(Collection privée, Paris.)

teur terrestre. Foisonnante de personnages et d'intrigues secondaires, multipliant les lieux et confondant les époques, baroque comme le Siècle d'or qu'elle évoque, l'œuvre illustre les thèmes principaux de la pensée poétique de Claudel. Elle a été représentée pour la première fois à la Comédie-Française, dans une version abrégée due à la collaboration du poète et de J.-L. Barrault, qui en assura la mise en scène (1943).

SOULOM. ♦ Comm. des Hautes-Pyrénées, arr. d'Argelès-Gazost. 521 hab. Église romane fortifiée au XVIe siècle. Indus. chimique. Centrale hydro-électrique sur le gave de Cauterets.

SOULOU. ♦ **V.** SULU.

SOULOUQUE (Faustin). ♦ Homme politique haïtien (Petit Goave, 1782 — *id.*, 1867). Esclave illettré émancipé, il se distingua lors des révoltes de l'île et fut élu président en 1847. Deux ans plus tard, il se fit proclamer empereur sous le nom de Faustin Ier. Il fit régner la corruption et la terreur et fut renversé en 1859.

SOULT (Nicolas Jean de Dieu). ♦ Maréchal de France (Saint-Amans-la-Bastide, auj. Saint-Amans-Soult, Tarn, 1769 — *id.*, 1851). Engagé en 1785, il se distingua dans les campagnes de la Révolution et de l'Empire, prit part à la victoire d'Austerlitz (1805) et à la prise de Königsberg* (1807) et fut nommé gouverneur de la Vieille Prusse et duc de Dalmatie. Envoyé en Espagne, il parvint après plusieurs succès à forcer les Anglais à lever le siège de Badajoz (1811). Rentré en France en raison de son opposition à Joseph Bonaparte, il prit part peu après à la victoire de Bautzen, puis fut renvoyé en Espagne après la victoire anglaise de Vittoria (1813) et réussit à freiner l'avance de Wellington. Rallié aux Bourbons en 1814, il fut fait pair de France et nommé ministre de la Guerre (1814-1815). Pendant les Cent-Jours, il prit parti pour Napoléon Ier. Banni lors de la seconde Restauration, il revint en France en 1819 et fut réintégré dans la Chambre des pairs en 1827. Rallié à la monarchie de Juillet, il réprima l'insurrection de Lyon (1831) comme ministre de la Guerre (1830-1831), décida de l'expédition d'Anvers (1832) comme président du Conseil (1832-1834), fut envoyé en mission à Londres lors du couronnement de la reine Victoria (1838), puis assuma à nouveau la présidence du Conseil (1840-1847), la réalité du pouvoir revenant toutefois à Guizot*.

SOUMAGNE. ♦ Comm. de Belgique (prov. et arr. de Liège). 5 500 hab. Château Renaissance (1614) du domaine provincial de Wegimont (20 ha). Houillères. Indus. alimentaires. Papeteries.

SOUMAROKOV (Alexandre Petrovitch) [*Sumarokov*]. ♦ Poète et dramaturge russe (Lappeenranta, Finlande, 1718 — Moscou, 1777). Il fut le premier gentilhomme russe à se consacrer entièrement à la littérature. Ennemi de Lomonossov*, il rechercha dans ses satires, fables et chansons l'harmonie et la clarté. Critique littéraire et dramaturge *(Khoriev, Hamlet, Vycheslav, Dimitri l'Imposteur, Mstislav)*, il introduisit le style classique en s'inspirant de Racine* et de Voltaire*.

SOUMET (Alexandre). ♦ Poète et auteur dramatique français (Castelnaudary, 1788 — Paris, 1845). Bonapartiste sous l'Empire, rallié aux Bourbons sous la Restauration, il appartint au cénacle de la Muse française et composa des tragédies d'un style encore proche du classicisme [*Jeanne d'Arc*, 1825]. (Acad. fr., 1824.)

SOUMGAÏT ou **SUMGAÏT.** ♦ V. d'U.R.S.S. (Azerbaïdjan*) au N.-O. de Bakou. 138 000 hab. Centre industriel important. Complexe chimique. Usine de pneumatiques (caoutchouc synthétique).

SOUMMAM *(la)*. ♦ Oued d'Algérie né dans le massif des Bibans sous le nom d'oued Sahel, il arrose Bouira*, passe entre les monts des Bibans* et la chaîne du Djurdjura* puis entre ceux de la Grande et de la Petite Kabylie*. Il se jette dans le golfe de Bejaia*.

SOUMY. ♦ V. d'U.R.S.S. (Ukraine), ch.-l. de la région du même nom (23 800 km². 1 494 000 hab.), sur le Psiol (affl. du Dniepr). 177 000 hab. Indus. alimentaires (sucreries).

SOUNGARI. ♦ **V.** SUNGARI.

SOUNION *(cap)* ou **COLONNE** *(cap)*. ♦ Promontoire de la Grèce, à l'extrémité S.-E. de l'Attique, près de Laurion*. Son sommet, acropole de l'anc. bourgade de *Sounion*, est couronné par les ruines du temple de Poséidon, périptère dorique construit v. ~ 440 sur l'emplacement d'un temple archaïque. À proximité, ruines du temple d'Athéna Sounias (~ VIe s.).

SOUPAULT [supo] **(Philippe).** ♦ Écrivain français (Chaville, 1897). Il prit une part active au mouvement dada (1918-1920) avant de s'engager, aux côtés d'André Breton* et de Louis Aragon*, dans l'aventure du surréalisme, en participant à ses plus tumultueuses manifestations ainsi qu'à la fondation de la revue *Littérature*. La publication du recueil *Les Champs magnétiques* (en collaboration avec André Breton, 1920), suite de textes obtenus par l'écriture automatique, marque une date importante dans l'histoire de la poésie contemporaine. Bientôt, cependant, Soupault s'éloigna de ses amis et quitta Paris pour de longs voyages à travers le monde. Devenu journaliste et romancier (*Le Bon Apôtre*, 1923; *Les Frères Durandeau*, 1924; *Le Nègre*, 1927; *Les Dernières Nuits de Paris*, 1928), il entend se faire le témoin de son époque et des expériences nouvelles qui s'y élaborent (*Voyage en U.R.S.S.*, 1930), accordant à la musique de jazz et au cinéma (*Charlot*, 1930) un intérêt captivé par toutes les manifestations de l'art moderne. Toutefois, cette curiosité ne l'éloigne pas de la poésie (Essais sur *Lautréamont*, 1927; *William Blake*, 1928), ni de la peinture (*Jean Lurçat*, 1928; *Paolo Uccello*, 1929). Son activité s'étendra encore au théâtre (*Tous ensemble autour du monde*, 1943) et surtout à la radio, où il produira de nombreuses émissions (Paris, 1928; Tunis, 1938-1940; Paris, 1945-1957). Infatigable voyageur, esprit alerte et désinvolte, Philippe Soupault est demeuré fidèle à l'allègre fantaisie de sa jeunesse.

SOUPHANOUVONG. ♦ Homme politique laotien (né en 1909). Après des études en France, il créa en 1949 au Laos le Pathet Lao **(V. Laos).** Il s'opposa au neutralisme de son demi-frère, le prince Suvanna Phuma. En 1975, il devint président de la rép. du Laos.

SOUPPES-SUR-LOING. ♦ Comm. de Seine-et-Marne, arr. de Melun, sur le Loing. 4 457 hab. Église (XIIIe s.). — Papeterie; carrières de pierre; instruments d'optique.

SOUPPILOULIOUMA ou **SUPPILULIUMA.** ♦ Roi des Hittites (~ 1385 — ~ 1350 env.). Il fut le réalisateur du second empire hittite qui atteignit son apogée à la fin de son règne. Il vassalisa l'Amourrou et le Mitanni* (en replaçant sur le trône le prince héritier exilé, Mattiwasa), annexa Karkémish* et plusieurs districts du Taurus et, en Syrie septentrionale, soumit des principautés alors vassales de l'Égypte. **V. Hittites.**

SOUR. ♦ V. et port du sultanat d'Oman* (Arabie), situé au pied du Hajar* oriental, sur le golfe d'Oman. 10 000 hab. environ. Pêche et commerce de dattes.

Sources de la morale et de la religion (Les Deux). ♦ (1932). Ouvrage de Bergson*. La « morale close », ensemble de préceptes et de règles issus des pressions sociales, et la religion statique, dogmes et croyances figés, y sont opposées à la « morale ouverte » des héros et des saints, créateurs de valeurs nouvelles, et à la religion dynamique des mystiques. Ces dernières s'inscrivent, selon l'auteur, dans le mouvement créateur de l'élan vital.

SOURDEVAL. ♦ Ch.-l. de cant. de la Manche*, arr. d'Avranches*, sur la Sée. 3 545 hab. *(Sourdevalais)*. Ferronnerie; fabrique de couverts.

SOURDIS [-dis] **(François d'Escoubleau, *cardinal de*).** ♦ Prélat français (1575 — Bordeaux, 1628). Il dut sa rapide ascension à Gabrielle d'Estrées* et devint archevêque de Bordeaux. Il y montra un grand zèle épiscopal. — Son frère HENRI (1593 — Auteuil, 1645) lui succéda, mais fut plutôt un homme de guerre et prit part au siège de La Rochelle.

SOUR El-GHOZLAN, anc. **Aumale*.** ♦ V. d'Algérie, ch.-l. d'arr. du dép. de Médéa. 13 500 hab. Centre commercial.

SOURIAU (Paul). ♦ Philosophe français (Douai, 1852 — Nancy, 1926). Il a exposé dans ses œuvres une conception spiritualiste de la création artistique et de la beauté (*Beauté rationnelle*, 1904). ♦ ÉTIENNE SOURIAU, son fils. Philosophe français (Lille, 1892 —). Directeur de la *Revue d'esthétique*, il fut un des créateurs de la filmologie. Selon lui, chaque œuvre d'art est un univers singulier, avec ses dimensions spatiales, temporelles et spirituelles, et n'a d'autre fin que sa propre existence. (*Pensée vivante et Perfection formelle*, 1925; *Avenir de l'esthétique*, 1929; *La Correspondance des arts*, 1947, etc.)

SOURKOV (Alexis Alexandrovitch) [*Surkov*]. ♦ Poète soviétique (gouvernement de Iaroslav, 1889 —). Poète soldat, il mit tout son cœur dans des recueils de poésies où domine une sincérité qui atteint souvent le pathétique : *La Rengaine* (1930), *La Patrie des courageux*.

Ph. Nimatallah/Ricciarini

Chaïm Soutine : « Le Groom ».
(Musée national d'Art moderne, Paris.)

SOUS [sus]. ♦ Dépression du Maroc méridional ouverte sur l'Atlantique, enserrée entre les parties occidentales du Haut Atlas et de l'Anti-Atlas, peuplée par les Chleuhs*. La *plaine du Sous* est drainée par le fleuve du même nom. Agrumes. *L'oued Sous* prend sa source au pied du dj. Toubkal, pénètre dans la plaine au S. de Taroudant* et se jette dans l'Atlantique au S. d'Agadir*.

SOUS-LE-VENT *(îles)*. ♦ Ensemble d'îles appartenant au groupe des Petites Antilles*, et comprenant, au sud, les îles situées au large des côtes vénézuéliennes **(V. Aruba, Bonaire, Curaçao),** et, au nord, les îles Saint-Martin et Sainte-Croix, ainsi que les *Leewards Islands* [expression anglaise synonyme] (Antigua*, Barbuda, Montserrat [colonie], Nevis, Anguilla, Saint* Kitts et îles Vierges*).

SOUSSE. ♦ V. et port de Tunisie, ch.-l. de gouvernorat (524 000 hab.), située sur la côte S. du golfe d'Hammamet* au débouché du *Sahel* de Sousse,* couvert d'immenses olivettes (4 000 000 d'arbres). 48 000 hab. Anc. cité phénicienne puis romaine *(Hadrumète)* développée par les Aghlabides*, elle fut au Moyen Âge un important port de commerce. – Musée archéologique (mosaïques). Remparts. Grande mosquée. – Port exportateur d'alfa, d'huile d'olive et du sel de Monastir*. Station balnéaire et touristique.

SOUSTELLE (Jacques). ♦ Homme politique et ethnologue français (Montpellier, 1912). Ancien élève de l'École normale supérieure, il s'orienta vers l'ethnologie et fit plusieurs expéditions en Amérique latine, particulièrement au Mexique. Il a publié plusieurs ouvrages sur le Mexique précolombien (*La Famille Otoni-Pame du Mexique central,* 1937; *La Vie quotidienne des Aztèques; L'Art du Mexique ancien,* 1966). Professeur de sociologie à l'École des hautes études, sous-directeur du musée de l'Homme (1937), il fut membre de la ligue des intellectuels antifascistes et collabora quelque temps à *l'Humanité* avant la Deuxième Guerre mondiale. Commissaire à l'Information dans le comité gaulliste à Londres, puis directeur général des Services spéciaux à Alger (1943), il fut nommé commissaire de la République à Bordeaux en 1944, puis ministre de l'Information (1945) et des Colonies (1945-1946). Il fut l'un des fondateurs du mouvement gaulliste, le Rassemblement* du peuple français (avril 1947), et fut élu député (1951-1958). Il devint gouverneur de l'Algérie en 1955, se fit le défenseur de l'Algérie française et de la politique d'intégration de la communauté musulmane. Il fut rappelé en 1956 par Guy Mollet. Lors des événements de Mai* 1958, J. Soustelle se montra favorable au rappel du général de Gaulle, qui le nomma ministre de l'Information (juil. 1958), puis ministre délégué pour les départements sahariens, mais lui retira ces fonctions en 1960. En effet, J. Soustelle affirmait sa position contre la politique algérienne du chef de l'État. Il continua à défendre la politique de l'Algérie française, en France puis en Italie où il s'exila, un mandat d'arrêt ayant été lancé contre lui (1962). Rentré en France lors de l'amnistie générale et bénéficiant d'un non-lieu (1968), il fonda et présida (1970) le mouvement national « Progrès et Liberté » et fut élu député aux élections législatives de 1973. Outre ses souvenirs de guerre (*Envers et contre tout,* 1947-1950), il a publié des ouvrages sur le problème de l'Algérie (*Aimée et souffrante Algérie,* 1956; *L'Espérance trahie,* 1962) et sur le gaullisme (*Vingt-huit ans de gaullisme,* 1968).

SOUSTONS. ♦ Ch.-l. de cant. des Landes*, arr. de Dax, près de l'*étang de Soustons.* 4 532 hab. *(Soustonnais).* Indus. du liège.

SOU-TCHEOU. ♦ **V.** Su Chou.

SOUTERRAINE (La). ♦ Ch.-l. de cant. de la Creuse* (arr. de Guéret*), dans la haute Marche*. 5 570 hab. (aggl. 4 433). Église romane et gothique des XIIe et XIIIe s. ; portes fortifiées du XIVe s. ; maisons anciennes. Confection, chaussures.

SOUTHAMPTON *(île)*. ♦ Île du Canada (Territoires du Nord-Ouest) qui ferme partiellement la baie d'Hudson au Nord. De nombreux oiseaux de mer s'y regroupent.

SOUTHAMPTON. ♦ V. de l'Angleterre méridionale (Hampshire), dans une échancrure de la Manche, la *Southampton Water,* formée par les confl. de la Test et de l'Itchen, et protégée au large par l'île de Wight. 214 826 hab. Université. Premier port transatlantique britannique dont le développement a été servi par la particularité de la marée qui, se manifestant toutes les deux heures, maintient continuellement le port en eau profonde. Un grand nombre de paquebots transatlantiques y font escale. Sa fonction commerciale est presque aussi importante et représente 29 305 000 t (exportation des hydrocarbures de la raffinerie de Fawley*, importation de fruits, légumes et céréales). L'industrie : constructions navales et aéronautiques, pétrolochimie, connaît un grand essor dans la banlieue (Fareham*, Fawley). – Patrie de l'amiral Jellicoe* et du peintre John Everett Millais*. ♦ *Hist.* La ville saxonne de *Suthamtune* fut fondée au Ve s. près des ruines de l'anc. colonie romaine de *Clausentum.* Du XIIe au XVIe s., le port noua d'étroites relations commerciales avec la Normandie, puis avec les ports de Venise et Gênes et pratiqua le commerce des épices. Du XVIe au XIXe s., Southampton connut une longue période de déclin. Ce n'est qu'au XIXe s. qu'elle fut dotée d'une importante infrastructure portuaire (Southampton Docks Company) et devint un grand port. La ville souffrit beaucoup des bombardements de la Deuxième Guerre mondiale.

SOUTH BEND. ♦ V. des États-Unis, au N. de l'Indiana*. 125 580 hab. Indus. diverses (la ville fut le siège des usines Studebaker et Singer). – Deux universités catholiques aux environs.

SOUTH CAROLINA. ♦ **V.** Caroline du Sud.

SOUTH DAKOTA. ♦ **V.** Dakota du Sud.

SOUTH DUM-DUM. ♦ **V.** Dum-Dum.

SOUTHEND ON SEA. ♦ V. du S. de l'Angleterre (Essex) sur la r. nord de l'estuaire de la Tamise. 165 400 hab. Prieuré du XIIe siècle. Appareillage électrique, verreries, mécanique.

SOUTHERN UPLANDS ou **HIGHLANDS DU SUD** (« hauteurs du sud »). *n. f. pl.* ♦ Hauteurs de l'Écosse méridionale, comprises entre la frontière anglo-écossaise au S. et les Lowlands au N., et formant une large barrière de direction générale S.-O. – N.-E. englobant la partie septentrionale des monts Cheviot. Leur hauteur excède rarement 800 m (843 m au *Merrick* et 840 m au *Broad Low*). Dans leur longueur, elles sont traversées par le bassin de la Tweed*, dans leur largeur, par la Dee, le Nith et l'Annan. Les princ. activités sont l'élevage ovin (alimentant l'industrie lainière de la vallée de la Tweed) et bovin. Les landes de l'intérieur sont très giboyeuses et les cours d'eau poissonneux (truites et saumons).

SOUTHEY (Robert). ♦ Poète anglais (Bristol, 1774 – Greta Hall, Keswick, 1843). Étudiant à Oxford et ami de Coleridge*, il voulut fonder avec ce dernier une communauté égalitaire (la *pantisocracy*) en Pennsylvanie. La Révolution française lui inspira un drame, *Wat Tyler,* et un poème épique, *Jeanne d'Arc* (1796). En collaboration avec Lovell, il écrivit *La Chute de Robespierre,* et des *Poèmes.* Deux séjours au Portugal (1795 et 1800) l'incitèrent à écrire l'histoire de ce pays. C'est aussi au Portugal qu'il composa son grand poème narratif *Thalaba le Destructeur,* 1801. De retour en Angleterre, il s'installa dans la région des Lacs, près de Coleridge dont il avait épousé une parente (1795), et y rédigea des biographies : *La Vie de Nelson,* 1813; *La Vie de Wesley* (*The Life of Wesley; and the Rise and Progress of Methodism,* 2 vol., 1820), et *Sir Thomas More; or, Colloquies on the Progress and Prospects of Society,* 1829). On le range parmi les poètes lakistes, mais sa poésie – si l'on excepte *Roderic, le dernier des Goths* (1814) – reste médiocre. Le comique et l'humour l'inspirent mieux *(Les Pensées du diable).* Le même esprit anime la correspondance qu'il entretint notamment avec Lamb* et Wordsworth*.

SOUTHPORT. ♦ Port et station balnéaire du N.-E. de l'Angleterre (Durham), sur la r. sud de l'estuaire de la Tyne. 84 349 hab. Université. Constructions navales, exportation du charbon et du fer du Durham.

SOUTH SHIELDS. ♦ V. du N. de l'Angleterre (Durham) et port sur l'estuaire de la Tyne. 100 513 hab. (1971). Ruines d'un fort romain sur la Tyne. Chantiers navals, exportation de houille et d'acier.

SOUTHWELL. ♦ V. d'Angleterre (Nottinghamshire), à 22 km au N.-E. de Nottingham. 45 850 hab. Cathédrale du XIIe s. de styles roman (tours, nef) et gothique primitif (chœur). Centre agricole et commercial. Bonneterie et indus. alimentaires.

SOUTINE (Chaïm). ♦ Peintre français (Smilovitchi, 1894 – Paris, 1943). Né dans un ghetto de Lituanie, il était le dixième enfant d'une famille très pauvre. Il travailla chez un photographe de Minsk et suivit des cours de dessin, puis entra à l'École des beaux-arts de Vilna (1910 avant de partir pour la France. Arrivé à Paris en 1913, il fréquenta l'atelier Cormon, mais abandonna rapidement cet enseignement académique. Il s'installa à la Ruche où vivaient déjà Chagall, Krémègue, Lipchitz et son compagnon d'enfance, Kikoïne. Pendant cette période misérable, que Soutine supporta comme une épreuve nécessaire, il connut grâce à Modigliani le marchand de tableaux Zborowsky qui l'envoya à Céret et à Cagnes (1919, 1922). Il y peignit plus de deux cents tableaux (surtout des paysages). En 1922, le docteur Barnes lui acheta plus de cent tableaux, lui permettant d'exercer son activité à sa guise. À Paris (1925) il exécuta des séries *(Bœufs écorchés; Volailles plumées)*, puis entreprit celle des *Enfants de chœur*. Les soucis matériels ne l'inquiétaient plus; il traversait des périodes de dépression, au cours desquelles il détruisit de nombreuses toiles. C'est l'époque où il s'inspira de « la jeune femme au bain » de Rembrandt (*Le Bain de pieds*, 1931). En 1934, plus serein, il fut impressionné par « Les Demoiselles des bords de la Seine », de Courbet (*La Siesta*, 1934). Après son exposition de Chicago, en 1935, sa production devint moins importante. Lorsque éclata la guerre, il se réfugia en Touraine, à Champigny-sur-Veude, où il commença une nouvelle série de paysages. Il mourut en 1943, opéré trop tard d'un ulcère. — Soutine a abordé tous les sujets traditionnels : paysages, portraits, natures mortes. Ses thèmes sont inspirés par la peinture (le bœuf écorché de Rembrandt) ou personnels (gens de maison, portiers, pâtissiers). Traités en série, ils illustrent un goût irrésistible pour la perfection, lié à une profonde insatisfaction. C'est essentiellement dans les paysages que Soutine exprime l'inquiétude qui le tourmente : les maisons se cassent, les sols sont boursouflés, les ciels étouffants sont bouleversés par des tornades qui couchent les arbres (*Arbres couchés*, 1923). Le lyrisme de la touche rend parfois la lecture du tableau difficile (*Le Village*, 1923). La série des *Pâtissiers* (1922) et celle des *Enfants de chœur* (1927-1928) laissent une impression relative de sérénité, la touche étant plus contrôlée, la recherche de couleurs dominantes accentuant ce relatif équilibre. Au blanc et au rouge, les deux couleurs clefs de la palette de Soutine, s'intègrent une multitude de touches de couleurs différentes. Ce travail de la matière, en apparence dispersé, constitue un moyen d'intégration, qui donne à ses toiles un aspect organiquement unifié. L'œuvre de Soutine manifeste une grande homogénéité, qui ne correspond pas à l'instabilité de sa vie (ceci est peut-être dû au fait qu'il a détruit toutes les toiles qui ne correspondaient pas à ses exigences). Entre *Le Petit Pâtissier* (1922) de la collection Walter-Guillaume et celui de la collection A. Ault (1928), l'identité de conception et de technique est presque totale. On peut cependant distinguer, à partir de 1935, une certaine aération dans les paysages : le ciel et l'espace envahissent la composition, la touche nerveuse devient moins agressive, un certain goût pour le détail anecdotique apparaît (*Retour de l'école après l'orage*, 1939). Les portraits restent torturés, mais Soutine les place sur des fonds clairs (*La Servante*, 1935), adoucissant ainsi l'effet dramatique.

SOUVANNA PHOUMA. ♦ V. SUVANNA PHUMA.

SOUVERAIN-WANDRE. ♦ Port pétrolier de Belgique, sur la Meuse. **V. Wandre.**

SOUVIGNY. ♦ Ch.-l. de cant. de l'Allier*, arr. de Moulins*. 2 212 hab. *(Souvignyssois)*. Église Saint-Pierre (parties romane XIe XIIe s. et gothique XVe s.), anc. nécropole des ducs de Bourbon. Célèbre verrerie.

SOUVOROV (Alexandre Vassilievitch) [*Suvorov*]. ♦ Feld-maréchal russe (Moscou, 1729 — Saint-Pétersbourg, 1800). Nommé colonel en 1762 après avoir participé à la guerre de Sept Ans, il prit d'assaut Cracovie lors de l'insurrection polonaise (1768) puis se distingua pendant la guerre russo-turque (1773-1774). En 1775, il mit fin à la révolte de Pougatchev*. Ayant remporté une victoire complète sur les tribus du Caucase, il fut promu général commandant l'infanterie et nommé gouverneur de Crimée (1786). En 1787, il battit les Turcs à Kinburn, puis sur le Rimnik. En 1790, il s'empara de la forteresse d'Ismaïl en Bessarabie, puis réprima le soulèvement de la Pologne* (1794) et fut nommé par Catherine II feld-maréchal. Mis à la tête des troupes alliées par le tsar Paul* Ier et les Autrichiens, il dirigea la campagne contre les Français en Italie du Nord. Il occupa Milan (27 avr. 1799) et Turin, battit Moreau sur l'Adda, Macdonald sur la Trébie et Joubert à Novi (15 août 1799), ce qui lui valut le titre de prince d'Italie. Le Conseil militaire suprême, qui siégea à Vienne, demanda alors à Souvorov d'entreprendre la conquête de la Suisse. Il effectua le passage des Alpes au Saint-Gothard, mais l'armée de Korsakov qu'il devait rallier fut battue par Masséna à Zurich (25-27 sept. 1799). Souvorov dut se replier. Paul Ier rappela Souvorov et son armée en Russie et chercha un rapprochement avec la France. Grand stratège, Souvorov écrivit *La Science de la victoire*.

SOUZDAL. ♦ V. d'U.R.S.S. (Russie), située au N.-E. de Moscou. Env. 9 000 hab. Kremlin (XIe-XIIe s.) contenant la cathédrale (XIIIe s., reconstruite au XVIe s.); monastères du XIIIe et du XIVe siècle. Palais de l'archevêché (XVIe-XVIIe s.). ♦ *Hist.* La région constitua en 1097 une principauté qui appartint à Vladimir II, puis à son fils Iouri Dolgorouki (1125-1157). La principauté se développa économiquement grâce à la main-d'œuvre du Dniepr et de Novgorod et les villes de Vladimir, Moscou (1147), Tver, Toula y furent fondées. Andreï Bogolioubski (1157-1174) attaqua et ravagea Kiev (1169), puis imposa à Novgorod un prince (1170). Vsévolod (1176-1212) prit Riazan; ses fils se partagèrent la principauté, devenue celle de Vladimir, et qui devait devenir le noyau de l'État moscovite.

SOVA (Antonin). ♦ Poète, nouvelliste et romancier tchèque (Pacov, 1864 — *id.*, 1928). Réaliste, impressionniste, symboliste, il chercha constamment à se renouveler (« Je ne veux pas être fermé, achevé... »). Après *Les Strophes réalistes* (1890), il exprima avec lyrisme sa tendresse nostalgique pour son pays : *Mon pays* (1893), *Pitié et Révolte* (1894); puis il atteignit un certain équilibre confiant : *Le Printemps du poète* (1921). Ses nouvelles et ses romans, comme *Toma Bojar* (1910), sont essentiellement lyriques.

Soviet. *n. m.* ♦ Voir le Robert.

SOVIETSK, anc. **Tilsit*.** ♦ V. de l'U.R.S.S. (R.S.F.S. de Russie), dans la région de Kaliningrad, au confluent de la Tilse et du Niémen. 50 000 hab. env. Indus. du bois et du cuir.

SOWETO. ♦ Vaste agglomération réservée aux Noirs (Bantous), dans la banlieue de Johannesburg. 400 000 habitants.

SOYAUX. ♦ Comm. de la Charente, arr. et aggl. d'Angoulême. 11 680 hab. Église du XIIe siècle. — Chaussures.

Sozialdemokratische Partei Deutschlands ou **S.P.D.** (Parti social-démocrate allemand). ♦ L'un des deux grands partis politiques de la République fédérale d'Allemagne, avec la *Christlich* Demokratische Union* (C.D.U.-C.S.U.). Parti révolutionnaire après la Deuxième Guerre mondiale, la S.P.D., devant ses échecs électoraux, est devenue plus modérée en admettant, par l'adoption du programme de Bad Godesberg (nov. 1959), l'union européenne et le réarmement allemand. G. Heinemann, président de la République (mars 1969), et W. Brandt*, chancelier fédéral (sep. 1969), font tous les deux partie de la S.P.D.

SPA. ♦ Comm. de Belgique (Liège, arr. de Verviers) à 133 km de Bruxelles, en Ardenne. 9 600 hab. *(Spadois)*. Église Saint-Remacle de style roman rhénan. Waux-Hall de 1770 (musée). Station thermale réputée (maladies de la circulation, rhumatismes). Ski en hiver. Exportation d'eau ferrugineuse. Fabriques de « jolités » (bibelots de bois peint). — Pierre le Grand, Christine de Suède, Marguerite de Valois, etc., y séjournèrent. La station fut particulièrement en vogue au XIXe siècle. — *Conférence de Spa :* elle réunit en juillet 1920 les Alliés et les Allemands pour régler les problèmes des réparations de guerre dues par l'Allemagne et de la limitation des forces armées allemandes.

SPAAK (Paul Henri Charles). ♦ Homme politique belge (Schaerbeek, 1899 — Bruxelles, 1972). Député en 1932, il occupa divers postes ministériels. (Transports, 1935; Affaires étrangères, 1936, puis 1940-1944) et devint Premier ministre (1946-1949), avant d'être à nouveau nommé ministre des Affaires étrangères (1946-1949). Ardent partisan de la construction européenne, il fut président de l'Assemblée consultative du Conseil de l'Europe* (1949-1951) et de la C.E.C.A. (1952-1954). Il fut ensuite secrétaire général de l'OTAN (1957-1961) avant de former un gouvernement d'union (socialistes et sociaux-chrétiens). En 1966, il s'est retiré de la vie politique.

SPADA (Lionello). ♦ Peintre italien (Bologne, 1576 — Parme, 1622). Élève des Carrache*, qu'il suivit dans leurs déplacements en Italie, il subit aussi l'influence du Caravage*. Il décora la cathédrale de Reggio (Émilie) de fresques d'une grande puissance de coloris. Le Louvre possède de lui une *Exécution de saint Christophe*.

SPALATO. ♦ V. SPLIT.

SPALLANZANI (Lazzaro). ♦ Biologiste italien (Scandiano, duché de Modène, 1729 — Pavie, 1799). Il obtint, grâce à l'impératrice Marie-Thérèse, une chaire d'histoire naturelle à Pavie (1759), mais refusa celle qui lui fut proposée à Paris sous le Directoire. Il mit en évidence le rôle du suc gastrique dans la digestion, artificiellement provoquée, des viandes. Il étudia le mécanisme de la reproduction chez les batraciens, réalisant pour la première fois des fécondations artificielles. Ses expériences ont été reprises par Prévost et J.-B. Dumas. Partisan de Lavoisier, il apparaît également comme un précurseur de Pasteur par ses travaux sur les infusoires qui l'amenèrent à critiquer la théorie de la génération spontanée (*Expériences pour servir à l'histoire de la génération*, 1785).

SPANDAU. ♦ Anc. ville forte d'Allemagne orientale aujourd'hui réunie à Berlin*. Le trésor de guerre de l'empire allemand y fut enfermé (tour Julius) de 1870 à 1914. En 1946, les criminels de

Ph. Louis Monier

Jacques Soustelle.

Ph. U.S.I.S.

P. H. C. Spaak.

guerre allemands condamnés à la réclusion perpétuelle par le tribunal de Nuremberg y furent incarcérés.

SPANHEIM (Ezechiel). ♦ Diplomate et historien allemand (Genève, 1629 – Londres, 1710). Professeur d'éloquence à Genève, il fut chargé de plusieurs missions diplomatiques par le Palatinat et le Brandebourg à Londres (1665) et à Paris (1680-1689). Il fut l'organisateur de l'émigration des huguenots en Prusse et l'un des négociateurs de la paix de Riswick*. Ses *Relations de la cour de France en 1690* forment un document intéressant.

SPANISH TOWN (« ville espagnole »). ♦ V. de la Jamaïque*, située non loin de la côte, à l'O. de Kingston*. 15 000 hab. Centre commercial. Première capitale de l'île (1870).

SPANN (Othmar). ♦ Philosophe et sociologue autrichien (Vienne, 1878 – Neustift, 1950). Il a tenté d'unir la psychologie et la sociologie et de faire de l'économie politique une science fondée sur la morale (*Fundament der Volkswirtschaftslehre,* 1918; *Der wahre Staat,* 1921; *Gesellschaftsphilosophie,* 1928).

SPARKS. ♦ V. du Nevada. **V. Reno.**

SPARTACUS. ♦ Chef d'esclaves révoltés contre Rome ([mort] Silare, Lucanie, ~ 71). Ancien berger thrace, il s'échappa d'une école de gladiateurs de Capoue (~ 73) avec soixante-dix compagnons et appela aux armes les esclaves. À la tête de plusieurs dizaines de milliers d'hommes, il défit les uns après les autres les armées romaines, dont la majeure partie était hors d'Italie, et fit d'immenses ravages en Italie. Il fut vaincu par Crassus* et tué dans la bataille près du Silare en Lucanie (~ 71). Ce fut la plus grave mais aussi la dernière des grandes révoltes serviles.

Spartakus (La ligue ou **le groupe Spartakus,** en all. **Spartakusbund).** ♦ Groupe de socialistes révolutionnaires allemands qui, lors de la Première Guerre mondiale, se séparèrent de la social-démocratie allemande en raison de ses positions opportunistes et nationalistes. La ligue fut fondée par Karl Liebknecht*, Rosa Luxemburg*, Franz Mehring*, Clara Zetkin*. Dès le mois d'août 1915, la lutte antimilitariste s'organisa. Au congrès de déc. 1918, la *ligue Spartakus* devint le Parti communiste allemand, affilié à la IIIe Internationale en 1919. L'insurrection spartakiste organisée à Berlin en janv. 1919 fut réprimée sur les ordres du social-démocrate Noske* et de Scheidemann; tandis que Rosa Luxemburg et Karl Liebknecht étaient assassinés.

SPARTE ou **LACÉDÉMONE** [*Spartê* ou *Lakedaimôn*]. ♦ Anc. V. de Grèce dans le Péloponnèse (Laconie). Elle était située sur l'Eurotas, entre les chaînes du Taygète et du Parnon, à 40 km de la mer. La région, habitée à l'époque mycénienne par les Achéens, est dans la légende homérique le royaume de Ménélas* **(V. Tyndare, Hélène)** submergé par l'invasion des Doriens*. La cité historique de Sparte fut constituée au ~ IXe s. par la réunion de quatre villages doriens. Convoitant la plaine fertile de Messénie*, les Spartiatés en devinrent maîtres au bout d'une longue guerre (~ 735-~ 715?) et réduisirent les Messéniens au servage. Vers le milieu du ~ VIIe s., ils durent réprimer une révolte menée par Aristomène* (deuxième guerre de Messénie*). État d'une aristocratie conquérante vivant du travail des vaincus, Sparte s'organisa alors définitivement en camp retranché et vécut l'une des plus singulières expériences politiques de l'Antiquité. Ses institutions, attribuées par les Spartiates à Lycurgue*, visaient à perpétuer dans l'immobilisme sa structure sociale. Les Spartiates proprement dits ou *égaux* (en gr. *homoioi*) étaient organisés en société égalitaire, voués au métier des armes et vivant de l'usufruit d'un lot de terre inaliénable, appartenant à l'État. La terre des plaines était cultivée par les *ilotes* (serfs de l'État) qui payaient aux Égaux une redevance annuelle fixe. Les Spartiates empêchaient l'expansion démographique par des massacres réguliers d'ilotes. Plus nombreux étaient les *périèques,* habitants de la montagne et du littoral, qui jouissaient d'une autonomie communale. Ils pratiquaient le commerce et l'industrie interdits aux Spartiates, étaient soumis à des impôts et à des corvées, mais n'avaient pas de droits politiques. La constitution politique, sous des apparences de régime mixte (monarchie-aristocratie-république), était foncièrement oligarchique. Les pouvoirs des deux rois héréditaires se limitaient de plus en plus à des fonctions religieuses et militaires. La *Gérousia* (conseil des Anciens), formée des deux rois et de vingt-huit *gérontes* (« vieillards ») élus à vie parmi les citoyens de plus de 60 ans, décidait de la politique de l'État et avait des attributions judiciaires. Les cinq *éphores* (« surveillants »), désignés par la *Gérousia* pour un an, contrôlaient toute la vie publique, surveillaient l'éducation des jeunes, la conduite des citoyens et celle des rois. L'*Apella* (Assemblée du peuple), composée de tous les citoyens de plus de 30 ans, se bornait à un rôle passif : seuls les éphores et les gérontes y avaient droit à la parole. On votait par acclamations, un jury appréciant leur volume. Dans cette organisation militaire, l'individu était complètement aliéné par l'État. Le Spartiate nouveau-né était présenté par ses parents aux gérontes qui décidaient de sa vie : on supprimait les enfants faibles ou mal formés en les jetant dans un ravin du Taygète. Pris en main par l'État à l'âge de 7 ans, le jeune Spartiate était soumis à une éducation militaire et civique visant surtout aux valeurs collectives telles que l'endurance, la discipline et la bravoure. De 20 à 30 ans, il était assigné à la caserne après avoir subi l'épreuve de la *cryptie* : abandonné pendant deux ans à la campagne, il devait vivre tel un fauve, ayant le droit de tuer des ilotes à volonté. L'éducation des filles était analogue. Le mariage, obligatoire, n'interrompait pas la vie de soldat. Le citoyen était d'ailleurs mobilisable et soumis à des exercices jusqu'à l'âge de 60 ans et devait participer au repas commun en payant sa quote-part. Le fameux « brouet noir » (bouilli cuit dans du sang) était le plat de résistance, à dessein insuffisant et monotone pour inciter au vol; le voleur n'était point méprisé; il recevait néanmoins un châtiment corporel s'il était pris sur le fait. La raison étatique prévalait aussi dans le domaine culturel. La musique, la danse, le chant choral y étaient en honneur. Ainsi, Sparte put devenir au ~ VIIe s. un grand centre du lyrisme choral en accueillant Alcman* et des poètes-musiciens qui furent en même temps des éducateurs et des législateurs (Tyrtée*, Terpandre*, Thalétas*). Mais cet éclat culturel s'éteint vers le milieu du ~ VIe siècle. – Il y a d'ailleurs à l'époque de Chilon* une rupture de toute évolution à Sparte, marquée par le durcissement du caractère oligarchique de son régime, l'abandon des relations maritimes et la xénophobie. Après avoir brisé la résistance de l'Arcadie* **(V. Tégée)** et éliminé la prédominance d'Argos*, Sparte, disposant de la ligue péloponnésienne, devint v. la fin du ~ VIe s. la plus grande force militaire grecque. Dès lors, rempart des régimes oligarchiques contre les « tyrans », puis contre les partis démocratiques, elle influença les affaires helléniques et rendit plus profonde la division politique de la Grèce. Murée dans son égoïsme, elle hésita entre l'indifférence totale et une participation modérée à la résistance grecque contre les Perses. **V. Médiques** ***(guerres),*** **Marathon, Thermopyles, Salamine, Platées, Mycale.** Ayant écrasé avec l'aide athénienne une nouvelle révolte des ilotes de Messénie (~ 464-~ 458), Sparte s'éleva contre l'impérialisme d'Athènes, jouant en l'occurrence le rôle de protectrice de l'indépendance des cités. Renforcée avec l'alliance de la Béotie*, de l'Étolie* et d'autres cités, la ligue dirigée par Sparte triompha sur Athènes à l'issue de la guerre du Péloponnèse* (~ 431-~ 404). Les Lacédémoniens en profitèrent pour implanter partout des régimes oligarchiques **(V. Lysandre).** Après une nouvelle victoire sur l'alliance d'Athènes, Corinthe, Thèbes et Argos, à Coronée* en ~ 394 **(V. Agésilas),** l'hégémonie lacédémonienne sur la Grèce fut assurée par la paix d'Antalcidas* (~ 386) offerte aux Perses. Mais, quinze ans plus tard, l'offensive thébaine, avec les brillants succès d'Épaminondas* **(V. Leuctres, Mantinée),** éclipsa la puissance de Sparte et ruina à jamais son prestige militaire. La confédération arcadienne **(V. Mégalopolis)** et l'union de Messénie libérée **(V. Messène)** se dressèrent en barrières, isolant Sparte dans la Laconie. Définitivement repliée sur elle-même, Sparte ne participa point à la résistance grecque contre l'afflux macédonien sous Philippe* II. Son déclin, amorcé dès le ~ Ve s., fut consommé au ~ IIIe siècle. La structure égalitaire de la société spartiate était ruinée, les « Égaux », réduits à quelques centaines de familles, partageaient très inégalement les terres; la corruption régnait. **V. Léotychide, Lysandre.** Les rois Agis* IV et Cléomène* III tentèrent en vain de rétablir les lois de Lycurgue par la redistribution de terres, l'abolition de l'éphorat. Refusant le dernier effort tenté pour l'unité grecque, Sparte s'opposa à la ligue Achéenne* et fut même l'alliée de Rome. Après la défaite de Sellasie (~ 222), elle connut la tyrannie de Machanidas et de Nabis* et l'occupation étolienne (~ 192). Philopœmen* la fit entrer dans la ligue Achéenne. Soumise à Rome, elle fut reconnue comme cité libre (~ 146) et prospéra dans la paix romaine. Dévastée lors des invasions barbares, elle fut abandonnée par ses derniers habitants après la fondation de Mistra* en 1249. – Ruines de l'antique Sparte au N. de la ville moderne de *Sparte* construite après 1834, ch.-l. du nome de Laconie* (12 000 habitants).

Ph. Carlo Bevilacqua/Ricciarini

La plaine de **Sparte.**

SPAVENTA (Bertrando). ♦ Philosophe italien (Bomba, Chieti, 1817 – Naples, 1883). Néo-hégélien **(V. Hégélianisme)**, il fit connaître en Italie les philosophies de Kant et de Hegel. Il eut pour disciples B. Croce* et Gentile*.

S.P.D. ♦ Sigle de Sozialdemokratische* Partei Deutschlands.

SPEARMAN (Charles). ♦ Psychologue et mathématicien anglais (Londres, 1863 – *id.*, 1945). Il fonda la psychologie différentielle en utilisant la méthode mathématique de l'analyse factorielle. Il admit que la réussite à une tâche (test) est déterminée par une aptitude générale, le facteur g (intelligence globale) intervenant dans toutes les épreuves psychologiques et une aptitude spécifique à la tâche particulière (conception bifactorielle ou hiérarchique précisée par P.E. Vernon qui diffère de la conception multifactorielle de Thurstone*).

Spectacles *(Lettre sur les).* ♦ **V.** LETTRE A D'ALEMBERT SUR LES SPECTACLES.

Spectator (The) [*le Spectateur*]. ♦ Périodique anglais créé par sir Richard Steele* et Joseph Addison* en 1711. Il prenait la succession d'une feuille analogue, *The Tatler* («Le Babillard»), créée en avril 1709 par Richard Steele. Journal toujours courtois, raffiné et civil, *The Spectator* consacra cependant de nombreux numéros à la satire sociale du règne de la reine Anne. Le succès immédiat que connurent *The Tatler* et *The Spectator* est significatif d'un important changement de la société anglaise. Ils eurent de nombreux imitateurs, parmi lesquels *The Rambler* et *The Idler* qui n'atteignirent toutefois jamais leur niveau. *The Spectator* cessa de paraître en déc. 1714. – En France, Marivaux* fit paraître, sur son modèle, *le Spectateur français* (1722-1723), consacré en partie à des peintures morales, où la défense des Modernes contre les Anciens trouve sa place.

SPEE VON LANGENFELD (Friedrich *von*). ♦ Jésuite et poète allemand de l'époque baroque (Kaiserswerth, 1591 – Trèves, 1635). Professeur et aumônier à Wurzbourg, Paderborn et Cologne, il lutta contre les procès de sorcellerie et mourut lors du siège de Trèves après avoir porté secours aux blessés et aux malades atteints de la peste. Il composa sur le mode de l'idylle des poèmes d'inspiration mystique qui foisonnent d'images, de symboles (*Le Rossignol combatif, Trutz Nachtigall,* 1649).

SPEER (Albert). ♦ Homme politique allemand (Mannheim, 1905). Architecte, inscrit au Parti national-socialiste dès 1931, il aménagea l'esplanade de Nuremberg où se déroulaient les grandes manifestations nazies et fut nommé inspecteur général des bâtiments à Berlin en 1937. Il construisit la Grande Chancellerie détruite en 1945. En 1942, il fut nommé ministre de l'Armement mais, refusant la tactique de la « terre brûlée », il participa à un attentat contre Hitler en 1945. Il fut condamné à vingt ans de prison par le tribunal de Nuremberg*.

SPEKE (John Hanning). ♦ Explorateur anglais (Jordans, près de Ilminster, Somersetshire, 1827 – près de Bath, 1864). Après des expéditions dans l'Himâlaya et le Tibet, en Somalie (1854, avec Burton) et dans le Caucase (lors de la guerre de Crimée), il explora l'Afrique centrale (1856) et découvrit le lac Victoria. Il repartit avec Grant en 1860, atteignit l'Ouganda et descendit une partie du cours du Nil (*Journal of the Discovery of the Source of the Nile,* 1863).

SPEMANN (Hans). ♦ Biologiste allemand (Stuttgart, 1869 – Fribourg-en-Brisgau, 1941). Directeur de l'Institut de biologie à Berlin, puis professeur de zoologie à Fribourg-en-Brisgau, il se distingua par ses travaux d'embryologie (en particulier ses greffes embryonnaires sur des œufs de batraciens). En greffant sur un embryon au stade gastrula une partie de la lèvre antérieure du blastopore, il constata la formation (par induction) d'un embryon satellite, découvrant ainsi le centre organisateur, c.-à-d. « la partie de l'embryon qui provoque la différenciation des territoires embryonnaires puis des tissus ». (Prix Nobel de méd. 1935.)

SPENCER (Herbert). ♦ Philosophe anglais (Derby, 1820 – Brighton, 1903). Tout en affirmant le caractère inconnaissable de la nature intime de l'univers, il voulut donner une explication globale de l'évolution des êtres à partir des lois ordinaires de la mécanique. Monde inorganique, biologique, psychologique et social : à chacun de ces stades se vérifie la loi de complexité croissante qui se traduit par le passage de l'homogène (indéfini) à l'hétérogène (défini), l'adaptation de plus en plus précise des fonctions mentales aux conditions changeantes du milieu, l'intégration toujours plus grande des parties au tout et la diversification des relations sociales. Spencer accorda une place particulière à la sociologie; sa théorie (organicisme) s'achève par une morale qui se propose de concilier la coopération sociale et la liberté individuelle (*Principes de psychologie,* 1855; *Premiers Principes,* 1862; *Principes de biologie,* 1864; *Principes de sociologie,* 1877-1896, etc.). Cette philosophie, influencée par le transformisme de Darwin, a reçu le nom d'évolutionnisme.

SPENCER (*sir* Walter Baldwin). ♦ Ethnographe anglais (1860 – 1929). Il a pu observer et étudier avec Gillen* le système religieux et l'organisation sociale fondés sur les croyances totémiques des tribus du nord et du centre de l'Australie (*The Native Tribes of Central Australia,* 1899; *The Northern Tribes of Central Australia,* 1904).

SPENER (Philipp Jakob). ♦ Théologien protestant d'origine alsacienne (Ribeauvillé, 1635 – Berlin, 1705). Successivement prédicateur à Strasbourg, Francfort-sur-le-Main, à la cour de Dresde (1685) et à Berlin (1691), il fut le fondateur du piétisme qui, à la stricte orthodoxie luthérienne et à une pratique purement extérieure de la religion, opposa la piété et le sentiment personnels (*Pia desideria,* 1675). Ce mouvement religieux connut un certain succès en Allemagne et en Alsace et fut introduit dans les universités allemandes sous l'influence d'A.H. Francke (1663-1727).

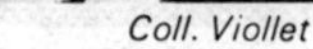
Coll. Viollet

Oswald Spengler.

Coll. Viollet

Herbert Spencer.

SPENGLER (Oswald). ♦ Philosophe allemand (Blankenburg, Harz, 1880 – Munich, 1936). Principal théoricien de l'historisme **(V.W. Dilthey)** auquel il a donné une empreinte pessimiste, il a opposé au mythe du progrès, forgé puis récusé par l'Occident, une conception cyclique de l'histoire, comparant chaque culture à un tout organique, soumis aux lois du développement biologique : croissance, maturité, décadence (c.-à-d. la civilisation comme phase la plus extérieure, mécanique et artificielle d'une culture) et mort. Il s'est particulièrement attaché à l'étude du destin et du déclin de l'Occident, insistant sur le rôle politique éminent de l'Allemagne. Certaines de ses thèses furent utilisées par le national-socialisme (*Le Déclin de l'Occident,* 1916-1920; *Prussianisme et Socialisme,* 1920; *L'Homme et la Technique,* 1933).

SPENSER (Edmund). ♦ Poète anglais (Londres, 1549 ou 1552 – *id.,* 1599). D'origine modeste, il fut boursier au Pembroke Hall de Cambridge, de 1569 à 1576. Secrétaire de l'évêque de Rochester, il fut ensuite attaché à Leicester. Son *Calendrier du berger* (*The Shepheardes Calender,* 1579), recueil de douze églogues inspirées de Théocrite, Virgile et Marot, lui valut la faveur royale que le poète détruisit en faisant circuler une satire contre la reine Élisabeth (*L'Histoire de la mère Hubbard).* Spenser dut quitter l'Angleterre pour l'Irlande au service de lord Grey of Wilton. C'est pourtant à la reine Élisabeth qu'il dédia le premier des douze livres qui devaient composer *La Reine des fées* (*The Faerie Queene,* 1591-1596), véritable monument poétique de la Renaissance où ce poète à l'imagination débordante inaugure la stance de huit vers auxquels s'ajoute un neuvième vers de douze pieds (ababbcbcc), modèle que reprendront Keats, Shelley et Byron. Ses *Complaintes* (1591) comprennent quatre séries de poésies, mystiques ou allégoriques et « Les Visions de la vanité du monde ». Douloureusement éloquent, Spenser y défend aussi le « valeureux courtisan », Sidney*, dont il publia les œuvres. *Le Retour de Colin Clout* (1595), dédié à Raleigh, se termine sur les joies vertueuses de la vie rustique. C'est pour Elizabeth Boyle, qu'il avait épousée en 1594, qu'il écrivit les quatre-vingt-huit sonnets des *Amoretti* publiés avec l'*Épithalame* (*Epithalamion,* 1595), hymne tenant du poème nuptial latin et de la chanson pétrarquisante.

SPERCHEIOS. *n. m.* [*Sperkheios*]. ♦ Fl. de Grèce (Phthiotide), appelé aussi *Alamana.* 100 km. Il traverse le défilé des Thermopyles et se jette dans le golfe Maliaque.

SPERRIN *(monts). n. m. pl.* ♦ Petit massif montagneux de l'Irlande* du Nord (comtés de Londonderry et de Fermanagh), s'étendant transversalement entre la Foyle et le Bann et culminant à 683 m au *mont Sawel.*

SPESSART. *n. m.* ♦ Plateau tabulaire de l'Allemagne moyenne (Bade-Wurtemberg), encadré par l'Odenwald à l'O. et la Rhön à l'E. et contourné par le Main. Il culmine à 585 m au *Geyersberg* et est couvert de forêts qui comptent parmi les plus belles d'Allemagne.

SPESSIVTSEVA (Olga). ♦ Danseuse russe (Saint-Pétersbourg, 1895). Première danseuse du théâtre Marie à Saint-Pétersbourg, elle se joignit à la troupe des Ballets russes, de S. de Diaghilev (1916), avec laquelle elle effectua plusieurs tournées en Europe, paraissant notamment dans *Le Spectre de la rose, La Belle au bois dormant, La Chatte.* Ayant quitté définitivement la Russie (1924), elle fut engagée, au cours de plusieurs saisons (1924-1932), à l'opéra de Paris, où elle eut S. Lifar* pour partenaire. Elle devait entreprendre encore plusieurs tournées dans le monde, avant de faire ses adieux à la scène (1937). Figure éminente du ballet romantique, O. Spessivtseva fut une incomparable interprète du rôle de *Giselle.* Elle a laissé le souvenir d'une artiste immatérielle, habitée par la plus ardente poésie.

Ph. M. Pedone/Ricciarini

Vue du golfe de **La Spezia.**

SPETSAI. ♦ Île grecque de la mer Égée à l'entrée du golfe de Nauplie (nome du Pirée). 23 km². 3 470 hab. *Ch.-l.* Spetsai, centre estival. Elle joua un rôle important pendant la guerre de l'Indépendance grecque (1821).

SPEUSIPPE, en gr. **Speusippos.** ♦ Philosophe grec de l'Académie* (Athènes, ~ 393 – ~ 339). Neveu de Platon* par sa mère, il étudia à l'Académie* avant d'en prendre la direction à la mort de son oncle. On croit savoir qu'il s'intéressa particulièrement à la doctrine pythagoricienne des nombres.

SPEY. *n. m.* ♦ Riv. d'Ecosse (180 km) née dans les Grampians et tributaire de la mer du Nord.

SPEZIA (La). ♦ V. d'Italie, en Ligurie*. Ch.-l. de prov. au fond du golfe de La Spezia, sur la Riviera* di Levante. 125 012 hab. C'est une importante base navale (arsenal et premier port militaire italien) et un port commercial faisant surtout le trafic du charbon et du pétrole. Constructions navales, raffineries de pétrole et indus. mécaniques.

SPHACTÉRIE, en gr. **Sphaktêria.** ♦ Petite île inhabitée de la Grèce, près de la côte de Messénie, fermant à l'O. la rade de Navarin. Elle est célèbre par la victoire des Athéniens sur les Spartiates lors de la guerre du Péloponnèse* (~ 425).

Sphinx [sfɛ̃ks]. *n. m.*, nom lat. emprunté au gr. **sphinx**, peut-être de **sphingein** « serrer, étrangler ». ♦ Monstre fabuleux formé d'un corps de lion et d'une tête humaine. Originaire d'Égypte, il y était représenté sous l'aspect d'un lion à tête de pharaon. Incarnation du roi ou du dieu Soleil, il était symbole de puissance et de protection. Des doubles files de sphinx, gardiens des sanctuaires, bordaient le *dromos* des temples. Le plus imposant et le plus ancien est celui de Gizeh*, statue du pharaon Khéphren*. Au ~IIe millénaire, sous l'influence égyptienne, le sphinx passa en Asie où il subit des modifications (addition des ailes) et de là en Grèce (v. ~1600) où il devint un monstre mystérieux, fille d'Echidna*. Démon énigmatique à visage et buste de femme, au corps de lion et aux larges ailes d'oiseau, il avait été envoyé, selon la mythologie, contre les Thébains pour venger le rapt de Chrysippe par Laïos. Établi près de Thèbes*, il proposait des énigmes aux voyageurs et dévorait ceux qui ne savaient pas les résoudre. Il se tua de dépit après qu'Œdipe* eut répondu à celle-ci : « Quel est l'être doué de la voix qui a quatre pieds le matin, deux à midi, et trois le soir ? » en proposant l'homme (qui marche à quatre pattes quand il est enfant et s'aide d'une canne quand il est vieux). – La légende du Sphinx a inspiré de nombreux auteurs, depuis les Grecs jusqu'à J. Cocteau *(La Machine infernale)*.

SPIELBERG ou **Špilberk.** ♦ Forteresse située près de Brno* (Brünn) en Moravie. Elle fut prison d'État sous les Habsbourg jusqu'en 1857 : Silvio Pellico y fut incarcéré.

SPIELHAGEN (Friedrich). ♦ Écrivain allemand (Magdebourg, 1829 – Berlin, 1911). Auteur de romans à caractère réaliste (*Natures problématiques* [*Problematische Naturen*], 1860; *Dans les rangs* [*In Reih und Glied*], 1867, etc.) et d'ouvrages théoriques sur la *Technique du roman* (1883).

SPIESS. ♦ **V. Zeppelin.**

SPIEZ. ♦ V. de Suisse (cant. de Berne), sur la r. d. du lac de Thoune*, au débouché du Simmental*. 8 200 hab. Château (XIe s.). Station estivale. – Métallurgie.

SPINCOURT. ♦ Ch.-l. de cant. de la Meuse (arr. de Verdun), sur l'Othain, 465 hab. Cimetière militaire.

SPINELLO ARETINO (Luca SPINELLI, dit**).** ♦ Peintre italien (Arezzo, v. 1346 – *id.*, 1410). Ses œuvres témoignent de l'influence d'Orcagna, puis de Giotto*. Il s'orienta vers un « gothicisme » de plus en plus sensible. Ses principales fresques se trouvent à Florence *(Scènes de la vie de saint Benoît)* à la sacristie de San Miniato (v. 1386), à Pise *(Légende de saint Éphèse et de saint Potitus)*, au Campo Santo (1391-1392) et à Sienne *(Scènes de la vie du pape Alexandre III)*, au Palais municipal (1407). Il marque les débuts de la peinture réaliste et narrative du Quattrocento.

SPINOLA (Ambrogio, *marquis de***).** ♦ Homme de guerre génois (Gênes, 1569 – Castelnuovo Scrivia, 1630). D'une vieille famille génoise, il servit le roi d'Espagne, levant à ses frais une armée en Italie. Grand capitaine, il se distingua rapidement en enlevant Ostende (1604), assiégée en vain par l'archiduc Albert*. Il ne remporta pas d'autre succès décisif, et les deux partis signèrent la Trêve de douze ans (1609). Quand les hostilités eurent repris, il s'empara de Breda* (1625), puis alla au secours du duc de Savoie (guerre de Trente* Ans). Les subsides suffisants à des opérations définitives lui firent toujours défaut.

SPINOLA (Antonio Sebastião Ribeiro). ♦ Général et homme politique portugais (Estremoz, 1910 –). Gouverneur de la Guinée*-Bissau en 1968, chef d'état-major adjoint en 1973, disgracié en mars 1974, il organisa le coup d'État du 25 avril 1974, qui le porta à la présidence de la République. Il démissionna le 30 sept. 1974, mais tenta un putsch contre son successeur, en mars 1975. Ayant échoué, il s'exila au Brésil. Il revint à Lisbonne en août 1976. **(V. Portugal).**

SPINOZA (Baruch). ♦ Philosophe hollandais (Amsterdam, 1632 – La Haye, 1677). Fils de commerçants d'origine juive portugaise, il reçut une éducation hébraïque complète, avant de découvrir la science de Galilée et la philosophie de Descartes* et de fréquenter le milieu des chrétiens libéraux (v. 1652). Exclu de la communauté juive en raison de ses positions rationalistes (1656), il quitta Amsterdam pour la banlieue de Leyde puis pour La Haye où il partagea son temps entre le polissage des verres d'optique et la méditation philosophique. Bien que solitaire et soucieux de préserver son indépendance, il ne resta indifférent ni au développement des sciences ni aux problèmes religieux et politiques de son temps. Ainsi, le *Tractatus theologico politicus* (1670), complété ultérieurement par les analyses politiques du *Tractatus politicus* (inachevé), fut écrit en partie pour soutenir la politique libérale de Jan de Witt ; il donne une critique historique à la fois philologique, psychologique et sociologique des croyances, dogmes et institutions religieuses (du judaïsme) ; le panthéisme spinoziste y est supposé plutôt qu'explicite. Les attaques que suscita cet ouvrage décidèrent Spinoza à ne plus rien publier de son vivant. – Le *Traité de la réforme de l'entendement* expose la méthode qui permet de s'élever de la connaissance imparfaite, inadéquate (imagination, opinion, etc.) à la science intuitive de l'Idée vraie qui est à elle-même « son propre indice » *(index sui)*. Cet ouvrage inachevé est le préliminaire de *L'Éthique**, exposé de sa philosophie « selon la méthode géométrique ». Opposé à toute conception anthropomorphique de Dieu, le panthéisme de Spinoza (ou « athéisme de système ») est l'affirmation de l'unité de la Substance infinie, cause d'elle-même. De ses attributs en nombre infini, nous ne connaissons que la Pensée et l'Étendue dont les esprits et les corps particuliers sont des modes (ou expressions) finis. Ceux-ci ne peuvent être conçus adéquatement qu'à partir de l'Idée vraie de Dieu dont ils découlent nécessairement. Ainsi la véritable sagesse, qui est aussi la vraie liberté, réside dans la compréhension et l'amour intellectuel de l'ordre immuable de la Nature, qui libèrent l'âme de la « servitude des passions » et lui procurent « la jouissance d'une joie incessante et éternelle ».

SPIRE, en all. **Speyer.** ♦ V. d'Allemagne occidentale (Rhénanie-Palatinat), au confl. du Rhin et du Speyerbach, au S. de Ludwigshafen. 40 800 hab. Évêché. Très belle cathédrale romane (1030-1061), l'une des plus grandes d'Allemagne, bel exemple de style roman rhénan ; tour du XIIIe s. *(Altpörtel)*. Musée historique du Palatinat. – Centre industriel (chimie et pétrolochimie, électromécanique). – Patrie de J.J. Becher* et d'A. Feuerbach*. ♦ *Hist.* Anc. cité des Nemètes (tribu celte), la ville devint à l'époque romaine une importante forteresse sur le *limes* rhénan *(Noviomagus Nemetum)*. Elle fut promue ville libre impériale (1294), et plusieurs diètes importantes y siégèrent (voir *ci-dessous*). Incendiée par les Français en 1689, elle devint à l'époque impériale le chef-lieu du département français du Mont-Tonnerre, puis fut attribuée à la Bavière en 1815.

Spire *(diètes de)*. ♦ Diètes tenues par Charles Quint dans cette ville. En 1526, il accorda aux princes allemands la liberté de choisir la religion qui serait pratiquée sur leurs domaines *(cujus regio, ejus religio)*. En 1529, il voulut revenir sur cette décision, ce qui entraîna la « protestation » de six princes et de quatorze villes, appelés pour cela *protestants*. **V. Réforme.**

SPITHEAD. *n. m.* ♦ Rade du S. de l'Angleterre, symétrique du Solent*, et séparant les côtes nord-orientales de l'île de Wight du continent anglais (Hampshire). Le Spithead sert d'annexe au port de Portsmouth, qui lui fait face ; il forme avec le Solent la *Southampton Water*.

SPITTELER (Carl). ♦ Poète suisse d'expression allemande (Liestal, près de Bâle, 1845 – Lucerne, 1924). Écrit dans une prose rythmique aux formes parfois archaïques, son poème épique *Prométhée et Épiméthée* (1881 – dont le thème fut repris dans une épopée en vers, *Prométhée martyr, Prometheus der Dulder* [« le patient »], 1924) exprime sa révolte contre les dieux, les interdits sociaux, moraux. Parfois comparée au *Zarathoustra* de Nietzsche écrit peu après, cette œuvre fut suivie d'une seconde épopée en hexamètres, à thème mythologique, qui connut un certain succès (*Printemps olympien, Der olympische Frühling*, 1900-1906) et d'un roman allégorique (*Imago*, 1906). Partisan de la neutralité de la Suisse en 1914, il obtint le prix Nobel de littérature en 1919.

SPITZBERG. *n. m.* ♦ Archipel norvégien faisant partie du Svalbard. **V. Svalbard.**

Splendeurs et misères des courtisanes. ♦ Roman de Balzac*

(1839-1847). Suite des *Illusions* perdues,* ce vaste récit s'organise autour de la figure redoutable de Vautrin* qui, à travers « l'âme visible » qu'est pour lui Lucien de Rubempré, cherche à satisfaire son appétit de puissance; n'hésitant pas à se servir des sentiments sincères que la courtisane Esther porte à Lucien, il prépare au jeune homme un mariage qui lui assurera fortune et position sociale. Mais, à la première rencontre avec la police, Lucien s'effondre, livre son « protecteur », puis se pend dans sa cellule. Entre les policiers et l'ancien forçat se déroule alors un combat dramatique dont Vautrin sortira chef de la sûreté. Cette intrigue très complexe (plusieurs personnages apparaissent sous différents noms et divers déguisements) permet à Balzac d'évoquer des milieux sociaux, opposés en apparence (les bagnes et le palais de justice, les salons mondains et le boudoir des courtisanes), en fait rapprochés par la même soif d'argent et la tyrannie des passions.

SPLIT, en it. **Spalato**. ♦ V. et port de Yougoslavie (Croatie*), sur la côte dalmate. 151 875 hab. Centre industriel (constructions navales, cimenteries, produits chimiques) et touristique (palais de Dioclétien, musée ethnographique et archéologique). ♦ *Hist.* Fondée au VIIe s. dans les ruines du palais de Dioclétien*, tout près de Salone, la ville, après avoir appartenu successivement à l'Autriche, à la Hongrie, à Venise (1420-1497) et à la France (1806-1813), devint autrichienne en 1814, puis s'intégra à la Yougoslavie en 1918.

SPLÜGEN *(col du)*, en all. **Splügen-Passhöhe**, en it. **Passo dello Spluga**. ♦ Col des Alpes, formant la frontière entre l'Italie et la Suisse (Haute-Engadine) et reliant le bassin du Pô à celui du Rhin, entre le lac de Côme et Coire, à 2 117 m d'altitude. — À proximité se trouve le village de *Splügen.* Station d'été et de sports d'hiver. Alt. 1 450 mètres.

SPOHR (Ludwig). ♦ Violoniste, chef d'orchestre et compositeur allemand (Brunswick, 1784 — Kassel, 1859). D'abord violoniste à la cour du duc de Brunswick, il fut très vite considéré comme le meilleur virtuose allemand de son temps. À partir de 1802, il entreprit avec sa femme, harpiste, de nombreuses tournées de concerts à travers l'Europe. Il fut successivement premier violon dans l'orchestre du duc de Gotha (1805-1812), chef d'orchestre au théâtre *An der Wien* de Vienne; il dirigea l'opéra de Francfort (1817-1819), où il entra en relation avec Beethoven, puis fut maître de chapelle à la cour de Kassel. Musicien brillant, il a composé des œuvres d'une grande virtuosité : des opéras *(Jessonda, Faust)*, des concertos pour violon et des quatuors à cordes, et plus de cent lieder. Il nous a laissé en outre une célèbre méthode de violon et d'intéressants *Mémoires.*

SPOKANE. ♦ V. des États-Unis, à l'E. de l'État de Washington. 229 620 hab. (1970). Centre financier et commercial d'une région agricole et minière. Indus. du bois, métallurgie (aluminium), grâce à l'énergie hydro-électrique de la *Spokane River.*

SPOLÈTE, en it. **Spoleto**. ♦ V. d'Italie péninsulaire, en Ombrie* (prov. de Pérouse). 40 000 hab. Archevêché. La ville a gardé un aspect médiéval : cathédrale (XIIe-XVe s.) ornée de fresques de F. Lippi*, château de la Rocca (XIVe s.), Ponte delle Torri. Ruines romaines (aqueduc et arc de triomphe). Centre commercial. ♦ *Hist.* Devenue romaine dès le ~ IIIe s., *Spoletium* fut capitale d'un duché lombard (570). Charlemagne la conquit et la donna au Saint-Siège tout en y imposant des ducs francs héréditaires. Au XIe s., les *ducs de Spolète* étaient nommés par les empereurs germaniques. Souvent affrontée à Pérouse au Moyen Âge, Spolète devint le ch.-l. du dép. du Trasimène sous Napoléon, puis fut rendue au Saint-Siège jusqu'en 1860, où elle se fondit dans le royaume d'Italie.

SPONDE (Jean *de*). ♦ Humaniste et poète français (Mauléon, 1557 — Bordeaux, 1595), ce calviniste se convertit à la suite de Henri* IV, dont il fut le serviteur. Ses *Sonnets d'amour* et les *Stances sur la mort*, en alexandrins (posthumes, v. 1598), traduisent sous une forme antithétique son attirance vers l'amour mais sa hantise de la mort et du péché. Cette poésie dans le goût baroque, oubliée au XVIIe s., fut redécouverte, de nos jours, par un érudit anglais, Alan Boase, puis par Thierry Maulnier* et Marcel Arland*.

SPONTINI (Gaspare). ♦ Compositeur italien (Maiolati, prov. d'Ancône, 1774 — *id.*, 1851). Élève de Sala et Tritto au conservatoire de Naples, il avait déjà composé quelques scènes d'opéra lorsqu'il s'établit à Paris en 1803. Le succès de *La Vestale* (1807) et de *Fernand Cortez* (1809) lui assura l'appui de l'impératrice Joséphine. Directeur de l'Opéra italien en 1810, il donna la première représentation parisienne de *Don Giovanni* et de *Cosi fan tutte* de Mozart. Établi à Berlin en 1820, il devint Kappelmeister et compositeur attitré de Frédéric-Guillaume III, mais son caractère difficile le fit détester et il dut regagner Paris en 1838; il se retira en 1848 dans son village natal.

SPORADES. *n. f. pl.* ♦ Nom donné par les Grecs à des groupes d'îles « éparses » de la mer Égée pour les distinguer des Cyclades (rangées « en cercle » autour de Délos). Auj., on distingue les *Sporades du Nord* au N.-E. de l'île d'Eubée (Scyros*, Skiathos, Skopélos, Halonnésos) et les *Sporades du Sud* ou Dodécanèse* le long de la côte S.-O. de l'Asie Mineure.

SPORADES ÉQUATORIALES, *n. f. pl.*, ou **« îles de la Ligne »**. ♦ V. GILBERT ET ELLICE (îles) et LIGNE (îles de la).

SPRANGER (Bartholomeus). ♦ Peintre, dessinateur et graveur flamand (Anvers, 1546 — Prague, 1611). Il se forma à Anvers, passa par Paris pour se rendre en Italie où il admira particulièrement le Parmesan* et le Corrège*. À Rome, où il résida jusqu'en 1575, il subit l'influence de Zuccari et devint le peintre de Pie V et du cardinal Farnèse. Il travailla ensuite à Vienne pour Maximilien II et entra en 1581 à Prague au service de Rodolphe II, où sa présence contribua à l'éclosion d'un important foyer maniériste. Ses œuvres (gravées par Sadeleer et Goltzius) influencèrent notamment A. Bloemaert*. Il est l'auteur de sujets bibliques, allégoriques et mythologiques dans lesquels les formes étirées, les gestes affectés, les poses instables et sinueuses, les éclairages artificiels et contrastés, le chromatisme précieux et froid concourent à créer un climat sensuel et étrange, caractéristique de la dernière phase du maniérisme international *(Hercule et Omphale).*

SPRÉE. *n. f.*, en all. **Spree**. ♦ Riv. d'Allemagne orientale (400 km). Née en Haute-Lusace, à la frontière tchécoslovaque, elle forme une série de méandres longitudinaux et arrose Bautzen*, Spremberg*, Cottbus*, Fürstenwalde* et Berlin*. Elle se divise en plusieurs branches entre Bautzen et Spremberg, puis entre Cottbus et Fürstenwalde (où elle irrigue la zone marécageuse du *Spreewald*). Elle rejoint la Havel à Spandau* et est reliée par canaux à l'Oder et à l'Elbe (par la Havel).

SPREMBERG. ♦ V. d'Allemagne orientale (district de Cottbus), sur la Sprée. 22 800 hab. Indus. textiles et mécaniques.

SPRENGEL (Hermann). ♦ Chimiste anglais d'origine allemande (Schillerslage, Hanovre, 1834 — Londres, 1906). Il inventa en 1861 la trompe à mercure qui fut utilisée en 1881 pour la fabrication industrielle des ampoules à vide **(V.** *aussi* **Geissler, Langmuir).** Auteur de recherches sur les propriétés explosives des dérivés nitrés des hydrocarbures benzéniques, il découvrit les propriétés explosives de l'acide picrique ou *mélinite* (1885) et proposa des mélanges explosifs formés par addition d'acide nitrique concentré à une matière éventuellement combustible *(explosif de Sprengel).* **V.** *aussi* **F. A. Abel, Nobel, Turpin.**

SPRINGFIELD. ♦ V. des États-Unis, cap. de l'Illinois*. 91 753 hab. Centre commercial (produits agricoles). Indus. électriques, etc.

SPRINGFIELD. ♦ V. des États-Unis, au S. du Massachusetts (au N. de Hartford, Conn.), sur la riv. Connecticut. 163 905 hab.; zone urbaine, plus de 500 000 hab. Centre financier, commercial et indus. (mécanique, électricité, imprimerie).

SPRINGFIELD. ♦ V. des États-Unis, dans le S. du Missouri, dans le plateau des Ozarks. 118 950 hab. Centre commercial, agricole (viande, produits laitiers, etc.). Indus. variées (machines à écrire, meubles, vêtements).

SPRINGS. ♦ V. d'Afrique* du Sud (Transvaal) dans le Witwatersrand*. 104 090 hab. Or. Pâte à papier.

SQUARCIONE (Francesco). ♦ Peintre italien (Padoue, 1397 — 1468). Au cours de ses voyages (Grèce, Italie), il réunit une collection considérable d'antiques. Il s'établit à Padoue comme professeur de peinture et eut de nombreux élèves. Son atelier joua sans doute un plus grand rôle que ses œuvres. On lui attribue un polyptyque peint entre 1449 et 1452 (musée de Padoue), une *Madone,* non datée (musée de Berlin). Il a mis à la mode les guirlandes de fruits et les décors façonnés à l'antique. Parmi les artistes qui reçurent son enseignement ou qu'il influença, il faut citer Mantegna* et Tura*.

SREMAC (Stevan). ♦ Écrivain humaniste serbe (Senta, 1855 — Soko Banja, 1906). Il décrivit avec humour et réalisme la vie provinciale serbe, dans des romans très populaires : *La Fête d'Ivko* (1895), *Le Pope Tchira et le Pope Spira* (1898).

SRI LANKA. ♦ **V.** CEYLAN.

ŚRÎNAGAR. ♦ V. de l'Inde, cap. du Cachemire *(Kaśmîr)*, située à une alt. de 1 768 m sur les rives du lac Dal (riv. Jhelam). 403 612 hab. Centre artisanal (soieries, lainages, sellerie, tapis, armes, papier mâché, bois sculpté) et culturel. Université du Jammu et Kaśmîr. Centre d'excursions dans le Cachemire.

Ph. Hétier

La cathédrale de **Spire.**

Arch. Smeets

Nicolas de Stael : « Ciel à Honfleur ». (Collection particulière.)

Tourisme actif (résidences lacustres sur le lac Dal). Nombreux monuments du IXe au XVIIe s., hindous et musulmans.

SRONG-BCAN SGAM-PO. ♦ (569 – 650). Roi du Tibet, monté sur le trône en 584. Il aurait permis l'introduction du bouddhisme au Tibet. Il épousa une princesse chinoise et une princesse népalaise. Fondateur de la ville de Lhasa*, il unifia les tribus du Tibet en épousant aussi trois princesses tibétaines. Après sa mort, il fut divinisé et considéré comme une incarnation d'Avalokiteśvara*.

S.S. *n. f.* et *n. m.* (abrév. de *Schutz Staffel,* « échelon de protection »). ♦ Formation de police militarisée du parti nazi. Nées officiellement en 1926, les S.S. ne furent jusqu'en 1934 qu'une branche particulière des S.A.*. Mais, après la liquidation de Röhm*, elles devinrent la principale force d'intervention et de police ainsi que l'élite du mouvement nazi. Dirigées par Himmler* depuis 1929, les S.S. furent chargées à partir de 1939 et aux côtés de la Gestapo* de la surveillance des territoires occupés et de la gestion des camps de concentration. Elles furent ainsi responsables de l'extermination systématique des juifs dans les camps spéciaux (ouverts en 1942). Avec la guerre furent créées les *Waffen-S.S.,* unités militaires d'élite de l'Allemagne, qui attirèrent beaucoup de volontaires étrangers. Jugées en tant qu'organisation, les S.S. furent condamnées par le tribunal de Nuremberg.

SSEU-... [*chinois*]. ♦ **V.** Szu-...

STAAL [stal] **DE LAUNAY (Marguerite Jeanne CORDIER,** *baronne de***).** ♦ Écrivain français (Paris, 1684 – Gennevilliers, 1750). Protégée par Fontenelle*, au service de la duchesse du Maine*, à Sceaux, elle écrivit des comédies et, surtout, des *Mémoires* (publ., 1755), tableau précis et pénétrant de la Régence.

STABIES, en lat. **Stabiae,** *auj.* **Castellammare di Stabia.** ♦ V. de l'Italie anc. (Campanie) à l'extrémité S.-O. du golfe de Naples, entre Pompéi et Sorrente. Elle fut détruite en 79 par l'éruption du Vésuve qui ensevelit Pompéi*. Au N.-E., les fouilles ont mis au jour les ruines de deux villas romaines.

STABROEK. ♦ Comm. de Belgique (prov. et arr. d'Anvers) sur l'estuaire de l'Escaut. 5 300 hab. Indus. alimentaires. Tuileries.

STACE (Publius Papinius Statius). ♦ Poète latin (Naples, v. 45 – *id.,* 96), auteur de deux épopées, la *Thébaïde** et l'*Achilléide* (inachevée), et de trente pièces de circonstance, les *Silves.* Poète mondain, il mêla beaucoup de convention à une sensibilité vraiment poétique.

STADE. ♦ V. et port d'Allemagne occidentale (Basse-Saxe) sur la Schwinge, près de l'estuaire de l'Elbe, auquel elle est reliée par un canal. 33 200 hab. Ch.-l. de district. Église Saint-Côme (XIIe s.). – Commerce de bois.

STADION (Johann Philipp, *comte von***).** ♦ Homme politique autrichien (Mayence, 1763 – Baden, 1824). Après des études de droit, il fut ambassadeur à Stockholm (1787), à Londres (1790), à Berlin (1801), puis à Saint-Pétersbourg (1804), où il prépara la troisième coalition contre la France. Ministre des Relations extérieures (1806), il était très hostile à Napoléon. Après Wagram*, il fut remplacé par Metternich*. À partir de 1815, il fut ministre des Finances.

STADLER (Ernst). ♦ Poète lyrique alsacien de langue allemande (Colmar, 1883 – devant Ypres, 1914). Professeur aux universités de Bruxelles et de Strasbourg, il participa, avec R. Schickelé*, au mouvement intellectuel alsacien et tenta d'établir un lien entre les cultures allemande et française, donnant en particulier de nombreuses traductions allemandes (Francis Jammes, Péguy, Balzac, etc.). Si son premier recueil de poèmes (*Préludes,* 1904) est proche par son style de la poésie de S. George ou d'H. von Hofmannsthal, Stadler renonça bientôt aux formes poétiques traditionnelles et formula dans ses œuvres ultérieures les violences et les espoirs (celui d'une « fraternité humaine ») du mouvement expressionniste (*Le Départ,* en all. *Der Aufbruch* « rupture », 1913).

STAEL [stal] **(Nicolas** *de***).** ♦ Peintre français d'origine russe (Saint-Pétersbourg [Leningrad], 1914 – Antibes, 1955). Ses parents émigrèrent en Pologne en 1919. Après leur mort, il se rendit à Bruxelles où un tuteur lui permit de faire des études (1922-1930). Il entra à l'Académie royale des beaux-arts de Bruxelles en 1932 ; ses peintres préférés furent Cézanne, Matisse et surtout Soutine. Voyageant en Europe (1932-1933), il visita les musées et étudia les maîtres anciens, notamment Rembrandt, Vermeer et Seghers. Après un séjour à Paris en 1934, où il travailla le dessin, il partit pour le Maroc en 1936. C'est là qu'il commença à peindre d'après nature. Démobilisé de la Légion étrangère, il s'installa en 1941 à Nice, où il entreprit ses premières natures mortes et les portraits de Jeannine. Revenu à Paris en 1943, il se lia d'amitié avec Braque. Une exposition chez Jeanne Bucher (1945) le fit connaître. Après la mort de Jeannine (1946), la peinture devenant son seul refuge, il s'acharna au travail. Les années 1950-1952 furent marquées par des expositions importantes aux États-Unis et en Angleterre. En 1953, il se retira dans le Vaucluse, puis à Antibes, où il se suicida en 1955. Les premiers portraits de *Jeannine* (1941-1942) sont marqués par la « période rose » de Picasso, puis Stael évolua vers l'abstraction. En 1944, ses compositions, structurées par des lignes sombres, cherchant le mouvement et la continuité, sont complètement abstraites (*Astronomie,* 1944). Ses recherches deviennent plus picturales, « la touche du pinceau s'assouplit, le trait s'élargit pour devenir trace » : *Composition en noir* (1946). Les tonalités chaudes, travaillées dans une pâte très nuancée, sont dominées par les gris (*Image à froid,* 1947). Puis la structure de ses toiles, d'abord très enchevêtrée, se simplifie, la recherche de la troisième dimension disparaissant progressivement. La toile est alors constituée par de petites surfaces de moins en moins nombreuses, qui s'intègrent les unes dans les autres : *Composition en gris et bleu* (1950). Les années 1951-1952 constituent une période charnière pour l'œuvre de Stael. La réalité réapparaissant dans son travail, ses recherches concernent le rythme (*Les Feuilles mortes,* 1951), la vibration (par la juxtaposition d'une multitude de taches, faite de coloris cassés : *La Ville blanche,* 1951), et le mouvement (série des *Footballeurs,* 1952, où dominent les bleus et les rouges). Il aborde alors toutes les disciplines, en particulier l'illustration et la tapisserie. La pâte épaisse et huileuse, les tons mélangés disparaissent pour faire place à une peinture composée de surfaces simples, aux coloris appliqués « en jus », laissant apparaître le travail du pinceau. Ces caractéristiques se retrouvent, transposées, dans une série de collages qu'il exécuta en 1953. Les trois dernières années de sa vie, Stael épura et simplifia de plus en plus ses toiles. Trois ou quatre formes constituent une nature morte, quelques coups de brosse, une plage. Il évoqua de préférence des horizons et des espaces en fuite, aux coloris parfois stridents et contrastés (*Agrigente,* 1954), parfois tendres et nuancés (*La Plage,* 1954). Dans ce dépouillement final où tout semble s'effacer, dans cette nouvelle conception, très lumineuse, on aurait pu trouver la marque d'une joie de vivre, si Stael n'avait choisi, à ce moment même, de mettre fin à ses jours.

STAËL-HOLSTEIN (Germaine Necker, *baronne de***),** dite **Mme de Staël** [stal]. ♦ Écrivain français (Paris, 1766 – 1817). Fille de Necker* et élevée à l'école des philosophes (son premier ouvrage sera un éloge de Rousseau*), elle s'enthousiasma pour la Révolution et, désireuse de jouer un grand rôle, reçut bientôt dans son salon tous les mécontents hostiles au Directoire. Elle fut exilée dès 1803. Dès lors, tantôt séjournant à Coppet*, avec Benjamin Constant*, tantôt voyageant en Europe, elle illustra ce qui sera l'idéologie romantique par l'exemple de sa vie passionnée et par ses ouvrages. Dès 1800, *De la littérature considérée dans ses rapports avec les institutions sociales,* soulignant l'importance du cœur et de l'imagination, demandait une littérature nouvelle pour des temps nouveaux et annonçait les théories développées dans *De l'Allemagne** (1808 à 1810) : indiquant la relativité esthétique et l'apport fructueux du cosmopolitisme littéraire, l'auteur demandait la rénovation des genres, chargés désormais d'exalter la sensibilité et l'individualisme, comme ses deux romans, *Delphine** (1802) et *Corinne* ou l'Italie* (1807). La poésie, pour Mme de Staël, se doit d'exprimer les tourments de ces « âmes à la fois exaltées et mélancoliques », prisonnières de cette « belle inconséquence : l'amour de la gloire, le dégoût de l'existence ».

STAFF (Leopold). ♦ Poète polonais (Lwów, 1878 – Varsovie,

1957). Influencé par Nietzsche, il écrivit des poèmes lyriques, combattant le « pessimisme décadent » de son époque : *Rêves de puissance* (*Sny o potedze*, 1901), *Le Jour de l'âme* (*Dzień duszy*, 1903), *Aux oiseaux du ciel* (*Ptakom niebiesRim*, 1905), *Sourires des heures* (*Uśmiechy Godzin*, 1908), *Dans l'ombre du glaive* (*W cieniu miecza*, 1911), *Le Chas de l'aiguille* (*Ucho igielne*, 1927), *La Couleur du miel* (*Barwa miodu*, 1936). On lui doit des drames (*Le Trésor* [*Skarb*], 1904), des traductions de Nietzsche et une *Anthologie des poètes français* (1924).

STAFFA *(île de), n. f.* ♦ Îlot inhabité de l'archipel écossais des Hébrides*, à l'O. de l'île de Mull. C'est dans cet îlot, aux côtes très découpées, que se trouve la fameuse *grotte de Fingal**.

STAFFARDE, en it. **Staffarda.** ♦ Localité d'Italie du N. (Piémont, prov. de Cuneo). Victoire de Catinat sur le duc de Savoie et le prince Eugène (18 août 1690).

STAFFORD. ♦ Famille anglaise. ♦ HUMPHREY STAFFORD (1402 – 1460). Il participa à la guerre des Deux-Roses du côté des Lancastre. Il fut fait premier duc de Buckingham (1444). ♦ HENRY STAFFORD, deuxième duc de Buckingham, son petit-fils (v. 1454 – 1483). Il aida Richard III à s'emparer du trône, mais se révolta et fut décapité.

STAFFORD. ♦ V. d'Angleterre. *Ch.-l.* du Staffordshire. 53 590 hab. Maisons à colombages (High House, 1552), église en gothique orné. — Équipement électrique, indus. mécaniques et fabriques de chaussures.

STAFFORDSHIRE. *n. m.* ♦ Comté d'Angleterre, dans les Midlands. 2 989 km², 1 734 000 hab. *Ch.-l.* Stafford*. *V. princ.* **V. Bilston, Burton upon Trent, Newcastle under Lyme, Rowley Regis, Smethwick, Stoke on Trent, Walsall** et **Wolverhampton.** – Le comté, situé au cœur du « pays noir » anglais *(Black* Country)*, est riche en houille et en fer. La région de Stoke on Trent, ou district des *Potteries*, est spécialisée dans la production de céramique, porcelaine et matériaux de construction (tuiles, briques). La métallurgie est concentrée dans les villes de Stafford, Walsall et Wolverhampton. — Patrie d'Enoch A. Bennet*.

STAGIRE, en gr. **Stagiros** ou **Stagira.** ♦ Anc. V. de Macédoine sur la côte orientale de la Chalcidique. Fondée v. le milieu du ~ VIIᵉ s. par des Ioniens venus d'Andros, elle fut la patrie d'Aristote*, dit le *Stagirite*.

STAHL (Georg Ernst). ♦ Médecin et chimiste allemand (Ansbach, 1660 – Berlin, 1734). Médecin du duc de Saxe-Weimar (1687), puis du roi de Prusse (1716), il développa la théorie du « phlogistique » (de Becker) critiquée par Lavoisier. C'est dans sa *Theorica medica vera* (1707) qu'il expose son système physiologico-médical connu sous le nom d'animisme (qui consiste à faire de l'âme le principe des phénomènes biologiques normaux ou pathologiques).

Stahlhelm, all., *n. m.* (« casque d'acier »). ♦ En Allemagne, association d'anciens combattants créée après la Première Guerre* mondiale qui se transforma, sous l'influence nationaliste, en un groupement paramilitaire de droite. Cette formation facilita l'accession d'Hitler au pouvoir, mais fut absorbée dès 1933 dans les S.A.*.

STAINS [stɛ̃]. ♦ Ch.-l. de cant. de la Seine-Saint-Denis, arr. de Bobigny, 32 174 hab. *(Stanois)*. Église Notre-Dame-de-l'Assomption (XVIᵉ s.). Vestiges d'un château. Indus. mécanique; carrosseries de voitures.

STAIR (James DALRYMPLE et **John DALRYMPLE). ♦ V.** DALRYMPLE.

STALIN. ♦ **V.** VARNA.

STALINÂBÂD. ♦ **V.** DOUCHANBÉ (Dushambe).

STALINE (Joseph Vissarionovitch Djougachvili, dit**).** ♦ Homme politique soviétique (Gori, Géorgie, 1879 – Moscou, 1953). Fils d'un cordonnier, envoyé par sa mère, très pieuse, au séminaire orthodoxe de Tiflis (1894), il devint en 1899 membre du comité clandestin du Parti social-démocrate dans la même ville et prit le nom de Koba, héros géorgien d'un roman populaire, insurgé contre la Russie. Exilé en Sibérie (1902), il réussit à s'évader et rentra à Tiflis. Rallié au bolchevisme, il participa pendant la révolution de 1905 aux « expropriations » des banques d'État pour financer les organisations clandestines. En 1906-1907, il prit part aux congrès du Parti à Stockholm et à Londres. Déporté en 1908, 1909, 1910, il se distingua comme leader bolchevik à Bakou et fut nommé par Lénine membre du Comité central (1912). Premier directeur de la *Pravda* (5 mai 1912), il prit le pseudonyme de *Staline* (du russe *stal*, acier) au début de 1913. Déporté en févr. 1913 à Touroukhan (près du cercle polaire), il fut libéré peu avant la révolution de mars 1917. Il rentra alors à Petrograd, assuma de nouveau la direction de la *Pravda*, fut élu membre du comité militaire révolutionnaire dirigé par Trotski, mais ne joua qu'un rôle secondaire pendant l'insurrection armée du 25 oct. 1917. Commissaire du peuple aux Nationalités (1917-1922), puis à l'Inspection ouvrière et paysanne (1919-1922), membre du Conseil de la Défense et inspecteur de divers fronts pendant la guerre civile, il organisa la défense de Tsaritsyne (Stalingrad, auj. Volgograd*) en 1918, puis de Petrograd contre l'offensive du général Ioudenitch (mai 1919). Élu secrétaire général du Comité central au XIᵉ congrès du Parti communiste (avril 1922), il conserva ce poste clé jusqu'à la mort de Lénine, bien que ce dernier le jugeât « trop brutal » et eût souhaité « trouver un moyen de le démettre de ses fonctions » (« Testament politique » de Lénine). Faisant bloc tantôt avec Zinoviev* et Kamenev* contre Trotski*, tantôt avec Boukharine*, Rykov et Tomski contre la *troïka* de Trotski, Zinoviev et Kamenev, Staline obtint le bannissement de Trotski (1929) et obligea tous ses adversaires à se soumettre et à avouer leurs « erreurs ». Devenu le chef incontesté du Parti et le maître absolu de l'U.R.S.S, il imposa sa politique d'« édification du socialisme dans un seul pays ». La collectivisation forcée de l'agriculture (1929-1930) ainsi que l'industrialisation très rapide et la priorité donnée à l'industrie lourde provoquèrent une pénurie des produits de consommation et le mécontentement des masses populaires (1931-1932). L'assassinat de Kirov* (1934) permit à Staline de déclencher une vaste « purge » du Parti bolchevik (1936-1938). Les « déviationnistes de gauche » (Zinoviev, Kamenev, Smirnov), puis les « droitiers » (Boukharine, Rykov, Radek) furent arrêtés et torturés; aux « procès » de Moscou, dirigés par Vychinski*, ils avouèrent « spontanément » des crimes peu vraisemblables, beaucoup d'entre eux croyant que « si Staline disparaissait, la révolution tomberait en morceaux ». Ces membres de la vieille garde bolchevique furent exécutés ainsi que 35 000 officiers de l'armée rouge, parmi lesquels le maréchal Toukhatchevski*. 1 000 000 de fusillés et 9 000 000 de « saboteurs », d'« ennemis du peuple » et de « trotskistes terroristes », détenus dans les prisons et les camps de concentration, tel fut, selon les évaluations les plus généralement retenues, le bilan de la grande terreur stalinienne, appelée parfois *iejovchina* (*Iejov*, chef du N.K.V.D.*). Le 23 août 1939, Molotov* signa sur l'ordre de Staline le pacte germano-soviétique; la Pologne orientale fut annexée à l'U.R.S.S. (17 sept. 1939) et la Finlande fut attaquée le 30 nov. 1939. La Carélie, la Bessarabie et les pays baltes furent annexés. Président du Conseil des commissaires du peuple (mai 1941), Staline devint généralissime et président du Comité d'État à la Défense, après l'invasion des troupes allemandes (22 juin 1941). Le 15 juillet, dans un discours radiodiffusé, il fit appel aux sentiments patriotiques de ses concitoyens. Il fut célébré comme le stratège seul responsable du succès final sur l'Allemagne, mais son rôle véritable dans la conduite de la guerre fut par la suite vivement critiqué et minimisé. Pour des raisons de politique intérieure, mais surtout extérieure, il avait réhabilité l'Église orthodoxe et proclamé la dissolution de la IIIᵉ Internationale* (1943). Son attitude, énigmatique quant à ses intentions, ayant fait craindre à Roosevelt qu'il ne donnât à l'armée soviétique l'ordre de marquer le pas, il obtint un partage avantageux de l'Europe en zones d'influence aux conférences de Téhéran et de Yalta* (févr. 1945). En 1946, dénonçant l'« impérialisme américain », Staline imposa le régime communiste dans les pays de l'Europe orientale. Il refusa de participer au plan Marshall (juil. 1947) et ressuscita la IIIᵉ Internationale (Komintern) sous le nom de Kominform (oct. 1947). Cette politique de « guerre froide » conduisit au blocus de Berlin-Ouest (mars 1948-mai 1949) et le « rideau de fer » (expression de Churchill) sépara l'Europe en deux. Vers la fin de sa vie, le culte de Staline atteignit sa forme la plus extrême : les hommes de science, les philosophes, les linguistes et les poètes furent obligés d'accepter ses jugements comme infaillibles. Devenu d'une méfiance maladive, après avoir déclenché diverses persécutions (comme les poursuites consécutives au « complot » des médecins juifs de janv. 1953), Staline mourut au Kremlin d'une hémorragie cérébrale le 5 mars 1953. En février 1956, Khrouchtchev* condamna le « culte de la personnalité » et les crimes de Staline. Son corps embaumé fut retiré du mausolée de Lénine en 1961. Staline a laissé des textes théoriques : *Le Marxisme et le problème national et colonial* (1912, éd. définitive 1934), les *Problèmes du léninisme* (collection d'articles, 1926), *Le Marxisme et les questions de linguistique* (contre Marr; 1951)

Ph. Keystone

De gauche à droite : **Staline,** Roosevelt, Churchill à la conférence de Yalta (février 1945).

Ph. A.P.N.

Stanislavski, dessin de N. Andreiev.

Coll. Viollet

H. L. Stanhope, par Hamerton. (Bibl. nat., Paris.)

et les *Problèmes économiques du socialisme en U.R.S.S.* (1952).

STALINGRAD. ♦ V. VOLGOGRAD.

STALINO. ♦ V. DONETSK.

STALINOGORSK. ♦ V. NOVOMOSKOVSK.

STALINOGRÓD. ♦ V. KATOWICE.

STALINSK. ♦ V. NOVOKOUZNETSK (Novokuznetsk).

STALINSTADT. ♦ V. EISENHÜTTENSTADT.

STAMBOUL. ♦ V. ISTANBUL.

STAMBOULOV (Stefan). ♦ Homme politique bulgare (Tărnovo, 1854 – Sofia, 1895). Il s'engagea dans l'armée russe lors de la guerre de 1877-1878. Après le congrès de Berlin*, il fut élu député (1882), devint président de la chambre en 1884 et prit la tête du parti national-libéral. Il favorisa le retour d'Alexandre* de Battenberg après l'insurrection de 1886 et assura la régence quand il abdiqua. Ayant contribué à l'avènement de Ferdinand* de Saxe-Cobourg-Gotha (1887), il conserva le pouvoir effectif jusqu'en 1894. Sa politique étrangère fut dominée par le souci de préserver l'indépendance de la Bulgarie face à la Russie et à la Turquie. À l'intérieur, il fit connaître au pays une grande prospérité, mais lui imposa de lourds impôts et exerça une répression impitoyable contre ses adversaires politiques. Aussi, quand il eut été renvoyé par le prince à la suite d'un scandale privé, fut-il tué dès l'année suivante au cours d'un attentat.

STAMFORD. ♦ V. et port des États-Unis au S.-O. du Connecticut, à env. 50 km de New York; 108 798 hab. Plus de 200 000 hab. pour la zone urbaine. Indus. et recherches chimiques.

STAMITZ ou **STAMIČ.** ♦ Famille de musiciens tchèques établis à Mannheim, qui contribuèrent à fixer la forme de la symphonie. ♦ JOHANN WENZEL ANTON ou JAN VÁCLAV ANTONIN, violoniste, compositeur et chef d'orchestre (Deutschbrod, 1717 – Mannheim, 1757). Directeur de l'orchestre de la cour de l'Électeur palatin à Mannheim, il mit au point l'écriture symphonique moderne en apportant d'importantes modifications aux modèles italiens : adoption définitive du menuet comme troisième mouvement d'une symphonie à quatre mouvements, introduction des clarinettes dans l'orchestre, etc. ♦ CARL PHILIPP, son fils, violoniste et compositeur (1745 – 1801), continua la tradition de Mannheim. Il écrivit un grand nombre de symphonies, symphonies concertantes, trios, sonates.

STANEV (Emilijan). ♦ Romancier bulgare (1907). Il a peint avec finesse la société bulgare après la Première Guerre mondiale, en insistant sur le désarroi des intellectuels : *Le Voleur de pêches* (1948), *Ivan Kondarev* (1960).

STANHOPE (James, *1er comte* Stanhope). ♦ Homme politique et général anglais (Paris, 1673 – Londres, 1721). Il avait participé à la guerre de la Succession* d'Espagne (prise de Port-Mahon, 1708, défaite de Brihuega, 1710) avant de diriger la politique étrangère sous le règne de George* Ier (1714-1721), s'alliant à la France dans la Triple, puis la Quadruple-Alliance*. Le scandale de la *South Sea Company* provoqua sa chute. Il eut pour frère le comte de Chesterfield*. – CHARLES, 3e comte Stanhope, son petit-fils (Londres, 1753 – Chevening, 1816), fut l'inventeur de machines à calculer et d'une presse typographique. Ses idées libérales et sa sympathie pour la Révolution française amenèrent sa rupture avec le jeune Pitt*, son beau-frère. – HESTER LUCY STANHOPE, fille de Charles (Chevening, Kent, 1776 – Saïda, 1839). Après avoir vécu aux côtés de son oncle Pitt, elle partit pour l'Orient. Elle s'établit en 1814 chez les Druses, qui la vénéraient comme une prophétesse, y reçut de nombreux visiteurs, parmi lesquels Lamartine, et y mourut dans le dénuement.

STANISLAS *(saint),* en polon. **Stanisław.** ♦ Prélat polonais (Szczepanów, 1030 – Cracovie, 1079). Évêque de Cracovie* (1072), il fut assassiné par Boleslas* II, pour avoir condamné ses violences et ses débauches et sans doute pour des motifs politiques. Canonisé en 1253, en qualité de patron de la Pologne. – Fête le 7 mai.

STANISLAS Ier LESZCZYŃSKI. ♦ (Lwów, 1677 – Lunéville, 1766). Roi de Pologne* (1704-1709 et 1733-1736). Palatin de Posnanie*, il fut imposé sur le trône de Pologne par Charles XII de Suède, à la chute d'Auguste* II (1704), mais fut contraint de s'enfuir après la défaite de Poltava* (1709). Réélu roi de Pologne par la diète (1733), avec l'appui de Louis* XV époux de sa fille Marie* Leszczyńska, il fut chassé par les Russes au profit d'Auguste* III **(V. Succession* de Pologne)**, renonça à la couronne polonaise au traité de Vienne* (1738), mais garda son titre et reçut les duchés de Bar* et de Lorraine* à titre viager. Il se consacra dès lors à l'embellissement de ses capitales : Lunéville* et surtout Nancy* qui devint un centre littéraire et scientifique et lui doit ses plus beaux monuments.

STANISLAS II AUGUSTE PONIATOWSKI. ♦ (Wołczyn, 1732 – Saint-Pétersbourg, 1798). Dernier roi de Pologne* (1764-1795), descendant des Jagellons par la famille Czartoryski*. Amant de la future Catherine* II de Russie, qui le fit nommer ambassadeur de Pologne à Saint-Pétersbourg (1757) et assura, avec l'appui des troupes russes, son élection au trône de Pologne (1764), il fut déchu en 1770 par les patriotes de la confédération du Bar*. Après le premier partage de la Pologne (1772), en dépit d'un pouvoir précaire, il favorisa les arts et les sciences, embellit Varsovie* et réorganisa l'enseignement, mais fut contraint d'adhérer à la confédération de Targowica* et assista impuissant au deuxième (1792) puis au troisième partage de la Pologne (1795) avant d'abdiquer.

STANISLAV. ♦ V. IVANO-FRANKOVSK.

STANISLAVSKI (Konstantine Sergheïevitch Alexeïev, dit). ♦ Acteur et metteur en scène de théâtre russe (Moscou, 1863 – *id.*, 1938). Fondateur avec V.N. Dantchenko du Théâtre d'art de Moscou (1898), auquel il devait joindre un « studio » expérimental (1905), il s'appliqua à donner au théâtre une moralité artistique. Pédagogue et réformateur, il s'attacha à l'étude méthodique des phénomènes psychiques qui accompagnent le jeu de l'acteur. Il réalisa d'abord divers essais, dans le sens du réalisme historique (G. Hauptmann, L. Tolstoï) ou du symbolisme (Maeterlinck). Il devait ensuite illustrer sa conception d'un réalisme synthétique avec *La Mouette* de Tchekhov*, auquel succéda celui des *Bas-Fonds* de M. Gorki* (1902). Tant dans les dernières années du tsarisme qu'après la victoire du bolchevisme, Stanislavski n'admit aucun compromis dans l'application de ses théories créatrices, mettant à son répertoire des œuvres de Sophocle, Shakespeare, Molière, Goldoni, Beaumarchais, Byron, Ibsen et Knut Hamsun. Nature inquiète et tourmentée, passionné de vérité humaine, Stanislavski a publié un livre capital, *Ma vie dans l'art.*

STANKOVIĆ (Borislav). ♦ Conteur, romancier et auteur dramatique serbe (Vranja, 1876 – Belgrade, 1927). Il décrivit avec une profonde chaleur humaine la vie sous l'influence des Turcs dans sa province natale de la Serbie du Sud, dans des drames : *Koštana* (1902), *Tašana*, et dans son roman *Le Sang impur* (1911).

STANLEY (John Rowlands, *sir* Henry Morton). ♦ Journaliste et explorateur anglais (Denbigh, pays de Galles, 1841 – Londres, 1904). Orphelin, embarqué comme mousse pour l'Amérique, il fut adopté par un négociant de La Nouvelle-Orléans et en prit le nom. Il participa à la guerre de Sécession tour à tour du côté des Sudistes et des Nordistes, puis fut correspondant de divers journaux en Asie Mineure et en Abyssinie. En 1869, il fut chargé par le *New York Herald* de rechercher Livingstone*, qu'il rejoignit dans la région du lac Tanganyika (1871). En 1874, il repartit pour Zanzibar afin de poursuivre l'exploration de l'Afrique équatoriale qu'il traversa d'est en ouest. Il passa ensuite au service de l'Association africaine internationale créée par Léopold II de Belgique, explora le Congo jusqu'à Stanley Pool, découvrit le lac Léopold II, prit possession de la rive gauche du Congo (au nom de la Belgique). Enfin, en 1887, il partit porter secours à Emin* Pacha contre les mahdistes. De retour en Angleterre, il fut élu membre de la Chambre des communes. (*Comment j'ai retrouvé Livingstone,* 1876; *À travers le continent mystérieux,* 1879, etc.)

STANLEY (Wendell Meredith). ♦ Biochimiste américain (Ridgeville, Indiana, 1904). Il isola le virus-protéine responsable de la mosaïque du tabac sous forme de cristaux (1935) et montra que la protéine du virus peut se reproduire et muter (1958); il prépara également un vaccin contre la grippe. (Prix Nobel de chimie, 1946.) **V. Northrop, Sumner.**

STANLEY POOL, *n. m.* (en fr. « étang de Stanley »). ♦ Section du cours du Congo* largement étalée, formant un lac de 450 km² avant son entrée dans la zone de chutes. Sur sa r. d. se situe Brazzaville*, sur sa r. g. Kinshasa*, toutes deux reliées par voie ferrée à l'océan.

STANLEYVILLE. ♦ Anc. nom de Kisangani*.

STANOVOÏ, *n. m.* (ou *monts*). ♦ Système montagneux de Sibérie orientale, entre le cours moyen de l'Olekma et le bassin du cours supérieur de l'Outchour [Uchur] (affl. de l'Aldan), où il s'articule avec les monts de Djougdjour*. Longueur 900 km. Le Stanovoï est composé de deux chaînes montagneuses parallèles, séparées par de longues vallées. La chaîne est surtout formée de montagnes massives en forme de coupole (env. 1 500 m d'alt., la plus haute 2 412 m). Avant la révolution d'Octobre, les géographes rapportaient aux monts Stanovoï la chaîne des monts Iablonovyï* ainsi que les monts Djougdjour* et Kolyma* (ou Ghydan).

STANS. ♦ V. de Suisse, *ch.-l.* du canton de Nidwald* (Unterwald), au pied du Stanserhorn. 4 300 hab. Église Saint-Pierre (XVIIe s.). Station estivale. Indus. textile.

STAOUÉLI. ♦ Comm. d'Algérie (dép. d'Alger) sur les collines du

Sahel* d'Alger. 8 000 hab. Domaines vinicoles (dont celui de l'ancien couvent de la Trappe).

STAPLEDON (Olaf). ♦ Romancier anglais (1886 – 1950). Il passa une partie de son enfance en Égypte, puis en Angleterre où il exerça divers métiers. Il fut maître d'école, employé dans une agence maritime de Liverpool, puis de Port-Saïd. Après une expérience éducative en milieu ouvrier, il étudia la philosophie et écrivit plusieurs essais sur ce thème. En 1930, il composa son premier roman, *Last and First Men* (« Derniers et Premiers Hommes »), épopée spatio-temporelle et réflexion sur l'histoire des civilisations. De même, *Star Maker* [« Le Faiseur d'étoiles »] (1937) passe en revue les possibilités évolutives de la vie pensante et des sociétés ; cette évocation surréelle, servie par une imagination intense et systématique, est sous-tendue par un pessimisme critique à l'égard de la civilisation contemporaine (« La tentative pour considérer notre monde turbulent sur un fond stellaire peut [...] accroître, et non pas diminuer, la signification de la crise actuelle de l'humanité »). *Odd John* (« L'Étrange John »), paru en 1935, et *Sirius* (1944) évoquent deux destins imaginaires qui transcendent la spécificité des êtres vivants : John est un mutant, que son intelligence, supérieure à celle de l'espèce humaine, isole et voue à l'échec ; Sirius, un chien pensant qui conserve sa psychologie canine et se trouve tragiquement déchiré. Ces deux récits, d'un humour plein d'amertume, confèrent à quelques thèmes essentiels (difficulté de communiquer, incompréhension et solitude, fragilité de l'unité du moi – thème repris dans *A Man divided,* 1950 –, évolution mentale de l'humanité) un étonnant pouvoir suggestif. Parfois mal construite sur le plan romanesque, l'œuvre généreuse et tragique, lucide et angoissante de Stapledon prolonge, avec plus de commisération, les mythes critiques de Swift, plus qu'elle n'illustre le genre mal défini de la science-fiction.

STARA PLANINA. ♦ V. BALKAN.

STARA ZAGORA. ♦ V. de la Bulgarie méridionale, au pied de la Sarnena Gora (Rhodope*), dans la vallée des Roses. Ch.-l. de district. 112 600 hab. Centre commercial (tabac) et industriel (travail du coton, engrais).

STARHEMBERG. ♦ Vieille famille autrichienne, illustrée par GUIDO, *comte von.* Feld-maréchal autrichien (Graz, 1657 – Vienne, 1737). Il défendit Vienne en 1683 et servit sous le prince Eugène en Hongrie et en Italie. Général en chef en Espagne contre Philippe V, il fut finalement vaincu à Villaviciosa (1710) et dut évacuer la Catalogne (1713). ♦ ERNST RÜDIGER, *comte von.* Feld-maréchal autrichien (Graz, 1638 – Wesendorf, 1701), cousin du précédent. Après s'être illustré sous Montecuccoli*, il assura la défense de Vienne contre les Turcs (1683). ♦ ERNST RÜDIGER, *prince von.* Homme politique autrichien (Eferding, 1899 – Schruns, 1956).

STARK (Johannes). ♦ Physicien allemand (Schickenhof, Bavière, 1874 – Traunstein, 1957). Il observa la décomposition des raies spectrales sous l'action d'un champ électrique ou magnétique (*effet Stark,* 1913). L'effet Stark est notamment utilisé en spectroscopie des hyperfréquences et pour l'étude des plasmas. (Prix Nobel de phys., 1919.)

STAS (Jean Servais). ♦ Chimiste belge (Louvain, 1813 – Bruxelles, 1891). Avec Jean-Baptiste Dumas*, à Paris, il détermina analytiquement, avec une grande précision, de nombreuses masses atomiques.

STASSFURT. ♦ V. d'Allemagne orientale (district de Magdebourg), sur la Bode, affl. de la Saale. 26 800 hab. Mines de potasse et de sel. Indus. chimiques. Matériel de radio ; produits alimentaires.

STASZIC (Stanisław). ♦ Prêtre et humaniste polonais (Piła, 1755 – Varsovie, 1826). Il contribua par ses écrits à la renaissance morale et intellectuelle de son pays. Il écrivit *Considérations sur la vie de Jan Zamoyski* (*Uwagi nad zyciem Jana Zamoyskiego,* 1787), *Avertissement à la Pologne* (*Przestrogi dla Polski,* 1790) et *Le Genre humain* (*Ród ludzki,* 1819-1820) où il critiqua le féodalisme.

STATEN ISLAND. ♦ Île des États-Unis, dans l'État de New York, qui se trouve dans la baie de New York entre le New Jersey et l'extrémité O. de Long Island (elle est reliée à Brooklyn par le pont Verazzano). Elle forme le district de Richmond (New York City).

STAUDINGER (Hermann). ♦ Chimiste allemand (Worms, 1881 – Fribourg-en-Brisgau, 1965). Ayant découvert l'existence des macromolécules, il étudia leurs structures et leurs propriétés, ainsi que leurs possibilités de synthèse. Ses travaux sont à l'origine de la chimie des hauts polymères. **V. Hyatt, Baekeland, Carothers.** (Prix Nobel de chim., 1953.)

STAUDT (Christian *von*). ♦ Mathématicien allemand (Rothenburg, 1798 – Erlangen, 1867). Auteur d'une axiomatisation de la géométrie projective qu'il reconstitua indépendamment de toute notion métrique, à l'aide des seuls axiomes concernant la position ou l'ordre des éléments fondamentaux, sa « théorie des jets » lui permit d'introduire les notions d'ordre de sens et d'identifier les domaines de la géométrie projective et de la géométrie analytique (*Geometrie der Lage,* 1847 ; *Beiträge zur Geometrie der Lage,* 1856-1860). **V.** *aussi* **Chasles, Steiner.**

STAUFFENBERG (Claus Schenk, *comte von*). ♦ Officier allemand (Jettingen, Augsburg, 1907 – Berlin, 1944). Blessé et amputé d'une main lors de la campagne de Tunisie (1943, **V. Guerre mondiale** [Deuxième]), il fut versé dans les réserves dont il devint chef d'état-major avec le grade de colonel (déb. juil. 1944). Mais, déjà, il avait pris contact avec la conjuration militaire visant à écarter du pouvoir Hitler et les nazis. Lui-même fut partisan d'aller jusqu'au meurtre : il déposa une bombe au Q.G. du führer, à Rastenburg, entendit l'explosion et regagna Berlin où le putsch se déclencha (20 juil. 1944). Mais Hitler n'avait été que légèrement blessé et le complot échoua. Stauffenberg fut fusillé le soir même. **V.** *aussi* **Beck, Canaris, Kluge, Rommel, Rundstedt.**

STAVANGER. ♦ V. et port de Norvège, sur la côte O. du pays, dans le Boknafjord. Ch.-l. du comté de Rogaland. 82 450 hab. (1972). Évêché. Aéroport de Stavanger-Sola. Cathédrale mi-romane, mi-gothique (construite aux XIIe et XIIIe s.). V. anc., maisons de bois à deux étages. Musées. – Conserveries (poissons), indus. métallurgique, mécanique, textile (draperies), chantiers navals. Port de pêche (sprat, hareng), de commerce et de voyageurs (vers l'Amérique du Nord). – Patrie de A. Kielland*, H. Steffens*.

STAVELOT. ♦ Comm. de Belgique (prov. de Liège, arr. de Verviers), sur l'Amblève, en Ardenne. 4 600 hab. Restes d'une abbaye fondée en 651.

STAVISKY (Serge Alexandre). ♦ Homme d'affaires français, israélite d'origine russe (Slobodka, Ukraine, 1886 – Chamonix, 1934). Fondateur et directeur du Crédit municipal de Bayonne (1931), il détourna plusieurs dizaines de millions (bons émis par le Crédit municipal de Bayonne et gagés sur des bijoux volés ou faux). La découverte de ce scandale financier (*fin* 1933) contribua à discréditer le régime, car plusieurs personnalités y furent plus ou moins directement impliquées. Recherché par la police, Stavisky fut retrouvé tué (d'une balle de revolver) à Chamonix. Les ligues d'extrême droite accusèrent le gouvernement de l'avoir fait disparaître et, après la démission du cabinet Chautemps*, remplacé par celui de Daladier*, elles organisèrent la manifestation du 6 février* 1934.

STAVROPOL. ♦ V. d'U.R.S.S. (R.S.F.S. de Russie), ch.-l. du territoire du même nom (80 600 km². 2 237 000 hab.), dans la partie centrale du Caucase du Nord. 211 000 hab. Indus. mécaniques, chimiques et alimentaires. Traitement du cuir. – La ville fut fondée en 1777.

STECKEL (Wilhelm). ♦ Psychiatre autrichien (1868 – 1940). Disciple de S. Freud*, il s'en sépara en 1912. Auteur d'études sur les troubles de la sexualité *(La Femme frigide, Onanisme et Homosexualité, L'Homme impuissant),* il a mis en question la notion d'inconscient (critique qui fut utilisée par J.-P. Sartre).

STEELE (*sir* Richard). ♦ Journaliste, essayiste, auteur dramatique et homme politique irlandais (Dublin, 1672 – Carmarthen, pays de Galles, 1729). De famille bourgeoise, orphelin très jeune, il fit ses études à Oxford et s'engagea dans les *Life Guards.* Capitaine, il se battit en duel, ce qui lui inspira *Le Héros chrétien* (*The Christian Hero,* 1701) ou « arguments destinés à prouver que seuls les principes de la religion sont propres à faire un grand homme ». En opposition avec la plupart des écrivains de son temps, il conseilla le respect de la femme, attitude qui donna le ton au *Tatler* (*Le Babillard,* 1709) et au *Spectator** qu'il fonda en 1711 avec son ami Addison*. Il lança d'ailleurs plusieurs périodiques (*The Guardian,* 1713 ; *The Englishman, The Lover...)* et fut le premier à y introduire le genre de l'essai. Mais Steele doit surtout sa renommée au *Tatler,* très représentatif des « tendances de cette société qui cherchait un compromis entre les exagérations du puritanisme et la licence cynique de la Restauration ». Le genre comique, léger et ironique, lui convenait, et *Les Amants réservés* (*The Conscious Lovers,* 1722) annonce la comédie sentimentale qui fleurira au siècle suivant. Son *Amant menteur* (*The Lying Lover)* est inspiré du *Menteur* de Corneille. Élu au Parlement, anobli par George Ier, Steele n'en mourut pas moins criblé de dettes.

STEEN (Jan). ♦ Peintre hollandais (Leyde, 1626 – *id.,* 1679). Il étudia à Utrecht, puis devint à Haarlem élève de Van* Ostade et, à La Haye, celui de Van Goyen*. Il fut l'un des membres fonda-

Ph. Nimatallah/Ricciarini

Jan Steen : « Les Œufs cassés ». (Nat. Gallery, Londres.)

Ph. Harlingue-Viollet
Gertrude Stein.

Ph. U.S.I.S.
John Steinbeck.

teurs de la gilde de Leyde (1648). Il représenta d'abord des paysages et quelques sujets religieux, mais se consacra surtout à la peinture de genre. Il traite avec humour des scènes de la vie populaire, dans l'esprit de Brouwer* et se rattachant à la tradition flamande. Esprit satirique et moralisateur, il usa de l'allégorie, insistant sur le caractère trivial des gestes et des expressions *(Visite du médecin)*, éclairant avec franchise les formes. Il aimait les tonalités froides délicatement nuancées.

STEENKERQUE. ♦ V. STEINKERQUE.

STEENSTRUP (Johannes Japetus Smith). ♦ Naturaliste danois (Vang, 1813 – Copenhague, 1897). Professeur de zoologie et directeur du muséum d'histoire naturelle à Copenhague, il étudia le phénomène d'alternance de générations sexuées et asexuées chez certains invertébrés (1842).

STEENSTRUP (Knud Johannes Vogelius). ♦ Explorateur et géologue danois (Mors, Jylland, 1842 – Copenhague, 1913). Il explora le Groenland où il fit de nombreuses études géologiques, paléontologiques et ethnographiques.

STEENVOORDE. ♦ Ch.-l. de cant. du Nord*, arr. de Dunkerque*, en Flandre*. 3 761 hab. Chaussures, bonneterie.

STEFAN (Josef). ♦ Physicien autrichien (Sankt Peter, près de Klagenfurt, 1835 – Vienne, 1893). Il énonça (1879) la *loi de Stefan* (ou *loi de Stefan-Boltzmann**) selon laquelle la puissance totale rayonnée par un corps noir est proportionnelle à la quatrième puissance de la température absolue de ce corps.

STEFANO da Zevio ou **de Vérone.** ♦ Peintre italien (Vérone, 1374 – *id.,* ap. 1438). Élève d'Altichiero, il prit aux modèles transalpins sa manière courtoise et fleurie (*Vierge à la roseraie,* v. 1400, Vérone). Il eut une influence sur Pisanello*.

STEFANSSON (Vilhjalmur). ♦ Explorateur canadien d'origine islandaise (Arnes, Manitoba, 1879 – New Hampshire, 1962). Au cours de plusieurs expéditions dans les régions arctiques, il a exploré la terre de Beaufort, les îles de Banks et de Melville et fait des études sur les mœurs et coutumes des Esquimaux (*My Life with the Eskimo,* 1913, etc.).

STEFFENS (Henrik). ♦ Écrivain et savant allemand d'origine norvégienne (Stavanger, 1773 – Berlin, 1845). Le récit de sa vie et de ses expériences (*Ce que j'ai vécu,* 1840-1845) est riche en renseignements sur bien des écrivains et philosophes de cette époque (Goethe, Schelling, Fichte, les romantiques).

STEIN (Karl, *baron von***).** ♦ Homme politique prussien (Nassau, 1757 – Kappenberg, Westphalie, 1831). Après des études de droit, il entra au service de la Prusse en 1780; il était directeur des mines et des usines de Westphalie en 1784. Adepte du despotisme éclairé, il prit en 1804 le portefeuille du Commerce, de l'Industrie et des Douanes et se montra un excellent administrateur; il désirait abattre les barrières douanières entre les provinces prussiennes. Frédéric*-Guillaume III le renvoya en janvier 1807, mais le rappela auprès de lui en juillet, après le traité de Tilsit* qui démembrait la Prusse. Stein fit comprendre au roi la nécessité d'adopter certaines réformes : l'édit du 9 oct. 1807 abolissait le régime des castes, le servage; les roturiers avaient le droit d'acheter des terres; les nobles pouvaient travailler à l'industrie et au commerce sans déroger; ces mesures inquiétèrent Napoléon, qui obtint la démission de Stein en nov. 1808. Hardenberg* devait continuer son œuvre après 1810. Il publia un *Mémoire de Nassau* où il exposait ses vues libérales et l'utilité d'introduire le régime parlementaire. Il se réfugia en Autriche en mai 1812, puis fut appelé par le tsar Alexandre, qu'il alla rejoindre. En fév. 1813, il décida Frédéric-Guillaume III à signer à Kalisz un traité d'alliance avec la Russie. Déçu par le congrès de Vienne et l'échec de l'unité allemande, il abandonna la politique. En 1819, il fonda la Société d'histoire de l'Allemagne, qui publia la collection des *Monumenta Germaniae historica.*

STEIN (Gertrude). ♦ Femme de lettres américaine (Alleghany, Penn., 1874 – Paris, 1946). Après une enfance à Vienne, une adolescence à Oakland et à San Francisco, elle élut domicile à Paris, y séjournant même durant l'occupation nazie, bien qu'elle fût d'origine juive. Elle avait une « soif des autres » qui la fit devenir, dans sa maison de la rue de Fleurus, le pôle d'attraction de toute une génération d'écrivains qu'elle qualifia de *« lost generation »* (génération perdue), lors de sa brouille avec Hemingway. Les recherches de Picasso, Matisse ou Braque la passionnèrent et son modernisme d'écrivain fut qualifié de « cubisme de la littérature ». Elle créa une école littéraire éphémère – les imagistes – qui se réclamaient d'E. Dickinson*. Son premier livre *Trois Vies* (1909) et ses livres de souvenirs : *Autobiographie d'Alice Toklas* (1933), *Autobiographie de Tout le Monde* (1935), *Paris, France* (1940), *Les Guerres que j'ai vues* (1945) sont écrits dans une prose plus traditionnelle. Elle définit ses tentatives en matière de langage dans *Comment écrire* (1931) et Sherwood Anderson notait : « Son œuvre est une immense réflexion sur le langage. »

STEIN (William). ♦ Biochimiste américain (New York, 1913). Auteur de nombreux travaux sur les protéines et les amino-acides par les méthodes chromatographiques, il étudia particulièrement, avec S. Moore*, la structure et le mécanisme d'action de la ribonucléase. (Prix Nobel de chimie, 1972.)

STEIN AM RHEIN. ♦ V. de Suisse (cant. de Schaffhouse) sur la r. d. du Rhin. 2 600 hab. Maisons anciennes, couvent bénédictin de Saint-Georges (XIVe-XVe s. et XVIe siècle).

STEINBECK (John). ♦ Romancier américain (Salinas, Californie, 1902 – New York, 1968). D'ascendance prussienne et irlandaise, il étudia à l'université de Stanford et exerça plusieurs métiers mal rémunérés à New York. Après un échec dans le journalisme, il commença à se faire connaître dans le monde littéraire avec *La Coupe d'or* (1929) inspiré de la *Symphonie du Nouveau Monde* de Dvořák, et *Les Pâturages du ciel* (1932). Mais le grand public le découvrit grâce à *Tortilla Flat* (1935), chronique truculente et émue de la vie de six *paisanos* (« assortiment de sang espagnol, indien, mexicain et caucasien ») peu recommandables unis un moment en fraternelle communauté. L'observation de la langue populaire et la cocasserie verbale y sont remarquables. Suivit une série de romans de tendance naturaliste et de revendication sociale : *En un combat douteux* (*In Dubious Battle,* 1936) évoque une grève, et *Les Raisins de la colère* (*The Grapes of Wrath,* 1939), où Steinbeck condamne l'inhumanité du développement économique, la mécanisation de l'agriculture et le système capitaliste dans lequel elles s'insèrent. Sa foi en l'homme subsiste, même si la Terre promise (la Californie) se transforme pour les fermiers ruinés de l'Oklahoma en « un vaste pénitencier ». *Des souris et des hommes* (*Of Mice and Men,* 1937) évoque la misère psychologique de deux journaliers dans un ranch de la vallée de Salinas (l'œuvre, adaptée à la scène, eut un grand succès). *Rue de la Sardine* (*Cannery Row,* 1944) renoue avec l'inspiration anarchisante, hippie avant la lettre, de *Tortilla Flat.* Cette œuvre généreuse s'achève sur une grande fresque symbolique : *À l'est d'Éden* (1952) dont tous les personnages représentent le bien et le mal, Caïn et Abel, Ève et Lilith. Déçu dans ses tendances socialistes et utopiques, Steinbeck s'était rallié au « rêve américain » tout en se rapprochant de la nouvelle génération de l'Ouest et des beatniks. (Prix Nobel de littérature, 1962.)

STEINER (Jacob). ♦ Mathématicien suisse (Utzensdorf, Berne, 1796 – Berne, 1863). On lui doit une grande part de l'élaboration de la doctrine projective : après avoir défini dans l'espace projectif six formes fondamentales classées en trois espèces (*Systematische Entwickelung,* 1832), il montra que l'on peut passer d'une forme à une autre de même espèce si la condition de projectivité est remplie; il systématisa les méthodes de génération projective des figures, réalisa la construction de courbes et de surfaces de degrés supérieurs et développa par voie géométrique la théorie des polaires des courbes algébriques. **V. Chasles, Staudt.**

STEINER (Rudolf). ♦ Penseur autrichien (Kraljević, 1861 – Dornach, près de Bâle, 1925). Étudiant à l'École supérieure technique de Vienne, il participa à Weimar (1889-1896) à l'édition complète des œuvres de Goethe, dont les écrits scientifiques l'avaient particulièrement intéressé. Après avoir fréquenté pendant plusieurs années les milieux théosophiques, il devait élaborer sa propre doctrine, l'*Anthroposophie.* Il fonda la *société anthroposophique* et le centre de Dornach (le *Goetheanum,* près de Bâle). Comme la pensée de Goethe qui l'influença de façon décisive, celle de R. Steiner veut être « un chemin de connaissance qui tente de conduire du spirituel dans l'homme au spirituel dans l'univers ». Ainsi, dépassant le caractère exclusivement technique, matérialiste et destructeur de la science contemporaine, qui, depuis Kant, se refuse l'accès à la connaissance de l'être même du réel, l'anthroposophie propose une compréhension de la nature humaine capable de lui rendre sa véritable place au sein du Cosmos, « d'élargir et d'approfondir notre sens de l'action sociale, pédagogique et médicale ». Éduquer et guérir l'homme, parvenir à harmoniser en lui l'être matériel (physique) et l'être spirituel, en développant le sentiment ou « don du cœur », seule force capable d'équilibrer les contraires, tel est le but que cherche à atteindre l'anthroposophie, qui voit dans le Christ « le véritable *cœur* de l'histoire terrestre » (O.J. Hartmann), centre et pivot de l'évolution. La doctrine eut des prolongements pédagogiques (s'inspirant de certains aspects des théories exposées par Goethe dans *Wilhelm* Meister*) avec la fondation de plusieurs écoles *R.-Steiner,* esthétiques (l'eurythmie dans l'expression musicale, picturale, architecturale, théâtrale, dans la danse), médicaux et scientifiques et même agricoles (biodynamique). R. Steiner exerça une profonde influence par le rayonnement de sa personnalité et l'enseignement de sa pensée qui fit d'assez nombreux adeptes. Il en avait exposé les bases dans divers ouvrages : *Théosophie, introduction à la connaissance du monde suprasensible; Pensée humaine, Pensée cosmique,* des études sur les Évangiles, *L'Ésotérisme chrétien, Les Mystères bibliques de la Genèse, L'Impulsion du Christ et la conscience du moi, Les Bases spirituelles de l'éducation,* sur *Le Faust de Goethe,* etc.

STEINHEIL (Carl August *von***).** ♦ Physicien allemand (Ribeauvillé, 1801 – Munich, 1870). Il conçut un photomètre à l'aide duquel il effectua des mesures dont il déduisit la loi dite de Fechner* (1836); directeur d'une usine d'instruments d'optique, il appliqua la technique de l'argenture chimique à l'astronomie en 1856 (miroirs des télescopes) [**V. Foucault**], et participa au développement de la photographie en mettant au point en 1860 ses aplanats (objectifs à large champ corrigés de la distorsion).

STEINKERQUE, auj. **Steenkerke.** ♦ Comm. de Belgique (Hainaut). 400 hab. Victoire du maréchal de Luxembourg* sur Guillaume* III d'Orange (1692).

STEINLEN [stɛ̃lɛn] ou [stɛnlɛn] **(Théophile Alexandre).** ♦ Dessinateur, peintre, lithographe et affichiste français d'origine suisse (Lausanne, 1859 – Paris, 1923). Il s'installa à Paris à partir de 1878, débuta comme dessinateur industriel et collabora à de nombreux journaux : *Le Chat noir, Gil Blas, l'Assiette au beurre,* etc. Ses dessins de chats le rendirent vite célèbre; il illustra de nombreux ouvrages (*Dans la rue,* de Bruant), produisit des affiches fortement marquées par le « japonisme » alors en vogue et des tableaux aux tons parfois assourdis évoquant les mœurs populaires et où s'expriment ses préoccupations sociales et ses aspirations humanitaires. Sensible aux leçons de Daumier et surtout de Toulouse*-Lautrec, il fit preuve d'une curiosité et d'un sens de l'observation qui en font l'un des plus intéressants témoins de l'époque 1900.

STEINMETZ (Karl Friedrich *von***).** ♦ Feld-maréchal prussien (Eisenach, 1796 – Landeck, Silésie, 1877). Il participa aux différentes campagnes de la Prusse (Schleswig, 1848, 1864, en Bohême contre l'Autriche, 1866). Placé à la tête de la Iʳᵉ armée allemande lors de la guerre franco-allemande (1870-1871), il remporta sur l'armée française de Frossard* la bataille de Forbach*-Spicheren (6 août 1870). Pourtant, sa tactique ayant été critiquée par ses supérieurs (dont Moltke), il fut relevé de ses fonctions le 15 sept. après la bataille de Saint-Privat-la-Montagne. Il devint ensuite gouverneur de Posnanie et de Silésie.

STEINTHAL (Heymann). ♦ Linguiste et philosophe allemand (Gröbzig, Anhalt, 1823 – Berlin, 1899). Il étudia à Paris la langue et la littérature chinoises. Professeur de linguistique à Berlin, il fonda (avec Lazarus*) une revue de psychologie des peuples et de philologie (1859). Ses travaux sur la philosophie du langage en font un successeur de W. von Humboldt* (*Origine du langage,* 1851; *Précis de linguistique,* 1850-1871, etc.).

STEINWAY. ♦ Famille de facteurs de pianos allemands fondée par HEINRICH ENGELHARD STEINWEG (Wolfshagen, Harz, 1797 – New York, 1871). Celui-ci ouvrit avec Grotrian deux manufactures, à Seesen et à Brunswick. Puis il partit en Amérique avec quatre de ses fils et fonda à New York la maison *Steinway and Sons* (1853). Il fonda une nouvelle manufacture à Hambourg, ce qui assit la réputation mondiale de sa firme.

STEKENE. ♦ Comm. de Belgique (Flandre-Orientale, arr. de Saint-Nicolas), à la frontière hollandaise. 8 900 hab. Indus. textiles. Matériaux de construction.

STELLA-PLAGE. ♦ Station balnéaire du Pas*-de-Calais, comm. de Cucq.

Stello, ou Les Consultations du docteur Noir. ♦ Roman symbolique de Vigny* (1832). Reprenant la thèse de *Moïse*,* l'auteur l'applique aux poètes, isolés au sein d'un ordre social qui repose sur le mensonge. En lui contant l'histoire de trois génies méconnus (Gilbert, craint par la monarchie absolue; Chatterton, dédaigné par la monarchie constitutionnelle; Chénier, condamné par la république), le docteur Noir (la pensée de l'écrivain) tente de guérir de ses illusions Stello, en lui prescrivant la réserve (« neutralité armée ») pour mieux accomplir sa mission **(V.** *aussi* **Chatterton).**

STELVIO *(col du)*. ♦ Col des Alpes italiennes (2 758 m), situé à l'E. du massif de l'Ortler, entre les cours supérieurs de l'Adda et de l'Adige et emprunté par la route Milan-Innsbrück.

STEMBERT. ♦ Comm. de Belgique (Liège) dans la banlieue E. de Verviers. 7 000 hab. Indus. textiles.

STENAY. ♦ Ch.-l. de cant. de la Meuse (arr. de Verdun), sur la Meuse. 4 201 hab. Aciéries, papeterie, conserves alimentaires.

STENDAL. ♦ V. d'Allemagne orientale (Mecklembourg, district de Magdebourg). 36 000 hab. Monuments gothiques et Renaissance. – Indus. métallurgiques, chimiques et alimentaires (conserveries, sucreries).

STENDER (G.F.). ♦ Conteur letton (XVIIIᵉ s.). Il fut le doyen de l'Église luthérienne en Lettonie. Il écrivit des recueils de contes de fées et des fables de source folklorique et populaire. Il laissa en outre un *Grand Livre de la connaissance de la nature.*

STENDHAL (Henri BEYLE, dit**).** ♦ Écrivain français (Grenoble, 1783 – Paris, 1842). Après une adolescence où sa révolte contre son père et son précepteur (l'abbé Raillane) le conduisit à se déclarer athée et jacobin, il se passionna pour le dessin, les mathématiques et le théâtre, se livrant parallèlement à la lecture des philosophes et des romanciers sentimentaux du XVIIIᵉ siècle. Engagé dans l'armée de Bonaparte, il découvrit l'Italie avec émerveillement. En même temps, séduit par la méthode des ideologues*, il commença, dès 1801, à rédiger son *Journal,* afin de se mieux connaître. Fixé à Milan (1814-1821), il y fit paraître un essai, *Rome, Naples et Florence* (1817) signé du nom de Stendhal. De retour à Paris et fort bien reçu dans la société mondaine, il publia *De l'amour** (1822), défendit un romantisme libéral en littérature (*Racine* et Shakespeare,* 1823 et 1825) et donna successivement deux romans, *Armance** (1827) et *Le Rouge* et le Noir* (1830). Assombri par sa relative pauvreté et son peu de succès littéraire, il retourna en Italie (consul à Trieste, puis à Civitavecchia, de 1830 à 1842) et entreprit en 1834 *Lucien* Leuwen* (inachevé, 1855). De 1836 à 1839, en congé à Paris, il fit paraître *Les Mémoires d'un touriste* (1838), puis *La Chartreuse* de Parme* et *Les Chroniques italiennes* (1839), récits où il exprime son culte de la passion et de l'énergie, avant d'entamer, à son retour en Italie, *Lamiel** (1842), roman inachevé où toutes ses aspirations s'incarnent en une fascinante figure féminine. Après sa mort, paraîtront le *Journal, La Vie d'Henri Brulard* (souvenirs d'enfance et d'adolescence) et les *Souvenirs d'égotisme* (années 1821 à 1830), ouvrages autobiographiques. Rêvant des « plus nobles passions », l'amour et la gloire, il fait preuve également d'une sensibilité esthétique intense. Cependant, il cherche à être « davantage perception et moins sensation » en « s'expliquant,... s'analysant », n'hésitant pas à feindre « la grande froideur » pour mieux jouer la comédie sociale. On retrouve dans ses romans la même vision sans indulgence pour les mœurs de son temps. Ses héros sont en révolte contre l'ordre social (Julien Sorel* ou Lamiel), méprisent le règne de l'argent (Lucien Leuwen) ou traversent avec hauteur les intrigues politiques (Fabrice* del Dongo). Sous des formes différentes, ces personnages incarnent la même attitude devant la vie : le beylisme. Pour cultiver l'« art d'aller à la chasse au bonheur » (beauté et passion), ils déploient une grande énergie, faisant jouer leur volonté sur eux-mêmes (lucidité envers soi ou dissimulation nécessaire) comme sur les autres (épreuves infligées) et acceptation du risque. Ce désir de « marcher droit au but » se retrouve chez Stendhal écrivain. Persuadé qu'« un roman, c'est un miroir que l'on promène le long d'un chemin », c'est par le récit de faits authentiques, par le choix délibéré du réalisme psychologique et le recours à un style incisif et dépouillé que Stendhal réussit à mettre « la puissance et les séductions de l'intelligence au service du sentiment » (André Suarès).

STENE. ♦ Comm. de Belgique (Flandre-Occidentale, arr. d'Ostende). 9 000 hab. Station balnéaire.

STÉNON (Nicolas), en danois **Niels Steensen,** en lat. **Nicolaus**

Arch. Smeets

Affiche de **T.A. Steinlen.**
(Collection particulière.)

Steno. ♦ Anatomiste et géologue danois (Copenhague, 1638 – Schwerin, 1686). Il enseigna l'anatomie à Copenhague. Converti au catholicisme lors d'un voyage en Italie, il entra dans les ordres et devint évêque de Titiopolis (Grèce). On lui doit la découverte du canal excréteur de la glande parotide (dit « canal de Sténon »). Il fut par ailleurs le fondateur de la paléontologie moderne, formulant les bases de la géologie chronologique ou stratigraphie.

STENTOR, en gr. **Stentôr**. ♦ Personnage de l'*Iliade** mentionné pour l'ampleur de sa voix pendant la guerre de Troie*. L'homme « à la voix d'airain » criait aussi fort que cinquante guerriers réunis. (Cf. Robert.)

STEPHENS (James). ♦ Poète et romancier irlandais (Dublin, 1882 – Londres, 1950). Tout en travaillant chez un avoué, il collabora au *Sinn Fein* et à l'*Irish Review* qui publia son premier roman *La Fille de la femme de ménage* (*The Charwoman's Daughter,* 1912). C'est grâce à George Russell qu'il publia ses premières poésies, *Insurrection* (1909). Toute sa fantaisie apparaît dans *Le Pot d'or* (*The Crock of Gold,* 1912); parmi ses autres recueils de contes, on peut citer *Deirdre* (1923) et *Esquisse au clair de lune* (1928) et, parmi ses poèmes réunis en 1926 *(Collected Poems), Chansons de la terre* (1915) et *Les Rois de la lune* (1938).

STEPHENSON (George). ♦ Ingénieur anglais (Wylam, près de Newcastle, 1781 – Chesterfield, 1848). Le premier à comprendre le principe de l'adhérence de surfaces lisses, il construisit une locomotive à vapeur capable d'entraîner plusieurs wagons (démonstration le 25 juil. 1814) et doit être considéré comme le véritable inventeur de la traction à vapeur sur voie ferrée. Il conçut ultérieurement une locomotive qui fonctionnait avec une chaudière tubulaire dont le principe était dû à M. Seguin*. Il réalisa également de nombreuses lignes ferroviaires en Grande-Bretagne.

STEPNIAK (Serge Mikhaïlovitch Kravtchinski, dit) [*Stepnjak).* ♦ Écrivain russe (Hadjatch, Tchernigov, 1851 – Londres, 1895). Ses idées révolutionnaires l'obligèrent à émigrer en 1880, et c'est à Londres qu'il put écrire ses ouvrages sur *La Russie souterraine* (1881) et *La Carrière d'un nihiliste* (1889).

STERLITAMAK. ♦ V. d'U.R.S.S. (R.S.F.S. de Russie) en Bachkirie*, sur la r. g. de la Bielaïa*. 185 000 hab. Indus. mécaniques et chimiques. Verreries. Traitement du cuir et du bois.

STERN (Daniel). ♦ Pseudonyme de la comtesse d'Agoult*.

STERN (William). ♦ Philosophe et psychologue allemand (Berlin, 1871 – Durham, Caroline du Nord, 1938). Promoteur de la philosophie personnaliste, il est surtout connu par ses travaux sur la psychologie de l'enfant, l'étude du développement et la mesure de l'intelligence; on lui doit la notion de quotient intellectuel $(\text{Q.I.} = \frac{\text{âge mental}}{\text{âge réel}} \times 100)$. (*La Psychologie différentielle dans ses fondements méthodologiques,* 1911; *L'Intelligence des enfants et des adolescents,* 1916.) [**V. Terman, Wechsler.**]

STERN (Otto). ♦ Physicien allemand, naturalisé américain (Sorau, 1888 – Berkeley, 1965). Étudiant les propriétés magnétiques des atomes, il introduisit avec Gerlach* la méthode des jets atomiques et vérifia ainsi directement la « quantification dans l'espace » (1921). **V. Sommerfeld.** Il détermina la vitesse des molécules gazeuses (1932) et étudia la matérialisation des photons. (Prix Nobel de phys., 1943.)

STERN *(groupe).* ♦ Organisation juive nationaliste extrémiste. Née d'une scission de l'Irgoun*, elle fut dirigée par Abraham Stern et se signala par ses actions terroristes anti-britanniques et anti-arabes.

STERNBERG (Josef *von***).** ♦ Réalisateur américain de cinéma, d'origine autrichienne (Vienne, 1894 – Hollywood, 1969). Il introduisit au cinéma un nouveau type de héros, le gangster : *Les Nuits de Chicago* (*Underworld,* 1927), excellant à créer la trouble et pathétique atmosphère de l'aventure : *Les Damnés de l'Océan* (*The docks of New York,* 1928). Mais c'est avec un film réalisé en Europe, *L'Ange bleu* (*Der Blaue Engel,* 1930), qu'il devait, en révélant au public Marlène Dietrich*, imposer à l'écran un type de personnage destiné à lui survivre, celui de la femme fatale. Plasticien au goût fastueux et baroque, il fut, avec le concours des plus grands opérateurs de l'époque (Lee Garmes, Gregg Toland), un des maîtres de l'image. Réal. princ. : *Cœurs brûlés* (*Morocco,* 1930), *Shangaï Express* (1932), *L'Impératrice rouge* (*The Scarlet Empress,* 1934).

STERNBERG (Fritz). ♦ Économiste allemand de tendance marxiste, il a analysé le développement du système capitaliste en insistant sur les relations entre l'impérialisme et le sous-développement et en supposant que dans les pays dominés l'évolution se ferait probablement non « du stade féodal et précapitaliste à celui des grandes entreprises monopolisatrices, (mais) au profit d'un système économique qui donnera d'emblée à l'État un rôle primordial » (*L'Impérialisme,* 1926; *Kapitalismus und Sozialismus vor dem Weltgericht,* 1951, trad. fr. sous le titre *Le Conflit du siècle,* 1958).

STERNE (Laurence). ♦ Romancier anglais (Clonmel, Irlande, 1713 – Londres, 1768). Fils d'un officier subalterne de l'armée anglaise, Sterne fit ses études à Cambridge et devint pasteur de Sutton in the Forest où, pendant vingt ans, il mena une vie retirée avec sa femme Elizabeth Lumley. Il publiait ses sermons (*The Case of Elijah,* 1747). À quarante-six ans il fit paraître son premier roman, *Vie et opinions de Tristram* Shandy* (I, II, 1760; III-VI, 1762; VII, VIII, 1765; IX, 1767) qui eut un succès immédiat. Le « shandéisme » devint synonyme de réflexion sur la solitude. L'ouvrage, comme chez Diderot, n'est pas construit sur une suite d'événements, sur une intrigue, mais sur des personnages (ce qui explique l'emploi méthodique de la digression), et plus encore sur les caractères des discours. Sur ce plan, Sterne est l'un des premiers à prendre conscience du jeu du récit entre l'énonciation d'un auteur à la fois présent et caché et les énoncés qu'il produit, à mettre en scène les artifices créateurs de l'écriture (innovations typographiques : pages laissées blanches, phrases remplacées par des astérisques), en des recherches que systématisera Joyce*. Sterne fit de son œuvre le reflet d'une philosophie où le savoir-vivre du XVIIIe s. recouvre une théorie prémonitoire de la lecture (« Se permettre de tout penser serait manquer de savoir-vivre : la meilleure preuve de respect que l'on puisse donner à l'intelligence du lecteur, c'est de lui laisser amicalement quelque chose à imaginer »). Son *Voyage sentimental en France et en Italie,* 1768 (célèbre en France, où il répandit le mot *sentimental*) illustre aussi cette formule. C'est aussi un précieux témoignage sur les mœurs de l'ancienne France à la veille de la Révolution. Ses *Lettres* éclairent la personnalité de ce « premier romancier de la conscience » (Mayoux).

STERNHEIM (Carl). ♦ Dramaturge et romancier allemand (Leipzig, 1878 – Bruxelles, 1942). Représentant de l'expressionnisme, il a dénoncé la société de son temps, le monde ouvrier tout autant que la bourgeoisie, dans un style violent, ironique, cynique, qui lui a souvent été reproché. Sous le titre *Vie héroïque de la bourgeoisie* sont regroupées douze comédies composées entre 1908 et 1922. Il écrivit également plusieurs récits, nouvelles et romans (*Europa* [1919], sur la décadence européenne, etc.).

STÉSICHORE (TISIAS, dit) [*Stêsikhoros,* « maître de chœur »]. ♦ Poète grec (probabl. Himère, Sicile, v. ~ 640 – v. ~ 550). Un des créateurs du lyrisme choral par l'application du chœur musical aux récits héroïques et lyriques des rhapsodes, il inventa aussi la *triade* (strophe - antistrophe - épode). De son œuvre, composée d'hymnes héroïques, de péans, de chants d'amour, etc., il nous reste quelques fragments.

STETTIN. ♦ **V.** Szczecin.

STEVENAGE. ♦ La première (1946) des villes nouvelles de la banlieue de Londres* (Hertfordshire) construite à côté d'une ville ancienne. 60 000 hab. Église paroissiale du XIIe s., maisons des XVIe, XVIIe et XVIIIe siècles. – Indus. électroniques (engins spatiaux) et mécaniques.

STEVENS (John). ♦ Industriel et inventeur américain (New York, 1749 – Hoboken, New Jersey, 1838). On lui doit la première législation fédérale relative aux brevets aux États-Unis (1790). Il participa activement à l'essor des chemins de fer et de la navigation à vapeur dans son pays. Il fit breveter une chaudière multitubulaire (1803) et construisit, en 1808, le bateau qui effectua la première traversée à vapeur (New York-Philadelphie).

STEVENS (Alfred). ♦ Peintre belge (Bruxelles, 1823 – Paris, 1906). Frère du peintre animalier Joseph Stevens (Bruxelles, 1819 – *id.,* 1892). Il fréquenta très tôt le café Guerbois à Paris. Il fut l'élève de Navez et travailla chez Roqueplan. À Paris, il exposa *Chez soi,* représentant une femme qui se chauffe (1857), et *La Consolation* (une femme en deuil réconfortée par une amie). Se situant entre la peinture de genre et la peinture naturaliste, il introduisit parfois une note sentimentale. Stevens donna une image de la femme du monde au Second Empire (*Dame en rose,* Bruxelles; *Rentrée de bal,* Compiègne).

Coll. Rui Nogueira

De gauche à droite : **Josef von Sternberg,** Merle Oberon et Charles Laughton dans le film « I, Claudius ».

STEVENS (Wallace). ♦ Poète américain (Reading, Pennsylvanie, 1879 – Hartford, Connecticut, 1955). Après des études à Harvard, Wallace Stevens collabora au *New York Herald Tribune,* puis devint homme d'affaires en 1916. Il publia son premier recueil de poèmes *Harmonium,* en 1923. Moins lyrique, mais tendant à une perfection formelle digne de Valéry, l'œuvre que Stevens donna ensuite et qui semblait avoir « réussi la synthèse des expériences de la sensibilité et de la culture » (John Brown), eut une influence prépondérante sur la nouvelle génération de poètes. *Idées d'ordre* (1935), *L'Homme à la guitare bleue* (1937), *Trois Pièces académiques* (1948), *Aurores d'automne* (1950) établissent une relation entre le réel et l'imaginaire. Un volume d'essais critiques paru en 1951 éclaire la technique poétique de W. Stevens.

STEVENS (Stanley Smith). ♦ Psychophysiologue américain (Ogden, 1906). Auteur d'une théorie psychophysique fondée sur l'appréciation quantitative directe de l'intensité de la stimulation, et opposée à celle de Weber et Fechner, qui contribua au développement de la psychophysique (*Handbook of Experimental Psychology,* 1956).

STEVENSON (Robert Louis BALFOUR). ♦ Poète, essayiste et romancier écossais (Édimbourg, 1850 – Vailima, Samoas occidentales, 1894). Fils unique d'un ingénieur éminent, Stevenson entra à l'école d'ingénieurs d'Anstruthen puis, après des études de droit, s'inscrivit au barreau en 1875. Collaborateur du *Cornhill Magazine* où il fit notamment paraître un *Appel au clergé de l'Église d'Écosse* (1875), il délaissa peu à peu le droit au profit de la littérature. Atteint de tuberculose, il passa sa vie à voyager à la recherche d'un climat plus sain. Il publia ainsi *Un voyage dans les terres* (1878), suivi de *Voyage avec un âne à travers les Cévennes* (1879). C'est en France qu'il rencontra Mrs. Osbourne qu'il devait épouser en 1880. Elle le conseilla dans la rédaction de ce chef-d'œuvre de la littérature d'épouvante qu'est *Le Docteur Jekyll et M. Hyde* (*The Strange Case of Doctor Jekyll and Mr. Hyde,* 1885), où l'habileté du récit, évoquant un dédoublement manichéiste de personnalité, recouvre le pressentiment de l'analyse des pulsions inconscientes et un sens profond des valeurs symboliques. Le mystérieux imprègne aussi les contes des *Nouvelles Mille et Une Nuits* (1882). Et l'immense succès de *L'Île au trésor* (*Treasure Island,* 1883) est dû à la poésie d'un réalisme fantastique, renouvelant le récit d'aventures. Dans le goût de W. Scott, Stevenson publia encore *La Flèche noire* (1886). *Le Maître de Ballantrae* (1889) met en scène avec vigueur, dans un cadre historique écossais, le thème de l'homme malfaisant et satanique; *Les Gais Lurons* (*The Merry Men,* 1887) chantent la solitude et la peur dans un décor marin sauvage. Toujours en lutte contre la maladie, Stevenson partit (1888) pour les Marquises, Tahiti, Honolulu et s'installa enfin aux Samoas, écrivant *Dans les mers du Sud* (1896) et un chef-d'œuvre inachevé, *Le Barrage d'Hermiston* (publ. 1896). On lui doit aussi des poèmes (*Jardin de poèmes pour enfants,* 1885; *Sous-Bois,* 1887) et des *Lettres.*

STEVIN (Simon), dit *aussi* **Simon de Bruges.** ♦ Mathématicien et physicien flamand (Bruges, 1548 – La Haye, 1620). Il se préoccupa toujours de l'aspect pratique de ses recherches. Il établit de grandes tables d'intérêt (1582) et développa les méthodes de la comptabilité en partie double (1608). Géomètre accompli, il étudia les polyèdres, dépliant les surfaces de ces corps pour les développer sur le plan et mentionna la grande analogie entre quantité continue et quantité discontinue (1583). Il réalisa une systématisation et une simplification de l'arithmétique et de l'algèbre (*Arithmétique,* 1585), introduisant en outre l'emploi systématique des fractions décimales et une nouvelle conception du nombre qui rend l'algèbre autonome de la géométrie. Admettant le nombre négatif, il put réduire et unifier les règles de résolution des équations algébriques, traitant le premier l'équivalence de la soustraction d'un nombre positif à l'addition d'un nombre négatif. En physique, il étudia les propriétés de l'équilibre des poids, développant les théories du levier et du plan incliné, reconnaissant l'impossibilité du mouvement perpétuel comme un principe fondamental de la mécanique et il formula, pour des composantes rectangulaires, la règle de composition des forces (*Statique,* 1586, 1608). Il étudia également la pression exercée par un liquide sur les parois du récipient qui le contient, démontrant notamment que la pression de l'eau sur le fond d'un vase dépend uniquement de sa hauteur (*Hydrostatique,* 1586, 1608).

STEWART *(île).* ♦ Île située à l'extrémité méridionale de la Nouvelle*-Zélande, séparée de l'île du Sud par le détroit de Foveaux. 1 735 km².

STEYR. ♦ V. autrichienne, située en Haute-Autriche, à la confluence de l'Enns et de la Steyr. 42 000 hab. *Stadtplatz,* bordée par le *Rathaus* (rococo); *Bummerlhaus* (gothique), église paroissiale (XVᵉ s.) restaurée au XIXᵉ s., nombreuses maisons et ruelles anciennes. — Ville industrielle. Centre métallurgique, usines d'armement, chaînes de montage automobile (Steyr, Daimler, Puch), scieries, indus. textiles. ♦ *Hist.* Centre industriel depuis le Moyen Âge, Steyr utilisait les minerais de fer de Styrie et, dès le XIIᵉ s., sa fabrique d'armes était célèbre.

STIERNHIELM (Georg). ♦ Érudit et poète suédois (Vika, Dalécarlie, 1598 – Stockholm, 1672). Fils d'un simple mineur, il fit de sérieuses études et voyagea à l'étranger; il fut le poète favori de la reine Christine*. Après des années de disgrâce, il occupa le poste de président du *collège des Antiquités* à Stockholm de 1667 à sa mort. On lui doit de nombreux poèmes dont le plus célèbre est *Hercule* (1658). Ses œuvres, aujourd'hui oubliées, touchent à toutes les sciences humaines, et il fut considéré comme « le père de la poésie suédoise ».

Coll. Rui Nogueira

Image du film de **Mauritz Stiller** : « Le Trésor d'Arne ».

STIFTER (Adalbert). ♦ Écrivain autrichien (Oberplan, Bohême, 1805 – Linz, 1868). Directeur des écoles de Linz, il a laissé des nouvelles et des romans qui, selon l'avis de Nietzsche, font de lui un des maîtres de la prose allemande du XIXᵉ s. (*Études, Studien,* 1844; *Pierres multicolores, Bunte Steine,* 1853; *L'Été de la Saint-Martin, Der Nachsommer,* 1857; *Witiko,* 1865-1867.) Son œuvre témoigne d'un sens poétique attentif aux réalités de la vie, de la nature, d'un art mesuré, serein, presque aristocratique, où semble parfois percer toutefois, derrière la croyance en l'ordre et en la beauté du monde, le désarroi devant les bouleversements politiques de l'époque (révolution de 1848, guerre de 1866) et « le triomphe historique de l'égoïsme et de la brutalité » (H. Plard).

STILICON, ou **STILICHON,** en lat. **Flavius Stilicho.** ♦ Général et homme politique romain, d'origine vandale (v. 359 – Ravenne, 408). Ambassadeur puis maître de la milice de l'empereur Théodose* Iᵉʳ, ce dernier lui confia la régence de son fils Honorius*, empereur d'Occident (395). Il contint la poussée des Barbares en Italie, battant les Wisigoths en 402 à Pollenza et à Vérone en 403, achetant leur départ en 408 **(V. Alaric Iᵉʳ).** Occupé à repousser d'Italie une armée d'Ostrogoths (406), il ne put défendre la Gaule qui fut envahie par les Vandales*. Il fut assassiné sur l'ordre d'Honorius.

STILLER (Mauritz). ♦ Réalisateur suédois de cinéma (Helsinki, 1883 – Stockholm, 1928). Contemporain et ami de Victor Sjöström*, il s'est affirmé, par des œuvres d'une poésie tour à tour délicate et puissante, comme l'un des maîtres de l'école suédoise, à l'époque du cinéma muet. Inspirées par les grandes sagas nationales et souvent adaptées de la romancière Selma Lagerlöf*, elles témoignent d'un sens délicat de la réalité quotidienne, insensiblement transfigurée par le surnaturel, dans un jeu subtil d'ombres et de lumières. Réal. princ. : *Le Trésor d'Arne* (*Herr Arnes Pengar,* 1919), *Le Vieux Manoir* (*Gunnar Hedes Saga,* 1922), *La Légende de Gösta Berling* (*Gösta Berlings Saga,* 1924), fresque géante et inégale où débuta Greta Garbo.

STILWELL (Joseph Warren). ♦ Général américain (Palatka, Floride, 1883 – San Francisco, 1946). Spécialiste de la Chine, il y fut attaché militaire (1932) puis chef d'état-major de Chiang* Kai-shek (1937). Son rôle fut de moderniser l'armée chinoise et de surveiller l'usage fait des équipements américains. Vaincu par les Japonais en 1942, il réorganisa des forces chinoises à Ramgarth (Inde), fut nommé commandant des troupes américaines pour l'Inde-Chine-Birmanie, puis adjoint de Mountbatten* au commandement interallié (1943). Pour rétablir les communications terrestres avec la Chine, il fit construire *la route Stilwell* qui, de Ledo (Assam) alla rejoindre la route de Birmanie près de Bhamo. Dans l'été 1944, il réussit à chasser les Japonais de la haute Birmanie, mais ses heurts avec Chiang Kai-shek le firent rappeler (nov.). Il reçut alors le commandement de la 10ᵉ armée, qui combattit à Okinawa* (1945).

STINNES (Hugo). ♦ Industriel allemand (Mülheim an der Ruhr, 1870 – Berlin, 1924). Un des plus puissants industriels du bassin de la Ruhr*, il sut profiter des difficultés économiques de l'Allemagne après la Première Guerre mondiale pour construire de puissants cartels internationaux. À la tête d'un immense empire industriel de 300 000 ouvriers, il put, en tant que député au Reichstag*, défendre les positions de l'Allemagne vis-à-vis de la France sur la question des réparations **(V. Versailles** [traité de]**).**

STIRING-WENDEL. ♦ Comm. de la Moselle, arr. de Forbach. 13 757 hab. *(Stiringeois).* Indus. métallurgiques.

STIRLING (James). ♦ Mathématicien britannique (1692 – 1770). Il développa la théorie des suites et des séries **(V. *aussi* Maclaurin)**; l'étude de la loi des grands nombres dans le domaine des probabilités l'amena à mettre au point, avec de Moivre*, une importante formule d'approximation : $s! = s^s e^{-s} \sqrt{2 \pi s} (1 + \varepsilon)$

Ph. Ostuni/Ricciarini

Stockholm : le centre de la ville vu du pont de Klara Strand.

[*formule de Stirling,* 1730] ; il perfectionna également les travaux de géométrie analytique entrepris par Newton*, notamment l'étude des cubiques.

STIRLING. ♦ V. du centre de l'Écosse, dans les Lowlands. Ch.-l. du comté de Stirling, sur le Forth. 28 030 hab. (1966). Université (1967). Extraction de houille, indus. alimentaires. Église gothique (XVe s.). Le *château,* qui domine la ville, fut l'une des princ. forteresses d'Écosse et le théâtre de luttes sanglantes entre Anglais et Écossais. Jacques III y naquit en 1451, Marie Stuart et Jacques VI y furent couronnés. – Le *comté de Stirling* (1 167 km^2 ; 209 243 hab.) qui s'étend d'O. en E. du loch Lomond au Firth of Forth, est assez industrialisé. *V. princ.* Falkirk*, Grangemouth*. Le centre et le S.-E. sont riches en houille. Les princ. indus. sont la métallurgie, les indus. mécaniques, les indus. chimiques, les tanneries et distilleries.

STIRNER (Johann Kaspard Schmidt, dit Max). ♦ Philosophe allemand (Bayreuth, 1806 – Berlin, 1856). Son principal ouvrage (*L'Unique et sa propriété,* 1845) est une critique du libéralisme politique, social et humain, qui vise en particulier l'anthropologie de Feuerbach* auquel Stirner oppose un individualisme anarchiste (critiqué par Marx* et Engels* dans l'*Idéologie* allemande*). On lui doit également une *Histoire de la réaction,* 1852. **V. Hégélianisme.**

ŠTÍTNÝ (Tomáš *de*). ♦ Philosophe et théologien tchèque (Štitne, Bohême, v. 1331 – Prague, v. 1401). Que ses œuvres fussent destinées à ses enfants, *Dialogues du père et des enfants* (1385), ou au peuple, *Livres de la doctrine chrétienne* (1400), il les écrivit dans un but d'éducation morale et chrétienne. Rédigées dans un style précis et concret, elles contribuèrent à fixer les normes de la langue tchèque.

S.T.O. ♦ Sigle du Service* du travail obligatoire.

STOCKHAUSEN (Karlheinz). ♦ Compositeur allemand (Modrath, près de Cologne, 1928). Il entreprit des études musicales à Cologne, avec F. Martin, puis vint à Paris où il fut l'élève de Milhaud et de Messiaen (1952-1953). La rencontre de P. Schaeffer et l'amitié de P. Boulez furent essentielles pour lui. Dès cette époque, attaché au Studio de musique expérimentale de Radio-Cologne, il entreprit la composition d'une œuvre qui le place, avec Boulez, à la tête de l'avant-garde musicale européenne. Marquée par l'influence de Messiaen et de Webern, sa recherche révèle le dessein d'étendre les principes du dodécaphonisme au rythme, au timbre et à l'intensité. Mêlant les sons traditionnels aux sons enregistrés, elle renouvelle les notions d'espace et de temps et fait parfois appel au principe du « hasard guidé » qui permet à l'exécutant de participer à la création. Caractérisée d'abord par des réussites dans le domaine, purement abstrait, de la musique « ponctuelle » (*Kreuzspiel* pour hautbois, clarinette, basse, piano et percussion, 1951 ; *Spiel für Orchester,* 1952), de la musique « aléatoire » (*Klavierstück XI, Zyklus,* pour un percussionniste, 1959), son œuvre, en évoluant, à l'encontre de celle de Webern, vers les « grandes formes » (*Gruppen,* pour 3 orch., 1957 ; *Carré,* pour 4 orch. et chœurs, 1960 ; *Momente II,* pour soprano, 4 chœurs et 13 instruments, dont 2 orgues électroniques, 1962) atteint désormais dans ses derniers ouvrages à une subjectivité de résonance profondément humaine (*Hymnen, Stimmung,* 1968 ; *Opus,* 1970, hommage à Beethoven pour son bicentenaire) par laquelle la musique, par l'exploration des possibilités de la voix humaine, retourne aux sources les plus secrètes du mystère poétique.

STOCKHOLM. ♦ Cap., première V. de Suède, et port important, au confluent du lac Mälar* et du Saltsjön, bras de la Baltique*. La ville est réunie depuis 1968 au comté homonyme et le total de l'aggl. s'élève (1971) à 1 486 144 hab. Université. Siège des institutions Nobel. Aéroport international d'Arlanda (48 km au N.). Aéroport de Bromma (lignes intérieures). – La vieille ville, qui a gardé en partie ses rues étroites et ses maisons anciennes, s'étend sur les îles du Norrström. (La première île habitée fut *Staden mellan broarna :* la « Cité entre les ponts ».) Au N. et à l'O. se trouvent les quartiers des affaires et des administrations, à l'E. les quartiers résidentiels. La ville continuant à s'étendre, des cités satellites ont été construites (Vällingby à l'O., Skärkholmen au S.-O., Farsta au S.). Elle possède des monuments remarquables : le château royal (construit au début du XVIIIe s. par Tessin le Jeune), Storkyrkan (église du XVe s. où sont couronnés les rois suédois), Riddarholms Kyrkan (XIIIe s., lieu de sépulture des rois suédois), Riddarhuset (maison des Nobles, XVIIe s.), l'hôtel de ville (1911-1923). Nombreux musées, parmi lesquels le Musée national, le musée d'Art moderne, le Musée historique, le Musée nordique, le célèbre musée de plein air de Skansen (reconstitution de vieilles maisons suédoises). Bibliothèque royale. – Important port de commerce (grâce à sa position sur la Baltique) : importations de matériaux de construction, de pétrole et de denrées alimentaires. Son accès difficile lui interdit cependant de rivaliser avec Göteborg. Port de voyageurs vers la Finlande (Helsinki* et surtout Turku*). – Stockholm est le plus grand centre indus. et commercial du pays : constructions mécaniques, sidérurgie, raffineries de pétrole, appareillage électrique et électronique (téléphones, réfrigérateurs, etc.), indus. textiles, indus. du cuir, du caoutchouc. Centre de recherches nucléaires. – Patrie de C. Almquist*, la reine Astrid*, C. Bellman*, Charles* IX, XI, XII, XIII, XV, la reine Christine*, G. Ekelöf*, Éric* XIV, H. Fersen*, Gustave* II Adolphe, Gustave* III, Gustave* IV Adolphe, Gustave* VI Adolphe, P. Hallström*, S. Hedin*, N. Lavreince*, A. Nobel*, Oscar* II, Sigismond* III Vasa, C. Snoilsky*, E. Swedenborg*, K. Wicksell*. ♦ *Hist.* Fondée en 1255 par Birger Jarl, Stockholm fut au Moyen Âge un important centre de commerce hanséatique. À la suite de l'Union de Kalmar*, les intérêts danois et suédois entrèrent en conflit : en 1520, le roi Christian II s'empara de la ville et fit massacrer les chefs du Parti national suédois (« Bain de sang » de Stockholm, le 8 novembre). En 1523, le patriote Gustave* Vasa, après s'être emparé du pouvoir, chassa les Danois de Stockholm. Celle-ci devint officiellement capitale de la Suède en 1634.

STOCKPORT. ♦ V. d'Angleterre (Cheshire) à 10 km au S.-E. de Manchester, sur la Mersey. 139 633 hab. Tissage du coton, fabriques de chapeaux, indus. chimiques et mécaniques. – Patrie de sir Joseph Withworth.

STOCKTON. ♦ V. des États-Unis (Californie* centrale), sur la riv. San Joaquin. 86 321 hab. D'abord centre minier, la ville est aujourd'hui surtout un centre agricole.

STOCKTON ON TEES. ♦ V. du N.-E. de l'Angleterre et port sur la r. g. de l'estuaire de la Tees **(V. Teeside),** dans le comté de Durham. 83 200 hab. Chimie et métallurgie.

STODOLA (Aurel). ♦ Ingénieur suisse d'origine slovaque (Liptovský Švatý Mikuláš, 1859 – Zurich, 1942). Ses travaux contribuèrent au développement des turbines à vapeur et à gaz.

STOETZEL (Jean). ♦ Sociologue français (Saint-Dié, 1910). Président de l'Institut français de l'opinion publique, il a contribué au développement des enquêtes par sondage dans le domaine de la psychologie sociale (*Théorie des opinions,* 1943 ; *Les Sondages d'opinion,* 1948 ; *Psychologie sociale,* 1963).

STOFFLET (Jean Nicolas). ♦ Chef vendéen (Lunéville v. 1751 – Angers, 1796). Parmi les premiers insurgés vendéens **(V. Vendée** [*guerre de*]), il participa à la prise de Cholet (mars 1793), combattit sous les ordres de D'Elbée puis de La Rochejaquelein, qu'il remplaça en 1794. Il s'était brouillé avec Charette, qui avait signé le traité de pacification de La Jaunaye avec la Convention thermidorienne, mais se soumit lui aussi (Saint-Florent-le-Vieil, mai 1795). Il reprit toutefois les armes peu après, poussé par les agents du comte d'Artois. Arrêté près de La Poitevinière, il fut exécuté à Angers.

Stoïcisme *(le).* ♦ École philosophique fondée par Zénon* (de Citium) v. ~ 300 à Athènes. (Cf. le Robert et **V. Portique.)**

STOKE ON TRENT. ♦ V. d'Angleterre, dans les Midlands (Staffordshire) à 26 km au N.-O. de Stafford, sur la Trent, au cœur du *district des Potteries.* 265 153 hab. Céramiques et porcelaines, matériaux de construction (tuiles et briques) à partir du kaolin de Cornouailles.

STOKES (*sir* George Gabriel). ♦ Mathématicien et physicien irlandais (Bornat Skreen, 1819 – Cambridge, 1903). Il formula la loi qui donne la force de viscosité exercée par un liquide sur un solide sphérique ; il établit une théorie de la fluorescence, énonçant une loi selon laquelle « la longueur d'onde des radiations émises par fluorescence est plus grande que celle de la radiation excitatrice » (*loi de Stokes,* souvent en défaut) ; il supposa que les rayons X et la lumière sont de même nature ; enfin, il mit au point une expression (*formule de Stokes*) qui permet de transformer une certaine intégrale de surface en intégrale curviligne, procédé notamment utilisé en géodésie pour déterminer l'écart métrique vertical entre géoïde et ellipsoïde en utilisant les anomalies de la pesanteur.

STOKES (Adrian). ♦ Bactériologiste britannique (Lausanne, 1887 – Lagos, Nigeria, 1927). Il étudia surtout la dysenterie, la typhoïde.

STOLON, en lat. **Caius Licinius Calvus Stolo.** ♦ (~ IVe s.). Tribun de la plèbe à Rome, il obtint que l'un des deux consuls fût toujours nommé par les plébéiens et fit voter une loi qui limitait la propriété à 500 *jugera* (126 ha).

STOLYPINE (Piotr Arkadievitch). ♦ Homme politique russe (Dresde 1862 – Kiev, 1911). Noble propriétaire terrien, il fut nommé gouverneur de la province de Grodno (1902), puis de Saratov (1903). Ministre de l'Intérieur et Premier ministre après la dissolution de la première douma (1906), il tenta de consolider le régime semi-constitutionnel en prenant des mesures sévères contre les révolutionnaires et en inaugurant une réforme agraire qui favorisa l'émancipation des paysans et la colonisation de la Sibérie. Considéré comme réactionnaire par l'opposition libérale et trop progressiste par la noblesse, il se trouva isolé dans la troisième douma. Le 14 sept. 1911, il fut assassiné dans un théâtre de Kiev, en présence du tsar Nicolas* II, par un ex-terroriste et agent de l'*okhrana* (police politique).

STONEHAVEN. ♦ V. et port de pêche de la côte nord-orientale de l'Écosse (Kincardineshire). 4 500 habitants.

STONEHENGE. ♦ V. d'Angleterre méridionale (Wiltshire), dans la plaine de Salisbury, où se trouve le plus grand ensemble mégalithique du pays. Formé de plusieurs rangs concentriques de menhirs d'une hauteur comprise entre 3 et 6 m, cet ensemble, probablement érigé à l'âge du bronze (entre ~ 2000 et ~ 1500), était voué au culte solaire.

STONEY (George Johnstone). ♦ Astronome et physicien irlandais (Oakley Park, King's County, 1826 – Londres, 1911). Il participa à l'établissement des conceptions actuelles sur la structure de la matière. Il évalua le nombre d'Avogadro* (1867) et donna le nom d'*électron* à l'unité naturelle de charge électrique (1891).

STOPH (Willi). ♦ Homme politique de la République démocratique allemande. Ancien ouvrier, membre du Parti communiste depuis 1931, il fut membre du bureau politique en 1953. Il occupa plusieurs fonctions ministérielles (Intérieur, 1952-1955; Défense, 1956-1960) avant de devenir chef du gouvernement (sept. 1964). Il a rencontré le chancelier W. Brandt* à Erfurt en 1970.

STORM (Theodor Woldsen). ♦ Poète et nouvelliste allemand (Husum, Schleswig-Holstein [alors danois], 1817 – Hademarschen, Holstein, 1888). Après des études de droit, il fit une carrière d'avocat, tout en publiant des poèmes lyriques décrivant notamment les paysages du Nord, et ses premières nouvelles (*Immensee,* 1850) au charme encore romantique. Exilé en Prusse pour son opposition au régime danois (1853-1864), il composa à son retour dans son pays natal des nouvelles dont les analyses psychologiques devinrent progressivement plus réalistes, plus nuancées et plus riches (*Viola tricolora,* 1874, et surtout *L'Homme au cheval blanc, Der Schimmelreiter,* 1888); mais il reste encore, selon Lukács, le représentant d'un art bourgeois sans inquiétude, sans problème et sans faille.

STÖRMER (Carl). ♦ Géophysicien norvégien (Skien, 1874 – Oslo, 1957). On lui doit des recherches sur la composition chimique de la haute atmosphère, le mouvement des particules électrisées dans le champ magnétique terrestre. Il a donné en outre la théorie mathématique des aurores boréales.

Storting. *n. m.* ♦ Parlement norvégien de 150 députés élus pour quatre ans au suffrage universel. Il se divise en deux chambres : le *Lagting* (Chambre haute, un quart des membres) et l'*Odelsting* (Chambre basse, trois quarts des membres) qui délibèrent réunies ou séparées.

STOSS (Veit) ou **STWOSZ (Wit).** ♦ Sculpteur et graveur allemand (Nuremberg?, v. 1438 – Nuremberg, 1533). Il se rendit à Cracovie en 1477 où il réalisa les sculptures de l'important *retable de l'église Notre-Dame* (1477-1489). Il exécuta aussi le tombeau en pierre de *Casimir IV Jagellon.* De retour à Nuremberg en 1496, il poursuivit ses activités de sculpteur, réalisant notamment la *Salutation angélique,* 1516-1517, et le *Retable de la cathédrale de Bamberg.* Il grava aussi plusieurs planches au graphisme exacerbé. Proche de l'esprit gothique, son réalisme vise à un pathétique de caractère théâtral. Technicien virtuose, il aimait les volumes tourmentés et anguleux, les lignes brisées, les forts contrastes d'ombre et de lumière et exerça une profonde influence sur les sculpteurs de l'école de Nuremberg.

STOURBRIDGE. ♦ V. et municipalité d'Angleterre (Worcestershire), à 19 km à l'O. de Birmingham, sur la Stour. 42 630 hab. (1961). Métallurgie, verreries et travail du cuir.

STOWE (*Mrs.* BEECHER). ♦ V. BEECHER-STOWE.

STRABANE. ♦ V. d'Irlande du Nord (comté de Tyrone), sur la Foyle, à 23 km au S.-O. de Londonderry. 7 790 hab. (1961). Chemiseries.

STRABON, en gr. **Strabôn,** en lat. **Strabo.** ♦ Géographe grec (Amasya, Cappadoce, ~ 58 ? – entre 21 et 25). Si ses *Mémoires historiques* sont perdus, sa *Géographie* fut en grande partie conservée. Peu connue à son époque, ignorée au Moyen Âge, elle fut rééditée à la Renaissance (édit. Dübner et Ch. Müller). Strabon y pose les problèmes de l'origine des peuples, de leurs migrations, de la fondation des empires, etc., étudiant ainsi les relations de l'homme et du milieu naturel.

STRACHEY (Giles Lytton). ♦ Critique et biographe anglais (Londres, 1880 – Inkpen, Berkshire, 1932). Fils d'un général fortuné, Strachey, dispensé de gagner sa vie, se consacra à la recherche. Il avait étudié à Cambridge, s'était mêlé au cercle d'écrivains que recevait sa mère (E.M. Forster, Roger Fry, Arthur Waley, Virginia Woolf). Passionné d'exactitude documentaire, Lytton Strachey se fit biographe et ses *Victoriens éminents* (1918) le classèrent comme le maître de la biographie en Angleterre. *Elizabeth et Essex* (1928) évoque les relations de la reine et de son favori; *La Reine Victoria* (1921), *Livres et Personnalités, Pope* (1925), *Portraits en miniature* (1931), *Personnalités et Commentaires* (1933) sont de la même veine.

STRACHWITZ (Moritz Karl Wilhelm Anton *von*). ♦ Poète allemand (Peterwitz, Silésie, 1822 – Vienne, 1847). Formé par Platen-Hallermünde, il composa des sonnets et surtout des ballades (*Le Cœur de Douglas, Herz von Douglas)* dont la forme fut reprise par Fontane.

STRADELLA (Alessandro). ♦ Chanteur, violoniste et compositeur italien (v. 1645 [Naples, prov. de Modène ou Rome?] – Gênes, 1682). Il mena une vie très agitée dont on sait peu de choses, si ce n'est quelques épisodes semi-légendaires (escroqueries, enlèvements) qui inspirèrent plusieurs compositeurs (Niedermeyer, Flotow). Il mourut assassiné. – Malgré l'influence certaine de l'école napolitaine, les compositions de Stradella sont d'un style très personnel. Il renouvela l'aria, la cantate et l'oratorio *(San Giovanni Battista)* en y introduisant la structure du *concerto grosso.* On doit en outre à Stradella des opéras, des motets et des madrigaux.

STRADIVARIUS (Antonio STRADIVARI, dit). ♦ Luthier italien (Crémone, v. 1644 – *id.,* 1737). Élève d'Amati, dont il se sépara en 1669, il atteignit sa plus grande maîtrise entre 1695 et 1720, et ses fabrications conservent encore une réputation inégalée. Il ne confia à ses fils (OMOBONO [1679-1742] et FRANCESCO [1671-1743]) auxquels il s'était associé, que des travaux secondaires, et produisit plus de 1 100 instruments, dont 400 existent encore, pour toutes les cours d'Europe. Leur qualité tenait au bois (sapin), à l'équilibre atteint entre les diverses parties, et surtout au vernis dont la composition a été perdue.

STRAFFORD (Thomas WENTWORTH, *1er comte de*). ♦ Homme politique anglais (Londres, 1593 – *id.,* 1641). Il fut élu député du Yorkshire en 1614. Après s'être opposé en 1625 au conseiller du roi, Buckingham, il fut nommé sheriff du Yorkshire et fut écarté des Communes. Ayant refusé de payer un impôt illégal, il fut arrêté, mais, en 1628, il revint au Parlement, où il s'opposa à l'arbitraire. Il fit adopter la *Pétition des droits* mais, la couronne étant mise en cause par les extrémistes, il se rapprocha des modérés. Il fut nommé président de la cour du Nord par Charles Ier (1628) puis lord-député d'Irlande (1632-1639), abandonnant l'opposition. Lorsque l'Écosse se souleva en 1639, il devint avec Laud* le principal conseiller de Charles Ier qui le fit comte de Strafford et lord-lieutenant d'Irlande (1640). Cependant, en nov. 1640, lors de la convocation du Long Parlement, un des chefs de l'opposition, Pym*, accusa Strafford de trahison. Un procès eut lieu et il fut condamné à mort. Le roi n'intervint pas pour le sauver et Strafford fut décapité. Sa correspondance *(Letters and Despatches)* a été publiée en 1739.

STRAITS SETTLEMENTS, en fr. **Établissements des Détroits.** ♦ Anc. colonies de l'empire britannique formées en 1867 des comptoirs de Singapour* et Malaka* et de quelques îles de la péninsule malaise (Penang*, Labuan*, îles Keeling et Christmas). Démantelés en 1946, les *Straits Settlements* rejoignirent la Malaysia*.

STRALSUND. ♦ V. d'Allemagne orientale (Mecklembourg, district de Rostock) et port sur la Baltique, en face de l'île de Rügen et au fond du détroit de *Stralsund.* 68 800 hab. Monuments

Arch. Smeets

Veit Stoss : tête de saint Jean, détail de « La Dormition de Marie », retable de l'église Notre-Dame, Cracovie.

gothiques. – Pêcheries, constructions navales. – Patrie de C. W. Scheele* et de N. Tessin*. ♦ *Hist.* Anc. cité hanséatique. Assiégée en vain par les Danois (1628), elle passa à la Suède après le traité de Westphalie (1648). Occupée par les Français du général Brune (1807), elle devint prussienne en 1815.

STRAND. *n. m.* ♦ Grande artère de Londres, entre Charing Cross et le Temple Bar Memorial, où se trouvent la plupart des études d'avocats et le palais de justice *(Law Courts). L'église St. Mary le Strand* fut érigée au début du XVIIIe s. par James Gibbs.

STRANRAER. ♦ V. et port du S.-O. de l'Écosse (Wigtownshire), dans un golfe ouvert sur le canal du Nord. 6 000 hab. Station balnéaire.

STRASBOURG. ♦ Préf. du Bas-Rhin*, ch.-l. de 2 arr. : *Strasbourg-Ville* (8 cant., 254 038 hab.), *Strasbourg-Campagne* (4 cant., 102 comm., 128 600 hab.), sur l'Ill, près du Rhin. Les canaux de la Marne au Rhin et du Rhône au Rhin* s'y réunissent avec le Rhin en un vaste port fluvial. Métropole intellectuelle et économique de l'Alsace, la ville contient de nombreux et célèbres monuments. La cathédrale en grès rouge, construite du XIe au XIVe s., ne possède qu'une flèche; elle contient de célèbres sculptures gothiques, des vitraux et des tapisseries. La maison de l'Œuvre Notre-Dame, des XIVe et XVIe s., renferme un musée (sculptures provenant de la cathédrale, etc.). Église Saint-Thomas des XIIIe et XIVe s., avec le mausolée du maréchal de Saxe, par Pigalle*. Églises Saint-Pierre-le-Jeune (XIIIe s.), Saint-Guillaume (XVe s.), Saint-Pierre-le-Vieux (XVe s., panneaux peints de l'école de Martin Schongauer*). Le château des Rohan (XVIIIe s.), endommagé en 1944 et restauré, renferme trois musées. Quartier pittoresque de la « Petite France » avec ses vieilles maisons et ses ponts couverts conservant trois tours du XIVe siècle. Les places Kléber (statue de Kléber*, l'*Aubette,* de 1770) et Broglie conservent des édifices du XVIIIe siècle. Maisons anciennes et vieux hôtels. Parc de l'Orangerie. Palais de l'Université (1884), palais du Rhin (1889), palais du Conseil de l'Europe (1950), maison de la Radio (1961), palais européen des Droits de l'homme (1966). Évêché. L'université s'étend dans des bâtiments modernes. – L'activité indus. de Strasbourg est essentielle pour l'Alsace **(V. Alsace).** Activité portuaire importante (2e port fluvial français, après Paris*). Deux raffineries de pétrole (oléoduc Lavera-Strasbourg-Karlsruhe). – Patrie de P. Appel*, H. Arp*, Cormontaigne*, Ch. Diehl*, du baron de Dietrich*, de G. Doré*, Sébastien Érard*, Johann Fischart* (dit Mentzer), Charles de Foucauld*, Ch. Friedel*, de la famille de Fürstenberg*, de Ch. Gerhardt*, F.C. Kellermann*, duc de Valmy, J.-B. Kléber*. ♦ *Hist.* En 842, Charles* le Chauve et Louis* le Germanique y prononcent les *Serments de Strasbourg* contre Lothaire*. À partir de 855, Strasbourg et l'Alsace font partie du Saint Empire. Gutenberg* résida à Strasbourg de 1434 à 1447 et y mit au point sa découverte de la typographie. En 1681, la ville est réunie à la France, une citadelle y est construite par Vauban* en 1687. Goethe* et Metternich* ont étudié à l'université. En 1792, c'est à Strasbourg que Rouget* de L'Isle chante le «Chant de l'armée du Rhin» (la Marseillaise). Assiégée par les Allemands le 28 sept. 1870, la ville capitula après une résistance héroïque; elle fut sous domination allemande jusqu'en 1918. Elle a beaucoup souffert au cours de la dernière guerre, et a été libérée par le général Leclerc* le 23 nov. 1944. Strasbourg est devenue en 1949 le siège du Conseil de l'Europe.

Arch. Rencontre
Cathédrale de **Strasbourg** : la façade.

STRASBURGER (Edward). ♦ Botaniste polonais (Varsovie, 1844 – Bonn, 1912). Il observa le phénomène de la fécondation végétale, le mécanisme de la division cellulaire (mitose) et le rôle qu'y jouent les chromosomes du noyau. (*Formation et division des cellules,* 1875; *Les Angiospermes et les Gymnospermes,* 1879; *Pratique botanique,* 1887.)

STRASSMANN (Fritz). ♦ Chimiste allemand (Boppard, 1902). **V. Hahn.**

STRATFORD ON AVON ou **UPON AVON.** ♦ V. d'Angleterre (Warwickshire) à 44 km au S.E. de Birmingham, sur la r. g. de l'Avon. 24 000 hab. Ville pittoresque; maisons des XVIe et XVIIe siècles. Musée, bibliothèque et théâtre *(Memorial Shakespeare Theater)* consacrés à Shakespeare* dont c'est le lieu de naissance.

STRATHCLYDE ou **CUMBRIA.** *n. m.* ♦ Ancien royaume des Bretons *(Britons)* du S. de l'Écosse et du N. de l'Angleterre (entre Clyde* et Solway), dont la cap. était Dumbarton. Sa résistance contre les Angles (VIe-VIIe s.), malgré ses divisions intérieures, est à l'origine du cycle légendaire du roi Artus*. Au Xe s., il fut gouverné par des princes écossais, puis au XIIe, réuni à l'Écosse.

STRATON. ♦ Philosophe grec péripatéticien (Lampsaque, ? – Athènes ? ~ 268). On l'appela le Physicien, car au Lycée* dont il fut le directeur de ~ 288 à ~ 268, il orienta les recherches et l'enseignement surtout vers les sciences de la nature. Contrairement à Aristote*, il nia les causes premières et finales dans l'explication des phénomènes.

STRATONICE, en gr. **Stratonikê.** ♦ Princesse macédonienne (morte en ~ 254), célèbre pour sa beauté. Fille de Démétrios* Poliorcète et épouse de Séleucos Nikator, roi de Syrie, elle inspira une violente passion à son beau-fils Antiochos qui en tomba gravement malade. Sur le conseil des médecins, Séleucos divorça et céda Stratonice à son fils.

STRAUBING. ♦ V. d'Allemagne méridionale (Bavière), dans la vallée du Danube, à l'E. de Ratisbonne. 36 400 hab. Centre agricole et commercial. – Patrie de J. von Fraunhofer*.

STRAUSS. ♦ Famille de musiciens viennois qui acquirent une célébrité mondiale dans la composition de musique légère et de valses. ♦ JOHANN STRAUSS père (Vienne, 1804 – *id.,* 1849), chef d'orchestre et compositeur autrichien. Il dirigea l'ensemble de J. Lanner avant de fonder son propre orchestre en 1825. Il se produisit avec grand succès à travers l'Europe, puis fut nommé en 1834 chef d'orchestre des bals de la cour. Il composa de nombreuses valses et airs de danse. ♦ JOHANN STRAUSS, son fils (Vienne, 1825 – *id.,* 1899) joignit en 1849 son propre orchestre à celui de son père. Dès lors, il acquit par toute l'Europe, où il fit de nombreuses tournées, une réputation incontestée et fut surnommé « prince de la valse », genre qu'il porta à son plus haut degré de perfection par l'équilibre rythmique et l'invention de mélodies simples et gaies (*Le Beau Danube bleu, Sang viennois, La Vie d'artiste, La Valse de l'Empereur,* etc.). À partir de 1863, il confia à ses frères la direction de l'orchestre et se consacra totalement à la composition d'opérettes *(La Chauve-Souris, Le Baron tzigane).*

STRAUSS (David Friedrich). ♦ Historien et philosophe allemand (Ludwigsburg, 1808 – 1874). Formé par la pensée de Hegel **(V. Hégélianisme)** et celle de Schleiermacher, il enseigna à Tübingen, mais fut destitué après la parution de sa *Vie de Jésus* [1835] (traduction fr. de Littré*, 1839-1840), critique historique des Évangiles qui tente de mettre en lumière ce qu'il y a de mythique dans le personnage de Jésus. Ses positions furent critiquées par B. Bauer*.

STRAUSS (Richard). ♦ Compositeur allemand (Munich, 1864 – Garmisch, 1949). Il poursuivit de solides études musicales parallèlement à celles qu'il entreprit au lycée, puis à l'université de Munich. Protégé de H. von Bülow, il lui succéda à la tête de l'orchestre de Meiningen (1885). Il devait ensuite diriger les opéras de Munich (1886), Weimar (1889), Berlin (1898), puis de Vienne (1919). Chef d'une incontestable autorité, il entreprit de nombreuses tournées à travers le monde, avant de succéder à B. Walter* à la tête du Gewandhaus de Leipzig (1933). Marquées par l'influence des romantiques et de Wagner, ses premières œuvres trouvèrent dans le poème symphonique la forme la plus apte à traduire les grands thèmes d'une philosophie héritée de Nietzsche*, tour à tour angoissée, hautaine et exaltée par l'appel du héros. De cette période, on retiendra notamment *Don Juan,* d'après Lenau, *Mort et Transfiguration* (1889), *Till Eulenspiegel* (1895), *Ainsi parla Zarathoustra* (1896), *Don Quichotte* (1897), *La Vie d'un héros* (1898) où s'affirment le jaillissement mélodique, le déchaînement du rythme et la puissance orchestrale. – C'est au théâtre que R. Strauss devait consacrer ensuite la majeure partie de son œuvre, avec d'éclatantes réussites : *Salomé,* d'après O. Wilde (1905), *Elektra,* qui marqua le début de sa collaboration avec le poète H. von Hofmannsthal (1908), *Le Chevalier à la rose* (1910),

Coll. Viollet

Richard Strauss.

Coll. Viollet

Johann **Strauss** père.

Ariane à Naxos (1912), *La Femme sans ombre* (1919), *Arabella* (1932), *La Femme silencieuse,* livret de S. Zweig (1934), *Daphné* (1937), *L'Amour de Danaé* (1940), *Capriccio* (1940), ouvrages que caractérise un retour au baroque du XVIIIe s., par un style qui s'inspire de Mozart, ou à des sources plus lointaines, par l'emprunt des modes propres au théâtre grec, le tout n'allant pas sans une puissance un peu lourde et une sensualité parfois proche du réalisme puccinien. Au terme de sa longue vie, le musicien devait composer encore deux œuvres importantes, *Les Métamorphoses* (1946), poème symphonique conçu comme un concerto pour orchestre sur le thème de la *Marche funèbre* de la « Symphonie héroïque » de Beethoven, dédié à la mémoire de ses amis disparus, et l'adieu à la vie empreint de sérénité, que constituent les quatre *Lieder,* pour soprano et orchestre (1948), composés sur des poèmes de H. Hesse et Eichendorff. — Si l'œuvre de R. Strauss reste fermée à toutes les révolutions de l'art musical qui s'accomplirent de son temps, elle se caractérise par la richesse des lignes mélodiques, l'utilisation de toutes les possibilités orchestrales, une grandeur d'inspiration qui font de Strauss le dernier des grands musiciens romantiques.

STRAUSS (Emil). ♦ Romancier et nouvelliste allemand (Pforzheim, Bade, 1866 — 1960). Après une tentative manquée de retour à la terre, qu'il évoquera dans un de ses romans (*Le Jouet géant,* 1934), il partit au Brésil et, à son retour en Allemagne, se consacra à la littérature. Son roman, *L'Ami Hein* (1902), développe le thème fréquent de l'enfance incomprise. Ses récits et nouvelles (*L'Hôtelier à l'enseigne de l'Ange, Der Engelwirt,* 1901 ; *Hans et Grete,* 1909 ; *Le Voile,* 1920) appartiennent à la littérature « régionaliste » et, comme d'autres œuvres de ce type, furent assez populaires sous le régime national-socialiste.

STRAUSS (Oskar). ♦ Compositeur autrichien (Vienne, 1870 — Bad Ischl, 1954). Il s'illustra dans la composition d'opérettes viennoises (*Trois Valses,* 1907 ; *Rêve de valse ; Le Soldat de chocolat,* 1908).

STRAUSS (Franz Josef). ♦ Homme politique allemand (1915). Secrétaire général du parti chrétien-social bavarois [1948] (**V. Christlich-Demokratische Union),** député à Bonn (1949), ministre de la Recherche atomique (1953-1956), puis ministre de la Défense nationale (1956-1962), il est devenu ministre des Finances en 1966, dans le cabinet de coalition (avec les sociaux-démocrates) dirigé par le chancelier Kiesinger*, puis par Willy Brandt* (1969).

STRAVINSKI (Igor Féodorovitch). ♦ Compositeur russe, naturalisé français, puis américain (Oranienbaum, près de Saint-Pétersbourg, 1882 — New York, 1971). Fils d'un chanteur du Théâtre-Impérial, il mena de front des études de droit et de piano avant de devenir l'élève de Rimski*-Korsakov (1902-1908). La rencontre de S. de Diaghilev, qui lui commanda son premier ballet, *L'Oiseau de feu* (1910), fut l'événement marquant des débuts de sa carrière. Venu à Paris avec la troupe des « Ballets russes », il y acquit d'emblée la célébrité avec trois œuvres fortement imprégnées du folklore russe mais d'une totale nouveauté par l'originalité des rythmes, la puissance et la nouveauté harmonique, et la richesse de l'orchestration : *Petrouchka* (1911), *Le Sacre du printemps* (1913), ballets et *Le Rossignol,* opéra (1914). Parmi ces ouvrages, *Le Sacre du printemps,* par l'emploi de la polytonalité et la sauvage violence de ses rythmes, devait exercer une féconde influence sur toute la musique de la première moitié du XXe siècle. Réfugié en Suisse durant la guerre de 1914, Stravinski revint en France où il se fixa (1919-1939) et acquit la nationalité française (1934). Pendant cette période, il entreprit aussi de nombreuses tournées en Europe et en Amérique, comme pianiste et chef d'orchestre. La guerre de 1939 le trouva aux États-Unis. D'abord professeur à Harvard, il s'établit ensuite à Hollywood et obtint la nationalité américaine (1945). Il devait effectuer un dernier retour en Europe (1952) où lui fut réservé un accueil triomphal. — Personnalité complexe, hantée par un souci constant de renouvellement, Stravinski s'est distingué de ses contemporains par une évolution qui n'a pas manqué de déconcerter bon nombre de ses premiers admirateurs, devenus parfois ses détracteurs. Les mutations dont témoigne son œuvre furent souvent si déconcertantes qu'elles évoquent celles de son ami Picasso, comme lui toujours en quête de formes inédites. Après les rutilances de la période russe (1908-1914), on peut distinguer dans l'œuvre de Stravinski trois manières successives. D'abord, un retour au dépouillement et à la clarté du discours (1914-1920), dans des ouvrages composés pour de petits ensembles et voix : *Pribaoutki* (1914), *Renard* (1917), *Histoire du soldat,* sur un texte de Ramuz (1918), *Piano Ragtime music* (1919) où l'écriture contrapuntique se conjugue avec les apports (très modifiés) du jazz. Une nouvelle métamorphose s'observe ensuite (1920-1952) que caractérisent des rythmes moins heurtés, une mélodie plus consonante et plus ample, sous les invocations aussi diverses qu'imprévues de Pergolèse, Rossini, Glinka, Tchaïkovski et des grands classiques, Bach, Mozart, Haendel, Beethoven et Chopin. À cette période appartiennent notamment les ballets *Pulcinella* (1920), *Apollon Musagète* (1927), *Le Baiser de la fée* (1928), l'oratorio *Œdipus Rex* (1927), l'opéra bouffe *Mavra* (1922), le mélodrame *Perséphone,* sur un poème d'André Gide (1934), l'opéra *The Rake's Progress ou le Libertin* (1951) ; des œuvres instrumentales et de chambre : *Octuor à vents* (1923), *Concerto pour piano et orchestre, Concerto pour violon* (1931), *Concerto pour deux pianos* (1935), les *Symphonies en ut* (1940), *en trois mouvements* (1945), les *troisième et quatrième symphonies* (1945-1946). Il convient de détacher de cet ensemble d'admirables pages où se retrouvent la richesse rythmique et la couleur orchestrale du plus grand Stravinski : *Noces* (1923), *Jeux de cartes* (1937), la *Symphonie de psaumes* (1930), les *Danses concertantes* (1942), les *Scènes de ballet* (1944), *Orpheus,* ballet (1948) et la *Messe* pour instruments à vent et chœurs (1951), d'une harmonisation éclatante, proche de la polyphonie médiévale. — Dans la dernière partie de sa carrière, après 1952, Stravinski vint au dodécaphonisme sériel. De cette ultime phase de recherches qu'il illustra par de nouveaux chefs-d'œuvre, on retiendra *Canticum sacrum* (1956), *Agon,* ballet (1957), *Threni* (1958), *Mouvements,* pour piano et orchestre (1959) et un *Requiem* (1966). Plus disposé à considérer la composition musicale comme le prétexte à une mise en ordre du temps par le moyen du son et du rythme, qu'à une expression de la confiance et de l'effusion, prodigieux chercheur aux trouvailles fécondes, Stravinski a laissé une œuvre abondante qui, en illustrant tous les genres et toutes les manières, apparaît comme la somme et la synthèse des acquisitions du temps présent et des conquêtes du passé. Du *Sacre du printemps* (1913) à la *Pastorale* pour musique électronique (1959), il a marqué d'une empreinte personnelle la musique du XXe siècle. Enfin, en considérant la musique comme un langage entièrement autonome, disjoint des évocations visuelles ou littéraires qui l'encombraient pendant la période romantique, en y voyant une structure, il s'inscrit dans le courant général qui emporte l'évolution des arts et des sciences au XXe siècle.

STREDNA GORA. ♦ V. BALKAN.

STREHLER (Giorgio). ♦ Metteur en scène et directeur de théâtre italien (Trieste, 1921). Avec Paolo Grassi, fondateur du Petit Théâtre de la ville de Milan (*Piccolo Teatro della Città di Milano*) dont il devint le codirecteur (1955-1968), il a suscité l'intérêt d'un vaste public populaire par la qualité de ses mises en scène d'auteurs classiques et modernes, italiens ou étrangers (de Goldoni à Pirandello, de Brecht à Dürrenmatt).

Streltsy. *n. m. pl.* (« archers, tireurs »). ♦ Corps d'infanterie russe, institué par Ivan* IV le Terrible (v. 1550) et composé d'arquebusiers (40 à 50 000) formant la garde du tsar. Première armée permanente russe, ils avaient de nombreux privilèges. Très indisciplinés, ils se rendirent bientôt redoutables pour l'État par leurs fréquentes révoltes. À la mort de Fédor* III (1682), ils imposèrent la régence de Sophie* Alexeïevna, puis se révoltèrent contre celle-ci, avant de s'opposer à Pierre* Ier le Grand qu'ils tentèrent de renverser (1698). Des exécutions massives s'ensuivirent et le corps des streltsy fut dissous.

STRÉPY-BRACQUEGNIES. ♦ Comm. de Belgique (Hainaut, arr. de Soignies) sur le canal du Centre. 8 700 hab. Petite métallurgie.

STRESA. ♦ Petite ville d'Italie du Nord, dans le Piémont (prov. de Novare), sur le lac Majeur*. 5 000 hab. Station touristique.

Coll. privée

Igor F. Stravinski.

Coll. Viollet

August Strindberg (p.1750).

♦ *Hist. La conférence de Stresa* réunit du 11 au 14 avr. 1935 les représentants de l'Italie (Mussolini), de la Grande-Bretagne (Mac Donald, J. Simon) et de la France (Laval, Flandin), qui, à la suite du rétablissement par l'Allemagne du service militaire obligatoire, s'entendirent pour s'opposer à toute nouvelle violation du traité de Versailles.

STRESEMANN (Gustav). ♦ Homme politique allemand (Berlin, 1878 – *id.*, 1929). Élu député au Reichstag en 1906 dans les rangs du parti national libéral, dont il devint le président en 1917, il contribua à rapprocher les monarchistes de la république de Weimar. Chancelier (sept.-nov. 1923) à la chute de Cuno, il forma un gouvernement de coalition avec les sociaux-démocrates. En quelques mois, il réussit à rétablir un climat de conciliation entre la France et l'Allemagne, en demandant l'arrêt de la résistance passive des ouvriers dans la Ruhr (24 sept.). Nommé ministre des Affaires étrangères (1923-1929), il continua cette politique dans l'espoir d'obtenir la révision du traité de Versailles, et entama une période de négociations que la personnalité d'A. Briand* rendit possibles ; après le pacte de Locarno*, l'Allemagne entra dans la S.D.N. (1926), et Stresemann partagea cette année-là le prix Nobel de la paix avec Briand. En 1928, il signa le pacte Briand-Kellogg et sa collaboration avec Briand se poursuivant, ils se mirent d'accord sur le plan Young. Il obtenait encore de la France l'évacuation de la Rhénanie, qui eut lieu après sa mort (1930). On a publié ses *Papiers inédits* (1932-1933).

STRETFORD. ♦ V. d'Angleterre (Lancashire) dans la banlieue S.-O. de Manchester. 60 400 hab. Centre industriel (équipement électrique, métallurgie, chimie).

STREUVELS (Franck LATEUR, dit **Stijn).** ♦ Écrivain belge d'expression flamande (Heule, 1871 – Ingooigem, 1969). Neveu de Guido Gezelle*, il collabora à la revue *Van nu en straks (D'aujourd'hui et de demain)* et commença dès 1895 à publier des nouvelles, notamment le recueil *Vie printanière* (*Lenteleven ;* 1899) qui eut un grand succès. Influencé par Tolstoï, Dostoïevski et Ibsen, il composa des romans puissants et sombres où est peinte la vie des paysans de Flandre, soumis aux exigences de la terre qu'ils travaillent : *La Moisson* (*De Oogst,* 1900), *Le Long des routes* (*Langs de wegen,* 1902), et *Le Champ de lin* (*De Vlaschaard,* 1907). Il aborda avec un égal succès l'analyse de l'âme enfantine (*Prutske,* 1921) et donna, avec *La Vie et la Mort au séchoir* (*Het Leven en de Dood in de Ast,* 1926), un récit mystérieux où la description est enrichie de plongées hardies dans l'inconscient.

STRINDBERG (August). ♦ Auteur dramatique et écrivain suédois (Stockholm, 1849 – *id.,* 1912). Une enfance difficile (il l'a évoquée dans *Le Fils de la servante* [1886]), une nature passionnée mais instable, un individualisme exaspéré et toujours en quête d'absolu caractérisent sa personnalité et se reflètent dans ses écrits, presque tous autobiographiques. De multiples influences se sont exercées sur sa pensée, tour à tour marquée par la philosophie de Kierkegaard* et celle de Nietzsche, par un socialisme romantique inspiré de Rousseau et de Fourier, par les tentations successives de l'athéisme et du mysticisme. Ses trois mariages furent de douloureux échecs et, dans la solitude où il se retrouva à l'issue du second, il devait frôler la folie. (Il en fait la confidence dans *Inferno,* 1897.) Son œuvre se divise en trois périodes. D'abord naturaliste, sous l'influence de Vallès et de Zola, elle fait scandale avec un roman, *La Chambre rouge* (1879) et un pamphlet, *Le Royaume nouveau* (1882), des nouvelles, *Mariés* (1884) et surtout trois pièces de théâtre, *Père* (*Fadren,* 1887), *Mademoiselle Julie* (*Fröken Julie,* 1888) et *Les Créanciers* (*Fordringsägare,* 1888). Revenant au genre historique qu'il avait illustré avec une pièce qui demeura plusieurs années interdite, *Maître Olof* (1872), il publie *Gustave Vasa, Éric XIV* (1899) et d'autres drames dont *La Danse* de mort* (*Dödsdansen,* 1900). Au naturalisme exacerbé de la première période va succéder un mysticisme apaisé teinté d'occultisme, dont *Le Songe** (*Ett Drömspel,* 1902) offre la meilleure image. C'est enfin à l'illustration d'un humanisme lucide que Strindberg vouera la dernière partie de son œuvre, dans ce *Théâtre intime* (*Intima Teatern,* 1907) qu'il dirigera et où il fera représenter ses pièces de chambre *(Kammarspel) : Orage (Oväder), Le Pélican (Pelikanen), La Sonate des spectres (Spöksonaten),* œuvres d'une intense cruauté et d'un désespoir absolu. Analyste du comportement, penché sur les mystères du subconscient, Strindberg passe avec aisance du naturalisme le plus cru au symbolisme le plus aérien. Dénonçant le triomphe universel de la violence dans les rapports humains, témoin de l'impossible communication entre les êtres, il a exploré quelques-unes des voies majeures de la culture européenne pour en atteindre les limites extrêmes. Son œuvre constitue le rigoureux constat d'échec d'une civilisation qui a atteint le temps de sa décadence. Par la forme comme par la pensée, elle préfigure les œuvres les plus hardies de l'époque contemporaine.

STRITAR (Josip). ♦ Poète, conteur et romancier slovène (Podsmerka, 1836 – Rogaška Slatina, 1923). Romantique et patriote, il participa au réveil national de la littérature slovène : *Zorin* (1870), *Sonnets viennois* (1872), *Rosana* (1877).

STROGANOV. ♦ Famille russe de marchands et financiers originaires de Novgorod (XVIe et XVIIe s.) dont les plus connus sont Aniki (1498 – 1570) et ses fils Grigori et Iakov. Ils mirent en valeur les terres du nord de la Russie, de l'Oural et de la Sibérie et y exploitèrent les mines.

STROHEIM (Eric Oswald *von***).** ♦ Réalisateur et acteur de cinéma américain, d'origine autrichienne (Vienne, 1885 – Maurepas, 1957). Une légende, qu'il a contribué lui-même à créer, s'est emparée très tôt de sa personne et de son œuvre. Si romantique qu'elle soit dans ses excès, elle ne trahit qu'à peine la réalité. Il n'était point né aristocrate, ainsi qu'il l'a prétendu, mais il le fut assurément par la lucidité hautaine et le pessimisme avec lesquels il a jugé l'humanité, du moins dans ses classes dirigeantes, par le goût du faste, au service d'une esthétique baroque, par un mépris si éclatant des impératifs matériels qu'il devait lui valoir, en moins de dix années, d'être chassé d'Hollywood. Marquée par le réalisme et la violence, par une cruauté qui n'exclut pas le sens de la justice, son œuvre s'apparente souvent en apparence au mélodrame, mais introduit au cinéma un sens nouveau du récit romanesque et de la durée psychologique. Inachevée, mutilée, elle n'en demeure pas moins l'une des plus importantes de l'histoire du 7e art. Réal. princ. : *Folies de femmes* (*Foolish Wives,* 1921), *Les Rapaces* (*Greed,* 1924), *La Veuve joyeuse* (1925), *La Symphonie nuptiale* (*Wedding March,* 1927), *Queen Kelly* (1928). Après son départ des États-Unis, Stroheim devait poursuivre sa carrière d'acteur (par ex., dans *La Grande Illusion,* de Jean Renoir, 1937, *Boulevard du crépuscule* [*Sunset Boulevard*], de Billy Wilder, 1950).

Ph. Giraudon

Marie Ire **Stuart,** portrait du XVIe s. (Musée Condé, Chantilly.)

STROMBEEK-BEVER. ♦ Comm. de Belgique (Brabant, arr. de Bruxelles). 9 800 hab. Indus. alimentaires (brasserie).

STROMBOLI (du gr. **Strombos** « toupie ») anc. **Strongyle.** ♦ La plus septentrionale des îles Éoliennes* (Italie, mer Tyrrhénienne), de forme pyramidale ; c'est la plus célèbre du groupe en raison de son volcan (926 m) toujours en activité. 12 km² env. 700 hab. Elle possède deux villages, San Bartolomeo et San Vincenzo, descendant de la montagne vers la plage (station climatique et balnéaire). Les vignobles fournissent un vin renommé, le *malvasia* (malvoisie).

STROUVÉ (Piotr). ♦ Homme politique russe. Il fut le plus en vue des marxistes « légaux » (autorisés par le gouvernement tsariste), dont l'économisme opportuniste fut critiqué par Lénine*.

STROZZI. ♦ Famille de Florence connue depuis la fin du XIIIe siècle. Puissants banquiers, les Strozzi ne cessèrent de s'opposer aux Médicis. ♦ PALLA STROZZI (1373 – 1462), brillant humaniste, fut exilé. ♦ FILIPPO STROZZI (1426 – 1491) fit élever le palais Strozzi. ♦ FILIPPO II (1489 – 1538) épousa la petite-fille de Laurent le Magnifique, et, après avoir contribué à la révolution de 1527, se rallia à Alexandre de Médicis*. ♦ PIERO STROZZI (1510 – 1558) fut attiré en France par sa cousine Catherine* de Médicis et devint maréchal.

STRUENSEE (Johann Friedrich, *comte von***).** ♦ Homme politique danois (Halle, 1737 – Copenhague, 1772). Médecin de Christian* VII de Danemark (1768), il devint l'amant de la reine Caroline-Mathilde. Il renversa le ministre Bernstorff (1770) et devint Premier ministre (1771). Il accomplit de profondes réformes, abolit le servage, les corporations mais ne put terminer sa tâche. Accusé de complot contre le roi, il fut arrêté en 1772 et condamné à mort.

STRUMA. *n.f.* ♦ Fl. de Bulgarie et de Grèce (430 km). Née dans le massif de Vitoša, elle traverse le Rhodope et se jette dans la mer Égée. C'est l'ancien *Strymon* des Grecs.

STRUTHOF. ♦ Écart de la comm. de Natzwiller (Bas-Rhin). Camp de concentration et d'extermination nazi (1941-1944), appelé *Natzweiler* en allemand. Le général Frère* y mourut. Sur l'emplacement du camp a été érigée une nécropole des victimes des camps de concentration.

STRUVE ou **STROUVÉ (Wilhelm).** ♦ Astronome russe (Altona, Holstein, 1793 – Saint-Pétersbourg, 1864). Après avoir participé à de nombreux travaux de triangulation dans son pays, auteur d'un catalogue de 3 134 étoiles multiples (1827) et des premières évaluations significatives de parallaxes (1838), il fonda l'observatoire de Poulkovo (1839). ♦ OTTO STRUVE (Dorpat, 1819 – Karlsruhe, 1905), son fils. Il découvrit de nombreux systèmes binaires, un satellite d'Uranus, détermina l'apex et la valeur de la constante de la précession (1842) et établit le premier catalogue fondamental de Poulkovo (1868).

STRUVE ou **STROUVÉ (Otto).** ♦ Astronome américain d'origine russe (Kharkov, 1897 – Berkeley, Californie, 1963). Petit-fils de Otto Struve*. Il étudia la spectrographie des étoiles et des nébuleuses, mesura des vitesses radiales, fit des recherches sur les étoiles doubles spectroscopiques, sur la matière interstellaire et sur la théorie des raies et des bandes d'absorption.

STRYMON. ♦ V. STRUMA.

STUART. ♦ Forme francisée de STEWART, nom d'une ancienne famille qui régna sur l'Écosse (1371-1714, **V. Robert II, Robert III, Jacques Iᵉʳ, Jacques II, Jacques III, Jacques IV, Jacques V, Marie Iʳᵉ Stuart),** et sur l'Angleterre (1603-1714, **V. Jacques Iᵉʳ, Charles Iᵉʳ, Charles II, Jacques II, Marie II Stuart, Anne).** Elle eut pour fondateur Alan Fitzflaad (XIIᵉ s.) dont les descendants reçurent le titre de *Stewart* (sénéchal) d'Écosse. L'acte d'Établissement*, en 1701, qui assurait la couronne d'Angleterre à un prince protestant, en priva le prétendant Jacques* Francis Édouard, puis son fils Charles* Édouard, mais l'agitation jacobite se poursuivit en Écosse jusqu'à la mort du dernier descendant en 1807.

STUART MILL (John). ♦ V. MILL (John STUART).

STUBBS (George). ♦ Peintre animalier, graveur et dessinateur anglais (Liverpool, 1724 – Londres, 1806). Il se passionna pour l'anatomie et débuta comme portraitiste. En 1766, il fit paraître un traité sur l'*Anatomie du cheval* (1756-1760). Devenu le peintre animalier le plus célèbre de son époque, il représenta aussi des cavaliers, des scènes de chasse et quelques scènes historiques. Observateur scrupuleux, il possédait un sens classique de la composition. Avec une facture lisse et minutieuse, il sut conférer un caractère étrange, magique et dramatique à l'un de ses thèmes de prédilection : *Lion attaquant un cheval* (1765).

STUMPF (Karl). ♦ Philosophe et psychologue allemand (Wiesentheid, Franconie, 1848 – Berlin, 1936). Élève de Lotze et de F. Brentano, il fit une analyse critique de la dissociation établie par Kant entre la théorie de la connaissance et la psychologie (*Psychologie et théorie de la connaissance,* 1891). Il se consacra par ailleurs à d'importants travaux sur la psychologie de l'audition.

ŠTÚR (Ljudovít). ♦ Écrivain et homme politique slovaque (Uhrovec, 1815 – Modra, 1856). Il fit du dialecte de la Slovaquie centrale la langue nationale et écrivit une étude sur l'esprit slave à travers *Les Chansons populaires et légendes slaves* (1855).

STURA DI DEMONTE. *n. f.* ♦ Riv. d'Italie continentale (110 km). Née au col de Larche (Piémont), elle coule ensuite en plaine, arrose Cuneo* et rejoint le Tanaro.

STURDEE (*sir* Frederick Charles Doveton). ♦ Amiral anglais (Charlton, Kent, 1859 – Camberley, 1925). Chef d'état-major naval en 1914, il détruisit le 8 déc. 1914, à la bataille des îles Falkland*, la flotte allemande de l'amiral von Spee. Il fut nommé amiral de la flotte en 1921.

STURDZA. ♦ Famille roumaine connue depuis le XVᵉ siècle. ♦ ION STURDZA (mort en 1842), prince de Moldavie (1822-1828). Il fut chassé par les Russes dont il combattait l'influence. ♦ MIHAIL STURDZA (1795 – Paris, 1884). Il fut prince de Moldavie (1834-1849), après avoir été ministre des Finances sous Kisselev. Il fut remplacé par Ghika. ♦ VASSILE STURDZA (1810 – 1870). Il fut l'un des principaux artisans du rapprochement de la Moldavie et de la Valachie. ♦ DIMITRIE STURDZA (Miclăuçeni, 1833 – Bucarest, 1914). Il prépara l'unification de la Moldavie et de la Valachie sous le prince Cuza*, qu'il devait contribuer à renverser. Il fut l'un des partisans de Carol* de Hohenzollern-Sigmaringen, et fit parti des cabinets de Ghika et de Brătianu*, comme ministre des Finances, de l'Éducation et des Affaires étrangères. À la tête du parti libéral depuis 1892, il fut Premier ministre à quatre reprises, et réprima sévèrement la révolte paysanne de 1907. Numismate et historien, il dirigea la publication des *Documents sur la régénération roumaine.* – On écrit aussi *Stourdza.*

STURE. ♦ Famille noble suédoise. ♦ STEN STURE *l'Ancien* (v. 1440 – 1503), régent de Suède (1470) défendit les paysans contre la noblesse et le clergé, et défit Christian* Iᵉʳ (Brunkeberg, 1471). Il fut le fondateur de l'université d'Uppsala. ♦ STEN STURE *le Jeune,* régent de Suède (v. 1492 – 1520), déposa l'archevêque d'Uppsala Gustav Trolle, partisan des Danois (1517), mais il fut vaincu par Christian* II qui s'empara de Stockholm et massacra ses adversaires (le « bain de sang »).

STURLUSON (SNORRI). ♦ SNORRI STURLUSON.

STURM (Johannes). ♦ Humaniste allemand (Schleiden, 1507 – Strasbourg ou Nordheim, 1589). Après avoir adhéré à la Réforme, il vint à Strasbourg en 1537 et il y fut nommé recteur du gymnase protestant **(V. Sturm de Sturmeck)** qui, sous la direction de ce pédagogue de valeur, acquit une grande renommée. Toutefois, J. Sturm s'attira l'hostilité des luthériens « orthodoxes » et perdit ses fonctions en raison de ses sympathies pour les réformateurs suisses. Il a laissé de nombreux ouvrages, dont des traductions d'œuvres latines et grecques.

STURM (Charles). ♦ Mathématicien français d'origine suisse (Genève, 1803 – Paris, 1855). Il mesura en 1828, avec Colladon*, la vitesse du son dans l'eau, et le mémoire qu'ils publièrent sur la compressibilité des liquides leur valut un prix de mathématiques. Il énonça en 1829 un théorème célèbre, précisant le nombre des racines réelles d'une équation algébrique comprises entre deux limites données.

Sturm (« Tempête »). ♦ Groupe expressionniste de Berlin dont la revue (du même nom) fut fondée par H. Walden en 1910. Ses représentants se proposaient de supprimer dans la poésie toute pensée logique, toute idéologie et toute effusion de la sensibilité personnelle pour atteindre par le rythme pur « l'intensité, l'immédiateté absolues ; l'ivresse de Dionysos sans les artifices d'Apollon... » (C. David). Parmi eux on compte le poète et auteur dramatique August Stramm [1874 – sur le front russe, 1915] (*Toi,* 1914), le poète allemand Wilhelm Klemm [1881] (*Gloria,* 1915) et A. Döblin*.

STURM DE [von] STURMECK (Jacques). ♦ Homme politique alsacien (Strasbourg, 1489 – 1553). Élève de Wimpheling, il fit des études de théologie et de jurisprudence. Après avoir adhéré à la Réforme, il fonda à Strasbourg le gymnase protestant, fut chargé de nombreuses missions diplomatiques et assuma dans sa ville de hautes fonctions politiques.

Sturm und Drang (« Tempête et élan » [ou « assaut »]). ♦ Mouvement littéraire préromantique allemand (1770-1790) qui doit son nom au titre d'une tragédie de F.M. Klinger*. Sous l'influence de J.-J. Rousseau, ses représentants opposèrent au rationalisme du siècle des lumières (en all. *Aufklärung*) les exigences de la sensibilité *(Empfindlichkeit),* et aux règles de l'idéal classique français, l'originalité du « génie ». « Gais lurons et en même temps cœurs sensibles » (P. Grappin), révoltés contre toute contrainte sociale, mais aussi patriotes, voire nationalistes, ses tenants n'hésitèrent pas à scandaliser. Pressenti par Lessing dans sa *Dramaturgie de Hambourg,* ce courant littéraire fut préparé par Hamann* et surtout par Herder* qui remit à l'honneur la chanson et la poésie populaires (y compris Homère, la Bible, etc.). Il compta parmi ses « génies » le jeune Goethe* **(V. Werther),** le jeune Schiller*, Bürger*, Heinse*, Jung* (Stilling), Lenz*, Miller*, F. Müller*, Schubart*.

STURTEVANT (Alfred Henry). ♦ Généticien américain (né en 1891). Collaborateur de T.H. Morgan*, il contribua à l'étude de la localisation des gènes sur les chromosomes (carte génique des chromosomes).

STURZO (Luigi). ♦ Homme politique et sociologue italien (Caltagirone, Sicile, 1871 – Rome, 1951). Ordonné prêtre (1894), maire de Caltagirone (1905), secrétaire général de l'Action catholique (1915-1917), il fonda le *Parti populaire italien* (1919), premier grand mouvement de la démocratie chrétienne. Adversaire du fascisme, L. Sturzo quitta l'Italie en 1924 pour Londres, puis New York. Rentré dans son pays en 1946, il devint sénateur à vie, sans toutefois jouer de rôle très important dans la vie politique italienne. Il avait publié plusieurs études sociologiques et politiques sur l'Italie : *L'Italie et le fascisme* (1926), *L'Église et l'État, Essai de sociologie* (1936).

STUTTGART. ♦ V. d'Allemagne occidentale et cap. du *Land* de Bade-Wurtemberg, sur la r. g. du Neckar. 634 202 hab. (1969). Presque entièrement reconstruite après 1945, la ville est un important carrefour ferroviaire (lignes Scandinavie-Italie et France-Autriche) et a pris, surtout depuis la seconde moitié du XXᵉ s., un grand essor industriel. Elle s'étend maintenant sur les deux rives du Neckar et son agglomération a englobé de nombreuses cités avoisinantes, de Bad-Cannstatt à Esslingen. L'industrie automobile (Benz-Daimler) est la plus célèbre des activités de la ville, mais l'électronique et les constructions électriques (Siemens, Bosch), le travail du bois (bateaux, meubles, instruments de musique), les indus. du livre, ont aussi une grande importance. Depuis 1958, Stuttgart est dotée d'un port fluvial. La ville assure en outre un important rôle financier (banques, grandes compagnies d'assurances), administratif, intellectuel et culturel (grandes écoles, université technique, bibliothèque du *Land* renfermant plus de 1 000 manuscrits et possédant la deuxième collection mondiale de bibles). – Patrie de F. Hegel*, de H. Spemann*. ♦ *Hist.* La ville doit son nom (*Stutengarten* « jardin des juments »)

Ph. Diamante-Ostuni/Ricciarini

Stuttgart : le château Konigsbau.

à la proximité d'un haras *(Stuterei)*. Elle fut du XIVe au XVIIe s. la résidence des ducs, puis rois de Wurtemberg, qui lui donnèrent à partir du XIXe s. un grand essor économique. Depuis 1952, elle est la capitale du Bade-Wurtemberg.

STUYVESANT (Peter). ♦ Colonisateur hollandais (Scherpenzeel, Frise, 1592 – New York, 1672). Capitaine général des possessions hollandaises en Amérique (1643), il fut directeur de la Compagnie hollandaise des Indes orientales aux Caraïbes (1643), fut blessé en combattant les Portugais et amputé d'une jambe. Il arriva en 1647 à New Amsterdam (New* York) où il gouverna la colonie despotiquement, mais développa la prospérité de la ville, qu'il défendit contre les Suédois. Mais il dut se rendre aux Anglais (1664), faute de soutien de la part des colons. Il resta à New York dans sa ferme de la Bowery jusqu'à sa mort.

STYMPHALE, en gr. **Stumphalia.** ♦ Nom d'une ville et d'un lac de l'anc. Grèce, à l'extrémité N.-E. de l'Arcadie. Le lac Stymphale est célèbre dans la mythologie par les oiseaux monstrueux aux becs et serres d'airain vivant sur ses bords, et qui se nourrissaient de chair humaine. Héraclès* les fait sortir de leur retraite à l'aide de cymbales et les abat à coups de flèche.

STYRIE, *n. f.*, all. **Steiermark.** ♦ *Land* de l'Autriche* méridionale. 16 384 km^2, 1 192 100 hab. *Princ. V. :* **V. Graz.** On distingue dans cette province, située au S.-E. des Alpes autrichiennes, deux régions appartenant à deux ensembles géographiques distincts : la *Styrie supérieure*, au N., centrée sur la chaîne des Niedere Tauern et incluant les vallées de la Salza, du cours supérieur de l'Enns, de la Mur et de la Mürz. La *Styrie inférieure*, au S., s'étend sur les terres et les collines des Alpes méridionales, entaillées par la vallée moyenne de la Mur. – Si l'agriculture y reste importante, puisqu'elle occupe plus de 40 % de sa population active, la plus grande richesse de la région est constituée par son sous-sol : fer (Erzberg), qui a entraîné l'implantation de la plus grande partie de la sidérurgie autrichienne ; lignite (Graz et Leoben), 65 % de la production nationale ; graphite (entre l'Enns et le Semmering) ; magnésite (Veitsch) ; sel (Bad Aussee). ♦ *Hist.* Comprise dans les provinces romaines de Norique et de Pannonie, cette région connut au VIe s. une occupation slave (Slovènes*), et fut réunie à la Bavière (VIIIe s.), puis à la Carinthie. Au cours des XIe-XIIe s., elle éclata en petites seigneuries, puis fut réunifiée par les seigneurs de *Steyr* (d'où son nom) et fut érigée en duché (1180). Celui-ci passa successivement aux Babenberg, au roi de Bohême (1278) et aux Habsbourg (1282), tandis qu'il était peu à peu germanisé. La région adopta la Réforme, mais fut soumise par le futur Ferdinand II au début du XVIIe siècle. Le sud du pays, encore peuplé de Slovènes, fut donné à la Yougoslavie au traité de Saint-Germain (1919).

STYX. *n. m.* [*Stux*]. ♦ Fleuve des Enfers qu'il entoure de ses méandres. Ses eaux noires et glacées ont des propriétés magiques : Thétis* y trempe Achille pour le rendre invulnérable. Le nom de Styx invoqué par les dieux quand ils prononçaient un serment rendait ce serment inviolable. – *Styx* est à l'origine l'une des Océanides*. Avec ses quatre fils, Zélos (l'Ardeur), Nikê (la Victoire), Cratos (la Force) et Bia (la Violence), elle porte secours à Zeus lors de la lutte des Olympiens contre les Géants*.

SUALEM. ♦ V. RENNEQUIN.

SUARD (Jean-Baptiste Antoine). ♦ Écrivain et journaliste français (Besançon, 1732 – Paris, 1817). Protégé de Mme Geoffrin et de Mlle de Lespinasse, il fut censeur dramatique (1774-1790). Il collabora au journal royaliste *les Nouvelles politiques*, ce qui lui valut d'être exilé après le 18 Fructidor (1797) ; à son retour à Paris après le 18 Brumaire, il travailla au *Publiciste*. Il fut nommé en 1803 secrétaire perpétuel de la section littéraire de l'Institut. – Auteur de *Mémoires* et d'une correspondance historique et littéraire, publiés en 1858. (Acad. fr., 1774.)

SUARÈS (Isaac Félix, dit André). ♦ Écrivain français (Marseille, 1868 – Saint-Maur-des-Fossés, 1948). Après son passage à l'École normale supérieure, il se lia avec Romain Rolland*, puis avec Gide*, Claudel* et Péguy*. De son voyage en Italie (1893), pays qui correspondait à son amour de la grandeur et de l'énergie, il rapporta le *Voyage du condottiere* (1910-1932) ; puis il manifesta sa mystique du « héros » dans ses essais sur *Tolstoï*, sur *Wagner* (1899), sur *Trois Hommes : Pascal, Ibsen, Dostoïevski* (1913) et sur *Trois Grands Vivants* (Cervantès, Tolstoï et Baudelaire ; 1937). Auteur de tragédies « à l'antique » *(Élektre et Oreste, Cressida)*, Suarès a également composé une œuvre poétique d'un esthétisme souvent exacerbé, de *Avis* (1900) à *Rêves de l'ombre* (1937), laissant par ailleurs une vaste *Correspondance* (avec Claudel, publiée en 1951 ; avec R. Rolland, publiée en 1954).

Ph. Hubert Josse

Guerre de la **Succession d'Autriche :** « La Bataille de Fontenoy », 1745, par H. Vernet. (Château de Versailles.)

SUAREZ (Francisco). ♦ Jésuite et théologien espagnol (Grenade, 1548 – Lisbonne, 1617). Il enseigna, à Rome, Alcalá, Salamanque, Coimbra, une théologie « éclectique » largement inspirée de Thomas d'Aquin. Auteur des *Disputationes metaphysicae*, de la *Defensio fidei* (1613, contre Jacques Ier d'Angleterre) et de monumentaux commentaires de la *Somme théologique*.

SUBIACO. ♦ Localité d'Italie, dans le Latium (prov. de Rome). 9 000 hab. Papeteries et carrières d'albâtre. – C'est là que furent imprimés en 1464 les premiers livres italiens conservés. Saint Benoît y établit son premier monastère au début du VIe s. (fresques) et sainte Scholastique un couvent de femmes (cloître) qui connurent tous deux leur apogée du XIe au XIIIe siècle.

Sublime (Traité du). ♦ Traité de critique littéraire d'un auteur grec inconnu de la seconde moitié du Ier s., longtemps attribué à Longin* (IIIe s.). Contre la rhétorique cicéronienne, il rejette la conception purement technique du classicisme, qui proposait des recettes stylistiques, réduisant ainsi au « style sublime » la notion du sublime. Celle-ci est, pour l'auteur du traité « l'écho d'une grande âme », la substance de grandes idées conçues par un esprit créateur, et non leurs formules figées et imitables. – Très estimé depuis la Renaissance, ce texte fut traduit par Boileau* qui s'en inspira.

Sublime Porte. ♦ V. PORTE.

SÜBÖDEI. ♦ Général mongol au service de Temüjin*. Il conquit la Chine en 1233, puis envahit l'Europe orientale, prenant la ville de Pest en 1241. Il mourut sur les bords du Danube.

SUBOTICA. ♦ V. de Yougoslavie (Vojvodine*). 88 787 hab. Grand marché agricole de la plaine de la Backa ; indus. métallurgiques.

SUBRÅHMANYA. ♦ Divinité hindoue du S. de l'Inde, un des fils de Śiva* et de Pârvatî. C'est la divinité de la guerre. On le représente monté sur un paon faisant la roue.

Succession d'Autriche *(guerre de la)*. ♦ Conflit (1740-1748) qui opposa tous les états européens et qui révéla la rivalité franco-anglaise. À la mort de l'empereur Charles* VI, les puissances dénoncèrent la pragmatique* sanction, qui assurait sa succession à sa fille Marie*-Thérèse, et Frédéric* II ouvrit les hostilités en envahissant la Silésie (1740). La France, sous la pression d'une opinion traditionnellement anti-autrichienne (Belle*-Isle), l'Espagne, la Saxe et la Bavière se rangèrent aux côtés de la Prusse pour soutenir les prétentions de l'électeur Charles-Albert de Bavière qui se fit élire empereur sous le nom de Charles* VII, tandis que l'Angleterre et les Pays-Bas prenaient parti pour Marie-Thérèse. Les Français et les Bavarois envahirent la Haute-Autriche et la Bohême. Cependant, la Prusse s'étant désolidarisée pour signer par deux fois une paix séparée (Breslau, 1742 ; Dresde, 1745) par laquelle elle obtenait la Silésie, et Charles-Albert ayant traité de son côté, quand la Bavière avait été menacée (1743), la France se retrouva seule face à l'Angleterre. La victoire du maréchal de Saxe* à Fontenoy* (1745) lui permit d'occuper les Pays-Bas et les Provinces-Unies (1747-1748), mais le traité d'Aix*-la-Chapelle (1748), qui reconnaissait la pragmatique sanction ne fut pour la France qu'un retour au *statu quo* et ne régla aucun conflit.

Succession de Bavière *(guerre de la)* [1778-1779]. ♦ À la mort de l'électeur Maximilien* III, l'électeur palatin Charles-Théodore, pour hériter de lui, dut laisser la Basse-Bavière et une partie du Haut-Palatinat à l'Autriche. La France ayant refusé de soutenir celle-ci, quand Frédéric* II intervint, elle dut signer la paix de Teschen (1779) où elle ne reçut que le district de l'Inn.

Succession de Bretagne *(guerre de la)*. ♦ Elle se déclencha à la mort de Jean* III qui avait désigné sa nièce Jeanne* de Penthièvre, femme de Charles de Blois, comme héritière (1341-1364). Le frère de Jean III, Jean de Montfort*, soutenu par les Anglais, éleva des prétentions au duché. Cette guerre vit le célèbre combat des Trente*. Après la défaite et la mort à Auray de Charles de Blois soutenu par Philippe VI de Valois (1364), Jeanne de Penthièvre conclut le traité de Guérande* (1365) par lequel elle renonçait au duché en faveur des Montfort.

Succession d'Espagne *(guerre de la)*. ♦ (1701-1714). Guerre provoquée par l'avènement au trône de Philippe* V, petit-fils de Louis* XIV (1700), conformément au testament de Charles II, que Louis XIV avait accepté non sans hésitations. Il fut d'abord reconnu par toute l'Europe à l'exception de Léopold* Ier qui soutenait la candidature de son fils l'archiduc Charles*, mais l'ouverture de l'empire colonial espagnol au commerce français permit à Guillaume* III d'Orange de former la Quadruple-Alliance* de La Haye : elle réunissait l'Angleterre, les Provinces-Unies, l'Empire, les princes allemands puis le Portugal et la Savoie. Après une brève période de succès en Italie et en Allemagne (1701-1704), les Français subirent des revers : tandis que l'archiduc Charles débarquait en Espagne, appuyé sur une partie de la population (Catalogne), et était proclamé roi à Madrid (1706), Marlborough* et le prince Eugène* envahissaient la Belgique et le nord de la France (défaite d'Audenarde, 1708). Après l'échec d'une tentative de paix de Louis XIV, à des conditions humiliantes, Villars* parvint à arrêter l'invasion à Malplaquet* (1709) et surtout à Denain* (1712), et Philippe V fut rétabli grâce à la victoire de Villaviciosa* (1710). La mort de Joseph* Ier et l'arrivée de l'archiduc Charles sur le trône impérial précipita la fin de la guerre qui se termina par les traités d'Utrecht* (1713) et de Rastadt* (1714).

Succession de Pologne *(guerre de la)*. ♦ Conflit européen qui opposa la France alliée de l'Espagne, de la Sardaigne et de la Bavière, à la Russie, la Saxe et l'Autriche, de 1733 à 1738. À la mort d'Auguste* II, roi de Pologne, l'élection de son ancien compétiteur Stanislas* Leszczyński (beau-père de Louis XV) appuyé par la France, provoqua une intervention austro-russe en faveur d'Auguste* III de Saxe. Stanislas, chassé du trône, se réfugia à Dantzig (1734) et la Pologne fut placée sous autorité austro-russe, tandis que les Français occupaient la Lorraine, Kehl et Philippsburg, après avoir rompu avec l'Autriche à l'instigation de G.L. de Chauvelin*. La guerre, qui avait pour origine la succession de Pologne*, se déroula en Italie (Milan, Naples) où les Sardes et les Espagnols espéraient acquérir des domaines. Les négociations entreprises dès 1735 par le ministre français Fleury* aboutirent en 1738 au traité de Vienne*. Stanislas renonçait à la couronne polonaise (au profit d'Auguste III) et recevait à titre viager la Lorraine* et le comté de Bar* (qui devaient, à sa mort, revenir à la France). Don Carlos, fils de Philippe V d'Espagne et d'Élisabeth Farnèse, obtenait Naples et la Sicile, tandis que la France adhérait à la pragmatique sanction.

SUCEAVA. ♦ V. de Roumanie du N.-E. (Moldavie), *ch.-l.* de région sur la *Suceava*. Citadelle du XIVe siècle. Églises des XVe et XVIe siècles. Indus. textiles, travail du bois. ♦ *Hist.* Suceava fut par deux fois capitale de la Moldavie (de 1370 à 1380 et de 1564 à 1568).

SUCHET (Louis Gabriel, *duc d'***Albufera).** ♦ Maréchal de France (Lyon, 1770 — Marseille, 1826). Engagé en 1792, il se distingua en Italie (1800) et fut fait général en 1798. Il prit part à la bataille d'Austerlitz (1805) et à celle d'Iéna (1806). En Espagne (1809-1814), il s'empara de Lérida et de Tarragone (1811) et soumit définitivement la Catalogne; il fut fait maréchal et duc en 1811. Il fut chargé en 1814 de protéger le retour de Ferdinand VII en Espagne. Rallié à la Première Restauration, il rejoignit Napoléon durant les Cent-Jours. En disgrâce jusqu'en 1819, il accompagna en 1823 le duc d'Angoulême dans l'expédition d'Espagne. Il a laissé des *Mémoires sur la guerre d'Espagne* (1829).

SU CHOU [*Sou Tcheou, Su Zhou*], parfois **Suchow.** ♦ V. de Chine (Chiang-su) appelée parfois la « Venise de la Chine » en raison des nombreux canaux qui la parcourent. Env. 700 000 hab. Jardins anciens et monuments importants. Indus. de la soie. ♦ *Hist.* Anc. base des T'ai-p'ing* en 1853, elle devint un « port à traité » en 1896. Elle fut appelée Tung-shan de 1912 à 1945.

SUCKLING (John). ♦ Critique littéraire, poète et dramaturge anglais (Whitten, Middlesex, 1608 — Paris, 1642). Le type même du « cavalier », il mena grande vie tant dans son pays qu'en France et en Italie avant de s'empoisonner pour échapper à la misère. Improvisateur, il imitait Donne* sans en adopter la métaphysique. Sa *Ballade à l'occasion d'un mariage* est un chef-d'œuvre de langue populaire et pittoresque — le poète y fait parler un fermier. Le meilleur de son œuvre, appréciée par Thomas Moore*, est réuni dans *Fragmenta Aurea* (1646). On doit aussi à Suckling un savant traité religieux *(An Account of Religion by Reason)* et des tragédies dont *Aglaura* (1638) et *Brennoralt* (1639).

SUCRE (Antonio José). ♦ Général vénézuélien (Cumana, Venezuela, 1795 — Berruecos, Colombie, 1830). Il servit sous les ordres de Miranda*, puis de Bolivar* dans la lutte pour l'indépendance de son pays. Il remporta les victoires qui libérèrent l'Équateur et surtout le Pérou (Ayacucho*, 1824). Élu président à vie de Bolivie, il abdiqua 2 ans après (1828). Il alla secourir la Colombie contre le Pérou et y fut choisi pour présider le « Congrès admirable » réuni à Bogotá en 1830. Il fut assassiné alors qu'il se rendait à Quito.

SUCRE, anc. **Chuquisaca** et **La Plata.** ♦ V. de la Bolivie andine, cap. constitutionnelle du pays (depuis 1900 le gouvernement est à La* Paz) située au N. de Potosí, dans la Cordillère centrale, à 2 795 m d'altitude. Archevêché. Université du XVIIe siècle. Cimenteries, tabac, raffinage des pétroles de la région. Un pipe-line relie Sucre à Camiri. — Ch.-l. du *dép. de Chuquisaca**.

SUCY-EN-BRIE. ♦ Comm. du Val-de-Marne, arr. de Créteil. 17 671 hab. Église Saint-Martin (XIIe-XIIIe s.) restaurée. Château de Sucy (XVIIe s.); ancien château de Haute-Maison. Château de Montaleau (mairie) où séjourna Mme de Sévigné. — Indus. électrique et électronique. Indus. du verre.

SUD *(île du)*, en angl. **South Island** ou **île de Jade.** ♦ **V.** NOUVELLE-ZÉLANDE.

SUD-AFRICAINE *(République)*. ♦ **V.** AFRIQUE DU SUD.

SUDBURY. ♦ V. du Canada (Ontario), au N. de la Georgian Bay. 155 424 hab. (1971). Centre commercial. Métallurgie du cuivre et du nickel (à Copper Cliff et Falconbridge). — Université bilingue.

Ph. Nino Cirani/Ricciarini

Sucre (Bolivie) : la cathédrale.

SUDERMANN (Hermann). ♦ Écrivain allemand (Matzicken, Prusse-Orientale, 1857 — Berlin, 1928). Après des nouvelles, rappelant Maupassant (*Dame Souci* [*Frau Sorge*], 1887), il composa plusieurs pièces d'inspiration sociale et réaliste (*L'Honneur,* 1890; *La Fin de Sodome,* 1891; *Le Foyer* [*Heimat*], 1893, etc.); elles connurent un grand succès, mais éphémère. Sudermann revint ensuite au récit et, avec ses *Histoires lituaniennes* (1917), prend place dans la littérature de type « régionaliste ».

SUDÈTES *(Allemands des)*. ♦ Nom donné entre les deux guerres mondiales à la minorité de langue allemande de Tchécoslovaquie, établie sur le pourtour des pays tchèques. Le *Parti allemand des Sudètes,* créé en 1933 par Henlein pour défendre leur particularisme, obtint de grandes victoires aux élections de 1935 et mai 1938. Malgré la pression franco-britannique, Prague refusa l'autonomie à la minorité sudète. Celle-ci fut naturellement soutenue par Hitler, qui demanda son rattachement à l'Allemagne (septembre 1938). Poussé par les gouvernements anglais et français, Hodža (président du Conseil tchécoslovaque) accepta le rattachement de certains territoires sudètes à l'Allemagne. Encouragé par ces concessions, Hitler augmenta ses prétentions et adressa un ultimatum au gouvernement de Prague (26 septembre 1938). À la conférence de Munich (29-30 septembre 1938), la France et l'Angleterre espérant par là éviter la guerre, abandonnèrent le gouvernement de Prague et acceptèrent l'annexion des Sudètes par l'Allemagne. En 1945, ce territoire fut rendu à la Tchécoslovaquie, qui expulsa la majorité de la population allemande des Sudètes (de 3 200 000 en 1938, ils passèrent à environ 160 000 en 1946).

SUDÈTES *(monts des)*. ♦ Massifs montagneux de Tchécoslovaquie, formant le rebord N.-E. du quadrilatère de Bohême, entre la Neisse et la Porte de Moravie*. Ils comptent trois chaînes principales : les Krkonoše*, les Orlické Hory et les Jeseníky* à l'E. Point culminant : 1 603 mètres.

SUD-OUEST AFRICAIN. *n. m.*, en angl. **South-West Africa,** en afrikaans **Suidwes-Africa**; depuis 1968 **NAMIBIE.** *n. f.* ♦ Territoire d'Afrique australe dépendant de la rép. d'Afrique* du Sud, baigné par l'Atlantique, limité au N. par l'Angola* et la Zambie*, à l'E. par le Botswana et l'Afrique du Sud, au S. par le fleuve Orange* qui le sépare de l'Afrique* du Sud. Il est traversé en son milieu par le tropique du Capricorne. Walvis* Bay, sur la côte, y est totalement enclavé et constitue le premier port du pays. 823 328 km². 746 328 hab. *Cap.* Windhoek*. *Pop.* Bantous, Boschimans, Hottentots, Européens. *V. princ.* **V. Lüderitz** et **Tsumeb.** — *Orogr.* Le pays comprend trois parties, la zone désertique du Namib*, les plateaux centraux et la bordure orientale du désert du Kalahari*. — Son *climat* est aride et cette aridité est accrue par la présence du courant froid du Benguela. — Son *économie* est principalement pastorale, bovins au N. mais surtout caprins et ovins. Les moutons karakul fournissent une part importante des exportations (astrakan). La pêche est également une ressource appréciable. Les ressources minières sont importantes : diamant dans la région S.-O. du pays **(V. Namib)** et minerais dans la partie nord. [*Carte.* **V. Afrique du Sud.**] ♦ *Hist.* La région fut colonisée par les Allemands (1883-1884), qui combattirent les guerriers hereros et hottentots. L'Union sud-africaine conquit le pays en 1915 et la S.D.N. confia le Sud-Ouest africain en mandat à l'Union en 1920. En 1949, l'Afrique du Sud incorpora le pays, sans l'autorisation de l'O.N.U. Une décision de l'O.N.U. (oct. 1966) retira son mandat à l'Afrique du Sud, qui menaça alors de résister par les armes à toute tentative d'exécution de cette mesure.

Sûdra. *n. m. pl.* ♦ La quatrième caste brâhmanique de l'Inde hindoue, celle des serviteurs. Considérées comme impures, les personnes appartenant à cette caste (la plus nombreuse) n'avaient pas le droit de lire les textes sacrés ni de participer à certains sacrifices brâhmaniques.

ŚÛDRAKA. ♦ Auteur dramatique indien. **V. Mricchakatikâ.**

SUE (Marie-Joseph, dit Eugène). ♦ Romancier français (Paris, 1804 – Annecy. 1857). Fils d'un médecin célèbre et lui-même médecin de la marine jusqu'en 1829, il mena une vie de dandy, après avoir beaucoup voyagé. Admirateur de Fenimore Cooper*, il débuta dans la littérature avec des romans maritimes (*La Salamandre,* 1832); puis il aborda le roman de mœurs (*Mathilde,* 1841) avec un égal succès avant d'exprimer ses idées sociales et démocratiques dans *Les Mystères* de Paris* (1842-1843), premier roman-feuilleton qui connut un immense succès et contribua à répandre les théories humanitaires annonçant *Les Misérables** de Victor Hugo*. *Le Juif errant* (1844-1845), dirigé contre les jésuites, et *Les Sept Péchés capitaux* (1847-1849) furent aussi très bien accueillis. Par la puissance et la précision de la peinture des milieux ouvriers et des bas-fonds, le relief des innombrables personnages qui animent ses ouvrages, Eugène Sue peut être considéré comme l'initiateur des réalistes. Parfois généreuse, son œuvre est aussi l'expression d'un moralisme naïf et manichéen et d'un certain conservatisme social.

SUÈDE. [*n. f.*], en suéd. **Sverige.** ♦ État de l'Europe du Nord, occupant la partie orientale de la péninsule scandinave. Elle est limitée à l'O. par la Norvège*, au N.-E. par la Finlande*, et baignée à l'E. par la Baltique*, au S.-O. par l'Øresund*, le Kattegat* et le Skagerrak*. Elle comprend aussi les îles d'Öland* et de Gotland*. 449 750 km². 8 200 000 hab. (1975) [*Suédois,* dont 209 000 Finnois et env. 10 000 Lapons]. *Cap.* Stockholm*. *V. princ.* **V. Borås, Eskilstuna, Falun, Gällivare, Gävle, Göteborg, Halmstad, Hälsingborg, Härnösand, Jönköping, Kalmar, Karlskoga, Karlskrona, Linköping, Luleå, Lund, Malmö, Motala, Norrköping, Örebro, Östersund, Skellefteå, Södertälje, Sundsvall, Trollhättan, Uddevalla, Umeå, Uppsala, Västerås, Växjö.** – *Langue :* suédois. *Religion* luthérienne. – Le royaume est divisé en 24 comtés (*län*). – *Orogr.* Les Alpes scandinaves, au N.-O. du pays, forment une chaîne d'altitude peu élevée (en moyenne 1 300 m) où culminent quelques montagnes aux formes arrondies (Kebnekaise, 2 123 m). Plus à l'E., un vaste plateau portant quelques collines isolées descend en pente douce vers le golfe de Botnie*. Une étroite plaine côtière lui succède. Les vallées fluviales, surcreusées par les glaciers qui ont aussi laissé de nombreux lacs, forment des lignes presque parallèles, d'orientation N.-O.–S.-E. (Pite* älv, Ume* älv, Angermanälven*). La Suède centrale et méridionale est une région de plaines (Svealand*) et de plateaux (Småland*) dont la monotonie est rompue par de grands lacs (Vänern*, Vättern*, Mälar*). À l'extrême S., la Scanie, dont le relief s'apparente à celui du Danemark, est formée d'une série de plaines basses et fertiles. À l'exception de la côte scanienne, le littoral est extrêmement découpé et bordé de nombreux îlots. – *Climat.* À cause de la présence des montagnes scandinaves, la Suède bénéficie peu des influences atlantiques adoucissantes. Les amplitudes thermiques sont élevées; la température moyenne varie entre – 21,1 °C en janvier et 10,8 °C en juillet à Karesuando (Laponie), entre – 2,3 °C et 16,5 °C à Göteborg*. Seules les côtes méridionales sont libres de glaces en hiver. Les précipitations sont peu abondantes et diminuent vers le N. et l'E. : 340 mm (principalement sous forme de neige) annuellement à Karesuando et 742 mm à Göteborg. *Végétation.* La forêt couvre plus de la moitié de la surface du pays : conifères et bouleaux dans le Norrland* et la Dalécarlie*, chênes et hêtres en Suède centrale. Dans l'extrême N., la forêt fait place à la toundra. – *Écon.* Le climat ne favorise guère l'agriculture qui n'occupe que 7 % des terres et est concentrée en Scanie* et autour des grands lacs. Les céréales forment la majeure partie des cultures : betterave à sucre (2 111 000 t en 1975), orge (1 956 000 t), avoine, pomme de terre, blé. La production couvre 80 % des besoins du pays. L'élevage est en progression : on comptait 1 910 000 bovins en 1975, 2 419 000 porcins (dont une partie est exportée sous forme de viande congelée), 402 000 ovins. Les chevaux sont en régression (69 000 têtes en 1968). La production de viande s'accroît (420 000 t en 1975), alors que celle des produits laitiers semble rester stable (3 186 000 t). Rennes de Laponie. – La pêche n'est qu'une activité secondaire (210 700 t en 1974), pratiquée principalement dans l'archipel du Bohuslän et dans la Baltique (harengs, morues, maquereaux). – Le bois est une ressource essentielle pour la Suède qui pratique une politique de reconstitution des forêts. L'aménagement des routes forestières vise à remplacer le système de flottage encore prédominant. La forêt fournit principalement du bois d'œuvre (57 900 000 m³ en 1973) et de la pâte à papier (5 204 000 t). Les ressources minières sont importantes : jusqu'au milieu du XVIIIe s., la Suède assurait une grande partie de la production mondiale de fer, grâce aux gisements du Bergslagen* et à ceux de Laponie (Kiruna*, Gällivare*, Svappavaara). Production totale : 20 726 000 t en 1975. Les gisements non ferreux sont exploités dans la région de Skelleftea*-Boliden (cuivre, plomb, zinc, or, argent, manganèse, etc.), à Lajsvall (plomb). Les immenses ressources hydro-électriques ne sont encore que partiellement exploitées (59 milliards de kWh/an). *Les industries* sont en grande partie liées à ces ressources : indus. du bois et de ses dérivés (scieries, pâte à papier, cellulose), situées principalement sur la côte du golfe de Botnie (Sundsvall*) et dans la région des grands lacs. L'indus. métallurgique est particulièrement développée

Suède.

(5 630 000 t d'acier en 1975) : sidérurgie (dans le Bergslagen*) productrice d'aciers fins, transformation des métaux non ferreux (Västerås*, Rönnskär). Indus. mécanique et matériel électrique (employant 40 % de la population active) : quincaillerie et outillage à Eskilstuna*, roulements à billes à Göteborg*, écrémeuses, équipements frigorifiques, appareils électro-ménagers, automobiles (318 000 en 1975) et avions (Trollhättan*, Linköping*). Constructions navales sur la côte O. (Göteborg, Malmö*). L'indus. chimique, en général issue d'autres activités, comme de la fabrication de pâte à papier, est en pleine expansion : acide sulfurique (603 600 t en 1968), superphosphates, matières plastiques, allumettes, etc. L'indus. textile, concentrée dans la région de Borås*, et l'indus. du cuir (Örebro) sont en régression. Indus. du caoutchouc à Malmö* et Hälsingborg*. – *Commerce.* La prospérité économique de la Suède dépend dans une large mesure des échanges commerciaux. Le pays exporte principalement des produits issus des indus. mécaniques (40 %) et des matières premières indus. et importe également des produits manufacturés, des machines et véhicules, des produits alimentaires et des matières premières. Ce commerce s'effectue par les ports de Göteborg*, Stockholm*, Malmö*, Hälsingborg*, les principaux partenaires de la Suède étant l'Allemagne, le Royaume-Uni, les États-Unis, le Danemark et la Norvège. – *Transports.* Le réseau routier, déjà dense (97 507 km), est en constante progression, faisant passer le réseau ferroviaire (12 400 km) au second plan. Le pays possède plusieurs aéroports

internationaux (Stockholm-Arlanda, Göteborg-Torslanda). – *Le tourisme* est devenu une ressource économique substantielle (1 700 000 touristes en 1969). – Patrie de : S. Andrée*, A. Angström*, S. Arrhenius*, J. Baner*, T. Bergman*, J. Berzelius*, A. Celsius*, Charles* IX, XI, XII, XIII, XV, G. De* Laval, V. Ekelund*, Engelbrekt* Engelbrektsson, J. Ericsson*, A. Gullstrand*, Gustave* Ier Vasa, Gustave* II Adolphe, Gustave* III, Gustave* IV Adolphe, Gustave* V, Gustave* VI Adolphe, D. Hammarskjöld*, I. Bergman*, E. Karlfeldt*, P. Lagerkvist*, S. Lagerlöf*, O. Levertin*, P. Ling*, C. Linné*, J. Lundström*, G. Myrdal*, Olaus* Petri, A. Roslin*, O. Rudbeck*, J. Rydberg*, C. Scheele*, M. Siegbahn*, V. Sjöström*, G. Stiernhielm*, E. Tegner*, L. Torstensson*, G. Wrangel*, A. Zorn*. **V.** *aussi* **Stockholm.** ♦ *Hist.* Habitée dès le début du néolithique, la Suède connaissait en ~ 3000 un peuplement sédentaire. Au Ier s., selon Tacite, les Syear *(Suiones),* navigateurs, vivaient dans la partie septentrionale du pays, tandis qu'au S. étaient établis les *Göter,* origine probable des Goths. Le Nord acquit sur le Sud une supériorité qui se poursuivit jusqu'au VIe s., mais le royaume théocratique qui s'y était constitué s'apparentait davantage à une fédération qu'à une véritable union. Comme l'atteste l'archéologie, le pouvoir central, resté faible, s'exerçait à Uppsala et était entouré d'une riche aristocratie, tandis que le commerce, très florissant, avait pour centre Birka. Du VIIe au Xe s., les Suédois devaient rapidement s'étendre vers l'Est, d'abord autour de la mer Baltique, puis à travers la Russie **(V. Varègues),** jusqu'à la mer Caspienne : dès 860, ils étaient présents à Constantinople. Ils assuraient le commerce avec l'Occident, dont l'influence se fit déterminante à partir du XIe siècle. En effet, si la christianisation avait débuté en 830 (Angsar à Birka), elle ne s'établit réellement qu'au XIe s. avec les premiers rois chrétiens (Olav* Skötkonung), et surtout au XIIe s. avec Éric* IX (saint Erik), dont la croisade contre la Finlande échoua. Elle devait cependant rester lente, et l'esclavage existait encore au XIVe siècle. L'annexion de la Finlande fut accomplie au XIIIe s. par Birger* Jarl, chef de la dynastie des Folkkungar; ceux-ci prirent Stockholm pour capitale. Le XIVe s. fut agité par les troubles dynastiques. Ceux-ci permirent à la noblesse et au clergé de développer leur puissance (fondation du *Riksråd,* conseil adjoint au roi et recruté dans les plus grandes familles), au point qu'ils purent déposer successivement Magnus* Eriksson et Haakon* VI. L'avènement d'Albert de Mecklembourg (1364) manifesta l'importance de la Hanse*, établie principalement dans l'île de Gotland, et assurant tout le commerce suédois du fer et du cuivre. – En 1389, l'Union de Kalmar **(V. Kalmar)** réalisée par Marguerite* Valdemarsdotter, veuve d'Haakon VI, devait permettre aux pays scandinaves de lutter contre cette emprise, mais le danger économique de cette politique et la tendance autoritaire que manifesta alors la monarchie danoise la rendirent impopulaire, sauf dans la haute aristocratie : en 1439, Éric* XIII de Poméranie fut chassé du trône par une révolution populaire des districts miniers, conduite par Engelbrekt* Engelbrektsson, qui réunit le premier *Riksdag* (assemblée nationale). Les révoltes, revêtant toujours un caractère à la fois national et social, se poursuivirent pendant tout le XVe s., faisant souvent appel à l'intervention étrangère et imposant contre les monarques danois des régents suédois ou allemands : Christophe de Bavière, Karl Knutsson, Sten Sture* l'Ancien, Sten Sture* le Jeune. L'écrasement des partisans de ce dernier par Christian* II de Danemark, lors du « bain de sang » de Stockholm (1520), allait provoquer un sursaut définitif. Malgré les troubles qui les avaient agités, le XVe et le XVIe s. avaient vu en Suède l'épanouissement d'une civilisation (université d'Uppsala, production littéraire, apparition de l'imprimerie) qui la préparait au rang de grande puissance européenne auquel elle allait accéder. – La révolte de Gustave Vasa **(V. Gustave Vasa)** chassa en effet les Danois, et l'adoption de la Réforme lui permit de confisquer les biens ecclésiastiques, tandis que la royauté héréditaire était établie, et l'influence économique allemande éliminée. Son règne vit le commencement de la lutte avec le Danemark, la Russie et la Pologne pour la domination de la Baltique, lutte qui allait se poursuivre sans résultats sous ses successeurs Éric* XIV, Jean* III et Charles* IX, dont les règnes furent agités par les questions religieuses. Cette lutte devait être menée à bien par Gustave Adolphe **(V. Gustave Adolphe),** dont l'intervention dans la guerre de Trente* Ans plaça la Suède au premier plan de la politique européenne. Son œuvre fut poursuivie par son chancelier Oxenstierna*, sous le règne de Christine*. Les besoins d'argent dus à la guerre avaient amené la couronne à aliéner ses terres, renforçant ainsi l'aristocratie. Le problème de la « réduction », réclamée par les autres ordres, agita le règne de Christine, puis celui de son successeur Charles* X de Palatinat-Deux-Ponts. Une réduction partielle et la création de la Banque de Palmstruch restèrent sans effet en raison de la poursuite de la guerre : l'empire suédois était fragile face aux attaques des pays slaves. Charles* XI, qui renforça l'absolutisme, ne put maintenir l'intégrité de ses possessions que grâce à l'intervention de Louis XIV. Charles XII, qui parvint d'abord, par son extraordinaire talent militaire, à triompher d'une coalition comprenant la Russie, le Danemark et la Pologne, fut écrasé par Pierre* le Grand à Poltava*, et la Suède perdit la quasi-totalité des conquêtes de Gustave Adolphe. **(V. Charles XII).** – L'absolutisme suivit l'empire dans sa chute. Une constitution qui établissait l'autorité du *Riksdag* fut imposée au nouveau souverain Frédéric* Ier (de Hesse) et la vie politique fut agitée par la lutte entre le parti des « Chapeaux » et celui des « Bonnets* ». Le chancelier Horn*, qui appartenait aux Bonnets, fit connaître à la Suède un rapide essor économique : sa politique protectionniste encouragea l'industrie, le commerce se développa (Compagnie suédoise des Indes orientales), et l'agriculture bénéficia du mouvement de remembrement et de la libre circulation des grains. Ces progrès furent accompagnés par un accroissement démographique. Cependant, les Chapeaux, revenus au pouvoir, amenèrent leur pays à des guerres désastreuses contre la Prusse et la Russie. L'ordre ne fut rétabli que par le coup d'État de Gustave III **(V. Gustave III),** qui, appuyé par l'armée et par le peuple, restaura l'autorité de la monarchie tout en se conformant à l'idéal du « despotisme éclairé ». Son règne vit l'apogée de la vie intellectuelle en Suède (Linné*, Celsius*, Scheele*, Swedenborg*). L'opposition aristocratique y mit bientôt fin par l'assassinat du roi. Gustave* IV Adolphe se laissa entraîner dans les guerres napoléoniennes, et fut renversé au profit de Charles* XIII, qui accepta une nouvelle constitution instaurant la séparation des pouvoirs, et fit de Bernadotte, futur Charles XIV, son héritier. Celui-ci, par son entrée en guerre aux côtés des alliés, obtint la cession de la Norvège (1814; l'union entre les deux pays devait se poursuivre jusqu'en 1905 : **V. Norvège).** À l'extérieur, Bernadotte adopta une politique de neutralité. À l'intérieur, l'opposition libérale le contraignit en 1840 à une réforme constitutionnelle. **V. Charles XIV.** Neutralité et libéralisation se poursuivirent à travers tout le XIXe s., sous les règnes d'Oscar* Ier, de Charles* XV et d'Oscar* II, favorisant la modernisation rapide du pays à partir de 1850. Cette évolution fut particulièrement sensible dans l'accroissement du commerce extérieur (grâce aux ressources forestières, à la métallurgie) qui aboutit au libre-échange. La réforme du *Riksdag* en 1866 accrut la puissance du parti paysan. Celui-ci parvint au pouvoir avec Posse. Cependant, le progrès industriel et le malaise paysan de la fin du siècle, qui entraînèrent une forte émigration vers les États-Unis, s'accompagnèrent d'une précoce évolution sociale (Branting*, création de la Confédération générale des syndicats). Elle devait aboutir en 1918 à l'établissement du suffrage universel, comblant le retard des institutions politiques. Gustave* V confia le pouvoir au parti social-démocrate qui devait le conserver de 1920 à 1923, et après les événements sanglants d'Ådalen (1931), les sociaux-démocrates s'attachèrent à supprimer le chômage et à réduire les différences sociales par une abondante législation. Leur politique étrangère fut dominée par un souci de neutralité, conservé même pendant les deux guerres mondiales, et qui entraîna pour la Suède, membre de l'O.N.U. et du Conseil de l'Europe, le refus d'adhérer à l'O.T.A.N. En 1976, après quarante-quatre ans de régime social-démocrate, les élections furent remportées par l'oppostion libérale et conservatrice. Le président du parti centriste, Thorbjorn Fälldin, devint alors Premier ministre.

SUESS (Hans Edward). ♦ Physicien et chimiste américain d'origine autrichienne (Vienne, 1909). **V. Haxel** et **Jensen.**

SUÉTONE (Caius Suetonius Tranquillus). ♦ Biographe latin (Rome, v. 70 – après 128). Homme d'études, il s'adonna toute sa vie à des recherches érudites. Secrétaire *ab epistulis* (chargé de la correspondance) d'Hadrien* (v. 120), il eût accès aux archives du Palatin et écrivit les *Vies des douze césars,* biographies anecdotiques des empereurs, œuvre où la critique est inexistante, mais source d'information inestimable. Il est aussi l'auteur du *De viris illustribus (Sur les hommes illustres),* recueil de biographies érudites qui annoncent les commentaires du Moyen Âge.

SUETONIUS PAULINUS (Caius). ♦ Général romain du Ier siècle. Après une expédition contre les Maures, au cours de laquelle il traversa l'Atlas et le Sahara marocain jusqu'à l'actuel oued Ghir (42), il vainquit les habitants de la Bretagne (59-61).

Arch. Rencontre

Suède : usine de pâte à papier sur l'Ångermanälven.

Ph. Nino Cirani/Ricciarini

Complexe industriel aux environs de la ville de **Suez.**

SUÈVES, *n. m. pl.*, en lat. **Suebi** ou **Suevi**. ♦ Peuple germanique établi à l'E. de l'Elbe puis entre Rhin et Danube, en Souabe, au ~ IIe siècle. Ils franchirent le Rhin en 406 lors des grandes invasions et arrivèrent en Espagne (409). Refoulés par les Vandales v. 428-429, ils s'établirent principalement en Galice et se convertirent au christianisme. Le royaume suève fut annexé par le roi des Wisigoths Léovigild* v. 585.

SUEZ, en ar. **al-Suways**. ♦ V. et port d'Égypte, sur la mer Rouge, au fond du golfe de Suez, à l'entrée du canal de Suez. Ch.-l. de gouvernorat sur le djebel Ataka. 315 000 hab. Le complexe portuaire de Port-Tawfiq et Port-Ibrâhîm compte des raffineries de pétrole et des industries chimiques. Embarquement à destination de Djeddah et de La Mecque.

SUEZ *(golfe de)*. ♦ Bras nord-occidental de la mer Rouge, entre l'Égypte (Afrique) et la presqu'île du Sinaï (Asie), d'une longueur de 314 km sur une largeur maximale de 56 km, au fond duquel débouche le *canal de Suez.*

SUEZ *(isthme de)*. ♦ Bande de terre désertique et plate, d'une longueur de 160 km env. et s'étendant entre la Méditerranée au N., et la mer Rouge au S., percée depuis 1860 d'un canal. **V. Suez** *(canal de)*.

SUEZ *(canal de)*. ♦ Canal maritime situé en territoire égyptien, unissant, de Suez à Port-Saïd, à travers l'*isthme de Suez*, la mer Rouge à la Méditerranée. Son tracé rectiligne utilise les dépressions naturelles des lacs Amers, Ballah et Timsah. C'est un canal sans écluses, long de 161 km, large de 40 à 100 m et profond de 12 m, permettant le passage de navires de fort tonnage (jusqu'à 90 000 t). Son rôle économique est capital : réduction considérable de la distance entre l'Europe et l'Asie en évitant de passer par Le Cap (diminution de 44 % entre Londres et Bombay), et seconde ressource économique de l'Égypte (après le coton). Le développement du trafic est étroitement lié à l'exploitation des zones pétrolifères du golfe Persique (133 millions de t en 1963). Le pétrole représentant les deux tiers du trafic total, les céréales et les matières premières formant le dernier tiers. Les principaux utilisateurs du canal sont, par ordre d'importance, la Grande-Bretagne, le Libéria, la France, la Norvège, les Pays-Bas et l'Italie. Le passage du canal a favorisé le développement des villes de Suez*, Ismaïlia* et Port*-Saïd. ♦ *Hist.* À l'époque pharaonique, Sésostris* Ier *(déb.* ~ XXe s.) aurait fait construire un canal d'eau douce reliant le delta du Nil à la mer Rouge (près de l'actuel port de Suez). Restauré par Néchao* II (~ 609-~ 594), puis par le conquérant perse Darios* Ier (v. ~ 518), il fut par la suite ensablé et ne fut remis en état que sous les Ptolémées*. De nouveau abandonné, il fut réaménagé par le général arabe 'Amr* ibn al-As afin de faciliter l'acheminement du blé de la vallée du Nil vers Médine et La Mecque. Il fut définitivement délaissé au VIIIe s. sur l'ordre du calife al-Mansûr*, pour des raisons militaires (c'est sur son tracé que Ferdinand de Lesseps* construira un canal, en vue d'alimenter en eau douce les villes situées dans l'isthme). Après la découverte du cap de Bonne-Espérance et l'appropriation de la route des Indes par le Portugal (XVe-XVIe s.), les Vénitiens, privés de leur rôle de distributeur des produits asiatiques en Europe, eurent l'idée de relier la mer Rouge à la Méditerranée, mais rien ne fut entrepris. Aux XVIIe et XVIIIe s., pour concurrencer la suprématie hollandaise, puis anglaise sur l'océan Indien, la même idée fut suggérée en France. Et quand Bonaparte occupa l'Égypte (1798), il ordonna à un groupe d'officiers et d'ingénieurs d'élaborer un projet de canal reliant les deux mers. J.M. Lepère projeta un tracé d'Alexandrie à Suez. Plus tard, Linant, ingénieur français travaillant pour Muhammad*-'Ali, démontra la possibilité d'un tracé direct à travers l'isthme, solution qu'adopta Ferdinand de Lesseps, consul de France à Alexandrie (1834-1835). Forcé d'abandonner sa carrière diplomatique (1849), il retourna en Égypte quand son ami Sa'îd* Pacha devint vice-roi (1854). Il reprit alors le projet de Linant, le précisa et consacra le reste de sa vie à sa réalisation, après avoir obtenu de Sa'id un acte de concession (1856). Il fonda ainsi la *Compagnie universelle du canal maritime de Suez*, avec un capital originel de 200 millions de francs. Encouragé par Napoléon III, il fit commencer les travaux en avril 1859. Fort du soutien de Sa'îd, qui lui fournit une main-d'œuvre gratuite de 20 000 hommes, Lesseps continua les travaux malgré les pressions de l'Angleterre, inquiète de perdre sa suprématie sur la route des Indes. Mais, profitant de l'avènement d'Isma'îl* Pacha (1863), l'Angleterre put obtenir la suspension des travaux, le sultan refusant de fournir une main-d'œuvre gratuite. Les travaux ne purent reprendre qu'après la médiation de Napoléon III, qui conseilla le paiement des ouvriers et l'utilisation des machines (mars 1866). Une fois achevé, l'ouvrage fut inauguré par l'impératrice Eugénie (1869). Les débuts de l'exploitation furent difficiles et la faillite fut évitée de justesse (1872). Ayant acheté les titres d'Isma'îl, l'Angleterre devint le principal actionnaire de la compagnie (nov. 1875), et, pour préserver ses intérêts, elle fut amenée à occuper militairement l'Égypte (1882). Le statut international du canal, réglé par la convention d'Istanbul (oct. 1888), exige son ouverture aux navires marchands de tous les pays en temps de paix comme en temps de guerre. Le canal eut un important rôle stratégique pendant la Première Guerre mondiale et l'Angleterre y installa ensuite des bases navales. Il fut bombardé en 1940 par les forces italiennes et allemandes ; mais tout danger d'occupation fut écarté après la victoire de Montgomery* sur Rommel à El Alamein. Après l'avènement de Nasser, les accords antérieurs concernant la zone du canal furent contestés, et l'évacuation des troupes anglaises obtenues (1956). À la suite de la nationalisation du canal par Nasser (26 juil. 1956), Israël défit l'armée égyptienne, et l'Angleterre et la France occupèrent militairement la région nord du canal. Mais la crainte d'une intervention de l'U.R.S.S. et des États-Unis amena l'arrêt des opérations, puis l'évacuation des troupes occupantes. Rouvert à la navigation après les accords de Rome (avr. 1958), le canal fut de nouveau fermé après la guerre de juin 1967 et l'occupation de sa rive orientale par l'armée israélienne, jusqu'au 5 juin 1975.

SUFFOLK (William de la Pole, *4e comte* puis *1er duc de)*. ♦ Homme politique et diplomate anglais (1396 — 1450). Il défendit Orléans contre Jeanne d'Arc, mais dut lever le siège (1429). Il devint le principal ministre d'Henri VI d'Angleterre (1445). Pour avoir tenté de faire la paix avec la France, il fut banni et assassiné.

SUFFOLK. *n. m.* ♦ Comté du S.-E. de l'Angleterre (East Anglia), bordé à l'Est par la mer du Nord. On distingue : le *Suffolk oriental (East Suffolk)* 2 256 km². 376 200 hab. *Ch.-l.* Ipswich*. et le *Suffolk occidental (West Suffolk)*. 1 582 km². 164 201 hab. *Ch.-l.* Bury*-Saint-Edmunds. *V. princ.* Lowestoft*, Newmarket*. La région forme une grande plaine fertile vouée à la culture extensive des céréales, de fourrage, de betterave sucrière et où l'on pratique l'élevage de chevaux et de bovins. Une centrale nucléaire a été édifiée à Sizewell. — Patrie de Thomas Gainsborough*.

SUFFREN de Saint-Tropez (Pierre André *de*, dit **le bailli de SUFFREN)**. ♦ Marin français (château de Saint-Cannat, près d'Aix-en-Provence, 1729 — Paris, 1788). Après avoir servi dans la marine royale (1743-1748, en particulier lors de la bataille de Toulon, 1744), il entra dans l'ordre de Malte, dont il fut successivement chevalier, commandeur et bailli. Revenu dans la marine royale, il prit part à l'expédition de Minorque (1756) et fut fait prisonnier par les Anglais (bataille de Lagos, 1757). Il combattit ensuite au Maroc (1767), puis, sous les ordres de d'Estaing, se distingua lors de la guerre d'Indépendance des États-Unis (combat de Grenade, 1779 ; combat du cap Saint-Vincent où il captura plusieurs bâtiments anglais, 1780 ; Porto-Praya, îles du Cap-Vert, où il fit subir de lourdes pertes à l'escadre de Johnstone, 1781). Il guerroya ensuite dans les mers de l'Inde (golfe du Bengale), où il succéda au comte d'Orves (1782) comme commandant de la flotte. Tout en apportant une aide à l'allié de la France Haydar 'Ali, il infligea plusieurs défaites aux Anglais, et, revenu en France (1783) après la signature de la paix de Versailles, il fut promu vice-amiral (1784). Le *Journal de bord du bailli de Suffren dans l'Inde* fut publié en 1888.

SUGER [syʒɛr]. ♦ Moine et homme politique français (v. 1081 — Saint-Denis, 1151). Condisciple et ami de Louis* VI, il fut son ambassadeur auprès de la papauté. Après son élection comme abbé de Saint-Denis (1122), il resta son conseiller puis devint celui de son fils Louis* VII qui lui confia la régence du royaume à son départ pour la croisade (1147-1149). Il développa l'autorité royale en favorisant la naissance des communes urbaines contre le pouvoir des nobles, et assura une meilleure justice. Avant sa mort, il s'opposa à la répudiation d'Aliénor* d'Aquitaine, qui contrariait sa politique d'agrandissement du royaume. Il fit reconstruire l'église de Saint-Denis (1144). Auteur d'ouvrages historiques dont une vie de Louis VI et une vie de Louis VII *(Vita Ludovici regis, Historia gloriosi regis Ludovici)*.

SUHARTO. ♦ Général et homme politique indonésien (Djogjakarta, 1921). Ministre de la Guerre en 1965, il combattit les communistes et obligea Sukarno* à lui céder le pouvoir (1967). Il fut élu président de la République indonésienne en 1968.

SUHL. ♦ V. d'Allemagne orientale (Thuringe) et ch.-l. de district au cœur du Thüringer Wald. 28 180 hab. (1964). Nœud ferroviaire et centre industriel (armes et cycles, matériel de précision et jouets). — *Le district de Suhl* (3 856 km², 548 950 hab.) s'étend de la lisière du *Thüringer Wald* à la haute vallée de la Werra.

SUHRAWARDI. ♦ Poète persan de langues persane et arabe (? — 1191). Grand mystique se réclamant de Hallâj*, il fut exécuté, comme son prédécesseur, par les pouvoirs publics. Il mêla dans son œuvre les doctrines platoniciennes aux mythes de l'ancien Iran.

SUI [*Souei*]. ♦ Dynastie chinoise fondée en 581. Elle reconquit la Chine du S. et commença de réaliser l'unification de la Chine. Elle n'eut que trois empereurs et fut remplacée en 618, après une courte période d'anarchie, par la dynastie des T'ang*.

Suidas *(lexique de)*. ♦ Lexique byzantin composé probablement à la fin du Xe s. ou au début du XIe s. par un écrivain inconnu. Particulièrement précieux pour l'étude de la littérature païenne, il contient des renseignements lexicographiques sur des écrivains, des notices bibliographiques et des fragments d'œuvres disparues.

SUIPPES. *n. f.* ♦ Riv. du Bassin parisien (83 km), affl. r. g. de l'Aisne*, qui prend naissance en Champagne pouilleuse.

SUIPPES. ♦ Ch.-l. de cant. de la Marne, arr. de Châlons-sur-Marne, sur la Suippe. 4 252 hab. Église (XIIe-XVe s.). Champ de tir (camp militaire créé en 1928). Indus. textiles (tricot), mécaniques et métallurgiques (bronze).

SUISSE ou **CONFÉDÉRATION HELVÉTIQUE**, *n. f.*, en all. **Schweiz**, en it. **Svizzera**. ♦ République fédérale de l'Europe centrale, limitée par l'Allemagne au N., l'Autriche et le Liechtenstein à l'E., l'Italie au S.-E. et au S., la France au S.-O., à l'O. et au nord-ouest. — 41 288 km². 6 400 000 hab. *(Suisses)*. *Langues :* allemand (69,3 %), français (18,9 %), italien (9,5 %), romanche (0,9 %). *Religions :* protestante (52,7 %) et catholique (45,4 %). *Cap.* Berne*. — La Suisse est formée de vingt-trois cantons (dont trois sont divisés en demi-cantons). **V. Appenzell** (divisé en Rhodes-Extérieures [*ch.-l.* Trogen] et Rhodes-Intérieures [*ch.-l.* Appenzell]), **Argovie** (Aarau), **Bâle** (divisé en Bâle-Ville [Bâle] et Bâle-Campagne [Liestal]), **Berne** (Berne), **Fribourg** (Fribourg), **Genève** (Genève), **Glaris** (Glaris), **Grisons** (Coire), **Jura suisse** (référendum de 1974 décidant sa création en 1977), **Lucerne** (Lucerne), **Neuchâtel** (Neuchâtel), **Saint-Gall** (Saint-Gall), **Schaffhouse** (Schaffhouse), **Schwyz** (Schwyz), **Soleure** (Soleure), **Tessin** (Bellinzona), **Thurgovie** (Frauenfeld), **Unterwald** (divisé en Nidwald [Stans] et Obwald [Sarnen]), **Uri** (Altdorf), **Valais** (Sion), **Vaud** (Lausanne), **Zoug** (Zoug), **Zurich** (Zurich). *Autres V. et stations,* voir aux cantons. — *Orogr.* La Suisse présente deux chaînes de montagnes orientées du S.-O. au N.-E., les Alpes et le Jura, et séparées par une dépression : le *Mittelland* (« pays du milieu ») ou plateau suisse. — 1° *Les Alpes** couvrent 24 256 km², soit 58,5 % de la superficie du pays dont elles constituent la partie méridionale. On y distingue les Alpes et les Préalpes. *Les Alpes* sont composées essentiellement par les *Alpes du Valais* ou *Alpes pennines* dont les sommets culminent à plus de 4 000 m (Grand Combin*, 4 314 m ; Cervin*, 4 478 m ; mont Rose*, 4 638 m) et qui communiquent par de nombreux cols avec la France (col de la Forclaz*, col de Balme*) et l'Italie (Grand-Saint*-Bernard, Simplon*) ; *les Alpes du Tessin* (massif du Saint*-Gothard) et les *Alpes des Grisons* (Adula*, 3 402 m ; Bernina*, 4 052 m) qui communiquent avec l'Italie par les cols San* Bernardino et du Splügen*. Les *Préalpes* bordent les Alpes au N., du lac Léman au lac de Constance. Elles comprennent les *Alpes bernoises* **(V. Aar** [massif de l'], **Oberland bernois)** et les *Alpes de Glaris* (Tödi*, 3 620 m ; Säntis*, 2 502 m). Les Alpes sont entaillées par deux sillons longitudinaux : la haute vallée du Rhône*, qui se dirige vers l'O. à travers le Valais (lac Léman) et celle du Rhin* ou *Rheinthal,* qui coule vers le N.-E., au N. des Alpes des Grisons (vers le lac de Constance). — 2° Le *Mittelland,* étroite bande située entre les Alpes au S. et le Jura au N., couvre 12 649 km², soit 31,5 % de la superficie du pays, mais groupe les deux tiers de la population. Il est formé de collines et de plateaux dont l'altitude varie entre 400 et 800 m. — 3° *Le Jura* s'étend sur 4 113 km², soit 10 % de la superficie du pays. On y distingue trois zones : au S. le *Jura vaudois* et *neuchâtelois,* le plus élevé, au centre le *Jura bernois,* dominant le lac de Bienne et la vallée de l'Aar, au N. le *Jura argovien.* — *Hydrogr.* **V. Aar, Borgne, Dixence, Drance, Emme, Inn, Linth, Orbe, Reuss, Rhin, Rhône, Sarine, Tessin, Thièle, Thur, Viège.** *Lacs.* **V. Bienne, Brienz, Constance, Joux, Léman, Lugano, Majeur, Neuchâtel, Quatre-Cantons, Thoune, Zoug, Zurich.** — *Climat.* La Suisse possède un climat continental (hivers rigoureux et neigeux, étés chauds et orageux). Mais les nuances climatiques sont nombreuses : hivers secs et étés pluvieux dans les Alpes, climat humide et frais avec brouillard et précipitations abondantes dans le Mittelland. Des variations locales accusées donnent une multitude de microclimats : temps sec et ensoleillé dans le Valais et l'Engadine, climat plus doux dans le S. du Tessin (région des lacs). — *Écon.* Pays montagneux, presque totalement dépourvu de ressources naturelles et sans débouchés maritimes, la Suisse a pourtant su tirer parti de sa neutralité pour devenir une importante puissance économique. Le sol, en majeure partie montagneux, ne favorise pas l'*agriculture.* Les terres cultivables ne couvrent que le quart du pays. L'agriculture n'emploie que 10 % de la population et ne répond qu'à 50 % des besoins alimentaires du pays. La culture principale est celle des céréales : blé (320 000 t) dans les cantons de Genève, de Vaud, de Fribourg et de Berne ; orge et seigle dans les régions montagneuses ; maïs dans le Tessin, la vallée du Rhin et sur les rives du Léman. La pomme de terre est avec le blé une des ressources essentielles. Betterave à sucre dans la vallée de l'Orbe, cultures maraîchères dans le Valais, tabac dans la vallée de la Broye et le Tessin. L'arboriculture est en extension : abricots, dans le Valais ; pommes, poires, dans le canton de Thurgovie (cidre). La vigne couvre 11 900 ha et produit 1 267 000 hl de vin. Elle s'étend principalement sur les bords du lac Léman, du lac de Neuchâtel et du lac de Zurich, dans le Valais (fendant, dôle) et dans le Tessin (mezzana, nostrano). Mais les principales ressources économiques sont l'élevage et la production laitière. Les pâturages occupent 46 % de la superficie du pays. Les bovins (1 975 000 dont 900 000 vaches laitières) sont de races réputées : race « brune » des Alpes, race à « taches rouges » (Simmenthal) ou à « taches noires » (Fribourg). La production de lait (3 377 000 t) est destinée à la fabrication de fromage gras à pâte dure (102 000 t), tels le gruyère, l'emmenthal, le sbrinz ou l'appenzell, de beurre (34 000 t), de lait condensé et de chocolat. La sylviculture est en régression (23,7 % de la surface du territoire). Elle prédomine dans le Jura et dans la région alpine (4 000 000 de m³ de bois par an). — *L'industrie* emploie 50 % de la population active et connaît un essor considérable malgré le manque de matières premières. Le sous-sol est pauvre en minerai à l'exception de quelques mines de sel (à Bex, et près de Bâle), du fer et du manganèse exploités dans le Jura. L'absence de sources d'énergie minérales est compensée par l'abondance d'énergie hydro-électrique (27,7 milliards de kWh par an). Les centrales (plus de 370) ont été construites dans la région alpine : les plus importantes sont celles de la Grande-Dixence, sur la Dixence (1 680 000 kWh), Oberhasli, sur l'Aar (1 506 000 kWh), Hinterrhein, sur le Rhin postérieur (1 423 000 kWh), Maggia dans le Tessin (1 335 000 kWh), Engadine, sur l'Engadine (1 004 000 kWh). Les rivières de plaine ont aussi reçu des usines au fil de l'eau. La métallurgie est très insuffisante (445 000 t d'acier). Seule la production de l'aluminium s'est développée (79 000 t) : usines à Chippis **(V. Sierre)**, Steg et Neuhausen. L'industrie mécanique et l'appareillage de précision, de réputation mondiale, tiennent une place primordiale et croissante dans l'économie suisse. Les industries, surtout tournées vers l'exportation, emploient deux cinquièmes de la population active. Les principales productions sont le matériel textile, ferroviaire et électrique (Genève, Zurich, Winterthur, Neuhausen, Örlikon, Baden) ; la mécanique de précision (matériel photographique, optique, géodésique) à Genève, Yverdon, Neuchâtel, Schaffhouse, Zurich, et l'horlogerie. Celle-ci reste l'activité industrielle la plus réputée. Implantée à Genève et dans le Jura (Le Locle, La Chaux-de-Fonds, Saint-Imier, Porrentruy, Moutier, Bienne, Soleure), elle fournit 42 % de la production mondiale mais n'en détient plus le monopole : elle est concurrencée par la fabrication de montres de qualité inférieure mais moins chères (États-Unis). L'industrie textile située dans les cantons de Thurgovie, Saint-Gall, Glaris et Appenzell, est en régression (10 % des exportations). L'industrie chimique, au contraire, est en expansion constante. Localisée autour de Bâle, elle est essentiellement tournée vers la fabrication de colorants et de produits pharmaceutiques. Les industries alimentaires (chocolat, fromage, bière) sont réputées. Les industries de la chaussure, les papeteries, les manufactures de tabac et les industries graphiques tiennent également une place importante dans l'économie du pays. — *Transports.* Véritable plaque tournante de l'Europe, la Suisse dispose d'un réseau ferroviaire de 2 913 km, assurant la liaison entre la France, l'Allemagne, l'Italie et l'Autriche. Les lignes principales sont celles du Simplon (Paris-Milan), du Saint-Gothard (Bâle-Zurich-Milan) et du Loetschberg (de Berne à la ligne du Simplon). Le réseau routier représente 58 148 km, dont 474 km d'autoroute (1973). Tunnel du Grand-Saint-Bernard. La Suisse est en contact avec le trafic maritime par le port fluvial de Bâle (8 189 000 t). Le trafic aérien, notamment par les aérodromes de Genève-Cointrin, Zurich-Kloten, Bâle et Berne, est assuré en majeure partie par la *Swissair.* — *Commerce.* Les échanges commerciaux se font surtout avec les pays du Marché commun et avec les États-Unis. La balance commerciale, bien que déficitaire, est équilibrée grâce à l'activité

Ph. Nino Cirani/Ricciarini

Suisse : Airolo, bourg du Tessin.

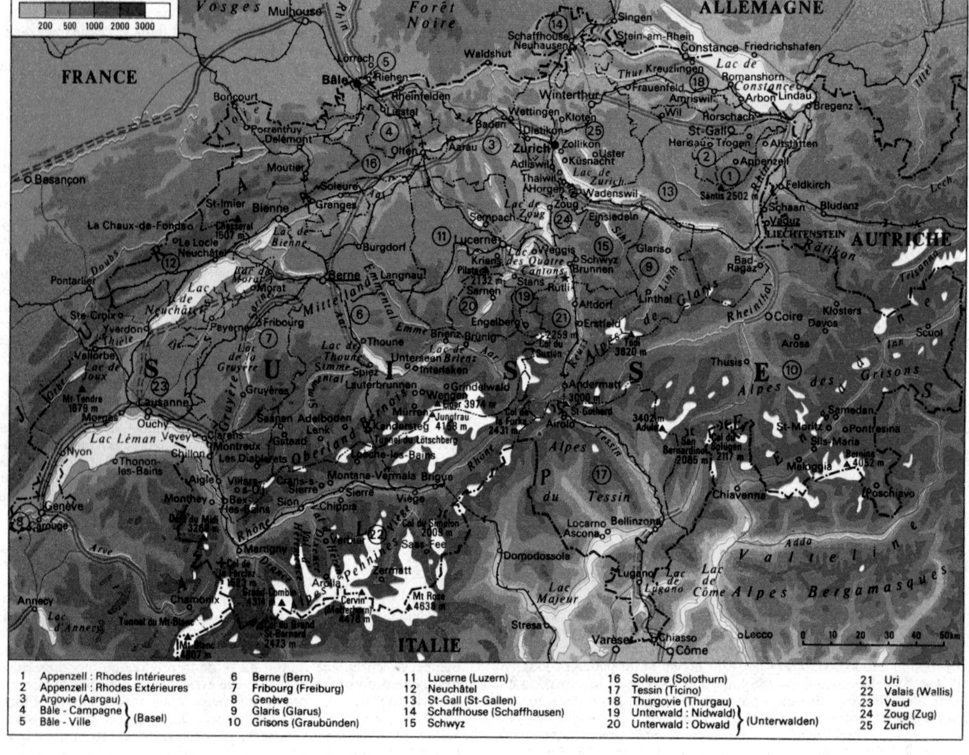

Suisse.

bancaire et au tourisme. L'importance traditionnelle des activités bancaires est due à des facteurs internes (capitalisation industrielle, épargne), à la stabilité économique et politique du pays, à sa neutralité, gage de sécurité, et à des particularités de la législation, comme le secret des dépôts. Les principales banques sont à Zurich, Bâle et Genève. Le *tourisme* assure la majeure partie des revenus invisibles. Plus de 6 000 000 de voyageurs fréquentent chaque année les stations de sports d'hiver du Valais, de l'Oberland bernois et des Grisons, le littoral du lac Léman, du lac des Quatre-Cantons ou du lac de Lugano et les stations thermales de Loèche-les-Bains, Baden, Bad Ragaz ou Scuol. ♦ *Hist.* Les premières traces de la présence humaine en Suisse remontent au paléolithique inférieur. Au néolithique (v. ~ 3000) commença la construction des palafittes sur les bords du lac Léman, des lacs de Neuchâtel et de Zurich. Au deuxième âge du fer (après ~ 500) une première invasion des Celtes* pénétra le pays qui devint le centre de la civilisation de la Tène **(V. Tène).** À la fin du ~ IIe s., une seconde invasion celtique aboutit à l'occupation de la partie occidentale de la Suisse par les Helvètes. Ces derniers passèrent vite sous la domination romaine **(V. Helvètes).** Sous Auguste, l'Helvétie fut rattachée à la Belgique puis à la Lyonnaise Ire tandis que la Suisse orientale faisait déjà partie de la province de Rhétie*. Au Ve s., la région fut occupée par deux peuples germaniques, les Burgondes* (dans la région du lac Léman et du Jura) et les Alamans* (dans le reste de la Suisse), qui se répartirent en deux domaines linguistiques (français et allemand) correspondant à peu près aux actuelles *Suisse romande* et *Suisse alémanique.* À partir du VIe s., le pays fit partie de la monarchie franque puis, après le démembrement définitif de l'empire carolingien en 888, se trouva presque entièrement compris dans le royaume de Bourgogne transjurane **(V. Bourgogne)** et rattaché avec lui au Saint-Empire en 1032. Du VIIe au IXe s., la Suisse avait été progressivement christianisée (fondation de l'abbaye de Saint-Gall par saint Colomban*). De 1032 à 1291, le pays connut un grand renouveau. De nombreuses principautés apparurent comme celle des Zähringen* (1127-1218) ou celle des comtes de Kyburg. La plus importante fut celle des Habsbourg*, originaires d'Argovie qui allaient accéder à l'empire en 1273. – *Naissance de la Confédération et lutte contre l'Autriche (1291-1389).* Menacés par l'autorité croissante des Habsbourg, les cantons forestiers (Waldstätten) d'Uri, de Schwyz et d'Unterwald conclurent entre eux, le 1er août 1291, une alliance perpétuelle qui devait être à l'origine de la Confédération **(V. Rütli).** C'est à cet épisode que se rattache la légende de Guillaume* Tell. En 1315, les confédérés vainquirent Léopold* Ier de Habsbourg à Morgarten* puis renouvelèrent leur alliance par le pacte de Brunnen*. À la suite de cette victoire, Lucerne (1332), Zurich (1351), Glaris et Zoug (1352) puis Berne (1353), se joignirent aux trois cantons primitifs pour former la *Confédération des huit cantons.* À nouveau défaits à Sempach* (1386) puis à Naefels (1388), les Habsbourg reconnurent alors l'indépendance de la Confédération et signèrent la paix de 1389. – *Extension de la Confédération et affermissement de la puissance militaire des Suisses* (XVe-XVIe s.). Après une grave crise intérieure qui opposa Zurich à Schwyz de 1435 à 1450 **(V. Zurich),** la Confédération se trouva renforcée par l'alliance que conclurent entre eux un ou plusieurs cantons : Saint-Gall (1451), Appenzell (1452), Schaffhouse (1454), Mulhouse (1466), les Grisons (1497-1498). La puissance militaire des Suisses, devenue considérable, fut alors utilisée par les souverains d'Europe : Louis* XI entraîna les confédérés dans sa lutte contre Charles* le Téméraire qui, vaincu à Grandson* puis à Morat* en 1476, trouva la mort sous les murs de Nancy (1477). Ils vainquirent Maximilien* Ier qui s'était allié contre eux à la ligue de Souabe (1499) et obtinrent par la paix de Bâle la séparation définitive des pays suisses et des pays allemands (cette séparation devait être consacrée par les traités de Westphalie en 1648). Après Fribourg et Soleure (1481), Bâle et Schaffhouse (1501) puis Appenzell (1513) entrèrent dans la Confédération pour former la *Confédération des treize cantons.* Au moment des guerres d'Italie, les cantons firent une dernière tentative de conquête étrangère : alliés d'abord au roi de France, Louis* XII, ils changèrent de camp pour prendre le parti du pape Jules* II (1510). Victorieux à Novare* (1513), ils contribuèrent à chasser les Français du Milanais que reprit François* Ier deux ans plus tard à Marignan* (1515). La Confédération renonça alors à toute politique étrangère. En 1516, elle conclut une paix perpétuelle avec la France ; celle-ci lui garantissait la possession du Tessin mais obtenait en échange le droit de lever des mercenaires en Suisse, droit qu'elle exerça jusqu'à la fin du XVIIIe siècle. – *La Confédération, de la Réforme aux traités de Westphalie* (1519-1648). L'introduction de la Réforme **(V. Protestantisme)** vint interrompre les activités internationales de la Suisse. Préparée par l'humanisme dont Bâle était un foyer important **(V. Érasme),** la Réforme commença d'être prêchée à Zurich par Zwingli* en 1519. À partir de 1525, Zurich adhéra complètement au protestantisme, entraînant avec elle les villes de Bâle, Berne, Schaffhouse, Saint-Gall, Bienne et Mulhouse. Les cantons montagnards et ruraux (Uri, Schwyz, Unterwald, Lucerne, Zoug, Soleure, Fribourg) restèrent fidèles au catholicisme. Le conflit aboutit à la bataille de Kappel* (1531) où Zwingli trouva la mort. La paix consacra la division religieuse de la Suisse : sept cantons restaient catholiques (voir ci-dessus), quatre étaient protestants (Zurich, Bâle, Berne, Schaffhouse), deux étaient mixtes (Glaris et Appenzell). Genève, alliée à Berne et à Fribourg contre le duc de Savoie, devint la métropole du protestantisme avec Calvin*, à partir de 1536 **(V. Genève)**. Cependant sous l'impulsion de Charles* Borromée, les cantons des Grisons, de Glaris et d'Appenzell furent regagnés au catholicisme. Restée en dehors du conflit pendant la guerre de Trente Ans, la Suisse posa définitivement les bases de sa neutralité en 1647 : la Confédération pouvait fournir des troupes à différents pays sans pour cela se sentir engagée et décidait de se défendre contre tout agresseur au moyen d'une armée fédérale de 36 000 hommes. Son indépendance fut reconnue solennellement par toutes les puissances européennes aux traités de Westphalie* (1648). — *Le XVIIIe s., la Révolution française et Napoléon.* Siècle de paix, le XVIIIe s. fut pour la Suisse une période de prospérité économique et d'épanouissement intellectuel et artistique. C'est à cette époque que commença le développement de centres industriels comme Zurich (filature de la soie), Genève (horlogerie) et que s'exerça le rayonnement de grands esprits comme ceux des mathématiciens Euler* et Bernoulli*, des naturalistes Bonnet* et H. B. de Saussure*, des peintres comme Liotard*, des écrivains comme Bodmer*, des pédagogues comme Lavater* et Pestalozzi*. Des étrangers comme Voltaire, établi à Ferney, contribuèrent à donner au pays le caractère cosmopolite qui le marque encore aujourd'hui. Mais cette prospérité économique allait de pair avec une certaine décadence politique. La Confédération n'offrait plus que l'image déformée de la démocratie. Le renforcement d'un système aristocratique laissait une bourgeoisie de plus en plus fermée monopoliser le pouvoir. L'écart s'accrut entre les villes et les campagnes : les révoltes des paysans furent durement réprimées. La condamnation du *Contrat social* de J.-J. Rousseau* à Genève (1781-1782) eut un retentissement européen. La répercussion des événements parisiens qui suivirent 1789 fut violente en Suisse et particulièrement dans le pays de Vaud. Mais les manifestations révolutionnaires furent rapidement étouffées. De nombreux démocrates se réfugièrent en France, dont Frédéric César de La Harpe. Le Directoire songeait déjà à annexer la Suisse pour la position stratégique qu'elle représentait et pour la richesse du trésor de ses cantons. Des agitations révolutionnaires **(V. La Harpe, Ochs)** lui donnèrent un prétexte pour envahir le pays. Le 22 mars 1798 la *République helvétique* était proclamée. La Suisse dut renoncer à sa neutralité. Elle fut envahie en 1799 par les armées russes et autrichiennes et resta en proie à l'anarchie pendant cinq ans. Bonaparte rétablit le fédéralisme par l'*acte de médiation de 1803* par lequel le nombre des cantons était porté à dix-neuf. Aux treize anciens cantons venaient s'en ajouter six nouveaux (Saint-Gall, Grisons, Argovie, Thurgovie, Tessin et Vaud) constitués en États soumis à un pouvoir fédéral commun. Ce régime prit fin en 1813 quand les alliés envahirent le pays après la bataille de Leipzig*. — *Du Pacte fédéral à la guerre du Sonderbund* (1815-1848). Le traité de Paris* (1814) et le congrès de Vienne* (1815) fixèrent le statut international de la Suisse, garantissant la neutralité et l'inviolabilité de son territoire. La France lui céda Genève, Neuchâtel et le Valais. La Confédération comptait désormais vingt-deux cantons. La Diète, réunie à Zurich, élabora le *pacte fédéral de 1815* : les cantons étaient reconnus pleinement souverains. Malgré un net retour au conservatisme dans les années qui suivirent 1815, le libéralisme triompha après la révolution parisienne de 1830. Mais les libéraux, bientôt dépassés, furent remplacés par des radicaux anticléricaux qui préconisèrent la révision du Pacte de 1815, la fermeture des couvents et l'expulsion des Jésuites. Les cantons conservateurs catholiques (Uri, Schwyz, Unterwald, Zoug, Lucerne, Fribourg, Valais) formèrent alors une alliance défensive, le *Sonderbund* (1845), alliance qui fut dissoute en 1847 par la Diète après une courte guerre civile **(V. Sonderbund)**. — *De 1848 à nos jours.* En sept. 1848, une nouvelle constitution remplaça le Pacte de 1815. Abandonnant les structures d'une confédération d'États, la Suisse prit son caractère moderne d'État fédératif. Les cantons restaient souverains sauf dans les domaines réservés à la Confédération (politique extérieure, poste, douane, monnaie, trafic, organisation militaire). Ils possédaient chacun un Grand Conseil (législatif) et un Conseil d'État (exécutif). La Confédération était dotée d'un véritable pouvoir exécutif, le Conseil fédéral. Le pouvoir législatif était assuré par l'Assemblée fédérale représentant le peuple (Conseil national) et les cantons (Conseil des États). Le président était élu pour un an, le vice-président lui succédant. Berne devint le siège permanent du gouvernement fédéral. Révisée en 1874, la Constitution de 1848 est restée en vigueur. Le Parti radical garda la majorité jusqu'en 1919. Une stricte neutralité resta le principe fondamental de la politique extérieure du pays, neutralité qui fut observée pendant les guerres de 1870, 1914 et 1940. Avec la fondation de la *Croix-Rouge* par H. Dunant* (1859), la Suisse avait commencé d'accomplir une importante œuvre humanitaire en faveur des victimes de guerre **(V. *aussi* Genève** [*conventions de*]). En 1919, c'est Genève qui fut choisie comme siège de la *Société des Nations.* Fidèle à sa politique de neutralité, la Suisse refusa de faire partie de l'O.N.U. En revanche, elle adhéra aux institutions internationales d'ordre économique, social ou culturel (O.I.T., Unesco, F.A.O., O.C.D.E., O.E.C.E., A.E.L.E., O.M.S., etc.). Depuis 1971 les femmes votent au niveau fédéral.

SUISSE NORMANDE. ♦ **V.** BOCAGE NORMAND.

SUISSE SAXONNE, en all. **Sächsische Schweiz** ou **Elbsandsteingebirge.** ♦ Région d'Allemagne orientale et de Tchécoslovaquie s'étendant de part et d'autre de l'Elbe, autour de Dresde **(V. Saxe)**, formée de collines et de dépressions gréseuses, souvent recouvertes d'épaisses forêts.

SUITA. ♦ V. du Japon, dans la banlieue N. d'Ôsaka*. 260 000 hab. Indus. diverses.

SUITS (Gustav). ♦ Poète estonien (1883). Il représenta le mouvement culturel de la « Jeune-Estonie » par son orientation nationaliste et occidentaliste : « Soyons Estoniens en devenant Européens ».

SUK (Josef). ♦ Violoniste et compositeur tchèque (Křečovice, 1874 — Benešov, près de Prague, 1935). Élève de Bennewitz (piano) et de Dvořák (composition) au conservatoire de Prague où il devait lui-même enseigner à partir de 1922, Suk contribua grandement au renouveau de la musique tchèque. On lui doit des symphonies *(Asrael)*, des poèmes symphoniques *(Prague, Zrani, Épilogue)*, de la musique de chambre et des pièces pour piano.

SUKARNO ou **SOEKARNO (Achmed).** ♦ Homme politique indonésien (1901 — 1970), un des fondateurs du Parti nationaliste indonésien en 1927. Après la Deuxième Guerre mondiale il fut nommé premier président de la nouvelle république d'Indonésie. Renversé en 1966 par l'armée du général Suharto* après un putsch manqué des forces communistes, et mis en résidence surveillée jusqu'à sa mort. Suharto lui succéda à la présidence en 1968.

SUKARNO *(pic).* ♦ Point culminant de la Nouvelle*-Guinée et de tout le Pacifique S.-O., en territoire indonésien (Irian* Barat). 5 040 mètres.

SUKARNOPURA. ♦ **V.** DJADJAPURA.

SUKHÔTHAI. ♦ V. du N.-O. de la Thaïlande, sur le Me Yom. Petite cité agricole de 15 000 hab. Fours céramiques célèbres aux XVe et XVIe siècles. Nombreuses ruines de monuments des XIVe et XVe siècles. — Elle fut capitale des Thaï à la fin du XIIIe siècle.

SUKKUR. ♦ V. du Pâkistân, dans le Sind*. 131 000 hab. Centre agricole (millet, riz, coton); petites industries. Grand barrage sur l'Indus permettant l'irrigation de 2 000 000 d'ha de désert.

SULAIMAN. *n. m.* ♦ Chaîne montagneuse séparant l'Afghânistân du Pâkistân et au N. de laquelle s'ouvre la passe de Khaibar*, voie naturelle de pénétration par l'O. dans la vallée indo-gangétique. Elle culmine à 3 624 mètres. Sur ses pentes vivent les tribus pastorales des Pathans, nomadisant d'un pays à l'autre et souvent insoumises.

Sulamite. ♦ Forme tardive de *Sunamite,* habitant de *Shounem (Sunam),* auj. Sulam, en Galilée. — *La Sulamite* : qualificatif de la bien-aimée du Cantique des cantiques (VII, 1) pour rappeler Abisag, la Sunamite qui réchauffe David (*I Rois,* I).

SULAWESI. ♦ Nom indonésien de l'archipel des Célèbes. **V. Célèbes.**

SULAYMÂNIYYA. ♦ V. du N.-E. de l'Iraq dans le Kurdistan* méridional. Ch.-l. de province. 50 000 hab. environ. Marché agricole. Raffinerie de sucre. Cimenterie. Fabrique de tapis.

SÜLEYMAN Ier (ou **II**) ou **SOLIMAN**, surnommé **le Magnifique** par les Occidentaux et **le Kanuni** (« le Législateur ») par les Turcs. ♦ (1494 ? — Szeged, Hongrie, 1566). Sultan ottoman (1520-1566). Il succéda à son père Sélim* Ier et entreprit une grande politique de conquête ; dès 1521, il prit Belgrade, puis il assiégea Rhodes et l'occupa (1522). Il triompha ensuite des Hongrois à la bataille de Mohács* (1526) où le roi Louis II périt ; dans la lutte successorale de la Hongrie, il soutint Zapolyai au détriment de Ferdinand, archiduc d'Autriche ; en 1529, il attaqua l'Autriche et assiégea sans succès Vienne. Süleyman se retourna alors contre la Perse, occupa l'Azerbaïdjan, Tabriz et Baghdâd (1534). Plus tard, la mort de Zapolyai et l'avance des armées autrichiennes en Hongrie obligèrent le sultan à mener une seconde campagne dans le pays (1541-1543) où il installa un gouverneur turc et imposa une présence militaire permanente. Cependant, la guerre en Hongrie ne cessa pas et après la prise de Timişoara par les Turcs (1552), de longues négociations aboutirent à une paix reconnaissant le *statu quo* dans la région (1562). À cette époque, la puissance navale ottomane devint très importante. Les corsaires Khayr al-Dîn (Barberousse*), Piyale Pacha et Dragut prirent Coron, occupèrent momentanément Tunis, prirent le château de Messine, Nice, Djerba. Une flotte s'empara même d'Aden. À la fin du règne de Süleyman surgirent des conflits entre ses fils. Il en fit exécuter deux, Mustafa (1553) et Bayazid (1561), et désigna comme successeur son autre fils Selim. — Sous Süleyman, l'empire ottoman connut la période la plus riche de son histoire. Entouré de fortes personnalités (Ibrahim Pacha, Rustem Pacha et Mehmet Sokollu Pacha comme hommes politiques, Abn Su'nd comme juriste, Baki* comme poète et Mi'mar Sinan* comme architecte), il sut ajuster la structure complexe de l'État ottoman en fonction des exigences contemporaines et encouragea les lettres et les arts.

SÜLEYMAN TCHELEBI ou **ČELEBI.** ♦ Poète turc. Il vécut à Brousse et Andrinople (*déb.* XVe s.). Son unique œuvre est le *Mevlid sherif* (« Naissance de Mahomet* »), poème vivant qui est encore chanté dans les mosquées turques lors de l'anniversaire du Prophète.

SULLIVAN (Louis Henry). ♦ Architecte américain (Boston,

Ph. Giraudon

Sumer : statue du petit-fils du roi d'Uruk, Lugalkisalki. Milieu IIIᵉ millénaire. (Musée du Louvre, Paris.)

1856 – Chicago, 1924). À Paris (1874-1878), il étudia dans l'atelier de Vaudremer. Il se fixa à Chicago et devint de 1881 à 1895 l'associé de Dankmar Adler. Il éleva le Wainwright Building (1890-1891) de St.Louis, à ossature métallique portante et le Guarantee Trust Building à Buffalo (1894-1895) avec un rez-de-chaussée vitré, reposant sur des pilotis métalliques. Créateur d'un type d'immeuble promis à un vif succès, il défendit des conceptions fonctionnalistes, privilégia les lignes verticales excepté dans le magasin Carson, Pirie et Scott à Chicago, 1899-1904. Il conserva au décor une place importante, employant des motifs floraux comparables à ceux de l'Art Nouveau.

SULLIVAN (Vernon). ♦ **V.** VIAN (Boris).

SULLY (Maurice, dit *de*). ♦ Évêque de Paris (Sully-sur-Loire, v. 1120 – Paris, 1196). D'origine humble, il étudia la théologie à Paris et devint en 1160 évêque de Paris, succédant à Pierre Lombard. Il aurait jeté les fondements de l'église de Notre*-Dame de Paris, mais certains pensent que la construction débuta peut-être avant l'épiscopat de Maurice de Sully.

SULLY [syli] **(Maximilien de Béthune,** *baron de* **Rosny,** *duc de*). ♦ Homme politique français (Rosny, 1560 – Villebon, 1641). D'une famille protestante, il fut un des plus anc. compagnons d'Henri* IV. Conseiller écouté, il se rendit d'abord utile par ses talents d'ingénieur militaire (il fut blessé à la bataille d'Ivry*), puis fut chargé de superviser les finances, tâche qu'il exerça en fait à partir de 1598. Sa gestion rigoureuse lui permit de rétablir l'équilibre financier, sans innover davantage que dans le domaine économique, où il donna une primauté traditionnelle à l'agriculture (amélioration des voies de communication, ordonnances en faveur des paysans, encouragement des travaux d'Olivier de Serres*). Écarté à la mort de Henri IV, il se signala encore sous Louis XIII pour encourager ses coreligionnaires à l'obéissance. Il a laissé des mémoires sous le titre d'*Économie royale* (1638-1662).

Sully *(hôtel de)*. ♦ Hôtel situé à proximité de la place des Vosges* à Paris. Construit en 1624 par Jean Androuet* du Cerceau, il fut acquis en 1634 par Sully* et conservé par sa famille jusqu'en 1752. C'est la propriété de l'État depuis 1945.

SULLY PRUDHOMME (René François Armand PRUDHOMME, dit). ♦ Poète français (Paris, 1839 – Châtenay-Malabry, 1907). Ingénieur au Creusot, il compléta sa formation scientifique par des études de droit. Jouissant d'une grande aisance personnelle, il put se consacrer à ce qui l'attirait, la poésie. Il adhéra un moment au mouvement parnassien. Mais, dès *Stances et Poèmes* (1865), sa poésie se fit moins impersonnelle et se plut à noter les « affectations obscures et ténues de l'âme ». Élégiaque de la nuance intimiste, il exprima sa mélancolie et ses angoisses amoureuses dans *Les Solitudes* (1869) et *Les Vaines Tendresses* (1875). Traducteur de Lucrèce*, Sully Prudhomme rêva d'unir la poésie et la science et composa de vastes poèmes philosophiques, comme *La Justice* (1878) et *Le Bonheur* (1888), où il traite des affrontements de la conscience et de l'univers moderne. Son œuvre, où figurent également des essais d'esthétique, de philosophie et de critique, fut couronnée par le prix Nobel [1901]. (Acad. fr., 1881.)

SULLY-SUR-LOIRE. ♦ Ch.-l. de cant. du Loiret, arr. d'Orléans. 4 278 hab. *(Sullylois)*. Château des XIIIᵉ et XIVᵉ s., remanié par Sully au début du XVIIᵉ siècle. Vestiges de l'enceinte fortifiée. Maisons anciennes. – Fonderies. Accessoires automobiles. – Patrie de l'évêque Maurice de Sully*.

SULPICE le Sévère *(saint)*. ♦ (mort à Bourges en 591). Évêque de Bourges (584), il participa au concile de Mâcon (585). – Fête le 29 janvier.

SULPICE SÉVÈRE, en lat. **Sulpicius Severus.** ♦ Historien chrétien (en Aquitaine, v. 360 – v. 420), auteur d'une *Vie de saint Martin* (397) et d'une *Chronique* ou *Histoire sacrée*, s'étendant depuis la Création jusqu'en 400.

SULPICIUS, en lat. **Publius Sulpicius Rufus.** ♦ Homme politique romain (v. ~ 124 – Laurentum, ~ 88). Tribun de la plèbe (~ 88) partisan de Marius*. **(V. Sylla.)**

ŞULU. ♦ Archipel des Philippines, situé entre les îles de Bornéo et de Mindanao. Il est composé de très nombreuses îles volcaniques et de récifs coralliens. Env. 2 688 km². Env. 450 000 hab., pour la plupart Négritos ou Moros (musulmans).

SULZBACH-SAAR ou **SULZBACH.** ♦ V. industrielle d'Allemagne occidentale (Sarre). 23 800 hab. Houillères, cokeries, fonderies, verreries, produits chimiques.

SUMATRA ou **SUMATERA.** ♦ La plus grande des îles de l'Indonésie*, longue de 1 650 km et large d'env. 350 km, à l'O. de Java. Env. 20 800 000 hab. Elle est parcourue dans sa longueur par une haute chaîne volcanique (Kerintji, 3 805 m). Sa partie orientale est basse et marécageuse. Son climat est humide et chaud, équatorial. L'intérieur de l'île est couvert de forêts denses. – *Écon.* Le riz, l'hévéa, le cacao, le café, le thé, le palmier à huile et le tabac sont cultivés pour l'exportation. Le sous-sol est riche en charbon et en pétrole. Quelques excellents ports permettent des échanges faciles avec le reste de l'Asie. Sumatra est encore en plein développement.

ŠUMAVA. ♦ Massif montagneux de Tchécoslovaquie, couvert de forêts. Il forme le côté S.-O. du quadrilatère de Bohême* et domine le bassin de České Budějovice. Point culminant : 1 380 mètres. Du côté allemand de la frontière, ce massif prend le nom de *Böhmerwald*.

SUMBA. ♦ Petite île d'Indonésie, au S.-O. de Florès, montagneuse (sommet à 1 225 m), peuplée de Malais et de Papous. 200 000 hab. Élevage de chevaux et de bovins.

SUMBAVA. ♦ Petite île d'Indonésie (Petites Sunda), à l'E. de Lombok. Volcanique (2 750 m), peuplée de 350 000 hab., elle produit surtout du tabac et du coton. Élevage de chevaux et de bovins.

ŠUMEN. ♦ Anc. nom de Kolarovgrad*, en Bulgarie*.

SUMÈNE. ♦ Ch.-l. de cant. du Gard (arr. de Le Vigan), dans la vallée du Rieutord. 1 913 hab. *(Suménois)*. Indus. textile.

SUMER. ♦ Région correspondant à la Basse-Mésopotamie, en bordure du golfe Persique (anc. rivage, env. 250 km au N.-O. du rivage actuel). Les Sumériens sont une population non sémitique qu'on trouve mêlée à des Sémites (Akkadiens) dès l'origine de nos connaissances ; on parlera donc de civilisation *suméro-akkadienne* quoique les langues soient différentes et qu'une pensée proprement sumérienne apparaisse aujourd'hui fort éloignée de celle des Sémites. Cette civilisation introduisit en Mésopotamie le travail du cuivre et l'habitation de brique, inventa l'architecture (temples et, plus tard, ziggourats) et l'écriture (pictographique puis cunéiforme, **V. Uruk**), se répandit dans toute l'Asie antérieure grâce à l'empire d'Akkad et se survécut dans celle de Babylone. ♦ *Hist.* Périodes protohistoriques : **V. El Obeid, Uruk, Djemdet Nasr** (la période d'Uruk semble marquer l'arrivée des Sumériens ; celle d'El Obeid serait donc le fait d'une population autochtone). La période « dynastique archaïque » commence dans la légende des souverains aux longévités extraordinaires (selon nos sources) et entre dans l'histoire avec la Iʳᵉ dynastie d'Ur* (v. ~ 2700). La royauté passa ensuite aux cités de Lagash* puis d'Umma. Vers ~ 2450, Sumer fut englobé dans l'empire d'Akkad*. Celui-ci tomba devant les barbares Goutéens* (~ XXIIIᵉ s.) ; Lagash pourtant restant florissante sous son *patesi* Gudea* (civilisation néo-sumérienne). Puis la royauté revint à Ur (IIIᵉ dynastie, ~ 2100-~ 2000) et aux rivales Isin* et Larsa*. La puissance de Sumer tomba définitivement devant l'empire de Hammurabi* v. ~ 1700. Autres cités : **V. Eridu, Kish, Nippur.** Divinités : **V. An, Enlil, Enki** (principale triade du panthéon) ; **Adad, Ishtar, Sin, Tammuz** (correspondants sémitiques de divinités sumériennes). – *Mythol.* **V. Gilgamesh.**

SUMÉRIENS. *n. m. pl.* ♦ Peuple asiatique organisé en cités-États dont les principales étaient Ur, Eridu, Uruk, Lagash, Larsa. Leur empire s'étendit du golfe Persique à la Méditerranée. Ils inventèrent l'écriture cunéiforme et développèrent l'irrigation, l'architecture, la sculpture et les arts du métal. Le sumérien est la plus anc. langue écrite connue. **V. Sumer.**

SUMNER (William Graham). ♦ Sociologue américain (Paterson, 1840 – Englewood, 1910). Il a abordé dans une perspective naturaliste (darwinienne) le problème de l'origine des coutumes, morales, etc. (*Folkways*, 1906; *Science of Society*, publiée en 1927).

SUMNER (James Batcheller). ♦ Biochimiste américain (Canton, Massachussets, 1887 – Buffalo, 1955). Auteur de recherches sur les enzymes dont il contribua à montrer la nature protéique (**V.** *aussi* **Willstätter**), il isola l'uréase et l'obtint à l'état cristallisé [1926]. (Prix Nobel de chimie, 1946.) **V. Northrop, Stanley.**

SUND. ♦ **V.** ØRESUND.

SUNDA. ♦ **V.** SONDE (îles de la).

SUNDARBANS. *n. m. pl.* ♦ Partie méridionale marécageuse du delta du Gange* et du Brahmâputra*, couverte de forêts (mangrove) et extrêmement giboyeuse (tigres, crocodiles, serpents, oiseaux). Les îles de cet immense marécage sont habitées par des pêcheurs. En 1971, un terrible raz de marée ravagea cette contrée, faisant des milliers de morts.

SUNDERLAND (Robert Spencer, *2e comte de***).** ♦ Homme politique anglais (Paris, 1641 – Altorp, 1702). Il servit Charles* II, fut disgracié pour s'être rapproché de l'opposition protestante lors de l'affaire de Titus Oates*, mais se rallia à Jacques* II, tout en servant la politique française. Il ne tarda pas à se rapprocher secrètement de Guillaume* III à l'avènement duquel il travailla. ♦ CHARLES SPENCER, *3e comte de* SUNDERLAND, son fils (1674 – Londres, 1722). Homme politique anglais. Gendre de Marlborough*, il montra aussi peu de scrupules que son père, passa des whigs aux tories et devint premier lord de la Trésorerie (1718). Trop compromis dans le scandale de la *South Sea Company*, il dut démissionner (1721).

SUNDERLAND. ♦ V. d'Angleterre (Durham) et port sur la mer du Nord, à l'embouchure de la Wear, exportant la houille de la région. 216 892 hab. Constructions navales et mécaniques, fonderies (ancres de marine), constructions aéronautiques, verreries et papeteries. – Patrie de sir Joseph Swan*.

SUNDGAU. *n. m.* (« pays du Sud »). ♦ Région du S. de l'Alsace, traversée par l'Ill supérieure, couverte de forêts et de cultures. ♦ *Hist.* Le comté appartint aux Habsbourg de la fin du XIIe s. à 1469, date à laquelle il passa à Charles le Téméraire. Ce dernier le garda jusqu'en 1474; le comté revint ensuite à l'Autriche, puis en 1648 à la France.

SUNDMAN (Karl Fritiof). ♦ Astronome finlandais (1878 – 1949). Auteur de recherches théoriques en mécanique céleste, il obtint la solution générale quantitative du problème des trois corps (1912). **V. Poincaré, Chazy.**

SUNDSVALL. ♦ V. et port de Suède, au fond d'une baie s'ouvrant sur le golfe de Botnie*. 65 754 hab. (1971). Important centre de commerce du bois. Indus. du bois (cellulose).

SUNG [*Song*]. ♦ Nom de plusieurs dynasties chinoises. La plus célèbre, celle des *Sung du Sud (Nan Sung)*, après avoir été évincée du N. de la Chine par les Mongols, se réfugia à Hang-chou où elle élabora une brillante civilisation. Elle succomba finalement en 1280, vaincue par Qûbilai Khân.

SUNGARI. *n. m.* ♦ Riv. de Manchourie chinoise, affl. de l'Amour*. Long de 2 000 km, il est navigable sur une grande partie de son cours. Il naît dans les monts séparant le N. de la Corée de la Manchourie et arrose Ha*-êrh-pin (Kharbin).

Ph. Lipnitzki-Viollet

Jules Supervielle.

SUNG MEI-LING [*Soong Mayling, Song Meiling*]. ♦ Épouse de Chiang* Kai-shek et belle-sœur de Sun* Yat-sen (Shanghai, 1901). Elle joua un grand rôle politique dans les relations entre le Kuomintang et les pays étrangers, les U.S.A. notamment. Elle écrivit en anglais plusieurs ouvrages pour faire connaître la position de la Chine nationaliste. Belle-sœur de Sung* Tzu-wen.

SUNG TZU-WEN [*Song Tseu-wen, Song Ziwen*]. ♦ Homme politique chinois (né en 1891), beau-frère de Sung* Mei-ling. Ministre des finances du Kuomintang* et gouverneur de la Banque centrale de Chine, il devint, en 1944, avec l'aide américaine, Premier ministre du gouvernement nationaliste. Il se retira aux U.S.A. en 1949, après la fuite de Chiang Kai-shek.

Sunnites. *n. m. pl.* (de l'arabe *sunnî*, « qui suit la *sunna*, la tradition »). ♦ Musulmans orthodoxes opposés aux shî'ites*. Les sunnites acceptèrent dès l'origine comme successeurs du Prophète les quatre premiers califes, les 'Umayyades* et les 'Abbâssides*. Ils se divisèrent en quatre rites juridico-religieux : les mâlikites*, les shâfi'ites*, les hanbalites* et les hanafites* représentant la grande majorité des musulmans.

SUN SZU-MAO [*Souen Sseu-mao, Sun Simao*]. ♦ Médecin chinois (581 – 682), auteur de divers traités médicaux traitant d'ophtalmologie et de recettes médicales. Il fut divinisé par les taoïstes qui en firent le patron des droguistes.

SUNTHON PHU. ♦ Poète siamois (1786 – 1855), auteur de vers populaires, de contes, d'un roman épique en 30 000 vers (*Aphaimani*) et de recueils de maximes morales.

SUN YAT-SEN. ♦ Nom cantonais de SUN I-HSIEN, philosophe et révolutionnaire chinois (Canton, 1866 – Peking, 1925). Après des études à Hawaï et à Hong-kong et sa conversion au christianisme, il fonda aux Philippines une « société de réorganisation de la Chine », puis en 1911 un parti révolutionnaire antimanchou, le Kuomintang*. La dynastie impériale renversée, il fut proclamé à Canton président de la République chinoise. Il rompit avec Yüan* Shih-k'ai en 1916 et s'enfuit au Japon. Revenu en Chine l'année suivante, il dirigea les sept provinces du Sud et installa un gouvernement militaire à Canton. Obligé de s'enfuir encore en 1921, il se réfugia de nouveau au Japon où il rédigea ses « Trois Principes de gouvernement ». Il revint à Canton en 1924 et mourut quelque temps après d'un cancer. Il est considéré en Chine comme le « père de la République » et le fondateur de la Chine moderne.

Suomenlinna, en suédois *Sveaborg*. ♦ Forteresse située à l'entrée du port de Helsinki (Finlande). Elle fut construite en 1748, prise par les Russes en 1808, elle fut incendiée par les Franco-Anglais en 1855.

SUOMI. ♦ V. FINLANDE.

SUPERBAGNÈRES. ♦ Centre touristique des Pyrénées, comm. de Bagnères*-de-Luchon dans la Haute-Garonne*. Station climatique et de sports d'hiver (1 797 m; pistes jusqu'à 2 260 m).

SUPERBESSE. ♦ **V.** BESSE-EN-CHANDESSE.

SUPÉRIEUR *(lac)*, en angl. *Lake* **Superior**. ♦ Le plus vaste des Grands Lacs américains, situé à l'O. du groupe, à la frontière entre Canada (Ontario) et États-Unis (Minnesota, Wisconsin, Michigan). 82 380 km². Long de 600 km, il communique avec le lac Huron* par la riv. Sainte-Marie (à Sault-Sainte-Marie). – Navigation très active pendant l'été. Duluth* se trouve à son extrémité O. (embouchure de la riv. Saint-Louis).

SUPERVIELLE (Jules). ♦ Poète et romancier français (Montevideo, 1884 – Paris, 1960). Né en Uruguay de parents d'origine basque, Supervielle passa sa vie entre la France et l'Amérique du Sud. Toute son œuvre fut imprégnée du souvenir des immenses espaces vides de la pampa et de l'océan, dont la fréquentation lui donna très tôt le sentiment de distance et d'isolement. Ses premières œuvres, les *Poèmes de l'humour triste* (1919) et *L'Homme de la pampa* (1925), roman désinvolte et fantaisiste, masquent encore l'angoisse du poète. Ce n'est qu'à quarante ans, avec *Gravitations* (1925), que Supervielle trouva sa véritable originalité. Il donna ensuite plusieurs recueils de poèmes, comme *Le Forçat innocent* (1930), *Les Amis inconnus* (1934), *Oublieuse Mémoire* (1949), *Naissances* (1951), *Le Corps tragique* (1959), des contes, genre littéraire dans lequel se manifeste le plus profondément son génie (*Le Voleur d'enfants*, 1926; *L'Enfant de la haute mer*, 1931; *Le Jeune Homme du dimanche et des autres jours*, 1952) et des pièces de théâtre (*La Belle au bois*, 1932; *Bolivar*, 1936; *Schéhérazade*, 1949). Volontairement étranger à la révolution surréaliste, Supervielle s'est toujours refusé à faire de la poésie pour « spécialistes du mystère ». « Je n'ai guère connu la peur de la banalité, [...] mais bien plutôt celle de l'incompréhension » *(En songeant à un art poétique)*. Tout son art, par la sincérité et la simplicité, tend à rendre le surnaturel « naturel », à « faire en sorte que l'ineffable nous devienne familier tout en gardant ses racines fabuleuses ». Son écriture même est d'une transparence absolue; elle utilise un vocabulaire simple dans des poèmes généralement courts où les figures sont rares, le rythme assourdi, la rime et la césure peu marquées. Le monde poétique de Supervielle, peuplé essentiellement de présences animale et végétale, peut sembler exprimer une vision paisible et attendrie de l'univers, où l'angoisse est tempérée par un humour familier. Mais ce monde est traversé de mouvements inquiétants, d'apparitions et de disparitions qui mettent en doute la certitude même de l'existence. L'imagination du poète, loin de créer un monde rassurant, déclenche dans l'univers des gravitations inattendues. Tout bouge, tout se disloque. Le tragique est lié à ces mouvements insolites, à cette circulation indéfinie et perpétuelle des choses : « Ne touchez pas l'épaule Du cavalier qui passe Il se retournerait Et ce serait la nuit ». Une menace de non-être entoure toute existence. L'un des thèmes fondamentaux de la poésie de Supervielle est la responsabilité de l'homme dans l'existence des choses : rien ne vit que lorsqu'il y pense. Ainsi, la distraction aurait des conséquences tragiques, la précarité de l'univers tiendrait à la fragilité de l'attention humaine (« Si nul ne pense à moi je cesse d'exister »); mais il serait tragique aussi de désirer trop fortement puisque le seul désir peut amener à l'être *(L'Enfant de la haute mer)*. C'est pourtant par cette attention ininterrompue, par cette fraternisation avec l'univers que le poète a pu échapper à l'angoisse. C'est cet amour perpétuellement en alerte qui seul peut donner sa continuité au discontinu, c'est par l'affectivité que l'homme peut espérer réaliser son goût fondamental de l'éternel en « logeant le temps dans un cœur continu ».

SUPHANUVONG. ♦ V. SOUPHANOUVONG.

SUPPÉ (Franz *von*). ♦ Compositeur autrichien d'origine belge (Spalato [auj. Split], Dalmatie, 1819 – Vienne, 1895). Chef d'orchestre à Vienne (théâtres Josephstadt, An der Wien, Leopoldstadt), il composa une trentaine d'opérettes (*La Dame de pique*, 1860; *Boccace*), de nombreux vaudevilles et des ouvertures qui lui valurent une grande célébrité *(Poète et Paysan)*.

Suppliantes (Les), en gr. **Ketídes.** ♦ La première tragédie conservée d'Eschyle* (v. ~490). Pour assouvir une rancune dynastique de leur père Danaos les cinquante Danaïdes* consentiront à épouser leurs cinquante cousins germains, fils d'Egyptos, roi de Libye, qu'elles poignarderont ensuite au cours de leur nuit de noces. Au début de la tragédie, elles ne sont que des fugitives conduites par leur père qui sollicitent la protection de Pelasgos, roi d'Argos. Mais Pelasgos, qui craint d'exposer son peuple à une guerre, décide de s'en remettre au jugement des citoyens d'Argos qui accordent asile à Danaos et à ses filles. Les deux autres pièces de la trilogie, les *Égyptiens* et les *Danaïdes*, aujourd'hui perdues, montraient le mariage des Danaïdes, leur crime et leur punition.

Suppliantes (Les), en gr. **Iketides.** ♦ Tragédie d'Euripide* (v. ~422). Après l'intervention malheureuse des Argiens tombés devant Thèbes pour soutenir Polynice, fils d'Œdipe, les mères des combattants viennent supplier les Athéniens pour qu'ils obtiennent des Thébains qu'on leur rende les corps de leurs fils. Thésée prend leur défense, triomphe des Thébains, et rend les honneurs funèbres aux héros d'Argos.

Suprématie (Acte de), en angl. **Act of Supremacy.** ♦ Par cet acte (1534), Henri VIII devenait « chef unique et suprême de l'Église d'Angleterre », titre que reprit Élisabeth en 1559.

SÛR ou **SOUR.** ♦ V. du Liban, située sur la Méditerranée au S. de Saïda*, sur le site de l'anc. Tyr. Plus de 20 000 hab. Port de pêche et marché agricole. ♦ *Hist.* **V. Tyr.**

SURABAYA. ♦ V. de Java, la deuxième de l'Indonésie, sur la côte N. de l'île. 1 270 000 hab. Port militaire et commercial important, traitant plus de la moitié des produits javanais d'exportation. Chantiers navals, ateliers de chemin de fer, raffineries de pétrole, indus. textiles, chimiques, alimentaires.

SURAKARTA. ♦ V. d'Indonésie (Java). 500 000 hab. C'est la capitale culturelle du centre de Java, célèbre pour ses étoffes de batik et ses spectacles de wayang. Petites indus. textiles et mécaniques. ♦ *Hist.* Ancienne Solo, autrefois capitale du royaume de Mâtaram, elle fut à partir de 1755 la résidence des sultans Susuhunan.

SURAT. ♦ V. de l'Inde (Mahârâștra) et port sur la côte occidentale. 395 000 hab. Créé en 1512, ce fut successivement un comptoir portugais, anglais, hollandais et français au XVIIe siècle.

SURCOUF (Robert). ♦ Navigateur et corsaire français (Saint-Malo, 1773 – 1827). Après avoir participé comme mousse à une expédition aux Indes, avoir pratiqué la traite des Noirs pour les planteurs de l'Île Bourbon (auj. Réunion) comme capitaine marchand, il sillonna comme corsaire l'océan Indien (successivement à bord de l'*Émilie* (1795), de la *Clarisse* (1798), de la *Confiance* (1801) et du *Revenant* (1807), capturant de nombreux navires anglais. Créé baron de l'Empire, il devint ensuite un des armateurs les plus riches de Saint-Malo.

Ph. Prato/Ricciarini

Surinam : la mosquée de Paramaribo.

SÛR DÂS. Poète indien (Âgra, 1483 – 1563), musicien et religieux. Gouverneur de Sandila, il donna en aumônes le trésor royal. Devenu aveugle, il écrivit de nombreux poèmes religieux.

SÛRE. *n. f.* ♦ Riv. née en Belgique (173 km), entre Neufchâteau et Bastogne; elle traverse le Luxembourg (vallée pittoresque), arrosant Bourscheid, Esch-sur-Sûre (barrage), forme frontière entre le Luxembourg et l'Allemagne, passant près d'Echternach, et se jette dans la Moselle. La r. d. de sa basse vallée borde la pittoresque région dite Suisse luxembourgeoise (vallée de l'Ernz Noire, etc.), dont le centre est Echternach*.

Suréna. ♦ Titre désignant chez les Parthes arsacides, puis chez les Sassanides, le général en chef, second personnage de l'État. – Nom commun, employé comme nom propre (SURÉNA) chez les historiens classiques, pour désigner le général d'Orode* II, vainqueur de Crassus* à Carrhes (~53).

SURESNES [syʀɛn]. ♦ Ch.-l. de cant. des Hauts-de-Seine, arr. de Nanterre, sur la Seine, à l'O. de Paris, en bordure du bois de Boulogne. 41 263 hab. *(Suresnois)*. Mont Valérien*, mémorial national de la Résistance; cimetière américain. Cité-jardin. Ville résidentielle et industrielle : indus. aéronautique, automobile; produits pharmaceutiques; matières plastiques; imprimerie.

Sûreté générale *(loi de)*. ♦ Loi adoptée sous le Second Empire après l'attentat d'Orsini* (févr. 1858); elle donnait au gouvernement le droit d'interner ou de déporter sans jugement tous les condamnés politiques (révolutionnaires de 1848, adversaires du coup d'État du 2 décembre 1851). Environ quatre cents républicains furent arrêtés, près de trois cents furent déportés en Algérie. La loi cessa toutefois d'être appliquée peu après juin 1858; elle fut officiellement abrogée en 1870.

SURGÈRES. ♦ Ch.-l. de cant. de Charente-Maritime, arr. de Rochefort, 5 911 hab. *(Surgériens)*. Église romane. Vestiges d'un château du XVIe siècle. Grand centre de l'indus. laitière, à laquelle sont associées les activités annexes de fabrication d'engrais, d'aliments pour le bétail, de matériel agricole et de laiterie. École nationale de laiterie. Matériaux de construction. Confection.

SURINAM. *n. m.* ♦ Nom officiel de l'anc. Guyane hollandaise, érigée en territoire autonome puis en rép. indépendante, et qui doit son nom au fl. qui la traverse et à l'embouchure duquel se trouve la capitale : Paramaribo*. Le pays s'étend sur le massif des Guyanes*, entre la Guyana et la Guyane française, et ses frontières sont constituées par les rios Courantyne* à l'O. et Maroni* à l'E., au S. la serra de Tumucumaque qui la sépare du Brésil. 163 820 km². 384 900 hab. (1971). *Langue off.* Néerlandais (langue caraïbe chez les indigènes). *Unité monétaire :* florin du Surinam. – Les 2/3 du pays sont couverts d'une forêt dense riche en bois précieux. La population, essentiellement composée de créoles, d'Indiens, d'immigrés pakistanais et indonésiens, occupe la région côtière basse et marécageuse, aux cultures tropicales (canne à sucre, riz, café, bananes, agrumes, noix de coco, cacao). Les ressources minières en bauxite en font le 2e producteur du monde après la Jamaïque. Des usines traitent sur place le minerai. Gisements de fer et de manganèse. L'indus. est surtout représentée par les raffineries de sucre, les distilleries de rhum et l'indus. de l'aluminium. *Exportations* de bauxite, aluminium, bois de construction et produits tropicaux, surtout en direction des États-Unis. *Importations* de matières premières et de denrées alimentaires. ♦ *Hist.* D'abord occupée par les Anglais, la Guyane néerlandaise ou Surinam fut cédée aux Pays-Bas en 1667. L'esclavage y fut aboli (1863) et la colonie se peupla d'Indiens et d'Indonésiens. Le Surinam reçut des Pays-Bas le statut d'une province autonome en 1954 et devint une république indépendante le 25 novembre 1975.

Surprise de l'amour (La). ♦ Comédie en trois actes en prose de Marivaux* (1772). Lélio, trahi par une femme infidèle, s'est retiré à la campagne et ne veut plus voir de femmes. Son valet Arlequin, également trahi, l'a suivi. Jacqueline, la servante de Lélio, aime Pierre, le jardinier de la comtesse voisine, et voudrait l'épouser. Cependant, ils ont peur de la réaction de Lélio, et cherchent l'appui de la comtesse qui le leur accorde. Cette dernière, accompagnée de sa suivante Colombine, vient, voit Lélio et est fort mal accueillie; mais la comtesse a un égal mépris des hommes et l'entrevue devient un affrontement. Le baron, leur ami commun, ne s'y trompe pas et reconnaît là les prémices d'un amour. Les deux derniers actes analysent avec le génie psychologique et la virtuosité verbale de Marivaux les résistances à cet amour et leur progressive disparition.

SURREY (Henry Howard, *comte de*). ♦ Homme politique et poète anglais (Hunsdon, Hertfordshire, 1517 – Londres, 1547). Fils du duc de Norfolk, il devint l'élève de sir Thomas Wyatt. Son titre de comte fit que Tottel imprima sous son nom, après sa mort, un mélange de poèmes dus en grande partie à Wyatt* (*Songes and Sonettes, written by the right Honorable Lord Henry Haward late Earl of Surrey, and other*, 1557). Cette œuvre, inspirée de Pétrarque, a pour thème l'indulgence ou la cruauté des belles. On nota le modernisme de la ***Complainte pour l'absence du bien-aimé (Complaint of the Absence of her Lover being upon the Sea)*** écrit

Arch. Smeets

Suse : chapiteau aux protomes de taureaux, art achéménide. (Musée du Louvre, Paris.)

d'un point de vue féminin, fait inhabituel à l'époque. C'est également à Surrey qu'on doit la forme anglaise du sonnet : trois quatrains et un distique final. Il introduisit encore en Angleterre l'usage du vers blanc, qu'il utilisa dans sa traduction de l'*Énéide* (Livres II et IV). Sa familiarité avec Henri* VIII jointe à ses opinions favorables au catholicisme lui valut d'être mêlé aux drames sanglants de la vie conjugale du roi, d'être emprisonné à Windsor sous une accusation douteuse, puis décapité.

SURREY. *n. m.* ♦ Comté de l'Angleterre méridionale, dans la partie sud du bassin de Londres, de part et d'autre des *North Downs.* 1 683 km². 999 588 hab. *Ch.-l.* Kingston* upon Thames. *V. princ.* **V. Croydon, Dorking, Epsom, Guildford, Reigate** et **Woking.** – *Écon.* Céréaliculture et élevage laitier. Constructions mécaniques autour de Kingston, centrale thermique à Croydon. – Patrie de M. Faraday*, Margot Fonteyn* et Guillaume* d'Occam.

SURSEE. ♦ V. de Suisse (cant. de Lucerne) à l'extrémité N.-O. du lac de Sempach*. Maisons anciennes, hôtel de ville (XVIᵉ s.). Indus. mécanique.

SÛRYAVARMAN. ♦ Nom de plusieurs souverains khmers. ♦ SÛRYAVARMAN Iᵉʳ régna de 1002 à 1050, réussit à reconquérir le Cambodge et à lui redonner une unité après plusieurs années troublées. Il aurait usurpé le pouvoir et guerroyé pendant près de neuf années pour affirmer ses droits au trône. Il fit construire de nombreux monuments à Angkor et Kompong Svay. ♦ SÛRYAVARMAN II régna de 1112 à 1152 environ. Il fit élever le grand temple funéraire d'Angkor* Vat. Il combattit l'Annam, vainquit les Chams et tenta de concilier le bouddhisme et le brâhmanisme.

SUSE, en gr. **ta Sousa** (« les lis »). ♦ Anc. ville d'Élam, plus tard capitale de la Susiane et centre administratif de l'empire achéménide. Auj. en Iran*. Fouilles par Dieulafoy (1884), J. de Morgan (1897) puis R. Ghirshman. Restes du palais de Darios* ou *Apadana.* De nombreux vestiges de Suse figurent au Louvre, notamment la statue de la reine Napir-Azu, épouse de Untash-Gal (bronze grandeur nature, de la première moitié du XIIIᵉ s.) et les trophées rapportés de Babylone par Shutruk*-Nahhunté (code de Hammurabi*, stèle de Naram-Sin). ♦ *Hist.* **V. Élam.**

SUSE, en it. **Susa.** ♦ V. d'Italie continentale, dans le Piémont* (prov. de Turin), sur la Doire Ripaire, au débouché des routes du Mont-Cenis et du Mont-Genèvre. Cathédrale du XIᵉ s., arc d'Auguste. Le col, ou *pas de Suse* (500 m), qui commandait la route des Alpes, a revêtu au cours de l'histoire une grande importance militaire. Il fut forcé à plusieurs reprises par les troupes françaises, notamment en 1629, où les armées de Louis XIII refoulèrent les Suisses et les Impériaux.

SUSIANE. *n. f.* ♦ Nom grec de l'ancien pays d'Élam*, devenu satrapie de l'empire perse, puis province séleucide. Cap. Suse*. Auj. *Khuzistân.*

SUSO *(le bienheureux* **Heinrich Seuse,** dit **Heinrich).** ♦ Théologien et mystique suisse (Constance, v. 1295 – Ulm, 1366). Comme Tauler*, il appartenait à l'ordre des Dominicains et fut l'élève de Maître Eckhart* avant d'enseigner la théologie à Constance. Il est l'auteur de deux ouvrages mystiques, *Le Livre de la sagesse éternelle* et le *Livre de la vérité.*

Suspects *(loi des).* ♦ Loi votée par la Convention* nationale le 17 septembre 1793 sur un rapport de Merlin de Douai et de Cambacérès, et dirigée contre toutes les personnes suspectées d'hostilité à la cause révolutionnaire et à la liberté (nobles, parents d'émigrés, fonctionnaires destitués). Complétée par les lois du 13 mars, du 16 avril et du 10 juin 1794, elle servit de base juridique à la Terreur*. Elle fut abrogée en octobre 1795.

SUSQUEHANNA. *n. f.* ♦ Fl. de l'E. des États-Unis (env. 750 km), qui prend naissance dans les Appalaches, au centre de l'État de New York, en deux branches, et traverse cet État et la Pennsylvanie, arrosant sa cap. Harrisburg, avant de se jeter dans l'Atlantique (sa basse vallée forme la baie de Chesapeake*).

SUSSEX. ♦ Comté du S. de l'Angleterre bordé au S. par la Manche. 3 774 km². 1 241 332 hab. On distingue : le *Sussex oriental (East Sussex).* 2 134 km². 750 312 hab. *Ch.-l.* Lewes*. *Villes principales :* **V. Brighton, Hastings, Hove** et **Newhaven,** et le *Sussex occidental (West Sussex).* 1 640 km². 491 020 hab. *Ch.-l.* Chichester*. *V. princ.* **V. Crawley** et **Worthing.** Le Sussex est un pays de collines crayeuses *(South Downs)* qui dominent la boutonnière de la *Weald,* au nord-est. Des falaises crayeuses bordent la côte. Les *South Downs* ont des cultures de céréales (blé, orge) et pratiquent l'élevage (ovins, bovins, volailles). La Weald est couverte de chênes et cultive le houblon. La côte vit de cultures maraîchères. Le tourisme y est très développé (Brighton, Eastbourne, Hastings, Newhaven). – Patrie de Th. Sackville*, de R. Cobden*, d'Anton Dolin*, d'E. Evans*-Pritchard, de J. Fletcher* et de P. B. Shelley*

SÜSSMAYER (Franz Xaver). ♦ Compositeur autrichien (Schwanenstadt, 1766 – Vienne, 1803). Disciple de Salieri, il fut aussi l'élève et l'ami de Mozart qu'il assista dans ses derniers jours et dont il acheva avec piété et talent le *Requiem (Sanctus benedictus, Agnus Dei).* Il a composé une vingtaine d'*opéras* et *opéras bouffes,* de la *musique d'église* et quelques *pièces instrumentales.*

SÜSS OPPENHEIMER (Joseph). ♦ Financier juif allemand (Heidelberg, v. 1698 – Stuttgart, 1738). Il fut au service de l'Électeur palatin et de l'Électeur de Cologne puis, à partir de 1732, du duc Charles-Alexandre de Wurtemberg. Nommé directeur de la Monnaie puis directeur des Finances, il réorganisa l'administration et les finances du Wurtemberg. Il acquit une immense fortune qui en fit l'homme le plus puissant et le plus haï de l'État. On attribua sa fortune à des procédés malhonnêtes ; il fut, après la mort du duc, arrêté et pendu. Son personnage (« le Juif Süss ») fut exploité par l'antisémitisme allemand, et notamment par les nazis (film de propagande antisémite, etc.).

SUSTEN *(col du),* en all. **Sustenpass.** ♦ Col des Alpes suisses reliant la vallée de l'Aar* à celle de la Reuss*. Il permet d'aller de Berne au Saint-Gothard. 2 259 mètres.

SU SUNG [*Sou Song, Su Song*]. ♦ **V.** SHEN KUA.

SUTHERLAND. *n. m.* ♦ Comté de l'extrémité N.-O. de l'Écosse. 5 253 km². 13 140 hab. *Ch.-l.* Dornoch (970 hab).

SUTLEJ. ♦ **V.** SATLEJ.

Sûtra. *n. m. pl.* ♦ Littéralement « fil ». Dans la littérature religieuse de l'Inde, sortes d'aphorismes exposant des idées philosophiques « se suivant comme les fils d'une trame ».

SUTTNER (Bertha KINSKY, *baronne von***).** ♦ Romancière autrichienne (Prague, 1843 – Vienne, 1914). Auteur d'un roman, *Bas les armes* (*Die Waffen nieder,* 1889), elle contribua à la fondation de la Ligue de la paix autrichienne. (Prix Nobel de la paix, 1905).

SUTTON AND CHEAM. ♦ Aggl. résidentielle de la banlieue N. de Londres* (Surrey). 78 970 habitants.

SUTTON COLDFIELD. ♦ V. d'Angleterre (Warwickshire) dans la banlieue N. de Birmingham. 72 165 habitants.

SUTTON HOO. ♦ Localité du S. de l'Angleterre (Suffolk) près de Woodbridge, où fut découvert en 1939 le tombeau d'un des premiers rois saxons (*milieu* VIIᵉ s.) contenant un vaisseau rempli d'objets précieux ou usuels, et dont l'origine est probablement suédoise.

SUTTON IN ASHFIELD. ♦ V. d'Angleterre (Nottinghamshire) à 22 km au N.-O. de Birmingham, à proximité de la *forêt de Sherwood.* 40 440 hab. Bonneterie.

SU TUNG-P'O [*Sou Tong-p'o, Su Dongpo*]. ♦ Homme politique et poète chinois (1036 – 1101), auteur de chants rimés célèbres. Il est également réputé comme calligraphe.

SUVA. ♦ Cap. et port princ. des îles Fidji*, sur la côte S.-E. de l'île de Viti* Levu. 54 000 hab. (1965). Centre administratif et commercial. Manufacture de cigarettes. Savonnerie. Traitement du coprah. Brasserie.

SUVANNA PHUMA. ♦ Prince laotien, demi-frère de Souphanouvong* (Luang-Prabang, 1901). Il lutta en 1946 contre l'occupation française, puis fonda de 1951 à 1954 un gouvernement neutraliste. Il revint au pouvoir en 1957, mais en fut évincé en 1960 par les chefs de la tendance anticommuniste. Il s'exila en France en 1960, et fut réélu président du Conseil lao en 1962, s'opposant à Souphanouvong qui représentait la tendance procommuniste du gouvernement. Il forma en 1973 un gouvernement de coalition dont il fut Premier ministre mais il fut renversé en 1975 par le Pathet-Lao. **V. Laos.**

SU-WEON. ♦ Anc. cap. coréenne de la dynastie des Yi (1392-1910), dans la prov. de Gyeong-gi. Nombreux monuments des XVIIᵉ et XVIIIᵉ siècles.

SUZANNE *(sainte).* ♦ Martyre du IIIᵉ siècle. – Fête le 11 août.

Suzanne. ♦ Héroïne d'un des suppléments grecs au livre de Daniel*. Elle est l'objet des convoitises de deux vieillards qui la surprennent au bain et, sur son refus, l'accusent d'adultère. Mais Daniel les convainc de faux témoignage. – *Icon.* Peintures du Tintoret (Louvre, Vienne), de Rembrandt (Berlin, La Haye).

SUZE-SUR-SARTHE (La). ♦ Ch.-l. de cant. de la Sarthe, arr. du Mans. 2 807 hab. – Église en partie romane. Vestiges d'un château du XIIᵉ s., remanié au XVᵉ siècle. – Matières plastiques.

SUZUKA ♦ V. du Japon (Honshû, préf. de Mie) sur la baie d'Ise. 120 000 hab. Station balnéaire et centre de villégiature.

SVALBARD. *n. m.* ♦ Archipel de l'océan Arctique, au N.-E. du Groenland*, possession norvégienne. Il comprend le Spitzberg, l'île Blanche, l'île du Roi-Charles, l'île Hope et l'île aux Ours. 62 050 km². 2 900 hab. (1 920 Russes, 980 Norvégiens). *V. princ.* Longyearbyen. Gisements de charbon. Pêcheries. ♦ *Hist.* Découvert au XIIe s. par les Vikings, tombé dans l'oubli et redécouvert par Barents* en 1596, l'archipel fut fréquenté au XVIIe s. par des chasseurs de baleines. En 1920, les îles furent attribuées à la Norvège par le traité de Paris.

SVARTÖSTADEN. ♦ V. et port de Suède, sur la côte O. du golfe de Botnie* au S.-E. de Luleå*. Nouveau port minéralier (exportation de fer).

SVEALAND. *n. m.* ♦ Région de la Suède centrale, comprenant la Dalécarlie, la région du lac Mälar* et la région située au N. des grands lacs (Vänern* et Vättern*).

SVEDBERG (Theodor). ♦ Chimiste suédois (Valbo, 1884 – Stockholm, 1971). Auteur de recherches sur les colloïdes et les solutions de masses moléculaires élevées, il réalisa l'ultracentrifugeuse [1920]. (Prix Nobel de chimie, 1926.)

Švejk (Aventures du brave soldat). ♦ (1920-1923). Roman humoristique et satirique en quatre volumes de J. Hašek* qui raconte les aventures d'un Tchèque apparemment naïf, mobilisé dans l'armée austro-hongroise. Symbole du bon sens populaire, Švejk révèle par son comportement et ses remarques l'absurdité du système social, administratif, militaire qui l'opprime. – Universellement célèbre, le personnage a été porté plusieurs fois à l'écran. Brecht en a fait le héros d'une pièce (notamment dans un film d'animation de J. Trnka).

SVEN Ier ou **SVEND Tveskaegg** (« barbe fourchue »). ♦ Roi de Danemark (?, v. 960 – Gainsborough, 1014). Fils du roi Harold II auquel il succéda, il reprit la tradition viking des raids vers l'Angleterre où il s'établit solidement. Son alliance avec le roi Olav* Skötkonung lui permit de remporter des victoires contre la Norvège qu'il partagea avec celui-ci (1000). À l'intérieur, il protégea l'Église et développa le commerce.

SVEN II ou **SVEND Estridsson.** ♦ Roi de Danemark (v. 1018 – 1076). Successeur de Magnus le Grand, il affermit le christianisme au Danemark et tenta, sans succès, de conquérir l'Angleterre.

SVERDLOVSK (jusqu'en 1924, **Iekaterinbourg**). ♦ V. d'U.R.S.S. (R.S.F.S. de Russie), ch.-l. de la région du même nom (194 700 km², 4 376 000 hab.), à l'E. de l'Oural*, dans la vallée de la riv. Isset. 1 073 000 hab. Centre culturel. Université. Importantes indus. sidérurgiques, mécaniques, chimiques et alimentaires. Centre minier. Nœud ferroviaire. ♦ *Hist.* La ville fut fondée en 1721 sous Pierre* le Grand. Nicolas* II y fut massacré avec sa famille par les bolcheviks en 1918.

SVĚTLÁ (Karolina, pseydonyme de **Mužák).** ♦ Romancière tchèque (Prague, 1830 – *id.*, 1899). Elle subit l'influence de George Sand* et révéla dans de nombreux recueils de contes et dans des romans son talent de narratrice et de portraitiste : *Un roman au village* (1867), *Crucifix au bord du ruisseau* (1868).

SVEVO (Ettore Schmitz, dit **Italo).** ♦ Ecrivain italien (Trieste, 1861 – près de Trévise, 1928). Après un long séjour en Allemagne (dont la langue et la littérature lui devinrent familières) Svevo fut employé de banque. On retrouve les échos de cette existence modeste dans ses premiers romans, *Une Vie* (1892) et *Sénilité* (1898), influencés par le réalisme français. Déçu par le peu de succès de ces ouvrages, l'écrivain ne publia rien durant vingt ans, accomplit de nombreux voyages et fit la découverte de Freud* dont il traduisit *La Science des rêves.* Cet intérêt pour la psychanalyse apparaît dans *La Conscience de Zeno* (1923), histoire d'une cure psychanalytique, en forme de monologue intérieur. Dès cette époque, grâce à l'impulsion donnée par James Joyce* (lié avec Svevo depuis 1903), puis aux articles élogieux d'Eugenio Montale* en Italie, de Benjamin Crémieux et de Valery Larbaud

Ph. PSZ/Ricciarini

Italo Svevo.

Ph. PSZ/Ricciarini

E. Swedenborg.

en France, l'écrivain fut révélé au public international qui apprécia l'admirable précision de ses analyses psychologiques, son art intimiste et son langage artistique personnel. Dans *La Nouvelle du bon vieux et de la petite fille* (posth., 1929), dans le *Court Voyage sentimental* (posth., 1949), on retrouve cette « infatigable enquête sur eux-mêmes que poursuivent [les] héros [de Svevo] et l'éternel monologue intérieur auquel ils se livrent... » (V. Larbaud).

SVIATOSLAV Ier Igorievitch. ♦ (? – 972). Grand-prince de Kiev* (964-972). Fils d'Igor* et d'Olga*, il fut le premier prince Varègue* à porter un nom slave. Vainqueur des Khazars* dont il anéantit l'empire (968), il lutta également contre les Bulgares du Danube, conquit Silistra*, mais fut tué par les Petchenègues* qui assiégeaient Kiev (972). Sa succession provoqua une guerre civile entre ses fils, Iaropolk, grand-prince de Kiev (973-980), Oleg, prince des Drevlianes (972-977), Vladimir, prince de Novgorod, jusqu'à l'avènement de Vladimir* Ier (980) qui rétablit l'unité.

SVIR. *n. f.* ♦ Riv. d'U.R.S.S. (région de Leningrad de la R.S.F.S. de Russie*). Émissaire du lac Onega*, tributaire du lac Ladoga*. 224 km. Deux centrales hydro-électriques.

SWAMMERDAM (Jan). ♦ Naturaliste hollandais (Amsterdam, 1637 – 1680). Ses dissections d'insectes font de lui un des fondateurs de l'anatomie des invertébrés. En embryologie, il fut partisan de la théorie de la préformation.

SWAN (*sir* **Joseph Wilson).** ♦ Chimiste britannique (Sunderland, 1828 – Warlingham, 1914). Il imagina le principe de la lampe électrique à incandescence dans une ampoule sous vide (1845), puis le filament de tantale. **V.** *aussi* **Edison, Coolidge.** Il inventa également divers papiers photographiques et les plaques alvéolées de l'accumulateur au plomb.

SWANSEA, en gallois **Abertawe.** ♦ V. et port du pays de Galles méridional (Glamorganshire), à l'embouchure de la Tawe, au fond de la *baie de Swansea.* 171 300 hab. Princ. centre métallurgique du pays de Galles, Swansea travaille le fer-blanc, le cuivre, l'étain et l'acier. Son port exporte le charbon local. Raffinerie de pétrole (Llandarcy). – Vestiges d'un château du XIIIe s. reconstruit sur l'emplacement d'une forteresse normande.

SWATOW. ♦ V. SHAN-T'OU.

SWAZILAND. *n. m.* ♦ V. NGWANE.

SWEDENBORG (Emmanuel). ♦ Savant et théosophe suédois (Stockholm, 1688 – Londres, 1772). Docteur en philosophie, il s'occupa de questions scientifiques (*Opera philosophica et mineralia,* 1734 ; *Oeconomia regni animalis,* 1740) avant de devenir le fondateur d'une secte mystique qui eut beaucoup d'adeptes en Angleterre et aux États-Unis (« Église de la Nouvelle Jérusalem »)» Il opposa à la connaissance scientifique une connaissance illuminative (ou illuminisme) de réalités suprasensibles (*Arcana caelestia,* 1749 ; *De Nova Hierosolyma,* 1758).

SWEELINCK (Jan Peterszoon). ♦ Organiste et compositeur néerlandais (Deventer, 1562 – Amsterdam, 1621). Il fut pendant quarante-quatre ans titulaire de l'orgue de l'*Oude Kerk* d'Amsterdam, où il succédait à son père. C'est probablement par les textes qu'il s'initia à la musique italienne et par l'intermédiaire de John Bull qu'il connut les œuvres des virginalistes anglais. Il composa de nombreuses pièces vocales (*Chansons françaises, Rimes françaises et italiennes, Cantiones sacrae* [en latin]) et des psaumes, portant le style polyphonique traditionnel à son plus haut degré de perfection formelle. Mais c'est surtout par ses œuvres instrumentales (notamment des *fantaisies* et *toccatas* pour orgue) qu'il fut un réel novateur, enrichissant considérablement l'ancienne forme du *ricercare* italien et introduisant les premiers motifs de fugue. Sweelinck fut par ailleurs un éminent pédagogue, et eut S. Scheidt pour élève.

ŚWIĘTOCHŁOWICE, en all. **Schwientochlowitz.** ♦ V. de Pologne* (voïévodie de Katowice) en haute Silésie. 60 000 hab. Indus. métallurgiques et minières.

SWIFT (Jonathan). ♦ Romancier, pamphlétaire et poète irlandais de langue anglaise (Dublin, 1667 – *id.*, 1745). Il était orphelin de père, ses oncles pourvurent à son éducation. Après une formation universitaire à Dublin (1681-1688), il fut secrétaire de William Temple*, qui lui permit de poursuivre des études de théologie. Il fut nommé pasteur près de Belfast en 1694. Pour défendre Temple dans la querelle des Anciens et des Modernes, il fit circuler une satire en prose, *La Bataille des livres* (*The Battle of the Books,* 1704). Swift y dresse un parallèle entre l'araignée et les modernes « tirant de leur corps de quoi filer leur science » alors que les anciens cherchent, comme l'abeille, leur miel dans la nature. Précepteur d'Esther Johnson (sans doute fille naturelle de Temple), il lui envoya des lettres révélatrices de sa personnalité (publiées de 1766 à 1768 sous le titre de *Journal à Stella*). Son premier pamphlet politique prenait position pour les whigs qu'il dut quitter pour avoir défendu les droits du clergé irlandais (*Argument contre l'abolition du christianisme,* 1708). Collaborant à l'*Examiner,* de 1711 à 1714, il prépara l'opinion à la paix avec la France. Doyen de la cathédrale de saint Patrick à Dublin (1713), il n'accéda pas à l'évêché : *Le Conte du tonneau* (*A Tale of a Tub,* 1704), satire en prose, avait déplu à la reine Anne. Swift s'y attaquait aussi bien aux anglicans qu'aux dissidents ou aux catholiques romains. La chute des tories en 1714 rendit définitif son exil volontaire en Irlande. Dès lors, il défendit âprement son pays : sa *Proposition pour l'usage universel des produits d'Irlande* (1720) enjoignait de « brûler tout ce qui venait d'Angleterre, sauf le charbon » et ses *Lettres du drapier* (1724) eurent pour effet de supprimer le privilège qu'avait un Anglais de frapper des « demi-sous destinés à l'Irlande ». Le ton docte et sérieux de la *Modeste proposition pour empêcher les enfants des pauvres en Irlande d'être à la charge de leurs parents ou de leur pays et pour les rendre utiles au public* (1729) rend ce pamphlet désespéré d'autant plus féroce : les Irlandais regarderaient comme « un grand bonheur d'avoir été vendus pour être mangés à l'âge d'un an et d'avoir évité par là toute la série d'infortunes par lesquelles ils sont passés et l'oppression des propriétaires ». La même ironie marque les *Instructions aux domestiques,* 1745, reprenant le thème de la *Méditation sur un manche à balai :* les apparences sociales dissimulent la réalité humaine. *La Conversation polie,* 1738, fustige les gens du monde (« Lady Smart », « Miss Notable », etc.). Cette ironie, qui annonce le tragique de l'attitude nietzschéenne et qui est servie par une prose admirable d'économie, se retrouve dans *Les Voyages de Gulliver* (**V. Gulliver** [Voyages de]). Swift poussa l'humour destructeur jusqu'à composer des *Vers sur la mort du doyen Swift, écrits par lui-même* (1739).

SWINBURNE (Algernon Charles). ♦ Poète et critique anglais (Londres, 1837 — *id.,* 1909). Issu d'aristocrates cultivés, Swinburne fut initié très tôt aux littératures française et italienne. Après des études à Eton et à Oxford, il se rallia aux idées républicaines de 1848 (*Ode à Mazzini,* 1857) et découvrit Sade* qui le marqua profondément. Charles IX, l'un des personnages de son premier livre, *La Reine mère,* 1860, est une sorte de monstre violent et faible. Le premier des trois drames qu'il consacra à Marie Stuart (*Chastelard,* 1865) est violemment érotique, et Swinburne lui-même fut comparé à « un satyre lâché dans un salon victorien » (Ifor Evans). Sa tragédie *Atalante en Calydon* (1865) lui apporta la gloire. On y trouve déjà le thème de la divinité considérée comme le Mal suprême (« The Supreme Evil, God »). *Poésies et Ballades,* publié en trois volumes (1866, 1878, 1889), célèbre la femme *(Laus Veneris, Dolorès, Anactoria).* Admirateur de Baudelaire et de V. Hugo, Swinburne leur dédia *Ave atque Vale* et *À Victor Hugo.* En 1871, il rencontra Mazzini, qui le sacra « aède de la liberté » et lui adressa cette requête : « Ne nous bercez pas avec des chants d'amour égoïste et d'idolâtrie pour la beauté physique ». Devenu poète de la révolte politique, Swinburne en arriva à une idée de liberté totale : *L'Hymne à l'homme* et *Devant un crucifix* (qui composèrent les *Chants d'avant l'aube,* 1871) évoquent la tyrannie de Dieu. Affligé de surdité (1880), Swinburne dut quitter Londres; il vécut grâce à la protection de son ami Théodore Watts-Dunton. Ses dernières œuvres (*Tristan de Leonois,* 1882, d'un grand lyrisme) parurent dans l'indifférence générale. Mais il suscitait l'admiration d'écrivains comme Meredith, Ruskin et Verhaeren.

SWINDON. ♦ V. d'Angleterre méridionale (Wiltshire) au N. des *White Horse Hills.* 98 400 hab. Matériel ferroviaire, confection, manufacture de tabac.

ŚWINOUJŚCIE, en all. **Swinemünde.** ♦ V. et port de Pologne*, situé à l'extrémité N.-E. de l'île d'Uznam*, sur la mer Baltique*. 22 000 hab. Avant-port de Szczecin*, et importante station balnéaire. Constructions navales. Conserves de poisson.

SYAGRIUS. ♦ Général gallo-romain (? — 486). Fils d'Egidius*, il gouverna un territoire entre Loire et Somme (464) mais fut vaincu à Soissons (486) par Clovis qui le fit assassiner par la suite.

SYBARIS, en gr. **Subaris.** ♦ Anc. V. d'Italie, sur le golfe de Tarente. Une des plus anc. cités de la Grande* Grèce, fondée par les Achéens v. ~ 720, elle fut fameuse pour son luxe et pour les mœurs libres de ses habitants *(Sybarites).* L'oligarchie sybarite renversée par une révolution populaire se réfugia à Crotone* qui, par la suite, s'empara de Sybaris et la dévasta en ~ 510. Les Athéniens fondèrent en ~ 446 Thourioi (**V. Thurium**) près de la ville ruinée.

SYDENHAM (Thomas). ♦ Médecin anglais (Wynford Eagle, Dorsetshire, 1624 — Londres, 1689). Surnommé « l'Hippocrate d'Angleterre », il est l'inventeur du laudanum (dit *« laudanum de Sydenham »*). Ses œuvres complètes (publiées en 1685) comportent un traité extrêmement précis sur la goutte. (La « danse de Saint-Gui » porte le nom de *« maladie »* ou *« chorée » de Sydenham.*)

SYDNEY. ♦ Cap. de l'État de Nouvelle*-Galles du Sud (Australie*), sur l'océan Pacifique, dans la partie méridionale de la baie profonde de Port-Jackson. 2 444 735 hab. La baie est franchie par deux immenses ponts, l'un construit en 1932 *(the Sydney Harbour Bridge),* l'autre en 1964 *(the Gladesville Bridge).* La ville, construite dans un site montagneux, au pied des Blue* Mountains, est très étendue (1 738 km²). C'est la plus grande ville et le plus grand port exportateur d'Australie. Centre ferroviaire, relié à l'intérieur du pays et aux principales villes de la côte orientale. Aéroport de Kingsford Smith. Archevêché catholique. Université. Centre commercial et industriel, Sydney est de loin le premier marché mondial de la laine. Constructions navales; matériel ferroviaire; automobiles et matériel agricole. Indus. chimiques et électriques. Indus. alimentaires et textiles. Raffinerie de pétrole. Le port exporte de la laine, du blé et de la farine, des peaux de mouton, de la viande congelée et des conserves de viande. — Belles plages le long de l'océan, en particulier Bondi Beach. — Patrie d'Édouard Goerg*. ♦ *Hist.* Le site fut aperçu pour la première fois par James Cook* en 1770 et en 1788 fut choisi comme lieu du premier établissement australien. Sydney devint la première colonie pénitentiaire britannique. Elle fut une importante base navale et aérienne durant la Deuxième Guerre mondiale.

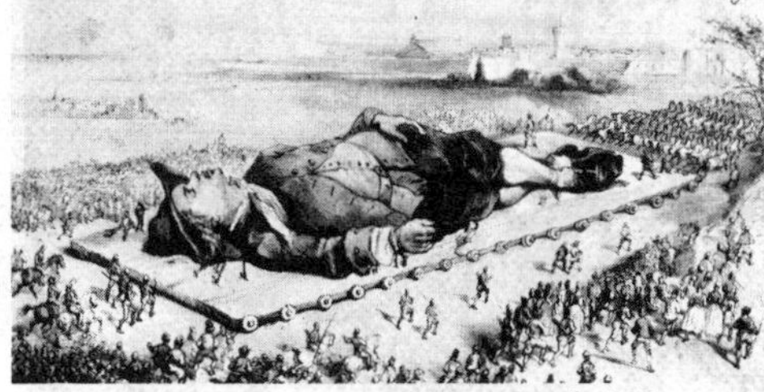

Arch. Rencontre

Jonathan Swift : « Les Voyages de Gulliver », illustration d'Edmond Morin. (Bibliothèque nationale, Paris.)

SYDNEY. ♦ V. et port du Canada, sur la côte N.-E. de l'île du Cap-Breton (prov. de Nouvelle-Écosse). 32 767 hab. (1966). Centre commercial et indus. de l'île. Terminus ferroviaire. La ville est au centre de la principale zone minière de la prov. (charbon), qui contient une pop. d'env. 100 000 hab. (Glace Bay, à 23 km; New Waterford; *Sydney Mines).* Collège universitaire (Xavier).

SYÈNE. ♦ Anc. V. de Haute-Egypte. **V. Assouan.**

SYKTYVKAR (jusqu'en 1930 **Oust-Sysolsk**). ♦ V. d'U.R.S.S. (R.S.F.S. de Russie), cap. de la R.S.S. autonome des Komis*, au confluent de la Syssola et de la Vytchegda*. 125 000 hab. Chantier naval. Traitement du bois. Indus. alimentaires. Nœud de transports fluviaux et routiers.

SYLLA, en lat. **Lucius Cornelius Sulla.** ♦ Général et homme politique romain (~ 138 — Cumes, ~ 78). D'origine aristocratique mais peu fortuné (gens *Cornelia*), Sylla ne montra de goût dans sa jeunesse ni pour la guerre ni pour la politique et, nourri d'hellénisme, mena une vie d'esthète débauché. Légat de Marius* en Numidie, il réussit à se faire livrer Jugurtha* (~ 105), ce qui attira l'attention sur lui mais lui valut la jalousie de Marius. En ~ 88, il mit fin à la guerre sociale par sa victoire sur les Samnites et, nommé consul, obtint du sénat la conduite de la guerre contre Mithridate*. Mais le tribun P. Sulpicius* Rufus, acquis au parti populaire, le fit destituer de sa charge au profit de Marius. À cette nouvelle, Sylla rentra dans Rome à la tête de ses légions, fit abolir les lois de Sulpicius Rufus et assassiner le tribun, tandis que Marius s'enfuyait en Afrique. Il partit ensuite combattre Mithridate, s'empara d'Athènes (~ 86), de Chéronée, et d'Orchomène, chaque victoire étant suivie de massacres et de pillages, et passa en Asie où il imposa au roi la paix de Dardanos (~ 85) contre une lourde indemnité. Avec un immense butin et une armée de 40 000 hommes, Sylla débarqua alors en Italie (~ 83). Marius était mort depuis ~ 86, mais il fallut un an et demi de guerres civiles pour écraser ses partisans. Par sa victoire à la porte Colline (~ 82), Sylla se rendit maître de Rome où il ordonna massacres, proscriptions et confiscations. Nommé dictateur perpétuel *(lex Valeria),* il se fit donner le titre de *Felix,* soulignant ainsi les faveurs particulières que les dieux lui accordaient, et tenta d'instaurer un nouveau régime, peut-être une monarchie impériale. En fait, il réforma la constitution au profit de l'aristocratie, enlevant les tribunaux aux chevaliers pour les rendre aux sénateurs et limita les pouvoirs des tribuns du peuple. En juillet ~ 79, à la stupéfaction générale, il abdiqua tous ses pouvoirs et se retira à Cumes où il mourut l'année suivante.

Syllabus (le). ♦ Catalogue ou *Recueil des principales erreurs de notre temps* publié par Pie* IX avec l'encyclique *Quanta* cura* (8 déc. 1864). Il contient quatre-vingts propositions exprimant le panthéisme, le socialisme, le rationalisme, le libéralisme, même catholique — toutes propositions qui s'y trouvent condamnées. Il satisfit les catholiques intransigeants, décontenança les libéraux et, chez les non-croyants, symbolisa l'obscurantisme de l'Église de Rome.

Sylphide (La). ♦ Ballet en deux actes sur un livret d'A. Nourrit d'après Ch. Nodier, musique de J. Schneitzhöffer, chorégraphie de Ph. Taglioni, représenté en 1832, avec pour princ. interprète Marie Taglioni. C'est à cette occasion qu'apparut le tutu en mousseline blanche. Premier des « ballets blancs », cette œuvre inaugurait une nouvelle technique de danse.

SYLT. ♦ La plus importante des îles de Frise du Nord (Allemagne occidentale, Schleswig-Holstein). 93 km². Tourisme (Westerland, Keitum).

SYLVESTER (James Joseph). ♦ Mathématicien anglais (Londres, 1814 — *id.,* 1897). Auteur, à partir de 1845, d'une importante série de travaux sur la théorie des formes algébriques et celle des invariants; on lui doit de nombreux résultats et la création, avec Cayley*, du vocabulaire et des principes de base des nouvelles théories. Il étudia également la distribution des nombres premiers, la géométrie différentielle et les équations différentielles.

SYLVESTRE Ier *(saint).* ♦ 33e pape (314-335). Romain. Son autorité fut éclipsée par celle de l'empereur Constantin qui convoqua personnellement le synode d'Arles (314, **V. Donat**) et le concile de Nicée* (325). Fête le 31 décembre.

SYLVESTRE II. ♦ V. GERBERT D'AURILLAC.

SYLVESTRE III (Jean). ♦ (Rome, v. 1000 – 1046 [mort]). 145e pape, en janvier-mars 1045, à la place de Benoît* IX. Il est parfois considéré comme illégitime, son élection ayant été cassée au concile de Sutri (1046).

SYLVESTRE IV *(Maginulf).* ♦ (Rome, v. 1050 – apr. 1111 [mort]). Antipape élu le 18 nov. 1105 par le parti impérial de Rome, en l'absence de Pascal* II. Il se soumit en 1111 quand ce pape, cédant à la violence, abandonna à Henri* V le droit d'investiture **(V. Investitures** *[querelle des]***).**

SYLVIUS (François DE LA BOE, dit). ♦ Physiologiste (Hanau, 1614 – Leyde, 1672). Partisan, comme van Helmont, de l'iatrochimie (qui prétendait expliquer la physiologie animale par des réactions chimiques), il contribua à répandre les découvertes de Harvey, principalement à Leyde où il enseigna.

Symbolisme russe. ♦ Le mouvement symboliste russe qui se développa au début du XXe s. se divisa en deux courants : pour certains il suffisait d'utiliser stylistiquement le symbole (Brioussov*), pour d'autres le symbolisme devint une philosophie métaphysique et mystique (Ivanov*, Blok*, Biely*).

SYMMAQUE (Quintus Aurelius Symmachus). ♦ Orateur et homme politique romain (Rome, 340 – 410). Préfet de Rome en 384, consul en 391, il défendit le paganisme et les valeurs traditionnelles de Rome contre saint Ambroise* (*Relation sur l'autel de la Victoire,* 364). Il est l'auteur de *Discours* (dont il ne reste que des fragments) et de *Lettres* qui cherchent à imiter celles de Pline* le Jeune.

SYMMAQUE *(saint).* ♦ 51e pape (498-514 [mort]), Sarde. Il subit les accusations, et même un attentat, d'un parti adverse, favorable à un rapprochement avec l'Orient monophysite, qui avait élu l'antipape Laurent. Théodoric* le Grand ne l'imposa définitivement qu'en 507. Fête le 19 juillet.

Symphonie fantastique, épisode de la vie d'un artiste. ♦ Symphonie de Berlioz (1830). L'œuvre, divisée en cinq parties (Rêveries, passions ; Bal ; Scène champêtre ; Marche au supplice ; Songe d'une nuit de sabbat) illustre un programme autobiographique. Le thème central évoque la femme aimée (l'actrice Harriet Smithson). Par sa richesse orchestrale, la variété des atmosphères et l'invention mélodique, harmonique et rythmique, l'œuvre constitue un sommet de la musique romantique.

SYMPHORIEN *(saint).* ♦ Martyr (Autun, v. 160 – *id.,* 179). Il eut la tête tranchée pour avoir avoué sa foi chrétienne au gouverneur Héraclius. – Fête le 22 août.

SYNÉSIOS. ♦ Philosophe grec (Cyrène, v. 370 – Ptolémaïs, v. 413), disciple d'Hypatie*, il fut nommé évêque de Ptolémaïs (410). Sa pensée allie platonisme et christianisme. Œuvres : *Sur les rêves, Sur le don d'un astrolabe,* des lettres, des poèmes *(Hymnes).*

SYNGE (John Millington). ♦ Auteur dramatique irlandais de langue anglaise (Rathfarnham, 1871 – Dublin, 1909). Après avoir séjourné en Europe, il se fixa aux îles d'Aran (1898) où, mêlé à la vie quotidienne des habitants, il trouva la source d'une inspiration sans cesse renouvelée. De son théâtre, où le réel et le légendaire se confondent pour créer une puissante impression d'étrangeté et de mystère, se détachent des œuvres d'une riche densité poétique : ***À cheval vers la mer*** (***Riders to the Sea,*** 1904), ***La Fontaine aux saints*** (***The Well of the Saints,*** 1905), ***Le Baladin du monde occidental*** (***The Playboy of the Western World,*** 1907), ***Deirdre des douleurs*** (***Deirdre of the Sorrows,*** 1910).

SYNGE (Richard Laurence Millington). ♦ Chimiste anglais (Liverpool, 1914). Inventeur, avec A.J.P. Martin*, de la séparation chromatographique (1941) qui permit notamment de grands progrès dans la connaissance des aminoacides. (Prix Nobel de chimie, 1952.)

SYNGMAN RHEE ou **YI SEUNG MAN.** ♦ Homme politique coréen (près de Wanghae, 1875 – Honolulu, 1965). Il adhéra au mouvement nationaliste et fut emprisonné de 1897 à 1904. Il écrivit alors *L'Esprit de l'indépendance,* et se convertit au christianisme. Il étudia dans les universités américaines où il obtint un doctorat en philosophie. Il rentra en Corée en 1910 et lutta contre les Japonais. Il se réfugia aux États-Unis en 1912 et milita pour l'indépendance de son pays. Rentré en Corée (1945), il fut élu président de la république de Corée du Sud en 1948 et gouverna dictatorialement, soutenu par les États-Unis. Durant la guerre de Corée, il s'opposa souvent à Washington et à l'O.N.U. Ayant refusé toutes concessions dans sa politique autoritaire et violemment anticommuniste, il dut démissionner en 1960. Il se réfugia aux États-Unis.

SYPHAX. ♦ Roi des Numides occidentaux ([mort] Rome, ~ 202). D'abord allié de Rome lors de la deuxième guerre Punique, il prit ensuite le parti de Carthage, sous l'influence de sa femme Sophonisbe*. Après avoir tenté de s'emparer de la Numidie* orientale (~ 205), il fut vaincu par Masinissa* et mourut en captivité (~ 202).

SYRA ou **SYROS.** ♦ Île grecque de l'archipel des Cyclades*. 84 km². 18 640 hab. Ch.-l. Hermoupolis*. Le sol de Syra, dégradé par l'érosion à la suite de la destruction de ses forêts, ne permet que l'élevage des moutons. ♦ *Hist.* Pendant la guerre de l'Indépendance hellénique, quelques milliers de réfugiés de Chio et de Psara s'installèrent dans l'île et y fondèrent la ville maritime (Hermoupolis), à côté de la haute ville habitée par des catholiques. Grâce à l'activité commerciale des deux communautés protégées par la France, Syra devint au XIXe s. l'entrepôt des Cyclades et un important centre industriel.

SYRACUSE, en it. **Siracusa.** ♦ V. et port de la côte orientale de Sicile, sur la mer Ionienne, près de l'embouchure de l'Anapo. 109 036 hab. (1971). Riche en palais médiévaux et baroques, la *vieille ville* s'étend sur l'îlot d'Ortygie, entre la mer Ionienne à l'E. et le *Porto Grande* à l'O. La fontaine Aréthuse et la cathédrale, bâtie sur les ruines d'un temple de Minerve, de style dorique (VIe s.) en sont les monuments les plus célèbres. La *zone archéologique,* au N.-E., dans l'anc. quartier de *Neapolis,* comporte un théâtre grec (~ Ve s.), l'un des plus vastes du monde antique, un amphithéâtre romain (~ IIIe s.), un autel dédié au tyran Hiéron II et une ancienne carrière de pierres (latomies du Paradis). La ville moderne est construite sur la côte, selon un plan en damier. – Patrie d'Archimède, de Hiéron II, de sainte Lucie et de S. Quasimodo. – La *prov. de Syracuse* (2 109 km², 370 000 hab.) a pour princ. activités la pêche et le tourisme. ♦ *Hist.* Fondée en ~ 734 par des Corinthiens, elle fonda elle-même Acrae (~ 663), Casmenae (~ 643), Camarina (~ 598). En ~ 485, les aristocrates, ayant été chassés par la plèbe, demandèrent aide à Gélon*, tyran de Géla, qui reconquit Syracuse pour son propre compte et battit les Carthaginois à Himère (~ 480). Le frère de Gélon, Hiéron* Ier (~ 478-~ 467), protégea le poète Pindare et exerça son action en Italie continentale ; son frère et successeur Thrasybule fut chassé en ~ 466. Ayant soutenu Sparte lors de la guerre du Péloponnèse, Syracuse fut assiégée par les Athéniens, mais en vain (~ 415-~ 413). Sous la tyrannie de Denys* l'Ancien (~ 405-~ 367), la ville prospéra avec des finances rétablies et une armée organisée. En ~ 397, la guerre contre Carthage recommença et, en ~ 392, Denys avait chassé les Carthaginois à l'O. de la Sicile. Il conquit presque toute la Grande Grèce (~ 379). Son fils Denys* le Jeune ne put empêcher les villes de Grande Grèce de reconquérir leur indépendance. Il fut renversé par Timoléon en ~ 344. Syracuse connut ensuite la tyrannie d'Agathocle* (~ 317-~ 289). Hiéron II (~ 270-~ 215) resta neutre entre Rome et Carthage, mais son petit-fils Hiéronyme, qui avait pris le parti de Carthage (~ 215), détermina l'invasion romaine et Syracuse, malgré les trouvailles militaires d'Archimède*, fut prise en ~ 212 **(V. Sicile).** – Lors de la Deuxième Guerre mondiale, Syracuse fut libérée le 12 août 1943 par Montgomery.

SYRACUSE. ♦ V. des États-Unis (New* York), située entre Albany et Buffalo. 192 529 hab. ; la zone urbaine compte près de 630 000 hab. Centre indus. et commercial. Université. La ville fut le principal producteur de sel des États-Unis, ce qui détermina sa prospérité.

SYR-DARIA ou **SYR-DARYA.** *n. m.* ♦ Fl. d'U.R.S.S., l'ancien Iaxartes des Grecs (2 906 km). Né dans les glaciers des monts T'ien*-shan (T'ian-shan) [Kirghizistan*], il porte le nom de Naryn* (720 km) jusqu'à sa confluence avec le Kara-Daria ; il arrose et fertilise la vallée de Fergana*, puis le Kazakhstan méridional, en longeant le désert de Kyzylkoum*, et se jette dans la mer d'Aral* en formant un large delta. Il reçoit les eaux de l'Augren, du Chirchik, de l'Arys (r. d.), du Sokh, de l'Isfara et de l'Isfaïzam (r. g.). Navigable jusqu'à la ville de Begovat (en Ouzbékistan*, vallée de Fergana, où se trouve la centrale hydro-électrique de Farkhand), il arrose aussi les villes de Kyzyl*-Orda et Leninâbâd*.

SYRIE. *n. f.* ♦ État (république) d'Asie occidentale situé entre le Liban et Israël (O.), la Turquie (N.), l'Iraq (E.) et la Jordanie (S.). Le pays a accès à la Méditerranée par une ouverture de 150 km entre la Turquie et le Liban, face à l'île de Chypre. 185 180 km². 6 200 000 hab. (1970) *(Syriens). Langue off.* arabe (autres langues : araméen, arménien). *Unité monét.* livre syrienne. *Cap.* **V. Damas.** *V. princ.* **V. Alep, Baniyas, Deir-ez-Zor, Hama, Homs, Karatchôk, Lattaquié, Qnaitra, Tartous.** – *Orogr.* **V. Aamsarîya** (dj.), **Anti-Liban, Druze** (dj.), **Hermon.** Les côtes sont hautes et rocheuses. Le littoral est dominé par le djebel Aamsarîya, la plus haute chaîne de montagnes du pays qui fait suite au N. à l'Anti-Liban et dont le versant oriental borde la dépression du Ghab*, arrosée par l'Oronte*. Un autre système

Ph. A. Rey.

Marché à **Syracuse.**

montagneux traverse le pays à partir du massif de l'Hermon, en chaînons isolés de direction S.-N., tandis qu'au S.-E. de Damas s'élèvent les reliefs volcaniques du djebel Druze. Ce système montagneux accidente un vaste plateau recouvert de steppes qui fait suite à la plaine côtière, et s'incline vers l'E. où la steppe fait place à un désert (*Djésireh**, au N., *Chamiya** au S.) qui occupe plus de la moitié du pays avec quelques oasis *(ghoutas)* et quelques zones de cultures sur les bords de l'Euphrate* et de son affl., le Khabour*. Le *climat,* méditerranéen dans la plaine côtière du N., avec une pluviosité accentuée et une végétation forestière (pins, cèdres...) sur les versants montagneux, devient continental à l'intérieur du pays où l'élévation des températures correspond au passage de la steppe au désert. La population est concentrée sur le littoral et sur le versant oriental des djebels côtiers. 60 % de cette population est urbanisée. Les paysans *(fellahs)* sont des sédentaires vivant du produit de leur terre, des nomades groupés en tribus, et des semi-nomades. Population musulmane sunnite ou shi'ite (Alawites de Lattaquié, Ismaéliens de Hamâ*, Druzes du djebel Druze); on trouve aussi des chrétiens orthodoxes, catholiques, arméniens, jacobites. Minorités (Juifs et réfugiés palestiniens, Bédouins, Kurdes). — *Écon.* La Syrie est un pays à vocation agricole malgré l'insuffisance des terres cultivées (env. 3 000 000 d'ha sur 18 000 000 du fait de la jachère alternée; 538 000 ha seulement sont irrigués [1971]). Les deux tiers de la population sont employés aux cultures qui occupent le littoral, les oasis de la vallée de l'Euphrate et du Khabour, et l'extrême N.-E. du pays. Céréales (dj. Druze), riz, légumes frais et secs, coton, tabac, fruits, betterave sucrière (vallée de l'Oronte). Les *ghoutas* sont plantées d'oliviers et d'arbres fruitiers. L'élevage constitue une ressource suffisamment importante pour alimenter l'exportation (ovins, caprins, bovins, volailles, chevaux, chameaux). Faibles ressources minières (gisements de phosphates, de chrome [Lattaquié], d'asphalte [dj. Aamsarîya, et Deir ez-Zor], et quelques mines de fer et d'or). Le pétrole de Karatchôk est acheminé vers l'Iran et les ports d'embarquement de Tartous et de Baniyas. Quant à l'industrie, dont l'expansion est contrariée par les événements politiques de la région, elle se ressent aussi du manque de main-d'œuvre spécialisée, de l'absence de capitaux et de la pauvreté en ressources énergétiques. D'importants travaux d'irrigation ont été effectués dans le Ghab pour accroître la surface des terres cultivées et permettre la modernisation des cultures. On prévoit, par ailleurs, un grand barrage sur l'Euphrate (Tabka) destiné à l'irrigation et à l'électrification. La plupart des industries concernent la transformation des produits agricoles : indus. alimentaires (huileries, sucreries), textiles, en développement (coton, soie), indus. du verre (Damas), artisanats (cuirs, cuivre, tapis, tissus) **(V. Damas, Hama),** cimenteries. Indus. du pétrole (Homs). L'économie repose essentiellement sur le transit des pétroles irakiens acheminés par oléoducs jusqu'à la mer, et qui permet de compenser le déficit du commerce extérieur (exportations de coton, de céréales, de bétail, de légumes... et importations de matières premières) qui se fait avec la France, la Chine, l'U.R.S.S. et les pays voisins. Le réseau de communications est fait de routes asphaltées et de pistes (15 000 km) et d'env. 850 km de lignes ferroviaires. ♦ *Hist.* Ce pays, où l'apparition de l'homme est attestée au paléolithique, était occupé par une population à dominante sémite (Araméens, Amorites, Cananéens et Phéniciens) qui posséda sa langue et sa civilisation propres. Comme la plupart des régions du Proche-Orient, la Syrie fut successivement envahie et dominée par les Égyptiens (~ XVIe s.), les Hittites (~ XIVe s.), les Hébreux, les Philistins (~ XIIe s.), les Assyriens (~ VIIIe-~ VIIe s.). Après la victoire de Cyrus sur Babylone (~ 539), elle passa sous domination perse jusqu'à la conquête par Alexandre le Grand (~ 333), puis fut disputée par les Lagides et les Séleucides*. Ceux-ci fondèrent un royaume qui, avec Antioche pour capitale, prit le nom de *royaume de Syrie* en ~ 312. C'est à cette époque que des tribus arabes venues du sud de la péninsule arabique s'installèrent dans la région où elles fondèrent diverses principautés (Émèse [auj. Homs], Damas, Pétra, Palmyre). Après la conquête romaine (~ 64), le pays devint *province romaine de Syrie,* puis de *Syro-Palestine* et connut une période d'essor économique, commercial et culturel. Lors du transfert de la capitale de l'empire romain à Byzance (330), la Syrie fut rattachée à l'empire d'Orient. La domination byzantine (jusqu'en 634) fut marquée par l'apparition de nombreux schismes chrétiens (nestoriens, monophysites, monothélètes). Occupée quelque temps par les Perses (611-622), la région fut conquise par les Arabes (Yarmuk, 636) et progressivement arabisée et islamisée. Sous les califes 'Umayyades*, qui choisirent Damas pour capitale, la province de Syrie-Palestine fut le centre politique, commercial et culturel de l'empire arabe. Sous les 'Abbâssides*, qui s'installèrent à Baghdâd (750-1258), la Syrie perdit de son importance et passa sous la tutelle de dynasties d'origine turque (Tûlûnides, Ikhshidites [935-969], Hamdânides). Les Fâtimides, qui tentèrent d'y établir leur autorité (v. 969), furent chassés par les Saljûqides* (1070), vaincus à leur tour par les croisés (1098-1099). Reprise par Salâh al-Dîn (Saladin), qui fonda le sultanat ayyûbide, la Syrie passa en 1250 sous la domination des mamelouks* d'Égypte, jusqu'à la conquête ottomane (1516). Rattachée à l'empire ottoman et divisée en trois puis quatre « pachaliks » (Damas, Tripoli, Alep puis Saïda), elle connut peu d'événements marquants jusqu'à la fin du XVIIIe s. (Bonaparte

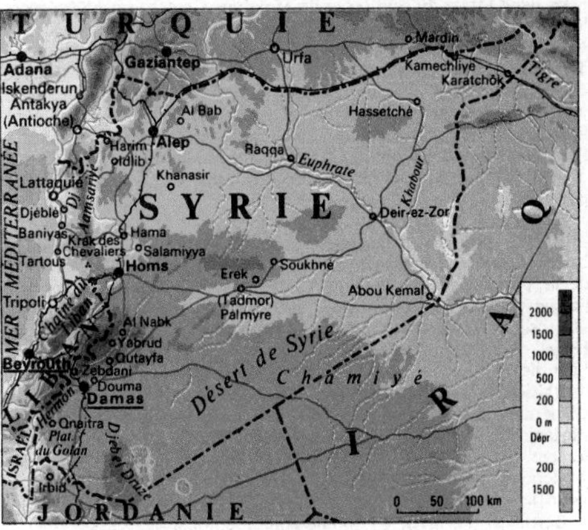

Syrie.

envahit la Syrie en 1799). En 1832, Muhammad*-'Ali (Mehémet 'Ali) réclama son rattachement à l'Égypte en compensation de la Morée; mais, en dépit de l'appui de la France, il dut renoncer à son projet. En 1860, la révolte des Druzes contre les chrétiens maronites au Liban s'étendit également en Syrie. Après le démembrement de l'empire ottoman, Faysâl Ier, roi en 1919, dut se retirer face à l'opposition de la France qui obtint l'administration de la Syrie et du Liban sous forme de mandat. Divisée alors en quatre États, la Syrie fut agitée par une insurrection druze (1925-1926). La Constitution, promulguée en 1930, y fut suivie d'élections (1932) et d'un traité franco-syrien. La cession de la région *(sandjaq)* d'Alexandrette par la France à la Turquie (1939) souleva une vive opposition chez les Syriens. Après l'entrée des Forces françaises libres (1941), l'indépendance de la Syrie déjà promise par les accords Viénot (1936) fut proclamée par le général Catroux et garantie par la Grande-Bretagne dont les troupes avaient soutenu la lutte des « Français libres » contre « l'armée française du Levant » (Vichy). Mais de nombreux heurts opposèrent encore les nationalistes syriens aux forces françaises (bombardement de Damas, 1945). Avec l'appui de la Ligue arabe, la Syrie et le Liban demandèrent à l'O.N.U. l'évacuation des troupes franco-britanniques, qui fut achevée en 1946. Après avoir pris part au premier conflit israélo*-arabe (1948-1949), la Syrie fut secouée en quelques mois par plusieurs coups d'État. Abîd Chîchaklî, après un coup d'État avec l'appui de l'armée (1951), exerça une véritable dictature, se heurta bientôt à une violente opposition politique et fut renversé par un coup d'État fomenté par la gauche (1954). Celle-ci, composée du Baath*, du Parti communiste et du Bloc socialiste, entreprit des réformes à caractère socialiste, signa avec l'U.R.S.S. un traité d'assistance économique, technique et militaire (août 1957) et se montra favorable au rapprochement avec l'Égypte. Mais la création de la République* arabe unie (1958), qui avait eu l'appui du Baath, ne tarda pas à susciter le développement d'une forte opposition en Syrie; le marasme économique contribua à accroître le mécontentement et, en 1961, une révolte sécessionniste mit fin à l'union Égypte-Syrie. Le coup d'État de mars 1963 porta le Baath syrien au pouvoir; mais celui-ci fut rapidement divisé par de nombreuses dissensions politiques tandis que le pays était agité par des mouvements d'opposition sociaux et politiques au régime. Un coup d'État (févr. 1966) porta l'aile gauche du Baath au pouvoir et l'orientation socialiste du pays fut accentuée. Ce régime, qui apporta son soutien à la résistance palestinienne, inquiéta le gouvernement israélien; les incidents de frontières entre Israël et la Syrie (printemps 1967) furent en partie à l'origine de la guerre des six jours (de juin 1967). La crise rebondit peu après l'affrontement jordano-palestinien, au cours duquel intervint l'armée syrienne (sept. 1970), et aboutit au coup d'État de Hâfiz Assad (élimination de l'aile gauche du Baath). Le nouveau régime s'est efforcé de sortir le pays de son isolement (alliance entre l'Égypte, le Soudan et la Libye, 1971). Le président Assad (1971) mena une politique de libéralisation sociale. La nouvelle constitution (1973) fut approuvée par référendum, malgré des troubles sanglants. Le 6 oct. 1973, la Syrie et l'Égypte attaquèrent Israël; de violents combats se déroulèrent sur le Golan; Damas fut bombardé. Le relatif échec des interventions syriennes au Liban*, des rapports difficiles avec l'Égypte et des problèmes économiques ont mis le gouvernement Assad en difficulté (1975-1976).

SYRINX [*Surigx*]. ♦ Nymphe d'Arcadie* aimée de Pan*. Poursuivie par le dieu, elle se transforme en roseau. Pan, en écoutant le vent siffler sur les roseaux, a l'idée d'unir des tiges de longueur inégale, faisant ainsi une flûte qu'il appelle syrinx en souvenir de la nymphe.

Syro-malabre ou **syro-malabare** *(Église).* ♦ L'existence de chrétiens dans l'Inde du Sud (côte de Malabâr, Ceylan) est attestée dès le VIe s. et se rattache peut-être aux missions nestoriennes. Les voyageurs du XIIIe s. rencontrèrent de ces « chrétiens de saint Thomas ». Mais l'Église syro-malabre proprement dite est issue de la prédication missionnaire (XVIe-XVIIe s.). Une liturgie retenant quelques rites hindous fut acceptée par le pape (1623) mais fut condamnée au XVIIIe s. Une fraction se rattacha alors à l'Église syrienne (jacobite). L'Église syro-malabre, unie à Rome, est dirigée par un patriarche œcuménique; elle possède un rite particulier.

SYROS. ♦ **V.** SYRA (île), HERMOUPOLIS.

SYRTE (*golfe de la* **Grande**), en lat. **Syrta Major.** ♦ Golfe de la Libye, formé par la Méditerranée, qui borde une partie des côtes de la Tripolitaine* et de la Cyrénaïque*, où se concentrent dans l'arrière-pays désertique les principaux gisements pétroliers libyens. *V. et localités princ.* **V. Agheila (El-), Benghazi, Sider (El-).** – La *Petite Syrte (Syrta minor)* est auj. le golfe de Gabès* (Tunisie).

SYZRAN. ♦ V. d'U.R.S.S. (R.S.F.S. de Russie), dans la région de Kouïbychev, sur la r. d. de la Volga. 174 000 hab. Indus. mécaniques (machines agricoles), chimiques et alimentaires. Traitement du schiste, de l'asphalte, du bois et du cuir. Verreries. Matériaux de construction. Raffineries de pétrole (**V. Bakou** [**Second**]).

SZÁLASI (Ferenc). ♦ Homme politique hongrois (Kassa, 1897 – Budapest, 1946). Fondateur du parti des *Croix fléchées* qui regroupait les mouvements d'extrême droite de tendance nazie. Le caractère antisémite de leur programme influa sur le gouvernement à partir de 1938. Aux élections de 1939, le Parti obtint 31 élus (sur 260 mandats); il fut encouragé par Hitler (tentative de coup d'État, juil. 1940). Après l'arrestation de Horthy, le pouvoir fut confié à Szálasi, qui entreprit le démantèlement de l'opposition, la déportation d'un grand nombre de juifs et l'intensification de la guerre. Devant la progression des troupes soviétiques, Szalasi dut quitter le territoire hongrois (2 avr. 1945). Il fut condamné en 1946 par le gouvernement de coalition et exécuté.

SZCZECIN, en all. **Stettin.** ♦ V. et port du N.-E. de la Pologne*, ch.-l. de la voïévodie du même nom (846 700 hab.) sur l'estuaire de l'Oder*. 340 000 hab. Capitale intellectuelle et industrielle de la Poméranie* occidentale, premier port de Pologne relié à la mer Baltique par l'avant-port de Świnoujście* (à 65 km) et utilisé comme débouché commercial de l'Allemagne orientale et de la Tchécoslovaquie. Industries métallurgiques de transformation, constructions mécaniques, produits textiles et chimiques. – Patrie de Catherine* II de Russie. – Le *golfe de Szczecin,* tributaire de la mer Baltique* dont il est isolé par les îles de Wolin* et Uznam*, reçoit l'Oder* en aval du port. ♦ *Hist.* Fondation wende (**V. Sorabes**), colonisée par les Allemands au XIIe s., elle fut résidence des ducs de Poméranie, reçut le statut de ville allemande en 1243, puis fit partie de la ligue hanséatique (1360) et adhéra à la Réforme en 1523. Après l'occupation de Gustave-Adolphe (1630), elle fut cédée à la Suède (traités de Westphalie, 1648). Prise par le Grand Électeur de Brandebourg (1677), rendue à la Suède (1679), elle fut annexée à la Prusse par la paix de Stockholm (1720). Les Français (général Lasalle) l'occupèrent de 1806 à 1813 La ville, de nouveau prussienne, fut prise par les Russes (**V. Rokossovski**) en 1945, et attribuée à la Pologne, par les accords de Potsdam* (1945), tandis que la population allemande était évacuée.

SZÉCHENYI (István, *comte***).** ♦ Écrivain et homme d'État hongrois (Vienne, 1791 – Döbling, 1860). Après avoir participé aux guerres contre Napoléon, il voyagea en Europe, principalement en France et en Angleterre où il prit conscience du retard de son pays. Revenu en Hongrie, il écrivit *Crédit* (1830), *Lumière* (1831), *Stade* (1833), dans lesquels il préconisa plutôt que la rupture avec l'Autriche des réformes économiques et sociales afin de développer et de moderniser le pays. Il participa activement à la vie politique, réalisant de nombreux travaux publics. Au moment de la révolution de 1848, se sentant responsable des événements, il perdit la raison. Il écrivit encore pendant ses moments de lucidité *Connaissance de soi-même* (1856), *La Grande Satire hongroise* (1859); il se suicida en 1860.

SZEGED. ♦ V. de Hongrie, située au S.-E. du pays, sur la r. d. de la Tisza*, en aval de sa confluence avec le Mureş. 126 000 hab. (1969). Université (depuis 1921). Église de Mathias du XVIe siècle. – Indus. agricoles, chimiques, textiles. Port fluvial et centre ferroviaire. ♦ *Hist.* Szeged, forteresse et place commerciale sous les Árpád*, fut mise à sac par les Tatars* en 1241. La ville reçut de Bela IV des privilèges municipaux et devint ville franche en 1498. Elle fut prise par les Turcs en 1542 et reconquise en 1686. Kossuth* y installa son gouvernement provisoire en juil. 1849. Reconstruite après les inondations en 1879, la ville perdit de son importance économique en 1918, lorsque le Banat* fut rattaché à la Roumanie et à la Yougoslavie.

SZÉKESFEHÉRVÁR. ♦ V. de Hongrie, ch.-l. du comitat de Fejér, située au S.-O. de Budapest, à mi-distance entre la capitale et le lac Balaton*. 72 000 hab. Musée de plein air dit « Jardin des ruines » *(lapidarium).* Chapelle gothique Sainte-Anne (1470), églises et maisons baroques. – Métallurgie de l'aluminium (laminoirs). Fabrique d'appareils de télévision. ♦ *Hist.* Székesfehérvár fut constituée en ville sous le roi Étienne. Jusqu'au milieu du XVIe s., la ville porta le nom d'*Alba Regia* et fut le lieu de couronnement et de sépulture des souverains hongrois. C'est à Székesfehérvár que fut promulguée en 1222 la Bulle d'or limitant le pouvoir royal. La ville fut occupée par les Turcs de 1543 à 1688. Au cours de la Deuxième Guerre mondiale, des batailles très violentes opposèrent Allemands et Soviétiques dans la ville, qui en a beaucoup souffert. Elle fut reconstruite et modernisée après la guerre.

SZEKSZÁRD. ♦ V. de Hongrie, ch.-l. du comitat de Tolna. 24 000 hab. Vins.

SZENT-GYÖRGYI (Albert). ♦ Biochimiste hongrois (Budapest, 1893). Auteur de recherches sur les métabolismes (**V. Krebs**), il prépara en 1929 la vitamine C (acide ascorbique) à partir de la surrénale (**V. Haworth, Karrer**), isola en 1934, avec Smith, la vitamine B6 (pyridoxine), découvrit la vitamine PP [amide nicotinique]. (Prix Nobel de médecine, 1937.)

SZIGLIGETI (Joseph Szathmary, dit **Edo).** ♦ Acteur et auteur hongrois (Varadolaszï, 1814 – Budapest, 1878). Essentiellement populaire, son œuvre dramatique est remarquable par sa richesse et sa diversité. Illustrant la scène hongroise dans tous les genres, il est le créateur d'un type de vaudeville populaire et national avec *Liliomfi* (1849).

SZOLNOK. ♦ V. de Hongrie, ch.-l. du comitat homonyme sur la Tisza. 61 000 hab. Université technique. Méthane. Indus. chimique, métallurgique et mécanique, papier, indus. alimentaire. – *Le comitat de Szolnok* a 5 571 km² et 440 000 hab. (1969).

SZOMBATHELY. ♦ V. de Hongrie, ch.-l. du comitat de Vas, située à l'O. du pays, près de la frontière autrichienne. 65 000 hab. – Temple d'Isis (IIe s.). Musée de plein air (antiquités romaines). Palais épiscopal (baroque). – Indus. textiles et du cuir. Indus. mécaniques. ♦ *Hist.* La ville fut fondée en 41 par l'empereur Claude, et reçut le nom de *Savaria.* Résidence des proconsuls romains, elle joua un rôle important comme centre de communications. Septime Sévère y fut proclamé empereur. Au Moyen Âge, des bastions y furent construits. Puis la ville devint un grand centre du catholicisme en Transdanubie.

SZONDI (Lipot). ♦ Psychiatre hongrois (Nitra, 1893). Le *test de Szondi* consiste à classer des photographies représentant des types psychologiques déterminés par ordre de sympathie; il est utilisé pour l'exploration des pulsions profondes de la personnalité (en particulier en psychopathologie); l'interprétation de ce test repose sur le « système des pulsions » établi par Szondi, qui distingue huit besoins pulsionnels indépendants. La valeur de ce système et du test a été l'objet de vives polémiques.

SZOPIENICE. ♦ V. de Pologne, en haute Silésie, voïévodie de Katowice. 53 000 hab. Charbonnages et fonderie de zinc.

SZTÁLINVÁROS. ♦ **V.** DUNAÚJVÁROS.

SZU-CH'UAN [*Sseu-tch'ouan, Szechwan*]. *n. m.* ♦ Prov. de la Chine centrale. 569 000 km². 72 160 000 hab. *Cap.* Ch'eng*-tu. *V. princ.* Ch'ung*-ch'ing. – *Orogr.* C'est une région au relief mouvementé, dont le centre est formé par la vaste plaine sédimentaire du *Bassin* Rouge,* dominé à l'E. par les *Alpes du Szu-ch'uan* et les premiers versants du Tibet, au N. par les monts Ta-pa-chan (⅋ à 6 000 m d'alt.). – *Hydrogr.* Yang*-tsê-kiang (fleuve Bleu). – *Écon.* Le Bassin Rouge, très fertile, produit des céréales et des plantes tropicales. Le sous-sol est riche en houille, en pétrole et en minerais ferreux.

SZU-MA HSIANG-JU [*Sseu-ma Siang-Jou, Sima Xiangru*]. ♦ Poète chinois (~ 179 – ~ 117), originaire du Szu-ch'uan. Il est l'auteur de célèbres *Fu* (poèmes chantés) et vécut à la cour de l'empereur Wu des Han*.

SZU-MA TS'IEN [*Sseu-ma Ts'ien, Sima Qian*]. ♦ Historien chinois (v. ~ 145 – v. ~ 86) et grand astrologue à la cour des Han*, auteur d'une célèbre chronique historique, le *Shih Chi* [*Che Ki, Shi Ji*] allant des origines à env. ~ 100. **V. K'ung Tzu.** Il fut le premier historien chinois véritable, étudiant et critiquant les faits d'une manière objective.

SZU-MING [*Sseu-ming, Siming*]. ♦ Port de Chine orientale, sur la côte du Fu-Kien, sur une petite île du même nom, anciennement Amoy. 300 000 hab. Port de pêche important, il fut un port international après 1903.

SZU-P'ING [*Sseu-p'ing, Siping*]. ♦ V. de Chine, à la frontière des prov. du Liao-ning et du Kirin, à 100 km au S.-O. de Ch'ang-ch'un. 130 000 hab. Indus. diverses, métallurgie.

SZYMANOWSKI (Karol). ♦ Compositeur polonais (Tymószowska, Ukraine, 1882 – Lausanne, 1937). Né dans une famille de musiciens, il fut l'élève de son père et de son oncle, puis étudia la composition à Varsovie avec Z. Noskowski, avant de se joindre au groupe « Jeune-Pologne », qui militait pour la rénovation de la musique polonaise. Ses premières œuvres se ressentent de l'influence de Chopin et de Scriabine (*2e symphonie*) et de celle de Wagner, Strauss et Reger (*1re symphonie; Hagith,* opéra). Plus tard, à Vienne, il eut la révélation de l'œuvre de Debussy, de Ravel et surtout du *Petrouchka* de Stravinski, influences décelables dans sa musique pour violon *(1er concerto)* et pour piano (*Mythes* [comprenant la célèbre *Fontaine d'Aréthuse*] et *Métopes*) tout en étant profondément marqué par la musique folklorique polonaise (ballet *Harnasie*). Nommé en 1926 directeur du conservatoire de Varsovie, il connut alors une période très féconde, dont l'opéra du *Roi Roger,* le *Stabat Mater,* la *symphonie concertante* pour piano et orchestre et le *2e concerto* pour violon sont les œuvres les plus originales.

Ph. Revue « Bateaux »

Éric Tabarly (le troisième à partir de la gauche) à bord de Pen Duick III.

TABAGO. ♦ V. TOBAGO.

TABARÎ (Abû Ja'far Muhammad ibn Jarîr al-). ♦ Historien et théologien arabe (Amol, Tabaristan, v. 838 – Baghdâd, 923). Il passa l'essentiel de sa vie à Baghdâd où il commença par être précepteur du fils d'un vizir; il fut ensuite professeur de droit et de *hadîth**. Il écrivit une histoire universelle de la Création jusqu'à 915 : *Târîkh al-Russûl wa al-Mulûk* (« Chronique des prophètes et des rois »), texte célèbre par les précisions historiques qu'il fournit sur la période qui va du VIe au Xe siècle. Sa deuxième grande œuvre est son commentaire du Coran* (*Jami' al-Bayân* ou *Tafsîr*).

TABARIN (Antoine GIRARD, dit). ♦ Charlatan français (Paris, 1584 – *id.*, 1633). Frère et compère de l'opérateur Mondor, il exerça ses talents sur les tréteaux en plein vent du Pont-Neuf et de la place Dauphine. Surnommé le « prince des bouffons », il suscita l'admiration du jeune Poquelin, futur Molière.

TABARKA. ♦ V. du N. de la Tunisie (gouvernorat de Jendouba) située sur la Méditerranée à proximité de la frontière algérienne, en Kroumirie. 1 000 hab. Port de pêche et d'embarquement de liège.

TABARLY (Éric). ♦ Officier de marine et yachtman français (Nantes, 1931). Vainqueur de la seconde course transatlantique en solitaire Plymouth-Newport (1964) sur le ketch *Pen Duick II,* il s'illustra aussi lors de la course transpacifique en solitaire (1969) à bord de *Pen Duick V.* Grand vaincu de la course autour du monde (1973-1974) avec le *Pen Duick VI,* il remporta la course transatlantique en 1976.

TABASARA *(sierra de). n. f.* ♦ Cordillère volcanique du N.-O. de la république de Panamá, qui fait suite à la cordillère Costaricaine et culmine au Chiriqui*.

TABASCO. *n. m.* ♦ État du Mexique méridional situé entre le Guatemala et le golfe du Mexique. 24 661 km². 644 000 hab. (1967). *Cap.* Villahermosa*. La plaine côtière prolonge celle de l'État de Veracruz*, traversée par l'Usumacinta*. L'État est couvert de forêts tropicales (bois précieux). Canne à sucre, cacao, fruits tropicaux. Élevage (bovins). – Gaz naturel et pétrole.

TABINSHWETI. ♦ Souverain birman (1531 – v. 1550) qui régna à Pegu après avoir conquis tout le territoire et fait l'unité du pays grâce à ses alliances avec des mercenaires portugais qui l'aidèrent à contenir les armées siamoises.

Tableaux (ou images) de voyage, en all. **Reisebilder.** ♦ Œuvre de Heinrich Heine*, parue en plusieurs volumes *(Les Montagnes du Harz,* en all. *Die Harzreise; L'Île de Nirdeney, Le Tambour Legrand, Idées, Les Bains de Lucques, La Ville de Lucques),* de 1824 à 1831. Inaugurant un genre nouveau dans la littérature allemande, les *Reisebilder* constituent une œuvre particulièrement révélatrice du génie et du style de Heine qui y exprime ses sentiments et ses idées en maniant tour à tour un lyrisme tout impressionniste ou l'ironie la plus mordante. L'audace politique des *Reisebilder* les fit interdire par la plupart des gouvernements allemands de l'époque.

Table ronde *(chevaliers de la).* ♦ Dans les romans du *cycle breton,* le roi de Bretagne, Artus*, réunit, une fois l'an, ses meilleurs chevaliers autour d'une « table ronde » où chacun a sa place marquée, sans querelle de préséance.

TABOR *(mont). n. m.* ♦ **V.** THABOR.

TÁBOR. ♦ V. de Tchécoslovaquie, en Bohême-Méridionale, bâtie sur un bastion escarpé, au-dessus de la Lužnice. 19 900 hab. La vieille ville conserve ses rues tortueuses et ses remparts. Musée hussite. – Constructions mécaniques, manufacture de tabac. ♦ *Hist.* La ville fut fondée en 1420 par les hussites* les plus intransigeants qui prirent alors le nom de taborites.

TABOUROT (Jehan). ♦ Écrivain français (Dijon, 1520 – Langres, 1595). Ordonné prêtre en 1530 et chanoine de Langres en 1574, c'est sous l'anagramme de Thoinot Arbeau qu'il publia en 1589 son ouvrage l'*Orchésographie,* se présentant comme un *Traité en forme de dialogue par lequel toutes personnes peuvent apprendre et pratiquer l'honneste exercice des dances.* Ce texte, orné de figurines, où la portée musicale s'accompagne de la notation alphabétique des danses (pavanes, moresques, basses-danses, allemandes, gaillardes, courantes...) décrites minutieusement, reste un document précieux pour comprendre les coutumes du XVIe siècle.

TABRÎZ. ♦ V. du N.-O. de l'Iran (IIIe Province), située dans une vaste cuvette près du lac de Rezaiyeh*, sur la riv. Talkheh. Ch.-l. de la province de l'Azerbaïdjan oriental. 403 000 hab. (1966). Université. La ville conserve plusieurs monuments anc., parmi lesquels la magnifique mosquée Bleue (1465, détruite en grande partie par un tremblement de terre) et la citadelle (XIVe s.). – Indus. prospère (tapis, articles textiles, travail du cuir). – Grand centre commercial (fruits secs, coton...), relié par voie ferrée à Téhéran et au réseau soviétique. ♦ *Hist.* Fondée à l'époque sassanide (ce serait la *Tauris* des Anciens) ou plus probablement vers le IXe s., Tabrîz devint la capitale de l'empire mongol à la fin du XIIIe s. et un grand centre intellectuel. Elle perdit de son importance sous les Timûrides, mais redevint provisoirement capitale de la Perse sous les Safavides. Elle fut occupée à plusieurs reprises par les Turcs ou par les Russes. En 1946, Tabrîz fut le siège du gouvernement de la République démocratique d'Azerbaïdjan, rapidement reconquise par les Iraniens. De nombreux tremblements de terre marquèrent le cours de son histoire.

Arch. Rencontre

Périmètre irrigué de **Tadla.**

TACANA. *n. m.* ♦ Volcan du Guatemala (4 000 m), situé à la frontière du Mexique, dans le prolongement de la sierra Madre* del Sur.

TACHIKAWA. ♦ V. du Japon (Honshû), centre industriel à 27 km à l'O. de Tôkyô. 120 000 habitants.

TACHKENT ou **TASHKENT.** ♦ V. d'U.R.S.S., cap. de l'Ouzbekistan [Uzbekistân] et ch.-l. de la région du même nom (15 600 km², 2 826 000 hab.), dans l'oasis de Tchirtchik [Chirchik] (affl. r. d. du Syr*-Daria, 173 km). 1 461 000 hab. Important centre culturel (université fondée en 1920) et industriel de l'Asie centrale soviétique. Indus. mécaniques (machines agricoles, excavateurs) et alimentaires. Combinat textile. Nœud ferroviaire. Aéroport. Centrale thermique. La V. fut en grande partie détruite par un tremblement de terre an avril 1966. ♦ *Hist.* D'origine obscure, Tachkent fut conquise successivement par les Chinois, les Mongols, les Kirghiz et les Boukhariens. Appartenant dès le début du XIXe s. au khânat de Kokand*, elle fut prise par les Russes en 1865 et devint cap. du gouvernement général du Türkestân* en 1867.

TACHÔS ou **TÉOS.** ♦ Deuxième pharaon de la XXXe dynastie sébennytique, fils et successeur de Nectanébo* Ier (v. ~ 361 — ~ 359). Il entreprit une campagne en Palestine, mais fut arrêté par une révolte de l'armée qui donna le trône à Nectanébo* II. Il fut le premier pharaon à frapper monnaie.

TACITE (Publius Cornelius Tacitus). ♦ Historien latin (v. 55 — v. 120). De milieu équestre, il entra dans la carrière administrative sous Vespasien*; il fut consul (97), puis proconsul d'Asie (110-113). Son éloquence lui avait assuré une grande réputation avant qu'il ne s'adonne à l'histoire (vers 98). Il est l'auteur du *Dialogue des orateurs* (qu'il écrivit probablement en 106), brillant essai sur les causes du déclin de l'éloquence, de la *Vie d'Agricola* (98), éloge funèbre de son beau-père, général de Domitien*, dans lequel il prend violemment parti contre l'empereur, et de la *Germanie,* traité sur les mœurs des Germains. Ses deux grands ouvrages historiques sont les *Histoires** et les *Annales**. — Tacite voulait faire œuvre morale, sauver les vertus de l'oubli et stigmatiser les vices. Il s'intéressait surtout à la cour impériale, qui offrait une riche matière à l'analyse psychologique, et au monde barbare pour son étrangeté pittoresque, étudiant les mobiles humains individuels plus que les causes générales. Excellent peintre des âmes complexes et dissimulées, il avait une philosophie pessimiste de l'histoire. Il se forgea un style dont la personnalité doit beaucoup au récit narratif des Grecs (Thucydide*), déjà pratiqué par Salluste*, style nerveux, inégal, asymétrique, d'une extrême concision, allant parfois jusqu'à la suppression du verbe. Entre ses mains, l'histoire cesse d'être une chronique pour devenir une documentation psychologique et un genre littéraire.

TACITE, en lat. **Marcus Claudius Tacitus.** ♦ (Terni, v. 200 — Tyane, Cappadoce, 276). Empereur romain (275-276). Sénateur austère et consciencieux, il prétendait descendre de l'historien Tacite* et fut choisi par le sénat comme successeur d'Aurélien* pour son intégrité. Il vainquit les Goths en Cilicie et, malgré ses largesses, mourut assassiné par ses soldats après six mois de règne.

TACLOBÁN. ♦ V. des Philippines (île de Leyte). 50 000 hab. Port exportateur d'abaca et de coprah.

TACNA. ♦ V. du Pérou méridional située au N. d'Arica* dans une oasis au pied de la Cordillère occidentale. 30 000 hab. env. Ch.-l. du dép. de Tacna (14 766 km², 95 623 hab.), frontalier avec le Chili. Cultures tropicales (coton, canne à sucre, vigne, tabac). ♦ *Hist.* La ville de Tacna, ainsi qu'Arica, fut cédée au Chili par le traité d'Ancón (1883). Par le traité de Lima (1929), Tacna revint au Pérou et Arica au Chili.

TACOMA. ♦ V. et port de l'O. des États-Unis (Washington), sur le Puget Sound, au S. de Seattle. 154 581 hab. (zone urbaine 405 000 hab.). Indus. du bois, métallurgie (aluminium, cuivre), électrochimie. — L'université méthodiste de Puget Sound se trouve à proximité.

TADDEO DI BARTOLO. ♦ Peintre italien (Sienne, v. 1362 — *id.*, 1422). Se rattachant à la tradition héritée des Lorenzetti*, il en fit une sorte d'académisme qu'il répandit de Pise à la Ligurie et à l'Ombrie. Fidèle aux conventions de la peinture religieuse siennoise, il innova plus dans le sujet que dans le style aux environs de 1400, à son retour dans sa ville natale (articles du *Credo,* Opera del Duomo, Sienne; figures de *dieux et héros antiques,* 1414, palais municipal, Sienne).

TADEMAÏT *(plateau du).* ♦ Région du Sahara algérien, formée de hamadas calcaires, située au S. du Grand Erg occidental limité par les régions de Gourara* et du Touat* à l'O., le Tidikelt* au S. et le Grand Erg oriental à l'est.

TADJIK. *n. m. pl.* ♦ Peuple iranien du N. de l'Iran, de l'Afghânistân et de l'Ouzbékistan [Üzbekistân], composé d'agriculteurs sédentaires parlant un dialecte persan archaïque.

TADJIKISTAN, TADJIKISTÂN, *n. m.* ou **TADJIKIE,** *n. f.* (République socialiste soviétique du —, en russe **Tadjikskaja S.S.R.**). ♦ Une des quinze républiques fédérées d'U.R.S.S.*, bordée à l'O. et au N. par l'Ouzbekistan* et le Kirghizistan*, à l'E. par la République populaire de Chine et au S. par l'Afghânistân. 1 431 000 km² 3 100 000 hab. Population multinationale (*Tadjiks* 53 %, Ouzbeks 23 %, Russes, Ukrainiens, Kirghizes, Turkmènes). *Cap.* **V. Douchanbé.** *V. princ.* **V. Kanibadam, Leninâbâd, Khorog** (ch.-l. de la région autonome de Gorno*-Badakhchan). Le Tadjikistan est un pays de hautes montagnes. À l'E., il s'identifie avec le Pamir*, où l'altitude des monts Transalaï dépasse 6 000 m et culmine au pic Lénine* (7 135 m) et au pic Communisme* (anc. pic Staline, 7 495 m). Au N. se dressent les contreforts du T'ien*-Shan (Tian-Chan), au S. les chaînes montagneuses du Türkestân, de l'Hissar et de l'Alaï; entre les deux massifs s'étend la partie ouest de la dépression du Fergâna*. Le S.-O. du pays est une région de larges vallées (Vakhch, Kyzysou, Hissar) où sont concentrés 90 % de la population. Trois fleuves importants (le Syr*-Daria, le Zeravchan* et l'Amou*-Daria), avec le Piandj et le Vakhch, leurs tributaires, traversent le territoire du Tadjikistan. Les forêts n'occupent que 4 % de la superficie du pays. Le sous-sol est riche en gisements de zinc, de plomb, de tungstène, de bismuth, d'arsenic, d'étain, d'antimoine, de mercure, de pétrole (à Nefteabad), de houille (à Choutab ou Shutab) et de lignite. — *Écon.* L'activité agricole, pratiquée sur 31 % seulement du territoire, à cause du relief montagneux, est surtout représentée par la culture du coton, mais on cultive aussi le géranium (80 % de l'essence de géranium produite en U.R.S.S.), le tabac, le riz, le froment, l'orge et le maïs. L'élevage est surtout ovin (moutons à queue grasse et astrakan). L'industrie (métallurgie, mécanique : machines agricoles; indus. textiles : traitement du coton, de la soie; indus. du cuir : chaussures; bonneterie, huiles et graisses, conserves, vins, tabac) est concentrée dans les grandes villes. Les centrales thermiques et hydro-électriques (l'une sur le Syr-Daria et l'autre sur le Vakhch) produisirent 3 367 000 kWh en 1971. ♦ *Hist.* Conquises successivement par les Arabes (VIIIe s.), les Samanides* (IXe-Xe s.) et les Mongols (XIIIe s.), les terres tadjikes firent partie du khanat [qânat] de Boukhara* du XVIe au XIXe s. Dans la seconde moitié du XIXe s., après la conquête de l'Asie centrale par la Russie, le Tadjikistan actuel fut annexé au gouvernement du Türkestân* et au khanat de Boukhara (alors vassal des Russes). En déc. 1917, le régime soviétique fut proclamé dans les régions septentrionales et en 1922 fut créée la République populaire soviétique de Boukhara. Après la délimitation territoriale des républiques de Türkestân, de Boukhara et de Khârezm* (qui furent partagées entre le Kazakhstan*, le Kirghizistan*, l'Ouzbékistan*, le Tadjikistan et le Turkmenistan*), le Tadjikistan devint en 1924 une R.S.S. autonome au sein de l'Ouzbékistan et, en 1929, une R.S.S. fédérée d'U.R.S.S.

Tâdj Mahal. ♦ V. TAJ MAHÂL.

TADJOURA. ♦ V. et port du Territoire français des Afars* et des Issas. 1 150 habitants.

TADLA. ♦ Plaine du Maroc occidental, dépression E. de la Meseta*, au pied du Moyen Atlas, traversée par l'Oum* Er-Rebia et irriguée en partie par le barrage de Bin* el-Ouidane. *V. princ.* **V. Beni*-Mellal.**

TAEGU. ♦ V. DAEGU.

T'AE HAN MIN GUK, « république de Corée ». ♦ Nom officiel de la Corée* du Sud depuis 1948.

TAFARÍ MAKONNEN. ♦ V. HAILÉ SÉLASSIÉ Ier.

TAFILALET ou **TAFILALT** ou **TAFILET.** *n. m.* ♦ Région saharienne du Maroc, cuvette dominée par l'Anti-Atlas à l'O. et le Haut Atlas au nord. Nombreuses oasis (palmeraies). ♦ *Hist.* La maison régnante du Maroc est originaire du Tafilalet. René Caillié, en 1828, fut le premier Européen à y pénétrer, mais la région ne fut occupée par les Français qu'en 1932 **(V. Bournazel).**

TAFNA. *n. f.* ♦ Fl. côtier de l'Algérie occidentale qui a pour sous-affl. la riv. Isly* (Maroc). ♦ *Hist.* Le traité de la Tafna fut signé le 30 mai 1837 entre Bugeaud* et l'émir Abd* al-Qadir (Abd el-Kader), auquel le gouvernement français faisait d'importantes concessions, reconnaissant la souveraineté de l'émir sur près des deux tiers de l'Algérie. Les combats reprirent néanmoins après deux ans de trêve.

TAFT (William Howard). ♦ Homme d'État américain (Cincinnati, Ohio, 1857 — Washington, 1930). Il fut d'abord avocat puis magistrat et devint le premier gouverneur civil des Philippines (1901-1904). Il fut nommé par Th. Roosevelt secrétaire à la Guerre (1904-1908) et désigné comme son successeur. Élu candidat républicain, il devint président des États-Unis de 1909 à 1913. Il continua la politique de Roosevelt et fit voter malgré une vive opposition le *Payne-Aldrich Act* (1909) sur les tarifs douaniers.

Vaincu par le démocrate Wilson* en 1912, Taft devint professeur de droit constitutionnel à l'université de Yale. En 1919, il se déclara favorable à la S.D.N. et au traité de Versailles. En 1921, Harding le nomma président de la Cour suprême.

TAGAL(S). *n. m. pl.* ♦ Population malaise des Philippines, habitant notamment Luçon [Luzon]. Caractérisés par leur langue (le *tagal*), ils sont env. 2 000 000.

TAGANROG. ♦ V. et port d'U.R.S.S. (R.S.F.S. de Russie), sur la côte septentrionale de la mer d'Azov. 265 000 hab. Indus. métallurgiques et chimiques. Constructions navales. ♦ *Hist.* Fondée en 1698 par Pierre le Grand qui y fit édifier une forteresse, la ville devint la résidence favorite d'Alexandre Ier, qui y mourut en 1825. Durant la guerre de Crimée*, elle fut bombardée par une flotte franco-britannique.

TAGAR. ♦ Site préhistorique éponyme de l'âge du bronze en Sibérie, près de Minoussinsk, caractérisé par un art animalier très élaboré et une métallurgie à la technique avancée (v. ~700-~100).

TAGDEMPT (anc. **Tiaret**). ♦ V. d'Algérie, ch.-l. du dép. et de l'arr. du même nom, située au pied S. de l'Ouarsenis, en contact avec les Hauts Plateaux. 40 900 hab. Centre commercial de la région céréalière du Sersou. – *Le dép. de Tagdempt* (442 300 hab.) s'étend en majeure partie sur des régions arides. Cultures d'alfa. *V. princ.* **V. Aflou** et **Frenda.** ♦ *Hist.* Anc. poste romain, Tagdempt fut la cap. du royaume de Tahert* (VIIIe-Xe s.).

TAGE, *n. m.*, en esp. **Tajo**, en port. **Tejo.** ♦ Princ. fl. de la péninsule Ibérique (1 006 km). Né en Espagne, dans les Montes Universales (Aragon, prov. de Teruel), il coule d'abord au fond de profondes gorges, traverse la Meseta* (Castilles), arrose Aranjuez*, Tolède*, Talavera*, Alcántara*. Au Portugal, après avoir franchi les *Portas de Rodão*, il coule en plaine à partir d'Abrantès* et se jette dans l'Atlantique dans la baie de Lisbonne* (mer de Paille). Ses princ. affl. sont le Henares, le Manzanares, l'Alberche (Espagne) et le Zézere (Portugal). Son aménagement hydro-électrique est en cours (haut et moyen Tage).

TAGLIACOZZI. ♦ Médecin italien (Bologne, 1546 – 1599). Il se spécialisa dans les opérations de greffes cutanées et en particulier les rhinoplasties.

TAGLIAMENTO. *n. m.* ♦ Fl. d'Italie du Nord (170 km). Né dans les Alpes Carniques, il coule d'abord vers l'E. en arrosant le Frioul*, puis s'oriente vers le S. en traversant la Vénétie Julienne. Après avoir parcouru une zone de lagunes, il se jette dans l'Adriatique, entre Venise et Trieste. ♦ *Hist.* Bonaparte y vainquit l'archiduc Charles (mars 1797). De 1806 à 1814, le *Tagliamento* donna son nom à la région de Trévise et à une partie du Frioul. En 1917, les troupes italiennes ne purent contenir sur ses rives l'avance austro-allemande vers la Piave.

TAGLIONI (Filippo). ♦ Danseur et chorégraphe italien (Milan, 1777 – Côme, 1871). Il débuta en Italie, puis vint à Paris, où il parut à l'Opéra dans *La Caravane du Caire* (1799). Engagé au Théâtre-Royal de Stockholm (1803), il y devint maître de ballet et épousa une jeune Suédoise, Anna Karsten, dont il eut deux enfants, Marie et Paul, qui illustrèrent l'art de la danse, la première comme ballerine, le second comme chorégraphe. Il a monté lui-même de nombreuses chorégraphies sur les plus grandes scènes d'Europe, notamment à Vienne, Paris (1830-1836), Saint-Pétersbourg (1837-1842), et peut être considéré comme le véritable créateur du ballet romantique, par l'atmosphère poétique et dépouillée de sensualité dont il sut l'imprégner. On lui doit en particulier les ballets *La Sylphide* (1832), *La Fille du Danube* (1836) et l'*Ombre* (1839) qu'il composa pour sa fille Marie.

TAGLIONI (Marie). ♦ Danseuse italienne (Stockholm, 1804 – Marseille, 1884), fille de Filippo Taglioni *(ci-dessus).* Élève de son père, qui veilla attentivement sur sa carrière et composa pour elle les plus célèbres de ses chorégraphies, elle débuta à Vienne en 1822. Elle entreprit ensuite de nombreuses tournées en Italie et en Allemagne avant de paraître sur la scène de l'opéra de Paris (1827), où sa grâce immatérielle et la nouveauté de sa technique suscitèrent l'enthousiasme unanime. Auber composa pour elle *Le Dieu et la Bayadère* (1830) et Meyerbeer inséra à son intention le *Ballet des nonnes* dans son opéra *Robert le Diable* (1831). Le triomphe de *La Sylphide* (1832) précéda pour elle celui de *La Révolte au sérail* (1833) et de *La Fille du Danube* (1836) où elle apparut dans la plénitude de son talent. Ile devait connaître de nouveaux succès à Saint-Pétersbourg (1837-1842), Londres, Vienne, Milan, devenant ainsi l'idole du public européen. C'est à Londres qu'elle interpréta, aux côtés de C. Grisi, F. Cerrito et L. Grahn, le célèbre *Pas de quatre,* avant de faire ses adieux à la scène (1847). Devenue inspectrice de la danse à l'opéra de Paris (1858), elle prodigua ses conseils à de jeunes danseuses, dont Emma Livry et Guglielmina Salvioni. Danseuse d'élévation d'une sublime noblesse de style, Marie Taglioni fut la pure incarnation du rêve romantique.

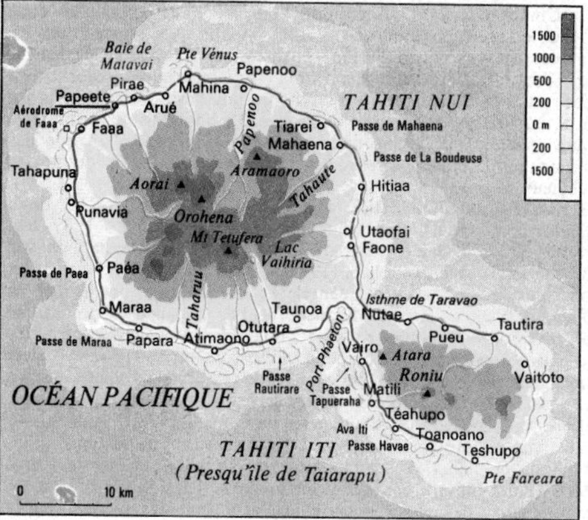

Tahiti.

TAGORE (Rabindranâth) [*Rabindranâth Thakûr*]. ♦ Poète indien (Calcutta, 1861 – Śantiniketan, Bengale, 1941), auteur de plus de mille poèmes, de romans, de pièces dramatiques et de chants qui eurent une grande influence sur la littérature moderne de l'Inde. Son inspiration est mystique et patriotique. Il fut également un musicien et un peintre de talent. En 1921, il fonda au nord de Calcutta une université internationale (Śantiniketan) destinée à promouvoir les idéaux indiens de culture et de tolérance.

TAHÂ HUSSAÏN. ♦ Écrivain égyptien (Maghâgah, 1889 – Le Caire, 1973), critique, historien, romancier, journaliste et traducteur. Il perdit la vue à l'âge de deux ans. Sa première thèse est consacrée à Abû* al-'Ala al-Ma'arrî (*Dhikra Abî al-'Ala'*, 1915). Il fut au centre de la polémique qui secoua le monde intellectuel arabe pendant l'entre-deux-guerres : dans son *Fi al-shi'r al-Jâhili* (« sur la poésie préislamique »), il soutint que cette poésie avait été entièrement composée par les musulmans pour, entre autres raisons, rendre crédibles les « mythes » qui entourent le Coran*. Il fut déclaré apostat. Il traduisit nombre de chefs-d'œuvre français et grecs. Son autobiographie *Al-Ayyâm* (« Les Jours ») fut la première œuvre arabe contemporaine qui eut des échos en Occident (trad. française – préface d'A. Gide). Dans l'ensemble de son œuvre, il essaya de concilier les exigences de l'arabe classique et l'assimilation des valeurs occidentales.

TAHERT. ♦ Anc. cap. des Rustumides*, située à proximité de Tagdempt* (Tiaret). Après sa destruction en 909, une partie de la population s'établit dans les oasis algériennes, en particulier dans celles du Mzab*.

TÂHIRIDES. *n. m. pl.* ♦ Dynastie iranienne (820-873), fondée par le général musulman Tâhir ibn Hussayn (775 ? – 822), client perse de la tribu arabe de Khuzâ'a, qui fut gouverneur de la Syrie et de la haute Mésopotamie avant de recevoir le gouvernement du Khurâsân (820). Ses princes se considéraient comme les vassaux du califat 'abbâsside*. Cette famille a fourni des gouverneurs de Baghdâd et a encouragé l'activité littéraire arabe.

TAHITI. ♦ Île la plus grande de l'archipel de la Société* appartenant au groupe des îles du Vent, où se trouve la cap. de la Polynésie* française. 1 005 km². 84 552 hab. [1970] *(Tahitiens)* dont env. 5 000 Chinois. *V. princ.* **V. Papeete.** L'île est formée de deux parties, *Tahiti Nui,* la plus importante, à l'O., *Tahiti Iti* ou *Taiarapu,* à l'E. ; elles sont reliées par l'isthme de Taravao. Ces îles se composent de deux anciens cônes volcaniques, avec des pics secondaires, profondément découpés par des vallées. Orohena, le cône de Tahiti Nui, s'élève à 2 322 m ; Roniu, sur Tahiti Iti, s'élève à 1 323 mètres. L'île est entourée d'un récif de corail. – Cocotiers, hibiscus, arbres fruitiers. ♦ *Hist.* Le premier Européen qui découvrit Tahiti fut Samuel Wallis* en 1767. L'île fut visitée plus tard par Bougainville*, J. Cook*, W. Bligh*. Les premiers Européens à y résider furent des membres de la Société missionnaire de Londres (1797), qui s'allièrent au roi Pomaré Ier et à ses successeurs. La reine Pomaré, sous l'influence des Anglais, expulsa en 1836 les missionnaires français venus s'installer dans l'île. Mais, sur l'intervention militaire de Dupetit*-Thouars, la reine Pomaré fut contrainte d'accepter le protectorat de la France (sept. 1842). Son fils et successeur, Pomaré V (1877-1880), abandonna ses droits à la France en 1880. Tahiti et ses dépendances devinrent alors une colonie française. Celle-ci se rallia au général de Gaulle en 1940. En 1946, dans le cadre de l'Union* française, elle reçut le statut de territoire d'outre-mer (T.O.M.), qu'elle conserva en 1958. **(V. Polynésie française.)**

TAHOUA. ♦ V. du Niger* entre Niamey et l'Aïr*. 20 500 hab. Centre commercial (bétail, cuirs et peaux).

TAÏBA. ♦ Localité du Sénégal, au N. de Thiès*, reliée par une bretelle au Dakar*-Niger. Importante exploitation de phosphates.

TAI CHEN [*Tai Tchen, Dai Zhen*]. ♦ Philosophe, critique et mathématicien chinois (1724 – 1777) qui fut partisan d'une nouvelle philosophie fondée sur les découvertes scientifiques. Il fit une étude sur les logarithmes.

T'AI-CHOU [*T'ai-tcheou, Taizhou*]. ♦ V. de Chine (Chiang-su), à 100 km au N.-E. de Nankin. 160 000 hab. Centre agricole.

T'AI-CHUNG [*T'ai-tchong, Taizhong*]. ♦ V. de l'île de Taiwan*, sur la côte N.-O., au débouché d'une riche plaine agricole. 450 000 hab. Indus. alimentaires et aéronautiques.

TÂ'IF. ♦ V. d'Arabie Sa'ûdite située à 1 372 m d'alt. dans le Hedjaz*, au S.-E. de La Mecque*. 30 000 hab. Elle est entourée de vignobles et de vergers et son climat en fait une station d'été pour les habitants de Djeddah et de La Mecque.

TAIGA (Ikeno). ♦ Peintre japonais (Kyôto, 1723 – 1776), calligraphe et poète réputé, célèbre pour ses paysages et figures.

Taiheiki (« Histoire de la Grande Paix »). ♦ Célèbre récit historique japonais retraçant les luttes de la fin de la période de Kamakura (XIVe s.) et du début du shôgunat des Ashikaga*, à la manière d'une chanson de geste. Probablement écrit à la fin du XIVe s. et remanié par la suite.

TAILHADE (Laurent). ♦ Écrivain français (Tarbes, 1854 – Combs-la-Ville, 1919). Lié avec Verlaine, Moréas et Samain, il débuta par des recueils parnassiens, *Le Jardin des rêves* (1880), puis *Vitraux* (1892), enfin *Poèmes élégiaques* (1907). *Au pays du mufle* (1891), satire des mœurs bourgeoises, puis *À travers les groins* (1899), allaient révéler en L. Tailhade un polémiste virulent mettant sa verve satirique au service des idées anarchistes avec lesquelles il sympathisait. On retrouve les tendances de sa poésie « aristophanesque » dans ses œuvres en prose *(Imbéciles et Gredins,* 1900) et dans les articles qu'il donna au *Libertaire* ou à l'*Aurore*. On lui doit également des traductions de Plaute et de Pétrone.

TAILLE (Jean de La). ♦ Poète dramatique français (Bondaroy, v. 1540 – 1607 ?). Élaborée dans son traité *De l'art de la tragédie*, qu'il composa sous l'influence d'Horace et d'Aristote, sa poétique définit les règles qui deviendront les lois fondamentales de la tragédie classique. Il l'a illustrée dans deux tragédies bibliques, *Saül le Furieux* (1572) et *La Famine ou les Gabéonites* (1574).

TAILLEBOURG. ♦ Comm. de la Charente-Maritime, arr. de Saint-Jean-d'Angély. 681 hab. [489 aggl.]. Vestiges d'une forteresse du XIIIe s. remaniée aux XVe-XVIIIe siècles. ♦ *Hist.* Saint Louis y remporta une victoire sur Henri III d'Angleterre et sur le comte de La Marche.

TAILLEFERRE (Germaine). ♦ Compositeur français (Saint-Maur, 1892). Élève de Milhaud, elle fut l'un des membres du *groupe des Six** et l'amie de nombreux compositeurs et écrivains. On lui doit des pièces de musique de scène (*Le Marchand d'oiseaux, Les Mariés de la tour Eiffel,* la *Cantate du Narcisse,* d'après Valéry), des pièces pour piano (concerto, *Ballade*) et de la musique de chambre.

TAÏMYR. *n. m.* ♦ Presqu'île d'U.R.S.S. située au N. de la Sibérie centrale, entre la mer de Kara* à l'O. et la mer des Laptev* à l'E., au S. de l'archipel Severnaïa* Zemlia, se terminant au N. par le cap Tcheliouchkine. Elle fait partie de la région de Krasnoïarsk (R.S.F.S. de Russie). Env. 400 000 km². Relativement peu accidenté au N. et au S., le relief en est montagneux au centre (monts Byrranga*). Le sol est couvert de toundra. Le sous-sol est riche en minerais (cuivre, platine, or, nickel). La population est très faible en raison du sous-sol gelé en permanence (permafrost) et de son climat rigoureux.

T'AI-NAN [*Tainan*]. ♦ V. portuaire de la côte S.-O. de l'île de Taiwan* (Chine). Env. 500 000 hab. Port actif (indus. alimentaires et textiles). La ville fut hollandaise au XVIIe siècle.

TAINE (Hippolyte). ♦ Critique littéraire, philosophe et historien français (Vouziers, Ardennes, 1828 – Paris, 1893). Il produisit une œuvre abondante dont l'unité et la cohérence résident dans une méthode de recherche rigoureuse, voire systématique. Se fondant sur un déterminisme strict, il pensa trouver dans la race, le milieu (géographique et social) et le moment (évolution historique) les facteurs susceptibles d'expliquer la production littéraire et plus généralement artistique, le développement des fonctions mentales et les faits historiques. Comme critique littéraire et philosophique, on lui doit *La Fontaine et ses fables* (1853-1861), *Les Philosophes français du XIXe siècle* (1857), *Essais* de critique et d'histoire* (1858), *Histoire de la littérature anglaise* (1864). Ses cours d'esthétique et d'histoire de l'art, réunis dans la *Philosophie* de l'art* (1882), traduisent le même souci de méthode. Influencé par les théories de Condillac, de J.S. Mill et de A. Bain*, il a exposé une conception sensualiste et associationniste *De l'intelligence** (1870). Enfin, dans *Les Origines de la France contemporaine* (1876-1896), il tenta, au lendemain de la guerre de 1870 et de la Commune, d'en rechercher les causes. (Acad. fr., 1878.)

TAIN-L'HERMITAGE. ♦ Ch.-l. de cant. de la Drôme*, arr. de Valence*, sur le Rhône*, en face de Tournon*. 5 623 hab. *(Tinois).* – Célèbre vignoble de l'Hermitage (côtes du Rhône). Soieries. Fabrique de chaussures.

TAIPEI [*T'ai-peh*]. ♦ Cap. de la prov. chinoise de Taiwan* (île de Formose) et, depuis 1949, de la république de Chine, située au N. de l'île. 1 830 000 hab. [1970] (sa pop. a quadruplé depuis 1949). Important centre culturel et commercial (musée où se trouvent les trésors emportés de Chine en 1949 par les partisans de Chiang* Kai-shek). – Indus. textiles, chimiques et exploitations houillères du bassin de Keelung (Jilong). ♦ *Hist.* La ville, fondée au XVIIe s., fut le principal centre chinois de commerce du thé et du camphre au XIXe siècle.

T'ai-p'ing [*Taiping*]. ♦ Mouvement politique et religieux chinois qui provoqua en 1850 une grande révolte populaire contre le régime de la dynastie manchoue des Ch'ing. Après quelques succès initiaux, les insurgés établirent leur capitale à Nankin* et créèrent un nouveau gouvernement dirigé par une sorte de « pape », Hung Hsiu-ch'üan. Cette rébellion fut réduite par le gouvernement impérial aidé par des Britanniques, mais elle faisait de la dynastie manchoue, fort affaiblie, une proie facile pour les Occidentaux.

Ph. Lipnitzki-Viollet

Germaine Tailleferre.

TAIRA ou **HEIKE.** ♦ Famille féodale japonaise qui, aux XIe et XIIe s., s'opposa au clan rival des Minamoto* pour la conquête du pouvoir. **V. Taira no Kiyomori.** Elle fut finalement vaincue en 1185 par Minamoto no Yoritomo.

TAIRA no KIYOMORI. ♦ Célèbre seigneur japonais (1118 – 1181), chef de la famille des Taira*, devenu tout-puissant à la cour impériale. Tout d'abord vainqueur du clan rival des Minamoto*, il s'opposa aux moines et aux empereurs. Sa mort marqua le déclin de sa famille qui fut définitivement éliminée du pouvoir quatre ans après par les Minamoto.

TAIROV (Alexandre Iakovlevitch KORNBLIT, dit). ♦ Acteur et metteur en scène russe (Romny, 1885 – Moscou, 1950). Fondateur du Théâtre de chambre (*Kamerny Teatr,* 1914-1949), il considéra que le même acteur devait pouvoir passer de l'interprétation de la tragédie classique *(Phèdre)* à celle de l'opérette (*Giroflé-Girofla,* de Lecocq) et associa à l'art dramatique des arts aussi divers que la danse, la musique et le cinéma. Ses nombreuses réalisations et leur variété (de Shakespeare à O'Neill) le placent parmi les créateurs les plus originaux de son pays après la révolution d'Octobre.

T'AI SHAN [*Tai Shan*]. *n. m.* ♦ Célèbre montagne de Chine, dans le Shan*-tung, culminant à 1 545 m et possédant cinq sommets. Vénérée depuis les temps les plus anciens, elle est le but de nombreux pèlerinages des fidèles des « trois philosophies » (bouddhisme, taoïsme et confucianisme) qui y ont édifié plus de 250 temples.

TAISHÔ-TENNÔ. ♦ (Tokio, 1879 – *id.,* 1926.) Empereur du Japon (1912-1926) qui succéda à son père Meiji*-Tennô. Son fils Hiro*-hito devint régent en 1921 et lui succéda en 1926, inaugurant l'ère Shôwa.

TAIT (Peter Guthrie). ♦ Mathématicien et physicien écossais (Dalkeith, 1831 – Édimbourg, 1901). En mathématiques, disciple de Hamilton*, il étudia surtout les quaternions; en physique, il s'intéressa aux rayons positifs. **V. Goldstein.**

T'AI-TCHONG. ♦ **V.** T'AI-CHUNG.

T'ai-tsung [*T'ai-tsong, Dai Zong*]. ♦ Titre signifiant « Grand Temple » donné à titre posthume à de nombreux empereurs chinois qui eurent un règne important, dont Li Shih-min (voir *ci-dessous).*

T'AI-TSUNG [*T'ai-tsong, Tai Zong*]. ♦ (599 – 649). Empereur de Chine (626-649). Il entreprit une série de conquêtes dans l'Asie centrale, battant les Türks orientaux et soumettant les princes des vallées du Turfân* et du Tarim*. Il soumit également le Tibet. À l'intérieur, il réforma l'administration, reconstruisit des villes et réglementa le commerce qui devint florissant grâce à la réouverture de la route de la soie. Le bouddhisme fut favorisé mais quelque peu freiné dans son expansion, cependant que des missionnaires étaient envoyés en Inde à la recherche des textes religieux.

TAIWAN ou **FORMOSE.** ♦ Île située à 150 km au S.-E. de la Chine continentale et province de la Chine; depuis 1949 seul territoire administré de fait par la république de Chine nationaliste. 35 966 km². 14 990 000 hab. (1971). *Cap.* Taipei*. La population est concentrée sur la côte occidentale de l'île. Baignée par la mer de Chine et située au large du Fu-kien, l'île, très montagneuse, se rattache à l'arc insulaire allant des Kouriles à l'Indonésie. Une cordillère traverse le pays en son centre et occupe la moitié orientale de l'île (Dong Shan ou mont Morrisson, 3 997 m). La partie occidentale s'abaisse jusqu'à une plaine alluviale, bordée d'une côte sableuse. De *climat* tropical (forêt dense couvrant 60% de la surface du pays, mangrove), Taiwan est soumise au régime des moussons (été-hiver), auquel s'ajoutent les typhons de juillet. Les températures sont adoucies par le Kuro-Shio (Kuro-Shivo), courant tiède longeant les côtes. Les rivières, grossies par des pluies abondantes, arrachent des sédiments à la montagne et forment des deltas. – *Écon.* L'agriculture (riz [3,3 millions de t], canne à sucre, patate douce, thé, fruits), à la base de toute l'économie (plus de la moitié de la population active y est employée), progresse rapidement bien que les surfaces cultivées ne représentent que 25 % du territoire. L'élevage (porcins [3 000 000 de têtes en 1969] et bovins [550 000 têtes]) tient une place moins importante que la pêche en haute mer (650 000 t). Les ressources minérales sont faibles (charbon dans le N. [4,5 millions de t]) ou très peu exploitées (gaz naturel, hydro-électricité). L'indus. est peu développée : raffinerie de pétrole (à Kaohsiung), pétrolochimie; fabriques de matériel électrique, constructions mécaniques (véhicules) à Taipei et Kaohsiung; l'indus. électronique se développe; l'indus. textile, d'une certaine importance, est apparue après la Deuxième Guerre mondiale. – *Communications :* le réseau ferré (4 600 km), gêné par le relief, est moins complet que le réseau routier (17 000 km). Aéroports internationaux à Taipei et Kaohsiung. – Les *échanges commerciaux,* indispensables à l'équilibre économique du pays, se font principalement avec les États-Unis et le Japon. Exportation de produits fabriqués (textiles, machines), de bois et de conserves. Importation de biens d'équipement et de minerais. – Le *tourisme* est en plein essor (415 000 entrées en 1969). ♦ *Hist.* Le peuplement Han (chinois), commencé au XVIIe s., s'est ajouté à une population protomalaise (act. env. 235 000 personnes). Occupée par les Portugais (qui l'appelèrent Formosa : « la Belle »), puis par les Hollandais (1624-1662), Taiwan fut intégrée à l'empire de Chine en 1683. Les Japonais l'annexèrent en 1895 et la conservèrent jusqu'en 1945 où elle fut rendue à la Chine. Après la victoire communiste de 1949 **(V. Chine)**, elle servit de refuge aux nationalistes de Chiang* Kai-shek, qui devint président de la République en 1950. Le traité de 1955 la plaça (avec les îles Pescadores) dans la zone de protection américaine. Le rapprochement politique de la Chine, qui continue à revendiquer Taiwan, avec les États-Unis et le Japon, compromet l'économie du pays.

TAI WEN-CHIN [*Tai Wen-tsin, Dai Wenjin*]. ♦ Peintre chinois, actif v. 1430-1450, l'un des plus remarquables de la dynastie des Ming*. Il fut renommé pour ses peintures de fleurs et d'oiseaux à l'encre de Chine.

T'AI-YÜAN [*Taiyuan*], anc. **Yangku**. ♦ V. de Chine, cap. de la prov. du Shen-hsi, qui connut un grand développement à partir de la fin du XIXe siècle. 1 200 000 hab. Actuellement centre indus. (métallurgie) et culturel important.

TAÏZ. ♦ V. du Yémen* du Nord, située à une centaine de kilomètres d'Aden, dans la région des hauts plateaux. 150 000 hab. (1970) [2e ville du pays]. Cap. du Yémen au XIXe s., la ville s'est ressentie de la concurrence d'Aden. Elle reste un centre commercial et artisanal. – La *province de Taïz* (4 districts) occupe une région de plateaux bien arrosés et fertiles (elle est incluse dans l'« Arabie Heureuse » des Anciens, *Arabia Felix*). Cultures en terrasses. Champs de café.

TAIZÉ. ♦ Comm. de la Saône-et-Loire, arr. de Mâcon. 128 hab. Église romane restaurée. Communauté monastique protestante fondée en 1940. Un *Concile des Jeunes* s'y tint en 1974.

Taj Mahâl. ♦ Immense monument funéraire élevé à Âgra* (Inde gangétique) sur le bord de la Yamunâ* par Shâh* Jahân pour son épouse favorite Mumtaz-i Mahâl, de 1630 à 1652. C'est un bâtiment de marbre blanc, incrusté de pierres semi-précieuses, œuvre probable d'un architecte persan assisté de nombreux architectes et artisans provenant de pays différents (un lapidaire venait de Bordeaux). Il s'élève au centre d'un jardin carré parcouru de canaux et décoré de fontaines. Le Taj Mahâl fait d'Âgra un centre touristique d'importance mondiale.

TAJUMULCO. *n. m.* ♦ Volcan du N.-E. du Guatemala (4 200 m), situé dans la partie de la Cordillère centrale qui domine le Pacifique. Toujours en activité, ce volcan est le point culminant de l'Amérique centrale.

TAKAMATSU. ♦ V. du Japon (île de Shikoku) et ch.-l. de préfecture. 274 000 hab. – Port actif, exportateur des produits locaux (indus. chimique, textile, artisanat de la laque). – Célèbre château fort de la fin du XVIe siècle.

TAKAOKA. ♦ V. du Japon (Honshû, préf. de Tôyama) et important centre industriel. 160 000 hab. Laques, bronzes. Métallurgie de l'aluminium.

TAKARAZUKA. ♦ V. du Japon (Honshû, préfecture de Hyôgo). 120 000 hab. Station balnéaire et thermale célèbre pour son théâtre féminin.

Takasago. ♦ Célèbre pièce de théâtre nô* japonaise sur la fidélité mutuelle de deux époux, attribuée à Zeami Motokiyo (1363-1443).

TAKASAKI. ♦ V. du Japon, dans l'île de Honshû. Env. 160 000 hab. Indus. textiles (soie).

TAKATSUKI. ♦ V. du Japon, à 25 km au N.-E. d'Ôsaka. 231 000 hab. Centre industriel.

TAKAWA. ♦ V. du Japon (Kyûshû, préfecture de Fukuoka). 120 000 hab. Centre houiller et industriel.

TAKEO. *n. m.* ♦ Prov. du S.-E. du Cambodge, traversée par le bas cours du Mekong*, sur la frontière vietnamienne. 467 000 hab. – V. du même nom. Env. 5 000 hab. Anc. cap. khmère.

Taketori-Monogatari (« Conte du coupeur de bambous »). ♦ Célèbre légende japonaise écrite vers la fin du Xe s. par un auteur inconnu, la plus ancienne œuvre purement littéraire du Japon.

TAKLAMAKÂN. *n. m.* ♦ Ancien nom du désert de Gobi* et du bassin du Tarim* en Chine (Hsin-chiang), encore parfois donné à ce désert.

Ph. Nino Cirani/Ricciarini

Le **Taj Mahâl** à Âgra.

TAKORADI. ♦ V. de l'O. du Ghâna* reliée par voie ferrée à Koumassi*. 161 000 hab. (avec Sekondi). Port industriel, exutoire de l'O. du pays (cacao, bois, manganèse). Cimenterie.

TALAAT PACHA. ♦ **V.** TALÂT PACHA.

TALABOT (Paulin). ♦ Ingénieur français (Limoges, 1799 – Paris, 1885). Constructeur des premières lignes de ch. de fer dans le S.-E. de la France et de nombreuses voies ferrées en Italie, en Algérie et au Portugal, il fut directeur du P.L.M. de 1862 à 1882.

TALAMANCA *(cordillère de). n. f.* ♦ Chaîne montagneuse du Costa-Rica (Amérique centrale), qui fait suite à la cordillère de Guanacaste et constitue l'épine dorsale du pays. Point culminant : le Chirripo* Grande.

TALANGE. ♦ Comm. de la Moselle, arr. de Metz-Campagne. 6 985 hab. *(Talangeois).*

TALARA. ♦ V. et port du Pérou septentrional sur le Pacifique (dép. du Piura). 41 000 hab. Raffineries de pétrole.

TALAS. *n. m.* ♦ Riv. d'Asie centrale soviétique, au S. du lac Balkach*. ♦ *Hist.* Les troupes chinoises des T'ang* y furent battues par les Arabes (751). Cette défaite décida de l'islamisation des peuples türks.

TALÂT PACHA (Mehmet). ♦ Homme politique turc (province d'Edirne, 1872 – Berlin, 1921). Membre du parti jeune-turc, il devint ministre de l'Intérieur, puis des Postes (1909) avant de participer au triumvirat avec Enver* Pacha et Djamal* Pacha (1913). Grand vizir (1917-1918), il se retira en Allemagne après la défaite. Il y fut assassiné par un Arménien.

TALAVERA DE LA REINA. ♦ V. d'Espagne centrale, en Nouvelle-Castille (prov. de Tolède), sur le Tage. 32 000 hab. – Fabrication de broderies et de céramiques. – Victoire des Anglais de Wellington sur les Français (juil. 1809).

TALBOT (John, *1er comte de* **Shrewsbury).** ♦ Homme de guerre anglais (Blechmore, Shropshire, v. 1373 – Castillon, Gironde, 1453). Il combattit en France pendant la guerre de Cent Ans sous le règne d'Henri VI. Il ne put empêcher Jeanne d'Arc de délivrer Orléans et perdit la bataille de Patay (1429). Il conquit la Guyenne en 1452, mais fut vaincu et tué à la bataille de Castillon*, près de Bordeaux.

TALBOT (William Henry FOX). ♦ Physicien anglais (Lacock, près de Chippenham, 1800 – *id.*, 1877). Il participa à l'essor de la spectroscopie, confirmant le principe de l'identification des corps à l'aide de leurs spectres sur les exemples du strontium et du lithium (1834). En 1839, il réalisa le premier négatif sur papier dont on pouvait tirer des épreuves positives (procédé calotype). **V.** *aussi* **Niepce, Daguerre.**

TALCA. ♦ V. du Chili central, ch.-l. de prov., située au cœur de la région la plus fertile du Chili. Centre agricole important. 90 000 hab. Évêché. Indus. du cuir, papier, conservation des viandes. La *prov. de Talca* (9 640 km²) compte 257 937 habitants.

TALCAHUANO. ♦ V. portuaire du S. du Chili central (prov. de Concepción*), située à proximité du centre sidérurgique de Huachipato*. Université. Important port de pêche. Indus. alimentaires et raffineries de pétrole.

TALENCE. ♦ Comm. de la Gironde, dans l'arr. et la banlieue S.-O. de Bordeaux*. 31 374 hab. Faculté des sciences de Bordeaux. Vignobles. Indus. chimiques, alimentaires, textiles.

TALEV (Dimităr). ♦ Romancier bulgare (Prilep, 1898 – Sofia, 1966). Il a retracé l'histoire des Macédoniens bulgares au XIXe s. dans une trilogie : *Le Chandelier de fer, Les Cloches de Prespa* et *Iliindène* (1952-1955).

TALLAHASSEE. ♦ V. des États-Unis, cap. de la Floride, au N. de l'État. 71 763 hab. Indus. alimentaires, bois. ♦ *Hist.* La ville succéda à St. Augustine et à Pensacola comme capitale du territoire de Floride en 1822.

TALLART (Camille d'Hostun, *comte de***).** ♦ Maréchal de France (Lyon, 1652 – Paris, 1728). Il fut vaincu à Höchstädt* (1704) par Marlborough* et le prince Eugène*.

TALLEMANT [tal(ə)mɑ̃] **DES RÉAUX (Gédéon).** ♦ Mémorialiste français (La Rochelle, 1619 – Paris, 1692). Après avoir accompagné le futur cardinal de Retz* en Italie, où il se lia avec Voiture*, il fréquenta le salon de Mme de Rambouillet* qui l'encouragea à écrire ses *Historiettes* (depuis 1657; publ. 1834). Mémoires et anecdotes piquantes recueillies à la cour comme à la ville et concernant les règnes d'Henri IV, de Louis XIII, ainsi que la Fronde, elles composent une peinture réaliste des mœurs au XVIIe s. et offrent un témoignage précieux des transformations des classes sociales, en particulier de la bourgeoisie. Tallemant des Réaux manifeste un réel talent de conteur, plein de verve et de malice pour tenir « registre [...] de drôleries et de gaietés » (Sainte-Beuve).

TALLEYRAND [talʀɑ̃] ou [talɛʀɑ̃] **(Charles Maurice de TALLEYRAND-PÉRIGORD).** ♦ Homme politique français (Paris, 1754 – *id.*, 1838). Devenu boiteux après un accident, il ne put entrer dans l'armée et, bien que dépourvu de vocation religieuse, fut destiné à la carrière ecclésiastique et étudia au séminaire de Saint-Sulpice. Ses origines aristocratiques lui permirent d'obtenir l'abbaye de Saint-Denis (diocèse de Reims). Agent général du clergé de France (1780), évêque d'Autun (1788), il fut élu député de son ordre aux États généraux (1789). Lecteur des philosophes, acquis aux idées nouvelles, il se prononça dès le début des séances pour la réunion des trois ordres et joua un rôle prépondérant à l'Assemblée nationale constituante, où il contribua à faire voter la mise à la disposition de la nation des biens du clergé. Lors de la fête de la Fédération* (14 juillet 1790), il célébra la messe au Champ-de-Mars. Bien que n'ayant pas pris une part directe à la rédaction de la Constitution civile du clergé, il fut un des premiers à y prêter serment et devint chef du clergé constitutionnel, après avoir abandonné son évêché d'Autun. Condamné comme schismatique par le pape, il se sépara peu après de l'Église. Sous l'Assemblée législative débuta pour lui une longue carrière diplomatique. Envoyé en Angleterre pour tenter d'obtenir la neutralité de ce pays, il fut accusé, après le 10 août 1792, d'avoir intrigué à Londres pour le duc d'Orléans; ayant tenté en vain de se disculper, il repartit en Angleterre en septembre 1792 et fut mis sur la liste des émigrés. Après avoir séjourné quelque temps aux États-Unis, il revint en France, avec sa maîtresse, Mme Grand (qu'il devait épouser en 1803), lors de la chute de Robespierre. Grâce à Barras, il fut nommé ministre des Relations extérieures, fonction qu'il conserva après le coup d'État du 18 Brumaire qu'il avait appuyé, en dépit des accusations de malversation dont il fut l'objet sous le Directoire. Inspirateur des Articles organiques du Concordat*, négociateur à Lunéville*, Amiens*, Presbourg*, Tilsit*, il fut fait successivement grand chambellan (1804), prince de Bénévent (1806), puis vice-Grand Électeur (1807). Mais, partisan d'un équilibre européen, il se sépara de Napoléon Ier sur les questions de politique extérieure et, dès 1807, perdit son ministère. Ayant intrigué contre l'Empereur avec Fouché, il tomba en disgrâce en 1809. Chef du gouvernement provisoire en 1814, il contribua à faire voter par le Sénat la déchéance de Napoléon Ier et à appeler Louis XVIII au pouvoir. Réintégré dans ses fonctions de ministre des Affaires étrangères, il négocia le premier traité de Paris (mai 1814), participa au congrès de Vienne* où il parvint par ses intrigues à diviser les Alliés, à limiter les exigences de la Prusse et de la Russie, efforts diplomatiques qui furent en grande partie rendus vains par l'épisode des Cent-Jours. Président du Conseil au début de la Seconde Restauration (juillet 1815), il fut contraint de démissionner peu après face à l'hostilité des ultras de la « Chambre introuvable ». Membre de la Chambre des pairs, il ne joua plus qu'un rôle effacé, se rangeant dans le camp de l'opposition au régime de la Restauration. S'étant prononcé en faveur de la branche d'Orléans lors de la révolution de juillet 1830, il fut nommé ambassadeur à Londres par Louis-Philippe et participa à la conférence de Londres (1830-1831, consacrée en grande partie au problème de la Belgique) et à la conférence sur les affaires ibériques. Supérieurement intelligent et cultivé, mais âpre au gain et apparemment peu encombré de scrupules moraux, il gardait en diplomatie la figure impassible d'un grand seigneur et l'empreinte de son éducation ecclésiastique. Il avait un don prodigieux de prévision et voulait que ses collaborateurs eussent « de l'avenir dans l'esprit ». Talleyrand « s'il a, au cours de sa vie, souvent changé de parti, n'a jamais changé d'opinion » (J. Cambon).

TALLIEN (Jean-Lambert). ♦ Homme politique français (Paris, 1767 – *id.*, 1820). Membre du Club des jacobins dès le début de la Révolution, il fit paraître en 1791 un journal-affiche, *l'Affiche des citoyens*. Secrétaire-greffier de la Commune insurrectionnelle de Paris après le 10 août 1792, il fut élu à la Convention, où, siégeant avec les députés montagnards, il vota la mort du roi et s'opposa à la politique des Girondins. Membre du Comité* de sûreté générale, il fut envoyé comme représentant en mission à Bordeaux pour y organiser la Terreur. C'est là que, parmi les prisonniers, il rencontra Thérésa Cabarrus qu'il épousa en 1793 (**V. Tallien** [Madame]). Sous son influence, il adopta une attitude plus modérée, voire franchement opportuniste, et contribua de façon décisive à la chute de Robespierre*. Il prit une part active à la réaction thermidorienne (fermeture du Club des jacobins, suppression du Tribunal révolutionnaire, répression de l'insurrection montagnarde de l'an III [20 mai 1795]). Membre du Conseil des Cinq-Cents, il accompagna Bonaparte en Égypte, puis devint consul à Alicante.

TALLIEN (Thérésa de CABARRUS, dite *Madame*). ♦ Fille du

Ph. Hubert Josse

Talleyrand,
par Pierre Paul Prud'hon (détail).
(Musée Carnavalet, Paris.)

Ph. Lauros-Giraudon

Madame **Tallien,**
esquisse
par François Gérard.
(Château de Versailles.)

banquier espagnol François de Cabarrus* (Carabanchel, près de Madrid, 1773 – Chimay, 1835), elle épousa très jeune un conseiller au parlement de Bordeaux, Davis de Fontenay, dont elle divorça en 1793. Bien qu'ayant d'abord éprouvé quelque sympathie pour la Révolution, elle craignit le développement de la Terreur et tenta alors de passer en Espagne, mais fut arrêtée et emprisonnée à Bordeaux, où elle devint la maîtresse puis l'épouse de Tallien. Surnommée *Notre-Dame de Thermidor,* elle fut, sous la Convention thermidorienne et surtout pendant le Directoire, une des femmes les plus célèbres, inspiratrice de la mode du retour à l'antique. Divorcée en 1802, elle épousa en 1805 le comte de Caraman, futur prince de Chimay.

TALLIN [talin] ou **TALLINN,** anc. **Reval** ou **Revel'.** ♦ V. et port d'U.R.S.S., cap. de l'Estonie*, sur le golfe de Finlande*. 378 000 hab. Remparts des XIIIe-XVIe s., nombreux monuments historiques. Centre culturel. Important nœud ferroviaire. Indus. d'équipement pour le traitement des schistes bitumineux. Indus. métallurgiques, textiles et alimentaires. ♦ *Hist.* Forteresse danoise en 1219, ancienne ville hanséatique, Tallin fut vendue par le Danemark à l'ordre Teutonique* (1346). À la dissolution de cet ordre, Tallin fut prise par les Suédois (1561), puis par Pierre* le Grand (1710) qui y fit construire un port militaire. Une mutinerie de marins y éclata pendant la révolution* de 1905. Occupée par les Allemands après le traité de Brest*-Litovsk (1918), la ville fut évacuée en 1919 et devint capitale de l'Estonie indépendante. En 1940, elle fut prise par les Russes, puis par les Allemands (1941) et de nouveau par les Russes (1944).

TALLIS (Thomas). ♦ Compositeur anglais (v. 1505 – Greenwich, 1585). Après des séjours dans plusieurs monastères (prieuré de Douvres, St. Mary at the Hill de Londres, abbaye de Ste Croix à Waltham, Essex), il devient en 1540 organiste de la chapelle royale, charge qu'il partagea avec Byrd* (avec qui il obtint le monopole de l'édition musicale et écrivit des *cantiones sacrae,* 1575). Il composa sous le règne d'Édouard VI (1547-1553) selon le rite de l'Église réformée, puis sous Marie Tudor (1553-1558) pour l'Église catholique et de nouveau pour le culte protestant sous Élisabeth Ire (1558-1603). On lui doit deux *messes,* des *motets* latins, des *psaumes, services* et *anthems* et des pièces pour orgue, écrits dans le plus pur style polyphonique.

TALLOIRES [talwaʀ]. ♦ Comm. de Haute-Savoie*, arr. d'Annecy*, au bord du lac d'Annecy*. 709 hab. – Église du XVIIIe s. (restaurée); anc. abbaye bénédictine du XIe siècle. Station estivale.

TALMA (François Joseph). ♦ Tragédien français (Paris, 1763 – *id.*, 1826). Il débuta à la Comédie-Française dans le *Mahomet* de Voltaire, puis créa *Charles IX,* drame de M.J. Chénier* (1789). Le scandale causé par la représentation de cette pièce entraîna une scission chez les comédiens-français. Talma fonda alors un théâtre dissident où il interpréta notamment *Othello*, *Macbeth* et *Hamlet,* dans les adaptations de Ducis*. Revenu à la Comédie-Française (1799), il y joua les premiers rôles de Corneille* avec une grandeur inégalée jusqu'alors, bénéficiant de la protection de Napoléon qui le combla de faveurs. Il a introduit au théâtre une réforme profonde de la diction et du costume, dans le sens du naturel et de la vérité historique.

TALMONT ou **TALMOND.** ♦ Ch.-l. de cant. de la Vendée, arr. des Sables-d'Olonne. 1 110 hab. *(Talmondais).* Ancien port au fond d'un estuaire aujourd'hui comblé. Château XVe-XVIe s. avec donjon du XIe siècle. Salines.

Talmud (le), en hébr. « Enseignement ». ♦ Vaste ouvrage judaïque se présentant comme un commentaire de la Mishnah* et visant à fournir un enseignement complet et les règles à suivre sur tous les points de la vie religieuse et civile des juifs. Il existe deux Talmuds : celui de Palestine, dit « de Jérusalem », issu des travaux de Jochanan* ben Nappacha et achevé au IVe s. (en araméen occidental) et celui de Babylone, beaucoup plus étendu, rédigé par Rab Ashi (v. 352-427) et ses successeurs à l'académie de Sura jusqu'à Rabbina II ([mort] 499). C'est ce dernier (en araméen oriental) qui fut au cours de l'histoire le livre fondamental du judaïsme, après la Bible.

TALON (Omer). ♦ Magistrat français (Paris, 1595 – *id.*, 1652). Il resta fidèle au pouvoir royal pendant la Fronde* tout en défendant les prérogatives des parlementaires. Son talent oratoire était célèbre.

TALON (Jean). ♦ Administrateur français (Châlons-sur-Marne, 1625 – 1694). Commissaire des guerres (1654), intendant du Hainaut (1655), il fut envoyé par Colbert en Nouvelle-France (Canada) où, de 1665 à 1668 et de 1670 à 1672, il contribua au développement de la colonisation par la mise en valeur économique du pays (exploitation des forêts, commerce maritime avec les Antilles) et par son organisation administrative. À son retour en France, Talon fut nommé secrétaire du cabinet du roi (1681).

TALON (Antoine Omer). ♦ Magistrat français (Paris, 1760 – Gretz, 1811). Lieutenant civil au Châtelet (1789), puis député à l'Assemblée nationale constituante (1790), il tenta de jouer le rôle d'intermédiaire entre Mirabeau et la cour, et devint chef de la police secrète de Louis XVI. Compromis, il émigra après le 10 août 1792. Revenu en France (1799-1800), il fut accusé de servir d'agent aux émigrés et interné à l'île Sainte-Marguerite (1804).

Talos. ♦ Personnage légendaire qui passe le plus souvent pour un robot de bronze fabriqué par Héphaïstos* ou par Dédale et mis au service de Minos*. Préposé à la garde de la Crète, Talos fait trois fois par jour le tour de l'île et brûle les étrangers clandestinement introduits en les étreignant de son corps métallique qu'il a préalablement fait porter au rouge sur le feu. – Neveu et apprenti de Dédale* qu'il surpasse en ingéniosité : il invente le compas, la scie, etc. Jaloux de son habileté, Dédale l'assassine.

TAMANRASSET [tamanʀasɛt]. ♦ Oasis du Sahara algérien (dép. des Oasis), dans le S.-O. du massif du Hoggar*, où Ch. de Foucauld* s'était établi en 1905 et où il fut assassiné en 1916.

TAMARIS [-ʀis]**-SUR-MER.** ♦ Station balnéaire du Var, sur la comm. de La Seyne*-sur-Mer. Belle vue sur la presqu'île de Saint-Mandrier. G. Sand* y a écrit plusieurs romans.

Tamas. *n. m.* ♦ Terme philosophique hindou désignant la plus basse des trois « qualités » (Guna) composant le psychisme humain et caractérisée par les forces centrifuges tendant à la dissolution et à la dispersion.

TAMATAVE, en malgache **Toamasina.** ♦ V. et premier port de Madagascar*, sur la côte orientale de l'île, relié par voie ferrée à Tananarive*. 50 500 hab. – Raffinerie de pétrole. Constructions mécaniques. Région de plantations de café et de cacao. La province de Tamatave compte 1 223 000 habitants.

TAMAULIPAS. *n. m.* ♦ État du Mexique septentrional, en bordure du golfe du Mexique, séparé du Texas (États-Unis) par le río Grande* del Norte. 78 829 km². 1 879 000 hab. (1967). *Cap.* Ciudad Victoria. *Autres villes :* **V. Ciudad Madero, Matamoros, Nuevo Laredo, Tampico.** C'est une région de plaines dominée par les chaînes de la sierra Madre orientale **(V. Peña Nevada)**; sa côte est basse et lagunaire. Élevage (bovins, ovins). Cultures tropicales (coton, canne à sucre, tabac). Importantes ressources minières (argent, plomb...). Gaz naturel dans le N., pétrole dans le sud. Raffineries de pétrole; indus. chimiques. Indus. alimentaires (sucreries).

TAMAYO (Rufino). ♦ Peintre mexicain (Oaxaca, 1899). Il étudia à l'école des beaux-arts de Mexico et dirigea ensuite la section de dessin ethnographique du Musée national d'anthropologie. En 1933, il reçut la commande de la décoration murale du *conservatoire* de Mexico, puis il devint professeur aux Beaux-Arts. Il se rendit aux États-Unis et en Europe et réalisa notamment de vastes décorations au *Smith College de Northampton* (1941), au *palais des Beaux-Arts* de Mexico (1952-1953), à la *Second National Bank* de Houston, à l'*université de Porto Rico* (1957), au *palais de l'Unesco* à Paris (1958). Il a aussi peint de nombreux tableaux de chevalet. Il considère que la peinture est un « produit dont la valeur dérive uniquement de ses qualités plastiques ». « Tout ce qui s'éloigne de cette conception, a-t-il ajouté, est pour moi photographie, journalisme, littérature ou tout autre chose ou bien je l'appellerai démagogie. » Il refusa, contrairement aux autres muralistes mexicains, de mettre la peinture au service de fins politiques mais, comme eux, chercha à puiser dans l'héritage offert par les civilisations pré-colombiennes. Son art révèle l'assimilation de diverses influences : ainsi, il donna souvent aux volumes un caractère angulaire qui procède du cubisme, il emprunta certains schémas formels à Picasso, mais surtout révéla des affinités avec le surréalisme (caractère irrationnel, étrange, souvent agressif de ses figurations; aspect monstrueux de la morphologie humaine ou animale : *Animaux,* 1941; *Le Chanteur,* 1951). Il manifesta ses dons de coloriste par l'emploi d'un chromatisme éclatant, parfois raffiné et fondu avec des effets de matière lisse ou granuleuse.

TAMBOV. ♦ V. d'U.R.S.S. (R.S.F.S. de Russie), ch.-l. de la région du même nom (34 400 km². 1 494 000 hab.), sur la riv. Tsna. 240 000 hab. Indus. mécaniques, chimiques et alimentaires. Nœud ferroviaire. La ville fut fondée en 1636. – Dans la région sont nés Plekhanov* et Zamiatine*.

TAMERLAN. ♦ **V.** TÎMÛR-I LANG.

TAMIL ou **TAMOUL.** *adj. et n.* ♦ Se dit d'un groupe ethnique dravidien de l'Inde* du S.-E. et de Ceylan*, à la peau très foncée mais au type physique caucasien, aux cheveux noirs et lisses, parlant une langue dravidienne. Les Tamils, dont l'histoire remonte avant le début de notre ère, furent hindouisés assez tardivement par les Indo-Européens de la vallée du Gange. Leur littérature, abondante et de haute qualité, ainsi que leur musique contribuèrent dans une importante mesure à l'élaboration de la civilisation indienne. **V. Tamilnâdu.**

TAMILNÂDU, *n. m.* (« pays des Tamils »). ♦ Nom pris depuis 1956 par l'ancien État de Madras* (Inde du S.-E.) et dont le ch.-l. est la ville de Madras, sur la côte de Coromandel. 130 357 km². 40 000 000 d'hab. *(Tamils).* Production agricole (riz, canne à sucre).

TAMINES. ♦ Comm. de Belgique (prov. et arr. de Namur) sur la Sambre. 8 100 hab. – Abbaye de Sainte-Marie-d'Oignies. – Houillères. Fonderies. ♦ *Hist.* Le pont sur la Sambre y fut défendu du 17 au 20 août 1914.

TAMISE, *n. f.,* en angl. **Thames.** ♦ Princ. fl. d'Angleterre (338 km). Née au pied des Cotswold Hills, la Tamise passe entre les Chiltern et les White Horse Hills, serpente vers la mer du Nord en formant de nombreux méandres, arrose successivement Oxford*, Reading*, Henley*, Maidenhead*, Eton*, Windsor*, Hampton*, Kingston*, Richmond*, Londres* et Gravesend*. Juste en amont de Londres, la Tamise acquiert, grâce à l'effet de la marée, un débit plus puissant qui y rend possible un important trafic, faisant de Londres* le premier port commercial d'Angleterre, et du cours inférieur du fleuve une grande zone industrielle. La Tamise forme un long estuaire avant de se jeter dans la mer du Nord. Elle est reliée par un réseau de canaux à la Severn, au canal de Bristol et à la Trent.

TAMISE, en néerl. **Temse.** ♦ V. de Belgique (Flandre-Orientale, arr. de Saint-Nicolas) sur l'Escaut, aux env. d'Anvers. 14 400 hab. Église Sainte-Amelberge, gothique. – Chantiers navals. Horticulture. Indus. textiles (jute, chanvre). Mobilier. Imprimerie.

TAMM (Igor' Ievghenievitch). ♦ Physicien soviétique (1895 – Moscou, 1971). Il montra, avec Frank*, que l'« effet Tchérenkov* » est dû au rayonnement d'une particule chargée dont la vitesse est supérieure à la vitesse de phase de la lumière dans le milieu qu'elle traverse (1937). Il avait formulé (1932) les mêmes hypothèses que Heisenberg sur le noyau atomique. [Prix Nobel de phys., 1958.]

TAMMERFORS. ♦ **V.** TAMPERE.

TAMMUZ. ♦ Dieu de la fertilité, dans la religion babylonienne. C'est un berger-roi, uni à Ishtar* dans un très ancien rite de mariage sacré. Sa vie, sa souffrance et sa mort sont liées au cycle de la végétation. Il est issu du Dumuzi (« Fils fidèle ») sumérien; on le rapproche de l'Adonis* syro-phénicien.

Arch. Smeets

R. Tamayo : « Le Chanteur », 1951.
(Musée national d'Art moderne, Paris.)

TAMOUL. ♦ **V.** TAMIL.

TAMPA. ♦ V. et port des États-Unis, sur la côte O. de la Floride, au fond de la *baie de Tampa.* 277 767 hab. (zone urbaine près de 1 000 000 d'hab.). Principal centre agricole et industriel de l'État (traitement des agrumes, fabriques de cigares); port actif (exportation des phosphates extraits dans les environs). Tourisme (nombreux hôtels). Université.

TAMPERE, en suéd. **Tammerfors.** ♦ V. de Finlande, entre deux lacs (le Näsijärvi et le Pyhäjärvi). 155 443 hab. L'aggl. compte 217 423 hab. (1970). C'est la 2e ville de Finlande et un exemple remarquable d'urbanisme industriel intégré au milieu naturel (forêts, lacs). Évêché. Université. Aéroport d'Härmäla, à 4 km (lignes intérieures). Musées. Théâtre de plein air à salle tournante. – Les chutes du Tammerkoski fournissent en énergie les nombreuses indus. : constructions mécaniques, indus. du bois (scieries, papeteries, cellulose), indus. textiles, indus. du cuir, du caoutchouc. ♦ *Hist.* Lors de la guerre d'indépendance, Mannerheim* s'empara de la ville, jusqu'alors aux mains des communistes (avril 1918).

TAMPICO. ♦ V. portuaire du Mexique septentrional (État de Tamaulipas*), située sur le golfe du Mexique, à l'embouchure du Pánuco*. 196 147 hab. – Évêché. Grand centre de raffinage de pétrole. Second port exportateur du pays. Indus. chimiques. – Important musée archéologique de la Huasteca, à Ciudad Madero (ville satellite).

TAMPON (Le). ♦ Comm. de la Réunion* au S. de l'île. 31 493 hab. – Distilleries de plantes à parfum.

TANA ou **TSANA** *(lac).* ♦ Lac d'Éthiopie où le Nil Bleu (Bahr* el-Azrak) prend naissance.

TANA. *n. f.* ♦ Fl. de Norvège (304 km), tributaire de l'océan Arctique (au Tanafjord) et dont la plus grande partie du cours forme la frontière entre le Finnmark* et la Finlande.

TANAGRA. ♦ Anc. V. de Grèce (Béotie) à l'E. de Thèbes. Patrie de Corinne*. Les Spartiates et les Béotiens y défirent les Athéniens et les Argiens en ~ 457. Tanagra est célèbre par ses figurines de terre cuite (~ VIe-IVe s.). Ruines près de l'actuel village de Tanagra; nécropole. Musée au village voisin de Schimatari.

TANAÏS. ♦ Nom anc. du Don*.

TANAKADATE AIKITSU. ♦ Physicien japonais (1856 – 1952). Il créa au Japon un Bureau des longitudes et y répandit le système métrique.

TANAKA GIICHI. ♦ Général japonais (1863 – 1929), Premier ministre de 1927 à 1929. Il présenta en 1927 à l'empereur un rapport qui définissait les modalités de la politique expansionniste du Japon, politique qui fut suivie par ce pays jusqu'à sa défaite en 1945.

TANANARIVE, en malgache **Antananarivo.** ♦ Cap. de Madagascar*, construite sur une haute colline granitique de l'Imérina* et reliée par voie ferrée à Tamatave* et à Antsirabé*. Env. 350 000 hab. – Université. Archevêché. – Centre commercial et administratif. Indus. agricoles et mécaniques. – La province compte 1 860 000 habitants.

TANARO. *n. m.* ♦ Riv. italienne (276 km), affl. du Pô. Née dans les Alpes maritimes, elle coule ensuite dans une zone de collines et de plaine, arrose Asti* et Alessandria* et reçoit la Stura* et la Bormida*.

TANCARVILLE. ♦ Comm. de la Seine*-Maritime, arr. du Havre*, sur l'estuaire de la Seine. 921 hab. – Château des XIIIe, XVe et XVIe siècles. – Le *canal de Tancarville* (26 km) longe l'estuaire de la Seine et aboutit au Havre*. – Le *pont de Tancarville* sur la Seine est l'un des plus grands ponts suspendus d'Europe (1 410 m).

TANCRÈDE. ♦ Prince normand de Sicile, petit-fils de Robert Guiscard (mort à Antioche, 1112). Il partit pour la première croisade avec son oncle Bohémond de Tarente. Il prit Tarse et participa à la prise d'Antioche et de Jérusalem. Prince de Galilée (1099), il gouverna la principauté d'Antioche en l'absence de son oncle Bohémond (1101-1103 et 1104-1111), puis le comté d'Édesse pour le compte de Baudouin du Bourg (1104-1108). – Le Tasse en a fait le modèle des chevaliers dans sa *Jérusalem délivrée.*

TANCRÈDE DE LECCE. ♦ (mort à Palerme, 1194). Roi de Sicile (1190-1194). Petit-fils de Roger II de Sicile, il succéda à Guillaume II de Sicile. Il lutta contre Henri VI, empereur d'Allemagne, qui s'empara de ses États à sa mort.

TAN DA. ♦ Célèbre poète et écrivain vietnamien (1889 – 1939), auteur de plus de vingt-cinq ouvrages, recueils de poésies (*Khôi tinh con,* « Petits Rêves »), romans, pièces de théâtre, traductions d'œuvres chinoises.

TANDJA. ♦ Nom arabe de Tanger*.

TANDJUNGKARANG-TELUK-BETUNG. ♦ **V.** TELUKBETUNG.

TANEÏEV (Sergueï Ivanovitch). ♦ Pédagogue, théoricien et compositeur russe (Vladimir, 1856 – Moscou, 1915). Élève de Tchaïkovski (composition) et de N. Rubinstein (piano) au conservatoire de Moscou, il forma Scriabine et Rachmaninov. Il a laissé une grande trilogie dramatique, *Oresteia* (1895), une cantate pour chœur et orchestre, des mélodies et des pièces pour piano.

TANEZROUFT (« Pays de la soif »). ♦ Région du Sahara, sans aucune végétation, qui s'étend à l'O. du Hoggar, en Algérie* et au Mali*.

T'ANG [*Tang*]. *n. m. pl.* ♦ Dynastie chinoise qui régna de 618 à 907 avec pour capitales Ch'ang-an et Lo-yang. Elle succéda à celle des Sui* et compta 22 souverains. Sous son règne, les arts chinois atteignirent leur apogée et l'empire connut sa plus grande extension. L'expansion du bouddhisme fut arrêtée en 845 et la prééminence redonnée au confucianisme et au taoïsme. Un de ses plus grands souverains fut T'ai*-tsung (règne de 626 à 649).

TANGA. ♦ V. et port de Tanzanie*, sur la côte N. du pays, face à l'île de Pemba* et relié par voie ferrée à la région de Moshi-Arusha. 60 935 hab. – Exportation de bois, thé, sisal.

TANGANYIKA *(lac).* ♦ Grand lac de l'Afrique orientale, le deuxième d'Afrique par la superficie (31 900 km²). Il est situé au S. du lac Kivu*, et forme frontière entre le Zaïre (ex-Congo-Kinshasa), le Burundi* et la Tanzanie*. Il a été découvert par John Speke* et Richard Burton* en 1858.

TANGANYIKA. *n. m.* ♦ Anc. État de l'Afrique orientale. **V. Tanzanie.**

TANGE KENZÔ. ♦ Architecte japonais (Imabari, 1914 –). Novateur, il conçut de nouveaux principes architecturaux généralement fondés sur l'architecture japonaise traditionnelle et fut l'auteur de nombreuses réalisations remarquables tant au point de vue du fonctionnalisme que de l'esthétique (piscine olympique de Tôkyô, 1964).

TANGER, en ar. **Tandja.** ♦ V. et port du Maroc septentrional, ch.-l. de prov. (215 000 hab.), situé au débouché O. du détroit de Gibraltar*, adossé aux contreforts du Rif*. 142 000 hab. Archevêché. Patrie de Ibn* Battûta. ♦ *Hist.* Comptoir phénicien puis carthaginois, sans doute cap. de la Mauritanie* Tingitane (Tingi), il devint musulman en 707 après les invasions vandales et byzantines. – Après le bombardement de Tanger et la bataille d'Isly*, la paix de Tanger fut signée en sept. 1844 entre la France et le sultan du Maroc Mûlay' Abd al-Rahmân, qui s'engageait à chasser de son territoire l'émir Abd al-Qadir (Abd el-Kader). Le 31 mars 1905, l'empereur Guillaume II y fit une déclaration pour affirmer, contre l'influence française, la souveraineté et l'indépendance du Maroc. Ce qui fut appelé le « discours de Tanger » eut pour conséquence la réunion de la conférence d'Algésiras (1906). – Zone internationale de 1923 à 1956, excepté durant l'occupation espagnole (1940-1945), Tanger est un port franc depuis 1962.

T'ANG-SHAN [*Tangshan*]. ♦ V. de Chine (Ho-pei) au N.-E. de T'ien-tsin. 800 000 hab. Mines de houille. Centre indus. et métallurgique important. – La V. fut détruite par le séisme de juil. 1976.

TANGUY (Yves). ♦ Peintre américain d'origine française (Paris, 1900 – Woodbury, Connecticut, 1955). Issu d'une famille bretonne, il devint d'abord marin et voyagea au Portugal, en Espagne, en Afrique et en Amérique du Sud. À Paris, vers 1920, il se lia avec J. Prévert et, après avoir eu la révélation d'une œuvre de De* Chirico, il se consacra à la peinture, fréquenta les membres du groupe surréaliste et adhéra à ce mouvement. En 1939, il s'exila aux États-Unis où il épousa Kay Sage, elle-même peintre, et s'établit en 1942 dans le Connecticut. À ses débuts, il expérimenta des procédés automatiques puis, à partir de 1927-1928, élabora un style personnel. Il réalisa des figurations d'aspect naïf : personnages et éléments hétéroclites peuplèrent d'abord un espace peu déterminé,

Ph. Nimatallah/Ricciarini

Yves Tanguy : « Jours de lenteur ».
(Musée national d'Art moderne, Paris.)

comme envahi par des fumées grises (*Il faisait ce qu'il voulait*, 1927; *Maman! Papa est blessé*). Puis, l'univers qu'il propose prit une apparence plus liquide et visqueuse. Utilisant la technique du trompe-l'œil, il peignait avec un soin minutieux des « êtres-objets, strictement inventés », « êtres errants » de « configuration amiboïde » nettement différenciés, au modelé accentué, mais difficilement identifiables, à l'aspect simultanément organique, végétal, minéral, cartilagineux, apparaissant dans un espace où une ligne d'horizon est presque toujours soit marquée, soit suggérée. A. Breton a souligné que le paysage est chez Tanguy « non plus physique mais mental » [...] « ceux qui s'obstinent pour se rassurer à parler d'atmosphère « sous-marine » ou autre oublient simplement que la faculté de déploiement de l'imagination artistique est en relation intime avec la variété des phénomènes du cosmos ». Le style de ses œuvres évolua peu, la dominante grise persista, mais les tonalités prirent parfois plus d'éclat et, à la fin de sa vie, il eut tendance à faire proliférer ses motifs sur des toiles de plus grand format *(Nombres imaginaires; Multiplication des arcs)*, accusant ainsi leur nature obsessionnelle et onirique.

TANINGES. ♦ Ch.-l. de cant. de la Haute-Savoie*, arr. de Bonneville*, dans le Faucigny*, sur le Giffre*. 2 109 hab. — Mécanique; confection. — Aux environs, anc. chartreuse de Mélan : église du XIIIe s. restaurée, cloître du XVIe siècle.

TANIS, nom gr. de l'égypt. **Djan**, en hébr. **Zoan**, auj. **San al-Hajar**. ♦ Anc. V. d'Égypte dans le delta, à quelques kilomètres du lac Menzaléh*. On sait très peu de choses sur l'histoire de Tanis. Vraisemblablement l'une des plus anciennes villes du delta, elle remonterait à l'Ancien Empire comme l'attestent des pierres portant le nom de Pépi* Ier (VIe dynastie). Mariette* y a retrouvé des sphinx figurant un pharaon de la XIIe dynastie. Certains identifient Tanis à la forteresse des Hyksos*, Avaris, et à la ville de Ramsès* II, Pi-Ramsès. La ville joua un rôle de première importance sous le règne de Ramsès II (XIXe dynastie). Elle devint capitale à la XXIe dynastie (**V. Smendès**) et garda ce rang jusqu'à la XXIVe dynastie (~ 1085-~ 720). Les fouilles effectuées par P. Montet ont mis au jour, dans le grand temple d'Amon*, la sépulture de Psousennès* Ier.

TANIT ou mieux **TINNIT**. ♦ *Religion punique.* Déesse, une des formes d'Ashtart*, formant avec Baal* Hammon le grand couple divin protecteur de Carthage (à partir du ~ Ve s.). Son origine, libyenne ou phénicienne, reste discutée. Les Anciens l'assimilèrent à Héra ou Junon, sous le nom de *Juno Caelestis* — *Signe de Tanit :* symbole de la déesse, figurant sur de nombreuses stèles puniques et interprété comme un croissant de lune ou comme un homme en prière (levant les bras).

TANIZAKI JUN'ICHIRÔ. ♦ Romancier japonais (Tôkyô, 1886 — Yugawara, 1965), chef de file de l'école néo-romantique japonaise. La plupart de ses ouvrages furent traduits dans les langues européennes. Les plus célèbres sont *La Clé* (1956), *Le Journal d'un vieux fou* (1965). Il traduisit également en japonais moderne de nombreux classiques de la littérature ancienne, dont le *Genji**-monogatari* de Murasaki* Shikibu.

TANJORE ou **TANJAVÛR**. ♦ V. de l'Inde du Sud (Tamilnâdu). Env. 350 000 hab. — Ce fut la capitale de l'empire de la dynastie des Chola* de 907 à 1310. Centre artistique et culturel jusqu'au XIXe s., c'est une ville d'art (nombreux monuments, temple du XIe s.).

TANJUNGPRIOK. ♦ Port de Djakarta* (Indonésie).

TANKEI. ♦ Célèbre sculpteur japonais (1173 — 1256), fils de Unkei. Ses œuvres bouddhiques inaugurèrent, dans la ligne de son père, un nouvel art de représentation, extrêmement réaliste.

TANLAY [tɑ̃lɛ]. ♦ Comm. de l'Yonne (arr. d'Avallon), sur l'Armançon*. 593 hab. Magnifique château Renaissance édifié vers 1550, précédé par le « petit château » (1610). À proximité, vestiges de l'anc. abbaye de Quincy (XIIe et XVIe s.).

TANNA ou **TANA** *(île)*. ♦ **V.** NOUVELLES-HÉBRIDES.

TANNAY. ♦ Ch.-l. de cant. de la Nièvre (arr. de Clamecy), sur un coteau dominant la r. g. de l'Yonne*. 746 hab. Église Saint-Léger, anc. collégiale (XIIIe au XVIe s.). Maisons du XVe s. — Vignobles (vin blanc sec).

TANNENBERG, en polon. **Stębark**. ♦ Anc. localité de Prusse*-Orientale, auj. en Pologne* (voïévodie d'Olsztyn). Aux environs, champ de bataille de *Grunwald**-Tannenberg*, où Ladislas* II Jagellon, à la tête des armées polono-lituaniennes, infligea une sanglante défaite à l'ordre Teutonique* (1410). — Au début de la Première Guerre* mondiale, les forces allemandes de Hindenburg* y remportèrent une victoire décisive sur l'armée russe de Samsonov* (août 1914).

TANNHÄUSER. ♦ Poète allemand (v. 1205 — v. 1270). Sans doute originaire d'une famille de chevaliers de la région de Salzbourg, il aurait pris part à la croisade (1228), vécu à la cour du duc d'Autriche, Frédéric II le Batailleur (ou le Belliqueux), puis à celle du duc de Bavière, Othon II, avant de mener à travers l'Allemagne la vie de chanteur errant, auteur de poésies lyriques, de chansons à danser *(Tanzlieder)*, marquant déjà le déclin de la poésie courtoise *(Minnesang)*. La légende s'empara de lui dès la fin du XIIIe siècle. On raconta qu'après avoir mené une vie toute païenne de plaisirs au Venusberg, il se serait rendu en pèlerinage à Rome, où le pape Urbain IV lui aurait dit qu'il n'était pas plus possible de lui accorder le pardon que de voir reverdir son bâton de pèlerin. Certains prétendirent que sur le chemin du retour le bâton se couvrit de feuilles et que Tannhäuser retourna au Venusberg; d'autres que, repenti, il acheva ses jours en Palestine. Cette légende a inspiré poètes et musiciens, et, parmi eux, Heine et surtout Wagner* (opéra en trois actes, 1845).

Ph. Bernand

Représentation de **Tannhäuser** à l'opéra de Paris, en 1966.

Tannhäuser. ♦ Opéra en trois actes et quatre tableaux, poème et musique de R. Wagner*, représenté en quatre versions successives (Dresde, 1845 et 1847; Paris, 1861; Vienne, 1875) avant que W. Wagner en réalise une cinquième (Bayreuth, 1954) qui constitue la synthèse des précédentes. — Partagé entre la passion dévorante qu'il éprouve pour Vénus, la reine de volupté, et son amour désincarné pour la pure Élisabeth, fille du landgrave Hermann de Thuringe, Tannhäuser participe au tournoi des chanteurs de la Wartburg. Il espère en sortir vainqueur et gagner par là le cœur de la vierge chaste, mais dans l'ardeur du concours il trahit le secret de sa passion pour la déesse du Venusberg. Repoussé par le pape qui lui refuse l'absolution, Tannhäuser en appelle de nouveau à Vénus, mais au bord de l'abîme il est sauvé par le charme rédempteur d'Élisabeth qui s'est éteinte en implorant de Dieu le pardon du pécheur. Par le renoncement, il trouve le chemin du salut et meurt pardonné. Un miracle de la miséricorde divine a obtenu sa grâce. L'ouverture de l'ouvrage en résume l'esprit : le dualisme de la volupté païenne et de l'idéal ascétique, fondé sur le sacrifice. À la fin de l'ouvrage, le chœur des pèlerins marque une tentative de réconciliation des deux morales.

TANNU-TUVA. ♦ **V.** TOUVA.

T'AN SZU-T'UNG [*T'an Sseu-t'ong, Tan Sitong*]. ♦ Poète et philosophe chinois (1865 — 1898) passionné par la modernisation de la Chine. Partisan d'une réforme à l'occidentale des anciennes institutions impériales, il participa avec K'ang You-wei au mouvement dit «Réforme des cent jours», mais fut arrêté et exécuté par le gouvernement manchou.

TANTAH. ♦ V. de la Basse-Égypte, au centre du delta du Nil. Cap. du gouvernorat de Garbiéh. 255 300 hab. C'est la plus grande ville du delta et un important nœud de communications. Centre commercial (foires réputées) et religieux où se trouve le tombeau de Sayyid Ahmad al-Badaûi, l'un des saints les plus vénérés en Égypte islamique. Manufactures de tabac, minoteries.

TANTALE, en gr. **Tantalos**. ♦ Roi mythique de Lydie* ou de Phrygie, père de Pélops* et de Niobé* et grand-père d'Atrée*. Lui-même fils de Zeus*, il a les faveurs des dieux, mais il en abuse en révélant aux mortels les secrets de l'Olympe ou en dérobant le nectar et l'ambroisie. Selon une variante, il immole son fils Pélops et en fait un mets qu'il sert aux dieux. Pour un de ces crimes, son châtiment aux Enfers est exemplaire, mais il varie aussi selon les versions. Ou bien il est placé sous un rocher toujours sur le point de tomber et de l'écraser, ou bien il est plongé dans l'eau jusqu'au cou, mais le niveau baisse chaque fois qu'il essaie de boire; de même, une branche chargée de fruits à portée de sa main s'écarte quand il s'efforce d'attraper la nourriture.

Tantra. *n. m. pl.* ♦ Nom donné en Inde et au Tibet à des recueils de formules rituelles appartenant aux cultes hindous de la śakti* (contrepartie féminine de la Divinité). Ces recueils, de rédaction tardive (IXe-XIIIe s.), introduisirent dans l'hindouisme et le bouddhisme de nombreux éléments des croyances populaires ainsi que des pratiques et des formes d'art ésotériques plus ou moins magiques qui se développèrent principalement au Tibet.

TANUCCI (Bernardo, *marquis de***).** ♦ Homme politique italien (Stia, Toscane, 1698 — Naples, 1783). Principal ministre à Naples de Charles* VII et de Ferdinand* IV, il fut l'un des représentants du despotisme éclairé, encourageant le développement économique (grands travaux : palais de Caserte, manufactures) et menant une politique anticléricale (renvoi des Jésuites). Il fut chassé par la reine Marie*-Caroline.

TAN-YÛ. ♦ Peintre japonais (1602 — 1674) d'Edo, appartenant à l'école des Kanô* et créateur d'un style décoratif, au service du shôgunat.

Arch. Smeets

Tao Chi, paysage. (City Art Museum, Osaka.)

TANZANIE *(république unie de).* n. f., en angl. **Tanzania.** ♦ État de l'Afrique orientale qui comprend une partie continentale (anc. Tanganyika) et les îles de Zanzibar* et de Pemba*. Elle est limitée à l'O. par le Zaïre* (une partie du lac Tanganyika formant la frontière), le Burundi* et le Ruanda*, au N. par l'Ouganda* (le lac Victoria* formant une partie de la frontière) et le Kenya, à l'E. par l'océan Indien et au S. par le Mozambique* et le Malawi* (une partie du lac Malawi* formant frontière). 937 063 km². 13 273 000 hab. *Cap.* Dar es-Salaam, puis (1er oct. 1973) Dodoma, ville de 20 000 hab. [1972] située au centre du pays. *Langues.* souaheli* ou kiswahili (off.), anglais. *Pop.* Bantous, Nilotiques, Indiens, Pakistanais, Arabes. *V. princ.* **V. Mwanza, Olduvai, Tanga** et **Zanzibar.** — À une côte découpée, frangée de récifs coralliens, succède une plaine côtière étroite, sauf autour de Dar es-Salaam, puis un plateau dont l'altitude varie entre 1 000 et 1 400 m et qui constitue la plus grande partie de la Tanzanie; il est relevé au N.-E. **(V. Kilimandjaro)** et au S.-O. et tombe en pente abrupte sur le bassin du lac Tanganyika. Son *climat* tropical est tempéré par l'altitude. Son *économie,* essentiellement agricole, est constituée par des cultures vivrières (maïs, manioc, sorgho) qui ne suffisent pas aux besoins; seul le maïs offre des quantités exportables. De grandes coopératives de production fournissent du sisal, du café, du thé et de la canne à sucre. Le coton est le premier produit d'exportation. Les plantations de cocotiers et de girofliers des îles ont été nationalisées. Le sous-sol donne surtout du diamant **(V. Mwanza)** et également du plomb, du zinc, de l'étain, du cuivre et du mica. Comme au Kenya*, le tourisme constitue une ressource importante pour la Tanzanie, qui offre la beauté de ses plages, l'alpinisme au Kilimandjaro, les réserves de Serengeti* au N., du cratère de N'Gorongoro*, de Ruaha au centre et de Selous au sud. [*Carte.* **V. Kenya**]. ♦ *Hist.* La république de Tanzanie* est née en avril 1964 par la réunion du Tanganyika et de Zanzibar*. La région côtière du Tanganyika fut fréquentée dès le Moyen Âge par des populations venues d'Asie, mais les Arabes s'y imposèrent dès le VIIe siècle. Les Portugais s'y établirent en 1505, mais perdirent leurs établissements au XVIIIe siècle. L'exploration de l'intérieur du pays fut menée au XIXe s. par les Anglais et les Allemands. En 1885, fut fondée la Compagnie de l'Afrique*-Orientale allemande, qui devint colonie allemande en 1891. En 1920, la S.D.N. confia le mandat sur ce territoire au Royaume-Uni; il prit alors le nom de Tanganyika et fut placé en 1947 sous la tutelle des Nations unies. En 1961, le Tanganyika acquit son indépendance et devint une république au sein du Commonwealth*. Après la création de la république de Tanzanie, J. Nyerere* resta président de la République.

Tanzimat (le) en ar. **Tandhîmât,** pl. de **Tandhîm,** « action d'organiser ». ♦ Ensemble législatif introduit par les sultans Mahmut II (1808-1839) et Abdül-Medj'id (1839-1861) et destiné à réformer les institutions et à moderniser les mœurs de l'empire ottoman.

Tao [Dao], (« la voie »), *n. m.* ♦ Terme utilisé principalement par les taoïstes pour désigner le principe du mouvement qui est à l'origine de tous les processus naturels. Il est formé par le mouvement alternant des principes Yin* et Yang (négatif et positif).

TAO CHI [*Tao Tsi, Dao Ji*]. ♦ Peintre chinois (1630 — 1707) de la famille impériale des Ming*. Révolutionnaire et original, il est l'auteur de grandes compositions aux tons contrastés et au graphisme puissant, et de dessins délicats. Il écrivit des traités de peinture.

T'AO HUNG-CHING [*T'ao Hong-king, Tao Hongjing*]. ♦ Maître taoïste chinois (v. 452 — 536), précepteur des princes impériaux et célèbre médecin, auteur d'un ouvrage de pharmacopée traitant de 365 drogues. Lettré et calligraphe de talent, mathématicien et astronome, il fut parfois surnommé en Occident « le Léonard de Vinci chinois ».

TAORMINA. ♦ V. de Sicile (prov. de Messine), sur la côte orientale, entre Messine et Catane, au pied de l'Etna, dans un site magnifique. 9 100 hab. Centre touristique international. Théâtre grec (~ IIIe s.) agrandi par les Romains au IIe siècle. Château médiéval. ♦ *Hist.* Habitée par les Sicules à la fin du ~ IVe s., la cité fut rebaptisée *Tauromenion* par Denys l'Ancien et repeuplée de Grecs de Naxos (Sicile) après la destruction de celle-ci. Au ~ IIIe s., la ville vécut sous la férule de Hiéron II, puis s'allia à Rome en ~ 210. Plus tard (~ 34), Octave y fonda une colonie. Elle fut détruite par les Sarrasins (902), puis prise par les Normands au XIe siècle.

TAOS. ♦ Petite V. du Nouveau*-Mexique (États-Unis), au N.-E. de Santa Fe. Elle est située près d'un village indien *(Taos Pueblo)* remarquable par son architecture et son site (entre le rio Grande et les montagnes de la chaîne Sangre de Cristo). — Centre touristique. — À *Ranchos de Taos* se trouve l'église Saint-François-d'Assise (1730-1772), de style hispano-mexicain.

Tao-tê ching [*Tao tö king, Dao de jing*]. ♦ Ouvrage philosophique chinois antique, dû au philosophe Lao* Tzu (Lao Tseu) qui vécut au ~ VIe s., et traitant du « Principe » *(Tao)* et de son action. C'est l'ouvrage fondamental du taoïsme.

TAOUDENNI. ♦ Point d'eau du Sahara* à l'extrême N. du Mali*. Un des principaux centres d'exploitation de mines de sel d'Afrique depuis le XVIe s. **V. Tombouctou.**

T'AO YÜAN-MING [*Tao Yuanming*]. ♦ Célèbre poète et littérateur chinois (365 — 427) dont l'influence fut considérable sur les poètes des époques postérieures, notamment sur ceux des dynasties T'ang* et Ming*.

TAPACHULA. ♦ V. du S. du Mexique (Chiapas) près de la frontière du Guatemala. 108 464 hab. (1970).

TAPAJÓS. *n. m.* ♦ Riv. du Brésil (1 980 km), formée par le Juruena et le São Manuel qui descendent du Mato* Grosso, elle conflue avec l'Amazone* (r. d.) dans l'État de Pará* en amont de Santarém.

TAPIÉS (Antonio). ♦ Peintre espagnol (Barcelone, 1923). Après avoir suivi des cours de dessin à Barcelone, il se consacra à la peinture en 1946. Cofondateur du mouvement *Dau al set* en 1948, il fit la connaissance de Miró, qui l'encouragea et dont l'influence est très nette dans sa période surréalisante (*Muduc,* 1949). Tapiés s'intéressa alors à la philosophie et à l'art oriental, en particulier à la calligraphie. Après avoir exposé à Barcelone (1950), à New York (1953), Tapiés ne cessa de participer aux grandes expositions internationales (biennale de Venise, 1958); dès 1962 (Hanovre), les grands musées ont organisé des rétrospectives de ses œuvres (Vienne, 1968; musée d'Art moderne de Paris, 1973). En 1953, bien que certaines de ses toiles soient encore attachées au surréalisme, le travail de la matière, les taches, les signes constituent l'essentiel de son écriture; ses œuvres apparaissent comme des murs reconstitués de banlieues pauvres. Dès 1947, le peintre avait déjà fait usage des « matériaux pauvres », mais l'aspect monumental, quasi structural de l'œuvre, n'était pas encore développé. Le goût de Tapiés pour les compositions lacérées, griffées, est une constante dans son évolution; il définit ses œuvres comme « des champs de bataille où les blessures se multiplient à l'infini ». Quelques taches de couleurs vives viennent cependant éclaircir et même égayer ses « parois » (*Gris, orange et rose,* 1967) où dominaient tout d'abord les tonalités terreuses, les gris, les bruns, qui recouvrent les sables, le plâtre ou les agglomérats de matières rugueuses. Au travail de la matière brute et sèche il intègre des graffiti, des signes qui griffent la surface et prennent parfois la forme d'une véritable calligraphie adoucissant la violence de l'ensemble (*Calligraphique,* 1958). Tapiés affectionne aussi les espaces fermés, portes, volets clos, serrures, miroirs sans reflet (*Rideau de fer et violon,* 1956; *Miroir et Confettis,* 1970). Sur ses « murs » apparaissent de plus en plus des objets exprimant une attitude contestataire (*Peinture à la lessiveuse,* 1970), objets dérisoires et sordides (*Grand Drap noué et détritus,* 1971) qu'il intègre parfois à des enchevêtrements de fil de fer ou qu'il présente seuls (*Fardeau,* 1970). Son art est l'expression spontanée de l'angoisse face à un monde fermé, déchiré, qu'il cherche à transmettre tel quel. Tapiés s'est voulu à la fois l'héritier des idées de Léonard, des intentions destructrices de dada et des recherches photographiques d'un Brassaï.

TAPTÎ. *n. f.* ♦ Riv. de l'Inde (env. 720 km), prenant naissance dans le Madhya Pradesh et se jetant dans le golfe de Cambay, près de Surat. Son cours inférieur est navigable.

Târâ. *n. f.* ♦ Énergie féminine (śakti) de certaines divinités bouddhiques et lamaïques du Bengale et du Tibet, surtout vénérée dans les cultes tantriques. À l'origine nom d'une étoile, elle peut dans le panthéon lamaïque prendre divers aspects symbolisés par des couleurs (Târâ blanche, verte, jaune, rouge, bleue) et est susceptible de s'incarner.

TARAFA ('Amr ibn al-'Abd al-Bakrî). ♦ Poète antéislamique (VIe s.). Poète de la cour de Hira, il est l'auteur de la plus longue des mu'allaqât* (cent deux vers), qui révèle une grande maîtrise de la langue. Plusieurs de ses vers sont retenus comme proverbes chez les Arabes.

TARAPACÁ. ♦ Prov. du *Norte Grande* chilien. 55 287 km². 137 000 hab. Ch.-l. Iquique*. Exploitation du nitrate de sodium (depuis la fin du XIXe s.). Soufre au N.-E. d'Iquique. ♦ *Hist.* Anc. prov. de la Bolivie, cédée au Chili* à la suite de la guerre du Pacifique.

TARAPUR. ♦ Localité de l'Inde située au N. de Bombay. Centrale nucléaire.

TÂRAQ ou **TÂRIQ IBN ZIYÂD.** ♦ Général berbère (VIIIe s.). Il commanda les troupes musulmanes lors de la conquête de l'Espagne. Il débarqua à Gibraltar (Djabal-al-Târiq), battit le roi Rodrigue et prit Tolède (oct. 711). Il prit Saragosse avec Mûsâ* ibn Nusayr (714). Ensuite, il occupa León, puis Astorga. Appelé par le calife al-Wâlid, il partit vers Damas à la fin de 714.

TARARE. ♦ Ch.-l. de cant. du Rhône*, arr. de Villefranche*-sur-Saône, dans le Beaujolais*. 12 424 hab. *(Tarariens).* — Centre d'indus. textiles : coton, mousselines, velours.

TARASCON. ♦ Ch.-l. de cant. des Bouches*-du-Rhône, arr. d'Arles, sur le Rhône. 10 857 hab. *(Tarasconnais).* Église Sainte-Marthe (XIIe, XIVe, XVIIe s.), endommagée en 1944. Château XIVe-XVe s., bâti par les comtes de Provence. Hôtel de ville du XVIIe siècle. — Marché agricole, expéditions de primeurs. — Patrie de J. Gilles*. ♦ *Hist.* Sainte Marthe aurait évangélisé la région en débarrassant le pays d'un monstre appelé la Tarasque. A. Daudet* a fait de la ville un symbole de la Provence dans son roman *Tartarin de Tarascon.*

TARASCON-SUR-ARIÈGE. ♦ Ch.-l. de cant. de l'Ariège*, arr. de Foix*, au confluent de l'Ariège* et du Vicdessos. 3 901 hab. *(Tarasconnais).* Église gothique. — Métallurgie de l'aluminium, à Sabart.

TARASP. ♦ Localité de Suisse (cant. des Grisons), dans la Basse-Engadine*, sur la r. g. de l'Inn* à 1 200 m d'altitude. — Château du XIe s., restauré. — Station thermale (sources alcalines) et touristique très réputée. — Tarasp forme avec Scuol* et Vulpera*, situés à quelques kilomètres, un important ensemble touristique et climatique.

TARASQUES. *n. m. pl.* ♦ Indiens de l'anc. Mexique (Michoacán) dont la cap. était Tzin-Tzun-Tzan. Ils résistèrent victorieusement aux Aztèques*.

Tarass Boulba. ♦ Récit de N. Gogol* (1835). Le chef cosaque Tarass Boulba tue son propre fils coupable de l'avoir trahi. Ce roman truculent et coloré a connu un succès international, mais il demeure isolé dans l'œuvre plus sombre de son auteur.

TARAWA. ♦ Centre administratif des îles Gilbert* et Ellice, dans l'île Tarawa située au N. de l'équateur. 8 000 hab. environ. Exportation de coprah.

TARBES. ♦ Préf. des Hautes-Pyrénées*, ch.-l. d'arr. (12 cant. 225 comm. 138 119 hab.), sur l'Adour*. 59 432 hab. *(Tarbais* ou *Tarbéens).* L'agglomération atteint près de 80 000 hab. Cathédrale romane Notre-Dame-de-la-Sède; église Sainte-Thérèse, XVe siècle. Évêché. — Indus. traditionnelle du cuir. Constructions électromécaniques; indus. chimique, papeterie. Constructions aéronautiques. — Patrie de B. Barère* de Vieuzac, du maréchal Foch* (maison natale), de Th. Gautier*. ♦ *Hist.* Cette anc. cap. de la Bigorre* fut dévastée par les Normands, puis fut cédée aux Anglais (*fin* XIVe s.). Elle fut réintégrée au royaume de France au début du XVIIe siècle.

TARDE (Gabriel). ♦ Sociologue français (Sarlat, 1843 — Paris, 1904). Auteur de travaux sur le problème de la criminalité, il fut en France le principal représentant de la sociologie à tendance psychologique; il vit en effet dans la répétition des processus psychiques individuels (invention, création d'une part, imitation, diffusion, tradition d'autre part) la base des phénomènes sociaux (*Criminalité comparée,* 1886; *Les Lois de l'imitation,* 1890; *Études pénales et sociales,* 1892; *Études de psychologie sociale,* 1898, etc.).

TARDENOIS. *n. f.* ♦ Région de l'E. du Bassin parisien, située entre la Vesle* et la Marne. **V. Fère-en-Tardenois (La).** ♦ Hist. *Bataille du Tardenois* au cours de la guerre 1914-1918.

TARDETS-SORHOLUS. ♦ Ch.-l. de cant. des Pyrénées*-Atlantiques, arr. d'Oloron*-Sainte-Marie. 915 hab. Manifestations folkloriques. Aux env.. chapelle de la Madeleine, lieu de pèlerinage. Tissages. — La localité se nomme en basque Atharratce.

TARDIEU (André). ♦ Homme politique français (Paris, 1876 — Menton, 1945). Ancien élève de l'École normale supérieure, il devint chef de cabinet de Waldeck-Rousseau (1902), rédacteur du « Bulletin de l'étranger » au journal *le Temps*, fut élu député (1914) et choisi par Clemenceau comme commissaire spécial aux États-Unis (1917-1918), représentant à la conférence de la paix à Paris (1919) et ministre des régions libérées d'Alsace-Lorraine (1919-1920). Fondateur (avec Mandel) de *l'Écho national,* il fut battu aux élections de 1924 (lors de la victoire du Cartel des gauches), mais réélu en 1926 et chargé successivement par Poincaré des portefeuilles des Travaux publics (1926-1928), de l'Intérieur (1928-1930). Appelé à la présidence du Conseil (nov. 1929-déc. 1930), à l'époque de la crise économique et financière internationale, il pratiqua une politique optimiste mais onéreuse de la prospérité (assurances sociales, enseignement gratuit, retraite du combattant, grands travaux, etc.). Écarté du pouvoir (à l'occasion de l'affaire Oustric), il fut ministre de l'Agriculture puis de la Guerre (cabinets P. Laval, 1931-1932), puis rappelé comme président du Conseil (févr.-mai 1932). Il fut une dernière fois ministre dans le cabinet Doumergue (1934), chargé d'étudier la réforme de la Constitution. Il se retira de la vie politique en 1935. [*La Paix*, 1921; *Sur la pente*, 1935; *La Révolution à refaire*, 1936-1937, etc.]

Ph. Harlingue-Viollet

André Tardieu.

Ph. Lipnitzki-Viollet

Jean Tardieu.

TARDIEU (Jean). ♦ Poète et auteur dramatique français (Saint-Germain-de-Joux, 1903). L'obsession d'une réalité toujours fuyante et qui se confond jusqu'à l'absurde avec les fantaisies du rêve caractérise son œuvre où l'inquiétude existentielle se dissimule sous le brio d'un jeu verbal insolite et riche de pouvoir destructeur (permutations de mots révélant la fonction et les contraintes du contexte). Les poèmes de Jean Tardieu ont été recueillis dans *Fleuve caché* (1968). Son œuvre dramatique a été publiée dans les *Poèmes à jouer* (1960) et *Théâtre de chambre* (1955-1965).

TARENTAISE. *n. f.* ♦ Région de Savoie* formée par la haute vallée de l'Isère* et par celles de ses affluents qui descendent de la Vanoise*. Élevage bovin (race tarine). Indus. : électrochimie, électrométallurgie, équipement hydro-électrique (barrage de Tignes*). La ville principale (anc. cap.) est Moûtiers*.

TARENTE, en it. **Taranto.** ♦ V. d'Italie du Sud, dans les Pouilles*. Ch.-l. de prov. sur le golfe de Tarente, formé par la mer Ionienne. 229 159 hab. *(Tarentins).* — Archevêché. Bâtie sur une île, la ville est reliée au continent par un système de canaux. C'est un marché agricole important et une ville industrielle : sidérurgie, indus. mécaniques, constructions navales. Tarente possède le plus grand arsenal d'Italie. La pêche est active dans le golfe. ♦ *Hist.* Tarente est l'une des plus anc. villes de la Grande Grèce. Fondée par des exilés spartiates, elle devint une importante cité commerciale. Alliée à Rome à partir de ~ 272, elle ouvrit ses portes à Hannibal* (~ 212), fut reprise par Rome en ~ 209 et sévèrement punie pour sa défection. Elle fut colonisée par celle-ci en ~ 123. Plus tard, elle subit l'occupation normande, puis s'érigea en principauté indépendante. Elle fut bombardée en 1940 par les forces aéronavales anglaises.

TARFAYA, anc. **Villa Bens.** ♦ V. du Maroc saharien (6 000 hab.), ch.-l. de prov. (18 000 hab.), située sur l'Atlantique, au S. du cap Juby*. Centre commercial. Correspond à l'anc. zone du « Maroc espagnol méridional », rétrocédée en partie au Maroc en 1958 **(V. Maroc espagnol).** Depuis 1969, l'anc. enclave d'Ifni* y a été rattachée.

TARGET (Guy Jean-Baptiste). ♦ Magistrat français (Paris, 1733 — Molières, Seine-et-Oise, 1807). Avocat au parlement de Paris (1752), il se fit remarquer par son opposition à Maupeou et son *Mémoire sur l'état des protestants en France* (1787) qui contribua à l'édit de tolérance en faveur de ces derniers. Élu député du Tiers Etat aux États généraux (1789), il ne joua qu'un rôle de second plan pendant les années révolutionnaires. Conseiller au Tribunal de cassation sous le Directoire (1798), il contribua à la rédaction des Codes civil et criminel. (Acad. fr.)

TARGON. ♦ Ch.-l. de cant. de la Gironde*, arr. de Langon. 1 132 hab. Vins rouges et blancs.

TĂRGOVIŠTE, TÎRGOVIŠTE ou **TURGOVIŠTE.** ♦ V. de Bulgarie, ch.-l. de district au S.-O. de Kolarovgrad. 26 000 habitants.

Targowica ou **Targovitsa** *(confédération de).* ♦ Confédération formée en 1792 à *Targowica,* en Ukraine, par une faction de la noblesse polonaise russophile, afin de combattre la constitution monarchique de 1791. Elle aboutit, après l'adhésion de Stanislas* II Poniatowski, au deuxième partage de la Pologne*.

TARGUI. *n. m.* ♦ **V.** TOUAREG *(n. m. pl.).*

TARGU MURES. ♦ **V.** TÎRGU MUREȘ.

TARIFA. ♦ V. d'Espagne, à l'extrémité méridionale de la péninsule Ibérique, sur le détroit de Gibraltar. 18 100 hab. — La ville conserve un caractère mauresque très accusé.

TARIJA. ♦ V. de Bolivie (35 700 hab.), *ch.-l.* du *dép. de Tarija,* située au S. du pays, à la frontière argentine. 37 623 km². 142 600 habitants.

TARÎM. ♦ V. du Yémen du Sud située dans une oasis de la vallée du Hadramaout*. Elle est bâtie sur les hautes falaises surplombant un cours d'eau. Artisanat.

TARIM. *n. m.* ♦ Fl. du Hsin-chiang (Chine) [2 190 km], le bassin d'Asie centrale qu'il arrose (près de 800 000 km²). Formé par la confluence du Kizil et du Yarkand, le Tarim reçoit des affl., se dirige vers l'E. Il est sujet à des inondations et à des changements de cours (en 1921, il reprit un lit abandonné depuis ~ 330). ♦ *Le bassin du Tarim* comprend le désert de sable du Takla Makan, la zone de marais salants du Lo*-pu-po, une ceinture d'oasis entourant le désert (Kargholik, Khotan au S.;

Yarkand, Kashgar à l'O. ; etc.). On y joint parfois la dépression du Turfân (Tourfan) et le bassin du Shuleh. – Peuplé de Türks, le bassin vit de l'agriculture (coton, soie, fruits, céréales, laine), récemment réorganisée par les Chinois.

TARLAC. ♦ V. des Philippines (île de Luçon) au N. de Manille, fondée en 1686. 130 000 hab. Culture du riz, canne à sucre, tabac.

TARN. *n. m.* ♦ Riv. de France (375 km), affl. de la Garonne*, qui prend sa source au mont Lozère, descend les Cévennes*, traverse les Causses* en y creusant un canyon (de 400 à 600 m de profondeur). Le Tarn est alimenté par une quarantaine de cours d'eau souterrains qui ont creusé dans le calcaire des grottes et des avens. Après avoir arrosé Millau*, Albi*, Gaillac*, Montauban* et Moissac*, le Tarn se jette dans la Garonne* en aval de Montauban*. *Affl.* Agout*, Dadou, Sorgues. – *Gorges du Tarn.* De Sainte-Énimie à Peyreleau, le Tarn coule entre le causse de Sauveterre et le causse Méjean au fond des gorges pittoresques qui attirent les touristes.

TARN. *n. m.* [**81**]. ♦ Dép. du S. de la France, région (anciennement C.A.R.) Midi*-Pyrénées. 5 780 km². – *Orogr.* Le dép. s'étend entre le Massif* central et le bassin d'Aquitaine* avec à l'E. les collines cristallines du Ségala*, au S.-E. les plateaux du Sidobre* et les monts de Lacaune*, séparés du Lauragais et de l'Albigeois (vallées et côtes) par la Montagne* Noire.
♦ (36 cant., 326 comm., 342 364 hab.). *Préf.* Albi*. *Sous-préf.* Castres*. *Ch.-l. de cant.* Alban, 1 131 hab. ; Anglès*, Brassac, 1 611 hab. ; Cadalen, 1 136 hab. ; Carmaux*, Castelnau-de-Montmiral, 1 215 hab. ; Cordes*, Cuq-Toulza, 525 hab. ; Dourgne*, Gaillac*, Graulhet*, Labruguière*, Lacaune*, Lautrec*, Lavaur*, Lisle*-sur-Tarn, Mazamet*, Monestiès, 1 236 hab. ; Montredon-Labessonnié, 2 326 hab. ; Murat-sur-Vèbre, 1 264 hab. ; Pampelonne, 873 hab. ; Puylaurens*, Rabastens*, Réalmont*, Roquecourbe*, Saint-Amans-Soult, 1 732 hab. ; Saint-Paul-Cap-de-Joux, 920 hab. ; Salvagnac, 1 016 hab. ; Vabre, 1 285 hab. ; Valderiès, 680 hab. ; Valence-d'Albigeois, 1 280 hab. ; Vaour, 405 hab. ; Vielmur-sur-Agout, 910 hab. ; Villefranche-d'Albigeois, 807 habitants.

TARN-ET-GARONNE. *n. m.* [**82**]. ♦ Dép. du bassin d'Aquitaine*, région (anciennement C.A.R.) Midi*-Pyrénées. 3 730 km². – *Orogr.* Le dép. s'étend sur les plateaux du bas Quercy*, au S. sur la Lomagne. Une plaine alluviale très fertile, où se rencontrent l'Aveyron*, le Tarn* et la Garonne*, occupe le centre du dép.
♦ (24 cant., 195 comm., 189 715 hab.). *Préf.* Montauban*. *Sous-préf.* Castelsarrasin*. *Ch.-l. de cant.* Auvillar, 940 hab. ; Beaumont*-de-Lomagne, Bourg-de-Visa, 534 hab. ; Caussade*, Caylus, 1 750 hab. ; Grisolles, 2 126 hab. ; Lafrançaise, 2 481 hab. ; Lauzerte*, Lavit, 1 078 hab. ; Moissac*, Molières, 1 386 hab. ; Monclar-de-Quercy, 1 160 hab. ; Montaigu-de-Quercy, 1 657 hab. ; Montech*, Montpezat-de-Quercy, 1 448 hab. ; Nègrepelisse*, Saint-Antonin-Noble-Val, 1 950 hab. ; Saint-Nicolas-de-la-Grave, 1 711 hab. ; Valence*-d'Agen, Verdun*-sur-Garonne, Villebrumier, 534 habitants.

TARNIER (Étienne, dit Stéphane). ♦ Chirurgien français (Aiserey, Côte-d'Or, 1828 – Paris, 1897). Auteur de nombreux ouvrages d'obstétrique (*Recherches sur l'état puerpéral et sur les maladies de la femme en couches*, 1857 ; *L'Asepsie et l'antisepsie en obstétrique*, 1894 ; *Traité de l'art des accouchements*, 1900, en collaboration avec Chantreuil et Budin), il mit au point un forceps à tracteur (membre et président de l'Acad. de médecine).

TARNOBRZEG. ♦ V. de Pologne* (voïévodie de Rzeszów) sur la r. d. de la Vistule. 10 000 hab. Exploitation d'un important gisement de soufre (découvert en 1953) autour duquel gravite un vaste complexe d'industries chimiques.

TĂRNOVO, TÎRNOVO ou **TÜRNOVO.** ♦ V. de Bulgarie centrale, ch.-l. de district dans les collines prébalkaniques, sur la Jantra. 34 570 hab. (1963). Ruines médiévales. Centre commercial et industriel. ♦ *Hist.* Cap. du 2ᵉ empire bulgare (1186-1393). La première Assemblée nationale bulgare s'y réunit en 1879 et vota en 1908 l'indépendance de la Bulgarie.

TARNÓW. ♦ V. de la Pologne* méridionale (voïévodie de Cracovie). 77 000 hab. Évêché. Carrefour ferroviaire. Centre administratif et industriel. Industries mécaniques et chimiques, céramiques.

TARNOWSKIE GÓRY, en all. **Tarnowitz.** ♦ V. de Pologne* (voïévodie de Katowice) en haute Silésie*. 30 000 hab. Houillères. Indus. alimentaires, métallurgie, sidérurgie.

TARO. *n. m.* ♦ Riv. d'Italie (126 km), née dans l'Apennin ligure et affl. de la r. d. du Pô.

TAROUDANT ou **TAROUDANNT.** ♦ V. du Maroc méridional (prov. d'Agadir) située dans l'E. de la plaine du Sous*, au pied du Haut Atlas et de l'Anti-Atlas, dans la vallée du Sous*. 17 100 hab. Remparts. Oliveraies. Artisanat.

TARPÉIA. ♦ Vestale romaine, fille du gouverneur du Capitole*, qui, selon la légende, aurait livré la citadelle de Rome aux Sabins* (*fin* ~ VIIIᵉ s.) qui la tuèrent. Elle fut enterrée au mont Capitolin dans la partie qui prit d'elle le nom de roche Tarpéienne *(arx Tarpeia).* ♦ TARPÉIENNE *(roche).* Nom donné à une crête rocheuse de l'extrémité S.-O. du Capitole dans la Rome ancienne ; c'est de là qu'on précipitait les criminels, jusqu'à l'époque impériale.

TARQUIN l'Ancien, en lat. **Lucius Tarquinius Priscus.** ♦ Cinquième roi légendaire de Rome (v. ~ 616-v. ~ 578) ; il introduisit dans la cité la civilisation étrusque, fit construire le Forum, le

Ph. C. de Bellefonds
Les gorges du **Tarn** en amont de Sainte-Énimie.

Grand Cirque, le temple de Jupiter Capitolin et les égouts *(Cloaca maxima).* Vainqueur des Latins, des Sabins et des Étrusques, il institua l'usage du « triomphe ».

TARQUIN le Superbe, en lat. **Lucius Tarquinius Superbus.** ♦ Septième et dernier roi de Rome (~ 534-~ 509). Monté sur le trône après avoir assassiné son beau-père Servius* Tullius, il ne put s'y maintenir que par la violence. Il abolit la constitution de Servius, mais acheva les grands travaux de ses prédécesseurs et triompha des Latins. Son fils Sextus devint amoureux fou de Lucrèce*, femme de Tarquin Collatin et lui fit violence. Avec l'aide de Junius Brutus*, Collatin souleva le peuple. Les Tarquins furent chassés de Rome et la république proclamée (~ 509).

TARQUINIA, en fr. **Tarquinies.** ♦ V. d'Italie dans le Latium (province de Viterbe*). 11 840 hab. Évêché. Les archéologues y ont mis au jour une importante nécropole (fresques célèbres : tombe des Taureaux, tombe des Lionnes). ♦ *Hist.* Patrie présumée des Tarquins*, elle fut l'une des plus grandes villes de l'Étrurie* méridionale.

TARRACONAISE. *n. f.*, en lat. **Hispania Tarraconensis.** ♦ Province romaine du N.-E. de l'Espagne, constituée par Auguste en ~ 27 et correspondant auj. à la Catalogne*, l'Aragon*, la Navarre*, le León* et la Vieille-Castille*. *Cap.* Tarraco (Tarragone*). Elle occupait à l'origine tout le N.-E. et le centre de la péninsule, mais fut diminuée au IIᵉ s. quand furent formées la Galice* et la Carthaginoise.

TARRAGONE, en esp. **Tarragona.** ♦ V. d'Espagne orientale, en Catalogne*. Ch.-l. et prov. sur la Méditerranée. 78 238 hab. – Archevêché (avec le titre de « primat des Espagnes »). Elle conserve de l'époque romaine des murailles construites sur une enceinte pélasgique, un aqueduc, le palais d'Auguste *(pretorio romano).* Cathédrale (XIIᵉ-XIIIᵉ s.) avec cloître roman ; riche musée provincial. – Raffinerie de pétrole, indus. chimiques (soufre), distilleries (fabrication de « chartreuse »). ♦ *Hist.* Fondée, croit-on, à la fin du ~ IIᵉ millénaire par un peuple égéen, elle fut conquise par les Ibères, puis par Scipion en ~ 218. Importante colonie romaine (cap. de la Tarraconaise*), ce fut la résidence d'Auguste*, de Galba* et d'Hadrien*. Elle connut l'invasion des Wisigoths (464), des Maures (714), puis devint catalane en 1220.

TARRASA. ♦ V. d'Espagne orientale, en Catalogne* (prov. de Barcelone). 116 000 hab. – Centre textile très ancien (filatures et tissage de la laine), constructions électriques et mécaniques. – Églises remarquables, regroupées dans une zone archéologique : San Miguel (époque wisigothique, Vᵉ s.), San Pedro (IXᵉ-XIIᵉ s.), Santa María (IXᵉ-XIIᵉ s.) avec retables catalans du XVᵉ siècle.

TARSKI (Alfred). ♦ Mathématicien et logicien américain d'origine polonaise (Varsovie, 1901). En collaboration avec Jan Łukasiewicz*, il travailla à l'élaboration de systèmes logiques à trois valeurs (vrai, faux, possible) puis à *n* (nombre infini) valeurs, rompant ainsi avec le calcul classique des propositions qui n'admettait que deux valeurs (vrai et faux). Dès 1936, il affirma la nécessité de compléter les analyses syntaxiques du langage par une sémantique générale (étude des rapports des signes avec une donnée des conditions de vérité et de fausseté des propositions du langage). Tarski précisa la distinction entre les niveaux de la logique et de la métalogique **(V. Lukasiewicz)**, entre langage et métalangage. Alors qu'après G. Frege*, Carnap* et Church* tentèrent de systématiser une sémantique « intensionnelle » (étude de la signification), Tarski et son école développaient une sémantique « extensionnelle » (étude des relations entre les expressions et ce qu'elles désignent), qui « peut être présentée comme l'algèbre des classes arithmétiques » (L. Apostel). *La Notion de vérité dans les langages formels,* 1931, 1935; *Introduction à la logique mathématique,* 1937; *La Conception sémantique de la vérité,* 1944; *Logique, sémantique et métamathématique,* 1956.

TARSUS, en gr. **Tarsos**. ♦ V. de Turquie, en Asie Mineure (Cilicie), sur le Tarsus (l'anc. Cydnus*), dans la province d'Içel. Centre commercial. 57 035 hab. Vestiges hittites, hellénistiques et romains. Patrie de saint Paul*. ♦ *Hist.* Occupée par les Hittites, la ville primitive reçut peut-être des colons ioniens. Dominée par les Assyriens (*fin* du ~ VIIIe s.), elle fut ravagée v. ~ 696 à la suite d'une révolte. Elle fut prise par Alexandre le Grand, puis échut en partage aux Séleucides et devint un centre intellectuel. Florissante sous les Romains (~ 64), et cap. de la Cilicie*, elle possédait une célèbre école stoïcienne. Prise lors de la première croisade* (1097), elle devint la cap. du royaume chrétien de la Petite Arménie (XIIe-XIVe s.). Elle passa aux Mamelouks (1359), puis aux Ottomans.

TARTAGLIA (Niccolo FONTANA, dit). ♦ Mathématicien italien (Brescia v. 1499 — Venise, 1557). Il s'est intéressé à de nombreuses parties des sciences telles que l'arithmétique, l'algèbre, la géométrie, la balistique qu'il fut le premier à soumettre à un traitement théorique (*Nova scientia,* 1537), la statique (*Quesiti,* 1546), la fabrication des explosifs, etc. Mais on lui doit surtout des travaux concernant la résolution des équations du troisième degré et notamment la formule dite de Cardan*, qu'il avait découverte en 1537 puis communiquée à Cardan en 1539. **V. Ferrari, Ferro.**

TARTARE. *n. m.,* en gr. **Tartaros**. ♦ Le fond de l'Univers dans les mythes grecs, placé au-dessous des Enfers à une distance égale à l'espace qui s'étend entre la Terre et le ciel. Deux générations divines préolympiennes y sont précipitées successivement après leurs défaites **(V. Cyclopes, Hécatonchires, Titans).** Zeus menace toujours les dieux qui enfreignent sa volonté de les enfermer dans le Tartare, devenu peu à peu synonyme des Enfers, le lieu où sont châtiés les grands criminels. — Considéré aussi comme un élément primordial du monde, Tartare s'unit à Gaia* et engendre les monstres Typhon* et Échidna*.

TARTARES. *n. m. pl.* ♦ **V.** TATARS (république autonome des).

TARTARIE *(détroit de)*. ♦ Bras de mer entre la côte soviétique de Sibérie extrême-orientale et l'île de Sakhaline*, unissant les mers du Japon et d'Okhotsk. Long de 852 km, il est large de 46 km (N.) à 343 km (S.). Profondeur minimale, 7,2 m. Il est pris par les glaces de nov. à avril. *Ports princ.* Alexandrovsk-Sakhalinski, Lessogorsk, Ouglegorsk. Il fut découvert et baptisé *manche de Tartarie* par La* Pérouse en 1787.

TARTAS [-tas]. ♦ Ch.-l. de cant. des Landes*, arr. de Dax*, sur la Midouze*. 2 952 hab. *(Tarusates).* Pâte à papier, produits résineux.

TARTINI (Giuseppe). ♦ Violoniste, théoricien et compositeur italien (Pirano d'Istria, 1692 — Padoue, 1770). D'abord destiné à l'état ecclésiastique, il fréquenta des écoles religieuses à Pirano et à Capo d'Istria, puis étudia à l'université de Padoue. Ayant épousé la protégée de l'évêque, il dut fuir la colère de celui-ci et vécut trois ans caché dans un monastère d'Assise, où il reçut les leçons de violon d'un moine tchèque; il y composa sa sonate *Trillo del Diavolo* (« La Trille du diable »). Il regagna Padoue et devint premier violon à la cathédrale Saint-Antoine. Il vécut à Prague de 1723 à 1726, à l'époque du couronnement de Charles VI, et y fut au service de grandes familles. De retour à Padoue, sa notoriété de pédagogue s'accrut et gagna toute l'Europe. Il composa de la musique de chambre (*sonates, concertos* pour violon, *trios* pour cordes) influencée pour les premières œuvres par Corelli, mais qui acquit une originalité progressive. Ses recherches portèrent plus particulièrement sur l'approfondissement de l'expressivité des mouvements lents et la structure des premiers mouvements. Il apporta au violon de notables améliorations techniques (allongement de l'archet, épaississement des cordes) et écrivit plusieurs ouvrages théoriques sur cet instrument (*Trattato di musica,* 1754; *De principi dell' armonia musicale,* 1767; *Affeti di musica* [Agrément de la musique], 1771).

TARTOU. ♦ **V.** TARTU.

TARTOUS ou **TARTUS**. ♦ Port de Syrie (prov. de Lattaquié), situé entre Lattaquié* et Tripoli*, et par lequel sont exportés les pétroles d'Irak (via Homs*) et de Karatchôk*. Port de pêche.

TARTU ou **TARTOU**, anc. **Dorpat**. ♦ V. de l'U.R.S.S. (Estonie*). 83 000 hab. Centre culturel. Université. Indus. alimentaires, textiles, chimiques et mécaniques (machines agricoles). ♦ Hist. *Dorpat* fut fondée au XIe s. par Iaroslav, prince de Novgorod. Ville hanséatique (1224), prise par Ivan* IV le Terrible (1558), elle fut ensuite cédée à la Pologne (1581). Les Suédois la prirent en 1600 et y fondèrent une université (1632) qui fut détruite et rétablie en 1802. Disputée par les Suédois et les Russes au XVIIIe s., elle fut conquise par Pierre* le Grand en 1704. Prise par les Allemands (fév. 1918), puis rattachée à l'Estonie indépendante, Dorpat fut dénommée *Tartu.* Occupée par les Russes (1940), puis par les Allemands (1941), elle fut réannexée en 1944 par l'U.R.S.S.

Tartuffe ou **Tartufe**. ♦ Comédie en cinq actes et en vers, de Molière. Conçue d'abord en trois actes (1664), mais aussitôt interdite, la pièce fut représentée le 5 août 1667 sous le titre de *L'Imposteur,* puis à nouveau interdite le lendemain. Elle ne fut autorisée qu'en 1669. Orgon a introduit dans sa demeure Tartuffe, personnage dont l'apparente dévotion l'a séduit. Mais son fils Damis, son beau-frère Cléante et la servante Dorine suspectent en Tartuffe un méprisable aventurier. Fort de la confiance que lui témoigne Orgon, Tartuffe va tenter d'obtenir la main de Marianne, sa fille, de séduire Elmire, sa femme, et de le dépouiller de ses biens. Au moment où, convaincu de son infamie par une ruse de l'honnête Elmire, l'hypocrite se voit démasqué et contraint de fuir, il se dresse, menaçant, et fort de son droit : Orgon a commis la faute de lui faire une donation générale de ses biens. Déjà, le sergent, M. Loyal, s'apprête à expulser Orgon et les siens de leur propre demeure. Mais le roi, qui a tout appris, fait appréhender Tartuffe. — Satire véhémente dirigée contre les faux dévots et leurs dupes complaisantes et trop naïves, avec la peinture haute en couleur qu'elle offre d'un hypocrite, cupide et jouisseur, et d'un milieu social étonnamment vivant, la pièce est sans doute la plus audacieuse que Molière ait écrite, celle aussi dont le pouvoir de scandale demeure intact.

TARVIS [tarvis] *(col de),* en it. **Tarvisio**. ♦ Col des Alpes orientales (812 m) qui relie l'Italie (Frioul), l'Autriche (Carinthie) et la Yougoslavie (Slovénie), en faisant communiquer les vallées de la Drave*, de la Save* et de la Fella, affl. du Tagliamento*.

Tarzan. ♦ Personnage d'E.R. Burroughs, rendu mondialement célèbre, notamment auprès de la jeunesse, par le cinéma et la bande dessinée. **V. Burroughs** (E.R.).

TASCHER DE LA PAGERIE (Marie-Josèphe Rose). ♦ **V.** JOSÉPHINE.

TASMAN (Abel Janszoon). ♦ Navigateur hollandais (Lujtegast, Groningen, 1603 — Batavia, 1659). Après des voyages aux Moluques, aux Philippines, au Japon, il entreprit une expédition (1642) au cours de laquelle il découvrit la terre de Van Diemen (nom du gouverneur hollandais des Indes orientales, qui fut d'abord donné à la Tasmanie*), la Nouvelle*-Zélande (île du Sud), les archipels des Tonga et Fidji; il revint à Batavia par la Nouvelle-Guinée, la Nouvelle-Irlande et la Nouvelle-Bretagne. La relation de son voyage (précédant celles de Cook et de Bougainville) fut publiée par Jacob Zwart (1860).

TASMAN *(mer de)*. ♦ Partie de l'océan Pacifique comprise entre l'Australie* à l'O. et la Nouvelle*-Zélande à l'est.

TASMANIE. *n. f.,* en angl. **Tasmania**. ♦ Le plus petit des États du Commonwealth d'Australie* comprenant l'île même de Tasmanie située à l'extrémité S.-E. du continent dont elle est séparée par le détroit de Bass*, et des îles voisines, situées pour la plupart dans le détroit. 68 332 km². 388 000 hab. *(Tasmaniens). Cap.* Hobart*. *V. princ.* **V. Launceston.** — *Orogr.* La Tasmanie est formée de plateaux et de chaînes accidentées, prolongements de la Cordillère* australienne; son centre est formé de plaines et de collines. Nombreux fl. côtiers. — *Climat* doux et humide, à caractère océanique. — *Écon.* Outre une économie agro-pastorale (élevage de bovins [vaches laitières] et d'ovins, forêts de hêtres et d'eucalyptus, fruits [pommes, poires], houblon et une très grande variété de légumes), l'État possède d'importantes richesses minières : cuivre, minerai de fer, zinc, plomb, étain et tungstène. Aux indus. traditionnelles, en expansion (exploitation des produits forestiers, de l'élevage, conserveries de fruits; indus. textile), s'est ajoutée la métallurgie, grâce à l'aménagement hydro-électrique de la Derwent (fl. princ.) et de ses affl. ♦ *Hist.* L'île fut découverte en 1642 par le Hollandais Abel Tasman* et porta jusqu'en 1853 le nom de terre de Van Diemen (nom du gouverneur général des Indes néerlan-

Coll. Rui Nogueira

Johnny Weissmuller (au centre) dans « Le Triomphe de **Tarzan** ».

Ph. L'Esperto/Ricciarini

Le Tasse, anonyme. (Collection privée.)

daises). Elle fut visitée par de nombreux Européens au cours du XVIIIe s., notamment par Cook* en 1777. La colonisation anglaise débuta en 1804 et l'île fut jusqu'en 1853 une colonie pénitentiaire. Rattachée à la Nouvelle*-Galles du Sud jusqu'en 1825, elle devint un État du Commonwealth australien en 1901.

TASSE (le), en it. **Torquato Tasso.** ♦ Poète italien (Sorrente, 1544 – Rome, 1595). Après une enfance assombrie par l'exil de son père, le poète Bernardo Tasso, et de continuels déplacements qui le mirent au contact des cours les plus raffinées, il devint un courtisan accompli; son poème en douze chants d'octosyllabes *Renaud* (*Il Rinaldo,* 1562), puis la délicate fable pastorale *Aminta* (1573), connurent un grand succès et traduisent l'équilibre heureux que connut le Tasse, particulièrement durant les années passées au service de la cour de Ferrare (1565 à 1571). Mais un amour malheureux pour Éléonore d'Este, le surmenage intellectuel, puis les scrupules religieux qui l'assaillirent à propos de son vaste poème *La Jérusalem* délivrée* (*La Gerusalemme liberata;* achevé en 1580), lui firent connaître des alternatives de crises d'angoisses ou d'hallucinations dont témoignent ses *Lettres* (1588), et de périodes de lucidité. Enfermé durant sept ans à la suite d'extravagances dangereuses, il sortit de l'asile (1586), erra de ville en ville et mourut à Rome, dans le couvent où il s'abritait. – Cette vie douloureuse et errante (qui, à l'époque romantique principalement, prit une valeur symbolique) n'empêcha pas le Tasse de produire une œuvre très abondante. Aux poésies lyriques, de toutes formes et de tous sujets, succèdent les poèmes narratifs, ou didactiques, telles *Les Sept Journées de la création du monde* (posth., 1607), ou *La Jérusalem conquise* (*La Gerusalemme conquistata,* 1593), qui connut un succès considérable, mais ne peut faire oublier le premier poème héroïque.

TASSILI. *n. m.* ♦ Nom d'origine berbère signifiant plateau. **V. Hoggar** et **Ajjers.** – Henri Lhote* a découvert en 1956, en particulier au *tassili des Ajjers,* des peintures et gravures rupestres.

TASSILON III. ♦ (V. 742 – v. 794). Duc de Bavière (749-788). Il s'empara de la Carinthie (772) et se révolta contre Charlemagne qui le captura et annexa la Bavière (788).

TASSIN-LA-DEMI-LUNE. ♦ Comm. du Rhône, dans l'arr. et la banlieue O. de Lyon*. 13 208 hab. Indus. chimique et textile. Horlogerie.

TASSONI (Alessandro). ♦ Poète italien (Modène, 1565 – 1635). Secrétaire du cardinal Ascanio Colonna, il le suivit de Rome en Espagne (1600 à 1603), gardant le souvenir de ce séjour dans ses *Philippiques contre les Espagnols* (1614-1615, anonymes) qu'anime le patriotisme. De 1619 à 1621, il fut au service de la maison de Savoie. Son chef-d'œuvre, *Le Seau enlevé* (*La Secchia rapita,* 1617; publ. 1624) est un poème héroï-comique en douze chants alertes, où les allusions satiriques à des personnages contemporains se mêlent à l'invention bouffonne; son héros, le comte de Culagna, faux brave et amant bafoué, est devenu un type populaire traditionnel, tandis que l'œuvre même, parodie de l'épopée, inaugurait un genre que Boileau* devait illustrer avec *Le Lutrin** et Pope* avec *The Rape of the Lack.*

TATA (Jamshedjî Nasarwanjî ou **Jamshîd).** ♦ Industriel indien (1839 – 1904), originaire du Gujarât et appartenant à la communauté des Parsis*. De culture britannique, il participa au développement de la ville de Bombay* et dota le pays d'une puissante industrie métallurgique. Il finança des chaînes hôtelières, de nombreux artisanats, créa des compagnies d'assurances. Ses fils et sa famille continuèrent son œuvre, ouvrant notamment des aciéries modernes à Jamshedpur*, dans le Bengale occidental, et créant l'aviation commerciale indienne.

TATABÁNYA. ♦ V. de Hongrie, ch.-l. du comitat de Komárom, située au N. de Budapest. 60 000 hab. La plus importante ville minière du pays (houille) et grand centre industriel (cimenteries, métallurgie [fonte], aluminium, indus. chimiques).

TATARS (*république socialiste soviétique autonome des;* en russe **Tatarskaja A.S.S.R.** ou **Tatarija, Tatarie).** *n. f.* ♦ Une des seize républiques autonomes de la R.S.F.S. de Russie, située sur le cours moyen de la Volga* et le cours inférieur de la Kama*, où cette dernière reçoit les eaux des riv. Viatka* et Biélaïa*. 68 000 km². 3 139 000 hab. (*Tatars* 47 %, Russes, Tchouvaches, Oudmourtes, Mordves et Bachkirs). *Cap.* **V. Kazan.** *V. princ.* Bougoulma [Bugulma], Zelenodolsk. – Formée pour la plus grande part d'une plaine basse, la Tatarie est occupée par des collines sur la r. d. de la Volga et au S.-E. (235 à 370 m d'alt.). Les terres noires *(tchernoziom)* et les forêts (16 % du territoire) y prédominent. Riches pâturages le long des rivières, submergés en partie par le réservoir d'eau de Kouïbychev (2 850 km² dans la République). – *Écon.* Une importante activité agricole (57 % du territoire est en culture) repose sur la culture des céréales, des pommes de terre, des betteraves à sucre, du tournesol et du tabac. Élevage bovin et ovin. Gisements de pétrole dans la région de Bougoulma-Belebeï, qui fait partie du « Second Bakou* ». Le village d'Almetievsk est devenu une ville pétrolière (oléoducs jusqu'à Gorki à l'O. et Sverdlovsk à l'E.). Le gisement de gaz de Minnibaïevo est relié à Kazan par gazoduc. Les indus. mécaniques et chimiques sont concentrées autour des villes de Kazan, Zelenodolsk et Tchistopol. Traitement du bois (maisons préfabriquées, meubles). ♦ *Hist.* D'origine türk, descendants des Mongols de la Horde d'or, les Tatars s'établirent dans la région au XIIIe s. et fondèrent le khanat de Kazan*, qui fut annexé par Ivan* le Terrible en 1522. En nov. 1917, le régime soviétique fut instauré à Kazan et, en mai 1920, la R.S.S. autonome des Tatars fut créée.

Tate Gallery. *n. f.* ♦ Musée de peinture de Londres (Chelsea) fondé en 1897 sur l'initiative du collectionneur *Henry Tate* et renfermant de nombreuses œuvres anglaises des XVIIIe et XIXe s. (Blake, Watts, Constable, Turner, préraphaélites), et françaises (impressionnistes et post-impressionnistes, fauves et contemporains).

Tathâgata. *n. m.* (« Celui qui est venu »). ♦ Titre généralement donné aux Bouddha, celui de notre temps, Gautama* et ses prédécesseurs, au nombre de six. **V. Jina.**

TATI (Jacques TATISCHEFF, dit **Jacques).** ♦ Réalisateur français de cinéma (Le Pecq, 1908). Venu du music-hall, il a abordé la carrière de réalisateur par des courts métrages, avant de devenir une personnalité originale du cinéma comique français. Nourri d'une observation minutieuse de la réalité quotidienne, son art est l'effet d'une lente et scrupuleuse élaboration. Il a abordé la peinture, riche d'une poésie insolite et caricaturale, de la vie paysanne (*Jour de fête,* 1948), des petits bourgeois (*Les Vacances de M. Hulot,* 1953; *Mon oncle,* 1958), avant de s'élever, par des œuvres plus ambitieuses (*Playtime,* 1966; *Trafic,* 1969), à la satire d'un monde devenu absurde sous l'effet de la tyrannie des machines.

TATIEN, en gr. **Tatianos.** ♦ Apologiste chrétien (Mésopotamie, v. 120 – apr. 173). Disciple de Justin à Rome, il fonda en Syrie, après la mort de celui-ci, une secte d'encratites, ascètes condamnant les nourritures sensuelles. Auteur d'un *Discours aux Grecs,* âpre critique du paganisme, et du *Diatessaron,* harmonisation des quatre Évangiles.

TATIUS (Titus). ♦ Roi légendaire des Sabins. Il aurait pris les armes contre Rome pour venger l'enlèvement des Sabines et aurait ensuite partagé le pouvoir avec Romulus* **(V. Sabins).**

TATRAS, *n. f. pl.,* en polon. **Tatry.** ♦ Massif montagneux, le plus élevé des Carpates*, s'étendant le long de la frontière polono-tchécoslovaque. 715 km² dont les deux tiers en Tchécoslovaquie. On y distingue : les *Hautes Tatras,* partagées entre la Tchécoslovaquie* où elles culminent au pic de Gerlachovka* (2 663 m) et la Pologne* où la Dunajec* prend sa source non loin de Zakopane*, la plus grande station de sports d'hiver polonaise; et les *Basses Tatras* entièrement en Slovaquie* (point culminant : mont Dumbier, 2 043 m). – Les Tatras constituent un parc d'env. 20 000 ha soigneusement gardé et reconnu par les deux pays.

TATTA. ♦ V. du Pâkistân*, anc. cap. de dynasties locales du XIVe au XVIIe siècle. Immense nécropole de plus d'un million de sépultures datant des XVIe et XVIIe siècles.

TATUM (Edward Lawrie). ♦ Biochimiste américain (Boulder, Colorado, 1909). Il partagea le prix Nobel de méd. (1958) avec G.W. Beadle* et J. Lederberg* pour ses recherches sur le mode d'action chimique des gènes.

TATUM (Arthur, dit **Art).** ♦ Pianiste de jazz noir américain (Toledo, Ohio, 1910 – Los Angeles, 1956). Soliste virtuose, il commença sa carrière en 1928 et la poursuivit isolément, ne dirigeant guère qu'un trio (avec Tiny Grimes [guitare] et Slam Stewart [contrebasse]), en 1944. Princ. enregistrements : *Tiger rag* (1933), *Get happy* (1940), *Flying home* (en trio, 1944).

TA-T'UNG [*Ta-t'ong, Datong*]. ♦ V. de Chine (Shan-hsi), anc. P'ing-ch'eng des Han* et anc. capitale, encore entourée de murs datant du XIVe siècle. 230 000 hab. Centre industriel et charbonnier. Commerce des fourrures de Mongolie. — Une bataille meurtrière y eut lieu en 1946.

TAUERN, *n. m.* ♦ Chaîne cristalline des Alpes orientales, en Autriche, s'étendant du col du Brenner* jusqu'à Leoben, d'O. en E., de la Salzach jusqu'à la Drave et la Mur, du N. au sud. On distingue les *Hohe Tauern* à l'O. et les *Niedere Tauern,* à l'est. Les Hohe Tauern connaissent les altitudes les plus élevées (Grossglockner, 3 797 m) et de grands glaciers (Pasterze, 32 km^2). Mais les cols (Felber Tauern et Hochtor) permettent les relations entre les vallées de la Salzach et de la Drave. Les Niedere Tauern ont une altitude plus basse (point culminant Hoch Golling, 2 863 m). Le tourisme et les installations hydro-électriques (Kaprun, sur la Salzach) contribuent à la mise en valeur des Tauern.

TAULER (Jean). ♦ Théologien, mystique et prédicateur alsacien (Strasbourg, v. 1300 — 1361). Appartenant à l'ordre des Dominicains, il fut élève de maître Eckhart*. Ses *Institutions* développent surtout le thème du renoncement à soi-même et prêchent un mysticisme austère.

TAUNTON. ♦ V. du S.-O. de l'Angleterre. *Ch.-l.* du Somerset, sur la Tone. 35 200 hab. — Château normand et église du XVe s. à cinq nefs. — Matériel agricole, confection.

TAUNUS, *n. m.* ♦ L'un des quatre massifs formant l'ensemble schisteux rhénan (Allemagne occidentale, Palatinat rhénan-Hesse), s'étendant à l'E. du Rhin, entre la Lahn et le Main, autour de Francfort. De dimensions modestes (50 km de long et 16 de large), il culmine à 880 m au *Feldberg*. De sol pauvre, il est couvert d'épaisses forêts et a été aménagé pour le tourisme autour des villes thermales de Wiesbaden*, Ems*, Bad* Homburg.

Taureau, *n. m.*, en lat. **Taurus.** ♦ Constellation zodiacale comprenant les deux amas des *Hyades* et surtout des *Pléiades,* visibles à l'œil nu. Deuxième signe du Zodiaque (20 avril-20 mai). **V. Aldébaran.**

TAURIDE ou **Chersonèse Taurique.** ♦ Anc. nom de la Crimée. Ses habitants, les *Tauroi,* étaient considérés par les Grecs comme des barbares inhospitaliers qui immolaient les étrangers (Cf. le mythe de l'*Iphigénie en Tauride*). La colonie ionienne de Chersonèse, près de l'actuelle Sébastopol, fut le principal centre d'exportation de blé ukrainien vers la Grèce. La Tauride fut submergée par les Cimmériens et par les Scythes, mais la Chersonèse grecque garda son indépendance. Au ~ IIe s., elle fut annexée par le royaume du Pont, ensuite par Rome.

TAURION ou **THAURION**. *n. m.* ♦ Riv. du Limousin* (125 km), affl. de la Vienne*. Elle prend sa source au plateau de Gentioux* et conflue en amont de Limoges*.

TAURUS [*n. m.*], en turc **Toros.** ♦ Ensemble de chaînes de montagnes calcaires en Turquie (Anatolie). Le *Taurus occidental* est formé de blocs isolés à l'O. et de hauts massifs boisés dans la péninsule lycienne (3 086 m au Bey dağlari). L'arc du *Taurus central,* particulièrement élevé à chaque extrémité (Dedegöldağ : 2 980 m, Aladağ : 3 734 m), domine les plaines de Pamphylie et de Cilicie. Les Portes de Cilicie le séparent de l'*Anti-Taurus* qui le prolonge au N.-E. en direction des chaînes Pontiques. Le *Taurus oriental,* au S.-E. de la Turquie, forme un ensemble séparé, constitué de hauts massifs cristallins.

TAUSEN (Hans). ♦ Réformateur danois (Birkende, 1494 — Ribe, 1561), ancien disciple de Luther à Wittenberg, aumônier du roi Frédéric Ier, il introduisit la Réforme au Danemark et dirigea la rédaction de la *Confessio hafniensis* (1530). Évêque de Ribe en 1542. Il fut surnommé « le Luther danois ».

TAVANT. ♦ Comm. d'Indre-et-Loire, arr. de Chinon. 202 hab. L'église Saint-Nicolas, du XIIe s., conserve un célèbre ensemble de peintures murales romanes. Les décorations de la voûte du chœur ont pour thème l'Annonciation, la Visitation, la Nativité, l'Annonce aux bergers, le massacre des Innocents, la Fuite en Égypte. Un grand Christ en majesté est représenté dans l'abside. Parmi les plus remarquables peintures de la crypte (d'une facture plus ancienne que celles du chœur) figurent un Christ en majesté, le Crucifiement de saint Pierre, la Descente aux Enfers, les Vertus terrassant les Vices.

Ph. Nino Cirani/Ricciarini

Taxco, l'église Santa Prisca.

TAVASTSJERNA (Karl August). ♦ Poète et romancier finlandais de langue suédoise (Annila, près de Mikkeli, 1860 — Pori, 1898). Salué comme le pionnier du réalisme, critiqué par les conservateurs, il refusa de suivre toute école. À l'écart des querelles entre Suédois et Finlandais, il se lia d'amitié avec Aho* et Minna Canth*, il fit jouer une pièce en finnois, *La Métairie d'Uramo* (1892). Maître absolu de la forme, il est l'auteur de poèmes : *Dans la brise du matin* (1883), *Poèmes de l'attente* (1890), *Laureatus* (1897), qui décrivent des scènes de tous les jours, célèbrent l'amour sensuel et révèlent un mysticisme rêveur. Ses romans et ses nouvelles, *Amis d'enfance* (1886), *L'Alliance avec la mort* (1893), *Un patriote sans patrie* (1896) décrivent souvent des individus incompris et solitaires.

TAVAUX. ♦ Comm. du Jura, arr. de Dole. 4 910 hab. Indus. chimiques.

TAVČAR (Ivan). ♦ Homme politique, conteur et romancier slovène (Poljane, 1851 — Ljubljana, 1923). Il fut maire de Ljubljana de 1911 à 1921 et représenta le parti libéral au parlement de Vienne. Il décrivit fidèlement son pays dans des nouvelles (*Fleurs d'automne,* 1917), et des romans : *Ivan Savelj* (1876), *Dans les montagnes* (1887), *Le Congrès* (1907), *La Chronique de Visoko* (1919).

TAVEL. ♦ Comm. du Gard, arr. de Nîmes. 965 hab. Vins rosés renommés (côtes-du-rhône), de couleur pelure d'oignon. Carrières (pierres dites *marbre de Tavel*).

TAVERNIER (Jean-Baptiste). ♦ Voyageur français (Copenhague ou Paris, 1605 — Moscou, 1689). Anobli par Louis XIV en 1669, il obtint la baronnie d'Aubonne (canton de Vaud) en 1676. Ses premiers voyages le menèrent en Angleterre, aux Pays-Bas et en Europe centrale (Hongrie, Pologne). Il visita ensuite la Turquie, la Palestine, la Perse, les Indes, Sumatra et Java. Ruiné par son neveu, il fut contraint, comme protestant, de s'exiler après la révocation de l'édit de Nantes (1685). Nommé directeur d'une nouvelle compagnie commerciale par l'électeur de Brandebourg, il mourut en traversant la Russie pour se rendre en Asie. (*Les Six Voyages de Jean-Baptiste Tavernier* - Paris, 1681).

TAVERNY. ♦ Ch.-l. de cant. du Val-d'Oise, arr. de Pontoise. 13 108 hab. *(Tabernaciens).* Église gothique Notre-Dame (XIIIe s. ; restaurée au XIXe s.). — Centre opérationnel de défense aérienne.

TAVEUNI *(île).* ♦ **V.** FIDJI (îles).

TAVOLIERE. *n. m.* ♦ Plaine argileuse de l'Italie méridionale (Pouilles), entre le Fortore et l'Ofanto et l'Apennin d'une part et le monte Gargano de l'autre. On y cultive des céréales (blé) et l'on y pratique l'élevage.

TAWFÎQ (Muhammad). ♦ Khédive d'Égypte (Le Caire, 1852 — 1892). Il succéda à son père Ismâ'îl* Pacha en 1879. Il nomma en 1881, 'Arabi* Pacha chef du mouvement nationaliste, ministre de la Guerre. Mais, après la défaite de 'Arabi à Tall al-Kabir, il dut subir un contrôle plus grands des Anglais et abandonner sa suzeraineté sur le Soudan après la victoire des mahdistes (1884). 'Abbâs* II lui succéda.

TAWFÎQ AL-HAKÎM. ♦ Écrivain égyptien (Alexandrie, 1902). Si ses romans sont satiriques et sociaux (*Yawmiyyât Nâ'ib fi al-Aryâf,* « Journal d'un substitut de campagne », 1937), son œuvre dramatique illustre un théâtre d'idées empreint de symbolisme. Sa thématique reprend soit des mythes anciens (« Les hommes de la caverne », 1933 ; « Œdipe-Roi », 1939 ; « Pygmalion », 1942), soit des anecdotes des *Mille* et Une Nuits* (*Shahrazâd,* 1934), soit encore des données coraniques et traditionnelles *(Muhammad).* Plusieurs de ses ouvrages sont traduits en français.

TAWHIDI. ♦ Prosateur arabe (mort apr. 1009). Il mena une vie difficile qui fit de lui un cinglant pamphlétaire et un misanthrope aigri. Il aborda tous les genres et fut philosophe, juriste, grammairien et essayiste. Sa *Délectation* se divise en quarante nuits, chaque nuit étant réservée à un sujet de discussion précis, dont celui de la comparaison entre les méthodes de la grammaire arabe et celles de la logique grecque et leurs mérites respectifs. Ses *Entretiens* présentent une succession de dialogues animés par des contradicteurs de sectes différentes et de croyances diverses. Il est considéré par la critique orthodoxe comme l'un des grands athées de la littérature arabe, avec Abû* al-'Alâ et Ibn Rawandi.

TAXCO. ♦ Petite ville du Mexique (Guerrero), au S. de Mexico. Env. 16 000 hab. — Ville coloniale, près de mines d'argent et d'étain exploitées depuis le XVIe siècle. Places du XVIIIe s. ; église *Santa Prisca* churrigueresque (*mil.* XVIIIe s.).

TAXILA. ♦ Anc. cité indienne (maintenant au Pâkistân) et célèbre université bouddhique florissante du ~ Ve s. jusqu'au IIe siècle. Nombreux vestiges de monuments remontant à l'époque d'Alexandre le Grand.

TAY. *n. m.* ♦ Fl. du centre de l'Écosse (193 km). Issu des Grampians, il s'élargit pour former un lac, le *loch Tay,* coule vers la mer du Nord, arrose la ville de Perth et forme un large estuaire au bord duquel se trouve Dundee*.

TAYGÈTE, *n. m.*, en gr. **Taÿgetos.** ♦ Chaîne montagneuse de Grèce (Péloponnèse) aux confins de la Laconie et de la Messénie. Elle se termine au cap Matapan (Ténare), 2 407 m. L'Alphée y prend ses sources. Le Taygète domine la vallée de l'Eurotas et Sparte*. La ville médiévale de Mistra* était bâtie à son pied.

TAYLOR (Brook). ♦ Mathématicien anglais (Edmonton, Middlesex, 1685 – Londres, 1731). Dans son ouvrage principal, *Methodus incrementorum directa et inversa* (1715), il énonça la formule qui donne le développement de la fonction f (x) pour une valeur (x + h) de la variable indépendante, voisine de la valeur x : $f(x+h) = f(x) + hf'(x) + \frac{h^2}{2!} f''(x) + ... + \frac{h^n}{n!} f^{(n)}(x) + R_n$ *(formule de Taylor)*, et signala le cas particulier pour x = o *(formule de Maclaurin*)*; on y trouve également l'emploi du calcul aux différences finies **(V.** *aussi* **Lagrange)**, une ébauche de la détermination des solutions singulières des équations différentielles, une étude des changements de variable indépendante et, enfin, le traitement d'un des premiers exemples de physique mathématique : la détermination de la fréquence des vibrations et de la forme d'une corde vibrante, connaissant sa longueur, son poids et sa tension. Il obtint ainsi la fréquence de la vibration fondamentale d'une corde vibrante. **V.** *aussi* **Mersenne.** Utilisant sa série, obtenue à partir de la formule en faisant tendre *n* vers l'infini, il étudia les méthodes de résolution numérique des équations de degré élevé. Il s'intéressa également aux principes de la perspective (1716 et 1719).

TAYLOR (Zachary). ♦ Homme politique américain (Orange County, Virginie, 1784 – Washington, 1850), 12e président des États-Unis. Il participa à la guerre contre les Anglais (1812) et remporta une victoire sur les Séminoles en Floride*. Pendant la guerre du Mexique, il prit Monterrey (1846) et vainquit Santa* Anna à Buena Vista (1847). Sa popularité lui permit d'être élu président, whig (1848). Il provoqua l'hostilité du Sud en demandant l'intégration de la Californie non esclavagiste, malgré ses propres opinions.

TAYLOR (Isidore Justin Séverin, *baron***).** ♦ Écrivain d'art, administrateur et philanthrope français (Bruxelles, 1789 – Paris, 1879). Commissaire royal près du Théâtre-Français (1824), il fut l'un des premiers à favoriser les écrivains romantiques et organisa la première représentation d'*Hernani* de Victor Hugo. En 1830, il fut chargé de se rendre en Égypte pour y négocier l'acquisition de l'obélisque de Louxor. De retour en France, il fut nommé inspecteur des Beaux-Arts (1838), contribua à la création de nombreuses sociétés d'aide aux artistes et à la fondation de la Société des Gens de lettres. Inspecteur des musées, membre du Sénat en 1869, il a laissé, outre quelques pièces de théâtre, le récit des voyages qu'il avait entrepris dans de nombreux pays : *Voyages pittoresques et romantiques de l'ancienne France* (1820-1863), avec des illustrations d'Isabey, de Géricault, d'Ingres, de Fragonard, de Viollet-le-Duc, *Voyage pittoresque en Espagne, en Portugal et sur la côte d'Afrique, de Tanger à Tétouan* (1826-1832), *La Syrie, l'Égypte, la Palestine et la Judée* (1835-1839), *Voyage en Suisse, en Italie, en Grèce* (1843).

TAYLOR (Frederick Winslow). ♦ Ingénieur et économiste américain (Germantown, Pennsylvanie, 1856 – Philadelphie, 1915). Ingénieur dans plusieurs entreprises sidérurgiques (dont la Bethlehem Steel Co.), il est l'inventeur, avec Maunsel White, des aciers à coupe rapide (1898-1900) qui permirent un accroissement considérable du rendement des machines. Il fut, sinon l'initiateur du travail à la chaîne, du moins le promoteur de l'organisation scientifique du travail industriel *(taylorisme)*; celle-ci suppose « l'utilisation maximale de l'outillage, la spécialisation stricte et la suppression des gestes inutiles », ainsi qu'un système de salaires à primes pour inciter l'ouvrier au rendement. Cette méthode favorisa l'augmentation de la production, mais conduisit « sous le couvert de la simplification et de l'économie des gestes à dépouiller les tâches de connaissances professionnelles, de qualification, d'initiative » (G. Friedmann) et à déshumaniser le travail. (*L'Ajustement des salaires au rendement,* 1896; *Études sur l'organisation du travail dans les usines,* 1907; *Principes d'organisation scientifique des usines,* 1912). **V.** *aussi* **Gantt, Gilbreth, Le Chatelier.**

TAYMÛR (Muhammad). ♦ Romancier et dramaturge égyptien (1892 – 1921). Grand conteur, il imita Maupassant. Adepte de la langue populaire, il écrivit des pièces de théâtre réalistes. Son frère Mahmûd (né en 1894) fut aussi spécialiste de la nouvelle; il s'inspira de Maupassant, puis de Tchekhov et de Tourgueniev.

TÂY-SON. ♦ Nom collectif donné à trois frères vietnamiens de la famille des Nguyên (originaires du village de Tây-son, Qui-Nhon) qui, en 1771, se révoltèrent contre les seigneurs Nguyên de Huê. Alliés à la famille des Trinh (hostile aux Nguyên), ils s'emparèrent de Saigon, puis de Huê, éliminèrent les Trinh, puis, l'un d'eux, Nguyên Huê, s'étant proclamé empereur, battirent les Chinois qui avaient envahi le Tonkin. Leur dynastie resta au pouvoir jusqu'en 1802.

TAZA. ♦ V. du Maroc septentrional, ch.-l. de prov. (444 000 hab.), située entre le Rif et le Moyen Atlas dans la *« trouée »* ou *« couloir de Taza »*, porte naturelle entre le Maroc occidental et oriental et vers l'Algérie. 31 700 hab. Mosquée almohade.

TAZIEFF (Haroun). ♦ Géologue et volcanologue belge (Varsovie, 1914). L'un des fondateurs du Centre national de volcanologie de Belgique et de l'Institut international de recherches volcanologiques, il a particulièrement étudié le mécanisme des manifestations

Tchad.

volcaniques, la volcano-sismologie, etc. Outre des publications scientifiques, il s'est fait connaître du grand public par des ouvrages de vulgarisation *(Cratères en feu, Quand la Terre tremble, Les Volcans)* et de nombreux films documentaires d'une grande beauté plastique *(Grêle de feu, Les Eaux souterraines, Des volcans et des hommes)*.

TAZOULT, anc. **Lambèse.** ♦ Comm. d'Algérie (dép. de Batna) au pied N. du massif des Aurès*. 5 100 hab. Importantes ruines romaines de l'anc. *Lambaesis,* camp romain de la IIIe légion Augusta et cap. de la prov. de Numidie*.

TBILISSI, anc. **Tiflis.** ♦ V. de l'U.R.S.S., cap. de la république de Géorgie* sur la Koura*. 889 000 hab. Foyer historique et culturel de la Géorgie, centre politique, scientifique et industriel, c'est la deuxième ville de la Transcaucasie (après Bakou) par sa population et son importance industrielle (40 % de l'indus. de la Géorgie). – Nombreux monuments historiques (cathédrale de Sion, VIe-VIIe s. ; château fort du XIIIe s., ruines d'une citadelle). – Aéroport. Centrale thermique. Indus. textiles (soie), alimentaires (vins fins, champagne, cognac) et de transformation (appareillage électronique et de précision, machines-outils, machines agricoles). – Patrie de Aram Ilitch Khatchatourian*, G. et L. Pitoëff*, Witte. ♦ *Hist.* Fondée vers le milieu du Ve s., disputée entre les Byzantins, les Arabes, les Perses, Tiflis fut souvent dévastée avant d'être définitivement occupée par la Russie en 1800.

TCHAADAÏEV (Piotr Iakovlevitch) [*Čaadajev*]. ♦ Philosophe russe (1794 – Moscou, 1856). Principal défenseur des occidentalistes*, il exposa sa doctrine dans ses *Lettres philosophiques* (1836).

TCHAD *(lac)*. ♦ Grand lac intérieur, au S. du Sahara, aux confins du Tchad*, du Cameroun*, du Nigeria* et du Niger*, alimenté principalement par le Chari* et son affl. le Logone*. Il recouvre la portion méridionale de la *cuvette du Tchad,* ancienne mer intérieure. La superficie du lac, soumise au régime des pluies, varie de 10 000 à 27 000 km². Pêche. Sel. Élevage au N.-E. (pâturages sur les îles). Riz, maïs. L'assèchement des polders permet l'extension de la culture du blé.

TCHAD, *n. m.* ♦ État (république) de l'Afrique* centrale, le plus grand des États intérieurs du continent, au S. du tropique du Cancer. Il est limité par la Libye* au N., le Soudan* à l'E., l'Empire Centrafricain*, au S. et le Cameroun*, le Nigeria* et le Niger* à l'ouest. 1 284 000 km². 4 030 000 hab. *(Tchadiens). Cap.* N'Djamena **(V. Fort-Lamy).** *Langues :* français (off.), arabe et dialectes soudanais, en particulier le sara. *Pop.* Arabes, Peuls, Toubous. *V. princ.* **V. Abéché, Fort-Archambault, Moundou.** – *Orogr. et hydrogr.* Grande cuvette continentale aux bords relevés, limitée vers le Sahara par l'Ennedi*, l'Ouaddaï* et le Tibesti*, privée d'exutoire vers l'Océan, le Tchad comprend trois zones climatiques, désertique au N., sahélienne au centre et tropicale au S. (savane arborée). Cette dernière zone subit des inondations annuelles (900 à 1 200 mm) rendant difficiles les communications, tandis que le Chari* n'est navigable que d'août à décembre. **V.** *aussi* **Logone, Tchad** (lac). — *Écon.* C'est un pays d'agriculture, d'élevage (le coton fournit 80 % des exportations et la viande 10 %) et de pêche (5e rang en Afrique pour les exportations). Le tourisme est susceptible de se développer (parc et réserve de Zakouma). ♦ *Hist.* À l'époque néolithique (~ 6000-~ 3000), avant l'assèchement du Sahara, le Tchad connut une civilisation de pasteurs de bovidés, venus de l'E., installés dans le Tibesti* et l'Ennedi*, et une civilisation de pêcheurs au S. du Tibesti. Les Toubous*, vivant du trafic des esclaves vers Tripoli, occupèrent le pays jusqu'au lac Tchad et y fondèrent au N.-E. le royaume du *Kanem* (v. 800). Au XIe s., ce royaume se convertit à l'islâm, puis s'étendit jusqu'au Fezzan, au Soudan et vers le Nil. Mais menacé par des peuples venus de l'E., il dut se réfugier à l'O. du lac Tchad où fut fondé le royaume du *Bornou** (XIVe s.) qui reconquit le Kanem (XVIe s.). La France prit prétexte des attaques du négrier égyptien Rabah pour intervenir dans les régions tchadiennes. Elle réalisa ainsi l'unité de son empire africain. **(V. Foureau** et **Lamy, Gentil.)** Incorporé à l'A.-É.F. en 1910, le Tchad fut la première colonie à se rallier à la France libre **(V. Éboué).** Rép. autonome au sein de la Communauté* en 1958, elle acquit son indépendance en 1960. Après la création du *Front de libération nationale tchadien,* opposé au président Tombalbaye*, les troubles du Tibesti en 1968 entraînèrent une intervention militaire française. Le 13 avr. 1975, Tombalbaye trouva la mort au cours d'un coup d'État qui porta le général Félix Malloum à la tête d'un conseil supérieur militaire. Une Française (F. Claustre) était retenue en otage au Tibesti par les rebelles toubous depuis avr. 1974. Les tractations menées directement avec eux pour la faire libérer ayant mécontenté le gouvernement tchadien, celui-ci exigea l'évacuation des troupes françaises (oct. 1975). Ce n'est qu'en févr. 1977, après d'obscures péripéties que Françoise Claustre fut libérée, sur l'intervention de Kadhafi*.

TCHAÏKOVSKI (Piotr Ilitch). ♦ Compositeur russe (Votkinsk, 1840 — Saint-Pétersbourg, 1893). À l'issue de ses études de droit, il fut fonctionnaire au ministère de la Justice (1859). Il s'inscrivit néanmoins au Conservatoire et étudia la composition avec Anton Rubinstein. Ses études musicales terminées, il quitta l'administration et entreprit une carrière de compositeur (1863). Nommé professeur d'harmonie au conservatoire de Moscou (1866) après le succès de ses premières œuvres, il connut une période d'intense activité créatrice. Les vicissitudes d'un mariage malheureux aggravèrent chez lui un état dépressif chronique, né en grande partie de la conscience de ses tendances homosexuelles et que l'échec de ses nouvelles œuvres rendit plus aigu encore. C'est à cette époque (1877) que la générosité de Nadejda von Meck devait le sauver de l'incertitude matérielle et lui rendre, pour une dizaine d'années, la confiance en lui-même qu'il avait perdue. Admiratrice du musicien, cette riche veuve avait posé pour unique condition à leur amitié qu'il n'existât entre eux que des liens épistolaires et qu'ils ne se rencontrassent jamais. Lorsqu'elle eut décidé de rompre avec lui (1890), Tchaïkovski, qui avait déjà entrepris, en qualité de chef d'orchestre, plusieurs tournées de concerts à travers l'Europe, accepta de partir pour les États-Unis (1891). Le triomphe qui l'y accueillit ne put le délivrer de l'angoisse morbide dont il était atteint. Il lui fut pourtant donné de connaître, autant dans son propre pays qu'à travers le monde, une gloire peu commune avec une œuvre abondante dont les incertitudes esthétiques souvent soulignées masquent les qualités réelles. Fortement imprégnée des influences occidentales (Bellini, Schumann, Mendelssohn, Liszt), elle s'oppose aux tendances nationalistes des grands contemporains de Tchaïkovski que furent Balakirev, Borodine et Rimski-Korsakov. Elle a exercé une influence sur plusieurs générations de compositeurs russes. Elle comprend dix opéras dont *Eugène Onéguine* et *La Dame de pique*; trois ballets *(Le Lac des cygnes, La Belle au bois dormant, Casse-Noisette)*; six *symphonies,* dont la *Sixième* est dite *Pathétique,* des *ouvertures symphoniques,* trois *concertos* pour piano, un *concerto* pour violon, de la *musique de chambre)* trois quatuors à cordes, un trio avec piano, un sextuor), de nombreuses compositions pour piano, violon et orchestre, violoncelle et orchestre, une vingtaine d'*œuvres chorales* et une centaine de *mélodies.*

TCHAMPA. ♦ **V.** CHAMPÂ.

TCHANDRAGOUPTA. ♦ **V.** CHANDRAGUPTA MAURYA.

TCH'ANG-...; TCH'AO-... [chinois]. ♦ **V.** CH'ANG-...; CH'AO...

TCHANG KAÏ-CHEK. ♦ **V.** CHIANG KAI-SHEK.

TCHAPEK (Karel). ♦ **V.** ČAPEK (Karel).

TCHEBOKSARY. ♦ **V.** d'U.R.S.S. (R.S.F.S. de Russie), cap. de la Tchouvachie*, sur la r. d. de la Volga*. 216 000 hab. Indus. mécaniques et alimentaires. Traitement du bois.

TCHEBYCHEV ou **TCHEBYCHIOV (Pafnouti Lvovitch).** ♦ Mathématicien russe (Okatovo, arr. de Kalouga, 1821 — Saint-Pétersbourg, 1894), fondateur de l'école mathématique de Pétersbourg. Ses travaux les plus connus et dans lesquels il introduisit des raisonnements de grande rigueur concernent la théorie des nombres (démonstration du postulat de Bertrand*, 1854), les lois de probabilité (démonstration du théorème de Laplace* relatif aux erreurs d'observation, 1887) et la théorie des polynômes d'approximation des fonctions. (Acad. sc., 1874.)

TCHÉCOSLOVAQUIE, *n. f.,* en tchèque **Československo.** ♦ État de l'Europe centrale, limité au N. par la Pologne, au N.-O. par la R.D.A., au S.-O. par la R.F.A., au S. par l'Autriche et la Hongrie, à l'E. par l'U.R.S.S. 127 870 km². 14 760 000 hab. (1975) [*Tchécoslovaques*] comprenant 65,2 % de Tchèques, 28,7 % de Slovaques et des populations d'origine hongroise (3,9 %), allemande (1 %), polonaise (0,5 %), ukrainienne ou russe (0,4 %)]. *Cap.* Prague. *V. princ.* **V. Banská Bystrica, Bratislava, Brno, České Budějovice, Chomutov, Děčín, Frýdek-Místek, Gottwaldov, Hradec Králové, Jablonec nad Nisou, Karlovy Vary, Karviná, Kladno, Komárno, Košice, Kroměříž, Liberec, Lidice, Mariánské Lázně, Mladá Boleslav, Most, Nitra, Nové Zámky, Olomouc, Opava, Ostrava, Pardubice, Piešťany, Plzeň, Přerov, Prešov, Tábor, Teplice, Trnava, Ústi nad Labem.** *Langues off.* Tchèque (66,2 %), slovaque (18 %). *Religions :* catholicisme (77 %). Église nationale tchèque (8 %), protestantisme (7 %). — La République socialiste tchécoslovaque est composée de deux États fédérés : l'État tchèque (Bohême et Moravie) et l'État slovaque. Elle est divisée en dix régions *(kraj)* et cent dix districts. — *Orogr.* La configuration de la Tchécoslovaquie, due à des causes historiques plus que géographiques, est peu homogène. Elle forme une longue bande (770 km) d'orientation N.-O. — S.-E. ne dépassant pas 260 km en largeur et composée de trois régions principales : la Bohême, à l'O., est un vaste ensemble de plateaux entouré de massifs hercyniens dont l'altitude ne dépasse pas 1 500 m. Les collines de Moravie séparent la Bohême de la dépression sédimentaire de la Morava, succession de riches bassins. À l'E., la partie occidentale des Carpates, entourée d'un éventail de chaînes, forme les quatre cinquièmes de la région slovaque qui s'ouvre largement sur la plaine hongroise (région de Bratislava). **V. Bohême, Moravie, Slovaquie.** La Tchécoslovaquie est partagée en deux réseaux hydrographiques : la Bohême est drainée par l'Elbe* qui forme une grande boucle dans la plaine du Polabí et reçoit à Melnik son principal affluent, la Vltava*; la Moravie et la Slovaquie sont arrosées par les affluents du Danube (Morava*, Váh, Nitra, Hron) qui ont joué un grand rôle dans le peuplement des Carpates slovaques. — *Le climat,* de type continental (amplitude thermique de l'ordre de 20°) est particulièrement rigoureux dans les montagnes. A Prague, la température varie entre — 3° (janvier) et 19,5° (juillet). Les précipitations, fortes en montagne (1 500 mm en moyenne), sont moins importantes dans les plaines et les bassins (442 mm à Brno*). — La végétation forestière couvre plus du tiers du pays (conifères principalement, feuillus). — *Écon.* L'agriculture occupe 56 % du territoire (dont 29 % sont exploités par des fermes d'État et 65 % par des coopératives). Les cultures céréalières sont les plus importantes : blé (4 500 000 t en 1975), orge (2 900 000 t), seigle, abandonné peu à peu au profit du blé. La production de pommes de terre

Ph. A.P.N.

Piotr Tchaïkovski, par N. Kouznetsov. (Galerie Tretiakov, Moscou.)

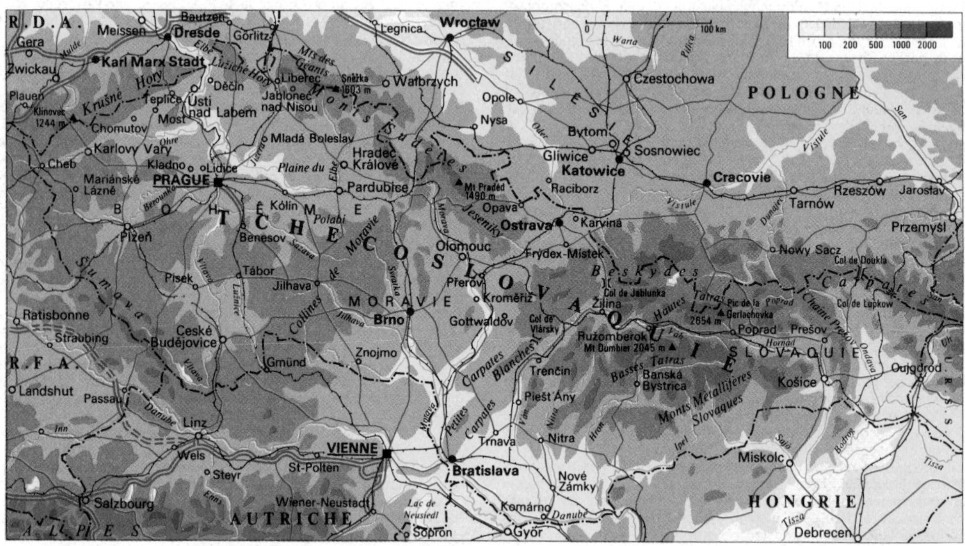

Tchécoslovaquie.

décroit (4 100 000 t), alors que la betterave à sucre (7 572 000 t) et le houblon (7 000 t) sont en progression. *L'élevage* constitue une ressource importante : on comptait en 1968 4 437 000 bovins, 5 600 000 porcins, 770 000 ovins (en Slovaquie) et 166 000 chevaux (en Moravie-Méridionale). Le bétail est élevé surtout pour la viande, dont la production atteignait 925 000 t en 1967. *La forêt,* exploitée principalement en Bohême et en Moravie, fournit du bois d'œuvre (13 600 000 m³ en 1967), de la pâte de bois et du papier. *Les ressources minières* sont importantes : le charbon (28 119 000 t en 1975) provient d'abord de la Silésie tchécoslovaque (région d'Ostrava*) et de la région de Plzeň*. Du lignite est extrait de l'Erzgebirge*, en Bohême-Septentrionale (bassin de Most*). Les ressources métallifères sont plus réduites : fer de Silésie, de Bohême-Centrale et des monts Métallifères slovaques, uranium dans les Brdy, plomb, cuivre et tungstène en petite quantité dans l'Erzgebirge. Du graphite est extrait dans la région de České* Budějovice, du kaolin dans la région de Plzeň. L'insignifiance des ressources pétrolifères est compensée par l'apport de pétrole russe. Des centrales hydro-électriques ont été installées sur l'Elbe, la Vltava* et les affluents du Danube. – *Les industries* sont dépendantes de la politique d'intégration des économies socialistes voulue par le *Comecon.* L'accent est mis sur la production de biens d'équipement et de machines destinées à l'exportation. L'indus. sidérurgique (région d'Ostrava*) produit 14 325 000 t d'acier (1975). Les constructions mécaniques, particulièrement importantes (véhicules, matériel agricole et textile, machines-outils, instruments de précision, etc.), se trouvent principalement en pays tchèque où la main-d'œuvre qualifiée est abondante (région des Sudètes*, Bohême-Centrale). 175 500 voitures de tourisme ont été produites en 1975. L'indus. chimique, bien que récente, a déjà pris une importance considérable (région d'Ostrava*, de Most*, d'Ústí* nad Labem). L'indus. textile emploie encore 250 000 ouvriers (Sudètes, Erzgebirge, Liberec). L'indus. alimentaire fournit surtout des produits d'exportation (raffineries de sucre en Bohême, bière dans la région de Plzeň*). L'indus. du cuir, très productrice (chaussures), se concentre à Gottwaldov* (établissement Bat'a), Prague* et Bratislava*. Les indus. traditionnelles de la Bohême, cristallerie et porcelaine, en déclin depuis la Deuxième Guerre mondiale (départ des Allemands des Sudètes. priorité accordée à l'indus. lourde), ont pris récemment un nouvel essor (Jablonec* nad Nisou, Ústí* nad Labem, Karlovy* Vary). – *Les échanges commerciaux,* monopole d'État, sont réalisés pour les deux tiers avec l'U.R.S.S. et les républiques socialistes (République démocratique allemande, Pologne, Hongrie, Roumanie). L'Europe occidentale joue cependant un certain rôle dans les importations (République fédérale allemande, Royaume-Uni). La Tchécoslovaquie est le cinquième exportateur mondial de machines. Les importations consistent en matières premières, en denrées alimentaires, mais également en machines et produits d'équipement. – *Transports :* le réseau ferroviaire, très dense (15 500 km en 1967, dont 2 200 électrifiés), relie Prague à Vienne, Berlin, Varsovie et Moscou. Les ports de Bratislava* et Komárno* sont largement utilisés pour le commerce international. La liaison avec la Baltique est assurée par le cours de l'Oder. Le réseau routier, centré sur Prague, est important (73 000 km). Aéroport international à Prague. Lignes reliant la capitale aux princ. villes du pays. – *Tourisme :* le nombre des touristes s'élevait à 4 200 000 en 1968, venus, pour 80 %, de Hongrie, de la République démocratique allemande et de Pologne. – Patrie d'E. Beneš, J. Drda, A. Dubček, J.L. Dussek, A. Dvořák, K. Gottwald, J. Hus, L. Janáček, H. Kreutzberg, F. Kupka, F. Lehár, B. Martinů, T. Masaryk, A. Mucha, K.Z. Olbracht, F. Palacký, P.J. Šafařík, B. Smetana. **V.** *aussi* **Prague. ♦** *Hist.* **V. Bohême, Moravie, Slovaquie.** Le début de la Première Guerre mondiale accéléra le processus d'émancipation des peuples slaves de l'empire d'Autriche-Hongrie, notamment des Tchèques et des Slovaques. Tandis que l'agitation se développait en Bohême, le Conseil national tchèque créé en 1916 à Paris par T.G. Masaryk* et E. Beneš* s'efforçait de se faire reconnaître par les puissances alliées comme cobelligérant (il organisa une armée tchécoslovaque en France, en Italie et en Russie) et seul représentant du peuple tchèque. Le 6 janvier 1918, la diète de Bohême réclama l'union des Tchèques et des Slovaques au sein d'un État indépendant, et des accords furent conclus entre les dirigeants des deux peuples. Le 28 octobre 1918, l'indépendance fut proclamée à Prague. Un gouvernement provisoire fut constitué et Masaryk* élu président de la République tchécoslovaque. Beneš* représenta la Tchécoslovaquie à la signature des traités conclus par les Alliés avec l'Autriche et la Hongrie. Les Tchécoslovaques (9 700 000 fin 1930) constituaient seulement les deux tiers de la population du pays qui comprenait aussi 3 200 000 Allemands, 700 000 Magyars et des minorités ruthène (dans l'extrême E.) et polonaise (région de Česky Tešín, anc. Teschen). La constitution de 1920 institua une république centralisée et démocratique sur le modèle français, et l'opinion se divisa en un grand nombre de partis politiques. La Tchécoslovaquie fonda sa politique étrangère, dirigée par Beneš, sur l'alliance avec la France et le maintien du *statu quo :* elle se lia à la Roumanie* et à la Yougoslavie* au sein de la *Petite Entente,* mais l'avènement du nazisme en Allemagne détériora sa position internationale. En 1935, un pacte d'assistance mutuelle fut conclu entre la Tchécoslovaquie et l'Union soviétique. La même année, Beneš succéda à Masaryk à la présidence de la République : il ne put faire face à l'agitation de la minorité allemande dite « des Sudètes* », soutenue par Hitler, et à la montée de l'autonomisme slovaque. Après une grave crise internationale, la conférence de Munich (29 et 30 septembre 1938), qui se déroula en l'absence de représentants tchécoslovaques, admit les exigences allemandes : les territoires où la population germanique était majoritaire furent annexés au Reich. Tandis que la Slovaquie accédait à l'autonomie, la satisfaction des revendications hongroises et polonaises achevait de disloquer l'État tchécoslovaque. Le 15 mars 1939, l'armée allemande entra à Prague : les pays tchèques formèrent un « protectorat de Bohême et Moravie » et la Slovaquie devint un État indépendant. La résistance à l'oppresseur se développa rapidement (le 26 mai 1942, le *Reichsprotektor,* Reinhard Heydrich, fut assassiné) et un gouvernement tchécoslovaque en exil, animé par Beneš, se forma à Londres. Après la libération (printemps 1945), la Tchécoslovaquie, amputée de la Ruthénie subcarpatique, prise par l'U.R.S.S., expulsa sa minorité allemande; elle fut dirigée par des gouvernements de « Front national » au sein desquels l'influence du Parti communiste s'accrut. Un coup de force, en février 1948, assura le prééminence de celui-ci (on parle du *coup de Prague*) et, après la mort de Jan Masaryk* et l'abandon par Beneš* de la présidence de la République (juin), celui-ci fut remplacé par le leader communiste K. Gottwald*. La Tchécoslovaquie rejoignit les « démocraties populaires » : son économie fut socialisée et divers pactes la lièrent à l'U.R.S.S. De

1949 à 1954, le Parti communiste subit une épuration (procès Slansky). La déstalinisation atteignit tardivement la Tchécoslovaquie et le pays connut, au début de 1968 (le « printemps de Prague »), une libéralisation à laquelle s'attache le nom du nouveau premier secrétaire du Parti communiste, A. Dubček*. Cette nouvelle orientation vers un « socialisme à visage humain » fut jugée inadmissible par les dirigeants soviétiques. Le 21 août, les troupes du pacte de Varsovie envahirent la Tchécoslovaquie. Par la suite, l'ancien gouvernement fut peu à peu remplacé par de nouveaux dirigeants qui menèrent la politique de « normalisation » imposée par l'U.R.S.S.

Tchéka (pour **Vetchéka**, abrév. des mots russes *Vserossiiskaïa Tchrezvytchaïnaïa Komissia* : « Commission extraordinaire panrusse de lutte contre la contre-révolution, la spéculation et le sabotage »). ♦ Police politique soviétique. Créée sur l'ordre de Lénine le 20 décembre 1917, dirigée par Félix Dzerjinski, elle avait au début comme tâche de livrer à la justice les contre-révolutionnaires. En avril 1918, elle institua ses propres tribunaux, composés de trois juges (les *troïkas*). Le décret « sur la Terreur rouge » (5 sept. 1918) permit à la Tchéka de dénoncer les activités des membres du parti eux-mêmes et d'installer des camps de concentration. Une « instruction » du 17 septembre 1918 autorisa officiellement la Tchéka à condamner et à exécuter sans en référer aux tribunaux révolutionnaires. Abolie par un décret du 6 février 1922, elle fut remplacée par la Guépéou*.

TCHEKHOV (Anton Pavlovitch) [*Čexov*]. ♦ Écrivain et auteur dramatique russe (Taganrog, 1860 – Badenweiler, 1904). Petit-fils d'un serf libéré, fils d'un épicier qui fit faillite (1876), il devint médecin et exerça cette profession jusqu'aux dernières années de sa vie. Cependant, il avait débuté très tôt dans les lettres, faisant simultanément œuvre de conteur, de nouvelliste et de dramaturge. Ses premiers recueils: *Contes de Melpomène* (1884), *Récits bariolés* (1886), *Dans le crépuscule, Innocentes Paroles* (1887), suivis d'autres récits : *La Steppe, Les Feux, L'Anniversaire* (1888), assurèrent d'emblée la réputation de l'écrivain. Tandis que son drame, *Ivanov* (1887), était accueilli au théâtre de Saint-Pétersbourg avec un grand succès, il décida, tourmenté par la souffrance humaine, d'entreprendre un long voyage au bagne de Sakhaline (1890) d'où il devait rapporter un nouveau récit, *L'Île de Sakhaline* (1894). Au retour d'un autre voyage en Europe et devenu propriétaire à Melikhovo, localité proche de Moscou, il se trouva amené à prodiguer ses soins à une population paysanne décimée par la famine et le choléra. Durant cette période (1891-1897), il composa des nouvelles *(La Cigale, La Chambre n° 6)*. Mais l'échec de *La Mouette* (1896), celui de ses drames qui était appelé à connaître, deux ans plus tard, un éclatant succès au Théâtre d'art de Moscou, le décida à entreprendre un nouveau voyage, cette fois en France où il séjourna une année (1897-1898). De retour en Russie, il se fixa à Yalta où les artistes et les littérateurs les plus célèbres allaient lui rendre visite. C'est là qu'il composa encore des nouvelles (*Douchetchka,* 1898; *La Dame au petit chien,* 1899; *La Fiancée,* 1903), ainsi que ses trois derniers drames : *Oncle Vania* (1897), *Les Trois Sœurs* (1901) et *La Cerisaie* (1903). Élu académicien (1900), il donna sa démission deux ans plus tard pour protester contre l'exclusion, prononcée par l'Académie, de Maxime Gorki. Marié avec l'actrice Olga Knipper (1901), étant parvenu au sommet de la gloire, il vit sa santé s'altérer gravement et décida de partir pour la Forêt Noire où il mourut (2 juillet 1904). – Issue de la littérature narrative, sa vocation théâtrale est le développement direct de son art du récit. Dès sa jeunesse, il avait composé de courtes saynètes, *Les Méfaits du tabac* (1886), *L'Ours* (1888), *La Demande en mariage* (1888). Cependant, ses véritables débuts de dramaturge datent de sa vingtième année, avec une pièce dont la redécouverte est relativement récente, *Ce fou de Platonov* (1880), évocation du destin tourmenté d'un don Juan de province. Si *Ivanov* (1887) et *L'Esprit des forêts* (1889) constituent des expériences de recherche et de transition, c'est avec *La Mouette* (1896) que Tchekhov consomme sa rupture avec une construction dramatique traditionnelle depuis Dumas fils et Ibsen, conférant au silence et aux sous-entendus d'un dialogue apparemment chargé de banalités une profondeur psychologique qu'ils n'avaient jamais connue avant lui. Drame du renoncement lucide à tout idéal, tragédie de la solitude et de la stérilité, *Oncle Vania* (1897) exprime encore cette exigence absurde de liberté dont nul écho n'est perceptible désormais dans *Les Trois Sœurs* (1901), où tout espoir de briser l'oppression de la réalité quotidienne est à jamais perdu. Dans *La Cerisaie* (1903), chronique d'un temps de transition entre un passé révolu et un avenir riche de promesses, l'art du dramaturge cède à la prophétie d'un visionnaire lucide et confiant dans les destinées de son peuple. – Étroitement liée aux débuts du Théâtre d'art de Stanislavski*, l'œuvre dramatique de Tchekhov, miroir fidèle d'une société qui se trouvait au seuil d'un des plus grands bouleversements de l'histoire, rejoint, par la valeur humaine de son témoignage, les chefs-d'œuvre du théâtre universel.

Ph. A.P.N.

Anton P. Tchekhov.

Ph. A.P.N.
Pavel A. Tchérenkov.

TCHELEKEN ou **TSHELEKEN**. ♦ V. et port d'U.R.S.S. (Türkménistân*), sur la mer Caspienne, au S. du golfe de Krasnovodsk*. 10 200 hab. (1963). Centre d'un district riche en pétrole, iode et brome. Indus. pétrolières, chimiques et alimentaires.

TCHELIABINSK ou **CHELIABINSK**. ♦ V. d'U.R.S.S. (R.S.F.S. de Russie) ch.-l. de la région du même nom (87 900 km². 3 322 000 hab.), dans l'Oural*, sur la Miass (647 km), 874 000 hab. Centre culturel. Indus. métallurgiques, sidérurgiques, mécaniques (tracteurs), chimiques et alimentaires. Nœud ferroviaire important.

TCH'ENG... [chinois]. ♦ **V.** CH'ENG...

TCHÉRÉMISSES. ♦ **V.** MARIIS.

TCHEREMKHOVO ou **CHEREMKOVO**. ♦ V. d'U.R.S.S. (R.S.F.S. de Russie), l'un des centres du bassin houiller d'Irkutsk* (Sibérie orientale). 104 000 hab. Indus. mécaniques. Matériaux de construction.

TCHÉRENKOV (Pavel Alexeïevitch) [*Čerenkov*]. ♦ Physicien soviétique (né en 1904). Il découvrit l'effet qui porte son nom selon lequel une particule traversant un milieu matériel transparent et réfringent avec une vitesse plus grande que celle de la lumière dans ce même milieu donne naissance à une radiation lumineuse émise suivant un cône dont l'angle d'ouverture est fonction du milieu et de la vitesse de la particule. **V. Frank, Tamm.** Cet effet est utilisé, dans les *compteurs Tchérenkov*, pour la détection des particules de haute énergie. (Prix Nobel de phys., 1958.)

TCHEREPNINE (Alexandre Nicolaïevitch). ♦ Pianiste russe (Saint-Pétersbourg, 1899). D'abord élève de son père Nicolas Nicolaïevitch, il étudia ensuite aux conservatoires de Moscou et de Paris. Il fit de nombreuses tournées de concerts autour du monde, vécut à Shangai (où il édita des œuvres de compositeurs extrême-orientaux), puis au Japon. En 1938, il enseigna la musique russe au conservatoire de Paris. Émigré aux États-Unis en 1942, il fut professeur de 1949 à 1964 à la De Paul University de Chicago. On lui doit de nombreuses compositions pour piano.

TCHEREPOVETS. ♦ V. d'U.R.S.S. (R.S.F.S. de Russie) dans la région de Vologda. Port sur le réservoir d'eau de Rybinsk. 189 000 hab. Centre d'indus. sidérurgique. Construction et réparation de navires. Équipement d'automobiles. Matériaux de construction.

TCHERKASSY ou **CHERRKASSY**. ♦ V. d'U.R.S.S. (Ukraine), ch.-l. de la région du même nom (20 900 km². 1 519 000 hab.), sur le Dniepr* (r. d.). 159 000 hab. Indus. textiles et alimentaires (raffineries de sucre, conserveries).

TCHERKESSES ou **CIRCASSIENS**. ♦ Peuple du Caucase du Nord, installé dès le ~ VIe s. en Circassie. Intrépides montagnards, ils résistèrent héroïquement aux armées russes (XVIIIe-XIXe s.). Partiellement islamisés, ils habitent auj. la région autonome de Karatchevo-Tcherkessk (*ch.-l.* Tcherkessk*).

TCHERKESSK ou **CHERKESSK**, anc. **Batalpachinskaïa**; de 1931 à 1937 **Batalpachinsk**. ♦ V. d'U.R.S.S. (R.S.F.S. de Russie), dans le territoire de Stavropol, ch.-l. de la région autonome de Karatchevo-Tcherkessk, sur le Kouban. 49 000 hab. (1966). Indus. chimiques et alimentaires. Usine d'appareils électriques.

TCHERNAÏA, *n. f.* (« la [rivière] noire »). ♦ Fl. côtier de Crimée (U.R.S.S.) qui se jette dans la mer Noire par la rade de Sébastopol. 43 km. Durant la guerre de Crimée*, l'armée anglo-française remporta sur ses rives une victoire contre les Russes (1855).

TCHERNIGOV ou **CHERNIGOV**. ♦ V. d'U.R.S.S. (Ukraine*), ch.-l. de la région du même nom (31 900 km². 1 563 000 hab.), sur la Desna*. 159 000 hab. Nombreux monuments religieux (XIe et XIIe s.). Centre d'une région agricole et forestière. Indus. alimentaires. Traitement du bois. Combinat de tissus de laine peignée. Fibres artificielles. – Dans la région sont nés Stepniak*, Tytchina*. ♦ *Hist.* La ville, dont l'origine serait antérieure à l'introduction du christianisme en Russie, fut mentionnée dès 907 et devint après la fondation d'un évêché (998) une des principales cités de la Russie kievienne, dont elle a suivi la destinée **(V. Kiev).**

TCHERNOVTSY ou **CHERNOVTSY**, en all. **Czernowitz**, en roum. **Cernăuti**. ♦ V. d'U.R.S.S. (Ukraine), ch.-l. de la région du même nom (8 100 km². 849 000 hab.), sur le Prut*, près de la frontière roumaine. 187 000 hab. Université. Important marché agricole. Indus. textiles et alimentaires. Traitement du bois. Usine de chaussures. ♦ *Hist.* Capitale de la Bucovine* septentrionale jusqu'en 1940, la ville fut le théâtre de nombreux combats entre Russes et Austro-Allemands de 1914 à 1917. Attribuée à la Roumanie en 1919, cédée à l'U.R.S.S. en 1940, elle fut réoccupée par les Roumains de 1941 à 1944 et rétrocédée à l'U.R.S.S. en 1947.

TCHERNYCHEVSKI (Nikolaï Gavrilovitch) [Černyševski]. ♦ Philosophe, savant et critique russe (Saratov, 1828 – 1889). Révolutionnaire démocrate russe, représentant du socialisme utopique, il s'opposa aux réformes d'Alexandre II. Écrit en prison (1863), son roman *Que faire?* eut longtemps une influence considérable sur la jeunesse révolutionnaire russe.

TCHERSKI ou **CHERSKI** *(monts)*. ♦ Massif d'U.R.S.S. (R.S.F.S. de Russie) qui s'étend au N.-E. de la chaîne de Verkhoïansk*, en Sibérie extrême-orientale, dans la R.S.S. autonome de Iakoutie et la région de Magadan. Env. 1 500 km. C'est un système complexe de chaînes montagneuses, de massifs et de plateaux. Alt. maximale : 3 147 m.

TCHÉTCHÉNO ou **CHÉCHÉNO-INGOUCHIE**. *n. f. (République socialiste soviétique autonome de)*, en russe **Tchetcheno-Inguchskaja A.S.S.R.** ♦ Une des seize républiques autonomes de la R.S.F.S. de Russie*, située dans le Caucase du Nord. 19 300 km². 1 068 000 hab. *(Tchétchènes, Ingouches,* Russes*). Cap.* Groznyï. – Pays de plaines au N., la république est occupée au S. par les chaînes du Grand Caucase. – *Écon.* Cultures des céréales (blé, maïs, orge) et horticulture. Élevage bovin et ovin. Sériciculture. Pétrole et indus. dérivées. Indus. mécaniques, chimiques et alimentaires. ♦ *Hist.* Peuple musulman, les Tchétchènes luttèrent contre les Russes aux XVIIIe et XIXe s., jusqu'à la capitulation de leur chef Chamil (1859), et beaucoup émigrèrent alors en Arménie. En mars 1918, le régime soviétique fut instauré en Tchétchénie et en Ingouchie. Occupées par les troupes de Denikine (déb. 1919), puis par l'armée rouge (mars 1920), elles firent partie de la R.S.S. autonome des Montagnes (1920-1922), puis devinrent des régions autonomes comprises dans la même république (1922-1924) et en 1924-1934 dans la R.S.F.S. de Russie. Unies en 1934, les deux régions furent proclamées R.S.S. autonome de Tchétchéno-Ingouchie en 1936. Liquidée en 1944, la république fut recréée le 9 janvier 1957.

TCHIATOURA ou **CHIATURA**. ♦ V. d'U.R.S.S. (Géorgie), située à l'E. de Koutaïssi*. Exploitation d'importants gisements de manganèse.

TCHIMKENT ou **CHIMKENT**. ♦ V. d'U.R.S.S. (Kazakhstan*), ch.-l. de la région du même nom (120 600 km². 1 109 000 hab.), au pied de Ala-Tau. 247 000 hab. Nœud ferroviaire. Fonderies de plomb. Usine de phosphates. Cimenteries. Indus. mécaniques, alimentaires et textiles (coton).

TCHIRIKOV (Ievgheni Nikolaïevitch). ♦ Romancier russe (Kazan, 1864 – Prague, 1936). D'abord révolutionnaire, il critiqua dans ses œuvres (romans, pièces de théâtre, *Les Juifs,* 1905) les idées et les mœurs petites-bourgeoises. S'étant opposé par la suite à la révolution socialiste, il émigra en 1919.

TCHIRTCHIK ou **Chirchik**. ♦ V. d'U.R.S.S. (Ouzbekistan [Uzbekistân]), dans la vallée de la riv. Chirchik (173 km). 108 000 hab. Indus. mécaniques, chimiques et alimentaires. Aux environs, centrale hydro-électrique sur la riv. Chirchik.

TCHISTIAKOVO. ♦ **V.** THOREZ.

TCHITA ou **CHITA**. ♦ V. d'U.R.S.S. (R.S.F.S. de Russie), ch.-l. de la région du même nom (431 500 km², 1 100 000 hab.), au confluent des riv. Chita et Ingoda et au S. de la Sibérie orientale. 242 000 hab. Extraction du charbon. Indus. mécaniques et alimentaires. Réparation de locomotives.

TCHKALOV. ♦ **V.** ORENBOURG.

TCHOGHA-ZANBIL. ♦ Anc. cité sainte de l'Élam, à l'E. de Suse (auj. en Iran). Elle fut bâtie par le roi Untash-Hupan (ou Untash-Gal) dans la première moitié du ~ XIIIe siècle. Sa ziggourat, où étaient les sanctuaires de Gal et Inshushinak, est la mieux conservée de l'ancien Orient.

TCHOU... [chinois]. ♦ **V.** CHU...

TCHOUDSK *(lac)* ou **PEÏPOUS**, ou **lac des Tchoudes**. ♦ Lac d'U.R.S.S., entre l'Estonie* et la R.S.F.S. de Russie, relié au golfe de Finlande par la Narva* et au lac du Pskov par un cours d'eau. Nombreuses pêcheries. ♦ *Hist.* En 1242, Alexandre* Nevski y écrasa les chevaliers Teutoniques*.

TCHOUKOTKA ou **CHUKOTKA** *(mer de)*. ♦ Mer bordière d'U.R.S.S. (océan Arctique), entre la presqu'île de Tchoukotka* (O.) et la péninsule d'Alaska (E.). 582 000 km². Profondeur moyenne, 25-50 m; maximale, 200 m. Elle est couverte de glaces pendant la plus grande partie de l'année. Morses et veaux marins. *Port princ.* Uelen.

TCHOUKOTKA ou **CHUKOTKA**. ♦ Presqu'île d'U.R.S.S. à l'extrémité N.-E. de la Sibérie (région de Magadan). Ses côtes sont très accidentées. La région est formée de hauteurs en forme de coupoles et de chaînes de collines (400-500 m, culminant à 1 158 m), séparées par des dépressions. Elle est presque entièrement couverte de toundra. Le cap Dejnev est le point le plus à l'E. de l'U.R.S.S.

TCHOUKTCHES ou **CHUKCH**, *n. m. pl. (Tšukš)*. ♦ Groupe de peuples d'origine paléosibérienne, de la Sibérie orientale et dont le nom (russe) vient de ce qu'ils se nomment eux-mêmes *Chawchu* ou « propriétaires de rennes ».

TCHOUVACHES ou **TCHUVACHES**. *n. m. pl.* ♦ **V.** TCHOUVACHIE.

TCHOUVACHIE. *n. f. (République socialiste soviétique autonome de)*, en russe **Tchuvachskaja A.S.S.R.** ♦ Une des seize républiques autonomes de la R.S.F.S. de Russie*, située sur les bords de la moyenne Volga*. 18 300 km². 1 208 000 hab. *(Tchouvaches,* Russes, Tatars, Mordves*). Cap.* Tcheboksary. – *Écon.* Pays de forêts au N., de steppes au S., la Tchouvachie est riche en terres défrichées où l'on cultive les céréales (seigle, blé, sarrasin, maïs), les pommes de terre, le chanvre, le tabac (du type *makhorka*). Élevage bovin et porcin. Apiculture. Pêche sur la Volga et la Soura. Indus. métallurgiques, mécaniques et alimentaires. Traitement du bois. ♦ *Hist.* Les Tchouvaches, peuple d'origine finnoise dominé par les Tatars (XVe-XVIe s.) puis par les Russes (1552), participèrent aux révoltes de Stenka Razine* (1670-1671) et de Pougatchev* (1773-1775). En nov. 1917, le régime soviétique fut instauré à Tcheboksary. Proclamée région autonome le 24 juin 1920, la Tchouvachie devint une R.S.S. autonome le 21 avril 1925.

TÉBESSA. ♦ V. d'Algérie, ch.-l. d'arr. du dép. d'Annaba, à proximité de la frontière tunisienne, au pied N. des *monts de Tébessa,* prolongés par la Dorsale* tunisienne. 28 700 hab. Marché agricole. Élevage. Céréales. Gisements de phosphates aux environs (mines du Kouif). – Ruines de l'anc. cité romaine de *Théveste.*

TÉBOURSOUK. ♦ V. de la Tunisie septentrionale au pied S. des *monts de Téboursouk.* 7 200 hab. Marché agricole. Oliveraies. **(V.** *aussi* **Dougga).**

TECH [tɛʃ]. *n. m.* ♦ Fl. côtier des Pyrénées*-Orientales né près de la frontière espagnole, à 2 340 m d'alt. (82 km). Son cours supérieur arrose la région du Vallespir*; il passe à Prats*-de-Mollo, Amélie*-les-Bains, près de Céret* (r. d.) et se jette dans la Méditerranée au S. d'Elne*. Son régime est de type nivo-pluvial méditerranéen et son cours est utilisé par diverses centrales.

TECTOSAGES. *n. m. pl.* ♦ Peuple volce de Gaule établi dans la région de Carcassonne (Narbonnaise première). Une tribu était allée s'établir en Asie Mineure, au nord-ouest de la Galatie.

TECUMSEH. ♦ Chef indien américain (Piqua, près de Springfield, Oregon, v. 1768 – près de la Tamise, 1813). Avec son frère Tenskwatawa, il essaya d'unir les Indiens des États-Unis et du Canada contre les Blancs. Son frère ayant été battu par Harrison à Tippecanoe (1811), Tecumseh s'allia aux Anglais lors de la guerre de 1812 et mourut à la bataille de la Tamise.

TEDDER (Arthur). ♦ Maréchal de l'air britannique (Stirlingshire, Écosse, 1890 – Banstead, 1967). Il commanda l'aviation britannique en Extrême-Orient (1936-1938), au Proche-Orient (1940-1941), en Libye (1941-1943), puis l'aviation alliée en Tunisie, en Sicile et en Italie. Il devint alors l'adjoint d'Eisenhower* (fin 1943); celui-ci le délégua à Berlin pour recevoir la capitulation allemande le 8 mai 1945.

Te Deum. ♦ Hymne liturgique latine dont le premier verset commence par *Te Deum laudamus,* « Nous te louons, Dieu... » (Cf. Robert). On en attribue la première rédaction à Nicetas, évêque de Remesiana, Dacie (*fin* IVe-*déb.* Ve s.). Elle est chantée lors des actions de grâce solennelles. – *Mus.* Le *Te Deum* fut mis en musique notamment par Lully, Delalande, Clérambault, Haydn, Mozart; il donna lieu à des compositions symphoniques de Berlioz (1855), Bruckner (1886), Verdi (1898).

TEES. *n. f.* ♦ Riv. du N. de l'Angleterre (113 km). Issue du Cross Fell, au N. de la chaîne Pennine, elle coule vers la mer du Nord. Les villes de l'embouchure (Stockton*, Middlesbrough*, West* Hartlepool et Redcar*) forment, à la frontière Durham-Yorkshire, une importante conurbation industrielle appelée *Teeside**

TEESIDE. *n. m.* ♦ Région du N.-E. de l'Angleterre (Durham et Yorkshire, North Riding), située de part et d'autre de l'estuaire de la Tees*. 199 km². 393 800 hab. *V. princ.* **V. Darlington, Eston, Middlesbrough, Redcar, Stockton on Tees, Thornaby et West Hartlepool.** – Jusqu'au XIXe s. les ports de l'estuaire étaient tradi-

Ph. Picou/A.A.A. photo

Téhéran : la mosquée Masjid-i-Sepahsalar.

tionnellement voués à l'exportation du charbon du Durham et à la construction navale. Ces deux activités ont un peu décliné au profit de la sidérurgie et de la chimie.

TÉGÉE, en gr. **Tegea**. ♦ Anc. V. de Grèce, au S.-E. de l'Arcadie (Péloponnèse). Ses origines remontent à la préhistoire. Elle résista longtemps à l'expansion lacédémonienne, mais v. le milieu du ~ VIᵉ s. dut reconnaître la prédominance de Sparte* et fut son alliée, notamment pendant la guerre du Péloponnèse. Après la défaite spartiate à Leuctres (~ 371), Tégée abandonna cette alliance et constitua le centre de la ligue arcadienne. Elle fut toujours rivale de sa voisine Mantinée*. Détruite par Alaric, puis repeuplée, elle fut de nouveau florissante sous la domination franque (1209-1296). — Les fouilles, commencées en 1889, ont mis au jour les fondations d'un temple du ~ IVᵉ siècle.

TEGEL-SUD. ♦ Nouvel aéroport de Berlin-Ouest, remplaçant celui de Tempelhof depuis 1975.

TEGETTHOFF (Wilhelm, *baron von***)**. ♦ Amiral autrichien (Marburg, Styrie, 1827 — Vienne, 1871). Victorieux des Danois à Helgoland (1864), il remporta sur les Italiens la victoire de Lissa (1860) et prit le commandement de la flotte autrichienne.

TEGLATH-PHALASAR III. ♦ Roi d'Assyrie de ~ 746 à ~ 727 et véritable fondateur de l'empire assyrien **(V. Assyrie)**. Il rétablit l'autorité royale, créa une armée permanente, imposa souvent l'annexion aux pays vaincus (par ex. Aram*), reçut tribut du roi de Juda, Achaz, et régna à Babylone sous le nom de *Poulou* (~ 729), instaurant un système de double monarchie.

TEGNÉR (Esaias). ♦ Poète suédois (Kyrllerud, 1782 — Östrabo, 1846). Le premier poème qu'il écrivit fut à la gloire de Napoléon. Avec son grand poème patriotique *Svea* (1811), il prêchait la guerre contre la Russie pour reconquérir la Finlande perdue. *Psaume matinal du poète* (1813), *Le Chant du Soleil* et *Le Fleuve* (1817) célèbrent la vocation poétique. La plus populaire de ses nombreuses œuvres fut la *Saga de Frithiof* (1820-1825), cycle de romances dédiées à la légendaire figure du grand Viking. Malgré son idéalisme, Tegnér reste le plus rationaliste des romantiques suédois.

TEGUCIGALPA. ♦ Cap. et première V. du Honduras*, située à 975 m d'alt. sur les hauts plateaux du S.-E. du pays. Ch.-l. de dép. 232 276 hab. (1970). — Archevêché. Université. Située au centre d'une zone agricole importante, la ville est le principal centre commercial et industriel du pays (indus. textiles et alimentaires). Aérodrome international.

TÉHÉRAN *(Tehran)*. ♦ Cap. de l'Iran, dans la partie septentrionale du pays (IIᵉ province), au pied de l'Elburz*. Ch.-l. de la province homonyme. 2 803 130 hab. (1971). Important carrefour routier. La ville est reliée au golfe Persique et à la Caspienne par le Transiranien. Aéroport international Téhéran-Mehrâbâd (8 km à l'O.). Trois universités. Contrairement à la plupart des villes iraniennes, Téhéran conserve peu de monuments anciens. Les plus intéressants sont de l'époque qâdjar : le palais de Gulistân (début XIXᵉ s.), la Masjid-i-Shâh (mosquée du roi, début XIXᵉ s.) et la Masjid-i-Sepahsalar (1830). Le musée archéologique renferme de précieuses collections (de l'époque préhistorique à l'Islâm). Les quartiers résidentiels, dans la partie N. de la ville, comprennent la riche banlieue de Shemirân et les faubourgs de Tajrish et Darband. Le système d'alimentation en eau de la ville (les nappes d'eau les plus profondes se trouvant au pied de la montagne) et les facteurs climatiques (seuls les quartiers des premières pentes de l'Elburz jouissent d'une certaine fraîcheur en été) ont déterminé une ségrégation sociale de plus en plus apparente. — 75 % de la population active sont employés dans le secteur tertiaire (services administratifs et domesticité essentiellement). Les indus. sont encore peu développées : raffinerie de pétrole, briqueteries (carrières d'argile à proximité), indus. textiles, raffineries de sucre. ♦ *Hist.* Probablement fondée au XIᵉ s. (selon certaines affirmations, elle aurait été l'un des faubourgs de Ray dès le IVᵉ s.), Téhéran prit de l'importance après la destruction de Ray par les Mongols (1220). Le Safavide shâh Tahmasp Iᵉʳ (1524-1576) la fit entourer d'une muraille. Sous Agha Muhammad Qâdjâr, elle devint capitale de la Perse et fut protégée par une deuxième muraille. Son développement s'intensifia à partir de la seconde moitié du XIXᵉ s., et une nouvelle muraille dut être construite en 1871. Sous le règne de Rizâh Shâh (1925-1941), de grands travaux d'urbanisme transformèrent l'aspect de la ville (suppression des remparts, percement de larges avenues). ♦ *Conférence de Téhéran* (28 nov.- 1ᵉʳ déc. 1943) entre Roosevelt, Churchill et Staline : première rencontre des trois grands Alliés de la Seconde Guerre* mondiale, elle décida l'ouverture d'un véritable second front en Europe occidentale (celui d'Italie n'en tenant pas lieu aux yeux de Staline), par des débarquements en Normandie* et en Provence*. En même temps, des décisions secrètes à l'égard de la Pologne furent prises (acceptation des annexions soviétiques de 1940 et compensation à l'Ouest); un démembrement de l'Allemagne fut projeté. L'indépendance de l'Iran fut garantie. La conférence de Yalta ne fit que confirmer les résolutions décidées à Téhéran.

TEHUANTEPEC *(isthme de)*. ♦ Isthme du Mexique méridional, entre le golfe de Campeche* et le golfe de Tehuantepec (Pacifique), large de 200 km au moins. La sierra Madre n'y dépasse pas 260 mètres. Une voie ferrée relie Coatzacoalcos sur la côte E. à Salina Cruz sur la côte du Pacifique. — *La ville de Tehuantepec*, port sur le Pacifique. Env. 14 000 hab. Marché pittoresque.

Ph. Harlingue-Viollet

Pierre Teilhard de Chardin.

TEIL (Le). ♦ Comm. de l'Ardèche*, arr. de Privas*, sur le Rhône*. 8 795 hab. — Carrières, fours à chaux. Filature de soie, ciment, cartonneries; électrométallurgie.

TEILHARD [tɛjaʀ] **de CHARDIN (Pierre)**. ♦ Théologien, philosophe et paléontologue français (château de Sarcenat, Orcines, Puy-de-Dôme, 1881 — New York, 1955). Entré dans l'ordre des Jésuites (1899), il s'intéressa très tôt à la géologie. Après sa thèse sur *Les Mammifères de l'éocène inférieur en France* (1922), il fut nommé professeur à l'Institut catholique. À partir de cette époque, il participa à de nombreuses expéditions scientifiques en Extrême-Orient : désert de Gobi (1928), fouilles des gisements à sinanthropes à Chou-Kou-Tien près de Pékin (1929), croisière jaune Haardt-Citroën (1931-1932), expéditions américaines en Inde (1935-1936), en Birmanie et à Java avec la fouille des gisements à pithécanthropes (1937-1938). Installé à New York (1951), il participa encore à des fouilles en Afrique australe (gisements à australopithèques). Ainsi, l'étude des étapes du développement de l'homme domine l'œuvre de Teilhard de Chardin, qui formule une vision globale du monde, un évolutionnisme optimiste, en s'efforçant de concilier les exigences de la science et celles de la foi catholique. Cosmogénèse, biogénèse, noogénèse, tels sont les moments essentiels et le sens de l'évolution dans laquelle il voit une spiritualisation progressive de la matière, et dont l'homme est pour lui la clé et Dieu, le point initial et final, l'alpha et l'oméga. Redonnant au Christ une dimension cosmique, sans nier la grâce et le surnaturel, Teilhard de Chardin put paraître adopter des positions presque panthéistes, ce qui explique que le Saint-Office ait lancé un appel (1962) exhortant les responsables de l'enseignement religieux « à défendre les esprits, particulièrement ceux des jeunes, contre les dangers des ouvrages de P. Teilhard de Chardin et de ses disciples » (*Le Phénomène humain*, 1955; *L'Apparition de l'homme*, 1956; *Le Milieu divin*, 1957; *L'Avenir de l'homme*, 1959; *Lettres*, etc.) [Acad. sc., 1950.]

TEISSERENC [tɛs(ə)ʀɛ̃k] **DE BORT (Léon Philippe)**. ♦ Météorologue français (Paris, 1855 — Cannes, 1913). Attaché au Bureau central de météorologie de Paris (1880-1896), puis fondateur de l'observatoire privé de Trappes (1896), il découvrit l'existence de la stratosphère en procédant à des observations par ballons-sondes. (Acad. sc., 1910.)

TEKELI (Imre). ♦ V. THÖKÖLY (Imre).

TEKELI. ♦ V. d'U.R.S.S. (Kazakhstan), au N.-E. d'Alma*-Ata. 36 500 hab. (1962). Important centre minier (plomb, zinc).

TEKIRDAĞ, anc. **Rodosto**. ♦ V. et port de Turquie, sur la côte européenne de la mer de Marmara*. Ch.-l. de province. 27 069 hab. (1965). Mosquée et marché couvert (construits par M. Sinan* au XVIᵉ s.). — Centre commercial (produits agricoles).

TELA. ♦ Port du Honduras, sur la côte Caraïbe, à l'O. de La Ceiba. Exportation de bananes.

TÉLAMON. ♦ Héros grec, fils d'Éaque*. Banni, ainsi que son frère Pélée*, pour le meurtre de son demi-frère Phocos, il s'établit à Salamine* et il hérite ce royaume. Il intervient dans plusieurs légendes, notamment celles des Argonautes* et d'Héraclès*. Compagnon du héros dans son expédition punitive contre le roi de

Ph. Marc Garanger

Tel-Aviv : vue générale.

Troie* Laomédon*, il reçoit comme récompense Hésione* qui lui donne un fils, Teucer*. Celui-ci participe avec son frère Ajax* à la guerre de Troie, mais, comme il revient seul, Télamon le chasse de Salamine parce qu'il n'avait pas vengé son frère.

TEL-AVIV (« La Colline du printemps »). ♦ Principale ville d'Israël, sur la côte méditerranéenne. Env. 400 000 hab. (1970). Elle constitue la plus importante agglomération du pays (plus de 1 000 000 d'hab. avec les banlieues). **V. Bat Yam, Bene Brak, Petah Tikva.** Édifiée en 1909 à 70 km de Jérusalem, c'est une ville de type européen, contiguë à la vieille ville arabe de Jaffa* avec laquelle elle a fusionné en 1948. Au N. de Tel-Aviv coule le Yarkon* dans la plaine de Saron que prolonge, au S. de la ville, la plaine de Judée. Important centre industriel et commercial (indus. alimentaires, textiles, métallurgiques, chimiques, mécaniques; électrotechnique; travail du cuir, du diamant). Principal centre économique et financier du pays, Tel-Aviv est aussi le centre de la presse et le plus grand centre culturel d'Israël, avec ses deux universités, son musée d'art, ses théâtres et son opéra. Le port a cessé d'être un port commercial depuis 1965 au profit d'Ashdod*. Située à 15 km de Lod*, aéroport international, la ville est un nœud routier et ferroviaire. Autoroute en direction de Haïfa, routes et voies ferrées vers Jérusalem, Beersheba, Gaza. — Le *district de Tel-Aviv* (170 km²) doit à son climat méditerranéen d'attirer les immigrants occidentaux.

TELEMANN (Georg Philipp). ♦ Compositeur allemand (Magdebourg, 1681 — Hambourg, 1767). Autodidacte, il dut l'essentiel de sa formation musicale à l'étude des œuvres de Lully et de Campra. Inscrit à l'université de Leipzig, il abandonna assez vite des études de droit pour la composition de ses premières cantates. Successivement organiste et maître de chapelle à Leipzig, Sorau et Eisenach (1708) où il se lia d'amitié avec la famille Bach, il fut encore directeur de la musique à Francfort et à Bayreuth avant de se fixer à Hambourg (1721) où, durant de longues années, il devint le principal animateur de la vie musicale. La célébrité venue, il entreprit de nombreux voyages à Berlin et à Paris. Auteur prodigieusement fécond, Telemann a composé dans tous les genres, réalisant, souvent avec bonheur, la synthèse des courants français, italien et allemand de la musique, entre 1700 et le milieu du siècle. Son œuvre théâtrale (une quarantaine d'*opéras*) en fait le promoteur du *singspiel* germanique, tandis que par son œuvre religieuse (douze cycles annuels de *cantates* et *motets*, quarante-quatre *passions*, de nombreux *oratorios* et *pièces de circonstances*, plus de mille *cantates*) il se place au premier rang de l'école hambourgeoise. En outre, il a composé de la musique instrumentale, dont six cents *ouvertures* « à la française ».

TÉLÉMAQUE, en gr. **Têlemakhos.** ♦ Fils unique d'Ulysse* et de Pénélope*. Dans la première partie de l'*Odyssée**, intitulée *Télémachie*, le prince, qui grandissait aux soins de Mentor*, essaie sans succès de faire face aux prétendants. Guidé par Athéna*, qui prend les traits de Mentor pour le conseiller, il part aux nouvelles de son père. Il est reçu par le roi de Pylos Nestor*, puis par Ménélas et il apprend qu'Ulysse est retenu par Calypso. Peu après son retour à Ithaque, il retrouve son père et il l'assiste dans l'extermination des prétendants. Le personnage a inspiré la littérature, notamment Fénelon*.

Télémaque *(Les Aventures de).* ♦ Roman didactique, en vingt-quatre livres, de Fénelon* (1695; publié 1699), composé pour proposer au duc de Bourgogne, son élève, un véritable « Art de régner ». S'inspirant de l'*Odyssée** (liv. IV), l'auteur raconte, en une prose poétique qui a gardé sa fraîcheur et sa grâce, les pérégrinations de Télémaque, accompagné de son guide et directeur de conscience, Mentor (métamorphose de Minerve), pour retrouver son père, Ulysse. Les réminiscences mythologiques et les notations géographiques sont le support d'un enseignement moral et politique : dénonçant la réalité sociale et les dangers de l'absolutisme (goût du luxe et passion de la guerre), Fénelon exalte la paix, liée pour lui au bonheur, et rêve d'une cité idéale, Salente, qu'il dote d'un pouvoir tempéré par des conseils et d'un peuple imprégné de vertu civique. Peinture ingénieuse de quelques types de l'autorité royale, cette utopie généreuse, après avoir indisposé Louis* XIV (portrait d'Idoménée) et entraîné la disgrâce de Fénelon, séduisit les philosophes du XVIIIe siècle.

TELEMARK. *n. m.* ♦ Comté *(fylke)* du S. de la Norvège. 15 295 km². 155 000 hab. *Ch.-l.* Skien*. Région montagneuse et boisée. Centrales électriques (Rjukan), gisements de fer et de cuivre.

TÉLÈPHE, en gr. **Têlephos.** ♦ Héros du cycle troyen, fils d'Héraclès. Établi en Mysie, il lutte contre les Grecs lors de la première expédition contre Troie* et il est blessé par Achille*. Sa blessure reste inguérissable et un oracle lui prédit que « ce qui l'avait blessé le guérirait ». Or, quand les Grecs réunis à Aulis se préparent pour la deuxième expédition, il s'y rend et propose de leur montrer le chemin ; en échange, Achille consent à le guérir en appliquant sur sa blessure un peu de la rouille de sa lance.

TÉLESPHORE *(saint).* ♦ 8e pape (125-136 [mort]). Grec martyr. Fête le 5 janvier.

TELL (Guillaume). ♦ V. GUILLAUME TELL.

TELL. ♦ Ce terme s'oppose en Afrique du Nord à celui de Sahara (« terres pauvres ») et désigne les zones bien arrosées (plus de 400 mm). Limitées au S. par les hauts plateaux, ces régions constituent les zones côtières méditerranéennes, succession de chaînes de montagnes **(V. Atlas* tellien, Rif, Dahra, Ouarsenis, Kabylie, Bibans, Kroumirie, Mogods, ...)** séparées fréquemment par des dépressions longitudinales **(V. Chelif, Soumman, Medjerda, ...)** que recoupent des vallées transversales **(V. Medjerda, Rummel, ...)**. Ce découpage de l'ensemble Rif-Tell permet des communications assez faciles améliorées par l'existence de quelques plaines **(V. Mitidja, Annaba, ...)**.

TELL EL-AMARNA *(Tall al-Amarna),* nom arabe de l'anc. **Akhetaton** « l'Horizon du disque solaire ». ♦ Site d'Égypte au N. d'Assiout*, sur la r. g. du Nil. C'est là que le pharaon Aménophis IV, devenu Akhnaton*, fonda (au détriment de Thèbes*) sa nouvelle capitale Akhetaton (v. ~ 1362) en l'honneur du dieu Aton*. En 1887, une paysanne égyptienne y découvrit un lot de plusieurs centaines de tablettes en caractères cunéiformes qui éclairaient l'histoire diplomatique et les rapports des États orientaux (Babylone, Assyrie, Mitanni) avec l'Égypte au ~ XIVe siècle. Au cours de fouilles entreprises la même année, les archéologues anglais et allemands mirent au jour les structures de la ville antique. Les bas-reliefs des monuments et des stèles se caractérisent par un abandon du hiératisme; le pharaon y est représenté dans ses activités quotidiennes, et son physique si particulier **(V. Akhnaton)** inspira un type humain au cou allongé (Cf. les bustes de Néfertiti), au ventre saillant, aux membres grêles. La peinture évoque une nature familière (scènes d'animaux domestiques, etc.). Malgré sa brièveté, cette période amarnienne modifia les structures traditionnelles de l'art égyptien.

TELLER (Edward). ♦ Physicien américain d'origine hongroise (Budapest, 1908). Auteur de recherches d'astrophysique théorique, il étudia notamment le cycle du carbone avec Gamow* (1939). Il participa également à la réalisation de la bombe atomique et dirigea la mise au point de l'explosif thermonucléaire aux États-Unis.

TÉLLEZ GIRÓN (Pedro). ♦ V. OSUNA.

TELLIER (Charles). ♦ Ingénieur français (Amiens, 1828 — Paris, 1913). Il conçut une machine frigorifique à compression capable de conserver des denrées périssables (1868-1869) et aménagea, en 1876, le premier navire à cales réfrigérées, le *Frigorifique* qui réussit à transporter sur le trajet Buenos Aires-Rouen des viandes conservées en parfait état. **V.** *aussi* **Carré.** Il étudia également les moteurs, l'air comprimé, l'utilisation thérapeutique de l'oxygène, etc.

TELLO. ♦ Nom actuel des ruines de la ville sumérienne de Lagash*.

TELLUS, « la Terre ». ♦ Divinité italique et romaine personnifiant la terre nourricière. Elle est souvent honorée sous le nom de *Terra Mater* et identifiée à Gaia*. Elle perdit vite ses attributs propres pour être assimilée à Cérès*.

TELUGU ou **TÉLOUGOU.** *n. m.* ♦ Langue dravidienne du S. de la péninsule indienne (Andhra Pradesh), parlée par env. 30 000 000 de personnes et appartenant à un groupe dravidien du même nom.

TELUKBETUNG. ♦ V. d'Indonésie (S. de Sumatra), sur le détroit de la Sonde. 150 000 hab. Port exportateur de café, quinquina, épices. — La ville fut entièrement détruite en 1883 par l'explosion du Krakatau.

TEMA. ♦ Port artificiel du Ghâna*, à l'E. d'Accra*, à laquelle il est relié par voie ferrée. Principal centre industriel du pays : raffinerie de pétrole, traitement de l'aluminium **(V. Akosombo)**, indus. métallurgiques (aciérie), chimiques, textiles et alimentaires (cacao). Pêche pratiquée par les populations Fons*.

TEMESVÁR ou **TIMESVÀR.** ♦ V. TIMIȘOARA.

TEMIR-TAU. ♦ V. d'U.R.S.S. (Kazakhstan*), dans la région de Karaganda. 167 000 hab. Indus. sidérurgiques et métallurgiques.

TÉMISCAMINGUE ou **TIMISKAMING** *(lac).* ♦ Lac du Canada (280 km²) formé par la riv. Ottawa (Outaouais), à la frontière du Québec et de l'Ontario.

Témoins de Jéhovah. ♦ V. JÉHOVAH (Témoins de).

TEMPÉ *(vallée de).* ♦ Vallée étroite de Grèce (Thessalie) bordant le cours inférieur du Pénée, entre l'Olympe* et l'Ossa* (long.

8 km env.). Ravin de fracture complété par les alluvions, cette vallée fraîche et verdoyante, vantée par les anciens poètes, a été consacrée à Apollon.

Tempelhof. ♦ Quartier périphérique du S. de Berlin-Ouest, dans l'anc. secteur américain. 146 000 hab. Aéroport international construit sur un anc. champ de manœuvres de l'époque impériale. C'est par Tempelhof que les Américains firent passer,en 1948-1949, le pont aérien qui reliait Berlin à l'Europe occidentale.

Tempête (La) [*The Tempest*]. ♦ Comédie-féerie de W. Shakespeare (v. 1611). Le duc de Milan, Prospero, a été chassé de ses États par son frère Antonio. Avec sa fille Miranda, il a abordé dans une île mystérieuse. Instruit par l'étude et les épreuves, devenu une sorte de mage, Prospero a asservi le monstre Caliban, esprit de la terre fait de pesanteur et de méchanceté, qui avait tenté de lui ravir sa fille. De l'autre génie de l'île, Ariel, lutin ailé plein de grâce et de bonté, il a fait son confident et son ami. Obéissant à Prospero, Ariel déchaîne une tempête qui jette sur les rivages de l'île un groupe de naufragés parmi lesquels se trouve le jeune Ferdinand, fils d'Antonio l'usurpateur. Ferdinand et Miranda s'aiment aussitôt, et le jeune homme surmonte les épreuves auxquelles le soumet Prospero qui renonce à sa vengeance et à son pouvoir de mage, tandis que Caliban, un instant révolté, perçoit les premières lueurs de la conscience et que la mer s'apaise autour de l'île. – Dans cette pièce, qui peut être considérée comme l'adieu de Shakespeare au théâtre, le poète s'abandonne sans nulle contrainte au jeu de son imagination, repoussant toute subordination au métier, au public, au monde réel.

TEMPLE (*sir* William). ♦ Essayiste, mémorialiste et homme politique anglais (Londres, 1628 – Sheen, 1699). Il fut un des plus grands diplomates de son temps, négocia la Triple-Alliance* de 1668 contre la France, puis le traité de Westminster (1674) et le mariage de Marie* Stuart avec Guillaume* d'Orange. Ses mémoires et ses essais furent publiés par Jonathan Swift, son secrétaire, et sa correspondance avec sa femme Dorothy Osborne est restée célèbre. « Temple, en un sens, est le premier des classiques anglais ; et son style net, dégagé, simple [...] a presque toujours le rythme et l'allure de la meilleure prose moderne. » (Legouis.)

TEMPLE (Richard Grenville-Temple, *1er comte*). ♦ Homme politique anglais (Buckinghamshire, 1711 – 1779). Il fit partie du ministère Pitt* en 1756-1757, et fut seul à prôner avec lui la guerre avec l'Espagne. Mais le soutien qu'il donna à la politique américaine de son frère G. Grenville* le fit entrer en conflit avec Pitt (son beau-frère).

Temple *(ordre des Chevaliers de la milice du)*. ♦ Ordre religieux militaire fondé en 1119 par Hugues de Payns et Godefroi de Saint-Amour, pour la défense des pèlerins en Terre sainte. Sa règle fut rédigée par saint Bernard*. Il s'enrichit, posséda domaines et forteresses, servit de banque aux pèlerins et, plus tard, aux rois. Il acheta même Chypre à Richard Cœur de Lion (1191), mais, la population s'étant révoltée, la revendit aussitôt à Guy de Lusignan. Après la perte de la Terre sainte, l'ordre se retira dans ses possessions européennes. En butte à de nombreuses hostilités (notamment parce qu'il ne relevait que du pape), l'ordre fut persécuté à partir de 1307 par Nogaret et Philippe IV le Bel : arrêtés, soumis à la question, les templiers avouèrent des crimes peu vraisemblables (adoration d'une idole nommée Baphomet, sacrilèges, sodomie). Sous la pression royale, les procès aboutirent à des condamnations à mort (1310), à la suppression de l'ordre par Clément V, malgré l'avis des Pères du concile de Vienne* (1312), à l'exécution du grand maître Jacques de Molay (1314), à la confiscation des biens, transmis aux Hospitaliers après que le roi, sous prétexte de dettes, en eut tiré le plus d'argent possible.

Arch. Smeets

Télèphe reconnu par Héraclès en Arcadie. Peinture murale provenant de la basilique d'Herculanum. (Musée national, Naples.)

Temple (Le). ♦ Anc. prieuré parisien de l'ordre des Templiers, établi au XIIe s. dans le Marais*. Vaste enclos fortifié qui entourait l'église (édifice complexe commencé au XIIe s.) et le puissant donjon (ou tour du Temple), le Temple était exempt d'impôts et possédait d'immenses domaines qui jouissaient du droit d'asile. – Le palais du Grand Prieur, reconstruit en 1667 sur les plans de Mansart*, fut animé d'une vie galante au XVIIIe s. – À la Révolution, les Hospitaliers de Saint-Jean-de-Jérusalem (établis au Temple au XIVe s. par Philippe le Bel) furent chassés; Louis XVI et la famille royale furent enfermés en 1792 dans le donjon (Louis XVII y serait mort en 1795). L'église fut abattue en 1796, le donjon rasé de 1808 à 1810, et le palais démoli en 1853. Sur l'ordre d'Haussmann* (1857), l'enclos du Temple fut transformé en un square et en un marché couvert, à l'emplacement même du *carreau du Temple,* marché actif depuis le Moyen Âge, et actuellement spécialisé dans la friperie. – Le Temple a donné son nom à un quartier de Paris (3e arrondissement).

Templiers. *n. m. pl.* ♦ **V.** TEMPLE (ordre des Chevaliers de la milice du).

Temps (le). ♦ Quotidien français fondé une première fois en 1829 par Jacques Coste, il cessa de paraître en 1842. Republié à partir de 1861 sous la forme d'un quotidien du soir par A. Nefftzer, il fut l'un des grands organes d'information pendant les dernières années du Second Empire. *Le Temps,* dirigé après la Commune par Adrien Hébrard, put être considéré comme « le journal officieux de la Troisième République » dont il exprima le libéralisme traditionnel ; la participation de collaborateurs souvent brillants (Sainte-Beuve, A. France, Louis Blanc, Claretie, Souday, Sarcey, Tardieu, de Pressensé, etc.) contribua à accroître son rôle en France et à l'étranger (en particulier pour les articles de politique extérieure). Il devint un journal de droite après la guerre de 1914-1918 et cessa de paraître en novembre 1942.

Temps modernes (Les). ♦ Revue littéraire, philosophique et politique, fondée après la Seconde Guerre mondiale (1946) par J.-P. Sartre*, en collaboration avec R. Aron, M. Merleau-Ponty, S. de Beauvoir, M. Leiris, etc. Cette revue, où s'expriment les opinions d'une partie de la gauche intellectuelle française (non communiste), s'est signalée, entre autres, par ses prises de position au moment de la guerre froide, des guerres coloniales (Indochine, Afrique du Nord), sur le problème du Proche-Orient, etc.

TEMUCO. ♦ V. du Chili central, ch.-l. de la prov. de Cautín*, sur le Cautín. 117 000 hab. Évêché. Centre commercial et touristique.

TEMÜJIN ou **TEMUDJIN.** ♦ Nom personnel du khân des Mongols qui régna sous le nom de GENGIS KHÂN (né en 1155, 1162 ou plus probablement 1167 – 1227). On sait peu de choses sur les origines et la jeunesse de Temüjin. Au XIIe s. la Mongolie, de l'Altaï au Grand Khingan, était occupée par des tribus nomades sur lesquelles ne s'exerçait aucune domination réelle. Ces tribus étaient formées de peuples de races différentes : les Türks, au S.-E. (Naïmans, Ongüts, Kereitz, Tatars), et les Mongols proprement dits (Merkits, Oïrats, Tumats), entre le lac Baïkal et le N. de la Manchourie. La tradition fait du père de Temüjin, Yesugei Ba'atur, le chef d'une puissante tribu qui nomadisait dans le S. de la Mongolie et le descendant d'un des fondateurs du premier royaume mongol (XIIe s.). Temüjin perdit tôt son père et connut une enfance errante et difficile. Vers l'âge de quinze ans, il se mit au service du khân des Kereits [Keriyet], Toghril, auprès duquel il se distingua par sa ruse et son audace. Il triompha des Naïmans, des Merkits et des Tatars, puis se retourna contre Toghril et annexa le pays Kereit (1203). Maître de la Mongolie tout entière au printemps 1206, il se fit proclamer *Gengis Khân,* « chef (khân ou qân) suprême » (probablement du türk *tengiz,* proprement « océan »). Il entreprit la conquête des royaumes sédentaires voisins. En Chine du Nord d'abord, il soumit les Hsi-Hsia du Kansu (1209) puis engagea en 1211 une lutte difficile contre l'empire Chin* des Jürchet (Jürchen) : arrêtées devant les places fortes chinoises, les armées mongoles durent faire l'apprentissage de la guerre de siège. Peking fut enfin prise en 1215 et pendant un mois livrée au pillage, au feu et à la rage meurtrière des envahisseurs. Gengis Khân laissa alors à un de ses lieutenants le soin de poursuivre la conquête de la Chine, qui ne passa définitivement sous la domination mongole qu'à l'avènement de Qubilai* Khân, pour se tourner vers l'O. où il défit les Khara-Khitai (1218) puis s'empara du sultanat türk du Khârezm* (1221), annexant ainsi le Türkestân oriental, l'Afghânistân et toute la Perse. Dans ces pays de civilisation islamique, la conquête gengiskhanide se traduisit par un déchaînement d'atrocités et de terribles destructions. Boukhara, Samarkand (Samarqand), Harât furent incendiées et rasées. Lorsque Merv se rendit, ses habitants furent systématiquement décapités et des pyramides de têtes élevées devant la cité. Les champs furent transformés en friches et «tous les êtres vivants

Ph. Carlo Bevilacqua/Ricciarini

David Téniers le Jeune : « Opération chirurgicale ». (Musée du Prado, Madrid.)

jusqu'aux chiens et aux chats » massacrés. Tandis que Gengis Khân organisait ses conquêtes, ses lieutenants, Djebe et Subutay, exécutèrent avec 20 000 cavaliers un raid immense autour de la Caspienne (1221-1222). Après avoir mis à sac Ray et Téhéran, ils dévastèrent la Géorgie, le Caucase, la Crimée et remontèrent par la basse Volga. En 1226, une révolte des Hsi-Hsia obligea Gengis Khân à repartir vers la Chine. Il mourut au cours de cette campagne (1227) probablement des suites d'une chute de cheval qu'il avait faite précédemment. En une vingtaine d'années, Gengis Khân avait formé un empire démesuré, allant de Peking à la Volga. Cette conquête foudroyante s'explique par les qualités guerrières exceptionnelles du peuple mongol, son endurance, l'étonnante mobilité de sa cavalerie, son habileté à manier l'arc. Sa réputation de sauvagerie, rapidement acquise, mettait d'avance l'ennemi en déroute. Gengis Khân lui-même justifiait son œuvre dévastatrice par un moralisme sévère et se présentait comme un justicier : « Le ciel s'est lassé des sentiments d'arrogance et de luxe poussés à l'extrême par la Chine. Moi, je demeure dans la région sauvage du Nord où l'homme a des dispositions qui empêchent les convoitises et les désirs de prendre naissance; je reviens à la simplicité et je retourne à la pureté. » Si l'arrivée des Mongols entraîna une régression certaine pour les civilisations chinoises et islamiques, l'œuvre de Temüjin fut pourtant bénéfique pour les nations türko-mongoles. Gengis Khân sut faire appel aux lettrés bouddhistes et nestoriens pour créer un gouvernement équitable et une bonne administration et introduisit dans l'empire l'usage de la langue et de l'écriture des Uïghur. Il unifia l'Asie préparant un siècle de paix et favorisa l'ouverture vers l'Extrême-Orient.

TÉNARE. *n. m.*, en gr. **Tainaron**. ♦ Cap de Laconie (Grèce) à l'extrémité S. du Péloponnèse, auj. *cap Matapan**. Dans l'Antiquité, il portait un temple de Poséidon. Une caverne du Ténare était considérée comme l'entrée des Enfers.

TENASSERIM. *n. m.* ♦ Région géographique du S.-E. de la Birmanie, comprenant une langue de terre située entre la Thaïlande et la mer d'Andaman*. Env. 1 900 000 hab. Côte très découpée, parsemée d'îles (archipel des Mergui). Le port principal de cette province birmane est Mulmein, à l'embouchure de la Saluen. Exploitations forestières (hévéa, teck), parcs à huîtres perlières, gisements d'étain et de tungstène.

TENCE [tãs]. ♦ Ch.-l. de cant. de la Haute-Loire*, arr. d'Yssingeaux*, dans le Velay*. 2 996 hab. *(Tençois)*. Église en partie du XVe s., château gothique de Besset. — Station d'été. Moulinage de la soie.

TENCIN (Claudine Alexandrine Guérin, *marquise de***)**. ♦ Femme de lettres française (Grenoble, 1682 — Paris, 1749). Elle fut la mère de d'Alembert. Sa renommée vient du salon qu'elle tenait, et où se réunissait une société très mêlée (Duclos*, l'abbé Prévost*, Marmontel*, Piron*, Mably*, Helvétius*, ...) qui s'entretenait de philosophie. ♦ PIERRE GUÉRIN DE TENCIN, son frère (1680 — 1758), archevêque de Lyon. Ministre d'État (1742-1751), il fut un ardent adversaire du jansénisme.

Tendai-shû. ♦ Secte bouddhique japonaise importante dont la doctrine fut rapportée de Chine en 805 par le moine Saichô (Dengyô Daishi). Appelée aussi «secte du Lotus» en raison de l'importance qu'elle accorde au texte du « Sûtra du Lotus de la Bonne Loi », *Saddharmapundarîkasûtra*.

TENDE. ♦ Ch.-l. de cant. des Alpes*-Maritimes, arr. de Nice*, sur la Roya*. 2 144 hab. [1 329 aggl.] *(Tendasques)*. ♦ *Hist.* Ce comté indépendant passa par mariage dans la maison de Savoie. Tende fut annexée à la France en 1796, rendue à la Savoie en 1814. Elle fut rattachée à la France en 1947 à la suite d'un référendum.

TÈNE (La). ♦ Site archéologique de Suisse, situé à l'extrémité N.-E. du lac de Neuchâtel* et qui a donné son nom à la civilisation celtique du deuxième âge du fer (v. ~ 450-~ 50). L'époque de La Tène succéda à celle de Hallstatt*; on la divise en trois phases : *La Tène Ire* (v. ~ 450-~ 250), *La Tène IIe* (v. ~ 250-~ 120), *La Tène IIIe*, jusqu'à la fin de la conquête romaine en Gaule (v. ~ 120-~ 50). **V. Celtes.**

TÉNÉDOS, en turc **Bozcaada**. ♦ Île turque de la mer Égée*, près de l'entrée du détroit des Dardanelles*. ♦ *Hist.* Colonisée par les Éoliens, Ténédos fit ensuite partie de la ligue de Délos*, puis fut conquise par les Perses en ~ 386. D'une grande importance stratégique, elle fut souvent l'objet d'invasions et de pillage, de la part des Vénitiens, des Arabes et des Turcs. Elle fut rattachée à l'Empire ottoman en 1657 par M. Köprülü*.

TÉNÉRÉ. ♦ Plateau de grès du Sahara* nigérien (hamada), entre l'Aïr* et le Tibesti*, limité au N. par les contreforts du Hoggar*. Au S., s'étend un erg immense jusqu'au lac Tchad.

TENERIFE ou **TÉNÉRIFFE**. ♦ La plus vaste (2 053 km²) des îles de l'archipel espagnol des Canaries*. 590 514 hab. *Ch.-l.* Santa* Cruz. D'origine volcanique, elle est occupée en son centre par le cratère de Las Cañadas (2 000 m) d'où s'élève le pic du Teide (3 707 m). Le sol, très fertile, permet la culture des fruits, de la vigne et du tabac. L'île vit de l'exportation des fruits et du vin. Le tourisme connaît un essor croissant.

TÉNÈS. ♦ V. et port d'Algérie, ch.-l. d'arr. du dép. d'El-Asnam, sur la côte du Dahra*. 8 646 hab. Anc. comptoir punique puis romain où a été retrouvé le *trésor de Ténès* (IVe-Ve s.).

TENGGER. *n. m.* ♦ Groupe montagneux volcanique de l'E. de Java*, s'élevant à plus de 2 800 m et comprenant, autour d'une immense «caldeira», plusieurs volcans actifs (Bromo, Semeru, etc.).

TENG HSIAO-PING. ♦ Homme politique chinois (dans le Szu-ch'uan, 1904). Vice-premier ministre dès 1954, il fut nommé, en janv. 1975, vice-président du parti communiste et chef d'état-major de l'armée. Après la mort de Chou En-lai dont il prononça l'éloge funèbre, il fut implicitement accusé de révisionnisme et évincé du pouvoir par Mao Tsê-tung au profit de Hua* Kuo-feng (févr.-avr. 1976). Des manifestations en sa faveur se produisirent à Peking en janv. 1977, laissant prévoir son retour à des fonctions officielles.

TÉNIERS (David dit **le Jeune)**. ♦ Peintre, dessinateur et graveur flamand (Anvers, 1610 — Bruxelles, 1690). Fils et élève du peintre et marchand de tableaux DAVID TÉNIERS, dit *le Vieux* (1582 — 1649). Reçu maître à la gilde d'Anvers en 1632-1633, il devint en 1637 le gendre de Bruegel* de Velours. Il peignit des scènes d'inspiration fantastique dans la veine de Bles et de Momper, mais surtout il subit fortement l'influence de Brouwer*, traitant des scènes de cabaret avec une grande liberté de touche. Il affirma son talent en représentant des sujets populaires : scènes de kermesses, paysages où figurent des paysans, empreints d'une certaine bonhomie et qui plurent à ses clients aristocrates par leur côté pittoresque et anecdotique. Il avait le souci du détail, aimait les harmonies subtiles de valeurs claires, parfois argentées, et de tons assourdis. Devenu peintre de l'archiduc Léopold Guillaume et le conservateur de ses collections d'art, il peignit une série dite de « cabinet d'amateur », représentant la galerie de peinture de l'archiduc. Il exécuta aussi des copies de ses tableaux italiens en vue d'un ouvrage, le *Theatrum pictorium*, qui en répertorie deux cent quarante. Il fut le plus célèbre peintre de genre du XVIIe s. flamand.

TENNESSEE. *n. m.* ♦ Riv. des États-Unis, affl. de l'Ohio (r. g.). Env. 1 600 km. Né de la réunion de deux torrents des Appalaches, il traverse le Tennessee du N.-E. jusqu'à Chattanooga*, après avoir baigné Knoxville*, traverse le N. de l'Alabama d'E. en O., puis retraverse le Tennessee du S. au N., avant de se jeter dans l'Ohio. De régime pluvio-nival très irrégulier, la riv. fut régularisée par le projet de la *Tennessee Valley Authority* (T.V.A.), installée à Knoxville par Roosevelt. Vingt et un barrages et six lacs-réservoirs ont été aménagés, faisant de la vallée un grand producteur d'énergie électrique, et permettant la création d'industries.

TENNESSEE. *n. m.* ♦ État du S.-E. des États-Unis, situé entre le fl. Mississippi et les Appalaches, séparé de l'Arkansas par le fl. Mississippi. 109 412 km². 3 567 089 hab. (1960). *Cap.* Nashville. *V. princ.* **V. Chattanooga, Knoxville, Memphis**; et *aussi* **Oak Ridge**. — *Orogr.* On distingue traditionnellement trois régions : l'Ouest, comprenant la plaine du Mississippi et le plateau qui la sépare de la riv. Tennessee*; le Centre, qui s'étend du Tennessee au plateau du Cumberland*; l'Est, entre le Cumberland et les sommets des Appalaches *(Great Smoky Mountains)*. — *Écon.* État agricole, voué récemment à l'élevage des bovins et traditionnellement aux cultures de tabac, du soja, du maïs et du coton, le Tennessee recèle divers minéraux (charbon du Cumberland, marbre dans l'E., phosphates). Forêts. Les indus. se sont développées après 1950 : indus. chimiques, alimentaires, textiles, électricité, bois et papier, imprimerie, métallurgie (aluminium à Alcoa). — Université à Knoxville. — Patrie de Cordell Hull*. ♦ *Hist.* Exploré par les voyageurs du Mississippi (H. de Soto, Marquette, Cavelier de La Salle), la région devint britannique v. 1763; les premiers établissements et la première ville furent fondés entre 1770 et 1780. L'E. fut cédé par la Caroline du Nord au gouvernement fédéral, l'O. restant indépendant. « Territoire méridional de l'Ohio » (1796), puis 16e État de l'Union (1796), le Tennessee fut marqué par la personnalité d'A. Jackson*. Sécessionniste en 1861, le Tennessee fut envahi par les Nordistes dès 1862, mais réadmis dans l'Union en 1866. — C'est au Tennessee que F. D. Roosevelt* entreprit *la Tennessee Valley Authority* (1933).

TENNYSON (Alfred, *lord***)**. ♦ Poète et auteur dramatique anglais (Somersby, Lincolnshire, 1809 — Aldworth, Surrey, 1892). Fils d'un pasteur anglican, il passa son enfance en pension avec deux de ses onze frères et sœurs, ce qui lui inspira *Poèmes composés par deux frères* (*Poems by Two Brothers*, 1827); *La Femme et le Diable*

(*The Devil and the Lady,* posth. 1930) date aussi de cette période. À Cambridge, Tennyson eut pour admirateurs et amis W.E. Gladstone et A.H. Hallam, dont la mort (1833) le bouleversa. L'élégie *In Memoriam* (1850) fut composée en l'honneur de cet ami ; ce poème, divisé en trois parties *(Désespoir, Regret, Espérance),* utilisait la stance d'octosyllabes dite « in memoriam » (a b b a). Devenu poète officiel, il composa une *Ode pour la mort de Wellington* (1852). Fasciné par la légende arthurienne, il la transposa dans le cadre victorien (*Idylles du roi,* 1859-1885). Tennyson composa dans les dernières années de sa vie des pièces historiques : *La Reine Mary* (1874), *Harold* (1877), *Becket* (1884). Il fut élevé à la pairie. Après avoir été considéré comme le plus grand poète de son temps et fort imité, il fut très controversé, mais a compté parmi ses admirateurs T.S. Eliot, E.A. Poe, W. Whitman. Pour H. James, « Tennyson n'était pas tennysonnien ». Parmi ses œuvres les plus connues, il faut citer *Enoch Arden* (1864), *Maud* (1855), *La Princesse* (1847) et surtout ses *Poèmes* de 1842 et ceux de 1833 qui comprennent *Les Mangeurs de lotus.*

TENO. *n. m.* ♦ V. TANA (fl. de Norvège).

TENOCHTITLÁN. ♦ Anc. cap. aztèque*, sur le plateau d'Anáhuac*, conquise et détruite en 1521 par Cortés*. C'est sur son emplacement que fut édifiée Mexico*.

TENON (Jacques René). ♦ Chirurgien et médecin français (Sépeaux, près de Joigny, 1724 — Paris, 1816). Très tôt intéressé par le problème de la réorganisation hospitalière, il soumit à La Martinière (alors premier chirurgien du roi, 1759) un plan de réforme du service des hôpitaux qui devait aboutir à la création d'une nouvelle maison hospitalière. En 1785, J. R. Tenon fut chargé par Louis XVI d'une enquête sur l'Hôtel-Dieu, où la mortalité était particulièrement élevée ; son rapport suscita une vive émotion. Député à l'Assemblée législative (1791), où il présida le comité des secours, il se retira de la vie politique peu après le 10 août 1792 et poursuivit ses recherches anatomiques. Il a publié entre autres : *De cataracta* (1757), *Observations sur les obstacles qui s'opposent aux progrès de l'anatomie* (1785), *Mémoire sur les hôpitaux de Paris* (1788). [Acad. sc., 1760.]

TENSIFT *(oued).* ♦ Fl. du Maroc occidental (270 km) qui naît dans le Haut Atlas, prend le nom de Tensift dans la plaine du Haouz* où il passe au N. de Marrakech, longe le Djebilet*, traverse la Meseta* et se jette dans l'Atlantique entre Safi et Essaouira.

Tentation de saint Antoine (La). ♦ Poème en prose de Gustave Flaubert* (1849-1856-1870), publié en 1874. Hanté dès 1835 par ce thème que le *Caïn* de Byron* et le *Faust* de Goethe* avaient déjà illustré, Flaubert écrivit trois versions de ce long poème cosmique où l'anachorète de la Thébaïde dialogue avec des apparitions successives. Antoine, évoquant les souvenirs trop vivaces de son passé, connaît à nouveau les tentations démoniaques : des visions de luxe, les séductions du pouvoir ou de la volupté le sollicitent ; plus troublante encore est l'apparition de son ancien disciple, Hilarion, qui lui présente « tous les dieux, tous les rites, toutes les prières, tous les oracles », soulignant les contradictions des Écritures. Et quand, sous le nom de *Science,* le démon dévoile à Antoine les secrets de l'univers, l'anachorète aspire un moment à se fondre dans la matière dont il aperçoit l'extraordinaire foisonnement ; mais, dans le disque du soleil qui se lève, resplendit le visage du Christ. Alliance originale de l'évocation du monde gréco-latin du IVe s. et de l'énoncé de théories modernes, cette œuvre symbolique contient des tableaux d'une grande beauté plastique.

Ph. Bernand

Madeleine Renaud dans **La Tentation de saint Antoine,** mise en scène par Maurice Béjart au Théâtre de France.

TÉOS. ♦ Anc. V. d'Asie Mineure (Ionie), bâtie sur un isthme reliant la presqu'île de Bodrum au continent, près de Clazomènes*. Fondée au ~ Xe s., elle fit partie de la confédération ionienne. Patrie d'Anacréon*. — Ruines d'un fameux temple de Dionysos et d'autres vestiges archaïques et hellénistiques.

TEOTIHUACÁN. ♦ Site archéologique du Mexique, à 48 km de Mexico, qui a donné son nom à l'une des civilisations « classiques » du Mexique central, antérieures à celle des Toltèques. Vaste ensemble comportant une construction quadrangulaire (la « citadelle ») contenant le temple de Quetzalcoátl* (sculptures). La voie principale (« voie des Morts ») conduit à la grande pyramide du Soleil, puis à la pyramide de la Lune, précédée du palais de Quetzalpapalotl (« Quetzal-papillon »), aux très beaux reliefs. Palais des Jaguars (peintures murales). ♦ *Hist.* Ville habitée et centre religieux, Teotihuacán fut le centre d'une importante civilisation. Son apogée se serait situé entre 300 et 650 (Teotihuacán III). Du réalisme de la période antérieure (~ 300-300), la statuaire est devenue hiératique et schématisée, atteignant parfois une cruauté froide. La poterie, abondante, est plus stéréotypée. L'architecture, grandiose, évoque symboliquement la majesté immobile et l'élévation graduelle (plates-formes pyramidales).

TEPIC. ♦ V. du Mexique occidental, cap. de l'État de Nayarit*, située à 900 m dans la sierra. 111 344 hab. (1970). — Église Santa Cruz et cathédrale du XVIIIe siècle. Évêché. — Indus. alimentaires (sucreries), textiles et chimiques. Tanneries.

TEPLICE. ♦ V. de Tchécoslovaquie, en Bohême-Septentrionale, à l'O. d'Ústi* nad Labem. 51 944 hab. (1967). Centre industriel : indus. mécaniques, chimiques, textiles. Grandes verreries à proximité. — C'est aussi une station thermale (sources d'eau chaude).

TEQUILA. ♦ Petite V. du Mexique (Jalisco), célèbre par ses distilleries de jus fermenté *(pulque)* d'agaves *mezcal,* cultivés aux environs et produisant l'alcool dit *tequila.* Env. 8 000 habitants.

TERAÏ. *n. m.* ♦ Plaine alluviale marécageuse située entre le Népal* et le N. du Bihâr* en Inde, de pénétration difficile et très giboyeuse. Les moussons y provoquent fréquemment de grandes inondations.

TERAMO. ♦ V. d'Italie péninsulaire (Abruzzes) et ch.-l. de prov. entre le *Gran Sasso* et l'Adriatique. 44 200 hab. Évêché. Église romane et cathédrale du XIVe s. Ruines d'un amphithéâtre romain. Marché agricole. À proximité, ruines de l'anc. ville sabine d'Amiterne*.

TERAUCHI HISACHI. ♦ Maréchal japonais (1879 — 1946). Il commanda en Manchourie en 1931, fut ministre de la Guerre (1936) et, à partir de 1938, fut l'un des conquérants de la Chine. En 1943, il commanda, de Manille, un million d'hommes sur un théâtre d'opération comprenant les Philippines, l'Insulinde, la Malaisie, la Birmanie, mais il dut se replier à Saigon (déc. 1944) et finalement capitula sur l'ordre de l'empereur (août 1945).

TERBORCH, TERBORG ou **TERBURGH (Gerard).** ♦ Peintre et dessinateur hollandais (Zwolle, 1617 — Deventer, 1681). Élève de Pieter Molyn, il résida successivement à Amsterdam (1632), Haarlem (1634), Londres (1635), Rome, Munster (à partir de 1646), puis à Madrid et revint aux Pays-Bas en 1650. Il débuta par des portraits et des scènes de genre populaires, réalisant notamment des scènes militaires, des portraits collectifs ainsi que des sujets d'histoire, et joua surtout un rôle important en contribuant à l'évolution de la peinture de genre hollandaise ; il mit en effet en scène des jeunes femmes de la bourgeoisie élégante et cultivée : femme jouant de la musique, écrivant une lettre, conversations galantes, en donnant un caractère intime, délicat à ses représentations. La composition souvent sobre et très méditée (choix et emplacement des accessoires, place des protagonistes), la distribution de l'éclairage avec ses lumières comme atténuées, créant une pénombre douce, ainsi que les attitudes mesurées, l'expression calme des visages contribuent à créer une atmosphère feutrée, sereine. Avec une palette raffinée, des tons amortis ou plus vibrants, une touche fondue, il sut mettre en valeur la texture des différentes matières et rendre avec virtuosité les diverses étoffes (satins, soies, bords de fourrure). Par le choix de ses thèmes, le caractère de ses compositions, son style s'apparente à certaines œuvres de Metsu, F. Van Mieris, Pieter de Hooch et, dans ses compositions les plus réussies, à Vermeer.

TERBRUGGHEN (Hendrick). ♦ Peintre et dessinateur hollandais (Deventer, 1588 — Utrecht, 1629). Élève de Bloemaert*, il séjourna en Italie à partir de 1604 et fut l'un des premiers peintres nordiques à être marqué par le courant caravagesque, subissant notamment l'influence de Gentileschi* et de Saraceni. Il revint aux Pays-Bas v. 1620 et, comme Honthorst*, contribua à propager l'influence du Caravage à Utrecht. Nombre de ses scènes religieuses sont peintes dans une manière sombre, avec de fortes oppositions d'éclairage. Dans ses figures à mi-corps, d'une facture plus claire, l'originalité de sa personnalité s'affirme par le choix d'une palette aux harmonies raffinées et par une expression retenue, aux accents élégiaques (*Berger jouant de la flûte,* 1621).

TERCEIRA. ♦ Île portugaise dans la partie centrale de l'archipel des Açores*.

Tercio. *n. m.* ♦ Troupe d'élite de l'infanterie espagnole datant de la fin du XVe siècle. Depuis 1920, le mot désigne la Légion étrangère espagnole.

TERÉE, en gr. **Têreus.** ♦ **V.** PHILOMÈLE.

TEREK. *n. m.* ♦ Riv. d'U.R.S.S., dans le Caucase du Nord. 600 km. Le Terek prend sa source au pied du Kazbek (5 047 m) en Géorgie, arrose la Kabardino*-Balkarie, l'Ossétie* du Nord, la ville d'Ordjonikidze*, et se jette dans la mer Caspienne.

TÉRENCE (Publius Terentius Afer). ♦ Poète comique latin (Carthage, v. ~ 190 — ~ 159). Jeune esclave africain, il fut recueilli et affranchi par le sénateur Terentius Lucanus qui lui fit donner une éducation libérale et l'introduisit dans le cercle de ses amitiés aristocratiques. Profondément pénétré de la culture grecque, il a laissé six comédies qui furent jouées entre ~ 166 et ~ 160. Ce sont, dans l'ordre chronologique : l'*Andrienne,* la *Belle-Mère (l'Hécyre),* le *Bourreau de lui-même (l'Héautontimoroumenos),* l'*Eunuque,* le *Phormion* et les *Adelphes.* — Caractérisée par le souci d'adapter la finesse et l'élégance du génie grec au goût d'un public romain lettré, la comédie de Térence se distingue de celle de Plaute, son prédécesseur, par une psychologie plus subtile, une disposition permanente à l'émotion délicate, des intentions moralisatrices. Répudiant les procédés traditionnels, chez les Latins, du comique, les calembours, les plaisanteries grossières, la déformation caricaturale de la réalité, Térence s'attache à peindre, à travers la vie quotidienne de ses personnages, leurs rapports professionnels, sociaux et familiaux, montrant par cette peinture que l'humanité vaut mieux que ses apparences et qu'elle mérite estime et confiance. Une pensée si généreuse, un comique si retenu ne pouvaient plaire au public romain de l'époque. Seuls, les lettrés apprécièrent ce théâtre qui marquait la fin de la comédie latine, mais qui était promis à un bel avenir, à l'époque de la Renaissance, comme plus tard à la veille de la Révolution, sous le nom de drame bourgeois.

TERESINA. ♦ V. du Brésil, cap. de l'État de Piauí*, sur le Parnaíba* (r. d.). Env. 200 000 hab. Archevêché. Centre commercial. Industries alimentaires.

TERGNIER. ♦ Comm. de l'Aisne* (arr. de Laon*). 5 958 hab. *(Ternois).* Nœud ferroviaire important. Sucrerie ; confection.

TERMAN (Lewis Madison). ♦ Psychologue américain (né en 1877). Il modifia l'échelle métrique de l'intelligence de Binet*-Simon*, préconisant l'utilisation du quotient intellectuel (rapport de l'âge mental sur l'âge réel) de W. Stern* pour étudier le niveau mental de l'enfant. (Le test de masculinité-féminité de Terman et Miles consiste en un ensemble d'épreuves permettant de distinguer sur le plan psychologique les hommes et les femmes.)

TERME. ♦ Divinité romaine primitive représentant la fixité, l'immuable, identifiée aux bornes des champs. On célébrait en son honneur les *Terminalia* le 23 février de chaque année.

TERMIER (Pierre). ♦ Géologue français (Lyon, 1859 — Grenoble, 1930). Anc. élève de Polytechnique, il enseigna à l'École des mines et dirigea le Service de la carte géologique de la France. Auteur d'études géologiques sur le massif de la Vanoise, les montagnes entre Briançon et Vallouise, il avait adopté la théorie des nappes de charriage. Écrivain, il publia plusieurs ouvrages : *À la gloire de la Terre* (1922), *La Joie de connaître* (1929) [Acad. sc., 1909]. ♦ HENRI TERMIER, son neveu. Géologue français (Lyon, 1897). Chef du Service géologique du Maroc (1940-1945), professeur de géologie à Alger, puis à la Sorbonne, il est l'auteur d'un *Traité de géologie,* d'un *Traité de stratigraphie et de paléographie.*

TERMINI IMERESE. ♦ V. et port de la côte N. de Sicile (prov. de Palerme), sur les ruines de l'anc. Himère. 24 500 hab. Station thermale et balnéaire.

TERMONDE, en néerl. **Dendermonde** («bouches de la Dendre»). ♦ Comm. de Belgique, ch.-l. d'arr. de Flandre-Orientale, au confluent de l'Escaut* et de la Dendre. 9 500 hab. Termonde forme avec Lebbeke*, Saint-Gilles, Grembergen et Appels une agglomération de 38 000 hab. Église Saint-Gilles (1780). Église Notre-Dame (XVIe s. ; tableaux de Van Dyck, Crayer). Hôtel de ville (1330). Beffroi de 1376. Musée dans les anciennes halles aux viandes (1460). — Indus. alimentaires. Constructions mécaniques. Commerce du lin. ♦ *Hist.* Fort romain au VIIIe s., à cause de sa position stratégique, la ville fut souvent assiégée, notamment par Louis XIV en 1667. Elle fut occupée par les Allemands en 1914, après la chute d'Anvers.

TERNAUX (*baron* Louis Guillaume). ♦ Industriel et homme politique français (Sedan, 1763 — Saint-Ouen, 1833). Chef d'une fabrique de draps et membre de la municipalité de Sedan au début de la Révolution, il était lié à La Fayette, et, plus ou moins compromis avec ce dernier en 1792, émigra et ne revint en France que sous le Directoire. Il fonda alors plusieurs manufactures textiles (Louviers, Sedan, etc.) et comptoirs à l'étranger, fut le premier à tenter d'acclimater les chèvres du Tibet en France et à fabriquer des cachemires. La taxation sur les matières premières importées, votée en 1823, le ruina.

TERNEUZEN *(canal de).* ♦ Canal de Belgique (33 km), reliant Gand* à la mer du Nord par Zelzate*. Il fait de Gand le second port belge. Profond de 12,50 m, il est accessible aux navires portant 60 000 t en lourd. ♦ TERNEUZEN. Port de mer ouvert en 1827. Son trafic atteint plus de 7 % de celui d'Anvers.

TERNI, anc. en lat., **Inter-Amna.** ♦ V. d'Italie, en Ombrie*. Ch.-l. de prov. sur la Nera. 103 000 hab. — Important nœud ferroviaire. C'est le principal centre industriel de la région : installations d'électrométallurgie et d'électrochimie lourdes. Indus. chimiques (fibres synthétiques).

TERNOPOL. ♦ V. d'U.R.S.S. (Ukraine), ch.-l. de la région du même nom (13 800 km², 1 166 000 hab.), située sur le Seret (affl. du Dniestr), en Volhynie. 52 000 hab. Carrefour ferroviaire. Indus. alimentaires. Équipement agricole. Indus. du cuir et de la chaussure. ♦ *Hist.* Polonaise jusqu'en 1772, la ville a suivi l'histoire de la Galicie* orientale et fut annexée par l'U.R.S.S. en 1945.

TERPANDRE, en gr. **Terpandros.** ♦ Poète et musicien grec (Lesbos, ~ VIIe s.). Sur la foi de la tradition et de la légende, on le comparait à Homère pour ses poésies et à Orphée pour ses compositions musicales. Il établit les premières règles musicales à Sparte et aurait été l'inventeur de la lyre à sept cordes et d'innovations rythmiques.

TERPSICHORE [tɛʀpsikɔʀ], en gr. **Terpsikhorê.** ♦ L'une des neuf muses*, considérée parfois comme la mère des sirènes* qu'elle a d'Achéloos*. On lui attribuait la danse et, dans la tradition tardive, les chœurs dramatiques et la poésie lyrique.

TERQUEM (Alfred). ♦ Physicien français (Metz, 1831 — Lille, 1887). Auteur de recherches sur la capillarité, l'acoustique et la chaleur, il acheva avec Boussinesq* la théorie des battements de Helmholtz*.

TERRACINA, en fr. **Terracine.** ♦ V. d'Italie dans le Latium (province de Latina), sur le golfe de Gaète*. 39 000 hab. Vestiges : enceinte (Sylla), thermes et amphithéâtre. Patrie de Galba*. ♦ *Hist.* Anc. centre des Volsques* sous le nom d'*Anxur,* la ville fut prise par les Romains en ~ 406. À l'époque impériale, de nombreux Romains y possédaient des villas (Galba, Domitien*).

TERRAMARES. *n. m. pl.* ♦ Nom donné aux villages (à cause du dépôt noir : *terra marna,* qui en marque auj. l'emplacement) de forme régulière (généralement un trapèze) et installés parfois sur des marécages, qu'occupaient les premiers envahisseurs indo-européens installés en Lombardie vers le milieu du ~ IIe millénaire. Ils connaissaient l'usage du bronze, pratiquaient l'incinération, mais n'enterraient pas les urnes funéraires. Ils furent remplacés par les Villanoviens **(V. Villanova).**

TERRASSE (Claude Antoine). ♦ Compositeur français (Grand-Lemps, 1867 — Paris, 1925). Élève à l'école Niedermeyer, il délaissa bientôt la musique d'église, vers laquelle il s'était d'abord tourné, pour se consacrer à l'opérette (*Les Travaux d'Hercule, La Fiancée du scaphandrier* [1901], *Le Sire de Vergy* [1903]). Il écrivit la musique de scène pour *Ubu roi,* d'A. Jarry.

TERRASSON-LA-VILLEDIEU. ♦ Ch.-l. de cant. de la Dordogne*, arr. de Sarlat*, sur la Vézère*. 5 528 hab. *(Terrassonnais).* — Église du XVe s., Pont-Vieux du XIIe s. ; aux env. château de Montmège. — Chaux, ciment, matières plastiques, conserves.

TERRAY (Joseph Marie, dit *l'abbé*). ♦ Homme politique français (Boën, Forez, 1715 — Paris, 1778). Protégé de la Pompadour, il devint contrôleur général des Finances en 1769 et forma, avec Maupeou* et d'Aiguillon*, un « triumvirat ». Ses projets à long terme étaient intéressants, mais il fit appel dans l'immédiat à des mesures banales (nouvelles taxes, rétablissement du second vingtième, suspension des paiements) qui le rendirent très impopulaire. On l'accusa même de vouloir spéculer sur les grains (pacte de famine*) quand il établit sur eux le monopole royal. Louis XVI, dès son avènement, le remplaça par Turgot*.

TERRE. *n. f.* ♦ Troisième des planètes principales du système solaire dans l'ordre croissant des distances au Soleil* (entre Vénus* et Mars*). La *Terre* tourne autour du Soleil en 365,25 jours, parcourant une orbite elliptique (excentricité : 0,01673) à la vitesse moyenne de 29,80 km/s. Le périhélie du 2 janvier l'amène à 147,17 millions de kilomètres du Soleil, et l'aphélie du 2 juillet l'éloigne de 153,18 millions de kilomètres **(V. Képler, Le Verrier, Newcomb).** La rotation de la *Terre* sur elle-même est de 23 h 56 mn 4,09 s, suivant un axe de rotation qui détermine les pôles géographiques Nord et Sud, taux de rotation qui décroît lentement et irrégulièrement (Lalande, Newcomb). Le globe terrestre a la forme d'un ellipsoïde de révolution droit, légèrement aplati aux pôles, renflé à l'équateur, et dont l'obliquité de l'écliptique sur celui-ci est de 23° 27'. Le diamètre polaire est de 12 713 km et le diamètre équatorial de 12 756 km ; sa masse est d'environ 6.10^{21} tonnes et sa densité de 5,52. La *Terre* est constituée, grosso modo, de plusieurs couches concentriques : la croûte, le manteau, le noyau et la graine. Ces deux derniers, à partir de 2 900 km de profondeur jusqu'au centre sont très denses et seraient composés essentiellement de fer et de nickel (nifé) portés à une température très élevée, fluides dans le noyau jusqu'à 5 000 km, et solides dans la graine où la pression atteint 3 900 kilobars et la température, plusieurs milliers de degrés centigrades. La présence de fer fluide et conducteur expliquerait le magnétisme de surface de la planète (pôles magnétiques Nord et Sud, légèrement différents des pôles géographiques). Le manteau depuis une dizaine de kilomètres de profondeur jusqu'au noyau est constitué de silicates ferromagnésiens. La croûte (densité 2,7) a une faible épaisseur (10 à 30 km) et glisserait par plaques sur le manteau (dérive des continents et grandes failles océaniques et continentales). Malgré la faible épaisseur de la croûte, l'inégalité du relief est considérable — 11 022 m dans le Pacifique ; 8 882 m au mont Everest. La *Terre* est entourée d'une atmosphère d'environ 1 000 km d'épaisseur. D'après les méthodes de datation actuelles, la *Terre* serait âgée de 4,6 milliards

Ph. U.S.I.S.

La **Terre** : la mer Rouge et le golfe d'Aden pris par Gemini XI du 12 au 15 septembre 1966.

d'années, ce qui permet de lui attribuer la même origine que le reste du système solaire. La *Terre* possède un satellite naturel, la Lune*, ainsi que de nombreux satellites artificiels (Spoutnik I, 1957).

TERRE DE FEU. *n. f.,* en esp. **Tierra del Fuego** (pour « terre des feux », allumés par les indigènes). ♦ Archipel formant l'extrémité méridionale du continent américain, dont il est séparé par le détroit de Magellan*. 77 000 km². Env. 10 000 hab. *(Fuégiens).* La principale île de l'archipel, 48 000 km² *(Isla Grande de Tierra del Fuego)* est partagée du N. au S. entre l'Argentine* à l'E., où elle forme la *prov. de la Terre de Feu* (20 912 km², *ch.-l.* Ushuaia) et le Chili* à l'O. où elle est englobée dans la prov. des Magellanes. Ensemble montagneux flanqué de forêts et de glaciers, elle est constituée de plaines steppiques, coupées de sierras qui culminent à 2 200 m. De climat brumeux et froid, c'est une région désertique habitée par quelques indiens nomades et où l'on pratique l'élevage (ovins, lapins), la pêche (baleine, phoques,...) et l'industrie du bois. Pétrole sur la côte orientale et dans les terres, raffineries à Manantiales, au N., houille à Loreto, gisements de lignite (non exploités).

TERRE-NEUVE. *n. f.,* en angl. **Newfoundland**. ♦ Prov. du Canada, comprenant l'île de Terre-Neuve et une partie du Labrador (« côte du Labrador »). 402 346 km². 522 105 hab. *(Terre-Neuviens)* [1971], dont 21 157 au Labrador. *Cap.* Saint John's (Saint-Jean). *Autres villes* **V. Corner Brook, Gander, Goose Bay.** — Rem. Terre-Neuve, dans l'usage courant, désigne en général la seule *île de Terre-Neuve.* Pour la partie continentale de la prov. **V. Labrador.** — *Orogr.* L'île appartient aux prolongements septen-

Ph. Lauros-Giraudon

Assassinat du maréchal Brune par les royalistes en août 1815, au cours de la seconde **Terreur blanche.** Estampe du XIXe s. (Musée Carnavalet, Paris.)

trionaux du système appalachien; elle est bordée à l'O. par le golfe du Saint-Laurent et le détroit de Belle-Isle, à l'E. et au S. par l'Atlantique. La côte O. est longée par des montagnes précambriennes (*Long Range,* alt. max. 1 000 m), le reste de l'île formant un plateau qui s'abaisse vers l'est. L'érosion glaciaire lui a donné les formes caractéristiques des zones glaciaires (lacs, collines arrondies, etc.). Plusieurs riv., dont la Humber (vers l'O.). L'île se prolonge au S.-E. par la presqu'île d'Avalon*. Saint-Pierre-et-Miquelon se trouvent près de la côte sud. – Le *climat* subit de fortes influences continentales : moy. de janv. de – 9 à – 4 °C, de juillet entre 10 et 15 °C. Seule la côte S. est libre de glace en hiver; la côte E. est brumeuse, surtout l'été (rencontre du courant froid du Labrador et du Gulf Stream). – *Écon.* Elle était basée traditionnellement sur la pêche, qui garde son importance et donne lieu à des indus. (morue salée, haddock, conserves de harengs, flétans et homards congelés, conserves de saumon, etc.). La flotte de pêche est entretenue sur place (chantiers à Marystown, au S.). L'agriculture est d'importance locale (fonds de vallées, petites plaines côtières); élevage laitier, surtout sur la côte O.; avoine, pommes de terre, airelles. 35 % de l'île sont couverts de forêts : d'importantes usines de pâte à papier et de pulpe traitent le bois (Corner* Brook, Grand Falls, Windsor). – Les richesses minières de l'île sont modestes par rapport à celles du Labrador : pour l'ensemble de la prov., elles deviennent de plus en plus importantes (220 millions de dollars en 1965). Fer au Labrador* (Knob Lake, Labrador City, Wabush); l'île produit du zinc, du cuivre, de la pierre, du gypse, de l'amiante. – Un chemin de fer à voie étroite traverse l'île d'O. en E. ainsi qu'une route moderne *(Trans-Canada Highway).* Liaisons aériennes. ♦ *Hist.* Le premier explorateur connu de l'île fut Jean Cabot* (1497), suivi par Gaspard Corte* Real. Dès le XVIe s., de nombreux pêcheurs venus d'Angleterre, France, Pays Basque et Portugal vinrent dans les parages de l'île. En 1583, sir Humphrey Gilbert en prit possession pour la Grande-Bretagne, mais les Français s'y établirent en 1662; le traité d'Utrecht* (1713) régla le différend à l'avantage de l'Angleterre, la France conservant quelques privilèges de pêche (jusqu'en 1904). En 1809, l'E. du Labrador* fut réuni administrativement à Terre-Neuve, qui reçut un gouvernement en 1855. Refusant de faire partie du Canada (1869), Terre-Neuve devint dominion britannique en 1917. Mais, éprouvée par la crise économique après 1928, elle dut faire appel à l'aide financière du Canada et du Royaume-Uni. Une commission souveraine la gouverna jusqu'à l'union avec le Canada (mars 1949). – La Charte de l'Atlantique fut signée par Churchill* et Roosevelt* en août 1941 au large de Terre-Neuve.

TERRENOIRE. ♦ Comm. rattachée à Saint*-Étienne.

Terreur. ♦ Nom donné à une période de la Révolution française. Après la journée révolutionnaire du 10 août 1792, la crainte d'un complot aristocratique et les défaites des armées françaises aboutirent à la création, sous l'impulsion de la Commune insurrectionnelle de Paris, d'un Tribunal criminel extraordinaire (17 août 1792) pour juger les suspects, puis aux massacres de septembre* 1792 (première Terreur). Après l'élimination des Girondins de la Convention* (2 juin 1793), la menace extérieure, le développement de la Contre-Révolution (insurrections fédéralistes*, guerre de Vendée*, chouannerie*) et les difficultés financières et économiques favorisèrent le développement du mouvement révolutionnaire populaire des sans*-culottes et des enragés*. Après les émeutes des 4 et 5 septembre* 1793, la Terreur fut légalisée par la loi des suspects (17 sept. 1793). Elle visait les nobles et les prêtres réfractaires, les émigrés et leurs familles, les officiers suspects de trahison, les agioteurs et les accapareurs et s'accompagna d'un mouvement de déchristianisation. Les principaux organes de la Terreur furent le Comité de salut public, le Comité* de sûreté générale, le Tribunal* révolutionnaire, les comités* de surveillance et les représentants en mission dans les départements. On estime que 17 000 personnes ont été exécutées après procès, 25 000 sur simple constat d'identité. La première vague frappa les chefs girondins et Marie-Antoinette (oct. 1793). Après la condamnation et l'exécution des hébertistes et des indulgents, la Terreur fut encore renforcée *(Grande Terreur)* par la suppression des tribunaux criminels des départements, et surtout par la loi du 22 prairial an II (10 juin 1794, sur un rapport de Couthon*), qui supprimait l'interrogatoire préalable. Plus de 1 300 accusés furent guillotinés en un peu plus d'un mois. La Grande Terreur, que les succès militaires des armées républicaines (Fleurus) rendaient apparemment moins nécessaire, contribua finalement à la chute de Robespierre* et de ses partisans et à la fin du gouvernement révolutionnaire de la Convention montagnarde. Sous la Convention thermidorienne, la Terreur fut abolie et la plupart des anciens terroristes furent décrétés d'accusation, déportés ou guillotinés.

Terreur blanche. ♦ Nom donné aux réactions sanglantes des royalistes et des fanatiques religieux contre les révolutionnaires. – La *première Terreur blanche* se développa surtout dans le S.-E. de la France après l'échec des insurrections jacobines (avril et mai 1795). Les bandes royalistes des Compagnies de Jéhu, de Jésus ou du Soleil, pourchassèrent et massacrèrent jacobins, républicains, prêtres constitutionnels, protestants, détenus politiques des prisons, à Lons-le-Saunier, Bourg, Lyon, Saint-Étienne, Aix, Marseille, Toulon, Tarascon, etc., généralement avec la complicité des autorités qui cherchaient à anéantir le terrorisme révolutionnaire. Après le débarquement manqué des émigrés à Quiberon (juin-juillet 1795) et l'échec de l'insurrection royaliste du 13 vendémiaire an IV (5 octobre 1795), la Terreur blanche fut partiellement réprimée par Fréron (fin 1795). Elle reprit en 1796 après la conjuration des Égaux de Babeuf. – Plus violente encore, la *seconde Terreur blanche* fit suite à la défaite de Napoléon Ier à Waterloo (18 juin 1815). Dans l'O. et le S.-E. de la France, les bandes de *verdets,* portant la cocarde verte du comte d'Artois, tuèrent des anciens révolutionnaires jacobins, des bonapartistes, assassinèrent le maréchal Brune* à Avignon et le général Ramel* à Toulouse. Le gouvernement devait en quelque sorte légaliser cette terreur en faisant exécuter Ney et des généraux d'Empire (Labédoyère, César et Constantin de Faucher, Mouton-Duvernet) et bannir les régicides.

TERRIER (Louis Félix). ♦ Chirurgien français (Paris, 1837 – 1908). Après Terrillon, il utilisa la méthode de l'asepsie en chirurgie; il pratiqua l'ovariectomie, la chirurgie des voies biliaires, des hernies, etc.

TERRILLON (Octave). ♦ Chirurgien français (Oigny-sur-Seine, Côte-d'Or, 1844 – Paris, 1895). Dès 1886, il fut un partisan de la méthode aseptique en chirurgie (*Asepsie et antisepsie chirurgicale,* avec Chaput, 1892).

TERRITOIRE DU NORD, en angl. **Northern Territory.** ♦ Un des deux territoires intérieurs du Commonwealth d'Australie* administrés fédéralement, l'autre étant le territoire de la cap. **(V. Canberra.)** Il est situé dans le centre N. du continent. Il est baigné au N. par les mers de Timor* et d'Arafura*, limité à l'O. par l'État d'*Australie*-Occidentale,* au S. par celui d'*Australie*-Méridionale* et à l'O. par l'État du Queensland*. Il comprend l'île Melville*. 1 347 519 km². 68 000 hab. Européens (nombreuses réserves d'aborigènes). *V. princ.* **V. Alice Springs, Darwin.** – La majeure partie du territoire s'étend dans une zone aride, à l'exception de la terre d'Arnhem*, au relief peu accentué, sauf au S. dans les monts Macdonnell*. – Son *économie* est caractérisée par l'élevage bovin au N. (exportation) et celui du mouton aux alentours d'Alice Springs. Dans la zone côtière, luzerne, riz, fruits et légumes. Les principales ressources minières sont le manganèse, le cuivre, le fer et l'or. D'autre part, une importante réserve de bauxite et de grands gisements de gaz naturel et d'uranium y ont été découverts. Tourisme en expansion.

TERRITOIRES DU NORD-OUEST (Canada). ♦ **V.** NORD-OUEST (Territoires du).

TERTRE. ♦ Comm. de Belgique (Hainaut, arr. de Mons) sur le canal de Mons à Condé. Houillères. Cokeries. Indus. chimiques. Céramiques, faïencerie. Gazoduc en direction d'Anvers.

TERTRY. ♦ Comm. de la Somme, arr. de Péronne. 174 hab. ♦ *Hist.* Pépin de Herstal, maire du palais d'Austrasie, y remporta, contre Thierry III, une victoire qui lui permit d'assujettir la Neustrie (687).

TERTULLIEN, en lat. **Septimius Florens Tertullianus.** ♦ Écrivain latin chrétien (Carthage, 150-160 – 222?), célèbre par la violence de son style et la rigueur de ses prescriptions. Il finit par adopter les idées de Montan*. Princ. œuvres : *Contre les nations* (197), *Apologétique* (197), *Sur le baptême, Contre Marcion* (210), *Sur les spectacles, Sur la mise des femmes, Sur la couronne, Sur le jeûne.*

TERUEL. ♦ V. d'Espagne, en Aragon*. Ch.-l. de prov. au pied des Montes Universales. 20 000 hab. – Cathédrale de l'Assomption (XVIe s.). Églises et tour mudéjares (XIIe s.). ♦ *Hist.* La ville fut très durement éprouvée par la guerre civile. D'abord aux mains des républicains (1936-1937), elle passa aux franquistes en 1938.

TERVILLE. ♦ Comm. de la Moselle, arr. et aggl. de Thionville-Est. 5 771 hab. – Électronique. Aciéries. Laminoirs.

TERVUREN. ♦ Comm. de Belgique (Brabant, arr. de Louvain) à l'orée de la forêt de Soignes. 9 500 hab. Église des XIIIe, XIVe et XVe s. (restaurée en 1948). Musée royal de l'Afrique centrale. ♦ *Hist.* Le domaine de Tervuren appartenait à saint Hubert (chapelle Saint-Hubert, de 1617) qui y mourut en 727. Les ducs de Brabant y résidèrent (vestiges d'un château).

TESCHEN. ♦ **V.** CIESZYN.

Ph. Hétier

Canton du **Tessin :** le village de Giornico.

TESLA (Nikola). ♦ Ingénieur électricien yougoslave (Smiljan, Croatie, 1857 – New York, 1943). Il réalisa l'une des premières machines synchrones [1887] **(V. E. Thomson)** et conçut le premier moteur asynchrone à champ tournant (1888). Inventeur des courants polyphasés, il effectua le premier transport d'énergie électrique en courant triphasé (175 km, 1891), imagina les commutatrices, le montage en étoile. Couplant deux circuits par induction mutuelle, il mit au point un alternateur à haute fréquence (1891); des générateurs de ce type équipèrent le réseau radiotélégraphique international après la Première Guerre mondiale.

TESSAI. ♦ **V.** TOMIOKA TESSAI.

TESSENDERLO. ♦ Comm. de Belgique (Limbourg, arr. de Hasselt) en Campine*. 11 342 hab. Église du XVe s. (jubé du XVIe s.). – Élevage bovin. Indus. chimiques. Matériaux de construction.

TESSIER (Gaston). ♦ Syndicaliste français (Paris, 1887 – *id.*, 1960). Influencé par Marc Sangnier* et la démocratie chrétienne, il fut secrétaire des syndicats chrétiens de la région parisienne. Secrétaire de la C.F.T.C. (1919-1953), dont il devint président d'honneur en 1953, membre du Conseil supérieur du travail et délégué français du Bureau international du travail, il fut l'un des fondateurs du mouvement de résistance « Libération-Nord », fit partie du Conseil national de la Résistance et de l'Assemblée consultative provisoire (1944). Président de la Confédération internationale des syndicats chrétiens (1947), il fut conseiller d'État (1949).

Ph. Harlingue-Viollet

Gaston Tessier.

TESSIN (Nicodemus, dit le Vieux ou Tessin l'Ancien). ♦ Architecte suédois (Stralsund, 1615 – Stockholm, 1681). Il s'installa à Stockholm à partir de 1636 et fut le disciple de Simon de la Vallée, introducteur du style français dans l'architecture suédoise. Il travailla pour la noblesse, puis fut nommé architecte de la Cour (1676) après un voyage d'étude en Europe et aurait introduit en Scandinavie le style de Palladio*. Son œuvre principale est le palais royal de Drottningholm (1662-1700), aux environs de Stockholm. ♦ NICODEMUS TESSIN, dit *le Jeune*, son fils (Nyköping, 1654 – Stockholm, 1728), fut son continuateur. Il voyagea en Italie et en France, devint architecte de la Cour en 1681, puis de la ville de Stockholm en 1682. Il est l'auteur du parc à la française du château de Drottningholm. Son œuvre la plus célèbre est la reconstruction du château royal de Stockholm* dont les anc. bâtiments du XIIIe s. avaient été détruits par un terrible incendie en 1697. Il est constitué par quatre bâtiments identiques entourant une vaste cour et deux ailes plus basses, sur les façades E. et O. Le palais ne fut terminé qu'en 1754.

TESSIN, *n. m.*, en it. **Ticino.** ♦ Riv. de Suisse et d'Italie (248 km). Née dans les *Alpes du Tessin**, près du col du Nufenen, elle décrit une courbe jusqu'à Bellinzona* en suivant le val Leventina, traverse le lac Majeur*, coule dans la plaine lombarde et rejoint le Pô* en aval de Pavie*. ♦ *Hist.* Sur ses bords, Hannibal* remporta la première bataille de la deuxième guerre Punique* (~218), contre le consul romain P. Scipion*.

TESSIN *(canton du)*, en it. **Ticino.** ♦ Canton du S. de la Suisse limité par les cantons d'Uri* au N., des Grisons* au N. et à l'E., du Valais* à l'O. et l'Italie au S.-E., au S. et à l'O. 2 811 km². 242 300 hab. en majorité de langue italienne et de religion catholique. *Ch.-l.* Bellinzona*. *V. princ.* **V. Airolo, Ascona, Chiasso, Giornico, Locarno, Lugano, Mendrisio.** – Entièrement situé dans les Alpes, au débouché du tunnel du Saint*-Gothard, le Tessin est un important lieu de passage entre la Suisse et l'Italie. Il est drainé du N. au S. par le Tessin et contient une partie du lac Majeur* (au S.-O.) et du lac de Lugano* (au S.). Le *Haut-Tessin*, montagneux et dépeuplé, contraste avec le S., où le climat plus doux et la présence des lacs favorise les cultures. L'économie du pays est essentiellement agricole : élevage dans le N., céréales, pommes de terre, cultures maraîchères, arbres fruitiers, tabac, vignes (le Tessin est avec le Valais le principal producteur de vin rouge de Suisse) dans le sud. Les importantes centrales hydro-électriques construites sur le Tessin alimentent le chemin de fer et les indus. électrochimiques du canton. Le tourisme, développé surtout dans la région des lacs, reste la principale ressource du pays. – Patrie de D. Fontana* (Melide). ♦ *Hist.* Possession du duché de Milan jusqu'au XIIIe s., le Tessin fut conquis par les Suisses de 1403 à 1516. Il fut érigé en canton lors de l'Acte de médiation de 1803.

Test Act. ♦ Loi votée en 1673 par le Parlement anglais. Elle interdisait aux catholiques toute charge dans l'administration ou l'armée et visait, en fait, le duc d'York (futur Jacques* II). Elle fut abolie en 1829.

Testament *(Ancien* et *Nouveau)*. ♦ Cf. Robert. Traduction, à contresens, par l'intermédiaire du latin *testamentum*, du grec *palaia diathêkê* et *kainê diathêkê*, « ancienne alliance » et « nouvelle alliance » : les deux grandes parties de la Bible chrétienne. **V. Bible.**

Testament (Le). ♦ Poème, dit *Le Grand Testament* (1462), que F. Villon* composa en huitains octosyllabiques où s'insèrent des ballades et des rondeaux. C'est l'héritage matériel (suite de legs burlesques) mais surtout spirituel du poète, dont les regrets et l'angoisse devant la mort s'expriment dans diverses ballades : des confessions poétiques abordent le thème de la jeunesse enfuie *(Hé! Dieu, si j'eusse étudié...)*, de la vieillesse *(La Belle Heaulmière)* et de la mort *(Ballade des dames du temps jadis)*. Villon fait enfin appel au pardon des hommes *(Ballade de Mercy)*, eux-mêmes dans les mains de Dieu *(Ballade pour prier Notre-Dame)*. Dotée peut-être d'une signification ésotérique (satire en code secret contre les milieux juridiques parisiens, la *Basoche*), cette œuvre de Villon est comme une image du « Moyen Âge énorme et délicat » (Verlaine).

TESTE (Jean-Baptiste). ♦ Homme politique français (Bagnols-sur-Cèze, 1780 – Paris, 1852). Directeur de la police et député lors des Cent-Jours, il fut proscrit au moment de la Seconde Restauration (1815). Revenu en France en 1830, il fut plusieurs fois ministre sous la monarchie de Juillet (de 1834 à 1843), puis pair et président de la Cour de cassation. En 1847, il fut accusé, avec le général Cubières, et condamné à trois ans de prison pour avoir fait la concession d'une mine de sel (Gouhenans, Haute-Saône) en échange d'un important pot-de-vin. Ce fut là un des grands scandales de la fin de la monarchie de Juillet.

TESTE (La) ou **TESTE-DE-BUCH** [tɛstədəbyʃ] **(La).** ♦ Ch.-l. de cant. de la Gironde*, arr. de Bordeaux*, sur le bassin d'Arcachon*. 18 298 hab. [11 474 aggl.] *(Testerins)*. Port de pêche, ostréiculture, conserveries, commerce de résine.

TÊT [tɛt]. *n. f.* ♦ Fl. côtier des Pyrénées*-Orientales (120 km). Née au pied du pic Carlitte*, la Têt passe à Mont*-Louis, sépare la région du Capcir* de celle du Conflent*, arrose Prades*, traverse la plaine du Roussillon, Perpignan* et se jette dans la Méditerranée. Le lac des Bouillouses* (barrage-réservoir) régularise son régime. Son débit moyen est de 18 m³/s, son débit maximal peut atteindre 2 000 m³/s; son régime pluvio-nival est de type méditerranéen.

TÊT, *n. m. (fête du).* ♦ **V.** TÊT NGUYÊN DAN.

TÉTÉ. ♦ V. du Mozambique*, sur le Zambèze*, reliée par voie ferrée à Beira*. 70 000 hab. À proximité se situent les mines de charbon de Moatizé et le barrage de Cabora* Bassa.

Tête d'or. ♦ Drame de Paul Claudel* (1889). Placée sous la triple invocation d'Eschyle, de Shakespeare et de Wagner, cette œuvre de la vingtième année du poète est antérieure aux grands drames d'inspiration catholique. Jeune et blond conquérant devant qui cèdent les peuples et les villes, *Tête d'or,* assoiffé de gloire et de conquête, apparaît comme un nouveau Rimbaud dans sa recherche frénétique, et finalement dérisoire, de l'absolu. Influencée par le *Zarathoustra* de Nietzsche, l'œuvre est riche d'une extraordinaire force verbale et d'un puissant souffle lyrique.

Têtes rondes. ♦ V. CAVALIERS.

TÉTHYS [*Têthus*]. ♦ L'une des Titanides*, qui symbolise la fécondité des eaux. Son nom signifie « la Nourrice ». Unie à son frère Océan*, elle donne naissance aux fleuves (plus de trois mille), aux Océanides* et, selon certains auteurs, à Protée*.

TÊT NGUYÊN DAN ou **TÊT** *(fête du).* ♦ Fête vietnamienne du début de l'année correspondant à la nouvelle lune du milieu du solstice d'hiver et de l'équinoxe de printemps. Elle dure généralement 3 jours et est célébrée avec de nombreuses explosions de pétards. On détermine les âges à partir de cette date (entre le 19 janv. et le 20 févr.).

TÉTOUAN, en esp. **Tetuán**, en berbère **Tittâwin**. ♦ V. du Maroc septentrional, ch.-l. de prov., située entre la Méditerranée et le versant N. du Rif*. 101 400 hab. La *prov. de Tétouan* compte 651 000 hab. ♦ *Hist.* Prise par O'Donnell* y Jorris en 1860, rendue au Maroc, elle fut à nouveau occupée par les Espagnols en 1915 qui en firent la cap. du Maroc* espagnol. Tétouan fut définitivement restitué au Maroc en 1956.

Tétralogie. *n. f.* ♦ Cycle dramatique de quatre ouvrages de Richard Wagner*, *L'Or du Rhin, La Walkyrie, Siegfried, Le Crépuscule des dieux,* connu aussi sous le nom de *L'Anneau des Niebelungen.* Le musicien, qui en composa également le poème, a puisé son inspiration à des sources très diverses, dont les poèmes scandinaves des *Eddas* (entre 800 et 1250), le *Niebelunge Nôt,* poème médiéval germanique, la *Saga des Välsungs,* la légende allemande de Siegfried et des œuvres de La Motte-Fouqué et Hebbel. Marquée d'abord par la philosophie optimiste et révolutionnaire du milieu du XIXᵉ s., cette cosmogonie, dont la composition s'étendit sur près de trente années (1848-1874), traduit fidèlement l'évolution de la pensée de son créateur, progressivement gagné à la doctrine pessimiste de Schopenhauer et substituant peu à peu à l'exaltation de l'énergie vitale les valeurs de la résignation et du renoncement. ♦ Dans *L'Or du Rhin* (1853-1854), qui constitue le prologue de l'œuvre, Alberich le Niebelung (nain), en commettant le sacrilège de renoncer à l'amour, a ravi dans le fleuve le trésor des Ondines avec lequel il a forgé un anneau qui doit lui assurer la domination du monde par la tyrannie de l'or. Wotan, le premier des dieux de lumière, lui ravit son talisman et son trésor, se fait construire par les géants Fasolt et Fafner l'orgueilleux château du Walhalla. Prisonnier de son ambition et de l'impureté que symbolise l'anneau dérobé, il se voit contraint de le céder aux géants. Aussitôt en possession de l'or, ceux-ci se querellent. Fasolt meurt, et Fafner, devenu le possesseur farouche du trésor maudit, se transforme en dragon. ♦ *La Walkyrie* (1854-1856) nous montre Wotan résolu à arracher à Fafner l'or du Rhin. Ayant pris l'apparence humaine, il engendre deux enfants, Siegmund et Sieglinde ; de leur union incestueuse naîtra Siegfried*, héros au sang pur. Maudit par Alberich, il doit cependant, pour obéir à la dure loi qu'il a lui-même dictée, sacrifier son propre fils Siegmund et se séparer de sa fille chérie, la Walkyrie Brunehilde. Rebelle à ses ordres, en prenant le parti de Siegmund contre lui, elle est rendue à la condition de mortelle. Frappée d'un sommeil léthargique, elle ne s'éveillera qu'à l'appel d'un homme qui ne connaît pas la peur. Brisé par l'épreuve, Wotan renonce à la puissance, reconnaît la loi de l'universelle nécessité et n'attend plus que de Siegfried, le héros qui ne doit rien aux dieux, cet affranchissement de l'humanité qu'il a vainement tenté en instaurant la loi d'une raison orgueilleuse. ♦ *Siegfried* (1856-1857 ; 1865-1869), à l'encontre de Wotan, ne s'abandonne qu'aux impulsions de son instinct, tout de droiture et de vaillance. Son innocence est celle de la nature en communion de laquelle il vit intimement. Avec le glaive brisé de son père Siegmund, il se forge l'épée qui lui permet de tuer Fafner, gardien de l'or fatal, et de s'emparer de l'anneau ; puis il franchit le cercle de flammes qui protège le sommeil de Brunehilde et s'unit à elle, triomphant aussi de Wotan qui a tenté, dans un dernier sursaut de jalousie, de protéger sa fille. Fondée sur la liberté du héros, une loi d'amour va maintenant régénérer l'humanité. L'abdication de Wotan, autant que la pureté de Siegfried, ont rendu possible ce prodige. ♦ *Le Crépuscule des dieux* (1869-1874) décrit d'abord, en une suite de scènes grandioses, la dure naissance du monde nouveau. Séduit par le nain Hagen, fils d'Alberich, Siegfried boit le philtre d'amour qui lui fait oublier Brunehilde et épouser Gutrune. Il va même, dans son inconsciente trahison, jusqu'à livrer la Walkyrie à Gunther, le frère de Gutrune. Victime à son tour de la nécessité, il expie son erreur par la mort et tombe sous la lance de Hagen. Tandis que Brunehilde se jette avec son cheval dans le brasier qui consume le corps de Siegfried, le Walhalla s'écroule dans les flammes. Le Rhin déborde et les filles du fleuve y recueillent l'anneau et l'or maudits qui retrouvent leur pureté originelle. À son tour, Wotan, apaisé, s'anéantit dans le feu. Alors peut commencer le règne de l'homme. — Œuvre géante dont la représentation intégrale ne fut rendue possible qu'après la construction du théâtre de Bayreuth (1876), la *Tétralogie* illustre la totalité de l'esthétique wagnérienne, développée par l'artiste dans *Opéra et Drame* (1851). L'ambiguïté de certains de ses symboles et des interprétations qu'elle autorise, son caractère abrupt et mystique, ne doit pas en dissimuler la sublime grandeur à l'auditeur qui ne la connaît généralement que par ses fragments les plus célèbres.

TETRICUS, en lat. **Caius Pius Pesuvius.** ♦ Usurpateur romain (IIIᵉ s.). Successeur de Postumus* comme empereur des Gaules, il fut soumis à la bataille de Châlons par Aurélien* qui le réintégra dans le senat et lui confia le gouvernement de la Lucanie.

TÊ TSUNG [*Tö Tsong, De Zong*]. ♦ Titre posthume de plusieurs empereurs chinois. L'un des plus célèbres est Tê Tsung des Ch'ing*, de son nom de règne Kuang-Hsü (1871-1908), qui régna à partir de l'âge de quatre ans sous la régence de l'impératrice douairière Tzu* Hsi. Il eut à faire face à de nombreuses rébellions, à la guerre franco-chinoise (1875-1885) et à la guerre sino-japonaise (1894-1895) qu'il perdit. Ayant voulu faire des réformes, il fut relégué par Tzu Hsi qui assuma seule le pouvoir. Son neveu, âgé de trois ans, le jeune P'u-yi **(V. Hsün-ti)** lui succéda.

TETZEL (Johannes Diez, dit**).** ♦ Dominicain allemand (Pirna ou Leipzig, vers 1455 — 1519). Au service d'Albert de Mayence, il se rendit tristement célèbre par le trafic des indulgences qui provoqua les protestations de Luther* (1517) et, avec elles, le début de la Réforme.

TEUCER, en gr. **Teukros.** ♦ Fondateur légendaire du premier habitat de Troie*, fils du dieu-fleuve Scamandre et d'une nymphe du mont Ida, ou Crétois immigré en Troade. Il lègue son royaume à Dardanos*, époux de sa fille. — Héros de la guerre de Troie*, fils de Télamon* et d'Hésione*, princesse troyenne. Il se distingue comme le meilleur archer de l'armée achéenne. À son retour, Télamon le bannit de Salamine*, parce qu'il n'a pas su venger son demi-frère Ajax* tué par les Grecs. Teucer se rend en Syrie puis à Chypre* où il fonde la nouvelle Salamine*.

TEUCROS. ♦ **V.** TEUCER.

TEUTATÈS. ♦ Dieu gaulois. Ce nom (de *teuta :* tribu) remplaçait peut-être le nom personnel du dieu et le désignait seulement en tant que protecteur de la tribu. Teutatès ne serait donc pas le grand dieu des Celtes*, comme le pensaient les Romains, qui l'identifiaient à Mercure* ou à Mars*.

TEUTOBURGER WALD, *n. m.,* en fr. **forêt de Teutobourg.**

Ph. Giraudon

Tétralogie : « L'Or du Rhin », illustré par Fantin-Latour. (Cabinet des Dessins, musée du Louvre, Paris.)

♦ Collines boisées d'Allemagne occidentale (Rhénanie, Basse-Saxe), s'étendant à l'E. de l'Ems, appartenant à l'ensemble des « monts de la Weser », entre Osnabrück et Detmold*, et culminant à 468 mètres. ♦ *Hist.* Le chef chérusque Arminius* y vainquit les Romains conduits par Varus* (9), obligeant ceux-ci à reculer vers le Rhin.

TEUTONIQUES *(chevaliers).* ♦ L'ordre religieux et militaire des chevaliers Teutoniques (en all. *Deutsche Ritter)* prit naissance en 1128, date à laquelle fut fondé à Jérusalem un hôpital pour soigner les croisés allemands malades ou blessés. Les *Frères de Sainte-Marie* combattirent bientôt, et après la prise de Jérusalem par Saladin (1187), le duc Frédéric de Souabe fonda à Saint-Jean-d'Acre l'ordre des *chevaliers Teutoniques* sur le modèle des Templiers et des Hospitaliers. Sanctionné par le pape Clément III (1190), l'ordre fonda la ville de Kronstadt (Transylvanie) en 1211 et acquit de vastes possessions, surtout en Allemagne. Son quatrième grand maître fut nommé prince de l'Empire par Frédéric II. En 1230, après un appel de Conrad, duc de Mazovie, les chevaliers Teutoniques déclenchèrent une offensive contre les Prussiens idolâtres et achevèrent leur conversion vers 1283 en occupant les territoires de Kulm et de Loebau et en fondant les villes de Toruń* (1231), Marienwerder et Elbing. Après leur fusion avec l'ordre Porte*-Glaive (1237), la Livonie* passa sous la suzeraineté des chevaliers Teutoniques, mais leur croisade vers l'E. fut un échec. Écrasés par Alexandre* Nevski sur les glaces du lac Tchoudsk* (1242), ils limitèrent leurs entreprises aux païens et fondèrent Klaipeda* (1252) et Königsberg en 1255. Au XIVe s., ils établirent leur domination sur la Pomérélie et Dantzig (1308-1309), l'Estonie* et la Courlande*, mais de longues guerres commencèrent contre la Pologne et la Lituanie. Vaincus par Ladislas* II Jagellon au champ de bataille de Grunwald*-Tannenberg (1410), ils perdirent 40 000 hommes et durent abandonner la Samogitie, puis après la guerre de Treize Ans (1454-1466) la Sudavie et une partie de la Pomérélie. Au traité de Toruń (1466), l'ordre Teutonique ne garda que la Prusse orientale, sous la suzeraineté de la Pologne. En 1525, le grand maître Albert de Brandebourg sécularisa les biens de l'ordre, tandis que la majorité des chevaliers se convertissaient à la Réforme. Ceux qui demeurèrent catholiques se réfugièrent en Allemagne, à Mergentheim, sous la direction du Deutschmeister. L'ordre fut supprimé en Allemagne par Napoléon Ier en 1809, mais subsista en Autriche jusqu'à nos jours, sous la forme d'un ordre de chevalerie ecclésiastique.

TEUTONS. *n. m. pl.* ♦ Peuple germanique ou celte qui se joignit aux Cimbres* pour envahir la Gaule et fut vaincu par Marius* à *Aquae Sextiae* (Aix-en-Provence) en ~ 102.

TEVERONE. *n. m.* ♦ V. ANIENE.

TEWKESBURY. ♦ V. d'Angleterre (Gloucestershire). 5 800 hab. Abbaye bénédictine du VIIIe s. reconstruite au XIIe siècle. ♦ *Hist.* Lors de la guerre des Deux-Roses*, Édouard IV y vainquit Henri VI qu'il fit prisonnier (1471).

TEXAS. *n. m.* ♦ État du Centre Sud des États-Unis. 692 408 km² (le plus grand État des États-Unis, à l'exception de l'Alaska : 140 000 km² de plus que la France); 9 579 677 hab. *(Texans)* en 1960. *Cap.* Austin. *Princ. villes :* **V. Abilene, Amarillo, Beaumont, Corpus Christi, Dallas, El Paso, Fort Worth, Galveston, Houston, Lubbock, Odessa, San Antonio, Waco, Wichita Falls.** – *Orogr.* Ce vaste État comprend des régions très diverses. L'extrême O. contient certains chaînons des Rocheuses, prolongeant ceux du Nouveau-Mexique (*Guadalupe Peak,* 2 666 m), et l'O. comprend des hauts plateaux tels que le Llano* Estacado, le plateau Edwards (région dite des grandes plaines, *Great Plains*). Le reste de l'État s'abaisse progressivement vers le S.-E. par des plaines *(Central Lowlands)* parfois accidentées de reliefs dus à des affleurements de roches dures, jusqu'à la plaine côtière du golfe du Mexique *(Gulf Coastal Plain).* Celle-ci, entre la Louisiane (riv. Sabine) et le Mexique (embouchure du rio Grande), est formée d'alluvions, et les flèches littorales y isolent une suite de lagunes, aménagées en une voie navigable, qui longe le golfe, et dont l'importance économique est considérable. – *Climat* désertique à l'O., continental au centre, subtropical humide au S. et à l'E. – *Écon.* Les cultures, sur moins de 20 % de la surface, placent le Texas au 2e rang dans le pays; il est le 1er producteur de coton, de riz (irrigation le long du golfe) et un important producteur de blé, de maïs, de légumes et fruits (1er producteur d'épinards, pastèques, carottes, etc.; 2e de pamplemousses). Élevage extensif (bovins, ovins, pour lesquels le Texas tient la 1re place dans l'Union). 1er producteur de laine. – Les richesses minérales sont immenses; la production de gaz naturel (50 % des États-Unis) et de pétrole (40 %) fait du Texas une des régions économiquement les plus importantes du monde. L'État est le 1er producteur de l'Union pour le brome, le soufre, le magnésium et possède des gisements de lignite et de charbons bitumineux. L'industrie dérive en partie du pétrole et du gaz, soit en tant que matières premières (raffineries [voir les villes], indus. chimiques), soit en tant que source d'énergie (métallurgie de l'acier, de l'aluminium; traitement des produits agricoles : indus. alimentaires et textiles [coton]). L'électronique s'est récemment développée. Le Texas abrite d'importants programmes de la N.A.S.A. (Nassau Bay, près de Houston). – L'État possède des ports très actifs (Houston, Port Arthur, Corpus Christi, Beaumont). – Patrie de D. Eisenhower*, Lyndon Johnson*, W. Nimitz* (et voir aux grandes villes). ♦ *Hist.* La région fut visitée par les Espagnols au

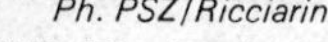

Ph. PSZ/Ricciarini — *Coll. Viollet*

W.M. Thackeray. — **Ernst Thaelmann.**

début du XVIe s., mais le premier établissement ne date que de 1682 (Ysleta, auj. *El Paso*). Les Espagnols, inquiétés par Cavelier de La Salle, fondèrent d'autres établissements entre 1690 et le milieu du XVIIIe siècle. Relevant de la vice-royauté de la Nouvelle-Espagne, le Texas devint indépendant en 1821 avec le Mexique, mais la colonisation par des citoyens des États-Unis se développa. Révoltés contre le dictateur mexicain Santa* Anna, les Texans américains, malgré des revers (siège d'Alamo), constituèrent une république indépendante (1836) et firent prisonnier Santa Anna (bataille de San Jacinto). Le Texas fut annexé par les États-Unis en 1845, et les Américains attaquèrent le Mexique, obtenant après leur victoire tous les territoires au N. du rio Grande (traité de Guadalupe Hidalgo, 1848). Esclavagiste, le Texas fit partie de la confédération sudiste et, après la difficile période de la « reconstruction », fut réintégré dans l'Union en 1870.

TEXEL. ♦ Île des Pays-Bas appelée *île des oiseaux.* 18 355 ha. 11 000 hab. Pêche et élevage ovin.

THABOR *(mont).* ♦ Sommet des Alpes françaises (il marquait jusqu'en 1947 la frontière franco-italienne) situé non loin de Modane. 3 177 m.

THABOR *(mont). n. m.* ♦ Montagne de Basse-Galilée* (Israël) située au S.-O. du lac de Tibériade et à proximité de la ville de Nazareth. 588 mètres. C'est en cet endroit que la tradition situe la transfiguration du Christ. ♦ *Hist.* Bonaparte, débarqué en Syrie après la campagne d'Égypte, y battit les Turcs en 1799.

THACKERAY (William Makepeace). ♦ Journaliste et romancier anglais (Alipur, Calcutta, 1811 – Londres, 1864). À cinq ans, il perdit son père et fut envoyé en Angleterre par sa mère. Cette solitude exacerba une sensibilité aiguë et la vie de collège (1822-1829) augmenta sa susceptibilité. À Cambridge, il collabora au *Snob;* il appréciait Swift, Sterne, Addison, Steele, Pope et Goldsmith. À Cologne et à Weimar, il rencontra Goethe. Après des études de droit, il acheta le *National Standard and Journal of Literature,* mais dut cesser la publication en 1834. Ruiné, Thackeray devint correspondant parisien du *Constitutional.* Ses premiers livres, *Mémoires de Jaunepeluche* (*The Diary of Jeames de la Pluche,* 1845-1846) et *Cahier de croquis de Paris* (*The Paris Sketch-Book,* 1840) n'eurent aucun succès, mais il prit sa revanche avec l'œuvre la plus représentative du roman anglais au XIXe s., *La Foire aux vanites* (*Vanity Fair,* 1848). Cette œuvre, dont le sous-titre révèle l'ambition de créer un « roman sans héros », révolutionna le monde littéraire. Le *Livre des snobs* (*The Snobs of England by One of Themselves,* 1846) contient de petits chefs-d'œuvre satiriques, publiés dans *Punch.* C'est aussi dans un magazine *(Fraser's Magazine)* que parut en feuilleton *Les Mémoires de Barry Lyndon* (*The Memoirs of Barry Lyndon Esquire, by himself,* 1856), en réaction contre le romantisme de Bulwer Lytton*. Comme dans *Vanity Fair,* le protagoniste de *L'Histoire de Pendennis* (*The History of Pendennis,* 1849-1850) n'a rien d'un héros. Les *Newcomes,* évocation violemment critique d'une jeunesse ambitieuse et désœuvrée, fait, comme la plupart des œuvres de Thackeray, la chronique de la vie d'une famille. Il écrivit aussi des romans historiques : *L'Histoire d'Henri Esmond* (1852), suivi des *Virginiens* (1857-1859) qui évoquent l'époque de la reine Anne, que Thackeray connaissait bien comme en témoignent les conférences qu'il fit en Amérique *(Les Humoristes anglais, Les Quatre Georges).*

THADDÉE *(saint).* ♦ V. JUDE (saint).

THAELMANN ou **THÄLMANN (Ernst).** ♦ Homme politique allemand (Hambourg, 1886 – Buchenwald, 1944). Ouvrier et syndicaliste, il entra au parti social-démocrate et devint (1924) député communiste au Reichstag. Secrétaire du parti, il fut deux fois candidat contre Hindenburg* aux élections pour la présidence de la République. Il refusa de s'allier aux sociaux-démocrates. En mars 1933, il fut arrêté et emprisonné; en 1943, il fut transféré à Buchenwald où il mourut.

THAGASTE. ♦ Anc. V. de Numidie, auj. Souk-Ahras. Patrie de sainte Monique* et de saint Augustin*.

THAÏ. *n. m. pl.* ♦ Groupes originaires de la Chine du Sud et du Yunnan, qui émigrèrent en Asie du Sud-Est au XIIIe s. et furent à l'origine de nombreux peuples constitués à partir de cette époque (Siamois, Laotiens, Assamais, une partie des Tonkinois). Ils parlent une langue à tons dont les nombreux dialectes sont assez proches

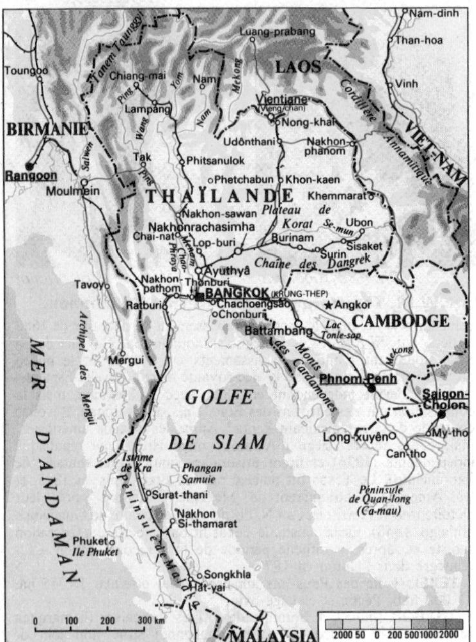

Thaïlande.

les uns des autres. On distingue, au Viêt-nam surtout, les *Thaï noirs*, les *Thaï blancs* et les *Thaï rouges*, d'après des particularités vestimentaires. Ils forment des groupements distincts répartis dans les hautes régions du Viêt-nam du Nord. Ce nom est également donné aux actuels habitants de la Thaïlande. **V. Thaïlande.**

THAÏLANDE. *n. f.* ♦ État d'Asie du Sud-Est, limité à l'O. par la Birmanie, au N.-E. par le Laos, au S.-E. par le Cambodge et au S. par la Malaysia ; il est baigné par la mer d'Andaman et le golfe de Siam. 514 000 km². 36 000 000 d'hab. (*Thaïlandais ;* 80 % de *Thaï*, peuple venu de Chine au XIIIᵉ s., Chinois, Indiens, Cinghalais, etc.). *Cap.* **V. Bangkok.** *Langue off.* thaï. *Relig.* bouddhisme du Petit Véhicule (95 %). — *Orogr.* La partie centrale de la Thaïlande est occupée par le bassin du Menam* et de ses affluents. Quatre régions viennent se greffer sur cet ensemble : au N. et à l'O., la frontière birmano-thaïlandaise est établie sur le prolongement du massif montagneux tibéto-himâlayien (1 000-2 000 m). Un large plateau, à l'E., est enserré entre les chaînes des Dangrek, des Khao Khien, des Dong Phya Yen et le Mekong. Au S.-E., se trouve une partie du massif cambodgien des Cardamones. La bande montagneuse étroite du S. s'abaisse progressivement et les plaines côtières sont plus importantes. — *Climat.* Soumise au régime des moussons, la Thaïlande reçoit un maximum de pluies en septembre. Les régions septentrionales sont moins arrosées que les régions méridionales. Les principaux fleuves sont des affluents du Menam (Ping, Wang, Yom, Nam). À la hauteur de Chai Nat, le cours du Menam se divise en plusieurs bras qui se rejoignent avant de poursuivre vers Bangkok. — *Écon.* L'économie thaïlandaise est en pleine expansion. La production agricole est excédentaire (riz [13 500 000 t], maïs [2 000 000 de t]). La production de caoutchouc est en expansion (300 000 t en 1970). L'élevage (buffles, bovins, porcins) et la pêche fournissent largement de quoi nourrir la population. Les ressources énergétiques et minières sont restreintes (hydro-électricité, pétrole encore inexploité dans le golfe de Thaïlande, gisements de lignite dispersés, étain, fluorine, plomb, wolfram, etc.). L'industrie, en plein essor, est en général aux mains de la minorité chinoise : indus. textiles, cimenteries, pétrolochimie. — *Communications.* Le réseau ferré est assez dense (3 800 km), mais vétuste. Les routes (15 000 km en 1964) se développent rapidement. Plus de la moitié du commerce intérieur se fait par voie fluviale (Menam et ses affluents). Le port et l'aéroport de Bangkok ont un rôle commercial important. — La balance commerciale est déficitaire, le cours des produits d'exportation (riz, caoutchouc, maïs, étain) se dégradant. Le pays importe des biens d'équipement et des produits manufacturés. Ses principaux partenaires sont le Japon, les États-Unis, l'Europe occidentale et certains pays d'Asie (Singapour, Hong-kong, Taïwan, Malaysia). L'essor du tourisme à Bangkok contribue à réduire le déficit commercial. ♦ *Hist.* Le royaume Môn de Dvâravati, dans le bassin du Menam, existait dans le S. du pays dès le début de notre ère. Il était florissant aux VIᵉ et VIIᵉ siècles. À partir du IXᵉ s., la région fut progressivement conquise par l'Empire khmer. Le bassin du Menam fut entièrement annexé par le roi Jayavarman VII (1181-1218). Les Thaï, qui avaient créé au VIIIᵉ s. le royaume de Nan chao dans l'actuel Yunnan chinois, à partir du XIIIᵉ s. descendirent le long du Menam. En 1220, deux princes thaï prirent la ville de Sukhôthaï et y fondèrent le premier royaume du Siam. Celui-ci s'agrandit jusqu'à Vieng-Chan (Laos) en 1292. En 1347, Ayuthyâ fut promue au rang de capitale ; elle le resta jusqu'en 1767. Des expéditions militaires furent entreprises, qui ruinèrent Angkor. Réduit en vassalité par la Birmanie (1569), le Siam ne retrouva son indépendance qu'en 1584. Au XVIIᵉ s. apparurent les premiers Européens (Hollandais, Anglais), puis, à la fin du siècle, les Français. Les incessantes attaques birmanes mirent fin au royaume d'Ayuthyâ en 1767. Un prince royal, Chao Phya Chakri, fonda alors sa propre dynastie (1782) et s'installa à Thonburi, face à Bangkok. Bien que des colonies britanniques et françaises se fussent établies sur les frontières du pays, le Siam ne fut jamais colonisé. Un coup d'État renversa la monarchie absolue en 1932 et obligea le roi à adopter une constitution et un parlement. En 1939, le chef du gouvernement annonça que le Siam s'appellerait désormais Thaïlande. Alliée des Japonais jusqu'en 1944, la Thaïlande se rapprocha ensuite des États-Unis. Bhumibol* Adulyadej, couronné en 1950, partagea le pouvoir avec des dictateurs militaires qui furent renversés en 1973. Un régime parlementaire fut instauré. En oct. 1976, une junte militaire s'empara du pouvoir. Elle dissolut l'Assemblée, promulgua une nouvelle constitution et nomma Thanin Kraivichien Premier ministre. Celui-ci disposa de pouvoirs étendus contre le communisme. Le nouveau régime s'est engagé à restaurer la démocratie en 1988.

THAÏS. ♦ Célèbre courtisane athénienne (~ IVᵉ s.). Maîtresse d'Alexandre* le Grand, elle le suivit dans sa campagne. C'est Thaïs qui aurait suggéré au conquérant l'incendie de Persépolis pour venger l'incendie d'Athènes par Xerxès. Elle devint ensuite la maîtresse de Ptolémée, l'un des diadoques.

THAÏS *(sainte).* ♦ Courtisane d'Égypte (IVᵉ s.) qui, convertie par un anachorète, se serait retirée dans un monastère. Fête le 8 octobre. — *Littérature.* Anatole France en fit l'héroïne d'un roman, *Thaïs* (1890), dont Massenet tira un opéra (1894).

THALBERG (Sigismund). ♦ Pianiste et compositeur autrichien (Pâquis, près de Genève, 1812 — Naples, 1871). Fils naturel du comte de Dietrichstein et de la baronne de Wetzlar, il reçut les leçons de Hummel* et effectua, de 1837 à 1848, de triomphales tournées de concerts à travers toute l'Europe et en Amérique latine. Il fut considéré comme l'émule de Liszt. Il a laissé des *fantaisies*, des *caprices* pour piano et des *airs* d'opéra d'un certain brio.

THALÈS de Milet. ♦ Mathématicien, physicien, astronome, géographe et philosophe grec, né à Milet, d'une famille thébaine de la race de Cadmos. Il vécut probablement à la fin du ~ VIIᵉ s. et au début du ~ VIᵉ siècle. Le plus ancien et le plus célèbre des Sept Sages, il fut considéré par Aristote* comme le premier des philosophes ioniens. Il aurait rapporté d'Égypte en Grèce les fondements de la géométrie ; il résolut le problème consistant à inscrire un triangle dans un cercle, exprima la hauteur d'un objet à partir de son ombre ; il aurait en outre étudié les angles des triangles et donné la démonstration de l'égalité des angles opposés par le sommet. Proclus* lui attribue quatre propositions du premier livre des *Éléments* d'Euclide*. Selon Aetius, il aurait « dit le premier que la Lune était illuminée par le Soleil ». Il devint célèbre en annonçant une éclipse de Soleil, en considérant probablement le *saros* babylonien, et le hasard voulut qu'elle eût lieu en effet (vraisemblablement celle de 585). Dans sa doctrine philosophique, qui constitue un premier essai de « philosophie de la nature », il existe une seule substance primordiale, l'eau ; tout en procède et non seulement la vie, l'eau donne naissance aux autres éléments (transformation par condensation, raréfaction, etc.). Cette conception le conduisit à considérer notre univers comme une bulle d'air hémisphérique au sein d'une masse liquide infinie.

THALÉTAS. ♦ Musicien grec (Gortyne, Crète, ~ VIIᵉ — ~ VIᵉ s.). Il enseigna la musique à Sparte et, d'après Strabon, mit en musique les lois lacédémoniennes. On lui attribue l'invention du péan.

THALIE, en gr. **Thalia.** ♦ L'une des neuf muses*. Elle préside à la comédie et à la poésie légère et elle est représentée tenant le masque grimaçant de la comédie.

THALWIL. ♦ V. de Suisse (cant. de Zurich) sur la rive S. du lac de Zurich. 12 700 hab. Indus. textile.

THAMAR ou **TAMAR.** ♦ Personnages bibliques. — 1° (*Genèse*, XXXVIII). Épouse des fils de Juda, Er puis Onan* ; veuve, elle feint de se prostituer et a deux fils de Juda* lui-même. — 2° (*II Samuel*, XIII). Fille de David et de Maakah, violée par son demi-frère Amnon, elle est vengée par son frère Absalon*.

THAMES. ♦ V. TAMISE.

THANA. ♦ V. de l'Inde (Mahârâstra) et port de mer au N. de Salsette (Bombay). 170 000 hab. Salines, pêcheries. — Comptoir portugais de 1560 à 1737, la ville devint britannique en 1774.

THANH HOA. ♦ Plaine du Nord Viêt-nam s'étendant depuis le Laos jusqu'au golfe du Tonkin, très ancien centre de peuplement. — Ville sur la côte, au S. de Hanoi (20 000 hab.).

THANN. ♦ Sous-préf. du Haut-Rhin*, ch.-l. d'arr. (4 cant., 53 comm., 69 795 hab.), sur la Thur*. 8 345 hab. *(Thannois).* Église collégiale Saint-Thiébaut, XIVᵉ siècle. Ruines du château d'Engelburg, XVᵉ siècle. — Vins renommés. Centre industriel.

THANT (Sithu U). ♦ Homme politique birman (Pantanaw, 1909 — New York, 1974). Délégué à l'O.N.U. en 1957, il en fut nommé secrétaire général en 1961 et conserva cette charge jusqu'en 1971, date à laquelle il se retira.

THAON DI REVEL (Paolo). ♦ Amiral italien (Turin, 1859 – Rome, 1948). Il participa à la guerre italo-turque de 1911 et fut nommé en 1913 chef d'état-major de la marine. Chef des forces navales (1917), il devint le chef des forces navales alliées pendant la Première Guerre mondiale et amiral en 1918. Sous Mussolini, il fut ministre de la Marine.

THAON [tã]**-LES-VOSGES.** ♦ Comm. des Vosges, arr. d'Épinal. 7 729 hab. *(Thaonnais).* – Usine de teinturerie. Indus. du coton.

THAPSUS. ♦ Anc. V. d'Afrique (actuellement en Tunisie) au S.-E. d'Hadrumète*. César* y vainquit Pompée* et son allié Juba* Ier de Numidie (6 févr. ~ 46).

THAR. *n. m.* ♦ Région désertique s'étendant entre l'Inde occidentale et le Pâkistân et allant du Rann de Kutch (golfe de Cambay) au Pañjâb. Elle reçoit moins de 200 mm de pluie par an. Constituée de sables granitiques et de dunes.

THARSIS. ♦ V. d'Espagne du Sud, en Andalousie (prov. de Huelva). 6 000 hab. – Mines de pyrites ferrocuivreuses exploitées depuis la plus haute antiquité par les Phéniciens, puis par les Romains.

THASOS. ♦ Île grecque, la plus septentrionale de la mer Égée, à 7 km de la côte thrace (nome de Cavalla). 379 km². 13 315 hab. *Ch.-l.* Thasos, sur la côte N. à l'emplacement de l'anc. ville. – Patrie de Polygnote* ; Archiloque y vécut. Ruines importantes : enceinte, sanctuaires d'Apollon et de Dionysos, théâtre, agora, etc. Musée archéologique. – Montagneuse et boisée à l'intérieur, l'île a des plaines côtières fertiles en oliviers et en vignes ; ses vins et son marbre étaient réputés dès l'Antiquité. Mines de zinc. ♦ *Hist.* Habitée primitivement par des Thraces, Thasos a reçu un établissement phénicien (~ XIIIe s. ?). Elle fut colonisée v. la fin du ~ VIIIe s. par des Ioniens de Paros, attirés probablement par des mines d'or, et devint un avant-poste de la civilisation grecque dans le N. de l'archipel. Entrée dans la confédération athénienne, elle se révolta en ~ 465 et fut soumise par Cimon. Disputée entre Athènes et Sparte, conquise par Philippe II de Macédoine (v. ~ 340), elle fut favorisée par les Romains qu'elle soutint contre la Macédoine et contre Mithridate. Prospère encore à l'époque byzantine et sous la domination latine (1204-1455), elle déclina pendant l'occupation ottomane. Elle fut cédée à la Grèce en 1913.

THAU *(étang de).* ♦ Étang du Languedoc, à l'extrémité du canal du Midi. Le chenal qui le relie à la Méditerranée, près de Sète, est bordé d'industries (raffinerie de pétrole, indus. chimiques).

Théagène et Chariclée ou **Les Éthiopiques.** ♦ Roman d'Héliodore*.

Théatins. *n. m. pl.* ♦ (de *episcopus theatinus,* « évêque de Chieti »). Ordre de clercs réguliers fondé par saint Gaétan* de Thiene et G.P. Carafa, évêque de Chieti **(V. Paul IV).**

Théâtre de Clara Gazul, comédienne espagnole (Le). ♦ Ensemble des œuvres dramatiques (comédies, drames ou saynètes) publiées par Mérimée* en 1825, 1830 et 1842, sous la forme d'une mystification littéraire. Destinées à la lecture, ces pièces illustrent les théories du drame moderne déjà exposées par Stendhal* *(Racine* et Shakespeare)* et marquent une nette préférence pour l'Espagne, jugée par Mérimée propice aux passions violentes (Cf. *Les Espagnols en Danemark ; Le Ciel et l'Enfer ; Une femme et un diable).* En 1830, c'est une Amérique espagnole de fantaisie qui apparaît dans *L'Occasion* et *Le Carrosse du Saint-Sacrement,* joué en 1850. Puis, en 1842, Mérimée aborde l'histoire médiévale avec *La Famille de Carvajal* et surtout *La Jacquerie*, scènes féodales,* vaste composition dramatique.

Théâtre-Libre. ♦ Théâtre fondé par André Antoine (1887). C'est dans une salle de trois cents places, à Montmartre, qu'André Antoine*, influencé par l'exemple des *Meininger**, se réclamant de Zola et de l'école naturaliste, introduisit sur la scène un réalisme du décor, du costume, des accessoires, du jeu de l'acteur, réalisme qui était destiné à donner au spectateur l'illusion de la vie quotidienne, de la « tranche de vie ». Il fit notamment représenter des œuvres des Goncourt, de Zola, Brieux, Curel, Courteline, Ibsen, Strindberg, Tolstoï, Gorki et Hauptmann. Installé ensuite au *théâtre Montparnasse,* puis aux *Menus-Plaisirs,* dont il devait prendre la direction et qui devint le *Théâtre-Antoine* (1897), il allait s'adresser à un plus large public, jusqu'à son départ de cette dernière salle (1906).

Ph. Bernand

« La Résistible Ascension d'Arturo Ui » montée par G. Wilson au **T.N.P.,** en avril 1969.

Théâtre national populaire (T.N.P.). ♦ Théâtre subventionné créé en 1920 pour offrir au public des spectacles à prix modéré. Il fut installé d'abord dans la salle de l'ancien Trocadéro. Gémier en fut le premier directeur (1920-1933) ; il fut remplacé par Alfred Fourtier (1933-1935). Après la construction du palais de Chaillot (1937), Paul Abram devint directeur (1938-1940) ; il fut remplacé par Pierre Aldebert (1940-1951), auquel succédèrent Jean Vilar* (1951-1963), Georges Wilson (1963-1972). Transféré à Villeurbanne, il est dirigé par P. Chéreau et R. Planchon*.

THÉBAÏDE. *n. f.* ♦ Appellation classique de la partie méridionale de la Haute-Égypte, *cap.* Thèbes. Un grand nombre de chrétiens, fuyant la persécution de Dèce* (249-251), se réfugia dans les déserts situés à l'E. et à l'O. de la ville pour y mener une vie ascétique.

Thébaïde (La). ♦ Épopée en douze chants de Stace*, dédiée à Domitien et imitée d'Antimaque de Colophon, sur la guerre menée par Polynice* contre son frère Étéocle*.

Thébaïde (La) [ou *Les Frères ennemis*]. ♦ Tragédie de Racine* (1664). Premier ouvrage dramatique de l'auteur et inspirée de l'*Antigone* de Rotrou (1637), la pièce décrit l'affrontement tragique des deux fils d'Œdipe, Étéocle et Polynice, qui se combattent jusqu'à la mort.

THÈBES, en égypt. **Ouaset,** puis **Nowe** ou **Nuve** « ville (d'Amon) », en hébr. **No-Amon,** en gr. **Diospolis Magna.** ♦ Anc. V. de Haute-Égypte sur les deux rives du Nil, à 750 km au S. du Caire. Capitale de l'empire égyptien à son apogée, la « Thèbes aux cent portes » que chantait Homère était une des plus célèbres villes de l'Antiquité. Restée dans l'ombre pendant tout l'Ancien Empire, elle passa au premier plan avec la réunification de l'Égypte par Mentouhotep* sous la XIe dynastie (v. ~ XXe s.). Elle était le centre du culte de la triade Amon*, Mout et Khonsou* et imposa son dieu à tout l'empire. Avec l'expulsion des Hyksos* par les pharaons de la XVIIIe dynastie et la fondation du Nouvel Empire commença pour Thèbes une période de très grande prospérité (~ XVIe-~ XIe s.). C'est alors que furent construits les temples de Karnak et Louxor et les hypogées de la Vallée des Rois. La ville fut abandonnée par Akhnaton*, mais son successeur Toutânkhamon* s'y réinstalla. Après Ramsès* III, la royauté s'affaiblit et la réalité du pouvoir passa aux mains des prêtres d'Amon **(V. Hérihor).** Supplantée par Tanis*, à la XXIe dynastie, Thèbes perdit son rang de capitale et ne resta qu'un centre religieux. Elle fut prise et mise à sac par les Assyriens en ~ 664 puis pillée par les Perses et ne cessa plus de décliner. Elle constitue actuellement le plus grand site archéologique d'Égypte. **V. Karnak, Louxor, Deir el-Bahari, Deir el-Médineh, Médinet-Habou, Memnon** (colosses de), **Ramesseum, Vallée des Rois.**

THÈBES, en gr. **Thêbai.** ♦ V. de Grèce centrale, en Béotie. Centre commercial. 15 970 hab. Tour franque (XIIIe s.). Musée archéologique. ♦ *Hist.* Nos connaissances sur l'origine de Thèbes et ses premiers siècles relèvent de la mythologie. **V. Béotie.** On attribuait la fondation de sa citadelle (Cadmée*) à Cadmos* et aux Cadméens venus de Phénicie. Dans la légende, Héraclès* est né à Thèbes qu'il affranchit d'un lourd tribut payé à Orchomène*, la cap. des Minyens. La légende de la naissance de Dionysos est liée à la descendance immédiate de Cadmos (Sémélé, Ino). À sa postérité, les mythographes rattachent les drames légendaires d'Antiope et de Dircé*, d'Amphion* et Zethos, de Niobé*, enfin celui des Labdacides, le plus cohérent et le plus sanglant, magnifiquement relaté dans les tragédies d'Eschyle *(Les Sept* contre Thèbes),* de Sophocle *(Œdipe-Roi, Antigone*)* et d'Euripide *(Les Phéniciennes*, Les Suppliantes*).* **V. Laïos, Jocaste, Œdipe, Créon, Étéocle, Polynice ; Sept Chefs** *(guerre des),* **Adraste, Tydée ; Épigones, Diomède ; Tirésias.** L'invasion des Béotiens au ~ XIIe s. ruina la civilisation mycénienne. Gouvernée par une oligarchie d'aristocrates éoliens (béotiens) et doriens constituée v. ~ 725, Thèbes dirigea une confédération de dix bourgades béotiennes. La sécession de la cité ionienne de Platées, soutenue par Athènes* (~ 519), détermina une animosité durable entre les deux cités. Par haine d'Athènes, Thèbes s'allia aux Perses lors des guerres Médiques. Alliée de Sparte* pendant la guerre du Péloponnèse*, puis mécontente de la politique lacédémonienne, elle aida les démocrates athéniens à renverser les Trente tyrans et fit partie de la coalition d'Athènes, Argos et Corinthe contre Sparte (~ 395-~ 386). Après leur victoire, les Spartiates occupèrent la Cadmée (~ 382) et imposèrent la tyrannie **(V. Archias).** Les démocrates révoltés **(V. Pélopidas, Épaminondas)** expulsèrent en ~ 379 la garnison lacédémonienne et le parti oligarchique. Ayant réorganisé la confédération béotienne et constitué une forte armée, Thèbes acquit une brève hégémonie sur la Grèce par la destruction de Thespies* et d'Orchomène* en Béotie, par les victoires de Pélopidas en Thessalie et surtout par les quatre campagnes victorieuses d'Épaminondas dans le Péloponnèse

Ph. Carlo Bevilacqua/Ricciarini

L'impératrice **Théodora** et sa suite.
Mosaïque de la basilique San Vitale, Ravenne.

(~ 371-~ 362). **V. Leuctres, Mantinée.** Engagée ensuite dans une longue guerre contre les Phocidiens (~ 356-~ 346), elle dut faire appel à Philippe* II de Macédoine qui en profita pour s'installer aux portes de la Béotie. **V. Sacrées** *(guerres).* Devant ce danger, elle fit cause commune avec Athènes, mais leur coalition fut battue à Chéronée* (~ 338), et Thèbes dut accepter une garnison macédonienne. Révoltée à la mort de Philippe II, la ville fut prise et rasée par Alexandre* le Grand et sa population massacrée ou réduite à l'esclavage (~ 336). Rebâtie par Cassandre (~ 316), Thèbes fut ravagée par les Romains en ~ 146. Elle prospéra de nouveau au Moyen Âge grâce à ses manufactures de soieries (XIe-XIVe s.), mais déclina sous l'occupation turque. La ville moderne, rasée par les tremblements de terre de 1853 et de 1893, fut reconstruite sur un plan quadrangulaire.

Théétète (le), en gr. **Theiatêtos**. ♦ Dialogue de Platon* où Socrate* fait une analyse critique du sensualisme de Protagoras* et du mobilisme universel, sans parvenir néanmoins à une définition définitive de la science.

THEILE (Johann). ♦ Compositeur allemand (Naumburg, 1646 – *id.*, 1724). Élève de Schütz* à Weissenfels, il enseigna la musique à Stettin et Lubeck, puis fut maître de la chapelle ducale de Gottorp (Holstein) de 1673 à 1675. Il vécut à Hambourg entre 1676 et 1685 et occupa ensuite la fonction de maître de chapelle aux cours de Wolfenbüttel et de Merseburg. Il regagna sa ville natale vers 1694 après avoir vécu quelque temps à Berlin, y fondant une école de contrepoint. Il a laissé de nombreuses pièces de musique d'église et des traités de technique contrapuntique.

THEILER (Max). ♦ Médecin sud-africain (Pretoria, 1899). Il obtint le prix Nobel de méd. (1951) pour la mise au point d'un vaccin contre le fièvre jaune.

THEISS ♦ Nom allemand de la Tisza*.

Thélème *(abbaye de).* ♦ Communauté mixte et aristocratique, imaginée par Rabelais* dans le *Gargantua**. Régis par le précepte : « Fay ce que tu vouldras », ses membres, spirituels et avisés, car « Science sans conscience n'est que ruine de l'âme », y cultivent l'épanouissement de la vie physique, intellectuelle et morale.

THELLE *(pays de).* ♦ Région d'Île-de-France (Oise*) comprise entre le pays de Bray* et le Vexin* français.

THÉMINES (Pons de LAUZIÈRES, *marquis de***).** ♦ Maréchal de France (v. 1552 – Auray, 1627). Il prit part aux guerres de Religion* et soumit le Quercy, puis il participa aux campagnes de Louis XIII contre les protestants (sièges de Montauban, de La Rochelle). Il fut ensuite gouverneur de Bretagne.

THÉMIS. ♦ L'une des Titanides*, personnification de la justice et de l'ordre établi. On lui attribuait aussi l'invention des oracles et des rites. Associée à Zeus*, bien que divinité primordiale, elle garde ses attributions parmi les Olympiens et elle est très respectée par tous. De son union avec Zeus naissent les Moires* (Parques), les Heures*, Astrée* et les nymphes de l'Éridan. Symbolisant l'impartialité de la justice, on la représente souvent les yeux bandés, tenant balance et épée dans les mains.

THEMISTIUS en gr. **Themistios.** ♦ Philosophe et rhéteur grec (Paphlagonie, 317 – Constantinople, v. 388). Directeur de l'université de Constantinople, ami de Julien* l'Apostat, précepteur d'Arcadius*, il joua un grand rôle politique, occupant successivement les postes de sénateur et de proconsul. Il est l'auteur de *Paraphrases sur Aristote* et de *Discours.*

THÉMISTOCLE, en gr. **Themistoklês.** ♦ Homme d'État athénien (v. ~ 525 – Magnésie du Méandre, v. ~ 460). Il était issu d'une famille de commerçants, et doué de clairvoyance politique et d'une remarquable éloquence. Élu archonte en ~ 493, il devint le chef du parti démocratique et, après l'ostracisme d'Aristide*, chef des aristocrates (~ 483), il domina la scène politique. Conscient de l'importance de la mer pour l'avenir d'Athènes, il travailla à la création de sa puissance maritime. Il fortifia Le Pirée* qui devint le principal port d'Athènes et accéléra la construction de deux cents trières, financée par les bénéfices des mines d'argent de Laurion*. Lors de la campagne de Xerxès (~ 480), il décida ses concitoyens à évacuer Athènes et à livrer le combat sur mer. Devant la supériorité de la force perse, le Spartiate Eurybiade*, commandant la flotte grecque, décida la retraite. Thémistocle essaya de le détourner par un chantage (menaçant de retirer l'armée athénienne de Sicile), puis en avisa Xerxès qui s'empressa de barrer le détroit de Salamine*. Tout en empêchant ainsi le repli lacédémonien, Thémistocle, entraînant les Perses dans le chenal étroit, devint le protagoniste de l'éclatante victoire de Salamine (~ 480). **V. Médiques** *(guerres).* Il restaura ensuite les fortifications du Pirée et le relia à Athènes par les Longs-Murs en détournant les inquiétudes de Sparte par une habile diplomatie. Plus tard, rendu impopulaire par son faste, il fut à son tour frappé d'ostracisme. Accusé de trahison pendant son exil, il se réfugia auprès du roi perse Artaxerxès Ier qui lui accorda les revenus de trois villes. Après sa mort, il fut vénéré comme un dieu par les habitants de Magnésie du Méandre. Cimon* continua sa politique maritime.

THENARD (Louis Jacques, *baron***).** ♦ Chimiste français (La Louptière, près de Nogent-sur-Seine, 1777 – Paris, 1857). Il établit une classification des métaux, donna la préparation du *bleu Thenard,* et découvrit l'eau oxygénée (1818) et le bore. (Acad. des sc., 1810.)

THÉOCRITE, en gr. **Theokritos.** ♦ Poète grec (Syracuse, ~ 315-~ 310 – v. ~ 250), le plus illustre de l'époque alexandrine. Il séjourna à Cos* et à Alexandrie*. Il a donné son essor à l'*idylle bucolique* et sa forme la plus achevée au *mime,* avec ses tableaux exquis de la vie urbaine. Le sentiment de la nature et la fraîcheur de l'inspiration s'y allient au réalisme. L'art savant et l'érudition alexandrine servent dans son œuvre une sensibilité peu commune à l'époque. Les bergers et leur monde merveilleux de ses *Idylles** inspirèrent Virgile* **(V. Bucoliques),** ainsi que toute la littérature pastorale et, plus près de nous, André Chénier* et les parnassiens.

THÉODAT ou **THÉODAHAH.** ♦ Neveu de Théodoric le Grand ([mort] à Ravenne, 536). Il devint roi des Ostrogoths (535-536) en assassinant sa femme la reine Amalasonte*. Ce crime fournit à Justinien Ier le prétexte à la reconquête de l'Italie.

THÉODEBALD. ♦ Roi d'Austrasie (548-553). Fils de Théodebert* Ier, il eut pour successeur Clotaire* Ier.

THÉODEBERT Ier. ♦ Roi d'Austrasie (534-548). Fils de Thierry* Ier, il guerroya en Italie pour son propre compte lors de la reconquête des Byzantins sur les Ostrogoths. Père de Théodebald*.

THÉODEBERT II. ♦ Roi d'Austrasie (596-612). Fils de Childebert II, il régna d'abord sous la tutelle de son aïeule Brunehaut qu'il chassa en 599. Battu par son frère Thierry* II, roi de Bourgogne, il fut livré à Brunehaut qui le fit assassiner.

Théodicée [Essais de] *(concernant la bonté de Dieu, la liberté de l'homme et l'origine du mal).* ♦ Ouvrage philosophique de Leibniz*, écrit en français (1710). Aux difficultés que soulève le problème du mal (physique et moral), Leibniz répond à Bayle par une solution optimiste (« Tout est pour le mieux dans le meilleur des mondes possibles » créé par Dieu) et y affirme la conformité de la raison et de la foi.

THÉODORA. ♦ (morte en 548). Impératrice d'Orient (527-548). Fille d'un gardien des ours de l'hippodrome, danseuse et prostituée selon l'historien Procope*, elle devint la maîtresse, puis l'épouse de Justinien* Ier avant son avènement. Intelligente et ambitieuse, elle fut la conseillère de l'empereur et influença sa politique dans tous les domaines, elle obtint même des concessions aux monophysites. Elle inspira notamment la législation justinienne concernant la femme, le mariage, le divorce et les mesures contre l'exploitation des prostituées. C'est elle qui empêcha Justinien de fuir lors de la sédition de Nika*. Cependant, elle ne se retint pas d'imposer ses caprices et de créer autour d'elle une cour de favoris.

THÉODORA. ♦ (morte en 867). Impératrice régente d'Orient (842-856) pendant la minorité de son fils Michel III. Veuve de l'empereur iconoclaste Théophile*, elle convoqua un concile (843) qui rétablit le culte des images et persécuta les hérétiques.

THÉODORA. ♦ (v. 995 – 1056). Impératrice d'Orient (1028 et 1055-1056). Fille de Constantin VIII Porphyrogénète, elle fut d'abord évincée par sa sœur Zoé et les époux successifs de celle-ci (1028, 1042). Elle régna seule après la mort de Constantin IX, dernier mari de Zoé. Michel VI Stratiotikos lui succéda.

THEODORAKIS (Mikis). ♦ Compositeur grec (Chio, 1925). Engagé très jeune dans le combat de la résistance grecque contre l'occupant allemand, il poursuivit ses études musicales au hasard des maquis et des prisons, à l'école de la chanson folklorique de son pays. Élève des conservatoires d'Athènes et de Paris, il travailla aussi avec R. Leibowitz. Élu député du Pirée, il connut de nouveau la prison et la déportation après le succès du coup d'État militaire (1967). Libéré, il vient en France (1970) et entreprend de nombreuses tournées à travers le monde, par lesquelles il poursuit son œuvre militante en faveur de la liberté de son pays. Auteur de plusieurs compositions de musique instrumentale, il est surtout connu pour ses partitions de musique de film *(Zorba le Grec, Z, État de siège),* ses mélodies, ses chansons, expression authentique du génie de son peuple.

THÉODORE *(saint).* ♦ Personnage de la tradition chrétienne (IVe s.). Il est patron des soldats. – Fête le 9 novembre.

Ph. Carlo Bevilacqua/Ricciarini

Théodose Ier le Grand reçoit l'hommage des ennemis vaincus. Socle de l'obélisque de Théodose, Istanbul.

THÉODORE Ier. ♦ 73e pape (642-649 [mort]), Grec de Jérusalem. Il lutta contre les monothélètes*.

THÉODORE II. ♦ 115e pape, vingt jours en 898 [mort]. Romain.

THÉODORE Ier LASCARIS. ♦ ([mort] 1222). Empereur byzantin fondateur de l'empire de Nicée* (1208-1222). Après la prise de Constantinople par les Latins (1204), il se battit contre les croisés, contre l'empire de Trébizonde et contre les Turcs. Couronné empereur à Nicée, il échoua dans ses efforts militaires et diplomatiques pour reprendre Constantinople, mais il maintint vivante dans sa capitale la tradition impériale byzantine. Jean* III Doukas lui succéda. ♦ THÉODORE II DOUKAS LASCARIS (1222 – 1258). Empereur byzantin de Nicée* (1254-1258), petit-fils du précédent. Gouvernant avec sagesse, il réussit à reprendre la Thrace aux Bulgares, à combattre les Turcs et le despotat d'Épire. Son fils Jean IV, mineur à sa mort, fut éliminé par Michel VIII Paléologue qui reprit Constantinople.

THÉODORE DE MOPSUESTE. ♦ Théologien grec (Antioche, v. 350 – Mopsueste, Cilicie, 428), évêque de Mopsueste en 392. Son œuvre fut détruite quand on vit en lui, tardivement, le père du nestorianisme (concile de Constantinople, 563).

THÉODORE DE TARSE ou **DE CANTERBURY** *(saint)*. ♦ (Tarse, 602 – Canterbury, 690). Moine grec à Rome, il fut nommé archevêque de Canterbury (668) et partit avec Benoît* Biscop réorganiser l'Église anglo-saxonne. Il réunit les observances romaines et celtes (concile d'Hertford, 673). Auteur d'un *Pénitentiel.* Fête le 19 septembre.

THÉODORE le Studite *(saint)*. ♦ (Constantinople, 759 – îles des Princes, 826). Higoumène du monastère du Saccoudion, en Bithynie, puis de celui de Stoudios à Constantinople, il réforma la vie monastique en se fondant sur les règles de saint Basile et fut le chef de la résistance aux iconoclastes*, ce qui lui valut trois déportations. Auteur de discours *Contre les iconomaques,* de lettres, d'hymnes liturgiques. Fête le 11 novembre.

THÉODORET DE CYR. ♦ Théologien grec (Antioche, 393 – Cyr, Syrie, v. 460), évêque de Cyr en 423. Il défendit Nestorius contre Cyrille d'Alexandrie *(Réfutation des douze anathèmes),* participa au concile de Chalcédoine (451) et laissa des ouvrages polémiques (*Éranistes,* contre le monophysisme), apologétiques et historiques *(Histoire ecclésiastique, Histoire des hérésies).*

THÉODORIC Ier. ♦ (mort aux champs Catalauniques en 451). Roi des Wisigoths (418-451). Successeur de Wallia, qui avait fondé le royaume d'Aquitaine, il établit la capitale à Toulouse. Il tenta d'étendre son royaume en Gaule en combattant Aetius* puis l'aida à vaincre Attila aux champs Catalauniques*.

THÉODORIC II. ♦ Fils de Théodoric Ier, mort assassiné par Euric* en 466. Roi des Wisigoths (453-466). Il s'étendit en Gaule presque jusqu'à la Loire et vainquit les Suèves en Espagne (456).

THÉODORIC le Grand. ♦ (v. 455 – Ravenne, 526). Roi des Ostrogoths (474-526). Élevé à Constantinople comme otage de son peuple, il mena, avec l'accord de Zénon*, les Ostrogoths en Italie où il destitua Odoacre*, roi des Hérules, et fonda un royaume autonome (488-493), qu'il protégea ensuite par la conquête de la Rhétie, du Norique, de la Pannonie et de la Dalmatie. Théodoric se posa en héritier de l'empire d'Occident. Confiant aux Goths les charges militaires, il s'entoura de conseillers romains **(V. Boèce, Cassiodore)**, imposa le droit romain à tous (v. 500), encouragea les lettres et les arts, notamment à Ravenne*, sa capitale, développa l'économie et pratiqua une politique de tolérance envers les catholiques **(V. Symmaque)**. À l'extérieur, il se réserva un rôle d'arbitre, nouant des alliances matrimoniales dans tout le monde barbare, faisant l'union des souverains ariens contre Clovis*. Tuteur d'Amalaric* après la bataille de Vouillé*, il défendit les Wisigoths* contre les Francs, acquérant ainsi la Provence (508). À la fin du règne, il participa au premier partage du royaume burgonde (524). En réaction à la politique d'intolérance religieuse de Byzance **(V. Justin Ier)**, il rompit avec la papauté **(V. Jean Ier)** et persécuta les catholiques. Cette persécution manifesta l'échec de l'œuvre de Théodoric qui, par sa politique de ségrégation, avait définitivement séparé les Goths et les Romains. Son règne lui valut de passer dans la légende allemande sous le nom de *Dietrich von Bern.* Père d'Amalasonte*.

THÉODOROS II, en fr. **Théodore.** ♦ Nom de règne du négus Kassa (Sagé, 1818 – Magdala, 1868), empereur d'Éthiopie (1855-1868). Artisan de l'unification de l'Éthiopie* moderne, au prix d'une politique violente et xénophobe, il se suicida après la défaite de Magdala, où il fut battu par les Anglais **(V. Éthiopie)**.

THÉODOSE Ier le Grand, en lat. **Flavius Theodosius.** ♦ (Cauca, Espagne, v. 346 – Milan, 395). Empereur romain (379-395). Nommé Auguste par Gratien* (379), il reçut le gouvernement de l'empire d'Orient à la place de Valens. Maxime s'étant fait proclamer empereur d'Occident (383), il le reconnut d'abord, tout en rétablissant sur le trône Valentinien* II, puis marcha contre lui, le battit près d'Aquilée (388) et le fit mettre à mort. Après avoir vaincu l'usurpateur Eugène (394), Théodose resta seul souverain, le dernier à avoir régné sur l'ensemble de l'empire. Il mourut quatre mois plus tard, après avoir partagé l'empire entre ses deux fils, Honorius* pour l'Occident et Arcadius* pour l'Orient. Sous son règne, le christianisme devint religion d'État; l'empereur combattit avec force le paganisme, ordonna la fermeture des temples et interdit les sacrifices. Au cours d'un séjour à Milan, il se vit excommunié par saint Ambroise* pour avoir ordonné le massacre de 7 000 habitants de Thessalonique insurgée (390). Pour la première fois, l'État romain se soumettait à la puissance de l'Église.

THÉODOSE II. ♦ (v. 401 – 450). Empereur d'Orient (408-450). Petit-fils de Théodose* Ier et fils d'Arcadius*, auquel il succéda, il se laissa gouverner par sa sœur Pulchérie* et par sa mère Athénaïs devenue Eudoxie*. Il ne put empêcher l'invasion des Huns et dut payer un tribut à Attila*. Pour résoudre la crise nestorienne, il convoqua à Éphèse le concile de 431. C'est sous son règne que fut rédigé, de 435 à 438, le *Code théodosien* qui réunissait les constitutions impériales promulguées depuis 312.

THÉODOSE III. ♦ [mort à Éphèse, 722]. Empereur d'Orient (716-717). Percepteur d'impôts, il fut proclamé roi malgré lui par l'armée révoltée de Rhodes. Il s'empara de Constantinople et déposa Anastase II. Détrôné à son tour par Léon* III l'Isaurien, il prit l'habit religieux.

THÉODULF. ♦ Prélat (en Espagne, milieu du VIIIe s. – mort en 821). Évêque d'Orléans et abbé de Fleury (avant 798), il fut l'un des principaux représentants de la renaissance carolingienne. Théologien, il fut chargé par Charlemagne de constituer un dossier sur le *Filioque* et écrivit un traité sur le Saint-Esprit *(De Spiritu Sancto).* Poète, il a écrit des *Carminia* et le *Gloria, laus et honor* des Rameaux. Sous Louis le Pieux, il fut compromis dans la révolte d'Italie, destitué et emprisonné (818). – Il fit construire l'église de Germigny-des-Prés.

THEOGNIS DE MÉGARE. ♦ Poète grec (Mégare, seconde moitié du ~ VIe s.). Aristocrate exilé par le parti démocratique, il exprima dans ses élégies son pessimisme, ses rancunes et le mépris du peuple. Un recueil postérieur d'environ 1 400 vers didactiques le fit passer comme l'inventeur de la poésie gnomique.

Théogonie (La). ♦ Poème d'Hésiode* (1 022 vers). « Généalogie des dieux », ce poème est aussi une cosmogonie, puisque les dieux originels sont des personnifications des forces naturelles. Ainsi de Chaos naissent Nuit et Érèbe (l'Enfer), de Nuit naissent Éther et Jour. De Gaia* (la Terre) naissent Ouranos* (le Ciel) et Pontos (la Mer). D'Ouranos naissent les Titans* dont le dernier, Cronos*, mutile son père et règne à sa place. De Cronos et de Rhéa* naissent les Olympiens : Zeus*, Héra*, Poséidon*... Zeus triomphe des Titans et rétablit la justice et la paix. La dernière partie, relatant la naissance des héros, est généralement considérée comme une interpolation apocryphe.

THÉON D'ALEXANDRIE, en gr. **Theôn.** ♦ Astronome et mathématicien grec du IVe siècle. Auteur d'un commentaire de l'*Almageste,* d'une refonte des *Éléments* et de l'*Optique* d'Euclide*, on lui doit également une *Catoptrique* inspirée d'Archimède* et de Héron*. Père d'Hypatie.

THÉOPHANO. ♦ Impératrice allemande (morte à Nimègue, 991). Princesse byzantine, elle épousa Othon* II en 972 et assura la régence pour son fils Othon* III (983-991).

Théophilanthropes. *n. m. pl.* ♦ Nom donné sous le Directoire aux membres d'une secte déiste et morale (théophilanthropie) animée par Chemin-Dupontès, Haüy (le père du minéralogiste) et soutenue par certains représentants du Directoire, comme La Révellière-Lépeaux qui lui fit obtenir la jouissance des principales églises parisiennes. S'inspirant du déisme des philosophes du XVIIIe s. (en particulier Voltaire et Rousseau) et, par certains aspects, du culte de l'Être* suprême, ils virent dans une croyance rationnelle en l'existence de Dieu le fondement nécessaire de la morale privée et civique. Souvent ridiculisés, les théophilanthropes furent soupçonnés de jacobinisme et, sous le Consulat, un arrêté du 17 vendémiaire an X (21 octobre 1801) leur ôtait la jouissance des églises de Paris.

THÉOPHILE, en gr. **Theophilos.** ♦ Juriste byzantin [mort en 536], l'un des jurisconsultes de Justinien* Ier qui rédigèrent le *Code,* le *Digeste* et les *Institutes*.*

THÉOPHILE. ♦ [mort 842]. Empereur byzantin (829-842). Fils de Michel II le Bègue, il fut un iconoclaste implacable. Il soutint une longue guerre contre les Arabes en Asie Mineure, mais il dut leur abandonner la Sicile. Sa veuve Théodora* (842-856) rétablit le culte des images.

THÉOPHILE D'ADANA *(saint)*. ♦ Personnage de la tradition chrétienne (VIe s.). Économe de l'Église d'Adana, il est dépouillé de sa charge et vend son âme au démon. Repentant, il obtient de la Vierge que l'acte par lequel il avait vendu son âme lui soit rendu. — Cette histoire, célèbre au Moyen Âge, inspira Rutebeuf pour le *Miracle de Théophile.*

THÉOPHILE D'ANTIOCHE *(saint)*. ♦ Apologiste chrétien (Syrie — Antioche, v. 185-195). Païen converti, évêque d'Antioche v. 170, auteur d'une *Apologie à Autolycos.* Fête le 13 octobre.

THÉOPHILE DE VIAU. ♦ **V.** VIAU (Théophile de).

THÉOPHRASTE, en gr. **Theophrastos.** ♦ Philosophe grec péripatéticien (Erésos, Lesbos, v. ~ 372 — Athènes, v. ~ 287). Il fut disciple de Platon avant de devenir celui d'Aristote* qui lui donna le surnom de Théophraste, le divin parleur (son vrai nom était Tyrtanos). Il prit la direction du Lycée*, se consacrant surtout à la philosophie botanique. Nous possédons de lui des *Caractères** (dont s'inspira La* Bruyère), une *Histoire des plantes* et quelques fragments sur la littérature.

Théophraste Renaudot *(prix)*. ♦ **V.** RENAUDOT (Théophraste).

THÉOPHYLACTE. ♦ **V.** BENOÎT VIII, BENOÎT IX.

THÉOPOMPE, en gr. **Theopompos.** ♦ Orateur et historien grec (Chio, ~ IVe s.). Élève d'Isocrate*, brillant dans l'éloquence d'apparat, il obtint un prix pour son éloge de Mausole. À l'histoire, il prêta les artifices et la grâce de la rhétorique. Il ne nous reste que des fragments de ses trois ouvrages historiques : *Abrégé d'Hérodote, Helléniques,* histoire grecque qui continuait celle de Thucydide, de ~ 411 à ~ 393; *Philippiques,* histoire grecque à l'époque de Philippe II.

THEORELL (Axel Hugo Theodor). ♦ Biochimiste suédois (né en 1903). Il obtint le prix Nobel de méd. (1955) pour ses travaux sur la nature et le mode d'action des enzymes d'oxydation.

THÉOT (Catherine). ♦ Visionnaire française (Barenton, Manche, 1725? — Paris, 1794). Atteinte dès son adolescence d'hallucinations, se croyant choisie par Dieu pour être la mère d'un nouveau messie, elle fut placée au couvent jusqu'en 1782, puis internée ou emprisonnée. Lorsque Robespierre eut institué le culte de l'Être suprême (mai 1794), elle déclara qu'il était le précurseur du Verbe divin. L'affaire Catherine Théot fut dénoncée devant l'Assemblée par Vadier (14 juin 1794). Malgré la protection de l'Incorruptible, C. Théot fut enfermée à la Conciergerie où elle mourut peu après. Cette affaire, destinée en fait à ridiculiser Robespierre et le culte de l'Être suprême, contribua à sa chute **(V. Thermidor).**

THÉOULE-SUR-MER. ♦ Comm. des Alpes*-Maritimes, arr. de Grasse*, 733 hab. *(Théouliens).* Station balnéaire.

THÉRA. ♦ **V.** SANTORIN.

THÉRAIN. *n. m.* ♦ Riv. du Bassin parisien (86 km), affl. de l'Oise* (r. d.). Elle arrose Beauvais*.

THÉRAMÈNE, en gr. **Thêramenês.** ♦ Homme politique athénien (Céos, av. ~ 450 — Athènes, apr. ~ 404). Le plus modéré parmi les chefs du régime oligarchique des Quatre*-Cents (~ 411), il réussit à l'adoucir par la désignation des Cinq-Mille qui remplacèrent l'Assemblée du peuple. Après la défaite athénienne à Aigos-Potamos, il négocia avec Lysandre la capitulation d'Athènes (~ 404) et fut l'un des Trente* tyrans imposés par Sparte. Encore partisan de la modération, il s'opposa à Critias qui l'accusa de trahison et le fit condamner à boire la ciguë.

Théramène. ♦ Personnage de la *Phèdre* de Racine. Gouverneur d'Hippolyte, il fait à Thésée le célèbre récit de la mort du jeune héros.

Theravâda (« doctrine des Anciens »). ♦ Nom donné aux doctrines originelles du bouddhisme telles qu'elles furent codifiées à Ceylan dès avant les premiers siècles de notre ère. Elles ont donné naissance à plusieurs sectes orthodoxes qu'on a pris l'habitude de dénommer Hînayâna* (Petite Voie de progression) par opposition aux doctrines du Mahâyâna* (Grande Voie de progression). Ces doctrines primitives ne sont plus observées qu'à Ceylan et dans le Sud-Est asiatique.

THÉRÈSE de Jésus, dite **d'Ávila** [*sainte*] *(Teresa de Cepeda y Ahumada).* ♦ Carmélite et mystique espagnole (Ávila, 1515 — Albe de Tormes, 1582). Entrée au carmel de l'Incarnation d'Ávila en 1535, elle connut des expériences mystiques et résolut de vivre selon une règle plus stricte (les religieuses suivaient alors une règle adoucie, **V. Carmel**). En 1562, elle fonda le couvent Saint-Joseph à Avila, puis, à partir de 1567, d'autres couvents réformés dans toute la Castille, tandis qu'elle confiait à Jean* de la Croix la même mission pour les carmels masculins. Elle retourna comme prieure à l'Incarnation d'Ávila (1571-1574) et y établit sa réforme avec l'aide de Jean de la Croix, dut lutter contre l'hostilité des mitigés, mais triompha lorsqu'une « province » réformée fut créée sous la direction du P. Gratien (1580). À la fin de sa vie, seize maisons féminines et quatorze masculines avaient été fondées. Son œuvre reflète son tempérament, alliant une activité intense (et même de l'habileté dans les affaires) à la vie spirituelle la plus intériorisée : *Le Livre de la vie* (autobiographie), *Relations spirituelles, Le Chemin de la perfection, Le Livre des fondations, Les Exclamations, Pensées sur le Cantique des Cantiques,* des poésies et surtout *Le Château intérieur,* traité mystique décrivant le cheminement de la grâce dans les sept « demeures » de l'âme. Ces ouvrages, écrits à partir de 1562 sur ordre de supérieurs et publiés posthumément, sont parmi les chefs-d'œuvre de la langue castillane. — Docteur de l'Église. Fête le 15 octobre.

THÉRÈSE de l'Enfant-Jésus et de la Sainte-Face [*sainte*] *(Thérèse Martin).* ♦ Carmélite française (Alençon, 1873 — Lisieux, 1897). Entrée au carmel de Lisieux en 1888, elle est célèbre par sa sainteté et sa mort précoces. Auteur de l'*Histoire d'une âme,* autobiographie (1897). Pèlerinage sur sa tombe et basilique à Lisieux. Fête le 1er octobre.

Thérèse Desqueyroux. ♦ Roman de F. Mauriac* (1927). Mariée à un jeune homme d'une famille de la bourgeoisie bordelaise, l'héroïne, asphyxiée par le milieu et la personnalité mesquine de son mari, tente d'échapper à cet enserrement en empoisonnant ce dernier. Elle échoue et on étouffe le scandale pour préserver l'honneur de la famille. Thérèse, qui a bénéficié d'un non-lieu devant la justice, se trouve face à la vindicte familiale, mise en quarantaine et séparée de sa fille. Après une séquestration de trois mois, son mari la conduit à Paris vers la liberté et la solitude. Le récit est l'un des plus significatifs de son auteur, par sa concision. La dure critique d'un milieu s'y mêle à l'analyse psychologique et à l'évocation sensible de la nature.

THÉRIAULT [teʀjo] **(Yves).** ♦ Écrivain canadien d'expression française (Québec, 1916). Après avoir voulu devenir un athlète professionnel, il exerça divers métiers, puis, à partir de 1944 (année de la publication de son premier livre), écrivit pour la radio à Montréal. Écrivain très fécond, il a publié notamment trois recueils de contes (de 1944 à 1962) et dix romans. Situées pour la plupart dans les régions les plus diverses du Canada, les intrigues présentent des personnages d'origine ethnique « étrangère », particulièrement dans *Aaron* (1954) qui analyse le traditionalisme religieux de la société judaïque, dans *Agaguk* (1958), peinture de la mentalité esquimaude, et dans *Ashini* (1960) où sont étudiés les problèmes des Indiens. Pourtant « deux sources principales alimentent la sensibilité et la pensée d'Yves Thériault : naturisme et critique acerbe de la société » (G. Tougas). Réquisitoires contre toute forme d'aliénation (rigorisme religieux ou moral, lois sociales comme coutumes tribales), ces romans constituent des plaidoyers ardents pour une joie païenne de vivre (s'il le faut, au sein d'une nature vierge), pour tous les instincts puissants jusqu'à la violence. Volontairement « parlé » dans le récit naturiste *Le Dompteur d'ours* (1951), le style d'Yves Thériault sait se faire réaliste et précis dans *Agaguk,* et évoquer par des moyens très sobres le drame psychologique d'*Aaron.*

THERMAÏQUE *(golfe)*, en gr. **Thermaïkos.** ♦ Anc. nom du golfe de Thessalonique.

Thermidor an II *(journée du 9)* [27 juillet 1794]. ♦ Journée révolutionnaire qui eut pour conséquence la chute de Robespierre et de ses alliés, la fin de la Convention* montagnarde et le développement de la *réaction thermidorienne* dirigée contre les forces révolutionnaires. Après l'élimination des factions ultra-révolutionnaires et modérées (hébertistes, en mars 1794, et indulgents, dantonistes, en avril), la dictature révolutionnaire jacobine fut renforcée. Mais, alors que la situation militaire s'améliorait grâce aux victoires des armées républicaines, la crise politique alla en s'aggravant : dissensions au sein du Comité de salut public, dominé par Robespierre, Couthon et Saint-Just, conflit entre le Comité de salut public et le Comité de sûreté générale. Dès le 14 juin 1794, Vadier attaquait Robespierre en ridiculisant le culte de l'Être suprême **(V. Théot** [Catherine]**).** Robespierre cessa alors de paraître aux séances du Comité de salut public, favorisant ses adversaires. Les tentatives de réconciliation entre les deux comités (22-23 juillet 1794) échouèrent. Le 8 thermidor (26 juillet), Robespierre porta le conflit devant la Convention, rejetant les excès de la Terreur sur ses adversaires, sans toutefois les nommer,

Arch. Smeets

« L'Extase de sainte **Thérèse d'Ávila** » par le Bernin. (Chapelle Cornaro, Santa Maria della Vittoria, Rome.)

ce qui devait contribuer à sa perte. Le soir même, alors que Robespierre refaisait son discours au Club des jacobins, les membres du Comité* de sûreté générale, organisateurs de la Terreur (Barras, Tallien, Billaud-Varenne, Fouché) s'allièrent aux conventionnels modérés (la Plaine), leur promettant la fin de la Terreur, et, lors de la séance du 9 Thermidor, empêchèrent Saint-Just et Robespierre de prendre la parole. Hanriot, commandant la garde nationale parisienne, et Dumas, président du Tribunal révolutionnaire, furent arrêtés, Robespierre décrété d'accusation avec son frère, Couthon, Saint-Just et Lebas. Mal organisée, la tentative d'insurrection de la Commune de Paris échoua devant les sections modérées dirigées par Barras. Robespierre* (qui avait tenté de se suicider), Couthon*, Saint*-Just et dix-neuf de leurs alliés furent guillotinés, sans jugement, le 10 thermidor, soixante et onze le lendemain, plusieurs encore les jours suivants.

THERMOPYLES *(les)*, en gr. **Thermopulai**. ♦ Défilé de la Grèce en Phthiotide*, près de la côte S. du golfe Maliaque. Les alluvions du Spercheios ont fait reculer de 5 km env. le rivage du golfe, mais dans l'Antiquité, le passage entre les contreforts abrupts du Callidromos et la côte était très étroit (10-50 m par endroits). Célèbre par la résistance de Léonidas* Ier aux Perses et le sacrifice de trois cents Spartiates (~ 480), le défilé fut le théâtre de plusieurs batailles. Les Romains le forcèrent en ~ 191 contre Antiochos* III de Syrie. L'amphictyonie delphique **(V. Amphictyonies)** y tenait ses assemblées.

THÉRON [*Thêrôn*]. ♦ (mort en ~ 472). Tyran d'Agrigente (~ 488-~ 472). Beau-fils et allié de Gélon, tyran de Gela et de Syracuse, il lutta à son côté contre les Carthaginois et participa à la victoire remportée à Himère (~ 480). Il utilisa les captifs aux travaux d'embellissement d'Agrigente.

THÉROUANNE. ♦ Comm. du Pas-de-Calais, arr. de Saint-Omer. 908 hab. ♦ *Hist.* Les habitants furent massacrés par Charles Quint en 1553.

Thersite, en gr. **Thersitês**. ♦ Personnage comique de *L'Iliade**, caricature de laideur et de lâcheté. Menant une mutinerie dans l'armée, il est corrigé à coups de bâton par Ulysse. Dans les poèmes cycliques, il ose se moquer d'Achille, quand le héros se penche amoureusement sur le corps de l'Amazone Penthésilée* qu'il vient de blesser mortellement, et il crève de sa lance les yeux de l'Amazone. Achille le tue en lui écrasant le crâne d'un coup de poing.

THÉSÉE, en gr. **Thêseus**. ♦ Héros de l'Attique*, fils d'Égée* ou de Poséidon* et d'Aethra. Sa légende a bien des analogies avec celle d'Héraclès*. Comme celui-ci, Thésée a un père mortel, mais sa mère, prise de force par Poséidon la nuit de ses noces, en avait conçu l'enfant qu'Égée accepte pour fils. Le roi, craignant la jalousie de ses neveux, les Pallantides, laisse son fils à Trézène* (Argolide), à la cour de Pitthée, père d'Aethra. Il cache une épée et une paire de sandales sous une énorme pierre et recommande à Aethra de révéler le secret à leur fils lorsque celui-ci serait assez fort pour déplacer le rocher. À ce moment seulement, le fils devrait apprendre qui est son père et partir à sa recherche. Ayant atteint l'âge de seize ans, Thésée soulève le bloc et, prenant les objets dissimulés, part à Athènes* où régnait Égée. Thésée, envieux de la gloire d'Héraclès, refuse la sécurité de la route maritime et, prenant la route de terre par l'isthme de Corinthe, accomplit six exploits (la moitié du nombre des travaux d'Héraclès). Il tue la truie monstrueuse Phaea, les brigands Périphétès, Sinis, Sciron, Cercyon et le plus terrible de tous, Procruste*. Il est déjà célèbre quand il arrive à Athènes. La magicienne Médée*, qui avait épousé entre-temps Égée et aspirait à voir son propre fils successeur du roi, devine l'identité de Thésée et suggère au roi d'empoisonner cet étranger au cours d'un festin organisé en son honneur. Or Thésée se fait reconnaître par son père pendant le repas, en tirant son épée pour découper la viande. Égée renverse la coupe de poison, proclame Thésée son successeur et bannit Médée. Selon une variante, Médée enjoint au héros de tuer le taureau qui, ramené autrefois de Crète* par Héraclès, ravageait la plaine de Marathon. Thésée capture le monstre et il est reconnu par son père quand il tire son épée pour sacrifier l'animal à Apollon. Prenant enfin sa place, il écrase d'abord la révolte de ses cousins, les cinquante Pallantides, qui le considéraient comme un usurpateur. À ce moment, les Athéniens devaient envoyer en Crète pour la troisième fois le tribut de sept jeunes gens et sept jeunes filles destinés au Minotaure*. Thésée s'offre à être du nombre. Jeté avec ses compagnons dans le Labyrinthe* de Cnossos*, il tue le Minotaure et parvient à trouver la sortie grâce à la pelote de fil que lui avait donnée la fille du roi Minos*, Ariane*, amoureuse de lui. Accompagné de ses compatriotes, dont il avait sauvé la vie, et d'Ariane, il prend la route du retour, mais il abandonne Ariane à Naxos* où il fait escale pour la nuit. Pourtant, son retour heureux est assombri par la mort d'Égée qui se suicide lorsqu'il voit au large la voile noire du navire de Thésée laissée par distraction, et signal convenu au cas où celui-ci serait dévoré par le Minotaure. Le règne de Thésée est traditionnellement lié à l'unification de l'Attique en une seule cité (le « synœcisme »), à la division de la population en trois classes (noblesse - artisans - cultivateurs) et aux premières institutions démocratiques (le Prytanée, la Boulè. etc.). Le héros instaure les panathénées, réorganise les Jeux Isthmiques en l'honneur de Poséidon et soumet Mégare. — Dans la tragédie, Thésée apparaît comme un roi bienfaiteur. Il offre sa protection à Œdipe (*Œdipe à Colone* de Sophocle) et prend les armes pour obliger les Thébaines d'accorder des sépultures aux Sept Chefs tombés devant la ville (*Les Suppliantes* d'Euripide). Thésée avait enlevé et épousé l'Amazone Antiope et avait d'elle un fils, Hippolyte*. Dans le combat qui s'ensuit entre Amazones et Athéniens, Antiope, se battant aux côtés de son mari, est tuée. Thésée épouse alors Phèdre*, fille cadette de Minos, qui, éprise d'Hippolyte et repoussée, l'accuse de tentative de viol et provoque sa mort (*Hippolyte porte-couronne* d'Euripide). La participation de Thésée à l'expédition des Argonautes* est un anachronisme évident (ne serait-ce que par rapport à l'action de Médée dans sa légende), mais les mythographes devaient associer un personnage de si grande importance à cette réunion des héros grecs. — Son amitié avec Pirithoos* est à l'origine d'une autre série d'exploits du héros athénien. Invité aux noces de Pirithoos, Thésée assiste les Lapithes* dans leur combat contre les Centaures*. Les deux héros partent plus tard à la conquête des filles de Zeus. Ayant enlevé Hélène*, qui échoit à Thésée, ils descendent aux Enfers pour enlever Perséphone*, sur laquelle l'ambitieux Pirithoos avait jeté son dévolu. Là, invités à un banquet par Hadès, ils sont assis sur les sièges de l'oubli qui les retiennent prisonniers. Héraclès, descendu aux Enfers, obtient la permission de ramener Thésée seul sur la terre. Pendant l'absence du héros, Castor et Pollux avaient retrouvé et ramené à Sparte Hélène, leur sœur. Thésée, chassé par une révolution, s'exile à Scyros. Peu après, il meurt accidentellement ou assassiné par le roi de l'île Lycomède*. On a voulu voir en Thésée le héros ionien par excellence : plus raffiné, moins brutal et jovial qu'Héraclès, héros typiquement dorien. Plusieurs mythographes mettent l'accent sur les motifs humanistes de son action et sur le caractère volontaire de ses exploits qui implique le libre choix de la lutte du bien opposé à la contrainte sous laquelle agit le héros péloponnésien.

Thesmophories (Les), en gr. **Thesmophoriazoussai** (femmes célébrant les Thesmophoria, fêtes de Déméter). ♦ Comédie d'Aristophane* (~ 411), sorte de satire littéraire dirigée, ainsi que les *Grenouilles*, contre Euripide dont elle parodie les tragédies. Le poète tragique, ayant appris que les femmes, réunies aux Thesmophories, vont décider sa mort pour le châtier de sa misogynie, s'ingénie à trouver un avocat. Le poète efféminé Agathon lui refuse ce service. Mnésiloque, son beau-frère, s'y rend déguisé en femme et prend sa défense, mais son subterfuge est découvert et il est captif des femmes. Finalement, Euripide s'y rend lui-même et réussit à libérer le prisonnier en donnant la promesse de ne plus offenser les femmes.

THESPIES, en gr. **Thespiai**. ♦ Anc. V. de Grèce (Béotie) au N.-E. de l'Hélicon*. Sans cesse menacée par Thèbes*, elle chercha la protection d'Athènes, puis de Sparte. Prise en ~ 371, elle fut dévastée et sa population dispersée. — Patrie de Phryné*. — Fondations d'un temple des Muses. À quelques kilomètres du site de Thespies, le val des Muses avec les ruines du *mouseion* (sanctuaire des Muses).

THESPIS. ♦ Poète tragique grec (près de Marathon, ~ VIe s.). Personnage semi-légendaire à qui les érudits de la Grèce classique ont attribué l'invention de l'action tragique, des tirades parlées, du masque et du jeu des acteurs. Grâce à son fameux chariot, il aurait transporté dans l'Attique d'abord et à Athènes* ensuite la première troupe d'acteurs ambulants, introduisant la tragédie dans la ville.

THESSALIE, *n. f.*, en gr. **Thessalia**. ♦ Région de la Grèce septentrionale, vaste plaine encadrée de montagnes : au N. l'Olympe* et la chaîne des Camvounia la séparent de la Macédoine*, à l'O. le Pinde* est la ligne de démarcation avec l'Épire*, au S. l'Othrys la sépare de la Grèce centrale, à l'E. l'Ossa* et le Pélion* bordent son littoral. Elle est drainée par le Pénée*. Le golfe de Volo est son débouché maritime. Elle comprend les *nomes* de Lárissa*, Trikala*, Carditsa*, Magnésie **(V. Volo)**. ♦ *Hist.* Les citadelles néolithiques de Thessalie (Dimini et Sesklo, près de Volo) sont les plus anciennes

Ph. Giraudon

Thésée et le Minotaure. Amphore attique ~ Ve s. (Musée du Louvre, Paris.)

Ph. J. Dupaquier/Atlas-Photo

La ville de **Thessalonique** : le quartier de la citadelle.

connues en Grèce. Les Pélasges*, venus de l'Asie* Mineure v. ~2600, furent submergés par les Hellènes ou se mêlèrent avec eux. Dans cet amalgame de peuples, on distinguait à l'époque préhistorique les Myrmidons* (Achéens de Phthiotide*), les Minyens* dans la zone maritime, les Éoliens* ou Béotiens, les Dolopes aux confins de l'Épire, les Perrhèbes dans le N. La Thessalie était célèbre pour l'élevage des chevaux et pour sa cavalerie ; les légendes des Centaures* et des Lapithes* en témoignent. Les Doriens* venus de l'Épire (Thesprotes), env. soixante ans après la guerre de Troie, soumirent ou repoussèrent les peuples de la plaine. Une aristocratie militaire y domina durant plusieurs siècles. Les Aleuades de Lárissa*, l'un des clans nobles, fondèrent une confédération thessalienne à laquelle s'unit aussi la Phthiotide devenue l'un des quatre districts *(tétrarchies)* thessaliens. Les querelles des clans et des villes, la guerre contre Sparte (~395) et les conflits sociaux minèrent la puissance de l'aristocratie. Les tyrans de Phères* imposèrent leur hégémonie (~374). Mais la victoire du Thébain Pélopidas à Cynocéphales* (~364) élimina la puissance de Phères. Lors de la troisième guerre sacrée, Philippe II, prétextant l'intervention des Phocidiens en faveur de Phères, envahit la Thessalie (~353) qui ensuite fut annexée par la Macédoine (~342). Antipatros écrasa la révolte antimacédonienne *(guerre lamiaque)* à Crannon* (~322). Nominalement indépendante après la victoire romaine à Cynocéphales (~197), elle fut annexée à la province romaine de Macédoine en ~146. Partie de l'empire byzantin, elle connut les invasions barbares et l'infiltration des Valaques (XIe s.) qui s'enracinèrent dans le Pinde. Comprise dans l'empire serbe en 1349, elle fut occupée par les Turcs à partir de 1393. La Phthiotide fut intégrée à la Grèce indépendante en 1831 et la Thessalie proprement dite en 1881.

THESSALONIQUE ou **SALONIQUE**, en gr. **Thessalonikê**. ♦ V. de Grèce (Macédoine), au fond du golfe de Thessalonique (Thermaïque), sur le débouché de la vallée du Vardar* (Axios). Ch.-l. du *nome de Thessalonique* (3 560 km². 710 350 hab.). Deuxième ville et port du pays. 345 800 hab. (482 360 hab. avec les faubourgs). Université. Capitale économique et culturelle du nord de la Grèce, Thessalonique ne répond pas à sa capacité de débouché méditerranéen des Balkans et de l'Europe centrale à cause des divisions nationales et politiques, mais doit son essor au développement des ressources minières de la Macédoine et à la centralisation industrielle. La ville basse, détruite par un incendie en 1917, fut reconstruite sur un plan respectant son caractère méditerranéen. Cependant, l'industrialisation a entraîné l'extension désordonnée de la banlieue le long de l'autoroute d'Athènes et de la route de Cavalla. Centre d'art byzantin des plus importants, la ville conserve de belles églises dont la rotonde de Saint-Georges (IVe s.) et la basilique Saint-Démètre (Ve s.), ornées de mosaïques et de fresques admirables, Hosios-David (Ve s.), Sainte-Sophie (VIIIe s.), Théotokos (XIe s.), Saints-Apôtres (XIVe s.), etc. Arc de Galère (303), remparts. Musée archéologique. — Important centre industriel : raffinerie de pétrole, métallurgie, indus. chimique, textile, alimentaire. Tabac. Foire commerciale annuelle. — Patrie des saints Cyrille* et Méthode*, de Mustafa* Kemal. ♦ *Hist.* La ville fut fondée v. ~315 (sur l'emplacement de la V. plus ancienne de *Therma*) par Cassandre qui lui donna le nom de sa femme *Thessalonikê*, sœur d'Alexandre le Grand. Capitale de la province de Macédoine après la conquête romaine (~168), elle se développa grâce à la *via Egnatia*, grande voie romaine qui s'y terminait, venant de Dyrrachium sur la côte adriatique. L'empereur Théodose Ier fit massacrer 7 000 de ses habitants lors d'une émeute, en 390. Fortifiée au IVe s., Thessalonique devint l'une des principales places fortes de la défense byzantine. Justinien* Ier et d'autres empereurs d'Orient la dotèrent de beaux monuments et, après la perte de l'Occident, firent d'elle en quelque sorte la deuxième capitale de l'empire. Les Sarrasins la prirent en 904 et les Normands en 1185. Après la quatrième croisade, elle échut à Boniface de Montferrat* et devint la capitale du *royaume de Thessalonique* (1205-1223). Reconquise sur les Latins par le despotat d'Épire (1224-1241), elle fut ensuite prise par l'empereur byzantin de Nicée Jean III Vatatzès et intégrée à l'empire de Constantinople en 1313. Pendant le XIVe s., la ville fut secouée par les querelles religieuses et par la révolution des *Zélotes* qui massacrèrent les nobles et formèrent un gouvernement populaire (1342-1349). Devant le péril ottoman, elle fut cédée aux Vénitiens, puis prise d'assaut par les Turcs (1430) qui l'appelèrent *Salonique*. La ville reçut en 1492 une colonie de 20 000 Juifs réfugiés d'Espagne qui contribuèrent ensuite à sa prospérité commerciale. Foyer du mouvement des Jeunes-Turcs (1908), Thessalonique fut réintégrée à la Grèce en 1912, lors de la première guerre balkanique. Le roi Georges* Ier y fut assassiné (1913). Occupée en 1915 par les Alliés, elle devint le centre du front balkanique et le siège du gouvernement dissident de Vénizélos. L'importante communauté juive de Thessalonique fut persécutée par les nazis et dispersée lors de la Seconde Guerre mondiale.

THETFORD MINES. ♦ V. du Canada (Québec) dans les cantons de l'Est, au S. de Québec. 21 600 hab. — Mine d'amiante, une des plus importantes du monde **(V. *aussi* Asbestos).**

THÉTIS. ♦ Divinité marine grecque, la plus célèbre des Néréides*. Zeus et Poséidon veulent s'unir avec elle, mais en sont dissuadés par un oracle révélant que le fils qui naîtrait de Thétis serait plus puissant que son père. Un mortel, Pélée*, en profite pour épouser la divinité et parvient à s'emparer d'elle malgré les métamorphoses successives par lesquelles Thétis s'efforce d'échapper. À leur mariage, Éris lance la pomme d'or dédiée « à la plus belle » qui est à l'origine de la guerre de Troie. De cette union naît Achille*. Pour le rendre immortel, Thétis le trempe dans les eaux du Styx* en le tenant par le talon, qui reste ainsi le seul endroit vulnérable de son corps. À la perspective de la guerre de Troie, elle dissimule son fils, alors âgé de neuf ans, dans le gynécée du roi de Scyros, Lycomède. Quand le héros est découvert et emmené dans le camp grec, elle lui donne des armes, l'assiste et, lorsqu'il meurt, transporte son corps dans l'île Blanche (l'île des Bienheureux).

THEURIET (André). ♦ Poète et romancier français (Marly-le-Roi, 1833 — Bourg-la-Reine, 1907). Fonctionnaire au ministère des Finances, il composa une œuvre littéraire abondante, qui débuta par des recueils de poésie où se manifeste un délicat sentiment de la nature (*Le Chemin des bois*, 1867 ; *Le Bleu et le Noir*, 1873 ; *La Ronde des saisons et des mois*, 1892). Sa province natale, la Lorraine, l'inspira souvent dans ses romans, où la peinture réaliste reste au service des intentions morales : *Mademoiselle Guignon* (1874), *Raymonde* (1877), *La Maison des deux Barbeaux* (id.). *Madame Heurteloup* (1882). [Acad. fr., 1896.]

THEUX [tø]. ♦ V. de Belgique (Liège, arr. de Verviers), en Ardenne*. 5 400 hab. *(Theutois)*. Église Saint-Hermès-et-Saint-Alexandre (XIIe s.). Chapelle Saint-Nicolas (1739). Hôtel de ville du XVIIIe siècle. Château de Franchimont où séjournèrent Louis le Débonnaire, Charles de Bourgogne, Guillaume de La* Marck. Indus. textiles (laines). ♦ *Hist.* Ancienne capitale du marquisat de Franchimont d'où partirent, en 1468, les 600 Franchimontois qui attaquèrent le duc de Bourgogne. Au XVIe s., on y exploitait des carrières de pierre noire.

THÉVENOT (Jean *de*). ♦ Voyageur français (Paris, 1633 — Mianeh, Perse, 1667). Il explora l'Asie occidentale (1656) et les Indes (1666) et introduisit, dit-on, le café en France (*Voyages de Monsieur de Thévenot contenant la relation de l'Indostan, des nouveaux Mogols et des autres peuples et pays des Indes*, publié 1684).

THEVET (André). ♦ Moine cordelier et voyageur français (Angoulême, 1503 ou 1504 — Paris, 1592). Il visita l'Italie, la Grèce, l'Asie Mineure, la Palestine et participa à l'expédition de Villegagnon au Brésil (1555). De retour en France, il fut aumônier de Catherine de Médicis et historiographe et cosmographe du roi [1558] (*Cosmographie du Levant*, 1554 ; *La Singularité de la France antarctique*, 1571-1575, etc.).

THIAIS [tjɛ]. ♦ Ch.-l. de cant. du Val-de-Marne, arr. de Créteil. 22 706 hab. *(Thiaisiens)*. Église Saint-Leu-Saint-Gilles (XIIIe s., restaurée au XIXe s.). Grand cimetière. — Indus. chimique.

THIBAUD. ♦ Roi d'Austrasie. **V. Théodebald.**

THIBAUD (*comte de* Champagne). ♦ Thibaud IV, comte de Champagne (1201 — Pampelune, 1253), devenu roi de Navarre (1234), fut guerrier et trouvère. Il prit la tête de la révolte des barons contre Blanche* de Castille (1226), mais se rallia à la régente en 1227 et la soutint efficacement par la suite. Auteur de poèmes d'inspiration très diverse, il fut considéré dès le XIIIe s. comme un très grand poète lyrique. « Je vois [en lui] le prince de nos trouvères. C'est le plus habile, le plus élégant et le plus nuancé, peut-être aussi le plus personnel. » (M. Arland.)

THIBAUD (Jacques). ♦ Violoniste français (Bordeaux, 1880 — mort dans un accident d'avion près de Barcelonnette, 1953). Élève de Marsick au conservatoire de Paris, il remporta le premier prix en 1896 et fut engagé comme violon solo aux concerts Colonne. Son style et sa technique lui valurent de faire une brillante carrière internationale. En 1905, il s'associa à A. Cortot et P. Casals pour former un trio qui est resté célèbre par ses exceptionnelles interprétations de musique classique (Mozart, Beethoven) et romantique. Il fonda en 1943 avec Marguerite Long* le concours qui porte leur nom et qui devint international (1946).

THIBAUD (Jean). ♦ Physicien français (Lyon, 1901 — *id.*,

1960). En 1920, il obtint les radiations complétant le spectre électromagnétique entre les rayons ultraviolets durs et les rayons X mous et, en 1933, il observa pour la première fois l'*annihilation* d'une paire de particules. **V. F. Joliot.**

THIBAUDEAU (Antoine Claire, *comte***).** ♦ Homme politique français (Poitiers, 1765 – Paris, 1854). Avocat, député à la Convention ; membre du Conseil des Cinq-Cents ; préfet et membre du Conseil d'État (1800) ; il participa à la rédaction du Code civil. Il dut s'exiler en 1816. Sénateur sous le Second Empire, il a laissé des *Mémoires sur le Consulat.*

THIBAUDET (Albert). ♦ Critique littéraire français (Tournus, 1874 – Genève, 1936). Philosophe formé par Bergson*, agrégé d'histoire et de géographie, il enseigna la littérature française à l'université de Genève, de 1925 à sa mort. Ses articles à la *N.R.F.* (de 1912 à 1914, et de 1919 à 1934), groupés après sa mort dans *Réflexions sur le roman* (1938), *sur la littérature* (1938 et 1941) et *sur la critique* (1939), ainsi que ses nombreux essais, eurent une importance considérable sur la pensée critique de l'entre-deux-guerres. Suivant une démarche d'une grande rigueur analytique et en même temps « voluptueuse » (il gardait de ses origines bourguignonnes l'« épicurisme actif d'un vigneron entre ses ceps, d'un dégustateur à tasse d'argent entre les tonneaux »), Thibaudet s'efforçait d'opérer la synthèse entre le tempérament particulier de l'écrivain et le contexte social (historique), voire géographique de l'œuvre, assignant à la critique la fonction de « présenter une littérature, un genre [...] à l'état [...] d'être organique et vivant » (*Physiologie de la critique,* 1930). Cette attention portée aux courants intellectuels et culturels les plus divers apparaît dès ses premiers essais, *La Poésie de Stéphane Mallarmé* (1912 ; remanié en 1926), où il se montre un théoricien pénétrant du symbolisme, et *Les Heures de l'Acropole* (1913). Capable d'appliquer l'introspection bergsonienne à des écrivains aussi différents que *Flaubert* (1922 ; remanié en 1935), *Stendhal* (1931) ou *Paul Valéry* (1924), A. Thibaudet s'attacha à étudier, dans les trois volumes constituant *Trente Ans de vie française, Les Idées de Charles Maurras* (1920), *La Vie de Maurice Barrès* (1921) et *Le Bergsonisme* (1923), avant d'analyser de façon très personnelle *Les Idées politiques de la France* (1931). Manifestation significative de l'étendue et de l'éclectisme de ses connaissances, son *Histoire de la littérature française de 1789 à nos jours* (1936) fut achevée, après sa mort, d'après ses notes.

Thibault (Les). ♦ V. MARTIN DU GARD.

THIBAW MIN ([mort] 1916). ♦ Dernier roi de Birmanie qui régna de 1878 à 1885, succédant à son père Mindon. Après avoir fait assassiner ses 70 frères et sœurs, il régna en tyran, provoquant la révolte de son peuple et l'intervention intéressée des Britanniques. Ceux-ci, après une rapide campagne, annexèrent toute la haute Birmanie et déposèrent Thibaw qui fut envoyé en exil à Bombay, où il mourut.

THIBET. *n. m.* ♦ V. TIBET.

THIBON (Gustave). ♦ Philosophe français (Saint-Marcel-d'Ardèche, 1903). Penseur chrétien autodidacte, resté attaché à son travail de paysan, il se lia avec Maritain, G. Marcel, ... Analysant la crise du monde moderne, il a dénoncé les « ersatz que l'homme substitue à Dieu » (nature, société, histoire, etc.) et affirma que l'ouverture aux valeurs spirituelles n'est possible que par un enracinement dans les réalités terrestres (*Diagnostics,* 1940 ; *Destin de l'homme,* 1941 ; *L'Échelle de Jacob,* 1942 ; *Retour au réel,* 1943 ; etc.).

THIÈLE. *n. f.,* en all. **Zihl.** ♦ Riv. de Suisse, affl. de l'Aar* (r. g.), formée par le cours inférieur de l'Orbe* qui prend le nom de Thièle à partir de son confluent avec le Talent. Elle se jette à Yverdon* dans le lac de Neuchâtel* d'où elle ressort à l'extrémité N.-E. ; canalisée jusqu'au lac de Bienne, elle sort de ce dernier à Nidau et rejoint l'Aar. Elle sert de frontière aux cantons de Neuchâtel* et de Berne* entre les lacs de Neuchâtel et de Bienne.

THIELT, en néerl. **Tielt.** ♦ V. de Belgique (ch.-l. d'arr. de la Flandre-Occidentale) à 33 km de Gand. 13 800 hab. Église Saint-Pierre (gothique). Hôtel de ville (tour du XIIe s.). – Élevage de volailles. Indus. textiles. Brasserie. Huilerie. – Patrie d'Olivier Le* Dain.

Ph. Lipnitzki-Viollet

Jacques Thibaud.

Ph. Boyer-Viollet

Jean Thibaud.

THIÉRACHE. *n. f.* ♦ Région du N. de la France comprise entre l'Oise* et la Sambre*. Le sous-sol crayeux recouvert d'un limon argileux en fait une région humide. Pays d'élevage (produits laitiers, fromages) ; vergers. Petites indus. métallurgiques et textiles.

THIERRY Ier. ♦ (? – 533). Roi d'Austrasie (511-533). Fils de Clovis, il conquit la Thuringe avec ses frères Clotaire* Ier et Childebert* Ier (531). – Père de Théodebert* Ier.

THIERRY II. ♦ Roi de Bourgogne (596-613) et d'Austrasie (612-613). Fils de Childebert* II et frère de Théodebert* II, roi d'Austrasie, il régna d'abord sous la tutelle de son aïeule Brunehaut. Après avoir vaincu Clotaire II, roi de Neustrie, il battit Théodebert, le captura (612) et annexa l'Austrasie. Clotaire* II lui succéda en Austrasie.

THIERRY III. ♦ Roi de Neustrie et de Bourgogne (673-691). Fils de Clovis* II, il succéda à son frère Clotaire III grâce à Ebroïn*, maire du palais. Déposé par son frère Childéric II (673), il reprit le pouvoir après son assassinat (675) et gouverna sous la tutelle d'Ebroïn. Il fut battu en 687 à Tertry* par Pépin* de Herstal et ne régna plus qu'en titre. Père de Clovis* III et de Childebert* III.

THIERRY IV de Chelles. ♦ Roi des Francs (721-737). Fils de Dagobert* III, il gouverna sous la tutelle de Charles* Martel.

THIERRY (Augustin). ♦ Historien et écrivain français (Blois, 1795 – Paris, 1856). Élève de l'École normale supérieure, il enseigna quelque temps, puis devint le secrétaire du comte de Saint*-Simon, avant de collaborer à des journaux libéraux. Ayant senti très tôt s'éveiller sa vocation d'historien (à la lecture des *Martyrs* de Chateaubriand*), il se consacra, dès 1821, à l'*Histoire de la conquête de l'Angleterre par les Normands* (1825) qui illustre sa théorie des races (conquérantes et conquises) dont l'antagonisme séculaire expliquerait toute l'histoire des peuples. La même opposition, cette fois-ci entre les Romains et les Francs, entre « l'esprit de discipline civile et les instincts violents de la barbarie », apparaît dans les *Récits des temps mérovingiens* (1840), tableau évocateur de la Gaule au VIe s. qui toucha un vaste public par un mélange habile d'érudition et d'imagination. Bien que devenu aveugle (en 1833), A. Thierry continua ses travaux historiques et fit paraître son essai sur l'*Histoire de la formation et des progrès du Tiers État* (1850) où il proposait « la recherche et la discussion de faits sans autre dessein que l'exactitude ». Maître de la narration vivante des événements, A. Thierry, par son souci de reconstituer la couleur locale comme la psychologie des personnages évoqués, a contribué à faire de l'histoire un genre littéraire.

THIERRY D'ALSACE. ♦ (mort à Gand, 1168). Comte de Flandre (1128-1168). Il combattit le comte de Hainaut Baudouin IV. Il aida Alphonse Ier de Portugal à s'emparer de Lisbonne et participa à la deuxième croisade. Père de Philippe* d'Alsace.

THIERS (Louis Adolphe). ♦ Homme politique, journaliste et historien français (Marseille, 1797 – Saint-Germain-en-Laye, 1877). Avocat à Aix-en-Provence, il se lia à Mignet, vint à Paris (1821), où il fréquenta les milieux libéraux, collabora au journal *le Constitutionnel* et publia de 1823 à 1827 son *Histoire de la Révolution,* qui connut un certain succès. Fondateur avec A. Carrel* et Mignet* du journal d'opposition *le National** (janv. 1830), il s'y fit le défenseur d'une monarchie constitutionnelle de type anglais et, le 26 juillet 1830, prenait part à la rédaction de la protestation des journalistes aux ordonnances de Saint-Cloud **(V. Charles X)** qui déclenchèrent la révolution de 1830. S'étant montré partisan convaincu de l'appel à la branche d'Orléans, il fut successivement conseiller d'État, député d'Aix (oct. 1830), secrétaire général au ministère des Finances dans le cabinet Laffitte, ministre de l'Intérieur (1832), puis de l'Agriculture et du Commerce (1834). Ayant repris le portefeuille de l'Intérieur et celui des Affaires étrangères (1834-1836), il réprima avec rigueur l'opposition royaliste-légitimiste (affaire de la duchesse de Berry*, 1832) et les émeutes républicaines d'avril* 1834. Louis-Philippe ayant refusé d'intervenir dans les affaires d'Espagne, comme il le souhaitait, Thiers dut démissionner (1836). Il fut remplacé par Molé dont il devait provoquer la chute (1839). A nouveau chef du gouvernement avec le portefeuille des Affaires étrangères (1840), Thiers voulut poursuivre sa politique extérieure aventureuse, cherchant à soutenir le pacha Muhammad-'Ali contre la Turquie et, après la signature du traité de Londres* (15 juil. 1840), conduisant la France au bord d'une guerre avec l'Angleterre. Contraint une fois encore de démissionner, il commença ses travaux sur l'*Histoire du Consulat et de l'Empire* (1845-1862), tout en siégeant à la Chambre des députés dans l'opposition centre-gauche qui contribua en 1848 à provoquer la chute du cabinet Guizot. Le 23 février 1848, Louis-Philippe l'appelait, mais trop tard, pour former un nouveau ministère. Thiers, rallié au gouvernement provisoire, fut élu député et ne cessa de voter avec la droite conservatrice contre les socialistes. Après avoir appuyé la candidature de Louis Napoléon à la présidence, il manifesta son opposition à la formation du Second Empire et fut arrêté, puis exilé en Suisse après le coup d'État du 2 décembre 1851. Rentré en France dès 1852, il se tint à l'écart de la vie politique jusqu'en 1863. Devenu chef de l'opposition libérale, il se signala à l'Assemblée par son discours sur les « libertés nécessaires » (individuelle, électorale, de presse) et par son hostilité à la politique extérieure de l'empereur. Après la défaite de Sedan et la capitulation de Napoléon III, il fut envoyé par Jules Favre en mission diplomatique dans les capitales européennes pour plaider la cause de la France (sept.-oct. 1870). Après cette infructueuse « tournée des capitales », il fut chargé de négocier avec Bismarck à Versailles (nov. 1870). Élu à l'Assemblée nationale, qui à partir du 12 février 1871 se réunit à Bordeaux, Thiers fut nommé chef du pouvoir exécutif de la République le 17 février et forma un gouvernement d'union nationale qui choisit Versailles comme résidence. La signature des préliminaires de paix avec Bismarck (28 févr.) – par lesquels Thiers obtenait une réduction de l'indemnité de guerre de la France à la Prusse et le maintien de la région de Belfort dans le territoire français – et la signature du pacte de Bordeaux* (10 mars 1871), qui laissait en suspens la question des institutions du pays jusqu'à sa réorganisation administrative, accrurent la colère du peuple parisien dont la situation économique, sociale et militaire était catastrophique. La maladresse de Thiers, qui, le 18 mars, tenta de récupérer les pièces d'artillerie situées à Belleville et Montmartre, provoqua l'insurrection parisienne et la formation du gouvernement révolutionnaire de la Commune* de Paris. Ayant pris la décision d'abandonner Paris (25 mars), Thiers signait le traité de Francfort* avec la Prusse (10 mai) et peu après réprimait violemment la Commune (« Semaine sanglante », 22-28 mai). Nommé président de la République, jusqu'à ce que l'Assemblée ait achevé ses travaux, Thiers travailla alors au redressement de la France, réorganisant les finances et l'armée (institution du service militaire obligatoire de cinq ans) et, par sa politique d'emprunts, favorisant l'évacuation totale du territoire français dès 1873. Néanmoins, il fut renversé le 24 mai 1873 par la majorité conservatrice de l'Assemblée et remplacé par Mac-Mahon. Élu député, il devait encore siéger comme chef de l'opposition républicaine. (Acad. fr., 1833.)

THIERS. ♦ Sous-préf. du Puy*-de-Dôme, ch.-l. d'arr. (6 cant., 43 comm., 58 811 hab.), au-dessus de la Durolle. 17 790 hab. *(Thiernois).* Église Saint-Genès, romane et gothique; maisons anc. Aux environs, l'église romane du Moûtier, qui faisait partie d'une abbaye bénédictine. – C'est le centre français le plus important de la coutellerie; instruments de chirurgie, couverts, vaisselle en acier inoxydable.

THIÈS [tjɛs]. ♦ V. du Sénégal, à l'E. de Dakar. 90 456 hab. Constructions mécaniques. Traitement des phosphates d'alumine de Pallo.

THIÊU. ♦ V. NGUYÊN VAN THIÊU.

THILL (Georges). ♦ Ténor français (Paris, 1897). Il étudia le chant au Conservatoire de Paris (1918), puis à Naples où il fut l'élève de Fernando de Lucia (1921-1923). Engagé à l'Opéra (1924), il y affirma d'éclatantes qualités dans l'interprétation des plus grands rôles du répertoire lyrique *(Rigoletto, Aïda, Les Huguenots, Le Prophète, Werther, Carmen)* et plus particulièrement du drame wagnérien *(Parsifal, Lohengrin, Les Maîtres chanteurs, La Walkyrie).* La générosité de son lyrisme, la pureté de son timbre, la splendeur de son phrasé lui ont valu une gloire internationale.

THILLOT [tijo] **(Le).** ♦ Ch.-l. de cant. des Vosges (arr. d'Épinal), sur la Moselle. 4 583 hab. *(Thillotins).* Tanneries; indus. du coton.

THIMERAIS. *n. m.* ♦ V. THYMERAIS.

THIMONNIER (Barthélemy). ♦ Inventeur français (L'Arbresle, Rhône, 1793 – Amplepuis, 1857). Réalisateur de la première machine à coudre (brevetée en avr. 1830), il vint à Paris dans l'espoir d'exploiter son invention, mais se heurta à l'opposition des ouvriers tailleurs. De retour à Amplepuis, où il exerçait lui-même le métier de tailleur, il apporta des perfectionnements à son « cousobrodeur » dont il vendit le brevet à une compagnie de Manchester (1848). **V. Howe, Singer.**

Ph. Hétier

Parc de **Thoiry.**

THIO. ♦ Localité de la Nouvelle*-Calédonie sur la côte S.-E., reliée par route à Nouméa. Gisement de nickel. Plantations de caféiers.

THIONVILLE. ♦ Sous-préf., ch.-l. d'arr. de la Moselle (9 cant., 102 comm., 273 836 hab. englobant *Thionville-Ouest* et *Thionville-Est*), sur la r. g. de la Moselle. 41 644 hab. [141 830 aggl.] *(Thionvillois).* – Vestiges d'une anc. enceinte fortifiée (XVIe-XVIIe s.). Maisons anc. (XVe-XVIIIe s.). Beffroi (XVIe s.) Hôtel de ville (XVIIe s.). – Métropole de la sidérurgie de la Moselle. Indus. chimiques. Matériaux de construction. – Patrie de A. Merlin*. ♦ *Hist.* La ville fut annexée à l'Allemagne de 1871 à 1918, et de 1940 à 1944 sous le nom de *Diedenhofen.*

THIRIET (Maurice). ♦ Compositeur français (Meulan, 1906 – Puys, Seine-Maritime, 1972). Élève de Kœchlin, il se fit connaître en 1931 avec le *Livre pour Jean.* On lui doit de nombreux ballets, des mélodies, de la musique symphonique. Son œuvre lyrique est importante : *Le Bourgeois de Falaise,* 1933 ; *La Véridique Histoire du docteur,* 1937 ; *La Locandiera,* 1958. Il a également beaucoup écrit pour le cinéma (musique des *Visiteurs du soir*).

THIRON. ♦ Ch.-l. de cant. d'Eure-et-Loir, arr. de Nogent-le-Rotrou. 616 hab. *(Thironais).* Ancienne église abbatiale du XIIe s. ; vestiges des bâtiments conventuels du XVIIIe siècle.

THIRY (Marcel). ♦ Poète belge d'expression française (Charleroi, 1897). Admirateur d'Apollinaire, il a cultivé également des rythmes réguliers et adopté une forme traditionnelle qu'il s'attache cependant à briser par des « défauts pathétiques », « traits [volontairement] sans rigueur où la ligne a plié ». Combattant sur le front russe durant la Première Guerre mondiale, il a ensuite accompli le tour du monde, évoquant ce périple « dans l'entrepont plein du chaos confus des âmes », avec son premier recueil poétique (*Toi qui pâlis au nom de Vancouver,* 1919). Attentif au monde moderne et à son merveilleux *(Astrale automobile),* il sait en célébrer également la saveur quotidienne (*La Mer de la Tranquillité,* 1938) et les aspects les plus matériels (*Statue de la fatigue,* 1934). Écrivain au talent riche en contrastes, M. Thiry a composé des récits et des nouvelles où le bizarre est savamment cultivé : *Échec au temps* (1945), *Nouvelles du grand possible* (1958), *Simul et autres cas* (1963).

THIS, probablement **al-Birbèh.** ♦ Anc. V. de la Haute-Égypte, sur la r. g. du Nil, à quelques kilomètres au N. d'Abydos*. Lieu d'origine des pharaons des Ire et IIe dynasties dites *thinites* (~ 3200 – ~ 2780) dont la nécropole était en Abydos. **(V. Abydos.)**

THISBÉ. ♦ V. PYRAME.

THISTED. ♦ V. et port du Danemark, au N. du Jutland*, sur la rive N. de la *baie de Thisted.* Ch.-l. du département homonyme. 8 768 hab. (1960). Église gothique (*fin* XIVe s.). – Port de commerce. – Patrie de K. Malte*-Brun.

THIVIERS. ♦ Ch.-l. de cant. de la Dordogne*, arr. de Nontron*. 4 042 hab. [2 939 aggl.]. Église romane du XIIe s., remaniée au XVe s., château de Vaucocour des XVe, XVIe, XVIIe siècles. – Marchés très actifs, foires aux foies gras, aux volailles et aux truffes. Papeteries.

THIZY. ♦ Ch.-l. de cant. du Rhône*, arr. de Villefranche*-sur-Saône, dans le Beaujolais*. 4 174 hab. – Indus. textiles, confection ; distillerie. – Patrie de J. M. Roland* de La Platière.

THOIRY. ♦ Comm. de l'Ain*, arr. de Gex*, près de la frontière suisse. 1 438 hab. – Taillerie de diamants. ♦ *Hist.* Le 17 septembre 1926, Briand* et Stresemann* se rencontrèrent à Thoiry en vue d'un rapprochement franco-allemand (évacuation par la France des territoires occupés et paiement par l'Allemagne des réparations en vue de consolider le franc). Mais ces négociations ne purent aboutir aux résultats qu'on en attendait.

THOIRY. ♦ Comm. des Yvelines, arr. de Rambouillet. 528 hab. – Château dans le parc duquel se trouve un jardin zoologique.

THOISSEY. ♦ Ch.-l. de cant. de l'Ain*, arr. de Bourg*-en-Bresse, sur la Chalaronne. 1 145 hab. – Bonneterie ; fromagerie, meubles métalliques. – Patrie du général Marchand*.

THÖKÖLY ou **TÖKÖLY (Imre).** ♦ Homme politique hongrois (Kesmark, 1657 – Izmit, 1705). Il participa à un complot contre les Habsbourg en 1670. Après son échec, il se réfugia en Transylvanie où il constitua une armée pour libérer la Hongrie des Habsbourg. Après s'être allié à Louis XIV (Fogaras, 1677) qui l'abandonna après Nimègue, Thököly s'allia aux Turcs, et le sultan le nomma roi de Hongrie. Vienne, assiégée, fut défendue par Jean Sobieski. Les Turcs refluèrent ; Visegrad, Pest, Buda, Belgrade furent repris. Après la victoire du prince Eugène de Savoie à Zenta (1697), Thököly s'enfuit chez les Turcs, tandis que sa femme Ilona continuait seule la lutte. La Transylvanie resta autonome, mais son prince devint désormais roi héréditaire de Hongrie.

THOMAS *(saint)* ou **DIDYME.** ♦ Un des douze apôtres des Évangiles. Dans l'Évangile selon saint Jean (XX, 24-29), il refuse de croire à la résurrection de Jésus avant d'avoir touché ses plaies. La légende en fait l'évangélisateur des Indes. Fête le 21 décembre.

THOMAS. ♦ Poète anglo-normand (*fin* du XIIe s.) qui composa un *Tristan* (v. 1170) en 3 000 octosyllabes, relatant la fin de la légende de *Tristan* et Iseult,* en une version dite « courtoise » : malgré son mariage avec Iseult aux blanches mains, Tristan* ne peut oublier Iseult* la blonde, qu'il mande à son heure dernière. Son amante, arrivée trop tard, le rejoint dans la tombe.

THOMAS (Clément). ♦ Homme politique français (Libourne, 1809 – Paris, 1871). Député en 1848, commandant de la garde

Arch. Rencontre

« L'Incrédulité de saint **Thomas.** »
Icône du XVe s. (Galerie Tretiakov, Moscou.)

nationale, il prit position contre le coup d'État du 2 décembre 1851. Exilé en Belgique jusqu'en 1870, il reprit ses fonctions à la tête de la garde nationale à la chute de l'Empire, combattit à Buzenval. Après avoir donné sa démission (fév. 1871), il fut fusillé avec Lecomte par les insurgés, à Montmartre (18 mars 1871).

THOMAS (Ambroise). ♦ Compositeur français (Metz, 1811 – Paris, 1896). Élève de Zimmermann, de Kalkbrenner, de Dourlen et de Lesueur au conservatoire de Paris, il obtint le premier prix de Rome en 1832 avec la cantate *Herman et Ketty.* Il est surtout connu pour ses opéras et opéras-comiques, dont *Mignon* (1866) et *Hamlet* (1868), ses plus grands succès. Il a également composé des messes, des cantates, un *Requiem* et des pièces pour piano.

THOMAS (Sidney Gilchrist). ♦ Métallurgiste britannique (Londres, 1850 – Paris, 1885). Il imagina, en 1876, un procédé d'affinage des fontes provenant de minerais de fer riches en phosphore et pour lesquelles le convertisseur Bessemer* ne convenait pas. La déphosphoration se fait en traitant les fontes dans un convertisseur à revêtement intérieur basique. L'*acier Thomas* est utilisé dans de nombreuses installations (tôles, rails, barres, profilés de charpente, etc.) et les scories de déphosphoration fournissent des engrais. **V.** *aussi* **Martin** et **Siemens.**

THOMAS (Albert). ♦ Homme politique français (Champigny-sur-Marne, 1878 – Paris, 1932). Professeur d'histoire, auteur d'une étude sur *Le Syndicalisme allemand* (1903), il collabora avec J. Jaurès* à la rédaction de *l'Humanité* (1904). Député socialiste (1910), il fut sous-secrétaire d'État, puis ministre aux Armements (1915-1917) et favorisa la mobilisation industrielle (octroi de sursis et hauts salaires aux ouvriers de la métallurgie). Au lendemain de la Première Guerre mondiale, il fut l'un des instigateurs de la fondation du Bureau international du travail (B.I.T.), dont il fut nommé président (1920-1932).

THOMAS (Dylan Marlais). ♦ Poète, nouvelliste et auteur dramatique britannique (Swansea, pays de Galles, 1914 – New York, 1953). Fils d'un professeur, il publia à onze ans *Chanson d'un chien méchant.* Après avoir été comédien, il collabora au *Herald of Wales* et au *South Wales Daily Post,* expérience qui lui inspirera certaines nouvelles du *Portrait de l'artiste en jeune chien* (1940, titre inspiré de Joyce*). Après la publication de *Dix-huit Poèmes* (1934), Dylan Thomas séjourna en Irlande où il mit en ordre les *Vingt-cinq Poèmes* (1936) qui enthousiasmèrent Edith Sitwell et H. Read*. Influencée par Joyce, les surréalistes et H. Miller, la poésie de Thomas (notamment *Morts et Entrées,* 1946 ; *Un sommeil de campagne,* 1951) « combine des préoccupations sexuelles obsédantes, la maladie, le paysage gallois, exprimés dans un langage nébuleux et élaboré, avec des observations aiguës » (Stephen Spender). Miné par l'alcool et la fatigue, Thomas mourut au cours d'un voyage aux États-Unis alors qu'il mettait la dernière main à une pièce de théâtre, *Au bois lacté* (posth. 1954).

THOMAS A KEMPIS (Thomas Hemerken, dit). ♦ Mystique allemand (Kempen, Rhénanie, 1379 ou 1380 – Sint Agnietenberg, Zwolle, Pays-Bas, 1471). Il fut, avec son frère Jean, frère de la Vie contemplative au monastère de Sint Agnietenberg. Il est généralement considéré comme l'auteur de l'*Imitation* de Jésus-Christ.*

THOMAS BECKET *(saint).* ♦ Prélat et homme politique anglais (Londres, 1118 – Canterbury, 1170). Ami du roi Henri* II, il fut nommé chancelier du royaume (1155) puis élu sur son ordre archevêque de Canterbury (1162). Mais, loin de servir la politique religieuse du roi qui, par la promulgation des Constitutions de Clarendon, soumettait la justice ecclésiastique à la justice royale (1164), il s'y opposa, alla jusqu'à excommunier le roi et fut finalement assassiné à son instigation (1170). Sur l'ordre du pape Alexandre III, Henri II dut faire une pénitence publique ; il retira même les Constitutions de Clarendon (1172). Thomas Becket fut canonisé dès 1173. Son assassinat a inspiré plusieurs œuvres dramatiques **(V. T.S. Eliot).**

THOMAS D'AQUIN *(saint).* ♦ Théologien et philosophe italien (Roccasecca, royaume de Naples, 1227 – Fossa Nova, 1274). Celui qui fut surnommé le Docteur angélique, en raison de la sainteté de sa vie, entra dans l'ordre des Dominicains en 1240 ou 1243 ; il étudia à l'abbaye du Mont-Cassin, puis à Naples (où se développait la connaissance des philosophes arabes), puis à Cologne et Paris. Il fut l'élève de saint Albert* le Grand. Maître en théologie, il enseigna successivement à l'université de Paris (1252-1259), au *studium* de la curie romaine, à nouveau à Paris (1269-1272), et enfin à Naples. Il mourut en se rendant au concile de Lyon. Son œuvre comprend un *Commentaire des sentences* (de Pierre* Lombard), *Quaestiones disputatae, De Ente et Essentia,* et les deux « sommes » *Summa contra Gentiles,* et *Summa Theologiae.* Elle constitue peut-être la tentative la plus complète du Moyen Âge pour penser la religion chrétienne ; construire la théologie en mettant à son service toutes les possibilités de la dialectique et de la scolastique ; accorder la foi et la raison, les dogmes du christianisme et les théories d'Aristote (qu'il distingua de leurs commentaires arabes, particulièrement Averroès dont il critiqua les thèses enseignées par Siger* de Brabant), tout en maintenant la priorité de la théologie par rapport à la philosophie. Certaines propositions de ses œuvres furent condamnées par Étienne Tempier (en 1270 et 1277). Mais sa philosophie (thomisme) fut considérée comme la philosophie officielle de l'Église catholique par Léon* XIII. Il fut canonisé en 1323.

THOMAS DE CELANO, en it. **Tommaso da Celano.** ♦ Franciscain italien (Celano ? – Tagliacozzo, 1244-1250). Auteur de deux *Vies de saint François** et, selon la tradition, rédacteur du *Dies* irae.*

THOMASIUS (Christian Thomas, dit**).** ♦ Philosophe et jurisconsulte allemand (Leipzig, 1655 – Halle, 1728). Il fut professeur de droit à Leipzig, puis à Halle ; enseigna un des premiers en langue allemande et ne ménagea pas ses critiques contre la routine des universités. Il fut également un des créateurs du journalisme en Allemagne.

THOMAS MORE *(saint).* ♦ **V.** MORE (saint Thomas).

THOMASSIN (Louis). ♦ Oratorien français (Aix-en-Provence, 1619 – Paris, 1695). Professeur de théologie à Saumur puis au séminaire Saint-Magloire à Paris, il dut abandonner son poste après ses *Mémoires sur la grâce* suspects de jansénisme (1668). Comme canoniste, il est l'auteur de l'*Ancienne et Nouvelle Discipline de l'Église touchant les bénéfices et les bénéficiers,* ouvrage classique (1678-1679).

THOMASSIN. ♦ Nom porté au XVIIIe s. par deux des plus célèbres Arlequins de la Comédie-Italienne : *Tommaso Visentini* (Vicenza, 1682 – Paris, 1739) qui fut l'interprète de Marivaux et conféra au personnage une humanité qu'il n'avait pas avant lui, et son fils *Vincenzo Visentini* (Paris, 1717 – *id.,* 1769).

THOMPSON (William). ♦ Économiste anglais (1780 – 1833). Il vit dans la rente foncière et le profit réalisé par le capitaliste une partie de la valeur volée aux travailleurs. On peut le considérer comme un précurseur de la théorie marxiste de la plus-value ; hostile néanmoins à toute mesure violente contre le régime, il a préconisé une redistribution égalitaire des revenus (*Recherches sur les principes de la distribution des richesses,* 1824). Il s'orienta ensuite vers le coopératisme d'Owen (*Le Travail récompensé,* 1827).

THOMPSON (Francis Joseph). ♦ Poète et essayiste anglais (Preston, Lancashire, 1859 – St. John's Woods, Londres, 1907). Ayant déçu sa famille très catholique par son inaptitude à la prêtrise, puis à la médecine, il mena à Londres, où il devint opiomane, une vie vagabonde. Déjà atteint de tuberculose, le poète trouva refuge auprès de l'éditeur de la revue catholique *Merry England* à qui il avait envoyé ses premiers vers en 1888. *Le Lévrier du Ciel (The Hound of Heaven)* publié dans *Poèmes* (1893) est considéré comme l'expression mystique la plus haute de la poésie anglaise de cette époque. Critique littéraire à l'*Athenaeum* et à l'*Academy,* Thompson donna encore *Nouveaux Poèmes* (1897), *Santé et Sainteté* (1905) et *La Vie de saint Ignace de Loyola* (1909).

THOMSEN (Christian Jürgensen). ♦ Préhistorien et numismate danois (1788 – 1865). Directeur des musées archéologiques et ethnographiques de Copenhague, il est le premier à avoir donné une classification scientifique des temps préhistoriques : âge de pierre, de bronze et du fer (*Ledetrand til Nordisk Oldkyndighed,* 1836).

THOMSEN (Julius). ♦ Chimiste danois (Copenhague, 1826 – *id.,* 1909). Il formula les principes de la thermochimie (1858). **V. Berthelot.**

THOMSON (James). ♦ Poète écossais (Ednam, Roxburgh, 1700 – Kew, Londres, 1748). Fils de pasteur, Thomson se destina d'abord à la carrière ecclésiastique mais sa rhétorique trop raffinée déplut à ses paroissiens. Il devint alors précepteur chez sir Charles Talbot dont il accompagna le fils en France, en Suisse et en Italie. À Londres à partir de 1725, il rencontra Pope, Arbuthnot, Gray, du Scriberus* Club, et fit jouer sans succès une tragédie, *Sophonisbe*. Son poème *Les Saisons* (*L'Hiver*, 1726; *L'Été*, 1727; *Le Printemps*, 1728; *L'Automne*, 1730) le rendit célèbre. Cette œuvre, influencée par Virgile et la Bible (Booz), inspira l'oratorio de Haydn et fut imitée en Italie par Barbieri. De même, *Le Château de l'indolence*, 1748, remettait la nature à l'honneur et réhabilitait la strophe spensérienne à une époque où la mode allait au couplet. Thomson y chante une bienheureuse oisiveté qui convenait au caractère aimable et gai du poète. L'une de ses pièces, le masque *Alfred*, 1740, contient l'hymne « Rule Britannia ».

THOMSON (*sir* William, *lord* Kelvin). ♦ Physicien anglais (Belfast, 1824 – Netherhall, 1907). Il établit la théorie thermodynamique des phénomènes thermo-électriques (1851); en 1852, il découvrit avec Joule* que la détente d'un gaz réel à enthalpie constante provoquait un refroidissement *(effet Joule-Thomson)*; il mit en évidence l'importance du principe de Carnot* [1854] **(V.** *aussi* **Clausius)** et en déduisit une définition thermodynamique de la température qui a l'avantage de montrer que la température est une grandeur mesurable et non seulement repérable. En électricité et magnétisme, il conçut le galvanomètre à aimant mobile (1851), fit la théorie complète des circuits oscillants [1853] **(V.** *aussi* **Savary]**; s'intéressant à la télégraphie sous-marine (1854), il imagina les appareils récepteurs *(siphon-recorder)* et établit l'équation de propagation des signaux. Il réalisa également l'électromètre à quadrants (1867), l'électromètre absolu (1870), détermina l'ohm, etc. Il construisit en outre le premier intégrateur mécanique permettant la résolution des équations différentielles (1876).

THOMSON (James). ♦ Poète écossais (Port Glasgow, 1834 – Londres, 1882). Élevé dans une institution de charité à Londres, il enseigna dans une école militaire irlandaise, puis vécut pauvrement de sa plume, collaborant au *National Reformer* de Londres. Admirateur de Percy Bysshe Shelley et de Novalis, il prit le pseudonyme de Bysshe Vanolis. Ses *Essais* furent rassemblés en 1881. *La Cité de la terrible nuit (The City of Dreadful Night)*, publié en 1880 avec d'autres poèmes, évoque une ville qui vénère le néant et tient la certitude de la mort pour l'unique réconfort. L'inspiration désespérée de Thomson est en opposition totale avec l'optimisme de l'époque victorienne.

THOMSON (Elihu). ♦ Ingénieur américain, d'origine britannique (Manchester, 1853 – Swampscott, Massachusetts, 1937). Il participa, grâce à de nombreuses inventions, à l'essor de l'industrialisation de l'électricité et fut l'un des fondateurs de la Thomson-Houston Company. Inventeur du moteur à courant alternatif synchrone [1879] **(V.** *aussi* **Tesla),** on lui doit également le soufflage magnétique des arcs, la soudure électrique par la méthode des résistances, les moteurs à répulsion (1888), les alternateurs à haute fréquence, les compteurs d'énergie électrique, etc.

THOMSON (*sir* Joseph John). ♦ Physicien anglais (Cheetham Hill, près de Manchester, 1856 – Cambridge, 1940). Il étudia les propriétés électriques de la matière; dès 1881, il jeta les bases de la dynamique des corpuscules constituant les rayons cathodiques. **(V.** *aussi* **Crookes, Goldstein.)** En faisant agir séparément un champ électrique et un champ magnétique, il détermina la vitesse des particules et le rapport de leur charge à leur masse et montra ainsi qu'il s'agissait de corpuscules très légers dont il assimila la charge négative à celle que porte un ion monovalent dans l'électrolyse (découverte de l'électron, 1897); son dispositif, amélioré par Aston*, constituera le premier spectrographe de masse. Il mesura ensuite directement la charge des électrons [1898-1899] **(V.** *aussi* **Millikan).** Il proposa, en 1902, un modèle atomique statique, satisfaisant aux lois de la mécanique et de l'électrodynamique classiques **(V.** *aussi* **Rutherford)** et entrevit dès 1913 l'existence d'isotopes stables. **V. Soddy.** (Acad. sc., 1919; prix Nobel de phys., 1906.)

THOMSON (*sir* George Paget). ♦ Physicien anglais (Cambridge, 1892 – *id.*, 1975). Fils du précédent. Il mit en évidence la diffraction des électrons rapides dans les cristaux (1929), ce qui constitue une preuve de la théorie de L. de Broglie* sur la nature ondulatoire de l'électron. **V.** *aussi* **Davisson** et **Germer.** (Prix Nobel de phys., 1937.)

THOMSON (Virgil). ♦ Compositeur et critique musical américain (Kansas City, Missouri, 1896). Diplômé de l'université de Harvard, il séjourna longtemps à Paris (1925-1940), où il fut l'élève de Nadia Boulanger et subit l'influence du groupe des Six, de Satie et de Stravinski. Esprit de vaste culture, curieux de toutes les formes de l'expression musicale, il fut l'ami de G. Stein qui composa le livret de ses deux opéras *Four Saints in Three Acts* (1934) et *The Mother of all us* (1947). Le refus de toute convention est sensible dans la diversité d'inspiration de son œuvre, qui mêle le burlesque et le sévère et témoigne d'une indifférence vigoureuse pour l'esprit de système. On lui doit deux *symphonies*, plusieurs *concertos*, trois *messes*, de la *musique de chambre*, pour piano (cent « portraits », des sonates et études), des *ballets*, de la *musique de scène*, de *film* et des *mélodies*. Critique musical du *New York Herald Tribune* (1940-1954), il a joué un rôle important dans l'évolution de la musique américaine contemporaine et publié divers ouvrages, dont *The State of music*.

THONBURI. ♦ Anc. cap. de la Thaïlande (Siam), de 1767 à 1781, créée face à l'actuelle Bangkok* sur la rive opposée du Menam (Chao Phraya), et maintenant un quartier de cette cité.

THÔNES. ♦ Ch.-l. de cant. de la Haute-Savoie*, arr. d'Annecy*, sur le Fier*. 3 350 hab. *(Thônains)*. – Centre d'excursion.

THONMI SAMBHOTA. ♦ Ministre tibétain du roi Srong*-bcan Sgam-po (VIIᵉ s.) qui aurait rapporté de l'Inde l'alphabet tibétain. Auteur de textes grammaticaux écrits en langue vulgaire. Il est assimilé à une divinité bouddhique.

THONON-LES-BAINS. ♦ Sous-préf. de la Haute-Savoie*, ch.-l. d'arr. (6 cant., 68 comm., 69 886 hab.) sur la rive S. du lac Léman*. 22 287 hab. *(Thononais)*. – Basilique du Doctorat de saint François de Sales (*fin* XIXᵉ-*déb.* XXᵉ s.) avec des œuvres de Maurice Denis*. Église Notre-Dame-de-Compassion (XVIIᵉ s.). Château de Sonnaz du XVIIᵉ s. abritant le musée du Chablais. – Thonon est une station thermale et climatique dont les eaux sont utilisées dans certaines affections des reins et de la vessie. Marché agricole, indus. alimentaires, papeteries, métallurgie, scieries. – Patrie de H. Bordeaux*. ♦ *Hist.* Thonon est l'anc. cap. du Chablais*.

THOR ou **TOR** (nom vieux scandinave correspondant à l'all. **Donar**). ♦ Dieu germanique, de la famille des Ases*. C'est le dieu atmosphérique du tonnerre, de la pluie, peut-être de la fertilité. En rapport avec l'orage, ce qu'exprime le fracas de son char, tiré par deux boucs, et son arme, le marteau Mjöllnir. Il est aussi un dieu guerrier, luttant contre les Géants ou contre le serpent Jörmundgand.

THORA ou **TORAH.** *n. f.* ♦ **V.** PENTATEUQUE.

THORÉ. *n. m.* ♦ Riv. du Massif* central (55 km) qui naît dans la Montagne* Noire; elle arrose Mazamet* et se jette dans l'Agout* en aval de Castres*. *Affl.* Arn, Arnette.

THOREAU (Henry David). ♦ Essayiste, mémorialiste et poète américain (Concord, Massachusetts, 1817 – *id.*, 1862). D'ascendance française et écossaise, quaker et puritaine, il mena une vie ascétique. D'une culture immense, il termina ses études à Harvard et retrouva Emerson* à Concord. Il ne se livrait à l'observation du monde extérieur que pour parvenir à la connaissance de son âme. Les seuls événements de sa vie étaient le retour des saisons, qu'il décrivit dans *Une semaine sur les fleuves Concord et Merrimac* (1849), où il évoque la nostalgie de la culture indienne : « Si nous pouvions comprendre le chant de la Muse qui les inspire (les Indiens), nous saurions pourquoi il n'est pas désirable de changer leur sauvagerie en notre civilisation ». *Walden ou La Vie dans les bois* (1854) révèle, dans un langage précis et simple, bien que parsemé de citations grecques et latines, la vie solitaire et méditative qu'il mena deux ans à Walden Pond, territoire qui appartenait à Emerson. Dans les essais sur *La Désobéissance civile* (1849) et *La Vie sans principes* (1863), il se déclara – ce qui lui valut la prison – partisan de la résistance passive pour vivre selon la loi morale supérieure à la loi écrite. La majeure partie de son œuvre, à mi-chemin entre le naturalisme d'inspiration scientifique et un naturalisme poétique, ne paraîtra qu'après sa mort et aura une grande influence sur les écrivains de la tradition whitmanienne.

THOREY-LYAUTEY. ♦ Village de Meurthe-et-Moselle. Château où mourut le maréchal Lyautey*.

THOREZ [tɔʀɛz] **(Maurice).** ♦ Homme politique français (Noyelles-Godault, Pas-de-Calais, 1900 – en mer Noire, 1964). Ouvrier mineur, il adhéra à la S.F.I.O., et, lors de la scission du congrès de Tours (1920), se rallia à la majorité qui constitua la S.F.I.C. (Parti communiste* français). D'abord secrétaire de section (1923), il entra au Bureau politique (1925) et devint secrétaire général du Parti (1930). Élu député (1932, 1936), il travailla à l'alliance socialo-communiste (juil. 1934. **V. Front populaire**). Mobilisé peu après la signature du pacte germano-soviétique, il déserta et passa en U.R.S.S. (oct. 1939-1944). Condamné à mort par contumace, il fut amnistié après la Libération. Député aux Assemblées constituantes, puis nationale (1945, 1946), il fut appelé par de Gaulle

Ph. Lipnitzki-Viollet

Maurice Thorez au cirque de Moscou en 1958.

comme ministre d'État à la Fonction publique (nov. 1945-janv. 1946), et fut vice-président du Conseil dans les cabinets ultérieurs. En mai 1947, il quitta le gouvernement avec les ministres communistes, exclus par Ramadier. En 1964, Waldeck-Rochet* lui succéda comme secrétaire général du Parti communiste français. *Fils du peuple,* 1937, *Une politique de grandeur française,* 1949.

THOREZ, jusqu'en 1964 **Tchistiakovo**. ♦ V. d'U.R.S.S. (Ukraine) dans le Donbass*. 92 000 hab. (1963). Centre houiller.

THORN. ♦ **V.** TORUŃ.

THORNABY ON TEES. ♦ V. du N.-E. de l'Angleterre (Teeside), dans le Yorkshire (North Riding), face à Stockton on Tees. 22 800 hab. (1961). Fonderies, métallurgie et produits alimentaires.

THORNDIKE (Edward Lee). ♦ Psychologue américain (Williamsburg, Massachusetts, 1874 — Montrose, New York, 1949). Il mit au point un matériel expérimental (technique du labyrinthe à l'extrémité duquel se trouve placée de la nourriture) pour étudier la formation des habitudes chez l'animal (apprentissage par « essais et erreurs » ou encore « par la réussite », consistant pour l'animal à ne plus s'engager dans les impasses du labyrinthe). Il fit également avec ses élèves des expériences sur l'apprentissage scolaire (*The Psychology of Learning,* 1914; *The Measurement of Intelligence,* 1926, etc.).

THORNHILL (*sir* James). ♦ Peintre anglais (Melcombe Regis, Dorset, 1675 — Thornhill Park, 1734). Il tenta d'introduire en Angleterre la grande décoration baroque, à l'hôpital de Greenwich (plafond du *Painted Hall*) puis à Saint-Paul (grisailles de la coupole : 1716-1719). Cette dernière œuvre impressionna Hogarth*; celui-ci devint le gendre de Thornhill et reprit à sa mort son école de peinture.

THORONET (Le). ♦ Comm. du Var (arr. de Draguignan), près de Lorgues*. 549 hab. Abbaye du XIIe s., d'une grande sobriété, l'une des « trois sœurs cisterciennes de Provence » avec Silvacane* et Sénanque. Son cloître, en forme de trapèze, comportait sur trois de ses galeries un étage couvert en charpente. La salle capitulaire est du premier gothique et présente des voûtes d'ogives aux nervures déployées en palmier, supportées par deux colonnes.

THORSHAVN. ♦ Cap. des îles Féroé*, sur la côte E. de l'île de Strømø. 4 400 habitants.

THORVALDSEN ou **THORWALDSEN (Berthel**, *dit* **Alberto)**. ♦ Sculpteur et restaurateur danois (Copenhague, 1768 ou 1770 — *id.,* 1844). Il passa la plus grande partie de sa vie à Rome où il subit l'influence de Carstens* et des théories de Winckelmann*. Partisan du retour à l'antique, il contribua à la propagation du néo-classicisme en Allemagne et acquit une notoriété comparable à celle de Canova*. Il interpréta avec froideur et parfois avec une grâce un peu mièvre la statuaire antique, que ce soit en exécutant des œuvres mythologiques (*Jason,* 1803), des statues de personnages célèbres (*Schiller,* 1835) ou des œuvres religieuses (*Le Christ et les douze Apôtres de la cathédrale de Copenhague,* 1833-1838).

THOT, nom gr. de **Djehouti**. ♦ Dieu égyptien représenté comme un homme à tête d'ibis ou de babouin et adoré principalement à Hermopolis*. Dieu lunaire, il fut le dieu comptable, la lune étant l'instrument de comput du temps par excellence pour les Égyptiens. En conséquence, il fut considéré comme le dieu du savoir, l'inventeur de l'écriture, des langages, le scribe (il jouait le rôle de greffier lors de la psychostasie) et le conseiller des dieux. Sa maîtrise du langage (il était la langue de Ptah*, le Verbe par lequel le dieu avait donné l'existence à l'Univers) faisait de lui un redoutable magicien connaissant les formules capables de guérir les maladies. Il fut assimilé par les Grecs à Hermès* (Trismégiste).

THOU (François Auguste *de*). ♦ Magistrat français (Paris, 1607 — Lyon, 1642). Ayant conspiré avec son ami Cinq*-Mars, qui le chargea lors du procès, il fut exécuté avec lui.

THOUARS. ♦ Ch.-l. de cant. des Deux-Sèvres, arr. de Bressuire, sur un plateau au-dessus de la r. d. du Thouet. 12 631 hab. [11 525 aggl.] *(Thouarsais).* Église Saint-Laon, XIIe-XVe siècle. Église Saint-Médard, XIIe-XVe s., très restaurée au XIXe siècle. Chapelle (XVIe s.) contiguë au château (XVIIe s.), *auj.* collège. Vestiges des fortifications des XIIe-XIIIe siècles. Hôtels et maisons anciennes. — Marché agricole. — Patrie des ducs de La* Trémoille, *vicomtes de Thouars.*

THOUÉRIS (« la Grande »). ♦ Divinité égyptienne représentée sous la forme d'un hippopotame, déesse de la fécondité.

THOUET [twɛ]. *n. m.* ♦ Riv. de l'O. de la France (140 km), affl. de la Loire (r. g.). Elle prend naissance dans les Deux-Sèvres, où se situe la majeure partie de son cours, et traverse le Maine-et-Loire où elle conflue en aval de Saumur. Elle arrose Secondigny*, Parthenay*, Airvault*, Thouars*, Montreuil*-Bellay.

THOUNE *(lac de)*, en all. **Thunersee**. ♦ Lac de Suisse (cant. de Berne) [48 km²] formé par l'Aar*, à l'O. du lac de Brienz*. Il baigne les villes d'Interlaken*, Thoune*, Spiez*.

THOUNE, en all. **Thun**. ♦ V. de Suisse (cant. de Berne), située sur les deux rives de l'Aar* à sa sortie du *lac de Thoune.* 34 500 hab. — Fondée au XIIe s. par les ducs de Zähringen*, la ville a gardé en partie son caractère médiéval : château des Zähringen-Kyburg (XIIe s.) qui abrite maintenant le musée historique; église protestante *(Pfarrkirche)* du Xe s.; hôtel de ville (XVIe s.), sur la r. d.; église *Scherzligen* (IXe s.), sur la r. g. — Station climatique. Fromage, appareillage électrique, céramique.

Arch. Smeets Arch. Smeets

Alberto Thorvaldsen : à gauche, « Hébé » (Musée national, Copenhague) ; à droite, cariatide de l'Érechthéion, copie romaine restaurée (Musée du Vatican, Rome).

THOURET (Jacques-Guillaume). ♦ Homme politique français (Pont-l'Évêque, 1746 — Paris, 1794). Avocat au parlement de Rouen, il fut député du Tiers État aux États généraux (1789) et adopta une attitude modérée. Président du Tribunal de cassation, il contribua à l'institution du jury en matière criminelle et devait se prononcer contre les excès du régime de la Terreur. Il fut condamné à mort et guillotiné peu après les indulgents. Il a laissé un *Projet de déclaration des droits de l'homme en société* (1789), un *Projet de l'organisation judiciaire* (1790), etc.

THOUROTTE. ♦ Comm. de l'Oise* (arr. de Compiègne*) sur l'Oise*. 3 161 hab. Église (XIIe-XVIe s.). Importante fabrique de glaces (glaceries de Chantereine).

THOUROUT, en néerl. **Torhout**. ♦ V. de Belgique à 20 km de Bruges. 14 688 hab. Église Saint-Pierre. Indus. textiles et mécaniques. — À 3 km, château de Wijnendaale.

THOUTMÈS. ♦ **V.** TOUTHMÔSIS.

THOUVENEL (Édouard). ♦ Homme politique français (Verdun, 1818 — Paris, 1868). Chargé en 1852 des questions politiques au ministère des Affaires étrangères, il fut nommé ambassadeur en Turquie (1855) et fait sénateur (1859). Remplaçant de Walewski* comme ministre des Affaires étrangères (1860-1862), il négocia le traité de Turin* (mars 1860), le traité de libre-échange avec l'Angleterre (1860) et prépara l'expédition de Syrie.

THRACE. *n. f.*, en gr. **Thrakê**. ♦ Anc. région du S.-E. de l'Europe et dont l'étendue a souvent varié. Les Grecs donnaient généralement le nom de Thrace à toute la partie orientale de la péninsule balkanique allant du Danube à la mer Égée et à la Propontide*. Limitée à l'E. par le Pont-Euxin*, elle s'étendait originellement jusqu'à la côte adriatique, mais sa frontière occidentale recula sous la pression de l'Illyrie*, puis de la Macédoine*; elle fut marquée successivement par le cours du Vardar (Axios), de la Struma (Strymon) et de la Mesta (Nestos). Les Romains détachèrent enfin la partie au N. de la chaîne du Balkan (Haemos) qui reçut le nom de Mésie*. Auj. la Bulgarie comprend la Thrace septentrionale au N. du Rhodope et des monts Istranca, tandis que la Thrace méridionale est partagée par le cours de la Marica entre la Grèce* et la Turquie*. La Thrace occidentale (grecque) comprend les *nomes* de Xanthi*, de Rhodope **(V. Comotini)** et d'Evros **(V. Alexandroupolis).** 8 578 km². 329 580 hab. La Thrace orientale forme la Turquie* d'Europe. ♦ *Hist.* La région fut habitée au ~ IIe millénaire par les Thraces qui se répandirent aussi sur la partie N.-O. de l'Asie Mineure (Mysie). Les nombreuses tribus thraces, dont les Gètes, les Triballes au N. et les Odryses au S., parlaient une langue indo-européenne apparentée au grec et auraient créé une culture importante surtout en musique et en poésie (Cf. les mythes d'Orphée*, de Linos et des Muses Piérides*). D'autre part, les cultes à mystères de Dionysos*, d'Orphée* et des Cabires **(V. Samothrace)** en provenaient. Cependant, les Thraces restèrent longtemps à l'écart de la civilisation grecque. Peuple de pasteurs, belliqueux et farouches, ils fournissaient des esclaves et des mercenaires à la Grèce où ils avaient une réputation d'ivrognes. La Thrace maritime fut colonisée dès le début du ~ VIIe s., surtout par des Ioniens **(V. Chersonèse, Chalcidique, Édonide, Abdère, Byzance, Samothrace, Thasos).** Conquise par Darios* Ier v. ~ 513, elle fut affranchie après les guerres Médiques*. Les Athéniens contrôlèrent ensuite la région littorale, tandis que les Odryses dominaient à

Coll. Viollet

Thucydide. (Musée national, Naples.)

l'intérieur. Philippe* II de Macédoine, convoitant les mines d'or du Pangée* et de Thasos, devint le maître de toute la Thrace méridionale v. ~ 340. Le royaume macédonien de Thrace sous Lysimaque (~ 305 – ~ 281) lutta contre les Odryses et s'unit à la Macédoine, mais fut ensuite démembré par les Épigones. Les Lagides, les Séleucides et les Antigonides se disputèrent la Thrace (~ IIIe s.), qui passa aux Attalides de Pergame en ~ 188. Les Romains la conquirent à partir de ~ 168 et formèrent au Ier s. les provinces de Mésie* et de Thrace. Partie de l'empire byzantin, elle connut les invasions barbares (IVe s.). Les Slaves, puis les Bulgares, y pénétrèrent à partir du VIe siècle. Sous la domination ottomane de 1361 à 1878, la Thrace fut ensuite disputée à la Turquie par la Bulgarie et la Grèce. La partie septentrionale étant annexée par la Bulgarie (Roumélie* orientale), le nom de Thrace fut dès lors réservé à la Thrace méridionale. Cette région, conquise par la Bulgarie lors de la première guerre balkanique (1912), fut partagée par le traité de Constantinople (1913) entre la Turquie et la Bulgarie. Après la Première Guerre mondiale, par les traités de Neuilly (1919) et de Sèvres (1920), elle fut attribuée intégralement à la Grèce, alliée des puissances occidentales, mais, par suite de la défaite grecque en Asie Mineure, la Thrace orientale (à l'E. de la Marica) fut attribuée à la Turquie (traité de Lausanne, 1923). La Bulgarie, ayant occupé la Thrace occidentale (grecque) pendant la Seconde Guerre mondiale, dut se retirer en 1944.

THRASYBULE, en gr. **Thrasuboulos.** ♦ Général et homme politique athénien ([mort] Aspendos, Cilicie, en ~ 388). Ami d'Alcibiade et chef de la mutinerie de l'armée athénienne de Samos qui renversa les Quatre-Cents (~ 441), il contribua aux victoires navales d'Athènes en mer Égée. Banni par les Trente* Tyrans (~ 404), il se retira à Thèbes, y groupa les démocrates exilés et s'empara du Pirée (~ 403) où fut tué Critias*. Ayant ainsi renversé le gouvernement oligarchique des Trente, Thrasybule restaura la démocratie à Athènes. Il conclut ensuite une alliance avec Thèbes contre Sparte (~ 395) et, commandant la flotte athénienne, il remporta des succès qui contribuèrent à la reconstitution de la confédération maritime d'Athènes, mais il fut tué par les habitants d'Aspendos qui contestaient la taxe de 5 % sur les importations et les exportations imposée au bénéfice d'Athènes, métropole de la confédération.

THUCYDIDE, en gr. **Thoukudidês.** ♦ Historien grec (dème d'Alimonte, Attique, ~ 470-~ 460 – ~ 400-~ 395), le plus illustre du monde antique. De famille aristocratique, il fut probablement élève d'Anaxagore*, fréquenta les sophistes Gorgias* et Antiphon*. Élu stratège en ~ 424 et commandant l'expédition navale d'Athènes en Thrace, il ne put empêcher la prise d'Amphipolis* par Brasidas* et fut accusé de trahison. Fuyant une sentence de mort, il vécut pendant vingt ans en Thrace, où sa famille exploitait des mines d'or. Pour ses recherches, il voyagea en Italie, en Sicile et dans le Péloponnèse et entretint des informateurs dans de nombreuses villes. Lors de l'amnistie imposée par les vainqueurs Spartiates, il fut rappelé à Athènes en ~ 404 et mourut peu après, peut-être assassiné par ses ennemis politiques. – Son *Histoire de la guerre du Péloponnèse**, écrite en vieil attique, embrasse la période du début de la guerre (~ 431) à la chute des Quatre-Cents (~ 411). Une première partie de cette histoire, jusqu'à la paix de Nicias* (~ 421) paraît remaniée pour être intégrée dans l'ouvrage d'ensemble, qui resta inachevé. Les événements sont exposés dans l'ordre chronologique, saison par saison (été-hiver). La scrupuleuse exactitude de documentation et l'impassibilité, servies par un style extrêmement dense et sobre, sont les vertus de cette œuvre qui introduit la méthode critique dans l'histoire. Points culminants de l'ouvrage, les discours des chefs et des députés des deux camps révèlent les mobiles, les raisons et la psychologie des belligérants, mais sont marqués par les idées de l'auteur. Ainsi Périclès*, dans la célèbre oraison funèbre, défend la cause d'Athènes, la supériorité de ses institutions et de sa culture, en empruntant la philosophie et l'éloquence de l'auteur. Si la vocation d'historien naquit chez le jeune Thucydide lors d'une lecture publique d'Hérodote*, comme le veut la tradition, son esprit fut certainement formé par l'enseignement des sophistes. Dans sa conception de l'histoire, il n'y a pas de place pour le merveilleux ou le destin. Les causes des faits résident dans les intérêts et les passions des hommes, l'intelligence seule peut éclairer le passé « pour dégager des vérités utiles à méditer ». Sa philosophie politique se définit par deux idées majeures : la distinction absolue entre morale et politique, la première guidant la vie des individus et non celle des États, et l'affirmation de la volonté de puissance comme force motrice du monde. Ces idées, retrouvées depuis chez Machiavel* et chez Nietzsche*, ne nuirent pas au civisme de Thucydide qui célébra la cité athénienne et sa grandeur sous Périclès. L'œuvre de Thucydide marqua la pensée historique occidentale. Son influence est évidente chez Xénophon*, Polybe*, Salluste* et Tacite*.

THUEYTS [tyɛts]. ♦ Ch.-l. de cant. de l'Ardèche*, arr. de Largentière*. 1 013 hab. – Moulinage de la soie. Aux environs, muraille basaltique appelée *pavé des Géants.*

Thug ou **Thag.** *n. m. pl.* ♦ Secte de fanatiques musulmans (parfois hindous sectateurs de Kâlî) apparus au XIIIe s. à Delhi et au Bengale et qui pratiquaient le meurtre rituel par étranglement. Ils eurent une activité redoutable de 1831 à 1837 et furent décimés par les Britanniques.

THUIN. ♦ V. de Belgique (ch.-l. d'arr. du Hainaut) sur la Sambre, à 22 km de la frontière française. 6 022 hab. Beffroi de 1638. Remparts de 978 (porte Notre-Dame). Église de la ville haute (1670). – Aux env., abbaye d'Aulne fondée en 656 par saint Landelin. – Indus. alimentaires (spécialités de macarons). Indus. du bois. Carrières de grès. Chantiers navals. Fonderies. ♦ *Hist.* La ville appartenait au IXe s. aux princes-évêques de Liège. Elle fut prise par Moreau en 1794.

THUIR. ♦ Ch.-l. de cant. des Pyrénées-Orientales, arr. de Perpignan. 4 207 hab. *(Thuirinois).* Dans l'église, statue de Notre-Dame de la Victoire (XIIe s.). À proximité, château féodal de Castelnou. – Vins. Apéritifs (Byrrh).

THULÉ. ♦ Nom donné par les Grecs et les Romains à la terre la plus septentrionale du monde connu. Le navigateur marseillais Pythéas (~ IIIe s.) la situait à six jours de navigation des côtes nord d'Écosse. Il s'agissait probablement de l'une des Shetland ou des Orcades, de l'Islande ou d'une partie des côtes de Norvège.

THULÉ. ♦ Base polaire du Groenland*, au N. de la baie de Baffin, aménagée en base aérienne (1945) par les États-Unis et, depuis 1952, en base stratégique de bombardiers munis de l'arme atomique. ♦ *Hist.* Fondée par Knut Rasmussen en 1910, Thulé servit de base de départ pour les expéditions de Rasmussen, puis de J. Malaurie (1950-1951).

THUN. ♦ V. THOUNE.

THÜNEN (Johann Heinrich *von***).** ♦ Économiste allemand (Kanarienhausen, près de Jever, 1783 – Tellow, 1850). Agronome, propriétaire à Tellow d'un domaine modèle où il applique la participation des employés aux bénéfices, il est l'auteur de *L'État isolé* (1824, 2e partie en 1850). Il étudie, après Ricardo, la loi de la rente foncière et formule avant les marginalistes **(V. C. Menger)** le principe de la productivité marginale.

THUR. *n. f.* ♦ Riv. d'Alsace* (60 km), affl. de l'Ill* (r. g.). Elle traverse Thann*, Cernay*.

THUR. *n. f.* ♦ Riv. de Suisse (130 km), affl. du Rhin (r. g.). Elle prend sa source au pied du Säntis*, traverse les cantons d'Appenzell*, de Saint*-Gall (où elle forme le Toggenburg), de Thurgovie* et de Zurich*, et se jette dans le Rhin en aval de Schaffhouse*.

THURBER (James Grover). ♦ Conteur et dessinateur américain (1894), qui collabora aux journaux *Chicago Tribune,* en France, et *New Yorker* aux U.S.A., illustrant sa critique de la mentalité bourgeoise par des dessins humoristiques. On lui doit des ouvrages à la veine également satirique, notamment : *A-t-on besoin des femmes?* (1920), *Le Phoque dans la chambre à coucher* (1932), *Le Cochon qui sommeille et autres animaux* (1948).

THUREAU-DANGIN (Paul). ♦ Historien français (Paris, 1837 – Cannes, 1913). Catholique libéral, il collabora à divers journaux *(le Français, le Correspondant)* et publia des ouvrages historiques sur *Paris, capitale pendant la Révolution française* (1872), *Royalistes et Républicains* (1874), *Le Parti libéral sous la Restauration* (1876) et surtout une importante *Histoire de la monarchie de Juillet* (1884-1892). [Acad. fr., 1893.] ♦ FRANÇOIS THUREAU-DANGIN, son fils. Orientaliste français (Paris, 1872 - *id.,* 1944). Spécialiste d'assyriologie et collaborateur aux *Découvertes en Chaldée,* il s'est particulièrement intéressé au problème de l'origine de l'écriture cunéiforme.

THURET (Gustave Adolphe). ♦ Botaniste français (Paris, 1817 — Nice, 1875). Il observa chez les algues (fucus) le mécanisme de la fécondation.

THURGAU. ♦ V. THURGOVIE (canton de).

THURGOVIE *(canton de)*, en all. **Thurgau.** ♦ Canton du N.-E. de la Suisse, bordé par le lac de Constance* au N. et à l'E., et limité par le canton de Saint*-Gall au S. et les cantons de Schaffhouse* et de Zurich* à l'ouest. 1 006,4 km^2. 182 835 hab. en majorité de langue allemande et de religion protestante (deux tiers). *Ch.-l.* Frauenfeld*. *Villes principales :* **Arbon, Kreuzlingen, Romanshorn.** — Le pays est drainé par la Thur*. Son économie est essentiellement agricole; la région est célèbre pour ses poires, ses pommes et son cidre. Vignobles en bordure du lac de Constance et dans la vallée de la Thur. Indus. mécaniques et textiles. — Patrie de C. Jung* (Kesswil). ♦ *Hist.* Après avoir fait partie de la province romaine de Rhétie* jusqu'au ve s., le pays fut occupé par les Alamans. Il passa ensuite aux Zähringen*, aux comtes de Kyburg, puis aux Habsbourg* (1264). Il fut conquis par les confédérés en 1460 et érigé en canton en 1803.

THURINGE. *n.f.*, en all. **Thüringen.** ♦ Région d'Allemagne orientale s'étendant du N. au S. sur la partie orientale du massif du *Harz**, le bassin de Thuringe* et le *Thüringer* Wald* et correspondant aux 3 districts d'Erfurt, de Gera et de Suhl. 11 763 km^2. Env. 2 000 000 d'hab. *Cap.* **V. Weimar.** *V. princ.* **V. Apolda, Eisenach, Erfurt, Gera, Gotha, Iéna, Meiningen, Rudolstadt, Saafeld, Sonneberg, Suhl, Zeitz.** — *Hydrogr.* Helme, Saale, Unstrut et Werra. — *Écon.* La région compte de nombreuses forêts (Harz, conifères et hêtres du Thüringer Wald). Ailleurs (bassin de Thuringe), les sols, d'une fertilité variable, produisent des céréales, du houblon et des arbres fruitiers (autour d'Erfurt). Le sous-sol est riche en potasse, en sel gemme (bassin de Thuringe, vallée de la Werra) et recèle un peu de fer (Thüringer Wald). La région, assez industrialisée, possède des indus. chimiques (Erfurt), métallurgiques (Eisenach, Unterwellenborn), fabrique de la porcelaine et de la verrerie (Meiningen, Sonneberg) et travaille le bois (fabrication de jouets du bassin de Thuringe). ♦ *Hist.* Liés aux Hermondures, les Thuringiens suivirent les Huns*, au IVe s., dans leur conquête de la Gaule, avant de faire partie du royaume franc (531), puis de l'Austrasie*. Après une période d'indépendance, la Thuringe devint une marche de l'empire de Charlemagne (IXe s.), dirigée contre les dangers saxon et slave. C'est à cette époque qu'elle acheva d'être évangélisée. Elle passa ensuite aux ducs de Saxe (Xe s.), à la dynastie des Ludovinges (XIIe-XIIIe s.) [**V. Hermann Ier**] qui en firent un landgraviat et acquirent une partie de la Hesse, et enfin à celle de Wettin (**V. Saxe, Misnie**). En 1920, les anciennes principautés regroupées formèrent un État de Thuringe qui fut par la suite incorporé à la République démocratique allemande et disparut en 1952.

THURINGE *(bassin de)*. ♦ Région naturelle de l'Allemagne moyenne, formant une dépression encastrée entre les massifs du Harz* au N. et le Thüringer* Wald au sud. Résultant d'un double mouvement d'affaissement (ère primaire) et de dislocation (ère tertiaire), il est surtout formé de marnes, de grès et de calcaires, ce qui explique son relief composite. Au N., la *Goldene Aue* (« plaine dorée »), au S. de l'Helme, est bordée (à l'E.) par la ligne fertile des *Börde* (lœss) s'étendant en direction de Halle. Le sous-sol renferme une grande quantité de potasse.

THÜRINGER WALD. *n. m.*, en fr. **forêt de Thuringe.** ♦ Massif montagneux de l'Allemagne hercynienne, s'étendant en arc de cercle à la frontière des deux Allemagnes au Frankenwald, de la Werra à la Saale, sur 110 km de long et 10 km de large. C'est un *horst* formé surtout de schistes et de porphyre, d'une altitude moyenne de 900 m (983 m au *Beerberg*), parcouru par un chemin de 170 km (le *Rennstieg*) et entièrement boisé (hêtres). L'industrie s'y est développée (métallurgie, mécanique, verreries, travail du bois) autour d'un petit gisement de fer.

Ph. U.S.I.S.

Thulé : la base et le navire lui fournissant l'énergie.

THURIOT DE LA ROZIÈRE (Jacques, *chevalier***).** ♦ Homme politique français (Sézanne, 1753 — Liège, 1829). Député à l'Assemblée législative (1791), il contribua, après la journée révolutionnaire du 10 août 1792, à la création du Tribunal criminel extraordinaire. Réélu à la Convention (1792), il siégea avec les députés montagnards, mais, président de l'Assemblée au 9 thermidor an II (27 juil. 1794), prit position contre Robespierre qu'il empêcha de prendre la parole. Il s'exila après l'insurrection montagnarde et populaire des 12 et 13 germinal an III (1er-2 avr. 1795) contre la Convention thermidorienne, insurrection dans laquelle il était impliqué. Rentré en France, il présida, comme juge, le procès de Cadoudal (1804). Il fut proscrit comme régicide en 1816.

THURIUM, en gr. **Thourioi.** ♦ Anc. V. d'Italie, sur le golfe de Tarente (Lucanie), dans la Grande* Grèce. Elle fut fondée par les Athéniens et d'autres Grecs comme colonie panhellénique, pour remplacer Sybaris* (~ 443). Hérodote* fut l'un des fondateurs. La ville prospéra vite mais, devant l'hostilité des Lucaniens, fit appel à l'assistance romaine. Vidée de sa population par les Carthaginois en ~ 204, elle reçut en ~ 193 une colonie romaine.

THURROCK. ♦ V. du S. de l'Angleterre (Essex), dans la banlieue londonienne, et port sur la r. g. de la Tamise (Tibury Docks). 124 800 hab. Papeteries, savonneries et huileries, cimenteries.

THURSO. ♦ Port et station balnéaire à l'extrémité N. de l'Écosse (Caithness), sur la mer du Nord. 8 000 habitants.

THURSTONE (Louis Leon). ♦ Psychologue américain (Chicago, 1887 — Chappel Hill, Caroline du Nord, 1955). Spécialiste de psychologie différentielle, il admit, contrairement à Spearman*, que le comportement, plus particulièrement la réussite à une tâche, dépend d'une multiplicité de facteurs équivalents (conception multifactorielle).

THUSIS, en it. **Tossana,** en romanche **Tusaun.** ♦ Localité de Suisse (cant. des Grisons) dans une vallée affluente du Rhin (r. d.) au S.-O. de Coire*. 2 000 hab. Centre touristique.

THYESTE, en gr. **Thuestês.** ♦ Héros grec, fils de Pélops* et d'Hippodamie. La haine inassouvie qui l'oppose à son frère jumeau Atrée* marque le début du drame des Atrides développé par les tragiques. Disputant à son frère le trône de Mycènes*, Thyeste séduit sa belle-sœur. Atrée, pour se venger, tue les fils de Thyeste et les lui sert à un repas. Informé par un oracle qu'il trouverait un vengeur dans un fils né de l'inceste avec sa sœur Pélopia, Thyeste viole celle-ci et engendre Égisthe*. Ce fils, exposé à sa naissance par Pélopia, est adopté par Atrée, qui entre-temps avait épousé Pélopia ignorant qu'elle était sa sœur. Devenu adulte, Égisthe, sur l'ordre d'Atrée, ramène prisonnier Thyeste à Mycènes pour l'égorger. Mais celui-ci reconnaît dans l'arme qui le menace l'épée que sa sœur lui avait arrachée la nuit du viol et Pélopia, appelée, révèle la vérité à Égisthe, qui tue alors Atrée.

THYMERAIS. *n. m.* ♦ Région du Bassin parisien, au S. de Dreux, entre l'Eure et son affluent l'Avre. Région humide couverte par le bocage et la forêt, c'est le prolongement naturel du Perche vers le Nord-Est.

THYSSEN. ♦ Famille d'industriels allemands. ♦ AUGUST THYSSEN (Eschweiler, 1842 — château de Landsberg, près de Kettwig, Westphalie, 1926). Propriétaire d'une usine métallurgique à Duisburg, il fonda la *Thyssen & Co.* à Mülheim dans la Ruhr (1871) et fut à l'origine du mouvement de cartellisation encouragé par Bismarck. Introducteur en Allemagne du procédé « Thomas » de déphosphoration de la fonte, il fut après la Première Guerre mondiale l'un des principaux représentants (contre Rathenau) de la résistance des gros industriels allemands aux obligations du traité de Versailles et fut arrêté par les Français lors de l'occupation de la Ruhr par les armées françaises (1923). En 1926, la Thyssen & Co. s'agrandit par de nouvelles fusions et devint la *Vereinigte Stahlwerke A. G.* ♦ FRITZ THYSSEN, son fils (Mülheim, 1873 — Buenos Aires, 1951). Collaborateur, puis successeur de son père, il apporta un important soutien financier à la propagande du Parti national-socialiste, fut conseiller d'État et commissaire de Rhénanie-Westphalie (1933). Il rompit avec Hitler lors de la signature du pacte germano-soviétique (1939), se réfugia en Suisse, puis en France, où il fut arrêté par le gouvernement de Vichy qui le livra à la Gestapo. Déchu de sa nationalité et de ses biens, déporté à Dachau, il s'établit en Amérique du Sud après la Libération. Au lendemain de la Seconde Guerre mondiale, l'héritage Thyssen fut reconstitué, formant le groupe *Thyssen-Oberhausen*, première entreprise sidérurgique du Marché commun.

TIAHUANACO. ♦ Localité de Bolivie, près des rives S. du lac Titicaca, à 3 900 m d'alt. — La *civilisation de Tiahuanaco* (700?-1300?) s'étendit au S., puis au N. du Pérou et à l'E. de la Bolivie. L'architecture en larges blocs de basalte et de grès, la sculpture anthropomorphe et zoomorphe, les poteries et tissus polychromes, les objets en métaux précieux plaqués sont caractéristiques de cette période de l'art du Pérou*. Célèbre porte monolithe dite *porte du Soleil.*

TIAN'-CHAN'. ♦ V. T'IEN SHAN.

TIARET. ♦ V. d'Algérie. Nom anc. de Tagdempt*.

TIBÈRE, en lat. **Tiberius Claudius Nero.** ♦ (Rome, ~ 42 — Misène, 37). Empereur romain (14-37). Fils de Tiberius Claudius Nero et de Livie* qui devait épouser Auguste* en ~ 38. Consul en ~ 29, il rétablit Tigrane sur le trône d'Arménie (~ 20) puis aida Drusus*, son frère, à affermir les frontières du Rhin et du Danube.

Ph. Prato/Ricciarini

Tibet : fidèle bouddhiste.

Il avait épousé Vipsania Agrippina, mais, Agrippa* venant de mourir, Auguste obligea Tibère à divorcer pour épouser Julie*, sa fille, à l'instigation de Livie qui préparait l'accession de son fils au trône. La mort de Drusus (~ 9), puis celle des deux fils de Julie et d'Agrippa, obligea alors Auguste à adopter Tibère qui dut lui-même adopter Germanicus*, son neveu. Pourtant Tibère ne désirait pas le pouvoir et, stoïcien hautain, misanthrope et aisément dédaigneux, il vivait retiré de la vie publique, scandaleusement trompé par Julie. À la mort de l'empereur (14), il lui succéda aisément; il avait alors cinquante-six ans. Il poursuivit l'œuvre d'Auguste, fidèle à sa politique de paix, s'occupant tout particulièrement des finances, de la justice et de l'administration des provinces. Excédé par les intrigues de son entourage, il se retira à Capri en 27, continuant à gouverner par l'intermédiaire de son ministre Séjan* qui multiplia exécutions et empoisonnements. Malgré les complots qui l'entouraient, il refusa de laisser compromettre Caligula* qu'il désigna comme son successeur. Il mourut en Campanie, probablement assassiné par les gardes de Macron, préfet du prétoire.

TIBÈRE II Constantin. ♦ [mort en 582]. Empereur d'Orient (578-582). Adopté et proclamé César par Justin* II à l'instigation de l'impératrice Sophie (574), il fut couronné empereur peu avant la mort de Justin. Sa politique fiscale fut compromise par le gaspillage des ressources économiques dans une politique extérieure ambitieuse mais peu habile. Il remporta des succès dans la guerre contre les Perses, mais ne put empêcher la progression des Avars et des Slaves.

TIBÈRE III Apsimar. ♦ [mort en 705]. Empereur d'Orient (698-705). Il détrôna l'usurpateur Leontios et se battit contre les Arabes qui harcelaient la province d'Afrique. Justinien* II, ayant repris son trône avec l'appui bulgare, fit exécuter Tibère à l'Hippodrome.

TIBÉRIADE *(lac de)* ou *lac de* **Génésareth**, *mer de* **Galilée**, *lac de* **Kinnereth***. ♦ Lac de l'État d'Israël situé aux frontières de Syrie en Galilée, et relié à la mer Morte par le Jourdain*. À plus de 200 m au-dessous du niveau de la mer, il occupe en partie la dépression de Ghor* et couvre une superficie de plus de 200 km². Ses eaux alimentent le système de canalisation Kinnereth-Néguev, le plus important d'Israël, établi conformément au plan d'irrigation du désert du Sud **(V. Néguev).** Le barrage de Tibériade contribue par ailleurs à régulariser le cours du Jourdain. Agrumes, bananeraies, palmiers, dattiers, vignobles. Gisement de fer au N. du lac. Israël, afin de pallier l'insécurité des kibboutz implantés sur la r. orientale du lac, près de la frontière syrienne, a occupé en 1968 les hauteurs du Golan*.

TIBÉRIADE. ♦ V. d'Israël, sur la r. occidentale du lac du même nom. 73 600 hab. (1969).

TIBESTI. *n. m.* ♦ Massif montagneux du Sahara* central, de formation volcanique, peuplé par des Toubous*. Il culmine à l'Emi Koussi (3 415 m). Situé au N. du Tchad, il limite la cuvette tchadienne et ses contreforts se prolongent au N. en Libye et au N.-E. au Niger*. Grottes rupestres.

TIBET. *n. m.* ♦ Région autonome du S.-O. de la Chine (1 433 600 km²) constituée par un immense plateau situé au N. de l'Himâlaya, d'une altitude souvent supérieure à 5 000 m. Climat très froid, n'excédant pas 10 °C en été. De hautes chaînes de montagnes (Kun-lun, Kailaśa) traversent le pays, le fragmentant en plateaux désertiques ou steppiques parsemés de lacs saumâtres. Cultures pauvres d'orge, pommes de terre, fruits dans les régions riveraines du haut cours de l'Indus et du Brahmâputra (appelé ici Tsang-po), au S. du pays, où l'on trouve de vastes étendues de forêts vierges contrastant avec l'aspect désertique du Nord. Élevage de yacks et de chevaux. La population tibétaine (env. 1 300 000 hab. soit moins d'un hab./km²) est concentrée dans les vallées et les cités-monastères. *Cap.* **V. Lhasa** (50 000 hab.). ♦ *Hist.* Le Tibet resta indépendant jusqu'en 1951 et gouverné par un dalaï*-lama résidant au Potala à Lhasa* et un panchen-lama résidant à Rigatze. Le dalaï-lama se réfugia en Inde lors de la pénétration des troupes chinoises en 1950, mais rentra dans son pays l'année suivante, le traité de Pékin (mai 1951) reconnaissant les gouvernements locaux et garantissant l'autonomie régionale du Tibet. Cependant, une rébellion générale antichinoise éclata en 1959 et fut durement réprimée. Le dalaï-lama se réfugia en Inde, tandis que la Chine établissait solidement son emprise sur le Tibet. Plus de 85 000 Tibétains vivent en exil.

TIBRE, *n. m.*, en lat. **Tiberis**, en it. **Tevere**. ♦ Fl. d'Italie (396 km), né dans l'Apennin toscan à 1 268 m, au mont Fumaiolo. Il traverse la Toscane, l'Ombrie et le Latium et arrose Rome. Il se jette dans la mer Tyrrhénienne près d'Ostie. *Affl.* : la Paglia (r. g.), la Nera et l'Aniene (r. d.).

TIBULLE (Albius Tibullus). ♦ Poète élégiaque latin (v. ~ 50 – v. ~ 19 ou ~ 18) ami de Properce* et d'Ovide* et protégé par Valerius Messala*. Poète de la vie rurale, il se rapproche par les thèmes de son modèle Virgile*, mais en l'affadissant. Il composa deux livres d'*Élégies* où les thèmes se mêlent selon un principe de composition musicale. À son œuvre est associé le *Corpus Tibullianum,* ensemble de pièces composées dans le cercle de Messala.

TIBUR. ♦ Anc. V. d'Italie dans le Latium. **V. Tivoli.**

TICINO. ♦ Nom it. du Tessin (Suisse).

TIDIKELT. ♦ Région du Sahara algérien, au S. du Tademaït*, qui groupe quelques oasis dont la principale est In*-Salah.

TIECK (Ludwig). ♦ Écrivain allemand (Berlin, 1773 – 1853). Ses premières œuvres sont un écho du *Sturm und Drang* (*Histoire de William Lovell,* 1795-1796); sous l'influence de F. Schlegel* et de Wackenroder* (son ami), il devint un des membres les plus actifs du groupe romantique d'Iéna. Son lyrisme musical et sa virtuosité dans le maniement de l'ironie s'expriment dans ses contes populaires à thèmes médiévaux (*Le Fidèle Eckhart,* 1791; *Le Chat botté,* 1794; *Le Blond Eckbert,* 1797), ses romans (*Les Pérégrinations de Franz Sternbald,* 1798) et deux tragédies légendaires dont *Vie et mort de sainte Geneviève* (1800, **V. Geneviève de Brabant).** Avec *La Révolte des Cévennes* (1826) et *Vittoria Accorombona* (1840), il ouvrit la voie au roman historique et à l'art réaliste.

T'IEN-SHAN [*T'ien chan, Tian Shan*]. *n. m.* ♦ Système montagneux de l'Asie centrale. Env. 2 500 km de longueur. Le *T'ien-Shan occidental,* situé en U.R.S.S. (Kazakhstan* et Kirghizistan*, 1 200 km de longueur), est composé par une série de chaînes montagneuses qui dépassent 5 000 m d'alt. et se déploient vers l'O. en éventail, entrecoupées par les vallées de Fergana*, du Naryn et de l'Issyk-Koul. Culminant au massif de Khan-Tengri (6 995 m) et au *pic Pobiedy** (pic de la Victoire, 7 439 m), elles sont couvertes de nombreux glaciers où prennent leur source les riv. Syr*-Daria (Naryn*) et Ili*. Princ. lacs : Issyk*-Koul et Son-Koul (258 km², à une alt. de 3 016 m). Le *T'ien-Shan oriental,* situé en Chine, est constitué par deux grandes chaînes montagneuses parallèles, s'étendant de l'O. à l'E., séparées par des plateaux et des dépressions. Alt. max. 5 000 m.

T'IEN-TSIN [*Tianjin*]. ♦ V. et port de Chine situé à 140 km au S.-E. de Pékin, au confl. de 5 riv. et à 45 km de la mer. Plus de 3 500 000 hab. Cap. de la prov. du Ho*-pei, T'ien-Tsin est la deuxième cité indus. et commerciale chinoise (après Shanghai). Elle est administrée par une municipalité spéciale. Son port, protégé par un important avant-port artificiel, a une très grande activité. ♦ *Hist.* La ville fut déclarée « ville internationale » après les traités de 1858 (« traités inégaux »), et des concessions européennes y furent installées. Le *Traité de T'ien-Tsin* entre la France et la Chine (9 juin 1885) vit cette dernière renoncer à ses droits sur le Tonkin* et sur l'Annam. En 1900, à la suite de la révolte des « Boxers »*, des troupes internationales s'installèrent dans la cité et en firent démolir les remparts. Les concessions étrangères furent supprimées en 1946.

T'ien-Tsin *(traités de).* ♦ Signés les 26 et 28 juin 1858, ils accordaient à l'Angleterre, aux États-Unis, à la France et à la Russie l'ouverture au commerce de onze nouveaux ports en Chine. La non-observation de ces traités par les Chinois fut l'occasion d'une occupation de T'ien-Tsin puis de Pékin (1860) par un corps expéditionnaire franco-anglais.

TIEPOLO (Giambattista). ♦ Peintre, décorateur, dessinateur et graveur italien (Venise, 1696 – Madrid, 1770). Élève du Vénitien G. Lazzarini, il subit d'abord l'influence de Piazzetta* et chercha comme lui les contrastes d'ombres et de lumière (*Le Sacrifice d'Isaac,* 1717-1719). En 1719, il épousa la sœur de F. Guardi*. Il s'affirma bientôt comme le plus grand décorateur de son siècle. Dès 1725, il reçut de nombreuses commandes : tableaux religieux peints à l'huile et surtout cycles et fresques à sujets bibliques, mythologiques ou allégoriques : décorations au *palais Dolfin* de Venise (1725); au *palais archiépiscopal* et à la *cathédrale* d'Udine (1726-1727); à la *Scuola dei Carmini* (1740-1745) et au *palais Labbia* (vers 1750) à Venise. En 1750, le prince-évêque de Würzburg le chargea de décorer le plafond et l'escalier de la *Résidence* (*Les Quatre Parties du monde,* terminé en 1753). Appelé en Espagne par le roi Charles III en 1762, il travailla au *palais royal* de Madrid *(plafond de la salle du trône)* et à Aranjuez. S'il emprunta à Véronèse* son goût des vastes architectures qui rythment l'espace avec ampleur, imitant ses costumes fastueux et s'inspirant de ses types féminins, il élabora brillamment un style personnel en faisant preuve d'une grande fantaisie imaginative dans l'agencement des scènes et dans l'invention de gestes et de mouvements rendus souvent par d'audacieux raccourcis. Il évitait de charger ses vastes compositions de trop nombreuses architectures, tout en exploitant les effets de perspective en trompe l'œil et leur donna un caractère aérien en réservant de grands espaces vides aux blancs délicatement nuancés. Sa gamme chromatique claire et lumineuse où dominent le bleu, le rose et le jaune, sa facture elliptique et nerveuse, son goût pour le mouvement (multiples envols de figures) confèrent à ses œuvres une exceptionnelle légèreté. Il fut aussi un brillant portraitiste (*Le Procurateur Jean Querini*, vers 1750) et témoigna de son souci de l'observation dans ses scènes de la vie quotidienne à Venise. Il exprima dans les *Scènes de la Passion* à *Sant'Alviso* (Venise) un lyrisme dramatique et révéla l'originalité de son imagination dans ses gravures, au trait fouillé et preste, des *Caprices* ou *Jeux de fantaisie.*

TIEPOLO (Giandomenico). ♦ Peintre, dessinateur et décorateur italien (Venise, 1727 — *id.*, 1804). Formé par son père Giambattista, il fut son collaborateur fidèle, mais sut se montrer personnel dans ses tableaux de genre, particulièrement dans des scènes représentant des saltimbanques, polichinelles et pierrots aux accents étranges et grotesques *(Les Pierrots qui se reposent)*. Plusieurs de ses dessins exécutés à Madrid ne sont pas sans affinités avec Goya*.

TIETÉ. *n. m.* ♦ Riv. du Brésil (1 100 km), née dans la serra do Mar*, affl. du Paraná (r. g.) qui traverse São* Paulo.

TIFFAUGES. ♦ Comm. de Vendée, arr. de La Roche-sur-Yon, sur un promontoire dominant la r. g. de la Sèvre Nantaise*. 1 052 hab. Ruines du château de Gilles de Rais* (XIIe, XIVe, XVe s.). — Confection, chaussures. Horlogerie.

TIFLIS. ♦ **V.** TBILISSI.

TIGERY-LIEUSAINT. ♦ Une ville nouvelle y sera construite, au N.-E. de Corbeil-Essonnes, dans la région parisienne.

TIGNES ou **TIGNES-LES-BOISSES.** ♦ Comm. de la Savoie*, arr. d'Albertville*, en Tarentaise*, sur l'Isère*. 901 hab. (53 aggl.). — Nouveau village construit à 1 820 m d'alt. sur la r. g. de l'Isère, en remplacement de l'anc. Tignes, submergé par le lac du barrage. — *Lac-de-Tignes*, station de sports d'hiver très moderne, à 2 100 m d'altitude. — Le *barrage de Tignes*, terminé en 1952, a été construit sur la haute Isère* : c'est un barrage-voûte en béton, haut de 180 m, large de 295 m, épais de 45 m à la base et de 10 m au sommet. La retenue, d'une superficie de 270 ha, est de 230 000 000 de m^3. Huit centrales hydro-électriques produisent plus de 1 000 000 000 de kWh.

TIGRANE le Grand. ♦ (v. ~ 140 — ~ 55). Roi d'Arménie (v. ~ 95-~ 55). Allié avec Mithridate* VI Eupator contre les Romains, il conquit la Cappadoce (~ 93) dont il fut chassé par Sylla* (~ 92), la Cilicie, la Syrie et la Mésopotamie septentrionale. En ~ 78, il fonda sur le haut Tigre la capitale de Tigranocerte. Mithridate, à nouveau en guerre contre Rome, vint se réfugier chez lui en Arménie et Lucullus* s'empara de Tigranocerte. Lorsque Pompée* s'avança à nouveau vers l'Arménie, Tigrane lui offrit sa soumission; il lui céda la Syrie, la Cappadoce et la petite Arménie et vécut en vassal de Rome.

TIGRE. *n. m.* ♦ Fl. d'Asie occidentale (1 718 km) qui prend sa source dans le Taurus* turc au S.-E. d'Elâziğ* et traverse le territoire irakien où il délimite la basse Mésopotamie* avant de former le Chatt* al-'Arab avec l'Euphrate et de se jeter dans le golfe Persique. **V. Iraq.** Il coule aux deux tiers en Iraq après avoir marqué sur une cinquantaine de kilomètres la frontière entre la Syrie et la Turquie. Son embouchure, comme celle de l'Euphrate, se perd dans une zone lagunaire impropre à la navigation, mais contrairement à l'Euphrate auquel il est relié par des canaux, il est navigable sur l'ensemble de son cours. La violence de son régime, aggravée par le caractère impétueux de ses affl. (Grand et Petit Zab, Diyala*, Adhaim), a nécessité la construction de barrages sur le fleuve lui-même (Samarra*, Kut) et ses affl., afin de dériver les eaux de crues vers des réservoirs et de mettre les terres cultivées à l'abri des inondations. Polyculture dans la vallée riche en alluvions (céréales, fruits, coton, riz). Palmiers-dattiers sur le cours moyen et inférieur du fleuve, fournissant 80% des dattes consommées dans le monde. D'amont en aval, le Tigre arrose Mossoul*, Sâmarrâ, Baghdâd*, Kut* et'Amâra*.

Ph. Nimatallah/Ricciarini

Giandomenico Tiepolo : « Abraham visité par les Anges ». (Académie, Venise.)

TIGRÉ. *n. m.* ♦ Prov. du N. de l'Éthiopie (65 900 km^2; 2 300 000 hab.). — Nom de la langue chamito-sémitique qui y est parlée.

TIHAMA. *n. f.* ♦ Plaine côtière qui fait suite à la barrière montagneuse du Hedjaz*, sur la r. orientale du golfe Persique, et borde l'‛Asîr* sa‛ûdien et les hauts plateaux du Yémen du Nord. C'est une plaine entrecoupée de reliefs volcaniques où les cours d'eau se perdent dans les sables avant d'avoir pu gagner la mer. Les températures élevées, le climat insalubre et le sol pauvre font de la plaine de la Tihama une région deshéritée.

TI-HUA [*Dihua*]. ♦ **V.** URUMTSIÉ

TIJUANA. ♦ V. du Mexique septentrional, proche de la frontière des États-Unis, dans l'État de la Basse-Californie* du Nord, et située au S. du port californien de San* Diego. 335 125 hab. — Centre touristique important, à proximité des grandes villes de Californie.

TIKAL. ♦ Site archéologique maya* dans le Petén au Guatemala. On y a découvert notamment une imposante pyramide et une plaque en jade portant la plus ancienne date maya (320 apr. J.-C.).

TIKHONOV (Nicolas Semionovitch) [*Tixonov*]. ♦ Poète soviétique (Saint-Pétersbourg, 1896 —). Il appartint au groupe des Frères* Sérapion. Ses deux premiers recueils de vers, qui ont pour sujet la guerre civile, sont empreints de compassion pour ceux qui souffrent : *La Horde* (1922), *L'Hydromel* (1922). Séduit par l'Orient, il écrivit *À la recherche du héros* (1927) et, après un voyage de Pologne jusqu'en Angleterre, *L'Ombre d'un ami* (1935). La Deuxième Guerre mondiale vit paraître son célèbre poème *Kirov est avec nous* (1941). Puis il publia encore deux recueils de vers : *Le Printemps géorgien* (1949) et *Deux Torrents* (1951). [Prix Lénine, 1957.]

TILAK (Bâl Gangâdhar). ♦ Écrivain indien (1856 — 1920) d'expression marathi, qui dans ses écrits se montra farouchement opposé à la domination anglaise. Il écrivit également d'importants commentaires religieux, notamment sur le *Bhagavad*-Gîtâ*.

TILBURG. ♦ V. des Pays-Bas (Brabant-Septentrional) sur le canal Wilhelmine. 151 205 hab. — Université catholique d'économie. Centre lainier. Tanneries. Construction électrique. Matériel de chemin de fer.

TILBURY. ♦ V. de la proche banlieue de Londres* (Essex), sur la r. nord de la Tamise. 16 000 hab. environ. Immenses docks construits en 1884-1886.

TILDEN (William Tatem). ♦ Tennisman américain (en Pennsylvanie, 1893 — Hollywood, 1953). Il fut de 1920 à 1930 un champion incontesté.

TILFF. ♦ Comm. de Belgique (prov. et arr. de Liège) sur l'Ourthe. 5 500 hab. Château de Brialmont (1677). Raffinerie de zinc. Laminoirs.

TILLEMONT [tij(ə)mɔ̃] **(Louis Sébastien Le Nain *de*).** ♦ Prêtre et historien français (Paris, 1637 — 1698). Janséniste, il eut une vie mouvementée, fut un des solitaires de Port-Royal des Champs (1677-1679) et se retira à Tillemont près de Vincennes. Il est l'auteur de l'*Histoire des empereurs* [...] *des six premiers siècles* (6 vol., 1691-1738) et des *Mémoires pour servir à l'histoire ecclésiastique des six premiers siècles* (15 vol., 1693-1712) où il fait preuve d'une érudition et d'un esprit critique remarquables.

Till Eulenspiegel (primitivement *Uylenspiegel*, « miroir aux chouettes »; ce nom a donné en français l'adj. *espiègle*). ♦ Légende germanique écrite primitivement en bas allemand (1483, version *auj.* perdue) dont une version en haut allemand fut publiée à Strasbourg (v. 1515-1519). Son héros, à l'origine un personnage réel qui vécut en Basse-Saxe dans la première moitié du XIVe s., est un fils de paysan, célèbre par les tours qu'il joua aux nobles, aux artisans ou aux clercs. Traduite dans plusieurs langues, cette œuvre satirique connut un succès considérable; son thème fut repris par plusieurs écrivains (J. Fischart*, XVIe s.; Ch. de Coster; G. Hauptmann dans un poème; et mis en musique par R. Strauss).

TILLEUR [tijœʀ]. ♦ Comm. de Belgique dans la banlieue indus. de Liège, sur la Meuse. 6 200 hab. Houillères. Aciéries. Indus. chimiques.

TILLIER [tilje] **(Claude).** ♦ Écrivain français (Clamecy, 1801 — Nevers, 1844). Contraint de bonne heure à gagner sa vie comme maître d'études, choisi par le sort pour six années de service militaire, puis maître d'école en butte aux pressions cléricales, il devint dès 1831 un pamphlétaire redoutable, décidé à dire « de la société autant de mal qu'elle [lui en avait] fait ». Ses articles, publiés dans un journal d'opposition à Clamecy, puis à Nevers, firent voir en lui un nouveau Paul-Louis Courier*. Son œuvre polémique est aujourd'hui oubliée, mais ses récits humoristiques, où se retrouvent son ardente opposition au cléricalisme et ses préoccupations sociales, suffisent à sa renommée. *Belle-Plante et Cornélius* (1841) et surtout *Mon oncle Benjamin* (1843) offrent de savoureux tableaux des mœurs provinciales que des paradoxes spirituels, illustrant une philosophie épicurienne, rattachent à la tradition romanesque du XVIIIe siècle.

TILLY [tiji] **(Johann Tserclaes,** *comte de***).** ♦ Général belge au service du Saint Empire (Brabant, 1559 – Ingolstadt, 1632). Sollicité par la France, il préféra servir l'Empereur et Maximilien* de Bavière, à la tête des forces de la Sainte Ligue, contre les protestants. Il fut avec Wallenstein* le plus grand général des Impériaux (victoire de la Montagne* Blanche en 1620, de Lutter en 1626, sac de Magdebourg*, 1631). Il fut défait par Gustave*-Adolphe à Breitenfeld (1631) et sur le Lech* (1632) où il fut mortellement blessé.

TILSIT. ♦ V. de Prusse-Orientale (*auj.* **Sovietsk***, en U.R.S.S.). ♦ *Hist.* Le tsar Alexandre* Ier y rencontra Napoléon*, après la victoire de ce dernier à Friedland* (14 juin 1807). L'entrevue eut lieu sur le Niémen (sur un radeau), et les conversations durèrent vingt jours, avec la participation du roi de Prusse. Un traité fut signé le 7 juillet : Napoléon laissait au tsar les mains libres en Suède et proposait de partager avec lui des possessions turques d'Europe ; la Russie adhérait au Blocus continental et promettait d'entrer en guerre avec l'Angleterre si cette dernière ne faisait pas la paix avant le 1er nov. Ce traité secret fut suivi par un second, le 9 juil., prévoyant la création d'un royaume de Westphalie et d'un grand-duché de Varsovie, au détriment de la Prusse. Napoléon avait fait par ses traités d'importantes concessions à la Russie. Alexandre Ier devait accentuer ses exigences à Erfurt (1808) avant d'abandonner le Blocus continental en 1810.

TIMANTHE, en gr. **Timanthês.** ♦ Peintre grec (Cythnos, fin du ~ Ve s.), l'un des représentants de l'école ionienne. Maître de l'expression pathétique, il vainquit Parrhasios dans un concours à Samos où les deux artistes avaient représenté le même sujet : *Ajax et Ulysse disputant les armes d'Achille.* Son œuvre la plus admirée était le *Sacrifice d'Iphigénie* dont on a cru reconnaître une transposition dans des fresques de Pompéi.

TIMÉE, en gr. **Timaios.** ♦ Philosophe grec pythagoricien (Locres, ~ Ve s.). On croit savoir qu'il eut de hautes fonctions de magistrat dans sa ville. Son influence aurait été capitale sur le développement de la pensée de Platon* **(V. Timée** [*le*]**).**

Timée (le). ♦ De la nature. Un des derniers dialogues platoniciens. Au récit du mythe de l'Atlantide **(V. Critias)** succède l'exposé de la cosmologie platonicienne présentée par le pythagoricien Timée*. Platon* maintient que le monde sensible n'est qu'une image imparfaite du monde intelligible et qu'il n'y a de science que de ce dernier, mais il tente néanmoins, à l'aide des connaissances astronomiques, physiques, psychologiques et médicales, de donner une explication vraisemblable de la formation de l'univers, de l'âme et du corps. Celle-ci a un caractère nettement finaliste.

TIMGAD. ♦ Comm. d'Algérie (dép. de Batna) sur le versant N. des Aurès*. 3 388 hab. Site archéol., poste fortifié. Anc. *Thamugas* ou *Thamugadi,* située sur une voie romaine qui reliait Lambèse (Tazoult) et Théveste (Tebessa). Trajan* en fit une colonie romaine (100). Vestiges importants.

TIMIS. *n. m.* ♦ Riv. d'Europe centrale (400 km), affl. r. g. du Danube, irriguant la Roumanie et la Yougoslavie. Issue des monts du Banat*, elle arrose Caransebeş*, Lugoj* et rejoint le Danube en amont de Belgrade.

TIMIŞOARA, en hongr. **Temesvár.** ♦ V. de Roumanie occidentale. Cap. du Banat*, sur la Bega canalisée. 192 960 hab. Siège d'une métropole orthodoxe et d'une université. Château (XIVe-XIXe s.). – Important centre industriel : indus. mécaniques et électriques, travail du cuir, produits chimiques, textiles.

TIMMERMANS [-mɑ̃s] **(Félix).** ♦ Écrivain belge d'expression flamande (Lierre, 1886 – *id.,* 1947). Il se fit connaître par un roman d'inspiration provincialiste, *Pallieter* (1916), fresque haute en couleur célébrant la campagne flamande et la vie agreste, puis par une nouvelle naïve et charmante, *Les Très Belles Heures de Mlle Symphorose, béguine,* écrite dans la tradition des conteurs médiévaux. Surnommé « le prince des conteurs flamands », il écrivit encore une vingtaine d'ouvrages, dont le plus connu est le *Psaume paysan* (1935). [Acad. royale flamande de littérature.]

TIMNA. ♦ V. d'Israël située dans le S. du Néguev*, à proximité de la frontière jordanienne. Gisements de cuivre, phosphate et chrome. – Ville historique. Les vestiges des mines de cuivre dites du roi Salomon, dont le métal servit notamment à décorer le Temple de Jérusalem, attirent les touristes.

TIMOCHARIS ou **TIMOKHARI.** ♦ Astronome grec (~ IVe – ~ IIIe s.). Auteur des premiers relevés relativement précis de positions d'étoiles.

TIMOCHENKO ou **TIMOSHENKO (Semion Konstantinovitch)** [*Timošenko*]. ♦ Maréchal soviétique (Fourmanka, Bessarabie, 1895 – Moscou, 1970). Sous-officier dans l'armée impériale, membre du parti bolchevik dès 1919, il devint commandant d'une division de cavalerie pendant la guerre civile. En 1939, il dirigea l'occupation de la Pologne orientale. Promu maréchal (1940), il devint commissaire du peuple à la Défense (1940-1941) ; Staline lui succéda au début de la guerre. Commandant du front sud, Timochenko subit une grave défaite à Kharkov (mai 1942), fut remplacé par Joukov* et muté au quartier général personnel de Staline.

TIMOLÉON [*Timoleôn*]. ♦ Homme politique grec (Corinthe, v. ~ 410 – Syracuse, v. ~ 337). Ayant permis l'exécution de son frère Timophane, tyran de Corinthe (~ 365), il se retira pendant longtemps de la vie politique. Chargé par ses concitoyens de délivrer Syracuse de la tyrannie de Denys* le Jeune, il parvint à y rétablir

Ph. Lauros-Giraudon

« Les Adieux de Napoléon Ier et d'Alexandre Ier le 9 juillet 1807 à **Tilsit.** » Estampe populaire. (Bibliothèque nationale, Paris.)

la démocratie en ~ 344. Les tyrans de la Sicile grecque, attaqués ensuite par Timoléon, firent appel aux Carthaginois. La victoire décisive de Timoléon à la bataille de Crimisos (v. ~ 339) livra le terrritoire carthaginois de la Sicile à la colonisation grecque.

TIMON (le Misanthrope), en gr. **Timôn.** ♦ Philosophe grec (Athènes, ~ Ve s.). Ses malheurs et ceux de sa cité lui avaient inspiré une haine profonde du genre humain. Il devint le type même du misanthrope et inspira plusieurs écrivains (Lucien* ; Shakespeare*).

Timon d'Athènes *(Timon of Athens).* ♦ Drame de W. Shakespeare (1607). Riche et généreux jusqu'à la prodigalité, Timon vit à Athènes, entouré de flatteurs. Dès qu'il est ruiné, il se voit abandonné de tous. Réfugié dans une caverne, il se voit de nouveau sollicité de toutes parts dès que le bruit se répand qu'il a découvert un trésor. Devenu amer et misanthrope, il accueille Alcibiade, banni par les Athéniens, et lui remet une grande partie de ses biens pour équiper une armée, prendre Athènes d'assaut et, de la sorte, humilier ses chefs et ses concitoyens. La pièce développe avec force une accusation du pouvoir corrupteur de l'or et de l'usure.

TIMON (le Sillographe), en gr. **Timôn.** ♦ Philosophe et poète grec (Phlionte, v. ~ 320 – ? v. ~ 230). Disciple de Stilpon et de Pyrrhon*, il est l'auteur de poèmes satiriques *(Silles),* où il critique en les ridiculisant tous les systèmes philosophiques.

TIMOR. ♦ Île de la Sonde*, à l'extrémité orientale de l'archipel indonésien. 33 925 km². 1 100 000 hab. **V. princ.** Dili, Kupang*. La partie orient. possède une population malaise et papoue. Elle produit du coprah, du tabac, du café et de la cire végétale. La partie occident. montagneuse, est bien cultivée et produit des épices, du coprah, du café et des bois précieux. ♦ *Hist.* Découverte par les Portugais en 1520, l'île fut partagée entre Portugais à l'E. et Hollandais à l'O. La partie occident. revint à l'Indonésie en 1946. Tandis que l'indépendance y était proclamée unilatéralement, le territoire portugais était envahi par l'armée indonésienne en déc. 1975. En juin 1976, l'Indonésie annexa Timor-Oriental.

TIMOR *(mer de).* ♦ Partie de l'océan Indien comprise entre l'île de Timor* au N. et le N.-O. de l'Australie* au sud.

TIMOSHENKO (Stephen), en russe **Stepan Prokofievitch Timošenko.** ♦ Ingénieur américain, d'origine russe (Chpotovka, près de Kiev, 1878). Après avoir enseigné en Russie, émigré en Yougoslavie puis aux États-Unis (1922), où il occupa des chaires de mécanique théorique, éminent spécialiste de l'élasticité, il développa les connaissances théoriques sur la résistance des matériaux. **V.** *aussi* **Lamé, Navier.**

TIMOTHÉE *(saint).* ♦ (Lystres, Asie Mineure, Ier s.). Compagnon de saint Paul* à partir du deuxième voyage missionnaire (*Actes des apôtres,* XVI). La tradition le fait mourir martyr à Éphèse et en fait le destinataire des deux *Épîtres** attribuées à saint Paul*. Fête le 24 janvier.

TÎMÛRIDES. *n. m. pl.* ♦ Dynastie türko-mongole des descendants de Tîmûr*-i Lang (Timour-Lang ; Tamerlan) qui régna à Samarkand de 1369 à 1499 et jusqu'en 1517 en Perse. Une branche de cette dynastie régna également sur l'Afghânistân (v. 1400-v. 1506) : la lignée indo-musulmane des Moghols* en est issue.

TÎMÛR-I LANG, TIMUR-LANG, TIMOUR-LANG (francisé en **TAMERLAN).** ♦ Chef d'un clan türko-mongol (près de Samarkand, 1336 – 1405). En 1363, il abattit la puissance mongole. Il perdit dans la bataille l'usage d'une de ses jambes d'où son surnom de « Tîmûr le Boiteux » qui lui resta. Il se proclama roi de Transoxiane* et dicta ses volontés à la Perse. En 1388, il se fit acclamer sultan musulman puis commença la conquête de l'Asie centrale, de l'Iran, de la Syrie, de la Turquie d'Europe : il battit Bayazid Ier à Ancyre (Ankara) en 1402. Il prit Delhi en 1398, pilla la ville de fond en comble, puis se disposa à attaquer la Chine, mais il mourut avant d'avoir pu mettre son projet à exécution, en 1405. Son immense empire fut alors partagé entre ses quatre principaux descendants, fils et petits-fils, qui fondèrent des dynasties séparées régnant sur la Perse, la Transoxiane, l'Afghânistân.

TÎMÛR SHÂH. ♦ Shâh d'Afghânistân (1746 – 1793) qui régna à partir de 1773, succédant à son père Ahmad Shâh Durânî.

Il établit sa capitale à Kâbul et réussit à unifier le pays. Ses fils se disputèrent le pouvoir après sa mort.

TINBERGEN (Jan). ♦ Économiste néerlandais (né en 1903). Auteur de recherches d'économétrie (en particulier sur les fluctuations de l'activité économique) et de travaux sur les pays sous-développés, il reçut avec R. Frisch* le premier prix Nobel décerné en sciences économiques (1969).

TINBERGEN (Nikolaas). ♦ Psychologue néerlandais (La Haye, 1907). Il fut, avec K. Lorenz*, un des fondateurs de l'éthologie. Il se consacra à l'étude des comportements instinctifs chez les animaux et montra qu'ils sont déclenchés par des stimuli complexes non appris [« schémas innés de déclenchement »] (*L'Étude de l'instinct*, 1953). — Prix Nobel de médecine (1973) avec K. Lorenz et K. von Frisch.

TINCHEBRAY. ♦ Ch.-l. de cant. de l'Orne*, arr. d'Argentan*. 3 300 hab. *(Tinchebrayens).* Église Saint-Remy (XIIe-XIIIe s.), église Notre-Dame-des-Moutiers (XVIIe s.). Centre de quincaillerie. Chocolaterie. — Patrie d'A. Breton*.

TINDOUF. ♦ Poste du Sahara algérien (dép. de la Saoura) proche des frontières du Maroc, du Sahara espagnol et de la Mauritanie. Les gisements de fer du Gara Djebilet* situés au S.-E. ont amené des contestations de frontière entre le Maroc et l'Algérie.

TINÉE. *n. f.* ♦ Riv. des Alpes*-Maritimes (72 km), affl. du Var*. Elle alimente plusieurs centrales hydro-électriques.

TING LING *(Ding Ling).* ♦ Romancière chinoise (1907), auteur de contes célèbres dans lesquels elle décrit la misère des paysans sous le régime nationaliste. Elle écrivit également des pièces de théâtre populaire.

TINGUELY (Jean). ♦ Sculpteur suisse (Fribourg, 1925). Il étudia de 1940 à 1944 à l'école des beaux-arts de Bâle. Il abandonna bientôt la peinture et s'installa à Paris en 1953. Il créa alors des reliefs animés à transformations multiples et s'adonna à la construction de figures aux éléments mobiles, en fil de fer et en tôle. Après ces *Métamécaniques* (1954-1955), il réalisa des machines à dessiner et à peindre, capables de produire à grande vitesse une multitude d'œuvres qui s'apparentent formellement à la peinture abstraite gestuelle. À cette série de *Meta Matics* succédèrent des machines formées de pièces de moteur diverses, d'engrenages, d'éléments de rebut, de ferrailles auxquelles il ajouta des objets de textures variées (bois, tissus déchirés, etc.) et dont le fonctionnement anarchique et frénétique aboutit parfois à la destruction de la machine elle-même (*Hommage à New York*, 1960). À cette époque, il adhéra au *Nouveau Réalisme* et eut tendance à faire de ses créations un spectacle éphémère (« machine-happening »). Esprit subversif, ayant le goût de la dérision, il a créé des œuvres qui, sur un mode ironique, mettent en question les fins et les moyens de l'art. Cette attitude procède en particulier de l'esprit dada, particulièrement de Duchamp* et de Picabia* et met en valeur le côté ludique de la création artistique. Ses « Machines délirantes », qui sont en même temps une critique joyeuse de la civilisation technologique, ne remplissent en effet aucune fonction pratique; elles marchent à vide, mystérieuses et cocasses, leur seule finalité étant de produire un mouvement heurté, plus ou moins complexe et assourdissant. La fantaisie déployée dans l'assemblage des éléments, les effets imprévus obtenus démontrent les possibilités formelles et le pouvoir expressif de constructions qui récusent le vocabulaire traditionnel de l'art.

TINIAN *(île).* ♦ V. MARIANNES (îles).

TINNÈ (Alexandrine). ♦ Exploratrice hollandaise (La Haye, 1838 — près de Mourzouk, 1869). Elle explora successivement le cours du Nil (1858), le Bahr-el-Ghazal (1861-1862, 1863). En 1869, partie pour Tripoli par le Soudan et le Sahara, elle fut tuée par son escorte au cours de l'expédition.

TINÓDI (Lantos Sebestyén). ♦ Poète, chanteur et compositeur hongrois (Tinód, v. 1510 — Sárvár, 1556). D'abord au service d'un grand seigneur hongrois, Bálint Török, il partit combattre les Turcs puis, perpétuant la tradition médiévale illustrée par les chansons de geste, alla de château en château encourager les habitants en célébrant la lutte héroïque contre l'envahisseur. Son œuvre, publiée sous le titre de *Cronica* (1554), constitue un précieux document historique.

TINOS, en gr. **Tênos.** ♦ Île grecque, l'une des Cyclades*, au S. d'Andros, dont elle est séparée par un détroit large de 2 km. 195 km^2. 7 615 hab. *Ch.-l.* Tinos, sur la côte S. 3 500 hab. Montagneuse, l'île est peu fertile. Vignobles. — Ruines d'un sanctuaire de Poséidon et d'Amphitrite (~ IIIe s.) sur la côte O.

TINTO *(rio).* ♦ Fl. de l'Espagne méridionale (Andalousie) [100 km]. Il naît dans la région des mines de cuivre à laquelle il a donné son nom **(V. Minas de Río Tinto)** et se jette dans l'Atlantique.

TINTORET (Jacopo di ROBUSTI, dit **il Tintoretto**, en fr. **le).** ♦ Peintre vénitien (Venise, 1518 — *id.*, 1594). Son surnom, « Tintoretto », lui vint de la profession de son père, qui était teinturier à Venise. On ne lui connaît pas de maître attitré, sinon quelques peintres de seconde importance, comme Schiavone. Il semble que Tintoret ait fait un très bref séjour dans l'atelier de Titien, mais la critique contemporaine n'accepte pas la thèse de la jalousie du grand maître vis-à-vis de son élève, qui aurait poussé Titien à renvoyer Tintoret. Dès 1539, Tintoret ouvrit un atelier. En 1545, il fit un voyage à Rome où il exécuta de très nombreux dessins d'après Michel-Ange; la même année, l'Arétin lui commanda deux décorations de plafond. Ce fait prouve que Tintoret était déjà apprécié des milieux intellectuels. Pour *Le Jugement dernier, L'Adoration du veau d'or* (1546, église de la Madonna dell' Orto, Venise) et la décoration du chœur de la chapelle, Tintoret, soucieux de se faire un nom, ne demanda pour prix de son travail que le remboursement des matériaux utilisés, s'attirant naturellement la haine et la jalousie des autres peintres qui le traitèrent de « gâche-métier ». En 1548, la confrérie de San Marco lui demanda d'illustrer le *Miracle de l'esclave* (Accademia, Venise). Cette œuvre, par la violence de sa conception, lui attira pourtant certaines offres, en particulier pour l'église Santa Maria Zobenigo. Ce n'est qu'en 1556 que les grandes commandes officielles affluèrent. Il fut chargé de réaliser pour le palais ducal deux grandes compositions : *Le Couronnement de l'empereur Frédéric Barberousse* et plus tard, en 1562, *L'Empereur excommunié par le pape Alexandre III* (les deux furent détruites dans l'incendie de 1577). Entre 1562 et 1566, la confrérie de San Rocco lui commanda une série de toiles pour le chœur de l'église et le choisit parmi plusieurs candidats, dont Véronèse, pour décorer la Scuola. Ce fut le plus vaste ensemble décoratif réalisé par Tintoret, comprenant plus de cinquante compositions, qui constituent « sa véritable Bible ». On raconte qu'alors que les autres concurrents n'avaient pas terminé leur esquisse, Tintoret, doué d'une extraordinaire rapidité d'exécution, avait déjà mis en place son tableau, *L'Apothéose de San Rocco* (ce qui lui valut le surnom de « furioso »). Au faîte de sa gloire, il concurrençait même Titien, puisqu'on lui commanda pour la salle du Grand Conseil, au palais ducal, *La Bataille de Lépante* (1572-1573). Henri III, de passage à Venise, lui fit faire son portrait que l'on connaît par une copie (palais ducal, Venise). À partir de cette époque, Tintoret travailla beaucoup pour le palais des Doges (salle de l'Anticollège, salle du Collège, salon central). Il aborda tous les sujets : mythologiques *(Les Forges de Vulcain)*, les grandes « machines » historiques *(Le Doge Aloïse Mocenigo adorant la Rédemption)* ou religieuses *(Le Martyre de sainte Catherine)*. Après l'incendie de 1577, Tintoret recomposa plusieurs scènes *(Le Doge Niccolo da Ponte recevant l'hommage des villes soumises)*. Parallèlement, il poursuivait la décoration de la Scuola San Rocco, qu'il ne termina qu'en 1587. Ayant commencé par l'étage supérieur, il aborda vers 1585-1587 l'étage inférieur, où sont représentées entre autres la *Fuite en Égypte*, l'*Annonciation*, la *Nativité*, la *Madeleine*, dans un style étonnamment fougueux et d'une liberté totalement maîtrisée. Son dernier tableau pour le palais des Doges, *Le Paradis* (1588), est considéré comme l'un des plus grands tableaux du monde (esquisse au musée du Louvre). Tintoret a presque exclusivement travaillé à Venise; il a cependant exécuté plusieurs scènes illustrant la vie des Gonzague à Mantoue (vers 1580) et peint plusieurs œuvres pour l'empereur Rodolphe II, qui était sensible à son « pathos ». Comme activité secondaire, il mettait au point des projets de mosaïques pour San Marco. Alors qu'il travaillait depuis deux ans sur le chantier de San Giorgio Maggiore, il s'éteignit à Venise. — Dès le *Miracle de l'esclave* (1548), Tintoret avait trouvé les grands traits de son écriture picturale : perspectives plongeantes ou basculantes, coloris strident appliqué sur les centres d'intérêt, formes fortement campées. Contrairement à Titien, dont il admirait le coloris, Tintoret cernait ou « auréolait » ses personnages et les dégageait très nettement des fonds, recherchant les contrastes violents. S'il était capable d'organiser des architectures d'une main aussi sûre que Véronèse (*Le Lavement des pieds*, musée du Prado, Madrid), l'élément architectural apparaît surtout comme définition de lignes de force, d'un aspect soit théâtral et sans relief *(La Découverte du corps de saint Marc)*, soit rythmique (*La Piscine*

Ph. Nimatallah/Ricciarini

Le Tintoret : « Bacchus et Ariane ». (Palais ducal, Venise.)

Ph. Franco Lugli/Ricciarini

Tipasa : basilique de Sainte-Salsa.

probatique, Scuola San Rocco). L'art de Tintoret est rude et violent, mais il sut assouplir sa touche lorsqu'il recherchait une certaine sérénité. La *Suzanne et les vieillards* (v. 1560 ; Kunsthistorisches Museum, Vienne) reste cependant une œuvre un peu isolée. Coloriste brillant, Tintoret fut surtout préoccupé par l'espace qu'il définissait à l'aide de figures en déséquilibre qui se dispersent dans toutes les directions *(La Voie lactée*, National Gallery, Londres) ou qui s'articulent entre elles d'une manière rythmée (*Les Forges de Vulcain*, palais ducal). Travaillant souvent directement sur la toile, sans dessins préparatoires, Tintoret avait cependant le goût du détail et de l'anecdote qui disperse parfois la lecture (*La Cène*, San Giorgio Maggiore), et l'on a pu trouver à certaines de ses œuvres un aspect presque surréaliste (*La Création des animaux*, Accademia, Venise). À ses premières toiles, violentes et contrastées, succédèrent vers les années 1560 des toiles plus sereines qui le rapprochent de Véronèse*. À la fin de sa vie, Tintoret, dominant totalement sa rapidité d'exécution, fut plus sensible aux problèmes de l'enchaînement des figures et des rythmes, ainsi qu'à la mise en valeur de l'essentiel. Ce dynamisme parfaitement contrôlé et le pathos qu'il introduisit dans la peinture vénitienne, face au « classicisme » de Titien*, font de Tintoret une source d'inspiration majeure, à laquelle Rubens puis Delacroix ont largement puisé.

TIOUMEN ou **TIUMEN**. ♦ V. d'U.R.S.S. (R.S.F.S. de Russie), ch.-l. de la région du même nom (1 435 400 km². 1 410 000 hab.), en Sibérie occidentale, sur la Toura*. 269 000 hab. – Construction et réparation de bateaux. Indus. ferroviaire. Traitement du bois et du cuir. Raffinerie de pétrole. Textiles. Station importante sur le Transsibérien. ♦ *Hist.* Première ville fondée par les Russes en Sibérie (1586), Tiumen a longtemps servi de premier lieu de regroupement et de point de départ de la colonisation.

TIOUTCHEV (Fiodor Ivanovitch) [*Tjutšev*]. ♦ Poète russe (Ovstoug, près de Briansk, 1803 – Tsarskoïe-Selo, 1873). Méconnu à son époque, il fut apprécié plus tard par les symbolistes*, et son talent est aujourd'hui pleinement reconnu. Il vécut longtemps en Allemagne comme diplomate et l'influence des romantiques allemands est chez lui très sensible. Ses poèmes reflètent l'angoisse métaphysique d'une âme déchirée entre la nuit et le jour *(Le Chaos et le Cosmos)* et qui veut retenir son passé *(Silentium, Prédestinations,...)*. Il écrivit aussi des poèmes sur la nature *(La nature n'est pas ce que vous imaginez)* et des poèmes politiques nationalistes moins appréciés.

TIPASA ou **TIPAZA**. ♦ Comm. d'Algérie (dép. d'Alger) située sur la côte, au pied du djebel Chenoua. 9 300 hab. Ruines romaines. Centre touristique.

TIPPERARY, en irl. **Tiotrad Árann**. ♦ V. du S.-O. de la république d'Irlande (prov. de Munster) et *ch.-l.* de comté, sur l'Ara. 4 510 hab. (1966). – Le *comté de Tipperary* s'étend dans le S.-E. de la plaine centrale, bordé à l'O. par les comtés de Clare et de Limerick, au S. par celui de Cork, à l'E. par le Waterford et le Kilkenny et au N. par l'Offaly et le Leix. 4 255 km². 123 800 hab. *Ch.-l.* Clonmel*. *V. princ.* Cashel*. – *Orogr.* La dépression longitudinale du *Golden Vale* est encadrée de petits massifs (Silvermine, Galtee Mounts). – La ville et sa région, symbole de la patrie irlandaise, sont évoquées dans la célèbre chanson de marche : « It's a long way to Tipperary... » (« la route est longue pour Tipperary »).

TIPPETT (Michael). ♦ Compositeur anglais (Londres, 1905). Élève au *Royal College of Music* de Londres puis directeur du *Morley College*, il est l'une des personnalités les plus intéressantes de l'école anglaise contemporaine. Par l'utilisation originale d'une écriture polyphonique et polyrythmique, il a su se forger un langage très personnel. Outre des symphonies et des concertos, on lui doit un opéra, *The Midsummer Marriage*, et un oratorio, considéré comme son chef-d'œuvre, *A Child of our Time.*

TIPPU SAHIB ou **TIPPOU, TIPPOO SAHIB**. ♦ Sultan du Mysore (?, 1749 – Seringapatam, 1799). Fils d'Haïdar* Alî (auquel il succéda), il apprit l'art militaire d'officiers français au service de son père. En 1784, il expulsa les Anglais du Mysore, dont il devint sultan. En 1789, il attaqua le râja de Travancore, allié des Anglais, ce qui provoqua une nouvelle guerre. Assiégé à Seringapatam, il dut abandonner un tiers de ses États (1792). Croyant pouvoir compter sur l'aide de Bonaparte, il reprit la lutte contre les Anglais. Mais Wellesley envahit le Mysore (1798) et assiégea Seringapatam, où Tippu Sahib fut tué. Il fut vénéré comme un martyr par les musulmans de l'Inde.

TIRAN. ♦ Petite île de la mer Rouge qui ferme le golfe d'Aqaba* et appartient à l'Arabie Sa'ûdite.

TIRANA ou **TIRANË**. ♦ Cap. (depuis 1920) de la République populaire d'Albanie*, dans la plaine littorale. 157 000 hab. – Principal centre commercial et industriel du pays : combinat textile construit en 1950 grâce à l'aide soviétique, matériaux de construction, indus. alimentaires. Gisement de lignite à proximité. Une voie ferrée relie Tirana à Durrës. *Tirana-Ville* forme un district distinct de *Tirana-Campagne.* ♦ *Hist.* Occupée par les Italiens en 1939, puis par les troupes allemandes, elle servit de refuge aux patriotes albanais.

TIRAQUEAU (André). ♦ Humaniste et juriste français (Fontenay-le-Comte, v. 1480 – Paris, 1558). Sénéchal de Fontenay, où il fut le protecteur et l'ami de Rabelais, il devint conseiller au parlement de Paris en 1541. Bon connaisseur du droit coutumier, il a publié plusieurs ouvrages juridiques : *De legibus connubialibus* (1513), *De nobilitate et jure primogenitorum* (1549).

TIRARD (Pierre-Emmanuel). ♦ Homme politique français (Genève, 1827 – Paris, 1893). Député à l'Assemblée nationale (1871), où il essaya d'éviter l'opposition entre le gouvernement versaillais et la Commune de Paris, il siégea avec la gauche républicaine à la Chambre des députés (1876). Plusieurs fois ministre (de l'Agriculture et du Commerce, 1879-1880, du Commerce, 1882, des Finances, 1882-1885, 1892-1893), sénateur (1883), il présida le Conseil (déc. 1887-mars 1888, fév. 1889-mars 1890) et prit position contre le boulangisme, dont il fit comparaître les responsables devant la Haute Cour de justice.

TIRASPOL. ♦ V. d'U.R.S.S. (Moldavie) sur le Dniestr* inférieur. 106 000 hab. – Indus. alimentaires (conserveries, cognacs réputés). Constructions mécaniques, appareillage électrique. Confection.

TIRÉSIAS, en gr. **Teiresias**. ♦ Devin grec qui intervient souvent dans le cycle légendaire de Thèbes*. Selon la version la plus connue, Tirésias voit un jour deux serpents en train de s'accoupler et les sépare, ou il tue la femelle. Il est aussitôt miraculeusement changé en femme. Sept ans après, il rencontre des serpents entrelacés et agit de la même façon. Il reprend alors sa forme première. Pour avoir fait l'expérience des deux sexes, il est choisi comme arbitre dans une querelle qui opposait Héra* à Zeus. La déesse prétendait que c'est l'homme qui éprouve le plus grand plaisir dans l'amour et Zeus contestait cette opinion. Tirésias affirme alors que la femme a pour sa part les neuf dixièmes de la jouissance totale de l'union. Héra, furieuse de cette indiscrétion, frappe Tirésias de cécité. Zeus, en compensation, lui accorde le don de prophétie et le privilège de vivre pendant sept générations. Les prédictions de Tirésias jouent un grand rôle dans le drame des Labdacides. Ulysse* descend aux Enfers pour le consulter. Le devin Mopsos* était son petit-fils.

TÎRGOVISTE ou **TARGOVISTE**. ♦ V. de Roumanie méridionale (Munténie), sur la Ialomiţa. 47 500 hab. Centre pétrolier. Anc. colonie romaine et cap. de la Valachie (1385-1559). Nombreuses églises des XVIe et XVIIe siècles. À proximité, monastère Dealului (*déb.* XVIe siècle).

TÎRGU MUREŞ ou **TARGU MUREŞ** (« la Foire sur le Mureş »). ♦ V. de Roumanie centrale (Transylvanie). Ch.-l. de la *Région autonome magyare de Tîrgu Mureş*, sur le Mureş. 103 790 hab. Centre culturel (bibliothèque Teleki). Indus. en grand essor (combinat chimique). Gisement de gaz naturel à proximité.

TIRIDATE Ier. ♦ Roi d'Arménie (v. 52-73). Frère de Vologèse* Ier, roi des Parthes, il fut porté au pouvoir comme adversaire des Romains. Il battit Corbulon*, qui envahit l'Arménie, pour mettre sur le trône Tigrane V, mais à la suite d'un accord il vint à Rome recevoir de Néron* le bandeau royal d'Arménie.

TIRIDATE II ou **III**. ♦ Roi d'Arménie (294-324). Allié des Romains, il persécuta les chrétiens sous le règne de Dioclétien*, mais fut converti par Grégoire l'Illuminateur et imposa le christianisme comme religion nationale, ce qui rompit les liens entre l'Arménie et la Perse.

TIRLEMONT, en néerl. **Tienen**. ♦ V. de Belgique (Brabant, arr. de Louvain) sur la Grande Gette, à 45 km de Bruxelles. 22 600 hab. Tumuli des Ier et IIe siècles. Églises Notre-Dame-du-Lac (XIIIe et XIVe s.), Saint-Germain (XIIe s., art mosan), Saint-Pierre (Xe, XIVe et XVe s.) ; chapelle Notre-Dame-de-Pierre (XIVe s., reconstruite en 1699). – Indus. sucrière (plus de 200 000 t par an). Indus. textile (bonneterie). Construction mécanique (chaudronnerie, carrosserie, moteurs).

TIRMIDHÎ (Abû Abdallah Muhammad ibn 'Alî ibn Husayn). ♦ Sûfi musulman ([mort] 898). Il fut surnommé « le Philosophe » *(al-hakim)* en raison de l'influence qu'eut sur sa pensée mystique la philosophie grecque. Son œuvre principale *Khâtam al-walâya* (« Sceau de la sainteté ») a été lue et méditée par Ibn*'Arabi.

TIROL. ♦ V. TYROL.

TIRON. ♦ V. TULLIUS TIRO.

TIRPITZ (Alfred *von*). ♦ Amiral allemand (Küstrin, 1849 – Ebenhausen, près de Munich, 1930). Chef d'état-major de la marine (1892-1896) puis ministre de la Marine (1897-1916), il fut nommé grand amiral en 1911 et créa la flotte de guerre allemande, faisant ainsi de l'Allemagne la seconde puissance navale après la Grande-Bretagne. Cette menace militaire eut pour conséquence de resserrer l'Entente cordiale, et Tirpitz, inquiet de la possibilité d'un conflit avec l'Angleterre, poussa le gouvernement à rechercher une alliance avec la Russie. Lors de la Première Guerre mondiale, l'empereur Guillaume II l'empêcha d'engager la flotte contre la *Home Fleet*, Tirpitz orienta alors son action vers la guerre sous-marine. Favorable à l'offensive à tout prix, il se heurta aux civils et démissionna en 1916. En 1917, il forma le parti allemand de la Patrie, nationaliste et pangermaniste et siégea comme député national-allemand au Reichstag de 1924 à 1928. – Il publia des *Souvenirs* (*Erinnerungen*, 1919) et des *Documents politiques* (1924-1926).

TIRSO, *n. m.* ♦ Fl. de Sardaigne* (150 km), traversant l'île selon une direction N.-E. – S.-O. Sur son cours ont été aménagés un grand lac-réservoir et une centrale électrique.

TIRSO DE MOLINA. ♦ **V.** MOLINA (Tirso de).

Tîrthankara, *n. m.* (« ouvreur de voie »). ♦ Titre généralement donné en Inde aux maîtres divinisés du jaïnisme, théoriquement au nombre de 24. Le dernier, Vardhamâna* appelé aussi le Mahâvîra, « grand héros », fut le contemporain de Bouddha*.

TIRUCHIRAPALLY. ♦ **V.** TRICHINOPOLY.

TIRUNELVELI. ♦ V. de l'Inde (Tamilnâdu). 145 000 hab. – Exploitations de bois.

TIRYNTHE, en gr. **Tiruns**. ♦ Anc. V. de Grèce en Argolide* (Péloponnèse), à 4 km au N. de Nauplie. Selon la légende, elle aurait été fondée par Prœtos, le frère du roi d'Argos* Acrisios, qui aurait fait venir des Cyclopes de Lycie pour bâtir ses murailles. Argos fournit ainsi la dynastie légendaire de Tirynthe **(V. Persée, Alcée, Amphitryon)** à laquelle appartient Héraclès*. C'est à Tirynthe que le héros retourne après chacun de ses « travaux » pour en apporter la preuve à son cousin Eurysthée*, usurpateur de son trône. Les fouilles entreprises par H. Schliemann et W. Döopfeld, en 1884, reprises souvent ensuite, ont permis de trancher les grandes lignes de la préhistoire de cette cité. Son acropole portait déjà au ~ IIIe millénaire un palais circulaire. Après l'arrivée des Achéens*, elle devint l'un des centres les plus importants de la civilisation créto-mycénienne. À cette époque remontent les premières fortifications du pourtour de l'acropole ainsi que les maisons et les tombes trouvées au S. du palais. La ville atteignit son apogée au ~ XVIe s., précédant Mycènes* et éclipsant Argos*. De l'« ancien palais » de cette époque, orné de fresques dans le style de Cnossos, ainsi que d'un « nouveau palais » du ~ XIVe s. ne restent comme témoins que des morceaux de stuc. La muraille cyclopéenne de son acropole, vantée par Homère et dont les ruines sont encore aujourd'hui imposantes, a été construite du début du ~ XIVe s. (enceinte supérieure) au milieu du ~ XIIIe s. (enceinte inférieure). Peu avant l'arrivée des Doriens* fut construit le palais (v. ~ 1200) dont les fondations déblayées par les fouilles permirent de reconstituer le plan assez évolué : cours, portiques, vestibule, mégaron des hommes avec le foyer, mégaron des femmes, salle de bains, etc. La citadelle comprend aussi les grands et les petits propylées, des galeries, divers bâtiments d'habitation, un grand escalier donnant sur une poterne voûtée, etc. Le rôle de Tirynthe dans la période historique est insignifiant. Ayant participé à la bataille des Platées contre les Perses, la ville s'attira l'hostilité d'Argos qui finit par la détruire v. ~ 468.

Ph. Giraudon

Johann Heinrich Tischbein, dit l'Ancien :
« Autoportrait avec carton à dessins et crayons ».
(Staatliches Museum, Kassel.)

TISCHBEIN. ♦ Peintres allemands du XVIIIe s. La famille Tischbein compta vingt-quatre membres. ♦ JOHANN HEINRICH, dit *l'Ancien* (Haina, 1722 – Kassel, 1789). Il a laissé quelques-uns de ses meilleurs portraits dans la « galerie des Beautés » du château de Wilhelmsthal. ♦ JOHANN FRIEDRICH AUGUST (Maastricht, 1750 – Heidelberg, 1812), neveu du précédent. Il voyagea en Europe, abandonna le néo-classicisme et laissa des portraits charmants rappelant ceux de l'école anglaise. ♦ JOHANN HEINRICH WILHEM, dit le *Jeune* (Haina, 1751 – Eutin, 1829), cousin du précédent. En 1787, il exécuta le fameux portrait de *Goethe dans la campagne romaine* (Francfort). On lui doit en outre des tableaux d'histoire et des paysages.

TISELIUS (Arne Wilhelm Kaurin). ♦ Biochimiste suédois (Stockholm, 1902 – Uppsala, 1971). Créateur de l'électrophorèse (1937) qui lui permit notamment de séparer les protéines du plasma sanguin, il introduisit également l'analyse frontale et la chromatographie par élution fractionnée [1940]. (Prix Nobel de chimie, 1948.)

TISI (Benvenuto). ♦ **V.** GAROFALO *(il)*.

TISSANDIER (Gaston). ♦ Savant et aéronaute français (Paris, 1843 – *id.*, 1899). Il réalisa le premier ballon dirigeable doté d'un moteur électrique (1883) avec lequel, en compagnie de son frère ALBERT, il réussit à remonter un courant aérien. **V.** *aussi* **Blanchard, Renard.**

TISSAPHERNE, en gr. **Tsissaphernês**. ♦ Homme politique et général perse (mort à Colossos, Phrygie, ~ 395). Satrape de Lydie et de Carie (413), il tenta d'empêcher Darios II de soutenir Sparte contre Athènes. Il disputa à Cyrus le Jeune les villes grecques d'Ionie et prit Milet. Il participa à la bataille de Cunaxa (~ 401), où Cyrus fut vaincu et tué. Il devait conduire au Pont-Euxin les Dix-Mille, mercenaires grecs qui s'étaient battus pour Cyrus, mais fit égorger les chefs. Artaxerxès II Mnémon, roi des Perses, lui donna une de ses filles en mariage et lui confia les provinces que gouvernait son frère Cyrus. Cependant, après avoir attaqué les villes grecques d'Ionie, il fut vaincu par le roi de Sparte, Agésilas II, sur les bords du Pactole (~ 395). Il fut destitué et mis à mort.

TISSERAND (Eugène). ♦ Agronome et administrateur français (Flavigny-sur-Moselle, 1830 – Paris, 1925). Inspecteur général puis sous-directeur attaché au ministère de l'Agriculture, il fit rétablir l'Institut agronomique dont il fut nommé directeur en 1876. Appelé à la direction de l'Agriculture au ministère (1879), il contribua au développement du service des recherches scientifiques et de l'enseignement agricole. Auteur d'études sur l'agriculture et l'économie du Holstein, du Schleswig, du Danemark, de *Considérations générales sur l'agriculture* (1867), d'un *Rapport sur l'enseignement agricole en France* (1894). [Acad. fr., 1911.]

TISSERAND (Félix). ♦ Astronome français (Nuits, Côte d'Or, 1845 – Paris, 1896). Il fit des études éminentes sur le système solaire et donna la solution de certains problèmes que Laplace* n'était pas parvenu à résoudre (*Traité de mécanique céleste*, 1889-1896).

TISSERANT (Eugène). ♦ Prélat français (Nancy, 1884 – Albano, Italie, 1972). Il se spécialisa dans l'étude des langues orientales et dans la littérature chrétienne primitive et devint pro-préfet de la bibliothèque Vaticane. Cardinal (1936), doyen du Sacré Collège (1951), archevêque titulaire d'Iconium en 1937, il devint secrétaire de la congrégation pour l'Église orientale (1936-1959), évêque d'Ostie (1951-1966), bibliothécaire et archiviste de l'Église romaine (1957). [Acad. fr., 1961.]

TISTÂ. *n. f.* ♦ Riv. de l'Inde orientale et du Bangla Desh (400 km), naissant dans le Sikkim et se jetant dans le Brahmâputra*. Ses crues de printemps sont parfois catastrophiques.

TISZA (Kálmán). ♦ Homme politique hongrois (Geszt, 1830 – Budapest, 1902). Chef du centre gauche depuis 1865, il fit fusionner son parti en 1875 avec le centre de Déak qu'il avait combattu pour former le parti libéral. Premier ministre (1875-1890), il combattit les catholiques et tenta la magyarisation des minorités. ♦ ISTVAN *comte* TISZA, son fils (Budapest, 1861 – *id.*, 1918) fut Premier ministre de 1903 à 1905, jusqu'à la défaite de son parti, le parti libéral. Il fonda le *Parti national du travail* en 1910 et redevint Premier ministre en 1913. Il lutta pour la prépondérance hongroise sur les autres nationalités, défendit l'alliance des Habsbourg avec l'Allemagne et se déclara favorable à la guerre en 1914. Il n'accepta pas l'institution d'un système électoral démocratique, ce qui l'opposa à l'empereur Charles Ier et il dut se retirer (1917). Rendu responsable de la guerre, il fut assassiné par des soldats lors de la chute de l'Autriche-Hongrie.

TISZA, *n. f.*, en tchèque **Tisa**, en all. **Theiss**. ♦ Riv. d'Europe centrale, affl. r. g. du Danube, 966 km. Née en Ukraine, dans les Carpates (massif de la Hoverla), de la réunion de la *Tisza Blanche* et de la *Tisza Noire*, la Tisza marque la frontière russo-roumaine avant de pénétrer en territoire hongrois. Elle traverse alors du N. au S. la grande plaine hongroise, passe à Szolnok et Szeged*, traverse le Banat yougoslave avant de rejoindre le Danube. Elle a dans l'ensemble un régime de plaine, modifié toutefois par

Arch. Smeets

Titien : « Flore ».
(Musée des Offices, Florence.)

l'influence de son cours supérieur montagnard (crues d'avril, étiages de septembre). Ses princ. affl. sont le Someş (Szamos), le Körös et le Mureş.

TITANIDES. *n. f. pl.* ♦ Six filles d'Ouranos* et de Gaia*, sœurs et épouses des Titans*. **V. Rhéa, Thémis, Téthys, Mnémosyne.**

TITANS. *n. m. pl.*, en gr. **Titanes**. ♦ Nom générique de six fils d'Ouranos* et de Gaia*. Les plus célèbres sont Océan*, Japet* et Cronos*. Les Titans s'unissent à leurs sœurs, les six Titanides*. Cronos engendre les six Olympiens, dont Zeus* mène la lutte contre les Titans. Les enfants de Cronos, retranchés sur l'Olympe* et aidés par les Cyclopes*, les Hécatonchires*, Océan*, Prométhée* et d'autres divinités, sont les vainqueurs, et Zeus précipite les Titans dans le Tartare*. **V. Théogonie.** Cette lutte (la *titanomachie*), au cours de laquelle les montagnes de Thessalie furent secouées, pourrait symboliser, selon une interprétation, des bouleversements géologiques dans cette région.

TITE *(saint)*. ♦ (Ier s.). Compagnon de saint Paul*, grec et incirconcis, qui l'accompagna au « concile » de Jérusalem et participa aux deuxième et troisième voyages missionnaires. Il rétablit la discipline dans l'Église de Corinthe *(IIe Épître aux Corinthiens)*. La tradition en fait le chef des Églises de Crète et le destinataire d'une épître attribuée à saint Paul. Fête le 6 février.

TITE-LIVE (Titus Livius). ♦ Historien romain (Padoue, ~ 64 ou ~ 59 – v. 10), auteur d'une *Histoire de Rome (Ab Urbe condita libri)* en cent quarante-deux livres, allant des origines à l'an ~ 9, commencée en ~ 25, et qui l'occupa jusqu'à sa mort. Par souci de vie et de naturel, Tite-Live a interrompu le récit, écrit selon un plan chronologique, par des épisodes dramatiques et des discours. Véritable philosophe de l'histoire, animé par un patriotisme profond plus que par une foi politique, cherchant les causes de la grandeur romaine dans la morale des Romains, il a tracé un portrait du Romain idéal, héroïque, travailleur, tenace, épris de justice, contribuant ainsi à répandre une image de Rome exaltante et par là même unifiante.

TITELOUZE (Jehan). ♦ Organiste et compositeur français (Saint-Omer, 1563 – Rouen, 1633). Titulaire des orgues de l'église Saint-Jean à Rouen (1585), puis de celles de la cathédrale (1588), il acquit très vite une grande réputation d'improvisateur. Son œuvre, uniquement destinée à l'orgue, traduit l'influence des virginalistes et organistes anglais et des polyphonistes franco-flamands. Un peu austère, mais d'une admirable perfection d'écriture, elle marque la transition entre la structure modale et les débuts de la musique tonale. On lui doit les *Hymnes de l'Église pour toucher sur l'orgue avec les fugues et recherches sur leur plain-chant* (1623), le *Magnificat ou cantiques de la Vierge pour toucher sur l'orgue suivant les huit tons de l'Église* (1626) et plusieurs *messes*.

TITICACA. *n. m.* ♦ Grand lac de l'*Altiplano* andin, situé à 3 800 m d'alt. entre les deux cordillères occidentale et centrale, dans le dép. de Puno*. Partagé entre la Bolivie (dép. de La Paz) et le Pérou, il se déverse dans le lac de Poopó* par le río Desaguadero*. La région est peuplée d'Indiens Quechuas et Aymaras.

TITIEN (Tiziano VECELLIO, dit en fr.**)**. ♦ Peintre vénitien (Pieve di Cadore, v. 1490 – Venise, 1576). D'abord placé comme apprenti chez le mosaïste Sebastiano Zuccato, il devint l'élève de Gentile puis de Giovanni Bellini*. Vers 1507-1508, Titien fut employé par Giorgione*, qui eut une influence décisive sur son œuvre de jeunesse. À la mort de ce dernier (1510), Titien était déjà célèbre. On lui confia en 1511 l'exécution de trois grandes compositions murales, représentant *Les Miracles de saint Antoine* (Scuola del Santo, Padoue). Il rentra à Venise en 1513 et on lui proposa de travailler à Rome au service de Léon X. Titien préféra Venise et demanda au Grand Conseil, en échange d'une charge d'agent maritime, l'exécution de *La Bataille de Spolète* (ou *de Cadore*?). Cette proposition fut d'abord acceptée, mais on suppose que le décret fut rapporté du fait des intrigues de Giovanni Bellini. Ce n'est qu'à la mort de ce dernier (1516) que Titien régna en maître sur la peinture vénitienne. C'est à cette date qu'il ouvrit un atelier et reçut aussitôt, pour l'église des Frari (Venise), la commande d'une *Assomption* qui obtint un immense succès. Le duc Alphonse d'Este lui demanda alors de travailler pour lui. *La Bacchanale* (1518, musée du Prado, Madrid) devait orner son salon avec celle de Giovanni Bellini, que Titien termina. De cet ensemble faisaient également partie *L'Offrande à la déesse des Amours* (musée du Prado, Madrid) et le brillant *Bacchus et Ariane* (1523, National Gallery, Londres). En 1523, Titien entra en relation avec la cour de Mantoue et peignit pour Frédéric II plusieurs tableaux religieux, dont *La Madone au lapin* (musée du Louvre, Paris). Les portraits des Douze Césars, qui étaient destinés à la Salle du palais de Frédéric II, ne furent entrepris par Titien qu'à partir de 1537. Entre-temps, en 1523, le Vatican lui commanda une *Madone et six saints* et la famille Pesaro une *Vierge à l'Enfant* pour l'église des Frari (Venise), toile qui eut une grande influence sur les peintres vénitiens, en particulier le Tintoret. *La Pietà* (1525, musée du Louvre), de conception classique, est encore marquée par le « sfumato » de Giorgione. Titien peignit son premier *Portrait de Charles Quint* (perdu) à Bologne, celui du musée du Prado datant du second passage de l'Empereur dans cette ville, en 1532-1533. Il fut fait comte palatin et les grands de l'époque lui commandèrent leurs portraits : *Le Cardinal Hippolyte de Médicis* (palais Pitti, Florence); *Isabelle d'Este* (v. 1534-1536; Kunsthistorisches Museum, Vienne); *Le Duc d'Urbin, Francesco Maria della Rovere* et sa femme *Éléonore de Gonzague* (les deux aux Offices, Florence); *François Ier* (musée du Louvre, Paris). Pendant cette période, Titien peignit également des œuvres religieuses, en particulier la *Présentation de la Vierge au Temple* (Accademia, Venise), sujet dont il renouvela la composition, en faisant un modèle pour des générations. C'est de l'année 1538 que date *La Vénus d'Urbin* (Offices, Florence), d'un classicisme romantique, qui marque une étape importante dans l'évolution du maître. En 1545, il partit pour Rome où il fut accueilli par Paul III dont il fit le portrait, seul, puis entouré de ses deux petits-fils, en 1546 (les deux œuvres sont conservées à Naples, Capodimonte). À Rome, il rencontra Michel-Ange, dont on a du mal à cerner l'influence dans son œuvre. Invité par Charles Quint à Augsbourg, il commença une nouvelle série de portraits dont celui de l'*Empereur assis*, 1548 (Ancienne Pinacothèque, Munich), et celui d'*Élisabeth du Portugal* (Musée du Prado, Madrid). En 1550-1551, il fit le portrait de Philippe II qui fut son plus fidèle mécène pendant les vingt dernières années de sa vie. – La composition de Giovanni Bellini (composition compacte, formes larges et cernées) est discernable dans les premières œuvres de Titien (*Jeune Femme à sa toilette*, v. 1512-1515, musée du Louvre, Paris). Suivit une période brillante de 1520 à 1523, marquée par une série de peintures particulièrement dynamiques et rythmées (*Bacchus et Ariane*, 1523) dont Poussin fit ses délices. C'est à Giorgione que Titien emprunta le choix thématique, d'ailleurs fort à la mode, de ses œuvres de jeunesse *(Flore, Vanité, L'Amour sacré, L'Amour profane)*. Ce n'est pas un hasard si on lui restitue aujourd'hui de nombreuses toiles, longtemps attribuées à son maître, tel le *Concert champêtre* (musée du Louvre, Paris). On a même dit que la *Vénus* de Dresde était un Giorgione « titianisé ». On peut percevoir des traces de cette influence jusque dans les œuvres de sa maturité (*La Vénus d'Urbin*, Offices, Florence). Le sfumato et la poétique giorgionesques sont alors au service d'une conception classique, au sens où on l'entend pour le XVIIe siècle français. Alors que Titien s'affirmait très tôt dans les grandes compositions (*L'Assomption*, 1518, église des Frari, Venise), ses premiers portraits n'offraient pas de nouveauté (*Charles Quint*, 1532-1533, musée du Prado, Madrid). Parfois, Titien semble dominé par son sujet (*La Bella*, palais Pitti, Florence). Ce n'est que vers les années 1540 qu'il s'affirma comme un maître incontesté. *Le Portrait du doge Andrea Gritti* (National Gallery, Washington) est à plusieurs titres une œuvre capitale dans l'évolution de Titien. On y a vu l'influence du *Moïse* de Michel-Ange que Titien aurait connu par un moulage. La silhouette fortement campée, la pâte sobre et cendrée, travaillée à coups de brosse très larges, expriment une force contenue et maîtrisée : traits qui annoncent, dix ans à l'avance, ses travaux des années 1550. Son séjour à Augsbourg en 1548 fut cependant l'occasion d'une nouvelle série de portraits, de facture plus sereine, dominés par un certain raffinement du dessin (*Isabelle de Portugal*, 1548, musée du Prado, Madrid). Vers les années 1552-1554, Titien changea radicalement de palette : sa couleur, plus travaillée, s'assombrit, mais resta nacrée, les blancs, les ocres et les rouges prédominèrent, les zones d'éclairage étant fermement délimitées (*Danaé*, 1552-1554, musée du Prado, Madrid). Une nuance d'expressionnisme, que l'on ressent dans *Vénus et Adonis* (v. 1560, National Gallery, Washington), se développa dans ses dernières œuvres (*Le Couronnement d'épines*, v. 1570-1571, Ancienne Pinacothèque, Munich) et surtout *La Pietà* (1573-1576, Accademia, Venise). Cette évolution n'est pas sans rapport avec la poussée du maniérisme auquel il fut sensible, peut-être sous l'influence du Tintoret* dont il se rapprocha parfois (*Persée et Andromède*, Wallace Collection, Londres). – Cependant, Titien resta toujours classique dans sa conception d'ensemble et fut le maître indiscutable de la peinture vénitienne pendant soixante ans; l'étendue exceptionnelle de sa production, la force et la poésie de son œuvre sont telles qu'aucune génération, classique ou baroque, romantique ou réaliste, ne fut indifférente à son rayonnement.

TITINIUS. ♦ Poète comique latin (~ IIe s.). Entre Plaute et Térence, il composa des comédies à sujet romain *(togatae)* dont le ton de fraîcheur et de jovialité convenait aux personnages qui en étaient les héros, hommes et femmes du menu peuple. On ne connaît qu'une quinzaine de titres de ses œuvres.

TITISEE *(lac)*. ♦ Lac d'Allemagne occidentale, en Forêt Noire. Important centre touristique et climatique.

TITIUS (Johann Daniel Tietz, dit). ♦ Mathématicien et physicien allemand (1729 – 1796). Auteur, en 1772, de la relation empirique d'astronomie à partir de laquelle Bode* formula sa loi.

TITO (Josip BROZ *dit*). ♦ Maréchal et homme d'État yougoslave (Kumrovec, Croatie, 1892). Né dans une famille pauvre, il servit dans l'armée austro-hongroise, fut fait prisonnier par les Russes (1915) et combattit dans les rangs de l'armée rouge. Rentré dans son pays (1923), il prit une grande part à l'activité illégale du Parti communiste yougoslave, ce qui lui valut d'être arrêté plusieurs fois et emprisonné de 1928 à 1934. À Paris, en 1936, il organisa le passage vers l'Espagne des Brigades* internationales et l'année suivante devint secrétaire général du Parti communiste yougoslave. Après l'attaque allemande contre l'U.R.S.S. (1941), il organisa la guérilla permanente contre l'occupant allemand et devint le chef d'un gouvernement révolutionnaire. Soutenu par Staline, admis par Churchill, il fut reconnu, dès 1944, comme le seul représentant valable de la nouvelle Yougoslavie et devint président du Conseil et ministre de la Défense. Il fit de son pays une démocratie populaire indépendante de Moscou, ce qui entraîna la rupture avec Staline (1948) et la violente campagne contre le « titisme », considéré comme une hérésie nationaliste du communisme. Fidèle au marxisme, Tito organisa le régime sur la base d'une autogestion décentralisée, mais montra néanmoins son désir de collaboration avec les Occidentaux **(V. Yougoslavie,** *Hist.***)**. Réconcilié avec l'U.R.S.S., Tito est devenu le principal représentant du neutralisme et a normalisé ses relations avec l'Albanie, la Chine et le Vatican (1971); il a été le premier chef d'État communiste à être reçu par le pape. Arbitre incontesté, il fut réélu en 1967 à la présidence pour la cinquième fois sans qu'on ait assisté à une plus grande démocratisation du régime. Cependant, préoccupé par le problème de « l'après-titisme », Tito a fait approuver en 1971 une formule de direction collégiale de l'État. Il a été élu, en 1974, chef d'État à vie. **(V. Yougoslavie,** *Hist.***)**.

TITOGRAD, anc. **Podgorica**. ♦ V. de Yougoslavie, cap. du Monténégro*. 39 000 hab. – Connaît depuis 1945 un grand développement économique.

TITULESCU (Nicolae). ♦ Homme politique roumain (Craiova, 1883 – Cannes, 1941). Il fut délégué à la S.D.N. (1922), ministre des Affaires étrangères (1927-1928). Devenu président de la S.D.N. (1930-1931), il se montra favorable au traité de Versailles et fonda la défense de son pays sur la Petite-Entente. Il fut de nouveau ministre des Affaires étrangères (1932-1936) et se rapprocha de l'U.R.S.S., ce qui le fit éloigner par Tatarescu.

TITUS, en lat. **Titus Flavius Sabinus Vespasianus.** ♦ (Rome, 40 ou 41 – Aquae Cutiliae, Sabine, 81.) Empereur romain (79-81). Fils de Vespasien*, il servit sous son père et termina victorieusement la guerre de Judée **(V. Vespasien).** Rentré à Rome, il célébra son triomphe *(arc de Titus)* et fut associé par son père à l'empire. Il monta sur le trône en 79. Violent et passionné, débauché notoire et de plus épris d'une princesse juive, Bérénice*, qu'il se proposait d'épouser, son comportement laissait prévoir un règne digne de celui de Néron. Venu au pouvoir, il ne voulut plus être que le bienfaiteur de l'empire et ne signa aucune condamnation à mort pendant son règne. Il reçut le qualificatif flatteur de « délices du genre humain ». Pourtant l'Italie connut alors une série de catastrophes : un nouvel incendie de Rome, des épidémies meurtrières et l'éruption du Vésuve (août 79) qui ensevelit Herculanum* et Pompéi*. Titus mourut à quarante ans, laissant le trône à son frère Domitien*.

Ph. Erich Lessing/Magnum

De gauche à droite : Khrouchtchev, le maréchal **Tito** et son épouse.

Tityre. ♦ Nom de berger dans les *Idylles** de Théocrite* et les *Bucoliques** de Virgile*.

TIVOLI. ♦ V. d'Italie dans le Latium (province de Rome), située sur l'Aniene à l'E. de Rome. 34 000 hab. ♦ *Hist.* Fondée par les Sicules*, l'anc. *Tibur* fut définitivement soumise par Rome en ~ 254. À l'époque de la République et sous l'empire, elle devint un lieu de villégiature pour les riches Romains : Mécène*, Horace* Hadrien* y possédaient une villa. Au XVIe s., la ville appartint à la famille d'Este et l'architecte Pirro Ligorio y construisit en 1549 pour le cardinal Ippolito d'Este la *villa d'Este*, célèbre par ses jardins et ses fontaines.

TIY ou **TIYI.** ♦ Reine d'Égypte, sans doute d'origine nubienne (v. ~ 1400), femme d'Aménophis* III. On a retrouvé son sceau à Haghia Triada (Crète).

TIZI-OUZOU. ♦ V. d'Algérie, ch.-l. du dép. et de l'arr. du même nom, située en Grande Kabylie*. 41 000 hab. Centre commercial. – *Le dép. de Tizi-Ouzou ou de Grande Kabylie* (1 045 100 hab.) couvre la plus grande partie de ce massif montagneux. *V. princ.* **V. Kabylie** (Grande).

TJIREBON. ♦ **V.** CHERIBON (Indonésie).

TLALNEPANTLA. ♦ V. du Mexique, faubourg N. de Mexico. 373 657 habitants.

TLALPÁN. ♦ V. du Mexique, banlieue au S. de Mexico (env. 25 km). 115 528 habitants.

TLAXCALA. *n. m.* ♦ Le plus petit des États du Mexique, situé dans la région volcanique du Popocatepetl. 3 914 km². 431 000 hab. (1967). *Cap.* Tlaxcala (au N. de Puebla*). Élevage (bovins, ovins). Cultures céréalières.

TLEMCEN. ♦ V. de l'Algérie occidentale, ch.-l. du dép. et de l'arr. du même nom, située dans *la plaine de Tlemcen* et adossée à des chaînons calcaires, les *monts de Tlemcen.* 80 000 hab. Centre religieux. Mosquées des XIIIe et XIVe siècles. Vignobles. Huilerie. Filature. Artisanat. ♦ *Hist.* Située au carrefour des routes qui menaient du Maroc à l'Algérie et de la Méditerranée au Sahara, Tlemcen eut un rôle commercial considérable. En 1248, elle forma un royaume berbère, indépendant de l'empire almohade* et devint la cap. du royaume abdelwadide qui s'étendit au XIVe s. à la plus grande partie de l'Algérie actuelle. Tlemcen qui, déjà au XIIe s., était un centre religieux devint alors un foyer de culture islamique. Au XVIe s. elle passa sous la suzeraineté du gouverneur espagnol d'Oran puis sous la domination d'Arudj Barberousse* et enfin des Turcs en 1553. Par le traité de la Tafna* (1837), elle fut abandonnée à 'Abd* al-Qâdir puis occupée par les Français en 1842. – *Le dép. de Tlemcen* (383 000 hab.) longe la frontière N. du Maroc. *V. et localités princ.* **V. Beni-Saf, Ghazaouet** et **Marnia.**

TMOLOS ou **TMOLUS**, *n. m.*, en turc **Boz Dağ.** ♦ Massif montagneux de Turquie (Asie Mineure), dans l'anc. Lydie. 2 129 m. Au pied du mont s'élevaient Sardes, du côté N., et la ville lydienne de Tmolos, du côté sud.

TOBAGO. ♦ Petite île d'origine volcanique située à 33 km au N.-E. de la Trinité* (Trinidad). 300 km². 30 000 hab. env. en 1960. Annexée à l'île de la Trinité en 1888, la réunion des deux îles forme, depuis 1962, l'État indépendant Trinité-et-Tobago (Trinidad and Tobago), dans le cadre du Commonwealth*. [*Carte.* **V. Amérique centrale.**]

TOBA SÔJÔ. ♦ **V.** KAKUYÛ.

TOBEY (Mark). ♦ Peintre américain (Centerville, Wisconsin, 1890 – Bâle, 1976). Il étudia à Chicago, puis il donna des dessins de mode aux journaux new-yorkais et devint vers 1917 un journaliste mondain réputé. Il s'établit ensuite à Seattle où il enseigna. Il fit la connaissance du peintre chinois Teng Kwei, qui l'initia à la calligraphie et au lavis. Vers 1925-1926, il voyagea en France, en Grèce et au Proche-Orient; de 1930 à 1937, il enseigna en Angleterre, voyagea au Mexique (1931), en Chine et au Japon (1934), séjournant notamment dans un monastère zen. Avec *Broadway Norm* débute son style dit *White Writing* (« écriture blanche »; 1934-1937) : une multitude de signes sont à la fois cernés, reliés et comme effacés par un tracé effectué à l'encre de Chine blanche; faisant d'abord allusion à l'univers urbain, ils prirent parfois un caractère strictement non figuratif s'apparentant formellement à des tracés calligraphiques, mais dépourvus de valeur sémantique. Affectionnant les formats réduits, il pratiqua souvent la gouache, la détrempe, l'aquarelle et le pastel, préférant les tonalités pâles et leurs subtiles modulations. Les signes plus ou moins serrés ou aérés, d'une épaisseur variable, se déroulent et se distribuent le plus souvent sans direction décelable. Profondément marqué par la pensée orientale, Tobey semble avoir voulu faire du geste même de peindre un acte de méditation qui traduise l'écoulement insensible du temps et où s'expriment le rapport de l'un et du multiple, les

Togo.

notions de passage, d'infini, d'illimité (*Pacific Transition,* 1943) traduites plastiquement par la multiplication d'éléments presque identiques, l'infléchissement du contour, la variation de la valeur chromatique, l'intensité lumineuse étant à peine perceptibles. Pionnier de l'art non figuratif en Amérique, principal fondateur de l'*école du Pacifique,* il a notamment exercé une influence sur Pollock*, alors même que son œuvre se situe dans un registre opposé qui exclut la violence et la hâte.

Tobie ou **Tobias**. ♦ Fils de Tobit. Jeune Israélite, héros (fictif) du Livre de Tobit* qui raconte ses aventures à l'époque de la déportation à Ninive (~ 721). À l'aide d'un poisson miraculeux il chasse les démons de Sara, qu'il épouse, et rend la vue à son père aveugle.

Tobit *(Livre de)*. ♦ On écrit parfois, à tort, *Livre de Tobie,* par confusion entre Tobit et son fils Tobie. Le Livre de Tobit (14 chapitres), en grec (~ IIIe s.), fait partie des deutérocanoniques* de l'Ancien Testament.

TOBOL. *n. m.* ♦ Riv. d'U.R.S.S. (R.S.F.S. de Russie), en Sibérie occidentale. 1 670 km. Née dans les monts de Tourgaï (Turgaï), elle arrose le Kazakhstan, les régions de Kourgan, Tioumen', les villes de Roudnyi, Koustanaï*, Kourgan*, et se jette dans l'Irtysh* [Irtych] (r. g.), après avoir reçu les eaux des riv. Isset, Toura* et Tavda (r. g.), Oubagan (r. d.).

TOBOLSK. ♦ V. d'U.R.S.S. (R.S.F.S. de Russie), en Sibérie occidentale, dans la région de Tioumen, sur l'Irtysh*, près de sa confluence avec le Tobol*. 50 000 hab. – Chantier naval. Indus. alimentaires. Traitement du bois (contre-plaqué). Pêcheries. ♦ *Hist.* Fondée en 1587, la ville devint un important comptoir de pelleterie et fut la capitale de la Sibérie avant d'être remplacée par Omsk (1824). Tobolsk fut l'un des principaux lieux de déportation sous les tsars. Après la révolution (1917-1918), Nicolas* II et sa famille y furent internés, avant d'être transférés à Iekaterinbourg.

TOBROUK, en ar. **Tubruq**, en it. **Tobruch**, en angl. **Tobruk**. ♦ V. et port de Libye, sur la côte orientale de la Cyrénaïque*. 5 000 hab. ♦ *Hist.* Base navale italienne à partir de 1930, elle fut le théâtre de violents combats de janv. 1941 à déc. 1942, date à laquelle elle fut définitivement occupée par les troupes de Montgomery*. Le maréchal Balbo* périt au-dessus de Tobrouk en 1940, son avion ayant été abattu par suite d'une erreur de la D.C.A. italienne.

TOCANTINS. *n. m.* ♦ Fl. du Brésil (2 640 km) qui prend sa source sur le plateau des Goiás, traverse l'État de Goiás* et reçoit l'Araguaia* avant de pénétrer dans l'État de Pará* où il se jette dans l'Atlantique par un estuaire (rio Pará), séparé de l'estuaire de l'Amazone* par l'île de Marajó.

TOCQUÉ (Louis). ♦ Peintre et dessinateur français (Paris, 1696 – *id.,* 1792). Élève, puis gendre de Nattier*, il se consacra au portrait et, comme son maître, n'évita pas toujours les artifices des portraits mythologiques ou d'apparat *(Le Dauphin, Frederick V de Danemark)*. Mais il avait aussi le goût du naturel, le souci de l'observation précise et un sens raffiné des nuances (*Mme Dangé faisant des nœuds,* 1753).

TOCQUEVILLE (Charles Alexis Clérel *de***)**. ♦ Historien et homme politique français (Paris, 1805 – Cannes, 1859). Magistrat sous la Restauration, il fut chargé par le gouvernement de Juillet d'une enquête sur le système pénitentiaire aux États-Unis. Il élargit le sujet et en fit *De la démocratie en Amérique* (1835-1840), qui le rendit célèbre. Cet ouvrage est toujours considéré, en Amérique même, comme constituant la plus pénétrante et prophétique analyse de la civilisation des États-Unis. Député, puis ministre des Affaires étrangères (1849), il renonça à la vie politique après le 2 décembre 1851 et se consacra à des travaux historiques; son ouvrage, *L'Ancien Régime et la Révolution* (1856), eut un grand retentissement. Très sensible aux progrès constants de l'égalité, Tocqueville pense cependant qu'il peut découler de la démocratie (pour lui, démocratie chrétienne) un redoutable danger, le despotisme de la majorité; au maintien de la liberté, il faut donc deux garanties essentielles, la liberté de la presse et l'indépendance du pouvoir judiciaire. Cette démonstration, fondée sur l'examen des faits historiques, suit une méthode qui évoque celle de Montesquieu*, de qui Tocqueville se rapproche par sa logique rigoureuse et son style austère et clair.

TODD (*sir* **Alexander Robertus)**. ♦ Biochimiste britannique (Glasgow, 1907 –). Auteur de recherches sur le rhumatisme articulaire aigu, il mit en évidence l'existence dans le sang d'anticorps streptococciques (1938); il réalisa la synthèse de la vitamine E avec P. Karrer* et L.I. Smith, donna la constitution de la vitamine B_{12} (Crowfoot*- Hodkin, Truelblood) et, auteur également de travaux sur les enzymes, notamment sur les nucléotides, il réalisa la synthèse de la première coenzyme connue de la zymase (diphosphopyridine nucléotide ou DPN) en 1956. **V.** *aussi* **Buchner, Euler-Chelpin, Harden.** (Prix Nobel de chimie, 1957.)

TÖDI. *n. m.* ♦ Sommet des Alpes suisses à la limite du canton de Glaris* et des Grisons* entre les vallées du Rhin* au S., de la Linth* au N.-E. (qui y prend sa source) et de la Reuss* à l'O., à 3 620 m d'altitude.

TODI. ♦ V. d'Italie, en Ombrie (prov. de Pérouse). 20 000 hab. – Anc. cité étrusque. Patrie de Jacopone et du pape Martin* Ier.

TODLEBEN. ♦ **V.** Totleben.

TODOROV (Petko). ♦ Écrivain bulgare (Elena, 1879 – château d'Oex, cant. de Vaud, 1916). Il introduisit en Bulgarie la prose poétique avec son œuvre principale, *Idylles* (1908), aux thèmes surtout folkloriques. Il écrivit aussi des drames, dont *Les Maçons* (1902), qui reprend la légende de la femme emmurée.

TODOS OS SANTOS (*bahia de,* « baie de tous les saints »). ♦ Grande baie de la côte brésilienne, tributaire de l'Atlantique, découverte par Amerigo Vespucci* en 1501. À l'entrée de la baie se dresse Salvador*, la cap. de l'État de Bahia*.

TODT (Fritz). ♦ Homme politique allemand (Pforzheim, 1891 – dans un accident d'avion, 1942). Rallié très tôt au national-socialisme, il avait été ingénieur puis directeur (1928) d'une compagnie munichoise de construction de routes, avant d'être nommé par

Hitler inspecteur général des routes du Reich (1933) et directeur de l'organisation Todt. Général-major (1939), ministre de l'Armement et des munitions (1940), F. Todt trouva la mort dans un accident d'avion. Créée en 1933, l'*organisation Todt* fut une formation paramilitaire de l'Allemagne nazie, un service du génie annexe de la Wehrmacht. Elle fut d'abord chargée de la construction du réseau d'autoroutes allemandes (1933-1938), construction à laquelle furent affectés de nombreux ouvriers alors en chômage, puis de travaux de fortification du Reich et des territoires occupés (construction de la ligne Siegfried, 1937-1940, puis sous la direction de Speer à la mort de F. Todt, du « mur de l'Atlantique »).

TŒPFFER ou **TÖPFFER (Rodolphe).** ♦ Écrivain et dessinateur suisse d'expression française (Genève, 1799 – *id.*, 1846). Fils du peintre WOLFGANG ADAM TŒPFFER (Genève, 1766 – *id.*, 1847), il se destinait à embrasser la même carrière que son père, mais une maladie des yeux l'obligea à abandonner la peinture pour la littérature. En 1832, il fit paraître une courte nouvelle, *La Bibliothèque de mon oncle,* qui devait être unie en 1840 à son recueil de *Nouvelles genevoises;* cette œuvrette révélait au public un écrivain au style plein de fraîcheur et d'humour, qui ne dédaignait pas à l'occasion le détail didactique ou la notation moralisatrice. C'est dans le même esprit qu'il rédigea ses *Voyages en zig-zag* (1844), récits d'excursions pédestres à travers la Suisse. Mais c'est surtout à ses charmants albums comiques illustrés *(Les Amours de Monsieur Vieux-Bois, Monsieur Jabot, Voyages et aventures du Dr Festus, Monsieur Pencil, Monsieur Crépin, Monsieur Cryptogame)* qu'il doit d'être passé à la postérité : d'une conception entièrement originale, ces volumes annonçaient, dans leur esprit comme dans les détails techniques de leur exécution, la bande dessinée moderne. Il a par ailleurs laissé deux romans : *Le Presbytère* (1839) et *Rosa et Gertrude* (1847), ainsi qu'un opuscule non dépourvu d'intérêt, dans lequel il expose ses conceptions esthétiques : *Réflexions et menus propos d'un peintre genevois* (1848).

TOGLIATTI (Palmiro). ♦ Homme politique italien (Gênes, 1893 – Yalta, Crimée, 1964). Militant socialiste, rédacteur à l'*Avanti,* il fut l'un des créateurs du Parti communiste italien (1921). Il s'exila en U.R.S.S. après l'instauration du fascisme, devint secrétaire du Komintern (1937) et fut commissaire politique en Espagne pendant la guerre civile (1937-1939). Rentré en Italie (1944), il fut ministre sans portefeuille dans le gouvernement Badoglio (1944) et participa également aux gouvernements Bonomi (1944-1945), Parri et De Gasperi (1945-1946); il fut exclu du pouvoir en même temps que les autres communistes en 1947. Il devint alors le chef de l'opposition d'extrême gauche. À l'intérieur de son parti, il prit position pour la déstalinisation (1956), puis, lors du conflit entre Moscou et Pékin, affirma la liberté de choisir leur orientation pour les partis communistes nationaux.

TOGLIATTI (jusqu'en 1964 **Stavropol').** ♦ V. et port d'U.R.S.S. (R.S.F.S. de Russie), sur le réservoir d'eau de Kouïbychev. 251 000 hab. – Indus. mécaniques (équipement pour les cimenteries). Pétrolochimie. Combinat de caoutchouc synthétique. Usine d'automobiles montée par la *Fiat* (600 000 voitures par an). Réparation de navires.

TOGO *(république du).* ♦ État de l'Afrique occidentale enserré entre le Ghâna* à l'O. et le Dahomey* à l'E. Il est limité au N. par la Haute*-Volta et baigné au S. par le golfe de Bénin*. 56 000 km². 1 800 000 hab. *(Togolais). Cap.* Lomé*. *Langues :* français (off.), nombreux dialectes. *Pop.* **V. Éwés, Peuls.** *V. princ.* **V. Atakpamé, Palimé** et **Sokodé.** – Le Togo forme une bande étroite. À une côte basse et sablonneuse (climat équatorial) succède un intérieur montagneux d'orientation S.-O. - N.-E., puis une plaine alluviale au climat soudanien (élevage). Son économie est essentiellement agro-pastorale. Sa production vivrière nourrit une population dont la densité est une des plus élevées de l'Afrique francophone, constituant un réservoir de main-d'œuvre pour les pays limitrophes **(V. Ghâna).** Ses cultures commerciales sont le café et le cacao, les oléagineux (palmistes, coprah,...) et les plantes textiles (coton, kapok). Son industrie est très peu développée et le seul minerai exploité est le phosphate à l'E. de Lomé (lac Togo). ♦ *Hist.* Sa région côtière peuplée par les Éwés* fut dès le XVᵉ s. explorée par les Portugais. Au XVIIIᵉ s., elle fut soumise au commerce des esclaves. En 1884, Nachtigal* y établit un protectorat allemand dont les limites septentrionales ne furent fixées qu'en 1899. Occupé par les forces franco-britanniques pendant la Première Guerre mondiale, le Togo fut, sous l'égide de la S.D.N. (1919), divisé et confié sous mandat à la France et à la Grande-Bretagne malgré l'opposition des populations (Éwés en particulier), hostiles à cette séparation territoriale, puis placé sous tutelle de l'O.N.U. (1946). En 1956, le *Togoland* britannique fut intégré à la Côte* de l'Or, tandis que le *Togo* (Fr.) devint une république autonome sous l'impulsion de Grunitzky* et accéda à l'indépendance complète en 1960. Le problème des populations Éwés et l'opposition entre celles du N. (sous-représentées) et du S. plus évoluées entraînèrent deux coups d'État (1963, assassinat du président S. Olympio; 1967, renversement de Grunitzky). La politique du général Eyadema auj. au pouvoir est celle de la réconciliation. Membre du Conseil de l'Entente* et de l'O.C.A.M.

Ph. Diamante-Ostuni/Ricciarini

Tôkyô : le centre commercial.

TÔGÔ (Heihachiro). ♦ Amiral japonais (Kagoshima, 1847 – 1934), vainqueur des Russes aux batailles de Port-Arthur et de Tsushima* en 1904.

TÔHOKU. ♦ Nom généralement donné à la partie N.-E. de l'île de Honshû* au Japon, comprenant six préfectures.

Toison d'or. ♦ Toison du bélier ailé qui enlève Phrixos* et Hellé, dans la légende grecque. Phrixos, parvenu à Colchide*, sacrifie le bélier et offre sa précieuse dépouille au roi Æétès. Plus tard, la Toison d'or, gardée par un dragon, est dérobée par Jason* avec l'aide de Médee*. **V. Pélias, Argonautes.**

Toison d'or *(ordre de la).* ♦ Ordre de chevalerie créé en souvenir de la Toison d'or de Jason* par le duc de Bourgogne, Philippe* III le Bon (1429), pour unifier la noblesse autour de lui. En passant à la maison de Habsbourg avec Maximilien d'Autriche (duc de Bourgogne) en 1477, il devint un ordre autrichien, puis, avec Charles Quint, également espagnol.

TÔJÔ (Hideki). ♦ Général et homme politique japonais (Tôkyô, 1884 – *id.*, 1948) qui dirigea le Japon de 1941 à 1944 et fut un partisan convaincu de la lutte à outrance contre les U.S.A. Il fut traduit, après la guerre, devant le tribunal international militaire pour l'Extrême-Orient. Reconnu coupable de crimes de guerre, il fut, après une tentative de suicide, exécuté en déc. 1948.

Tôkaidô. ♦ Grande artère routière japonaise qui reliait autrefois, en 53 étapes, la ville d'Edo* (Tôkyô) à la capitale Kyôto* (600 km), et qui fut immortalisée par les estampes de Hiroshige*. – De nos jours la ligne ferroviaire de Tôkaidô doublant la ligne Tôkyô-Ôsaka permet aux trains de très grandes vitesses (env. 250 km/h).

TOKAJ, en fr. **Tokay.** ♦ Village hongrois, situé au N.-E. du pays, sur la rivière Tisza, au S. de la chaîne des montagnes de Zemplen. La région (Tokaj et les 31 villages voisins) produit le célèbre vin de Tokay. La vigne, importante dès le XIIIᵉ s., profite du sol composé d'un mélange de débris volcaniques et de lœss, ainsi que d'un automne chaud et sec.

TOKIMUNE. ♦ **V.** HÔJÔ.

TOKOROZAWA. ♦ V. du Japon (préf. de Saitama) à 30 km au N. de Tôkyô. 123 000 hab. – Centre agricole.

TOKUGAWA. ♦ Famille noble japonaise issue d'une branche des Minamoto* et qui donna, de 1603 à 1868, 15 shôgun au Japon, le premier étant Tokugawa* Ieyasu. Leur capitale était à Edo (maintenant Tôkyô).

TOKUGAWA IEYASU. ♦ Premier shôgun des Tokugawa*, au Japon (1542 – 1616). Ancien général de Oda* Nobunaga puis de Toyotomi Hideyoshi*, il vainquit ses rivaux en 1600 à la bataille de Sekigahara* et en 1615 lors de la prise du château d'Ôsaka. Il établit son *bakufu* (gouvernement militaire ou shôgunat) en 1603 à Edo*, fondant ainsi la dynastie shôgunale des Tokugawa*.

TOKUSHIMA. ♦ V. du Japon (île de Shikoku), sur le détroit de Kii. 230 000 hab. – Indus. textiles et mécaniques.

TOKUYAMA. ♦ V. du Japon (Honshû, préf. de Yamaguchi), à 80 km à l'E. de Shimonoseki. 110 000 hab. – Gros marché agricole et port.

TÔKYÔ. ♦ V. princ. et cap. du Japon, située au fond d'une large baie, sur la côte S.-E. du pays. Immense métropole moderne (plus de 13 millions d'hab. y compris les villes satellites, Kanagawa et Yokohama, avec lesquelles elle forme un tout) au plan très compliqué, centrée autour du palais impérial (détruit pendant la guerre et reconstruit récemment sur un plan moderne respectant les traditions). Population très active (indus., diverses, métallurgique, chimique, électronique, mécanique, universités, centres commerciaux et d'amusement, nombreux monuments) et réseau très dense de communications (liaisons métro-trains) permettant aux travailleurs d'habiter loin du centre. Le climat de Tôkyô est devenu, à cause de ses indus., l'un des plus insalubres du monde. La ville centralise la plupart des services administratifs du pays. ♦ *Hist.* Fondée en 1453 par un petit seigneur local, elle devint en 1603 le siège du gouvernement shôgunal et commença à prendre une grande importance. Elle succéda à Kyôto* comme ville impériale. Elle s'agrandit encore à partir de 1868, année où elle devint la cap. du pays, en englobant une grande quantité de villages voisins, qui, encore aujourd'hui, constituent autant de quartiers de la ville. Son activité commerciale ne cessa dès lors de s'accroître. En 1923 un terrible tremblement de terre suivi d'incendies gigantesques détruisit entièrement la ville qui fut presque aussitôt reconstruite sur des plans nouveaux et avec une architecture plus résistante. De nombreuses usines s'y implantèrent. La guerre de 1941-1945 vit de nouveau sa destruction par les bombardements américains. C'est en rade de Tôkyô que fut signé, sur le cuirassé *Missouri*, l'acte de capitulation du Japon, le 2 septembre 1945.

TOLAIN (Henri Louis). ♦ Homme politique français (Paris, 1828 – 1897). Ouvrier ciseleur, il préconisa les candidatures ouvrières au Corps législatif (*Manifeste des Soixante*, 1864) et la formation de syndicats. Membre de l'Association internationale des travailleurs (Ire Internationale, 1864), il s'orienta, sous l'influence des théories de Proudhon, vers des positions réformistes. Hostile à la Commune de Paris (1871), il fut exclu de la Ire Internationale par le Conseil fédéral (12 avr. 1871). Il fut sénateur en 1875.

TOLAND (John). ♦ Philosophe irlandais (Redcastle, près de Londonderry, 1670 – Putney, 1722). Converti au presbytérianisme, il quitta son pays après le scandale que provoqua son ouvrage *Christianisme sans mystère.* Il écrivit également *Le Socinianisme tel qu'il est* (1705) et des pamphlets (en français, *Lettres philosophiques*, qui parurent en 1768).

TOLBIAC, *auj.* **Zülpich.** ♦ Petite ville industrielle au S.-O. de Cologne. ♦ *Hist.* Clovis y vainquit les Alamans (496 ou 506).

TOLBOUKHINE [*Tolbuxin*] **(Fédor Ivanovitch).** ♦ Maréchal soviétique (Androniki, près de Iaroslavl, 1894 – Moscou, 1949). Capitaine d'infanterie dans l'armée tsariste en 1917, commandant d'une division de la cavalerie rouge pendant la guerre civile, membre du Parti communiste depuis 1938, il prit part à la bataille de la Volga (1942-1943). Il reconquit la Crimée, occupa Sébastopol (9 mai 1944), libéra Bucarest (31 août), Sofia (sept.) et Belgrade (oct.) et fut promu maréchal. Avec Malinovski, il assiégea Budapest, qui fut prise en février 1945. Après la guerre, il commanda les troupes d'occupation soviétiques en Autriche, puis la région militaire de Transcaucasie (1946-1949).

TOLBUHIN ou **TOLBUKHIN**, anc. **Dobric.** ♦ V. de Bulgarie du N.-E. (prov. de Varna). 51 120 hab. – Centre commercial et industriel directement lié aux activités agricoles de la plaine de la Dobroudja (minoteries, fabrique d'huile, traitement du coton).

TOLÈDE, en esp. **Toledo.** ♦ V. d'Espagne, en Nouvelle-Castille*. Ch.-l. de prov. sur la r. d. du Tage, à 67 km de Madrid, 41 000 hab. – Archevêché (primat d'Espagne). Célèbres manufactures d'armes blanches *(lames de Tolède).* C'est l'une des plus riches cités d'Espagne en monuments mauresques (pont d'Alcántara, Puerta del Sol). Très belle cathédrale gothique (XIIIe-XVe s.). Églises Renaissance (Santo Tomé, San Juan de los Reyes). Célèbre Alcazar* plusieurs fois reconstruit, maison dite du Greco* (XIVe s.), musée provincial consacré à Charles Quint. Centre touristique. ♦ *Hist.* C'est une des plus anciennes cités espagnoles ; colonie des Romains, elle devint de 576 à 711 la capitale des Wisigoths ; elle joua un grand rôle religieux et fut au VIIe s. le siège de l'Église d'Espagne. Au VIIIe s., elle fit partie du califat de Cordoue*, puis devint la capitale d'un royaume indépendant (Xe s.) où une importante colonie juive fonda des écoles renommées. Reconquise par Alphonse* VI en 1085, Tolède resta jusqu'au XVIe s. la résidence des rois de Castille. Remplacée par Madrid*, elle garda tout son prestige de ville d'art. Au début de la guerre civile (1936), l'Alcázar fut assiégé par les républicains ; 1 760 combattants nationalistes, commandés par le colonel Moscardó*, résistèrent héroïquement pendant deux mois avant d'être dégagés par l'armée de Franco*.

TOLEDO (Juan Bautista *de*). ♦ Architecte espagnol (mort en 1567). Il se forma en Italie, travailla à Naples et fut chargé par

Ph. Carlo Bevilacqua/Ricciarini

L'Alcázar de **Tolède.**

Philippe II d'entreprendre la construction du monastère de l'Escorial* ; il dessina le plan d'ensemble, caractérisé par l'ampleur et la simplicité des partis pris, et édifia la façade méridionale ainsi que le *patio de los evangelistas*, qui reflète l'assimilation des conceptions architecturales de la Renaissance italienne. Il exécuta aussi des travaux à Aranjuez et à l'Alcázar de Madrid.

TOLEDO. ♦ V. des États-Unis, au N.-O. de l'Ohio, port situé à l'extrémité O. du lac Érié. 383 105 hab. (zone urbaine 685 455 hab.). Port charbonnier de première importance ; importations de minerais, grains, pâtes à papier ; exportation de charbon, produits pétroliers, automobiles (la célèbre *Jeep*). Indus. (verre, automobiles, mécanique...).

TOLENTINO. ♦ Localité d'Italie, dans les Marches (prov. de Macerata). 15 500 hab. – Évêché. Céramique, indus. lainière. ♦ *Hist.* Un traité y fut signé entre Bonaparte et Pie VI (19 fév. 1797), qui donnait à la France Avignon et le Comtat Venaissin et abandonnait les légations. Murat y perdit une bataille contre les Autrichiens (3 mai 1815).

TOLIMA. *n. m.* ♦ Volcan de la Cordillère centrale des Andes, en Colombie. 5 620 m. Il a donné son nom à une division administrative (*ch.-l.* Ibagué).

TOLLER (Ernst). ♦ Auteur dramatique allemand (Samotschin, 1893 – New York, 1939). Ancien membre du gouvernement révolutionnaire de Bavière (1918), il a voulu illustrer dans son théâtre les thèmes dominants de la révolte sociale dans l'Allemagne tourmentée des lendemains de la Première Guerre mondiale, avec *Foule humaine (Masse-Mensch*, 1921), *Destructeurs de machines* (*Die Maschinenstürmer*, 1922), *Hop là, nous vivons!* (*Hoppla, wir leben*, 1927), *Le Pasteur Hall* (*Pastor Hall*, 1938). Son œuvre poétique : *Le Jour du prolétariat, Requiem pour les frères assassinés* (*Requiem für den gemordeten Brüdern*, 1926) préfigure son destin tragique ; exilé à New York après la victoire du nazisme, il devait s'y donner la mort.

TOLLYGANJ ou **TOLLYGUNGE.** ♦ V. industrielle et quartier sud de la ville de Calcutta* (Inde, Bengale). 360 000 habitants.

TOLMAN (Edward Chace). ♦ Psychologue américain (né en 1886). Il appliqua les principes de la théorie de la forme **(V. Wertheimer, Koffka** et **Köhler)** à l'étude du comportement **(V. Watson),** considérant celui-ci comme une totalité douée de propriétés spécifiques, dont l'intentionnalité [ou orientation du comportement vers un but] (*Purposive Behaviour in Animals and Men*, 1932).

TOLSTOÏ (Piotr Andreïevitch, *comte*) [*Tolstoj*]. ♦ Homme politique russe (1645 – couvent de Solovetsk, 1729). Envoyé par Pierre le Grand à Venise, il y étudia les problèmes maritimes (1696-1698). Ambassadeur à Constantinople (1702-1714), puis conseiller du tsar en politique extérieure, il devint chef de la police secrète (1718) et membre du conseil privé (1725). En 1727, il fut exilé par Pierre II à Solovetsk, île de la mer Blanche.

TOLSTOÏ (Alexis Constantinovitch). ♦ Poète, romancier et auteur dramatique russe (Saint-Pétersbourg, 1817 – domaine de Krasnyï Rog, gouvernement de Tchernygov, 1875). Il est l'auteur de poésies satiriques, humoristiques et absurdes en particulier sous le pseudonyme de Kozma-Proutkov (1853-1863). Il écrivit un remarquable roman historique sur l'époque d'Ivan* le Terrible, *Le Prince Serebriany* (1862), mais son œuvre la plus marquante reste sa trilogie dramatique historique : *La Mort d'Ivan le Terrible* (1866), *Le Tsar Fiodor Ivanovitch* (1868) et *Le Tsar Boris* (1870).

TOLSTOÏ (Léon Nikolaïevitch). ♦ Romancier, conteur et auteur dramatique russe (Iasnaïa Poliana, gouvernement de Toula, 1828 – Astapovo, gouvernement de Riazan, 1910). Issu d'une famille de la vieille noblesse russe, Tolstoï fut toujours conscient de son rang. Orphelin très jeune, il fut élevé par sa tante et des gouverneurs étrangers dans la grande propriété de famille avec ses frères, puis fit ses études à l'université de Kazan d'où il sortit sans aucun diplôme, marqué par l'influence de J.-J. Rousseau*. Il menait une vie désordonnée et légère. En 1848, il retourna dans sa propriété de Iasnaïa Poliana, décidé à améliorer le sort des paysans, mais sa tentative fut un échec. En 1851, voulant donner un sens à sa vie, il partit comme volontaire se battre au Caucase. Et en 1852 parut sa première nouvelle, *Enfance*, qui, envoyée à Nekrassov*, fut publiée dans *le Contemporain.* Tolstoï fut aussitôt célèbre. À la suite d'*Enfance*, il écrivit *Adolescence* (1854) et *Jeunesse* (1855), formant ainsi une remarquable trilogie autobiographique. Après trois ans passés au Caucase, il participa à la défense de Sébastopol, où il écrivit ses fameux *Récits de Sébastopol* (1854-1855). Tolstoï quitta l'armée en 1856 et partit pour deux ans à l'étranger ; il voyagea en France, en Suisse, en Italie et en Allemagne. Il y fut frappé par l'égoïsme et le matérialisme de la bourgeoisie : *Lucerne* (1857-1858). De retour à Iasnaïa Poliana, Tolstoï fonda une école populaire et édita en 1862 un journal pédagogique : *Iasnaïa Poliana.* En 1862, il se maria, voulant, semble-t-il, atteindre par là un certain confort moral (*Le Bonheur de la famille*, 1862). Il eut treize enfants. En 1863, parut sa nouvelle *Les Cosaques* qu'il avait commencée alors qu'il était au Caucase, et il se mit à travailler à sa grande œuvre qui a pour cadre les guerres de 1805 et 1812 contre Napoléon et qu'il ne devait terminer qu'en 1869 : *Guerre* et Paix.* Puis, de 1873 à 1877, il écrivit son second grand roman, *Anna* Karénine.* Ces deux romans lui apportèrent la gloire et la célébrité mondiale. En écrivant *Anna Karénine*, il fut saisi d'une crise morale et religieuse qui le mena à la conversion, décrite en 1880 dans *Confession.* D'athée, il devint croyant et d'auteur réaliste et vitaliste, il devint un écrivain moralisateur, mais toujours rationaliste. Du christianisme, il ne retint que l'aspect moral et se mit à condamner tout ce qui était violence ou recherche du plaisir et du luxe (*La Mort d'Ivan Ilitch,* 1887, admirable réflexion sur la solidarité humaine et sur la mort, *La Sonate* à Kreutzer,* 1889). À cette époque, il écrivit des pièces de théâtre, comme *La Puissance des ténèbres* (1887) et *Le Cadavre vivant* (1901), pièces qui avaient toutes un but moral et éducatif. En 1897 parut *Qu'est-ce que l'art ?* où Tolstoï dénonce « l'art pour l'art ». En 1899 il publia un long roman, *Résurrection,* qu'il avait commencé en 1889 et où, décrivant un amour coupable, il tire une leçon de morale, illustrée par l'Évangile. Son point de vue trop rationaliste sur l'orthodoxie le fit excommunier par le saint-synode en 1901. Deux récits marquèrent encore la fin de sa vie : *Le Père Serge* (1890-1898), histoire d'un aristocrate qui devient moine, et *Hadji Mourat* (1896-1904) où il raconte d'une façon émouvante la longue guerre du Caucase. En contradiction intérieure continuelle entre sa doctrine morale exigeante et la vie facile qu'il menait, il finit par quitter sa maison en octobre 1910, et mourut un mois plus tard dans une petite gare de province.

TOLSTOÏ (Alexis Nikolaïevitch). ♦ Poète et romancier soviétique (Nikolaievsk, gouvernement de Samara, 1883 — Moscou, 1945). Appartenant à la noblesse provinciale russe, il passa son enfance à la campagne, d'où il garda son amour pour la nature et sa connaissance du folklore. En 1907, ses premiers vers, *Au-delà des fleurs,* furent bien accueillis par les poètes symbolistes. Ses contes, *Les Contes de la pie* (1910), et ses nouvelles, *Au-delà de la Volga,* le rendirent aussitôt célèbre. En 1912 il mit en scène la noblesse ruinée dans *Le Seigneur boiteux* et en 1918 il écrivit une très fine autobiographie, *L'Enfance de Nikita.* Puis, s'adaptant difficilement au gouvernement de Lénine, il émigra de 1918 à 1923. De cette époque datent un roman fantastique *Aelita* (1922) et un roman d'aventure utopique *L'Hyperboloïde de l'ingénieur Garine* (1925), ainsi que d'autres romans d'anticipation qui firent de lui un précurseur de ce genre en U.R.S.S. Revenu dans son pays natal, il travailla à sa grande œuvre, *Le Chemin des tourments* (trois romans : 1919-1941), où il montre comment sa patrie a su sortir victorieuse de l'épreuve que lui a proposée l'histoire. Enfin, il atteignit le sommet de sa gloire avec un roman historique *Pierre le Grand* (1929-1945, inachevé) et le drame *Ivan le Terrible,* en deux parties (1943). À travers des genres, des thèmes et des personnages différents, A. Tolstoï a toujours exprimé sa joie de vivre : « J'ai aimé la vie, je me suis opposé de tout mon tempérament à l'abstraction, aux conceptions idéalistes » a-t-il dit dans son autobiographie.

TOLTÈQUES. *n. m. pl.* ♦ Indiens du Mexique central, de langue nahuatl, qui s'établirent au IXe s. à Tula*, où ils développèrent une brillante civilisation, intégrant les traits essentiels des « civilisations classiques » (**V. Mexique,** *hist.*), notamment de Teotihuacán. La légende veut que leur dieu protecteur, Quetzalcóatl, ait été vaincu et soit parti vers le sud. Ce mythe représente l'affaiblissement des Toltèques sous l'influence de tribus moins cultivées et la migration qui préluda à la renaissance maya (civilisation toltèque-maya de Chichén-Itzá).

TOLUCA. ♦ V. du Mexique central, cap. de l'État de Mexico, située à 2 500 m d'alt. dans un haut bassin encadré de montagnes. 220 195 hab. — Évêché. — La *vallée de Toluca* est un riche secteur agricole (céréales) qui fait de la ville un centre commercial. Pittoresque marché. Indus. textiles et alimentaires. Savonneries. Tanneries. — Aux environs, site de Calixtlahuaca (temple de Tláloc et de Quetzalcóatl).

TOM. *n. m.* ♦ Riv. de l'U.R.S.S. (840 km). Issue de l'Altaï (Sibérie occidentale), elle traverse le Kouzbass* où elle arrose Ossinniki*, Novokouznetsk*, Kemerovo*, avant de se jeter dans l'Ob* (r. d.) en aval de Tomsk*.

TOMAKOMAI. ♦ V. du Japon (Hokkaidô) au S. de Sapporo, et port sur le Pacifique. 100 000 hab. — Pêche.

Ph. A.P.N.

Léon N. Tolstoï, par Répine. (Maison de Tolstoï, Iasnaïa Poliana.)

Ph. A.P.N.

Alexis Nikolaïevitch Tolstoï.

TOMAR. ♦ V. du Portugal, en Estrémadure, sur le Nabão (district de Santarém). 14 200 hab. Ancien ch.-l. de l'ordre des Templiers (1160-1314), dont il reste un château, puis de l'ordre du Christ. — Papeteries.

TOMASI (Henri). ♦ Compositeur et chef d'orchestre français (Marseille, 1901 — Paris, 1971). Élève de d'Indy au conservatoire de Paris, premier prix de Rome en 1927, il dirigea l'orchestre de l'opéra de Monte-Carlo de 1946 à 1950. Outre des concertos, des pièces symphoniques, un oratorio *(François d'Assise),* il composa surtout des ballets *(La Rosière du village, Les Santons, Noces de cendres)* et des opéras (*Miguel Mañara, Sampiero Corso* et *Le Triomphe de Jeanne*) dans un style vif et coloré où affleurent souvent des thèmes du folklore corse ou provençal.

TOMASZÓW MAZOWIECKI. ♦ V. de Pologne* (voïévodie de Łódź) sur la Pilica*. 56 000 hab. Centre d'industries textiles (fibres synthétiques). Constructions mécaniques.

TOMBALBAYE [-baj] **(François).** ♦ Homme d'État tchadien (1918 — N'Djamena, 1975). Président de la République du Tchad en 1960, il périt au cours du coup d'État d'avr. 1975. **V. Tchad.**

Tombeur (ou **Jongleur) de Notre-Dame (Le).** ♦ Œuvre en vers du bénédictin français Gautier* de Coincy (1177 — 1236), qui inspira à Massenet* son *Jongleur* et à A. France* un récit de *L'Étui de nacre.* Devenu moine, un naïf *tombeur* (jongleur) dédie à Notre-Dame ses acrobaties. Son attitude, jugée irrévérencieuse, suscite, cependant, un miracle : tandis qu'il meurt, la Vierge, émue, lui apparaît.

TOMBLAINE. ♦ Comm. de Meurthe-et-Moselle, arr. et banlieue de Nancy, sur la Meurthe. 6 617 habitants.

TOMBOUCTOU. ♦ V. du Mali*, au N.-O. de la grande boucle du Niger*, située aux confins du Sahara*, elle est le point de départ des caravanes allant chercher le sel de Taoudenni*. 9 000 hab. ♦ *Hist.* Fondée vers le XIe s. par les Touaregs, elle devint un centre de commerce important entre le Soudan et le Maghreb. Ibn* Battûta la visita en 1353. Elle fut prise au XVIe s. par le sultan marocain Ahmad al-Mansûr. En 1828, René Caillé* atteignit Tombouctou, Heinrich Barth* en 1853. Les Français l'occupèrent en 1893.

TOMÉ. ♦ Famille d'architectes, sculpteurs et décorateurs espagnols qui travaillèrent à Tolède et à Valladolid au XVIIIe siècle. — ANTONIO (actif au début du XVIIIe s.) est l'auteur de la façade de l'*université* de Valladolid (1718), au lourd et surabondant décor baroque. — NARCISO (actif dans la première moitié du XVIIIe s.), frère du précédent, réalisa le célèbre « transparent » de la cathédrale de Tolède (1721-1732) : l'architecture, la sculpture et la peinture s'y fondent dans un foisonnement d'ornements de bronze, stucs, marbres polychromes, sur lesquels jouent les éclairages contrastés. Le succès obtenu par cette œuvre témoigne de la persistance et de la vitalité du style dit churrigueresque **(V. Churriguera)** en Espagne.

TOMES, en lat. **Tomi,** auj. **Constanţa.** ♦ Anc. V. de Mésie* sur la côte du Pont*-Euxin. Lieu d'exil d'Ovide*, qui y mourut.

TOMIOKA TESSAI. ♦ Peintre japonais (Kyôto, 1837 — 1924), nommé artiste de la maison impériale en 1917. De style très libre tout en restant traditionnel, il réalisa de nombreuses œuvres qui permirent à l'art pictural japonais de se dégager du formalisme qui l'étouffait. Il est considéré à ce titre comme le premier peintre moderniste du Japon.

TOMIS. ♦ **V.** CONSTANŢA.

Tom Jones, en angl. **The History of Tom Jones, a Foundling.** ♦ Vaste roman (dix-huit livres) d'Henry Fielding* (1749). L'auteur y retrace avec verve les aventures et mésaventures d'un enfant trouvé, recueilli par le riche Alworthy dont il est en réalité le fils naturel. Cette ultime découverte donnera une fin heureuse à ce roman picaresque où Fielding évoque toutes les couches de la société anglaise du XVIIIe siècle. Fielding lui-même, cadet de grande famille (« squirearchy ») obligé de gagner sa vie et de frayer avec tout le monde, occupa la position excentrique de son héros. Ce sentiment de ne pas « être à sa place » avait aiguisé son humour en tempérant un sentimentalisme qui évoque Richardson*. Le roman a donné lieu à une excellente transposition au cinéma.

TOMMASO DA CELANO. ♦ **V.** THOMAS DE CELANO.

TOMONAGA (Shin' Ichirô). ♦ Physicien japonais (Kyôto, 1906). Auteur d'une formulation relativiste de la théorie des champs (1945), il est l'un des créateurs de la « théorie quantique des champs » qui permet de représenter sans image concrète les propriétés des particules et des champs et leurs interactions mutuelles. **V. Feynman, Schwinger.** (Prix Nobel de phys., 1965.)

TOMSK. ♦ V. d'U.R.S.S. (R.S.F.S. de Russie) ch.-l. de la région du même nom (316 900 km^2. 801 000 hab.) sur la r. d. du Tom*, près de son confluent avec l'Ob en Sibérie occidentale, au N. du Transsibérien. 339 000 hab. — Centre universitaire (université fondée en 1888 ; nombreuses écoles supérieures), scientifique et industriel, situé au N. du Kouzbass* auquel il est étroitement lié. Centrale thermique. Indus. alimentaires, chimiques et mécaniques. Équipements électriques et miniers. Instruments de précision. Indus. du cuir et du bois. Centre de recherches nucléaires. ♦ *Hist.* Fondée en 1604, la ville devint au XIXe s. un important centre sibérien à la suite de la découverte de gisements aurifères aux environs.

TOMYRIS. ♦ Reine des Massagètes (~ VIe s.). Selon Hérodote, le Perse Cyrus aurait voulu l'épouser. Elle refusa et il lui fit la

Ph. Lauros-Giraudon

Tonnerre : source de la Fosse Dionne.

guerre, capturant son fils Spargapisès, qui se suicida. Selon une tradition, Cyrus, vaincu et capturé par Tomyris, aurait été noyé par elle dans du sang ; selon Xénophon, Cyrus serait mort libre à Pasargades.

TONGA *(îles)* ou **îles des Amis,** en angl. **Friendly Islands.** ♦ Archipel de la Polynésie (Océanie), dans l'océan Pacifique Sud, au S. des îles Samoa* et à l'E. des îles Fidji*. 675 km². 90 000 hab. [1975] *(Tongans). Cap.* **V. Nukualofa.** L'archipel est formé d'env. 150 îles, îlots et atolls qui s'allongent du N. au S. en deux lignes parallèles, celle de l'O. étant volcanique et celle de l'E. de formation calcaire. Le climat y est chaud, la pluviométrie d'env. 2 000 mm/an. Coprah. Bananes. ♦ *Hist.* Les îles furent découvertes par les Hollandais, Schouten en 1616, puis par Tasman* en 1643, mais les contacts européens effectifs datent des visites de J. Cook* en 1773 et 1777. Durant le règne du roi George Tupou Ier (1845-1893), les îles Tonga devinrent une nation indépendante et unifiée. Le roi George Tupou II lui succéda et mourut en 1918 ; sous son règne fut établi un protectorat britannique. Jusqu'en 1965, la souveraine fut la reine Salote Tupou III. Les îles Tonga devinrent en 1970 un royaume indépendant, membre du Commonwealth.

T'ONG-HOUA. ♦ **V.** T'UNG-HUA.

TONGRES, en néerl. **Tongeren.** ♦ V. de Belgique, ch.-l. d'arr. du Limbourg. 17 222 hab. *(Tongriens).* Grand-Place de style mosan (XVIe-XVIIe s.). Hôtel de ville de 1737 (musée). Musée provincial gallo-romain. Musée d'histoire militaire (Moerenpoort de 1379). Église Notre-Dame fondée au IXe s., réédifiée au XIe s. et au XVe s. (diptyque en ivoire du VIe siècle). Cloître du XIIe siècle. Béguinage (église de 1294). Couvent et église du XVIIe siècle. À quelques kilomètres, château de Betho (XVIIe s.). — Principal marché de la Hesbaye, Tongres est réputé pour ses indus. alimentaires (confitureries, conserves de viande). Indus. chimiques (engrais) et mécaniques (matériel agricole). Fonderies de cuivre. ♦ *Hist.* Tongres doit son origine à un camp de César (Attuatuco Tungrorum) dont les légions furent massacrées à Tongres même en ~ 59 par Ambiorix, chef des Éburons. Ville-étape sur la voie romaine de Bavay à Cologne, Tongres se développa rapidement. Les invasions barbares et la décadence de Rome à la fin du IIe s. éprouvèrent la ville. Après le transfert de son évêché à Maastricht, puis à Liège, Tongres, détruit par les Normands en 881, ne se releva qu'avec la solide organisation communale des XIIIe et XIVe siècles.

TONKIN. *n. m.* ♦ Partie du Viêt-nam formant la presque totalité du Viêt-nam du Nord, comprenant toute la partie tributaire du Sông Kôi et du Sông Bo, ainsi que les zones montagneuses avoisinantes situées entre le Laos, la Chine (Yunnan) et le golfe du Tonkin. 115 700 km². Il comprend deux parties : le *haut Tonkin,* montagneux et relativement peu peuplé (pop. thaï et yunnanaise), et le *bas Tonkin,* formé par les vallées alluvionnaires des rivières, et où sont situées les principales agglomérations **(V. Hanoi, Haiphong, Nam Dinh, Bac Ninh, Sôn Tây** ainsi que les régions rizicoles. Mines de charbon à Hon Gay. ♦ *Hist.* L'histoire du Tonkin jusqu'en 1870 fut essentiellement l'histoire du Viêt*-nam. Après cette date, elle fut liée à la conquête coloniale française (1882-1885). L'incident de Lang* Son (mars 1885) provoqua la chute de Jules Ferry. Par ailleurs, l'avance française au Tonkin provoqua un conflit avec la Chine, conflit qui se termina en 1885 avec le traité de Tien*-Tsin qui laissait les mains libres à la France. Le Tonkin, finalement conquis, fut intégré en 1887 dans l'Union indochinoise, puis en 1945, après l'occupation sino-japonaise, déclaré État du Viêt-nam. C'est également du Tonkin que partirent la résistance à l'occupation japonaise, à la présence française (qui se termina par la défaite de Diên Biên Phû en 1954) et la lutte contre les États-Unis soutenant le gouvernement de Saigon. Le Viêt-nam du Nord, formé de la totalité du Tonkin, résista héroïquement aux attaques de l'aviation américaine, jusqu'au cessez-le-feu en 1973.

TONKS (Lewis). ♦ Physicien américain (né en 1897). Auteur de recherches sur les plasmas, notamment avec Langmuir* (1928-1929).

TONLE-SAP. *n. m.* ♦ Grand lac du Cambodge*, déversoir naturel du trop-plein des eaux du Mekong*, passant de 2 700 à 10 000 km² selon la saison. Cet immense réservoir, qui apporte de l'humidité à la plaine centrale cambodgienne, est en même temps une réserve de poissons extrêmement riche. Il est relié au Mekong par un bras de rivière de 112 km de longueur dans lequel le courant s'inverse à certaines époques de l'année, et qui relie Phnom* Penh au lac.

TONNAY-BOUTONNE. ♦ Ch.-l. de cant. de la Charente-Maritime, arr. de Saint-Jean-d'Angély, sur la Boutonne. 1 036 hab. *(Boutonnais).* Porte Saint-Pierre, vestiges des fortifications du XIVe siècle. Château de Luret, XVIIe siècle. — Indus. du bois.

TONNAY-CHARENTE. ♦ Ch.-l. de cant. de la Charente-Maritime, arr. de Rochefort. 6 377 hab. [5 218 aggl.] *(Tonnacquois).* Port de commerce sur la Charente. Église (XIIe-XVIe s.). Vestiges de l'ancien château, auj. hôpital. — Eaux-de-vie. Métallurgie du zinc et du plomb. Indus. chimique.

TONNEINS [tɔnɛ̃s]. ♦ Ch.-l. de cant. du Lot*-et-Garonne, arr. de Marmande*, sur la Garonne*, 8 590 hab. *(Tonneinquais).* Manufacture de tabac ; fabrique de chaussures, d'emballages. Conserves ; marché agricole. — Patrie du général de La* Vauguyon.

TONNERRE. ♦ Ch.-l. de cant. de l'Yonne (arr. d'Avallon), sur la r. g. de l'Armançon*. 5 965 hab. *(Tonnerrois).* Hôpital (XIIIe s.) ; église Notre-Dame (XIIIe-XVe s., restaurée) ; hôtel d'Uzès (1533) ; église Saint-Pierre (fin du XVIe s.). — Célèbre source de la Fosse Dionne (fontaine vauclusienne). — Vins renommés très corsés (blancs de Fleys, Beru et Viviers, rosé d'Épineuil). Indus. radioélectrique. Métallurgie (fonte ; tubes d'acier). Pierres de taille. — Patrie du chevalier d'Éon*.

TONNERROIS. *n. m.* ♦ Région située autour de Tonnerre* et encadrant la vallée de l'Armançon*. Agriculture et élevage (viande, lait), grâce à la création de prairies artificielles. Le vignoble s'étend sur les coteaux de la r. d. de l'Armançon (vins rouges : olivottes, lorraines, poinsots ; blancs : vaumorillons ; gris : à Épineuil).

TÖNNIES (Ferdinand). ♦ Philosophe et sociologue allemand (dans le Schleswig, 1855 — Kiel, 1936). À la communauté, fondée sur des liens organiques, affectifs et spirituels, il a opposé la société de la civilisation urbaine et industrielle, basée sur des contrats rationnels (des lois écrites), qui lui paraît être une forme de décadence [annonçant ainsi l'opposition de Spengler entre culture et civilisation] (*Communauté et Société,* 1887 ; *Introduction à la sociologie,* 1931).

TOOROP (Johannes Theodor, dit **Jan).** ♦ Peintre, affichiste et dessinateur néerlandais (Poerwuredjo [Purworego], Java, 1858 — La Haye, 1928). Après des études à Amsterdam et à Bruxelles, il fit plusieurs séjours en France et admira Gustave Moreau et Manet. Sa peinture refléta successivement les influences de l'impressionnisme, du divisionnisme et du symbolisme. Ses œuvres les plus originales sont des affiches au graphisme onduleux, caractéristique de l'esthétique Art Nouveau, et des peintures allégoriques, puis religieuses, d'un linéarisme aigu et vigoureux *(La Sainte Fuite).*

TOOWOOMBA. ♦ V. de l'État du Queensland* (Australie), sur le versant O. de la Cordillère* australienne, reliée à Brisbane* par voie ferrée. 55 800 hab. — Centre commercial et touristique.

Topaze. ♦ Comédie de Marcel Pagnol (1928). Congédié, pour excès de conscience, de l'institution où il enseignait, Topaze, modeste professeur, se met au service d'un conseiller municipal véreux dont il devient l'homme de paille. Il découvre alors avec horreur les turpitudes dont la vie de ce politicien sans scrupules est faite. Mais, s'enhardissant peu à peu, il renonce à pratiquer la morale austère qu'il enseignait à ses élèves et prend finalement la place de son patron, lui ravissant aussi sa maîtresse et se réservant désormais de trafiquer pour son propre compte.

TOPEKA. ♦ V. des États-Unis, cap. du Kansas, située dans l'E. de cet État, à 110 km à l'O. de Kansas City. 123 043 hab. Centre administratif, agricole et industriel (pneumatiques, indus. chimiques). Siège d'une base aérienne et d'une importante fondation psychiatrique *(Menninger Foundation).* — La ville est connue aux États-Unis pour son urbanisme et ses parcs.

TOPELIUS (Zachris, le Jeune). ♦ Poète et romancier finlandais de langue suédoise (Kuddnäs, près de Uusikaarlepyy [Nykarleby], 1818 — Sipoo [Sibbo], 1898). Professeur d'histoire et recteur de l'université de Helsinki. Avec Runeberg*, il domina la littérature suédoise de Finlande, et fut beaucoup traduit en finnois. Son idéalisme naïf et sentimental a donné naissance à un adjectif : « topélien ». Il s'opposa au réalisme et au naturalisme, écrivit des ouvrages instructifs pour la jeunesse. *Le Livre de la nature* (1856), *Le Livre sur notre pays* (1875) et des contes de fées, *Lectures pour les enfants* (huit vol., 1865-1896), devenus classiques. Ses poèmes *Fleurs de bruyère* (trois vol., 1845-1854) célèbrent un amour chaste, les beautés naturelles de la Finlande et la foi dans le progrès de l'humanité. Ses romans historiques, *Les Récits du chirurgien militaire* (quatre vol., 1853-1864), *Le Gant du roi* (1863), *Les Protégés des planètes* (trois vol., 1886), romantiques et mystérieux, connaissent encore un grand succès.

TOPINARD (Paul). ♦ Médecin et anthropologue français (L'Isle-Adam, 1830 — Paris, 1911). Attaché au laboratoire d'anthropologie de Broca, il s'occupa essentiellement d'anthropologie biologique [études sur la pigmentation, sur la distinction des différents types *de prognathisme, sur le poids de l'encéphale, etc.*] (*Éléments d'anthropologie générale,* 1885 ; *L'Homme dans la nature,* 1891).

Ph. Nino Cirani/Ricciarini

Toronto : immeubles au bord du lac Ontario.

TOPPILA (Heikki). ♦ Romancier et nouvelliste finnois (Paavola, 1885 – Kuusankoski, 1963). Instituteur dans sa région natale, il en étudia le folklore qu'il utilise dans ses ouvrages, mêlant des apparitions surnaturelles et terrifiantes à la vie de tous les jours. D'une remarquable intensité dans la description des terreurs et des souffrances physiques *Délivre-nous du mal* (1931, roman), *L'Homme de la mort* (1928, trad. fr. 1958, nouvelles), humoristique dans les nouvelles *L'Eau-de-vie de Noël du père Valkola* (1923), sentimental et rêveur dans le récit *Vers le pays du soleil levant* (1926), il montre encore son talent dans ses *Contes* (1950).

TOR. ♦ V. THOR.

Torah (« Loi »). *n.f.* ♦ Nom hébreu du Pentateuque*.

TOR BAY. *n.f.* ♦ Baie de l'Angleterre méridionale (Devonshire) entre Torquay et Brixham.

TORCELLO. ♦ Île de la lagune de Venise, à 8 km au N.-E. de la ville. Torcello est dominée par sa cathédrale fondée au VIIe s. et reconstruite en style vénéto-byzantin; elle est ornée de riches mosaïques et flanquée d'un campanile du IXe siècle.

TORCY (Jean-Baptiste COLBERT, *marquis de***).** ♦ Homme politique français (Paris, 1655 – *id.*, 1748). Fils de Croissy*, neveu du grand Colbert* et gendre de Pomponne*, il succéda à son père aux Affaires étrangères (1696), poussa Louis XIV à accepter le testament de Charles* II et fut un des artisans de la paix d'Utrecht* (1715). Il a laissé des *Mémoires.*

TORDESILLAS. ♦ V. d'Espagne, dans le León* (prov. de Valladolid), sur le Douro. 6 000 hab. Monastère mudéjar de Santa Clara construit par Alphonse* XI en 1350. ♦ *Hist.* En 1494, un traité arbitré par le pape Alexandre* IV Borgia y fut signé entre le Portugal et l'Espagne, qui fixait une « ligne de marcation » allant du pôle au cap Vert et donnant à l'Espagne toutes les terres qu'elle découvrirait à 370 lieues des îles du Cap-Vert.

TORELLI (Giacomo). ♦ Architecte et peintre italien (Fano, 1604 – *id.*, 1678). Sur l'ordre de Richelieu, il aménagea pour quatorze cents spectateurs la salle du Palais-Royal (1637), mais c'est dans l'art de la machinerie qu'il apparut comme un véritable créateur, réalisant d'admirables décors pour l'*Andromède* de Corneille, *Les Fâcheux* de Molière et de nombreuses comédies-ballets.

TORELLI (Giuseppe). ♦ Violoniste et compositeur italien (Vérone, 1658 – Bologne, 1709). Après des études à l'académie de musique de Bologne, il devint joueur de viole à l'église de San Petronio (1686-1697), puis premier violon à la cour de Brandebourg-Ansbach. Après un passage à Vienne, il regagna Bologne en 1701. Malgré sa réputation, il accepta un poste de simple violon à San Petronio. Considéré (probablement à tort) comme le promoteur du *concerto grosso,* il fut le premier musicien à utiliser la forme du concerto de soliste, conçu à la fois comme exercice de virtuosité (allégro) et d'expressivité (adagio). Il a laissé huit recueils pour instruments à cordes (*Sonate a tre, Concerto da camera, Sinfonie a 3 e concerti a 4, Concerti musicali a 4, Concerti grossi, Sinfonie* pour orchestre).

TORGAU. ♦ V. d'Allemagne orientale (district de Leipzig) sur l'Elbe. 19 900 hab. Château Renaissance (XVIe-XVIIe s.). ♦ *Hist.* Luther et ses compagnons y rédigèrent en 1530 les *Articles de Torgau,* base de la *Confession d'Augsbourg.* – Les troupes américaines et soviétiques y opérèrent leur jonction le 26 avril 1945.

TORHOUT. ♦ V. de Belgique (Flandre-Occidentale, arr. de Bruges). 14 000 hab. Textiles.

TORI BUSSHI. ♦ Sculpteur japonais (*déb.* VIIe s.) d'origine coréenne qui réalisa au Japon les premières œuvres bouddhiques dans un style apparenté à celui de la Chine de la dynastie des Wei*.

TORIGNI-SUR-VIRE. ♦ Ch.-l. de cant. de la Manche*, arr. de Saint-Lô*. 2 557 hab. Château des XVIe et XVIIe s., incendié en 1944. – Marché agricole.

TORNE ÄLV. *n. m.* ♦ Fl. de Suède (400 km), en Laponie, émissaire du lac Torneträsk et tributaire du golfe de Botnie. La partie inférieure de son cours forme la frontière entre la Suède et la Finlande.

TORONTO. ♦ V. du Canada, cap. de l'Ontario*, sur la rive N. du lac Ontario. Deuxième ville du Canada, après Montréal. Env. 700 000 hab.; l'aggl. compte 2 316 000 hab. (1969). – La ville a formé en 1953 une nouvelle municipalité du Grand Toronto *(Metropolitan Toronto).* L'hôtel de ville, terminé en 1965, est un des bâtiments modernes les plus remarquables d'Amérique du Nord (architecte : Viljo Revell). Musées. – Centre commercial et financier (Bourse très active). Indus. principales : traitement de la viande; imprimeries; matériel agricole; aéronautique; machines électriques, produits métallurgiques. – Port actif. Aérodrome international. La ville possède un métro. – Importante université, fondée en 1827. ♦ *Hist.* Le fort Toronto fut bâti par les Anglais après la destruction du fort Rouillé (1759), fondé par les Français dix ans avant. La ville, nommée York, devint cap. du Haut-Canada en 1796. Prise par les Américains au cours de la guerre de 1812, elle reçut son nom actuel en 1834. Cap. de l'Ontario depuis 1867.

TORQUAY. ♦ V. de l'Angleterre méridionale (Devon), sur le littoral de la Manche *(baie de Tor).* 54 050 hab. Station touristique fréquentée. Anc. abbaye (XIIe-XIVe s.).

TORQUEMADA (*fray* **Tomás** *de***).** ♦ (Valladolid, 1420 – Ávila, 1498). Dominicain espagnol, prieur du couvent de Santa Cruz à Ségovie, inquisiteur (1482). Nommé inquisiteur général pour l'Espagne en 1483, il fut le véritable organisateur du Saint-Office*, réagissant contre les abus de ses prédécesseurs, mais poursuivant les juifs avec une intransigeance qui a fait de lui le symbole du fanatisme. Auteur d'*Instructions* publiées de 1484 à 1498 et réglementant les procédures.

TORRANCE. ♦ V. des États-Unis (Californie*) faisant partie de l'agglomération de Los Angeles. 133 683 hab. (1970). Industries.

TORRE ANNUNZIATA. ♦ V. d'Italie méridionale, en Campanie (prov. de Naples), au S. du Vésuve. 61 000 hab. – Port de pêche. Station balnéaire et thermale. Important nœud ferroviaire. Sidérurgie, manufacture d'armes. Chantiers navals. Fabriques de pâtes alimentaires.

TORRE DEL GRECO. ♦ V. d'Italie du Sud, en Campanie (prov. de Naples), au pied du Vésuve, sur le golfe de Naples. 86 500 hab. – Port de pêche. Travail du corail. Indus. alimentaires (pâtes).

TORRELAVEGA. ♦ V. et port d'Espagne du Nord, en Vieille-Castille (prov. de Santander). 31 000 hab. – Indus. chimiques, textiles artificiels.

TORREMOLINOS. ♦ V. d'Espagne méridionale, sur la *Costa del Sol* (prov. de Málaga). Station balnéaire très fréquentée.

TORREÓN. ♦ V. du Mexique septentrional (État de Coahuila*), 257 045 hab. – Centre minier. Grand centre commercial et industriel (indus. alimentaires, textiles, chimiques, métallurgiques). Constructions mécaniques. Fonderies. Gisements de pétrole aux environs.

TORRES (Luis VÁEZ *de***).** ♦ Navigateur espagnol du XVIIe siècle. Parti de Callao, il explora avec Queirós les mers du Sud, découvrit l'île del Espiritu Santo (Nouvelles-Hébrides), puis seul atteignit la côte méridionale de la Nouvelle-Guinée, passa par le détroit qui porte aujourd'hui son nom (1606) et parvint à Manille. Connue au moment de la prise de Manille par les Anglais (1762), sa relation de voyage fut publiée en 1806.

TORRES *(détroit de).* ♦ Bras de mer reliant l'océan Indien (mer d'Arafura*) à l'océan Pacifique (mer de Corail*) et qui sépare l'Australie* (péninsule d'York*) de la Nouvelle*-Guinée. Dans sa plus faible largeur, 160 km env. séparent la Nouvelle-Guinée de l'Australie. – Le détroit fut franchi en 1606 par le navigateur espagnol L. Váez de Torres*.

TORRES *(îles).* ♦ **V.** NOUVELLES-HÉBRIDES.

TORRES QUEVEDO (Leonardo). ♦ Ingénieur et mathématicien espagnol (Santa Cruz, Santander, 1852 – Madrid, 1936). Il réalisa des machines capables de résoudre des équations algébriques quelconques, conçut des automates de jeux déductifs et fut l'un des premiers à effectuer des commandes à distance au moyen des ondes hertziennes.

TÔRRES VEDRAS. ♦ V. du Portugal, en Estrémadure (district de Lisbonne). 13 000 hab. – Important centre vinicole. ♦ *Hist.* Des lignes fortifiées construites par Wellington* arrêtèrent Masséna* d'octobre 1810 à mars 1811; il se retira en Espagne.

TORRICELLI (Evangelista). ♦ Physicien italien (Faenza, 1608 – Florence, 1647). Étudiant les problèmes de quadrature, il découvrit en 1641, indépendamment de Roberval*, la méthode cinématique, obtint la quadrature de la cycloïde (1644) et des hyperboles. Disciple direct de Galilée*, il mit en évidence l'existence de la pression atmosphérique par la célèbre expérience dont dérive le baromètre à mercure (*expérience de Torricelli,* 1643); dans un traité sur le mouvement des corps pesants (1644), développement et systématisation de la dynamique des *Discorsi* de son maître, il démontra l'égalité des vitesses le long de plans inclinés avec une même hauteur de chute, énonçant que deux corps graves liés ensemble ne peuvent se mettre spontanément en mouvement que si leur centre commun de gravité descend (principe de Torricelli); initiateur des recherches d'hydrodynamique, il formula également la première loi quantitative d'écoulement d'un liquide par un orifice étroit placé à la partie inférieure d'un vase (loi de Torricelli, 1644).

TORRINGTON (Arthur Herbert, *comte de***).** ♦ Amiral anglais (1647 – 1716). L'un des artisans de la révolution de 1688, il fut fait premier lord de l'Amirauté par Guillaume d'Orange (1689)

Ph. M. Pedone/Ricciarini

Toscane : vue d'ensemble de Montecatini Alto, près de Pistoia.

Il fut vaincu par Tourville à Beachy Head, près de Brighton (1690). ♦ GEORGE BYNG, *vicomte* TORRINGTON (Wrotham, Kent, 1663 – 1733). Il fut commandant de la flotte en Méditerranée lors de la guerre de Succession d'Espagne. En 1708, il s'opposa à une tentative de débarquement en Écosse de Jacques Francis Édouard Stuart.

TORRITI (Jacopo). ♦ Peintre et mosaïste italien (connu à Rome, fin XIIIe s.). Il travailla à Assise et à Rome. On ne connaît de lui que trois œuvres. À Assise (v. 1280), il collabora avec Cimabue* à la décoration peinte de l'église supérieure de la basilique Saint-François : en raison des restaurations et de l'ampleur du cycle, il est difficile de lui attribuer avec quelque certitude une partie de cet ensemble. À Rome, il réalisa en association avec Jacopo da Camerino la mosaïque absidiale de Saint-Jean-de-Latran, où il ajouta à une iconographie byzantine des références à l'idéologie franciscaine (au-dessous du Pantocrator et de la Jérusalem céleste, saint François [avec saint Antoine de Padoue] est intégré dans la rangée des apôtres, tandis que le pape régnant, Nicolas IV, ancien général des Frères Mineurs, figure agenouillé aux pieds de la Vierge). Il est impossible de juger stylistiquement cette œuvre restaurée au XIXe siècle. Cependant, la mosaïque absidiale de Sainte-Marie-Majeure, datée (1295) et signée, en bon état de conservation, permet d'affirmer que Torriti, par la richesse des couleurs, par la composition savante et par la romanisation de thèmes orientaux, fut un précurseur de Giotto*, au même titre que Cavallini*.

TORSTENSSON (Lennart, *comte d'***Ortola).** ♦ Maréchal suédois (Torstena, 1603 – Stockholm, 1651). Formé à l'école de Gustave* Adolphe, il succéda à Banér* en 1641 au commandement des armées suédoises. Il remporta sur les Impériaux la victoire de Breitenfeld (1642) et termina la guerre contre le Danemark (expédition dans le Jutland). Une nouvelle offensive contre les Impériaux lui valut les victoires de Jüterbogk (1664) et de Jankow (1645).

TORTOSA *(cap de).* ♦ Cap d'Espagne méridionale, sur la Méditerranée, formant la pointe du delta de l'Èbre.

TORTOSE, en esp. **Tortosa.** ♦ V. d'Espagne orientale, en Catalogne* (prov. de Tarragone), sur la r. g. de l'Èbre. 44 000 hab. – Cathédrale gothique (XIVe-XVIIIe s.). Marché agricole (huile, vins, riz).

TORTUE *(île de la).* ♦ Petite île située au N. d'Haïti* dans l'Atlantique. Anc. base des boucaniers.

TORUŃ, en all. **Thorn.** ♦ V. de Pologne* (voïévodie de Bydgoszcz), port fluvial sur la Vistule* (r. d.). 131 000 hab. Université fondée en 1945. Ville ancienne, nombreux monuments (XIIe s.). – Patrie de Copernic*, de Linde*. Industries métallurgiques, chimiques et alimentaires. ♦ *Hist.* Fondée en 1231 par les chevaliers Teutoniques*, la ville, affiliée à la Hanse*, devint un centre commercial important et passa sous la suzeraineté polonaise après les *traités de Toruń* (1411 et 1466) qui la libérèrent du joug teutonique. Centre du protestantisme polonais dès 1557, elle fut rattachée à la Prusse au second partage de la Pologne* (1793), passa en 1806 au grand-duché de Varsovie* et revint à la Prusse de 1815 à 1920.

TORY (Geoffroy). ♦ Éditeur, écrivain et graveur français (Bourges, v. 1480 – Paris, v. 1533). Il voyagea en Italie et devint libraire v. 1518; François Ier le nomma imprimeur du roi en 1530. Il employa les accents, l'apostrophe, la cédille et répandit en France le caractère romain. Son *Livre d'heures* (1525) est un des chefs-d'œuvre du livre décoré de la Renaissance.

Tory. *adj.* et *n.* ♦ Nom du parti politique anglais (1679-1830), opposé aux whigs. **V. Whig.**

TOSA. ♦ Famille de peintres japonais qui forma au XIIIe s. une école traditionnelle de peinture spécialisée dans la représentation de scènes historiques ou traditionnelles.

Tosca (La). ♦ Drame en cinq actes de V. Sardou (1887). À Rome, Floria Tosca, cantatrice et maîtresse du peintre Mario Cavaradossi, est courtisée par le baron Scarpia, ministre de la police pontificale. Ce dernier arrête Cavaradossi qui a caché un révolutionnaire, son ami Angelotti. Il propose un marché à la Tosca, la liberté de son amant si elle devient sa maîtresse. La Tosca accepte, mais, dès qu'elle a le sauf-conduit, elle poignarde Scarpia. Cavaradossi est cependant fusillé et la Tosca se jette dans le Tibre. – Luigi Illica et Giuseppe Giacosa se sont inspirés de ce drame pour écrire un livret, mis en musique par Puccini* (1900). L'opéra eut un grand succès. D'une écriture habile, la partition paraît aujourd'hui assez superficielle, malgré de beaux airs.

TOSCANE, *n. f.*, en it. **Toscana.** ♦ Région située au N.-O. de la péninsule italienne, limitée par le Latium au sud. 3 415 000 hab. *(Toscans).* Elle est formée de neuf prov. : Arezzo, Florence, Grosseto, Livourne, Lucques, Massa et Carrare, Pise, Pistoia et Sienne. – *Orogr.* Au N. et à l'E. s'étend l'Apennin toscan, formé de roches calcaires dures, parfois métamorphosées en marbre (région de Carrare*) et où se produisent souvent des glissements de terrain, les *frane.* Il culmine au mont Cimone (2 163 m) et se morcelle vers l'O. en massifs argileux et marneux d'une altitude moindre : monts Amiata* (1 739 m), Chianti* (893 m), collines de la région de Sienne. L'Arno, au N., et l'Ombrone, au S., ont creusé leurs vallées au milieu de collines aux formes douces. Le long de la mer Tyrrhénienne s'étend la plaine côtière de la Maremme*, autrefois marécageuse, coupée au N. par le promontoire de Piombino et au S. par le mont Argentario (640 m) et bordée d'îles (Elbe*, Montecristo*), etc., formant l'archipel toscan. – *Hydrogr.* Arno*, Ombrone*, Tibre*. Le *climat* est tempéré. *V. princ.* **V. Arezzo, Carrare, Florence, Grosseto, Livourne, Lucques, Massa, Pise, Pistoia, Prato, Sienne** et **Volterra.** – *Écon.* L'agriculture est fondée sur une polyculture très diversifiée. C'est le domaine de la *coltura promiscua*, associant les cultures arbustives aux céréales et aux plantes fourragères. Les princ. productions sont : le blé, l'orge, l'avoine, le seigle, le maïs, la betterave sucrière, l'olivier et la vigne (Chianti, Elbe). Le troupeau bovin et ovin est assez important. L'assainissement de la Maremme a permis d'y développer l'élevage laitier. La Toscane est dans l'ensemble un pays de grandes propriétés. Les ressources minérales sont importantes et variées : mercure (mont Amiata) fournissant la totalité de la production nationale, fer (Elbe, la moitié de la production italienne), marbre (Carrare), houille « rouge » (utilisation des vapeurs naturelles du sous-sol pour produire de l'énergie électrique) de Larderello* fournissant 2 600 000 kWh et alimentant 3 centrales thermiques, pyrites (prov. de Grosseto) et sel gemme (Volterra). Les princ. activités industrielles sont : le raffinage du pétrole (Livourne), la métallurgie (Piombino), la mécanique (Florence), la chimie (Pise, Larderello). L'indus. textile est très ancienne et diversifiée : laine (Prato, Florence), coton (Lucques). Les métiers de luxe (couture, maroquinerie, arts graphiques) sont localisés à Florence. L'artisanat (marbre) et le tourisme (Pise, Lucques, Arezzo, Florence, Elbe) fournissent un appoint important. ♦ *Hist.* Conquise par les Romains vers la fin du ~ IVe s., la région fut ensuite un duché lombard (VIe s.) qui fut occupé par les Carolingiens en 774. Les comtes de Lucques, qui régnaient en Toscane depuis le IXe s., combattirent les Arabes en Méditerranée; leur famille s'éteignit à la mort de la comtesse Mathilde* (1115), qui céda la Toscane au Saint-Siège. Cette décision fut combattue par les empereurs germaniques; à la faveur des troubles, les cités se rendirent indépendantes : Lucques*, Pise* et Pistoia* devinrent gibelines tandis que Florence* devenait guelfe. Après la défaite de Pise à la Méloria (1284), la Toscane passa à Florence qui annexa Pistoia (1301), Volterra (1361), Arezzo (1384) et Pise (1405). Après la fondation du duché de Florence, devenu en 1569 le *grand-duché de Toscane,* l'extinction des Médicis (1737) eut pour aboutissement sa cession à François de Lorraine, mari de Marie-Thérèse d'Autriche. La Toscane fut prise par les Français en 1799. En 1801, elle devint le *royaume d'Étrurie* qui fut réuni à la France en 1807. Élisa Bacciochi (Elisa Bonaparte*) fut nommée grande-duchesse en 1809, mais dut partir quand Ferdinand III de Habsbourg fut restauré (1814). Après une révolte (1848) contre les Habsbourg, Mazzini, Guerazzi et Montanelli instituèrent une république qui ne dura que six mois. Une nouvelle révolte en 1859 aboutit à la réunion au Piémont-Sardaigne en 1860. Florence fut la cap. du royaume d'Italie à partir de 1865.

TOSCANINI (Arturo). ♦ Chef d'orchestre italien (Parme, 1867 – New York, 1957). Il débuta comme violoncelliste à l'opéra de Buenos Aires, où il s'initia aussi à la direction d'orchestre. Il connut rapidement une grande notoriété, dirigea l'orchestre de la Scala de Milan (de1896 à 1908, puis de 1920 à 1929), puis le Metropolitan de New York (1908) et le New York Philharmonic Orchestra (1928-1936). Parallèlement, il dirigea les opéras de Wagner à Bayreuth et ceux de Mozart à Salzbourg. Il s'établit définitivement à New York en 1938 et créa l'orchestre de la NBC. Il donna une interprétation très personnelle des opéras de Verdi et de Wagner ainsi que des symphonies de Beethoven. Sa fougue, son lyrisme et sa maîtrise de l'équilibre orchestral en firent l'un des chefs les plus inspirés de son temps.

TOTILA ou **BADUILA.** ♦ Roi des Ostrogoths [541-552] (à Taginae, auj. Gualdo Tadino, près d'Urbino [mort], 552). Après avoir réussi à rétablir presque entièrement son autorité en Italie et notamment à Rome (546), aux dépens des Byzantins, il fut vaincu et tué par Narsès* (552), général de Justinien* Ier.

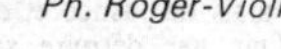
Ph. Roger-Viollet

Arturo Toscanini.

Ph. A.P.N.

Le maréchal **Toukhatchevski.**

TOTLEBEN ou **TODLEBEN (Eduard Ivanovitch)**. ♦ Comte, ingénieur militaire et adjudant-général russe (Mittau, Courlande, 1818 – Bad Soden, près de Francfort, 1884). L'un des héros de la défense de Sébastopol* (1854-1855) pendant la guerre de Crimée, il élabora le système de la défense des frontières russes (1860-1870). Durant la guerre russo-turque, il dirigea le siège de Plevna (auj. Pleven), obtint sa capitulation (1877), puis commanda une armée dans les Balkans. À partir de 1879, il occupa le poste de gouverneur général dans diverses provinces frontalières.

TOTONAQUES, *n. m. pl.* ♦ Indiens de la côte du golfe du Mexique (actuel État de Veracruz). L'un de leurs principaux centres fut Zempoala*. On ne sait si on doit leur attribuer la civilisation d'El* Tajin.

TOTSUGEN. ♦ Peintre japonais (1768 – 1823) qui travailla à Edo, Nagoya et Kyôto et peignit surtout des sujets historiques.

TOTTENHAM. ♦ Importante aggl. industrielle de la banlieue de Londres* (Middlesex), sur la riv. Lea. 113 100 habitants.

TOTTORI. ♦ V. du Japon (N. du Honshû), sur la mer du Japon. 120 000 hab. – Indus. de la pêche, textiles, laque, bois.

TOUAMOTOU *(îles)*. ♦ **V.** TUAMOTU.

TOUAREG(S), sing. **Targui**. ♦ Population nomade du Sahara*, d'origine berbère, fortement métissée d'Arabes et de Noirs, parlant un dialecte berbère, le seul à avoir conservé un alphabet (tifinar) qu'étudia le père de Foucauld*. Présents en Algérie* **(V. Hoggar)** et en Libye* **(V. Fezzan)**, ils vivent principalement au Mali* **(V. Iforas** [Adrar des] et au Niger* **(V. Aïr)**. Répartis en confédérations très hiérarchisées, ils ont un chef élu par les nobles. ♦ *Hist.* Réputés pour leurs vertus guerrières, ils contrôlèrent pendant des siècles les caravanes allant de la Libye jusqu'à la boucle du Niger. Si Duveyrier* put étudier les Touaregs du N., la mission Flatters* fut massacrée par ceux du Hoggar. Vers 1905, la présence française était reconnue dans ces régions, mais de nombreux mouvements locaux se produisirent encore jusqu'à la fin du premier conflit mondial.

TOUAT. ♦ Groupe d'oasis du Sahara algérien (dép. de la Saoura) situé à l'O. du Tademaït* et au S. de la région de Gourara*, arrosé par l'oued Saoura, souterrain sur 200 km. 35 600 hab. Palmeraies. Cultures diverses (céréales, tabacs). Au S. se trouve le bordj de Reggane*. *Centre princ.* **V. Adrar.**

TOUBKAL *(djebel)*. ♦ Sommet situé dans l'O. du Haut Atlas* (Maroc), point culminant de l'Afrique* du Nord (4 165 m).

TOUBOUAÏ. ♦ **V.** TUBUAÏ *(archipel des)*.

TOUBOUS ou **TIBOUS**. *n. m. pl.* (Teda au N., Daza au S.). ♦ Population noire de type mixte habitant le Tibesti* et l'Ennedi* au Sahara **(V. Tchad)**. Grands nomades, leurs caravanes vont des oasis de Libye aux environs du lac Tchad.

TOUCHET (Marie). ♦ (Orléans, 1549 – Paris, 1638). Dame française. Maîtresse de Charles IX, elle en eut un fils, Charles de Valois, duc d'Angoulême. Elle se maria, après la mort du roi, avec François de Balzac d'Entragues, gouverneur d'Orléans, et fut la mère de la marquise Catherine Henriette de Balzac d'Entragues*.

TOUCOULEURS, *n. m. pl.* ♦ Peuple d'Afrique occidentale, de religion musulmane, vivant en particulier au Sénégal* et en Guinée*. Env. 300 000 pers. – Au XVIe s., le royaume du Fouta Toro était peuplé de Toucouleurs. Ceux-ci, bien qu'étant islamisés, étaient soumis à une dynastie païenne qui fut renversée en 1776. Le Toucouleur El-Hadj Omar détruisit en 1826 le royaume peul du Macina. Le colonel Archinard* élimina les différents royaumes toucouleurs, sauf celui de Mopti.

TOUCY. ♦ Ch.-l. de cant. de l'Yonne (arr. d'Auxerre), sur l'Ouanne, aux confins de la Puisaye*. 2 739 hab. *(Toucyquois)*. Restes d'un château du Moyen Âge. Église fortifiée (deux tours du XIIe s.) reconstruite au XVIe s. – Gros centre de vente des bestiaux. Taillanderie. Fabriques d'ocre. – Patrie de P. Larousse*.

TOU FOU. ♦ **V.** TU FU.

TOUGGOURT. ♦ Oasis du Sahara algérien (dép. des Oasis), dans le Souf*, à l'O. de El-Oued. 83 800 hab. Palmeraie. Centre touristique.

TOUKHATCHEVSKI [*Tuxačevski*] **(Mikhaïl Nikolaïevitch)**. ♦ Maréchal soviétique (région de Smolensk, 1893 – Moscou, 1937). Officier de la garde impériale, membre du parti bolchevik dès 1918, il prit part à la guerre civile, dirigeant la Ve armée Rouge, puis le front ouest pendant la guerre polono-soviétique (1920). En 1921, il réprima, sur l'ordre de Lénine, la révolte des marins de Kronstadt. Chef d'état-major du Comité révolutionnaire de l'armée Rouge (1925), il devint commandant de la région militaire de Leningrad (1928), puis commissaire du peuple adjoint à la Défense. En 1935, il fut promu maréchal. Accusé de trahison sur un dossier en grande partie forgé par les nazis, qui parvinrent à faire photographier les pièces par un agent double afin de convaincre Staline, Toukhatchevski fut jugé à huis clos le 11 juin 1937 et exécuté le lendemain. Le plus brillant des généraux soviétiques fut ainsi la première victime de l'épuration de l'armée Rouge (une vingtaine de généraux et près de 35 000 officiers fusillés) ordonnée par Staline qui craignait un putsch militaire. Toukhatchevski fut réhabilité par Khrouchtchev en 1961. Il laissa plusieurs ouvrages, parmi lesquels *Les Problèmes de la stratégie contemporaine* (1926).

TOUL. ♦ Sous-préf. de la Meurthe-et-Moselle, ch.-l. d'arr. (29 cant., 591 comm., 723 607 hab.) sur la Moselle et sur le canal de la Marne au Rhin. 15 199 hab. *(Toulois)*. La ville a été endommagée en 1870, en 1940 et 1944. Enceintes de Vauban. Anc. cathédrale Saint-Étienne restaurée après 1944, façade du XVe s. de style gothique flamboyant encadrée de deux tours hautes de 65 m, cloître (XIIIe, XIVe s.). Église Saint-Gengoult (XIIIe, XIVe s.), façade de style flamboyant (XVe s.); maisons anciennes. – Matériaux de construction; produits chimiques; minoterie; meubles, broderies; faïence. – Patrie de Gouvion*-Saint-Cyr, du baron Louis*. ♦ *Hist.* L'antique *Tullum* fut le siège d'un évêché dès le IVe s., qui fut supprimé par le Concordat. À partir du XIe s., Toul fut gouvernée par des évêques. Au XIIIe s., la ville obtint son autonomie administrative. Elle fut occupée par Henri II en 1552. Toul, qui formait avec Verdun et Metz les Trois*-Évêchés, fut annexée à la France au traité de Westphalie (1648).

TOULA ou **TULA**. ♦ V. d'U.R.S.S. (R.S.F.S. de Russie), ch.-l. de la région du même nom (25 700 km^2. 1 958 000 hab.), sur la riv. Oupa (345 km). 462 000 hab. – Centre du bassin houiller de Moscou, à proximité de gisements de fer, et ancien centre métallurgique (*fin* XVIe s.). Construction de machines agricoles. Travail des métaux (articles de quincaillerie). Indus. alimentaires. Nœud ferroviaire. – Patrie de Ouspenski*, Veressaïev*. Dans la région est né Léon Tolstoï*. ♦ *Hist.* Fondée par les princes de Souzdal au XIIe s., la ville devint sous Vassili* III une des principales forteresses de la Moscovie. En 1712, Pierre* le Grand y fit bâtir une grande manufacture d'armes.

TOULET (Paul-Jean). ♦ Écrivain français (Pau, 1867 – Guéthary, 1920). Une rare virtuosité technique, une préciosité et une fantaisie charmantes dissimulent avec pudeur, dans son unique recueil poétique, *Les Contrerimes* (1921), une gravité et une amertume souvent poignantes. Dans la lignée de Laforgue et de Verlaine, il est l'initiateur d'une forme de poésie dont les meilleurs représentants sont Léon-Paul Fargue, Tristan Derême et Francis Carco. Romancier, Toulet a publié, dans la même veine ironique et tendre : *Mon amie Nane* (1905), *La Jeune Fille verte* (1920).

TOULIU. ♦ V. de l'île de Taiwan, ch.-l. du district de Yuanlin, dans la partie occidentale de l'île.

TOULON. ♦ Préfecture du Var*, ch.-l. d'arr. (15 cant., 56 comm., 411 495 hab.), sur la rade de Toulon, 178 489 hab. *(Toulonnais)*. La ville, éprouvée pendant la Deuxième Guerre mondiale, a été reconstruite et le front de mer est d'aspect moderne. Église Sainte-Marie-Majeure, ancienne cathédrale, en partie romane et en partie du XVIe s.; tour du XVIe s. sur la presqu'île du Mourillon. Évêché. – Toulon est le premier port militaire de France. Constructions navales, réparations de navires. Indus. chimiques, mécaniques, liège. – Patrie de J. Aicard*, F. Brunetière*, E. Heckel, J. Ortolan*, G. Péri*, Raimu*. ♦ *Hist.* Colonie romaine, *Telo Martius* était renommée pour sa manufacture de pourpre. La ville fut rattachée en 1481 à la France. Henri* IV fonda l'arsenal, créa la Darse vieille. À l'époque de Louis XIV, le port étant trop petit, Vauban fit creuser la Darse neuve. Toulon repoussa les attaques des Impériaux et des Austro-Sardes en 1524 et en 1707. Les Anglais, qui avaient occupé la ville en 1793, furent vaincus après un siège où se distingua le jeune Bonaparte. La conquête de l'Algérie donna un nouvel essor à Toulon. À la suite du débarquement allié en Afrique du Nord, lors de la Deuxième Guerre mondiale, la Wehrmacht occupa la zone libre, et la majeure partie de la flotte française concentrée dans le port de Toulon s'y saborda le 27 novembre 1942. Seuls quelques sous-marins s'échappèrent. La ville fut reconquise par l'armée française aux ordres du général de Lattre* le 28 août 1944.

TOULOUSE (Louis Alexandre de Bourbon, *comte de*). ♦ Amiral de France (Versailles, 1678 – Rambouillet, 1737). Troisième fils légitimé de Louis XIV et de Mme de Montespan*, il prit part à la guerre de la Succession* d'Espagne et battit l'amiral anglais Rooke. Il tint à Rambouillet une petite cour qui rivalisa avec celle de Sceaux.

TOULOUSE (Édouard). ♦ Médecin aliéniste et psychologue

français (Marseille, 1865 – Paris, 1947). Fondateur d'un laboratoire de psychologie expérimentale (hôpital Sainte-Anne à Paris), de la Ligue d'hygiène mentale et d'une Association des études sexologiques, il publia plusieurs ouvrages : une étude sur *Les Conflits intersexuels et sociaux* (1904) et un traité sur la *Technique de psychologie expérimentale* (en collaboration avec H. Piéron* et Vaschide, 1904).

TOULOUSE. ♦ Préf. de la Haute-Garonne, ch.-l. d'arr. (18 cant., 226 comm., 542 978 hab.), sur la Garonne*. 380 340 hab. *(Toulousains).* Le pôle toulousain, masse urbaine d'env. 450 000 hab., s'étend rapidement, déséquilibrant la région Midi*-Pyrénées. La ville est riche en monuments d'art. La basilique Saint-Sernin, anc. abbatiale bénédictine, est la plus grande église romane de France. Cathédrale Saint-Étienne (XIIe-XIIIe s.); église des Jacobins, gothique, à deux nefs (XIIIe-XIVe s.); église Notre-Dame-de-la-Dalbade, rebâtie au XVIe s., etc. Le Capitole du XVIIIe s. est maintenant l'hôtel de ville. Maisons et hôtels anc.; ponts, musées. Archevêché. – Centre commercial pour les produits agricoles. Métallurgie, indus. textile, fabrication de papiers; chaussures; verrerie, matériel électrique. Toulouse est un grand centre de constructions aéronautiques et de la grosse indus. chimique (V. **Midi-Pyrénées**). – Patrie de A. Amade*. P. Baour*-Lormian, Jean Bruhnes*, Henri Busser*, J.G. de Campistron*, Jacques Cujas*, F. De* Troy, J.E. Duranti*, A. Falguière*, Louis* II d'Anjou, H. Martin*, F. Maynard* (ou Mainard), A. Mercié*, J.B. Villèle*. ♦ *Hist.* Anc. cap. du royaume wisigoth, devenue cap. du royaume d'Aquitaine*. Elle abrita l'Inquisition au XIIIe s.; l'ordre des Dominicains y fut fondé pour combattre l'hérésie. La ville avait subi les effets de la croisade contre les albigeois* et Simon IV de Monfort* fut tué en l'assiégeant (1218). Le comté de Toulouse fut intégré au domaine royal en 1271. Après une période de décadence, c'est au XVe s. que Toulouse renaît et essaye de garder ses traditions jusqu'à la Révolution. Son expansion n'a pas cessé depuis le XIXe siècle.

TOULOUSE-LAUTREC (Henri Marie *de*). ♦ Dessinateur, peintre, lithographe et affichiste français (Albi, 1864 – Malromé, 1901). Descendant d'une vieille famille aristocratique, il fit ses études au lycée Condorcet et, à la suite de deux chutes de cheval (1878, 1879), resta nain et estropié. Très doué pour le dessin, il reçut d'abord les conseils du peintre animalier René Princeteau et, à partir de 1882, travailla à Paris dans l'atelier de Bonnat* puis chez Cormon où il rencontra É. Bernard* puis (en 1886) Van Gogh, avec lequel il se lia. Il commença à peindre des scènes hippiques et militaires (*Artilleur sellant son cheval,* 1879), s'installa à Montmartre où il fréquenta assidûment les cafés-concerts, les bals, théâtres et beuglants, dont le monde le fascinait. Il illustra les chansons de Bruant* et représenta avec une palette d'abord assez sombre des portraits féminins réalistes et des scènes de danse. Sous l'influence de l'impressionnisme, il éclaircit sa palette mais il mit toujours l'accent sur le trait qui cerne fortement les figures, et resta profondément indépendant. – Il sut profiter de la leçon de Manet, mais assimila surtout l'art de Degas* et retint des estampes japonaises le sens des mises en pages originales, les aplats de couleurs vives et les formes simplifiées. Il développa ses qualités d'une façon très personnelle dans la série d'affiches qu'il produisit à partir de 1891 *(Le Bal du Moulin-Rouge),* œuvres remarquables par l'extrême concision du trait, leur mordant et leur valeur décorative. Que ce soit dans ses estampes (plus de cinq cents) ou dans ses dessins humoristiques, il fit preuve d'une grande virtuosité de facture et, observateur aigu, souvent caustique, il sut d'un trait nerveux et elliptique saisir le geste ou l'expression caractéristique. – Ses peintures et dessins à la craie rehaussés de peinture à l'essence et exécutés sur carton (*Femme tirant son bas,* 1894) évoquent avec une rare intensité expressive les vedettes et les personnages familiers de Montmartre (*Au bal du Moulin de la Galette,* 1889; *Jeanne Avril sortant du Moulin-Rouge,* 1892; *Yvette Guilbert,* 1894). Il trouva aussi son inspiration dans le monde des champs de courses, de la prostitution (*Au salon,* 1894) mais aussi au Palais de justice et dans les hôpitaux. L'excès de boisson allait finir par détruire sa santé et il fut finalement atteint de paralysie. Dans son œuvre, l'élément graphique est dominant, mais il fit aussi un usage audacieux et sobre de la couleur, choisie surtout en fonction de sa valeur expressive, ce qui le fit admirer des fauves et des expressionnistes. La ville d'Albi* possède un important *musée Toulouse-Lautrec.*

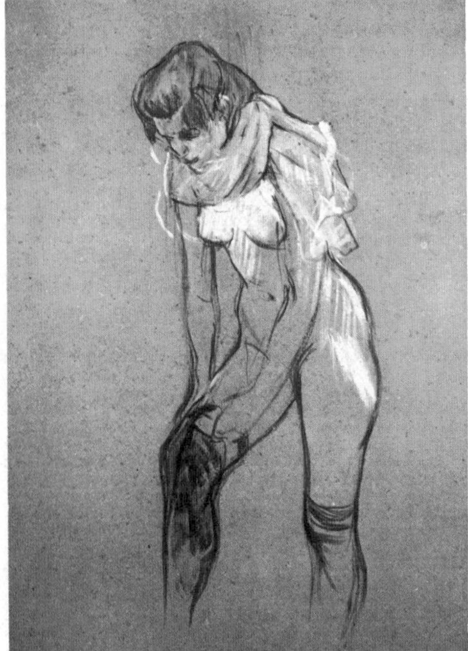

Ph. Nimatallah/Ricciarini

Henri Marie de Toulouse-Lautrec : « Femme enfilant son bas ». (Musée du Jeu de paume, Paris.)

TOUMANOVA ou **TUMANOVA (Tamara).** ♦ Danseuse russe (1919). Élève, à Paris, d'O. Preobrajenska, elle fut engagée par G. Balanchine au « Ballet russe de Monte-Carlo ». Elle parut ensuite en Australie, puis se fixa aux États-Unis où elle tourna quelques films, dont *Jours de gloire* (Hollywood, 1943). Engagée par l'Opéra de Paris (1947-1959), elle parut aussi à la Scala de Milan (1951-1956). Artiste pudique et frémissante, elle s'est illustrée notamment dans les grands rôles du répertoire classique *(Giselle, Aurore, Le Lac des Cygnes, La Sylphide)* ainsi que dans des œuvres modernes (*Phèdre,* 1950).

TOUNGOUSES. ♦ V. TUNGUZ.

TOUNGOUSKA ou **TUNGUSKA.** ♦ Nom de trois affluents de l'Ienissei* (r. d.), la *Toungouska Inférieure* (*Nijniaia Tunguska,* 2 700 km), la *Toungouska Moyenne* ou *Pierreuse* (*Sredniaia Tunguska,* 1 300 km) et la *Toungouska Supérieure* (*Verkhniaia Tunguska,* 2 848 km), cette dernière étant également appelée Angara*.

TOUQUES. *n. f.* ♦ Fl. de Normandie* (108 km), qui traverse Lisieux*, Pont*-l'Évêque et se jette dans la Manche* entre Deauville* et Trouville*.

TOUQUET-PARIS-PLAGE (Le). ♦ Comm. du Pas*-de-Calais, arr. de Montreuil*-sur-Mer, à l'embouchure de la Canche*, sur la Manche. 4 403 hab. *(Touquettois).* – Station balnéaire mondaine très fréquentée par les Anglais; casino, hippodrome. Aéroport.

TOURA ou **TURA.** *n.f.* ♦ Riv. d'U.R.S.S. (1 042 km). Née dans les monts Oural, elle arrose les régions de Sverdlovsk et de Tioumen, les villes de Verkhotourié, Tourinsk et Tioumen* et se jette dans le Tobol* (r. g.).

TOURAINE (Alain). ♦ Sociologue français (Hermanville-sur-Mer, Calvados, 1925). Il tenta de formuler les bases d'une sociologie industrielle axée sur la « praxis » en étudiant les rapports de travail dans l'ensemble des rapports sociaux (*L'Évolution du travail salarié aux usines Renault,* 1955; *Sociologie de l'action,* 1965; *La Conscience ouvrière,* 1966).

TOURAINE. *n. f.* ♦ Région de plateaux au S.-O. du Bassin parisien. Elle couvre le dép. de l'Indre*-et-Loire et la frange occidentale du Loir*-et-Cher, ainsi qu'une petite partie de l'Indre. La Touraine est constituée de plateaux peu fertiles, au sous-sol crayeux recouvert d'argile d'altération, coupés par de prospères vallées alluviales : Val* de Loire, vallées du Cher, de l'Indre et de la Vienne. La Gâtine de Touraine, au N. de la Loire, et les plateaux de Montrichard, de la Champeigne* et de Sainte-Maure* au S., comprennent de vastes zones de forêts et de landes, alternant avec des prairies et plus rarement avec des cultures lorsque les faluns ont permis l'amendement des terres. L'austérité de ce paysage de plateaux contraste avec la fertilité des vallées, dont les pentes sont souvent consacrées au vignoble (crus de Chinon, de Bourgueil, de Vouvray) et les fonds à l'élevage et aux cultures fruitières et maraîchères. *V. princ.* **V. Amboise, Chinon, Loches, Tours.** ♦ *Hist.* L'ancien pays des *Turones* fut intégré sous l'empire romain à la Lyonnaise IIIe, avec Tours pour capitale. Devenu comté sous les Mérovingiens, puis comté héréditaire au Xe s., il fut réuni au domaine royal sous Philippe* Auguste. À partir de 1312, les souverains le confièrent en apanage à de nombreux princes du sang : au futur Jean II le Bon, à Philippe le Hardi, au futur Charles VII. Il fut définitivement réuni à la couronne en 1584.

TOURANE. ♦ V. DA NANG.

TOURCOING [tuʀkwɛ̃]. ♦ Ch.-l. de cant. du Nord*, arr. de Lille*. 99 369 hab. *(Tourquennois).* – La ville fait partie de la conurbation Lille*-Roubaix*-Tourcoing. Grand centre industriel de la laine, avec Roubaix. Travail du coton, confection. Indus. alimentaires; centre commercial, banques. – Patrie d'A. Roussel*. ♦ *Hist.* Victoire des armées républicaines, commandées par Jourdan, Moreau et Pichegru, sur l'armée anglaise du duc d'York (18 mai 1794).

Tour de Londres. *n. f.*, en angl. **Tower of London.** ♦ Forteresse

Ph. Diamante-Ostuni/Ricciarini

Vue aérienne de **Tournai,** la cathédrale.

de Londres, sur la r. g. de la Tamise. Sa partie la plus ancienne, la tour Blanche *(White Tower),* fut édifiée à partir de 1078 par Guillaume le Conquérant. La tour de Beauchamp, la tour du Sang et la tour de Wakefield (où sont conservés les diamants de la Couronne) ont été érigées aux XIIIe et XIVe siècles. L'enceinte a été ajoutée sous Henri VIII. La Tour servit de résidence royale, mais surtout de prison d'État. À ce titre, elle fut le siège d'exécutions sanglantes, dont les plus fameuses sont celles d'Henri VI et des enfants d'Édouard IV, d'Anne Boleyn et de Catherine Howard, de Thomas More et de Jane Grey. Actuellement, la Tour abrite un musée d'armes et sert d'arsenal.

TOUR-DU-PIN (La). ♦ Sous-préf. de l'Isère*, ch.-l. d'arr. (8 cant., 129 comm., 112 933 hab.), sur la Bourbre*. 5 911 hab. *(Turripinois).* — L'église Notre-Dame (XIXe s.) possède un triptyque du XVIe siècle. Maison des Dauphins (XVIe s.). — Indus. textile, passementerie; tuileries; chaussures; constructions électriques.

TOURÉ (Sékou). ♦ Homme d'État guinéen (Faranah, 1922 —). Il prit part en 1946 à la fondation du *Rassemblement démocratique africain* (R.D.A.) et fonda en 1952 le Parti démocratique de Guinée. Il fut maire de Conakry, député à l'Assemblée nationale française (1956) et vice-président du conseil de Guinée (1957). Il préconisa le *non* au référendum organisé par la France et fut ainsi le promoteur de l'indépendance guinéenne (2 oct. 1958). Il fut élu président de la République, chef du gouvernement et des armées et orienta son pays dans la voie du socialisme, se rapprochant de l'U.R.S.S. et de la Chine populaire, dont il obtint l'aide. Il a été réélu président et premier ministre en 1968 et en 1974.

TOURGUENIEV ou **TOURGUÉNIEV (Ivan Sergueievitch)** [*Turgeniev*]. ♦ Romancier et dramaturge russe (Orel, 1818 — Bougival, 1883). Son enfance fut marquée par le despotisme de sa mère envers lui et la cruauté avec laquelle elle traitait les serfs. Après des études à Moscou et à Saint-Pétersbourg, où il rencontra Pouchkine*, il se rendit à Berlin pour compléter ses études philosophiques, subissant surtout l'influence de Hegel*, particulièrement forte sur les idéalistes russes. Sa première œuvre fut un poème narratif, *Paracha* (1843). Ayant quitté la fonction publique pour devenir écrivain, Tourgueniev se vit refuser toute aide financière de la part de sa mère qui voyait d'un très mauvais œil l'amour qu'il portait à la célèbre cantatrice Pauline Viardot-García (sœur de la Malibran) qu'il suivit à l'étranger de 1847 à 1850. Dès 1847, il avait commencé à publier dans le journal *le Contemporain* les premiers *Récits* d'un chasseur,* et le livre fut intégralement publié en 1852. Ce témoignage sur le servage en Russie est resté célèbre. Tourgueniev s'essaya alors comme auteur dramatique avec *Une imprudence* (1843), *Sans argent* (1846), *Une corde trop mince se rompt* (1848), *Le Parasite* (1849), *Une dame de province* (1851), *Un soir à Sorrente* (1852) et enfin *Un mois à la campagne,* sa pièce la plus connue. Puis il écrivit des nouvelles pleines de vérité et de poésie : *Deux Amis* (1854), *Un coin tranquille* (1854), *Iakov Pasynkov* (1855), *Une correspondance* (1856), *Premier Amour* (1860)... ; et des romans sur des problèmes d'actualité : *Roudine* (1856) où il expose l'opposition des deux générations, *Un nid de gentilshommes* (1859) où il décrit les mœurs charmantes et désuètes de la vieille noblesse, *À la veille* (1860), où il cherche l'âme énergique qui libérera la Russie et la trouve dans le Bulgare Insarov et l'héroïque Hélène, et enfin *Père et fils* (1862) où le héros, Bazarov, est un jeune nihiliste qui veut la révolution totale. C'est la seule œuvre de Tourgueniev où le héros est un homme et non une femme. Incompris par la jeunesse, déçu, Tourgueniev quitta la Russie qu'il ne retrouva désormais que pour de brefs séjours et suivit Mme Viardot jusqu'à Paris où il se lia entre autres avec Flaubert*. Il fit connaître la littérature russe en France. Il écrivit encore deux romans : *Fumée* (1867), qui est un tableau pessimiste de la Russie, et *Terres vierges* (1877), qui dépeint l'atmosphère révolutionnaire de cette époque, puis quelques contes parmi lesquels *Le Roi Lear de la steppe* (1870) et *Eaux printanières* (1872) sont les plus célèbres.

Touring Club de France. ♦ Association créée en 1890 pour promouvoir le tourisme et défendre les intérêts des touristes, à qui il apporte de nombreuses informations.

TOURLAVILLE. ♦ Comm. de la Manche, arr. de Cherbourg. 12 062 hab. Église gothique. Château Renaissance. — Laiterie. ♦ *Hist.* Colbert y établit une manufacture de glaces.

TOURMALET *(col du).* ♦ Col des Hautes-Pyrénées*. 2 114 m. C'est le plus haut col routier des Pyrénées françaises. Beau panorama. Il est généralement obstrué par la neige de novembre à juin.

TOURNAI, en néerl. **Doornik.** ♦ V. de Belgique (ch.-l. d'arr. du Hainaut) sur l'Escaut, à 26 km de Lille. 33 490 hab. *(Tournaisiens).* Maisons romanes. Beffroi (XIIe et XIVe s.). Pont médiéval (déb. XIVe s.). Place de l'Évêché (1300). Cathédrale Notre-Dame (XIIe et XIIIe s., contenant un jubé de Cornélis de Vriendt). Église Saint-Jacques (XIe et XIIIe s.). Église gothique Sainte-Marie-Madeleine (XIIIe et XIVe s.). Église romane Saint-Piat (remaniée en 1672). Église Saint-Brice (XIIe s., restaurée après 1940). Musées d'archéologie, des beaux-arts (Watteau, Monet, Ensor...), et de folklore. — Évêché suffragant de Malines. — Indus. alimentaires (brasseries). Carrières de pierre à chaux. Pierre bleue du Tournaisis. Cimenteries. Indus. textiles. Tanneries. Ferronnerie d'art. Indus. métallurgiques. Matériel électrique. — Patrie de G. Rodenbach*, de R. Van* der Weyden. Le peintre Robert Campin* y mourut. ♦ *Hist.* Cité romaine *(Turris Nerviorum* ou *Tornacum),* Tournai fut évangélisée par saint Piat au IIIe siècle. La ville passa sous la domination franque (440). Ravagée par les Normands en 898, elle se releva au XIIe s. et resta fidèle à la France jusqu'au XVe s. Au XVe s., les dinandiers concurrençaient ceux du pays mosan. Prise par Henri VIII d'Angleterre en 1513, la ville retourna à la France en 1519. Charles Quint la réunit aux Pays-Bas en 1521. Bastion du calvinisme jusqu'à son investissement par Alexandre Farnèse en 1581, elle fut défendue par Christine de Lalaing. Louis XIV s'en empara en 1667 et la fit fortifier par Vauban ; c'est à la France de Louis XIV que Tournai doit une grande partie de son architecture urbaine. Ses porcelaines firent sa célébrité au XVIIIe s. Autrichienne après la paix d'Utrecht (1713), française après la bataille de Fontenoy (1745), puis, de nouveau, autrichienne en 1748, Tournai subit encore la conquête française de 1792 à 1794. Si la Première Guerre mondiale épargna la vieille cité, la seconde causa des ravages importants.

TOURNAN-EN-BRIE. ♦ Ch.-l. de cant. de Seine-et-Marne, arr. de Melun. 3 582 hab. *(Tournanais).* Vestiges d'un château du XVe siècle.

TOURNAY. ♦ Ch.-l. de cant. des Hautes-Pyrénées*, arr. de Tarbes*. 1 129 hab. *(Tournayais).* Patrie de Fr. Jammes*.

TOURNEFORT (Joseph Pitton *de***).** ♦ Botaniste et voyageur français (Aix-en-Provence, 1656 — Paris, 1708). Professeur de botanique au Jardin des plantes (Paris), il fut envoyé en voyage scientifique en Europe et Asie Mineure *(Relation d'un voyage au Levant).* De retour à Paris, il enseigna la médecine au Collège de France. Sa classification des plantes fait de lui un précurseur de Linné [*Éléments de botanique,* ou *Méthode pour connaître les plantes*]. (Acad. sc., 1691.)

Tournelles *(hôtel royal des).* ♦ Anc. hôtel, situé à Paris sur le côté N. de l'actuelle place des Vosges*. Mentionné dès le début du XIVe s., il fut la possession de la famille d'Orléans avant de devenir résidence royale, notamment sous Henri II. Abandonné pour avoir été le lieu de la mort tragique du roi (1559), il fut démoli en 1565. Sur son emplacement eut lieu le duel des mignons de Henri III.

TOURNEMINE (René Joseph *de***).** ♦ Érudit français (Rennes, 1661 — Paris, 1739). Entré chez les Jésuites, il fut le directeur des *Mémoires de Trévoux* (1701-1718).

TOURNEMIRE (Charles). ♦ Organiste et compositeur français (Bordeaux, 1870 — Arcachon, 1939). Élève de Franck et de Widor au Conservatoire de Paris, il succéda à G. Pierné à l'orgue de Sainte-Clotilde en 1898. Excellent improvisateur, il a composé de nombreuses pièces de musique d'église sur des textes liturgiques et des chants grégoriens (les 255 pièces de l'*Orgue mystique*). Il écrivit par ailleurs deux *opéras,* huit *symphonies,* de la musique de chambre et des pièces pour piano.

TOURNEUR (Cyril). ♦ Poète dramatique anglais (v. 1575 — Kinsale, Irlande, 1626). L'habileté du dramaturge et l'élégance du poète sont mises, dans son théâtre, au service de la violence, du sadisme et de la cruauté la plus sanglante. De tous les auteurs élisabéthains, il est sans doute celui qui a témoigné des audaces les plus grandes dans ce sens, passant sans peine du plan réaliste à celui du symbole, avec *La Tragédie de l'athée (The Atheist's Tragedy),* jouée vers 1602, et *La Tragédie du vengeur (The Revenger's Tragedy),* inspirée d'Hamlet (imprimée en 1607). Il collabora avec Fletcher*.

TOURNEUR (Maurice). ♦ Réalisateur français de cinéma (Paris, 1878 — *id.* 1961). Esprit cultivé, cet ancien acteur et régisseur de théâtre formé à l'école de l'avant-garde théâtrale européenne s'imposa à Hollywood, entre 1914 et 1926, par des réalisations de qualité : *L'Oiseau bleu,* d'après Maeterlinck (1918), *Le Dernier des Mohicans,* avec Clarence Brown (1922), *L'Île des navires perdus* (1924).

TOURNON (François *de***).** ♦ (Tournon, Ardèche, 1489 — Saint-Germain-en-Laye, 1562). Cardinal français. Archevêque de Lyon,

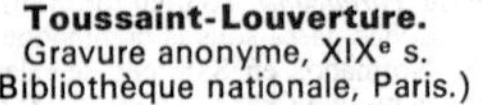

Ph. Bulloz

Toussaint-Louverture. Gravure anonyme, XIXe s. (Bibliothèque nationale, Paris.)

Ph. Nino Cirani/Ricciarini

Le masque funéraire de **Toutânkhamon.** Art égyptien, XVIIIe dynastie. (Musée du Caire.)

Arch. Rencontre

Touthmôsis III. Art égyptien, XVIIIe dynastie, provenant de Karnak. (Musée du Caire.)

abbé de treize monastères, cardinal, il négocia avec habileté la paix de Madrid (1526), mais échoua quand il voulut obtenir du pape le divorce d'Henri VIII. Il défendit la Provence avec Montmorency* contre Charles* Quint et dirigea la politique française jusqu'à la mort de François Ier. Il a fondé le *collège de Tournon.*

TOURNON ou **TOURNON-SUR-RHÔNE.** ♦ Sous-préf. de l'Ardèche*, ch.-l. d'arr. (11 cant., 127 comm., 113 750 hab.) sur le Rhône*. 9 100 hab. *(Tournonais).* – Église du XVe s. restaurée au XVIIe s., peintures murales du XVIe s. ; château des XVe et XVIe siècles. Le lycée est un anc. collège du XVIe s. rebâti au XVIIIe s. – Production de fruits et primeurs. Indus. textiles, bonneterie, teinturerie, appareillage électrique. – Patrie de M. Gimond* et de Fr. de Tournon*.

TOURNUS [turny]. ♦ Ch.-l. de cant. de la Saône-et-Loire (arr. de Mâcon) sur la r. d. de la Saône*. 7 461 hab. *(Tournusiens).* Siège du Centre international d'études romanes. Maisons anc. L'église *Saint-Philibert,* ancienne abbatiale reconstruite au XIe s., constitue l'un des exemples les plus originaux de l'art roman bourguignon par sa façade d'aspect militaire flanquée de deux tours carrées (Xe-XIe s.), son imposant narthex (fin Xe s.) et sa nef voûtée en berceaux transversaux reposant sur de magnifiques piliers cylindriques en moellons de pierre rose (*déb.* XIe s.). Cloître Saint-Ardain (XIe s.). – Appareillage électrique, quincaillerie, matière plastique, serrurerie. – Vignobles. – Patrie de Greuze* (musée), A. Thibaudet*.

TOURNY (Aubert, *marquis de***).** ♦ Administrateur français (Paris, 1690 – *id.,* 1760). Intendant du Limousin, puis de la Guyenne, il est connu par les embellissements dont il dota Bordeaux* (*allées de Tourny,* portes d'Aquitaine et Digeaux).

TOUROUVRE. ♦ Ch.-l. de cant. de l'Orne*, arr. de Mortagne*-au-Perche. 1 641 hab. *(Tourouvrains).* Appareils de radio, disques.

TOURS. ♦ Préf. de l'Indre-et-Loire, ch.-l. d'arr. (13 cant., 124 comm., 314 269 hab.) sur la Loire. 132 861 hab. [126 414 aggl.] *(Tourangeaux).* Archevêché. Faculté de médecine et de pharmacie. Faculté des lettres. Collège scientifique universitaire. Institut universitaire de technologie. – La *cathédrale Saint-Gatien* offre du chœur à la façade, toute l'évolution du style gothique : chœur du XIIe s., transept du XIVe s., nef des XIVe et XVe s., façade XVe s. de style gothique flamboyant (porche) et Renaissance (couronnement des tours). Vitraux (XIIIe s.). *Église Saint-Julien* (XIe-XIIIe s.). Maisons et hôtels anciens. – Produits vinicoles. Industries mécaniques. Réparation de matériel ferroviaire. Construction électrique. Pneumatiques. Indus. pharmaceutique. Céramique. Textile, confection. Imprimerie. – Patrie de Honoré de Balzac*, Abraham Bosse*, du Maréchal Jean II Boucicaut*, Philippe Néricault dit Destouches*, Félix Dujardin*, Jean Fouquet*, duchesse de La* Vallière (Louise de La Baume Le Blanc), Semblançay* (Jacques de Beaune de), Trousseau*, Claude Vignon*. ♦ *Hist.* Sous l'impulsion de saint Martin, son troisième évêque, la ville des Turons *(civitas Turonum)* devint au IVe s. l'un des plus importants centres religieux de la Gaule. L'influence de Tours comme foyer intellectuel et artistique alla grandissant aux siècles suivants avec Grégoire* de Tours (VIe s.) sous la direction de qui la ville s'agrandit, puis avec Alcuin* (VIIIe s.) fondateur d'une école renommée et d'une importante bibliothèque. Au XVe s., Louis* XI introduisit l'industrie de la soie, qui assura pendant deux siècles la prospérité de la ville. Le calvinisme trouva au XVIe s. de fervents adeptes parmi les artisans et les ouvriers tourangeaux, et Tours devint un centre actif de la Réforme; la révocation de l'édit de Nantes, provoquant l'émigration de nombreux soyeux, portera à la ville un coup dont elle ne commencera à se relever qu'au XIXe s., avec les débuts du chemin de fer. – En 1870, Tours accueillit le gouvernement de la défense nationale. – *Congrès de Tours.* Congrès du Parti socialiste (25-31 déc. 1920) qui marqua la scission entre partisans de la IIe et partisans de la IIIe Internationale, et aboutit à la création de deux nouveaux partis : la section française de l'Internationale communiste, ou Parti communiste, et la section française de l'Internationale ouvrière (S.F.I.O.), ou Parti socialiste.

TOURVILLE (Anne Hilarion de Cotentin, *comte de***).** ♦ Amiral français (Tourville, 1642 – Paris, 1701). Il passa du service de l'ordre de Malte à celui de Louis* XIV et combattit la flotte anglaise : il soutint Jacques* II en Irlande et remporta la victoire de Beachy* Head (1690), mais il subit un grave revers, deux ans plus tard, à la Hougue*.

TOUSSAINES *(signal de).* ♦ Point culminant des monts d'Arrée* et de la Bretagne (384 m).

TOUSSAINT-LOUVERTURE (François Dominique Toussaint, dit**).** ♦ Homme politique haïtien (Haïti, 1743 – fort de Joux, près de Pontarlier, 1803). Esclave noir, il fut un des chefs de la révolte des Noirs en 1791, et se rallia à la France révolutionnaire qui venait d'abolir l'esclavage (1794). En 1800, il proclama l'indépendance de l'île et devint président de la République. Il fut un bon administrateur mais Bonaparte envoya contre lui les troupes du général Leclerc devant lesquelles il capitula en 1802. Emprisonné en France, il mourut des suites du climat rigoureux. Dessalines* lui avait succédé, bientôt chassé par l'ancien adversaire de Toussaint, Pétion*. Il devait son surnom de Louverture aux brèches qu'il ouvrait bravement dans les rangs des ennemis.

TOUSSUS-LE-NOBLE. ♦ Comm. des Yvelines, arr. de Versailles. 380 hab. – Aérodrome de tourisme. Constructions aéronautiques.

TOUTÂNKHAMON (nom de règne : **Nebképerourê**). ♦ Pharaon de la XVIIIe dynastie (Nouvel Empire) [v. ~ 1354-~ 1343], gendre d'Aménophis IV auquel il succéda très jeune sous le nom de *Toutânkhaton* en hommage au culte d'Aton qu'avait instauré son beau-père **(V. Akhnaton)**. À la mort de ce dernier, *Toutânkhaton* devint *Toutânkhamon,* abolit le culte d'Aton, et rétablit la religion officielle sous l'influence du général Aÿ, chef de la cavalerie d'Akhnaton, vrai maître de l'Empire. Il mourut à vingt ans après un règne obscur; l'usurpateur Horemheb* lui succéda. Il n'est devenu le plus célèbre des pharaons que parce que sa tombe, découverte en novembre 1922 dans la Vallée* des Rois par Howard Carter* et lord Carnarvon, est une des seules dont les trésors aient été entièrement préservés (musée du Caire); elle avait été recouverte lors de la construction du tombeau de Ramsès* VI.

TOUTÉE (Georges). ♦ Général et explorateur français (Saint-Fargeau, 1855 – Paris, 1927). Après avoir exploré les régions de Cotonou jusqu'au Niger (1894-1895), il participa à la mission pour la détermination des frontières entre le Dahomey et le Nigeria (1900).

TOUTHMÔSIS. ♦ Nom grec de quatre pharaons de la XVIIIe dynastie (Nouvel Empire) : en égypt. *Thoutmès* (« fils de Thot »). ♦ TOUTHMÔSIS Ier, fils et successeur d'Aménophis* Ier (v. ~ 1530-~ 1520), il fonda la province de Coush* (Nubie), étendit le protectorat égyptien sur la Syrie du Nord et franchit l'Euphrate. Il ajouta une salle hypostyle au temple d'Amon* à Karnak* et se fit le premier construire une tombe dans la Vallée* des Rois. ♦ TOUTHMÔSIS II, fils de Touthmôsis Ier (v. ~1520 ~ 1504) et premier époux de sa demi-sœur Hatchepsout*. ♦ TOUTHMÔSIS III, fils de Touthmôsis II et père d'Aménophis* II (~ 1504 – ~ 1450). Il ne put succéder à son père qu'en épousant sa tante la reine Hatchepsout, alors régente, et ne commença son règne personnel qu'à la mort de cette dernière (~ 1483).

Grand conquérant, il reprit la politique d'expansion de son père et porta le Nouvel Empire à son apogée. Il mena dix-huit expéditions en Asie qui aboutirent à l'éclatante victoire de Megiddo*, en Palestine, et repoussèrent les frontières de l'Égypte jusqu'à l'Euphrate, arrêtant l'expansion du Mitanni (Arménie actuelle). Il enrichit le temple d'Amon à Karnak* d'un grand nombre de salles et d'obélisques. ♦ TOUTHMÔSIS IV, fils d'Aménophis* II auquel il succéda (v. ~ 1425-~ 1410) et père d'Aménophis* III.

TOUVA ou **TUVA**, anc. **Tannu-Tuva** *(République socialiste soviétique autonome de)*, en russe **Tuvinskaja A.S.S.R.** ♦ Une des seize républiques autonomes de la R.S.F.S. de Russie. Située en Sibérie méridionale, elle est bordée au S. par la République populaire de Mongolie. 170 500 km². 226 000 hab. *(Touvas* [Tuva] ou *Soyotes,* Russes). *Cap.* Kyzyl. — La partie occidentale du pays est occupée par la vallée de Touva, bornée au N.-O. par les monts du Saïan, au S. par la chaîne de Tannou-Ola (Tannu-Ola), et arrosée par le cours supérieur de l'Ienisseï*; la partie orientale est occupée par des montagnes, fragmentées par des bassins intérieurs. — *Écon.* Gisements de houille et de cobalt. Élevage de bovins et surtout de moutons et de chèvres. Céréaliculture. Indus. alimentaires. Traitement du bois. ♦ *Hist.* Dominée par les Mongols aux XIIIᵉ-XVIIIᵉ s., Touva fit ensuite partie de la Chine (1757-1912). Protectorat russe (1914), proclamée république populaire après une révolution nationale (1921), elle devint en 1944 une région autonome, puis une république socialiste soviétique autonome (1961).

TOUVRE. *n. f.* ♦ Petite riv. de l'O. de la France (10 km) qui se jette dans la Charente (r. g.) à Angoulême. C'est une résurgence de deux affl. de la Charente, la Tardoire et le Bandiat.

TOWEIQ *(djebel). n. m.* ♦ Relief montagneux du centre de l'Arabie sa'ûdite, formant un arc de cercle à l'O. de Riyad* qu'il surplombe. Long de 800 km, il n'excède pas 400 mètres. Il est traversé par le wadi Rumma*.

TOWNELEY (Richard). ♦ Physicien anglais (1629 — 1707). Il fut le premier, à la suite des expériences de Boyle*, à concevoir et à énoncer la loi connue sous le nom de loi de Boyle-Mariotte (1661).

TOWNES (Charles Hard). ♦ Physicien américain (Greenville, 1915). Inventeur du maser en même temps que N.G. Bassov* et A.M. Prokhorov* (1952), il réalisa le premier maser à gaz ammoniac (1954) puis, avec Schawlow*, imagina d'appliquer le même principe aux spectres lumineux et infrarouge, créant ainsi le laser (1958). **V. Maiman.** (Prix Nobel de phys., 1964.)

TOWNSEND (*sir* John Sealy Edward). ♦ Physicien anglais (Galway, Irlande, 1868 — Oxford, 1957). Il découvrit, avec Wilson*, le principe de la chambre à détente et, étudiant les gaz ionisés, précisa les limites de la théorie de Langevin*.

TOWNSHEND (Charles Townshend, *2ᵉ vicomte*). ♦ Homme politique anglais (1674 — Raynham, 1738). Après une ambassade aux Provinces-Unies, au cours de laquelle il conclut les traités de la Barrière (1709) destinés à empêcher toute agression française, il écrasa le soulèvement jacobite de 1715. Il se trouva au pouvoir en 1721 avec Walpole*, son beau-frère, qui ne tarda pas à s'opposer à lui et l'obligea à se retirer en 1730. Il avait été l'auteur d'un rapprochement de l'Angleterre avec la France et la Prusse contre l'Autriche. ♦ CHARLES TOWNSHEND, petit-fils du précédent (1725 — Londres, 1767), fit partie du cabinet Pitt*. Les *Townshend Acts* (1767) taxant le commerce des colonies d'Amérique furent à l'origine des émeutes de Boston* et de l'insurrection des colonies.

TOWNSVILLE. ♦ V. et port de l'État du Queensland* (Australie), situé au N.-E. de l'État sur la mer de Corail et relié à Brisbane* et à l'O. du pays par voie ferrée **(V. Mount* Isa)**. 71 265 hab. — Collège universitaire. La ville se trouve au débouché d'une région aux potentialités économiques variées, immense zone de pâturage (bovins, moutons). La viande est l'une des exportations les plus importantes avec le sucre brut, les métaux (zinc, argent, cuivre, plomb), le bétail sur pied, les peaux et la laine. Indus. de la viande (bœuf congelé, conserves de viande). Affinage du cuivre. Cimenterie; scierie.

TOWTON. ♦ Localité d'Angleterre (Yorkshire), au S.-O. d'York. Lors de la guerre des Deux-Roses*, Henri VI y fut vaincu et fait prisonnier par Édouard IV et Warwick* (1461).

TOWY. *n. m.* ♦ Riv. du S.-O. du pays de Galles, née sur les pentes des monts Cambriens, arrosant le Carmarthenshire et la ville de Carmarthen. Elle se jette dans la baie de Carmarthen.

TOYAMA. ♦ V. du Japon (Honshû) sur la baie de Toyama, ch.-l. de préfecture. 270 000 hab. Indus. textiles et chimiques.

TOYNBEE (Arnold). ♦ Historien anglais (Londres, 1889 — York, 1975). Après des études à Winchester et à Oxford, il professa à Londres. Son œuvre principale est une *Étude de l'histoire* (12 vol., 1934-1961), dont la thèse centrale est que les civilisations — Toynbee en distingue 21 — se font par l'action de minorités créatrices et se défont quand la force de création diminue. Contrairement à Spengler* *(Le Déclin de l'Occident),* Toynbee ne voit pas la mort d'une civilisation comme inévitable. Son spiritualisme l'oppose également à K. Marx.

TOYOHASHI. ♦ V. du Japon (Honshû*). 260 000 hab. — Important centre indus. (métallurgie, indus. chimiques et alimentaires).

TOYOKUNI. ♦ Nom de plusieurs peintres japonais de la famille de Utagawa Toyokuni (1769 — 1825); graveurs d'estampes ukiyo*-e, ils sont connus principalement pour leurs images représentant des acteurs de théâtre Kabuki* à Edo.

TOYONAKA. ♦ V. du Japon (Honshû), centre résidentiel et commercial dans l'aggl. d'Ôsaka*. 368 000 habitants.

TOYOTA. ♦ V. du Japon (Honshû) près de Nagoya. Env. 180 000 hab. Elle est surtout connue pour ses grandes usines d'automobiles.

TOYOTOMI HIDEYOSHI. ♦ **V.** HIDEYOSHI.

TOZEUR. ♦ V. de Tunisie située sur la rive N. du chott el Djerid*. 12 500 hab. Vaste oasis.

TRABZON. ♦ **V.** TRÉBIZONDE.

Trachiniennes (Les), en gr. **Trakhiniai.** ♦ Tragédie de Sophocle*, composée et représentée à des dates inconnues. Elle a comme sujet les derniers épisodes de la vie d'Héraclès* à Trachis et sa fin.

TRAETTA (Tommaso). ♦ Compositeur italien (Bitonto, 1727 — Venise, 1779). Le triomphe de son premier opéra, *Il Farnace,* à Naples (1751), lui valut d'emblée une célébrité européenne. Nommé maître de chapelle à la cour de Parme (1759), puis directeur du conservatoire de l'Ospedaletto, à Venise (1765), il fut appelé à Saint-Pétersbourg par Catherine II dont il devint le « maestro di corte », succédant dans cet emploi à B. Galuppi (1768-1775). À l'issue d'un séjour de deux années à Londres (1775-1777), il revint en Italie où il mourut. — Auteur d'une quarantaine d'*opéras* dont la qualité dramatique soutient la comparaison avec ceux de Gluck, il y effectue avec bonheur la synthèse des styles italien et français. On lui doit encore de la musique religieuse (*Passion, Stabat Mater, oratorio, messes, motets*), des *airs*, des *cantates* et un *Divertimento, Le 4 stagioni,* pour quatre orchestres (1770).

TRAFALGAR *(cap).* ♦ Cap de l'Espagne méridionale, au N.-O. de Gibraltar, entre Cadix et Tarifa. ♦ *Hist.* Nelson*, à la tête de la flotte anglaise, y remporta sur la flotte franco-espagnole, commandée par l'amiral de Villeneuve*, une éclatante victoire (21 oct. 1805) et y trouva la mort.

Trafalgar Square. ♦ Place du centre de Londres. Colonne du monument de Nelson (1840-1843), commémorant la victoire de Trafalgar*.

Tragiques (Les). ♦ Poème épique d'A. d'Aubigné*, dont les sept chants en vers alexandrins furent conçus en 1577, composés au hasard des batailles et publiés en 1616. Combattant de l'Église réformée, d'Aubigné se montre dans cette œuvre successivement justicier et visionnaire. Dans les livres I à III *(Misères; Princes; Chambre dorée),* sa verve satirique dénonce les horreurs de la guerre civile, les mœurs de la cour et l'iniquité de la justice. Les livres IV et V *(Feux; Fers)* peignent les victimes des massacres et les martyrs protestants. Puis sont rappelées (livre VI) les *Vengeances* de Dieu et évoquées (livre VII) les scènes animistes du *Jugement* dernier (Cf. *La Résurrection de la chair*). — Décriée au XVIIᵉ s. pour ses outrances dans le goût baroque, cette épopée morale et mystique a séduit Sainte*-Beuve et les romantiques par l'originalité puissante de ses tableaux où « tout vit, tout est plein d'âmes » (V. Hugo).

TRAIT (Le). ♦ Comm. de la Seine*-Maritime, arr. de Rouen*. 6 408 hab. *(Traitons).* — Église du XVIᵉ siècle. — Chantiers navals, raffineries de pétrole.

Traité politique (le), en lat. **Tractatus politicus.** ♦ Œuvre de Spinoza*, inachevée, elle fut publiée après sa mort. La description de l'origine de la société ressemble à celle de Hobbes*; mais, si celui-ci conclut à la nécessité du pouvoir absolu (despotisme), Spinoza au contraire aboutit à un État libéral qui, tout en instituant le droit civil, ne nie pas les droits naturels de l'individu, particulièrement la liberté de pensée dont il doit être le protecteur.

TRAJAN, en lat. **Marcus Ulpius Trajanus.** ♦ (Italica, Bétique, 53 — Sélinonte, Cilicie, 117). Empereur romain (98-117). Fils d'un soldat, il fut nommé, en 96, gouverneur de la Germanie supérieure et adopté par Nerva* en 97. Proclamé empereur à la mort de ce dernier, il séduisit par sa simplicité, sa déférence pour le sénat et son dévouement au bien public. Excellent chef de guerre, il lança

Ph. Viollet

Sir John Sealy Edward Townsend.

Ph. Nimatallah/Ricciarini

Trajan. (Musée du Capitole, Rome.)

Ph. Diamante-Ostuni/Ricciarini

Vue aérienne de **Trani.**

l'empire dans une politique de conquêtes qui parurent ressusciter les grands siècles de l'impérialisme : il conquit la Dacie (101-102 et 105-107), ce qui assura à Rome de riches mines d'or et rétablit l'équilibre budgétaire, annexa l'Arabie Pétrée (106), l'Arménie, l'Assyrie et la Mésopotamie, portant ainsi l'empire romain à son extension extrême; il entreprit de grands travaux, fit construire le forum de Trajan, agrandir le port d'Ostie, assécher les marais Pontins, et rendit à la navigation le canal du Nil à la mer Rouge. Premier empereur provincial, il poursuivit activement l'intégration des provinciaux à l'empire. À l'égard des chrétiens, il se refusa à toute violence et interdit qu'on les recherchât. Le règne de Trajan fut également remarquable par son exceptionnel éclat littéraire (Tacite, Juvénal, Pline le Jeune, Plutarque). L'empereur mourut brusquement au retour de ses campagnes d'Orient, laissant le trône à Hadrien*.

TRAJANOV (Todor). ♦ Poète bulgare (Pazardžik, 1882 – Sofia, 1945). Il représenta avec talent le symbolisme bulgare : *Hymnes et Ballades* (1911), *Panthéon* (1934).

TRA KIÊU. ♦ Anc. cap. des Cham* sur la côte d'Annam (Viêt-nam), florissante aux xe et xie siècles.

TRAKL (Georg). ♦ Poète lyrique autrichien (Salzbourg, 1887 – Cracovie, 1914). Peu de destins furent aussi tragiques que le sien : malédiction de la passion incestueuse qui le lia à sa sœur Margarete (Grete), dont « la forme blême », « le visage blanc » paraît sans cesse dans le miroir du poète, comme son image jumelle, son double; malédiction des paradis artificiels de l'alcool et de la drogue; malédiction de la guerre et de ses horreurs. Mis en observation pour troubles mentaux à l'hôpital militaire de Cracovie à la suite d'une tentative de suicide après la bataille de Grodek, Trakl y mourut d'une crise cardiaque due à l'absorption d'une dose trop importante de cocaïne. Il laissait une œuvre qui, en dépit de sa minceur, le fait compter parmi les plus grands poètes lyriques de langue allemande. Deux de ses pièces (*Le Jour des Morts* et *Fata Morgana*) furent représentées à Salzbourg en 1906. Certains de ses poèmes parurent dans la revue le *Brenner* à laquelle il collabora de 1912 à 1914; deux recueils lyriques furent également publiés de son vivant (*Crépuscule et Déclin, Sébastien en rêve,* 1912-1914). La traduction de ses œuvres complètes (poésies, prose, fragments de drames) a été donnée en français (1972). Par ses thèmes, son style, l'œuvre de Trakl s'apparente à celle des poètes expressionnistes (Benn, Heym, etc.). Comme eux, il est obsédé par les images violentes et cruelles d'un monde décadent au-dessus duquel plane une « nuée rouge qu'habite un dieu en courroux » et hanté par la proximité d'une mort qui « entre à pas pourrissants dans la maison ». Mais, dans cet univers dominé par le Mal, dont le poète porte le poids de culpabilité, résonne le désir nostalgique de l'innocence, « le chant de l'âme qui, chose étrange sur terre, gagne en sa migration la terre comme la patrie plus sereine de la race regagnant son foyer ». Plus que des expressionnistes, Trakl le solitaire, « l'enfant en fuite appelé par la forêt et par la nuit » (M. Brion), apparaît ainsi comme le frère spirituel de Novalis*, davantage encore de Hölderlin*. D'une transparence hermétique, le langage poétique de Trakl est autre chose que le chant ou le cri d'une sensibilité inquiète; il vise à une sorte d'impersonnalité où « celui qui disait *je* s'efface peu à peu du poème, pour laisser place à des figures de rencontre : rêveur, somnambule, amants, homme qui marche, enfant, sœur, père, berger, animal... » (M. Petit et J.C. Schneider), et où les mots retrouvent leur densité, leur saveur, leur couleur.

TRALEE, en irl. **Tráighli.** ♦ V. du S.-O. de la république d'Irlande (prov. de Munster) et *ch.-l.* du comté de Kerry, sur la *baie de Tralee.* 11 210 hab. Petit centre industriel (conserves de bacon, travail du cuir).

TRALLES. ♦ Anc. V. d'Asie Mineure. **V. Aydin.**

TRÂN. ♦ Dynastie vietnamienne qui régna de 1225 à 1400 au Tonkin* et qui succéda à la dynastie des Ly*. Éclipsée de 1400 à 1407 par les Hô*, la dynastie des Trân revint au pouvoir de 1407 à 1413. Elle fut évincée par celle des Lê*.

Tranchée des baïonnettes *(la).* ♦ Nom donné à une partie de la tranchée française de Verdun au N.-O. de Douaumont*. Après un bombardement intense le 11 juin 1916, ses occupants furent ensevelis et seules restèrent en vue leurs baïonnettes.

TRANCHE-SUR-MER (La). ♦ Comm. de la Vendée, arr. des Sables-d'Olonne. 2 040 hab. [1 277 aggl.]. Station balnéaire sur le Pertuis breton. – Cultures maraîchères. Tulipes.

TRANI, anc. **Trajanopolis.** ♦ V. d'Italie méridionale, dans les Pouilles* (prov. de Bari). 39 000 hab. – Archevêché. Cathédrale (xiie-xiiie s.). Église d'Ognissanti (xiie s.). Station balnéaire sur l'Adriatique. Traitement de la bauxite.

TRÂN NINH. *n. m.* ♦ Plateau s'étendant du Laos* au Viêt-nam du Nord, d'une alt. moyenne de 1 250 m (culminant à 2 820 m) et d'une superficie d'env. 2 000 km², où se déroulèrent de nombreux combats. La célèbre «plaine des Jarres» prov. laotienne de Xiang-Khuang), ainsi nommée en raison des nombreuses jarres de pierre mégalithiques qui la parsèment, y est située. La guerre civile qui suivit l'indépendance du Laos y détruisit de nombreux ouvrages d'art.

TRANSALAÏ. *n. m.* ♦ Massif montagneux formé par la partie N. du Pamir. Le pic Communisme, point culminant de l'U.R.S.S. (7 495 m), s'y trouve.

TRANSCARPATIE ou **TRANSCARPATHIE.** *n. f.* (en russe **Zakarpatskaïa oblast,** « région de Transcarpatie »). ♦ Région de l'Ukraine*, située dans la partie S.-O. des monts Carpates centraux. Elle confine à l'O. avec la Tchécoslovaquie et la Hongrie, au S. avec la Roumanie. 12 800 km². 1 063 000 hab. *Ch.-l.* Oujgorod (Ujgorod). – *Écon.* Les forêts couvrent 46,5 % du territoire. Gisements de houille et de sel gemme. L'activité agricole est surtout représentée par la culture du blé, du maïs et du tabac. Élevage ovin, bovin et porcin. Indus. textiles et alimentaires. Traitement du bois (meubles, maisons préfabriquées). Matériel de construction. ♦ *Hist.* Sous le nom de Ruthénie*, la région fit partie de la Russie kiévienne (xe-xie s.), puis de la Hongrie, de l'Autriche et de l'Autriche-Hongrie. Elle fut cédée à la Tchécoslovaquie au traité de Trianon (1920). Après les accords de Munich en 1938 (c'est-à-dire après le premier partage de la Tchécoslovaquie), le gouvernement de Prague constitua un gouvernement autonome ruthénien, avec à la tête le père Augustin Volosin (9 oct. 1938). Le 2 nov. 1938, l'Allemagne et l'Italie forcèrent la Ruthénie à céder à la Hongrie ses districts septentrionaux, y compris le ch.-l., Oujgorod. En mars 1939, après le second partage de la Tchécoslovaquie, la Ruthénie proclama son indépendance, prenant le nom de Carpato-Ukraine, mais le lendemain les Allemands autorisèrent la Hongrie à occuper et annexer la région. Après la Deuxième Guerre mondiale, la Tchécoslovaquie, ayant obtenu ses frontières d'avant 1938, dut céder la Ruthénie à l'U.R.S.S. par le traité du 29 juin 1945.

TRANSCAUCASIE. *n. f.* ♦ Région du S. du Caucase. **V. Caucase.**

TRANSHIMÂLAYA. ♦ V. Himâlaya.

TRANSJORDANIE. *n. f.* ♦ Région orientale de la Jordanie*, formée d'un plateau désertique qui couvre les trois quarts du territoire. Le plateau s'abaisse vers le désert de Syrie. Dans sa partie nord-occidentale, il est arrosé par les affl. du Jourdain (Yarmuk*) et offre des conditions favorables aux cultures (céréales, légumes, fruits). 'Ammân* en est la capitale.

TRANSKEI [trɑ̃skaj]. *n. m.* ♦ République indépendante située au S.-E. de l'Afrique du Sud, sur l'océan Indien, à la frontière du Natal*. 37 222 km². 3 910 000 hab. *Cap.* Umtata*. ♦ *Hist.* Ce fut le premier territoire regroupant des populations bantoues selon la politique de l'*apartheid (Bantoustan)*; sa création fut suivie par celle du Ciskei. Il obtint son indépendance le 25 oct. 1976.

Transsibérien. *n. m.* ♦ Ligne de chemin de fer qui relie Tchéliabinsk* à Vladivostok*, en passant par Omsk*, Novossibirsk* (où elle se rattache au Türksib*), Tchita*, la Manchourie (où elle porte le nom de chemin de fer oriental chinois) et Ha*-êrh-pin. 7 500 km de longueur. De Vladivostok, une ligne se prolonge vers le N. jusqu'à Khabarovsk* où elle se rattache au chemin de fer de l'Amour. Construit de 1891 à 1898, le Transsibérien fut complété en 1906 (ligne contournant la partie S. du lac Baïkal*).

TRANSVAAL. *n. m.* (« pays au delà de la riv. Vaal »). ♦ Prov. du N.-E. de l'Afrique* du Sud, située entre l'État d'Orange au S. et la Rhodésie au N. et où se situe le Witwatersrand*. 283 818 km². *Ch.-l.* Pretoria*. C'est la principale région minière (or, diamant, cuivre, fer, mica, amiante) et industrielle du pays. *V. princ.* **V. Witwatersrand,** et *aussi* **Rustenburg, Vereeniging.** ♦ *Hist.* L'espace compris entre le Vaal et le Limpopo fut colonisé par les Boers venus du Cap en 1838, puis par les colons venus du Natal (1843). La Constitution de 1844 donnait au pays une structure très lâche; peu nombreux, dispersés, les Boers du Transvaal n'inquiétaient guère les Anglais, qui leur accordèrent l'indépendance en 1852. Le Transvaal ne parvint pas à s'unir à l'Orange; la politique économique et fiscale plus moderne du président Burgers* (1872) fut freinée par l'opposition de la population boer, et le pays ne parvenait pas à écarter la menace des Zoulous. Profitant de ces difficultés, l'Angleterre, désireuse de promouvoir une fédération sud-africaine, intervint au Transvaal pour y rétablir l'équilibre financier et proclama l'annexion en 1877. Trois ans plus tard, les Boers, dirigés par Kruger*, se soulevèrent et ce fut le début de la guerre des Boers **(V. Afrique du Sud,** ***Hist.*****).**

TRANSYLVANIE. *n. f.*, en roum. **Transylvania** ou **Ardeal**, en hongr. **Erdély**, en all. **Siebenbürgen.** ♦ Région historique de la Roumanie centrale, comprise au N. et à l'E. à l'intérieur de l'arc des Carpates*, limitée au S. par les Alpes de Transylvanie*, à l'O. par le Bihor* et le Banat*, correspondant au bassin transylvain proprement dit (de Cluj à Brasov), à la région de Hunedoara et à la région autonome magyare des Maramureş*. 51 160 km², env. 6 millions d'hab. (*Transylvaniens :* Roumains, Magyars et Allemands). *Cap.* Cluj*. *V. princ.* Alba* Julia, Baia* Mare, Braşov*, Deva*, Hunedoara*, Satu*-Mare, Sibiu*, Tîrgu*-Mureş et Turda* — La région présente des montagnes (1 000 m) et des collines couvertes de forêts, ainsi que des plaines fertiles (céréales, fruits, légumes). L'élevage bovin et ovin y est développé. Véritable château d'eau, la Transylvanie est drainée par le Mureş*, l'Olt*, le Someş* et la Tisza* (Tisa). Le sous-sol est riche en gaz naturel, en lignite (Petroşani), en sel, en mercure et en métaux divers (fer, or). ♦ *Hist.* Elle fit partie de la Dacie* romaine, fut envahie par les Barbares et soumise par les Hongrois du XIe au XVIe siècle. Principauté indépendante de 1526 à 1691, la Transylvanie, en majorité protestante, se heurta aux Habsbourg catholiques d'Autriche qui la soumirent totalement en 1691. Lors de l'effondrement de l'empire des Habsbourg, les Roumains de Transylvanie demandèrent leur rattachement à la Roumanie (1918) qui fut définitif en 1947. En 1952, le gouvernement communiste roumain permit à la minorité hongroise de se constituer en région autonome.

TRANSYLVANIE *(Alpes de).* ♦ Partie méridionale de la chaîne des Carpates, séparant la plaine de Transylvanie au N., de la Valachie, au sud. L'altitude y dépasse souvent 2 000 m (Mandra, 2 529 m; Negoi, 2 535 m; Pelagea, 2 509 m) et culmine au *Moldeveanul* (2 543 m), point le plus élevé de la Roumanie. Les Alpes de Transylvanie sont drainées par l'Argeş*, la Ialomiţa* et le Jiu*.

TRAPANI. ♦ V. et port de Sicile, situé à l'extrémité de la côte occidentale sur une presqu'île, à 80 km à l'O. de Palerme. 79 400 hab. Évêché et ch.-l. de prov. Église Santa Maria del Gesù (XIVe s.); cathédrale baroque (XVIIe s.). Le port, très actif, fait le commerce de denrées agricoles (blé, coton, vin de Marsala). Salines. La *prov. de Trapani* a 2 462 km² et 428 000 hab. ♦ *Hist.* L'anc. cité carthaginoise de ***Drepanon*** (en lat. ***Drepanum***) fut cédée aux Romains après la bataille des Égates. La ville connut une grande prospérité sous la domination normande et fut la résidence des souverains aragonais.

Trappe (la). ♦ Appellation globale pour l'ordre des Cisterciens réformés de la stricte observance (O.C.S.O.), Cf. Trappe, trappiste *in* Robert. L'abbaye bénédictine de Notre-Dame-de-la-Trappe, à Soligny près de Mortagne-au-Perche (Orne), fut fondée en 1140, rattachée à Cîteaux* (1147), réformée par Rancé* (1664) : prière, travail manuel, austérité, silence. Elle essaima, se scinda en une congrégation belge (1836) et deux françaises (1847) qui furent réunifiées en 1892. Outre la Grande Trappe, on peut citer Igny, Sept-Fons, Valsainte, Westmalle (Belgique).

TRAPPES. ♦ Ch.-l. de cant. des Yvelines, arr. de Versailles. 16 799 hab. *(Trappistes).* — Importante gare de triage. Indus. électronique. La ville nouvelle de Trappes-Élancourt est en cours d'aménagement.

TRASIMÈNE *(lac)*, en lat. **Trasimenus lacus**, en it. **Trasimeno.** ♦ Lac de l'Italie centrale (Ombrie*) 124 km². ♦ *Hist.* Lors de la deuxième guerre Punique*, Hannibal* y remporta sur les Romains commandés par Flaminius* Nepos une brillante victoire (~ 217). — À l'époque contemporaine, le nom de ***Trasimène*** fut porté par un département de la première république romaine (1798-1799; ch.-l. Pérouse) qui fut intégré à l'Empire français de 1809 à 1814 (ch.-l. Spolète*).

TRÁS-OS-MONTES (Pays « au delà des monts »). ♦ Région du Portugal septentrional, entre le Minho et la Beira, limitée au N. par la frontière espagnole, à l'O. par le Tamega, au S. et à l'E. par le Douro*. Elle comprend le Trás-os-Montes proprement dit et le haut Douro. 10 780 km². 644 000 hab. (avec le haut Douro). *Cap.* Bragance*. — *Orogr.* C'est essentiellement une région de hauts plateaux faillés d'une altitude moyenne de 1 000 à 1 400 m et de dépressions. Le *climat* y est rude. *V. princ.* Bragance, Chaves, Vila Real. — *Écon.* L'activité agricole est basée sur de maigres cultures de seigle, de pommes de terre et de châtaignes sur les hauts plateaux, sur une polyculture intensive dans les bassins. Le haut Douro est un gros producteur de vigne (vins de Porto). On extrait de l'or et du wolfram.

Ph. Hétier

Mine d'or dans le **Transvaal.**

TRAUBE (Ludwig). ♦ Médecin allemand (Ratibor, Silésie, 1818 — Berlin, 1876). Auteur d'une *Contribution à la pathologie expérimentale* (1846-1847) et d'un ouvrage sur les maladies respiratoires, il a montré l'importance de la prise de la température comme procédé d'examen clinique.

Travailleurs de la mer (Les). ♦ Roman de Victor Hugo* (1866) conçu comme une vaste épopée du travail humain dans laquelle « l'homme a affaire à l'obstacle [...] sous la forme élément ». D'abord dramatique pour peindre la lutte du pêcheur solitaire Gilliat, contre l'Océan, ce roman est également pathétique quand, au terme d'une tâche périlleuse (Cf. la *Lutte contre la pieuvre géante*) accomplie pour conquérir la jeune fille qu'il aime, le héros sacrifie et son bonheur et sa vie. Antithèse continuelle, cette œuvre offre des visions dramatiques *(La Mort sur le récif)* et des tableaux d'une grande richesse de coloris *(La Grotte marine).*

Travailliste (Parti), en angl. **Labour Party.** ♦ Fondé officiellement en 1906, le parti travailliste existait en fait depuis la création de l'*Independant Labour Party* par Keir Hardie* en 1893, qui voulait organiser une représentation ouvrière indépendante du parti libéral. L'*Independant Labour Party* se réunit aux groupes socialistes **(V. Fabian Society)** et aux Trade Unions en 1900 pour former le comité pour la représentation du travail *(Labour Representation Committee)*, amorce de l'actuel *Labour Party* et dont le secrétaire fut R. Macdonald*. Mais ce furent les difficultés sociales et économiques de l'après-guerre qui lui assurèrent un succès spectaculaire tandis que, contrairement aux partis socialistes des autres pays, il restait en dehors de la IIIe Internationale (142 députés en 1922; 191 en 1923). Avec l'appui du parti libéral, R. Macdonald forma alors le premier gouvernement travailliste, qui fut de très courte durée (1924), mais revint au pouvoir en 1929. Le gouvernement travailliste ne résista pas à la crise économique de 1929, et Macdonald dut former un cabinet de coalition après le recul électoral de 1931. Malade, il démissionna en 1935, et les travaillistes ne retrouvèrent un rôle politique actif qu'après la Deuxième Guerre mondiale : au pouvoir de 1945 à 1951, ils réalisèrent alors avec C. Attlee* de profondes réformes (décolonisation, nationalisation, sécurité sociale). Avec H. Wilson*, le *Labour Party* revint au gouvernement en 1964 mais dut faire face à de nombreuses difficultés (dévaluation de la livre, refus de l'entrée de la Grande-Bretagne dans le Marché commun). Mis en échec par les conservateurs aux élections de 1970, il revint au gouvernement en 1974. H. Wilson fut remplacé par J. Callaghan* (avr. 1976).

Travailliste d'Israël (Parti), en hébreu **Mifleget Ha'Avoda Ha'Yisraélit.** ♦ Parti politique israélien constitué en janvier 1968 par le regroupement des partis Mapaï*, Achdout (ou Ahdout) Ha'adova et Rafi. Majoritaire à la Knesset*, et donc au gouvernement, mais aussi à l'Histadrouth*, il lutte pour « le rassemblement du peuple juif dans sa patrie nationale et la réalisation des aspirations sociales, pionnières et nationales d'Israël, dans l'esprit de l'héritage du judaïsme, des idéaux du sionisme socialiste et des valeurs du mouvement travailliste ». Sa politique est critiquée.

TRAVANCORE. ♦ Ancien État indien du Kerala*, dans le sud de la côte de Malabâr. *Cap.* Trivandrum. — Épices, coprah.

Travaux et les Jours (Les). ♦ Poème didactique d'Hésiode* (826 vers). Le mythe de Prométhée* et de Pandore*, interprété comme péché originel et condamnation, y fonde la loi du travail. Le mythe de la succession de cinq races : d'or, d'argent, d'airain, des héros, de fer, est une généalogie des hommes et l'histoire de leur déchéance, où s'affrontent constamment la justice *(dikè)* et la démesure *(hybris)*, cause de tous les maux de l'humanité. Suivent des préceptes utilitaires sur l'économie domestique, sur les travaux des champs, sur le commerce et la navigation, des sentences sur les devoirs de l'individu et un calendrier des jours propices aux différents ouvrages.

TRAVEMÜNDE. ♦ V. d'Allemagne nord-occidentale (Schleswig-Holstein), près de Lübeck, à l'embouchure de la Trave. 13 000 hab. Station balnéaire et port de voyageurs sur la Baltique, en liaison avec la Scandinavie.

Traviata (La). ♦ Opéra en quatre actes de Verdi* sur un livret de Fr. M. Piave, inspiré par *La Dame aux Camélias* d'A. Dumas* fils (1853). Marguerite Gautier y devient Violette Valéry et Armand Duval Alfred Germont. L'action se situe au XVIIIe s., mais l'intrigue du drame d'A. Dumas n'a pas été changée. L'accent est mis sur l'amour et non plus sur le thème de la réhabilitation. La musique atteint une très haute expression dramatique. Les airs les plus connus sont les duos d'Alfred et de Violette et la romance de Violette.

TRAVNIK. ♦ V. de Yougoslavie (Bosnie-Herzégovine). 12 900 hab. Cap. de la Bosnie de 1680 à 1850. — Patrie de l'écrivain Ivo Andrić*.

TRAWSFYNYDD. ♦ Localité de Grande-Bretagne (pays de Galles, Merionethshire). Centrale nucléaire.

TRAYAS [tʀajas] **(Le).** ♦ Écart de la comm. de Saint*-Raphaël, dans le Var. Station balnéaire et hivernale. Grand centre de pêche au thon au XVIIe siècle.

TRAZEGNIES. ♦ Comm. de Belgique (Hainaut, arr. de Charleroi). 6 900 hab. Église du XIIIe s., modifiée au XVIe s., contenant le tombeau de J. de Lalaing **(V. Tournai).** Château démantelé par Henri II en 1554 et reconstruit en 1557. – Houille. Métallurgie.

TRÈBES. ♦ Comm. de l'Aude (arr. de Carcassonne), sur la r. g. de l'Aude. 3 011 hab. Trèbes est relié à Orbiel par un pont-aqueduc, sur le canal du Midi. Églises (XIIe et XIXe s.). Restes de fortifications.

TRÉBEURDEN [-dɛ̃]. ♦ Comm. des Côtes-du-Nord, arr. de Lannion, sur la côte du Trégorrois*. 2 686 hab. Importante station balnéaire; les deux principales plages sont Trozoul et Pors-Termen.

TRÉBIE, *n. f.,* en it. **Trebbia.** ♦ Riv. italienne, affl. de la r. d. du Pô*. 115 km. Née dans l'Apennin, elle arrose l'Émilie et rejoint le Pô en aval de Plaisance. ♦ *Hist.* Lors de la deuxième guerre Punique*, Hannibal* y vainquit Sempronius* (~ 218). En juin 1799, l'armée française commandée par Macdonald* y résista trois jours à l'armée russe de Souvorov*, avant de battre en retraite.

TRÉBIZONDE, en gr. **Trapezous,** en turc **Trabzon.** ♦ V. et port de Turquie sur la mer Noire (Arménie turque), ch.-l. de province. Centre industriel et commercial (tabac, laine, soie, tapis). 81 528 hab. Églises byzantines (XIIIe s.) et mosquées (XVIe s.), forteresse génoise. Patrie de Jean Bessarion*. *Province (il) de Trabzon :* 4 685 km². 662 412 hab. ♦ *Hist.* Fondée v. ~ 700, probablement par des colons de Sinope*, elle était surtout un comptoir sur l'aboutissement de la route venant de l'Asie centrale. Annexée par le royaume du Pont, sous la domination romaine depuis 63, elle conserva sa prospérité sous l'Empire byzantin*. *L'empire de Trébizonde* (1204-1461) y fut fondé par deux princes Comnène* à la suite de la prise de Constantinople par les croisés. L'ambition de ses empereurs de reconquérir l'Empire byzantin se heurta aux Seldjoukides et à l'empire de Nicée*. Par contre, le quasi-monopole du commerce des Indes et l'activité génoise assurèrent le maintien de la prospérité de cet État qui devint le refuge des Byzantins lors de la chute de Constantinople (1453) et le foyer de la civilisation byzantine. Prise par Mehmet II en 1461, la ville devint la cap. d'une province ottomane et déclina progressivement.

TREBLINKA. ♦ Anc. camp d'extermination nazi, situé en Pologne* (voïévodie de Varsovie), où périrent, entre 1942 et 1943, env. 800 000 juifs.

TRÉBOUL. ♦ Comm. rattachée à Douarnenez*. Station balnéaire très fréquentée (plage des Sables-Blancs); centre de nautisme; port de pêche.

TREDIAKOVSKI (Vassili Kirillovitch *(Tredjakovski*]. ♦ Linguiste russe (Astrakhan, 1703 – Saint-Pétersbourg, 1769). Il a réformé la versification sous Pierre le Grand par sa *Nouvelle et Brève Méthode pour composer les vers russes.* Avec lui, le vers devient toni-syllabique.

TRÉFOUËL (Jacques). ♦ Chimiste et bactériologiste français (Le Raincy, 1897). Il fut directeur de l'Institut Pasteur de Paris (1940-1964). Il a étudié les sulfamides et a été à l'origine de la découverte de nombreux corps bactériostatiques.

TRÉGASTEL. ♦ Comm. des Côtes-du-Nord, arr. de Lannion*, dans le Trégorrois*. 1 742 hab. *(Trégastellois).* Église (XIIe-XIIIe s.); ossuaire du XVIIe siècle. Station balnéaire à Trégastel-Plage. La côte est bordée par un chaos de rocs de granit rose. Récifs et îlots se dressent également dans la mer.

TRÉGORROIS. *n. m.* ♦ Région de Bretagne (Côtes-du-Nord) située entre la baie de Saint-Brieuc et la baie de Morlaix et dont la côte est très découpée. C'est un plateau cristallin qui s'élève de 100 à 150 m d'altitude. – *Princ. villes :* **V. Lannion, Lézardrieux, Paimpol, Perros-Guirec, Pleumeur-Bodou, Trébeurden, Trégastel, Tréguier.**

TRÉGUIER. ♦ Ch.-l. de cant. des Côtes-du-Nord, arr. de Lannion, dans le Trégorrois*, sur l'estuaire de Tréguier. 3 795 hab. *(Trécorrois* ou *Trégorrois).* La cathédrale Saint-Tugdual (XIVe-XVe s.) est l'une des plus belles de Bretagne, de style gothique rayonnant. Port de plaisance. – Patrie de E. Renan* (maison natale). ♦ *Hist.* Évêché sous l'Ancien Régime, où Sieyès* fut chanoine.

Ph. Giraudon

J.-B. Treilhard, par F. Bonneville.

Ph. Bernand

Charles Trenet.

TREIGNAC. ♦ Ch.-l. de cant. de la Corrèze*, arr. de Tulle*, 1 893 hab. *(Treignacois).* Petite ville pittoresque. Église du XVe s., pont du XVe s., collège Lakanal (1665); maisons anciennes. Centrale hydro-électrique sur la Vézère, 81 millions de kWh par an. – Patrie de Ch. A. Lachaud*.

TREILHARD (Jean-Baptiste). ♦ Homme politique français (Brive-la-Gaillarde, 1742 – Paris, 1810). Avocat au parlement de Paris, il fut député à l'Assemblée nationale constituante où il participa à la rédaction de la Constitution civile du clergé. Réélu à la Convention (1792), il siégea avec la Montagne et fit partie du premier Comité de salut public (avr. 1793). Membre du Conseil des Cinq-Cents après le 9 Thermidor, puis ambassadeur à Naples, il fut envoyé comme plénipotentiaire au congrès de Rastatt (1797-1799). Directeur (1798-1799), remplacé par Gohier* le 28 prairial an VIII [16 juin 1799] **(V. Prairial** [30, an VIII]**),** il fut conseiller d'État après le coup d'État du 18 Brumaire an VIII (9 nov. 1799) et participa à la rédaction du Code* civil. Sénateur, comte d'Empire, il fut nommé ministre d'État en 1809.

TREITSCHKE (Heinrich *von***).** ♦ Historien allemand (Dresde, 1834 – Berlin, 1896). *Que réclamons-nous de la France ? L'Alsace,* écrivait-il en 1870, soutenant par là la politique de Bismarck tout en affirmant son pangermanisme et son hostilité à la France ainsi qu'à l'Autriche. Historiographe de la Prusse, il écrivit une importante *Histoire de l'Allemagne au XIXe siècle* (1879-1894).

Trek (*le* **Grand),** en néerlandais, « migration ». ♦ Migration des fermiers boers (1834-1837) à cause de l'abolition de l'esclavage en 1834 par les Anglais dans la colonie du Cap. Ils s'établirent dans le Natal, l'Orange et le Transvaal. **V. Afrique du Sud** *(Hist.).*

TRÉLAZÉ. ♦ Comm. du Maine-et-Loire, arr. et aggl. d'Angers. 11 858 hab. *(Trélazéens).* Ardoisières, les plus importantes de France; exploitées en galeries souterraines, elles assurent 60 % de la production française.

TRÉLON. ♦ Ch.-l. de cant. du Nord*, arr. d'Avesnes*-sur-Helpe, dans le Hainaut*. 3 319 hab. *(Trélonnais).* Indus. textiles; bonneterie, verrerie.

TREMADOC *(baie de).* ♦ Baie du N.-O. du pays de Galles, ouverte sur la mer d'Irlande et formant l'extrémité N. de la baie de Cardigan*.

TREMBECKI (Stanisław). ♦ Poète polonais (région de Cracovie, 1739 – Toutchina, 1812). Après avoir fait ses études à l'académie de Cracovie, il voyagea à Paris où il fréquenta le salon de Mme Geoffrin; il put y rencontrer Voltaire, Diderot et Holbach. Libre penseur, partisan du despotisme éclairé, il devint le favori du roi Stanislas-Auguste. Il écrivit une *Ode sur le déclin des Jésuites (Oda na ruinę jezuitów),* satire contre le pape Clément XIV. L'*Ode qui n'est pas publiable (Oda nie do druku)* ridiculisait le fanatisme religieux, la superstition et les préjugés. *Le Jour de saint François* (*W dzień św Franciszka,* 1784) constituait une vive polémique contre l'idéologie catholique. Son poème le plus important fut *Zofiówka* (1806) où il exposa ses idées humanistes et matérialistes, à l'occasion d'une description des allées et des statues d'un parc.

TREMBLADE (La). ♦ Ch.-l. de cant. de la Charente-Maritime, arr. de Rochefort. 4 925 hab. *(Trembladais).* Grand centre ostréicole. Marais salants.

TREMBLAY-LÈS-GONESSE. ♦ Ch.-l. de cant. de la Seine-Saint-Denis, arr. du Raincy, au N. de Paris, près de Roissy-en-France. 19 700 hab. – Église Saint-Denis, en partie du XVIe siècle. Zone résidentielle.

TREMBLEY (Abraham). ♦ Naturaliste suisse (Genève, 1710 – 1784). Il fit la découverte de l'hydre d'eau douce sur laquelle il pratiqua de nombreuses expériences très délicates et dont il montra les caractéristiques à la fois végétales et animales (*Mémoires pour servir à l'histoire de polypes d'eau douce à bras en forme de cornes,* 1774).

TRENDELENBURG (Friedrich). ♦ Chirurgien allemand (Berlin, 1844 – 1924). Il réalisa en 1908 l'opération consistant à ouvrir l'artère pulmonaire afin d'extraire les caillots qui l'obstruent dans les risques d'embolie grave (opération de Trendelenburg).

TRENET (Charles). ♦ Auteur, compositeur et chanteur français (Narbonne, 1913). Fils de la terre catalane, il a rendu la chanson française à la poésie, à travers plus de cinq cents œuvres dont la fraîcheur d'inspiration, l'humour et l'invention mélodique ont fait le succès. Marqué par l'influence de Max Jacob, Jean Cocteau et des surréalistes, son univers poétique, riche de fantaisie et de liberté, est une célébration de la joie de vivre *(Je chante, Y'a d'la joie, Fleur bleue, Boum, La Vie qui va, C'est bon)* et du mystère que dissimulent les apparences *(Une noix).* Cette familiarité avec l'invisible, souvent cocasse *(Mam'zelle Clio),* parfois troublante *(La Folle Complainte, Papa pique et maman coud),* se conjugue avec la mélancolie du temps qui passe *(Coin de rue, Mes jeunes années, Fidèle, Que reste-t-il de nos amours ?).* Enfin, Charles Trenet a célébré, dans son œuvre la plus populaire, *La Mer.*

TRENGGANU. ♦ État de Malaysia*, sur la côte E. de la péninsule malaise. 13 000 km². 450 000 hab. Caoutchouc, coprah, étain. *Cap.* Kuala Trengganu (50 000 hab.).

TRENT. *n. f.* ♦ Riv. du centre de l'Angleterre (270 km). Issue de l'extrémité méridionale de la chaîne Pennine, elle irrigue les Midlands en décrivant un arc de cercle du S.-O. au N.-E., arrose successivement Burton*, Stoke* on Trent puis Nottingham* et coule vers le nord en direction de la Humber. Le bassin de la Trent est riche en houille **(V. Midlands)**. Le fleuve est relié par canaux à la Severn, à la Mersey et à la mer du Nord. Ses princ. affl. sont la Derwent* (du Derbyshire) et la Dove (r. g.).

Trente *(les)* ou **Trente tyrans** *(les)*. ♦ Nom donné au gouvernement oligarchique imposé par les Spartiates à Athènes* après sa capitulation à l'issue de la guerre du Péloponnèse* (~ 404). Ce conseil de trente magistrats exerça une tyrannie odieuse. Les démocrates les plus en vue furent exécutés ou exilés sans jugement, les pleins droits de citoyen furent réservés à 3 000 riches. Les plus célèbres des Trente sont Critias*, représentant la tendance la plus dure, et Théramène* le Modéré, finalement accusé par le premier de trahison et mis à mort. Les Trente furent renversés au bout de huit mois par la révolution démocratique menée par Thrasybule* et Anytos*.

Trente *(combat des)*. ♦ Lors de la guerre de la Succession* de Bretagne s'affrontèrent en combat singulier trente Français, partisans de Charles de Blois, et trente Anglais, partisans de Jean de Montfort (1351). Les Français furent vainqueurs. Ce combat inspira un récit à Froissart.

TRENTE, en it. **Trento**. ♦ V. d'Italie du Nord, cap. du Trentin*, sur l'Adige*. 89 000 hab. *(Trentins* ou *Tridentins)*. La ville, située dans un cirque de montagnes, est une importante voie de passage vers les Dolomites, la Brenta, le lac de Garde. Elle possède d'intéressants monuments : vestiges de l'enceinte de Théodoric, cathédrale romano-lombarde (XIIIe s.), église Santa Maria Maggiore, museo nazionale Trentino abrité dans le castello del Buon Consiglio (château de Bon-Conseil). Indus. textiles (coton, laine). Tourisme. ♦ *Hist.* Anc. *Tridentum*, elle devint romaine en ~ 222. — Au XIe s., elle devint une ville libre et impériale gouvernée par les princes-évêques de Trente. En 1805, elle passa à la Bavière puis fut le ch.-l. du dép. du Haut-Adige (1809-1814). Elle passa à l'Italie en 1918.

Trente *(concile de)*. ♦ 19e concile œcuménique, convoqué par le pape Paul III à la demande de Charles Quint, pour faire face aux progrès de la Réforme protestante. L'assemblée se réunit en trois périodes : 1545-1549, 1551-1552, 1562-1563. Tous les points fondamentaux de la doctrine catholique furent examinés; la plupart des institutions ecclésiastiques furent révisées. **V. Contre-Réforme.**

Trente Ans *(guerre de)*. ♦ Conflit politique et religieux qui déchira l'Allemagne de 1618 à 1648. Né de l'antagonisme qui opposait les princes allemands protestants à l'autorité impériale catholique, il prit une ampleur européenne du fait de l'intervention des grandes puissances étrangères. Les chefs mercenaires, qui menèrent cette guerre avec des troupes indisciplinées, lui donnèrent un caractère particulièrement cruel et dévastateur pour l'Allemagne. Les hostilités furent déclenchées par un incident religieux. **V. Défenestration** (de Prague). L'avènement de Ferdinand* II, dont l'intransigeance religieuse et l'ambition politique étaient connues, ne fit qu'aggraver les choses. La Bohême se révolta, le déposa pour nommer à sa place l'électeur palatin Frédéric* V. Celui-ci fut battu à la Montagne* Blanche (1620) par les forces de la Sainte Ligue, catholique, commandées par Tilly* et Maximilien* de Bavière, et il dut se réfugier dans les Provinces-Unies. Christian* IV de Danemark, qui avait pris sa relève à la tête des protestants, fut battu à son tour et contraint à la paix de Lübeck* (1629). Mais l'empereur profita de sa victoire pour imposer une répression sévère dont les excès entraînèrent l'intervention de Gustave* Adolphe de Suède (poussé par la France, inquiète de la puissance des Habsbourg). Ses succès (Breitenfeld, 1631, le Lech*, 1632) ne furent arrêtés que par sa mort à Lützen* (1632). Les Impériaux prirent leur revanche sur les Suédois à Nördlingen* (1634). Richelieu intervint alors directement en déclarant la guerre à l'Espagne. Après avoir subi une série de revers malgré l'action de Bernard* de Saxe-Weimar, la France rétablit sa situation (victoire du duc d'Enghien* à Rocroi*, 1643; de Turenne* à Fribourg et à Nördlingen*, 1645), tandis que la Suède s'emparait de Prague. L'empereur était acculé à la paix et les négociations furent engagées dès 1644. Les traités de Westphalie* consacrèrent l'affaiblissement du pouvoir impérial et le morcellement de l'Allemagne. Les grands bénéficiaires étaient la France et la Suède, les Provinces-Unies et la Suisse ainsi que l'électorat de Brandebourg qui commençait son ascension.

Ph. Lauros/Giraudon

Trèves : l'intérieur de la basilique impériale.

Trente Tyrans *(les)*. ♦ Nom donné aux généraux romains qui se proclamèrent empereurs dans les diverses provinces de l'empire, de 253 à 270, sous les règnes de Valérien*, Gallien*, Claude* II le Gothique et Aurélien*.

TRENTIN-HAUT-ADIGE. *n. m.*, en it. **Venezia Tridentina.** ♦ Région autonome de l'Italie septentrionale, formée par les prov. de Trente et de Bolzano, correspondant à la région historique de la *Vénétie Tridentine* et s'étendant sur la vallée du Haut-Adige, une partie des Dolomites et du Tyrol méridional. 13 613 km². 839 025 hab., dont une majorité de langue allemande dans la prov. de Bolzano*, ville bilingue. La région est limitée au N. par l'Autriche, à l'O. par la Suisse et la Valteline, à l'E. par le Frioul et la Vénétie, au S.-O. par la Lombardie. *Orogr.* La région est entièrement montagneuse. La vallée de l'Adige, ou *val Lagerina*, constitue l'axe de la région, de part et d'autre de laquelle s'articulent de hauts massifs. Au N., les Alpes Tridentines ou Tyrol méridional s'étendent du col de la Resia (1 508 m) au Brenner. À l'O., l'Ortler (3 899 m) est suivi par l'Adamello* (3 554 m). À l'E. de l'Adige s'étend la masse des Dolomites. — *Hydrogr.* L'Adige* et ses affl. : Isarco, Avisio (r. g.), la Noce (r. d.), le Sarco, la Rienza, le N. du lac de Garde et la Sarca, le lac d'Idro et le Chiese. — *V. princ.* **V. Trente, Bolzano, Merano, Riva.** — *Écon.* La montagne est le domaine des forêts et de l'élevage bovin et du tourisme d'hiver (Bressanone, Bolzano*, Cortina* d'Ampezzo). Les vallées (Adige, Noce, Sarco) ont été aménagées pour fournir un important potentiel électrique. La vallée de l'Adige se consacre aux cultures fruitières et à la viticulture. La métallurgie s'est développée grâce à l'énergie électrique (Mori, Bolzano). Les indus. électriques, mécaniques, textiles et alimentaires se localisent à Trente, Bolzano et Merano. ♦ *Hist.* La région, formée par l'anc. dép. du Haut-Adige (1805), appartint au XIXe s. à l'Autriche. Elle fut rattachée à l'Italie en 1919 (traité de Saint-Germain-en-Laye). L'existence de populations de langue allemande crée une situation de tension entre l'Italie et l'Autriche. Un accord de 1946, inclus dans le traité de Paris de 1947, garantit à ces populations (Tyroliens du Sud) l'égalité de droits et la liberté culturelle; mais les Tyroliens du Sud, mécontents de l'application de ces textes, revendiquent l'autonomie.

TRENTON. ♦ V. des États-Unis, cap. du New* Jersey sur la riv. Delaware, à 48 km au N.-E. de Philadelphie. 102 211 hab.; près de 300 000 pour la zone urbaine. Outre les indus. traditionnelles (porcelaine, notamment), la présence des aciéries de Morrisville, sur l'autre rive de la Delaware (Pennsylvanie), a suscité de nombreuses entreprises. — Princeton* est situé près de Trenton. ♦ *Hist.* Washington y remporta une victoire sur les Anglais (1776).

TRÉPASSÉS *(baie des)*. ♦ Baie de la côte du Finistère, située entre la pointe du Raz et la pointe de Van. Son nom viendrait de la coutume suivant laquelle les corps des druides étaient transportés de cette baie pour être inhumés dans l'île de Sein.

TRÉPORT (Le). ♦ Comm. de la Seine*-Maritime, arr. de Dieppe*, à l'embouchure de la Bresle*, sur la Manche*. 6 328 hab. *(Tréportais)*. — Port de pêche et de cabotage; station balnéaire très fréquentée. — Engrais chimiques.

Trêve de Dieu. ♦ Restriction apportée par l'Église au droit de guerre privée, de même que *la paix de Dieu*. Elle interdisait la guerre pendant l'avent et le carême et du samedi au lundi (*mil.* XIe s.). Elle frappait d'excommunication quiconque l'enfreignait.

TRÈVES, en all. **Trier.** ♦ V. d'Allemagne occidentale (Rhénanie-Palatinat), sur la r. d. de la Moselle, au pied de l'Hunsrück, à 10 km du Luxembourg et à 50 km de la France. 104 100 hab. (1969). — L'une des plus vieilles cités allemandes, Trèves a conservé de son passé romain de nombreux vestiges, dont la *Porta nigra* (~ IVe s.), des thermes impériaux (IVe s.) et un amphithéâtre. La ville est très riche en monuments médiévaux, rassemblés autour de la pittoresque *Hauptmarkt* (ou place du Marché), notamment la cathédrale (IVe-XIIIe s.) et des églises (Saint-Mathias, XIIe s.; Saint-Gandolfe, XVIe s., Saint-Paulin, XVIIIe s.). Important centre commercial (marché des vins de la Moselle). La mécanique légère, les tanneries et indus. alimentaires (brasseries, manufactures de tabac) sont les indus. dominantes. — Patrie de sainte Adèle*, de Salvien* et de Karl Marx*. ♦ *Hist.* Peuplée par la tribu celtibère des *Trévires**, la ville, soumise par César vers ~ 56, reçut d'Auguste le nom d'*Augusta Treverorum* (~ 16), acquit une rapide expansion et devint la capitale de la Belgique Ire, puis, au IVe s., de tout le diocèse des Gaules, résidence impériale (de Constance Chlore, de Constantin, de Valentinien, de Gratien) et l'une des quatre capitales de l'Empire romain. Au Ve s., Trèves connut les invasions successives des Barbares (406) et des Francs (460). Rattachée à la Lotharingie (843), puis à l'empire allemand, elle devint le siège d'un électorat (870) gouverné par un archevêque-électeur (dont le plus représentatif fut, au XIIIe s., Baudouin de Luxembourg). En 1794, Trèves devint le ch.-l. du dép. français de la Sarre, puis fut rattachée à la Prusse en 1815.

TRÈVES-CUNAULT. ♦ Comm. du Maine-et-Loire, arr. de Saumur. 416 hab. Remarquable église romane. Anc. prieurale des

Ph. Diamante-Ostuni/Ricciarini

Trieste : le canal.

XIe-XIIIe siècles. Paroissiale des XIe-XVe siècles. Tour du XVe s., vestige de l'ancien château.

Trevi *(fontaine de)*. ♦ Fontaine monumentale de Rome. **V. Salvi** *(Niccolò)*.

TRÉVIRES, *n. m. pl.*, en lat. **Treveri**. ♦ Peuple de la Gaule belgique établi dans la vallée inférieure de la Moselle et dont la cap. était *Augusta Treverorum* (Trèves). En ~ 70, les Trévires participèrent à la révolte de Civilis*; après la conquête romaine, *Augusta Treverorum* devint la cap. de la Belgique Ire, puis de tout le diocèse des Gaules, et fut une des résidences des empereurs au IVe s. **(V. Trèves)**.

TRÉVISE, en it. **Treviso**. ♦ V. d'Italie du Nord, en Vénétie*. Ch.-l. de prov., sur le Sile. 83 000 hab. *(Trévisans)*. — Évêché. Remparts (XVe-XVIe s.). Monuments médiévaux : palais dei Trecento (1207), du Podestat; église Saint-Nicolas (XIIIe-XIVe s.), *Duomo* (XIIe-XIXe s.). Marché agricole, centre d'artisanat (céramique). Indus. textiles. Patrie de Bordone*. ♦ *Hist. Tarvisium* fut un municipe romain. La ville se donna à Venise en 1339. Elle fut prise par la France en 1797 et fut, de 1805 à 1814, le ch.-l. du dép. de Tagliamento. Elle appartint à nouveau à l'Autriche et fut rendue à l'Italie en 1866.

TREVITHICK (Richard). ♦ Ingénieur et inventeur anglais (Illogan, Cornouailles, 1771 — Dartford, Kent, 1833). Réalisateur de la première locomotive à haute pression (1803), il imagina en 1808 le tirage forcé par échappement de vapeur dans la cheminée. **V.** *aussi* **Seguin, Crampton.**

TRÉVOUX. ♦ Ch.-l. de cant. de l'Ain*, arr. de Bourg*-en-Bresse, sur la Saône. 4 537 hab. *(Trévoltiens)*. — Ruines d'un château médiéval; palais de justice du XVIIe s. (peintures de Sevin). — Tréfileries, serrureries. ♦ *Hist.* D'origine gallo-romaine, la ville devint au Moyen Âge la cap. de la principauté de Dombes*. En 1695, une imprimerie importante y fut créée; en 1701, les jésuites y fondèrent le célèbre périodique dit *Les Mémoires de Trévoux* et y éditèrent à partir de 1704 le *Dictionnaire* dit *de Trévoux*.

TRÉZEL (Camille). ♦ Général français (Paris, 1780 — *id.*, 1860). Géographe de formation, il accompagna Gardane en Perse (1807). Nommé général en 1825, il participa à l'expédition de Morée (1828), puis à celle d'Algérie, où, après avoir remporté la victoire de Bougie (sept. 1833), il remplaça Desmichels, mais fut battu par l'émir Abd el-Kader à la Macta (1835). De retour en France, il fut fait pair (1846) et devint ministre de la Guerre (1847-1848).

TRÉZÈNE, en gr. **Troizên**. ♦ Anc. V. de Grèce dans l'Argolide (Péloponnèse). Habitée par des Ioniens, elle était étroitement liée à Athènes par des cultes et des traditions communs. — Patrie de Thésée*. Occupée par les Doriens au ~ XIIe s., Trézène participa à la colonisation dorienne de Carie, où elle fonda Halicarnasse*. Pendant la campagne de Xerxès et l'évacuation d'Athènes, elle donna asile aux femmes et aux enfants des Athéniens, mais dans la guerre du Péloponnèse, elle se tint aux côtés de Sparte par haine d'Argos. Au Moyen Âge, Trézène fut le siège d'une baronnie franque. — Ruines près de l'actuel village de *Damala*.

TRI (François). ♦ **V.** HAN MAC TU.

TRIAL (Jean-Claude). ♦ Compositeur français (Avignon, 1732 — Paris, 1771). Il fut à Paris l'élève de Rameau. Violoniste renommé, il devint directeur de l'Académie royale de musique avec P. Berton. Il écrivit des œuvres pour orchestre, des cantates, des opéras (*Sylvie*, avec Berton, 1765; *Ésope à Cythère*, 1766; *La Fête de Flore*, 1770) et la musique de scène de *La Chercheuse d'esprit* de Favart (1741).

TRIAL (Antoine). ♦ Chanteur français (Avignon, 1736 — Paris, 1795), frère de Jean-Claude Trial. Ténor à la voix fluette, il compensait cette faiblesse par un jeu spirituel, notamment dans les rôles comiques. Son nom désigne encore un chanteur comique à voix faible.

Triangulaire *(commerce)*, appelé parfois *commerce du bois d'ébène*. ♦ Commerce maritime pratiqué dans les ports de l'Atlantique au XVIIe et au XVIIIe s. en France et en Angleterre. Le triangle était le parcours des bateaux, qui allaient sur les côtes de Guinée échanger de la pacotille contre des esclaves noirs, les transportaient jusqu'aux Antilles où ils les vendaient pour acheter des produits tropicaux et ramenaient ceux-ci en Europe. Ce commerce fit la fortune de villes comme Bordeaux ou, surtout, Nantes, qui connut une prospérité particulière au XVIIIe siècle.

Trianon. *n. m.* ♦ Nom de deux châteaux construits dans le parc du château de Versailles*. Le *grand Trianon*, construit en 1670, fut remplacé par le Trianon de marbre, construit par Mansart en 1687. Le *petit Trianon* fut construit par Gabriel (1762-1768).

Trianon *(traité de)*. ♦ Traité signé le 4 juin 1920, par lequel les puissances victorieuses fixaient le sort de la Hongrie*. Celle-ci cédait des territoires à la Yougoslavie (Croatie, Slavonie), à la Roumanie (Transylvanie, banat de Timişoara), à la Tchécoslovaquie (Ruthénie, Slovaquie); elle réduisait son armée à 35 000 hommes. **V. Guerre mondiale** *(Première)*, **Paris** *(conférence de)*.

TRIBONIEN, en lat. **Tribonianus**. ♦ Jurisconsulte byzantin (Side, Pamphylie — [mort] 546), principal conseiller juridique de Justinien* Ier. Il participa à la rédaction du *Code justinien* et présida la commission chargée de la composition du *Digeste* et des *Institutes**. Devenu impopulaire à cause de sa vénalité, il fut momentanément éloigné par Justinien après la sédition de Nika (532), mais, rappelé ensuite, il reprit son poste de questeur du Palais-Sacré.

TRIBOULET (FEURIAL, dit). ♦ Bouffon français (Foix-lez-Blois, v. 1479 — v. 1536). Fou de Louis XII et de François Ier, il eut la réputation d'être très spirituel. Victor Hugo l'a mis en scène dans *Le roi s'amuse*.

Tribunal révolutionnaire (de Paris). ♦ Tribunal d'exception institué le 10 mars 1793 par la Convention*, en dépit de l'opposition de la plupart des députés girondins (en particulier Vergniaud*) qui s'élevèrent contre cette menace de dictature. Créé sous la pression des sections parisiennes, après les défaites des armées révolutionnaires, ce tribunal, composé de douze jurés, cinq juges choisis par la Convention, d'un accusateur public, devait juger tous ceux qui porteraient atteinte à « la liberté, l'égalité, l'unité, l'indivisibilité de la République, la sûreté intérieure et extérieure de l'État » ou fomenteraient des « complots tendant à rétablir la royauté »; ses jugements étaient exécutoires dans les vingt-quatre heures, sans appel ni cassation. Au début de la Terreur* (automne 1793), le personnel du Tribunal fut augmenté et son pouvoir étendu à la province; avec la loi du 22 prairial an II (10 juin 1794), l'instruction préliminaire était supprimée. Le Tribunal fut définitivement supprimé le 31 mai 1795 (12 prairial an III).

Tribunat. *n. m.* ♦ Assemblée instituée par la Constitution* de l'an VIII. Composée de cent membres âgés au minimum de vingt-cinq ans, nommés pour une durée de cinq ans par le Sénat parmi les citoyens inscrits sur la liste des notabilités, elle était renouvelable tous les ans par cinquième. Le Tribunat se prononçait pour ou contre les projets de loi dont l'initiative revenait au Premier Consul. Composé notamment d'idéologues, il devint une chambre d'opposition. Réduit de moitié en 1802, il fut supprimé en 1807.

Tribune (la). ♦ Journal autour duquel se groupa en 1829-1830 une partie de l'opposition libérale républicaine au régime de la Restauration.

TRICASTIN. *n. m.* ♦ Anc. pays du bas Dauphiné, au S.-O. du dép. de la Drôme, cap. Saint*-Paul-Trois-Châteaux.

TRICHINOPOLY ou **TIRUCHIRAPALLY**. ♦ V. de l'Inde du S. (Tamilnâdu*) sur le Kâverî. 306 000 hab. — Indus. ferroviaire et textile, artisanat de la soie et des bijoux. ♦ *Hist.* Les Français y furent battus par les Britanniques en 1754.

Tricorne (Le). ♦ Ballet en deux tableaux de M. de Falla*, sur un livret de Martinez Sierra, d'après l'œuvre d'Alarcón*, chorégraphie de L. Massine (1919). Les principaux interprètes étaient L. Massine, T. Karsavina, L. Voïzikovski, S. Idzikovski. — Un meunier a une femme très belle que le corregidor de la ville essaie de séduire. Lorsqu'il se fait plus entreprenant, il est berné et ridiculisé. Les thèmes musicaux et les danses espagnols sont exploités avec habileté et l'orchestration est remarquable par le crescendo des instruments.

TRICOUPIS (Charilaos). ♦ Homme politique grec (Nauplie, 1832 — Cannes, 1896). Il signa le traité avec l'Angleterre (1863) restituant les îles Ioniennes à la Grèce et fut ministre des Affaires étrangères en 1866 et en 1867-1868. Six fois Premier ministre, il gouverna presque constamment le pays de 1875 à 1895. Sa politique marqua le premier effort conséquent de transformation capitaliste de l'économie grecque. Il introduisit le fonctionnement du système parlementaire (obligation pour le roi de nommer un ministère ayant la confiance de la Chambre), réorganisa la justice, l'administration et l'armée et réalisa de grands travaux publics (construction du canal de Corinthe, réseau ferroviaire). Mais le recours continuel à l'endettement aboutit à la banqueroute de 1893 et la politique fiscale basée sur les impôts indirects mécontenta la grande majorité des Grecs, qui lui infligèrent la défaite électorale de 1895.

TRIEL-SUR-SEINE. ♦ Ch.-l. de cant. des Yvelines, arr. de Saint-Germain-en-Laye, sur la Seine. 5 653 hab. — Église (XIIIe, XVe, XVIe s.). Pont suspendu sur la Seine. — Vergers. Matériel de construction; constructions mécaniques.

TRIESTE, anc. **Tergeste**. ♦ V. d'Italie du Nord, en Vénétie Julienne. Ch.-l. de prov. et cap. de région sur l'Adriatique, près de la frontière yougoslave, au fond du golfe de Trieste. 269 544 hab.

Ph. Nino Cirani/Ricciarini

Tripoli (Libye) : arc de triomphe de Marc Aurèle.

(Triestins). Université, cathédrale San Giusto (XIe-XIVe s.), campanile (1343), château (XVe-XVIe s.), ruines romaines. Port de transit international (32 377 000 t en 1975), qui a beaucoup décliné au profit de Venise mais est en reprise. Centre commercial et industriel : chantiers navals, raffineries de pétrole, indus. chimiques, sidérurgie et métallurgie de transformation, indus. alimentaires. ♦ *Hist.* Devenue colonie romaine sous César (~ 52), l'anc. *Tergeste* dut son développement à Auguste. – Elle se donna en 1382 à Léopold III de Habsbourg, duc d'Autriche, et devint sous l'empereur Charles VI un port franc (1719), seul débouché maritime de l'empire des Habsbourg. Elle fit partie des Provinces Illyriennes (1809-1814), fut de nouveau sous domination autrichienne et connut un développement économique remarquable. En 1918, elle fut rattachée à l'Italie, mais la disparition de l'empire autrichien entraîna la décadence du port. Les partisans yougoslaves l'occupèrent en 1945. En 1947, le traité de Paris créa un *Territoire libre de Trieste,* neutre, sous la protection de l'O.N.U., avec deux zones, administrées par les Anglo-Américains et la Yougoslavie. En 1954, la zone anglo-américaine, correspondant à la ville de Trieste, fut rendue à l'Italie par accord avec la Yougoslavie.

TRIGNAC. ♦ Comm. de la Loire-Atlantique, arr. et aggl. de Saint-Nazaire. 7 076 hab. (3 251 aggl.). Faubourg industriel de Saint-Nazaire. Métallurgie.

TRIKALA ou **TRIKKALA.** ♦ V. de Grèce (Thessalie), ch.-l. du *nome de Trikala :* 3 338 km². 132 520 hab. Centre commercial, 38 740 hab. ♦ *Hist.* Le site de la ville était probablement habité dès le ~ IIIe millénaire. La ville de Trikka (ou Trikkê), centre de culte d'Asclépios, possédait un sanctuaire du dieu-médecin considéré comme le plus ancien de la Grèce. La plaine de Trikka fournissait une race de chevaux fameuse.

TRIMURTÎ. ♦ Trinité hindoue, composée des trois grandes divinités du panthéon brahmanique, Brahmâ* le Créateur, Śiva* le Destructeur et Viṣnu* le Conservateur. Souvent remplacée par une image représentant trois aspects d'une même divinité, le plus souvent Śiva*. Le bouddhisme possède également une trinité analogue, mais composée de trois Bodhisattva*, aux attributions différentes.

TRINH. ♦ Puissante famille seigneuriale vietnamienne qui fonda la dynastie des Lê* et régna sur le Viêt-nam du Nord du milieu du XVIe s. au XVIIIe, s'opposant à celle des Nguyên* régnant à Huê.

TRINIDAD. ♦ V. TRINITÉ.

TRINIDAD AND TOBAGO. ♦ V. TRINITÉ, *Hist.;* TOBAGO.

TRINIL. ♦ Localité du centre de Java, où fut découvert en 1891 par Eugène Dubois le pithécanthrope *(Pithecanthropus erectus)* ou *homme de Java.*

TRINITÉ ou **TRINIDAD** (forme esp., utilisée en angl.). ♦ Île la plus méridionale des Petites Antilles* (Îles-du-Vent*), située dans l'Atlantique à 15 km env. des côtes vénézuéliennes dont elle est séparée par le golfe de Paria ; État membre du Commonwealth britannique. 4 828 km², 1 020 000 hab. (en majorité Noirs et métis d'Indiens). *Cap.* Port* of Spain. *Langue :* anglais (off.), espagnol. *Autre V. :* San* Fernando. *Unité monétaire :* dollar des Indes occidentales. *Orogr. :* L'île est constituée par une chaîne de faible altitude qui longe les côtes septentrionales, et du N. au S., par une plaine entrecoupée de collines aux versants couverts de forêts. Côtes à mangrove. Climat tropical et pluvieux. *Écon. :* L'agriculture, à l'exception de la canne à sucre, tient peu de place dans l'écon. du pays. Quelques plantations de café, bananes, cacao, agrumes. En revanche, le pays, riche en ressources minières, est fortement industrialisé. Pétrole et gaz naturel, raffineries de pétrole, pétrolochimie. Indus. sucrières, distilleries (rhum), fabriques de jus de fruits. Produits pharmaceutiques. Cimenteries. Les exportations se font en direction de la Grande-Bretagne et des États-Unis (rhum, dont le pays est l'un des plus grands exportateurs mondiaux). Le tourisme tient une large place dans l'économie. ♦ *Hist.* Découverte par Colomb en 1498, l'île fut occupée par les Espagnols en 1552. Puis les Anglais la conquirent (1797) et firent venir des Indiens des Indes orientales pour la main-d'œuvre. En 1888, annexion de Tobago* et formation de Trinité-et-Tobago (5 128 km²; 1 050 000 hab. en 1968). Entré en 1958 dans la Fédération des Indes occidentales, l'État obtint son indépendance en 1962, à la suite de la Jamaïque, dans le cadre du Commonwealth*, et devint une rép. en août 1976. Base navale américaine.

TRINITÉ (La). ♦ Anc. Trinité-Victor (La). Comm. des Alpes*-Maritimes, arr. de Nice*, sur le Paillon, 5 720 hab. Machines-outils.

TRINITÉ-PORHOËT [-pɔʀwɛt] **(La).** ♦ Ch.-l. de cant. du Morbihan, arr. de Vannes. 1 070 hab. Église (XIIe-XIVe-XVIe s.); maisons anciennes.

TRINITÉ-SUR-MER (La). ♦ Comm. du Morbihan, arr. de Lorient, sur la baie de Quiberon. 1 530 hab. – Port de pêche, port de plaisance, station balnéaire ; ostréiculture.

TRINO. ♦ V. d'Italie continentale, dans le Piémont (prov. de Verceil), sur la r. g. du Pô. 10 000 hab. – Centrale nucléaire.

TRIOLET (Elsa). ♦ Romancière française d'origine russe (Moscou, 1896 – Saint-Arnoult-les-Yvelines, 1970). Belle-sœur de Maïakovski* (dont elle a traduit un volume de *Vers et proses*), elle fut encouragée à écrire par Maxime Gorki. Après un voyage à Tahiti, puis à Berlin (à la suite de son premier mari, André Triolet), elle rencontra à Paris (1928) Louis Aragon* dont elle devint la compagne et l'inspiratrice. Depuis sa première œuvre en français, *Bonsoir Thérèse* (1938), Elsa Triolet a composé de nombreux ouvrages publiés « en dialogue » avec ceux d'Aragon (*Œuvres romanesques croisées,* à partir de 1964). « Tournés vers le soleil de la réalité et de son fantastique, l'inconnu, l'inconnaissable, l'inconcevable », ces romans s'attachent à analyser le devenir de l'homme, aux prises avec les problèmes politiques (Cf. les nouvelles de *Le premier accroc coûte deux cents francs,* 1944, imprégnées de l'aventure de la Résistance), et poursuivant la quête d'un bonheur douloureux, voire insaisissable (*Le Cheval blanc,* 1943). Cycle consacré au XXe s. et écrit à la lumière de ce « réalisme socialiste » où la peinture du monde capitaliste alimente la revendication révolutionnaire, *L'Âge de nylon* révèle l'inquiétude de l'auteur devant la fascination qu'exercent les machines sur ses contemporains (*Roses à crédit,* 1959), sa confiance cependant et son émerveillement devant l'évolution scientifique (*Luna-Park,* 1959), mais surtout son sentiment de la prééminence mystérieuse de l'âme humaine (*L'Âme,* 1963). Ce mystère de l'homme se trouve de nouveau évoqué dans *Le Grand Jamais* (1965), réflexion sur la vérité historique, le temps, l'amour et la mort, à laquelle fera écho *La Mise à mort,* d'Aragon (1965).

Triomphe de l'Amour (Le). ♦ Ballet de Lully sur des vers de Quinault et de Benserade (1681). Mlle de la Fontaine y dansa avec tant de grâce que, dès lors, les femmes furent autorisées à danser à l'Opéra.

Triomphes (Les), en it. **I Trionfi.** ♦ Œuvre de Pétrarque écrite à partir de 1352. Ce poème en tercets comprend six parties : l'Amour, dont triomphe la Chasteté, puis la Mort, qui triomphe de la Chasteté ; la Renommée qui triomphe de la Mort, le Temps qui triomphe de la Renommée et enfin l'Éternité ou la Divinité qui triomphe du Temps.

Tripitaka. *n. m.* (« Les Trois Corbeilles »). ♦ Nom donné au canon bouddhique des écoles du Sud, composé de textes relatifs à la discipline monastique (Vinâya), à la doctrine (Dharma) et à la vie du Bouddha. Il porte également le nom pâli de *Tipitaka.*

Triple-Alliance. ♦ V. ALLIANCE (Triple-).

Triple-Entente. ♦ V. ENTENTE (Triple-).

Triplice. ♦ V. ALLIANCE (Triple-Alliance).

TRIPOLI *(comté de).* ♦ État latin du Levant. Raymond de Saint-Gilles, qui s'empara de la ville de Tripoli en 1109, en fit le siège d'un comté latin gouverné par ses descendants : Bertrand (1109-1112), Pons (1112-1137), Raimond II (1137-1152), Raimond III (1152-1187). Les souverains de la maison d'Antioche qui leur succédèrent furent Bohémond IV (1187-1233), qui réunit le comté à la principauté d'Antioche en 1201, Bohémond V (1233-1251), Bohémond VI (1251-1275). Ce dernier s'allia aux Mongols, ce qui mécontenta les mamelouks qui prirent Antioche (1268) et le krak des Chevaliers (1271). L'héritière de Bohémond VII (1275-1287), Lucie, fut en butte à la révolte de la ville de Tripoli, qui fut prise par le sultan d'Égypte en 1289. Les Templiers se maintinrent à Tortose jusqu'en 1291. Le comté comprenait alors la chaîne libanaise et la vallée du haut Oronte.

TRIPOLI. ♦ V. et port du Liban, situé sur la Méditerranée au N. de Beyrouth. 175 000 hab. – Évêché. Vestiges du passé. La plaine littorale dont elle est le débouché borde la région de l'Akkar* et est riche en agrumes, vignes, oliveraies, canne à sucre. Important marché agricole. Indus. alimentaires (sucreries) et textiles, tanneries, manufacture de tabac. Aciérie et raffinerie de pétrole à el Mina*, son port.

TRIPOLI, en ar. **Tarabulus al-Gharb,** anc. **Tripoli de Barbarie.** ♦ V. et port de Libye*, une des cap. du pays, située sur la côte de l'anc. prov. de Tripolitaine*, au centre d'une oasis. 376 177 hab. Université (facultés et instituts scientifiques). École des arts et métiers. – Vestiges romains (arc de triomphe de Marc Aurèle). – Centre administratif et commercial. ♦ *Hist.* Colonie phénicienne puis romaine (Oea), cap. de la Tripolitaine* antique, elle fut conquise par les Vandales puis par les Byzantins, avant de passer sous la domination des Arabes (643) puis des Turcs de 1551 à 1911. À cette date, occupée par les Italiens, elle devint la cap. de la Libye. Pendant la Deuxième Guerre mondiale, base militaire importante de l'Axe, elle fut prise par la VIIIe armée de Montgomery* (23 janv. 1943) rejointe par celle de Leclerc* et resta sous administration britannique jusqu'en 1951. Elle devint alors la cap. du royaume indépendant de Libye. La république y fut proclamée en sept. 1969.

TRIPOLIS. ♦ V. de Grèce (Péloponnèse), au centre du plateau arcadien. Ch.-l. du nome d'Arcadie. Centre commercial. 20 120 habitants.

TRIPOLITAINE. *n. f.* ♦ Région du N.-E. de la Libye, bordant la Méditerranée et qui s'étend jusqu'au Fezzan* au sud. Plateau aride dominant la plaine côtière de la Djeffara. Céréales. Agrumes. Vignes. Tabac. — Îlots de population berbère. *V. et sites princ. :* **V. Leptis Magna, Sider** (El-) et **Tripoli.** ♦ *Hist.* Dès le ~ VIIIe s. les Phéniciens y fondèrent les comptoirs de Leptis* Magna, Oea (Tripoli) et Sabrata, au terminus des caravanes venues du Soudan. Occupée par les Romains (*fin* du ~ Ier s.) la province de Tripolitaine dépendit du vicaire d'Afrique (IIIe s.). Les Vandales l'envahirent (V[e]-VIe s.), puis, reconquise par les Byzantins (533), elle fut rattachée au diocèse d'Égypte, elle fut conquise par les Arabes à partir de 643. Les Berbères entrèrent en lutte contre les nouveaux conquérants et adhérèrent au khârijisme (IXe s.). Elle passa successivement aux Aghlabides* (IXe s.), aux Fâtimides (X[e]-XIe s.), aux Almohades (XIIe-XIIIe s.), mais connut également des dynasties indépendantes. Au XVIe s. les côtes tripolitaines passèrent sous le contrôle des corsaires turcs et Tripoli* devint le grand débouché maritime du Soudan et le principal centre d'échanges entre l'Afrique intérieure et l'Europe. Le tribut payé par les navires étrangers aux pachas de Tripoli fut à l'origine de plusieurs démonstrations des puissances européennes sur les côtes, et son augmentation entraîna même une guerre avec les États-Unis (1801-1805). En 1835, la Tripolitaine devint un vilayet de l'empire ottoman*. Les Italiens, qui avaient depuis la fin du XIXe s. des intérêts dans cette région, déclarèrent la guerre à la Turquie (nov. 1911) et occupèrent la zone côtière. Par le traité de Ouchy*-Lausanne (oct. 1912), la Turquie abandonna la Tripolitaine à l'Italie qui occupa l'intérieur y compris le Fezzan* (1913-1914). Mais à la suite de la déclaration de guerre de l'Italie à l'Autriche (20 mai 1915), les Italiens évacuèrent leur colonie (à l'exception de Tripoli et Homs) qui fut à nouveau occupée par les Turcs (1916). Après la guerre, les Italiens réoccupèrent le littoral et soumirent l'intérieur (**V. Fezzan**). En 1934, la Tripolitaine et la Cyrénaïque* furent réunies et formèrent la colonie italienne de Libye, incorporée à la métropole en janv. 1939. Au cours de la Deuxième Guerre mondiale, défendue par les troupes de Rommel*, elle fut conquise par la VIIIe armée britannique aux ordres du général (plus tard maréchal) Montgomery* (1943), secondée par les troupes françaises et africaines aux ordres du général Leclerc* venues du Fezzan*. Temporairement placée sous administration britannique, elle devint une province (auj. divisée en cinq prov.) du royaume indépendant de Libye* (1951).

TRIPTOLÈME, en gr. **Triptolemos.** ♦ Héros éleusinien associé au culte de Déméter* et de Perséphone. La déesse, reconnaissante de l'hospitalité du roi Céléos, confie au fils de celui-ci, Triptolème, la mission de parcourir le monde sur un char attelé de deux dragons et de semer partout le blé. Ce même héros est parfois considéré comme l'instaurateur des mystères d'Éleusis*. **V. Eumolpe.**

TRIPURA. *n. m.* ♦ Territoire indien situé entre l'Assam et le Bangla Desh et faisant partie de l'État fédéral d'Assam. 10 453 km². Env. 1 500 000 hab. Région couverte de jungles épaisses.

TRISSINO (Gian Giorgio). ♦ Écrivain italien (Vicence, 1478 — Rome, 1550). Exilé de Venise pour des raisons politiques, il voyagea en Allemagne et en Lombardie avant de connaître à Rome la faveur des pontifes Léon X, Clément VII et Paul III ; ceux-ci le chargèrent de différentes missions diplomatiques. Grammairien, il eut une influence considérable sur la littérature de son époque ; il exposa ses idées sur la réforme de l'alphabet italien dans sa *Lettre à Clément VII* (*Epistola a Clemente VII,* 1524) et demanda (à l'instar de Dante*, dont il édita le *De vulgaris eloquentia* en 1529) que la langue littéraire s'inspirât et s'enrichît des divers dialectes, dans son dialogue *Le Châtelain* (*Il Castellano,* 1529). Il prétendit, par son œuvre de poète et d'auteur dramatique, donner l'exemple de cette imitation de l'Antiquité qu'il préconisait dans ses ouvrages théoriques : sa *Sophonisbe* (*Sofonisba,* 1515), inspirée par les tragédies grecques et première pièce régulière, fut le modèle de la plupart des tragédies italiennes du XVIe siècle. Il voulut également doter l'Italie d'une épopée bâtie selon les règles d'Aristote en composant *L'Italie délivrée des Goths* (*L'Italia liberata dai Goti,* 1547-1548).

Trissotin. ♦ Personnage des *Femmes* savantes* (1672), de Molière. Son nom peut être traduit par « trois fois sot ». Bel esprit, le personnage a des idées sur tout : poésie, philosophie, astronomie même. Au cours de la pièce, il va se révéler hypocrite et coureur de dot : il veut épouser Henriette, la fille de Philaminte, et n'hésite pas à user de la menace. Molière, par vengeance personnelle, lui prête un sonnet de l'abbé Cotin*.

TRISTAM ou **TRISTÃO (Nuño).** ♦ Explorateur portugais du XVe s. ([mort] au Rio de Oro, 1447). Au service d'Henri le Navigateur (infant du Portugal), il explora les régions du Sahara, du Rio de Oro, atteignit en 1443 le banc d'Arguin*, et fut tué lors de sa troisième expédition.

TRISTAN. ♦ Héros de la légende médiévale, illustrée dans le *cycle breton* (**V.** *aussi* **Tristan et Iseult**). Il incarne l'amour-passion en lutte contre la société et que la mort elle-même ne peut dissoudre.

TRISTAN (Flore Célestine Thérèse TRISTAN-MORCOSO, dite **Flora).** ♦ Femme politique française (Paris, 1803 — 1844). Fille d'un noble péruvien et d'une Française, épouse du peintre A. Chazal (1821) et grand-mère de Gauguin, elle fut une des initiatrices françaises du féminisme, lutta pour le divorce et l'amour libre. Outre son ouvrage *Pérégrinations d'une paria* (1838), elle publia l'*Unité ouvrière* (1843) qui contribua à ouvrir la voie à un socialisme internationaliste.

TRISTAN DA CUNHA. ♦ Archipel situé au S. de l'océan Atlantique (à 37° 05' de latitude S. ; terres Australes*). L'île princ., d'une superficie de 209 km² env., culmine par un massif volcanique à plus de 2 000 m. Le climat y est relativement tempéré, mais pluvieux et venteux. Recouverte de prairies, à caractère tourbeux sur les hauteurs, l'île est une des seules parmi les terres Australes à posséder quelques arbustes. ♦ *Hist.* Découverte par le Portugais Tristão da Cunha* (1506), elle fut annexée par la Grande-Bretagne en 1816 [dépendance de Sainte-Hélène]. Une petite colonie (300 hab. env.), installée dans la bourgade d'Edinburgh et vivant de l'élevage (bœufs, porcs et moutons), de quelques cultures (pommes de terre) et de l'industrie de congélation des langoustes (firmes organisées par l'Union sud-africaine), dut être évacuée en 1961 en raison de la reprise de l'activité volcanique. Station météorologique installée en 1942.

Tristan et Iseult *(Légende de).* ♦ Légende médiévale celtique (vraisemblablement bretonne) qui fut reprise (*fin* XIIe s.) dans les deux poèmes français de Thomas* et de Béroul*. Elle inspira aussi Marie* de France et un prosateur anonyme du XIIIe s., ainsi que divers poèmes médiévaux allemands (dont le *Tristan und Isolde* de Gottfried de Strasbourg), italiens, etc. Dans les temps modernes, l'Angleterre (Matthew Arnold*, Tennyson*, Swinburne*), l'Italie (D'Annunzio*) et surtout l'Allemagne (Schlegel*, Wieland*) ont perpétué la légende (**V.** *ci-dessous* le **Tristan et Isolde** de Wagner*). — Victimes d'un philtre magique et unis par une passion fatale, *Tristan* et *Iseult* la blonde deviennent coupables envers Marc, roi de Cornouailles et généreux époux d'*Iseult,* puis envers la femme de *Tristan,* Iseult aux blanches mains. La mort seule réunira les amants.

Tristan et Isolde. ♦ Drame lyrique en trois actes, poème et musique de Richard Wagner* (Munich, 1865 ; Bruxelles, 1894 et Paris, 1900, dans la version française de V. Wilder). Composé entre 1854 et 1857, le poème de Wagner s'inspire librement de la

Ph. Cauboue

En haut : **Tristan et Iseult.**
En bas : le roi Marc surprend Tristan et Iseult.
« Roman de la poire », manuscrit du XIIIe s.
(Bibliothèque nationale, Paris.)

légende celtique de Tristan et Iseult, de Béroul (XIIe s.) dont Gottfried de Strasbourg (XIIIe s.) et ses successeurs Ulrich de Turkheim et Henri de Freisburg dégagèrent à leur tour une version courtoise. L'interprétation wagnérienne du mythe le plus célèbre de l'Occident médiéval a été marquée par l'influence de la philosophie de Feuerbach et de Schopenhauer, ainsi que par un récit de Schlegel, *Lucinde*, où se trouve affirmée l'identité du sentiment amoureux et de la révélation religieuse. Commencée à Zurich (1857), la composition de la partition se poursuivit à Venise et s'acheva à Lucerne (1859). — Sur la nef qui la conduit vers le roi Marke, son époux, Isolde découvre sa passion pour Tristan, qui a reçu mission de l'escorter. Passion partagée par Tristan qui aime Isolde d'un amour non moins violent, d'où une situation sans issue à laquelle les amants ne peuvent échapper que par la mort. Isolde invite Tristan à vider avec elle la coupe qui les délivrera de leur tourment, mais la servante Brangaine leur verse un philtre d'amour dont le charme, en les rendant à la vie, les enchaîne dans une commune exaltation amoureuse. Au comble de la félicité, ils aspirent à un anéantissement qui les affranchira des derniers liens terrestres et les unira à jamais dans la ténèbre infinie. Surpris par le roi Marke, Tristan se jette sur l'épée de Melot qui l'a trahi et tombe, grièvement frappé. Transporté dans le château de Kéréol, il revient à la vie, mais le désir éperdu de revoir Isolde renaît en lui. Il trouvera l'apaisement au retour d'Isolde et son agonie s'achève en transfiguration. Isolde le suit dans la mort et le roi Marke accourt en vain pour pardonner et unir les deux amants. — Poème de la souffrance et du renoncement, conçu par Wagner au lendemain de sa séparation d'avec Mathilde Wesendonck, *Tristan et Isolde* est l'expression d'une victoire et non d'une abdication. Type achevé du drame wagnérien, l'ouvrage est riche d'une partie orchestrale puissante dont le rôle évoque celui du chœur de la tragédie antique. Le style contrapunctique y apparaît pour la première fois avec la multiplicité de ses thèmes conducteurs, son chromatisme hardi et ses modulations si propres à suggérer tour à tour l'énergie, la langueur, la fascination de la mort et la toute-puissance du désir.

TRISTAN L'HERMITE. ♦ Homme politique français ([mort] après 1475). Après s'être illustré dans la lutte contre les Anglais sous Charles VI et Charles VII, il devint l'un des principaux conseillers de Louis XI et se montra implacable dans l'application de l'absolutisme.

TRISTAN L'HERMITE (François, dit**).** ♦ Poète, auteur dramatique et romancier français (Marche, v. 1601 — Paris, 1665). Il raconta sa jeunesse aventureuse dans un spirituel roman autobiographique, *Le Page disgracié* (1643). On lui doit des recueils poétiques, dont *Les Plaintes d'Acante* (1633), riche d'un lyrisme inspiré par le sentiment de la nature, et *Les Amours* de Tristan* (1638) où se trouve l'ode fameuse *le Promenoir des deux amants.* Ce recueil est d'une inspiration variée : pièces burlesques, poésies descriptives, mais surtout plaintes amoureuses, délicatement exprimées en des vers très musicaux. Son œuvre dramatique comprend notamment une comédie, *Le Parasite* (1656), et sa tragédie en vers *Marianne* (1636), peinture pathétique d'une passion, dont le succès mérité balança celui du *Cid* de Corneille*. (Acad. fr.)

Tristes (Les) [*Tristia*]. ♦ Recueil d'élégies sous forme de lettres en cinq livres écrits par Ovide* à ses amis durant son exil à Tomes*.

Tristam Shandy (Vie et Opinions de). ♦ Œuvre en neuf volumes de Laurence Sterne*, publiée entre 1760 et 1767. Roman d'*opinion* et non d'aventures comme les romans contemporains qu'il parodie, cet ouvrage, dont le héros n'apparaît qu'au milieu, se présente comme une suite de digressions au cours desquelles l'auteur se laisse aller au gré de l'association des idées à aborder tous les thèmes, exploitant une culture étendue : l'amour, l'éducation, la précocité des enfants, la France, les vêtements des Romains, le temps psychologique. De la même façon, personnages et intrigues secondaires fourmillent et se greffent sur l'intrigue principale, elle-même assez lâche. L'ensemble obéit cependant à une logique interne qui, jointe à l'humour, à la variété du ton et à la perspicacité de l'auteur, rend sa lecture attachante. Par la liberté et le recul de l'auteur, ce roman peut être considéré comme un précurseur de l'évolution du genre au XXe siècle.

TRITH [tʀi]**-SAINT-LÉGER.** ♦ Comm. du Nord, dans l'arr. et l'aggl. de Valenciennes, sur l'Escaut. 7 612 hab. Indus. **V. Valenciennes.**

TRITON. ♦ Dieu marin grec, fils de Poséidon* et d'Amphitrite*. On le représente comme un homme dont le corps se termine par une queue de poisson et souvent en train de souffler dans une conque. Parfois c'est le dieu du lac *Tritonis* en Libye, père de Pallas*, la jeune compagne de jeux d'Athéna. Plus tard, il se multiplie : les tritons font partie du cortège de Poséidon.

TRIVANDRUM. ♦ V. de l'Inde, cap. de l'État du Kerala et anc. cap. du Travancore*. 360 000 hab. (452 000 aggl.). — Centre artisanal et indus. (sucre, caoutchouc, produits chimiques) et centre culturel de langue malayâlam.

Trivelin, en it. **Trivellino.** ♦ Type de la comédie italienne, introduit à Paris vers 1650. Valet d'intrigue, sorte d'Arlequin moins subtil, mais plus malhonnête. Les deux grands interprètes du personnage furent Domenico Locatelli, au XVIIe s., et François Biancolelli, dit Dominique, sous la Régence.

TRIVULCE (Giangiacomo Trivulzio, *marquis de* **Vigevano,** dit en France). ♦ Maréchal de France (Milan, v. 1441 — Arpajon, 1518). Issu d'une vieille famille milanaise, il contribua à la conquête du Milanais par les Français (1499), fut nommé gouverneur, se rendit très impopulaire, mais s'empara de Ludovic* le More (1500) et eut un rôle déterminant à Agnadel* (1509) et à Marignan* (1515). ♦ TEODORO TRIVULCE, son neveu (1456 — 1531). Maréchal de France, il devint, sous François Ier, gouverneur de Milan, puis de Gênes dont il fut chassé par Andrea Doria*.

Coll. Rui Nogueira

Image du film de **Jiří Trnka** « La Main ».

TRNAVA. ♦ V. de Tchécoslovaquie, en Slovaquie-Occidentale, sur la *Trnava*. 38 000 hab. (1970). Carrefour ferroviaire. Université. La ville conserve plusieurs églises gothiques et baroques et des maisons de style Renaissance. Musée régional. — Centre d'une riche région agricole, Trnava possède de nombreuses indus. alimentaires (raffineries de sucre, malteries, distilleries). Institut de recherche agronomique.

TRNKA (Jiří). ♦ Réalisateur tchèque de cinéma (Plzeň, 1912 — Prague, 1969). Il fut peintre et illustrateur de livres pour enfants, puis décorateur et maquettiste de théâtre. Cependant, fidèle à l'art de la marionnette qui est l'une des expressions les plus authentiques du génie populaire tchèque, il fonda à Prague le *Théâtre de bois* (1936). Grand poète de l'image, devenu le maître d'une technique éblouissante, il devait, en quelque vingt années, rénover en Europe le cinéma d'animation et créer de toutes pièces le film de marionnettes (auxquelles il alla parfois jusqu'à substituer des sculptures animées). Réal. princ. : Le Cadeau (*Darek*, 1946), Le Rossignol de l'empereur de Chine (*Císařuv Slavík*, 1949), Prince Bayaya (*Princ Bajija*, 1950), Vieilles Légendes tchèques (*Stare Povest Ceskè*, 1953, *Le Brave Soldat Švejk*), Le Songe d'une nuit d'été (*Sen Noci Svato janské*, 1959).

TROADE. *n. f.*, en gr. **Trôas.** ♦ Anc. région à l'extrémité N.-O. de l'Asie Mineure (Mysie). Elle s'étendait autour de Troie*, entre l'Hellespont, la mer Égée, le golfe d'Edremit et le mont Ida* et était arrosée par le Scamandre* (l'actuel Küçük Menderes) et le Simoïs. Enserrée par l'Éolide* grecque, elle fut hellénisée après la chute de Troie et prit aussi le nom de *Dardania,* de Dardanos*, l'un des fondateurs légendaires de cette cité.

TROBRIAND *(îles)*, en angl. **Trobriand Islands.** ♦ Archipel situé au N. des îles d'Entrecasteaux* et dépendant de l'Australie (*territoire de Papua.* **V. Nouvelle-Guinée**). — B. Malinowski* y fit d'importantes recherches anthropologiques.

TROCADERO. ♦ Localité d'Espagne, proche de Cadix, où se trouvaient les positions fortifiées (fort Luis, fort de Matagorda) défendant la ville. Le 31 août 1823, le corps expéditionnaire français commandé par le duc d'Angoulême enleva ces positions aux insurgés espagnols.

Trocadéro *(palais du)*. ♦ **V.** CHAILLOT *(palais de).*

TROCHU (Louis Jules). ♦ Général français (Le Palais, Belle-Île-en-Mer, 1815 — Tours, 1896). Après avoir servi en Algérie, en Crimée (1854-1855), en Italie (1859), il fut nommé général de division au ministère de la Guerre (1866), mais disgracié en 1867 après la publication d'un ouvrage sur *L'Armée française en 1867.* Gouverneur de Paris (17 août 1870), il présida le gouvernement de la Défense* nationale constitué le 4 septembre 1870 après la proclamation de la déchéance de Napoléon III et fut chargé d'assurer la défense de la capitale, fonction qu'il assuma avec une certaine passivité. Il fut contraint de démissionner, en faveur de Vinoy*, le 22 janvier 1871. Député orléaniste à l'Assemblée nationale (1871), il se retira de la vie politique dès 1872.

TROELTSCH (Ernst). ♦ Philosophe allemand (Haunstetten, près d'Augsbourg, 1865 — Berlin, 1922). Son interprétation du christianisme (*L'Absolutisme du christianisme et l'histoire de la religion,* 1902) et sa philosophie de l'histoire qui tente d'expliciter l'unité du devenir à travers chaque culture et ses valeurs (*L'Historisme et ses problèmes,* 1922) le rattachent à l'école de Bade **(V. Néo-kantisme)** et à l'historisme de Dilthey*.

TROGHODHOS. *n. m.*, en gr. **Troodos.** ♦ Massif volcanique de Chypre (l'ancien Olympe), occupant la partie S.-O. de l'île et limitant au S. la plaine de Mésorée*. (1 953 m.) Mines de cuivre, d'amiante et de chrome.

TROIE, en gr. **Troia** ou **Ilion**, en lat. **Ilium**. ♦ Anc. V. du N.-O. de l'Asie Mineure, située près de la côte égéenne (5 km) à l'entrée de l'Hellespont. Cap. de la Troade*, bâtie sur une colline entre le Scamandre* et le Simoïs (actuelle localité de Hissarlik), elle occupe une place privilégiée dans la légende, la littérature et l'archéologie. ♦ *La légende grecque*. Selon la tradition grecque, l'anc. cité résultait de la fusion des trois villes successives : *Dardania*, fondée par Dardanos* qui, venu de Samothrace, succéda à Teucer*; *Troie*, fondée par Tros, petit-fils de Dardanos et père de Ganymède* *Ilion*, fondée par Ilos, fils de Tros. Sous le règne de Laomédon*, fils d'Ilos, Poséidon bâtit les murs de la ville, mais offensé par le roi envoya un monstre qui dévorait ses habitants. Héraclès* tua le monstre et libéra Hésione*, la fille du roi, mais, celui-ci lui ayant refusé sa récompense, il s'empara de la ville et tua la famille royale à l'exception d'Hésione et de Priam*, le dernier fils de Laomédon. ♦ La *guerre de Troie*, relatée originalement dans *L'Iliade** et *L'Odyssée**, est au centre du cycle troyen. À son origine, il y eut l'enlèvement d'Hélène*, épouse du roi de Sparte Ménélas*, par le prince troyen Pâris*, aidé par Aphrodite* qu'il avait préférée à Héra et à Athéna en lui décernant la pomme d'or. Les Achéens*, pour laver l'outrage, rassemblés d'abord à Aulis*, débarquèrent en Troade et assiégèrent la cité de Priam. Les plus célèbres des chefs grecs, sous le commandement d'Agamemnon*, roi de Mycènes, étaient Achille*, chef des Myrmidons*, Ménélas, les deux Ajax*, Ulysse*, Idoménée*, Diomède*, Nestor*, Palamède*, Patrocle*, Philoctète*, Teucer*. **V. Calchas, Stentor, Pyrrhos** (ou **Néoptolème**), **Télèphe.** Du côté des Troyens, le plus vaillant guerrier était Hector*, fils de Priam. **V. Anténor, Éetion, Memnon, Sarpédon, Penthésilée** (l'Amazone), et *aussi* **Briséis, Chryséis.** Au bout d'un siège de dix ans, les Grecs s'emparèrent de la ville grâce au stratagème du *cheval de Troie*, gigantesque construction en bois cachant des guerriers qui, introduits dans l'enceinte de Troie, en ouvrirent les portes à leurs compagnons d'armes. **V. Cassandre, Laocoon.** Le drame fut consommé par l'incendie de la ville, le massacre des hommes et la réduction des femmes à l'esclavage. **V. Hécube, Andromaque, Créüse, Astyanax, Hélénos.** Par les descendants d'Énée*, fils d'Anchise*, qui se réfugia en Italie, le cycle troyen rejoint la tradition des origines troyennes des Romains. **V. Ascagne, Nisus** et **Euryale,** et *aussi* **Énéide.** Cf. *La légende de l'origine troyenne de Pharamond, premier roi franc demi-légendaire.* ♦ *Hist.* L'historicité de la légende de Troie, jamais mise en doute dans l'Antiquité, fut longuement discutée ainsi que la « question homérique ». Depuis 1871, les recherches archéologiques ont établi l'existence d'une ville préhistorique remontant à la fin du néolithique égéen (v. ~ 3000). Située au carrefour des routes commerciales reliant l'Asie à l'Europe, mais aussi au passage des grandes migrations indo-européennes, cette ville fut plusieurs fois détruite, relevée et repeuplée. Sa prospérité au ~ IIe millénaire, attestée par les traces de la civilisation troyenne retrouvées jusqu'au centre de l'Asie Mineure (notamment la poterie rouge polie à la main), attirait les peuples repoussés par l'invasion dorienne de la Grèce. L'expédition des Achéens et des Éoliens (~ 1193-~ 1184, selon la tradition) précédait probablement la première vague de colonisation de la côte égéenne de l'Asie Mineure. Après sa destruction, peuplée peut-être par des Éoliens v. ~ 700, la ville apparaît dans l'histoire à l'époque hellénistique sous le nom d'*Ilion*. Alexandre le Grand lui accorda des privilèges (~ 334) et Lysimaque réalisa en partie les projets du conquérant en élargissant l'enceinte de la ville. Passée ensuite des Séleucides aux rois de Pergame, ravagée par les Gaulois (~ IIIe s.), elle fut prise et incendiée par les Romains en ~ 85. Reconstruite en partie par Sylla et appelée *Ilium novum*, elle ne retrouva jamais sa prospérité. Sous la domination turque depuis 1306, la ville, ruinée, fut envahie par la végétation. – *Archéol.* Les fouilles entreprises de 1871 à 1890 par l'archéologue allemand H. Schliemann* – qui a localisé le site de Troie – et poursuivies après sa mort par son collaborateur W. Dörpfeld* (1893-1894) ont attesté neuf couches des fondations correspondant à neuf villes successives désignées par des numéros indicatifs : *Troie I, Troie II*, etc. Parmi les cinq premières villes dont la continuité culturelle durant tout le ~ IIIe millénaire (âge de l'ancien bronze) et la parenté avec la civilisation cycladique prémycénienne semblent être établies, les plus importantes étaient *Troie I* et *Troie II*. Schliemann (en 1873) avait cru identifier cette dernière, détruite pourtant au début du ~ IIe millénaire, avec la ville homérique. De nouvelles données (depuis 1890) ont amené Dörpfeld à identifier *Troie VI* avec la cap. de Priam. Cette ville, la plus importante des neuf, fut habitée par un peuple indo-européen, participant au même mouvement de migration qui déferla en Grèce v. le début du ~ IIe millénaire et qui créa la civilisation égéenne (**V. Égée,** mer). À l'intérieur d'une puissante enceinte de type mycénien s'étageaient des maisons bâties en terrasse que dominait un palais (totalement détruit lors des travaux de nivellement entrepris par les Romains). Après de nouvelles fouilles exécutées par une mission de l'université de Cincinnati (1932-1938), l'hypothèse de Dörpfeld fut mise en doute puisque la date approximative de la destruction de cette ville (~ 1300) et la nature du désastre (tremblement de terre) ne correspondaient pas aux événements racontés par Homère. Selon les archéologues américains, si jamais telle ville exista, elle doit être reconnue au niveau de *Troie VII a*, ville élevée sur les ruines de *Troie VI* et détruite par le feu vers ~ 1250 ou ~ 1200. Dans ce cas, la date traditionnelle de la guerre de Troie (~ 1193-~ 1184), basée sur les généalogies des familles royales grecques, composées par Ératosthène, devrait être rectifiée. Enfin, *Troie VIII* est la ville hellénistique et *Troie IX* la ville romaine.

Arch. Rencontre
Vieilles maisons à **Trondheim.**

TROIE *(Roman de)*. ♦ **V.** Roman de Troie.

Troïlus et Cressida. ♦ Pièce en cinq actes de Shakespeare (v. 1601), tirée de Chaucer et de *L'Iliade*. Fils de Priam, le Troyen Troïlus aime la Grecque Cressida, fille de Calchas; mais bientôt Cressida préfère au modeste Troïlus le héros Diomède. Troïlus mourra de chagrin dans la guerre où Troie va s'écrouler. Dans le cours de cette mince intrigue s'insèrent une suite de scènes burlesques où apparaissent, sous le jour le moins flatteur, les héros célébrés par Homère. Ainsi, la lâcheté d'Achille, l'impudence de Thersite surprennent autant le spectateur que la perplexité des Troyens qui se demandent s'il vaut la peine d'endurer tant de souffrances pour la seule beauté d'Hélène. Seuls sont épargnés par le poète, dans cette pièce sarcastique, Ulysse et Hector.

Trois Contes. ♦ Recueil (1877) où Gustave Flaubert*, en trois récits, illustre les différents aspects de son talent. Dans *Un cœur simple*, l'auteur fait « le récit d'une vie obscure, celle d'une pauvre fille de campagne [...] Elle aime successivement un homme, les enfants de sa maîtresse, un neveu, un vieillard qu'elle soigne, puis son perroquet ». Écrit à l'instigation de George Sand*, ce conte réaliste frappe par la discrétion de l'analyse et la perfection de l'écriture. *La légende de saint Julien l'Hospitalier*, inspirée à Flaubert par un vitrail de la cathédrale de Rouen, évoque la splendeur mystique du Moyen Âge, où le réalisme le plus quotidien se pare d'une lumière surnaturelle. **V. Julien l'Hospitalier.** *Hérodias* s'attache à faire revivre le monde judéo-chrétien, en animant les données archéologiques les plus précises par l'évocation imaginaire de l'atmosphère sociale et religieuse de la Palestine, à partir d'une intrigue s'inspirant de la mort de saint Jean*-Baptiste.

TROIS-ÉVÊCHÉS (Les). ♦ Nom donné à Metz*, Toul* et Verdun*, qui furent annexées par Henri II en 1552. Leur possession fut reconnue à la France par le traité de Westphalie (1648).

Trois Mousquetaires (Les). ♦ Roman historique d'Alexandre Dumas* père (1844). Quatre gentilshommes, mousquetaires du roi Louis XIII, très dissemblables de caractère (*Athos* dissimule un noble désespoir; *Aramis* se montre subtil et intrigant, au contraire de *Porthos*, géant débonnaire; *d'Artagnan** est un Gascon courageux et rusé), manifestent un goût commun pour l'action généreuse. Dans leur lutte contre le calcul et la ruse politiques des agents de Richelieu, ils connaîtront de nombreuses aventures, rencontrant l'angélique *Constance Bonacieux* ou la diabolique *Milady*. Le succès de cette œuvre originale et mélodramatique fut tel qu'Alexandre Dumas lui donna pour suite *Vingt Ans après* (1845) où il évoque les événements de la Fronde et les intrigues de Mazarin, puis *Le Vicomte de Bragelonne* (1848-1850) où apparaissent encore les héros, vieillis, et le fils d'Athos, durant les premières années du règne de Louis XIV.

TROIS-RIVIÈRES. ♦ V. du Canada (Québec), sur le Saint-Laurent, au confluent de la riv. Saint-Maurice, entre Montréal et Québec. 64 000 hab. (1971). – Évêché catholique. Imprimeries. Métallurgie de l'aluminium. Indus. chimiques. Vêtement. – Port actif (bois, grain, amiante). – Branche de l'univ. du Québec.

TROIS-VALLEES. ♦ Vallées du Doron de Belleville, du Doron des Allues et des torrents de Saint-Bon en Tarentaise* dans le dép. de la Savoie*; elles sont équipées pour les sports d'hiver. Princ. stations : Méribel*, Courchevel*, Les Menuires*.

TROLLHÄTTAN. ♦ V. de Suède, sur le fl. Göta* Älv, au N. de Göteborg*. 48 390 hab. – Pont suspendu (le plus grand de Scandinavie). Sa centrale hydro-électrique, alimentée par les *chutes de Trollhättan*, en a fait un centre indus. (indus. électrochimiques et électrométallurgiques, constructions mécaniques).

TROLLOPE (Anthony). ♦ Romancier anglais (Londres, 1815 – *id.*, 1882). Les romans qui lui valurent le succès et forment la partie la plus vivante de son œuvre étaient inspirés par les milieux religieux (*Le Pasteur,* 1855; *Les Tours de Barchester,* 1857; *Le Docteur Thorne,* 1858; *La Cure de Framley,* 1867; *La Dernière Chronique de Barset,* 1867). Sa peinture, objective mais empreinte d'un humour bienveillant, était davantage fondée sur l'intuition que sur une réelle expérience; elle parvint cependant à restituer avec une vigueur savoureuse l'atmosphère provinciale, créant des personnages hauts en couleur et décomposant les mécanismes sociaux. La diversité de son talent lui fit également aborder le genre du roman psychologique, satirique et politique (*Phineas Finn,* 1869; *Le Premier ministre*), avec un égal souci de réalisme.

TROMP (Marten Harmenszoon). ♦ Amiral hollandais (Brielle, 1597 – Ter Heide, 1653). Il remporta des victoires capitales sur l'Espagne : Gravelines*, les Dunes*, 1639. Il battit l'Angleterre près de Douvres (1652), mais fut vaincu à Portland (1653) et fut tué en combattant Monk*. ♦ CORNELIS, fils du précédent (Rotterdam 1629 – Amsterdam, 1691). Vice-amiral en 1653, il battit les Anglais à Dunkerque sous les ordres de Ruyter* et obtint d'importants succès sur la flotte franco-anglaise et la flotte suédoise (Öland, 1676).

TROMSØ. ♦ V. et port de Norvège septentrionale, sur une île du *fjord de Tromsø* (important pont suspendu). Ch.-l. du comté de Tromsø. 39 960 hab. (1971). – Aéroport. Institut de géophysique et de météorologie, observatoire (étude des aurores boréales). Musée polaire. – Importantes activités commerciales (avec le Spitzberg* et le Finnmark*). Exportation de poissons et dérivés, de fourrures. Conserveries.

TRONCHE (La). ♦ Comm. de l'Isère, dans l'arr. et la banlieue E. de Grenoble*. 8 459 hab. Hôpital de Grenoble.

TRONCHET (François Denis). ♦ Juriste et homme politique français (Paris, 1726 – *id.,* 1806). Bâtonnier des avocats avant la Révolution, il fut élu député du Tiers État aux États généraux (1789) et fut membre de la commission de réforme de la jurisprudence criminelle. Défenseur de Louis XVI devant la Convention (déc. 1792 – janv. 1793), il parvint à se cacher sous la Terreur. Membre du Conseil des Anciens (1795), président du Tribunal de cassation, il fut choisi par Bonaparte pour faire partie de la commission de préparation du Code civil (1800). Sénateur (1801), il prit position contre le consulat à vie.

TRONCHIENNES, en néerl. **Drongen.** ♦ Comm. de Belgique, à 5 km à l'O. de Gand (Flandre-Orientale). 8 100 hab. Château de Ter Beken (1748). Indus. textiles.

TRONCHIN (Jean Robert). ♦ Homme politique suisse (Genève, 1710 – Rolly, 1793). Il voulut justifier la condamnation de l'*Émile* et du *Contrat social* de Rousseau par le Grand Conseil de Genève dans un pamphlet (*Lettres écrites de la campagne*) auquel Rousseau répliqua par les *Lettres de la Montagne.*

TRONDHEIM. ♦ V. et port de la côte O. de Norvège, au bord du *Trondheim Fjord.* Ch.-l. du comté de *Sør-Trøndelag* et deuxième ville du pays. 129 133 hab. (1971). École polytechnique. Siège de la Société royale des sciences. Aéroport. – Ville essentiellement commerçante, Trondheim possède encore de grands magasins de bois aux toits élevés. Cathédrale imposante, de style gothique, où sont encore couronnés les rois norvégiens. Forteresse de Kristiansten (XVIIe s.). Musée de plein air. – Port de pêche, de commerce et de voyageurs (vers la Suède et le nord du pays). Centre indus. : chantiers navals, conserveries (poisson), indus. du bois (papeteries), indus. métallurgiques, mécaniques et textiles. Fabriques de chaussures. – Patrie du compositeur C. Sinding. ♦ *Hist.* Fondée en 995 par Olav Ier Trygvesson, elle fut d'abord appelée Nidaros. Ce fut la capitale de la Norvège jusqu'en 1380 et la principale ville catholique jusqu'à la Réforme. En 1681, elle fut détruite par un incendie. Elle servit de base navale aux Allemands durant la Deuxième Guerre mondiale.

TRONSON DU COUDRAY (Guillaume Alexandre). ♦ Avocat français (Reims, 1750 – Sinnamary, Guyane, 1798). Désigné comme défenseur de Marie*-Antoinette, il fut emprisonné sous la Terreur. En 1795, il était député aux Anciens; il fut déporté en Guyane après le 18 Fructidor en raison de ses opinions royalistes.

TRONTO. *n. m.* ♦ Riv. d'Italie péninsulaire (93 km). Née au pied du Gran Sasso, elle irrigue les Marches* et se jette dans l'Adriatique.

TRONVILLE-EN-BARROIS. ♦ Comm. de la Meuse, arr. de Bar-le-Duc. 2 229 hab. Textiles synthétiques.

TROPHONIOS. ♦ Héros béotien d'origine obscure. La tradition en fait un architecte, auteur du premier temple d'Apollon à Delphes, du temple de Poséidon à Mantinée et d'autres constructions archaïques. Il disposait d'un oracle dans une fissure du sol près de Lébadée. Le consultant, après purifications et sacrifices, était englouti dans des profondeurs souterraines et, là, recevait la révélation par des visions et des voix que les prêtres interprétaient ensuite.

TROPPAU. ♦ Anc. nom allemand d'Opava* (Tchécoslovaquie). ♦ *Hist.* Anc. cap. de la Silésie autrichienne. Le *congrès de Troppau* réunit du 20 oct. au 30 déc. 1820 les cinq puissances européennes de la Sainte-Alliance (Autriche, France, Grande-Bretagne, Prusse et Russie) qui, face à l'extension des troubles révolutionnaires au Portugal, en Espagne, à Naples et à Turin, décidèrent de « mettre un frein, soit par la médiation, soit par la force, aux nouvelles calamités qui menaçaient l'Europe ». Le congrès ayant été ajourné, ses travaux se poursuivirent à Laibach*.

TROS. ♦ Héros éponyme de Troie* et l'un des fondateurs mythiques de la ville. Son fils cadet Ganymède* est enlevé par Zeus qui, en compensation, lui donne deux chevaux divins.

TROTSKI (Lev Davidovitch Bronstein, dit **Léon).** ♦ Théoricien et homme politique russe (Ielisavetgrad, auj. Kirovograd, 1879 – Coyoacán, Mexique, 1940). Issu de la bourgeoisie israélite, il milita alors qu'il était étudiant dans le mouvement révolutionnaire. Arrêté (1898) et déporté en Sibérie, il s'évada et gagna l'Angleterre (1902) sous le nom de Trotski. Collaborateur à la revue *l'Iskra* (**V. Lénine,** 1902), il opta pour la fraction menchevik (**V. Martov,** 1903). En 1905, il participa à la révolution à Saint-Pétersbourg, et, dès cette époque, formula sa théorie de la révolution permanente; selon lui « la révolution russe n'aboutira à la victoire qu'en transférant le pouvoir à la seule classe capable de se tenir à la tête des masses exploitées, le prolétariat », et en se transformant en une révolution du prolétariat européen. Exilé, il parvint à nouveau à s'évader, et s'installa en Autriche où il fonda le journal *Pravda* (« la Vérité », 1908). Dans sa lutte pour l'unité de la social-démocratie russe, il constitua une coalition antibolchevique (bloc d'août, 1912). Dès 1914, il affirma son opposition à la guerre mondiale; et, après des séjours mouvementés dans plusieurs pays, il revint en Russie (1917) et rejoignit alors les bolcheviks. Après la révolution d'octobre 1917, il devint commissaire du peuple aux Affaires étrangères; il se prononça pour l'interruption de la guerre, tout en refusant de signer la paix, espérant ainsi gagner du temps et favoriser le développement du mouvement révolutionnaire en Allemagne. L'offensive des troupes allemandes l'obligea à se plier à la position de Lénine; mais il quitta la direction de la diplomatie après la signature de la paix de Brest-Litovsk (mars 1918). Commissaire du peuple à la Guerre, il organisa l'armée rouge (1918-1920), puis les armées du travail (1920). Hostile à la N.E.P., il préconisa la poursuite du communisme de guerre. Après la mort de Lénine, il s'opposa de plus en plus nettement à Staline*, dont il dénonça particulièrement la politique d'édification du socialisme dans un seul pays; il fut bientôt rejoint par Zinoviev* et Kamenev* (1925). Démis de ses fonctions (1925), exclu du Parti (1927), déporté dans le Kazakhstan, puis expulsé d'U.R.S.S. (1929), il vécut à Constantinople, en France, en Norvège, enfin au Mexique, ne cessant de lutter contre la politique de Staline et fondant la IVe Internationale qui regroupait ses partisans. Il mourut assassiné par un agent stalinien, J. Mornard (1940). Le trotskisme, qui compte des partisans dans plusieurs pays (Ceylan, Espagne, États-Unis, France, etc.), suscite encore les réactions les plus passionnelles. Œuvres princ. : *Défense du terrorisme,* 1920; *Les Questions essentielles de la révolution,* 1922; *Ma vie,* 1929; *Histoire de la révolution russe,* 1931-1933; *La Révolution trahie,* 1937; *La Révolution permanente,* trad. fr. 1964.

TROUBETSKOÏ ou **TRUBETSKOÏ.** ♦ Famille princière russe, qui doit son origine au grand-duc de Lituanie Olgierd (XIVe s.). ♦ *Le prince* DIMITRI TROUBETSKOÏ, après avoir combattu les Polonais, refusa le trône et appuya Michel III Fédorovitch Romanov, qui fut élu tsar en 1613. ♦ ALEXIS NIKITITCH TROUBETSKOÏ signa avec l'hetman des Cosaques Khmelnitski le traité qui mit fin à la guerre civile en Ukraine (1659). ♦ *Le prince* VASSILI SERGHEÏEVITCH TROUBETSKOÏ (1773-1841) devint aide de camp d'Alexandre Ier Pavlovitch et prit part aux campagnes de l'Empire. ♦ SERGHEÏ TROUBETSKOÏ fut l'un des chefs de l'insurrection manquée des décabristes (1825); exilé en Sibérie, puis gracié par Alexandre II, il mourut en 1861. ♦ *Le prince* PIOTR TROUBETSKOÏ prit part à la guerre de Pologne (1831); nommé lieutenant général en 1844, il devint gouverneur de Smolensk, puis membre du Sénat à Saint-Pétersbourg.

TROUBETZKOY (Nicolas Sergueievitch) [*Trubetskoj*]. ♦ Linguiste russe (Moscou, 1890 – Vienne, 1938). D'une grande famille, fils d'universitaire, Nicolas Troubetzkoy fut d'une étonnante précocité intellectuelle. Passionné d'ethnographie, il se tourna vers la linguistique parce que les méthodes lui en parurent plus scientifiques. Il étudia un an à Leipzig et soutint une thèse sur le futur en indo-européen (1916). En 1917, le linguiste Serge Karcevski, formé à Genève, l'initia à la pensée de Saussure*. La Révolution l'incita à partir pour Rostov, puis Istanbul, Sofia (1920-1922) et Vienne, où il enseigna. Depuis 1920, il était en contact scientifique avec Roman Jakobson* et, en 1928, les deux linguistes adhérè-

Ph. PSZ/Ricciarini
Léon Trotski.

Ph. A.P.N.
Nicolas S. Troubetzkoy.

rent au *Cercle linguistique de Prague ;* leur action commune et leurs théories s'exprimèrent aux congrès internationaux de linguistique, à partir de 1928. De santé fragile, Troubetzkoy, persécuté puis chassé de son poste par les nazis en 1938, mourut peu après. – Troubetzkoy est avec Jakobson le créateur de la phonologie ou phonétique fonctionnelle, préparée notamment par Baudoin* de Courtenay, et a donné la définition du *phonème,* unité ultime et support de toutes les oppositions distinctives. Reprenant et condensant ses travaux antérieurs, ses *Principes de phonologie* (posth., 1939 ; trad. fr., 1949) constituent l'un des ouvrages méthodologiques majeurs de la linguistique moderne.

TROUMOUSE *(cirque de).* ♦ Cirque des Hautes-Pyrénées* à l'E. du Marboré (entre Gèdre et Gavarnie*). Le cirque est fermé par une muraille calcaire qui s'élève de 1 000 à 3 086 m (pic de Troumouse) et 3 150 m (pic de la Munia).

TROUSSEAU (Armand). ♦ Médecin français (Tours, 1801 – Paris, 1867). Élève de Bretonneau*, il enseigna la thérapeutique (1839), puis la clinique médicale (1852). Il publia (avec Pidoux) un *Traité de thérapeutique* et surtout ses célèbres *Cliniques médicales de l'Hôtel-Dieu.*

Trouvère (Le). ♦ Opéra de Verdi* sur un livret de Cammarano inspiré du *Troubadour (El Trovador)* de García* Gutiérrez (1853). Un des fils du comte de Luna a été enlevé enfant, et son frère, l'actuel comte de Luna, aime Éléonore, elle-même éprise du troubadour Manrique. Éléonore, qui croit que Manrique a été tué, se retire dans un couvent. Mais Manrique, revenu, l'enlève. Le comte, pour se venger, fait alors enlever la mère de Manrique, une gitane, et arrêter le trouvère. Éléonore promet au comte d'être à lui s'il libère Manrique, mais elle s'empoisonne. Le comte de Luna ayant fait décapiter le trouvère, la gitane lui révèle alors que celui-ci était son frère. Les récitatifs et les airs de l'opéra sont d'une grande intensité dramatique, ainsi que le chœur final (« Miserere »).

TROUVILLE-SUR-MER. ♦ Ch.-l. de cant. du Calvados*, arr. de Lisieux*, à l'embouchure de la Touques*, sur la Manche*, 6 577 hab. *(Trouvillais).* Station balnéaire proche de Deauville ; port de pêche et de commerce.

TROWBRIDGE. ♦ V. du S. de l'Angleterre (Wiltshire), à 50 km au N.-O. de Salisbury. 15 850 hab. Église de style gothique perpendiculaire (XVe s.), maisons du XVIIIe siècle. – Centre commercial et industriel : textiles et produits alimentaires.

TROY (François *de***).** ♦ **V.** De Troy *(François).*

TROY. ♦ V. des États-Unis, dans l'État de New York, sur la r. g. de la riv. Hudson, à sa confluence avec la Mohawk. 67 492 hab. (1960). Située au N. d'Albany, elle forme une partie de la zone urbaine Albany*-Schenectady-Troy.

TROYAT (Lev TARASSOV, dit Henri). ♦ Romancier, essayiste et auteur dramatique français (Moscou, 1911). D'origine russe, fixé en France en 1920, il aborda la littérature en 1934 avec *Faux Jour* que suivent *L'Araigne* (1938) et les nouvelles de *La Fosse commune* (1939), récits placés sous le signe d'un fantastique assez noir. Grand admirateur de Dostoïevski et de Tolstoï (auxquels il a consacré de monumentales biographies, respectivement en 1960 et 1965) tout autant que de Zola et de Balzac, H. Troyat est resté attaché au réalisme du XIXe s. dans les grands cycles romanesques qu'il a entamés en 1940. *Tant que la terre durera* (1947-1950), *La Lumière des justes* (1955-1962) sont consacrés à la peinture de la Russie avant et après la Révolution de 1917, tandis que *Les Semailles et les Moissons* (1953-1958), comme *Les Eygletière* (cycle commencé en 1965), se veulent le tableau de la société moderne à travers l'histoire de deux familles françaises. Il a entamé un nouveau cycle, *Les Héritiers de l'avenir,* en 1968, et publié d'autres œuvres romanesques, dramatiques et biographiques *(Tolstoï, La Vie passionnée de Gogol).* – Fidèle à une technique narrative qui cultive la vraisemblance, s'effaçant devant ses personnages, dont il décrit le comportement par petites touches minutieuses, habile à évoquer le déroulement quotidien d'une vie, H. Troyat jouit d'une large audience auprès d'un vaste public. (Acad. fr., 1959.)

Troyennes (Les), en gr. **Trôades.** ♦ Tragédie d'Euripide* (~415). Dans Troie qui vient d'être prise par les Grecs et devant Hécube, veuve de Priam, apparaissent, en une suite de tableaux pathétiques, Cassandre*, captive promise à Agamemnon et qui prédit le châtiment de son vainqueur ; Andromaque, veuve d'Hector, qui essaie vainement de sauver son fils Astyanax ; Hélène, qui tente de reconquérir l'amour de Ménélas. Mais c'est surtout la figure d'Hécube, aïeule douloureuse, tour à tour prostrée et déchaînée, qui domine le drame. Avant d'être elle-même emmenée en captivité, elle aura rendu les honneurs funèbres à son petit-fils Astyanax, maudissant l'aveugle barbarie des dieux. Dans cette œuvre, puissant réquisitoire contre la guerre, les personnages se dégagent du mythe pour entrer dans la tragédie d'une réalité tout humaine. Imitée par Sénèque, la tragédie d'Euripide a inspiré Racine pour *Andromaque.*

Troyens (Les). ♦ Tragédie lyrique en deux parties, poème et musique d'Hector Berlioz*, composée entre 1856 et 1863. Premier volet du diptyque, la *Prise de Troie,* tirée du second chant de *L'Énéide,* évoque les derniers jours de la ville assiégée où seule la fureur visionnaire de Cassandre tente vainement de prévenir le malheur qui attend les Troyens. Cet opéra en trois actes dont la trame est celle de la tragédie d'Euripide, *Les Troyennes,* fut représenté à Paris en 1899. Extrait du quatrième chant de *L'Énéide,* le livret des *Troyens à Carthage* rapporte les amours de Didon et d'Énée, le départ d'Énée, cédant aux ordres de Mercure envoyé par Jupiter, pour l'Italie, et la mort de Didon sur le bûcher, après la fuite de son infidèle amant. Tragédie musicale en quatre actes d'un dépouillement tout racinien, ce chef-d'œuvre lyrique de Berlioz a été révélé dans son intégralité par un remarquable enregistrement de Colin Davis. Il fut représenté pour la première fois au Théâtre-Lyrique (Paris, 1864).

TROYES [tʀwa]. ♦ Préf. de l'Aube, ch.-l. d'arr., sur la Seine (16 cant., 254 comm., 175 446 hab.). 77 009 hab. *(Troyens).* Ville ancienne, Troyes a conservé de nombreuses rues médiévales. Hôtel de ville de style Louis XIII. Église Sainte-Madeleine du XIIe siècle. Cathédrale Saint-Pierre-et-Saint-Paul, gothique. Églises des XIVe et XVe s. (Saint-Remy, Saint-Jean, Saint-Nicolas [gothique tardif et Renaissance]) ; églises du XVIe s. (Saint-Nizier, Saint-Pantaléon). Hôtel de Vauluisant (1550) abritant le musée historique de Troyes et de Champagne. Bibliothèque dans l'anc. abbaye de Saint-Loup. Musée. Évêché. – Grand centre de la bonneterie. Filatures. Ateliers de cycles. Fonderie. – Patrie de Chrétien* de Troyes, de Mignard*, d'Urbain* IV. ♦ Hist. *Augustabona* devint la cap. des Tricasses qui lui laissèrent son nom. En 878, Jean VIII y tint un concile et y couronna Louis le Bègue. Le traité donnant à Henri V d'Angleterre la main de Catherine de France y fut signé en 1420, pendant la guerre de Cent Ans. La ville se rendit à Henri IV en 1594. – Son expansion industrielle (bonneterie) date du XIXe siècle.

TROYON [tʀwajɔ̃] **(Constant).** ♦ Peintre français (Sèvres, 1810 – Paris, 1865). Paysagiste, il se lia avec les peintres de l'école de Barbizon*, alla travailler en Berry, dans le Limousin, en Bretagne et dans la forêt de Fontainebleau ; il produisit alors des paysages solidement construits et fortement empâtés. Après un voyage en Hollande où il admira les animaliers Cuyp* et Potter*, les vaches devinrent jusqu'à la fin de sa vie son motif de prédilection.

TRUBAR (Primož). ♦ Ecclésiastique slovène (1508 – 1586). Il fut l'un des chefs de file de la propagande luthérienne dans son pays. Il édita en langue slovène un *Catéchisme* (1550) et un *Abécédaire,* et traduisit Le Nouveau Testament.

TRUCIAL COAST. (« Côte de la Trêve »). ♦ **V.** Pirates (Côte des).

TRUCIAL STATES (« États de la Trêve »). ♦ Nom anglais des émirats arabes de la Côte des Pirates (ou Côte de la Trêve, *Trucial Coast*), à l'O. du golfe Persique.

TRUDAINE (Daniel Charles). ♦ Administrateur français (Paris, 1703 – *id.,* 1769). Intendant d'Auvergne, il fut nommé directeur des Ponts et Chaussées (1743) et fonda en 1747, avec Perronet*, l'École des ponts et chaussées.

TRUDEAU (Pierre Elliott). ♦ Homme politique canadien (Montréal, 1921). Il étudia le droit et les sciences politiques à Paris, Harvard et Londres. Député libéral à Ottawa en 1965, ministre de la Justice en 1967, il fut élu chef du parti libéral en 1968 et devint Premier ministre du Canada. Partisan du bilinguisme il fit créer en 1969 des « districts » bilingues pour l'enseignement, la justice et l'administration dans les régions ou la population francophone

Ph. Giraudon

Constant Troyon : « Vaches buvant à une mare ». (Musée du Louvre, Paris.)

atteint 10 %. Ardent défenseur du fédéralisme, il s'employa à le redéfinir. Réélu en 1974.

TRUFFAUT (François). ♦ Réalisateur français de cinéma (Paris, 1932). Au jeune critique intransigeant des « Cahiers du cinéma » a succédé l'un des meilleurs réalisateurs que la nouvelle vague ait révélés. En grande partie autobiographique, son œuvre est une confidence marquée par la tendresse, l'inquiétude et la compassion. Elle exprime, sous le masque de l'ironie, la nostalgie du temps qui passe et de la jeunesse enfuie. Parmi ses films, *Les Quatre Cents coups* (1959), *Jules et Jim* (1961), *Baisers volés* (1968), *L'Enfant sauvage* (1970).

TRUJILLO. ♦ Port du Honduras sur la côte Caraïbe, situé face à l'archipel de la Bahia*, à l'E. de La Ceiba*. Exportations de bananes.

TRUJILLO. ♦ V. et port du Pérou septentrional, sur le trajet de la route panaméricaine. *Ch.-l.* du *département de La Libertad* (23 241 km². Env. 587 900 hab.) sur le Pacifique. 140 000 hab. Archevêché. Université. Indus. sucrière. ♦ *Hist.* La ville fut fondée en 1535 par Pizarro*, à proximité des ruines de Chan* Chan.

TRUJILLO Y MOLINA (Rafael Leónidas). ♦ Homme politique dominicain (San Cristóbal, 1891 – Ciudad Trujillo, 1961). Entré tout jeune dans l'armée, il devint colonel de la police dominicaine et s'empara du pouvoir par un coup d'État en 1930. Jusqu'à sa mort, il resta le maître incontesté de la république Dominicaine à laquelle il donna une certaine prospérité économique (il se fit appeler le « Bienfaiteur »), tout en faisant régner la terreur. En 1952, il céda la présidence à son frère Hector mais garda la réalité du pouvoir. Il mourut assassiné en 1961. La capitale de la république Dominicaine fut appelée Ciudad Trujillo de 1936 au renversement du dictateur.

TRUK. ♦ **V.** CAROLINES (îles).

Trullo *(concile in)*. ♦ Concile, appelé aussi *Quinisexte*, convoqué en 692 par Justinien II dans le « troullon » du palais Sacré à Constantinople. Considéré en Orient comme partie intégrante du concile de Constantinople* III (680-681), il fut rejeté par l'Église latine dont il condamnait certains usages.

TRUMAN (Harry S.). ♦ Homme d'État et président des États-Unis (Lamar, Missouri, 1884 – Kansas City, 1972). Sénateur démocrate du Missouri (1935-1945), il fut élu vice-président de F.D. Roosevelt en 1944 et lui succéda à sa mort (avril 1945). Il mit fin à la guerre contre le Japon en ordonnant le lancement de la bombe atomique (Hiroshima, 6 août 1945; Nagasaki, 9 août 1945). Il poursuivit la politique de Roosevelt dans un *Fair Deal* qui imposait le contrôle des prix et qui fut complété par une loi antigrèves Taft-Hartley (1947); il limita l'immigration (loi McCarran-Walter, 1952). À l'extérieur, il dut faire face au début de la guerre froide avec l'U.R.S.S. Il aida les pays d'Europe par le plan économique dit plan Marshall* (1947). Réélu en 1948, Truman fut à l'origine de l'O.T.A.N. (1949) qui devait défendre l'Europe occidentale; lorsque la Corée du Nord attaqua la Corée du Sud, il décida d'intervenir (juin 1950). Il envoya des troupes sous le commandement du général MacArthur*, mais lui enleva son commandement lorsqu'il proposa d'étendre le conflit à la Chine. **V. Corée.** Truman eut pour successeur Eisenhower* en 1952. Il rédigea dès lors ses *Mémoires* (1955-1956). Il fonda la *bibliothèque Harry S. Truman* à Independance, dans le Missouri (1957).

TRUNG. ♦ Nom de deux sœurs vietnamiennes qui, de 40 à 43, se soulevèrent contre la domination chinoise, inaugurant ainsi une lutte de près de mille ans contre la puissance dominatrice de la Chine. Battues et tuées, elle devinrent les héroïnes du Viêt-nam libre.

TRU'O'NG VINH KY ou **PETRUS KY.** ♦ Écrivain vietnamien (1837 – 1898), auteur de nombreux ouvrages linguistiques et de traductions d'œuvres françaises. Il écrivit également en français. Il est considéré comme le rénovateur de la littérature vietnamienne moderne.

TRURO. ♦ V. et port de l'Angleterre méridionale. *Ch.-l.* du comté de Cornouailles, sur une baie de la Manche. 13 300 hab. Évêché. Station balnéaire.

TRUYÈRE [tʀyjɛʀ]. *n. f.* ♦ Riv. du Massif* central (160 km), affl. du Lot*. Elle prend sa source dans les monts de la Margeride* et conflue à Entraygues*. Elle a été l'objet d'aménagements hydro-électriques considérables : centrales de Sarrans, Brommat, Couesque.

TSANA *(lac)*. ♦ **V.** TANA *(lac)*.

TSANG-PU [*Zang-bu, Tsang Po*]. ♦ Nom pris par le fl. Brahmâputra* dans sa traversée du plateau tibétain.

TS'AO CHAN [*Cao Zhan*]. ♦ Écrivain chinois (v. 1715 – v. 1764), auteur du célèbre roman, *Le Rêve dans le pavillon rouge*, intrigue sentimentale poétique écrite dans une langue très pure et qui fait montre de grandes qualités psychologiques, œuvre encore très lue de nos jours.

TS'AO CHIH. ♦ Poète chinois (192 – 232), quatrième fils de Ts'ao* Ts'ao. Favori de son père, il fut écarté du pouvoir, en partie à cause de sa vie dissolue, par son frère TS'AO P'I (187 – 226). Ce dernier obtint l'abdication du dernier empereur Han et monta sur le trône de l'État des Wei, tandis que Ts'ao Chih était déplacé de fief en fief et n'était que rarement autorisé à se rendre à la cour. Frustré dans son ambition, il exprima sa tristesse dans ses poèmes, utilisant la forme des ballades populaires *(yüeh-fu)*, en des vers à

Ph. U.S.I.S.

Harry S. Truman.

cinq monosyllabes, mais en faisant le support d'une émotion personnelle. Il joua ainsi un rôle novateur dans la poésie chinoise.

TS'AO K'UN [*Cao Kun*]. ♦ Chef militaire de la Chine du Nord (1862 – 1938), en 1921. Il devint, en 1923, président de la république de Chine, succédant à Li Sung-ch'ing, et fut remplacé en 1924 par le Premier ministre Tuan Chih-ch'üan. En 1937, il fit partie du gouvernement installé par les Japonais, mais mourut peu de temps après.

TS'AO-TS'AO [*Cao Cao*]. ♦ Guerrier et poète chinois (155 – 220), Premier ministre du roi Hien-ti des Han postérieurs. Après avoir abattu la révolte dite des « Turbans jaunes », il usurpa le pouvoir (en 190), prit le nom de règne de Wu-ti et dirigea le pays en dictateur, fondant la dynastie des Wei, que ses fils Wen-ti et Meng-ti devaient consolider. Bon poète, il eut aussi pour fils Ts'ao*-Chih.

TS'AO YÜ [*Cao Yü*]. ♦ Professeur chinois d'université, né en 1905, et auteur dramatique contemporain de grand renom. Parmi ses œuvres, on doit citer *L'Orage* (1937) et *L'Aube*.

TSARATANANA *(massif de)*. ♦ Massif montagneux du N. de Madagascar*, où se situe le point culminant de l'île (2 880 m environ).

TSARSKOÏE SELO. ♦ Anc. nom de Pouchkine.

TSAVO *(parc national de)*. ♦ Réserve du Kenya* située au S.-E. du pays, l'une des plus grandes du monde (23 000 km²), comprenant des paysages très variés et une riche faune. Safaris.

TSCHERMAK VON SEYSENEGG (Erich). ♦ Généticien autrichien (Vienne, 1871 – 1962). Il redécouvrit les lois de l'hérédité de Mendel*, créa plusieurs variétés d'hybrides, montra la permanence à l'état latent de certains caractères qui réapparaissent lors de l'hybridation (théorie de la cryptomérie).

TSELINOGRAD (mot russe « ville des terres vierges »), jusqu'en 1961 **Akmolinsk.** ♦ V. d'U.R.S.S. (Kazakhstan*), ch.-l. de la région du même nom (155 000 km², 903 000 hab.), sur le haut Ishim*. 194 000 hab. – Anc. marché important des fourrures et centre caravanier, *auj.* ville industrielle et minière (cuivre, charbon). Construction de machines agricoles. Cimenteries. Indus. alimentaires. Important nœud ferroviaire.

TS'EU-HI. ♦ **V.** TZ'U-HSI.

TSEU-PO. ♦ **V.** TZU-PO.

TSIKAPA. ♦ V. du Zaïre (ex-Congo-Kinshasa), sur le Kasaï*. Centre de production du diamant.

TSI-NAN. ♦ **V.** CHI-NAN.

TS'ING-... [chinois]. ♦ **V.** CH'ING-...

TS'IN-HOUANG-TAO. ♦ **V.** CH'IN-HUANG-TAO.

TSIOLKOVSKI (Konstantine Edouardovitch). ♦ Savant et inventeur russe (Ijevsk, 1857 – Kalouga, 1935). Auteur de travaux sur l'aérodynamique, il jeta les bases scientifiques de l'astronautique, réalisant d'importantes recherches sur la propulsion par réaction, les fusées pour lesquelles il proposa l'emploi d'hydrogène et d'oxygène liquéfiés (1903), constituants du propergol liquide utilisé actuellement. Son œuvre théorique très élaborée en fait un précurseur de l'astronautique contemporaine. **V.** *aussi* **Goddard, Oberth.**

TSIRANANA (Philibert) [tsiʀan]. ♦ Homme d'État malgache (Anahidrano, 1912 –). Fondateur du parti social-démocrate, il fut député à l'Assemblée nationale française (1956-1959). Il devint président du Conseil du gouvernement de Madagascar (1958). Président de la République malgache en 1959 et depuis constamment réélu, il vit sa politique critiquée et fut écarté du pouvoir en 1972 (référendum du 8 oct.).

TSITSIHAR [*Qiqihaer, C'hi-ch'i-ha-êrh, Ts'i-ts'i-ha-eu*]. ♦ V. de

Chine (anc. Long-Chien) dans le Hei-lung-chiang. Env. 900 000 hab. – Important centre indus. (métallurgie, charbonnages).

TS'IUAN-TCHEOU. ♦ V. CH'ÜAN-CHOU.

TSONG-KHA-PA. ♦ Roi du Tibet (Tsong-kha, 1360 – 1419) et saint lamaïque réformateur du bouddhisme au Tibet, fondateur de la secte des « Bonnets jaunes ».

TSU. ♦ V. du Japon (Honshû, préf. de Mie) et port de pêche à 50 km au S.-O. de Nagoya. 130 000 hab. – Indus. textiles (coton) et du bois.

TSUBOUCHI SHÔYÔ. ♦ Écrivain japonais (Nagoya, 1859 – 1935). Il fut doyen de l'université Waseda à Tôkyô. Ses romans influencèrent profondément la littérature du début de notre siècle. Il traduisit Shakespeare en japonais.

TSUGARU *(détroit de).* ♦ Détroit qui sépare les deux plus grandes îles japonaises (Honshû et Hokkaidô), faisant communiquer la mer du Japon avec l'océan Pacifique.

TSUMEB. ♦ V. du N. du Sud*-Ouest africain, située dans une zone minière (plomb, cuivre, fer, manganèse), et reliée par voie ferrée à Walvis* Bay.

Tsurezuregusa. ♦ V. KENKÔ HÔSHI.

TSUSHIMA. ♦ Îles du N. de Kyûshû (Japon) dans le détroit de Corée à 130 km de Kyûshû. 80 000 hab. ♦ *Hist.* C'est dans le détroit où se trouvent ces îles qu'eut lieu en 1905 une bataille navale entre les Russes (amiral Rodjestvensky) et les Japonais (amiral Tôgô) qui vit la défaite totale de la flotte russe de la Baltique venue au secours de Port-Arthur assiégée.

TSVETAIEVA (Marina Ivanovna) [*Cvetaeva*]. ♦ Poétesse russe (Moscou, 1894 – *id.,* 1941). Influencée successivement par les romantiques allemands puis par Maiakovski*, sa poésie est puissante et recherchée : *Verstes* (1922), *Le Métier* (1923), *La Tsar jeune fille* (1924). Émigrée en 1922, elle regagna l'U.R.S.S. en 1939. Deux ans après, elle se suicida.

TUAMOTU ou **TOUAMOTOU** *(îles).* ♦ Archipel de la Polynésie* française (Océanie), à l'E. des îles de la Société. Il est formé d'env. 80 atolls bas (à l'exception de Makatea*) et prolongé par les Gambier. 860 km². 8 000 hab. env. *(Paumotus* ou *Pomotus).* Climat chaud. Cocotiers. Pêche dans les lagons (coquillages nacriers). Bases de tir français dans les atolls de Mururoa* et Fangataufa. Aérodrome et centre technique dans l'atoll de Hao (centre d'expérimentation du Pacifique [C.E.P.]). ♦ *Hist.* L'archipel (anc. «îles Basses», îles Paumotu) fut découvert en 1606 par les Espagnols et annexé par la France en 1880. **(V. Polynésie française** [T.O.M.].**)**

TUBAL-CAÏN. ♦ Personnage biblique (*Genèse,* IV, 22), fils de Lamech* et de Tsilla, ancêtre mythique des forgerons.

TUBI ou **TUBY (Jean-Baptiste,** dit **le Romain).** ♦ Sculpteur français d'origine italienne (Rome, 1630 ou 1635 – Paris, 1700). Il se fixa en France vers 1660, fut naturalisé français en 1672 et reçu académicien en 1676. Devenu le neveu par alliance de Le* Brun, il travailla à la manufacture des Gobelins et participa largement au programme de décoration sculptée des jardins de Versailles (*Apollon sur son char,* 1671 ; *La Saône,* 1683 ; *Flore*). Il fut le collaborateur de Coysevox* pour les tombeaux de Colbert et de Mazarin et exécuta le groupe central du tombeau de Turenne. Dans ses œuvres versaillaises, les tendances baroques apparaissent tempérées par l'influence de la statuaire antique, ce qui lui confère un caractère de noblesse et de simplicité.

TÜBINGEN. ♦ V. d'Allemagne occidentale (Bade-Wurtemberg), sur le Neckar, près de son confl. avec l'Ammer. 52 200 hab. Château de Hohentübingen (XIe-XVIe s.), églises et maisons anciennes, hôtel de ville et collégiale du XVe siècle. La ville doit sa célébrité à son université, fondée en 1477, où Melanchthon enseigna au XVIe s. et où étudièrent Uhland, Hölderlin, Mörike, Hegel et Schelling, ainsi que Kepler. – Indus. mécaniques et textiles. Papeteries, imprimeries et maisons d'édition. – Patrie de L. Uhland*.

TUBIZE, en néerl. **Tubeke.** ♦ Comm. de Belgique (Brabant, arr. de Nivelles sur la Senne*, à 20 km de Bruxelles. 10 100 hab. Église gothique. Carrières de grès. Construction de locomotives. Briqueteries. Indus. textiles (soie artificielle).

TUBMAN (William Vacanarat Shadrach). ♦ Homme d'État libérien (Harper, 1895 – Londres, 1971). Il fut élu président de la République en 1943 et fut toujours réélu. Il gouverna en dictateur. Il fit entrer son pays en guerre aux côtés des Alliés en 1944 et obtint l'aide économique des États-Unis. Il participa aux principales conférences du tiers monde à Bandung (1955) et à Accra (1958). Il fut à l'origine des conférences panafricaines de Monrovia (1959, 1961) et y lança l'idée de l'union économique des pays de l'Ouest africain.

TUBUAÏ *(archipel des),* ou **îles Australes.** ♦ Archipel le plus méridional de la Polynésie* française (Océanie), situé de part et d'autre du tropique du Capricorne. Il comprend les hautes îles volcaniques de Rimatara, Rurutu, *Tubuaï,* Raivavae, au S.-E., l'île isolée de Rapa* et quelques atolls. 174 km². Le centre principal est Mataura sur l'île Tubuaï. Le climat est doux et tempéré, mais les typhons y sont fréquents. Cocotiers, taro, pêche.

TUCHOLSKY (Kurt). ♦ Écrivain allemand (Berlin, 1890 – Hindas, Suède, 1935). Sous divers pseudonymes, il publia en vers et en prose de violentes critiques du nationalisme chauvin et du militarisme (*Sous cinq pseudonymes,* 1928 ; *Allemagne, Allemagne par-dessus tout* [*Deutschland, Deutschland über alles*], 1931, etc.). Lors de l'avènement du régime nazi, ses livres furent brûlés, lui-même perdit la nationalité allemande et, réfugié en Suède, il s'y suicida peu après.

Ph. Stella

Palais des **Tuileries :** le pavillon de Flore.

Tu-chün [*Tou-kium, Dujün*]. *n. m. pl.* ♦ Chefs militaires de provinces chinoises mis en place à la fin du XIXe s. par Yüan* Shih-k'ai et devenus des « seigneurs de guerre » qui, agissant en féodaux, pressurèrent le peuple chinois et se combattirent sans trêve entre eux pour la prééminence. Leur action dissolvante précipita la ruine de la dynastie des Ch'ing* et l'avènement de la République chinoise en 1912.

TUCQUEGNIEUX. ♦ Comm. de Meurthe-et-Moselle, arr. de Briey. 4 842 hab. Minerai de fer.

TUCSON [tusɔn]. ♦ V. des États-Unis, dans le S. de l'Arizona*. 262 933 hab. Important marché agricole. Indus. électronique. Centre touristique et résidentiel en expansion. Évêché. Université. – À proximité, belle église baroque de style colonial espagnol.

TUCUMÁN (anc. **San Miguel** *de*). ♦ V. d'Argentine, située au pied des Andes, ch.-l. de la prov. du même nom, dans une oasis qui contraste avec le paysage aride de la Puna*. 287 000 hab. Archevêché. Université. Centre commercial d'une vaste zone de cultures. Industries de transformation. – La *province de Tucumán* s'étend au S. de la prov. de Salta entre les prov. de Catamarca*, dont elle est séparée par la sierra de Aconquija à l'O., et de Santiago* del Estero à l'E. 22 524 km². 881 000 hab. C'est la région à population la plus dense d'Argentine. Cultures subtropicales favorisées par une forte pluviosité (canne à sucre, coton, tabac, maté). ♦ *Hist.* Fondée en 1563 par les Espagnols, la province fait partie de l'histoire de l'indépendance de l'Argentine* et c'est à Tucumán que fut signée, le 9 juillet 1816, la *Proclamation de l'indépendance des provinces unies d'Amérique du Sud.*

TUDOR. ♦ Famille qui régna sur l'Angleterre de 1485 à 1603. Originaire du pays de Galles, connue dès le XIIIe s., elle eut pour véritable fondateur OWEN TUDOR (mort en 1461), qui dut sa fortune à la veuve d'Henri V, la reine Catherine de Valois, qu'il épousa sans doute secrètement. Il prit part à la guerre des Deux-Roses* aux côtés des Lancastre* dont son petit-fils, HENRI TUDOR, devint l'héritier, sa mère étant Marguerite de Lancastre. Henri, devenu Henri VII, fut le fondateur de la dynastie. **(V. Henri VII, Henri VIII, Édouard VI, Marie Tudor, Élisabeth Ire.)** Les Stuarts* devaient lui succéder à la suite du mariage de Marguerite Tudor, fille d'Henri VII, avec Jacques IV Stuart.

TUDOR (Antony). ♦ Danseur et chorégraphe anglais (Londres, 1909). Il composa son premier ballet *Gross Gartered* (1931) pour la compagnie de Marie Rambert. Il travailla ensuite pour l'American Ballet Theatre (1939), pour l'Opéra Royal de Suède (1949), etc., et devint, en 1950, directeur de l'école de ballet du Metropolitan Opera de New York. Donnant au ballet classique une nouvelle portée par l'expression psychologique, A. Tudor acquit une grande réputation avec ses ballets dramatiques composés aux États-Unis : *Lilac Garden, Pillar of fire, Roméo et Juliette, Écho des trompettes.*

TU DUC. ♦ Nom de règne de l'empereur d'Annam (Viêt-nam) *Nguyên Duc Tông* (1830 – 1884) qui régna à partir de 1848. Il céda la Cochinchine à la France, puis s'allia à la Chine afin de chasser les Français du Tonkin. Poète de renom, il écrivit de nombreux ouvrages en langue chinoise.

TUFFIER (Théodore). ♦ Chirurgien français (Bellême, 1857 – Paris, 1929). Il mit au point l'anesthésie rachidienne *(procédé de Tuffier)* et se spécialisa dans la chirurgie pulmonaire (*opération de Tuffier,* 1891), cardiaque, etc.

TU FU [*Tou Fou, Du Fu*]. ♦ Célèbre poète chinois (712 – 770) originaire du Honan, chantre de la condition humaine et qui s'éleva avec vigueur dans ses œuvres contre les ravages de la guerre. Il a exercé une grande influence sur la poésie chinoise, particulièrement sur celle du IXe siècle. Il est considéré comme l'égal de son ami Li* T'ai-po.

Tugenbund (ligue de la Vertu). ♦ Association fondée à Königsberg en 1808 pour lutter contre la domination française et relever la Prusse écrasée par Napoléon Ier. Officiellement dissoute en 1809, elle se reforma pendant les guerres de libération, dans lesquelles elle n'eut qu'un rôle assez restreint (elle n'eut jamais plus de 600 membres). Ses opinions libérales entraînèrent sa dissolution en 1815.

TUGHLÛQ. ♦ Dynastie de sultans musulmans türks de Delhi qui régnèrent de 1320 à 1413. Elle eut 13 souverains.

Tuileries *(palais des).* ♦ Résidence jadis édifiée à Paris sur la r. d. de la Seine, entre le Louvre* et les Champs*-Élysées. Commencés, à la demande de Catherine de Médicis, par Philibert Delorme* (1564-1570), les travaux furent poursuivis par Jean Bullant*, Androuet* du Cerceau (pavillon de Flore); repris par Louis Le* Vau sous Louis XIV (anc. pavillon de Marsan), puis Fontaine*. Résidence royale sous Louis XV, siège de la Convention nationale à la Révolution (1793), habité par les souverains depuis l'Empire, le palais fut partiellement incendié pendant la Commune (1871) avant d'être démoli en 1882 (excepté les deux pavillons). — Les *jardins des Tuileries* (dessinés à l'emplacement d'une fabrique de tuiles) furent d'abord un parc à l'italienne (1563) avant d'être confiés à Le* Nôtre (1664) qui corrigea la déclivité du terrain en établissant deux terrasses (du Bord de l'eau et des Feuillants) qui se rejoignent en rampes courbes et dominent l'actuelle place de la Concorde au niveau des *Chevaux ailés* de Coysevox* (faisant pendant aux *Chevaux de Marly* de G. Coustou*). Elles portent l'Orangerie et le Jeu de paume, établis sous le Second Empire et devenus musées. De part et d'autre de l'allée centrale, ponctuée de deux bassins et axe de la « voie triomphale », s'ordonnent parterres et quinconces ornés de statues dues notamment à Coysevox, N. et G. Coustou*, Le* Pautre et Pradier. **V.** *aussi* **Carrousel** (arc du).

TUKULTI-NINURTA II. ♦ Roi d'Assyrie* de ~ 888 à ~ 884. Il annexa les régions de Harran, du moyen Euphrate et le pays compris entre le Grand Zab et le Petit Zab.

TULA. ♦ Village et site du Mexique, à 95 km au N. de Mexico (État de Hidalgo). Église et couvent du XVIe siècle. Ruines de l'anc. cap. toltèque (notamment, pyramide et temple de Tlahuizcalpantecuhtli [« temple de l'étoile du matin »], dont les reliefs et les atlantes sont remarquables). ♦ *Hist.* **V. Toltèques.**

TULÉAR. ♦ V. et port de Madagascar* sur la côte S.-O. de l'île. 34 000 hab. — Évêché. Centre commercial et administratif. Région d'élevage de bovins. Conserveries.

TULKARM. ♦ V. de Cisjordanie, dans la prov. de Naplouse*, en Samarie. Env. 30 000 hab. Carrefour ferroviaire. Lieu de refuge de nombreux Palestiniens.

TULLE. ♦ Préf. de la Corrèze*, ch.-l. d'arr. (12 cant., 119 comm., 93 676 hab.), au confluent de la Corrèze et de la Solane. 21 324 hab. [17 640 aggl.] *(Tullois* ou *Tullistes).* Anc. cap. du bas Limousin. Cathédrale (nef du XIIe s., clocher des XIIIe et XIVe s., cloître et salle capitulaire du XIIIe s. renfermant un musée). Maison de Loyac du XVIe siècle. Le quartier de l'Enclos possède de nombreuses maisons Renaissance. Évêché. — Manufacture d'armes, indus. alimentaires, fabrique de draps. — Patrie de Baluze, E. Perrier*, du général Nivelle*. ♦ *Hist.* La ville, érigée en évêché en 1317, tomba aux mains des Anglais en 1346 et en 1369 et fut décimée par la peste noire en 1348. Elle fut pillée en 1585 par le vicomte de Turenne, au moment de la Ligue*. Le 8 juin 1944, Tulle fut libérée par les troupes du maquis de Corrèze et, le lendemain, quatre-vingt-dix-neuf otages pris dans la ville furent pendus par les Allemands (monument commémoratif).

Tullianum ou **prison Mamertine.** ♦ Prison de la Rome antique, creusée sous Ancus* Martius (~ VIIe s.) au flanc du Capitole. Elle comportait deux étages dont un cachot souterrain et voûté; on y enfermait les condamnés à mort, parmi lesquels Catilina*, Jugurtha*, Vercingétorix* et, selon la tradition, saint Pierre et saint Paul.

TULLINS. ♦ Ch.-l. de cant. de l'Isère*, arr. de Grenoble*, près de l'Isère*. 5 541 hab. — Important centre de production de noix de table. Papeterie; indus. textile, gants; fabrique de chaussures; scieries.

TULLIUS TIRO (Marcus). ♦ (v. ~ 104 — v. ~ 4), affranchi et secrétaire de Cicéron dont il publia les *Discours* et les *Lettres familières (Ad Familiares).* Grammairien et inventeur d'un système de tachygraphie qui porte son nom (*notae tironianae,* notes tironiennes).

TULLUS HOSTILIUS. ♦ Troisième roi légendaire de Rome (v. ~ 672-v. ~ 640). Latin belliqueux, il mena deux guerres contre Albe* (épisode des Horaces* et des Curiaces) qu'il détruisit et dont il fit déporter les habitants à Rome.

TULSA. ♦ V. des États-Unis, située sur la riv. Arkansas, au N.-E. de l'Oklahoma. 327 767 hab. C'est l'un des principaux centres pétroliers des États-Unis. Près de 800 compagnies pétrolières y ont leurs bureaux. La ville est aussi un centre commercial agricole. — Indus. aéronautique; indus. diverses. — Université presbytérienne de Tulsa.

TULSÎ DÂS. ♦ Poète mystique indien (Vârânasi [Bénarès], v. 1532 — 1623). Il est l'auteur de nombreux écrits piétistes, de versions hindî du *Râmâyana* et de textes sanskrits.

TULUM. ♦ Site archéologique du Mexique, à l'E. du Yucatán, non loin de l'île de Cozumel. Site maya : temple des fresques, temple dit *El Castillo,* etc.

TÛLÛNIDES. *n. m. pl.* ♦ Dynastie égyptienne (868-905), fondée par Ahmad Ibn* Tûlûn, officier du gouverneur 'abbâsside de l'Égypte. Ce dernier imposa son autorité sur l'Égypte et la Syrie et en fit un territoire indépendant du califat 'abbâsside. Cette dynastie encouragea l'éclosion d'un art musulman spécifique, différent de celui de Baghdâd. En 905, le califat reconquit l'Égypte et la Syrie et mit fin à la domination tûlûnide.

Arch: Smeets

« Bouddha et les Animaux sauvages », peinture chinoise du VIe s. **Tun-Huang,** grottes des Mille Bouddhas.

TUMAS-VAIZGANTAS (Juozas). ♦ Nouvelliste lituanien (1869 — 1933). Son œuvre, comme celle de Maïronis*, est représentative de la littérature de combat. Dans son roman *Les Éclaireurs,* l'auteur rêve d'une réconciliation nationale.

TU MU [*Tou Mou, Du Mu*]. ♦ Célèbre poète chinois (803 — 852) de la fin de la dynastie des T'ang*, qui utilisa dans ses compositions un langage archaïque et précieux fort estimé des lettrés.

TUNDER (Franz). ♦ Compositeur allemand (Lübeck, 1617 — *id.,* 1677). Organiste à la cour de Schleswig, puis à la Marienkirche de Lübeck, précédant dans cette charge son gendre Buxtehude*, il fut l'un des principaux représentants de la musique d'orgue en Allemagne du Nord, le premier à avoir utilisé le schéma caractéristique de la *toccata* (toccata, fugue, coda). Il a laissé des toccatas et fugues, des fantaisies et des chorals (avec procédés de contraste et d'écho) pour orgue et des motets de soliste.

TUNDŽA. *n. f.* ♦ Riv. de Bulgarie (330 km), princ. affl. de la Marica (r. g.). Née dans le Balkan, elle arrose Kăzanlak*, Yambol et Edirne*.

TUNGABHADRA. *n. f.* ♦ Riv. du S. de l'Inde (Mysore*) [650 km], affl. de la Kistnâ. D'importants barrages hydroélectriques régularisent son cours et fournissent l'électricité à l'État.

T'UNG-HUA [*T'ong-houa, Tonghua*]. ♦ V. de Chine (Manchourie, Kirin). 150 000 hab. — Mines de charbon, minerai de fer, indus. métallurgiques.

TUNG-T'ING HU [*Tong-t'ing Hou, Dongting Hu*]. ♦ Vaste lac saisonnier de Chine, dans le Hu*-nan, formé par les eaux des affl. du Yang*-tsê kiang. À sec pendant l'hiver, son lit, peu profond, permet la culture du riz.

TUNGUZ, TUNGUS ou **TOUNGOUZES.** *n. m. pl.* ♦ Groupe de tribus de Sibérie orientale parlant des dialectes apparentés. Les tribus proches de la Chine sont quelque peu mongolisées; elles se nomment Manju (Manchou), alors que les tribus du N.-E. se nomment Evenki. Les Tunguz participèrent à la formation de peuples fort différents, tels que les Coréens, les Manchous et une partie des Japonais, auxquels ils transmirent certaines de leurs coutumes et croyances religieuses. Au nombre de 100 000 environ, ils sont en voie de russification et perdent peu à peu leur administration tribale et leurs croyances chamaniques.

TUN-HUANG [*Touen-houang, Dun-huang*]. ♦ Site chinois du Kan*-su, anc. carrefour des routes de la soie, célèbre pour les ensembles de grottes bouddhiques se trouvant à proximité (plus de 460) et qui furent creusées, sculptées et ornées de peintures entre les Ve et XIIIe siècles. De nombreux manuscrits et peintures anc. y furent découverts.

TUNIS, en ar. **Tûnus.** ♦ Cap. de la Tunisie, ch.-l. de gouvernorat, située au N.-E. du pays sur la lagune ou *lac de Tunis* (el Bahira), adossée à des collines, reliée par un canal à l'avant-port de La Goulette* (Halq al Wadi), sur le *golfe de Tunis,* golfe de la Méditerranée sur les bords duquel se trouvent Hammam*-Lif, Sidi* Bou-Saïd, Carthage*; la Medjerda* s'y jette au N.-O. et il est fermé à l'E. par la presqu'île du cap Bon*. 695 000 hab. *(Tunisois).* Université. Mosquées dont l'université musulmane Al Zaytunâ (l'Olivier, IXe s.). Souks. Ville nouvelle entre les collines de la

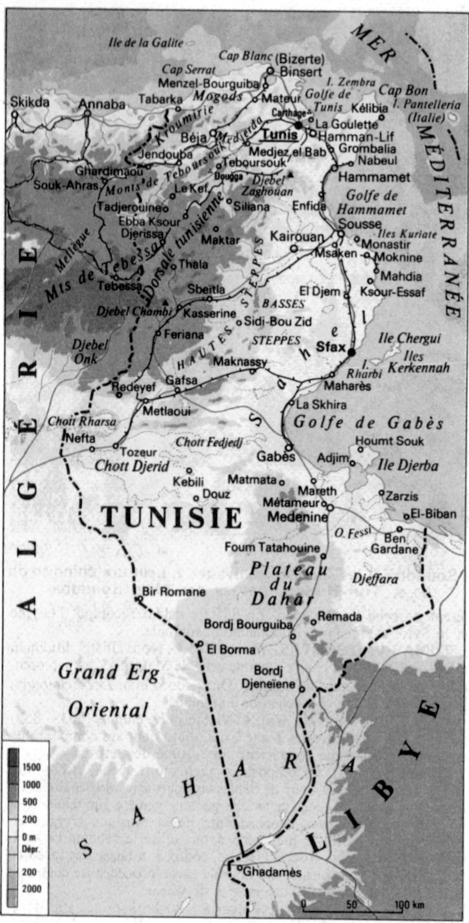

Tunisie.

Médina et la lagune. Musée archéologique du Bardo* au N.-O. de Tunis. Centre artisanal, commercial et financier. ♦ *Hist.* Si Tunis remonte à l'époque punique, antique *Tunes,* elle ne connut un véritable développement qu'après la conquête arabe. Elle devint à la fin du VIIe s. la capitale économique de l'Ifrîqiyya*, celle des émirs Aghlabides* au IXe s., puis au milieu du XIe s. un centre également religieux après la dévastation de Kairouan par les Banû Hilâl, et elle s'agrandit des faubourgs de Bab Souïka et Bab Djazira. Résidence du gouverneur almohade au XIIe s., elle fut la capitale des Hafsides* et donna son nom au royaume de Tunis. Principal centre commercial entre l'Europe et le Maghreb, elle fut l'objectif de la dernière croisade et Saint Louis* mourut sous ses murs (1270). Devenue une des bases du corsaire turc Barberousse* au XVIe s., elle fut prise par Charles* Quint en 1535, et les Espagnols la conservèrent jusqu'en 1569. À nouveau sous la domination ottomane (don Juan d'Autriche s'y établit momentanément en 1573-1574), elle devint la capitale de la régence de Tunis et le centre de la résistance contre la France. Elle fut occupée par les Français en 1881. Durant la Deuxième Guerre mondiale les Allemands l'occupèrent en nov. 1942, mais les troupes britanniques reprirent la ville le 7 mai 1943. Après la reconnaissance par la France de l'indépendance de la Tunisie (1956), la République tunisienne y fut proclamée le 25 juillet 1967.

TUNISIE *(république de).* ♦ État d'Afrique du Nord, le plus oriental du Maghreb, s'ouvrant sur les deux Méditerranées, occidentale au N. et orientale à l'E., face à la Sicile (140 km); au large de ses côtes se situent les îles italiennes de Lampedusa* et Pantelleria*. Elle est limitée par l'Algérie à l'ouest et la Libye à l'est. 164 150 km². 5 770 000 hab. *(Tunisiens). Cap.* Tunis. *Langues :* arabe (off.), français. *V. princ., ch.-l. de gouvernorat du même nom :* **V. Béja, Bizerte, Gabès, Gafsa, Jendouba** (anc. Souk el Arba), **Kairouan, Kasserine, Kef** (Le), **Médenine, Sfax, Sousse** et **Tunis.** *Autre gouvernorat* **V. Bon** *(cap),* ch.-l. Grombalia. *Autres V. et localités princ.* **V. Djem** (El), **Goulette** (La), **Hammamet, Hammam-Lif, Mahdia, Menzel-Bourguiba** (anc. Ferryville), **Metlaoui, Monastir, Nabeul, Sidi-Bou-Saïd, Skhira** (La), **Teboursouk, Tozeur** et **Tabarka.** *Sites* **V. Dougga, Mareth** et **Sbeitla.** – *Orogr.* La Tunisie forme un pays plat dans son ensemble à l'exception de sa partie septentrionale relevée, surtout dans l'ouest. Cette zone est formée par le Tell **(V. Tell, Mogods** et **Kroumirie)** et l'Atlas* **(V. Dorsale** [tunisienne]) entre lesquels s'insèrent les plaines de la Medjerda*. Ses côtes découpées forment des caps **(V. Blanc** et **Bon)** et des golfes **(V. Bizerte, Gabès** avec les îles de Djerba* et de Kerkennah*, **Hammamet, Tunis).** La position de la Tunisie avec sa double façade maritime et son faible relief, ouvert vers la mer, lui font subir largement les influences méditerranéennes **(V. Sahel).** Dès que l'on s'éloigne de la côte, le continentalisme apparaît avec le steppe et l'aridité du centre et du S. **(V. Sahara).** Au pied des hautes steppes se situe la dépression présaharienne du chott-el-Djérid*. C'est ce *climat* et surtout la pluviométrie qui conditionnent l'économie du pays, essentiellement agricole. Le N. de la Dorsale tunisienne reçoit plus de 400 mm d'eau, le S. moins de 300 mm et enfin les monts de Gafsa* forment la limite de la sécheresse (moins de 150 mm). – *Écon. :* l'agriculture se ressent de ces conditions. Ses principales productions sont le blé dur et tendre (890 000 t), l'orge (zone du Tell), les agrumes (111 000 t), les arbres fruitiers, les oliveraies du Sahel **(V. Sfax** et **Sousse)** et enfin l'élevage dans la steppe (bovins, ovins [3 300 000] et caprins), ainsi que l'alfa. Les industries, pour la plupart, traitent les produits agricoles (conserveries, huile d'olive, usine de cellulose traitant l'alfa [**V. Kasserine**], raffineries de sucre); indus. de pétrole, indus. diverses à Tunis, indus. chimique **(V. Gabès),** sidérurgie **(V. Menzel-Bourguiba).** L'industrie extractive est principalement représentée par les phosphates **(V. Metlaoui)** et superphosphates (plus de 3 000 000 de t) qui constituent la moitié de la production minière. On trouve également du fer, du zinc et du sel. La Tunisie est pauvre en énergie. Centrale électrique à La Goulette*, gisement de gaz (cap Bon*) et surtout pétrole à El-Borma* exporté par La Skhira* 4 611 000 t : 2e rang des produits exportés). Le tourisme, très bien organisé, constitue une activité économique essentielle (410 000 visiteurs en 1970). D'importants aménagements ont été faits **(V. Djerba, Hammam Lif, Hammamet, Monastir, Sousse).** ♦*Hist.* CARTHAGE (~ XIIe-~IIe s.). Peuplée primitivement de nomades berbères, la Tunisie connut très tôt des apports ethniques différents. Dès le ~ XIIe s., les Phéniciens établirent des colonies marchandes sur la côte tunisienne. Carthage, colonie de Tyr fondée au ~ VIIIe s., s'émancipa progressivement et imposa son hégémonie aux autres colonies phéniciennes des côtes africaines. Au ~ VIe s., elle devint la capitale d'un empire maritime composé de plusieurs villes-comptoirs et de son arrière-pays, correspondant à peu près à la Tunisie actuelle. Après la victoire de Rome sur Carthage (~ 146), la civilisation romaine se développa dans le pays sur des bases puniques. **V. Carthage, Puniques** (guerres). – LA ROMANISATION ET L'OCCUPATION BYZANTINE (~ IIe s.-VIIe s.). Sous l'administration de Rome, le pays eut un grand essor, surtout après la fin des guerres civiles. Un ingénieux système d'irrigation permit le développement de l'agriculture qui fit de la région l'un des greniers de Rome (grains, huile, vin). Le pays, fortement urbanisé et muni d'un réseau de communications important, fut presque totalement romanisé et latinisé. Le christianisme y apparut assez tôt et y fut largement propagé. À l'époque du Bas-Empire, le pays s'appauvrit. L'invasion et la domination des Vandales de Genséric y ouvrit les frontières aux raids des tribus berbères qui ne cessèrent pas après la reconquête de la province par Justinien. **V. Afrique** (prov. romaine d'). – *Conquête arabe* (VIIe s.-VIIIe s.). Débutant en 647, la consécration de l'invasion arabe fut la fondation de Kairouan (Al-Qayrawân) par 'Uqba ibn Nâfi' (670). Mais la résistance berbère et byzantine retarda la soumission totale du pays (703). Sous le règne des Arabes, l'actuelle Tunisie et l'Est algérien constituaient une province appelée *Ifrîqiyya.* La conversion à l'islâm fut rapide, mais les communautés berbères juives conservèrent leur religion. L'arabisation fut plus lente malgré l'arrivée en grand nombre de soldats et d'immigrants orientaux. – LES DYNASTIES ORIENTALES (IXe s.-XIIe s.). La révolte kharijite* mit fin à la suzeraineté 'umayyade* sur la Berbérie. Mais, sous les 'Abbâsides*, l'Ifrîqiyya, de nouveau vassale du califat d'orient, fut dirigée par les gouverneurs aghlabides* qui acquirent une indépendance de fait. Les Aghlabides envahirent la Sicile, mais ne progressèrent pas vers l'O., où siégeaient les royaumes kharijites. Au IXe s., une civilisation brillante combinant les traditions locales avec les apports de l'Orient 'abbasside rayonna de Kairouan. Au début du Xe s., les Fâtimides*, arabes et shi'ites*, renversèrent les Aghlabides, instaurèrent un État indépendant et prétendirent convertir tous les pays d'Islâm à leur cause. En 972, ils s'établirent au Caire et confièrent la Berbérie aux Zirides*, leurs alliés berbères. La province reçut alors les retombées de la brillante civilisation fâtimide d'Égypte. Plus tard, les Zirides, influencés par les docteurs malikites* de Kairouan, adoptèrent le sunnisme*, rejetèrent l'enseignement shi'ite des Fâtimides et rompirent avec ces derniers. Le calife du Caire se vengea en envoyant contre Ifrîqiyya les tribus arabes des Banû Hilâl, qui ravagèrent le pays et troublèrent son ordre politique et social au point que les Normands de Sicile purent s'installer dans certains ports tunisiens et y prélever des tributs. – LES DYNASTIES BERBÈRES (XIIe-XVIe s.). Le calife almohade* 'Abd* al-Mûmin chassa les Normands (1159-1160), occupa l'Ifrîqiyya et unifia ainsi tous les musulmans d'Occident

Ph. Nino Cirani/Ricciarini

Tunisie : femme berbère avec son enfant (environs de Kairouan).

sous son autorité. Après une brève paix, les Almohades durent maîtriser les incessantes révoltes fomentées par le clan almoravide* formé par les Arabes des Banû Ghaniya. Au déclin de l'empire almohade, le gouverneur de Tunisie, originaire du Maroc, fonda la dynastie des Hafsides* et se déclara indépendant. Sous leur règne, le pays prospéra en dépit des incessantes crises internes à la dynastie et des révoltes des tribus arabes. Et certains aspects de la civilisation musulmane d'Orient, associés à des éléments de la civilisation hispano-mauresque, donnèrent un art original. — LA CONQUÊTE TURQUE (XVIe-XIXe s.). Tandis que la dynastie hafside déclinait et que les raids espagnols sur les côtes africaines devenaient menaçants pour elle, les pirates turcs s'établirent dans plusieurs ports et leur chef Khayr al-Dîn (Barberousse) conquit la Tunisie en 1534. Le sultan hafside fut restauré par Charles Quint (1535) sous le « protectorat » de ce dernier. Après divers troubles et vicissitudes, les Turcs redevinrent les maîtres du pays en 1574. Sous leur domination, la Tunisie fut d'abord dirigée par un pacha. En 1590, les deys, choisis par les janissaires, prirent le pouvoir. Les Turcs s'assimilèrent aux milieux bourgeois et urbains autochtones et plusieurs caractéristiques de la civilisation turque pénétrèrent les villes. À cette époque, la piraterie tunisienne connut son âge d'or. Et l'arrivée de nombreux morisques, fins artisans et agriculteurs efficaces, fut une source supplémentaire de prospérité (début du XVIIe s.). En 1640, le bey Murâd, ministre des Finances, s'appropria le pouvoir et instaura la dynastie murâdite (Murâd Ier, Murâd II, Murâd III) qui régna jusqu'en 1704, date à laquelle Husayn ibn'Ali prit le pouvoir et marqua définitivement l'identification de l'élément turc à la nation tunisienne. Husayn instaura en 1710 la deuxième dynastie beylicale, celle des Husaynites, qui régnèrent jusqu'en 1957. Sous cette dynastie, la Tunisie, indépendante de fait, mais toujours attachée nominalement à l'empire ottoman, s'ouvrit au commerce européen et essaya de se moderniser. En 1830, l'invasion de l'Algérie et la compétition entre les grandes puissances pour s'assurer une forte position en Méditerranée firent de la Tunisie une proie convoitée par les Européens. Et dès ce moment, l'histoire de la Tunisie suivit une évolution parallèle à celle de l'Égypte. L'ambitieux Ahmad bey (1837-1855), à l'instar du vice-roi d'Égypte Muhammad*'Ali, essaya de donner un essor décisif à la modernisation de son pays. Il abolit l'esclavage, émancipa les juifs, autorisa l'ouverture d'écoles chrétiennes, créa une armée régulière (supervisée par un général anglais, puis français), construisit une flotte. Il sut profiter des antagonismes entre les États européens pour s'attribuer les crédits nécessaires à la réalisation de ses coûteux projets. Mais son successeur Muhammad bey (1855-1859), tout en continuant dans la voie des réformes, dut faire face à une grave crise financière qu'il essaya de résoudre en partie en imposant de nouvelles taxes. Une violente révolte s'ensuivit. Sous Muhammad al-Sâdiq (1859-1882) la crise financière ruina l'État tunisien (1869), qui se résigna à accepter le contrôle financier d'une commission franco-italo-anglaise. Et, malgré l'action énergique du ministre des Finances Khayr-al-Dîn (1873-1877), la Tunisie ne put échapper à l'intervention européenne. Lorsque l'Angleterre s'assura du contrôle de Chypre (1878), elle laissa entendre à la France qu'elle lui abandonnait la Tunisie. Pour prendre de vitesse l'Italie, le gouvernement français, inspiré par Jules Ferry*, prétexta une incursion des Kroumirs en Algérie et envoya une expédition forte de 30 000 hommes (1881). Le bey dut signer le traité du Bardo* (12 mai 1881) réservant à la France la défense militaire du pays et les affaires étrangères. — LE PROTECTORAT FRANÇAIS (1881-1955). Plusieurs villes du S. se révoltèrent, mais la résistance nationale fut rapidement vaincue (prise de Sfax : 11 juil. 1881 ; occupation de Kairouan : oct. 1881, de Gafsa et de Gabès : nov. 1881). La victoire militaire fut couronnée par la convention de La Marsa (1883) qui affirma et réglementa le protectorat de la France sur la Tunisie. Le pouvoir réel fut exercé par le résident général de France, le bey ne conservant qu'un rôle symbolique partagé par le *Grand Conseil* (corps consultatif composé de Tunisiens et de Français). Mais, dès 1907, les nationalistes s'exprimèrent dans le cadre du *parti des Jeunes-Tunisiens,* dirigé par Ali Bash Hânba et dont la propagande aboutit à l'émeute de 1911. Brisé par la répression, le mouvement nationaliste renaquit avec les écrits de Th'âlbi (1920), la création du parti du *Destour* (« la constitution ») et l'agitation syndicale (1925). De nouveau réprimé, le mouvement nationaliste reçut une impulsion décisive avec la formation du Néo-Destour, composé de jeunes intellectuels occidentalisés et dirigé par Bourguiba* (1934). En 1937, des incidents sanglants entraînèrent l'arrestation des dirigeants nationalistes, la suppression des libertés et la proclamation de l'état de siège. Pendant la guerre, Moncef bey (1942-1943) tenta de canaliser à son profit l'agitation nationaliste. Il fut déposé au profit de Lamine bey (1943-1957) après la victoire des forces alliées sur l'occupant allemand (1942-1943). En 1950, ce bey, rallié à la politique réformiste du Néo-Destour, constitua le gouvernement Chântiq dans lequel entra un des chefs du Néo-Destour (Salah ibn Yûsuf) et qui obtint des réformes partielles. Mais en 1951, la rupture entre le Néo-Destour et la France fut consommée. Bourguiba fut arrêté. La résistance armée entra en action. La participation active à la lutte nationaliste du syndicat U.G.T.T., dirigé par Farhât Hashshâd, donna au mouvement plus de vigueur. La France promit alors l'autonomie interne et signa avec le gouvernement Ibn'Ammar les conventions du 3 juin 1955 qui rendaient aux Tunisiens la gestion intérieure du pays. Ce traité fut jugé insuffisant par Salah ibn Yûsuf et ses partisans qui entrèrent en conflit ouvert avec Bourguiba. Vaincu, Ibn Yûsuf s'enfuit en Égypte (il fut assassiné en 1961, en Allemagne). La France reconnut l'indépendance totale de la Tunisie le 20 mai 1956 **(V. Mendès France)**. — LA TUNISIE DEPUIS L'INDÉPENDANCE. Après avoir brisé l'opposition des partisans de Ibn Yûsuf (1956-1957), Bourguiba écarta Lamine bey et proclama l'établissement de la république (25 juil. 1957). Il laïcisa la justice et l'État, réforma et démocratisa l'enseignement et tenta de moderniser l'infrastructure du pays. Ne pouvant se passer de l'aide étrangère, la Tunisie eut à l'origine des rapports privilégiés avec la France, qui furent rompus après diverses crises (Saqiet Sidi Yûsuf, 1958 ; Bizerte, 1961 ; nationalisation des terres appartenant aux étrangers, 1964). Adhérant à la doctrine Eisenhower, le gouvernement de Bourguiba bénéficia d'une aide substantielle des États-Unis. Devant les problèmes sociaux et les tensions latentes, le Néo-Destour se constitua en *Parti socialiste destourien* (1965) et tenta une organisation étatique et autoritaire de l'économie dans les secteurs agricole, industriel et tertiaire. Cette politique aboutit à un échec retentissant et son promoteur Ahmad ibn Sâlah fut jugé et condamné (1970). En 1974, le président Bourguiba, qui avait déjà le titre de Combattant suprême, accepta d'être élu président de la République à vie.

TUNJA. ♦ V. de la Colombie, ch.-l. du dép. de Boyacá (60 130 km². 1 252 400 hab.), située dans la Cordillère orientale à 2 800 m d'alt. — 63 500 hab. Archevêché.

Tupamaros. *n. m. pl.* ♦ **V.** URUGUAY, *Hist.*

TUPOLEV ou **TOUPOLEV (Andreï Nikolaïevitch).** ♦ Ingénieur russe (Poustomazovo, 1888 — Moscou, 1972). Spécialiste d'aérodynamique, il construisit son premier monoplan en 1918, puis de nombreux appareils dont le *Maxime-Gorki* (1933), le plus grand avion du moment. Arrêté (1937) et condamné à mort, il fut remis en liberté (1941) et obtint des récompenses pour ses recherches sur l'aviation à réaction. (Trois prix Staline ; prix Lénine, 1957.)

TURA (Cosme). ♦ Peintre italien (Ferrare, v. 1430 — *id.,* 1495). Peintre officiel de la célèbre cour de Ferrare sous les règnes du duc Borso d'Este et de son successeur Ercole Ier, Tura fut le premier grand maître natif de Ferrare, inaugurant par son activité le style original de cette école, qui fut enrichi par ses élèves Ercole de' Roberti* et Francesco Del Cossa*. Probablement élève de Squarcione à Padoue, il fut influencé aussi bien par le style minéral de Mantegna*, au graphisme sculptural, par la clarté monumentale de Piero* Della Francesca, à l'éloquence géométrique, et par le naturalisme dramatique de Van* der Weyden. Il offrait en outre dans ses œuvres une certaine interprétation gothique des idiomes picturaux de la Renaissance et parvint à élaborer un monde féroce dégageant une puissante intensité expressionniste (*Pietà,* v. 1472, Museo Civico Correr, Venise ; *Lamentation,* 1472, Louvre, Paris). Parmi ses autres travaux religieux qui nous sont parvenus figurent les volets de l'orgue de la cathédrale de Ferrare (*Saint Georges, l'Annonciation,* 1469), le *retable Roverella* (v. 1474, aujourd'hui réparti entre divers musées européens et américains), etc. Cependant, les peintures et les stucs en relief de la chapelle Bebriguardo (1469-1472) ont disparu. Maître de l'allégorie et de la décoration monumentale, Tura peignit la bibliothèque du château de la Mirandola (1465-1467, disparu). Il aurait joué un rôle important dans la conception du cycle complexe et érudit des fresques du palais

Arch. Rencontre

Cosme Tura : « L'Archange Gabriel », détail de « L'Annonciation ». (Musée de la cathédrale, Ferrare.)

Schifanoia de Ferrare (1469-1471). Associé au courant « dur » de la seconde moitié du XVe s., sa peinture annonce, en partie, les tendances vertigineuses et morbides du maniérisme.

TURBALLE (La). ♦ Comm. de la Loire-Atlantique (arr. de Saint-Nazaire). 3 084 hab. (2 404 aggl.). Port sardinier. Conserves de poissons. Salines.

TURBIE (La). ♦ Comm. des Alpes-Maritimes, arr. de Nice. 1 761 hab. Village pittoresque, dominant la mer de 480 m, près de Monaco. Église baroque (XVIIIe s.). Le village est célèbre par son *Trophée des Alpes,* monument élevé en ~ 6 pour commémorer les conquêtes d'Auguste. Le trophée fut élevé au point où la route suivie par les armées (via Julia) franchit un col des Alpes-Maritimes. Il est formé d'une colonnade dorique circulaire, sur un vaste soubassement carré.

TURBIGO. ♦ Localité d'Italie du Nord (Lombardie, prov. de Milan), sur la r. g. du Tessin. 5 700 hab. Victoires françaises sur les Autrichiens en 1800 et 1859.

Turcaret ou le Financier. ♦ Comédie en cinq actes et en prose, de Lesage* (1709), qui peint le double mouvement de la chute de Turcaret, parvenu insolent et sot, et de l'ascension de Frontin, valet sans scrupule. Par le personnage de Turcaret, odieux dans sa bassesse et ridicule dans sa naïveté, Lesage dénonçait vigoureusement la puissance scandaleuse de l'argent qui corrompt un monde où, par un « ricochet de fourberies », les dupeurs sont finalement dupés. Cette âpre satire des gens de finance souleva l'opposition de ces derniers, mais connut un vif succès et reste, par l'exactitude et la hardiesse de sa peinture comme la verve qui l'anime, le modèle de la comédie de mœurs.

TURCKHEIM [tyʀkɛm]. ♦ Comm. du Haut-Rhin, arr. de Colmar, sur la Fecht. 3 087 hab. Hôtel de ville (XVIIe s.); maisons anc. ♦ *Hist.* Victoire de Turenne sur les Impériaux (1675).

TURCOMANS. ♦ V. TÜRKMÈNES.

TURDA. *n. f.* ♦ V. de Roumanie (Transylvanie) au S.-E. de Cluj. 40 000 hab. Mines de sel connues depuis l'Antiquité. Centre industriel (ciment, fabrique de verre et de produits chimiques). ♦ *Hist.* Ancienne citadelle dace puis romaine *(Potaïssa),* elle devint au XVIe s. le siège de la diète de Transylvanie.

TURENNE (Henri de La Tour d'Auvergne, *vicomte de***).** ♦ Maréchal de France (Sedan, 1611 – Sasbach, 1675). Second fils du duc de Bouillon et petit-fils, par sa mère, de Guillaume* le Taciturne, il fut formé par Maurice* et Frédéric*-Henri de Nassau. Passé au service de la France, il prit part à la guerre de Trente* Ans en Flandre, sur le Rhin et en Italie (il se distingua particulièrement en prenant Turin* aux Espagnols en 1640). Revenu en Allemagne, il vengea sa défaite de Marienthal (1645) par la victoire de Nördlingen* qu'il remporta avec Condé* (1645). Un moment aux côtés des frondeurs (il fut vaincu avec les Espagnols à Rethel*, 1650), il se rallia à la cause royale et remporta sur les Espagnols, cette fois dirigés par Condé, les batailles d'Arras* (1654) et des Dunes* (1658), ce qui lui valut d'être nommé maréchal général (1660). Il prit encore part à la guerre de Dévolution* et enleva la Flandre à l'Espagne en trois mois (1667). Son rôle dans la guerre de Hollande, enfin, fut important : après le Palatinat, il envahit l'Alsace, qu'il reconquit par la plus audacieuse de ses campagnes, en plein hiver (victoire de Turckheim, 1675), et trouva la mort à Sasbach* en combattant Montecuccoli*.

TURENNE. ♦ Comm. de la Corrèze*, arr. de Brive-la-Gaillarde*. 705 hab. Ruines importantes du château des vicomtes de Turenne (deux tours des XIIIe et XIVe s.). Nombreuses maisons des XVe et XVIe siècles.

TURFÂN. *n. m.* ♦ Grande dépression (– 168 m) d'Asie centrale chinoise, à l'E. des monts T'ien* Shan, anc. centre caravanier de la « route de la soie », capitale des Ouïgour (Uighur) aux VIIIe-IXe siècles. Riche oasis (25 000 hab.).

TURGOT (Anne Robert Jacques, *baron de* **L'Aulne).** ♦ Homme politique et économiste français (Paris, 1727 – *id.,* 1781). Destiné à une carrière ecclésiastique, il fréquenta le milieu des philosophes, fit paraître ses *Lettres sur la tolérance* (1754) et collabora à l'*Encyclopédie* par un remarquable article consacré à l'étymologie. Il rédigea un ouvrage d'économie, *Réflexions sur la formation et la distribution des richesses* (1776), alors qu'il était intendant du Limousin (1761-1774). Devenu contrôleur général des Finances (1774), il entreprit des réformes économiques, instituant d'abord la liberté du commerce et de la circulation des grains (1774) à l'instigation des physiocrates, puis celle du travail (1776) par la suppression des corporations, des maîtrises et des jurandes. Ses réformes, dont le résultat n'avait pas toujours été heureux, lui attirèrent l'hostilité des privilégiés; et il finit par être disgracié (1776). Si sa doctrine fut influencée par celles de Gournay et des physiocrates, il se sépara néanmoins de ces derniers en mettant en évidence l'utilité de l'industrie et du commerce.

TURIN, en it. **Torino.** ♦ V. d'Italie du Nord, cap. du Piémont*, au confluent du Pô et de la Doire Ripaire. 1 107 000 hab. *(Turinois).* – Archevêché, université, cathédrale (XVe-XVIe s.) où est conservé le saint suaire (considéré comme celui du Christ); bibliothèque nationale. Musées (art égyptien; peinture italienne, etc.). Important nœud de communications au débouché des tunnels du Mont-Blanc, du Grand-Saint-Bernard, du Mont-Genèvre et du Mont-Cenis. La perte de son rang de capitale au profit de Florence d'abord, puis de Rome, a contribué à accélérer son développement industriel, déjà favorisé par la proximité des Alpes qui lui assuraient à la fois un important potentiel électrique et garantissaient les débouchés. Les princ. indus. sont la sidérurgie, basée sur la houille et le fer du val d'Aoste, et surtout la métallurgie de transformation : construction automobile (Fiat-Lancia, 86 % de la product. nationale) et aéronautique, pièces détachées, appareils électroménagers, mécanique de précision, indus. chimiques (textiles artificiels, plastiques, engrais), pharmaceutiques, textiles (laine, coton, confection), alimentaires (pâtes, vermouths), imprimeries et arts graphiques. Les princ. satellites sont : Borgofranco, Lingotto, Mirafiori, Montaclieri, Rivoli, Settimo Chivasso et Settimo Torinese. ♦ *Hist.* Anc. *Taurinorum,* elle fut colonie romaine sous Auguste*. Elle appartint à la maison de Savoie en 1281 puis devint en 1418 la capitale des ducs de Savoie. Elle fut prise par Turenne en 1640. Assiégée par la France en 1706, elle fut délivrée par le prince Eugène*. Elle fut à la France en 1800; de 1802 à 1814, elle devint le ch.-l. du dép. du Pô. Elle fut au XIXe s. la capitale du royaume du Piémont et le centre du Risorgimento. – *Traités de Turin. 1*) 20 août 1696 : Louis XIV restituait au duc de Savoie tous ses États. *2*) 26 janv. 1859 : après l'entrevue de Plombières* (juil. 1858), un traité d'alliance franco-sarde fut signé entre Napoléon* III et le roi Victor*-Emmanuel II. Celui-ci, en échange de la main de sa fille Clotilde au prince Napoléon et de la cession de ses droits sur Nice et la Savoie à la France, obtenait de l'empereur un appui militaire contre l'Autriche. Bien que prévoyant la formation d'un royaume de Haute-Italie, le traité ne précisait pas les conditions de réalisation de l'unité italienne. *3*) 24 mars 1860 : après la campagne d'Italie (1859), la signature des préliminaires de Villafranca et de la paix de Zurich*, un traité franco-italien fut signé. Négocié par Thouvenel, il précisait les conditions de l'annexion de la Savoie et de Nice à la France, annexion qui fut plébiscitée par la population.

Arch. Rencontre

Le vicomte de **Turenne,** par Le Brun (Château de Versailles.)

Ph. Giraudon

A.R.J. Turgot, gravure de Le Beau. (Bibliothèque nationale, Paris.)

Ph. Burt Glinn/Magnum

Turkménistan : habitants de la région d'Ashkhâbâd.

TURINA (Joaquin). ♦ Pianiste et compositeur espagnol (Séville, 1882 — Madrid, 1949). Élève au conservatoire de Madrid, il travailla à Paris avec Moszkowski (au Conservatoire) et avec V. d'Indy (à la *Schola Cantorum*). Il enseigna ensuite au conservatoire de Madrid. Son œuvre, inspirée d'assez loin par le folklore andalou, se caractérise par une grande rigueur de construction, non sans parfois une certaine austérité. *La Procesíon del Rocío* (1914), les *Danzas fantásticas* (1920), la *Sinfonía sevillana* (1920), les *Ritmos* (1929), ainsi que ses pièces pour guitare et piano sont considérées comme ses meilleures compositions. Turina fut par ailleurs un théoricien de valeur (*Enciclopedia abreviada de música* [1917-1947], *Traité de composition* [1947]).

TÜRK. *adj. et n.* ♦ Nom signifiant « fort », donné à de nombreuses populations d'Asie centrale qui apparurent vers le VIe s. et qui sont à l'origine de dynasties. Ils conquirent l'Iran et se répandirent en Asie occidentale où ils fondèrent la Turquie (dynastie des Saljûq* à partir de 1025 en Anatolie). **V. Saljûqides, Turquie.** — La francisation du mot en Turc, Turque pourrait être réservée aux civilisations anatoliennes (ottomans, etc.), pour les distinguer de leur source d'Asie centrale.

TÜRKESTÂN ou **TURKESTAN.** *n. m.* ♦ Anc. dénomination des régions de l'Asie centrale s'étendant entre la Sibérie au N. et le Tibet, l'Inde, l'Afghânistân et l'Iran au sud. Sa superficie (plus de 2 600 000 km²) fut répartie entre le *Türkestân de l'Ouest* ou *Türkestân russe,* qui correspondait aux territoires actuels de Türkmenistân*, Ouzbékistan*, Tadjikistan*, Kirghizistan, ainsi qu'à la partie méridionale du Kazakhstan*, et le *Türkestân de l'Est* ou *Türkestân chinois* (anc. province de Hsin-chiang, *auj.* région autonome du Hsin-chiang-Uighur). — Patrie d'al-Fârâbî* (Alfarabius). ♦ *Hist.* Au ~IIe s., les Huns occupèrent la Kashgarie. Après le démembrement de leur empire, le Türkestân de l'Est fut annexé par les Chinois. Vers 400, les Hephthalites créèrent un empire dans le Türkestân occidental. Au VIe s., les Türks s'établirent en Transoxiane (à l'E. du fl. Amou-Daria, anc. Oxus); cette région fut conquise par les Arabes (VIIIe s.), puis par la dynastie des Perses Sâmânides. En même temps, les Uighurs, venant de Mongolie, occupèrent le Türkestân oriental. Le Türkestân dans son ensemble fut administré par divers gouverneurs türks, jusqu'à l'apparition des Mongols de Genghis qân **(V. Temüjin)** qui conquirent la Kashgarie (1218) et la Transoxiane (1220). Temüjin légua le Türkestân à son deuxième fils Chaghadai, les descendants de ce dernier se sont divisés en deux branches, les khâns de Transoxiane et les khâns du Türkestân oriental. En 1369, la Transoxiane fut conquise par Timûr* I Lang (Tamerlan) et Samarkand* devint la capitale de son empire. Elle passa ensuite sous la domination du chef ouzbek Shaybânî khân (1500), puis à la dynastie des Ashtarkhamides (1600), qui furent à leur tour renversés par Nâdir Shâh (1710). Pendant le siècle suivant, le Türkestân de l'Ouest fut essentiellement contrôlé par les khânats de Boukhara*, de Khârezm* (Khiva) et de Kokand*. Le Türkestan de l'Est fut annexé à la Chine par la dynastie des Manchu (Ch'ing, 1762). Au XVIIIe s., les Russes pénétrèrent dans l'actuel Kazakhstan et, vers 1850, fondèrent des places fortes à l'E. et à l'O. de la mer d'Aral. En 1865, Tachkent* fut prise et devint la cap. du gouvernement général du Türkestan (1867). Exploré par Bonvalot* (1880), conquis définitivement par Skobelev* (1881), le Türkestân de l'Ouest fut contrôlé par les Russes, sauf les khânats de Boukhara et de Khiva, qui gardèrent une semi-indépendance, sous leurs gouverneurs traditionnels. Piotr Stolypine* favorisa l'installation massive des colons russes et ukrainiens au Türkestân (1906-1911), ce qui provoqua une insurrection des populations qui fut sévèrement réprimée (1916). Après la révolution de 1917, une *R.S.S. autonome du Türkestân,* comprise dans la R.S.F.S. de Russie, fut créée (30 avr. 1918). En oct. 1924, les républiques de Tûrkestân, de Boukhara et du Khârezm furent démantelées; sur leurs territoires furent créées les républiques de Türkmenistân, d'Ouzbékistan, de Tadjikistan, de Kirghizistan et de Kazakhstan.

TÜRKMÈNES. *n. m. pl.* ♦ Peuple apparenté aux Türks, d'origine ouralo-altaïque, installé principalement en Türkmenistân* et dans le N. de l'Iran*. Ce sont eux qui conquirent l'Iran et s'installèrent au début du XIe s. en Anatolie. Ils sont parfois appelés Oguz.

TURKMÉNISTAN, TÜRKMENISTÂN, *n. m.* ou **TURKMÉNIE,** *n. f. (République socialiste soviétique du),* en russe **Turkmenskaja S.S.R.** ♦ Une des quinze républiques fédérées de l'U.R.S.S. Baignée par la mer Caspienne* à l'O., elle confine au N. avec le Kazakhstan, au N.-E. avec l'Ouzbekistan, au S. avec l'Iran et au S.-E. avec l'Afghânistân. 488 100 km². 2 085 000 hab. Population multinationale (*Turkmènes* 61 %, Russes 17 %, Ouzbeks 8 %, Kazakhs, Arméniens, Kurdes). *Cap.* **V. Ashkâbâd.** *V. princ.* **V. Krasnovodsk, Mary, Nebit-Dag, Tcheleken.** — Le Turkménistan est occupé dans sa majeure partie par le désert sablonneux du Karakoum* [Karakum] et au N.-O. par les plateaux calcaires peu élevés d'Oust-Ourt, de Krasnovodsk et de Djanak. Au S. et au S.-E., le pays est montagneux (chaîne principale, le Kopet-Dag, dont un des sommets atteint 2 942 m). Les régions les plus peuplées sont les vallées de l'Amou*-Daria et du Murgâb*, les oasis de Kharezm, de Tedjen, d'Atrek, d'Ashkâbâd et les contreforts du Kopet-Dag. Les côtes de la mer Caspienne, basses, sablonneuses, y forment trois golfes (de Kara*-Bogaz, de Krasnovodsk et de Turkménie) et trois presqu'îles (de Krasnovodsk, de Dardja et de Tcheleken). — *Écon.* Le sous-sol est riche en pétrole (princ. gisements dans les régions de Nebit-Dag, de Tcheleken, d'Okarem, de Kamychldja et de Kotour-Tépé), en sulfates (golfe de Kara-Bogaz), en soufre (partie centrale de Karakoum), en gaz et en sels de potassium. L'activité *agricole* est surtout représentée par la culture du coton (565 000 t en 1966) et l'élevage ovin (1 300 000 peaux d'astrakan par an). Autres produits : vers à soie, jute, orge, olives, dattes, grenades, raisin, vins, fruits secs. Indus. alimentaires, chimiques et textiles, moulinage de la soie, constructions mécaniques (pompes à pétrole, matériel électronique, bulldozers). ♦ *Hist.* Au XIIIe s., le pays fut envahi par Temüjin* (Gengis qân) et, aux XVIIe-XIXe s., fut disputé entre le shah des Perses, les khans (qâns) de Khiva, les émirs de Boukhara et les féodaux afgans. En 1869, les Russes débarquèrent sur la côte E. de la mer Caspienne et fondèrent le port de Krasnovodsk. Une révolte des Turkmènes fut réprimée en 1881, et le pays fit partie du Türkestan*. Après la révolution d'Octobre, les Turkmènes formèrent un gouvernement provisoire social-révolutionnaire, mais l'armée rouge occupa Ashkâbâd (1919) et Krasnovodsk (1920); le régime soviétique fut proclamé et le Turkménistan devint une R.S.S. autonome au sein de la R.S.F.S. de Russie. Jusqu'en 1924, la région transcaspienne faisait partie de la R.S.S. autonome de Türkestan, et les autres régions du Turkménistan actuel étaient rattachées aux Républiques populaires soviétiques de Boukhara* et de Khârezm*. Le 27 oct. 1924, le Comité exécutif central d'U.R.S.S. décida la délimitation territoriale de l'Asie centrale, et les territoires des républiques de Turkestan, de Boukhara et de Khârezm furent partagés entre le Kazakhstan*, le Kirghizistan*, l'Ouzbekistan*, le Tadjikistan* et le Turkménistan, qui engloba les régions turkmènes des ex-républiques de Boukhara et de Khârezm et devint une R.S.S. fédérée d'U.R.S.S.

TURKS *(îles).* ♦ Archipel des Antilles, au N. de l'île de Haïti et au S. des Bahamas. 430 km². Les îles sont, avec les Caicos, sous administration britannique. Plantations de canne à sucre et de sisal.

TÜRKSIB. *n. m.* ♦ Abrév. de *Türkestan-Sibérie.* Nom donné à la ligne de chemin de fer qui relie le Turkestan* à la Sibérie* occidentale (Lougovaïa-Alma-Ata-Semipalatinsk) en contournant le S. et l'E. du lac Balkach. Construite de 1928 à 1932, elle se rattache au Transsibérien* à Novossibirsk. 1 140 km de longueur.

TURKU, en suéd. **Åbo.** ♦ V. et port de Finlande méridionale, à la limite des golfes de Botnie et de Finlande et à l'embouchure de l'Aurajoki. Ch.-l. du comté de Turun-Porin et troisième ville de Finlande. 150 568 hab. [197 991 aggl.] (1968). — Aéroport international (liaisons avec la Suède). Archevêché. Université. Turku est la plus ancienne ville de Finlande : elle conserve une cathédrale romane (1229, restaurée) et un château (1280, restauré au XVIIe s.). Un musée de plein air a été installé dans le quartier le plus ancien. Musée des Beaux-Arts. — Important centre indus. : constructions mécaniques, chantiers navals, indus. chimiques, textiles. — Port de commerce et de voyageurs. — Patrie de P. Nurmi*. ♦ *Hist.* Fondée au XIIIe s., Turku, siège d'un archevêché, devint un centre culturel. La ville tomba sous l'emprise russe lors des guerres entre Suède et Russie (1713-1721 et 1742-1743). Par la *paix de Turku* (1743), le S.-E. de la Finlande fut accordé par la Suède à la Russie. Lorsque

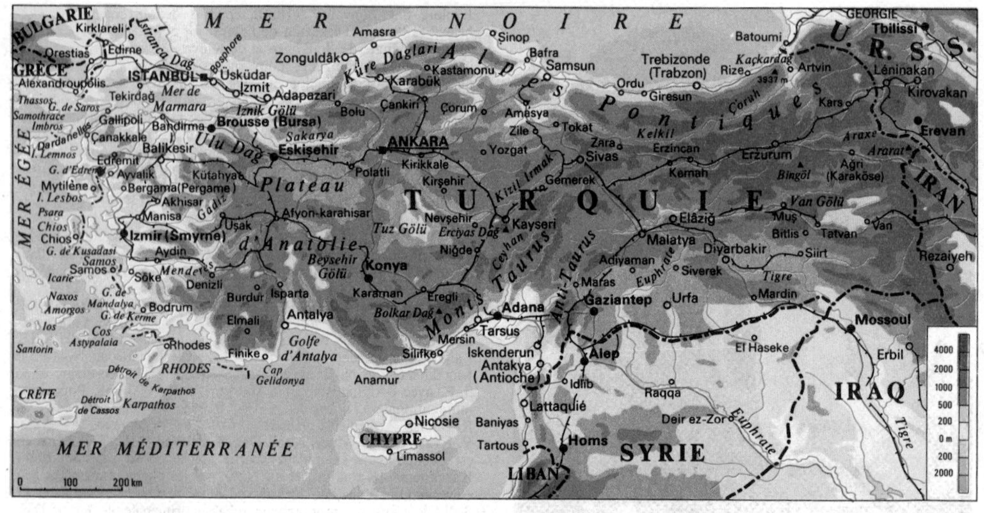

Turquie.

la Finlande devint un grand-duché autonome en 1808, Turku fut nommée capitale et le resta jusqu'en 1812. En 1827, un incendie détruisit les trois quarts de la ville.

TURLUPIN (Henri Le Grand, dit **Belleville** ou**).** ♦ Farceur français ([mort] Paris, 1637). Il s'illustra sur les tréteaux du théâtre de la Foire, avant d'entrer à l'Hôtel de Bourgogne (1615) pour former avec Gros Guillaume et Gaultier Garguille un trio fameux.

TURNÈBE (Adrien Tournebous, dit**).** ♦ Humaniste français (Les Andelys, 1512 – Paris, 1565). Professeur au Collège de France, il aida, par ses publications, à la connaissance de la littérature grecque.

TURNER (Joseph Mallord William). ♦ Peintre, aquarelliste, dessinateur et graveur anglais (Londres, 1775 – *id.*, 1851). Fils de barbier, autodidacte, il reçut cependant des leçons de perspective de l'aquarelliste T. Malton et, à partir de 1789, étudia à l'Académie royale. Découvert par un amateur d'art, il rencontra Th. Girtin*, subit son influence et s'intéressa aux paysages de Cozens et de R. Wilson*. Il travailla d'abord comme graveur et progressivement le caractère topographique de ses paysages et de ses ruines disparut pour faire place à une conception plus sensible et poétique de la nature. À partir de 1796, il commença à exposer des peintures à l'huile (sites pittoresques ou marines inspirées de ses voyages à travers l'Angleterre) où éclate son tempérament romantique; il évoque avec une grande maîtrise technique les coups de lumière sur la mer, les tempêtes, les paysages montagneux baignés d'une lumière aurorale, crépusculaire ou lunaire. Il acquit très vite une grande renommée en Angleterre et ouvrit à partir de 1804 sa propre galerie. Dès 1802, il se rendit en France et en Suisse et ne cessa, dès lors, de voyager sur le continent, en rapportant une multitude de croquis et d'aquarelles d'une facture très libre. Il voulait rivaliser avec l'art de Claude Lorrain* qu'il admirait profondément et représenta des paysages mythologiques (*Didon construisant Carthage,* 1815). À l'exemple du *Liber Veritatis* de Lorrain, il commença un *Liber Studiorum* dans lequel il établit une classification des types de paysages. Cherchant avec une passion de plus en plus exclusive à rendre les effets de l'atmosphère, il employait des couleurs intenses. Après son voyage en Italie en 1819 *(Campo Santo de Venise),* le caractère anecdotique et descriptif des motifs disparaît au profit de la lumière : lumière diaphane à travers les nuages, le brouillard ou la pluie, orages, etc. (*Navire en feu dans la tempête; Tourmente de neige en mer,* 1842). Certaines œuvres traitent des espaces mouvants et fluides en des structures tourbillonnantes (*Pluie, vapeur et vitesse,* 1844), et plusieurs de ses visions ont une dimension onirique et fantastique (*Lever de soleil avec monstre marin,* 1840). Turner démontra le pouvoir suggestif de la couleur étalée par masse fluide et transparente (souvent au couteau); si ses recherches sur le rendu atmosphérique le firent parfois considérer comme un précurseur de l'impressionnisme, il apparaît aussi, par l'abandon de tout support descriptif, comme le précurseur de l'abstraction lyrique.

TURNHOUT. ♦ V. de Belgique (ch.-l. d'arr. d'Anvers) sur le *canal de Turnhout,* dans la Campine, à 8 km de la frontière hollandaise. 38 011 hab. Hôtel de ville (1716). Palais de justice (château des ducs de Brabant du XIIIe au XVIIe s.). Chapelle gothique Saint-Théobald. Églises du XIVe et du XVIIe siècle. Musée Taxandria (antiquités belgo-romaines). – Indus. alimentaires (conserves). Imprimerie; cartes à jouer. Indus. textiles (dentelles). Indus. chimiques. – *Vieux-Turnhout,* en flam. *Oud-Turnhout,* faub. de Turnhout. 8 000 hab. ♦ *Hist.* Turnhout appartint au Brabant du XIIe au XVIe s. Charles Quint en fit une seigneurie qu'il offrit à sa sœur, Marie de Hongrie. En 1648 (traité de Munster) la ville devint un fief tenu par les Orange-Nassau. Résidence de nombreux seigneurs, Turnhout fut surnommé le « Petit Bruxelles ».

TURNUS. ♦ Roi légendaire des Rutules* dans *L'Énéide**(Liv. VII-VIII et IX).

TURNU SEVERIN. ♦ V. de Roumanie méridionale (Olténie), sur la r. g. du Danube, près des Portes de Fer. 36 000 hab. Vestiges romains (camp, thermes, pont de Trajan).

TUROSZÓW. ♦ Localité de Pologne* (voïévodie de Wrocław) située près de la frontière polono-allemande en basse Silésie*. – Gisement de lignite. Grande centrale électrique.

TURPIN (Eugène). ♦ Chimiste français (Paris, 1848 – Pontoise, 1927). Inventeur des couleurs inoffensives (1877) et de la mélinite (1887), explosif très puissant à base d'acide picrique adopté à partir de 1889 en France pour le chargement des munitions explosives.

TURPIN (Raymond). ♦ Médecin français (Pontoise, 1895). Promoteur des premières vaccinations contre la tuberculose (B.C.G. en 1921), il est surtout connu pour ses travaux sur les déterminations et les observations chromosomiques [en particulier l'aberration de nombre qui détermine le mongolisme, en collaboration avec son élève Lejeune*] (Acad. méd., 1957; Acad. sc., 1962.)

TURQUIE, *n. f.,* en turc **Türkiye Cumhuriyeti.** ♦ État du Proche-Orient, limité au N.-O. par la Bulgarie et la Grèce, à l'O. par la mer Egée, au S. par la Méditerranée, au S.-E. par la Syrie et l'Irak, à l'E. par l'Iran, au N.-E. par l'U.R.S.S. et au N. par la mer Noire. 780 576 km². 36 160 000 hab. [1971] (*Turcs,* comprenant des populations d'origine kurde [plus de 5 000 000], arabe [370 000], circassienne, grecque, arménienne, géorgienne et juive [220 000 env.]). *Cap.* Ankara*. *V. princ. et loc.* **V. Adana, Adapazari, Afyon, Akhisar, Amasya, Antalya, Antioche** (Antakya), **Aydin, Balikesir, Pergame** (Bergama), **Bodrum, Brousse** (Bursa), **Çanakkale, Çorum, Denizli, Diyarbakir, Edirne, Elâziğ, Erzincan, Erzurum, Eskişehir, Gallipoli, Gaziantep, Giresun, Iskenderun, Istanbul, Izmit, Karabük, Kars, Kayseri, Kirklareli, Konya, Kütahya, Lüleburgaz, Malatya, Magnésie du Sipyle, Maras, Mardin, Mersin, Niğde, Ordu, Rize, Samsun, San Stefano, Sivas, Smyrne, Tarsus, Tekirdağ, Trébizonde, Urfa, Van, Zonguldak.** *Langue off.* turc. *Religion* : musulmane (98,3 %). – La République turque est divisée administrativement en 67 régions (illerë). – *Orogr.* La *Turquie d'Europe,* fraction de la Thrace*, se présente comme un plateau ondulé bordé au N. par la chaîne de l'Istranca Dağ (1 031 m), au S. par celle, moins élevée, du Tekir Dağ. Elle constitue moins de 3 % du territoire turc, essentiellement formé par l'Anatolie : le plateau central, d'altitude élevée (1 100 m en moyenne) et recouvert de sédiments argileux, a un aspect irrégulier. Les formations volcaniques et les dépressions lacustres (le Tüz Gölü) sont nombreuses. La bordure égéenne, constituée par de grands blocs séparés par des failles d'orientation E.-O. (ce qui explique le caractère accidenté de la côte) est encore sujette à des tremblements de terre. Au S. du plateau anatolien, les arcs montagneux du Taurus* forment une barrière massive de haute altitude (3 734 m à l'Aladağ*), dominant les plaines de Pamphylie* et de Cilicie*. L'Anti*-Taurus, qui le prolonge vers le N.-E., et le Taurus oriental rejoignent les chaînes septentrionales des Alpes pontiques qui s'étendent du Bosphore* jusqu'à l'U.R.S.S., s'élevant progressivement vers l'E. (3 937 m au Kaçkar Dağ) : l'E. de l'Anatolie est la région la plus élevée du pays (5 165 m au mont Ararat*). Ses massifs cristallins sont séparés par de profondes dépressions (lac de Van*). Le S.-E. du pays est formé de plateaux steppiques se prolongeant en Syrie et en Irak et traversés par les vallées de l'Euphrate* et du Tigre*. Le relief s'élève à nouveau vers l'extrême S.-E., atteignant plus de 4 000 m près de la frontière iranienne. De façon générale, les fleuves ont un cours irrégulier, un faible débit et ne se prêtent pas à la navigation. Les plus importants se trouvent dans la zone pontique (Kizil* Irmak, Yesil Irmak, Sakarya*). — Le *climat* méditerranéen des côtes égéenne et méditerranéenne (9,2° en janv., 27,6° en juill. à Adana*), aux précipitations abondantes (628 mm/an à Adana), se modifie rapidement à l'intérieur du pays : les hautes terres anatoliennes ont des hivers froids, des étés tièdes et des précipitations très réduites (1,6° en janv., 22,8° en juill., 371,5 mm/an de précipitations à Kayseri*). — *Végétation :* les pourtours montagneux sont couverts de forêts (pins sylvestres dans les forêts des chaînes Pontiques, spécialement abondantes). L'intérieur de l'Anatolie est une zone de steppes qui s'étend constamment à cause de la dégradation des forêts. — *Écon.* L'*agriculture* occupe 75 % de la population active. Les techniques restent archaïques et la grande propriété joue souvent un rôle parasitaire (à l'intérieur de la région orientale). Sur le plateau anatolien, la culture des céréales vient en tête : blé (14 750 000 t en 1975) et orge (4 300 000 t) principalement. Sur la façade égéenne sont cultivés des oliviers, des figuiers, de la vigne à raisins secs. Le tabac et le noisetier sont cultivés dans la zone pontique (région de Samsun*, d'Ordu*) ainsi que le thé (région de Rize*). La culture du coton et des agrumes s'est répandue depuis peu dans les plaines de Cilicie* et de Pamphylie*. Les vignobles à vin tiennent une place importante en Thrace* (sur les côtes), en Anatolie sud-orientale et en Cappadoce*. — L'*élevage*, bien adapté au relief montagneux ou semi-aride, joue un grand rôle dans l'économie turque : on comptait 36 600 000 ovins, 20 600 000 caprins, 13 760 000 bovins en 1968. Les premiers sont élevés pour la production de la laine et du mohair (chèvres angora de la région d'Ankara*), les bovins servant surtout d'animaux de trait (la production de lait n'atteignait que 4 500 000 t en 1967). — La *pêche*, encore artisanale, est pratiquée principalement sur la côte égéenne, la mer de Marmara* et la région orientale de la mer Noire* (maquereaux, anchois, etc.). — *Ressources énergétiques et minières* : le charbon est abondant (bassin de Zonguldak* et d'Ereğli ; 4,7 millions de t en 1975) ainsi que le lignite (Anatolie occidentale). La Turquie est le premier producteur d'hydroélectricité du Moyen-Orient : les ressources, très abondantes, sont exploitées principalement dans la région pontique (sur le Kizil* Irmak et le Sakarya*) [production : 2,6 milliards de kWh, 1973]. Le pétrole, en quantité réduite, se trouve dans la région de Batman (Anatolie sud-orientale). Les minerais, encore peu exploités, sont très diversifiés. Le fer vient en tête (régions de Divrigi, en Anatolie centrale et de Çam Daği, près d'Izmir ; 1,1 million de t en 1975). La production de chrome, exploité dans la région de Güleman (près du lac de Van*) et de Fethiye (Anatolie occidentale), est l'une des premières du monde (215 300 t en 1974). Mines de cuivre (près de Damar, à proximité de la frontière soviétique), de soufre (région de Burdur), de manganèse, plomb, zinc et antimoine (région pontique). — Malgré ces ressources, l'*industrie* est encore pauvre. Seule la sidérurgie (1,6 million de t d'acier en 1975), implantée à Karabük* (où se trouve aussi une usine d'acide sulfurique), à Iskenderun* et à Ereğli, s'est beaucoup développée depuis la Deuxième Guerre mondiale. L'indus. textile (coton, laine, mohair, soie) reste la plus répandue. Les principaux centres se trouvent à Adana*, Izmir **(V. Smyrne)**, Bursa **(V. Brousse)** et Ankara*. Les indus. alimentaires sont représentées dans les centres urbains. — Les *échanges commerciaux* se font principalement avec les États-Unis, la République fédérale allemande, le Royaume-Uni et l'Italie. La Turquie exporte du tabac, des fruits, des légumes, du coton, des minerais et quelques produits finis (tapis). Elle importe essentiellement des biens d'équipement (machines, produits sidérurgiques). — *Communications :* le réseau ferroviaire (8 000 km) est encore insuffisant. Les princ. lignes sont orientées d'O. en E. (Istanbul-Ankara-Kayseri-Erzurum-Kars). L'Anatolie reste très dépourvue de routes. — Le *tourisme* s'est beaucoup développé depuis 1960. On comptait plus de 600 000 touristes en 1968, venus principalement d'Europe (Yougoslavie, République fédérale allemande, France, Grande-Bretagne, etc.) et des États-Unis. — *Patrie* des sultans Abdülaziz*, Abdülhamid* Ier, II. Abdül*-Medjid, Ahmet* Ier, II, III, Bâyazîd* Ier, II, Mahmut* Ier, II, Mehmet* Ier, II, III, IV, V, VI, Murat* Ier, II, III, IV, V, Osman* Ier, II, III, Selim* Ier, II, III, Süleyman* Ier (ou II) et de Djamâl* Pacha Evliyâ* Tchélébî, C. Gürsel*, I. Inönü*, Karaca* Oğlan, M. Lâmi'î* 'Çelebi, A. Menderes*, Namouk* Kemal, Nazim* Hikmet, Orhan* Veli, S. Saradjoglou*, M. Sinan*, Talât* Pacha, Yunus* Emre, M. Ziya* Gök Alp, Ziya* Pacha. **V.** ***aussi*** **Constantinople** et **Istanbul.** ♦ *Hist.* **V. Anatolie, Asie Mineure, Byzantin** (empire) ; **Türk ; Saljuqides ; Ottoman** (empire). — *La Turquie moderne.* Après la défaite des empires centraux, le sultan Mehmet* VI accepta le contrôle des Alliés et le traité de Sèvres (10 août 1920) défavorable aux intérêts turcs. Mustafa* Kemal refusa ce traité et entreprit de renverser le sultanat et d'instaurer un état national turc. Il put faire évacuer les armées grecques de l'Anatolie, imposer son autorité au sein du peuple turc, abolir le sultanat

Ph. Carlo Bevilacqua/Ricciarini

Turquie : porte monumentale romaine, Ier s., à Hiérapolis.

(1922) et constituer le Parti républicain du peuple. Il devint ensuite président de la République nouvellement formée et exerça un pouvoir dictatorial, essayant de moderniser l'État et de dégager la Turquie de la tutelle de la finance internationale. Il imposa la laïcisation, l'instruction obligatoire, l'industrialisation et la planification. Il institua nombre de lois nouvelles bousculant les habitudes de certains musulmans. Toute opposition fut brisée. Les minorités nationales (Grecs et Arméniens) perdirent le contrôle de l'économie. Les révoltes kurdes furent violemment réprimées. Pourtant, ces manifestations du nationalisme turc ne s'exprimèrent qu'à l'intérieur des frontières du pays. En politique étrangère, Mustafa Kemal mena une action pacifique. À sa mort (nov. 1938), le général Ismet Inönü* lui succéda. Ce dernier sut garder la neutralité de la Turquie pendant la Deuxième Guerre mondiale en usant d'une habile diplomatie. Refusant la virtualité d'une ingérence soviétique, Inönü obtint l'appui des États-Unis qui l'aidèrent à renforcer son armée. Ensuite la Turquie fit partie du pacte de l'Atlantique Nord (fév. 1952). Inönü favorisa la création d'une opposition parlementaire et son parti — dont le prestige succomba à la suite de la crise économico-sociale qui suivit la guerre — perdit le pouvoir au profit du Parti démocrate fondé en 1946 par Bayar* (1950). Sous la présidence de ce dernier, Menderes*, qui fut nommé Premier ministre, exerça à son tour un pouvoir dictatorial. Il rendit l'enseignement religieux obligatoire à l'école primaire et encouragea le retour à l'islâm : il construisit en dix ans cinq mille mosquées. Il fit appel à l'investissement étranger, abandonna le dirigisme et la protection de l'entreprise nationale. En politique étrangère, la Turquie se rapprocha de la Grèce et de la Yougoslavie, adhéra au pacte de Baghdâd (1955) et tenta de gêner l'évolution du nationalisme arabo-syrien (1956-1957). L'affaire de Chypre envenima ses rapports avec la Grèce et la Grande-Bretagne (jusqu'en 1959). Devant l'état latent d'une grave crise financière, un putsch militaire renversa le régime et confia la direction de l'État au général Gürsel (mai 1960). Les dirigeants du Parti démocrate furent condamnés et trois d'entre eux, dont Menderes, furent pendus (sept. 1961). Le général Gürsel, élu président de la République, imposa un cabinet de coalition dirigé par Inönü (juin 1962). Cependant, les élections de 1965 virent le triomphe du Parti de la justice, composé de plusieurs anciens compagnons de Menderes. Suleyman Demirel accéda au poste de Premier ministre. Mais les problèmes essentiels n'étaient pas résolus. En 1970, une grande agitation sociale secoua les centres industriels. La dévaluation de la livre turque de 66 % aggrava la situation. Simultanément à l'agitation ouvrière se développa le mouvement de contestation dans les lycées et les universités. La gauche extra-parlementaire se manifesta par la pratique d'une sorte de guérilla urbaine (1971). Devant l'accentuation de

Ph. FPC/Ricciarini

Turquie : bazar à Istanbul.

l'état de crise, l'armée intervint de nouveau (mars 1971) et imposa un gouvernement de salut public dirigé par M. Erim. Celui-ci s'entoura de techniciens mais, après le rapt et l'assassinat de trois cadres de l'O.T.A.N. par des gauchistes, Erim dut démissionner (avril 1972). En avril 1973, Fahrikorutürk accéda à la présidence de la République. Les élections législatives d'octobre de la même année permirent à Bulent Ecevit de constituer un gouvernement de coalition avec Necmettin Erbakan, chef du Parti du Salut national. Sous ce gouvernement eut lieu, en juillet 1974, l'intervention à Chypre*. La coalition se rompit en septembre, et une crise s'ouvrit dans la vie politique turque.

TURTIAINEN (Arvo Albin). ♦ Poète finnois (Helsinki, 1904 –). Il appartint au groupe radical de gauche *Kiila* avec Kajava* et Katri Vala*. Il décrivit avec pénétration des types humains dans le recueil *Le Chemin sous le nuage* (1939). Il se battit dans l'armée finlandaise en 1939-1940, fut prisonnier de 1941 à 1944 pour ses opinions antifascistes, publia des recueils agressifs et amers à sa libération, *Je revins à la maison* (1944), un *Chant pour le parti* (1946) et s'éloigna ensuite du Parti communiste. Il publia des œuvres simples, humaines et viriles, comme *J'aime* (1955), *L'Automne du printemps* (1959) ou *Moi, nu-pattes* (1962), dont la langue, l'argot de Helsinki, n'obscurcit pas la valeur artistique.

TUSCALOOSA. ♦ V. des États-Unis (O. de l'Alabama*), dans un comté industriel et agricole. 61 933 hab. Université. Ancienne cap. de l'État, la ville conserve des résidences du XIXe siècle.

TUSCARORA. ♦ Fosse marine de 10 535 m de profondeur, se trouvant à l'E. des îles du Japon* et des Kouriles, découverte en 1874 par un navire océanographique américain de ce nom.

Tusculanes *(Tusculanae disputationes)*. ♦ Œuvre philosophique de Cicéron* (~ 45) en cinq livres, qui établit l'immortalité de l'âme et fonde le souverain bien sur la vertu.

TUSCULUM. ♦ Anc. V. de l'Italie (Latium), près de Frascati*. Elle joua un rôle important à l'époque de la République. Cicéron* y possédait une villa où il écrivit ses *Tusculanes**.

TUTICORIN ou **TUTTUKUDI.** ♦ V. et port de l'extrême sud de la péninsule indienne, anc. comptoir portugais fondé en 1540. Pêcheries de perles, indus. textiles (coton), pêcheries. 154 000 hab. L'agglomération compte 162 000 habitants.

TUTTUKUDI. ♦ V. TUTICORIN.

TUTUILA. ♦ La plus grande des îles *Samoa orientales*, où se situe le centre administratif, Pago* Pago. 137 km². Coprah.

TUVA. ♦ V. TOUVA.

TUWIM (Julien). ♦ Poète polonais, l'un des plus éminents représentants du groupe « Scamandre » *(Skamander)* créé en Pologne après la Première Guerre mondiale (Lodz, 1894 – Zakopane, 1953). D'origine juive, inventeur de « l'exotisme quotidien », il révolutionna le lyrisme polonais dès son premier recueil, *Le Piège tendu à Dieu* (*Czyhanie na Boga*, 1918). Il exprima sa vision du monde, concrète et réaliste, dans *Socrate dansant* (*Sokrates tańczący*, 1920), *Le Septième Automne* (*Siódma jesień*, 1922), *Paroles dans le sang* (*Słowa we Krwi*, 1926), *La Bible tzigane* (*Biblia cygańska*, 1933), *La Foire aux rimes* (*Jarmark rymów*, 1934), *Le Bal à l'opéra* (*Bal w operze*, 1936) et *Fleurs polonaises* (*Kwiaty polskie*, 1949). Il publia également des poèmes pour les enfants *(La Locomotive, L'Éléphant Trombalski)* et traduisit Horace, Nekrassov, Rimbaud, Maïakovski. Émigré au Brésil et aux États-Unis durant la Deuxième Guerre mondiale, il regagna son pays à la Libération.

TUYÊN QUANG. ♦ V. du Nord Viêt-nam sur la *rivière Claire*, 10 000 hab. ♦ *Hist.* La ville fut défendue (1884-1885) par le commandant Dominé et le sergent Bobillot contre les troupes chinoises qui l'assiégèrent pendant trois mois.

Ph. Pierre Testault

Turquie : cultures en Cappadoce.

TUZLA. ♦ V. de Yougoslavie (Bosnie*-Herzégovine). 41 000 hab. – Sel gemme. Marché agricole de la Bosnie et de la Podravina.

TVARDOVSKI (Alexandre Trifonovitch) [*Tvardovski*]. ♦ Poète soviétique (Zagorie, gouvernement de Smolensk, 1910 – Moscou, 1971). Son poème, *Le Pays de Mouravia*, dont le héros est troublé par la collectivisation, le rendit célèbre en 1936. Puis avec *Vassili Terkine* (1942-1945), cycle de poésies qui racontent l'histoire d'un cœur sensible et courageux, *La Maison au bord de la route* (1946), poème sur la douloureuse histoire d'une famille paysanne et *Lointains* (1958-1960), cycle de poésies formant une sorte de journal de voyage, Tvardovski a exprimé la confiance qu'il avait en son peuple. Dans *Terkin dans l'autre monde* (1954-1963) comme dans *Lointains*, il critique le culte de Staline. Nommé rédacteur en chef de la revue *Novyi Mir* (« Nouveau Monde »), il y prit la défense de Soljenitsyne*.

TVER. ♦ V. KALININE. – Patrie de Jdanov.

TWAIN (Samuel Langhorne Clemens, dit **Mark)**. ♦ Journaliste et romancier américain (Florida, Missour., 1835 – Redding, Conn., 1910). Fils de rêveurs quasi visionnaires, il se croyait un « mystérieux et peut-être surnaturel visiteur venu d'autres lieux » (*Le Mystérieux Étranger*, 1916). Le village tranquille où il grandit au bord du Mississippi est décrit dans *Les Aventures de Tom Sawyer* (1876), histoire de deux inséparables amis partis une nuit pour enterrer un chat dans un cimetière, et dans *Les Aventures de Huckleberry Finn* (1885) d'où « toute la littérature moderne découle », si l'on en croit Hemingway. Cette satire est une suite d'épisodes où Tom, Huck et Jim, l'esclave noir qu'il faut emmener dans un État abolitionniste, affrontent mille malheurs tous surmontés à la fin du livre. Twain fut typographe, pilote sur le Mississippi, vécut dans les camps de mineurs du Nevada, se fit chercheur d'or et, enfin, réussit dans le journalisme où il prit le pseudonyme de *Mark Twain*, un vieux terme de navigation. C'est dans un journal que parut *La Célèbre Grenouille sauteuse de Calaveras* (*The Jumping Frog of Calaveras County*, 1865), vieille histoire rajeunie par Twain pleine d'un humour pétillant dont son auteur restera prisonnier. On se rend compte en lisant ses œuvres posthumes que ce masque d'amuseur public lui pesait. Il connut Bret Harte à San Francisco, alla à Hawaï, visita la Terre sainte et l'Italie (*Les Innocents en voyage* [*Innocents Abroad*], 1869). *À la dure* (*Roughing It*, 1872), le second de ses livres de voyage, peut donner une idée de la vie américaine au temps où l'on circulait de la côte de l'Atlantique à celle du Pacifique dans une diligence à six chevaux. Il s'essaya au roman avec *L'Âge doré* (*The Guilded Age*, 1873) et c'est alors qu'il était à l'apogée de sa carrière qu'une série de malheurs domestiques – mort de sa femme, mort d'une de ses filles, folie de l'autre – le fit changer de style (*Jeanne d'Arc*, 1896, *Le Mystérieux Étranger*, 1916). Sa mort, comme il l'avait prédit, coïncida avec la réapparition de la comète de Halley qui avait marqué sa naissance.

TWARDOWSKI (Samuel). ♦ Poète polonais (v. 1600 – 1660). Auteur de mémoires et de chroniques en vers sur les guerres polonaises de son époque, il est surtout connu comme représentant de l'élégie et du roman pastoral à l'espagnole. *Daphné changée en laurier* (*Daphnis drzewem bobkowym*, 1638), *La Belle Pascaline* (*Nadobna Paskalina*, 1655).

TWEED. *n. f.* ♦ Riv. du S.-E. de l'Écosse (156 km), tributaire de la mer du Nord. Issue des *Southern Uplands*, elle sert de frontière entre l'Angleterre (Northumberland) et l'Écosse et arrose les villes de Kelso* et Berwick*. Son princ. affl. est la *Teviot*. La vallée de la Tweed est spécialisée dans l'indus. lainière (tissage des célèbres « tweeds »).

TWICKENHAM. ♦ V. résidentielle de la banlieue de Londres* (Middlesex), sur la r. g. de la Tamise, en face de Richmond. 100 800 hab. Stade de rugby. – Pope*, qui y séjourna, est enterré dans l'église paroissiale.

TWINGER (Jacques). ♦ Homme d'Église et chroniqueur alsacien (Königshofen, 1346 – Strasbourg, 1420). Chanoine de l'église Saint-Thomas de Strasbourg, il a écrit une chronique locale (v. 1386), précédée, en introduction, par une chronique universelle.

Twist (Oliver). ♦ Héros du roman de Charles Dickens* *The Adventures of Oliver Twist* (1837-1838). Rédigé en même temps que *Pickwick* et *Nicholas Nickleby, Oliver Twist* correspond à la première période de Dickens. Tableau des bas-fonds londoniens, l'œuvre veut donner une image réaliste de la criminalité et l'expliquer, au lieu de l'idéaliser à la manière romantique. Abandonné dans un hospice, puis martyrisé, le jeune Twist s'enfuit à Londres. Il y sera la proie de divers malfaiteurs, qui tentent vainement de l'entraîner dans le crime. Après la révélation du secret de la naissance, illégitime mais noble, d'Oliver, le triomphe des bons sur les méchants (à l'exception des inévitables sacrifiés) sera entier. Malgré son moralisme un peu mièvre et l'ambiance de certains personnages, le roman évoque avec puissance les milieux de hors-la-loi (Cf. en France, Balzac, Hugo, E. Sue). Il a été illustré par Cruikshank.

TYÂGARÂJA. ♦ Célèbre poète et musicien indien (v. 1759 – v. 1847) de la cour des râja de Tanjore, auteur de nombreuses chansons religieuses en l'honneur de Râma* et réformateur de la musique dite « carnatique ».

TYARD (Pontus *de*). ♦ **V.** PONTUS DE TYARD.

TYCHO [tiko] **BRAHÉ (Tyge BRAHÉ).** ♦ Astronome danois (Knudstrup, 1546 – Prague, 1601). Le roi Frédéric II de Danemark lui ayant octroyé en 1576 l'île de Hveen (Sund) pour y construire son laboratoire (château d'Uraniborg), il consacra à l'observation les vingt années qu'il y passa : il fut le premier à tenir compte de la réfraction de la lumière et rédigea un catalogue de 777 étoiles. Mis plus ou moins en disgrâce après l'avènement de Christian IV (1588), à cause de ses dettes permanentes, il quitta Uraniborg quand sa pension lui fut retirée (1597); devenu le protégé de Rodolphe II, il s'installa en Bohême où, à partir de 1601, l'équipe de Tycho renforcée par l'adjonction de Kepler* se remit au travail, commençant notamment l'élaboration des *Tabulae rudolphinae*; ses observations sur le mouvement de la planète Mars (dix oppositions) permirent à Kepler de réformer l'astronomie.

TYCHY. ♦ V. de Pologne* (voïévodie de Katowice) au S. du bassin houiller de haute Silésie. 65 000 hab. Agglomération industrielle récemment aménagée sous le nom de *Nowe Tychy.* – Industries métallurgiques, houillères.

TYDÉE, en gr. **Tudeus.** ♦ Roi légendaire de Calydon* en Étolie. Ayant commis un meurtre, il se réfugie auprès d'Adraste*, roi d'Argos, et le suit dans l'expédition des Sept* Chefs. Combattant vaillant et cruel, il terrasse l'un après l'autre les défenseurs de Thèbes*, mais il est à la fin mortellement blessé. Athéna obtient pour lui l'immortalité, mais elle revient sur sa décision lorsqu'elle le voit manger le cerveau d'un de ses ennemis morts. Son fils Diomède* le venge en participant à l'expédition des Épigones.

TYL (Josef Kajetan). ♦ Auteur dramatique et publiciste tchèque (Kutna Hora, 1808 – Pilsen, 1856). Il joua un certain rôle dans le réveil national littéraire en dirigeant des revues telles que *Fleurs tchèques* ou *Le Messager de Prague.* Il mit en scène dans ses pièces la société bourgeoise et populaire de son époque : *La Kermesse des cordonniers* (1834), *Le Cornemuseux de Strakonice* (1847). Il est l'auteur de l'hymne national : *Où est mon pays ?*

TYLER (Wat). ♦ Révolutionnaire anglais (mort à Smithfield, Londres, 1381). Il prit la tête des paysans révoltés contre les impôts excessifs, marcha sur Londres, obtint des concessions du roi Richard* II, mais fut tué par le maire de Londres William Walworth (1381).

TYLER (John). ♦ Homme politique américain (Charles City County, Virginie, 1790 – Richmond, 1862), 10e président des États-Unis. Il prit, très jeune, parti contre l'autorité fédérale pour les questions de l'esclavage. Gouverneur, puis sénateur démocrate opposé à Jackson*, il se rallia à Henry Clay* et aux whigs. Vice-président de Harrison*, il lui succéda presque immédiatement, déçut les whigs et gouverna en dehors de tout parti. Il ne se représenta pas aux élections. Lors de la guerre de Sécession*, il se rallia à la cause sudiste.

TYLOR (*sir* Edward Burnett). ♦ Ethnologue anglais (Camberwell, Londres, 1832 – Wellington, Somerset, 1917). Créateur de la théorie de l'animisme d'après laquelle les croyances religieuses des primitifs ont pour origine les rêves et la mort, il fit également des travaux sur l'ethnologie de la parenté (la régulation du mariage, le lévirat, etc.). Partisan de la conception du développement uniforme de la civilisation, il fut le premier à tenter de réaliser une « statistique sociale » en chiffrant les données ethnographiques (*Researches into the Early History of Mankind,* [...], 1865; ***Primitive Culture, Anthropology***, 1881).

TYNDALL (John). ♦ Physicien irlandais (Leighlin-Bridge, 1820 – Hindhead, Surrey, 1893). Il découvrit le phénomène de regel de la glace (1871), ce qui lui permit d'interpréter la marche des glaciers. Il expliqua également la différence d'aspects que prennent les suspensions colloïdales, selon qu'elles sont regardées par transparence ou par réflexion, en faisant intervenir la diffusion de la lumière par les particules (*effet Tyndall).* Il imagina enfin une méthode de stérilisation (*tyndallisation*, 1876).

Ph. Harlingue-Viollet

Mark Twain.

Ph. A.P.N.

Alexandre T. Tvardovski.

Arch. Smeets

Tydée. Détail d'une urne d'albâtre représentant les « Sept contre Thèbes. » Art étrusque, période hellénistique. (Musée étrusque, Volterra.)

TYNDARE, en gr. **Tundareôs.** ♦ Roi légendaire de Sparte*, qui intervient dans la légende des Atrides. Son épouse Léda*, unie également à Zeus métamorphosé en cygne, lui donne Clytemnestre*, Hélène* et les Dioscures **(V. Castor et Pollux).** Il lègue son royaume à Ménélas*.

TYNE. *n. f.* ♦ Riv. du N. de l'Angleterre (128 km). Elle prend sa source dans les monts Cheviot, près de la frontière écossaise et est formée par la réunion, près d'Hexham, de la Tyne du Nord et de la Tyne du Sud (*North* et *South Tyne*), issue du Cross Fell. Elle arrose Hexham et Newcastle. L'embouchure *(Tyneside)* est fortement industrialisée. Les villes de Newcastle*, Tynemouth*, South* Shields, traditionnellement tournées vers l'exportation de la houille du Durham-Northumberland, diversifient leurs activités (constructions navales et mécaniques, chimie, indus. électriques, meubles, etc.).

TYNEMOUTH. ♦ V. du N.-E. de l'Angleterre (Northumberland) à l'embouchure de la Tyne, à 15 km de Newcastle. 72 000 hab. Ruines (XIVe-XVe s.) d'un prieuré fondé au VIIe siècle. – Port *(North Shields)* et plage sur la mer du Nord. Constructions navales et électriques, matières plastiques.

TYPHON [*Tuphôn*]. ♦ Monstre de la légende grecque. Gaia*, unie à Tartare*, l'enfante pour venger ses fils, les Titans et les Géants, vaincus par Zeus*. Les mythographes lui donnent les traits les plus effrayants de la monstruosité : taille plus haute que les montagnes, corps ailé et couvert d'écailles ou de vipères, cent têtes de dragons, yeux qui lancent des flammes,... Uni à Échidna*, il engendre Cerbère*, l'Hydre* de Lerne, la Chimère*, le lion de Némée*, etc. Il attaque l'Olympe* et met en fuite les Olympiens qui se sauvent en Égypte et se dissimulent dans le désert en prenant des formes d'animaux. Zeus, d'abord vaincu, foudroie ensuite Typhon et l'écrase sous les montagnes que le monstre essayait de lancer contre lui.

TYR, nom vieux-scandinave correspondant au **Tiwar** ou **Tiuz** des Germains du Nord (Cf. sanscrit *Dyaus,* grec *Zeus,* latin *Ju[piter]*). ♦ Dieu germanique de la guerre et du droit (la guerre étant une façon de manifester le droit). Dans le mythe, il met sa main, comme gage, dans la gueule du loup Fenris* que les dieux enchaînent; lorsque celui-ci reconnaît le piège, il mange la main de Tyr. Son culte déclina à l'époque historique. On le rapproche du héros romain Mucius* Scaevola.

TYR, en gr. **Turos.** ♦ *Géogr. anc.* Cité phénicienne bâtie sur une île reliée à la côte par une digue. Auj. *Sûr* (Liban). ♦ *Hist.* Déjà prospère sous la tutelle égyptienne au ~ XVIe s., elle bénéficia du déclin des grandes puissances à la fin du ~ XIIe s. et devint le principal port de la Méditerranée orientale. Sa prospérité reposait sur la fabrication de la pourpre et du verre, sur l'abattage des cèdres du Liban, sur le commerce entre l'Orient et l'Occident. Elle fonda des colonies : peut-être Utique*, Gadès (Cadix*), Lixos (au Maroc, sur l'Atlantique), Carthage*. Sa principale divinité était Melkart*, son organisation politique la royauté **(V. Hiram)**. Au ~ IXe s., elle devint tributaire de l'Assyrie, à partir d'Assurnazirpal II et fut plusieurs fois assiégée, notamment par Sennachérib (~ 701-~ 700). Elle fut prise encore par Nabuchodonosor II après treize ans de siège (~ 573) puis par Alexandre le Grand (~ 332). Elle retrouva un nouveau lustre sous les Séleucides puis à l'époque romaine et fut un évêché chrétien (attesté *fin* IIe s.). Elle tomba devant les Arabes en 636, passa aux Seldjoukides (1089), aux croisés et aux Vénitiens (1124), aux mamelouks d'Égypte (1291). Elle fut alors détruite, de sorte qu'il en reste peu de vestiges. – **V. Phénicie.** – Patrie de Maxime de Tyr, de Porphyre; Origène y mourut. – *Légende et relig.* **V. Didon,** Baal de Tyr **(V. Melkart).**

TYROL. *n. m.* ♦ État confédéral d'Autriche. 12 648 km². 463 000 hab. Cap. **V. Innsbruck.** Situé entre la Carinthie* à l'E. et le Voralberg* à l'O., le Tyrol autrichien est séparé en deux par la province de Salzbourg *(Tyrol septentrional* et *Tyrol oriental).* Au sens large, le Tyrol comprend des régions situées au S. du Brenner (Bolzano et Trentin) qui furent cédées à l'Italie après la Première Guerre mondiale. Les Alpes centrales au S. et les Préalpes calcaires au N. occupent entièrement la province du Tyrol. Le plus haut sommet du Tyrol autrichien est le Wildspitze (3 774 m). Les Préalpes et les Alpes centrales sont difficilement pénétrables sauf par le col du Brenner*. Le percement du tunnel routier du Felbertauern facilite l'accès du Tyrol oriental, assez isolé jusqu'ici. La vallée de l'Inn forme l'axe vital du Tyrol, où se localisent les villes les plus actives. – *L'économie* traditionnelle du Tyrol, fondée sur des cultures dans les vallées et sur les premières pentes (blé, vigne, fruits), sur l'élevage et des activités artisanales, a été vivifiée par l'essor du tourisme. Les stations climatiques et de sports d'hiver, favorisées par la beauté des paysages et l'abondance de la neige, ont acquis une réputation internationale (Ischgl*, Igls*, Innsbruck*). L'exploitation des mines du N. (cuivre, sel, magnésite) est ancienne et de petites industries très spécialisées sont implantées dans les villes (bijouterie, textile, petite métallurgie à Reutte, cuivre à Brixlegg). Le développement de la chimie, de la pharmacie et surtout de l'électrochimie est beaucoup plus récent; en plein essor, l'indus. chimique bénéficie de l'abondance des ressources hydrauliques de l'État. ♦ *Hist.* En ~ 15, les Rhètes qui occupaient la région furent battus par Drusus et Tibère et la Rhétie (ou Raetie) devint province romaine. Au VIe s., les Bavarois occupèrent l'actuel Tyrol autrichien et, par le col du Brenner, poussèrent jusqu'au Tyrol du Sud (l'actuel Bolzano), alors que le Trentin était occupé par les Lombards. Les deux régions firent partie de l'empire franc du VIIIe s., puis appartinrent aux empereurs germaniques. En 1040, Henri II donna la région aux évêques de Trente qui laissèrent le pouvoir aux comtes de Tyrol. En 1363, le Tyrol passa au duc d'Autriche, Rodolphe IV, et resta entre les mains des Habsbourg jusqu'à la Première Guerre mondiale. – Au XVIe s., le Tyrol s'enrichit grâce à ses mines et à son industrie des armes. Il adopta la Réforme, mais, après l'écrasement de la grande révolte paysanne de 1525, il revint au catholicisme. Le sentiment régionaliste y était très fort. En 1805-1806, la paix de Presbourg donna le Tyrol à la Bavière, mais les Tyroliens mécontents s'insurgèrent sous la conduite d'Andreas Hofer. La paix de Paris (1814) rendit le Tyrol à l'Autriche. Le Trentin (de langue italienne) devint un centre de résistance à l'Autriche, surtout après l'unité italienne. – Le traité de Saint-Germain-en-Laye donna à l'Italie le sud du Tyrol : province du Trentin et province de Bolzano. Dans cette dernière province vivait une importante population de langue allemande. Une partie de cette population émigra vers l'Allemagne après les accords germano-italiens de 1939. En 1969, un accord fut passé entre l'Autriche et l'Italie, laissant une grande autonomie à la province de Bolzano.

TYRONE *(comté de).* ♦ Le plus vaste des comtés d'Irlande du Nord (3 155 km², soit le quart du territoire). 136 040 hab. *Ch.-l.* Omagh*. *V. princ.* **V. Dungannon, Strabane.** – Le comté, qui s'étend à l'O. du lough Neagh, présente un relief très diversifié : *monts Sperrin** au N., collines au S.-O. et plaines. Les deux extrémités E. et O. sont occupées par les *loughs Neagh** et *Erne**. Les princ. activités sont l'agriculture (orge, pomme de terre, lin alimentant l'indus. textile traditionnelle) et le tourisme. ♦ *Hist.* **V. O'Neill** *(comtes de Tyrone).*

TYRRHÉNIENNE *(mer).* ♦ Portion de la Méditerranée occidentale, comprise entre la Corse, la Sardaigne et la Sicile et baignant la côte O. de la péninsule italienne. Un seuil situé entre Piombino et le cap Corse la sépare du golfe de Gênes. La profondeur maximale est de 4 600 m, entre la Sardaigne et l'Italie. Les côtes sont en général élevées et rocheuses et bordées de plusieurs groupes d'îles : archipel toscan, îles Ponziane, Éoliennes. Fl. tributaires : Arno, Ombrone, Tibre, Garigliano, Volturno, Sele.

TYRTÉE, en gr. **Turtaios.** ♦ Poète grec (Aphidnae, Attique, ~ VIIe s.). D'après la légende, maître d'école, boiteux et difforme, il fut prêté par les Athéniens aux Spartiates contraints par un oracle de Delphes de demander un conseiller à leurs adversaires. Devenu citoyen lacédémonien par adoption, il se montra sage conseiller et chef militaire. Ses *Embatéria* (marches ou chants pour charger l'ennemi), en dialecte dorien littéraire, diffusés à travers la Grèce, furent une espèce de catéchisme de bravoure. Il écrivit aussi en ionien des élégies intitulées *Eunomia* (ordre des lois justes) et *Ypothèkai* (exhortations), recueil de préceptes pratiques.

TYTCHINA (Paul Grigorievitch) [*Tyčina*]. ♦ Poète ukrainien (Peski, gouvernement de Tchernigov, 1891). Ami de Kotsioubinski*, qui lui inspira ses premiers poèmes : *Première Connaissance* et *Nuit chez Kotsioubinski* (1910). En 1918 il publia un recueil de vers d'influence symboliste, *Clarinettes solaires,* qui révèle sa sensibilité à la nature ukrainienne. Puis la réalité révolutionnaire prit le dessus, et Tytchina mit désormais son art au service du pouvoir en devenant le poète officiel de l'Ukraine. Après un poème populaire sur la guerre civile, *À la foire* (1919), il écrivit *Tchernigov* (1931), *Le parti dirige* (1934), *Une seule famille* (1936), où domine sa conception marxiste du monde. Pendant la guerre il chanta la gloire des héros dans son poème *L'Enterrement d'un ami,* et après la guerre il appela à la reconstruction dans *À l'usine des tracteurs* et *Il nous faut vivre.* Il laissa en outre quelques essais dont *La Force créatrice du peuple* (1943). Il fut ministre de l'Éducation en Ukraine de 1944 à 1948.

TZARA (Samy Rosenstock, dit **Tristan).** ♦ Écrivain français, d'origine roumaine (Moinesti, Roumanie, 1896 – Paris, 1963). Résolument hostile à toute prétention littéraire ou artistique, identifiant révolte poétique et révolution sociale, le mouvement dada, dont il fut l'initiateur (Zurich, 1916), se présente comme la réaction la plus violente que l'Europe, en proie à une guerre à ses yeux inutile et dévastatrice, ait suscitée parmi la jeunesse intellectuelle. Déterminés à détruire toutes les valeurs esthétiques, morales, philosophiques et religieuses sur lesquelles repose la société occidentale, Tzara et ses amis (Breton, Éluard, Fraenkel, Soupault, Ribemont-Dessaignes, Péret) manifestèrent d'abord leur révolte par une critique nihiliste du langage, organisant à travers la plupart des capitales d'Europe, et principalement à Paris *(Manifeste dada,* 1918), des soirées « artistiques et littéraires », qui firent scandale, dans le but de répondre à l'incohérence par l'absurde. Confiants dans le rôle du hasard (ils avaient, dit-on, trouvé le nom de dada en ouvrant au hasard les pages d'un dictionnaire), et de l'inconscient, les dadaïstes entendaient prouver que la poésie est « une force vivante sous tous les aspects, même antipoétiques, l'écriture n'en étant qu'un véhicule occasionnel, nullement indispensable ». Leur quête de l'authenticité et de la liberté absolues, résurgence du romantisme le plus exacerbé, devait après la séparation d'avec Tzara, se retrouver au cœur des aspirations les plus hautes des surréalistes, groupés autour d'André Breton (1919). Tzara a publié : *La Première Aventure céleste de M. Antipyrine* (1916), *Vingt-cinq Poèmes* (1918), *De nos oiseaux* (1929), *L'Anti-tête* (1933), *Le Cœur à gaz* (1938), *Midis gagnés* (1939). Après la Deuxième Guerre mondiale, ayant renoncé aux aspects les plus provocants de son action et devenu anxieux de l'avenir de l'homme, il a fait paraître : *Entre-temps* (1946), *De mémoire d'homme* (1951), *La Face intérieure* (1954), *Le Fruit permis* (1957), *La Rose et le Chien* (1958).

TZ'U-HSI [*Ts'eu-Hi, Cixi*]. ♦ Concubine manchoue (1835-1908) de l'empereur Hsien Feng des Ch'ing* et régente de son fils T'ung-chih. Celui-ci étant mort en 1875, elle régna seule en tant qu'impératrice douairière. Son esprit étroit et son intransigeance la firent surnommer « le vieux Bouddha ». L'empereur Tê* Tsung ayant voulu faire des réformes, elle fit exécuter les réformistes et, grâce à l'aide de Yüan* Shih-K'ai, fit interner l'empereur. Farouchement anti-occidentale, elle soutint la révolte des Boxers*, mais dut s'incliner après leur défaite. Son règne autoritaire marqua la décadence de l'Empire chinois.

TZU-KUNG (Tseu-kong, Zigong). ♦ V. de Chine (Szu-ch'uan). Env. 300 000 hab. Exploitations de pétrole et de gaz naturel.

TZU-PO [*Tseu-po, Zibo*]. ♦ V. de Chine (Shan-tung). 800 000 hab. – Grand centre houiller.

Ph. A.P.N.

Paul G. Tytchina.

Ph. Roger-Viollet

Tristan Tzara.

Arch. Smeets

Paolo Uccello : un des panneaux de la « Légende de la profanation de l'hostie ». (Galerie nationale. Urbino).

'UBAYDULLAH (al-Mahdī). ♦ Fondateur de la dynastie fâtimide (Salamîye, Syrie, v. 862 – Mahdia, Tunisie, 934). Il se proclama calife en 909 à Kairouan. Il fonda la ville de Mahdia* sur le littoral tunisien, où il s'installa en 926. **V. Fâtimides.**

UBAYE [ybaj]. *n. f.* ♦ Riv. des Alpes* (80 km), affl. de la Durance*. Elle prend sa source au mont Viso*, passe à Barcelonnette* et rejoint la retenue des eaux du barrage de Serre*-Ponçon.

UBE. ♦ V. du Japon (Honshû, préf. de Yamaguchi) et port sur le détroit de Shimonoseki. 190 000 hab. – Centre charbonnier et industriel.

ÚBEDA. ♦ V. d'Espagne méridionale, en Andalousie (prov. de Jaén), sur la *Loma de Úbeda.* 29 000 hab. – Cité riche en monuments Renaissance : églises del Salvador et San Nicolás (XVIe s.), palais des XVe et XVIe s., hôpital de Santiago (XVIe s.).

UBERABA. ♦ V. du Brésil, dans l'État de Minas* Gerais, au N. du rio Grande. Env. 100 000 hab. Archevêché. Centre commercial. Indus. alimentaires.

ÜBERLINGEN. ♦ V. d'Allemagne méridionale (Bavière) et station touristique fréquentée, au bord du lac de Constance. 12 000 habitants.

Ubu *(le père).* ♦ Personnage d'Alfred Jarry*, apparaissant notamment dans ses pièces : *Ubu roi, Ubu enchaîné, Ubu sur la Butte, Ubu cocu* et dans les *Almanachs du père Ubu* (repris, après Jarry, par Ambroise Vollard). Création collective des potaches du lycée de Rennes et appelé d'abord Heb, Eb, Ébé (où transparaît le nom d'Hébert, l'infortuné professeur qui en était le prototype), il fut doté par Jarry d'une existence littéraire. Amplification « en plus éternel » d'un homme qui, pour ses élèves, représentait « tout le grotesque qui fût au monde », souverainement avide et imbécile, méchant et lâche, bardé de titres magnifiques et dérisoires (« roi de Pologne et d'Aragon », « maître des Phynances », « docteur en pataphysique »), proférant des jurons scandaleux ou incongrus (« Merdre ! », « Cornegidouille ! », « De par ma chandelle verte ! »), il fut, selon la constatation de Jarry, le « double ignoble » dans lequel le public refusa de se reconnaître. L'interprétation banale, voyant en Ubu une satire de la bourgeoisie, est démentie par son insuffisance même, par les propos de Jarry et par le fait que celui-ci assuma son personnage au point de s'identifier peu à peu avec lui, comme si seul il osait être Ubu. – Le père Ubu est accompagné d'une épouse, l'acariâtre et volage mère Ubu, et d'aides, les trois « palotins » aux noms héraldiques : Giron, Pile et Cotice.

UCAYALI. *n. m.* ♦ Riv. de l'Est péruvien (1 600 km), formée par la fusion de l'Apurimac* et de l'Urubamba et dont le cours supérieur longe les Andes orientales. Branche mère de l'Amazone* avec le Marañón (confluent en amont d'Iquitos).

UCCELLO (Paolo di Dono, dit **Paolo).** ♦ Peintre, mosaïste, décorateur et marqueteur italien (Florence, 1397 – *id.,* 1475). Figure originale et diverse, il travailla comme orfèvre dans l'atelier de Ghiberti* (1407-1414), comme mosaïste à Venise (San Marco, 1425-1430) et dessina aussi des vitraux pour le dôme de Florence (1443-1445, *Résurrection*). Passionné de géométrie, fin dessinateur, il se révéla en peinture un « poète de la science » sachant créer par la perspective l'illusion (effigie équestre de *John Hawkwood,* 1436, dôme de Florence) ou l'effet dramatique (*Déluge,* 1445-1450, cloître vert de Sainte-Marie-Nouvelle) et unir dans ses compositions, à la rigueur mathématique, la puissance suggestive et rythmique de la ligne et des audaces de couleurs et de formes qui traduisent son talent de conteur, de décorateur, d'animalier et son goût du merveilleux (*Bataille de San Romano,* 1456-1460, Offices, Louvre, National Gallery ; *Saint Georges et le Dragon,* Paris ; *Chasse,* v. 1468, Oxford). On lui doit aussi des portraits, des « cassoni » (devants de coffre décorés) et, sur la prédelle d'un retable d'Urbino, la *Légende de la profanation de l'hostie* (1467-1469, palais ducal), mais on a perdu, à Padoue, ses *Géants* de la Casa Vitaliani (v. 1446), qui impressionnèrent Mantegna*.

UCCLE [ykl(ə)], en néerl. **Ukkel.** ♦ Comm. de Belgique (Brabant, arr. de Bruxelles-Capitale). 79 000 hab. Cité résidentielle. Chapelle Notre-Dame-des-Affligés (XIVe et XVe s.). Le Cornet, vieux relais de poste (1570), la Ferme Rose (1708). Parc de l'Observatoire royal de Belgique. Parc de Wolvendael.

UCKANGE. ♦ Comm. de la Moselle, arr. de Thionville-Ouest. 10 326 hab. Sidérurgie. Usines d'engrais.

UDAIPUR. ♦ V. de l'Inde (Râjasthân), située sur des îles du lac Pichola, à une alt. de 850 mètres. Env. 160 000 hab. L'ancien palais des Mahârâna, en marbre blanc, a depuis peu été transformé en hôtel de luxe. ♦ *Hist.* La ville fut fondée en 1567 par Udai Singh, et devint la cap. du principal État râjput.

UDDEVALLA. ♦ V. de la côte O. de la Suède, au fond du Byfjord, sur le Skagerrak*. 47 513 hab. – Ville indus. : constructions navales, fabriques d'allumettes, textiles.

UDINE. ♦ V. d'Italie continentale, dans le Frioul*. Ch.-l. de prov. sur la Roja. 93 000 hab. – Château médiéval. Métallurgie, indus. textile (laine, soie). ♦ *Hist.* D'origine probablement romaine, Udine fut à partir du XIIIe s. la capitale du Frioul, avant de passer en 1420 sous domination vénitienne.

UDMURT *(république des).* ♦ **V. OUDMOURTIE.**

UDONG. ♦ Anc. cap. du Cambodge, au N. de Phnom* Penh, créée au XVIIe s. puis abandonnée et rétablie de 1740 à 1866. – Nécropole monumentale des rois morts en ce lieu.

U.D.R. (sigle de *Union des démocrates pour la Ve République*). ♦ Nom que prit au congrès de Lille (nov. 1967) le mouvement politique gaulliste *Union pour la nouvelle République* (U.N.R.) à

Ph. Keystone

Jacques Chaban-Delmas à la tribune des assises nationales de l'**U.D.R.**

laquelle s'étaient adjoints des hommes politiques d'horizons divers, en particulier d'anciens M.R.P. L'U.N.R. avait été fondée après les événements de mai 1958 à Alger, en octobre 1958, par J. Soustelle, J. Chaban-Delmas, M. Debré, R. Frey, E. Michelet, etc. Si J. Soustelle* devait rapidement quitter le groupe gaulliste en raison de son opposition à la politique algérienne du gouvernement, les membres de l'U.N.R. apportèrent dans l'ensemble un soutien massif à la politique intérieure et extérieure du général de Gaulle*. Après avoir remporté plus de 190 sièges aux élections législatives de 1958, l'U.N.R., avec l'appui de l'U.D.T.*, progressait de façon spectaculaire aux élections de 1962. Par contre, aux élections de mars 1967, seule l'ouverture vers la Fédération* des républicains indépendants (R.I.) de V. Giscard d'Estaing permit à l'U.N.R.-U.D.T. de garder la majorité à l'Assemblée. Au lendemain de la crise de mai-juin 1968, après la dissolution de l'Assemblée par le général de Gaulle, la majorité se trouva encore considérablement renforcée : l'U.D.R. (dont les candidats s'étaient présentés sous l'étiquette « Union pour la défense de la République ») et ses alliés indépendants remportèrent plus de 350 sièges. L'échec du référendum sur la régionalisation et la réforme du Sénat, suivi de la démission du général de Gaulle (avr. 1969), devait bientôt susciter quelques dissensions au sein du mouvement gaulliste, dont certains membres n'approuvèrent pas toujours les transformations apportées par G. Pompidou* à la vie politique du pays. La persistance du malaise économique, social, universitaire permit à la gauche unie (P.C.F. et P.S.) de progresser, sans toutefois vaincre la majorité (d'ailleurs favorisée par le découpage électoral), lors des élections législatives de 1973. L'U.N.R. fut successivement dirigée par R. Frey, A. Chalandon, J. Richard, R. Dusseaulx, L. Terrenoire; l'U.N.R.-U.D.T. par J. Baumel; les secrétaires généraux de l'U.D.R. furent J. Charbonnel, A. Fanton, R. Poujade, J. Taittinger et R. Tomasini (1967-1968), puis R. Poujade, R. Tomasini, A. Peyrefitte, A. Sanguinetti, J. Chirac*, A. Bord, Y. Guéna. En déc. 1976, J. Chirac transforma le mouvement en Rassemblement pour la République (R.P.R.). Il devint son président et J. Monod son secrétaire général. Une crise s'ouvrit alors au sein de la majorité.

U.D.T. (sigle de *Union démocratique du travail*). ♦ Mouvement politique français fondé en 1959 et groupant des députés de la gauche gaulliste et des membres du Centre de réforme républicaine. Animé par R. Capitant et Billotte, l'U.D.T., qui eut pour secrétaire général L. Vallon, se rangea aux côtés de l'U.N.R. lors des élections législatives de 1962 et fusionna organiquement avec elle en 1963. **V. U.D.R.**

U.E.B.L. ♦ Union économique belgo-luxembourgeoise formée en 1922. Son rapprochement avec les Pays-Bas aboutit au traité d'Union de La Haye (1958) entré en vigueur en 1960 et instituant dans le cadre du Benelux la libre circulation des marchandises, des personnes, des capitaux et des services.

UEDA AKINARI. ♦ Romancier japonais (v. 1734 – 1809) auteur de célèbres recueils de contes (*Ugetsu Monogatari,* « Contes de pluie et de lune », 1776) et de critiques poétiques et littéraires.

UÉLÉ. ♦ **V.** Ouellé.

UGARIT. ♦ **V.** Ougarit.

UGINE. ♦ Ch.-l. de cant. de la Savoie*, arr. d'Albertville*, près de l'Arly*. 7 994 hab. *(Uginois).* Aciéries les plus importantes de France pour la production des aciers spéciaux au four électrique (métaux légers; alliages spéciaux). Produits chimiques.

UGOLIN. ♦ **V.** Gherardesca.

UHLAND (Ludwig). ♦ Poète allemand (Tübingen, 1787 – 1862). Chef de l'école souabe (Kerner*, Schwab*, Mörike*), il retient l'attention par ses *Poèmes lyriques* (1815). Il publia également un recueil de *Volkslieder* (1844-1845).

UHLENBECK (George Eugene). ♦ Physicien américain (d'origine hollandaise (Batavia, *auj.* Djakarta, 1900). Auteur, avec Goudsmit*, de la théorie du *spin* de l'électron (1925).

UHURU *(pic).* ♦ **V.** Kilimandjaro.

UIGHUR, OUÏGOUR ou **UIGUR.** ♦ Peuple proto-türk qui succéda en Asie centrale aux Türks vers le VIIIe s., dans la région du Turfân. Maintenant minorité chinoise d'env. 4 000 000 de personnes vivant dans la région autonome du Hsin-chiang.

UITLANDERS, « étrangers » (du néerl. *uit* « hors de » et *land* « terre »). ♦ Nom donné jadis, au Transvaal et dans l'État d'Orange, à tous les étrangers venus chercher fortune, par opposition aux anciens habitants d'origine hollandaise, les *Boers.*

UJJAIN. ♦ V. de l'Inde (Madhya Pradesh), la plus ancienne cité sacrée du subcontinent et cap. du Mâlva* jusqu'au IXe siècle. 209 118 hab. Indus. textiles. Elle fut détruite en 1245 par les sultans de Delhi. Un observatoire y fut construit en 1733 par Jai Singh II de Jaipur.

U.K. ♦ Abrév. anglaise de *United Kingdom of Great Britain and Northern Ireland.* **V. Royaume-Uni.**

Ukiyo-e (« Images du monde éphémère »). ♦ Nom donné au Japon à partir du XVIIe s. aux estampes gravées sur bois, imprimées en plusieurs couleurs, suivant les goûts de la classe marchande des grandes villes commerçantes de la période d'Edo, à Ôsaka et Edo surtout. Les sujets les plus traités furent des jolies femmes, des portraits d'acteurs, des scènes de genre.

UKRAINE. *n. f.* (*République socialiste soviétique d'Ukraine,* en russe **Ukraïnskaïa S.S.R.**). ♦ Une des quinze républiques fédérées de l'U.R.S.S., située au S.-O. du pays, elle s'étend à l'O. de la R.S.F.S. de Russie. Elle est bordée par la Biélorussie au N.-E., la Pologne à l'O., la Tchécoslovaquie, la Hongrie, la Roumanie et la Moldavie au S.-O., la mer Noire et la mer d'Azov au sud. 603 700 km². 47 900 000 hab. (1972; plus de 75 % d'*Ukrainiens*). *Langues :* ukrainien, russe. *Cap.* Kiev*. *Divisions admin.* (régions et ch.-l.). **V. Crimée** (Simféropol), **Dniepropetrovsk, Donetsk Ivano-Frankovsk, Jitomir, Kharkov, Kherson, Khmelnitski, Kiev Kirovograd, Lvov, Nikolaïev, Odessa, Poltava, Rovno, Soumy Tcherkassy, Tchernigov, Tchernovtsy, Ternopol, Transcarpatie** (Oujgorod), **Vinnitsa, Volhynie** (Loutsk), **Vorochilovgrad, Zaporojie.** *V. princ.* **V. Berdiansk, Berditchev, Bielaïa Tserkov, Dnieprodzerjinsk, Gorlovka, Jdanov, Kadiievka, Kertch, Kommounarsk, Konstantinovka, Kramatorsk, Krasnyï Loutch, Krementchoug, Krivoï Rog, Makeïevka, Melitopol, Nikopol, Rava-Russkaya, Sebastopol', Slaviansk, Thorez, Yalta.** – Exception faite d'une partie de l'extrémité occidentale, où les Carpates culminent au mont Goverla (2 061 m), et des monts de Crimée qui longent la Crimée* méridionale, l'Ukraine est essentiellement formée par une vaste plaine fertile (sols noirs : *tchernoziom*) coupée par les faibles hauteurs du plateau de Podolie-Volhynie, entre le Dniestr* et le Dniepr*, et du plateau du Donets. – Le *climat,* de type continental, se modifie à proximité de la mer Noire où il devient nettement plus chaud et plus aride, tandis que la bordure littorale de la Crimée méridionale offre un climat de type méditerranéen. – *Écon.* Importante région agricole et industrielle, l'Ukraine occupe une place prépondérante dans l'économie de l'U.R.S.S. (2e après la R.S.F.S. de Russie). Elle dispose à cet égard d'un réseau ferroviaire très dense (plus de 22 000 km), d'une flotte maritime **(V. Odessa, Kherson, Nikolaïev, Jdanov, Berdiansk, Kertch)** et fluviale (notamment sur le Dniepr) très développée. La diversité des sols et des conditions climatiques favorise la variété des productions agricoles (un cinquième de l'U.R.S.S.). L'agriculture ukrainienne, hautement mécanisée, assure près des deux tiers de la récolte de betterave à sucre de l'Union, près de la moitié de celle de tournesol, le tiers des fruits, le quart des raisins et le cinquième des céréales (blé, maïs, orge). En outre, la culture des pommes de terre, du lin (à longue fibre), du chanvre, du tabac et les cultures fourragères sont développées. L'élevage bovin, ovin, porcin et l'aviculture représentent le quart de la production de la viande, du lait et des œufs de l'Union et alimentent avec les diverses branches de l'agriculture une puissante industrie de transformation (sucreries, distilleries, conserveries, combinats de viande, etc.). L'Ukraine dispose d'abondantes ressources énergétiques et se distingue par le développement d'une puissante industrie lourde. L'extraction houillère est concentrée dans le bassin du Donbass* (env. 200 000 000 de t par an; plus du tiers de la product. de l'Union) et dans le bassin du Dniepr (lignite); elle est associée à l'exploitation du minerai de fer de Krivoï* Rog (env. 50 000 000 de t par an, soit plus du tiers de la

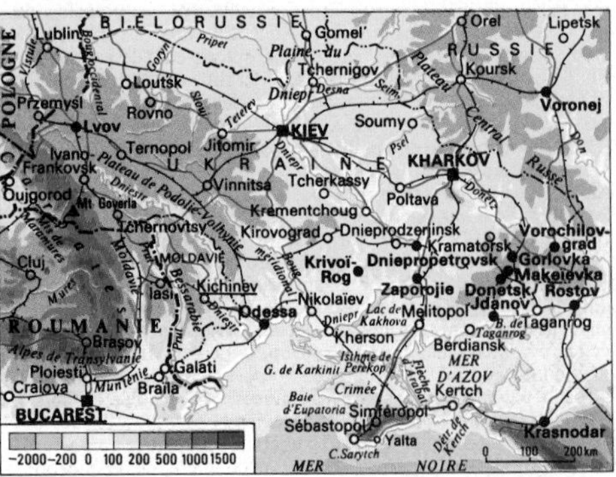

Ukraine.

Ph. Hubert Josse

« La Capitulation d'**Ulm,** le 20 octobre 1805 », par Thévenin. (Château de Versailles.)

product. de l'U.R.S.S.) et de Kertch*, du manganèse à Nikopol*, du mercure à Nikotovka (au centre du Donbass) qui ont entraîné l'implantation d'une puissante industrie sidérurgique, métallurgique (indus. de transformation, indus. mécanique) et chimique (dérivés du charbon, sel de Slaviansk*). L'aménagement hydroélectrique du Dniepr* conjugué à la production des nombreuses centrales thermiques du Donbass alimente une importante industrie électrochimique et électrométallurgique. Enfin, avec la récente prospection du pétrole et du gaz naturel au pied des Carpates (Dachava, Ivano-Frankovsk, au S. de Lvov) et au S. de Kharkov (Chebelinka), de nouveaux centres pétroliers ont été créés à Krementchoug, Lvov, Odessa, Kherson. Simultanément se sont développées les industries légères (textiles, fourrures, cuirs) et les industries de matériaux de construction (notamment du ciment). ♦ *Hist.* Primitivement habité par les Scythes, puis par les Sarmates, le territoire actuel de l'Ukraine fut successivement occupé par les Goths, les Huns, les Slaves orientaux et les Khazars, avant l'infiltration des Varègues* dont un des chefs **(V. Oleg le Sage)** fonda la principauté de Kiev* (882). Cette ville devint la capitale du premier État russe et constitue le noyau originaire de l'Ukraine **(V. Kiev, Russie, *Hist.*).** Avant de devenir ethnique et de s'appliquer à toutes les terres où s'est formé le peuple ukrainien, le mot *Ukraine* (« marche », « frontière ») mentionné dans les annales russes du XIIe s., désignait géographiquement les terres de Kiev, de Péréislav, de Tchernigov et de Halicz. Après l'invasion des Mongols (XIIIe s.) qui provoqua le démembrement de la Russie kiévienne, la majeure partie des terres ukrainiennes fut assujettie aux Mongols, tandis que les principautés réunies de Galicie*-Volhynie (1199 – cap. Halicz) furent partagées entre la Pologne et la Lituanie, dont l'union personnelle (1386) fit passer une grande partie de la future Ukraine à l'État polono-lituanien. Face à la dureté de la condition paysanne et aux persécutions des orthodoxes à l'intérieur de l'État polono-lituanien (catholique) de nombreux Ukrainiens s'exilèrent au delà des rives du Dniepr inférieur où ils formèrent le groupe indépendant des Cosaques* Zaporogues qui, sous la conduite de l'hetman Bogdan Khmelnitski, s'insurgea contre la Pologne (1648-1654). Au traité d'Androussovo* (1667), l'Ukraine au delà de la r. g. du Dniepr et avec Kiev fut cédée à la Russie, mais dès 1708 l'hetman Mazeppa* s'allia au roi de Suède Charles XII et tenta en vain de détacher l'Ukraine de la Russie. Sous le règne de Catherine* II, qui destitua le dernier hetman (1764), abolit les dernières franchises cosaques (1775), renforça le servage et annexa la Crimée* (1783), le deuxième partage de la Pologne attribua toute l'Ukraine à la Russie (1793). Le mouvement nationaliste ukrainien, célébré par Tarass Chevtchenko* (qui exerça une influence considérable), se manifesta après la chute du tsarisme. Une ***République autonome ukrainienne*** fut proclamée à Kiev en novembre 1917, avec pour dirigeants Vinnichenko et Petlioura*. Mais les bolcheviks lui opposèrent la *République soviétique d'Ukraine* reconnue à Kharkov* en décembre 1917. Après le traité de Brest*-Litovsk (mars 1918), le pays fut occupé par les Allemands jusqu'en décembre 1918, date à laquelle le gouvernement nationaliste de Petlioura reprit le pouvoir. De 1919 à 1921, l'Ukraine fut le théâtre de violents combats entre l'armée blanche de Dénikine* et Wrangel*, l'armée soviétique qui soutenait la République soviétique d'Ukraine créée par Rakovski en mars 1919 (à nouveau opposée à Petlioura) et l'armée nationaliste ukrainienne de Petlioura, qui s'allia aux Polonais en 1920. Le conflit polono-soviétique, qui s'acheva au traité de Riga (1921), aboutit au partage de l'Ukraine entre la Pologne (Galicie* orientale et Volhynie*) et l'Union soviétique qui l'érigea en république fédérée en 1922. Totalement occupée par les Allemands de 1941 à 1942, libérée peu à peu par la contre-offensive soviétique (Joukov, Koniev, Tolboukine, ...), l'Ukraine fut agrandie en 1945 de la Galicie* orientale, de la Volhynie, de la Ruthénie* subcarpatique, de la Bessarabie*, de la Bucovine* du N. et en 1954 de la Crimée*.

UKRAINE SUBCARPATIQUE. ♦ **V.** TRANSCARPATIE.

ULAN BATOR. ♦ **V.** OULAN-BATOR.

ULBRICHT (Walter). ♦ Homme politique allemand (Leipzig, 1893 – Berlin-Est, 1973). Ouvrier, membre du Parti social-démocrate depuis 1912, il fut, avec W. Pieck*, l'un des fondateurs du Parti communiste allemand (1918). Député au Reichstag* en 1928, il dut s'exiler à Paris lors de l'arrivée d'Hitler* au pouvoir (1933). Rentré à Berlin avec les armées soviétiques en 1945, il renforça, au IIIe congrès du Parti socialiste unifié (S.E.D.), le caractère soviétique de celui-ci en instaurant le centralisme démocratique (1950). Premier secrétaire du parti (1960-1970), il fut également élu président chef de l'État, président du conseil d'État à la mort de Pieck dont le titre de président de la République a été supprimé. Il fut réélu en 1971.

ULEÅBORG. ♦ **V.** OULU.

ULFELD (Leonora Christina). ♦ Écrivain danois, fille du roi du Danemark, Christian IV (1621 – 1698). Accusée de haute trahison, elle fut emprisonnée dans la « Tour bleue » de Copenhague (1662-1685). Elle écrivit les *Souvenirs de mes souffrances (Jammers-Minde).* Ce document, considéré comme le plus important ouvrage en prose du XVIIe s. danois, fut découvert et publié en 1869.

ULFILAS, ULPHILAS, ULFILA ou **WULFILA** (« petit loup »). ♦ Évêque goth d'origine cappadocienne (v. 311 – 383). Il traduisit la Bible en gotique et convertit les Goths au christianisme arien **(V. Arianisme),** hérésie qui se propagea parmi la plupart des peuples barbares et qui contribua à renforcer les contrastes de civilisation entre Romains et Barbares.

ULHÂSNAGAR. ♦ V. de l'Inde (Mahârâştra), à 50 km au N.-E. de Bombay. 168 128 hab. – Centre administratif relié à la ville de Kalyân.

ULM. ♦ V. d'Allemagne sud-occidentale (Bade-Wurtemberg), au confl. du Danube et de la Blau. 93 400 hab. (sans Neu*-Ulm, qui lui a été rattaché en 1938). Cathédrale gothique (*fin* XIVe-XIXe s., avec un clocher de 161 m). Hôtel de ville Renaissance. Princ. centre industriel de haute Souabe (indus. mécaniques, électriques).– Patrie d'A. Einstein*. ♦ *Hist.* Le 20 octobre 1805, le général autrichien Mack* y capitula, étant cerné par les troupes de Napoléon. En 1810, la ville passa au Wurtemberg.

ULPIEN (Domitius Ulpianus). ♦ Jurisconsulte romain (Tyr ? – Rome, 228). Préfet du prétoire sous Sévère* Alexandre, il fut massacré par les prétoriens. Il est l'auteur de nombreux écrits : *Commentaires de l'Édit, Responsa,* etc., dont il ne reste que des fragments.

ULRICH. ♦ (en Alsace, 1487 – Tübingen, 1550). Duc de Wurtemberg (1503-1519, 1534-1550). Il réussit à réprimer l'insurrection du « pauvre Conrad », provoquée par ses dépenses excessives, en faisant d'importantes concessions, mais fut mis au ban de l'Empire, et chassé de ses États par la ligue Souabe*. Réfugié auprès de Philippe* Ier de Hesse, il l'aida à soutenir la cause protestante et put reprendre son duché où il établit la Réforme. Vaincu par Charles* Quint (1547), il dut accepter l'intérim d'Augsbourg.

ULRICH VON LICHTENSTEIN. ♦ Poète de langue allemande (Lichtenstein, Styrie, v. 1200 – v. 1276). Il fut un des derniers poètes à exalter, avec plus d'érudition que d'originalité, l'idéal courtois (*Service des dames,* 1255; *Livre des dames,* 1257).

ULRICH VON ZATZIKHOVEN. ♦ Poète allemand de la seconde moitié du XIIe siècle. Son poème *Lanzelot* (v. 1195) est sans doute une adaptation du *Chevalier à la charrette* (Lancelot) de Chrétien de Troyes.

ULSTER. *n. m.* ♦ Région historique du N.-O. de l'Irlande, correspondant à la totalité de l'Irlande du Nord et aux trois comtés de Cavan, Donegal et Monaghan de la république d'Irlande. – Au sens étroit, Ulster s'emploie parfois pour désigner l'Irlande* du Nord. ♦ *Hist.* L'*Udah* fut, dès le début de l'ère chrétienne, le plus puissant des cinq royaumes qui formaient l'Irlande. Il s'étendait de la Boyne au Shannon et avait pour cap. *Emain Macha* (près d'Armagh). Au IIe s., l'Ulster fut vaincu par le royaume voisin de *Midhe* **(V. Meath)** et disparut au IVe s., absorbé par les nouveaux royaumes d'Oriel et d'Ulaidh. Il resta dominé pendant sept siècles par la famille O'Neill. Au XIIe s., la région passa sous le pouvoir de John de Courcy, puis, en 1205, de Jean sans Terre, qui en fit cadeau à Hugh de Lacy. Au XVe s., la domination anglaise se fit moins pesante. L'Ulster était, à cette époque, arbitrairement divisé en neuf comtés ou shires : Antrim, Armagh, Cavan, Coleraine, Donegal, Down, Fermanagh, Monaghan et Tyrone. Il était dominé par de grandes familles (O'Neill, O'Donnell). À partir du XVIIe s., les catholiques arrivèrent en masse, formant au XIXe s. la majorité de la population. Ce fut l'origine du « problème irlandais ». Les protestants, se sentant menacés, pratiquèrent une politique hostile aux catholiques, partisans de l'autonomie de l'Irlande. et firent reculer le vote du *Home Rule* jusqu'en 1914. En 1920-1921, l'Ulster se scinda en deux blocs distincts et opposés : d'un côté, les trois comtés de Cavan, Donegal et Monaghan reconnurent en 1922 la république d'Irlande ou Eire, de l'autre, l'Ulster diminué ou Irlande du Nord, rattaché au Royaume-Uni. – **V. Irlande du Nord.**

Ultras. *n. m. pl.* ♦ Nom donné sous la Restauration aux ultra-royalistes, représentants de l'opposition royaliste à la Charte de 1814. Sous l'Empire, déjà, les royalistes s'étaient regroupés dans des sociétés secrètes comme celle des *Chevaliers de la foi* qui s'abritaient sous le couvert d'une association religieuse, la *Congrégation.* Pendant les Cent-Jours, ils furent les principaux organisateurs de la Terreur blanche. Les ultras (La* Bourdonnais,

Villèle*, Vitrolles*, avec à leur tête le comte d'Artois, futur Charles* X, et le duc de Berry*) exprimèrent leurs positions dans divers journaux *(la Gazette de France, la Quotidienne, le Drapeau blanc,* etc.), s'inspirant des théories de Maistre*, Bonald* et, sur le plan religieux, de l'ultramontanisme de Lamennais*. Vainqueurs aux élections de 1815 (Chambre introuvable, **V. Chambre des députés**), ils légalisèrent la Terreur* blanche par des mesures d'exception contre les généraux et maréchaux d'Empire, contre les anciens régicides condamnés à la déportation. Battus aux élections de 1816, les ultras sortirent majoritaires à celles de 1824 (Chambre retrouvée), tandis que progressait et s'organisait l'opposition libérale au régime de la Restauration.

ULÚA. *n. m.* ♦ Princ. fl. du Honduras* (420 km), qui prend sa source sur les hauts plateaux volcaniques du S.-O. du pays et se jette dans la mer des Antilles à proximité du golfe de Honduras. Plantations de bananes dans la vallée.

ULUĞ BEG (Mahmûd Turgay). ♦ Prince mongol (Sultâniyya, 1393 — Samarkand, 1449). Souverain du Türkestan (1447-1449), fils de Shâh Rokh, astronome, théologien, poète et historien, il fit de Samarkand le dernier grand centre de civilisation de l'Orient médiéval islamique, y faisant notamment édifier un remarquable observatoire où furent produites les célèbres « tables d'Uluğ beg », lesquelles furent corrigées au XVIIIe s. par Jai Singh II de Jaipur.

ULYSSE, en gr. **Odusseus**. ♦ Héros grec immortalisé par les épopées homériques. Sa personnalité turbulente et ses aventures lui assurent une popularité plus durable que celle de tout autre personnage de la légende grecque. Au premier plan de l'*Iliade** et au centre de l'*Odyssée**, Ulysse est le heros le plus humain, le premier personnage romanesque. Il est fils de Laërte*, roi d'Ithaque*, et d'Anticlée, mais une tradition lui donne comme père naturel Sisyphe*, le plus habile des hommes. Plus obscure est l'étymologie de son nom ; pour Homère, il signifie « Celui qui s'irrite ». Quant au nom latin *Ulyxes,* il dérive du grec *Olusseus,* déformation dialectale de l'originel. Ulysse est, parmi les héros homériques, le plus habile, le plus efficace, celui qui joint l'astuce à la vigueur, la persuasion et l'ingéniosité à la vaillance. Engagé par le serment commun des prétendants d'Hélène* — dont il était d'ailleurs l'instigateur —, il participe à l'expédition contre Troie*, non sans avoir d'abord essayé de se soustraire à la guerre. Il simule en effet la folie en labourant son champ avec une charrue attelée d'un bœuf et d'un âne et en semant du sel. Mais sa ruse est déjouée par Palamède* qui place le petit Télémaque*, fils du héros et de Pénélope*, devant la charrue et l'oblige ainsi à renoncer à son subterfuge. Laissant son domaine et sa famille aux soins de Mentor*, Ulysse se rallie à la cause grecque et y déploie ses vertus de conseiller, de diplomate et de guerrier. Pour découvrir Achille*, caché par sa mère dans le gynécée du roi Lycomède à Scyros, il a recours à la ruse : déguisé en marchand, il s'y rend et reconnaît le jeune héros, trahi par son intérêt spontané pour les armes intentionnellement mêlées à sa pacotille. Si son éloquence ne suffit pas pour persuader les Troyens de rendre Hélène ou pour calmer la colère d'Achille et le faire revenir au combat, elle s'avère du moins efficace au cours des conseils de guerre et des querelles des chefs achéens. Il ne recule pas pour autant devant des moyens peu louables, tels que la tromperie, pour s'emparer des armes de Philoctète, ou les larmes et les discours piteux pour obtenir le silence complice d'Hécube et échapper à la capture. Il n'hésite même pas, pour se venger, à monter de toutes pièces une affaire de trahison contre Palamède, en soudoyant des témoins et en fabriquant des preuves. Les variantes posthomériques sont certainement pour beaucoup dans cette image d'Ulysse. Il est toutefois l'un des plus vaillants parmi les chefs achéens **(V. Diomède)**; il tue plusieurs Troyens, défie Ajax* aux jeux funèbres en l'honneur de Patrocle et gagne les armes d'Achille. Il prend place dans le cheval de Troie* et contribue plus que tout autre à la victoire grecque. C'est surtout son retour qui fait sa grandeur. Sur la route d'Ithaque, mille aventures l'attendent. Après de nouveaux combats au pays des Cicones, alliés des Troyens en Thrace, il est jeté par les vents au pays des Lotophages* (Libye); là, il soustrait ses compagnons du danger d'oublier leur foyer, pour tomber ensuite au pays des Cyclopes (Sicile), d'où il échappe de justesse, après avoir aveuglé Polyphème* et encouru ainsi la haine de Poséidon. Ballotté désormais par une mer hostile, il échoue d'abord sur l'île d'Éole*, mais, malgré la bienveillance du maître des vents, les épreuves continuent. Ce sont alors les anthropophages Lestrygons*, puis la magicienne Circé* qui transforme ses compagnons en pourceaux. Lui-même échappe à l'ensorcellement grâce à un philtre magique, oblige Circé à désensorceler ses compagnons et passe avec elle un mois idyllique. Puis il se rend volontairement au pays des Cimmériens, voisin des Enfers, évoque les ombres des héros morts et consulte le devin Tirésias*. Fort de ses conseils, Ulysse peut maintenant se moquer des sirènes*, des roches errantes, de Charybde* et de Scylla. Mais ses marins imprudents mangent les bœufs du Soleil et provoquent de nouveau la colère des dieux. Naufragé sur l'île de Calypso*, le héros est retenu pendant dix ans par la nymphe amoureuse de lui. Libéré enfin sur l'ordre des dieux, il navigue sur un radeau, mais une tempête le jette, accroché à une épave, sur l'île des Phéaciens* où il trouve enfin hospitalité et réconfort **(V. Nausicaa, Alcinoos).** Transporté alors par des marins phéaciens, il est déposé endormi sur un rivage d'Ithaque. Il rencontre secrètement son père Laërte et son fils Télémaque, puis s'introduit au palais

Ph. Boudot-Lamotte

Ulysse et les sirènes. Mosaïque provenant de Dougga. (Musée du Bardo, près de Tunis.)

déguisé en mendiant. La fidèle Pénélope* raconte ses souffrances à cet étranger si prudent, qui lui ramène l'espoir. Suivant son conseil, elle feint de se plier à l'exigence des prétendants et les invite à un concours de tir à l'arc dont elle serait le prix. Ulysse, y participant sous les risées de ceux-ci, est le seul qui réussisse à faire passer la flèche dans des anneaux juxtaposés. Reconnu alors par Pénélope, il massacre les prétendants, reprend sa place de roi et trouve enfin paix et bonheur. Les parents des tués se lancent dans la guerre, mais Athéna*, la déesse qui a toujours assisté le héros, rétablit la paix. — Ulysse réapparaît dans les poèmes cycliques, attire les mythographes et les commentateurs jusqu'à l'époque byzantine et illustre les spéculations des stoïciens sur la sagesse acquise à force d'expériences et d'épreuves. Personnage de la littérature universelle, il survit aux époques et aux genres littéraires. Sous des traits souvent ambigus dans le drame de Sophocle *(Ajax, Philoctète)* et d'Euripide *(Hécube, le Cyclope),* réhabilité dans la poésie de Dante *(l'Enfer),* il renaît sous le nom de Léopold Bloom comme un symbole de l'homme contemporain dans l'œuvre de J. Joyce* *(ci-dessous).*

Ulysse *(Ulysses)*. ♦ Roman de James Joyce* (1922). Le livre, auquel Joyce travailla de 1913 à 1921, dut être édité à Paris, des extraits publiés précédemment dans la presse anglo-saxonne ayant été interdits pour cause d'obscénité. Encore de nombreux exemplaires furent-ils brûlés, en Amérique, ou saisis par la douane anglaise; les États-Unis n'autorisèrent l'ouvrage qu'en 1933. Une savante parodie de l'Odyssée conduit Stephen Dedalus (Télémaque) et Léopold Bloom (Ulysse), en un seul jour, le jeudi 16 octobre 1904 (c'est aussi la date du mariage de Joyce), dans le vaste univers de la seule ville de Dublin, avec sa mer, son soleil sur la mer, ses écoles, ses maisons (Calypso), ses églises (Lotophages), ses cimetières (Hadès), ses journaux (Éole), ses bibliothèques (Charybde et Scylla), ses bars (les Sirènes), ses tavernes (les Cyclopes), ses plages (Nausicaa), ses hôpitaux (le troupeau d'Hélios), ses bordels (Circé), et tous ses habitants (Rochers flottants). Les trois premiers livres correspondent à la *Télémachie,* les trois derniers au retour d'Ulysse vers une Pénélope ouvertement infidèle qui symbolise Gê, la Terre. Mais la parodie du poème homérique est loin d'épuiser tout le sens de l'ouvrage, ces « dix-huit livres en dix-huit langages » dont chacun inaugure, avec un nouveau groupe de thèmes (lieu, partie du corps, couleur, domaine de pensée ou d'activité), un nouveau mode d'expression (narration, figures de rhétorique, style journalistique, reprise de formes musicales, évolution de la langue en raccourci, etc.). L'unité est assurée par l'utilisation de repères spatio-temporels et par la technique du « monologue intérieur » qui permet la production du passé dans le présent, l'écriture imitant l'émergence d'une pensée spontanée. Somme de symboles, d'allusions à l'histoire de la pensée occidentale (Bloom-Ulysse est aussi juif), de procédés techniques et de jeux, l'*Ulysse* de Joyce, que son titre désigne d'emblée comme voyage initiatique, exigerait du lecteur, pour être entièrement décrypté, autant d'art et de savoir qu'en a déployé l'auteur.

'UMAR Ier (Abû Hafsa ibn al-Khattâb). ♦ Second calife des musulmans (La Mecque, v. 581 — Médine, 644). Il commença par combattre l'islâm naissant. Une fois converti, il devint un des défenseurs les plus énergiques de Mahomet*. Sous son califat (634-644), la conquête de la Mésopotamie, de la Syrie, de la Palestine et de l'Égypte fut achevée. Dans ces nouvelles provinces, il conserva l'administration antérieure et isola les troupes arabes dans de nouvelles cités militaires. Il instaura l'ère de l'Hégire fixée au 16 juillet 622. Il fut le premier calife à s'être nommé *Amîr al-Mûminîne* (« Émir des croyants »). Il fut assassiné par un esclave persan dans la mosquée de Médine. La tradition orthodoxe le présente comme calife exemplaire : chef courageux, énergique, austère et juste.

'UMAR IBN ABI RABI'Â. ♦ Poète arabe (644 — v. 719). Grand seigneur, issu d'une famille opulente, il fut le premier poète arabe strictement érotique. Vivant en milieu urbain (La Mecque et Médine), enrichi par le butin ramassé pendant les conquêtes, ce séducteur écrivit des poèmes légers où il loue avec frivolité les belles femmes. Ses vers, galants et réalistes, s'éloignent des thèmes amoureux traités dans les poèmes de la période antéislamique.

'UMAYYADES (francisé en **OMEYADES**). *n. m. pl.* ♦ Membres de la dynastie fondée par le calife Mu 'âwiyya* qui régna sur l'ensemble de l'Empire musulman de 650 à 750, puis sur l'Espagne (756-1030). Rompant avec la tradition des premiers califes, Mu 'âwiyya* introduisit le principe dynastique dans le califat. Établie en Syrie (cap. Damas; à partir du règne de Hishâm [724-743] cap. Russâfa), la dynastie 'umayyade assuma les traditions de civilisation existant dans ce pays et sut en développer l'urbanisation. Elle dota l'ensemble de l'empire d'une solide armature administrative en intégrant les Syriens convertis aux conquérants arabes. Elle favorisa le développement intellectuel qui se manifesta par l'apparition des sciences juridiques. Les 'Umayyades continuèrent la conquête commencée par les premiers califes. En Occident, Kairouan fut fondée en 670; l'Afrique du Nord fut entièrement soumise (707); l'invasion et la conquête de l'Espagne furent entreprises par le gouverneur Mûssâ* ibn Nusayr aidé par Târaq* ibn Ziyâd [Gibraltar* : *Jabal Târaq,* mont Târaq] (712). En Orient, la Perse fut soumise, l'Afghânistân et la Transoxiane occupés, le Türkestân chinois envahi; la pénétration dans le Sind, le Pañjâb et l'Inde commença (711). Ainsi, de l'Atlantique au seuil du monde chinois, l'Islam n'aura jamais été aussi vaste sous le contrôle d'un pouvoir unique. Mais les 'Umayyades devaient faire face à l'hostilité des milieux médinois qui leur reprochaient d'accorder une importance démesurée aux activités temporelles. L'opposition des shî'ites*, qui niaient la légitimité des 'Umayyades, fut menaçante. Les premiers califes Yazîd, 'Abd* al-Mâlik et al-Walîd surent réprimer les shî'ites sans pouvoir les anéantir. Sous Marwân II, les descendants d'al'Abbâs, oncle du Prophète, profitèrent de l'état d'anarchie qui sévissait en Iraq et en Perse pour diriger le soulèvement populaire appuyé par les shî'ites et proclamer Kûfa Abû* al-'Abbâs calife (749). Les 'Umayyades, traqués, furent massacrés (750). Seul, 'Abd-al-Rahmân parvint à s'échapper. Il s'enfuit jusqu'au Maghreb; quelques années plus tard, il débarqua en Espagne accompagné de troupes composées de Berbères et d'Arabes syriens; il prit Cordoue en 756 et fonda un émirat 'Umayyade en soumettant la plus grande partie de la péninsule. En dépit de nombreux actes de résistance (à Tolède, Cordoue et les campagnes) 'Abd al-Rahmân III (912-961) acheva la soumission des provinces hispaniques islamisées et les unifia. Il se proclama calife, affirmant son autorité spirituelle à l'égard des 'Abbâssides. À la fin du xᵉ s., sous le calife Hichâm II, la victoire du *hâjib* Muhammad ibn Abi Âmir (qui se surnomma *Al-Mansûr :* « le Victorieux ») sur la coalition des rois catholiques et la prise de Saint-Jacques-de-Compostelle (997) renforcèrent les frontières septentrionales du territoire. Aux xᵉ et xɪᵉ s., l'Espagne musulmane connut une culture raffinée et variée (littérature poétique, essais philosophiques, traités théologiques) qui rivalisa avec le milieu irakien (Basra et Baghdâd). Al-Hakam* II rassembla une énorme bibliothèque et la mosquée de Cordoue devint une véritable université. Malgré l'échec de la tentative d'usurpation du califat par Al-Mansûr, les 'Umayyades s'affaiblirent peu à peu et tombèrent dans les luttes intestines. À la fin du califat de Cordoue (1030), le pays allait être partagé entre une quinzaine de roitelets.

UMEÅ. ♦ V. et port de Suède, à l'embouchure de l'Ume Älv dans le golfe de Botnie*. Ch.-l. du comté de Västerbotten. 57 237 hab. (1971). Musée de plein air. — Indus. du bois (pâte à papier, meubles), constructions mécaniques. — Port de commerce (exportation de bois).

UME ÄLV. *n. m.* ♦ Fl. de Suède septentrionale (460 km), tributaire du golfe de Botnie*. Il traverse le lac Storuman, reçoit le Vindeläl-ven. Il arrose les villes de Tärna, Umeå*, Vännäs.

UMM AL-QAÏWAIN. ♦ Petite principauté de la Côte des Pirates* (émirats arabes), située près de la principauté d'Ajman*, sur le golfe Persique. Env. 5 000 habitants.

UMM SAÏD. ♦ Port pétrolier de la péninsule de Qatar* (émirats arabes) situé à 10 km au S. de Doha*, sur le golfe Persique. L'oléoduc qui part du gisement de Dukhan*, sur la côte occidentale, y aboutit.

UMTALI. ♦ V. de Rhodésie* à l'E. du pays, sur la ligne Salisbury*-Beira*. 52 000 hab. — Raffinerie de pétrole reliée par l'oléoduc à Beira. Scieries. Papeteries. Indus. du verre. Fabrique d'engrais. Centre agricole (arboriculture; agrumes).

UMTATA. ♦ Capitale de la république du Transkei*. Université bantoue.

UNAMUNO (Miguel *de*). ♦ Philosophe, poète et dramaturge espagnol (Bilbao, 1864 — Salamanque, 1936). Déporté aux Canaries, puis exilé à Paris en raison de ses positions politiques (1924), il fut, à son retour en Espagne (1930), l'un des inspirateurs spirituels du régime républicain dont il devait dénoncer les erreurs avant de mourir. Profondément individualiste, refusant toute étiquette et hostile à tout dogmatisme, il a exprimé une pensée inquiète, attentive à la réalité de l'homme concret, « celui qui naît, souffre et meurt — meurt surtout[...] », aussi bien dans ses essais philosophiques (*Vie de Don Quichotte et Sancho Pança,* 1905;

Ph. Harlingue-Viollet

Miguel de Unamuno.

Ph. Keystone

Giuseppe Ungaretti.

Le Sentiment tragique de la vie, 1912; *L'Agonie du christianisme,* 1925, etc.) que dans ses romans et contes (*Paix dans la guerre,* 1897; *Brume,* 1914; *Trois Nouvelles exemplaires,* 1920), son théâtre (*Phèdre*) et ses poèmes (*Le Christ de Vélasquez,* 1920). Sans jamais avoir imposé une doctrine, il exerça une profonde influence sur les milieux intellectuels espagnols.

UNDER (Marie). ♦ Poétesse estonienne (1883). Sa poésie authentique et vivante est représentatrice de l'épanouissement littéraire qui fut favorisé par l'indépendance de l'Estonie de 1918 à 1940.

UNDSET (Sigrid). ♦ Romancière norvégienne (Kalundborg, Danemark, 1882 — Lillehammer, 1949). Après une première enfance heureuse, elle perdit à onze ans son père qu'elle adorait. À seize ans, elle dut travailler comme employée de bureau. Elle publia en 1907 son premier roman sur les mœurs du temps : *Madame Marthe Oulie.* Puis elle connut la célébrité avec son deuxième roman : *Jenny* (1911), dans lequel elle critiquait l'émancipation des femmes et l'amour libre. Elle exprima ensuite les mêmes idées avec encore plus de force dans un roman : *Printemps* (1914), et un recueil d'essais : *Le Point de vue d'une femme* (1919). Pour elle, le sort de la femme résidait dans le don total de soi. Elle écrivit alors les trois volumes de *Kristin* Lavransdatter* (1920-1922). En 1925, elle divorça et se convertit au catholicisme. Dans un deuxième grand récit épique, à la fois réaliste et mystique, dont l'action se passe au xɪɪɪᵉ s. : *Olav Audunssön* (1925-1927), elle traita des problèmes de la conscience et de la conversion. Avec les romans suivants, dans lesquels elle exprime les mêmes convictions, elle revint à l'époque contemporaine : *Gymnadenia* (1929), *Le Buisson ardent* (1930), *Ida Elisabeth* (1932), *La Femme fidèle* (1936). Elle écrivit enfin un dernier roman historique : *Madame Dorthea* (1939). À travers toute son œuvre, elle s'opposa au courant féministe de l'époque, le jugeant décadent (« Ne soyez pas féministes, mais femmes, épouses et mères. »). On la considère avec Olav Duun* comme le plus grand écrivain épique norvégien du xxᵉ siècle. (Prix Nobel de littér., 1928.)

U.N.E.S.C.O. (sigle de **United Nations Educational, Scientific and Cultural Organization,** « Organisation des Nations unies pour l'éducation, la science et la culture »). ♦ Institution spécialisée de l'O.N.U., fondée le 4 novembre 1946, pour resserrer la collaboration entre les peuples par le développement de l'éducation, la science et la culture. L'Unesco, qui compte env. 120 États membres, comprend une conférence générale qui se réunit tous les deux ans, un conseil exécutif de 24 membres et un secrétariat général dont le siège est à Paris (palais de l'Unesco). Il est dirigé par un directeur général élu pour six ans. — L'Unesco se consacre en particulier à l'alphabétisation, la diffusion de l'enseignement obligatoire et gratuit, la lutte contre le racisme, la recherche scientifique, la préservation des monuments.

UNGARETTI (Giuseppe). ♦ Poète italien (Alexandrie, Égypte, 1888 — Milan, 1970). Il vécut quelque temps à Paris (où il rencontra Apollinaire), puis adhéra au futurisme et à sa « doctrine d'action », chantant la « beauté nouvelle du monde » dans les recueils lyriques, *Le Port enseveli* (*Il Porto sepolto,* 1916) et *La Joie des naufrages* (*L'Allegria di naufragi,* 1919). Sensible, dès 1919, au désir de « retour à l'ordre » du mouvement de la *Ronda* (1909-1923), Ungaretti rechercha un style plus soigné et une forme plus classique dans *Sentiment du temps* (*Sentimento del tempo,* 1933), puis aboutit à l'hermétisme et à la « poésie pure » avec *La Douleur* (*Il Dolore,* 1947) et *La Terre promise* (*La Terra promessa,* 1950). Ces recueils offrent des poèmes laconiques et denses dont la métrique (fréquence des hendécasyllabes) évoque Pétrarque* et Leopardi.* — Après avoir été professeur au Brésil (1936-1942), Ungaretti revint à Rome enseigner la littérature italienne moderne. Parallèlement à d'importantes traductions d'écrivains anglais, espagnols et français (dont Mallarmé*),

Ungaretti composa encore de nombreux volumes de souvenirs et d'essais; il y définit sa tentative d'échapper à l'angoisse moderne « par la pureté technique et par l'évasion dans le rêve, dans le sentiment où la poésie peut atteindre un certain mystère, une harmonie, source de la grâce ».

UNGAVA. ♦ Partie N.-O. du Labrador* (péninsule d'Ungava), entre la baie d'Hudson (O.) et la baie d'Ungava, à l'E., qui la sépare des monts Torngat. – *District d'Ungava :* anc. district des Territoires du Nord-Ouest du Canada, cédé au Québec en 1912 et appelé Nouveau-Québec.

Unigenitus Dei Filius. ♦ Titre, d'après les premiers mots, de la bulle de Clément* XI (8 sept. 1713), condamnant cent une propositions tirées des *Réflexions morales* de Pasquier Quesnel* (janséniste). Elle divisa le clergé français en « acceptants » et en « appelants » qui la refusaient. Elle fut érigée en loi française en 1730. **V. Jansénisme.**

Union *(actes d').* ♦ Lois par lesquelles le Parlement anglais prononça l'union avec l'Écosse (1705) et avec l'Irlande (1800), supprimant le Parlement de Dublin.

Union *(arrêt d').* ♦ Arrêt par lequel le Parlement, la Chambre des comptes et la Cour des aides décidèrent de se réunir pour lutter contre les mesures financières de Mazarin* (1648) : la Fronde* allait commencer.

Union française. ♦ Nom donné par la Constitution de 1946 à l'ensemble formé par la France et les pays d'outre-mer. La France accordait la citoyenneté française à tous les habitants de l'*Union française,* avec toutefois une distinction entre les citoyens de la métropole et les autres. Les pays d'outre-mer étaient divisés en quatre groupes : certaines colonies (Martinique, Guadeloupe, Guyane et Réunion) devenaient des *départements d'outre-mer;* l'Algérie avait un statut spécial; les autres colonies devenaient les *territoires d'outre-mer;* les anciens pays sous mandat (Togo, Cameroun) devenaient des *territoires associés;* les anciens protectorats (Viêt-nam, Laos, Cambodge, Tunisie, Maroc) devenaient, s'ils le voulaient, des *États associés.* L'Union française avait pour chef le président de la République française. Elle était assistée d'un haut conseil et de l'*Assemblée de l'Union française* qui comprenait en nombre égal des représentants de la France et des pays d'outre-mer. L'Union française fut remplacée en 1958 par la Communauté.

Union Jack. *n. m.* ♦ Nom du drapeau du Royaume-Uni de Grande-Bretagne, créé en 1606 par Jacques Ier.

Union républicaine. ♦ Nom donné au parti républicain d'extrême gauche qui, regroupé autour de L. Gambetta*, eut plusieurs représentants à la Chambre des députés (1876-1882). À la mort de Gambetta, ce parti se joignit à celui de J. Ferry.

UNITED STATES OF AMERICA. ♦ **V.** ÉTATS-UNIS D'AMÉRIQUE.

Univers (l'). ♦ Quotidien catholique fondé en 1833 par Migne et dirigé par L. Veuillot* (1848-1874). Celui-ci s'y fit le défenseur de l'Église et du Saint-Siège, critiquant la politique italienne de l'empereur Louis Napoléon, après avoir d'abord approuvé le coup d'État du 2 novembre 1851 et en se faisant après 1870 le porte-parole de la tendance légitimiste (comte de Chambord). *L'Univers* disparut en 1914.

UNKIAR-SKELESSI, en turc **Hünkar Iskelesi.** ♦ Village de Turquie, sur la r. orientale du Bosphore*, où fut signé le 8 juillet 1833 un traité d'alliance entre la Turquie et la Russie, dirigé contre l'Égypte et destiné à préserver l'intégrité des territoires ottomans. La Russie obtenait la fermeture des Détroits* aux navires de guerre étrangers. Cette clause fut abolie par la convention des Détroits de 1841.

UNNA. ♦ V. d'Allemagne occidentale (Rhénanie-Westphalie), dans la partie orientale du bassin de la Ruhr, à l'E. de Dortmund. 31 500 hab. – Indus. mécaniques.

U.N.R. ♦ Sigle de *Union pour la nouvelle République.* **V. U.D.R.**

UNRUH (Fritz *von***).** ♦ Poète et dramaturge allemand (Coblence, 1885 – Dietz-Lahn, 1970). Issu d'une famille de militaires, officier lui-même, il composa d'abord des drames où prédominent les thèmes héroïques : *Officiers* (*Offiziere,* 1912) et *Louis-Ferdinand, prince de Prusse* (1913). Cependant, il devait découvrir, dès 1916, l'inhumanité de la guerre et la dénoncer dans un poème inspiré par la bataille de Verdun : *Marche au sacrifice.* Converti au pacifisme et à l'idée d'un rapprochement universel des peuples, il a composé pour le théâtre des drames d'un symbolisme hautain : *Avant la décision* (*Vor der Entscheidung,* 1917) et *La Lignée* (*Das Geschlecht,* 1918).

Unter den Linden (« sous les tilleuls »). ♦ Avenue de Berlin-Est dont le point de départ est la porte de Brandebourg. Détruite par la guerre, elle a été reconstruite dans un style moderne, différent de celui de la Karl-Marx-Allee.

UNTERWALD, en all. **Unterwalden** (« sous les forêts »). ♦ Canton de Suisse centrale, limité par le lac des Quatre*-Cantons au N., le cant. d'Uri* à l'E., le cant. de Berne* au S. et le cant. de Lucerne* à l'ouest. Il est formé des deux demi-cantons de *Nidwald* à l'E. (273,9 km². 25 300 hab. *Ch.-l.* Stans*) et *Obwald* à l'O. (491,8 km². 25 500 hab. *Ch.-l.* Sarnen*). *V. princ.* **V. Engelberg.** L'économie de la région est essentiellement tournée vers l'élevage laitier. L'industrie repose sur le travail du bois. Le tourisme commence à s'y développer. – Patrie de A. de Winkelried*. ♦ *Hist.* Le canton d'Unterwald fut avec les cantons d'Uri et de Schwyz un des trois premiers cantons de la Confédération helvétique **(V. Rütli).**

Ph. Edo Prando/Ricciarini

Uppsala : l'église de Trefaldighets, XIIe s.

UNTERWELLENBORN. ♦ V. d'Allemagne orientale (Thuringe, district de Gera), près de Saalfeld. Sidérurgie.

Upaniṣad. *n. m. pl.* (« Traités des équivalences »). ♦ Textes indiens de la littérature védique, les plus anciens écrits philosophiques de l'Inde. Ils sont au nombre théorique de 108, mais en réalité on en compte plus de 200 dont la plupart sont postvédiques. Les commentaires qui en furent faits sont innombrables.

UPITS (Andrejs). ♦ Romancier letton (Skriveri, Livonie, 1877). Après un premier récit, *La Tempête,* il commença en 1909 sa grande œuvre, un roman en six tomes sur le rapport entre les masses et l'individualité, *Les Gardes-frontières.* En 1917, il prit une part active à la révolution russe. Il écrivit ensuite de nombreuses comédies satiriques dont *Suzanne au bain* (1922). En 1945, puis en 1951, il publia successivement deux romans historiques sur son peuple : *Terre verte* et *Lumière dans la nuée.* (Prix Staline, 1951.)

UPOLU. ♦ Seconde île des *Samoa* occidentales,* où se situe la cap. Apia*. 1 127 km².

UPPDAL (Christofer). ♦ Poète lyrique et romancier norvégien (né en 1878). Il débuta par plusieurs recueils de vers dans lesquels il peignit son pays natal et des caractères primitifs. Il y révéla une âme angoissée et amoureuse de solitude. Il entreprit ensuite un vaste cycle romanesque : *Danse aux pays des ombres* (1911-1924), où il décrivit le milieu des ouvriers au tempérament aventureux qui posaient des rails à travers le pays et où il médita sur les forces primitives du prolétaire.

UPPSALA. ♦ V. de Suède, sur le Fyrisâ, tributaire du lac Mälar*, au N.-O. de Stockholm*. Ch.-l. du comté homonyme. 130 097 hab. (1971). Archevêché. Première université de Suède, fondée en 1477 (voir ci-dessous *Hist.*). À proximité, aéroport international d'Arlanda. Très belle cathédrale gothique (*fin* XIIIe s., restaurée). Château édifié par Gustave* Vasa (1540, restauré). La bibliothèque de l'université, *Carolina Rediviva,* est la plus riche de Suède. – Imprimeries, constructions mécaniques. – Patrie de A. Celsius*, I. Bergman*. ♦ *Hist.* À l'origine située au N. de la ville actuelle, Uppsala possédait un important temple païen dès le IXe siècle. En 1164, elle devint siège d'un archevêché. À la suite d'un incendie, ce dernier fut transféré à son emplacement actuel (1273). Depuis la fondation de l'université par l'archevêque Jacob Ulfsson, Uppsala est devenu l'un des principaux centres de l'enseignement en Suède.

UR ou **OUR.** ♦ Cité sumérienne, autrefois à l'embouchure de l'Euphrate, auj. à l'intérieur des terres (tell el-Muqayyar). Les fouilles **(V. Wooley)** mirent au jour temples, palais, ziggourat, tombes royales et permirent de reconstituer l'histoire de la ville : occupation dès les temps pré- et protohistoriques; trace d'une inondation hasardeusement identifiée au Déluge des traditions babylonienne et biblique; domination de Sumer* par la Ire dynastie d'Ur (v. ~ 2700-~ 2500), supplantée par Lagash*; nouvelle domination sous la IIIe dynastie d'Ur (v. ~ 2100-~ 2000) fondée par Ur-Nammu; décadence de la ville prise par les Amorites* v. 2000.

avec une période de reconstruction sous Nabuchodonosor II et Nabonide (~ VIe s.); disparition vers le ~ IIIe siècle. — Selon la Genèse, XI, 28, 31, Ur aurait été la patrie d'Abraham*.

URAL. ♦ V. OURAL.

URALSK. ♦ V. OURALSK.

URANIE, en gr. **Ourania.** ♦ L'une des neuf muses*, qui préside à l'astronomie. On la représente généralement avec la sphère céleste et le compas dans les mains. Elle est considérée comme la mère du musicien Linos*.

URANUS. ♦ Nom d'Ouranos* dans la mythologie romaine.

URANUS. ♦ Planète du système solaire, la septième dans l'ordre croissant des distances au Soleil (distance moyenne 2 880 millions de km). Découverte par Herschel* en 1781, qui crut observer une comète, elle fut reconnue comme planète avec les calculs de Lexell et Laplace*. La planète tourne sur elle-même dans le sens rétrograde en 10 h 49 mn (Lowell, 1911-1912). La révolution sidérale est de 84 ans, 7,45 jours sur une orbite à faible excentricité (0,046) légèrement inclinée sur l'écliptique (0° 46'). Le diamètre équatorial, important, serait d'environ 46 700 km avec un léger aplatissement aux pôles, sa masse, estimée à $8{,}661.10^{26}$ kg, représenterait donc une densité d'environ 1,7 (par rapport à l'eau). Très éloigné de la Terre, difficilement observable (magnitude 5,7), *Uranus* a été étudié physiquement par analyse spectrale et serait constitué, à sa surface, de méthane, d'ammoniac condensé, d'hydrogène moléculaire et d'hélium. La température au sol semble être faible : — 200 °C, essentiellement due à l'éloignement du Soleil et à l'absence d'émission thermique propre. *Uranus* possède cinq satellites reconnus : Ariel, Umbriel, Titania, Obéron et Miranda.

URARTU ou **OURARTOU.** *n. m.* ♦ Nom assyrien du pays situé autour du lac de Van, plus tard l'Arménie. Il s'y forma un royaume puissant du ~ IXe au ~ VIIe siècle. Le premier roi connu est Sardur Ier, mentionné en ~ 856. Dans la première moitié du ~ VIIIe s., sous Argisti Ier et Sardur III, qui prit le titre de *Roi des Rois,* l'expansion urartéenne toucha l'Assyrie, la Syrie du Nord, les royaumes hittites du Taurus, l'actuel Azerbaïdjan, mais elle fut entravée par la montée de l'Empire assyrien (victoire de Teglath-Phalasar III sur Sardur III en Syrie ~ 743; raid de Sargon* II en Urartu, ~ 714) et par le passage des envahisseurs cimmériens (vainqueurs d'Argisti II v. ~ 706). Le royaume disparut lors des invasions scythes (seconde moitié du ~ VIIe s.). La langue urartéenne était apparentée au hourrite. La civilisation procédait de celle des Hittites. Le panthéon était dominé par Haldi, le dieu national, Tesheba (le Teshub hourrite, dieu de l'orage) et Ardini, divinité solaire. L'art était surtout remarquable dans le travail du métal.

URAWA. ♦ V. du Japon (Honshû, préf. de Saimata), centre industriel à 20 km au N. de Tôkyô. 269 000 habitants.

URBAIN Ier *(saint).* ♦ 17e pape (222-230 [mort]). Romain, martyr (?). Fête le 25 mai.

URBAIN II [*bienheureux*] *(Eudes* ou *Odon de Châtillon).* ♦ (Châtillon-sur-Marne, v. 1042 — Rome, 1099). 157e pape, de 1088 à 1099. Disciple de saint Bruno, archidiacre puis chanoine à Reims, il entra à Cluny v. 1075, mais en sortit à la demande de Grégoire VII qui le fit évêque d'Ostie et cardinal (1078). Il lutta contre l'antipape Clément* III et ne put s'installer au Latran qu'en 1094. Il poursuivit l'action de Grégoire* VII, tenant plusieurs conciles importants, notamment Plaisance (1095) et Clermont (1095) à l'issue duquel il annonça la première croisade. Fête le 29 juillet. **V.** *aussi* **Investitures** (querelle des).

URBAIN III *(Uberto Crivelli).* ♦ (Milan, 1120 — Ferrare, 1187). 170e pape (1185-1187), ancien archevêque de Milan. Il succéda à Lucius* III à Vérone, qu'il quitta pour Ferrare, et se heurta

Arch. Rencontre

Le pape **Urbain II** consacre l'autel de Cluny. Miniature du début du XIIe s. (Bibliothèque nationale, Paris.)

Arch. Smeets

Le pape **Urbain VIII**, par Pierre de Cortone. (Musée national romain, Rome.)

à Frédéric* Barberousse qui envoya son fils Henri ravager les États de l'Église.

URBAIN IV *(Jacques Pantaléon).* ♦ (Troyes, v. 1200 — Pérouse, 1264). 180e pape (1261-1264), ancien patriarche de Jérusalem (1255), ancien évêque de Verdun (1253). Il donna le royaume de Sicile à Charles* d'Anjou. Il institua la fête du Saint-Sacrement.

URBAIN V [*bienheureux*] *(Guillaume de Grimoard).* ♦ (Près de Mende, 1310 — Avignon, 1370). 198e pape (1362-1370), bénédictin, ancien abbé de Saint-Victor de Marseille. Pape en Avignon, il entra à Rome mais n'y resta que trois ans (1367-1370). Il fut le premier des papes humanistes.

URBAIN VI *(Bartolomeo Prignano).* ♦ (Naples, v. 1318 — Rome, 1389). 200e pape (1378-1389), ancien archevêque de Bari (1377). Premier pape élu à Rome après le retour d'Avignon, il se rendit odieux aux cardinaux, en majorité français; ceux-ci élurent alors Clément* VII. Ce fut le grand schisme* d'Occident.

URBAIN VII *(Giovan Battista Cestagna).* ♦ 226e pape (15-27 sept. 1590 [mort]), Génois.

URBAIN VIII *(Maffeo Barberini).* ♦ (Florence, 1568 — Rome, 1644). 233e pape (1623-1644), ancien nonce à Paris (1604). Ami de Galilée*, il adoucit sa détention après sa condamnation par l'Inquisition (1633). Il condamna l'*Augustinus** de Jansenius* (1642, mais la bulle ne parut, sans doute modifiée, qu'en 1643). Il fit travailler le Bernin* (palais Barberini, baldaquin de l'autel de Saint-Pierre).

URBAIN (Georges). ♦ Chimiste français (Paris, 1872 — *id.,* 1938). Spécialiste des terres rares, il réussit à en séparer les principaux éléments et montra que le rôle de luminogène pour les fluorines naturelles est joué par les terres rares [europium, samarium, etc.] (Acad. sc., 1921.)

URBAN (Milo). ♦ Romancier slovaque (Rabčice, 1904). Il décrivit la vie d'un village slovaque sous la domination hongroise dans une trilogie : *Le Fouet vivant* (1927), *Les Brumes de l'aurore* (1930), *Dans le piège* (1940). Puis, en 1957, il publia un roman sur la naissance de l'État slovaque, *Les Lumières éteintes.*

URBINO, en fr. **Urbin.** ♦ V. d'Italie, dans les Marches* (prov. de Pesaro et Urbino), entre la Foglia et le Métaure. 23 000 hab. — Université. Nombreux monuments (remparts, palais, cathédrale, maison natale de Raphaël*). — Centre agricole. ♦ *Hist.* Capitale d'un ancien duché qui appartint dès le XIIe s. à la famille Montefeltro* qui en fit un important centre artistique (célèbres majoliques), elle passa aux Della Rovere* au début du XVIe s., puis fit partie des États de l'Église de 1631 à 1860 avant de s'intégrer à la République italienne en 1860. — Patrie de Raphaël*, Bramante*, Baroccio* et Clément* VII.

Ph. Lauros-Giraudon

Habitations troglodytiques à **Ürgüp.**

URDÛ ou **OURDOU.** *n. m.* (mot türk, « camp », qui a donné en fr. *horde*). ♦ Dialecte hindî persianisé qui, à partir du XIVe s., devint le langage vernaculaire des musulmans de l'Inde.

UREY (Harold Clayton). ♦ Chimiste américain (Walkerton, Indiana, 1893). Il découvrit l'eau lourde et le deutérium (1932), étudia l'enrichissement de l'uranium en isotope 235 par diffusion de son fluorure gazeux, utilisa les procédés de datation (**V.** *aussi* **Libby)** pour étudier les changements de climat au cours des temps géologiques et participa au développement moderne des théories nébulaires en faisant une étude physico-chimique des processus de condensation [1952]. (Prix Nobel de chimie, 1934.)

URFA, anc. **Édesse*.** ♦ V. de Turquie, en Anatolie* orientale, près de la frontière syrienne. *Ch.-l.* de la province homonyme. 100 231 hab. (1970). Ruines de la citadelle construite par les croisés (*déb.* XIIe s.). – Centre commercial. Indus. textiles. Manufacture de tabac.

URFÉ (Honoré d'). ♦ Écrivain français (Marseille, 1567 – Villefranche-sur-Mer, 1625). Homme d'action, ayant mené une vie aventureuse, il écrivit, selon la tradition pastorale, *L'Astrée**, subtil roman d'analyse psychologique, dont les trois parties (1607 à 1619) furent complétées par son secrétaire Baro (1627 à 1628). Il s'y exprime une conception intellectualiste de l'amour qui contribua à fixer l'idéal moral du XVIIe siècle mondain, tandis que la pureté de style d'Urfé en faisait le premier de nos romanciers classiques.

URGEL. ♦ V. SEO DE URGEL.

ÜRGÜP. ♦ Village de Cappadoce au S.-E. d'Ankara (Turquie). Ce village est situé sur un plateau de tuf volcanique dont le relief caractéristique, dû à l'érosion (aiguilles, cheminées des fées), les villages troglodytes et les églises rupestres constituent l'une des principales curiosités de la Turquie. Ces églises abritent un ensemble important de fresques d'un grand intérêt iconographique (Tokali Kilise, Elmali Kilise à Göreme).

URI (de *urochs,* « auroch »). ♦ Canton de Suisse centrale, limité par le lac des Quatre*-Cantons et le cant. de Schwyz* au N., les cant. de Glaris* et des Grisons* à l'E., le Tessin* au S., les cant. du Valais*, de Berne* et d'Unterwald* à l'ouest. 1 075 km². 34 091 hab., en majorité de langue allemande et de religion catholique. *Ch.-l.* Altdorf. *V. princ.* **V. Andermatt, Erstfeld.** La région est entièrement formée par les Alpes qu'entaille l'axe N.-S. de la vallée de la Reuss* aménagée en voie de communication. Elle est reliée au Valais à l'O. par le col de la Furka*, aux Grisons à l'E. par l'Oberalppass et au Tessin au N. par le tunnel du Saint*-Gothard. L'économie du canton est essentiellement pastorale (élevage laitier). L'industrie est groupée dans la vallée de la Reuss; centrales hydro-électriques d'Amsteg, Wassen et Göschenen. ♦ *Hist.* Dès 1231 Uri reçut l'immédiateté d'empire. Désireux de défendre leur liberté contre la domination des Habsbourg*, les habitants d'Uri, sous la conduite de W. Fürst*, prêtèrent le serment du Rütli* avec les cantons de Schwyz et d'Unterwald (1291) et remportèrent sur les Autrichiens les victoires de Morgarten* (1315) et de Sempach* (1386). Lors de la Réforme, le canton resta fidèle au catholicisme.

URIAGE. ♦ Station thermale de l'Isère*, comm. de Saint-Martin-d'Uriage, arr. de Grenoble*. Ses eaux sulfureuses et ferrugineuses sont efficaces contre les maladies de la peau, les rhumatismes et les affections des voies respiratoires.

URIE le Hittite. ♦ Officier de David*, mari de Bethsabée*. David organisa sa mort à l'ennemi pour s'approprier sa femme. Récit biblique (*II Samuel,* XI).

URIEL. ♦ Ange souvent cité dans la liturgie orientale.

URQUIJO (Mariano Luis *de*). ♦ Homme politique espagnol (Bilbao, 1768 – Paris, 1817). Ministre des Affaires étrangères (1798), il succéda à Godoy* puis servit fidèlement Joseph Bonaparte.

URQUIZA (Justo José *de*). ♦ Homme politique argentin (1800 – 1870). D'abord allié de Rosas*, il se tourna contre lui et le vainquit en 1852. Devenu maître du pays et élu président, il lutta contre le séparatisme de Buenos Aires. En 1862, il se retira dans l'Entre-Rios dont il était gouverneur et y mourut assassiné.

URRAQUE, en esp. **Urraca.** ♦ (1081 – 1126). Reine de Castille et de León (1109-1126). Fille du roi Alphonse VI, elle épousa en 1090 Raymond de Bourgogne qui mourut en 1106. Elle lui avait donné un fils, le futur Alphonse VII. En 1109, elle épousa Alphonse Ier le Batailleur, roi d'Aragon et de Navarre. Ce dernier se fit reconnaître roi de Castille, fit enfermer sa femme mais, après l'annulation du mariage par le pape Pascal II, dut renoncer à la Castille (1114). Alphonse VII, reconnu roi de Castille (1112), s'opposa à Urraque et elle dut finalement s'effacer (1122).

URSEREN *(val).* ♦ Nom donné à la vallée supérieure de la Reuss, en Suisse, dans le canton d'Uri.

URSINS (Marie-Anne de LA TRÉMOILLE, ***princesse des*).** ♦ Dame française (Paris, 1642 – Rome, 1722). Elle exerça un rôle prépondérant dans la politique espagnole par ses intrigues à la cour de Philippe* V, jusqu'en 1714, époque où elle fut renvoyée par la nouvelle reine.

URSINUS. ♦ Antipape (366-367), contre Damase* Ier. Il mourut en exil (384).

U.R.S.S. (en russe **S.S.S.R.,** abrév. de **Soiouz Sovetskikh Sotsialistitcheskikh Respublik,** « Union des républiques socialistes soviétiques »). ♦ État situé en Europe orientale et en Sibérie* (Asie centrale et septentrionale), occupant un sixième des terres habitables. Le plus grand État du monde, l'U.R.S.S., s'étend de l'O. à l'E. sur près de 10 000 km (de l'E. du golfe de Gdańsk sur la mer Baltique jusqu'au promontoire de Dejnev sur la presqu'île de Tchoukotka*) et du N. au S. sur près de 5 000 km (du cap Tcheliouchkine sur la presqu'île de Taïmyr* jusqu'au village de Kouchka dans le S. du Turkménistan). Baignée par la mer Baltique* à l'O., les mers Noire* et d'Azov* au S., la mer de Barents*, la mer Blanche*, les mers de Kara*, de Laptev*, de Sibérie* orientale et de Tchoukotka* au N., par les mers de Béring*, d'Okhotsk* et du Japon* à l'E.; elle a des frontières communes avec la Norvège*, la Finlande*, la Pologne*, la Tchécoslovaquie*, la Hongrie* et la Roumanie* à l'O. et avec la Turquie*, l'Iran*, l'Afghânistân*, la Chine*, la Mongolie* et la Corée* au sud. 22 274 900 km². 254 300 000 hab. *Cap.* **V. Moscou.** *V. princ.* (plus d'un million d'hab.) **V. Leningrad, Kiev, Tachkent, Kharkov, Gorki, Novossibirsk, Kouïbychev, Sverdlovsk.** L'U.R.S.S. est divisée administrativement en quinze républiques socialistes soviétiques : **V. Russie** (cap. Moscou), **Kazakhstan** (cap. Alma-Ata), **Ukraine** (cap. Kiev), **Türkmenistân** (cap. Ashkâbâd), **Ouzbékistan** [Uzbekistân] (cap. Tachkent), **Biélorussie** (cap. Minsk), **Kirghizistan** (cap. Frounzé), **Tadjikistan** (cap. Douchanbé), **Azerbaïdjan** (cap. Bakou), **Géorgie** (cap. Tbilissi), **Lituanie** (cap. Vilnius), **Lettonie** (cap. Riga), **Estonie** (cap. Tallin), **Moldavie** (cap. Kichinev), **Arménie** (cap. Erevan). L'Union soviétique est un État multinational : plus de 110 peuples et groupes ethniques y habitent, dont les plus importants étaient en 1959 les Russes (114 114 000), les Ukrainiens (37 253 000), les Biélorusses (7 913 000), les Ouzbeks (6 015 000), les Tatars (4 968 000), les Kazakhs (3 622 000), les Azerbaïdjanais (2 940 000), les Arméniens (2 787 000), les Géorgiens (2 692 000), les Lituaniens (2 326 000), les Juifs (2 268 000), les Moldaves (2 214 000), les Allemands (1 620 000), les Tchouvaches (1 470 000), les Lettons (1 400 000). les Tadjiks (1 397 000), les Polonais (1 380 000), les Mordves (1 285 000), les Turkmènes (1 002 000), les Bachkirs (989 000), les Estoniens (989 000) et les Kirghiz (968 000). La moitié O. de l'U.R.S.S. (jusqu'au fleuve Ienisseï* et aux montagnes de l'Asie centrale) est occupée par de vastes plaines basses; à l'E. prédominent les plateaux et les chaînes montagneuses, formant tout au long des frontières S. et des côtes E. une ceinture de montagnes presque ininterrompue. La plus grande partie du territoire européen est occupée par une plaine bordée au S. par les Carpates*, les monts de la Crimée* et du Caucase* et à l'E. par l'Oural*, qui la sépare de la plus vaste plaine asiatique (la dépression de la Sibérie occidentale). À l'E. de cette dernière se trouve le plateau de la Sibérie centrale (l'un des plus grands du monde), séparé au N. de la presqu'île de Taïmyr par la dépression de la Sibérie septentrionale et au S. se joignant avec les monts de Saïan* et de Transbaïkalie. La plus grande partie de la Sibérie du Nord-Est (à l'E. de la Léna*) et l'Extrême-Orient sont occupés par des systèmes de chaînes montagneuses et de plateaux dont les plus importants sont les monts Verkhoïansk*, Tcherski* et Kolyma*. Dans le S. de la partie asiatique se trouvent une vaste dépression (déserts de Karakoum* et de Kyzylkoum*) ainsi que les plus hauts systèmes montagneux de l'U.R.S.S. (Pamir* et T'ien*-shan). Les plus hauts sommets de l'U.R.S.S. (plus de 5 000 m) sont le pic du Communisme* (7 495 m), le pic de la Victoire (en russe *pik Pobiedy,* système de T'ien-shan, 7 439 m), le pic Lénine* (7 135 m), le pic Khan-Tengri (6 995 m) et Elbrous* (5 633 m), Dykh-Taou (5 203 m), Chkhara (5 058 m) et Kazbek (5 047 m) dans le Caucase. L'U.R.S.S. est arrosée par plus de 150 000 riv. de plus de 10 km (leur longueur totale correspond à près de 3 millions de km). La puissance potentielle des grands fl. seulement est estimée à 340 000 000 de kW et les réserves globales d'énergie hydro-électrique à 3 700 milliards de kWh par an. La plupart des fl. se déversent dans l'océan Arc-

Arch. Rencontre

U.R.S.S. : l'université Lomonossov à Moscou.

tique* : la Dvina* septentrionale, la Petchora*, l'Ob'*, l'Irtysh*, l'Ienisseï*, la Léna, l'Indighirka*, la Kolyma*. Les fl. de l'Extrême-Orient (dont les princ. sont l'Amour*, l'Anadyr*, la Penjina et la Kamchatka) sont tributaires de l'océan Pacifique. Le Danube*, le Dniestr*, le Dniepr*, le Kouban* et le Rion* se jettent dans la mer Noire; le Don*, l'Amou*-Daria et le Syr*-Daria dans la mer d'Azov; la Dvina* occidentale et la Néva* dans la Baltique; la Volga*, l'Oural*, l'Emba*, la Koura* et le Terek* dans la Caspienne*. L'U.R.S.S. possède plus de 250 000 lacs, dont 20 env. ont une superficie de plus de 1 000 km², et plus de 10 réservoirs d'eau (chacun avec une superficie de plus de 1 000 km²) formés pour l'alimentation de stations hydro-électriques. À part les mers intérieures (Caspienne et Aral*), les lacs les plus importants d'U.R.S.S. (plus de 5 000 km²) sont le Baïkal* (le lac le plus profond du globe), le Ladoga*, le Balkhach*, l'Onega* et l'Issyk*-Koul. Les plus grands réservoirs d'eau se trouvent sur la Volga (Kouïbychev*), sur l'Angara* (Bratsk*) et sur l'Irtych (Bouchtarminsk). ♦ *Écon.* Le sous-sol de l'U.R.S.S. est extrêmement riche. Le pays possède la première ou l'une des premières places dans le monde pour les réserves de houille, de tourbe, de pétrole, de gaz naturel, de minerais de fer, de manganèse, de chrome, de cuivre, de plomb, de zinc, de nickel et de bauxite. Les plus grands gisements de pétrole se trouvent entre la Volga et l'Oural (Second Bakou*), dans le Caucase (Bakou*, Groznyï*), dans le Kazakhstan occidental (Emba) et à Sakhaline*. Gaz naturel dans le Caucase du Nord (Stavropol*), en Ukraine (Chebelinsk), dans l'Ouzbekistân (Gazli) et dans la région de la Volga. Entre 1957 et 1964, des gisements de pétrole ont été découverts en Sibérie (régions de Tioumen*, de Tomsk*, d'Irkoutsk* et R.S.S. autonome de Iakoutie*). Les régions houillères les plus importantes sont celles du Donbass*, du Kouzbass*, de Kansk-Atchinsk, de Karaganda, d'Irkoutsk, de Petchora et de la Iakoutie du Sud. Importantes réserves de minerai de fer dans la région de Koursk*, dans le bassin de Krivoï* Rog, dans l'Oural*, dans le Kazakhstan et en Sibérie (Khakassie, bassins Angara-Ilim et Angara-Pitsk, Transbaïkal et Iakoutie du Sud). Importants gisements de minerai de manganèse en Géorgie (Tchiatoursk) et en Ukraine (Nikopolsk); de chrome dans l'Oural du Sud et en Kazakhstan occidental; de titane dans l'Oural, en Ukraine et en Sibérie; de cuivre en Kazakhstan (Djezkazgan), dans l'Oural et dans le Transbaïkal; de plomb et de zinc en Kazakhstan (Altaï*); de nickel dans la presqu'île de Kola*, dans le N. de la Sibérie orientale (région de Norilsk*) et dans l'Oural; de cobalt dans la Touva*; d'étain dans le Transbaïkal et en Extrême-Orient; de molybdène en Kazakhstan, en Sibérie orientale et dans le Caucase. L'Oural, le Kazakhstan, la Sibérie orientale et l'Extrême-Orient sont les princ. régions aurifères. Diamants en Iakoutie. — L'*agriculture* est très développée et mécanisée (2 600 000 tracteurs, 533 000 moissonneuses-batteuses, 916 000 camions en 1963). Les 9 175 sovkhoz et les 38 800 kolkhoz ont cultivé, en 1963, 216 000 000 d'ha (céréales : 135 900 000; plantes industrielles : 14 300 000; pommes de terre et légumes : 10 700 000; fourrage : 55 100 000). En 1975, l'U.R.S.S. a produit 65 000 000 de t de blé, 2 000 000 de t de riz, 11 000 000 de t d'avoine, 8 000 000 de t de maïs, 35 000 000 de t d'orge, 9 000 000 de t de seigle, 78 000 000 de t de betteraves à sucre, 95 000 000 de t de pommes de terre, 2 550 000 t de coton brut et 83 000 t de thé. L'élevage concerne aussi des chiffres très élevés : 109 122 000 bovins, 72 272 000 porcins, 145 305 000 ovins, 6 848 000 chevaux, 687 000 ânes. Beurre : 1 320 000 t. Laine brute en suint 472 000 t (2e place dans le monde). Pêche 9 935 600 t. Vin 27 100 000 hectolitres. La production *industrielle* globale de l'U.R.S.S. était en 1963 la première en Europe et la deuxième dans le monde (63 % de la product. des États-Unis). En 1975, elle occupait la première place dans le monde en production de minerai de fer (127 341 000 t de fer contenu), de minerai de manganèse (2 838 600 t de manganèse contenu), de fonte (102 350 000 t), de lin en filasse (478 000 t), de bois (383 millions de m³), de sucre (8 217 000 t), de pétrole (491 000 000 de t, capacité de raffinage 422 000 000 de t; 12,54 % du total mondial contre 22,07% aux États-Unis), de l'acier brut (141 000 000 de t), du coton filé (1 560 000 t), des tissus de coton (6 635 000 m²), du minerai de plomb (600 000 t de plomb contenu, product. fonderie 660 000 t), et la deuxième place dans le monde pour le lignite (162 952 000 t), l'électricité (1 038 milliards de kWh par an, dont 130 milliards de kWh d'énergie hydro-électrique), le gaz naturel (289 milliards de m³), la houille (531 609 000 t), le lin filé (322 000 t), les minerais de zinc (1 030 000 t de zinc contenu, product. fonderie 1 030 000 t) et de cuivre (1 100 000 t, product. blister 1 100 000 t). En 1975, l'U.R.S.S. a produit en outre 6 000 000 de t de bauxite, 3 400 000 t d'alumine, 2 150 000 t d'aluminium, 125 000 t de minerai de nickel (product. métallurgique 143 000 t), 400 t d'or. L'indus. automobile avait construit 1 964 000 automobiles, 550 000 tracteurs (15 cv). La papeterie, grâce à plus de 7 000 000 de t de pâte de bois, produit 1 212 000 t de papier journal, 364 600 t de textiles synthétiques, 2 800 000 t de plastiques et de résines. 778 000 m² de tissus de lin, 6 635 000 m² de tissus de coton. La construction peut utiliser 122 000 000 de t de ciment, 50 000 000 de m³ de constructions préfabriquées en béton armé. En 1975, l'U.R.S.S. occupait la cinquième place dans le monde en production d'électricité d'origine nucléaire (20 milliards de kWh) ♦ *Hist.* L'union, formée au Congrès des soviets du 30 décembre 1922, comprenait alors les républiques de Russie, d'Ukraine, de Biélorussie, de Transcaucasie, auxquelles s'intégrèrent celles d'Ouzbékie, de Turkménie (1924), de Tadjikie (1929), d'Estonie, de Lettonie, de Lituanie et de Moldavie (1940). Remplaçant la Constitution du premier État soviétique socialiste (Constitution de 1918), celle de 1924 fut à son tour modifiée en 1936 (Constitution «stalinienne») et remaniée en 1946 (transformation du Conseil des commissaires du peuple en Conseil des ministres, et du Parti communiste bolchevik en Parti communiste d'Union soviétique — P.C.U.S.). Les républiques fédérées (voir *ci-dessus*), égales en droits et souveraines, possèdent constitutionnellement « le droit de sortir librement de l'U.R.S.S., d'entrer en relations directes avec des États étrangers », une autonomie nationale (politique, militaire, linguistique, culturelle). Née de la révolution* d'octobre 1917, marquée par le renversement « du pouvoir des grands propriétaires fonciers et des capitalistes » et par la « conquête de la dictature du prolétariat », l'U.R.S.S. a pour base un « système socialiste de l'économie » (propriété socialiste des moyens de production et d'échange sous forme de propriété d'État ou de propriété coopérative [kolkhozienne], planification étatique de l'économie). Du point de vue législatif, « l'organe supérieur du pouvoir d'État » est le Soviet suprême, élu au suffrage universel pour quatre ans, formé de deux chambres — le Soviet de l'Union et le Soviet des nationalités — et désignant le Praesidium du Soviet suprême (remplissant collégialement les fonctions de chef de l'État) et le Conseil des ministres. L'unité de direction politique de l'U.R.S.S. est assurée par le P.C.U.S., parti unique qui est formé par les partis communistes des différentes républiques et dont l'assise suprême est le Congrès; celui-ci désigne le Comité central qui assure la direction du parti et élit le Bureau politique (avec à sa tête le secrétaire général du parti). — LA RUSSIE SOVIÉTIQUE, PUIS L'U.R.S.S. SOUS LÉNINE *(1917-1924).* La Révolution* de février (mars) 1917 avait instauré en Russie **(V. Russie)** une « dualité des pouvoirs » (gouvernement provisoire de la bourgeoisie d'une part, Soviet de députés ouvriers et soldats d'autre part) qui maintint et accentua de mars à octobre (nov.) 1917 le climat révolutionnaire, en même temps que s'aggravait la situation militaire. Décidée par le Comité central bolchevik, l'insurrection armée fut préparée par le Comité militaire révolutionnaire (commandé par Trotski) et déclenchée à Petrograd le

Ph. Keystone

U.R.S.S. : signature du traité de Brest-Litovsk, le 3 mars 1918.

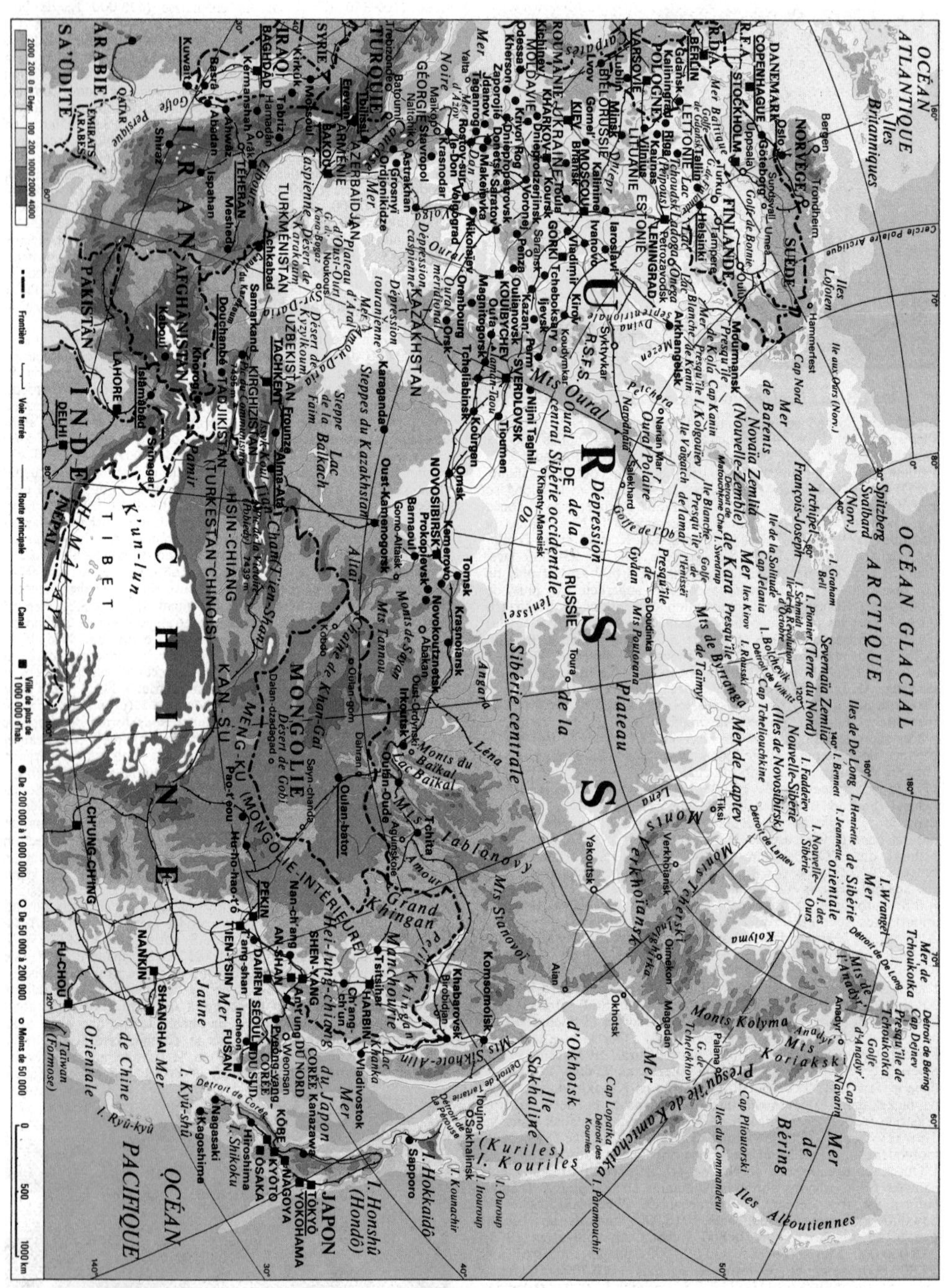

U.R.S.S.

24 octobre (6 nov.) 1917 **(V. Révolution d'octobre 1917)**. Tandis que se formait le nouveau gouvernement sous le nom de Conseil des commissaires du peuple (présidence : Lénine*; Intérieur : Rykov; Agriculture : Milioutine; Travail : Chliapnikov; Guerre et Marine : Antonov-Ovséenko, Krylenko, Dybenko; Commerce et Industrie : Noguine; Instruction publique : Lounatcharski; Finances : Stepanov-Skvortsov; Affaires étrangères : Trotski*; Justice : Oppokov; Ravitaillement : Téodorovitch; Postes et Télégraphes : Avilov; Nationalités : Staline*), la révolution s'étendait à tout le pays et, après dix jours de combat, les bolcheviks se rendaient maîtres de Moscou. Conformément au programme bolchevik, divers décrets d'une importance décisive furent adoptés : décret sur la paix (immédiate, sans annexions et sans contributions), sur la terre (abolition de la grande propriété foncière sans délai et sans indemnité), sur les entreprises industrielles (passant sous le contrôle des ouvriers et employés), sur les nationalités (égalité et souveraineté des peuples de Russie, droit de disposer librement de leur sort). Prévue avant la révolution, l'élection de l'Assemblée constituante faillit rétablir la dualité des pouvoirs dans la mesure où les bolcheviks furent mis en minorité par rapport aux socialistes-révolutionnaires, aux constitutionnels-démocrates et aux mencheviks; aussi, dès sa première séance (19 janv. 1918), l'Assemblée fut-elle dissoute par un décret du gouvernement soviétique qui s'organisait progressivement : créa-

tion de la Tchéka (service de sécurité et de police contre la contre-révolution, la spéculation, le sabotage; déc. 1917), de l'armée rouge (28 janv. 1918), séparation de l'Église et de l'État, émancipation politique des femmes, confiscation des emprunts faits par le tsar et le gouvernement provisoire, formation d'un Conseil suprême de l'Économie nationale et début des nationalisations (des banques, des chemins de fer, du commerce extérieur, de la grande industrie, du commerce intérieur). Ces mesures caractérisèrent le « communisme de guerre »; celui-ci avait pour but de réorganiser l'industrie afin d'en augmenter le rendement et d'assurer le ravitaillement des villes et de l'armée (d'où le système de réquisitions visant particulièrement les paysans aisés ou *koulaks*). Toutefois, c'est de la signature de la paix que dépendait l'autorité du gouvernement soviétique. Lénine ayant proposé en vain aux puissances alliées l'ouverture de pourparlers en vue d'une « paix démocratique », les négociations furent engagées (après la conclusion de l'armistice à Brest*-Litovsk, le 15 déc. 1917) entre les Austro-Allemands et la Russie soviétique, représentée par Trotski. Elles ne se déroulèrent pas sans difficultés : les bolcheviks réclamaient une paix sans annexions ni indemnités, tandis que les Austro-Allemands, d'accord sur le principe, revendiquaient la partie de la Pologne appartenant à l'empire des tsars, la Courlande et la Lituanie. En même temps, des dissensions se manifestaient au sein du parti bolchevik, opposant les partisans de la signature de la paix (en dépit des conditions injustes) à ceux qui souhaitaient la poursuite d'une « guerre révolutionnaire » (les socialistes-révolutionnaires avec Boukharine) ou la temporisation (ne pas capituler tout en démobilisant l'armée : position de Trotski). Cependant, le problème ukrainien évoluait : à la Rada (assemblée nationale ukrainienne de Kiev, formée de mencheviks et de socialistes-révolutionnaires), qui forma une république indépendante, s'opposa un gouvernement rallié aux bolcheviks à Kharkov. À la suite d'une nouvelle attaque allemande (févr. 1918), le traité de Brest*-Litovsk fut signé le 3 mars 1918 : les Soviets abandonnaient la Pologne, la Lituanie, la Courlande, la Livonie, l'Estonie, évacuaient l'Ukraine et la Finlande, cédaient Batoum, Kars et Ardahan à la Turquie. Cette paix désastreuse, qui renforça un moment l'opposition violente des socialistes-révolutionnaires (assassinat de l'ambassadeur d'Allemagne, Mirbach, le 6 juill. 1918; mutinerie de Moscou, 6-7 juill.; attentat contre Lénine, 30 août), fut aussi considérée comme une trahison par les puissances alliées, qui apportèrent leur soutien aux forces contre-révolutionnaires (les « blancs ») par peur du bolchevisme. Les Anglais débarquèrent à Mourmansk (mars 1918), puis à Arkhangelsk (août 1918); les Allemands occupèrent l'Ukraine où, après avoir dissous la Rada, ils proclamèrent hetman leur agent Skoropadski (avr. 1918); enfin, les Japonais s'installèrent à Vladivostok (avr. 1918). Une situation catastrophique (famines, épidémies) et la guerre civile mirent le pays à sang, faisant plusieurs millions de victimes; dans la nuit du 16 au 17 juillet, le tsar et sa famille étaient exécutés à Iékatérinenbourg. Si l'effondrement de l'Allemagne permit au gouvernement de Moscou de dénoncer la paix de Brest-Litovsk et de réoccuper progressivement les territoires abandonnés, il renforça également la guerre civile, qui se propagea sur tous les fronts et permit l'intervention alliée (débarquement de troupes anglo-françaises à Odessa et en Transcaucasie, organisation du blocus autour de la Russie). À partir des pays baltes, occupés par Ioudenitch, l'offensive blanche contre Petrograd échoua (mai-nov. 1919). En 1920, la Russie reconnut l'indépendance de l'Estonie, de la Lituanie, de la Lettonie et de la Finlande; d'abord acquise aux socialistes, la Sibérie passa sous les ordres de l'amiral Koltchak* (de tendance monarchiste); ce dernier, avec l'aide de la légion tchécoslovaque, marcha sur Moscou, prit Perm' (déc. 1918), puis Oufa (mars 1919). Mais, finalement vaincu par l'armée soviétique, il abandonna le pouvoir (Irkoutsk, *fin* 1919), fut fait prisonnier et fusillé. En Ukraine, où la Rada avait constitué un directoire nationaliste avec Vinnitchenko et Petlioura, le général Denikine* et les Cosaques du Kouban tinrent quelque temps la région avant d'être battus par l'armée rouge à Orel et Voronej (oct. 1919); peu après, le baron Wrangel* réattaquait, tandis que la Pologne devenue indépendante (1918) occupait Minsk et une partie de l'Ukraine; profitant de la guerre polono-soviétique, Wrangel attaqua en direction du bassin du Donetz et tenta en vain d'établir la liaison avec l'armée polonaise; celle-ci, battue par l'armée rouge, abandonnait la Biélorussie et l'Ukraine mais sauvait Varsovie grâce à l'appui de la France; la signature du traité de Riga (oct. 1920), fixant la frontière soviéto-polonaise à l'E. de la ligne Curzon, permit aux « rouges », sous les ordres de Frounzé*, de vaincre Wrangel; après l'évacuation des Anglais et des Allemands, les Soviétiques l'emportèrent en Azerbaïdjan (avr. 1920), en Arménie (déc. 1920), en Géorgie (févr. 1921); le Türkestân (où les Anglais avaient soutenu parfois les mencheviks, parfois les princes locaux : le khan de Khiva, l'émir de Boukhara) passa également sous le contrôle des bolcheviks; quant aux Japonais, ils ne quittèrent Vladivostok qu'en oct. 1922 et le N. de Sakhaline qu'en 1925. La guerre civile s'acheva à l'avantage des bolcheviks, mais elle laissa le pays dans une situation de crise : crise économique (baisse de la production agricole et mécontentement des paysans provoqué par les réquisitions; effondrement de la production industrielle) et crise politique qui éclata avec l'insurrection des matelots de Kronstadt : mettant en question l'hégémonie et la dictature du

Ph. Roger Pic

U.R.S.S. : fête de la Révolution à Moscou, en 1958.

parti communiste bolchevik de Russie (« Vivent les Soviets sans les communistes! »), ceux-ci tinrent tête à l'armée rouge (10-15 mars 1921), qui réprima violemment la mutinerie. Face à cette situation, Lénine, reconnaissant l'échec relatif du communisme de guerre, instaura une « nouvelle politique économique » (N.E.P.) en mars 1921. Sans mettre en question les grands principes socialistes et surtout la socialisation des grandes entreprises, la N.E.P. impliquait un retour à une relative liberté économique (liberté du commerce intérieur, suppression des réquisitions remplacées par un impôt). Non sans crises — en particulier la crise « des ciseaux » : écart croissant entre le prix des objets manufacturés et celui des denrées agricoles en 1923 — les objectifs de la N.E.P. furent atteints en 1927, date à laquelle le niveau de la production fut à nouveau celui d'avant la guerre. Mais, tandis que s'effectuait l'organisation territoriale et politique de l'U.R.S.S. et qu'en dépit de la création de la IIIe Internationale* ou Komintern (mars 1919) s'affirmait de plus en plus nettement la thèse de la construction du socialisme dans un seul pays, la bataille de la N.E.P. suscitait de fortes dissensions au sein du parti communiste bolchevik, dissensions que la mort de Lénine (21 janv. 1924) allait encore aggraver. — LA SUCCESSION DE LÉNINE ET L'U.R.S.S. SOUS STALINE *(1924-1953).* 1° *De 1924 à la Deuxième Guerre mondiale.* Dès 1923, Trotski et ses partisans avaient pris la tête de l'opposition ouvrière à la N.E.P. et dénoncé la bureaucratisation du régime : à la même époque, Staline, secrétaire du parti communiste bolchevik depuis 1922, avait forgé avec Kamenev* et Zinoviev* la première « troïka » antitrotskiste. La situation s'envenima après la mort de Lénine; à la condamnation de ses thèses par le XIIIe Congrès, Trotski répondit par les *Leçons d'Octobre* où il mettait en question la possibilité d'édifier le socialisme dans un seul pays; peu après, il était obligé de démissionner de ses fonctions de commissaire à la Guerre (fonctions qu'il occupait depuis le 8 mars 1918), mais il était rejoint dans l'opposition par Zinoviev et Kamenev eux-mêmes (la seconde troïka). Le combat idéologique se poursuivit jusqu'en 1927, date à laquelle Zinoviev, Kamenev et Trotski furent exclus du parti communiste (Trotski fut envoyé en Asie centrale, puis exilé, 1929); Staline profita de l'occasion pour éliminer également du parti les opposants de droite (Boukharine, Rykov, Tomski). Du point de vue économique

Ph. Keystone

U.R.S.S. : pièce d'artillerie soviétique utilisée pendant la bataille de Stalingrad.

Ph. Keystone

U.R.S.S. : soldats soviétiques pendant la bataille de Moscou en 1941.

et social, la période de 1927 à 1939 fut marquée par la planification et la collectivisation des campagnes dont le principe avait déjà été affirmé par Lénine peu après la Révolution. Préparé à partir de 1927, le premier plan quinquennal entra en vigueur en oct. 1928, alors que les dissensions politiques semblaient maîtrisées. Il fut caractérisé par la disparition progressive du secteur privé qu'avait laissé subsister la N.E.P., le financement par l'État de l'industrialisation, à laquelle prirent part de nombreux techniciens étrangers, la formation de « brigades de choc », l'appel à l'« intéressement matériel » afin de stimuler la participation des ouvriers à la production; il aboutit, malgré la résistance souvent violente des paysans aisés, à la collectivisation de l'agriculture (essor du mouvement kolkhozien, création des stations de machines et tracteurs : M.T.S., éducation générale et technique des jeunes paysans, propagande politique, etc.), et à un rapide essor de l'industrie (doublement de la production de charbon et de fer, création de l'industrie chimique, de nouvelles voies de communication, etc.). Le deuxième plan quinquennal (1933-1937) poursuivit et intensifia cet effort : naissance du mouvement stakhanoviste, développement de l'industrie légère, bien que la priorité fût toujours accordée à l'industrie lourde, amélioration des conditions d'existence de la population. Le troisième plan quinquennal, qui prévoyait le développement de l'industrie (lourde et de la défense), la constitution de réserves économiques, l'amélioration de la production d'énergie électrique et de l'industrie chimique, fut interrompu par la Deuxième Guerre mondiale. La réalisation des premier et deuxième plans avait affermi l'autorité du pouvoir des Soviets et le prestige de Staline auprès des masses populaires. Mais le climat de détente qui paraissait s'être instauré fut compromis par l'assassinat de S.M. Kirov* (1er déc. 1934, Leningrad) qui fut suivi d'une épuration massive des cadres du parti; au cours d'une série de procès qui se déroulèrent à Moscou (1936-1938), les accusés (parmi lesquels Piatakov, Radek, le maréchal Toukhatchevski, Boukharine, Rykov, Krestinski, etc.) avouèrent des crimes peu vraisemblables : déviations idéologiques, mais

Ph. Keystone

U.R.S.S. : réunion du XXIVe Congrès du parti communiste à Moscou, en avril 1971. On distingue notamment de droite à gauche : Kossyguine, Brejnev, Podgorny.

aussi complicité avec les services d'espionnage étrangers. La plupart furent exécutés. Les « purges » staliniennes, dont l'ampleur ne fut vraiment connue qu'à l'époque de la déstalinisation, contribuèrent à affaiblir les cadres du régime à la veille de la guerre. Les accords de Munich* avaient renforcé la méfiance de Staline envers les démocraties occidentales. Le 23 août 1939 était signé au Kremlin un pacte de non-agression germano-soviétique comportant un protocole secret qui prévoyait le démembrement de la Pologne entre l'Allemagne et l'U.R.S.S. **V. Guerre mondiale** (Deuxième). 2° *De la Deuxième Guerre mondiale à la mort de Staline.* Le 1er septembre 1939 se déclenchait la Deuxième Guerre* mondiale; après la victoire des forces nazies sur la Pologne*, l'U.R.S.S. en occupa la partie orientale, puis signa des pactes d'assistance avec les pays baltes, qui lui accordèrent des bases aériennes et navales et où furent constituées en juill. 1940 les trois nouvelles Républiques soviétiques d'Estonie*, de Lettonie* et de Lituanie*. Les pressions sur la Finlande ayant échoué, celle-ci fut envahie par les troupes soviétiques **(V. Finlande,** *Hist.***)**. L'U.R.S.S. fut exclue de la S.D.N. La Finlande, après sa capitulation, dut céder l'isthme de Carélie et la base navale de Hangö. Après un ultimatum à la Roumanie, celle-ci abandonna à l'U.R.S.S. la Bessarabie et la Bukovine du Nord. Cependant, la menace nazie se précisait. Après le renouvellement de l'alliance entre l'Allemagne, l'Italie et le Japon, l'invasion de la Bulgarie (3 mars 1941), puis de la Yougoslavie (6 avr. 1941), le gouvernement soviétique s'efforça de maintenir une politique d'apparente neutralité et de s'assurer provisoirement la paix sur le front d'Extrême-Orient (pacte de non-agression avec le Japon, avr. 1941). Malgré cela, le 22 juin 1941, l'Allemagne, qui venait de signer un traité d'amitié avec la Turquie, pénétrait en territoire soviétique. Si la Wehrmacht remporta d'abord de rapides et importants succès (occupation de l'Ukraine, encerclement de Leningrad), elle subit par contre l'offensive de l'armée rouge (autour de Moscou durant l'hiver 1941-1942). Malgré des pertes terribles, l'échec de la « Blitzkrieg » (guerre éclair) constituait une victoire pour les Soviétiques. Staline, qui était président du Conseil des commissaires du peuple depuis mai 1941, qui avait pris la tête d'un Conseil de défense (*fin* juin 1941) et s'était fait nommer généralissime (oct. 1941), exalta le patriotisme soviétique. Il reçut l'appui de l'Église orthodoxe après avoir atténué la propagande antireligieuse du « mouvement des sans-dieu » et renoua non sans mal les relations diplomatiques avec les puissances alliées : signature d'un traité d'assistance mutuelle anglo-soviétique (mai 1942). L'Union soviétique exigea l'ouverture d'un second front en Europe occidentale; en contrepartie, Staline accorda aux Alliés la dissolution de la IIIe Internationale en mai 1943. C'est avec un courage héroïque que le peuple soviétique (troupes de l'armée rouge avec Joukov, Koniev, Rokossovski, Tcherniakovski, unités de partisans, ouvriers) mena la lutte contre les forces nazies et, après la défense de Stalingrad (de sept. 1942 à févr. 1943 où le maréchal von Paulus capitula), reconquit le territoire soviétique, occupa les pays alors sous domination nazie (Roumanie, Bulgarie, Yougoslavie, Hongrie), puis envahit l'Allemagne dont le maréchal Joukov reçut la reddition à Berlin, le 8 mai 1945. Cependant que les combats s'intensifiaient en Extrême-Orient (déclaration de guerre de l'U.R.S.S. au Japon, 8 août 1945, et avance des troupes soviétiques en Manchourie). **V. Guerre mondiale** *(Deuxième).* Le rôle décisif de l'U.R.S.S. dans la victoire sur les forces de l'Axe lui permit de s'assurer une place prépondérante dans la politique internationale : participation à l'organisation des Nations unies (1942, puis conférence de San Francisco de 1945), conférences de Moscou (oct. 1943), de Téhéran* (déc. 1943) et surtout de Yalta* (févr. 1945) et de Potsdam (juill.-août 1945). Au lendemain de la guerre étaient fixées les nouvelles frontières de l'U.R.S.S., qui avait acquis la Carélie, l'Estonie, la Lettonie, la Lituanie, une partie de la Prusse-Orientale (avec Königsberg, *auj.* Kaliningrad), de la Pologne orientale (sur la base de la ligne Curzon), l'Ukraine subcarpatique, la Bessarabie, la Bukovine du Nord et, en Extrême-Orient, la partie sud de Sakhaline et les Kouriles. Mais les pertes qu'elle avait subies étaient considérables, tant sur le plan démographique (17 000 000 de morts dont près de 10 000 000 de civils) qu'économique. La tâche du gouvernement soviétique fut donc la reconstruction du pays. En mars 1946, le Soviet suprême adoptait la loi « sur le plan quinquennal de relèvement et de développement de l'économie nationale de l'U.R.S.S. pour 1946-1950 » (IVe Plan quinquennal suivi en 1951 du Ve Plan). L'effort considérable qui fut entrepris sur le plan industriel (essor de l'industrie lourde, développement industriel en direction des pays périphériques : Oural, Sibérie, Asie centrale, Transcaucasie) et agricole permit à l'U.R.S.S. de retrouver dès 1948 – et de dépasser largement en 1950 – son niveau économique d'avant-guerre et de devenir, après les États-Unis, la seconde puissance mondiale. Le gouvernement s'attacha également à la réorganisation du P.C.U.S. et intensifia le travail d'« éducation politique » des masses et de propagande idéologique. Le « réalisme socialiste », dont le principal théoricien fut Jdanov*, domina alors la production philosophique, littéraire, artistique, scientifique. Sur le plan extérieur, le camp socialiste affirmait ses positions, malgré la rupture entre l'U.R.S.S. et la Yougoslavie (1948; **V. Tito**). En réponse au plan Marshall fut créé le Comecon*, Conseil d'assistance économique mutuelle visant à coordonner les plans économiques de l'U.R.S.S.

et des démocraties populaires. La victoire des communistes chinois et la création de la République populaire de Chine (oct. 1949), que soutint d'abord l'U.R.S.S., renforçait encore le « camp du socialisme ». En revanche, les relations entre les Soviétiques et les pays capitalistes d'Occident n'allèrent point sans difficulté jusqu'en 1953. Dès 1946, en effet, débutait la période de la « guerre froide » marquée entre autres par la création du Kominform* (oct. 1947), le blocus de Berlin* (1948) et la guerre de Corée* (1950). La tension menaçante pour la paix mondiale qui régna entre l'U.R.S.S. et ses alliés, d'une part, et les pays du Pacte atlantique, d'autre part, favorisa également le développement de campagnes antisoviétiques et anticommunistes dans ces pays. À la veille de la mort de Staline, le XIXe Congrès du P.C.U.S. (oct. 1952) ratifiait le cinquième plan quinquennal (1951-1955); l'U.R.S.S., qui avait comblé une grande partie de son retard par rapport aux États-Unis et qui possédait l'arme atomique (première explosion en sept. 1949), paraissait menacée à l'intérieur par le caractère de plus en plus rigide de l'idéologie officielle, la bureaucratie régnant au sein des cadres du P.C.U.S. et de l'administration, le « culte de la personnalité » qui s'était créé autour de Staline, menace qui se cristallisa à l'occasion du « complot des blouses blanches » : des médecins, dans l'ensemble d'origine israélite, furent accusés d'avoir comploté contre des cadres importants du parti (*déb.* 1953). La mort de Staline, qui avait créé autour de lui un climat de terreur, en mars 1953, évita la réédition des purges de 1936-1938. **V. Staline.** 3° *Après la mort de Staline.* — La succession de Staline suscita moins de tensions que celle de Lénine, mais fut néanmoins l'occasion de quelques remous politiques liés au mouvement de « déstalinisation » qui commença dès avril 1953. La première équipe gouvernementale comprit Malenkov à la présidence du Conseil (où il fut remplacé par Boulganine en 1955), Béria à l'Intérieur, Boulganine à la Défense (Joukov lui succéda en 1955), Molotov aux Affaires étrangères (où furent ensuite nommés Chepilov, puis Gromyko en 1957), Mikoïan au Commerce, tandis que Nikita Khrouchtchev*, qui allait progressivement s'imposer dans la vie politique de l'U.R.S.S., devint premier secrétaire du P.C.U.S. en sept. 1953 (il devait devenir président du Conseil en 1958). Sur le plan économique, la production industrielle connut un nouvel essor, qu'une centralisation excessive risquait toutefois de freiner. Peu après la session du XXe Congrès du P.C.U.S. (févr. 1956), où avaient été mentionnés les résultats positifs obtenus jusqu'alors, N. Khrouchtchev proposa un projet de loi tendant à instaurer une décentralisation relative et temporaire par la création de régions économiques pourvues d'un Conseil de direction (ou *Zovnarkhoz*); cette loi fut votée par le Soviet suprême (7-10 mai 1957) et suivie par l'interruption du sixième plan quinquennal (pour 1956-1960), qui fut remplacé par un plan « perspectif » de sept ans (1959-1965). Ce dernier mettait en particulier l'accent sur la nécessité de développer les industries chimiques pour améliorer les rendements de l'agriculture. Dans ce domaine également, le gouvernement entreprit plusieurs expériences (défrichement de terres vierges en Sibérie et au Kazakhstan, renforcement des sovkhoz, regroupement des kolkhoz, remplacement des M.T.S. — **V.** *plus haut* — par des sections techniques d'entretien — S.T.E. —, etc.). Cette volonté de décentralisation caractérisa aussi la vie politique de l'U.R.S.S. : la compétence et les pouvoirs des ministères des républiques fédérées furent accrus, plusieurs lois furent votées en 1957 pour accorder à celles-ci une autonomie plus grande en matière d'organisation administrative, judiciaire et territoriale. La déstalinisation, qui commença vraiment avec l'arrestation, le procès et l'exécution (*fin* 1953) de Béria (anc. chef de la police stalinienne), se poursuivit avec l'exclusion du Comité central du P.C.U.S. de Molotov, Malenkov, Chepilov, Kaganovitch (groupe dit « antiparti » qui avait tenté de destituer Khrouchtchev en 1957) et peu après par celle du maréchal Joukov, en même temps qu'étaient réhabilités d'anciens condamnés politiques et que les camps de concentration étaient remplacés par des camps de « rééducation par le travail ». Le culte de la personnalité fut vivement critiqué, le nom de Staline fut beaucoup moins souvent cité dans les manuels d'histoire et les encyclopédies, les villes ou établissements portant son nom furent débaptisés, son corps fut retiré du mausolée de la place Rouge (oct. 1961). Les « erreurs » et les « crimes » de Staline furent révélés et dénoncés à plusieurs reprises, tandis que s'affirmait une nette libéralisation idéologique (parution en 1954 du roman d'Ehrenbourg au titre significatif : *Le Dégel;* relative libéralisation de la presse). Ce mouvement eut également des conséquences décisives sur la politique extérieure de l'U.R.S.S. : les liens de celle-ci avec les démocraties populaires furent renforcés et renouvelés; à la création de l'O.T.A.N. répondit en mai 1955 la signature du pacte de Varsovie, « traité d'amitié, de coopération et d'assistance mutuelle avec la formation d'un commandement unifié ». La normalisation des relations soviéto-yougoslaves (1955) témoignait des concessions faites par l'U.R.S.S. aux possibilités de voies originales dans la construction du socialisme (1956). En revanche, si les événements de Pologne* et surtout l'intervention armée soviétique contre le gouvernement d'Imre Nagy* en Hongrie* (oct.-nov. 1956) s'expliquèrent par la nécessité de maintenir l'unité du camp socialiste, la politique soviétique fut généralement désapprouvée, suscitant un désarroi certain chez les forces de gauche. Cette unité du monde socialiste fut d'ailleurs compromise dès 1959 quand la Chine (d'où l'U.R.S.S. avait rappelé ses techniciens), suivie de l'Albanie, se lança dans une violente campagne contre le « révisionnisme » des dirigeants soviétiques. Dans ses rapports avec les pays capitalistes occidentaux, l'U.R.S.S. adopta une politique de « coexistence pacifique » (négociations de traités de commerce entre l'U.R.S.S. et plusieurs pays, normalisation des relations diplomatiques avec l'Autriche, la République fédérale allemande, le Japon, participation à de nombreuses négociations internationales qui aboutirent à la fin de la guerre de Corée [juill. 1953], reprise des négociations à quatre, signature du pacte de Moscou sur la limitation de l'armement nucléaire [1963]). Cette politique fut toutefois compromise par le développement de la guerre du Viêt-nam, la crise de Cuba (1960-1962) et le problème de Berlin. Enfin, l'U.R.S.S. a cherché à apporter son appui aux pays du tiers-monde, dénonçant l'intervention franco-britannique à Suez (1956), l'« impérialisme américain » au Viêt-nam et la politique d'Israël au Proche-Orient, où elle a soutenu les gouvernements « progressistes » arabes, en particulier l'Égypte, puis la Syrie. Vers 1960, la situation économique de l'U.R.S.S. devenait alarmante particulièrement dans le domaine agricole; les mauvaises récoltes, notamment en 1963, contraignirent les dirigeants soviétiques à faire des achats massifs de blé au Canada, aux États-Unis. C'est en grande partie l'échec de sa politique agraire qui fut donc reproché à N. Khrouchtchev; celui-ci fut obligé de quitter « ses fonctions de premier secrétaire du C.C. du P.C.U.S., de membre du Praesidium du C.C. du P.C.U.S. et de président du Conseil des ministres de l'U.R.S.S. », le 15 oct. 1964. Il fut remplacé par L. Brejnev* à la tête du P.C.U.S., par A. Kossyguine* à la présidence du Conseil, tandis que Mikoïan, président du Praesidium du Soviet suprême d'U.R.S.S. (1964), abandonnait ses fonctions dans lesquelles lui succéda N. Podgorny* (1965). Si le départ de N. Khrouchtchev n'apporta pas de changements radicaux dans les grandes options économiques et politiques de l'U.R.S.S., il s'accompagna néanmoins de transformations. Sur le plan économique (adoption d'un nouveau plan quinquennal, 1965-1970), les réformes préconisées par Libermann* (autonomie plus grande des entreprises, retour relatif à la norme du profit, à une certaine liberté des changes) furent réellement appliquées à partir de 1965 dans l'industrie, puis dans l'agriculture et donnèrent des résultats relativement satisfaisants. Dans le domaine idéologique, un net recul par rapport au mouvement de libéralisation se manifesta dès 1963 (date à laquelle Khrouchtchev rappelait aux écrivains soviétiques la norme du réalisme socialiste). Cette tendance n'a fait que s'accentuer depuis lors en même temps que se développait la contestation chez plusieurs intellectuels (savants et écrivains : Amalrik, V. Boukovski, I. Daniel, A. Sakharov, A. Siniavski, A. Soljenitsyne, etc.). Cette contestation et la façon dont elle est étouffée (déportation, internement en hôpital psychiatrique) ont suscité une vive émotion dans les milieux intellectuels occidentaux, tout en alimentant la propagande antisoviétique et anticommuniste. Par ailleurs, les dirigeants de l'U.R.S.S. se heurtent également au réveil des nationalismes (en Ukraine, en Lituanie) et plus particulièrement au problème que posent les Juifs soviétiques, dont certains désirent quitter l'U.R.S.S., problème lié à la position de l'U.R.S.S. sur le conflit du Proche-Orient. Quant à la politique extérieure de l'U.R.S.S., elle reste dominée d'une part par les ten-

Ph. Marc Riboud/Magnum

U.R.S.S. : Léonide Brejnev (à gauche) et Richard Nixon, le 19 juin 1973 à Washington.

sions et les menaces de rupture au sein du camp socialiste, d'autre part par le désir de maintenir en accord avec les États-Unis l'équilibre mondial. Le gouvernement soviétique, qui paraît parfois vouloir accepter les voies originales adoptées par certains pays socialistes (Yougoslavie, Roumanie), a réprimé par la force armée les tentatives de libéralisation introduites en Tchécoslovaquie* (août 1968). Par ailleurs, les relations sino-soviétiques n'ont cessé de se dégrader depuis 1959; aux attaques lancées par les dirigeants chinois contre le « révisionnisme soviétique » ont répondu les critiques adressées par l'U.R.S.S. à la révolution culturelle du prolétariat; loin d'en rester à un niveau purement idéologique, l'opposition entre les deux grands États socialistes a abouti à des incidents souvent d'une extrême gravité (problèmes relatifs à la frontière sino-soviétique). Ces dissensions transparaissent aussi dans leurs positions respectives par rapport aux pays du tiers-monde; l'attitude souvent modérée et prudente de l'U.R.S.S. dans les grands conflits (Viêt-nam, Proche-Orient, etc.) a permis à la Chine d'acquérir une position de premier plan dans la lutte contre l'« impéralisme ». L'U.R.S.S., qui a développé ses relations commerciales et politiques avec plusieurs pays capitalistes d'Occident (Italie, Angleterre, France, République fédérale allemande [1970]), semble avant tout consciente de la responsabilité qu'elle partage avec les États-Unis dans le maintien de la paix dans le monde (sommet U.R.S.S.-U.S.A. de mai 1972 à Moscou, contrebalançant, du moins en partie, le rapprochement entre Nixon et Mao Tsê-tung).

URSULE *(sainte)*. ♦ Personnage légendaire de la tradition chrétienne. Princesse originaire d'Angleterre, elle accomplit avec son fiancé, païen converti, et onze mille vierges, ses suivantes, un pèlerinage à Rome auprès du pape Cyriaque (légendaire). Au retour, tous sont massacrés par les Huns près de Cologne. Une légende primitive (IXe s.) fut transformée au XIIe s. après la découverte d'un cimetière comportant la pierre tombale d'une certaine Ursula (morte à huit ans). Le nombre des suivantes serait issu d'une inscription XI.M.V. (« onze vierges martyres ») interprétée *onze mille vierges*. La cathédrale de Cologne est dédiée à sainte Ursule. Fête le 21 octobre.

Ursulines. *n. f. pl.* ♦ Religieuses appartenant à une congrégation placée sous le patronage de sainte Ursule. Il existe vingt et une congrégations d'ursulines dont la principale est l'*ordre de Sainte-Ursule*, fondé par sainte Angèle* Merici (Brescia, 1535), devenu ordre cloîtré en 1620, regroupé en *Ursulines de l'Union romaine* après 1900. Ses membres sont des moniales à vœux solennels, vouées à l'enseignement. — ***Affaire des ursulines de Loudun*** *:* **V. Jeanne des Anges, Grandier** (Urbain).

URUAPÁN. ♦ V. du Mexique central, à l'O. de Mexico (Michoacán*). 104 475 hab. — La ville, entourée de cultures de maïs, de canne à sucre, de café et de vergers, est un centre commercial (café) et industriel (huileries, tanneries, savonneries, manufacture de tabac).

URUGUAY *(río)*. ♦ Fl. d'Amérique du Sud (1 580 km env.), tributaire de l'Atlantique, il prend sa source dans la serra Geral* au Brésil. Formant frontière dans son cours supérieur entre les États brésiliens de Santa* Catarina et du Rio* Grande do Sul, puis entre l'Argentine et le Brésil dans son cours moyen où il est séparé du río Paraná par les plaines basses de la Mésopotamie* argentine, et enfin entre l'Argentine et l'Uruguay dans son cours inférieur; il se déverse dans le río de La* Plata où il mêle ses eaux à celles du Paraná* et reçoit le río Negro*. Navigable sur les deux tiers de son parcours, il arrose Salto*, Paysandú* (Uruguay) et Concordia* (Argentine).

Uruguay.

Arch. Rencontre

Légende de sainte **Ursule** : « Rencontre d'Ursule et du fils du roi d'Angleterre; adieu des fiancés aux parents d'Ursule », par Carpaccio. (Académie, Venise.)

URUGUAY. *n. m.* ♦ République d'Amérique du Sud qui confine au Brésil au N. et au N.-E., à l'Argentine dont le sépare le rio Uruguay* à l'O., à l'océan Atlantique à l'E. et au Rio de La* Plata au S. 186 926 km^2 (le plus petit des États d'Amérique du Sud). 3 060 000 hab. en 1975 *(Uruguayens)*. *Langue off. :* espagnol. *Religion* en maj. catholique. *Unité monétaire :* peso uruguayen. *Cap.* Montevideo*. *V. princ.* **V. Las Piedras, Paysandú, Salto.** *Autres V.* Mercedes (34 000 hab.), Minas (30 000 hab.), Punta* del Este, Rivera (40 000 hab.). — *Hydrogr.* **V. Negro (Río)** et **Uruguay.** Pays de plaines ondulées qui prolongent la Pampa* argentine, irrigué par de nombreux cours d'eau tributaires de l'Atlantique. Le climat y est tempéré et soumis aux influences de l'Océan. Pays de forte immigration (92 % de Blancs), il a une des plus fortes densités de population en Amérique du Sud, concentrée dans la région de Montevideo, qui draine à elle seule 35 % de la population. L'agriculture et l'élevage y sont favorisés par les conditions climatiques et l'étendue des prairies (60 % de la superficie totale); celles-ci donnent à l'Uruguay l'un des plus hauts niveaux de vie de l'Amérique latine. Les céréales occupent la plus grande partie des terres cultivées (blé, maïs, riz, ...), et les plus importants troupeaux de bovins et d'ovins sont à l'origine des industries alimentaires (viande congelée, fromage, ...), des cuirs et des textiles, la production de viande et de laine représentant 80 % des exportations. Il existe aussi quelques usines de produits chimiques et pharmaceutiques. Les ressources du sous-sol sont faibles, charbon et pétrole doivent être importés. Si le réseau ferroviaire est peu important (3 000 km env.), le réseau routier, en revanche, est l'un des plus modernes d'Amérique du Sud, 8 000 km de routes principales (v. 1960). ♦ *Hist.* Exploré en 1516 par Diaz* de Solís, l'Uruguay, longtemps appelé *Banda oriental*, était peuplé d'Indiens Charruas qu'évangélisèrent les franciscains et les jésuites. Au XVIIIe s., il fut l'enjeu des Portugais et des Espagnols tandis que se développaient l'élevage et l'exportation de cuir et de viande salée. Les Espagnols fondèrent Montevideo en 1726 et le pays dépendit de Buenos Aires. En 1810, Artigas*, chef des gauchos de l'intérieur, se souleva contre les Espagnols; en 1828, l'Uruguay se libéra du Brésil et devint indépendant. Le XIXe s. fut marqué par les guerres civiles entraînées par la lutte entre *blancos* (conservateurs) et *colorados* (libéraux); ces derniers devaient conserver le pouvoir de 1865 à 1958. Après avoir connu plusieurs dictatures, l'Uruguay trouva son plus grand homme politique en Batlle* y Ordoñez, chez des *colorados*, Président de 1903 à 1907 et de 1911 à 1915, il établit un régime démocratique imité de la Suisse. À sa mort, le pays retomba dans la dictature et l'alternance des partis. De 1952 à 1966, le gouvernement fut collégial. Depuis 1970, le pays est agité par la révolte des Tupamaros, guérilleros urbains du Mouvement de libération nationale, qui tirent leur nom du chef inca rebelle Tupac Amaru; ils multiplient les actions de commandos (attentats, enlèvements, ...) tout en ne donnant aux partis de gauche qu'un soutien modéré.

URUK ou **OUROUK** (auj. **Warka**). ♦ Localité de basse Mésopotamie, sur la r. g. de l'Euphrate (dans la Bible : Erech). Site sumérien, fouillé à partir de 1928. On a identifié 18 niveaux dont

17 protohistoriques. Les plus anciens se rattachent à la civilisation d'El* Obeid. – La *civilisation d'Uruk* (env. ~ 3300 – ~ 3100), caractérisée par sa céramique à engobe rouge ou gris, vit la naissance de l'écriture (pictogrammes) et la transformation des villages préhistoriques en cités d'agriculteurs centrées sur un temple. **V. Sumer.** – *Mythol.* Uruk est la patrie du héros Gilgamesh*.

URUMTSI, URUMCHI ou **TI-HUA.** ♦ V. de la République populaire de Chine, cap. du Hsin-chiang, située dans une oasis au pied des monts T'ien-shan. 275 000 hab. Centrales thermiques et centrale hydro-électrique. Usine sidérurgique. Indus. chimiques, textiles, mécaniques et alimentaires.

URUNDI. ♦ **V.** BURUNDI.

U.S.A. (United States of America). ♦ **V.** ÉTATS-UNIS (d'Amérique).

USAMA IBN MUNQITH. ♦ Écrivain arabe (mort à Damas, 1188). Chevalier, seigneur du château de Shayzar (Syrie du Nord), banni de sa principauté, il vécut entre Damas, l'Égypte et la haute Mésopotamie. Il écrivit ses Mémoires *(L'Instruction par l'exemple),* inaugurant ainsi le genre autobiographique.

USHUAIA. ♦ V. d'Argentine, ch.-l. de la prov. de la Terre* de Feu, env. 3 500 hab. Ville la plus australe du monde. Conserves de poissons.

USK. *n. m.* ♦ Riv. du S.-O. du pays de Galles (113 km). Née sur les pentes nord du *Brecon Beacons,* elle sépare le Carmarthenshire du Breconshire, arrose la localité d'*Usk* (2 180 hab.) et se jette dans l'estuaire de la Severn, au S. de Newport.

ÜSKÜDAR ou **SCUTARI.** ♦ Faubourg asiatique d'Istanbul, sur la rive E. du Bosphore*, où se trouvent le plus grand cimetière musulman d'Orient (Büyük Mezaristan) et de nombreuses mosquées du XVIe et XVIIe siècles.

USSÉ *(château d').* ♦ Château de la vallée de la Loire situé non loin de la forêt de Chinon. Il a été presque totalement reconstruit aux XVe et XVIe siècles. Il conserve toujours son donjon.

USSEL. ♦ Sous-préf. de la Corrèze*, ch.-l. d'arr. (7 cant., 71 comm., 40 257 hab.), sur la Diège. 8 856 hab. *(Ussellois).* Église des XIIe, XVe et XIXe siècles. Aigles romaines. Hôtel de Ventadour (*fin* XVe s.). – Indus. alimentaires, mécaniques, fonderies.

USSURIISK. ♦ **V.** OUSSOURIISK.

USTARITZ [-ʀits]. ♦ Ch.-l. de cant. des Pyrénées*-Atlantiques, arr. de Bayonne*, sur la Nive*. 3 015 hab. [1 315 aggl.]. Anc. cap. du Labourd. Séminaire Saint-François-de-Lanessere, fondé en 1753. Minoterie.

USTER. ♦ V. de Suisse (cant. de Zurich) sur l'Aa, au S.-E. de Zurich. 20 200 hab. Château médiéval. – Appareillage électrique, cycles, indus. textile, brasserie.

ÚSTI NAD LABEM. ♦ V. et port fluvial de Tchécoslovaquie, au confluent de la Bílina et de l'Elbe*, au pied des monts České Stredo Hory. *Ch.-l.* de la Bohême*-Septentrionale. 74 000 hab. (1970). C'est le plus grand centre d'indus. chimiques du pays. Indus. métallurgiques, alimentaires. Verrerie.

USUMACINTA. *n. m.* ♦ Fl. du Mexique méridional, tributaire du golfe du Mexique. 560 km. Il prend sa source sur les hauteurs du Guatemala, sert de frontière à l'État mexicain de Chiapas* et traverse les forêts tropicales du Tabasco* et de Campeche* avant de se jeter dans le golfe de Campeche.

USUMBURA. ♦ **V.** BUJUMBURA.

UTAH. *n. m.* (du nom des Indiens *Utes*). ♦ État de l'O. des États-Unis, dans les Rocheuses. 219 932 km². 992 000 hab. *Cap.* Salt Lake City. *Autre ville* **V. Ogden.** – *Orogr.* L'État se divise en quatre régions naturelles : une partie du plateau du Colorado à l'E.; la région appartenant au Grand Bassin **(V. Nevada)** à l'O. et une zone montagneuse formée de nombreuses chaînes (monts Wasatch) qui les sépare, avec des pics élevés dans le N.-E. de l'État (monts Uinta, avec le *Kings Peak,* 4 123 m). Le coin N.-O. de l'Utah est occupé par le Grand Lac* Salé et le désert qui l'entoure. Le S.-O. de l'État, découpé de canyons et de formations naturelles étranges, est extrêmement pittoresque (parcs et « monuments » nationaux : Bryce Canyon, Zion, Canyonlands, etc.). – *Climat* en général tempéré et sec. – *Écon.* Alors que les montagnes sont le plus souvent boisées, le reste du sol est utilisé en pâturages, 4 % seulement étant mis en culture (irrigation) : céréales, alfa, fourrages, fruits et légumes. 75 % des revenus agricoles viennent de l'élevage (produits laitiers, volailles, viande de bœuf, laine). – Grandes richesses minières : cuivre **(V. Bingham)**, fer dans le S.-O., charbon (8e producteur des États-Unis, le 1er à l'O. du Mississippi). Pétrole dans l'Est. Uranium. – L'indus. est essentiellement celle des métaux (40 %) et des produits alimentaires (25 %). L'imprimerie, l'indus. du pétrole, les indus. chimiques en général et l'indus. du bois sont bien représentées. – Université d'État à Salt Lake City, université d'agriculture à Loghan, université Brigham Young (mormone) à Provo. ♦ *Hist.* Explorée par les Espagnols au XVIIIe s., la région fut parcourue par des trappeurs américains après 1820. Les mormons s'y établirent à partir de 1847 (fondation de Salt Lake City) et, après la cession par les Mexicains (traité de Guadalupe Hidalgo, 1848), elle devint un territoire avec Brigham Young* pour gouverneur. Les difficultés entre les mormons et le gouvernement fédéral retardèrent l'admission de l'Utah comme État de l'Union (le 45e, 1896) alors que le Nevada* qui en dépendait était devenu un État en 1864.

UTAMARO ou **OUTAMARO.** ♦ Peintre japonais (1752 – 1806) originaire de Edo et graveur d'estampes ukiyo*-e. Il se rendit surtout célèbre par ses images licencieuses et ses scènes de la vie galante. Il eut de nombreux disciples.

Ph. Yves Lanceau/Atlas-Photo

Ruines à **Utique.**

'UTHMÂN (Ibn 'Affân). ♦ Troisième calife musulman (644-656), mort en 656, il fut le premier notable mekkois converti. Pour succéder à 'Umar*, il fut préféré à 'Ali*. Accusé de favoriser les siens et ses gouverneurs dans la distribution du butin acquis pendant les conquêtes d'Afrique, d'Asie Mineure et de Perse, il souleva une forte opposition en Iraq et en Égypte. En fixant le texte officiel du Coran*, il s'attira, à Médine, le mécontentement de plusieurs anciens compagnons du Prophète ainsi que la contestation de 'Â'isha, fille d'Abû* Bakr et femme préférée de Mahomet*. Il fut tué par un des frères de 'Â'isha.

UTICA. ♦ V. des Etats-Unis (au centre de l'État de New* York), sur la Mohawk. 91 611 hab.; zone urbaine, plus de 330 000 hab. Indus. textiles et mécaniques.

Utilitarisme (L'). ♦ Exposé des principes de la morale utilitariste par Stuart Mill* (1861), qui tente de la distinguer d'une morale purement égoïste, d'établir une hiérarchie des plaisirs et de montrer le lien entre le principe d'utilité et la justice.

UTIQUE, en lat. **Utica.** ♦ Anc. ville d'Afrique sur la Méditerranée, au N.-O. de Carthage. Elle fut fondée par des Tyriens. Après la fin des guerres Puniques et la disparition de Carthage, elle devint la capitale de la province romaine d'Afrique. Sous Auguste, elle devint cité romaine sous le nom de *Municipium Julium Uticense.* Simple colonie sous Hadrien, elle déclina et disparut après la conquête arabe.

Utopie (L'). ♦ Roman politique et social de Thomas More* « Sur la meilleure constitution d'une république », écrit en 1516. Divisé

Ph. Nino Cirani/Ricciarini

Utah : arc de l'Ange dans le Canyonlands National Park.

Ph. Stella

Uzès : église Saint-Théodorit.

en deux parties, l'ouvrage débute par une critique de la propriété privée et du régime monarchique, où l'auteur vise particulièrement l'Angleterre et la France. Il décrit ensuite l'organisation économique, sociale, politique et culturelle de l'île « d'Utopie », où règne un communisme idéal.

UTRECHT *(province d')*. ♦ Province des Pays-Bas limitée au N. par la Hollande-Septentrionale et les polders de l'Ijselmeer, à l'E. et au S. par la Gueldre, à l'O. et au S. par la Hollande-Méridionale. 1 324 km² (la plus petite des douze provinces). 733 700 hab. *Ch.-l.* **V. Utrecht.** *V. princ.* **V. Amersfoort, Zeist.** S'étendant sur des secteurs forestiers et sur des polders, la province est arrosée par l'Eem et la Vecht. L'O. est une région de pâturages (vaches laitières) et l'E. s'adonne à l'élevage avicole et porcin. Fruits et horticulture. Tourisme.

UTRECHT. ♦ V. des Pays-Bas, ch.-l. de la province d'Utrecht sur un défluent du Rhin. 274 974 hab. – L'agglomération dépasse 440 000 habitants. Ville ancienne sillonnée de canaux (Oude Gracht) bordés de quais superposés où sont aménagés ateliers et boutiques, Utrecht possède de nombreux monuments : cathédrale (1254-1517), cloître gothique, église Saint-Pierre (romane). Musées. Métropole religieuse, intellectuelle et commerciale. – Indus. textiles et alimentaires. Métallurgie (fer, aluminium). Céramiques. – Patrie d'Antonio Moro*. ♦ *Hist.* Camp romain sur l'emplacement d'un gué (*Utrajectum* [ad Rhenum]), la ville fut le siège d'un évêché au VIIᵉ s., elle devint le centre d'une principauté épiscopale relevant de Liège avant de se ranger aux côtés de la maison d'Orange. En 1579, les sept provinces constituèrent l'*Union d'Utrecht* (voir ci-dessous). La ville a été marquée par les dissensions religieuses. Après son occupation par les armées de Louis XIV pendant la campagne de Hollande, c'est à Zeist* que fut signée la *paix d'Utrecht.* L'essor industriel et commercial date du XVIIᵉ s. (fabrication du velours d'Utrecht par l'émigré français Havart).

Utrecht *(Union d')*. ♦ Union conclue le 23 janv. 1579 après la formation de l'Union d'Arras par les provinces catholiques (Artois, Hainaut, Flandre wallone) et par les provinces protestantes du N. des Pays-Bas (Hollande, Zélande, Utrecht, Gueldre, Overijssel, Frise, Groningue). Cette union fut le début de la formation des Provinces-Unies.

Utrecht *(traités d')*. ♦ Suite de traités qui mirent fin à la guerre de la Succession* d'Espagne (1713-1715). Philippe* V conservait la couronne d'Espagne, mais celle-ci cédait à l'Empire ses possessions en Italie et aux Pays-Bas. La France conservait ses conquêtes. La principale gagnante était l'Angleterre qui recevait de précieux avantages outre-mer et prenait sa position maîtresse des mers. Contre elle, la Hollande, épuisée par la guerre continentale, ne pourrait plus lutter. (Ces traités furent complétés par le traité de Rastadt*.)

UTRILLO (Maurice). ♦ Peintre et dessinateur français (Paris, 1883 – Le Vésinet, 1955). Fils de Suzanne Valadon* et probablement d'un certain Boissy, il fut reconnu en 1897 par le critique catalan Miguel Utrillo. Il étudia au lycée Rollin, mais, devenu alcoolique très jeune, il dut subir une première cure de désintoxication. Sa mère, pour l'occuper, le poussa à dessiner et à peindre. Il se consacra dès lors à cette activité, tout en menant une vie misérable et tumultueuse. Plusieurs fois interné (1912, 1914, 1916, 1919, 1921), il fit bientôt figure de peintre maudit et une légende ne tarda pas à se créer autour de lui. Après l'admiration d'Élie Faure, O. Mirbeau, F. Carco, il gagna la faveur du public et obtint même la Légion d'honneur (1928). Pratiquement autodidacte, il avait seulement reçu quelques conseils de sa mère. Il débuta dans un style réaliste et sombre (*Les Toits,* 1906-1907), mais évolua rapidement vers une manière plus lumineuse et aérée qui dénote l'influence de Pissarro et de Sisley. À partir de 1907, ses représentations de la banlieue parisienne et de Montmartre présentent des accents très personnels : c'est le début de ce que l'on a appelé la « période blanche » (1907-1916). Cette harmonie aux multiples nuances confère un caractère poétique souvent mélancolique à ces sites urbains, cafés, églises, places, rues souvent enneigées et désertées. Les compositions, solidement établies, souvent selon des perspectives montantes, sont peintes d'une touche fine à peine apparente et dans une pâte épaisse (il recourait parfois à la colle et au plâtre pour rendre l'aspect des murs). Il trouva ensuite sa source d'inspiration dans les cartes postales et il eut tendance à utiliser des couleurs plus vives, à insister sur le dessin et à rendre les détails avec minutie; ses tableaux présentèrent alors des ressemblances avec l'imagerie naïve. En 1934, il épousa Lucie Valore, elle aussi peintre, et vécut retiré au Vésinet, produisant intensivement des tableaux selon une formule plus sèche et presque invariable. – Il a su évoquer avec une sensibilité personnelle l'univers urbain de son époque, en restant en grande partie fidèle à un mode de figuration hérité du XIXᵉ s. (souci réaliste axé sur le rendu de l'atmosphère).

UTSUNOMIYA. ♦ V. du Japon (Honshû) au N. de Tôkyô, site réputé de villégiature. 300 000 hab. environ.

UTTAR PRADESH. *n. m.* ♦ État du N. de l'Inde, dans la plaine du moyen Gange, à l'E. de Delhi, limité au N. par le Népal et à l'E. par le Bihâr. 293 846 km². 90 000 000 d'hab. *Cap.* Lakhnau*. *V. princ.* **V. Vârânasi** (Bénarès), **Allâhâbâd.** Cet État fut formé en 1950 avec les anc. États d'Âgra et Oudh et des Provinces-Unies. Agriculture intensive dans la plaine gangétique.

UUSIKAUPUNKI. ♦ V. NYSTAD.

UVÉA ou **OUVÉA.** ♦ La plus grande des îles Wallis*, sur laquelle se situe la cap. du T.O.M. français de Wallis*-et-Futuna. 75 km². 5 711 hab. (1968).

UXELLODUNUM. ♦ Nom attribué à la cap. des Cadurques* (Puy d'Issolud?).

UYUNI *(salar de)*. ♦ Grande saline de la Bolivie andine, située à 3 600 m d'alt. (dép. de Potosí.)

UZ (Johann Peter). ♦ Poète allemand (Ansbach, 1720 – 1796). Auteur de traductions de poètes grecs et latins, en particulier d'Anacréon, dont il donna une version allemande (1746); il publia également des *Poèmes lyriques* (1749), qui font de lui un des représentants de l'« anacréontisme » **(V.** *aussi* **Gleim).**

UZBEKISTÂN. ♦ **V.** OUZBÉKISTAN.

UZERCHE. ♦ Ch.-l. de cant. de la Corrèze*, arr. de Tulle*, sur la Vézère*. 3 512 hab. *(Uzerchois).* En aval d'Uzerche se trouvent les très belles gorges de la Vézère. – V. pittoresque. Église Saint-Pierre romane fortifiée au XIVᵉ s., crypte du XIᵉ s., beau clocher; porte Bécharie du XIVᵉ siècle. – Papeterie, fonderie, menuiserie. – Patrie d'A. Boyer*.

UZÈS [yzɛs]. ♦ Ch.-l. de cant. du Gard (arr. de Nîmes), sur la r. d. de l'Alzon. 7 348 hab. *(Uzétiens).* – Château des ducs d'Uzès, dont la maison remonte au Xᵉ s. (donjon carré du XIᵉ s.). Tour dite de l'Horloge (XIIᵉ s.). Restes du château royal (XIVᵉ s.). Place entourée de maisons à arcades (XVIᵉ au XVIIIᵉ s.). Église Saint-Théodorit (XVIIᵉ s.), avec une tour romane cylindrique. Hôtel de ville (XVIIIᵉ s.). – Poteries et produits réfractaires. – Patrie de Charles Gide. ♦ *Hist.* L'évêché installé à Uzès depuis le Vᵉ s. fut supprimé en 1817. La ville, successivement vicomté et comté (1486), devint duché en 1565. Acquise à la Réforme, elle fut durement éprouvée par les guerres de Religion. La cathédrale du XIIᵉ s. fut presque totalement démolie. Louis XIII fit raser les remparts (1629). La ville eut de nouveau beaucoup à souffrir pendant la guerre des camisards. – Racine* séjourna à Uzès chez son oncle, vicaire général, et y écrivit des *Lettres.*

UZNAM, en all. **Usedom.** ♦ Grande île de Poméranie* divisée par la ligne Oder*-Neisse entre la République démocratique allemande (qui en possède la plus grande partie) et la Pologne qui détient la partie E. et l'avant-port de Świnoujście*. Elle isole, avec l'île Wolin*, la rade de Szczecin* de la mer Baltique*.

'UZZÂ (al-). ♦ La plus importante des divinités de la triade arabe (avec al-Lât* et al-Manât*) à l'époque de la prédication de Mahomet*. C'est la planète Vénus, citée dans le Coran*.

Ph. Nimatallah/Ricciarini

Maurice Utrillo : « Une église ». (Musée des Beaux-Arts, Nantes.)

Ph. P. Lefevre/Galliphot

L'étang de **Vaccarès.**

VAAL. *n. m.* ♦ Riv. d'Afrique* du Sud (1 200 km) qui prend sa source au Transvaal, trace une partie de la frontière de la prov. de l'État libre d'Orange* et se jette dans l'Orange*. Son cours délimite historiquement le pays dénommé *Transvaal**.

VAALSERBERG. *n. m.* ♦ Point culminant (323 m) des Pays-Bas (**V. Limbourg**).

VAASA, en suéd. **Vasa**. ♦ V. et port de Finlande centrale, sur une baie du golfe de Botnie. Ch.-l. du comté homonyme. 49 583 hab. (1969). – Aéroport international (liaisons avec la Suède). Église de style gothique (1867). Musée historique de l'Ostrobotnie. – Indus. textiles, mécaniques. Minoteries. Exportation de bois. – Anc. prov. de Finlande.

VACCARÈS *(étang de)*. ♦ Étang situé dans les Bouches*-du-Rhône, en Camargue*. Sa superficie est d'environ 6 000 ha, sa profondeur extrêmement faible (0,50 m). Il est isolé de la Méditerranée par une digue et il constitue une réserve géologique et botanique.

VACHEROT (Étienne). ♦ Philosophe français (Torcenay, près de Langres, 1809 – Paris, 1897). Professeur à la Sorbonne, il publia une *Histoire critique de l'école d'Alexandrie* (1846-1851), qui fut à l'origine d'une polémique avec le P. Gratry* qui en dénonça les idées panthéistes. Ayant par ailleurs refusé de prêter serment en 1852, Vacherot fut destitué. Il est également l'auteur de *La Démocratie* (1859) et du *Nouveau Spiritualisme* (1884).

VACHIRAVUDH. ♦ Roi du Siam (1881 – 1925) qui régna à partir de 1910 sous le nom de *Rama VI*. Écrivain et dramaturge de talent, il institua au Siam l'instruction élémentaire obligatoire et fonda l'université de Bangkok* à laquelle il donna le nom de son père, Chulalongkorn. Son œuvre littéraire est abondante et d'une grande qualité. Il signa en 1925 un traité avec la France.

VACQUERIE (Auguste). ♦ Écrivain et journaliste français (Villequier, 1819 – Paris, 1895). Membre du groupe romantique, grand admirateur de Victor Hugo, il était le frère de Charles Vacquerie qui épousa Léopoldine Hugo. Collaborateur au *Globe*, à *l'Époque*, à *l'Événement* (qui devint *l'Avènement du peuple* en 1851), il fit paraître des recueils poétiques d'inspiration romantique (*L'Enfer de l'esprit*, 1840; *Les Demi-Teintes*, 1845), un drame en vers (*Tragaldabas*, 1848) qui fut un échec. Après le coup d'État du 2 décembre 1851, il accompagna quelque temps V. Hugo en exil à Jersey. Démocrate, libéral, A. Vacquerie ne cessa de prendre position contre le régime du Second Empire (en particulier dans *Le Rappel*). Il publia encore divers poèmes (*Les Drames de la grève*, 1855; *Futura*, 1890), des comédies et des drames (*Les Funérailles de l'honneur*, 1861; *Formose*, 1883), ainsi que des souvenirs (*Profils et grimaces*, 1856).

VADÉ (Jean Joseph). ♦ Chansonnier et auteur dramatique français (Ham, 1719 – Paris, 1757). Auteur de comédies, de vaudevilles et de livrets d'opéras-comiques (*Les Troqueurs*, 1753), il est aussi le créateur de la littérature « poissarde », avec un célèbre *Catéchisme* (1758), savoureux recueil du parler des halles.

VADIAN ou **VADIANUS (Joachim de WATT**, dit**).** ♦ Humaniste et réformateur suisse (Saint-Gall, 1483 ou 1484 – 1551). Poète, exégète de textes anciens, il enseigna à Vienne puis fut bourgmestre de Saint-Gall où il introduisit la Réforme de Zwingli. On possède de lui un *De poetica et carminis ratione* (1518), deux chroniques de Saint-Gall (en manuscrit).

VADIER (Marc Guillaume). ♦ Homme politique français (Pamiers, 1736 – Bruxelles, 1828). Député du Tiers État aux États généraux (1789), réélu à la Convention (1792), où il siégea avec la Montagne, il fit partie du Comité* de sûreté générale, où il fut un des principaux instigateurs de l'opposition à Robespierre. Condamné néanmoins après le 9 Thermidor (27 juil. 1794), à la suite des journées des 12 et 13 germinal* an III, il réussit à se cacher, mais fut à nouveau impliqué dans la conjuration des Égaux de G. Babeuf (1796). Député pendant les Cent-Jours, il fut proscrit comme régicide en 1816.

VADIMON *(lac)*, en lat. **Vadimonis lacus**, anc. **lac de Bassano**. ♦ Lac d'Italie (Étrurie). Les Gaulois y furent vaincus par les Romains (~ 283).

VADUZ. ♦ Cap. du Liechtenstein*, sur la r. d. du Rhin. 3 800 hab. La ville est dominée par le château de Liechtenstein (XIIe s.), résidence de la famille princière. – Centre touristique.

VAENIUS ou **VENIUS** ou **VAN VEEN (Otto).** ♦ Peintre flamand (Leyde, 1556 – Bruxelles, 1629). Il travailla à Liège, Anvers et Bruxelles et entra au service du prince-évêque de Bavière. Il séjourna en Italie, notamment à Rome où il fut l'élève de Federico Zuccaro. Si ses peintures d'histoire procèdent du maniérisme italien tardif, ses portraits, empreints d'une certaine raideur, s'inscrivent dans la tradition flamande par leur recherche de sobriété et d'objectivité *(L'Artiste et sa famille)*. Il fut aussi l'un des principaux maîtres de Rubens*.

VAGANOVA (Agrippina). ♦ Danseuse russe (Saint-Pétersbourg [auj. Leningrad], 1879 – *id.*, 1951). Elle dansa au théâtre Mariinsky, où elle devint première danseuse et danseuse étoile (1915) avant de se consacrer à l'enseignement de la chorégraphie au conservatoire de Leningrad (1921) et de devenir maître de ballet au théâtre Kirov (1931-1937). Elle a publié *Les Fondements de la danse classique* (1934).

VAH. *n. f.* ♦ Riv. de Tchécoslovaquie (433 km), affl. r. g. du Danube. Elle prend sa source dans les Basses Tatras.

Vâhana. *n. m.* ♦ Dans l'hindouisme et le bouddhisme du Mahâyâna*, monture d'une divinité, généralement un animal,

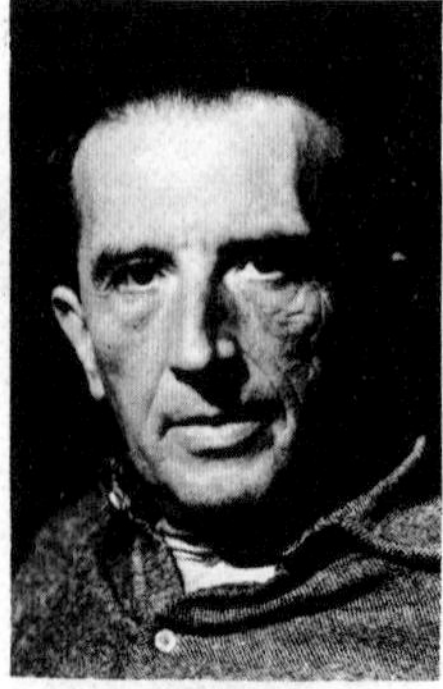
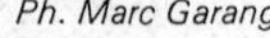
Ph. Marc Garanger

Roger Vailland.

Coll. Viollet

Paul Vaillant-Couturier.

mythique ou non, symbolisant parfois certaines des qualités de celle-ci : la monture de Śiva* est le taureau Nandin.

VAIHINGER (Hans). ♦ Philosophe allemand (Nehren, près de Tübingen, 1852 — Halle, 1933). Affirmant la destination biologique des fonctions intellectuelles, il a lui-même défini sa philosophie comme un « idéalisme positiviste » [ou un « irrationalisme idéaliste »] (*La Philosophie du « comme si »,* 1921).

VAILLAND (Roger). ♦ Écrivain français (Acy-en-Multien, Oise, 1907 — Meillonnas, Ain, 1965). Fondateur, avec ses amis René Daumal et Roger Gilbert-Lecomte, de la revue *le Grand Jeu* (1928) où s'exprimait une révolte assez proche de celle du surréalisme, il se consacra d'abord au journalisme. Autant qu'elle devait l'initier à une vie dangereuse, son entrée dans la Résistance (1942) allait lui permettre d'affirmer sa vocation d'écrivain (*Drôle de jeu,* 1944) et le conduire à l'engagement politique, dans les rangs du Parti communiste français (1952). De cette période datent des ouvrages d'inspiration marxiste : *Bon pied, bon œil* (1950), *Beau Masque* (1954), *325 000 Francs* (1955). Cependant, en publiant *Esquisses pour un portrait du vrai libertin* (1946), *Les Mauvais Coups* (1948) et un *Laclos par lui-même* (1953), Vailland marquait son attachement à l'un des thèmes majeurs de sa pensée, le libertinage, et son refus des contraintes morales et religieuses, dans la quête d'une liberté absolue. Cette tentative de conciliation de la révolte individuelle et de l'action révolutionnaire devait se solder pour lui par un douloureux échec, après la publication du rapport Khrouchtchev (1956). Désormais, prenant ses distances à l'égard du monde, Vailland se consacra au voyage et à une méditation souvent amère sur la vanité de tout engagement. De cette dernière période, il convient de détacher *La Loi* (prix Goncourt, 1957), *Éloge du cardinal de Bernis* (1957), *La Fête* (1959), *La Truite* (1963). La publication des *Écrits intimes* (1968) a éclairé d'un jour nouveau la personnalité de l'homme et celle de l'écrivain dont les héros, par la lucidité de la pensée et l'énergie du caractère, évoquent bien souvent ceux de Laclos et de Stendhal.

VAILLANT (Sébastien). ♦ Botaniste français (Vigny, Seine-et-Oise, 1669 — Paris, 1722). Il étudia la médecine puis suivit les cours de botanique de Tournefort*, dont il devait d'ailleurs critiquer le système de classification du règne végétal. Avec l'appui de Fagon*, il fut nommé directeur du Jardin des plantes où il fit installer la première serre chaude de France (1714). Auteur de travaux sur les fonctions des étamines et du pistil (*Discours sur la structure des fleurs, leurs différences et l'usage de leurs parties,* 1717-1718), il a laissé un ouvrage sur la végétation de la région parisienne [*Botanicum Parisiense,* publié par Boerhaave, 1727]. (Acad. sc., 1716.)

VAILLANT (Jean-Baptiste Philibert). ♦ Maréchal de France (Dijon, 1790 — Paris, 1872). Sorti de Polytechnique, il participa à la campagne de Russie et à la bataille de Waterloo. Après s'être distingué à la prise d'Alger (juil. 1830), il contribua à établir les plans des fortifications de Paris. Ministre de la Guerre (1854), il fut promu maréchal par Napoléon III et fait ministre de la Maison de l'empereur (1860-1870). Après la capitulation de Sedan (sept. 1870) et la chute de l'Empire, il émigra en Espagne (sept. 1870-1871).

VAILLANT (Édouard-Marie). ♦ Socialiste français (Vierzon, 1840 — Paris, 1915). Marxiste, membre de la Ire Internationale et de la Commune de Paris, il dut se réfugier en Angleterre (1871-1880). Leader de la IIe Internationale, ami de Jaurès, il se rallia à l'Union sacrée au début de la Première Guerre mondiale.

VAILLANT (Auguste). ♦ Anarchiste français (Mézières, v. 1861 — Paris, 1894). Il fut condamné à mort et exécuté pour avoir lancé une bombe lors d'une séance de la Chambre des députés (déc. 1893).

VAILLANT-COUTURIER (Paul). ♦ Homme politique et journaliste français (Paris, 1892 — *id.,* 1937). Membre du Comité central du Parti communiste français (1921), député (1919-1928, 1936), il fut rédacteur en chef de *l'Humanité* (1928) et fit partie de l'Association des écrivains révolutionnaires (comité de *Commune,* 1933). Auteur de *Lettres à mes amis* (1920), *Le Bal des aveugles* (1927), *Défendons l'U.R.S.S.* (1929).

VAIR (Guillaume *du*). ♦ Magistrat, orateur et moraliste français (Paris, 1556 — Tonneins, 1621), devenu garde des Sceaux (1615). Cet humaniste écrivit notamment un ouvrage, *De la philosophie morale des stoïques* [*stoïciens*] (1585), admiré de Corneille* et de Pascal*, et un *Traité de l'éloquence française* (1594) qui influença Malherbe*. Modéré, il se rangea dans le parti des « Politiques », favorables à Henri* (IV) de Navarre, avec son *Discours pour le maintien de la loi salique* (1593).

VAIRES-SUR-MARNE. ♦ Ch.-l. de cant. de Seine-et-Marne, arr. de Meaux. 8 455 hab. Centrale thermique.

VAIROCANA. ♦ Grand Bouddha d'aspect solaire, divinité suprême de certaines sectes du bouddhisme du Mahâyâna*, spiritualisation du Bouddha historique Siddharthâ Gautama*.

VAIŚÂLÎ. ♦ Anc. cité indienne du Bihâr (au N. de Patna), célèbre pour avoir été associée à la légende de la vie du Bouddha et pour avoir abrité le IIe concile bouddhique (v. ~ 443).

Vaiśeṣika. *n. m.* ♦ Un des six systèmes philosophiques de l'hindouisme, attesté dès le premier siècle de notre ère. C'est un naturalisme dualiste avec des théories atomistiques.

VAISON-LA-ROMAINE. ♦ Ch.-l. de cant. du Vaucluse*, arr. de Carpentras*, sur l'Ouvèze, 4 402 hab. *(Vaisonnais).* — La ville moderne est située sur la r. d. de l'Ouvèze, la vieille ville sur la r. gauche. Église romane Notre-Dame, ancienne cathédrale. Chapelle Saint-Quenin du XIIe s., maisons anciennes ; ruines d'un château des comtes de Toulouse, XIIe siècle. Importantes ruines romaines : maison des Messii, portiques de Pompée, théâtre, pont. — Marché agricole. Fabrication de machines agricoles, imprimerie. ♦ Hist. *Vasio,* habitée par des Ligures, puis par des Celtes, au IVe s., devint à l'époque romaine une des villes les plus riches de la Gaule narbonnaise.

VAÏSSE (Claude Marius). ♦ Homme politique et administrateur français (Marseille, 1799 — Lyon, 1864). Après avoir participé au mouvement libéral et révolutionnaire de 1830, il fit une carrière administrative sous la monarchie de Juillet. Rallié au bonapartisme dès 1848, il fut ministre de l'Intérieur (janv. — juil. 1851), puis, député à l'Assemblée législative, se montra partisan du coup d'État du 2 décembre 1851. Nommé préfet du Rhône (1854-1864), il entreprit d'importants travaux de rénovation de la ville de Lyon.

Vaiśya. *n. m. pl.* ♦ Nom donné à la troisième des quatre castes rituelles de la société brahmanique, composée principalement d'agriculteurs et d'artisans. Cette caste compose environ 6 % de la population de l'Inde actuelle.

Vajra. *n. m.* (« Diamant », « Foudre »). ♦ Instrument ésotérique des sectes du bouddhisme du Mahâyâna et du lamaïsme, représenté par une sorte de hochet à une ou plusieurs pointes. C'est l'arme divine d'Indra* symbolisant la stabilité et l'indestructibilité de l'esprit.

VAKHTANGOV (Evgueni Bagrationovitch) [*Vaxtangov*]. ♦ Metteur en scène et acteur soviétique (Vladikavkaz, 1883 — Moscou, 1922). Dans les premières années de la révolution soviétique, il a tenté de réaliser la synthèse des enseignements de Stanislavski* et de Meyerhold*, en faisant du théâtre une création collective destinée à traduire la nouvelle réalité économique et sociale. Fondateur du *Troisième Studio du Théâtre d'art,* il a exercé par ses mises en scène (*La Princesse Turandot,* de Gozzi, 1922 ; *Le Dibbouk,* de Shalom Anski, 1922) une influence profonde sur l'évolution du théâtre russe.

VALA (Katri, pseudonyme de **Karin Alice HEIKEL,** née **WADENSTRÖM).** ♦ Poétesse finnoise (Muonio, 1901 — Eksjö, Suède, 1944). Du groupe moderniste *Tulenkantajat* avec Kailas*, elle utilise le vers libre, célèbra les instincts et l'ivresse des sens. Les recueils *Le Jardin éloigné* (1924) et *La Porte bleue* (1926) contiennent également des poèmes méditatifs et des touches d'humour. Elle rejoignit le groupe de gauche *Kiila* avec Kajava* et Turtiainen*. Socialiste humanitaire plutôt que marxiste, elle exprima son indignation devant la souffrance humaine dans *Le Retour* (1934) et son espoir dans la victoire des forces du bien dans *L'arbre avec le nid est en flammes* (1942).

VALACHIE. *n. f.* ♦ Région historique de la Roumanie située entre les Carpates méridionales et le Danube. Constituée par Bessarab Ier au XIVe s., elle passa sous la domination des Turcs auxquels Michel le Brave (1593-1601) résista héroïquement ; néanmoins elle ne se libéra complètement de l'emprise étrangère (Autriche, 1718 à 1739 ; Russie, 1839) que par sa réunion à la Moldavie* pour former la Roumanie [1859]. **(V. *aussi* Roumanie *et* Moldavie.)**

VALADON (Maria Clémentine, dite **Suzanne).** ♦ Peintre et dessinateur français (Bessines, 1867 — Paris, 1938). Fille d'un maçon et d'une blanchisseuse, elle dut abandonner le métier d'acrobate à la suite d'une chute et devint modèle. Mère à dix-huit ans d'un enfant auquel quelques années plus tard le critique Miguel Utrillo allait donner son nom **(V. Utrillo),** elle se maria en 1896 avec Paul Moussis, puis épousa le peintre A. Utter. Elle posa pour Puvis de Chavannes, Renoir, Toulouse-Lautrec et Degas. Ce dernier ayant remarqué ses dessins lui prodigua des conseils et l'encouragea à dessiner. Vers 1908, elle commença à peindre, exécutant des natures mortes et des paysages, mais surtout des portraits et des nus féminins. Établissant solidement ses compositions, elle cernait les formes d'un trait assuré et concis, souvent avec une certaine dureté. La vigueur expressive des types dénote une approche directe de la réalité, non dénuée d'une certaine rudesse accentuée par son goût pour les accords chromatiques aux contrastes violents, parfois criards (*Les Lanceurs de filets,* 1914). Cependant, le caractère synthétique du contour dénote l'influence de Gauguin et des nabis, comme le révèlent certains effets décoratifs qui s'apparentent aussi à Matisse (*Nu à la couverture rayée,* 1922; *La Chambre bleue,* 1923). Elle sut allier un sens de l'observation parfois âpre à des effets plastiques dénués d'afféterie.

VALAIS. *n. m.,* en all. **Wallis.** ♦ Canton du S. de la Suisse limité par l'Italie au S., la France et le lac Léman à l'ouest. 5 231 km². 206 563 hab. *(Valaisans)* dont deux tiers de langue française, un tiers de langue allemande et 96 % de religion catholique. *Ch.-l.* Sion*. *V. princ.* **V. Brigue, Martigny, Monthey, Saint-Maurice, Sierre, Viège.** Le Valais occupe la totalité de la haute vallée du Rhône, du col de la Furka au lac Léman*. Il est bordé par l'Oberland bernois au N. (Finsteraarhorn, 4 274 m; Jungfrau*, 4 158 m; Balmhorn, 3 709 m; Diablerets*, 3 210 m) et les Alpes du Valais au S. (dents du Midi*, 3 260 m; Cervin*, 4 478 m; mont Rose*, 4 638 m; Monte Leone, 3 553 m). On peut y accéder, en venant de l'est, par le tunnel routier du Grand-Saint-Bernard ou par des cols élevés comme ceux de Balme*, du Simplon*, de la Furka*, du Grand-Saint*-Bernard, de la Forclaz*. De part et d'autre du Rhône s'ouvrent des vallées transversales : val d'Entremont*, val d'Hérens*, vallée de Saas-Fee sur la r. d., drainées par la Dixence*, la Drance*, la Borgne* et la Viège*. — *Écon.* L'agriculture du Valais est orientée vers la culture des céréales, du tabac, de la vigne *(fendant)* et principalement des arbres fruitiers (abricotiers) dans la vallée du Rhône (alcools de fruits réputés). Mais elle est dépassée en importance par l'industrie : les centrales hydro-électriques du Valais produisent un quart de l'énergie du pays (barrage de la Grande Dixence*); métallurgie de l'aluminium à Sierre et Martigny, indus. chimique à Viège et Monthey. Le tourisme connaît un essor constant avec le développement des sports d'hiver (Arolla*, Champéry*, Crans*-sur-Sierre, Montana*-Vermala, Saas*-Fee, Verbier*, Zermatt*). ♦ *Hist.* Conquis par les Romains en ~57, le *Vallis Poenina* fit ensuite partie du royaume de Bourgogne. L'abbaye d'Agaune (Saint-Maurice) devint un important foyer du christianisme. Le Valais fut légué au Xᵉ s. par le dernier roi de Bourgogne aux évêques de Sion, qui entrèrent en rivalité avec les comtes de Savoie. Au XVIIᵉ s., le Valais résista à la Réforme grâce à son évêque Adrien II de Riedmatten. Occupé par les Français en 1798, le pays fut érigé (1802) par Bonaparte en État indépendant sous le nom de « République rhodanienne » puis annexé à la France comme département du Simplon. Le Valais entra dans la Confédération helvétique en 1815 en tant que vingt-deuxième canton.

VAL-ANDRÉ (Le). ♦ Station balnéaire des Côtes-du-Nord dépendant de Pléneuf*, arr. de Saint-Brieuc, sur la côte E. de la baie de Saint-Brieuc.

VALBERG. ♦ Localité des Alpes-Maritimes, située au *col de Valberg* (1 669 m) sur la route qui mène du Var supérieur (Guillaumes) aux gorges du Cians (Beuil). Station de ski (terrains entre 1 500 et 2 000 m).

Ph. Giraudon

Suzanne Valadon : « Nu à la couverture rayée ». (Musée municipal d'Art moderne, Paris.)

VALDAHON. ♦ Comm. du Doubs, arr. de Besançon. 3 324 hab. Vaste camp militaire.

VALDAÏ *(plateau des* ou *du).* ♦ Ensemble de collines au N.-O. de la partie européenne de l'U.R.S.S., culminant au *Kamenik* (321 m). Riche en marécages et en lacs, il donne naissance à la Dvina* occidentale, à la Volga* et au Dniepr*.

VAL-D'AJOL (Le). ♦ Comm. des Vosges, arr. d'Épinal. 5 847 hab. Station estivale. Scieries; tissages; ustensiles de ménage.

VAL D'AOSTE. ♦ V. AOSTE (Région autonome de la vallée d').

Val-de-Grâce (le). ♦ Anc. abbaye de Paris, devenue hôpital (1795) et école de santé (1851) militaires. Fondés par Anne d'Autriche en 1621, les bâtiments monastiques, qui conservent un beau cloître, constituent un remarquable ensemble du XVIIᵉ siècle. L'église fut édifiée de 1645 à 1665 sur les plans de Mansart*, repris par Lemercier*, Le* Muet et Le Duc. Le dôme, majestueux et équilibré, est inspiré de celui de Saint-Pierre du Vatican; sa coupole intérieure est décorée par Mignard* d'une « gloire » que célébra Molière. — Le Val-de-Grâce donne son nom à un quartier du 5ᵉ arrondissement.

VAL DE LOIRE. ♦ Partie de la vallée de la Loire entre le confluent de l'Allier et celui de la Vienne. Long de 350 km, large de 2 à 6 km, il comprend, d'amont en aval, le val Nivernais, le val d'Orléans, le val de Loire (au sens étroit : entre Orléans et Tours) et le val de Touraine. Tapissé d'alluvions fertiles, le val se prête à une mise en valeur agricole fort diversifiée : prairies, cultures maraîchères, fruitières et horticoles, vignobles.

VALDEMAR. ♦ Nom de plusieurs rois de Danemark. ♦ VALDEMAR Iᵉʳ *le Grand* (1131 — Vordingborg, 1182). Roi de Danemark après avoir triomphé de deux compétiteurs (1157-1182). Il combattit les Wendes, prit Rügen (1168) et assura l'unité du pays. ♦ VALDEMAR II *Le Victorieux* (1170 — Vordingborg, 1241). Roi de Danemark (1202-1241). Fils de Valdemar Iᵉʳ, il succéda à son frère (Canut VI). Il conquit le Holstein en 1201, puis annexa l'Estonie (1215) et y fonda Reval. Il fut vaincu par les princes de l'Allemagne du Nord à Bornhöved (1227). ♦ VALDEMAR III *le Jeune* (v. 1314 — 1364). Roi de Danemark (1326-1330). Il remplaça Christophe* II. ♦ VALDEMAR IV (v. 1320 — 1375). Roi de Danemark (1340-1375), fils de Christophe II. Ayant pris le pouvoir dans des conditions difficiles (rivalités et anarchie intérieure), il affermit son autorité. Il vendit l'Estonie aux chevaliers Teutoniques (1346). En 1361 il prit la Scanie et l'île de Gotland mais dut faire face à la coalition des villes de la Hanse et de la Suède. À la paix de Stralsund (1370), le Danemark dut accorder des privilèges à la Hanse.

VAL-DE-MARNE. [**94**]. *n. m.* ♦ Dép. de la région parisienne* (région [anciennement C.A.R.] d'Île-de-France) créé en 1964, situé au S. et à l'E. de Paris. 244 km². — Le dép. recouvre une partie des anciens dép. de la Seine et de la Seine-et-Oise. Il est traversé par les larges vallées de la Seine et de la Marne. La vallée de la Seine est industrielle, celle de la Marne est plutôt résidentielle. Au S.-E., le dép. s'étend sur la Brie*. — *Hydrogr.* Bièvre*, Marne*, Seine*, Yerres.

♦ 38 cant., 47 comm., 1 129 956 hab. *Préf.* Créteil*. *Sous-préf.* Nogent*-sur-Marne. *Ch.-l. de cant.* Alfortville*, Arcueil*, Boissy*-Saint-Léger, Bonneuil*-sur-Marne, Bry*-sur-Marne, Cachan*, Champigny*-sur-Marne, Charenton*-le-Pont, Chennevières*-sur-Marne, Choisy*-le-Roi, Fontenay*-sous-Bois, Haÿ*-les-Roses (L'), Ivry*-sur-Seine, Joinville*-le-Pont, Kremlin*-Bicêtre (Le), Maisons*-Alfort, Orly*, Perreux*-sur-Marne (Le), Saint*-Mandé, Saint*-Maur-des-Fossés, Thiais*, Villecresnes*, Villejuif*, Villeneuve*-le-Roi, Villeneuve*-Saint-Georges, Villiers*-sur-Marne, Vincennes*, Vitry*-sur-Seine. *Autres comm. et localités.* **V. Ablon-sur-Seine, Beauté** (château de), **Belle-Épine, Bicêtre, Chevilly-Larue, Fresnes, Gentilly, Limeil-Brévannes, Marne-la-Vallée, Ormesson-sur-Marne, Plessis-Trévise** (Le), **Rungis, Saint-Maurice, Sucy-en-Brie, Valenton, Varenne-Saint-Hilaire** (La).

VAL-DE-MEUSE (Le). ♦ Ch.-l. de cant. de la Haute-Marne, arr. de Langres, comprenant Avrecourt, Épinant, Lecourt, Lénizeul, Maulain, Montigny*-le-Roi, Provenchères-sur-Meuse, Ravennefontaines, Recourt et Saulxures. 2 395 habitants.

VALDÉS (Juan *de***).** ♦ Érudit et moraliste espagnol (Cuenca, v. 1500 — Naples, 1541). Avec son frère Alfonso de Valdés (Cuenca, v. 1490 — Vienne, 1532), il fut l'un des principaux représentants de l'érasmisme en Espagne. Installé à Naples pour fuir l'Inquisition, il publia des ouvrages sur la doctrine chrétienne. Il est également célèbre pour son *Dialogue de la langue* (publié après sa mort), considéré comme l'un des grands traités philologiques de l'époque consacrés à la langue littéraire castillane.

VALDÉS LEAL (Juan *de***).** ♦ Peintre, décorateur et graveur espagnol (Séville, 1622 — *id.,* 1690). Fils d'un orfèvre portugais, il étudia à Cordoue, subit d'abord l'influence de E. Murillo* et réalisa plusieurs séries de grands cycles, notamment l'*Histoire de sainte Claire,* pour les clarisses de Carmona (1653-1654). À partir de 1656, il se fixa à Séville et devint en 1660 l'un des fondateurs de l'Académie, puis son président (de 1663 à 1666) et eut avec ses collègues de violents démêlés. En 1658, il réalisa le cycle de *San Jeronimo* de Séville, ainsi qu'un retable pour le carmel de Cordoue. Par la recherche de l'expression pathétique, le dynamisme des formes, la nervosité et la liberté de sa touche, il insuffla à ses œuvres un caractère exalté et tragique, n'évitant pas toujours l'enflure et la surcharge. Il était particulièrement à l'aise dans les sujets macabres : têtes de martyrs et « Vanités » (*Hiéroglyphes de nos fins dernières*, pour l'hôpital de la Charité [Séville], v. 1671).

VAL-D'ISÈRE. ♦ Comm. de la Savoie*, arr. d'Albertville*, sur l'Isère*, en Tarentaise*. 1 413 hab. – Église avec clocher roman. Station d'été et d'hiver à 1 840 m, très bien équipée et très en vogue.

VALDIVIA (Pedro *de*). ♦ Conquistador espagnol (prov. de Badajoz, v. 1500 – Tucapel, Chili, 1553). Après avoir participé à la conquête du Pérou avec F. Pizarro (1535), il gagna le Chili* où il fonda successivement Santiago (1541), Valparaiso (1544), Concepción (1550) et Valdivia (1552). Nommé capitaine général du Chili, il fut tué par les Araucans.

VALDIVIA. ♦ V. et port du Chili central. ch.-l. de prov. 89 500 hab. (1972). – Dans une région de forte concentration de population, la ville constitue un débouché agricole et industriel (indus. alimentaires, mécaniques, cuir, papier). ♦ *Hist.* Fondée en 1552 par P. de Valdivia*, elle s'est surtout développée au XIXe siècle. – La province boisée de *Valdivia*, située au cœur de la région des lacs et des volcans, compte près de 300 000 hab. 20 900 km^2. – Travail du bois (30 % de la product. chilienne), fruits dans le N., élevage dans le sud.

VALDO (Pierre). ♦ V. VAUDÈS.

VALDOIE. ♦ Ch.-l. de cant. du Territoire de Belfort, aggl. de Belfort. 4 013 hab. – Indus. textiles. Constructions électriques.

VAL-D'OISE [95]. *n. m.* ♦ Dép. de la région parisienne* créé en 1964, situé au N. de Paris (région [anciennement C.A.R.] d'Île-de-France). 1 248 km^2. – *Orogr.* À l'O. du dép. le Vexin* français forme un plateau recouvert de limon; au centre se trouvent les forêts de Montmorency et de l'Isle-Adam, à l'E. les plateaux du pays de France. – *Hydrogr.* Epte*, Oise*, Seine*, Viosne. Lac d'Enghien. ♦ 35 cant., 185 comm., 701 644 hab. *Préf.* Cergy*-Pontoise. *Sous-préf.* Argenteuil*, Montmorency*. *Ch.-l. de cant.* Auvers*-sur-Oise, Beauchamp*, Beaumont*-sur-Oise, Bezons*, Cormeilles*-en-Parisis, Domont*, Eaubonne*, Écouen*, Enghien*-les-Bains, Ermont*, Franconville*, Garges*-lès-Gonesse, Gonesse*, Goussainville*, Herblay*, Isle*-Adam (L'), Luzarches*, Magny*-en-Vexin, Marines, Osny (4 047 hab.), Saint-Leu*-la-Forêt, Saint-Ouen*-l'Aumône, Sannois*, Sarcelles*, Soisy*-sous-Montmorency, Taverny*, Viarmes*, Vigny*, Villiers*-le-Bel. *Autres comm. et localités.* **V. Arnouville-lès-Gonesse, Asnières-sur-Oise, Champagne-sur-Oise, Deuil-la-Barre, Groslay, Guiry-en-Vexin, Méry-sur-Oise, Montigny-lès-Cormeilles, Montmagny, Persan, Pierrelaye, Roche-Guyon** (La), **Roissy-en-France, Royaumont, Saint-Brice-sous-Forêt, Saint-Clair-sur-Epte, Saint-Gratien, Vétheuil.**

VALÉE (Sylvain Charles, *comte*). ♦ Maréchal de France (Brienne-le-Château, 1773 – Paris, 1846). S'étant distingué lors de la campagne d'Espagne, il fut promu général (1810) et fait comte d'Empire (1814). Nommé inspecteur général de l'artillerie (1822) après s'être rallié aux Bourbons, il succéda à Damremont à la tête de l'armée d'Afrique (1837), occupa Constantine* (oct. 1837), devint gouverneur de l'Algérie et fut fait maréchal de France. En 1840, il fut lui-même remplacé par Bugeaud*.

VALENÇAY. ♦ Ch.-l. de cant. de l'Indre, arr. de Châteauroux. 2 754 hab. [1 691 aggl.] *(Valencéens).* Le château, construit aux XVIe et XVIIe s., fut la propriété de plusieurs fermiers généraux, ainsi que de Law* et de Talleyrand*. Napoléon Ier y assigna à résidence Ferdinand VII, roi détrôné d'Espagne, de 1808 à 1814. Musée Talleyrand.

VALENCE, en esp. **Valencia.** ♦ V. d'Espagne orientale (Levant). Ch.-l. de prov. sur le Guadalaviar, dans une riche *huerta.* 653 690 hab. (3e ville d'Espagne). Archevêché, université. Centre commercial très actif exportant des agrumes, du riz, des légumes, et important des matières premières par son port d'*El Grao.* À l'indus. de la soie, la plus ancienne, s'ajoutent des papeteries, des aciéries utilisant le fer de Sagunto, des constructions mécaniques. – Les monuments les plus intéressants sont la *Lonja de la Seda* (halle de la soie), de style gothique flamboyant (XVe s.), la cathédrale gothique (XIIIe-XIVe s.) surmontée d'une tour octogonale de 60 m de haut : le *Miguelete.* Nombreuses églises et monuments baroques. ♦ *Hist.* Occupée par les Grecs, puis par les Carthaginois, la ville devint une colonie militaire romaine au IIe s. *(Valentia Edetanorum).* Prise par les Wisigoths, puis par les Arabes (714), Valence fut au XIe s. la capitale d'un royaume maure. Le Cid* s'en empara (1094) mais, après sa mort, la ville retomba aux mains des Almoravides*. Reconquise par Jacques* Ier d'Aragon en 1238, elle bénéficia d'une législation particulière jusqu'en 1707. Soulevée contre les Français en 1808, elle fut occupée par Suchet* (1812). Durant la guerre civile espagnole, le gouvernement républicain s'y réfugia par deux fois; la ville fut prise par les franquistes en mars 1939.

VALENCE. ♦ Préf. de la Drôme*, ch.-l. d'arr. (14 cant., 165 comm., 271 456 hab.), sur le Rhône*. 64 134 hab. *(Valentinois).* Cathédrale romane Saint-Apollinaire (XIe-XIIe s.) restaurée au XVIIe siècle. Maisons anc., musée; évêché. – Marché agricole important. Nœud ferroviaire. Indus. alimentaires (conserves de fruits et légumes). Métallurgie; constructions électriques; mécanique de précision, horlogerie. Travail de la soie, du cuir, du bois.

Ph. Giraudon

Le château de **Valençay.**

Bijouterie. Cartoucherie. – Patrie de É. Augier*, du général Championnet*. ♦ *Hist.* Anc. cap. des Segalauni, Colonia Julia Valentia à l'époque romaine. À partir du XIIe s., les évêques de Valence luttèrent contre les comtes de Valentinois. Valence fut réunie à la couronne en 1423. Louis XI y fonda une université.

VALENCE-D'AGEN. ♦ Ch.-l. de cant. du Tarn*-et-Garonne, arr. de Castelsarrasin*, sur le canal latéral à la Garonne*. 4 020 hab. [3 048 aggl.] *(Valenciens).* – Marché de volailles et bestiaux. Distillerie. Machines agricoles. ♦ *Hist.* Anc. bastide, fondée à la fin du XIIIe s. par Jean de Grailly, sur l'ordre du roi d'Angleterre Édouard Ier.

VALENCE-SUR-BAÏSE. ♦ Ch.-l. de cant. du Gers*, arr. de Condom*. 1 229 hab. [836 aggl.] *(Valenciens).* – Église du XIVe siècle. Ruines de l'abbaye de Flaran. – Vins, eaux-de-vie d'Armagnac. Minoteries.

VALENCIA. ♦ V. du Venezuela, ch.-l. de l'État de Carabobo (4 650 km^2; env. 470 000 hab.), situé à l'O. du lac de Valencia (proche du littoral caraïbe). 253 000 hab. – Évêché. Centre commercial important au cœur d'une région fertile (canne à sucre, café, coton,...). Indus. textiles et alimentaires.

VALENCIENNES ou **DEVALENCIENNES (Pierre Henri).** ♦ Peintre et dessinateur français (Toulouse, 1750 – Paris, 1819). Formé auprès de Doyen, il se rendit en Italie en 1769 et y séjourna de nouveau de 1776 à 1782. Il alla aussi en Orient, en Espagne, en Angleterre et en Allemagne et ramena de nombreux croquis de ses voyages. Nommé académicien en 1787, il donna aussi des cours de perspective de 1795 à 1800 et publia les *Éléments de perspective pratique à l'usage des artistes* (1800). Partisan des théories néo-classiques et admirateur des paysages composés de Lorrain et de Poussin, il fut l'un des représentants du « paysage historique »; mais à côté de toiles froidement élaborées, il réalisa des esquisses et des études peintes à l'huile, d'une composition simple et équilibrée, qui témoignent d'une sensibilité nouvelle à l'atmosphère et se distinguent par la finesse de la gamme chromatique (*Pin parasol du couvent de l'Ara Cœli; Deux Peupliers à la villa Farnèse,* vers 1786).

VALENCIENNES (Achille). ♦ Zoologiste français (Paris, 1794 – *id.,* 1865). Professeur titulaire au Muséum (1832), il a donné une traduction des *Observations de zoologie* de Humboldt, une *Histoire naturelle des poissons* (1829-1849; les premiers tomes écrits en collaboration avec Cuvier), une *Histoire naturelle des mollusques, des annélides et des zoophytes* (1833), et des travaux sur les parasites de l'homme. (Acad. sc., 1844.)

VALENCIENNES. ♦ Sous-préf. du Nord*, ch.-l. d'arr. (8 cant., 82 comm., 373 844 hab.), sur l'Escaut*. 47 464 hab. *(Valenciennois).* Anc. place forte. L'église Saint-Géry (XIIIe s.) a été reconstruite après 1958. Église Notre-Dame-de-Saint-Cordon (XIXe s.); hôtel de ville (XVIIe s.); l'anc. collège des Jésuites (XVIIe, XVIIIe s.) renferme la bibliothèque. Musée des Beaux-Arts. – La ville forme avec Denain* un centre industriel relié par canal à Dunkerque. Métallurgie; produits réfractaires; constructions mécaniques; indus. textiles, dentelles, bonneterie, confection; indus. alimentaires. – Patrie de A. Beauneveu*, J.-B. Carpeaux*, dame de La Live d'Épinay*, J. Froissart*, D. Gernez*, A. Giard*, H. Harpignies*, Henri* VII de Luxembourg, C. de Lannoy*, C. Lejeune*, P.J.H. Lemaire*, E. Marin* La Meslée, J.-B. Pater*, H. Wallon*, A. Watteau*. ♦ *Hist.* Réuni au Hainaut au XIe s., la ville fut prise en 1677 par Vauban qui la fortifia; elle fut cédée à la France au traité de Nimègue en 1678. Les troupes alliées, anglaises (sous les ordres du duc d'York) et autrichiennes (commandées par le prince de Saxe-Cobourg) occupèrent la ville en juillet 1793; celle-ci fut reprise par les forces républicaines, sous les ordres du général Schérer, le 17 août 1794.

VALENS, en lat. **Flavius Valens.** ♦ (328 – Andrinople, 378). Empereur romain (364-378). Il fut associé à l'empire par son frère Valentinien* Ier qui lui confia le gouvernement de l'Orient. Reprenant la tradition de Constantin*, il accorda sa faveur aux chrétiens ariens et déclencha la première persécution antipaïenne. Il triompha de la tentative d'usurpation de Procope à Constantinople (365-366), mais fut vaincu par les Goths près d'Andrinople* où il mourut.

VALENSOLE. ♦ Ch.-l. de cant. des Alpes* de Haute-Provence, arr. de Digne*, sur le plateau de Valensole, 1 817 hab. *(Valensolais).* — Cultures de lavande. — Patrie de P. de Villeneuve*. — Le *plateau de Valensole* est situé au centre du département.

VALENTIA ou **VALENCIA.** ♦ Île située au large des côtes S.-O. de l'Irlande (comté de Kerry), au N. de la *baie de Dingle.* Station météorologique. Câbles transatlantiques (jusqu'à Terre-Neuve).

VALENTIGNEY. ♦ Comm. du Doubs, arr. et aggl. de Montbéliard*, sur le Doubs. 12 897 hab. — Construction automobile. Fonderies.

VALENTIN. ♦ Hérésiarque gnostique, originaire d'Égypte, installé à Rome v. 140, mort v. 161. Son système (création du monde par un démiurge inférieur, libération des « spirituels » par Jésus Rédempteur, retour au Plérôme) est connu par les réfutations d'Irénée et de Tertullien.

VALENTIN *(saint).* ♦ (mort à Rome, 270 ?). Prêtre de Rome, il mourut martyr. — Fête le 14 février. Pour des raisons obscures, cette fête est confondue, depuis le XVe s. au moins, avec la fête des amoureux.

VALENTIN. ♦ 100e pape (août-sept. 827). Son pontificat ne dura que quarante jours, entre celui d'Eugène II et celui de Grégoire IV.

VALENTIN DE BOULOGNE ou **DE BOULONGNE.** ♦ Peintre et dessinateur français (Coulommiers, 1594 — Rome, 1632). Il se rendit à Rome vers 1620 et subit l'influence de Manfredi* et surtout du Caravage*. Il fut aussi sensible à Vouet et Guido Reni*. Il représenta des sujets allégoriques et religieux (*Le Martyre des saint Procès et saint Martinien,* 1630) ainsi que des sujets populaires : scènes de cabaret avec des joueurs, des soldats et des musiciens dans lesquels les figures sont présentées à mi-corps. Approfondissant progressivement son art, il s'affirma comme l'un des caravagesques les plus fidèles au maître et sut donner à ses œuvres un accent lyrique et mélancolique qui lui est personnel *(Concert dans un intérieur).*

VALENTINIEN Ier, en lat. **Flavius Valentinianus.** ♦ (Cibalis, Pannonie, 321 — Brigetio, Pannonie, 375). Empereur romain (364-375). Officier de la garde sous Julien* et Jovien*, il fut proclamé empereur par l'armée à la mort de ce dernier. Il restaura le système collégial et associa à l'empire son frère Valens* qu'il mit à la tête de l'Orient. Empereur militaire, il défendit les frontières mieux que ses prédécesseurs, repoussa les Pictes et les Scots avec l'aide de son général Théodose (368), écrasa les Maures (372-374), vainquit les Quades et les Sarmates et construisit un *limes* contre les invasions des Alamans. Pour tenter de mettre un frein à la puissance des riches, il créa la charge de défenseur de la plèbe (364). Il mourut subitement au cours d'une campagne.

VALENTINIEN II, en lat. **Flavius Valentinianus.** ♦ (371 — Vienne, Gaule, 392). Empereur romain (375-392). Fils de Valentinien* Ier, il succéda à son père à l'âge de quatre ans et partagea l'empire d'Occident avec son frère Gratien*. Il favorisa l'arianisme mais se heurta à saint Ambroise*. Renversé par Maxime (387), il fut rétabli sur le trône par Théodose* Ier mais mourut assassiné l'année suivante.

VALENTINIEN III, en lat. **Flavius Placidus Valentinianus.** ♦ (Ravenne, 419 — près de Rome, 455). Empereur romain (425-455). Fils de Constance* III et de Galla* Placidia, il fut placé sur le trône d'Occident par Théodose* II à l'âge de six ans et laissa gouverner l'empire par sa mère et un de ses généraux, Aetius*, qu'il assassina en 454. L'empire se morcela : les Barbares s'emparèrent de la Grande-Bretagne, de la Gaule et de l'Espagne, et les Vandales de l'Afrique. Valentinien III fut tué par Maxime* Pétrone.

VALENTINO (Rodolfo GUGLIELMI, *dit* **Rudolph).** ♦ Acteur américain d'origine italienne (Castellaneta, 1895 — New York, 1926). Il abandonna une carrière de danseur de cabaret pour devenir, durant quelques années, par sa séduisante langueur, l'idole du public féminin. Ce fut la première « étoile » masculine de l'histoire du cinéma.

VALENTINOIS. *n. m.* ♦ Anc. pays de France, dans le Dauphiné. Sa cap. était Valence*. Ce comté, réuni au Diois, fut vendu au fils de Charles VI qui ne put s'acquitter, puis au comte de Savoie. Le Valentinois fut réuni à la France (1446), érigé en duché-pairie pour César Borgia, puis pour Diane de Poitiers, enfin (1642) pour les princes de Monaco.

VALENTON. ♦ Comm. du Val-de-Marne, arr. de Créteil. 10 539 hab. Grandes sablières.

VALERA (Eamon *de***).** ♦ V. DE VALERA.

VALERA Y ALCALÁ GALIANO (Juan). ♦ Romancier, essayiste et critique espagnol (1824 — 1905). Diplomate, venu tard à la littérature, Valera a un style précis et naturel qui n'a pas vieilli. Il évoqua à merveille dans ses romans l'atmosphère andalouse et madrilène (*Pepita Jiménez,* 1874; *Juanita la longue,* 1896). Dans son œuvre critique, très importante (essais politiques, religieux, historiques et philosophiques), il se montre un rationaliste sceptique et tolérant.

VALÈRE MAXIME [*Valerius Maximus*]. ♦ Historien latin (~ Ier s. — Ier s.). Auteur de neuf livres de *Faits et dits mémorables,* compilation de brefs récits qui eut un vif succès dans l'Antiquité et au Moyen Âge.

VALÉRIEN, en lat. **Publius Licinius Valerianus.** ♦ (mort en Perse, 260). Empereur romain (253-260). D'une vieille famille patricienne, il avait presque soixante ans lorsqu'il fut proclamé empereur par les légions de Gaule et de Germanie, alors qu'il marchait au secours de Gallus* contre Émilien*. Il reprit la persécution contre les chrétiens (257-258), interrompue par la mort de Dèce* ; le diacre Laurent* (légendaire), les papes Corneille et Sixte* II ainsi que Cyprien* de Carthage furent alors martyrisés. Il associa à l'empire son fils Gallien* à qui il confia la défense de l'Occident. Lui-même fut vaincu par les Perses à la bataille d'Édesse, fait prisonnier et tué par Shahpuhr* Ier.

Valérien *(mont).* ♦ Colline située à l'O. de Paris, sur la r. g. de la Seine, et dominant Suresnes* de ses 161 mètres. Lieu de culte dès l'époque gauloise, le mont Valérien reçut au XVe s. de nombreux ermitages. Le fort, construit en 1830 et consolidé par Thiers* en 1840, tint un rôle important durant le siège de Paris (1871). De 1941 à 1944, plus de 4 500 Français y furent fusillés par les Allemands; depuis 1960, un *mémorial national de la Résistance* rappelle leur souvenir.

VALERIO (Lorenzo). ♦ Écrivain et homme politique italien (Turin, 1810 — Messine, 1865). Après avoir travaillé comme ouvrier, voyagé dans divers pays d'Europe, il dirigea une usine textile dans le Piémont, où il tenta d'apporter des réformes sociales en faveur des ouvriers, et fonda deux journaux (*Lectures populaires,* 1837-1841 ; et *Lectures de famille,* 1842-1847). Député de l'opposition au Parlement subalpin (1848-1860), il dirigea plusieurs journaux radicaux et s'occupa de l'organisation des premières associations mutualistes d'ouvriers. À partir de 1862, il fut nommé sénateur du royaume, puis préfet extraordinaire à Messine.

VALERIUS FLACCUS (Caius). ♦ Poète latin (v. 45 — v. 90), auteur des *Argonautiques,* poème inachevé en huit livres, inspiré d'Apollonios* de Rhodes et écrit dans un style virgilien. Disciple des tragiques, il excella dans la peinture des caractères (Médée, Jason).

VALÉRY (Paul). ♦ Écrivain français (Sète, 1871 — Paris, 1946). Son père, Barthélemy *Valéry,* modification de *Valerj,* descendait d'une famille corse de marins et sa mère, Fanny Grassi, d'une famille fixée à Gênes au XVIIe siècle. Il passa son enfance dans sa ville natale, faisant un bref séjour à Gênes en 1883. Attiré par la mer, il songeait à préparer l'École navale, mais il laissa rapidement « dériver cette passion marine malheureuse vers les lettres et la peinture ». Grand liseur, amateur de poésie, il poursuivit à Paris (1886) des études sans éclat, par « horreur des choses prescrites ». Après le baccalauréat, il commença son droit (1888), s'intéressant surtout aux sciences exactes et à la musique, et commença à écrire des poèmes. Vers dix-neuf ans, il fit la connaissance de Pierre Louÿs, qui devint son ami, écrivit à Mallarmé, qu'il admirait, puis rencontra Gide. C'est vers cette époque que la tension entre un vif narcissisme intellectuel et le détachement requis par le calcul des possibilités humaines, calcul qu'il désirait entreprendre (comme Leibniz l'avait fait au même âge pour la logique du raisonnement), aboutit à une violente crise. La « nuit de Gênes » (1892) fut pour Valéry une rupture; il abandonna ses premières « idoles », l'amour, la poésie, s'éloignant de l'esthétisme, de la recherche du plaisir

Ph. Lauros-Giraudon

Autoportrait de Paul Valéry.
(Bibliothèque nationale, Paris.)

(Gide, Louÿs), pour aller vers l'air raréfié du raisonnement abstrait, sans toutefois renoncer à sensualiser cette abstraction, comme on allait le voir dans ses œuvres. En 1894, lorsqu'il s'installa à Paris, Valéry avait déjà écrit des textes d'importance (*Narcisse parle;* un essai sur l'architecture); c'est cette même année, lors d'un séjour à Montpellier chez son frère aîné, qu'il entreprit *La Soirée avec Monsieur* Teste;* il avait déjà commencé à tenir les cahiers quotidiens qu'il allait continuer jusqu'à sa mort. À travers les grandes influences intellectuelles qui le pénètrent, Mallarmé, Edgar Poe, Léonard de Vinci, tous pionniers de la rigueur et de la lucidité, on perçoit l'unité de l'œuvre qui s'ébauche : *Teste, L'Introduction à la méthode de Léonard de Vinci* et plus tard *Eupalinos ou l'Architecte* (1921) proposent trois personnages géniaux, inventeurs d'une méthode et qui, dans le silence (Teste) ou dans l'action, élaborent, *construisent (texte* et *architecture)* une conscience absolue, témoin *(testis)* de soi-même. En 1895, Valéry entra comme rédacteur au ministère de la Guerre; c'est alors qu'il fréquenta la famille Rouart et, par Henri Rouart, connut Degas. Écrivant de nombreux articles sur des sujets allant de l'art à la politique, ainsi que des poèmes, Valéry commençait à se faire connaître. Il devint très proche de Mallarmé*, peu avant la mort de ce dernier (1898), alors que l'influence qu'avait sur lui Huysmans diminuait. Il se maria en 1900; la même année, il devint secrétaire particulier d'un administrateur de l'agence Havas, ce qui le fit accéder aux cercles fermés de l'information et de la finance. Outre Gide, Louÿs, les Rouart, Degas, il fréquentait de nombreux créateurs, écrivains ou artistes (ainsi Léautaud, Ravel, plus tard Redon); s'intéressant à tout, mais surtout à l'activité de son esprit, il écrivait à sa femme (1908) : « Je fais mon Faust, au milieu de ce désert hanté de mots. » Plus que ses textes publiés, les *Cahiers,* longtemps tenus secrets et qui traversent une période de silence apparent, témoignent de ses thèmes privilégiés : la psychologie (l'attention, le rêve), le langage et la création poétique, le temps, le destin des civilisations et l'histoire, l'art, le calcul et l'action réglée sur les choses, la technique. En 1912, projetant l'édition d'un volume de ses œuvres, il entreprit *La Jeune Parque,* qui parut en 1917, peu avant *La Soirée avec M. Teste, L'Introduction à la méthode* [...] (1919), *Le Cimetière marin* (1920) et *L'Album de vers anciens.* Devenu quasi célèbre depuis la parution de *La Jeune Parque,* très sollicité, invité à l'étranger (il fut reçu par D'Annunzio, par Rilke), il posa sa candidature à l'Académie française, où il fut élu sans encombre en 1925. Absorbé en apparence par la vie mondaine, Valéry notait en 1929 (année où parurent *Charmes,* commentés par Alain, et *Variété II*): « Traversant tant de *Milieux* par semaine – causant ici, causant de là, avec les puissants, les maréchaux, les auteurs, les dames et la politique, je me fais l'effet d'un de ces personnages de Voltaire qui visitaient Paris délégués par Dieu, et lui devant un rapport sur les choses de ce monde... » À quel Dieu Valéry rapporta-t-il la réception qu'il fit au maréchal Pétain sous la Coupole (1929), les honneurs qui pleuvaient sur lui en France, en Angleterre, en Scandinavie, en Allemagne, en Italie? Derrière cette activité officielle, qui lui faisait admettre qu'il était devenu « une espèce de poète d'État » (1932), Valéry, faisant tous les matins sa gymnastique mentale des *Cahiers,* composait *L'Idée fixe* (publié 1932), les essais de *Variété III* (publié 1936), ceux de *Degas, Danse, Dessin (id.).* Nommé professeur de poétique au Collège de France en 1937, il publia *La Cantate du Narcisse* (1938), édita

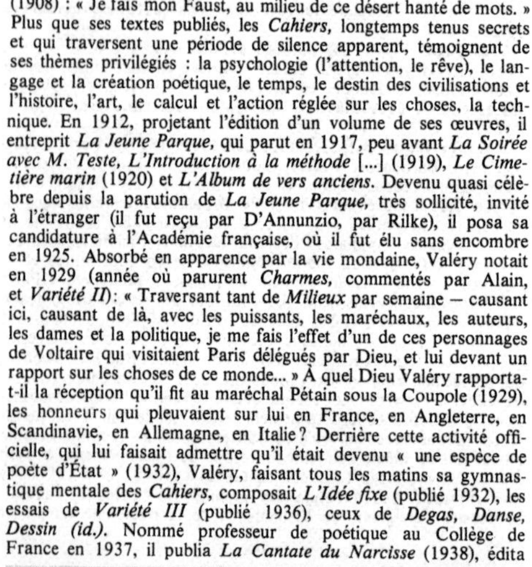

Ph. Lauros-Giraudon

Page manuscrite de **Paul Valéry** avec dessin à la plume pour « Le Cimetière marin ». (Bibliothèque nationale, Paris.)

Variété IV, prononça parmi beaucoup d'autres le *Discours aux chirurgiens,* donna ses cours au Collège de France, où il continua de professer pendant l'Occupation. En cette époque sombre, il acheva *Mon Faust* (1940), regroupa les textes de *Tel quel* (1941) et parvint à publier en 1942 les *Mauvaises Pensées et autres,* malgré quelques difficultés (les autorités d'occupation auraient demandé : « Pourquoi n'écrit-il pas les Bonnes...? ») Il assista à Paris aux combats de la Libération, sans exaltation et comme épuisé par le « fond de désordre, de violence et de bêtise... » que constitue la guerre (et peut-être l'Histoire). De nouveau au faîte de la célébrité et des honneurs, il tomba malade en 1945 et mourut le 24 juil. 1946. On lui fit des obsèques nationales. – Ses « œuvres complètes » avaient paru de 1931 à 1939 (11 vol.), puis le dernier volume, retardé par la guerre, en 1950. Divers textes *(Tel quel, Mélanges, Mauvaises Pensées, Histoires brisées...)* publiés plus tard, des pièces, des essais, des traductions (les *Bucoliques* de Virgile), les deux cent cinquante-sept *Cahiers* (éd., facsimilé par le C.N.R.S.), une vaste correspondance vinrent s'ajouter à cet ensemble. – De l'étudiant attiré par la poésie symboliste, curieux d'art et de science, de psychologie et de droit, requis par l'amour, l'amitié et le besoin de créer *(Poésie),* fasciné enfin par l'exactitude des techniques, à l'écrivain universellement célèbre, absorbé par les travaux de commande et les servitudes de la notoriété, l'unité profonde échappe à toute définition simple. Novateur, Valéry le fut tout autant dans ses discours officiels que dans ses écrits de jeunesse; profond, aussi bien dans les pièces de circonstance que dans les intimes *Cahiers,* il fut peut-être un littérateur secrètement affamé de gloire, même en écrivant *Monsieur Teste,* apologie du silence et de l'obscurité sociale, mais il resta modeste et comme détaché dans ses triomphes, sans doute et dans les deux cas quelque peu méprisant. – On peut facilement, et sans grand profit, classer son œuvre en genres : poèmes, de forme traditionnelle et raffinée (*Album de vers anciens, La Jeune Parque, Charmes, Amphion, Sémiramis,* les *Bucoliques* traduites de Virgile), proses cursives, évocations poétiques ou pensées (*Mélanges, Histoires brisées, Tel quel,* recueil formé « d'aphorismes, de formules, de fragments, ou de propos, voire de boutades », et où figurent les *Rhumbs,* métaphore marine qui désigne « une certaine direction privilégiée de [son] esprit », les *Mauvaises Pensées*); essais et études littéraires, philosophiques, politiques, artistiques, esthétiques et poétiques *(Variétés, Regards sur le monde actuel, Pièces sur l'art);* « dialogues » d'idées *(Eupalinos, L'Âme et la Danse, Dialogue de l'arbre, L'Idée fixe, Mon Faust).* Un peu à part, les textes groupés autour du personnage imaginaire, improbable et nécessaire de *Monsieur Teste* et l'énorme, l'inépuisable massif des *Cahiers,* plus riche encore que la vaste *Correspondance.* Cette œuvre est un tout, animée par une dialectique : création (poésie) et réflexion s'y stimulent et s'y menacent. Valéry créateur, poète et ingénieur se voit créant et se commente. Les *Cahiers,* notamment, sont une féconde et inlassable réflexion sur l'activité d'un esprit hors du commun en puissance de poésie. En revanche, la réflexion et l'essai prennent souvent chez l'écrivain valeur de création pure : « théâtre d'idées », mythologies familières où se meuvent, comme au guignol qu'il animait pour ses enfants, les personnages à forte tête (mais à corps suggéré) de *Monsieur Teste* ou de *L'Idée fixe.* Ce va-et-vient est fondamental, mais tolère des à-côtés : les textes où Valéry parle des créations d'autrui (textes littéraires, œuvres d'art), d'où il fait toujours sortir une leçon de méthode (ou d'antiméthode) pour lui-même; ceux où il analyse ces créations collectives et impures que sont les politiques et les civilisations. Dans ce domaine, les conditions historiques et sociales de son activité se révèlent comme des limites. Penseur et poète officiel d'une intelligentzia bourgeoise, Valéry a cependant su préserver et réserver une distance de pessimisme entre son public et son œuvre. Sans aller aussi loin que Mallarmé dans la subversion des rapports admis entre l'« auteur » et le texte, il a cherché avec une obstination inspirée les conditions de la modernité. Poète exigeant, il parvint par la recherche lexicale, syntaxique, prosodique à une certaine perfection classique, aboutissement d'une tradition française où l'inspiration antique de la Renaissance, la pureté malherbienne et les enrichissements rythmiques du XIXᵉ s. (de Hugo à Verlaine) sont embrassés et rebrassés. À la suite de Mallarmé, il voulut atteindre par la dialectique du son et du sens une pureté qui fût gage de durée : seul le texte poétique, qui n'a d'autre visée que sa propre existence esthétique, assure la survie du langage, ailleurs transitoire par nature. Et *La Jeune Parque* comme *Charmes* visent à atteindre sensuellement le lecteur par l'abstraction même; antinomie superficielle qui recouvre l'union interne d'un phénomène concret (le discours, ses bruits et ses traces) et de la signifiance qui en est indissoluble. – Essayiste, Valéry énonça et analysa avec une lucidité, une intelligence et une force d'expression quasi constantes les conditions de toute activité mentale. Peu sensible à l'influence des principales philosophies modernes (post-hégéliennes et dialectiques, ou bien phénoménologiques, bien qu'il soit proche de certains thèmes husserliens), influencé par la pensée bergsonienne et enclin au psychologisme, Valéry occupe cependant, surtout par les *Cahiers,* une place éminente dans la philosophie du langage et dans la théorie littéraire, comme en épistémologie. Le caractère isolé de ses recherches, à l'écart des sciences constituées pour lesquelles il professait une saine méfiance, ne doit pas en masquer l'importance.

Ph. Giraudon

Jules Vallès, par Gustave Courbet. (Musée Carnavalet, Paris.)

VALETTE (La). ♦ **V.** La Valette.

Valeur militaire *(croix de la).* ♦ Décoration française créée en 1956 pour récompenser les actes de bravoure accomplis par des militaires ou des civils lors de la guerre d'Algérie.

Valeur militaire *(médaille de la).* ♦ Décoration italienne créée en 1833 par le roi Charles-Albert.

VALINCO *(golfe de).* ♦ Golfe de la côte S.-O. de la Corse*.

Valjean (Jean). ♦ Personnage central du roman de Victor Hugo* *Les Misérables** (1862). Hors-la-loi capable de reconquérir sa noblesse morale, il symbolise la conscience qui se libère de l'asservissement et de l'humiliation.

VALKYRIE. ♦ **V.** Walkyries.

VALLA (Lorenzo della VALLE, dit **Laurentius).** ♦ Humaniste italien (Rome, 1407 – 1457). Il enseigna à Pavie, Naples et Rome. Philologue érudit, il traduisit et contribua à faire connaître les œuvres des Anciens. Il fut l'un des premiers écrivains de la Renaissance à vouloir accorder la sagesse des Anciens et la morale chrétienne. Il est l'auteur de nombreux ouvrages, *De voluptate, Disputationes dialecticae* (contre l'aristotélisme des penseurs du Moyen Âge), *Elegantiae linguae latinae* (étude de la langue latine à partir des textes), *In Novum Testamentum adnotationes.* Dans des ouvrâges polémiques, il prit position contre le pouvoir temporel du pape.

VALLADOLID. ♦ V. d'Espagne, en Vieille-Castille*. Ch.-l. de prov. sur la r. g. du Pisuerga. 172 200 hab. Archevêché, université. L'essor industriel (indus. alimentaires, constructions automobiles, aluminium, indus. chimiques) est spectaculaire. Nombreux monuments de la Renaissance et du XVIe s. : cathédrale bâtie sur les plans de Herrera (XVIe s.), musée collégial (œuvres de Berruguete*, J. de Juni*). ♦ *Hist.* La *Belad Valed* arabe devint au XVIe s. la résidence favorite des rois de Castille. Ferdinand d'Aragon et Isabelle de Castille s'y marièrent. Christophe Colomb y mourut en 1506. Philippe II y installa sa cour de 1560 à 1601. Cervantes y résida. La ville fut un bastion du franquisme durant la guerre civile.

VÂLLATHÔL. ♦ Poète indien (1878 – 1958) originaire du Kerala et d'expression malayâlam, idéaliste et nationaliste influencé par Rabindranâth Tagore* et par le christianisme. Il rénova la tradition des danses religieuses du Kathakali* et traduisit dans sa langue de nombreux classiques sanskrits.

VALLAURIS [valɔʀis]. ♦ Comm. des Alpes*-Maritimes, arr. de Grasse*. 13 174 hab. *(Vallauriens).* – Ancien château des moines de Lérins (XVIe s.), chapelle décorée par Picasso*. – Grand centre français de la céramique, encouragé par Picasso. – Fabrique de parfums.

VALLE (Pietro *della***).** ♦ Voyageur italien (Venise, ? 1586 – 1652). Il parcourut l'Égypte, la Syrie, la Mésopotamie et la Perse, découvrit les ruines de Babylone et de Persépolis. Ses travaux sur la langue copte influencèrent ceux du père A. Kircher*.

VALLÉE DES ROIS, en ar. **Biban al-Molûk.** ♦ Site archéologique d'Égypte situé au N.-O. de l'anc. Thèbes, derrière les collines de Deir* el-Bahari ; nécropole des pharaons des XVIIIe, XIXe et XXe dynasties (~ 1530-~ 1085), de Touthmôsis* Ier à Ramsès* XI. Les tombes thébaines ou syringes, creusées au flanc d'une colline désertique, consistent en une longue galerie en pente douce divisée en trois compartiments par des étranglements successifs flanqués d'un nombre variable de niches ou chapelles latérales et aboutissant à une ou plusieurs chambres dont le plafond est supporté par des piliers. Au fond de l'hypogée, dans la chambre funéraire, se trouvait le sarcophage de pierre où était déposée la momie royale et, dans les chambres adjacentes, le mobilier qui devait satisfaire aux besoins du mort dans l'autre monde. Les murs étaient décorés de fresques et de sculptures représentant le pharaon en présence des divinités de l'au-delà. Ces tombes ont été fouillées depuis 1818 par Belzoni*, Loret* (1898-1899), Théodore Davis (1903-1913), lord Carnarvon et H. Carter* (1913-1923). On en connaît actuellement cinquante-huit. La plupart d'entre elles avaient été violées dès la fin du Nouvel Empire et étaient déjà ouvertes aux touristes à l'époque romaine. Seule celle de Toutânkhamon* a été trouvée intacte. Les plus belles sont celles de Séthi* Ier (no 17) et d'Aménophis* II (no 35). On adjoint généralement à la Vallée des Rois, les tombeaux de la *Vallée des Singes* (ainsi nommée en raison de l'existence d'une nécropole de singes sacrés) dont deux seulement sont accessibles : ceux d'Aménophis* III et du général Aï. – À quelques kilomètres au S. se trouve la *Vallée des Reines* (en ar. *Biban al-Harim*), nécropole réservée aux reines et à quelques princes royaux des XIXe et XXe dynasties. Les plus belles hypogées sont celles de Néfertari*, femme de Ramsès* II (no 66), celle du prince Khamouast, fils de Ramsès* III (no 44), et celle de la reine Tithi, femme de l'un des Ramsès de la XXe dynastie (no 52).

VALLE INCLÁN (Ramón *del***).** ♦ Écrivain espagnol (Galice, 1869 – Saint-Jacques-de-Compostelle, 1936). Il est l'auteur d'une œuvre abondante et de tendances diverses. Ses premières poésies se rattachent au mouvement moderniste : les *Sonates* (1902-1905) mettent en scène le double de l'auteur, le marquis de Bradomín « laid, catholique et sentimental », qui apparaît dans des romans ultérieurs. Les *Comédies barbares* révèlent un goût du réalisme violent, qui s'épanouit aussi dans des œuvres à caractère populaire et régional, surtout galicien *(La Guerre carliste).* Une sorte de réalisme poétique se retrouve dans des pièces en prose où se mêlent le macabre et le comique dans un genre appelé *esperpento.* Toute l'œuvre de V. Inclán, son ironie, son imagination, l'audace de son style révèlent un tempérament passionné et indépendant.

VALLEJO (César). ♦ Poète péruvien (Pérou, 1892 – Paris, 1938). Sa mélancolie de métis s'exprime par un lyrisme intime, angoissé, qui s'épanouit ensuite en un sentiment humain plus large, en amour panthéiste des êtres et des choses (*Poèmes humains,* posthume 1939 ; *Trilce ; Le Tungstène,* 1931, roman social d'inspiration marxiste).

VALLERY-RADOT (Louis PASTEUR). ♦ **V.** Pasteur Vallery-Radot.

VALLERYSTHAL. ♦ Localité de la Moselle, arr. de Sarrebourg, section de la commune de Trois-Fontaines. Grande verrerie.

VALLÈS [valɛs] **(Jules).** ♦ Écrivain et journaliste français (Le Puy, 1832 – Paris, 1885). Venu à Paris pour se consacrer aux lettres, il effectua divers métiers ; puis, polémiste sans concession, il réunit ses différents articles (écrits entre 1861 et 1865) dans *Les Réfractaires* (1866) et *La Rue* (1867) où il montre un enthousiasme sincère pour les prolétaires. En 1871, il fut nommé membre de la Commune qu'il défendit dans son journal *le Cri du peuple.* Condamné à mort à la fin de l'insurrection, il se réfugia à Londres et ne regagna Paris qu'en 1883. Sa trilogie romanesque, *Jacques Vingtras* (1879-1886), comporte trois parties, *L'Enfant, Le Bachelier* et *L'Insurgé,* qui évoquent la jeunesse, les luttes de l'auteur, puis le climat tragique de la Commune. Mû par une haine sincère des injustices de la société bourgeoise (et de l'éducation qu'elle dispense), Jules Vallès ne prétend pas à l'objectivité, mais rédige en un style animé, enrichi d'images inattendues et à la syntaxe parfois déconcertante, des œuvres dont le réalisme, par sa violence, est souvent saisissant et parfois animé d'un lyrisme révolutionnaire.

VALLESPIR. *n. m.* ♦ Région des Pyrénées* orientales correspondant à la haute vallée du Tech*. C'est une zone pastorale et montagnarde, qui comprend les communes les plus méridionales du territoire français. **V. Prats-de-Mollo-la-Preste, Amélie-les-Bains.** Vergers et cultures dans la vallée ; forêts de hêtres et de châtaigniers, vastes pâturages dans la partie amont. Activités industrielles : bois, usines hydro-électriques, indus. textiles, exploitation de carrières et de minerai de fer.

VALLET. ♦ Ch.-l. de cant. de la Loire-Atlantique, arr. de Nantes. 4 603 hab. (1 588 aggl). Vignobles.

VALLEYFIELD. ♦ V. du Canada (Québec) sur la rive S. du Saint-Laurent, en aval de Montréal. 27 300 hab. Évêché. – Raffinerie de zinc ; textiles.

VALLIN (Ninon). ♦ Cantatrice française (Montalieu-Vercieu, 1886 – La Sauvagère-La Millery, près de Lyon, 1961). Soprano lyrique, elle débuta à Paris dans *Le Martyre de saint Sébastien* (1911) et fut engagée à l'Opéra-Comique (1912), puis à l'Opéra (1920). Elle s'est illustrée dans l'interprétation des grands rôles du répertoire lyrique *(Manon, Louise, Thaïs, Faust, Alceste, La Damnation de Faust).* Elle entreprit de nombreuses tournées à travers le monde, notamment en Amérique du Sud, et fut, au concert, une remarquable interprète de la mélodie française (Massenet, Fauré, Duparc, Hahn).

Arch. Smeets

Félix Vallotton : « Portrait de Mme Vallotton », vers 1900. (Musée national d'Art moderne, Paris.)

VALLOIRE. ♦ Comm. de Savoie*, arr. de Saint*-Jean-de-Maurienne, en Maurienne*. 1 077 hab. – Église du XVIIe siècle. Station d'été et de sports d'hiver à 1 430 mètres.

VALLOIS (Henri Victor). ♦ Anthropologue et paléontologue français (Nancy, 1889). Directeur du musée de l'Homme (1950), il a publié : *Traité d'anthropologie* (1926), *Les Races humaines* (1944), *La Paléontologie et l'origine de l'homme* (1950). Contre la théorie polygéniste sur l'origine de l'homme, il soutint que « l'ensemble de l'humanité dérive d'un petit groupe primitif qui s'est différencié à l'époque tertiaire ». (Acad. méd., 1953.)

VALLON-PONT-D'ARC. ♦ Ch.-l. de cant. de l'Ardèche*, arr. de Largentière*, près de l'Ardèche*. 1 907 hab. *(Vallonnais).* – Aux environs se trouve le site dit *le pont d'Arc*, arcade creusée par l'Ardèche et formant un pont naturel. C'est de là que se fait l'embarquement pour la descente du canyon de l'Ardèche. – Patrie de A. Sabatier*.

VALLORBE. ♦ Comm. de Suisse (Jura), cant. de Vaud. 4 000 hab. Quincaillerie, constructions métalliques.

VALLOT (Joseph). ♦ Astronome et géographe français (Lodève, 1854 – Nice, 1925). Il étudia le mont Blanc et installa un observatoire à Chamonix et aux Bosses. Il établit une carte du massif et écrivit les *Annales de l'observatoire du mont Blanc.*

VALLOTTON (Félix). ♦ Peintre, dessinateur, graveur et écrivain français d'origine suisse (Lausanne, 1865 – Paris, 1925). Élève à l'académie Julian, il devint l'ami des peintres nabis, exposa avec eux, restant cependant foncièrement indépendant. Il devint un maître de la xylographie et donna ses illustrations à *la Gazette de Lausanne, la Revue blanche,* au *Rire,* au *Courrier français.* Dans ses séries de planches *(C'est la guerre, Intimités, Crimes et châtiments),* il fit preuve d'un esprit caustique et, ayant assimilé la leçon des Japonais, il eut l'art, avec ses mises en pages et ses raccourcis audacieux, son graphisme elliptique, de jouer du contraste des blancs et de larges masses noires uniformes. Sa peinture dénote des influences éclectiques : Holbein, Ingres, le réalisme et, momentanément, la technique divisionniste. Dans sa maturité, il peignit plusieurs nus féminins d'une facture brutale et sèche, aux formes raidies, dans une gamme de tons acides révélant des intentions acerbes. Il écrivit aussi plusieurs ouvrages pessimistes *(La Vie meurtrière,* roman).

VALLOUISE. ♦ Comm. des Hautes-Alpes*, arr. de Briançon*, 417 hab. – Église du XVe s., chalets à galeries de bois. Station de sports d'hiver et d'alpinisme (1 159 m). Le village a donné son nom à la vallée de la Gyronde, affl. de la Durance*, appelée la *Vallouise.*

VÂLMÎKI. ♦ Sage indien, peut-être mythique, peut-être pseudonyme collectif, à qui la tradition indienne attribue la rédaction du *Râmâyana**, grand poème épique indien.

VALMONT. ♦ Ch.-l. de cant. de la Seine*-Maritime, arr. du Havre*, dans le pays de Caux*. 818 hab. *(Valmontais).* – Château des XVe et XVIe s. ; ancienne abbaye du XIIe siècle.

VALMY. ♦ Comm. de la Marne, arr. de Sainte-Menehould. 291 hab. ♦ *Hist.* Bataille remportée par l'armée française commandée par Dumouriez* et Kellermann* sur l'armée prussienne du duc de Brunswick* (20 sept. 1792). Cette bataille, qui se réduisit pratiquement à une violente canonnade, mit fin à l'invasion de la France révolutionnaire et fut la première victoire de la République. Goethe, qui y avait assisté, eut cette phrase : « D'aujourd'hui et de ce lieu date une ère nouvelle dans l'histoire du monde. »

VALOGNES. ♦ Ch.-l. de cant. de la Manche*, arr. de Cherbourg*. 6 106 hab. *(Valognais).* – Église Saint-Malo (reconstruite). Hôtels anciens. Ruines romaines dites *le Vieux-Château.* – Grand centre du commerce et de l'indus. du beurre. – Patrie de F. Vicq* d'Azyr, J.-B. Boissière*, J. Pelouze*. La ville a été très endommagée en 1944.

VALOIS. ♦ Branche des Capétiens* qui régna en France de 1328 à 1589. Son fondateur fut Charles, fils de Philippe III le Hardi, qui reçut le Valois en apanage. Son fils Philippe VI accéda au trône après que les trois fils de Philippe IV le Bel furent morts sans héritiers, et cet avènement fut le prétexte de la guerre de Cent* Ans. – Aux *Valois directs* **(V. Philippe VI, Jean II, Charles V, Charles VI, Charles VII, Louis XI, Charles VIII)** succédèrent les *Valois-Orléans,* avec Louis XII, arrière-petit-fils de Charles V, puis les *Valois-Angoulême* avec François Ier, descendant également de Charles V **(V. François Ier, Henri II, François II, Charles IX, Henri III).** Le trône passa ensuite à la maison de Bourbon.

VALOIS (Alfred Georges GRESSENT, dit Georges). ♦ Homme politique français (?, 1878 – Bergen-Belsen, 1945). Autodidacte, formé par la lecture de Proudhon, Sorel et Nietzsche, attiré quelque temps par le syndicalisme révolutionnaire, il adhéra à l'Action française, puis fonda le mouvement du Faisceau (1925), imité du fascisme italien, dont il devait se séparer dès 1935. Résistant, Valois fut déporté à Bergen-Belsen. *(L'Économie nouvelle, La Monarchie et la Classe ouvrière, La Réforme économique et sociale.)*

VALOIS (Edris STANNUS, dite Ninette De). ♦ **V.** DE VALOIS (Ninette).

VALOIS. *n. m.* ♦ Pays du centre du Bassin parisien, situé aux confins du Soissonnais. Il correspond à l'E. du dép. de l'Oise* et au S. du dép. de l'Aisne*. *V. princ.* Crépy-en-Valois. ♦ *Hist.* Rattaché au domaine royal sous Philippe Auguste, il fut donné (1284) par Philippe III le Hardi, en apanage, à son fils Charles, père de Philippe VI de Valois. En 1406 il devint propriété de la maison des ducs d'Orléans.

VALONA. ♦ **V.** VLORË.

VALPARAÍSO. ♦ V. et premier port du Chili (ch.-l. de prov.) sur le Pacifique* dont elle est le deuxième port après San Francisco. 275 000 hab. (1969). – Groupée avec les agglomérations voisines, dont celle de Viña* del Mar, la ville est le débouché de la riche vallée de l'Aconcagua* au N. et abrite un grand complexe industriel (indus. alimentaires, mécaniques, cuir, pêcheries, tabac), auquel s'ajoutent les indus. pétrolières du Concón. Construite sur les collines, elle est la tête de ligne du Transandin Santiago*-Buenos Aires. ♦ *Hist.* La baie au fond de laquelle s'est développé le port fut découverte en 1536, par l'équipe de l'explorateur Almagro, sous la direction de J. de Saavedra. La ville fut fondée par Valdivia* en 1544. – La *province de Valparaíso,* la plus petite du Chili (4 818 km²), compte 688 000 hab. environ.

VALPOLICELLA. ♦ Région d'Italie, en Vénétie* (prov. de Vérone), entre les monts Lessini et l'Adige, célèbre pour ses vins rouges.

VALRAS-PLAGE. ♦ Comm. de l'Hérault, arr. de Béziers, près de l'embouchure de l'Orb. 2 190 hab. Station balnéaire et climatique en développement.

VALRÉAS [valʀeas]. ♦ Ch.-l. de cant. du Vaucluse*, arr. d'Avignon*, 8 007 hab. *(Valréassiens).* – Église romane, restes d'une enceinte et d'un château du XIVe siècle. – Indus. du cartonnage, mobilier de bureau. – Patrie de J.S. Maury*. ♦ *Hist.* Le 12 juin 1943, les nazis y abattirent cinquante-trois otages pris au hasard.

VALROMEY. *n. m.* ♦ Pays de l'ancienne France, dans le Jura* (dép. de l'Ain). C'est une longue dépression orientée N.-S., arrosée par le Séran. – Fabrication de fromages du genre gruyère. ♦ *Hist.* Le Valromey appartint aux comtes de Genève, puis à la maison de Savoie qui le céda à la France sous Henri IV au traité de Lyon (1601). Il fut érigé en duché par Louis XIII pour la maison d'Urfé.

VALSALVA (Antonio Maria). ♦ Anatomiste italien (Imola, 1666 – 1723). Élève de Malpighi à Bologne, il est connu par ses travaux sur l'anatomie de l'oreille : *De aure humana tractatus,* 1704. On a nommé *sinus de Valsalva* la dilatation de l'aorte à son orifice.

VALSERINE. *n. f.* ♦ Riv. du Jura*, affl. du Rhône* (50 km). Elle conflue à Bellegarde*.

VALS [vals]**-LES-BAINS.** ♦ Comm. de l'Ardèche*, arr. de Privas*, sur la Volane. 4 190 hab. *(Valsois).* Station thermale ; les eaux sont utilisées pour les maladies de l'estomac et de l'intestin, et la goutte. – Fruits. Moulinage de la soie.

VALTELINE. *n. f.,* en it. **Valtellina.** ♦ Vallée glaciaire des Alpes italiennes, comprise entre les Alpes des Grisons et les Alpes Rhétiques au N., et les Alpes Bergamasques au S., correspondant à la haute vallée de l'Adda* et orientée est-ouest. *V. princ.* **V. Sondrio.** – Le versant S. est couvert de cultures, tandis que le N. est le domaine des pâturages. Important potentiel électrique. Tourisme. ♦ *Hist.* À l'époque romaine, la Valteline formait la partie méridionale de la Rhétie*. Âprement disputée entre Coire, Côme et Milan, elle revint à cette dernière au XVe s., puis aux ligues suisses au XVIe s. Point stratégique important pendant la guerre de Trente* Ans : Richelieu essaya vainement d'empêcher les Impériaux de passer en Lombardie pour soutenir leurs alliés espagnols. Elle appartient à l'Italie depuis 1859.

VAN *(lac de)*. ♦ Lac salé de Turquie orientale, près de la frontière iranienne, à 1 700 m d'altitude. 3 740 km². Il est entouré de hautes montagnes volcaniques.

VAN. ♦ V. de Turquie, sur la rive E. du *lac de Van**, en Anatolie orientale. Ch.-l. de la prov. homonyme. 31 010 hab. (1965). Musée archéologique renfermant des inscriptions urartéennes trouvées près de la ville **(V. Urartu).** – Centre commercial (fruits, légumes, peaux).

VAN ARTEVELDE (Jacob). ♦ Homme politique flamand (Gand, v. 1290 – *id.*, 1345). Opposé à l'alliance du comte Louis* de Nevers avec la France au début de la guerre de Cent Ans – politique qui entraîna une crise économique, le roi d'Angleterre Édouard III ayant mis l'embargo sur l'exportation des laines vers la Flandre –, il prit la tête de la révolution qui chassa le comte (1337). Il exerça la dictature à Gand et soutint les prétentions d'Édouard III au trône de France, faisant ainsi passer la Flandre dans le camp anglais (1340). Il fut massacré au cours d'une émeute. ♦ PHILIP VAN ARTEVELDE, son fils. Homme politique flamand (Gand, 1340 – Rozebeke, 1382). Chef de la révolte de Gand contre le comte de Flandre Louis II de Male (1381), il fut vaincu et tué à Rozebeke (1382).

VAN BENEDEN (Pierre). ♦ Zoologiste belge (Malines, 1809 – Louvain, 1894). Membre de l'Académie des sciences de Belgique, il est l'auteur d'une *Zoologie médicale* (1859) et d'une *Ostéographie des cétacés vivants et fossiles* (1868-1877). ♦ ÉDOUARD VAN BENEDEN, son fils. Zoologiste et embryologiste belge (Louvain, 1846 – Liège, 1910). Il utilisa l'ascaride de cheval pour mettre en évidence les chromosomes : il montra qu'ils sont en nombre égal dans le noyau de l'ovule et dans le spermatozoïde, et que le noyau des gamètes contient deux fois moins de chromosomes que celui des cellules germinales : mécanisme de la méiose ou réduction chromatique, confirmée par Th. Boveri*.

VANBRUGH (*sir* John). ♦ Dramaturge et architecte anglais (Londres, 1664 – *id.*, 1726). Son œuvre dramatique, où prédomine une verve assez grosse, met en accusation l'hypocrisie de la bourgeoisie anglaise : *La Rechute* (*The Relapse*, 1696), *La Femme provoquée* (*The Provoked Wife*, 1697). – En qualité d'architecte, il a édifié le château de Blenheim, pour le duc de Marlborough (1705-1724) et l'Orangerie de Kensington, pour le roi George Ier (1704).

VAN BUREN (Martin). ♦ Homme politique américain (Kinderhook, New York, 1782 – *id.*, 1862), huitième président des États-Unis. Fils d'un fermier, il devint avocat, puis sénateur et fit partie de l'entourage de Jackson* dont il fut le continuateur, quand il lui succéda à la présidence. Confronté à la crise économique de 1837 et opposé à l'annexion du Texas, il perdit toute popularité.

VAN CLEVE (Joos *van der* BEKE, dit). ♦ Peintre flamand d'origine allemande (Clèves, ? 1484 – Anvers, 1540). Il fut longtemps appelé le *Maître de la Mort de Marie*, d'après un retable traitant ce thème et qui date de ses débuts. On le trouve inscrit à la gilde d'Anvers en 1511 et sa carrière se déroula presque entièrement dans cette ville. Ses œuvres semblent refléter les influences conjuguées de Memlinc*, de G. David* et de Patenier* pour les fonds de paysages, mais sa prédilection pour les formes élégantes et paisibles, intégrées sans heurt dans le paysage environnant, porte aussi la marque d'un italianisme discret, apparenté à celui de Metsys*. La douceur de son modelé traité en demi-teintes est proche de la technique du « sfumato » de Léonard* de Vinci. Sa renommée comme portraitiste fut telle que François Ier l'appela pour peindre son portrait et celui de la reine Éléonore; dans ce genre, il usait en général d'un éclairage plus tranché *(portrait d'un Bativoglio)* et sa facture n'est pas sans présenter des affinités avec celle de Clouet*.

Ph. Nino Cirani/Ricciarini
Panorama de **Vancouver** au bord de l'océan Pacifique.

VANCOUVER (George). ♦ Navigateur anglais (King's Lynn, 1757 – Richmond, 1798). Après avoir participé aux deuxième et troisième voyages de Cook*, il fut désigné par le gouvernement britannique pour explorer la côte N.-O. de l'Amérique du Nord (et obtenir la restitution de la région située au N. de San Francisco occupée par les Espagnols en 1789). Parti de Falmouth en 1791 avec deux navires, le *Discovery* et le *Chatham* (commandé par Broughton), il explora l'océan Pacifique et fut le premier à établir la carte précise du littoral N.-O. du Canada et en particulier de l'île qui porte son nom (*Voyage de découvertes à l'océan Pacifique du Nord et autour du monde,* publié en 1798 par le frère de Vancouver).

VANCOUVER *(île)*, en angl. **Vancouver Island.** ♦ Grande île canadienne de la Colombie* britannique, sur la côte du Pacifique, séparée du continent par les détroits de la Reine-Charlotte au N., de Juan de Fuca au S. et de Géorgie à l'est. Env. 450 km de long sur 80 km (32 137 km²). 167 000 hab. *V. princ.* **V. Victoria.** – L'île est montagneuse (600 à 1 200 m en moyenne; 2 150 m au pic Victoria); ses côtes sont profondément creusées de fjords, les lacs et les fleuves sont nombreux. – Forêts, pêche; agriculture à l'E.; gisements de charbon, minerai de fer, de cuivre.

VANCOUVER. ♦ V. et port du Canada, située au S.-O. de la Colombie britannique, sur le Pacifique. 426 256 hab. (1971); zone urbaine (avec New* Westminster, *West Vancouver*). 1 082 352 hab. (1971). Troisième ville du Canada. La ville est dans un site pittoresque, entre le fjord de Burrard Inlet et ses montagnes au N., et le delta du fleuve Fraser, au sud. Le climat est l'un des plus doux du Canada (janv. : 3 °C, juil. 18 °C). Centre commercial et financier de l'Ouest canadien. Nombreuses indus. : bois et papier, sidérurgie, raffineries de pétrole, indus. chimiques et alimentaires. L'énergie provient de l'hydro-électricité (barrages près de la côte) et du gaz naturel amené par gazoducs du N.-E. de la province. – Le port, ouvert toute l'année, est très actif. Terminus ouest des quatre grandes lignes de ch. de fer : *Canadian Pacific, Canadian National, Pacific Great Eastern* (vers le N. de la prov.) et *Great Northern* (venant de Seattle). – Des ponts suspendus relient la ville à ses faubourgs. – Universités : de Colombie britannique et Simon Fraser. ♦ *Hist.* Le site fut visité par G. Vancouver en 1792, mais le premier établissement ne date que de 1865. La construction du *Canadian Pacific* développa la ville, ravagée par un incendie en 1886. En 1910, Vancouver avait déjà 100 000 habitants. L'ouverture du canal de Panamá accrut l'importance du port.

VANČURA (Vladislav). ♦ Romancier tchèque (Haje, près d'Opava, 1891 – Prague, 1942). Dans un style d'une hardiesse très personnelle, il décrivit un monde passionné et tragique en proie à l'injustice : *Le Boulanger Jan Marhoul* (1924), *Un été capricieux* (1925), *Le Jugement dernier* (1926), *Marketa Lazarova* (1931), *La Fuite à Buda* (1932), *Trois Rivières* (1936). Il fut exécuté par les Allemands en 1942.

VANDALES. *n. m. pl.* ♦ Groupe de peuples germaniques établis principalement entre la Vistule et l'Oder au IIIe s. **(V. Silésie),** émigrés par la suite vers le S.-E. et l'Ouest (Danube, Main). Entraînant les Suèves* et les Alains*, ils franchirent le Rhin en 406, pillèrent la Gaule, puis, en 409, gagnèrent l'Espagne **(V. Andalousie).** Combattus par les Wisigoths*, ils gagnèrent l'Afrique en 429 où ils conquirent sous Genséric la Numidie (E. de l'Algérie), la Byzacène et la Proconsulaire (Tunisie). Maîtres de la mer par la conquête de la Corse, de la Sardaigne, des Baléares et provisoirement de la Sicile, ils pillèrent les côtes de la Méditerranée. Ils ne réussirent pas à établir un État durable. Ariens, ils persécutèrent les catholiques (surtout de 482 à 484, sous Hunéric); ils furent incapables d'établir la fusion entre Barbares et Romains et, menacés par les Berbères et les grands nomades, ne purent opposer qu'une faible résistance à la reconquête byzantine menée en 533-534 sous Justinien* Ier par Bélisaire* **(V. Gélimer).**

VAN DE GRAAFF (Robert Jemison). ♦ Physicien américain (Tuscaloosa, Alabama, 1901 – Boston, 1967). Il inventa, en 1930, une grande machine électrostatique (*statitron* ou *accélérateur de Van de Graaff*) de plusieurs millions de volts, destinée à l'accélération des particules. **V. Cockcroft.**

VAN DEN BOSCH (Johannes, *comte*). ♦ Homme politique néerlandais (Herwijnen, Gueldre, 1780 – Boschlust, près de La Haye, 1844). Commissaire général pour les Antilles et le Surinam (1827-1828), il fonda la banque de Curaçao. Gouverneur général des Indes néerlandaises (1830-1833), il inventa le système de culture *(cultuurstelsel)* qui donnait au gouvernement néerlandais le cinquième des terres et le cinquième des journées de travail. Les très importants bénéfices qui en furent tirés permirent aux Pays-Bas de rétablir leur situation financière mais ce système trop pénible aux populations fut supprimé en 1877. Van den Bosch fut ensuite ministre des Colonies (1834-1839).

VAN DEN VONDEL (Joost). ♦ Poète dramatique hollandais (Cologne, 1587 – Amsterdam, 1679). Auteur de poésies lyriques et satiriques, il s'est surtout illustré au théâtre par ses vingt-quatre tragédies avec chœurs dont la plupart sont d'inspiration religieuse (*Gijsbrecht van Amstel,* 1637; *Lucifer,* 1654; *Adam exilé,* 1664). Un lyrisme robuste et coloré s'y conjugue avec un dessein moralisateur.

VAN DE POELE (Karel Joseph). ♦ Technicien belge (Lichtervelde, 1846 – Lynn, 1892). Auteur de nombreuses inventions dont la traction électrique par trolley.

VAN DER GOES (Hugo). ♦ **V.** GOES (Hugo Van der).

VAN DER HELST (Bartholomeus). ♦ Peintre hollandais (Haarlem, 1613 – Amsterdam, 1670). Élève du peintre Nicolas Eliasz, il poursuivit la tradition du portrait hollandais en pratiquant un art sévère et précis; l'objectivité de sa vision, son habileté à rendre les étoffes, les détails précieux, son souci de mettre en valeur l'appartenance de ses modèles à une classe sociale et à une profession déterminées lui valurent la faveur de la clientèle bourgeoise; il fut aussi peintre officiel de la maison d'Orange. Il sut donner parfois un accent plus intime et élégant à ses portraits *(La Dame en bleu; Portrait de l'artiste)*. Auteur de nombreux portraits collectifs (*Quatre Chefs de la confrérie de Saint-Sébastien; Banquet de la garde civique pour fêter la conclusion de la paix de Münster,* 1648). Il réalisa notamment *La Compagnie du capitaine Roelof Bicker,* entre 1639 et 1643, destinée comme la *Ronde de nuit* de Rembrandt* à la gilde des arquebusiers d'Amsterdam et dont la composition et le traitement plus conformistes obtinrent une approbation unanime.

VAN DER MEERSCH (Jean André). ♦ Général belge (Menin, 1734 – Dadizeele, 1792). Il servit la France pendant la guerre de Sept* Ans, puis l'Autriche, avant de prendre contre elle la direction des forces de l'insurrection brabançonne (victoire de Turnhout, 1789). Partisan de Vonck, il fut jeté en prison par Van* der Noot.

VAN DER MEERSCH (Maxence). ♦ Écrivain français (Roubaix, 1907 – Le Touquet, 1951). Il fit ses études de droit et de lettres et exerça pendant deux ans la profession d'avocat à Lille, tout en collaborant à divers journaux. En 1932, il publia *La Maison dans la dune,* dont le succès fut immédiat. Cette histoire d'un contrebandier fut suivie en 1933 par *Quand les sirènes se taisent,* récit d'une grève du textile à Roubaix. Van der Meersch obtint en 1936 le prix Goncourt pour l'*Empreinte du Dieu* et en 1943 le grand prix de l'Académie française pour *Corps et Âmes.* Il publia de nombreux romans et études : *Car ils savent ce qu'ils font* (1933); *Le Péché du monde* (1934); *Invasion 14; Maria, fille de Flandre* (1935); *L'Élu* (1937); *Pêcheur d'hommes* (1940); *Vie du curé d'Ars* (1942); *Femmes à l'encan* (1945); *La Petite Sainte Thérèse* (1947); *La Fille pauvre* (1948); *La Compagne* (1955). Né en Flandre, Van der Meersch a su, dans ses romans, suggérer le calme poésie des paysages de sa province d'origine. Écrivain catholique, il a raconté la vie des cités industrielles du Nord dans un esprit populiste fondé sur une attitude profondément paternaliste.

VAN DER MEULEN (Adam Frans). ♦ **V.** MEULEN (Adam François van der).

VANDERMONDE (Alexandre). ♦ Mathématicien français (Paris, 1735 – *id.,* 1796). Auteur de travaux sur la théorie des équations, il utilisa les déterminants [1772] **(V.** *aussi* **Cramer)** et amorça la théorie des groupes de substitution en étudiant la résolution des équations de degré supérieur à 4. Il s'intéressa également à la métallurgie et à l'industrie mécanique et participa à la création du Conservatoire des arts et métiers. (Acad. sc., 1779.)

VAN DER NOOT (Hendrik). ♦ Homme politique belge (Bruxelles, 1731 – Strombeek, Brabant, 1827). Il mena dès 1787 la résistance aux mesures centralisatrices de l'empereur Joseph* II et devint l'un des chefs de la révolution brabançonne avec Vonck. Il ne devait d'ailleurs pas tarder à entrer en conflit avec celui-ci, les tendances des *vonckistes* étant libérales, contrairement à celles des *statistes,* ses partisans, purement réactionnaires. Cette division permit à l'Autriche d'écraser la révolte dès 1790, malgré des échecs militaires comme celui de Turnhout.

VANDERVELDE (Émile). ♦ Homme politique belge (Ixelles, 1866 – Bruxelles, 1938). Membre du Parti ouvrier de Belgique et de la IIe Internationale, il fut député socialiste (1894-1938) et ministre des Affaires étrangères de 1925 à 1927.

VAN DER WAALS (Johannes Diderik). ♦ Physicien hollandais (Leyde, 1837 – Amsterdam, 1923). Il proposa une équation d'état des fluides rendant mieux compte des faits expérimentaux que la loi des gaz parfaits (*équation de Van der Waals,* 1873) [**V. Boyle** et **Mariotte, Despretz**], montra, avec Andrews*, qu'il doit y avoir « continuité entre l'état liquide et l'état gazeux » et, utilisant les données du point critique **(V. Amagat)**, introduisit les « coordonnées réduites » dans son équation et en déduisit la loi des états correspondants (1880). [Acad. sc., 1910; prix Nobel de phys., 1910.]

VAN DER WEYDEN (Rogier de LA PASTURE). ♦ Peintre flamand (Tournai, 1399 – Bruxelles, 1464). Il obtint sans doute sa maîtrise en 1432 à Tournai, après avoir été élève de Campin*, et devint en 1435 le peintre officiel de la cité de Bruxelles (c'est alors que son nom fut traduit en flamand). On suppose qu'il fit un voyage en Italie v. 1450, travaillant pour la famille d'Este (*portrait de M. d'Este,* v. 1460); il aurait influencé Tura* et Cossa*. Il reçut aussi de nombreuses commandes des ducs de Bourgogne Philippe le Bon et Charles le Téméraire, notamment des portraits. Il fut à son époque considéré comme le plus grand peintre flamand après Van* Eyck. Aucune œuvre signée ni attestée par des documents contemporains n'a subsisté, mais des textes postérieurs ont cependant permis d'identifier plusieurs de ses tableaux. On lui attribue notamment : *Saint Luc peignant la Vierge,* œuvre qui reflète l'influence de Van Eyck, une *Descente de Croix* (v. 1435), *La Vierge et saint Jean,* le *triptyque Braque* (v. 1432), *Le Jugement dernier,* le *triptyque du Calvaire,* etc. Dans ses compositions amples, de caractère monumental, il semble moins rechercher une insertion illusionniste de formes dans l'espace qu'un rapport de rythmes linéaires et de volumes visant à accentuer le caractère expressif de ses mises en scène. Son art exprime en effet un sentiment religieux intense et pathétique. Il représentait des visages bouleversés, des formes tourmentées d'apparence sculpturale, avec un trait incisif et avec des tonalités saturées, mais souvent claires. Son style influença profondément de très nombreux peintres flamands et étrangers.

Arch. Smeets

Kees Van Dongen : « Mika, nue sur un sofa ». (Collection privée.)

VAN DE VELDE. ♦ Famille de peintres hollandais du XVIIe siècle. ♦ ESAIAS VAN DE VELDE. Peintre, dessinateur et graveur (Amsterdam, v. 1591 – La Haye, 1630). Il travailla à Haarlem entre 1610 et 1618, puis devint portraitiste de la cour d'Orange à La Haye. Auteur de scènes de genre qui portent la marque du caravagisme, il peignit aussi des paysages animés *(Plaisir de l'hiver; Jeux sur la glace)* issus de la tradition flamande et des calmes paysages de son pays : vues de rivières, de dunes, qui révèlent son souci d'enregistrer fidèlement le réel. Ces œuvres, fines et détaillées, dans lesquelles le rendu du ciel, des reflets de la lumière priment sur l'anecdote, constituent d'importants jalons dans le développement du paysage hollandais. Il fut le maître de Van Goyen* (*Les Dunes,* 1629). ♦ WILLEM VAN DE VELDE, dit *le Vieux* (Leyde, 1611 – Greenwich, 1693). Frère d'Esaias, il se spécialisa dans la représentation des batailles navales et a surtout laissé des dessins à la plume, rehaussés de grisaille d'une méticuleuse précision. ♦ ADRIAN VAN DE VELDE. Peintre et dessinateur, fils et élève de Willem le Vieux. Il représenta surtout des paysages italianisants qui reflètent l'influence de Berchem* (*Repos des bergers,* 1664), peignit des personnages dans les paysages de ses confrères, ainsi que des paysages et animaux au coloris brillant. ♦ WILLEM VAN DE VELDE, dit *le Jeune.* Peintre, dessinateur et graveur, fils et élève de Willem le Vieux (Leyde, 1633 – Greenwich, 1707). Il représenta aussi des combats navals, comptes rendus exacts ou libres compositions, prétextes à de savants effets de lumière, ciels nuageux jouant sur des mers calmes ou démontées *(Le Coup de canon, La Bataille des Dunes).* Il se fixa à Londres à partir de 1673 et travailla à la cour de Charles II.

VAN DE VELDE (Henry). ♦ **V.** VELDE (Van De).

VAN DE WOESTIJNE (Karel). ♦ Écrivain belge d'expression flamande (Gand, 1878 – Zwijnaarde, Gand, 1929). Reprenant la double postulation satanique et angélique qui régit l'œuvre de Baudelaire*, éprouvant à sa manière violente le spleen ressenti par J. Laforgue*, Van de Woestijne a donné, avec ses ouvrages en prose comme avec ses poèmes, une autobiographie lyrique où l'obsession de la mort aggrave le conflit entre sensualité et mysticisme. Dans *Le paysan qui meurt (De Boer die sterft), Imaginations divines* ou *Janus au double visage* (1908), véritables poèmes en prose, se font jour cette souffrance et cette lassitude que le poète estime, par ailleurs, inhérentes à la condition humaine. Le recueil poétique (composé de 1909 à 1915; publié, 1920), *L'Homme de boue* (*De modderen man,* 1920), exprime les tentations d'une sensualité lourde qu'accompagne pourtant le dégoût des jouissances, tandis que les poèmes de *Dieu au bord de la mer* (*God aan zee,* 1926) et du *Lac sur la montagne* (*Het bergmeer,* 1928), dans une langue dense jusqu'à l'hermétisme, font alterner le sentiment chrétien de la culpabilité et le désir sincère d'une sublimation spirituelle.

VAN DIEMEN (Anthony). ♦ (Culemborg, 1593 – Batavia, 1645). Gouverneur général des Indes hollandaises (1636-1645), il poursuivit l'œuvre de Coen, prit les établissements portugais de Malaka et de Ceylan et fut à l'origine de la découverte de la *Terre de Van Diemen* ou Tasmanie **(V. Tasman).**

VANDŒUVRE-LÈS-NANCY. ♦ Comm. de Meurthe-et-Moselle, arr. et aggl. de Nancy. 20 160 hab. Produits chimiques; fonderies; imprimerie.

VAN DONGEN (Cornelis T.M., dit Kees). ♦ Peintre et dessinateur français d'origine hollandaise (Delfshaven, 1877 – Monte-Carlo, 1968). Il manifesta des dons précoces et peignit d'abord dans un style réaliste progressivement marqué par l'influence impressionniste. Il devint dessinateur-reporter pour un journal hollandais, puis, en 1897, il s'installa à Paris, pratiquant les métiers les plus divers et donnant des dessins satiriques aux journaux (notamment *l'Assiette au beurre*). Il s'intéressa un moment aux théories néo-impressionnistes et fit preuve très tôt d'une grande liberté de facture et d'une prédilection pour les couleurs violentes, tout en utilisant un trait rapide visant à l'essentiel. Installé au Bateau-Lavoir en 1905, il se rapprocha des peintres que la critique allait dénommer les « fauves » et exposa avec eux au Salon d'automne de 1905. Certaines de ses œuvres furent aussi exposées en Allemagne par le groupe *Die Brücke** (1908), contribuant ainsi à rapprocher les fauves français et les expressionnistes allemands. Ses paysages, scènes de la vie élégante ou scènes de music-hall, figures féminines au visage très fardé, se distinguent par l'audace des mises en page dans un espace peu approfondi, par la stylisation des formes, dont il accentue certains traits, et surtout par la richesse d'un chromatisme souvent arbitraire, plus expressif que descriptif, où apparaissent des accords de tons originaux, intenses, souvent stridents, la pâte étant étalée avec légèreté d'une touche à la fois rapide et fondue. La sobriété des moyens employés mettant en valeur une vision à la fois aiguë, sensuelle et caustique, qui n'est pas sans parenté avec l'expressionnisme (*Danseuse borgne*, 1905; *Au Bois de Boulogne*, 1906; *Fille au grand chapeau*, 1906; *Femme à l'aigrette*, 1910). Après avoir fait scandale au Salon d'automne de 1913 avec un nu jugé indécent, il devint l'un des portraitistes préférés de l'aristocratie et du monde du spectacle. S'il sut encore se montrer un impitoyable observateur *(Rappoport; Anatole France)*, il eut tendance à tomber dans la facilité, multipliant les effigies de femmes aux corps minces, aux poses affectées, aux bijoux clinquants, mettant l'accent sur le caractère provocant de la bouche et du regard. S'il peignait avec rapidité et désinvolture, il eut cependant tendance à atténuer l'intensité de ses couleurs et à multiplier les nuances *(Comtesse Cassati; Comtesse de Noailles)*. Retiré à Garches en 1927, il réalisa des paysages, vues de Paris et scènes de courses à Deauville, aux couleurs fluides et amorties.

VAN DYCK (Antoine). ♦ Peintre, dessinateur et graveur flamand (Anvers, 1599 – Londres, 1641). Fils d'un commerçant aisé, il entra dès l'âge de dix ans comme apprenti dans l'atelier du peintre maniériste Van Baelem; il manifesta des dons précoces et, à quatorze ans, il réalisait un autoportrait plein d'assurance; il fonda en 1615-1616 un atelier libre alors qu'il ne fut reçu maître à la guilde d'Anvers qu'en 1618. Très tôt, il assimila avec aisance le style de Rubens, devenant son fidèle disciple et l'un de ses exécutants les plus brillants; il interpréta notamment ses œuvres en des esquisses destinées aux graveurs et obtint rapidement des commandes personnelles : portraits qui conservent encore un certain hiératisme sévère, mais aussi compositions religieuses ou mythologiques où s'affirme une manière vigoureuse et tourmentée d'une grande liberté, caractérisée par des larges et souples coups de pinceau, les formes étant plus élancées que chez Rubens et le registre des expressions plus nerveux, dramatique et sentimental (*Têtes d'apôtres*, 1616-1617; *L'Arrestation du Christ*, 1620; *Jupiter et Antiope*, 1620). En 1619, il entreprit à la demande du comte d'Arundel, collectionneur et amateur d'art, son premier voyage en Angleterre, mais, si le roi le chargea probablement de quelques commandes, il quitta l'Angleterre dès 1621 pour se rendre en Italie. Il passa par Gênes, Venise, Mantoue, Milan, Rome et Palerme, séjournant surtout à Gênes et à Rome. Il multiplia les croquis (*Album* dit *de Chatsworth*), admira particulièrement Corrège, Raphaël, Véronèse, Tintoret, Guido Reni et surtout Titien dont l'influence, déjà sensible dans ses œuvres anversoises, ne fit que s'amplifier. Sa gamme gagna en nuances et en finesse, tandis que ses œuvres religieuses acquirent une douceur expressive presque suave *(Madone aux anges)*; mais c'est surtout à cette époque que s'imposa son talent de portraitiste, avec sa série de portraits d'aristocrates italiens, particulièrement génois. Mettant au point un nouveau type de portrait d'apparat dénué de statisme et de raideur, l'attitude des modèles, leur costume somptueux étant souvent mis en valeur par le décor environnant (lourds rideaux, péristyle de palais et fond de paysage), il donna à l'ensemble un caractère animé plus frémissant, tout en soulignant l'élégance distinguée des modèles (*Le Cardinal Bentivoglio*, v. 1623; *La Marquise Elena Grimaldi Cattaneo*, v. 1625). Revenu à Anvers en 1627, il déploya jusqu'en 1632 une activité intense. Dans ses œuvres mythologiques et religieuses, il mit surtout l'accent sur l'émotivité des protagonistes, multiplia les effets de lumière, sa pâte devenant plus onctueuse et fondue; il insista sur les effets de draperies mouvementées, sur les gestes maniérés, sinueux *(Déposition de Croix; La Vierge et l'Enfant*, 1630; *Vénus et Vulcain; Samson et Dalila; Renaud et Armide)*. Quant à ses portraits de bourgeois et d'artistes (c'est probablement en 1630 qu'il entreprit les modèles pour la célèbre *Iconographie*, publiée en 1640-1645), s'ils conservent le caractère somptueux des portraits de la période italienne, ils se distinguent par une harmonie tonale plus froide et des couleurs très claires; les expressions sont variées et les gestes souvent plus éloquents *(Jean Wildens, Pierre Stevens, Les Magistrats de Bruxelles)*, tandis que dans ses portraits à double personnage, il rend subtilement sensibles les rapports qui lient les modèles *(Portrait présumé de Mytens et de son épouse)*. En 1632, il s'établit définitivement en Angleterre où il fut comblé d'honneurs par le roi Charles Ier et où il fit surtout une brillante carrière de portraitiste. Il n'eut pas l'occasion, en effet, de concevoir de grandes décorations et ne réalisa à cette époque qu'un nombre limité de sujets religieux, notamment l'éloquente et pathétique *Déploration du Christ mort* (1634), ainsi que quelques compositions mythologiques, particulièrement un *Cupidon et Psyché* dont la grâce fébrile et la sensualité annoncent, dans une certaine mesure, le rococo. Son talent s'épanouit surtout dans les multiples portraits du roi (*Portrait équestre de Charles Ier*, 1635; *Charles Ier à la chasse*, 1635; *Charles Ier, trois têtes*, 1636), ainsi que de son entourage et des membres de l'aristocratie. Ses modèles aimèrent se reconnaître dans ces images élégantes et désinvoltes où l'affectation donne l'impression du naturel et où l'indifférence hautaine se charge de mélancolie. Il savait aussi bien souligner le charme et la distinction de ses modèles féminins (*Lady Ann Carr, comtesse de Bedford*, v. 1640), que faire preuve d'une délicate sensibilité dans ses portraits d'enfants *(Trois Enfants de Charles Ier)*. Il sut aussi rendre convaincant le genre du portrait mythologique, dont la vogue se développa particulièrement en France au XVIIIe s. *(James Stuart en Pâris)*. Les accents nouveaux qu'il imprima à ses portraits vont de pair avec la sûreté de ses mises en page et le brio de sa technique; remarquable coloriste, il utilisa une facture fluide parfois large, souvent fine et délicate, et multiplia les nuances, attentif à diversifier les jeux de lumière et à rendre les reflets, les effets chatoyants des tissus. Ses dessins et aquarelles mettent en évidence son talent d'animalier et de paysagiste, déjà sensible dans ses portraits. Revenu dans son pays en 1640, il séjourna en France peu après, mais regagna l'Angleterre, laissant une œuvre qui allait permettre l'éclosion de l'école anglaise en offrant d'enrichissants exemples à ses créateurs.

VANE (*sir* Henry). ♦ Homme politique anglais (Hadlow, Kent, 1589 – Londres, 1654). Il fut secrétaire d'État (1640-1641). Après l'exécution du roi Charles Ier, il rejoignit les parlementaires. ♦ *Sir* HENRY VANE, son fils (Debden, Essex, 1613 – 1662). Il fut gouverneur du Massachusetts (1636-1637) et participa à la fondation du collège de Harvard. Lié avec Pym*, il joua un rôle prépondérant dans la préparation de la révolution et, membre du Parlement (1640), fut l'un des chefs de l'opposition à Charles Ier. En 1643, il négocia l'alliance avec l'Écosse. Il fut membre du conseil

Ph. Nimatallah/Ricciarini

Antoine Van Dyck : « Dame et sa fille ».
(Musée du Louvre, Paris.)

Arch. Smeets

Jan Van Eyck : « La Vierge à la fontaine ».
(Musée royal des Beaux-Arts, Anvers.)

d'État (1649-1653) et fut chargé de l'Amirauté. Il se brouilla avec Cromwell et ne put se réconcilier avec l'armée, de sorte qu'il se retira du gouvernement. À la Restauration, bien qu'il n'eût pris aucune part à la condamnation de Charles Ier, il fut exécuté.

VÄNERN *(lac)*. ♦ Le plus grand lac de Suède, relié au Skagerrak par le Göta Älv. 5 546 km². Longueur : 139 km. Largeur : 80 km. Il baigne les villes de Karlstad*, Linköping*.

VANES. *n. m. pl.* ♦ Mythol. germanique. Une des familles de dieux, où figurent Njördhr, Freyr*, Freyja*. Ce sont des dieux de la fertilité opposés aux Ases*. Culte surtout en Scandinavie.

VAN EYCK (Hubert et Jan). ♦ Peintres flamands (HUBERT, ? – 1426; JAN, région de Maastricht, v. 1385-1390 – Bruges, 1441). Par leur activité, ces deux frères jouèrent un rôle déterminant dans la fondation de l'école flamande; cependant leur part respective est difficile à déterminer. Hubert, probablement l'aîné, aurait entrepris le grand retable de l'*Agneau mystique* en 1426; cependant plusieurs historiens ont mis en doute son activité et même son existence (les documents en faisant foi ayant été jugés apocryphes). On sait par contre que Jan travailla de 1422 à 1424 à La Haye au service de Jean de Bavière, comte de Hollande, et qu'il débuta sans doute comme miniaturiste. On lui attribue une série de miniatures datées de 1422-1424, faisant partie des *Heures de Turin*, livre d'heures ayant appartenu au duc de Berry et qui fut détruit dans un incendie en 1904. Jan s'installa ensuite à Bruges en 1425, puis il entra au service du duc de Bourgogne Philippe le Bon, avec la charge de « valet de chambre ». Il s'installa ensuite à Lille et fut chargé de plusieurs missions, l'une en Aragon en 1426, l'autre au Portugal, à Lisbonne, en 1428, où il peignit notamment le portrait de la princesse Isabelle de Portugal (disparu); puis, en 1430, il se fixa définitivement à Bruges. Certaines œuvres, notamment *Les Trois Marie au sépulcre, La Crucifixion avec la Vierge et saint Jean, La Vierge dans l'église* (vers 1425) et un *Saint François recevant les stigmates*, s'apparentent par certains caractères aux *Heures de Turin* et présentent quelques hésitations quant au traitement de l'espace. Le polyptyque de *l'Adoration de l'Agneau mystique* à l'église Saint-Bavon de Gand (1426-1432) fut considéré dès son exécution comme un chef-d'œuvre. Il illustrait un ambitieux et complexe programme iconographique ayant pour thème la Rédemption et le Triomphe de l'Église et constitua par la richesse des motifs traités une source importante de sujets pour les peintres flamands. Stylistiquement, il s'éloignait de la tradition du gothique international (abandon des fonds d'or, de la composition décorative, ainsi que du répertoire de poses et d'expressions maniérées) et innovait par la plus grande précision de la perspective linéaire et surtout par la maîtrise de la perspective atmosphérique (modification des valeurs en fonction de l'éloignement) qui engendrait un nouveau sentiment de l'espace, allant de pair avec une mise en place plus ferme des volumes. Les formes, en effet, offrent un aspect plus stable et monumental (particulièrement les grandes figures en grisaille des volets latéraux dont le rendu illusionniste vise à imiter la sculpture). Le foisonnement des détails traités avec une attention passionnée ne nuit pas pour autant à la clarté et à l'équilibre de la composition d'ensemble. La délicatesse du modelé, l'éclat des couleurs, la luminosité de l'atmosphère sont en partie dus à l'utilisation nouvelle qui était faite de la peinture à l'huile; en effet, si Van Eyck, contrairement à l'affirmation de Vasari, n'inventa pas la peinture à l'huile, il en perfectionna la technique et parvint ainsi à des effets inédits de transparence, d'éclat ou de densité des couleurs. L'émotion contenue, la spiritualité fervente apparaissent dans une série d'œuvres surtout consacrées au thème de la Vierge (*La Vierge au chancelier Rolin*, dite aussi *Vierge d'Autun*, 1435; *La Vierge au chanoine Van der Paele*, 1436; *La Vierge trônant dans une église*, 1437; *L'Annonciation*, vers 1435; *Sainte Barbe*, 1437; *La Vierge à la fontaine*, 1439). La curiosité du peintre envers l'individu le pousse à détailler les particularités physiques des visages et, à travers une apparente impassibilité, à faire affleurer les sentiments les plus nuancés (*L'Homme au turban*, 1433; *Baudoin de Lannoy*, vers 1435; *Jan de Leuw*, 1436; *Marguerite Van Eyck*, 1439; et surtout le double portrait en pied des *Époux Arnolfini*, 1434, qui constitue en même temps une scène d'intérieur de caractère profane investie de subtiles significations symboliques). Cette œuvre définit et orienta la recherche réaliste flamande; elle se caractérise par la conjonction particulière d'un sentiment de ferveur spirituelle et d'une volonté de consigner l'univers sensible dans ce qu'il a de plus concret (paysage, architecture, objets quotidiens) grâce à des moyens picturaux remarquablement maîtrisés. Elle eut un rayonnement européen et donna une vive impulsion à l'école de Bruges.

VAN GENNEP (Arnold). ♦ Ethnographe et folkloriste français (Ludwigsburg, 1873 – Bourg-la-Reine, 1957). Il a précisé les méthodes d'enquête, de classement, d'interprétation des faits en ethnographie. On lui doit des ouvrages sur les *Rites de passage* (1909), les *Religions, mœurs et légendes* (1908-1914), des *Études d'ethnographie algérienne* (1912-1914), des recherches sur le folklore de différentes provinces françaises (*Manuel du folklore français contemporain*, 1943-1958).

VAN GOGH (Vincent Willem). ♦ Peintre et dessinateur hollandais (Groot-Zundert, 1853 – Auvers-sur-Oise, 1890). Fils de pasteur calviniste, il devint employé à la galerie d'art Goupil à La Haye (1869), à Londres (1873-1874) puis à Paris (1874-1875). Esprit tourmenté, profondément mystique, il obtint une mission évangéliste chez les mineurs du Borinage qui se solda par un douloureux échec. En 1880 il alla étudier le dessin à Anvers, fit des croquis de mineurs inspirés de Millet* auquel il voua toujours une profonde admiration. En 1882 il alla travailler auprès de son cousin le peintre Mauve, exécuta de nombreux dessins et aquarelles et s'initia à la peinture à l'huile. Chez son père, au presbytère de Nuenen (décembre 1883-1885), il travailla avec acharnement, réalisant des paysages, des natures mortes et des scènes de la vie paysanne d'un sombre réalisme déjà révélateur de sa sensibilité inquiète et véhémente (*Les Mangeurs de pommes de terre*, 1885). Au cours d'un séjour à Anvers (1885-1886) il admira les Rubens et eut la révélation des estampes japonaises, qui l'incitèrent à modifier sa conception de la couleur. Après quelques œuvres dans la même veine réaliste (*Les Souliers avec lacets*, 1886) il rejoignit à Paris son frère Théo qui ne cessa de lui marquer sa confiance et de l'aider matériellement (leur correspondance a été publiée : *Lettres à Théo*). Il suivit des cours à l'atelier Cormon, y rencontra Toulouse*-Lautrec et É. Bernard*; ce dernier le présenta à Gauguin*. Surtout influencé par les toiles impressionnistes, il adopta alors des couleurs très claires et une touche fragmentée; il admirait la technique de Monticelli* et copia avec ferveur Hiroshige*. Dans cette période d'essai transparaît déjà sa forte personnalité (*Autoportraits, Le Père Tanguy*, 1888). En février 1888 il alla s'installer à Arles et, durant une intense période de création, il accumula les paysages *(Vue d'Arles aux Iris, La Plaine de Crau, Les Barques sur la plage, Les Tournesols)* et les portraits *(L'Arlésienne, Mme Ginoux)*. S'écartant de la représentation traditionnelle et de la perspective illusionniste, il simplifia les formes et pratiqua un colorisme éclatant en affranchissant la couleur de sa fonction descriptive pour exprimer avec plus de force « les terribles passions humaines ». Il voulut créer un phalanstère d'artistes et persuada Gauguin de venir le rejoindre (oct. 1888), mais, à la suite d'une violente dispute, ce dernier le quitta et Van Gogh, en proie au délire, se mutila l'oreille *(Autoportrait à l'oreille coupée, Portrait du docteur Rey, Berceuse)*. Souffrant d'hallucinations, il fut interné à Arles, puis à Saint-Rémy-de-Provence (1889-1890). Entre deux crises il continuait à travailler *(Les Blés jaunes au cyprès, La Nuit étoilée, Champs d'oliviers)*, modelant les volumes d'une touche fortement apparente et construisant les formes à partir d'hallucinantes volutes aux couleurs intenses. Rentré à Paris en mai 1890, il alla finalement s'installer à Auvers-sur-Oise, surveillé par le docteur

Gachet, ami de Pissarro et de Cézanne. Dans certaines œuvres son style s'exacerbe *(La Mairie à Auvers, le 14 juillet 1890)*, mais parfois sa facture plus large semble perdre son caractère tourmenté et exprimer un lyrisme moins dramatique *(Le Champ de blé aux corbeaux)*. Il se suicida le 27 juillet 1890 en se tirant un coup de pistolet. Il mourut presque inconnu, mais son œuvre est de celles qui touchèrent le plus le public du XXe siècle. Dans la mesure où il se servit de la couleur « plus arbitrairement pour s'exprimer fortement » il fut un précurseur des fauves et surtout de l'expressionnisme.

VAN GOYEN (Jan). ♦ **V.** GOYEN (Jan van).

VAN HELMONT (Jan Baptist). ♦ Médecin et chimiste flamand (Bruxelles, 1577 – *id.*, 1644). Il découvrit le gaz carbonique (appelé par lui gaz sylvestre), distingua les divers gaz de l'air; il mit également en évidence le rôle du suc gastrique dans la digestion. S'inspirant des théories de Paracelse, il fut partisan de l'iatrochimie.

VAN HOUTMAN (Cornelis). ♦ Navigateur hollandais (Gouda, 1550 ou 1565 – en Malaisie, 1599 ou 1605). Avec une flotte hollandaise de la Compagnie des Indes, il atteignit la Malaisie (1595) mais fut tué par le sultan de l'Atjeh (sans doute à l'instigation des Portugais). La relation de son expédition fut publiée en 1617. ♦ FREDERIK VAN HOUTMAN, son frère (Gouda, 1571 – Alkmaar, 1613), participa à l'expédition et, fait prisonnier par le sultan de l'Atjeh, réussit à s'évader. Il prit part ensuite à la conquête des Moluques par les Hollandais (contre les Portugais) et fut nommé gouverneur d'Amboine* (1605-1611). Il a publié une *Description d'Amboine* ainsi qu'un *Dictionnaire des langues malaise et malgache* (1603).

VANIKORO. ♦ Île de Mélanésie* (Océanie), du S.-O. de l'archipel des îles Santa* Cruz, dépendance des îles Salomon*. – La* Pérouse y périt avec son équipage en 1788.

VANINI (Lucilio, dit **Giulio Cesare).** ♦ Philosophe italien (Taurisano, Lecce, 1585 – Toulouse, 1619). Ordonné prêtre, il voyagea dans plusieurs pays d'Europe. A Toulouse, où il était précepteur, il fut accusé de magie et d'astrologie par le procureur général, condamné à mort et brûlé vif. Son *Amphitheatrum aeternae Providentiae* met en question l'immortalité de l'âme, et son ouvrage *Des secrets de la nature* fut censuré par la Sorbonne.

VAN LAAR ou **VAN LAER (Pieter,** dit **il Bamboccio,** en fr. **le Bamboche).** ♦ Peintre, dessinateur et graveur hollandais (Haarlem, v. 1592 – *id.*, 1642). Il étudia notamment auprès d'Adam Elsheimer* et séjourna de 1625 à 1638 à Rome, où il devint l'ami de Poussin et de Claude Lorrain. Il subit l'influence de Caravage et de ses imitateurs et obtint un très vif succès auprès des amateurs en se spécialisant dans des scènes de genre auxquelles on donna le nom de « bambochades ». Il représenta des scènes de la vie romaine et de la campagne, des fêtes populaires, foires, tabagies, rixes d'aventuriers, en soulignant par des détails pittoresques ou burlesques l'aspect humble, parfois vulgaire, de ces compositions souvent mises en scène avec une certaine maladresse mais pleines de vivacité. Il exerça une influence notable sur les peintres de genre italiens et nordiques, aussi bien qu'espagnols et français.

Arch. Smeets

Vincent Van Gogh : « Autoportrait », 1890. (Musée du Jeu de paume, Paris.)

VAN LEEUWENHOEK (Antonie). ♦ Naturaliste hollandais (Delft, 1632 – 1723). Grâce aux microscopes qu'il construisit lui-même, il découvrit les protozoaires et les bactéries, observa des animaux microscopiques (spongiaires, cœlentérés, etc.), put étudier les spermatozoïdes (« animalcules de la semence »). Ses observations sont réunies dans *Opera omnia sive Arcana naturae ope exactissimorum microscopiorum detecta*, 1715-1722.

VAN LOO [vãlo] **(Jean-Baptiste).** ♦ Peintre et dessinateur français (Aix-en-Provence, 1684 – *id.*, 1745). Il étudia à Aix puis à Toulon et travailla ensuite à Gênes, Rome et Turin. À Paris, à partir de 1719, il devint un portraitiste apprécié (*Portrait de Louis XV à cheval*, 1723) et fut chargé de restaurer la galerie du Primatice* à Fontainebleau. De 1737 à 1741 il séjourna à Londres *(Portrait de Walpole)*. Auteur de scènes religieuses et mythologiques *(Triomphe de Galatée)*, il peignit surtout des portraits élégants, souvent maniérés.

VAN LOO (Charles André, dit **Carle).** ♦ Peintre et dessinateur français (Nice, 1705 – Paris, 1765). Élève de son frère Jean-Baptiste, il travailla avec lui au château de Fontainebleau. Après son prix de Rome (1723), il partit pour l'Italie, puis travailla à Turin au palais du duc de Savoie. Revenu à Paris en 1734, il fut nommé peintre du roi Louis XV en 1762; sa renommée fut comparable à celle de Boucher* et on le considéra un moment comme le maître de l'école française. Restant attaché à la tradition de la « grande manière » (sujets d'histoire, bibliques et mythologiques), il aimait les compositions en obliques, les effets déclamatoires, particulièrement dans ses œuvres religieuses (*L'Adoration des bergers* pour Saint-Sulpice à Paris); il imita beaucoup Rubens et Van Dyck, mais manqua souvent de luminosité. Il se montra moins conventionnel dans des scènes mythologiques, peintures galantes, scènes de genre, « turqueries » et portraits.

VAN MANDER (Carel). ♦ Peintre, poète, théoricien et historien flamand (Meulebeke, 1548 – Amsterdam, 1606). Formé à Gand, il résida à Vienne où il subit l'attraction de Bartholomeus Spranger*; il voyagea à travers l'Europe, notamment en Italie, et dirigea à Haarlem une académie de tendance maniériste de 1590 à 1600. Dans ses œuvres peintes, les influences du Parmesan* et de Aertsen* se mêlent à celles des Bassano*. En 1604 il publia un *Livre de peinture*, réédité et augmenté en 1618 et formé de six parties. Il s'y montre théoricien de la peinture et du dessin et y résume les biographies de Vasari*, fournissant en outre des renseignements sur les artistes des XVe et XVIe s. des pays du Nord. Bien qu'imprégné d'italianisme, il fut probablement le premier à mettre en valeur l'originalité de la peinture flamande et allemande.

VAN MUSSCHENBROEK (Petrus). ♦ Physicien hollandais (Leyde, 1692 – *id.*, 1761). Inventeur, en 1745, du premier condensateur électrique *(bouteille de Leyde)*. **V. Kleist.**

VANNE. *n. f.* ♦ Riv. du Bassin parisien (dép. de l'Aube et de l'Yonne) qui prend sa source à l'O. de Troyes, arrose Estissac*, Villeneuve*-l'Archevêque, délimite le Sénonais* et le pays d'Othe* et se jette dans l'Yonne* à Sens*. 58 km env. – *L'aqueduc de la Vanne*, long de 157 km, conduit à Paris une partie de ses eaux.

VAN NECK ou **VAN NEK (Jacob Cornelis).** ♦ Navigateur hollandais (Amsterdam, 1564 – 1638). Après une première expédition à Java (1598), il lutta contre les Portugais aux Moluques* (1599-1604) et contribua à l'établissement et au développement du commerce de la Hollande dans cette partie du monde.

VANNES. ♦ Préf. du Morbihan, ch.-l. d'arr. (16 cant., 123 comm., 193 322 hab.), au fond du golfe du Morbihan. 40 724 hab. *(Vannetais)*. – Nombreux monuments. Cathédrale Saint-Pierre (XIIIe; XVe-XVIe; XVIIIe s.); église Saint-Patern rebâtie au XVIIIe s.; chapelle du Présidial (XIIIe s.). Anciens remparts. Ancien collège Saint-Yves (XVIe s.) reconstruit au XIXe siècle. Maison du Parlement au Château-Gaillard (XVe s.) renfermant un musée archéologique. Maisons anciennes. Palais des arts (1970-1971). Évêché. – Centre de tourisme; centre administratif. Marché agricole et centre d'aviculture. Vannes possède des indus. alimentaires (conserves; alimentation pour animaux). Usine de pneumatiques; constructions mécaniques; indus. textiles. Matériaux de construction. – Patrie de François* Ier, P. Helleu*, P. de La* Gorce. ♦ *Hist.* La ville fut capitale des Vénètes* sous le nom de *Darioritum*. Évêché au Ve s.; comté, puis duché de Bretagne elle fut réunie à la France en 1532.

VANOISE. n. f. *(massif de la)*. ♦ Massif des Alpes de Savoie* situé entre la Maurienne* et la Tarentaise*; il atteint 3 852 m à la Grande Casse. Un *parc national* de 56 000 ha y a été créé en 1965, faune et flore y sont protégées. – Stations de sports d'hiver; équipement hydro-électrique.

VAN ORLEY (Bernard). ♦ **V.** ORLEY (Bernard Van).

VAN OSTADE (Adriaen). ♦ Peintre, dessinateur et graveur hollandais (Haarlem, 1610 – *id.*, 1685). Il fut probablement élève de F. Hals en même temps que A. Brouwer* et, comme lui, aima représenter scènes de cabaret, beuveries, tabagies, rixes de paysans. Il exécuta quelques scènes religieuses, portraits et paysages, mais fut surtout célèbre comme peintre de genre (*Les Joyeux Buveurs*, 1659). Inscrit à la gilde d'Haarlem en 1634, il en devint le doyen en 1662. Influencé par la manière de Rembrandt*, il utilisa de préférence une gamme de tons bruns et bistres qui se fondent dans la pénombre, des formes massives et simplifiées. Il chargea souvent ses scènes triviales et pittoresques d'intentions satiriques. Après 1650, il éclaircit sa palette; sa facture devenant plus fine, lisse et transparente, il représenta plus volontiers des scènes d'extérieur (*Le Ménétrier de village,* 1673). Il a aussi laissé des dessins à la plume et des gravures d'une grande fermeté de trait. ♦ ISAAC VAN OSTADE (1621 – 1649), son frère et élève, imita d'abord son style, puis marqua sa préférence pour les scènes d'extérieur ou « paysages animés ». Il représenta des divertissements populaires, scènes de mœurs paysannes ou épisodes de la vie des voyageurs qui influencèrent probablement Wouwerman*. Il excella aussi à figurer des paysages d'hiver.

VAN RUYSBROEK ou **RUUSBROEC (Jan).** ♦ **V.** RUYSBROEK (Jan van).

VAN RUYSDAEL (Jacob et **Salomon).** ♦ **V.** RUYSDAEL.

VANS (Les). ♦ Ch.-l. de cant. de l'Ardèche*, arr. de Largentière*. 2 169 hab. *(Vanséens).* Filatures de soie.

VAN SCHENDEL (Arthur). ♦ Écrivain néerlandais (Batavia, 1874 – Amsterdam, 1946). Ses recherches de style en font l'un des grands prosateurs de langue néerlandaise. Parmi ses œuvres les plus marquantes, on peut citer le drame *Pandora,* les romans *Le Dernier Grand Voilier* (1930), *L'Homme de l'eau* (1933), *Une tragédie hollandaise* (1935), *Le Richard* (1936), *Les Oiseaux gris* (1937), *Les Sept Jardins* (*De Zeven Tuinen,* 1939).

VAN SWIETEN (Gérard, *baron***).** ♦ Médecin néerlandais (Leyde, 1700 – Schönbrunn, 1772). Élève de Boerhaave, il fut à Vienne le premier médecin de Marie-Thérèse et y fonda une école de médecine qui connut un grand succès **(V. Auenbrugger).**

VAN'T HOFF (Jacobus Henricus). ♦ Chimiste néerlandais (Rotterdam. 1852 – Berlin, 1911). Créateur, en même temps que Le* Bel, de la stéréochimie (1874) [**V. Meyer**], il formula la théorie de l'atome de *carbone tétraédrique,* introduisant la notion de *carbone asymétrique* dont la présence dans une molécule est cause d'isomérie optique. Il établit une théorie de la *pression osmotique* dont les lois expriment l'analogie des solutions diluées et des gaz (*Études de dynamique chimique,* 1884). En thermodynamique chimique, généralisant la méthode d'Horstmann*, il obtint des résultats (1884-1886) qui, joints aux travaux de Gibbs* et Helmholtz*, permirent une étude efficace des chaleurs de réactions, des températures et des équilibres chimiques. (Prix Nobel de chim., 1901.)

VAN TIEGHEM (Philippe Édouard Léon). ♦ Botaniste français (Bailleul, 1839 – Paris, 1914). Ses travaux d'anatomie végétale l'amenèrent à formuler une classification du règne végétal. *Traité de botanique,* 1884. (Acad. sc., 1877.)

VANUA LEVU. ♦ Seconde grande île de l'archipel Fidji*, au N.-E. de l'île de Viti* Levu. *Princ. V.* Lambasa, sur la côte nord. 5 535 km². – Cannes à sucre. Coprah.

VAN VEEN (Otto). ♦ **V.** VAENIUS.

VANVES. ♦ Ch.-l. de cant. des Hauts-de-Seine, arr. d'Antony, à la limite S. de Paris. 25 499 hab. – Église Saint-Rémy (XVe, XIXe s.). Imprimerie; indus. mécanique; biscuiterie.

VAN ZEELAND (Paul). ♦ Homme politique belge (Soignies, 1893 – Bruxelles, 1973). Il fut directeur à la Banque nationale (1926), puis professeur à l'université de Louvain (1928) et l'un des chefs du parti catholique. Il fut Premier ministre d'un gouvernement de coalition (1935-1937) et procéda à une dévaluation de 28 % du franc belge. Il s'opposa avec succès au mouvement rexiste. Pendant la guerre, il s'exila en Angleterre (1940). Rentré en Belgique, il fut ministre des Affaires étrangères (1949-1954) et défendit l'idée de l'union européenne.

VAPCAROV (Nikola). ♦ Poète bulgare (Bansko, 1909 – fusillé à Sofia, 1942). D'inspiration communiste, il fut influencé par Maïakovski*. Son recueil de poésies, *Chants du moteur* (1940), est d'un lyrisme puissant.

VAR. *n. m.* ♦ Fleuve du S. de la France (120 km). Il prend sa source au S. de Barcelonnette*. Il arrose Entrevaux*, Puget*-Théniers, creuse de très belles gorges et se jette dans la Méditerranée à l'O. de Nice*. Il alimente de nombreuses centrales hydroélectriques.

VAR. [**83**]. *n. m.* ♦ Dép. du S.-E. de la France, région (anciennement C.A.R.) Provence*-Côte d'Azur. 6 023 km². – *Orogr.* Au N. et à l'O. du dép., les plis calcaires des Préalpes de Provence sont entaillés en profondes vallées (chaîne de la Sainte-Baume). Au S. du dép., deux massifs formés de roches cristallines dominent la Méditerranée : les Maures*, entre Hyères* et Fréjus*, et l'Esterel* formé de porphyres rouges; la côte correspond à ces massifs très découpés, les stations balnéaires y sont fort nombreuses.
♦ 31 cant., 154 comm., 572 928 hab. *Préf.* Toulon*, *sous-préf.* Brignoles*, Draguignan*. *Ch.-l. de cant. :* Aups*, Barjols*, Beausset* (Le), Besse-sur-Issole (821 hab.), Callas (608 hab.), Collobrières*, Comps-sur-Artuby (242 hab.), Cotignac*, Crau (La) [5 709 hab.], Cuers*, Fayence*, Fréjus*, Grimaud*, Hyères*, Lorgues*, Luc* (Le), Muy (Le) [3 820 hab.], Ollioules*, Rians (1 492 hab.), Roquebrussanne (La) [710 hab.], Saint*-Mandrier-sur-Mer, Saint-Maximin*-la-Sainte-Baume, Saint*-Raphaël, Saint-Tropez*, Salernes*, Seyne*-sur-Mer (La), Six*-Fours-la-Plage, Solliès*-Pont, Tavernes (414 hab.). *Autres V. et sites :* **V. Anthéor, Bandol, Bendor, Bormes-les-Mimosas, Boulouris, Cavalaire-sur-Mer, Gogolin, Croix-Valmer** (La), **Gassin, Lavandou** (Le), **Lecques** (Les), **Levant** (île du), **Porquerolles** (île de). **Port-Cros** (île de). **Port-Grimaud, Ramatuelle, Rayol-Canadel-sur-Mer** (Le), **Saint-Aygulf, Sainte-Maxime, Sanary-sur-Mer, Tamaris-sur-Mer, Thoronet** (Le), **Trayas** (Le).

Ph. René Burri/Magnum
Var : le port de Saint-Tropez.

VĀRĀNASI ou **BÉNARÈS** (son anc. nom). ♦ V. de l'Inde sur le Gange (Uttar Pradesh), l'une des sept villes sacrées de l'Inde. Plus de 700 000 hab. Ses *ghâts* (escaliers des berges) où l'on pratique la crémation des hindous sont célèbres, ainsi que ses monuments (très nombreux temples). Collège de sanskrit fondé en 1791. La ville, qui vit principalement des pèlerinages, possède de nombreux artisanats de qualité (soie, orfèvrerie, bois). ♦ *Hist.* Elle fut fondée selon la tradition au ~ VIe s. et dédiée à Śiva*. Elle fut détruite par Aurangzeb à la fin du XVIIe siècle.

VARANGER *(presqu'île de).* ♦ Presqu'île de Norvège, au N.-E. du Finnmark*. Minerai de fer.

VARANGÉVILLE. ♦ Comm. de Meurthe-et-Moselle, arr. de Nancy, sur la Meurthe et le canal de la Marne au Rhin. 4 385 hab. Église (XIVe s.). Sel gemme; salines, soudière, fours à chaux.

VARÂVÎNI (Sa'd al-Dîn). ♦ Écrivain persan (XIIIe s.). Il écrivit le *Livre de Marzbân,* recueil de fables et contes moraux révélant un style savant, riche en arabismes.

VARDAR. *n. m.* ♦ Fl. des Balkans (388 km) qui arrose Skopje, traverse la Macédoine yougoslave avant de se jeter dans le golfe de Thessalonique en Macédoine grecque. Le *sillon du Vardar* constitue une excellente voie de communication entre l'Europe centrale et la mer Égée*. ♦ *Hist.* Cette région fut le théâtre de violents combats qui opposèrent, de 1916 à 1918, les Bulgares aux forces alliées.

VARDHAMÂNA, MAHÂVÎRA. ♦ Prophète indien, fondateur au VIe s. du jaïnisme, forme dissidente du brahmanisme. Il vécut dans les mêmes lieux que le Bouddha (dans le Mâgadha, aujourd'hui une partie du Bihâr) et sensiblement à la même époque. Il est considéré par les jaina comme le 24e et dernier des tîrthankara*. Lui aussi atteignit à l'Éveil en méditant sous un arbre.

VARÈGUES. *n. m. pl.* (« marchands »). ♦ Nom des Vikings **(V. Normands)** qui pénétrèrent en Russie le long des grands fleuves, au IXe s., faisant le commerce entre la Scandinavie et la mer Noire, avec l'île de Gotland comme relais (d'où le nom que leur donnèrent les Grecs, puis les Russes et les Arabes). Ils fondèrent la principauté de Novgorod* vers 860 **(V. Riourik)** puis celle de Kiev **(V. Oleg le Sage).**

VARENGEVILLE-SUR-MER. ♦ Comm. de la Seine-Maritime, arr. de Dieppe. 984 hab. Station estivale. Église XIe-XVIe s. (vitrail de G. Braque*, qui est enterré au cimetière). Manoir Renaissance.

VARENIUS (Bernhard VAREN ou). ♦ Géographe hollandais d'origine allemande (1622? – 1650). Il fut un des premiers à définir la géographie générale (comportant selon lui la géographie mathématique, la cartographie, l'étude des climats, des eaux, etc.) comme la base de la géographie régionale. *(Geographia generalis.)*

Varenne-Saint-Hilaire (La). ♦ Quartier résidentiel de Saint-Maur*-des-Fossés (Val-de-Marne).

VARENNES-EN-ARGONNE. ♦ Ch.-l. de cant. de la Meuse, arr. de Verdun, sur l'Aire. 635 hab. Église (XIIe, XIVe s.). ♦ *Hist.* C'est dans ce bourg que fut interrompue le 21 juin 1791 la fuite de Louis XVI, qui avait été préparée par Fersen*. Parti de Paris dans la nuit du 20 juin pour rejoindre l'armée de Bouillé à Metz, le roi fut reconnu à Sainte-Menehould par J.-B. Drouet* qui devança la famille royale à Varennes où il donna l'alerte. Le roi fut arrêté par le procureur de la commune et ramené avec sa famille à Paris le 25 juin. L'Assemblée nationale constituante suspendit dès le 21 juin le roi de ses fonctions, fit fermer les frontières et leva dix mille volontaires. Devant la montée du mouvement démocratique et républicain, elle tenta de faire admettre la thèse de l'enlèvement de Louis XVI par Bouillé*. La fuite du roi, qui avait achevé de le discréditer auprès des forces populaires révolutionnaires, eut pour conséquence directe l'affaire du Champ*-de-Mars (17 juil. 1791) et la déclaration de Pillnitz* (27 août 1791). Le fait que la nation ait pu, pendant le temps de la fuite, vivre sans roi, fortifia l'idée, jusqu'alors rarement admise, que la France pût devenir une république.

VARENNES-SUR-ALLIER. ♦ Ch.-l. de cant. de l'Allier*, arr. de Vichy*. 5 046 hab. *(Varennois).* – Fabrique de meubles.

VARENNES-VAUZELLES. ♦ Comm. de la Nièvre, arr. et aggl. de Nevers, au N. de la ville. 8 061 habitants.

VARÈSE (Edgar). ♦ Compositeur américain d'origine française (Paris, 1883 – New York, 1965). Il abandonna des études scientifiques pour la composition musicale et devint l'élève de V. d'Indy et de Roussel à la *Schola Cantorum,* de Widor au conservatoire de Paris, puis de Busoni à Berlin où il reçut les conseils et les encouragements de Mahler et de R. Strauss. Mobilisé puis réformé au cours de la Première Guerre mondiale, il se fixa aux États-Unis (1916). Chef d'orchestre, fondateur du *New Symphonic Orchestra* et de la Guilde internationale des compositeurs, il s'affirma bientôt comme l'une des personnalités les plus originales de la musique contemporaine, par des œuvres où le rôle dominant est confié à la percussion (*Amériques* pour grand orchestre, 1920-1929 ; *Hyperprism,* pour petit orchestre et percussion, 1923 ; *Octandre,* pour six instruments a vent et une contrebasse à cordes, 1923 ; *Intégrales,* pour petit orchestre et percussion, 1925 ; *Arcana,* pour grand orchestre, 1927 ; *Ionisation,* pour treize percussionnistes, 1931 ; *Ecuatorial,* pour chœur, trompettes, trombones, piano, orgue, deux ondes Martenot et percussion, 1934). Accueillies d'abord par le scandale, ces compositions préfiguraient, par leur richesse rythmique remarquablement architecturée et le déchaînement de leur lyrisme, les futures acquisitions de la musique électro-acoustique. L'enregistrement sur bandes magnétiques *(Tape music)* devait permettre plus tard à Varèse de s'engager sur les voies de la musique concrète (*Déserts,* 1954 ; *L'Homme et la Machine,* 1958). Novateur dont les recherches longtemps dédaignées s'avérèrent par la suite, d'une audace féconde, Varèse figure, à côté des maîtres de l'école viennoise, comme le créateur d'un nouveau langage musical.

VARÈSE. ♦ V. d'Italie continentale, en Lombardie*. Ch.-l. de prov. près du *lac de Varèse,* entre le lac Majeur et le lac de Côme. 74 490 hab. Palais d'Este (XVIIIe s.). Centre touristique réputé. Ville industrielle : constructions aéronautiques, mécaniques, indus. textiles (coton, soie), fabriques de chaussures, matières plastiques.

VARGA (Ievgheni). ♦ Économiste soviétique d'origine hongroise (Budapest, 1874 – Moscou, 1964). Commissaire du peuple aux Finances dans le gouvernement de Béla Kun (1919), il émigra en Russie après la chute de celui-ci (1920). Spécialiste de l'étude des crises économiques, il mit en question les prévisions de certains économistes soviétiques (dont Voznessenski) concernant une crise décisive aux États-Unis, dans son ouvrage sur *Les Changements de l'économie capitaliste* (1946). Exilé peu après en Hongrie (1949), il revint en U.R.S.S. à la mort de Staline. Prix Lénine (1963).

VARGAS (Getulio). ♦ Homme politique brésilien (dans le Rio Grande do Sul, 1883 – Rio de Janeiro, 1954). Il fut nommé président de la République en 1930 et son gouvernement, favorable aux dictatures européennes, se heurta aux impératifs politiques internationaux quand la victoire pencha du côté allié en 1943. Assouplissant alors sa politique, il dépêcha en Europe un contingent de troupes qui débarqua aux côtés des Alliés à Salerne, en 1944. De retour à Rio, les officiers du contingent se rebellèrent contre la dictature, provoquant la démission de Vargas, aussitôt remplacé par G. Dutra*, son ministre de la Guerre. Changeant alors de tactique, Vargas, qui représentait au gouvernement son État du Rio Grande do Sul, défendit un programme de gauche qui lui assura à nouveau la présidence aux élections de 1950. Mais sa politique s'adaptait mal à un pays en évolution et les difficultés s'accumulèrent, causant une opposition grandissante. Très affecté par cette situation, Vargas se suicida au mois d'août 1954. Sa mort suscita une vive émotion et des troubles dans tout le pays.

VARIBODA (Jul). ♦ Poète albanais (né en 1725). Il publia en 1762 un recueil de poème lyriques et de ballades célébrant divers saints, dont le plus important est *La Vie de la Vierge et de la Sainte Famille.*

Ph. Harlingue-Viollet

Getulio Vargas.

VARIGNON (Pierre). ♦ Mathématicien français (Caen, 1654 – Paris, 1722). Il participa à l'essor du calcul infinitésimal. Dans un ouvrage posthume (*Nouvelle mécanique* ou *Statique,* 1725), il formula pour la première fois la règle de composition des forces concourantes et, de façon générale, le principe des vitesses virtuelles. (Acad. sc., 1688.)

VARIN ou **WARIN (Jean).** ♦ Sculpteur et médailleur français d'origine flamande (Liège, 1604 – Paris, 1672). Il s'installa à Paris et obtint la charge de graveur général des monnaies. Il sculpta notamment les bustes de Richelieu, Louis XIII, Louis XIV jeune, ainsi qu'une statue de Louis XIV en empereur romain. Il devint surtout l'un des plus célèbres médailleurs de son époque, réalisant des effigies avec un trait incisif et une grande maîtrise technique *(Louis XIII ; Christine de Suède ; Richelieu ; Colbert).*

VARLIN (Eugène). ♦ Révolutionnaire français (Claye-Souilly, 1839 – Paris, 1871). Ouvrier relieur, secrétaire de la section française de l'Association internationale des travailleurs (Ire Internationale, 1865), il tenta d'organiser la lutte des travailleurs, soutint les grèves du Creusot, de Roubaix (1870). Membre du Comité central de la garde nationale, où il représenta l'Association ouvrière, il fut élu à la Commune de Paris (6e, 12e et 18e arr.) et nommé à la commission des Finances puis des Subsistances. Il fut fusillé par les versaillais le 28 mai 1871.

VARNA (Stalin, de 1949 à 1956). ♦ V. et port de Bulgarie orientale, ch.-l. de district sur la côte de la mer Noire (Dobroudja*), au fond d'une baie profonde. 212 650 hab. – Université. Princ. port commercial de Bulgarie (2 millions de t de trafic annuel) bien relié à l'intérieur du pays. Centre industriel actif (constructions navales, machines et moteurs). Le tourisme balnéaire est très développé dans les stations qui entourent la ville. ♦ *Hist.* L'anc. colonie milésienne d'*Odessos* acquit son nom actuel après sa conquête par les Bulgares au VIIe s. qui en firent leur première capitale.

VARNALIS (Costas). ♦ Poète grec (Philippopoli, Bulgarie, 1884 –). Lyrique et satirique, inspiré des idées marxistes, il condamne dans son œuvre l'attachement au passé, le nationalisme et le mysticisme. Certains parmi ses poèmes (*La lumière qui brûle,* 1922) devinrent très populaires. Citons encore parmi ses œuvres : *Esclaves assiégés* (1927), *La Vraie Apologie de Socrate* (1931), satire en prose, *Solomos sans métaphysique* (1925), essai critique.

VARNEY. ♦ Musiciens français du XIXe siècle. ♦ PIERRE JOSEPH ALPHONSE VARNEY, compositeur et chef d'orchestre (Paris, 1811 – *id.,* 1879), est l'auteur de sept opérettes dont *Le Chevalier de Maison-Rouge* d'où est tiré le célèbre « Chœur des Girondins » qui fut adopté comme chant révolutionnaire en 1848. ♦ LOUIS VARNEY, son fils (Paris, 1844 – Cauterets, 1908) écrivit des ballets-pantomimes et une quarantaine d'opéras dont *Les Mousquetaires au couvent* (1880) et *Fanfan la Tulipe* (1882).

VARNHAGEN VON ENSE (Karl August). ♦ Officier, diplomate et écrivain allemand (Düsseldorf, 1785 – Berlin, 1858). Il participa avec Chamisso à la création de l'almanach des Muses. *Souvenirs de ma vie* est un ouvrage précieux pour la connaissance des mœurs de l'époque.

VARRON, en lat. **Terentius Varro.** ♦ Homme politique romain. Consul en ~216 avec Paul* Émile lors de la seconde guerre Punique, il fut battu à Cannes*.

VARRON, en lat. **Marcus Terentius Varro.** ♦ Érudit latin (Réate [auj. Rieti], ~116 – ~27). Lieutenant de Pompée* pendant les guerres civiles, il se réconcilia après Pharsale* avec César qui le chargea de constituer les premières bibliothèques publiques de Rome. Il est l'auteur de 74 ouvrages rédigés en 620 livres (dont il ne reste que des fragments) sur les sujets les plus variés : traité de grammaire et de philologie *(La Langue latine),* traité d'agriculture : *L'Économie rurale (Rerum Rusticarum libri III),* traités philosophique *(Les Satires Ménippées)* et historique *(Les Antiquités).* L'un des premiers encyclopédistes romains, il a été pour tous les écrivains (en particulier Virgile* et saint Augustin*) une source inépuisable de renseignements.

VARS *(col de).* ♦ Col des Alpes* à la frontière du Dauphiné* et de la Provence. Aux environs, station de sports d'hiver de Vars-Sainte-Marie.

VARSOVIE, en polon. **Warszawa** (surnommée parfois **Syreni Gród,** « la ville de la sirène », en raison de son emblème). ♦ Capitale de la Pologne, ch.-l. de la voïevodie du même nom (29 369 km^2, plus de 2 500 000 hab.) et voïevodie elle-même (450 km^2), située sur la Vistule*, en Mazovie. 1 326 000 hab. Archevêché. Université. Centre culturel, scientifique, commercial et industriel ; important nœud de communications, la ville fut presque entièrement détruite par les Allemands durant la Deuxième Guerre mondiale. Lors de la reconstruction, entreprise dès 1945, elle a été considérablement agrandie. Les monuments et les quartiers historiques de la vieille ville *(Stare Miasto)* ont été reconstitués. Nombreuses indus. (métallurgie, automobiles, constructions mécaniques, électriques ; indus. textiles, alimentaires, pharmaceutiques, imprimerie) surtout dans la périphérie. – Patrie de Marie Curie*, A. Czartoryski*, W. Landowska, L. Marcoussis*, M. Rambert*, K. Rokossovski*, W. Sievpiński, Boy Zeleński*. – Aux environs, Żelazowa-Wola, patrie de F. Chopin*. ♦ *Hist.* Sur l'emplacement actuel de Varsovie se trouvaient trois villages groupés autour d'un château construit par les ducs de Mazovie, dont Varsovie devint la rési-

Ph. J. Dupaquier/Atlas-Photo

Vue générale de **Varsovie.**

dence (XIIIe s.), puis la capitale (1344). Incorporée avec le duché de Mazovie au royaume de Pologne (1526), elle fut choisie comme capitale de la Pologne par Sigismond* III Vasa, en remplacement de Cracovie* (dont le château royal avait été détruit par un incendie). Fortement endommagée par les Suédois (1656 et 1702) durant les guerres du Nord, ruinée par une épidémie de peste en 1709, la ville connut une prospérité nouvelle et devint un foyer intellectuel, artistique et scientifique important sous le règne de Stanislas* II Poniatowski (dernier roi de Pologne), qui y fit construire de nombreux palais. Occupée par les Russes après le deuxième partage de la Pologne (1793), elle se libéra sous la conduite du cordonnier Jan Kiliński (avr. 1794) et participa activement à l'insurrection de Kościuszko*. Elle fut de nouveau assiégée par les troupes russes de Souvorov* et capitula après le massacre de Praga* (oct. 1794) qui fit 25 000 victimes. Attribuée à la Prusse au troisième partage de la Pologne (1795), Varsovie devint le ch.-l. de la prov. de Prusse méridionale et perdit près de la moitié de sa population. Elle fut libérée par les troupes napoléoniennes en 1806. Capitale du grand-duché de Varsovie (1807-1814) · constitué par Napoléon Ier à la suite du traité de Tilsit* (1807) avec des provinces enlevées à la Prusse (Mazovie, Cujavie, Posnanie), puis à l'Autriche en 1809 (Galicie occidentale, Cracovie, Lublin), Varsovie fut reprise par les Russes à la chute de l'Empire et devint la capitale du *royaume de Pologne,* formé d'une partie de l'anc. duché et qui échut à la Russie au congrès de Vienne*. Entre 1815 et 1830, la ville connut une renaissance économique (développement de l'industrie) et scientifique (Société des amis des sciences, université, 1818); elle devint le foyer de la résistance à l'oppression russe. La première insurrection nationale éclata à Varsovie (nov. 1830) par l'attaque de la résidence du vice-roi de Pologne Constantin* Pavlovitch (frère de Nicolas Ier) qui prit la fuite. Elle fut écrasée après une année de luttes (sept. 1831) par Paskievitch*, qui en devint le gouverneur (1822-1856) et y fit régner la terreur (fermeture de l'université, représailles politiques et économiques). Les manifestations anti-russes de 1861 et 1863 furent suivies d'une politique de russification; un adoucissement du régime suivit la nouvelle insurrection de 1905, avec l'évolution de la situation en Russie. Occupée par les Allemands en août 1915, libérée en nov. 1918, Varsovie redevint capitale de la Pologne indépendante. Elle comptait, à la veille de la Deuxième Guerre mondiale, plus de 1 250 000 hab. Déclarée ville ouverte en 1939, elle fut néanmoins bombardée dès l'ouverture des hostilités (1er sept. 1939) puis assiégée par les Allemands du 8 au 27 sept.; elle capitula après une résistance héroïque. Durant l'Occupation, les exécutions massives, les déportations dans les camps de concentration et les camps de travail se succédèrent et dès 1941 fut créé le « ghetto », quartier isolé où furent rassemblés des milliers de juifs, dont près de 500 000 furent exterminés entre 1942 et 1943. Après l'insurrection du ghetto en 1943, les hitlériens détruisirent systématiquement tout le quartier, exterminant la population (les quelques survivants furent déportés à Treblinka et Majdanek). Au moment où les troupes soviétiques atteignaient la Vistule, la force principale de résistance polonaise, l'armée de l'intérieur commandée par Bor-Komorowski déclencha la seconde insurrection de Varsovie (1er août 1944), qui fut écrasée le 2 oct., sans que l'armée soviétique soit intervenue (après la guerre, Staline fut accusé d'avoir volontairement laissé les Allemands détruire Varsovie). Libérée le 17 janv. 1945 par les armées soviétiques et polonaises, la ville, détruite à 87 %, ne comptait plus que 120 000 habitants. La reconstruction aussitôt entreprise s'acheva en 1949, et dès 1952 on recensait 800 000 habitants.

VARSOVIE *(pacte de).* ♦ Après la signature par les puissances occidentales de l'Organisation du traité de l'Atlantique Nord (O.T.A.N.), les États socialistes (U.R.S.S., Albanie, Bulgarie, Hongrie, Pologne, République démocratique allemande, Roumanie, Tchécoslovaquie) signèrent à Varsovie un pacte de défense réciproque le 14 mai 1955. Les forces du pacte de Varsovie furent placées sous le commandement du maréchal Koniev, puis en 1960, de Gretchko. L'Albanie, qui suit désormais la politique de la Chine communiste, ne participe plus aux séances.

VARUNA. ♦ Une des grandes divinités védiques de l'Inde, généralement opposée à Mitra*, en compagnie de qui il exprime l'idée de souveraineté. Dieu de la Vastitude (du ciel nocturne et de l'océan) et des Eaux, il est aussi le gardien de l'ordre du monde et des rites. Représenté comme un homme blanc revêtu d'une armure d'or et monté sur un monstre marin, le *makara,* il tient un lacet. — Il est en rapport avec l'Ouranos* des Grecs.

VARUS, en lat. **Publius Quintilius Varus.** ♦ Général romain ([mort] 9). Consul (~ 12), légat en Syrie (~ 6 - ~ 4), il s'enrichit par des spoliations. Chargé d'organiser la Germanie (7), il s'y fit détester par la population. Une conspiration se forma sous la conduite d'Arminius* et, en 9, Varus fut surpris dans la forêt de Teutoburg (près de l'actuelle Detmold); ses légions furent massacrées et lui-même se donna la mort.

VARZY. ♦ Ch.-l. de cant. de la Nièvre, arr. de Clamecy. 1 624 hab. Ruines de la collégiale Sainte-Eugénie (XIIIe s.). Église Saint-Pierre (XIVe s.). Maisons et hôtels anciens. Musée. — Bonneterie. Scierie. — Patrie d'A. et de C. Dupin*.

VASA. ♦ V. GUSTAVE Ier; JEAN III; ÉRIC XIV, rois de Suède.

VASARELY (Victor). ♦ Peintre français d'origine hongroise (Pécs, 1908). Il étudia (1928-1930) au Mühely de Budapest, école qui appliquait les principes du Bauhaus de Vienne. Il s'installa à Paris en 1930, et, parallèlement à des activités de graphiste (publicité, décoration), se livra à des recherches théoriques sur la perspective axonométrique (projection orthogonale d'objets aux trois dimensions sur un plan oblique) et les déviations linéaires. Des séries de graphismes *(Arlequins, Échiquiers, Zèbres, Improvisations sur calques...)* mettent en œuvre ces recherches. Après 1937, il pratiqua en peinture divers styles, tel celui qui organise les formes inspirées par les craquelures de carrelages (vues au métro Denfert; cette « période de Denfert » se développa surtout de 1951 à 1958). Ses recherches sur la lumière, sur l'illusion de mouvement créée par des procédés optiques (cinétisme, après 1955), sur la fonction de l'œuvre picturale dans la vie sociale et la cité aboutirent à un art structurel défini par la répétition d'une cellule (carré contenant une figure de la géométrie plane) soumise à des transformations méticuleusement réglées et jouant par rapport aux couleurs. « Le mouvement (dans ces œuvres) se crée par le déplacement du spectateur devant l'œuvre intégrée dans les volumes et dans les espaces de l'architecture », écrit Vasarely. « L'alphabet d'unités plastiques » qu'il utilise permet de mettre au point des types (« prototypes-départ ») capables d'engendrer de nombreuses œuvres virtuelles. — L'art de Vasarely, fait de rigueur mathématique et de gaieté, cherche à concilier la modernité technique et l'art; il redéfinit ce dernier dans sa fonction d'amélioration de l'environnement humain.

VASARI (Giorgio). ♦ Peintre, architecte et écrivain italien (Arezzo, 1511 — Florence, 1574). Il fit des études à Florence où il put jouir de l'amitié et du mécénat de la famille Médicis. Après avoir étudié la peinture dans le cercle d'Andrea del* Sarto, il resta toujours un fervent admirateur de Michel*-Ange. Il livra les dessins du palais des Offices à Florence. Comme peintre, il fut plutôt médiocre. Ses travaux décoratifs les plus importants se trouvent au Palazzo Vecchio de Florence (Grand salon, salle des Éléments, Studiolo de François Ier) et au Vatican (la Chancellerie : *Scènes de la vie de Paul III*). Son style pompeux, tentant d'établir une synthèse entre les manières de Michel-Ange et de Raphaël*, se répandit dans toute l'Italie en tant qu'art officiel, alors qu'il n'avait guère d'autre mérite que l'intérêt porté au paysage. La renommée de Vasari est fondée sur son livre majeur d'histoire de l'art *(Le Vite de' più eccelenti pittori, scultori e architettori italiani),* dont la première publication (1550) fut dédiée à Cosme de Médicis. Dans ce livre, Vasari considère que l'art du Moyen Âge est le produit des siècles obscurs qui séparent le classicisme antique et la Renaissance; la revitalisation de l'art reprend en Toscane à partir de Giotto et culmine avec Michel*-Ange. Dans la seconde édition, très élargie (1568), Vasari intégra dans son livre la biographie de plusieurs artistes vivants, dont la sienne. Malgré les erreurs dues soit au nationalisme toscan soit à une conception positiviste de l'histoire, ce livre reste un précieux document pour la recherche en histoire de l'art italien.

VASCONS. *n. m. pl.,* en lat. **Vascones.** ♦ Peuple d'Hispanie (Espagne) qui occupait le pays au N. de l'Èbre (la Navarre* actuelle). Les Vascons, ancêtres des Basques*, furent vaincus par Pompée puis par Auguste. Soumis par les Wisigoths, ils se révoltèrent à la fin du VIe s. puis se réfugièrent en Novempopulanie et donnèrent leur nom à la Gascogne*.

Vassalité. *n. f.* ♦ Ensemble des liens personnels qui liaient les vassaux aux seigneurs. Organisation sociale appuyée sur l'hommage et le serment, la vassalité naquit à l'époque carolingienne lors de sa décadence (invasion normande) et provoqua une désintégration accrue de la souveraineté : l'homme libre lié désormais à son seigneur n'obéit plus au roi que par l'intermédiaire de son seigneur. Pour permettre au vassal de remplir ses obligations, notamment militaires, le seigneur lui accorda très vite un fief. Dès la fin du IXe s. il y eut hérédité de la vassalité (capitulaire de Quierzy-sur-Oise, 877). Les obligations du vassal consistaient dans le conseil, le service militaire (ost et chevauchée), la garde du château (estage) et l'aide (d'ordre financier : pour la rançon du seigneur lorsqu'il était fait prisonnier, pour son départ en croisade, lors de l'adoubement de son fils aîné et lors du mariage de sa fille

Ph. Galerie Denise René

Victor Vasarely : « Kerest » (1968-1974). (Galerie Denise René, Paris.)

aînée). En échange, le seigneur devait protection à son vassal. En cas de rupture du lien de vassalité, il y avait commise (confiscation) du fief. **V.** *aussi* **Féodalité.** Cf. Robert, t. VI.

VASSIEUX-EN-VERCORS. ♦ Comm. de la Drôme, arr. de Die. 257 hab. Incendié par les Allemands en 1944, le village a été reconstruit. Monument à la mémoire des 76 habitants qui y furent massacrés.

VASSILEVSKI (Alexandre Mikhaïlovitch). ♦ Maréchal soviétique (Novopokrovka, région d'Ivanovo, 1895 —). Membre du Comité militaire révolutionnaire en 1917, il devint chef de la section du personnel du Parti communiste. Durant la Deuxième Guerre mondiale, nommé chef d'état-major général, il fut l'un des conseillers de Staline et se distingua à la bataille de Stalingrad, comme adjoint de Joukov* (hiver 1942-1943). Promu maréchal (1943), il dirigea en 1945 le troisième front de la Biélorussie, puis les forces soviétiques en Extrême-Orient contre le Japon. Ministre des Forces armées (1949-1953), membre du Comité central du Parti communiste (1952-1962), il occupa en 1959 un poste dirigeant au ministère de la Défense.

VASSILI. ♦ Nom de plusieurs grands-princes de Moscou. ♦ VASSILI Ier (1371 — 1425). Grand-prince de Vladimir et de Moscou (1389-1425). Fils et successeur de Dimitri* IV Donskoï, il eut à lutter contre son beau-père, grand-duc de Lituanie, qui se rendit maître de Viazma et de Smolensk. En 1395, il repoussa Tîmûr-i Lang (Tamerlan), puis lutta contre les Mongols, qui ravagèrent la capitale en 1408. ♦ VASSILI II *l'Aveugle* (1415 — 1462), son fils et successeur. Grand-prince de Moscou (1425-1462). Plusieurs fois dépossédé de son trône par son oncle Iouri de Galitch et les deux fils de celui-ci, il retrouva son autorité en 1453. Il affermit la tutelle de Moscou sur Novgorod et prépara le rassemblement des terres russes. Il refusa le décret d'union entre les Églises grecque et romaine (1439) et libéra l'Église russe de la tutelle byzantine. Son fils Ivan* III lui succéda. ♦ VASSILI III (1479 — 1533). Grand-prince de Moscou (1505-1533). Fils d'Ivan* III, il annexa Pskov (1510), Riazan (1521), et enleva Smolensk (1522) aux Lituaniens après une longue guerre. Contre les Tatars de Crimée et de Kazan', qui ravageaient les régions méridionales et sud-occidentales, il fit établir la première ligne de villes fortifiées (Toula, Kalouga, Zaraïsk). Il fut le père d'Ivan* IV le Terrible.

VASSILI CHOUISKI [*Šuiski*]. ♦ Tsar de Russie (1606-1610). Descendant des princes de Souzdal, il s'empara du pouvoir après avoir organisé le coup d'État qui renversa le premier « faux Dimitri* ». Favorable à la haute aristocratie, il dut faire face, dès son avènement, aux révoltes paysannes et cosaques (1606-1607) et aux Polonais qui appuyaient le second « faux Dimitri* ». Devant la menace polonaise, il fit appel à la Suède, mais, vaincu par Sigismond III de Pologne, il fut destitué et mené en captivité en Pologne où il mourut (1612).

VASSIVIÈRE. ♦ Lac artificiel dans la Haute-Vienne*. C'est un barrage établi sur la Maulde* qui a créé cette retenue.

VÄSTERÅS. ♦ V. de Suède, sur le lac Mälar*, à l'O. de Stockholm*. Ch.-l. du comté de Västmanland et quatrième ville de Suède. 113 389 hab. (1969). — Cathédrale gothique (XIIIe s.). — Important centre indus. : électro-métallurgie, constructions mécaniques, scieries, verreries. — Patrie d'O. Rudbeck. ♦ *Hist.* Lors de la Diète qui s'y tint en 1527, Gustave* Vasa introduisit la Réforme en Suède. — À proximité, château d'Ängsö (XIIIe s.).

VASUBANDHU. ♦ Religieux et philosophe bouddhiste indien (IVe s.) originaire du Gandhâra*, auteur de très nombreux textes religieux et de commentaires du canon bouddhique, souvent en collaboration avec son frère Asanga.

Vat ou **Wat.** ♦ Nom donné au Cambodge, au Laos et en Thaïlande aux monastères bouddhiques **(V. Angkor Vat).**

VATAN. ♦ Ch.-l. de cant. de l'Indre, arr. d'Issoudun. 2 194 hab. *(Vatanais).* Église du XVIe siècle. Maisons anciennes. — Confections.

VATÉ ou **EFATÉ**, anc. **île Sandwich.** ♦ Île du groupe central méridional des Nouvelles*-Hébrides. 1 100 km². Sur sa côte S.-O. se situe le centre administratif de Vila*. Gisement de manganèse à Forari, exploité depuis 1962.

VATEL. ♦ (mort à Chantilly, 1671). Maître d'hôtel français au service de Fouquet*, puis de Condé*. Son suicide, causé par le retard de la marée lors d'une fête de Condé, est conté par Mme de Sévigné et par Saint-Simon.

VATHY [*Bathy*]. ♦ V. et port de Grèce sur la côte N. de l'île de Samos, au fond du *golfe de Vathy,* ch.-l. du nome de Samos. 2 570 hab. Musée archéologique renfermant des trouvailles provenant de l'Héraion et de l'ancienne ville de Samos.

VATICAN. *n. m.,* en lat. **Vaticanus** (adj. peut-être formé sur un nom de lieu étrusque, **Vaticum**). ♦ Colline de Rome, sur la r. d. du Tibre, au N. du Janicule. Les jardins et le cirque de Néron furent le lieu de supplices infligés aux chrétiens (64). Parmi ceux-ci, traditionnellement, saint Pierre* ; la vénération de son tombeau en ces lieux est attestée fin IIe siècle. Une première basilique y fut élevée sous Constantin (324-349), autour de laquelle s'élevèrent d'autres bâtiments religieux et civils. Léon IV entoura la zone de remparts, constituant le *Borgo* ou Cité léonine, appuyée sur le château Saint*-Ange (848-852). Résidence des papes au retour d'Avignon (1377), siège des services pontificaux depuis Nicolas V [1447-1455] (auparavant, **V. Latran**). — *Édifices et sites.* Basilique Saint-Pierre. Palais apostolique des papes, ensemble complexe fort ancien (Charlemagne y fut reçu en 800). Remanié par Bramante sous Jules II, il n'a cessé de recevoir adjonctions et modifications. Les parties les plus célèbres en sont le Belvédère*, les chapelles de Nicolas V (fresques de Fra* Angelico), Sixtine* et Pauline*, la tour et les appartements Borgia (décorés par le Pinturicchio*), les loges et les chambres de Raphaël*, la salle royale (par Sangallo* le Jeune), l'escalier royal (par le Bernin), la Bibliothèque vaticane* et les musées : pinacothèque vaticane (œuvres de la Renaissance italienne, dont le *Saint Jérôme* de L. de Vinci) ; musée Pie-Clémentin (Clément XIV et Pie VI), collection d'antiques dont la *Vénus du Vatican,* réplique de l'Aphrodite de Cnide **(V. Praxitèle),** le *Laocoon,* l'*Apollon* et le *Torse* dits du Belvédère ; musées étrusque et égyptien (Grégoire XVI) ; musée Chiaramonti et galerie lapidaire (Pie VII) ; ex-musée du Latran, installé dans un bâtiment moderne (Paul VI). — Dans les jardins : entrée des grottes vaticanes (fouilles archéologiques, sépulture de nombreux pontifes) ; église Saint-Étienne des Abyssins (VIe s. ?, refaite au XVIIIe s.) ; Casino de Pie IV (par Pirro Ligorio et Sallusto Peruzzi, 1558-1562), siège de l'Académie pontificale des sciences ; bâtiments administratifs. — *État de la Cité du Vatican.* État souverain, le plus petit du monde (44 ha, env. 1 000 hab.), créé par les accords du Latran* (1929) pour assurer une base temporelle à la souveraineté spirituelle du pape. Outre la Cité, il comporte une douzaine d'édifices situés à Rome (Saint-Jean-de-Latran, Sainte-Marie-Majeure, Saint-Paul-hors-les-Murs) ou en dehors (Castel Gandolfo, résidence d'été des papes) auxquels la République italienne accorde le privilège d'exterritorialité. Le pape détient le pouvoir suprême ; il l'exerce par un gouverneur nommé. Le Vatican possède son drapeau, ses forces armées (garde suisse, gendarmerie pontificale), sa monnaie (lire vaticane), sa poste, sa radio, un service d'approvisionnement (l'Annone), une imprimerie (imprimerie polyglotte vaticane), un quotidien (*L'Osservatore romano,* éditions hebdomadaires en diverses langues étrangères), un hebdomadaire *(L'Osservatore della domenica).* La citoyenneté vaticane est accordée aux personnes que leur office attache au Vatican, aux cardinaux résidant à Rome, aux personnes désignées par le pape. [*Carte.* **V. Rome.**]

Vatican *(conciles du).* ♦ VATICAN Ier : XXe concile œcuménique, réuni par le pape Pie IX en 1869, suspendu à la suite de l'entrée des troupes italiennes dans Rome en 1870. Face au libéralisme et au rationalisme du XIXe s., il précisa la doctrine catholique sur la révélation et sur la foi (constitution *Dei filius*). Il affirma le dogme de l'infaillibilité pontificale (constitution *Pastor aeternus*). ♦ VATICAN II : XXIe concile œcuménique, réuni par le pape Jean* XXIII et poursuivi sous Paul* VI. Quatre sessions, 11 oct.-8 déc. 1962, 29 sept.-4 déc. 1963, 14 sept.-21 nov. 1964, 14 sept.-8 déc. 1965. Outre le pape et plus de deux mille pères conciliaires, des experts, des observateurs non catholiques et quelques auditeurs laïques y participèrent. Selon le vœu de Jean XXIII, il entreprit la mise à jour *(aggiornamento)* de l'Église face au monde moderne et s'efforça de préparer l'unité des chrétiens. Il promulgua quatre constitutions, dont une sur la rénovation de la liturgie *(Sacrosanctum concilium)* et une sur l'Église dans le monde moderne (*Gaudium et spes,* issue de la discussion du *Schéma 13*). L'esprit du concile fut souligné par plusieurs gestes significatifs de Paul* VI au cours des « intersessions », ainsi que par la création d'un groupe de travail mixte avec le Conseil* œcuménique des Églises (fév. 1965) et la levée des anathèmes réciproques entre les Églises catholique et orthodoxe (7 déc. 1965).

Vaticane *(Bibliothèque).* ♦ Bibliothèque fondée par le pape Nicolas V au Vatican (1450). La salle Sixtine, bâtie par D. Fontana pour Sixte Quint (1588), a été remplacée, sous Léon XIII, par une nouvelle salle de lecture, à l'étage inférieur. La bibliothèque conserve plus de 500 000 volumes, de nombreux incunables et environ 60 000 manuscrits dont le *Papyrus Bodmer VIII* (épîtres de Pierre, IIIe s.), le *Codex Vaticanus* (Bible grecque, *milieu* IVe s.), plusieurs manuscrits fondamentaux pour l'établissement des textes de Virgile et de Cicéron, et des manuscrits enluminés du Moyen Âge et de la Renaissance (Évangéliaire de Reichenau, v. 1 000; Bible d'Urbin, 1476-1478).

VATNAJÖKULL. *n. m.* ♦ Région du S.-E. de l'Islande, recouverte d'une calotte glaciaire d'une surface de 8 500 km². Son altitude varie entre 1 300 et 1 700 mètres.

VATTEL (Emmer ou **Emmerich** *de***).** ♦ Diplomate et publiciste suisse (Couvet, cant. de Neuchâtel, 1714 – Neuchâtel, 1767). Il étudia le droit et la philosophie et, à une époque où la pensée de Leibniz* soulevait de vives discussions, il en défendit la méthode et les principes *(Défense du système de Leibniz,* 1742). Conseiller d'Auguste III de Saxe (1746), puis son représentant à Berne, E. de Vattel doit sa célébrité à un important traité sur *Le Droit des gens* (sous-titre : *Principes de la loi naturelle appliquée à la conduite et aux affaires des nations et des souverains,* 1758). Cet ouvrage a constitué une des sources du droit international moderne.

VÄTTERN *(lac).* ♦ Grand lac de Suède méridionale, relié à la Baltique* par le Motalaström. 1 899 km². Il baigne les villes de Jönköping*, Motala*.

VAUBAN (Sébastien le Prestre *de***).** ♦ Maréchal de France (Saint-Léger-Vauban, Yonne, 1633 – Paris, 1707). Commissaire des fortifications (1678), il déploya une grande activité et entoura le royaume de fortifications (en particulier le long de l'Escaut, de la Meuse et du Rhin). Il construisit aussi des grands ports, des canaux et l'aqueduc de Maintenon. Il s'intéressa également au perfectionnement des techniques d'attaque, et ses méthodes lui permirent de remporter de nombreux sièges : il s'illustra particulièrement lors de la guerre de la ligue d'Augsbourg* en prenant Mons, Namur et Steinkerque. Il écrivit des ouvrages d'art militaire, mais aussi de politique générale, et sa liberté d'esprit provoqua sa disgrâce (son *Projet d'une dîme royale* fut interdit en 1707).

VAUBLANC (Vincent Marie VIÉNOT, *comte de***).** ♦ Homme politique français (Saint-Domingue, 1756 – Paris, 1845). Après une carrière militaire, il quitta l'armée (1791), fut élu à l'Assemblée législative, où il affirma des positions royalistes, et réussit à se cacher sous la Terreur. Bien que condamné à mort par contumace pour sa participation à l'insurrection royaliste du 13 vendémiaire* an IV, il entra au Conseil des Cinq-Cents (1796). Exilé, comme royaliste, après le coup d'État du 18 fructidor an V (4 sept. 1797), il fut membre du Corps législatif après le 18 Brumaire*, puis préfet. Rallié à Louis XVIII, il fut nommé ministre de l'Intérieur (1815), mais fut obligé de démissionner en 1816 en raison de ses positions extrémistes. En 1820, il devait encore siéger comme député de l'extrême droite.

VAUCANSON (Jacques *de***).** ♦ Ingénieur mécanicien français (Grenoble, 1709 – Paris, 1782). Il imagina de nombreuses machines, parmi lesquelles une pompe pour élever les eaux, le premier métier à tisser entièrement automatique **(V.** *aussi* **Jacquard),** le tour à charioter et une perceuse dont les dispositifs constituent les organes essentiels des machines-outils actuelles. Il réalisa des automates célèbres (le *Joueur de flûte traversière* [1737], le *Joueur de tambourin* et le *Canard* [1738]). **V. Falcon.** Il envisagea également la construction d'anatomies mouvantes susceptibles de contribuer au progrès de la médecine.

VAUCLUSE *(Fontaine de).* ♦ V. FONTAINE-DE-VAUCLUSE.

VAUCLUSE. [84]. *n. m.* ♦ Dép. du S.-E. de la France, région (anciennement C.A.R.) de Provence*-Côte d'Azur. 3 578 km². *Orogr.* A l'O. du dép., la plaine du Comtat*, limitée par le Rhône* et la Durance*, bien irriguée, est riche en cultures de primeurs. L'E. du dép., plus aride, est occupé par des montagnes calcaires : le mont Ventoux*, le plateau de Saint-Christol, le Lubéron*. ♦ 22 cant., 151 comm., 361 255 hab. *Préf.* Avignon*; *sous-préf.* Apt*, Carpentras*. *Ch.-l. de cant.* Beaumes*-de-Venise, Bédarrides*, Bollène*, Bonnieux (1 292 hab.), Cadenet*, Cavaillon*, Gordes*, Isle*-sur-la-Sorgue (L'), Malaucène*, Mormoiron (997 hab.), Orange*, Pernes*-les-Fontaines, Pertuis*, Sault*, Vaison*-la-Romaine, Valréas*. *Autres comm.* **V. Châteauneuf-du-Pape, Fontaine-de-Vaucluse, Lourmarin, Mérindol, Monteux, Sorgues.**

VAUCOULEURS. ♦ Ch.-l. de cant. de la Meuse, arr. de Commercy, sur la Meuse, 2 846 hab. *(Valcolorois).* Crypte du XIIIe siècle. Vestiges du château de Baudricourt. Restes de fortifications (porte de France). – Fonderie; confection. – Patrie de la comtesse Du* Barry. ♦ *Hist.* Le 13 mai 1428, Jeanne d'Arc se rendit à Vaucouleurs et se présenta à Robert de Baudricourt, gouverneur du roi, et lui demanda de la conduire à Chinon auprès du roi Charles VII.

VAUCRESSON [vokʀesɔ̃]. ♦ Comm. des Hauts-de-Seine, arr. de Nanterre, à l'O. de Paris. 8 147 hab. – Église (XIIe, XVIIe siècles). Lieu de villégiature.

VAUD [vo] *(canton de),* en all. **Waadt.** ♦ Canton du S.-O. de la Suisse, limité par le lac Léman* au S., la France à l'ouest. 3 211 km². 511 851 hab. *(Vaudois)* pour la plupart de religion protestante et de langue française. *Ch.-l.* Lausanne. *V. princ.*

Ph. Lauros-Giraudon

Léon Vaudoyer :
façade de l'ancienne cathédrale de Marseille.

V. Aigle, Clarens, Grandson, Lucens, Montreux, Morges, Nyon, Payerne, Pully, Vevey, Yverdon. La région contient une partie du lac de Morat et la totalité du lac de Joux. Elle est drainée par le Rhône et de nombreuses rivières comme l'Orbe, la Thièle* et la Broye. Elle est formée par les contreforts du Jura à l'O. (vallée de Joux), le plateau suisse au centre et l'extrémité O. des Alpes bernoises à l'E. (les Diablerets, 3 209 m). Région plus agricole qu'industrielle, le canton de Vaud est le premier producteur de vin de Suisse (vignobles d'Yvorne et de Lavaux). Céréales. Betteraves à sucre dans la région d'Orbe; tabac dans la vallée de la Broye. L'activité la plus importante est le tourisme; stations climatiques, thermales (Bex*-les-Bains) et de sports d'hiver (les Diablerets*, Leysin*, Sainte*-Croix-les-Rasses, Villars*-sur-Ollon). Châteaux de Chillon* et de Coppet*. – Patrie de J.D. Du* Perron (Val-de-Joux), H. Guisan* (Mézières), La* Harpe (Rolle), Juste Olivier* (Eyzins), C.F. Ramuz* (Cully) et P. Viret* (Orbe). ♦ *Hist.* Conquis par les Romains en ~ 58, le *Pagus Urbigenus* ou *Valdensis* fut occupé au Ve siècle par les Burgondes puis par les Francs et fit partie du royaume de Bourgogne transjurane (888-1032). Annexé au Saint-Empire, il passa sous la domination des Zähringen*, jusqu'en 1218, puis sous celle des comtes de Savoie. Après la défaite de Charles le Téméraire à Morat* (1476), le pays fut envahi et soumis par les Bernois (1536) qui y imposèrent la Réforme par la force. En 1723, la tentative de J.D. Davel pour libérer le pays de Vaud échoua. Mais, lors de la Révolution française, l'exilé vaudois F.C. de La Harpe incita le Directoire à marcher contre Berne. Les troupes françaises entrèrent triomphalement à Lausanne pendant qu'était proclamée la *République lémanique* (janv. 1798) qui prit bientôt le nom de *canton du Léman* (mars 1798) puis de *canton de Vaud* en 1803.

VAUDÉMONT. ♦ Comm. de Meurthe-et-Moselle, arr. de Nancy. 95 hab. Château en ruine. – La colline de Sion-Vaudémont est qualifiée de « montagne » en raison de son isolement; elle a la forme d'un fer à cheval ouvert du côté O.; sa pointe N.-E. porte Sion* et sa pointe S.-O. Vaudémont. Elle culmine au « Signal » à 541 mètres. Elle a été illustrée par Maurice Barrès dans *La Colline inspirée* (1913). – Monument à Barrès à la sortie du bois de Plaimont.

VAUDÈS ou **VALDÈS** ou **VALDO (Pierre).** ♦ (v. 1140 – après 1206). Marchand lyonnais, fondateur (?) de la secte chrétienne des « pauvres de Lyon » ou « vaudois » (v. 1170). D'intention orthodoxe, il prêchait la pauvreté et le retour à l'Évangile, refusant les sacrements et la hiérarchie ecclésiastique. Il fut excommunié et banni de Lyon (v. 1182-1183) et sa doctrine condamnée par l'Église (Vérone, 1184; Latran, 1215), non sans être confondue à tort avec celle des cathares*. **V. Vaudois.**

Vaudois. *n. m. pl.* ♦ Membres d'une secte dissidente de l'Église catholique fondée à la fin du XIIe siècle par Pierre Vaudès* qui avait créé en 1170 une secte appelée les « pauvres de Lyon ». D'abord approuvée par l'Église, leur doctrine fut finalement condamnée au concile du Latran (1179); P. Vaudès ne se soumit pas et une nouvelle condamnation intervint au concile de Vérone (1184). Excommuniés, les vaudois se séparèrent de l'Église et furent considérés comme des hérétiques. Leurs principes étaient que tous les chrétiens devaient connaître les Saintes Écritures, que les laïques avaient les mêmes droits que les prêtres et le droit d'instruire et d'évangéliser : en conséquence le pape, les évêques et les prêtres s'étaient attribué un pouvoir illégitime. Les vaudois rejetaient le culte des saints et la messe et proclamaient que seule la dignité personnelle conférait le droit de donner les sacrements. Cette hérésie, partie des Alpes, se répandit en Provence, en Dauphiné, dans les vallées du Piémont, en Lombardie et jusqu'en Espagne et en Allemagne. Les vaudois durent lutter contre une croisade lancée contre eux par Innocent III en 1209; en 1211, quatre-vingts d'entre eux furent brûlés à Strasbourg. Certains vaudois se réfugièrent en Bohême où ils se joignirent aux hussites*. En 1487, menée par Innocent VIII et le duc de Savoie, une nouvelle croisade fut entreprise en vain. En 1532, les vaudois s'unirent aux protestants. Vers 1655, une nouvelle persécution conduite par le duc de Savoie, Charles-Emmanuel II, et l'armée de Louis XIV, ne put les réduire et on dut leur accorder la paix par la Patente de Turin (1664). Les vaudois avaient été décimés en France lors des guerres de Religion et les derniers se réfugièrent à Genève après la révocation de l'édit de Nantes (1685). Le sort des vaudois savoyards s'améliora à cause du désaccord survenu entre le duc de Savoie et Louis XIV. En 1848, Charles-Albert leur accorda la liberté et l'égalité avec les fidèles des autres religions. — Il reste actuellement env. 20 000 vaudois dans les vallées du S.-O. de Turin.

VAUDOYER (Léon). ♦ Architecte français (Paris, 1803 — Paris, 1872). Il transforma l'église de Saint-Martin-des-Champs à Paris en Conservatoire des arts et métiers en s'inspirant de la Renaissance. Il établit les plans et commença la cathédrale de Marseille (1852). Cette œuvre de style éclectique à caractère romano-byzantin fut terminée par ses élèves Espérandieu et Revoil (1893).

VAUDREUIL (Philippe de Rigaud, *marquis de*). ♦ Administrateur français (en Gascogne, 1643 — Québec, 1725). Il fut gouverneur de Montréal, puis gouverneur général du Canada (1703-1725) et perdit contre les Anglais l'Acadie et Terre-Neuve (1713). ♦ PIERRE DE RIGAUD DE CAVAGNAL, *marquis de* VAUDREUIL, son fils. Administrateur français (Québec, 1698 — Muides-sur-Loire, Touraine, 1778). Gouverneur de Trois-Rivières, puis de la Louisiane (1743-1755), il fut le successeur de Duquesne au Canada (1755-1760). Il eut de très mauvais rapports avec les chefs militaires, ce qui compromit le maintien de la France au Canada. Il ordonna la capitulation de Montréal (1760), fut emprisonné et jugé en France, mais acquitté.

VAUDREUIL (Le). ♦ Comm. de l'Eure, arr. des Andelys. 1 746 hab. — Une ville nouvelle est en cours de création.

VAUGELAS [-la] **(Claude Favre, *seigneur de*).** ♦ Grammairien et linguiste français (Meximieux, en Bresse, 1585 — Paris, 1650) qui dirigea les travaux de l'Académie* française et publia (1647) des *Remarques sur la langue française,* non pour fixer mais pour régler la langue. Réagissant contre les « latinisants », il prône le recours à l'usage, fondé sur le « bon goût » de la cour et de la ville. (Acad. fr., 1634.)

VAUGHAN (Henry). ♦ Poète anglais (Newton Saint Briget, Brecknockshire, 1622 — Scethrog, 1695). Son éducation fut confiée à Matthew Herbert, dont on décèle l'influence dans certaines œuvres. Il fit ses études à Oxford, puis étudia le droit à Londres. À l'instigation de son frère, alchimiste, il se passionna pour la médecine et traduisit deux ouvrages de Heinrich Nolle (*Hermetical Physick,* 1655, et *The Chymists Key,* 1657). Sa poésie, dédaignée de son vivant, fut remise en honneur au XIXe s. et influença Wordsworth*, qui s'inspira notamment de *La Retraite (The Retreat),* où s'exprime la nostalgie de l'enfance. De son œuvre poétique, il faut citer *Thalia rediviva (Thalia rediviva, the pass time of a country Muse,* 1678) et *Le Cygne de la rivière Usk (Olor Iscanus,* 1651), recueil contenant deux poèmes remarquables, *L'Ossuaire (The Charnel House)* dont la rhétorique s'apparente à celle de John Donne, et *À Elizabeth.* Le plus prisé de ses recueils reste *Silex Scintillans (Étincelles tirées du silex,* 1650 et 1655), d'inspiration religieuse. Vaughan fut avant tout un mystique; l'originalité de ses dons de visionnaire l'a fait comparer à Milton.

VAUGHAN WILLIAMS (Ralph). ♦ Compositeur anglais (Down Ampnay, 1872 — Londres, 1958). Élève de M. Bruch à Berlin puis de Ravel à Paris, il s'attacha très tôt à l'étude du folklore anglais qu'il mena conjointement avec celle de l'œuvre de Purcell. Professeur au *Royal College of Music* (1919), il a rendu à la musique anglaise son caractère spécifique et présidé à la renaissance du mouvement musical dans son pays. Marquée par l'influence de la mélodie populaire, son œuvre comprend neuf *symphonies,* six *opéras,* quatre *ballets,* des *concertos* pour divers instruments, de nombreuses *œuvres chorales, religieuses* et *profanes,* des *mélodies* et *adaptations de chansons populaires* et une pièce de musique symphonique, la célèbre *Fantaisie sur un thème de Tallis.*

VAUJOURS. ♦ Comm. de la Seine-Saint-Denis, arr. du Raincy, au N.-E. de Paris. 5 274 hab. *(Vaujouriens* ou *Valjoviens).* — Plâtrières.

VAULX [vo]**-EN-VELIN.** ♦ Comm. du Rhône, dans l'arr. et la banlieue N.-E. de Lyon*. 20 755 hab. [13 433 aggl.]. Indus. textile. Centrale thermique.

VAUQUELIN (Nicolas Louis). ♦ Chimiste français (Saint-André-d'Hébertot, près de Pont-l'Évêque, 1763 — *id.,* 1829). Il découvrit le chrome (1797), analysa, avec Fourcroy*, de nombreux produits chimiques d'origine animale ou végétale et reconnut notamment l'identité de la composition chimique de l'aragonite et de la calcite (1804). Il décela, avec Laugier*, la présence presque constante du chrome dans les météorites.

VAUQUELIN DE LA FRESNAYE [fʀenɛ] **(Jean).** ♦ Poète français (La Fresnaye-au-Sauvage, près de Falaise, v. 1536 — *id.,* 1606), auteur d'un *Art* poétique français,* en vers (1574, publié en 1605), où il se montre disciple de Ronsard* mais apprécie la poésie du Moyen Âge. Cet ami de Baïf* et des humanistes s'inspira d'Horace* dans ses poèmes champêtres des *Foresteries* (1555).

VAUQUOIS. ♦ Comm. de la Meuse, arr. de Verdun, au bas de la *butte de Vauquois* (280 m) qui fut en 1915 le théâtre d'une terrible guerre de mines (monument).

Vautrin. ♦ Personnage de *La Comédie* humaine* de Balzac*, figurant dans trois romans *(Le Père* Goriot, Les Illusions* perdues, Splendeurs* et misères des courtisanes)* et dans le drame qui porte son nom (représenté en 1840). Forçat évadé, en marge de la société qu'il considère comme une jungle, il goûte la jouissance de « jouer contre tous les hommes » et de réaliser ses rêves de puissance par l'intermédiaire des jeunes gens qu'il aime (Rastignac*, puis Rubempré. **V. Splendeurs et misères des courtisanes**). Dominateur, il s'attache à les modeler, à en faire ses doubles « comme la créature appartient au créateur, et le corps à l'âme ». Déçu dans cette ambition, il finira, à la suite de nombreuses incarnations, par représenter l'ordre social, en devenant (à l'instar de Vidocq*) chef de la sûreté. Balzac a conféré à ce personnage une grandeur symbolique; il est « l'archange déchu » et semble, en dépit de ses crimes, secrètement justifié comme l'incarnation de l'énergie.

VAUVENARGUES (Luc de Clapiers, *marquis de*). ♦ Moraliste français (Aix-en-Provence, 1715 — Paris, 1747). Déçu dans ses rêves de gloire militaire, puis atteint dans sa santé, il se consacra dès lors aux lettres, écrivit des *Caractères,* inspirés de La* Bruyère, où il stigmatise les ridicules du temps ou rêve d'un héros idéal *(Clazomène),* et fit paraître (1746) son *Introduction à la connaissance de l'esprit humain,* accompagnée de *Maximes et Réflexions,* où il manifestait une confiance optimiste en l'homme. Exaltant la bonté de la nature, il se défie du surnaturel et pense que le « génie » humain apparaît quand « la raison et le sentiment se conseillent et se suppléent tour à tour ». Cette confiance dans le rôle du cœur l'amène à prôner le culte des grandes passions, l'amour et l'ambition, énergie qui doit se mettre au service de la société : « que tous ceux qui sont nés pour l'action suivent hardiment leur instinct, l'essentiel est de faire bien ». Cette doctrine morale, qui conteste les thèses de Pascal* et de La* Rochefoucauld, s'exprime en des formules d'une netteté concise (c'est le « vernis des maîtres »). Si l'expression est parfois relevée d'images, elle reste toujours au service de l'idée, car Vauvenargues se méfie de l'éloquence, à l'instar des classiques à l'étude desquels il s'est intéressé (célèbre *parallèle entre Corneille et Racine)* en des jugements remarquablement indépendants.

VAUVERT. ♦ Ch.-l. de cant. du Gard, arr. de Nîmes. 6 345 hab. *(Vauverdois).* V. célèbre au Moyen Âge par un sanctuaire dédié à Notre-Dame et détruit par les protestants au XVIe siècle. À proximité, château de Candiac où naquit Montcalm*. — Vins, conserveries.

VAUVILLERS [vovilɛʀ] **(Le).** ♦ Ch.-l. de cant. de la Haute-Saône, arr. de Lure. 672 hab. — Château du XVIIIe siècle. Broderies.

VAUX-DE-CERNAY. ♦ Site pittoresque de la vallée de Chevreuse, sur le territoire de Cernay-la-Ville (Yvelines). Ruines de l'abbaye cistercienne fondée au XIIe s. par les moines de Savigny et rattachée à Clairvaux.

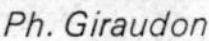

Ph. Giraudon

C. Favre de Vaugelas.
École française du XVIIe s.
(Château de Versailles.)

Ph. PSZ/Ricciarini

N.L. Vauquelin,
gravure d'A. Tardieu.
(Coll. Bertarelli, Milan.)

VAUX-DEVANT-DAMLOUP. ♦ Comm. de la Meuse, arr. de Verdun, 8 hab. ♦ *Hist.* Le fort de Vaux, à 8 km de Verdun, fut pris par les Allemands pendant la bataille de Verdun* le 9 juin 1916. Il était défendu par Raynal. Il fut reconquis par le général Mangin le 2 novembre.

Vaux-le-Vicomte. ♦ Château situé en Seine-et-Marne, à proximité de Melun, construit de 1657 à 1661 pour le surintendant Fouquet*, sur les plans de Louis Le* Vau; Le* Brun en fit la décoration, Le* Nôtre dessina les jardins. Ces artistes devaient contribuer à la construction de Versailles. Fouquet donna des fêtes somptueuses à Vaux-le-Vicomte et fut disgracié peu après par Louis XIV. En 1705, le maréchal de Villars acheta le château qui fut érigé en duché-pairie; il passa en 1764 au duc de Choiseul-Praslin et prit le nom de Vaux-Praslin. A. Sommier le racheta en 1875 et le fit restaurer.

VAUX-SOUS-CHÈVREMONT. ♦ V. de Belgique dans la banlieue industrielle de Liège, sur la Vesdre. 5 500 hab. Charbonnages. Métallurgie lourde.

VÄXJÖ. ♦ V. de Suède méridionale, au bord du lac Växjösjön. Ch.-l. du comté de Kronoberg. 30 400 hab. – Évêché. Musée. – Centre commercial. Papeteries, constructions mécaniques. – Patrie de P. Lagerkvist*.

VAZOV (Ivan). ♦ Écrivain bulgare (Sopot, 1850 – Sofia, 1921). Admirateur de Pouchkine, Gogol, Tchekhov, et de Victor Hugo, il se fit connaître par des recueils de vers dans lesquels il chanta aussi bien la beauté de la nature de son pays que la gloire des héros bulgares morts pour la liberté de leur patrie : *Étendard et Guzla* (1876), *Les Tristesses de la Bulgarie* (1877), *Délivrance* (1878), *L'Épopée des oubliés* (1884), *Champs et forêts* (1884), *J'ai senti le parfum du lilas* (1919). Auteur de nouvelles et de romans, il y révéla ses talents de conteur réaliste. Ainsi décrivit-il dans la nouvelle *Hadži Ahil* (1882) un personnage pittoresque de sa ville natale, puis dans la nouvelle *Sans feu ni lieu* (1883) la vie des émigrés en Roumanie, et enfin dans le roman *Sous le joug* (1890) la vie des Bulgares à la veille de l'insurrection d'avril 1876. Ses drames historiques : *Borislav* (1909), *Vers l'abîme* (1910) ne connurent qu'un bref succès. Auteur fécond et d'une grande sensibilité patriotique, il refléta dans son œuvre cinquante années de la conscience bulgare.

VAZ TEIXEIRA (Tristão). ♦ Navigateur portugais de la première moitié du XVe s. qui, avec Gonçalves Zarco*, redécouvrit Madère* et Porto Santo (1418-1420), archipel qui, semble-t-il, était déjà connu par les Italiens.

Veau d'or *(le)*. ♦ Dans la Bible *(Exode*, XXXII), idole adorée par Israël au pied du Sinaï, détruite par Moïse* (Cf. Robert).

VEBLEN (Thorstein Bunde). ♦ Économiste américain (Manitowoc County, Wisconsin, 1857 – Menlo Park, Californie, 1929). Critiquant les positions des marginalistes **(V. C. Menger** et **J.B. Clark)**, il a développé une nouvelle conception de la science sociale sous l'influence du pragmatisme et de l'évolutionnisme darwinien. Étudiant les faits économiques, il s'est efforcé de les situer dans leur contexte global, en particulier leur cadre juridique (d'où le qualificatif d'institutionnaliste donné parfois à cette tendance, **V. J.M. Clark, J.R. Commons)**. Dans sa critique des institutions sociales américaines, Veblen, tout en s'inspirant de certaines analyses marxistes, envisage de façon très différente l'évolution de la société capitaliste dont l'issue lui paraît être un régime soit de type militaire, soit de type technocratique *(La Théorie de la classe oisive*, 1899; *La Théorie de l'entreprise d'affaires*, 1904; *La Place de la science dans la civilisation moderne*, 1919; *Les Ingénieurs et le Système des prix*, 1921, etc.).

Ph. G. de Brouhns
Tête de l'Apollon de **Véies.**
(Musée étrusque de la villa Giula, Rome.)

VECCHIETTA (Lorenzo di PIETRO, dit). ♦ Peintre, sculpteur et architecte italien (Castiglione di Val d'Orcia, v. 1405 – Sienne, 1480). En tant que peintre, il a élaboré un style qui représente parfaitement l'esprit de sa génération qui hésita, à Sienne, entre les découvertes florentines et la tradition gothique telle qu'elle fut établie dans cette ville pendant le XIVe siècle. Ayant travaillé avec Masolino* à la collégiale de Castiglione d'Olona (1433-1439), il fut séduit par la nouvelle représentation spatiale de son collègue et il l'utilisa dans les fresques de l'hôpital Santa Maria della Scala à Sienne (*Histoire de Tobie*, 1441) tandis que dans l'*Arliquiera* (armoire aux reliques, 1445) ce furent les conceptions médiévales qui triomphèrent. Après 1460, Vecchietta se consacra à la sculpture. Si ses bois s'inspirent du formalisme gothique, ses bronzes révèlent une nette influence du style de Donatello* (*Christ ressuscité*, 1476, dôme de Sienne). Architecte, il dirigea des travaux de fortification commandés par la ville de Sienne et construisit quelques demeures privées.

Veda. *n. m. pl.* (« Savoir »). ♦ Nom donné en Inde aux quatre livres « révélés » par les divinités aux sages de l'époque védique et censés contenir toute la sagesse divine. Ce sont les livres sacrés des hindous. Il suffit de croire en leur origine divine pour être hindou. Ce sont le *Rig-Veda*, le *Sâma-Veda*, le *Yajur-Veda* et l'*Atharva-Veda*. Presque entièrement composés d'hymnes et de préceptes rituels, ils forment, avec l'ensemble des textes qui leur sont rattachés, ce que l'on appelle la « littérature védique ».

Vedânta. *n. m. pl.* (« Fin des Veda »). ♦ Nom donné en Inde à une philosophie généralement moniste fondée sur l'interprétation des *Upaniṣad**. Le plus grand exégète du Vedânta fut Śankarâchârya* (VIIIe s.), le plus moderne fut Vivekânanda*.

VEDDA. *n. m. pl.* ♦ Groupes aborigènes de l'E. et du S.-E. de Ceylan, composés d'env. 6 000 individus à caractères physiques australoïdes. Chasseurs de petite taille, ils sont demeurés au stade primitif de la cueillette et de la chasse au petit gibier. Ils sont en voie de disparition.

VÉDRINES (Jules). ♦ Aviateur français (Saint-Denis, 1881 – Saint-Rambert-d'Albon, 1919). Il remporta la course « Paris-Madrid » en 1911. Pendant la Première Guerre mondiale, il remplit de dangereuses missions sur son avion, surnommé *La Vache*. En 1919, il atterrit sur le toit des Galeries Lafayette à Paris.

VEGA (Lope de). ♦ V. LOPE DE VEGA.

VEGA (Ricardo de La). ♦ Écrivain espagnol (1839 – 1910), auteur de la célèbre « zarzuela » (vaudeville) : *La verbena de la paloma (La Fête de la colombe)* qui dépeint les bas-fonds madrilènes.

VEGA (La) ou **CONCEPCIÓN DE LA VEGA.** ♦ V. de la république Dominicaine* située à l'intérieur de l'île, au pied de la cordillère centrale. Env. 20 000 hab. Distilleries (rhum). La province compte plus de 250 000 habitants.

Véga. ♦ Nom donné à l'étoile α Lyre*, la plus brillante du ciel boréal. Magnitude 0,1 ; type spectral A O.

VÉGÈCE, en lat. **Flavius Vegetius Renatus.** ♦ Écrivain latin (*fin* IVe s. – *déb.* Ve s.). Il est l'auteur d'un traité sur l'art militaire qui est l'une des sources les plus importantes de renseignements sur le système militaire des Romains *(Traité de l'art militaire)*. Cet ouvrage, dont la première traduction en français fut donnée en 1488, est divisé en cinq livres consacrés à la levée des recrues et à l'instruction des jeunes soldats, à l'organisation de la légion dans les anciennes armées romaines, aux éléments de stratégie et de tactique, à l'attaque et à la défense des places, à la tactique navale.

Vehme. *n. f.*, en all. **Vehmgericht** ou **Fehmgericht** ou **Femgericht** (« tribunal secret »). ♦ Organisation secrète des tribunaux allemands qui jugeaient les crimes contre la religion, l'honneur ainsi que le meurtre, le parjure, la trahison, la diffamation, le viol. Issus des plaids comtaux carolingiens et apparus en Westphalie à la fin du XIIe s., ces tribunaux se substituèrent à la justice légale surtout à la faveur du Grand Interrègne (1250-1273). Tenant des séances secrètes et pratiquant une justice expéditive (il n'y avait qu'une peine, appliquée immédiatement : la mort par pendaison), la *Vehme* ou *Sainte-Vehme* lutta efficacement contre les guerres féodales privées. Les cours ne se tenaient qu'en Westphalie, mais le réseau de la Vehme couvrait toute l'Allemagne où, vers la fin du XIIe s., existaient peut-être 100 000 initiés. Au XVe s., au faîte de sa puissance, la Vehme osa même citer devant son tribunal le duc de Bavière (1429) et l'empereur Frédéric III (1473). Cependant, après la réforme des institutions juridiques germaniques par Charles Quint, la Vehme perdit toute puissance. Le dernier tribunal se tint, dit-on, en 1568, près de Celle (non loin de Hanovre). Ces tribunaux ne furent toutefois supprimés officiellement qu'en 1808 par le roi Jérôme de Westphalie, frère de Napoléon Ier. Le nom de Vehme fut repris après 1918 par des associations secrètes de terroristes d'extrême droite.

VÉIES, en lat. **Veii.** ♦ V. anc. d'Italie, en Étrurie*, au N.-O. de Rome. L'une des cités les plus importantes de l'Étrurie et grande ennemie de Rome, elle fut prise par Camille*, dictateur romain, après un siège de dix ans (~ 405 - ~ 395). Temple d'Apollon (Apollon de Véies au Musée étrusque de la villa Giulia à Rome).

VEJLE. ♦ V. et port du Danemark, au fond du *Vejlefjord,* sur la côte S.-E. du Jutland*. 31 400 hab. Ch.-l. du dép. homonyme. Centre commercial et indus. (fonderies, textiles).

VELA (Vincenzo). ♦ Sculpteur italien (Ligornetto, Tessin, 1822 – *id.,* 1891). Très tôt familiarisé avec l'art de tailler la pierre, il entra dans l'atelier de Cacciatori à Milan et sculpta en 1838 un bas-relief, *Le Christ ressuscitant la fille de Jaïre.* Après avoir participé à la guerre contre les Autrichiens (1848-1849), il devint professeur à l'académie Albertine de Turin. Il est l'auteur notamment de *L'Espérance et la Résignation,* de *L'Harmonie en pleurs,* exécutée pour le monument de Donizetti, de *La France et l'Italie,* en marbre. Son *Napoléon mourant* se trouve au musée de Versailles.

VÉLASQUEZ (Diego Rodríguez da SILVA y VELÁZQUEZ, en fr.**).** ♦ Peintre espagnol (Séville, 1599 – Madrid, 1660). Issu d'une famille noble, de père portugais et de mère andalouse, il entra probablement dans l'atelier de Francisco Herrera le Vieux en 1609 et devint à partir de 1610 l'élève de Francisco Pacheco. Inscrit en 1617 à la corporation des peintres de Séville et marié en 1618 avec la fille de son maître, Juana Pacheco, il peignit à ses débuts des scènes religieuses : *L'Immaculée Conception* (1618), *Saint Jean à Patmos* (1618), *L'Adoration des Mages* (v. 1619), *La Vierge remettant la chasuble à saint Ildefonse* (1623), œuvres qui apparaissent en partie tributaires de L. Tristan, l'un des plus brillants élèves du Greco, et révèlent aussi l'emprise du ténébrisme caravagesque. Cette dernière influence détermina son évolution; il aborda en effet d'une façon nouvelle certains thèmes religieux, mettant au premier plan des scènes ou des motifs jusqu'alors considérés comme accessoires : types populaires occupés à des tâches prosaïques, larges natures mortes, tandis que le sujet initial est relégué à l'arrière-plan et présenté comme se reflétant dans un miroir *(Le Christ à Emmaüs,* 1618; *Le Christ chez Marthe et Marie),* procédé développé ultérieurement dans les *Ménines.* Dans plusieurs des œuvres sévillanes, seul apparaît le souci de consigner la réalité quotidienne la plus humble *(Vieille femme faisant frire des œufs,* 1618; *Repas dans une auberge,* 1620; *Le Vendeur d'eau de Séville).* Peintes dans une gamme de tonalités ocres et brunes, avec une pâte épaisse et un modelé vigoureux qui souligne la solidité des volumes, ces scènes de genre, présentant des personnages en demi-figure, dérivent des modèles italiens et hollandais, mais présentent des accents locaux caractéristiques. Un identique souci naturaliste se fait jour dans ses premiers portraits aux volumes accusés qui s'imposent par la franchise, la sévérité et la vigueur de l'expression : *La Mère Jerónima de La Fuente* (1620) et *Luis Góngora* (1622), exécuté lors du premier séjour de Vélasquez à Madrid, au cours duquel il ne parvint pas à obtenir la commande d'un portrait royal. Il fut cependant appelé à la cour en 1623, et après avoir peint le roi *Philippe IV* (1623) et le Premier ministre *Gaspar de Guzmán, comte-duc d'Olivares* (1623), il obtint la charge de peintre du roi, premier jalon d'une brillante ascension à la cour. Dès lors, il allait consacrer une grande part de son activité à peindre les portraits du roi, de la famille royale, des membres de la cour, de ses visiteurs ainsi que des familiers du palais, rompant avec les conventions de solennité et d'ostentation inhérentes au genre du portrait de cour et appréhendant ses modèles avec simplicité *(Portrait de l'infant Carlos,* 1626; *Le Bouffon Juan Calabazas).* Le concours ayant pour thème *L'Expulsion des Morisques par Philippe II* (1627, auj. disparu) lui permit de surpasser les autres peintres de la cour et d'aborder la peinture d'histoire. Il réalisa ensuite sa première œuvre mythologique : *Le Triomphe de Bacchus,* dit aussi *Les Buveurs* (1628), composition d'esprit encore caravagesque mais exempte de la raideur formelle de ses débuts; elle dénote la recherche d'une composition plus ample et aérée. Sur les conseils de Rubens alors en mission diplomatique auprès du roi, il se rendit en Italie (1629-1631) où il peignit notamment *Jacob recevant la tunique de Joseph* et *La Forge de Vulcain,* aux agencements solides, calmes et équilibrés, d'esprit classique par la sobriété du décor, le caractère mesuré de l'expression. Sous l'influence du Tintoret et de Titien, sa palette s'enrichit et se nuança, et les formes s'intégrèrent avec plus de souplesse dans l'espace, comme en témoignent les sujets religieux peints après son retour : *Le Christ en croix* (1631), *Anges protégeant la chasteté de saint Thomas d'Aquin, Christ à la colonne* (1632). Tandis que le souci de vérité humaine, le caractère impartial du regard posé sur les êtres apparaissent notamment dans *Le Prince Balthazar Carlos avec un nain* (1632) et dans *Le Bouffon Pablo de Valladolid* (1632), l'interprétation de la *Reddition de Breda* (1634-1645), destinée à décorer le salon de Reinos au palais du Buen Retiro, fait ressortir l'originalité du talent de Vélasquez; la composition s'écarte en effet des schémas conventionnels de la scène historique et l'accent est mis sur les rapports psychologiques; la composition établie avec sûreté, la gamme chromatique aux fines tonalités grises et bleues, la facture large concourent à l'unité spatiale de l'ensemble et traduisent la qualité particulière de la lumière et de l'atmosphère. Une même recherche de naturel s'affirme dans la série des portraits de membres de la cour en chasseurs, destinés à décorer la Torre de la Parrada *(Philippe IV; Le Prince Balthazar Carlos en chasseur,* 1635). Vélasquez renouvela de même le genre du portrait équestre : il sut être brillant *(Portrait du comte-duc d'Olivares à cheval,* 1634), ou préférer plus de simplicité et rechercher les effets d'atmosphère (*Le Prince Balthazar Carlos à cheval,* 1635, peint sur fond de sierra enneigée avec des contours atténués, une gamme aux nuances délicates de gris, une matière légère plus chatoyante). Il eut progressivement tendance à laisser sa touche apparente (*Le Bouffon Juan Calabazas,* 1639) et resta dans certaines occasions fidèle à son inspiration première lorsqu'il peignit notamment les figures d'*Ésope* et de *Ménippe* (1639-1640) avec leur type plébéien, leur expression vigoureuse. Vers cette époque, il prit comme modèles de prédilection les bouffons de la cour (présentés en des poses théâtrales) et les nains (*Le Bouffon de don Juan d'Austria,* 1643; *El Primo,* 1644; *Sebastián de Morra,* 1644), mais s'attacha aussi à traduire le charme de certaines figures féminines en usant d'une gamme très personnelle (*Femme à l'éventail,* 1646). Chargé de compléter les collections royales, il se rendit de nouveau en Italie en 1650 et y peignit quelques-unes de ses œuvres majeures : deux petits paysages représentant les *Jardins de la villa Médicis* et dont la touche légère rend avec finesse la vibration de l'air; il réalisa aussi, dans une mise en page et un chromatisme clair qui diffèrent des modèles italiens, *La Vénus au miroir,* qui constitue l'un des rares nus de la peinture espagnole. Le portrait du pape *Innocent X* (contemporain du portrait de *Juan de Pareja,* 1650), qui aurait été qualifié de « trop vrai » par le pape, lui valut une renommée éclatante en Italie. La dernière partie de sa carrière fut marquée par l'obtention de fonctions officielles de plus en plus lourdes et d'honneurs rarement accordés à un peintre (chevalier de l'ordre de Santiago en 1658). Son exécution acquit une liberté et une audace croissantes; il représenta surtout les jeunes princes et princesses du palais avec des accents délicats et intimes, soulignant le caractère individuel de l'expression et déployant un somptueux chromatisme. Il rendit en effet avec une touche fluide et papillotante le jeu de la lumière sur les tissus et les matières diverses sans s'attarder sur les détails, suggérant plutôt que décrivant (*L'Infante Marguerite,* 1654 et 1656; *L'Infante Marie-Thérèse,* 1651; buste de *Marianne d'Autriche,* 1656; *Le Prince Philippe-Prosper,* 1659). Son art allait culminer avec les deux grandes compositions de la fin de sa vie : *Les Ménines* (1656), sorte de chronique de la vie de palais dont la composition très méditée révèle une savante distribution de l'éclairage, qui concentre l'intérêt sur la figure de l'Infante et en même temps approfondit et scande un espace établi selon un jeu d'orthogonales, le traitement pictural plus ou moins flou étant fonction de la position et du rôle des figures dans l'ensemble. En même temps, l'œuvre constitue une analyse des problèmes inhérents à la représentation, donnant à voir le jeu complexe qui s'établit entre le peintre, le modèle et le spectateur (comme en témoigne notamment la direction des regards). Quant aux *Fileuses* (1657), composées à partir d'obliques et de courbes, elles font coïncider subtilement la réalité et le mythe (ici le thème d'Arachné) comme s'il était dans la nature même de la figuration d'opérer cette synthèse. – Vélasquez s'imposa comme

Ph. Nimatallah/Ricciarini

Diego Vélasquez : « Le Bouffon El Primo », 1644. (Musée du Prado, Madrid.)

peintre majeur du XVIIe s. espagnol, et il réalisa surtout des œuvres profanes, offrant un témoignage éloquent sur la vie populaire, puis sur le monde de la cour. La liberté de sa technique et son goût pour les couleurs claires furent pour Manet et les impressionnistes une révélation, si bien qu'on a pu parfois le considérer comme un lointain précurseur de cette école.

VELAY [vəlɛ]. *n. m.* ♦ Région volcanique du Massif* central (Haute-Loire*), comprise entre l'Allier* et le Vivarais* et traversée par la Loire*. La chaîne volcanique du Devès ou *monts du Velay,* les massifs du Mégal et du Mézenc dominent le bassin effondré du Puy. C'est une région d'élevage et de fabrication de fromage, de culture de blé et de lentilles dans le bassin du Puy. *V. princ* **V. Puy (Le), Saint-Didier-en-Velay, Saint-Julien-Chapteuil, Saint-Paulien, Yssingeaux.**

VELÁZQUEZ (Diego). ♦ Conquistador espagnol (Cuéllar, Ségovie, v. 1465 – Santiago de Cuba, v. 1524). Compagnon de Christophe Colomb en 1493, il entreprit la conquête de Cuba* (1511-1514) avec Cortés*. Après avoir chargé celui-ci d'une expédition au Mexique, il se ravisa, puis envoya contre lui une troupe commandée par P. de Narváez*, qui fut vaincue (1520).

VELBERT. ♦ V. d'Allemagne occidentale (Rhénanie du Nord-Westphalie), au S.-E. d'Essen. 55 395 hab. (1966). – Serrurerie.

VELDE (Henry Clemens VAN De). ♦ Peintre, architecte, décorateur et théoricien belge (Anvers, 1863 – Zurich, 1957). En 1884, il étudia la peinture dans l'atelier de Carolus*-Duran, puis adopta la technique divisionniste de Seurat*. Subissant ensuite l'influence du mouvement *Arts and Crafts* de W. Morris*, il s'intéressa aux arts décoratifs et à l'architecture et se fit le défenseur d'un art social. En 1895, il construisit et créa tous les éléments du décor et du mobilier de sa maison à Uccle. Il prônait un art fonctionnel et le rejet de l'ornementation (*Déblaiement d'art,* 1894; *L'Art futur,* 1895) mais employa les lignes incurvées, les ornements linéaires et devint l'un des maîtres de l'« art nouveau » (décor du magasin du marchand Bing à Paris, 1896; aménagement du *Folwang Museum* de Hagen, 1901-1902). Chargé par le grand-duc de Saxe-Weimar de rénover les industries d'art, il édifia le *Kunstgewerbeschule* de Weimar au style plus géométrique et dépouillé et prépara par son enseignement le succès du Bauhaus*. Dans le *théâtre du Werkbund* (1914, détruit), il manifesta une grande compréhension des problèmes scéniques. En 1921, dans les plans du musée Kröller-Müller (Hollande), construit de 1937 à 1954, il appliqua strictement ses conceptions fonctionnelles. Il fut un ardent polémiste et un important théoricien *(Formule d'une esthétique moderne,* 1923).

VELEBIT. *n. m.* ♦ Massif dinarien de Yougoslavie, dominant le littoral adriatique, en Croatie*.

VÉLEZ DE GUEVARA (Luis). ♦ Poète, romancier et dramaturge espagnol (1579 – 1644). Il fut considéré comme le successeur de Lope* de Vega auquel il emprunta ses sources populaires et nationales. Son drame *Régner après sa mort* a fourni à H. de Montherlant* la trame de *La Reine morte. Le Diable boiteux* est un roman picaresque qui inspira Lesage*.

VELHO (Gonçalo). ♦ Navigateur portugais de la première moitié du XVe s. qui, vers 1431, entreprit la colonisation des Açores*.

VELIKI TĂRNOVO. ♦ **V.** TĂRNOVO.

VÉLIZY-VILLACOUBLAY. ♦ Ch.-l. de cant. des Yvelines, arr. de Versailles. 18 761 hab. *(Véliziens).* – Aérodrome militaire de Villacoublay. Constructions aéronautiques.

VELLA. ♦ Île de la chaîne occidentale de l'archipel des Salomon*.

VELLÉDA. ♦ Prêtresse et prophétesse germaine (Ier s.). Elle jouit d'un grand prestige dans sa nation, les Bructères, et soutint la révolte de Civilis et des Bataves contre les Romains, au temps de Vespasien (69). Après la soumission de Civilis, elle refusa de se plier, fut livrée aux Romains et figura dans un triomphe à Rome. – Chateaubriand a utilisé son personnage dans *Les Martyrs.*

VELLEIUS PATERCULUS. ♦ Historien latin (v. ~ 19 – v. 31), légat de Tibère* en Germanie, auteur de deux livres décrivant l'histoire de Rome depuis les origines *(Ad M. Vicinium libri duo).* Le deuxième livre, consacré aux règnes d'Auguste* et de Tibère*, est apologétique et peu objectif.

VELLORE, VELÛR ou **VELLUR.** ♦ V. de l'Inde (Tamilnâdu). 140 000 hab. Centre agricole (arachides, coton, riz). ♦ *Hist.* Anc. forteresse du XVe s., elle fut âprement disputée au XVIIIe s. entre les Britanniques et les Français de Dupleix.

VELPEAU (Alfred). ♦ Chirurgien français (Brèches, Indre-et-Loire, 1795 – Paris, 1867). Élève de Bretonneau*, il enseigna l'anatomie, la pathologie et la clinique chirurgicales. *Nouveaux Éléments de médecine opératoire,* 1830; *Manuel d'anatomie chirurgicale topographique,* 1862. (Acad. sc., 1843.)

VELSEN. ♦ V. des Pays-Bas (Hollande-Septentrionale) et avant-port d'Amsterdam. 68 400 hab. – *Velser Tunnel* (longueur : 1 200 m, 23 m au-dessous du niveau de la mer). Port de pêche. Sidérurgie. Cimenteries. Engrais. Papeteries.

VELTMAN (Alexandre Fomitch) [*Veltmann*]. ♦ Romancier russe (? 1800 – ? 1870). Très influencé par le romantisme allemand, il y ajouta son humour et son imagination. De ses romans, il faut retenir *Le Pèlerin* (1831), récit imaginaire d'un voyage sur une carte, et un cycle de romans de mœurs et d'aventures : *Aventures puisées dans la mer de l'existence* (1848-1864).

VELÛR. ♦ **V.** VELLORE.

VELUWE. *n. f.* ♦ Région des Pays-Bas **(V. Gueldre)** située entre la vallée du Rhin et l'Ijselmeer. Zone de collines basses (70 m), de landes, de sapinières et de hêtraies, la Veluwe est une réserve biologique naturelle (parc national où se trouve le musée Kröller-Müller).

Ph. Lauros/Giraudon

Guerre de **Vendée :** pacification de la Vendée (avril 1795) par les généraux Canclaux et Hoche. Gravure du XVIIIe s. (Bibliothèque nationale, Paris.)

VENACO. ♦ Ch.-l. de cant. de la Corse*, arr. de Corte*. 1 751 hab. – Station estivale.

VENAISSIN *(comtat).* ♦ **V.** COMTAT VENAISSIN.

VENAREY-LÈS-LAUMES. ♦ Ch.-l. de cant. de la Côte-d'Or, arr. de Montbard, sur le canal de Bourgogne* et la Brenne*. 3 488 hab. – Fromagerie. Matériaux de construction. – À proximité, château de Bussy-Rabutin. En 1961, au cours de travaux d'urbanisme, on a mis au jour cinq points de la ligne de circonvallation creusée par les légionnaires de César.

VENASQUE *(port de).* ♦ Col des Pyrénées (dép. de la Haute-Garonne*), au S. de Bagnères*-de-Luchon, à la frontière espagnole (col non routier). 2 448 m d'altitude.

VENASQUE. ♦ Comm. du Vaucluse*, arr. de Carpentras*. 519 hab. – Église romane et gothique; restes d'enceinte en partie romaine; baptistère du VIe siècle. ♦ *Hist.* Du VIe au Xe s., ce fut le siège de l'évêché de Carpentras; Venasque a donné son nom au comtat* Venaissin.

VENCE. ♦ Ch.-l. de cant. des Alpes*-Maritimes, arr. de Grasse*. 9 727 hab. [6 450 aggl.] *(Vençois).* – Ancienne cathédrale (XIe s.; XVIIe-XVIIIe s.); enceinte du XIIIe siècle. Chapelle du Rosaire (1950) conçue et décorée par H. Matisse*. Centre résidentiel en rapide expansion, autour de la vieille ville. Artisanat, ateliers de céramique. ♦ Hist. *Vintium* fut une importante cité romaine.

VENCESLAS *(saint).* ♦ **V.** WENCESLAS *(saint).*

VENCESLAS Ier, II, III, IV. ♦ **V.** WENCESLAS Ier, II, III, IV.

VENDÉE. *n. f.* ♦ Petite riv. de l'O. de la France (70 km) dans les dép. des Deux-Sèvres et de Vendée. Elle arrose Fontenay*-le-Comte et traverse le Marais poitevin où elle se jette dans la Sèvre Niortaise en amont de Marans*.

Vendée *(guerre de).* ♦ Insurrection contre-révolutionnaire qui se développa en Vendée, dans le Maine-et-Loire, aux confins du Poitou et de l'Anjou. Suscitée par le décret sur la levée de 300 000 hommes voté par la Convention le 24 février 1793 et plus profondément par les difficultés économiques (disette, misère) et la politique religieuse révolutionnaire (Constitution civile du clergé), elle prit naissance dans les populations paysannes, soutenues et dirigées par les nobles et les nombreux prêtres réfractaires. Dès le début du mois de mars 1793, les insurgés vendéens (ou Blancs) constituèrent une armée appelée « catholique et romaine », puis « catholique et royale » (mai). La *grande armée vendéenne* compta jusqu'à 40 000 hommes, commandés par Bonchamp*, Cathelineau*, Charette*, d'Elbée*, La* Rochejaquelein, Lescure*, Stofflet*. Les insurgés remportèrent plusieurs victoires et prirent successivement Cholet, Saint-Florent-le-Vieil, Machecoul (mars 1793), Bressuire, Thouars, Parthenay, Fontenay (mai), Saumur et Angers (juin), mais échouèrent devant Nantes (29 juin 1793). Les premières troupes républicaines envoyées par la Convention en Vendée furent battues à plusieurs reprises (juil. 1793). Pour écraser la révolte vendéenne, le Comité de salut public adopta des mesures rigoureuses, réunit les différentes troupes républicaines pour former l'*armée de l'Ouest* sous les ordres de Léchelle, secondé par Kléber. Les patriotes (ou Bleus) reprirent alors Cholet (17 oct. 1793), Angers (3-4 déc.), Le Mans (13 déc.) et anéantirent l'armée vendéenne à Savenay (23 déc.). Aux massacres des républicains par les insurgés vendéens succéda l'organisation et le développement de la Terreur. Si l'insurrection vendéenne avait été dans l'ensemble réprimée à la fin de 1793, certains généraux (Charette*, La Rochejaquelein, Stofflet*) poursuivirent la lutte, en particulier dans le Marais poitevin, jusqu'en 1795-1796. **(V. Hoche.)** Une armée d'émigrés débarqua à Quiberon en juin 1795 **(V. Quiberon).** En

1815, la Vendée se souleva à nouveau mais fut battue par le général Lamarque. En 1832 enfin, la duchesse de Berry tenta en vain de soulever la région.

VENDÉE. [**85**]. *n. f.* ♦ Dép. de l'O. de la France, en bordure du littoral atlantique, région (anciennement C.A.R.) des pays de la Loire*. 6 971 km^2. Couvrant la plus grande partie du département, bien qu'en nette régression par suite des opérations de remembrement, le Bocage, pays de prés quadrillé de haies, culmine à 285 m au N. de Pouzauges. Il confine, au N., au Marais breton, auquel peuvent être rattachées les îles d'Yeu et de Noirmoutier, et au S., au Marais poitevin, prolongé vers l'E. par la Plaine; ces anciens golfes postglaciaires, comblés par les alluvions des fleuves et des courants littoraux, progressivement asséchés depuis le Moyen Âge et transformés en polders, se consacrent à la culture des céréales et à l'élevage des bovins et des volailles.
♦ 30 cant., 294 comm., 430 863 hab. *Préf.* Roche*-sur-Yon (La). *Sous-préf.* Fontenay*-le-Comte, Sables*-d'Olonne (Les). *Ch.-l. de cant.* Beauvoir*-sur-Mer, Chaillé-les-Marais (1 473 hab. [490 aggl.]), Challans*, Chantonnay*, Châtaigneraie* (La), Essarts* (Les), Herbiers* (Les), Hermenault (L') [832 hab., 531 aggl.], Île*-d'Yeu (L'), Luçon*, Mareuil-sur-Lay (1 556 hab., 1 286 aggl.), Montaigu*, Mortagne*-sur-Sèvre, Mothe-Achard (La) [1 230 hab., 997 aggl.], Moutiers-les-Mauxfaits (1 003 hab., 880 aggl.), Noirmoutier*-en-l'Île, Palluau (625 hab., 550 aggl.), Poiré*-sur-Vie (Le), Pouzauges*, Rocheservière (1 774 hab., 1 002 aggl.), Saint-Fulgent*, Saint-Gilles*-Croix-de-Vie, Sainte-Hermine*, Saint-Hilaire-des-Loges (1 581 hab., 399 aggl.), Saint-Jean*-de-Monts, Talmont*. *Autres comm.* **V. Aiguillon-sur-Mer** *(L')*, **Bois-de-la-Chaize, Mouilleron-en-Pareds, Port-Joinville, Tiffauges, Tranche-sur-Mer** *(La)*.

Vendémiaire an IV (journée du 13). ♦ Insurrection royaliste du 5 oct. 1795 consécutive à l'adoption par la Convention* thermidorienne de la Constitution de l'an III et du décret du 5 fructidor an III (22 août 1795) qui stipulait que les deux tiers des députés du nouveau Corps législatif, Conseils des Anciens et des Cinq-Cents, seraient choisis parmi les conventionnels en exercice. Devançant les élections et précédée par des révoltes royalistes en province (notamment à Dreux) qui furent réprimées, l'insurrection s'étendit à plusieurs sections parisiennes dans la nuit du 12 au 13 vendémiaire; le 13 au matin, la Convention fut assiégée par les insurgés. Barras*, avec l'aide de Bonaparte et de Murat, rétablit l'ordre en faisant tirer sur les sectionnaires, près de l'église Saint-Roch.

VENDEUVRE-SUR-BARSE. ♦ Ch.-l. de cant. de l'Aube, arr. de Bar-sur-Aube, à la source de la Barse. 1 866 hab. — Château des XIIe, XVIe et XVIIe siècles. Église gothique. — Bonneterie. Machines agricoles. Céramique d'art.

VENDÔME (César de Bourbon, *duc de***).** ♦ Fils naturel d'Henri IV et de Gabrielle d'Estrées* (Coucy-le-Château, 1594 — Paris, 1665). Il prit part aux conspirations de la noblesse sous Louis* XIII et fut impliqué dans la conspiration de Chalais*. Resté loyal pendant la Fronde*, il devint gouverneur du duc de Bourgogne (1651). Il eut pour fils cadet le duc de Beaufort*. ♦ LOUIS-JOSEPH, son petit-fils (Paris, 1654 — Vinaros, 1712), duc de Vendôme et de Penthièvre. Il fut un des plus grands généraux de la guerre de Succession* d'Espagne. Il fit campagne en Italie, en Flandre (défaite d'Audenarde*, 1708) et ramena Philippe V à Madrid (victoire de Villaviciosa*, 1710). ♦ PHILIPPE, son frère, dit le grand prieur de Vendôme (Paris, 1655 — *id.*, 1727). Entré dans l'ordre de Malte, il fut grand prieur et lieutenant général. Il s'entoura au Temple d'une société d'hommes d'esprit libertins.

Vendôme *(place)*. ♦ Place de Paris, non loin du Palais*-Royal. Conçue par Louvois* pour recevoir la statue équestre de Louis XIV par Girardon* (1699), la *place des Conquêtes,* devenue *place Louis-le-Grand,* fut construite, de 1685 à 1720, par Boffrand* et Hardouin-Mansart* qui entourèrent son plan octogonal de maisons à arcades uniformes où l'ordre corinthien domine. En 1799, la place devint *place Vendôme* (du nom de l'hôtel qui la précéda). La statue ayant été démolie à la Révolution, Napoléon Ier fit ériger la *colonne Vendôme* (1806-1810), inspirée de la *colonne Trajane* à Rome, mais en bronze (provenant des canons ennemis pris à Austerlitz). « Élevé à la gloire de la Grande Armée », le monument, abattu en 1871, a été rétabli en 1874 et surmonté à nouveau de l'effigie de l'Empereur.

VENDÔME. ♦ Sous-préf. du Loir-et-Cher, ch.-l. d'arr. (8 cant., 108 comm., 66 175 hab.) sur le Loir. 16 728 hab. [15 854 aggl.] *(Vendômois)*. Église abbatiale de la Trinité (du XIe au XVIe s.); bâtiments conventuels des XIVe-XVe s.; vestiges d'un château des XIIe, XIVe, XVe siècles. Maisons anciennes. — Conserves alimentaires; fromagerie. Fonderies. Constructions mécaniques; appareils de chauffage ménager. Instruments de précision. Industries chimiques. Tannerie, chaussures. Imprimerie. — Patrie de Condé* (Louis Ier de Bourbon).

VENDÔMOIS. *n. m.* ♦ Région de la petite Beauce, pays de Vendôme. Ancien pays de l'Orléanais, englobé dans le dép. du Loir-et-Cher. ♦ *Hist.* Le comté de Vendôme, dont il est fait mention dès le IXe s., fut érigé en duché-pairie par François Ier en 1515. Il fut réuni définitivement au domaine royal en 1712.

VÉNÈTES. *n. m. pl.*, en lat. **Veneti.** ♦ Peuple indo-européen établi principalement sur l'Adriatique et en Armorique*. — Les *Vénètes de l'Adriatique* occupaient dès le ~ Ier millénaire l'actuelle Vénétie* et furent soumis par Rome au ~ IIe siècle. — Les *Vénètes de l'Armorique,* peuple maritime le plus puissant de Gaule* dont le centre était *Darioritum* (Vannes*), furent écrasés par César* en ~ 56.

VÉNÉTIE [venesi], *n. f.*, en it. **Venezia.** ♦ Région historique de l'Italie du N.-E., limitée au N. et à l'E. par les Alpes, à l'O. par le lac de Garde, au S. par le Pô et au S.-E. par l'Adriatique. On distingue habituellement la *Vénétie Julienne,* à l'E., ne formant avec le Frioul* et la prov. d'Udine qu'une seule région administrative, la *Vénétie Tridentine,* au N., correspondant aux Dolomites et rattachée à la région du Trentin*-Haut-Adige et, enfin, la *Vénétie Euganéenne* ou Vénétie proprement dite (voir *ci-dessous*). ♦ *Hist.* Occupée par les Vénètes (auxquels elle doit son nom) au ~ Ier millénaire, elle fut soumise par les Romains au ~ IIe siècle. À la fin du XVe s., les villes de Vénétie appartenaient à Venise*. En 1797, la région fut cédée à l'Autriche puis au royaume d'Italie (1805-1814); elle fit partie ensuite du royaume lombard-vénitien (1815-1859) pour revenir à l'Italie en 1866. **V. Lombardie.** En 1947, l'Italie céda une partie de la Vénétie Julienne à la Yougoslavie.

VÉNÉTIE EUGANÉENNE ou **VÉNÉTIE,** *n. f.*, en it. **Venezia Euganea** ou **Veneto.** ♦ Région de l'Italie du N.-E., limitée au N.-O. par le lac de Garde, au N. et à l'E. par les Alpes, au S.-E. par l'Adriatique et au S. par le Pô. 18 400 km^2. 4 109 787 hab. Elle est divisée en sept prov. : Belluno, Padoue, Rovigo, Trévise, Venise, Vérone et Vicence. — *Orogr.* On distingue trois grands ensembles étagés du N. au S. : la *zone alpine,* formée par les Dolomites* et les Alpes vénitiennes, entaillées par les vallées de la Piave et le val d'Ampezzo; une *zone de collines* pierreuses (piémont), provenant de débris glaciaires (monts Berici, Euganei), séparées de la plaine par une ligne de *fontanili.* La *plaine,* très humide, est abondamment drainée et fertilisée par les alluvions fluviales (Pô, Adige, Piave). La côte, du delta du Pô à la frontière yougoslave, est bordée de nombreuses lagunes. Le *climat* est d'un type continental atténué. — *Hydrogr.* Adige*, Brenta*, Piave*, Pô*. *V. princ.* **V. Adria, Bassano del Grappa, Belluno, Chioggia, Padoue** (Padova), **Rovigo, Schio, Trévise, Venise, Vérone, Vicence** et **Villafranca.** — *Écon.* L'agriculture est prospère et variée. Les rendements de blé, de maïs et de betterave sucrière (prov. de Rovigo) sont élevés dans la plaine. Les collines sont couvertes de vignobles (Valpolicella*, etc.), d'arbres fruitiers (pêchers, pommiers, poiriers) et de mûriers. L'élevage bovin et porcin est très répandu. Les exploitations agricoles sont de petite taille (4,5 ha env.). L'indus. prend de plus en plus d'importance, surtout dans la zone portuaire de Venise*-Marghera-Mestre : raffineries de pétrole, métallurgie de transformation (aluminium), constructions navales, chimie. L'indus. textile (laine, soie) est concentrée dans la région de Schio et Valdagno, l'indus. alimentaire à Vérone. L'artisanat (verrerie, cristallerie, céramique) se concentre à Venise et dans les îles voisines (Murano, Burano). Le tourisme dans les Dolomites*, sur les bords du lac de Garde* et à Venise fournit un appoint important.

VENEZIANO (Domenico). ♦ Peintre italien (Venise, v. 1400 — Florence, 1461). Une *Adoration des Mages* (v. 1435, Berlin), une *Madone* (v. 1445, Offices; prédelle dispersée) et des fragments des *Vies de saint François et saint Jean-Baptiste* (v. 1460, Florence, Santa Croce) sont les œuvres les plus certaines de ce peintre qui prétendit égaler Fra Angelico* et Filippo Lippi* et fut le maître de Piero* della Francesca. Il chercha, par la légèreté lumineuse de ses couleurs, à aérer l'espace construit selon les règles de la perspective linéaire.

VENEZUELA. *n. m.* ♦ République du N. de l'Amérique du Sud, bordée (sur 2 813 km) au N. par la mer des Caraïbes, à l'E. par l'océan Atlantique, elle confine à l'O. à la Colombie andine et aux plaines orientales colombiennes (en partie délimitées par l'Orénoque* et son affl. le Meta*), au S. au Brésil et à l'E. à la Guyane. 912 050 km^2. Près de 12 000 000 d'hab. en 1975 *(Vénézuéliens)*. Env. 90 % de métis (80 % env. au N. et le long des côtes de la mer des Caraïbes, notamment autour de Caracas). *Langue off.* : espagnol (mais l'italien est très répandu). *Unité monétaire* : bolívar. *Religion* : 95 % de catholiques. *Cap.* Caracas*. *V. princ.* **V. Maracaibo, Barquisimeto, Valencia, Maracay, San Cristóbal, Cabimas.** *Divisions admin.* (État ou Territ. et ch.-l.) Amazonas* (Puerto Aya-

Ph. Louis Monier

La place **Vendôme,** à Paris.

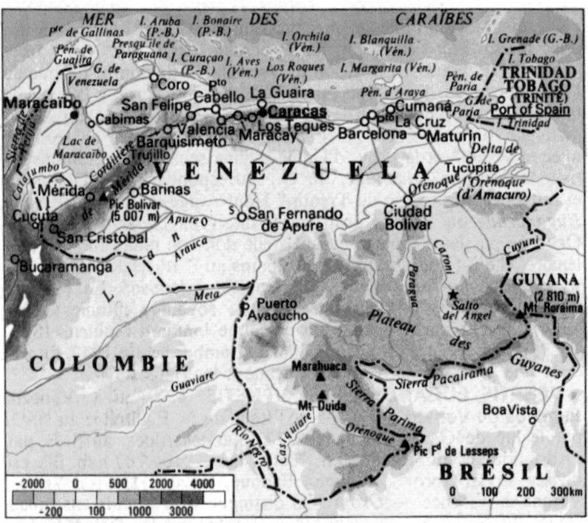

Venezuela.

cucho), Anzoátegui (Barcelona*), Apure (San Fernando de Apure), Aragua (Maracay*), Barinas, Bolívar* (Ciudad* Bolívar), Carabobo (Valencia*), Cojedes (San Carlos), Delta de l'Amacuro (Tucupita), District fédéral (Caracas*), Falcón (Coro), Guárico (San Juan de los Morros), Lara (Barquisimeto*), Mérida*, Miranda (Los Teques), Monagas (Maturín*), Nueva Esperta (La Asunción), Portuguesa (Guanare), Sucre (Cumaná*), Táchira (San* Cristóbal), Trujillo, Yaracuy (San Felipe), Zulia* (Maracaibo*). – *Hydrogr.* **V. Orénoque** (et ses affl.). Lacs Maracaibo*, Valencia. ♦ Le Venezuela peut se diviser géographiquement en quatre régions. – 1) *Le littoral.* La côte atlantique à l'E., marquée par le delta lagunaire de l'Orénoque* et le golfe de Paria, la côte caraïbe au N., de caractère rocheux, marquée par les péninsules de Paria et d'Araya (où Christophe Colomb toucha le continent américain en 1498), le golfe de Cariaco, le lac intérieur de Valencia*, et, au N.-E., le grand golfe de Venezuela fermé par les presqu'îles de Paraguaná* et la Guajira colombienne et prolongé vers l'intérieur par l'important lac Maracaibo*. De nombreuses îles bordent la côte **(V. Antilles)**. Température et cultures tropicales. Côte N.-E. riche en pétrole. Sel marin à Araya et en d'autres points de la côte. – 2) *La région montagneuse,* constituée par la cordillère de Mérida* qui prolonge, à l'O., la cordillère orientale andine, surplombe le lac Maracaibo et s'achève au plateau de Barquisimeto. Elle s'étend entre les *llanos* et le littoral, de San Cristóbal (au pied des Andes) au golfe de Paria. La chaîne côtière Caraïbe* y fait suite avec les arêtes montagneuses d'Araya et de Paria. Cultures tempérées dans les vallées (blé, p. de terre), café, cacao sur les pentes de la chaîne Caraïbe. – 3) *Les llanos* du centre, ample plaine couverte de savane herbacée, de caractère chaud et humide, où pâturent les bovins, porcs, chevaux. Elle correspond au bassin de l'Orénoque et s'étend entre la barrière montagneuse du N.-E. et la r. g. du fl., couvrant plus du tiers de la superficie du pays. Irriguée par les ríos, elle prend un caractère marécageux à l'époque des crues. Mangroves dans le delta d'Amacuro. Exploitation du minerai de fer à Cerro Bolívar et El Pao. – 4) *La Guyane,* région qui s'étend au S.-E. de l'Orénoque, sur le vaste plateau des Guyanes* rehaussé de quelques reliefs frontaliers (sierras Parima et Pacaraima, massif du Roraima*). Elle est irriguée par les affl. de la r. d. du fl. et on y trouve la grande cascade de Salto* del Ángel. Climat et végétation tropicaux. Forêts denses aux bois précieux (caoutchouc, balata, ...). Savane arborée dans le S. de l'État d'Amazonas. – Bien qu'il y ait peu de terres cultivables, l'agriculture occupe 30 % de la pop. active, suscitant un problème agraire comme dans tous les pays d'Amérique du Sud. Les *llanos,* la *Guyane* et le delta de l'Orénoque sont très faiblement peuplés. L'immigration, importante, est due à la richesse pétrolière du pays. La culture de type tropical (canne à sucre, café, tabac, coton, coca, épices, ...) est remplacée par des cultures de climat tempéré à partir d'une certaine altitude (céréales, p. de terre, ...). Les produits de la pêche ne sont pas négligeables : poisson et perles (notamment autour de l'île Margarita*). Les ressources minières sont nombreuses mais mal exploitées (minerai de fer, au S. de l'Orénoque, à Cerro Bolívar et El Pao ; charbon, nickel, cuivre, quelques filons d'or et de diamant). La principale ressource est due au pétrole qui assure 90 % des exportations ; le Venezuela est le 5e producteur mondial (122 736 000 t en 1975) et le 1er exportateur de brut. Gisements importants dans le lac Maracaibo* et les États du N.-E. Outre le pétrole, les exportations (vers l'Amérique du Nord et l'Europe) portent sur le minerai de fer et les produits tropicaux (café, cacao, coton, oléagineux). Importation de céréales. L'industrie reste peu développée. Quelques indus. textiles et alimentaires, raffineries de sucre, conserveries de poisson, cimenteries. Raffineries de pétrole. notamment autour de Maracaibo*, Cabimas*, Puerto* la Cruz et dans la presqu'île de Paraguaná*. Gaz naturel. Indus. sidérurgiques à Ciudad* Guayana, Matanzas*. Faible équipement hydroélectrique (barrages sur le Caroní*). En ce qui concerne les communications, un réseau ferroviaire dessert la zone côtière ; le réseau routier est constitué par la grande route Caracas-San Antonio (à la frontière andine) et par l'autoroute panaméricaine qui permet de rejoindre Bogotá*. Des liaisons fluviales sont assurées par l'Orénoque, les liaisons aériennes intercontinentales par quatre aéroports **(V. Barcelona, Maracaibo, Maiquetia** et **Maturín)**. ♦ *Hist.* Avant sa découverte par Colomb (1498), le Venezuela n'avait connu, semble-t-il, aucune civilisation brillante et n'était peuplé que par de petits groupes d'Indiens caraïbes ; leurs habitations sur pilotis inspirèrent aux premiers explorateurs le nom de *Venezuela* (« petite Venise »). En 1556, le pays fut rattaché à la couronne espagnole et Caracas, la capitale, fut fondée en 1567. En 1776, le Venezuela devint une capitainerie générale de l'empire espagnol. Sans cesse attaquée par les pirates, la côte vénézuélienne était un centre de commerce actif, alimenté par les exploitations de coton, café, tabac et cacao ; ses richesses étaient aux mains d'une aristocratie de créoles. Ce fut F. Miranda* qui inspira dès 1810 les premiers mouvements d'indépendance qui allaient secouer tout le continent sud-américain. Après dix ans de luttes contre les Espagnols et avec l'aide des Anglais, Bolívar* remporta la victoire décisive de Carabobo (1821). Jusqu'en 1830, le Venezuela fit partie de la Grande-Colombie, comprenant aussi la Colombie, l'Équateur et le Panamá dont Bolívar fut le premier président. Mais les partisans de l'indépendance complète, conduits par Páez, l'emportèrent à la mort de Bolívar. Le Venezuela connut alors une série de dictatures (dynastie Monagas) et de révolutions. C'est sous Vicente Gómez (1908-1935) que commença l'exploitation du pétrole (1922) qui transforma le pays. En 1945, Rómulo Bétancourt*, chef de l'*Action démocratique,* s'empara du pouvoir (1945-1948). Renversé, il fut élu président en 1958 ; il imposa quelques réformes mais se heurta à l'extrême droite aussi bien qu'à l'extrême gauche (révolutionnaires castristes). Il transmit le pouvoir à Raúl Leoni. Avec l'aide nord-américaine et grâce au pétrole, le Venezuela connaît un grand développement économique mais la richesse nationale reste mal répartie et les problèmes sociaux, notamment le problème agraire, sont très préoccupants. En 1973, Carlos Andres Perez, leader de l'Action démocratique, a été élu président.

VENING MEÏNESZ (Felix Andries). ♦ Géophysicien néerlandais (La Haye, 1887 – 1966). Inventeur d'un pendule permettant l'étude du champ de pesanteur terrestre en mer (1923-1925), on lui doit également des théories géophysiques sur l'origine des chaînes de montagnes.

VENISE, en it. **Venezia.** ♦ V. d'Italie du N.-E., cap. de la Vénétie*, sur l'Adriatique, dans la lagune de Venise. 364 000 hab. *(Vénitiens).* Au cœur d'un bassin de 60 km de long sur 4 de large et reliée à la terre ferme par des ouvrages d'art, la ville est bâtie sur 118 îlots, séparés par 200 canaux qu'enjambent 400 ponts. Un cordon littoral, le *Lido,* sépare la lagune de la mer. *Le Grand Canal* (3 800 m) sépare la ville en deux parties inégales et est franchi par trois ponts (dont le *Rialto*). Ses rives sont bordées de nombreux palais médiévaux et Renaissance : Ca' d'Oro (maison dorée, XVe s.), palais Vendramin-Calergi (XVIe s.), Ca' Grande, palais Rezzonico et église S. Maria della Salute (XVIIe s.), par Longhena*. Au centre de la ville, *la place Saint-Marc* (piazza San Marco) et la *Piazzetta* sont entourées de monuments : palais des Procuraties (XVe-XIXe s.), basilique Saint-Marc (XIe s.), campanile, tour de l'Horloge (XVe s.), palais des Doges (XIIIe s.) renfermant des œuvres de Véronèse, de Titien et du Tintoret. L'activité indus. prend de l'importance. Le port est le troisième d'Italie. Le complexe de Porto Marghera-Mestre (21 378 000 t de trafic en 1975) importe du pétrole et des matières premières. Le raffinage, la sidérurgie (acier, aluminium), la mécanique et la chimie (engrais) se sont développés. L'indus. de luxe (dentelle, verrerie, cristallerie, orfèvrerie) est encore prospère. Le rôle culturel de Venise est important (Festival de cinéma, Biennale) et l'activité touristique est l'une des plus importantes du monde. Cependant, le sort de la ville est particulièrement critique. L'enfoncement progressif du sol de la lagune, l'amplitude des marées, la pollution (pigeons, usines de Porto Marghera) sont autant de dangers qui menacent le patrimoine artistique de Venise. Après l'inondation du 4 novembre 1966, le gouvernement italien a dû, après avoir voté des crédits considérables, recourir à l'aide de l'UNESCO, qui a aussitôt déclenché une vaste campagne de sauvetage. – Patrie de M.R. d'Argenson*, Bellini*, Dandolo*, Marco Polo*, Sebastiano* del Piombo, du Tintoret*, des papes Alexandre* VIII, Eugène* IV, Grégoire* XII et Paul* II. ♦ *Hist.* Venise élut son premier doge en 697 et s'allia aux Lombards contre les Francs qui ne l'attaquèrent pas (774 et 810). Elle commença la conquête d'un empire maritime en Istrie* et en Dalmatie* (*déb.* XIe s., **V. Orseolo**) et acquit des privilèges commerciaux dans l'Empire d'Orient (1082). À la faveur des croisades, elle fonda des comptoirs à Sidon (1102) et à Tyr (1123). Venise fit la guerre à l'Empire d'Orient en 1171 mais fut vaincue. Lors de la quatrième croisade, elle négocia avec les croisés la prise de Zara, puis de Constantinople, en assurant leur transport. Elle acquit Dyrrachium et les îles ioniennes, presque toutes les îles de la mer Égée, l'Eubée, Rhodes*, la Crète* et divers comptoirs. Au XIIIe ou XIVe s., les institutions se modifièrent (Conseil des Dix*). Ses principaux doges furent M. Faliero et F. Foscari. Le Grand Conseil, créé depuis 1171, se ferma et fut composé exclusivement de patriciens ; le peuple fut exclu du pouvoir. À la fin du XIIIe s., le doge n'exerçait plus le pouvoir exécutif. Après la révolte de Tiepolo (1310), il n'y eut plus de révolte populaire. Cependant, la ville combattait Gênes* qui, à la réinstallation sur le trône de Michel VIII Paléologue (1261), hérita de tous les privilèges de Venise. En 1291, après les conquêtes musulmanes en Syrie, Venise perdit des comptoirs. En 1386, elle reconquit Corfou et elle continuait à commercer avec le monde connu de l'époque, jusqu'en Chine. Au XIVe s., elle s'opposa à Gênes (1353-1355, et guerre de Chioggia en 1378-1381) qu'elle vainquit. Elle entreprit en Italie même la conquête de la terre ferme et, utilisant les services de condottieri comme Gattamelata*, B. Colleoni*, Sigismond Malatesta*, annexa Trévise (1339), la région de Padoue (1405), Brescia et Bergame puis Créma (1454) et Crémone (1499). En guerre contre les Ottomans (1464-1479), elle perdit l'Eubée et quelques places du Péloponnèse. À la fin des Lusignan, elle prit Chypre (1489) jusqu'en 1571. Cependant, sa richesse lui valut des jalousies, et l'empereur Maximilien le pape et Louis XII de France se liguèrent contre elle (1509), mais elle réussit à disjoindre la coalition (1510). Les guerres contre les Ottomans se poursuivirent aux XVIe et XVIIe siècles et, malgré Lépante (1571), elle perdit Chypre puis la Crète (1669) et ses places du Péloponnèse (1739). En 1797, elle fut prise par Bonaparte et livrée par lui à l'Autriche. Après la tentative de république indépendante de Manin (1848-1849), elle entra dans le nouveau royaume d'Italie en 1866.

VÉNISSIEUX. ♦ Comm. du Rhône*, arr. de Lyon*, dans la banlieue de Lyon. 56 635 hab. *(Vénissians).* – Métallurgie; matériel de ch. de fer; indus. textiles, chimiques, électriques; verrerie; produits réfractaires; usines automobiles Berliet.

VÉNIZÉLOS (Éleuthérios). ♦ Homme politique grec (Mourniès, près de La Canée, 1864 – Paris, 1936). Député à l'Assemblée de la Crète* autonome, il s'éleva contre les méthodes autoritaires du prince Georges de Grèce, haut-commissaire des puissances, et prit la tête de l'insurrection de 1905 qui obtint la révocation du prince. Ministre de la Justice et des Affaires étrangères du conseil exécutif crétois, il eut une part active dans la proclamation de l'union de l'île à la Grèce en 1908. Appelé l'année suivante à Athènes par la ligue militaire qui exigeait des innovations libérales, il forma le gouvernement de 1910 et lança une politique de modernisation de l'État et de l'économie, marquée par l'introduction de l'impôt sur le revenu, par une timide réforme agraire et par la révision de la Constitution (1911), qui limita le pouvoir exécutif. Sa politique extérieure d'entente balkanique eut pour résultat, à l'issue des guerres balkaniques (1912-1913), l'union à la Grèce de l'Épire, de la Macédoine, d'une partie de la Thrace et des îles de la mer Égée, ainsi que la ratification de l'union de la Crète. Favorable à la cause des Alliés lors de la Première Guerre mondiale, il fut deux fois renvoyé par le roi germanophile Constantin* Ier, en 1915. À la suite des concessions du gouvernement royaliste aux Allemands, il patronna un gouvernement insurrectionnel à Thessalonique (1916), puis avec l'aide des troupes françaises s'établit à Athènes, destitua Constantin au profit du fils de celui-ci, Alexandre* Ier, et engagea la Grèce dans la guerre. Battu aux élections de 1920 à cause de l'insuccès des revendications grecques aux conférences de la paix et surtout à cause de la campagne impopulaire de l'Asie Mineure, il se retira et le roi Constantin revint. Mais après la défaite grecque de 1922 le mouvement vénizéliste **(V. Plastiras)** obligea Constantin à abdiquer, puis destitua son successeur Georges* II (1923). Après la proclamation de la république par le gouvernement de Papanastasiou* (1924), Vénizélos présida le gouvernement de 1928 à 1932. Sa politique de rapprochement avec l'Italie, la Yougoslavie et la Turquie eut des effets positifs, mais il ne sut pas répondre à la crise économique de façon efficace, freina l'élan de réforme républicaine et déçut les aspirations nationales au sujet de Chypre. Revenu au pouvoir en 1933, il fut de nouveau battu aux élections. Après deux tentatives avortées de coup d'État vénizéliste en 1933 et en 1935, il se réfugia à Paris et fut condamné à mort par contumace.

Ph. Nimatallah/Ricciarini

La **Vénus** du Capitole. (Musée du Capitole, Rome.)

VENLO. ♦ V. des Pays-Bas (Limbourg) sur la Meuse. 63 106 hab. – Hôtel de ville du XVIe siècle. Église Saint-Martin du XVe siècle. Centre agricole (légumes et fleurs). Papeteries. Instruments d'optique. Appareillage électrique.

VENN (John). ♦ Mathématicien et logicien anglais (1834-1923). On lui doit une représentation du calcul des classes sous forme de diagrammes encore utilisés actuellement (*diagrammes de Venn,* 1881).

VENT *(îles du).* ♦ Partie orientale des Petites Antilles*, formée d'îles disposées en arc de cercle et qui sont exposées au souffle des alizés (par opposition aux îles Sous*-le-Vent). Elles s'étendent de la Guadeloupe à la Trinité au sud et comprennent les îles françaises de la Martinique* et de la Guadeloupe* (avec ses dépendances), ainsi que les Windward Islands [îles du Vent, en anglais]. **(V. Dominique, Sainte-Lucie, Saint-Vincent, Barbade** (La), **Grenade** et les **Grenadines, Trinité** et **Tobago).** Elles pratiquent la culture extensive de la canne à sucre (indus. sucrière et distilleries de rhum), le tourisme tient une place importante dans leur économie.

VENT *(îles* **SOUS-LE-).** ♦ **V.** SOUS-LE-VENT (îles).

VENTOUX *(mont).* ♦ Massif de haute Provence, dans le N. du dép. du Vaucluse*, avant-mont des Alpes dominant l'E. du comtat* Venaissin, situé entre l'Ouvèze* et la Nesque, entre les Baronnies* au N. et les monts du Vaucluse au S., à l'O. de la montagne de Lure*. Il culmine à 1 912 m (observatoire de la météorologie nationale); vaste panorama : circuit touristique (on peut atteindre le sommet en automobile). La craie du mont, extrêmement fissurée, absorbe immédiatement toute humidité (pluie, neige); malgré cette stérilité et le mistral auquel le mont a dû son nom de « venteux », on a réussi à reboiser les pentes (chênes blancs, chênes verts, pins, cèdres).

VENTURI (Giovanni Battista). ♦ Physicien italien (Bibiano, près de Reggio, 1746 – Reggio, 1822). Spécialiste d'hydraulique, il réalisa la tuyère à cônes divergents qui porte son nom et s'intéressa à l'étendue des sons audibles.

VÉNUS. ♦ Très ancienne divinité italique présidant à la végétation et aux jardins. Elle fut assimilée au ~ IIe s. à l'Aphrodite grecque dont elle prit les attributs et les mythes. **V. Aphrodite.**

VÉNUS. *n. f.* ♦ Deuxième planète à partir du Soleil, communément appelée *étoile du berger,* elle est, après la Lune, l'objet le plus brillant du ciel nocturne (magnitude : – 4,4). Semblable à la Terre par son diamètre (12 250 km), sa densité (5,15 par rapport à l'eau) et sa gravité à l'équateur (0,88), elle en diffère par ses autres constantes. Son orbite quasi circulaire (excentricité : 0,007), faiblement inclinée sur l'écliptique (3° 24') est parcourue en 224,7 jours à une distance moyenne de 108 millions de km du Soleil. Sa période de rotation sur elle-même dans le sens rétrograde est maintenant estimée à 243 ± 2 jours (Carpenter). Une couche nuageuse de couleur jaune pâle épaisse de 40 à 70 km, qui paraît tourner autour de la planète, est constituée de gaz (gaz carbonique : 95 %; azote : 2 à 5 %; des traces d'eau et d'oxygène). La température au sol, qui peut s'élever à près de 500 °C, et la pression de 100 atmosphères (sondes spatiales Mariner et Vénusik) créent un effet de serre semblable à celui de la Terre il y a quelques centaines de millions d'années.

Vêpres siciliennes. ♦ Massacre des Français de Sicile (le jour de Pâques, 30 mars 1282, au premier coup de vêpres, et pendant un mois). Cette révolte était fomentée par Pierre* III d'Aragon et Michel* VIII Paléologue contre Charles* Ier d'Anjou, roi de Sicile. **V.** *aussi* **Martin IV.**

VERACINI. ♦ Compositeurs et violonistes italiens (XVIIe-XVIIIe s.). ♦ ANTONIO VERACINI (Florence, v. 1655 – *id.,* 1733). Extrêmement appréciée à son époque, l'œuvre d'A. Veracini marque une étape importante dans l'évolution de la sonate. Elle inclut trois recueils de sonates pour un ou deux violons avec basse continue (orgue ou clavecin) et quelques oratorios. ♦ FRANCESCO MARIA VERACINI, neveu du précédent (Florence, 1690 – près de Pise, v. 1750). Élève de Gasparini, F.M. Veracini se révéla très tôt un virtuose exceptionnel. Il dirigea l'orchestre de l'Opéra-Italien à Londres, se produisit à la cour de Düsseldorf et à Venise, occupa à Dresde la place de premier violon à la cour de Saxe puis séjourna à Prague chez le comte Kinsky. Il retourna en 1735 à Londres où ses opéras, remportèrent un très vif succès. Outre cinq opéras, on lui doit des symphonies, des concertos et surtout de très belles sonates pour violon.

VERACRUZ. ♦ V. et port du Mexique central, située sur le golfe du Mexique dans l'État du même nom. C'est le plus grand port du pays. 242 351 hab. Archevêché. – Entourée de champs de maïs, de canne à sucre, de café et de tabac, ainsi que de vergers, la ville est un grand centre commercial et industriel (indus. alimentaires, métallurgiques [tubes d'acier], manufacture de tabac). Chantiers maritimes. La ville fut fondée en 1519 par Cortés*. – ÉTAT DE VERACRUZ. 72 815 km². 3 409 000 hab. (1967). *Cap.* Jalapa*. *Autre V.* Córdoba*. De climat tropical dans la plaine côtière, que prolongent les plaines de Tabasco* et de Campeche* à l'E., l'État de Veracruz est adossé à la barrière volcanique **(V. Orizaba)** qui relie la Sierra Madre orientale à la Sierra Madre occidentale. Pétrole et gaz naturel dans le N. de l'État. Indus. alimentaires (sucreries), textiles, chimiques (cellulose), métallurgiques. – Importants vestiges précolombiens. **V. El* Tajín, Zempoala.**

VERBIER. ♦ Localité de Suisse (cant. du Valais) dominant le val d'Entremont* à 27 km de Martigny*. Importante station d'été et de sports d'hiver, à 1 500 m d'altitude.

VERBIEST (Ferdinand). ♦ Missionnaire français (Pittem, Flandre, 1623 – Peking, 1688). Continuateur de l'œuvre de Ricci* en Chine où il fut appelé en 1659, il fut nommé directeur du bureau d'astronomie (1669) par l'empereur manchou K'ang-hsi.

VERCEIL, en it. **Vercelli.** ♦ V. d'Italie continentale, dans le Piémont*. Ch.-l. de prov. sur la Sesia*. 55 000 hab. – Archevêché, basilique Sant'Andrea (XIIIe s.), cathédrale (XVIe s.). – Centre agricole (commerce du riz) et industriel : textiles (jute, textiles artificiels), papeteries, indus. chimiques. ♦ *Hist.* Anc. *Vercellae,* elle fut le siège de la défaite des Cimbres par Marius et Catulus (~ 101). Elle passa à la maison de Savoie (1427) puis fut sous Napoléon le ch.-l. du dép. de la Sesia.

VERCINGÉTORIX. ♦ Chef gaulois (Auvergne, v. ~ 72 – Rome, ~ 46). Lors de la révolte gauloise de ~ 52, il entreprit de grouper les Arvernes* contre les Romains. Il voulut vaincre les légions dispersées avant que César* ne fût revenu d'Italie, mais en quelques semaines celui-ci avait réussi à reprendre partout l'initiative. Ayant subi toute une série d'échecs, Vercingétorix fut réduit alors à adopter la tactique de la terre brûlée. À la demande des Bituriges*, il épargna Avaricum* (Bourges); César prit la ville (mars ~ 52), mais Vercingétorix lui infligea un grave échec devant Gergovie* (juin ~ 52) et se fit reconnaître commandant en chef; les Gaulois se crurent près de la délivrance. Mais en août ~ 52 César* écrasa la cavalerie gauloise près de Dijon. Vercingétorix fit retraite dans Alésia* avec ses 80 000 hommes et, réduit à la famine, dut capituler après deux mois de siège; il vint rendre lui-même ses armes à César, fut emmené à Rome pour paraître au triomphe de son vainqueur et mourut étranglé dans sa prison (~ 46).

VERCORS (Jean BRULLER, dit). ♦ Romancier et essayiste français (Paris, 1902). Attiré par la gravure et le dessin, il s'est fait connaître (sous son patronyme) par ses albums de croquis, notamment les *Vingt et Une Recettes pratiques de mort violente* (1926). Collaborateur à *la Pensée libre,* durant la guerre, et fondateur des *Éditions de Minuit* (1941), il fit paraître clandestinement un sobre récit, d'une grande pureté formelle, *Le Silence de la mer* (1942). Le retentissement de ce texte fut considérable (J.P. Melville le porta à l'écran, en 1948); on y voyait soulignée l'impossibilité de toute fraternité entre des ennemis que rapprochait cependant une communauté de culture. Les problèmes moraux et philosophiques posés par la guerre allaient inspirer à Vercors d'autres ouvrages, tels que *La Marche à l'étoile* (1943) où est dépeinte la détresse d'un Juif tchèque qui a « misé » sur la France, et *Les Armes de la nuit* (1946), suivi de *La Puissance du jour* (1951), réquisitoire contre la torture qui fait perdre – peut-être de façon irrémédiable – leur « qualité d'homme » à ceux qui en sont les victimes. Depuis la guerre, Vercors a poursuivi sa carrière d'essayiste avec *Le Sable du temps* (1945) et *Plus ou moins homme* (1949), « pris congé » du Parti communiste avec le spirituel pamphlet *P.P.C.* (1957) et porté à la scène (sous le titre de *Zoo ou l'Assassin philanthrope,* 1963) la fable fantastique au ton inquiétant qu'il avait rédigée en 1952, *Les Animaux dénaturés.* On lui doit encore un *Hamlet,* illustré d'eaux-fortes (1965) et, parmi ses ouvrages plus récents, *Sillages* (1972), *Comme un frère* (1973).

Ph. Giraudon

Giuseppe Verdi, par V. Gemito.
(Galerie d'Art moderne, Florence.)

VERCORS. *n. m.* ♦ Massif calcaire des Préalpes françaises du Nord, situé entre l'Isère* et la Drôme*. C'est un plateau calcaire qui culmine à 2 341 m au Grand-Veymont; de nombreuses forêts le recouvrent. Exploitation forestière, élevage bovin, tourisme. ♦ *Hist.* Refuge de nombreux résistants en 1943-1944, le Vercors fut en juin-juillet 1944 le théâtre d'un combat mené par 3 500 maquisards contre des troupes allemandes, afin de les empêcher de rejoindre le front de Normandie. Fin juillet 1944, les maquisards furent dispersés et massacrés. Un monument a été érigé à leur mémoire à Vassieux-en-Vercors.

VERDAGUER I SANTALÓ (Jacinto). ♦ Poète espagnol de langue catalane (Folgarolas, 1845 – Vallvidrera, Barcelone, 1902). Ecclésiastique, il est l'auteur d'une œuvre abondante et notamment de deux épopées : *L'Atlantide* (1877) et *Canigou* (1885), qui évoquent, dans un style majestueux, les légendes ancestrales.

VERDELOT (Philippe). ♦ Compositeur français (près de Carpentras, ? – Florence, av. 1550). Maître de chapelle au baptistère Saint-Jean à Florence jusqu'en 1527, il travailla sans doute ensuite à Rome puis à Venise où il se consacra presque exclusivement à la composition de madrigaux. Il a laissé une centaine de madrigaux à quatre, cinq et six voix. On lui doit également une messe et des motets.

VERDEN. ♦ V. d'Allemagne occidentale (Basse-Saxe) et ch.-l. de district, sur l'Aller, près de son confluent avec la Weser. 18 000 hab. Évêché (786). Centre commercial et industriel. ♦ *Hist.* 4 500 Saxons y furent massacrés sur l'ordre de Charlemagne (782).

VERDI (Giuseppe). ♦ Compositeur italien (La Roncole, Parme, 1813 – Milan, 1901). Fils d'un aubergiste de village, il dut les premiers éléments de sa formation à de modestes musiciens locaux. Refusé au conservatoire de Milan (1832), il fut dans cette ville l'élève privé de Lavigna. Son premier opéra, *Oberto* (1839), composé pour la Scala de Milan, lui valut un succès qui décida de son avenir de musicien lyrique, mais c'est avec *Nabucco* (1842) et *I Lombardi* (1843) qu'il établit solidement sa réputation. Animées d'une force dramatique incontestable et d'un ardent souffle patriotique, ces deux œuvres lui valurent une immédiate popularité. Favorable à la cause du Risorgimento, il apparut bientôt à toute l'Europe comme le champion des idées libérales. Son engagement dans le combat, finalement victorieux, mené par les patriotes italiens, devait se traduire plus tard par son entrée au Parlement (1861). – Si quelques ouvrages du musicien, contemporain de cette période fiévreuse, méritent une moindre attention (*Macbeth, I Masnadieri,* 1847; *La Battaglia di Legnano, Luisa Miller,* 1849; *Araldo,* 1850), il n'en va pas de même avec *Rigoletto,* d'après *Le roi s'amuse,* de V. Hugo (1851), *Il Trovatore (Le Trouvère)* d'après García Gutiérrez, *La Traviata* (1853), chefs-d'œuvre qui connurent une célébrité mondiale. Partageant ses activités à travers l'Europe, metteur en scène et souvent librettiste de ses propres ouvrages, Verdi entreprit de nombreux voyages (Londres, Paris, Saint-Pétersbourg). Après la mort de ses deux enfants, puis de sa femme (1838-1840), l'entrée dans sa vie de la cantatrice Giuseppina Strepponi exerça sur son génie, durant de longues années, la plus heureuse influence. Son évolution marqua avec le temps un effort incessant de renouvellement. Après 1857, une dernière série de chefs-d'œuvre en témoigne, que caractérisent un approfondissement et un rajeunissement du langage musical : *Un Ballo in Maschera* (1859), *La Forza del destino* (1862), *Don Carlos* (1867), *Aïda* (1871), *Otello* (1887), *Falstaff* (1893) et, dans le domaine religieux, le *Requiem* qu'il composa à la mémoire de Manzoni (1873) et les quatre *Pezzi sacri (Te Deum, Requiem, Ave Maria, Stabat mater)* inspirées par la mort de G. Strepponi (1898). – Maître incontesté de l'art vocal, Verdi a su se libérer progressivement de l'influence du *bel canto* pour atteindre à une expression plus rigoureuse et plus juste des sentiments de l'âme humaine, du tragique autant que du burlesque. Le raffinement de son écriture, la nouveauté de ses ressources harmoniques et orchestrales, l'abandon du récitatif au bénéfice du discours musical continu marquent dans ses derniers ouvrages le mûrissement de sa pensée. Nature généreuse, éprise de justice et de liberté, Verdi a incarné dans l'Europe tumultueuse du XIXe s. l'idéal humaniste du romantisme.

VERDON. *n. m.* ♦ Riv. des Alpes, affl. de la Durance* (200 km).

Ph. Hétier

Les gorges du **Verdon.**

Il prend sa source au massif des Trois-Évêchés, traverse Allos*, Colmars*, Saint*-André-les-Alpes, Castellane* et il entre ensuite dans de magnifiques gorges très profondes aménagées pour le tourisme (route de la Corniche sublime). Son régime est nivo-pluvial. Il conflue à proximité de Cadarache*. Les barrages et usines de Castillon*, Chaudanne et Quinson ont été installés sur la rivière.

VERDUN. ♦ V. du Canada (Québec) dans l'aggl. de Montréal, au S.-O. de l'île de Montréal. 78 300 habitants.

VERDUN. ♦ Sous-préf. du dép. de la Meuse, ch.-l. d'arr. (13 cant., 272 comm., 99 945 hab.) sur la Meuse. 24 716 hab. *(Verdunois).* Évêché. La ville, détruite en 1918, a été reconstruite et les monuments restaurés. Dans la Ville-Basse, l'ancienne abbaye Saint-Paul (XVIIIe s. ; restaurée) abrite le palais de justice et la sous-préfecture. Porte Chaussée (XIVe s.), vestiges d'anciennes fortifications. L'hôtel de ville, dans un bâtiment du XVIIe s., abrite le musée de la Guerre. Hospice Sainte-Catherine (église des XIVe et XVe s.). Église Saint-Victor (XIVe, XVIIe s.). Citadelle souterraine qui joua un rôle important pendant la bataille de Verdun. Dans la Ville-Haute, cathédrale Notre-Dame, plusieurs fois remaniée et restaurée après 1918 ; elle fut construite au XIe s. sur un plan à deux transepts et à deux absides ; au XIIe s., l'influence de l'art bourguignon se fait sentir dans la crypte et le chœur oriental ; cloître gothique flamboyant (XVIe s.). Le palais épiscopal abrite la bibliothèque municipale. Porte Châtel (XIIe, XVe s.). — Produits chimiques ; matériel de construction ; matériel électrique ; mécanique de précision ; maroquinerie ; confiserie (dragées). — Patrie de F. de Chevert*, J. Gerbillon*. ♦ *Hist.* Anc. oppidum gaulois *(Verodunum)*, siège d'un évêché au IVe s., Verdun fut conquise par Clovis (502) et intégrée au royaume d'Austrasie. Au traité de Verdun **(V. *ci-dessous*)**, la ville passa à la Lotharingie, puis en 879 à l'Empire germanique en même temps que le reste de la Lorraine. Possession de ses évêques, Verdun devint toutefois ville libre impériale au XIIIe s. **(V. Trois-Évêchés)**, fut occupée par Henri* II (de France) en 1552 mais ne devint officiellement française qu'en 1648 (traités de Westphalie*). Fortifiée par Vauban, elle subit deux sièges suivis de capitulation (d'abord les 29 août-2 sept. 1792) : assiégée par les Prussiens, la ville capitula le 2 sept. 1792, après l'assassinat du commandant de la place, Beaurepaire. Après celle de Longwy, la reddition de Verdun fut en grande partie à l'origine des massacres de septembre* 1792. La ville fut reprise par les armées françaises dès le mois d'octobre : puis en sept.-8 nov. 1870 et un siège en 1916 (Cf. *ci-dessous*, bataille de Verdun). La ville souffrit encore de la Deuxième Guerre mondiale. ♦ *Traité de Verdun* (août 843). Traité de partage de l'empire d'Occident conclu entre les fils de Louis* le Pieux. Louis* le Germanique reçut la Germanie à l'E. du Rhin, Charles* le Chauve les pays situés à l'O. de l'Escaut, de la Meuse, de la Saône et du Rhône, tandis que Lothaire* recevait les pays situés de la mer du Nord au golfe de Tarente, avec les deux capitales Aix-la-Chapelle et Rome **(V. Lotharingie)**, ainsi que le titre impérial. Ce traité consacra la fin de l'empire d'Occident et donna naissance à trois grands États (France, Allemagne, Italie). Il eut des conséquences très importantes en donnant naissance à l'antagonisme franco-allemand et ses séquelles se prolongèrent jusqu'au XXe s. **(V. Guerre mondiale** [*Première*]**)**. ♦ *Bataille de Verdun.* En 1914, le camp retranché de Verdun avait joué un rôle de pivot dans la manœuvre de la Marne, et le « saillant de Verdun » restait un point d'appui du front français. Mais, plus que l'objectif stratégique (dont l'importance n'était pas décisive), c'est l'objectif psychologique que visait Falkenhayn* lorsque, en 1916, il décida une grande offensive sur Verdun. Son but était de forcer l'adversaire à une défensive à tout prix dans laquelle, pensait-il, l'armée française s'épuiserait (selon ses prévisions, les pertes allemandes n'atteindraient que 40 % des pertes françaises). L'attaque, sous le commandement du Kronprinz, débuta le 21 février ; l'Allemagne garda l'initiative pendant quatre mois, conquérant le bois des Caures (21 fév.), le fort de Douaumont (25 fév.), Cumières (mars), Vaux (31 mars), le Mort-Homme et la cote 304 (24 mai), le fort de Vaux (7 juin), Thiaumont et Fleury-devant-Douaumont (24 juin): Mais la défense française, confiée à Pétain* (25 fév.) puis à Nivelle* (1er mai), s'était organisée. Joffre*, comprenant les intentions de Falkenhayn, sut limiter les effectifs de la défense **(V. Chantilly** [*conférence de*]). Les Allemands échouèrent les 9-10 avril (attaque d'ensemble) et encore le 24 juin à Souville. À cette date, ils commencèrent à réduire leurs forces devant l'imminence de la réplique française **(V. Somme** [*bataille de la*]**)**. Le sort de la bataille était joué, entraînant la démission de Falkenhayn. Mangin* reconquit Douaumont (24 oct.), Vaux (2 nov.), Bezonvaux et Vacherauville (15 déc.). Guillaumat* acheva la reconquête en 1917. Gigantesque bataille d'artillerie, mais aussi de sacrifice individuel, « Verdun », surnommée « l'enfer de Verdun », coûta 360 000 hommes aux Français et 335 000 aux Allemands.

VERDUN-SUR-GARONNE. ♦ Ch.-l. de cant. du Tarn*-et-Garonne, arr. de Montauban*. 2 370 hab. *(Verdunois).* — Église du XVe siècle. — Indus. alimentaires.

VEREENIGING. ♦ V. d'Afrique* du Sud (Transvaal) située au S. de Johannesburg et du Witwaterstrand. 81 300 hab. — Aciéries et indus. chimiques. ♦ *Hist.* PAIX DE VEREENIGING, signée en mai 1902 entre les Boers* battus et les Anglais **(V. Kitchener, Milner)** [**V. Afrique du Sud,** ***Hist.***].

VERESSAIEV (Vikenti, pseud. de **V. V. Smidovitch)** [*Veresajev*]. ♦ Conteur russe et soviétique (Toula, 1867 — Moscou, 1945). Auteur réaliste, il décrivit principalement l'évolution de l'intelligentsia marxiste dans *Sans chemin* (1895), *L'Épidémie, Au tournant* (1902), *Dans une impasse* (1924), *Les Sœurs* (1933).

VERGA (Giovanni). ♦ Romancier italien de Sicile (Catane, 1840 — *id.*, 1922). Élevé dans une atmosphère libérale, il prit une part active, de 1860 à 1864, aux mouvements patriotiques. Ayant quitté la Sicile, il vécut à Florence (1865 à 1871) où il se lia avec des écrivains et des artistes, italiens ou étrangers, et composa des romans aux intrigues passionnelles, bourgeoises ou mondaines. *Une fauvette à tête noire* (*Storia di una capinera,* 1871), peinture pathétique d'une passion amoureuse, connut un succès considérable. *Eva* (1873) et *Eros* (1875), qui suscitèrent le scandale, allient la tonalité romantique des portraits à une technique déjà réaliste. En effet, dès 1875, Verga, grand admirateur de Flaubert* et de Zola* (rencontré en 1895), fut gagné au vérisme et écrivit désormais des romans où les éléments passionnels s'insèrent dans une enquête sur les problèmes sociaux que connaissait l'Italie, unifiée depuis peu. Cette peinture de la lutte vaine et mélancolique d'un monde passé contre le changement se veut objective, mais reste tout imprégnée de la pitié de l'écrivain pour les humbles et les déshérités. Ainsi au recueil de nouvelles *Vie des champs* (*Vita dei campi,* 1880) — d'où fut tiré le drame *Cavalleria rusticana,* 1884 — succédèrent les deux premiers volumes d'un cycle intitulé *Les Vaincus (I Vinti)* où Verga se proposait de montrer comment les conditions matérielles de l'existence influent sur les êtres : à la peinture de la vie de pêcheurs siciliens désireux de s'élever (*I Malavoglia,* 1881) répondit l'épopée amère de *Mastro Don Gesualdo* (1888 et 1889), paysan enrichi dont la louable ambition, ce « ferment de l'homme », se heurte à l' « avidité de richesses » et au mépris de ceux qui l'entourent. — Fixé à Milan depuis 1877, Verga y composa encore un drame (1903 ; devenu roman en 1905) sur la lutte des classes, *Du tien au mien (Dal tuo al mio)* avant de se retirer à Catane (1906) où il cessa d'écrire. Ayant toujours considéré la littérature comme « le travail le plus sacré de l'homme », Verga mit une expression dépouillée et dense au service de la vérité ; la description réaliste de la Sicile atteint souvent l'universel par l'évocation grandiose de la lutte des valeurs du passé avec les aspirations du monde moderne.

VERGENNES (Charles Gravier, *comte de***).** ♦ Homme politique et diplomate français (Dijon, 1719 — Versailles, 1787). Ambassadeur en Turquie (1755-1768), puis en Suède (1771-1774), il y appuya le coup d'État de Gustave* III. Appelé par Louis XVI au ministère des Affaires étrangères (1774), il reprit la politique de Choiseul* d'hostilité à l'égard de l'Angleterre, ce qui l'opposa à Turgot* qui voyait dans la guerre le signal de la banqueroute. Ayant ainsi contribué à la chute de Turgot, il engagea la France dans la guerre pour l'indépendance de l'Amérique (1778). Il s'efforça d'autre part de préserver la paix européenne et imposa la convention de Teschen (1779) quand Joseph* II voulut annexer la Bavière. Après le traité de Versailles (1783), il put se rendre compte que la guerre, si elle avait été un succès militaire, avait effectivement épuisé les finances, et il préféra travailler à un rapprochement avec l'Angleterre en lui accordant un avantageux traité de commerce (1786). Il devait mourir l'année suivante.

VERGÈZE. ♦ Comm. du Gard, arr. de Nîmes. 2 062 hab. (2 945 aggl. avec Codognan). Eau gazeuse naturelle (source Perrier) ; usine moderne d'embouteillage.

VERGNIAUD (Pierre Victurnien). ♦ Homme politique français

Ph. Roger-Viollet

Émile Verhaeren.

(Limoges, 1753 — Paris, 1793). Avocat au parlement de Bordeaux, puis administrateur de la Gironde, il fut un des chefs et orateurs les plus remarqués du mouvement girondin* à l'Assemblée législative, où il prit position contre les prêtres réfractaires et contre les émigrés. Président de la Convention (janv. 1793), il vota la mort du roi sans sursis. De tendance modérée, il tenta de s'opposer aux premières mesures de salut public proposées par les Montagnards (création du Tribunal* révolutionnaire, mars 1793). Il fut éliminé et condamné à mort avec les principaux chefs girondins après les émeutes populaires (31 mai-2 juin 1793).

VERHAEREN [vɛʀaʀɛn] **(Émile).** ♦ Poète belge d'expression française (Saint-Amand, près d'Anvers, 1855 — Rouen, 1916). Fils de la Flandre, il en a d'abord célébré la santé robuste (*Les Flamandes,* 1884) et la piété mystique (*Les Moines,* 1886). Au sortir d'une grave crise physique et morale dont *Les Soirs* (1887), *Les Débâcles* (1888) et les *Flambeaux noirs* (1890) révèlent l'intensité, il découvrit la beauté poétique du monde moderne et la grandeur de l'effort humain. Rallié à un socialisme fraternel, il publia alors, en réaction contre l'esthétisme de Ruskin et de son école, qu'il considérait décadent, et les attitudes parnassienne et symboliste, une suite de recueils d'un lyrisme puissant : *Les Campagnes hallucinées* (1893), *Les Villes tentaculaires* (1895), *Les Visages de la vie* (1899), *Les Forces tumultueuses* (1902), *La Multiple Splendeur* (1906), *Les Rythmes souverains* (1910). Cependant, cette foi toute profane dans les pouvoirs prodigieux de l'homme, qui traduit l'influence de Nietzsche, de Hugo et de Walt Whitman sur le poète, n'altère point en lui les sources de la tendresse pour une compagne aimée (*Trilogie des heures,* 1896-1905-1911) et pour le pays natal (*Toute la Flandre,* 1904-1911). Poète de l'énergie, des nouveaux paysages industriels et des machines, Verhaeren a su traduire en une langue frémissante, souvent heurtée et fruste mais riche de lyrisme, les élans et les visions d'un esprit qui se voulut solidaire de l'avenir humain.

VERKHOÏANSK. ♦ V. d'U.R.S.S. (R.S.S. autonome de Iakoutie), sur la Iana (872 km), en Sibérie extrême-orientale et à l'E. des *monts Verkhoïansk* qui culminent à près de 3 000 m. 1 800 hab. La région constitue l'un des pôles du froid du globe (températures enregistrées de — 69,8 °C). La ville fut fondée en 1638.

VERLAINE (Paul). ♦ Poète français (Metz, 1844 — Paris, 1896). Intéressé de bonne heure à la poésie, il participa aux mouvements littéraires de son époque et collabora notamment au *Parnasse contemporain.* Son premier recueil, les *Poèmes saturniens* (1866), le montre sensible à l'influence parnassienne; déjà, pourtant, le poète sait retracer avec une musicale tristesse ses amours malheureuses et son désarroi. *Les Fêtes galantes* (1869) évoquent, dans un décor à la Watteau, des personnages précieux et sensuels, « quasi tristes sous leurs déguisements fantasques ». Entre-temps, Verlaine, fiancé à Mathilde Mauté, croit pouvoir trouver dans son mariage imminent un « vaste et tendre apaisement » : les poèmes de *La Bonne Chanson* (1870), qui manifestent une inspiration heureuse, chantent cet espoir sincère d'une vie « simple et tranquille ». Mais la rencontre de Rimbaud* (sept. 1871) va ruiner ces projets; leur vie commune à Paris, en Belgique, puis à Londres est une succession d'altercations, de séparations. Pour avoir tiré deux coups de revolver sur son ami (1873), Verlaine est emprisonné durant deux ans à Mons. Composé en prison, le recueil des *Romances sans paroles* (1874) en appelle au pardon de Mathilde en des plaintes d'une subtile naïveté (« Ariettes oubliées ») ou se fait l'écho de l'aventure bouleversante avec l' « époux infernal », Rimbaud. Peu avant sa libération, Verlaine a opéré une conversion, ardente et humble à la fois, qui inspire les poèmes mystiques de *Sagesse* (1874 à 1880), puis ceux d'*Amour* (1888 et 1892); mais, aux accents repentants, au désir sincère d'écouter « la voix terrible de l'amour » divin, se mêlent encore des effusions d'une sensualité assez trouble (Cf. l'élégie à *Lucien Létinois,* 1883). Séparé d'avec Mathilde, s'adonnant à la boisson, Verlaine connut alors une existence précaire, bien qu'il commençât à jouir d'un certain renom auprès des jeunes symbolistes et « décadents »; ceux-ci saluent la publication des *Poètes maudits* (1884; consacrés à T. Corbière, Mallarmé et Rimbaud) et de *Jadis et Naguère* (1884) qui contient *L'Art poétique* de Verlaine (datant de 1874). Aux pièces érotiques de *Parallèlement* (1889) qui célèbrent les « sensations les plus sincères, mais bien osées », succèdent alors les *Liturgies intimes* (1892), variations sur les fêtes de l'Église, et *Épigrammes* (1894), courtes pièces d'inspiration variée. — Génie étonnamment personnel qui fait alterner les cris de volupté et les rêves nostalgiques de pureté, la plainte amoureuse et l'extase mystique (« L'Art, mes enfants, c'est être absolument soi-même »), Verlaine a cultivé une poésie « soluble dans l'air », reposant sur de constantes transpositions du domaine des sentiments à celui des impressions et des sensations. Ce lyrisme confidentiel recherche « pas la couleur, rien que la nuance », « la chanson grise où l'Indécis au Précis se joint ». Mots choisis pour leurs sonorités discrètes et repris comme des thèmes musicaux, syntaxe libre, souvent influencée par la langue parlée familière, assonances et rimes subtilement assouplies, rythme rendu plus fluide par l'emploi du vers impair composent un chant intime et prenant dont le pouvoir suggestif musical a inspiré les compositeurs (mélodies de Fauré, Duparc,...).

VERMANDOIS. *n. m.* ♦ Région du N. du Bassin parisien (Aisne*), située entre le Ponthieu* et la Thiérache*. Plateau découvert au sol souvent limoneux, propice aux grandes cultures (blé, betteraves). ♦ *Hist.* Érigé en comté par Charlemagne pour son fils Pépin, roi d'Italie, le Vermandois fut réuni à la couronne en 1191 par Philippe Auguste. — *Herbert II,* comte de Vermandois (mort en 943), se révolta contre Charles* III le Simple et le retint prisonnier de 927 à 929, date de sa mort.

VERMEER (Jan, dit **VERMEER DE DELFT).** ♦ Peintre hollandais (Delft, 1632 — *id.,* 1675). Il acquit de son vivant une notoriété certaine, sans pour autant faire figure de maître, et tomba assez rapidement dans l'oubli. C'est le Français Étienne Thoré qui le redécouvrit en 1866; sous le nom de William Bürger, il publia en effet une étude passionnée qui allait susciter l'intérêt des historiens d'art et valoir à Vermeer une étonnante gloire posthume. Admirée par plusieurs peintres impressionnistes, son œuvre — particulièrement la *Vue de Delft* — allait ensuite inspirer Proust et Claudel. Le retentissant scandale provoqué par le faussaire Van Meegeren dont le procès eut lieu en 1947 contribua à rendre populaires le nom et l'œuvre de Vermeer. Les spécialistes semblent s'accorder à lui attribuer une trentaine d'œuvres, mais sa vie est cependant mal connue : fils d'un tisserand, il fut baptisé à Delft en 1632; apprenti chez Leonaert Bramer, il aurait ensuite travaillé chez C. Fabritius* dont il subit notablement l'influence. En 1653, il se maria et, probablement, se convertit au catholicisme; la même année, il fut reçu maître à la guilde d'Anvers, puis en devint vice-président à deux reprises (1662 et 1669). Il fut probablement aussi marchand de tableaux et de gravures, et après 1672 il éprouva de graves difficultés financières. Il travaillait sans doute avec lenteur, ce qui explique en partie le nombre restreint de ses œuvres. Les premiers tableaux qu'on lui attribue semblent indiquer qu'il se consacra d'abord à la peinture d' « histoire ». Il peignit en effet *Diane et ses Compagnes* (v. 1654) et *Le Christ dans la maison de Marthe et Marie* (v. 1656), œuvres dénotant l'intérêt porté à la peinture italienne, notamment vénitienne, ainsi qu'une certaine parenté avec les sujets d'histoire de Metsu; dans ces compositions amples, la fluidité de la matière et le traitement des volumes par larges pans produisent un effet de mobilité. Les sujets qu'il aborda ensuite s'inscrivent dans la tradition de la peinture de genre hollandaise; en effet, son répertoire thématique diffère peu de ceux de peintres tels que Pieter de Hooch, F. Van Mieris, G. Metsu et parfois Maes, et cependant le registre expressif adopté, et la perfection des moyens mis en œuvre font apparaître sa profonde originalité. Dans les seules vues d'extérieur que l'on connaisse de lui, la *Vue de Delft* (v. 1658-1660), qui avait déjà provoqué l'admiration de ses contemporains, et la *Rue de Delft* (v. 1658-1660), le rendu de l'espace, de la lumière et de la couleur atteint un rare degré de précision d'ordre naturaliste (il a été maintenant prouvé qu'il se servait, pour mettre en place ses compositions, d'une chambre noire) en même temps qu'il les investit d'une dimension poétique. Il eut cependant tendance à se limiter à des scènes se déroulant dans un univers clos : intérieurs où la source de lumière est souvent une fenêtre située à gauche. L'une de ses premières scènes de genre, *L'Entremetteuse* (1656), relève, par le thème et la composition (demi-figures), des caravagistes d'Utrecht : l'espace est peu approfondi, et de riches harmonies chromatiques mettent en valeur les jeux variés de la lumière sur les étoffes, objets et matières diverses. Avec la *Jeune Femme endormie* (v. 1655-1660) se précise son orientation; il allait en effet presque exclusivement mettre en scène des jeunes femmes dans un intérieur bourgeois, deux thèmes revenant avec insistance : celui de la femme occupée à lire ou à écrire une lettre (*Femme lisant une lettre,* v. 1657; *Femme en bleu lisant une lettre,* v. 1662-1664; *Femme écrivant* une lettre, v. 1665; *Servante apportant une lettre,* 1665; *Jeune Femme écrivant une lettre,* 1667), et celui de la femme, parfois en compagnie galante (*Jeune Femme et Soldat,* 1657; *Le Verre de vin,* v. 1658-1660), occupée à faire de la musique (*Joueuse de luth,* v. 1663-1665; *Le Concert,* v. 1660-1665; *La Leçon de musique,* v. 1660; *La Joueuse de guitare,* v. 1667-1670; *Jeune Femme à l'épinette,* v. 1670), les thèmes de la musique et de la lettre étant parfois réunis comme dans *La Lettre d'amour* (v. 1670). Il présenta rarement une femme occupée à une tâche quotidienne précise, excepté dans *La Laitière* (v. 1658-1660) et dans *La Dentellière* (1665), œuvres où il parvient à exprimer une extrême concentration; mais le plus souvent les scènes sont assez imprécises et évoquent un climat d'oisiveté rêveuse (*Femme à la fenêtre,* 1658-1660; *Le Collier de perles,* v. 1662-1664; *La Peseuse de perles,* 1662-1663). L'extrême économie du geste, la retenue de l'expression concourent à créer une atmosphère souvent nostalgique et mystérieuse, chargée de sous-entendus, les allusions à l'amour étant les plus fréquentes comme en témoigne la présence d'objets et de tableaux qui, en multipliant les significations connexes, amplifient le thème, le chargeant d'une dimension symbolique parfois morale : instruments de musique symboles de l'amour profane, représentation d'un *Jugement dernier,* d'un *Cupidon,* etc. Vermeer peignit d'ailleurs quelques sujets allégoriques, notamment deux tableaux où figure exceptionnellement un unique personnage masculin et qui procèdent encore en partie de la scène de genre (*L'Astronome* [v. 1668] et *Le Géographe,* qui symboliseraient l'un la Terre et l'autre le Ciel), et surtout *L'Atelier* ou *Ars Pictoria* (1665) et l'*Allégorie de la Foi* (v. 1669). Ses compositions se fondent sur un sens très médité de l'organisation spatiale, les rapports entre les personnages, les objets et l'espace environnant étant analysés avec acuité. Il évita l'accumulation pittoresque d'objets et accorda à chaque motif une fonction structurelle dans l'ensemble de la composition, sans pour autant s'abstenir d'effets décoratifs (tapis de table ou rideau aux riches brocarts) ni de la description minutieuse. Ses compositions sont établies suivant des rapports géométriques stricts où dominent les angles droits, les contrastes d'horizontales et de verticales étant diversifiés par quelques diagonales (lignes des carrelages, des fenêtres, des portes, des tableaux sur les murs, angles des tables et des chaises), et le traitement de l'éclairage contribuant à l'harmonie d'ensemble aussi bien qu'à une très grande variété d'effets de lumière. Contrairement à Rembrandt, Vermeer modula l'éclairage en pleine clarté, d'où la luminosité, la limpidité de ses tableaux. Il analysa le caractère changeant de la lumière selon les matières sur lesquelles elle se reflète; il rendit ainsi sensible les qualités tactiles des matériaux, leur texture (étoffes brillantes, lourds tissus, bois, cuivre, étain, cristal, porcelaine, nacre de la perle, etc.), maniant la couleur suivant diverses techniques : usant tour à tour et parfois simultanément d'une touche ferme, de petites coulées de matière qui créent un effet grumeleux *(La Laitière),* d'une touche en pointillé qui rend finement la lumière *(La Dentellière),* d'une touche fondue en multipliant les glacis et les transitions, ou d'aplats plus larges, cette modification de sa technique s'accordant à la stylisation croissante

Arch. Smeets

Jan Vermeer de Delft : « La Laitière », vers 1658-1660. (Rijksmuseum, Amsterdam.)

de ses œuvres aux formes de plus en plus dépouillées, presque schématisées *(Joueuse de guitare).* D'où un aspect moelleux, une consistance presque onctueuse ou lisse et nacrée de la matière. Il créa des accords précieux de tonalités froides, particulièrement de bleu et de jaune. Ce raffinement technique qui lui permit de nuancer l'atmosphère s'accorde à la subtilité avec laquelle il exprima les sentiments humains les plus ténus, comme en témoignent ses portraits féminins (*Jeune Fille au turban,* dite aussi *Jeune Fille à la perle,* v. 1662; *Tête de jeune fille,* v. 1668; *Jeune Femme à la flûte; Jeune Femme au chapeau rouge,* v. 1665). Si la plupart de ses œuvres dénotent peu d'invention quant aux sujets (il se contenta le plus souvent d'exécuter une variation sur un même thème), il procéda par épuration formelle, approfondissement psychologique, parvenant à donner un poids au geste le plus calme, à l'objet le plus banal, et une intensité expressive à un visage aux yeux clos. C'est pour cette conjonction de rigueur formelle et de résonance poétique qu'il est maintenant considéré comme l'un des plus grands peintres du XVIIe siècle.

VERMENTON. ♦ Ch.-l. de cant. de l'Yonne, arr. d'Auxerre, sur la r. d. de la Cure*. 1 319 hab. *(Vermentonnais).* Église romane (XIIe s.). Tour ronde du XIVe s. (anc. donjon). – Aux environs, restes de l'abbaye de Reigny, fondée par les cisterciens (réfectoire du XIIIe s.). Vignobles. Confection.

VERMEYLEN (August). ♦ Écrivain belge d'expression flamande (Bruxelles, 1872 – Uccle, 1945). Premier recteur de l'université flamande de Gand, il eut, et par son action et par ses œuvres, une profonde influence sur ses contemporains. Un des fondateurs de la revue *Van nu en straks* « De maintenant et de tout à l'heure » (1893-1901), il y exprima son idéal flamingant en des articles au style lapidaire. S'appuyant sur la doctrine socialiste, il affirme que l'émancipation culturelle – donc linguistique – de la Flandre lui permettra de s'élever au niveau européen : « Nous voulons être Flamands pour devenir Européens » (Cf. *Critique du mouvement flamand,* 1895; *Mouvements flamand et européen,* 1900). À un roman symboliste, *Le Juif errant* (*De Wandelende Jood,* 1906), « histoire d'une âme » en quête de la vérité, succède *Deux Amis* (1943), roman psychologique qui évoque la lutte « flamingante » au début du siècle.

VERMONT. *n. m.* (du fr. *vertmont).* ♦ État du N.-E. des États-Unis (Nouvelle-Angleterre), limité au N. par le Canada. 24 887 km². 444 732 hab. (1970). *Cap.* Montpelier. *V. princ.* Burlington (35 531 hab.). – *Orogr.* L'État forme un rectangle allongé du N. au S.; de l'E. à l'O. le lac Champlain (au N.) se continuant par la vallée de l'*Otter Creek,* entre les Adirondacks (État de New York) et les *Green Mountains.* Celles-ci font partie du système appalachien comme les collines de l'E., morcelées par plusieurs vallées, jusqu'à la vallée du Connecticut (New Hampshire). L'État est très peu urbanisé (4 villes de plus de 10 000 hab.). – *Écon.* Élevage (produits laitiers), cultures (pommes de terre). Forêts. Carrières. Indus. spécialisées (alimentaires, papier, meubles, etc.). Tourisme (sports d'hiver). ♦ *Hist.* Les Français commencèrent la colonisation dans le nord (lac Champlain, 1666) et les Anglais après 1724. Indépendant en 1777, le Vermont devint le 14e État de l'Union (1791). – Le Vermont est la patrie de Joseph Smith* et de Brigham Young*.

VERNE (Jules). ♦ Écrivain français (Nantes, 1828 – Amiens, 1905). Il fut l'initiateur en France du roman d'anticipation scientifique. Né dans une famille aisée de la bourgeoisie nantaise, Jules Verne était destiné par les siens à prendre la succession de son père à la tête d'une étude d'avoué, mais dès 1848, époque à laquelle il s'installa à Paris pour faire ses études de droit, il songeait à la carrière des lettres. Fréquentant les salons de la capitale où il pouvait se frotter au monde du théâtre, il fut présenté à Alexandre Dumas qui accepta de monter au Théâtre historique une comédie du jeune auteur, *Les Pailles rompues.* Vers la fin de l'année 1851, Verne devint secrétaire d'Édouard Seveste qui rouvrait l'Opéra national sous le nom de Théâtre-Lyrique. Il écrivit alors diverses pièces, qui ne rencontrèrent guère qu'un succès d'estime, ainsi que plusieurs livrets d'opérettes et d'opéras-comiques. Parallèlement à sa carrière de librettiste et de dramaturge, il faisait ses premiers pas de nouvelliste. En 1851 parurent deux longs récits où se trouvaient déjà esquissés les thèmes des *Voyages extraordinaires : Les Premiers Navires de la marine mexicaine* et *Un voyage en ballon* qui furent suivis en 1854 par un roman historique, *Martin Paz,* et en 1855 par *Un hivernage dans les glaces.* C'est vers cette époque que Verne se mit à étudier, pendant les rares heures de loisir que lui laissaient ses fonctions de secrétaire au Théâtre-Lyrique, la géographie, la physique, les mathématiques. De nombreuses visites à la Bibliothèque nationale lui permirent d'acquérir un vocabulaire scientifique et technique à la hauteur de la tâche qu'il se fixait : éveiller par ses œuvres l'intérêt du public pour le mouvement scientifique et les travaux du monde savant. Dans le même temps, la lecture des œuvres de Poe lui montrait toutes les ressources du fantastique dans l'art littéraire, comme en témoigne un roman publié en 1854 par le *Musée des familles : Maître Zacharius ou l'horloger qui a perdu son âme.* Il se maria en 1857 et, pour s'assurer une source régulière de revenus, prit une part dans une charge d'agent de change. Cependant, ses projets littéraires prenaient forme et, en 1862, il put apporter le manuscrit de *Cinq Semaines en ballon* à l'éditeur Hetzel. L'ouvrage parut en librairie en 1863 et son succès fut immédiat : c'était le premier volume d'une série qui devait en comporter plus de cent et dont la publication se poursuivit dans *Le Magasin d'éducation et de récréation* et, en librairie, sous le titre général de *Les Voyages extraordinaires.* Le voyage constitue en effet l'un des thèmes majeurs de cette œuvre : *Les Aventures du capitaine Hatteras* (1864), *Les Enfants du capitaine Grant* (1867-1868), *Vingt Mille Lieues sous les mers* (1870), *Une ville flottante* (1871), *Au pays des fourrures* (1873), *Le Tour du monde en quatre-vingts jours* (1873), *Un capitaine de quinze ans* (1878), *Deux Ans de vacances* (1888), *Mrs. Branican* (1891), *L'Île à hélice* (1895), *Le Sphinx des glaces* (1897), *L'Étonnante Aventure de la mission Barsac* (1910). Beaucoup de ces ouvrages donnaient, avec plusieurs dizaines d'années d'avance, des descriptions d'explorations qui devaient se révéler bien proches de la réalité, puisque le commandant Charcot se plaisait à saluer dans Hatteras « le meilleur des livres de bord ». Une telle précision ne pouvait s'obtenir qu'au prix d'un minutieux travail de documentation, que l'imagination et l'intuition, servies par la rigueur d'un raisonnement fondé sur une exacte connaissance des problèmes scientifiques, transmuaient en une fiction dotée de la crédibilité d'une chronique. Passionné par les problèmes de l'aérostation et de l'aéronautique, Verne fonda en 1862 avec Nadar* une *Société pour la recherche de la navigation aérienne.* Nadar effectua dans la réalité de nombreuses ascensions et les héros du romancier l'imitèrent dans la fiction au moyen d'appareils plus légers ou plus lourds que l'air. Ce furent *Cinq Semaines en ballon, De la Terre à la Lune* (1865) [dont le héros fut baptisé Michel Ardan, anagramme de Nadar]. *Autour de la Lune* (1870), *Robur le Conquérant* (1886). À l'exploration des espaces aériens ou interplanétaires répondait l'exploration des abîmes terrestres ou océaniques, dans *Voyage au centre de la Terre* (1864), *Vingt Mille Lieues sous les mers, Les Indes noires* (1877). Pour préoccupé qu'il fût des inventions de l'avenir, Jules Verne n'en était pas moins intéressé par l'histoire contemporaine, dont s'inspirèrent *L'Archipel en feu* (1855), *Michel Strogoff* (1876), *Les Cinq Cents Millions de la bégum* (1879), *Nord contre Sud* (1887), *Petit Bonhomme* (1892). Par-delà la diversité des thèmes, une unité profonde anime cette œuvre. Si la raison majeure en est évidemment la puissance de l'imagination de l'écrivain, qui fit de lui un véritable visionnaire, le soin qu'il apportait à la rédaction de ses livres n'y est à coup sûr pas étranger (G. Apollinaire affirmait : « Jules Verne ! Quel style ! rien que des substantifs. »). Son influence fut immense. La plupart des découvertes ou des inventions qu'il avait prévues ont été faites et souvent dépassées, mais il n'en continue pas moins à exercer sur notre époque une étonnante fascination, puisque le premier sous-marin atomique fut baptisé du nom du submersible du capitaine Nemo, le *Nautilus,* et qu'un des cratères de la face cachée de la Lune porte le nom de *Jules Verne.* Si, par l'optimisme humaniste et scientiste, Jules Verne exprime bien son époque positiviste, ses inventions révèlent aussi des fantasmes et des ambiguïtés : rapports de l'espace et du temps, vertige de l'action et de la puissance, thème des profondeurs dont les mystères sont révélés aux héros par un personnage ambivalent, à la fois tutélaire et funeste, faisant figure de père tout-puissant, ces éléments constituent autant de repères pour une lecture nouvelle, moins naïve, de son œuvre.

Ph. Roger-Viollet

Caricature de **Jules Verne** par Gill dans *l'Éclipse* du 13 décembre 1874.

VERNEAU (Jean). ♦ Général français (Vignot, Meuse, 1890 – Buchenwald, 1944). Ancien élève de l'École polytechnique, officier du génie, il fut chef d'état-major de l'armée d'armistice jusqu'en 1942, puis rejoignit le général Frère avec lequel il contribua à fonder l'Organisation de résistance de l'armée (O.R.A.) dont il prit la tête après l'arrestation de ce dernier. Il s'occupa de l'accord entre l'armée de De Gaulle et l'O.R.A. et prit part à l'encadrement des maquis. Arrêté par les Allemands (oct. 1943), il mourut en déportation.

VERNET (Joseph). ♦ Peintre, dessinateur et graveur français (Avignon, 1714 – Paris, 1789). Fils du peintre et décorateur *Antoine Vernet* (Avignon, 1689 – *id.,* 1753), il débuta par des travaux de décoration puis se rendit en Italie où il séjourna de 1734 à 1753. Ayant admiré les paysages de Poussin et de C. Lorrain, il peignit des vues de Rome, de Naples et des environs. Mêlant paysage et scène de genre, il représenta de petits personnages s'adonnant à leurs activités quotidiennes. Établissant ses compositions selon un équilibre médité, il rendit avec finesse la limpidité de l'atmosphère, le caractère particulier de la lumière méditerranéenne, annonçant par là les paysages italiens de Corot *(Château Saint-Ange ; Ponte Rotto).* Le marquis de Marigny lui ayant commandé en 1753 une série de vingt-quatre ports de France, il revint en France, en réalisa quatorze de 1753 à 1762, en se pliant avec habileté aux impératifs de la commande (précision topographique). Il réalisa ensuite des paysages alpestres, tirant ses thèmes de *La Bergère des Alpes* de Marmontel et multiplia pour plaire au public des paysages maritimes : clair de lune, orages, tempêtes, naufrages, réalisés selon des schémas identiques et dans une gamme chromatique peu nuancée et terne mais qui révèlent un sentiment préromantique de la nature.

VERNET (Charles Horace, dit **Carle).** ♦ Peintre, dessinateur et lithographe français (Bordeaux, 1758 – Paris, 1836). Sous le Directoire, il caricatura merveilleuses et incroyables ; puis peignit des scènes historiques, des courses, des chasses et des marines d'une facture souvent conventionnelle. Il fut l'un des premiers artistes français à pratiquer la lithographie (plus de 800 pièces) et, comme peintre de chevaux, il influença son élève Géricault*.

VERNET (Horace). ♦ Peintre et dessinateur français (Paris, 1789 – *id.,* 1863). Fils du précédent. Fervent bonapartiste, il obtint une immense popularité comme peintre de marines et surtout de batailles ; il exalta l'héroïsme des soldats de l'Empire dans un style facile et brillant ; selon Baudelaire « M. Horace Vernet est un militaire qui fait de la peinture ». Il se rallia cependant à la Restauration et peignit plusieurs scènes pour la galerie historique de Versailles. Il devint ensuite peintre officiel de Napoléon III.

VERNET-LES-BAINS. ♦ Comm. des Pyrénées-Orientales, arr. de Prades, au pied du Canigou. 1 366 hab. Église romane. Anc. château démantelé au XVIIIe s., restauré au XIXe siècle. Station thermale et climatique. Centre touristique.

VERNEUIL-SUR-AVRE. ♦ Ch.-l. de cant. de l'Eure*, arr. d'Évreux*. 6 463 hab. *(Vernoliens).* – Église de la Madeleine, tour remarquable du XVIe siècle. Église Notre-Dame du XIIe s., plusieurs fois remaniée. Donjon du XIIe siècle. Maisons anciennes. – Machines-outils, constructions métalliques. ♦ *Hist.* Victoire des Anglais sur Charles VII en 1424.

VERNEUIL-SUR-SEINE. ♦ Comm. des Yvelines, arr. de Saint-Germain-en-Laye, sur la Seine. 7 807 hab. – Église en partie du XIIIe siècle.

VERNIER *(marais).* ♦ Marais de la basse Seine dans le dép. de l'Eure* entre Pont*-Audemer et Quillebeuf* ; il a été assaini et mis en culture.

VERNON *(mont),* en angl. **Mount Vernon.** ♦ Site des États-Unis (Virginie*), sur le Potomac, à une vingtaine de kilomètres de Washington. Maison et tombe de George Washington*.

VERNON. ♦ Ch.-l. de cant. de l'Eure*, arr. d'Évreux*, sur la Seine*, au voisinage de la forêt de Vernon. 19 724 hab. [16 983 aggl.] *(Vernonnais).* – Église Notre-Dame (XIIIe-XIVe et XVe s.). Tour des Archives du XIIe siècle. – Indus. électrique ; produits pharmaceutiques, cimenterie, ateliers de construction, brasseries. ♦ *Hist.* Le centre de la ville a été incendié en 1940 et reconstruit.

VERNOUILLET. ♦ Comm. des Yvelines, arr. de Saint-Germain-en-Laye, sur la Seine. 5 906 hab. – Église (XIIe, XIIIe s.). Château (XVIIe s.). – Revêtements plastiques pour sols.

VERNOUX-EN-VIVARAIS. ♦ Ch.-l. de cant. de l'Ardèche*, arr. de Tournon*. 2 128 hab. *(Vernousains).* – Moulinage de la soie, indus. alimentaire.

VERN-SUR-SEICHE. ♦ Comm. d'Ille-et-Vilaine, arr. de Rennes. 1 686 hab. Raffinerie de pétrole (essence, butane).

VERNYÏ ou **VIERNYÏ.** ♦ V. ALMA-ATA.

VÉRONE, en it. **Verona.** ♦ V. du N.-E. de l'Italie (Vénétie) et ch.-l. de prov. dans une boucle de l'Adige, au pied des *monts Lessini.* 264 363 hab. – Évêché. C'est après Venise la ville la plus intéressante de Vénétie et l'une des plus belles d'Italie. Plusieurs monuments romains sont bien conservés (l'amphithéâtre ou *Arena,* un théâtre de l'époque d'Auguste). Toutefois, Vérone compte surtout des monuments du Moyen Âge et de la Renaissance : l'église romane S. Zeno Maggiore (IXe-XIIe s.) avec son campanile du XIIe s., la *piazza dell' Erbe,* construite sur l'emplacement d'un ancien forum, le *Castelvecchio* édifié par Cangrade II Scaglieri en 1354, le *ponte Scagliero* enjambant l'Adige, la *piazza dei Signori* bordée de

Ph. Nimatallah/Ricciarini

Paolo Véronèse : « Martyre de sainte Justine ». (Galerie des Offices, Florence.)

palais Renaissance (*loggia del Consiglio,* anc. hôtel de ville du XVIe s.). – Au débouché du Brenner, au contact de l'Italie du Nord et de l'Europe continentale, Vérone est un nœud de communications et un centre commercial important (exportation de fruits, légumes et vins). L'indus. (mécanique, chimique, textile) est secondaire. – Patrie d'Alexandre* Ier de Battenberg, des Capulet*, de Catulle*, de M. Ingegneri*, de C. Lombroso*, de Scipione Maffei*, de Mezzetin*, de G. Torelli* et de Véronèse*. – La PROVINCE DE VÉRONE (3 097 km². 709 000 hab.), qui s'étend sur les bassins de l'Adige et du Pô, est surtout agricole. ♦ *Hist.* Colonie romaine en ~ 89, elle était de fondation plus ancienne. Elle fut prise par Constantin en 312. Théodoric y vainquit Odoacre en 489. Elle fut rattachée à l'Empire germanique en 952 et devint une ville libre en 1107. Elle lutta contre les Hohenstaufen. Sous le règne de Frédéric II, elle vit l'affrontement entre les Montecchi (gibelins) et les Sanbonifazi (guelfes). Ezzelino III da Romano s'y établit (1227-1259). De 1260 à 1387, Vérone fut au pouvoir des Della Scala. Annexée par Milan en 1387, Vérone passa en 1405 à Venise **(V. Venise).** Elle fut donnée à l'Autriche par Bonaparte (1797-1801), fit partie du royaume d'Italie (1805-1814), fut le ch.-l. du dép. de l'Adige, puis fut à nouveau autrichienne. Elle entra dans le royaume d'Italie en 1866. – *Congrès de Vérone.* Il réunit d'octobre à décembre 1822 les représentants des puissances de la Sainte-Alliance : l'empereur d'Autriche accompagné de Metternich, l'empereur de Russie avec Nesselrode, le roi de Prusse et ses fils, le duc de Wellington, les souverains italiens, le comte de Montmorency, Chateaubriand, ..., comme représentants de la France. Différentes affaires furent mises à l'ordre du jour : la traite des Noirs, la piraterie dans les mers d'Amérique et les colonies espagnoles, etc., et surtout le progrès du libéralisme et les dangers d'une révolution en Espagne. Malgré l'opposition de Metternich et de Villèle*, il fut décidé que la France se chargerait d'envoyer des troupes pour appuyer le roi Ferdinand VII (expédition d'Espagne, 1823).

VÉRONÈSE (Paolo CALIARI, dit **Paolo VERONESE,** en fr.). ♦ Peintre italien (Vérone, 1528 – Venise, 1588). Fils d'un tailleur de pierre, il entra à quatorze ans dans l'atelier de son oncle et dut travailler chez un peintre local, Giovanni Caroto, connu pour ses connaissances en perspective et en architecture. Jusqu'à vingt-cinq ans, il resta à Vérone, centre où convergeaient de nombreux courants artistiques; il put y voir les œuvres de Titien et en particulier son *Assomption,* exécutée pour la cathédrale. À Mantoue, il admira les grandes compositions décoratives de Giulio Romano **(V. Jules Romain)** et fut également sensible à un autre peintre maniériste, Parmigiano (le Parmesan). Cependant, la leçon classique de Raphaël, dont il copia la *Madone à la perle* d'après une œuvre d'atelier, ne fut jamais effacée par la nouvelle tendance artistique. La famille Bevilacqua lui commanda, alors qu'il était âgé de vingt ans, un tableau d'autel (Museo Civico, Vérone), œuvre fortement influencée par Titien. En 1551, Véronèse réalisa dans la villa Soranzo son premier ensemble décoratif marqué par les partis pris rythmiques du Parmesan (*Allégorie des saisons, Épisodes de la vie d'Alexandre;* il ne reste que quelques fragments de cette œuvre au dôme de Castelfranco). Cette période hésitante est marquée également par l'influence de Michel-Ange, en particulier dans la *Tentation de saint Antoine* (1552, musée de Caen) ou l'*Allégorie de la jeunesse et de la vieillesse* (1553, palais ducal, Venise). San Micheli lui procura un autre ensemble décoratif en 1554, le château Colleoni à Thiene. Installé définitivement à Venise en 1555, il exécuta sa première œuvre importante pour la famille Giustianini (église San Francesco della Vigna, Venise). Cette œuvre se ressent fortement de l'étude du retable Pesaro de Titien; cependant, pour la première fois, on peut discerner certains des traits caractéristiques de l'écriture de Véronèse : goût pour les architectures stables qui organisent l'espace, tonalités froides étalées en glacis, qui laissent transparaître les tons superposés. Après un chantier pour l'église San Giovanni i Paolo, il entreprit la décoration entière d'une petite église consacrée à San Sebastiano (saint Sébastien) de 1556 à 1558 (plafonds, panneaux d'orgue, etc.). En pleine possession de ses moyens, Véronèse termina l'ensemble en 1558 par *Le Couronnement d'Esther* (plafond) qui peut être considéré comme l'un de ses chefs-d'œuvre; dans cette composition ovale, Véronèse a magistralement résolu les problèmes d'organisation dus à la fonction de l'œuvre; en outre, les personnages sont animés d'une vie et d'un dynamisme exceptionnels dans l'œuvre du peintre. Son talent étant reconnu, il dut composer trois *tondi* pour la *Libreria.* En 1560, il fit un voyage à Rome. À son retour, il entreprit pour le réfectoire de San Giorgio Maggiore une immense toile, la première d'une série de grands festins bibliques, *Les Noces de Cana,* 1562 (musée du Louvre). L'assurance dont fit preuve Véronèse dans la décoration de la villa Barbaro, construite par Palladio*, n'est peut-être pas sans rapport avec son récent voyage à Rome où venaient d'être découvertes des fresques de l'ancienne Rome. La sérénité d'expression des personnages, le goût pour le détail anecdotique et surtout la recherche de l'illusionnisme au moyen de fausses architectures et de faux paysages qui s'intègrent parfaitement dans l' « espace vrai » annoncent à maints égards les recherches du XVIIIe s. vénitien et surtout celles de G.B. Tiepolo*. Cette tendance à la mise en scène caractérise ses grandes compositions : *Le Repas chez Simon le Pharisien,* v. 1572 (musée du Louvre) et *Le Repas chez Lévi* (Accademia, Venise); Véronèse a retouché ce dernier tableau à la suite d'un procès que lui fit l'Inquisition. Entre 1575 et 1577, il réalisa *Le Triomphe de Venise* pour le plafond de la salle du Grand Conseil au palais ducal. Dans cette composition parfois datée de 1585, Véronèse intégra avec une aisance un peu superficielle des éléments mythologiques, allégoriques et historiques. Il est difficile de cerner les différentes orientations stylistiques de Véronèse à la fin de sa vie. Il porta de plus en plus d'intérêt pour les petits formats, développa un goût pour le pathétique, exprimé d'une manière lyrique, mais contenue; contrairement aux grandes compositions, les toiles de cette période, intimistes, sont profondément romantiques (*Enlèvement de Déjanire,* Kunsthistorisches Museum, Vienne). On a souvent insisté sur l'aspect décoratif, immobile, des œuvres de Véronèse; sur sa parfaite maîtrise du dessin d'architecture, sa palette claire, son utilisation des ombres colorées. Il est en général considéré comme un artiste moins important que Titien* ou Tintoret*. Cependant la virtuosité avec laquelle il a résolu les problèmes de la lumière pénétrante, en particulier dans les petites œuvres de la fin de sa vie (*Le Christ au jardin des Oliviers,* v. 1580; Bréra, Milan), en fit parfois l'égal des deux grands Vénitiens.

VÉRONIQUE *(sainte)* [peut-être déformation de **vera icôn,** « vraie image »]. ♦ Dans la légende chrétienne, sainte femme qui aurait essuyé le visage du Christ lors de la montée au Calvaire. L'empreinte de ce visage serait restée sur le linge, d'où la relique dite la *Véronique* conservée à Saint-Pierre de Rome, et le culte de la Sainte Face.

VERPILLIÈRE (La). ♦ Ch.-l. de cant. de l'Isère*, arr. de Vienne*. 2 440 hab. – Confection.

VERRAZANO (Giovanni *da*). ♦ Explorateur et navigateur italien (Val di Greve près de Florence, 1485 – Brésil, 1528). Au service de l'armateur dieppois Jean Ango (sous François Ier), il partit de Dieppe en 1523, atteignit la côte du Maine, l'estuaire de l'Hudson et Terre-Neuve, contribuant ainsi à l'exploration du Canada*. Il fut tué par les indigènes lors d'une seconde expédition dans le golfe du Darién et au Brésil. Son frère Girolamo utilisa les renseignements qu'il avait fournis pour établir la carte d'Amérique (mais les toponymes français et italiens choisis par Verrazano furent changés après le voyage d'Estévão Gomes). – Un pont de New York porte son nom.

VERRÈS, en lat. **Caius Licinius Verres.** ♦ Homme politique romain (Rome, v. ~ 119 – ~ 43). Propréteur en Sicile (~ 73-~ 71), il écrasa les villes de contributions illégales et dépouilla de leurs objets d'art les monuments publics et les temples. Quand il fut sorti de charge les Siciliens portèrent plainte contre lui et demandèrent à Cicéron* de soutenir l'accusation. Hortensius* Hortalus assumait la défense. Cicéron rassembla des témoignages si écrasants *(Verrines)* que Verrès renonça à plaider sa cause et partit en exil, condamné à restituer aux Siciliens 40 millions de sesterces. L'affaire mettait en cause tout le système oligarchique; les sénateurs perdirent le monopole des jurys et durent admettre auprès d'eux les chevaliers évincés depuis Sylla*.

VERRIÈRES-LE-BUISSON. ♦ Comm. de l'Essonne, arr. de Palaiseau. 9 852 hab. *(Verriérois).* Comm. résidentielle. – Église Notre-Dame de Verrières (XIIIe-XVe s., restaurée au XIXe s.). – Horticulture.

VERROCCHIO (Andrea *del*). ♦ Orfèvre, sculpteur et peintre italien (Florence, 1435 – Venise, 1488). Il apprit les techniques de l'orfèvrerie chez Giuliano Verrocchio. Comme peintre, il aurait été l'élève d'Alesso Baldovinetti* et comme sculpteur, on suppose qu'il travailla avec Donatello*, bien que ses premières sculptures offrent plus d'affinités avec le style d'Antonio Rossellino*. La plus grande partie de sa production picturale n'est pas autographe.

Ph. Nimatallah/Ricciarini

La façade du château de **Versailles** sur les jardins.

Aussi, son unique peinture documentée (*Madone avec saint Donat et saint Jean-Baptiste,* achevée en 1486 et destinée à la cathédrale de Pistoia) fut-elle en grande partie exécutée par son élève Lorenzo* di Credi, tandis que dans le *Baptême du Christ* (1470-1472, Florence, Offices) la participation de son autre élève, Léonard, est visible (un des deux anges et le paysage du lointain). Cependant sa *bottega* était très active à Florence. Mais l'importance de Verrocchio fut beaucoup plus décisive en sculpture. Il réalisa le sarcophage de Piero et Giovanni de Médicis (1472, Florence, San Lorenzo), où il sut utiliser des éléments du langage ornemental (acanthes, cordes tressées, inscriptions à l'antique) d'une manière tellement convaincante qu'il put s'abstenir de toute représentation de figures humaines. Deux de ses œuvres majeures reprennent et enrichissent des thèmes déjà abordés par Donatello (le nu adolescent, la statue équestre) : si son *David* (av. 1476, Florence, Bargello) est une sorte de réflexion qui aboutit au repos dans la pause et au calme dans l'expression psychologique, le *Colleone* (statue glorifiant le condottiere de Bergame; Venise), terminé après sa mort, présente un des équilibres rythmiques les plus puissants que nous a légués la Renaissance : à l'avancée décidée du cheval, le cavalier, tendant à suggérer un mouvement opposé, visualise à la fois la domination de la bête par l'homme et la détermination résolue du guerrier. Par ailleurs, avec son petit *putto au dauphin* (commandé pour la villa Careggi des Médicis en 1480, placé dans la cour du palais de la Seigneurie; conservé auj. à l'intérieur même du palais), il fut le premier à résoudre les problèmes de la statue en ronde bosse destinée à une fontaine en concevant un dessin en spirale permettant le point de vue tournant : sous tout angle, la statue conserve une égale signification. Il excella aussi dans l'art du portrait (*Femme avec des primevères,* 1480, Bargello) comme dans les groupes sculptés (*Incrédulité de saint Thomas,* 1466-1483, Florence, Or San Michele). Par l'originalité de son œuvre, Verrocchio s'avère le plus grand sculpteur florentin de la Renaissance, après Donatello.

VERSAILLES. ♦ Préf. du dép. des Yvelines (6 cant., 19 comm., 227 295 hab.), important centre administratif, militaire, touristique (visite du *château* et de la ville) et cité résidentielle. 94 915 hab. *(Versaillais).* Évêché. La place d'Armes, qui s'incurve en hémicycle devant la grille du *château,* est le centre géométrique de la ville, d'où rayonnent les trois vastes avenues qui découpent Versailles. Outre le château, la ville possède de nombreux édifices classiques. Grandes écuries (en cours de restauration : *Archives départementales*) et petites écuries construites par J. Hardouin-Mansart* (1679-1685). Hôtel des Gendarmes; hôtel des Menus Plaisirs du roi. Caserne de Noailles (anc. écuries de Mme du Barry) avec une belle façade due à Ledoux* (1770-1772). Chambre de commerce dans l'anc. hôtel de Mme du Barry (construit en 1750, restauré en 1939). Château de Montreuil (anc. demeure de Madame Élisabeth). Pavillon de musique de Madame, par Chalgrin* (1784); vestiges de son hameau et curieuse laiterie. Colombier en bois (Chalgrin, 1784). Hôpital militaire (anc. « Grand-Commun », construit par J. Hardouin-Mansart*, 1682-1684). Anc. hôtels de la Marine et des Affaires étrangères, construits par J.B. Berthier (1759 et 1762), auj. *bibliothèque municipale.* Salle du Jeu de paume, construite en 1686. Hôtel de Fontenay (XVIIIe s.). Cathédrale Saint-Louis, élevée de 1743 à 1754 par le petit-fils de Mansart. Marché Saint-Louis (ensemble architectural du XVIIIe s.). *La Colette,* pavillon de Colin, intendant de Mme de Pompadour. École nationale d'horticulture (anc. potager du roi) construite par Mansart. Église Notre-Dame, anc. paroisse du château, construite par J. Hardouin-Mansart (ses registres ont consigné tous les actes de baptême et de mariage de la famille royale). Anc. hôtel des Réservoirs, édifié en 1752 pour Mme de Pompadour. Théâtre Montansier créé en 1777 (restauré en 1961); en face, hôtel du prince de Condé où mourut La* Bruyère (1696). Musée municipal Lambinet (anc. hôtel Lambinet du XVIIIe s.). Hôpital (XVIIIe s.). Lycée Hoche (anc. couvent des Ursulines), construit par l'architecte Mique*; chapelle centrale à dôme. Parmi les édifices modernes, palais des Congrès (1966). Dépôt des périodiques de la Bibliothèque nationale par Roux*-Spitz. — Indus. métallurgiques, mécaniques, électriques et alimentaires. Imprimerie. Parfums. — Patrie de Louis* XV, Louis* XVI, Louis* XVII, Louis* XVIII, Charles* X, Philippe* V, roi d'Espagne, Louis, duc d'Angoulême*, Marie-Thérèse, duchesse d'Angoulême*, Charles de France, duc de Berry*, Madame Élisabeth* de France; d'Assollant*, du maréchal Bazaine*, Berthier*, Y. Brayer, Ducis*, l'abbé de l'Épée*, E. Frémy*, Hoche*, Houdon*, J. Hadamard*, R. Kreutzer*, H. Lefuel*, Legendre*, Lesseps*, Louvel*, Maurepas*, Polignac*, ... ♦ *Hist.* La ville de Versailles, qui dut sa création à celle du château, devint la véritable capitale de la France, de 1682 à la fin de la monarchie. Les États généraux y furent réunis en 1789, mais les journées des 5 et 6 octobre, qui ramenèrent la cour à Paris, provoquèrent son déclin. Versailles ne retrouva un rôle historique qu'en 1870. Les Prussiens l'occupèrent alors, et l'Empire allemand fut proclamé dans la galerie des Glaces (1871). Le gouvernement Thiers* s'y établit pendant la Commune*; ses soldats, commandés par Mac-Mahon, furent surnommés les « versaillais » par les communards. Le gouvernement devait rester à Versailles jusqu'en 1879, et la Constitution de 1875 y fut votée. Les élections présidentielles s'y déroulèrent jusqu'en 1953. ♦ *Traités de Versailles.* Une suite de traités y fut signée entre la France et l'Autriche, contre la Prusse, à la suite du renversement des alliances (1756, 1757, 1759). — En 1783, une autre série de traités mit fin à la guerre d'Indépendance américaine : l'Angleterre cédait aux États-Unis, dont elle reconnaissait l'indépendance, tous les territoires situés au sud du Canada. Elle faisait d'autre part des concessions coloniales à la France et à l'Espagne. ♦ *Traité de Versailles.* Signé le 28 juin 1919 dans la galerie des Glaces entre la France (G. Clemenceau*), ses alliés (les États-Unis : Wilson*; l'Italie : Orlando*; la Grande-Bretagne : Lloyd* George) et l'Allemagne, il mit fin à la Première Guerre* mondiale. Les négociations, dont l'Allemagne fut exclue, ne se firent pas sans difficultés. Clemenceau, soucieux d'affirmer l'hégémonie française en Europe continentale, se heurta à l'opposition des États-Unis et de la Grande-Bretagne; les revendications japonaises furent à l'origine d'un conflit avec la Chine; le refus de reconnaître à l'Italie le droit d'annexer Fiume et la Dalmatie provoqua le départ momentané d'Orlando. Précédé du pacte de la S.D.N., le traité comporta des clauses territoriales, militaires et financières. Les premières comportaient : 1° la restitution de l'Alsace*-Lorraine à la France; 2° la cession des districts d'Eupen et de Malmédy à la Belgique; 3° celle de la Posnanie et d'une partie de la Prusse occidentale à la Pologne, qui recevait également un accès sur la mer (couloir de Dantzig*); 4° l'administration de la Sarre* par la S.D.N. pour une période de quinze ans, au terme de laquelle un plébiscite y serait organisé ainsi qu'en Silésie et en Prusse orientale; 5° l'abandon par l'Allemagne de ses colonies, dont le mandat fut donné à la France, à la Grande-Bretagne, à l'Union sud-africaine et au Japon. Les clauses militaires stipulaient que l'armée allemande ne devrait pas dépasser 100 000 hommes, et 16 000 hommes pour les forces navales. Les clauses financières prévoyaient le versement de réparations par l'Allemagne (**V. Dawes** [*plan*]). Enfin, pour garantir l'application du traité, qui entra en vigueur en janv. 1920, on décida que la rive gauche du Rhin serait occupée par les forces alliées (ainsi que trois têtes de pont sur la rive droite : Mayence, Coblence et Cologne) pendant une période de quinze ans après laquelle la Rhénanie serait démilitarisée. Ce traité, imposé à l'Allemagne qui n'avait pas été admise aux délibérations, ne fut jamais réellement accepté par elle; effacer le *diktat de Versailles* fut un des thèmes de la politique hitlérienne.

VERSAILLES *(château de)*. ♦ Louis XIII fit construire à partir de 1624 à Versailles un pavillon de chasse qu'il fit remanier à partir de 1632 par Salomon de Brosse* ou Philibert Le Roy. Ce pavillon est situé au fond de la *cour Royale* qui fait suite à la place d'Armes (**V. Versailles** [ville]); construit en brique et pierre, il est constitué par un bâtiment principal rectangulaire, encadré à droite et à gauche par deux ailes que réunissait en avant un portique bas; la cour ainsi délimitée est la *cour de Marbre*. Ce bâtiment devint le centre du château actuel dont les premiers travaux furent ordonnés en 1661 par Louis XIV, qui voulut en faire « ce plaisir superbe de la nature » (Saint-Simon). Le *château de Versailles*, par son architecture, son décor intérieur, son mobilier et les œuvres d'art contemporaines qu'il conserve, par ses incomparables jardins et ses annexes des *Trianons*, est le prototype de l'art classique français. — Cet ambitieux projet de Louis XIV fut réalisé en trois étapes. Le premier Versailles n'est guère encore que le Versailles de Louis XIII avec quelques éléments décoratifs imaginés par Le* Vau. La transformation la plus importante est celle du jardin, dont Le* Nôtre donna un nouveau dessin (nombreuses sculptures, Ménagerie pour animaux rares, Orangerie). — En 1668, de nouvelles transformations furent décidées; seule, la façade sur la cour de Marbre resta intacte, le reste constituant l'*enveloppe* réalisée par Le Vau de 1668 à 1671; la *cour de Marbre* fut allongée par deux ailes élégantes terminées par des portiques et avec un toit en terrasse; en même temps, la transformation complète de l'intérieur s'accomplissait sous la direction de Le* Brun. — Pour le troisième Versailles de Louis XIV, J. Hardouin-Mansart*, neveu de F. Mansart, travailla à partir de 1678. Sur la cour de Marbre, Mansart fit disparaître la grande terrasse sur rez-de-chaussée; les deux ailes furent reliées par une ligne droite et la terrasse remplacée par la galerie; la logique et la raison commandaient toute la construction. Cette transformation extérieure était liée à une transformation intérieure. La *galerie des Glaces* doit à Le Brun autant qu'à Mansart; longue de 75 m et large de 10 m, elle se déroule entre deux salons et est éclairée par dix-sept grandes fenêtres auxquelles correspondent dix-sept panneaux de glace sur le mur opposé (les 400 glaces qui composent les panneaux sont les plus grandes que l'on sut couler à l'époque); les peintures du plafond furent exécutées par Le Brun. Un peu plus tard, J. Hardouin-Mansart devait achever son œuvre à Versailles avec la nouvelle Orangerie (1684-1686) et la construction du *Trianon* et de la *chapelle* (avec Robert de Cotte*). — Sous Louis XV, J.A. Gabriel* détruisit l'aile droite de Le Vau (où se trouvait l'escalier des Ambassadeurs) et construisit à la place le bâtiment actuel avec fronton sur colonnade. L'*opéra* fut construit en 1770 par J.A. Gabriel à l'occasion du mariage du Dauphin et de Marie-Antoinette. Sous Louis-Philippe, l'aile gauche fut reconstruite sur les plans de Gabriel. Versailles garde du XVIIIe s. la décoration des appartements de Louis XV, Mique (sans doute) leur donna pour pendant les petits appartements de Marie-Antoinette (après 1782). — Les *Trianons* sont associés au château. Le *Grand Trianon* fut construit à partir de 1687 par J. Hardouin-Mansart et Robert de Cotte; c'est une réduction du grand château, qui remplaça le « Trianon de porcelaine » de Louis XIV. À proximité, J.A. Gabriel* construisit le *Petit Trianon* dont la façade en pierre blanche est sobre; la façade du côté du Jardin français est soulignée par deux belles rampes en péristyle, œuvre de Gabriel. À quelque distance, se trouve le *Hameau* imaginé pour Marie-Antoinette, œuvre de Mique et Hubert Robert*. — Jusqu'à la fin de la monarchie, Versailles fut associé à tous les événements de la politique française. Louis-Philippe y fit de nombreuses restaurations et transformations; il créa le *Musée historique* qui occupe les deux ailes du château et le rez-de-chaussée du corps central, riche de nombreux tableaux et sculptures. ♦ *Les jardins de Versailles* (env. 100 ha), prototypes des jardins dits « à la française », sont le chef-d'œuvre d'André Le* Nôtre qui les créa de 1661 à 1668, au prix de terrassements considérables. Les jardins n'étaient au départ que de simples parterres en arabesque, rythmés par des jets d'eau. Vers 1661, Le Nôtre commença à tracer les lignes générales du nouveau parc, et les premiers aménagements furent réalisés à l'occasion de la *Fête des plaisirs de l'île enchantée* (1664). Les travaux hydrauliques furent menés sans doute par F. et P. Francine*. Le Nôtre parvint à renouveler de manière originale l'esthétique du jardin composé, la simplification des lignes mettant en valeur la distribution des masses (pièces d'eau, fleurs, groupes statuaires). Le* Brun fit appel pour l'ornementation à une centaine de sculpteurs dont F. Girardon* *(Apollon servi par les nymphes)*, les frères Marsy (*Les Chevaux du roi; Bacchus, dieu du vin, entouré d'enfants*, au bassin de Bacchus) et Tubi. À l'extrémité de la *pièce d'eau des Suisses* se trouve une statue équestre de Louis XIV par Girardon. *Le Grand Canal* fut terminé en 1671, peu avant les bassins de *Flore*, de *Cérès*, de *Saturne* et de *Latone*. Certains bassins furent dessinés par J. Hardouin-Mansart qui réalisa par ailleurs *la Colonnade*, un des plus beaux ornements du parc. Au S. du Grand Canal se situe le *bassin d'Apollon* (sculptures de Tubi). Les *parterres d'eau* se trouvent dans le prolongement du corps central du château et forment deux vastes bassins. Le *bassin de Neptune*, achevé en 1740, est placé à l'E., face à la *pièce d'eau des Suisses*. Sous Louis XV, les œuvres de J.-B. Lemoyne* et de Bouchardon* s'introduisirent sans peine dans l'ordonnance décorative du siècle précédent; le parc ne subit dès lors que des modifications de détail. Une replantation totale des arbres eut lieu sous Louis XVI; jusqu'à nos jours on procéda à des renouvellements partiels des diverses essences.

Verseau. *n. m.*, en lat. **Aquarius**, *-ii*. ♦ Constellation zodiacale. Onzième signe du zodiaque (20 janv.-20 févr.).

VERT *(cap)*. ♦ Promontoire le plus occidental d'Afrique (Sénégal), sur l'Atlantique, formant une presqu'île dominée par des accidents volcaniques. Sur sa côte N. se situe l'aéroport de Dakar Yof*, tandis que la courbe de sa côte S. abrite la rade de Dakar* fermée par l'île de Gorée*. Cultures maraîchères et fruitières.

VERTAIZON. ♦ Ch.-l. de cant. du Puy*-de-Dôme, arr. de Clermont*-Ferrand. 1 907 hab. — Fabrique d'objets en caoutchouc.

VERTÈS [vɛRtɛs] **(Marcel)**. ♦ Peintre et graveur français d'origine hongroise (Ujpest, 1895 — Paris, 1961). D'abord affichiste à Vienne, il s'installa à Paris en 1925 et se consacra à la lithographie (illustrations de *La Vagabonde*, de Colette, des *Aventures du roi Pausole*, de Pierre Louÿs, etc.).

VERTOU. ♦ Ch.-l. de cant. de la Loire-Atlantique, arr. de Nantes, sur la r. d. de la Sèvre Nantaise. 12 089 hab. [8 699 aggl.] *(Vertaviens)*. Vignobles. Indus. chimiques.

VERTOV (Dziga Kaufmann, dit Dziga). ♦ Réalisateur soviétique de cinéma (Białystok, 1896 — Moscou, 1954). Opérateur d'actualités durant la guerre civile (1918-1921), il forma, en compagnie de son frère, Mikhail Kaufmann, et de leurs amis Kopaline et Belakow, le groupe des *kinoks* (« fous de cinéma »). Répudiant tout système théâtral, ils proclamèrent que le rôle essentiel du cinéma était de saisir la vie, fixée à l'improviste par l'œil impartial de la caméra. Le rôle du créateur se réduisait au choix des documents et à leur montage, établi selon des lois scientifiques que Vertov se proposa d'établir. C'est la théorie du « ciné-œil » *(kino-glaz)* qu'illustrèrent les 23 numéros d'un magazine filmé, la *Kino-Pravda* (cinéma-vérité, 1923-1925). D'autres réalisations suivirent qui, sur un mode à la fois lyrique et didactique, célèbrent l'épopée révolutionnaire : *En avant, Soviet!* (*Chagai Soviet*, 1926), *La Sixième Partie du monde* (*Chestaia Tchast Mira*, 1926). Un peu plus tard, Vertov devait conjuguer les vertus du son et celles de l'image en enregistrant, selon la même méthode, les bruits de la vie, réalisant ainsi une des premières tentatives de « musique concrète » (*Enthousiasme*, ou la *Symphonie du Donbass*, 1930). Monté avec le concours de documents d'archives, son chef-d'œuvre demeure *Les Trois Chants sur Lénine* (1934). Contestée dans son propre pays, malgré l'influence qu'elle a exercée sur l'œuvre d'Eisenstein* et de Poudovkine*, l'expérience de Vertov s'est avérée, depuis, étonnamment fructueuse à travers le monde (**V.** *par ex.* **Vigo** [Jean]).

VERTUMNE, en lat. **Vertumnus.** ♦ Dieu étrusque puis romain. C'était le dieu des Jardins et des Récoltes de l'automne. Il avait une statue près du *Vicus Tuscus* (quartier toscan) et un temple sur l'Aventin, à Rome.

VERTUS [vɛRty]. ♦ Ch.-l. de cant. de la Marne, arr. de Châ-

Ph. Nimatallah/Ricciarini

Château de **Versailles :** la galerie des Glaces.

lons-sur-Marne. 2 692 hab. *(Vertusiens).* – Église Saint-Martin (XIIe s., reconstruite). Porte Baudet (XIIIe-XIVe s.). Vins de Champagne. – Patrie d'Eustache Deschamps*.

VERUS, en lat. **Lucius Aurelius Ceionius Commodus Verus**. ♦ (Rome, 130 – Altinum, Vénétie, 169). Empereur romain (161-169). Adopté par Antonin* en même temps que Marc* Aurèle, il partagea le pouvoir avec Marc Aurèle dont il devint le gendre. Il dirigea une expédition contre les Parthes et s'empara de Ctésiphon*, mais il abandonna bientôt le commandement à son légat Avidius Cassius* et mena une vie de débauche.

VERVIERS. ♦ V. de Belgique (ch.-l. d'arr., prov. de Liège) sur la Vesdre, en Ardenne. 36 000 hab. (aggl. avec Hodimont, Disen, Stembert*, etc. : 80 000 hab.). Église Notre-Dame (XVIIIe s.). Église Saint-Remacle (1838). École des textiles. Capitale belge de l'indus. lainière. Travail du cuir. Papier. Imprimerie. Indus. chimiques. Métallurgie. – Patrie de H. Pirenne*. ♦ *Hist.* Bourgade romaine, Verviers prit de l'expansion avec l'implantation de l'industrie du drap au Ve siècle. En 1797, Cockerill y construisit le premier métier à filer mécanique du continent européen.

VERVINS. ♦ Sous-préf. de l'Aisne*, ch.-l. d'arr. (8 cant., 132 comm., 83 647 hab.). 3 069 hab. [2 735 aggl.] *(Vervinois).* – Tribunal d'instance. Église Notre-Dame (XIIIe-XVe s.). Indus. alimentaire; vannerie. ♦ *Hist.* Fondée au ~ Ier s. *(Verbinum)*, Vervins eut sa charte communale dès 1163 (remaniée en 1228). En 1593, Henri IV y signa un traité mettant fin à la guerre avec l'Espagne.

VERWOERD (Hendrik Frensch). ♦ Homme politique sud-africain (Amsterdam, 1901 – Pretoria, 1966). Il fut professeur de psychologie à l'université de Stellenbosch, près du Cap (1927-1937), puis rédacteur en chef du journal nationaliste *Die Transvaaler* (1937). Élu sénateur (1948) puis ministre des Affaires intérieures (1950), il se montra partisan de la ségrégation raciale. Il fut Premier ministre en 1960. Il mourut assassiné par un Blanc. **V. Afrique du Sud.** *Hist.*

VERZY. ♦ Ch.-l. de cant. de la Marne, arr. de Reims. 1 658 hab. – Vins de Champagne.

VESAAS (Tarjei). ♦ Écrivain norvégien (Ytre Vinje, Telemark, 1897 – Oslo, 1970). Il se fit poète du terroir et du milieu paysan dans des romans tels que *Le Grand Jeu* (1934), *Les femmes appellent à la maison* (1935). Puis il écrivit des romans qui reflètent la montée de la violence avec la guerre en Europe : *Le Germe* (1940) et *La Maison dans la nuit* (1945), image symbolique de la Norvège occupée. Dans son œuvre riche et variée, il faut encore citer des romans allégoriques (*La Tour,* 1948; *Le Signal,* 1950), des ouvrages lyriques (*Les Oiseaux,* 1957) et enfin *Les Ponts* (1966).

VÉSALE (André). ♦ Anatomiste flamand (Bruxelles, 1514 – île de Zante, 1564). Il étudia la médecine à Louvain et surtout à Montpellier puis Paris, enseigna l'anatomie à Louvain puis en Italie, et devint médecin de Charles Quint en 1544. Il écrivit un traité d'anatomie *De corporis humani fabrica libri septem,* où il s'attaque aux théories médicales des Anciens (en particulier de Galien*) et préconisa la méthode expérimentale. Accusé d'avoir pratiqué une dissection sur un homme encore vivant, il dut faire un pèlerinage en Terre Sainte. Au retour, jeté par la tempête sur la côte de l'île de Zante, il périt. Vésale est considéré comme le fondateur de l'anatomie moderne.

VESDRE. *n. f.* ♦ Riv. de Belgique (71 km), affl. de l'Ourthe. Sa vallée continue le sillon industriel Sambre-Meuse. La Vesdre arrose Andrimont, Chênée, Ensival, Forêt, Néau, Verviers.

VESELINOVIĆ (Janko). ♦ Conteur et romancier serbe (Salaš Crnobarski, 1862 – Glogovac, 1905). Il écrivit des nouvelles et des romans très populaires, idéalisant la vie à la campagne : *Images de la vie paysanne* (1888), *Les Fleurs des champs* (1891), *La Paysanne* (1893), *Le Haïdouk Stanko* (1896).

VÉSINET (Le). ♦ Ch.-l. de cant. des Yvelines, arr. de Saint-Germain-en-Laye. 18 995 hab. *(Vésinettois* ou *Vésigondins).* – Église (XIXe s.) décorée de peintures de Maurice Denis. Ville résidentielle.

VESLE [vɛl]. *n. f.* ♦ Riv. du Bassin parisien (140 km), affl. de l'Aisne* (r. g.), elle prend sa source en Champagne pouilleuse et arrose Reims* et Soissons*.

VESOUL [vəzul]. ♦ Préf. de la Haute-Saône, ch.-l. d'arr. [18 cant., 377 comm., 118 797 hab.], sur le Durgeon (affl. de la Saône), dominé par la colline de la Motte. 18 240 hab. *(Vésuliens).* – Hôtel du XVe s.; maisons du XVIe siècle. Église du XVIIIe siècle. Musée. – Constructions mécaniques; chaudronnerie. Indus. textiles (confection) et chimiques. Broderies. Carrelages. – Patrie de E. Belin*, A. Petit*. ♦ *Hist.* Anc. *Vesulum* ou *Vesulium Castrum,* Vesoul devint le centre d'un comté rattaché à la Bourgogne. La ville fut annexée à la France en 1678 (traité de Nimègue).

VESPASIEN, en lat. **Titus Flavius Vespasianus**. ♦ (près de Reate, *auj.* Rieti, 9 – Cutilia, Sabine, 79). Empereur romain (69-79). Petit-fils d'un centurion et fils d'un publicain, rien ne le désignait à l'empire. Il fit une carrière militaire et fut proclamé empereur par les légions d'Orient **(V. Vitellius)** alors qu'il dirigeait la guerre de Judée (juil. 69). Il laissa alors le commandement militaire à son fils Titus* et revint en Italie. Restaurateur d'un ordre bienfaisant qu'avaient troublé les guerres civiles, il gagna vite l'admiration et la reconnaissance du peuple qui vit en lui les marques de la faveur divine. Il rétablit l'ordre dans l'armée et entreprit à Rome de grands travaux, reconstruisant le temple du Capitole, commençant l'édification du Colisée. Il affaiblit l'opposition de l'aristocratie en favorisant l'entrée des provinciaux dans le sénat et restaura les finances publiques. Son avarice restée légendaire lui fit multiplier les taxes nouvelles dont la plus inattendue fut l'impôt sur l'urine (c'est-à-dire sur l'usage des latrines publiques; Cf. Vespasienne, *in* Robert). À l'extérieur, Titus acheva le siège de Jérusalem (70), le Temple fut définitivement détruit, les juifs ravalés au rang de *dediticii* (« ceux qui se sont rendus à merci ») et leurs terres réunies aux biens impériaux. En Gaule, la révolte de Civilis* fut réprimée (70); Agricola* consolida la conquête de la Bretagne. Monarque absolutiste, Vespasien instaura le système de la succession dynastique en choisissant l'aîné de ses fils, Titus, pour successeur.

VESPUCCI (Amerigo, en fr. **Americ VESPUCE)**. ♦ Navigateur italien (Florence, 1454 – Séville, 1512). Tour à tour au service de l'Espagne et du Portugal, il fit quatre expéditions dans le Nouveau Monde découvert par Christophe Colomb* et fut nommé *Piloto Mayor* (1508) après la disgrâce de ce dernier. C'est le cosmographe allemand M. Waldseemüller* (Hylacomilus) qui, dans sa *Cosmographiae introductio... insuper quatuor Americii Vespucii navigationes* (1507), lui attribua le mérite d'avoir découvert le continent américain qui, depuis, porte son prénom **(V. Amérique)**.

VESTA. ♦ Divinité italique et romaine gardienne du feu du foyer domestique, identifiée à l'Hestia grecque **(V. Hestia)**. Son culte était assuré par les *vestales* (Cf. Robert). Un petit temple circulaire, contigu à la maison des vestales, lui était consacré sur le Forum (il a été en partie remonté en 1930).

VESTDIJK (Simon). ♦ Écrivain néerlandais (Harlingen, 1898 – Utrecht, 1971). Auteur de poèmes et de nouvelles, il est célèbre surtout pour ses romans : *Anton Wachter* (1934-1960), *Le Cinquième Sceau* (1937), *Le Serveur et les Vivants* (1949), *Apollon* (1952).

VESTERÅLEN. ♦ Archipel au large de la côte N.-O. de la Norvège, au N. des îles Lofoten*. 50 000 hab. – Pêche (hareng, morue). *Îles princ.* Andøy, Hinnøy, Langøy.

VESTRIS (Gaétan). ♦ Danseur italien (Florence, 1729 – Paris, 1808). Élève de Dupré, il débuta à l'Académie royale de musique (1749) et s'imposa bientôt, par la pureté et la perfection de son style, comme le plus grand danseur de son temps dans l'interprétation des ballets de Rameau *(Les Indes galantes, Castor et Pollux, Platée, Dardanus)* et de Lully *(Alceste, Proserpine, Armide).* Après 1763, il effectua plusieurs séjours à Stuttgart où il recueillit l'enseignement de Noverre. Devenu premier danseur puis maître de ballet (1770) à l'Opéra de Paris, il y créa des ouvrages de Noverre, Monsigny, ainsi que l'*Orphée* de Gluck. Après une dernière tournée à Londres (1781) il fit ses adieux à la scène (1782). Éminent représentant du style français de danse noble, il mérita le surnom de « dieu de la danse » que lui attribuèrent ses contemporains. ♦ MARIE JEAN AUGUSTIN, dit AUGUSTE VESTRIS (Paris, 1760 – *id.,* 1842). Fils de G. Vestris et de la danseuse Marie Allard, appelé parfois « Vestr'Allard », il fit de précoces débuts à l'Opéra (1772), aux côtés de son père. Il parut ensuite dans des ballets de Gossec *(Sabinus),* de Grétry *(Céphale et Procris)* et de Mozart *(Les Petits Riens).* Loué pour son exceptionnelle virtuosité, la vélocité de ses pirouettes, la subtilité de son sens musical, mais redouté pour les écarts de son caractère, il imposa un style de danse qui, par son caractère libéré, annonçait l'école romantique. Fêté à Londres autant qu'à Paris, il fit une longue carrière, marquée par de nombreuses créations dans des ballets de Gardel et de Noverre (*Le Jugement de Pâris, La Rosière républicaine, La Dansomanie, Paul et Virginie, L'Enfant prodigue,* où il parut sur scène pour la dernière fois, 1816). Il se consacra ensuite à l'enseignement et compta J. Perrot parmi ses élèves. Il fit une ultime apparition aux côtés de M. Taglioni (1835).

VÉSUBIE. *n. f.* ♦ Rivière des Alpes*-Maritimes (48 km), affl.

Ph. Nimatallah/Ricciarini

Vespasien. (Musée national romain, Rome.)

Ph. PSZ/Ricciarini

Louis Veuillot. Gravure fin XIXe s. (Bibliothèque Braidense, Milan.)

du Var ; elle arrose Saint*-Martin-de-Vésubie. Très belles gorges.

VÉSUVE. *n. m.*, en it. **Vesuvio.** ♦ Volcan de l'Italie méridionale (Campanie), qui s'élève à 10 km au S.-E. de Naples. Il est formé de deux cônes dont le plus ancien, le *Monte di Somma,* atteint 1 132 mètres. Le Vésuve proprement dit atteint 1 270 mètres. En 79, une éruption très violente du volcan détruisit les villes de Pompéi*, Herculanum* et Stabies*. D'autres éruptions eurent lieu par la suite ; les plus violentes furent celles de 1631, 1794, 1872, 1906. La dernière date de 1944. C'est sur les pentes du Vésuve que l'on cultive la vigne dont on tire le lacrima-christi.

VESZPRÉM. ♦ V. de Hongrie, ch.-l. du comitat homonyme au N. du lac Balaton, au pied des monts Bakony. 28 000 hab. Cathédrale romane, palais épiscopal baroque. Centre touristique. Indus. chimique. — Le comitat de Veszprém a 5 186 km² et 420 000 hab. (1969).

Vetâlapañchavimśatikâ (« les vingt-cinq contes du vampire »). ♦ Célèbre recueil de nouvelles fantastiques indiennes qui connut un grand succès dans toute l'Asie et dont nombre de romanciers s'inspirèrent. Antérieurs au XIIe s., ils furent probablement réunis vers cette époque. Plusieurs auteurs en firent des recensions différentes.

VÉTHEUIL. ♦ Comm. du Val-d'Oise, arr. de Pontoise, sur la Seine. 527 hab. Église, ancienne collégiale (XIIe s. ; façade Renaissance).

VETRANOVIĆ (Mauro). ♦ Poète dalmate (Raguse, 1482 — *id.,* 1576). Inspiré par la Renaissance italienne, il est l'auteur de poèmes lyriques, religieux et didactiques : *Le Sacrifice d'Abraham, La Chaste Suzanne, La Résurrection du Christ, Le Pèlerin.*

VEUILLOT (Louis). ♦ Journaliste catholique français (Boynes, Gâtinais, 1813 — Paris, 1883). Collaborateur puis rédacteur en chef de *l'Univers**, **V.** *aussi* **Guéranger** (dom), il en fit un organe puissant au service du parti ultramontain, ce qui valut au journal d'être supprimé lorsqu'il s'opposa à la politique italienne de Napoléon III (1860). Il polémiqua violemment en faveur de l'infaillibilité pontificale (promulguée en 1870). Auteur de *Rome et Lorette* (1841), *Les Odeurs de Paris* (1866), *Paris pendant les deux sièges* (1871), *Rome pendant le concile* (1872).

VEULES-LES-ROSES. ♦ Comm. de la Seine*-Maritime, arr. de Dieppe*, sur la Manche*. 691 hab. — Église Saint-Martin du XVIe s. avec clocher du XIIIe siècle. — Station balnéaire.

VEVEY. ♦ V. de Suisse (cant. de Vaud) sur la r. d. du lac Léman* à 386 m d'altitude. 18 000 hab. *(Veveysans).* Siège social de la Société Nestlé. Centre touristique. Indus. mécanique. — Patrie d'E. Ansermet*, A. Calame*, G. Roussy*, Madame de Warens. — Temple Saint-Martin (XIIe s.).

VEXIN. *n. m.* ♦ Ancien pays de France, situé entre l'Oise* et l'Andelle* et divisé par l'Epte* en Vexin normand (dép. de l'Eure*) et Vexin français (Val*-d'Oise et Oise*). De riches cultures recouvrent le premier ; céréales, betteraves à sucre, bovins sont les ressources du second. ♦ *Hist.* Le Vexin fut le pays des *Véliocasses.* Par le traité de Saint*-Clair-sur-Epte en 911, il fut divisé en deux parties : le *Vexin normand* (cap. Gisors*) fut cédé aux ducs de Normandie, le *Vexin français* fut réuni à la couronne en 1080.

VEYNES [vɛn]. ♦ Ch.-l. de cant. des Hautes-Alpes*, arr. de Gap*, sur le Petit Buech. 3 722 hab. — L'hôtel de ville est dans un château du XVIe siècle. — Fabrique de semelles, constructions électriques.

VÉZELAY. ♦ Ch.-l. de cant. de l'Yonne, arr. d'Avallon, situé au sommet d'une colline qui domine la vallée de la Cure*. 519 hab. *(Vézeliens).* Anc. église Saint-Pierre (XIIe s.). La basilique Sainte-Madeleine (XIIe s.), église monastique, admirable spécimen de l'art roman bourguignon, a été restaurée par Viollet-le-Duc. Terrasse du château, au pied de la basilique. Hôtel de ville (XVIIe s.). — Patrie de Théodore de Bèze* ; Romain Rolland* y séjourna et y mourut. ♦ *Hist.* La ville a pour origine un monastère bénédictin fondé en 860 par Girart de Roussillon. Vézelay devint dès le XIe s. un haut lieu de pèlerinage à sainte Marie-Madeleine. Saint Bernard* de Clairvaux y prêcha en 1146 la deuxième croisade. Richard Cœur de Lion et Philippe Auguste s'y donnèrent rendez-vous au départ de la troisième croisade (1190). Saint Louis se rendit plusieurs fois à Vézelay. La guerre de Cent Ans ruina l'abbaye.

VÉZELISE. ♦ Ch.-l. de cant. de la Meurthe-et-Moselle, arr. de Nancy. 1 237 hab. Église Saint-Côme-et-Saint-Damien (XVe-XVIe s.). Halles (XVIe s.) ; anc. palais de justice (XVIe s.). Indus. du froid ; chaudronnerie ; brasseries.

VÉZÈRE. *n. f.* ♦ Riv. du Limousin* (192 km), affl. de la Dordogne*. Elle prend sa source au plateau de Millevaches*, traverse Treignac*, Uzerche*, Terrasson*, Le Bugue* et conflue en aval de cette ville. Barrages.

VÉZERONCE. ♦ Comm. du dép. de l'Isère, arr. de La Tour-du-Pin. 689 hab. ♦ *Hist.* Clodomir*, roi d'Orléans, y fut vaincu et tué par Gondemar* II, roi des Burgondes (524).

VIALA (Joseph Agricol). ♦ Patriote français (Avignon, 1780 — près d'Avignon, 1793). Entré dans la garde nationale, il combattit les royalistes sur la Durance et mourut tué par des coups de baïonnette.

VIAN (Boris). ♦ Écrivain français (Ville-d'Avray, 1920 — Paris, 1959). La multiplicité des activités de Boris Vian, son acharnement à explorer, pendant une existence que probablement il prévoyait brève, les domaines les plus divers, de la musique de jazz à la mécanique automobile en passant par la littérature de science-fiction, font qu'il se prête difficilement à une tentative de classement. Selon le mot de Jacques-Laurent Bost, « cet ingénieur sorti de Centrale a inventé et fait breveter la roue élastique en même temps (ou presque) qu'il faisait un tour de chant. Il a joué de la trompette, lancé des boîtes, cheffé (sic) des orchestres, dirigé une collection de disques et écrit des chroniques, des vers, des chansons, des romans, des scénarios, des arguments de ballets et même des opéras. Il a collaboré aux *Temps modernes* et à la *Revue de Pataphysique* ». Né dans une famille aisée, Boris Vian connut une enfance et une adolescence exceptionnellement heureuses et protégées. C'est pendant cette période, dont il se souvenait avec éblouissement, que semble s'être développé son goût pour la fête et révélé son don inné pour donner vie et âme à cette forme de création collective. Ses études le conduisirent à l'École centrale, dont il sortit diplômé à vingt-deux ans. Entré comme ingénieur en 1942 à l'Association française de Normalisation, il consacra ses loisirs à la littérature et à la musique : il apprit à jouer de la trompette, entra dans l'orchestre de Claude Abadie et écrivit dans le même temps diverses œuvrettes, dont certaines sont restées inédites : *Trouble dans les Andains, La Geste du Major, Cent Sonnets.* En 1946, il publiait sous le pseudonyme de Vernon Sullivan un pastiche scandaleux des « romans noirs » américains, *J'irai cracher sur vos tombes.* Un procès assez retentissant contribua à répandre autour de Vian une légende de médiocre auteur de romans à scandale, que lui-même accrédita en faisant paraître d'autres « Vernon Sullivan » (*Et on tuera tous les affreux,* 1948). En même temps, Vian faisait paraître sous son nom *Vercoquin et le Plancton* (1946) et surtout *L'Écume des jours, L'Automne à Pékin* (1947), *Les Fourmis* (1949), *L'Herbe rouge* (1950), *L'Arrache-Cœur* (1953). Insolites et divertissantes par les joyeuses triturations que l'auteur fait subir au langage, ces œuvres sont en même temps profondément inquiétantes, et cette ambiguïté même fonde leur pouvoir de fascination. *L'Écume des jours* développe déjà les thèmes essentiels de Vian, ces fantasmes angoissés de maladie et de dégradation, cette sourde protestation contre l'absurdité de la mort, qui formeront la toile de fond de son œuvre ultérieure, qu'il s'agisse de ses romans, de ses recueils de poèmes (*Cantilènes en gelée,* 1950 ; *Je voudrais pas crever,* 1959) ou de ses pièces de théâtre (*L'Équarrissage pour tous,* 1950 ; *Le Goûter des généraux,* 1950 ; *Les Bâtisseurs d'empire,* 1959). Parallèlement à son activité littéraire, Vian collaborait comme critique musical à diverses revues, se produisait comme trompettiste, puis comme chanteur, dans les cabarets parisiens, jouait dans plusieurs films et travaillait comme directeur artistique dans une importante firme de disques. La mort le surprit à trente-neuf ans, alors qu'il terminait le livret d'un opéra, *Le Mercenaire.* Figure marquante de la littérature de l'après-guerre, Boris Vian rencontre depuis quelques années une audience accrue, particulièrement auprès du jeune public.

Ph. Bernand

Boris Vian.

VIANDEN. ♦ Petite V. du Luxembourg, dans un site pittoresque sur l'Our. 1 456 hab. Château féodal en partie ruiné (XIIIe-XVIIe s.) dominant la ville (chapelle romane) ; il appartint aux Orange-Nassau après 1417. Église des Trinitaires (XIIIe s.) ; intérieur à deux nefs en grès rose. — Victor Hugo en exil y séjourna en 1863, 1865 et 1870, au pied du château caractéristique des burgs allemands qui l'inspiraient (musée Hugo). — Aux environs, centrale hydro-électrique sur l'Our.

VIANNEY. ♦ V. JEAN MARIE BAPTISTE VIANNEY (saint).

VIARDOT-GARCÍA (Pauline). ♦ Cantatrice française (Paris, 1821 — *id.,* 1910), sœur de la Malibran* et femme de Louis Viardot, directeur du Théâtre-Italien de Paris. Contralto célèbre, elle fit une brillante carrière en Europe. Elle créa à Paris, en 1849, la

Fidès du *Prophète* de Meyerbeer et la Sapho de Gounod et triompha en 1859 dans l'*Orphée* de Gluck. Elle enseigna au Conservatoire de 1871 à 1875. Elle fut très liée avec Tourgueniev*.

VIAREGGIO. ♦ V. d'Italie, en Toscane* (prov. de Lucques). 53 000 hab. – Station balnéaire très fréquentée sur la mer Tyrrhénienne. Travail du bois.

VIARMES. ♦ Ch.-l. de cant. du Val-d'Oise, arr. de Montmorency. 2 625 hab. Église (XIIe-XVIe s., restaurée). Ancien château du XVIIIe s. abritant la mairie.

VIATKA. *n. f.* ♦ Riv. d'U.R.S.S. (1 367 km). Née dans les collines de l'Oudmourtie* [Udmurtie], elle arrose la région de Kirov (R.S.F.S. de Russie) et conflue avec la Kama* (r. d.) en aval de Mamadych, dans la R.S.S. autonome des Tatars*. Navigable en avril-novembre jusqu'à sa confluence avec la Kama. *Princ. ports :* Kirov* (anc. Viatka), Kotelnitch, Sovetsk.

VIAU (Théophile *de*). ♦ Poète français (1590 – 1626). D'éducation protestante, il évolua, sous l'influence de Vanini*, vers un libertinage d'esprit et de mœurs qui lui valurent le bannissement pour impiété, puis la condamnation au bûcher (1623), auquel il échappa. Ses *Œuvres* (publiées de 1621 à 1623) comprennent deux pièces de théâtre (dont le drame « flamboyant », élégamment exprimé, de *Pyrame et Thisbé*), des pièces satiriques, parfois licencieuses, des sonnets et des élégies au ton précieux, enfin des odes personnelles *(La Solitude)* où s'exprime avec éloquence son naturalisme épicurien. – S'opposant à Malherbe* par son dédain des règles classiques, Th. de Viau s'abandonne à ses sentiments élégiaques devant la nature, décrite avec sensibilité en des poèmes mélodieux qui lui assurèrent un grand succès au XVIIe siècle. Il sera réhabilité par les romantiques.

VIAUD (Gaston). ♦ Naturaliste et psychologue français (Nantes, 1899 – Strasbourg, 1961). Spécialisé en psychophysiologie, il a surtout étudié les comportements élémentaires de certains animaux (tropismes). Il a publié *L'Intelligence, son évolution et ses formes* (1946), *Les Tropismes* (1951), *Les Instincts* (1959) et un *Traité de psychophysiologie* (en collaboration avec C. Kayser et M. Klein).

VIAUR. *n. m.* ♦ Riv. du Massif* central qui se jette dans l'Aveyron* à Laguépie. Entre Albi et Rodez*, il est enjambé par un viaduc métallique de 120 m de hauteur.

VIAZEMSKI (Piotr Andreievitch) [*Vjazemski*]. ♦ Poète russe (Saint-Pétersbourg, 1792 – Baden-Baden, 1878). Très lié avec Pouchkine*, il fut aussi membre de l'Arzamas*. Auteur de poèmes légers et d'épigrammes, il fut plus célèbre comme critique. Dans son *Vieux Livre de notes*, il a laissé ses souvenirs sur les milieux littéraires de l'époque.

VIBORG. ♦ V. du Danemark, au N. du Jutland*, sur le lac de Viborg. Ch.-l. du dép. homonyme. 24 700 hab. – Évêché. Cathédrale Notre-Dame (romane, XIIe s.). – Brasseries, textiles. ♦ *Hist.* Dès le XIe s., Viborg fut une résidence épiscopale et vit couronner les rois de Danemark jusqu'en 1340. Lors de la Réforme, ce fut la première ville convertie (1525).

VIBORG. ♦ V. d'U.R.S.S. V. **Vyborg.**

VIBRAYE [vibrɛ]. ♦ Ch.-l. de cant. de la Sarthe, arr. du Mans. 2 296 hab. [1 746 aggl.] *(Vibraysiens).* Château (XIXe s.). Forêt.

Vicaire de Wakefield. ♦ V. GOLDSMITH (Oliver).

Vicaire savoyard (Profession de foi du). ♦ Texte de J.-J. Rousseau*, inséré au livre IV de l'*Émile** (1762), mais probablement écrit dès 1758, pour exposer la pensée religieuse de l'auteur. Dialogue entre un prêtre (« homme de paix » rencontré par J.-J. Rousseau dans sa jeunesse) et le futur précepteur d'Émile devant un paysage dont la splendeur incite à l'effusion lyrique, cette longue digression expose les principes d'une religion naturelle dont « le culte essentiel est celui du cœur ». Déçu par les philosophes dont la « prodigieuse diversité de sentiments » est causée, selon lui, par « l'insuffisance de l'esprit humain », et se refusant aux thèses des matérialistes (Diderot, Helvétius), le *Vicaire* s'appuie sur le principe d'évidence ressenti devant « l'ordre sensible de l'univers » et sur le « sentiment intérieur », c'est-à-dire les impératifs de la conscience, pour déduire l'existence d'un dieu créateur forcément éternel, intelligent, bon et juste. Suit un hymne admirable à la conscience, ce « principe inné de justice et de vertu » dont Dieu a doté l'homme pour aimer le bien, tandis qu'il lui donnait « la raison pour le connaître, la liberté pour le choisir » ou pour lui préférer le mal, qui est selon Rousseau « l'ouvrage de l'homme » ; se conduire selon la nature, c'est-à-dire écouter ces règles morales « écrites... au fond [du] cœur... en caractères ineffaçables », c'est accéder au bonheur. Ainsi, l'essentiel pour Rousseau reste de « servir Dieu dans la simplicité de [son] cœur », en négligeant les dogmes des religions révélées et les subtilités des casuistes. Ce texte, qui fait l'apologie de la religion naturelle avec une ferveur indiscutablement sincère, eut une influence considérable et contribua à préparer la sensibilité religieuse du romantisme.

Ph. Keystone

Le gouvernement de **Vichy**
sous la présidence du maréchal Pétain.

VICAT (Louis). ♦ Ingénieur français (Nevers, 1786 – Grenoble, 1861). Spécialiste des matériaux de construction (chaux, mortiers, ciments), il découvrit l'influence de l'argile sur le comportement des chaux hydrauliques naturelles ; le bétonnage fut alors utilisé pour la fondation des ponts. (Vicat réalisa quant à lui le pont de Souillac sur la Dordogne en 1822.)

VICDESSOS [vikdesos]. *n. m.* ♦ Riv. de France (37 km) qui se jette dans l'Ariège*. Centrales hydro-électriques à Auzat, Sabart, Pradières.

VIC-EN-BIGORRE. ♦ Ch.-l. de cant. des Hautes-Pyrénées, arr. de Tarbes. 5 069 hab. *(Vicquois).* Église (XIVe, XVIe s.). Travail du bois.

VICENCE, en it. **Vicenza.** ♦ V. d'Italie du Nord-Est, en Vénétie*. Ch.-l. de prov. entre les monts Lessini et Berici. 115 882 hab. – Évêché. Cathédrale (XIIIe s.), palais (XVIe s.), basilique, théâtre et nombreux palais de Palladio* (XVIIe s.). – Carrefour ferroviaire et centre industriel. Indus. mécaniques, électriques et alimentaires (pâtes). ♦ *Hist.* Elle fut annexée par Vérone en 1311 puis par Venise. Son école de peinture fut célèbre au XVIe s. avec des maîtres comme Benedetto Montagna, Giovanni Speranza et Giovanni Buonconsiglio ; mais elle demeure avant tout la ville de Palladio, qui lui a donné sa physionomie.

VICENTE (Gil). ♦ Poète dramatique portugais (Guimarães, v. 1470 – Evora, v. 1537). Réussissant la synthèse de l'esprit médiéval et du génie de la Renaissance, auteur d'un des premiers *autos sacramentales* représentés *(Auto de San Martinho),* il est considéré comme le véritable créateur du théâtre national portugais, pour la nouveauté et la diversité d'une œuvre dont le contenu est tantôt spécifiquement religieux, l'*Acte de la sibylle Cassandre* (*Auto da Sibila Cassandra,* 1503), tantôt comique et profane, *La Comédie du veuf* (*Comedia do Viudo,* 1514), tantôt satirique *(La Trilogie des barques),* vaste fresque où l'inspiration dantesque se conjugue avec un puissant réalisme. Composé soit en portugais, soit en espagnol, son théâtre se propose comme le témoignage d'un humaniste et d'un poète populaire sur la société de son temps.

VICENTE LÓPEZ. ♦ V. d'Argentine, faubourg de Buenos* Aires, faisant partie du *Grand Buenos Aires.* 250 000 hab. – Centre commercial et industriel (raffineries, fonderies, minoteries, distilleries, ...).

VIC-FEZENSAC. ♦ Ch.-l. de cant. du Gers*, arr. d'Auch*, sur l'Osse. 4 025 hab. *(Vicois).* – Église gothique restaurée au XVIIe siècle. – Indus. alimentaires, eau-de-vie d'Armagnac. Matières plastiques.

VICHNIEVSKI (Vsevolod Vitalevitch) [*Višnievski*]. ♦ Auteur dramatique soviétique (1900 – 1951). Son œuvre principale, *La Tragédie optimiste* (1932), évocation héroïque d'un combat à bord d'un navire de guerre, est l'une des plus significatives du théâtre soviétique.

VICHY. ♦ Sous-préf. de l'Allier*, ch.-l. d'arr. (9 cant., 103 comm., 132 652 hab.), sur l'Allier*. 33 898 hab. *(Vichyssois).* – Pavillon Sévigné du XVIIe siècle. Anc. maison du bailliage ou Chastel Franc du XVIe siècle. Station hydrominérale très réputée, dont les eaux sont utilisées contre les maladies de l'estomac et du foie. Le thermalisme est l'activité principale ; installations touristiques (casino ; hôtellerie). – Indus. métallurgiques, mécaniques. – Patrie de V. Larbaud*. ♦ *Hist.* Les eaux en étaient déjà utilisées par les Romains. Au XVIIe s., Vichy était une ville d'eaux fréquentée et Mme de Sévigné y résida. En 1853 fut créée la *Compagnie fermière de Vichy.* Vichy fut très fréquentée au XIXe s. ; Napoléon III était un habitué de la station. – Du 10 juil. 1940 au 20 août 1944, le maréchal Pétain* installa à Vichy le gouvernement de l'État français, appelé *gouvernement de Vichy* (voir ci-dessous).

Vichy *(gouvernement de).* ♦ Nom donné au pouvoir exécutif de l'État* français installé à Vichy* du 10 juillet 1940 au 20 août 1944. Après la signature de l'armistice (Rethondes*, 22 juin 1940), la majorité des parlementaires vota les pleins pouvoirs au maréchal Pétain* pour promulguer la nouvelle Constitution de l'État français (Constitution qui ne vit jamais le jour). Investi de la totalité du pouvoir législatif et exécutif, celui-ci, qui choisit P. Laval* comme vice-président et successeur (23 juil. 1940), lança sa fameuse campagne pour la « Révolution nationale » qui, avec la devise « Travail, Famille, Patrie », exprimait les principes nationalistes les plus conservateurs et réactionnaires. Plusieurs mesures d'exception furent immédiatement adoptées : dissolution des sociétés secrètes, statut spécial pour les Juifs français, suppression des centrales patronales, syndicales, internements administratifs, poursuites judiciaires contre plusieurs personnalités politiques et militaires de la Troisième République (procès de Riom).

Ph. Giraudon

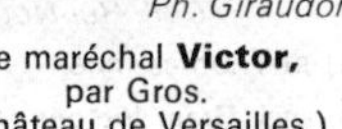

Le maréchal **Victor,** par Gros. (Château de Versailles.)

Ph. Louis Monier

Paul-Émile Victor.

L'arrestation de Laval (déc. 1940), organisateur de l'entrevue Hitler-Pétain à Montoire* (24 oct. 1940), aurait pu laisser espérer la possibilité d'une résistance vichyste à l'Allemagne nazie; mais la politique de collaboration* reprit avec Darlan* à propos de la question d'Orient (accords Darlan-Warlimont). Après le retour de Laval dans le gouvernement de Vichy (avr. 1942) et l'occupation de la zone sud de la France (nov. 1942), cette politique de collaboration ne fit que s'intensifier. Dès 1941, avait été créée la Légion des volontaires français (pour lutter aux côtés des troupes hitlériennes contre les bolcheviks); ultérieurement, fut constituée la Milice française de Darnand* et institué le Service du travail obligatoire. Parallèlement, le général de Gaulle* présidait à Alger le Comité* français de libération nationale (qui devint le Gouvernement* provisoire de la République française) et divers réseaux de résistance* s'organisaient à l'intérieur même du territoire français. Après l'effondrement de la Wehrmacht (été 1944), le gouvernement de Vichy gagna Belfort (où de Brinon tenta de former une Commission gouvernementale) et Sigmaringen.

VICKSBURG. ♦ Ville des États-Unis (Mississippi), port sur le Mississippi. 29 100 hab. Métallurgie. Indus. chimiques et indus. du coton. ♦ *Hist.* Fondée sur l'emplacement d'un fort en 1819, la ville fut attaquée et prise durant la guerre de Sécession par le général Grant. Rude coup porté aux sudistes, la prise de la ville ouvrit tout le Mississippi aux nordistes.

VIC-LE-COMTE. ♦ Ch.-l. de cant. du Puy*-de-Dôme, arr. de Clermont*-Ferrand. 2 703 hab. *(Vicomtois).* — Église du XIXe s. dont le chœur est une sainte chapelle du XVIe s. (retable et vitraux). Église romane Saint-Jean remaniée; elle renferme des fresques des XIIIe et XIVe siècles. — Papeterie.

VICO (Giambattista). ♦ Historien, juriste et philosophe italien (Naples, 1668 — 1744). Il fut précepteur dans une famille noble, puis professeur de rhétorique à l'université de Naples. Son ouvrage *Principii di una scienza nuova d'intorno alla comune natura delle nazioni* (1725) fut traduit en français par Michelet*, qui subit fortement l'influence de Vico (*Principes de la philosophie de l'histoire,* 1835). Critiquant le rationalisme cartésien, Vico utilisa une méthode comparative, s'appuyant sur la philologie, pour étudier la formation, le développement et la décadence des nations qui, selon lui, passent toutes par trois phases successives : âge des dieux, des héros et des hommes (pour chacune de ces phases, on peut mettre en parallèle le mode de gouvernement, le système juridique et le langage). C'est donc une conception cyclique de l'histoire que formule Vico (théorie des « corsi e ricorsi »). Malgré des erreurs de fait, il est considéré comme le précurseur de l'historiographie et de la philosophie de l'histoire.

VICO. ♦ Ch.-l. de cant. de la Corse*, arr. d'Ajaccio*. 1 927 hab. *(Vicolais).* — Couvent de Saint-François fondé en 1481. Centre de villégiature.

VICQ D'AZYR (Félix). ♦ Médecin français (Valognes, 1748 — Paris, 1794). Il fonda, avec Lassone, la Société royale de médecine (1776). Il est essentiellement connu par ses travaux d'anatomie comparée (*Traité d'anatomie comparée et de physiologie,* 1786; *Système anatomique des quadrupèdes,* 1792; ses œuvres complètes parurent en 1805). (Acad. sc., 1774; Acad. fr., 1788.)

VIC-SUR-CÈRE. ♦ Ch.-l. de cant. du Cantal*, arr. d'Aurillac*, sur la Cère*. 1 878 hab. *(Vicois).* — Église en partie romane; maisons anciennes. Station thermale contre l'anémie, le paludisme. Eaux minérales.

VIC-SUR-SEILLE. ♦ Ch.-l. de cant. de la Moselle, arr. de Château-Salins, sur la Seille. 1 533 hab. Église (XVe-XVIe s.). Maisons anc. (XVe-XVIIe s.). Restes de l'ancien château des évêques de Metz (XIIIe s.). — Fabrique de meubles.

VICTOR Ier *(saint).* ♦ 14e pape (189-199 [mort]). Africain. Martyr. Pour régler la querelle pascale, il menaça d'excommunier les quartodécimans*, mais une lettre de saint Irénée* l'incita à la modération. Fête le 28 juillet.

VICTOR II *(Gebhard, des comtes de Dollnstein-Hirschberg).* ♦ (Arezzo, 1057 [mort]). 151e pape, de 1055 à 1057, Souabe. Désigné par l'empereur Henri III, il gouverna l'empire après sa mort au nom du jeune Henri IV.

VICTOR III (saint) [*Desiderius* ou *Didier Épifani*]. ♦ (Bénévent, v. 1027 — Mont-Cassin, 1087). 156e pape, élu en 1086, intronisé seulement le 9 mai 1087, mort quatre mois plus tard après avoir renouvelé l'excommunication de Grégoire* VII contre Henri* IV. Il avait été abbé du Mont-Cassin (1058), où il avait effectué de grands travaux. Fête le 16 septembre.

VICTOR IV *(Gregorio Conti).* ♦ (Mort après 1140.) Antipape pendant deux mois en 1138. Élu à l'instigation de Roger* II de Sicile pour succéder à l'antipape Anaclet* II, il se soumit, sans doute après intervention de saint Bernard*.

VICTOR IV ou **V** [*Ottaviano de Monticello*]. ♦ (Tivoli, 1095 — Lucques, 1164), Antipape de 1159 à sa mort, contre Alexandre* III qu'il anathématisa au concile de Pavie (1160). Il était soutenu par Frédéric* Barberousse.

VICTOR (Claude PERRIN, dit). ♦ Maréchal de France (Lamarche, Vosges, 1764 — Paris, 1841). Volontaire au bataillon de la Drôme en 1792, il se signala dans l'armée des Alpes et fut nommé général de brigade au siège de Toulon (1793). Il participa à la campagne d'Italie et joua un rôle important à Marengo (1800). Il fut ambassadeur au Danemark (1805), se distingua à la victoire de Friedland (1807) et fut nommé maréchal puis duc de Bellune (1808). Il servit brillamment en Espagne, puis en Russie où il protégea le passage de la Bérésina (1812). Il participa à la campagne de France et s'illustra à La Rothière, à Mormant et à Montereau (1814). Après la Restauration, il se rallia aux Bourbons et vota la mort de Ney. Il fut ministre de la Guerre (1821-1823) et organisa l'expédition d'Espagne, fut ministre d'État et membre du Conseil supérieur de la guerre (1823) avant de se rallier au régime de Louis-Philippe.

VICTOR (Paul-Émile). ♦ Explorateur français (Genève, 1907). C'est en géographe et en ethnographe qu'il explora les régions polaires, séjournant chez les Esquimaux d'Angmassalik (côte E. du Groenland, 1934-1935, 1936-1937), en Laponie (1939). Après la Deuxième Guerre mondiale, il organisa et dirigea les expéditions françaises au Groenland et en terre Adélie. (*Coutumes et techniques de la piste blanche, Poèmes esquimaux,* etc.)

VICTOR-AMÉDÉE Ier. ♦ (Turin, 1587 — Verceil, 1637.) Duc de Savoie (1630-1637). Il succéda à son père Charles*-Emmanuel Ier. Marié à Christine* de France, sœur de Louis* XIII, il n'en fit pas moins la guerre à celui-ci et obtint, contre Pignerol, une partie du Montferrat. Il prit ensuite la tête des troupes françaises en Italie contre l'Espagne.

VICTOR-AMÉDÉE II. ♦ (Turin, 1666 — Moncalieri, 1732.) Duc de Savoie (1675-1730), roi de Sicile (1713-1718) puis de Sardaigne (1718-1730). Il écarta rapidement sa mère du pouvoir et commença une série de revirements dont il allait tirer de grands avantages. Marié à la nièce de Louis XIV, Anne-Marie d'Orléans, il entra en 1690 dans l'alliance opposée à la France. Après Staffarde* et La Marsaille* (1693), il changea de camp, non sans bénéfice (traité de Turin, 1696), et maria sa fille au duc de Bourgogne. Il se rangea de nouveau aux côté des Impériaux en 1703, profita des victoires du prince Eugène*, puis resta dans la neutralité. Le traité d'Utrecht (1713) lui fut très favorable : il obtint une partie du Milanais et la Sicile, qu'il dut échanger ensuite contre la Sardaigne. Ayant abdiqué en faveur de son fils (1730), il fut emprisonné à la suite d'une tentative de reprise du pouvoir.

VICTOR-AMÉDÉE III. ♦ (Turin, 1726 — Moncalieri, 1796.) Roi de Sardaigne (1773-1796). Il succéda à son père Charles*-Emmanuel III dont il poursuivit l'œuvre réformatrice, réorganisant totalement l'armée sur le modèle prussien. Beau-père du comte d'Artois et du comte de Provence, il perdit dans sa lutte contre la Révolution française Nice et la Savoie (Cherasco*, 1796).

VICTOR-EMMANUEL Ier. ♦ (Turin, 1759 — Moncalieri, 1824.) Roi de Sardaigne (1802-1821). Fils de Victor*-Amédée III, il succéda à son frère Charles*-Emmanuel IV. Il combattit la Révolution française et, refusant la paix, se réfugia en Italie du Sud, puis en Sardaigne. En 1815, il reprit possession de ses États, agrandis de Gênes, mais sa politique réactionnaire provoqua des insurrections (encouragées par les carbonari) et il dut abdiquer en faveur de son frère Charles*-Félix.

VICTOR-EMMANUEL II. ♦ (Turin, 1820 — Rome, 1878.) Roi de Sardaigne (1849-1861) puis d'Italie (1861-1878). Il accéda au pouvoir au lendemain de la défaite de Novare, à la suite de l'abdication de son père Charles*-Albert. La guerre lui avait permis de montrer son courage; sa fermeté face aux Autrichiens et son refus d'abroger la Constitution libérale accordée par Charles-Albert lui valurent le surnom de *re galantuomo,* « roi-gentilhomme », et la place de défenseur attitré des libertés italiennes. Souvent en désaccord avec la politique intérieure radicale de son Premier ministre Cavour **(V. Cavour)**, il soutint toujours sa politique étrangère qui devait conduire à l'unification de l'Italie **(V. Italie.** ***Hist.*)**, bien que la perte de Nice et de la Savoie lui ait été très pénible; en mars 1861, il était proclamé roi d'Italie et son royaume comprenait, outre le Piémont, la Lombardie (acquise en 1859), la Romagne, Parme, Modène et la Toscane (acquises en 1860), les Deux-Siciles, la Marche et l'Ombrie (acquises en 1861 à la suite de l'expédition de Garibaldi*). La mort de Cavour laissa en suspens le problème de la Vénétie et celui de Rome. Le roi en obtint la possession en 1866 et en 1870. Il essaya ensuite de parvenir à un accord avec la papauté. Malgré la haute idée qu'il se faisait de la dignité royale, il s'était effacé devant ses ministres et avait respecté son rôle de monarque constitutionnel.

Victor-Emmanuel II *(monument à)*. ♦ Édifice de Rome, élevé en 1885-1911 sur les plans de Giuseppe Sacconi. Son énormité, son style composite et pompeux le font juger sévèrement. C'est aujourd'hui le monument au Soldat inconnu et l'*Altare della patria* (« l'autel de la patrie »).

VICTOR-EMMANUEL III. ♦ Roi d'Italie (Naples, 1869 – Alexandrie, Égypte, 1947). Fils d'Humbert* Ier, il lui succéda en 1900. Restant dans les limites de la monarchie constitutionnelle, il joua un rôle politique effacé, mais facilita l'arrivée de Mussolini* au pouvoir en refusant de proclamer l'état de siège et en le chargeant de former le gouvernement (1922). Sous le régime fasciste, il n'eut plus aucun rôle politique, mais fut nommé empereur d'Éthiopie (1936) et roi d'Albanie (1939). Ayant fomenté un complot contre Mussolini, qui aboutit, avec l'accord du Grand Conseil fasciste, à l'arrestation de celui-ci le 25 juil. 1943, Victor-Emmanuel dut, devant l'intervention allemande, se mettre sous la protection des Alliés (sept. 1943). Mais, compromis par quinze années d'entente avec le fascisme, il abdiqua en faveur de son fils Humbert* II (9 mai 1945) et s'exila.

VICTORIA (Tomás Luis *de*). ♦ Compositeur espagnol (Ávila, v. 1549 – Madrid, 1611). Sa vie est mal connue. Il fit ses études au collège germanique de Rome (1565-1569), ville où il devait effectuer de nombreux séjours avant de se fixer définitivement à Madrid (1596). Chanteur et organiste à Santa Maria di Monserrato où il succéda à Palestrina*, il fut ordonné prêtre (1575) puis nommé chapelain de San Girolamo della Carità (1578-1585). Revenu en Espagne, il occupa jusqu'à 1607 les fonctions de chanteur puis d'organiste au couvent des « Royales-Déchaussées » où sa protectrice, l'impératrice Marie, sœur de Philippe II, avait fait retraite. On ne sait rien de ses dernières années. Ami de saint Philippe Neri, il connut probablement dans sa jeunesse sainte Thérèse d'Ávila, et son œuvre, tout imprégnée de pensée mystique, est le reflet de sa croyance, austère et détachée de la gloire du monde. Elle a subi sans doute l'influence de Palestrina mais elle s'en distingue par un lyrisme grave et une intériorité proprement espagnols. La science du contrepoint dont elle témoigne y est toujours subordonnée à un profond souci de clarté et de vérité dans l'expression qui caractérise le chant liturgique. Elle illustre toutes les formes de la musique religieuse : *messes* à 4 et 12 voix, *motets* à 4 et 8 voix, *hymnes, psaumes, cantiques, litanies, antiennes, magnificat, cantiones sacrae*. Il s'en détache deux compositions d'une exceptionnelle qualité : un *Office pour les défunts* et un *Office pour la Semaine sainte*.

VICTORIA. ♦ (Kensington Palace, Londres, 1819 – Osborne, île de Wight, 1901). Reine de Grande-Bretagne et d'Irlande (1837-1901), impératrice des Indes (1876-1901). Petite-fille de George* III, elle monta sur le trône à dix-huit ans quand son oncle Guillaume IV mourut sans enfants. À cette occasion, le Hanovre se détacha de la couronne d'Angleterre, sa succession obéissant à la loi salique. Victoria fut initiée à la vie politique par Melbourne*, mais ce fut son mari, Albert* de Saxe-Cobourg, épousé en 1840 et élevé par la reine à la dignité de prince consort en 1857, qui eut une grande influence sur sa conduite ; avec conscience, elle suivit régulièrement les affaires et, malgré son caractère autoritaire, se plia aux règles constitutionnelles, jouant un rôle dans la composition des ministères, et surtout en politique étrangère. Si elle apporta son soutien à Melbourne, Peel* et Disraeli*, Palmerston* et Gladstone*, au contraire, eurent à souffrir de son hostilité. Ses neuf enfants devaient se marier à toutes les familles régnantes d'Europe. La mort d'Albert fit d'elle une veuve inconsolable. Il fallut l'habileté de Disraeli (il la fit impératrice des Indes) pour la faire sortir d'une retraite qui commençait à ébranler sa popularité. Elle la reconquit bientôt, et son jubilé de diamant (1897) fut un triomphe, l'Angleterre orgueilleuse, puritaine et conventionnelle se reconnaissant en elle. Son rôle effectif dans la vie politique du pays a pu être discuté, mais son long règne restaura le prestige de la couronne et il coïncida avec l'apogée de la puissance mondiale de la Grande-Bretagne. Son fils Édouard* (VII) lui succéda.

Victoria Cross. ♦ Décoration militaire britannique, la plus importante de toutes, créée en 1856 par la reine Victoria.

VICTORIA *(lac)*, anc. **Victoria Nyanza.** ♦ Lac d'Afrique orientale, le plus important du continent par sa superficie (68 100 km^2), où le Nil* prend sa source. Climat chaud et humide sur ses rives. Pêche. Il est partagé entre l'Ouganda*, le Kenya* et la Tanzanie*. *V. princ.* **V. Entebbe, Jinja** et **Kampala.** Il fut découvert en 1858 par J. Speke*.

VICTORIA *(chutes)*. ♦ Chutes du Zambèze* sur la frontière de la Rhodésie et la Zambie. Le Zambèze y plonge d'une hauteur de 108 m dans une gorge de 75 m de largeur. – Elles furent découvertes par D. Livingstone*. – Tourisme.

VICTORIA. ♦ Île de l'Arctique canadien (Territoires du Nord-Ouest, district de Franklin) située au N. du continent et à l'E. de la terre de Banks.

VICTORIA *(terre)*. ♦ Région de l'Antarctique* oriental, avec une chaîne de montagnes côtières, bordant la mer de Ross. Découverte par J.C. Ross*.

Coll. Rui Nogueira

King Vidor (à gauche) et Thomas Ince.

VICTORIA *(Grand Désert de)*, en angl. **Great Victoria Desert.** ♦ Étendue désertique du S.-O. de l'Australie*, au S. des monts Musgrave*. Elle s'étend sur une partie de l'Australie*-Occidentale et de l'Australie*-Méridionale.

VICTORIA. *n. m.* ♦ État d'Australie*, formant un triangle à l'extrémité S.-E. du continent, séparé de la Nouvelle*-Galles du Sud en partie par le cours du Murray* jusqu'à l'*Australie*-Méridionale* à l'O., baigné par l'océan Indien et le détroit de Bass*. 227 618 km^2. 3 469 161 hab. (densité de population la plus élevée de la fédération). *Cap.* Melbourne*. *V. princ.* **V. Ballarat, Bendigo, Geelong.** – *Orogr. et climat.* C'est une des régions les plus accidentées d'Australie, au relief varié. Les hautes terres de l'extrémité méridionale de la Cordillère* australienne reçoivent régulièrement de la neige en hiver (nombreux fl. côtiers). Les plaines de l'O. rejoignent le bassin du Murray et sont irriguées par les affluents de gauche du fleuve. Elles peuvent être soumises à de désastreuses sécheresses, caractéristiques de l'été victorien. Le climat est tempéré, mais sec, et l'irrigation est indispensable à l'agriculture (aménagement du Murray et de ses affl.). – *Écon.* Dans l'O. du Victoria, les cultures sont variées, susceptibles d'être étendues par l'aménagement des *Snowy* Mountains*. Blé (jachère), pâturages, avoine (surtout pour le bétail), orge, un peu de tabac et de lin. Les zones irriguées produisent des fruits (pêches, abricots, pommes, poires), des vignobles, de nombreux légumes. Plantations d'eucalyptus et de bois tendre (pins). L'élevage est très important : l'État est le deuxième producteur de laine de l'Australie, le premier pour la viande d'agneau et de mouton et pour l'élevage laitier (40 % du lait et des produits laitiers australiens). Les indus. manufacturières sont en grande partie agricoles (indus. du bois, meunerie, beurrerie, textile [tissage de la laine]). Confection, bonneterie. Chaussures. Cimenterie, briqueterie. Le minerai essentiel fut l'or dont l'extraction a cessé en 1960 **(V. Ballarat, Bendigo)**, mais le charbon est en pleine expansion. Les réserves sont énormes, le plus grand gisement se situe dans la vallée du Latrobe, d'autres petits bassins se trouvent à l'O. de Melbourne. En 1965, du gaz naturel et du pétrole ont été découverts dans le détroit de Bass*. ♦ *Hist.* La colonisation commença en 1834. D'abord compris dans la Nouvelle-Galles du Sud, le Victoria devint colonie séparée en 1851, période de la ruée vers l'or. Autonome en 1855, l'État entra dans la fédération du Commonwealth australien en 1901.

VICTORIA. ♦ V. du Canada, cap. de la Colombie britannique, située au S.-E. de l'île de Vancouver. 193 512 hab. (aggl.) en 1971. – Ville administrative et résidentielle ; centre intellectuel (*Victoria University*, observatoire d'astrophysique). Indus. du bois ; constructions navales. Port actif. Terminus de lignes de ch. de fer. Aéroport important. ♦ *Hist.* Poste de commerce des fourrures fondé en 1843, la ville devint capitale de la *colonie de l'île de Vancouver* en 1849, puis de la Colombie britannique en 1868.

VICTORIA. ♦ Cap. de la colonie anglaise de Hong-kong, sur le continent. Plus de 1 000 000 d'hab. Important port marchand et de trafic, aéroport international très fréquenté, construit sur la mer. **V. Hong-kong.**

VIDA (Marco Girolamo). ♦ Prélat et humaniste italien (Crémone, 1485 – Alba, Piémont, 1566). Son talent de poète latin lui valut la faveur de Léon X, puis celle de Clément VI qui lui conféra l'évêché d'Albe (Montferrat). Il participa au concile de Trente et exposa les principes de la Contre-Réforme dans son ouvrage en prose latine, *Constitutiones synodales* (1550) ; on lui doit également un traité de prose cicéronienne, le *De reipublicae dignitate* (1556). Poète latin d'une élégance recherchée, il composa des ouvrages sur des sujets très variés, tels que *Le Ver à soie* (*De Bombyce*, 1537), *Le Jeu d'échecs* (*Scacchia ludus*, 1527), *L'Art poétique* (*De Arte poetica*, 1527). Son œuvre principale reste *La Christiade*, en hexamètres latins (*Christias*, six chants, 1535), singulière par le mélange constant des souvenirs mythologiques et des références chrétiennes, mais qui inspira Milton* dans son *Paradis perdu*, et Klopstock.

VIDAL (Paul). ♦ Compositeur et chef d'orchestre français (Toulouse, 1863 – Paris, 1931). Grand prix de Rome en 1883 avec *Le Gladiateur,* il fut directeur du chant (1892) puis chef d'orchestre (1906) à l'Opéra et devint ensuite directeur de la musique à l'Opéra-Comique (1914-1919). Il enseigna au Conservatoire à partir de 1910. Il est l'auteur de motets, de cantates, de mélodies, d'opéras-comiques et de ballets *(Guernica, Burgonde, La Maladetta, L'Impératrice).*

VIDAL DE LA BLACHE (Paul). ♦ Géographe français (Pézenas, 1845 – Tamaris, Var, 1918). Fondateur des *Annales de géographie* (1891) et de l'École française de géographie, il a accordé une importance particulière aux monographies régionales, tout en insistant sur le problème des relations de la géographie physique avec la géographie humaine. Il a donné un *Tableau de la géographie de la France* (introduction à l'*Histoire de France* de Lavisse) et un ouvrage sur les *Principes de géographie humaine.* Sous sa direction, puis celle de Gallois, fut rédigée et publiée la *Géographie universelle* (1927-1948) à laquelle collaborèrent de nombreux géographes (Baulig*, Blanchard*, Demangeon*, Martonne*).

VIDIE (Lucien). ♦ Mécanicien français (Nantes, 1805 – Paris, 1866). Il imagina le baromètre anéroïde (1844). **V.** *aussi* **Torricelli.**

VIDIN. ♦ V. de Bulgarie du Nord, ch.-l. de district sur la r. d. du Danube. 36 820 hab. (1965). Centre commercial (foires). ♦ *Hist.* C'est l'ancienne forteresse romaine de *Bononia.*

VIDOCQ (François Eugène). ♦ Policier français (Arras, 1775 – Bruxelles, 1857). Il fut condamné pour faux à huit ans de travaux forcés à Brest et réussit à s'évader à sa troisième tentative. En 1809, il devint chef d'une brigade de sûreté recrutée parmi les forçats libérés mais démissionna en 1827 pour fonder une fabrique de papier. Son entreprise ayant périclité, il revint dans la police en 1832 mais fut renvoyé pour avoir monté un vol. – Ses *Mémoires,* constituant un remarquable témoignage sur les mœurs criminelles de l'époque et sur la langue argotique, furent publiés en 1828, mais ils n'avaient pas été rédigés par lui. Il a inspiré à Balzac le personnage de Vautrin dans *Splendeurs et misères des courtisanes.*

VIDOR (King). ♦ Réalisateur américain de cinéma (Galveston, 1894). Une œuvre abondante, qui s'étend sur près de cinquante années, a établi la réputation internationale de ce cinéaste. Œuvre inégale, souvent marquée par la brutalité, d'où se détachent plusieurs réalisations de grande qualité, par la vérité et le lyrisme de leurs images, la générosité de leur inspiration : *La Foule* (*Crowd,* 1928) évoque la solitude de l'individu au sein des cités modernes; *Hallelujah* (1929) est le poème de l'âme noire; *Notre pain quotidien* (*Our Daily Bread,* 1934), fresque à conclusion idéaliste, est inspiré par la crise américaine des années 30. Autres films importants : *La Grande Parade* (1925), *Stella Dallas* (1937), *Le Grand Passage* (*Northwest Passage,* 1940), *Duel au soleil* (*Duel in the Sun,* 1946), *Ruby Gentry* (1952), *Salomon et la reine de Saba* (1959).

VIDOURLE. *n. m.* ♦ Fl. côtier torrentueux du Languedoc* (100 km). Né au S. des Cévennes, il arrose Saint*-Hippolyte-du-Fort, passe au pied de Quissac* et Sommières*, délimite le département du Gard et de l'Hérault et se jette à proximité du Grau*-du-Roi.

VIEBIG (Clara). ♦ Romancière allemande (Trèves, 1860 – Berlin-Zehlendorf, 1952). Partie du naturalisme, elle s'orienta peu à peu vers une littérature de type « régionaliste » *(Heimatkunst),* décrivit la vie des gens de l'Eifel dans des nouvelles paysannes (*Gens de l'Eifel,* 1897), la pénétration de l'esprit prussien dans la région du Rhin (*La Garde sur le Rhin,* 1902), les terres de colonisation de Posnanie (*L'Armée endormie,* 1904).

VIEDMA. ♦ V. d'Argentine, *ch.-l.* de la province de Río Negro*, située sur le río Negro, non loin de son embouchure. 7 000 hab. – Évêché. Centre commercial.

Vie est un songe [**La**] *(Vida es sueño).* ♦ Drame profane de Calderón (v. 1633). Un oracle a prédit à Basilio, roi de Pologne, que son fils, Sigismondo, le détrônerait par la violence, étant affligé d'une nature malfaisante et perfide. Basilio fait emprisonner Sigismondo dans une tour, loin de tout contact avec le monde. Cependant, pris de remords, il décide de lui rendre la liberté. Quand le jeune prince, à qui l'on a fait prendre un narcotique, se réveille dans une chambre du palais, il s'abandonne aussitôt à ses plus méprisables instincts et tente de chasser son père. De nouveau, Basilio le fait endormir et reconduire dans la tour. Cependant, une insurrection le délivre et, devenu roi, à nouveau maître de ses actes mais craignant de voir s'évanouir l'enchantement, il pardonne à son père et à tous ses ennemis, converti désormais au bien, parce que « toute fortune humaine passe comme un songe ». Drame d'inspiration métaphysique, la pièce développe une admirable méditation sur le thème du libre arbitre.

VIÈGE. *n. f.,* en all. **Visp.** ♦ Riv. de Suisse (cant. du Valais), affl. du Rhône (r. g.). 37 km. Elle est formée de deux branches, la *Viège de Saas (Saaservisp)* qui arrose la vallée de Saas* Fee, et la *Viège de Zermatt* (Mattervisp)* qui prend sa source dans les glaciers du mont Rose et du Cervin*. Centrales hydro-électriques de Stalden et de Zermeneiggern.

VIÈGE, en all. **Visp.** ♦ V. de Suisse (cant. du Valais) sur la Viège*, dans la vallée du Rhône. 4 000 hab. Indus. chimique.

VIEIL ARMAND. *n. m.* ♦ **V.** HARTMANNSWILLERKOPF.

VIEILLE (Paul). ♦ Ingénieur français (Paris, 1854 – *id.,* 1934). Avec Berthelot*, il découvrit le processus de l'onde explosive (1881). Il inventa, en 1884, la poudre sans fumée, ou poudre blanche (poudre B). Il réalisa de nombreux travaux sur les ondes de choc (1898-1899) et sur la stabilité des poudres à la nitrocellulose (1900-1907, *épreuve de Vieille*). **V.** *aussi* **F. A. Abel.** (Acad. sc., 1904.)

VIEILLEVILLE (François de SCEPEAUX, *seigneur de* **Vieilleville,** *comte de* **Durtal).** ♦ Maréchal de France (1510 – Durtal, près d'Angers, 1571). Il s'illustra pendant les guerres sous François Ier puis Henri II. Il fit don à Henri II de son argenterie pour l'aider à s'emparer des Trois-Évêchés. Il fut l'un des ambassadeurs du traité de Cateau-Cambrésis (1559). Il fut nommé maréchal de France en 1562. – Auteur de *Mémoires* (publiés en 1757).

VIEIRA DA SILVA (Maria Elena). ♦ Peintre français d'origine portugaise (Lisbonne, 1908). Elle s'établit en 1928 à Paris. Après avoir étudié la sculpture auprès de Bourdelle et de Despiau, elle travailla la peinture avec Dufresne, Friesz et Léger, puis elle s'initia à la gravure auprès d'Hayter et rencontra Bissière* vers 1932. Elle séjourna à Lisbonne en 1935-1936, puis au Brésil de 1940 à 1947. Progressivement, ses œuvres perdirent tout caractère descriptif pour faire apparaître un espace original très approfondi, établi à partir d'un réseau de lignes s'entrecroisant selon des tracés perspectifs à multiples points de fuite, qui engendrent d'hallucinatoires architectures de « fils tendus » se développant dans des directions variées. Dans ces inextricables entrecroisements, les lignes sont parfois tremblées, infléchies, discontinues, comme effacées par des taches, des éclats de matière fluide et transparente, créant une lumière diffuse aux harmonies pâles et souvent austères (noirs, gris et blancs). Ces œuvres, quoique d'une façon très allusive, évoquent souvent l'espace urbain labyrinthique, les intérieurs dépaysants (*La Bibliothèque,* 1949) ou des vues panoramiques aux limites imprécises. Son talent graphique apparaît dans les gravures et les cartons de tapisseries qu'elle a réalisés.

VIELÉ-GRIFFIN (Francis). ♦ Poète français (Norfolk, Virginie, 1864 – Bergerac, 1937). Fixé jeune en France, il fréquenta les fameux « mardis » de Mallarmé* *(In Memoriam Stéphane Mallarmé)* et donna, avec *Phocas le jardinier* (1898), un essai de théâtre symboliste. Prenant parti pour le vers libre et préférant laisser aller la rime « au seul gré du tact poétique », il sut, en symboles simples, transfigurer la réalité, notamment les paysages de Touraine (*La Clarté de la vie,* 1897), ou la légende (*La Voix d'Ionie,* 1914), exprimant toujours son amour grave et fervent de la vie.

VIELLA. ♦ Bourgade d'Espagne du Nord-Est, en Catalogne (prov. de Lérida), sur le río Negro. 1 100 hab. Ch.-l. du val d'Aran. Centre touristique. Tunnel de 6 km passant sous le *port de Viella.*

VIELSALM. ♦ Comm. de Belgique (Luxembourg, arr. de Bastogne) en Ardenne*. 3 900 hab. Indus. chimiques (engrais) et alimentaires (tourteaux). Scieries. Carrières. Pépinières. – Patrie du général de Dixmude.

VIEN (Joseph Marie). ♦ Peintre français (Montpellier, 1716 – Paris, 1809). Élève de Natoire*, il séjourna cinq ans à Rome (1745-1750). Protégé par Caylus*, il fut l'instigateur du mouve-

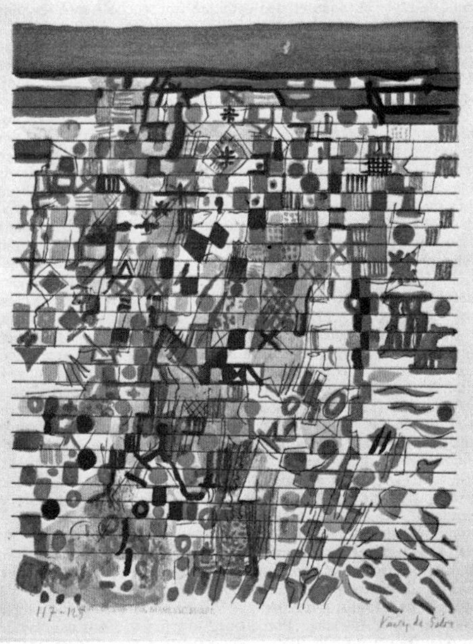

Ph. C. Schaeffner

M.E. Vieira da Silva : « Composition ».
(Collection privée, Paris.)

Ph. Lauros/Giraudon

Annonce du retour de Napoléon au congrès de **Vienne.** Caricature anglaise du XIXe s. (Bibl. nat. Paris.)

ment néo-classique en peinture : l'un des premiers il emprunta son inspiration, ses modèles et décors à l'Antiquité, sans pour autant abandonner la grâce sensuelle que goûtait son époque. Il mit l'accent sur le dessin et modela les figures avec une certaine sécheresse *(La Marchande d'amours).* Il eut David* comme élève et ses contemporains virent en lui le « restaurateur de l'école française ».

VIENG-CHAN ou **VIENTIANE.** ♦ Cap. administrative du Laos*, sur la r. g. du Mekong et important port fluvial, à la frontière de Thaïlande. 150 000 hab. Marché de la laque, des épices, artisanat de la soie et de l'orfèvrerie. ♦ *Hist.* Cette « ville du santal » fut fondée au début du XVIIe siècle. Détruite par les Siamois en 1827, elle fut reconstruite sur le mode colonial par les Français.

VIENNE (Jean *de***).** ♦ Amiral français (v. 1341 – Nicopolis, 1396). Lors de la guerre de Cent Ans, il aida les Écossais contre les Anglais (1385), puis combattit les Turcs et mourut à la bataille de Nicopolis.

VIENNE, en all. **Wien.** ♦ Ville et cap. de la République fédérale d'Autriche. Elle constitue un des neuf Bundesländer du pays ; elle est le siège du gouvernement de la Basse-Autriche. 1 614 341 hab. Vienne se situe au N.-E. du pays, au contact de la plaine pannonienne et de l'extrémité orientale des Alpes. Entourée de collines (Kahlenberg, 423 m ; Hermannskogel, 542 m ; Leopoldsberg, forêt viennoise), elle est traversée par la rivière Wien (en partie couverte) et le Donaukanal qui forme avec le Danube une île occupée par le quartier de Leopoldstadt et le Prater. Le territoire de Vienne est très vaste (414 km²) et comprend des terres agricoles ; il est divisé en vingt-trois arrondissements. Archevêché. Université. Les monuments de style baroque et néo-gothique (du XIXe s.) sont les plus nombreux, mais Vienne conserve des monuments plus anciens : l'église des Frères mineurs (1300-1350), l'église des Augustins (gothique, XIVe s.), la cathédrale Saint-Étienne, en partie des XIVe et XVe s., l'église Notre-Dame-du-Rivage (gothique flamboyant). La ville se couvrit d'édifices religieux et civils aux XVIIe et XVIIIe siècles. Église des Capucins (1622-1633) dont les cryptes renferment les sépultures de la plupart des Habsbourg. Église des Jésuites (baroque, 1627-1631) ; église Saint-Charles-Borromée (1716-1737) ; église Saint-Pierre (baroque, 1702-1708). Le palais de la Hofburg, fondé au XIIIe s., présente des bâtiments du XVe au début du XXe s. La *Neue Hofburg* abrite un musée. Palais Lobkowitz (1685-1687) ; palais Schwarzenberg (1697-1715) ; palais Stahremberg (*fin* XVIIe s., occupé par le ministère de l'Instruction publique) ; palais Kinsky (1713-1716) ; palais du cardinal-archevêque (1632-1641). Les Belvédères (1714-1721) renferment des musées d'art baroque, d'art médiéval et d'art des XIXe et XXe siècles. Fontaine du Donner, 1739. Le château de Schönbrunn*, reconstruit de 1696 à 1713, achevé et transformé sous le règne de Marie-Thérèse, servait de résidence d'été aux Habsbourg ; son parc, tracé au XVIIIe s. dans le goût français, est orné de nombreuses statues et fontaines. La Bibliothèque nationale date de 1723-1726. L'Albertina*, ancien palais archiducal (1781-1802), abrite une célèbre collection de dessins et de gravures. Monuments du XIXe s. construits autour du *Ring,* boulevard circulaire, dans un style néo-gothique et néo-classique : Opéra (1869), hôtel de ville (1833), Parlement (1883), Burgtheater (1888). Nombreux musées, dont le Musée historique de la ville de Vienne ; galerie de peinture de l'Académie des beaux-arts ; et le très célèbre musée des Beaux-Arts. Souvenirs des grands musiciens : *Figarohaus,* maison du XVIIe s. consacrée à Mozart, *Beethovenhaus,* maison natale de Schubert. Les parcs les plus connus sont le *Prater,* ouvert au public en 1766 et contenant le Luna Park, le *Volksgarten,* décoré de statues et de bassins, l'*Augarten.* – Vienne est le plus grand centre industriel de l'Autriche. Porcelaines, verreries, instruments de musique, travail du cuir. Indus. alimentaires. Constructions mécaniques (matériel ferroviaire, automobile). Indus. chimiques et textiles. ♦ *Hist.* À l'emplacement de Vienne se trouvait un établissement celtique, puis dès le Ier s. une station militaire fondée par les Romains : *Vindobona.* La ville devint municipe puis tomba entre les mains des Barbares Avec la fondation de l'Ostmark par Charlemagne, on retrouve mention de *Vienna* en 880. En 1155, Henri II Jasomirgotl transféra la cour ducale de Leopoldsberg, dans la plaine, au lieu-dit Amhof, à Vienne. Sous le règne de Léopold le Glorieux, la ville fut entourée de remparts (*fin* XIIe s.). À la mort du dernier Babenberg (1246), Ottokar, roi de Bohême, s'empara du pays et de Vienne, où il fit reconstruire Saint-Étienne et bâtir le Burg. L'empereur Rodolphe de Habsbourg donna le duché à son fils Albert. En 1365, le duc Rodolphe IV fonda l'université de Vienne, la plus ancienne de langue allemande. Au XVe s., la ville, qui s'était révoltée contre Frédéric III, fut disputée par les rois de Hongrie et les Habsbourg qui s'en rendirent maîtres en 1490. Le XVIe s. fut marqué par la lutte contre la Réforme et contre les Turcs. En 1529, le sultan Suleyman le Magnifique assiégea la ville avec une armée de 120 000 hommes, mais, devant la résistance de la garnison, il fut obligé de lever le siège (oct. 1529). Pendant un siècle et demi, Vienne vécut encore sous la menace d'une attaque turque. En 1683, la ville fut de nouveau assiégée par les Turcs ; les faubourgs furent incendiés et la situation devenait critique lorsque, le 13 sept., l'armée de Charles de Lorraine et de Jean Sobieski, roi de Pologne, délivra la ville. Le péril turc était définitivement écarté. À la fin du XVIIe s. et au début du XVIIIe, la ville prospéra, se couvrant de monuments baroques (palais des aristocrates, embellissements de la Hofburg, etc.) ; Marie-Thérèse transforma le château de Schönbrunn. Vienne était alors la capitale européenne de la musique : Gluck, Haydn et Mozart y vécurent. Au début du XIXe s., Vienne devint le centre de la lutte contre Napoléon. La ville fut occupée deux fois par les Français (1805-1806 ; 1808). D'importantes batailles se déroulèrent dans ses environs (Essling, Wagram). Après la chute de Napoléon, la ville devint le siège d'un congrès européen accompagné de fêtes et de réceptions brillantes. Le *congrès de Vienne* (voir ci-dessous) ouvre une période brillante appelée le « Vormärz », qui ne se termina qu'avec les journées de mars 1848. Mais l'absolutisme et un régime policier suscitèrent la révolution de 1848. De mars à oct., les révolutionnaires tinrent la ville avant d'être vaincus par les troupes de Windischgrätz (31 oct. 1848). Sous le règne de François-Joseph, la ville se transforma, les remparts furent démolis et remplacés par le *Ring,* boulevard circulaire bordé de monuments (Parlement, Opéra, Académie des beaux-arts). La Première Guerre mondiale, mettant fin à l'Empire, fit de Vienne la capitale gigantesque d'un petit pays. Depuis, sa population ne cessa de décroître. La période de l'entre-deux-guerres fut marquée par des luttes souvent violentes (révolte de 1927, assassinat du chancelier Dollfuss*, 1934). En 1938, les Allemands occupèrent Vienne. La ville ne souffrit de la guerre qu'à partir de 1944. A partir de cette date, les bombardements, puis le siège par les troupes soviétiques endommagèrent gravement habitations et monuments. La prise de la ville par les Alliés fut suivie de très graves difficultés pour la population, privée d'eau potable, de gaz, d'électricité, de nourriture. La ville fut occupée et divisée en quatre secteurs jusqu'au traité du 15 mai 1955, signé au Belvédère. ♦ TRAITÉ DE VIENNE (ou paix de Schönbrunn) signé le 14 oct. 1809. Après la victoire française de Wagram*, l'Autriche cédait à la France la Croatie maritime avec Fiume, Trieste, l'Istrie ; Salzbourg revenait à la Bavière ; Lublin et Cracovie au grand-duché de Varsovie ; la Russie recevait Tarnopol. L'Autriche versait une forte indemnité ; elle devait entrer dans le Blocus et limiter son armée. ♦ CONGRÈS DE VIENNE. Congrès réuni à Vienne de septembre 1814 à juin 1815 afin d'établir une paix durable après les guerres napoléoniennes et de refaire la carte politique de l'Europe. Des souverains (François* Ier d'Autriche, le tsar Alexandre*, le roi de Prusse Frédéric*-Guillaume III) y assistaient ; les différents pays étaient représentés par Castlereagh* pour l'Angleterre, Metternich* pour l'Autriche, Hardenberg* et von Humboldt* pour la Prusse, Nesselrode* pour la Russie, Talleyrand* pour la France de Louis XVIII. Le congrès n'a jamais délibéré en séances plénières mais en petits comités. Le 13 mars 1815, il déclarait hors la loi Napoléon qui revenait en France **(V. Cent*-Jours).** L'acte final du congrès fut signé le 9 juin 1815. L'*Angleterre* obtenait Malte, les îles Ioniennes, Héligoland, Le Cap, Ceylan, quelques îles aux Antilles et réoccupait le Hanovre. La Finlande, la Bessarabie, les deux tiers de la Pologne revenaient à la *Russie.* La *Suède,* ayant perdu la Finlande, obtenait la Norvège. La *Prusse* retrouvait une partie de ses anciens territoires polonais, obtenait la Poméranie suédoise, une partie de la Saxe, le bassin de la Ruhr et la rive gauche du Rhin. L'*Autriche* retrouvait ses anciennes provinces illyriennes, le Tyrol, la Galicie et son influence en Italie ; elle présidait la Confédération* germanique qui regroupait trente-huit États. Le roi de *Hollande* annexait les anciens Pays-Bas autrichiens. La *Confédération helvétique* recevait trois nouveaux cantons. Le royaume de *Piémont-Sardaigne* recouvrait le Piémont, la Savoie, Nice et Gênes. Talleyrand y fit adopter le principe de la légitimité, qui lui permit de faire rendre à Louis XVIII tous les territoires de Louis XVI. Cet aménagement de l'Europe, entièrement réglé par les intérêts des princes, ne tenait aucun compte des aspirations des peuples ; le congrès fut « une mise en tutelle des peuples » par le système de la Sainte-Alliance* des souverains.

Vienne *(cercle de).* ♦ École néo-positiviste qui regroupa autour de Moritz Schlick*, son fondateur, plusieurs philosophes, logiciens et savants allemands et autrichiens (R. Carnap*, P. Franck*, H. Hahn*, V. Kraft, O. Neurath*, H. Reichenbach*, F. Waismann, et, à ses débuts, L. Wittgenstein*). Ses thèses furent exposées dans le manifeste *Conception scientifique du monde; le cercle de Vienne* (*Wissenschaftliche Weltauffassung; der Wiener Kreis,* 1929) et dans la revue *Connaissance* (*Erkenntnis,* 1930). Marquée par la logique mathématique (Frege, Russell) et par le développement de la physique moderne (théorie de la relativité d'Einstein*, des quanta de Planck*), l'école de Vienne « a cherché à construire une science de la signification cohérente par une analyse du langage » (R. Caillois) et à éliminer ainsi tous les pseudo-problèmes dénués de sens de la « métaphysique ». Reprenant la distinction (Cf. Hume) entre les propositions empiriques, protocoles d'expérience synthétiques, susceptibles de vérification et les énoncés de la logique de la science analytiques ou tautologiques, elle a tenté de ramener ces derniers à « des propositions de la syntaxe logique de la langue » (R. Carnap). Après l'Anschluss, certains membres du cercle de Vienne quittèrent l'Europe pour les États-Unis où ils exercèrent une forte influence sur les logiciens et les épistémologues américains (Goodman, Quine, White).

VIENNE. *n. f.* ♦ Riv. du centre-ouest de la France (372 km), affl. de la Loire. Elle naît au plateau de Millevaches*, traverse Limoges*, Rochechouart*, Châtellerault*, Chinon* et conflue en amont de Saumur*.

VIENNE [86]. *n. f.* ♦ Dép. de l'O. de la France, région (anc. C.A.R.) de Poitou*-Charentes. 7 023 km². Le dép. est essentiellement constitué par le seuil du Poitou, plaine sédimentaire secondaire et tertiaire qui relie le Bassin parisien et le Bassin aquitain et sépare le Massif armoricain du Massif central. Les céréales y dominent, sauf dans les terres de « brandes » du S.-E. et les affleurements calcaires du S.-O., respectivement consacrés à l'élevage et au vignoble. La forêt apparaît sur les hauteurs sableuses du N. du dép., au S. de Loudun et au N.-E. de Châtellerault.

♦ 31 cant., 288 comm. 349 189 hab. *Préf.* Poitiers*. *Sous-préf.* Châtellerault*, Montmorillon*. *Ch.-l. de cant.* Availles-Limouzine (1 515 hab., 780 aggl.), Charroux*, Chauvigny*, Civray*, Couhé*, Dangé (1 431 hab., 1 069 aggl.), Gençay (1 154 hab., 1 070 aggl.), Isle-Jourdain [L'] (1 265 hab., 1 220 aggl.), Leigné-sur-Usseau (327 hab., 100 aggl.), Lencloître*, Loudun*, Lusignan*, Lussac*-les-Châteaux, Mirebeau*, Moncontour*, Monts-sur-Guesnes (713 hab., 592 aggl.), Neuville*-de-Poitou, Pleumartin (1 302 hab., 732 aggl.), Saint-Georges-lès-Baillargeaux (1 542 hab., 695 aggl.), Saint-Julien-l'Ars (1 237 hab., 791 aggl.), Saint-Savin*, Trimouille [La] (1 275 hab., 922 aggl.), Trois-Moutiers [Les] (1 005 hab., 391 aggl.), Villedieu-du-Clain [La] (537 hab., 521 aggl.), Vivonne*, Vouillé*, Vouneuil-sur-Vienne (1 257 hab., 368 aggl.). *Autre comm.* **V. Civaux.**

VIENNE (HAUTE-) [87]. *n. f.* ♦ Dép. du N.-O. du Massif central*, région (anciennement C.A.R.) du Limousin*. 5 555 km². — *Orogr.* Le dép. fait partie du Limousin* : lourdes croupes des monts d'Ambazac* (701 m); hautes collines formées par les monts de Blond (505 m), les monts de Châlus; vallées très encaissées, en particulier celle de la Vienne qui traverse tout le dép. d'E. en ouest. ♦ 29 cant., 205 comm., 348 151 hab. *Préf.* Limoges*. *Sous-préf.* Bellac*, Rochechouart*. *Ch.-l. de cant.* Aixe*-sur-Vienne; Ambazac*; Bellac*; Bessines*-sur-Gartempe; Châlus*; Châteauneuf*-la-Forêt; Châteauponsac*; Dorat* (Le); Eymoutiers*; Laurière, 800 hab.; Mézières-sur-Issoire, 1 019 hab.; Nantiat, 1 432 hab.; Nexon, 2 379 hab.; Nieul, 936 hab.; Oradour*-sur-Vayres; Pierre*-Buffière; Saint-Germain-les-Belles, 1 524 hab.; Saint-Junien*; Saint-Laurent-sur-Gorre, 1 356 hab.; Saint-Léonard*-de-Noblat; Saint-Mathieu, 1 613 hab.; Saint-Sulpice-les-Feuilles, 1 399 hab.; Saint-Yrieix*-la-Perche. *Autres comm.* **V. Crouzille** (La), **Oradour-sur-Glane, Palais-sur-Vienne** (Le), **Peyrat-le-Château, Saint-Sulpice-Laurière, Solignac.**

VIENNE. ♦ Sous-préf. de l'Isère*, ch.-l. d'arr. (9 cant., 112 comm., 135 447 hab.), sur le Rhône*. 30 276 hab. *(Viennois).*

Ph. Giraudon

Vienne (Isère) : une vue de la ville.

Nombreux monuments : église Saint-André-le-Bas, romano-gothique; cloître roman (XIIe s.); église Saint-Maurice (du XIIe au XVe s.); anc. église Saint-Pierre (VIe, IXe s., clocher du XIIe s.). Musées. Vestiges romains : portique du forum, ruines d'un temple d'Auguste et de Livie, théâtre romain sur le flanc du mont Pipet. — Indus. textile (filature, tissage de draperies); indus. métallurgique; machines, papeteries, chaussures, produits pharmaceutiques. — Patrie de saint Aignan*, de saint Julien* de Brioude, de l'écrivain François Ponsard*. ♦ *Hist.* L'ancienne *Vienna* était une des villes principales des Allobroges*. Colonisée par les Romains sous Tibère* (Ier s.), elle fit partie de la *Narbonnaise*, puis devint capitale de la *Viennoise* au IVe siècle. Elle fut l'un des premiers foyers du christianisme en Gaule, évêché au IIIe s., archevêché au Ve siècle. Elle passa successivement aux Burgondes, aux Francs et aux Lombards. Elle fut annexée à la France avec le Dauphiné en 1349. Pendant les guerres de Religion, la ville fut saccagée par le baron des Adrets.

Vienne *(concile de).* ♦ 15e concile œcuménique, réuni en 1311-1312 par le pape Clément V. Sous la pression de Philippe IV le Bel, il supprima (sans le condamner) l'ordre des Templiers.

VIENNE-LE-CHÂTEAU. ♦ Comm. de la Marne, arr. de Sainte-Menehould. 550 hab. — Église du XVe s. (restaurée). — Indus. des matières plastiques.

VIENNOISE. *n. f.* ♦ Province de la Gaule romaine, créée lors de la nouvelle division administrative de Dioclétien. Elle s'étendait sur la vallée du Rhône et avait Vienne* pour capitale.

VIENTIANE. ♦ **V.** VIENG-CHAN.

Vierge *(la sainte).* ♦ **V.** MARIE.

VIERGE (Daniel URRABIETA, dit **Daniel).** ♦ Dessinateur et peintre espagnol (Madrid, 1851 — Boulogne-sur-Seine, 1904) qui s'établit à Paris en 1869. Il est resté célèbre pour ses illustrations de Michelet *(Histoire de France, Histoire de la Révolution),* de Chateaubriand et de Cervantes.

Vierge. *n. f.,* en lat. **Virgo.** ♦ Constellation zodiacale située presque sur l'équateur et contenant un groupement remarquable de galaxies, l'*Amas Virgo.* Sixième signe du zodiaque (22 août-22 sept.). **V. Épi.** — La légende grecque **(V. Astrée)** est à l'origine de son nom.

VIERGES *(îles),* en angl. **Virgin Islands.** ♦ Archipel des Petites Antilles*, situé à l'est de Porto* Rico, entre l'Atlantique et la mer des Caraïbes, et colonisé en partie par la Grande-Bretagne et en partie par les États-Unis (statut de 1967). — Les *îles Vierges britanniques,* d'une superficie de 153 km², comprennent quarante-deux îles dont onze sont habitées. Elles font partie des Leeward Islands (îles Sous*-le-Vent). *Cap.* Road Town, dans l'île Tortola. Canne à sucre, légumes, fruits tropicaux. — Les *îles Vierges américaines,* achetées au Danemark en 1917 pour leur intérêt stratégique, comprennent les îles de Saint-Thomas, Sainte-Croix, Saint-John, et une cinquantaine d'îlots inhabités. 344 km². 63 200 hab. env. (Noirs et métis en majorité). *Cap.* Charlotte* Amalie, dans l'île Saint-Thomas. Mêmes ressources agricoles que les îles Vierges britanniques. Sucreries et distilleries de rhum. Tourisme.

VIERKANDT (Alfred Ferdinand). ♦ Sociologue allemand (1867 — 1953). Représentant de la sociologie formaliste (étude des propriétés, relations et formes des groupes sociaux), il est l'auteur de la distinction entre les peuples primitifs et civilisés (*Naturvölker und Kulturvölker,* 1896; *Gesellschaftslehre,* 1923 et un *Dictionnaire de sociologie,* 1930-1931, avec W. Sombart, F. Tönnies, etc.).

VIERLANDE. *n. m. pl.* ♦ Région de polders d'Allemagne nord-occidentale, autour de Hambourg. Riches cultures maraîchères, fruitières et florales.

VIERNE (Louis). ♦ Organiste et compositeur français (Poitiers, 1870 — Paris, 1937). Presque aveugle dès son enfance, il étudia la musique à l'Institution des jeunes aveugles, où il eut C. Franck pour professeur, puis fut avec Widor* organiste à Saint-Sulpice. Titulaire des orgues de Notre-Dame en 1900, il a formé de nombreux élèves (J. Bonnet, M. Dupré, M. Duruflé, N. Boulanger, B. Gavoty). Il est surtout connu pour ses improvisations brillantes et ses compositions pour orgue (six symphonies, vingt-quatre *Pièces en style libre,* vingt-quatre *Pièces de fantaisie,* un *Triptyque*). On lui doit en outre des symphonies pour orchestre, des pièces pour piano et des mélodies, un quatuor à cordes et un quintette avec piano.

VIERNYÏ. ♦ **V.** ALMA-ATA.

VIERZON. ♦ Ch.-l. de cant. du Cher, arr. de Bourges, au confluent de l'Yèvre et du Cher. 34 421 hab. *(Vierzonnais).* Beffroi gothique. Ancienne abbaye bénédictine (XVIIe-XVIIIe s.). — Centre industriel et nœud de communications, Vierzon constitue, avec Bourges dont il est tout proche, un pôle actif de développement régional. Tréfileries, chaudronnerie. Matériel agricole. Matériel de bureau. Mécanique de précision. Appareils de chauffage. Porcelaine.

Vies, doctrines et sentences des philosophes illustres. ♦ Œuvre de Diogène* [Laërce] (voir ce nom).

Vies parallèles ou **Vies des hommes illustres.** ♦ Collection de 46 biographies dues à Plutarque* et groupées deux par deux, celle d'un Grec étant comparée à celle d'un Romain (Alexandre* le Grand-César*, etc.). Œuvre patriotique visant à démontrer que, même dans l'art de gouverner et de conquérir, les Grecs ne furent pas inférieurs aux plus glorieux des Romains, elle révèle aussi les préoccupations didactiques de l'auteur. Moins attaché aux grands actes qu'aux « signes de l'âme », l'anecdote, la manière de vivre, les réflexes devant l'imprévu, le moraliste l'emporte sur l'historien. Cette œuvre, longtemps ignorée en Occident, fut traduite en français par l'humaniste Amyot*. – Shakespeare* a emprunté aux *Vies parallèles* les sujets de ses tragédies *Jules César, Antoine et Cléopâtre* et *Coriolan.*

Viêt-cong [« communiste(s) vietnamien(s) »]. *n. m.* ♦ Nom donné en 1959 par le gouvernement de Saigon à ses adversaires communistes et à leurs alliés, qui se regroupèrent en 1960 en un Front national de libération (F.N.L.). Celui-ci, approuvé par le gouvernement de Hanoi, proclama un programme en dix points demandant le retrait de toutes les troupes étrangères, la reconnaissance de la souveraineté, de l'indépendance et de la neutralité du Viêt-nam du Sud ainsi que la réunification progressive avec le Viêt-nam du Nord. En 1961, le F.N.L. intégra une armée de libération du Viêt-nam du Sud et, en 1962, un parti révolutionnaire du peuple fut établi en son sein. Bien que comprenant des non-communistes, tout le mouvement d'opposition était rattaché dans son aspect militaire au nom de Viêt-cong. Le F.N.L. fut représenté diplomatiquement dans tous les pays communistes, en Algérie et au Cambodge. Il fut représenté aux négociations pour la paix à Paris.

VIÈTE (François). ♦ Mathématicien français (Fontenay-le-Comte, 1540 – Paris, 1603). Juriste, maître de requêtes, il publia en 1579 une table de fonctions trigonométriques *(Canon mathematicus)* complétée d'une partie théorique dans laquelle il souligne la supériorité de la division décimale sur la sexagésimale. En trigonométrie sphérique, il établit les formules dites « analogies de Neper* » et utilisa le triangle polaire. Il établit des règles pour l'extraction des racines et, présumant l'impossibilité de la quadrature du cercle, donna la valeur du nombre π avec dix décimales exactes. Il énonça, en 1593, le premier algorithme infini connu (développement de $2/\pi$) **V.** *aussi* **Wallis.** Ayant mis en évidence l'isomorphisme entre les domaines de l'algèbre numérique et de l'analyse géométrique, il imagina sa « logistique spécieuse », dont les principes font de Viète un créateur des mathématiques modernes : il y utilise des lettres majuscules latines pour représenter les grandeurs, les voyelles désignant les inconnues, les consonnes les données ; il y dégage l'équation qui résume le problème posé sous forme abstraite, introduisant ainsi la notion de type de problème et y expose l'analyse poristique (transformation, discussion) et l'exégétique (résolution géométrique ou numérique). Il donna en 1600 une méthode de résolution numérique des équations par approximations successives. **V.** *aussi* **Oughtred.** Sa « logistique spécieuse » permit la naissance d'une théorie des équations algébriques et la création de la géométrie analytique. **V. Descartes, Fermat.**

Viêt-minh. *n. m.* (abrév. de *Viêt-nam Doc Lap Dông Minh,* « Ligue pour l'indépendance du Viêt-nam »). ♦ Organisation politico-militaire vietnamienne constituée en 1941 par Hô* Chi Minh avec des éléments communistes et nationalistes pour réclamer de la France l'indépendance du Viêt-nam et libérer le pays de l'occupation japonaise. Elle forma un gouvernement à Hanoi à partir de 1945 et traita en 1946 avec la France. Devant le refus de celle-ci d'accorder pleine indépendance aux Vietnamiens, ce parti prit les armes et souleva la population contre les forces françaises et les Vietnamiens partisans de la France. Le Viêt-minh prit en 1951 le nom de « Front de la patrie » (Liên Viêt Front) et se transforma en armée régulière sous la direction du général Vô* Nguyên-Giap qui battit les Français en 1954 à Diên* Biên Phû.

VIÊT-NAM. *n. m.* ♦ Région de l'Asie du Sud-Est, bordée à l'E. par la mer de Chine, au N. par la Rép. populaire de Chine, à l'O. par le Laos et le Cambodge. 328 750 km². 43 450 000 hab. Divisée de 1954 à 1976 (sur le 17ᵉ parallèle) en République démocratique (au N.) et république du Viêt-nam (au S.). Dans la partie septentrionale du territoire, la Chaîne annamitique et les reliefs du haut Laos se prolongent en un ensemble montagneux (3 000 m) à l'O. du Sông Kôi. À l'E. de ce fleuve, une série de plateaux calcaires est entrecoupée de dépressions (« Porte de Chine »). Les plateaux Moï dans le Viêt-nam du Sud ont des altitudes variant de 1 500 à 750 mètres. À partir de Saigon, les plaines dues à l'alluvionnement des affluents du Mekong se succèdent : plaine des Joncs, plaine des Oiseaux. La Chaîne annamitique marque la frontière avec le Cambodge et le Laos. Elle descend d'une façon abrupte sur les plaines deltaïques et la mer. Les fleuves construisent de larges deltas : au N., le fleuve Rouge (Sông Kôi) forme le delta du Tonkin ; au S., le Mekong forme le delta de « Cochinchine ». Le régime des moussons affecte le Viêt-nam, mais le climat présente des caractères régionaux selon l'altitude et la latitude (climat tropical au N., subtropical au S.). Des typhons tropicaux abordent le littoral oriental : en juin-juillet sur le Viêt-nam du Nord, en août sur le Viêt-nam central et en septembre-octobre sur le Viêt-nam du Sud. La population vietnamienne (19,3 millions d'individus au S., 23,8 millions au N.) s'est constituée à partir de peuplades Yüe venues de la basse vallée du Yang-tsê kiang mêlées aux populations locales mélano-indonésiennes de la région du Tonkin. Les Cham, derniers survivants du royaume de Champâ (IIᵉ-XVᵉ s.), subsistent en très petit nombre dans les montagnes. Des Chinois et des Cambodgiens sont installés dans le sud. ♦ *Hist.* Les plus anciens vestiges découverts au Viêt-nam remontent au paléolithique et au début du mésolithique (culture de Hoa Binh, du nom d'un site de la vallée du fleuve Rouge). L'apparition du bronze se situe à l'époque dôngsonienne (~ Iᵉʳ millénaire). Du royaume

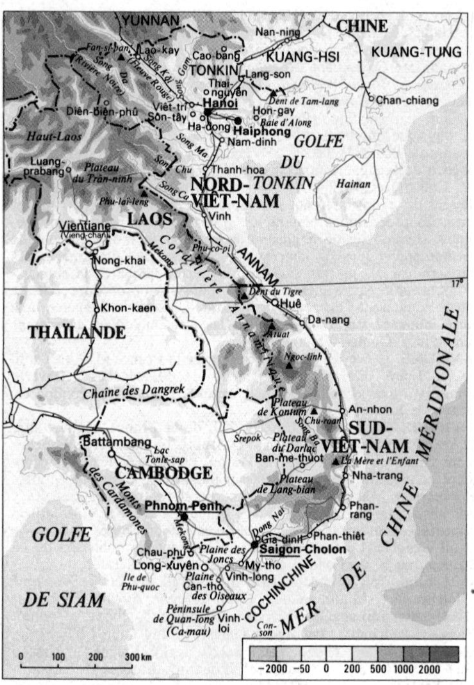

Viêt-nam.

d'Au-Lac, fondé au IIIᵉ s., nulle trace ne subsiste. À la mort de l'empereur de Chine, Ch'in Shih Huangti qui acheva la conquête chinoise du Viêt-nam, un chef militaire, Triêu Da, créa le royaume du Nam-Viêt (~ 207). Le pays retomba sous la domination chinoise des Han en ~ 111. Malgré une brève rébellion pour l'indépendance due aux sœurs Trung Trac et Trung Nhi, le Viêt-nam demeura sous la tutelle chinoise et se sinisa. De la chute des Han (221) à la chute de la dynastie chinoise des T'ang (907), les régions du N. furent progressivement absorbées par la Chine ; en 939, le pays retrouva son indépendance. Dinh Bo Linh se proclama empereur et fonda le Dai-Viêt (968). Sous la dynastie des Ly (1009-1225), l'empire fut réorganisé, agrandi aux dépens du Champâ et la civilisation atteignit son plein épanouissement. Une puissante famille évinça les Ly et instaura la dynastie des Trân (1225). Plusieurs attaques furent menées sans succès par les Mongols Yüan contre le Dai-Viêt. La dynastie suivante, celle des Ho, tenta de se maintenir au pouvoir au XIVᵉ s., mais les armées chinoises des Ming envahirent à nouveau le pays en 1406. Lê Loi se battit pour l'indépendance du Dai-Viêt ; ayant chassé les Chinois (1427), il se fit proclamer empereur de la dynastie des Lê. Au début du XVIIᵉ s., le Champâ absorbé, l'empire se trouva divisé entre deux familles : les Trinh au nord et les Nguyên au sud. À la même époque, les Européens commençaient à commercer avec le pays (Hollandais, Anglais et au XVIIIᵉ s. les Français). En 1802, la dynastie des Nguyên réunifia l'empire, lui donnant le nom de Viêt-nam. Les persécutions contre les chrétiens et des massacres de missionnaires conduisirent Napoléon III à intervenir, et l'amiral Rigault* de Genouilly s'empara de Saigon en 1859. Le traité de 1862 cédait la Cochinchine à la France, et Francis Garnier* prenait Hanoi en 1873. L'empereur Tu-Duc fut contraint d'accepter le protectorat français sur l'Annam et le Tonkin, mais, après avoir à son tour reconnu ce protectorat par traité (1883), son successeur fit appel à la Chine qui envoya des troupes à son secours. Malgré l'abandon de Lang*-sôn par les Français (1885), les Chinois durent renoncer à la lutte et signer à T'ien-tsin un traité qui aboutissait au protectorat de la France sur le Viêt-nam tout entier (1885). En 1887, fut créée l'Union indochinoise englobant, outre la Cochinchine, l'Annam et le Tonkin, le Cambodge* et le Laos* sous l'autorité d'un gouverneur général représentant la France. Plusieurs hommes d'État occupèrent successivement ce poste, notamment Lanessan*, Paul Doumer* et Albert Sarraut*. Cependant, l'opposition nationaliste vietnamienne se manifesta dès 1908 par une première révolte au Tonkin. En 1931, Hô* Chi Minh fonda le parti communiste indochinois, qui devait se transformer en 1941 en « Front de l'indépendance du Viêt-nam » **(V. Viêt-minh).** Privé de tout secours allié, l'amiral Decoux ne put s'opposer à l'occupation de l'Indochine par les Japonais (sept. 1940) qui, en mars 1945, proclamèrent l'indépendance du Viêt-nam avec Bao* Dai pour empereur. Mais, dès le mois d'août, celui-ci abdiqua, laissant le Viêt-minh prendre le pouvoir. En vertu des accords de Potsdam, les Chinois devaient occuper le pays au N. du 16e parallèle, et les Britanniques au S. de cette ligne. Cependant, en oct., les troupes du général Leclerc* débarquèrent à Saigon et relevèrent rapidement les Britanniques jusqu'au 16e parallèle. Des négociations s'engagèrent entre le gouvernement français et Hô Chi Minh, après la reconnaissance par la France de la république du Viêt-nam comme État libre faisant partie de la Fédération indochinoise et de l'Union française (mars 1946) et les troupes françaises purent ainsi revenir à Hanoi. Mais la décision du haut-commissaire français Thierry d'Argenlieu* de constituer un « gouvernement provisoire de la Cochinchine » à Saigon (juin 1946) entraîna une protestation du gouvernement vietnamien d'Hanoi, suivie peu après du bombardement d'Haiphong par la flotte française en réponse à des attentats du Viêt-minh (nov. 1946). Après une tentative d'insurrection à Hanoi, Hô Chi Minh décida d'entrer dans la clandestinité et confia à Giap le commandement de l'armée populaire. C'était le début de la guerre d'Indochine (déc. 1946). En 1949, l'indépendance du Viêt-nam fut à nouveau proclamée par la France, avec pour chef d'État Bao Dai, que le Viêt-minh refusait d'admettre. Le nouvel État fut bientôt reconnu par les États-Unis (fév. 1950) qui, après la victoire des communistes en Chine, commencèrent à s'inquiéter de l'appui apporté au Viêt-minh par les Chinois et accrurent leur aide en matériel à la France. Après l'évacuation du haut Tonkin et la retraite de Cao* Bang et de Lang-sön (oct. 1950), les troupes françaises reprirent l'offensive sous le commandement du général de Lattre de Tassigny (1951), puis du général Salan (1952-1953), mais la chute du camp retranché de Diên* Biên Phu, emporté par le général Vô* Nguyên Giap (mai 1954), décida le nouveau gouvernement Mendès France à négocier un cessez-le-feu en Indochine. Les accords de Genève (juil.), non signés par les États-Unis, mettant fin à la guerre, reconnurent l'indépendance du Laos et du Cambodge et le partage du Viêt-nam en deux États, au N. et au S. du 17e parallèle, sous réserve que des élections générales auraient lieu dans les deux ans en vue d'une réunification. Au N. se constitua une république démocratique, étroitement alliée à l'U.R.S.S. et à la Chine, sous la présidence de Hô Chi Minh. Au S., Bao Dai nomma Premier ministre Ngô* Dinh Diem qui, après la déposition de l'empereur (1955), fut élu chef d'État et institua une véritable dictature, tout en se tournant de plus en plus vers les États-Unis. Menacé par les guérillas du Viêt-cong, soutenues par le Viêt-nam du Nord, il obtint à partir de 1961 un renforcement considérable de l'aide américaine : Kennedy acceptait d'accroître le nombre de «conseillers» militaires américains à Saigon. Les bombardements aériens américains sur le N. commencèrent en 1964, et ne cessèrent de s'intensifier tandis que l'effectif des soldats américains passait de 75 000 hommes en 1965 à 530 000 en 1968. En dépit de ce colossal effort et de la constitution d'une forte armée sud-vietnamienne, le Viêt-cong et les Nord-Vietnamiens déclenchaient l'offensive du Têt (janv. 1968) contre les grandes villes du Sud. Le président Johnson se décida (mars) à engager des négociations avec Hanoi. Des pourparlers s'ouvrirent à Paris (mai) qui amenèrent l'arrêt total des bombardements sur le Nord Viêt-nam (oct.). Après son élection, le président Nixon s'engagea dans la voie de la réduction des effectifs américains (1969), mais ordonna la reprise des bombardements aériens et le blocus des ports nord-vietnamiens (1972). La conférence de Paris finit par aboutir à un cessez-le-feu effectif en 1973. En avr. 1975, après la démission de Nguyên* Van Thiêu, les troupes communistes soumettaient le Sud, tandis que les derniers Américains étaient évacués. Le Viêt-nam, officiellement réunifié en juil. 1976, devint une rép. socialiste (cap. : Hanoi ; président : Ton Duc Than ; Premier ministre : Pham* Van Dong), dont les institutions étaient fondées sur la constitution de l'ancien Nord (dictature du prolétariat).

VIÊT-NAM DU NORD. ♦ *République démocratique du Viêt-nam* (janv. 1960 – juil. 1976), divisée en 21 régions administratives (17 provinces, 2 régions autonomes [Viêt Bac et Tay Bac] et 2 villes [Hanoi et Haiphong]). 158 750 km². 23 800 000 hab. *Cap.* Hanoi. *Religions.* Bouddhisme, taoïsme, confucianisme. Env. 800 000 catholiques. – *Écon.* La réforme agraire commencée fin 1953 et le mouvement coopératif ont abouti, après de graves difficultés (1956), à la collectivisation de la quasi-totalité du secteur agricole. Ces réformes et le développement de l'irrigation ont permis l'accroissement de la production de riz : 4 500 000 t en 1975. Les cultures de manioc, de taro, de patate douce, de soja sont secondaires. L'accent est mis sur la production de cultures industrielles (coton, jute, canne à sucre). La part de l'élevage, qui reste insuffisante en raison du manque de pâturages, s'est accrue aux dépens des cultures (porcins, buffles). La pêche est pratiquée dans le golfe du Tonkin (harengs). La forêt est exploitée pour ses bois précieux. Contrairement au Sud Viêt-nam, le pays dispose de riches gisements miniers (Tonkin) : charbon (mines de Hon Gay), phosphates, graphite, zinc, chromite, étain, sel. Toutes les industries sont nationalisées : aciéries (complexe sidérurgique de Thai Nguyên), cimenteries, constructions mécaniques ; indus. chimique (superphosphates, plastiques) ; papeteries ; textiles (coton). La plupart des usines se trouvent à Hanoi et à Haiphong. – *Communications.* Le réseau ferré (env. 1 000 km) a été remis en état après les bombardements de 1965-1968. *Lignes princ.* Hanoi-Haiphong et Hanoi-Lao Kay. 15 000 km de routes. Aéroport international à Hanoi. – Les *échanges commerciaux* (exportation de charbon, importation de biens d'équipement) se font pour 85 % avec les pays socialistes (U.R.S.S., Chine). **V. Viêt-nam** *(ci-dessus).*

Ph. Keystone

Viêt-nam :
Hô Chi Minh en compagnie d'enfants vietnamiens.

VIÊT-NAM DU SUD. ♦ *République du Viêt-nam* (1955 – juil. 1976, divisée en 44 provinces. 173 809 km². 19 367 000 hab. *Cap.* **V. Saigon.** *Religions.* Taoïsme, bouddhisme, catholicisme (2 000 000), caodaïsme, secte Hoa Hao. – *Écon.* Comme dans le Viêt-nam du Nord, l'agriculture est concentrée dans les plaines deltaïques (Cochinchine). Une réforme agraire fut commencée en 1953 en vue de redistribuer les terres. Le riz, cultivé de façon moins intensive qu'au Viêt-nam du Nord, est la culture principale (7 400 000 t en 1975), devant le manioc et la patate douce. Les plantations de théiers, de caféiers, d'hévéas sont destinées à l'exportation. L'exploitation de la forêt (qui couvre le tiers de la surface du pays) pour le bambou et les bois précieux, et la pêche complètent ces ressources. L'élevage (buffles, porcins) est insuffisant. L'industrie, défavorisée par le manque de ressources naturelles, dépend essentiellement de l'agriculture : rizeries, distilleries, sucreries, tissages de coton et de soie, préparation du thé ; importante indus. du *nuoc mam.* – *Communications.* Le réseau routier est dense (21 000 km dont 6 000 sont asphaltés), mais il n'existe que 1 500 km de voies ferrées. Les ports de Saigon (le 1er du pays), de Da Nang, de Nha Trang ont été développés afin de permettre la réception du matériel de guerre américain. De même, les aéroports de Saigon (Than Son Nut), Da Nang, Huê... – La balance commerciale fut profondément déséquilibrée en raison de l'état de guerre : les exportations de caoutchouc, café, thé (vers la France, le Japon, Hong-kong et les États-Unis) représentent moins du trentième des importations de biens d'équipement et de consommation, venues des États-Unis et du Japon. **V. Viêt-nam** *(ci-dessus).*

VIEUSSENS (Raymond). ♦ Médecin et anatomiste français (Le Vigan, Quercy, 1641 – Montpellier, 1715). Médecin de la duchesse de Montpensier, il fit de nombreuses découvertes anatomiques. – *Centre ovale de Vieussens,* substance blanche des hémisphères cérébraux ; *valvule de Vieussens,* lame de substance nerveuse entre le cervelet et les pédoncules cérébelleux supérieurs.

VIEUX-BRISACH. ♦ **V.** BREISACH.

VIEUX-CONDÉ. ♦ Comm. du Nord*. arr. de Valenciennes*, sur l'Escaut. 11 970 hab. *(Vieux-Condéens).* – Houille ; métallurgie ; chaussures ; constructions mécaniques.

Vieux de la montagne. ♦ Nom donné par les croisés au chef de l'ordre des Assassins*, Rashîd ed-Dîn el Sinan (XIIe s.).

VIEUXTEMPS (Henri). ♦ Violoniste et compositeur belge (Verviers, 1820 – Alger, 1881). Élève de C. de Bériot, puis premier prix du conservatoire de Paris, il fit de nombreuses tournées de concerts en Europe et en Amérique, au cours desquelles il rencontra Wagner, Schumann et Paganini. Professeur au conservatoire de Bruxelles, il eut pour élève E. Ysaïe. Il est l'auteur de concertos et d'habiles transcriptions pour violon.

VIF. ♦ Ch.-l. de cant. de l'Isère*, arr. de Grenoble*, sur la Gresse. 3 301 hab. *(Vifois).* – Église en partie romane, restaurée. – Cimenterie ; chaussures.

VIGAN (Le). ♦ Sous-préf. du Gard (10 cant., 75 comm. 30 053 hab.). 4 333 hab. *(Viganais).* L'agglomération compte 5 657 habitants avec Avèze, Molières-Cavaillac, située au milieu d'un bassin, centre d'excursions. Musée cévenol. Pont gothique sur l'Arre. – Production bonnetière. – Patrie du chevalier d'Assas*.

VIGANO (Salvatore). ♦ Chorégraphe et danseur italien (Naples, 1769 – Milan, 1821). Issu d'une famille de danseurs, neveu de Boccherini, il fit à Madrid la rencontre de Dauberval, disciple de Noverre, dont l'influence fut sensible sur ses conceptions de chorégraphe. Au cours d'une tournée à Vienne, il connut Beethoven

Ph. Giraudon

Élisabeth Vigée-Lebrun :
Marie-Christine de Bourbon-Naples.
(Musée de Capodimonte, Naples.)

qui composa pour lui le ballet *Les Créatures de Prométhée* (1801). Devenu maître de ballet à la Scala de Milan (1812), il composa de nombreuses chorégraphies dans un style apparenté au mimodrame et riche d'une expression souvent proche du réalisme *(Les Strelitzes, Otello, Dédale, La Vestale, Les Titans).* Stendhal a exprimé pour son art une admiration sans réserve.

VIGÉE-LEBRUN (Élisabeth). ♦ Peintre français (Paris, 1755 — *id.,* 1842). Elle étudia auprès de son père *Louis Vigée* (1727 — 1767), puis fut encouragée par Doyen, J. Vernet* et Greuze*. Elle obtint rapidement le succès et devint la portraitiste attitrée de Marie-Antoinette (*La Reine et ses enfants,* 1787). Elle évita les effets déclamatoires dans ses mises en pages, mais, sous l'influence du rousseauisme, des théories artistiques de Diderot et à l'exemple de Greuze, elle donna souvent des expressions attendrissantes et théâtrales à ses modèles et souligna leur grâce non sans afféterie. Vers 1785, inspirée par David*, elle épura son style : insistant sur le dessin, elle donna un aspect plus sec à son modelé et vêtit ses modèles à l'antique (*Mme Vigée-Lebrun et sa fille,* 1789). Elle émigra en 1789, voyagea en Europe puis rentra en France en 1802 et se fixa à Louveciennes en 1810. En 1835-1837, elle publia ses mémoires *(Souvenirs).*

VIGEOIS [viʒwa]. ♦ Ch.-l. de cant. de la Corrèze*, arr. de Brive*-la-Gaillarde. 1 497 hab. (768 aggl.). — Église romane ornée d'intéressants chapiteaux. Pont médiéval sur la Vézère.

VIGEVANO. ♦ V. d'Italie du Nord en Lombardie (prov. de Pavie), dans la vallée du Tessin. 63 000 hab. — Évêché. — Centre agricole et industriel : caoutchouc, textiles, chaussures.

VIGILE. ♦ (Rome — Syracuse, 555.) 59ᵉ pape (537-555). Il prit la place du pape Silvère* à l'exil duquel il avait contribué. Mis en résidence forcée à Constantinople (547), il finit par ratifier, sous la pression, la condamnation des « Trois Chapitres » que Justinien avait fait prononcer par le concile de Constantinople* (553). Il mourut en rentrant à Rome.

VIGNEAUD. ♦ V. Du VIGNEAUD.

Vigne et la Maison (La). ♦ Poème de Lamartine* (1857) qui parut dans son *Cours familier de littérature.* « Ce chant (lui) monta aux lèvres » lors d'un séjour à Milly*, et prit la forme dramatique d'un dialogue entre le poète et son âme : le poète est encore sensible à « l'impression funèbre et douce » de l'automne, tandis que l'âme souffre de ses deuils successifs et, regrettant le temps où « la maison vibrait comme un grand cœur de pierre », aspire à retrouver dans la mort les êtres chers.

VIGNEMALE. *n. m.* ♦ Sommet des Hautes-Pyrénées* (3 298 m) dominant le lac de Gaube*. C'est le point culminant des Pyrénées françaises.

VIGNEUX-SUR-SEINE. ♦ Ch.-l. de cant. de l'Essonne, arr. d'Évry. 22 577 hab. *(Vigneusiens).* — Indus. du meuble.

VIGNOLE (Giacomo BAROZZI da VIGNOLA, dit en fr.). ♦ Architecte italien (Vignola, 1507 — Rome, 1573). Il fut avec Andrea Palladio* le plus important architecte italien de la seconde moitié du XVIᵉ siècle. Après des études à Bologne, il s'installa à Rome en 1530 et dessina des monuments antiques en vue d'une édition du traité de Vitruve*. Il passa ensuite près de deux ans (1541-1543) à Fontainebleau et à Paris, où il rencontra probablement le Bolonais Sebastiano Serlio*. A son retour en Italie, il construisit le *palais Bocchi* à Bologne et fut appelé à Rome (1550) par le pape Jules III, pour qui il édifia la *villa Giulia* en collaboration avec Vasari* et Bartolomeo Ammanati (1551-1555). Cette villa était une résidence d'été conçue selon le type des anciennes villas décrites par Pline le Jeune; elle comportait une petite maison intégrée dans un spacieux jardin. Vignole travailla aussi, après la mort de Jules III, pour les Farnèse; il acheva pour eux à Caprarola (près de Viterbe) une villa dont les plans avaient été dessinés par Antonio da Sangallo* et Baldassare Peruzzi*. Mais la grande découverte de Vignole fut l'utilisation de l'ovale dans les édifices religieux, formule qui devait connaître un grand essor en milieu romain baroque (XVIIᵉ s.) : à *Saint-André,* sur la voie Flaminienne (1554), il commença par incorporer au plan rectangulaire une coupole ovale tandis qu'à *Sainte-Anne-des-Palefreniers* (début des travaux v. 1572), il étendit cette idée à l'ensemble de l'édifice (plan et coupole ovales). L'œuvre la plus importante de Vignole reste le *Gesù* (1568), église mère de la Compagnie de Jésus; par l'importance accordée au prêche, il conçut un plan basilical avec une unique nef large et des chapelles latérales : ce plan fut propagé un peu partout dans le monde par les jésuites. Vignole écrivit aussi un traité d'architecture (*Regola degli cinque ordini d'architettura,* 1562) où il reprit en un exposé plus didactique les principes élaborés par Serlio. Ce livre, de tendance académique, deviendra le principal manuel des élèves architectes en Europe et particulièrement en France pendant près de trois siècles. Il connut près de deux cents éditions.

VIGNON (Claude). ♦ Peintre, dessinateur et graveur français (Tours, 1593 — Paris, 1670). Formé probablement auprès du peintre maniériste G. Lallemant, il se rendit en Italie en 1616 où il adopta le clair-obscur du Caravage* et subit aussi l'influence de D. Feti. Il séjourna en Espagne, puis en France, exécuta des travaux de décoration pour la cour, réalisa des cartons de tapisserie, des illustrations de livres et peignit de nombreux tableaux religieux. On décèle dans sa production abondante et inégale une prédilection pour les effets théâtraux, les expressions brutales, les attitudes maniérées et une touche heurtée *(Esther devant Assuérus).* La facture large et nerveuse de ses gravures s'apparente parfois à Rembrandt* dont il semble avoir connu les œuvres assez tardivement.

VIGNORY. ♦ Ch.-l. de cant. de la Haute-Marne, arr. de Chaumont. 445 hab. — Ruines d'un château des XIᵉ et XVᵉ siècles. Église Saint-Étienne (Xᵉ-XIIᵉ s., restaurée au XIXᵉ s.).

VIGNY (Alfred, *comte de***).** ♦ Écrivain français (Loches, 1797 — Paris, 1863). Issu d'une vieille famille noble et élevé dans le culte des armes et de l'honneur, il rêva de gloire militaire (1814); mais, déçu par la vie de garnison, il composa dès 1822 son poème *Moïse*,* puis *Éloa ou la Sœur des anges,* épopée en trois chants qui connut un grand succès. Fréquentant désormais les milieux littéraires, dont le *Cénacle** (il se lia avec Victor Hugo*), Vigny groupa les œuvres écrites de 1822 à 1826 dans *Les Poèmes* antiques et modernes* (complétés en 1837) tandis qu'avec *Cinq*-Mars* (1826), roman historique qui évoque la noblesse humiliée par la monarchie absolue, il entamait son « épopée de la désillusion ». Il illustra ensuite la solitude morale du génie dans *Stello** (1832), roman qui trouvera une forme dramatique avec *Chatterton*,* et dit la détresse du soldat, troisième paria de la société moderne, dans *Servitude* et grandeur militaires* (1835). Le pessimisme religieux de Vigny, déjà sensible dans *Daphné* (1837), s'accentua quand il perdit sa mère et rompit douloureusement avec l'actrice Marie Dorval*. Déçu également par les hommes (accueil mitigé à l'Acad. fr., en 1845, et échec politique en 1848), il proclama cependant son optimisme humaniste dans les poèmes des *Destinées**; Louis Ratisbonne, qui réunit le recueil, publia également les notes intimes de Vigny *(Journal d'un poète).* Il y apparaît comme un penseur hanté par l'idée de la destinée : au silence de Dieu et à l'indifférence de la Nature « impassible théâtre (de) la comédie humaine », doit répondre le mépris de l'homme « passagère et sublime marionnette », qui peut mettre toute sa confiance, par contre, dans la puissance et la bienfaisance de l'Idée, et construire, par la pitié et par l'amour, sa cité sur terre. Mettant lui-même son œuvre au service de la postérité, Vigny se refusa à toute effusion lyrique : son expérience personnelle et sentimentale, volontairement intellectualisée, devient une « pensée philosophique... mise en scène sous une forme épique et dramatique ». Lecteur passionné de la Bible, Vigny recourt dans son œuvre poétique à des images et à des symboles simples et puissants, et bâtit une « épopée discontinue » où des figures mythiques, Moïse, Samson ou Jésus, dialoguent avec de grandes entités (Dieu, la Nature, l'Esprit) suivant un schéma dramatique.

VIGNY. ♦ Ch.-l. de cant. du Val-d'Oise, arr. de Pontoise. 711 hab. Château d'époque Louis XII (restauré).

VIGO (Jean). ♦ Réalisateur français de cinéma (Paris, 1905 — *id.,* 1934). Fils de l'anarchiste Almereyda qui mourut en prison (1917), il garda l'empreinte d'une enfance malheureuse et affirma l'esprit de révolte qui inspire une œuvre trop brève, interrompue par une mort prématurée. Impitoyable et sarcastique, elle dénonce la comédie sociale sous deux de ses aspects ; l'égoïsme et la vanité des heureux du monde (*À propos de Nice*, 1929, application de la théorie du ciné-œil, de Vertov), le désarroi de l'enfance livrée aux adultes (*Zéro de conduite*, 1933). Enfin, avec une grâce poétique dont témoignent aussi ses deux premières œuvres, *L'Atalante* (1934) est un documentaire lyrique sur la vie des mariniers, où se conjuguent les vertus contrastées du réalisme et du surréalisme.

VIGO. ♦ Ville d'Espagne sur l'Atlantique, en Galice* (prov. de Pontevedra). 197 144 hab. – Actif port de commerce transatlantique. Pêche (sardines). Conserveries. Automobiles. ♦ *Hist.* Lors de la guerre de la Succession d'Espagne, des galions espagnols venant du Mexique, sous la protection d'une escadre française commandée par Château-Renault, y furent coulés par la flotte anglo-hollandaise (1702).

VIIPURI. ♦ V. VYBORG.

VIITA (Lauri Arvi). ♦ Poète et romancier finnois (Pirkkala, 1916 – Helsinki, 1965). Fils d'un ouvrier du bâtiment, il travailla d'abord comme charpentier Il connut le succès avec son premier recueil, *Le Meunier de béton* (1947) et se consacra à la littérature. Il adopta au début une attitude virile et agressive, critiquant toute fausseté et hypocrisie. *Kukunor* (1949), long conte de fées en vers, mi-sérieux mi-fantaisiste, et *Tordu* (1954) poursuivent ses méditations morales sur un ton à la fois satirique et angoissé. Son roman *La Moraine* (1950) décrit la vie de la classe ouvrière sans parti pris politique. Sa mort accidentelle l'empêcha d'achever une trilogie.

VIJAYANAGAR. *n. m.* ♦ Royaume indien hindou fondé en 1336 dans le centre du Dekkan afin de lutter contre l'emprise musulmane. Après deux siècles de luttes, sa capitale Vijayanagar (actuellement Hampi, sur la r. sud de la Tungabhadra) fut prise et entièrement pillée en 1565 par les troupes alliées des sultans musulmans du Dekkan. Son site, très étendu, conserve encore de très beaux monuments de son époque.

VIJAYAVADA ou **BEZWADA.** ♦ V. de l'Inde (Andhra Pradesh) sur la Kistnâ. 350 000 hab. Centre régional administratif et commercial.

VIKINGS. *n. m. pl.* (« rois » ou « guerriers de la mer »). ♦ Chefs militaires scandinaves. **V. Normands.**

VILA ou **PORT-VILA.** ♦ Centre administratif et port des Nouvelles*-Hébrides, sur la côte S.-O. de l'île Vaté*. 3 000 hab. env. (forte proportion d'Européens).

VILA FRANCA DE XIRA. ♦ V. du Portugal, dans le Ribatejo (district de Lisbonne). 13 500 hab. – Centre commercial. Élevage de taureaux de combat. Pont sur le Tage.

VILAINE. *n. f.* ♦ Fl. de Bretagne (225 km). Elle prend sa source dans la Mayenne, passe à Vitré*, Rennes* où elle reçoit l'Ille*, Redon*, traverse le canal de Nantes à Brest, coule à La Roche*-Bernard, où commence son estuaire. Elle a été aménagée **(V. Arzal).**

VILA NOVA DE GAIA. ♦ V. du Portugal (Douro Litoral) sur la r. g. du Douro. 45 000 hab. – Centre industriel (céramique, savonneries). Principal entrepôt des vins du haut Douro.

Ph. PSZ/Ricciarini

Alfred de Vigny, Gravure d'E. Lasalle. (Collection Bertarelli, Milan.)

VILAR (Jean). ♦ Acteur, metteur en scène et animateur de théâtre français (Sète, 1912 – *id.*, 1971). La rencontre de Charles Dullin* (1933) le détermina à s'orienter vers le théâtre ; ses premières mises en scène (Synge, Strindberg, Molière) demeurèrent ignorées du grand public. Après *Meurtre dans la cathédrale* de T.S. Eliot, il créa sous le nom de « Festival d'art dramatique » le premier festival d'Avignon. Nommé directeur du Théâtre du palais de Chaillot (1951), il voulut en faire un véritable théâtre populaire. Dépouillant les conventions et les artifices, tentant d'exprimer le chant profond du poète, Vilar, à partir de la reprise du *Cid* avec Gérard Philipe* (1951), suscitait la ferveur des comédiens autant que celle du public et créait les conditions d'une réflexion féconde sur le sens des œuvres. Le *Théâtre national populaire* (T.N.P.) effectua la reprise ou la création de quelques-uns des chefs-d'œuvre de l'art dramatique universel (Brecht, Kleist, Molière, Musset, Büchner, Hugo, Corneille, Shakespeare, Marivaux, Pirandello, Sophocle, Calderón, Goldoni, Aristophane, Giraudoux). Démissionnaire en 1963, Jean Vilar devait assumer jusqu'à sa mort la direction du festival d'Avignon.

VILA REAL. ♦ V. du Portugal septentrional (Trás-Os-Montes). 10 500 hab. Ch.-l. de district. – Évêché. Belles maisons du XVIe siècle.

VILA REAL DE SANTO ANTÓNIO. ♦ V. et port du Portugal méridional (Algarve) sur l'estuaire du Guadiana. 11 000 hab. – Important centre de pêche au thon. Conserves de poisson.

VILDE (Edvard). ♦ Romancier et auteur dramatique estonien (1865 – 1933). Dans ses œuvres, à base de thèmes sociaux, Vilde décrivit d'une façon dramatique la misère et la révolte de son peuple.

VILDRAC (Charles Messager, dit Charles). ♦ Écrivain français (Paris, 1882 – Saint-Tropez, 1971). Fondateur, avec son beau-frère, Georges Duhamel*, et quelques amis (Albert Gleizes, René Arcos, Albert Doyen) du groupe de l'Abbaye* (1907-1908) il a été le poète de la pudeur et de la tendresse (*Poèmes*, 1905 ; *Livre d'amour*, 1910) avant de devenir, au lendemain de la Grande Guerre, celui de la douleur et de la révolte (*Chants du désespéré*, 1914-1920). Il se consacra aussi au théâtre par des œuvres d'une rare sobriété de moyens et riches cependant d'un grand pouvoir de suggestion. La création, par Jacques Copeau, du *Paquebot Tenacity* (1920), chef-d'œuvre du drame intimiste, devait être suivie, sur d'autres scènes, de celles du *Pèlerin* (1922), de *Madame Béliard* (1925) et de *La Brouille* (1930). Vildrac est aussi l'auteur de charmants ouvrages pour la jeunesse.

VILLA (Pancho). ♦ Général et révolutionnaire mexicain (dans le Durango, 1878 – Chihuaha, 1923). Bandit et révolutionnaire au grand cœur, il servit Madero* contre P. Díaz*. Perpétuel révolté, passant d'un parti à l'autre, il finit par faire sa soumission au gouvernement légal en 1920 et mourut assassiné trois ans plus tard.

VILLA BENS. ♦ **V.** TARFAYA.

VILLACH. ♦ V. autrichienne, située en Carinthie, sur la r. d. de la Drave. 34 000 hab. *Hauptplatz* entourée de maisons du XVIe s. ; église paroissiale Saint-Jacob, XIVe-XVe s. (remaniée au XIXe s.). Indus. du bois. La ville est un nœud ferroviaire (Vienne, Venise, Salzbourg, Belgrade).

VILLA CISNEROS. ♦ Localité de la prov. du Sahara* espagnol, située sur un promontoire de la côte Atlantique. 2 600 hab. Anc. ch.-l. du Río* de Oro.

VILLACOUBLAY. ♦ **V.** VÉLIZY-VILLACOUBLAY.

VILLAFRANCA DI VERONA. ♦ Localité d'Italie du Nord-Est, en Vénétie* (prov. de Vérone), sur le Tione. 20 000 hab. – Indus. de la soie, pâtes alimentaires. ♦ Hist. *Préliminaires de Villafranca.* Après les victoires franco-sardes de Magenta et Solferino sur les forces autrichiennes (campagne d'Italie*, juin 1859), un armistice fut signé le 8 juillet 1859 à Villafranca où Napoléon* III proposa à l'empereur d'Autriche François*-Joseph une entrevue (12 juil.). Les préliminaires du traité de paix de Zurich* y furent signés ; ils stipulaient la formation d'une confédération italienne sous la présidence honoraire du pape (la Vénétie y étant rattachée tout en demeurant possession de la couronne autrichienne) ; la cession par l'Autriche de ses droits sur la Lombardie à la France qui les rétrocéderait au Piémont ; le rétablissement des ducs de Toscane et de Modène. Ces accords provoquèrent la démission de Cavour.

VILLAHERMOSA. ♦ V. du S. du Mexique, cap. de l'État de Tabasco*. Env. 85 000 hab. – Musées archéologiques (de Tabasco ; parc de la Venta).

VILLA LOBOS (Heitor). ♦ Compositeur brésilien (Rio de Janeiro, 1887 – *id.*, 1959). Sa formation fut en grande partie celle d'un autodidacte. Musicien ambulant, aussi habile à la guitare qu'au violoncelle, il parcourut dans ses jeunes années la presque totalité du territoire de son pays et découvrit, chemin faisant, les richesses du folklore brésilien dont toute son œuvre allait être imprégnée. Il fit ensuite de longs séjours à Paris, entre 1923 et 1930, où ses *Chôros*, pages fougueuses et hautes en couleur, et ses *Miniatures*, empruntées aux danses et aux chants populaires indiens et brésiliens, firent sensation. Influencées par son admiration pour Bach, ses *Bachianas Brasileiras* marquèrent un peu plus tard son souci d'une synthèse de l'écriture contrapunctique et des modalités propres à la musique brésilienne. Nommé surintendant de l'Éducation musicale dans l'État de Rio (1932), il exerça une intense activité d'animateur dans les écoles et les milieux populaires, multipliant les concerts et les créations de chorales. Le Brésil lui doit la fondation d'un Conservatoire national pour le chant choral (1943) et d'une Académie de musique (1945). Son œuvre, extrêmement abondante, comprend des *opéras*, des *ballets*, des *compositions religieuses*, les neuf *Bachianas Brasileiras* et seize *chôros*, des *symphonies, concertos, quatuors à cordes, pièces pour guitare, pour piano* et de nombreuses *mélodies*. À l'image d'une personnalité généreuse, elle recèle des pages de grande qualité.

VILLANDRAUT [vilɑ̃dʀo]. ♦ Ch.-l. de cant. de la Gironde*, arr. de Langon*. 940 hab. *(Villandrautais)*. – Ruines du château (XIVe s.) de Bernard de Goth, archevêque de Bordeaux et premier pape d'Avignon sous le nom de Clément* V.

VILLANDRY [vilɑ̃dʀi]. ♦ Comm. d'Indre-et-Loire, arr. de Tours, sur le Cher. 610 hab. Château construit au début du XVIe s. par Jean Le Breton, secrétaire d'État de François Ier. Donjon du XIVe s.; jardins à la française reconstitués de nos jours en leur état du XVIe s. d'après d'anciens documents. Galerie de peinture.

VILLANI (Giovanni). ♦ Chroniqueur italien (Florence, v. 1275 – 1348). Après avoir voyagé en Italie, en France et en Flandre, il se fixa définitivement (1312) à Florence où il tint d'importantes charges municipales. Il laissa un document précieux sur la vie économique, civique et sociale de Florence avec sa *Nouvelle Chronique (Nuova Cronica)* qui va des origines à 1348. (Ces douze volumes furent continués jusqu'à 1364.

VILLANOVA. ♦ Village près de Bologne* où fut découverte en 1853 une riche nécropole protohistorique qui a donné son nom à la civilisation *villanovienne*. Cette civilisation, qui apparut v. ~ 1000 dans le N. du Latium, en Toscane, marque le début de la métallurgie du fer en Italie. Elle se caractérisait par ses rites funéraires : comme leurs prédécesseurs de la civilisation des Terramares*, les *Villanoviens* incinéraient leurs morts mais plaçaient les cendres dans des urnes biconiques qu'ils enterraient. Au ~ VIIIe s., les Étrusques* leur succédèrent.

VILLANUEVA (Juan *de*). ♦ Architecte espagnol (Madrid, 1739 – *id.*, 1811). Fils du sculpteur Juan de Villanueva (Polo de Siero, 1681 – Madrid, 1765), il se forma surtout à Rome et fut l'un des représentants de la réaction néo-classique en architecture, favorisée par le roi Charles III. Villanueva reçut la charge d'architecte principal des palais royaux en 1789 et de directeur de l'Académie royale en 1792. Il subit surtout l'influence de l'architecture française et édifia notamment, à l'Escurial, la *Casa de Infantes*, 1771, la *Casita del Príncipe*, 1771, celle d'*Aniba*, 1773, et, à Madrid, la *Casita del Príncipe du Pardo*. Il est aussi l'auteur du monumental *musée du Prado* (1784-1791) et de l'*observatoire* (1790).

VILLARD (Paul Ulrich). ♦ Physicien français (Lyon, 1860 – Bayonne, 1934). Il découvrit (1900) les rayons γ des corps radioactifs et donna la première définition physique de l'unité d'ionisation. (Acad. sc., 1908.)

VILLARD DE HONNECOURT. ♦ Architecte et dessinateur français (première moitié du XIIIe s.). Son nom reste attaché à un manuscrit de trente-trois pages (probablement à l'origine de cinquante-neuf ou soixante-trois pages) comprenant une série de trois cent vingt-cinq dessins. Ce manuscrit contient divers plans de machines de guerre, des relevés d'édifices (plans, élévations, détails d'éléments architectoniques ou décoratifs des cathédrales de Laon, Reims, Cambrai, Meaux, Chartres, Lausanne), des dessins d'ornements, de mobilier d'église, de motifs d'iconographie religieuse, d'animaux et de figures humaines, établis à partir de schémas géométriques. Cet album constitue un document précieux sur le métier et les curiosités d'un architecte et sur la technique graphique des artistes au Moyen Âge. Villard de Honnecourt voyagea jusqu'en Hongrie, et l'on suppose qu'il collabora à l'édification de la cathédrale de Cambrai.

VILLARD-DE-LANS [-lɑ̃s]. ♦ Ch.-l. de cant. de l'Isère*, arr. de Grenoble*, dans le Vercors*. 4 299 hab. [2 480 aggl.] *(Villardiens)*. – Importante station climatique et de sports d'hiver à 1 030 m.

VILLARET (Foulques *de*). ♦ Grand maître de l'ordre des Hospitaliers de Jérusalem [1308] (mort en Provence, v. 1327). Il conquit Rhodes pour le compte de son ordre (1310).

VILLARET DE JOYEUSE (Louis Thomas, *comte de*). ♦ Amiral français (Auch, 1750 – Venise, 1812). Il servit aux Indes sous les ordres du bailli de Suffren (1781). Contre-amiral en 1793, il livra la bataille navale de Ouessant à l'Anglais Howe (1794), donna sa démission peu avant l'expédition d'Irlande qu'il désapprouvait et dont il prévoyait l'échec. Membre du Conseil des Cinq-Cents (1797), il fut proscrit comme royaliste après le 18 Fructidor (1797) et se réfugia à l'île d'Oléron. Après avoir pris part à l'expédition de Saint-Domingue (1801-1802), il fut nommé gouverneur général de Sainte-Lucie et de la Martinique, mais dut rendre cette dernière aux Anglais en 1809. Malgré cet échec, il devint gouverneur général de Venise (1811-1812).

VILLARI (Pasquale). ♦ Homme politique et historien italien (Naples, 1827 – Florence, 1917). Obligé de quitter son pays pour avoir pris part au soulèvement contre les Bourbons (Naples, 1848), il revint quelques années plus tard en Italie, où il enseigna l'histoire à Pise (1859) et à Florence (1865). Député, puis sénateur, il fut nommé ministre de l'Instruction publique (premier cabinet Rudini, 1891-1892) et élu président de l'Academia dei Lincei (1901). Il a publié des études sur *Savonarole et son temps* (1859-1861), sur *N. Machiavel et son temps* (1877-1882), sur *Les Deux Premiers Siècles de l'histoire de Florence* (1893-1894).

VILLARICA. ♦ V. du Paraguay, située au S.-E. d'Asunción, dans une région de vignobles. 30 000 hab. – Indus. textiles, sucreries.

VILLARS (Claude, Louis, Hector, *duc de*). ♦ Maréchal de France (Moulins, 1653 – Turin, 1734). Sa première grande victoire fut celle de Friedlingen, en 1702. Envoyé dans les Cévennes contre les camisards*, il usa avec succès de la douceur. Battu par le prince Eugène et par Marlborough à Malplaquet*, il leur infligea des pertes qui arrêtèrent l'invasion. Sa victoire *in extremis* à Denain* avec la seule armée qui restât à la France sauva le royaume et permit à Louis XIV d'obtenir de meilleures conditions de paix en 1713. Il se fit de nombreux ennemis par sa cupidité, d'innombrables admirateurs par son audace. (Acad. fr., 1714.)

VILLARS-SUR-OLLON. ♦ Localité de Suisse (cant. de Vaud) dominant la vallée du Rhône, au pied O. des Diablerets*, à 13 km au S.-E. d'Aigle. Alt. 1 300-1 800 mètres. Elle forme avec Chésières et Arveyes une importante station d'été et de sports d'hiver.

VILLAT (Henri). ♦ Mathématicien français (Paris, 1879). Ses travaux de mécanique des fluides, qui contribuèrent largement à l'établissement des bases de l'aérodynamique moderne, le conduisirent à résoudre des problèmes généraux d'analyse (équations différentielles, théorie des tourbillons). [Acad. sc., 1932.]

VILLAVICENCIO. ♦ V. de Colombie, ch.-l. du dép. du Río Meta*. 48 400 hab. – Évêché.

VILLAVICIOSA. ♦ Bourgade d'Espagne (Nouvelle-Castille) au N.-E. de Guadalajara. Vendôme y vainquit en 1710 les alliés commandés par Starhemberg*, assurant le trône à Philippe* V.

VILLECRESNES [vil(ə)kʀɛn]. ♦ Ch.-l. de cant. du Val-de-Marne, arr. de Créteil. 4 992 hab. Église en partie du XIIe siècle. – Roses.

VILLE-D'AVRAY. ♦ Comm. des Hauts-de-Seine, arr. de Nanterre, au S.-O. de Paris, en bordure du bois de Fausses-Reposes. 10 489 hab. – Cité résidentielle. Église Saint-Nicolas (XVIIe s.) où Corot a peint des fresques. Villa des Jardies où mourut Gambetta. Balzac y séjourna. Étangs rendus célèbres par Corot et auprès desquels il habita. – Patrie de J.A. de Gobineau*.

VILLEDIEU-LES-POÊLES. ♦ Ch.-l. de cant. de la Manche*, arr. de Saint-Lô*, sur la Sienne. 445 hab. *(Sourdins)*. – Eglise du XVIe s.; maisons anciennes. Fonderie de cloches, chaudronnerie.

VILLEFORT. ♦ Ch.-l. de cant. de la Lozère, arr. de Mende, au pied du mont Lozère. 946 hab. *(Villefortais)*. Centre d'excursions. – Patrie d'Odilon Barrot*.

VILLEFRANCHE. ♦ Ch.-l. de cant. des Alpes*-Maritimes, arr. de Nice*, au fond d'une très belle rade. 6 863 hab. – Église du XVIIe s., citadelle fin XVIe siècle. Chapelle Saint-Pierre, du XVIIe s., décorée par J. Cocteau* en 1957. Station touristique très fréquentée. Cultures florales. Port de pêche.

VILLEFRANCHE-DE-CONFLENT. ♦ Comm. des Pyrénées-Orientales, arr. de Prades, sur la r. d. de la Têt. 507 hab. Enceinte fortifiée (XIIIe-XVe s.), remaniée en 1665 par Vauban qui construisit en outre le fort, dit le *château*, comprenant trois groupes de fortifications séparés par d'énormes remparts, relié à l'enceinte de la ville par le *pont Saint-Pierre* (XIIIe s.) sur la Têt. Vieilles maisons catalanes (XIIe au XIVe s.). Anc. hôpital, avec deux tours carrées dont l'une du XIIIe s. Beffroi (XIIe s.). Églises (XIe-XIIe s.). Grottes aux environs. – Anc. cap. du Conflent*, fondée en 1095.

VILLEFRANCHE-DE-LAURAGAIS. ♦ Ch.-l. de cant. de la Haute-Garonne*, arr. de Toulouse*, sur l'Hers*. 2 771 hab. *(Villefranchois)*. – Église du XIVe siècle. Marché agricole.

VILLEFRANCHE-DE-ROUERGUE. ♦ Sous-préf. de l'Aveyron*, ch.-l. d'arr. (8 cant., 65 comm., 77 523 hab.), sur l'Aveyron*. 11 809 hab. [9 382 aggl.] *(Villefranchois)*. – Chartreuse du XVe siècle. Église XIIIe-XVIe siècle. Place Notre-Dame, avec maisons à arcades. – Indus. textiles, alimentaires. Boulonnerie. – Patrie de C. de Belle*-Isle. ♦ *Hist.* Bastide du XIe s. qui fut fortement éprouvée par la Réforme*. Anc. cap. de la Haute-Guyenne*.

VILLEFRANCHE-SUR-SAÔNE. ♦ Sous-préf. du Rhône*, ch.-l. d'arr. (10 cant., 134 comm., 144 020 hab.), dans le Beaujolais*, près de la Saône*. 26 846 hab. *(Caladois)*. – Église (XIIe, XIIIe, XIVe, XVe, XVIe s.); hôtel de ville (XVIIe s.), maisons anciennes. – Indus. métallurgiques, instruments agricoles et viticoles; indus. textiles; constructions mécaniques, électriques; produits

Ph. Nimatallah/Ricciarini

Juan de Villanueva : extérieur du musée du Prado.

pharmaceutiques ; céramique d'art. Centre agricole, commerce des vins.

VILLEGAGNON ou **VILLEGAIGNON (Nicolas DURAND** *de***)**. ♦ Navigateur français (Provins, v. 1510 – Beauvais, près de Nemours, 1571). Membre de l'ordre de Malte (1531), il participa au siège d'Alger par Charles Quint (1541), puis fut nommé vice-amiral de Bretagne. Avec l'appui de l'amiral de Coligny, il entreprit une expédition vers la côte orientale de l'Amérique du Sud, atteignit probablement la baie de Guanabara (1555) et fonda Fort-Coligny et Henryville. Cette région du Brésil, qu'il nomma la France antarctique et où vinrent des colons réformés, passa sous le contrôle des Portugais dès 1559.

VILLEHARDOUIN (Geoffroi *de***)**. ♦ Chroniqueur français (près de Troyes, v. 1150 – Orient, v. 1213). Maréchal de Champagne et un des chefs de la quatrième croisade, il reçut le titre de maréchal de Romanie et resta en Orient où il rédigea *La Conquête de Constantinople* (v. 1207), chronique en prose d'une grande clarté, où il s'efforce de justifier l'expédition qui avait été détournée de son but sur Constantinople.

VILLEHARDOUIN (Geoffroi Ier et **Geoffroi II** *de***)**. ♦ **V.** GEOFFROI Ier DE VILLEHARDOUIN et ACHAÏE.

VILLE-HÔ CHI MINH ou **HÔ CHI MINH-VILLE**. ♦ Nom pris par Saigon en mai 1975. **V. Saigon.**

VILLEJUIF. ♦ Ch.-l. de cant. du Val-de-Marne, arr. de Créteil. 51 179 hab. *(Villejuifois)*. Église Saint-Cyr-et-Sainte-Julitte (XIIe-XVIe-XVIIIe s.). Théâtre Romain-Rolland. Hôpital psychiatrique ; hospice de vieillards ; institut Gustave-Roussy (le plus important centre anticancéreux d'Europe). – Indus. électrique et électronique. Constructions aéronautiques.

VILLÈLE (Jean-Baptiste Guillaume Joseph, *comte de***)**. ♦ Homme politique français (Toulouse, 1773 – *id.*, 1854). Officier de marine, il passa la plus grande partie de la Révolution à l'île Maurice puis à la Réunion où il épousa une créole, fille d'un riche propriétaire, et fit fortune. Revenu en France (1807), il adhéra dès l'Empire à une société ultra-royaliste, *Les Chevaliers de la foi* **(V. Ultras)**. Rallié aux Bourbons, il critiqua les tendances libérales de la Charte de 1814 dans ses *Observations sur le projet de Constitution* (1814). Député lors de la Seconde Restauration, il fut un des orateurs et chefs de la Chambre introuvable (1815-1816). Réélu après la dissolution de cette dernière, il participa à la fondation du journal *le Conservateur*. Ministre sans portefeuille dans le cabinet Richelieu (1820), dont il critiqua la modération, il démissionna en 1821. Ministre des Finances (oct. 1821), puis président du Conseil (1822), il dut accepter, après le congrès de Vérone*, l'envoi de troupes françaises en Espagne (1823), expédition à laquelle il s'était d'abord opposé. Après l'élection de la Chambre dite retrouvée **(V. Chambre des députés)** il fit adopter la prolongation de sa durée à sept ans, et, sous la pression des ultras, des lois réactionnaires (milliard d'indemnisation aux émigrés, loi sur les congrégations), mais échoua lorsqu'il voulut faire rétablir le droit d'aînesse et la loi sur la limitation de la liberté de la presse **(V. Peyronnet)**. Après la dissolution de la Chambre retrouvée et la victoire de l'opposition libérale aux élections qui suivirent, le ministère Villèle démissionna ; il fut remplacé par le cabinet de Martignac*. Élevé à la pairie, Villèle se retira de la vie politique après la révolution de 1830, tout en restant le conseiller des légitimistes à Toulouse et en critiquant la politique financière de la monarchie de Juillet dans les *Lettres d'un contribuable*. Ses *Mémoires* furent publiés en 1887-1890.

VILLEMAIN (Abel François). ♦ Professeur et homme politique français (Paris, 1790 – *id.*, 1870). Professeur de littérature française à la Sorbonne (1816-1830), il publia un *Cours de littérature française* (1828-1829) qui contribua à renouveler les études littéraires françaises en introduisant la critique historique et en insistant sur le rôle des institutions sociales et des littératures étrangères (*Études de littérature ancienne et étrangère,* 1846). Élu député peu avant la révolution de juillet 1830, pair de France en 1832, membre du ministère Soult (1839-1840), Villemain fut nommé ministre de l'Instruction publique (1840-1844) et lutta er faveur de la réforme du secondaire, en particulier pour sa laïcité. (Acad. fr., 1821.)

VILLEMIN (Jean Antoine). ♦ Médecin militaire français (Prey, Vosges, 1827 – Paris, 1892). Il mit en évidence la transmissibilité de la tuberculose (1865) [*Études sur la tuberculose,* 1868]. (Acad. méd., 1874.)

VILLEMOMBLE. ♦ Ch.-l. de cant. de la Seine-Saint-Denis, arr. de Bobigny, au N.-E. de Paris. 28 972 hab. *(Villemomblois)*. Église Saint-Louis (*déb.* XXe s.).

VILLEMUR-SUR-TARN. ♦ Ch.-l. de cant. de la Haute-Garonne*, arr. de Toulouse*. 4 738 hab. [3 784 aggl.] *(Villemuriens)*. – Indus. alimentaires (pâtes). Équipement électrique.

VILLENA (Enrique de ARAGÓN, dit le marquis de). ♦ Écrivain espagnol (Torralba, 1384 – Madrid, 1434). Descendant de la maison royale d'Aragon, il fut grand maître de l'ordre de Calatrava* (1404). Il a écrit sur de nombreux sujets (cuisine, magie, occultisme) mais fut surtout un poète (*Les Douze Travaux d'Hercule,* 1417) et l'introducteur en Espagne de la technique des troubadours provençaux (*Arte de trobar,* 1433).

VILLENAUXE [vilnos]**-LA-GRANDE**. ♦ Ch.-l. de cant. de l'Aube, arr. de Nogent-sur-Seine, sur la Nauxe. 2 024 hab. – Églises des XIIIe-XIVe s. et du XVIe siècle. – Céramique d'art.

Ph. PSZ/Ricciarini — *Coll: Viollet*

Le comte de **Villèle**. L'amiral de **Villeneuve**.

VILLENAVE-D'ORNON. ♦ Comm. de la Gironde, arr. de Bordeaux. 21 464 hab. Vignobles des Graves. Constructions frigorifiques. Recherches agronomiques.

VILLENEUVE. ♦ Famille provençale. ♦ ROMÉE DE VILLENEUVE (v. 1170 – v. 1250). Homme de confiance du comte de Provence Raimond Bérenger V il renforça le pouvoir central. Dante l'a placé dans son *Paradis*. ♦ HÉLION DE VILLENEUVE (v. 1270 – Rhodes, 1346). Grand maître de l'ordre des Hospitaliers de Saint-Jean-de-Jérusalem (1319), il conquit Smyrne sur les Turcs (1344).

VILLENEUVE (Pierre Charles Jean Baptiste Silvestre *de***)**. ♦ Amiral français (Valensole, 1763 – Rennes, 1806). Contre-amiral en 1796, il fit l'expédition d'Égypte et échappa au désastre d'Aboukir* (août 1798) et se réfugia à Naples. En 1804, Napoléon, qui voulait débarquer en Angleterre, chargea Villeneuve d'attirer la flotte de Nelson vers les Antilles et de revenir aussitôt, accompagné de navires espagnols. Villeneuve était à la Martinique en mai 1805, il appareilla en juin mais fut suivi par Nelson. Il se réfugia à Cadix le 18 août pour protéger sa flotte, au lieu d'aller à Brest comme le lui avait ordonné Napoléon. Nelson* l'attendait. Villeneuve engagea la bataille de Trafalgar*, qui fut un désastre pour la France. Capturé par les Anglais, il fut rapidement libéré et se suicida.

VILLENEUVE-BARGEMONT (Jean-Paul Alban, *vicomte de***)**. ♦ Administrateur et économiste français (Saint-Alban, Provence, 1784 – Paris, 1850). Auteur d'une *Économie politique chrétienne ou Recherches sur les causes du paupérisme* (1834), qui compte parmi les premiers ouvrages du catholicisme social, il fut élu député en 1830, puis en 1840-1848 et siégea parmi les représentants de la tendance légitimiste.

VILLENEUVE-D'ASCQ. ♦ Nouvelle comm. du Nord, arr. de Lille, englobant depuis 1970 Annappes*, Ascq*, Flers*-lez-Lille.

VILLENEUVE-DE-BERG. ♦ Ch.-l. de cant. de l'Ardèche*, arr. de Privas*. 1 576 hab. – Indus. textile. – Patrie d'O. de Serres*.

VILLENEUVE-DE-MARSAN. ♦ Ch.-l. de cant. des Landes*. arr. de Mont-de-Marsan. 1 915 hab. – Église du XIIe s., tour du XVIIe s., hôtel de ville du XVIIIe siècle.

VILLENEUVE-LA-GARENNE. ♦ Ch.-l. de cant. des Hauts-de-Seine, arr. de Nanterre, au N. de Paris. 22 717 hab. – Constructions navales ; ascenseurs ; emballages métalliques ; imprimerie.

VILLENEUVE-L'ARCHEVÊQUE. ♦ Ch.-l. de cant. de l'Yonne, arr. de Sens, sur la r. d. de la Vanne*. 1 345 hab. Église (XIIIe et XVIe s. ; portail du XIIIe s.). Parqueterie.

VILLENEUVE-LE-ROI. ♦ Ch.-l. de cant. du Val-de-Marne, arr. de Créteil. 23 074 hab. Église (XIIe-XVIIe s.). Une partie de la commune a été annexée par l'aéroport d'Orly*. Métallurgie ; matériaux de construction.

VILLENEUVE-LÈS-AVIGNON. ♦ Ch.-l. de cant. du Gard, arr. de Nîmes, sur la r. d. du Rhône, face à Avignon. 7 371 hab. *(Villeneuvois)*. Église Notre-Dame, collégiale fondée en 1333 (style gothique méridional). Restes de la chartreuse du Val-de-Bénédiction fondée en 1356. Palais du cardinal Giffon (XIVe s.). Fort Saint-André (XIVe s.). Maisons et hôtels (XVIIe s.). ♦ *Hist.* La ville fut construite au XIIIe s. par Philippe le Bel et devint à partir du XIVe s. la résidence d'été de nombreux cardinaux d'Avignon.

VILLENEUVE-SAINT-GEORGES. ♦ Ch.-l. de cant. du Val-de-Marne, arr. de Créteil, sur la Seine au confluent de l'Yerres. 30 983 hab. *(Villeneuvois)*. Église Saint-Georges (XIIe-XVe s.). Ancien château de Beauregard (XVIIe s.), aujourd'hui asile de vieillards. – Constructions mécaniques ; piles électriques. Port ; importante gare de triage.

VILLENEUVE-SUR-LOT. ♦ Sous-préf. du Lot*-et-Garonne, ch.-l. d'arr. (10 cant., 92 comm., 86 328 hab.), sur le Lot*. 22 503 hab. [18 612 aggl.] *(Villeneuvois)*. – Porte de Paris et porte de Pujols (XIIIe et XVe s.) ; Pont-Vieux du XIIIe s. sur le Lot*. – Marché agricole (prunes), conserves alimentaires ; fabrique de chaussures, construction mécanique. Aux environs, barrage à l'emplacement du village de Courbiac. – Patrie de G. Leygues* (statue).

VILLENEUVE-SUR-YONNE. ♦ Ch.-l. de cant. de l'Yonne, arr. de Sens, sur la r. d. de l'Yonne*. 4 485 hab. *(Villeneuviens)*. Anc. remparts. Vestiges de l'anc. château royal. Église Notre-Dame (XIIIe-XIVe-XVIe s.). Maisons anc. Indus. métalliques. Produits chimiques. Distillerie. – Chateaubriand* y séjourna. ♦ *Hist.* La ville est une bastide royale bâtie par Louis VII le Jeune (XIIe s.) ; elle s'appelait alors *Villefranche-le-Roy* et fut une des huit résidences royales.

VILLEPARISIS [-zis]. ♦ Comm. de Seine-et-Marne, arr. de Meaux. 13 590 hab. *(Villeparisiens)*. Indus. chimiques.

VILLEPINTE. ♦ Comm. de la Seine-Saint-Denis, arr. du Raincy. 12 296 hab. *(Villepintois)*. – Sanatorium.

VILLEPREUX. ♦ Comm. des Yvelines, arr. de Saint-Germain-en-Laye. 6 988 habitants.

VILLEQUIER. ♦ Comm. de la Seine*-Maritime, arr. de Rouen*, sur la Seine*. 773 hab. – Église du XVIe s. ; château. Léopoldine, fille de Victor Hugo*, et son mari Charles Vacquerie se noyèrent dans la Seine au large de Villequier, le 4 septembre 1853. Victor Hugo a évoqué ce drame dans les *Contemplations*. Musée Victor-Hugo. – Patrie d'A. Vacquerie*.

VILLERMÉ (Louis René). ♦ Médecin et sociologue français (Paris, 1782 – *id.*, 1863). Chirurgien de la Grande Armée jusqu'en 1814, puis médecin civil jusqu'en 1830, il fit ensuite des études économiques et sociales. Auteur d'ouvrages d'économie politique et sociale, il est surtout connu pour son *Tableau de l'état physique et moral des ouvriers dans les fabriques de coton, de laine et de soie* (1840), résultat d'une enquête menée principalement dans les régions de Lille et Rouen. Cet ouvrage devait contribuer à l'adoption de la loi sociale sur la limitation du travail des enfants [1841]. (Acad. méd., 1823.)

VILLEROI (Nicolas de NEUFVILLE, *duc de*). ♦ Maréchal de France (Paris, 1597 – 1685). Il fut gouverneur de Louis XIV. Son fils, FRANÇOIS (Lyon, 1644 – Paris, 1730), maréchal de France, fut élevé avec Louis XIV. Parfait courtisan, courageux mais incapable, il multiplia les défaites (Chiari, 1701 ; Ramillies, 1706...). Il fut gouverneur de Louis XV et se vit fort critiqué à ce titre.

VILLERS-COTTERÊTS [vilɛʀkɔt(ə)ʀɛ]. ♦ Ch.-l. de cant. de l'Aisne*, arr. de Soissons*. 6 313 hab. *(Cotteréziens)*. – Petites indus. : chaudronnerie, confection, scieries, etc. – Patrie d'A. Dumas* père. ♦ *Hist.* L'ordonnance dite de Villers-Cotterêts, édictée par François Ier (1539), réorganisait la justice et prescrivait l'usage du français au lieu du latin pour les ordonnances et jugements des tribunaux. – De violents combats eurent lieu en 1918 aux lisières de la *forêt de Villers-Cotterêts*.

VILLERSEXEL. ♦ Ch.-l. de cant. de la Haute-Saône, arr. de Lure. 1 293 hab. – Indus. textiles (coton). ♦ *Hist.* Bourbaki* y remporta sur les Prussiens une victoire (8-9 janv. 1871), mais il fut battu peu après à Héricourt.

VILLERS-FARLAY. ♦ Ch.-l. de cant. du Jura, arr. de Lons-le-Saunier. 436 hab. – Église (XVe-XVIIIe s.).

VILLERS-LE-LAC. ♦ Comm. du Doubs, arr. de Pontarlier, sur la r. g. du Doubs. 3 948 hab. – Horlogerie. Station estivale.

VILLERS-LÈS-NANCY. ♦ Comm. de Meurthe-et-Moselle, arr. et aggl. de Nancy. 7 900 habitants.

VILLERS-SAINT-PAUL. ♦ Comm. de l'Oise*, arr. de Senlis*. 3 935 hab. *(Villersois)*. – Église romane, chœur gothique du XIIIe siècle. Indus. chimiques et plastiques.

VILLERS-SUR-MER. ♦ Comm. du Calvados*, arr. de Lisieux*, sur la Manche*. 1 669 hab. – Station balnéaire.

VILLERUPT [vilʀy] ou [vilʀypt]. ♦ Comm. de Meurthe-et-Moselle, arr. de Briey. 14 797 hab. *(Villeruptiens)*. Fonderies ; constructions métalliques.

VILLE-SOUS-LA-FERTÉ. ♦ Comm. de l'Aube, arr. de Bar-sur-Aube, au bord de la forêt de Clairvaux. 1 854 hab. – Aux environs, abbaye de Clairvaux*.

VILLETANEUSE. ♦ Comm. de la Seine-Saint-Denis, arr. de Bobigny, au N. de Paris. 7 045 hab. – Nouvelle faculté de lettres et de droit. – Carrières de plâtre. Produits chimiques ; matières plastiques ; mécanique générale.

Villette (La). ♦ Anc. commune de la banlieue parisienne, rattachée à Paris en 1861 et comprise dans le 19e arrondissement. Le terme désigne actuellement l'ensemble constitué par le marché du bétail sur pied et les abattoirs, en cours de réorganisation et de rénovation depuis 1962 (vaste opération d'urbanisme, appelée à modifier l'aspect du quartier). Le marché en gros des viandes abattues et les abattoirs modernisés doivent former le *marché d'intérêt national de la viande* (1/5 du total de la France).

VILLEURBANNE. ♦ Ch.-l. de cant. du Rhône, arr. de Lyon*, dans la banlieue de Lyon. 122 898 hab. *(Villeurbannais)*. – Centre indus. important ; métallurgie, indus. textiles, chimiques, alimentaires ; orfèvrerie, imprimerie, constructions électriques.

VILLIERS DE L'ISLE-ADAM (Philippe *de*). ♦ (Beauvais, 1464 – Malte, 1534). Grand maître de l'ordre de Saint-Jean-de-Jérusalem. Il soutint un siège célèbre contre Süleyman Ier, à Rhodes, qu'il dut finalement abandonner (1522). Charles* Quint lui donna alors Malte où il établit son ordre (1530).

VILLIERS DE L'ISLE-ADAM (Auguste, *comte de*). ♦ Écrivain français (Saint-Brieuc, 1838 – Paris, 1889). Descendant d'une ancienne et illustre famille, habité du dégoût des mœurs contemporaines comme du « clinquant intellectuel de la science », Villiers de l'Isle-Adam ambitionna de donner « une série d'œuvres où le rêve se baserait sur la logique ». Lié avec Baudelaire*, qui lui fit lire Edgar Poe*, il subit profondément l'influence de Hegel* qui confirma son idéalisme mystique. Son roman philosophique *Isis* (1862), puis les drames d'*Ellen* (1865) et de *Morgane* (1866) étant restés ignorés du public, il se tourna vers une œuvre romanesque, publiée d'abord dans des journaux : *L'Ève future* (1886) et *Tribulat Bonhomet* (1887) dénoncent les prétentions de la science, tandis que les *Contes* cruels* (1883) mêlent les thèmes terribles, traités avec un humour inquiétant, aux récits qui exaltent la recherche spirituelle et la victoire du rêve. Ces préoccupations se retrouvent dans la grande œuvre de Villiers de l'Isle-Adam, *Axel** (posth., 1890), drame qui fait de lui un précurseur du symbolisme. Dans le même temps, il était lié avec Mallarmé*. Il mourut, hautain et solitaire, sans avoir connu la gloire ni la fortune auxquelles il se croyait destiné. Villiers recourt à un style parfois emphatique, mais souvent traversé d'éclats fulgurants, propre à opposer « la lumière du rêve aux ténèbres du sens commun ».

Ph. C. Schaeffner

Jacques Villon : « Vers la chimère », lithographie d'après le tableau. (Collection privée, Paris.)

VILLIERS-LE-BEL. ♦ Ch.-l. de cant. du Val-d'Oise, arr. de Montmorency. 19 256 hab. *(Beauvilérois* ou *Beauvilésois)*. Église (XIIIe-XVe-XVIe s.), restaurée. Ruines d'un ancien prieuré. – Indus. des matières plastiques.

VILLIERS-SAINT-GEORGES. ♦ Ch.-l. de cant. de Seine-et-Marne, arr. de Provins. 1 127 hab. Église (XIIe-XIIIe s.). Château en partie du XVe siècle.

VILLIERS-SUR-MARNE. ♦ Ch.-l. de cant. du Val-de-Marne, arr. de Nogent-sur-Marne. 15 874 hab. Église (XVIe s.). Belvédère abritant un musée. Commune en expansion rapide.

VILLINGEN. ♦ V. d'Allemagne occidentale (Bade-Wurtemberg), dans le S. de la Forêt-Noire, sur la Brigach, affl. du Danube. 32 000 hab. Important centre d'horlogerie.

VILLOISON (Jean Baptiste Gaspard d'ANSSE *de*). ♦ Érudit français (Corbeil, 1750 – Paris, 1805). Ses recherches sur la littérature hellénique primitive servirent de base aux travaux de F.A. Wolf* sur Homère.

VILLON (François). [vijɔ̃] ; parfois [vilɔ̃], prononciation critiquée. ♦ Poète français (Paris, v. 1431 – après 1463), dont la vie et l'œuvre suscitent la controverse. François de Montcorbier, ou des Loges, prit son nom à son professeur, Guillaume de Villon, et, devenu licencié et maître ès arts (1452), mena une vie aventureuse, fréquentant aussi bien les *Coquillards*, compagnie de malfaiteurs (auxquels il emprunta le jargon argotique), que les milieux de la Sorbonne et de la basoche. De grands personnages, dont Charles* d'Orléans et Louis* XI, le sauvèrent plusieurs fois de la potence. – Ses poèmes, tantôt en octosyllabes, comme *Le Lais* (ou *Petit Testament*, 1456) et *Le Grand Testament* (1462), tantôt en décasyllabes, comme l'*Épitaphe Villon* (dite *Ballade des pendus*, 1463), offrent un savant mélange des tons, du trivial au lyrique. Le lecteur moderne y trouve une opposition (qui évoque Musset* et, surtout Verlaine*) entre les aspirations sensuelles et un pessimisme poignant, entre un immoralisme qui évoque le *Panurge** de Rabelais* et une foi religieuse profonde (Cf. *Le Débat du Corps et du Cœur*, 1461). Mais réalisme et lyrisme recouvrent peut-être, dans ces poèmes d'une grande maîtrise, un sens caché ménagé par un véritable code secret, qui rendrait compte de la richesse anormale de leur vocabulaire (travaux de P. Guiraud). – Maître du langage et, peut-être, le plus grand des rhétoriqueurs, *Villon* est aussi « le premier poète à la moderne » (Suarès).

VILLON (Gaston DUCHAMP, dit **Jacques).** ♦ Peintre, dessinateur et graveur français (Damville, Eure, 1875 – Puteaux, 1963). Petit-fils du graveur Émile Nicolle et frère de Raymond Duchamp-Villon, de Marcel et de Suzanne Duchamp, il devint d'abord clerc de notaire à Rouen, puis il se rendit à Paris en 1894, étudiant aux Beaux-Arts dans l'atelier Cormon. Il se consacra d'abord à la gravure, à l'affiche et au dessin, représentant des scènes parisiennes dans un style proche de Steinlen* et Toulouse*-Lautrec. Il donna aussi des dessins humoristiques au *Rire*, à *l'Assiette au beurre*, etc. Après des tableaux qui procèdent de l'impressionnisme et du fauvisme, il trouva sa voie en méditant l'expérience cubiste. Vers 1911, son atelier de Puteaux devint l'un des principaux centres de discussion et de réunion des peintres intéressés par le cubisme (Gleizes, Metzinger, Delaunay, Léger, Picabia, Kupka, etc); les problèmes concernant les théories sur le nombre d'or et sur la vision pyramidale de Léonard de Vinci y furent soulevés, et Villon fut l'un des principaux organisateurs de l'Exposition de la section d'or. Il chercha à établir ses compositions suivant des rapports mathématiques savants, les sujets étant réduits à un jeu abstrait de lignes et de plans colorés dans une gamme sobre (*Soldats en marche*, 1913) à dominante claire (*Jeu*, 1919), les formes tendant à perdre tout aspect identifiable, particulièrement entre 1920 et 1922. À cette époque, il superposait des plans colorés, peints en aplat, selon des décalages et des articulations subtils. Pour gagner sa vie, il grava des reproductions de tableaux, mais il put poursuivre ses recherches personnelles et mit l'accent sur le problème de la lumière; il échelonna les plans suivant les principes du cercle chromatique. Vers 1935, il chercha une transposition picturale de sujets plus traditionnels, abordant de nouveau le portrait, les scènes avec personnages, et surtout, à partir de 1940, le paysage (*Homme dessinant*, 1935; *Le Nageur*, 1936; série de *Potagers*, 1941-1942; *Les Moissons*, 1943), tout en créant des œuvres strictement non figuratives (*Les Grands Fonds*, 1945). Ses compositions élégantes savamment architecturées privilégient les formes géométriques planes (lignes angulaires, plans parallèles) et se distinguent par la richesse et la rareté des accords chromatiques clairs.

VILNIUS, anc. en russe **Vilna**, en polon. **Wilno.** ♦ V. d'U.R.S.S., cap. de la Lituanie*, sur la Vilija (affl. du Niémen). 395 000 hab. – Monuments historiques du XIVe au XVIIIe siècle. Centre culturel (université fondée en 1579). Indus. : machines-outils et machines agricoles, moteurs électriques, traitement du bois; indus. textiles et alimentaires. Nœud ferroviaire. – Patrie de César Cui*, Dzerjinski*, Messerer, Segall*. ♦ *Hist.* Fondée au Xe s., Vilnius devint cap. de la grande-principauté de Lituanie sous le prince Gédymin*. Réunie à la Pologne (1569), occupée par les Russes (1655-1660), par les Suédois (1702-1706), puis annexée par la Russie (1795), elle fut prise par les Allemands (1915) puis par les Polonais (1920). Reprise par les Russes en 1940, elle redevint capitale du pays et suivit les destinées de la Lituanie soviétique.

VILVORDE, en néerl. **Vilvoorde.** ♦ Comm. de Belgique (Brabant, arr. de Hal*-Vilvorde) sur le canal de Willebroek, à 12 km de Bruxelles. 33 900 hab. Église Notre-Dame du XVe siècle. Église Notre-Dame-de-la-Consolation (1665, Vierge du XIIIe s.). École d'horticulture. – Indus. alimentaires (silos à grains). Aciéries. Cimenteries. Pétrolochimie.

VIMEU. *n. m.* ♦ Région de Picardie*, située entre la Somme* et la Bresle*. Son sol argileux, son climat froid et humide conviennent aux prairies et aux vergers de pommiers à cidre. Élevage de chevaux. Petite indus. de serrurerie et de robinetterie.

VIMINAL *(mont).* ♦ Colline de Rome entre le Quirinal* et l'Esquilin*, dans la partie E. de la ville. Thermes de Dioclétien.

VIMORY. ♦ Comm. du Loiret, arr. de Montargis. 696 hab. Victoire du duc de Guise* sur les calvinistes en 1587.

VIMOUTIERS. ♦ Ch.-l. de cant. de l'Orne*, arr. d'Argentan*, sur la Vie. 4 638 hab. *(Vimonastériens).* – Grand commerce de pommes, beurre et fromages (livarot, camembert). À 5 km, village de Camembert*.

VIMY. ♦ Ch.-l. de cant. du Pas*-de-Calais, arr. d'Arras*, en Artois*. 3 272 hab. *(Vimynois).* – La crête de Vimy fut le théâtre de nombreux et sanglants combats pendant la guerre de 1914-1918.

VIÑA DEL MAR. ♦ V. du Chili central (prov. et faub. de Valparaíso*). 165 000 hab. en 1969. – Station balnéaire. Centre maritime et commercial (exportation du nitrate et du cuivre). Conservation des viandes; textiles.

VINAY. ♦ Ch.-l. de cant. de l'Isère*, arr. de Grenoble*, près de l'Isère*. 3 014 hab. – Indus. textile, scierie.

VINÇA. ♦ Ch.-l. de cant. des Pyrénées-Orientales, arr. de Prades, sur la r. d. de la Têt*. 1 622 hab. *(Vinçanais).* Vins. Distillerie.

VINCENNES. ♦ Ch.-l. de cant. du Val-de-Marne, arr. de Nogent-sur-Marne, situé au N. du bois de Vincennes. 49 297 hab. *(Vincennois).* Château de Vincennes, **V.** ci-dessous *Hist.* – Centre universitaire. Indus. électrique et électronique; indus. chimiques et mécaniques. Matériaux de construction. – Patrie de J. Bainville*, de Charles* V, de la duchesse de Longueville*. ♦ *Hist.* Philippe* Auguste fit bâtir dans la forêt de Vincennes un manoir où Saint Louis séjourna. C'est là que, selon la légende, il rendait la justice sous un chêne; il y construisit une sainte chapelle. Le donjon du château actuel fut édifié successivement par Philippe VI, Jean le Bon et Charles V. Au XVIIe s., Le Vau fit construire les pavillons du roi et de la reine. De 1668 à 1784 le château fut une prison d'État. Au XVIIIe s., on y installa une fabrique de porcelaine. Sous le Premier Empire, Vincennes fut transformé en arsenal. Le duc d'Enghien* fut exécuté dans les fossés du château le 20 mars 1804. La restauration du château, dont l'enceinte avait été arasée sous l'Empire, fut entreprise au début du XXe siècle. Cours des maréchaux (1931), musée historique, musée de la Guerre de 1914-1918; archives historiques de l'armée dans le pavillon du roi. Lors de la dernière guerre, les Allemands occupèrent le château, ils y fusillèrent des otages le 20 août 1944. ♦ Bois de VINCENNES. Il est situé à l'E. de Paris et rattaché à la capitale. Il comprend un parc zoologique, le plus important de France, un parc floral, un jardin tropical, un hippodrome, des terrains de sports, un musée des arts africains et océaniens. En 1931, l'Exposition coloniale s'y tint. Un centre universitaire (université de Paris-VIII) s'y trouve. L'ancienne cartoucherie abrite des manifestations théâtrales.

VINCENT (Hyacinthe Jean). ♦ Médecin militaire français (Bordeaux, 1862 – Paris, 1950). Il découvrit l'infection fuso-spirillaire *(angine de Vincent)* et divers vaccins et sérums (contre la typhoïde, la gangrène gazeuse). (Acad. méd., 1907; Acad. sc., 1922.)

VINCENT (Clovis). ♦ Médecin français (Ingres, 1879 – Paris, 1948). Professeur de neurochirurgie, il fit des recherches sur les tumeurs hypophysaires, l'œdème cérébral, etc. (thèse sur les *méningites chroniques syphilitiques*, 1910).

VINCENT DE BEAUVAIS. ♦ (Mort à Beauvais, 1264). Dominicain français, auteur d'une vaste encyclopédie *Speculum doctrinale, historiale et naturale*, auxquels des continuateurs joignirent un *Speculum morale* (v. 1310). L'esprit critique lui fait défaut, mais son recueil est un précieux témoignage sur les connaissances au XIIIe siècle.

VINCENT DE PAUL *(saint).* ♦ Prêtre français (Pouy, *auj.* Saint-Vincent-de-Paul, près de Dax, 1576 – Paris, 1660). Prisonnier des barbaresques en 1605, il passa deux ans en captivité, s'occupa des malades à Paris, devint aumônier de Marguerite de Valois (1610), curé de Clichy (1611), précepteur des enfants d'Emmanuel de Gondi* (1613). Dès lors, il commença ses missions d'apostolat et de charité auprès des pauvres des campagnes. En 1617, à Châtillon des Dombes, il organisa la première *Confrérie de la Charité* d'où devaient sortir les *Filles de la Charité* dirigées par Louise de Marillac (1633). Aumônier général des galères (1619), supérieur de la Visitation **(V. Jeanne de Chantal)**, il reçut en 1624 la charge de principal du collège des Bons-Enfants, ce qui lui permit d'organiser enfin ses missions rurales (*Congrégation des Prêtres de la Mission*, approuvée en 1633, installée au prieuré Saint-Lazare, d'où l'appellation de *lazaristes*). Il multiplia encore les institutions charitables (charité de l'Hôtel-Dieu, 1634; œuvre des Enfants trouvés, 1638) et, sous la régence d'Anne d'Autriche, fit partie du Conseil de conscience (1643-1652) où il influa notamment sur les nominations épiscopales. Fête le 27 septembre. – Sa correspondance a été publiée en 1920-1925 (suppl. en 1970).

VINCENT DE SARAGOSSE *(saint).* ♦ (Huesca, ? – Valence, 304). Diacre de Saragosse, il mourut torturé lors de la persécution de Dioclétien. Ses restes, ramenés à Paris (542), furent déposés à l'église Saint-Vincent, plus tard église Saint-Germain-des-Prés. Patron des vignerons. Fête le 22 janvier.

VINCENT FERRIER, en esp. **Vicente Ferrer** *(saint).* ♦ Dominicain espagnol (Valence, Espagne, 1355 – Vannes, 1419). Il enseigna à Valence, prit parti pour Clément VII lors du grand schisme* d'Occident, fut appelé en Avignon par Benoît XIII dont il fut le

Ph. Stella

Château de **Vincennes :** le donjon.

confesseur, mais s'en détacha et, en 1416, prononça l'acte de renonciation des rois de Castille, Aragon et Navarre à l'obédience de cet antipape. La fin de sa vie fut celle d'un prédicateur itinérant, en Italie, en Espagne, en France. Fête le 5 avril.

VINCI (Léonard *de***).** ♦ V. LÉONARD DE VINCI.

VINDÉLICIE. *n. f.* ♦ Anc. région d'Europe (Germanie*) limitée par le Danube au N., la Rhétie* au S. et l'Helvétie* à l'O., correspondant au N.-E. de la Suisse, et comprise auj. dans la Bavière. V. princ. *Augusta Vindelicorum* (Augsbourg). Elle fut soumise par Rome en ~ 15 et forma la Rhétie seconde.

VINDEX, en lat. **Caius Julius Vindex.** ♦ Général gaulois ([mort] 68). Propréteur de la Séquanaise, il se souleva contre Néron* en faveur de Galba*. Vaincu par les légions de Germanie, il se tua de désespoir.

VINDHYÂ. ♦ Chaîne montagneuse (alt. moyenne 850 m) constituant, du golfe de Cambay à la plaine gangétique, la limite N. du plateau du Dekkan. Ses pentes arides sont constituées principalement de basaltes et de grès.

VIÑES (Ricardo). ♦ Pianiste espagnol d'origine catalane (Lérida, 1875 – Barcelone, 1943). Après des études au conservatoire de Barcelone (avec J.B. Pujol) et à Paris, il contribua grandement à faire connaître au grand public les compositeurs contemporains (Debussy, Ravel, Roussel, Satie, Falla, Albeniz).

VINET (Alexandre Rodolphe). ♦ Théologien protestant et critique littéraire suisse d'expression française (Ouchy, près de Lausanne, 1797 – Clarens, 1847). Ministre protestant (1819), professeur de littérature française à Bâle, il fut ensuite nommé à la chaire de théologie pratique (1837), puis à celle de littérature française (1845) de Lausanne, où il fut collègue de Sainte-Beuve. En 1846, il se démit de ses fonctions et se consacra alors à l'organisation des Églises libres du canton de Vaud. Théologien, il fut un des partisans les plus convaincus de la liberté de conscience et d'une foi vécue comme rapport de l'individu avec Dieu (*Liberté des cultes,* 1826; *Essai sur la manifestation des convictions religieuses et sur la séparation de l'Église et de l'État,* 1842; *Méditations évangéliques*). Critique, il doit surtout sa réputation à ses analyses sur la littérature française à laquelle il a consacré de nombreux ouvrages : *Chrestomathie française* (1829-1830), *Études sur Pascal* (1848), *Études sur la littérature française au XIX*e *siècle* (1849-1851), *Histoire de la littérature française au XVIII*e *siècle* (1853).

VINH. ♦ V. du Viêt-nam du Nord et port sur la riv. Sông-Kôi près du golfe du Tonkin. 40 000 hab. Indus. du bois et ateliers de chemins de fer.

VINH LONG. ♦ V. du Viêt-nam du Sud et port fluvial important sur un des bras du delta du Mekong*, au S. de Saigon. 15 000 habitants.

VINLAND. *n. m.* ♦ Pays découvert à l'O. de l'Amérique du Nord, par Leif Eriksson, chef des Vikings, v. l'an mille.

VINNITSA. ♦ V. d'U.R.S.S. (Ukraine), ch.-l. de la région du même nom (26 500 km^2. 2 123 000 hab.), sur le Bug (Boug) méridional. 237 000 hab. Centre industriel d'une vaste zone de culture de la betterave sucrière. Indus. mécaniques (machines-outils, instruments agricoles) et chimiques (engrais). Traitement des produits agricoles. – Patrie de M. Kotsioubinski*.

VINOGRADOV (Ivan Matveïevitch). ♦ Mathématicien soviétique (Milolioub, Velikie Louki, 1891). Directeur de l'Institut de mathématiques Steklov de l'Académie des sciences de l'U.R.S.S. Chef de l'école soviétique de la théorie des nombres, il perfectionna une méthode originale de théorie analytique reposant sur une étude approfondie d'une certaine série de Taylor* et, en 1937, reprenant le théorème présumé de Goldbach*, il réussit à démontrer que tout nombre impair assez grand est la somme de trois nombres premiers. **V.** *aussi* **Hardy, Littlewood.**

VINOY (Joseph). ♦ Général français (Saint-Étienne-de-Saint-Geoire, 1800 – Paris, 1880). Il servit en Afrique et fut promu général en 1853. Après la capitulation de Sedan (2 sept. 1870, guerre franco-allemande), il ramena ses troupes de Mézières vers la capitale. Placé à la tête de l'armée de Paris*, il fut chargé de la défense de la ville après la démission du général Trochu* (22 janv. 1871), puis commanda l'armée gouvernementale des versaillais après la signature de l'armistice, et participa à la répression de la Commune insurrectionnelle de Paris.

Arch. Smeets

Virgile. Codex Virgilianus de Rome, enluminure du VIe s. (Musée du Vatican, Rome.)

VINSON *(mont).* ♦ Point culminant du continent Antarctique* (5 140 m), situé dans l'isthme des monts Sentinelles, à la base de la péninsule Antarctique (partie occidentale du continent).

VINTIMILLE, en it. **Vintimiglia.** ♦ V. d'Italie du Nord, en Ligurie* (prov. d'Imperia), sur le golfe de Gênes, à l'embouchure de la Roya. 23 000 hab. – Important nœud ferroviaire entre la France et l'Italie. Commerce de fleurs. Station touristique fréquentée.

VIOLLE (Jules). ♦ Physicien français (Langres, 1841 – Fixin, 1923). Il réalisa les premières déterminations de la constante solaire (mont Blanc, 1875) et proposa un étalon de densité lumineuse (étalon Violle, 1881). [Acad. sc., 1897.]

VIOLLET-LE-DUC (Eugène Emmanuel). ♦ Restaurateur, architecte et théoricien français (Paris, 1814 – Lausanne, 1879). Autodidacte, il s'enthousiasma pour l'architecture du Moyen Âge, séjourna en Italie en 1836 et voyagea à travers la France en compagnie de son ami P. Mérimée*, alors inspecteur des monuments historiques. Celui-ci lui confia en 1839 la restauration de la basilique de Vézelay*. C'est ensuite sous sa direction que s'effectua la restauration d'importants édifices civils et religieux du Moyen Âge (*Saint-Germain-des-Prés, Saint-Séverin, Notre-Dame de Paris, la cité de Carcassonne,* etc.). Il avait une conception rationaliste de l'architecture gothique et ses déductions l'amenèrent à prendre parfois des initiatives (suppressions ou rajouts d'éléments selon l'époque considérée comme la plus caractéristique) qui furent ensuite violemment critiquées. Dans la reconstitution du *château de Pierrefonds* (1859-1870), il appliqua jusqu'à la systématisation son idée de l'architecture féodale. Dans ses constructions, il resta dépendant des formules stylistiques médiévales et classiques et employa souvent un décor floral qui annonce les motifs de l'Art Nouveau. Il fut cependant un audacieux théoricien, prôna l'emploi de matériaux et de formes adaptés à leur fonction et l'utilisation des structures métalliques. Viollet-le-Duc est l'auteur de nombreux ouvrages dont le *Dictionnaire raisonné de l'architecture française du XI*e *au XVI*e *siècle* (1854-1868) et les *Entretiens sur l'architecture* (1863-1872) qui marquèrent la plupart des architectes novateurs des générations suivantes.

VIOTTI (Giovanni Battista). ♦ Violoniste, compositeur et pédagogue italien (Fontanetto Po, prov. de Verceil, 1755 – Londres, 1824). Élève de Pugnani à la chapelle de la cour de Savoie à Turin, il fit avec lui des tournées en Suisse, puis seul, en Allemagne, en Pologne et en Russie. Il se fixa quelque temps à Paris (1782) où il remporta un grand succès au Concert spirituel et entra au service de Marie-Antoinette. Mais la Révolution le força à s'exiler à Londres (1792), d'où il fut chassé en 1798 sous prétexte de jacobinisme. Il fut directeur du Théâtre-Italien à Paris (1819) et termina sa vie à Londres. Considéré comme le plus grand violoniste classique et le chef de l'école moderne de violon, il a composé des concertos pour violon, des œuvres pour piano et violon et de la musique de chambre.

VIRCHOW (Rudolf). ♦ Médecin, anthropologue et homme politique prussien (Schivelbein, Poméranie, 1821 – Berlin, 1902). Il fut professeur de médecine à Berlin et à Würzburg. Député progressiste à la Chambre prussienne, puis au Reichstag, il participa activement au « Kulturkampf ». Médecin, il est connu par ses travaux de pathologie cellulaire (*Die Cellularpathologie,* 1858, où il expose ses théories, en partie infirmées actuellement).

VIRE. *n. f.* ♦ Fl. du bocage normand (118 km). Elle arrose Vire*, Saint-Lô* et se jette dans la Manche*.

VIRE. ♦ Sous-préf. du Calvados*, ch.-l. d'arr. (6 cant., 94 comm., 57 726 hab.), sur la Vire*. 12 107 hab. [10 819 aggl.] *(Virois).* La ville, reconstruite après 1944, conserve l'église Notre-Dame (XIIIe, XIVe et XVe s.), la tour de l'Horloge (XVe s.). – Laiteries, beurre; indus. alimentaires (andouilles). Indus. électrique; filature de laine. – Patrie de C. de Chênedollé*, J. Le* Houx. ♦ *Hist.* Ancienne cité gauloise, place forte carolingienne, elle fut disputée entre la France et l'Angleterre.

VIRÉ (Armand). ♦ Biologiste français (Lorrez-le-Bocage, 1869 – Moissac, 1951). Auteur de recherches sur la faune aquatique souterraine (il proposa le terme de *biospéléologie*), il créa le premier laboratoire de biologie souterraine à Paris (1897), découvrit et aménagea la grotte de Lacave.

VIRET (Pierre). ♦ Réformateur suisse (Orbe, cant. de Vaud, 1511 – Orthez, 1571). Étudiant à Paris, où il fut marqué par l'influence de Lefèvre d'Étaples et de G. Farel, il se convertit définitivement à la Réforme à son retour en Suisse. Prédicateur dans diverses villes (Orbe, Grandson, Payerne), il resta plusieurs années à Lausanne dont il fut expulsé par les Bernois en raison de la discipline austère qu'il avait voulu leur imposer. Après un séjour à Genève, il évangélisa le sud de la France (Montpellier, Nîmes) avant d'être appelé par Jeanne d'Albret pour enseigner la théologie au collège d'Orthez. Auteur d'un exposé de la doctrine calviniste, *Instruction chrétienne en la doctrine de la loi et de l'Évangile* (1564), il est également l'auteur de dialogues satiriques, les *Disputations chrétiennes.*

VIRGILE (Publius Vergilius Maro). ♦ Poète latin (Andes [Pietole] près de Mantoue, v. ~ 70 – Brindes, ~ 19). Issu de la petite bourgeoisie, Virgile fit, à Crémone puis à Rome, les études qui devaient le mener à une carrière politique et suivit l'enseignement

Ph. Nino Cirani/Ricciarini

Virginie-Occidentale : maisons typiques à Charleston.

du philosophe épicurien Siron. Mais, introduit dans le cercle d'Asinius* Pollion, il renonça à l'éloquence et à la philosophie pour se consacrer à la poésie. En ~ 40, le domaine familial de Virgile fut confisqué ; il ne le recouvra que grâce à son ami Gallus*, poète lui aussi, qui lui ménagea un accès auprès d'Octave. Dès lors, il fut l'obligé des maîtres de l'heure. Il quitta sa province pour Rome ou Naples, cherchant appui auprès d'Octave* et de Mécène*. En ~ 39 il publia les *Bucoliques**, œuvre d'inspiration alexandrine d'une grande sérénité. Dès le début de ~ 38, la situation politique devenait sombre et Virgile traversa une crise de pessimisme. C'est à cette époque qu'il commença les *Géorgiques**, épopée philosophique qui mettait l'homme face à la nature, le milieu le plus susceptible de le conduire à un bonheur assez proche de celui des épicuriens, et soulignait la valeur édifiante du travail (le « durus labor »). Les *Géorgiques* achevées, en ~ 29, le poète conçut l'idée d'une épopée nationale qui serait pour les Romains l'équivalent de l'Iliade*. Ce fut l'*Énéide* qui préfigurait la victoire d'Auguste*, fils d'Énée*, fin vers laquelle avait tendu toute l'histoire de Rome depuis la chute de Troie jusqu'à la bataille d'Actium. L'œuvre n'était pas achevée à la mort du poète (~ 19), qui demanda qu'on la brûlât. Mais Auguste ne pouvait le permettre et la publication en fut assurée par Varrius et Tucca, deux poètes amis de Virgile. — L'évolution religieuse du poète l'a conduit de son épicurisme primitif à un platonisme mystique qui admet l'existence d'âmes survivant aux corps (*Énéide**). Il a ainsi réalisé la synthèse des courants spirituels de Rome et donné la plus parfaite image de la grandeur romaine. Son influence fut très grande sur toutes les littératures occidentales et tout un cycle de légendes se groupa autour de sa mémoire (Dante*).

VIRGINIE. *n. f.*, en angl. **Virginia** (d'après le surnom d'Élisabeth Ire, *the Virgin Queen*). ♦ État de l'E. des États-Unis, baigné à l'E. par l'Atlantique (baie de Chesapeake*). 107 711 km². 4 648 484 hab. (1970). *Cap.* **V. Richmond.** *Princ. villes :* **V. Alexandria, Hampton, Newport News, Norfolk, Portsmouth.** *Sites.* **V. Jamestown, Vernon** (Mount), **Yorktown.** — *Orogr.* De l'O. à l'E., la Virginie, qui forme un triangle dont la pointe se trouve au S.-O., peut être divisée en trois zones : 1) les montagnes, « plateau » appalachien à la frontière de la Virginie-Occidentale (**V. Appalaches**), puis « montagnes bleues » *(Blue Ridge)*, entre lesquelles se trouve une partie de la « Grande Vallée » (système de plissements parallèles) ; 2) le Piémont appalachien, entre les *Blue Ridge* et la ligne de faille *(Fall Line)*, est une région de collines basses ; 3) enfin, la plaine alluviale atlantique parcourue par des riv. (Potomac*, Rapahannoc, York, James) qui aboutissent à la baie de Chesapeake. — *Écon.* L'agriculture est en expansion : élevage, volailles, tabac, légumes. La pêche et l'élevage des huîtres sont un appoint important. Les réserves minérales consistent surtout en charbon (Appalaches), argile (briques, céramique) ; carrières de pierre. L'indus. classe la Virginie au 3e rang des onze États du S.-E. : indus. chimiques, alimentaires, indus. du tabac, textiles. — Nombreuses universités, dont l'université de Virginie, à Charlottesville. Centres de la N.A.S.A. (Angley, Hampton). — Patrie de R. Byrd*, H. Clay*, W.H. Harrison*, K.S. Lashley*, R. Lee* (général), J. Monroe*, M. Ridgway* (général), J. Tyler*, F. Vielé*-Griffin, G. Washington*, T.W. Wilson* (voir aussi aux grandes villes). ♦ *Hist.* Découverte et nommée par sir Walter Raleigh (1585), la région ne fut colonisée qu'en 1607 par les Anglais (**V. Jamestown**). Malgré de graves difficultés, la culture du tabac (1612) permit le développement de la colonie, qui devint en 1624 la 1re colonie de la couronne. Fidèle à la royauté contre Cromwell, la colonie reçut de Charles II le titre de *Old Dominion*. Après une crise et une rébellion (1676), l'arrivée des esclaves permit le développement des plantations de tabac. L'État prit avec le Massachusetts* la tête de la guerre d'Indépendance, qui se termina en Virginie par la capitulation des Anglais à Yorktown (19 oct. 1781). Sept des douze premiers présidents des États-Unis étaient originaires de Virginie. Esclavagiste, la Virginie fit sécession en 1861, mais les comtés de l'O. s'en séparèrent (**V. Virginie-Occidentale**). La guerre de Sécession, menée notamment par les Virginiens Lee et Jackson, se termina en Virginie (Appomatox, 9 avr. 1865). Réadmise dans l'Union en 1870, la Virginie connut la prospérité économique, mais les problèmes raciaux y restèrent aigus. La déségrégation scolaire ne commença qu'en 1959.

VIRGINIE-OCCIDENTALE, en angl. **West Virginia.** ♦ État du centre-est des États-Unis, limité à l'E. par la Virginie. 62 600 km². 1 744 237 hab. (1960). *Cap.* Charleston*. *V. princ.* **V. Huntington.** — *Orogr.* À l'O., le plateau des Alleghanys forme une partie du plateau appalachien (**V. Appalaches**) qui s'étend de l'État de New York à l'Alabama ; incliné vers le N.-O., il est disséqué par de nombreux cours d'eau et forme un pays de collines et de vallées encaissées. À l'E., la « Grande Vallée » forme une zone plissée de vallées parallèles, aux sommets plus élevés. L'État est le plus montagneux des États-Unis à l'E. des Rocheuses. — *Écon.* L'agriculture se consacre surtout à l'élevage, à l'horticulture, sous l'impulsion d'institutions officielles ; mais la production de fruits, de maïs, de tabac, reste importante. Les richesses minérales (charbon bitumineux, sel, gaz naturel) n'ont plus la même importance relative qu'avant 1950 (d'où des problèmes sociaux de reconversion). Indus. principales : métallurgie, mécanique, indus. chimiques, alimentaires et textiles. État de montagnes, la Virginie-Occidentale est plus pauvre que ses voisins. — Patrie de C. McCormick. ♦ *Hist.* L'État provient de la sécession des comtés abolitionnistes de Virginie*, fidèles au gouvernement de Washington et qui formèrent le trente-cinquième État de l'Union en juin 1863.

VIRIATHE. ♦ Chef des Lusitaniens* révoltés contre la domination romaine ([mort] ~ 139). Il vainquit successivement quatre généraux et Rome n'en triompha qu'en le faisant assassiner.

VIROFLAY. ♦ Ch.-l. de cant. des Yvelines, arr. de Versailles. 16 410 hab. *(Viroflaysiens)*. Ville résidentielle.

VIRTANEN (Artturi Ilmari). ♦ Chimiste finlandais (Helsinki, 1895 — *id.*, 1973). Auteur de recherches en chimie de la nutrition et en chimie agronomique, il inventa notamment une méthode de conservation des fourrages. (Prix Nobel de chimie, 1945).

VIRTON. ♦ V. de Belgique (ch.-l. d'arr. de la prov. de Luxembourg) sur le Ton près de son confluent avec la basse Vire, en Ardenne* (alt. 230 m). 4 000 hab. Château-hospice de Saint-Mard (1715). Musée régional. — Matériaux de construction. Fabrique de cigares. ♦ *Hist.* L'un des premiers combats de la bataille des Ardennes s'y déroula en 1914.

VIRY-CHÂTILLON. ♦ Comm. de l'Essonne, arr. d'Évry, sur la Seine. 27 184 hab. *(Viry-Châtillonnais)*. Église en partie du XIIe siècle. — Centre sportif. Fabrique de bijoux.

VIS, en it. **Lissa.** ♦ Île yougoslave de l'Adriatique, au large de la côte dalmate. ♦ *Hist.* Victoire navale de l'Autriche (bataille de Lissa) sur la flotte italienne (20 juil. 1866).

VISÂKHAPATNAM ou **VIZÂGAPATNAM.** ♦ V. de l'Inde du S.-E. (Andhra* Pradesh), sur le golfe du Bengale. 362 270 hab. — Exportation de manganèse, commerce des arachides et des textiles. Un des chantiers navals les plus importants de l'Inde et quatrième port de l'Inde. La ville fut un comptoir français en 1758.

VISAYA ou **BISAYAS.** ♦ Archipel des Philippines comprenant les îles de Cebu, Leyte, Masbate, Panay, Samar et autres. Env. 6 000 000 d'hab. pour la plupart d'origine malaise, parlant au moins trois dialectes malayo-polynésiens.

VISCHER. ♦ Famille de sculpteurs et bronziers originaires de Nuremberg (XVe et XVIe s.). ♦ HERMANN *l'Ancien* ([mort] 1488). Il réalisa notamment les *fonts baptismaux* de Wittenberg. ♦ PETER *l'Ancien* fils du précédent (v. 1460-1529). Il est l'auteur de la

Arch. Smeets

Tombeau de Maximilien, Innsbruck : à gauche, le roi Arthur et à l'extrême droite, Théodoric, réalisés par les **Vischers ;** au centre, Ferdinand V du Portugal et Ernst der Eiserne.

châsse de saint Sébald (église Saint-Sébald de Nuremberg), qui présente un répertoire d'ornements empruntés à la Renaissance italienne; à cette œuvre collaborèrent ses trois fils : HERMANN *le Jeune* (v. 1486-1517), PETER *le Jeune* (1487-1528) et HANS (v. 1489-1550). L'atelier dirigé par Peter l'Ancien produisit un grand nombre de plaques tombales qui attestent une grande maîtrise dans le travail du bronze. Les principales réalisations des Vischer furent une grille de clôture pour la chapelle funéraire des Fugger à Augsbourg (en partie détruite et maintenant dispersée), pour le tombeau de l'empereur Maximilien à Innsbruck, les statues du roi Arthur et du roi Théodoric (1513), ainsi que le tombeau de Frédéric le Sage dans l'église du château de Wittenberg, probablement réalisé par Peter le Jeune, tandis que Hans collabora avec Dürer au *retable Heller*. Les modèles des plaques tombales ou des petits bronzes qu'ils réalisèrent étaient souvent fournis par Veit Stoss, A. Dürer, J. Barbari.

VISCONTI. ♦ Célèbre famille gibeline qui régna sur Milan du XIIIe au XVe siècle. ♦ OTTONE VISCONTI (Ugone, v. 1208 – Chiaravalle Milanese, 1295). Il fut archevêque de Milan (1262). Il fit élire son neveu Matteo capitaine du peuple. ♦ MATTEO Ier VISCONTI, neveu d'Ottone (Invorio, 1255 – Crescenzago, 1322). Capitaine du peuple en 1287, il fut chassé par les Della Torre en 1302, puis se rétablit à Milan en 1311. Il conquit Bergame, Crémone, Plaisance, Pavie, Alessandria, Tortona et Verceil. ♦ GALEAZZO Ier VISCONTI, fils de Matteo Ier (mort à Pescia, 1328). Il battit l'armée pontificale, puis fut emprisonné par l'empereur Louis de Bavière (1327). ♦ AZZO VISCONTI, fils de Galeazzo (1302 – 1339). Il étendit sa domination sur presque toute la Lombardie. ♦ LUCHINO VISCONTI (1287-1349), oncle et successeur d'Azzo. Il prit Parme, Asti et Locarno. ♦ GIOVANNI VISCONTI, frère de Luchino (1290-1354). Archevêque de Milan en 1339, il régna à Milan à partir de 1349. Il prit Bologne (1350) puis Gênes (1353). Il fut l'ami de Pétrarque. Ses trois neveux lui succédèrent. ♦ MATTEO II VISCONTI, neveu de Giovanni (v. 1319 – 1355). Il régna à Plaisance, Parme et Bologne et fut assassiné par ses frères. ♦ GALEAZZO II VISCONTI (mort à Pavie, 1378). Il régna sur Verceil, Novare, Asti, Tortona, Alessandria. En 1359, il s'empara de Pavie où il fit construire le château et fonda l'université. ♦ BERNABO VISCONTI (mort en 1385). Il régna sur Milan, Crémone, Bergame, Brescia, puis Lodi et Parme. Il triompha de toutes les coalitions montées contre lui. À la mort de Galeazzo II, il voulut régner seul mais fut empoisonné par son neveu Gian Galeazzo. ♦ GIAN GALEAZZO VISCONTI, neveu de Bernabo (1351 – Melegnano, près de Florence, 1402). Il prit Vicence et Vérone (1388), Padoue (1388), Pise et Sienne (1399), Pérouse, Lucques, Bologne (1400-1401). Il favorisa les arts (construction de la cathédrale de Milan, de la chartreuse de Pavie) et réorganisa le gouvernement. Il maria sa fille Valentine à Louis d'Orléans, frère de Charles VI. C'est de ce mariage que Louis XII tira ses revendications sur le Milanais. ♦ GIOVANNI MARIA VISCONTI (1389 – 1412). Fils de Gian Galeazzo, il mourut assassiné. ♦ FILIPPO MARIA VISCONTI, fils de Gian Galeazzo et frère du précédent (1392 – 1447). Il employa des condottieres comme Carmagnola et Francesco Sforza* pour retablir la puissance de sa famille. Il reconquit la majeure partie de la Lombardie (1416-1421). Il maria sa fille naturelle Bianca Maria à Francesco Sforza (1441) et fut le dernier de cette famille. **V. Sforza.**

VISCONTI (Ennio Quirino). ♦ Archéologue et homme politique italien (Rome, 1751 – Paris, 1818). Très jeune, il traduisit des œuvres grecques de l'Antiquité (en particulier Euripide, Pindare). Successivement sous-bibliothécaire à la Vaticane (1777), bibliothécaire du prince Ferdinando Chigi (1785), puis conservateur du musée Pio Clementino (1787), il fut ministre de l'Intérieur de la République romaine formée après l'entrée des troupes françaises (1797-1798). Obligé de se réfugier en France lors de l'invasion des Napolitains, il fut nommé conservateur des antiques et tableaux du Louvre par Bonaparte. Il publia peu après son *Livret du musée* (1801) et ne cessa de travailler à l'élaboration de son *Iconographie antique* dont l'avait chargé Napoléon et qui comprend l'*Iconographie grecque* (1808) et l'*Iconographie romaine* (1817-1818).

VISCONTI (Ludovico Tullius Joachim). ♦ Architecte français d'origine italienne (Rome, 1791 – Paris, 1853). Élève de Percier, il édifia le *tombeau de Napoléon* aux Invalides et plusieurs fontaines *(Gaillon, Saint-Sulpice, Molière)* et fut chargé par Napoléon III de réunir le Louvre aux *Tuileries*. Ce projet dont il établit les plans fut réalisé par Lefuel*. Il fut un représentant de l'architecture éclectique, caractéristique de l'art officiel du Second Empire.

VISCONTI (Luchino). ♦ Réalisateur italien de cinéma (Milan, 1906 – Rome, 1976). Homme de culture, nature d'artiste raffinée et complexe, il est venu au cinéma sous l'influence de Jean Renoir* dont il fut l'assistant (1936-1940). Avec *Ossessione* (*Les Amants diaboliques*, 1942) et en conférant à un récit policier américain (de James Cain) une valeur de témoignage critique et politique, il dota le cinéma italien de la première grande œuvre du néo-réalisme. Metteur en scène de théâtre (1945), activité à laquelle il ne renoncera jamais tout à fait, il revint au cinéma avec *La Terra trema* (*La terre tremble*, 1948), premier épisode d'une trilogie inspirée par la misère des pêcheurs siciliens. Sur le mode de la fiction plus élaborée, *Rocco et ses frères* (*Rocco e i suoi fratelli*, 1960), seconde partie de cette trilogie, illustrera plus tard, dans le même cadre, celui de l'Italie du Sud, la décadence irrémédiable d'une famille paysanne. Cependant, avec *Senso* (1953), au scénario et au ton stendhaliens, et *Le Guépard* (*Il Gattopardo*, 1963, d'après Lampedusa*), Visconti signera deux de ses chefs-d'œuvre, fresques composées en hommage à l'Italie du Risorgimento, véritables ciné-opéras remarquables par leur beauté plastique, leur lyrisme et la profondeur de leur vérité psychologique. En Visconti, l'amour de la réalité nourrit une contemplation pathétique de tout ce qui fuit et se dégrade, étant promis à la mort : décors, visages, passions humaines. Attitude de poète et de philosophe qu'illustre son film, *Mort à Venise* (*Death in Venice*, 1971).

VISÉ, en néerl. **Wezet.** ♦ V. de Belgique (prov. et arr. de Liège) sur la Meuse. 6 400 hab. L'hôtel de ville du XVIe s. a été reconstruit (1924). Musées. La collégiale Saint-Martin possède la châsse de saint Hadelin, un des plus anc. (XIe s.) et des plus beaux spécimens de l'art mosan. — Indus. alimentaires (fruits). Conserveries. Aliments pour le bétail. Indus. du meuble.

VISEU. ♦ V. du Portugal central (Beira Alta). 20 000 hab. Ch.-l. de district. — Évêché. Cathédrale du XIIIe s. remaniée au XVIe siècle. Très beau musée fondé en 1914, renfermant des œuvres de Grao Vasco et de l'*école de Viseu*.

Visitation *(ordre de la)* ou **visitandines.** ♦ Ordre de moniales fondé à Annecy par saint François* de Sales et sainte Jeanne* de Chantal en 1610. Ce sont des religieuses contemplatives, avec clôture et vœux solennels. L'ordre constitué officiellement en 1618 fut approuvé par le pape en 1626. Les visitandines font également de l'enseignement. La maison mère est à Annecy; l'ordre compte 193 couvents depuis 1952.

Visiteurs du soir (Les). ♦ Film français, réalisé par Marcel Carné* (1942) sur un scénario de J. Prévert*. Sous l'apparence d'une fable médiévale séduisante et poétique, le film évoque la lutte du Bien et du Mal; mais le Diable, malgré le trouble que ses créatures (Arletty — le trouvère Dominique — et son compagnon, Alain Cuny) apportent dans l'âme des châtelains (rôles joués notamment par Fernand Ledoux et Marcel Herrand), sera vaincu par l'Amour.

VISNU, VISHNU ou **VISHNOU.** ♦ Deuxième grande divinité de la triade brahmanique **(V. Trimurtî)** et divinité suprême de nombreuses sectes hindoues. Il représente les forces évolutives de l'Univers. On le vénère sous de nombreuses formes (ou avatâra) et on lui attribue mille noms symbolisant ses qualités. Dans sa forme la plus généralement représentée, il possède quatre bras portant un disque, une conque, un lotus et une massue. Il est monté sur l'oiseau mythique Garuda. C'est la divinité suprême de toutes les sectes piétistes hindoues.

VISO *(mont).* ♦ Montagne des Alpes piémontaises, à la frontière italienne (3 841 m), au pied duquel le Pô* prend sa source.

VISP. ♦ **V.** VIÈGE.

VISTA ALEGRE. ♦ Localité du Portugal (Beira Litoral). Porcelaines réputées.

VISTULE. *n. f.*, en polon. **Wisła.** ♦ Fl. de Pologne* (1092 km), né dans les Beskides*, près de la frontière tchécoslovaque, il baigne le S. de la haute Silésie*, passe à Cracovie*, contourne les plateaux de la Petite Pologne en formant un arc de cercle et arrose successivement Tarnobrzeg*, Sandomierz*, Puławy*, Varsovie*, Płock*, Włoclawek*, Toruń*, Grudziądz*, avant de se jeter dans la Baltique* par un vaste delta, dont un des bras relie Gdańsk* à la

Arch. Smeets

Visnu. Bronze doré du XVe s.
(Prince of Wales Museum of Western India, Bombay.)

mer. Navigable sur 940 km. – *Princ. affl.* **V.** (r. d.) **Dunajec, San, Wieprz, Bug, Nida,** (r. g.) **Pilica, Bzura, Brda.**

VITAL *(saint).* ♦ [IIe s.?]. Il aurait été torturé et exécuté lors de la persécution de Marc Aurèle. – Patron de Ravenne. Fête le 28 avril.

VITALI (Filippo). ♦ Chanteur et compositeur italien (Florence, v. 1590 – *id.,* 1650). Il fut chantre à la chapelle pontificale (1631-1642) avant de devenir maître de la chapelle ducale S. Lorenzo de Florence. Il a composé de nombreux recueils de madrigaux et *L'Aréthuse* « légende » *(favola)* musicale, représentée à Rome en 1620.

VITALI (Giovanni Battista). ♦ Violiste et compositeur italien (Bologne, 1632 – Modène, 1692). Il fit ses débuts comme « musico di violone di braccio » (violoniste) à S. Petronio de Bologne, avant d'être nommé vice-maestro de la chapelle du duc de Bologne. Il contribua pour une large part à fixer, avant Corelli et Purcell, le schéma de la sonate. Il est aussi l'auteur de *Salmi concertati* pour voix et orchestre, de petites pièces de danse (correnti, balleti, galliarde, gighe) et d'*Artifici musicali.*

VITALIEN *(saint).* ♦ 76e pape (657-672 [mort]), de Segni. Fête le 27 janvier.

Vitaliens. *n. m. pl.,* en scand. **Fetaliebrödre** (« frères ravitailleurs »), en all. **Vitalienbrüder.** ♦ Groupe de pirates des XIVe et XVe s., originaires de Rostock et de Wismar, qui ravitaillèrent Albert* de Suède assiégé dans Stockholm par Marguerite* Valdemarsdotter entre 1389 et 1395. Ils s'établirent ensuite dans l'île de Gotland mais en furent expulsés en 1398 par les Teutoniques. Ils écumèrent alors la mer du Nord mais furent vaincus par les Hambourgeois à Héligoland [Helgoland] (1401) et virent leurs chefs Klaus Zörtebeker et Gödeke Michels exécutés. Les derniers vitaliens disparurent à la fin du XVe siècle.

VITEBSK. ♦ V. d'U.R.S.S. (Biélorussie), ch.-l. de la région du même nom (39 700 km², 1 375 000 hab.), sur la Dvina* occidentale. 249 000 hab. Nœud ferroviaire. Indus. alimentaires et textiles Constructions mécaniques. Traitement du bois. Patrie de Marc Chagall*. ♦ *Hist.* Cité dès 1021, elle devint la capitale d'une principauté indépendante (1029-1320). Centre commercial important (XVe-XVIIe s.) sous la domination lituanienne et ensuite polonaise, elle fut occupée par les Russes (1654), puis par les Polonais (1667), et de nouveau annexée par les Russes (1772). Détruite durant la guerre du Nord (1700-1721) et l'invasion napoléonienne, elle fut prise en juin 1941 par les Allemands qui anéantirent presque entièrement les juifs (45 % de la population de la ville). Libérée par l'armée rouge en juin 1944, elle fut reconstruite.

VITELLION. ♦ V. WITELO.

VITELLIUS, en lat. **Aulus Vitellius.** ♦ (15 – Rome, 69). Empereur romain (69). Élevé auprès de Tibère*, il gagna ensuite la faveur de Caligula*, de Claude* et de Néron* par son esprit de flatterie. En 68, il reçut de Galba* le commandement de l'armée de Germanie inférieure. Il se rendit populaire auprès de ses soldats qui le proclamèrent empereur à la mort de Galba (janv. 69), tandis que Othon* était reconnu comme empereur dans le reste de l'empire. Après la défaite d'Othon à Bédriac* (avr. 69), Vitellius marcha sur Rome, mais il ne put imposer son autorité dans l'ensemble de l'empire. De son côté, l'armée d'Orient proclamait empereur son chef Vespasien* (juil. 69), et Vitellius, battu à Crémone (oct. 69), fut égorgé sur le Forum par la populace.

VITERBE, en it. **Viterbo.** ♦ V. d'Italie centrale, dans le Latium*. Ch.-l. de prov. 51 500 hab. – Évêché. Remparts, églises (San Sisto, San Silvestro, San Francesco). Quartier médiéval, jardins, fontaines. ♦ *Hist.* Bâtie sur un site étrusque par les Lombards (773), elle fut donnée en héritage à la princesse Mathilde (1077), puis disputée entre la papauté et l'Empire. Résidence pontificale au XIIIe siècle.

VITERIC. ♦ V. WITTERIC.

VITIGÈS. ♦ Roi des Ostrogoths (536-540), mort en Asie après 540. Il défendit l'Italie contre les Byzantins, mais, vaincu à Ravenne par Bélisaire*, se rendit et fut mené captif à Constantinople devant Justinien* Ier.

VITI LEVU. ♦ La plus grande des îles de l'archipel Fidji* au S.-O. de l'île de Vanua* Levu. 10 386 km². Ile montagneuse où se situe le point culminant de l'archipel (mont Victoria, 1 323 m). Sur sa côte S.-E. se trouve la cap. de l'État : **V. Suva.** – Canne à sucre. Fruits tropicaux. Or (gisement de Vatu-Koula).

VITÓRIA. ♦ V. et port du Brésil, cap. de l'État d'Espírito* Santo située en bordure de la côte atlantique. 121 800 hab. – Industries métallurgiques et alimentaires.

VITORIA. ♦ V. d'Espagne du Nord, cap. de la prov. basque d'Álava*. 136 873 hab. – Centre industriel en plein essor (automobiles, matériel agricole). – Cathédrale gothique (XIVe s.), église San Pedro. ♦ *Hist.* Victoire de Wellington* sur les Français, Joseph Bonaparte et Jourdan (21 juin 1813).

VITOŠA. *n. m.* ♦ Massif montagneux de Bulgarie (2 290 m au pic Noir) dominant Sofia. La Struma y prend sa source.

VITRAC (Roger). ♦ Poète et auteur dramatique français (Pinsac, 1899 – Paris, 1952). Venu du surréalisme, il se lia avec Antonin Artaud au moment de la création du *théâtre Alfred-Jarry.* Livrant la scène à la provocation surréaliste, à sa violence et à ses sarcasmes, il est l'auteur des *Mystères de l'amour* (1927) et de *Victor ou les Enfants au pouvoir* (1928), impitoyable satire des valeurs bourgeoises et parodie destructrice du langage. Précurseur du théâtre de l'absurde, Vitrac a fait encore représenter *Le Coup de Trafalgar* (1934).

Ph. Hétier

Vitré : le château.

VITRÉ. ♦ Ch.-l. de cant. d'Ille-et-Vilaine, arr. de Rennes, sur la Vilaine. 11 903 hab. *(Vitréens).* Ville d'aspect médiéval. Imposant château représentatif de l'architecture militaire du Moyen Âge (XIe-XIVe-XVe s.). Église Notre-Dame en partie des XVe et XVIe siècles. Remparts. Maisons anciennes. Château Marie (XVIIe s.). – Bonneterie ; chaussures ; fabrique de machines et d'équipement agricoles. Fabriques de meubles métalliques. Parqueterie. Boulangerie industrielle ; laiterie. ♦ *Hist.* Ancienne baronnie de Bretagne ; de 1655 à 1706, Vitré fut plusieurs fois le siège des états de Bretagne. Ce fut une des places du protestantisme en Bretagne. – Aux environs, château des Rochers (XIVe-XVIIe-XVIIIe s.), où Mme de Sévigné* séjourna plusieurs fois. Château du Plessis (XVe-XVIIe s.), restauré au XIXe siècle.

VITREY-SUR-MANCE. ♦ Ch.-l. de cant. de la Haute-Saône, arr. de Vesoul. 446 hab. – Église en partie du XVIe siècle. Château Renaissance.

VITROLLES (Eugène François d'ARNAULD, *baron de***).** ♦ Homme politique français (château de Vitrolles, près d'Aix-en-Provence, 1774 – Paris, 1854). Émigré dès les débuts de la Révolution, il servit dans l'armée contre-révolutionnaire du prince de Condé. Revenu en France sous le Consulat, il tenta de gagner les Alliés à la cause des Bourbons et fut nommé secrétaire d'État dans le Conseil provisoire (1814). Représentant des ultras*, il tenta en vain de soulever le Midi de la France contre Napoléon Ier aux Cent-Jours. Député à la Chambre introuvable (1815-1816), puis à la Chambre retrouvée (1824), il fut nommé ambassadeur par Charles X (1827-1829) et fait pair de France (1830). Il abandonna la vie politique peu après l'instauration de la monarchie de Juillet.

VITRUVE, en lat. **Marcus Vitruvius Pollio.** ♦ Architecte romain (~ Ier s.). Ingénieur militaire sous César et auteur de la basilique de Fanum, il est surtout connu pour son *De Architectura,* dédié à Auguste, traité dans lequel il tenta de codifier les principes de l'architecture hellénistique : système de proportions, utilisation des ordres, etc. Cet ouvrage, qui constituait la seule approche théorique de l'architecture antique, fut abondamment utilisé et interprété par les architectes de la Renaissance.

VITRY (Philippe *de***).** ♦ V. PHILIPPE DE VITRY.

VITRY (Louis GALLUCIO de L'HOSPITAL, *marquis de***).** ♦ Militaire français (1555 – Paris, 1611). D'abord au service du duc d'Alençon puis d'Henri III, il se rallia à la Ligue et assura la défense de Paris contre Henri IV (1590). Aux états généraux (1593), il combattit les ambitions espagnoles et, gouverneur de Meaux, rendit la ville à la suite de l'abjuration d'Henri IV après les conférences de Suresnes.

VITRY (Nicolas de L'HOSPITAL, *marquis* puis *duc de***).** ♦ Maréchal de France (1581 – Nandy, 1644). Capitaine des gardes, il arrêta et tua Concini* (1617). Il fut par la suite embastillé par Richelieu.

VITRY-EN-ARTOIS. ♦ Ch.-l. de cant. du Pas*-de-Calais, arr. d'Arras*, sur la Scarpe, dans l'Artois*. 3 593 hab. – Minoterie.

VITRY-EN-PERTHOIS (anc. **Vitry-le-Brûlé**). ♦ Comm. de la Marne, arr. de Vitry-le-François, sur la Saulx et la Bruxenelle. 688 hab. ♦ *Hist.* Vitry *(Victoriacum)* fut rebâti après avoir été brûlé en 1544 par les Impériaux. Ce fut le quartier général de Joffre (bataille de la Marne).

VITRY-LE-FRANÇOIS. ♦ Sous-préf. de la Marne, ch.-l. d'arr. (5 cant., 123 comm., 48 335 hab.), sur la Marne. 17 562 hab.

Ph. Roger-Viollet

Antonio Vivaldi.

(Vitryats). — Église Notre-Dame (XVIIe-XVIIIe s.). Couvent des Récollets, du XVIIe s. (restauré). Carrefour naturel de vallées (Marne, Blaise, Saulx, Ornain, Chée), point de jonction du canal de la Marne au Rhin et du canal de la Marne à la Saône. — Indus. textiles (laine), mécaniques. Faïencerie. Indus. du bois (éléments préfabriqués). Abattoirs industriels.

VITRY-SUR-SEINE. ♦ Ch.-l. de cant. du Val-de-Marne, arr. de Créteil, sur la Seine. 79 242 hab. *(Vitriots).* Église Saint-Germain (XIIIe-XIVe s.). Cultures de fleurs; centrale électrique Arrighi et nouvelle centrale E.D.F. avec d'immenses cheminées. Indus. chimiques; constructions mécaniques, métallurgie; matériaux de construction; indus. électronique.

VITTEAUX. ♦ Ch.-l. de cant. de la Côte-d'Or, arr. de Montbard, sur la Brenne*, dans un bassin bien cultivé. 1 089 hab. *(Vittelliens).* Église Saint-Germain, construite v. 1180; chœur et nefs transformés en 1250, puis au XVIe siècle. Chapelles des XVe, XVIe et XVIIe siècles. Vestiges d'un château fort (tour ronde, chapelle du XIVe s., avec crypte).

VITTEL. ♦ Ch.-l. de cant. des Vosges, arr. de Neufchâteau. 6 343 hab. *(Vittellois).* La station thermale a été créée au XIXe s.; ses eaux sont utilisées contre les maladies des reins, du foie et contre l'arthrite. Importante usine d'embouteillage.

VITTORIA. ♦ V. de Sicile méridionale (prov. de Raguse). 46 000 hab. — Centre agricole et vinicole.

VITTORINI (Elio). ♦ Écrivain italien (Syracuse, 1907 — Milan, 1966). Après une jeunesse difficile, il se fit connaître en collaborant à la revue *Solaria* et en traduisant les romanciers américains modernes (Faulkner*, Caldwell* et Saroyan*). Militant communiste depuis 1945, Vittorini manifeste dans son œuvre romanesque une ardente sympathie pour les pauvres et les déshérités *(Le Simplon cligne de l'œil au Fréjus,* 1947; *Les Femmes de Messine,* 1949 et 1964; *Erica et ses frères,* 1956). S'il évoque les aspects sociaux de la vie contemporaine, c'est avant tout pour exposer le problème « des rapports qu'entretient l'individu, l'homme de ce temps, avec la société dans laquelle il vit, avec son époque, avec l'histoire » (M. Nadeau). Dans des ouvrages où apparaît cette inquiétude sociale et révolutionnaire *(Conversation en Sicile,* 1941; *Les Hommes et les autres,* 1945), Vittorini a effectué des recherches dans le sens du « réalisme magique », plaçant ses personnages sur les plans parallèles de la réalité et du rêve, et faisant se télescoper passé et présent. Ciseleur de phrases, l'écrivain tente également de créer un langage susceptible de résumer « les espoirs ou les souffrances des hommes en général, surtout s'ils sont secrets ».

VITTORIO VENETO. ♦ V. d'Italie, en Vénétie* (prov. de Trévise), au pied des Alpes vénitiennes, et formée par la réunion des deux communes de Cenada et Serravalle. Centre commercial et industriel (travail de la laine). Eaux sulfureuses. ♦ *Hist.* Victoire finale des Italiens sur les troupes austro-hongroises, en 1918. — L'offensive italienne du 24 oct. 1918 bénéficia de la désorganisation politique et militaire de l'Autriche-Hongrie. Dirigée par Diaz* et menée par la VIIIe armée (Caviglia) assistée de forces françaises et britanniques, elle aboutit, le 28, à la rupture du front du Piave. Vittorio Veneto fut occupé le 30, Trente et Trieste le 3 novembre. Ce même jour, l'Autriche-Hongrie signait l'armistice de Villa Giusti. **V. Guerre mondiale** *(Première).*

VIVALDI (Ugolino et **Vadino).** ♦ Navigateurs italiens. Nom de deux frères qui partirent de Gênes en 1291 pour rejoindre l'Asie par l'ouest et dont on n'entendit plus parler.

VIVALDI (Antonio). ♦ Compositeur italien (Venise, 1678 — Vienne, 1741). Fils d'un violoniste réputé à Venise, il fut probablement l'élève de son père et, peut-être, pour une courte durée, celui de Legrenzi. Ordonné prêtre (1703), il se trouva bientôt dans l'impossibilité d'exercer son ministère, sa faible complexion lui interdisant de participer à la célébration des offices religieux. Nommé maître de violon et de composition, puis maître de chapelle au séminaire musical de l'Ospedale della Pietà, l'une des quatre institutions qui accueillaient à Venise de jeunes orphelines déshéritées, il allait se trouver, durant près de quarante années (1703-1740), dans un milieu d'intense activité musicale où l'obligation de composer à un rythme rapide dans tous les genres était quasi quotidienne pour le maître de chapelle. Vivaldi parvint toutefois à se soutraire, à plusieurs reprises, aux obligations de sa charge. Violoniste virtuose, chef d'orchestre, impresario et metteur en scène de ses propres opéras, il effectua de nombreuses tournées dans les grandes villes d'Italie, séjourna en Allemagne, en Autriche, aux Pays-Bas, connut enfin une gloire européenne. On ignore les raisons pour lesquelles, de retour à Venise (1740), il décida de renoncer à ses fonctions et de quitter cette ville pour Vienne où il mourut l'année suivante, dans la solitude, la pauvreté et l'oubli. Ce revers imprévu de la fortune allait affecter encore, durant plus d'un siècle, sa réputation de compositeur. Curieusement, ce sont les travaux entrepris par les musicologues après 1850 pour faire revivre l'œuvre de J.-S. Bach, elle-même plongée dans l'oubli, qui sont à l'origine de la résurrection de celle de Vivaldi. Transcripteur de plusieurs concertos du compositeur vénitien, Bach en fut d'abord tenu pour l'auteur, avant qu'on ne s'avise de l'identité véritable de celui qui les écrivit. La publication de l'œuvre intégrale d'A. Vivaldi commença après 1930 et, au lendemain de la Deuxième Guerre mondiale, il devint l'un des musiciens les plus joués du monde. — C'est dans le domaine du concerto que Vivaldi apparaît comme un véritable créateur, par l'importance accrue du rôle dévolu au soliste, la division ternaire (allegro, andante, allegro), la robustesse et la hardiesse du rythme, le lyrisme des thèmes qui allient l'éloquence et l'énergie à la grâce rêveuse et à la tendresse. Novateur, il l'est encore par le caractère descriptif qu'il a imprimé à un genre qui devient avec lui une préfiguration du poème symphonique. De même, il peut être tenu pour le précurseur de la symphonie classique avec ses ouvertures d'opéras, ses *sinfonie* et ses *concerti ripieni.* Son influence a été considérable sur les plus importants musiciens de son temps et sur la génération qui lui succéda. On sait l'admiration que lui porta J.-S. Bach, mais il faut citer encore parmi ceux qui s'inspirèrent de son exemple Albinoni, Galuppi, Veracini, Locatelli, Leclair, Mondonville, Telemann, Hasse et Haendel. Il semble qu'il fut moins inventif dans les domaines de la sonate, de l'opéra et de la musique religieuse, qu'il a cependant illustrés par de nombreux ouvrages. Prodigieux virtuose du violon, au dire de ses contemporains, celui qu'ils surnommèrent le « Prêtre roux » *(il Prete rosso)* fut aussi un remarquable pédagogue et compta A. Marcello parmi ses élèves. — Son œuvre comprend plus de 470 *concertos* et *sinfonie* [les plus célèbres de ses concertos sont les douze de l'*Estro armonico* (1712), les douze de la *Stravaganza* (v. 1712), les douze du *Cimento dell'armonia* qui comprend la célèbre suite des *Quatre Saisons* (v. 1725); ces ouvrages sont conçus pour diverses sortes de combinaisons instrumentales : pour viole d'amour, mandoline, flûte, hautbois, basson, ...], quarante-cinq *opéras,* deux *oratorios,* plus de cent *cantates, arie* et *serenate;* soixante-quinze *sonates* et une quarantaine d'œuvres de musique sacrée, dont un *Gloria,* en *ré* majeur.

VIVARAIS. *n. m.* ♦ Région du S.-E. de la France, en bordure orientale du Massif* central, limitée par le sillon rhodanien et correspondant approximativement au département de l'Ardèche*. Des phénomènes volcaniques se sont produits et ont donné naissance à de petits massifs. **V. Gerbier-de-Jonc** (1 551 m), **Coiron.** *V. princ.* **V. Annonay, Privas, Viviers.** Le Vivarais est découpé par des torrents méditerranéens se jetant dans le Rhône. Riches vergers sur les pentes rhodaniennes : pêches, poires, raisin. À l'intérieur, châtaigneraies et élevage. ♦ *Hist.* Petit pays de l'anc. France, dont la cap. était Viviers. Sous la conquête romaine, il fit partie de la Narbonnaise*. Il appartint au royaume de Provence et de Bourgogne puis, à la fin du Xe s., aux domaines du comte de Toulouse et fut réuni à la couronne royale au XIIIe siècle. Le protestantisme s'y implanta fortement au XVIe siècle.

VIVARINI. ♦ Nom d'une famille de peintres vénitiens du XVe siècle. ♦ ANTONIO VIVARINI (Murano, v. 1415 — Venise, entre 1476 et 1485). Il travailla avec son beau-frère, puis avec son frère cadet Bartolomeo. Il commença par peindre des *Madones,*

Ph. Nimatallah/Ricciarini

Alvise Vivarini : « Saint Jean-Baptiste ».
(Galerie de l'Académie, Venise.)

se référant encore au langage gothique (Venise, Padoue). Malgré l'acquisition d'une rigueur spatiale nouvelle au contact de Donatello* et de Mantegna*, son style reste dominé par un dessin sinueux, des ornements aussi précis qu'abondants et une couleur comme émaillée *(Vie de sainte Catherine,* Washington). En somme, il fut influencé par la peinture tonale d'Antonello* da Messina *(Sacra Conversazione,* 1480, Venise) et fut le représentant le collaborateur de son frère, il joua un rôle important dans l'évolution de la peinture vénitienne, tant par l'équilibre du rythme que par la vivacité des couleurs *(Vierge à l'Enfant avec quatre saints,* Venise; *Saint Georges,* Berlin). ♦ ALVISE VIVARINI, fils d'Antonio (Venise, v. 1446 – *id.,* après 1503). Élève de son oncle Bartolomeo, il fut influencé par la peinture tonale d'Antonello da Messina (*Sacra Conversazione,* 1480, Venise) et fut le représentant le plus typique du style cristallin qui domina l'école vénitienne à la fin du siècle, style contre lequel Giorgione* allait réagir *(Sainte Claire,* Venise; *Saint Antoine,* Venise).

VIVEKÂNANDA. ♦ Philosophe indien (1862 – 1903) né à Calcutta, disciple de Râmakrişna* et grand vulgarisateur de la philosophie du Vedânta*. Sa participation active au parlement des religions de Chicago en 1903 fut très remarquée et fit connaître l'hindouisme dans le monde entier. Il fonda en 1897 la « Mission Râmakrişna » dont le but est de propager à travers le monde la pure philosophie du Vedânta et une sorte d'évangile universel. Son œuvre écrite est importante.

VIVÉS (Juan Luis). ♦ Humaniste espagnol d'expression latine (Valence, 1492 – Bruges, 1540). Nommé professeur à Louvain en 1519, il y publia la même année *Contre les pseudo-dialecticiens (Adversus Pseudo-dialecticos),* brillant pamphlet contre la scolastique de la Sorbonne, suivi en 1531 par les ouvrages *De l'instruction (De disciplinis)* et *Des arts (De artibus).* C'est vers cette époque qu'il se lia avec Érasme*, sur les instances de qui il édita le texte de *La Cité de Dieu,* de saint Augustin. En 1523, il fut appelé par Wolsey à Oxford, et devint, à la cour de Henri VIII, le lecteur de la reine Catherine et le précepteur de la princesse Marie, future Marie Tudor. De son séjour à la cour d'Angleterre date son ouvrage *L'Institution de la femme chrétienne (De institutione feminae christianae,* 1523) qu'il dédia à Catherine d'Aragon et dont il devait publier le pendant en 1529 avec *Des devoirs d'un mari (De officio mariti).* Il rédigea également pendant cette période *De la raison des études enfantines (De ratione studii puerilis,* 1523), *La Garde de l'âme (Satellitium animae,* 1524), *L'Introduction à la sagesse (Introductio ad sapientiam,* 1524), *Des conflits européens et de la guerre turque (De dissidiis Europae et bello turco,* 1526), *Les Conditions de vie des chrétiens sous l'oppression turque (De conditione vitae christianorum sub Turca* (1526), *De la subvention des pauvres (De subventione pauperum,* 1526). En 1527, ayant refusé de prendre position en faveur du divorce d'Henri VIII, il fut contraint de quitter l'Angleterre et de s'installer aux Pays-Bas où il composa *De la concorde et de la discorde dans la race humaine (De concordia et discordia in humano genere,* 1529) et *De la pacification (De pacificatione,* 1529), respectivement dédiés à Charles Quint et à l'archevêque de Séville. En 1538, il composa un pénétrant traité de psychologie, *L'Âme et la Vie (De vita et anima)* et son disciple Granevelt fit publier après sa mort son ultime ouvrage : *De la vérité de la foi chrétienne (De veritate fidei christianae).* Vivés eut sur la pensée philosophique de son temps une influence considérable : rompant délibérément avec les contraintes de la scolastique, il apparaît comme un précurseur de Bacon et de Descartes, et annonce, par le rôle fondamental qu'il assigne à l'observation et à l'expérience, le courant empiriste qui devait trouver au XVIIe s. son prolongement dans l'œuvre de Locke.

Viviane. ♦ Personnage fabuleux du *cycle breton. Viviane,* devenue fée grâce au savoir de Merlin* l'Enchanteur **(V. Brocéliande),** révèle à Lancelot* les règles de la chevalerie.

VIVIANI (René). ♦ Homme politique français (Sidi-bel-Abbès, 1863 – Le Plessis-Robinson, 1925). Collaborateur de plusieurs journaux, *la Petite République, la Lanterne* et plus tard *l'Humanité,* il siégea à la Chambre des députés comme socialiste (1893-1902), puis socialiste indépendant (1906-1922) avant de fonder lui-même le Parti républicain socialiste. Ministre du Travail (1906-1910), de l'Instruction publique (1913-1914), il fut appelé à la présidence du Conseil (juin 1914); après avoir d'abord décidé de ramener les troupes à 10 km de la frontière, il décréta la mobilisation générale (1er août 1914). Les premiers échecs militaires de la France l'obligèrent à procéder à un remaniement ministériel et à former un cabinet d'Union sacrée (Delcassé, Briand, Doumergue, Millerand, ...). Remplacé en octobre 1915 par A. Briand, il fut nommé ministre de la Justice (1915-sept. 1917). Représentant de la France à la S. D. N. (1920-1921), il fut élu sénateur (1922).

VIVIERS. ♦ Ch.-l. de cant. de l'Ardèche*, arr. de Privas*, sur le Rhône*. 3 440 hab. *(Vivarois).* – Cathédrale Saint-Vincent (XIIe, XVIe, XVIIe s.), clocher du XIVe siècle. Maisons anc. – Ciment; moulinage de la soie; confiserie.

VIVIER-SUR-MER (Le). ♦ Comm. d'Ille-et-Vilaine, sur la baie du Mont*-Saint-Michel, arr. de Saint-Malo. 793 hab. Petit port. Moules, huîtres; pêcheries.

VIVIEZ [vivje]. ♦ Comm. de l'Aveyron*, arr. de Villefranche*-de-Rouergue, dans le bassin de Decazeville*. 2 650 hab. – Extraction de la houille. Indus. chimiques. Métallurgie (zinc).

VIVONNE (Louis Victor de ROCHECHOUART, *duc de* **MORTEMART** et *de*). ♦ Maréchal de France (Paris, 1636 – Chaillot, 1688). Frère de Mme de Montespan*, il fut maréchal de camp en 1664 après avoir servi en Flandre sous Turenne. Il passa dans la marine, participa à l'expédition contre les Barbaresques (1664) et devint général des galères (1669). Il fit la guerre de Hollande et fut grièvement blessé au passage du Rhin (1672). Gouverneur de Champagne et de Brie (1674), il devint vice-roi de Sicile. Victorieux sur mer à Palerme (1676), il commença la conquête de la Sicile, se rendit insupportable aux Siciliens et fut rappelé en France pour prendre part à la nouvelle guerre de Hollande (1678). Grand seigneur, lettré et plein d'esprit, il passa la fin de sa vie à la cour et protégea les écrivains.

VIVONNE. ♦ Ch.-l. de cant. de la Vienne, arr. de Poitiers, sur la r. g. du Clain. 2 362 hab. (1 476 aggl.). Église des XIIe-XIIIe siècles. Vestiges d'un château XIIe-XVIe siècles. Matériel automobile. Textiles, tannerie.

Arch. Rencontre

Le cratère de **Vix.** (Musée de Châtillon-sur-Seine.)

VIX. ♦ Comm. de France (Côte-d'Or), cant. de Châtillon-sur-Seine. 92 hab. — *Trésor de Vix.* En 1953 fut découverte, au pied de l'oppidum du mont Lassois, une sépulture sous tumulus datant du premier âge du fer ou période de Hallstatt (~ VIe s.). Elle renfermait les restes d'une princesse celte, parée d'un pesant diadème d'or, dont le corps avait été déposé dans un char à quatre roues; elle était entourée du mobilier funéraire comprenant notamment le célèbre *cratère de Vix,* le plus grand vase de bronze connu, sorti probablement des ateliers grecs d'Italie du Sud, et témoin de la pénétration des négociants grecs jusqu'en Bourgogne (musée de Châtillon-sur-Seine).

VIZÂGAPATNAM. ♦ V. VISÂKHAPATNAM.

VIZILLE. ♦ Ch.-l. de cant. de l'Isère*, arr. de Grenoble*, sur la Romanche*. 7 450 hab. *(Vizillois).* — Indus. textile, papeteries, indus. chimiques. — Château du XVIIe s. bâti par le duc de Lesdiguières, auj. résidence d'été du président de la République. C'est dans ce château que les états du Dauphiné réclamèrent en juillet 1788 la convocation des états généraux.

VIZYÏNOS (Georges). ♦ Prosateur et poète grec (Vizyï, Thrace, 1849 — Athènes, 1896), un des derniers puristes. Ses ballades *Souffles athéniens* eurent du succès, mais c'est dans la nouvelle que s'affirma son grand talent de conteur, de peintre de mœurs et d'observateur de la condition humaine : *Le Péché de ma mère, Qui était le meurtrier de mon frère ?, Le Seul Voyage de sa vie,* etc.

VJOSA ou **VJOSË.** ♦ *n. f.* Fl. d'Albanie* méridionale (238 km), tributaire de l'Adriatique.

VLAARDINGEN. ♦ V. et port des Pays-Bas (Hollande-Méridionale) sur la Nouvelle Meuse et le *Nieuwe Waterweg.* 81 579 hab. Hôtel de ville Renaissance. Europoort, prolongement de Rotterdam et troisième port des Pays-Bas. Pêche (hareng, morue). Indus. alimentaires. Raffinerie de pétrole. Engrais chimiques.

VLADIKAVKAZ ou **VLADICAUCASE.** ♦ V. ORDJONIKIDZE.

VLADIMIR Ier Sviatoslavitch, le Saint ou **le Grand.** ♦ (v. 956 — 1015). Prince de Novgorod (970) et grand-prince de Kiev* (980-1015). Fils de Sviatoslav*, il devint souverain unique de la Russie kiévienne (après avoir fait tuer son frère, Iaropolk) et est considéré comme son fondateur. Il étendit son territoire de la Baltique à la mer Noire, s'empara de la Galicie* orientale et soumit la Chersonèse* Taurique *(auj.* Crimée). Allié de Basile* II, dont il épousa la sœur, il se convertit v. 988 au christianisme grec, qu'il répandit dans le pays. Il instaura une assistance sociale organisée, fonda des églises et des écoles, enfin s'attacha à accélérer la fusion entre Slaves* et Varègues*. Le partage de son État entre ses fils provoqua après sa mort de longues luttes intestines, jusqu'à l'avènement de Iaroslav* à Kiev.

VLADIMIR II Monomaque. ♦ (1053 — 1125). Grand-prince de Kiev* (1113-1125). Petit-fils de Iaroslav*, prince de Tchernigov (1093-1113), il se distingua par ses campagnes contre les Polovtsy (Coumans) avant d'être appelé au trône de Kiev. Il fit régner l'ordre et la justice et a laissé une *Instruction pour ses enfants,* considérée comme l'une des premières œuvres de la littérature morale russe.

VLADIMIR. ♦ V. d'U.R.S.S. (R.S.F.S. de Russie), ch.-l. de la région du même nom (29 000 km². 1 498 000 hab.), sur la Kliazma, au N.-E. de Moscou. 248 000 hab. — Monuments historiques (cathédrales du XIIe s.). Indus. mécaniques (tracteurs), chimiques et alimentaires. Nœud ferroviaire. ♦ *Hist.* Fondée au XIIe s., la ville fut de 1157 à 1339 la cap. de la principauté de Vladimir-Souzdal et devint, après le transfert du métropolite de Kiev* (1299), la cap. religieuse du pays avant d'être évincée par Moscou (1326) puis absorbée par l'État moscovite au XIVe siècle. Ivan* Ier Danilovitch prit le titre de grand-duc de Moscou et de Vladimir en 1328.

VLADISLAS. ♦ V. LADISLAS.

VLADIVOSTOK (« Maître de l'Orient »). ♦ V. et port d'U.R.S.S. (R.S.F.S. de Russie), ch.-l. du territoire du Littoral (165 900 km². 1 704 000 hab.), en Sibérie extrême-orientale, sur la mer du Japon. 472 000 hab. Centre culturel. Université. Réparation de bateaux. Indus. mécaniques et alimentaires (conserveries). Traitement du bois. Pêche (baleines, crabes). Point terminus du Transsibérien*. Port d'attache de la flotte soviétique d'Extrême-Orient. Aéroport. ♦ *Hist.* Occupée par les Russes dès 1860, la ville fut prise en charge de 1918 à 1922 par une mission militaire anglo-franco-japonaise.

VLAMINCK [vlamɛ̃k] **(Maurice de).** ♦ Peintre, dessinateur, graveur et écrivain français (Paris, 1876 — Rueil-la-Gadelière, 1958). À la fois coureur cycliste à partir de 1896, violoniste dans des orchestres tziganes (ses parents étaient eux aussi musiciens), il commença à pratiquer la peinture en amateur. Vers 1900, il rencontra Derain* et partagea avec lui un atelier à Chatou; il se consacra alors avec plus d'assiduité à la peinture. Personnage truculent, professant des idées anarchistes, auteur d'articles de journaux, de pamphlets et aussi de romans licencieux *(D'un lit à l'autre; Tout pour ça,* 1903), il était dénué de formation académique; à l'intellectualisme ou à la discipline traditionnelle, il voulut opposer la force de l'instinct, la liberté de la subjectivité. En 1907, il fit la connaissance de Matisse et fut surtout impressionné par Van Gogh. Il peignit alors des paysages, des sites urbains, des scènes de rue d'une exécution large, exaltant la violence des tons purs par des effets de contraste, étalant la couleur avec une touche véhémente ou par larges nappes, le caractère arbitraire, irréaliste du chromatisme accentuant sa puissance expressive *(Les Arbres rouges,* 1906; *La Péniche,* 1905). Il participa au Salon d'automne de 1905 et s'affirma comme l'un des plus virulents parmi les « fauves ». Cependant, son style évolua rapidement : la touche plus calme prit un caractère plus structurel, les tons s'assourdirent, son dessin d'abord schématique devint plus précis, donnant aux formes un caractère plus linéaire *(Les Remorqueurs à quai,* 1908). À la même époque, il subit l'attraction de Cézanne *(Nature morte,* vers 1907), mais ensuite, abandonnant les audaces formelles de ses débuts, il revint à une figuration plus traditionnelle. Il se retira d'abord à Valmondois *(La Maison à l'auvent,* 1920) puis à Rueil-la-Gadelière, se complaisant à multiplier les vues de village ou de champs enneigés avec des ciels orageux, tourmentés par des bourrasques de vent. Ces œuvres, peintes avec une pâte épaisse dans des tonalités bleu sombre, blanches et grises, obtinrent un grand succès auprès du public. Auteur d'illustrations de livres, de bois gravés, de lithographies, il publia divers ouvrages au ton amer et agressif *(Tournant dangereux,* 1931; *Portrait avant décès,* 1943).

VLASSOV (Andreï Andreïevitch). ♦ Général soviétique (Lomakino, prov. de Nijni-Novgorod, 1900 — Moscou, 1946). Fils de paysan, il s'engagea dans l'armée rouge en 1918 et prit part à la guerre civile. Membre du Parti communiste (1930), conseiller militaire de Chiang Kaï-shek (1938-1941), il se distingua pendant la Deuxième Guerre mondiale aux batailles de Kiev et de Moscou. Il se battit dans la région de Volkhov et fut encerclé. Prisonnier des Allemands (août 1942), il passa au service du Reich, assuma la présidence du « Comité national russe » et organisa avec des prisonniers soviétiques l'« armée de libération russe », qui fut envoyée en France et en Belgique pour relever des divisions allemandes. Livré par les Américains aux Soviétiques, il fut jugé secrètement et condamné à la pendaison (juil. 1946).

VLORË ou **VLORA, VLONË** ou **VLONA,** en it. **Valona.** ♦ V. du nord de l'Albanie*, sur l'Adriatique, au fond d'un golfe protégé par l'île de *Sasan.* 50 000 hab. — Principal port d'Albanie et centre industriel actif (rizerie, cimenterie). ♦ *Hist.* Anc. colonie grecque, puis romaine, la ville appartint à Venise au XVe siècle. Base navale allemande durant la dernière guerre mondiale.

VLTAVA. *n. f.,* en all. **Moldau.** ♦ Riv. de Tchécoslovaquie (430 km), qui prend sa source dans le massif de Šumava* qu'elle longe durant 80 km, puis traverse la Bohême du S. au N. pour se jeter dans l'Elbe* à Mělnik. Princ. affluents : la Lužnice, la Sázava, la Berounka. Elle arrose České* Budějovice et Prague*. Nombreuses centrales hydro-électriques.

VOCONCES. *n. m. pl.,* en lat. **Vocontii.** ♦ Peuple de Gaule, dans la Narbonnaise.

VODNIK (Valentin). ♦ Poète slovène (Zgornja Šiška, près de Ljubljana, 1758 — Ljubljana, 1819). Il fut un partisan actif du « Mouvement illyrien » lancé par Gaj*. Il contribua par ses ouvrages, et notamment par son ode la plus populaire *Le Réveil de l'Illyrie* (1811), au réveil national littéraire slovène.

VÔGE. *n. f.* ♦ Région boisée de la Lorraine, au S.-O. des Vosges*.

VOGEL (Eduard). ♦ Explorateur allemand (Krefeld, 1829 —

Ph. Nimatallah/Ricciarini

Maurice de Vlaminck : « Les Arbres rouges ». (Musée national d'Art moderne, Paris.)

Ouara, Ouaddaï, 1856). En 1853, il partit explorer l'Afrique centrale, atteignit Kouka (1854), explora la région du lac Tchad, la Bénoué et fut assassiné par les indigènes alors qu'il se dirigeait vers l'est de l'Afrique.

VOGEL (Hermann Karl). ♦ Astronome et physicien allemand (Leipzig, 1841 – Potsdam, 1907). Le premier à mesurer la vitesse de rotation du Soleil par application de l'effet Doppler*-Fizeau (1871), il établit un catalogue de vitesses radiales spectroscopiques de cinquante et une étoiles et étudia les étoiles doubles photométriques (1889).

VOGELGRUN. ♦ Comm. du Haut-Rhin*, arr. de Colmar*. 155 hab. – Centrale électrique sur le grand canal d'Alsace*, production annuelle de 765 000 000 de kWh.

VOGELSBERG. *n. m.* ♦ Massif volcanique d'Allemagne centrale, au cœur de la Hesse. De forme circulaire, il culmine à 772 m au *Taufstein.* De nombreuses rivières (Fulda, Kinzig, Lahn, Nidda, Nidder, Schwalm, Wetter) y prennent leur source.

VOGLER (Georg Joseph). ♦ Organiste, théoricien et compositeur allemand (près de Würzburg, 1749 – Darmstadt, 1814). Manifestant très tôt des dons de virtuose, Vogler, après avoir étudié à Würzburg, fut appelé en 1771 à la cour de Mannheim et nommé l'année suivante chapelain de l'Électeur. Il alla se perfectionner à Bologne auprès du P. Martini*, puis à Padoue, et devint en 1775 conseiller du Prince Électeur et second maître de chapelle à Munich. Il vécut à Paris, en Suède, en Afrique du Nord, en Espagne et en Grèce. Il s'intéressa à la facture d'orgue, mettant au point un système de simplifications visant à supprimer les mixtures. Il passa la dernière partie de sa vie à Copenhague, à Vienne (où il rencontra Beethoven et Haydn), à Munich et à Darmstadt. Brillant pédagogue, il ouvrit plusieurs écoles de musique (à Mannheim, Copenhague, Darmstadt) où il forma de nombreux élèves (dont Weber et Meyerbeer). Il a laissé des écrits théoriques, des œuvres de musique religieuse, des pièces pour piano ou orgue et des opéras.

Ph. Harlingue-Viollet

La Voisin, par Chasteau. (Bibliothèque nationale, Paris.)

VOGOULES ou **VOGHULS.** *n. m. pl.* ♦ Tribus d'origine finno-ougrienne. Chasseurs, pêcheurs et éleveurs de rennes, ils habitent la Sibérie occidentale (sur le côté E. de l'Oural).

VOGT (Karl). ♦ Naturaliste allemand (Giessen, 1817 – Genève, 1895). Élève de Liebig*, il devint l'ami de Louis Agassiz* avec lequel il collabora à l'*Histoire naturelle des poissons d'eau douce.* Après un séjour à Paris (1844-1846), il fut nommé professeur à Giessen (1847), siégea au Parlement national (1848), avant d'être destitué de ses fonctions d'enseignant en raison de ses positions politiques (1850). Il devint alors professeur de géologie et de zoologie à Genève. Matérialiste, défenseur de la théorie évolutionniste de Darwin, il a publié des *Lettres* consacrées à la physiologie, à la zoologie, un *Traité de géologie et des pétrifications,* des *Leçons sur l'homme.*

VOGT (Nils Collett). ♦ Poète, romancier et auteur dramatique norvégien (Christiania [Oslo], 1864 – Oslo, 1937). Fils révolté d'une grande famille bourgeoise, il écrivit, pour témoigner sur son époque, un roman à demi autobiographique : *Chagrin de famille* (1889). Mais il se voulut surtout poète, chantant la joie de vivre, l'amour de la liberté et de la nature dans ses recueils *Du printemps à l'automne* (1894), *Le Pain précieux* (1900), *Feux de septembre* (1907), *Retour au foyer* (1917), *Vent et vagues* (1927).

VOGÜÉ [vɔgɥe] **(Eugène Melchior,** *vicomte de***).** ♦ Écrivain français (Nice, 1848 – Paris, 1910). Il avait séjourné à Saint-Pétersbourg comme diplomate, et contribua à faire connaître en France les écrivains russes du XIXe s. (*Le Roman russe,* 1886), suscitant ainsi le mouvement néo-chrétien qui réagit à la fois contre le naturalisme et le scientisme. Il publia également des essais (*Cœurs russes,* 1894; *Histoire et Poésie,* 1898; *Maxime Gorki,* 1905) et des romans (*Jean d'Agrève,* 1897).

VOID [vwa]. ♦ Ch.-l. de cant. de la Meuse, arr. de Commercy. 1 061 hab. (*Vidusiens*). Église (XVIIIe s.); vestiges de l'ancien château des évêques de Toul (tour du XIVe s.).

Voie de la liberté. ♦ Nom donné à la route suivie par l'armée américaine de Patton*, d'Avranches à Metz (1944).

Voie lactée. *n. f.* ♦ Vaste nébulosité semblant se développer tout autour du ciel comme une ceinture irrégulière, elle n'est en fait que l'apparence de la Galaxie* pour un observateur se trouvant à l'intérieur du système solaire. **V. Chien** (grand), **Sagittaire.**

Voie sacrée. ♦ Nom donné pendant la bataille de Verdun (1916) à la seule route de ravitaillement, joignant Bar-le-Duc à Verdun par Rosnes et Souilly.

Voiles. *n. f. pl.,* en lat. **Vela,** *-orum.* ♦ Constellation appartenant au groupe du Navire Argo*, dans l'hémisphère austral.

VOIRON. ♦ Ch.-l. de cant. de l'Isère*, arr. de Grenoble*, sur la Morge. 19 038 hab. *(Voironnais).* – Église Saint-Bruno (XIXe s.). – Ville industrielle : indus. textile; métallurgie, papeteries, fabrique de meubles, corderie; construction mécanique; distillerie, confiserie.

VOISENON (Claude de FUZÉE, *abbé de***).** ♦ Écrivain français (Voisenon, près de Melun, 1708 – *id.,* 1775). Protégé de Choiseul et de Voltaire qui l'appelait son « cher ami Greluchon », il était très répandu dans les salons et représente le type des abbés mondains du XVIIIe s. par son esprit et sa vie dissipée. Il écrivit des contes libertins *(Zulmis et Yelmaïde, Misapouf, Histoire de la félicité, Thémidore, ...),* des poésies galantes, et des comédies qui furent jouées entre 1738 et 1756 *(L'Heureuse Ressemblance, Les Mariages assortis, La Coquette fixée).* Ses œuvres complètes furent publiées en 1781.

VOISIN (Catherine DESHAYES, femme **MONVOISIN,** dite **la).** ♦ Aventurière française (Paris, v. 1640 – *id.,* 1680). Elle fut impliquée dans l'affaire des Poisons* et accusée d'avoir fourni du poison et pratiqué la sorcellerie. Elle fut condamnée à mort et brûlée en place de Grève.

VOISIN *(les frères).* ♦ Ingénieurs et industriels français. GABRIEL (Belleville-sur-Saône, 1880 – Ozenay, Saône-et-Loire, 1973) et CHARLES (Lyon, 1882 – mort dans un accident d'automobile à Corselles, Rhône, 1912). Premiers constructeurs d'avions, en France, à une échelle industrielle (1908). Charles fut le premier pilote français à voler en Europe sur un avion à moteur (1907). Gabriel se consacra, à partir de 1918, à la construction automobile, contribuant à l'essor de l'aérodynamique.

VOITEUR. ♦ Ch.-l. de cant. du Jura, arr. de Lons-le-Saunier. 782 hab. – Château de Saint-Martin (XVe-XVIe s.).

VOITURE (Vincent). ♦ Poète et épistolier français (Amiens, 1597 – Paris, 1648). Habitué de l'hôtel de Rambouillet*, il fut, malgré sa roture, l' « âme du rond » par son enjouement spirituel et son art du badinage. Son esprit précieux, à la fois ingénieux et affecté, apparaît dans ses *Poésies* (posth., 1650), célébrées dans la société mondaine et soulevant de véritables débats littéraires (querelle des sonnets avec Malleville, puis avec Benserade*). Ses *Lettres,* surtout, manifestent sa verve et son imagination et furent admirées de La* Fontaine comme de Voltaire*. (Acad. fr.)

Voix intérieures (Les). ♦ Recueil lyrique de Victor Hugo* (1837) dont la triple inspiration est définie dans la *Préface* : « Si l'homme a sa voix, si la nature a la sienne, les événements ont aussi la leur. » Ainsi le poète évoque-t-il les siens *(À Eugène, vicomte H.; À des* *oiseaux envolés)*; puis il voit, dans la nature, « pendre à tous les rameaux de confuses paroles » *(À Albert Dürer)* et cherche à percer le mystère universel *(À Virgile)*; enfin, il médite sur les événements contemporains *(Sunt lacrymae rerum)* et entame un dialogue fantastique avec son double *(À Olympio*)* pour s'écrier : « Je ne regarde point le monde d'ici-bas, mais le monde invisible. »

VOJNOVIĆ (Ivo). ♦ Conteur et auteur dramatique croate (Raguse, 1857 – Belgrade, 1929). Ses drames, nombreux et variés, témoignent d'une grande finesse psychologique : *Trilogie ragusaine* (1900), *La Mort de la mère des Jugovič* (1906), *La Dame au tournesol* (1912), *La Résurrection de Lazare* (1913).

VOJVODINE ou **VOÏVODINE.** *n. f.*, en serbo-croate **Vojvodina.** ♦ Prov. autonome de Yougoslavie, rattachée à la Serbie*. 21 506 km². 1 935 115 hab. (Serbes, Magyars, Roumains). *Cap.* Novi* Sad. Elle est bordée au N. par la Hongrie, au S. par la Serbie, à l'E. par la Roumanie et à l'O. par la Croatie. – Elle est formée de plaines fertiles appartenant au relief pannonien : la Syrmie (ou Sirmie) qui fait la transition entre Slavonie et Vojvodine, avec au N., le massif de Fruška Gora (500 m); la Baranja, entre Drave et Danube; la Bačka, entre Danube et Tisza; le Banat occidental **(V. Banat).** Les vallées sont souvent marécageuses. – *Hydrogr.* Danube*, Drave*, Tisza*. – *V. princ.* Novi* Sad, Subotica*. – *Écon.* La Vojvodine est la première région agricole de la fédération et celle où la collectivisation est la plus poussée. Sa structure agraire est très particulière : les anciens domaines des hobereaux ont été démantelés et remplacés par des coopératives et des exploitations sociales. Les villages en damier se sont peu à peu urbanisés *(agrograd)* et forment des villes-silos, villes-greniers (Sombor, Kula). Le blé et le maïs sont cultivés à une vaste échelle. S'y ajoutent les cultures de betterave (Baranja, Banat), de chanvre, de houblon et de vigne (Syrmie). Pétrole et gaz naturel (Elémir). Une importante raffinerie se situe à Zrenjanin*, tandis qu'au N. de Vukovar se trouve le plus gros combinat yougoslave de caoutchouc. Novi Sad est un centre industriel d'importance (fabrique de câbles, machines agricoles).

VOLATERRAE. ♦ Une des principales cités étrusques. Il en reste une nécropole (~ VIIᵉ s.) et des murailles. ♦ *Hist.* Les Étrusques y furent vaincus en ~298 par L. Cornelius Scipion. La ville fut prise par Sylla en ~81-~80. C'est l'actuelle *Volterra**.

VOLCES ou **VOLQUES.** *n. m. pl.*, en lat. **Volcae.** ♦ Peuple de Gaule narbonnaise supposé venu du S.-E. de la Germanie*, divisé en deux groupes : les *Volques Tectosages* établis autour de *Tolosa* (Toulouse) et *Narbo Martius* (Narbonne), et les *Volques Arecomici* dans le bas Languedoc. Une partie des Tectosages était passée en Asie Mineure et avait occupé le N.-O. de la Galatie*.

VOLGA. *n. f.* (anc. *n. m.*). ♦ Fl. d'U.R.S.S. (R.S.F.S. de Russie). 3 690 km. C'est le fleuve le plus long d'Europe : débit moyen 8 000 m³/s (devant le Danube). Dans son bassin (1 380 000 km²) habitent 25 % env. de la population totale de l'Union soviétique. Née dans le plateau du Valdaï*, au N.-O. de Moscou, la Volga reçoit les eaux des riv. Oka*, Soura [Sura] (864 km), Sviaga (402 km) à droite, Kama*, Vetlouga [Vetluga] (858 km), Bolchoï Irghiz (662 km), Samara (575 km) à gauche, et se déverse dans la mer Caspienne*, après avoir arrosé les villes de Kalinine* (anc. Tver), Rybinsk*, Iaroslavl*, Gorki*, Kazan'*, Oulianovsk*, Kouïbychev*, Saratov*, Engels*, Volgograd* et Astrakhan*. Le canal de Tichvin, construit sous le règne de Pierre le Grand, relie la Volga à la mer Baltique. La Volga est reliée à la Moskova* (canal construit en 1932-1937, entre Ivankovo et Moscou), à la mer Blanche par le système de navigation de la Dvina du Nord, et à la mer d'Azov par le *canal Volga-Don.* Centrales hydro-électriques à Ivankovo et Ouglitch [Uglitsh] (au N. de Moscou, construites en 1930-1940), à Rybinsk (complétée en 1941, retenue de 4 791 km²), aux environs de Gorki (barrage à Gorodets, retenue de 1 699 km²), aux environs de Kouïbychev (2 300 000 kW, barrage à Zigoulevsk, complété en 1957, retenue de 5 955 km²), à Volgograd (2 560 000 kW, complétée en 1960, retenue de 3 150 km²), et à Volsk, au N. de Saratov. Couverte de glaces sur son cours supérieur de nov. à avril, la Volga, navigable sur 3 550 km, dessert néanmoins avec ses tributaires les deux tiers du trafic fluvial de l'U.R.S.S. (bois, pétrole, matériaux de construction, céréales, fruits). Pêche industrielle (esturgeon). Entre la Volga et l'Oural* se trouve le Second Bakou*. ♦ *Hist.* Au XIIIᵉ s. furent fondées dans la partie N.-O. du bassin et dans la région entre la Volga et l'Oka les principautés de Rostov-Veliki, Vladimir, Souzdal [Suzdal], Moscou, et sur la Volga elle-même les centres importants de Tver, Ouglitch, Iaroslavl'* et Nijni-Novgorod (*auj.* Gorki*). Le commerce était considérable entre les Russes du bassin supérieur et les Bulgares qui habitaient autour du confluent de la Kama, puis entre la Moscovie et les Tatars de la Horde d'or et l'Asie centrale. Kazan'* fut assiégé et occupé par l'armée d'Ivan* le Terrible, transportée par la Volga (1552). En 1556, Ivan occupa Astrakhan sur le delta. Pour protéger la voie fluviale, les Russes fondèrent les villes forteresses de Samara (*auj.* Kouïbychev*) en 1586, Tsaritsyne (*auj.* Volgograd*) en 1589, Saratov* en 1590 et Simbirsk (*auj.* Oulianovsk*) en 1648.

VOLGA *(République des Allemands de la).* ♦ Anc. République socialiste soviétique autonome de la R.S.F.S. de Russie (de 1924 à 1941). Elle s'étendait sur les deux rives de la Volga (cours inférieur) et était bordée à l'O., au N. et à l'E. par la région de Saratov, et au S. et au S.-O. par la région de Stalingrad (*auj.* Volgograd).

Ph. H. Sochurek/Magnum

La **Volga.**

♦ *Hist.* Après l'invitation adressée par Catherine II, 27 000 colons allemands s'établirent sur la Volga en 1760 et 1761. Pendant la Première Guerre mondiale, les colons furent persécutés (ukases impériaux de fév. 1915 et de fév. 1917, ordonnant la destruction des villages près de la frontière et la déportation des Allemands en Sibérie). La révolution d'Octobre empêcha l'exécution du deuxième ukase, et en oct. 1918 fut créée la *Commune autonome des ouvriers allemands,* qui devint une R.S.S. autonome en fév. 1924 (cap. Engels*, 605 000 hab. en 1939, dont 67 % d'Allemands, 20 % de Russes et 12 % d'Ukrainiens). Elle fut supprimée le 24 sept. 1941, et son territoire fut partagé entre les régions de Saratov et de Stalingrad. Ses habitants allemands furent déportés en Sibérie.

VOLGOGRAD (anc. **Tsaritsyne**; de 1925 à 1961 **Stalingrad**). ♦ V. d'U.R.S.S. (R.S.F.S. de Russie), ch.-l. de la région du même nom (114 100 km². 2 246 000 hab.) et port fluvial sur le cours inférieur de la Volga*. 852 000 hab. Centre culturel. Indus. métallurgiques (acier fin), mécaniques (automobiles, tracteurs) et alimentaires. Raffineries de pétrole. Matériels de construction. Scieries. Chantier naval. Nœud ferroviaire. Aux environs, centrale hydro-électrique. ♦ *Hist.* Au XIIIᵉ s. la région était occupée par les Tatars de la Horde d'or. Les Russes, après la conquête de Kazan (1552) et d'Astrakhan (1556) fondèrent une ville fortifiée sur une île près de la confluence de la Volga et de la petite riv. Tsaritsa (d'où le nom Tsaritsyne). Ayant subi plusieurs assauts des Kalmouks, puis une brève occupation par Stenka Razine* (1669) et un siège par Pougatchev* (1774), la ville perdit son importance stratégique au XIXᵉ s. et devint un centre commercial. Après la révolution* d'Octobre 1917, le régime soviétique y fut instauré. Durant la guerre civile, menacée par les « blancs » de Krasnov (1918), puis par Denikine* (été 1919), la ville fut défendue par Vorochilov* et Staline*. Nommée Stalingrad en l'honneur de ce dernier (1925), elle fut attaquée pendant la Deuxième Guerre mondiale par les divisions du feld-maréchal von Bock* (août 1942). Le 19 sept. 1942, les troupes de choc allemandes (VIᵉ armée de F. Paulus*) réussirent à pénétrer dans les faubourgs de la ville. Les défenseurs de Stalingrad, et surtout la LXIIᵉ armée du général Tchouikov, livrèrent des batailles acharnées pour chaque rue et chaque maison. À la fin d'oct. 1942, les Allemands avaient occupé la plus grande partie de la ville, mais les Russes les empêchèrent de franchir la Volga. Une contre-offensive lancée par Joukov*, à laquelle prirent

Ph. A.P.N.

Volgograd : la place Lénine.

part Rokossovski au N. et Iérémenko au S. (19 nov. 1942), se termina par l'encerclement des divisions de von Paulus (25 nov. 1942). Manstein* contre-attaqua pour dégager les troupes encerclées (12-16 déc. 1942), mais sa tentative aboutit à un échec. En janv. 1943, les ruines de la ville (36 000 immeubles anéantis par le feu de l'artillerie et les bombardements) furent reconquises quartier par quartier par les Soviétiques et, le 2 fév. 1943 von Paulus, nommé maréchal par Hitler le 29 janv., signa sa capitulation. La bataille de Stalingrad coûta aux Allemands 91 000 prisonniers, dont 27 généraux et 200 000 soldats tués.

VOLHYNIE [vɔlini]. *n. f.*, en polon. **Wołyń**, en russe **Volyn**. ♦ Région géographique de l'U.R.S.S., située au N.-O. de l'Ukraine* et au N. de la Podolie avec laquelle elle forme le piémont des Carpates ukrainiennes (point culminant 477 m), entre le Dniestr et le Dniepr. Baignée par les affl. du Pripet (r. d.), elle est auj. partagée en trois régions administratives : *Volhynie* (20 200 km². 982 000 hab.) ch.-l. Loutsk ; Jitomir*, Rovno*. ♦ *Hist.* La Volhynie fut l'une des plus anc. régions occupées par les Slaves. D'abord réunie à la Galicie* (1199), elle fut partagée entre la Lituanie et la Pologne avant d'être réunifiée au sein de l'État polono-lituanien (1386) avec une grande partie de la future Ukraine. Passée à la Russie après les deuxième (1793) et troisième (1795) partages de la Pologne*, elle fut de nouveau partagée entre la Pologne et l'U.R.S.S. au traité de Riga (1921). Occupée par les Allemands de 1941 à 1945, elle fut totalement annexée par les Soviétiques en 1945.

VOLINE (Vsévolod Mikhaïlovitch Eichenbaum, dit). ♦ Anarchiste russe (1882 — Paris, 1945). Arrêté et déporté en Sibérie pour sa participation à la révolution de 1905, il réussit à s'évader et gagna la France (1907). Devenu anarchiste, il fut membre du Comité d'action internationale contre la guerre dès 1913. Après un séjour en Amérique, et de retour en Russie (1917), il poursuivit son activité révolutionnaire, cherchant à unifier les différentes tendances anarchistes, et milita avec N. Makhno*. Arrêté par les bolcheviks en 1920, il fut libéré grâce à l'intervention de délégués du syndicalisme révolutionnaire européen. Exilé en Allemagne, puis en France où il collabora à l'*Encyclopédie anarchiste* **(V. S. Faure)**, il rédigea *La Révolution inconnue* (publié, 1947), qui est « le classique libertaire de la révolution russe » (D. Guérin).

VOLININE (Alexandre). ♦ Danseur russe (Moscou, 1882 — Paris, 1955). Premier danseur au théâtre Bolchoï (1901), il participa à la première saison des Ballets russes de S. de Diaghilev (1910). Il entreprit ensuite des tournées à travers le monde, notamment avec A. Pavlova* dont il fut le partenaire (1914-1926). Fixé à Paris, il se consacra ensuite à l'enseignement et compta parmi ses élèves plusieurs futures étoiles de la danse, dont A. Dolin et J. Babilée.

VOLJSKI. ♦ V. d'U.R.S.S. (R.S.F.S. de Russie), dans la région de Volgograd, sur la Volga. 142 000 hab. — Indus. mécaniques et alimentaires. Cimenterie.

VOLKHOV. *n. m.* ♦ Riv. d'U.R.S.S. (228 km), dans la région de Leningrad et de Novgorod (R.S.F.S. de Russie). Émissaire du lac Ilmen*, tributaire du lac Ladoga*, le Volkhov arrose la ville de Novgorod*. Centrale hydro-électrique.

VÖLKLINGEN. ♦ V. d'Allemagne occidentale (Sarre), sur la Sarre. 46 100 hab. — Importantes forges et aciéries.

VOLLAND (Louise Henriette, dite Sophie). ♦ Née en 1717, elle fut, de 1755 à 1784, la principale correspondante de Diderot*, auquel elle inspira une passion durable. Les *Lettres* qu'il lui adressa sont, notamment, riches en renseignements sur ses travaux littéraires, ses difficultés à propos de l'*Encyclopédie**, et remarquables de spontanéité et de franchise.

VOLLARD (Ambroise). ♦ Marchand de tableaux, écrivain et éditeur français (Saint-Denis, île de la Réunion, 1868 — Paris, 1939). Il eut un rôle important dans l'histoire de la peinture en organisant les premières expositions de Manet, Cézanne (1893), Van Gogh et les nabis (1899), Picasso (1901), Matisse (1904), Vlaminck et Derain (1906), Rouault (1907), au mépris des goûts du public de l'époque, et fit connaître aussi Rodin et Maillol. De 1900 à 1910, il avait une boutique au numéro 6 de la rue Laffitte, lieu de rencontres resté célèbre. Cézanne, Renoir, Dufy, Bonnard, Picasso et Rouault ont fait son portrait. Vollard a écrit plusieurs ouvrages sur les peintres qu'il connut : *Paul Cézanne* (1914), *Renoir* (1920), *Degas* (1924), etc., et les *Souvenirs d'un marchand de tableaux* (1939).

VOLNAY. ♦ Comm. de la Côte-d'Or, arr. de Beaune. 464 hab. — Église des XIII-XIVe s., vestiges d'un château. — Ses vignobles (400 ha) produisent un des crus les plus réputés de la côte de Beaune **(V. Bourgogne).**

VOLNEY (Constantin François de CHASSEBŒUF, *comte de*). ♦ Philosophe et écrivain français (Craon, Anjou, 1757 — Paris, 1820). Après des études de droit et de médecine, il se rendit au Proche-Orient et se fit connaître à son retour par son *Voyage en Égypte et en Syrie* (1787). Représentant du Tiers État, puis secrétaire de l'Assemblée (1790), il rédigea alors son œuvre la plus célèbre *Les Ruines ou Méditations sur les révolutions des empires* (1791). Emprisonné lors de la Terreur, il fut membre du Comité de l'instruction publique sous le Directoire. Il peut être considéré par ses travaux comme le moraliste et le sociologue du groupe des idéologues* [*Recherches nouvelles sur l'histoire ancienne,* 1814 ; *Discours sur l'étude philosophique des langues,* 1819]. (Acad. fr.)

VOLO, en gr. **Bolos.** ♦ V. et port de Grèce (Thessalie) au fond du golfe de Volo (Pagasétique), ch.-l. du *nome de Magnésie :* 2 602 km². 161 390 hab. L'un des plus importants ports de Grèce, Volo est une ville industrielle : manufactures de tabac, cimenterie, indus. textiles et alimentaires. 51 290 hab. — Musée archéologique. — À proximité de Volo, sites d'Iolcos (vestiges de deux palais mycéniens), de Pagasae, de Démétrias, habitats néolithiques de Dimini et de Sesklo, etc.

VOLOCHINE (Maximilien Alexandrovitch) [*Vološin*]. ♦ Poète russe (1877 — 1932). Il appartint d'abord au groupe des symbolistes* occidentalistes, et passa de nombreuses années à Paris puis en Crimée. Il consacra à la Crimée un cycle de sonnets : *Ténèbres cimmériennes,* puis il devint slavophile* avec la révolution. Dans son poème *Transsubstantiation,* il décrivit la naissance de la nouvelle Rome au VIe s. après la mort de la Rome impériale, voyant ainsi le destin de la Russie ; et dans *Poèmes de terreur* (1924) il fit un réquisitoire contre la guerre civile.

VOLOGDA. ♦ V. d'U.R.S.S. (R.S.F.S. de Russie), ch.-l. de la région du même nom (145 700 km². 1 301 000 hab.) et port fluvial sur la *Vologda* (133 km) au N.-E. de Moscou. 189 000 hab. — Monuments historiques (cathédrale du XVIe s.). — Centre d'une grande région d'élevage (production laitière). Indus. du bois, indus. alimentaires. Textiles (lin). Fabrication du matériel pour le transport ferroviaire et fluvial. Point d'intersection des lignes Moscou-Arkhangelsk et Leningrad-Kirov. — Patrie de Batiouchkov*. ♦ *Hist.* Fondée au XIIe s., la ville fit partie de la principauté de Novgorod avant d'être annexée par l'État moscovite en 1447. Sous le régime tsariste, elle fut un lieu d'exil pour les condamnés politiques.

VOLOGÈSE. ♦ Nom porté par cinq rois des Parthes dont les plus célèbres furent : VOLOGÈSE Ier. Roi des Parthes (51-v. 79). Il donna à son frère Tiridate* Ier le royaume d'Arménie, ce qui déclencha une guerre avec Rome (54-63). ♦ VOLOGÈSE III. Roi des Parthes (148-192). Il releva l'Empire parthe après une longue série de guerres dynastiques. Mais ses États furent envahis par Marc* Aurèle, et il dut céder aux Romains le N.-O. de la Mésopotamie. ♦ VOLOGÈSE IV. Roi des Parthes (192-v. 207). Septime* Sévère lui reprit Ctésiphon (v. 198).

VOLOGNE. *n. f.* ♦ Riv. de Lorraine (50 km), qui coule dans le dép. des Vosges*. Née près du col de la Schlucht*, à 1 215 m d'alt., elle traverse les lacs de Retournemer* et Longemer*, et se jette dans la Moselle en amont d'Épinal.

VOLONNE. ♦ Ch.-l. de cant. des Alpes*-de-Haute-Provence, arr. de Forcalquier*, sur la Durance. Église romane, château du Moyen Âge.

Volpone ou le Renard *(Volpone or The Fox).* ♦ Comédie en cinq actes, en vers, de Ben Jonson (1605). Dans la Venise du XVe s., l'opulent Volpone, assoiffé de toutes les jouissances que l'or procure, et qui n'a pas de descendance, se divertit aux dépens de tous ceux qui convoitent son héritage, le comblant de cadeaux dans l'espoir de recueillir sa succession. Le jeune et séduisant Mosca, parasite sans scrupule, triomphera finalement du rusé vieillard. Peinture vigoureuse d'un monde ouvertement corrompu, la pièce a été librement adaptée par Jules Romains et Stefan Zweig (1928). Son interprétation par Charles Dullin est demeurée mémorable.

VOLQUES. ♦ **V.** VOLCES.

VOLSINIES. ♦ Cap. religieuse de l'Étrurie* (la ville occupait le site de Bolsena*).

VOLSQUES. *n. m. pl.*, en lat. **Volsci.** ♦ Peuple de l'Italie anc. établi au S.-E. du Latium* entre les Marses* et les Herniques* au N., les Latins* à l'O. et les Samnites* au sud. Alliés aux Èques* contre les Romains **(V. Coriolan),** ils furent définitivement soumis par Rome v. ~ 310.

Ph. Giraudon

Ambroise Vollard, par Bonnard. (Musée du Petit Palais, Paris.)

Arch. Smeets

Voltaire, par J.-A. Houdon. (Musée Fabre, Montpellier.)

Völsunga saga. ♦ Épopée norvégienne anonyme, en prose (*mil.* XIIIe s.). Reprenant plusieurs thèmes mythiques de l'*Edda* poétique,* cette saga narre l'histoire de Sigurd*, petit-fils de Volsung. Hreidmar a reçu du dieu Loki le trésor du nain Andvari. Fafnir, fils de Hreidmar, tue son père et s'empare du trésor, devant lequel il monte la garde, transformé en dragon. Le héros, Sigurd, parvient à tuer Fafnir, à s'emparer à son tour du trésor, qui est maudit, et à acquérir des pouvoirs magiques. Il épouse alors Gudrun et conquiert pour Gunnar, frère de celle-ci, la farouche Brynhild. Mais la supercherie étant dévoilée, Brynhild fait assassiner Sigurd par Guttorm, puis se donne la mort. Plus tard, Gudrun s'est remariée avec Atli (Attila). Celui-ci, pour s'emparer du trésor, attire dans un guet-apens les frères de Gudrun. Mais ceux-ci sont tués; Gudrun les venge en tuant Atli, et l'or reste enfoui dans le Rhin. Quoique légèrement postérieure à la chanson allemande des *Nibelungen**, la *Völsunga saga* représente un état plus primitif de la légende.

VOLTA (Alessandro, ***comte*****).** ♦ Physicien italien (Côme, 1745 – *id.*, 1827). Il découvrit l'électrophore (1771) puis, ayant construit un électromètre sensible (1781) [**V.** ***aussi*** **Du Fay**], il l'utilisa avec l'électrophore modifié en « condensateur » (1782) pour mettre en évidence l'électricité développée par le contact des métaux. Ayant compris, dès 1792, l'importance de la découverte de Galvani*, il refit ses expériences, et ces recherches lui permirent d'ébaucher sa classification électrique des métaux (1793) et aboutirent finalement à l'invention de la pile électrique (1800) [**V. Becquerel**]. On lui doit également l'eudiomètre avec lequel il réalisa, par étincelles, la synthèse de l'eau. – Son nom a été donné à l'unité de force électromotrice.

VOLTA. *n. f.* ♦ Fl. d'Afrique occidentale, formé par la confluence au Ghâna* de la *Volta noire* formant frontière à l'O. et de la *Volta blanche* grossie de la *Volta rouge,* nées en Haute*-Volta. Le barrage d'Akosombo* sur son cours inférieur a formé le *lac Volta* (8 500 km^2). Elle se jette à l'E. du pays dans le golfe de Guinée*.

VOLTAÏQUE ***(République).*** ♦ **V.** HAUTE-VOLTA.

VOLTAIRE (François Marie AROUET, dit**).** ♦ Écrivain français (Paris, 1694 – *id.*, 1778). Issu de la bourgeoisie parisienne, d'abord connu comme bel esprit et poète mondain, il s'essaya dans le genre épique avec *La Henriade* (1723), mais dut à ses impertinences de faire en Angleterre un séjour qui fut plein de profit (1726-1729) : il y prit contact avec des philosophes (Locke*), conçut *L'Histoire de Charles* XII* (1731) et composa des tragédies inspirées de Shakespeare* (*Zaïre**, 1732). Son admiration pour le régime libéral anglais est sensible dans ses *Lettres* philosophiques* (1734), dont les jugements critiques le contraignirent à gagner le château de Mme du Châtelet, à Cirey. Très entouré d'amis auxquels il faisait jouer ses nouvelles tragédies (*La Mort de César,* 1735; *Mahomet**, 1741; *Mérope,* 1743), Voltaire s'adonna à des travaux scientifiques, puis exprima son épicurisme dans des poèmes comme les *Discours sur l'homme* (1738). De nouveau en grâce (1744), il regagna Versailles, puis Sceaux où il transporta la leçon de ses mésaventures de courtisan dans le conte critique de *Zadig** (1747). Également déçu par son séjour auprès de Frédéric II de Prusse (1750-1753), il compléta en 1756 son grand ouvrage historique *Le Siècle* de Louis XIV,* après avoir adopté, avec *Micromégas** (1752), le genre du conte philosophique. Indésirable dès lors à Paris comme à Berlin, il alla aux « Délices », près de Genève, et rédigea son histoire de la civilisation, *L'Essai* sur les mœurs,* parallèlement au poème philosophique *Sur le désastre de Lisbonne* (1756) dont la thèse pessimiste, opposée à celle de Rousseau, fut reprise dans *Candide** (1759). Installé désormais à Ferney, il fit prospérer le village, entretint une vaste correspondance et accueillit d'innombrables visiteurs. L'essentiel de son activité littéraire fut consacrée à diffuser ses idées philosophiques, particulièrement dans de nouveaux contes (*Jeannot* et Colin,* 1764; *L'Ingénu**, 1767), des pamphlets antireligieux et de courageuses interventions en faveur des victimes de l'intolérance ou de certaines pratiques judiciaires (Calas*, Sirven*, La* Barre, Montbailli, Lally*-Tollendal). Voltaire composa encore deux ouvrages pour lutter contre toutes les formes de la « superstition », le *Traité sur la tolérance* (1763) et le *Dictionnaire* philosophique* (1764), où il abordait la critique littéraire, sociale et religieuse. Considéré comme l' « homme universel » et le champion de la tolérance, il fit à Paris un retour triomphal (élu directeur de l'Académie française). Il mourut à quatre-vingt-quatre ans, entouré de la ferveur populaire. – Comme écrivain, Voltaire a abordé tous les genres et tous les sujets avec une intelligence remarquable, si ce n'est avec un égal succès. Admirateur éclairé de la perfection classique, il ambitionna de s'illustrer par ses œuvres dramatiques, toujours soumises aux règles fixées par Boileau*, mais abordant des sujets modernes et nationaux et recherchant le pittoresque dans la mise en scène. Ses ouvrages historiques, bâtis sur une documentation scrupuleuse, exaltent les « grands hommes » qui assurèrent le progrès de la civilisation, et donnent un éclairage nouveau à l'histoire. Mais la partie la plus vivante de l'œuvre de Voltaire reste ses *Contes* philosophiques qui, en une prose alerte et spirituelle jouant de l'humour ou de l'ironie, illustrent les thèses chères aux philosophes : souhaitant « que le récit de toutes les injustices retentît sans cesse à toutes les oreilles », il attaqua sans relâche les institutions politiques et sociales du XVIIIe s. et dénonça la vanité, comme les dangers, de la métaphysique. Ce polémiste de génie se voulut donc essentiellement un moraliste pratique; professant un déisme garanti par la raison et utile à la société, il propose un bonheur terrestre, « autant que la nature humaine le comporte », et affirme sa foi en une morale altruiste et une civilisation perfectible : « Si tout n'est pas bien, tout est passable. »

VOLTA REDONDA. ♦ V. du Brésil, dans l'État de Rio* de Janeiro, sur la Paraíba* do Sul. 118 000 hab. – Principal complexe sidérurgique (créé en 1946) du Brésil, alimenté par le minerai de fer du Minas Gerais et le charbon du Brésil méridional.

VOLTERRA (Vito). ♦ Mathématicien italien (Ancône, 1860 – Rome, 1940). Après avoir été le successeur de Beltrami* à l'université de Rome (1900), les lois raciales le contraignirent à se réfugier en France. Il développa la théorie des *équations intégrales linéaires,* établissant une équation plus simple que celle de Fredholm*. Ayant, le premier, entrepris l'étude de fonctions numériques dépendant soit d'une courbe *(fonctions de lignes),* soit d'une fonction ordinaire (appelées *fonctionnelles* par Hadamard*), il est l'un des créateurs de l'analyse fonctionnelle. Il étudia également les fonctions permutables, les produits de composition. Appliquant l'analyse mathématique à la biologie, il fit des recherches sur la lutte pour la vie et l'évolution des populations. (Acad. sc., 1917.)

VOLTERRA. ♦ V. d'Italie en Toscane (prov. de Pise). 18 000 hab. – Évêché. Vestiges étrusques : porte de l'Arc. ♦ *Hist.* L'anc. *Volaterrae** (*Velathri* à l'époque étrusque) remonte à l'époque villanovienne* (~ IXe s.) et fut l'une des princ. villes étrusques. Elle fut assiégée et prise en ~ 80 par les partisans de Sylla. En 1361, elle passa sous la domination de Florence.

VOLTURNO. *n. m.* ♦ Fl. d'Italie péninsulaire (185 km). Né dans le massif des Abruzzes, il contourne les monts du Matese, arrose la plaine de Capoue*, puis une zone marécageuse avant de se jeter dans la mer Tyrrhénienne au N. de Naples.

VOLUBILIS. ♦ Site archéologique du Maroc, cité romaine de la Mauritanie* Tingitane, située au N. de Meknès* et à l'O. de Moulay* Idriss au pied du dj. Zerhoun*. Anc. cité berbère, développée sans doute par Juba II, elle connut son apogée sous la dynastie des Sévères (IIe-IIIe s.) mais, menacée par les tribus montagnardes, elle fut abandonnée sous Dioclétien vers 285. Ruines importantes : basilique, capitole, arc de Caracalla, thermes de Gallien, ... Mosaïques. Bronzes.

Volupté. ♦ Roman de Sainte-Beuve. **V. Sainte-Beuve.**

Völuspá ***(la)*** [« paroles de la voyante »]. ♦ Premier poème de l'*Edda* poétique.* À la demande d'Odin, une voyante *(volva)* décrit la création du monde, l'arbre Yggdrasil*, le crépuscule des dieux **(V. Ragnarök)** et le recommencement des temps.

VOLVIC. ♦ Comm. du Puy*-de-Dôme, arr. de Riom*. 3 287 hab. *(Volvicois).* – Église romane. Aux environs, ruines du château de Tournoël (XIIe, XIIIe, XVe s.). La lave des grandes carrières était utilisée autrefois pour la construction; on s'en sert actuellement pour la signalisation routière et dans l'indus. chimique à cause de sa résistance. Sources d'eau très pure.

VÔ NGUYÊN GIAP. ♦ Général vietnamien (Hanoi, 1912). Professeur d'histoire à Hanoi, il s'associa avec Hô* Chi Minh, lutta contre les Japonais et entra en vainqueur en 1945 à Hanoi. Devenu chef des armées du Front militaire du Viêt-nam, il battit les troupes françaises à Diên* Biên Phû en 1954. Nommé ministre en 1960, il organisa l'armée populaire du Viêt-nam et la lutte contre les troupes sud-vietnamiennes et leurs alliés américains. Ministre de la défense du Viêt*-nam réunifié. Connu sous le nom de Giap.

VORARLBERG. *n. m.* ♦ État confédéré d'Autriche. 2 601 km². 271 473 hab. *Cap.* **V. Bregenz.** Situé à l'extrémité occidentale de l'Autriche, le « petit pays » ou *Ländle* est séparé du reste de la région par le massif de l'Arlberg. Ses habitants parlent un dialecte alémanique semblable à celui de la Suisse voisine. Le Vorarlberg est constitué par le bassin de l'Ill*. C'est une région montagneuse tournée vers la Suisse et l'Allemagne du Sud (lac de Constance). Avec la Haute-Autriche, c'est la région la plus industrialisée du pays. Traditionnelle, l'industrie textile a été modernisée. Les installations hydro-électriques sur l'Ill permettent le développement de nouvelles activités (électrochimie). L'élevage bovin et le tourisme amènent d'importantes ressources à cette province restée excentrique.

VORDINGBORG. ♦ V. et port du Danemark, sur la côte S. de l'île de Sjaelland*. 11 233 hab. (1960). — Ruines du château de Valdemar le Grand.

VOREY. ♦ Ch.-l. de cant. de la Haute-Loire*, arr. du Puy*, au confluent de l'Arzon* et de la Loire*. 1 153 hab. *(Voréziens).* — Passementerie, dentelles.

VORKOUTA ou **VORKUTA.** ♦ V. d'U.R.S.S. (R.S.S. autonome des Komis*), sur la Vorkouta (162 km), dans le bassin de la Petchora*. 60 000 hab. (1962). — Centre d'extraction d'un important gisement houiller.

VORLÄNDER (Karl). ♦ Philosophe allemand (Marburg, 1860 — Münster, 1928). Il chercha à donner une interprétation éthique de la pensée marxiste qu'il voulut concilier avec les thèses du néo*-kantisme (*Histoire de la philosophie,* 1903).

VOROCHILOV (Kliment Iefremovitch). ♦ Maréchal soviétique (Verkhni, Ukraine, 1881 — Moscou, 1969). Ouvrier métallurgiste, membre du Parti bolchevik dès 1903, il prit part à la révolution de 1905-1907. En 1917, il devint président du soviet de Lougansk. Commandant du front de Tsaritsyne (*auj.* Volgograd) pendant la guerre civile, commissaire du peuple à la Marine (1925-1934), puis à la Défense (1934-1940), il devint maréchal (1935) et assuma le commandement du front Nord en 1941. Vice-président du Conseil des ministres (1946-1953), Vorochilov occupa de 1953 à 1960 le poste de président du praesidium du Soviet suprême.

VOROCHILOV. ♦ **V.** Oussouriisk [Ussuriisk].

VOROCHILOVGRAD, anc. et auj. **Lougansk.** ♦ V. d'U.R.S.S. (Ukraine), ch.-l. de région (26 700 km². 2 824 000 hab.), dans le Donbass*. 404 000 hab. — Houillères. Sidérurgie. Construction de matériel ferroviaire (locomotives Diesel). Indus. textiles.

VOROCHILOVSK. ♦ **V.** Kommounarsk.

VORONEJ. ♦ V. d'U.R.S.S. (R.S.F.S. de Russie), ch.-l. de la région du même nom (52 400 km². 2 499 000 hab.), sur la Voronej (469 km), à 18 km de son confluent avec le Don, au centre d'une riche région agricole (terres noires). 693 000 hab. — Centre culturel. Université fondée en 1918. — Indus. mécaniques, chimiques (caoutchouc synthétique) et alimentaires. Nœud ferroviaire. Aux environs, centrale nucléaire à Novovoronej. — Patrie de I. Bounine*, Garchine*, Marchak*, Koltsov*. ♦ *Hist.* Fondée en 1586 sur le site d'un ancien centre khazar du XIe s., la ville, destinée à protéger l'État moscovite contre les attaques des nomades de la steppe, devint un des principaux centres de commerce avec le Sud. Pierre le Grand y installa des chantiers navals, en vue de la conquête d'Azov, par le Don. Au cours de la Deuxième Guerre mondiale, Voronej fut le centre de la contre-offensive soviétique du Don contre les Allemands (1942-1943).

VÖRÖSMARTY (Mihály). ♦ Poète hongrois (Nyèk, 1800 — Pest, 1855). Il naquit dans une famille noble, mais appauvrie et dut, pour continuer ses études, devenir précepteur. Il obtint son diplôme d'avocat. En 1825, il publia *La Fuite de Zalán,* poème épique, écrit en hexamètres, racontant la conquête de la Hongrie par Árpád et la défaite de Zalán; ce fut un grand succès, car l'œuvre correspondait à l'exaltation du sentiment national de l'époque. Vörösmarty devint membre permanent de la revue *Aurora;* à partir de 1828, il dirigea la revue *Tudományos Gyüjtemény,* en 1830 devint le premier membre de l'Académie hongroise, qui venait d'être fondée. En 1830, il produisit sa première œuvre vraiment originale *Csongor et Tünde,* conte dramatique tiré de sources du XVIe s. et dans lequel il s'inspire du folklore, légendes et chansons. Ses poèmes *Appel* (1837), *Chant de Fót* (1842) et ses drames *Le Sacrifice* (1840) reflètent ses sentiments patriotiques. Profondément bouleversé par l'échec de la révolution de 1848 à laquelle il avait participé et à la suite de laquelle il dut vivre caché et dans la misère, Vörösmarty écrivit des poèmes empreints de désespoir et de pessimisme qui comptent parmi ses plus belles œuvres (*Le Vieux Tzigane,* 1854).

Ph. Hétier
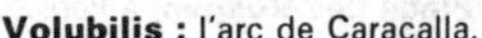
Volubilis : l'arc de Caracalla.

Ph. Andersson/Galliphot
Vosges : environs de Remiremont.

VORSELAAR. ♦ Comm. de Belgique (Anvers, arr. de Turnhout), dans la Campine. 5 400 hab. Pierres tombales du XVe siècle.

VORST. ♦ Comm. de Belgique (Anvers, arr. de Turnhout) en Campine. 5 400 habitants.

VOSGES [voʒ]. *n. f. pl.* ♦ Massif montagneux du N.-E. de la France, qui constitue le pendant occidental de la Forêt*-Noire, de structure semblable; il s'étire sur une longueur d'env. 125 km entre la trouée de Belfort* au S., qui le sépare du Jura*, et la Moder* au N.; les Vosges se prolongent, dans leur partie septentrionale, par la Hardt* allemande. Elles s'étendent entre les bassins du Rhin à l'E. **(V. Ill, Bruche, Thur),** ceux de la Moselle à l'O. **(V. Meurthe, Sarre, Vologne)** et de la Saône au S.-O. **(V. Ognon)**; leur largeur maximale est d'env. 70 km dans la partie méridionale. C'est au S. que s'élèvent les principaux sommets : le Grand Ballon ou ballon de Guebwiller* en est le point culminant (1 424 m). Les deux versants sont dissymétriques; l'un tombe brutalement sur la plaine d'Alsace* qui est dominée par un escarpement de failles, les *collines sous-vosgiennes;* l'autre s'incline doucement vers le plateau lorrain. Les Vosges couvrent en partie les départements du Bas-Rhin, du Haut-Rhin, des Vosges et le territoire de Belfort. — Ces montagnes sont des fragments du plissement hercynien (ère primaire) et ont été rajeunies au cours de l'ère tertiaire par le rehaussement consécutif au plissement alpin; l'effondrement de la clé de voûte du dôme initial Vosges-Forêt-Noire a donné naissance à un fossé d'effondrement (plaine d'Alsace actuelle). Par suite d'un abaissement général des températures (ère quaternaire), des glaciers se sont formés, couvrant une grande partie des Vosges du Sud; ces glaciers ont creusé la roche de niches et de cirques que les eaux remplirent plus tard **(V. Gérardmer, Longemer, Retournemer)** et des moraines se sont formées dans certaines vallées. Les Vosges du Nord, moins élevées, ont été préservées de cette action érosive des glaciers et ont en outre conservé leur manteau de grès. Les *Vosges cristallines* du Sud s'opposent ainsi aux *Vosges gréseuses* du Nord, dont les sommets et les cols sont peu élevés **(V. Donon, Saverne).** Par contre, à l'exception du Hartmannswillerkopf* (956 m), les monts et les cols méridionaux ont une altitude plus élevée **(V. Alsace** [ballon d'], **Bussang** [col de], **Hohneck, Markstein, Schlucht** [col de la], **Servance** [ballon de]). Dans les montagnes, les noyaux granitiques aux formes arrondies forment de lourdes croupes, « ballons » qui créent un paysage typique. — Le *climat* humide entretient un réseau hydrographique dense. La moyenne pluviométrique annuelle oscille entre 1 200 et 1 500 mm annuels, mais dépasse 2 000 mm à l'O.; l'enneigement est abondant et prolongé. Forêts (sapins, hêtres) et prairies se partagent le paysage; l'élevage (bovins) se situe surtout sur les « chaumes » du sommet (fromageries). **V. Lorraine** (région). — La montagne vosgienne peuplée tardivement et assez faiblement (50 hab./km²) se définit par la dispersion de l'habitat. Les collines sous-vosgiennes d'Alsace, plus ensoleillées, possèdent des vignobles importants. L'énergie hydraulique a permis le développement des industries du bois et du papier, les eaux douces le développement de l'industrie textile (toutefois en crise). L'indus. du lin et du coton est particulièrement développée; les centres principaux sont Épinal* et

Saint*-Dié. Les grès vosgiens produisent la matière première de la verrerie (cristal), représentée en particulier à Baccarat* et Cirey*-sur-Vezouze. En outre, les Vosges possèdent des stations thermales **(V. Vittel, Contrexéville)**, climatiques et de sports d'hiver. ♦ *La ligne bleue des Vosges :* expression de J. Ferry, originaire de Saint-Dié, qui après le traité de Francfort* (1871), portait la frontière franco-allemande aux Vosges. La formule fut employée de 1880 à 1914 par les Français partisans de la « revanche », les yeux fixés sur les Vosges : « en face de cette ligne bleue des Vosges d'où monte jusqu'à mon cœur fidèle la plainte touchante des vaincus » (J. Ferry, 1893).

VOSGES. [**88**]. *n. f. pl.* ♦ Dép. de l'E. de la France, région (anciennement C.A.R.) de Lorraine*. 5 903 km². Le dép. s'étend sur le versant occidental du massif des Vosges, à l'O. sur la partie méridionale du plateau lorrain. Au S. se trouve la Vôge*, région de collines et de forêts. Le dép. est traversé par la Moselle*, la Meurthe* et leurs affluents dont la Vologne*.
♦ 29 cant., 522 comm., 400 178 hab. *Préf.* Épinal*. *Sous-préf.* Neufchâteau*, Saint*-Dié. *Ch.-l. de cant.* Bains*-les-Bains, Brouvelieures (610 hab.), Bruyères*, Bulgnéville (995 hab.), Charmes*, Châtel*-sur-Moselle, Châtenois (1 591 hab.), Corcieux (1 525 hab.), Coussey (629 hab.), Darney*, Dompaire*, Fraize*, Gérardmer*, Lamarche*, Mirecourt*, Monthureux-sur-Saône (1 166 hab.), Plombières*-les-Bains, Provenchères-sur-Fave (728 hab.), Rambervillers*, Raon*-l'Étape, Remiremont*, Saulxures*-sur-Moselotte, Senones*. Thillot* (Le), Vittel*, Xertigny*. *Autres comm. et localités.* **V. Arches, Bresse** (La), **Bussang, Cornimont, Domrémy-la-Pucelle, Golbey, Liffol-le-Grand, Moyenmoutier, Nomexy, Plainfaing, Rupt-sur-Moselle, Saint-Étienne-lès-Remiremont, Thaon-les-Vosges, Val-d'Ajol** (Le).

Vosges *(place des).* ♦ Place de Paris, dans le Marais*. Entreprise par Henri IV, en 1605, elle fut achevée sous Louis XIII (1612) dont elle reçut la statue équestre (1639 ; refaite sous Charles X). Situé en partie à l'emplacement de l'hôtel des Tournelles*, ce vaste carré est entouré de trente-six pavillons symétriques à arcades, aux façades de brique alternant avec la pierre de taille et coiffés de hauts combles d'ardoise. Dans deux constructions plus importantes (au S. et au N.) sont ménagés des passages voûtés. — D'abord *place Royale,* quartier à la mode et très fréquenté au XVIIᵉ s., elle a pris le nom de *place des Vosges* en 1799 (perdu, puis retrouvé en 1870). Au XXᵉ s., elle est redevenue célèbre, comme l'une des plus harmonieuses créations de l'art classique.

VOSNE [von]-**ROMANÉE**. ♦ Comm. de la Côte-d'Or, arr. de Beaune. 654 hab. — Vignoble qui ne produit que des vins rouges de grande qualité ; les têtes de cuvée sont : romanée-conti (3 ha, qui jouit d'une réputation universelle), richebourg, la tache, romanée-saint-vivant. **V. Nuits** (côte de).

VOSS (Johann Heinrich). ♦ Érudit et poète allemand (Sommersdorf, Mecklembourg, 1751 — Heidelberg, 1825). Disciple de Klopstock, il donna une traduction en alexandrins allemands de *L'Iliade* et de *L'Odyssée* d'Homère, ainsi que des idylles qui, en dépit d'un certain sentimentalisme, constituent une bonne description de la petite bourgeoisie de l'Allemagne du Nord.

VOSSELAAR. ♦ Comm. de Belgique (Anvers, arr. de Turnhout). 6 300 habitants.

VOSSIUS (Gerardus Johannis). ♦ Humaniste hollandais (Heidelberg, 1577 — Amsterdam, 1649). Après des études à Dordrecht et à Leyde, il fut nommé recteur des écoles de Dordrecht, puis directeur du collège des États de Leyde. Mêlé à la querelle théologique qui opposa les partisans d'Arminius* à ceux de Gomar, il fut destitué de ses fonctions peu après la publication de son *Histoire du pélagianisme* (1618), qui fut vivement attaquée par les gomaristes. Réhabilité, il obtint une chaire d'histoire à Leyde (1622), puis à Amsterdam (1633). Le recueil complet de ses œuvres fut publié pour la première fois à Amsterdam (1695-1701) et comporte des ouvrages pédagogiques (dont certains consacrés à l'étude du grec et du latin), des travaux historiques, en particulier des analyses critiques sur les historiens de l'Antiquité, des études littéraires, philosophiques et théologiques. ♦ ISAÄCUS VOSSIUS, son fils (Leyde, 1618 — Windsor, 1689). Il fut successivement historiographe des États de Hollande, bibliothécaire de la reine Christine de Suède et chanoine de Windsor. Il laissa plusieurs ouvrages, de moindre valeur que ceux de son père, mais néanmoins d'une grande érudition (*De Vera mundi aetate,* 1659 ; *De Sibyllinis aliisque oraculis,* 1679).

VOTIAKS. ♦ V. OUDMOURTES.

VOTTEM. ♦ Comm. de Belgique (prov. et arr. de Liège). 8 100 hab. Produits maraîchers. Métallurgie (armement). Matériaux de construction.

VOUET (Simon). ♦ Peintre et dessinateur français (Paris, 1590 — *id.,* 1649). Il étudia auprès de son père *Laurent Vouet,* peintre des Écuries du roi sous Henri IV, manifestant des dons précoces. Il peignit des portraits (à partir de 1604) au cours d'un séjour en Angleterre. En 1611, il accompagna à Constantinople l'ambassadeur de France en Turquie *(Portrait du sultan Mustafâ Ier),* puis séjourna quinze ans en Italie. Il acquit à Rome une grande réputation, devint le protégé du cardinal Barberini et, à Gênes, des Doria. Il ouvrit une école d'après le modèle vivant et devint en 1624 le « Prince » de l'académie de Saint-Luc. Il peignit des scènes de genre et des sujets religieux (*La Cène,* 1625), évoluant d'un caravagisme initial à une manière claire et élégante, révélatrice de diverses

Ph. Nimatallah/Ricciarini

Simon Vouet : « Présentation au Temple ». (Musée du Louvre, Paris.)

influences (bolonaises et vénitiennes) assimilées avec aisance. Rappelé en France en 1627 et nommé premier peintre du roi, il reçut une multitude de commandes, notamment des décorations aux châteaux de Chilly, Saint-Germain, Widewille, aux hôtels Bullion et Séguier. Mais sa gloire souffrit de l'arrivée de Poussin à Paris. Il introduisit en France le goût des compositions amples, des perspectives théâtrales, des attitudes déclamatoires, des têtes d'expression qui allaient constituer un répertoire pour l'académie. Vouet aimait les couleurs brillantes, les poses recherchées *(Diane ; Cérès ou l'Été).*

VOUGEOT [vuʒo]. ♦ Comm. de la Côte-d'Or, arr. de Beaune. 164 hab. — Château (XVIᵉ s.) appartenant depuis 1944 à la *Confrérie des chevaliers du Tastevin.* Vins rouges renommés *(clos vougeot).* **V. Nuits** (côte de). Moulin (XVIᵉ s.).

VOUILLÉ. ♦ Ch.-l. de cant. de la Vienne, arr. de Poitiers. 1 662 hab. [922 aggl.] *(Vogladiens).* Église Sainte-Radegonde (XIIᵉ s.). Vestiges d'un château des XIIᵉ-XIIIᵉ siècles. ♦ *Hist.* Victoire de Clovis sur Alaric II (507) qui mit fin à la mainmise des Wisigoths sur l'Aquitaine.

VOULET (Paul). ♦ Officier et explorateur français (Paris, 1866 — Mayjirgui, Niger, 1899). Il explora la boucle du Niger, contribua à l'annexion du Mossi en compagnie de Chanoine* et Joalland* (1896-1897) avec qui il fut envoyé au Soudan et chargé d'établir la liaison avec les missions Foureau-Lamy et Gentil (1898-1899). Ayant exercé de violentes représailles contre les indigènes, il fut remplacé par le colonel Klobb* qu'il assassina

Ph. Stella

Place des Vosges, à Paris.

avant d'être lui-même tué par ses propres tirailleurs avec Chanoine.

VOULTE-SUR-RHÔNE (La). ♦ Ch.-l. de cant. de l'Ardèche*, arr. de Privas*, sur le Rhône*. 5 978 hab. – Château des XIVe, XVe et XVIe siècles; maisons anc. – Indus. textiles. Chaudronnerie, fonderies, machines pour la cartonnerie.

VOUTYRAS (Démosthène). ♦ Prosateur grec (Constantinople, 1879 – Athènes, 1958). Il excella dans la nouvelle, où il évoqua un monde ignoré jusqu'alors par la littérature grecque, celui des petites gens de la ville, qu'il suivit dans son aventure quotidienne et dans ses rêves. Une atmosphère d'angoisse enveloppe ses histoires étranges : *Langas, La Lamentation des bœufs, Chez les anthropophages, Fausses Civilisations,* etc.

VOUVRAY. ♦ Ch.-l. de cant. d'Indre-et-Loire, arr. de Tours. 2 802 hab. [1 599 aggl.] *(Vouvrillons).* Vins blancs réputés.

VOUZIERS. ♦ Sous-préf. des Ardennes, ch.-l. de cant. [8 cant., 131 comm., 29 741 hab.], dans la vallée de l'Aisne. 4 919 hab. *(Vouzinois).* – Église Saint-Maurille (XVIe s.). – Constructions métalliques. Maroquinerie. Vannerie.

VOVES. ♦ Ch.-l. de cant. d'Eure-et-Loir, arr. de Chartres. 2 522 hab. Église des XIIe et XVIIe siècles. Dolmen. – Engrais chimiques.

Voyage au bout de la nuit. ♦ Roman de Louis-Ferdinand Céline, publié en 1932. Il met en scène Ferdinand Bardamu, narrateur et double de l'auteur, qui commence son récit en août 1914, au moment de la déclaration de guerre. Parti pour le front avec enthousiasme, Ferdinand y découvre bientôt l'inanité et l'horreur de l'étripage héroïque. En proie à l'obsédant sentiment de l'absurdité des massacres et de la « vacherie universelle », révolté dans sa chair promise au canon, il frôle la démence. Il se fait réformer et fuit le plus loin possible le théâtre de l'immonde tragédie, en un long périple qui le conduira en Afrique, puis en Amérique, pour se terminer dans la banlieue pauvre de Paris, où, devenu médecin, il s'établira pour soigner ses frères en misère. – Cette œuvre, qui choisissait délibérément ses moyens d'expression dans les tournures de la langue parlée et les verdeurs de l'argot des faubourgs et imposait le rythme haletant de ses phrases, eut une influence considérable. Des écrivains aussi différents de Céline, politiquement et par tempérament, que Sartre ou Queneau, reconnurent ce qu'ils lui devaient sur le plan de l'écriture. Le climat si particulier du roman, l'atmosphère de sombre et grotesque épopée qui en constitue le fond, l'utilisation à point nommé de l'absurde onirique (Ferdinand vendu comme galérien), la poésie de la quotidienneté que Céline sait faire naître, avec un étonnant bonheur, des épisodes les plus sordides de son récit, font du *Voyage au bout de la nuit* l'une des œuvres les plus marquantes de la littérature française de l'entre-deux-guerres.

Voyage autour de ma chambre. ♦ Œuvre de Xavier de Maistre* (1795). Mis aux arrêts, l'auteur fait un voyage dans l'imaginaire et évoque paysages, sentiments et amis. Ce vagabondage spirituel parmi les souvenirs (où se fait sentir l'influence de Sterne*) exprime une philosophie tolérante.

Voyage en Amérique. ♦ Œuvre de Chateaubriand* (publiée, 1827) qui relate ses souvenirs personnels, mais s'approprie également des impressions transmises par des voyageurs et des missionnaires. Cet ouvrage révéla aux lecteurs la splendeur des paysages américains.

Voyages de Gulliver. ♦ V. GULLIVER (Voyages de).

VOYER (René *de, seigneur* puis *comte d'***ARGENSON).** ♦ Diplomate français (1596 – Venise, 1651). Avocat, conseiller au parlement de Paris (1620), il fut maître des requêtes (1628), puis accomplit diverses missions dans les provinces pour Richelieu. En 1633, il fut nommé intendant des duchés de Berry et de Bourgogne, puis négocia l'annexion de la Catalogne (1640) qu'il administra ensuite (1643). Après avoir été surintendant des pays entre Loire et Garonne (1644), il fut l'un des commissaires du roi aux états du Languedoc (1647), puis ambassadeur à Venise. ♦ MARC RENÉ DE VOYER, *comte d'*ARGENSON, son fils. Diplomate français (Blois, 1623 – 1700). Conseiller au parlement de Normandie (1642), il fut subdélégué des élections de Saintes et de Cognac (1645), puis ambassadeur à Venise (1651-1655). ♦ PIERRE DE VOYER, *vicomte d'*ARGENSON, frère de Marc René (Blois, 1625 – Mouzay, Touraine, 1709). Gouverneur du Canada, puis de la Nouvelle-France (1657-1661), il lutta contre les Iroquois. ♦ MARC RENÉ DE VOYER, *comte* puis *marquis d'*ARGENSON, fils de Marc René (Venise, 1652 – Paris, 1721). Il fut lieutenant général du bailliage d'Angoulême (1676-1692) puis maître des requêtes (1694) et lieutenant général de police (1697-1718). Il expulsa les religieuses de Port-Royal-des-Champs et réprima les troubles causés par la famine (1709). En 1718, il fut nommé garde des Sceaux et président du Conseil des finances. Il fut le principal auteur du lit de justice qui enleva aux princes légitimés le droit à la couronne (1718) et exigea l'enregistrement de divers édits. Il devint contrôleur général puis ministre d'État et inspecteur général de la police (Acad. fr., 1718). ♦ RENÉ LOUIS DE VOYER, *marquis d'*ARGENSON (Paris, 1694 – *id.*, 1757). Conseiller au parlement de Paris (1716), maître des requêtes (1718), il fut conseiller d'État et intendant du Hainaut et du Cambrésis (1719). Il assista aux séances du club de l'Entresol où il exposait ses idées de réforme. Il fut ambassadeur au Portugal (1737), puis entra au Conseil des dépêches où le roi le distingua. Il fut chancelier du duc d'Orléans (1741), puis ministre des Affaires étrangères (1744), fonction dont il s'acquitta mal. Rêvant de l'arbitrage international, il ne put empêcher le grand-duc de Toscane d'être élu empereur (1745) et les princes allemands d'abandonner la France. Il fut démis de ses fonctions en 1747. Dans sa retraite, il écrivit : *Considérations sur les gouvernements de la France* (1764). On a publié ses *Mémoires et journal inédit* (1859-1867). ♦ MARC PIERRE DE VOYER, *comte d'*ARGENSON (Paris, 1696 – *id.*, 1764). Conseiller au Parlement (1719), il fut lieutenant général de police (1720), conseiller d'État puis intendant de Paris (1740). En 1743, il entra au ministère de la Guerre, rétablit la discipline et fortifia les frontières. Diderot et d'Alembert lui dédièrent leur œuvre. ♦ ANTOINE RENÉ DE VOYER, *marquis de* PAULMY D'ARGENSON, fils de René Louis (Valenciennes, 1722 – Paris, 1787). Avocat du roi au Châtelet, puis conseiller au Parlement (1744), puis maître des requêtes (1747), il fut commissaire général des guerres aux armées de Flandres et d'Italie, puis ambassadeur en Suisse (1748-1751). Secrétaire d'État à la Guerre (1757-1758), il devint ambassadeur en Pologne (1762-1764) puis à Venise (1766-1770). Sa très riche bibliothèque est à l'origine de celle de l'Arsenal (Acad. fr., 1748). ♦ MARC RENÉ MARIE DE VOYER, *marquis de* PAULMY D'ARGENSON, petit-fils de Marc Pierre (Paris, 1771 – 1842). Préfet sous l'Empire (1809), député aux Cent-Jours, il siégea à la Chambre introuvable (1815-1816), où il dénonça la Terreur blanche. Membre de plusieurs sociétés libérales, il fut élu député sous la monarchie de Juillet (jusqu'en 1834) et se prononça pour la nationalisation des mines.

VOZNESSENSKI (Nikolaï Alekseïevitch). ♦ Homme politique et économiste soviétique (Tchernski, près de Toula, 1903 – Moscou, 1950). Directeur du Gosplan (1938), membre du Comité central (1939), il fut chargé de l'élaboration du IVe Plan quinquennal (1946-1950). Reconnaissant (contre la thèse de Marx) que la loi de la valeur subsiste dans l'économie soviétique, s'imposant au planificateur (*Économie de guerre de l'U.R.S.S. pendant la grande guerre patriotique,* 1948), il fut condamné par Staline et exécuté. Il est aussi l'auteur de *Économie politique du communisme* (1949).

VOZNESSENSKI (Andrei Andreievitch) [*Voznesenki*]. ♦ Poète soviétique (Moscou, 1933). Devenu poète après des études d'architecture, il a la faveur de la jeunesse. Ses vers, d'une forme brillante et rythmée, ont des décors contemporains : *Quarante Digressions lyriques* (1962), *Les Antimondes* (1964).

VRACA ou **VRATSA.** ♦ V. de Bulgarie du Nord, ch.-l. de district au pied du Balkan occidental, sur la Vratzanska. 39 100 hab. (1965). – Nœud ferroviaire. Centre industriel : textiles (soie, laine), chimie.

VRANGEL (Piotr). ♦ V. WRANGEL.

VRANGEL ou **WRANGEL** *(île de).* ♦ Île d'U.R.S.S. dans l'océan Arctique, entre la mer de Sibérie* orientale et la mer de Tchoukotka*. 7 300 km². Alt. maximale : 1 100 mètres. Elle est presque entièrement couverte de toundra.

VRAZ (Jacob FRAS, dit **Stankó).** ♦ Poète slovéno-croate (Cerovec, Styrie, 1810 – Zagreb, 1851). Il participa activement au « Mouvement illyrien » lancé par Gaj*. Il écrivit de nombreux sonnets, ballades, satires et romances rassemblés sous le titre de *Petites Roses* (1840) et laissa en outre un recueil de *Chants populaires* slovènes et croates (1839).

VRCHLICKÝ (Jaroslav, pseud. d'**Emil FRIDA).** ♦ Poète tchèque (Louny, 1853 – Domažlice, 1912). Écrivain d'une extraordinaire fécondité, il subit l'influence de nombreux auteurs étrangers, allemands, italiens, anglais ou français dont il traduisit les œuvres; sans doute celle de Victor Hugo* fut-elle la plus importante. Successivement pessimiste, puis optimiste, il exprima ses sentiments à travers une poésie tantôt lyrique : *Rêves de bonheur* (1870), *Ce que la vie a donné* (1883), *Une année de poète* (1900), *L'Arbre de la vie* (1909), *L'Épée de Damoclès* (1912); tantôt épique : *Poèmes épiques* (1876), *L'Esprit et l'Univers* (1878), *Mythes* (1879-1880), *Bar Kochba* (1897); tantôt philosophique : *Des profondeurs* (1875), *La Vie et la Mort* (1892). Tous ses recueils,

Ph. Roger-Viollet

Marc René de Voyer d'Argenson (1652-1721), par Desrochers. (Bibl. nat., Paris.)

Ph. PSZ/Ricciarini

Marc René Marie de Voyer d'Argenson (1771-1842). (Coll. Bertarelli, Milan.)

Ph. Bernand

Nina Vyroubova.

de style très varié, témoignent d'une grande virtuosité verbale, tant par leur richesse musicale que par leur perfection métrique. Il écrivit aussi des drames historiques et des comédies dont *Une nuit au château de Karlštein* (1884).

VREDEMAN DE VRIES (Hans). ♦ Peintre néerlandais, décorateur, dessinateur, graveur et ornemaniste (Leeuwarden, Frise, 1527 – ?, 1604). Formé à Malines et à Anvers, il séjourna ensuite en Allemagne et en Bohême. Dans ses tableaux, il fut sensible à l'influence de l'école de Fontainebleau. Il joua un rôle important comme théoricien de l'architecture et contribua par ses multiples recueils d'ornements, parus à partir de 1555, à diffuser dans l'Europe du Nord un répertoire maniériste anversois où l'on retrouve les influences de Serlio* mêlées à celles d'Androuet* du Cerceau et aux motifs de P. de Coecke* et de C. Floris*. – Son fils *Paul* (Anvers, 1567 – après 1630?) fut son collaborateur et continua son œuvre. Il travailla à Prague pour Rodolphe II.

VRÉTTACOS (Nicéphore). ♦ Poète grec (Krokéai, Péloponnèse, 1911 –). Son panthéisme et sa sensibilité trouvent des tons lyriques d'une douceur et d'une limpidité extraordinaires : *Poèmes 1929-1951* (1955), *Le Fond du monde* (1960), *Le Fauve et la Tempête* (1945), récit.

VUILLARD (Édouard Jean) [vɥijaʀ], parfois [vɥilaʀ]. ♦ Peintre, aquarelliste, dessinateur, décorateur et graveur français (Cuiseaux, Saône-et-Loire, 1868 – La Baule, 1940). Au lycée Condorcet, il se lia avec K.X. Roussel* qui devait devenir son beau-frère. Il suivit ensuite des cours aux Beaux-Arts et à l'académie Julian (1888) où il rencontra Sérusier*, Maurice Denis* et Bonnard*. Membre du groupe des nabis, il fréquenta les milieux symbolistes, s'intéressa aux arts décoratifs et travailla pour le Théâtre-Libre et le théâtre de l'Œuvre. Il pratiqua alors une peinture par aplats, cernée par des arabesques souples, aux mises en page audacieuses, inspirée des maîtres japonais *(Le Lit)*. Aux sujets symbolistes, il préféra en effet les scènes intimistes dans un décor bourgeois et calme, les scènes de rue et les portraits dont il sut dégager le charme discret, la poésie retenue, avec une palette raffinée, des tons rapprochés et assourdis. Il peignait volontiers sur carton, mêlant les techniques : huile, gouache, détrempe, pastel. Il exécuta aussi de grandes décorations murales (*salle à manger des Natanson,* 1894 ; *foyer des Champs-Élysées,* etc.).

VULCAIN. ♦ Dieu du feu dans la religion romaine. D'origine très ancienne, il figurait parmi les premiers dieux du panthéon romain mais fut vite assimilé à l'Héphaïstos grec dont il prit les légendes et les attributs. **V. Héphaïstos.**

Vulgate (la), en lat. [textus] **vulgatus,** « [texte] répandu ». ♦ Traduction latine de la Bible réalisée par saint Jérôme* à Bethléem (390-405) ; elle se fonde sur les anciennes versions latines (*Vetus Itala,* **V. Bible**), mais aussi sur les textes hébreu et grec. Elle s'imposa tardivement (à partir du VIIe s.) et devint la version officielle de la Bible catholique (reconnue authentique au concile de Trente*, 1546). Son texte fut fixé par Sixte Quint (*Vulgate sixtine,* 1590) et amendé sous Clément VIII (*Vulgate sixto-clémentine,* 1592). Pie X en a confié la révision à une commission de bénédictins.

VULPERA. ♦ Localité de Suisse (cant. des Grisons) dans la basse Engadine* près de Tarasp*. Station estivale très fréquentée.

VULPIAN (Alfred). ♦ Médecin et physiologiste français (Paris, 1826 – 1887). Professeur d'anatomie pathologique et de pathologie comparée, il s'occupa surtout de la physiologie du système nerveux, identifia la sclérose en plaques (1866) et donna son nom à l'atrophie musculaire progressive spinale débutant par l'épaule [type de Vulpian]. (Acad. méd., 1860 ; Acad. sc., 1876.)

VYÂSA. ♦ Sage indien des temps védiques, à qui la tradition attribue la composition du grand récit épique hindou *Mahâbhârata** et de nombreux commentaires des Yoga*. Considéré comme une incarnation mineure de Viṣnu*. Ce nom est peut-être collectivement celui de plusieurs compilateurs, la légende attribuant mille ans d'âge à Vyâsa.

VYBORG, en finnois **Viipuri.** ♦ V. et port d'U.R.S.S. (R.S.F.S. de Russie) dans la région de Leningrad, sur le golfe de Finlande. 51 000 hab. (1959). Travail de métaux. Indus. alimentaires. Nœud ferroviaire. ♦ *Hist.* Fondée en 1293, elle fut cédée par les Suédois à la Russie en 1721 (traité de Nystad*). Ville finlandaise à partir de 1918, conquise par les Russes en 1940, puis en 1944, elle fut cédée à l'U.R.S.S. en 1947.

VYCHINSKI (Andreï Ianouarievitch). ♦ Homme politique soviétique (Odessa, 1883 – New York, 1954). Menchevik (1903), puis bolchevik (1920), avocat à Bakou, professeur de droit, il fut nommé par Staline procureur général de l'U.R.S.S. (1936) et joua un rôle d'accusateur public pendant les « purges » et les procès de Moscou (1936-1938). Adjoint de Molotov* au commissariat des Affaires étrangères (1940), il fut envoyé en Roumanie et en Bulgarie et contribua à l'instauration des régimes communistes dans ces pays (1944-1946). En mars 1949, il succéda à Molotov aux Affaires étrangères, mais fut de nouveau remplacé par lui après la mort de Staline (mars 1953). Délégué à l'O.N.U., il se distingua par son intransigeance et sa violence comme « accusateur » des pays occidentaux pendant la « guerre froide ». Après sa mort, Vychinski fut dénoncé par Khrouchtchev comme l'auteur des ouvrages qui « constituèrent la base juridique des répressions illégales pendant le culte de la personnalité de Staline ».

VYROUBOVA (Nina). ♦ Danseuse russe (Gourzouf, Crimée, 1921). Élève de V. Tréfilova et O. Preobrajenska, elle s'est affirmée comme une grande interprète du ballet romantique *(Les Sylphides, Giselle),* tant aux Ballets des Champs-Élysées (1946) qu'à l'Opéra de Paris, où elle fut danseuse étoile (1949-1956). Elle sut témoigner aussi, comme danseuse de caractère, d'une invention poétique riche d'esprit et de fantaisie *(Blanche-Neige, Fourberies, Les Noces fantastiques).* Elle participa à de nombreuses tournées à travers le monde, notamment avec le *Grand Ballet du marquis de Cuevas* (1957-1961).

VYTCHEGDA. *n. f.* ♦ Riv. d'U.R.S.S. (R.S.S. autonome des Komis*, et région d'Arkhangelsk), 1 130 km, affl. de la Dvina* septentrionale (r. d.). Née dans l'extrémité S. de la chaîne de montagnes de Timan, elle arrose les villes de Syktyvkar*, Solvytchegodsk et Kotlas*. Elle est navigable jusqu'à la ville de Voldino en avril-novembre.

Arch. Smeets

Édouard Jean Vuillard : « Femme à la blouse bleue ». (Musée des Beaux-Arts, Grenoble.)

Ph. Candelier-Lauros/Atlas photo

Le **Waal** à Nimègue.

WAAGE (Peter). ♦ Physicien et chimiste norvégien (Flekkefjord, 1833 – Oslo, 1900). Il énonça avec Guldberg* la loi d'action de masse (1867).

WAAL. *n. m.* ♦ Branche du Rhin en aval d'Emmerich (Allemagne) qui finit par se confondre avec la Meuse. Le Waal passe à Nimègue.

WAARSCHOOT. ♦ Comm. de Belgique (Flandre-Orientale, arr. de Gand). 7 900 hab. Indus. textile. Teintureries.

WAAS ou **WAES** *(pays de).* ♦ Plaine de Belgique (Flandre-Orientale) arrosée par l'Escaut (r. g.), asséchée au Moyen Âge. Élevage et polyculture intensifs. Ce district ravitaille la région gantoise.

WAASMUNSTER. ♦ Comm. de Belgique (Flandre-Orientale, arr. de Termonde) dans le pays de Waas. 7 389 hab. Église de 1732. Musée. – Indus. textiles (couvertures). ♦ *Hist.* L'abbaye de Roosenberg, l'une des plus importantes des Flandres, y fut fondée en 1258.

WABASH. *n. m.* ♦ Riv. du centre des États-Unis, affl. (r. d.) de l'Ohio* **(V. Illinois).** 960 km. Elle est reliée par un canal au lac Érié.

WABUSH. ♦ Localité minière du Canada, située près du *lac Wabush,* dans le Labrador*, non loin de Labrador City, à la frontière des prov. de Terre-Neuve et de Québec. Importantes mines de fer, reliées par ch. de fer à Sept*-Îles.

WACE (Robert). ♦ Poète anglo-normand (Jersey, 1110 – Angleterre, v. 1180) qui vécut surtout à Caen, protégé par Henri* II Plantagenêt. – Il écrivit en langue romane la *Geste des Bretons* (ou *Roman de Rou*) v. 1160. Son *Roman* de Brut* (1155) est une adaptation de l'*Histoire des rois de Bretagne,* écrite en latin par Geoffroy de Monmouth. Il y raconte les origines troyennes de la Bretagne insulaire et les aventures fabuleuses du roi Artus*.

WACHITA *(monts).* ♦ **V.** Ouachita.

WACHTEBEKE. ♦ Comm. de Belgique (Flandre-Orientale, arr. de Gand). 5 200 hab. Élevage. Indus. textile. Fabrique de matelas.

WACKENRODER (Wilhelm Heinrich). ♦ Poète allemand (Berlin, 1773 – 1798). Son lyrisme musical, sa nostalgie du Moyen Âge, son amour pour la peinture de Dürer ont eu une influence certaine sur le premier romantisme (Iéna) et sur Tieck*, son ami, qui contribua à le faire connaître (*Les Effusions du moine amateur d'art,* 1797).

WACKERNAGEL (Wilhelm). ♦ Écrivain allemand (Berlin, 1806 – Bâle, 1869). Auteur de poèmes, il est surtout connu pour son *Histoire de la littérature allemande* (1851-1853). ♦ Jacob Wackernagel, son fils. Helléniste allemand (Bâle, 1853 – 1938). Auteur de travaux sur la langue grecque, en particulier de *Recherches linguistiques sur Homère* (1916).

WACO. ♦ V. des États-Unis (Texas), située à 150 km au S. de Dallas. 95 326 hab.; zone urbaine, 142 772 hab. – Centre agricole. Indus. (pneumatiques, verre).

WADDEN *(mer des),* en néerl. **Waddenzee.** ♦ Mer intérieure au N. des Pays-Bas, séparée de l'Ijselmeer par une digue et de la mer du Nord par les îles de la Frise*. Elle borde la Hollande-Septentrionale et la Frise.

WADDINGTON (William Henry). ♦ Archéologue et homme politique français d'origine anglaise (Saint-Rémy-sur-Avre, 1826 – Paris, 1894). Auteur de travaux d'archéologie au Moyen-Orient, il fut un des fondateurs de l'École des hautes études (1868). Député (centre gauche), sénateur, il fut chargé du portefeuille de l'Instruction publique (1873, 1877), puis représenta la France au congrès de Berlin (1878) comme ministre des Affaires étrangères (1877-1879) et fut ambassadeur à Londres (1883-1893), après avoir assumé quelque temps la présidence du Conseil (févr.-déc. 1879). [*Mélanges de numismatique et de philologie,* 1861; *Recueil général des monnaies grecques d'Asie Mineure,* publ. par Babelon et Th. Reinach, 1904-1912.]

WÄDENSWIL. ♦ V. de Suisse (cant. de Zurich) sur la rive S. du lac de Zurich. 13 700 hab. Indus. textile et chimique.

WADJAK. ♦ Petite localité et collines du centre de l'île de Java où, en 1890, furent découverts des ossements humains de type proto-australien qui furent décrits par E. Dubois en 1921.

Wafd (mot ar. signifiant «délégation»). *n. m.* ♦ Parti nationaliste égyptien fondé par Sa'd Zaghlûl* après la délégation qu'il dirigea et qui demanda à la Grande-Bretagne la libération de l'Égypte (1919). Après la mort de Zaghlûl, le parti dirigé par Nahhâs* pacha (1927) eut divers démêlés avec le palais. Triomphant aux élections de 1950, ce parti dirigea le pays jusqu'à la révolution des *officiers libres* de 1952 **(V. Nasser).**

WAGENINGEN. ♦ V. des Pays-Bas (Gueldre) sur le Lek. 27 454 hab. École supérieure d'agriculture. Tanneries. Imprimerie. Manufacture de cigares.

WAGNER (Heinrich Leopold). ♦ Écrivain d'expression allemande (Strasbourg, 1747 – Francfort-sur-le-Main, 1779). S'inspirant de l'histoire de Marguerite, de Faust, il fit du thème de la séduction et de l'infanticide le point de départ d'un « drame bourgeois d'un réalisme extrêmement cru » (P. Grappin), *L'Infanticide* (*Die Kindermörderin,* 1776), qui le place parmi les représentants du *Sturm* und Drang.* Outre une adaptation allemande de *Macbeth* et la traduction d'œuvres de L.S. Mercier, il donna encore un drame bourgeois sur le thème de la mésalliance, *Le Repentir après l'action (Die Reue nach Tat).*

WAGNER (Richard). ♦ Compositeur allemand (Leipzig, 1813 – Venise, 1883) issu d'une famille de petite bourgeoisie saxonne où l'on trouve des pasteurs à la fois organistes, maîtres d'école et

Ph. Lunel/Ricciarini

Richard Wagner, par C. Willich.
(Musée municipal, Leipzig.)

maîtres de musique. Son père, greffier de police de la ville de Leipzig, mourut six mois avant sa naissance, victime de l'épidémie de typhus qui s'abattit sur la région après la « bataille des Nations ». Sa mère se remaria peu après avec l'acteur Ludwig Geyer, dont Wagner affirma plus tard être le fils naturel, sans qu'aucun document en ait jamais apporté la preuve. Élevé avec une grande sollicitude par Geyer qui devait lui-même connaître une fin prématurée (1821), le petit Richard, cadet d'une famille de neuf enfants dont quatre furent chanteurs et comédiens, éprouva très tôt la passion du théâtre et de la poésie. À cet égard, l'influence de son oncle Adolf Wagner, fin lettré nourri de culture classique, fut certainement importante. Élève de la Kreuzschule de Dresde, il poursuivit des études supérieures à la Nikolaïschule de Leipzig (1830). La révélation de Weber et surtout celle de Beethoven (1827) l'engagèrent sur les voies de la composition musicale. Il entreprit l'étude du piano puis, un peu plus tard, celle de l'harmonie, avec Weinlig. En même temps qu'il publiait ses premières œuvres *(sonate pour piano, quatuor à cordes, ouverture, polonaise, symphonie),* il commença à l'université des études de philosophie et d'esthétique (1831). – Nommé maître de chœur à Würzburg (1833), puis chef d'orchestre à l'opéra de Magdebourg (1834), il composa son premier opéra, *Les Fées* (*Die Feen,* 1833), puis un second, de style italianisant, *La Défense d'aimer* (*Das Liebesverbot,* 1835), dont la représentation fut un échec qui entraîna sa démission. Il s'était marié avec la chanteuse Minna Planer (1836) et cette union était des plus orageuses. De dures années commencèrent alors pour lui, marquées par la gêne, l'insuccès et les déconvenues de toutes sortes. Chef d'orchestre à Riga (1837-1839), il lui fallut quitter précipitamment cette ville sous la menace des créanciers et gagner Londres, puis Paris, où il espérait trouver la gloire. Inconnu, il s'y vit condamné aux plus obscures besognes. Cependant, à Paris, il rencontra Heine, Liszt* et Berlioz*, put entendre les symphonies de Beethoven dirigées par Habeneck, achever son opéra historique, *Rienzi,* et composer, en sept semaines, *Le Vaisseau fantôme (Der fliegende Holländer),* premier essai de l'opéra wagnérien par l'apparition du *leitmotiv* (1841). – Il décida de quitter Paris pour Dresde où triompha *Rienzi* (1842), en partie grâce au talent de son interprète et protectrice Wilhelmine Schrœder-Devrient. Nommé maître de chapelle à la cour de Saxe (1843), il connut un nouvel échec avec le *Vaisseau fantôme* (1843) et un demi-succès avec *Tannhäuser** (1845). Cependant il achevait *Lohengrin* et entreprenait la composition des *Maîtres chanteurs* (*Die Meistersinger von Nürnberg,* 1848). Acquis dès ses années d'université aux idées libérales en faveur auprès de la jeunesse allemande, blessé par la médiocrité des attaques dont il était l'objet en Saxe, il s'enflamma pour l'idéal révolutionnaire et prit une part active aux combats du printemps 1849. Après l'échec du soulèvement populaire, menacé d'arrestation, il dut quitter Dresde pour Weimar où, accueilli par Liszt, il se vit bientôt contraint de chercher un autre asile, hors d'Allemagne. Après un bref séjour à Paris, il se réfugia à Zurich (1849) où il se fixa durant une dizaine d'années, sans renoncer pourtant à effectuer plusieurs séjours à l'étranger (Paris, Londres, Venise). Durant cette période, voué à un pessimisme et à une amertume que développa encore en lui la lecture de Feuerbach* et de Schopenhauer*, Wagner rédigea ses premiers écrits théoriques qui constituent le fondement de toute son œuvre à venir. Dénonçant l'artifice des conventions sur lesquelles repose l'opéra moderne, il y définit le drame musical comme le fruit d'une collaboration de l'artiste et du peuple, source de tout génie, à l'exemple des grandes œuvres de la Grèce antique, nées de l'accord intime du poète et de son public. Synthèse de tous les arts, le drame doit unir étroitement musique et poésie pour devenir l'expression, par l'emploi de symboles, d'une action purement humaine, écho du conflit de l'homme et de son destin. De cette période date la conception de la *Tétralogie* (Der Ring des Nibelungen : Das Rheingold, Die Walküre, Siegfried, Götterdämmerung)* où s'exprimeront les pathétiques contradictions d'un Wagner tour à tour socialiste et anarchiste, païen et chrétien, pessimiste et optimiste. Durant ces années fécondes se situe encore l'épisode de la passion du musicien pour Mathilde Wesendonk, femme d'un industriel zurichois (1852-1857), qui trouva son issue dans une séparation déchirante, victoire d'une volonté héroïque dont *Tristan* et Isolde* (1859) demeure le sublime témoignage. – Cependant Wagner n'avait pas renoncé à conquérir Paris. L'échec fracassant de son *Tannhäuser* (1861) à la suite d'une cabale montée par les membres du Jockey Club et par ses rivaux allemands, dont Meyerbeer*, devait l'éloigner à jamais de la France. Il bénéficia toutefois de l'adhésion chaleureuse de Gounod, Saint-Saëns, Reyer, Rossini, Baudelaire, Gautier, Barbey d'Aurevilly, Tolstoï et de la partie éclairée du public parisien. Ce désastre moral et financier le contraignit à entreprendre de longues tournées à travers l'Europe (Prague, Venise, Budapest, Saint-Pétersbourg, Vienne) et notamment en Allemagne où, à l'exception de la Saxe, il pouvait de nouveau circuler librement et où son œuvre, désormais connue et appréciée, avait établi sa réputation. Il s'était séparé définitivement de Minna (1861). – L'intervention du roi Louis* II de Bavière, jeune wagnérien mystique, le sauva du désespoir. Louis II l'appela à Munich (1864) et lui permit de monter le *Vaisseau fantôme, Tannhäuser* et *Tristan* (1865), sous la direction de H. von Bülow* dont la femme Cosima, fille de Liszt, était éprise de Wagner depuis 1863. Le scandale de cette intrigue, l'hostilité déclarée des ennemis politiques du musicien le contraignirent à quitter Munich. Après quelques pérégrinations (Vevey, Genève, Lyon, Marseille), il s'établit en Suisse, à Triebschen, sur les rives du lac des Quatre-Cantons, où Cosima vint le rejoindre. À l'issue de son divorce d'avec H. von Bülow, elle put épouser Wagner, dont elle avait déjà trois enfants, dont Siegfried (1870). La partition de *Siegfried-Idyll* est l'expression de ce bonheur. Les six années de Triebschen furent parmi les plus heureuses et les plus fécondes de la vie du compositeur. Il y acheva les *Maîtres chanteurs,* puis la *Tétralogie,* dont les deux premières parties *(L'Or du Rhin* et *La Walkyrie)* furent représentées à Munich par les soins de Louis II, demeuré fidèle à son idole. C'est aussi durant ce séjour que Wagner dicta à Cosima son autobiographie, *Mein Leben,* « Ma Vie », dont celle-ci devait assurer la publication (1911). De nouveaux écrits théoriques virent aussi le jour à cette époque. Dans ces ouvrages Wagner, devenu pamphlétaire, après avoir dénoncé la malfaisance de l'État capitaliste et militariste, s'en prend au cléricalisme et au matérialisme, souligne le danger du mélange des races et célèbre la pureté des Germains d'où naîtra la rédemption de l'humanité, thèses exploitées plus tard par le nazisme. – Il lui restait à réaliser le projet qui lui tenait à cœur depuis de nombreuses années, celui d'un théâtre spécialement conçu pour y représenter la *Tétralogie.* C'est à Bayreuth qu'il décida de faire édifier cette salle *(Festspielhaus)* dont la construction fut entreprise dès 1872. On en connaît la disposition originale avec sa scène de vastes dimensions qu'aucun rideau ne sépare de la salle, son orchestre invisible dissimulé sous le plateau. Une souscription publique, ouverte à travers le monde, et des prêts consentis par Louis II permirent l'achèvement du théâtre dont l'inauguration eut lieu en présence de Guillaume Ier, empereur d'Allemagne, et du roi de Bavière (1876). Elle marqua l'apothéose de Wagner dont l'opéra *Parsifal* (1882), affirmation d'un radieux optimisme, devait être le chant du cygne. Après le triomphe de la *Tétralogie,* le musicien, établi à Bayreuth, sentit ses forces décliner. Il mourut au cours d'un dernier séjour en Italie. – Si la pensée philosophique de Wagner accumule des contradictions que Nietzsche*, qui fut longtemps son admirateur avant de devenir son plus farouche adversaire, n'a pas manqué de relever, si elle évolue d'un nihilisme absolu à l'affirmation d'une foi souvent proche de l'espoir chrétien, si elle exalte conjointement les délices d'un bonheur tout terrestre et la joie ineffable du renoncement, c'est qu'elle est le reflet fidèle d'une expérience humaine plus riche et plus profonde, dans son éclectisme, que tous les systèmes de pensée. Son messianisme, propre au siècle où elle s'élabora, annonce la future grandeur de l'homme qu'elle tente d'arracher aux valeurs mortes de la tradition, à la tyrannie de l'argent et de l'orgueil. – Dans le domaine technique, Wagner demeure l'un des plus grands réformateurs de l'histoire de la musique. Avec lui naît le drame intégral, synthèse de tous les arts particuliers : poésie, musique, mimique et plastique. Il constitue une action sacrée, où les scènes s'enchaînent sans discontinuité, où la phrase chantée s'éloigne définitivement des formules de l'opéra classique, où une même œuvre, et parfois tout un cycle, comme la *Tétralogie,* prend l'aspect d'une symphonie géante. Si l'on retient encore que Wagner a conduit le chromatisme aux extrêmes limites de la tonalité, avec une harmonie toujours plus riche et plus subtile, qu'il a assuré au développement polyphonique, notamment dans le *leitmotiv*, une ampleur nouvelle, étendu les ressources de la rythmique et de l'instrumentation, il apparaît comme le créateur d'un langage musical entièrement personnel. Il s'est voulu le prêtre d'une religion nouvelle, celle de l'art, et cette ambition le situe comme l'une des grandes figures du romantisme. — **V.** *aussi* **Wagner (Siegfried)**, ci-dessous.

WAGNER (Adolphe). ♦ Économiste allemand (Erlangen, 1835 — Berlin, 1917). Il fut, avec Schmoller*, un des principaux représentants des « socialistes de la chaire » auteurs du *Manifeste d'Eisenach* (1872) qui, d'inspiration réformiste, réclamait l'intervention de l'État dans le domaine social. Auteur d'un ouvrage sur *Les Fondements de l'économie politique* (1876, trad. fr., 1900) et surtout d'un *Traité de la science des finances*, il a préconisé la réorganisation des revenus grâce à l'impôt.

WAGNER (Otto). ♦ Architecte autrichien (Penzig, 1841 — Vienne, 1918). Il subit l'influence des théories de Viollet*-le-Duc et s'opposa à l'académisme traditionnel après avoir débuté par une architecture néo-Renaissance. Si, dans ses cours donnés à partir de 1894, il influença notablement ses élèves en préconisant l'accord fonctionnel entre les matériaux nouveaux, les techniques et les formes (*Modern Architektur*, 1895), il fut en même temps un représentant de la tendance viennoise de l'Art Nouveau (Sécession style) par l'usage qu'il fit de la décoration florale (*Karlsplatz Station*, 1899-1901, et *Majolika Haus*, 1898). Dans la *Caisse d'épargne* de Vienne, avec son hall en acier et verre, 1904-1906, il appliqua rigoureusement ses conceptions, en donnant la primauté à la structure sur le décor, et devint ainsi l'un des pionniers de l'architecture moderne.

WAGNER (Siegfried). ♦ Compositeur et chef d'orchestre allemand (Triebschen, près de Lucerne, 1869 — Bayreuth, 1930). Fils de Richard et Cosima Wagner, il fut l'élève de Humperdinck. Chef d'orchestre et metteur en scène du Festival de Bayreuth, il a composé treize *opéras*, des *œuvres symphoniques* et de la *musique de chambre*. Sa femme WINIFRED lui succéda à la direction du Festival, jusqu'en 1944. Ses fils WIELAND (né à Bayreuth, 1917) et WOLFGANG (Bayreuth, 1919) dirigèrent à leur tour le Festival après 1944, renouvelant par des mises en scène très dépouillées le style de la représentation wagnérienne.

WAGNER VON JAUREGG (Julius). ♦ Médecin autrichien (Wels, Haute-Autriche, 1857 — Vienne, 1940). Contre la paralysie générale consécutive à la syphilis, il créa le traitement par inoculation du paludisme. (Prix Nobel de méd., 1927.)

WAGRAM. ♦ Village d'Autriche au N.-E. de Vienne. 4 300 hab. ♦ *Hist.* Les 5 et 6 juillet 1809, Napoléon y remporta une victoire éclatante et coûteuse sur les troupes autrichiennes commandées par l'archiduc Charles* : les Autrichiens perdirent 50 000 hommes; les Français 34 000. — Musée de souvenirs de la bataille.

Wahhabites. *n. m. pl.* ♦ Membres du mouvement musulman puritain fondé par *Muhammad ibn 'Abd al-Wahhab* (1703 — 1792) dans le Nedjd (partie centrale de l'Arabie). Adopté en 1744 par la famille des Sa'ûd, ce mouvement se confond historiquement avec la dynastie sa'ûdite. Quand Abd* al-'Azîz fonda le royaume d'Arabie Sa'ûdite (1932), la théorie des wahhabites devint doctrine d'État. Fondée essentiellement sur les enseignements d'Ibn* Taymiya et d'Ibn* Hanbal, cette théorie prône la croyance dans l'absolue unité divine (ses sectateurs se dénomment *Muwahhidûn*, pl. de *Muwahhid*, « les unitaires »; le mot « wahhabites » les désigne seulement en Occident) et abolit toute croyance susceptible de rappeler le polythéisme (visite des tombes, vénération des saints, etc.). Elle condamne toute innovation par rapport à l'enseignement originel de l'islâm fondé sur le Coran* et le hadîth*. La foi y est inséparable de la pratique religieuse. La nature du Coran étant primordiale et incréée, son interprétation doit être absolument littérale. La croyance dans la prédestination y est obligatoire. Tout acte ou point de vue non orthodoxe doit être condamné et combattu (rejet du mysticisme, soufisme*, shi'isme*, etc.). L'État musulman doit fonctionner exclusivement selon les principes de la Loi religieuse.

Ph. Hubert Josse

« Napoléon Ier à la bataille de **Wagram** », par H. Vernet. (Château de Versailles.)

WAHL [val] **(Jean).** ♦ Philosophe français (Marseille, 1888 — Paris, 1974), l'un des principaux historiens des philosophies de l'existence (*Études kierkegaardiennes*, 1938; *Esquisse pour une histoire de l'existentialisme*, 1950). Existentialiste lui-même, il ne cessa d'être attentif à la subjectivité de l'individu et à son expérience vécue, refusant de l'intégrer à un système dogmatique et s'orientant ainsi vers une non-philosophie, une sorte d'ontologie négative (*Traité de métaphysique*).

WAIKIKI. ♦ Plage touristique d'Honolulu sur l'île d'Oahu. **V. Oahu.**

WAILLY [vaji] **(Charles *de*).** ♦ Architecte, décorateur et dessinateur français (Paris, 1730 — *id.*, 1798). Élève de Servandoni*, il édifia le château de Rocquencourt, au décor chargé, et fut avec Peyre* l'auteur du *théâtre de l'Odéon* (1782), dont le péristyle dorique et le sobre décor à refends est caractéristique du style néo-classique. Il réalisa aussi les agrandissements et la décoration intérieure du *palais Spinola* à Gênes, abandonnant son style dépouillé et y déployant un goût du faste et des effets théâtraux.

WAKAMATSU. ♦ V. du Japon (Kyûshû) et port exportateur de charbon, faisant partie du complexe industriel de Kita*-Kyûshû. 100 000 habitants.

WAKAYAMA. ♦ V. du Japon (Honshû), à 50 km au S.-O. d'Ôsaka et ch.-l. de préfecture. 365 000 hab. — Grand centre industriel (textiles, métallurgie, industries chimiques, distilleries).

WAKE *(île de)*. ♦ Île de l'océan Pacifique N.-O., possession des États-Unis depuis 1898. Base aérienne. ♦ *Hist.* L'île fut prise par les Japonais en 1941 et resta occupée jusqu'à la fin de la guerre.

WAKEFIELD. ♦ V. d'Angleterre (ch.-l. du Yorkshire West Riding), sur la Calder, à 15 km de Leeds. 59 650 hab. Évêché. Cathédrale gothique perpendiculaire (XVe s.). — Bassin houiller. Indus. chimiques, textiles, mécaniques et alimentaires. ♦ *Hist.* Lors de la guerre des Deux-Roses, les Lancastre (Marguerite d'Anjou) y remportèrent une victoire sur l'armée de Richard d'York (30 déc. 1460).

WAKHAN. *n. m.* ♦ Région de l'Afghânistân formant un long et étroit corridor entre le Tadjikistân soviétique, la Chine et le Pâkistân, créé en 1896 afin de servir de « no man's land » entre l'empire britannique des Indes et l'empire russe. Très montagneux et peu peuplé, il fait partie du Pamir.

WAKSMAN (Selman Abraham). ♦ Microbiologiste américain d'origine russe (Prilouki, près de Kiev, 1888 — Hyannis, États-Unis, 1973). Il émigra aux États-Unis où il fut assistant à la station expérimentale de New Jersey, puis professeur de microbiologie des sols. Il eut le prix Nobel de méd. et physiologie pour ses travaux sur les antibiotiques et la découverte de la streptomycine (1952).

WAŁBRZYCH, en all. **Waldenburg.** ♦ V. de Pologne* (voïévodie de Wrocław) située en bordure des Sudètes*, en basse Silésie*. 125 000 hab. — Gisement houiller, cokeries. Indus. métallurgiques, chimiques et textiles.

WALBURGE *(sainte)*, en all. **Walpurgis.** ♦ (Dans le Sussex, v 710 — Heidenheim, 779.) Religieuse bénédictine anglaise, appelée en Allemagne par saint Boniface et devenue abbesse de Heidenheim. — *Huile de sainte Walburge* : liquide miraculeux qui paraissait sourdre de son tombeau, dans l'église de Eichstätt. — *Nuit de Walpurgis* : nuit précédant sa fête, le 1er mai; la légende, assimilant des survivances païennes, en fit une nuit de sabbat où sorciers et sorcières se retrouvaient sur le Blocksberg (Cf. Goethe, intermède de *Faust*).

WALCHEREN. ♦ Anc. île des Pays-Bas (Zélande) dans l'estuaire de l'Escaut, auj. rattachée au continent. *Ch.-l.* Middelburg. ♦ *Hist.* En 1809, les Anglais tentèrent contre l'île une expédition qui échoua. En 1944, les Alliés durent l'inonder pour contraindre à la reddition les Allemands qui occupaient le port d'Anvers. L'île subit une inondation naturelle en 1953.

WALCKENAER [walkənaʀ] **(Charles Athanase, *baron*).** ♦ Érudit français (Paris, 1771 — *id.*, 1852). Auteur d'ouvrages d'histoire naturelle, de géographie (sur la Polynésie, l'Australie, etc.) et de critique littéraire (sur La Fontaine, ...), il fut, avec Jomard*, un des fondateurs de la Société de géographie de Paris (1821).

WALD (George). ♦ Biologiste américain (New York, 1906). Auteur de travaux sur la perception visuelle, et plus particulièrement sur le rôle de la vitamine A dans le mécanisme photochimique de la rétine, il partagea le prix Nobel de médecine et physiologie avec Granit* et Hartline* (1967).

WALDECK. *n. m.* ♦ Anc. État d'Allemagne, constitué de parcelles enclavées dans la Prusse* et la Hesse*. Sa cap. était Arolsen. Les *comtes de Waldeck*, connus dès le XIIe s., adoptèrent la Réforme au XVIe s., acquirent le comté de Pyrmont au XVIIe s. et devinrent princes d'Empire en 1712. Alternativement réuni à la Prusse et indépendant depuis 1867, le Waldeck fait actuellement partie du land de Hesse* dans la République fédérale allemande.

WALDECK-ROCHET. ♦ **V.** ROCHET (Waldeck).

WALDECK [valdɛk-]**-ROUSSEAU (Pierre Marie René).** ♦ Homme politique français (Nantes, 1846 — Corbeil, 1904). Fils d'un député (de la gauche modérée) de la Deuxième République, il siégea à la Chambre des députés avec l'Union républicaine (1879-1889) et, nommé ministre de l'Intérieur (nov. 1881-janv. 1882, fév. 1883-mars 1885), fit voter la loi sur les associations professionnelles qui favorisa le développement du mouvement syndical (1884). Revenu quelque temps à sa profession d'avocat, il prit la défense d'Eiffel à l'occasion du procès de Panama. Sénateur (1894-1904), il fut appelé à la présidence du Conseil (1899-1902) et, face au mouvement nationaliste de droite constitua un cabinet de Défense républicaine (Galliffet*, Millerand*) qui décida la révision du procès de Dreyfus*, fit adopter la loi sur les associations (1901), qui, visant particulièrement les congrégations, devait aboutir à la séparation de l'Église et de l'État (1906). En réponse à la révolte des Boxers, il avait organisé l'expédition de Chine (1900).

WALDEMAR. ♦ (v. 1281 – 1319). Margrave de Brandebourg (1309-1319). Il réunit sous sa seule autorité le Brandebourg. Son cousin Henri le Jeune qui lui succéda encore enfant ne lui survécut qu'un an. Ainsi s'éteignirent les Ascaniens* de Brandebourg. La maison de Bavière puis celle de Luxembourg, puis les Hohenzollern régnèrent ensuite sur le Brandebourg.

WALDENBURG. ♦ **V.** WAŁBRZYCH.

WALDERSEE (Alfred, *comte von***).** ♦ Feld-maréchal prussien (Potsdam, 1832 – Hanovre, 1904). Il succéda à Moltke comme chef du grand état-major (1888-1891), s'opposa à Bismarck et eut une certaine influence sur Guillaume II. Il commanda les troupes internationales envoyées en Chine contre les Boxers (1900-1901).

WALDEYER (Wilhelm). ♦ Anatomiste et histologiste allemand (Hehlen, Brunswick, 1836 – 1921). Directeur des *Archives pour l'anatomie microscopique* (fondées par Schultze), il s'occupa essentiellement de l'histologie des nerfs (il créa le terme de neurone), des ovaires, des yeux, etc., étudia également la structure et le développement des feuillets germinatifs.

WALDHEIM (Kurt). ♦ Diplomate autrichien (Sankt Andrä vor dem Hagenthale, 1918). Il est secrétaire général de l'O.N.U. depuis 1972.

WALDSEEMÜLLER ou **WALTZEMÜLLER (Martin),** en lat. **Hylacomilus.** ♦ Géographe et cartographe allemand (Radolfzell, v. 1470 – Saint-Dié entre 1518 et 1521). Il donna au Nouveau Monde **(V. Colomb)**, décrit dans sa *Cosmographie* (1507), le nom d'Americi Terra, d'après A. Vespucci* auquel il en avait attribué la découverte, bien qu'il ait par la suite rectifié son erreur.

WALDTEUFEL (Émile). ♦ Compositeur et chef d'orchestre français (Strasbourg, 1837 – Paris, 1915). Élève de Marmontel au conservatoire de Paris, il devint pianiste de l'impératrice Eugénie et chef d'orchestre des bals de la Cour. Il est l'auteur de nombreuses valses dont *Dolorès, Mon Rêve, Les Patineurs, Toujours ou jamais.*

WALES. ♦ Nom anglais du pays de Galles. **V. Galles.**

WALEWSKI (Alexandre Florian Joseph Colonna, *comte***).** ♦ Homme politique français (Walewice, près de Varsovie, 1810 – Strasbourg, 1868). Fils naturel de Napoléon Ier et de Marie, comtesse Walewska (1789 – Paris, 1817). Comme Polonais, il fut envoyé à Londres pour y défendre la cause du mouvement révolutionnaire après l'insurrection de 1830. Celle-ci ayant échoué, Walewski vint en France où il obtint la naturalisation, participa à la conquête de l'Algérie (1834), puis abandonna la carrière militaire pour le théâtre et le journalisme, fondant le journal *le Messager.* Chargé de missions diplomatiques par le gouvernement de la monarchie de Juillet, il poursuivit cette carrière sous la Deuxième République et le Second Empire. Ministre plénipotentiaire à Florence puis à Naples, ambassadeur à Madrid et à Londres, il fut nommé ministre des Affaires étrangères (1855-1860) et présida le congrès de Paris* (1856). S'étant séparé de Napoléon III sur la question de la politique italienne (1859), il fut remplacé par Thouvenel*.

WALHALLA ou **VAL-HALL.** *n. m.* ♦ Séjour des guerriers les plus valeureux tués au combat, dans la mythologie germanique. C'est un immense palais où règne Odin* ; autour de lui, les héros combattent tout le jour, s'entraînant en vue du combat final contre les démons; la nuit ils festoient et s'enivrent d'hydromel. Les Walkyries* y reçoivent les héros.

Walkyrie (La). ♦ **V.** TÉTRALOGIE.

Walkyries. *n. f. pl.* ♦ Divinités féminines de la mythologie germanique, hôtesses du Walhalla* où elles servent les festins des héros. En cas de guerre, elles participent invisiblement aux combats, apparaissant seulement aux guerriers choisis par Odin* pour être tués et entrer au Walhalla. Elles sont aussi les messagères des dieux, montées sur des chevaux merveilleux.

WALLACE (*sir* **William).** ♦ Chef écossais (Elderslie, près de Glasgow? v. 1270 – Londres, 1305). Il prit la tête du soulèvement contre Édouard* Ier d'Angleterre (1297) mais fut capturé et exécuté. **V. Écosse,** *hist.*

WALLACE (*sir* **Richard).** ♦ Philanthrope anglais (Londres, 1818 – Paris, 1890). Héritier d'une grande fortune, il subventionna les ambulances militaires en 1870 et fut lui-même ambulancier. Il fit installer à Paris une centaine de fontaines qui portent son nom, sur un modèle de Charles Lebourg. Il avait réuni une remarquable collection d'œuvres d'art qui fut léguée à l'Angleterre.

WALLACE (Alfred Russel). ♦ Voyageur et naturaliste anglais (Usk, Monmouthshire, 1823 – Broadstone, Dorsetshire, 1913). Les observations zoologiques qu'il fit lors de son exploration de l'Australie et des archipels voisins l'amenèrent à reconnaître le rôle de la sélection naturelle dans l'évolution des espèces (*Contributions to the Theory of Natural Selection,* 1870). Fondateur de la géographie zoologique, il mit en évidence l'influence du morcellement des terres émergées sur l'origine et le développement des espèces.

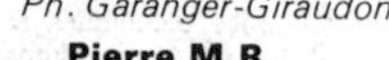

Ph. Garanger-Giraudon
Pierre M.R. Waldeck-Rousseau.

Coll. Viollet
Sir **Richard Wallace,** gravure de J. Jacquemart.

WALLACH (Otto). ♦ Chimiste allemand (Königsberg, 1847 – Göttingen, 1931). Il participa à l'essor de la chimie organique et industrielle par ses travaux sur les composés alicycliques. (Prix Nobel de chimie, 1910.) **V. Perkin.**

WALLASEY. ♦ V. d'Angleterre (Cheshire), sur l'estuaire de la Mersey, au N.-O. de Birkenhead, dont elle est l'une des banlieues résidentielles. 97 061 habitants.

WALLENSTEIN ou **VALDSTEIN (Albrecht** *von, duc de* **Friedland).** ♦ Chef militaire allemand (Hermanitz, 1583 – Eger, 1634). Noble tchèque, de famille protestante, il passa au catholicisme et soutint l'empereur dès la révolte de la Bohême. Hommes d'affaires autant que général, il lui servit de banquier (avec l'aide du financier Hans de Witte) et recruta une armée qu'il mit à sa disposition, faisant de la guerre une entreprise semi-privée. Il battit Mansfeld* à Dessau (1626), pourchassa Christian* IV à travers toute l'Allemagne du Nord et le contraignit à la paix de Lübeck (1629). Ferdinand* II le récompensa mais, devant l'insistance de la Ligue catholique, le renvoya (1630). Les victoires de Gustave*-Adolphe le contraignirent à le rappeler et à accepter ses conditions exorbitantes. Wallenstein marcha donc contre Gustave-Adolphe et fut vaincu à Lützen* (1632). Cependant, soit qu'il voulût pour lui la couronne de Bohême, soit qu'il voulût s'opposer à la politique de l'empereur, il entama avec l'ennemi des négociations qui le firent accuser de haute trahison et assassiner par son lieutenant Gallas*, sur l'ordre de l'empereur. Il inspira Schiller (voir *ci-dessous*).

Wallenstein. ♦ Trilogie dramatique de Schiller, constituée par : *Le Camp de Wallenstein* (*Wallensteins Lager,* 1798), *Les Piccolomini* (*Die Piccolomini,* 1799) et la *Mort de Wallenstein* (*Wallensteins Tod,* 1799). Chef d'une armée de mercenaires qu'il croit dévouée à sa seule personne, le duc de Wallenstein a l'ambition de se tailler un royaume en détachant la Bohême de l'Empire germanique à la solde duquel il est. Mais l'empereur, avisé de ses velléités de rébellion, lui oppose son subalterne, le comte Piccolomini. Politique médiocre malgré ses ambitions, Wallenstein périra sous les coups de ceux qu'il tenait pour ses amis. C'est l'histoire de cette révolte manquée que développe la trilogie de Schiller, fresque puissante où les caractères s'affirment avec force.

WALLER (Thomas, dit **Fats).** ♦ Pianiste, chanteur et compositeur de jazz (New York, 1904 – mort en 1943). Il apprit la musique très jeune et dès 1921 se trouva à la tête d'un petit orchestre. Il accompagna alors diverses chanteuses, dont Bessie Smith*, puis travailla pour E. Tate aux côtés de L. Armstrong. Il monta divers orchestres, fit des tournées, passa souvent à la radio et joua dans quelques films. Pianiste très doué, à la technique irréprochable, il fut aussi un remarquable compositeur et un chanteur plein de swing et d'humour.

WALLERANT (Frédéric). ♦ Minéralogiste français (Trith-Saint-Léger, Nord, 1858 – Paris, 1936). On lui doit des travaux sur les groupements cristallins, la symétrie des cristaux ainsi que sur la géologie des Maures et de l'Esterel. (Acad., sc., 1907.)

WALLIS (John). ♦ Mathématicien britannique (Ashford, 1616 – Oxford, 1703). Dans son *Arithmetica infinitorum* (1656), il fut l'un des premiers à essayer de se dégager de la représentation spatiale en analyse infinitésimale, donnant un exposé par induction incomplète, établi sur des calculs numériques; il montra l'intérêt des approximations numériques illimitées, donna son célèbre produit infini (développement de $4/\pi$ [**V.** *aussi* **Viète**]) ; de plus, il introduisit l'emploi systématique des exposants négatifs et fractionnaires. Il entrevit la représentation géométrique des nombres complexes (1673) et montra, avec Newton* et Bernoulli*, que la fonction logarithmique était l'inverse de la fonction exponentielle. Dans son *Algebra* (1685), il utilisa la méthode de résolution approchée d'une équation établie par Newton. Il rendit la géométrie cartésienne plus accessible à ses contemporains. En mécanique, il donna également les lois du choc des corps durs. **V. Huygens, Mariotte.***

WALLIS (Samuel). ♦ Navigateur et explorateur anglais (Cornouailles, v. 1728 — Londres, 1795). Après avoir participé à la prise de Louisbourg et exercé un haut commandement au Canada (1757), il fut envoyé en expédition dans le Pacifique (1766), atteignit les îles Tuamotu, Tahiti (qu'il nomma île du Roi-George-III, 1767) et l'archipel qui porte son nom (Wallis [-et-Futuna]).

WALLIS [walis]-**ET-FUTUNA** *(îles).* ♦ Archipel de Polynésie* (Océanie), à l'O. des Samoa, qui comprend entre autres trois îles volcaniques : Uvéa*, entourée d'un récif de corail; Futuna* et Alofi (appelées parfois les « îles de Horn »), hautes et montagneuses. 220 km². 10 000 hab. environ. *Cap.* Mata-Utu, sur l'île d'Uvéa. — Le climat est chaud et humide. Coprah, taro, igname. ♦ *Hist.* Découvertes par le navigateur anglais S. Wallis* en 1767, les îles passèrent sous protectorat français en 1886-1887. Par le référendum de 1959, elles choisirent le statut de Territoire d'outre-mer (T.O.M.).

WALLON [valɔ̃] **(Henri Alexandre).** ♦ Historien et homme politique français (Valenciennes, 1812 — Paris, 1904). Professeur d'histoire à la Sorbonne, où il succéda à Guizot, député à l'Assemblée législative (1849-1850), il siégea au centre droit à l'Assemblée nationale (1871) où, d'abord favorable à Thiers, il vota contre celui-ci le 24 mai 1873. L'amendement qui porte son nom (janv. 1875) stipule que « le président de la République est élu à la majorité absolue des suffrages par le Sénat et la Chambre des députés réunis en Assemblée nationale. Il est nommé pour sept ans; il est rééligible ». Ce texte, approuvé à une voix de majorité, affirmant ainsi le régime républicain, est considéré comme l'acte de baptême de la Troisième République. H. Wallon fut appelé le « père de la République ». Ministre de l'Instruction et des Cultes (mars 1875-mars 1876), Wallon fit adopter la loi sur la liberté de l'enseignement supérieur (1875). [*L'Esclavage dans les colonies,* 1847; *Du monothéisme chez les races sémitiques,* 1875; *Saint Louis et son temps,* 1875; *La Terreur,* 1873; *Histoire du Tribunal révolutionnaire de Paris,* 1880-1882.]

WALLON (Henri). ♦ Psychologue et homme politique français (Paris, 1879 — *id.,* 1962). Fondateur du groupe français d'éducation nouvelle, membre de la S.F.I.O. (1931) et du P.C. (1942), secrétaire de l'Éducation nationale (1944) et député communiste (1945-1946), il présida la commission de réforme de l'enseignement (*projet Langevin-Wallon,* 1945). Spécialiste de la psychologie de l'enfant, il mit l'accent sur l'interdépendance des facteurs biologiques (maturation du système nerveux) et sociaux dans le développement psychique. Contrairement à J. Piaget*, il affirma que celui-ci se fait par une succession discontinue de stades, le passage de l'un à l'autre n'étant pas « une simple amplification mais un remaniement », une transformation brusque impliquant conflit et choix entre un ancien et un nouveau type d'activité. Cette conception du développement de la pensée se veut à la fois basée sur l'observation et en accord avec les principes du matérialisme dialectique et historique **(V. K. Marx)** [*L'Évolution psychologique de l'enfant,* 1934; *De l'Acte à la pensée,* 1942; *Les Origines de la pensée chez l'enfant,* 1945].

WALLONIE. *n. f.* [wa-]. ♦ Région linguistique de Belgique ne coïncidant avec aucune frontière naturelle ou politique, limitée par une ligne O.-E. passant au N. de Mouscron, au S. de Renaix, de Bruxelles et de Louvain et au N. de Liège. Elle englobe les provinces du Hainaut*, de Namur*, de Liège*, de Luxembourg* (sauf la région d'Arlon) et du Brabant* (Sud). On y parle le français avec pour principaux dialectes : le wallon, le rouchi, le gaumais, le cham penois. La Wallonie s'oppose à la Flandre* : entité morale et culturelle récente, la Wallonie doit sa signification au dualisme franco-flamand dont la conscience s'est manifestée en 1830 (fondation du royaume de Belgique). Au XXe s., les principaux écrivains de la Belgique wallonne sont Defrécheux, Du Vivier, Velez, Chaumont, Wérott, Dufranc, Remouchamp.

WALLSEND. ♦ V. du N.-E. de l'Angleterre (Northumberland), sur la r. d. de l'estuaire de la Tyne, dans la banlieue de Newcastle. 49 800 hab. Centre industriel : chimie, construction de navires charbonniers et de pétroliers.

Wall Street (« rue du mur »). ♦ Rue de New York, au S. de Manhattan, où est située la Bourse de New York. Le quartier de Wall Street est le plus grand centre financier du monde. **V. New York.**

WALPOLE (Robert, *1er comte d'***Oxford).** ♦ Homme politique anglais (Houghton Hall, 1676 — Londres, 1745). Fils d'un squire du Norfolk, il commença sa carrière comme député whig aux Communes (1701), après des études à Eton et à Cambridge. Il fut entraîné dans la chute de Marlborough* et enfermé à la tour de Londres. Le prestige qu'il en tira lui valut d'être rappelé par les Hanovre et de devenir en 1715 premier lord de la Trésorerie et chancelier de l'Échiquier. Après un passage dans l'opposition de 1717 à 1720, il revint au pouvoir lors du scandale de la *South Sea Company* et y resta jusqu'en 1742. Son rôle dans l'évolution de la vie politique anglaise fut capital puisque, avec lui, le Premier ministre devint comptable de son activité non devant le roi, mais devant le Parlement, évolution favorisée par le caractère étranger de la dynastie des Hanovre. Personnalité cynique, rompue aux manœuvres et aux corruptions parlementaires (il disait connaître le prix de chaque conscience à Westminster), il gouverna avec empirisme et bon sens, dans un désir de préserver la tranquillité publique, manifesté dans son pacifisme. Dans cet esprit, il rechercha l'alliance avec la France, favorisée à Paris par Dubois*, mais qui irrita une opinion déjà indisposée par le malaise économique et social né de l'expansion industrielle. L'opposition se cristallisa autour du prince de Galles, et Walpole, contraint d'intervenir dans la guerre de Succession* d'Autriche, se retira, prenant place dans l'opposition au nouveau gouvernement Granville*-Newcastle*.

WALPOLE (Horace, *4e comte d'***Orford).** ♦ Écrivain anglais (Londres, 1717 — *id.,* 1797), fils de Robert Walpole*. Il fit ses études à Eton et à Cambridge et entra au Parlement en 1741. Mais il abandonna vite la vie politique pour se retirer dans sa résidence de Strawberry Hill, près de Twickenham. Il fit de nombreux voyages en Europe en compagnie du poète Thomas Gray* et se lia avec Mme du Deffand* avec qui il échangea une importante correspondance. Avec *Le Château d'Otrante* (*The Castle of Otranto,* 1764), il inaugura le genre du « roman noir » en Angleterre. Il écrivit en outre de nombreux ouvrages d'histoire et de critique d'art, mais il est surtout célèbre pour sa *Correspondance.*

WALPOLE (*sir* **Hugh Seymour).** ♦ Critique et romancier anglais (Auckland, Nouvelle-Zélande, 1884 — Keswick, région des Lacs, 1941). Fils aîné du révérend G. Walpole qui devint évêque d'Édimbourg, il fit ses études à Cambridge, se consacra un moment à l'enseignement, puis collabora comme critique littéraire au *Standard* (*Conrad,* 1916). Il publia une quarantaine de romans ainsi que des nouvelles et des essais. Ses sujets sont divers : la vie à Londres dans *La Force d'âme* (*Fortitude,* 1913), l'enfance dans la série des *Jérémie* (1919, 1923, 1927), la religion dans *La Cathédrale* (1922), l'éducation dans *M. Perrin et M. Traill* (1911), le macabre dans *Le Portrait d'un homme aux cheveux roux* (1925). La Russie, où il fut envoyé pendant la Première Guerre mondiale, lui inspira *La Forêt obscure* (1916) et *La Cité secrète* (1919).

WALPURGIS. ♦ **V.** WALBURGE.

WALRAS [valʀa] **(Auguste).** ♦ Économiste français (1800 — 1866). Auteur de *De la nature de la richesse et de l'origine de la valeur* (1848), où il explique la valeur à partir de la rente, il fut un des premiers, avec Cournot, à tenter d'appliquer les mathématiques à l'étude des faits économiques. ♦ LÉON MARIE ESPRIT WALRAS, son fils. Économiste français (Évreux, 1834 — Clarens, Suisse, 1910). Élève de l'École des mines, journaliste, il fut nommé professeur d'économie politique à Lausanne (où il eut V. Pareto* comme successeur). Cherchant à construire une doctrine économique conciliant la libre concurrence et la justice sociale, il fut amené à formuler, en même temps que W. S. Jevons* et C. Menger*, une nouvelle théorie de la valeur fondée sur le principe de l'utilité marginale. À la suite de son père et de Cournot*, il s'est efforcé d'appliquer les mathématiques à l'étude des faits économiques, tentant d'établir « à l'aide d'un système d'équations un modèle complet de l'équilibre général des prix et des échanges » (H. Denis), dans un régime de concurrence parfaite. (*Éléments d'économie pure,* 1874-1887; *La Théorie mathématique de la richesse sociale,* 1873-1883; *Études d'économie politique appliquée,* 1898).

Ph. Carlo Bevilacqua/Ricciarini

Robert Walpole, par J.B. Van Loo.
(National Portrait Gallery, Londres.)

Ph. U.S.I.S

Bruno Walter.

WALSALL. ♦ V. du centre de l'Angleterre, dans les Midlands (Staffordshire), dans la banlieue N.-O. de Birmingham. 184 606 hab. Église du XVe siècle. – Centre industriel : fonderies de cuivre, indus. métallurgiques, mécaniques et chimiques, travail du cuir. À proximité, mines de houille et de fer.

WALSCHAP (Gerard). ♦ Écrivain belge d'expression néerlandaise (Londerzeel, 1898). Dans ses cinq premiers romans (*Adélaïde,* 1929, *Carla,* 1933; *Eric,* 1931; *Mariage,* 1933; *Célibat,* 1934), l'écrivain se montra passionné de psychologie, s'efforçant de peindre dans un style « fonctionnaliste » la réalité humaine dans ses aspects les plus extrêmes. Catholique fervent, mais esprit inquiet, il exprima ses doutes concernant la morale et la religion dans des ouvrages fort discutés par ses coreligionnaires, tels que *Sibylle* (1938), *Rencontre avec le Christ* (1940) et *Adieu, donc!* (1940), qui devait sanctionner sa rupture avec l'Église. C'est *Houtekiet* (1939) qui illustre le mieux les idées philosophiques et religieuses de G. Walschap : célébration de l'instinct, exaltation d'un nouveau mode de vie libéré de la notion de péché, ce puissant roman recourt à un style rendu « dynamique » par le passage perpétuel du discours indirect au discours direct. Avec *Guérison par l'aspirine* (1943), où l'on voit le romancier aborder l'étude du subconscient, puis *Insurrection au Congo* (1953), qui pose le problème du colonialisme, l'œuvre de Walschap semble s'orienter vers un humanisme rationaliste, respectueux cependant des conceptions religieuses de la vie.

WALSER (Martin). ♦ Auteur dramatique et romancier allemand (Wasserburg am Bodensee, 1927). Témoin de la débâcle psychologique et morale de l'Allemagne après le passage du nazisme, il en a décrit les effets dans deux drames : *Chênes et lapins angoras, chronique allemande* (*Eiche und Angora, eine deutsche Chronik,* 1962) et *Le Cygne noir* (*Der schwarze Schwan,* 1964). Son roman *Mi-temps* (*Halbzeit,* 1960) est la satire d'une vie banale, d'une absurde insignifiance « d'un homme quelconque, dans un milieu quelconque de Stuttgart vers 1950 » (H. Plard); le même thème est repris dans *La Licorne* (*Das Einhorn,* 1966).

WALSH (Raoul). ♦ Réalisateur américain de cinéma (New York, 1892). Acteur de théâtre venu au cinéma. il fut l'assistant et l'interprète de Griffith* *(Naissance d'une nation)* avant de diriger Douglas Fairbanks : « Le Voleur de Bagdad » (*The Thief of Bagdad,* 1924). Pur produit de l'esthétique hollywoodienne, il a excellé dans les genres typiques du western, du film policier, historique, biblique, ou de guerre. Le culte des forces primitives, l'amour de la vie caractérisent son œuvre où l'action tient le premier rôle. Réal. princ. : « La Charge fantastique » (*They Died with their Boots on,* 1941), « Les Implacables » (*The Tall Men,* 1955), « Les Nus et les Morts », d'après N. Mailer (*The Naked and the Dead,* 1958), « La Charge de la 8e brigade » (*A Distant Trumpet,* 1964).

WALSINGHAM (*sir* Francis). ♦ (Chislehurst, v. 1530 – Londres, 1590). Homme politique anglais. Protégé de Cecil*, il fut envoyé en ambassade à Paris, et, malgré son échec, devint secrétaire d'État. Son ardent puritanisme entrava sa carrière. Il développa la police secrète et démasqua les complots dirigés contre Élisabeth.

WALSUM. ♦ V. et port d'Allemagne occidentale (Rhénanie-du-Nord-Westphalie), sur la r. d. du Rhin. 48 300 hab. – Centre textile.

WALTARI (Mika Toimi). ♦ Romancier, nouvelliste et auteur dramatique finnois (Helsinki, 1908). Membre de l'Académie de Finlande. Commence sa carrière très jeune par des romans sur les années folles, *La Grande Illusion* (1928), *Le Pépin d'orange* (1931). Sensible aux variations de la mode littéraire, il écrivit des romans sérieux sur la croissance de Helsinki, réunis en un volume, *De Père en fils* (1942), et sur un drame familial rural, *Un inconnu vient à la ferme* (1937; trad. fr., 1944). Ses romans historiques hauts en couleur connurent un succès international (*Sinouhé l'Égyptien,* 1945, trad. fr. 2 vol. 1947, 1948; *L'Ange noir,* 1952, trad. fr. 1954). Ses ouvrages les plus remarquables sont les récits et les nouvelles *Fine van Brooklyn* (1942), *La Viorne et Quatre autres courts romans* (1961). Il est l'auteur de très nombreux romans gais, policiers, d'aventures, publiés, sous divers pseudonymes, et de comédies.

WALTER (Bruno Walter SCHLESINGER, dit Bruno). ♦ Chef d'orchestre allemand naturalisé américain (Berlin, 1876 – Beverley Hills, Californie, 1962) célèbre pour ses interprétations des œuvres de Mozart et Mahler. Il étudia au conservatoire Stern de Berlin et commença sa carrière à Cologne en 1894. Collaborateur de Mahler à Hambourg, il dirigea ensuite les orchestres de Breslau, Riga et Berlin, puis fut placé par Mahler en 1901 à la tête de l'orchestre de l'opéra de Vienne où il créa *Le Chant de la Terre* (1911) et la *Neuvième Symphonie* (1912). Après Munich, Leipzig et Salzbourg où il donna une interprétation remarquable de Mozart, il dut en 1938 quitter l'Autriche, passée sous le régime nazi, pour se rendre en France. L'année suivante, il s'établit aux États-Unis où il dirigea le Metropolitan Opera de New York puis, de 1947 à 1949, le New York Philarmonic-Symphony Orchestra. Il a laissé une admirable autobiographie : *Thème et Variations.*

WALTER (Jean). ♦ Architecte français (Montbéliard, 1883 – Souppes-sur-Loing, 1957). Il collabora à la construction du nouvel hôpital Beaujon et fonda les bourses de Zellidja*.

WALTER TYLER. ♦ **V.** TYLER (WAT).

Waltharius. ♦ Poème épique en latin écrit entre 860 et 970 et dont l'auteur n'a pu être identifié. Il raconte les péripéties de la fuite de Walther, fils du roi d'Aquitaine, et de sa fiancée Hildegund loin de la cour d'Attila où ils sont retenus comme otages. Mêlant les thèmes d'inspiration antique (*Énéide* de Virgile, *Thébaïde* de Stace, *Psychomachie* de Prudence), chrétienne et spécifiquement germanique (personnages de la légende des Nibelungen*), cette œuvre connut un vif succès. La légende qu'elle relate s'est maintenue en Allemagne jusqu'au XIIIe s. et se retrouve par ailleurs dans la *Thidressaga* norvégienne et des chroniques polonaises du XIVe siècle.

WALTHER von der Vogelweide. ♦ Poète allemand (Autriche?, v. 1170 – Würzburg, v. 1230). Il fut sans doute l'élève de Reinmar* l'Ancien en Autriche et mena une vie errante avant d'obtenir un fief de l'empereur Frédéric II. Ses poèmes se répartissent en deux genres : chansons *(lieder)* consacrées à l'amour, qui font de lui le plus grand minnesänger de l'époque, et poésies gnomiques *(sprüche)* à thèmes moraux, religieux et politiques.

WALTON (*sir* William Turner). ♦ Compositeur anglais (Oldham, Lancashire, 1902). Choriste de Christ Church à Oxford, autodidacte en composition, il se fit connaître en 1923 avec son *Quatuor à cordes* et *Façade,* ensemble de pièces pour orchestre de chambre accompagnant la déclamation de poèmes d'E. Sitwell. Par la suite, il composa un opéra, *Troïlus et Cressida* (1954), un oratorio, *Belshazzar's Feast,* un ballet, *The Quest,* deux symphonies, *Partita* et *Sinfonia concertante,* et de nombreuses musiques de films dont celles d'*Henri V, Hamlet* et *Richard III* de Laurence Olivier.

WALTON (Ernest Thomas Sinton). ♦ Physicien britannique (Dungarvan, Waterford, Irlande, 1903). Auteur, avec Cockcroft* (1932), des premières transmutations avec des protons accélérés artificiellement. (Prix Nobel de phys., 1951.)

WALVIS BAY ou **WALFISH BAY.** ♦ Enclave de 1 124 km², sur la côte du Sud*-Ouest africain dépendant de la république d'Afrique* du Sud et rattachée à la province du Cap*. – Le port de *Walvis Bay,* relié par voie ferrée à Windhoek* et à Tsumeb*, est un des plus riches ports de pêche (sardines). Base pour la pêche à la baleine. Conserveries. Exportation de minerais.

WAMBA. ♦ (m. en 680 ou 681). Roi des Wisigoths (672 – v. 680). Successeur de Receswinthe, il combattit la révolte des Vascons, tenta d'introduire quelques réformes, notamment dans le clergé et dans l'armée, mais fut renversé par Ervige.

WANDRE. ♦ Comm. de Belgique, dans la banlieue industrielle de Liège, à l'origine du canal Albert, sur la Meuse. 6 700 hab. Port pétrolier à Souverain-Wandre. Indus. alimentaires et métallurgiques. Houillères.

WANFERCÉE-BAULET. ♦ Comm. de Belgique (Hainaut, arr. de Charleroi). 6 500 hab. Houille. Brasseries.

WANG AN-SHIH [*Wang Anshi, Wang Ngan-che*]. ♦ Homme politique et poète chinois (1021 – 1086) né à Fuchou. Il s'opposa au réformateur Szu-ma Kuang et fit lui-même des réformes fiscales et agraires importantes. Il réorganisa l'armée chinoise en créant des « milices paysannes » et écrivit de savants commentaires des classiques chinois.

WANG CHAO-MING [*Wang Tchao-ming, Wang Zhaoming*]. ♦ Homme politique chinois (1883 – 1944) qui fut, de 1924 à 1928, président du Conseil d'État de la République chinoise, succédant à Tuan Chih-ch'üan. Chiang* Kai-shek lui succéda. Il présida un gouvernement pro-japonais à Nankin en 1940.

WANG FU-CHIH [*Wang Fuzhi, Wang Fou-tche*]. ♦ Philosophe chinois (1619 – 1692) né dans le Hu-nan, enseignant que la terre devait appartenir à ceux qui la cultivaient et non à l'empereur. Il fut le premier théoricien d'un nationalisme chinois fondé sur la culture et le mode de vie.

WANG I-JUNG [*Wang Yi-jong, Wang Yirong*]. ♦ Archéologue chinois (1845 – 1919) qui effectua des fouilles à An-yang, l'antique capitale de la dynastie des Shang*, et qui, le premier, étudia les os gravés des plus anciens caractères chinois, ouvrant ainsi la voie à l'étude historique de ces derniers.

WANG KUO-WEI [*Wang Guowei, Wang Kouo-wei*]. ♦ Physicien et philosophe chinois (Shang-haï, 1877 – 1927) de réputation internationale. Ses travaux sur le théâtre chinois et les manuscrits retrouvés à Tun-huang font autorité.

WANG MANG. ♦ Neveu d'une impératrice chinoise de la dynastie des Han (~45-23). Devenu régent, il déposa l'empereur Liu Ying et se proclama empereur en l'an 9 de notre ère. Les légitimistes réussirent à le chasser et à le tuer en 23, rétablissant la dynastie des Han sur le trône. Cette dernière sera connue sous le nom de Han postérieurs, par opposition aux Han antérieurs (à l'usurpation de Wang Mang).

WANG MENG [*Wang Mong*]. ♦ Peintre chinois (v. 1309 – 1385), paysagiste de tradition réaliste, un des « Quatre Wang » de la dynastie des Yüan*.

WANG T'AO [*Wang Tao*]. ♦ Philosophe et journaliste chinois (1828 – 1897), fondateur de journaux et revues, surnommé le «père du journalisme chinois». Impliqué dans la révolte des T'ai*-p'ing, il se réfugia en Écosse, où il écrivit des ouvrages historiques et techniques et où il mourut.

WANG WEI. ♦ Peintre, musicien, calligraphe et homme d'État chinois (v. 701 – 761). Ses peintures d'inspiration bouddhique sont perdues. Il aurait inventé l'art de la peinture monochrome à l'encre de Chine.

WANG YANG-MING [*Wang Yangming*]. ♦ Philosophe néo-confucéen chinois (dans le Chê-kiang, 1472 – 1528), et général opposé aux vues de Chu* Hsi. Ses œuvres eurent un grand retentissement sur la pensée et la politique de Chine, de Corée et du Japon.

WAN-LI CH'ANG CHENG. ♦ **V.** MARCHE (Longue).

WANNE-EICKEL. ♦ V. d'Allemagne occidentale (Rhénanie-du-Nord-Westphalie), sur l'Emscher. 100 300 hab. (1969). Houille, aciéries, constructions mécaniques, produits chimiques et alimentaires.

WARANGAL. ♦ V. de l'Inde (Andhra Pradesh), anc. cap. de la dynastie des Kâkatiya, à 140 km au N.-E. d'Haidarâbâd*. 207 130 hab. – Centre commercial (tapis, tabac, huiles) et culturel (université). Carrefour routier et ferroviaire.

WARBURG (Otto). ♦ Physiologiste allemand (Fribourg-en-Brisgau, 1883 – Berlin, 1970). Membre du Kaiser Wilhelm Institut de biologie de Berlin-Dahlem, ses recherches sur les ferments respiratoires (enzymes des oxydations cellulaires) lui valurent le prix Nobel de physiologie (1931). (*Changements de substance dans les tumeurs,* 1926; *Action catalytique de la substance vivante,* 1928).

WARD (Lester Frank). ♦ Sociologue et paléontologue américain (Joliet, Illinois, 1841 – Washington, 1913). Auteur d'un *Traité sur l'anthropogénie de Haeckel* (1879), il s'est ensuite consacré à des travaux de sociologie, mettant l'accent sur les facteurs psychologiques (mentaux) de la vie sociale (*Dynamic Sociology,* 1883; *The Psychic Factors of Civilization,* 1893).

Ph. Lauros-Giraudon

Henry de Waroquier :
« Paysage italien ». (Musée municipal, Menton.)

WAREGEM. ♦ Comm. de Belgique (Flandre-Occidentale, arr. de Courtrai) à 33 km de Gand. Indus. textiles et alimentaires. Faïencerie. – La course d'obstacles des Flandres s'y déroule (hippodrome du Gaverbeek).

WAREMME, en néerl. **Borgworm.** ♦ V. de Belgique, ch.-l. d'arr. de la prov. de Liège, sur la Geer. 7 500 hab. Sucreries. Machines agricoles. Montage d'automobiles.

WARENS (Louise Éléonore de La Tour du Pil, *baronne de*). ♦ **V.** J.-J. ROUSSEAU et CONFESSIONS.

WARERU. ♦ Chef shan et marchand devenu en 1281 gouverneur de Martaban en basse Birmanie. Grâce à des intrigues et à des assassinats, il parvint à unifier toute la basse Birmanie en 1298 et à se faire reconnaître par la Chine. Premier unificateur de la Birmanie, il fut également l'un de ses premiers légistes. Il périt assassiné en 1313 par les fils du roi de Pegu qu'il avait détrôné.

WARIN (Jean). ♦ **V.** VARIN.

WARING (Edward). ♦ Mathématicien anglais (1734 – 1798). Auteur d'une méthode de calcul des fonctions symétriques des racines d'une équation, il énonça en 1771 une série de propositions sur la théorie des nombres; son nom est resté attaché au problème de la détermination du nombre des représentations d'un nombre n comme somme de puissances k^e positives. **V. Hardy, Hilbert.**

WARLEY. ♦ Grande commune *(county borough)* d'Angleterre, dans les Midlands occidentales, formée en 1965 par la réunion des *boroughs* de Smethwick, Oldbury et Rowley Regis. 168 970 hab. (Voir ces villes.)

WARNDT [vaʀnt]. *n. f.* ♦ Région forestière de la frontière franco-allemande, à l'O. de Forbach et rattachée à la Sarre. De violents combats s'y déroulèrent en 1939 entre les troupes françaises et l'armée allemande.

WARNEMÜNDE. ♦ V. et port d'Allemagne orientale, sur la Baltique et la r. g. de l'estuaire de la Warnow. Elle est *auj.* rattachée à Rostock* dont elle constitue l'avant-port. Pêche, conserveries, tourisme balnéaire.

WAROQUIER [vaʀɔkje] **(Henry** *de*). ♦ Peintre, sculpteur et dessinateur français (Paris, 1881 – 1970). Il étudia l'architecture et l'histoire naturelle, mais s'initia seul à la peinture. Il devint ensuite, de 1900 à 1919, professeur de composition décorative à l'école Estienne. Défenseur de l'art figuratif, il pratiqua un style éclectique, tendant à concilier les apports du fauvisme, puis du cubisme et les souvenirs de la Renaissance italienne. De 1917 à 1932 il réalisa des paysages imaginaires, puis sa peinture prit des accents plus tragiques. Pratiquant aussi la sculpture, il se consacra essentiellement, après 1932, à l'étude de la figure humaine, donnant souvent à ses personnages un caractère austère, sombre et monumental. Il peignit aussi des natures mortes, des paysages et des scènes mythologiques. Il est aussi l'auteur d'une grande décoration murale pour le palais de Chaillot à Paris (*La Tragédie,* 1937).

WARREN (Robert Penn). ♦ Écrivain américain (Guthrie, Kentucky, 1905). Considéré comme l'un des principaux écrivains américains contemporains, il est l'auteur d'une œuvre abondante et variée comprenant des romans : *Night Rider* (« Le Cavalier de la nuit », 1939), *At Heaven's Gate* (« Aux portes de la nuit », 1946), *All the King's Men* (« Les Fous du roi », 1946), *World enough and Time* (« Le Grand Souffle », 1950), *Band of Angels* (1955) et *Wilderness* (« La Grande Forêt », 1964); d'importants recueils poétiques : *XXXVI Poems* (1935), *Brother to Dragons* (« Frère des dragons », 1953), *Selected Poems, New and Old* (« Poèmes choisis », 1966). Il a collaboré à plusieurs revues littéraires (*The Southern Review,* 1935-1942) et a aussi publié des essais et des morceaux de critique littéraire. Prix Pulitzer (1947).

WARRINGTON. ♦ V. du N.-O. de l'Angleterre (Lancashire), sur l'estuaire de la Mersey, en aval de Manchester. 68 262 hab. Fonderies et tréfileries.

WARSZAWA. ♦ Nom polonais de Varsovie. **V. Varsovie.**

WARTA. *n. f.* ♦ Rivière de Pologne* née dans les plateaux de la Petite Pologne, elle arrose Częstochowa*, pénètre en Grande Pologne où elle baigne Konin*, Poznań* et Gorzów* Wielkopolski avant de se jeter dans l'Oder* (r. g.). 762 km. – *Princ. affl.* (r. d.) **V. Noteć**; (r. g.) **V. Obra, Prosna.**

WARTBURG (Walther *von*). ♦ Linguiste suisse (Riedholz, Soleure, 1888 – Bâle, 1972). L'un des plus grands romanistes de sa génération, il a tenté de faire la synthèse de la linguistique historique et du structuralisme descriptif, notamment dans ses travaux sur la langue française (*Évolution et Structure de la langue française,* 1934) et dans un ouvrage de méthode couvrant l'ensemble du domaine roman (*Problèmes et Méthodes de la linguistique,* 1946). Il s'est particulièrement consacré à la dialectologie qu'il a, après Gilliéron*, renouvelée en s'intéressant aux rapports entre formes, concepts et choses désignées, prolongeant en cela les travaux de ses compatriotes Jud et Jaberg, protagonistes de l'école des « mots et des choses » *(Wörter und Sachen).* La même tendance se retrouve dans ses très importants travaux d'étymologie, conçue comme l'histoire globale des formes lexicales en fonction, et qui aboutirent dans un monumental *Dictionnaire étymologique du français et de ses dialectes (Französisches etymologisches Wörterbuch)* qu'il dirigea de 1922 jusqu'à sa mort. Wartburg fut un professeur éminent et forma de nombreux romanistes qui furent ses collaborateurs et prolongèrent ses travaux (Kurt Boldinger, Paul Zumthor, etc.).

Arch. Rencontre

Château de la **Wartburg.**

Wartburg *(château de la).* ♦ Château situé près d'Eisenach* et dont la construction remonte au XIe s. Résidence des landgraves de Thuringe, il fut, au XIIe et au XIIIe s., le cadre des concours de « minnesänger » et la résidence de sainte Élisabeth de Hongrie. Luther* y trouva refuge en 1521 auprès de l'électeur de Saxe, Frédéric le Sage, et y traduisit le Nouveau Testament en allemand. C'est encore là que la Burschenschaft* organisa de grandes manifestations pour célébrer le tricentenaire de la révolte de Luther et l'anniversaire de Leipzig (1817).

WARWICK (Richard Neville, *comte de***), dit le Faiseur de rois.** ♦ Homme politique anglais (1428 – Barnet, 1471). Lors de la guerre des Deux-Roses, il soutint son beau-frère Richard d'York contre Henri* VI, remporta la victoire de Saint Albans* (1455), celles de Northampton (1460) et de Towton (1461), et fit couronner le fils de Richard, Édouard* IV. Maître du royaume durant quelques années, il perdit peu à peu la faveur d'Édouard IV et travailla alors avec succès à faire remonter Henri VI sur le trône (1470); mais il fut vaincu et tué à Barnet par Édouard.

WARWICK. ♦ V. du S. de l'Angleterre. Ch.-l. du Warwickshire*, sur l'Avon, à 34 km au S.-E. de Birmingham. 17 700 hab. Université. Château du XIVe siècle. St. Mary's Church (XVIIIe s.) reconstruite sur les ruines romanes. Maisons anc. et hôpital du XIVe siècle.

WARWICK. ♦ V. du N.-E. des États-Unis (Rhode Island), sur la baie de Narragansett, dans la zone urbaine de Providence* Pawtucket. 77 637 hab. (1965). – Indus. (textiles, etc.) et centre agricole.

WARWICKSHIRE. *n. m.* ♦ Comté d'Angleterre (Midlands) de chaque côté de l'Avon, limité au N. par le Staffordshire, au S. par le Gloucestershire, à l'O. par le Worcestershire et à l'E. par le Leicestershire et le Northamptonshire. 2 456 km². 2 110 400 hab. *Ch.-l.* Warwick*. *V. princ.* **V. Birmingham, Coventry, Leamington, Rugby, Stratford on Avon, Sutton Coldfield.** – Le comté se présente sous la forme d'une plaine faiblement ondulée et bien irriguée (Avon, Rea, Tame) en partie vouée à l'élevage bovin. L'activité industrielle tient une place fondamentale : extraction de la houille, métallurgie et chimie (Birmingham), constructions mécaniques et automobiles (Coventry). **V. Midlands, Black Country.** – Patrie de Michael Drayton* et de George Eliot*.

WASATCH *(monts).* ♦ Ensemble montagneux de l'O. des États-Unis (Utah), orienté nord-sud. Il sépare le Grand Bassin* (O.) des plateaux du Colorado* (E.). **V. Rocheuses.** – Richesses minières.

WASH *(golfe du).* ♦ Grand golfe de la côte sud-orientale de l'Angleterre, s'étendant sur le Norfolk et le Lincolnshire (env. 28 km) et recevant la Witham, le Welland, la Nene et l'Ouse. L'intérieur du golfe porte le nom de *Fens**.

WASHINGTON (George). ♦ Général et homme politique américain (Bridges Creek, Virginie, 1732 – Mount Vernon, 1799), premier président des États-Unis. Issu d'un milieu aisé appartenant à la classe dirigeante, il devint en 1752 « adjudant » d'un district de la Virginie, et fut chargé de porter aux Français l'ultimatum leur enjoignant de quitter l'Ohio. Il fut également à l'origine de l'incident qui déclencha les hostilités franco-anglaises aux États-Unis lors de la guerre de Sept* Ans, à laquelle il prit une part active (prise du fort Duquesne, 1758). Devenu par la suite le chef de l'opposition à la politique anglaise **(V. Indépendance** *[guerre d']***)**, il prit en 1775 la tête de l'armée des *Insurgents* et permit à ces volontaires inexpérimentés et mal organisés de résister, plus par son courage et sa ténacité que par ses qualités de stratège. La prise de Boston (1776) fut suivie de la perte de New York et, après une période de victoires (1776-1777), Washington connut de graves revers jusqu'à l'arrivée du corps expéditionnaire de Rochambeau*. En 1781, leurs efforts conjugués aboutirent à la capitulation de Cornwallis* à Yorktown. Retiré de la vie politique, George Washington accepta cependant de revenir à la Convention de Philadelphie (1787) et signa la Constitution des États-Unis. Élu par deux fois à la présidence (1789, 1792), il fut amené à arbitrer le conflit entre la tendance républicaine (Jefferson*) et la tendance fédéraliste* (Hamilton*), lui-même étant favorable à la seconde. Le soutien qu'il apporta à la politique financière d'Hamilton, sa prudence face à la Révolution française, le traité conclu par Jay avec la Grande-Bretagne créèrent un tel mécontentement dans le parti adverse qu'il se retira définitivement en 1796, après avoir adressé un message d'adieu à la nation. – La capitale fédérale des États-Unis ainsi qu'un État de la côte du Pacifique reçurent son nom.

WASHINGTON. *n. m.* ♦ État du N.-O. des États-Unis, limité au N. par le Canada (Colombie britannique) et baigné à l'O. par l'océan Pacifique, le détroit de Juan de Fuca et le Puget* Sound (N.-O.). 176 617 km². 2 853 214 hab. (1960). *Cap.* Olympia. *Autres villes* **V. Richland, Seattle, Spokane, Tacoma.** – *Orogr.* L'État est divisé en deux zones géographiques par la chaîne des Cascades* *(Cascade Range)*, dont les hauts sommets sont des volcans éteints (mont Rainier*, 4 391 m ; mont Adams, 3 751 m, etc.). À l'O., une étroite plaine côtière borde les *Olympic Mountains* au N. et l'extrémité N. de la chaîne côtière pacifique ; puis vient la plaine du Puget Sound, au bord duquel se trouve Seattle. À l'E. de la chaîne des Cascades, une région de plateaux : le plateau de la Columbia (un des plus grands champs de lave du monde), traversé par des rivières qui y découpent de profondes tranchées, dites coulées (telles que *Grand Coulee*). Très pittoresque, l'État possède plusieurs parcs nationaux (Olympic; mont Rainier; zone du Grand Coulee, etc.). – Le bassin de la Columbia* est semi-aride, tandis que l'O. de l'État a un climat humide et relativement tempéré. – *Écon.* L'agriculture est très prospère : les principaux revenus proviennent du blé, de l'élevage (bovins; produits laitiers), des volailles et œufs, des fruits (pommes et poires). On cultive aussi des pommes de terre et des betteraves à sucre. Ses forêts donnent à l'État la 3e place dans la production de bois (après Oregon et Calif.). La pêche du saumon a été compromise par la construction de barrages. – Les productions minières ont évolué : le charbon a décliné, mais la magnésite a permis le développement de l'indus. de l'aluminium. Le N.-E. de l'État possède d'immenses gisements de plomb et de zinc, de l'uranium, etc. – Les principales indus. sont les constructions aéronautiques, l'indus. du bois et du papier, les indus. alimentaires, chimiques, la métallurgie, l'imprimerie, les indus. mécaniques (machines). La production d'énergie hydro-électrique **(V. Columbia)** est très importante. – Deux universités : University of Washington, Seattle; State Univ. à Pullman. ♦ *Hist.* Explorée par Juan Pérez en 1774-1775, la région fit d'abord partie de l'Oregon*. Territoire en 1853, le Washington devint en 1889 le 42e État de l'Union.

WASHINGTON (officiellement, **Washington, D.C.**). ♦ Capitale fédérale des États-Unis d'Amérique, qui occupe tout le district fédéral de Columbia (D.C.) et dont la zone urbaine s'étend dans le Maryland et la Virginie; elle est située à la frontière de ces deux États, sur le Potomac, au S.-O. de Baltimore et à l'O. de la baie de Chesapeake. 756 510 hab. (plus de 60 % de Noirs); zone urbaine, 2 835 737 habitants. – La ville administrative, dessinée par L'Enfant* (**V.** ci-dessous, *Hist.*), possède de larges avenues et des parcs, notamment entre le Potomac et le Capitole* (axe marqué par le monument à Lincoln, *Lincoln Memorial*, le monument à Washington, à la hauteur duquel se trouve la Maison-Blanche, *White House*, le *Mall*, le long duquel est située la Galerie nationale, *National Gallery of Art*, et *Union Square*, devant le Capitole). La bibliothèque du Congrès *(Library of Congress)*, une des plus grandes et des mieux organisées du monde, et la Cour suprême se trouvent derrière le Capitole. La plupart des bâtiments gouvernementaux, ministères, administrations fédérales, sont situés de part et d'autre de cet axe. Au bord du Potomac, le centre John F. Kennedy; de l'autre côté de la riv., où se trouve l'île Theodore-Roosevelt, sont le Pentagone*, le fort Myers, le cimetière national d'Arlington et l'aérodrome. – L'économie de la cité repose évidemment sur les activités politiques et administratives, mais aussi sur les transactions immobilières et le tourisme (8 000 000 de visiteurs annuellement). Le développement indus., assez récent, prend place surtout dans le « Grand Washington » : l'électronique, la recherche scientifique et spatiale y tiennent une place importante. – Centre intellectuel, Washington compte cinq universités : Georgetown University, George Washington University, université catholique d'Amérique, American University (méthodiste), Howard University (noire). Centres scientifiques (*Carnegie Institution*, etc.). De nombreuses sociétés savantes ont leur siège à Washington. – Patrie de J.F. Dulles*, de « Duke » Ellington*. ♦ *Hist.* Plusieurs villes posèrent leur candidature en 1787 pour devenir capitale fédérale de l'Union. George Washington et le Congrès préférèrent le terrain neutre d'un district n'appartenant à aucun État et situé entre le Nord et le Sud. Ce district fut constitué en 1791 (cessions du Maryland et de la Virginie), et G. Washington chargea Pierre Charles L'Enfant* de dessiner les plans de la ville. En 1800, le Congrès, qui avait siégé dans diverses villes, s'y installa. En 1814, Washington fut prise par les Anglais. La construction ou l'agrandissement des principaux monuments se poursuivit au XIXe s., souvent au mépris des plans initiaux de L'Enfant. Le développement de la ville s'est accéléré pendant et après la Deuxième Guerre mondiale, modifiant sa structure et sa population : exode des Blancs vers les quartiers extérieurs, augmentation très importante du nombre des Noirs (attirés par l'absence de discrimination dans l'emploi et par la déségrégation, effective dès 1954). L'agitation raciale y fut vive

Ph. Nimatallah/Ricciarini

George Washington, par José Perovani. (Académie San Fernando, Madrid.)

après l'assassinat de Martin Luther King (1968). – *Conférence et traité de Washington* (1921-1922). Conférence sur la réduction des armements navals en Extrême-Orient, qui aboutit à une convention navale entre la Grande-Bretagne, les États-Unis et le Japon, à un traité de garanties mutuelles entre l'Angleterre, la France, les États-Unis et le Japon, à un traité garantissant l'indépendance chinoise, à l'engagement pour le Japon de restituer Chiao-chou à la Chine.

WASMES [wam]. ♦ Comm. de Belgique (Hainaut, arr. de Mons), dans le Borinage. 14 000 hab. Sculpture de Zadkine (monument à Van Gogh). Indus. métallurgiques, alimentaires (brasseries). Chaussures. Houillères. – Une procession évoque la légende de Gilles de Chin (XIIe s.), qui aurait délivré le pays d'un monstre dévoreur de fillettes.

WASQUEHAL [waskəal]. ♦ Comm. du Nord, arr. de Lille. 14 432 hab. Indus. textiles et chimiques.

WASSELONNE [vas-]. ♦ Ch.-l. de cant. du Bas-Rhin*, arr. de Molsheim*. 3 838 hab. *(Wasselonnais).* Indus. textile. Carrières : la pierre de Wasselonne a été utilisée pour la cathédrale de Strasbourg*.

WASSERBILLIG. ♦ V. du Luxembourg, près de la frontière allemande, au confluent de la Moselle et de la Sûre. Port fluvial.

WASSERMANN (August *von*). ♦ Médecin allemand (Bamberg, 1866 – Berlin, 1925). Il a appliqué la réaction de fixation du complément de « Bordet*-Gengou » au diagnostic de la syphilis *(réaction de « Bordet-Wassermann »).*

WASSERMANN (Jakob). ♦ Écrivain allemand (Fürth, près de Nuremberg, 1873 – Altaussee, 1934). Issu d'une famille israélite de condition modeste, il chercha à assumer sa double condition de juif et d'Allemand (*Mon chemin comme Allemand et juif,* 1921), mais éprouva beaucoup de difficultés à « être admis par la société, comme un égal parmi les égaux ». « Talent rêveur et baroque » (T. Mann), doué d'une imagination débordante, d'une « fièvre trop romanesque » (ainsi qu'il le dit lui-même), il a laissé de nombreux romans qui expriment son aspiration vers un monde plus humain et plus juste et sa quête de Dieu (*Les Juifs de Zirndorf,* 1897; *Histoire de la jeune Renate Fuchs,* 1900; *Moloch,* 1902; *Caspar Hauser,* 1908; *La Troisième Existence de Joseph Kerkhoven,* 1934).

WASSY ou **WASSY-SUR-BLAISE** [vasi; *région.* wasi]. ♦ Ch.-l. de cant. de la Haute-Marne (arr. de Saint-Dizier), sur la Blaise. 3 528 hab. *(Vasséens).* Église Notre-Dame du XIe s. (remaniée). Hôtel de ville de 1775. Vestiges de remparts. ♦ *Hist.* Les gens du duc de Guise y déclenchèrent en 1562 un massacre de la population protestante, qui marqua le début des guerres de Religion. La ville fut pillée par les Ligueurs en 1591.

WAT. ♦ V. VAT.

WATERBURY. ♦ V. des États-Unis, dans l'O. du Connecticut*. 108 033 hab. – Indus. du cuivre, horlogerie.

WATERFORD, en irl. **Port Lairge.** ♦ V. d'Irlande (Eire, prov. de Munster) sur l'estuaire de la Suir. 28 840 hab. – *Comté de Waterford.* 1 828 km^2. 72 990 hab. (1966).

Watergate *(affaire du).* ♦ Nom donné à un scandale politique des États-Unis, d'après l'immeuble de Washington où le parti démocrate avait installé, en 1972, le siège de sa campagne électorale. Il fut cambriolé en juin 1972 au profit du parti républicain. Le président Nixon nia longtemps que la Maison-Blanche et lui-même eussent été impliqués dans le délit. Mais les aveux de collaborateurs du président, et les bandes magnétiques sur lesquelles il avait fait enregistrer ses conversations, le convainquirent d'imposture et l'acculèrent à la démission le 8 août 1974.

WATERLOO [watɛʀlo]. ♦ Comm. de Belgique (Brabant, arr. de Nivelles), à l'orée de la forêt de Soignes*, à 18 km de Bruxelles et à 5 km au N. du champ de bataille. 14 100 hab. Église des XVIIe et XVIIIe siècles. Musée Wellington. À quelques kilomètres de la ville, château de Fichermont et butte artificielle (45 m) au sommet de laquelle se trouve un lion fondu avec le bronze des canons pris aux Français. Carrières de pierre. ♦ *Hist.* Le 18 juin 1815, Napoléon Ier y fut défait par les Anglais de Wellington* et les Prussiens de Blücher et de Bülow, défaite qui provoqua sa chute et sa seconde abdication. Après avoir battu les Prussiens de Blücher à Ligny (16 juin), Napoléon avait chargé Grouchy* de les poursuivre; l'Empereur alla à la rencontre de Wellington (17 juin) que Blücher rejoignit le lendemain. À la tête de l'infanterie (Anglais, Hanovriens, Hollandais, Belges), Wellington résista aux assauts de la cavalerie de Kellerman; Ney, à la tête de la cavalerie et de l'infanterie, causa de graves pertes à l'ennemi. Finalement, après l'arrivée des Prussiens, Napoléon engagea la vieille garde contre Wellington; elle fut décimée et recula en ordre. Elle attendait le secours de Grouchy, mais ce fut Blücher qui arriva. Napoléon ordonna la retraite. – La *bataille de Waterloo* inspira de nombreux écrivains, notamment Stendhal (début de *La Chartreuse de Parme*) et Hugo.

WATERLOO. ♦ V. des États-Unis, au N.-E. de l'Iowa. 75 994 hab. – Indus. alimentaires (viande), machines et tracteurs, textiles, cuirs.

WATERMAEL-BOITSFORT, en néerl. **Watermaal-Bosvoorde.** ♦ Comm. de Belgique (Brabant, arr. de Bruxelles-Capitale). 24 400 hab. Église romane. Champ de courses. – Cultures maraîchères.

WATFORD. ♦ V. d'Angleterre, dans la banlieue N.-O. de Londres* (Hertfordshire), sur la Colne. 75 630 hab. Centre industriel.

WATSON (John Broadus). ♦ Psychologue américain (Greenville, Saskatchewan, 1878 – New York, 1958). Professeur de psychologie expérimentale et comparative à Baltimore, il fonda le « behaviorisme » ou psychologie du comportement (1913), qu'il précisa sous l'influence de la réflexologie de Pavlov* (1916) (*Le Comportement, une introduction à la psychologie comparative,* 1914; *Les Voies du behaviorisme,* 1928). Contre la psychologie introspective qui dominait alors aux États-Unis, le behaviorisme veut être une étude objective, basée sur l'observation et l'expérimentation des comportements animaux et humains; ceux-ci sont définis d'un point de vue physiologique comme des réactions déterminées (du type du réflexe) à des stimuli, ou encore comme des adaptations de l'organisme aux conditions du milieu. Matérialiste et déterministe, cette théorie contribua en Amérique au développement des études de psychologie expérimentale, à leurs applications pratiques dans le domaine de l'éducation **(V. Dewey)** et de la publicité et influença les sciences de l'homme (en linguistique, **V. Bloomfield).** Son influence fut néanmoins supplantée par la psychologie biologique et par les théories visant à une compréhension globale de la conduite humaine (comme la psychanalyse).

WATSON (James Dewey). ♦ Médecin et biologiste américain (né en 1928). Il partagea le prix Nobel de médecine (1962) avec F.H.C. Crick* et M.H.F. Wilkins* pour la découverte de la structure en double hélice de la molécule d'acide désoxyribonucléique (A.D.N.).

WATSON-WATT (*sir* Robert Alexander). ♦ Physicien écossais (Brechin, Angus, 1892 –). Il mit au point le procédé de détection et de mesure de distance d'un obstacle au moyen d'ondes hertziennes et, de ce fait, peut être considéré comme le véritable inventeur du radar (1935). **V. Ponte.**

WATT (James). ♦ Ingénieur et mécanicien écossais (Greenock, 1736 – Heathfield, près de Birmingham, 1819). Chargé, en 1763, de réparer un modèle réduit de *machine atmosphérique* de Newcomen*, il remarqua le gaspillage de la plus grande partie de la chaleur contenue dans la vapeur et, appliquant les résultats de Black*, afin de condenser la vapeur ailleurs que dans le cylindre, il conçut le *condenseur séparé;* il imagina également de fermer l'extrémité supérieure du cylindre pour éviter les pertes de chaleur dans l'atmosphère et fit breveter en 1769 la première *machine à vapeur.* **V.** *aussi* **Papin, Savery.** Il fut aidé financièrement par le Dr John Roebuck, puis s'associa à Matthew Boulton pour fabriquer ses machines. Les problèmes de l'utilisation industrielle l'amenèrent à perfectionner encore sa machine : en 1782, il fit breveter la machine à *double effet,* la vapeur agissant simultanément sur les deux faces du piston; en 1785, il inventa le *tiroir,* mû par la machine elle-même, qui effectue cette distribution et refoule la vapeur usée dans le condenseur; il imagina encore le *parallélogramme déformable* qui transmet le mouvement du piston au balancier de la pompe, le *régulateur à boules* qui rectifie les inégalités de production de vapeur et il munit enfin l'arbre d'un lourd *volant* afin d'uniformiser le mouvement de la machine. **V.** ***aussi*** **Seguin, Hirn.** (Acad. sc., 1814.)

WATTEAU [vato] **(Antoine).** ♦ Peintre et dessinateur français (Valenciennes, 1684 – Nogent, 1721). Il fit son apprentissage chez un peintre local et s'exerça à dessiner sur le vif des scènes de rue. En 1702 il se rendit à Paris où il copia pour un marchand des scènes religieuses et des tableaux hollandais. En 1704, il entra dans l'atelier de Cl. Gillot* qui l'influença notamment dans le choix de ses sujets : il représenta en effet des scènes de genre, des acteurs et des scènes de la comédie italienne et prit goût aux costumes de théâtre. En 1708 il entra dans l'atelier de Claude Audran III et devint, par ses travaux de décoration aux motifs contournés, ses scènes burlesques, chinoiseries et turqueries, un maître du décor rocaille *(château de la Muette)*. À cette époque, il eut la révélation des Rubens de la galerie Médicis (alors au Luxembourg) et il commença à s'intéresser au paysage. N'ayant obtenu que le second prix de Rome, il vendit *La Recrue* pour pouvoir se rendre à Valenciennes et obtint aussitôt la commande de *La Halte*. Dans sa ville natale, il continua à peindre et à dessiner des scènes de la vie militaire où s'affirme déjà l'originalité de son style *(Les Délassements de la guerre)*. Revenu à Paris en 1710, il fut agréé par l'Académie en 1712. Vers 1715, il se lia avec le financier Crozat*; dans son salon il rencontra l'élite intellectuelle et artistique de l'époque et, dans sa riche collection, étudia les maîtres flamands et italiens, particulièrement les vénitiens. Lui qui, le premier, avait reçu de l'Académie le titre de « peintre des fêtes galantes » s'intéressa aussi au nu et aborda les sujets mythologiques *(Jupiter et Antiope)*. En 1717 il présenta enfin son morceau de réception à l'Académie : *L'Embarquement pour Cythère*, dont il fit une seconde version pour le roi de Prusse. Jusqu'alors il abusait souvent d'huile très grasse, ce qui lui permettait de peindre rapidement mais entraînait l'altération de ses toiles. Il enrichit et éclaircit sa palette, utilisa des fonds bistre léger, rendit les reflets bleus des ombres et chercha à fondre ses personnages dans le paysage, faisant jouer les effets de lumière diffuse. Dans ses scènes galantes, concerts, assemblées dans un parc, ou dans ses figures isolées *(L'Indifférent, La Finette, Gilles)*, il se montre attentif à exprimer le caractère éphémère des choses, les subtilités du sentiment amoureux *(La Proposition embarrassante, L'Amante inquiète)*, thèmes jusqu'alors peu abordés par la peinture et révélant une sensibilité d'un caractère nouveau, intime et mélancolique. Si l'univers qu'il imposa présente un aspect irréel, presque onirique, Watteau n'en fut pas moins un observateur aigu (*L'Enseigne de Gersaint*, 1720) et il fit preuve d'une rare maîtrise technique. Ses nombreux dessins à la sanguine et aux trois crayons témoignent de l'exceptionnelle prestesse de son trait, apte à saisir le geste spontané, l'expression fugitive *(Figures de différents caractères)*. Atteint de tuberculose, il mourut jeune, mais son œuvre, grâce au *recueil Jullienne*, se diffusa à travers l'Europe et concourut à infléchir le caractère héroïque et fastueux de la peinture vers l'intimisme et la grâce.

Arch. Smeets

Antoine Watteau : « Le Jugement de Pâris », 1720. (Musée du Louvre, Paris.)

WATTENSCHEID. ♦ V. d'Allemagne occidentale (Rhénanie du Nord-Westphalie), dans la Ruhr*, près d'Essen. 81 000 hab. – Sidérurgie, chimie (verreries, matières plastiques), équipement électrique, textiles.

WATTIGNIES [wa-]. ♦ Comm. du Nord*, arr. de Lille*. 6 104 hab. *(Wattigniens)*. – Centre indus. (métallurgie, etc.).

WATTIGNIES-LA-VICTOIRE. ♦ Comm. du Nord*, arr. d'Avesnes*-sur-Helpe, dans le Hainaut*. 238 hab. ♦ *Hist.* Jourdan* et Carnot* y remportèrent la victoire sur les Autrichiens le 16 octobre 1793. Cette victoire permit de débloquer la ville de Maubeuge, assiégée par les Autrichiens.

WATTRELOS [watʀəlo]. ♦ Comm. du Nord*, arr. de Lille*, à la frontière belge, important centre industriel. 43 754 hab. *(Wattrelosiens)*. – Indus. textiles (coton, laine); indus. chimiques; métallurgie.

WATTWILL. ♦ V. de Suisse (cant. de Saint-Gall). 7 500 hab. Maisons anc. (XVIIIe-XIXe s.). Couvent de Sainte-Marie-aux-Anges (XVIIe s.). – Indus. textile. – À proximité, ruines du château fort d'Iberg (XIIIe s.).

WAT TYLER. ♦ **V.** TYLER (Wat).

WAUGH (Evelyn Arthur St.John). ♦ Romancier anglais (Londres, 1903 – Taunton, Somerset, 1966). Après des études à Oxford, il acquit très vite une grande réputation littéraire : ses romans d'avant 1939 sont d'un humoriste et d'un satiriste : *Le Déclin et la Chute* (*Decline and Fall*, 1928) relate avec le plus grand sérieux une suite d'aventures désopilantes; mais *Une poignée de poussière* (*A Handful of Dust*, 1934, titre emprunté à la *Terre vaine* de T.S. Eliot), malgré son humour, atteint le pathétique en évitant la sentimentalité. Ce roman, ainsi que *Black Mischief* (1932), fut inspiré à l'auteur par ses voyages en Afrique, de même que *Scoop* (1938), satire du journalisme. Après la conversion de Waugh au catholicisme, le ton de son œuvre changea. La nostalgie pour la vieille Angleterre apparaît dans *Retour à Brideshead* (*Brideshead Revisited*, 1945). Il revint à la satire – contre l'Amérique – avec *The Loved One*, 1948. Le thème de sa trilogie du temps de la guerre *Officiers et Gentlemen* (*Men at Arms*, 1952; *Officers and Gentlemen*, 1955; *Unconditional Surrender*, 1961) est la lutte entre le bien et le mal, la civilisation et la barbarie. Waugh combattit en 1944 avec les partisans yougoslaves.

WAVELL (Archibald, *1er comte de* **Cyrénaïque** *et de* **Winchester).** ♦ Maréchal britannique (Colchester, 1883 – Londres, 1950). Commandant en chef au Moyen-Orient (1939), il ne put empêcher la pénétration italienne en Égypte (1940), mais, de déc. 1940 à fév. 1941, il repoussa les Italiens jusqu'à El-Agheila, conquérant toute la Cyrénaïque **(V. Graziani).** En 1941-1943, il commanda en chef les forces alliées du Sud-Est asiatique, puis il fut remplacé par Mountbatten* et nommé vice-roi des Indes (1943-1946).

Waverley. ♦ Le premier des romans historiques de Walter Scott (1814), ayant pour cadre l'Écosse au moment des luttes entre les jacobites et l'Angleterre (v. 1745).

WAVRE [wavʀ], en néerl. **Waver.** ♦ V. de Belgique (Brabant, arr. de Nivelles) à 25 km de Bruxelles, sur la Dyle*. 10 800 hab. Église Saint-Jean-Baptiste (XVIIe s.). Hôtel de ville (anc. église des Carmes de 1715). À 1 km, BASSE-WAVRE possède une chapelle romane, une église (anc. prieuré, 1619-1710). Importante villa belgo-romaine sur l'anc. chaussée de Trèves à Utrecht. – Papeteries. Constructions métalliques et électriques.

WAVRE-SAINTE-CATHERINE, en néerl. **Sint-Katelijne-Waver.** ♦ Comm. de Belgique (Anvers, arr. de Malines) à 7 km de Malines. 12 400 hab. Cultures maraîchères. Brasseries. Engrais. Ciment.

Wawel. *n. m.* ♦ Ensemble d'édifices historiques de Pologne, situé à Cracovie*, sur une butte rocheuse dominant la Vistule, et composé d'un château royal gothique qui fut transformé en résidence Renaissance par Sigismond* Ier avec la chapelle des Sigismonds, d'une cathédrale gothique (1320-1364) et d'un système de fortifications. Résidence royale, après le couronnement de Ladislas* Ier Łokietek, et lieu de sépulture des rois et d'illustres Polonais.

Wayang. ♦ Théâtre d'ombres de l'Indonésie et du Sud-Est asiatique, consistant à projeter sur une toile des figures découpées dans de la peau de buffle et coloriées, grâce à des flambeaux. Ce nom s'applique également à des théâtres de marionnettes et parfois même à des théâtres d'acteurs. Il est toujours accompagné d'un orchestre de gamelang.

WAZIERS [wazje]. ♦ Comm. du Nord, dans l'arr. et la banlieue N. de Douai*. 11 149 hab. Indus. chimique.

WAZIRISTÂN. *n. m.* ♦ Région montagneuse du Pâkistân* occidental, à la frontière afghane, où demeurent des tribus nomades de Wazirî éleveurs de moutons. Ces derniers, toujours insoumis, furent

Ph. Éd. Robert Laffont

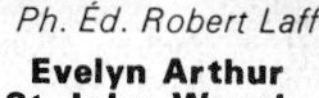

Evelyn Arthur St John Waugh.

Ph. Keystone

Le maréchal Wavell.

des adversaires redoutables pour les Britanniques à la fin du XIXᵉ s. et réclament encore maintenant la création d'un État autonome, le Pakhtunistân, entre l'Afghânistân et le Pâkistân.

WEALD. *n. m.* ♦ Dépression d'origine argileuse, située au S. du bassin londonien, entre les hauteurs crayeuses des *Downs**, prolongeant en Angleterre la « boutonnière » du pays de Bray* en France, et s'étendant sur les comtés du Surrey, du Kent et du Sussex. C'est une région de collines boisées et de pâturages, où domine l'élevage laitier. Le tourisme y est actif (stations de Folkestone* et de Hastings*, sur la Manche). À l'E., les marais de *Romney Marsh* ont été bonifiés.

WEAR. *n. f.* ♦ Riv. du N. de l'Angleterre (104 km). Née sur les rebords septentrionaux des Pennines, elle arrose Bishop Auckland et se jette dans la mer du Nord près de Sunderland.

WEAVER (John). ♦ Danseur, maître de ballet et chorégraphe anglais (Shrewsbury, 1673 — *id.*, 1760). Créateur du ballet anglais, il composa de nombreuses chorégraphies (*The Loves of Mars and Venus,* 1717; *Orpheus and Eurydice,* 1718). À partir de 1733, il se consacra à l'enseignement. Il publia plusieurs essais théoriques sur la danse : *Orchesography* (1706, trad. de la *Chorégraphie* de Feuillet) et un *Traité du tempo et de la cadence dans la danse* (1706).

WEAVER (Warren). ♦ Mathématicien américain (Reedsburg, Wisconsin, 1894). Avec Shannon*, il établit les bases mathématiques de l'information (*Théorie mathématique de la communication,* 1949). **V. Wiener.**

WEBB (Sidney, *baron* **Passfield).** ♦ Homme politique et économiste britannique (Londres, 1859 — Liphook, Hampshire, 1947). Acquis aux idées socialistes, fondateur de la Fabian Society (1889), il prit la tête du Parti travailliste (1915) et fut élu député (1922). En collaboration avec sa femme BÉATRICE, née Potter (près Gloucester, 1858 — Liphook, 1943), il contribua à faire connaître le socialisme en Grande-Bretagne.

WEBB (Mary Gladys, née **Meredith).** ♦ Romancière anglaise (Leighton, Shropshire, 1881 — St. Leonards, Sussex, 1927). Fille d'un instituteur d'origine galloise, Mary Webb fut marquée par la tradition celtique. Son amour de la nature la conduisit à célébrer le Shropshire comme T. Hardy* avait évoqué le Dorset. Elle ne put supporter la vie citadine et mourut peu de temps après la nomination de son mari comme professeur à Londres. On lui doit un recueil d'essais : *La Source de joie* (1917) et cinq romans : *La Flèche d'or* (1916), *Le Poids des ombres* (*The House in Dormer Forest,* 1920), *Sept pour un secret* (1922) et surtout *La Renarde* (*Gone to Earth,* 1917), tragédie de l'instinct, et *Sarn* (*Precious Bane,* 1924), évocation magique et cruelle de la névrose.

WEBER (Carl Maria *von***).** ♦ Compositeur allemand (Eutin, près de Lübeck, 1786 — Londres, 1826). Son père, ancien officier, devenu maître de chapelle de l'évêque d'Eutin, dirigeait une compagnie théâtrale itinérante et le jeune Weber reçut, au hasard de longues tournées à travers l'Allemagne, les premiers éléments de sa formation musicale. Il fut l'élève de Michael Haydn pour le chant (Salzbourg, 1797), de l'organiste Kalcher (Munich, 1798) et de l'abbé Vogler (Vienne, 1803) pour la composition. Nommé chef d'orchestre à l'opéra de Breslau (1804), il y affirma de remarquables qualités; cependant, son goût pour la vie aventureuse et dissolue, son manque d'application au travail l'incitèrent à repartir pour de nouvelles pérégrinations. Ainsi, on le retrouve à Karlsruhe (1806), puis à Stuttgart (1807), Mannheim (1810), Munich (1811), Berlin (1812), Prague (1813) où, nommé directeur musical de l'opéra, il obtint de légitimes succès en montant en trois années dix-huit opéras, dont le *Fidelio* de Beethoven et les *Noces de Figaro* de Mozart. Il poursuivit conjointement sa carrière de compositeur et de pianiste virtuose au cours de nouvelles tournées à travers l'Allemagne. Engagé en qualité de maître de chapelle par le roi de Saxe, à l'opéra de Dresde (1816), il devint le directeur de ce théâtre et conserva ce poste jusqu'à sa mort. Sa réputation de compositeur s'établit avec le triomphe de l'opéra le *Freischütz** (Berlin, 1821). Résolu à opposer à l'opéra italien, alors en vogue dans toute l'Allemagne, un opéra national allemand, il obtint un second succès avec *Euryanthe* (Vienne, 1823). Invité par la direction de Covent Garden à composer un opéra en anglais, il partit pour Londres où il recueillit un dernier triomphe avec *Oberon* (1826). Gravement atteint par la tuberculose, il devait mourir avant son retour à Dresde où sa dépouille ne fut ramenée qu'en 1844. À cette occasion, Wagner, son successeur à la direction du théâtre, prononça un vibrant éloge du musicien et composa une marche funèbre sur des motifs d'*Euryanthe.* — Grand pianiste et brillant chef d'orchestre, Weber fut aussi un écrivain de qualité, dans une veine poétique qui l'apparente à Hoffmann*. Critique musical attaché à défendre les gloires les plus sûres du génie allemand, dont Mozart, il exerça un rôle non négligeable sur l'évolution de la musique dans son pays. S'il n'a pu s'imposer dans le domaine de la musique symphonique et de chambre, à l'exception des célèbres *Konzertstück* et *Invitation à la Valse,* Weber fait figure de novateur dans son œuvre pour piano par la disposition des arpèges et l'écriture des accords. C'est surtout au théâtre qu'il apparaît comme un authentique créateur. Poète et dramaturge, il emprunte ses thèmes au folklore allemand ou à de vieilles légendes françaises qu'il germanise, il a le sens inné de l'action, du dessin des caractères, mais aussi celui du rêve, de l'irréel, du fantastique. Variée, colorée, riche en timbres originaux, son orchestration épouse intimement le mouvement de l'action et suggère, par l'usage du *leitmotiv,* les phases successives de son développement. C'est surtout dans son grand opéra, *Euryanthe,* où le dialogue parlé disparaît en totalité au bénéfice du chant, qu'il a frayé les voies du drame musical, tel qu'après lui le concevra Wagner*. Weber possède enfin au plus haut degré un sentiment profond de la nature, qui fait de lui l'un des plus importants représentants du romantisme musical. — Outre les ouvrages déjà cités, son œuvre comprend une dizaine d'opéras, de la musique vocale *(messes, offertoires, cantates, lieder),* des pièces pour orchestre *(symphonies, ouvertures, concertos),* de la musique instrumentale *(quatuor, quintette, sonates)* et de nombreuses compositions pour piano (*sonates* et *variations*).

WEBER (Ernst Heinrich). ♦ Anatomiste et physiologiste allemand (Wittenberg, 1795 — Leipzig, 1878). Ses travaux sur la physiologie des sensations (en particulier acoustiques et tactiles) l'amenèrent à formuler la « loi du seuil différentiel », d'après laquelle, pour chaque type de sensation, il y a un rapport constant entre l'intensité de l'excitant initial et la variation minimale qu'il faut lui faire subir pour que la différence soit sentie *(seuil de Weber).* Cette loi fut précisée par Fechner*.

WEBER (Wilhelm). ♦ Physicien allemand (Wittenberg, 1804 — Göttingen, 1891). Il réalisa, avec son frère Ernst Heinrich Weber, les premières expériences d'interférences et montra que le passage des ondes sonores d'un milieu plus dense à un milieu moins dense provoque une réflexion (*Wellenlehre,* 1825). Orienté par Gauss* vers l'électromagnétisme, il construisit avec lui le premier télégraphe électrique [1834] (**V. Cooke** et **Wheatstone, Morse, Henry**); effectuant les expériences amenées par la théorie de Gauss, il fut conduit à construire le premier télégraphe électrodynamomètre (1846). Dans un mémoire, publié en 1846, il établit une loi afin d'exprimer la synthèse entre l'électrostatique et l'électrodynamique *(loi de Weber).* En 1855, il mesura, avec Kohlrausch*, le rapport des unités d'intensité électromagnétique et électrostatique et la valeur obtenue, égale à la vitesse de la lumière, servit de base expérimentale à la théorie électromagnétique de la lumière. **V. Maxwell.** Il publia, en 1871, une théorie du magnétisme et du diamagnétisme très voisine de nos idées modernes.

WEBER (Max). ♦ Sociologue allemand (Erfurt, 1864 — Munich, 1920). Juriste de formation, il dirigea, avec Schumpeter* et Sombart*, les *Archiv für Sozialwissenschaft und Sozialpolitik* où il publia sa célèbre étude sur *L'Éthique protestante et l'esprit du capitalisme* (trad. fr., 1964); contrairement à Sombart qui liait l'apparition du capitalisme au judaïsme, il mit en évidence la relation significative entre la morale puritaine du calvinisme* et la rationalisation économique, caractérisant le système capitaliste. D'abord influencé par les analyses marxistes, Weber a tenté ensuite d'appliquer aux sciences sociales une méthode compréhensive **(V. Dilthey, K. Jaspers),** s'efforçant pour chaque époque historique de construire le « type idéal » et insistant sur le processus de rationalisation caractérisant le monde moderne (*Écrits de sociologie religieuse,* 1921; *Écrits scientifiques,* 1921; *Écrits de sociologie et de politique sociale,* 1922; *Économie et Société,* 1922, *Écrits d'histoire sociale et économique,* 1924, etc.).

WEBER (Eugénie, *Mme* **Segond-Weber).** ♦ Tragédienne française (Paris, 1867 — *id.*, 1945). Elle parut à l'Odéon avant d'être engagée à la Comédie-Française (1887), dont elle devint sociétaire après sa mémorable interprétation du rôle de *Guanhumara,* des *Burgraves* de Victor Hugo (1902). Admirable tragédienne, elle a marqué de sa forte personnalité les grands rôles du répertoire classique, notamment *Hermione, Roxane, Rodogune, Agrippine* et *Athalie.* Elle a possédé au plus haut point, selon un mot de Dussane, « le don de noblesse et la vertu d'exalter ».

WEBER (Max). ♦ Peintre, dessinateur et graveur américain d'origine russe (Białystok, 1881 — Great Neck, 1961). Sa famille émigra aux États-Unis en 1891 et, à partir de 1897, il reçut une formation artistique au *Prat Institute* de Brooklyn. Il voyagea ensuite en Europe et séjourna notamment en France à partir de 1905. Il rencontra à Paris H. Rousseau, Picasso et Matisse dont il fut un moment l'élève. Revenu aux États-Unis en 1908, il s'y affirma comme l'un des pionniers de l'art moderne, pratiquant d'abord un art violemment coloré, inspiré par le fauvisme; puis il s'inspira du cubisme dont il retint le découpage angulaire de l'espace et des formes. Il marqua ensuite une orientation vers la non-figuration, particulièrement vers 1915 (*New York la nuit,* 1915). Mais après 1918 il revint à une figuration véhémente, où s'affirme un tempérament profondément expressionniste, et qui trouve souvent son inspiration dans la culture judaïque *(Les Fugitifs).* Vers 1945, il eut de nouveau tendance à évoluer vers l'abstraction en prenant souvent comme point de départ des schémas formels inspirés de Picasso (*Trois Messieurs littéraires,* 1945).

WEBERN (Anton *von***).** ♦ Compositeur autrichien (Vienne, 1883 – Mittersill, Salzbourg, 1945). Il poursuivit des études de musicologie et fut reçu docteur de l'Université (1906). Élève de Schoenberg (1904-1910) auprès de qui il fut condisciple et devint l'ami d'A. Berg **(V. Schoenberg, Berg)** il assura la direction d'orchestre aux opéras de Vienne et de Prague, puis celle d'une association musicale ouvrière créée à Vienne par la municipalité socialiste (*Wiener Arbeiter Symphonie Konzerte,* 1922-1934). Chef d'orchestre à la radiodiffusion autrichienne, il dirigea des concerts de musique moderne en milieu populaire, mais il préféra toujours la solitude et la retraite à l'exercice de ses fonctions publiques, si modestes fussent-elles. Condamné au silence après l'annexion de l'Autriche par l'Allemagne (1938), il vécut obscurément. À la libération de son pays, réfugié dans un village de montagne, il mourut par la tragique erreur d'une sentinelle américaine. – Atonale dans sa quasi-totalité, construite d'abord sur des motifs très courts de trois ou quatre notes, l'œuvre de Webern se caractérise par une forme étonnamment concise (*Quatre Pièces pour violon et piano,* 1910; six *bagatelles pour quatuor à cordes,* 1913; cinq *pièces pour orchestre,* 1911-1913; quatre *lieder,* 1915-1917). À ces brefs ouvrages, d'une rare perfection d'écriture, devait succéder, sous l'influence de Schoenberg, l'adoption par le musicien du dodécaphonisme sériel (1924) appliqué avec une rigueur très personnelle (trois *lieder pour soprano, clarinette et guitare,* 1925; deux *goethe-lieder pour chœur,* 1926). Le souci d'exploiter sur un plan esthétique les possibilités de la « série » s'affirma ensuite dans des œuvres de plus amples proportions : *Symphonie opus 21* (1928), *Quatuor* avec saxophones (1930), *Concerto pour neuf instruments* (1934). Enfin, trois œuvres marquent l'aboutissement des recherches de Webern dans les domaines de la variation, du contrepoint et de l'écriture sérielle : *Variations pour piano* (1936), *Quatuor à cordes* (1938), *Variations* pour orchestre (1940). Il convient d'y ajouter trois œuvres avec chœurs, aussi admirables par leur lyrisme contenu que par la perfection de leur écriture : *Das Augenlicht* (1935), *Première Cantate* (1939), *Deuxième Cantate* (1943). Des œuvres posthumes, on retiendra un *Quatuor à cordes,* un *Quintette à cordes* avec piano, un *Rondo* pour quatuor à cordes et des *lieder.* – L'influence de Webern, créateur avec Schoenberg et Berg d'un univers sonore nouveau, s'est révélée considérable après sa mort. Poursuivant jusqu'à leurs ultimes possibilités les recherches harmoniques et structurelles de l'école viennoise, dont il fut le représentant à la fois le plus effacé et le plus ambitieux, il a été le guide et l'initiateur pour toute une génération de musiciens, depuis 1945.

WEBSTER (John). ♦ Auteur dramatique anglais (Londres, v. 1580 – *id.,* v. 1624). Collaborateur de Dekker, Heywood et Marston, il est l'auteur de deux drames qui, par leur force tragique et la richesse des réflexions qu'ils inspirent, peuvent être rapprochés des plus grandes œuvres de Shakespeare : *Le Démon blanc* (*The White Devil,* 1612) dont l'héroïne, Vittoria Accoramboni, assassine son mari pour épouser son amant; et *La Duchesse d'Amalfi* (*The Duchess of Amalfi,* 1614), jeune femme amoureuse de celui qui est devenu son mari après avoir été son majordome. Victime de ses frères qui la persécutent pour cette mésalliance, fidèle, en dépit de tout, à celui qu'elle aime, elle périra, comme lui, assassinée. Riches en épisodes horribles qui les rapprochent de celles de Tourneur, ces tragédies témoignent aussi d'une grande vigueur poétique.

Ph. Giraudon

Théière de **J. Wedgwood.**
(Musée de la Manufacture de Sèvres.)

WECHSLER (David). ♦ Psychologue américain (né en 1896). Il mit au point deux tests importants. Le *test de Wechsler* (pour les enfants) et celui de *Wechsler-Bellevue* (pour les adultes) permettent de mesurer le quotient intellectuel de l'individu **(V. W. Stern).** Ils comportent l'un et l'autre des épreuves verbales (information, compréhension, arithmétique, vocabulaire, etc.) et non verbales (classement et complètement d'images, assemblages d'objets, cubes de Kohs, etc.). (*La Mesure de l'intelligence chez l'adulte,* 1961).

WECKERLIN [vɛkɛʀlɛ̃] **(Jean-Baptiste).** ♦ Compositeur et musicologue français (Guebwiller, 1821 – Trottberg, Haut-Rhin, 1910). Bibliothécaire au Conservatoire national (1876-1909), il composa des opéras-comiques aujourd'hui tombés dans l'oubli et réédita des recueils de chansons populaires françaises, alsaciennes et anglaises.

WECKHERLIN (Georg Rudolf). ♦ Poète allemand de l'époque baroque (Stuttgart, 1584 – Londres, 1653). Après des études à Tübingen, il entra au service de la cour de Stuttgart qui le chargea d'importantes missions diplomatiques; il fut en particulier conseiller des rois d'Angleterre Jacques Ier et Charles Ier. Marqués par l'influence de Du Bellay, Ronsard, Pétrarque, ses *Poèmes religieux et laïques* (1648) font de lui un précurseur de Martin Opitz.

WEDDELL (James). ♦ Marin anglais (Ostende, 1787 – Londres, 1834). Parti pour les mers australes en 1822, il découvrit les Orcades du Sud en 1823 et, après avoir franchi le cercle polaire antarctique, atteignit la mer du Roi-George-IV (auj. *mer de Weddell*). *A Voyage towards the South Pole performed in the Years 1822-1824* (1824.)

WEDEKIND (Frank). ♦ Auteur dramatique allemand (Hanovre, 1864 – Munich, 1918). Chef de file de l'expressionnisme, conjuguant les influences d'Ibsen, de Nietzsche, de Hauptmann et surtout de Strindberg*, il est l'auteur d'un théâtre de contestation de la société bourgeoise et de ses tabous sexuels. Déterminé à la provocation dans un dessein d'émancipation des masses, il a emprunté tous leurs procédés à la farce, au vaudeville, au drame et au cirque pour composer des œuvres qui ont longtemps déconcerté le public par leur violence et leur étrangeté. Créateur du personnage de *Lulu,* symbole d'une liberté sauvage, scandaleuse et vouée à un destin tragique, ses drames sont l'expression à la fois sarcastique et angoissée de sa propre inquiétude. Œuvres princ. : *L'Éveil du printemps* (*Frühlings Erwachen,* 1891), *L'Esprit de la terre* (*Erdgeist,* 1895), *La Boîte de Pandore* (*Die Büchse der Pandora,* 1901) et *La Danse de mort* (*Totentanz,* 1906).

WEDGWOOD (Josiah). ♦ Artiste et industriel britannique (Burslem, Staffordshire, 1730 – Etruria, près de Burslem, 1795). L'un des meilleurs céramistes de son temps, il mit au point une célèbre faïence de couleur crème, dite « pâte de la reine ». Il travailla avec des artistes qui s'inspiraient de l'Antiquité. Il utilisa, dès 1782, la machine à vapeur de Watt* et conçut, la même année, le premier véritable pyromètre, destiné à déterminer la température de ses fours à poterie. **V.** *aussi* **Chévenard.**

WEENIX ou **WEENINX (Jean-Baptiste).** ♦ Peintre, dessinateur et graveur hollandais (Amsterdam, 1621 – Vleuten, 1663). Il fut notamment l'élève d'Abraham Bloemaert. Il se rendit en 1643 en Italie où il séjourna cinq ans. Il revint ensuite à Amsterdam et s'établit finalement à Utrecht. Auteur d'une œuvre abondante et inégale, il a réalisé des portraits, des natures mortes et des « vanités », mais surtout des paysages idéalisés, inspirés par la nature italienne, animés de scènes pittoresques et où dominent souvent des tonalités d'un gris argenté. Par ces œuvres, il s'inscrit dans le courant des romanistes hollandais *(Port italien, Les Corsaires repoussés).* ♦ JAN WEENIX, son fils et élève. Peintre et dessinateur hollandais (Amsterdam, 1640 – *id.,* 1719). Il est l'auteur de natures mortes, tableaux de chasse, gibiers, fleurs, qui manifestent un goût pour les compositions chargées, opulentes, et une recherche d'effets décoratifs procédant de la richesse des motifs.

WEERT. ♦ V. des Pays-Bas (Limbourg) sur le Zuid Willemsvaart. 35 243 hab. – Église gothique (XVe s.). Indus. textiles, métallurgiques (zinc) et chimiques. Imprimerie.

WEGENER (Alfred Lothar). ♦ Géophysicien et météorologue allemand (Berlin, 1880 – au Groenland, 1930). Il participa à plusieurs expéditions scientifiques au Groenland. Il est l'auteur d'ouvrages de géologie (*Die Entstehung der Kontinente und Ozeane,* 1915, où il expose sa théorie de la *dérive des continents*) et de climatologie (*Die Klimate der geologischen Vorzeit,* 1924).

WEGGIS. ♦ Localité de Suisse (cant. de Lucerne), au bord du lac des Quatre*-Cantons. 2 000 hab. Station estivale.

WEHNELT (Arthur). ♦ Physicien allemand (Rio de Janeiro, 1871 – Berlin, 1944). Il découvrit que les oxydes alcalino-terreux étaient les meilleurs émetteurs thermoïoniques (**V.** *aussi* **Richardson)** et conçut alors la cathode à oxydes (1903), très utilisée dans les tubes de réception radioélectrique. Il réalisa ensuite le premier « canon électronique » en introduisant une anode *(cylindre de Wehnelt)* qui permet de régler l'intensité du pinceau d'électrons dans les tubes électroniques.

WEHRMACHT. *n. f.* [veʀmaʀt] (en fr. « force armée défensive »). ♦ Ensemble des forces armées allemandes de terre, de mer et de l'air à partir de 1935. Elle fut placée sous les ordres d'Hitler, auquel tous les soldats devaient prêter serment. En 1938, le commandement de la Wehrmacht devint le haut-commandement de la Wehrmacht (*Oberkommando der Wehrmacht,* O.K.W.). Le chef en fut le maréchal Keitel jusqu'en 1945, date où la Wehrmacht disparut avec l'écrasement du IIIe Reich.

WEI. *n. m. pl.* ♦ Dynastie chinoise de barbares Tabghach (Protomongols) qui régna sur la Chine de 317 à 535 dans le N. et de 534 à 557 dans l'O. Sous leur règne furent creusées et décorées de nombreuses grottes bouddhiques. La dynastie des Sui* la remplaça.

WEIDEN. ♦ V. d'Allemagne occidentale (Bavière, Haut-Palatinat), sur la Naab, à la lisière de l'*Oberpfälzer Wald.* 42 800 hab. – Ruines de fortifications. Verreries, manufactures de porcelaine.

WEIERSTRASS (Karl). ♦ Mathématicien allemand (Ostenfelde, Westphalie, 1815 – Berlin, 1897). Professeur de l'enseignement secondaire, puis à l'École polytechnique de Berlin, il enseigna en 1856 à l'université de cette ville; publiant peu, son influence se fit par le biais de son enseignement. Reprenant les principes posés par Cauchy* dans le domaine réel, il analysa la notion de continuité, précisa les notions d'uniformité, de continuité uniforme, de convergence uniforme. En 1871-1872, il démontra l'indépendance des notions de continuité et de dérivabilité. Il montra également que toute fonction continue est la somme d'une série de polynômes uniformément convergente. Dans le domaine complexe, il définit la fonction par un développement en série entière au voisinage d'un point régulier *(fonction analytique).* Il découvrit qu'au voisinage d'un point singulier essentiel une fonction uniforme peut s'approcher autant qu'on veut de toute valeur donnée (1876). La théorie des fonctions elliptiques, fondée par Abel* et Jacobi*, complétée par Hermite*, atteignit son point culminant avec Weierstrass qui réussit à n'avoir qu'une fonction fondamentale au lieu de trois.

WEI-FANG. ♦ V. de Chine (Shan-tung). 160 000 hab. Mines de charbon. Indus. textile. Culture du tabac.

WEIGEL (Valentin). ♦ Mystique saxon (Naundorf, près de Grossenhain, 1533 – Zschopau, 1588). Pasteur à Zschopau, sans doute en relation avec les baptistes et les adeptes de Schwenckfeld, il a écrit des ouvrages mystiques marqués par l'influence de la *Theologia Deutsch* (rédigée v. 1400 et inspirée des sermons de Tauler) et des théories de Paracelse.

WEI HAI-WAI. ♦ V. de Chine (province du Shan-tung), sur le golfe du Po Hai, et territoire à bail cédé par la Chine à l'Angleterre en 1898. Il fut restitué en 1930. Indus. textiles, pêche. 250 000 habitants.

WEI HO *(Wei He).* ♦ Riv. de Chine (650 km), naissant dans la province du Kan-su et se jetant dans le Huang*-ho à l'E. de Hsi-an,

WEIL [vɛj] **(Simone).** ♦ Philosophe et écrivain français (Paris, 1909 – Ashford, Kent, 1943). Disciple d'Alain, élève de l'École normale supérieure, agrégée de philosophie (1931), ouvrière chez Renault (1934-1935), engagée dans les brigades internationales (1936), ouvrière agricole (1941), elle quitta la France (1942) pour New York puis Londres. Elle travailla dans les bureaux de la France combattante, mais elle désapprouva certains aspects de l'organisation du général de Gaulle. « Cela affecta tellement Simone Weil qu'elle voulut démissionner du poste qu'elle occupait et dont elle tirait cependant son seul moyen d'existence. » (Jacques Cabaud, *L'Expérience vécue de Simone Weil*). Elle démissionna effectivement en juillet 1943. Atteinte de tuberculose, « elle refusa un pneumothorax ». Elle refusa même de se nourrir, voulant partager les souffrances des Français demeurés au pays, estimant que les Français de Londres étaient des privilégiés par rapport à eux. Elle mourut le 24 août 1943, au Grosvenor Sanatorium. Contre la force, c'est du côté des faibles, des vaincus, des opprimés qu'elle entend se situer dans sa recherche passionnée et intransigeante de la vérité et de la justice. Mais si son mysticisme se veut d'inspiration chrétienne – bien que, d'origine juive, S. Weil ne se soit jamais convertie –, il est aussi nourri d'hellénisme, de gnosticisme, d'hindouisme. Ses écrits furent publiés après sa mort (*La Pesanteur et la Grâce,* 1947; *La Connaissance surnaturelle,* 1949; *L'Enracinement,* 1950; *La Condition ouvrière,* 1951; *La Source grecque,* 1953; *Oppression et Liberté,* 1955; *Écrits historiques et politiques,* 1960).

Ph. Éd. Gallimard

Simone Weil.

Ph. Keystone

Kurt Weill.

WEILL (Kurt). ♦ Compositeur américain d'origine allemande (Dessau, 1900 – New York, 1950). C'est de sa collaboration avec B. Brecht* que naquit une conception nouvelle du théâtre lyrique : un théâtre parlé épique avec des intermèdes musicaux. La musique de K. Weill emprunte aux rythmes du jazz et aux chansons populaires berlinoises (*L'Opéra de quat'sous,* 1928; *Grandeur et décadence de la ville de Mahagonny,* 1930).

WEIMAR. ♦ V. d'Allemagne orientale (Thuringe, distr. d'Erfurt), sur l'Illm. 64 400 hab. – Église du XVe s. abritant un retable de L. Cranach. Château du Belvédère (1724-1732); palais de la Résidence construit d'après un projet de Goethe. Maisons de Goethe et de Schiller. – Important carrefour ferroviaire et centre industriel actif (indus. mécaniques, électriques et chimiques). – Patrie de Carl Philip Emmanuel Bach*, Bernard* de Saxe-Weimar, A. von Kotzebue*. ♦ *Hist.* Mentionnée dès 975, la ville appartint d'abord aux comtes de Weimar-Orlamünde (XIIIe-XIVe s.), puis à la branche ernestine de la maison de Saxe et devint en 1572 la cap. du duché de Saxe-Weimar. De la fin du XVIIe s. (surtout sous le règne du grand-duc Charles-Auguste) jusqu'au début du XXe s., Weimar connut un grand éclat artistique et intellectuel. Goethe, Schiller, Wieland, Herder y séjournèrent. – *République de Weimar,* **V. Allemagne** *(Hist.).*

WEINGARTNER (Félix *von***).** ♦ Chef d'orchestre et compositeur autrichien (Zara, auj. Zadar, Dalmatie, 1863 – Winterthur, 1942). Il étudia à Leipzig, puis à Weimar, auprès de Liszt, qui facilita la représentation de son premier opéra, *Sakuntala* (1884). Il acquit très vite une réputation internationale comme chef d'orchestre et dirigea le conservatoire de Bâle (1927-1933), où il forma de nombreux élèves. Son œuvre de compositeur comprend huit opéras, six symphonies, deux concertos, des pièces de musique de chambre et des *lieder.* Il collabora à la réédition des œuvres complètes de Berlioz et de Haydn et révisa le *Vaisseau fantôme* de Wagner. Il a en outre laissé de nombreux essais théoriques et des mémoires.

WEINHEBER (Josef). ♦ Poète lyrique et écrivain autrichien (Vienne, 1892 – Kirchstetten, 1945). Empreintes de ressentiment et de nihilisme, ses premières œuvres (un recueil poétique, *L'Homme solitaire* [1920], un roman *L'Orphelinat* [1925], évocation de ses années à l'orphelinat de Mödling) passèrent presque inaperçues. Les recueils poétiques ultérieurs (*Noblesse et Décadence,* 1934; *Entre dieux et démons,* 1938, etc.) connurent par contre un grand succès sous le régime nazi. Compromis par son adhésion au national-socialisme, il se donna la mort à la fin de la guerre.

WEIPA. ♦ Port d'Australie, province du Queensland, situé non loin du cap York. Extraction et traitement de la bauxite.

WEISE (Christian). ♦ Écrivain allemand (Zittau, 1642 – 1708). Fils d'un instituteur, lui-même directeur du gymnase de Zittau à partir de 1678, il a composé avec un souci didactique et une intention moralisatrice des œuvres lyriques, des tragédies, des comédies, des romans qui marquent le passage de la littérature baroque à l'âge rationaliste, bourgeois.

WEISMANN (August). ♦ Biologiste allemand (Francfort-sur-le-Main, 1834 – Fribourg-en-Brisgau, 1914). Professeur, puis vice-recteur de l'université de Fribourg-en-Brisgau, il travailla surtout sur les problèmes de l'hérédité et de l'évolution. Il affirma la continuité du « plasma germinatif » (« idioplasme » porteur des tendances héréditaires) et exposa ses théories dans plusieurs ouvrages (*Essais sur l'hérédité et la sélection naturelle,* 1892; *Über germinal Selektion,* 1896; *Vorträge über Deszendenztheorie,* 1902).

WEISS [vɛs] **(Pierre).** ♦ Physicien français (Mulhouse, 1865 – Lyon, 1940). Il découvrit le phénomène magnéto-calorique et, introduisant la notion du « champ moléculaire », créa la théorie du ferromagnétisme (1907). **V. Landau, Néel.** (Acad. sc., 1926.)

WEISS (Peter). ♦ Auteur dramatique allemand naturalisé suédois (Nowawes, 1926). Inspiré par l'histoire, son théâtre a subi l'influence des pièces didactiques de Brecht. Son meilleur ouvrage, *Marat-Sade,* entend montrer « le conflit entre l'individualisme poussé à ses dernières conséquences et l'idée de la révolution politique et sociale ». Il est aussi l'auteur de trois drames : *L'Instruction* (1965), qui propose une reconstitution du procès des responsables d'Auschwitz; *La Complainte du fantoche lusitanien* (*Der Gesang von lusitanischen Popanz,* 1965), dénonciation de l'oppression colonialiste; *Vietnam Diskurs* (1968), exposé didactique sur le conflit du Viêt-nam et ses perspectives révolutionnaires.

WEISSENFELS. ♦ V. d'Allemagne orientale (distr. de Halle), sur la Saale. 46 875 hab. – Château baroque (XVIIe s.). – Chaussures et maroquinerie; constructions mécaniques.

WEITLING (Wilhelm). ♦ Socialiste allemand (Magdebourg, Prusse, 1808 – New York, 1871). Artisan tailleur, il séjourna

Coll. Rui Nogueira

De droite à gauche :
Orson Welles, Anthony Perkins et Marlène Jobert dans « La Décade prodigieuse », film de Claude Chabrol.

à Paris (1837) où il fut influencé par les mouvements socialistes. Exilé en Suisse après la publication de son ouvrage : *L'humanité comme elle est et comme elle devrait être* (1838), il y poursuivit un travail d'organisation de ligues et de cercles d'artisans, développant dans *Les Garanties de l'harmonie et de la liberté* (1842) et *L'Évangile du pauvre pécheur* (1843) des idées communistes à caractère évangélique et sentimental (critiquées par Marx). Il tenta de fonder en Amérique une colonie communiste *(Communia)* qui échoua.

WEI YÜAN. ♦ Géographe et historien chinois (1794 — 1856). Afin de mieux lutter contre l'intrusion occidentale, il se voua à l'étude des pays européens et écrivit sur ce sujet de nombreux ouvrages. Il réalisa également une histoire des Mongols.

WEIZMANN (Chaïm ou **Haïm).** ♦ Homme politique israélien (Motyl', Biélorussie, 1874 — Rehovot, 1952). Il fut chimiste en Suisse puis en Grande-Bretagne. Il contribua à obtenir la reconnaissance officielle du projet sioniste par le gouvernement britannique (déclaration Balfour, 1917). Président de l'Organisation sioniste mondiale (1920), puis de l'Agence juive (1929), il fut le premier président de l'État d'Israël (1949-1952) et fonda l'université de Rehovot.

WEIZSÄCKER (Carl, ***baron von*****).** ♦ Astrophysicien allemand (Kiel, 1912 —). Auteur (1937) d'une théorie presque actuelle sur l'origine de l'énergie stellaire assignant aux transmutations le rôle d'origine de tous les éléments chimiques, les étoiles étant à leur formation faites de pur hydrogène (première idée des théories de la « nucléogenèse »), il formula en 1943 l'hypothèse de la condensation des planètes à partir d'une matière diffuse pour expliquer la formation du système solaire.

WELCKER (Hermann). ♦ Anatomiste et anthropologue allemand (1822 — 1897). On lui doit des travaux de craniologie (en particulier sur les modifications du crâne lors de la croissance), ainsi qu'une méthode de mesure du volume du sang d'un animal *(méthode de Welcker).*

WELDON (Walter F.). ♦ Mathématicien anglais (1860 — 1906). Il fut l'un des animateurs de l'école biométrique anglaise créée par F. Galton*.

WELHAVEN (Johan Sebastien Cammermeyer). ♦ Écrivain norvégien (Bergen, 1807 — Christiania [Oslo], 1873). Il fut le principal adversaire de Wergeland*, car il ne pouvait renoncer à tout ce que la culture danoise avait apporté à la Norvège, ainsi qu'il l'exprima dans sa brochure *Poésie et polémique de Henrik Wergeland* (1832), puis dans son premier recueil de poèmes : *Crépuscule de la Norvège* (1834), qui révéla son talent de styliste. Par la suite, puisant dans la mythologie populaire, il écrivit des poèmes aux remarquables qualités musicales, se mouvant entre le rêve et la réalité : *La Chevauchée des Walkyries, Le Pouvoir de la Huldre et les Ruses d'Amour, Tantale, Orphée, Protésilas, Héraclès.* Son œuvre poétique éclaira la littérature norvégienne sur les exigences de l'art. « Scandinaviste » convaincu, il resta profondément attaché à la nature norvégienne et particulièrement sensible au trouble religieux qui agitait la Norvège à son époque.

WELKENRAEDT. ♦ Comm. de Belgique (Liège, arr. de Verviers). 5 200 hab. Exploitation forestière. Nickelage, chromage.

WELLAND ***(canal).*** ♦ Canal reliant le lac Érié au lac Ontario (de Buffalo à Hamilton), sur la rive canadienne du Niagara*, dont il évite les chutes. 44 km; 8 écluses. Ouvert en 1833, il a été élargi et approfondi.

WELLER (Thomas Huckle). ♦ Biochimiste américain (Ann Arbor, Michigan, 1915). Ses travaux sur le virus de la poliomyélite lui valurent le prix Nobel de médecine (1954) avec J.F. Enders* et F.C. Robbins*.

WELLES (Orson). ♦ Réalisateur américain de cinéma (Kenosha, Wisconsin, 1915). Il débuta au théâtre (Dublin, 1931 ; New York, 1935) puis à la radio, où son adaptation très libre de *La Guerre des mondes* de Wells sema la panique aux États-Unis (1938). Bénéficiaire d'un contrat qui lui assurait, avec des moyens financiers exceptionnels, une totale liberté, il réalisa *Citizen Kane* (1940), portrait impitoyable d'un magnat américain (évoquant le milliardaire Hearst) et chef-d'œuvre qui remit en question tout l'acquis antérieur du cinéma. Cette révolution dans la technique du film (structure du récit, montage, décors, mouvements de caméra), il devait la poursuivre avec des chances diverses, en dépit de l'incompréhension des producteurs et du public : *La Splendeur des Amberson* (*The Magnificent Ambersons,* 1942), *La Dame de Shanghaï* (*The Lady from Shangaï,* 1948), *Monsieur Arkadin* (*Confidential Report,* 1956), *La Soif du mal* (*Touch of Evil,* 1957). Acteur d'une personnalité puissante et singulière, Orson Welles a paru dans de nombreux films, outre ceux dont il fut le réalisateur (comme *Le Troisième Homme*). La puissance des évocations de milieux sociaux, les contrastes de tons, du burlesque au terrible, le traitement original du récit font de Welles l'adaptateur le plus inspiré de Shakespeare au cinéma (*Macbeth,* 1947-1950; *Othello,* 1952; *Falstaff,* 1966). Il a cherché aussi à adapter Kafka (*Le Procès,* 1962).

WELLESLEY (Richard Colley WESLEY ou **WELLESLEY,** ***1er marquis*****).** ♦ Homme politique britannique (château de Dangan, Irlande, 1760 — Kingston House, près de Brompton, 1842). Frère du duc de Wellington, il fut député tory en 1784 et, ami de Pitt, fut nommé gouverneur général de l'Inde (1797-1805). Il fit une expédition au Mysore et prit Seringapatam, où son adversaire Tippu Sahib trouva la mort (1799). Ainsi, toute l'Inde du Sud se trouva sous domination anglaise. En 1801, il imposa le protectorat anglais à l'Oudh et mena la guerre mahratte (1802-1805). Il avait doublé les possessions de la Compagnie des Indes, mais l'argent dépensé et la peur de son ambition conduisirent à son rappel (1805). Il fut ensuite ambassadeur en Espagne (1809), puis ministre des Affaires étrangères (1809-1812) et lord-lieutenant en Irlande (1821-1828), où il prit la défense des catholiques irlandais contre son frère (Wellington*), alors Premier ministre.

WELLINGTON (Arthur Wellesley, ***1er duc de*****).** ♦ Général et homme politique britannique (Dublin, 1769 — Walmer Castle, Kent, 1852). Il entra dans l'armée en 1787; il seconda son frère, gouverneur général de l'Inde de 1797 à 1805, fut gouverneur de Seringapatam en 1799, remporta les victoires d'Assaye et d'Argaon sur les Mahrattes (1803). Ses ambitions politiques le ramenèrent ensuite en Europe. Entré au Parlement (1806), il fut secrétaire pour l'Irlande (1807). Nommé lieutenant général au moment où commençait la guerre d'Espagne, il fut envoyé contre Junot* au Portugal sous les ordres du général Dalrymple; il remporta la victoire de Vimeiro, mais Dalrymple négocia avec Junot l'évacuation des Français du Portugal (convention de Sintra*). Il revint plus tard au Portugal comme commandant en chef des forces britanniques, il remporta la victoire de Talavera (juil. 1809). Wellington fortifia ses positions au Portugal en se retranchant derrière les lignes fortifiées de Tôrres* Vedras (janv. 1812); il prit Salamanque (juin 1812), battit Marmont* à la bataille des Arapiles; sa victoire de Vitoria (21 juin 1813) chassa les Français d'Espagne; il pénétra en France (nov. 1813), gagna sur Soult* la bataille de Toulouse (avr. 1814). Il fut fait marquis de Douro et duc de Wellington. Nommé ambassadeur en France après le premier traité de Paris (août 1814-janv. 1815), il prit la place de Castlereagh au congrès de Vienne en tant que délégué britannique. Après le retour de Napoléon de l'île d'Elbe, il reçut le commandement de l'armée alliée et fut l'artisan de la victoire de Waterloo*. Chef des armées d'occupation en France, il s'opposa au démantèlement du pays et appuya le pouvoir des Bourbons. Nommé premier ministre par George IV, il fit voter en 1829 la loi d'émancipation des catholiques. Il était violemment hostile à toute réforme parlementaire et sa politique réactionnaire (on le surnomma le « duc de fer ») suscita des troubles. Néanmoins, après avoir été renversé par les libéraux, il retrouva à la fin de sa vie sa popularité. Il reste célèbre, surtout hors de France, comme le vainqueur de Napoléon.

WELLINGTON. ♦ Cap. et port de la Nouvelle*-Zélande, situé à l'extrémité méridionale de l'île du Nord, sur le détroit de Cook*. La ville s'étend sur la côte et les collines entourant la baie de Port Nicholson, presque entièrement enfermée entre les terres et considérée comme un des plus beaux sites du monde. Elle est reliée par route, voie ferree et cabotage aux differentes parties du pays. Point de départ de lignes maritimes vers l'Europe et l'Australie. La ville de *Hutt* (122 000 hab.), située au N.-E., fait partie du Grand Wellington. 328 800 hab. Université. Centre administratif et commercial. Métallurgie. Indus. alimentaires et chimiques. Confection; chaussures. Imprimerie. Exportation de viande frigorifiée, papier journal, laine, fromage et fruits. — Patrie de Katherine Mansfield*. ♦ *Hist.* Fondée en 1840, la ville devint capitale de la Nouvelle-Zélande en 1865 **(V. Auckland).**

WELLS (Horace). ♦ Dentiste américain (Hartford, Vermont, 1815 — New York, 1848). Il fut le premier à pratiquer l'anesthésie chirurgicale en employant du protoxyde d'azote (1844).

WELLS (Herbert George). ♦ Journaliste et romancier anglais (Bromley, Kent, 1866 — Londres, 1946). Issu d'un milieu très modeste, Wells, comme Dickens, connut une enfance difficile. Autodidacte, il réussit à faire des études scientifiques à l'université

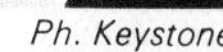

Ph. Keystone

Herbert George Wells.

Coll. Roger-Viollet

François de Wendel.

de Londres et se lia avec T. Huxley, le célèbre physiologiste ami de Darwin. Après avoir enseigné et collaboré a quelques revues, Wells se mit à publier des œuvres d'anticipation, genre où il devint rapidement un maître : *La Visite merveilleuse* (1895), *La Machine à explorer le temps* (1895), *L'Île du docteur Moreau* (1896), *L'Homme invisible* (1897), *La Guerre des mondes* (1898), *Les Premiers Hommes dans la Lune* (1901). Ces œuvres posent les problèmes essentiels de la survie de l'humanité, dans le contexte de la fin du XIXe siècle. Doué d'un grand sens du comique, Wells donna aussi des transpositions de son expérience dans des œuvres imprégnées d'un sentiment de révolte calme : *L'Histoire de Mr. Polly* (1910) et surtout *Kipps* (1905), dont le héros est un jeune commis de magasin. Marqué par la Première Guerre mondiale, Wells publia *Mr. Brittling commence à y voir clair* (1916), où le premier conflit mondial est vu comme « la guerre qui doit tuer les guerres ». *Le Monde de William Clissold* (1926) propose, sans l'humour qui caractérisait les œuvres antérieures, l'instauration d'une république du monde. La trilogie de *La Science et la Vie* (1929) prenait aussi position en faveur d'un État mondial. L'œuvre de Wells a évoqué tous les problèmes de la civilisation moderne et, dans sa *Tentative d'autobiographie* (1934), quasi romanesque, définit son auteur comme le témoin de son époque.

WELLS. ♦ V. du S. de l'Angleterre (Somerset), au pied des *Mendip Hills*, au S. de Bristol. 6 720 hab. Belle cathédrale (1186-1239) mêlant le roman au gothique (primitif, décoré et perpendiculaire).

WELS. ♦ V. d'Autriche (Haute-Autriche), sur la r. g. du Traun. 47 279 hab. Château gothique (très remanié) où mourut l'empereur Maximilien Ier. — Foire agricole (la plus importante de Haute-Autriche). Indus. alimentaire, matières plastiques, montage de machines agricoles. Gaz naturel et centrale hydro-électrique.

WELSER. ♦ Famille d'Augsbourg qui exerça un grand rôle économique et financier au XVIe siècle. Elle eut le monopole du commerce avec l'Amérique espagnole jusqu'en 1540, mais échoua dans son entreprise de colonisation du Venezuela. ♦ PHILIPPINE WELSER (1527 — 1580) épousa secrètement le fils de l'empereur Ferdinand Ier.

WELSHPOOL, en gallois **Y Trallwng.** ♦ V. du pays de Galles et ch.-l. du Montgomeryshire, sur la Severn. 6 560 hab. (1969). — Centre agricole, commercial et administratif. — Château normand (Powis Castle) reconstruit au XVIIe siècle.

WELWYN GARDEN CITY. ♦ Grand ensemble urbain de la banlieue N. de Londres* (Hertfordshire). 40 000 hab. Appareils de radio et indus. alimentaires.

WEMBLEY. ♦ Agglomération résidentielle de la banlieue N.-O. de Londres* (Middlesex). 124 850 hab. Stade olympique où se déroulèrent les Jeux de 1948, réservé maintenant au rugby.

WEMMEL. ♦ Comm. de Belgique (Brabant, arr. de Bruxelles-Communes périphériques). 11 000 hab. Église Saint-Servais (tour du XIIIe s., chœur de 1517). Chaussures.

WEMYSS (Rosslyn Erskine, ***lord*** **Wester).** ♦ Amiral britannique (Wemyss Castle, Fifeshire, 1864 — Cannes, 1933). Lors de l'expédition des Dardanelles (1915), il organisa la base de Lemnos, fut nommé en 1918 Premier Lord de l'Amirauté et participa à la mise au point des clauses navales de l'armistice. Il signa l'armistice au nom de la Grande-Bretagne à Rethondes (11 nov. 1918).

WENCESLAS ***(saint).*** ♦ (v. 907 — château de Boleslav, 929). Duc de Bohême (921-929). Il favorisa le christianisme et prêta hommage à Henri Ier l'Oiseleur (929), politique qui mécontenta les nobles. Il fut assassiné par son frère Boleslav Ier. ♦ WENCESLAS Ier (1205 — près de Beroun, 1253). Roi de Bohême (1230-1253). Il eut à faire face à plusieurs révoltes dirigées par son fils Ottokar (II). ♦ WENCESLAS II (1271 — Prague, 1305). Roi de Bohême (1278-1305). Il aida à la propagation de la culture germanique en Bohême et obtint par mariage la couronne de Pologne. ♦ WENCESLAS III (1289 — Olmütz, 1306). Roi de Bohême (1305-1306). Il mourut assassiné et le trône passa à la maison de Luxembourg (1310). ♦ WENCESLAS IV. **V. Wenceslas**, empereur germanique.

WENCESLAS ou **WENZEL.** ♦ (Nuremberg, 1361 — château de Wenzelstein, 1419). Roi de Bohême (Wenceslas IV, 1363-1419) et empereur germanique (1378-1400). Fils de Charles IV, il ne sut pas imposer son autorité à l'Allemagne, dont les villes du Sud se révoltèrent (1388), ni à la Bohême, où il dut abandonner son autorité au haut clergé et à la noblesse (1396) après l'assassinat de Jean Népomucène (1394). Il fut déposé en Allemagne **(V. Robert du Palatinat).** Il fut incapable de faire face à la crise sociale et spirituelle qui agitait la Bohême et retira son appui à Jan Hus*. Sa mort ouvrit la période des guerres hussites. Il eut pour successeur son frère Sigismond*.

WEN-CHOU [*Wen-tcheou, Wenchow, Wenzhou*]. ♦ V. de Chine, dans la province du Chê-kiang, sur le fl. Wu à 25 km de la mer. 600 000 hab. — Port ouvert au commerce européen en 1877, qui exporte du thé, des bois, du bambou, des agrumes.

WENDEL [vɛ̃dɛl] **(de).** ♦ Famille d'industriels français, originaire de Bruges, installée à Coblence au XVIe s., puis à Hayange au début du XVIIIe s. (Jean Martin Wendel). JEAN MARTIN WENDEL obtenait la seigneurie et les forges de Hayange. ♦ CHARLES WENDEL (1708 — 1784) succéda à son père Jean Martin et fut un des principaux fournisseurs d'artillerie de l'État. ♦ IGNACE WENDEL, fils du précédent (1741 — 1795), commissaire aux Forges royales et directeur de nombreuses manufactures, fut un des premiers à substituer le coke au charbon de bois (1769). Il fonda les forges du Creusot* (1785) avant d'émigrer sous la Révolution (les forges du Creusot ne reprirent leur essor qu'en 1836 sous l'impulsion des frères Schneider*). ♦ FRANÇOIS DE WENDEL (1778 — 1825) reprenait l'exploitation des forges de Hayange et acquérait celles de Moyeuvre. — En 1871 fut créée la société *Les Petits-Fils de François de Wendel et Cie* dirigée par Henri et Robert de Wendel. Dès 1879-1880 était mis en application le procédé Thomas, dont les Wendel avaient fait l'acquisition et qui fut également utilisé aux forges de Jœuf, créées en 1880 par Wendel et Cie en collaboration avec le groupe Schneider. La Société de Wendel se développa considérablement à la fin du XIXe s. et au début du XXe s. sous l'impulsion de HUMBERT (1876 — 1954), MAURICE (1879 — 1961) et surtout FRANÇOIS DE WENDEL (1874 — 1949) qui en fut le gérant tout en assumant les fonctions de député (1914-1933), de sénateur (1933-1940), de président du Comité des forges et de régent de la Banque de France. Lors de la Première et de la Deuxième Guerre mondiale, les usines situées en territoire allemand furent mises sous séquestre et vendues à un consortium allemand. Au lendemain du deuxième conflit mondial, la Société de Wendel et Cie, qui, en 1952, devint une société anonyme, contribua à la formation de nombreux ensembles sidérurgiques et devint un des premiers producteurs d'acier brut en France.

WENDES. *n. m. pl.* ♦ Nom donné par les Allemands du Moyen Âge aux Slaves d'Allemagne : Polabes, Obodrites, Sorabes et Slovènes.

WENGEN. ♦ Localité de Suisse (cant. de Berne), dans l'Oberland* bernois, dominant la vallée de Lauterbrunnen* au pied de la Jungfrau*. 1 200 hab. Station d'été et de sports d'hiver, très appréciée par les Britanniques, dans un site remarquable. Alt. 1 300-3 454 m.

WEN I-TO [*Wen Yi-to, Wen Yiduo*]. ♦ Poète et peintre chinois (1898 — 1946) né dans le Hu-pei. Après un séjour aux U.S.A., il publia ses premiers poèmes et se lança dans la politique. Chiang* Kai-shek, qui le craignait, le fit assassiner par sa police spéciale.

WEONSAN [*Wôn-san*]. ♦ V. de Corée du Nord et grand port sur la mer du Japon, libre de glaces en toute saison. 120 000 hab. Chantiers navals.

WERFEL (Franz). ♦ Poète lyrique, dramaturge et romancier autrichien (Prague, 1890 — Beverley Hills, Calif., 1945). Il se rattache au mouvement expressionniste et ses recueils poétiques (*L'Ami de l'univers*, 1912 ; *Nous sommes*, 1913, etc.), ses drames (transposition des *Troyennes* d'Euripide, 1916 ; *Juarez et Maximilien*, 1924 ; *Saint Paul parmi les Juifs*, 1926) et ses romans (*Ce n'est pas l'assassin mais la victime qui est coupable*, 1915 ; *Les Quarante Jours de Musa Dagh*, 1933 ; *L'Étoile de ceux qui ne sont pas nés*, 1946, etc.) sont animés par un profond sentiment humanitaire, un libéralisme pacifiste, et formulent aussi les aspirations religieuses de cet écrivain, d'origine juive, mais attiré par le christianisme.

WERGELAND (Henrik Arnold). ♦ Poète norvégien (Kristiansand 1808 — Christiania [Oslo], 1845). En 1814, le Danemark dut céder la Norvège à la Suède et le nationalisme devint l'élément essentiel du romantisme norvégien, qui trouva un chef en la personne de Wergeland dès 1830. Il publia alors un long poème : *La Création, l'Homme et le Messie*, « épopée de l'humanité », œuvre inégale, mais puissante, qui témoigne de son esprit de visionnaire cosmique. Il voulut mettre sa poésie au service des hommes et de la Norvège et devint le symbole de la liberté. En 1833 il publia *Poèmes, deuxième cycle*, puis en 1842 *Les Fleurs de Jan van Huysum*, laissant libre cours à son romantisme et à des rêveries fantastiques. Mais il n'oubliait pas ses idéaux politiques et humanitaires, comme en témoignent les deux poèmes : *Le Juif* (1842) et *La Juive* (1844), qui défendent les juifs. D'esprit polémique, il ne se découragea jamais et défendit aussi âprement ses idées dans son œuvre dramatique que dans son œuvre lyrique. Ainsi critiqua-t-il les snobs et les juristes qui méprisaient le peuple et fit-il la caricature de son contemporain Welhaven* dans des farces telles que *Phantasmes, Gens de condition, Kringla, Des goûts et des couleurs, Arlequin virtuose.* Mais le poète l'emporte sur le polémiste dans *La Mort de Sinclair* (1828) et *Campbelle.* À la fin de sa vie, Wergeland composa une *Histoire de la Constitution*, un *Manuel de lectures pour la jeunesse* et la *Biographie d'un paysan* malmené par la justice. Par son œuvre vaste et variée, il permit l'éclosion en Norvège d'une riche littérature nationale.

WERNER (Abraham Gottlob). ♦ Minéralogiste et géologue allemand (Wehrau, Saxe, 1750 – Dresde, 1817). Professeur de minéralogie à l'académie des mines de Freiberg, il fut l'un des créateurs de la minéralogie. Ses recherches sur les cristaux l'amenèrent à distinguer sept formes cristallines simples. En géologie, il soutint la théorie dite « neptunienne », qui attribue à l'action de l'eau le rôle essentiel dans la formation des roches constituant l'écorce terrestre et qui fut ensuite critiquée par la plupart des géologues, qui lui opposèrent le « plutonisme ».

WERNER (Zacharias). ♦ Écrivain allemand (Königsberg, 1768 – Vienne, 1823). « Après une vie errante de poète à la mode, d'évangéliste de l'amour divin et de coureur de jupons » (C. David), il se convertit au catholicisme (1810) et fut ordonné prêtre (1814). Ses aspirations contradictoires se retrouvent dans ses pièces de théâtre (*Les Fils de la vallée,* 1803; *La Croix sur la Baltique,* 1806; *Luther ou la consécration de la force,* 1807; *Le Vingt-quatre Février,* 1810; *La Mère des Maccabées,* 1820), œuvre dont Goethe devait dire qu'elle était un « mélange [...] de folies et de talents, de maladresses et d'extravagances, de bigoteries et d'audaces ».

WERNER (Alfred). ♦ Chimiste suisse (Mulhouse, 1866 – Zurich, 1919). Ses travaux sur les composés complexes ouvrirent la voie à une chimie minérale structurale et le menèrent à introduire le concept de coordinence. (Prix Nobel de chimie, 1913.)

WERNER DER GAERTENAERE. ♦ Poète de langue allemande du XIIIe siècle. Évoquant la décadence de la chevalerie et de l'idéal courtois, son poème *Meier Helmbrecht* (Le Fermier Helmbrecht), écrit en Autriche v. 1260, fait de lui un des principaux poètes satiriques de la seconde moitié du XIIIe siècle.

WERNICKE (Karl). ♦ Psychiatre allemand (1848 – 1905). Ses travaux portèrent principalement sur les localisations cérébrales. Il a donné son nom à la polioencéphalite hémorragique (1881) et à un type d'aphasie se caractérisant par des troubles sensoriels ou de compréhension verbale et dû à une lésion de la région temporo-pariétale gauche.

WERTHEIMER (Max). ♦ Psychologue américain d'origine allemande (Prague, 1880 – New Rochelle, près de New York, 1943). Avec Koffka* et Köhler*, il fonda le gestaltisme (ou psychologie de la forme), théorie qui, à l'encontre de l'atomisme associationniste **(V. Hume, Condillac),** affirme la primauté de la structure des faits psychiques par rapport aux éléments qui la composent. Il en appliqua les principes à l'étude des faits physiologiques. **(V. K. Lewin, K. Goldstein, P. Guillaume).**

Arch. Rencontre

Benjamin West : « Sarah Ursula Rose ». (Metropolitan Museum of Art, New York.)

Werther [Les Souffrances du jeune] *(Die Leiden des jungen Werthers).* ♦ Roman de Goethe* (1774), écrit sous forme épistolaire à l'exemple de la *Nouvelle Héloïse* de Rousseau, dont la lecture avait profondément influencé Goethe. Si le suicide par amour de son ami K.W. Jerusalem (fils du théologien J.W.F. Jerusalem) fut à l'origine de la composition du roman et en inspira la fin tragique, l'œuvre est en réalité une confession de Goethe lui-même. Il y évoque en effet son amour sans espoir pour Charlotte (Lotte) Buff, fiancée puis épouse de son ami Kestner, qu'il connut à Wetzlar (1772). Sous les traits de Werther, c'est lui-même dont il analyse les états d'âme, les progrès de la passion chez un être qu'une sensibilité excessive (allant de l'exaltation au désespoir) et une totale passivité acculent au suicide. Si Goethe a « mis dans Werther ses tentations morbides, sa délectation morose et l'attrait de la mort qu'il a souvent ressenti » (P. Grappin), son héros est aussi celui de toute une génération (Sturm* und Drang) dont il incarnait les tourments et les contradictions. L'œuvre, qui connut un succès considérable en Europe, inspira directement ou indirectement de nombreux écrivains, et de nombreux suicides « à la Werther ». – Drame lyrique de Massenet sur des paroles de É. Blau, P. Milliet et G. Hartmann (1893).

WERVIK. ♦ V. de Belgique (Flandre-Occidentale, arr. d'Ypres) sur la Lys, à 3 km de la frontière française. 12 800 hab. Église des XIVe et XVe siècles. Moulin de Wervik (XVIIIe s.). – Petite métallurgie. Brasserie. Indus. chimique (glycérine) et textile.

WERWE (Claus *de,* ou **Claus** *van de***).** ♦ Sculpteur originaire des Pays-Bas (Haarlem ?, v. 1368 – Dijon, 1439). Neveu de Claus Sluter*, il travailla auprès de lui à la *chartreuse de Champmol* (à partir de 1396). Chargé à la mort de son oncle de continuer son atelier, il travailla notamment à l'achèvement du *tombeau de Philippe le Hardi.* Il fournit ensuite un projet pour le tombeau de Jean sans Peur. On lui attribue également le *retable de Bessey-lès-Cîteaux* (à partir de 1430). Représentant de la sculpture bourguignonne, il pratiqua un art réaliste et robuste qui révèle la forte emprise de son maître.

WESEL. ♦ V. et port d'Allemagne occidentale (Rhénanie-Westphalie), à l'extrémité N.-O. du bassin de la Ruhr*, au confl. du Rhin et de la Lippe. 32 000 hab. – Église gothique (XVe-XVIe s.). En partie détruite durant la Deuxième Guerre mondiale, Wesel a été reconstruite selon des principes urbanistiques modernes. C'est un important centre industriel. ♦ *Hist.* Anc. ville forte, Wesel adhéra à la Hanse en 1407.

WESER. *n. f.* ♦ Fl. d'Allemagne centrale formé (à la hauteur de Münden) par la réunion de la Fulda* et de la Werra. La Weser suit la direction S.-N. et décrit de larges méandres. Elle coule en bordure des *Wiehengebirge* et des *Wesergebirge* (ou monts de la Weser) avant de franchir la *Porte de Westphalie.* A partir de la trouée (ou bassin) de Minden*, elle pénètre dans la zone marécageuse de la grande plaine du Nord. Elle arrose Naumburg*, puis Brême* et se jette dans la mer du Nord en formant un estuaire long et étroit sur les bords duquel se trouve le port de Bremerhaven* (r. d.). La Weser a pour princ. affl. l'Aller*. Le trafic annuel est d'environ 8 200 000 t (dont quatre millions pour le seul port de Brême). Le *Mittellandkanal** (qui passe au N. de Minden) la relie à l'Ems*, au Rhin* et à l'Elbe*. Son régime est de type pluvionival (avec un max. en hiver et à la fonte des neiges).

WESKER (Arnold). ♦ Auteur dramatique anglais (Londres, 1932). D'origine ouvrière et de formation marxiste, il est l'auteur d'une trilogie dont les héros sont des prolétaires et des paysans anglais : *Bouillon de poule à l'orge (Chicken Soup with Barley), Racines (Roots), Je parle de Jérusalem (I am talking about Jerusalem)* [1959-1960). *La Cuisine* (*The Kitchen,* 1961) est une pièce reportage destinée à condamner un système qui vise à la destruction de l'individu.

WESLEY (John). ♦ Réformateur religieux anglais, fondateur du méthodisme (Epworth, Lincoln, 1703 – Londres, 1791). Prêtre anglican, il dirigea une société pieuse à Oxford, partit en Amérique (1735) et, de retour à Londres, se « convertit » subitement le 24 mai 1738, sous l'influence d'un missionnaire morave **(V. Zinzendorf),** opérant un retour aux sources de la Réforme. Il organisa alors la prédication dans toute l'Angleterre, notamment en milieu industriel, prêchant lui-même et écrivant continuellement. – Sa doctrine *(méthodisme)* affirme la liberté humaine (contre la prédestination calviniste), la sanctification subite et la conviction intérieure comme signe suffisant du salut. Des églises méthodistes se répandirent en Angleterre, en France, en Amérique; elles forment une des plus importantes « dénominations » protestantes.

WESSEL (Johan Hermann). ♦ Écrivain norvégien (Vestby, 1742 – Copenhague, 1785). Animateur du *Cercle norvégien* de Copenhague, il brilla par son esprit et son humour dans une comédie : *L'Amour sans bas* (1772), parodie des médiocres imitations de la tragédie française. Puis, de 1784 à 1785, il publia dans son journal, *Votre serviteur Otiosus,* une série d'anecdotes comiques à la morale absurde : *Récits comiques.*

WESSEX. *n. m.* ♦ Royaume saxon fondé à la fin du Ve s. dans le S. de l'Angleterre, avec pour capitale Winchester*. Il atteignit son apogée sous le règne du roi Egbert* le Grand (802-839), qui annexa les autres royaumes de l'Heptarchie*, puis sous Alfred* le Grand (871-899).

WEST (Benjamin). ♦ Peintre américain (Springfield, Pennsylvanie, 1738 – Londres, 1820). À Rome, de 1760 à 1763, il fré-

Ph. Roger-Viollet

L'abbaye de **Westminster.**

quenta Gavin Hamilton et adopta le style néo-classique. Il s'établit ensuite à Londres, fonda avec Reynolds* l'Académie royale de peinture (1768) et fut comblé d'honneurs. Il exécuta des portraits officiels, des peintures d'histoire (*La Mort du général Wolfe,* 1771) et, à la fin de sa vie, des peintures religieuses (*La Mort sur un cheval pâle,* 1817). Ses œuvres sont parfois habilement composées, mais sa facture, sèche, est souvent faible.

WEST (Rebecca, Cicily Isabel FAIRFIELD, dite). ♦ Romancière anglaise et critique littéraire (Édimbourg, 1892 –). C'est à la fin de la Première Guerre mondiale, qui la marqua profondément qu'elle publia son premier roman, *Le Retour du soldat* (1918), mais elle avait déjà fait paraître une étude sur Henry James en 1917. Le sens critique s'allie chez elle à un sens profond de la justice. Ses principaux romans sont : *Le Juge* (1922), *Harriet Hume* (1929), *La Voix rauque* (1936), *Le Roseau pensant* (1936), *La Famille Aubrey* (*The Fountain overflows,* 1957), premier volume d'une chronique dont le thème central est la musique, symbole de sérénité. Les procès qui suivirent la guerre de 1939 sont à l'origine de *La Signification de la trahison* (1949) et *Une traînée de poudre* (1955).

WEST BROMWICH. ♦ V. d'Angleterre centrale (Staffordshire), à 11 km au N.-O. de Birmingham. 166 626 hab. Métallurgie, constructions mécaniques et électriques. – *Oak House,* résidence du XVe siècle.

WEST END. *n. m.* « extrémité ouest ». ♦ Quartiers résidentiels s'étendant dans la partie occidentale de Londres* et correspondant aux quartiers de Belgravia, Mayfair, Chelsea, Marylebone, Brompton, Kensington, Soho et Bloomsbury. Depuis le XVIIIe s., le West End englobe la majorité des quartiers élégants.

WESTERLO. ♦ Comm. de Belgique (Anvers, arr. de Turnhout), à 57 km de Bruxelles, sur la Grande Nèthe, en Campine. 7 764 hab. Château des XIIIe, XIVe et XVIIIe siècles. Église des XVe et XVIe siècles. – Indus. du tapis. Mobilier.

WESTERMANN (François Joseph). ♦ Général français (Molsheim, Alsace, 1751 – Paris, 1794). Venu à Paris où il se lia avec Danton, il participa à la journée révolutionnaire du 10 août 1792. Nommé général en 1793, il se battit contre les insurgés vendéens et contribua aux victoires des armées républicaines au Mans et à Savenay (23 déc. 1793). Destitué en janvier 1794, il fut condamné à mort par le Tribunal révolutionnaire (avr. 1794) avec Danton et les Indulgents, auxquels il était lié.

WESTERMARCK (Edvard). ♦ Sociologue, ethnologue et philosophe finlandais (Helsinki, 1862 – Lanpinlahti, 1939). Auteur d'ouvrages de synthèse, en particulier d'une reconstitution de l'histoire du droit (*The History of Human Marriage,* 1891 ; *The Origin and Development of the Moral Ideas,* 1905-1908, etc.), il s'est ensuite consacré à des travaux sur certaines sociétés musulmanes (*Ritual and Belief in Morocco,* 1926 ; *Pagan Survivals in Mahometan Civilization,* 1933).

WESTERN ISLANDS. ♦ V. HÉBRIDES.

WESTERWALD. *n. m.* ♦ Ensemble montagneux argileux appartenant au Massif schisteux rhénan. Situé entre la Sieg au N. et la Lahn au S., il culmine à 657 mètres. La région vit de l'élevage bovin et de l'exploitation de l'argile réfractaire.

WEST HAM ou **WESTHAM.** ♦ Agglomération industrielle de la banlieue est de Londres* (Essex), sur la riv. Lea. 157 200 hab. Indus. chimiques et constructions navales. – Église romano-gothique.

WEST HARTLEPOOL. ♦ V. du N.-E. de l'Angleterre (Teeside), dans le comté de Durham, et port sur la mer du Nord. 96 898 hab. (avec *Hartlepool*). Exportation de houille, sidérurgie, constructions navales, mécaniques ; brasseries, équipement électrique.

WESTINGHOUSE (George). ♦ Inventeur et industriel américain (Central Bridge, New York, 1846 – *id.,* 1914). Inventeur (1869) du frein à air comprimé qui porte son nom (**V.** *aussi* **Prony**), utilisé pour la première fois en 1872 sur un train de voyageurs, universellement adopté depuis pour les chemins de fer. Il imagina également de nombreuses applications de l'électricité et fonda la *Westinghouse Electric Corporation* (1886).

WESTKAPELLE. ♦ Village des Pays-Bas (Zélande) à la pointe de l'île de Walcheren, dont les digues protègent les Pays-Bas sur une longueur de 4 km. 2 429 habitants.

WESTMEATH *(comté de),* en irl. **Na hlarmhidhe.** ♦ Comté d'Irlande (Eire, prov. de Leinster), dans l'O. de la plaine centrale. 1 763 km². 52 860 hab. (1961). *Ch.-l.* Mullingar*. *V. princ.* Athlone*.

Westminster *(cité de).* ♦ L'un des plus vieux quartiers de Londres, compris entre Kensington et Chelsea à l'O., la City à l'E. et la Tamise au sud. 21,5 km². 266 770 hab. La cité de Westminster compte les plus célèbres monuments de Londres : l'abbaye et le palais de Westminster, Whitehall, le palais de Buckingham*, la *National Gallery* et la *Tate Gallery,* les *Law Courts* (palais de justice). La cité est gouvernée par un maire. – L'ABBAYE DE WESTMINSTER *(Westminster Abbey),* fondée dans la seconde moitié du XIe s. (église abbatiale de St. Peter) sur les ruines d'un anc. monastère bénédictin érigé en 616, fut constamment remaniée au cours des siècles, surtout au XIVe s. (gothique décoré) et au début du XVIe s. (chapelle d'Henri VII en gothique perpendiculaire). C'est un très bon exemple des trois périodes successives du gothique anglais (primitif, décoré et perpendiculaire). Presque tous les rois d'Angleterre y ont été couronnés depuis Édouard le Confesseur. L'abbaye abrite depuis 1296 la pierre du couronnement, ramenée par Édouard le Confesseur de la ville écossaise de Scone, et, depuis 1926, la tombe du Soldat inconnu. De nombreux hommes célèbres y sont enterrés (notamment le « coin des poètes »). – Le COLLÈGE ST. PETER *(Westminster School),* l'un des plus vieux d'Angleterre, dépend de l'abbaye. – Le PALAIS DE WESTMINSTER (maisons du Parlement), anc. palais royal, détruit à deux reprises par des incendies (1512 et 1834), a été reconstruit de 1840 à 1867 par Ch. Barry et Pugin en style néo-gothique. C'est le siège du Parlement britannique. La tour de l'horloge abrite le fameux carillon *Big Ben.* – WESTMINSTER HALL, le premier palais de justice anglais (XIe s.), vit les procès de William Wallace, Richard II, Thomas More, Edmund Campion, Guy Fawkes, Charles Ier, Titus Oaks, Warren Hastings, ... – À proximité, le quartier de Whitehall, autour de l'anc. palais, est le siège du gouvernement britannique. – La *nouvelle cathédrale de Westminster* fut érigée au XIXe s. en style néo-byzantin.

WESTMORLAND. *n. m.* ♦ Comté du N.-O. de l'Angleterre, bordé par la mer d'Irlande à l'O. et la chaîne Pennine à l'E., limité au N. et à l'E. par le Cumberland, à l'O. et au S. par le Lancashire, au N.-E. par le Durham et au S.-E. par le Yorkshire. 2 043 km². 72 724 hab. *Ch.-l.* Appleby*. *V. princ.* Kendal*. – Le comté occupe une partie du massif du Cumberland* et de la région des lacs *(Lake* District)* dont le princ. est le *Windermere* Lake,* le plus grand d'Angleterre. L'économie repose sur l'élevage ovin et l'extraction d'ardoise, de granit et de plomb argentifère. Le tourisme est développé.

WESTON SUPER MARE. ♦ V. de l'Angleterre (Somerset), sur le canal de Bristol (r. s. de l'estuaire de la Severn). 43 940 hab. Importante station balnéaire.

WESTPHALIE, *n. f.,* en all. **Westfalen.** ♦ Originellement peuplée de Saxons (depuis 715 env.), la Westphalie résista à la domination franque jusqu'en 785. Province du duché de Saxe démantelé en 1180, après la victoire de Frédéric* Barberousse sur Henri* le Lion, elle fut alors elle-même divisée en plusieurs principautés laïques et ecclésiastiques, dont la plus importante fut le *duché de Westphalie* donné à l'archevêque de Cologne*, et certaines de ses villes firent partie de la Hanse. Maximilien* Ier créa au XVIe s. un *cercle de Westphalie,* ou du Bas-Rhin, et les Hohenzollern* s'y infiltrèrent au XVIIe siècle. Après leur défaite, Napoléon créa un *royaume de Westphalie* (1807) dont il voulait faire un modèle d'État à la française et qui fut en fait un échec. Cet État, qui avait été un des premiers à se libérer de la domination française, disparut dès 1813, et la plus grande partie de la Westphalie passa alors à la Prusse. Elle est actuellement comprise dans le *land* de Rhénanie* du Nord-Westphalie, à l'intérieur de la République fédérale allemande.

WESTPHALIE *(traités de).* ♦ Nom de deux traités qui conclurent en 1648 la guerre de Trente* Ans. L'un fut signé pour les catholiques à Münster, l'autre pour les protestants à Osnabrück. La France et la Suède en étaient les principales bénéficiaires (la France gagnait entre autres l'Alsace, la Suède conservait les conquêtes de Gustave*-Adolphe). Le Brandebourg s'agrandit, les Provinces-Unies et la Suisse y acquirent leur indépendance. La grande perdante était l'Allemagne : épuisée par la guerre, son économie ne se rétablit qu'un siècle plus tard, l'affaiblissement du pouvoir impérial et la victoire des particularismes la contraignaient à une véritable paralysie politique.

WESTPHALL (Karl Friedrich). ♦ Neurologue et psychiatre allemand (1833 – 1890). Il a montré l'importance de l'étude des réflexes et de leurs modifications pour le diagnostic. *Signe de Westphall :* abolition du réflexe rotulien.

WEST POINT. ♦ Siège d'une académie militaire des États-Unis (État de New York), située au bord de l'Hudson. Fondée en 1802, l'école militaire de West Point forme des élèves officiers (cadets) des armées de terre et de l'air. MacArthur en fut le commandant.

WEST VIRGINIA. ♦ V. VIRGINIE-OCCIDENTALE.

WETTEREN. ♦ Comm. de Belgique (Flandre-Orientale, arr. de Termonde) sur l'Escaut. 20 500 hab. Horticulture et produits maraîchers. Commerce du bois. Puits artésiens.

WETTERHORN, *n. m.* (« Corne des tempêtes »). ♦ Montagne de Suisse (3 703 m), dans l'Oberland bernois, au-dessus du village de Grindelwald.

WETTINGEN. ♦ V. de Suisse (cant. d'Argovie) sur la Limmat, à l'E. de Baden*; 19 100 hab. Abbaye cistercienne (1227-1871) avec de magnifiques vitraux du XIIIe s. dans le cloître, des stalles sculptées (XVIIe s.) dans le chœur. – Indus. textile.

WETZIKON. ♦ V. de Suisse, dans le canton de Zurich. 10 400 hab. Château médiéval transformé au XVIIe s. Filatures de coton et de soie.

WETZLAR. ♦ V. d'Allemagne occidentale (Hesse), au confluent de la Lahn et de la Dill. 36 500 hab. – Cour d'appel. Belle cathédrale des XIIe-XVe siècles. – Instruments d'optique (Leica). Sidérurgie.

WEVELGEM. ♦ Comm. de Belgique (Flandre-Occidentale, arr. de Courtrai) sur la Lys, à 24 km de Lille. 13 628 hab. Indus. textile. Champ d'aviation.

WEXFORD, en irl. **Loch Garman.** ♦ V. anc. et port d'Irlande (Eire) et ch.-l. de comté, sur la *baie de Wexford,* à l'embouchure de la Slaney. 12 000 hab. Ruines d'un prieuré du XIIe siècle. Pêche et indus. alimentaires. – Le *comté de Wexford* occupe l'extrémité S.-O. de l'Irlande (Eire, prov. de Leinster), le long du canal Saint George. 2 351 km². 85 351 hab. *V. princ.* **V. Enniscorthy, New Ross.** Le comté est grand producteur de céréales et de produits laitiers.

WEYDEN (Van der). ♦ **V.** VAN DER WEYDEN.

WEYGAND [vɛgɑ̃] **(Maxime).** ♦ Général français (Bruxelles, 1867 – Paris, 1965). Sorti de Saint-Cyr comme officier de cavalerie, chef d'état-major de Foch dès le début de la Première Guerre mondiale, il demeura son collaborateur intime durant tout le conflit. Il fut envoyé comme conseiller militaire en Pologne (1920), puis remplaça Gouraud comme haut-commissaire en Syrie (1923). Membre du Conseil supérieur de la guerre (1924) et directeur du Centre des hautes études militaires, il fut nommé chef d'état-major de l'armée (1930) et quitta le service en 1935. Rappelé en 1939, il fut nommé commandant en chef du théâtre d'opération de la Méditerranée. En mai 1940, il fut appelé par P. Reynaud à remplacer Gamelin* comme généralissime. Il tenta d'opposer à l'ennemi une résistance sur la Somme et sur l'Aisne. Après avoir refusé de capituler en rase campagne, il se prononça pour un armistice dont le gouvernement prit toute la responsabilité politique. Ministre de la Défense nationale dans le gouvernement de Vichy (juin-sept. 1940), puis délégué général du maréchal Pétain en Afrique du Nord (1940-1941), il signa avec les Américains les accords qui facilitèrent le débarquement allié de 1942 (accords Weygand-Murphy, 1941) et réussit à empêcher l'application des accords Darlan*-Warlimont. Rappelé en France à la demande des Allemands, il fut arrêté et déporté en Allemagne (1942). Libéré (1945), il fut traduit devant la Haute Cour de justice par le gouvernement du général de Gaulle, mais obtint en 1948 un non-lieu sur tous les chefs d'accusation et recouvra tous ses droits. Outre ses *Mémoires* (1950-1957), il a laissé une *Histoire de l'armée française* (1938), un ouvrage sur *Foch* (1947), etc. [Acad. fr., 1931.]

WEYL (Hermann). ♦ Mathématicien allemand (Elmshorn, Schleswig-Holstein, 1885 – Zurich, 1955). Auteur de travaux sur la théorie des nombres, les équations différentielles et intégrales, la physique mathématique, la géométrie différentielle et la relativité, ce qui l'amena à étudier particulièrement les espaces à connexion affine.

WEYMOUTH AND MELCOMBE REGIS. ♦ V. d'Angleterre méridionale (Dorset). Port et station balnéaire de la *baie de Weymouth* s'ouvrant sur la Manche. 41 000 hab. – Patrie d'Henry Moseley et de Thomas L. Peacock.

WEYPRECHT (Karl). ♦ Marin autrichien (König in Odenwald, Hesse, 1838 – Michelstadt, Hesse, 1881). Parti pour explorer l'Arctique (avec Payer) en 1871, il découvrit l'archipel François-Joseph (1872). Outre le récit de son expédition, il publia *Les Métamorphoses de la glace polaire* (1879).

WEZEMBEEK-OPPEM. ♦ Comm. de Belgique (Brabant, arr. de Bruxelles-Communes périphériques). 11 000 hab. Cultures maraîchères.

WHAMPOA. ♦ **V.** HUANG-P'U.

WHARTON (Thomas). ♦ Anatomiste anglais (Winston on Tees, 1614 – Londres, 1673). Auteur d'un traité sur les glandes, il a donné son nom au canal excréteur de la glande sous-maxillaire (canal de Wharton).

WHARTON (Edith). ♦ Romancière nord-américaine (New York, 1862 – Saint-Brice-la-Forêt, 1937). C'est en France (pays qui évoquait pour elle la notion même de « civilisation ») qu'elle vécut très souvent à partir de 1906, se consacrant avec un grand dévouement aux œuvres d'assistance, durant la Première Guerre mondiale. Issue d'une riche famille de la haute société américaine, elle s'attacha, dans son œuvre romanesque, à dépeindre cette classe préservée par ses principes et sa morale conventionnelle, mais déjà menacée (à la fin du XIXe s.) par le dynamisme des nouveaux venus du monde des affaires. *L'Âge de l'innocence* (1920) et *Leurs Enfants* (1928) évoquent le refus « à la fois [de] l'expérience et [de] l'imagination », de la part d'une caste qui se meurt. Dans *Chez les heureux du monde* (*The House of Mirth,* 1905), les personnages incarnent des forces sociales également antagonistes. Parallèlement à ces études satiriques concernant les problèmes sociaux et moraux d'un milieu dont elle semble avoir gardé la nostalgie, Edith Wharton donna des analyses psychologiques que l'on a pu rapprocher de celles de Paul Bourget ou d'Henry James (dont elle fut l'amie). *Ethan Frome* (1911) et *L'Écueil* (1912) présentent, d'une manière réaliste, des drames qui se nouent en des lieux isolés (une ferme ou un château) en accord avec la solitude intérieure des personnages.

WHEATSTONE (*sir* Charles). ♦ Physicien anglais (Gloucester, 1802 – Paris, 1875). Inventeur du stéréoscope (1838) et, avec Cooke*, du télégraphe électrique à cadran (1837) [**V. Gauss** et **Weber, Morse**], il imagina l'utilisation de relais en télégraphie et réalisa les premiers essais de télégraphie par câble sous-marin (1840). Il conçut également un procédé de mesure de résistances électriques à l'aide du *pont de Wheatstone* (1844).

WHEELING. ♦ V. des États-Unis (Virginie-Occidentale), sur le *Wheeling Creek,* près de son confluent avec l'Ohio, à 64 km au S.-O. de Pittsburgh. 53 400 hab. Centre industriel (métallurgie, verrerie, textiles, manufactures de tabac).

Whig et **Tory,** *adj.* et *n. m.* ♦ Termes d'origine écossaise pour l'un, irlandaise pour l'autre, introduits dans la vie politique anglaise lors de l'exclusion du futur Jacques* II de la succession (1679) et qui furent utilisés surtout au XVIIIe s. pour désigner les deux partis adverses. Les *whigs,* auxquels s'attachait l'idée d'opposition à l'autorité royale, furent les artisans de la révolution de 1688, puis de l'établissement de la dynastie des Hanovre et gardèrent le pouvoir pendant la première moitié du XVIIIe s., sous la direction de Walpole*, tandis que les *tories* (Bolingbroke*) étaient discrédités par leur « jacobisme ». L'avènement de George* III et surtout la personnalité du Second Pitt* amenèrent la formation d'un nouveau torysme, libéral, auquel s'opposa un nouveau parti whig, radical, avec Fox*. La Révolution française et la guerre qui la suivit modifièrent cette division, le torysme s'orientant alors vers la réaction et étant suivi par une large fraction whig. Les tories conservèrent le pouvoir jusqu'en 1830 (Castlereagh*, Peel*, Wellington*), date à laquelle le terme de *tory* fit place à celui de *conservateur* et celui de *whig* à *libéral.* Cf. le *Robert.*

WHIPPLE (George Hoyt). ♦ Médecin américain (Ashland, 1878 – Rochester, 1976). Il a étudié la lipodystrophie intestinale (*maladie de Whipple,* 1907) et découvert une thérapeutique des anémies graves, consistant dans l'ingestion de foie ou l'administration d'extraits hépatiques (*méthode de Whipple,* 1920). (Prix Nobel de méd., 1934, avec G.R. Minot* et W.P. Murphy*.)

WHISTLER (James Abbott Mac Neill). ♦ Peintre, aquarelliste, pastelliste, dessinateur et graveur américain (Lowell, Massachusetts, 1834 – Londres, 1903). De 1851 à 1854, il fut élève à West Point. Décidé à devenir peintre, il alla à Paris étudier dans l'atelier

Ph. Keystone

Le général **Weygand** (à gauche).

de Gleyre, se lia avec Fantin*-Latour puis Courbet*, Degas* et Manet*. Ses premières œuvres portent la marque des maîtres hollandais (Vermeer, P. de Hooch) et de Vélasquez mais dénotent surtout l'influence du réalisme prôné par Courbet. Refusé au Salon de 1859 avec *Au piano*, il alla à Londres, devint l'ami de Rossetti* ; prenant alors une orientation différente, il s'inspira dans ses portraits féminins du type mélancolique et langoureux cher aux préraphaélites (*La Jeune Fille en blanc*, 1863). Il s'enthousiasma aussi pour les estampes japonaises, les porcelaines chinoises et introduisit ces motifs exotiques dans ses portraits (*La Princesse au pays de porcelaine*, 1864). Attentif aux recherches sur la lumière poursuivies par les futurs impressionnistes, il alla peindre en Normandie avec Courbet* (*Courbet à Trouville*, 1865) et allégea sa palette. Après une période d'hésitations (réminiscences ingresques, mélanges d'éléments japonais et de motifs grecs), il s'affirma avec une série de portraits et de paysages aux titres abstraits et musicaux (*Symphonie en gris et vert, L'Océan*, 1866; *Harmonie en gris et vert; Miss Cecily Alexander*, 1872-1873; *Nocturne en bleu et or; Le Vieux Pont de Battersea*, 1872-1875), qui témoignent d'un souci de se libérer de l'aspect anecdotique de la représentation pour faire prévaloir une recherche de tons raffinés et un strict agencement de formes de caractère abstrait. Aux reproches de futilité et d'amoralisme que lui fit Ruskin*, il répliqua en défendant l'autonomie de la peinture. La conférence où il résume ses conceptions *(Ten o'clock)* fut traduite par Mallarmé avec lequel il était très lié depuis 1877. En 1879-1880, il fit un voyage à Venise où il exécuta de nombreux pastels et des eaux-fortes, sans pour autant abandonner les grands portraits; il peignit aussi des petits paysages, des scènes d'intérieur, des marines, et notamment une série de façades de boutiques *(Vert et or, Une boutique à Calais)* où le sujet devient exclusivement prétexte à un jeu abstrait de lignes géométriques et de surfaces colorées qui n'est pas sans annoncer les recherches de Mondrian*.

WHITE (Israël Charles). ♦ Géologue américain (1848 – 1927). Spécialiste de géologie appliquée, il formula une théorie (dite anticlinale) sur la localisation des gisements de pétrole, affirmant qu'ils sont situés dans la partie supérieure des couches plissées.

WHITE (Patrick). ♦ Écrivain australien (né en 1912). Issu d'une famille de propriétaires terriens fixés en Australie depuis 1826, lui-même établi depuis 1948 près de Sydney, où il pratique l'horticulture et l'élevage, Patrick White a donné une « importance primordiale », dans son œuvre romanesque, à l'évocation de la nature, encore sauvage, de son pays natal. Déjà connu avant la Seconde Guerre mondiale par deux amples romans, *Happy Valley* (*Eden-Ville*, 1939) et *The Living and the Dead* (*Le Vivant et le Mort*, 1941), l'écrivain a composé depuis des récits puissants où il met en scène des héros (souvent des femmes) animés de fortes passions et se plaisant à éprouver leur volonté (*Voss*, 1957). Cette force morale peut d'ailleurs affronter un destin injuste, comme dans *Riders in the Chariot* (*Le Char des élus*, 1961), et être vaincue; elle est signe de l'exigence qui habite ces personnages qui semblent dotés d'une énergie et d'une connaissance supérieures et sont dressés contre le tragique ou l'absurde de l'existence (Cf. les nouvelles de *The Burnt Ones, Les Échaudés*, 1964). Épiques, à l'image des luttes qu'ils dépeignent, les romans de Patrick White recourent à une écriture traditionnelle, mais enrichie d'amples métaphores. (Prix Nobel, 1973.)

White Hall. ♦ Grande artère de Londres située entre Westminster et Trafalgar Square, dans le prolongement de Parliament Street, sur l'emplacement d'un anc. palais royal (dont il ne reste que le *Banqueting Hall*). Elle est bordée de bâtiments publics (quartier des *Horse Guards*, ministère de la Guerre).

WHITEHEAD (Robert). ♦ Ingénieur anglais (Bolton-le-Moors, Lancashire, 1823 – Beckett Park, Berkshire, 1905). Après avoir construit plusieurs navires de guerre pour le compte de l'Autriche, il étudia la torpille sous-marine automobile à partir de 1866, en entreprit la construction en 1872 et la perfectionna en lui adjoignant un servomoteur en 1876.

WHITEHEAD (Alfred North). ♦ Mathématicien, logicien et philosophe anglais (Ramsgate, Kent, 1861 – Cambridge, États-Unis, 1947). Professeur de mathématiques appliquées et de mécanique à Cambridge et à l'université de Londres, puis de philosophie à Harvard (1924-1937), il publia en collaboration avec B. Russell* les *Principia mathematica* (1910-1913) qui, tout en prétendant fonder les mathématiques sur des notions purement logiques, contribuèrent à établir les bases de la logique mathématique moderne. Considéré comme un des principaux représentants du « néo-réalisme » anglo-saxon, Whitehead a étendu ses réflexions à la sociologie culturelle, l'éducation, la métaphysique et la religion. Il devait adopter finalement « une attitude critique devant une interprétation exclusivement rationaliste du monde [devant] une science qu'il représente pourtant » (R. Kanters) et formula une philosophie dynamiste, qui, refusant les oppositions traditionnelles, se présente comme un monisme panthéiste et fait de Dieu une nécessité immanente de l'existence et de la connaissance. *Principes de la connaissance naturelle*, 1919; *Le Concept de nature*, 1920; *Le Devenir de la religion*, 1926; *Les Buts de l'éducation*, 1929.

WHITEHORSE (« cheval blanc »). ♦ V. du N.-O. du Canada (*cap.* du Yukon*). 12 000 hab. Centrale hydro-électrique. ♦ *Hist.* Fondée en 1896 après la découverte de l'or du Klondike **(V. Dawson)**, qui suscita la construction d'une voie ferrée reliant le site

Ph. Nimatallah/Ricciarini

James Mac Neill Whistler :
« La Jeune Fille en blanc ».
(Tate Gallery, Londres.)

à la côte Pacifique, la ville atteignit 20 000 hab., puis déclina avec les mines. En 1942, la construction de la route de l'Alaska fit de Whitehorse un centre provisoire (env. 50 000 hab.) dont l'importance diminua après la guerre.

WHITE HORSE HILLS. *n. f. pl.* ♦ Collines crayeuses du S. de l'Angleterre, s'étendant entre les Cotswold* Hills au N.-O. et les Chiltern* Hills au N.-E. et culminant à 261 m.

WHITE MOUNTAINS (« montagnes blanches »). ♦ Massif montagneux du N.-E. des États-Unis, prolongement du système appalachien dans le New* Hampshire et le Maine.

WHITFORD (Albert Edward). ♦ Astrophysicien américain (né en 1905). Ses travaux permirent d'améliorer les méthodes photoélectriques en photométrie stellaire (1932) et en colorimétrie stellaire (1934-1939). **V.** *aussi* **Guthnick, Rougier.**

WHITMAN (Walter, dit Walt). ♦ Poète américain (West Hills, Long Island, 1819 – Camden, N.J., 1892). Whitman est l'homme d'un seul livre : *Les Feuilles d'herbe (Leaves of Grass)*, et sa vie se confond avec l'histoire de ce livre, qu'il ne cessait d'enrichir à chaque édition (la dernière comprend quatre cent onze poèmes). Sa mère, quaker, lui transmit sa foi dans la lumière intérieure, et son père, simple charpentier patriote et individualiste, son libéralisme. Ayant quitté l'école à onze ans, il fut typographe, instituteur, journaliste et enfin infirmier (1862-1865) pendant la guerre de Sécession. Et les thèmes qu'il développe prolongent l'expérience de son éducation et de sa jeunesse : « Je chante le Moi, une personne simple, séparée. Néanmoins, je prononce le mot Démocratique, le mot En Masse ». Un petit traité en prose, *Perspectives démocratiques* (1871), développe ces idées. Nouveau prophète de l'homme moderne, « Walt Whitman, un Kosmos » voulait s'adresser à tous, faire découvrir à tous l'unité, l'égalité du corps et de l'âme, de la femme et du mâle. Mais l'hymne de confiance en soi *(Chant de moi-même : Song of Myself)* qui commence son œuvre lui valut d'être honni. Seul Emerson le défendit (« Je vous salue au début d'une grande carrière »). Dans la dernière partie de son œuvre, l'optimisme et l'enthousiasme se changent en un vague mysticisme *(Oiseaux de passage; Chuchote la divine mort : Whispers of Heavenly Death)*. Barde de la démocratie, Whitman compatissait à la souffrance du frère, du « camerado ». Et, parce qu'il prônait l'amour viril, on en fit un adorateur de Priape, obsédé homosexuel *(Calamus)*. À l'exemple de Lincoln qu'il vénérait, il s'était donné pour règle d'or : « Comment osez-vous faire passer quoi que ce soit avant un homme? » Ses méditations autobiographiques furent

Ph. PSZ/Ricciarini

Knut Wicksell.

Ph. Giraudon

C. M. Wieland. (Bibl. nationale, Paris.)

publiées sous le titre de *Jours exemplaires* (*Specimen,* 1882-1883). Poète de la spontanéité, il récusait tout esthétisme : « Personne ne comprendra mes vers s'il veut les interpréter comme des performances littéraires ».

WHITNEY (William Dwight). ♦ Linguiste américain (Northampton, Massachusetts, 1827 – 1894). Issu d'une famille riche en universitaires, il s'intéressa d'abord aux sciences naturelles. Il abandonna peu à peu la géologie pour la philologie, qu'il étudia à Yale (1849), puis en Allemagne (Berlin et Tübingen). Professeur à Yale en 1854, il avait entrepris en 1852 la publication de l'Atharva Veda. Sa *Grammaire du sanskrit* parut en 1879. Outre des travaux lexicographiques *(Webster* et *Century Dictionary)* et des réflexions issues d'une polémique avec Max Müller, on lui doit deux ouvrages de synthèse (*The Life and Growth of Language,* 1875 ; *Language and its Study,* 1876) qui exercèrent une grande influence, notamment sur F. de Saussure*. Par son analyse du signe et de ses fonctions linguistiques, par la reconnaissance du caractère spécifique des langues naturelles parmi les systèmes de communication, Whitney annonce la linguistique structurale et fonctionnelle du XXe siècle.

WHITNEY (mont). ♦ Montagne du S.-E. des États-Unis, dans la sierra Nevada* (Californie); c'est le point culminant du pays, en dehors de l'Alaska (4 418 m).

WHITTLE (*sir* Franck). ♦ Ingénieur anglais (Coventry, 1907 –). Cherchant à adapter la turbine à gaz à la propulsion des avions, il conçut le premier turboréacteur qu'il fit breveter en 1930 et qui fonctionna au banc d'essai en 1937. Le premier vol d'un avion équipé de ce moteur, alors réalisé par Rolls Royce, eut lieu le 15 mai 1941.

WHITWORTH (*sir* Joseph). ♦ Ingénieur et industriel britannique (Stockport, Cheshire, 1803 – Monte-Carlo, 1887). Fondateur d'une manufacture de machines-outils (1833), il recommanda en 1841 un système de filetage uniforme pour les vis. Ses produits ayant été remarqués à l'Exposition de 1851 pour leur grande précision, il fut chargé de réaliser les machines devant fabriquer les tubes des fusils rayés (arsenal d'Enfield). Il remplaça le marteau par la presse hydraulique pour le forgeage de l'acier (1870).

WHORF (Benjamin Lee). ♦ Linguiste américain (Winthrop, Massachusetts, 1897 – Wetherfield, Connecticut, 1941). Il a étudié à la suite de Sapir* les systèmes linguistiques (en particulier les langues indiennes) d'après la façon dont ils représentent et analysent la réalité perçue par la structure de leurs vocabulaires et de leurs syntaxes. *Language, Thought and Reality* (1956).

WHYALLA. ♦ V. et port de l'État d'Australie*-Méridionale, sur la côte E., au fond du golfe de Spencer, relié par voie ferrée au gisement de fer d'Iron Knob. 32 085 hab. – Sidérurgie. Constructions navales. Exportation de minerai de fer.

WHYMPER (Edward). ♦ Alpiniste anglais (Londres, 1840 – Chamonix, 1911). Il fut le premier à accomplir l'ascension du Cervin* (1865). Il mena ensuite des expéditions dans le Groenland et les Andes (1880).

WHYTE (Frederic Methven). ♦ Ingénieur américain (né en 1865 – Tarrytown, New York, 1941). Il imagina la classification des types de locomotives par nombre de roues (porteuses, motrices). En Europe, la classification Whyte est utilisée par nombre d'essieux.

WIATR (Marek). ♦ Écrivain et essayiste polonais (Cracovie, 1930 – Rio de Janeiro, 1968). Exilé en Amérique latine en 1956, il écrivit un essai sur les difficultés d'application de la théorie marxiste, *Échec d'une utopie* (1957), avant de publier un roman socio-philosophique où il évoque avec cynisme l'absurdité de l'existence humaine : *Le Labyrinthe* (1960). Sur le même thème, il écrivit encore *Pactodom* (1967), *Doupka* (1967), mais son désespoir le poussa au suicide en 1968.

WICHITA. ♦ V. des États-Unis, dans le S. du Kansas. 276 554 hab. – Grand marché du grain et du bétail. Indus. chimiques et pharmaceutiques, outils de précision, etc. – Université.

WICHITA FALLS. ♦ V. des États-Unis, au N. du Texas. 94 976 hab. – Centre d'une région agricole (élevage, blé, coton) et pétrolifère. Raffineries. Matériel pétrolier.

WICHMAN (Eva Aline). ♦ Poétesse, nouvelliste et décoratrice finlandaise de langue suédoise (Helsinki, 1908 –). Elle satirise le conformisme dans ses nouvelles *Mania* (1937) et *Tout est comme avant ici* (1938), s'indigne des souffrances imposées aux êtres vivants dans *Le nuage me vit* (1942). Ses poèmes *Œil-de-serpent, L'Autre Mélodie* (1948), sont simples et méditatifs. Par la suite, militante de gauche, elle publia des vers résolument politiques dans *Poésie d'aujourd'hui* (1951) et *Les Vivants* (1954), se rasséréna dans *Poèmes* (1960) et *Cela arrive soudainement* (1964).

WICK. ♦ V. de la côte N. de l'Écosse et ch.-l. du Sutherland, sur la mer du Nord. 7 000 hab. – Pêche du hareng.

WICKLOW, en irl. **Cill Mhantáin.** ♦ V. et port de la côte S.-E. de l'Eire et ch.-l. de comté sur la mer d'Irlande, au S. du cap Wicklow *(Wicklow Head).* 3 125 hab. (1961). – Le *comté de Wicklow* (1 608 km². 66 295 hab. en 1971. *V. princ.* **V. Bray**) s'étend au S. du comté de Dublin. L'ossature du relief est constituée par les *monts Wicklow,* de direction N.-S. et culminant au Lugnaquilla (926 m). L'écon. est fondée sur l'agriculture (céréales, pomme de terre), l'élevage ovin, l'exploitation du minerai de cuivre et de l'énergie hydro-électrique du bassin de la Liffey *(Poulaphouca Reservoir).*

WICKRAM (Georg ou **Jörg).** ♦ Écrivain alsacien (Colmar, v. 1520 – v. 1564). Fondateur de l'école de maîtres* chanteurs de Colmar (1546), auteur de *Fastnachtspiele* (farces allégoriques jouées lors du carnaval), de mystères, de drames, il fut le créateur du roman bourgeois avec *Le Miroir des jeunes garçons* (*Der jungen Knaben Spiegel,* 1554), *Des bons et des mauvais voisins* (*Von guten und bösen Nachbarn,* 1556) et surtout *Fil d'or* (*Der Goldfaden,* 1554 ou 1557), où il conte l'amour de deux jeunes gens d'origines sociales différentes.

WICKSELL (Knut). ♦ Économiste suédois (Stockholm, 1859 – Stocksund, 1926). Tout en s'appuyant sur les principes du marginalisme, il a dépassé la théorie de l'équilibre général réalisé dans le capitalisme libéral **(V. L. Walras)** par son étude sur les fluctuations et l'instabilité du système des prix (*Valeur, Capital et Rente,* 1893 ; *Intérêt et Prix,* 1898 ; *Cours d'économie sur la base du principe marginal,* 1901).

WIDAL (Fernand). ♦ Médecin français (Dellys, Algérie, 1862 – Paris, 1929). Ses nombreux travaux (en particulier sur la typhoïde) eurent une grande influence sur le développement des recherches médicales et biologiques. (Acad. méd., 1906; Acad. sc., 1919.) Ses règles pour le diagnostic des néphrites (en fonction du taux d'urée dans le sang) sont appelées *lois de Widal.*

WIDNES. ♦ V. d'Angleterre septentrionale (Lancashire), sur la r. d. de l'estuaire de la Mersey, à 23 km au S.-E. de Liverpool. 52 200 hab. Important centre chimique (colorants, blanchiment, fabrication d'amoniaque) et indus. mécaniques. – Patrie de Charles G. Barkla*.

WIDOR [vidɔʀ] **(Charles Marie).** ♦ Organiste et compositeur français (Lyon, 1844 – Paris, 1937). Après avoir étudié à Lyon, puis à Bruxelles, il devint titulaire des orgues de Saint-Sulpice (1869-1905), professeur d'orgue et de composition au Conservatoire national (1891-1905), où il eut pour élèves Tournemire*, Vierne* et Dupré*. Il devint en 1914 secrétaire de l'académie des Beaux-Arts. Il a donné à l'orgue une dimension symphonique (dix symphonies). On lui doit aussi des symphonies pour orchestre (dont la *Sinfonia Sacra,* avec orgue).

WIDUKIND. ♦ Chef saxon (mort après 785). Il mena la lutte contre Charlemagne (778), mais dut finalement se soumettre et accepter le baptême (785).

WIDUKIND. ♦ Chroniqueur allemand (mort à Corvey, v. 1004). Moine de l'abbaye de Corvey, il est l'auteur des *Res gestae saxonicae* relatant l'histoire des Saxons depuis les origines jusqu'à la mort d'Othon* le Grand (973).

WIECHERT (Ernst Emil). ♦ Écrivain allemand (Kleinort, Prusse-Orientale, 1887 – dans le canton de Zurich, 1950). Évocation de la Prusse-Orientale, de ses paysages de forêts, de landes, d'étangs et de marais, son œuvre s'inscrit dans le cadre de la littérature régionaliste et exprime un « sentiment très haut, très noble et très profond de l'humain... (qui) ne s'accomplit toutefois que par une communion intime avec la nature, animée à son tour par le spirituel » (M. Brion). En quête de Dieu, quoique détaché du protestantisme dans lequel il avait été élevé, Wiechert exalta en effet un attachement mystique à la terre, les vertus d'une vie simple, une morale faite de dénuement et d'amour du prochain. Outre des romans (*Le Loup des morts,* 1924 ; *Tout Homme,* 1931 ; *La Vie simple,* 1939 ; *Les Enfants Jéromine,* 1945-1947) ; *Missa sine nomine,* 1950), il laissa de nombreux écrits autobiographiques (*Des forêts et des hommes,* 1936 ; *Le Bois des morts,* 1945, récit de son séjour au camp de Buchenwald où il fut interné pour son opposition au nazisme; *Années et Saisons,* 1949).

WIEDEMANN (Gustav Heinrich). ♦ Physicien allemand (Berlin, 1826 – Leipzig, 1899). Étudiant avec Franz* la conductibilité des solides, il vérifia la proportionnalité des conductibilités thermique et électrique, à une température donnée (*loi de Wiedemann-Franz,* 1853). **V. F. Neumann.**

WIELAND (Christoph Martin). ♦ Poète, conteur et romancier allemand (Oberholzheim, près de Biberach, Wurtemberg, 1733 – Weimar, 1813). Fils de pasteur, élevé dans un milieu piétiste, il se familiarisa néanmoins très tôt avec la pensée rationaliste (Wolff, Bayle, Voltaire). Toutefois, celui qu'on allait surnommer « le Voltaire de l'Allemagne » abonda d'abord dans le sens de la piété sentimentale et de la spiritualité exaltée de J.J. Bodmer, chez qui il séjourna à Zurich, et surtout de Klopstock*, dont il devait devenir par la suite le rival (*Briefe von Verstorbenen,* 1754; *Empfindungen eines Christen,* 1755). L'influence du moraliste anglais Shaftesbury et la lecture des poètes anciens, des auteurs français et de Shakespeare, dont il donna la première traduction allemande, le ramenèrent peu à peu de cette « morale des capucins » vers un humanisme plus équilibré. Cette « victoire de la nature sur le mysticisme » s'affirma dans ses premiers romans. Ainsi dans *Agathon* (1766), sous les traits d'un jeune homme grec, Wieland décrivit sa propre histoire spirituelle, ses hésitations morales, ouvrant la voie au « roman de formation » *(Bildungsroman)*; écrite dans un style alerte et gracieux, maniant tour à tour l'ironie et la plaisanterie, parfois grivoise, et affectant volontiers un ton sceptique, l'œuvre valut un succès considérable à son auteur, tout en faisant scandale comme d'ailleurs les contes qui lui succédèrent. Plus sérieux, le poème didactique *Musarion ou la Philosophie des grâces* (1768), tout en dénonçant les vertus hypocrites, définit « une morale aimablement mesurée [...], une sorte de douce discipline du cœur » (P. Grappin). Après la publication de son roman *Le Miroir doré* (*Der goldene Spiegel,* 1769), conte oriental à caractère politique où il se prononçait en faveur d'une monarchie éclairée, Wieland fut appelé comme précepteur du fils de la duchesse Anne-Amélie de Saxe-Weimar. Sous son influence, Weimar devait bientôt devenir un des grands centres littéraires allemands, « l'Athènes de Germanie » **(V. Goethe).** Fondateur de la revue *Teutscher Merkur* (1773), Wieland donna encore un roman *Die Abderiten* (1774), description satirique de la petite bourgeoisie allemande, un poème épique à thème médiéval, *Oberon* (1780). Goethe, qui prononça son éloge funèbre pour la loge maçonnique, devait dire de lui : « Toute l'Allemagne de la bonne société doit son style à Wieland ». L'œuvre, qui fit date dans l'histoire de la littérature allemande, a cependant vieilli; et Nietzsche, tout en confirmant le jugement de Goethe, ajoutait : « Mais ses idées ne nous donnent plus à réfléchir. Nous supportons ses moralités joyeuses tout aussi peu que ses joyeuses immoralités ».

WIELAND (Heinrich Otto). ♦ Chimiste allemand (Pforzheim, 1877 – Munich, 1957). Auteur d'une théorie de l'oxydation par déshydrogénation (1912) qui donna une extension considérable au concept de respiration, on lui doit également des recherches sur les acides de la bile et la détermination (avec Windaus*) de la constitution du cholestérol (1932). [Prix Nobel de chimie, 1927.]

WIELICZKA. ♦ V. du S. de la Pologne* (voïevodie de Cracovie). 12 000 hab. – Importantes mines de sel, exploitées depuis le XIIIe siècle.

WIEN (Wilhelm). ♦ Physicien allemand (Gaffken, Prusse-Orientale, 1864 – Munich, 1928). Il étudia l'action des champs électrique et magnétique sur les rayons positifs; appliquant les principes de la thermodynamique et le principe de Doppler*, il obtint la formule donnant la répartition de l'énergie émise par le corps noir entre les diverses longueurs d'onde (1893) et de laquelle se déduisit, expérimentalement, la « loi du déplacement » de Wien $\left(\frac{v^m}{T} = Cte\right)$. **V. Planck, Stefan.** (Prix Nobel de phys., 1911.)

WIEN. ♦ **V.** VIENNE.

WIENBARG (Ludolf). ♦ Écrivain allemand (Altona, 1802 – Schleswig, 1872). Si ses *Campagnes esthétiques* (*Ästhetische Feldzüge,* 1834) permettent de le classer parmi les représentants de la Jeune*-Allemagne, il s'en sépara par des positions nettement plus nationalistes.

WIENE (Robert). ♦ Réalisateur allemand de cinéma (né en 1881 – Paris, 1938). Son œuvre la plus célèbre, « Le Cabinet du docteur Caligari » (*Das Kabinett des Doktor Caligari,* 1919), réussite saisissante du cinéma expressionniste, devait constituer, dans la pensée du scénariste Carl Mayer, un réquisitoire contre la société, responsable des cruautés de la guerre. Le réalisateur n'en retint qu'un prétexte à des images remarquables par leur beauté plastique.

Ph. Giraudon

C.M. Widor,
par L. Bonnat.
(Salle Gaveau, Paris.)

Ph. X

Ernst Emil Wiechert.

WIENER (Norbert). ♦ Savant américain (Columbia, Missouri, 1894 – Stockholm, 1964). Fondateur, avec le cardiologue A. Rosenblueth*, de la cybernétique (1938), il reprit la notion de *feedback* (1943), déjà analysée par Maxwell*, pour l'associer à un objet agissant sur son milieu en vue d'atteindre un objectif et exposa les méthodes et les ambitions de l'automatisme souple (*Cybernetics, or Control and Communication in the Animal and the Machine,* 1948). **V. Shannon, Weaver.**

WIENER NEUSTADT. ♦ V. autrichienne (Basse-Autriche) située au S. de Vienne. 34 000 hab. La ville possède de nombreux monuments : Hauptplatz, entourée de maisons gothiques; hôtel de ville (1488), remanié à l'époque baroque; église paroissiale de l'Assomption (parties romanes et baroques); Burg (château fort des XIIIe au XVe s., transformé au XVIIIe s.); Neuklosterkirche (gothique). – Indus. mécaniques et textiles. ♦ *Hist.* La ville fut fondée en 1194 par le duc Léopold de Babenberg, comme bastion de défense contre les Magyars. Elle fut résidence impériale sous Frédéric III (1439-1493). Son fils Maximilien Ier, qui y naquit en 1459, est enterré dans l'église du château. La ville, déjà dévastée au XIXe s. par un gigantesque incendie, a subi des destructions très importantes lors de la Deuxième Guerre mondiale. Elle a été entièrement reconstruite.

WIEPRZ. *n. m.* ♦ Riv. de Pologne (312 km), affl. de la Vistule*.

WIERINGEN *(îles).* ♦ Anc. île des Pays-Bas, dans le Zuiderzee, transformée en polder (1927-1930). Le *Wieringermeer polder* (ou polder du N.-O.), le plus ancien et le plus septentrional des polders du Zuiderzee, est isolé de l'Ijselmeer par une digue et a une superficie de 20 000 ha.

WIERTZ (Antoine). ♦ Peintre et dessinateur belge (Dinant, 1806 – Bruxelles, 1865). Il s'inspira de Rubens et exécuta d'énormes compositions dans un style souvent emphatique. Il aimait les figures imposantes, les détails macabres. Il réalisa de nombreuses esquisses d'un réalisme plein de verve et manifesta des tendances symbolistes et expressionnistes. Son œuvre la plus célèbre est *La Belle Rosine* (vers 1834).

WIESBADEN. ♦ V. d'Allemagne occidentale et cap. du Land de Hesse, au pied du Taunus et près du Rhin. 259 200 hab. – Élégante station thermale (eaux chlorurées sodiques) connue depuis l'époque romaine, Wiesbaden est spécialisée dans le traitement des rhumatismes et des affections cardiaques. C'est en outre l'un des grands centres allemands de l'industrie cinématographique et le siège d'un festival de théâtre international. – Indus. chimiques et textiles. ♦ *Hist.* L'anc. *Aquae Mattiacae* romaine prit en 829 le nom de *Wisbada.* Elle passa au XIIe s. aux comtes de Nassau* et devint la cap. de la principauté de Nassau-Usingen en 1744, puis du duché de Nassau (1809) avant de passer à la Prusse en 1866, devenant la cap. de la prov. de Hesse-Nassau. Siège de l'administration alliée de 1919 à 1930, pendant l'occupation de la Rhénanie, puis en 1940 de la commission franco-allemande d'armistice.

WIESE (Leopold *von***).** ♦ Sociologue et économiste allemand (né en 1876 –). Il a exposé de façon complète le point de vue de l'école formaliste en sociologie, développant une théorie des relations et une théorie des formes sociales dans sa *Sociologie générale* (1924).

WIESER (Friedrich *von***).** ♦ Homme politique et économiste autrichien (Vienne, 1851 – Sankt Gilgen, 1926). Ministre du Commerce lors de la Première Guerre mondiale, il fut le chef de file de l'école marginaliste de Vienne après C. Menger*. Éliminant toute notion de coût de production dans la détermination de la valeur des biens, il a surtout développé la notion de productivité marginale et posa les bases d'une nouvelle théorie monétaire, la théorie du revenu (développée par Aftalion*). Contrairement à la plupart des marginalistes, Wieser a affirmé le rôle de l'État dans la vie économique et mit en question le libéralisme (*De l'origine et des lois de la valeur,* 1884; *La Valeur naturelle,* 1889; *La Théorie de l'économie sociale,* 1913; *La Loi de la puissance,* 1926).

WIGAN. ♦ V. du N. de l'Angleterre (Lancashire) sur la Douglas, au N.-E. de Liverpool. 81 258 hab. Église gothique perpendiculaire (XVe s.). Important bassin houiller. Indus. textiles (cotonnades, confection), métallurgie lourde et outillage, produits alimentaires (conserves).

WIGHT *(île de).* ♦ Île du S. de l'Angleterre, sur la côte de la Manche (Hampshire), entre Portsmouth et Southampton, séparée du continent par deux détroits, le Spithead* et le Solent*. 381 km². 98 000 hab. *Ch.-l.* Newport*. *V. princ.* Cowes*. – L'île a la forme d'un losange et est partagée en deux par la Medina River. Le climat, particulièrement clément, a favorisé le développement du tourisme et du yachting (Cowes, Ryde, Ventnor, Yarmouth). La reine Victoria séjourna et mourut (1901) au château d'Osborne, près de Cowes. – Patrie de l'astronome Robert Hooke*.

WIGMAN (Mary). ♦ Danseuse et chorégraphe allemande (Hanovre, 1886). Elle étudia avec Jaques Dalcroze et R. von Laban (1913) avant de paraître comme soliste sur les scènes de plusieurs villes d'Allemagne. Elle commença une longue carrière de professeur et d'animatrice en fondant à Dresde (1920) une école dont le rayonnement s'étendit peu à peu à l'Allemagne, à la Suisse et aux États-Unis. Sa conception d'une danse d'abord libérée de la musique, puis, plus tard, prenant appui sur les instruments à percussion et affranchissant le danseur de toute contrainte d'école, a exercé une forte influence sur l'évolution de l'art chorégraphique contemporain.

WIGNER (Eugene Paul). ♦ Physicien américain d'origine hongroise (Budapest, 1902). Spécialiste de physique nucléaire, il étudia la quantification du champ électromagnétique (1928), puis participa à l'élaboration de la théorie quantique des champs en général; avec N. Bohr* et Breit*, il élabora le modèle du noyau composé qui permet d'interpréter de nombreuses réactions nucléaires (1936); auteur de recherches sur les réacteurs nucléaires, il découvrit l'effet qui porte son nom et participa à la mise au point de la première pile atomique, sous la direction de Fermi* [Chicago, 2 déc. 1942]. (Prix Nobel de phys., 1963.) — *Effet Wigner :* déplacement d'un atome dans un réseau cristallin par action d'un neutron ou d'un ion d'énergie suffisante; c'est à cause de cet effet que le flux des neutrons dans un réacteur nucléaire modifie les propriétés mécaniques, physiques et chimiques des matériaux qui y sont soumis.

WIGTOWN. ♦ V. et port du S.-O. de l'Écosse (Wigtownshire) sur la *baie de Wigtown.* 1 200 habitants.

WIGTOWNSHIRE. *n. m.* ♦ Comté du S.-O. de l'Écosse, baigné par le canal du Nord à l'O. et par la mer d'Irlande au S. et formant avec le Kirkcudbrightshire le Galloway*. 1 263 km². 29 125 hab. *Ch.-l.* Newton Stewart. *Autres V.* **V. Stranraer, Wigtown.** — Élevage laitier.

WIJNEGEM. ♦ Comm. de Belgique (prov. et arr. d'Anvers) sur le canal Albert, à 9,5 km d'Anvers. 8 300 hab. Importante distillerie.

WIL. ♦ V. de Suisse (cant. de Saint-Gall) dans la vallée de la Thur*. 12 500 hab. Maisons anciennes (XIVe-XVIIe s.). — Indus. textile.

WILD (Henri). ♦ Ingénieur suisse (Bilten, 1877 — Baden, 1951). Constructeur d'appareils de précision, il est le créateur des instruments modernes de géodésie et de photogrammétrie.

WILDE (Oscar Fingal O'Flahertie Wills). ♦ Écrivain et auteur dramatique anglais d'origine irlandaise (Dublin, 1856 — Paris, 1900). Fils d'un chirurgien irlandais, il acheva ses études à Oxford (1878) et devint bientôt, par sa beauté, son élégance, la subtilité de son esprit et l'esthétisme raffiné de sa doctrine littéraire, l'auteur le plus fêté de toute l'Angleterre. Il publia alors des *Poèmes* (1881), des contes : *Le Prince heureux et autres contes* (*The Happy Prince and Other Tales,* 1888), puis des histoires : *Le Crime de lord Arthur Saville et autres histoires,* des essais *(Intentions)* et un unique roman : *Le Portrait de Dorian Gray* (*The Picture of Dorian Gray,* 1891), confession intime dont l'impudeur souleva le scandale. Il demeura cependant le favori de la haute société londonienne quand il fit représenter, avec un éclatant succès, dans les années qui suivirent, trois œuvres qui renouvelaient la comédie anglaise agonisante : *L'Éventail de Lady Windermere* (*Lady Windermere's Fan,* 1892) où s'unissent le pathétique et le comique romanesques; *Une femme sans importance (A Woman of no Importance,* 1893) et, surtout, *De l'importance d'être constant (Of the Importance of being Earnest,* 1895), peinture impitoyable des mœurs de l'aristocratie anglaise. Durant les mêmes années, il composa aussi, en français, un drame, *Salomé,* que Sarah Bernhardt créa à Paris (1893). — La dénonciation publique de ses mœurs homosexuelles par le marquis de Queensberry, père de lord Alfred Douglas, lui valut alors d'être condamné à deux ans de travaux forcés (1895). Ce fut pour Wilde, avec l'effondrement de sa réputation, le début d'une déchéance dont il ne se releva pas. Il écrivit encore l'émouvante *Ballade de la geôle de Reading* (*Ballad of the Reading Gaol,* 1898), puis quitta l'Angleterre pour la France, à l'expiration de sa peine. Malgré la sollicitude de quelques amis, dont André Gide*, il finit ses jours dans une tragique solitude. Intelligence étincelante et rebelle au conformisme d'une classe dirigeante qui se voulait intouchable, artiste exigeant et insatisfait, Oscar Wilde a enrichi la littérature de son pays de quelques-uns de ses plus hauts chefs-d'œuvre.

Coll. Viollet

Oscar Wilde.

WILDENBRUCH (Ernst *von*). ♦ Écrivain allemand (Beyrouth, 1845 — Berlin, 1909). Auteur de poésies patriotiques (1870-1871), il tenta de porter à la scène les grands moments de l'histoire allemande (*Les Carolingiens,* 1881; *Henri et sa descendance,* 1896; etc.) et s'essaya également dans le drame social (*L'Alouette, Die Haubenlerche,* 1891).

WILDENVEY (Herman). ♦ Poète norvégien (Eiker, près de Drammen, 1886 — Larvik, 1959). Amoureux de la vie, passionné de liberté, il chanta la nature et l'amour dans des recueils de vers (*Nyinger,* 1907; *Caresses,* 1916; *La Lyre de l'automne,* 1931). Dans ses vers, d'une grande musicalité, il exprime sa joie de vivre, rompant par là avec la gravité habituelle de la littérature norvégienne. « La vie est un réveil continuel » écrivait-il. Il devint l'un des poètes les plus populaires de la Norvège.

WILDER (Thornton Niven). ♦ Écrivain américain (Madison, 1897 — New Haven, 1975). Il passa son enfance en Chine (où son père était consul général), puis en Californie, fit ses études à Yale et à Rome; cette ville l'inspira pour son premier roman, *La Cabale* (*The Cabala,* 1926), où un jeune Américain, fasciné par la société cosmopolite de Rome, s'aperçoit que ces gens ne représentent « rien de sérieux, au fond, si ce n'est qu'ils méprisent tout le monde ». Cette démarche qui le conduit, à travers l'évocation de cultures significatives ou de destinées exemplaires, à s'efforcer « de savoir ce que signifie pour nous la vie » allait désormais diriger l'œuvre romanesque et théâtrale de Wilder. Pour lui, étudier le destin des cinq personnages du *Pont de San Luis Rey* (*The Bridge of San Luis Rey,* prix Pulitzer, 1928), chronique qui évoque le Pérou du XVIIIe s., c'est finalement méditer sur l'amour, « la seule chose qui survive, la seule qui ait un sens »; brosser le délicat portrait de *La Femme d'Andros* (*The Woman of Andros,* 1930), c'est analyser le passage de l'humanisme grec aux vertus chrétiennes; énumérer les mésaventures du modeste héros de *En voiture pour le ciel* (*Heaven's my Destination,* 1934), c'est exalter la générosité du cœur. Enfin, la figure de Jules César — pour lequel, dans *Les Ides de mars* (*The Ides of March,* 1948), « la noblesse de la vie est l'exercice du choix » — va illustrer une philosophie de la volonté lucide. — Étrangères au réalisme du théâtre de son temps, les pièces de Wilder développent, d'une façon jugée parfois systématique, des arguments également généreux : *Le Festin de Noël* (*The Long Christmas Dinner,* 1931), *Our Town* (*Notre petite ville,* 1938) et *La Peau de nos dents* (*The Skin of our Teeth,* 1942) veulent avant tout « donner à croire » au spectateur en des valeurs spirituelles et mystiques.

WILDER (Billy). ♦ Réalisateur américain de cinéma, d'origine autrichienne (Vienne, 1906). Formé à l'école de l'expressionnisme allemand, il a connu plusieurs réussites dans des genres aussi divers que le drame (*Assurance sur la mort, Double Indemnity* [1944], *Le Poison, The Lost Week-end,* film sur l'alcoolisme [1945], *Boulevard du Crépuscule, Sunset Boulevard* [1950], évocation des splendeurs déchues du cinéma muet, *Le Gouffre aux chimères, The Big Carnival* [1951], violente satire des mœurs journalistiques américaines) et la comédie légère (*Sept Ans de réflexion, Seven Years Itch* [1955], *Certains l'aiment chaud, Some Like is Hot* [1959], où il fait preuve d'un remarquable sens du rythme et d'un goût du comique ambigu).

WILFRID *(saint).* ♦ Bénédictin anglais (en Northumbrie, v. 634 — Oundle, près de Northampton, 709). Abbé de Ripon puis archevêque d'York, il fit admettre les pratiques et l'autorité romaines à l'Église celte de Northumbrie (synode de Whitby, 663). Apôtre des Frisons avant saint Willibrord*. Fête le 12 octobre.

WILHELMINE. ♦ Reine des Pays-Bas (La Haye, 1880 — Het Loo, 1962). Fille du roi Guillaume* III, elle lui succéda en 1890, mais sa mère assura la régence. Restée neutre pendant la Première Guerre mondiale, elle gagna Londres en 1940 avec son gouvernement. Après son retour triomphal en 1945, elle abdiqua en 1948 en faveur de sa fille Juliana*.

Wilhelm Meister *(Les Années d'apprentissage de),* en all. **Wilhelm Meisters Lehrjahre.** ♦ Roman éducatif ou de formation (en all. *Bildungsroman*) de Goethe*. Écrite entre 1777 et 1785 et retrouvée en 1910, la première version est principalement consacrée, comme l'indique son titre, à *La Vocation théâtrale de Wilhelm Meister (Wilhelm Meisters theatralische Sendung),* sa découverte de Shakespeare, particulièrement de *Hamlet.* Repris et achevé sur

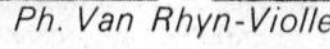

Ph. Van Rhyn-Viollet

Thornton N. Wilder.

Coll. Rui Nogueira

Billy Wilder.

les encouragements de Schiller, le roman, sous sa forme définitive, est davantage centré sur la formation psychologique, sociale et spirituelle du héros. Fils de négociants, Wilhelm Meister se sent attiré par le théâtre et, lors d'un voyage, se joint à une troupe de comédiens ambulants. À travers ses expériences tant théâtrales que sentimentales il est secrètement guidé dans son évolution par une société de sages, sorte de franc-maçonnerie, dont il deviendra membre, après avoir renoncé au théâtre pour se consacrer à la société. Cette œuvre se caractérise surtout par « la vie abondante, multiple, qui passe devant nos yeux » (Goethe), le fourmillement des personnages, parmi lesquels les figures de Mignon* et du harpiste sont sans doute les plus attachantes, la diversité des situations où Goethe révèle tout son art de conter. La seconde partie de ce roman, *Les Années de voyage (pèlerinage) de Wilhelm Meister ou les Renonçants* (*Wilhelm Meisters Wanderjahre oder die Entsagenden,* 1821-1829), donne à l'œuvre sa signification. Pour achever sa formation sociale et morale, Wilhelm Meister entreprend un voyage en compagnie de son fils Félix dont il veut faire l'éducation. Cette partie, de valeur littéraire moindre, donne un témoignage capital pour la connaissance des théories pédagogiques (influencées par celles de Rousseau, Pestalozzi), éthiques, sociales et religieuses de Goethe. Ce grand roman de formation a inspiré de nombreuses œuvres du genre, même chez les romantiques **(V. Novalis),** et donna ses lignes directrices à la théorie anthroposophique **(V. R. Steiner).**

WILHELMSHAVEN. ♦ V. et port d'Allemagne nord-occidentale (Basse-Saxe), au fond du golfe de Jade*, sur la mer du Nord. 102 978 hab. — Important port militaire démantelé en 1945, devenu un grand port pétrolier relié par canal à Emden et par oléoduc aux ports de la Ruhr. Centre industriel actif (raffinage du pétrole, constructions navales, machines à écrire, textiles).

Wilhelmstrasse. *n. f.* ♦ Grande artère de Berlin*-Ouest, où se trouvait le ministère des Affaires étrangères du IIIe Reich. Par extension, nom donné à la diplomatie allemande jusqu'en 1945.

WILHELMY (Ludwig Ferdinand). ♦ Chimiste allemand (1812 — 1864). Ses travaux en font l'un des fondateurs de la cinétique chimique (1850); on lui doit notamment une loi d'application générale qu'il formula pour rendre compte de l'inversion du sucre. **V. Biot.**

WILKES (John). ♦ Homme politique anglais (Londres, 1727 — *id.,* 1797). Membre du Parlement, il fonda en 1762 le journal *The North Briton* où il publia des attaques virulentes contre le gouvernement de George* III. Il fut emprisonné à plusieurs reprises, exploita la publicité que lui avaient donnée ses incarcérations et fut triomphalement réélu en 1768. Nommé lord-maire de Londres en 1774, il contraignit les Communes à publier les comptes rendus de leurs débats. Il incarnait pour les Anglais la défense des libertés traditionnelles contre l'autoritarisme royal.

WILKES (Charles). ♦ Officier de marine et explorateur américain (New York, 1798 — Washington, 1877). Il entreprit une expédition scientifique dans le Pacifique Sud, dont il explora plusieurs archipels, et atteignit les côtes de l'Antarctique *(terre de Wilkes).*

WILKES-BARRE. ♦ V. des États-Unis, en Pennsylvanie, au confluent de la Susquehanna orientale et du canal de Pennsylvanie. 63 550 hab. Centre commercial, métallurgie, indus. chimiques, textiles et alimentaires.

WILKINS (*sir* George Hubert). ♦ Explorateur australien (Mount Bryan, 1888 — Framingham, Massachusetts, 1958). Il participa à de nombreuses expéditions dans l'Arctique, de 1913 à 1931 (expédition du sous-marin *Nautilus*) et dans l'Antarctique (1920 à 1928; raid aérien au-dessus de la terre de Graham).

WILKINS (Maurice Hugh Frederick). ♦ Biophysicien britannique (Nouvelle-Zélande, 1916). Il contribua aux recherches sur la séparation des isotopes de l'uranium, puis étudia la structure moléculaire de l'acide désoxyribonucléique [A.D.N.]. (Prix Nobel de méd., 1962, avec F. H. C. Crick* et J. D. Watson*.)

WILKINSON (John). ♦ Industriel britannique (Springside, Lancashire, 1728 — Bradley, Staffordshire, 1808). Il mit en application les nouvelles techniques métallurgiques. Il construisit en 1748 à Bilston son premier haut fourneau qui fut suivi de nombreux autres et de fonderies à Bersham, Willey, Broseley. Il utilisa la première machine à vapeur de Boulton et Watt pour actionner les soufflets. Wilkinson est l'inventeur d'une machine à forer, d'un tour à fileter, ainsi que des tuyaux de fonte des canalisations d'eau de Paris.

WILLAERT (Adriaan). ♦ Compositeur flamand (Bruges? 1480 ou 1490 — Venise, 1562). Après avoir étudié le droit à Paris, il s'orienta définitivement vers la musique, qu'il étudia à Venise, à la cour de Ferrare et à Milan. Maître de chapelle à Saint-Marc de Venise, charge qu'il assuma pendant trente-cinq ans et à laquelle il donna un lustre considérable, il fonda une célèbre école de chant, où il forma de prestigieux élèves (Gabrieli*, Zarlino*, C. de Rore*). Ses compositions font une synthèse originale d'éléments spécifiquement néerlandais (motets, madrigaux), français (chansons) et italiens (*Canzoni villanesche alla napolitana, Fantasie* et *ricercari* instrumentaux, dont les *Salmi spezzati* [1550], à huit voix et double chœur).

WILLAMETTE. *n. f.* ♦ Riv. de l'O. des États-Unis (Washington) qui prend sa source dans la chaîne des Cascades*, coule du S. au N. et se jette dans le Pacifique. — *Vallée de la Willamette,* continuant le Puget* Sound, elle forme la partie N. de la dépression qui sépare la chaîne des Cascades* des chaînes côtières (Coast Range) dominant le Pacifique. **V. Rocheuses.**

WILLEBROEK. ♦ Comm. de Belgique (Anvers, arr. de Malines) sur le Rupel, au début du canal de Bruxelles, à 29 km de Bruxelles. 15 600 hab. Le fort de Breendonk (1906-1914) servit de camp de concentration pendant la Deuxième Guerre mondiale. — Chantiers navals. Cokerie. Indus. chimiques (ammoniaque) et métallurgiques. Carrosserie. Fabrique de meubles. Brasserie. Papeterie. — *Canal de Willebroek.*

WILLEMSTAD. ♦ Cap. de l'île de Curaçao*. 55 000 hab. — Raffineries de pétrole. Distilleries de l'écorce d'orange (liqueur de Curaçao).

WILLESDEN. ♦ V. de la banlieue de Londres* (Middlesex). 170 385 hab. Matériel ferroviaire.

WILLETTE [vilɛt] **(Adolphe).** ♦ Peintre et dessinateur français (Châlons-sur-Marne, 1857 — Paris, 1926). Il étudia à l'École des beaux-arts dans l'atelier de Cabanel. Il se consacra surtout au dessin et à la lithographie et créa notamment des affiches. Il donna de nombreux dessins au *Chat-Noir,* au *Courrier français,* au *Boulevard,* au *Rire* ainsi qu'au *Pierrot* et au *Pied-de-nez.* Esprit plein de verve, il eut le sens de la satire et devint populaire avec ses représentations de Pierrot et de Colombine, à la fois légères et sentimentales. Son œuvre, dont il publia une anthologie *(Cent Dessins de Willette),* reflète l'un des aspects caractéristiques de la « Belle Époque ».

WILLIAM. ♦ V. GUILLAUME.

WILLIAMS (Roger). ♦ Prédicateur et théologien américain (Londres, 1603 ou 1604 — Providence, Rhode Island, 1684). Entré au Pembroke College de Cambridge en 1621, il reçut les ordres en 1629, puis émigra en Amérique à la suite d'une déception amoureuse. Instituteur à Salem, ses idées libérales lui attirèrent la haine des puritains et il dut fuir chez les Indiens Narragansett dont il étudiait la langue. Il fonda la « plantation de Providence », où régnait la liberté politique et religieuse. Une charte de Charles II qui resta en vigueur jusqu'en 1842 consacra ses institutions démocratiques. À lui seul, le titre de ses œuvres donne une idée de la pensée de ce « chrétien fondamental » : *La Doctrine sanguinaire des persécutions pour motif de conscience* (*The Bloody Tenet of Persecution for Cause of Conscience Discussed,* 1645), *Doctrine de M. Cotton rendue plus sanguinaire encore par sa tentative de la laver dans le sang de l'Agneau* (1652), *Le Ministre mercenaire n'a rien à voir avec le Christ.* Mettant sa parole en action, Williams, comme fondateur et gouverneur de l'État de Rhode* Island, donna hospitalité et protection aux quakers persécutés bien qu'il fût lui-même un adversaire de leur doctrine.

WILLIAMS (William Carlos). ♦ Poète, essayiste et nouvelliste américain (Rutherford, N.J., 1883 — *id.,* 1963). Après des études à l'université de Pennsylvanie, son internat à New York, il se spécialisa en pédiatrie à Leipzig (Allemagne). De retour à Rutherford en 1910, il mena de front carrière littéraire et carrière médicale. Ami de Pound, il écrivit d'abord des poèmes imagistes, dont *Al Que Quiere!* (1917) et *Kora en enfer* (1920) alors que *Été et Tout* (1922), *Adam et Ève et la Cité* (1936) ainsi que *Paterson* (1946-1951) sont d'inspiration whitmanienne. Les quatre livres de Paterson chantent, en les opposant, la cité, la nature et l'individu, et disent l'aliénation de l'homme moderne. On lui doit aussi des essais de critique littéraire impressionniste (*Le Grand Roman américain,* 1923; *Dans la tradition américaine,* 1925), des nouvelles et une *Autobiographie* (1951) où apparaît son abondance créatrice.

WILLIAMS (Thomas LANIER, dit Tennessee). ♦ Auteur dramatique, romancier et poète américain (Colombus, Mississippi, 1911). C'est un enfant du Sud, élevé dans l'atmosphère de dégradation d'une classe sociale ruinée par le « dynamisme affairiste » des gens du Nord. Le thème dominant de son théâtre, plus important à ses yeux que l'intrigue elle-même, est l'opposition entre les besoins physiques de ses personnages et les possibilités concrètes que leur offre l'existence, au sein d'une société conformiste et puritaine, celle du sud des États-Unis. Affligés de maladies nerveuses, d'obsessions sexuelles, ses héros apparaissent comme les victimes, souvent proches du suicide, d'un système social qui maintient chez l'individu le sentiment de l'inégalité et celui d'une culpabilité sans espoir de rédemption. Principales pièces : *La Ménagerie de verre* (*The Glass Menagerie,* 1944), *Un tramway nommé Désir* (*A Streetcar named Desire,* 1947), *La Rose tatouée* (*The Rose Tattoo,* 1950), *La Chatte sur un toit brûlant* (*Cat on a Hot Tin Roof,* 1955), *Doux Oiseaux de la jeunesse* (*Sweet Birds of Youth,* 1960), *La Nuit de l'iguane* (*The Night of the Iguana,* 1961). Dans son roman *Le Printemps romain de Mme Stone* (1950) et dans *Baby Doll* (1956), scénario de film, Williams évoque aussi l'amour sensuel et le thème de la frustration féminine. On peut citer encore ses nouvelles, réunies dans *Un seul bras* (1948) et *Bonbons durs,* et des poèmes publiés sous le titre : *Dans l'hiver des villes.*

WILLIBRORD *(saint).* ♦ Moine anglais (en Northumbrie, 658 – Echternach, 739). Disciple de saint Wilfrid* à Ripon, il évangélisa les Frisons (690), devint archevêque d'Utrecht (695-696) et fonda le monastère d'Echternach* au Luxembourg (698). Fête le 7 novembre.

WILLIS (Thomas). ♦ Anatomiste et physiologiste anglais (Great Bedwin, Wiltshire, 1621 – Londres, 1675). Auteur de recherches de neurophysiologie, il étudia particulièrement le cerveau et les nerfs crâniens. Son nom est resté attaché à un anneau artériel constitué par les principales artères du cerveau et les anastomoses qui les réunissent à leur origine *(hexagone de Willis).* En analysant la réalité du réflexe, il émit l'hypothèse novatrice de l'existence de deux types de réponses, « mouvements spontanés ou volontaires, commandés par l'âme cérébrale, et mouvements naturels ou involontaires, commandés par l'âme cérébelleuse ». (*Cerebri anatome,* 1664; *De morbis convulsivis,* 1667; *De motu musculari,* 1670.)

WILLOUGHBY (*sir* Hugh). ♦ Navigateur anglais (Risley ? – presqu'île de Kola, 1554). À la recherche d'un passage maritime par le N.-E. vers les Indes et la Chine, il atteignit l'océan Arctique (1553), la Nouvelle-Zemble (Novaïa Zemlia), la Laponie; contraint d'hiverner dans la presqu'île de Kola, il y mourut.

WILLSTÄTTER (Richard). ♦ Chimiste allemand (Karlsruhe, 1972 – Muralto, Locarno, 1942). Auteur de travaux sur les anthocyanes (1913), sur les pigments végétaux caroténoïdes **(V.** *aussi* **Kuhn),** il contribua au développement de la théorie de la photosynthèse par ses recherches sur la chlorophylle (*Untersuchungen über chlorophyll,* 1913, en collaboration avec A. Stoll) **(V. H. Fischer, Robinson)**; on lui doit également des travaux fondamentaux sur les enzymes [1928] **(V.** *aussi* **Sumner).** Prix Nobel de chimie, 1915.

WILLY (Henry Gauthier-Villars, dit**).** ♦ Écrivain français (Villiers-sur-Orge, 1859 – Paris, 1931). Auteur, sous le pseudonyme *L'Ouvreuse du Cirque d'été,* de critiques musicales pleines d'alacrité (réunies dans les *Lettres de l'ouvreuse,* 1890), Willy composa également des romans humoristiques (*Maîtresse d'esthètes,* 1897; *Un vilain monsieur,* 1898), puis des œuvres licencieuses (*La Môme Picrate,* 1904; *Maugis amoureux,* 1906) avant de publier ses *Souvenirs littéraires... et autres* (1925). – Il épousa Colette* en 1893, et aurait collaboré aux premiers ouvrages de sa femme, qui furent publiés sous son nom.

WILMINGTON. ♦ V. des États-Unis, le seul grand centre urbain du Delaware*, au N. de l'État, sur la Delaware. 79 978 hab.; la zone urbaine approche 500 000 hab. – Port actif. Indus. chimiques et recherche *(Du Pont de Nemours).*

WILNO. ♦ **V.** VILNIUS.

WILRIJK. ♦ Comm. de Belgique, faub. d'Anvers, à 42 km de Bruxelles. 41 400 hab. Architecture moderne (dans le style de Le Corbusier). – Indus. alimentaires. Fonderies. Vernis et couleurs.

WILSELE. ♦ Comm. de Belgique (Brabant, arr. de Louvain). 7 700 hab. Indus. chimiques. Constructions métalliques.

WILSON (Richard). ♦ Peintre et dessinateur anglais (Penegoes, pays de Galles, 1714 – Llanberis, Carnarvonshire, 1782). À Londres, en 1729, il étudia le portrait auprès de T. Wright, s'intéressa au paysage et s'y consacra entièrement à partir de son séjour en Italie (1750). Il exécuta des vues de sites et de monuments romains dans la tradition classique de Poussin et de Claude Lorrain et prit de nombreux croquis qui l'inspirèrent à son retour en Angleterre (vers 1757). Il fut l'un des membres fondateurs de l'Académie royale de peinture et devint un professeur influent. Il se montra personnel dans ses paysages du pays de Galles et des environs de Londres : observés avec franchise et rigoureusement agencés, idéalisés mais non pas conventionnels, ces paysages ont un caractère poétique d'une sereine simplicité. La sécheresse de sa facture n'empêcha pas Wilson de rendre avec délicatesse la limpidité de l'atmosphère. Son non-conformisme, son goût pour les couleurs claires font de lui l'un des principaux initiateurs de l'école paysagiste anglaise. *(Cader Idris,* vers 1774; *Vue du Snowdon.)*

WILSON (Horace Hayman). ♦ Médecin et orientaliste anglais (Londres, 1786 – *id.,* 1860). Il fut médecin de la Compagnie des Indes, puis enseigna le sanskrit à Oxford. Il est l'auteur d'un *Dictionnaire sanskrit-anglais* (1819), d'une *Grammaire sanskrite* (1841) et de traductions en anglais d'œuvres indiennes (Vishnupurâna, Rigveda, etc.).

WILSON (Daniel). ♦ Homme politique français (Paris, 1840 – Loches, 1919). Plusieurs fois député à partir de 1869, sous-secrétaire d'État aux Finances, il fut directement impliqué dans le scandale du trafic des décorations (1886-1887) qui devait entraîner la démission du président Jules Grévy*. Wilson avait en effet épousé sa fille, Alice. Les chansonniers s'emparèrent du fait (« Ah! quel malheur d'avoir un gendre! »). Toutefois, D. Wilson, condamné en correctionnelle, fut acquitté en appel et réélu député.

WILSON (Thomas Woodrow). ♦ Homme d'État américain (Staunton, Virginie, 1856 – Washington, 1924). Fils d'un pasteur presbytérien, il fut avocat en 1882 puis professeur d'économie politique à la Wesleyan University du Connecticut (1888-1890) et à l'université de Princeton (1890-1902) dont il assura ensuite la présidence (1902-1910). Gouverneur démocrate du New Jersey (1911-1913), il fit des réformes qui lui acquirent une certaine popularité et lui valurent d'être désigné comme candidat démocrate à la présidence et élu contre Th. Roosevelt (1913) grâce au schisme du parti républicain entre Taft et Roosevelt. Réélu en 1916, Wilson fut président des États-Unis jusqu'en 1921. Il accomplit de nombreuses réformes démocratiques et accrut le pouvoir du gouvernement fédéral par divers amendements à la Constitution : ainsi la création d'un impôt fédéral sur le revenu (1913), l'élection des sénateurs au suffrage universel direct (1913), la création d'une organisation fédérale de crédit (1913), le renforcement de la loi antitrust (1914) et en 1920, le droit de vote aux femmes. En politique étrangère, Wilson maintint l'impérialisme économique marqué par l'occupation d'Haïti (1915) et une expédition au Mexique (1916). Lors de la Première Guerre mondiale, il pratiqua d'abord la neutralité tout en se réservant une possibilité d'arbitrage. Ce n'est que lorsque les Allemands décidèrent la guerre sous-marine à outrance que le Congrès déclara la guerre (avril 1917). Bien que menant une guerre très énergique, Wilson s'occupait des mesures nécessaires au maintien de la paix, concrétisées par les « quatorze points » définis le 8 janvier 1918. Mais, lors de la conférence de la paix de 1919, les Alliés ne retinrent de ses projets que l'organisation de la S.D.N., et ce pacte ne fut même pas ratifié par le Sénat américain. Frappé de paralysie, Wilson vit son candidat battu aux élections de 1920. – Prix Nobel de la paix, 1920.

WILSON (*sir* Henry Hughes). ♦ Maréchal britannique (Edgeworthstown, Irlande, 1864 – Londres, 1922). Ami de Foch et commandant la section des opérations à l'état-major général (1910), il prépara la collaboration militaire franco-anglaise, fit la guerre en France, fut le représentant anglais au Conseil supérieur de la guerre (1917), devint chef d'état-major impérial (1918). Député de l'Irlande du Nord (1922) et unioniste, il fut assassiné par des nationalistes irlandais.

WILSON (Charles Thomson Rees). ♦ Physicien écossais (Glencorse, Midlothian, 1869 – Carlops, 1959). Ayant découvert, avec Townsend*, que les particules électrisées constituent des centres de condensation pour la vapeur d'eau soumise à une détente brusque dans certaines conditions, il mit au point une chambre à détente (*chambre de Wilson,* 1911) qui permet de visualiser les trajectoires individuelles des particules ionisantes. (Prix Nobel de phys., 1927.)

WILSON (Henry Maitland, *baron***).** ♦ Maréchal britannique (Londres, 1881 – Aylesbury, Buckinghamshire, 1964). Il fit la guerre des Boers puis participa avec Wavell à la défaite des troupes italiennes en Libye (hiver 1940-1941). Commandant les forces britanniques en Grèce en 1941, il dut effectuer la retraite devant les forces allemandes, puis commanda les troupes qui occupèrent la Syrie française. Il devint commandant suprême allié en Méditerranée en 1944. – Auteur de souvenirs : *Eight Years Overseas 1939-1947,* « Huit ans d'outre-mer... » (1950).

WILSON (Frank Johnstone Wilson, dit **Angus).** ♦ Dramaturge et romancier anglais (dans le Sussex, 1913). Après une enfance passée en Afrique du Sud, il fit ses études à Oxford et devint professeur de littérature anglaise. Son premier recueil de nouvelles (*The Wrong Set,* 1949) attaque la bourgeoisie intellectuelle (*Such*

Arch. Smeets

Richard Wilson : « Vue du Snowdon ».
(The Walker Art Gallery, Liverpool.)

Darling Dodos, 1950). Ses romans (*Attitudes anglo-saxonnes,* 1956, etc.) mettent en scène les mêmes intellectuels désarmés devant la vie. Parmi les personnages de cette œuvre, la seule forte personnalité est une femme, l'héroïne des *Quarante Ans de Mrs. Eliot* (*The Middle-Age of Mrs. Eliot,* 1958). Dans *La Girafe et les Vieillards* (*The Old Men at the Zoo,* « Les Vieillards au zoo », 1961), roman satirique, Angus Wilson suppose qu'une guerre nucléaire menace de ramener l'humanité à son animalité primitive. Il est aussi l'auteur d'une pièce de théâtre (*The Mulberry Bush,* 1955) et d'une étude sur *Émile Zola* (1952).

WILSON (James Harold). ♦ Homme politique britannique (Huddersfield, 1916). Professeur d'économie politique, il fut élu aux Communes dans les rangs des travaillistes*, dont il devint le chef en 1963 après avoir été ministre du Commerce (1947-1951). Chargé de former le gouvernement après la victoire électorale de son parti en 1964, il vit sa majorité renforcée au Parlement en 1966. Pour résoudre une grave crise financière, il entreprit une politique d'austérité qui se révéla insuffisante et se décida en novembre 1967 à dévaluer la livre sterling de 14,3 %. Avec le refus opposé par le général de Gaulle à l'entrée de la Grande-Bretagne dans le Marché* commun (nov. 1967), la popularité des travaillistes et d'H. Wilson baissa et il voulut, en 1970, procéder à des élections. Elles aboutirent à la victoire du conservateur E. Heath*, qui négocia et fit ratifier l'entrée de la Grande-Bretagne dans la C.E.E. Wilson prit une modeste revanche en février 1974, avec une infime majorité. Ayant obtenu des conditions financières plus favorables, il recommanda aux électeurs de confirmer l'adhésion de la Grande-Bretagne au Marché commun. Démissionnaire en mars 1976, il fut remplacé par J. Callaghan*.

WILSON *(mont).* ♦ Montagne des États-Unis (Californie), dominant les faubourgs N. de Los Angeles (Pasadena), dans la chaîne San Gabriel. 1 740 m. Important observatoire.

WILTSHIRE. *n. m.* ♦ Comté du S. de l'Angleterre s'étendant au pied des Cotswold Hills, sur les Marlborough Hills et la plaine de Salisbury. 3 483 km². 486 048 hab. *Ch.-l.* Salisbury*. *V. princ.* Amesbury*, Swindon* et Trowbridge*. Céréaliculture, élevage (bovins, porcins). — Patrie de J. Addison* et de Jeanne* Seymour.

WILTZ. ♦ Ch.-l. de canton du grand-duché de Luxembourg, sur la riv. Wiltz. 3 998 hab. Château du XVIIe siècle. Église du XIIe siècle. Indus. alimentaires.

WIMBLEDON. ♦ V. d'Angleterre, dans la banlieue S.-O. de Londres (Surrey). 57 000 hab. Championnats de tennis.

WIMEREUX [wim(ə)ʀø]. ♦ Comm. du Pas*-de-Calais, arr. de Boulogne*-sur-Mer, sur la côte. 5 241 hab. Station balnéaire.

WIMILLE [wimil]. ♦ Comm. du Pas-de-Calais, arr. de Boulogne-sur-Mer. 4 150 hab. Église avec un clocher du XIIe s. Monument commémorant la chute des aéronautes Pilâtre de Rozier et Romain (1785).

WIMPFFEN (Félix, *baron de***).** ♦ Général français (Minfeld, 1744 — Bayeux, 1814). Député de la noblesse, rallié au Tiers État en 1789, il dirigea la défense de Thionville contre les Prussiens (1792). Partisan des Girondins, il prit la tête du mouvement fédéraliste* en Normandie (1793). Proscrit, il revint après le 18 Brumaire. ♦ EMMANUEL-FÉLIX DE WIMPFFEN, son petit-fils. Général français (Laon, 1811 — Paris, 1884). Après avoir servi en Crimée (1854-1855), en Italie (1859), il fut envoyé en Algérie comme commandant de la province d'Alger, puis d'Oran. De retour en France au début de la guerre franco-allemande (1870-1871), il prit le commandement de l'armée de Châlons en remplacement de Mac-Mahon, blessé. Il ne put toutefois empêcher le désastre de Sedan (2 sept. 1870), la reddition de Napoléon III et la signature de la capitulation au château de Bellevue. Prisonnier à Stuttgart, il réclama d'être jugé par un conseil de guerre après l'armistice et, mis à la retraite, séjourna quelques années en Algérie. Il écrivit un ouvrage sur *Sedan* (1871).

WIMPHELING ou **WIMPFELING (Jacob).** ♦ Théologien et philologue alsacien (Sélestat, 1449 — Strasbourg, 1528). Auteur d'ouvrages religieux, il fut aussi un humaniste célèbre; son admiration pour la culture grecque et latine, ses conceptions sur l'enseignement (laïcisation partielle des collèges) qu'il a affirmées dans ses différents ouvrages (*Praeceptor Germanicus,* 1496; *Libellus grammaticalis,* 1497; *Adolescentia,* 1500; et surtout sa *Germania,* 1501) suscitèrent une vive querelle entre lui et T. Murner* qui lui répondit dans sa *Nova Germania* (1502).

WINCHESTER. ♦ V. de l'Angleterre méridionale (Hampshire), sur l'Itchen. 30 700 hab. La cathédrale, la plus longue d'Europe (171 m) après Saint-Pierre de Rome, fut érigée en style roman (transept de la crypte, *déb.* XIIe s.), en gothique primitif (chapelle de la Vierge, *fin* XIIe s.) et en gothique perpendiculaire (façade ouest, *fin* XIVe s.). Des fresques des XIIe et XVe s. ornent les murs. L'anc. palais épiscopal (*Wolvesey Castle,* XIIe s.) et le *St. Cross Hospital* (1136) sont également remarquables. Le *Winchester College,* fondé en 1382, est l'un des plus renommés d'Angleterre. — Patrie du roi Henri* III. ♦ *Hist.* Fondée sur un anc. site celte, *Venta Belgarum* était au croisement de six voies romaines. Conquise au Ve s. par les Saxons, *Winterceaster* devint la cap. du royaume du Wessex* et le siège d'un puissant évêché avant de partager avec Londres la fonction de capitale de toute l'Angleterre. Les rois normands s'y faisaient sacrer. Aux XIIe et XIIIe s., la ville connut une grande prospérité commerciale (travail de la laine) et artistique (enluminures), puis commença à décliner au XVe siècle.

WINCKELMANN (Johann Joachim). ♦ Archéologue et historien de l'art allemand (Stendal, Brandebourg, 1717 — Trieste, 1768). Après des études théologiques à Halle, il devint bibliothécaire du comte Heinrich von Bünau à Northnitz près de Dresde (1748), et put dès lors se consacrer à ses recherches sur l'art et la culture antiques. Son premier ouvrage, *Réflexions sur l'imitation des œuvres des Grecs en peinture et en sculpture* (1755), prônait un retour à la simplicité de l'art grec et allait à l'encontre du style « rococo » de l'époque; il eut un retentissement considérable. Winckelmann qui, entre-temps, s'était converti au catholicisme, obtint d'Auguste III, électeur de Saxe et roi de Pologne, une pension pour poursuivre ses travaux en Italie. À Rome, il fut successivement bibliothécaire du cardinal Albani (1758), conservateur des antiquités romaines (1763) et bibliothécaire du Vatican. Après un bref séjour en Allemagne (1768), où il espérait obtenir des moyens financiers pour l'exploration du site d'Olympie, il fut assassiné à son retour en Italie par un escroc du nom d'Archangeli, qui avait été tenté par son importante collection de monnaies. — Avec son vaste tableau de l'évolution des arts plastiques dans l'Antiquité gréco-romaine (*Histoire de l'art de l'Antiquité,* 1764), Winckelmann a posé les bases d'une analyse historique méthodique des œuvres d'art en même temps qu'une certaine idée de l'esthétique. Lié à une philosophie, à une conception du monde et de l'homme, l'art vise, selon lui, la Beauté immuable et universelle, idéal d'équilibre, de mesure et de sérénité, exprimant non l'individu mais le « type », idéal incarné à ses yeux dans l'art gréco-romain. Tel est le sens de ce mouvement de retour à l'Antiquité qui ouvrit la voie au néo-classicisme en littérature **(V. Goethe, Schiller)** et dans les arts. Winckelmann fut un des pionniers de l'archéologie (avec la collection publiée sous le titre *Monumenti antichi inediti spiegati ed illustrati,* 1767) et de l'histoire de l'art.

WINDAUS (Adolf). ♦ Chimiste allemand (Berlin, 1876 — Göttingen, 1959). Auteur de travaux sur le cholestérol **(V. Wieland)** et sur la biligenèse, il isola la vitamine antirachitique D_2 et donna les formules des vitamines D_3 et B_1. (Prix Nobel de chimie, 1928.)

WINDELBAND (Wilhelm). ♦ Philosophe allemand (Potsdam, 1848 — Heidelberg, 1915). Élève de K. Fischer et de Lotze, il fonda l'école de Bade **(V. Néo-kantisme)** et eut une influence directe sur Rickert*. Il interpréta le criticisme kantien dans un sens axiologique et donna à la philosophie la tâche d'élucider les valeurs absolues, logiques, morales et esthétiques, constituant la « conscience normale » — ou conscience des normes — affirmée à titre de postulat (*Introduction à la philosophie,* 1914).

WINDERMERE *(lac de).* ♦ Le plus grand lac d'Angleterre (569 km²), situé dans la partie S.-O. de la région des lacs *(Lake* District),* dans le comté de Westmorland*. Pêche et tourisme. La ville de *Windermere* (6 562 hab.), sur la r. E., travaille le bois.

WINDHOEK. ♦ Cap. du Sud-Ouest africain, située au centre du pays et reliée par voie ferrée à Walvis* Bay et au Cap* (Afrique du Sud). 35 900 hab. Centre commercial et administratif.

WINDISCHGRÄTZ (Alfred, *prince zu***).** ♦ Feld-maréchal autri-

Arch. Smeets

École de : **Winchester**
Évangile dit de Grimbald.
Début du XIe s. (British Museum, Londres.)

chien (Bruxelles, 1787 – Vienne, 1862). En 1848, il écrasa les insurrections de Prague et de Vienne, puis commanda les troupes contre les Hongrois, prit Budapest (1849), mais subit ensuite des revers et fut rappelé à Vienne.

WINDSOR *(duc de)*. ♦ **V.** ÉDOUARD VIII.

WINDSOR ou **NEW WINDSOR**. ♦ V. de l'Angleterre centrale (Berkshire), sur la r. d. de la Tamise, à 40 km de Londres. 27 100 hab. – Le château de Windsor fut construit au XIIIe s. sur l'ordre d'Henri III autour d'un donjon élevé par Guillaume le Conquérant au XIe s., puis continuellement remanié jusqu'au XIXe siècle. C'est l'une des résidences favorites de la famille royale. La chapelle de Saint-Georges, l'une des plus remarquables d'Angleterre, fut bâtie de 1477 à 1528 en gothique perpendiculaire. Shakespeare a situé à Windsor l'action d'une de ses pièces *(Les Joyeuses* Commères de Windsor)*. – Patrie d'Henri* VI et de Louis Mountbatten* of Burma. – La dynastie régnante (Hanovre-Saxe-Cobourg-Gotha) a porté de 1917 à 1960 le nom de maison de Windsor, modifié depuis en *Mountbatten-Windsor*.

WINDSOR. ♦ V. et port du Canada (Ontario) sur la riv. de Detroit, en face de Detroit* (Michigan), relié par un pont et un tunnel aux États-Unis. 258 643 hab. (1971). – Centre commercial d'une riche région agricole. Indus. alimentaires (brasseries, distilleries). Indus. automobiles, pharmaceutiques et chimiques. – Université.

WINDTHORST (Ludwig). ♦ Homme politique allemand (Kaldennof, près d'Osnabrück, 1812 – Berlin, 1891). Après des études à Göttingen et à Heidelberg, il devint avocat, puis membre de la diète de Hanovre (1849) et ministre de la Justice. Il s'opposa à l'annexion du Hanovre par la Prusse et devait rester attaché à la dynastie hanovrienne. Il fut cependant élu député au Reichstag (1867) et devint bientôt le chef du parti catholique du centre. Il mena, brillamment l'opposition au Kulturkampf* et remporta des succès électoraux qui obligèrent Bismarck* à abroger les lois de Mai; il contribua peut-être à la démission du ministre. Il mourut un an après et Guillaume II lui fit faire des funérailles nationales.

WINDWARD ISLANDS. ♦ **V.** SOUS-LE-VENT (îles).

WINKELBLECH (Georg). ♦ Économiste allemand (1810 – 1865). Sous le pseudonyme de Karl Marlo, il publia des *Enquêtes sur l'organisation du travail ou système d'économie mondiale* (1850-1859), où, partisan du socialisme, il préconisait l'interdiction de toute nouvelle accumulation privée du capital, pour réaliser progressivement la propriété collective des moyens de production.

WINKELRIED (Arnold de). ♦ Soldat suisse du cant. d'Unterwald (? – Sempach, 1386). Par son héroïsme, il aurait décidé de la victoire des confédérés suisses sur Léopold* III de Habsbourg à la bataille de Sempach* (1386).

WINNIPEG *(lac)*. ♦ Vaste lac du Canada (Manitoba). 24 650 km². Il est drainé vers la baie d'Hudson par la riv. Nelson. Importantes pêcheries. – La rivière Winnipeg va du lac des Bois *(Lake of the Woods)* au lac Winnipeg. Installations hydro-électriques. – Le lac WINNIPEGOSIS (« Petit Winnipeg ») est plus à l'ouest (5 430 km²).

WINNIPEG. ♦ V. du Canada, cap. et princ. V. du Manitoba, dans le centre sud de cette province. Près de 250 000 hab. (1971) : l'aggl. (la 4e du Canada) compte 540 262 hab. (1971). **V. Saint-Boniface, Saint-James.** – Ville cosmopolite, étendue, aux larges avenues, c'est un centre commercial et financier important. Centre ferroviaire, à mi-chemin des lignes transcontinentales. Aéroport international très actif. Indus. alimentaires (meunerie, viande, brasseries), indus. du vêtement; imprimeries. – Université (du Manitoba).

Arch. Rencontre

F.X. Winterhalter :
« L'Impératrice Eugénie et ses dames d'honneur ».
(Musée de Compiègne.)

WINOGRADSKY ou **VINOGRADSKI (Sergheï Nikolaïevitch)**. ♦ Microbiologiste russe (Kiev, 1856 – Brie-Comte-Robert, 1953). Auteur de recherches sur la microbiologie et les fermentations bactériennes dans les sols, il découvrit en 1887 la chimiosynthèse par des bactéries sulfureuses puis, en 1890-1891, les micro-organismes nitrificateurs (bactéries autotrophes, aérobies); il définit les principes essentiels de la nitrification, distinguant les bactéries nitreuses et les bactéries nitritiques, et démontra en outre que certains organismes peuvent vivre et se développer en l'absence de toute trace de matière organique. En 1893, il découvrit une bactérie anaérobie *(clostridium pasteurianum)* se développant sur milieu glucosé en atmosphère d'azote, prouvant ainsi la fixation par le sol de l'azote libre de l'air. Ses travaux en font le fondateur de la pédologie biologique. **V. Boussingault.** (Acad. sc., 1924.)

WINSTON-SALEM. ♦ V. des États-Unis, à l'O. de la Caroline* du Nord, formée par la réunion de deux villes. 132 664 hab. – Centre de l'indus. du tabac. Indus. variées.

WINTERHALTER (Franz Xaver). ♦ Peintre et lithographe allemand (Menzenschwand, Forêt-Noire, 1805 – Francfort-sur-le-Main, 1873). Après avoir été nommé peintre de la cour du grand-duc de Bade, il s'établit à Paris en 1834 et devint le peintre favori de Louis-Philippe, puis de l'impératrice Eugénie et de Napoléon III. Il travailla aussi à la cour d'Angleterre et à la cour d'Autriche et fut très apprécié par l'aristocratie européenne. Il sut offrir une image élégante et séduisante de ses modèles, eut d'abord une prédilection pour les expressions gracieuses et sentimentales, puis pour les attitudes rêveuses et romantiques; sa facture minutieuse devint progressivement plus libre *(Portrait de l'impératrice d'Autriche)*.

WINTERTHUR. ♦ V. de Suisse (cant. de Zurich) au N.-E. de Zurich, dans la vallée de la Töss, affl. du Rhin. 92 500 hab. (104 600 aggl.), de langue allemande et de religion protestante (3/4). Musée des beaux-arts *(Kunstmuseum)* : peintures suisses, allemandes et françaises du XVIIIe au XXe s.; fondation Oscar Reinhart : peintures suisses, allemandes et autrichiennes du XVIIIe au XXe siècle. – Centre industriel de grande importance : métallurgie, indus. mécanique (matériel ferroviaire), indus. textile (filature et tissage du coton). ♦ *Hist.* Fondée vers 1175 par les comtes de Kyburg sur le site de l'anc. *Vitudurum* romaine, la ville passa aux Habsbourg* (1264) puis à Zurich (1467).

WINTHROP (John). ♦ (Edwardston, Suffolk, 1588 – Boston, 1649). Avocat et ardent puritain, il organisa une association en 1629 pour l'émigration en Nouvelle-Angleterre. Il fut le premier gouverneur du Massachusetts et y établit une théocratie puritaine.

WINTZENHEIM. ♦ Ch.-l. de cant. du Haut-Rhin*, arr. de Colmar*, en bordure des collines sous-vosgiennes. 6 183 hab. [4 189 aggl.] *(Wintzenheimiens)*. – Ruines du château de Hohlandsburg (XIVe s.). Indus. textile, mécanique de précision. Vignobles.

WIRSUNG (Johann Georg). ♦ Anatomiste allemand (Munich, 1600 – Padoue, 1643). On lui doit la découverte du canal pancréatique, ou *« canal de Wirsung »*.

WISCONSIN. *n. m.* ♦ Riv. des États-Unis, affl. du Mississippi (r. g.). 1 006 km. Elle arrose l'État du Wisconsin.

WISCONSIN. *n. m.* ♦ État du centre N. des États-Unis, limité au N. par le lac Supérieur. 145 439 km². 4 417 933 hab. (1970). *Cap.* Madison. *V. princ.* **V. Milwaukee, Racine.** – *Orogr.* L'État s'étend de la plaine du lac Michigan, à l'E., jusqu'à la vallée du haut Mississippi et de son affl., la riv. Sainte Croix, en un plateau qui s'abaisse vers le S. et présente quelques reliefs glaciaires. – *Climat* continental, rude au Nord. – *Écon.* Le Wisconsin est l'un des principaux États agricoles des États-Unis (plus d'un milliard de dollars de revenus). Cultures de foin, maïs, pommes de terre, tabac, céréales, etc. Une bonne part des récoltes (foin, maïs) sert à l'alimentation du bétail. Élevage laitier (1er producteur des États-Unis; fromage [33 % du pays en 1955], beurre). Élevages de visons. Ses forêts ont fait de l'État le premier producteur de bois des États-Unis, avant 1905, et la production de pâte à papier demeure très importante. Richesses minérales : zinc, fer (la plus petite part de la zone du lac Supérieur, après le Michigan et le Minnesota), sable, gravier, granite, etc. – Les transports sont facilités par de nombreuses voies d'eau (les lacs Supérieur et Michigan, le Mississippi). – Le tourisme est très actif (chasse, pêche). – Neuf universités d'État, dont celle du Wisconsin à Madison. – Patrie de H. Gasser*, A. Gesell*, W.P. Murphy*, W. Weaver*, Orson Welles*, Th. Wilder*, Frank L. Wright*. ♦ *Hist.* Explorée au XVIIe s. par Jean Nicolet (1634), Joliet et Marquette, la région fut mise sous l'autorité française en 1686 (N. Perrot). Cédé à l'Angleterre (1763), rattaché aux Territoires du Nord-Ouest (1787), le Wisconsin, américain depuis la guerre de 1812, devint le trentième État de l'Union en 1848. Peuplé grâce à l'exploitation des mines de plomb (v. 1820), l'État attira de nombreux immigrants allemands et scandinaves. Robert La Follette, gouverneur (1901-1906), mit en œuvre des réformes libérales.

WISE (Robert). ♦ Réalisateur américain de cinéma (Winchester, Indiana, 1914). Excellent technicien, il est l'auteur de quelques films de qualité : « Nous avons gagné ce soir », *The Set up* (1949), La « Tour des ambitieux », *Executive Suite* (1954). Avec *West Side Story* (1949), il renouvela avec brio le genre de la comédie musicale (chorégraphie de J. Robbins, musique de L. Bernstein).

WISEMAN (Nicholas Patrick). ♦ Prélat britannique (Séville, 1802 – Londres, 1865). Professeur d'hébreu et de syriaque à la Sapienza, puis recteur du collège anglais à Rome (1828), il fut un des artisans du renouveau catholique anglais, influença la conversion de Newman* et, plus tard, s'attacha Manning*. Coadjuteur puis lui-même vicaire apostolique du district central, il devint archevêque de Westminster et cardinal après le rétablissement de la hiérarchie catholique en Angleterre (1850). Auteur de conférences, d'ouvrages exégétiques et apologétiques, et d'un roman qui eut un extraordinaire succès populaire, *Fabiola ou l'Église des catacombes* (1854).

WISHAM *(djebel). n. m.* ♦ Chaîne montagneuse de plus de 3 000 m d'altitude, qui constitue le point culminant du djebel Akhdar*, dans le sultanat d'Oman* (Arabie).

WISIGOTHS [vizigo]. *n. m. pl.* ♦ Nom des Goths occidentaux, qui, sous la poussée des Huns*, franchirent le Danube vers 375 et infligèrent à Valens* le désastre d'Andrinople (378). Installés en Mésie et en Thrace par Théodose Ier (382), ils furent détournés par Arcadius* vers l'Italie **(V. Alaric Ier)**. Sous Honorius*, Athaulf les conduisit en Gaule (412) puis en Espagne (415) où ils refoulèrent Alains, Suèves et Vandales. Après avoir fondé avec l'accord de Rome un royaume en Aquitaine (418), ils tentèrent d'imposer leur hégémonie à la Gaule et à l'Espagne **(V. Théodoric Ier, Théodoric II, Euric, Alaric II)**. Battus à Vouillé par Clovis en 507, ils évacuèrent la Gaule sous Amalaric* Ier, mais, grâce à Théodoric* le Grand, conservèrent la Septimanie et l'Espagne. Établissant leur capitale à Barcelone puis à Mérida, les rois wisigothiques durent faire face à des soulèvements puis à l'attaque des Byzantins, sous Justinien* Ier. Athanagild* leur céda l'Andalousie (554) et établit la capitale à Tolède (v. 555). Après le règne de Léovigild*, qui réalisa l'unité politique par la conquête du royaume des Suèves (585), son fils Recarède* Ier se convertit au catholicisme (589), mettant ainsi fin aux luttes religieuses. Dès lors, la monarchie wisigothique réussit à établir la fusion des Goths et des Hispano-Romains par l'unification juridique **(V. Receswinthe)**. Une renaissance littéraire **(V. Isidore de Séville)** et artistique remarquable par l'épanouissement de l'architecture et de la sculpture décorative se développa alors au VIIe siècle. Cependant, en instaurant la monarchie élective (633) et en décidant la persécution des juifs, les conciles de Tolède déclenchèrent l'agitation des nobles et une crise économique. Le pays, dès lors affaibli, fut facilement conquis, après la défaite du roi Rodrigue à Jerez de la Frontera (711), par les musulmans de Târaq* (711-714).

WISMAR. ♦ V. et port d'Allemagne orientale (distr. de Rostock), au fond de la *baie de Wismar,* ouverte sur la Baltique. 55 060 hab. – Pêche, constructions navales et mécaniques, indus. alimentaires.

Ph. Lauros-Giraudon

Couronne votive de roi **wisigoth.** Trésor de Guarrazar. (Musée archéologique, Madrid.)

WISSANT [wisɑ̃]. ♦ Comm. du Pas-de-Calais, arr. de Boulogne-sur-Mer. 1 058 hab. Station balnéaire. C'est probablement le Portus Itius d'où César partit conquérir la *Britannia* (Angleterre).

WISSEMBOURG [visɛ̃buʀ]. ♦ Sous-préf. du Bas-Rhin*, ch.-l. d'arr. (5 cant., 83 comm. 56 349 hab.) sur la Lauter, tout près de la frontière allemande. 5 732 hab. (5 341 aggl.). – Église (XIIIe-XIVe s.) avec tour romane, musée Westercamp, nombreuses maisons anciennes. – Indus. alimentaires, fabrique de meubles. ♦ *Hist.* Assiégée par les Autrichiens au début de 1793, la ville fut reprise par les armées républicaines sous le commandement de Hoche le 26 décembre 1793. – Au début de la guerre franco-allemande (1870-1871), les forces prussiennes, sous le commandement du prince royal Frédéric-Charles, y remportèrent leur première victoire de la guerre en battant l'armée de Mac*-Mahon (4 août 1870), qui effectua une retraite sur Climbach avant d'être à nouveau défaite à Frœschwiller* (5-6 août).

WISSLER (Clark). ♦ Ethnologue américain (Wayne County, 1870 – New York, 1947). Représentant du diffusionnisme **(V. Graebner** et **W. Schmidt),** il s'est principalement consacré à l'étude des Indiens d'Amérique du Nord (*The American Indians,* 1917; *The Relation of Nature to Man in Aboriginal America,* 1926; *Man and Culture,* 1923, etc.).

WISSMANN (Hermann *von***).** ♦ Voyageur et administrateur allemand (Francfort-sur-l'Oder, 1853 – Weissenbach, Styrie, 1905). Parti avec Pogge de Luanda (1880), il atteignit Nyangoué et le Sankourou, explora la côte orientale du Tanganyika. Après une expédition au Congo (1884) et d'Afrique centrale jusqu'à l'océan Indien (1886-1887), il fut nommé gouverneur de l'Afrique-Orientale allemande (1895).

WITEŁO. ♦ Philosophe d'origine polonaise (XIIIe s.). Il séjourna en Italie, où il découvrit la pensée d'Aristote et des néo-platoniciens Simplicius et Proclus. Il est l'auteur d'un traité d'optique, *Perspective,* ou il expose, en même temps que la structure de l'œil, les lois de la propagation de la lumière, de la réflexion et de la réfraction. La philosophie qu'il développe dans *De ordine entium* est émanatiste.

WITHAM. *n. f.* ♦ Riv. d'Angleterre centrale (Lincolnshire). 128 km. Tributaire du golfe du Wash, elle arrose Grantham et Lincoln.

WITHORN. ♦ V. du S.-O. de l'Écosse (Wigtownshire). 990 hab. (1961). ♦ *Hist.* Saint Dunian, le premier missionnaire d'Écosse, y fonda en 397 une église (Candida Casa) sur le site de laquelle un monastère fut bâti en 1130.

WITKIEWICZ (Stanisław Ignacej). ♦ Romancier, peintre, critique d'art et dramaturge polonais (Varsovie, 1885 – *id.*, 1939). Familiarisé avec les courants philosophiques de son temps, adorateur de la forme pure, métaphysicien doué d'une imagination surréaliste et d'un sens du grotesque cruel et plein d'humour, Witkiewicz est l'interprète le plus important du « catastrophisme », mouvement littéraire connu en Pologne entre les deux guerres. Obsédé par l'idée de la désintégration de la culture européenne (qui le poussa au suicide en sept. 1939) et refusant les « tabous » bourgeois, notamment dans le domaine de l'érotisme, il développa ses idées dans son œuvre théâtrale (que l'on a pu comparer à celle de Ionesco) et ses romans philosophiques : *Adieu à l'automne* (*Pożegnanie jesieni,* 1927), *L'Inassouvissement* (*Nienasycenie,* 1930, trad. fr. 1970), considéré comme son chef-d'œuvre.

WITT (Johan ou **Jan De).** ♦ Homme politique hollandais (Dordrecht, 1625 – La Haye, 1672). Grand pensionnaire* en 1653, il conclut la paix avec Cromwell* (1654). Par l'Acte d'exclusion (1667), il interdit à la maison d'Orange* le stathoudérat. Sa politique intérieure fut heureuse (les finances furent restaurées, les libertés des cités renforcées). Entraîné à la guerre contre l'Angleterre (1665-1666), il dut céder la Nouvelle-Amsterdam au traité de Breda (1667). Il parvint à former une alliance avec l'Angleterre et la Suède contre la France (Aix-la-Chapelle, 1668), mais, lorsque Louis* XIV envahit la Hollande en 1672, le parti orangiste se releva. Cornelis de Witt, son frère, fut arrêté et lui-même fut tué au cours d'une émeute. ♦ CORNELIS DE WITT (Dordrecht, 1623 – La Haye, 1672), son frère. Bourgmestre de Dordrecht (1666), il combattit les Anglais avec l'amiral Van Ghent (1667). Les guerres de Louis XIV lui firent cependant perdre toute popularité : accusé d'avoir voulu assassiner Guillaume* d'Orange, il fut incarcéré et massacré par la populace, ainsi que son frère.

WITTE (Sergheï Ioulievitch, *comte***).** ♦ Homme politique russe (Tiflis, 1849 – Saint-Pétersbourg, 1915). Nommé ministre des Transports (1892), puis des Finances (1893-1903), il se consacra à la construction du chemin de fer transsibérien et à l'industrialisation du pays, en empruntant à l'étranger. Président du comité des ministres (1903), il fut envoyé à Portsmouth (États-Unis) pour négocier la paix avec le Japon (août 1905). Nommé Premier ministre en octobre 1905, il réprima la mutinerie des marins de Kronstadt* et inspira à Nicolas* II les lois fondamentales qui instituèrent la *douma* d'État. Après les élections, qui donnèrent la majorité à l'opposition, Witte fut disgracié (1906).

WITTELSBACH. ♦ Famille royale de Bavière qui prit le nom d'un château situé près d'Aichach. En paiement de sa fidélité à Frédéric Barberousse, elle reçut le duché de Bavière lorsque Henri* le Lion fut dépouillé de ses États (1180). Elle régna sur la Bavière jusqu'en 1918. En 1214, les Wittelsbach reçurent le Palatinat rhénan, qui passa à la branche aînée avec la dignité électorale lorsque la maison se divisa en deux branches, en 1329. Les deux branches menèrent des politiques différentes lors de la Réforme : le Palatinat se plaça du côté des protestants lors de la guerre de Trente Ans, ce qui lui valut de perdre la dignité électorale en 1623. Cependant, la branche de Bavière, qui avait soutenu l'empereur, retrouva la dignité électorale en 1648. En 1777, la ligne de Wittelsbach-Sulzbach (Palatinat) réunit toutes les possessions de la famille à l'extinction de la ligne bavaroise. Le duc Maximilien Joseph fut nommé roi de Bavière par Napoléon Ier en 1806 (**V. Maximilien Ier Joseph**). Les Wittelsbach régnèrent également en Brandebourg (1323-1373), en Bohême (1619-1620) et en Suède (1654-1718).

WITTELSHEIM [vitɛlsɛm]. ♦ Comm. du Haut-Rhin, arr. de Thann. 10 088 hab. Potasse.

WITTEN. ♦ V. d'Allemagne occidentale (Rhénanie du Nord-Westphalie), dans la Ruhr*. 97 700 hab. — Aciéries, indus. chimiques.

WITTENBERG. ♦ V. d'Allemagne orientale (Saxe, distr. de Halle), sur l'Elbe. 46 845 hab. — Université fondée en 1502 et rattachée à celle de Halle en 1817. Église du XVe s. (ornée de peintures de L. Cranach). — Métallurgie, chimie. — Patrie de L. Cranach* et de W. Weber*. ♦ *Hist.* Luther* afficha sur les portes de l'église du château les 95 propositions qui furent à l'origine de la Réforme (1517), dont la ville devint un centre; il vécut à Wittenberg jusqu'à sa mort, dans l'ancien couvent des Augustins.

WITTENHEIM [vitɛnɛm]. ♦ Ch.-l. de cant. du Haut-Rhin*, arr. de Mulhouse*. 10 124 hab. — Mines de potasse. Indus. textiles.

WITTENWILLER (Heinrich). ♦ Chevalier et poète de langue allemande originaire de la région de Saint-Gall en Suisse (fin du XIVe s., début du XVe s.). S'inspirant d'un fabliau *(Von Mätzen Hochzeit)*, il a écrit un poème très révélateur sur les mœurs de l'époque, *Der Ring* (L'Anneau, v. 1400). Les histoires de paysans, burlesques et même grossières, laissent apparaître les intentions didactiques de l'auteur (qui veut enseigner « courtoisie, bonne éducation, vertu et valeur militaire »). Le ton de la parodie et de la satire y est cependant assez pessimiste, malgré les nombreuses scènes de farce.

WITTERIC. ♦ ([mort] 609 ou 610?). Roi des Wisigoths (603-609 ou 610). De religion arienne, il se révolta contre Recarède Ier puis contre Liuva II qu'il assassina. Il mourut lui-même assassiné.

WITTGENSTEIN (Paul). ♦ Pianiste autrichien (Vienne, 1887 — New York, 1961). Ayant perdu le bras droit durant la Première Guerre mondiale, il devint le principal dédicataire des œuvres pour la main gauche de Ravel* *(Concerto pour la main gauche)*, Prokofiev, Schmitt, Britten et R. Strauss.

WITTGENSTEIN (Ludwig Josef). ♦ Logicien et philosophe anglais d'origine autrichienne (Vienne, 1889 — Cambridge, 1951). Étudiant en mécanique à Berlin (1906) puis à Manchester (1908), il s'intéressa au problème du fondement des mathématiques et, délaissant ses recherches d'aéronautique, suivit les cours de B. Russell au *Trinity College* de Cambridge (1912). Après avoir exercé divers métiers, dont celui d'instituteur en Autriche, il devint professeur assistant (1930-1936), puis titulaire de la chaire de philosophie à Cambridge (1939-1947). Engagé lors de la Première Guerre mondiale, il rédigea alors le *Tractatus logico-philosophicus*, publié en 1921. Tout en affectant une certaine indifférence à l'égard des philosophies antérieures, Wittgenstein reconnaît avoir été influencé par les travaux de G. Frege* et Russell* dont il reprit, en la modifiant, la doctrine de l'atomisme logique. Il définit le monde comme un ensemble de faits *(Tatsache)*, indépendants les uns des autres et résolubles en « état de choses » (fait atomique, *Sachverhalt*), dont les liaisons forment la structure logique du monde. La pensée et les propositions dans lesquelles elle s'exprime, est le tableau, « l'image logique des faits »; la structure formelle du langage correspond d'une certaine manière à celle du monde.

Ph. X.

L. J. Wittgenstein.

Coll. Viollet

Hugo Wolf.

Si les propositions élémentaires sont vraies dans la mesure où elles représentent un « état de choses » existant, la vérité des propositions complexes ne dépend, elle, que de la vérité ou de la fausseté des propositions élémentaires, dont elles sont la combinaison logique. Ainsi les énoncés de la logique sont tautologiques et « vides de sens » : ils ne renseignent en rien sur le réel et constituent le cadre formel, à priori, de la connaissance scientifique. Le *Tractatus*, qui contribua à la formation des thèses néo-positivistes de M. Schlick* et du cercle de Vienne*, se présente comme un effort de clarification logique des pensées, tout en montrant que la formulation des problèmes philosophiques « repose sur un malentendu de la logique de notre langue ». Mais, si « tout ce qui peut être dit peut être dit clairement », « il y a assurément de l'inexprimable ». Par rapport au dogmatisme du *Tractatus*, les textes ultérieurs (*Remarques philosophiques, Philosophische Bemerkungen*, 1930, publ. 1964; *Les Cahiers bleu et brun*, 1933-1935) témoignent d'une évolution qui aboutit aux *Investigations philosophiques* (1936?-1949, publ. 1952, trad. fr., 1964). Cessant de privilégier l'unité de la structure logique du langage scientifique, cette œuvre est une analyse du langage naturel, des formes variées et fluides de sa grammaire, de ses notions aux significations non totalement définies. La philosophie doit se contenter, dès lors, de décrire l'usage réel du langage, instrument de communication humaine avec ses systèmes de règles (correspondant à divers « jeux du langage »). Toutefois, au delà des modifications apportées à ses premières positions, Wittgenstein n'a cessé d'affirmer, du *Tractatus* aux *Investigations*, l'idée que la philosophie consiste non dans l'énoncé de thèses, mais dans l'activité de clarification d'une pensée qui entend se dégager des pièges du langage.

WITWATERSRAND (en abrégé **RAND**). *n. m.* ♦ Importante région aurifère du Transvaal* (Afrique du Sud) où a également été découvert de l'uranium; elle est devenue la principale région industrielle de la République. *V. princ.* **V. Boksburg, Brakpan, Germiston, Johannesburg, Krugersdorp, Randfontein, Roodeport-Maraisburg, Springs.**

WITZ (Konrad). ♦ Peintre originaire de Souabe (Rottweil, 1400-1410 — Bâle ou Genève, v. 1445). En 1434, on le trouve inscrit à la corporation des peintres de Bâle et il semble avoir surtout travaillé en Suisse. Il est l'auteur du *retable du Salut* (v. 1434-1436) et du *retable de saint Pierre* (1444-1446). Son style dénote l'influence de l'art flamand et plus particulièrement de la sculpture bourguignonne. Comme Sluter*, il aimait en effet les proportions trapues et les lourdes draperies aux plis cassants. L'originalité de son style, particulièrement du célèbre paysage de la *Pêche miraculeuse*, réside dans son art de subordonner la description précise du réel à une conception d'ensemble de caractère monumental : les volumes solides sont établis avec force dans l'espace grâce à une connaissance sans doute intuitive de la perspective et éclairés avec franchise.

WIVALLIOUS (Lars). ♦ Poète suédois (1605 — 1669). Aventurier, il connut la prison (1629-1641), où il écrivit des poèmes dans le genre populaire, en évoquant l'amour de la liberté. On l'a souvent comparé à Villon. Son œuvre compte parmi les témoignages les plus émouvants de la poésie suédoise.

WŁOCŁAWEK. ♦ V. de Pologne (voïévodie de Bydgoszcz) sur la r. g. de la Vistule*. 73 900 hab. — Centre industriel en développement. Port fluvial et centrale hydro-électrique. Industries alimentaires, chimiques et métallurgiques.

WOËVRE [vwavʀ]. *n. f.* ♦ Plaine de 25 à 30 km de large, située à l'O. de la Lorraine, au pied des Côtes de Meuse (Meuse et Meurthe-et-Moselle). Sillonnée de riv. dépendantes de la Moselle, cette plaine, au sol marneux, est très fertile. Forêts; étangs où est pratiquée la pisciculture. La culture du blé est en expansion.

WÖHLER (Friedrich). ♦ Chimiste allemand (Eschersheim, près de Francfort-sur-le-Main, 1800 — Göttingen, 1882). Il réalisa les premières synthèses organiques, celle de l'acide oxalique (1824) et celle de l'urée (1828), discréditant définitivement les théories vitalistes; il fut également le premier à obtenir de l'aluminium en lingot (1827) [**V. Sainte-Claire Deville**] et imagina le procédé de préparation de l'acétylène par décomposition du carbure de calcium avec de l'eau (1862). **V.** *aussi* **Berthelot.**

WOIPPY [vwapi]. ♦ Ch.-l. de cant. de la Moselle, arr. et aggl. de Metz-Campagne. 12 836 hab. Maisons anciennes (XVe s.). Château (XIIIe au XVIe s.). — Constructions métalliques et mécaniques (machines agricoles). Constructions électriques. Cultures de fruits (fraises). Gare de triage.

WOKING. ♦ V. du S. de l'Angleterre (Surrey), dans la vallée de la Wey, à 40 km au S.-O. de Londres. 67 520 hab. Église du XIIIe s. (Old Woking), mosquée Jahân (fin du XIXe s.). Indus. électriques.

WOLF (Friedrich August). ♦ Philologue allemand (Hagenrode, près de Nordhausen, Hanovre, 1759 — Marseille, 1824). Étudiant à l'université de Göttingen, il enseigna la philologie classique à Halle, puis à Berlin. Auteur d'éditions d'œuvres grecques antiques (le *Banquet* de Platon, les *Discours* de Démosthène, etc.), il est resté célèbre pour ses *Prolegomena ad Homerum* (1795) où, s'appuyant sur les travaux de Villoison*, il a développé la thèse selon laquelle *L'Iliade* et *L'Odyssée* furent écrites non par un, mais par plusieurs poètes, à des époques différentes.

WOLF (Hugo). ♦ Compositeur autrichien (Windischgrätz, auj. Slovonjgradec, Yougoslavie, 1860 — Vienne, 1903). Il apprit

Arch. Smeets

Konrad Witz :
« L'Empereur Auguste et la Sybille de Tibur ».
(Musée des Beaux-Arts, Dijon.)

avec son père les premiers rudiments du piano et du violon, étudia au conservatoire de Vienne, d'où il fut chassé en 1875 pour indiscipline. Second maître de chœur à Salzbourg de 1881 à 1883, il regagna Vienne, où il vécut en donnant des leçons particulières et en faisant de la critique musicale (1884-1887). Hypernerveux et instable, il fit plusieurs séjours dans des asiles psychiatriques, avant d'être interné définitivement en 1897, à la suite d'une tentative de suicide par noyade. Il mourut après avoir été frappé de paralysie générale. Il s'affirma dès 1888 comme l'un des grands maîtres du lied romantique allemand (il composa plus de trois cents lieder), dans la tradition de Schubert et de Schumann, mais où l'influence de Wagner est assez nette. Ces lieder ont généralement une haute tenue littéraire. Ils sont composés sur des poèmes de Goethe, Mörike, Eichendorff, G. Keller *(Alte Wiesen)*, sur des poèmes espagnols *(Spanisches Liederbuch)* et italiens *(Italienisches Liederbuch)*. Leur valeur musicale tient notamment à la partie de piano, acquérant par rapport à la mélodie accompagnée une certaine autonomie et un grand relief. Wolf a en outre laissé un grand poème symphonique, *Penthésilée* (1883), et deux opéras, *Corregidor* (1896) et *Manuel Venegas* (inachevé).

WOLFE (James). ♦ Général britannique (Westerham, Kent, 1727 – Québec, 1759). Après avoir pris part à la guerre de la Succession d'Autriche, il combattit au Canada pendant la guerre de Sept Ans, sous les ordres d'Amherst*. Sa victoire des plaines d'Abraham* décida du sort du Canada, mais il y trouva la mort ainsi que Montcalm*.

WOLFE (Thomas Clayton). ♦ Écrivain américain (Asheville, Caroline du N., 1900 – Baltimore, Md, 1938). Après une enfance tourmentée, entre une mère issue d'un milieu bourgeois et un père tailleur de pierre, il fit des études universitaires (1916), puis s'intéressa au théâtre, à Harvard (1920). Il écrivit plusieurs pièces, puis, se destinant à la dramaturgie, s'établit à New York où il devint professeur (1923). C'est en 1926 qu'il entreprit un vaste roman, *Look homeward, Angel* (publ. 1929). Chronique autobiographique et familiale, cette œuvre visait à évoquer la société américaine. Se consacrant alors à l'écriture, Wolfe publia un roman, *Of Time and the River* (Au fil du fleuve, 1935), des nouvelles, *From Death to Morning* (De la mort au matin, 1935) et une réflexion sur son expérience littéraire (*The Story of a Novel*, 1936). Il laissa en outre à sa mort une grande quantité d'écrits, dont des romans (*The Web and the Rock*, 1939; *You can't go home again*, 1940); sa correspondance avec sa mère (1943) et des lettres choisies (1956) ont également été publiées. Épopée sociale, réflexion lyrique et ample sur le temps et la vie, peinture critique, souvent confuse, de la civilisation américaine, l'œuvre de Thomas Wolfe, et en particulier son premier grand roman, a exercé une profonde influence sur la littérature américaine moderne.

WOLFF ou **WOLF (Christian,** *baron von***).** ♦ Philosophe allemand (Breslau, 1679 – Halle, 1754). Professeur de philosophie (Marburg et Halle), il est l'auteur de nombreux cours et manuels qui ont longtemps servi de base à l'enseignement philosophique en Allemagne. Il formalisa le rationalisme de Leibniz*, faisant de la philosophie la détermination « a priori » des conditions de possibilité du réel **(V. Baumgarten, Platner, Reimarus** et **Kant).**

WOLFF (Caspar Friedrich). ♦ Anatomiste et physiologiste allemand (Berlin, 1733 – Saint-Pétersbourg, 1794). Après une thèse *Sur la génération* (*Theoria generationis*, 1759), il enseigna l'anatomie et la physiologie à Saint-Pétersbourg. Précurseur de l'embryologie descriptive, il mit en question, par ses travaux en ce domaine, la théorie de la préformation.

WOLFF [volf] **(Albert).** ♦ Chef d'orchestre et compositeur français (Paris, 1884). Il dirigea successivement l'orchestre de l'Opéra-Comique (1922-1924), prit ensuite la direction de l'orchestre des concerts Lamoureux (1928), puis des concerts Pasdeloup, enfin de l'orchestre de l'Opéra. Il fit de nombreuses tournées en Europe et aux États-Unis. De son œuvre abondant, on peut mentionner le *Requiem* et l'opéra *L'Oiseau bleu*.

WOLFF (Étienne Charles). ♦ Biologiste français (Auxerre, 1904). Il s'est principalement consacré à des recherches d'embryologie, de tératologie animale expérimentale et de cancérologie. (Acad. sc., 1963; Acad. fr., 1971.)

WOLFRAM von Eschenbach. ♦ Poète allemand originaire d'Eschenbach en Franconie (v. 1170 – v. 1220). Noble mais pauvre, il se mit au service de plusieurs seigneurs, dont le landgrave Hermann de Thuringe. Poète courtois, il composa des poésies lyriques et surtout trois grands poèmes : *Parzival* où, s'inspirant de Chrétien de Troyes *(Perceval)* et d'un énigmatique Kyot le Provençal, il a conté les aventures et l'éducation de chevalier, d'amant et de chrétien de son héros, finalement appelé à la royauté du Graal : *Willehalm* (v. 1217), adaptation d'une chanson de geste française, *La Chanson des Aliscans* et *Sigune et Schionatulander* (appelé parfois *Titurel*).

WOLFSBURG. ♦ V. d'Allemagne occidentale (Basse-Saxe), fondée en 1938 par la réunion de plusieurs communes, sur l'Aller et le Mittellandkanal. 79 900 hab. – Industrie automobile (usines Volkswagen).

WOLFSKEHL (Karl). ♦ Poète allemand (Darmstadt, 1869 – Bayswater, Nouvelle-Zélande, 1948). Membre du cénacle de Stefan George* et collaborateur aux *Feuilles pour l'art*, il fut contraint de quitter l'Allemagne en raison de ses origines juives (1933). L'inspiration cosmique, dionysiaque, fait place peu à peu dans son œuvre à des thèmes empruntés à l'histoire du peuple juif et à ses souffrances (*Le Cercle* [*Der Umkreis*], 1927; *Chant de l'exil* [*Sang aus dem Exil*], 1950).

WOLGEMUT (Michaël). ♦ Peintre et graveur allemand (Nuremberg, 1434 – *id.*, 1519). Par son abondante activité de peintre et d'illustrateur, il contribua largement à l'épanouissement de l'école de Nuremberg, à la fin du XVᵉ siècle. Formé par son père, il travailla à Munich vers 1450 et prit connaissance de la peinture des Pays-Bas. Après être resté dans l'atelier de son père, il épousa la veuve du peintre Pleydenwurff (1473) et continua son atelier, qui prit rapidement une importance considérable. Il participa notamment à la réalisation du *maître-autel* de l'église Saint-Jacques de Straubing, ainsi qu'à ceux de Notre-Dame de Zwickau (1476), de Feuchtwagen (1484) et de Schwabach (terminé en 1508); cependant, sa part spécifique est difficile à préciser. Doué d'une grande maîtrise technique, il aimait les couleurs dures et vives; il insista sur les détails réalistes et se plut à rendre la brutalité des expressions. Recourant à un dessin nerveux, cassant et fouillé, il fit preuve d'invention dans le domaine iconographique comme en témoignent ses illustrations (env. 650 planches, un grand nombre notamment pour le Schatzbehatter [1491] et pour la *Chronique du monde* de Schedel [1491-1494]). Dürer, qui se forma dans son atelier, lui garda son estime et fit son portrait à deux reprises.

WOLIN, en all. **Wollin.** ♦ Grande île de Pologne* (Poméranie) située face à Uznam*, à l'entrée de la rade de Szczecin* qu'elle sépare de la mer Baltique*.

WOLKER (Jiří). ♦ Poète tchèque (Prostejov, 1900 – *id.*, 1924). Il chanta en des vers frais et mélodieux la fraternité humaine et devint le guide des poètes prolétariens : *L'Hôte dans la maison* (1921), *L'Heure difficile* (1922).

WOLLASTON (William Hyde). ♦ Chimiste anglais (East Dereham, Norfolk, 1766 – Londres, 1828). Il remarqua les raies sombres existant dans le spectre solaire (1802) [**V. Fraunhofer, Kirchhoff**], découvrit le palladium et le rhodium (1803), conçut un goniomètre à réflexion (1809), confirma avec Th. Young* l'existence de l'ultraviolet (1811) [**V.** *aussi* **Ritter**] et découvrit avec Brewster* les figures d'interférences qui permettent de caractériser les distinctions entre les différents cristaux.

WOLLONGONG ou **GREATER WOLLONGONG.** ♦ Troisième ville industrielle de Nouvelle*-Galles du Sud (Australie*), conurbation englobant plusieurs villes en développement rapide **(V. Bulli, Port Kembla)**; elle est située sur la côte pacifique au S. de Sydney, à laquelle elle est reliée par voie ferrée et par route. 162 835 hab. – Indus. lourde, dépendant du gisement houiller de Bulli*. Affinage et fonderie de cuivre, d'or et d'argent. Indus. chimiques (acide sulfurique, superphosphates). Importantes aciéries. Tôles d'acier, tôles galvanisées, acier inoxydable, fil de laiton, câbles métalliques. Briqueterie. Indus. mécaniques.

WOLOFS. ♦ **V.** OUOLOFS.

WOLSELEY (*sir* **Joseph Garnet**, *1er vicomte*). ♦ Maréchal britannique (Dublin, 1833 – Menton, 1913). Il fut un des créateurs de l'armée moderne anglaise et se distingua dans de nombreuses expéditions coloniales, notamment à Khartoum (Soudan) où il porta secours à Gordon* (1885). De 1895 à 1901, il commanda en chef l'armée britannique.

WOLSEY (Thomas). ♦ Prélat et homme d'État anglais (Ipswich, v. 1473 – Leicester, 1530). Archevêque d'York (1514), cardinal et lord-chancelier (1515), il dirigea la politique anglaise. Il maîtrisa la noblesse et mit en œuvre, comme légat du pape (1518), une certaine réforme ecclésiastique (peu appliquée). Il appuya Henri* VIII dans l'affaire de son divorce avec Catherine* d'Aragon, mais sous la pression de Charles Quint son mandat de légat fut suspendu et l'affaire introduite en cour de Rome. Cet échec et l'influence de ses nombreux ennemis amenèrent sa chute et son remplacement par Thomas More (1529).

WOLUWE-SAINT-LAMBERT, en néerl. **Sint-Lambrechts-Woluve.** ♦ Comm. de Belgique (Brabant, arr. de Bruxelles-Capitale). 43 200 hab. Église romane ; chapelle gothique. – Cultures maraîchères et florales.

WOLUWE-SAINT-PIERRE, en néerl. **Sint-Pieters-Woluwe.** ♦ Comm. de Belgique (Brabant, arr. de Bruxelles-Capitale). Parc important (étangs). Église Saint-Pierre (1755). Champ de courses.

WOLVERHAMPTON. ♦ V. du S. de l'Angleterre (Staffordshire), au N.-O. de Birmingham. 268 847 hab. Église St. Peter, en gothique perpendiculaire. – Important centre industriel : métallurgie (fonderies de fer et de cuivre), mécanique (cycles), chimie (caoutchouc, pneumatiques, peintures et vernis).

WOLVERTEM. ♦ Comm. de Belgique (Brabant, arr. de Bruxelles). 5 000 hab. Église (fonts baptismaux romans de style tournaisien).

WOMMELGEM. ♦ Comm. de Belgique (prov. et arr. d'Anvers). 8 500 hab. Instruments de précision. Tanneries.

WOOD (Robert Williams). ♦ Physicien américain (Concord, Massachusetts, 1868 – Amityville, New York, 1955). Il étudia les propriétés optiques des vapeurs métalliques et notamment les phénomènes de ***résonance optique*** (1904), conçut un chalumeau à hydrogène atomique (1921) et mit au point une lumière constituée par des radiations ultraviolettes et qui produit certaines fluorescences (***lumière de Wood*** ou ***lumière noire***).

WOODLARK, en angl. **Woodlark Island.** ♦ Île de la Mélanésie* (Océanie) au N.-E. des îles d'Entrecasteaux*, dépendant de l'Australie. Appelée aussi MURUA. **V. Nouvelle-Guinée.**

WOODSTOCK. ♦ Localité des États-Unis (État de New York) entre New York et Albany, où se tint le premier grand rassemblement de la *pop'music* (15-18 août 1969) : 400 000 personnes et 40 groupes de musiciens pour « trois jours de musique et de paix ».

WOODWARD (John). ♦ Médecin, naturaliste et géologue anglais (dans le Derby, 1665 – 1722 ou 1728). Il a classé dans l'ordre de superposition des couches les coquilles fossiles qu'il considéra comme des restes du déluge (*Essay towards a Natural History of the Earth*).

WOODWARD (Robert Burns). ♦ Chimiste américain (Boston, 1917 –). Auteur de synthèses difficiles dont celles de la quinine [avec Doering, 1944] **(V. Caventou, Pelletier)**, du cholestérol et de la cortisone [1951] **(V. Kendall)**, d'acides aminés tranquillisants, de la strychnine (1955) et de la chlorophylle (avec Strell, 1961); on lui doit également des recherches sur les antibiotiques. (Prix Nobel de chimie, 1965.)

WOOLF (Virginia Adeline, née **Stephen).** ♦ Romancière et critique anglaise (Londres, 1882 – Lewes, Sussex, 1941). De santé fragile, elle ne put suivre un cycle normal d'études, mais fut initiée aux philosophes par son père, érudit, grâce à qui elle put rencontrer Th. Hardy, G. Meredith. Après la mort de son père, elle prit l'habitude de recevoir ses amis dans sa maison de Bloomsbury et fonda ainsi le *Bloomsbury Group*. Aidée de son mari, Leonard Woolf, elle mit sur pied une maison d'édition, la *Hogarth Press*, qui fit connaître K. Mansfield et T. S. Eliot et publia la plus grande partie de son œuvre. Cette œuvre, qui, fortement imprégnée des théories proustiennes et joyciennes, rompait avec les conventions du roman traditionnel, décontenança le lecteur par la ténuité de l'intrigue encore que *La Traversée des apparences* (*The Voyage Out*, 1915), *La Nuit et le Jour* (*Night and Day*, 1919) et *Une chambre à soi* (*A Room of your own*, 1929), qui évoque la condition de la femme, soient d'un style assez classique. Sa conception du romanesque est éclairée par ses remarques sur la *Fiction moderne*, critique destructive des trois figures dominantes du roman de son temps : Galsworthy, Bennett et Wells. Appréhendant la vie comme « un halo lumineux, une enveloppe à demi transparente où nous sommes enfermés depuis la naissance de notre conscience jusqu'à la mort », elle s'attacha à écrire des « romans-poèmes » : *La Chambre de Jacob* (*Jacob's Room*, 1922), *Mrs. Dalloway* (1925), *La Promenade au phare* (*To the Lighthouse*, 1927), *Orlando* (*Orlando, a Biography*, 1928), fantaisie historique fondée sur la métempsychose, *Les Vagues* (*The Waves*, 1931), *Années* (*The Years*, 1937), *Entre les actes* (*Between the Acts*, 1941) sont tous fondés sur le thème du temps. On lui doit aussi une biographie de *Roger Fry* (1940), une biographie fantaisiste des Browning (*Flush*, 1933), *Le Journal d'un écrivain* (*A Writer's Diary*, posth. 1953) qui permet de suivre la genèse de son œuvre. Victime de l'isolement né de la guerre, craignant la folie, elle se suicida. « Par son refus des conventions sociales, son engagement total dans son activité créatrice et son expérience de la folie, elle est à la haute bourgeoisie intellectuelle anglaise du début du siècle ce que cette autre rebelle, Zelda Fitzgerald, fut à la moyenne bourgeoisie américaine après la Première Guerre mondiale. » (Bernard Cassen.)

Coll. Viollet

William Wordsworth.

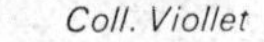

Ph. Gisèle Freund

Virginia Adeline Woolf.

WOOLLEY (*sir* **Leonard**). ♦ Archéologue anglais (1880 – 1960). Avec T. E. Lawrence, il dégagea la cité hittite de Karkemish et explora les vestiges du Sinaï. Il travailla encore à Tell el-Amarna, mais son œuvre essentielle fut la fouille d'Ur (1922-1934).

WOOLLEY (Dilworth Wayne). ♦ Biochimiste américain (Raymond, Alberta, 1914 – Cuzco, Pérou, 1966). Ses travaux portèrent sur les vitamines (découverte de la vitamine P.P. antipellagreuse), sur les antimétabolites, sur le rôle de certaines substances chimiques dans le développement de la schizophrénie, conduisant à une théorie biochimique des psychoses.

WOOLWICH. ♦ V. de la banlieue E. de Londres*. 146 400 hab. Centre industriel. L'académie militaire (artillerie, génie) qui y fut fondée en 1741 a été intégrée, depuis 1947, au collège royal militaire de Sandhurst*.

WOOMERA. ♦ Localité d'Australie*-Méridionale, à 500 km env. au N. d'Adélaïde. Vaste base de lancement pour missiles et engins spatiaux (créée en 1951).

WORCESTER. ♦ V. d'Angleterre. Ch.-l. du Worcestershire, sur la r. d. de la Severn. 73 445 hab. Évêché (depuis 680). Université. Cathédrale gothique (XIIIe s.). Anc. hôpital du XIe s., maisons des XVe-XVIe s., hôtel de ville du XVIIIe siècle. Patrie de John Somers*. ♦ *Hist.* Victoire de Cromwell sur les troupes de Charles II (1651).

WORCESTER. ♦ V. des États-Unis, dans le centre du Massachusetts. 175 140 hab., en diminution, mais la zone urbaine augmente : près de 350 000 hab. – Indus. (produits métalliques, machines-outils, cuir, textiles). Plusieurs établissements d'enseignement supérieur. – Patrie de G. Bancroft*, R.H. Goddard*.

WORCESTERSHIRE. *n. m.* ♦ Comté d'Angleterre, dans les Midlands. 1 813 km². 692 605 hab. (1971). *Ch.-l.* Worcester*. *V. princ.* **V. Bromsgrove, Dudley, Halesowen, Kidderminster, Malvern, Redditch** et **Stourbridge.** – Le comté s'étend sur les riches vallées de l'Avon (val d'Evesham) et de la Severn, et sur de petites collines (*Malvern, Clent, Lickley Hills*). Le S. et l'O. sont de fertiles zones agricoles (cultures maraîchères, vergers, céréales). L'indus. (métallurgie) s'est développée dans les villes grâce à la présence de fer et de houille (N. du comté).

WORDSWORTH (William). ♦ Poète anglais (Cockermouth, Cumberland, 1770 – Rydal Mount, Westmorland, 1850). Il fut orphelin de bonne heure et la mélancolie marqua son enfance à la « grammar-school » de Hawkshead et chez ses grands-parents à Penrith. C'est dans l'ambiance de Cambridge, qu'il jugeait bornée, que furent écrits ses premiers poèmes. Révolutionnaire à Paris, il échappa de justesse à la guillotine et dut abandonner son amie française après avoir reconnu leur enfant, Caroline. Cette double expérience, sentimentale et politique, lui inspira *Vaudracour et Julia* (1805) et *Les Frontaliers* (1842), tragédie en vers. Dans les *Ballades lyriques* (1798), écrites en collaboration avec Coleridge*, apparaît la qualité de vision (« visionary quality ») propre à Wordsworth. La préface de la seconde édition présente son art poétique. On peut citer *La Ballade du vieux marin (Ryme of the Ancient Mariner)* en exemple de cette transfiguration du quotidien que prônait Wordsworth. Devenu réactionnaire « à cause du complet échec de la Révolution française » (Coleridge), il s'en explique dans un poème autobiographique de quatorze livres, *Le Prélude* (posth. 1850), initialement destiné à préluder à un poème philosophique sur l'homme, la nature et la société, *Le Reclus*. L'élément didactique y domine malgré de très belles descriptions de nature romantique (coucher de soleil, tempête). Wordsworth évoqua aussi en prose le cadre naturel qui inspirait sa poésie (*Description du paysage des lacs*, 1823). La poésie était pour lui « l'écriture la plus philosophique [...] une quête de la vérité [...] vivante au cœur à cause de la passion ». Il s'agit pour le poète de retrouver une sérénité perdue (Platon) appréhendée par les enfants et les simples. Les *Poèmes* (de 1807) sont empreints du sentiment de la nature qui caractérisa les lakistes* dont il fut le chef de file. Il fut admiré par Carlyle* et parodié par Shelley* *(Peter Bell III).*

WORDSWORTH (Dorothy). ♦ Femme de lettres anglaise (Cockermouth, Cumberland, 1771 – Rydal Mount, 1855). Sœur de William Wordsworth*, elle fut aussi sa meilleure amie et partagea avec lui cinquante ans de son existence. Son journal (*Grasmere Journal,* posth., 1941), tenu de 1800 à 1803, est un document sur les conditions dans lesquelles écrivait son frère. Observatrice et sensible, elle avait le don de la description : ses souvenirs de voyage en Écosse et sur le continent furent publiés après sa mort et ses quelques poèmes parurent avec ceux de son frère en 1815. Elle fut la muse des lakistes* célébrée par Coleridge.

WORKSOP. ♦ V. de l'Angleterre septentrionale (Nottinghamshire), au S.-E. de Sheffield, à la lisière de la forêt de Sherwood. 35 660 hab. (1969). Église conventuelle (XIIe s.). Extraction de houille, verreries, briqueteries, textiles artificiels.

WORMS [vɔʀms] **(René).** ♦ Sociologue français (Rennes, 1869 – Paris, 1926). Fondateur de l'Institut international de sociologie, il fut un des théoriciens de l'organicisme, bien qu'il eût été amené à nuancer ce point de vue (*Philosophie des sciences sociales; Organisme et Société,* 1896).

WORMS. ♦ V. d'Allemagne occidentale (Rhénanie-Palatinat), sur la r. g. du Rhin, au N. de Ludwigshafen. 63 300 hab. – Belle cathédrale de style roman rhénan (XIIe-XIIIe s.); églises des XIIIe-XVIe s., synagogue la plus anc. d'Europe (1034), monument de Luther (1868). Commerce des vins du Palatinat rhénan, indus. textiles, matières plastiques, travail du cuir. – Patrie du chimiste H. Staudinger*. ♦ *Hist.* Anc. cité celte, puis romaine *(Borbetomagus),* Worms devint la capitale du royaume des Burgondes. Sa destruction par les Huns en 436 inspira la *Chanson des Nibelungen.* Le concordat de Worms y fut signé en 1122 et des diètes impériales s'y tinrent (**V.** *ci-dessous*). Luther, invité à s'y justifier, fut mis au ban de l'Empire par l'*édit de Worms* en 1521. Dévastée par la guerre de Trente Ans, la ville fut brûlée par les Français en 1689. Annexée par la France sous l'Empire, elle fut attribuée à la Hesse en 1815.

Worms *(concordat de).* ♦ Traité signé le 23 septembre 1122 entre l'empereur Henri V et le pape Calixte* II et mettant fin à la querelle des Investitures* : l'empereur renonçait à l'investiture spirituelle par la crosse et l'anneau, respectait la libre élection des évêques et abbés, mais obtenait de présider ces élections et de donner ensuite une investiture temporelle par le sceptre.

Worms *(diète de).* ♦ Diète tenue par Charles Quint en 1521. Luther* y comparut (17 avr.) et refusa de rétracter sa doctrine (on rappelle ses paroles sous la forme condensée : « Je ne puis autrement, que Dieu me soit en aide! »). Il sortit libre, mais l'*édit de Worms* le mit au ban de l'Empire, ordonna la destruction de ses ouvrages, exigea le retour au catholicisme et la restitution des biens ecclésiastiques confisqués. L'application de cet édit s'avéra difficile. **V. Réforme.**

WORMSER (Olivier). ♦ Banquier français (Jouy-en-Josas, 1913). Après une carrière diplomatique au cours de laquelle il s'est spécialisé dans les affaires économiques, il a été élevé à la dignité d'ambassadeur de France (1968) et est devenu, en 1969, gouverneur de la Banque de France.

WORTH (Charles Frédéric). ♦ Couturier français d'origine anglaise (Bourn, Lincolnshire, 1825 – Paris, 1895). Après un apprentissage à Londres, il vint à Paris en 1846 et travailla dans une maison de soieries. En 1858, il monta sa propre maison de couture (rue de la Paix), qui acquit une réputation mondiale grâce au patronage de la princesse de Metternich et de l'impératrice Eugénie. Après la guerre de 1870, ses fils Jean-Philippe et Gaston l'assistèrent. La *maison Worth* prospéra jusqu'en 1952, date à laquelle elle fusionna avec Paquin; *Worth-Paquin* ferma cependant ses portes deux ans plus tard.

WORTHING. ♦ V. d'Angleterre méridionale (West Sussex), sur la côte de la Manche. 88 210 hab. (1971). Église gothique (XIIe s.) et maisons du XVe siècle. Importante station balnéaire. Cultures florales, fruitières et maraîchères. – Aux environs, restes d'une villa romaine.

WOTAN ou **WODAN.** ♦ Nom allemand du dieu germanique Odin. **V. Odin.**

WOUTERS (Rik). ♦ Peintre, sculpteur, graveur et dessinateur flamand (Malines, 1882 – Amsterdam, 1916). Formé auprès de son père, sculpteur sur bois, il étudia aussi aux académies de Malines et de Bruxelles, et séjourna à Paris en 1912. Il s'adonna à la sculpture à partir de 1902 et réalisa des statues et des bustes qui dénotent une certaine influence de Rodin* et se caractérisent par l'ampleur, la robustesse des formes, parfois schématisées, ainsi que par la vigueur du modelé, le goût des expressions animées et des compositions mouvementées (*Buste d'Ensor; La Vierge folle,* 1912). Admirateur de James Ensor*, mais aussi des impressionnistes français ainsi que de Cézanne et de Bonnard, il laissa apparaître dans ses tableaux un art personnel qui présente des affinités avec celui des fauves (liberté de facture, éclat des coloris à dominante chaude). Il réalisa des natures mortes mais surtout des scènes familières et des portraits qui annoncent, dans une certaine mesure, l'expressionnisme par l'audace du coloris et l'attention portée à l'expression des sentiments (*Portrait de Rik au bandeau noir,* 1913).

WOUWERMAN ou **WOUWERMANS (Philips).** ♦ Peintre et dessinateur hollandais (Haarlem, 1619 – *id.,* 1668). Élève de son père et probablement de F. Hals*, il subit surtout dans le choix de ses sujets l'influence de Pieter Van* Laar, de Both et de Dujardin*. Membre de la gilde d'Haarlem en 1640, il fut l'un des peintres de genre les plus féconds du XVIIe s. hollandais et traita avec prédilection des sujets mettant en scène des chevaux : batailles, cavalcades, scènes de campements militaires, chasses. Il représenta quelquefois des scènes d'intérieur, mais préférait les scènes populaires en plein air, où les éléments empruntés au paysage italianisant se mêlent à une observation sensible de son pays et au sens de l'anecdote pittoresque. Comme la plupart de ses confrères, il avait le sens de l'atmosphère et traitait avec une touche fine les effets de lumière. Il aimait les tonalités argentées *(Chocs de cavalerie; Halte à l'auberge; Bohémiens en voyage).*

Woyzeck. ♦ Drame de Georg Büchner* (1836). Misérable par son insignifiance et son humilité, le soldat Woyzeck doit céder devant tous, le médecin, le capitaine, le caporal-major. Deux êtres constituent sa seule richesse : Marie, sa femme et son petit garçon. Mais Marie est volage et se laisse séduire par le caporal-major. Halluciné, ivre de jalousie et de désespoir, Woyzeck tue Marie et se noie dans le lac où il a jeté son cadavre. Épopée de la misère, dont la construction vigoureuse évoque la marche d'une fatalité inéluctable, l'œuvre s'achève sur l'image du fils de Woyzeck, ignorant encore de l'événement et jouant avec d'autres enfants. – Elle a inspiré à Alban Berg* un opéra, *Wozzeck* (1921) utilisant toutes les ressources du dodécaphonisme et dont le lyrisme et la puissance expressive font un des chefs-d'œuvre de l'opéra moderne.

WRANGEL (Karl Gustaf *von***).** ♦ Feld-maréchal suédois (1613 – 1676). Il s'était déjà illustré (Fehmarn, 1644), quand il prit la succession de Torstensson* à la tête des armées suédoises. Il envahit avec Turenne* la Bavière et le Wurtemberg, prit part à la guerre de Pologne et au siège de Varsovie et à l'invasion du Danemark. Il fut relevé de ses fonctions dans la guerre de Brandebourg à la suite de la défaite de son frère à Fehrbellin*.

WRANGEL (Piotr Nikolaïevitch, *baron de***).** ♦ Général russe (Novo-Alexandrovsk, 1878 – Bruxelles, 1928). Commandant d'une division de cosaques pendant la Première Guerre mondiale, il se retira en Crimée après la révolution d'Octobre et se battit contre les bolcheviks. Adjoint de Dénikine*, il s'empara de Tsaritsyne (mars 1919 – *auj.* Volgograd), mais fut battu et dut abandonner la ville le 19 juin 1919. Ayant remplacé Dénikine à la tête de l'« armée volontaire », en mars 1920, il déclencha une offensive sur le Dniepr inférieur et dans le Kouban et organisa un gouvernement

Ph. J. Dupaquier/Atlas photo

La cathédrale de **Worms.**

Ph. Roger-Viollet

Christopher Wren :
la cathédrale Saint-Paul à Londres.

qui fut reconnu *de facto* par la France. La contre-offensive de l'armée rouge obligea Wrangel à reculer en désordre vers la Crimée. Après une bataille acharnée, les bolcheviks forcèrent l'isthme de Pérékop, puis s'emparèrent de Sébastopol, mais Wrangel, aidé par les Alliés, réussit à évacuer, avec 126 navires, plus de 130 000 personnes, dont 70 000 soldats.

WRANGEL *(île de)*. ♦ V. VRANGEL *(île de)*.

WRAY (John). ♦ RAY (John).

WREN (*sir* Christopher). ♦ Architecte et homme de science anglais (East Knoyle, Wiltshire, 1632 – Hampton Court, 1723). Il s'imposa d'abord comme mathématicien et occupa la chaire d'astronomie à Londres puis à Oxford ; il devint l'un des membres fondateurs de la Société royale des sciences. Avant de se consacrer à l'architecture, il effectua en 1665 un voyage en France, où il prit connaissance des réalisations alors en cours. Vers cette époque il donna le projet de la chapelle de Pembroke College, à Cambridge (1663-1665) et entreprit le *Sheldonian Theatre* d'Oxford (1664-1669) où il imagina un ingénieux système de couverture. À la suite du grand incendie de Londres (1666), il eut l'occasion de déployer une intense activité ; nommé par Charles II membre de la commission de reconstruction, il proposa notamment un projet d'urbanisme élaboré selon un plan radioconcentrique, qui ne put être réalisé ; il fournit aussi les plans d'une cinquantaine d'églises paroissiales en se référant à Inigo Jones* mais aussi aux modèles hollandais. Il adopta en général un plan longitudinal aux sobres partis pris dont la disposition favorisait la prédication ; préférant les espaces nus, il fit preuve d'imagination dans le choix de certains motifs architecturaux et décoratifs (supports, éléments de couverture, galeries) et attacha peu d'attention à l'extérieur (le plus souvent en brique), si ce n'est dans le dessin des clochers et lanternons souvent pleins de fantaisie inventive et qui révèlent des emprunts partiels au baroque italien. Son œuvre majeure fut la reconstruction de la *cathédrale Saint-Paul* à partir de 1675. Son projet de plan central en forme de croix grecque allait à l'encontre des exigences du clergé, qui préférait un plan longitudinal en croix latine. Après divers compromis, l'un de ses plans fut accepté et, au cours de la construction, il effectua une série de modifications. Les souvenirs de *Saint-Pierre* de Rome et l'influence de l'église des *Invalides* apparaissent dans cette réalisation monumentale surmontée d'une coupole ; si les deux tours en façade procèdent du baroque, le parti adopté à la façade et la colonnade circulaire entourant le tambour du dôme annoncent l'esprit néo-classique du XVIIIe siècle. Dans le domaine de l'architecture civile, il affirma d'abord son souci de respecter la « perfection des ordres » que préconisaient les traités de Serlio et de Palladio, ainsi qu'une certaine influence du classicisme français. Il édifia la bibliothèque de *Trinity College* à Cambridge (1676-1684), l'*hôpital de Chelsea* (quartier de Londres), fondé par le roi Charles II (1682-1691), puis l'*hôpital de Greenwich* (1696-1702). Pour le roi Guillaume et la reine Marie, il aménagea et transforma le palais de *Hampton Court*, puis agrandit la résidence de *Kensington* (1688-1702), révélant un art très personnel dans l'utilisation esthétique des contrastes de la brique et des éléments ornementaux en pierre. Si plusieurs de ses projets ne purent être réalisés, il ne s'en imposa pas moins comme l'un des plus grands architectes anglais.

WREXHAM. ♦ V. du N.-O. du pays de Galles (Denbighshire). 35 400 hab. – Église gothique du XVe siècle. – Exploitation de la houille locale et métallurgie.

WRIGHT (Edward). ♦ Cosmographe anglais (v. 1560 – v. 1640). Inventeur du canevas des cartes à latitudes croissantes, il a exposé en termes mathématiques la construction de la projection de Mercator* (appelée pour cette raison *projection de Wright* par les Anglais) (*Errours in Navigation detected and corrected,* 1599). Il fut également un des promoteurs de la théorie des logarithmes.

WRIGHT (Frank Lloyd). ♦ Architecte, dessinateur et théoricien américain (Richland Center, Wisconsin, 1867 [ou 1869] – Phœnix, Arizona, 1959). Fils d'un pasteur baptiste, il entreprit des études d'ingénieur à l'université de Wisconsin, mais surtout passionné par l'architecture il devint dessinateur dans l'agence de J.L. Silsbee à Chicago, puis travailla chez Sullivan et devint rapidement son principal assistant (1887 à 1893). Esprit non conformiste, il refusa le néo-académisme issu de la tradition gréco-romaine et subit l'influence des écrits de Viollet*-le-Duc et de Ruskin*. Il s'appliqua à repenser l'architecture en tenant compte des possibilités offertes par les nouveaux matériaux, mais aussi en fonction du mode de vie contemporain ; il chercha notamment à reconsidérer les rapports de l'individu, de l'édifice et de la nature environnante ; ainsi, il définit et défendit une architecture organique (*An Organic Architecture,* 1939), fondée en partie sur une mystique de la Nature, et exalta les droits de l'imagination en prônant la liberté formelle. Son talent de constructeur et ses capacités inventives se manifestèrent dès le début de sa carrière, notamment avec sa propre *maison à Oak Park* dans l'Illinois (1889), le *Golf club de River Forest* (1898), et particulièrement dans sa série dite des *« Prairie Houses »* (inaugurée par le projet « Maison pour une ville de la Prairie », 1901), dont les plus remarquables exemples sont la *Willitts House* à Highland Park, Illinois (1902), la *Coonley House* de Riverside (1908-1909), la *Isabel Roberts House* (1908), la *Thomas Gale House,* Chicago (1909) et la *Robie House,* Chicago (1909). Il créa des plans en croix, en L ou en T, innovant dans la conception de l'espace intérieur en évitant le cloisonnement et en cherchant les articulations par des niveaux différents et l'enchaînement des parties ; il ouvrit largement l'espace sur l'extérieur grâce à des galeries couvertes, auvents, terrasses, toits en pente douce débordant largement, fenêtres en bandeau, et préféra les maisons basses où prédominent les lignes horizontales et les matériaux naturels qui concourent à intégrer le bâtiment à la nature environnante. Il conçut aussi dès 1901 un projet de banque en béton armé, employant surtout ce matériau dans les immeubles commerciaux (*Larkin building* à Buffalo, New York, 1904). Il manifesta des tendances expressionnistes (*Unity Temple de Oak Park,* 1906) et édifia de 1916 à 1922 l'*Imperial Hotel* de Tôkyô (détruit en 1955) qui fut l'un des rares immeubles à résister au tremblement de terre de 1923 grâce à un système de dalles en porte à faux. Les résidences qu'il contruisit ensuite dénotent une liberté grandissante dans le choix des plans et des effets plastiques (*Millard House* à Pasadena [1923], au toit plat et construite avec des blocs de béton préfabriqués). Dans l'*Ocotillo Desert Camp,* il utilisa des formes en biais (1927). Plusieurs de ses réalisations suscitèrent de violentes controverses, certains y voyant des traits archaïsants procédant d'un romantisme attardé ; cependant, il allait manifester sa parfaite maîtrise de la technique du béton armé comme du répertoire formel moderne en édifiant l'audacieuse *Kaufmann House* (1936-1939) à Bear Run, Pennsylvanie, dite aussi *Maison sur la cascade,* avec son sytème de porte-à-faux et de terrasse, ainsi que les *bureaux de la Johnson Wax* à Racine, Wisconsin (1936-1939), bâtiment aveugle au vaste espace central soutenu par des poteaux-champignons, et dont certains murs sont ondulés ; il compléta l'ensemble avec une tour de verre aux angles arrondis. Il édifia aussi une série dite des *Usonian Houses* et, diversifiant encore ses recherches, établit ses plans selon des tracés hexagonaux, angulaires et circulaires (*Hanna House* à Palo Alto, 1937 ; *David Wright House,* 1952). Il construisit aussi le *Florida Southern College* à Lakeland (1938-1950), la *tour Price* à Bartlesville (1953-1956), le *musée Guggenheim* à New York (1956-1959, d'après un projet de 1946), où il innova en créant un plan en spirale qui engendre un espace continu se déroulant en pente douce, tandis que dans la *Beth Sholem Synagogue* (1958), il adopta des formes angulaires. Outre des réalisations très diverses, il élabora d'audacieux projets (plans d'urbanisme pour Bagdad, Pittsburgh, Madison, etc. ; gratte-ciel d'un mile et de 528 étages, 1956) ; il publia de nombreux ouvrages (*Autobiography,* 1943 ; *The Future of Architecture,* 1953 ; *Testament,* 1957), s'imposant comme l'une des personnalités les plus fortes de l'architecture moderne américaine.

WRIGHT *(les frères)*. ♦ WILBUR (Millville, Indiana, 1867 – Dayton, Ohio, 1912) et ORVILLE (Dayton, 1871 – *id.*, 1948). Aviateurs et constructeurs d'aéroplanes. Conseillés par l'ingénieur Chanute*, ils mirent au point le premier aéroplane qui, équipé de deux hélices qu'ils avaient conçues et d'un moteur à explosion léger qu'ils avaient construit, permit à Orville d'effectuer le premier vol mécanique (1903).

WRIGHT (Richard). ♦ Romancier américain (Natchez, Mississippi, 1908 – Paris, 1960). De race noire et abandonné par sa famille, il passa la majeure partie de son enfance dans des orphelinats. Il dépeint cette vie difficile dans *Black Boy* (1945), où il note « À regarder manger les Blancs, mon estomac vide se contractait et une colère sourde montait en moi. Pourquoi ne pouvais-je

Arch. Rencontre

Le biplan des frères **Wright**.

pas manger quand j'avais faim? » Après avoir travaillé dans un hôtel, un cinéma, deux entreprises d'optique, il découvre les livres de H.L. Mencken, un homme qui « combattait avec les mots ». Il partit vers Chicago, où le racisme blanc était moins agressif que dans le Sud. Il ne cessa de dénoncer la condition des Noirs en Amérique (*Douze Millions de voix noires,* 1941; *L'Isolé,* 1953; *Forces noires,* 1954). Son *Black Boy* reste une des clefs de la connaissance du problème noir aux États-Unis. On lui doit aussi un recueil de nouvelles *Les Enfants de l'oncle Tom* (1938) d'allure objective, mais empreinte d'une poésie poignante.

WRIGHT (George Henrik *von***).** ♦ Philosophe et logicien finlandais (né en 1916). Parallèlement au système des modalités traditionnelles (vrai, faux, nécessaire, possible, etc.), il a construit des systèmes modaux introduisant des modalités nouvelles « épistémiques » (établi, exclu, plausible, etc.) et surtout « déontiques » (permis, facultatif, obligatoire, interdit, etc.).

WROBLEWSKI (Zygmunt Florenty). ♦ Physicien polonais (Grodno, 1845 — Cracovie, 1888). **V. Olszewski.**

WROCŁAW, en all. **Breslau.** ♦ V. de Pologne*, ch.-l. de voïévodie, ayant elle-même rang de voïévodie, sur l'Oder* en basse Silésie*. Capitale administrative et culturelle de la basse Silésie, elle compte de nombreux monuments (cathédrale Saint-Jean-Baptiste, XIIIe-XIVe s., églises gothiques) en grande partie restaurés après la Deuxième Guerre mondiale. Évêché. Université. Centre industriel et commercial, important nœud ferroviaire et fluvial. Industries chimiques, textiles, métallurgie de transformation. La voïévodie de *Wrocław* réunit la majorité des villes industrielles et agricoles de la basse Silésie* et compte 1 987 400 hab. ♦ *Hist.* **V. Breslau.**

WU-CH'ANG [*Wu-tch'ang, Wuchang*]. ♦ Anc. ville du Hu-pei, maintenant un quartier de la cité de Wu-han, d'où partit en 1911 le mouvement insurrectionnel qui renversa la dynastie manchoue des Ch'ing*. **V. Wu-han.**

WU CHEN [*Wou Tchen, Wu Zhen*]. ♦ Peintre taoïste chinois (1280 — 1354) célèbre pour ses bambous et ses paysages en lavis monochrome. Un des grands maîtres de la période des Yüan*.

WU-CHOU [*Wou-tcheou, Wuzhou*]. ♦ V. de Chine (Kuang-hsi), sur le Hsi-chiang. 250 000 hab. — Indus. textiles et chimiques.

WU DAI [*Wu Tai*]. ♦ Époque chinoise des « Cinq Dynasties » qui régnèrent dans le N. de la Chine de 907 à 960, succédant à la dynastie des T'ang*.

WU-HAN [*Wou-Han*]. ♦ V. chinoise, cap. de la prov. du Hu-pei, formée par la réunion de Wu-ch'ang, Han-k'ou et Han-yang, au confl. du Yang*-tsê kiang et de la riv. Han-sui. 2 400 000 hab. Grand complexe industriel et commercial, port fluvial, combinat métallurgique, indus. textile et alimentaires. En 1955, les coopératives agricoles s'y transformèrent en coopératives de type socialiste.

WU HOU [*Wou Heou*]. ♦ Impératrice chinoise (623 — 705) de la dynastie des T'ang* qui usurpa le pouvoir en 690 à la mort de l'empereur Kao Tsung, et changea le nom de la dynastie en celui de Chou. Bouddhiste fervente, elle fit ériger de nombreux temples et orner des grottes. Elle abdiqua juste avant de mourir, pour l'héritier légitime du trône, Chung Tsung, qui reprit le nom dynastique de T'ang.

WU-HSI [*Wou-si, Wu-hsi*]. ♦ V. de Chine (prov. du Chiang-su) sur le bas Yang*-tsê. 700 000 hab. Indus. textile.

WU-HU [*Wou-hou*]. ♦ V. de Chine dans la prov. du An-hui sur le Yang-tsê, au S.-O. de Nankin et port ouvert au commerce étranger en 1877. 250 000 hab. Indus. textiles (coton) et du cuir. Marché du riz important.

WULFILA. ♦ **V.** Ulfilas.

WULUMUQI [*Wu-lu-mu-ch'i*]. ♦ **V.** Urumtsi.

WUNDT (Wilhelm). ♦ Psychologue et philosophe allemand (Neckarau, Bade, 1832 — Grossbothen, près de Leipzig, 1920). Assistant de physiologie auprès de Helmholtz* à Heidelberg, il créa à Leipzig (1879) le premier laboratoire de psychologie expérimentale. Ses études sur le temps de réaction aux excitations, les sensations et perceptions visuelles, auditives, etc., l'amenèrent à distinguer dans la vie psychique les associations purement passives de l'aperception active, source des synthèses mentales et base de la pensée logique. Il étendit ses recherches à la psychologie collective (langage, mythe, religion, droit, etc.) [*Éléments de psychologie physiologique,* 1874; *Logique,* 1880-1883; *Psychologie des peuples,* 1900-1920].

WUPPERTAL. ♦ Vaste conurbation d'Allemagne occidentale (Rhénanie-Westphalie), au fond de la vallée de la Wupper, dans la partie méridionale du bassin de la Ruhr*. Elle fut formée en 1929 par la réunion des villes de Barmen-Elberfeld, Vohwinkel, Cronenberg, Ronsdorf et Beyernburg. 417 694 hab. — Wuppertal est un grand centre industriel connu pour ses textiles (soie, coton, rubans, dentelles), ses produits chimiques et colorants (siège de la firme Bayer), mais aussi la métallurgie de transformation et les indus. mécaniques (poids lourds, machines, cycles). Fabrication de caoutchouc synthétique, équipement électrique, brasseries et indus. alimentaires, édition et imprimerie.

WURMSER (Dagobert Siegmund, *comte von***).** ♦ Général autrichien (Strasbourg, 1724 — Vienne, 1797). Au service de la France pendant la guerre de Sept* Ans, il revint ensuite dans l'armée autrichienne, s'empara des fortifications (« lignes ») de Wissembourg (oct. 1793), puis de Mannheim (1795). Il fut battu par Bonaparte à Castiglione, puis à Bassano, et il capitula à Mantoue (févr. 1797).

WURTEMBERG, *n. m.,* en all. **Württemberg.** ♦ Anc. pays de l'Allemagne occidentale, compris approximativement entre la Forêt-Noire et la limite orientale du bassin de Souabe*-Franconie. Il est auj. réuni au *Land* de Bade*-Wurtemberg. ♦ *Hist.* Occupé successivement par les Romains (Ier s.), les Alamans*, les Francs* (IIe s.), il fut à l'origine compris dans le duché de Souabe et ses premiers comtes, apparus au XIIe s., lièrent leur fortune à celle des Hohenstaufen*. Élargi sous Eberhard Ier (1279-1325), le *comté de Wurtemberg* triompha d'abord des ambitions de la Souabe (1388) et fut érigé en duché par Maximilien* Ier (1485), mais il fut vaincu par elle sous Ulrich* Ier. Pendant la guerre de Trente* Ans, le Wurtemberg défendit la cause protestante. À la fin du XVIIIe s., Frédéric II (1797-1816) sut passer avec adresse du camp de Napoléon à celui des Alliés et agrandit ainsi considérablement ses possessions, tout en obtenant le titre de roi. Entré dans la Confédération* germanique, puis dans le Zollverein*, le Wurtemberg réprima une révolution démocratique en 1848, et prit le parti de l'Autriche contre la Prusse (défaite de Tauberbischofsheim). Il conserva son autonomie au sein de l'Empire allemand et devint un État libre parlementaire en 1919. Il est actuellement compris dans le *Land* de Bade-Wurtemberg, à l'intérieur de la République fédérale allemande.

WURTZ [vyʀts] **(Charles Adolphe).** ♦ Chimiste français (près de Strasbourg, 1817 — Paris, 1884). Il découvrit les amines, le glycol, l'aldol et donna la constitution de la glycérine. Il inventa également (1854) un procédé de préparation de composés organiques utilisant le sodium *(synthèse de Wurtz).* **V.** *aussi* **Frankland.** Il fut le leader de l'atomisme en France. (Acad. sc., 1867.)

WÜRZBURG, en fr. **Wurtzbourg.** ♦ V. d'Allemagne occidentale (Bavière, Basse-Franconie) et port sur la r. g. du Main. 116 395 hab. — Université. Dominée par la forteresse de Marienberg, cette ancienne résidence ducale a conservé d'intéressants monuments romans, gothiques (églises) et surtout baroques (résidence des ducs-évêques, érigée de 1719 à 1744 par Balthazar Neumann* et dont l'escalier et la salle impériale sont ornés de fresques de Tiepolo). — Au centre d'une riche région agricole (les *Gaue,* **V. Souabe-Franconie**), la région de Würzburg est grande productrice de vins. Industries mécaniques et alimentaires. — Patrie de Karl Joseph Eberth*, Matthias Grünewald*, Werner

Ph. Diamante-Ostuni/Ricciarini

Würzburg : le pont sur le Main.

Coll. Rui Nogueira

De gauche à droite :
Billy Wilder, Audrey Hepburn, **William Wyler.**

Heisenberg*. ♦ *Hist.* Mentionnée en 704 sous le nom de *Castellum Viterburth,* la ville devint en 741 un important siège épiscopal dont les titulaires portaient le titre de ducs de Franconie. Plusieurs diètes s'y tinrent durant le Moyen Age. En 1806, elle fut érigée en grand-duché par Napoléon au profit de Ferdinand III de Toscane et revint à la Bavière en 1815.

WU SAN-KUEI [*Wou San-kouei, Wu Sangui*]. ♦ Général chinois (1612 – 1678) originaire du Liao-ning qui commit en 1644 l'imprudence de s'allier avec les Mandchous contre les troupes du général rebelle Li Chih-ch'eng qui s'étaient emparées de la capitale, Pékin. Ayant fait pénétrer les Mandchous dans la ville afin de mater les rebelles, ceux-ci exterminés, il ne put obtenir le départ de ses alliés qui s'installèrent sur le trône, fondant la dynastie des Ch'ing*. Révolté à son tour, il fut obligé de se réfugier dans le Yunnan, où il fut tué sur la frontière birmane.

WU TAO-TZU [*Wou Tao-Tseu, Wu Daozi*]. ♦ Peintre chinois (v. 680 – v. 760) qui inaugura l'art du mouvement dans le paysage afin d'atteindre à une plus grande véracité. La légende assure qu'il disparut dans une grotte qu'il avait peinte sur toile pour l'empereur Hsüan Tsung des T'ang*.

WU-T'UNG-CH'IAO [*Wou-t'ong-k'iao, Wutongqiao*]. ♦ V. de Chine (Szu-ch'uan), de création récente. 220 000 hab. – Important centre industriel.

WUUSTWEZEL. ♦ Comm. de Belgique (prov. et arr. d'Anvers) en Campine, à la frontière des Pays-Bas. 8 600 hab. Église du XIIIe siècle. – Brasseries.

WU WEI-YEH [*Wou Wei-ye, Wu Weiye*]. ♦ Fonctionnaire impérial chinois (1609 – 1672) et poète d'inspiration tragique. Il démissionna de son poste officiel afin de ne pas servir la dynastie des Mandchous. Son œuvre la plus célèbre est la *Chanson de Yüan Yüan.*

WYATT ou **WYAT** (*sir* **Thomas).** ♦ Poète et diplomate anglais (Allington Castle, 1503 – Sherborne, 1542). Introduit à la cour d'Henri* VIII, il avait sans doute été l'amant d'Anne* Boleyn et fut emprisonné à la tour de Londres. Il fut cependant chargé ensuite d'une ambassade auprès de Charles Quint. – Sa poésie, comme celle de son contemporain Surrey*, servira longtemps de modèle. Sa prosodie est inspirée de Dante et de Pétrarque et son lyrisme est d'une grande pureté. Son œuvre est posthume : *Certains psaumes mis en vers anglais* (1551), *Mélanges Tottel* (1557, publiés sous le nom de Surrey*), un recueil de rondeaux, de chansons et de satires. ♦ SIR THOMAS WYATT *le Jeune,* son fils (v. 1520 – Londres, 1554), provoqua au moment du mariage de Marie Tudor et de Philippe II une rébellion qui échoua de peu. Vaincu à Londres, il fut exécuté sur son refus de compromettre Élisabeth*.

WYCHERLEY (William). ♦ Auteur dramatique anglais (Clive, 1640 – Londres, 1716). Bon observateur des mœurs dissolues de son temps, il les a restituées dans des comédies satiriques et réalistes, dont les meilleures sont : *L'Épouse campagnarde* (*The Country Wife,* 1673), inspirée de *L'École des femmes,* et *L'Homme de bonne foi* (*The Plain Dealer,* 1674), imitée du *Misanthrope,* de Molière.

WYCLIF ou **WYCLIFFE (John).** ♦ Théologien et réformateur anglais (Hipswell, Richmond, Yorkshire, v. 1320 – Lutterworth, 1384). Après des études théologiques à Oxford, il s'imposa rapidement comme chef du mouvement anticlérical et antipapal, prêchant la réforme de l'Église et envoyant des « lollards* » à travers le pays. Lors du Grand Schisme (1378), il se prononça pour la séparation de l'Église et de l'État dans son *De Officio Regis.* Il condamna les indulgences, critiqua la conception de l'Église catholique sur la communion, prêcha un retour à la Bible comme source de foi. Son influence fut grande auprès du peuple et particulièrement des paysans dont il prit le parti contre la noblesse [1381] *(Servants and Lords).* Son œuvre fit de lui un précurseur de la Réforme; sa doctrine contribua à la formation de la pensée de Jan Hus* et fut condamnée au concile de Constance (1414-1415).

WYE. *n. f.* ♦ Riv. de Grande-Bretagne (240 km). Née sur les pentes des monts Cambriens (pays de Galles), elle pénètre en Angleterre, arrose Hereford*, Monmouth* et se jette dans l'estuaire de la Severn.

WYLER (William). ♦ Réalisateur américain de cinéma, d'origine suisse (Mulhouse, 1902 –). Avant de se confiner dans l'académisme (« L'Héritière », d'après Henry James : *The Heiress,* 1949), « La Loi du Seigneur » (*Friendly Persuasion,* 1956), il a réalisé dans un style très pur, fait d'humour et de gravité, quelques œuvres qui proposent un tableau souvent pénétrant de la société et de l'âme américaines : « Rue sans issue » (*Dead End,* 1937, avec H. Bogart), « L'Insoumise » (*Jezebel,* 1938), « La Vipère » (*Little Foxes,* avec B. Davis, 1941), « Les Plus Belles Années de notre vie » (*The Best Years of our Lives,* 1946).

WYLFA-HEAD. ♦ Centrale nucléaire britannique, située au pays de Galles, dans l'île d'Anglesey.

WYOMING. *n. m.* ♦ État de l'O. des États-Unis, dans les Rocheuses. 253 597 km². 332 416 hab. (1970). *Cap.* Cheyenne*. *Autres V.* Casper (38 930 hab.); Laramie (17 520 hab.). – *Orogr.* La majeure partie de l'État est occupée par les « Grandes Plaines », plateau dont la monotonie est rompue par des buttes isolées et des chaînes plus importantes *(Big Horn Mountains; Front Range).* Le centre de l'État sépare les chaînes du N. et du S. des Rocheuses, formant une région de passage. Le N.-O. de l'État avec ses hautes chaînes (Absaroka, Wind River, Gannet Peak, 4 202 m) forme une zone montagneuse grandiose, dont la partie la plus spectaculaire a été constituée en parcs nationaux (Yellowstone*, Grand Teton). Le Wyoming est drainé par des affl. du Missouri : riv. Yellowstone, Big Horn et Powder, Cheyenne et North Platte*. – Le *climat* rappelle celui du Montana, en moins rigoureux. – *Écon.* Elle est basée sur l'agriculture, les forêts, les mines et le tourisme. Élevage (bovins, ovins). L'exploitation du pétrole, ancienne mais fort diminuée vers 1930, est redevenue très importante après la découverte de nouvelles réserves. Gaz naturel (plus de 7 milliards de m³). Énormes réserves de charbon (4e des États-Unis). Uranium. – L'État possède peu d'industries (raffineries de pétrole, indus. alimentaires et du bois). – Université du Wyoming à Laramie. – Patrie de J. Pollock*. ♦ *Hist.* La région, occupée par les Indiens (Sioux, Cheyennes « Pieds Noirs »), fut explorée par les frères La Vérendrye en 1743. Fort Laramie, premier établissement permanent, fut fondé en 1834. La colonisation ne s'affirma qu'avec les chemins de fer (1867). Le Wyoming devint en 1890 le quarante-quatrième État de l'Union.

WYSPIAŃSKI (Stanisław). ♦ Auteur dramatique et peintre polonais (Cracovie, 1869 – *id.,* 1907). Fils d'un sculpteur, élève de Mateiko, collaborateur de *Zycie (Vie)* et membre du mouvement *Jeune Pologne,* il connut une grande activité artistique : il écrivit deux livrets d'opéra, illustra *L'Iliade,* composa des vitraux et laissa de nombreuses pièces de théâtre. Il s'attacha à condamner le sacrifice gratuit et inutile, en évoquant l'insurrection manquée de 1830, notamment dans *Légion, La Varsovienne* (du titre du poème de Delavigne), *Nuit de novembre.* Il s'est inspiré de l'Antiquité grecque dans *Méléagre, Protésilas et Laodamie, Le Retour d'Ulysse. Les Noces* et *Libération* comportent une part autobiographique. Son œuvre entière révèle son souci de rénover la forme du drame, qui nécessitait, selon lui, l'apport du contact du peuple paysan (lui-même avait épousé une paysanne). Il convient de citer encore : *L'Anathème, Les Juges.*

WYSS (Johann David). ♦ Écrivain de nationalité helvétique (Berne, 1743 – *id.,* 1818). Il est l'auteur du *Robinson suisse,* l'un des plus célèbres romans écrits à l'imitation du *Robinson Crusoé* de Daniel De Foe, dont furent prodigues le XVIIIe et le début du XIXe siècle. À la différence du héros de De Foe, le naufragé de Wyss n'est pas jeté seul sur une île déserte : il parvient à sauver sa famille du naufrage. Ce sera l'occasion pour cet excellent père (et pour l'auteur, qui était ministre protestant) de prodiguer à ses enfants de sages conseils et de proposer à leur dévotieuse admiration l'infinie sagesse de la Providence. L'œuvre, publiée en 1812 par le fils de Wyss, Johann Rudolph, connut un grand succès. Elle fut traduite et adaptée en français en 1824 par la baronne de Montolieu.

Arch. Smeets

Guerriers. Monument des Néréides de **Xanthos.** Art classique grec, vers ~ 420. (British Museum, Londres.)

XAINTOIS [ksɛ̃twa]. *n. m.* ♦ Région du S.-O. de la Lorraine correspondant au bassin inférieur du Madon, affl. r. g. de la Moselle, à l'E. de la vallée de la Meuse. Importante zone agricole (céréales, arbres fruitiers).

XAINTRAILLES [sɛ̃tʀɑj] **(Jean POTON,** *seigneur de***).** ♦ Homme de guerre français (mort à Bordeaux, 1461). Compagnon de Jeanne d'Arc, il prit part à la victoire de Patay sur Talbot*, qu'il fit prisonnier (1429). Il conquit la Guyenne (1453) et fut nommé maréchal de France.

XANADU. ♦ Nom de la résidence d'été de Qûbilai* Khân, située à environ 300 km au N. de Pékin.

XANTHE. ♦ **V.** SCAMANDRE.

XANTHI. ♦ V. de Grèce (Thrace) au N.-E. de Cavalla, ch.-l. du *nome de Xanthi* (1 793 km^2. 82 920 hab.). Marché agricole. 27 040 habitants.

XANTHIPPE, en gr. **Xanthippê.** ♦ Femme de Socrate* (Athènes, ~ Vᵉ s. – déb. ~ IVᵉ s.). La légende en a fait une femme particulièrement acariâtre que le philosophe n'aurait épousée que pour exercer sa propre patience. Quant à ce dernier, il paraît s'être montré bien peu compréhensif pour la souffrance de son épouse venue le voir une dernière fois dans sa prison. Agacé par les pleurs de Xanthippe, et craignant peut-être de s'impatienter, il la renvoya sèchement afin de pouvoir s'entretenir tranquillement avec ses disciples avant de boire la ciguë. Tel est du moins le témoignage de Platon dans le *Phédon.*

XANTHIPPOS. ♦ Stratège et homme politique athénien (~ Vᵉ s.), père de Périclès*. L'un des chefs du parti démocratique, adversaire d'Aristide, il se rallia finalement à la politique navale de ce dernier. Il commanda avec le Spartiate Léotychide* la flotte grecque qui remporta sur les Perses la victoire du cap Mycale* (~ 479). Il libéra ensuite plusieurs villes d'Ionie et s'empara de Sestos, inaugurant l'expansion athénienne.

XANTHIPPOS. ♦ Général lacédémonien au service de Carthage lors de la première guerre Punique (~ IIIᵉ s.). Après avoir réorganisé l'armée des mercenaires, il vainquit et captura Regulus* (~ 255).

XANTHOS. ♦ Anc. V. d'Asie Mineure, cap. de la Lycie, dans la *vallée de Xanthos,* mentionnée par Homère comme patrie du roi Sarpédon*, allié des Troyens. Pillée par les Perses v. ~ 546, elle était hellénisée avant la conquête d'Alexandre (~ 333). Elle appartint ensuite successivement aux Lagides, aux Séleucides, aux Rhodiens et fut prospère à l'époque romaine. Vestiges lyciens, romains et byzantins à l'actuel hameau de *Kinik :* monuments funéraires, théâtre romain, Létoon (sanctuaire de la fédération lycienne). Fouilles françaises depuis 1950. Sculptures de Xanthos au British Museum (Londres).

XENAKIS [gzenakis] **(Yannis).** ♦ Compositeur français d'origine grecque (Athènes, 1922). Sa formation fut celle d'un mathématicien, d'un architecte et d'un musicien. Assistant de Le Corbusier durant une dizaine d'années, il étudia la composition avec Honegger, Milhaud et surtout O. Messiaen, à partir de 1947. L'esprit de synthèse dont témoigne son œuvre est le reflet de ces diverses influences. Issue d'une critique de la musique sérielle, qu'il jugea inapte à une organisation du temps et de l'espace sonore (1955), sa recherche résulte d'une application du calcul des probabilités et de la théorie des événements en chaîne (musique stochastique) à la composition musicale. Dans le même dessein, il a fait usage de la théorie des ensembles et de la logique mathématique (musique symbolique). Faisant d'abord appel aux ressources de l'électro-acoustique, puis à celles des instruments de l'orchestre traditionnel, Xenakis a eu recours aux ordinateurs pour établir les données de certains de ses ouvrages. Il en est résulté une suite d'œuvres sonores aux formes puissantes et abruptes, architectures poétiques rigoureuses par lesquelles s'établit, pour l'auditeur, une sorte de communion avec le cosmos. Parmi les réussites les plus marquantes de Xenakis, on doit retenir : *Métastasis* (1954) pour orchestre de 61 instruments, *Pithoprakta* (1956) pour orchestre de 50 instruments, *Achorripsis* (1957) pour 21 instruments, *St/4* (1962) pour quatuor à cordes, *Stratégie* (1962), jeu pour 2 orchestres, *Eonta* (1964) pour piano et 5 cuivres, *Hiketides* (1964) pour chœur de 50 femmes jouant des percussions et 10 instruments, musique pour les *Suppliantes* d'Eschyle, *Orestie* (1966) pour chœur mixte et orchestre de chambre, *Polytope* (1967) pour ensemble instrumental, *Nuits* (1968) pour 12 voix mixtes a cappella, œuvre dédiée aux victimes de la déportation, *Nomos Gamma* (1969) pour grand orchestre disséminé dans le public, *Kraanerg* (1969), ballet pour orchestre et bande magnétique. En outre, Xenakis a publié un ouvrage théorique, *Musiques formelles* (1963).

XÉNOCRATE, en gr. **Xenokratês.** ♦ Philosophe grec de l'Académie* (Chalcédoine, v. ~ 400 – v. ~ 314). Disciple et ami de Platon*, il l'accompagna en Sicile. Il prit la direction de l'Académie en ~ 339. Il tenta de concilier la théorie platonicienne des Idées et le pythagorisme.

XÉNOPHANE, en gr. **Xenophanês.** ♦ Philosophe grec de l'école d'Élée, né à Colophon (Asie Mineure), il vécut au ~ VIᵉ siècle. Lors de la conquête de ce pays par les Perses, il se rendit en Italie puis en Sicile avant de voyager à travers toute la Grèce. Considéré comme le fondateur de l'école d'Élée* **(V. Parménide** et **Zénon d'Élée),** il dénonça surtout le caractère anthropomorphique et immoral de la représentation des dieux chez Homère* et Hésiode*.

XÉNOPHON. ♦ Historien, essayiste et chef militaire grec (dême d'Erchia, Attique, ~ 430-~ 425 – ~ 355-~ 352). Bien né et riche, il fréquenta les sophistes, suivit peut-être l'enseignement d'Isocrate* et fut l'élève de Socrate*. Hostile à la démocratie restaurée après la chute des Trente, il s'engagea dans l'armée des mercenaires grecs rassemblés par Cyrus* le Jeune pour l'expédition contre son frère Artaxerxès II. Après la bataille de Cunaxa* et la mort de Cléarque*, il conduisit la retraite des Dix* Mille. A la tête des mercenaires, il fit ensuite partie des troupes du roi de Sparte Agésilas* guerroyant contre les Perses en Asie Mineure. Banni alors d'Athènes et dépossédé de ses biens, il combattit les Athéniens à la bataille de Coronée* (~ 394) et se retira dans sa propriété de Scillonte, don des Spartiates reconnaissants. Son bannissement ne fut levé qu'en ~ 367 et c'est à cette date qu'il rentra probablement à Athènes. – Polygraphe autant qu'homme d'action, il voulut être le continuateur de Thucydide* et le rival de Platon, mais sa pensée est de courte envergure, et les grandes vues lui font défaut. Avec ses *Helléniques* (sept livres) il continue l'*Histoire de Thucydide* de ~ 411 à ~ 362. Cet ouvrage, inégal et partial, est utile pour les informations qu'il contient et les portraits historiques qu'il trace. *L'Anabase*, récit de l'expédition de Cyrus et de la retraite des Dix Mille, a la valeur d'un témoignage vécu. – Avec ses récits socratiques, Xénophon voulut préserver de l'oubli le discours de Socrate, ses entretiens familiers, les faits de sa vie, en se proposant comme le porte-parole du maître. Il en est ainsi surtout des *Mémorables* (quatre livres). Avec l'*Apologie de Socrate*, il proposa l'idée que celui-ci avait choisi la mort après avoir accompli sa mission, obéissant à son « démon ». Le *Banquet*, imitation du célèbre dialogue de Platon, appuie sur le côté humoristique et léger. – La philosophie politique et morale de Xénophon est plus distincte dans une autre série d'écrits. Avec *La Cyropédie*, vie romancée de Cyrus* le Grand, il prétendit réfuter la *République* platonicienne. En dessinant le portrait idéal du fondateur d'empire, il met l'accent sur l'art de commander, matière où il se considère grand expert. De même, dans *Hiéron*, il définit les devoirs du tyran, dont le bonheur résulte du bonheur de ses sujets. *La République des Lacédémoniens* est une apologie du régime spartiate. *L'Économique*, dialogue sur l'administration d'une propriété agricole, et *Des revenus*, font preuve d'un esprit positif et organisateur. – Enfin ses traités : *La Chasse, De l'équitation* et *L'Hipparque* ont une valeur technique et documentaire, comme d'ailleurs la majeure partie de son œuvre. Loué autrefois pour son atticisme, il fut appelé « abeille attique » (Suidas). Sa prose a de la clarté et une certaine élégance, mais elle manque de vigueur et de souffle. Il eut de nombreux imitateurs, dont Arrien*.

XÉNOPHON D'ÉPHÈSE. ♦ Écrivain grec (probablement IIIe s.), auteur du roman *Les Éphésiaques* en cinq livres. Il raconte les aventures de deux amoureux sur le modèle traditionnel du roman grec.

XENOPOL (Alexandru). ♦ Historien roumain (Iasi, 1847 – Bucarest, 1920). Outre des travaux sur l'*Histoire des Roumains au Moyen Âge* (1885), l'*Histoire des Roumains de la Dacie Trajane* (1896), il a publié des études plus théoriques sur la science historique et ses rapports avec la sociologie. *Principes fondamentaux de l'histoire* (1899), *La Théorie de l'histoire* (1908).

XERES. ♦ V. JEREZ DE LA FRONTERA.

XERTIGNY [ksɛʀtiɲi]. ♦ Ch.-l. de cant. des Vosges, arr. d'Épinal. 3 224 hab. Indus. laitière, brasserie.

XERXÈS [gzɛʀsɛs], en vieux perse **Khshayarsha.** ♦ Nom de deux souverains achéménides. ♦ XERXÈS Ier, roi de Perse (~ 486 – ~ 465), fils de Darios* Ier et d'Atossa. À son avènement il dut faire face aux révoltes d'Égypte (~ 486) et de Babylonie (~ 482) qu'il réprima durement; il mit fin au statut particulier que conservaient ces royaumes au sein de l'empire et divisa la Babylonie en deux satrapies (Syrie et Babylonie proprement dite). Pour venger l'échec de son père à Marathon*, il prépara longuement (à partir de ~ 483) l'invasion de la Grèce. Il fit franchir l'Hellespont* à une immense armée qu'il dirigeait en personne, fit percer l'isthme de l'Athos, tourna la résistance grecque aux Thermopyles*, dévasta l'Attique et Athènes* même, vidée de ses habitants. Mais sa flotte fut vaincue à Salamine* (~ 480) et son armée de terre à Platées* (~ 479). **V. Médiques** *(guerres)*. Les Perses abandonnèrent alors leurs possessions d'Europe (satrapie de Thrace). Après une nouvelle défaite de sa flotte à Mycale* (côte d'Ionie) [~ 479], il subit la révolte des cités grecques de Chypre et de la côte; celles-ci obtinrent leur indépendance au bout de treize ans. Il poursuivit la construction de Persépolis*. La fin de son règne fut marquée par des complots et il fut assassiné à Suse par un dignitaire de sa cour. Son fils Artaxerxès* Ier lui succéda. ♦ XERXÈS II, roi de Perse pendant 45 jours en ~ 424. Fils d'Artaxerxès* Ier, il fut assassiné par son demi-frère Sogdianos, qui ne le remplaça que pour être à son tour assassiné par Darios* II Ochos.

XIMENEZ. ♦ Anc. graphie française pour Jiménez*.

XINGU. *n. m.* ♦ Riv. du Brésil qui prend sa source sur le plateau du Mato* Grosso et conflue avec l'Amazone* près de son embouchure (r. d.), dans l'État de Pará*.

XOCHICALCO. ♦ Site archéologique du Mexique central (Morelos), près de Cuernavaca* (pyramide dite des serpents à plumes; souterrains; jeu de pelote). – L'apogée du site dura du VIIe au Xe s., mais il était habité dès le IVe ou le Ve siècle.

XOCHIMILCO (« le lieu des champs de fleurs », en *nahuatl*). ♦ V. du Mexique, banlieue S. de Mexico. 117 083 hab. – Le bourg ancien est célèbre par ses « jardins flottants » (cultures de légumes et de fleurs sur le fond d'une ancienne lagune, parcourue de canaux) qui attirent de nombreux touristes.

XOUTHOS. ♦ Fils d'Hellen*. Marié avec Créüse*, il devient, dans la légende, le père d'Achaios* et le père adoptif d'Ion*.

XYLANDER (nom hellénisé de **Wilhelm HOLZMANN).** ♦ Humaniste allemand (Augsbourg, 1532 – Heidelberg, 1576). Après des études de langues et littératures anciennes, de philosophie et de mathématiques, il fut nommé professeur de langue grecque à l'Académie de Heidelberg. Outre la traduction de nombreux ouvrages de philosophes, historiens et mathématiciens grecs, il publia un traité de philosophie (*De Philosophia et ejus partibus carmen*, 1556) et une introduction à la philosophie d'Aristote (*Institutiones aphoristicae logicae Aristotelis*, 1577).

XYSTE, en lat. **Xistus.** ♦ **V.** SIXTE (papes).

Arch. Rencontre

Pyramide de **Xochicalco,** relief du « Serpent à plumes », Xe s.

Ph. U.S.I.S.

L'université de **Yale** : le vieux campus.

Y *(golfe de l').* ♦ V. Ij.

YABLONOVYI *(monts).* ♦ V. Iablonovyï.

YAB-YUM. ♦ Forme iconographique du lamaïsme tibétain représentant l'union intime entre une divinité bouddhique « mâle » et sa parèdre féminine représentant son énergie.

YACINE (Kateb). ♦ Romancier, poète et dramaturge algérien d'expression française (dans le Constantinois, 1929). Issu d'une famille de lettrés, partagé entre son attachement à la culture française qui l'a nourri et ses convictions de militant nationaliste (il a connu la prison dès seize ans pour sa participation à des manifestations), Kateb Yacine a composé une œuvre inspirée par son expérience de la guerre d'indépendance, œuvre violente qui dénonce la violence. Aux poèmes de *Soliloques* (1946) et du *Cadavre encerclé* (1962) s'ajoutent des romans où le récit, amer, voire atroce, des « exactions colonialistes » et l'évocation de la dignité des ancêtres s'organisent autour du personnage de Nedjma, femme aimée, mais aussi figure mythique de l'Algérie (*Nedjma,* 1956 ; *Le Polygone étoilé,* 1966). Les pièces du *Cercle des représailles* (1959), également inspirées de ce « drame éternisé » du peuple algérien, en universalisent le contenu jusqu'à exprimer le tragique de toute aliénation.

YAFO. ♦ V. Jaffa.

YAHATA. ♦ V. Yawata.

YAHIÂ KHÂN. ♦ Général et homme politique pâkistânais, élu président de la République islâmique du Pâkistân en 1969, succédant au général Ayyûb* Khân. Il donna sa démission en 1971 après la sécession du Pâkistân oriental devenu le Bangla* Desh et fut remplacé par Alî Bhutto, son ministre des Affaires étrangères.

YAHVÉ. ♦ V. Iahvé.

YAINVILLE. ♦ Comm. de la Seine*-Maritime, arr. de Rouen, sur la Seine, 993 hab. – Église du XIe siècle. – Importante centrale thermique.

Yajur Veda. ♦ Un des quatre *Veda** de l'Inde, composé de formules sacrificielles en vers et prose rythmée. On le divise généralement en *Yajur Veda* blanc et *Yajur Veda* noir.

YAKOUTIE ou **YAKUTIE.** ♦ V. Iakoutie.

YAKṢA. *n. m. pl.* ♦ Génies locaux de l'Inde brâhmanique, réputés anthropophages et serviteurs de Śiva*. Ils se seraient convertis au bouddhisme.

YALE. ♦ Université des États-Unis, située à New* Haven, Connecticut. Fondée en 1701 (c'est la troisième des États-Unis pour l'ancienneté), elle fut transférée à New Haven en 1717 et prit en 1718 le nom d'un riche commerçant de Boston, Elihu Yale, son bienfaiteur. C'est l'une des plus importantes universités des États-Unis ; elle possède une bibliothèque et un musée d'art remarquables. – C'est à Yale que l'une des grandes tendances de la linguistique américaine s'est développée, notamment avec Leonard Bloomfield* (on a parlé à ce sujet d'une « école de Yale »).

YALTA ou **IALTA.** ♦ V. d'U.R.S.S. (Ukraine), située sur la côte méridionale de la Crimée* en bordure de la mer Noire. 62 000 hab. – Importante station balnéaire et climatique à proximité de Livadia (résidence d'été de Nicolas II), où séjournèrent A. Tchekhov, M. Gorki, etc. ♦ *Conférence de Yalta* (4-11 févr. 1945) entre Roosevelt, Churchill et Staline. Au moment où les troupes soviétiques étaient partout victorieuses et où la défaite de l'Allemagne ne faisait plus de doute, les trois grands alliés prirent d'importantes décisions relatives à la fin de la guerre : *1)* L'Allemagne serait entièrement occupée, administrée par les Alliés et divisée à cet effet en quatre zones (une zone ayant été attribuée à la France, sur l'insistance de Churchill) ; elle serait dénazifiée et les criminels de guerre seraient jugés **(V. Nuremberg)** ; elle serait soumise à de dures pénalités économiques. *2)* Les positions acquises par l'U.R.S.S. furent reconnues (il ne pouvait en être autrement sous peine de rupture entre les Alliés) : celle-ci conserva donc les pays Baltes et l'est de la Pologne, annexés en 1940 ; en compensation, la Pologne s'agrandirait à l'ouest au détriment de l'Allemagne, jusqu'à la ligne Oder-Neisse ; le gouvernement communiste de Lublin formerait le noyau du futur gouvernement polonais. *3)* L'U.R.S.S. s'engageait à entrer en guerre contre le Japon trois mois après la capitulation de l'Allemagne. *4)* Une conférence serait convoquée à San* Francisco, le 25 avril suivant, pour créer une *Organisation* des Nations unies.* **V.** *aussi* **Guerre mondiale** (Deuxième).

YALU ou **YALOU,** *n. m.* ♦ Fl. de Mandchourie (600 km) faisant la frontière entre la Mandchourie chinoise (prov. du Hei-lung chiang) et la Corée du Nord. Ses eaux permettent le flottage des bois et fournissent l'énergie à d'importantes centrales hydro-électriques. Les Coréens le nomment Abnog.

YAMA. ♦ Divinité de la mort et premier homme mortel dans le panthéon hindou. C'est le juge suprême de l'au-delà, le roi des enfers.

YAMAGATA. ♦ V. du Japon, ch.-l. de préfecture dans l'île de Honshû*. 203 000 hab. Grand centre de culture fruitière. Industries métallurgiques et textiles (soie).

YAMAGATA ARITOMO. ♦ Maréchal et homme d'État japonais (Hagi, 1838 – Odawara, 1922). Ministre de la Guerre de 1873 à 1881, il fut le véritable créateur de l'armée japonaise moderne.

YAMAGUCHI. ♦ V. du Japon (Honshû) et ch.-l. de préf. bâtie au XIVe s. à 50 km à l'E. de Shimonoseki. Env. 100 000 hab. – Centre agricole et commercial.

YAMAMOTO ISOROKU. ♦ Amiral japonais (Nagaoka, 1884 – îles Salomon, 1943). Vice-ministre de la Marine en 1936, il devint en 1939 le chef de la « flotte combinée » (forces de combat aéronavales). Il dirigea l'attaque sur Pearl* Harbor en 1941, multiplia les victoires maritimes dans le Pacifique, mais fut vaincu aux îles Midway* où la supériorité navale qu'il avait acquise fut considérablement battue en brèche par les Américains. Son avion fut abattu lors de la bataille des îles Salomon*.

YAMATO. *n. m.* ♦ Anc. nom du Japon et anc. province japonaise, maintenant préfecture de Nara (Honshû).

YAMIN (Mohamad). ♦ Historien, poète et homme d'État indonésien (Sumatra, 1903 – 1962). À travers ses poèmes (*Tanah Air*, « Patrie », 1922), il tenta de donner aux Indonésiens un sentiment d'unité nationale.

YAMUNA. *n. f.* ♦ Riv. de l'Inde du N., longue de 1 370 km, affl. du Gange près d'Allâhâbâd* et naissant dans l'Himâlaya occidental. Elle arrose Delhi*. C'est un des sept fleuves sacrés des hindous.

YANAON. ♦ Ancien établissement de l'Inde française créé en 1759 dans le delta de la Godâvari* sur la côte de Coromandel (Ândhra Pradesh), et restitué à l'Inde en 1954. 10 000 habitants.

YANG. ♦ **V.** YIN et YANG.

YANG (Chen Ning). ♦ Physicien chinois (Ho-fei, 1922). Spécialiste de physique nucléaire, il formula avec Li* Tsung-tao l'hypothèse d'une interaction *non invariante par symétrie spatiale* lors de la désintégration β- du noyau atomique ; tous deux en conclurent à la *non-conservation* de la parité dans le domaine nucléaire [1957]. (Prix Nobel de phys., 1957.)

YANG-CHOU [*Yang-tcheou, Yangzhou*]. ♦ V. de Chine (province du Chiang-su) sur le Grand Canal, dont Marco Polo fut gouverneur de 1282 à 1285. 200 000 hab. Centre politique et culturel.

YANG-CH'ÜAN [*Yang-Ts'iuan, Yangquan*]. ♦ V. de Chine (Shan-hsi). 200 000 hab. – Centre indus. (mines de fer et de charbon, métallurgie).

YANG KUEI-FEI [*Yang Kouei-fei, Yang Guifei*]. ♦ Concubine (719 – 756) de l'empereur Hsüan* Tsung des T'ang* dont l'influence sur le souverain précipita sa chute. Aimée d'un général commandant les armées du Nord, An Lu-shan, qui s'était révolté, elle fut la cause de troubles qui ne cessèrent que par sa mort tragique. L'empereur fut obligé d'abdiquer peu de temps après. Son sort fit le sujet d'innombrables nouvelles, drames et films.

YANGMINGSHAN. ♦ V. de l'île de Taiwan, à 15 km au N. de Taipei, et ch. l. de district. 170 000 hab. – Centre administratif.

YANG-TSÊ KIANG [*Yang Tsö-kiang, Yangzi Jiang*]. ♦ Fl. de Chine (5 500 km) connu en France sous le nom de « fleuve Bleu ». Né dans le Tibet, après un cours encaissé dans de profondes gorges dont il sort à Chung-ch'ing, il reçoit de nombreux affluents drainant le Bassin rouge. Son cours est alors encombré de rapides qui arrachent une grande quantité d'alluvions à ses rives. Il est franchi à Han*-k'ou par un immense pont métallique moderne. Son débit moyen, de 30 000 m³/s, peut atteindre en été 80 000 m³/s. Il se place donc au troisième rang des fleuves pour son importance après l'Amazone et le Congo. Son cours inférieur, navigable jusqu'à environ 1 000 km de son embouchure, est régularisé par de grands lacs-déversoirs, très poissonneux. Les navires de haute mer peuvent le remonter jusqu'à Wu*-han. Son delta avance dans la mer de Chine d'une vingtaine de mètres par an : il charrie annuellement plus d'un milliard de tonnes de sédiments. Il constitue une artère vitale pour toute la Chine centrale. Son delta, extrêmement fertile et peuplé, couvre une superficie de plus de 80 000 km².

YAO. ♦ Empereur légendaire de Chine qui aurait vécu de 2145 à 2043 avant notre ère. Il aurait contenu les invasions des « Barbares du Sud » et inventé le jeu d'échecs.

YAO. ♦ V. du Japon (Honshû, Ôsaka) 210 000 hab. – Marché agricole.

YAOUNDÉ. ♦ Cap. fédérale du Cameroun*, et cap. du Cameroun oriental francophone, reliée à Douala* par voie ferrée et vers le N. à Belabo, premier tronçon du transcamerounais **(V. N'gaoundéré).** 166 000 hab. (1969). – Archevêché. – Industries alimentaires.

YAP. ♦ **V.** CAROLINES (îles).

YAQÛB-BEG. ♦ Aventurier türk (1820 – 1877) qui se révolta contre la tutelle chinoise et, s'étant emparé des royaumes d'Asie centrale chinoise, installa sa capitale à Yarkand*. Il tenta de négocier avec les Britanniques afin de garantir l'existence de l'État musulman qu'il avait créé et signa un traité de commerce avec les Russes. Il mourut empoisonné et son fils fut vaincu peu de temps après par les Chinois qui rétablirent leur protectorat sur les oasis de l'Asie centrale.

YA'QÛBI (Ahmad ibn Abî Ya'qûb, connu sous le nom d'**al-)**. ♦ Historien et géographe musulman shî'ite du IXᵉ s. (mort après 891). Ses voyages le conduisirent en Inde, au Maghreb, pays sur lequel son ouvrage *Le Livre des pays* (Kitâb al-buldân) apporte une documentation précise.

YAQÛB KHÂN. ♦ Émir d'Afghânistân (1849 – 1923) qui succéda à Sher Alî en 1879. Il fut installé sur le trône de Kâbul par les Britanniques, mais, s'étant révolté, il fut vaincu et déporté en Inde la même année.

YÂQÛT. ♦ Géographe d'expression arabe (1179 – Alep, 1229). Il composa un dictionnaire géographique *(Mu'jam al-Buldân)* monumental et d'utilisation commode, les entrées étant classées par ordre alphabétique. Ancien esclave chrétien d'un libraire, il voyagea en Perse, en Mésopotamie, en Syrie, en Égypte, au Khurâsân et s'installa un temps au Khârezm, puis à Merv. Son dictionnaire est le fruit d'un travail de recherches livresques accumulées à travers les bibliothèques auxquelles il eut accès. Citant toujours ses sources, ses articles fournissent des renseignements ethnographiques, historiques et folkloriques importants. Il rédigea aussi un dictionnaire biographique concernant surtout les écrivains.

YARKAND. ♦ Oasis d'Asie centrale chinoise (prov. du Hsin-chiang), anc. étape sur la route de la soie et grand centre commercial entre la Chine, l'Asie centrale soviétique et le Cachemire. Tapis, céréales. Dernière ville étape avant le désert du Takla-makan. L'oasis compte env. 300 000 hab. La ville de Yarkand 80 000. Elle est appelée Soch'ê (Suoche, So-tch'ö) par les Chinois.

YARKON. *n. m.* ♦ Petit fl. d'Israël qui coule dans la plaine de Saron* et se jette dans la Méditerranée, aux portes de Tel-Aviv. Il joue un rôle dans l'irrigation des terres (système régional de canalisation Yarkon-Néguev*).

YARMOUTH ou **GREAT YARMOUTH.** ♦ V. d'Angleterre (Norfolk), sur la mer du Nord, à l'embouchure de la Yare. 52 970 hab. Église du XIIᵉ s., maisons anciennes. – C'est l'un des premiers ports européens pour la pêche au hareng et un centre industriel important (constructions navales, textiles, produits alimentaires). Station balnéaire populaire (plage de Gorleston).

YARMUK ou **YARMOUK.** *n. m.* ♦ Riv. du Proche-Orient, qui prend sa source en Syrie et forme frontière dans son cours supérieur entre la Syrie et la Jordanie. Affl. du Jourdain (r. g.), il conflue en aval d'une centrale électrique et d'un barrage dont bénéficie l'État d'Israël pour l'irrigation des terres depuis la *guerre des six jours.*

YASAWA *(îles).* ♦ **V.** FIDJI (îles).

YAŚOVARMAN. ♦ Nom de plusieurs souverains de l'Inde et du Cambodge. Le plus important est YAŚOVARMAN Iᵉʳ (il régna de 889 à 900), roi khmer qui fit élever des temples à Roluos et fut le premier à transporter sa capitale sur le site de l'actuelle Angkor. Il aurait repoussé une flotte javanaise. Il fit également ses preuves d'administrateur avisé et aurait divisé le peuple cambodgien en classes sociales et castes.

YASUNOBU. ♦ Peintre japonais (1613 – 1685) de l'école Kanô*, fondateur de l'école de peinture du shôgunat d'Edo (Tôkyô).

YATÉ. ♦ Barrage-réservoir de la Nouvelle*-Calédonie, au S.-E. de l'île, sur la riv. du même nom (n. m.). Il possède une retenue de 300 000 000 de m³ et alimente une centrale de 68 000 kWh destinée à la métallurgie du nickel **(V. Nouméa).**

YATSUSHIRO. ♦ V. du Japon (Kyûshû, prov. de Kumamoto), sur la côte S.-O. 120 000 hab. – Important centre industriel (textiles, plastiques, papier, ciment), la ville fut célèbre aux XVIᵉ et XVIIᵉ s. pour ses porcelaines.

YAWATA. ♦ V. du Japon (préfecture de Fukuoka, Kyûshû), important centre industriel et charbonnier, métallurgie, indus. chimiques, constructions navales et automobiles. 350 000 hab. C'est une des cités industrielles de la conurbation de Kita*-Kyûshû avec Moji, Kokura, Tobata et Wakamatsu. Elle est aussi appelée Yahata.

YAYOI. ♦ Période protohistorique du Japon (v. le ~ IIIᵉ s.-IIIᵉ s. de notre ère) qui vit l'introduction dans les îles japonaises de la culture du riz et de l'usage du fer et du bronze. Ainsi appelée du nom d'un site de la région de Tôkyô.

YAZD. ♦ **V.** YEZD.

YAZDGARD. ♦ Nom de trois rois sassanides de Perse. ♦ YAZDGARD Iᵉʳ, roi de 399 à 420. ♦ YAZDGARD II, roi de 438 à 457. ♦ YAZDGARD III, le dernier des Sassanides, roi de 632 à 651. Après la victoire des Arabes à Nevahend (642), il se réfugia à Merv et fut assassiné.

YEATS (William Butler). ♦ Poète et dramaturge irlandais (Sandymount, près Dublin, 1865 – Roquebrune-Cap-Martin, 1939). Issu d'une famille protestante, il fonda à Londres une société littéraire irlandaise et publia des poèmes où prédomine, sous l'influence de Maeterlinck et de Swinburne, l'inspiration mystique : *Les Pérégrinations d'Oisin* (*The Wanderings of Oisin,* 1899). Attiré par le théâtre, il publia deux pièces en vers où l'allégorie joue le rôle essentiel : *La Comtesse Cathleen* (*The Countess Cathleen,* 1892) et *Le Pays du désir du cœur* (*The Land of Heart's Desire,* 1894). Revenu en Irlande, il s'intégra au mouvement de la renaissance littéraire irlandaise et fonda, avec lady Gregory, à l'*Abbey Theatre* de Dublin, une compagnie dramatique dont la renommée allait devenir considérable. Il composa alors de nombreuses pièces où le folklore légendaire, le mysticisme et la magie se fondent en un vaste souffle poétique : *Des ombres sur les eaux* (*The Shadowy Waters,* 1906) et surtout *Deirdre* (1907). Intervenant dans la politique irlandaise, il fut élu sénateur (1922-1928), mais sa fidélité au théâtre devait se manifester encore avec des œuvres conçues sous l'influence du nô japonais : *Quatre Pièces pour danseurs* (*Four Plays for Dancers,* 1921). Des recueils poétiques : *Sept Poèmes et un fragment* (*Seven Poems and One Fragment,* 1927), ainsi que des écrits dialogués, plus poétiques que dramatiques, enrichirent encore son œuvre dans les dix dernières années de sa vie. (Prix Nobel 1923.)

YEH-LÜ CH'U-TS'AI [*Ye-lu Tch'ou-ts'ai, Yelü Chucai*]. ♦ Ministre de Temüjin* (v. 1190 – v. 1244) qui fit campagne en Perse et empêcha les armées mongoles de détruire en Chine les monuments et trésors littéraires. Savant, astronome et mathématicien, il créa à Pékin des écoles pour les jeunes Mongols et réorganisa les provinces chinoises et leur administration.

YELLOWKNIFE (« couteau jaune »). ♦ Centre administratif et commercial des territoires du Nord-Ouest canadien, sur la rive N.

du *Great Slave Lake*. 7 000 hab. [1973] (nombreux Indiens).

YELLOWSTONE. *n. f.* ♦ Riv. du N.-O. des États-Unis, affl. du Missouri (r. d.). 1 600 km. Elle prend sa source dans les Rocheuses, près du parc de Yellowstone qu'elle traverse, coule dans des canyons et traverse du S.-O. au N.-E., le Montana*.

YELLOWSTONE *(parc national de)*, en angl. **Yellowstone National Park**. ♦ Région de l'O. des États-Unis, dans les Rocheuses, formant le coin N.-O. du Wyoming* et constituant le premier « parc national » créé aux États-Unis (1872). C'est un plateau volcanique parcouru de hautes chaînes de montagnes, où divers phénomènes géologiques se manifestent (sources chaudes, fumerolles, geysers, dont le célèbre *Old Faithful* [« vieux fidèle »], lacs colorés, etc.). Nombreux cours d'eau, cascades, canyons (dont le Grand Canyon de la *Yellowstone River*). Les sources des trois cours d'eau qui donnent naissance au Missouri* s'y trouvent.

YÉMEN [jemɛn]. *n. m. (république du).* ♦ État qui occupe le S.-E. de la péninsule arabique en bordure de la mer Rouge et que limitent l'Arabie Sa'ûdite et la République populaire du Yémen du Sud. 195 000 km² (mais les frontières restent imprécises, car le Yémen revendique, au N., les provinces sa'ûdites de l''Asîr et du Nedjiran, et au S. les territoires formant les anc. protectorats d'Aden*). 5 700 000 hab. (1970) [*Yéménites*], auxquels s'ajoutent env. 1 500 000 émigrants. *Cap.* Sanaa*. *Langue off.* arabe. *Religion* : islâm (musulmans sunnites [*chafiites*] et shi'ites [*zaïdites*]; minorités ismaéliennes). *Unité monétaire* : riyal yéménite. *V. princ.* **V. Hodeïda, Ibb, Marib, Moka, Saada, Taïz.** – On peut diviser le pays en quatre zones géographiques : la *plaine littorale* de la Tihama*, à cheval sur l'Arabie Sa'ûdite et le Yémen, en bordure de la mer Rouge, de 50 à 70 km de large et de nature aride; les *plateaux* de moyenne altitude (500 à 1 500 m), parallèles à la mer, tombent à pic sur la Tihama. Ils reçoivent les précipitations de la mousson et recouvrent la région de Taïz; les *hauts plateaux* du centre culminent au djebel Hadur. Recevant également la mousson, ils sont traversés par des cours d'eau qui rejoignent la mer ou se perdent dans les sables, et abritent les seules villes importantes du Yémen (Sanaa, Ibb, Saada, Taïz). C'est la région la plus peuplée et la plus riche du pays; les *plateaux de l'Est* déclinent brusquement à hauteur de Marib, passant de 3 000 m à 1 000 m. De climat plus doux, sauf dans la Tihama et la haute montagne la région des plateaux constitue l'Arabie Heureuse des Anciens *(Arabia Felix)*, bien arrosée et fertile. La population qui y vit, composée en majorité d'Arabes auxquels s'ajoutent des minorités juives et turques, pratique la culture et l'élevage (bovins, ovins, caprins, chevaux et ânes, chameaux). Les villes vivent de l'artisanat et du commerce. Nombreux vergers et jardins dans les vallées. Cultures en terrasses sur les terres riches des plateaux qui surplombent la Tihama (céréales; légumes; arbres fruitiers : orangers, dattiers, bananiers; vigne). Sur les hauts plateaux du centre, champs de coton, de tabac, et surtout de café *(moka)* et de *qat*. Pêche le long des côtes de la mer Rouge. La production agricole, assez importante, est incapable de combler le déficit du commerce extérieur, le pays ne possédant pas de ressources minérales, à l'exception du sel gemme de Salif (face à l'île de Kamaran), et comptant peu d'industries. Les principales sont les indus. alimentaires (huileries), textiles (usine de filature de Sanaa), les tanneries, briqueteries. Artisanat (joaillerie). Le Yémen exporte du café (50 % des exportations), du qat (notamment vers Aden), du coton, des cuirs et peaux (2ᵉ rang des exportations), des produits alimentaires (sel, céréales, légumes); il importe des produits alimentaires (céréales, sucre) et textiles. Les voies de communication y sont très insuffisantes (aucune voie ferroviaire, peu de routes). – Administrativement, il comprend six provinces : *Hagga* (4 districts), *Hodeïda* (5 districts), *Ibb* (6 districts), *Saada* (4 districts), *Sanaa* (28 districts), *Taïz* (4 districts). [*Carte*. **V. Arabie Sa'ûdite.**]

YÉMEN DU SUD ou **SUD-YÉMEN** *(République populaire du)*. ♦ État qui occupe le S. de la péninsule arabique (entre le Yémen du N., le désert du Rub* al-Khali et le sultanat d'Oman), et s'ouvre largement sur le golfe d'Aden (océan Indien). 300 000 km² env. (auxquels s'ajoutent les 3 700 km² de superficie des îles Kamaran [mer Rouge] et Socotra [océan Indien] sur lesquelles l'État exerce sa souveraineté). 1 390 000 hab. (1974) [*Yéménites*]. *Cap.* Al Chaab. *Langue off.* arabe. *Religion*. Islâm. *Unité monétaire*. Dinar de l'Arabie du S. *V. princ.* **V. Aden, Cheik Uthman, Mukalla, Tarim.** – Entre le détroit de Bab* al-Mandab et la frontière de l'E. (sultanat d'Oman), le massif montagneux de l'Hadramaout* s'étend sur près de 2 000 km. Il atteint 2 200 m dans le Chukra* et est limité par le Rub al-Khali au N. et par d'étroites plaines côtières au sud. Climat désertique dans le N., très chaud et plus humide le long des côtes. Mousson sur les reliefs. Cours d'eau temporaires aux vallées fertiles (le seul qui ait quelque importance est le wadi Hadramaout). La population est concentrée le long des côtes. Le pays vit de l'agriculture, dans les oasis et la vallée de l'Hadramaout, ainsi que dans la région de Lahaj* au N. d'Aden et dans la province de Mukalla. Coton, céréales (blé, millet, sorgho), dattes, aromates, sésame, sel marin. Pêche (sardines et perles) dans le golfe d'Aden. Élevage de caprins, d'ovins, de bovins et de chameaux par les Bédouins. Les indus., en petit nombre, sont concentrées dans la région d'Aden. Artisanat. Une seule grande indus. : le raffinage du pétrole **(V. Little Aden).** Le Yémen du Sud exporte des produits pétroliers en direction du Yémen du Nord, de la Grande-Bretagne et du Japon; il importe des produits manufacturés (Grande-Bretagne, Japon) et du pétrole brut (Kuweit, notamment). Les voies de communication sont réduites à quelques routes et à des pistes en direction des régions désertiques du N. ♦ *Hist.* L'histoire du Yémen du Sud se confond avec celle du Yémen* jusqu'en 1967, date de sa création par le rassemblement des possessions britanniques d'Aden et de l'Arabie du Sud. **V. Arabie.**

YEN-AN [*yen-ngan, Yan'an*]. ♦ V. chinoise (province du Shanhsi) qui fut, de 1935 à 1949, la capitale de l'Armée de la libération et de la révolution. Elle avait été le but de la « Longue Marche » **(V. Marche** [la Longue]**).**

YEN FU [*Yan Fu*]. ♦ Écrivain chinois (1853 – 1921). Grâce à ses innombrables traductions d'œuvres classiques anglaises et françaises, il fut le premier à introduire en Chine la culture littéraire européenne.

YEN LI-PEN [*Yan Liben*]. ♦ Peintre chinois (v. 630 – 673) à la cour des empereurs des T'ang*, célèbre pour ses peintures de chevaux et ses portraits de souverains. Architecte, il dirigea la construction des palais impériaux de la capitale Ch'ang-an. Il peignit également des sujets bouddhiques et des scènes historiques.

YENNE. ♦ Ch.-l. de cant. de la Savoie*, arr. de Chambéry*, sur le Rhône*. 2 106 hab. *(Yennois)*. – Soieries. – Patrie de Ch. Dullin*.

YEN-T'AI [*Yantai*]. ♦ V. chinoise (prov. du Shan-tung), anc. Chê-fu [Zhifu, Chefoo, Tche-fou]. 250 000 hab. – Elle fut ouverte au commerce extérieur en 1858. – Port important, exportateur de produits agricoles. Pêche en haute mer, conserveries.

YEN YÜAN [*Yan Yuan*]. ♦ Philosophe chinois (1635 – 1704) originaire du Ho-pei, célèbre fondateur d'un système de critique historique des textes anciens. Il créa dans sa province une école où les sports étaient enseignés au même titre que les matières traditionnelles.

YEOVIL. ♦ V. de l'Angleterre méridionale (Somerset), au S.-E. de Taunton, sur le Yeo, affl. r. d. du Parrett. 24 600 hab. Église gothique perpendiculaire (XVIᵉ s.) et hospice du XVᵉ siècle. – Appareillage électrique, travail du cuir et produits alimentaires.

YERMAK ou **IERMAK (Timoféef)**. ♦ Hetman des Cosaques du Don ([mort] 1584 ou 1585). Après avoir dirigé plusieurs expéditions de brigandage dans la région de la mer Caspienne, il entreprit la conquête de la Sibérie contre un des plus puissants princes tartares (Koutchoulou), s'empara de Sibir sur le bas Irtych (1580-1581) et remit ces possessions à Ivan* IV (le Terrible), étendant ainsi la Russie de l'Oural à l'Irtych. Mais il finit par être vaincu par les Tartares. (L'écrivain Khomiakof en fit le héros aventurier d'une de ses tragédies.)

YERRES. ♦ Ch.-l. de cant. de l'Essonne (arr. d'Évry), sur l'Yerres. 19 020 hab. *(Yerrois)*. Anc. abbaye bénédictine; vestiges de l'ancien manoir de Guillaume Budé*. Localité résidentielle.

YERSIN [jɛʀsɛ̃] **(Alexandre)**. ♦ Microbiologiste et médecin militaire français d'origine suisse (Morges, Suisse, 1863 – Nha Trang, Annam, 1943). Entré à l'Institut Pasteur (1886), il travailla avec É. Roux* aux recherches sur la toxine diphtérique. Mais on lui doit surtout la découverte du bacille spécifique de la peste qu'il fit à Hong-kong (1894), ou *« bacille de Yersin et Kitasato »* (médecin japonais qui, entre d'autres travaux [**V. Kitasato Shibasaburô**]. en fit la découverte à la même époque).

YE-SHES BSTAN-DZIN RGYA-MCHO. ♦ Quatorzième et dernier dalaï-lama (« océan de sagesse »), né en 1935 et intronisé en 1940. Lors de l'arrivée des troupes chinoises révolutionnaires en 1950, il s'enfuit à Pékin, puis en 1959, après une révolte au Tibet, se réfugia en Inde.

YESILKÖY. ♦ Nom actuel de San* Stefano.

YESO. ♦ **V.** YEZO.

YEU *(île d')*. ♦ **V.** ÎLE D'YEU.

YÈVRE. *n. f.* ♦ Riv. de France (67 km), dans le Berry. Elle traverse Bourges et Mehun-sur-Yèvre, avant de se jeter dans le Cher à Vierzon.

YEZD ou **YAZD**. ♦ V. d'Iran (Xᵉ prov.), en bordure du plateau central, à 1 240 m d'altitude. Env. 85 000 hab. – Elle conserve plusieurs mosquées et mausolées anc. (mosquée du Vendredi [XIVᵉ s.], mausolée des douze Imams [XIᵉ s.]). Peuplée de Guèbres, c'est la métropole du mazdéisme en Iran. – L'eau, amenée par canalisations souterraines des montagnes voisines, alimente l'oasis de Yezd et permet la culture du blé, du coton et du mûrier, bien qu'en quantité insuffisante. Yezd est un important centre du tissage de la soie et de la confection des tapis.

YEZO, YESO ou **EZO**. ♦ Anc. nom japonais de l'île d'Hokkaidô.

YGGDRASIL. ♦ Dans la mythologie scandinave, arbre cosmique, joignant les enfers et les cieux. Auprès se trouvent la fontaine Mîmir, où Odin* retourne rafraîchir sa sagesse, et la fontaine Urd, où les dieux tiennent leurs conseils.

YI ou **LI, LEE, RHEE**. ♦ Dynastie royale de Corée unifiée qui régna de 1392 à 1910, succédant à celle de Goryeo et fondée par Yi* Seong-gye. Elle eut vingt-sept souverains. Patronyme de nombreuses familles coréennes.

YIBAI. ♦ Gisement pétrolifère du sultanat d'Oman* (S.-E. de la péninsule arabique). Point de départ de l'oléoduc qui dessert Fahud* et Natih en direction du port pétrolier de Saih*al-Malih (golfe d'Oman).

YI GWANG-SU. ♦ Romancier coréen contemporain (Pyeongyang, 1892), pionnier du mouvement littéraire moderne de la Corée, auteur de romans sociologiques et historiques.

Yi king. ♦ V. I-CHING.

Yin (et) **Yang.** *n. m.* ♦ Principes de la philosophie chinoise exposés dans le *I-Ching* et divisant toutes les forces et réalités de notre monde en deux énergies complémentaires, le yin (in), qui correspond au repos, à la femme, au froid, à la terre, et le yang, qui correspond à l'activité, à l'homme, au chaud, au ciel, etc. C'est une sorte de couple négatif-positif dont l'interaction incessante créa toute action et toute vie. Il est représenté par le signe du tao (la voie) comprenant un cercle divisé par un diamètre formé de deux demi-cercles ayant pour diamètre le rayon du cercle extérieur, délimitant ainsi deux zones colorées de couleurs complémentaires.

YING-K'OU *(Ying-k'eou, Yingkou),* en angl. **New Chang.** ♦ V. de Chine (Liao-ning) sur le golfe du Liao-tung, au S. d'An*-shan. 180 000 hab. – Indus. textiles, constructions navales.

YI SEONG-GYE. ♦ Général coréen (1355 – 1408) qui se révolta contre les Chinois et fonda la dynastie des Yi*. Il procéda à une redistribution générale des terres aux paysans et introduisit le confucianisme en Corée. Il fit traduire en langue coréenne les livres classiques chinois.

YI SEUNG-MAN. ♦ V. SYNGMAN RHEE.

YI SUN-SIN. ♦ Amiral coréen (1545 – 1598) qui combattit avec succès la flotte japonaise d'invasion (1592). Il aurait été l'inventeur, à cette occasion, des premiers bateaux cuirassés.

YMER ou **YMIR.** ♦ Dans la mythologie scandinave, premier géant, formé de gouttes d'eau, glace fondue et vivifiée par le vent du sud. Nourri par la vache Audumla*, il est l'ancêtre des géants, des hommes et de certains dieux.

YOF. ♦ Localité du Sénégal sur la côte N. de la presqu'île du cap Vert*. Pêche. Aéroport de *Dakar-Yof.*

Yoga. *n. m.* ♦ Ensemble de systèmes philosophiques et pratiques de l'Inde destinés à indiquer aux hommes les divers moyens à leur portée pour délivrer leur esprit des liens matériels qui les rattachent à la vie terrestre. Ce sont des systèmes d'entraînement à la fois physique et mental, de contrôle du corps, du souffle, de séparation des sens de leur objet, de concentration et de méditation. Il existe un grand nombre de yogas caractérisés par l'accent mis sur une discipline ou une autre. En fait ces codifications ne sont que des aides, car il appartient à chacun de « faire son propre yoga ». Le but suprême de ces techniques (hindoues, lamaïques, ou bouddhiques) est d'atteindre à la « libération » finale.

Yoga-Sûtra. *n. m.* ♦ Texte philosophique indien attribué à Patanjali* (v. ~ IIe s.), concernant les pratiques morales du yoga et célèbre en Europe grâce à l'adaptation qui en fut faite par Schopenhauer sous le titre *Aphorismes de Patañjali.*

YOJOA *(lac). n. m.* ♦ Lac du centre-ouest du Honduras*. Terminus de la route qui part de El* Zamorano et passe par la cap. Tegucigalpa*.

YOKKAICHI. ♦ V. du Japon (Honshû, préf. de Mie), avant-port de Nagoya*. Port pétrolier. 250 000 hab. – Indus. pétrochimiques, textiles (coton) et centre commercial.

YOKOHAMA. ♦ V. et port japonais (préfecture de Kanagawa, Honshû), près de Tôkyô, dont elle est la ville sœur et le grand port. 2 200 000 hab. Créée en 1859 sur le site d'un village de pêcheurs par des Européens, elle devint rapidement un port de première importance, drainant plus de 30 % du trafic maritime du Japon avec l'extérieur. Chantiers navals, indus. diverses, raffineries de pétrole. Détruite par le tremblement de terre de 1923, elle fut reconstruite aussitôt sur un plan moderne.

YOKOSUKA. ♦ Port japonais, au S. de Tôkyô (préfecture de Kanagawa, Honshû), créé vers 1850 par l'ingénieur français L. Verny. 350 000 hab. Grande base navale et port de guerre. Chantiers navals.

YOKOYAMA TAIKAN. ♦ Peintre japonais (1868 – 1958), fondateur de l'Institut japonais des beaux-arts en 1898.

YOLANDE D'ARAGON. ♦ Reine de Sicile (XVe s.). Femme de Louis* II de Sicile, elle fut la mère de Louis* III et de René* Ier, et de Marie* d'Anjou qui épousa Charles* VII. L'influence qu'elle exerça sur celui-ci au début de son règne fut déterminante.

YONAGO. ♦ V. du Japon (Honshû, préf. de Tottori) et port sur la mer du Japon. 110 000 hab. – Indus. du tabac, textiles (coton) et alimentaires.

YONKERS. ♦ V. des États-Unis (État de New* York) située au bord de l'Hudson et bordant au N. le Bronx*, district de New York City. 204 297 hab. (1970). – Nombreuses industries.

YONNE. *n. f.* ♦ Affl. (r. g.) de la Seine* (293 km) né dans le Morvan*, à 730 m d'alt. env., au pied du mont Prenelay, au S.-E. de Château-Chinon. Elle coule vers le N.-O., traverse les dép. de la Nièvre, de l'Yonne et conflue à Montereau*-Faut-Yonne (Seine-et-Marne). Sa haute vallée est tranchée dans les hautes terres granitiques; elle passe à Clamecy*, reçoit la Cure* (r. d.) en amont d'Auxerre*, puis le Serein* (r. d.) et son affl. princ. l'Armançon* (r. d.) à Laroche*-Saint-Cydroine; elle arrose Joigny* et Sens* où elle reçoit la Vanne* (r. d.) après avoir séparé le bocage du Gâtinais* du pays d'Othe*, traverse le Sénonais* avant de se jeter dans la Seine. Son cours traverse des collines calcaires qui sont favorables à la production vinicole. Le canal du Nivernais* la relie au bassin de la Loire et le canal de Bourgogne* à celui de la Saône. Les pluies fréquentes qui tombent sur le Morvan et l'imperméabilité de presque tous les terrains que traverse la rivière provoquent des crues violentes et font de l'Yonne le principal élément d'irrégularité du système hydrographique du bassin de la Seine. Un certain nombre de barrages et de retenues ont été construits de façon à régulariser son débit (**V. Settons** [*lac des*], sur la Cure) dont celui de Pannesière*-Chaumard.

Ph. Hétier

Chantiers navals à **Yokohama.**

YONNE. *n. f.* [**89**]. ♦ Dép. du S.-E. du Bassin parisien, région (anciennement C.A.R.) de Bourgogne*. 7 461 km². Traversé par l'Yonne et ses affl. (Cure*, Serein*, Armançon*), il n'a aucune unité géographique. On y trouve des plateaux calcaires (Auxerrois*, Tonnerrois*) ou crayeux (Sénonais*) et des terrains argileux (pays d'Othe*, dépression de Terre-Plaine, collines de la Puisaye*). ♦ (37 cant., 482 comm., 290818 hab.). *Préf.* Auxerre*. *Sous-préf.* Avallon*, Sens*. *Ch.-l. de cant.* Aillant*-sur-Tholon, Ancy*-le-Franc, Bléneau*, Brienon*-sur-Armançon, Cerisiers (811 hab.), Chablis*, Charny (1 364 hab.), Chéroy (578 hab.), Coulanges*-la-Vineuse, Coulanges-sur-Yonne (639 hab.), Courson-les-Carrières (757 hab.), Cruzy-le-Châtel (423 hab.), Flogny*, Guillon (501 hab.), Isle*-sur-Serein (L'), Joigny*, Ligny-le-Châtel (962 hab.), Noyers*, Pont*-sur-Yonne, Quarré*-les-Tombes, Saint*-Fargeau, Saint*-Florentin, Saint*-Julien-du-Sault, Saint*-Sauveur-en-Puisaye, Seignelay*, Sergines (733 hab.), Tonnerre*, Toucy*, Vermenton*, Vézelay*, Villeneuve*-l'Archevêque, Villeneuve*-sur-Yonne. *Autres comm. et sites.* **V. Arcy-sur-Cure, Bassou, Cravant, Dixmont, Druyes-les-Belles-Fontaines, Épineuil, Étigny, Fontenoy, Héry, Irancy, Jouy, Laroche-Saint-Cydroine, Lézinnes, Migennes, Pontigny, Saint-Bris-le-Vineux, Saint-Père, Tanlay.**

Yorick. ♦ Bouffon du roi de Danemark dans *Hamlet* de Shakespeare. C'est le crâne de Yorick, dans la scène du cimetière, qui suscite à Hamlet des pensées mélancoliques.

YORK *(maison d').* ♦ Famille noble anglaise fondée par *Edmond de Langley* (King's Langley, Hertfordshire, 1341 – *id.,* 1402), fils d'Édouard III, en 1385. Il assuma la régence pendant l'absence de Richard II parti guerroyer en Irlande, puis se rallia à l'usurpateur Henri IV de Lancastre (1399). ♦ RICHARD D'YORK, duc d'York (1411 – Wakefield, 1460), petit-neveu du précédent. Prétendant au trône d'Angleterre par son mariage avec Anne de Mortimer, il se révolta contre Henri* VI, provoquant ainsi la guerre des Deux-Roses* où s'affrontèrent les maisons d'York et de Lancastre et leurs partisans. Vainqueur à Saint Albans (1455), puis à Northampton (1460) où il captura Henri VI, Richard se fit promettre la succession du roi mais fut battu et tué à Wakefield (1460). Ses fils et son petit-fils régnèrent sous les noms d'Édouard* IV, Richard* III et Édouard* V. Il fut le père de George, duc de Clarence*.

YORK (Frédéric, *duc d'***).** ♦ Second fils de George III (Londres, 1763 – *id.,* 1827). Commandant les forces anglaises aux Pays-Bas en 1793, il subit de nombreuses défaites, mais fut cependant chargé du commandement en chef des forces britanniques en 1798 et dut capituler devant Brune. En dépit du scandale qui éclata en 1809 quand sa maîtresse, Mary Ann Clarke, révéla ses trafics sur les postes d'officiers, il conserva une grande popularité en raison de son attitude violemment anticatholique.

YORK *(péninsule d').* ♦ Péninsule du N.-E. de l'Australie* (Queensland) fermant le golfe de Carpentarie* à l'O., séparée de la Nouvelle-Guinée par le détroit de Torres*, et baignée à l'E. par la mer de Corail*. Elle est constituée par des roches cristallines ou sédimentaires, surmontées de coulées de basalte. Son extrémité, le *cap d'York,* constitue la pointe la plus septentrionale du continent. Important gisement de bauxite à Aurukun (réserve de 300 000 000 de t), près des réserves considérables d'alumine de Weipa (2 200 000 000 de t).

YORK *(val* ou *plaine d').* ♦ Dépression longitudinale du N.-E. de l'Angleterre (Yorkshire), s'étendant au N. de la ville d'York, entre les Pennines à l'O., les North* York Moors et les Yorkshire* Wolds à l'est.

YORK. ♦ V. du N.-E. de l'Angleterre, dans le val d'York (Yorkshire), au confl. de l'Ouse et de la Foss. 104 513 hab. Archevêché. Université. La cathédrale *(York Minster)*, l'une des plus vastes d'Angleterre, a été édifiée de 1220 à 1472 en gothique primitif, décoré et perpendiculaire (les trois étapes successives du gothique en Angleterre); les vitraux sont des XIVe et XVe siècles. York possède en outre une enceinte du XIVe s., de nombreuses maisons des XIVe et XVe s. *(Guildhall, Treasurer's Hall, Merchant Taylor's House, St. Anthony's Hall)*, plusieurs églises du XVe s., les ruines d'une abbaye bénédictine (*fin* XIe s.) et d'un château érigé sous Guillaume le Conquérant *(Clifford's House)* et plusieurs galeries d'art. — Le développement industriel est assez récent (métallurgie et mécanique, appareillage électrique, produits alimentaires). — Patrie d'Alcuin*, de John Flaxman*, de Thomas Fowler, de Richard d'York*. ♦ *Hist. Eboracum,* occupée dès 71, fut un important camp romain où Constantin fut couronné empereur. Au Ve s., les Saxons envahirent la ville et en firent la cap. du royaume de Northumbrie*. Au VIIe s., York connut un intense rayonnement culturel (Alcuin, école d'York) et religieux (évêché, nombreux couvents). Envahie par les Danois (IXe s.), puis par les Normands (XIe s.), York devint alors une importante cité lainière. À partir du XVIe s., la dissolution des ordres religieux (1538) et son déclin économique l'affectèrent gravement. Au XVIIe s., York fut l'un des bastions du royalisme.

YORKSHIRE. *n. m.* ♦ Le plus vaste comté d'Angleterre (15 573 km^2), prolongeant au N. le bassin de Londres jusqu'à la vallée de la Tees et baigné à l'E. par la mer du Nord. Administrativement, on distingue : le *North Riding* (5 512 km^2. 724 463 hab. *Ch.-l.* Northallerton*. *V. princ.* **V. Eston, Middlesbrough, Redcar, Scarborough** et **Thornaby on Tees)**, l'*East Riding* (3 035 km^2. 542 565 hab. *Ch.-l.* Beverley*. *V. princ.* **V. Kingston upon Hull)**, et le *West Riding* (7 200 km^2. 3 780 539 hab. *Ch.-l.* Wakefield. *V. princ.* **V. Barnsley, Bradford, Dewsbury, Doncaster, Halifax, Harrogate, Huddersfield, Keighley, Leeds, Rotherham, Sheffield** et **York)**. — Le relief laisse apparaître trois lignes de hauteurs : à l'O. les Pennines*, à l'E. les North* York Moors et les Yorkshire* Wolds, entre lesquelles s'intercalent des dépressions calcaires et argileuses (val d'York* entre Pennines et North* York Moors, et val de Pickering* entre North York Moors et Yorkshire* Wolds). Le comté est abondamment irrigué par un réseau de rivières (Aire, Calder, Derwent, Humber, Ouse, Trent). — *Écon.* Le North Riding est une anc. région de tourbières vouée à la grande culture (céréales, betterave, fruits). L'élevage est pratiqué dans la vallée de la Trent (porcs). L'activité industrielle, favorisée par l'abondance de la houille et la présence de fer (Cleveland* Hills), est surtout importante à l'O. de l'Ouse (West Riding). La sidérurgie et la construction mécanique (Sheffield, Rotherham, Doncaster, Teeside) ont une importance considérable, de même que l'industrie lainière dans la vaste conurbation formée autour de Bradford, Dewsbury, Halifax, Keighley, Huddersfield et Leeds. Kingston upon Hull est le princ. débouché maritime. — Patrie des sœurs Brontë*, George Calvert, sir Martin Frobisher*, Henri* Ier Beauclerc, John Lambert*, Andrew Marvell*, Henry Moore*, sir Owen Richardson* et John Wyclif*.

YORKSHIRE WOLDS. *n. m. pl.* (« vallons du Yorkshire »). ♦ Ligne de côtes du N.-E. de l'Angleterre (Yorkshire, North et East Riding), située entre le val de Pickering au N. et l'estuaire de la Humber au sud.

YORKTOWN. ♦ Localité des États-Unis, à l'E. de la Virginie*. ♦ *Hist.* La place de Yorktown, tenue par le général anglais Cornwallis*, fut assiégée par Washington*, appuyé de ses alliés français (Rochambeau* et l'escadre de De Grasse). La capitulation anglaise (19 oct. 1781) mit fin à la guerre d'Indépendance américaine.

YOROUBAS ou **YORUBAS.** *n. m. pl.* ♦ Peuple noir d'Afrique occident. établi au S.-O. du Nigeria (État de l'Ouest), au Dahomey* et au Togo*, dont l'art (sculptures) est un des plus prolifiques d'Afrique. ♦ *Hist.* Sous l'impulsion d'émigrants venus du N., ils fondèrent un royaume d'abord autour de la ville d'Ife* (XIIIe s.) puis d'Oyo* (XVIe s.), où les cités-Etats sous l'égide de rois divinisés avaient une large autonomie. Le royaume du Bénin* est issu de la civilisation yoruba.

YOSEMITE NATIONAL PARK. ♦ Parc national des États-Unis (Californie) dans la sierra Nevada, autour de la *vallée de Yosemite.* Sites de hautes montagnes grandioses et pittoresques. ♦ *Hist.* Le site fut découvert au milieu du XIXe siècle. La vallée fut connue et célébrée dès 1855, par James Hutchings. Une loi de 1864 en fit un terrain public inaliénable.

YOSHIDA SHIGERU. ♦ Homme politique japonais (1878 — 1967). Président du Conseil de 1946 à 1947, puis de 1949 à 1954. Il signa le pacte de sécurité américano-japonais en 1954 puis se retira de la vie politique.

YOSHIHITO. ♦ Empereur du Japon connu sous son nom de règne Taishô-Tenno. **V. Taishô-Tenno.**

YOSHITSUNE. ♦ V. MINAMOTO NO YOSHITSUNE.

YOUGOSLAVIE *(République socialiste populaire fédérative de)*, en serbo-croate **Federativna Narodna Republika Jugoslavija** : **F.N.R.J.** ♦ État européen situé à l'extrémité N.-O. de la péninsule balkanique. Elle est limitée au N.-O. par l'Italie, au N. par l'Autriche, au N.-E. par la Hongrie, à l'E. par la Roumanie et la Bulgarie, au S. par la Grèce, au S.-O. par l'Albanie, à l'O. par l'Adriatique. 225 804 km^2. 21 330 000 hab. (1975) [dens. 83 hab./km^2]. *Cap.* Belgrade*. *Langue princ.* serbo-croate. La population *(Yougoslaves)* se compose de : Serbes (7 806 000), Croates (4 294 000), Macédoniens (1 046 000), Monténégrins (514 000) et de minorités non slaves (915 000 Albanais, dans le Kosovo-Metohija, 514 000 Hongrois, etc.). *Religions.* Orthodoxe (41 %), catholique (32 %), musulmane (12 %). — La Yougoslavie est formée de six républiques fédératives, correspondant chacune à une région historique, et qui sont : la *Slovénie** (cap. Ljubljana*); la *Croatie** (cap. Zagreb*); la *Bosnie-Herzégovine** (cap. Sarajevo*); le *Monténégro** (cap. Titograd*); la *Serbie** (cap. Belgrade*), augmentée des régions autonomes de *Vojvodine** et du *Kosovo*-Metohija;* et la *Macédoine** (cap. Skopje*). *Autres V. importantes.* **V. Banja Luka, Bitola** (ou Bitolj), **Cetinje, Dubrovnik** (anc. Raguse), **Karlowitz, Kopar, Kotor, Kragujevac, Maribor, Mostar, Niš, Novi Sad, Ohrid, Osijek, Pančevo, Peč, Požrevac, Priština, Prizren, Pula, Rijeka, Split, Subotica, Travnik, Tuzla, Zadar, Zenica, Zrenjanin.** — *Orogr.* Massifs : Alpes Juliennes, Alpes yougoslaves et slovènes **(V. Slovénie)**; Alpes dinariques*; Rhodope (Serbie, Slovénie); Karawanken. Plaines pannoniennes **(V. Pannonie)**. Primorje (littoral). **V. Croatie, Dalmatie, Monténégro**; et îles : **V. Dalmatie; Brač, Hvar, Korčula, Krk, Rab, Vis.** Bassins de la Morava et du Vardar **(V. Kosovo, Macédoine, Serbie)**. Gorges du Djerdap **(V. Portes de fer)**. — *Hydrogr.* **V. Cerna, Danube** (Dunav), **Drave, Drin, Drina, Morava, Mur, Neretva, Save, Vardar.** (Lacs : Bled, Ludesco Jerezo, Ohrid*, Palić*, Skadar.) — Le climat est méditerranéen (Dalmatie) et continental (intérieur). — *Écon.* Les structures agraires sont assez particulières. La collectivisation des terres a été moins poussée que dans les autres pays socialistes. Le secteur privé et le secteur d'État coexistent. Les grands domaines ont été morcelés v. 1919 et la propriété privée limitée à 10 ha (1953). Des entreprises d'État et des coopératives se sont constituées surtout dans les plaines du Nord. Les cultures principales sont : le blé, la betterave sucrière, les céréales, les plantes industrielles (grands domaines du N.), la pomme de terre (Slavonie, Slovénie), vigne, produits laitiers (nord, côte dalmate); on pratique l'élevage bovin et ovin et on utilise le bois des montagnes. Le sous-sol est riche en métaux non ferreux : bauxite (Istrie, Dalmatie, Monténégro, Herzégovine); cuivre (Bor); zinc et plomb (Slovénie, Serbie); mercure (Idrija); chrome, antimoine. À cela s'ajoutent : lignite (Slovénie, Bosnie, Serbie, Istrie), fer (Bosnie) et pétrole (Croatie). Production d'électricité. Les principales industries, toutes nationalisées, sont : la sidérurgie (Zenica), production annuelle d'acier : 2 858 000 t; la métallurgie diversifiée (constructions navales dans les ports, matériel ferroviaire, machines-outils); les industries chimiques, textiles et alimentaires. La pêche et le tourisme constituent d'importantes activités d'appoint. ♦ *Hist.* (pour l'histoire des Yougoslaves avant 1918, **V. Croatie, Macédoine, Monténégro, Slovénie, Serbie)**. Après la Première Guerre mondiale, les Slaves du Sud demandèrent leur rattachement à la Serbie et, en 1918, le « royaume des Serbes, des Croates et des Slovènes » fut constitué sous la direction de Pierre* Ier Karageorgevitch [Karadjordjević] auquel succéda bientôt son fils, Alexandre* Ier (1921-1934). Les frontières du nouvel État furent fixées par les traités de Neuilly (1919), Saint-Germain (1919) et Trianon (1920). La période qui suivit fut troublée par des problèmes de nationalités, notamment par l'antagonisme entre les Serbes (dont la politique était centralisatrice) et les Croates. En 1929, Alexandre Ier instaura une dictature et, en 1931, l'État prit le nom de Yougoslavie. Le roi tenta, sans succès, de vaincre le mouvement nationaliste croate qui prit avec les oustachis d'Ante Pavélitch* une forme terroriste : ce mouvement suscita l'assassinat du roi Alexandre, en visite officielle à Marseille (1934). Sous la régence du prince Paul, la Yougoslavie se rapprocha de l'Italie, de la Bulgarie et de l'Allemagne (accords de 1937-1938) tandis qu'une large autonomie était octroyée à la Croatie (1939). En 1941, alors que le gouvernement de Tsutkovitch, acceptant « l'ordre nouveau », venait de signer un pacte tripartite avec Hitler et Mussolini, Pierre II prit le pouvoir et un gouvernement fut formé sous la direction du général Simovitch. Devant le ralliement imminent de la Yougoslavie au camp allié, Hitler l'envahit et démembra totalement le pays **(V. Croatie, Serbie...)**. La résistance aux Allemands, qui fut l'une des plus acharnées, fut dirigée par le colonel serbe Mihajlović et par le communiste croate Josip Broz dit Tito*. Après la libération de Belgrade par l'armée rouge (1944), un gouvernement fut constitué sous la présidence de Tito, Pierre II s'exila. Les élections de 1945 virent la victoire du Front populaire et la proclamation de la république. La Yougoslavie devint en 1946 la République fédérative de Yougoslavie comprenant six républiques (Bosnie-Herzégovine, Croatie, Macédoine, Monténégro, Serbie, Slovénie). Le Parti communiste procéda à des nationalisations, à une réforme agraire et à une décentralisation accordant l'autonomie en matière de langue et de choix dans le personnel administratif. Le président Tito assura la marche vers le socialisme par ses voies propres, ce qui le fit accuser de révisionnisme et entraîna la rupture avec Staline [1948] **(V. Tito)**. Fidèle au marxisme, Tito libéralisa néanmoins l'économie basée sur le principe d'autogestion. À l'extérieur, il

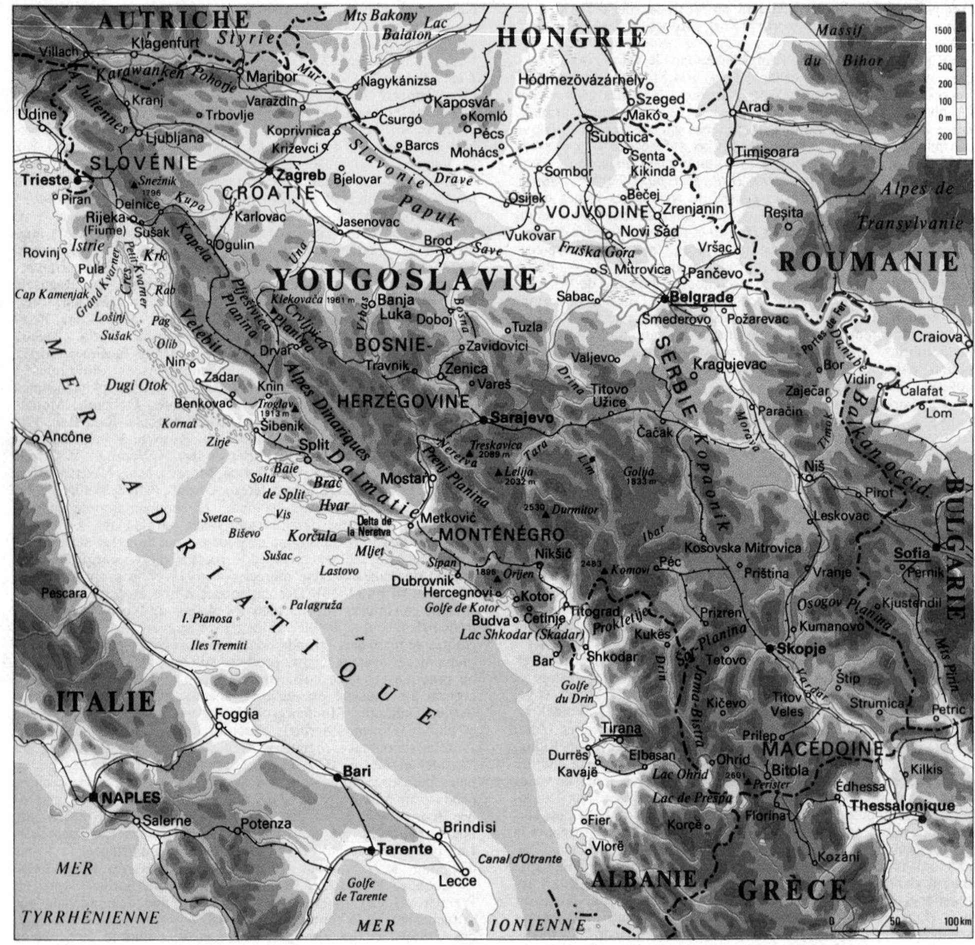

Yougoslavie.

mena une politique d'apaisement (règlement de l'affaire de Trieste*, alliance avec la Grèce et la Turquie, 1954) et de collaboration avec les Occidentaux. Il se fit le champion des pays non engagés. La réconciliation avec l'U.R.S.S. – effective depuis 1960 – ne s'est pas accompagnée d'un assujettissement de la Yougoslavie qui poursuit une politique d'unité nationale et de promotion économique. En 1974, les délégués des républiques adoptèrent une nouvelle constitution; le Parlement ne comprend plus que deux assemblées au lieu de cinq : la Chambre fédérale et la Chambre des républiques. Le Parlement fédéral désigna la nouvelle présidence collégiale, et élut Tito président de la République à vie.

YOUNG (Edward). ♦ Poète anglais (Upham, près Winchester, Hants, 1683 – Welwyn, Oxfordshire, 1765). Fils de pasteur, il étudia à Oxford, s'attacha au duc de Wharton, le « Lorenzo » à qui l'auteur s'adresse dans *Les Nuits.* Cette œuvre écrite en vers blancs (*The Complaint, or Night-Thoughts on Life, Death, and Immortality,* 1742) est inspirée par la mort de sa femme et de sa fille; par elle, « Young est à la source même du courant de la mélancolie religieuse associée aux problèmes de la mort et de la destinée » (Cazamian). Cette œuvre eut un immense succès au début du XIXe s.; elle fut traduite en français dès 1812 et admirée par Mme de Staël et Diderot. Young n'en continua pas moins de mener une vie très retirée dans sa cure de Welwyn. Ses échecs littéraires l'avaient rendu misanthrope; avant d'écrire *Les Nuits,* il s'était essayé au poème de circonstance (*Un poème sur le dernier jour,* 1714, à la reine Anne; *Sur la mort de la feue reine et l'accession au trône de Sa Majesté,* 1714); au théâtre (*Busiris, roi d'Égypte,* 1719; *La Vengeance,* 1721); au genre satirique (*La Passion universelle,* 1725). Christopher Smart* *(Hymne à David)* et John Logan sont les héritiers directs de ce romantique avant la lettre, parfois proche de Thomas Gray*.

YOUNG (Arthur). ♦ Économiste et agronome anglais (Londres, 1741 – *id.,* 1820). Théoricien de l'agriculture, influencé par les idées économiques de W. Petty, il a été un bon observateur de la société de son temps, donnant des études précises sur les conditions de vie économique et sociale de la paysannerie de diverses régions d'Angleterre, d'Irlande *(Voyage en Irlande dans les années 1776 et 1779),* de France (son *Voyage en France,* publié en 1791 et traduit en fr. par H. Sée, constitue un document précieux sur l'état du pays avant et au début de la Révolution). Outre ses observations de voyage, A. Young, qui fut nommé secrétaire du Bureau d'agriculture par Pitt (1790), avait publié plusieurs ouvrages théoriques : *Farmer's Letters to the People of England* (1767), *Cours d'agriculture expérimentale* (1770); *Farmer's Calendar.* Une partie de son œuvre fut traduite en français sur l'ordre du Directoire et publiée sous le titre *Le Cultivateur anglais.*

YOUNG (Thomas). ♦ Médecin et physicien anglais (Milverston, Somersetshire, 1773 – Londres, 1829). Connaissant les langues anciennes (grec, latin), le persan, l'hébreu et l'arabe, il s'intéressa à l'égyptologie. Mais il est surtout connu par ses découvertes sur les propriétés du cristallin et le mécanisme d'accommodation dans la vision et sur le phénomène des interférences (1801) qui lui permirent notamment d'expliquer la formation des anneaux de Newton. La *théorie de Young-Helmholtz* **(V. Helmholtz)** donne une explication du mécanisme des sensations colorées. **V.** *aussi* **Dalton.** – Le *module de Young* (généralement noté E), utilisé en élasticité, permet de déterminer l'allongement d'un solide en fonction de la force tractive, compte tenu des caractéristiques géométriques. Il dépend de la substance.

YOUNG (Brigham). ♦ Chef religieux américain (Wittingham, Vermont, 1801 – Salt Lake City, 1877). Après avoir introduit la secte des mormons en Angleterre, il prit la succession de Smith* à sa tête et la conduisit vers l'O., où il fonda «la nouvelle Sion», Salt* Lake City (1847). Il devint ensuite gouverneur de l'Utah* et resta un ardent défenseur de la polygamie.

YOUNG (Donald Ramsey). ♦ Sociologue américain (1898). Auteur d'études sur le Noir américain (1928), les peuples minoritaires en Amérique (1932), etc., il a tenté de définir les méthodes d'enquête en sociologie (*L'Organisation de la recherche dans le domaine des sciences sociales aux États-Unis*, 1949).

YOUNG (Lester, surnommé **Prez**, « le Président **»)**. ♦ Saxophoniste (ténor) de jazz, Noir américain (Woodville, Missouri, 1909 – New York, 1959). À Kansas City, en 1936-1940, il fit partie de l'orchestre de Count Basie*, puis il dirigea de petites formations. Certains aspects de son jeu préfigurent le style *be*-bop*. Princ. enregistrements : *Lady be good* (avec Basie, 1936); *The Man I love* (avec Billie Holiday*, 1939); *Lester Leaps in* (avec Basie, 1939); *Tickle Toe* (avec Basie, 1940).

Young *(plan)*. ♦ Plan concernant le paiement par l'Allemagne des réparations exigées par le traité de Versailles (1919) et qui fut établi et signé par une commission présidée par O.D. Young (1874 – 1962), expert financier américain (juin 1929). Entré en vigueur en 1930, en remplacement du plan Dawes*, il réduisait le montant des réparations et en échelonnait le paiement jusqu'en 1988; mais il ne fut jamais totalement appliqué.

YOUNGSTOWN. ♦ V. des États-Unis, au N.-E. de l'Ohio, située à mi-distance entre Cleveland et Pittsburgh. 140 909 hab. (zone urbaine 536 003 hab.). – Métallurgie. Indus. plus différenciées depuis 1960.

YOURCENAR (Marguerite de CRAYENCOUR, dite **Marguerite)**. ♦ Romancière et essayiste française (Bruxelles, 1903). Nourrie d'une culture humaniste qui explique son amour de la Grèce (elle a traduit Pindare, mais aussi bien les *Poèmes* de Constantin Cavafy dont elle a donné une *Présentation critique* en 1958), M. Yourcenar a voyagé en Suisse, en Italie, avant de séjourner, durant la Deuxième Guerre mondiale, aux États-Unis, où elle se fixa en 1958. (On lui doit la traduction de negro-spirituals, recueillis dans *Fleuve profond, sombre rivière*, 1964.) Traductrice de Virgina Woolf (1937) et de Henry James (1947), auteur d'essais, de poèmes en prose et en vers (*Feux*, 1936; *Les Charités d'Alcippe*, 1956), elle est surtout connue pour un roman très gidien, *Alexis ou le Traité du vain combat* (1929 et 1952). La même pureté du récit, la même densité de style se retrouvent dans *Le Coup de grâce* (1939). Avouant son goût pour « les exposés scientifiques clairs et précis » et sa prédilection pour l'histoire qui lui permet de « ressentir comme siennes les expériences et les émotions de ses ancêtres », M. Yourcenar a abordé avec *Mémoires d'Hadrien* (1951) le récit « à arrière-plan historique » : « un pied dans l'érudition, l'autre dans... cette magie sympathique qui consiste à se transporter en pensée à l'intérieur de quelqu'un ». elle livre par le biais des mémoires imaginaires de l'empereur (acceptant sereinement les charges et la mort) une réflexion lucide sur la fin des civilisations; autre personnage complexe et attachant, le héros imaginaire de *L'Œuvre au noir* (1968), au sein d'un XVIe s. où apparaît un nouvel humanisme, se veut ardemment en quête non plus de la sagesse, mais de la vérité sur le mystère de la vie. « Reconstitutions », à travers une conscience, de cultures en train de s'achever ou de se métamorphoser, ces récits traditionnels, fermes et élégants, ont une résonance très actuelle.

YOUSOUF (Joseph VANTINI, dit**)**. ♦ Général français (île d'Elbe, v. 1810 – Cannes, 1866). Esclave à Tunis, il se mit au service de la France, à la tête d'un corps d'armée indigène. Il prit part à la prise de Bône, fut à l'origine de l'expédition contre Constantine et joua un rôle important dans la prise de la smala d'Abd al-Qâdir [Abd el-Kader] (1843). Il se distingua pendant la guerre de Crimée, fut nommé général et commanda la division d'Alger (1862-1864).

YOUSSOUFIA, anc. **Louis-Gentil**. ♦ V. du Maroc (prov. de Marrakech). 8 300 hab. – Gisement de phosphates des Gantour.

YPERLÉE. *n. f.* ♦ Affluent de l'Yser arrosant Ypres*.

YPERMAN (Jean). ♦ Chirurgien des Pays-Bas (1295 – 1351). Élève de Lanfranchi*, il eut une grande réputation pendant tout le XIVe s. dans les Pays-Bas.

YPORT. ♦ Comm. de la Seine-Maritime, arr. du Havre. 1 193 hab. Station balnéaire et port de pêche.

YPRES, en néerl. **Ieper**. ♦ V. de Belgique (ch.-l. d'arr. de Flandre-Occidentale) sur l'Yperlée* et l'anc. canal de l'Yser à la Lys. 18 447 hab. Halle aux draps (beffroi du XIIe s., reconstruit après 1918). Hôtel de ville (1620, réédifié en 1954). Ont été également reconstruits le palais de justice (gothique) et la collégiale Saint-Martin (1221); tombeaux de Louise de Laye (XIVe s.) et de Jansénius*, mort en 1638. Remparts médiévaux rebâtis par Vauban. – École diamantaire. Indus. textiles et alimentaires. Mobilier. Matériaux de construction. ♦ *Hist.* Ypres est née au Xe s., autour du château de Baudouin de Flandre. Elle devint au XIIIe s., grâce à l'indus. drapière (exportations jusqu'à Novgorod), la métropole des Flandres. Sa situation stratégique lui valut de nombreux sièges (1383, 1578, 1584, 1648, 1658, 1678, 1744, 1792). La « mêlée des Flandres », série de batailles meurtrières de la guerre 1914-1918, y eut lieu *(saillant d'Ypres)*; elle est commémorée par 140 cimetières aux env. d'Ypres. C'est d'Ypres que les gaz de guerre utilisés par les Allemands tirent leur nom (Cf. Ypérite *in* Robert). La ville, très éprouvée par les deux guerres, fut prise en 1944 par Montgomery.

YPSILANTI ou **HYPSILANTI**. ♦ Famille grecque phanariote qui prétendait descendre des Comnènes. Ses membres les plus célèbres furent : ALEXANDRE YPSILANTI (Constantinople, 1792 – Vienne, 1828). Officier de l'armée russe et ami du tsar Alexandre Ier, il devint président de la Philiké Hétairia (société secrète des patriotes grecs) et essaya de soulever les provinces danubiennes contre le joug ottoman (1821). Mais, désavoué par le tsar et brouillé avec les patriotes roumains de Moldavie et de Valachie, il fit exécuter Tudor Vladimirescu. Ayant déclenché l'hostilité des paysans roumains, il fut vaincu par les Turcs à Dragasani. Réfugié en Autriche, il fut emprisonné de 1823 à 1827. ♦ DÉMÉTRIOS YPSILANTI (Constantinople, 1793 – Vienne, 1832), frère du précédent. Il participa à la guerre de l'Indépendance grecque. Nommé en 1828 commandant des troupes de la Grèce orientale, il mena les derniers combats de la guerre (1829).

YS. ♦ Cité bretonne légendaire, que la tradition populaire situe au large de la baie de Douarnenez (ou de la baie des Trépassés) et qui aurait été submergée au IVe ou au Ve siècle. Elle a inspiré à É. Lalo son opéra *Le Roi d'Ys*.

YSAÏE [izai] **(Eugène Auguste)**. ♦ Violoniste, chef d'orchestre et compositeur belge (Liège, 1858 – Bruxelles, 1931). Fils de violoniste, il étudia aux conservatoires de Liège, de Bruxelles et de Paris (avec H. Vieuxtemps*). Considéré très tôt comme l'un des plus grands virtuoses de son temps, il effectua de nombreuses tournées en Europe et aux États-Unis. Il fonda un célèbre quatuor en 1892 et exerça les fonctions de maître de chapelle à la cour de Belgique et de professeur au conservatoire de Bruxelles. Il entretint des relations amicales avec les plus grands compositeurs contemporains : Franck (qui lui dédia sa *Sonate pour piano et violon*), Fauré, Debussy, d'Indy, Saint-Saëns. Il composa des pièces pour violon (concertos, sonates) et un opéra en wallon.

Ysengrin. ♦ Surnom du loup, connu dès 1112 dans les écrits médiévaux et notamment dans l'*Ysengrimus*, poème latin de Nivard de Gand (1148). Animé de sentiments élémentaires, il incarne dans le monde animal la brutalité doublée de sottise; dans le *Roman de Renart* (*fin* XIIe s.), il est connétable du roi Noble et, « homme de sang et de violence, patron de tous ceux qui vivent de meurtre et de rapine ». Toujours victime, en raison de sa stupide avidité, de son neveu, Renart le Goupil (Cf. La *Branche IV*), il triomphe cependant de ce dernier en combat singulier *(Branche VI)*.

YSER [izɛʀ]. *n. m.* ♦ Fleuve côtier de Belgique (78 km) qui prend sa source en France et se jette dans la mer du Nord. L'Yser arrose Dixmude* où les Allemands firent le premier essai de gaz asphyxiants au cours de la *bataille de l'Yser* (18-27 oct. 1914). – Le *canal de l'Yser à la Lys* passe par Ypres. *Affl.* l'Yperlée.

YSSEL. ♦ **V.** IJSEL.

YSSELMEER. ♦ **V.** IJSELMEER.

YSSINGEAUX [isɛ̃ʒo]. ♦ Sous-préf. de la Haute-Loire*, ch.-l. d'arr. (7 cant., 44 comm., 63 544 hab.), dans le Velay*. 6 085 hab. *(Yssingealois* ou *Yssingeariers)*. – Hôtel de ville du XVe siècle. – Indus. alimentaires, rubans.

YSTRADYFODWG. ♦ **V.** RHONDDA.

YÜAN. ♦ Nom dynastique pris par Qûbilai* Khân en 1276, en tant qu'empereur de Chine. Ce nom servit à désigner la dynastie mongole qui régna à Pékin de 1276 à 1368.

YUAN SHIH-K'AI [*Yuan Che-k'ai, Yuan Shikai*]. ♦ Généralissime des armées chinoises (1859 – 1916) qui succéda en 1912 à Sun* Yat-sen comme président de la République chinoise. Il rompit avec son prédécesseur et complota avec les Japonais, puis en 1915 se proclama empereur. Cet essai de restauration du pouvoir impérial à son profit ayant échoué, il redevint président de la République, mais mourut brusquement (peut-être empoisonné) en 1916, à Pékin.

YÛBARI. ♦ V. du Japon (Hokkaidô), à l'E. de Sapporo. 110 000 hab. – Mines de charbon, petites industries.

YUCATÁN *(détroit de)*. ♦ Bras de mer qui sépare la presqu'île mexicaine de Yucatán de l'île de Cuba (Grandes Antilles).

YUCATÁN *(presqu'île du)*. *n. m.* ♦ Presqu'île du Mexique, dont le N. borde le golfe du Mexique, l'O. le golfe de Campeche, et l'E. la mer des Antilles. Le *détroit de Yucatán* sépare la presqu'île de l'île de Cuba. Administrativement divisée en deux États (Yucatán et Campeche) et un territoire (Quintana* Roo), c'est une péninsule plate aux côtes parsemées de lagunes et couverte de steppes au N. et au N.-O., dont le climat aride fait une région désertique. Au S. et à l'E., en revanche, où la termine une côte rocheuse, elle est couverte de forêts denses produisant des bois de teinture, et surtout du *campêche*, dont on extrait une substance odorante recherchée. Culture d'agaves, dont on tire des fibres textiles *(sisal)*. Le Yucatán reste le refuge des descendants des Mayas* et l'on y trouve d'importants vestiges des anciennes cités. **V. Chichén-Itzá, Mayapán, Tumal, Uxmal.** – ÉTAT DE YUCATÁN. État qui occupe le nord de la presqu'île. 43 379 km². 951 462 hab. (1970). *Cap.* Mérida.

YÜEH-CHIH [*Yue-tche, Yuezhi*]. ♦ Ensemble de tribus nomades d'origine mal déterminée qui furent repoussées dans le S.-O. de l'Asie par les Hsiung*-nu, vers les IIe-IIIe siècles. Ils envahirent l'Afghânistân et le N. de l'Inde où ils fondèrent des dynasties. On les dénomma « Huns blancs » ou Hephtalites.

YÜ HUANG [*Yu Houang*]. ♦ « Empereur de jade », souverain suprême du monde et sauveur des hommes selon les anciennes conceptions mythologiques des Chinois adeptes du taoïsme. Il aurait fondé la dynastie des Hsia* v. ~2200.

YUKAWA HIDEKI. ♦ Physicien japonais (Tôkyô, 1907). La nature des forces nucléaires qui maintiennent ensemble les protons et les neutrons du noyau de l'atome l'amena à prédire l'existence d'une nouvelle particule, le méson, dont il calcula les caractéristiques (1935). En 1936, cette particule fut identifiée dans le rayonnement cosmique (**V. Anderson, Leprince-Ringuet**), mais les caractéristiques se révélèrent différentes, ce qui conduisit à la découverte de deux types de mésons, le méson cosmique (μ) et le méson π, *particule de Yukawa.* (Prix Nobel de phys., 1949.)

YUKON. *n. m.* ♦ Fl. du N.-O. de l'Amérique du Nord [3 185 km] (territoire du Yukon [Canada] et Alaska). Il prend sa source dans un groupe de lacs à la frontière de la Colombie britannique et du territoire du Yukon, traverse le S. et l'O. du Yukon, le centre de l'Alaska, et se jette dans la mer de Béring. Nombreux affl. (Takhini, Pelly, Klondike, Porcupine...). Le Yukon arrose Whitehorse et Dawson (confl. du Klondike); barrage au S. de Whitehorse (section parfois nommée LEWES sur les cartes).

YUKON. *n. m.* ♦ Territoire du Nord-Ouest canadien, situé au N. de la Colombie britannique, à l'E. de l'Alaska et à l'O. des Territoires du Nord-Ouest, dont le sépare la ligne de partage des eaux entre les tributaires du Mackenzie et ceux du Yukon *(Mackenzie Mountains).* Plus de 530 000 km². 18 388 hab. (1971), dont 2 300 Indiens. *Cap.* **V. Whitehorse.** — *Orogr.* Le centre O. est formé par un plateau que draine la riv. Yukon (l'O. correspond à une partie du Klondike*, **V. Dawson**) et qui est entouré de montagnes très élevées, notamment au coin S.-O., près de l'Alaska* (chaîne Saint Elias **V. Logan** [mont]). À l'E., les monts Mackenzie et Selwyn dépassent 2 000 mètres. — *Climat* subarctique dans les vallées, arctique en montagne. Moy. de janv. entre — 17 °C et — 30 °C dans les régions habitées. On a enregistré — 62 °C à Snag (O.) en 1947. — Ressources minières : l'or du Klondike épuisé, le Yukon contient des minerais de plomb, zinc et argent, d'amiante (près de Dawson), de cuivre (près de Whitehorse). 40 % du territoire sont couverts de forêts. L'agriculture (légumes) est limitée aux environs immédiats des villes et villages. Fourrures. Hydroélectricité sur le Klondike et le Yukon. ♦ *Hist.* Explorée par Robert Campbell et John Bell vers 1840-1848, la région resta inexploitée jusqu'à la découverte de l'or, vers 1870. En 1897, de l'or alluvial fut trouvé en abondance dans plusieurs rivières affluents du Klondike, et près de 30 000 personnes s'installèrent dans la région, où les centres de Dawson City et Whitehorse (reliés par ch. de fer à Skagway) prospérèrent jusque vers 1904. En 1911, l'or étant épuisé, la population reflua (8 500 hab.); malgré deux brefs renouveaux, la population continua à baisser, mais la guerre et la construction d'aéroports ramena une activité économique, maintenue après la guerre par les activités minières (voir *ci-dessus*).

YUN (Isang). ♦ Compositeur sud coréen (Tongyong, 1917). Il étudia le violoncelle à Séoul, Ôsaka et Tôkyô avant d'enseigner quelque temps la musique en Corée. Il se perfectionna en France avec Tony Aubin (1956), puis séjourna à Berlin. Condamné à mort et emprisonné de 1967 à 1969 lors d'un procès politique, il fut libéré sur l'intervention de musiciens de tous les pays. La musique de Yun tente une intéressante conciliation d'éléments orientaux traditionnels et d'éléments occidentaux post-sériels.

YÜN-KANG [*Yungang*]. ♦ V. de Chine (province du Shan-hsi) où se trouvent un ancien monastère bouddhique fondé vers 453 et un remarquable ensemble de vingt et une grottes bouddhiques sculptées et peintes des Vᵉ et VIᵉ siècles.

YUNNAN. *n. m.* ♦ Province chinoise limitée par le Tibet, le Viêtnam du Nord et la Birmanie. 436 000 km². 24 000 000 d'hab. *Cap.* **V. K'un-ming.** Elle est constituée par une zone montagneuse plissée déterminant de profondes vallées parallèles orientées N.-S. qu'empruntent de nombreux cours d'eau coulant vers le S. : le Sông Kôi, le Mékong, la rivière Noire, la Saluen, etc. C'est le « château d'eau » de l'Asie du S.-E. Altitude moyenne : 2 000 m. Climat chaud et humide. Cette région ne fut sinisée qu'au XVᵉ siècle. De nombreuses tribus musulmanes, tibéto-birmanes, tibétaines et autres y vivent de cultures de montagne ou de chasse. Un chemin de fer reliait la capitale au port viêtnamien de Haiphong, et une route à la cité birmane de Lashio (pendant la guerre 1939-1945).

YUNNANFU. Anc. nom de la cap. de la prov. du Yunnan : K'un*-ming, point de départ de la « route de Birmanie » et du chemin de fer du Yunnan.

YÜN SHOU-P'ING [*Yuen Cheou-p'ing, Yun Shouping*]. ♦ Peintre chinois (1633 — 1690) originaire du Chê-kiang, un des « six maîtres orthodoxes » de son siècle. Ce fut un paysagiste réputé.

YUNUS EMRE. ♦ Poète mystique turc (XIVᵉ s.). Issu d'une famille pauvre et paysanne, il adhéra à une secte mystique de l'islâm. Ses œuvres, écrites dans une langue turque très accessible, illustrent à travers des sujets divers une philosophie tendant au panthéisme. Utilisant avec autant de force la métrique savante (dérivée de la prosodie arabe et persane) et le vers populaire, il inspire encore la poésie turque contemporaine. Resté populaire, il est le héros de plusieurs légendes et on lui attribue plusieurs œuvres qui lui sont postérieures.

YUSHAN. *n. m.* ♦ Point culminant de l'île chinoise de Taiwan (3 997 m), appelé mont Morrison* par les Occidentaux.

YUSTE *(monastère de).* ♦ Monastère espagnol (Estrémadure) où Charles Quint se retira et mourut. Église et cloître des XVᵉ-XVIᵉ siècles.

YUTZ. ♦ Ch.-l. de cant. de la Moselle (arr. et aggl. de Thionville-Est). 16 615 habitants.

Yvain ou **le Chevalier au lion.** ♦ Personnage du *cycle breton* dont Chrétien* de Troyes, dans le roman qui porte son nom (v. 1170), fait le type du chevalier courtois : pour avoir préféré l'aventure à l'amour, *Yvain* doit accomplir maintes prouesses pour reconquérir le cœur de sa dame. Dans ce « roman », l'art de Chrétien atteint son apogée.

YVAIN (Maurice). ♦ Compositeur français (Paris, 1891 — Suresnes, 1965). Il fit des études classiques au conservatoire de Paris et fut ensuite, dans la période de l'entre-deux-guerres, l'un des rénovateurs de l'opérette française où il introduisit, avec des rythmes inspirés du jazz, une fantaisie mélodique allègre et spirituelle. Plusieurs de ses ouvrages, où il eut notamment Y. Mirande et A. Willemetz pour principaux librettistes, connurent un long succès : *Ta bouche* (1922), *Là-haut* (1923), *Gosse de riche* (1924), *Pas sur la bouche* (1925). Il a composé de nombreuses chansons, dont plusieurs pour Mistinguett *(Mon homme, J'en ai marre, En douce)* ainsi que quelques partitions de musique de film et deux ballets : *Vent* (1937) et *Blanche-Neige* (1951).

YVELINES. [**78**]. *n. f. pl.* ♦ Dép. de la région parisienne*, créé en 1964 (région de l'Île-de-France) à l'O. de Paris. 2 271 km². Il recouvre l'O. de l'anc. Seine-et-Oise. (Yveline désignait une grande forêt qui était située au S.-O. de la région parisienne et dont la forêt de Rambouillet est un fragment.) — *Orogr.* Le département s'étend sur des plateaux entaillés par les vallées de la Seine et de ses affluents. Le S. du département, région de cultures, appartient à la Beauce*; la zone boisée et résidentielle de Rambouillet et de la vallée de Chevreuse le prolonge au nord. L'O. est plutôt agricole. La vallée de la Seine est à la fois agricole et industrielle. ♦ 37 cant. 264 comm. 872 872 hab. *Préf.* Versailles*, *sous-préf.* Mantes*-la-Jolie, Rambouillet*, Saint-Germain*-en-Laye. *Ch.-l. de cant.* Aubergenville*, Bonnières*-sur-Seine, Celle*-Saint-Cloud (La), Chatou*, Chesnay* (Le), Chevreuse*, Conflans*-Sainte-Honorine, Guerville*, Houdan*, Houilles*, Limay*, Maisons*-Laffitte, Mantes*-la-Ville, Marly*-le-Roi, Maurepas (1 794 hab.), Meulan*, Montfort*-l'Amaury, Pecq* (Le), Poissy*, Saint*-Arnoult-en-Yvelines, Saint*-Cyr-l'École, Saint-Nom-la-Bretèche, Sartrouville*, Trappes*, Triel*-sur-Seine, Vélizy*-Villacoublay, Vésinet* (Le), Viroflay*. *Autres comm. et loc.* **V. Achères, Andrésy, Beynes, Bougival, Buc, Carrières-sur-Seine, Cernay-la-Ville, Clayes-sous-Bois** (Les), **Coignières, Croissy-sur-Seine, Dampierre, Flins-sur-Seine, Fontenay-le-Fleury, Frileuse, Gargenville, Grignon, Jouy-en-Josas, Louveciennes, Marly-la-Machine, Médan, Mesnil-le-Roi, Montesson, Mureaux** (Les), **Porcheville, Port-Royal, Rocquencourt, Rosny-sur-Seine, Saint-Quentin-en-Yvelines, Saint-Rémy-lès-Chevreuse, Thoiry, Vaux-de-Cernay** (Les), **Verneuil-sur-Seine, Vernouillet, Villepreux.**

YVERDON. ♦ V. de Suisse (cant. de Vaud), à l'extrémité S. du lac de Neuchâtel*, près de l'embouchure de la Thièle*. 19 200 hab. Station thermale (eaux sulfureuses). Indus. mécanique (machines à écrire), centre de recherches électroniques (Paillard), construction de chemins de fer, fonderie, manufacture de tabac. ♦ *Hist.* La ville fut fondée par les ducs de Zähringen*. Le château, construit en 1259 par Pierre II de Savoie sur un édifice du XIIᵉ s., abrita de 1805 à 1825 l'institution du pédagogue Pestalozzi*.

YVES *(saint).* ♦ (Kermartin, près de Tréguier, 1253 — Louannec, 1303). Ordonné prêtre en 1285, curé de Trédrez, puis de Louannec, il soutint toujours la cause des déshérités, méritant le surnom d'« avocat des pauvres ». Canonisé en 1347, il est le patron des gens de loi, en raison de l'esprit d'équité qu'il manifesta toute sa vie. — Fête le 19 mai.

YVES de Chartres *(saint).* ♦ Canoniste français (en Beauvaisis, 1040 — Chartres, 1115). Prévôt des chanoines de Saint-Quentin à Beauvais (1078), évêque de Chartres (1090), il fut incarcéré en 1092 pour s'être opposé à l'adultère de Philippe Iᵉʳ, mais le pape le fit libérer et condamna le roi. Il est l'auteur de *Lettres* et de *Sermons* qui révèlent son attitude de fidèle serviteur du Saint-Siège. Canoniste, il a laissé une *Collection tripartite,* un *Décret,* une *Panormie* (1092-1095). — Fête le 20 mai.

YVETOT. ♦ Ch.-l. de cant. de la Seine*-Maritime, arr. de Rouen, dans le pays de Caux*, 9 755 hab. *(Yvetotais).* — Église Saint-Pierre, circulaire, de 1955, dont les murs sont une immense verrière. — Indus. alimentaires, bonneterie, confection, petite construction métallurgique. — École d'agriculture. — *Le Roi d'Yvetot* est le titre d'une chanson de Béranger*.

YVETTE. *n. f.* ♦ Affl. de l'Orge (44 km), coulant en Île-de-France et traversant Chevreuse* et Longjumeau*.

YVON (Adolphe). ♦ Peintre français (Eschwiller, Lorraine, 1817 — Paris, 1893). Il a surtout peint des tableaux historiques : *La Bataille de Koulikovo* (1850), *Le Premier Consul descendant le mont Saint-Bernard* (1853, musée de l'Ermitage), *Le Maréchal Ney à la retraite de Russie, Portrait du Prince impérial* (1864), *Les États-Unis d'Amérique* (1870, Washington).

YVON VILLARCEAU (Antoine). ♦ Astronome et mathématicien français (Vendôme, 1813 — Paris, 1883). Il réalisa de nombreux instruments d'astronomie, dont un grand équatorial et un chercheur parallactique. Il découvrit un troisième système de sections circulaires du tore [plans bitangents, 1848]. (Acad. sc., 1867.)

YVRÉ (Ambroise de LORÉ, *baron d'***).** ♦ Homme de guerre français (château de Loré, Normandie, 1396 — Paris, 1446). Il combattit les Anglais, participa à la reprise de Paris (1436) et en fut nommé prévôt (1437).

YZEURE. ♦ Comm. de l'Allier*, arr. de Moulins*. 12 029 hab. [9 700 aggl.] *(Yzeuriens).* — Fabrique d'instruments de musique, confection, tannerie.

Ph. J. Dupaquier/Atlas photo

Biskra, centre principal du groupe des oasis du **Zab** (Algérie).

Z

ZAANDAM. ♦ V. des Pays-Bas (Hollande-Septentrionale) à 13 km d'Amsterdam. 68 695 hab. – Musée des moulins. Indus. du bois. Matières plastiques. Centre ferroviaire. ♦ *Hist.* Le tsar Pierre le Grand y fit un stage chez un constructeur de bateaux en 1697.

ZAB. *n. m.* ♦ Nom de deux rivières de l'Iraq, affl. du Tigre* (r. g.). Le GRAND ZAB prend sa source dans le Kurdistân* turc, près de la frontière iranienne, et conflue avec le fleuve en aval de Mossoul*. Le PETIT ZAB prend sa source en Iran à proximité de la frontière iraquienne et se jette dans le Tigre en aval du Grand Zab, après avoir traversé le Kurdistân méridional au N. de Kirkûk*. Rivières au régime torrentueux, elles aggravent la violence du Tigre à l'époque des crues. Des barrages ont été édifiés en travers de leur lit, comme sur la Diyâlâ*, pour en régulariser le cours.

ZAB *(monts du)* ou **monts des Ziban.** ♦ Montagnes de l'Algérie méridionale, partie la plus orientale et la moins élevée de l'Atlas* saharien, permettant un passage facile entre la dépression du Hodna* au N. et le Sahara au sud. Ils s'insèrent entre les monts des Ouled* Naïl à l'O. et l'Aurès à l'est. Au pied S. des monts s'allongent les *oasis du Zab* ou *des Ziban.* Palmeraies. *V. princ.* **V. Biskra.**

ZABŁOCKI (Franciszek). ♦ Dramaturge polonais (1750 – 1821). En adaptant Molière, Beaumarchais, Corneille, il composa de nombreuses œuvres dramatiques, dont *Le Petit-Maître en coquetteries* (*Fircyk w zalotach,* 1781), basé sur *Le Petit-Maître amoureux* de Romagnesi.

ZABRZE, en all. **Hindenburg.** ♦ V. de Pologne* (voïévodie de Katowice) en haute Silésie*. 200 000 hab. – Centre d'indus. minière, chimique et sidérurgique.

ZABULON. ♦ Personnage biblique (*Genèse,* XXX, 20), fils de Jacob et de Léa. Ancêtre éponyme d'une des tribus d'Israël, dont le territoire était au N., entre le lac de Tibériade et la mer.

ZABULON. ♦ Plaine de l'État d'Israël située au N. de Haïfa. Orangeraies. Anc. territoire de la tribu de Zabulon* s'étendant du N. O. de la Galilée au lac de Tibériade.

ZACATECAS. ♦ V. du Mexique septentrional, cap. de l'État. Env. 35 000 hab. – Évêché. Cathédrale churrigueresque (1730-1760), l'une des plus belles du Mexique. Église *Santo Domingo.* Palais baroques. Ancienne cité minière (fondée en 1546). – Manufacture de tabac. – L'ÉTAT DE ZACATECAS s'étend sur les hauts plateaux du centre *(meseta centrale)* et s'adosse à la sierra Madre occidentale. 75 040 km². 951 462 hab. – Importantes ressources minières (argent, or, plomb, zinc, manganèse, cuivre, mercure).

ZACCAR *(djebel).* ♦ Massif d'Algérie, point culminant du massif de Miliana* (1 579 m). Mines de fer.

ZACCARIA (Antoine Marie, *saint*). ♦ (Crémone, 1502 – *id.,* 1539). Après avoir été médecin, il entra dans les ordres et créa l'ordre des clercs réguliers de Saint-Paul ou barnabites. – Canonisé en 1897. Fête le 5 juillet.

ZACCONI (Ludovico). ♦ Compositeur et théoricien autrichien (Pesaro, 1555 – Firenzuola, près de Pesaro, 1627). Élève de Gabrieli à Venise, puis chef des chœurs des Augustins, il fut appelé aux cours de Graz (1585) et de Munich (1591). On lui doit des *ricercari* pour orgue, trois livres de canons et des ouvrages théoriques sur le contrepoint (*Prattica di musica,* 1592-1596).

ZACHARIE [zakaʀi]. ♦ Prêtre et prophète juif, associé à Aggée dans l'œuvre de restauration après l'exil à Babylone (*fin* ~ VIe s.).

Zacharie *(Livre de).* ♦ Livre de la Bible, de l'un des douze petits prophètes. Quatorze chapitres dont les huit premiers remontent au prophète, les suivants étant d'un anonyme d'époque incertaine qu'on nomme Deutéro-Zacharie.

ZACHARIE *(saint).* ♦ Dans l'Évangile de saint Luc (chap. I), prêtre juif, miraculeusement père de Jean-Baptiste malgré son âge et la stérilité de sa femme Élisabeth*. Fête le 5 novembre.

ZACHARIE *(saint).* ♦ 91e pape (741 – 752 [mort]), Grec de Calabre. Il contint les Lombards par la négociation et accorda la royauté à Pépin le Bref (751). Fête le 22 mars.

ZACHÉE [zaʃe]. ♦ Dans l'Évangile de Luc, XIX, 1-10, percepteur de Jéricho qui donne ses biens et accueille Jésus.

ZACUTO ou **ZACUTH (Abraham ben Samuel).** ♦ Savant juif du XVe s. originaire de Salamanque. Chroniqueur et astronome du roi Manuel Ier de Portugal, il est l'auteur d'un *Livre des lignages* (*Sepher Juchasin,* publié à Constantinople, 1566), d'un *Almanach perpetuum* (1473-1496) indiquant la position de l'astre sur l'écliptique pour tous les jours de l'année.

ZADAR, en it. **Zara.** ♦ V. et port de Yougoslavie, sur la côte Adriatique, en Dalmatie* du Nord. 25 000 hab. – Archevêché catholique. Université. ♦ *Hist.* Port romain, puis byzantin, la ville disputée entre Vénitiens et Hongrois passa à Venise (1409 à 1797), à la France (1809-1813), puis à l'Autriche (1813-1918). Le traité de Rapallo (1921) la donna à l'Italie. Occupée par les Yougoslaves en 1944, elle fut rattachée à la Fédération en 1947.

Zadig ou **la Destinée,** histoire orientale. ♦ Conte de Voltaire* (1747), transposition de ses mésaventures de courtisan, mais surtout illustration d'une nouvelle conception du bonheur. Zadig, jeune Babylonien aussi honnête que sagace, affronte tous les coups d'une providence qui semble récompenser le mal. Successivement déçu auprès des femmes et auprès des princes, il est sans cesse contrecarré dans son désir de sages réformes par l'envie et l'injustice; mais l'ange Jesrad lui révèle que le mal est nécessaire à l'ordre du monde, et Zadig, devenu sage, connaît le bonheur. Ce conte, d'un optimisme teinté de scepticisme, dut son succès à l'enchaînement malicieux des récits, à la vivacité de la critique

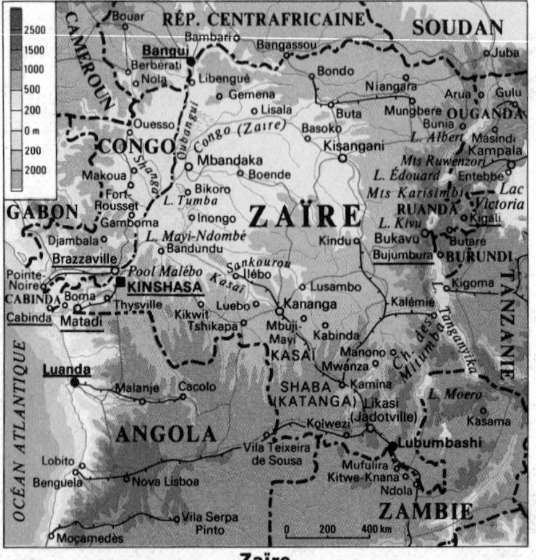

Zaïre.

morale et, surtout, à l'intérêt philosophique de ces réflexions sur la destinée : « Tout est épreuve ou punition, ou récompense, ou prévoyance ».

ZADKINE (Ossip). ♦ Sculpteur, dessinateur et graveur français d'origine russe (Smolensk, 1890 – Paris, 1967). Il étudia en Angleterre et durant un an suivit des cours à l'école polytechnique d'art appliqué de Londres. Il se rendit en 1909 à Paris, où il fréquenta pendant quelques mois l'École des beaux-arts, s'intéressant notamment à Rodin, mais aussi à la sculpture africaine. Ce fut l'expérience cubiste qui détermina son évolution. En effet, comme Lipchitz, Laurens et Archipenko, il chercha à transposer dans l'espace les procédés de décomposition formelle utilisés par les peintres; il suggéra divers points de vue d'une même figure, schématisa les formes, donna aux volumes un aspect arrondi ou angulaire, traita parfois le modelé en creux et donna un aspect tranchant à certaines faces *(Tête d'homme; Le Prophète).* Après la guerre, qu'il fit comme engagé volontaire et durant laquelle il fut grièvement gazé, il poursuivit ses investigations en dotant ses constructions plastiques d'une charge émotive, voulant éviter un pur jeu formel de caractère abstrait. Ainsi le cubisme lui permit de s'affranchir des modes conventionnels de figuration et de développer sa voie personnelle. Il accorda au sujet un rôle important, interprétant à sa manière des thèmes mythologiques (*Ménades; Prométhée; Orphée*, 1945). Il traita aussi des sujets allégoriques (*Homo Sapiens*, 1955) et religieux *(Saint Sébastien)* et réalisa des monuments symboliques à la gloire d'artistes *(Hommage à Rimbaud, Lautréamont, Apollinaire, Jarry, Jean-Sébastien Bach).* Il eut tendance à développer soit des formes rigides : volumes à pans coupés s'entremêlant d'une façon complexe, soit des formes plus souples et intriquées. Il évida les masses, produisit des effets de déchiquetage, de torsion et d'élancement engendrant des rythmes véhéments. Il pratiqua la taille directe du bois, modela la terre ou travailla le bronze, en créant des formes le plus souvent identifiables, mais dont l'agencement et la juxtaposition font une large part à l'irrationnel. Cette tendance lyrique prit une orientation expressionniste dans des œuvres au sujet dramatique (*Monument à la ville détruite de Rotterdam*, 1948-1951).

ZAFFARINES ou **ZAFARINES** ou **CHAFFARINES** *(îles)*, en esp. **Chafarinas**. ♦ Petit archipel proche de la côte orientale méditerranéenne marocaine appartenant depuis 1848 à l'Espagne*.

ZAGAZIG, en ar. **al-Zaqâzîq**. ♦ V. de la Basse-Égypte, au N.-E. du Caire. Ch.-l. de la prov. de Charkiéh*, à la jonction de deux canaux. 173 300 hab. – C'est l'une des villes les plus importantes du delta du Nil. Important nœud ferroviaire, centre commercial (marchés du coton et du grain) et industriel (égrenage du coton, huileries, savonneries). À proximité se trouvent les ruines de Bubastis*.

ZAGHLÛL PACHA (Sa'd). ♦ Homme politique et patriote égyptien (Gharbiah, Basse-Égypte, v. 1860 – Le Caire, 1927). Avocat, il prit la direction de la « délégation » *(Wafd*)* qui demanda l'indépendance de l'Égypte. Il fonda ensuite le parti nationaliste du *Wafd*. Déporté (1921), libéré (1923), il fut Premier ministre (1924), puis président de la Chambre (1926).

ZAGREB, en all. **Agram**. ♦ V. de Yougoslavie, cap. de la Croatie*, située à la lisière de la plaine de la Save*. 566 084 hab. *(Zagrebois.)* Archevêché. Métropolite orthodoxe. Seconde ville de la fédération, c'est un important centre industriel (métallurgie, appareillage électrique...), commercial (foire internationale d'automne) et culturel (vieille ville médiévale, université). ♦ *Hist.* Anc. ville romaine, puis croate, Zagreb passa sous domination hongroise dès le XIᵉ siècle. Au Moyen Âge, la ville était un important marché. Très tôt, elle joignit à son rôle commercial un rôle politique et culturel : ville des grands évêques, des mécènes, des artistes et de l'intelligentsia (universités, Académie yougoslave des sciences et arts). Devenue capitale de Croatie-Slavonie en 1867, puis du royaume de Croatie en 1941, elle fut intégrée, comme capitale de la république de Croatie à la fédération yougoslave (janv. 1946).

ZAGREUS. ♦ V. DIONYSOS.

ZAGROS. *n. m.* ♦ Chaîne de montagnes du Proche-Orient, s'étendant sur près de 1 800 km, du lac de Van* (Turquie) au détroit d'Hormuz*. D'orientation N.-O. – S.-E. et d'une largeur moyenne de 250 km, elle sépare le plateau iranien de la plaine mésopotamienne. L'altitude, en général élevée (4 500 m au Zardeh Kuh), s'abaisse progressivement dans la région du Fars*. Les longues séries de crêtes sont séparées par des vallées que relient transversalement des gorges difficilement franchissables. Les formations volcaniques sont nombreuses. En bordure de la plaine mésopotamienne, le sous-sol recèle des gisements pétrolifères : Masjid-i Sulaimân, Naft-i-Shâh (Iran), Kirkûk (Iraq). Les vallées intramontagneuses, lorsque l'irrigation le permet, sont cultivées (céréales, tabac, coton, etc.). La population (Kurdes, Lurs, Bakhtiyaris), dont une faible partie est semi-nomade, pratique l'élevage des moutons, des chèvres et des chevaux.

ZAHÎR SHÂH. ♦ Roi d'Afghânistân (1914), fils de Nadir* Shâh à qui il succéda en 1933. Il émancipa les femmes et élabora en 1964 une constitution démocratique. Il fut renversé en juil. 1973.

ZAHLÉ. ♦ V. du Liban située à près de 1 000 m d'alt., dans la plaine de la Bekaa*, sur la voie ferrée qui mène à Beyrouth. 46 800 hab. (1973). Évêché. Vignoble réputé. Station estivale.

ZÄHRINGEN. ♦ Famille princière de l'Allemagne du Sud (VIIᵉ s.? – XIIIᵉ s.). Elle tire son nom du château de Zähringen près de Fribourg-en-Brisgau. Recteurs de Bourgogne au nom de l'empereur en 1152, les ducs de Zähringen étendirent leur domination sur une grande partie de la Suisse occidentale (Vaud, Fribourg, Berne, Soleure, Thurgovie) où ils fondèrent les villes de Fribourg (1157), Berne (1191), Burgdorf, Yverdon, Thoune et Morat. La lignée s'éteignit avec Berthold V en 1218. Les possessions des Zähringen revinrent aux comtes de Kyburg et finalement en partie aux Habsbourg*.

Zaibatsu. *n. m. pl.* ♦ Au Japon, classe de grands industriels capitalistes qui se trouvaient, avant la dernière guerre, à la tête d'immenses trusts financiers et industriels qui permirent au Japon de soutenir son effort de guerre. Les zaibatsu furent démantelés en 1945, mais se reconstituèrent vers 1950.

ZAÏMIS (Alexandros). ♦ Homme politique grec (Athènes, 1855 – Vienne, 1936). Modéré, il fut six fois premier ministre de 1897 à 1928. Président de la République hellénique de 1929 à 1935, il s'exila après la restauration de la monarchie.

Zaïre. ♦ Tragédie en cinq actes et en vers de Voltaire* (1732), qui expose la jalousie du sultan de Jérusalem, Orosmane, et le meurtre de l'innocente héroïne, Zaïre, qui luttait entre sa passion pour Orosmane et son devoir de chrétienne. Si Voltaire s'inspire, pour certaines situations, de l'Othello* de Shakespeare*, il reste fidèle pour la structure et la langue de sa pièce à Racine* dont il admire la perfection. Par contre la recherche d'un renouvellement apparaît au niveau du sujet, moderne et national (royaume franc de Palestine), tandis que le goût manifesté pour le pittoresque historique et local préfigure les exigences du théâtre romantique.

ZAÏRE. *n. m.* ♦ Anc. nom du fl. Congo.

ZAÏRE. *n. m.*, anc. **République démocratique du Congo** (R.D.C.) dite **Congo-Kinshasa**, autrefois **Congo belge**. ♦ État d'Afrique centrale traversé par l'équateur, disposant d'une dizaine de kilomètres sur la côte atlantique entre l'Angola* et sa dépendance Cabinda*. Il est limité à l'O. par la République populaire du Congo (Congo*-Brazzaville), au N. par l'Empire Centrafricain* et le Soudan*, à l'E. par l'Ouganda*, le Ruanda*, le Burundi* et la Tanzanie* et au S. par la Zambie* et l'Angola. 2 345 000 km². 24 900 000 hab. (1975). *Cap.* Kinshasa*. *V. princ.* **V. Boma, Bukavu, Kananga, Kisangani, Kolwezi, Likasi, Lubumbashi, Matadi, Mbuji-Mayi, Mbandaka** et **Tsikapa.** *Langues :* français (off.), langues africaines. *Pop.* **V. Bantous, Bakoubas, Batékés, Pygmées.** – *Orogr.* et *climat.* La république du Zaïre s'étend en grande partie sur le bassin du fl. Congo* et constitue par son étendue le deuxième État d'Afrique noire, après le Soudan. Le pays chevauche l'équateur; il est donc doté d'un climat typiquement équatorial dans la partie centrale, domaine de la forêt dense, tandis qu'au N. et au S. le climat est tropical et le pays couvert de savanes parsemées de bouquets d'arbres. Son relief est relevé dans sa partie orientale **(V. Ruwenzori)**, où sont situés les plus grands lacs du Zaïre, dans la grande fosse d'Afrique orientale **(V. Albert, Édouard, Kivu, Tanganyika, Moero).** – *Écon.* L'agriculture vivrière produit du maïs (577 000 t), du manioc, du riz (250 000 t), des arachides (318 000 t). La première place des cultures industrielles et des plantations est occupée par le palmier à huile (2ᵉ rang mondial), puis viennent le café (61 000 t), le coton, l'hévéa, le thé et la canne à sucre. Les richesses minières sont considérables, réparties entre la frontière soudanaise et la Zambie; elles sont plus concentrées à l'extrême S.-E., au Katanga* (cuivre, cobalt, uranium, etc.) et au Kasaï* (50 % de la production mondiale de diamant : près de 13 000 carats), or dans le N.-E. (3 210 kg). La production d'électricité avoisine

4 milliards de kWh. Outre la métallurgie (494 800 t de cuivre, ce métal représentant 20 % du produit indus., 60 % des exportations en 1971 ; 90 % avec le cobalt en 1975 ; 80 400 t de zinc, etc.), les indus. alimentaires et les cimenteries représentent une capacité importante. ♦ *Hist.* À la suite des expéditions de Stanley (1875-1879), Léopold* II fonda en 1882 l'*Association internationale du Congo,* puis obtint à la conférence de Berlin (1885) la reconnaissance d'un *État libre du Congo* placé sous sa souveraineté personnelle. En 1908, l'Etat indépendant devint *colonie du Congo belge.* Il acquit son indépendance en 1960. Aussitôt après l'indépendance, de graves troubles éclatèrent **(V. Katanga).** L'actuelle république est présidée par Joseph D. Mobutu*. Elle prit le nom de Zaïre en décembre 1971.

ZAÏTSEV (Boris Constantinovitch) [*Zajcev*]. ♦ Conteur et romancier russe (né en 1881). Il fut un disciple de Tchekhov* et de Tourgueniev* sur lesquels il écrivit des études. Il publia de nombreuses nouvelles dont *La Montagne sombre. Le Brouillard* (1905). Ayant émigré, il composa des recueils mystiques dont *Un voyage étrange* (1927), des romans dont *La Broderie d'or* (1926), ainsi qu'une trilogie autobiographique : *Le Voyage de Gleb* (1937), *Le Silence* (1948) et *L'Arbre de vie* (1951). Zaïtsev exprima avec finesse les problèmes de l'homme face à sa destinée humaine et religieuse.

ZAKIR HUSSAIN. ♦ Poète et philosophe musulman indien, qui fut élu président de la République de l'Inde en 1967. Il mourut en 1969 et Śrî Giri lui succéda.

ZAKOPANE. ♦ V. de la Pologne* méridionale (voïévodie de Cracovie) dans les hautes Tatras*. 26 000 hab. (800-1 000 m d'alt.). — Importante station touristique et climatique. Sports d'hiver.

ZALAEGERSZEG. ♦ V. de Hongrie, ch.-l. du comitat de Zala, sur la Zala. 39 000 hab. Indus. textile et chimique.

ZALESKI (Jósef Bohdan). ♦ Poète polonais (Bohatyrka, Ukraine, 1802 — près de Paris, 1886). D'origine ukrainienne, il émigra en France après l'échec de l'insurrection polonaise de 1830-1831 et écrivit des ballades romantiques publiées en 1838 *(Poésies, Poezja)* ainsi qu'un grand poème épique, *L'Esprit des steppes* (*Duch od stepu,* 1836, publié en 1841), basé sur les chansons et le folklore de sa patrie.

ZAMA. ♦ Anc. localité de l'Afrique (N. de la Tunisie actuelle) dont l'emplacement exact est inconnu. D'abord numide, elle semble avoir été ensuite carthaginoise, puis romaine sous le nom de *Zama Regia.* — Scipion* l'Africain y remporta sur Hannibal* la victoire qui mit fin à la seconde guerre Punique* (~ 202).

ZAMBELLI (Carlotta). ♦ Danseuse italienne (Milan, 1877 — Paris, 1968). Danseuse étoile à l'Opéra de Paris (1901), elle fut une prestigieuse interprète du ballet romantique *(Giselle, Sylvia, Coppélia)* par sa grâce spirituelle et la perfection de sa technique. Danseuse de caractère, elle a créé de nombreux ballets, notamment *España* (Chabrier), *La Fête chez Thérèse* (Hahn), *Philotis* (Gaubert), *Cydalise et le Chèvre-pied, Impressions de music-hall* (Pierné). Professeur de danse classique à l'Opéra (1927-1955), elle a formé de nombreux élèves, dont L. Darsonval.

ZAMBÈZE. *n. m.* ♦ Fl. d'Afrique centrale (env. 2 740 km), qui prend sa source en Angola*, passe en Zambie* où il franchit les chutes Victoria* et trace la frontière avec la Rhodésie* **(V. Kariba** [lac]) puis au Mozambique*, où il arrose Tété*, et se jette dans l'océan Indien au N. de Beira*. Il est alimenté par des pluies à un seul maximum solsticial (nov. à mars).

ZAMBIE. *n. f.*, en angl. **Zambia.** ♦ État de l'Afrique centrale, limité au S. par le Mozambique*, la Rhodésie* (le Zambèze* formant frontière) et le Botswana*, à l'O. par l'Angola*, au N. par le Zaïre* et la Tanzanie* et à l'E. par le Malawi*. 752 614 km^2.

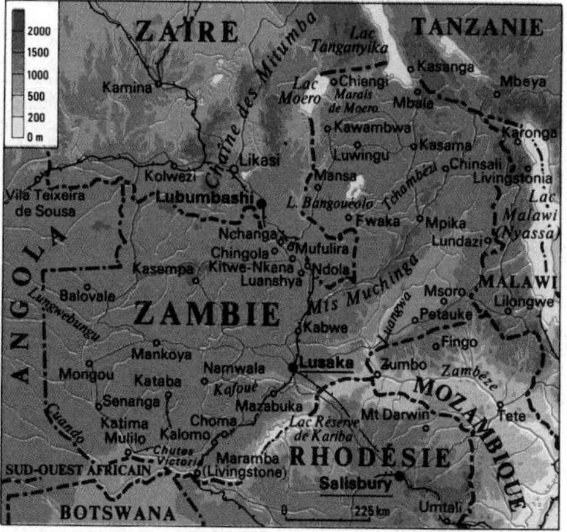

Zambie.

4 300 000 hab. *Cap.* Lusaka. *Langues* : anglais (off.) ; dialectes bantous. *Pop.* **V. Bantous.** *V. princ.* **V. Kabwe, Kitwe-Nkana** et **Ndola.** — *Orogr.* et *climat.* Son relief est formé comme en Rhodésie par un ensemble de plateaux situés au N. du Zambèze allant du *bas* au *haut Veld* au nord. Le S.-O. du pays est influencé par la proximité du désert du Kalahari*. Son climat, tropical, est atténué par l'altitude. — *Écon.* Elle est dominée par les industries extractives, l'agriculture vivrière restant insuffisante, sauf en ce qui concerne le maïs ; les autres cultures commerciales sont essentiellement le tabac, le café et le coton. Dans le secteur industriel, l'activité la plus importante est l'exploitation du cuivre qui prolonge la *Copper Belt* du Katanga* (la Zambie est le 5e producteur mondial de cuivre). Extraction de zinc, plomb, cobalt et or. La production d'énergie électrique s'est accrue par la mise en service des installations de Kariba*. Indus. à Lusaka, Kitwe-Nkana, Ndola. ♦ *Hist.* C'est l'ancienne *Rhodésie du Nord* qui passa en 1924 sous l'autorité de la couronne britannique. Elle fit partie de la *Fédération Rhodésie-Nyassaland,* dissoute en 1963, et devint une république indépendante sous le nom de Zambie en 1964. Elle est membre du Commonwealth*. En 1972, le président Kaunda a promulgué une nouvelle constitution fondée sur l'existence d'un parti unique.

ZAMBOANGA. ♦ V. des Philippines (prov. de Zamboanga Peninsula), dans l'île de Mindanao (péninsule occidentale), fondée en 1940 sur l'emplacement d'un anc. fort espagnol. — 199 901 habitants.

ZAMENHOF (Lejzer Ludwik). ♦ Médecin et linguiste polonais (Białystok, 1859 — Varsovie, 1917). Créateur de l'espéranto, il fit paraître (sous le nom de « Doktoro Esperanto ») sa *Langue internationale, Préface et manuel complet* (en russe, 1887 ; traduction française de L. de Beaufront en 1899) ainsi qu'un recueil d'exercices *(Ekzercaro).*

ZAMET (Sebastiano). ♦ Financier français d'origine italienne (Lucques, v. 1549 — Paris, 1614). Venu à Paris comme simple cordonnier à la suite de Catherine de Médicis, il fit une fortune rapide et devint l'un des plus riches banquiers. Il obtint la faveur d'Henri IV et devint capitaine du château de Fontainebleau et surintendant de la maison de la reine. ♦ SÉBASTIEN ZAMET, son fils (Paris, 1588 — Mussy, 1655). Évêque de Langres. Il devint en 1625 directeur de l'abbaye de Port-Royal.

ZAMIATINE (Eugène Ivanovitch) [*Zamjatin*]. ♦ Conteur et romancier russe (Lebedjan, gouvernement de Tambov, 1884 — Paris, 1937). Il fut l'un des meneurs du groupe des Frères* Sérapion. Dans ses nouvelles, il défendit la liberté de l'homme et de l'artiste : *La Caverne, Mamaï* (1920), *Le Nord, Nous autres.* Il émigra en 1931, avec l'autorisation de Staline.

ZAMORA. ♦ V. d'Espagne, dans le León. Ch.-l. de prov. sur le Douro. 42 000 hab. — Évêché. Âprement disputée entre les Maures et les chrétiens, la ville a conservé de l'époque médiévale d'intéressants monuments (remparts, maison du Cid, cathédrale romane du XIIe s.).

ZAMOYSKI (Jan). ♦ Homme politique polonais (1541 — Zamosc, 1605). Humaniste et grand érudit, il étudia à Paris, à Strasbourg et à Padoue. Il revint en Pologne comme secrétaire de Sigismond* II Auguste (1565). Il contribua ensuite à l'avènement du futur Henri* III de France et, après sa fuite, fit élire Étienne* Ier Bathory, dont il devint chancelier (1576) et hetman (1581), luttant contre Ivan le Terrible. Il contribua ensuite à l'élection de Sigismond* III Vasa (1587) et conserva un rôle important : il repoussa les Turcs et remporta une grande victoire sur la Moldavie et la Valachie (Tîrgoviste, 1600). Son souci de limiter l'autorité royale devait cependant l'opposer à Sigismond.

ZAMPIERI. ♦ **V.** DOMINIQUIN (Domenico Zampieri, dit le).

ZANGWILL (Israël). ♦ Écrivain anglais (Londres, 1864 — Midhurst, Sussex, 1926). Fils d'un israélite russe établi en Angleterre, il enseigna à l'école libre juive de Spitafields, dont il avait été élève, et se lança dans le journalisme en 1888, fondant un journal humoristique : *Ariel.* Son humour satirique, sa générosité, son soutien des causes perdues se retrouvent dans la plupart de ses œuvres, qui dépeignent souvent les mœurs juives : *Les Enfants du ghetto* (*Children of the ghetto,* 1892), *Tragédies du ghetto* (*Ghetto tragedies,* 1893), *Le Manteau d'Élisée* (*The Mantle of Elijah,* 1901). Dans les *Rêveurs du ghetto* (*Dreamers of the ghetto,* 1898), il évoque des écrivains juifs, tels Heine et Spinoza. Il est l'auteur de pièces *Seulement Mary Ann (Merely Mary Ann), Le Creuset* (*The Melting pot,* 1924), *Nous, modernes* (*We, Moderns,* 1925). On doit encore à celui qui fut surnommé le « Dickens juif » *Le Mystère du grand arc* (*The Big Bow Mystery,* 1891) et un récit fantastique écrit en collaboration avec Louis Cohen, *Le Premier Ministre et le Peintre (The Premier and the Painter).* Zangwill fut en outre un animateur actif du mouvement sioniste.

ZANKÎ (Imad al-Dîn). ♦ Émir saljûqide* (? — 1146). Gouverneur de Mossoul (1127), il soumit Alep (1128), Homs et Hamâ ; il fonda la dynastie des Atabeks de Mossoul. Il combattit les croisés à qui il enleva la forteresse d'Édesse (1144), ce qui causa la deuxième croisade*.

ZANTE, en gr. **Zakunthos.** ♦ Île grecque, la plus méridionale des îles Ioniennes*. Elle forme le *nome de Zante* : 406 km^2. 30 190 hab. Ch.-l. Zante, sur la côte E. (9 340 hab.). Les hauts plateaux qui dominent dans la partie O. de l'île s'abaissent à l'E. sur une plaine fertile : vignobles, oliviers, vergers. L'île a été

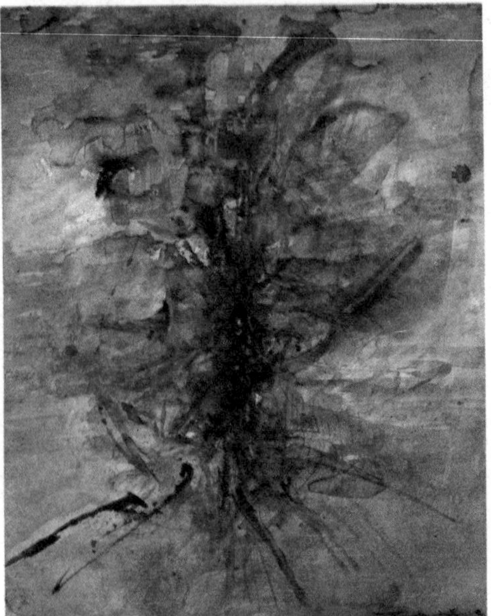

Ph. C. Schaeffner

Zao Wu-Ki, gouache.
(Collection privée, Paris.)

souvent éprouvée par des tremblements de terre, notamment en 1893 et en 1953. – Patrie de A. Calvos*, U. Foscolo*, D. Solomos*. ♦ *Hist.* Colonisée par des Achéens, Zante dépendait, d'après la tradition, du royaume d'Ithaque*. Forcée d'entrer dans la confédération maritime d'Athènes, l'île passa aux Macédoniens (~ 214), puis aux Romains (~ 191). À l'époque byzantine, elle connut l'occupation des Normands (XIe s.) et des principautés latines fondées après la quatrième croisade. Ravagée par les Turcs (1479), elle fut achetée et gardée par les Vénitiens de 1485 à 1797. Elle partagea ensuite le sort des îles Ioniennes*. Zante fut au début du XIXe s. l'un des foyers les plus importants de culture musicale et littéraire de la Grèce.

ZANZIBAR. ♦ Île de l'océan Indien proche de la côte occidentale d'Afrique. 1 658 km^2. 354 360 hab. – Girofle, poivre, cocotier. Tourisme. – *Ch.-l.* Zanzibar, port sur la côte O. de l'île. 68 380 hab. [*Carte.* **V. Kenya**]. ♦ *Hist.* Anc. sultanat et l'un des plus importants marchés d'esclaves d'Afrique, l'île devint protectorat britannique en 1890 avec l'île de Pemba*. Indépendante au sein du Commonwealth* dès 1963, elle connut en 1964 une révolution qui aboutit à l'abolition du sultanat et à la proclamation de la république. En avril 1964, Zanzibar et Pemba s'unirent au Tanganyika* pour former la République unie de Tanzanie*.

ZAO WU-KI. ♦ Peintre chinois (Pékin, 1920). Il vint à Paris en 1948 et, après une période où il s'inspira de Paul Klee, élabora un style abstrait d'un grand raffinement. Utilisant certaines techniques de la tradition orientale et notamment la répartition de signes de nature calligraphique, il recherche avant tout un équilibre contemplatif, obtenu par une savante répartition des éléments plastiques.

ZAPATA (Emiliano). ♦ Révolutionnaire mexicain (dans le Morelos, 1877? – Cuernavaca, 1919). Paysan indien, il rompit avec Madero* qui ne voulait pas « restituer la terre à ses anciens possesseurs ». Il devint le champion de la révolte agraire que l'on appela le *zapatisme,* entraînant à sa suite les Indiens. Rendu maître du sud du pays, il fut assassiné sur ordre du président Carranza*.

ZAPOLSKA (Gabriela Korvin-Piotrowska, dite **Gabriela).** ♦ Femme de lettres polonaise (1860 – Lvov, 1921). Influencée par Zola, elle écrivit des romans naturalistes : *Malachka* (*Malaszka,* 1883), *Catherine la Cariatide* (*Kaśka-Kariatyda,* 1887). Elle est l'auteur de nombreuses pièces de théâtre, dont *La Morale de Mme Doulska* (*Moralność pani Doulskiej,* 1895), satire de l'hypocrisie bourgeoise.

ZAPOLYAI (Jean Ier). ♦ (Szepsvar, 1487 – Szaszsebes, 1540). Roi de Hongrie (1526-1540). Voïvode de Transylvanie, il écrasa une révolte paysanne. Il fut élu par la petite noblesse roi de Hongrie à Székesfehésvár (10 nov. 1526), alors que Ferdinand* Ier de Habsbourg était élu par la haute noblesse à Presbourg (déc. 1526). Pour lutter contre son compétiteur. il n'hésita pas à s'allier aux Turcs et prêta hommage au sultan Süleyman* II. Au traité de Nagyvarad (1538), les deux rois se reconnurent mutuellement. Zapolyai régna sur la partie orientale. D'après le traité, la couronne devait revenir, à la mort de Jean Ier, à Ferdinand Ier ou à ses descendants, mais Jean Ier s'efforça par la suite de la transmettre à son fils, Jean* Sigismond.

ZAPOPAN. ♦ V. du Mexique (Jalisco) dans la banlieue de Guadalajara*. 182 934 hab. – Basilique du XVIIIe s. (baroque). Pèlerinage à la Vierge.

ZAPOROGUES. ♦ **V.** Cosaques.

ZAPOROJÏÉ, anc. **Aleksandrovsk.** ♦ V. d'U.R.S.S. (Ukraine), ch.-l. de la région du même nom (27 200 km^2. 1 762 000 hab.), port fluvial sur le Dniepr* près du grand barrage du Dnieproghes*. 697 000 hab. – Grand centre industriel. Métallurgie (ferro-alliages, aluminium). Usine de transformateurs.

ZAPOTÈQUES. *n. m. pl.* ♦ Peuple indien du Mexique, apparu vers le IVe s. et qui s'établit dans la partie méridionale de l'État d'Oaxaca*. Agriculteurs sédentaires, les Zapotèques eurent une religion centrée sur le culte de la mort, comme en témoignent les vestiges de leur art. Ils furent sans doute conquis par les Toltèques* vers le XIIIe s., refoulés par les Mixtèques, puis soumis par les Aztèques. – *Site princ.* **V. Monte Albán.**

ZARA. ♦ **V.** Zadar.

ZARATHOUSTRA, iranien **Zarathushtra,** anc. appelé **Zoroastre** (d'après le grec *Zôroastrès*). ♦ Prophète et réformateur religieux iranien. Il vécut avant l'époque achéménide (~ VIe s.) dans l'Iran nord-oriental (Afghânistân ou Ouzbekistân actuels). Sa doctrine se heurta à la classe sacerdotale, mais il trouva protection auprès d'un prince nommé Vishtaspa et sa réforme se répandit peu à peu. L'*Avesta** conserve des strophes *(gâthâ)* attribuées au prophète et où celui-ci dialogue avec son dieu, Ahura* Mazdâ. – Le *zoroastrisme* se présente comme une épuration, peut-être amorcée avant le prophète, de l'ancienne religion iranienne. Il se caractérise par une haute conscience du bien et du mal, avec la notion du choix moral, et par la promotion, aux côtés d'Ahura Mazdâ, des *ahura* aux dépens des *daeva* (démons) dont le culte est interdit. Un jugement futur, par le feu, doit départager les bons et les méchants. En se répandant, le zoroastrisme s'altéra : il réincorpora d'anciens dieux **(V. Mithra, Zurvan),** divinisa Zarathoustra et se durcit en un dualisme radical **(V. Ohrmazd, Ahriman).** Il subsiste des adeptes de Zarathoustra : **V. Guèbres, Parsis.** – Le personnage a inspiré Nietzsche, dans *Ainsi* parlait Zarathoustra.*

ZARCO (João Gonçalves). ♦ Navigateur portugais (? – Funchal, après 1421). Au service d'Henri le Navigateur (infant du Portugal), il explora une partie du littoral occidental de l'Afrique et redécouvrit Madère* et Porto Santo (1418-1420) avec Vaz* Teixeira.

ZARIA. ♦ V. du Nigeria* (centre-nord) reliée à Lagos par voie ferrée. 167 000 hab. – Centre commercial (arachides, coton). Tabac. – Anc. cap. d'un des sept royaumes Haoussas*.

ZARLINO (Gioseffo). ♦ Théoricien et compositeur italien (Chioggia, 1517 – Venise, 1590). Élève de Willaert, il devint ensuite maître de chapelle à Saint-Marc de Venise. Surtout connu pour ses travaux théoriques, il fut l'un des premiers à étudier le système harmonique comme rapport arithmétique de fréquences entre sons voisins (*Institutioni harmoniche,* 1558; *Dimostrationi harmoniche,* 1571).

ZARQA. ♦ V. de Jordanie située au N.-E. d'Amman*, la capitale. Ch.-l. de district d'env. 200 000 hab., dont l'importance est essentiellement due à l'afflux de réfugiés palestiniens. Raffinerie de pétrole. Cimenterie.

ZARQÂLÎ (Al-). ♦ Astronome et mathématicien arabe (v. 1029 – 1087). À Cordoue et à Tolède, importants centres d'observation astronomique, il inventa un nouveau type d'astrolabe (la *saphée d'Azarquiel*), qui, ayant la supériorité d'être universel, se répandit à partir de 1263; il fut le principal auteur des *tables Tolédanes* (1080) que les tables Alfonsines (1252-1272) ne firent qu'améliorer et rectifier.

ZARZAÏTINE. ♦ Gisement pétrolifère du Sahara algérien (dép. des Oasis), au N. d'Edjelé*, près de la frontière libyenne.

ZASSOULITCH (Vera). ♦ Militante politique russe (1849 ou 1851 – 1919). Elle participa d'abord au mouvement populiste **(V. Narodniki),** puis à l'organisation et à l'activité du groupe marxiste « Libération du travail » fondé par Plekhanov*. Rédactrice de *l'Iskra* (*l'Étincelle,* 1900) fondée par Lénine, elle se rallia au menchévisme (1903) et désapprouva la révolution socialiste d'octobre 1917.

ZATOPEK (Emil). ♦ Athlète tchécoslovaque (Prague, 1922). Sélectionné en 1948 pour les Jeux Olympiques de Londres, il y battit le record du monde du 10 000 m, en 29 mn 56 s 6. Il devait encore améliorer ce record en 1950, en couvrant les 10 km en 29 mn 2 s 6. En 1951, il établit un remarquable record de l'heure (20,052 km) et remporta, en 1952, trois médailles d'or aux Jeux Olympiques d'Helsinki, dans les épreuves de marathon, 10 000 mètres et 5 000 mètres. Après avoir abandonné la compétition internationale, il devint colonel dans l'armée tchécoslovaque, mais ses prises de position libérales en faveur du « printemps de Prague » lui valurent d'être limogé après l'échec de Dubček.

ZAVENTEM. ♦ Comm. de Belgique (Brabant, arr. de Bruxelles). 9 900 hab. Église Saint-Martin (XVIe s., tableau de Van Dyck). – Métallurgie. Indus. alimentaires, textiles et chimiques. Papeteries. – Aéroport de Bruxelles-National.

ZAY (Jean). ♦ Homme politique français (Orléans, 1904 – Molles, 1944). Député radical-socialiste (1932-1940), il conserva

Ph. Carlo Bevilacqua/Ricciarini

Civilisation **zapotèque :** homme chauve-souris de la tombe 113 (Monte Albán.)

le portefeuille de l'Éducation nationale de 1936 à 1939 et contribua à l'adoption des principales réformes scolaires par le gouvernement de Front populaire (multiplication des bourses pour les élèves du primaire, limite de l'âge scolaire portée à quatorze ans, etc.). Partisan de la Résistance dès la signature de l'armistice franco-allemand, il s'embarqua sur le *Massilia,* fut arrêté au Maroc sur les ordres du gouvernement de Vichy et interné. En 1944, il était enlevé et assassiné par des miliciens.

ZAYDÂN (Georges). ♦ Écrivain libanais (Beyrouth, 1861 – Le Caire, 1914). Il publia vingt-deux romans historiques dans la tradition d'Alexandre Dumas. Mais il est surtout connu par son *Histoire de la civilisation islamique* et son *Histoire de la littérature arabe,* œuvres méthodiques qui favorisèrent dans le monde arabe contemporain le goût de la recherche historique.

ZEAMI YÛSAKI. ♦ Prêtre shintô japonais (1363 – 1443) et dramaturge. Il créa pour le shôgun Ashikaga* Yoshimitsu un spectacle nouveau appelé nô* et écrivit pour ce type de théâtre de très nombreuses pièces dont une vingtaine au moins nous sont parvenues. Une centaine d'œuvres lui sont attribuées.

ZECCA (Ferdinand). ♦ Réalisateur français de cinéma (Paris, 1864 – *id.,* 1947). Anc. régisseur de théâtre devenu directeur général des *établissements Pathé frères* (1910), il a dirigé la production d'une dizaine de metteurs en scène et réalisé pour sa part une centaine de petits films d'inspiration réaliste ou comique.

ZÉDÉ (Gustave). ♦ Ingénieur naval français (Paris, 1825 – *id.,* 1891). Il réalisa les plans du sous-marin *Gymnote* qu'il dota de moyens de propulsion électriques (1887) et qui, porteur de deux grosses torpilles, fut le premier sous-marin opérationnel et constitua le premier élément de la flotille française de sous-marins (1888). **V.** *aussi* **Bushnell, Laubeuf.**

Zeebrugge *(canal de).* ♦ Creusé de 1895 à 1904, ce canal maritime relie le port intérieur de Bruges à celui de Zeebrugge (11 km). Gabarit, 2 000 tonneaux.

ZEEBRUGGE. ♦ V. de Belgique (Flandre-Occidentale), arr. de Bruges, sur la mer du Nord, reliée à Bruges par un canal long de 11 km. Important port de pêche (le 2ᵉ de Belgique), de voyageurs (liaisons avec l'Angleterre) et de commerce (importation de pétrole). Station balnéaire. ♦ *Hist.* Base navale allemande durant la Première Guerre mondiale, elle fut bloquée par un raid britannique sous les ordres de Keyes* (1918).

ZEEMAN (Pieter). ♦ Physicien néerlandais (Zonnemaire, Zélande, 1865 – Amsterdam, 1943). Il découvrit en 1896, les variations de fréquence et la décomposition des raies spectrales émises par les atomes sous l'action d'un champ magnétique *(effet Zeeman)* et, étudiant la propagation de la lumiere dans les milieux en mouvement, il vérifia certaines prévisions de la relativité restreinte (1914-1915). **V. Lorentz.** (Prix Nobel de phys., 1902.)

ZEHRFUSS (Bernard). ♦ Architecte français (Angers, 1911). Il a réalisé le Centre national des industries et des techniques au rond-point de la Défense, en collaboration avec Camelot et de Mailly (1958) et le palais de l'Unesco, avec Breuer et Nervi (1953-1958). Il a construit également les usines Renault à Flins.

ZEISS (Carl). ♦ Mécanicien et opticien allemand (Weimar, 1816 – Iéna, 1888). Il créa à Iéna des ateliers d'optique de réputation mondiale (1846).

ZEIST. ♦ V. des Pays-Bas (Utrecht). 56 086 hab. – Château du XVIIᵉ siècle. Indus. alimentaires et chimiques. Métallurgie. ♦ *Hist.* En 1713, la *paix d'Utrecht,* qui mettait fin à la guerre de la Succession d'Espagne, y fut signée.

ZEITZ. ♦ V. d'Allemagne orientale (Thuringe, district de Gera), près de l'Elster blanche. 45 900 hab. Indus. chimiques (carburants synthétiques).

ZÉLANDE. *n. f.* (en néerl. **Zeeland** « pays de la mer »). ♦ Prov. des Pays-Bas occupant les bouches de l'Escaut et limitée au N. par la Hollande-Méridionale, à l'E., par le Brabant-Septentrional, au S., par la Belgique et, à l'O., par la mer du Nord. 316 124 hab. *(Zélandais). Ch.-l.* **V. Middelburg.** *V. princ.* **V. Goes, Flessingue** (Vlissingen). Elle comprend une partie continentale, la *Flandre zélandaise,* trois îles, Noord-Beveland, Schouwen Duiveland, Tholen,et une presqu'île formée par deux anciennes îles (Walcheren et Zuid-Beveland). D'un niveau inférieur à celui de la mer, la Zélande est protégée par plus de 400 km de digues (Westkapelle). – Ostréiculture. – La vocation maritime de la Zélande est menacée par la mise en application du *plan Delta* : création de réservoirs d'eau douce, construction de barrages sur le Rhin (170 000 ha de terres nouvelles). Comme sur les plus récents polders, les labours (67 % de la province) l'emportent : céréales, plantes indus. et fourragères. Prairies, horticulture; fruits (Zuid-Beveland). Les quelques industries zélandaises sont localisées le long du canal de Gand à Terneuzen. Tourisme (Renesse, Cadzand). ♦ *Hist.* Réunie au comté de Hollande au XIIᵉ s., la Zélande passa à la maison de Bourgogne en 1428. Après la signature de l'acte d'Utrecht (1579), elle fit partie des Provinces-Unies. Département français des Bouches-de l'Escaut en 1810, elle fut rattachée au royaume des Pays-Bas en 1815. Ravagée par les cataclysmes maritimes (inondation de 1921; raz de marée de 1953), la Zélande souffrit aussi de la Deuxième Guerre mondiale.

ZÉLANDE (Nouvelle-). ♦ NOUVELLE-ZÉLANDE.

ZELE. ♦ Comm. de Belgique (Flandre-Orientale, arr. de Termonde). 18 300 hab. Église de 1699. – Indus. alimentaires et textiles (jute). Fabrique de matelas.

ZELENODOLSK. ♦ V. d'U.R.S.S. (république des Tatars*), sur la Volga. 66 000 hab. (1962). Indus. du bois; indus. mécaniques, chimiques et textiles. Nœud ferroviaire.

ŻELEŃSKI (Tadeusz), également connu sous le pseudonyme de **BOY.** ♦ Écrivain polonais (Varsovie, 1874 – Lvov, 1941). À partir de 1909, il traduisit *La Physiologie du mariage* de Balzac, prélude à d'innombrables traductions d'œuvres françaises. Il est également l'auteur de livres de critique : *Études et esquisses de littérature française* (1920 et 1922), *Flirt avec Melpomène,* critique théâtrale (1920-1932), *Molière* (1924), *En Sorbonne et ailleurs* (1927), et d'un ouvrage historique *Marysieńka Sobieska* (1938).

ZELL AM SEE. ♦ V. autrichienne, située dans la province de Salzbourg*, sur la r. O. du lac Zeller, à 757 m d'alt. 7 000 hab. Station climatique et de sports d'hiver. La ville possède plusieurs monuments : *Stadtplatz,* avec la *Vogtturm* (XIIIᵉ s.); église paroissiale Saint-Hippolyte.

ZELLE. ♦ **V.** CELLE (Allemagne de l'Ouest).

ZELLER (Eduard). ♦ Philosophe allemand (Kleinbottwarr, Wurtemberg, 1814 – Stuttgart, 1908). Historien de la philosophie (qui fut hégélien à ses débuts), il est connu par son ouvrage sur *La Philosophie des Grecs dans son développement historique* (1844-1852; 1856-1868).

ZELLIDJA. ♦ Centre minier du Maroc oriental (prov. d'Oujda). Plomb et zinc. Jean Walter*, qui administra les mines de Zellidja, fut le fondateur des bourses de voyage du même nom.

ZELTEN ou **BIR ZELTEN.** ♦ Localité de Libye en Cyrénaïque*. Gisement de pétrole, à l'E. de celui de Raguda, tous deux évacués par oléoduc jusqu'au port de Marsa* el-Brega.

ZELTER (Karl Friedrich). ♦ Compositeur allemand (Berlin, 1758 – *id.,* 1832). Après avoir étudié le violon et la composition et travaillé avec C. Fr. Frasch (qu'il remplaça à la tête de l'Académie royale de chant), il fonda en 1809 une association chorale, la *Liedertafel.* Nommé professeur à l'Académie royale, il créa et dirigea l'Institut royal de musique d'église et rénova la bibliothèque musicale de Berlin. Il a composé de beaux lieder sur des poèmes de Goethe, avec lequel il s'était lié.

ZELZATE. ♦ Comm. de Belgique (Flandre-Orientale, arr. d'Eeklo), sur le canal de Terneuzen*, à la frontière hollandaise. 11 200 hab. Indus. chimiques et sidérurgiques. Matériaux de construction.

ZEMPOALA. ♦ Village et site archéologique du Mexique, à env. 80 km de Veracruz. Important centre de la civilisation totonaque, abandonné au début du XVIIᵉ siècle.

Zen. *n. m.* ♦ Secte bouddhique japonaise, mélange de shintô et de ch'an* chinois, introduite au Japon en 1192 par le religieux Eisai. Son enseignement,qui ne reconnaît pas l'autorité des textes et ne vénère que la personne du Bouddha* historique, se transmet d'une manière particulière, d'esprit à esprit, et exige une concentration parfaite de la pensée.

ZEND-AVESTA (le). ♦ **V.** AVESTA.

ZÉNÈTES. *n. m. pl.* ♦ **V.** BERBÈRES.

ZENICA. ♦ V. de Yougoslavie (Bosnie-Herzégovine). 52 000 hab. – Grand centre sidérurgique.

ZENO (Carlo). ♦ Amiral vénitien (v. 1334 ou 1338 – Venise, 1418). Luttant en Grèce contre les Turcs, il acquit pour son pays l'île de Ténédos, prit part à la guerre de Chioggia (1379-1380), fut envoyé à Beyrouth en 1403 et battit l'escadre franco-génoise près de Modon. ♦ NICCOLO et ANTONIO ZENO, ses frères. Navigateurs vénitiens de la fin du XIVe et du début du XVe s. qui auraient visité la Frislande (îles Féroé) et même le Groenland. Leur expédition relatée par leur descendant Niccolò Zeno, neveu de Caterino Zeno* (1558), a néanmoins été mise en doute.

ZENO (Caterino). ♦ Voyageur et diplomate vénitien (Venise, v. 1450 – fin du XVe s.). Il visita la Perse et passa par la région de la mer Noire lors de son retour (1472-1474). Publié par son neveu Niccolò (1515-1575), le récit de son voyage, *Dei Commentari del Viaggio di Persia di Caterino Zeno*, contient également la relation de la prétendue expédition de Niccolò et Antonio Zeno* (voir *ci-dessus*).

ZÉNOBIE, en lat. **Septimia Bathzabbai.** ♦ (morte à Tibur, auj. Tivoli, apr. 272). Reine de Palmyre* (v. 266-272). Femme d'Odenat*, elle exerça la régence au nom de son fils Wahballat. Intelligente et autoritaire, elle conduisit Palmyre à son apogée. Elle refusa la tutelle de Rome, conquit l'Égypte et l'Asie Mineure, imposant sa domination sur tout l'Orient. À sa cour brillaient des Grecs cultivés parmi lesquels le rhéteur Longin*, son conseiller, et l'évêque d'Antioche, Paul* de Samosate. Se sentant menacé par cette nouvelle puissance, Aurélien* mit le siège devant Palmyre qui fut prise en 272. Zénobie parut à Rome au triomphe de l'empereur et finit sa vie près de Tibur* dans le domaine que lui donna Aurélien.

ZÉNODORE, en gr. **Zênodôros.** ♦ Mathématicien grec de la seconde moitié du ~IIe siècle. Il s'est intéressé aux polygones réguliers isopérimètres et aux solides de surfaces égales, pour lesquels il établit que la sphère possédait le plus grand volume.

ZÉNODOTE D'ÉPHÈSE, en gr. **Zênodotos.** ♦ Grammairien grec (~320-~240). Directeur de la Bibliothèque d'Alexandrie* qui venait d'être fondée, il donna la première édition critique des poèmes homériques qui servit de point de départ aux travaux de son élève Aristophane* de Byzance, puis à ceux d'Aristarque de Samothrace.

ZÉNON. ♦ (v. 426 – 491). Empereur d'Orient (474-491). Père de Léon* II dont il assura la régence (474). Dans l'espoir de rétablir son influence en Italie, il chargea le roi des Ostrogoths, Théodoric*, de la reconquérir (488).

ZÉNON DE CITIUM ou **CITION.** ♦ Philosophe grec fondateur du stoïcisme (Citium, Chypre, v. ~335 – Athènes, v. ~264). Fils d'un riche commerçant d'origine phénicienne, il vint à Athènes v. ~312. Après avoir été l'élève de Cratès de Thèbes, de Stilpon et de Xénocrate*, il créa l'école du Portique* (ou stoïcisme). L'estime que lui témoignèrent les Athéniens était telle qu'ils lui dressèrent une statue de bronze et l'enterrèrent dans le quartier du Céramique*. Aucun de ses ouvrages ne nous est parvenu. Seuls les titres ont été conservés par Diogène* Laërce, ainsi que des fragments très courts dans les œuvres de compilateurs.

ZÉNON D'ÉLÉE. ♦ Philosophe grec de l'école d'Élée (Élée, né vers ~490-~485). Disciple de Parménide*, il tenta de prouver l'impossibilité du mouvement par une série de paradoxes qui sont restés célèbres et dont les plus connus sont celui de la flèche qui ne parvient jamais à son but et celui d'Achille et de la tortue. D'après ce philosophe, en effet, un mobile, pour atteindre un point, doit d'abord parcourir la moitié de la distance qui l'en sépare et auparavant la moitié de la moitié et ainsi de suite, à l'infini.

ZENTA, auj. **Senta.** ♦ V. de Yougoslavie (Vojvodine). 25 000 hab. – Indus. agricole. – Le prince Eugène* y mit en déroute le sultan Mustafa* II (1697), victoire qui permit la paix de Karlowitz*.

Zéphyr, en gr. **Zephuros.** ♦ Personnification du vent d'ouest dans la légende grecque. Il est uni à Chloris*, divinité de la végétation.

ZÉPHYRIN *(saint).* ♦ 15e pape (199-217 [mort]), Romain, martyr. Il prit comme auxiliaire le diacre Calixte* qui lui succéda. Fête le 26 août.

ZEPPELIN (Ferdinand, *comte von***).** ♦ Officier, puis industriel allemand (Constance, 1838 – Berlin, 1917). Il prit sa retraite de la carrière militaire en 1890 et se consacra ensuite à la construction de dirigeables rigides (formule inventée et brevetée [1873] par l'ingénieur français Spiess) dont l'enveloppe était constituée par un certain nombre de cellules indépendantes pour limiter l'importance de toute fuite de gaz. Le premier *zeppelin* fut essayé en 1900.

ZERAVCHAN ou **ZERAVSHAN.** *n.m.* ♦ Vallée d'U.R.S.S. faisant partie de l'Ouzbekistân* et du Tadjikistân*. Arrosée par le fl. du même nom (781 km), la vallée de Zeravchan est l'une des plus anciennes et importantes régions agricoles de l'Asie centrale. *V. princ.* **V. Boukhara*** et **Samarkand***.

ZERHOUN *(djebel).* ♦ Massif du Maroc occidental appartenant aux rides prérifaines qui domine au N. le plateau de Meknès* **(V. Volubilis)** et sur lequel se trouve la ville sainte de Moulay*-Idriss.

ZERMATT. ♦ V. de Suisse (cant. du Valais) dans la vallée de la Viège*, au pied du Cervin*. 2 700 hab. Zermatt est une des principales stations de sports d'hiver de Suisse et l'un des plus grands centres européens d'alpinisme. Alt. 1 620-3 407 m.

ZERMELO (Ernst). ♦ Mathématicien allemand (Berlin, 1871 – Fribourg, 1953). Auteur d'un axiome (*axiome de Zermelo* ou *axiome du choix*, 1904) selon lequel on peut, dans tout sous-ensemble d'un ensemble donné, fixer un élément distingué. Cette affirmation donna lieu à de nombreuses controverses et sépara les mathématiciens en deux groupes : accepté par les idéalistes (Hadamard, Hilbert, Sierpiński), l'axiome était refusé par les empiristes (Borel, Lebesgue, Poincaré). Zermelo, par son axiome et les discussions qu'il provoqua, contribua largement au développement de la théorie des ensembles. **V. Cantor.**

ZERNIKE (Frederik). ♦ Physicien néerlandais (Amsterdam, 1888 –). On lui doit la technique de l'observation en *contraste de phase* en microscopie optique [1938]. (Prix Nobel de phys., 1953.)

ŻEROMSKI (Stefan). ♦ Romancier et dramaturge polonais (Strawczyn, près de Kielce, 1864 – Varsovie, 1925). Né pendant l'insurrection, il passa son enfance réfugié dans les montagnes. Plus tard, il dut interrompre ses études de vétérinaire, ayant été arrêté par les autorités russes pour son action favorable à l'éducation des masses. Il devint bibliothécaire du musée polonais de Rapperswill, en Suisse, puis à la bibliothèque Zamosjski de Varsovie. Son œuvre témoigne de la lutte pour la justice sociale : *Les corbeaux vous dépèceront* (1896), *Les Travaux de Sisyphe* (1898), *Les Cendres* (1904), épopée des guerres napoléoniennes. *Histoire d'un péché* (1908) est une critique de la société. On lui doit également plusieurs œuvres dramatiques dont *Sulkowski, Turen* et surtout une comédie, *La caille s'est enfuie* (1924).

ZÉTHOS. ♦ **V.** ANTIOPE.

ZETKIN (Clara). ♦ Militante communiste allemande (Widenau, Saxe, 1857 – Arkhangelskoïe, près de Moscou, 1933). Membre du Parti social-démocrate allemand, elle adhéra à la ligue spartakiste **(V. K. Liebknecht, R. Luxemburg)** et contribua au développement du Parti communiste allemand.

ZETLAND. ♦ **V.** SHETLAND.

ZEUS. ♦ Dieu suprême du Panthéon hellénique, « père des dieux et des hommes » selon Homère. Sa suprématie dans le polythéisme grec annonce la conception d'une souveraineté universelle fondée sur la raison. Zeus est essentiellement le dieu de la lumière céleste ; il gouverne les phénomènes physiques : la pluie, la foudre, le cycle des saisons, la succession du jour et de la nuit, etc. Symbole d'une organisation patriarcale et d'une hiérarchie primitive, il devient le garant de la royauté et de l'ordre social, l'arbitre supérieur de la Justice. Il veille au respect des lois de l'hospitalité, à la piété des mortels et dispense les biens et les maux. Mais tout ce qui est injuste, déraisonnable ou incompréhensible dans le monde, est du ressort des Destins, auxquels lui-même est soumis. Appartenant à la deuxième génération divine selon la *Théogonie** hésiodique, Zeus est le dernier-né des enfants de Cronos* et de Rhéa*. Cronos avalait ses enfants nouveau-nés. Or, Rhéa enfante Zeus pendant la nuit, le dissimule sur le mont Ida* en Crète, le confiant aux Curètes et aux Nymphes et, le matin, donne à son époux une pierre enveloppée de langes à avaler. Zeus est élevé par la chèvre (ou nymphe) Amalthée*. Devenu adulte, il donne à Cronos une drogue et lui fait vomir les enfants qu'il avait avalés, puis, libérant du Tartare les Cyclopes* et les Hécatonchires*, il mène la révolte contre son père et les autres Titans*. Océan* et d'autres divinités primordiales embrassent la cause de Zeus, les Cyclopes lui donnent la foudre, l'arme qui assure la victoire des Olympiens **(V. Olympe)**. Zeus et ses frères se partagent le pouvoir : Poséidon* obtient la mer, Hadès* le monde souterrain, Zeus le ciel et la prééminence sur l'univers. Les Olympiens doivent encore vaincre les Géants* et le monstre Typhon* soulevés contre leur pouvoir par Gaia, qui voulait ainsi venger ses fils, les Titans. La légende de Zeus comprend un grand nombre d'unions avec des divinités primordiales ou olympiennes et avec des mortelles, d'où naissent des dieux et des héros : les Heures*, les Moires* et Astrée* (de Thémis*), les Muses* (de Mnémosyne*), les Charites* (d'une Océanide), Aphrodite* (de Dioné*), Hermès* (de Maia), Apollon* et Artémis* (de Léto*), Dionysos* (de Sémélé*). Sa sœur et épouse légale Héra* lui donne Arès*, Héphaïstos*, Ilithye* et Hébé* ;

Ph. Bevilacqua/Ricciarini
Zénon de Citium. (Musée du Capitole, Rome.)

Ph. PSZ/Ricciarini
Ferdinand, comte von **Zeppelin.** (Bibliothèque Braidense, Milan.)

son autre sœur Déméter* lui donne Perséphone*. Quant à sa fille aînée Athéna*, elle sort de la tête de Zeus qui avait avalé Métis, craignant le fruit de ses amours avec celle-ci. Les principaux héros engendrés par Zeus sont Héraclès* **(V. Alcmène)**, Persée **(V. Danaé)**, Amphion* et Zéthos **(V. Antiope)**, Minos*, Rhadamante*, Sarpédon* **(V. Europe)**, Hélène*, Castor* et Pollux* **(V. Léda, Némésis)**, Éaque* et Tantale*. Souvent il se métamorphose pour arriver à ses fins. Ainsi, pour corrompre la vertueuse Alcmène, il prend la forme de son mari Amphion* ; il se change en cygne pour s'unir à Léda ou à Némésis, en pluie d'or pour pénétrer dans le cachot de Danaé, en taureau pour enlever Europe. De même, il métamorphose quelquefois ses amantes pour les soustraire à la vengeance de la jalouse Héra **(V. Io, Callisto)**. Il ne répugne pas pour autant à la beauté de l'éphèbe Ganymède*, qu'il enlève pour en faire son échanson. La légende de Zeus est pour le reste limitée à l'action par laquelle il rétablit l'équilibre dans l'univers **(V. Phaéton)**, protège les pouvoirs et les privilèges des dieux **(V. Asclépios, Atlas, Prométhée)**, châtie l'impiété et la démesure **(V. Ixion, Lycaon)** ou récompense la piété et l'hospitalité **(V. Philémon et Baucis)**. Avant tout, il interprète les Destins et il arbitre les conflits des autres dieux et des hommes (tel est son rôle pendant la guerre de Troie). L'oracle de Dodone* et le temple d'Olympie* sont parmi les autels les plus célèbres dédiés à son culte. Zeus est identifié avec le *Jupiter* des Romains.

ZEUXIS. ♦ Peintre grec originaire d'Héraclée (Lucanie) qui travailla en Italie et à Athènes* v. la fin du ~ ve siècle. Très estimé par les Anciens, il fut l'un des initiateurs de la peinture de chevalet. Il choisit ses thèmes dans la mythologie légère et la vie sentimentale : *Héraclès enfant étranglant les serpents*, la *Famille du Centaure*, *Éros couronné de roses*, *Hélène à sa toilette*, etc. Adversaire de Parrhasios*, il exploita à fond l'innovation du clair-obscur due à Apollodore, par laquelle la peinture se détachait du dessin coloré. La science de l'opposition des tons, les contours accusés et le souci du paysage caractérisaient ses œuvres aujourd'hui perdues.

ZEYER (Julius). ♦ Poète, romancier et auteur dramatique tchèque (Prague, 1841 — *id.*, 1901). D'origine mi-alsacienne, il exprima dans toute son œuvre sa sensibilité romantique et son mysticisme inquiet. Ses compositions épiques se rattachent au folklore mythique ou sont empreintes d'un esprit chevaleresque : *Vyšehrad* (1880), *Épopée carolingienne* (1896), *Mémoires de Vit Choraz* (1899). Ses romans, souvent tragiques, évoquent souvent des héros qui souffrent de la médiocrité qui les entoure et des conduites d'échec, *L'Amitié fidèle d'Amis et d'Amile* (1880), *Jan-Maria Plojhar* (1888), *La maison à l'étoile qui se noie* (1894). Les sujets de ses drames sortent principalement de la légende : *Neklan* (1893), *Raduz et Mahulena* (1896).

ZÉZERE. *n. m.* ♦ Riv. du Portugal (200 km), affl. du Tage (r. g.). Né dans la serra de Estrela, il arrose la Beira. Installations hydro-électriques (Castelo do Bode, 380 millions de kWh).

ZIBAN. ♦ **V. Zab.**

ZICAVO. ♦ Ch.-l. de cant. de la Corse*, arr. d'Ajaccio*. 1 495 hab. — Station estivale, centre d'excursions.

ZICHEM. ♦ Comm. de Belgique (Brabant, arr. de Louvain) sur le Demer*. 5 300 hab. Église des XIVe et XVIe s. (vitraux de 1387).

ZIDAROV (Kamen). ♦ Écrivain bulgare (né en 1902). D'inspiration réaliste-socialiste, il est l'auteur de drames : *La Grâce du tsar* (1949), *Chant immortel* (1959), et écrivit un roman historique : *Ivan Šišman* (1962).

ZIEGLER (Karl Waldemar). ♦ Chimiste allemand (Helsa, près de Kassel, 1898 — Mülheim [R.F.A.], 1973). Auteur de recherches sur les composés organométalliques, puis sur la technologie des hauts polymères, il mit au point un procédé de fabrication à basse pression des polyéthylènes à structure rectiligne, à l'aide d'un catalyseur spécifique qu'il avait découvert (tétrachlorure de titane et triéthylaluminium). **V. Natta.** (Prix Nobel de chimie, 1963.)

ZIEGLER [ziglɛʀ] **(Henri).** ♦ Ingénieur français (Limoges, 1906). Anc. élève de l'École polytechnique, il fut tour à tour ingénieur militaire, pilote d'essai, fonctionnaire et industriel. Il dirigea la Société nationale industrielle aérospatiale qui coproduit *Concorde* et *Airbus*.

ZIELONA GÓRA, en all. **Grünberg.** ♦ V. de Pologne, ch.-l. de voïévodie (845 900 hab.) en basse Silésie*. 59 000 hab. — Centre industriel en développement (métallurgie, textiles, alimentation, bois).

ZIFTAH, en ar. **Ziftâ.** ♦ V. de la Basse-Égypte (prov. de Garbiéh). 30 000 hab. — Barrage sur le Nil.

ZIGUINCHOR. ♦ V. et port du S. du Sénégal, sur la r. g. de la basse Casamance*, à proximité de son embouchure. 45 772 hab. — Commerce de l'arachide.

Zikawei ou **Siu-kia-houei.** ♦ **V. Hsü-chia-hui.**

ZIMBABWE ou **ZIMBABOUÉ.** ♦ Site de Rhodésie* situé au S.-E. du pays où furent découvertes les ruines d'une cité (sans doute bantoue) remontant aux VIe-VIIIe siècles.

ZIMMERMANN (Dominikus). ♦ Architecte, décorateur et stucateur allemand (Gaispoint bei Wessobrunn, 1685 — Wies, 1766). Il débuta en exécutant des décorations en stuc et fut le disciple de Cuvilliès*. L'un des principaux architectes du baroque bavarois, il édifia surtout des églises et des abbayes. Ses deux chefs-d'œuvre, l'*église de Steinhausen* (1723-1733) de plan central et l'*église de la Wies* (vers 1749-1750) révèlent son goût pour les formes courbes, les structures légères et les effets d'éclairage; en exploitant avec originalité les motifs de cartouches dissymétriques, de plantes aux lignes sinueuses, de coquillages, dans un ensemble d'une polychromie claire et lumineuse, il s'affirma comme l'un des maîtres du décor rococo. Il fut aidé dans ses travaux par son frère *Johann Baptist* (Gaispoint, 1680 — Munich, 1758), peintre et décorateur qui participa à la décoration de la *résidence* de Munich (*galerie des Ancêtres*, 1728-1730).

Ph. Nimatallah/Ricciarini

Tête de **Zeus.** (Musée national, Athènes.)

ZIMMERMANN (Bernd Alois). ♦ Compositeur allemand (Bliesheim, 1918). Il suivit les cours des conservatoires de Cologne et de Berlin puis s'initia à la musique sérielle avec Fortner et Leibowitz* à Darmstadt. Après une période « sérielle », Zimmermann mit au point vers 1960 une technique musicale personnelle qu'il qualifie lui-même de « pluralistique », technique par laquelle il tente de traduire sa conception du temps — centre de sa réflexion musicale — comme perpétuelle simultanéité du passé, du présent et de l'avenir. Ce pluralisme est transposé en musique par la « juxtaposition de couches sonores différentes souvent opposées à l'extrême par le style et la chronologie musicale ». Pour parfaire cette technique de montage, il introduit dans ses compositions des citations musicales. C'est avec son opéra *Die Soldaten* (1958-1960) que Zimmermann a réalisé le mieux sa conception de la musique « pluralistique ». Il a composé en outre deux concertos et une sonate pour violoncelle (son instrument de prédilection), un concerto scénique pour violon, violoncelle et piano (*Présence*, 1961), les *Dialogues* pour deux pianos et orchestre, interprétés en 1964 dans une nouvelle version pour deux pianos intitulée *Monologues* et *Intercommunication* (1967), pour violon et piano.

ZIMOROWIC (Szymon). ♦ Poète polonais (Lwów, 1608 — Cracovie, 1629). Il développa le genre de l'idylle, en écrivant *Roksolanki, ou les Jeunes Filles ruthènes (Roxolanki to jest ruskie panny)*, soixante-huit chansons d'amour, alternativement chantées par les jeunes filles et les jeunes gens d'un village. Certains historiens de la littérature attribuèrent *Roksolanki* à son frère Józef Bartłomeï Zimorowic (Lwów, 1597 — *id.*, 1677), qui fut l'éditeur du livre (1654). Józef écrivit le recueil d'idylles *Nouvelles villageoises ruthènes (Sielanki nowe ruskie)* qu'il publia en 1663 sous le nom de son frère.

ZINDER. ♦ V. du Niger*, proche de la frontière du Nigeria. 30 000 hab. — Centre commercial.

ZINGARELLI (Nicola Antonio). ♦ Compositeur italien (Naples, 1752 — Torre del Greco, 1837). Élève au conservatoire de Loreto, il débuta à Naples en 1781 avec *Montesuma*, son premier opéra. Maître de chapelle à la cathédrale de Milan en 1792, puis à Loreto (1794-1804), et à la chapelle Sixtine à Rome, il composa simultanément de la musique d'église dans le style néo-palestrinien (*Annale di Loreto* : messes pour tous les jours de l'année, un *Magnificat*, un *Requiem*, un *Te Deum*) et de nombreux opéras (*Bérénice*, 1811). Il est considéré comme le dernier représentant de l'école napolitaine.

ZINOVIEV (Grigori Ievseïevitch APFELBAUM, dit**).** ♦ Homme politique russe (Ielisavetgrad, *auj.* Kirovograd, 1883 – Moscou, 1936). Bolchevik dès 1901, il joua un rôle important dans l'organisation du Parti à Saint-Pétersbourg. Exilé lors de la réaction qui suivit la révolution de 1905, il revint en Russie avec Lénine en 1917. Opposé à l'insurrection armée (oct. 1917), partisan d'un gouvernement de coalition avec les mencheviks et les socio-révolutionnaires (nov. 1917), il fut président du soviet de Pétrograd, membre du Comité central du Parti bolchevik (communiste) et président du comité exécutif du Komintern (IIIe Internationale) et contribua à l'éviction de Trotski, puis s'en rapprocha (1926). Exclu du Parti en 1934 et accusé de complicité dans l'assassinat de Kirov*, il fut condamné à mort comme opposant au régime.

ZINZENDORF (Nikolaus Ludwig, *Graf von***).** ♦ Chef religieux allemand (Dresde, 1700 – Herrnhut, 1760). Élevé dans la pratique du piétisme, il fit des études à Halle et à Wittenberg, puis voyagea en Hollande et en France, où il prit contact avec les milieux protestants et catholiques. Devenu conseiller juridique à la cour de Dresde (1721), il fut surtout le chef spirituel de la communauté d'Herrnhut qui, restaurant l'ordre des « Frères moraves » **(V. Hussites),** était organisée de façon théocratique, à la fois communautaire et patriarcale, et se caractérisait par son esprit de tolérance et la recherche d'une foi vivante et personnelle. À la suite de certaines difficultés, Zinzendorf fut exilé (1736) et voyagea en Europe et en Amérique, où il chercha à propager ses idées religieuses. Les cantiques dont il est l'auteur sont encore en usage dans les communautés issues de celle d'Herrnhut.

ZIOLKOVSKI. ♦ **V.** TSIOLKOVSKI.

ZIRIDES. *n. m. pl.* ♦ Dynastie berbère sanhâjienne (973-1060). Fondée par Yûssuf Bulukkin ibn Zîrî, elle régna sur l'est de l'Afrique du Nord, avec Kairouan* comme capitale. Dès 1014, les Sanhâja de l'Ouest s'émancipèrent et créèrent la dynastie hammâdide*. À l'origine gouverneurs des Fâtimides, ils osèrent rejeter le shi'isme* de ces derniers en rétablissant le sunnisme* sous l'influence des docteurs malikites* de Kairouan (1048). Les Fâtimides se vengèrent en lançant contre eux les tribus bédouines des Banû Hillâl qui dévastèrent le pays (1052). Les derniers Zirides ne purent empêcher les incursions des Normands de Sicile sur le littoral tunisien. Ils furent renversés par les Almohades* Un autre groupe de Zirides régna sur Grenade jusqu'à la fin du XIe siècle.

ZIRKEL (Ferdinand). ♦ Géologue et minéralogiste allemand (1838 – 1912). Il fut le premier à utiliser la méthode d'H.C. Sorby* pour l'étude de la structure microscopique des cristaux (1863). On a donné le nom de *zirkélite* au zirconate et titanate naturel de calcium du système cubique.

ZIRYÂB (Abu el-Hassan Ali ben Nâfi, dit**).** ♦ Musicien arabe, esclave affranchi, d'origine syrienne, fixé à Cordoue (822), qui implanta et developpa la musique de l'école de Baghdâd en Andalousie. Il fut l'initiateur d'un système musical symbolique, alliant la rigueur théorique à des implications néo-platoniciennes psychiques, astrologiques.

ZISTERSDORF. ♦ V. autrichienne (Basse-Autriche), située au N.-E. de Vienne. 3 050 hab. Grand centre de l'exploitation pétrolière autrichienne.

ZITA DE BOURBON-PARME. ♦ Impératrice d'Autriche, reine de Hongrie (Villa Pianore, près de Viareggio, 1892). Elle épousa le futur Charles Ier en 1911.

ZITTAU. ♦ V. d'Allemagne orientale (Saxe, Haute-Lusace, district de Dresde), sur la Neisse, près de la frontière tchécoslovaque. 42 875 hab. (1964). Églises des XIIIe et XVe siècles. Centre de communications. Indus. textiles, constructions automobiles.

ZIYA GÖK ALP (Mehmet). ♦ Philosophe et poète turc (Diyarbakir, 1865 – Istanbul, 1924). Influencé par Durkheim*, il fut le théoricien du nationalisme turc et insista plus sur la spécificité ethnique des Turcs que sur la religion musulmane d'origine étrangère (arabe).

Ph. Keystone

Zita de Bourbon-Parme,
entourée de l'archiduc Otto de Habsbourg et de Jean Maurice de Liechtenstein.

Ph. Giraudon

Émile Zola, par Manet.
(Musée du Louvre, Paris.)

ZIYA PACHA (Abdülhamit). ♦ Écrivain et homme politique turc (Kandilli, 1825 – Adana, 1880). Il fut un des premiers libéraux turcs et prit part à l'élaboration de la Constitution de 1876. De culture occidentale, il fut le traducteur de J.-J. Rousseau et de Molière. Journaliste alerte et combatif, il reste cependant classique dans ses poèmes.

ZIZIM. ♦ **V.** DJEM.

ŽIŽKA (Jan). ♦ Chef hussite (Trocnov, Bohême, 1375 – Pribyslav, 1424). Gentilhomme à la cour du roi de Bohême Wenceslas IV, il combattit avec les chevaliers Teutoniques à Tannenberg, puis avec les Anglais à Azincourt. Devenu l'un des chefs hussites après la mort de J. Hus*, il fut l'instigateur de la révolte de Prague en 1419 et remporta sur l'empereur Sigismond* la victoire de Vitkov. Il menait cependant la lutte à l'intérieur de son propre parti contre les modérés. Il mourut de la peste en Moravie, où il s'était réfugié au moment de l'offensive de Sigismond Korybut (1424).

ZLATARIĆ (Dominko). ♦ Poète dalmate (Raguse, 1555 – *id.,* 1609). Représentant d'une littérature baroque, il écrivit des poèmes rassemblés sous le titre de *Chants divers* et traduisit Sophocle.

ZLATOOUST ou **ZLATOUST.** ♦ V. d'U.R.S.S. (R.S.F.S. de Russie), dans la région de Tcheliabinsk, sur l'Aï (affl. g. de l'Oufa. 549 km). 183 000 hab. – Centre métallurgique. Construction de machines-outils de haute qualité. – La ville fut fondée en 1754.

ZLIN. ♦ **V.** GOTTWALDOV.

ZOCHTCHENKO (Mikhaïl Mikhaïlovitch) [*Zosčenko*]. ♦ Conteur soviétique (Poltava, 1895 – Leningrad, 1958). Il appartint au groupe des Frères* Sérapion. Il analysa avec un esprit satirique et un humour audacieux les réalités de la révolution. Après avoir connu un grand succès, il dut s'arrêter d'écrire en 1946, date à laquelle ses œuvres furent déclarées « étrangères à l'esprit de la littérature soviétique » par le Comité central. **V.** *aussi* **Akhmatova.** Parmi ses œuvres, on peut citer : *Les Contes de Nazar Ilitch Sinebrioukhov* (1922), *Histoire d'une vie, Aventures d'un singe.*

ZOÉ Porphyrogénète. ♦ (v. 978 – 1050). Impératrice d'Orient (1028-1050). Fille de Constantin* VIII, qui lui fit épouser le vieux patrice Romain Argyre (Romain* III), elle évinça sa sœur Théodora*, puis fit assassiner Romain et éleva à l'empire son amant Michel le Paphlagonien (Michel* IV) qui devint son deuxième mari. Après la mort de celui-ci, elle adopta Michel le Calfat (Michel* V), qui l'évinça et la cloîtra. Délivrée par le peuple insurgé qui renversa Michel V, elle régna pour quelques mois avec sa sœur Théodora, mais ne tarda pas à associer au trône un nouvel amant, Constantin* IX Monomaque, qu'elle épousa en troisièmes noces (elle était alors âgée de 64 ans) et qui lui survécut.

ZOFINGEN. ♦ V. de Suisse (cant. d'Argovie), au S. d'Olten*. 8 900 hab. Maisons du XVIIIe s., église gothique Saint-Maurice, hôtel de ville (XVIIIe s.). – Importante maison d'édition, indus. textile, horlogerie.

ZOG Ier (Ahmed Zogou, couronné sous le nom de**).** ♦ (Burgajet, 1895 – Paris, 1961). Roi d'Albanie **(1928**-1939). Ministre de l'Intérieur (1920-1922), puis Premier ministre (1922-1924), il fut élu président de la République (1925) avant de se proclamer roi (1928). Il vécut en exil après l'agression italienne contre son pays (1939).

Zohar (le) ou **Sefer ha-Zohar**, « Livre de la splendeur ». ♦ Traité ésotérique juif, attribué traditionnellement à Siméon* bar Yohai, mais sans doute écrit v. 1300 par Moïse de León, de Grenade. C'est un commentaire, en araméen, des principaux passages du Pentateuque, augmenté de traités particuliers. L'interprétation mystique *(sod)* y est prépondérante ; une de ses méthodes est la science des symboles numériques *(gematria)*. Dieu, qui est l'Infini inconnaissable *(En sof)*, se manifeste par dix *sephirot* (« nombres »? ou « rayonnements »?) dont la dernière (*Malkhut*, « Royaume ») manifeste sa présence réelle dans la création. Le Zohar a exercé une influence peut-être aussi importante que le Talmud* ; il représente l'autre versant de la pensée religieuse juive, **V. Kabbale.**

ZOÏLE, en gr. **Zôilos**. ♦ Sophiste grec (Amphipolis ou Éphèse, ~ IVe s.). Fameux surtout pour sa critique passionnée et mesquine contre Homère*, il fut surnommé « Homéromastix » (le Fléau d'Homère). C'était, dit-on, le titre de son ouvrage, où il essayait de prouver, au nom du bon sens, l'absurdité du merveilleux homérique.

ZOLA (Émile). ♦ Écrivain français (Paris, 1840 — *id.*, 1902). Orphelin de bonne heure et élevé par une mère qui vivait dans la gêne, il abandonne tôt ses études, pratique différents métiers et devient journaliste. D'abord fervent romantique (*Contes à Ninon*, 1864) et critique d'art moderniste (*Édouard Manet*, 1867), il évolue vers le naturalisme avec *Thérèse Raquin* (1867) et, s'enthousiasmant pour les théories de Claude Bernard*, ambitionne d'écrire « le roman expérimental ». Dès 1868, il dresse la généalogie des *Rougon*-Macquart ;* de 1871 à 1893 il fait paraître les vingt volumes de cette *Histoire naturelle et sociale d'une famille sous le Second Empire*. C'est *L'Assommoir** (1877) qui assure à Zola le véritable succès. Désormais chef de file des romanciers naturalistes, comme Maupassant* et Huysmans*, il définit son esthétique dans *Le Roman expérimental* (1880) et poursuit son œuvre cyclique : *Nana** (1879), qui dénonce âprement les faiblesses des milieux bien pensants, et *Germinal** (1885). puissante évocation d'une grève de mineurs, connaissent un grand succès, suscitant par ailleurs des controverses. Déjà les préoccupations sociales de Zola, lecteur de Fourier*, de Proudhon* et de Marx*, apparaissaient dans *Au bonheur des dames* (1883). Converti, à la suite de ses enquêtes sur le monde ouvrier. aux doctrines socialistes, Zola se consacre dès lors à des œuvres de caractère humanitaire (*Les Quatre Évangiles*, 1899-1903, sont des hymnes au progrès humain) ou politique, prenant notamment parti pour la révision durant l'affaire Dreyfus* par un retentissant article, *J'accuse* (1898). Sa mort fut peut-être due à une tentative criminelle. Une foule considérable assista à ses obsèques. Naturaliste dans la mesure où il se réclame des méthodes scientifiques et veut faire du roman un compte rendu expérimental où la psychologie est subordonnée à la physiologie (influence du positivisme comtien), Zola se soumet à une double démarche : à l'observation « sur les faits de la nature » succède l'expérimentation du « mécanisme des faits » (**V. Rougon*-Macquart** [*les*]). Pourtant, en proclamant que l'art est « un coin de la création vu à travers un tempérament », Zola transcende sa doctrine simplificatrice par une imagination puissante et un souffle épique servis par une prose lyrique et un vocabulaire foisonnant ; comment méconnaître dans l'épopée de Zola, « le symbolisme et le penchant au mythe, qui [...] hausse son univers jusqu'au surnaturel ? » (Thomas Mann).

ZOLDER. ♦ V. de Belgique (Limbourg), arr. de Hasselt. 9 600 hab. Église du XVe s. Houillères.

ZOLLIKON. ♦ V. de Suisse (canton de Zurich), dans la banlieue S. de Zurich, sur la rive N. du lac de Zurich. 12 000 hab. Cimenterie.

ZÖLLNER (Friedrich). ♦ Astrophysicien allemand (Berlin, 1834 — Leipzig, 1882). Auteur de recherches photométriques en astronomie, il mit au point un photomètre [1860] (**V.** *aussi* **Pickering, Steinheil**), établit le premier catalogue photométrique des étoiles et effectua les premières mesures de l'albédo des planètes (1865).

Zollverein (Deutscher) [« Union douanière allemande »]. ♦ Union douanière des États allemands sous la conduite de la Prusse, qui fut à l'origine de l'unité politique allemande. L'économiste Friedrich List demanda en 1819 l'abolition des douanes intérieures en Allemagne. Dès 1818, la Prusse avait unifié tous ses tarifs de douane. Le Zollverein se heurta à l'opposition de l'Autriche qui avait peur d'une hégémonie prussienne en Allemagne, mais Motz, ministre des Finances prussien, conclut une union douanière avec la Hesse-Darmstadt (1828). Bien qu'il se fût formé avec l'appui de l'Autriche deux unions douanières, en Allemagne du Sud (Bavière et Wurtemberg) et en Allemagne centrale (Brême, Brunswick, Francfort, Hanovre, Hesse électorale, Nassau, Saxe et États de Thuringe), la Prusse réussit à désunir ces associations et offrit à tous ces pays l'ouverture du marché prussien. C'est ainsi qu'en 1831, la Saxe-Weimar et la Hesse électorale se joignirent au Zollverein ainsi que la Bavière et le Wurtemberg, puis, en 1833, la Saxe et les États de Thuringe. Malgré l'union constituée par quelques états hostiles à la Prusse *(Steuerverein)*, le Zollverein regroupait de plus en plus de pays : Bade et Nassau (1835), Francfort (1836), Luxembourg (1842) et Brunswick (1844), dont l'adhésion marqua la fin du Steuerverein. En 1854, le Zollverein s'étendait sur toute l'Allemagne, excepté Lübeck et le Mecklembourg (adhésion en 1868). Brême et Hambourg (adhésion en 1888). Le Zollverein, qui avait fait l'union douanière et économique de l'Allemagne (notamment par l'unification des chemins de fer), transforma l'Allemagne en une grande puissance industrielle et contribua grandement à son intégration politique.

ZOMBA. ♦ V. du Malawi* au S. du pays. 20 000 hab. Pierre à chaux. — Anc. capitale, elle a été remplacée par Lilongwe*.

ZONGULDAK. ♦ V. et port de Turquie, sur la mer Noire*. Ch.-l. de la prov. homonyme. 55 404 hab. (1965). Important bassin houiller à proximité. C'est le troisième port du pays (exportation de charbon).

ZONHOVEN. ♦ V. de Belgique (Limbourg, arr. de Hasselt), en Campine. 12 700 hab. Maison communale de 1787. Église (tour du XVe s.). — Pisciculture.

ZOPYROS. ♦ (~ VIe s.). Il fut l'un de ceux qui contribuèrent à l'avènement de Darios Ier. Selon une légende rapportée par Hérodote, il aurait livré Babylone à Darios par une ruse : il se serait présenté dans la ville comme un transfuge, après s'être fait couper le nez et les oreilles, et aurait ouvert les portes confiées à sa garde. Une anecdote analogue est rapportée par Ctésias de Cnide à propos de son fils Mégabyse et de Xerxès Ier.

ZORN (Anders). ♦ Peintre, dessinateur et graveur suédois (Mora, 1860 — Stockholm, 1920). Il étudia d'abord la sculpture, puis séjourna longtemps à Paris. Il est l'auteur de paysages et de scènes rustiques évoquant la région de la Dalécarlie qui s'inscrivent dans le courant naturaliste de la fin du siècle et où apparaît son goût pour les formes sensuelles, les couleurs vives, les reliefs appuyés. Il a aussi laissé de nombreuses gravures, notamment des portraits d'artistes qui se distinguent par leur force expressive et la sûreté d'un trait aux longues hachures incisives *(Portraits de Verlaine, E. Renan, Rodin)*.

ZOROASTRE, zoroastrisme. ♦ **V.** ZARATHOUSTRA.

ZOROBABEL. ♦ Prince de Juda qui, avec le prêtre Josué, dirigea le retour des juifs de Babylone après l'édit de Cyrus (~ 539-~ 538) et entreprit la reconstruction du Temple.

ZORRILLA Y MORAL (José). ♦ Poète et dramaturge espagnol (Valladolid, 1817 — Madrid, 1893). Sa réputation de poète populaire se fonda sur des œuvres qui évoquent le passé légendaire ou héroïque de l'Espagne (*Granada*, 1852) et *La Légende du Cid* (*La Leyenda del Cid*, 1882). Il devait connaître au théâtre un succès considérable avec des drames d'un ardent lyrisme et dont les sujets romantiques sont empruntés à l'histoire nationale : *Le Savetier et le Roi* (*El Zapatero y el Rey*, 1840) et *Don Juan Tenorio* (1844).

ZOSIME *(saint)*. ♦ 41e pape (417-418 [mort]). Grec. Abusé par Pélage* et son disciple Caelestius, il leur accorda l'absolution ; mais il condamna le pélagianisme après le concile de Carthage (418). Fête le 26 décembre.

ZOUERATE ou **ZOUEIRAT**. ♦ Cité minière de la Mauritanie, au N. de la Kedia d'Idjil*, reliée à Nouadibhou* par voie ferrée. 4 000 hab. — Centre d'exploitation du minerai de fer.

ZOUG *(lac de)*, en all. **Zugersee**. ♦ Lac de Suisse centrale (cant. de Zoug et Schwyz). 38 km². Il baigne les villes de Zoug* au N.-E. et Arth* au Sud.

Arch. Smeets

Anders Zorn : « Dimanche matin ». (Musée national, Stockholm.)

ZOUG, en all. **Zug**. ♦ V. de Suisse, à l'extrémité N. de la rive orientale du lac de Zoug, au pied du Zugerberg, ch.-l. du canton de Zoug. 22 000 hab. Ville ancienne et pittoresque : tour de l'horloge *(Zytturm)* du XIVe s., hôtel de ville (XVIe s.), église gothique Saint-Oswald (XVe-XVIe s.). Indus. textile et mécanique. Centre pour le commerce du bétail. ♦ *Hist.* En 1273, Zoug fut achetée par Rodolphe* Ier de Habsbourg. Les Habsbourg ne renoncèrent à leurs droits que lorsque la ville entra dans la Confédération helvétique après la bataille de Sempach* (XIVe s.). Au XVIe s., elle résista à la Réforme. Absorbée dans le canton de Waldstätten en 1798, elle retrouva son autonomie en 1803. – Le CANTON DE ZOUG est limité par le canton de Zurich* au N., le canton de Schwyz* à l'E. et au S. et les cantons de Lucerne* et d'Argovie* à l'ouest. 239 km². 67 000 hab., en majorité de langue allemande et de religion catholique. *Ch.-l.* Zoug. Les lacs de Zoug et d'Aegeri couvrent une grande partie de sa superficie. L'économie du pays est essentiellement agricole (arbres fruitiers). L'industrie est centralisée dans les villes (indus. textile et mécanique, distilleries).

ZOULOULAND ou **ZULULAND**. *n. m.* ♦ V. NATAL.

ZOULOUS. *n. m. pl.* ♦ Peuple noir de l'Afrique australe, émigrant surtout vers le Natal*.

ZRENJANIN, anc. **Veliki Bečkerek** et **Petrovgrad**. ♦ V. de Yougoslavie (Vojvodine), 58 000 hab. – Centre industriel (métallurgie, raffinerie de pétrole).

ZRINYI (Miklós). ♦ Écrivain hongrois (Csáktornya, 1620 – *id.*, 1664). Il fit ses études dans les écoles jésuites de Gratz et Nagyszombat, voyagea en Italie, puis entra dans l'armée où il se rendit célèbre par ses exploits. C'est le créateur de la littérature épique hongroise, avec la *Zrinyiade*, où il chante les actes héroïques de son ancêtre Nicolas Zrinyi lors de la défense de Szigetvár contre les Turcs. Il composa aussi des poésies amoureuses.

ZSIGMONDY (Richard). ♦ Chimiste autrichien (Vienne, 1865 – Göttingen, 1929). Auteur de travaux sur la chimie des surfaces (colloïdes), il réalisa avec Siedentopf le premier ultramicroscope (1903) qui permit d'observer des particules colloïdales de 0,004 μ. **V. Abbe.** (Prix Nobel de chimie, 1925.)

ZUBAIR. ♦ V. d'Iraq (province de Basra*). Plus de 30 000 hab. – Important gisement de pétrole relié par oléoduc à Fao* où s'effectue l'exportation.

ZUCCHI (Virginia). ♦ Danseuse italienne (Cortemaggiore, Parme, 1847 – Monte-Carlo, 1930). Nature fougueuse et passionnée, douée d'un tempérament dramatique exceptionnel, elle connut la faveur du public européen avant de triompher à Saint-Pétersbourg (1885-1892), au Théâtre-Marie, où elle parut dans de nombreux ballets, plusieurs réglés par M. Petipa *(La Fille du Pharaon, Coppélia, Paquita, La Esmeralda, La Fille mal gardée, Par ordre du roi)*. Dans un style libéré des traditions académiques et proche du réalisme, elle imposa au ballet impérial une réforme dont S. de Diaghilev devait plus tard perpétuer l'esprit en fondant les célèbres « Ballets russes ».

ZUCKMAYER (Carl). ♦ Auteur dramatique allemand, naturalisé suisse en 1966 (Nackenheim, Hesse, 1896 – Visp, 1977). Il donna une comédie se déroulant dans le cadre de la Hesse rhénane (*Le Joyeux Vignoble*, 1925), reprit l'histoire du *Capitaine Köpenick* (1931), contre le militarisme prussien. Après avoir vécu en exil en Amérique sous le régime nazi, il connut une certaine renommée avec deux pièces sur le national-socialisme et la guerre (*Le Général du diable*, 1946; *Le Chant dans la fournaise*, 1950) et publia ensuite *La Lumière froide* (1955, roman inspiré par les expériences atomiques) et ses *Mémoires* (1966).

ZUG. ♦ V. ZOUG (Suisse).

ZUGSPITZE. *n. m.* ♦ Sommet des Alpes bavaroises (2 963 m), à la frontière de l'Autriche et de l'Allemagne, dont il constitue le point culminant. La station de Garmisch*-Partenkirchen (alt. 708-2 963 m) est située au pied du Zugspitze.

ZUHAYR (Ibn Abî Salmâ). ♦ Poète arabe antéislamique (VIe s.). Il est l'auteur de l'une des *Mu'allaqat**. Utilisant un style simple et sentencieux, il s'éloigne de ses confrères en prêchant la paix et en condamnant la guerre.

Ph. Lauros/Atlas photo

Le **Zuiderzee** : digue du nord.

ZUIDERZEE ou **ZUYDERZEE**, *n. m.* (« mer du Sud », nom donné par les Danois). ♦ Mer intérieure des Pays-Bas, dont les 3 500 km² séparaient l'O. du N. du pays. Les premiers plans d'assèchement datent du XVIIIe siècle. Le Zuiderzee fut fermé en 1932 par une digue de 30 km qui le sépare de la mer des Wadden et l'a transformé en lac d'eau douce : l'Ijselmeer*. L'ensemble du projet comprend la mise en culture de terres nouvelles. Le reste du lac d'Ijsel (125 000 ha), au centre des polders, est destiné à servir de réservoir d'eau douce.

ZULIA. *n. m.* ♦ État de l'extrémité N.-O. du Venezuela qui borde le lac de Maracaibo*. 63 100 km² (y compris la lagune de Maracaibo). Env. 1 300 000 hab. – Principale zone d'exploitation pétrolière du pays (80 % de la production) autour du lac Maracaibo. Cultures tropicales (canne à sucre, coton, ...). *Ch.-l.* Maracaibo*.

ZULOAGA Y ZABALETA (Ignacio). ♦ Peintre espagnol (Eibar, Pays Basque, 1870 – Madrid, 1945). Il étudia à Paris, puis séjourna à Rome. Installé à Paris en 1892, il subit l'influence de l'impressionnisme, fréquenta les milieux symbolistes et se lia avec Mallarmé, Degas, Rodin et Maurice Barrès. Il devint un portraitiste mondain réputé et évoqua aussi des sites et des paysages de son pays natal. Il intégra ses personnages à un cadre pittoresque *(Belmonte)*, cherchant souvent les effets pathétiques *(Barrès devant Tolède)*. La recherche du caractère prit souvent chez lui des accents âpres et violents, et il se plut à représenter des types locaux *(Gitane* et *Andalouse)* ainsi que des nains, des infirmes, des mendiants en puisant à la tradition picturale espagnole du XVIIe siècle.

ZÜLPICH. ♦ V. TOLBIAC.

ZULTE. ♦ Comm. de Belgique (Flandre-Orientale, arr. de Gand) dans la vallée de la Lys. 5 000 hab. Indus. textiles (laine). Colorants.

ZUNZUNEGUI (Juan Antonio). ♦ Écrivain espagnol (prov. de Bilbao, 1901 –). Il a décrit la vie au Pays Basque, *Vie et paysages de Bilbao* (1926), et s'est fait un critique sévère et moralisateur de la bourgeoisie : *Chiripi* (1931); *Le Chiplichandle* (1940), *La Faillite* (1947) et surtout *La Vie telle qu'elle est* (*La vida como es*, 1954) qui dépeint, avec un réalisme très traditionnel, des personnages de la pègre madrilène.

ZUPANČIC (Oton). ♦ Poète slovène (Vinica, 1878 – Ljubljana, 1949). Son œuvre poétique marqua la naissance du modernisme slovène. Il laissa dix recueils de vers dont *La Coupe d'ivresse* (1899), *Par la plaine* (1904), *Murmures* (1908), *Sentiers de jeunesse* (1919), *La Pervenche sous la neige* (1945) et une tragédie : *Veronika Deseniška* (1924). Dans des vers d'un style léger, spontané et d'une grande qualité musicale, il exprime la beauté des paysages de son pays et l'élan vital de ses habitants. Il écrivit aussi des poèmes sociaux et révolutionnaires, qui critiquent l'influence de l'Église : *Tristesse, Les tombes hurlent, La Chanson des jeunes, Notre père, Printemps en octobre* sur la révolution russe.

ŻURAWNO. ♦ Anc. V. de Pologne, auj. en Ukraine*, où Jean* III Sobieski battit les Turcs en 1676 et imposa la restitution d'une partie de l'Ukraine à la Pologne.

ZURBARÁN (Francisco de). ♦ Peintre espagnol (Fuente de Cantos, 1598 – Madrid, 1664). Il fit son apprentissage à Séville de 1614 à 1617 auprès d'un peintre obscur, auteur d'images pieuses, Pedro Diaz de Villanueva, et eut probablement l'occasion de connaître Vélasquez. Sa première œuvre connue, une *Immaculée Conception* (1616), malgré les dettes envers le maniérisme tardif d'origine italienne, s'impose déjà par l'expression d'un sentiment religieux à la fois fort et candide. Il ouvrit un atelier à Llerena, jusqu'en 1628; il réalisa alors des retables d'église dont la plupart ont disparu et reçut des commandes pour les couvents sévillans, après avoir entrepris, en 1626, *La Vie de saint Dominique* pour le couvent de San Pablo. Il évoqua notamment l'histoire de *Saint Pierre Nolasque* pour le couvent de la *Merced calzada*, 1628-1630, et l'*Histoire de saint Bonaventure* (commencée par Herrera le Vieux) pour le collège de Saint-Bonaventure. Le succès obtenu par les œuvres de San Pablo lui valut d'être appelé par la municipalité de Séville, où il s'établit jusqu'en 1639. Ses grands cycles monastiques laissent apparaître une forte imprégnation du ténébrisme issu du Caravage alors en faveur à Séville, qui se combine à des souvenirs de la peinture du XVIe s. et même de la tradition gothique du XVe s., particulièrement de la sculpture polychrome sur bois. Le goût des détails vrais, traités avec une insistance particulière, la façon naturelle avec laquelle le peintre intègre le merveilleux (le miracle) à la vie quotidienne contribuent à créer une atmosphère de dévotion familière qui lui est personnelle. Tandis qu'une certaine maladresse apparaît parfois dans l'organisation de l'espace, notamment dans la perspective, l'accent est mis sur la solidité des volumes que soulignent la sécheresse de la facture, le contraste abrupt de couleurs souvent claires. Dans certaines de ses figures isolées, tels le *Christ en croix* ou le *Saint Sérapion*, les formes sculpturales se détachent sur un fond sombre leur conférant un caractère pathétique et monumental. Dans les effigies de religieux, l'absence d'accessoires annexes et la simplicité de la composition, où seuls sont mis en valeur les lourdes draperies blanches, beiges, grises, brunes ou noires aux plis nets et les visages scrutés avec acuité, concourent à une expression d'austère grandeur *(Saint François en méditation).* En 1634, Zurbarán fut appelé à Madrid pour participer à la décoration du Buen Retiro sous la direction de Vélasquez. Y abordant pour la première fois les compositions mythologiques *(Travaux d'Hercule)* et les scènes de bataille (*Défense de Cadix*, 1634), il intégra difficilement des influences diverses. Revenu à Séville avec le titre de peintre du roi, il assouplit quelque peu son style, réalisant pour divers couvents quelques-unes de ses œuvres majeures (série d'*Apôtres* à Marchena, 1637; cycle de la *Merced descalzada,* 1636; *Retable de Llerana,* 1636-1638; cycle pour les *chartreux de Jerez,* 1638-1639, puis les *hiéronymites de Guadaloupe,* 1638-1644). S'il s'imposa surtout dans la chronique de la vie monastique ou la représentation de fondateurs d'ordre, la fraîcheur d'inspiration d'œuvres comme les *Immaculée Conception,* les *Sainte Famille* ou les *scènes de l'enfance du Christ (L'Atelier de Nazareth)* révèle un registre différent dans l'expression du sentiment religieux, plus gracieux et intime. Dans ses natures mortes (*Oranges, cédrats et rose,* 1633), le peintre montre sa capacité de stylisation, de pureté formelle en même temps que son goût pour les objets les plus humbles; la rigueur et la simplicité de l'ordonnance, le traitement géométrique des volumes confèrent aux objets un caractère presque abstrait ainsi qu'une présence intense. Cependant, vers 1644, la production de Zurbarán marqua un net fléchissement, dû peut-être à la nécessité d'une adaptation au goût nouveau que consacrait Murillo; il donna aux formes un aspect plus sinueux et amortit ses coloris; l'expression s'affadit *(Vierge avec l'enfant Jésus et saint Jean)*; les œuvres d'atelier se multiplièrent et beaucoup furent envoyées à la clientèle d'Amérique du Sud : figures de fondateurs d'ordre, de patriarches, d'apôtres, d'Immaculée Conception, et série de *Saintes* que les poses, l'expression, empreintes d'une certaine coquetterie, les costumes, d'une élégance recherchée, chargent d'un étonnant esprit profane *(Sainte Agathe; Sainte Casilde; Sainte Marguerite).* Il mourut à Madrid, pauvre et oublié. Considéré au XVIIIe s. comme le « Caravage espagnol » sans pour autant être placé au premier plan, il fut pour les romantiques une révélation; les cubistes mirent en valeur dans son œuvre la rigueur plastique du traitement de la lumière et des volumes, et on le reconnut comme l'un des plus grands maîtres de la peinture espagnole.

ZURICH *(lac de),* en all. **Zürichsee**. ♦ Lac de Suisse, situé entre les cantons de Zurich, Saint-Gall et Schwyz. 89 km². Il reçoit la Linth et s'écoule à Zurich par la Limmat, affl. de l'Aar*. Il baigne les villes d'Horgen*, Küsnacht*, Thalwil*, Wädenswil*, Zollikon* et Zurich*.

ZURICH *(canton de).* ♦ Canton suisse limité par l'Allemagne et le canton de Schaffhouse* au N., les cantons de Thurgovie* et de Saint-Gall* à l'E., le lac de Zurich et le canton de Zoug* au S., le canton d'Argovie* à l'ouest. C'est le premier canton de la Confédération helvétique. 1 729 km². 1 107 788 hab., en majorité de langue allemande et de religion protestante. *Ch.-l.* Zurich; *V. princ.* **V. Adliswil, Dübendorf, Horgen, Küsnacht, Pfäffikon, Thalwil, Uster, Wädenswil, Winterthur, Zollikon.** — Le pays contient la plus grande partie du *lac de Zurich.* Il est drainé par le Rhin*, la Limmat, la Thur*, la Töss et la Sihl. L'économie de la région est essentiellement industrielle : métallurgie, indus. mécanique (matériel ferroviaire, machines), indus. textile (sur la rive S. du lac), indus. chimique. — Patrie de J.J. Bodmer* (Greifensee).

ZURICH [-ʀik], en all. **Zürich**. ♦ V. de Suisse sur les rives de la Limmat et de la Sihl à l'extrémité N. du *lac de Zurich*, ch.-l. du canton de Zurich et première ville de Suisse. 432 400 hab. (671 500 aggl.) en majorité de langue allemande et de religion protestante (3/5). Université (fondée en 1523). Polytechnicum (école polytechnique fédérale). Aéroport international de Zurich-Kloten. — Autour du vieux Zurich, qui ne forme plus maintenant

Ph. Nino Cirani/Ricciarini

Les bords de la Limmat à **Zurich.**

Ph. Nimatallah/Ricciarini

Francisco de Zurbarán : « Défense de Cadix », 1634. (Musée du Prado, Madrid.)

qu'un petit noyau à l'extrémité du lac, la ville s'est considérablement développée en s'étageant sur les collines qui bordent le lac : cathédrale romane du XIIe s. *(Grossmünster), Fraumünster* (XIIe-XIVe s.), église Saint-Pierre (XIIIe s.), hôtel de ville (XVIIIe s.). Musée national suisse *(Pestalozzianum),* musée des Beaux-Arts. — Important centre industriel : indus. textile (soie), indus. mécanique (matériel ferroviaire, hydraulique et électrique), indus. chimique (savonneries, caoutchouc), papeteries, indus. alimentaires. Zurich est avant tout le plus grand centre bancaire et financier de la Suisse : Union de banques suisses, Société de banques suisses, bourse, marché de l'or. — Patrie de J.K. Bluntschli*, M. Frisch*, Salomon Gessner*, A. Heim*, G. Keller*, J.K. Lavater*, C.F. Meyer*, J.K. von Orelli*, J.H. Pestalozzi*, H. Rorschach*. ♦ *Hist.* L'anc. *Turicum* romaine (~ 58) fut conquise par les Alamans (VIe s.) puis par les Francs, qui en firent une résidence royale (IXe s.), et devint très vite une importante place commerciale. Elle entra dans la Confédération helvétique en 1351. Mais désireuse d'étendre sa domination elle n'hésita pas, appuyée par l'Autriche, à déclarer aux autres cités suisses une guerre d'où elle sortit vaincue (1435-1450). À partir de 1519, la prédication de Zwingli* fit de Zurich une des capitales de la Réforme **(V. Kappel)**. Au XVIIIe s., la ville devint le centre intellectuel de la Suisse alémanique avec Gessner, Lavater et Pestalozzi. — *Batailles de Zurich* (4 juin et 25 sept. 1799). Masséna* battit à deux reprises près de Zurich les Autrichiens puis les Russes, empêchant ainsi l'invasion de la France par les Alliés **(V. Deuxième Coalition*)**. — *Paix de Zurich.* Ensemble des accord signés le 11 nov. 1859 entre l'Autriche, la France et la Sardaigne, sur la base des préliminaires de Villafranca* qui marquèrent la fin de la campagne d'Italie. L'Autriche vaincue cédait la Lombardie (à l'exception de Mantoue et Peschiera) à la France, qui les rétrocédait au Piémont. Les clauses des préliminaires de Villafranca concernant la formation d'une confédération italienne et le rétablissement des princes d'Italie centrale (Toscane et Modène) ne furent point appliquées, ce qui suscita le mécontentement des alliés italiens de Napoléon III, ce dernier leur ayant promis de libérer l'Italie des Alpes à l'Adriatique.

ZURVAN. ♦ Dieu du temps, dans la mythologie iranienne. Il est mentionné dans l'Avesta, mais devient important au ~ IIIe siècle. Dans le mythe, il offre un sacrifice pour avoir un fils, mais doute de son efficacité : les jumeaux Ahriman* et Ohrmazd* naissent respectivement du doute et du sacrifice.

ZUTPHEN ou **ZUTFEN**. ♦ V. des Pays-Bas (Gueldre) sur l'IJsel et la Berkel. 27 531 hab. Églises (XIIIe-XVe s.). — Indus. alimentaires et textiles. Commerce du bois. Constructions mécaniques. Indus. chimiques (plastique).

ZWEIBRÜCKEN. ♦ **V.** DEUX-PONTS.

ZWEIG (Stefan). ♦ Nouvelliste et essayiste autrichien (Vienne, 1881 — Petrópolis, Brésil, 1942). Esprit curieux et ouvert, ami de R. Rolland et Verhaeren, dont il fut le traducteur, il s'est essayé dans les genres littéraires les plus divers : poésie, œuvres dramatiques (*Thersite,* 1907; *La Maison au bord de la mer,* 1911; *Jérémie,* 1917, contre la guerre; des adaptations de Ben Johnson, en particulier *Volpone,* 1927), un roman, *Impatience du cœur* (*Ungeduld des Herzens* [1938], connu parfois sous le titre *La Pitié dangereuse*). Mais il réussit surtout dans la nouvelle brève (*Amok,* 1922; *La Confusion des sentiments,* 1926, etc.), l'essai littéraire critique (*Trois Maîtres,* 1919, sur Balzac, Dickens et Dostoievski; *Lutte avec les démons,* 1925; sur Hölderlin, Kleist et Nietzsche), la biographie romancée (de J. Fouché, Marie-Antoinette, Marie Stuart). Influencé par la psychanalyse de Freud (auquel il consacra l'essai intitulé *La Guérison par l'esprit*, 1931), S. Zweig fut un des maîtres de l'analyse psychologique, par ses études sur les motivations profondes des actes humains, son intérêt pour les phénomènes étranges, voire pathologiques, son souci de ne pas être dupe des valeurs morales d'une civilisation sur son déclin. Parti d'Allemagne en 1935 (profondément marqué par la progression et les victoires du nazisme), il se donna la mort en même temps que sa seconde femme en 1942.

ZWEIG (Arnold). ♦ Écrivain allemand (Glogau, Silésie, 1887 – Berlin-Est, 1968). Auteur de nouvelles psychologiques influencées par la psychanalyse freudienne (*Nouvelles autour de Claudia*, 1912), d'œuvres dramatiques (*Abigal et Nabal*, 1913 ; *De Vriendt rentre chez lui*, 1933, etc.), il dut surtout sa renommée à son roman *Le Cas du sergent Grischa* (1927), violente critique du militarisme où il affirma ses positions socialistes et qui fut suivi de plusieurs autres (*Jeune Femme de 1914*, 1931 ; *Éducation devant Verdun*, 1935 ; *Le Couronnement d'un roi*, etc.). D'origine juive et militant sioniste, il se réfugia en Palestine à partir de 1933, mais revint en République démocratique allemande en 1948.

ZWEVEGEM. ♦ Comm. de Belgique (Flandre-Occidentale, arr. de Courtrai), à 5 km de Courtrai. 11 664 hab. Métallurgie. Textile.

ZWICKAU. ♦ V. d'Allemagne orientale (Saxe, district de Karl-Marx-Stadt), sur la r. g. de la *Mulde de Zwickau*. 127 480 hab. (1969). Églises Sainte-Marie (XVIe s.) et Sainte-Catherine (XIVe s.), halles et hôtel de ville du XVIe siècle. – Zwickau est un centre industriel actif, situé sur un bassin houiller. Indus. textiles, mécaniques (automobiles, matériel ferroviaire), métallurgiques (câbles) et chimiques (colorants, produits pharmaceutiques). – Patrie de R. Schumann*. – Thomas Münzer y prêcha, entraînant une première révolte anabaptiste (1521).

ZWIJNAARDE. ♦ Comm. de Belgique (Flandre-Orientale, arr. de Gand) sur l'Escaut. 5 600 hab. Horticulture. Pépinières. Produits maraîchers.

ZWIJNDRECHT. ♦ Comm. de Belgique, dans la banlieue O. d'Anvers, sur l'Escaut. 9 200 hab. – Indus. alimentaires, métallurgiques et textiles. Mobilier. ♦ *Hist.* Avant 1923, Zwijndrecht faisait partie de la Flandre-Orientale.

ZWIJNDRECHT. ♦ V. des Pays-Bas (Hollande-Méridionale), au N.-O. de Dordrecht. 33 165 hab. – Cultures maraîchères. Indus. alimentaires. Métallurgie.

ZWIN. *n. m.* ♦ Réserve naturelle de Belgique dans une région de dunes, de prés salés, de marais et de bois (150 ha) entre Knokke* et la frontière hollandaise.

ZWINGLI (Ulrich ou Huldrych). ♦ Réformateur religieux suisse (Wildhaus, cant. de Saint-Gall, 1484 – Kappel, 1531). À Vienne et à Bâle où il fit ses études, il reçut une formation d'humaniste et fut en contact avec Érasme*. Nommé curé de Glaris, ses sermons contre le mercenariat l'obligèrent à quitter sa cure pour l'abbaye d'Einsiedeln* où il fut chapelain. Devenu prédicateur de la collégiale de Zurich, il poursuivit ses attaques contre le pape, les lois officielles de l'Église catholique et sa corruption. Il adhéra à la Réforme, dont il contribua à fixer les dogmes par les soixante-sept thèses où il exposa sa doctrine, reconnaissant la Bible comme seul fondement de la loi et rejetant l'autorité de Rome. Ses paroissiens et le Conseil de Zurich prirent son parti. *L'Exposition et les preuves des thèses* ainsi que le *De vera et falsa religione commentarius* (dédié à François* Ier) développent les positions de Zwingli qui, sur certains points (en particulier la communion), diffèrent de celles de Luther* à qui il s'opposa au colloque de Marbourg. N'ayant jamais séparé pouvoir temporel et pouvoir spirituel, État et Église, Zwingli ne se contenta pas d'être un chef religieux, mais orienta la vie politique de Zurich qu'il amena à entreprendre deux campagnes contre les cantons catholiques. Il fut tué lors de la seconde, à la bataille de Kappel.

ZWOLLE. ♦ V. des Pays-Bas, ch.-l. de la prov. d'Overijsel, sur l'Ijsel. 77 134 hab. Église et hôtel de ville du XVe siècle. Matières plastiques. Constructions électriques. ♦ *Hist.* Après l'obtention de ses libertés municipales en 1230, Zwolle fut au XIIIe s. une importante ville hanséatique. La place forte fut démantelée en 1674 par les troupes de l'évêque de Münster et du prince électeur de Cologne, alliés de Louis XIV. Chef-lieu du département des Bouches-de-l'Yssel pendant le Premier Empire.

ZWORYKIN (Vladimir Kosma). ♦ Ingénieur américain d'origine russe (Mourom, 1889 –). Assistant de Boris Rosing* à l'Institut de technologie de Saint-Pétersbourg, il commença l'étude d'une méthode de télévision électronique (1910), puis présenta en 1923 aux États-Unis un dispositif de télévision entièrement électronique. Dans les laboratoires de la Société R.C.A., il mit au point l'*iconoscope* (1933), tube de prises de vues qui permit les grands progrès de la télévision cathodique ; il réalisa ensuite les premiers photomultiplicateurs (1936) et présenta en 1939 un « multiplicateur électrostatique d'électrons ». Depuis, il s'est consacré à l'essor de l'électronique médicale.

ZYRARDÓW. ♦ V. de Pologne* (voïévodie de Varsovie). 29 600 hab. – Industries textiles. – La ville doit son nom à l'industriel français *Philippe de Girard** qui y installa en 1833 des métiers à filer de son invention.

ZYRIANE (S) ou ZYRIÈNE (S). *n. m. pl.* ♦ Peuple finno-ougrien qui habitait à l'époque tsariste dans le gouvernement d'Arkhangelsk. Désignés aussi sous le nom de *Komis*, les Zyrianes font aujourd'hui partie de la R.S.S. autonome des Komis*.

Imprimé en France par Brodard Graphique.
Coulommiers-Paris
pour le compte de
S.N.L. Le Robert.
107, avenue Parmentier, Paris XIe.
Reliure réalisée par la SIRC à Marigny-le-Châtel.

Dépôt légal : 3e trimestre 1977
No Impr. : 70/7080/2
No Éditeur : 2.850.360.03.1
3e édition – 3e trimestre 1977

ACKNOWLEDGEMENTS

I should like to thank Delyth Neil for the Welsh, Leslie Wilson for the German, and a Norfolk lady for the Flemish. Guada Abale for lending me a song. Judith Flanders for helping me when I couldn't get to the British Library. Dr Christopher Haigh for inviting me to a splendid dinner in Wolsey's hall at Christ Church. Jan Rogers for sharing a pilgrimage to Canterbury and a drink at the Cranmer Arms at Aslockton. Gerald McEwen for driving me around and putting up with my preoccupations. My agent Bill Hamilton and my publishers for their support and encouragement. Above all, Dr Mary Robertson; her business as a scholar has been with the facts of Cromwell's life, but she has encouraged me and lent me her expertise through the production of this fiction, put up with my fumbling speculations and been kind enough to recognise the portrait I have produced. This book is dedicated to her, with my thanks and love.